W9-CCL-015

NOVO DICIONÁRIO DA LÍNGUA PORTUGUESA

Diccionario, no eres
tumba, sepulcro, féretro,
túmulo, mausoleo,
sino preservación,
fuego escondido,
plantación de rubíes,
perpetuidad viviente
de la esencia,
granero del idioma.

PABLO NERUDA, "Oda al Diccionario".

Escrevo com o dicionário. Sem dicionário, não posso escrever — como escritor.

GILBERTO AMADO, *ap.* ANTÔNIO CARLOS VILAÇA, *O Anel.*

Tous les autres auteurs peuvent aspirer à la louange; les lexicographes ne peuvent aspirer qu'à échapper aux reproches.

ANDRIEUX, *ap.* ALFRED ELWALL, *Dictionnaire français-anglais*

AURÉLIO BUARQUE DE HOLANDA FERREIRA

Da Academia Brasileira de Letras
e da Academia Brasileira de Filologia

NOVO DICIONÁRIO DA LÍNGUA PORTUGUESA

2ª edição,
revista e aumentada
40ª impressão

Assistentes:
MARGARIDA DOS ANJOS
MARINA BAIRD FERREIRA
ELZA TAVARES FERREIRA
JOAQUIM CAMPELO MARQUES
STELLA RODRIGO OCTÁVIO MOUTINHO

Auxiliar:
GIOVANI MAFRA E SILVA

Colaboração especializada:

ADEMAR BEZERRA FERREIRA LIMA — Taquigrafia / ALDERICO DA SILVA TORÍBIO — Capoeira / ANGELA MARIA BOSÍSIO — Informática / ARTHUR BOSÍSIO JR. — Comunicação / CARLOS TOLEDO RIZZINI — Botânica / DEOLINDO COUTO, JR. — Medicina / DURVALDO GONÇALVES — Engenharia Eletrônica e Nuclear / EDILSON RODRIGUES MARTINS — complementação de Antropologia / EDMUNDO CARLOS DE MORAIS E REGINA ELISABETH SANTIAGO CARVALHO — Genética / FRANCO DE BARROS — Teatro / HEITOR LISBOA DE ARAÚJO — Engenharia Civil / HERICK MARQUES CAMINHA — Marinha, Marinharia, Construção Naval e Náutica / HORÁCIO E ANITA MACEDO — Matemática / HORÁCIO MACEDO — Estatística, Física, Físico-Química e Química / ISOLDA DOS ANJOS HONNEN — complementação de Arquitetura e Urbanismo / IVAN CAVALCANTI PROENÇA — Equitação e Hipologia / MARÇAL VERSIANI — Religião / MARCOS DE CASTRO — Turfe / MARIA CARLOTA AMARAL PAIXÃO ROSA, MYRIAM AZEVEDO DE FREITAS E AURORA MARIA SOARES NEIVA — Gramática e Lingüística / MARIA JOSÉ MACHADO CARNEIRO — Música / MARÍLIA BARROSO — Filosofia / NELY VALADARES E FÁTIMA MARTINS — Teoria Literária / ORLANDO DA COSTA FERREIRA — Biblioloqia e Artes Gráficas / PAULO MARCOS DE AMORIM — Antropologia / PAULO MOREIRA DA SILVA — Oceanografia / PAULO RÓNAI — Palavras, locuções, frases feitas e provérbios de uso universal / RAIMUNDO ARAÚJO — Propaganda e Promoção de Vendas / REGINALDO GUIMARÃES — Folclore / RONALDO ROGÉRIO DE FREITAS MOURÃO — Astronomia, Astrologia, Astronáutica e Cosmologia / SÍLVIO ALVES — Charadismo e Cruzadismo / SÓLON LEONTSINIS e JOSÉ CÂNDIDO DE MELLO CARVALHO — Zoologia.

EDITORA
NOVA FRONTEIRA

O dicionário Aurélio inclui vocábulos originados de marcas e títulos registrados, porque são de uso comum na língua.
A existência dos verbetes respectivos não constitui infração aos direitos correspondentes.

ISBN 85-209-0411-4

Capa: Victor Burton

EDITORA NOVA FRONTEIRA S.A.
Rua Bambina, 25 – Botafogo – CEP 22251-050 – Rio de Janeiro, RJ
Tel.: 286-7822 – Fax: 286-6755 – Endereço telegráfico: NEOFRONT – Telex: 34695 ENFS BR

NOTA DA EDITORA NOVA FRONTEIRA

Dissemos na primeira edição que o *Novo Dicionário da Língua Portuguesa*, de Aurélio Buarque de Holanda Ferreira, é uma "obra que por si consagra uma casa editorial".

Trazemos agora ao público esta segunda edição, revista, ampliada e atualizada pelo autor.

Já sabemos, a esta altura, que este dicionário é dos títulos que mais se vendem e venderam em língua portuguesa. O lançamento da segunda edição coincidirá com a marca de 5 milhões de exemplares vendidos, nas quatro versões do dicionário: o grande, o médio, o míni e a edição exclusiva para o mercado de coleções.

Aurélio hoje é sinônimo de dicionário: metonímia que traduz sua indiscutível aceitação e popularidade.

Fizemos esta segunda edição utilizando a melhor e mais avançada tecnologia eletrônica disponível no mercado, depois de um trabalho editorial equivalente ao de uma primeira edição. Somente com o auxílio da informática foi possível compor seus 25 milhões de caracteres, atualizando-o com acréscimos de aproximadamente 35%.

Temos certeza de estar cumprindo da melhor maneira o compromisso desta editora com um padrão de alta qualidade em seu trabalho ao distribuir e vender esta obra, que, por suas muitas qualidades, continuará ocupando, por décadas afora, seu lugar no universo editorial como o melhor e mais útil instrumento de consulta da língua portuguesa.

O Editor

À MARINA

Índice

Prefácio

Mais de trinta anos consumiu Littré na feitura de seu famosíssimo *Dictionnaire de la langue française*, conquanto lhe dedicasse boas quatorze horas por dia. E — note-se — a páginas tantas, havendo comido, à hora de suspender a atividade para se deitar (quatro da manhã), dois vidros de geléia, em vez de um, como de ordinário fazia, sobreveio-lhe uma indigestão e, daí, o medo de morrer deixando a obra inconclusa, o que o fez recorrer à ajuda de sua filha.

E dói pensar que o por vezes super-humano esforço de um dicionarista pode terminar com as mais indesejáveis conseqüências físicas, compensação intelectual bem pouco aliciante e resultados financeiros não demasiado expressivos. Assim aconteceu aos três organizadores do *Dicionário da Língua Portuguesa* (1793) da Academia das Ciências de Lisboa, o qual, sabe-se, parou na letra A, em *azurrar*, fato glosado pelo sarcasmo de Herculano em uma de suas *Lendas e Narrativas*[1]. Desses acadêmicos, um, José da Fonseca, morreu, segundo Ramalho Ortigão, "de lentas e dolorosas enfermidades contraídas nas vigílias da mais opressiva tarefa", e Bartolomeu Inácio Jorge e Agostinho José da Costa Macedo, os outros dois, ficaram cegos. O público, esse lhes deu "o mais ingrato esquecimento"; e a Academia ofereceu a cada um dos três mártires da lexicografia — "como suprema e única remuneração de sua inglória fadiga" — um exemplar do Dicionário.

Narrando o fato, deseja o A., mais do que chamar a atenção para as dores dos lexicógrafos, as quais, afinal de contas, talvez não tenham senão dessas vezes chegado a tanto, distrair o leitor com algo ameno, embora triste, e atraí-lo para o prefácio, tipo de leitura, sem dúvida, não muito apetecido. Um pouco de paciência: procuraremos ser objetivos e sintéticos; daremos informações, sem divagações.

1. Pretendeu-se fazer um dicionário médio, ou inframédio, etimológico, com razoável contingente vocabular (bem mais de cem mil verbetes e subverbetes), atualizado (dentro dos seus limites), atento não só à língua dos escritores[2] (muito especialmente os modernos, mas sem desprezo, que seria pueril, dos clássicos), senão também à língua dos jornais e revistas, do teatro, do rádio e televisão, ao falar do povo, aos linguajares diversos — regionais, jocosos, depreciativos, profissionais, giriescos...

2. Entre os autores, dos mais desvairados gêneros, figuram com certa freqüência os cronistas, por se mostrarem, em maior ou menor grau, bons espelhos da língua viva. São, aliás, vários deles, mestres da prosa dos nossos dias. Nem foi esquecida outra classe de autores: a dos letristas de sambas, marchas, canções. Eles — tal como, até certo ponto, também os cronistas —, além de captarem a criação lingüística popular, não raro são, ainda por cima, criadores, inventores, de palavras.

1. Talvez nem todos se recordem da lenda nem da glosa. A lenda é "A Dama Pé-de-Cabra", onde se lê: "O onagro fitou as orelhas e .... começou a azurrar; começou por onde, às vezes, academias acabam." E em nota de rodapé o escritor glosa/goza: "O Dicionário da Academia, que ficou interrompido no fim da letra A, acaba na palavra *azurrar*."

2. Vão a 770 os autores citados, e a 1.610 as respectivas obras. V., no fim do volume, a bibliografia.

3. Injusto seria deixar de recorrer aos comentaristas políticos, econômicos, etc., aos repórteres, aos noticiaristas — desde os mais qualificados colaboradores, de vária espécie, de jornais e revistas, até aos mais modestos, aos focas anônimos, aos que fazem a cozinha da profissão.

4. Dessas diversas fontes brotaram muitas das palavras deste dicionário. Brotaram, ou se enriqueceram de acepções ou abonações. Quando se pensa em abonar palavras para um léxico, observa-se — como se deu agora com o A. — o mundo de vocábulos e, sobretudo, de significados, vivos de um século, de séculos, e esquecidos dos lexicógrafos, que, ao longo do tempo (com exceções, é claro), foram fazendo pouco mais do que mutuamente se copiarem (o que às vezes é inevitável), com, aqui e ali, algum retoque na cópia, e mais umas tantas palavras ou acepções, que estão entrando pelos olhos.

5. Adotou-se, aqui, em relação à fraseologia, o critério, eminentemente prático, do *Diccionario de la Real Academia Española*, critério também seguido por Nascentes: se a frase contém substantivo ou palavra substantivada, naquele ou nesta se faz o registro (assim, *ação entre amigos* virá em *ação*; *pôr a mão na consciência*, em *mão*; "O prometido é devido" [provérbio], em *prometido*); seguem-se, na ordem de preferência, o verbo, o adjetivo, o pronome e o advérbio; havendo na expressão mais de um vocábulo da mesma classe gramatical, será o primeiro deles o preferido (p. ex.: *tirar a sardinha com a mão do gato* figura em *sardinha*); as palavras *pessoa* e *coisa*, o pronome *alguém*, os verbos de ligação — *ser, estar, continuar, ficar*, etc. —, se não constituírem parte essencial, imutável, da locução, não são levados em conta; nem se levam em conta os verbos auxiliares.

6. Certos adjetivos que representam espécies de determinadas coisas aparecem definidos no competente substantivo, com que formam um todo. Exemplifiquemos: *ascórbico, bórico, lisérgico*, espécies de ácido, definem-se em ácido; as definições de *capacitivo, eletrônico, flexível*, espécies de *acoplamento*, vêm nesta última palavra; e aparecem definidas em *verso*, e não nos qualificativos, as locuções *verso agudo, verso branco, verso livre*, etc.

7. Há muitas informações a respeito da conjugação dos verbos, inclusive do timbre do *e* em formas onde ele aparece na sílaba tônica (casos como os de *desejar, ensejar* e *invejar*; *espelhar* e *grelhar; empeçar*[1], *empeçar*[2], e *empeçar*[3]).

8. Neste dicionário é abundante a sinonímia. Inúmeras palavras vêm seguidas de sinônimos, que por vezes chegam a dezenas, ou — bem mais raramente — a mais de cem (como em *meretriz, cachaça* e *diabo*). Por outro lado, registram-se largamente homônimos e parônimos, e menciona-se boa porção de antônimos.

9. O "V.", nas remissões, tem estas serventias: **a**) manda o leitor para uma forma vocabular que é a verdadeiramente boa, ou preferível (ou, pelo menos, assim considerada pelo Vocabulário Ortográfico de 1943). Ex.: "*Anquilosar, v. t. d.* e *p.* V. *ancilosar*"; "*Regímen, s. m.* V. *regime*"; **b**) de um dos sinônimos duma palavra encaminha para ela o consulente, que nela encontrará, além da definição, pelos menos dois sinônimos; **c**) remete de um adjetivo à locução a que ele pertence (v. § 6).

10. Atenção grande se deu à regência verbal, procurando-se (sem prejuízo da regência de outros verbos) abonar sistematicamente os transitivos indiretos (ou relativos) e os transitivos diretos e indiretos (ou transitivo-relativos). Além do quê, consignamos regências numerosas ainda ausentes dos léxicos.

11. Corrigiram-se muitos e muitos cochilos do Vocabulário Ortográfico de 1943 (alguns deles com presença noutras obras), como, p. ex., *rigeza* (de *rijo* e não de *rígido*), *retratibilidade* (de *retrátil*, e não de *retratível*, inexistente), *inopinoso, resispiscência, babalão, manéia, pulpéria*, em lugar de *rijeza, retratilidade, inopioso, resipiscência, babalaô, maneia, pulperia*.

12. No caso de homônimos com étimos diferentes, seriamo-los, pondo à direita de cada um deles um número alceado (como um expoente em matemática). Veja-se, por exemplo, *acorde*^{1} (do fr. *accord*) e *acorde*^{2} (de *acordar*). Há casos de três, quatro, cinco e até mais desses homônimos.

13. Parece-nos de incontestável utilidade para o leitor o largo registro que fizemos de elementos de composição, vernáculos e de origem latina e grega.

14. Para destaque gráfico e, pois, mais perfeita legibilidade, adotou-se não apenas boa variedade de tipos, mas também algumas siglas e sinais, que se encontrarão mais para diante, numa lista onde aparecem junto com as abreviaturas — alguns de uso mais ou menos corrente, e outros que criamos, com o fim de facilitar a consulta. Há outro sinal, que na lista não figura: os quatro pontos (....), que não se devem confundir com as reticências. Constituem eles, segundo nosso critério, a chamada *interpontuação*, série de pontos indicativos de supressão de parte de um trecho citado. Achamos condenável o emprego dos três pontinhos, por levarem a crer, muitas vezes, que se trata de reticências do autor. Epifânio Dias, em casos tais, na sua edição de *Os Lusíadas*, usa apenas, para este caso, dois pontos (..); Sá Nunes usava cinco; adotamos quatro.

São drummondianos estes versos, já outras vezes citados por nós:

Lutar com palavras
é a luta mais vã.
Entanto lutamos
mal rompe a manhã.

Lutam com as palavras os escritores, os Drummonds, aceitando-lhes as definições correntes ou, no seu direito de artistas, modificando-lhes o sentido, ou criando novos, ou novas palavras; e lutam, igualmente, os dicionaristas, redefinindo-as, acrescentando-lhes significados, ou introduzindo-as no léxico, após enfrentar a tarefa, tantas vezes penosa, de captar-lhes a essência, desentranhar-lhes o sentido, infundir alma num corpo. Uns e outros se empenham na luta — e sempre com a esperança de que não seja vã. Em nossos casos particulares — o do Poeta e o deste aprendiz de lexicografia — há uma diferença (deixem passar a confissão): a luta de Drummond principia "mal rompe a manhã", a do aprendiz, ordinariamente, vai até de manhã[3].

3. Aqui os nossos agradecimentos a numerosos amigos que trabalharam para esta obra, fornecendo-nos achegas e/ou ajudando-nos em tarefas de ordem prática.

Entre os que fizeram uma coisa e outra estão Reginaldo Guimarães e Heitor Lisboa de Araújo (este, um dos colaboradores especializados), Paulo Jorge Buarque Ferreira e Paulo Batista Ferraz.

Forneceram achegas Paulo Rónai (colaborador especializado, também), Américo Lacombe, Ciro dos Anjos, Rubem Rosa, Raimundo Magalhães Júnior, Paulo Celso Moutinho, Paulo Mercadante, Geraldo de Morais, Osvaldo Tavares Ferreira, Nélson Vaz, Mário Palmério, Mário Teles, Neemias Gueiros, Herick Marques Caminha (também colaborador especializado), José Honório Rodrigues, Luís Ferraz, Herberto Sales, Afonso Arinos, Josué Montelo, Lothar F. Hessel, Walter Benevides (outro colaborador especializado), Valdemar Cavalcanti, Rocha Lima, Fontes Ibiapina, Geraldo França de Lima, Moreira Campos, Abgar Renault, Albertoni Pimentel, Antônio Celso, Benedito Silva, Bernardo Élis, Fernando Heraldo Queirós de Nóvoa.

Deram precioso auxílio nos trabalhos de escritório Mary Baird Loewenberg e Maria José Machado Carneiro, (também colaboradora especializada).

Uma palavra de saudade para Sérgio Lucchetti, que morreu mal principiava a obra; de saudade e agradecimento a Nélson de Faria, a quem a morte obrigou a interromper uma colaboração excelente, e da qual fazia questão de não auferir nenhuma vantagem material; e de agradecimento a Paulo César Farah, Franco de Barros (também colaborador especializado), Marcílio Eiras, Ana Maria Cavalcanti e Maria Helena Garcia Tourinho, que durante algum tempo nos deram assistência.

AURÉLIO BUARQUE DE HOLANDA FERREIRA

Prefácio da 2ª edição

Oferecemos ao leitor a 2ª edição do *Novo Dicionário da Língua Portuguesa*, atualizada, totalmente revista e 35% mais copiosa que a primeira. O número de autores e de obras citadas em abonações elevou-se, respectivamente, a cerca de mil e duas mil. Novos colaboradores, e novas matérias, como, por exemplo, Informática, Teoria Literária, Comunicação, Genética, foram introduzidas. Somos gratos aos consulentes que nos enviaram achegas, quer por escrito, quer de viva voz, e, em especial, a Hamilton Biancardine Silva, Wilson Guerreiro Pinheiro, Adriano da Gama Kury, Celso Pedro Luft, Wilson Piazza Branco e Artur Oliveira Fonseca, pela sua vasta contribuição. A Affonso B. Tarantino, Américo S. Autran Filho, Arthur O. Kós, Carlos Giesta, Deolindo Couto, Sr., Francisco E. Rabelo, Gobert A. Costa, Henrique W. Besser, Jair P. Ramalho, José R. Coura, Luís E. Ferreira, Murilo Q. de Barros, Nicolau Mega, Virmar R. Soares e Waldir Maymone, que foram consultados a propósito de alguns verbetes de Medicina e matérias conexas, a Edgardo Amorim Rego, nos verbetes de Economia, e a Floriano Lemos, nos de jargão policial — uma palavra de agradecimento. A Walter Benevides, colaborador de Medicina da 1ª edição, uma palavra de saudade. Pelo auxílio especializado que nos deram nos trabalhos de preparação dos originais, também os nossos agradecimentos a Elizabeth Dodsworth Tranjan, Ana Madalena Moutinho Nery, Mary Baird Loewenberg e Teresinha Guimarães.

AURÉLIO BUARQUE DE HOLANDA FERREIRA

IX

Formulário Ortográfico*

Instruções para a Organização do Vocabulário Ortográfico da Língua Portuguêsa

Aprovadas unânimemente pela Academia Brasileira de Letras, na sessão de 12 de agôsto de 1943.

O Vocabulário Ortográfico da Língua Portuguêsa terá por base o *Vocabulário Ortográfico da Língua Portuguêsa* da Academia das Ciências de Lisboa, edição de 1940, consoante a sugestão do Sr. Ministro da Educação e Saúde, aprovada unânimemente pela Academia Brasileira de Letras, em 29 de janeiro de 1942. Para a sua organização se obedecerá rigorosamente aos itens seguintes:

1º — Inclusão dos brasileirismos consagrados pelo uso.

2º — Inclusão de estrangeirismos e neologismos de uso corrente no Brasil e necessários à língua literária.

3º — Substituição de certas formas usadas em Portugal pelas correspondentes formas usadas no Brasil, consoante a pronúncia e a morfologia consagradas.

4º — Fixação da grafia de vocábulos cuja etimologia ainda não está perfeitamente demonstrada, consignando-se em primeiro lugar a de uso mais generalizado.

5º — Fixação das grafias de vocábulos sincréticos e dos que têm uma ou mais variantes, tendo-se em vista o étimo e a história da língua, e registro de tais vocábulos um a par do outro, de maneira que figure em primeira plana, como preferível, o de uso mais generalizado.

6º — Evitar duplicidade gráfica ou prosódica de qualquer natureza, dando-se a cada vocábulo uma única forma, salvo se nêle há consoante que facultativamente se profira, ou se há mais de uma pronúncia legitimada pelo uso ou pela etimologia, casos em que se registrarão as duas formas, uma em seguida à outra, colocando-se em primeiro lugar a de uso mais generalizado.

7º — Registro de um significado ou da definição de todos os vocábulos homófonos não homógrafos, bem como dos homógrafos heterofônicos, — mas não dos homógrafos perfeitos, — fazendo-se remissão de um para outro.

8º — Registro, entre parênteses, da vogal ou sílaba tônica de todo e qualquer vocábulo cuja pronúncia é duvidosa, ou cuja grafia não mostra claramente a sua ortoépia; não sendo, porém, indicada a sílaba tônica dos infinitos dos verbos, salvo se forem homógrafos heterofônicos.

9º — Registro, entre parênteses, do timbre da vogal tônica de palavras sem acento diacrítico, bem como da vogal da sílaba pretônica ou postônica, sempre que se faça mister, em especial quando há metafonia, tanto no plural dos nomes e adjetivos quanto em formas verbais. Não será indicado, porém, o timbre aberto das vogais e e o nem o timbre fechado dos vocábulos compostos ligados por hífen.

10º — Fixação dos femininos e plurais irregulares, que serão inscritos em seguida ao masculino singular.

11º — Registro de formas irregulares dos verbos mais usados em *ear* e *iar*, especialmente das do presente do indicativo, no todo ou em parte.

12º — Todos os vocábulos devem ser escritos e acentuados gràficamente de acôrdo com a ortoépia usual brasileira e sempre seguidos da indicação da categoria gramatical a que pertencem.

Para acentuar gràficamente as palavras de origem grega, ou indicar-lhes a prosódia entre parênteses, cumpre atender ao uso brasileiro: registra-se a pronúncia consagrada, embora esteja em desacôrdo com a primordial; mas, se ela é de uso apenas em certa arte ou ciência, e ainda esteja em tempo de se corrigir, convém seja corrigida, inscrevendo-se a forma etimológica em seguida à usual.

O *Vocabulário* conterá:

a) o formulário ortográfico, que são estas instruções;
b) o vocabulário comum;
c) registro de abreviaturas.

O *Vocabulário Onomástico* será publicado separadamente, depois de aprovado por decreto especial.

I
ALFABETO

1. O alfabeto português consta fundamentalmente de vinte e três letras: *a, b, c, d, e, f, g, h, i, j, l, m, n, o, p, q, r, s, t, u, v, x, z.*

2. Além dessas letras, há três que só se podem usar em casos especiais: *k, w, y.*

II
K, W, Y

3. O *k* é substituído por *qu* antes de *e, i,* e por *c* antes de outra qualquer letra: *breque, caqui, caulim, faquir, níquel,* etc.

4. Emprega-se em abreviaturas e símbolos, bem como em palavras estrangeiras de uso internacional: *K.* = potássio; *Kr.* = criptônio; *kg* = quilograma; *km* = quilômetro; *kw* = quilowatt; *kwh* = quilowatt-hora, etc.

5. Os derivados portuguêses de nomes próprios estrangeiros devem escrever-se de acôrdo com as formas primitivas: *frankliniano, kantismo, kepleriano, perkinismo,* etc.

6. O *w* substitui-se, em palavras portuguêsas ou aportuguesadas, por *u* ou *v*, conforme o seu valor fonético: *sanduíche, talvegue, visigodo,* etc.

7. Como símbolo e abreviatura, usa-se em *kw* = quilowatt; *W.* = oeste ou tungstênio; *w* = watt; *ws* = watt-segundo, etc.

8. Nos derivados vernáculos de nomes próprios estrangeiros, cumpre adotar as formas que estão em harmonia com a primitiva: *darwinismo, wagneriano, zwinglianista,* etc.

9. O *y*, que é substituído pelo *i*, ainda se emprega em abreviaturas e como símbolo de alguns têrmos técnicos e científicos: *Y* = ítrio; *yd* = jarda, etc.

10. Nos derivados de nomes próprios estrangeiros, devem usar-se as formas que se acham de conformidade com a primitiva: *byroniano, maynardina, taylorista,* etc.[1]

III
H

11. Esta letra não é pròpriamente consoante, mas um símbolo que, em razão da etimologia e da tradição escrita do nosso idioma, se conserva no princípio de várias palavras e no fim de algumas interjeições: *haver, hélice, hidrogênio, hóstia, humildade; hã!, hem?, puh!;* etc.

12. No interior do vocábulo, só se emprega em dois casos: quando faz parte do *ch*, do *lh* e do *nh*, que representam fonemas palatais, e nos compostos em que o segundo elemento, com *h* inicial etimológico, se une ao primeiro por meio de hífen: *chave, malho, rebanho; anti-higiênico, contra-haste, pré-história, sôbre-humano;* etc.

OBSERVAÇÃO. — Nos compostos sem hífen, elimina-se o *h* do segundo elemento: *anarmônico, biebdomadário, coonestar, desarmonia, exausto, inabilitar, lobisomem, reaver,* etc.

13. No futuro do indicativo e no condicional, não se usa o *h* no último elemento, quando há pronome intercalado: *amá-lo-ei, dir-se-ia,* etc.

* Mantém-se, aqui, por motivo que nos parece óbvio, a grafia originária, a qual sofreu, como se sabe, três alterações, pela Lei nº 5.765, de 18/12/1971, transcrita logo em seguida a este formulário.

1. E, no entanto, o P.V.O.L.P. dá *goiesco*, em lugar de *goyesco* (derivado de *Goya*).

14. Quando a etimologia o não justifica, não se emprega: *arpejo* (substantivo), *ombro, ontem*, etc. E mesmo que o justifique, não se escreve no fim de substantivos nem no comêço de alguns vocábulos que o uso consagrou sem êste símbolo: *andorinha, erva, felá, inverno*, etc.

15. Não se escreve *h* depois de *c* (salvo o disposto em o nº 12) nem depois de *p, r* e *t*: o *ph* é substituído por *f*, o *ch* (gutural) por *qu* antes de *e* ou *i* e por *c* antes de outra qualquer letra: *corografia, cristão; querubim, química, farmácia, fósforo; retórica, ruibarbo; teatro, turíbulo*; etc.

IV
CONSOANTES MUDAS

16. Não se escrevem as consoantes que se não proferem: *asma, assinatura, ciência, diretor, ginásio, inibir, inovação, ofício, ótimo, salmo*, e não *asthma, assignatura, sciencia, director, gymnasio, inhibir, innovação, officio, optimo, psalmo*.

OBSERVAÇÃO. — Escreve-se, porém, o *s* em palavras como *descer, florescer, nascer*, etc., e o *x* em vocábulos como *exceto, excerto*, etc., apesar de nem sempre se pronunciarem essas consoantes.

17. Em sendo mudo o *p* no grupo *mpc* ou *mpt*, escreve-se *nc* ou *nt: assuncionista, assunto, presunção, prontificar*, etc.

18. Devem-se registrar os vocábulos cujas consoantes facultativamente se pronunciam, pondo-se em primeiro lugar o de uso mais generalizado, e em seguida o outro. Assim, serão consignados, além de outros, êstes: *aspecto* e *aspeto, característico* e *caraterístico, circunspecto* e *circunspeto, conectivo* e *conetivo, contacto* e *contato, corrupção* e *corrução, corruptela* e *corrutela, dactilografia* e *datilografia, espectro* e *espetro, excepcional* e *excecional, expectativa* e *expetativa, infecção* e *infeção, optimismo* e *otimismo*[2], *respectivo* e *respetivo, secção* e *seção, sinóptico* e *sinótico, sucção* e *sução, sumptuoso* e *suntuoso, tacto* e *tato, tecto* e *teto*.

V
SC

19. Elimina-se o *s* do grupo inicial *sc*: *celerado, cena, cenografia, ciência, cientista, cindir, cintilar, ciografia, cisão*, etc.

20. Os compostos dessa classe de vocábulos, quando formados em nossa língua, são escritos sem o *s* antes do *c*: *anticientífico, contracenar, encenação*, etc.; mas, quando vieram já formados para o vernáculo, conservam o *s*: *consciência, cônscio, imprescindível, insciente, inscio, multisciente, néscio, presciência, prescindir, proscênio, rescindir, rescisão*, etc.

VI
LETRAS DOBRADAS

21. Escrevem-se *rr* e *ss* quando, entre vogais, representam os sons simples do *r* e *s* iniciais; e *cc* ou *cç* quando o primeiro soa distintamente do segundo: *carro, farra, massa, passo; convicção, occipital*; etc.

22. Duplicam-se o *r* e o *s* tôdas as vêzes que a um elemento de composição terminado em vogal se segue, sem interposição do hífen, palavra começada por uma daquelas letras: *albirrosado, arritmia, altíssono, derrogar, prerrogativa, pressentir, ressentimento, sacrossanto*, etc.

VII
VOGAIS NASAIS

23. As vogais nasais são representadas no fim dos vocábulos por *ã (ãs), im (ins), om (ons), um (uns)*: *afã, cãs, flautim, folhetins, semitom, tons, tutum, zunzuns*, etc.

24. O *ã* pode figurar na sílaba tônica, pretônica ou átona: *ãatá, cristãmente, maçã, órfã, romãzeira*, etc.[3].

2. O P.V.O.L.P. não dá esta palavra.

3. Cf. XII, 11ª, onde se diz que "[o til] vale como acento tônico se outro acento não figura no vocábulo". A ser assim, *cristãmente, romãzeira* e outros derivados de palavras em cuja sílaba final existe vogal tildada, como, p. ex., *chãmente, cristãzinha, leõezinhos, mãozada* (citados em XII, 13ª), seriam todos proparoxítonos.

25. Quando aquelas vogais são iniciais ou mediais, a nasalidade é expressa por *m* antes de *b* e *p*, e por *n* antes de outra qualquer consoante: *ambos, campo; contudo, enfim, enquanto; homenzinho, nuvenzinha, vintènzinho*; etc.

VIII
DITONGOS

26. Os ditongos orais escrevem-se com a subjuntiva *i* ou *u*: *aipo, cai, cauto, degrau, dei, fazeis, idéia, mausoléu, neurose, retorquiu, rói, sois, sou, souto, uivo, usufrui*, etc.

OBSERVAÇÃO. — Escrevem-se com *i*, e não com *e*, a forma verbal *fui*, a 2ª e 3ª pessoa do singular do presente do indicativo e a 2ª do singular do imperativo dos verbos terminados em *uir*: *aflui, fruis, retribuis*, etc.

27. O ditongo *ou* alterna, em numerosos vocábulos, com *oi*: *balouçar* e *baloiçar, calouro* e *caloiro, dourar* e *doirar*, etc. Cumpre registrar em primeiro lugar a forma que mais se usa, e em seguida a variante.

28. Escrevem-se assim os ditongos nasais: *ãe, ãi, ão, am, em, en(s), õe, ui* (proferido *ũi*): *mãe, pães, cãibra, acórdão, irmão, leãozinho, amam, bem, bens, devem, põe, repões, muito*, etc.

OBSERVAÇÃO 1ª — Dispensa-se o til do ditongo nasal *ui* em *mui* e *muito*.

OBSERVAÇÃO 2ª — Com o ditongo nasal *ão* se escrevem os monossílabos, tônicos ou não, e os polissílabos oxítonos: *cão, dão, grão, não, quão, são, tão; alcorão, capitão, cristão, então, irmão, senão, sentirão, servirão, viverão*[4]; etc.

OBSERVAÇÃO 3ª — Também se escrevem com o ditongo *ão* os substantivos e adjetivos paroxítonos, acentuando-se, porém, a sílaba tônica: *órfão, órgão, sótão*, etc.

OBSERVAÇÃO 4ª — Nas formas verbais anoxítonas se escreve *am*: *amaram, deveram, partiram, puseram*, etc.

OBSERVAÇÃO 5ª — Com o ditongo nasal *ãe* se escrevem os vocábulos oxítonos e os seus derivados; e os anoxítonos primitivos grafam-se com o ditongo *ãi*: *capitães, mães, pãezinhos; cãibro, zãibo*; etc.

OBSERVAÇÃO 6ª — O ditongo nasal *ei (s)* escreve-se *em* ou *en (s)* assim nos monossílabos como nos polissílabos de qualquer categoria gramatical: *bem, cem, convém, convéns, mantém, manténs, nem, sem, virgem, virgens, voragem, voragens*, etc.

29. Os encontros vocálicos átonos e finais que podem ser pronunciados como ditongos crescentes escrevem-se da seguinte forma: *ea (áurea), eo (cetáceo), ia (colônia), ie (espécie), io (exímio), oa (nódoa), ua (contínua), ue (tênue), uo (tríduo)*, etc.

IX
HIATOS

30. A 1ª, 2ª e 3ª pessoa do singular do presente do conjuntivo e a 3ª do singular do imperativo dos verbos em *oar* escrevem-se com *oe*, e não *oi*: *abençoe, amaldiçoes, perdoe*, etc.

31. As três pessoas do singular do presente do conjuntivo e a 3ª do singular do imperativo dos verbos em *uar* escrevem-se com *ue*, e não *ui*: *cultue, habitues, preceitue*, etc.

X
PARÔNIMOS E VOCÁBULOS DE GRAFIA DUPLA

32. Deve-se fazer a mais rigorosa distinção entre os vocábulos parônimos e os de grafia dupla que se escrevem com *e* ou com *i*, com *o* ou com *u*, com *c* ou *q*, com *ch* ou *x*, com *g* ou *j*, com *s, ss* ou *c, ç*, com *s* ou *x*, com *s* ou *z*, e com os diversos valôres do *x*.

33. Deve-se registrar a grafia que seja mais conforme à etimologia do vocábulo e à sua história, mas que esteja em harmonia com a prosódia geral dos brasileiros, nem sempre idêntica à lusitana. E quando há dois vocábulos diferentes, v. g., um escrito com *e* e outro escrito com *i*, é necessário que ambos sejam acompanhados da sua definição ou do seu significado mais vulgar, salvo se forem de categorias gramaticais diferentes, porque, neste caso, serão acompanhados da indicação dessas categorias. Ex.: *censório* adj. Cf. *sensório*, adj. e s. m.

Assim, pois, devem ser inscritos vocábulos como: *antecipar, criador, criança, criar, diminuir, discricionário, dividir, filintiano, filipino, idade, igreja, igual, imiscuir-se, invés, militar, ministro, pior, quase, quepe, tigela, tijolo, vizinho*, etc.

34. Palavras como *cardeal* e *cardial, desfear* e *desfiar, descrição* e *discrição, destinto* e *distinto, meado* e *miado, recrear* e *recriar, se* e *si* serão consignadas com o necessário

4. No P.V.O.L.P. está vírgula, e não ponto-e-vírgula.

esclarecimento e a devida remissão. Por exemplo: *descrição*, s. f.: *ação de descrever.* Cf. *discrição.* | *Discrição*, s. f.: qualidade do que é discreto. Cf. *descrição.*

35. Os verbos mais usados em *ear* e *iar* serão seguidos das formas do presente do indicativo, no todo ou em parte.

36. De acordo com o critério exposto, far-se-á rigorosa distinção entre os vocábulos que se escrevem:

a) com *o* ou com *u*: *frágua, lugar, mágoa, manuelino, polir, tribo, urdir, veio* (v. ou subst.), etc.

b) com *c* ou *q*: *quatorze* (seguido de *catorze*), *cinqüenta, quociente* (seguido de *cociente*), etc.

c) com *ch* ou *x*: *anexim, bucha, cambaxirra, charque, chimarrão, coxia, estrebuchar, faxina, flecha, tachar* (notar; censurar), *taxar* (determinar a taxa; regular), *xícara*, etc.

d) com *g* ou *j*: *estrangeiro, jenipapo, genitivo, gíria, jeira, jeito, jibóia, jirau, laranjeira, lojista, majestade, viagem* (subst.), *viajem* (do v. *viajar*), etc.

e) com *s, ss* ou *c, ç*: *ânsia, anticéptico, boça* (cabo de navio), *bossa* (protuberância; aptidão), *bolçar* (vomitar), *bolsar* (fazer bolsos), *caçula, censual* (relativo a censo), *sensual* (lascivo), etc.

OBSERVAÇÃO. — Não se emprega *ç* em início de palavra.

f) com *s* ou *x*: *espectador* (testemunha), *expectador* (pessoa que tem esperança), *experto* (perito; experimentado), *esperto* (ativo; acordado), *esplêndido, esplendor, extremoso, flux* (na locução *a flux*), *justafluvial, justapor, misto*, etc.

g) com *s* ou com *z*: *alazão, alcaçuz* (planta), *alisar* (tornar liso), *alizar* (s. m.), *anestesiar, autorizar, bazar, blusa, brasileiro, buzina, coliseu, comezinho, cortês, dissensão, empresa, esfuziar, esvaziamento, frenesi* (seguido de *frenesim*), *garcês, guizo* (s. m.), *improvisar, irisar* (dar as côres do íris a), *irizar* (atacar [o iriz] o cafèzeiro), *lambuzar, luzidio, mazorca, narcisar-se, obséquio, pezunho, prioresa, rizotônico, sacerdotisa, sazão, tapiz, trânsito, xadrez*, etc.

OBSERVAÇÃO 1ª — É sonoro o *s* de *obséquio* e seus derivados, bem como o do prefixo *trans*, em se lhe seguindo vogal, pelo que se deverá indicar a sua pronúncia entre parênteses; quando, porém, a esse prefixo se segue palavra iniciada por *s*, só se escreve um, que se profere como se fôra dobrado: *obsequiar (ze), transoceânico (zo); transecular (se), transubstanciação (su);* etc.

OBSERVAÇÃO 2ª — No final de sílaba átona, seja no interior, seja no fim do vocábulo, emprega-se o *s* em lugar do *z*: *asteca, endes, mesquita*, etc.[5]

37. O *x* continua a escrever-se com seus cinco valôres, bem como nos casos em que pode ser mudo, qual em *exceto, excerto*, etc. Tem, pois, o som de:

1º — *ch*, no princípio e no interior de muitas palavras: *xairel, xerife, xícara, ameixa, enxoval, peixe*, etc.

OBSERVAÇÃO. — Quando tem êsse valor, não será indicada a sua pronúncia entre parênteses.[6]

2º — *cs*, no meio e no fim de várias palavras: *anexo, complexidade, convexo, bórax, látex, sílex*, etc.

3º — *z*, quando ocorre no prefixo *exo*, ou *ex* seguido de vogal: *exame, êxito, êxodo, exosmose, exotérmico*, etc.

4º — *ss*: *aproximar, auxiliar, máximo, proximidade, sintaxe*, etc.

5º — *s* final de sílaba: *contexto, fênix, pretextar, sexto, textual*, etc.

38. No final de sílabas iniciais e interiores se deve empregar o *s* em vez do *x*, quando não o precede a vogal *e*: *justafluvial, justaposição, misto, sistino*, etc.

XI
NOMES PRÓPRIOS

39. Os nomes próprios personativos, locativos e de qualquer natureza, sendo portuguêses ou aportuguesados, estão sujeitos às mesmas regras estabelecidas para os nomes comuns.

40. Para salvaguardar direitos individuais, quem o quiser manterá em sua assinatura a forma consuetudinária. Poderá também ser mantida a grafia original de quaisquer firmas, sociedades, títulos e marcas que se achem inscritos em registro público.

5. Também se emprega, no fim de sílaba tônica, *s*, e não *z*, no interior do vocábulo: *gusla, Guipúscoa.*

6. Daqui se deduz que, quando tem outros valores, sempre se faz tal indicação; e no entanto ela não é feita depois das palavras em que o x (precedido de e) vale z. E note-se que há em português três palavras nas quais o x, em tal situação, equivale a *ch*: exe (não consignada pelo P.V.O.L.P., e que registramos), *exido* (à qual o P.V.O.L.P. pospõe um "ch" interparentético indicativo do som chiante do x) e exu (a que pospusemos o "ch" para evitar que se dê ao x o som de z).

41. Os topônimos de origem estrangeira devem ser usados com as formas vernáculas de uso vulgar; e quando não têm formas vernáculas, transcrevem-se consoante as normas estatuídas pela Conferência de Geografia de 1926 que não contrariarem os princípios estabelecidos nestas *Instruções*.

42. Os topônimos de tradição histórica secular não sofrem alteração alguma na sua grafia, quando já esteja consagrada pelo consenso diuturno dos brasileiros. Sirva de exemplo o topônimo "Bahia", que conservará esta forma quando se aplicar em referência ao Estado e à cidade que têm êsse nome.

OBSERVAÇÃO. — Os compostos e derivados dêsses topônimos obedecerão às normas gerais do vocabulário comum.

XII
ACENTUAÇÃO GRÁFICA

43. A fim de que a acentuação gráfica satisfaça às necessidades do ensino — precípuo escopo da simplificação e regularização da ortografia nacional —, e permita que todas as palavras sejam lidas corretamente, estejam ou não marcadas por sinal diacrítico, no *Vocabulário* será indicada, entre parênteses, a sílaba ou a vogal tônica e o timbre desta em todos os vocábulos cuja pronúncia possa dar azo a dúvidas.

A acentuação gráfica obedecerá às seguintes regras:

1ª — Assinalam-se com o acento agudo os vocábulos oxítonos que terminam em *a, e, o* abertos, e com o acento circunflexo os que acabam em *e, o* fechados, seguidos, ou não, de *s*: *cajá, hás, jacaré, pés, seridó, sós; dendê, lês; pôs, trisavô*; etc.

OBSERVAÇÃO. — Nesta regra se incluem as formas verbais em que, depois de *a, e, o*, se assimilaram *r, s, z* ao *l* do pronome *lo, la, los, las*, caindo depois o primeiro *l*: *dá-lo, contá-la, fá-lo-á, fê-los, movê-las-ia, pô-los, quê-los, sabê-lo-emos, trá-lo-ás*, etc.

2ª — Tôdas as palavras proparoxítonas devem ser acentuadas gràficamente: recebem o acento agudo as que têm na antepenúltima sílaba as vogais *a, e, o* abertas ou *i, u*; e levam acento circunflexo as em que figuram na sílaba predominante as vogais *e, o* fechadas ou *a, e, o* seguidas de *m* ou *n*: *árabe, exército, gótico, límpido, louvaríamos, público, úmbrico; devêssemos, fôlego, lâmina, lâmpada, lêmures, pêndula, quilômetro, recôndito*; etc.

OBSERVAÇÃO. — Incluem-se neste preceito os vocábulos terminados em encontros vocálicos que podem ser pronunciados como ditongos crescentes: *área, espontâneo, ignorância, imundície, lírio, mágoa, régua, tênue, vácuo*, etc.

3ª — Os vocábulos paroxítonos finalizados em *i* ou *u*, seguidos, ou não, de *s*, marcam-se com acento agudo quando na sílaba tônica figuram *a, e, o* abertos, *i* ou *u*; e com acento circunflexo quando nela figuram *e, o* fechados ou *a, e, o* seguidos de *m* ou *n*: *beribéri, bônus, dândi, íris, júri, lápis, miosótis, tênis*, etc.

OBSERVAÇÃO 1ª — Os paroxítonos terminados em *um, uns* têm acento agudo na sílaba tônica: *álbum, álbuns*, etc.

OBSERVAÇÃO 2ª — Não se acentuam os prefixos paroxítonos acabados em *i*: *semi-histórico*, etc.

4ª — Põe-se o acento agudo no *i* e no *u* tônicos que não formam ditongo com a vogal anterior: *aí, balaústre, cafeína, caís, contraí-la, distribuí-lo, egoísta, faísca, heroína, juízo, país, peúga, saía, saúde, timboúva, viúvo*, etc.

OBSERVAÇÃO 1ª — Não se coloca o acento agudo no *i* e no *u* quando, precedidos de vogal que com eles não forma ditongo, são seguidos de *l, m, n, r*, ou *z* que não iniciam sílabas e, ainda, *nh*: *adail, contribuinte, demiurgo, juiz, paul, retribuirdes, ruim, tainha, ventoinha*, etc.

OBSERVAÇÃO 2ª — Também não se assinala com acento agudo a base dos ditongos tônicos *iu* e *ui*, quando precedidos de vogal: *atraiu, contribuiu, pauis*, etc.

5ª — Assinala-se com o acento agudo o *u* tônico precedido de *g* ou *q* e seguido de *e* ou *i*: *argúi, argúis, averigúe, averigúes, obliqúe, obliqúes*, etc.

6ª — Põe-se o acento agudo na base dos ditongos abertos *éi, éu, ói*, quando tônicos: *assembléia, bacharéis, chapéu, jibóia, lóio, paranóico, rouxinóis*, etc.

7ª — Marca-se com o acento agudo o *e* da terminação *em* ou *ens* das palavras oxítonas de mais de uma sílaba: *alguém, armazém, convém, convéns, detém-lo, mantém-na, parabéns, retém-no, também*, etc.

OBSERVAÇÃO 1ª — Não se acentuam graficamente os vocábulos paroxítonos finalizados por *ens*: *imagens, jovens, nuvens*, etc.

OBSERVAÇÃO 2ª — A 3ª pessoa do plural do presente do indicativo dos verbos *ter, vir* e seus compostos recebe acento circunflexo no *e* da sílaba tônica: *(êles) contêm, (elas) convêm, (êles) têm, (elas) vêm*, etc.

OBSERVAÇÃO 3ª — Conserva-se, por clareza gráfica, o acento circunflexo do singular *crê, dê, lê, vê* no plural *crêem, dêem, lêem, vêem* e nos compostos dêsses verbos, como *descrêem, desdêem, relêem, revêem*, etc.

8ª — Sobrepõe-se o acento agudo ao *a*, *e*, *o* abertos e ao *i* ou *u* da penúltima sílaba dos vocábulos paroxítonos que acabam em *l*, *n*, *r* e *x*; e o acento circunflexo ao *e*, *o* fechados e ao *a*, *e*, *o* seguidos de *m* ou *n* em situação idêntica: *açúcar, afável, alúmens, córtex, éter, hífen; aljôfar, âmbar, cânon, êxul, fênix, vômer*[7]; etc.

OBSERVAÇÃO. — Não se acentuam gràficamente os prefixos paroxítonos terminados em *r*: *inter-helênico*[8], *super-homem*, etc.

9ª — Marca-se com o competente acento, agudo ou cincunflexo, a vogal da sílaba tônica dos vocábulos paroxítonos acabados em ditongo oral: *ágeis, devêreis, escrevêsseis, faríeis, férteis, fósseis, fôsseis, imóveis, jóquei, pênseis, pudésseis, quisésseis, tínheis, túneis, úteis, variáveis*, etc.

10ª — Recebe acento circunflexo o penúltimo *o* fechado do hiato *oo*, seguido, ou não, de *s*, nas palavras paroxítonas: *abençôo, enjôos, perdôo, vôos*, etc.

11ª — Usa-se o til para indicar a nasalização, e vale como acento tônico se outro acento não figura no vocábulo: *afã, capitães, coração, devoções, põem*, etc.[9]

OBSERVAÇÃO. — Se é átona a sílaba onde figura o til, acentua-se gràficamente a predominante: *acórdão, bênção, órfã*, etc.

12ª — Emprega-se o trema no *u* que se pronuncia depois de *g* ou *q* e seguido de *e* ou *i*: *agüentar, argüição, eloqüente, tranqüilo*, etc.

OBSERVAÇÃO 1ª — Não se põe acento agudo na sílaba tônica das formas verbais terminadas em *qüe, qüem: apropinqüe, delinqüem*, etc.

OBSERVAÇÃO 2ª — É lícito o emprego do trema quando se quer indicar que um encontro de vogais não forma ditongo, mas hiato: *saüdade, vaïdade* (com quatro sílabas), etc.

13ª — Mantêm-se o acento circunflexo e o til do primeiro elemento nos advérbios em *mente* e nos derivados em que figuram sufixos precedidos do infixo *z* (*zada, zal, zeiro, zinho, zista, zito, zona, zorro, zudo*, etc.): *cômodamente, cortêsmente, dendêzeiro, ôvozito, pêssegozinho; chãmente, cristãzinha, leõezinhos, mãozada*[10], *romãzeira*, etc.; e o acento agudo do primeiro elemento passará a ser acento grave nos derivados dessa natureza: *avòzinha, cafèzeiro, faìscazinha, indelèvelmente, opùsculozinho, sòmente, sòzinho, terrìvelmente, voluntàriozinho, volùvelmente*, etc.

14ª — Emprega-se o acento circunflexo como diferencial ou distintivo no *e* e no *o* fechados da sílaba tônica das palavras que estão em homografia com outras em que são abertos êsse *e* e êsse *ò*: *acêrto* (s. m.) e *acerto* (v.); *aquêle, aquêles* (adj. ou pron. dem.) e *aquele, aqueles* (v.); *côr* (s. f.) e *cor* (s. m.); *côrte, côrtes* (s. f.) e *corte, cortes* (v.); *dêle, dêles* (contr. da prep. *de* com o pron. pess. *êle, êles*) e *dele, deles* (v.); *devêras* (v.) e *deveras* (adv.); *êsse, êsses, êste, êstes* (adj. ou pron. dem.) e *esse, esses, este, estes* (s. m.); *fêz* (s. m. e v.) e *fez* (s. f.); *fôr* (v.) e *for* (s. m.); *fôra*[11] (v.) e *fora* (adv., interj. ou s. m.); *fôsse*[12] (dos v. *ir* e *ser*) e *fosse* (do v. *fossar*); *nêle, nêles* (contr. da prep. *em* com o pron. pess. *êle, êles*) e *nele, neles* (s. m.); *pôde* (perf. ind.) e *pode* (pres. ind.); *sôbre* (prep.) e *sobre* (v.); etc.

OBSERVAÇÃO 1ª — Emprega-se também o acento circunflexo para distinguir de certos homógrafos inacentuados as palavras que têm *e* ou *o* fechados: *pêlo* (s. m.) e *pelo* (*per* e *lo*); *pêra* (s. f.) e *pera* (prep. ant.); *pôlo, pôlos* (s. m.) e *polo, polos* (*por* e *lo* ou *los*); *pôr* (v.) e *por* (prep.); *porquê* (quando é subst. ou quando vem no fim da frase) e *porque* (conj.); *quê* (s. m., interj., ou pron. no fim da frase) e *que* (adv., conj., pron. ou part. expletiva).

OBSERVAÇÃO 2ª — Quando a flexão do vocábulo faz desaparer a homografia, cessa o motivo do emprêgo do sinal diacrítico. Acentuam-se, por exemplo, o masculino singular *enfêrmo* e as formas femininas *enfêrma* e *enfêrmas*, em razão de existirem *enfermo, enferma* e *enfermas*, com *e* aberto, do verbo *enfermar*; porém não se acentua gràficamente o substantivo plural *enfermos*, visto não haver igual forma com *e* aberto; *colhêr* e *colhêres*, formas do infinito e do futuro do conjuntivo do verbo *colhêr*, recebem acento circunflexo para se diferençarem dos homógrafos heterofônicos *colher* e *colheres*, substantivos femininos que se proferem com *e* aberto, mas não levam acento gráfico as outras pessoas daquele modo e tempo, em virtude da inexistência de formas cujo timbre da vogal tônica seja aberto.

15ª — Recebem acento agudo os seguintes vocábulos, que estão em homografia com outros: *ás* (s. m.), cf. *às* (contr. da prep. *a* com o art. ou pron. *as*); *pára* (v.), cf. *para* (prep.); *péla, pélas* (s. f. e v.), cf. *pela, pelas* (agl. da prep. *per* com o art. ou pron. *la, las*); *pélo* (v.), cf. *pelo* (agl. da prep. *per* com o art. ou pron. *lo*); *péra* (el. do s. f. comp. *péra-fita*), cf. *pera* (prep. ant.); *pólo, pólos* (s. m.), cf. *polo, polos* (agl. da prep. *por* com o art. ou pron. *lo, los*); etc.

7. No P.V.O.L.P. há vírgula.
8. Esta palavra não figura no corpo do P.V.O.L.P.
9. V. a nota 3.
10. V. a nota 3.
11. Deveria também dar *fôras*, pois existe *foras*, pl. do s. m. *fora* e s. m. pl. (como s. m. pl. não vem no P.V.O.L.P.).
12. E também *fôsses*.

OBSERVAÇÃO. — Não se acentua gràficamente a terminação *amos* do pretérito perfeito do indicativo dos verbos da 1ª conjugação.

16ª — O acento grave, além de marcar a sílaba pretônica de que trata a regra 13ª, assinala as contrações da preposição *a* com o artigo *a* e com os adjetivos ou pronomes demonstrativos *a, aquêle, aqueloutro, aquilo*, os quais se escreverão assim: *à, às, àquele, àquela, àqueles, àquelas, àquilo, àqueloutro, àqueloutra, àqueloutros, àqueloutras*.

OBSERVAÇÃO. — *Àquele* e *àqueles* dispensam o acento circunflexo, em razão de o acento grave os diferençar dos homógrafos heterofônicos *aquele* e *aqueles*.

XIII
APÓSTROFO

44. Limita-se o emprêgo do apóstrofo aos seguintes casos:

1º — Indicar a supressão de uma letra ou letras no verso, por exigência da metrificação: *c'roa, esp'rança, of'recer,'star*, etc.

2º — Reproduzir certas pronúncias populares: *'tá, 'teve*, etc.

3º — Indicar a supressão da vogal, já consagrada pelo uso, em certas palavras compostas ligadas pela preposição *de*: *copo-d'água* (planta; lanche), *galinha-d'água, mãe-d'água, ôlho-d'água, pau-d'-água* (árvore; ébrio), *pau-d'alho, pau-d'arco*, etc.

OBSERVAÇÃO. — Restringindo-se o emprêgo do apóstrofo a êsses casos, cumpre não se use dêle em nenhuma outra hipótese. Assim, não será empregado:

a) nas contrações das preposições *de* e *em* com artigos, adjetivos ou pronomes demonstrativos, indefinidos, pessoais e com alguns advérbios: *del* (em *aqui-del-rei*); *dum, duma* (a par de *de um, de uma*), *num, numa* (a par de *em um, em uma*); *dalgum, dalguma* (a par de *de algum, de alguma*), *nalgum, nalguma* (a par de *em algum, em alguma*); *dalguém, nalguém* (a par de *de alguém, em alguém*); *doutrem, noutrem* (a par de *de outrem, em outrem*); *dalgo, dalgures* (a par de *de algo, de algures*); *daquém, dalém, dacolá* (a par de *de aquém, de além, de acolá*); *doutro, noutro* (a par de *de outro, em outro*); *dêle, dela, nêle, nela; dêste, desta, neste, nesta, daquele, daquela, naquele, naquela; disto, nisto, daquilo, naquilo; daqui, daí, dacolá, donde, dantes, dentre; doutrora* (a par de *de outrora*), *noutrora; doravante* (a par de *de ora avante*); etc.

b) nas combinações dos pronomes pessoais: *mo, ma, mos, mas, to, ta, tos, tas, lho, lha, lhos, lhas, no-lo, no-la, no-los, no-las, vo-lo, vo-la, vo-los, vo-las*.

c) nas expressões vocabulares que se tornaram unidades fonéticas e semânticas: *dessarte, destarte, homessa, tarrenego, tesconjuro, vivalma*, etc.

d) nas expressões de uso constante e geral na linguagem vulgar: *co, coa, ca, cos, cas, coas* (= *com o, com a, com os, com as*), *plo, pla, plos, plas* (= *pelo, pela, pelos, pelas*), *pra* (= *para*), *pro, pra, pros, pras* (= *para o, para a, para os, para as*), etc.

XIV
HÍFEN

45. Só se ligam por hífen os elementos das palavras compostas em que se mantém a noção da composição, isto é, os elementos das palavras compostas que mantêm a sua independência fonética, conservando cada um a sua própria acentuação, porém formando o conjunto perfeita unidade de sentido.

46. Dentro dêsse princípio, deve-se empregar o hífen nos seguintes casos:

1º — Nas palavras compostas em que os elementos, com a sua acentuação própria, não conservam, considerados isoladamente, a sua significação, mas o conjunto constitui uma unidade semântica: *água-marinha, arco-íris, galinha-d'água, couve-flor, guarda-pó, pé-de-meia* (mealheiro; pecúlio), *pára-choque, porta-chapéus*, etc.

OBSERVAÇÃO 1ª — Incluem-se nesta norma os compostos em que figuram elementos fonèticamente reduzidos: *bel-prazer, és-sueste, mal-pecado, su-sueste*, etc.

OBSERVAÇÃO 2ª — O antigo artigo *el*, sem embargo de haver perdido o seu primitivo sentido e não ter vida à parte na língua, une-se por hífen ao substantivo *rei*, por ter êste elemento evidência semântica.

OBSERVAÇÃO 3ª — Quando se perde a noção do composto, quase sempre em razão de um dos elementos não ter vida própria na língua, não se escreve com hífen, mas aglutinadamente: *abrolhos, bancarrota, fidalgo, vinagre*, etc.

OBSERVAÇÃO 4ª — Como as locuções não têm unidade de sentido, os seus elementos não devem ser unidos por hífen, seja qual fôr a categoria gramatical a que elas pertençam. Assim, escreve-se, v. g., *vós outros* (locução pronominal), *a desoras* (locução adverbial), *a fim de* (locução prepositiva), *contanto que* (locução conjuntiva), porque essas combinações vocabulares não são verdadeiros compostos, não formam perfeitas unidades semânticas. Quando, porém, as locuções se tornam unidades fonéticas, devem ser escritas numa só palavra: *acêrca* (adv.), *afinal, apesar, debaixo, decerto, defronte, depressa, devagar, deveras, resvés*, etc.

OBSERVAÇÃO 5ª — As formas verbais com pronomes enclíticos ou mesoclíticos e os vocábulos compostos cujos elementos são ligados por hífen conservam seus acentos gráficos: *amá-lo-á, amáreis-me, amásseis-vos, devê-lo-ia, fá-la-emos, pô-las-íamos, possuí-las, provêm-lhes, retêm-nas; água-de-colônia, pão-de-ló, pára-sóis, pesa-papéis;* etc.

2º — Nas formas verbais com pronomes enclíticos ou mesoclíticos: *ama-lo* (*amas* e *lo*), *amá-lo* (*amar* e *lo*), *dê-se-lhe, fá-lo-á, oferecê-la-ia, repô-lo-eis, serenou-se-te, traz-me, vedou-te,* etc.

OBSERVAÇÃO. — Também se unem por hífen as enclíticas *lo, la, los, las* aos pronomes *nos, vos* e à forma *eis*: *no-lo, no-las, vo-la, vo-los, ei-lo,* etc.

3º — Nos vocábulos formados pelos prefixos que representam formas adjetivas, como *anglo, greco, histórico, ínfero, latino, lusitano, luso, póstero, súpero,* etc.: *anglo-brasileiro, greco-romano, histórico-geográfico, ínfero-anterior, latino-americano, lusitano-castelhano, luso-brasileiro, póstero-palatal, súpero-posterior,* etc.

OBSERVAÇÃO. — Ainda que êsses elementos prefixais sejam reduções de adjetivos, não perdem a sua individualidade morfológica, e por isso devem unir-se por hífen, como sucede com *austro* (= *austríaco*), *dólico* (= *dolicocéfalo*), *euro* (= *europeu*), *telégrafo* (= *telegráfico*), etc.: *austro-húngaro, dólico-louro, euro-africano, telégrafo-postal,* etc.

4º — Nos vocábulos formados por sufixos que representam formas adjetivas como *açu, guaçu* e *mirim*, quando o exige a pronúncia e quando o primeiro elemento acaba em vogal acentuada gràficamente: *andá-açu, amoré-guaçu, anajá-mirim, capim-açu,* etc.

5º — Nos vocábulos formados pelos prefixos:

a) *auto, contra, extra, infra, intra, neo, proto, pseudo, semi* e *ultra*, quando se lhes seguem palavras começadas por vogal, *h, r* ou *s*: *auto-educação, contra-almirante, extra-oficial, infra-hepático, intra-ocular, neo-republicano, proto-revolucionário, pseudo-revelação, semi-selvagem, ultra-sensível,* etc.

OBSERVAÇÃO. — A única exceção a esta regra é a palavra *extraordinário*, que já está consagrada pelo uso.

b) *ante, anti, arque* e *sôbre* quando seguidos de palavras iniciadas por *h, r* ou *s*: *ante-histórico, anti-higiênico, arqui-rabino, sôbre-saia,* etc.

c) *supra*, quando se lhe segue palavra encetada por vogal, *r* ou *s*: *supra-axilar, supra-renal, supra-sensível,* etc.[13]

d) *super*, quando seguido de palavra principiada por *h* ou *r*: *super-homem, super-requintado,* etc.[14]

e) *ab, ad, ob, sob* e *sub*, quando seguidos de elementos iniciados por *r*: *ab-rogar, ad-renal, ob-reptício, sob-roda, sub-reino,* etc.[15]

f) *pan* e *mal*, quando se lhes segue palavra começada por vogal ou *h*: *pan-asiático, pan-helenismo, mal-educado, mal-humorado,* etc.[16]

g) *bem*, quando a palavra que lhe segue tem vida autônoma na língua ou quando a pronúncia o requer: *bem-ditoso, bem-aventurança,* etc.

h) *sem, sota, soto, vice, vizo, ex* (com o sentido de cessamento ou estado anterior), etc.: *sem-cerimônia, sota-pilôto, sota-ministro, vice-reitor, vizo-rei, ex-diretor,* etc.[17]

i) *pós, pré* e *pró*, que têm acento próprio, por causa da evidência dos seus significados e da sua pronunciação, ao contrário dos seus homógrafos inacentuados, que, por diversificados fonèticamente, se aglutinam com o segundo elemento: *pós-meridiano, pré-escolar, pró-britânico;* mas *pospor, preanunciar, procônsul,* etc.[18]

XV
DIVISÃO SILÁBICA

47. A divisão de qualquer vocábulo, assinalada pelo hífen, em regra se faz pela soletração, e não pelos seus elementos constitutivos segundo a etimologia.

48. Fundadas neste princípio geral, cumpre respeitar as seguintes normas:

1ª — A consoante inicial não seguida de vogal permanece na sílaba que a segue: *cni-do-se, dze-ta, gno-ma, mne-mô-ni-ca, pneu-má-ti-co,* etc.

2ª — No interior do vocábulo, sempre se conserva na sílaba que a precede a consoante não seguida de *vogal*: *ab-di-car, ac-ne, bet-sa-mi-ta, daf-ne, drac-ma, ét-ni-co, nup-cial, ob-fir-mar, op-ção, sig-ma-tis-mo, sub-por, sub-ju-gar,* etc.

3ª — Não se separam os elementos dos grupos consonânticos iniciais de sílaba nem os dos digramas *ch, lh* e *nh*: *a-blu-ção, a-bra-sar, a-che-gar, fi-lho, ma-nhã,* etc.

OBSERVAÇÃO. — Nem sempre formam grupos articulados as consonâncias *bl* e *br*: nalguns casos o *l* e o *r* se pronunciam separadamente, e a isso se atenderá na partição do vocábulo; e as consoantes *dl*, a não ser no têrmo onomatopéico *dlim*, que exprime toque de campainha, proferem-se desligadamente, e na divisão silábica ficará o hífen entre essas duas letras. Ex.: *sub-lin-gual, sub-ro-gar*[19], *ad-le-ga-ção,* etc.

4ª — O *sc* no interior do vocábulo biparte-se, ficando o *s* numa sílaba, e o *c* na sílaba imediata: *a-do-les-cen-te, con-va-les-cer, des-cer, ins-ci-en-te, pres-cin-dir, res-ci-são,* etc.

OBSERVAÇÃO. — Forma sílaba com o prefixo antecedente o *s* que precede consoante: *abs-tra-ir, ads-cre-ver, ins-cri-ção, ins-pe-tor, ins-tru-ir, in-ters-tí-cio, pers-pi-caz, subs-cre-ver, subs-ta-be-le-cer,* etc.

5ª — O *s* dos prefixos *bis, cis, des, dis, trans* e o *x* do prefixo *ex* não se separam quando a sílaba seguinte começa por consoante; mas, se principia por vogal, formam sílaba com esta e separam-se do elemento prefixal: *bis-ne-to, cis-pla-ti-no, des-li-gar, dis-tra-ção, trans-por-tar, ex-tra-ir, bi-sa-vô, ci-san-di-no, de-ses-pe-rar, di-sen-té-ri-co, tran-sa-tlân-ti-co, e-xér-ci-to;* etc.

6ª — As vogais idênticas e as letras *cc, cç, rr* e *ss* separam-se, ficando uma na sílaba que as precede, e outra na sílaba seguinte: *ca-a-tin-ga, co-or-de-nar, du-ún-vi-ro, fri-ís-si-mo, ge-e-na, in-te-lec-ção, oc-ci-pi-tal, pror-ro-gar, res-sur-gir,* etc.

OBSERVAÇÃO. — As vogais de hiatos, ainda que diferentes uma da outra, também se separam: *a-ta-ú-de, cai-ais, ca-í-eis, ca-ir, do-er, du-e-lo, fi-el, flu-iu, fru-ir, gra-ú-na, je-su-í-ta, le-al, mi-ú-do, po-ei-ra, ra-i-nha, sa-ú-de, vi-ví-eis, vo-ar,* etc.

7ª — Não se separam as vogais dos ditongos — crescentes e decrescentes — nem as dos tritongos: *ai-ro-so, a-ni-mais, au-ro-ra, a-ve-ri-güeis, ca-iu, cru-éis, en-jei-tar, fo-ga-réu, fu-giu, gló-ria, guai-ar, i-guais, ja-mais, jói-as, ó-dio, quais, sá-bio, sa-guão, sa-guões, su-bor-nou, ta-fuis, vá-rio,* etc.

OBSERVAÇÃO. — Não se separa do *u* precedido de *g* ou *q* a vogal que o segue, acompanhada, ou não, de consoante: *am-bí-guo, e-qui-va-ler, guer-ra, u-bí-quo,* etc.

XVI
EMPRÊGO DAS INICIAIS MAIÚSCULAS

49. Emprega-se letra inicial maiúscula:

1º No comêço do período, verso ou citação direta: Disse o PADRE ANTÔNIO VIEIRA: "Estar com CRISTO em qualquer lugar, ainda que seja no Inferno, é estar no Paraíso."

"Auriverde pendão de minha terra,
Que a brisa do Brasil beija e balança,
Estandarte que à luz do sol encerra
As promessas divinas da Esperança..."

(CASTRO ALVES)

OBSERVAÇÃO. — Alguns poetas usam, à espanhola, a minúscula no princípio de cada verso, quando a pontuação o permite, como se vê em CASTILHO:

"Aqui, sim, no meu cantinho,
vendo rir-me o candeeiro,
gozo o bem de estar sòzinho
e esquecer o mundo inteiro."

13. Também quando é seguido de palavra começada por *h*: *supra-hepático, supra-histórico, supra-homem, supra-humanismo, supra-humano.* O P.V.O.L.P. não traz nenhum dêstes vocábulos, todos já agora dicionarizados.

14. Também *inter* e *hiper*: *inter-helênico* (palavra ausente do corpo do P.V.O.L.P., mas que aparece na observação à regra 8ª do art. 43 destas "Instruções"), *inter-hemisférico, Inter-humano, inter-racial, inter-radial, inter-regional, inter-rei, inter-relação, inter-resistente* (registrado, aliás, pelo P.V.O.L.P.); *hiper-hedônico, hiper-hedonismo, hiper-humano, hiper-rancoroso, hiper-rugoso* (dos quais nenhum figura no P.V.O.L.P.).

15. Quanto a *sub*, também quando se lhe segue elemento principiado por *b*: *sub-base, sub-bibliotecário, sub-borato, sub-braquicéfalo* (registrados pelo próprio P.V.O.L.P.), *sub-bailio, sub-bilabiado, sub-bosque.*

16. No mesmo caso está *circum*: *circum-adjacente, circum-ambiente, circum-anal, circum-escolar* (registrados, aliás, pelo P.V.O.L.P.), *circum-uretral, circum-hospitalar.*

17. E, igualmente, *além, aquém*: *além-eras, além-fronteiras, além-mar, além-mundo, além-túmulo* (todos, naturalmente, consignados pelo P.V.O.L.P.), *aquém-fronteiras, aquém-mar* (id.).

18. O P.V.O.L.P. omite os seguintes prefixos, que também devem ser seguidos de hífen.

a) *ad*, quando seguido de palavra iniciada por *d*: *ad-digital* (ausente do P.V.O.L.P.);

b) *com*, quando se lhe segue palavra começada por *vogal*: *com-aluno, com-irmão* (não figurantes do Vocabulário oficial);

c) *entre*, quando seguido de palavra iniciada por *h*: *entre-hostil* (também não registrado pelo P.V.O.L.P.);

d) *co*, quando tem o sentido de 'a par' e o segundo elemento possui vida autônoma na língua: *co-autor, co-educação, co-eleitor, co-fiador, co-herdar, co-herdeiro, co-inquilino, co-opositor, co-proprietário, co-redator, co-responsabilidade, co-utente, co-vidente* (vocábulos que, aliás, figuram, além de outros, no P.V.O.L.P.), etc. É de pasmar — acentue-se — a incoerência do P.V.O.L.P. em relação a esse prefixo. Registra *co-aluno, co-autor*, a par de *coadquirente, coaquisição; co-herdeiro* a par de *coabitar* — e por aí além.

Também não traz *nuper*, embora dê *nuper-falecido* e *nuper-publicado* (ambos, como se vê, com hífen).

19. No texto: *sub-rogar.*

2º — Nos substantivos próprios de qualquer espécie — antropônimos, topônimos, patronímicos, cognomes, alcunhas, tribos e castas, designações de comunidades religiosas e políticas, nomes sagrados e relativos a religiões, entidades mitológicas e astronômicas, etc.: *José, Maria, Macedo, Freitas, Brasil, América, Guanabara, Tietê, Atlântico, Antoninos, Afonsinhos, Conquistador, Magnânimo, Coração de Leão, Sem Pavor, Deus, Jeová, Alá, Assunção, Ressurreição, Júpiter, Baco, Cérbero, Via Láctea*[20], *Canopo, Vênus*, etc.

OBSERVAÇÃO 1ª — As formas onomásticas que entram na composição de palavras do vocabulário comum escrevem-se com inicial minúscula quando constituem, com os elementos a que se ligam por hífen, uma unidade semântica; quando não constituem unidade semântica, devem ser escritas sem hífen e com inicial maiúscula: *água-de-colônia, joão-de-barro, maria-rosa* (palmeira), etc.; *além Andes, aquém Atlântico*, etc.

OBSERVAÇÃO 2ª — Os nomes de povos escrevem-se com inicial minúscula, não só quando designam habitantes ou naturais de um estado, província, cidade, vila ou distrito, mas ainda quando representam coletivamente uma nação: *amazonenses, baianos, estremenhos, fluminenses, guarapuavanos*[21], *jequieenses, paulistas, pontalenses*[22], *romenos, russos, suíços, uruguaios, venezuelanos*, etc.

3º — Nos nomes próprios de eras históricas e épocas notáveis: *Hégira*[23], *Idade Média, Quinhentos* (o século XVI), *Seiscentos* (o século XVII), etc.

OBSERVAÇÃO. — Os nomes dos meses devem escrever-se com inicial minúscula: *janeiro, fevereiro, março, abril, maio, junho, julho, agôsto, setembro, outubro, novembro e dezembro.*

4º — Nos nomes de vias e lugares públicos: *Avenida de Rio Branco, Beco do Carmo, Largo da Carioca, Praia do Flamengo, Praça da Bandeira, Rua Larga, Rua do Ouvidor, Terreiro de São Francisco, Travessa do Comércio*, etc.

5º — Nos nomes que designam altos conceitos religiosos, políticos ou nacionalistas: *Igreja* (Católica, Apostólica, Romana), *Nação, Estado, Pátria, Raça*, etc.

OBSERVAÇÃO. — Êsses nomes se escrevem com inicial minúscula quando são empregados em sentido geral ou indeterminado.

6º — Nos nomes que designam artes, ciências ou disciplinas, bem como nos que sintetizam, em sentido elevado, as manifestações do engenho e do saber: *Agricultura, Arquitetura, Educação Física, Filologia Portuguêsa, Direito, Medicina, Engenharia, História do Brasil, Geografia, Matemática, Pintura, Arte, Ciência, Cultura*, etc.

OBSERVAÇÃO. — Os nomes *idioma, idioma pátrio, língua, língua portuguêsa, vernáculo* e outros análogos escrevem-se com inicial maiúscula quando empregados com especial relêvo.

7º — Nos nomes que designam altos cargos, dignidades ou postos: *Papa, Cardeal, Arcebispo, Bispo, Patriarca, Vigário, Vigário-Geral, Presidente da República, Ministro da Educação, Governador do Estado, Embaixador, Almirantado, Secretário de Estado*, etc.[24]

8º — Nos nomes de repartições, corporações ou agremiações, edifícios e estabelecimentos públicos ou particulares: *Diretoria-Geral*[25] *do Ensino, Inspetoria do Ensino Superior, Ministério das Relações Exteriores, Academia Paranaense de Letras, Círculo de Estudos "Bandeirantes", Presidência da República, Instituto Brasileiro de Geografia e Estatística, Tesouro do Estado, Departamento Administrativo do Serviço Público, Banco do Brasil, Imprensa Nacional, Teatro de São José, Tipografia Rolandiana*, etc.

9º — Nos títulos de livros, jornais, revistas, produções artísticas, literárias e científicas: *Imitação de Cristo, Horas Marianas, Correio da Manhã, Revista Filológica, Transfiguração* (de RAFAEL), *Norma* (de BELLINI), *O Guarani*[26] (de CARLOS GOMES), *O Espírito das Leis* (de MONTESQUIEU), etc.

OBSERVAÇÃO. — Não se escrevem com maiúscula inicial as partículas monossilábicas que se acham no interior de vocábulos compostos ou de locuções ou expressões que têm iniciais maiúsculas: *Queda do Império, O Crepúsculo dos Deuses, Histórias sem Data, A Mão e a Luva, Festas e Tradições Populares do Brasil*[27], etc[28].

10º — Nos nomes de fatos históricos e importantes, de atos solenes e de grandes empreendimentos públicos: *Centenário da Independência do Brasil, Descobrimento da América, Questão Religiosa, Reforma Ortográfica, Acôrdo Luso-Brasileiro, Exposição Nacional, Festa das Mães, Dia do Município, Glorificação da Língua Portuguêsa*, etc.

OBSERVAÇÃO. — Os nomes das festas pagãs ou populares escrevem-se com inicial minúscula: *carnaval, entrudo, saturnais*, etc.

11º — Nos nomes de escolas de qualquer espécie ou grau de ensino: *Faculdade de Filosofia, Escola Superior de Comércio, Ginásio do Estado, Colégio de Pedro II, Instituto de Educação, Grupo Escolar de Machado de Assis*, etc.

12º — Nos nomes comuns, quando personificados ou individuados, e de sêres morais ou fictícios: A *Capital* da *República*, a *Transbrasiliana*, moro na *Capital*, o *Natal* de JESUS, o *Poeta* (CAMÕES), a ciência da *Antiguidade*, os habitantes da *Península*, a *Bondade*, a *Virtude*, o *Amor*, a *Ira*, o *Mêdo*, o *Lôbo*, o *Cordeiro*, a *Cigarra*, a *Formiga*, etc.

OBSERVAÇÃO. — Incluem-se nesta norma os nomes que designam atos das autoridades da República, quando empregados em correspondência ou documentos oficiais: A *Lei* de 13 de maio, o *Decreto-Lei*[29] nº 292, o *Decreto* nº 20.108, a *Portaria* de 15 de junho, o *Regulamento* nº 737, o *Acórdão* de 3 de agôsto, etc.

13º — Nos nomes dos pontos cardeais, quando designam regiões: Os povos do *Oriente*; o falar do *Norte* é diferente do falar do *Sul*; a guerra do *Ocidente*; etc.

OBSERVAÇÃO. — Os nomes dos pontos cardeais escrevem-se com inicial minúscula quando designam direções ou limites geográficos: Percorri[30] o país de *norte* a *sul* e de *leste* a *oeste*.

14º — Nos nomes, adjetivos, pronomes e expressões de tratamento ou reverência: D. *(Dom ou Dona)*, *Sr. (Senhor)*, *Srª (Senhora)*, *DD.* ou *Dig^{mo} (Digníssimo)*, *MM.* ou *M.^{mo} (Meritíssimo)*, *Rev.^{mo} (Reverendíssimo)*, *V. Revª (Vossa Reverência)*, *S. E.*[31] *(Sua Eminência)*, *V. M. (Vossa Majestade)*, *V. A. (Vossa Alteza)*, *V. Sª (Vossa Senhoria)*, *V. Exª (Vossa Excelência)*, *V. Exª Rev^{ma} (Vossa Excelência Reverendíssima)*, *V. Ex^{as} (Vossas Excelências)*, etc.

OBSERVAÇÃO. — As formas que se acham ligadas a essas expressões de tratamento devem ser também escritas com iniciais maiúsculas: *D Abade, Exma Srª. Diretora, Sr. Almirante, Sr. Capitão-de-Mar-e-Guerra, MM. Juiz de Direito, Exma e Rev.^{mo} Sr. Arcebispo Primaz, Magnífico Reitor, Excelentíssimo Senhor Presidente da República, Eminentíssimo Senhor Cardeal, Sua Majestade Imperial, Sua Alteza Real*, etc.

15º — Nas palavras que, no estilo epistolar, se dirigem a um amigo, a um colega, a uma pessoa respeitável, as quais, por deferência, consideração ou respeito, se queira realçar por esta maneira: *Meu bom Amigo, caro Colega, meu prezado Mestre, estimado Professor, meu querido Pai, minha amorável Mãe, meu bom Padre, minha distinta Diretora, caro Dr., prezado Capitão*, etc.

20. No corpo do P.V.O.L.P. está, incoerentemente, *via-láctea* (com hífen).

21. Palavra inexistente no corpo do P.V.O.L.P.

22. Idem.

23. É a boa forma. No corpo do P.V.O.L.P. está *héjira* (com *j*).

24. Parece-nos claro não haver motivo para o emprego de iniciais maiúsculas em tais nomes se êles forem usados de modo vago ou geral ("em sentido geral ou indeterminado", como se diz na observação ao item 5º), se não há razão para especial deferência: *Sonha ser papa; Candidatou-se a governador do Estado; Aspira ao cargo de presidente da República; Será promovido a embaixador*; etc. A não existir essa diferença, semelhantes nomes nunca seriam substantivos comuns.

25. No P. V. O. L. P., por evidente lapso, está sem o hífen.

26. No P. V. O. L. P. vem, inexatamente, *"Guarani"* (sem o artigo).

27. No P. V. O. L. P., inexatamente, está *"no Brasil"*.

28. É incompleta e imperfeita esta observação. Não se compreende que só as partículas monossilábicas (e as contrações ou combinações delas com outras palavras, do que não trata o P. V. O. L. P.) se escrevam com inicial minúscula. Possìvelmente a relativa raridade, em títulos de obras, revistas, etc., de partículas de mais de uma sílaba, ocasionou a falta de referência a estas. Por que se hão de escrever, nesses casos, as preposições e combinações *a, de, do, em, no, por, sem*, com minúscula, e as partículas *como, contra, depois, desde, durante, para*, a combinação *pelo*, etc., com letra grande? E se no título entra uma locução como *depois de, perto de, longe de, acêrca de, apesar de, por dentro, por fora*, etc., pode se admitir a minúscula no monossílabo e a maiúscula no elemento de mais de uma sílaba? Mais: os próprios substantivos, quando partes integrantes de locuções, devem ser grafados com inicial pequena, segundo doutrina Rebêlo Gonçalves em seu *Tratado de Ortografia*, visto que no conjunto se lhes dilui o teor semântico. Exemplo para os vários casos, *Uma Mulher como as Outras, Doutrina contra Doutrina, História Financeira e Orçamentária do Império do Brasil desde Sua Fundação, História de Arzila durante o Domínio Português, Marcha para o Oeste, Uma Jangada para Ulisses, Tiradentes perante a História, Estudos sôbre o Negro. A Felicidade pela Instrução; Contos fora da Moda, A Vida perto de Nós, Apontamentos acêrca de pessoas e Coisas do Brasil, O Pôrto por fora e por dentro; À margem da História, Conversas ao pé do Fogo, Seis personagens à procura de um Autor, Em busca do Tempo Perdido, Em demanda do Graal, O Brasil em face dos Imperialismos Modernos, Ao léu do Sonho e à mercê da Vida. À sombra das Raparigas em flor, O Médico à fôrça, A bico de pena, Com a pulga atrás da orelha.* Aliás, tende-se, agora, para o uso de iniciais minúsculas nos títulos, salvo na primeira palavra e (é claro) nas que são substantivos próprios. Consideramos lamentável esta prática.

29. Está "Decreto-lei" (com inicial minúscula o segundo elemento), o que é injustificável. Veja-se a observação ao item 9º, na qual se veda o emprêgo de maiúscula inicial nas partículas existentes "no interior de vocábulos compostos"; portanto, visto que não são partículas os substantivos e adjetivos, todos os que entram na formação de tais vocábulos devem escrever-se com inicial grande. Cf., neste mesmo capítulo: "Vigário-Geral" (item 9º), "Luso-Brasileiro" (10º), e, na observação ao item 14º, "Capitão-de-Mar-e-Guerra" (todos os elementos, nas três palavras, com maiúscula inicial).

30. Por evidente lapso de revisão, no texto vem "Percorrí" (com o *i* acentuado).

31. Deve ser "S. Em.ª"; assim está no "Registro de Abreviaturas" (bem como "V. Emª" [Vossa Eminência] e simplesmente "Emª" [Eminência]).

XVII
SINAIS DE PONTUAÇÃO

50. *Aspas* — Quando a pausa coincide com o final da expressão ou sentença que se acha entre aspas, coloca-se o competente sinal de pontuação depois delas, se encerram apenas uma parte da proposição; quando, porém, as aspas abrangem todo o período, sentença, frase, ou expressão, a respectiva notação fica abrangida por elas:

"Aí temos a lei", dizia o Florentino. "Mas quem as há de segurar? Ninguém." (RUI BARBOSA.)

"Mísera! tivesse eu aquela enorme, aquela
Claridade imortal, que tôda a luz resume!"
"Por que não nasci eu um simples vaga-lume?"
(MACHADO DE ASSIS.)

51. *Parênteses* — Quando uma pausa coincide com o início da construção parentética, o respectivo sinal de pontuação deve ficar depois dos parênteses; mas, estando a proposição ou a frase inteira encerrada pelos parênteses, dentro dêles se põe a competente notação:

"Não, filhos meus (deixai-me experimentar, uma vez que seja, convosco, êste suavíssimo nome); não: o coração não é tão frívolo, tão exterior, tão carnal, quanto se cuida." (RUI BARBOSA.)

"A imprensa (quem o contesta?) é o mais poderoso meio que se tem inventado para a divulgação do pensamento." "(Carta inserta nos *Anais da Biblioteca Nacional*, vol. I.)" (CARLOS DE LAET.)

52. *Travessão* — Emprega-se o travessão, e não o hífen, para ligar palavras ou grupos de palavras que formam, pelo assim dizer, uma cadeia na frase: O trajeto *Mauá — Cascadura*; a estrada de ferro *Rio — Petrópolis*; a linha aérea *Brasil — Argentina*; o percurso *Barcas — Tijuca*; etc.

53. *Ponto Final* — Quando o período, oração ou frase termina por abreviatura, não se coloca o ponto final adiante do ponto abreviativo, pois êste, quando coincide com aquêle, tem dupla serventia. Ex.: "O ponto abreviativo põe-se depois das palavras indicadas abreviadamente por suas iniciais ou por algumas das letras com que se representam: v. g.: V. S.ª; Il.^mo^; Ex.ª; etc." (Dr. ERNESTO CARNEIRO RIBEIRO.)

Lei nº 5 765, de 18 de dezembro de 1971

Aprova alterações na ortografia da língua portuguesa e dá outras providências.

O Presidente da República

Faço saber que o Congresso Nacional decreta e eu sanciono a seguinte Lei:

Art. 1º De conformidade com o parecer conjunto da Academia Brasileira de Letras e da Academia das Ciências de Lisboa, exarado a 22 de abril de 1971, segundo o disposto no art. III da Convenção Ortográfica celebrada a 29 de dezembro de 1943 entre o Brasil e Portugal, fica abolido o trema nos hiatos átonos[1]; o acento circunflexo diferencial na letra e e na letra o da sílaba tônica das palavras homógrafas de outras em que são abertas a letra e e a letra o[2], exceção feita da forma *pôde*, que se acentuará por oposição a *pode*; o acento circunflexo e o grave com que se assinala a sílaba subtônica dos vocábulos derivados em que figura o sufixo *mente* ou sufixos iniciados por z.

Art. 2º A Academia Brasileira de Letras promoverá, dentro do prazo de dois anos, a atualização do Vocabulário Comum, a organização do Vocabulário Onomástico e a republicação do *Pequeno Vocabulário Ortográfico da Língua Portuguesa* nos termos da presente Lei.

Art. 3º Conceder-se-á às empresas editoras de livros e publicações o prazo de quatro anos para o cumprimento do que dispõe esta Lei.

Art. 4º Esta Lei, que revoga as disposições em contrário, entrará em vigor trinta dias após a sua publicação.

Brasília, 18 de dezembro de 1971
150º da Independência e 83º da República.
Emílio G. Médici
Jarbas G. Passarinho

1. No Vocabulário de 1943 o trema era não obrigatório, mas facultativo, nesse tipo de hiatos; teria sido conveniente mantê-lo quando, em poesia metrificada, se deseja contar como hiato um encontro vocálico mais comumente lido como ditongo. É o caso, por exemplo, de *saudade* e *saudoso*, que, sendo, de ordinário, contados como trissílabos, ainda hoje aparecem também como tetrassílabos. Vejam-se estes exemplos, colhidos nas *Rimas*, de José Albano, poeta deste século, embora de pendor quinhentista: "Saüdades suaves e ferinas" (p. 82); "Do seio saudosos ais arranca" (p. 166). Há numerosas ocorrências, em antigos e modernos, de uma e de outra contagem.

2. Atenção para o que está escrito. Fala-se de oposição entre *e* e *o* fechados (visto que trazem sobreposto o acento circunflexo) e as mesmas vogais abertas. Duas observações. A primeira: se a oposição é entre vogal fechada e reduzida, o acento da primeira se mantém: *pôr* (verbo) e *por* (preposição). A segunda: se há um grupo de três homônimos, o primeiro com vogal tônica fechada, o segundo com a tônica aberta, e o terceiro com vogal reduzida (e, portanto, dissílabo átono), então haverá, respectivamente, o acento circunflexo, acento agudo, e ausência de acento: *pêlo* (s. m.), *pélo* (do v. *pelar*) e *pelo* (contração); *pêra* (s. f.), *péra* (s. f.) e *pera* (prep. antiga), dissílabo átono; *pôlo* (s. m. e adj.), *pólo* (s. m.) e *polo* (contração antiga).

NOMENCLATURA GRAMATICAL BRASILEIRA

PORTARIA Nº 36, DE 28 DE JANEIRO DE 1959

O MINISTRO DE ESTADO DA EDUCAÇÃO E CULTURA, tendo em vista as razões que determinaram a expedição da Portaria nº 52, de 24 de abril de 1957, e considerando que o trabalho proposto pela Comissão resultou de minucioso exame das contribuições apresentadas por filólogos e lingüistas de todo o País, ao Anteprojeto de Simplificação e Unificação da Nomenclatura Gramatical Brasileira,

RESOLVE

Art. 1º — Recomendar a adoção da Nomenclatura Gramatical Brasileira, que segue anexa à presente Portaria, no ensino programático da Língua Portuguesa e nas atividades que visem à verificação do aprendizado, nos estabelecimentos de ensino;

Art. 2º — Aconselhar que entre em vigor: *a)* para o ensino programático e atividades dele decorrentes, a partir do início do primeiro período do ano letivo de 1959;

b) para os exames de admissão, adaptação, habilitação, seleção e do art. 91, a partir dos que se realizarem em primeira época para o período letivo de 1960.

Clóvis Salgado

PRIMEIRA PARTE

FONÉTICA

I — A *fonética* pode ser:
Descritiva
Histórica
Sintática

II — Fonemas:
vogais
consoantes
semivogais

1. Classificação das vogais
Classificam-se as *vogais:*
a) quanto à *zona de articulação,* em:
anteriores, médias e posteriores
b) quanto ao *timbre,* em:
abertas, fechadas e reduzidas
c) quanto ao *papel das cavidades bucal e nasal,* em:
orais e *nasais*
d) quanto à *intensidade,* em:
átonas e *tônicas*

2. Classificação das consoantes
Classificam-se as *consoantes:*
a) quanto ao *modo de articulação,* em:
oclusivas
constritivas { *fricativas*, *laterais*, *vibrantes* }
b) quanto ao *ponto de articulação,* em:
bilabiais — *alveolares*
labiodentais — *palatais*
linguodentais — *velares*
c) quanto ao *papel das cordas vocais,* em:
surdas e *sonoras*
d) quanto ao *papel das cavidades bucal e nasal,* em:
orais e *nasais*

III — 1. Ditongos
Classificam-se os *ditongos* em:
crescentes e *decrescentes*
orais e *nasais*

2. Tritongos
Classificam-se os *tritongos* em:
orais e *nasais*

3. Hiatos
Nota — Os encontros *-ia, -ie, -io, -ua, -ue, -uo,* finais, átonos, seguidos, ou não, de *s,* classificam-se quer como ditongos, quer como hiatos, uma vez que ambas as emissões existem no domínio da Língua Portuguesa: *histó-ri-a* e *histó-ria; sé-ri-e* e *sé-rie; pá-ti-o* e *pá-tio; ár-du-a* e *ár-dua; tê-nu-e* e *tê-nue; vá-cu-o* e *vá-cuo.*

4. Encontros consonantais

IV — Sílaba
Classificam-se os vocábulos, *quanto ao número de sílabas,* em: *monossílabos, dissílabos, trissílabos* e *polissílabos.*

V — Tonicidade:
1. Acento:
principal
secundário
2. Sílabas:
tônicas
subtônicas
átonas { *pretônica*, *postônicas* }
3. Quanto ao *acento tônico,* classificam-se os vocábulos em:
oxítonos
paroxítonos
proparoxítonos
4. Classificam-se os *monossílabos* em:
átonos
tônicos
5. Rizotônico
Arrizotônico
6. Ortoepia
7. Prosódia

Nota — São *átonos* os vocábulos sem acentuação própria, isto é, os que não têm autonomia fonética, apresentando-se com sílabas átonas do vocábulo seguinte ou do vocábulo anterior.

São *tônicos* os vocábulos com acentuação própria, isto é, os que têm autonomia fonética.

Pode ocorrer que, conforme mantenha, ou não, sua autonomia fonética, o mesmo vocábulo seja átono numa frase, porém tônico em outra.

Tal pode acontecer, também, com vocábulos de mais de uma sílaba: serem átonos numa frase, e tônicos em outra.

SEGUNDA PARTE

MORFOLOGIA

A *Morfologia* trata das palavras:
a) quanto a sua estrutura e formação;
b) quanto a suas flexões; e
c) quanto a sua classificação.

A. Estrutura das palavras
1. Raiz
Radical
Tema
Afixo { prefixo, sufixo }
Desinência { nominal, verbal }
Vogal temática
Vogal e consoante de ligação
2. Cognato

B. Formação das palavras
1. *Derivação*
Composição
2. *Hibridismo*

C. Flexão das palavras
Quanto a sua *flexão,* as palavras podem ser:
variáveis
invariáveis

D. Classificação das palavras:
Substantivo
Artigo
Adjetivo
Numeral
Pronome
Verbo
Advérbio
Preposição
Conjunção
Interjeição

I — Substantivo
1. Classificam-se os *substantivos* em:
comuns e *próprios*
concretos e *abstratos*
2. Formação do *substantivo:*
primitivo e *derivado*
simples e *composto*
3. Flexão do *substantivo:*
a) gênero:
masculino
feminino
epiceno
comum de dois gêneros
sobrecomum
b) número:
singular
plural
c) grau:
aumentativo
diminutivo

Nota — Entre os *comuns* mencionem-se, especialmente, os *coletivos.*

II — Artigo
1. Classificação do *artigo:*
definido
indefinido
2. Flexão do *artigo:*
a) gênero:
masculino
feminino
b) número:
singular
plural

III — Adjetivo
1. Formação do *adjetivo:*
primitivo e *derivado*
simples e *composto*
2. Flexão do *adjetivo:*
a) gênero:
masculino
feminino
b) número:
singular
plural
c) grau:
comparativo
- de *igualdade*
- de *superioridade* { *analítico* / *sintético* }
- de *inferioridade*

superlativo
- *relativo* { de *superioridade* / de *inferioridade* }
- *absoluto* { *analítico* / *sintético* }

3. Locução adjetiva

IV — Numeral
1. Classificação do *numeral:*
cardinal
ordinal
multiplicativo
fracionário
2. Flexão do *numeral:*
a) gênero:
masculino
feminino
b) número:
singular
plural

V — Pronome
1. Classificação do *pronome:*
pessoal { *reto* / *oblíquo (reflexivo, não reflexivo)* / *de tratamento* }
possessivo
demonstrativo
indefinido
interrogativo
relativo
2. Flexão do *pronome:*
a) gênero:
masculino
feminino
b) número:
singular
plural
c) pessoa:
primeira
segunda
terceira
3. Locução pronominal
Nota — Os que fazem as vezes de substantivo chamam-se *pronomes substantivos*; os que acompanham o substantivo, *pronomes adjetivos*.

VI — Verbo
1. Classificação do *verbo:*
regular
irregular
anômalo
defectivo
abundante
auxiliar
2. Conjugações:
Três são as conjugações:
a *1ª* com o tema terminado em *a*
a *2ª* com o tema terminado em *e*
a *3ª* com o tema terminado em *i*
3. Formação do *verbo:*
primitivo e *derivado*
simples e *composto*
4. Flexão verbal
a) modo:
indicativo
subjuntivo
imperativo
b) *formas nominais* do verbo:
infinitivo { *pessoal* { *flexionado* / *não flexionado* } / *impessoal* }
gerúndio
particípio
c) tempo:
presente
pretérito
- *imperfeito*
- *perfeito* { *simples* / *composto* }
- *mais-que-perfeito* { *simples* / *composto* }

futuro
- *do presente* { *simples* / *composto* }
- *do pretérito* { *simples* / *composto* }

d) número:
singular
plural
e) pessoa:
primeira
segunda
terceira
f) voz:
ativa
passiva { com *auxiliar* / com *pronome apassivador* }
reflexiva
5. Locução verbal
Notas — *a)* O verbo *pôr* (e os dele formados) constitui anomalia da 2ª conjugação;
b) a denominação *futuro do pretérito (simples* e *composto)* substitui a de *condicional (simples e composto).*

VII — Advérbio
1. Classificação do *advérbio:*
a) de *lugar*
de *tempo*
de *modo*
de *negação*
de *dúvida*
de *intensidade*
de *afirmação*
b) *advérbios interrogativos*
de *lugar*
de *tempo*
de *modo*
de *causa*
2. Flexão do *advérbio:*
grau:

a) *comparativo* { de *igualdade* / de *superioridade* / de *inferioridade* }

b) *superlativo absoluto* { *sintético* / *analítico* }

c) *diminutivo*

3. Locução adverbial

Notas — *a)* Podem alguns advérbios estar modificando toda a oração;

b) Certas palavras, por não se poderem enquadrar entre os advérbios, terão classificação à parte. São palavras que denotam exclusão, inclusão, situação, designação, retificação, realce, afetividade, etc.

VIII — Preposição

1. Classificação das *preposições:*
   - *essenciais*
   - *acidentais*
2. Combinação
3. Contração
4. Locução prepositiva

IX — Conjunção

1. Classificação das *conjunções:*

coordenativas { *aditivas* / *adversativas* / *alternativas* / *conclusivas* / *explicativas* }

subordinativas { *integrantes* / *causais* / *comparativas* / *concessivas* / *condicionais* / *consecutivas* / *finais* / *temporais* / *proporcionais* / *conformativas* }

2. Locução conjuntiva

Nota — As conjunções *que*, *porque*, e equivalentes, ora têm valor coordenativo, ora subordinativo; no primeiro caso, chamam-se *explicativas;* no segundo, *causais*.

X — Interjeição
Locução interjectiva

XI — 1. Palavra
2. Vocábulo
3. Sincretismo
Sincrético
4. Forma variante
5. Conectivo

TERCEIRA PARTE

SINTAXE

A. Divisão da *sintaxe:*

a) de *concordância* { *nominal* / verbal }

b) de *regência* { *nominal* / *verbal* }

c) de *colocação*

Nota — Na colocação dos *pronomes oblíquos átonos*, adotem-se as denominações de *próclise*, *mesóclise* e *ênclise*.

B. Análise Sintática

— Da *oração*

1. *Termos essenciais* da oração:
   sujeito
   predicado

a) Sujeito
— *simples*
— *composto*
— *indeterminado*
— *oração sem sujeito*

b) Predicado
— *nominal*
— *verbal*
— *verbo-nominal*

c) Predicativo
— do *sujeito*
— do *objeto*

d) Predicação verbal
— *verbo de ligação*[1]
— *verbo intransitivo*
— *verbo transitivo* { *direto* / *indireto*[2] }

2. *Termos integrantes* da oração:
— *complemento nominal*
— *complemento verbal: objeto* { *direto* / *indireto* }
— *agente da passiva*

3. *Termos accessórios* da oração:
— *adjunto adnominal*
— *adjunto adverbial*
— *aposto*

4. Vocativo

— Do *Período*

1. Tipos de *período:*
   simples
   composto
2. Composição do *período:*
   coordenação
   subordinação
3. Classificação das *orações:*
   a) *absoluta*
   b) *principal*

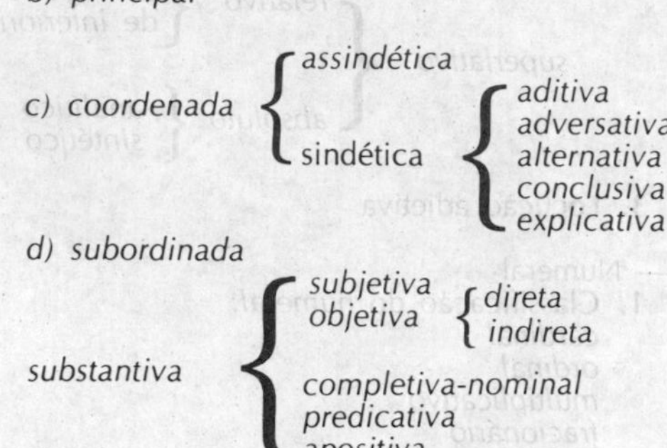

c) *coordenada* { *assindética* / sindética { *aditiva* / *adversativa* / *alternativa* / *conclusiva* / *explicativa* } }

d) *subordinada*

substantiva { *subjetiva* / *objetiva* { *direta* / *indireta* } / *completiva-nominal* / *predicativa* / *apositiva* }

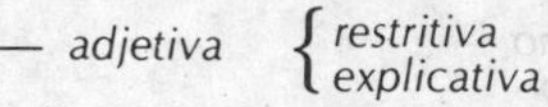

— *adjetiva* { *restritiva* / *explicativa* }

— *adverbial* { *causal* / *comparativa* / *consecutiva* / *concessiva* / *condicional* / *conformativa* / *final* / *proporcional* / *temporal* }

Às *orações subordinadas* podem apresentar-se, também, com os verbos numa de suas *formas nominais*; chamam-se, neste caso, *reduzidas*
de *infinitivo*
de *gerúndio*
de *particípio*

as quais se classificam como as desenvolvidas: *substantivas (subjetivas*, etc.), *adjetivas*, *adverbiais (temporais*, etc.).

Notas — 1. *Coordenadas* entre si podem estar quer *principais*, quer *independentes*, quer *subordinadas*, quer *subordinadas (desenvolvidas ou reduzidas)*.

1. Nesta obra usou-se *verbo predicativo*.

2. Também se usou, neste dicionário, a classificação *transitivo direto* e *indireto* (correspondente ao já tradicional *transitivo-relativo*). Por não considerarmos intransitivos os verbos *ir*, *vir* e outros assim, usamos para eles, por sugestão do Prof. Rocha Lima, querido Amigo, a denominação *transitivo circunstancial*.

2. Devem ser abandonadas as classificações:
a) de *lógico* e *gramatical, ampliado* e *inampliado, completo* e *incomplexo, total* e *parcial,* para qualquer elemento oracional;
b) de oração quanto à *forma* (plena, elítica, etc.); *quanto à ordem* (direta, inversa, partida, etc.); *quanto ao* conectivo (*conjuncional, não conjuncional, relativa*).

3. Na classificação da oração *subordinada* bastará dizer-se:
oração subordinada substantiva subjetiva (ou qualquer outra);
oração subordinada adjetiva restritiva, ou *explicativa;*
oração subordinada adverbial causal (ou qualquer outra).

APÊNDICE

I — FIGURAS DE SINTAXE

anacoluto
elipse
pleonasmo
silepse

II — GRAMÁTICA HISTÓRICA

aférese
altura (som)
analogia
apócope

assimilação { total / parcial / progressiva / regressiva

consonantismo
consonantização
convergente
crase
desnasalização
despalatalização

dissimilação { total / parcial / progressiva / regressiva

ditongação
divergente
elisão
empréstimo
epêntese
etimologia
haplologia
hiperbibasmo
intensidade (som)
metátese
nasalização
neologismo
palatalização
paragoge
patronímico
prótese
síncope
sonorização
substrato
superstrato
vocalismo
vocalização

III — ORTOGRAFIA

abreviatura
alfabeto
dígrafo — grupo de letras que representam um só fonema.

Exs. *ch* (chave) *qu* (quero)
gu (guerra) *rr* (carro)
lh (palha) *ss* (passo)
nh (manhã)

homógrafo
homófono
letra { maiúscula / minúscula
notações léxicas:
acento { agudo / grave / circunflexo
apóstrofo
cedilha
hífen
til
trema
sigla

IV — PONTUAÇÃO

aspas
asterisco
colchetes
dois-pontos
parágrafo (§)
parênteses
ponto-de-exclamação
ponto-de-interrogação
ponto-e-vírgula
ponto-final
reticências
travessão
vírgula

V — SIGNIFICAÇÃO DAS PALAVRAS

antônimo
homônimo
sinônimo
sentido figurado

VI — VÍCIOS DE LINGUAGEM

barbarismo
cacofonia
preciosismo
solecismo

ABREVIATURAS, SIGLAS E SINAIS CONVENCIONAIS USADOS NESTE DICIONÁRIO[1]

A

A. = autor
Abrev. = Abreviatura; abreviado(a)
abs. = absoluto
acepç. = acepção, acepções
açor. = açorianismo; açoriano
acrôn. = acrônico
acus. = acusativo
Acúst. = Acústica
adapt. = adaptação
adit. = aditiva
adj. = adjetivo
Adm. = Administração
adv. = advérbio; adverbial
Aer. = Aeronáutica
Aerom. = Aeromodelismo
afr. = africano(a); africanismo
aglut. = aglutinação
Agr. = Agricultura
Agrim. = Agrimensura
Agron. = Agronomia
al. = alemão
alat. = alatinado
Alfaiat. = Alfaiataria
Álg. = Álgebra
Álg. Abst. = Álgebra Abstrata
Álg. Mod. = Álgebra Moderna
Álg. Sup. = Álgebra Superior
Alq. = Alquimia
alter. = alteração
alto-al. = alto-alemão
Alv. = Alvenaria
Alveit. = Alveitaria
Amaz. = Amazônia
amer. = americanismo; americano(a)
anal. = analogia
Anál. Mat. = Análise Matemática
Anat. = Anatomia
Anat. Veg. = Anatomia Vegetal
Anest. = Anestesiologia
angl. = anglicismo
ant. = antigo(a)
antiq. = antiquado
Antôn. = antônimo(s)
antr. = antropônimo(s)
Antrop. = Antropologia
ap. = apud(em)
Apic. = Apicultura
aport. = aportuguesamento
aprox. = aproximativa
ár. = árabe
arc. = arcaísmo; arcaico(a)
Arit. = Aritmética
Arqueol. = Arqueologia
Arquit. = Arquitetura
art. = artigo
Art. Gráf. = Artes Gráficas
Artilh. = Artilharia
Art. Plást. = Artes Plásticas
astr. = astrônimo
Astr. = Astronomia
Astrol. = Astrologia
Astron. = Astronáutica
Atlet. = Atletismo
atr. = através
aum. = aumentativo
Autom. = Automobilismo
Automat. = Automatismo

B

B.-al. = baixo-alemão
Bacter. = Bacteriologia
B.-Art. = Belas-Artes
Basq. = Basquetebol
Bibliogr. = Bibliografia
Bibliol. = Bibliologia
Bibliot. = Biblioteconomia
Biofís. = Biofísica
Biogeogr. = Biogeografia
Biol. = Biologia
Biol. Ger. = Biologia Geral
Bioquím. = Bioquímica
Biotip. = Biotipologia
bit. i. = bitransitivo indireto
b.-lat. = baixo-latim
Bord. = Bordado
bot. = botânico
Bot. = Botânica
bras. = brasileirismo
burl. = burlesco

C

c. = cerca de, mais ou menos em
C. = Centro
Cálc. Vect. = Cálculo Vectorial
cald. = caldaico
Caligr. = Caligrafia
Cap. = Capoeira
Carp. = Carpintaria
Cartogr. = Cartografia
cat. = catalão
caus. = causal
célt. = céltico
cf. = confronte, compare
Chapel. = Chapelaria
chin. = chinês
Cibern. = Cibernética
Ciênc. Pol. = Ciência Política
cient. = científico
Cin. = Cinema
Cineg. = Cinegética
cing. = cingalês
Cir. = Cirurgia
Citol. = Citologia
cláss. = clássico
C. O. = Centro-Oeste
col. = coluna
Com. = Comércio
comb. = combinação
comp. = comparativo
Comun. = Comunicação
concess. = concessiva
cond. = condicional
conj. = conjunção
conjug. = conjugação
Constr. = Construção
Constr. Nav. = Construção Naval
Cont. = Contabilidade
contr. = contração; contrata
coord. = coordenativa
Coreog. = Coreografia
Cosm. = Cosmologia
Cosmog. = Cosmografia
Cost. = Costura
Cronol. = Cronologia
cruz. = cruzamento
Cul. = Culinária

D

def. = definido
defect. = defectivo
dem. = demonstrativo
Demogr. = Demografia
deprec. = depreciativo
der. = derivado(s)
desin. = desinência
desus. = desusado
det. = determinativo
dev. = deverbal
dim. = diminutivo
din. = dinamarquês
Diplom. = Diplomacia
Dir. = Direito
Dir. Adm. = Direito Administrativo
Dir. Intern. Mar. = Direito Internacional Marítimo
Dir. Jud. Civ. e Pen. = Direito Judiciário Civil e Penal
Dir. Jud. Pen. = Direito Judiciário Penal
Dir. Trib. = Direito Tributário
Docum. = Documentação

E

E. = Este
ecles. = eclesiástico
Ecol. = Ecologia
Ecol. Veg. = Ecologia Vegetal
Econ. = Economia
Econ. Pol. = Economia Política
Econ. Rur. = Economia Rural
Edit. = Editoração
Educ. = Educação
el. = elemento
El. comp. = Elemento de composição
Eletr. = Eletricidade
Eletromag. = Eletromagnetismo
Eletrôn. = Eletrônica
Embr. = Embriologia
Encad. = Encadernação
Eng. Civ. = Engenharia Civil
Eng. Elétr. = Engenharia Elétrica
Eng. Eletron. = Engenharia Eletrônica
Eng. Ind. = Engenharia Industrial
Eng. Nucl. = Engenharia Nuclear
Entomol. = Entomologia
Equit. = Equitação
equiv. = equivalente(s)
escand. = escandinavo
escol. = escolar
Escolást. = Escolástica

Escult. = Escultura
esp. = espanhol
Esp. = Espiritismo
Esport. = Esportes
Estat. = Estatística
Estét. = Estética
Estrut. = Estrutura
Ét. = Ética
etim. = etimologia
etn. = etnônimo
Etnogr. = Etnografia
Etnol. = Etnologia
E.U.A. = Estados Unidos da América
euf. = eufemismo
ex. = exemplo(s)
excl. = exclamação; exclamativo
Exérc. = Exército
Expl. = Explosivos
expr. = expressão
express. = expressivo

F

f. = feminino
f. = folha
f. = forma(s)
F. = Fulano
fam. = familiar
Farm. = Farmácia
Farmac. = Farmacologia
fem. = feminino
fig. = figurado, figuradamente
Filol. = Filologia
Filos. = Filosofia
fin. = final
Fin. = Finanças
finl. = finlandês
Fís. = Física
Fís. Mat. = Física Matemática
Fís. Nucl. = Física Nuclear
Fís.-Quím. = Físico-Química
Fisiol. = Fisiologia
Fisiol. Veg. = Fisiologia Vegetal
Fitog. ou Fitogeog. = Fitogeografia
Fitol. = Fitologia
Fitossoc. = Fitossociologia
flex. = flexão, flexões
Folcl. = Folclore
Fon. = Fonética
fórm. = fórmula
Fort. = Fortificação
Fot. = Fotografia
Fotogr. = Fotogravura
Fotom. = Fotometria
f. paral. = forma paralela
fr. = francês
f. red. = forma reduzida
fut. = futuro
Fut. = Futebol
fut. ind. = futuro do indicativo
fut. pres. = futuro do presente
fut. subj. = futuro do subjuntivo

G

g. = gênero(s)
gal. = galicismo
gaul. = gaulês
gen. = genitivo
gen. = genovês
geneal. = genealogia
Genét. = Genética
Geod. = Geodésia
Geofís. = Geofísica
Geog. = Geografia
Geog. Pol. = Geografia Política
Geol. = Geologia
Geom. = Geometria
Geom. Anal. = Geometria Analítica
Geom. Ded. = Geometria Dedutiva
Geom. Descr. = Geometria Descritiva
Geom. Dif. = Geometria Diferencial
Geom. Projet. = Geometria Projetiva
ger. = geral
ger. = gerúndio
germ. = germânico
Gin. = Ginecologia
Ginást. = Ginástica
gír. = gíria
gír. de gat. = gíria de gatuno
gír. de jorn. = gíria de jornalismo
gír. pol. = gíria policial
gót. = gótico
G. Quím. = Guerra Química
gr. = grego
Gram. = Gramática
Grav. = Gravura
guar. = guarani

H

hag. = hagiônimo
hebr. = hebraico
heort. = heortônimo
Heráld. = Heráldica
Hidrol. = Hidrologia
hier. = hierônimo
Hig. = Higiene
Hip. = Hipologia
hisp.-amer. = hispano-americano
Hist. = História
Hist. Bras. = História do Brasil
Hist. Filos. = História da Filosofia
Hist. Nat. = História Natural
Histol. = Histologia
hol. = holandês
hom. = homônimo
húng. = húngaro

I

ib. = *ibidem*
Ictiol. = Ictiologia
id. = *idem*
i. e. = isto é
ilustr. = ilustrado
imperat. = imperativo
imperf. = imperfeito
impess. = impessoal
impr. = impropriamente; impróprio
ind. = indicativo
indef. = indefinido
inf. = infantil
inf. = infinitivo
infer. = inferioridade
infl. = influência
Inform. = Informática
ingl. = inglês
int. = intransitivo
interj. = interjeição; interjetiva
interrog. = interrogativo, a
irl. = irlandês
irôn. = irônico
irreg. = irregular(es)
isl. = islandês
it. = italiano; italianismo

J

jap. = japonês
joc. = jocoso
Jog. Inf. = Jogos Infantis
Jorn. = Jornalismo
jur. = jurídico

L

lat. = latim; latinismo; latino
Latoar. = Latoaria
lat. vulg. = latim vulgar
ling. = linguagem
Ling. = Lingüística
Lit. = Liturgia
Liter. = Literatura
Litogr. = Litografia
loc. = locução, locuções
Lóg. = Lógica
lomb. = lombardo
lunf. = lunfardo
lus. = lusitanismo; lusitano
luso-afr. = luso-africanismo
luso-asiat. = luso-asiatismo

M

m. = mais
m. = masculino
Maç. = Maçonaria
Mad. = ilha da Madeira
Magn. = Magnetismo
mal. = malaio
Mar. = Marinha
Marc. = Marcenaria
Mar. G. = ou **Mar. Guer.** = Marinha de Guerra
Marinh. = Marinharia
Marn. = Marnoto
masc. = masculino
Mat. = Matemática
Mat. Fin. = Matemática Financeira
Mat. Sup. = Matemática Superior
Mec. = Mecânica
Med. = Medicina
Med. Leg. = Medicina Legal
Med. Nucl. = Medicina Nuclear
Mercad. = Mercadologia
Met. = Meteorologia
Metal. = Metalurgia
Micol. = Micologia
Microbiol. = Microbiologia
mil. = militar
Min. = Mineralogia
mit. = mitônimo(s)
Mit. = Mitologia
Moç. = Moçambique
mod. = moderno
Montanh. = Montanhismo
Morfol. Veg. = Morfologia Vegetal
m.-q.-perf. = mais-que-perfeito
m. us. = mais usado
Mús. = Música
Mús. Concr. = Música Concreta
Mús. Eletrôn. = Música Eletrônica

N

n. = número(s)
N. = Norte
Náut. = Náutica
N.E. = Nordeste
neerl. = neerlandês
neg. = negativo
neol. = neologismo
N.O. = Noroeste
nom. = nominal; nominativo
nom.-acus. = nominativo-acusativo
nor. = norueguês
num. = numeral
Numism. = Numismática

O

O. = Oeste
obsol. = obsoleto
Obst. = Obstetrícia
Ocean. = Oceanografia
Ocean. Biol. = Oceanografia Biológica
Ocean. Fís. = Oceanografia Física
Ocean. Geol. = Oceanografia Geológica
Ocult. = Ocultismo
Odont. = Odontologia
onom. = onomatopéia; onomatopéico
Ópt. = Óptica
or. = origem
Orat. = Oratória
Ornit. = Ornitologia

P

p. = página
p. = pronominal
pp. = páginas
Paleob. = Paleobotânica
Paleogr. = Paleografia
Paleont. = Paleontologia
Paleoz. = Paleozoologia
paral. = paralela(s)
part. = particípio
pass. = passado
Patol. = Patologia
Ped. = Pedologia
Pedag. = Pedagogia
pej. = pejorativo
perf. = perfeito
Pesc. = Pescaria
pess. = pessoa(s); pessoal
Pet. = Petrografia
p. ex. = por exemplo
p. ext. = por extensão
Pint. = Pintura
pl. = plural
plat. = platino
pleb. = plebeísmo
poét. = poético
pol. = polonês
Polít. = Política
pop. = popular(es)
port. = português
Port. = Portugal
poss. = possessivo
pred. = predicativo
pref. = prefixo
prep. = preposição
pres. = presente
pret. = pretérito
Prev. Soc. = Previdência Social
Proc. Dados = Processamento de Dados
prof. = professor
profs. = professores
profª = professora
Prom. Vend. = Promoção de Vendas
pron. = pronome(s); pronominal
Prop. = Propaganda
pros. = prosódico, a
pros. = prosônimo
prov. = provérbio
prov. = provincianismo ou provincialismo
provenç. = provençal
prov. lus. = provincianismo lusitano
Psic. = Psicologia
Psican. = Psicanálise
Psiq. = Psiquiatria
p. us. = pouco usado(s)

Q

Quím. = Química
Quím. Nucl. = Química Nuclear
quimb. = quimbundo
q. v. = queira ver

R

rad. = radical
Rád. = Rádio
Radiol. = Radiologia
Radiotéc. = Radiotécnica
regress. = regressivo
Rel. = Religião
restr. = restritivo, restritivamente
Ret. = Retórica
rom. = romeno
R.S.S. = República Socialista Soviética
rus. = russo

S

s. = substantivo
S. = Sul
sânscr. = sânscrito
S.E. = Sudeste
séc. = século
sécs. = séculos
Semiol. = Semiologia
Semiót. = Semiótica
símb. = símbolo
sin. = sinônimo(s)
sing. = singular
sin. ger. = sinônimo geral, sinônimos gerais
sint. = sintético
S.O. = Sudoeste
Sociol. = Sociologia
subj. = subjuntivo
subord. = subordinativa
suf. = sufixo
suf. nom. = sufixo nominal
suf. verb. = sufixo verbal
super. = superioridade
superl. abs. sint. = superlativo absoluto sintético
s. v. = *sub voce* (na palavra)

T

Taquigr. = Taquigrafia
Taur. = Tauromaquia
tb. = também
t. c. = transitivo circunstancial
t. d. = transitivo direto
t. d. e c. = transitivo direto e circunstancial
t. d. e i. = transitivo direto e indireto
Teat. = Teatro
Tec. = Tecnologia
Tec. Ind. = Tecnologia Industrial
Tec. Mec. = Tecnologia Mecânica
Tec. Org. = Tecnologia Orgânica
Tec. Quím. = Tecnologia Química
Telec. = Telecomunicação
Telev. = Televisão
Teol. = Teologia
Teor. Com. = Teoria da Comunicação
Teor. Inf. = Teoria da Informação
Teos. = Teosofia
Ter. = Teratologia
Terap. = Terapia ou Terapêutica
term. = terminação
t. i. = transitivo indireto
Tip. = Tipografia
top. = topônimo(s)
Topog. = Topografia
trad. = tradução
transobj. = transobjetivo
Trig. = Trigonometria
tupi-guar. = tupi-guarani

U

Umb. = Umbanda
unid. = unidade
unipess. = unipessoal
Urb. = Urbanismo
U.R.S.S. = União das Repúblicas Socialistas Soviéticas
us. = usado(s)

V

v. = veja
v. = verbo(s); verbal
var. = variante(s)
var. pros. = variante prosódica
vasc. = vasconço
ven. = venatório
vern. = vernáculo
Veter. = Veterinária
v. g. = *verbi gratia*
Virol. = Virologia
voc. = vocábulo; vocativo
vulg. = vulgar

Z

Zool. = zoologia
Zootec. = Zootecnia

▲ Antecede elemento de composição.
■ Antecede sigla ou símbolo químico.
♦ Antecede expressão estrangeira.
— Quando se remete o leitor para uma locução, este sinal substitui o adjetivo que dela faz parte. P. ex.: no verbete *constitucional* lê-se: "V. *Direito* —"; equivale a "V. *direito constitucional*".

- ● Us. apenas no interior de um verbete, para indicar mudança de classe gramatical ou de gênero.
- ♦ Us. somente em interior de verbete, antecedendo locução ou locuções de que o verbete é a base.
- * Indica forma hipotética (na etimologia).
- | Indica mudança de parágrafo.

- / Indica mudança de verso.
- // Indica mudança de estrofe
- = igual a
- + mais
- − menos
- × multiplicação
- ÷ divisão
- > proveniente de; maior do que
- < origem de; menor do que

- / / Indica intercalação de um fonema; ex.: /a/.
- ~ Indica remissão.

1. Numerosíssimas outras abreviaturas e siglas, e outros muitos sinais convencionais, vêm no corpo da obra.

O ALFABETO FONÉTICO INTERNACIONAL

(revisado em 1951)

OUTROS SONS — consoantes palatalizadas: ƫ, ᶁ, etc.; palatalizadas ʃ, ʒ:, ʆ, ʓ. Consoantes velarizadas ou faringeadas: ɫ, ᵭ, ᵶ, etc. Consoantes ejetivas (com oclusão global simultânea): p', t', etc. Consoantes sonoras implosivas: ɓ, ɗ, etc. ɼ trinado fricativo. σ, ϱ (labializadas θ, ð, ou s, z). ʅ, ʓ (labializadas ʃ, ʒ). ʇ, ʗ, ʖ (cliques c, q, x em zulo). ɺ (um som entre r e l). ŋ nasal silábico japonês. ɧ (combinação de x e ʃ). ʍ (w surdo), ɩ, ʏ, ɷ (variedades reduzidas de i, y, u). ɜ (uma variedade de ə). ɵ (uma vogal entre ø e o). As africadas são normalmente representadas por grupos de duas consoantes (ts, tʃ, dʒ, etc.), mas, quando necessário, são usadas ligaduras (ʦ, ʧ, ʤ, etc.) ou marcos ⁀ ou ‿ (t͡s ou t͜s, etc.). ⁀ ‿ também denotam articulação sincrônica (m͡ŋ = m e ŋ simultâneos). c, ɟ podem ocasionalmente ser usadas no lugar de tʃ, dʒ, e ƨ, ƻ por ts, dz. Plosivas aspiradas: ph, th, etc. Vogais r-coloridas: eɹ, aɹ, ɔɹ, etc., ou eʳ, aʳ, ɔʳ, etc., ou ɛ̢, a̢, ɔ̢, etc.; r-colorido ə: əɹ ou əʳ ou ɹ ou ɚ ou ɝ.

CONSOANTES	bilabiais	labio-dentais	dentais e alveolares	retro-flexas	palato-alveolares
plosivas	p b		t d	ʈ ɖ	
nasais	m	ɱ	n	ɳ	
laterais fricativas			ɬ ɮ		
laterais não fricativas			l	ɭ	
vibrantes			r		
vibrantes simples			ɾ	ɽ	
fricativas	ɸ β	f v	θ ð s z ɹ	ʂ ʐ	ʃ ʒ
contínuas sem fricção e semivogais	w ɥ	ʋ	ɹ		
VOGAIS					
fechadas	(y ʉ u)				
semifechadas	(ø o)				
semi-abertas	(œ ɔ)				
abertas	(ɒ)				

(as articulações secundárias são mostradas pelos símbolos entre parênteses)

alvéolo-palatais	palatais	velares	uvulares	faríngeas	glotais
	c ɟ	k g	q ɢ		ʔ
	ɲ	ŋ	ɴ		
	ʎ				
			ʀ		
			ʀ		
ɕ ʑ	ç j	x ɣ	χ ʁ	ħ ʕ	h ɦ
	j (ɥ)	(w)	ʁ		
	anteriores centrais posteriores				
	i y ɨ ʉ ɯ u				
	e ø ɤ o				
	ə				
	ɛ œ ʌ ɔ				
	æ ɐ				
	a ɑ ɒ				

DURAÇÃO, ACENTO, TOM – ː (duração completa). ˑ (meia duração). ˈ (acento colocado no começo da sílaba acentuada). ˌ (acento secundário). ¯ (tom de nível alto); _ (baixo nível); ˊ (alto ascendente); ˏ (baixo ascendente); ˋ (alto descendente); ˎ (baixo descendente); ˆ (ascendente-descendente); ˇ (descendente-ascendente).

MODIFICADORES – ~ nasalidade: ̥ respiração (l̥ = l respirado). ̬ voz (s̬ = z). ʻ leve aspiração seguindo p, t, etc. ̫ labialização (n̫ = n labializado). ̪ articulação dental (t̪ = t dental). ˙ palatalização (ż = ʑ). ˔ vogal especialmente fechada (e̝ = um e bem fechado). ˕ vogal especialmente aberta (e̞ = e um pouco aberto). ˔ língua erguida (e˔ ou e̝ = e̝). ˕ língua abaixada (e˕ ou e̞ = e̞), + língua avançada (u+ ou u̟ = um u avançado, t̟ = t̪). – ou ˗ língua retraída (i- ou i̠ = ɨ +, t̠ = t alveolar), ˒ lábios mais arredondados. ˓ lábios mais estirados. Vogais centrais: ï (= ɨ), ü (= ʉ), ë (= ə˔), ö (= ɵ), ɛ̈, ɔ̈. ̩ (por exemplo, n̩) consoante silábica. ̆ vogal consonantal. ʃˢ variedade de ʃ semelhante a s, etc.

A

a[1]. *S. m.* **1.** A 1ª letra do nosso alfabeto. [V. *alfabeto fonético internacional.*] **2.** *Astr.* A 1ª estrela de uma constelação. **3.** *Mús.* A nota lá, na antiga notação alfabética, ainda hoje usada nos países germânicos e anglo-saxões. **4.** *Fís.* Raia de emissão do oxigênio elementaR, cujo comprimento de onda é igual a 7 608,2 Å. **5.** *Fís.* Símb. de *ampère*. **6.** *Quím. Obsol.* Símb. de *argônio*. [Utilizado em lugar do símb. *Ar*, recomendado internacionalmente.] **7.** *Lóg.* Símb. de *proposição universal afirmativa*. **8.** Símb. de *atto-* [q. v.]. ● *Num.* **9.** O primeiro, numa série indicada pelas letras do alfabeto: *O item a diz tudo; Mora na casa* A. **10.** A primeira, num grupo de séries: *série a* (ou *série A*). [Cf. *á* e *à*.]

a[2]. [Do lat. *illa*.] **1.** *Art. def.* Fem. do art. *o*: "Tem a saúde, a firmeza, a força" (Eça de Queirós, *Notas Contemporâneas*, p. 52). **2.** Pron. pess. da 3ª pess. do sing., fem., forma oblíqua: "Em vão a fiquei chamando" (Alberto de Oliveira, *Poesias*, 3ª série, p. 29). **3.** Pron. dem., fem. do pron. dem. *o*; aquela: *Esta flor não é a que lhe dei.* [Flex.: *o, as, os.* Cf. *á* e *à*.]

a[3]. [Do lat. *ad*.] *Prep.* **1.** Exprime inúmeras relações entre palavras, podendo substituir, de modo mais ou menos adequado, várias outras preposições. Eis os seus principais empregos: **a)** Introduz complementos ou adjuntos de verbos, substantivos e adjetivos: "Não deixa de aludir igualmente a Sancho e Dulcinéia" (Augusto Meyer, *A Forma Secreta*, p. 94); "Falo a ti — doce virgem dos meus sonhos" (Casimiro de Abreu, *Obras*, p. 49); *Obedece às normas gramaticais;* "o sapê cerrado .... flexuava crepitando como a um fogo latente." (Coelho Neto, *Rei Negro*, p. 248); "a violento / Abalo acorda." (Alberto de Oliveira, *Poesias*, 2ª série, p. 232); "as cortinas se balançavam à brisa dessa noite" (Clarice Lispector, *A Via-Crúcis do Corpo*, p.18); "cantando a o cravo" (Eça de Queirós, *Notas Contemporâneas*, p. 61); "trabalhavam desde crianças a velhos" (José Régio, *O Príncipe com Orelhas de Burro*, p. 228); *sensibilidade ao sofrimento; homem temente a Deus.* **b)** Rege expletivamente o objeto direto de verbos, quando este é substantivo próprio, ou quando possa encerrar ambigüidade: *amar a Deus* [neste caso, pode-se dizer que é obrigatório]; "Lia Alexandro a Homero de maneira / Que sempre se lhe sabe à cabeceira." (Luís de Camões, *Os Lusíadas*, V, 96); *Venera o filho a o pai.* **c)** Regendo verbo no infinitivo, entra na construção de formas verbais perifrásticas que têm o valor de gerúndio: *estar a chorar* (= 'estar chorando'); "Eu quisera viver a voar, a voar" (Gilca Machado, *Poesias*, p. 128); que têm valor incoativo: *Pegou a falar;* "logo que passaram as missas da Candinha, recomeçou a rondar o Luís da Cunha e a pedir-lhe insistentemente a filha." (Pedro Nava, *Baú de Ossos*, p. 144); que exprimem fim ou intenção: *Correu a perguntar quem chegara;* "la colher as pitangas, / Trepava a tirar as mangas" (Casimiro de Abreu, *Obras*, p. 94); "Atrevo-me a falar sobre as mulheres." (Romeu de Avelar, *Crônicas de ontem e de hoje*, p. 11). **d)** É elemento primordial em inúmeras locuções adverbiais: *a olho nu; a pé; aos poucos; à porfia; às avessas.* **e)** Entra na formação de numerosas locuções prepositivas: *a despeito de; a respeito de; com referência a.* [Cf. *por*.] **2.** Se, se acaso, caso (precedendo verbo no infinitivo): *A continuares calado, eu me retirarei; A irmos agora, o Fernando irá conosco;* "Cruas ânsias, / Dos teus olhos afastado, / Houveram-me acabrunhado, / A não lembrar-me de ti!" (Gonçalves Dias, *Obras Poéticas*, I, p. 343).

▲**a-**[1]. [Do lat. *ab(s)*.] *Pref.* = 'afastamento', 'separação', 'privação', 'excesso', 'intensidade': *amovível.* [Equiv.: *ab-* e *abs-* (*abs-* vem sempre antes de *c* e *t*): *abjeção* (< lat. *abjectione*), *abjurar* (< lat. *abjurare*); *abuso* (< lat. *abusu*); *abscesso* (< lat. *abscessu*), *abster* (< lat. **abstenere*).]

▲**a-**[2]. [Do lat. *ad*.] *Pref.* = 'aproximação', 'direção'; 'aumento', 'acrescentamento'; 'mudança de estado', 'transformação', etc.: *abeirar, achegar; apodrecer, amedrontar.* [Equiv.: *ad-, ar-*[1], *as-*[1] (*ar-* e *as-* vêm sempre antes de *r* e *s*); *advogado* (< lat. *advocatu*), *adventício* (< lat. *adventiciu*); *adjetivo* (< lat. *adjectivu*); *arrostar, arribar; assimilar* (< lat. *assimilare*). A f. *a-* é, algumas vezes, conseqüência da assimilação do *d* à consoante seguinte e simplificação da consoante geminada: *aglutinar* (< lat. *agglutinare* < *adglutinare*).]

▲**a-**[3] [Do gr. *a-*] *Pref.* = 'privação', 'negação': *acéfalo* (< gr. *aképhalos*), *amoral.* [Equiv.: *an-*, que vem sempre antes de vogal: *anestesia* (< gr. *anaisthesía*), *analgia*; e *as-*[3]: *assepsia, assexual.*

▲**a-**[4]. *Pref. protético: alevantar, avergar.* [Equiv.: *ar-*[2] e *as-*[2], que vêm sempre antes de *r* e *s*: *arruído; assentar.*]

▲**a-**[5]. *Pref. protético*, resultante da aglutinação do artigo a certos substantivos: *abantesma, amora.* [Equiv.: *ar-*[3], que vem sempre antes de *r*: *arruda*.]

▲**-a.** Desin. do fem. na língua portuguesa: *aluna, cantora.* [Pl.: *-as*.]

á. *S. m.* Nome da letra *a*. [Pl.: *ás* ou *aa*. Cf. *a* e *à*.] ♦ **Não dizer á nem bê.** Não pronunciar uma palavra; nada dizer em resposta ao que viu ou que ouviu.

à[1]. Contr. da prep. a com o art. *a*: *Chegou à hora da partida;* "Esta pele refranzida / Move à piedade e à tristeza." (Alberto de Oliveira, *Poesias*, 3ª série, p. 42); "à luz dessa lamparina soturna, trêmula, ... a sua cabeça era uma cousa morta" (Gonzaga Duque, *Mocidade Morta*, p. 236). [Cf. a[1] e a[2].]

à[2]. Contr. da prep. a com o pron. dem. *a*; àquela: *Esta flor é semelhante à que lhe dei; Fez um poema à que se foi;* "compara a dor de agora à que sentiste / quando perdeste o teu primeiro encanto!" (Medeiros e Albuquerque, *Poesias*, p. 146). [Cf. *a*, *à*[1] e *á*.]

■ **Å.** *Fís.* Símb. de *angström*.

■ **ãa.** *S. f. Farm.* Abrev. de *aná*[2].

aarônico. *Adj.* **1.** Relativo ou pertencente a Aarão, irmão primogênito de Moisés [cf. *mosaico*[2]] e primeiro sumo-sacerdote do povo de Israel. **2.** *Fig.* Montanhês (1).

aaru. [Do tupi.] *S. m. Bras., MT.* Espécie de bolo que os nhambiquaras preparam com um tatu moqueado, triturado em pilão e misturado com farinha de mandioca.

▲**ab-**[1]. *Fís. Pref.* Designa as unidades de medida elétrica no sistema c.g.s. eletromagnético.

▲**ab-**[2]. V. *a-*[1].

aba[1]. *S. f.* **1.** Parte pendente de certas peças de uma veste. **2.** Rebordo de chapéu: "chapéu de feltro de copa afunilada e abas largas" (Melo Morais Filho, *Festas e Tradições Populares do Brasil*. p. 169). **3.** Parte complementar de certos móveis. **4.** Lugar contíguo, adjunto (a outro): *Mora na a b a de minha casa.* **5.** Costa que limita um mar, rio, lago, etc.; margem, beira. **6.** Base de montanha; falda, fralda, sopé: "Olhe a casinha na a b a do morro..." (B. Lopes, *Val de Lírios*, p. 63.) **7.** A costela inferior do boi. **8.** *Fig.* Proteção, amparo, arrimo. **9.** *Arquit.* Peça de madeira, às vezes com perfil caprichoso, utilizada no arremate da junção entre o teto de madeira e a parede. **10.** *Arquit.* Peça que guarnece os topos dos caibros nos telhados de beiral; testeira. **11.** *Arquit.* Qualquer prolongamento de telhado além da prumada da parede; beiral. **12.** *Bibliogr.* Orelha (6). [Dim. irreg.: *abeta*.] — V. *abas*. ♦ **Aba corrida.** *Arquit.* Varanda em sacada que corre ao longo da cimalha de um prédio.

aba[2]. [Do ár. *abā*.] *S. f.* Manto de lã grosseira, usado por árabes e persas.

aba[3]. *S. m.* **1.** Nas igrejas orientais, pai (em sentido espiritual). **2.** Entre os orientais, o fundador ou pai de um mosteiro ou abadia.

ababá[1]. *S. m. Bras. Gír.* Alguidar.

ababá[2]. *Bras. S. 2 g.* **1.** Indivíduo dos ababás, tribo indígena tupi-guarani que habitava as cabeceiras do rio Corumbiara (MT). ● *Adj. 2. g.* **2.** Pertencente ou relativo a essa tribo.

ababadar. [De *a-*[2] + *babado* + *-ar*[2].] *V. t. d.* **1.** Franzir à maneira de babado[1] (1). **2.** Pregar babados em. *Int.* e *p.* **3.** Adquirir forma ou semelhança de babado.

ababaloalô. *S. m. Bras.* V. *babalaô*.

abá-baxé-de-xangô. [Do ioruba.] *S. m. Bras.* A cerimônia principal da iniciação, quando o orixá contata com a cabeça dos iniciandos.

ababelado. [Part. de *ababelar*.] *Adj.* Desordenado, embaralhado, confuso, babélico. [Antôn.: *ordenado, organizado*.]

ababelar. [De *a-*[2] + *babel* + *-ar*[2].] *V. t. d.* e *p.* Transformar(-se) numa babel; misturar(-se); embaralhar(-se); desordenar(-se).

➧**ab absurdo.** [Lat., 'partindo do absurdo'.] Diz-se de um método de demonstração usado sobretudo em geometria.

abacá. *S. m.* V. *cânhamo-de-manilha*.

abaçá. [Do ioruba.] *S. m.* **1.** Barracão do terreiro. **2.** Sala de cerimônias.

abacado. *S. m. Bras., BA.* **1.** Abacateiro. **2.** Abacate.

abaçaí. *S. m. Bras.* Na mitologia tupi, espírito maligno que perseguia os índios, enlouquecendo-os.

abacamartado. [De *a-*[2] + *bacamarte* + *-ado*[1].] *Adj.* Semelhante a bacamarte.

abaçanado. [Do fr. *basané*.] *Adj.* **1.** De um branco denegrido e baço; branco-sujo. **2.** Moreno, trigueiro: "O tipo caboclo estava nela representado com opulência e genuinidade. Tez a b a ç a n a d a, cabelos corridos e pretos, olhos rasos e grandes, cara cheia e redonda" (Franklin Távora, *O Matuto*, p. 21). [Var.: *abacinado*.]

abaçanar. *V. t. d.* **1.** Tornar baço ou abaçanado; escurecer. *P.* **2.** Tornar-se baço ou abaçanado. **3.** Arroxear(-se) (a pele); amorenar-se. [Var.: *abacinar*.]

abacatada. *S. f. Bras., CE.* Creme de abacate.

abacataia. [Var. de *abacatuaia*] *S. f. Bras.* V. *aracan-*

güira.

abacate. [Do nauatle *awakatl*, talvez pelo esp.] *S. m.* O fruto do abacateiro, grande baga comestível, e cuja polpa encerra 20 a 25% de óleo, usado em perfumaria. [Sin. (bras., BA): *abacado.*]

abacate-do-mato. *S. m. Bras., L.* **1.** Planta da família das hipocrateáceas *(Salacia brachypoda)*, de sementes ricas em óleo e em alcalóide amargo, usadas como medicamento estomáquico. **2.** O fruto dessa planta. [Sin. ger.: *castanha-mineira, cipó-abacate.* Pl.: *abacates-do-mato.*]

abacateiro. *S. m.* Árvore da família das lauráceas *(Persea americana)*, procedente da América Central e do México, hoje cultivada por toda parte em virtude dos seus frutos de grande valor nutritivo e cujas folhas se usam como diurético. [Sin. (bras., BA): *abacado.*]

abacaterana. [Do tupi amazonense *abakati'rana.*] *S. f. Bras.* **1.** Árvore da família das lauráceas *(Persea coerulea)*, de madeira pardacenta, compacta, mas putrescível à ação de agentes meteorológicos, empregada em interiores. **2.** V. *louro-abacate.*

abacatina. *S. f. Bras.* V. *aracangüira.*

abacatuaia. [Do tupi *abakatu'aya.*] *S. f. Bras.* V. *aracangüira.*

abacatuia. [Var. de abacatuaia.] S. f. Bras. V. *aracangüira.*

abacatúxia. *S. f. Bras.* V. *aracangüira.*

abacaxi[1]. [Do tupi *i'bá*, 'fruto', + *ká'ti*, 'recendente'.] *S. m.* **1.** *Bras.* Planta da família das bromeliáceas (*Ananas sativus* Schult.), cultivada ou selvagem. A parte comestível é a infrutescência carnosa resultante do crescimento e da coalescência de todas as flores da inflorescência. Tanto a infrutescência como o caule encerram uma enzima proteolítica que pode ter o mesmo emprego que a papaína. [Sin.: *ananá, ananás, ananaseiro, nanás, nanaseiro, abacaxi-branco, aberas.*] **2.** A infrutescência comestível do abacaxi; ananá, ananás, nanás. **3.** *Bras. Gír.* Coisa trabalhosa, complicada, embrulhada, intrincada: *Antes de viajar, teve vários abacaxis para resolver.* **4.** *Bras. Gír.* Coisa ou pessoa desagradável, maçante, chata: *Aquele romance é um abacaxi;* "Dois meses depois, ela telefona, em pânico: 'Vou ser mãe!' Do outro lado da linha, Sandoval explode: 'Que abacaxi!' E, então, começa a evitar a pequena." (Nélson Rodrigues, *100 Contos Escolhidos . A Vida como Ela É*, II, pp. 57-58). **5.** *Bras.* V. *galego* (4). **6.** *Bras., PE* e *AL.* Dançador pesado, desajeitado. ♦ **Descascar um abacaxi.** *Bras. Gír.* **1.** Resolver ou procurar resolver uma dificuldade. **2.** Sair-se de uma embrulhada, de uma situação desagradável, maçante.

abacaxi[2]. *Bras. S. 2 g.* **1.** Indivíduo dos abacaxis, tribo indígena que habitava as margens do rio do mesmo nome (AM). ● *Adj. 2 g.* **2.** Pertencente ou relativo a essa tribo.

abacaxibirra. [De *abacaxi-beer*, 'cerveja de abacaxi'.] *S. f. Bras., ES.* Bebida feita com cascas de abacaxi fermentadas. [Cf. *aluá.*]

abacaxi-branco. *S. m.* V. *abacaxi*[1] (1). [Pl.: *abacaxis-brancos.*]

abacelar. [De *a-*[2] + *bacelo* + *-ar*[2].] *V. t. d.* **1.** Plantar bacelos em. **2.** Chegar terra ao redor de (as plantas). **3.** Soterrar provisoriamente (mudas de plantas). *Int.* **4.** Plantar bacelos. [F. paral.: *bacelar.*]

abacharelar-se. [De *a-*[2] + *bacharel* + *-ar*[2] + *se*[1].] *V. p.* **1.** Colar grau de bacharel; bacharelar-se. **2.** Viver como, ou imitar bacharel.

abacial. [Do lat. ecles. *abbatiale.*] *Adj. 2 g.* **1.** Pertencente ou relativo a abade, abadessa ou abadia. **2.** Próprio de abade ou abadessa: *poltrona abacial.* **3.** Bem nutrido; anafado, gordo. [Sin., nas acepç. 2 e 3: *abadesco.*]

abaciar. [De *a-*[2] + *bacia* + *-ar*[2].] *V. t. d.* Dar feição de bacia a.

abácida. [Do ár. *Abbāç*, antr.] *Adj. 2 g.* **1.** Pertencente ou relativo aos abácidas, dinastia muçulmana que teve Abū Abbāç como primeiro califa e reinou em Bagdá de 750 a 1258. ● *S. 2 g.* **2.** Membro da dinastia muçulmana dos abácidas.

abacinado. *Adj.* V. *abaçanado.*

abacinar. *V. t. d.* e *p.* V. *abaçanar.*

abacisco. *S. m. Arquit.* **1.** Ladrilho (1). **2.** Pavimento de mosaico.

abacista. *S. 2 g.* Pessoa que utiliza o ábaco para calcular.

ábaco. [Do gr. *ábax*, pelo lat. *abacu.*] *S. m.* **1.** Mesa ou aparador que os antigos usavam com finalidades diferentes, conforme a época. **2.** Mesa coberta de tênue camada de areia ou de cera, usada pelos antigos para os primeiros delineamentos da geometria ou da escrita. **3.** Moldura retangular, com arames, nos quais correm pequenas bolas, e empregada para iniciar alguém na aritmética elementar. **4.** *Arquit.* A parte superior, ou coroa, do capitel da coluna, cuja função é transmitir as cargas do entablamento, da cobertura ou dos pavimentos superiores para a coluna, protegendo assim o capitel, que geralmente é delicado e frágil. **5.** *Mat.* Instrumento para efetuar operações algébricas elementares, do qual existem diversos modelos. **6.** *Mat.* Nomograma.

abacomitato. *S. m.* **1.** Dignidade, cargo ou jurisdição de abacômite. **2.** O tempo de exercício desse cargo.

abacômite. *S. m.* **1.** Abade com a dignidade e a jurisdição de conde. **2.** Leigo que tinha abadia a título de comenda.

abacto. [Do lat. *abactu*, 'enxotado, expelido'.] *S. m.* **1.** *Ant.* Violência. **2.** Abigeato. **3.** *Med.* Aborto provocado.

abactor (ô). [Do lat. *abactore.*] *S. m.* V. *abigeatário.*

abáculo. [Do lat. *abaculu.*] *S. m.* **1.** Cada um dos pequenos cubos de pedra, cerâmica vidrada, vidro, esmalte, etc., de diferentes cores, embutidos em pavimentos, paredes ou tetos, para formar os mosaicos; alguergue, embutido. **2.** Pedra multicor usada pelos antigos em certos jogos. **3.** Antiga mesa pequena.

abacutaia. [Var. de *abacatuaia.*] *S. f. Bras.* V. *aracangüira.*

abada[1]. [De *aba*[1] + *-ada*[1].] *S. f.* **1.** Porção contida numa aba[1] (1 e 2), como, p. ex., a aba de um avental: "Vizinhas entravam com abadas de flores do campo, que lançavam no estreito caixão." (Bernardo Pinheiro, Pindela, *Azulejos*, p. 73.) **2.** *Fig.* V. *quantidade* (3).

abada[2]. [Do mal. *badaq*, 'rinoceronte'.] *S. f.* **1.** A fêmea do rinoceronte. **2.** O corno do rinoceronte.

abada[3]. [Do ioruba.] *S. m. Bras., Amaz.* Tambor usado nos babaçuês da Amazônia.

abadá. *S. m. Bras., BA. Pop.* Camisolão folgado e comprido, usado pelos nagôs, semelhante ao traje nacional da Nigéria.

abadado[1]. [De *abade* + *-ado*[2].] *S. m.* **1.** Dignidade, cargo ou jurisdição de abade. **2.** Tempo de exercício desse cargo. **3.** *Lus.* V. *abadia* (5). [Cf. *abadessado.*]

abadado[2]. [Part. de *abadar.*] *Adj.* Provido de abade; abadiado: *mosteiro abadado.*

aba-da-estrela. *S. f. Bras., GO.* Pequeno lábio da vulva. [Pl.: *abas-da-estrela.*]

abadágio. *S. m.* **1.** Refeição que os paroquianos davam obrigatoriamente ao abade. **2.** A obrigação desse ato. **3.** Renda da abadia.

abadalado. [De *a-*[2] + *badalo* + *-ado*[1].] *Adj.* Que tem feitio de badalo.

abadar. *V. t. d.* **1.** Apresentar abade em, prover de abade (igreja ou paróquia); abadiar. **2.** Exercer as funções de abade em (igreja ou paróquia). [Cf. *abadessar.*]

abade. [Do siríaco *abba*, f. enfática do hebr. *'ab'*, 'pai', pelo gr. *abbás* e pelo lat. *abbate.*] *S. m.* **1.** Aquele que governa a abadia. **2.** Superior de ordem religiosa. **3.** *Lus.* Pároco de certas freguesias. **4.** *Fig.* Homem muito gordo, bem nutrido e, em geral, pachorrento. [Fem., nestas acepç.: *abadessa* (ê), pl. *abadessas* (ê). Cf. *abadessa* e *abadessas*, do v. *abadessar.*] **5.** Tira de pano, sem pregas ou babados, que encobre os pés de móveis estofados, formando um macho em cada um dos quatro cantos do móvel. **6.** *Bras.* V. *gralha-do-campo.* **7.** *Bras., N.* Mortalha para cigarros.

abadejo. [Do esp. *abadejo.*] *S. m.* Badejo (1) [q.v.].

abadengo. *Adj.* Pertencente ao abade ou à sua jurisdição: *terras abadengas.* ~ V. *abadengos.*

abadengos. [Pl. de *abadengo.*] *S. m. pl.* Os bens abaciais. ~ V. *abadengo.*

abaderna. [De *a-*[4] + *fr. baderne.*] *S. f. Marinh. Ant.* Baderna [q. v.].

abadesco (ê). *Adj.* Abacial (2 e 3).

abadessa (ê). [Do lat. tardio *abbatissa.*] *S. f.* **1.** Superiora de abadia (4). **2.** *Fig.* Mulher grande, de aspecto matronal. **3.** *Bras., PE.* Dona ou administradora de prostíbulo. [Pl.: *abadessas* (ê). Cf. *abadessa* e *abadessas*, do v. *abadessar.*].

abadessado. [De *abadessa* + *-ado*[2].] *S. m.* **1.** Cargo e jurisdição de abadessa. **2.** O tempo de exercício desse cargo. **3.** Ato da eleição da abadessa. **4.** Celebração desse ato. [Cf. *abadado*[2].].

abadessar. *V. t. d.* Dirigir como abadessa. [Pres. ind.: *abadesso, abadessas, abadessa*, etc. Cf. *abadessa* (ê), pl. *abadessas* (ê), e *abadar.*]

abadia. [Do lat. ecles. *abbatia* (séc. VII).] *S. f.* **1.** Circunscrição eclesiástica sob a jurisdição de um abade. **2.** Residência canônica do abade. **3.** Os rendimentos correspondentes à abadia (1). **4.** Mosteiro governado por abade ou abadessa. **5.** *Lus.* Igreja paroquial cujo pároco tem a dignidade de abade; abadiado, abadado.

abadiado[1]. [De *abadia* + *-ado*[2].] *S. m. Lus.* V. *abadia* (5).

abadiado[2]. [Part. de *abadiar.*] *Adj.* Abadado[2].

abadianense. *Adj. 2 g.* **1.** De, ou pertencente ou relativo a Abadiânia (GO). ● *S. 2 g.* **2.** Natural ou habitante de Abadiânia.

abadiar. *V. t. d.* Abadar (1) [q.v.].

abádida. [Do ár. *Abbād*, antr.] *Adj. 2 g.* **1.** Relativo ou pertencente aos abádidas, dinastia muçulmana que reinou em Sevilha no séc. XI. ● *S. 2 g.* **2.** Membro dessa dinastia.

abadiense. *Adj. 2 g.* **1.** De, ou pertencente ou relativo a Abadia dos Dourados (MG). ● *S. 2 g.* **2.** Natural ou habitante de Abadia dos Dourados.

abadir. *S. m.* **1.** Pedra sagrada que os antigos consideravam habitada pela divindade. **2.** *Mitol.* A pedra que Saturno engoliu julgando que devorava seu próprio filho Júpiter.

abado. [Part. de *abar.*] *Adj.* Provido de aba, ou de grande aba.

abaetado (a-ê). [De *a-*[2] + *baeta* + *-ado*[1].] *Adj.* Semelhante à baeta.

abaetar (a-ê). [De *a-*[2] + *baeta* + *-ar*[2].] *V. t. d.* **1.** Cobrir com baeta. **2.** Agasalhar com baeta ou lãs. *P.* **3.** Vestir baeta. **4.** Agasalhar-se, abrigar-se, enroupar-se.

abaetê (a-e). [Do tupi.] *S. m. Bras.* Homem bom, verdadeiro, de palavra, honrado. [Cf. *abaité* e o top. e antr. *Abaeté.*]

abaeteense (a-etèên). *Adj. 2 g.* **1.** De, ou pertencente ou relativo a Abaeté (MG). ● *S. 2 g.* **2.** Natural ou habitante de Abaeté.

➧**ab aeterno** (abeterno). [Lat.] Desde toda a eternidade.

abaetetubense (a-e). *Adj. 2 g.* **1.** De, ou pertencente ou relativo a Abaetetuba (PA). ● *S. 2 g.* **2.** Natural ou habitante de Abaetetuba.

abafa. [Dev. de *abafar.*] *S. m. Bras., AL* e *RJ.* Certo jogo de cartas.

abafa-banana. [De *abafar* + *banana.*] *S. m. Bras., N.E. Fam.* Roupa (2) grossa, muito quente. [Pl.: *abafa-bananas.*]

abafação. *S. f.* V. *abafamento.*

abafadela. *S. f.* Ação de abafar rapidamente.

abafadiço. *Adj.* **1.** Suscetível de sufocações ou abafamentos. **2.** V. *abafado* (1 e 2): "Era um dia abafadiço e aborrecido. A pobre cidade de S. Luís do Maranhão parecia entorpecida pelo calor." (Aluísio Azevedo, *O Mulato*, p. 9.) **3.** *Fig.* Irritadiço, abespinhado, irascível.

abafado. [Part. de *abafar.*] *Adj.* **1.** Pesado, sufocante, abafante, abafadiço, abafador: *atmosfera abafada.* **2.** Em que se respira mal; irrespirável, abafadiço: *sala abafada.* **3.** Privado do ar, sufocado, opresso, asfixiado. **4.** Contido, reprimido, sofreado: *soluços abafados.* **5.** Enroupado, agasalhado, para evitar o frio. **6.** Disfarçado, dissimulado, velado: *riso abafado.* **7.** Que não se divulgou, não veio a público: *escândalo abafado.* **8.** Fraco, débil, sumido: *voz abafada.* **9.** Oprimido, apertado, esmagado: *Sente o coração abafado.* **10.** *Bras. Pop.* Extremamente ocupado; atarbado. **11.** *Bras. Pop.* Agoniado, ansiado, aflito. **12.** *Bras., PE. Pop.* Zangado, irritado. ~ V. *vinho* —.

abafador (ô). *Adj.* **1.** Que abafa. **2.** V. *abafado* (1). **3.** Que reprime; dominador: *leis abafadoras.* ● *S. m.* **4.** Aquilo que abafa ou agasalha; cobertura, agasalho. **5.** Capuz de lã para conservar quente o conteúdo de uma vasilha. **6.** Peça que amortece ou impede a vibração dos sons, em certos instrumentos. **7.** Membro de uma seita cristã que abreviava a vida dos moribundos, depois de confessados e comungados, abafando-os com almofadas. **8.** *Bras. Gír.* Gatuno, larápio.

abafadura. *S. f.* V. *abafamento* (1 e 2).

abafamento. *S. m.* **1.** Ato de abafar(-se); abafadura. **2.** Falta de ar; sufocação; abafadura, abafo. **3.** Apagamento, desaparecimento. **4.** *Bras. Gír.* Ação de abafar, de apropriar-se indebitamente de objeto ou quantia; abafo. [Sin. ger.: *abafação.*]

abafanético. *Adj. Bras., PE. Pop. Desus.* Cansado, ofegante, exausto, extenuado.

abafante. *Adj. 2 g.* **1.** V. *abafado* (1): *calor abafante.* **2.** *Bras. Gír.* Que abafa, que sobressai pela beleza, graça, elegância, simpatia, inteligência, etc.; abafativo.

abafar[1]. *S. m.* Var. de *albafar.*

abafar[2]. [De *a-*[2] + *bafo* + *-ar*[2].] *V. t. d.* **1.** Cobrir, para conservar o calor, dificultar ou obstar a evaporação: *Abafou o bule para que o chá não esfriasse.* **2.** Impedir a combustão de: *abafar as chamas.* **3.** Sufocar, asfixiar: *O excesso de agasalhos abafava-o.* **4.** Matar por asfixia; sufocar. **5.** Impedir o desenvolvimento de; não deixar crescer ou expandir-se; sufocar, asfixiar: *A* seca *abafou a muda da roseira.* **6.** Ocultar, encobrir, esconder: "Chorai, olhos meus, chorai,/ Que eu não abafo o que sinto" (José Albano, *Rimas,* p. 30); *Mal conseguiram abafar o escândalo.* **7.** Amortecer, abrandar o som de: "eu abafava os soluços para que ninguém os percebesse" (Umberto Peregrino, *Três Mulheres,* p. 21). **8.** Agasalhar, enroupar. **9.** Não deixar prosseguir; encobrir: *Tentou abafar o processo, mas o juiz, honesto, não o permitiu.* **10.** *Marinh.* Apertar (a vela, o pano) de encontro ao mastro ou verga, depois de carregada, de modo que o vento não a possa enfunar. **11.** *Bras. Gír.* Roubar, furtar. **12.** *Bras. Gír.* Estar ou ficar em situação de especial relevo em relação a; dominar, suplantar: "A Vila não quer abafar ninguém" (Do samba *Palpite Infeliz,* de Noel Rosa). *Int.* **13.** Respirar com dificuldade; sufocar(-se), asfixiar(-se). **14.** Fazer calor intenso. **15.** V. *sufocar* (8): "O calor abafava, fora." (Pedro Rabelo, *A Alma Alheia,* p. 24.) **16.** *Bras. Gír.* Ficar em situação de especial relevo, acima de todos, dominando-os, suplantando-os: *Quando a mulata apareceu, abafou. P.* **17.** Sufocar-se, asfixiar-se. **18.** Agasalhar-se, abrigar-se, enroupar-se.

abafarete (ê). [De *abafar*[2] + *-ete.*] *S. m.* **1.** Ato de abafar. **2.** Sustação do seguimento de uma coisa. **3.** O obstar a que uma notícia se divulgue. **4.** *Fam.* Qualquer bebida para aquecer.

abafativo. *Adj. Bras. Gír.* Abafante (2).

abafo. [Dev. de *abafar*[2].] *S. m.* **1.** Roupa que resguarda do frio; agasalho. **2.** Afeto, carinho, afago. **3.** V. *abafamento* (2 e 4).

abagualado. [De *a-*[2] + *bagual* + *-ado*[1].] *Adj. Bras., S.* **1.** Diz-se do cavalo arisco, espantadiço, como se fora bagual. **2.** *P. ext.* Inculto, rústico, abrutalhado.

abagualar-se. [De *a-*[2] + *bagual* + *ar*[2] + *se*[1]] *V. p. Bras., S.* **1.** Tornar-se (o cavalo) bagual ou arisco. **2.** *P. ext.* Tornar-se grosseiro, rústico; abrutalhar-se.

abagunçado. [Part. de *abagunçar.*] *Adj. Bras. Pop.* Bagunçado.

abagunçar. [De *a-*[2] + *bagunça* + *ar-*[2].] *V. t. d.* e *int. Bras. Pop.* V. *bagunçar.* [Conjug.: v. *laçar.*]

abaianada (a-i). [Fem. substantivado de *abaianado.*] *S. f. Bras., N.E., Folcl.* Peça de zabumba (2), de ritmo rápido, caracterizada sobretudo pelo toque rufado do tarol.

abaianado (a-i). [De *a-*[2] + *baiano* + *-ado*[1].] *Adj. Bras.* Que tem aspecto, jeito, modos de baiano.

abaíba. *Bras. S. 2 g.* **1.** Indivíduo dos abaíbas, tribo indígena que ocupava a região que é hoje a da mata mineira. ● *Adj. 2 g.* **2.** Pertencente ou relativo a essa tribo.

abainhar (a-i). [De *a-*[2] + *bainha* + *-ar*[2].] *V. t. d.* **1.** Dar forma de bainha a. **2.** Fazer bainha em; embainhar, bainhar: "Estava agora do outro lado da mesa, abainhando um esfregão" (Eça de Queirós, *O Crime do Padre Amaro,* p, 462).

abaiô. [Do ioruba.] *S. m. Bras.* Designação dada a Oxum quando a orixá usa o leque (1).

abaionetar. [De *a-*[2] + *baioneta* + *-ar*[2].] *V. t. d.* **1.** Ferir ou trespassar com baioneta. **2.** Armar de baioneta.

abairramento. *S. m.* Ato ou efeito de abairrar.

abairrar. [De *a-*[2] + *bairro* + *-ar*[2].] *V. t. d.* Dividir (cidade, vila, etc.) em bairros.

abaité (a-i). [Do tupi.] *S. m. Bras., MG.* Pessoa feia, repulsiva. [Cf. *Abaeté* e o top. e antr. *Abaeté.*]

abaiucar (ai-u). [De *a-*[2] + *baiúca* + *-ar*[2].] *V. t. d.* Dar aspecto de baiúca a. [Conjug.: v. *trancar,* e leva acento no *u* nas f. rizotônicas: *abaiúco, abaiúcas, abaiúca, abaiúque,* etc.]

abaixadela. *S. f.* Ato ou efeito de abaixar (-se) uma vez, ou ligeiramente.

abaixado. [Part. de *abaixar.*] *Adj.* **1.** Tornado baixo ou mais baixo. **2.** Descido, arriado: *Dormiu de persianas abaixadas.* **3.** Abatido, humilhado, aviltado, rebaixado. ~ V. *abaixados.*

abaixador (ô). *Adj.* **1.** Que abaixa. ● *S. m.* **2.** Aquilo que abaixa. **3.** *Bras., BA.* Pescador que, mergulhando, desembaraça a rede presa em qualquer obstáculo no fundo da água. ♦ **Abaixador de língua.** V *abaixa-língua.*

abaixados. [Pl. de *abaixado,* substantivado.] *S. m. pl. Bras.* **1.** Salamaleques, rapapés, mesuras. **2.** Adulações, bajulações. [Sin. ger.: *agachados.*] ~ V. *abaixado.*

abaixa-língua. [De *abaixar* + *língua.*] *S. m.* Instrumento espatulado com que os médicos mantêm a língua abaixada no decurso dos exames ou das operações; abaixador de língua, glossocátoco. [Pl.: *abaixa-línguas.*]

abaixa-luz. [De *abaixar* + *luz.*] *S. m.* V. *abajur* (1). [Pl.: *abaixa-luzes.*]

abaixamento. *S. m.* Ato ou efeito de abaixar(-se).

abaixante. *Adj. 2 g.* **1.** Que abaixa; abaixador. ● *S. m.* **2.** Aquilo que abaixa.

abaixar. [De *abaixo* + *-ar*[2].] *V. t. d.* **1.** Tornar baixo ou mais baixo; diminuir na altura; baixar: *Fez abaixar os altos muros da mansão; Abaixou a voz.* **2.** Fazer descer; baixar: *Abaixou as persianas.* **3.** Fazer cair: derribar, derrubar; baixar. **4.** Dirigir para baixo; baixar: "o homem abaixava os olhos, contrafeito, ou os desviava para o lado" (Herman Lima, *Garimpos,* p. 142). **5.** Reduzir o preço, o valor, a estimação de; baixar: *A queda do dólar abaixou as ações.* **6.** *Mús.* V. *baixar* (3). *T. d.* e *i.* **7.** Dirigir (para baixo); baixar. *T. c.* **8.** Descer, baixar: *abaixar ao solo. Int.* **9.** Descer ao nível do chão ou para o fundo do recipiente (pó, poeira, sedimento); assentar; baixar. **10.** Passar de um lugar alto para outro baixo ou menos alto; descer, baixar. **11.** Arrefecer (a temperatura); baixar. *P.* **12.** Tornar-se menos alto ou mais baixo; baixar. **13.** Diminuir em altura; baixar. **14.** Curvar-se, dobrar-se, flexionar-se; baixar: "abaixando-me na mesa do almoço para apanhar um garfo, vi as coxas de Miriã" (Dias da Costa, *Canção do Beco,* p. 17).

abaixa-voz. [De *abaixar* + *voz.*] *S. m.* Dossel que cobre o púlpito; guarda-voz. [Pl.: *abaixa-vozes.*]

abaixo. [De *a-*[3] + *baixo.*] Adv. **1.** Em lugar menos elevado: *Aquela árvore está bem mais abaixo que esta.* **2.** Na parte inferior: *Os abaixo nomeados não receberão bonificações.* **3.** Na direção da parte superior para a inferior; descensionalmente: "O fato de voarem uma atrás da outra, ora à direita, ora à esquerda, ora abaixo, ora acima, ... não dá a razão do desvio, visto que nunca as borboletas voaram em linha reta, como simples militares." (Machado de Assis, *Histórias sem Data,* p. 197.) **4.** Em situação ou posição hierárquica inferior: *Pedro é diretor da firma, Paulo está abaixo.* **5.** Ao chão, a terra, ao solo: *Irado, jogou abaixo tudo que encontrou à frente.* [Antôn. ger.: *acima.*] ● *Interj.* **6.** Grito de reprovação: *Abaixo a tirania!* ♦ **Abaixo de.** **1.** Em posição inferior a, mas na mesma direção vertical: *O livro está logo abaixo da pasta;* "o carvão já falhou no inverno, quando vaga agudíssima de frio precipitou o azougue dos termômetros abaixo de zero muitos graus." (Ricardo Jorge, *Passadas de Erradio,* p. 181). **2.** Em posição inferior, subalterna, em um conjunto, série, hierarquia, etc.: *O capitão está abaixo do major; Sua inteligência é abaixo da média.* **3.** Em seguida a; depois de; após: *Abaixo de João ainda há mais três filhos; Abaixo de Deus, ama os filhos.* **4.** Em condição inferior, quanto ao mérito intelectual, moral, etc.: *Valentim Magalhães está muitíssimo abaixo de Machado de Assis; Está muito abaixo de João, que é um homem de bem;* "Não o coloco [a Camilo Castelo Branco] abaixo nem acima de pessoa alguma: não o quis comparar." (Tomás Ribeiro, *in* Camilo Castelo Branco, *Um Livro,* p. XXXI); "Achava tudo muito abaixo do que imaginara; daí o tédio, a repulsão por tudo aquilo." (Abel Botelho, *Sem Remédio,* p. 181). **5.** Em quantidade, quantia, idade, etc., inferior a: *Os livros que possui são abaixo de 10 000; Percebe vencimentos abaixo de 10 mil cruzados;* "são vinte [meninos], ... todos garotinhos abaixo de dez anos" (Armando Nogueira, *Na Grande Área,* p. 11).

abaixo-assinado. *S. m.* Documento particular assinado por várias pessoas e que, em geral, contém reivindicação, pedido, manifestação de protesto ou de solidariedade, etc. [Pl.: *abaixo-assinados.*]

abajeru. [De *guajuru.*] *S. m. Bras., Amaz.* **1.** Planta da família das rosáceas *(Coupeia canomensis),* cujo fruto é uma drupa de 4 a 5 cm de diâmetro, aproveitável na alimentação. **2.** O fruto dessa planta. [Var.: *gajeru, gajiru, gajuru, guajaru, guajiru, guajeru, guajuru.*]

abajoujamento. *S. m.* Ato de abajoujar-se.

abajoujar-se. [De *a-*[2] + *bajoujo* + *-ar*[2] + *se*[1].] *V. p.* Tornar-se ou mostrar-se bajoujo.

abaju. *Bras. S. 2 g.* **1.** Indivíduo dos abajus, mestiços brasileiros resultantes da fusão dos abaúnas com os brancos. ● *Adj. 2 g.* **2.** Pertencente ou relativo aos abajus.

abajur. [Do fr. *abat-jour.*] *S. m.* **1.** Peça de forma variável, feita de cartão, pano, vidro fosco, porcelana, etc., que preserva os olhos da luz de lâmpada, candeeiro, vela, etc., ou a faz incidir sobre determinada área; quebra-luz, abaixa-luz, pára-luz, lucivelo ou lucivéu, pantalha, refletidor, sombra, tapa-luz: "Entra em seu quarto, a luz do abajur clareia o rosto da mulher" (Ricardo Ramos, *Matar um Homem,* p. 146). **2.** *P. ext.* O conjunto formado pelo abajur (1) e pelo respectivo pé. **3.** Aparelho feito de pranchas, aplicado às janelas das prisões para vedar aos prisioneiros toda a comunicação com o exterior. **4.** *Arquit.* Janela cujos lados são inclinados para que a abertura no interior se alargue. **5.** *Bras., RJ. Gír. pol.* Policial que fica à espreita de ladrões, assaltantes, etc.

abalá. *S. m. Bras. BA.* Var. de *abará.*

abalada. *S. f.* **1.** V. *abalamento.* **2.** Saída de um lugar; partida. **3.** Corrida, correria: *Foi e voltou numa abalada.* **4.** Direção que a caça toma ao levantar-se. ♦ **De abalada.** Apressadamente, precipitadamente; a toda a pressa: "— Adeus! adeus! — exclamei raivoso, erguendo-me e de abalada seguindo em direção à porta da rua." (Abel Botelho, *O Livro de Alda,* p. 119.)

abalado. [Part. de *abalar.*] *Adj.* **1.** Que não está firme; mal seguro: *alicerces abalados.* **2.** Abatido, diminuído, alquebrado: *saúde abalada.* **3.** Impressionado, perturbado, comovido.

abalador (ô). *Adj.* Que abala.

abaladura. *S. f.* V. *abalamento.*

abalamento. *S. m.* Ato ou efeito de abalar; abaladura, abalo, abalada.

abalançamento. *S. m.* Ato ou efeito de abalançar(-se).

abalançar. [De *a-*[2] + *balança* + *-ar*[2].] *V. t. d.* **1.** Determinar ou declarar o peso de, usando para isso a balança. **2.** Avaliar, estimar, calcular: *Não foi possível abalançar com precisão os danos.* **3.** Mover alternadamente em sentidos opostos; oscilar, balançar. **4.** Fazer librar. **5.** Impelir, impulsar, impulsionar. **6.** Balançar (4). *T. d.* e *i.* **7.** Impelir, mover; conduzir: *O sentimento cívico abalançou-o a apresentar-se como voluntário. T. i.* **8.** Impelir, mover, conduzir. *Int.* **9.** V. *abalançar* (10). *P.* **10.** Mover-se alternadamente em sentidos opostos; oscilar, balançar, abalançar. **11.** Arrojar-se, atrever-se, arriscar-se, aventurar-se: *Abalançou-se a injuriar a Deus;* "E foi assim que .... às suas instâncias me abalancei à viagem ao Oriente e a Londres." (Ricardo Jorge, *Canhenho dum Vagamundo,* p. XV.) [Conjug.: v. *laçar.*]

abalar. *V. t. d.* **1.** Diminuir a solidez ou firmeza de, sacudindo, aluindo, etc.: *O terremoto abalou vários bairros da cidade.* **2.** Provocar oscilação em; fazer tremer; agitar: "a ventania abala as vidraças." (Raul Brandão, *A Farsa.* p. 13). **3.** Causar abalo a; comover, impressionar: *A catástrofe abalou-o vivamente.* **4.** Diminuir ou tirar a resistência de; abater, enfraquecer: *A vida afanosa que leva não o abala.* **5.** Pôr em rebuliço; agitar: *A notícia abalou a cidade.* **6.** Convulsionar, revolucionar, subverter. **7.** Fazer mudar ou modificar (opinião, parecer, etc.): *Apesar de todos os meus argumentos, não alcancei abalá-lo. T. d.* e *i.* **8.** Incitar, impelir: *O ódio abalou-o a praticar o crime. T. c.* **9.** Sair ou partir, deixando, abandonando. *Int.* **10.** V. *fugir* (1 e 2): *Praticado o crime, abalou.* **11.** Partir; afastar-se, ausentar-se: *Mal rompeu o dia, ela abalou;* "Quando as naus iam à Índia, / Se eram cem as que abalavam, / Vinte apenas regressavam..." (Eugênio de Castro, *Obras Poéticas,* V, p. 93). **12.** *Bras., BA.* Pescar batendo os remos na água. *P.* **13.** Sacudir-se, agitar-se. **14.** Abater-se, prostrar-se: *Abalou-se muito com a morte do filho;* "Ao sopro da desventura / Só eu me não abalei" (Gonçalves Dias, *Obras Poéticas,* II, p. 103). **15.** Sofrer abalo moral: "Um dia abalou-se gravemente a confiança na instituição." (Ciro dos Anjos, *A Menina do Sobrado,* p. 242.) [Pres. ind.: *abalo,* etc. Cf. *ábalo.*]

abalaustrado[1] (a-u). [De *a-*[2] + *balaústre* + *-ado*[1].] *Adj.* Em forma de balaústre.

abalaustrado[2] (a-u). [Part. de *abalaustrar.*] *Adj.* Guarnecido de balaústre(s).

abalaustramento (a-u). *S. m.* Ato ou efeito de abalaustrar.

abalaustrar (a-u). [De *a-*[2] + *balaústre* + *ar*[2].] *V. t. d.* **1.** Guarnecer com balaústre(s). **2.** Dar forma de balaústre(s) a. [Conjug.: v. *saudar.*]

abalável. *Adj. 2 g.* Que pode ser abalado.

abaldeirado. *Adj. Bras.* V. *albardeiro* (3).

abaldeiro. *Adj. Bras.* V. *albardeiro* (3).

abalizado. [Part. de *abalizar.*] *Adj.* **1.** Marcado ou sinalizado com balizas. **2.** De grande competência; idôneo, notável, competente: "No que levo dito dos jantares de dois me reporto ao testemunho de abalizadas autoridades" (Ramalho Ortigão, *Em Paris,* p. 125).

abalizador (ô). *Adj.* **1.** Que abaliza. ● *S. m.* **2.** Aquele ou aquilo que abaliza. **3.** Vara para medir terrenos.

abalizamento. *S. m.* Ato ou efeito de abalizar(-se).

abalizar. [De *a-*[2] + *baliza* + *-ar*[2].] *V. t. d.* **1.** V. *balizar* (1). **2.** Assinalar, distinguir, marcar: *Uma velha cruz abalizava o local do desastre.* **3.** Apontar, assinalar. *T. d.* e *i.* **4.** Traçar, assinalar: *O marido abalizou limites ao desejo de compras da mulher. T. pred.* **5.**

Apontar, assinalar, considerar: "se o abalizarem [Antônio José da Silva, o Judeu] o primeiro entre os autores de comédias populares ...., não lhe contestamos a categoria." (Camilo Castelo Branco, *Curso de Literatura Portuguesa*, p. 192). *P.* **6.** Adquirir notável competência; distinguir-se; sobressair.

abalo. [Dev. de *abalar.*] *S. m.* **1.** V. *abalamento.* **2.** Estremecimento, trepidação, tremor: *abalo de um prédio.* **3.** Grande agitação ou transformação; perturbação, convulsão: *1930 foi um ano de grande abalo político no Brasil.* **4.** Desordem, motim, alvoroço. **5.** Perturbação de ânimo; emoção, comoção, choque: *A morte do filho causou-lhe grande abalo.* **6.** Partida, ida, abalada. **7.** Deslocamento pulsatório em qualquer sistema mecânico. **8.** *Bras., BA.* Modalidade de pesca na qual se usa rede de tresmalho em forma circular. **9.** *Bras. BA.* Essa rede. **10.** *Bras., MG.* Reação causada por medicamento. [Cf. *ábalo.*] ♦ **Abalo nervoso.** *Med.* Choque psíquico com repercussão no sistema nervoso. **Abalo sísmico.** *Geofís.* Sismo.

ábalo. *S. m.* **1.** Indivíduo dos ábalos, povo da Índia. ● *Adj.* **2.** Pertencente ou relativo a esse povo. [Cf. *abalo*, do v. *abalar* e s. m.]

abaloado. [De *a-*[2] + *balão* + *-ado*[1].] *Adj.* V. *abalonado.*

abaloar. [De *a-*[2] + *balão* + *-ar*[2].] *V. t. d.* Dar feitio ou aspecto de balão a. [Conjug.: v. *coroar.*]

abalofado. [Part. de *abalofar.*] Adj. **1.** Tornado balofo (1). **2.** Cheio de si; presumido, enfatuado, empolado.

abalofar. [De *a-*[2] + *balofo* + *-ar*[2].] *V. t. d.* **1.** Tornar balofo, fofo; afofar. **2.** Envaidecer, ensoberbecer. *Int.* **3.** Tornar-se balofo; afofar(-se). *P.* **4.** Tornar-se balofo, fofo; afofar-se. **5.** Tornar-se balofo, cheio de si; envaidecer-se, ensoberbecer-se, afofar-se.

abalonado. [De *a-*[2] + *balão* + *-ado*[1].] *Adj. Bras.* Semelhante a, ou que tem forma de balão; arredondado, enfunado, bojudo, abaloado: *saia abalonada; ventre abalonado.*

abaloso (ô). *Adj.* **1.** *Bras.* Que abala muito. **2.** *Bras., S.* Diz-se de andar de cavalo que abala ou sacode fortemente, que é incômodo, desagradável.

abalroação. *S. f.* V. *abalroamento.*

abalroada. *S. f.* V. *abalroamento.*

abalroadela. *S. f.* Abalroamento não muito forte, de que resultam avarias de menor importância.

abalroamento. *S. m.* Ato ou efeito de abalroar; abalroação, abalroada.

abalroar. [De *a-*[2] + *balroa* + *-ar*[2].] *V. t. d.* **1.** *Mar.* Chocar-se (a embarcação) com (outra embarcação, cais, bóia, etc.), geralmente de forma acidental e desastrosa; colidir: "uma pequena lancha a vapor que abalroa um saveiro, do qual muitos homens estão caindo ao mar" (Clarival Valadares, *Riscadores de Milagres*, p. 62). **2.** Ir de encontro a; colidir com: *Na Idade Média, os aríetes levados pelos guerreiros abalroavam as muralhas. T. i.* **3.** Chocar-se (com ou contra embarcação, cais, bóia, escolho, etc.). **4.** Ir de encontro a; chocar-se, *Int.* e *p.* **5.** Chocar-se, encontroar-se. [F. paral; p. us.: *balroar.* Conjug.: v. *coroar.*]

abalsar. [De *a-*[2] + *balsa* + *-ar*[2].] *V. t. d.* Meter na balsa (2).

abaluaê. *S. m. Bras.* V. *obaluaê.*

abaluartado. [Part. de *abaluartar.*] *Adj.* Fortificado ou guarnecido de baluarte(s): *vila abaluartada.*

abaluartamento. *S. m.* Ato ou operação de abaluartar(-se).

abaluartar. [De *a-*[2] + *baluarte* + *-ar*[2].] *V. t. d.* **1.** Guarnecer de baluartes; fortificar. **2.** Tornar semelhante a baluarte. *P.* **3.** Entrincheirar-se, fortificar-se.

abâmita. *S. f.* Tia em quarto grau.

abaná. *Bras. S. 2 g.* **1.** Indivíduo dos abanás, tribo indígena que habita as margens do rio Japurá (AM). ● *Adj. 2 g.* **2.** Pertencente ou relativo a essa tribo.

abanação. *S. f.* **1.** Ato ou efeito de abanar(-se): abanamento, abanadura. **2.** *Bras.* Operação mecânica pela qual se separa a palha dos grãos dos cereais.

abanadela. *S. f.* **1.** Ação de abanar uma vez, ou de leve. **2.** Sacudidela, sacudidura.

abanado. [Part. de *abanar.*] *Adj.* **1.** Ventilado com abano. **2.** Agitado, sacudido. **3.** Avivado, atiçado: *fogo abanado.* **4.** Estouvado, estabanado. **5.** *Pop.* Doentio, enfermiço, achacadiço, valetudinário.

abanador (ô). *Adj.* **1.** Que abana; abanante. ● *S. m.* **2.** Ábano (1).

abanadura. *S. f.* V. *abanação* (1).

abanamento. *S. m.* V. *abanação* (1).

abana-moscas. [De *abanar* + *o pl. de mosca*] *S. m. 2 n.* **1.** Enxota-moscas. **2.** *Fig.* Insignificância, bagatela, ninharia.

abananado. [De *a-*[2] + *banana* + *-ado*[1].] *Adj.* **1.** Semelhante à banana. **2.** Mole, brando: *consistência abananada.* **3.** *Fig.* Apalermado, aturdido, tolo.

abananar. [De *a-*[2] + *banana* + *-ar*[2].] *V. t. d.* e *p.* Tornar(-se) banana ou tolo; aparvalhar(-se), atoleimar(-se).

abanando. [Ger. de *abanar.*] *S. m. Bras., PE. Folcl.* Passo de frevo de movimentos simultâneos das pernas e dos braços, com acentuada flexão das pernas e do tronco, o antebraço cruzado na frente, a mão direita para a esquerda e vice-versa, o dançarino deslocando-se em todas as direções.

abanante. *Adj. 2 g.* Abanador (1).

abanão. *S. m. Pop.* Ato de abanar com força; safanão, sacão.

abanar[1]. [Do lat. *evannare*, por *evannere.*] *V. t. d.* **1.** Refrescar, movendo abano, leque, ou coisa semelhante: *Abanava energicamente a criança desfalecida.* **2.** Agitar, sacudir: "abanou a cabeça com um sorriso de piedade e ternura" (Machado de Assis, *Memórias Póstumas de Brás Cubas*, p. 208); "quando o mísero cachorro .... se aproximou abanando o rabo, sorrindo o pintor teve a idéia: livrar-se do antigo amigo que o irritava com sua simples presença." (Lígia Fagundes Teles, *A Disciplina do Amor*, p. 77.) **3.** Demover, dissuadir. *Int.* **4.** Tremer, oscilar. *P.* **5.** Refrescar-se com abano, leque, ou coisa semelhante: "encontraram o bom velho estendido em uma cadeira de lona, em mangas de camisa, a abanar-se com um jornal." (Coelho Neto, *A Conquista*, p. 433).

abanar[2]. [De *afanar*?] *V. t. d.* e *int. Bras. Gír.* Furtar, roubar, afanar.

abancado. [Part. de *abancar*[1].] *Adj.* **1.** Guarnecido com bancos. **2.** Sentado em banco, ou em qualquer outro tipo de assento.

abancamento. *S. m.* Guarnecimento com bancos.

abancar[1]. [De *a-*[2] + *banco* + *-ar*[2].] *V. t. d.* **1.** Guarnecer com bancos. *Int.* e *p.* **2.** Tomar assento; sentar-se, assentar-se. [Conjug.: v. *trancar.*]

abancar[2]. [De *a-*[2] + *banca* + *-ar*[2].] *V. t. d.* **1.** Dispor em volta da banca ou mesa. *T. i.* **2.** Assentar-se, sentar-se: "Ficou no botequim do pavimento térreo, abancou a uma mesa, pediu café e conhaque" (Coelho Neto, *Turbilhão*, p. 227). *Int.* **3.** Assentar-se à banca ou mesa. **4.** Permanecer longamente: *Aonde vai de visita, abanca. P.* **5.** Assentar-se à banca ou mesa: "foi abancar-se à máquina de escrever" (Pedro Nava, *Beira-Mar*, p. 35); "Abanquei-me a seu lado." (Ciro dos Anjos, *A Menina do Sobrado*, p. 349). **6.** *Bras., RS.* Começar, pegar, pôr-se: *Abancou-se a correr.* **7.** Instalar-se com o intuito de permanecer longamente: *Veio do Norte e abancou-se em casa do amigo.* [Conjug.: v. *trancar.*]

abancar[3]. *V. int.* Correr em fuga, ou no encalço de alguém [v. *fugir* (1 e 2)]: "O que era certo é que o comandante abancava. Os mais distantes, assombrados, começaram a correr também." (João Felício dos Santos, *João Abade*, p. 184.) [Conjug.: v. *trancar.*]

abandado. [Part. de *abandar.*] *Adj.* Diz-se do animal que anda em bando, que se abanda.

abandalhação. *S. f.* **1.** Ato ou efeito de abandalhar(-se). **2.** Ação de bandalho. [Sin. ger.: *abandalhamento.*]

abandalhado. [Part. de *abandalhar.*] *Adj.* **1.** Tornado bandalho; desmoralizado, acanalhado. **2.** Próprio de quem se abandalhou: *veste abandalhada; modos e ares abandalhados.*

abandalhamento. *S. m.* Abandalhação.

abandalhar. [De *a-*[2] + *bandalho* + *-ar*[2].] *V. t. d.* **1.** Tornar bandalho, reles, desprezível; aviltar. *P.* **2.** Tornar-se bandalho; dar-se ao desprezo; aviltar-se.

abandar[1]. [De *a-*[2] + *bando* + *-ar*[2].] *V. t. d.* **1.** Reunir em bando. *Int.* **2.** Formar bando; ajuntar-se em bando. *P.* **3.** Formar bando; ajuntar-se em bando; abandoar-se. **4.** Unir-se a um bando, partido, facção, etc.

abandar[2]. [De *a-*[2] + *banda* + *-ar*[2].] *V. t. d.* **1.** Pôr de banda, de lado; separar: *Abandou parte do seu quinhão.* **2.** Pôr banda(s) em. *T. d.* e *i.* **3.** Separar para dar, ou dar, como quinhão. *P.* **4.** Pôr-se de banda, de lado; separar-se, isolar-se, bandear-se.

abandear. [De *a-*[2] + *bando* + *-ear.*] *V. t. d.* e *p.* Bandear[2]. [Conjug.: v. *frear.*]

abandeirado. [Part. de *abandeirar.*] *Adj.* **1.** Embandeirado. **2.** *Bras.* Alistado em bandeira (12).

abandeirar. [De *a-*[2] + *bandeira* + *-ar*[2].] *V. t. d.* **1.** Embandeirar. *P.* **2.** Embandeirar-se. **3.** Alistar-se em bandeira (13).

abandejado[1]. [De *a-*[2] + *bandeja* + *-ado*[2].] *Adj.* Que tem forma de, ou é semelhante a bandeja.

abandejado[2]. [Part. de *abandejar.*] *Adj.* **1.** A que se deu forma de bandeja. **2.** Separado (o cereal) com bandeja.

abandejar. [De *a-*[2] + *bandeja* + *-ar*[2].] V. *t. d.* **1.** Dar a forma de bandeja a. **2.** Separar com bandeja (o grão da palha, na limpa dos cereais). [Conjug.: v. *pelejar.*]

abandidar. [De *a-*[2] + *bandido* + *-ar*[2].] *V. t. d.* e *p. Bras.* Tornar(-se) bandido.

abandoar-se. [De *a-*[2] + *bando* + *-ar*[2] + *se*[1].] *V. p.* Unir-se em bando; formar grupo; abandar-se: "Iaraquis, pirapitingas, pacus e curimatás abandoam-se por essa época" (Gastão Cruls, *4 Romances*, p. 160). [Conjug.: v. *coroar.*]

abandonado. [Part. de *abandonar.*] *Adj.* **1.** Posto de lado; deixado, largado. **2.** Deixado ao abandono; desamparado: *crianças abandonadas.* **3.** Sem trato, descuidado, maltratado, danificado: *casas e estradas abandonadas.* **4.** Desocupado, vazio. ● *S. m.* **5.** Indivíduo desamparado, abandonado: "— Ó piedosa Mulher, Mãe dos abandonados, / *Miserere mei!...*" (Gomes Leal, *A Mulher de Luto*, p. 183.)

abandonador (ô). *S. m.* **1.** Aquele que abandona. **2.** *Jur.* Aquele que renuncia a direitos ou bens.

abandonamento. *S. m. P. us.* Abandono.

abandonar. [Do fr. *abandonner.*] *V. t. d.* **1.** Deixar, largar: *Abandonou a casa paterna quando criança.* **2.** Deixar só; desamparar: *Abandonou a família e saiu pelo mundo;* "Não casou ele em Paris com Susana de Montfort?! | — Casou. | — Abandonou-a? | — Não a abandonou. Foi a Portugal, mas voltará." (Camilo Castelo Branco, *Livro Negro de Padre Dinis*, p. 28). **3.** Renunciar a; desistir de: "lembrou-se, um dia, de procurar ocupação no comércio, abandonando .... as suas veleidades de escritor público, os seus desejos de consideração e renome." (Artur Azevedo, *Contos Cariocas*, p. 17). **4.** Não se interessar por; não cuidar de; descuidar, descurar: *Desgostoso, abandonou os estudos; Com a morte da mulher, abandonou o sítio onde passavam os fins de semana.* **5.** Desprezar, menosprezar, desdenhar: *Quando se viu em alta posição, abandonou os antigos companheiros. P.* **6.** Dar-se ao desprezo. **7.** Entregar-se, dar-se: *Abandonou-se ao vício;* "Henriqueta Lisboa muito aprendeu dessas verdades subterrâneas que a morte... esconde aos que simplesmente a temem, ou diante dela se abandonam ao puro desespero." (Carlos Drummond de Andrade, *Passeios na Ilha*, p. 197). **8.** Deixar-se vencer pela fadiga, pela preguiça, pelo vício, etc.: "O mormaço encandeia. Os olhos se fecham, o corpo se abandona." (Lúcia Miguel Pereira, *Cabra-Cega*, p. 193); *Era trabalhador, mas deu para beber, e perdeu-se, abandonou-se.*

abandonatário. *S. m. Jur.* **1.** Aquele que se apossa de coisa abandonada, ou a ela tem direito. **2.** Aquele que recebe direitos ou bens renunciados pelo abandonador.

abandonável. *Adj. 2 g.* Que pode ou deve ser abandonado.

abandono. [Dev. de *abandonar.*] *S. m.* **1.** Ato ou efeito de abandonar(-se): *Vai desquitar-se do marido por abandono do lar; Foi demitido por abandono de emprego; Vive bêbedo, esfarrapado, em doloroso abandono.* **2.** Estado ou condição de quem ou do que é ou está abandonado, largado, desamparado: *É triste ver o abandono de um lar que parecia feliz; Deplorável espetáculo o do abandono de menores na cidade.* **3.** Atitude, maneiras, de quem vive ou como que vive abandonado: *Sendo rico, veste-se com certo abandono e falta de asseio.* **4.** Relaxamento de tensão; relaxamento: *Esticou-se no sofá numa atitude de abandono.* [Sin. ger. (p. us.): *abandonamento.*] ♦ **Abandono noxal.** *Jur.* **1.** No direito romano, medida penal limitadora da vingança de sangue, e que consiste na entrega do filho do criminoso, pelo *pater familias*, à parte ofendida, a fim de livrar-se da reparação do dano patrimonial oriunda do delito. **2.** No direito romano, a faculdade concedida ao dono de animais domésticos, causadores de prejuízos à propriedade alheia, de abandonar seu domínio em favor do lesado, a título de ressarcimento. [Neste sentido ainda se usa a expressão.] **Ao abandono. 1.** Sem auxílio, sem proteção. **2.** Sem cuidado ou tratamento.

abaneiro. *S. m. Bras.* Planta da família das gutíferas (*Clusia fluminensis*), muito ornamental graças às folhas arredondadas e às esplêndidas flores, e cuja casca se utiliza nos curtumes por conter cerca de 15% de tanino; abano, manga-da-praia, mangue-bravo, mangue-da-praia.

abanheém. [Do tupi *awañene*, 'língua de gente'.] *S. m. Bras., S.* A língua geral dos tupis-guaranis. [Var.: *abanheenga* e *avanheenga.*]

abanheenga. *S. m. Bras., S.* V. *abanheém.*

abanicar. *V. t. d.* e *p.* Abanar(-se) com leque ou abanico. [Conjug.: v. *trancar.*]

abanico. [Do esp. *abanico.*] *S. m.* Leque (1).

abano. [De *a-*^{4} + lat. *vannu?*] *S. m.* **1.** Objeto semelhante ao leque, feito de palha entrelaçada, papel, etc., próprio para agitar o ar e/ou avivar o fogo; abanador: "Sinhá Vitória agitava o abano para sustentar as labaredas no angico molhado." (Graciliano Ramos, *Vidas Secas*, p. 8.) **2.** Ventarola. **3.** Ação ou efeito de abanar. **4.** *Art. Gráf.* Peça que, na saída das rotativas, separa os jornais em quantidades preestabelecidas. **5.** *Bras.* V. *abaneiro.* ~ V. *abanos.*

abanos. *S. m. pl.* **1.** *Pop.* As orelhas. **2.** *Ant.* Guarnições de canutilhos outrora usadas à volta do pescoço, nos punhos e no peitilho da camisa. ~ V. *abano.*

abantesma (ê). [De *a-*^{5} + gr. *phántasma*, pelo lat. *phantasma.*] *S. 2 g.* Var. de *avantesma.* V. *fantasma* (3).

abanto. [Do esp. *abanto.*] *Adj. Lus.* Diz-se do touro covarde, que não reage às provocações do toureiro.

abaqueri-de-xangô. [Do ioruba.] *S. m. Bras.* Festa oferendada a Xangô nos torés do N.E. [Pl.: *abaqueris-de-xangô*]

abaquetar. [De *a-*^{2} + *baqueta* + *-ar*^{2}.] *V. t. d.* Dar forma de baqueta a. [O *e* é aberto nas f. rizotônicas: *abaqueto, abaquetas, abaqueta, abaquete*, etc.]

abar. *V. t. d.* **1.** Guarnecer de abas. **2.** Desabar (1) [Inf. pess.: *abar, abares, ..., abarem.* Cf. *abarém.*]

abará. [Do ioruba.] *S. m. Bras. BA.* Pequeno bolo de feijão ralado sem a casca, condimentado, e cozinhado em banho-maria, envolvido em folhas de bananeira: "Na pobre cozinha, Gabriela fabricava riqueza: acarajés de cobre, abarás de prata, o mistério de ouro do vatapá." (Jorge Amado, *Gabriela, Cravo e Canela*, p. 433.) [Var.: *abalá.*]

abaraíba. [Do tupi.] *S. f. Bras.* V. *aroeira* (1).

abaratar. [De *a-*^{2} + *barato* + *-ar*^{2}.] *V. t. d.* **1.** Pôr ou tornar mais barato; diminuir o preço de; baratear. **2.** Ter em menos conta ou consideração; menosprezar, menoscabar, desestimar; baratear.

abarbado. [Part. de *abarbar.*] *Adj.* **1.** Que tem muito serviço por fazer ou se encontra em apuros; atropelado, embaraçado, sobrecarregado. **2.** Próximo, encostado.

abarbar. [De *a-*^{2} + *barba* + *-ar*^{2}.] *V. t. d.* **1.** Tocar com a barba ou queixo. **2.** Igualar em nível ou altura: *Sua janela abarbava a da casa vizinha.* **3.** Encontrar face a face; arrostar, enfrentar. **4.** Sobrecarregar de serviço: *Pouco trabalha, porém abarba os auxiliares.* **5.** Embaraçar com problemas ou trabalhos difíceis. *T. d. e i.* **6.** Pôr no mesmo nível; igualar. *T. c.* **7.** Igualar em nível ou altura: "vacas mugiam sentindo a manhã e, de longe, ... os apartados bezerros, abarbando com a cerca, respondiam" (Coelho Neto, *Treva*, p. 236).

abarbarado. *Adj.* **1.** Semelhante a bárbaro. **2.** *Bras.* Valente, arrojado, temerário. **3.** *Bras.* Rude, bruto, grosseiro.

abarbarar-se. [De *a-*^{2} + *bárbaro* + *-ar*^{2} + *se*^{1}.] *V. p. Bras.* Adquirir maneiras e/ou hábitos de bárbaro; tornar-se abarbarado.

abarbarizar. [De *a-*^{4} + *barbarizar.*] *V. t. d.* V. *barbarizar.*

abarbelar. [De *a-*^{2} + *barbela* + *-ar*^{2}.] *V. t. d.* Prender com barbela.

abarbilhar. [De *a-*^{2} + *barbilho* + *-ar*^{2}.] *V. t. d.* Pôr barbilho em (o animal).

abarca. *S. f.* **1.** Espécie de sandália rústica. **2.** Chanca (2).

abarcador (ô). *Adj.* **1.** Que abarca; abarcante. ● *S. m.* **2.** Monopolista, açambarcador.

abarcamento. *S. m.* Ação ou efeito de abarcar.

abarcante. *Adj. 2 g.* Abarcador (1).

abarcar. [Do lat. vulg. *abbrachiare* < *brachium*, 'braço'.] *V. t. d.* **1.** Cingir com os braços; abraçar: *Abarcou o feixe de lenha, pondo-o às costas.* **2.** Abranger, envolver; *Daqui a vista abarca toda a cidade.* **3.** Alcançar, atingir; abranger: *Estas cifras populacionais abarcam todo o país.* **4.** Apreender, entender; abranger. **5.** Conter em si; compreender, abranger "Estes cursos, estas lições, estas conferências, ... abarcam toda a esfera da ciência" (Ramalho Ortigão, *Em Paris*, p. 255). [Conjug.: v. *trancar.*]

abarcia. *S. f. Patol.* V. *bulimia.*

abaré. [Do tupi *awa'ré*, 'homem diferente'.] *S. m. Bras.* Entre os indígenas brasileiros, missionário ou padre cristão; abaruna. [Var. de *avaré.* Cf. *abuna.*]

abaré-guaçu. *S. m. Bras.* Grande feiticeiro da linha quimbanda. [Pl.: *abarés-guaçus.*]

abarém. *S. m. Bras.* Var. de *aberém.* [Cf. *abarem*, do v. *abar.*]

abaremotemo. *S. m. Bras.* Planta das leguminosas (*Mimosa vaga*), de casca adstringente, e cuja madeira se emprega em construções; angico-barbatimão.

abaritonado. *Adj. Mús.* **1.** Diz-se da voz (especialmente a de tenor) com as qualidades de timbre que a aproximam da do barítono, e do cantor que tem essa voz: "desandou a cantar, ... com a sua bela voz de tenor abaritonado, Henrique de Holanda, que a todos nós comoveu, como é de praxe após um repasto luculiano" (Leôncio Correia, *A Boêmia do Meu Tempo*, p. 150). **2.** A que se deu caráter de barítono.

abaritonar. [De *a-*^{2} + *barítono* + *-ar*^{2}.] *V. t. d.* **1.** Tornar (a voz) semelhante à do barítono. *P.* **2.** Tornar-se barítono.

abarracado. [De *a-*^{2} + *barraca* + *-ado*^{1}.] *Adj.* Que tem feitio de barraca.

abarracamento. *S. m.* **1.** Ação ou efeito de abarracar. **2.** Conjunto de barracas. **3.** Lugar onde há muitas barracas armadas; acampamento.

abarracar. [De *a-*^{2} + *barraca* + *-ar*^{2}.] *V. t. d.* **1.** Armar barracas em: *Os excursionistas abarracaram à praia.* **2.** Instalar em barracas: *abarracar víveres.* **3.** Fazer semelhante a barraca. *Int.* e *p.* **4.** Recolher-se em barracas. **5.** *Bras., S.* Ficar (um homem) num canto em conversa com mulher. [Conjug.: v. *trancar.*]

abarrada. *S. f.* Vaso antigo de barro ou de metal, usado para beber.

abarrancar. [De *a-*^{2} + *barranco* + *-ar.*^{2}] *V. t. d.* **1.** Obstruir com barrancos: *Abarrancaram as estradas para dificultar a invasão. P.* **2.** Meter-se em barrancos. [Conjug.: v. *trancar.*]

abarregar-se. [De *a-*^{2} + *barregã* + *-ar*^{2} + *se*^{1}.] *V. p.* Ligar-se a uma barregã; amancebar-se, amasiar-se, amigar-se. [Conjug.: v. *regar.*]

abarreirar. [De *a-*^{2} + *barreira* + *-ar*^{2}.] *V. t. d.* **1.** Cercar de barreiras; fortificar com obstáculos; entrincheirar. **2.** Instalar posto fiscal ou barreira em.

abarretar. [De *a-*^{2} + *barrete* + *-ar.*^{2}] *V. t. d.* e *p.* Cobrir(-se) com barrete.

abarrotamento. *S. m.* Ação de abarrotar(-se).

abarrotar. [Do esp. *abarrotar.*] *V. t. d.* **1.** Encher de barrotes. **2.** Encher em demasia; atestar: *Prevendo o racionamento, abarrotou a despensa;* "Coisas de Europa e Índia abarrotavam lojas e vendas das encruzilhadas" (Nélson de Faria, *Cabeça-Torta*, p. 8). *Int.* **3.** Assentar barrotes para armar um piso, um teto ou uma cobertura. *P.* **4.** Encher-se de comida; fartar-se, empanturrar-se: "Durante alguns minutos não se ouviu mais que o tinir dos talheres e o ruído da mastigação. Borges abarrotava-se de alface e vaca" (Machado de Assis, *Várias Histórias*, p. 42). **5.** Encher-se, atestar-se: "Nas salas de estudo numerosas estantes se abarrotam de livros certamente preciosos, com admiráveis encadernações." (Graciliano Ramos, *Viagem*, p. 20.)

abarticular. [De *ab-* + *articular*^{1}.] *Adj. 2 g. Med.* Que está fora da articulação, ou não a compromete.

abaruna. *S. m. Bras.* **1.** Abuna. **2.** V. *abaré.*

abas. *S. f. pl.* Arredores, imediações, cercanias, circunvizinhança: *Mora nas abas da minha casa.* ~ V. *aba*^{1}.

abasbacar. [De *a-*^{2} + *basbaque* + *-ar*^{2}.] *V. t. d., int.* e *p.* V. *embasbacar.* [Conjug.: v. *trancar.*]

abascanto. *Adj.* e *s. m.* Que ou aquilo que preserva de malefícios.

abasia. [De *a-*^{3} + *-bas(i)-* + *-ia.*] *S. f. Patol.* Incapacidade de realizar a marcha em conseqüência de distúrbio de coordenação muscular.

abásico. *Adj.* Relativo à abasia.

abastado. [Part. de *abastar.*] *Adj.* **1.** Cheio de víveres, do necessário. **2.** Endinheirado, dinheiroso, rico, abastoso. ● *S. m.* **3.** Indivíduo abastado (2).

abastamento. *S. m.* **1.** Ato ou efeito de abastar(-se). **2.** V. *abastança* (1).

abastança. *S. f.* **1.** Provimento farto; abundância, fartura, abastamento. **2.** Riqueza, fortuna; haveres. **3.** Vida cômoda, confortável, sem privações.

abastar. [De *a-*^{2} + *basto*^{2} + *-ar*^{2}.] *V. t. d.* **1.** Prover do que é bastante ou necessário; abastecer: *abastar uma embarcação. T. i.* **2.** Ser bastante ou suficiente; bastar, *P.* **3.** Prover-se do bastante ou necessário; abastecer-se.

abastardado. [Part. de *abastardar.*] *Adj.* **1.** Degenerado por bastardia. **2.** Adulterado, falsificado: *vinho abastardado.*

abastardamento. *S. m.* Ato ou efeito de abastardar(-se); degeneração.

abastardar. [De *a-*^{2} + *bastardo* + *-ar*^{2}.] *V. t. d.* **1.** Fazer perder a genuinidade; alterar, corromper. **2.** Fazer degenerar; perverter, corromper. *P.* **3.** Degenerar(-se), perverter-se, corromper-se.

abastecedor (ô). *Adj.* e *s. m.* Que ou aquele que abastece; fornecedor.

abastecer. [De *a-*^{2} + *basto*^{2} + *-ecer.*] *V. t. d.* **1.** Prover ou munir do necessário; abastar: *abastecer o celeiro.* **2.** Prover, munir, fornecer. *T. d.* e *i.* **3.** Prover, munir, fornecer: *Abasteceram-no do necessário. P.* **4.** Prover-se, munir-se. [Conjug.: v. *aquecer.*]

abastecido. [Part. de *abastecer.*] *Adj.* Bem provido; cheio, farto.

abastecimento. *S. m.* Ação ou efeito de abastecer(-se); fornecimento, provimento.

abáster. *S. m.* Entre alquimistas, volatilização da matéria. [Pl.: *abásteres.*]

abasto. [De *abastar.*] *Ant. S. m.* **1.** Ato ou efeito de abastar. ● *Adv.* **2.** Abundantemente.

abastoso (ô). *Adj.* Abundante, copioso, farto. **2.** V. *abastado* (2).

abatatado. [De *a-*^{2} + *batata* + *-ado*^{1}.] *Adj.* **1.** Que tem forma de, ou é semelhante à batata. **2.** Grosso, largo: *nariz abatatado.*

abatatar. [Do esp. plat. *abatatar.*] *V. t. d.* **1.** Dar forma de batata a. **2.** Tornar grosso e largo: *O soco abatatou-lhe o nariz.* **3.** *Bras., RS.* Abater; desmoralizar; entristecer.

abate. [Dev. de *abater.*] *S. m.* **1.** Ato ou efeito de abater animais para o consumo (como gado, aves, etc.). **2.** V. *abatimento* (7).

abatedor (ô). *Adj.* e *s. m.* Que ou aquele que abate.

abatedoiro. *S. m. Bras., S.* Abatedouro.

abatedouro. *S. m. Bras., S.* V. *matadouro* (1). [Var. de *abatedoiro.*]

abater. [Do lat. tardio *abbattuere.*] *V. t. d.* **1.** Deixar ou fazer cair; baixar, abaixar: "Leonor abateu mais a cabeça, retraindo-se, num pejo instintivo, numa grande confusão interior." (Abel Botelho, *Os Lázaros*, p. 209.) **2.** Lançar por terra; derribar, derrubar, prostrar: *Um soco violento o abateu;* "Um dia um tufão furibundo abateu-o [ao cacto] pela raiz." (Manuel Bandeira, *Estrela da Vida Inteira*; p. 106). **3.** Tornar triste, melancólico; abalar, desanimar, prostrar: *A notícia do desastre abateu-o deveras;* "A vida é combate, / Que os fracos abate" (Gonçalves Dias, *Obras Poéticas*, II, p.42). **4.** Dar cabo de; matar: *abateu-o a tiros de revólver.* **5.** Enfraquecer, debilitar, definhar: *A doença o abateu seriamente.* **6.** Diminuir no preço, no valor, na intensidade, etc.: *Procura abater os méritos alheios;* "Onde está sua graça perfumada, / que as dos lírios e rosas abatia?" (Eugênio de Castro, *Obras Poéticas*, V, p. 107). **7.** Diminuir o prestígio, o domínio ou a influência de: "Acusam os Filipes de abaterem a literatura portuguesa, com o propósito de embrutecerem e apagarem os derradeiros lampejos do patriotismo nas almas obscurecidas pela ignorância." (Camilo Castelo Branco, *Curso de Literatura Portuguesa*, p. 21.) **8.** Humilhar, deprimir, rebaixar, apoucar: *A mentira a que se vira obrigado abatia-o a seus próprios olhos.* **9.** Matar (gado, pequenos animais, aves). *T. d.* e *i.* **10.** Descontar, diminuir: *Abateu 5% do preço da mercadoria. Int.* **11.** Cair, descer; abater-se. **12.** Cair; desabar: "Teve um triste sorriso, abateu na primeira cadeira, prostrada" (Carlos Malheiro Dias, *Os Teles de Albergaria*, p. 193). **13.** Calcar-se (a terra) e abaixar por efeito da chuva. **14.** *Mar.* Descair (a embarcação) da rota para a qual aponta a sua proa por efeito de correnteza, mar ou vento; descair, cair: *O navio abateu fortemente durante a tempestade. P.* **15.** Cair, descer; abater: "quantas vezes se desequilibrou, e as suas mãos se abateram desamparadamente sobre o solo de mato ou rocha ....!" (Eça de Queirós, *Contos*, pp. 164-165). **16.** Vir abaixo; cair, desabar. **17.** Humilhar-se, rebaixar-se, aviltar-se: *Orgulhoso, não se abate em face dos poderosos.*

abati. [Do tupi.] *S. m. Bras.* **1.** V. *milho* (1) [Var.: *auati, avati.*] **2.** Arroz (1).

abatiaense (tià). *Adj. 2 g.* **1.** De, ou pertencente ou relativo a Abatiá (PR). ● *S. 2 g.* **2.** Natural ou habitante de Abatiá.

abatiapé. *S. m. Bras.* Arroz encontrado em estado silvestre nas margens dos lagos amazônicos; arroz-bravo.

abatido. [Part. de *abater.*] *Adj.* **1.** Que se abateu. **2.** Lançado por terra; caído, derribado, derrubado: *muro abatido; árvores abatidas.* **3.** Diminuído, humilhado, prostrado. **4.** Enfraquecido, debilitado, definhado. **5.** Cansado, fatigado: *fisionomia abatida.* **6.** Desanimado, entibiado, deprimido: *A má notícia deixou-o abatido; Encontrei-o de ânimo abatido* ~ V. *arco* — e *arco de volta* —*a.*

abatigüera. *S. f. Bras.* V. *tigüera.*

abatimento. *S. m.* **1.** Ação ou efeito de abater(-se). **2.** Depressão, desânimo; desalento. **3.** Diminuição acentuada da atividade normal do organismo; enfraquecimento, fraqueza, cansaço. **4.** Corte (de árvores). **5.**

Queda ou desmoronamento (de edifício). **6.** Demolição (de um edifício ou de parte dele). **7.** Diminuição de preço; abate, desconto. **8.** *Náut.* Ângulo que a direção da quilha da embarcação faz com a direção da sua esteira, por efeito de vento, correnteza ou vagas, e que mede o caimento ou desvio da andadura da embarcação provocado pela ação desses fatores.

abatimirim. [De *abati* + *-mirim*.] *S. m. Bras.* Planta da família das gramíneas (*Oryza sativa* var. *Subulata*), variedade de arroz que se caracteriza pelo grão avermelhado e pequeno.

abatina. [Do lat. vulg. **abbatina*.] *S. f. Ant.* Batina.

abatinar. *V. t. d.* e *p.* Vestir(-se) com batina.

abatinga. [Do tupi *awa'tĩga*, 'cabelos brancos'.] *S. 2 g. Bras., AM.* Pessoa encanecida.

abatini. *S. m. Bras.* Bebida indígena feita de milho cozido e fermentado.

abatirá. *Bras. S. 2 g.* **1.** Indivíduo dos abatirás, tribo indígena que habitava a antiga capitania de Porto Seguro. ● *Adj. 2 g.* **2.** Pertencente ou relativo a essa tribo.

abatis. [Do fr. *abattis*.] *S. m.* **1.** *Mil.* Obstáculo feito de troncos e galhos aguçados de árvores abatidas, entrançados com arame ou cordel plástico, para dificultar a progressão de pessoal ou viaturas inimigas: "À noite acampávamos em campo entrincheirado abrindo pequenos fossos e reforçando os parapeitos com sacos de terra. Se a demora era maior, reforçávamos as defesas com .... *abatises*." (João Sarmento Pimentel, *Memórias do Capitão*, p. 231.) **2.** *Bras.* Espécie de cabidela feita com miúdos de aves. [Pl.: *abatises*.]

abati-timbaí. *S. m. Bras.* Árvore da América tropical, da família das leguminosas-cesalpinóideas (*Hymenaea*), de folhas alternas, bifolioladas, folíolos desiguais e flores em panículas curtas, corimbiformes. [Pl.: *abatis-timbaís*.]

abatocado. [Part. de *abatocar*.] *Adj.* **1.** Em que se pôs batoque; arrolhado. **2.** Embaraçado, enleado; embatucado. [Var.: *abotocado*.]

abatocar. [De *a-*[2] + *batoque* + *-ar*[2].] *V. t. d.* **1.** Pôr batoque em; arrolhar. **2.** Embaraçar, atrapalhar, confundir, enlear; embatocar, embatucar. [Var.: *abotocar*. Conjug.: v. *trancar*.]

abatumado. [Part. de *abatumar*.] *Adj.* **1.** V. *abetumado* (1 e 2). **2.** *Bras., S.,* e *prov. lus.* Diz-se do pão ou do bolo duro e pesado por insuficiência de fermentação da massa; abetumado.

abatumar. *V. int. Bras., S.,* e *prov. lus.* Tornar-se abatumado (o pão).

abaulado (a-u). [De *a-*[2] + *baul* + *-ado*[1].] *Adj.* Convexo, curvo: *teto* a b a u l a d o; "fronte a b a u l a d a, pernas em arco" (Aquilino Ribeiro, *Alemanha Ensangüentada*, p. 25). ~ V. *arco* —.

abaulador (a-u...ô). *Adj.* Que abaúla.

abaulamento (a-u). *S. m.* **1.** Ato ou efeito de abaular; curvatura, convexidade. **2.** Convexidade que se dá aos terraços, coberturas e calçamento das ruas para facilitar o escoamento de águas pluviais. **3.** *Eng. Ind.* Bojamento (2).

abaular (a-u). [De *a-*[2] + *baul* + *-ar*[2].] *V. t. d.* **1.** Dar forma de baú a. **2.** Tornar curvo, convexo; arquear. [Conjug.: v. *saudar*.]

abaúna. *Bras. S. 2 g.* **1.** Índio primitivo, de raça pura. ● *Adj. 2 g.* **2.** Pertencente ou relativo a esses índios.

abaxial (cs). [De *ab-* + *axial*.] *Adj. 2 g.* **1.** *Ópt.* Que não está no eixo óptico. **2.** *Bot.* Diz-se da estrutura afastada de um eixo, como no caso das escamas seminíferas das coníferas, em que a inferior é chamada *abaxial* e a superior *adaxial* [q. v.]. **3.** *Med.* Que está fora do eixo do corpo ou de uma estrutura particular dele.

abc. *S. m.* V. *á-bê-cê* (1).

abceder. *V. int.* V. *absceder.*

abcesso. *S. m.* V. *abscesso.*

abcidar. *V. int.* V. *abscidar.*

abcisão. *S. f.* V. *abscisão.*

abcissa. *S. f.* V. *abscissa.*

abdicação. [Do lat. *abdicatione*.] *S. f.* Ação ou efeito de abdicar: *A* a b d i c a ç ã o *de D. Pedro I deu-se na madrugada de 7 de abril de 1831.*

abdicador (ô). *Adj.* e *s. m.* Que ou aquele que abdica; abdicante, abdicatário. [Fem.: *abdicadora* e *abdicatriz*.]

abdicante. [Do lat. *abdicante*.] *Adj. 2 g.* e *s. 2 g.* V. *abdicador.*

abdicar. [Do lat. *abdicare*.] *V. t. d.* **1.** Renunciar voluntariamente a, abandonar (cargo, dignidade, poder, etc.). **2.** Desistir de; renunciar, resignar: A b d i c o u *a sua parte na herança. T. d.* e *i.* **3.** Renunciar a autoridade suprema; rejeitar o poder soberano: "Dezanove anos depois da morte de D. Isabel, Carlos V a b d i c a em seu filho a coroa de Espanha" (Antero de Figueiredo, *Toledo*, p. 171). **4.** Renunciar, resignar; desistir, abandonar. *Int.* **5.** Renunciar ao poder, cargo ou dignidade em que se achava investido: "O velho rei .... vai a b d i c a r." (Eça de Queirós, *Ecos de Paris*, p. 161.) *P.* **6.** Abrir mão; desistir. [Conjug.: v. *trancar*.]

abdicatário. [Do lat. *abdicatu*, part. pass. de *abdicare* + *-ário*.] *Adj.* e *s. m.* V. *abdicador.*

abdicativo. [Do lat. *abdicativu*.] *Adj.* Relativo a, ou que envolve ou implica abdicação; abdicatório.

abdicatório. *Adj.* Abdicativo.

abdicatriz. [Do lat. *abdicatrice*.] *Adj. (f.)* e *s. f.* Fem. de *abdicador*; abdicadora.

abdicável. *Adj. 2 g.* Que pode ou deve ser abdicado.

ábdito. [Do lat. *abditu*.] *Adj.* **1.** Oculto, escondido, abscôndito. **2.** Afastado, apartado, retirado. ● *S. m.* **3.** Lugar deserto, ermo.

abditório. *S. m.* Caixa ou cofre onde se guardam alfaias, relíquias e outras coisas de uso nos rituais religiosos; relicário.

abdome. [Do lat. *abdomen*.] *S. m.* **1.** Parte do corpo do homem e de outros animais vertebrados, situada entre o tórax e a bacia, e cuja cavidade, revestida pelo peritônio, está separada do tórax pelo diafragma. Contém numerosos órgãos (digestivos, urinários e endócrinos). **2.** *Zool.* Nos animais invertebrados, a parte do corpo situada entre o tórax e a cauda. [Sin. ger.: *ventre, barriga*. F. paral.: *abdômen*.] ♦ **Abdome agudo.** *Patol.* Distúrbio abdominal que exige cirurgia de urgência.

abdômen. *S. m.* V. *abdome*: "Viam-se deslizar pela praça os imponentes e monstruosos a b d o m e n s dos capitalistas" (Aluísio Azevedo, *O Mulato*, p. 11). [Pl.: *abdomens* e (p. us. no Brasil) *abdômenes*.]

abdominais. *S. m. pl. Zool.* Peixes malacopterígios que têm as barbatanas ventrais embaixo do abdome. ~ V. *abdominal.*

abdominal. [Do lat. *abdomine*, 'abdome', + *-al*.] *Adj. 2 g.* Pertencente ou relativo ao abdome. ~ V. *tifo* — e *abdominais.*

abdominia. [De *abdomin(o)-* + *-ia*.] *S. f. Desus.* Adefagia.

▲**abdomin(o)-.** [Do lat. *abdomen, inis*.] *El. comp.* = 'abdome': *abdominia, abdominogenital.*

abdominogenital. [De *abdomin(o)-* + *genital*.] *Adj. 2 g. Anat.* Referente ao abdome e aos órgãos genitais.

abdominoscopia. [De *abdomin(o)-* + *scop-* + *-ia*.] *Med.* Laparoscopia.

abdominoscópico. *Adj.* Respeitante à abdominoscopia.

abdominoso (ô). [Do lat. *abdomine*, 'abdome', + *-oso*.] *Adj.* Que tem abdome proeminente; ventrudo, barrigudo, pançudo.

abdução. [Do lat. *abductione*.] *S. f.* **1.** Ato ou efeito de abduzir. **2.** *Filos.* Raciocínio cuja conclusão é imperfeita e, portanto, apenas plausível. **3.** *Filos.* Apagogia. **4.** *Fisiol.* Movimento que afasta um membro ou segmento de um membro do plano médio do corpo. **5.** *Jur.* Rapto com violência, fraude ou sedução. **6.** *Zool.* Movimento muscular que afasta, nos vertebrados, duas peças esqueléticas; nos moluscos lamelibrânquios, as valvas das conchas; e nos equinodermos, as peças mastigadoras da lanterna-de-aristóteles, armadura bucal dos equinóides.

abducente. [Do lat. *abducente*.] *Adj. 2 g.* Que produz abdução; abdutor.

abdutivo. *Adj.* Relativo a abdução.

abdutor (ô). [Do lat. *abductore*.] *Adj.* **1.** Abducente. ● *S. m.* **2.** Músculo que produz a abdução.

abduzir. [Do lat. *abducere*.] *V. t. d.* **1.** *Fisiol.* Afastar parcial ou totalmente (membro ou segmento de membro) da linha mediana do corpo. **2.** Desviar de um ponto; afastar, arredar. [Conjug.: v. *aduzir*.]

abeatar. [De *a-*[2] + *beato* + *-ar*[2].] *V. t. d.* **1.** Tornar beato. **2.** Dar aspecto beato a: A b e a t a v a *o semblante para angariar simpatias. P.* **3.** Tornar-se beato.

abebé. *S. m. Bras., BA. Folcl.* Leque de forma circular, em cujo centro se vê, recortada, a figura duma sereia, e que é atributo da deusa Oxum, quando de latão, e da deusa Iemanjá, quando de metal branco. [Var. pros.: *abebê*.]

abebê. *S. m. Bras., BA.* Var. pros. de *abebé.*

abeberado. [Part. de *abeberar*.] *Adj.* **1.** Que bebeu; que ingeriu bebida. **2.** Dessedentado, desalterado. **3.** Embebido, impregnado, encharcado.

abeberar. [Do lat. **abbiberare*.] *V. t. d.* **1.** Dar de beber a; matar a sede de; dessedentar, beberar: *O vaqueiro costuma* a b e b e r a r *o gado.* **2.** Regar, banhar; ensopar, embeber, encharcar. **3.** Planejar, projetar, tramar demoradamente, refletidamente; premeditar, amadurecer. *T. d.* e *c.* **4.** Ensopar, embeber, encharcar, impregnar: a b e b e r a r *o pão na sopa. P.* **5.** Matar a própria sede; dessedentar-se; beberar-se: "coutadas verdejantes .... de gado de luxo, de lanzudos carneiros de grande raça, de esbeltos cabritos e de manadas de corças, ... a b e b e r a n d o - s e imóveis em contornos pardacentos" (Ramalho Ortigão, *A Holanda*, p. 136). **6.** Retirar ensinamento; aprender, instruir-se: A b e b e r a - s e *nos fatos cotidianos;* A b e b e r o u - s e *nos clássicos.* [Sin. ger.: *embeberar*.]

abecar. [De *a-*[2] + *beca*[1] + *-ar*[2].] *V. t. d. Bras. Pop.* Agarrar pela gola do casaco ou da camisa, para agredir; aberturar, abotoar, abotecar, abufelar, patolar. [Conjug.: v. *trancar*. Cf. *abicar*.]

á-bê-cê. *S. m.* **1.** Forma substantivada de *a b c* ou *A B C*, modo corrente de se designar o alfabeto; bê-á-bá. **2.** As primeiras letras; á-é-i-ó-u; bê-á-bá. **3.** Cartilha ou sistema por meio do qual se aprendem as letras e os primeiros elementos da leitura. **4.** *Fig.* Rudimentos de uma ciência ou arte; alfabeto, abecedário, á-é-i-ó-u; bê-á-bá: *Ignora o* á - b ê - c ê *da medicina.* **5.** *Bras.* Composição poética, ordinariamente de 25 ou 26 sextilhas ou setilhas, que celebra feitos heróicos (mas também, às vezes, satírica), e na qual os cantadores procuram iniciar cada estrofe por uma letra do alfabeto na sua ordem tradicional. Costuma-se incluir nos á-bê-cês, como letras obrigatórias, o *k* e o *til*, considerando-se este como letra final do alfabeto e fazendo-se a estrofe referente a ele encerrar a composição. **6.** Região de SP. V. *abecedense* [Pl.: *á-bê-cês*.]

abecedária. [De *abecedário*, por ser fama que essa planta desenvolve a língua das crianças e lhes facilita a pronúncia.] *S. f.* V. *agave* (1).

abecedário. [Do lat. tardio *abecedariu*.] *S. m.* **1.** V. *alfabeto.* ● *Adj.* **2.** *P. us.* Alfabético (2). ♦ **Abecedário maiúsculo.** Alfabeto maiúsculo. **Abecedário manual.** Alfabeto manual. **Abecedário minúsculo.** Alfabeto minúsculo.

abecedense. *Adj. 2 g.* **1.** De, ou pertencente ou relativo à região do ABCD (Santo André, São Bernardo do Campo, São Caetano do Sul e Diadema, em SP). ● *S. 2 g.* **2.** Natural ou habitante dessa região.

abegão. [Do lat. *abigone*.] *S. m.* **1.** Homem que trata da abegoaria. **2.** Feitor de propriedade. [Fem.: *abegoa*.]

abegoa (ô). *S. f.* Fem. de *abegão.*

abegoaria. *S. f.* **1.** Lugar onde se recolhe gado e/ou se guardam utensílios de lavoura, carros, etc. **2.** Granja (2).

abeirante. *Adj. 2 g. Bras., S.* **1.** Que está próximo da beira, rente à beira. **2.** Que está beirando certa idade: *homem* a b e i r a n t e *aos 90 anos.*

abeirar. [De *a-*[2] + *beira* + *-ar*[2].] *V. t. d.* **1.** Chegar à beira de; avizinhar-se, aproximar-se de: *Mal* a b e i r o u *a casa, gritou pelos moradores. T. d.* e *c.* **2.** Fazer chegar à beira; aproximar: A b e i r o u *o animal do regato. P.* **3** Aproximar-se; acercar-se; avizinhar-se: "Cavada [a estrada] na montanha, apertava-se aqui entre duas rochas, e ali s e a b e i r a v a perigosamente do abismo." (Cândido Jucá [filho], *Noite Insone*, p. 13.)

abelha (ê). [Do lat. *apicula*.] *S. f.* Designação comum aos insetos himenópteros da superfamília *Apoidea*, que inclui numerosas espécies de abelhas solitárias, sociais e parasitas. [As solitárias, i. e., que não vivem em sociedade, constituem a maioria. O nome *abelha* vem, em geral, associado à idéia de produtor de mel, razão do nome *Apis mellifera* (L.), dado à abelha-européia. Somente as sociais produzem mel em abundância; as solitárias, apenas o necessário para formar a bola de pólen que servirá de alimento à larva.] ♦ **Abelha papa-terra.** Abelha-da-terra.

abelha-africana. *S. f. Bras.* Inseto himenóptero, da família dos apídeos (*Apis mellifera adamsoni Latr.*), cujas operárias medem de 10 a 11 mm de comprimento, têm no abdome marcas amarelo-avermelhadas, o tórax com pilosidade amarelada, e um a três tergitos, e vestígios de um quarto, amarelo-avermelhados. Ocorre no C. e S. da África. Introduzida no Brasil em 1956 e liberada em Piracicaba, acha-se hoje difundida em todo o País, onde se tem mostrado muito agressiva. [Pl.: *abelhas-africanas*.]

abelha-alemã. *S. f. Bras.* V. *abelha-preta*. [Pl.: *abelhas-alemãs*.]

abelha-amarela. *S. f. Bras.* V. abelha-italiana amarela. [Pl.: *abelhas-amarelas*.]

abelha-cachorro. *S. f. Bras.* V. *irapuá*. [Pl.: *abelhas-cachorros* e *abelhas-cachorro*.]

abelha-caucasiana. *S. f.* Inseto himenóptero, da família dos apídeos (*Apis mellifera remipes* Pall.), cujas operárias medem de 12 a 13 mm de comprimento e têm coloração que varia do acinzentado-escuro ao amarelado. Ocorre na região do Cáucaso. [Pl.: *abelhas-*

caucasianas.]
abelha-comum. *S. f. Bras.* V. *abelha-européia* (1). [Pl.: *abelhas-comuns.*]
abelha-da-europa. *S. f. Bras.* **1.** V. *abelha-preta.* **2.** V. *abelha-européia* (1). [Pl.: *abelhas-da-europa.]*
abelha-da-terra. *S. f.* Designação comum às espécies de abelhas que nidificam no solo; abelha papa-terra. [Pl.: *abelhas-da-terra.*]
abelha-de-cachorro. *S. f. Bras.* V. *irapuá.* [Pl.: *abelhas-de-cachorro.*]
abelha-de-cupim. *S. f.* Designação comum às várias espécies de abelhas que nidificam nas casas de cupim. [Pl.: *abelhas-de-cupim.* Cf. *boca-de-barro* e *cupira.*]
abelha-de-fogo. *S. f. Bras.* V. *tataíra.* [Pl.: *abelhas-de-fogo.*]
abelha-de-mel. *S. f. Bras.* V. *abelha-européia* (1). [Pl.: *abelhas-de-mel.*]
abelha-de-purga. *S. f. Bras.* Abelha silvestre do N. de MG. [Pl.: *abelhas-de-purga.*]
abelha-do-chão. *S. f. Bras.* V. *mulatinha.* [Pl.: *abelhas-do-chão.*]
abelha-doméstica. *S. f. Bras.* V. *abelha-européia* (1). [Pl.: *abelhas-domésticas.*]
abelha-do-pau. *S. f. Bras.* Designação comum às abelhas meliponídeas que nidificam em ocos de árvores. [Pl.: *abelhas-do-pau.*]
abelha-do-reino. *S. f. Bras.* V. *abelha-preta.* [Pl.: *abelhas-do-reino.*]
abelha-escura. *S. f. Bras.* V. *abelha-preta.* [Pl.: *abelhas-escuras.*]
abelha-europa. *S. f. Bras. ES.* **1.** V. *abelha-preta.* **2.** V. *abelha-européia* (1). [Pl.: *abelhas-europas* e *abelhas-europa.*]
abelha-européia. *S. f. Bras.* **1.** A *Apis mellifera* L., originária da Europa, reconhecível com facilidade por ter os olhos densamente pilosos e ferrão bem desenvolvido, no ápice do abdome; abelha-comum, abelha-da-europa, abelha-de-mel, abelha-doméstica, abelha-europa. [V. *abelha.*] **2.** V. *abelha-preta.* [Pl.: *abelhas-européias.*]
abelha-italiana. *S. f.* V. *abelha-italiana amarela.* [Pl.: *abelhas-italianas.*] ♦ **Abelha-italiana amarela.** Inseto himenóptero, da família dos apídeos (*Apis mellifera ligustica* Spin.), cujas operárias medem de 12 a 13 mm de comprimento, tem abdome com marcas amarelo-avermelhadas do primeiro ao terceiro segmento, e escutelo preto. Ocorre na Itália. [Tb. se diz apenas *abelha-italiana.* Sin.: *abelha-amarela.*]
abelha-limão. *S. f. Bras.* V. *iraxim.* [Pl.: *abelhas-limões* e *abelhas-limão.*]
abelha-macha. *S. f.* Zangão (1). [Pl.: *abelhas-machas.*]
abelha-mestra. *S. f.* **1.** A rainha do enxame, a única fêmea fecundada da colônia; rainha. **2.** *Fig.* Mulher ladina, astuciosa, finória. [Pl.: *abelhas-mestras.*]
abelhamirim. [De *abelha* + *-mirim.*] *S. f. Bras.* Designação comum a várias espécies de abelhas meliponídeas de pequeno porte, particularmente a *Melipona minima* Grib., preta, com alguns desenhos amarelos. [É costume estender o nome às abelhas-mosquitos do grupo *Plebeia*, todas pequenas.]
abelha-mosquito. *S. f. Bras.* Espécie muito pequena de meliponídea *(Plebeia (Plebeia) mosquito* (F. Smith)), que nidifica em árvores, fendas ou buracos de rochas, escura com desenhos amarelos, e cujo mel é saboroso, mas escasso; jati, jataí-mosquito, jataí-preta. [Pl.: *abelhas-mosquitos* e *abelhas-mosquito.*]
abelha-mulata. *S. f. Bras.* Abelha meliponídea semelhante à *Melipona quadripunctata* Lep., e que nidifica no chão; iruçu, iruçu-mineiro. [Pl.: *abelhas-mulatas.*]
abelhão. *S. m. Bras.* V. *mamangaba* (1).
abelha-preta. *S. f.* Inseto himenóptero, da família dos apídeos *(Apis mellifera mellifera* L.). As operárias medem de 12 a 13 mm de comprimento, têm o abdome preto, o tórax revestido de pêlos amarelo-acinzentados, as faixas tomentosas do abdome amarelas e estreitas. Ocorre na Alemanha e em países vizinhos; foi introduzida no Brasil em 1839. [Sin.: *abelha-alemã, abelha-da-europa, abelha-do-reino, abelha-escura, abelha-européia, abelha-europa.* Pl.: *abelhas-pretas.*]
abelharuco. [Do esp. *abejaruco.*] *S. m.* V. *abelheiro* (4).
abelha-sanharó. *S. f. Bras.* Sanharão. [Pl.: *abelhas-sanharós.*]
abelheira. *S. f.* **1.** Ninho ou colmeia de abelhas; abelheiro. [Var. pop., em SP: *veieira.*] **2.** Abelheiro (3).
abelheiro. *S. m.* **1.** Homem que trata de abelhas, que se encarrega da criação delas; colmeeiro, apicultor. **2.** Abelheira (1) **3.** *Tec.* Buraco que aparece nas pedras, semelhante ao que fazem as abelhas no tronco das árvores; abelheira. **4.** Ave migradora, da Europa meridional, ordem coraciforme, família dos meropídeos *(Merops apiaster* L.), de plumagem brilhante, e que se nutre de abelhas e outros insetos; abelharuco, abelhuco, melharuco, milharós.
abelhuco. *S. m.* V. *abelheiro* (4).
abelhudice. *S. f.* Qualidade, ato ou modos de abelhudo (1, 2 e 3).
abelhudo. *Adj.* **1.** Curioso, indiscreto. **2.** Metediço, intrometido, enxerido, bisbilhoteiro. **3.** Astuto, manhoso, ardiloso. **4.** Desembaraçado, ativo.
abeliano. *Adj.* ~ V. *grupo* —.
abelidar-se. [De *a-*[2] + *belida* + *-ar*[2] + *se*[1].] *V. p.* Criar belida (o olho).
abelim. *S. m.* Carpidor nas cerimônias fúnebres israelitas.
abemolado. [Part. de *abemolar.*] *Adj.* **1.** *Mús.* Marcado com bemol. **2.** *Mús.* Executado em bemol. **3.** *Fig.* Suave, doce, brando: "A sua voz [de Camilo Castelo Branco] era abemolada, e com ligeiras inflexões irônicas." (Gonçalves Crespo, *Obras Completas,* p. 439.)
abemolar. [De *a-*[2] + *bemol* + *-ar*[2].] *V. t. d.* **1.** Baixar (uma nota musical) de meio tom. **2.** Assinalar com o bemol. **3.** Suavizar; abrandar: *abemolar a fala;* "rasgava um prelúdio brilhante na viola .... e, abemolando a voz, soltava uma destas três modinhas" (Afonso Arinos, *Histórias e Paisagens,* p. 24). *P.* **4.** Amenizar-se, abrandar-se, suavizar-se: *A voz, outrora tão áspera, abemolou-se*
abencerrage. [Do ár. *Aben as-sarraj,* 'filho do seleiro'.] *S. m.* **1.** Indivíduo dos abencerrages, tribo moura que dominou em Granada, e se tornou famosa, no séc. XV, pela sua rivalidade com a tribo zegri: "os descendentes dos conquistadores de Espanha, abencerrages e zegris, caíram no abismo" (Camilo Castelo Branco, *A Enjeitada,* p. 234). ● *Adj.* 2 *g.* **2.** Pertencente ou relativo a essa tribo. [Var.: *abencerragem.*] ♦ **O último abencerrage.** Indivíduo que se mostra de extrema dedicação a uma causa, o derradeiro paladino de uma idéia.
abencerragem. *S. m.* e *adj. 2 g.* Var. de *abencerrage.*
abençoadeiro. *Adj.* **1.** Que abençoa ou protege. ● *S. m.* **2.** V. *benzedeiro* (1).
abençoador (ô). *Adj.* **1.** Que abençoa; abençoante. ● *S. m.* **2.** Aquele que abençoa.
abençoante. *Adj. 2 g.* Abençoador (1).
abençoar. [De *a-*[2] + *bênção* + *-ar*[2].] *V. t. d.* **1.** Dar ou lançar a bênção a; benzer, abendiçoar, bendizer: *O Papa abençoou os fiéis na Praça de São Pedro;* "À noite, quando ele se foi despedir, ela mal o abençoou." (Coelho Neto, *Turbilhão,* p. 312.) **2.** Fazer feliz, tornar próspero; proteger: *Que os céus abençoem o recém-nascido. P.* **3.** Fazer o sinal-da-cruz; benzer-se. [Quanto à acentuação gráfica, v. *coroar.*]
abendiçoar. *V. t. d.* **1.** V. *abençoar* (1). **2.** V. *bendizer* (4): "Luís de Camões! Tanto pode a paixão, cega e vidente, que, depois de trezentos e quarenta e dois anos de imortalidade, se ergue, reumaniza-se, canta, para abendiçoar o mar, a voz do maior dos nossos aedos..." (Martins Fontes; *O Mar,* p. 48.) [Quanto à acentuação gráfica, v. *coroar.*]
a-bengala-aponta. *S. f. 2 n. Jog. Inf.* Jogo de salão no qual um participante se afasta do grupo, dando-lhe as costas, ao passo que outro, seu aliado, se põe a apontar vários companheiros com uma bengala de papel, enquanto dialoga com o primeiro que deve adivinhar em quem, por fim, a bengala se deteve. Para tanto baseia-se nos indícios fornecidos pelo comparsa, com o qual fez uma combinação, que em geral consiste em parar a bengala no último a falar alto antes de certa pergunta de quem aponta, sendo imprescindível ao adivinho conhecer a voz de cada jogador.
abentérico. [De *ab-* + *-entero-* + *-ico*[2].] *Adj. Anat.* Localizado fora do intestino.
aberas. *S. m. 2 n.* V. *abacaxi*[1] (1).
aberém. [Do ioruba.] *S. m. Bras.* Bolo de milho ralado na pedra e cozido envolto em folhas de bananeira. [Var.: *abarém.*]
aberêmoa. *S. f.* Planta da família das anonáceas (*Duguetia),* de fruto bacáceo, como p. ex., o biribazeiro, a ata, o araticum-do-campo e a pinha, e que se apresenta com porte de árvore ou de arbusto.
aberração. [Do lat. *aberratione.*] *S. f.* **1.** Ato ou efeito de aberrar. **2.** Defeito, deformidade, distorção: "podia, sob a firme e sólida base da boa erudição, soltar os vôos à fantasia, sem incorrer nas deploráveis aberrações da escola gongorista." (Latino Coelho, *Cervantes,* p. 233). **3.** Anomalia, anormalidade, irregularidade. **4.** Desvario, delírio, desatino. **5.** *Astr.* Deslocamento aparente de um astro na direção em que se move a Terra, provocado pela composição das velocidades da luz e do nosso planeta; aberração da luz. **6.** *Med.* Anomalia na situação ou na conformação de um órgão, ou no exercício das suas funções. **7.** *Ópt.* Afastamento de um raio luminoso que atravessa um sistema óptico da trajetória ideal de um raio paraxial. **8.** *Terat.* Monstro (1): *O recém-nascido era uma aberração da natureza.* ♦ **Aberração ânua.** *Astr.* Aberração da luz, produzida pelo movimento de revolução da Terra em torno do Sol; aberração das fixas. **Aberração cromática.** *Ópt.* Aberração decorrente das diferenças de comprimento de onda de uma radiação policromática. **Aberração da luz.** *Astr.* Aberração (5). **Aberração da natureza. 1.** Fenômeno natural que se nos mostra sob formas desconhecidas ou incompreensíveis. **2.** Ato de degradação moral, impróprio de quem é sensato. **Aberração das fixas.** *Astr.* Aberração ânua. **Aberração de esfericidade.** *Ópt.* Aberração esférica. **Aberração diurna.** *Astr.* Aberração da luz, produzida pelo movimento de rotação da Terra em torno de seu eixo. **Aberração dos sentidos.** Erro que se deve atribuir à má interpretação das impressões por eles recebidas. **Aberração esférica.** *Ópt.* Aberração monocromática em que um feixe de raios paralelos não converge para um mesmo ponto; aberração de esfericidade. **Aberração geométrica.** *Ópt.* Aberração monocromática. **Aberração monocromática.** *Ópt.* Aberração de um sistema óptico, determinada fundamentalmente pela forma geométrica dos meios refratores que o constituem; aberração geométrica. **Aberração planetária.** *Astr.* Ângulo entre a direção aparente de um astro do sistema solar e a direção da reta que liga o observador à posição real do astro em um instante dado. **Aberração secular.** *Astr.* Aberração da luz, produzida pelo movimento de conjunto do sistema solar em direção ao ápex.
aberrante. [Do lat. *aberrante.*] *Adj. 2 g.* Que aberra, que se desvia das normas, do padrão comum.
aberrar. [Do lat. *aberrare.*] *V. int.* **1.** Desviar-se das regras naturais; constituir-se numa aberração (2, 3 e 4). **2.** Tornar-se anomalia de um sistema, afastando-se por quaisquer características do tipo ou das espécies do mesmo gênero. *P.* **3.** Tornar-se diferente, estranho, esquisito.
➡**aberratio delicti** (aberrácio delícti). [Lat., 'desvio de delito'.] *Jur.* Erro do criminoso quanto à pessoa da vítima.
➡**aberratio ictus** (aberrácio íctuç). (Lat., 'desvio do golpe'.) *Jur.* Erro ou acidente na execução do delito, que leva o criminoso a atingir pessoa diversa daquela a quem pretendia ofender.
aberrativo. *Adj.* Aberratório.
aberratório. *Adj.* Em que há, ou que envolve aberração; aberrativo.
aberta. [Fem. substantivado do adj. *aberto.*] *S. f.* **1.** Fenda, fresta, orifício, abertura: "por uma aberta que a turba deixava, pôde ele ver o rosto da desmaiada." (Machado de Assis, *Contos Fluminenses,* p. 308). **2.** Vala, canal, rego, fosso, **3.** Breve espaço de tempo em que deixa de chover; estiada. **4.** Nesga do céu que as nuvens, abrindo-se, deixam ver em dias chuvosos. **5.** Espaço de folga ou de interrupção num serviço continuado; intervalo. **6.** Parte desunida do vestuário. **7.** *Fig.* Saída, solução. **8.** *Fig.* Ocasião favorável, oportunidade, ensejo: "Já estavam calados, havia momentos, os dous vereadores, à espera de que Bastos Leite lhes desse uma aberta." (Xavier Marques, *As Voltas da Estrada,* pp. 32-33.) **9.** *Mar.* Ocasião favorável, por acalmia na queda da chuva ou por interrupção do nevoeiro, permitindo melhor visibilidade; sota, clara. **10.** *Bras., Amaz.* Lugar onde o campo, rompendo a selva, chega até a margem do rio. **11.** *Bras., BA.* Parte cultivada da floresta, para pasto ou lavoura. **12.** *Bras., S.* Rasgão de mato, intervalo, que forma uma abertura ou passagem rente a uma serra. **13.** *Bras.* V. *clareira* (1): "deu com a vista, no meio de uma aberta que fazia a mata, sobre os estendidos canaviais do Engenho Novo." (Franklin Távora, *O Cabeleira,* pp. 267-268). ~ V. *abertas.*
abertão. *S. m. Bras. BA* e *S.* Grande aberta ou clareira, na mata.
abertas. [Pl. de *aberta.*] *S. f. pl.* Claros ou intervalos deixados num documento ou livro manuscrito, como divisão ou para preenchimento posterior. [Cf. *janela* (4).] ~ V. *aberta.*
aberto. [Do lat. *apertu.*] *Adj.* **1.** Que se abriu, se descerrou; que não está fechado; descerrado: *olhos abertos;* "E na escada esbarrei com um repórter, de chapéu para a nuca, a carteira aberta, gritando sofregamente 'se havia mortos?'" (Eça de Queirós, *A Cidade e as Serras,* p. 58.) **2.** Sem obstáculo que impeça de entrar, de sair, de ver: "Quando Jacinto, no seu quarto do 202, com as varandas abertas sobre os

lilases, me desenrolava estas imagens, todo ele crescia, iluminado." (Id., *ib.*, p. 18.) **3.** Sem cobertura, ou com ela abaixada; descoberto: *terraço* aberto; *carro* aberto. **4.** Vasto, amplo, largo, espaçoso: *Gostava de cavalgar pela campina* aberta. **5.** Diz-se de lugar não defendido por obras de defesa ou fortificações, nem por montanhas ou rios. **6.** Separado um do outro; afastado: *Desde menino anda de perna* aberta; *A pena está com a ponta* aberta. **7.** Diz-se de parte do corpo (especialmente o pulso) dolorida por distensão muscular resultante de traumatismo ou esforço. **8.** Não cicatrizado (ferimento ou chaga). **9.** Desfeito, desmanchado: *Chamou-lhe a atenção um pacote* aberto *em cima da mesa.* **10.** Desdobrado, desenrolado, estendido: "com o *Fígaro* ou as *Novidades* abertas sobre o prato, eu esperava sempre meia hora pelo meu príncipe" (Eça de Queirós. *A Cidade e as Serras*, p. 49). **11.** Desabotoado, desapertado: *Anda com o peito da camisa* aberto. **12.** Gravado, cunhado, impresso: *caracteres* abertos *na madeira.* **13.** Desabrochado, desabotoado (a flor): *A roseira está com todas as suas flores* abertas. **14.** Claro, vivo, intenso: *Trajava um vestido vermelho* aberto. **15.** Iniciado, começado, encetado: Abertas *as negociações sobre a paz, os ânimos se acalmaram.* **16.** Em funcionamento, em atividade: *Com o escritório* aberto, *não poderá tirar férias nem viajar.* **17.** Sem nuvens; claro, límpido: *céu* aberto. **18.** Sem limite ou restrição; amplo, ilimitado: *Deposita no empreendimento a mais* aberta *confiança.* **19.** Manifesto, claro, evidente, patente: *O* aberto *desacordo entre as duas facções políticas gerou a alta do dólar.* **20.** A que se pode chegar; acessível: *Pelo baixo preço das mensalidades, é um curso* aberto *a qualquer interessado.* **21.** Que admite e compreende facilmente: *inteligência* aberta; *espírito* aberto. **22.** Franco, leal, sincero, lhano: "gente aberta, sem pé-atrás." (José J. Veiga, *A Hora dos Ruminantes*, p. 23). **23.** Que admite ou aceita novas idéias; que não tem preconceitos nem bloqueios em relação às novidades; liberal. **24.** *Fon.* Forte, agudo: *vogal* aberta. **25.** *Bras. Pop.* Diz-se de quem tem muita sorte no jogo; largo. ~ V. *boca —a, braços —s, capital —, carta —a, cidade —a, composição —a, conjunto —, conta —a, de boca —a, de braços —os, espaço —, fase —a, gaveta —a, intervalo —, letra —a, mar —, mercado —, obra —a, peito —, ponto —, pôquer —, porto —, pulso —, questão —a, sinal —, sistema —, testamento —* e *vogal —a.* ● *S. m.* **26.** Espaço vazio; abertura: "A picada estreita cortava o sítio, ... alongando-se pelos abertos de mandioca e os pés de milho" (Ricardo Ramos, *Tempo de Espera*, p. 40). **27.** Espaço ou buraco não fechado, em bordado. **28.** *Bras., CE.* O descampado em geral; clareira (na mata ou na caatinga).

abertura. [Do lat. *apertura.*] *S. f.* **1.** Ato ou efeito de abrir, abrimento. **2.** Orifício, fenda, aberta: "Chego-me a uma das portas exíguas, baixinhas, fechadas, meto os olhos por uma abertura, na esperança de enxergar as panelas e as retortas que ainda se conservam lá dentro." (Graciliano Ramos, *Viagem*, p. 24.) **3.** Parte superior de certas peças de vestuário, por onde se abrem e se abotoam; decote: "todo o seu trajo e adornos se reduziam a uma espécie de loba negra, que lhe descia até aos pés, abotoada na pequena abertura do peitilho com três botões" (Alexandre Herculano, *O Monge de Cister*, II, pp. 11-12). **4.** Começo, início: abertura *das aulas.* **5.** Solenidade inaugural; inauguração: *Assisti à* abertura *do simpósio.* **6.** Afastamento das pontas do compasso, dos pontos extremos de uma baía, golfo, enseada, etc., das vertentes de um vale, etc. **7.** Qualidade de aberto (21); acessibilidade. **8.** *Cin.* e *Telev.* Efeito em que a imagem surge do preto, definindo-se pouco a pouco. **9.** *Fon.* Timbre de uma vogal resultante do distanciamento entre a língua e o céu da boca. **10.** *Fon.* Afastamento das mandíbulas durante a articulação de um fonema. **11.** *Mús.* Introdução ou prelúdio instrumental a qualquer obra de grande desenvolvimento, como, p. ex., ópera, opereta, oratório, cantata. [Sin. (fr.), nesta acepç.: *ouverture.* Cf., nesta acepç.: *protofonia.*] **12.** *Ópt.* Diafragma que limita a entrada de luz num sistema óptico. **13.** *Ópt.* Diâmetro da pupila de entrada dum sistema óptico. **14.** *Ópt.* O diâmetro de uma lente. **15.** *Ópt.* Numa objetiva, o quociente entre a sua distância focal e o diâmetro da sua pupila de entrada. **16.** *Eng. Ind.* Distância entre dois fios consecutivos de uma peneira. **17.** *Bras. Pol.* Processo político iniciado em 1978 pelo governo, com apoio das forças armadas e com vista à reimplantação do sistema democrático. [A abertura foi precedida pela chamada *distensão*, que eliminou os aspectos repressivos da revolução de 1964, e a ela deveria suceder-se uma Assembléia Constituinte, para atingir o seu objetivo final.] **18.** *Arquit.* V. *vão* (10). ◆ **Abertura efetiva.** *Fot.* Fração da área de uma objetiva através da qual passam raios luminosos que contribuem eficazmente para a formação da imagem sobre a chapa fotográfica. **Abertura numérica.** *Ópt.* Produto do seno do ângulo de abertura do cone luminoso que penetra na objetiva de um microscópio pelo índice de refração do meio óptico que está imediatamente em frente à lente frontal da objetiva.

aberturar. [De *abertura* (3) + *-ar*[2].] *V. t. d. Bras., N.E. Pop.* V. *abecar.*

aberturista. *Adj. 2 g.* Relativo a, ou próprio da abertura (17).

abesana. [Do esp. *abesana.*] *S. f. Ant.* **1.** Junta de bois. **2.** O primeiro sulco do arado, que tem por fim regular os demais.

abesantado. [Part. de *abesantar.*] *Adj.* Guarnecido com besantes.

abesantar. [De *a-*[2] + *besante* + *-ar*[2].] *V. t. d.* Guarnecer com besantes (um escudo de armas); *besantar.*

abespinhadiço. *Adj.* Que se abespinha com facilidade; irritadiço, abespinhado.

abespinhado. [Part. de *abespinhar.*] *Adj.* **1.** Que se abespinhou; irritado, exasperado. **2.** V. *abespinhadiço.*

abespinhamento. *S. m.* Ato ou efeito de abespinhar(-se).

abespinhar. [De *a-*[2] + *bespa* + *-inhar.*] *V. t. d.* e *p.* **1.** Irritar(-se), exasperar(-se), enfurecer(-se), assanhar(-se): "Então Iexu ponderou decisivamente, abespinhando a multidão que se conformou, sem outro jeito, mas murmurando aleives contra o Messias" (Almáquio Dinis, *A Carne de Jesus*, p. 181); "e um tenor da 'Trindade' abespinhou-se até a raiz dos cabelos vendo no cartaz o seu nome composto em tipo mais pequeno do que o da cançonetista Suzete da 'Rua dos Condes'" (Antero de Figueiredo, *Cômicos*, pp. 163-164). **2.** Aborrecer(-se), amuar(-se), agastar(-se), melindrar(-se), [Sin. ger.: *embespinhar(-se).*]

abestalhado. [De *a-*[2] + *besta* (ê) + *-alhado.*] *Adj. Bras.* Abobado, imbecil, tolo [q. v.].

abestruz. *S. 2 g.* V. *avestruz.*

abeta (ê). *S. f.* Pequena aba.

abete (ê). *S. m.* V. *abeto* (1).

abeto (ê). [Do lat. vulg. *abete*, por *abiete*, adaptado à 2ª declinação.] *S. m.* **1.** Designação comum às espécies dos gêneros *Abies* e *Picea*, plantas ornamentais da América e da Europa, algumas das quais são cultivadas no Brasil, nas regiões mais temperadas, e cuja madeira é importante na fabricação do papel; abete, abieto. **2.** V. *abeto-branco.*

abeto-branco. *S. m.* Árvore da família das abietáceas (*Abies alba*), de origem norte-americana, cultivada no Brasil, e cujo córtex produz tanino. [Tb. se diz apenas *abeto*; sin.: *abeto-do-canadá.* Pl.: *abetos-brancos.*]

abeto-do-canadá. *S. m.* V. *abeto-branco.* [Pl.: *abetos-do-canadá.*]

abetum. *S. m.* Ajuda, auxílio, amparo.

abetumado. [Part. de *abetumar.*] *Adj.* **1.** Colado, calafetado de betumes; abatumado. **2.** *Fig.* V. *tristonho* (1) [Var. (bras.): *abatumado.*] **3.** *Bras., S.,* e *prov. lus.* Abatumado (2).

abetumador (ô). *S. m.* Aquele que abetuma; calafetador.

abetumar. [De *a-*[2] + *betume* + *-ar*[2].] *V. t. d.* Cobrir com betume; calafetar.

abevacuação. [De *ab-* + *evacuação.*] *S. f. Med.* **1.** Anormalidade da evacuação, por excesso ou por deficiência. **2.** Metástase.

abexim. [Do ár. vulg. *habxj.*] *Adj. 2 g.* e *s. 2 g.* V. *abissínio* (1 e 2).

abezerrado. [De *a-*[2] + *bezerro* + *-ado*[1].] *Adj.* Semelhante a bezerro (1).

➡ab hoc et ab hac (ab oqüe et ab aqüe). [Lat., 'disto e daquilo'.] A torto e a direito.

abi. *S. m. Bras.* V. *abieiro.*

abiã. *S. f. Bras., BA. Folcl.* Candidata ao noviciado nos candomblés que cumpre só alguns ritos parciais.

abibe. [Do lat. ave *ibe.*] *S. m.* Ave da família dos caradriídeos (*Vanellus cristatus* L.), da Europa e da Ásia, de crista negra, dorso escuro e peito branco, que nidifica em pequenas colônias, sendo caça muito procurada; ventoinha.

abibliotecar. [De *a-*[2] + *biblioteca* + *-ar*[2].] *V. t. d.* Conservar ou dispor em biblioteca. [Conjug.: v. *trancar.*]

abibura. *S. m. Bras.* Planta da família das agaricáceas (*Agaricus pisonianus*), cujo chapéu é o órgão produtor dos esporos, formando novas plantas depois de germinarem, e que é tida por venenosa.

abicadoiro. *S. m. Bras.* Abicadouro [q. v.].

abicadouro. [Var. de *abicadoiro.*] *S. m. Bras.* Lugar da praia ou da margem onde a embarcação pode ou costuma abicar.

abicar. [De *a-*[2] + *bico* + *-ar*[2].] *V. t. d.* **1.** Fazer bico; aguçar: abicar *uma haste de ferro. T. i.* **2.** *Mar.* Encalhar propositadamente com a proa; tocar intencionalmente com o bico de proa: "O escaler abicou na praia amiga" (Almeida Garrett, *Camões*, I, XIX); "Logo após abicava à ribeira o batel conduzindo Aires de Lucena" (José de Alencar, *Alfarrábios* p. 193). **3.** *Mar.* Dirigir, apontar a proa: *A embarcação* abicou *para terra; o navio* abicou *para a costa.* **4.** Tocar, aproximar; chegar: "Viu-se uma barca sumptuosamente empavesada descer o Reno e vir lentamente abicar ao cais" (Ramalho Ortigão, *A Holanda*, p. 213). *Int.* **5.** Aproximar-se, chegar(-se): "acostavam ainda, a vela panda e molhada, abicando ao sabor do vento." (Herman Lima, *Tijipió*, p. 122.) **6.** *Bras., RS.* Ficar (a vaca), no período da gravidez, com as mamas intumescidas de leite. *P.* **7.** Aproximar-se, avizinhar-se, chegar-se. [Conjug.: v. *trancar.* Perf. ind.: *abiquei, abicaste, abicou*, etc. Cf. *abicô* e *abecar.*]

abichar[1]. *V. t. d.* Alcançar, conseguir (qualquer coisa vantajosa).

abichar[2]. [Do esp. plat. *abichar.*] *Int.* e *p.* **1.** *Bras.* Criar bicheira (o animal). **2.** Ficar podre (a fruta) por ter sido atacada por larvas de inseto.

abicharar. *V. int. Bras. Chulo.* Tornar-se bicha (11).

abichornado. [Part. de *abichornar* (q. v.).] *Adj.* **1.** *Bras.* Abafado, sufocado, quente. **2.** *Bras., S.* Desanimado, desalentado. **3.** *Bras., S.* Vexado, envergonhado. **4.** *Bras., S.* Acovardado, intimidado: "Os homens viveram abichornados, na tristeza dura" (Simões Lopes Neto, *Contos Gauchescos e Lendas do Sul*, p. 281).

abichornar. [De *abochornar*, por dissimilação.] *V. t. d.* **1.** *Bras., S.* Tornar abichornado; desalentar, desanimar. **2.** Vexar, envergonhar. *Int.* e *p.* **3.** Tornar-se abichornado (1); desanimar(-se), desalentar(-se).

abicô. [Do ioruba.] *S. 2 g. Bras.* Pessoa que não pode fazer a cabeça [v. *fazer a cabeça* (1)] porque o seu santo já tem a obrigação feita. [Cf. *abicou*, do v. *abicar.*]

abieiro. *S. m. Bras.* Planta da família das sapotáceas (*Pouteria caimito*), originária do Peru, dotada de látex, produtora de apreciado fruto edule (*abiu*), que é cultivada nas regiões tropicais e cuja madeira se utiliza no fabrico de instrumentos musicais, cabos de ferramenta, etc.; abi, abiiba, abiu-grande, caimito.

abiênico. *Adj.* ~ V. *ácido —.*

abietácea. *S. f.* Espécime das abietáceas.

abietáceas. *S. f. pl. Bot.* Família de gimnospermas, da classe das coníferas, e que antes se incluía na das pináceas. O gênero-tipo, *Abies*, engloba árvores conhecidas como *abeto*, da Europa e dos E.U.A., sendo rara nos trópicos e inexistente no Brasil.

abietáceo. *Adj.* Pertencente ou relativo às abietáceas.

abietato. *S. m. Quím.* Cada um dos sais do ácido abiético.

abieteno. *S. m. Quím.* Hidrocarboneto líquido, resultante da descarboxilação do ácido abiético, e extraído também de algumas resinas. [Fórm.: C_{19} H_{30}.]

abiético. *Adj.* ~ V. *ácido —.*

abietina. [Fem. substantivado de *abietino.*] *S. f.* Hidrocarboneto encontrado em certos abetos. [Fórm.: C_{19} H_{28}.]

abietino. [Do lat. *abietinu.*] *Adj.* Semelhante ou relativo ao abeto.

abieto (ê). *S. m.* V. *abeto* (1).

abigeatário. *S. m.* Indivíduo que comete abigeato; abígeo, abactor. [Sin. bras. (RS e MT): *quatreiro.*]

abigeato. [Do lat. *abigeatu.*] *S. m.* Furto de gado; abacto: "Certa vez, Melquíades, famoso autor de inúmeros abigeatos, caiu nas malhas policiais e se fez nas armas" (A. S. de Mendonça Júnior, *O Anel de Brilhante e Outras Estórias*, p. 38).

abígeo. [Do lat. *abigeu.*] *S. m.* V. *abigeatário*

abiíba. *S. m. Bras.* V. *abieiro.*

abilhamento. *S. m.* Ornato, enfeite, atavio.

abilolado. *Adj. Bras. Pop.* **1.** V. *amalucado:* "todos os filósofos que até hoje tentaram entender as mulheres acabaram meio abilolados." (Cora Rónai Vieira e Paulo Rónai, *Aventuras de Fígaro*, p. 36.) **2.** Perdido de amores; apaixonado: *Ficou* abilolado *pela loura.*

➡ab imo pectore (abimo péctore). [Lat.] Do fundo do coração; do imo do peito.

➡ab initio (abinício). [Lat.] Desde o começo; desde a origem.

➡ab intestato (abintestato). [Lat., 'sem deixar testamento'.] *Jur.* Diz-se da sucessão em que não há testamento e

do herdeiro que nela exerce os seus direitos.
abio. *S. m. Bras.* V. *abiu.*
abioceno. *S. m. Biol.* Lugar desprovido de seres vivos.
abioenergia. [De *a-*[3] + *-bio-* + *energia.*] *S. f. Patol. Desus.* Abiotrofia.
abiogênese. [De *a-*[3] + *-bio-* + *gênese.*] *S. f. Biol.* Suposta formação de organismo vivo com base em matéria não viva; geração espontânea.
abiogenético. *Adj. Biol.* **1.** Relativo à abiogênese. **2.** Que surge por abiogênese.
abionergia. *S. f. Patol. Desus.* Abioenergia.
abiorana. *S. f. Bras.* V. *abiurana.*
abiorana-guta. *S. f.* V. *abiurana-guta.* [Pl.: *abioranas-gutas* e *abioranas-guta.*]
abiori. *S. m. Bras.* Planta da família das euforbiáceas (*Mabea paniculata*), de pequeno porte, folhas entre ovadas e elípticas, crenadas, e que viceja na região amazônica.
abiose. [De *a-*[3] + *-bio-* + *-ose.*] *S. m. Med.* Ausência de vida.
abiótico. *Adj.* **1.** Relativo à abiose. **2.** Onde não se pode viver.
abioto. [Do gr. *abíotos.*] *S. m.* **1.** O que é incompatível com a vida; o que mata. **2.** Designação dada à cicuta, por sua qualidade mortífera. ● *Adj.* **3.** *Med.* Incompatível com a vida.
abiotrofia. [De *a-*[3] + *-bio-* + *-trof(o)-* + *-ia.*] *S. f. Patol.* **1.** Insuficiência nutricional. **2.** Diminuição da vitalidade com perda de resistência específica. [Sin. ger. (desus.): *abioenergia.*]
abiotrófico. *Adj.* Referente à abiotrofia.
abiquara. *S. f. Bras.* V. *corcoroca* (1 e 2).
➧**ab irato.** [Lat.] Em estado de ira, de cólera.
abirritação. [De *ab-* + *irritação.*] S. f. **1.** Fraqueza, debilidade; astenia, atonia. **2.** *Med.* Diminuição ou abolição de reflexos ou de qualquer outra irritabilidade num órgão ou numa região.
abirritante. *Adj. 2 g.* Que produz abirritação; abirritativo.
abirritar. *V. t. d. Med.* Produzir abirritação (2) em.
abirritativo. *Adj.* **1.** Abirritante. **2.** *Patol.* Diz-se de doença que provoca astenia, prostração ou falta de reação motora.
abiscoitado[1]. [De *a-*[2] + *biscoito* + *-ado.*] *Adj.* Semelhante a biscoito, no gosto, na forma ou no aspecto. [F. paral.: *abiscoutado*[1].]
abiscoitado[2]. [Part. de *abiscoitar.*] *Adj.* Que se abiscoitou. [F. paral.: *abiscoutado*[2].]
abiscoitar. [De *a-*[2] + *biscoito* + *-ar*[2].] *V. t. d.* **1.** Cozer como biscoito. **2.** Conseguir, alcançar; abichar: *Com a subida do novo governador,* abiscoitou *um bom emprego.* **3.** *Bras.* Receber, ganhar; arranjar. [F. paral.: *abiscoutar* e *biscoitar.*]
abiscoutado[1]. *Adj.* Abiscoitado[1].
abiscoutado[2]. *Adj.* Abiscoitado[2].
abiscoutar. [De *a-*[2] + *biscouto* + *-ar*[2].] *V. t. d.* V. *abiscoitar.*
abisga. *S. f.* Planta originária da África, da família das caparidáceas (*Capparis sodada*), cujo fruto é comestível.
abismal. *Adj. 2 g.* **1.** Relativo ou pertencente a abismo. **2.** Da natureza do abismo: *profundezas* abismais. [F. paral.: *abissal.*]
abismamento. *S. m.* **1.** Ato de abismar-se. **2.** *Geol.* Formação de grandes abismos por processos tectônicos.
abismar. *V. t. d.* **1.** Precipitar ou lançar no abismo: "O riso que revoluteia as tormentas dos impérios, e abisma tronos, e espuma espadanas de lama" (Camilo Castelo Branco, *A Mulher Fatal,* p. 8). **2.** Causar assombro, espanto, admiração a: *O violinista* abismou *a platéia com o seu virtuosismo. T. d.* e *c.* **3.** Lançar, precipitar. *P.* **4.** Lançar-se ou preicipitar-se no abismo. **5.** *P. ext.* Lançar-se, precipitar-se: Abismou-se *no vácuo;* "do mar na escuridão se abisma a lua / A pratear as águas que alumia." (Álvares de Azevedo, *Obras Completas,* I, p. 470). **6.** *Fig.* Cair em funda concentração; tomar-se de: "Viu o riso feroz desses homens e todo o seu ser estremeceu de horror. E, logo, a sua alma se abismou em profunda angústia." (Castro Soromenho, *Rajada e Outras Histórias,* p. 128.) **7.** Ficar absorto; alhear-se, perder-se: *Interrompeu a leitura e* abismou-se *em sonhos.* **8.** Confundir-se, espantar-se. **9.** Perder-se moralmente.
abismo. [Do gr. *abyssos,* 'sem fundo', pelo lat. *abyssu.*] *S. m.* **1.** Abertura, sulco natural, quase vertical, de fundo praticamente insondável; voragem, vórtice, sorvedouro, abissal: "Ela aí vai, a minha estrela, aí vai a resvalar no abismo, donde não sei se a levantarei mais..." (Machado de Assis, *Teatro,* p. 270.) **2.** Precipício, despenhadeiro. **3.** Tudo que é imenso, incomensurável; coisa assombrosa, insondável: "Jamais o problema da vida e da morte me oprimira o cérebro; nunca .... me debruçara sobre o abismo do Inexplicável" (Machado de Assis, *Memórias Póstumas de Brás Cubas,* p. 80). **4.** Grande distância ou diferença: "— Era um homem que ela supunha separado, por um abismo, de todas as suas relações pessoais" (Id., *Histórias sem Data,* p. 55). **5.** O último grau; o extremo: *Vive no* abismo *da desventura.* **6.** Situação difícil; posição insustentável: *Dificilmente o salvarão do* abismo *em que se acha.* **7.** *Fig.* Oceano, mar. **8.** *Fig.* Os Infernos: "E rápido [o Diabo], batendo as asas, com tal estrondo que abalou todas as províncias do abismo, arrancou da sombra para o infinito azul." (Machado de Assis, *Histórias sem Data,* p. 2.) **9.** *Hist. Filos.* Caos. [F. paral.: *abisso.*]
abismoso (ô). *Adj.* Em que há abismos; cercado de abismos.
abissal. [De *abisso* + *-al.*] *Adj. 2 g.* **1.** V. *abismal.* **2.** Relativo ou pertencente ao abisso (2). **3.** Espantoso, assombroso, enorme. **4.** *Fig.* Misterioso, enigmático: "o caráter abissal e a carne diabólica e perversa daquela mulher haviam-no brutalizado, fanatizado por completo!" (Abel Botelho, *Os Lázaros,* p. 44). V. *região — e rocha —.* ● *S. m.* **5.** V. *abismo* (1). **6.** A parte profunda dos oceanos abaixo de 1 000 metros. **7.** *Geol.* Sedimento marinho depositado nessa região.
abissínio. *Adj.* **1.** Da, ou pertencente ou relativo à Abissínia, atual Etiópia (África). ● *S. m.* **2.** O natural ou habitante da Abissínia. [Sin., nessas acepç.: *abexim.*] **3.** *Bras.* Indivíduo que ataca os decaídos do poder e elogia os novos governantes.
abisso. *S. m.* **1.** *P. us.* V. *abismo.* **2.** Abissal (6).
abita. [De *a-*[5] + fr. *bitte.*] *S. f. Constr. Nav.* Peça, hoje raramente usada, que consiste em uma coluna de madeira ou de ferro, fortemente presa no convés, e em torno da qual se dão voltas à amarra depois de lançada a âncora. [Cf. *habita,* do v. *habitar.*]
abitana. *S. 2 g.* e *adj. 2 g. Bras.* V. *pavunva.*
abitar. *V. t. d. Marinh. Ant.* Prender (a amarra), com voltas, na abita. [Pres. ind.: *abito,* etc. Cf. *hábito* e *habitar.*]
abito. *S. m.* Na antiga alquimia, o carbonato de chumbo. [Cf. *habito,* do v. *habitar,* e *hábito.*]
abitolar. [De *a-*[2] + *bitola* + *-ar*[2].] *V. t. d.* Medir pela bitola; sujeitar à bitola.
abiu. [Do tupi *a'biu.*] *S. m. Bras.* **1.** Fruto do abieiro, de baga amarela e doce. **2.** V. *abieiro.* [F. paral.: *abio.*]
abiu-do-mato. *S. m.* V. *acá.* [Pl.: *abius-do-mato.*]
abiu-do-pará. *S. m. Bras.* Planta da família das sapotáceas (*Chrysophyllum caimito*), de bagas estimadas como alimento, pois tem polpa gelatinosa doce; caimito. [Pl.: *abius-do-pará.*]
abiu-grande. *S. m.* **1.** *Bras., AM.* Planta da família das sapotáceas (*Pouteria paraensis*), de bagas comestíveis; abiu-grande-da-terra-firme. **2.** V. *abieiro.* [Pl.: *abius-grandes.*]
abiu-grande-da-terra-firme. *S. m. Bras.* Abiu-grande (1). [Pl.: *abius-grandes-da-terra-firme.*]
abiurana. [Do tupi *abiu'rana,* 'falso abiu'.] *S. f. Bras.* Cada uma de várias espécies de árvores do gênero *Lucuma,* das quais a mais conhecida é a *Lucuma lasiocarpa,* da família das sapotáceas. [F. paral.: *abiorana;* var.: *biurana;* sin.: *amaduri.*]
abiurana-guta. *S. f.* **1.** *Bras., Amaz.* Árvore da família das sapotáceas (*Pouteria gutta*), de cujo látex retirado por escarificação de sua casca, ressecado, se faz a balata. **2.** *Bras.* V. *frutão* [Pl.: *abiuranas-gutas* e *abiuranas-guta.*]
abjeção. [Do lat. *abjectione.*] *S. f.* Baixeza, aviltamento, vileza, torpeza, degradação.
abjeto. [Do lat. *abjectu.*] *Adj.* **1.** Imundo, desprezível, vil, baixo, ignóbil: "entre os malaios, o feudalismo, conservado além do que a norma das cousas o consente, deu lugar a instituições tão abjetas, tão monstruosas, como as que observamos na Índia imperial." (Oliveira Martins, *Quadro das Instituições Primitivas,* p. 289). ● *S. m.* **2.** Ente vil, abjeto.
abjudicação. *S. f.* Ato ou efeito de abjudicar; abjurgação.
abjudicador (ô). *Adj.* e *s. m.* Que ou aquele que abjudica; abjudicante, abjurgador, abjurgante.
abjudicante. *Adj. 2 g.* e *s. 2 g.* V. *abjudicador.*
abjudicar. [Do lat. *abjudicare.*] *V. t. d. Jur.* Tirar judicialmente ao possuidor ilegítimo (o que pertence a outrem); abjurgar. [Conjug.: v. *trancar.*]
abjugar. [Do lat. *abjugare.*] *V. t. d.* **1.** Tirar do jugo; disjungir, separar. **2.** Soltar, libertar. [Conjug.: v. *largar.*]
abjunção. *S. f.* Ato ou efeito de abjungir; separação, afastamento.
abjungir. [Do lat. *abjungere.*] *V. t. d.* Separar, afastar. [Conjug.: v. *jungir.*]
abjuntivo. *Adj.* Que abjunge ou serve para abjungir.
abjuração. [Do lat. *abjuratione.*] *S. f.* Ato ou efeito de abjurar: abjuramento.
abjurador (ô). [Do lat. *abjuratore.*] *Adj.* e *s. m.* Que ou aquele que abjura; abjurante.
abjuramento. *S. m.* Abjuração.
abjurante. [Do lat. *abjurante.*] *Adj. 2 g.* e *s. 2 g.* Abjurador.
abjurar. [Do lat. *abjurare.*] *V. t. d.* **1.** Renunciar solenemente a (religião, crença); perjurar. **2.** Renunciar a (opinião, doutrina, etc.); perjurar: "O artista .... desdiz todos os votos, abjura todos os princípios, renega todos os cânones" (Ramalho Ortigão, *O Culto da Arte em Portugal,* p. 166). **3.** Desdizer-se ou retratar-se de (uma opinião): "Ele diz estar convencido, em 1870, que, terminada a guerra franco-prussiana, o imperador, abjurando os erros, entrará na Igreja Católica e depois no Céu." (Camilo Castelo Branco, *Maria da Fonte,* p. 344.) *Int.* **4.** Desertar da religião que antes professava.
abjuratório. *Adj.* Relativo a, ou que envolve abjuração.
abjurgação. *S. f.* Ato ou efeito de abjurgar; abjudicação.
abjurgador (ô). *Adj.* e *s. m.* V. *abjudicador.*
abjurgante. *Adj. 2 g.* e *s. 2 g.* V. *abjudicador.*
abjurgar. *V. t. d.* Abjudicar. [Conjug.: v. *largar.*]
ablaca. *S. f.* **1.** *Zool.* Bisso ou filamentos das conchas de certos moluscos lamelibrânquios, bivalves, que lhes serve para fixação nos rochedos. **2.** Tecido feito com esses filamentos. [Var.: *abláqua.*]
ablação. [Do lat. *ablatione.*] *S. f.* **1.** Ação de tirar por força. **2.** *Cir.* Remoção de uma estrutura orgânica, principalmente por seção dela: "O cirurgião Dupuytren contava o caso de um desses tímidos .... que suportou, descloroformizado, a ablação da maxila, despedaçada ao escopro, ... sem um único gesto de dor." (Ramalho Ortigão, *As Farpas,* XI, pp. 293-294.) [Cf. (nesta acepç.): *avulsão* (3)]. **3.** *Gram.* Aférese. **4.** *Geol.* Degelo da parte superficial das geleiras. **5.** *Astr.* Perda de material da superfície de um veículo espacial, por fusão ou vaporização, quando de seu regresso à superfície terrestre.
ablactação. [Do lat. *ablactatione.*] *S. f.* **1.** Cessação do aleitamento; desmamo, desmame. **2.** *Med.* Suspensão medicamentosa ou não da secreção láctea.
ablactar. [Do lat. *ablactare.*] *V t. d.* Fazer a ablactação de; desmamar.
ablamelar. [De *ab-* + *lamela* + *-ar*[2].] *Adj. 2 g. Bot.* Diz-se das plantas que têm as lamelas afastadas umas das outras ~ V. *ablamelares.*
ablamelares. [Pl. substantivado de *ablamelar.*] *S. f. pl. Bot.* Plantas caracterizadas pelo afastamento das lamelas. ~ V. *ablamelar.*
abláqua. *S. f. Zool.* Var. de *ablaca.*
ablaqueação. [Do lat. *ablaqueatione.*] *S. f.* **1.** Ação de ablaquear. **2.** *Bot.* Cova aberta em volta das árvores, para facilitar a ação da luz e do ar, bem como a penetração da água da rega ou da chuva.
ablaquear. [Do lat. *ablaqueare.*] *V. t. d.* **1.** Deslaçar, desprender, soltar. **2.** Escavar em volta de (as plantas). [Sin. ger.: *ablaquecer.* Conjug.: v. *frear.*]
ablaquecer. *V. t. d.* V. *ablaquear.* [Conjug.: v. *aquecer.*]
ablastêmico. [De *a-*[3] + *blastema* + *-ico*[2].] Adj. Bot. Que não pode germinar.
ablastia. [De *a-*[3] + *-blast(o)-* + *-ia.*] *S. f. Bot.* Falta de desenvolvimento de um órgão, que poderá, até, desaparecer de todo.
ablativismo. [De *ablativo* + *-ismo.*] *S. m.* Corrente filológica que afirma ser o ablativo o caso lexiogênico da língua portuguesa.
ablativo. [Do lat. *ablativu.*] *Adj.* **1.** Que pode tirar, cortar, privar de alguma coisa, etc. **2.** Relativo ao ablativo (3). ● *S. m.* **3.** *Gram.* Caso da declinação latina e da de outras línguas, que indica as circunstâncias de instrumento, afastamento, origem, matéria, etc. ◆ **Estar em ablativo de partida.** V. *estar em ablativo de viagem.* **Estar em ablativo de viagem.** Estar prestes a partir, nos últimos preparativos para viagem ou partida; estar em ablativo de partida. **Fazer ablativo de partida.** V. *fazer ablativo de viagem.* **Fazer ablativo de viagem.** **1.** Partir inesperadamente, sem se despedir; desaparecer. **2.** *Fig.* V. *morrer* (1): "se fizerdes o vosso ablativo de viagem nalguma aldeia, como a do meu padre prior, lá do adro, onde haveis de jazer, alevantai a caveira descarnada .... e vereis o foguete subir aos ares." (Alexandre Herculano, *Lendas e Narrativas,* II, p. 186). [Sin. ger.: *fazer ablativo de partida.*]
ablator (ô). [Do lat. *ablatore.*] *Adj.* **1.** Que corta, tira ou

extrai. ● *S. m.* **2.** Aquele que corta, tira ou extrai. **3.** Instrumento utilizado para cortar a cauda de certos animais, ou para castrar.

➡Ablaut. [Al.] *S. m. Ling.* Apofonia.

ablefaria. *S. f. Med.* Ausência total ou parcial das pálpebras.

ablefárico. *Adj.* Relativo à ablefaria.

abléfaro. [De *a-*[3] + *-bléfaro.*] *Adj.* Privado de pálpebras.

ablegação (ab-le). [Do lat. *ablegatione.*] *S. f.* Ato ou efeito de ablegar.

ablegar (ab-le). [Do lat. *ablegare.*] *V. t. d.* **1.** Mandar para longe; afastar. **2.** Exilar, desterrar, banir. **3.** Desterrar, desprezar, relegar. [Conjug.: v. *largar.*]

ablepsia. *S. f.* **1.** *Patol.* Perda ou falta da visão; cegueira. **2.** *Fig.* Perda das faculdades intelectuais.

abléptico. *Adj.* Referente à ablepsia.

ablução. [Do lat. *ablutione.*] *S. f.* **1.** Ato ou efeito de abluir(-se); lavagem: "banhou o rosto e as mãos na água fresca do rio, e como se a a b l u ç ã o lhe desse um novo batismo de crença e de fé, sentiu-se são." (Inglês de Sousa, *O Missionário*, p. 252). **2.** Banho de todo o corpo; ou de parte dele, com esponja embebida em água ou com toalha molhada. **3.** Ritual de purificação por meio da água, praticado em várias religiões. **4.** Ação de lavar-se antes de uma prece. ◆ **Ablução areenta.** A que é feita com areia, por falta de água. [Usam-na sobretudo os viajantes muçulmanos durante a travessia de regiões desérticas, onde a água escasseia.]

abluente. [Do lat. *abluente.*] *Adj. 2 g.* **1.** Próprio para abluir. ● *S. m.* **2.** Aquilo que ablui.

abluir. [Do lat. *abluere.*] *V. t. d.* **1.** V. *lavar* (1). **2.** Purificar por meio da água. *P.* **3.** Limpar-se; purificar-se: "Sempre a obsessão de supor [o Prof. Ernesto Carneiro Ribeiro] que, com indigitar nódoas minhas, se a b l u i r i a das suas." (Rui Barbosa, *Réplica*, p. 279.) [Conjug.: v. *atribuir.*].

ablutor (ô). [Do lat. *ablutore.*] *S. m.* Aquilo que lava ou purifica.

abmigração. [De *ab-* + *migração.*] *S. f. Zool.* Partida para o norte, para uma nova região de verão, durante a primavera, de aves que não migraram para o sul no outono anterior.

abnegação. [Do lat. *abnegatione.*] *S. f.* **1.** Desinteresse, renúncia, desprendimento, devotamento: "A concentração em que vivia ...., entregara-o avidamente ao estudo dos tempos heróicos do cristianismo, exaltando-lhe a imaginação com os exemplos de a b n e g a ç ã o e de sacrifício dos Mártires da Igreja." (Inglês de Sousa, *O Missionário*, p. 56.) **2.** *Ét.* Sacrifício voluntário do que há de egoístico nos desejos e tendências naturais do homem, em proveito de uma pessoa, causa ou idéia.

abnegado. [Part. de *abnegar.*] *Adj.* Que tem ou envolve abnegação: *homem a b n e g a d o ; ação a b n e g a d a .*

abnegar. [Do lat. *abnegare.*] *V. t. d.* **1.** Renunciar a; abster-se de; abjurar. *P.* **2.** Sacrificar-se, mortificar-se, em benefício de Deus, do próximo, de si mesmo. [Conjug.: v. *regar.*]

abnegativo. [Do lat. *abnegativu.*] *Adj.* Que envolve abnegação, desinteressado; desprendido, abnegado.

abneto. [F. moldada no lat. *abnepos.*] *S. m.* Trineto.

abnodação. *S. f.* Ato ou efeito de abnodar.

abnodar. [Do lat. *abnodare.*] *V. t. d.* Cortar os nós de (as árvores).

abnodoso (ô). *Adj.* Que não tem nós ou excrescências; liso.

abnormal. *Adj. 2 g.* V. *anormal.*

abnormalidade. *S. f.* Qualidade de abnormal; anormalidade [q. v.].

abnorme. [Do lat. *abnorme.*] *Adj. 2 g.* V. *anormal.*

abnormidade. *S. f.* Qualidade de abnorme; anormalidade [q. v.].

abnóxio (cs). *Adj.* Inofensivo, inócuo.

abnuência. *S. f.* **1.** Desacordo, discordância. **2.** Discussão, controvérsia.

abnuente. *Adj. 2 g.* Que abnui; renuente.

abnuir. [Do lat. *abnuere.*] *V. t. d.* **1.** Não anuir; discordar. **2.** Recusar, rejeitar. [Conjug.: v. *atribuir.*]

aboamento. *S. m.* Inclinação que se dá aos lados internos da porta ou janela a fim de que a portada fique bem aberta.

aboar. *Arc. V. t. d.* **1.** Dividir, demarcar, estremar. *Int.* **2.** Clarear (3). [Conjug.: v. *coroar.*]

abóbada. [Do b-. lat. *volvita*, fem. do part. pass. de *volvere*, 'dar volta'.] *S. f.* **1.** *Arquit.* Cobertura encurvada, construída geralmente com pedras ou tijolos que se apóiam uns nos outros, de modo que suportem seu peso próprio e as cargas externas: "uma a b ó b a d a de torre de igreja" (Virgílio Várzea, *Nas Ondas*, p. 10). **2.** *P. ext.* Qualquer coisa que apresente forma de teto arqueado: "Além do rio Charante, está uma estalagem na orla da montanha, isolada, quase escondida pelos castanheiros seculares que lhe formavam uma a b ó b a d a de folhagens." (Camilo Castelo Branco, *Livro Negro de Padre Dinis*, p. 218.) [Var., p. us.: *abóbeba.* Cf. *abobada*, do v. *abobadar.*] ◆ **Abóbada abatida.** *Arquit.* Abóbada cuja curvatura é determinada por uma seção de elipse, tendo por largura o eixo maior; abóbada de volta de sarapanel, abóbada de asa de cesto. **Abóbada acústica.** *Fís.* Abóbada construída de modo que um som emitido em dado ponto, por muito pequena que seja a sua intensidade, é ouvido distintamente noutro lugar, afastado. **Abóbada à moderna.** *Arquit.* V. *abóbada ogival.* **Abóbada celeste.** *Astr.* O firmamento. **Abóbada cilíndrica.** *Arquit.* Aquela cuja curvatura é determinada pelo arco de círculo; abóbada de berço, abóbada de berço direito, abóbada de volta de berço, abóbada de um só centro, abóbada de canudo, abóbada de tubo, abóbada de tumba, abóbada mestra. **Abóbada cocleária.** *Arquit.* V. *abóbada de caracol.* **Abóbada de ângulo.** *Arquit.* Abóbada formada por quatro seções de círculo, resultantes da interseção de duas abóbadas cilíndricas, formando ângulos reentrantes; abóbada em arco de claustro. **Abóbada de aresta.** *Arquit.* **1.** A que é determinada pela interseção de duas abóbadas cilíndricas, formando ângulos salientes. **2.** Abóbada formada por quatro lunetas iguais. **Abóbada de asa de cesto.** *Arquit.* V. *abóbada abatida.* **Abóbada de barrete de clérigo.** *Arquit.* Abóbada formada por quatro triângulos curvilíneos, cujos vértices se encontram num mesmo ponto central. **Abóbada de berço.** *Arquit.* **1.** Aquela cuja curvatura é determinada por semicírculo e cujo comprimento é maior que a largura. **2.** V. *abóbada cilíndrica.* **Abóbada de berço direito.** *Arquit.* V. *abóbada cilíndrica.* **Abóbada de canudo.** *Arquit.* V. *abóbada cilíndrica.* **Abóbada de caracol.** *Arquit.* A que corre sobre duas paredes paralelas e espiraladas, como nas escadas em caracol; abóbada cocleária, abóbada helicóide, abóbada de espiral. **Abóbada de concha.** *Arquit.* Abóbada em forma de semicúpula, usada nos nichos. **Abóbada de escarção.** *Arquit.* V. *abóbada oblíqua.* **Abóbada de espiral.** *Arquit.* V. *abóbada de caracol.* **Abóbada de lado.** *Arquit.* V. *abóbada oblíqua.* **Abóbada de luneta.** *Arquit.* V. *abóbada oblíqua.* **Abóbada de ogiva.** *Arquit.* V. *abóbada ogival.* **Abóbada de tubo.** *Arquit.* V. *abóbada cilíndrica.* **Abóbada de tumba.** *Arquit.* V. *abóbada cilíndrica.* **Abóbada de um só centro.** *Arquit.* V. *abóbada cilíndrica.* **Abóbada de volta de berço.** *Arquit.* V. *abóbada cilíndrica.* **Abóbada de volta de sarapanel.** *Arquit.* V. *abóbada abatida.* **Abóbada elevada.** *Arquit.* Aquela cuja curvatura é determinada por uma seção de elipse, tendo por largura o eixo menor. **Abóbada em arco de claustro.** *Arquit.* Abóbada de ângulo. **Abóbada em declive.** *Arquit.* A que segue, paralelamente, o declive de uma rampa ou de uma escada. **Abóbada esférica.** *Arquit.* Aquela cujo plano e perfil são circulares. **Abóbada gótica.** *Arquit.* V. *abóbada ogival.* **Abóbada helicóide.** *Arquit.* V. *abóbada de caracol.* **Abóbada mestra.** *Arquit.* **1.** V. *abóbada cilíndrica.* **2.** A abóbada principal de um edifício. **Abóbada oblíqua.** *Arquit.* Aquela cujas paredes laterais não estão em esquadria com os pés-direitos da entrada; abóbada de escarção, abóbada de lado, abóbada de luneta. **Abóbada ogival.** *Arquit.* Aquela cuja curvatura é determinada por dois segmentos iguais de círculo, que se cruzam, formando ângulos na parte superior; abóbada de ogiva, abóbada gótica, abóbada à moderna. **Abóbada palatina.** *Anat.* V. *palato* (1). **Abóbada policêntrica.** *Arquit.* Aquela cuja curvatura é determinada por mais de uma seção de círculos e com centros diversos.

abobadado. [De *abóbada* + *-ado*[1].] *Adj.* Que tem forma ou semelhança de abóbada; arqueado, abaulado.

abobadar. *V. t. d.* **1.** Cobrir com abóbada. **2.** Dar forma de abóbada a. [Pres. ind.: *abobado, abobadas, abobada*, etc. Cf. *abóbada, aboubado* e fem. *aboubada.*]

abobadilha. *S. f. Constr.* Abóbada com forma de semicilindro, feita em geral de tijolo e usada na construção de sobrados.

abobado. [De *a-*[2] + *bobo* + *-ado*[1].] *Adj.* V. *tolo* (1 a 3). [Cf. *aboubado.*]

abobalhado. [De *a-*[2] + *bobo* + *-alhado.*] *Adj. Bras.* V. *tolo* (1 a 3).

abobamento. *S. m.* Ato ou efeito de abobar(-se).

abobar. [De *a-*[2] + *bobo* + *-ar*[2].] *V. t. d.* e *p.* Tornar(-se) bobo (2); apalermar(-se); atoleimar(-se). [Perf. ind.: *abobei, abobaste, abobou*, etc. Cf. *abobó* e *aboubar-se.*]

abobarrado. [De *a-*[3] + *bobo* + *-arr(o)-* + *-ado*[1].] *Adj. Bras., SP.* V. *tolo* (1 a 3).

abóbeda. *S. f.* Var. de *abóbada:* "O riso que abate a a b ó b e d a do templo sobre as ossadas dos mártires" (Camilo Castelo Branco, *A Mulher Fatal*, p. 8).

abobó. *S. m. Bras.* Comida votiva dos vodus da Casa-Grande de Mina, feita de feijão branco de olho preto com azeite-de-dendê. [Cf. *abobou*, do v. *abobar.*]

abóbora. [Do lat. hisp. *apopores.*] *S. f.* **1.** Fruto da aboboreira, normalmente tirante a amarelo-avermelhado, utilizadíssimo na alimentação humana, e cujas sementes (*pevides*), descascadas, entram no receituário médico popular como tenífugo. [Sin. (no N. e N.E.): *jerimum.*] **2.** V. *Aboboreira.* [Var., pop., nesta acepç.: *abobra.*] **3.** *Fig.* Mulher gorda. **4.** *Gír.* A cabeça. **5.** *Bras.* Borboleta diurna, da subfamília dos heliconídeos, gênero *Eucides* (Hueb.), com asas de cores vivas sobre fundo escuro. ● *S. 2 g.* **6.** *Fig.* Pessoa irresoluta, preguiçosa, fraca, covarde. ● *S. m.* **7.** A cor da abóbora: *O a b ó b o r a e o azul ficam-lhe muito bem.* **8.** Roupa abóbora (9): *F. estava de a b ó b o r a ontem, no almoço.* ● *Adj. 2 g.* e *2 n.* **9.** Da cor da abóbora: *vestido a b ó b o r a .* **10.** Diz-se dessa cor: *pano de cor a b ó b o r a .* [Cf. *abobora*, do v. *aboborar.*]

abóbora-almíscar. *S. f.* V. *abóbora-cheirosa.* [Pl.: *abóboras-almíscares* e *abóboras-almíscar.*]

abóbora-amarela. *S. f.* V. *aboboreira.* [Pl.: *abóboras-amarelas.*]

abóbora-branca. *S. f.* O fruto da benincasa. [Pl.: *abóboras-brancas.*]

abóbora-carneira. *S. f.* V. *abóbora-moganga.* [Pl.: *abóboras-carneiras.*]

abóbora-catinga. *S. f. Bras.* V. *abóbora-cheirosa.* [Pl.: *abóboras-catingas* e *abóboras-catinga.*]

abóbora-cheirosa. *S. f. Bras.* Planta da família das cucurbitáceas (*Cucurbita moschata*), originária da Ásia ou da América e cuja polpa é comestível; abóbora-almíscar, abóbora-catinga, abóbora-melão. [Pl.: *abóboras-cheirosas.*]

abóbora-d'água. *S. f. Bras.* **1.** Árvore da família das cucurbitáceas (*Lagenaria vulgaris*), cujos frutos, providos de dura casca, servem para a fabricação das cabaças, tão usadas como vasilhas no interior do Brasil; cuieira. **2.** O fruto dessa planta; cuia. [Pl.: *abóboras-d'água.*]

abóbora-d'anta. *S. f. Bras.* Planta da família das cucurbitáceas (*Trianosperma ficifolium* e *Gurania multiflora*), de pequenos frutos, mas amargos, os quais, pelo seu elevado teor de saponina, espumam quando agitados na água, e que é tida, popularmente, como depurativo; taiuiá-grande, timbaba. [Pl.: *abóboras-d'anta.*]

abóbora-de-porco. *S. f. Bras.* V. *abóbora-moganga.* [Pl.: *abóboras-de-porco.*]

abóbora-do-campo. *S. f. Bras., RS.* Planta da família das cucurbitáceas (*Abobra tenuifolia*), cujos frutos, vermelhos, ovóides, podem ser ingeridos enquanto novos. [Pl.: *abóboras-do-campo.*]

abóbora-do-mato. *S. f. Bras.* Designação comum a duas plantas da família das cucurbitáceas (*Melothria fluminensis* e *M. warmingii*), cujos frutos são bagas de 3 a 4 cm que contêm polpa fortemente purgativa; aboboreira-do-mato, cereja-de-purga, guardião, melão-de-morcego, taiuiá-miúdo. [Pl.: *abóboras-do-mato.*]

abóbora-gigante. *S. f.* V. *abóbora-menina.* [Pl.: *abóboras-gigantes.*]

abóbora-grande. *S. f.* V. *abóbora-menina.* [Pl.: *abóboras-grandes.*]

aboboral. *S. m.* Quantidade mais ou menos considerável de aboboreiras dispostas proximamente entre si.

abóbora-melão. *S. f.* V. *abóbora-cheirosa.* [Pl.: *abóboras-melões* e *abóboras-melão.*]

abóbora-menina. *S. f. Bras.* **1.** Árvore da família das cucurbitáceas (*Cucurbita maxima*), de fruto bacáceo grande, cuja casca é usada em cuias, tigelas, etc.; abóbora-gigante, abóbora-grande, cuieira. **2.** O fruto dessa árvore; cuia. [Pl.: *abóboras-meninas.*]

abóbora-moganga. *S. f. Bras.* Trepadeira da família das cucurbitáceas (*Cucurbita pepo*), de grande fruto comestível; jerimum, abóbora-carneira, abóbora-de-porco, abóbora-moranga, abóbora-porqueira. [Pl.: *abóboras-mogangas.*]

abóbora-moranga. *S. f. Bras.* V. *abóbora-moganga.* [Pl.: *abóboras-morangas.*]

abóbora-moranguinha. *S. f. Bras.* Planta da família das cucurbitáceas (*Cucurbita potira*), de fruto bacáceo. [Pl.: *abóboras-moranguinhas.*]

abóbora-porqueira. *S. f. Bras.* V. *abóbora-moganga.* [Pl.: *abóboras-porqueiras.*]

aboborar. *V. t. d.* **1.** Pôr a amadurecer (um plano, uma idéia, etc.), *Int.* e *p.* **2.** Jazer na cama, abafado. [Pres. ind.: *aboboro, aboboras, abobora*, etc. Cf. *abóbora.*]

abóbora-serpente. *S. f. Bras.* Planta da família das cucurbitáceas (*Trichosanthes anguina*), originária da Ásia, hoje bem dispersa no Brasil, e cujo fruto, comestível antes de amadurecer, tem propriedades purgativas e vermífugas. [Pl.: *abóboras-serpentes* e *abóboras-serpente.*]
aboboreira. *S. f.* Designação comum a várias espécies do gênero *Cucurbita*, da família das cucurbitáceas, constituído de trepadeiras e arbustos, de frutos muito importantes na alimentação humana, e cujos brotos também se usam na alimentação: "as ramas das aboboreiras cobriam uma extensão larga" (Coelho Neto, *Sertão*, p. 278). [Sin.: *abóbora, abóbora-amarela, abobreira* e (no N. e N.E.) *jerimum, jerimunzeiro.*]
aboboreira-do-mato. *S. f.* **1.** V. *abóbora-do-mato.* **2.** V. *fruta-de-gentio.* [Pl.: *aboboreiras-do-mato.*]
aboborinha. [Dim. de *abóbora.*] *S. f.* V. *abobrinha* (1 e 2).
abobra. *S. f.* e *s. 2 g. Pop.* F. sincopada de *abóbora.*
abobreira. *S. f.* V. *aboboreira.*
abobrinha. [Dim. de *abobra.*] *S. f. Bras.* **1.** Fruto verde da aboboreira, tão apreciado quanto o maduro na alimentação do homem. **2.** Designação comum a espécies nativas dos gêneros *Willbrandia* e *Trianosperma*, da família das cucurbitáceas (mais precisamente, *abobrinha-do-mato*), ervas e trepadeiras de frutos minutos, procurados pela população pobre como depurativos; ana-pinta, azougue-do-brasil, azougue-dos-pobres, cipó-azougue. [F. paral.: *aboborinha.*] **3.** *Gír. obsol.* Cédula de mil cruzeiros antigos.
abobrinha-do-mato. *S. f. Bras.* **1.** Planta trepadeira da família das cucurbitáceas (*Trianosperma diversifolia*), de folhas pilosas, cálice e corola concrescentes na base, ovário trilocular e fruto bacáceo antidiabético e anti-sifilítico. **2.** *Trianosperma tayuya* e *T. glandulosa*, cuja raiz tem propriedades purgativas e contra hidropisia, opilação, epilepsia, obstrução intestinal e morféia, sendo as folhas úteis na cura de úlceras, em cataplasmas. Fruto e raiz usados contra dermatoses. A planta é antiescorbútica e anti-reumática. [Sin.: *ana-pinta, azougue-do-brasil, azougue-dos-pobres, cabacinha, cabacinha-riscada, cabacinha-verrugosa, cipó-azougue, taiuiá.*] **3.** Erva da família das cucurbitáceas (*Willbrandia verticillata*), de folhas pilosas, flores unissexuais, cálice e corola soldados na base, fruto bacáceo drástico, e raiz depurativa e anti-sifilítica. **4.** V. *fruta-de-gentio.* [Pl.: *abobrinhas-do-mato.*]
abocador (ô). [De *abocar* + *-(d)or.*] *Adj* e *s. m.* Abocanhador.
abocadura. *S. f.* **1.** Ato de abocar. **2.** V. *seteira* (1).
aboçadura. *S. f. Marinh.* Conjunto de nós especiais (botão em cruz, nó de escota, etc.) com que se prende ou liga uma boça a um cabo ou a uma amarra.
abocamento. *S. m.* **1.** Ato ou efeito de abocar; abocanhamento. **2.** Encontro de bocas. **3.** Encontro, aproximação, confluência. **4.** Colóquio, conversa. **5.** *Cir. P. us.* V. *anastomose.*
aboçamento. *S. m.* Ato de aboçar.
abocanhador (ô). *Adj.* e *s. m.* Que ou aquele que abocanha; abocador.
abocanhamento. *S. m.* Ato ou efeito de abocanhar; abocamento.
abocanhar. [De *a*-^{2} + *bocanha* + *-ar*^{2}.] *V. t. d.* **1.** Apanhar com a boca; abocar: "Zig segurou com a boca um dos gatinhos e sumiu com ele. Voltou pouco depois, e diante da mãe espavorida abocanhou pelo dorso outro bichinho e sumiu novamente." (Rubem Braga, *O Homem Rouco*, p. 68.) **2.** Rasgar ou tirar pedaços de, com os dentes; morder, atassalhar, retalhar. **3.** Comer, engolir, devorar, tragar. **4.** Dizer mal de; difamar, caluniar, aboquejar: *Intrigante, costuma abocanhar amigos e inimigos.* **5.** *Bras. Gír.* Apoderar-se de, usando de astúcia ou violência; conseguir, obter, com oportunismo. *T. i.* **6.** Engolir, devorar, tragar. *Int.* **7.** Rasgar, arrancar ou tirar pedaços de alguma coisa com os dentes; morder, atassalhar, lacerar, retalhar. *P.* **8.** Morder-se um ao outro; trocar dentadas ou mordidas.
abocar. [De *a*-^{2} + *boca*^{1} + *-ar*^{2}.] *V. t. d.* **1.** Apanhar com a boca; bocar; abocanhar. **2.** Colocar na boca; bocar: "Depois de ele ter bebido, a velha levantou a cara, abocou o gargalo por onde ele bebera, e bebeu também" (José Régio, *O Príncipe com Orelhas de Burro*, p. 143). **3.** V. *comer* (1). **4.** Chegar, aparecer à entrada de; começar a entrar em. **5.** Desembocar em: *O rio Negro aboca o Amazonas perto de Manaus.* **6.** *Anat.* e *Cir.* Comunicar ou fazer comunicar (um conduto) com outro da mesma natureza [vaso com vaso, intestino grosso com intestino grosso], ou não [estômago com intestino delgado, intestino grosso com pele, etc.]. [Cf. *anastomosar.*] **7.** *Constr.* Unir (tubos) roscando as bocas ou encaixando um no outro. *T. d.* e *c.* **8.** Apontar, dirigir. *T. i.* **9.** Ir dar; desembocar. *P.* **10.** Comunicar-se, entender-se; falar: "consegui .... abeirar-me de uma das avenidas e abocar-me com um agente de tráfego que gritava e corria atrás de mim." (Gilberto Amado, *Depois da Política*, p. 73). [Conjug.: v. *trancar.*]
aboçar. [De *a*-^{2} + *boça* + *-ar*^{2}.] *V. t. d.* Prender com boças. [Conjug.: v. *laçar.* Pres. ind.: *aboço*, etc. Cf. *aboço* (ô).]
abocetar. [De *a*-^{2} + *boceta* + *-ar*^{2}.] *V. t. d.* **1.** Fazer semelhante a boceta (1). **2.** Guardar em boceta (1).
abochornado. [De *a*-^{2} + *bochorno* + *-ado*^{1}.] *Adj.* **1.** Amolentado pelo bochorno; abafado. **2.** Diz-se do tempo abafadiço, sufocante.
abochornar. [De *a*-^{2} + *bochorno* + *-ar*^{2}.]. *V. t. d.* **1.** Tornar (o tempo) bochornoso, abafadiço, sufocante. *Int.* **2.** Tornar-se (o tempo) abafadiço, sufocante. *P.* **3.** Amolentar-se ou encalmar-se pelo bochorno.
aboço (ô). [Dev. de *aboçar.*] *S. m. Marinh.* **1.** Ato ou efeito de aboçar. **2.** Ligação de dois cabos com nó de aboço. [Pl.: *aboços* (ô). Cf. *aboço*, do v. *aboçar.*]
abocoçô. [Do ioruba.] *S. m. Bras., SE.* Entidade dos campos em terreiros afro-brasileiros.
abodegação. *S. f. Bras., N. Pop.* Ato ou efeito de abodegar (2 e 3).
abodegado. [Part. de *abodegar.*] *Adj.* **1.** Transformado em bodega. **2.** Sujo, emporcalhado, imundo. **3.** *Bras., N. Pop.* De mau humor; aborrecido, zangado.
abodegar. [De *a*-^{2} + *bodega* + *-ar*^{2}.] *V. t. d.* **1.** Transformar em bodega. **2.** Sujar, emporcalhar. **3.** *Bras., N.E. Pop.* V. *apoquentar.* [Conjug.: v. *regar.*] Pres. ind.: *abodego*, etc. Cf. *abodego* (ê).
abodego (ê). [Dev. de *abodegar.*] *S. m. Bras., N.E. Gír.* Aborrecimento, apoquentação, abodegação. [Cf. *abodego*, do v. *abodegar.*]
aboiado. *S. m. Bras.* Aboio: "À tarde, o eco dum aboiado rolou pelo fundo da várzea" (Hugo de Carvalho Ramos, *Tropas e Boiadas*, p. 11).
aboiar^{1}. [De *a*-^{2} + *bóia* + *-ar*^{2}.] *V. t. d.* Prender à bóia. [Conjug.: v. *boiar.* Pres. ind.: *abóio*, etc. Cf. *aboio* e *aboiar*^{3}.]
aboiar^{2}. [De *a*-^{4} + *boiar.*] *V. int.* e *p.* Manter-se à tona da água; flutuar, sobrenadar, boiar. [Conjug.: v. *boiar.* Pres. ind.: *abóio*, etc. Cf. *aboio* e *aboiar*^{3}.]
aboiar^{3}. [De *a*-^{2} + *boi* + *-ar*^{2}.] *V. int. Bras.* e *prov. lus.* **1.** Cantar aos bois. **2.** Guiar uma boiada com canto monótono e triste. **3.** Trabalhar com bois. [Conjug.: v. *boiar.* Pres. ind.: *abóio*, etc. Cf. *aboio.* Este verbo, ao contrário de *aboiar*^{1} e *aboiar*^{2}, mantém o *o* fechado nas f. rizotônicas.]
aboio. *S. m. Bras.* Melopéia plangente e monótona com que os vaqueiros guiam as boiadas ou chamam os bois dispersos; aboiado: "Um aboio reboou demorado na mata: — Ei, boi! Ei, vaaaca!" (Herberto Sales, *Além dos Marimbus*, p. 101.) [Cf. *abóio*, dos v. *aboiar*^{1} e *aboiar*^{2}.]
aboiz (o-i). [De *a*-^{4} + *boiz.*] *S. m.* **1.** Armadilha para pássaros e coelhos: "Apesar da traição de laços e aboizes/Nos soutos e estevais abundam as perdizes!" (Bulhão Pato, *Livro do Monte*, p. 85.) **2.** *Fig.* Cilada, ardil, embuste. [Pl.: *aboízes.*]
abojar. [De *a*-^{2} + *bojo* + *-ar*^{2}.] *V. t. d. Bras., BA.* Agarrar, segurar.
abolachado^{1}. [De *a*-^{2} + *bolacha* + *-ado*^{1}.] *Adj.* Que tem forma de bolacha: *cara abolachada.*
abolachado^{2}. [Part. de *abolachar.*] *Adj.* Que tomou forma de bolacha.
abolachar. [De *a*-^{2} + *bolacha* + *-ar*^{2}.] *V. t. d.* Dar forma de bolacha a.
abolado. [Part. de *abolar.*] *Adj.* Reduzido à forma de bolo (ô) (1); amarrotado, amassado, machucado. [Cf. *abulado.*]
abolar. [De *a*-^{2} + *bolo* ou *bola* + *-ar*^{2}.] *V. t. d.* Dar forma de bolo (ô) (1) a; amassar, machucar, machucar. [Cf. *abular.*]
abolçar. [De *a*-^{4} + *bolçar.*] *V. t. d.* Bolçar. [Conjug.: V. *laçar.* Cf. *abolsar.*]
aboleimado. [Part. de *aboleimar.*] *Adj.* Que se aboleimou.
aboleimar. [De *a*-^{2} + *boleima* + *-ar*^{2}.] *V. t. d.* **1.** Achatar, espalmar. **2.** Espantar, assombrar, pasmar. **3.** Tornar grosseiro. *P.* **4.** Achatar-se, espalmar-se. **5.** Tornar-se grosseiro, aparvalhado.
aboletamento. *S. m.* Ato ou efeito de aboletar (-se).
aboletar. [De *a*-^{2} + *boleto* + *-ar*^{2}.] *V. t. d.* **1.** Dar boleto a; aquartelar (soldados) em casas particulares. *P.* **2.** Alojar-se, instalar-se. [F. paral, p. us.: *boletar.*]
abolição. [Do lat. *abolitione.*] *S. f.* **1.** Ação ou efeito de abolir; extinção. [Sin., p. us.: *abolimento.*] **2.** *Restr.* Abolição da escravatura: *José do Patrocínio é um dos grandes vultos da Abolição.*
abolicionismo. [Do ingl. *abolitionism.*] *S.m* . **1.** Doutrina que pregava a abolição da escravatura. **2.** A prática dessa doutrina.
abolicionista. [Do ingl. *abolitionist.*] *Adj. 2 g.* **1.** Relativo ao, ou em que se prega o abolicionismo. **2.** Que é partidário dele. ● *S. 2 g.* **3.** Partidário do abolicionismo.
abolimento. *S. m. P. us.* V. *abolição* (1).
abolinar. [De *a*-^{2} + *bolina* + *-ar*^{2}.] *V. int.* Ir pela bolina; meter à bolina.
abolir. [Do lat. *abolere.*] *V. t. d.* **1.** Acabar com; revogar, extinguir. **2.** Fazer desaparecer; extinguir, eliminar, suprimir. **3.** Pôr fora de uso. *T. d.* e *i.* **4.** Eliminar, banir, suprimir. [Defect. Não tem as f. em que ao *l* da raiz se seguiria *a* ou *o*: a 1ª pess. sing. do pres. ind., todo o pres. subj. e o imperat. neg., Imperf. ind.: *abolia*, etc. Cf. *abulia.*]
abolitivo. *Adj.* Que serve ou tem força para abolir.
abolorecer. [De *a*-^{2} + *bolor* + *-ecer.*] *V. t. d.* **1.** Cobrir de bolor; mofar, embolorar, embolorecer. *Int.* **2.** Criar bolor; mofar, embolorar, embolorecer. [Conjug.: V. *aquecer.*]
abolorecimento. *S. m.* **1.** Ato ou efeito de abolorecer. **2.** Bolor, mofo.
abolsado. [Part. de *abolsar.*] *Adj.* **1.** A que se deu forma de bolsa ou bolso. **2.** Diz-se de peça de vestuário que faz bolsos ou tufos.
abolsar. [De *a*-^{2} + *bolso* ou *bolsa* + *-ar*^{2}.] *V. t. d.* **1.** Dar forma de bolso ou bolsa a. **2.** Entufar ou enrugar, formando bolsos ou tufos. *Int.* **3.** Ter ou tomar a forma de bolso ou bolsa. **4.** Não assentar bem. [Cf. *abolçar.*]
abomaso. [Do lat. *abomasu.*] *S. m. Zool.* A quarta cavidade do estômago dos mamíferos ruminantes; coagulador, coalheira.
abombachado. [De *a*-^{2} + *bombacha* + *-ado*^{1}.] *Adj. Bras.* Diz-se das calças largas com feitio de bombachas.
abombado. [Part. de *abombar.*] *Adj. Bras., S.* e *GO.* **1.** Diz-se de animal cansado e ofegante por efeito do trabalho em dia de calor: "Um cavalo caiu abombado, gemendo na terra fofa do curral." (Bernardo Élis, *Ermos e Gerais*, p. 71.) **2.** *P. ext.* Esfalfado, exausto, arquejante: "Era por fevereiro; eu vinha abombado da troteada." (Simões Lopes Neto, *Contos Gauchescos e Lendas do Sul*, p. 125.)
abombador (ô). *S. m. Bras., S.* e *GO.* **1.** Aquele que, por imperícia, torna o cavalo abombado. **2.** *P. ext.* Indivíduo desajeitado.
abombamento. *S. m. Bras., S.* e *GO.* Estado do animal que abomba.
abombar. [Do esp. plat. *abombar.*] *Bras., S.* e *GO. V. t. d.* **1.** Cansar, esfalfar, estafar (o cavalo), por imperícia. *Int.* e *p.* **2.** Suspender a marcha (o cavalo) por cansaço devido ao calor; ficar abombado.
abominação. [Do lat. *abominatione.*] *S. f.* **1.** Ação ou efeito de abominar; repulsão. **2.** Coisa abominável, execrável: *Calçava uns sapatos que eram uma abominação.*
abominador (ô). *Adj.* e *s. m.* Que ou aquele que abomina.
abominando. [Do lat. *abominandu.*] *Adj.* V. *abominável*: "Às vezes, uma vida abominanda / Vives no sono" (Olavo Bilac, *Tarde.* p. 66).
abominar. [Do lat. *abominare.*] *V. t. d.* **1.** Sentir horror a; detestar; odiar; aborrecer: "Ó meu passado, ruinaria sem beleza! / Eu abomino a tua obscura soledade." (Manuel Bandeira, *Estrela da Vida Inteira*, p. 41); "Mas quando você me viu usar lapiseira? Abomino lapiseiras!" (Marques Rebelo, *A Mudança*, p. 582). *P.* **2.** Ter horror a si mesmo; detestar-se, odiar-se.
abominável. *Adj. 2 g.* Que deve ser abominado; detestável, execrável, execrando, abominando, abominoso: "para ser .... abominável, Xerxes ordenou que decapitassem a todos os que tinham construído a ponte e não soubessem fazê-la imperecível." (Machado de Assis, *Páginas Recolhidas*, p. 105).
abominoso (ô). [Do lat. *abominosu.*] *Adj.* V. *abominável.*
abonação. *S. f.* **1.** Ato ou efeito de abonar(-se); abonamento, abono. **2.** V. *abono* (2 a 5). **3.** Informação abonadora; recomendação. **4.** Trecho ou frase que servem para abonar (4). **5.** Riqueza, abastança.
abonado. [Part. de *abonar.*] *Adj.* **1.** Que se abonou. **2.** Rico, endinheirado, abastado. ● *S. m.* **3.** Aquele que tem dinheiro, que é rico. **4.** Aquele que recebeu abono (6 e 9).
abonador (ô). *Adj.* **1.** Que abona. ● *S. m.* **2.** Aquele que abona. **3.** Verruma de cabo largo, usada na construção

de pipas e tonéis.

abonamento. *S. m.* V. *abonação (1).*

abonançar. [De *a-*^{2} + *bonança* + *-ar*^{2}.; *V. t. d.* **1.** Tornar bonançoso; sossegar, aplacar, tranqüilizar. *Int.* **2.** Tranqüilizar-se, sossegar, serenar. **3.** Abrandar, serenar (o tempo). **4.** Moderar-se, afrouxar, abrandar. *P.* **5.** Tranqüilizar-se, aquietar-se, serenar(-se), sossegar (-se). [Conjug.: v. *laçar.*]

abonar. [De *a-*^{2} + *bom* + *-ar*^{2}.] *V. t. d.* **1.** Declarar bom ou verdadeiro; apresentar como bom. **2.** Ficar como fiador de, ou responsável por (dívida, obrigação, compromisso, etc.); afiançar, garantir. **3.** Demonstrar pela citação, escrita ou oral, de trecho de autor abalizado, a exatidão do significado de (palavra ou locução); aforar: *O dicionarista* abona *largamente o verbo andar e outros muitos.* **4.** Servir para demonstrar a exatidão de significado de (palavra ou locução): *Numerosas passagens de clássicos* abonam *a locução a revezes.* **5.** Confirmar, aprovar: *A tese não* abona *a proclamada inteligência do autor.* **6.** Justificar ou relevar (falta no cumprimento do trabalho). *T. d. e i.* **7.** Adiantar dinheiro: *Abonei-lhe, para a viagem, 500 cruzados.* **8.** Dar, oferecer: *A lei lhe* abona *tal direito. P.* **9.** Gabar-se, orgulhar-se, ufanar-se, gloriar-se, vangloriar-se: "A fortuna me faz o engenho frio, / Do qual já não me jacto, nem me abono" (Luís de Camões, *Os Lusíadas,* X, 9). **10.** Autorizar-se, apadrinhar-se.

abonatório. *Adj.* Próprio para abonar.

abonável. *Adj. 2 g.* Que se pode abonar.

abonecado^1. [De *a-*^{2} + *boneco* + *-ado*^{1}.] *Adj.* Semelhante a boneco.

abonecado^2. [Part. de *abonecar.*] *Adj.* **1.** Que se abonecou; casquilho, janota. **2.** *Bras.* Diz-se do milho ou da cana que botou pendão ou boneca.

abonecar. [De *a-*^{2} + *boneco* ou *boneca* + *-ar*^{2}.] *V. t. d.* **1.** Vestir com apuro excessivo: *Abonecou a filha para a festa de formatura. Int.* **2.** Botar pendão ou boneca (o milho). *P.* **3.** Vestir-se com apuro excessivo; ajanotar-se. [Conjug.: v. *trancar.*]

abono. [Dev. de *abonar.*] *S. m.* **1.** V. *abonação* (1). **2.** Fiança, caução, garantia, abonação. **3.** Aprovação, louvor, elogio, abonação. **4.** Auxílio monetário; abonação. **5.** Quantia paga antecipadamente por conta de vencimentos, honorários, etc.; abonação. **6.** Subsídio em dinheiro, além do vencimento ou ordenado: *abono de Natal; abono familiar.* **7.** Acréscimo ao peso ou medida justa. **8.** Defesa ou reforço (de opinião, conceito, etc.). **9.** Relevação de falta(s), de modo que não se descontem os dias de ausência do trabalho. **10.** *Jur.* Fiança da solvência do fiador. **11.** *Bras., RS.* Adubo ou estrume em terras de cultura.

aboquejar. [De *a-*^{2} + *-boqu(i)-* + *-ejar.*] *V. t. d.* Dizer mal de; difamar, murmurar, abocanhar, boquejar. [Conjug.: v. *pelejar.*]

aboral. [De *ab-* + *oral.*] *Adj. 2 g. Anat.* **1.** Afastado da boca. **2.** Oposto ao ponto onde ela está.

aborbulhar. [De *a-*^{2} + *borbulha* + *-ar.*^{2}] *V. int.* e *p.* Encher-se de borbulhas.

abordada. *S. f.* Abordagem.

abordador (ô). *Adj.* **1.** Que aborda. ● *S. m.* **2.** Aquele ou aquilo que aborda.

abordagem. [Do fr. *abordage.*] *S. f.* Ato ou efeito de abordar; abordada.

abordar. [De *a-*^{2} + *bordo* ou *borda* + *-ar*^{2}, ou talvez do fr. *aborder.*] *V. t. d.* **1.** Chegar à beira ou borda de. **2.** Abalroar (uma embarcação), para tomá-la de assalto. **3.** Acometer, assaltar. **4.** *P. ext.* Achegar-se, aproximar-se de (alguém): *O repórter* abordou *o ministro quando este descia do automóvel.* **5.** *P. ext.* Tratar de, versar (tema, assunto): "abordava tanto as teorias econômicas quanto a história" (Eduardo Frieiro, *Os Livros Nossos Amigos,* p. 193). *T. c.* **6.** Estar borda com borda; encostar; limitar: *As suas terras* abordavam *com as do pai.* **7.** Atingir, chegar (ao lugar para onde se dirigia): "Foi então que Alípio José, à frente do rebanho, de novo abordou àquelas paragens, no intuito de procurar a cabra tresmalhada." (Trindade Coelho, *Os Meus Amores,* p. 207.) **8.** Chegar a (o bordo, a praia). *Int.* **9.** Chegar, encostar com o bordo (no cais, na costa, etc.). [Pres. ind.: *abordo,* etc. Cf. *abordo* (ô).]

abordável. *Adj. 2 g.* Que se pode abordar.

abordo (ô). [Dev. de *abordar.*] *S. m.* Ação de abordar, de chegar; chegada, entrada. [Pl.: *abordos* (ô). Cf. *abordo,* do v. *abordar.*]

abordoar. [De *a-*^{2} + *bordão* + *-ar*^{2}.] *V. t. d.* **1.** Bater com o bordão em. *P.* **2.** Arrimar-se; apoiar-se; firmar-se: "apareceu uma cabrocha magrinha, enfezada, ... toda corcovada, abordoando-se a uma bengala." (Coelho Neto, *Turbilhão,* p. 159). [Conjug.: v. *coroar.*]

aborígine. [Do lat. *aborigene.*] *Adj. 2 g.* **1.** Originário de terra onde vive; nativo: "Tupi — é uma expressão recente, e tão nova que já foi atribuída a von Martius, um dos primeiros que tentaram ordenar com alguma inteligência os materiais etnográficos, esparsos, das raças aborígines." (João Ribeiro, *Cartas Devolvidas,* p. 54.) ● *S. 2 g.* **2.** Habitante oriundo de uma região; autóctone, indígena, nativo. [M. us. no pl.]

aborletar. [De *a-*^{2} + *borleta* + *-ar*^{2}.] *V. t. d.* Prover de borlas ou borletas.

abornalar. [De *a-*^{2} + *bornal* + *-ar*^{2}.] *V. t. d.* V. *embornalar.*

aborrascar. [De *a-*^{2} + *borrasca* + *-ar*^{2}.] *V. t. d.* **1.** Tornar borrascoso. *P.* **2.** Tornar-se borrascoso; ameaçar borrasca: *O tempo, sereno, de repente se aborrasca.* [Conjug.: v. *trancar.* Normalmente é defect.]

aborrecedor (ô). *Adj.* **1.** V. *aborrecível* (1). ● *S. m.* **2.** Aquele que aborrece ou causa aborrecimento.

aborrecer. [Do lat. *abhorrescere*] *V. t. d.* **1.** Sentir horror a; abominar, detestar: "Luís Garcia amava a espécie e aborrecia o indivíduo." (Machado de Assis, *Iaiá Garcia.* p. 3.) **2.** Causar aborrecimento a; desgostar, contrariar, enfadar: "Mistérios nunca nos aborrecem" (Machado de Assis, *A Semana,* II, p. 249). **3.** V. *apoquentar. Int.* **4.** Causar horror, aversão, tédio, aborrecimento, enfado. *P.* **5.** Enfastiar-se; anojar-se, enfadar-se: "Passa-se um ano, o sedutor aborrece-se da companheira, abandona-a em um quarto de hotel." (Graciliano Ramos, *Linhas Tortas,* p. 29.) **6.** V. *apoquentar.* [Conjug.: v. *aquecer.*]

aborrecido. [Part. de *aborrecer.*] *Adj.* **1.** Que causa aborrecimento ou horror; detestado, execrado, abominado: *É o cantor mais* aborrecido *de quantos conheço: ninguém o tolera.* **2.** V. *aborrecível* (1). **3.** Que aborrece ou entedia; tedioso, maçante, fastidioso, aborrecível: "Chuvinha aborrecida peneirava-se" (Alberto Rangel, *Quando o Brasil Amanhecia,* p. 175). **4.** Que sente aborrecimento, enfado, cansaço; entediado, amolado. **5.** Que denota aborrecimento, tédio; amolado: *Fez um ar* aborrecido *e deu as costas.*

aborrecimento. *S. m.* **1.** Ato ou efeito de aborrecer(-se). **2.** Ódio, horror, aversão. **3.** Repugnância, asco, aversão. **4.** Fastio, tédio. **5.** Desgosto, contrariedade.

aborrecível. *Adj. 2 g.* **1.** Que pode ou deve causar aborrecimento ou horror; digno de horror; detestável, execrável, abominável, aborrecido, aborrecedor: "A sombra da sombra de uma lembrança grotesca projetase no meio da paixão mais aborrecível, e o sorriso vem às vezes à tona da cara" (Machado de Assis, *Quincas Borba,* p. 98). **2.** V. *aborrecido* (3): "Pode ser .... que a música doce e mística daqueles outros condiscípulos fosse aborrecível ao seu gênio essencialmente trágico." (Id., *Dom Casmurro,* p. 25.)

aborregado. [De *a-*^{1} + *borrego* + *-ado*^{1}.] *Adj.* **1.** Semelhante a borrego. **2.** *Geol.* Diz-se das rochas elevadas adjacentes aos glaciares, as quais, por efeito do fenômeno erosivo do gelo, apresentam saliências lisas e arredondadas.

aborrido. [Part. de *aborrir.*] *Adj. Desus.* Aborrecido (3 e 4): "Os gracejos da escrava Nuirat-edia, a conversação instrutiva da bela Aiecha, ... eram o único alívio que adoçava a existência aborrida do velho leão do Islamismo." (Alexandre Herculano, *Lendas e Narrativas,* I, p. 39.)

aborrimento. *S. m. Desus.* Aborrecimento.

aborrir. [Do lat. *abhorrere.*] *V. t. d., int.* e *p. Desus.* Aborrecer. [Conjug.: v. *abolir.* Defect.]

aborrível. *Adj. 2 g. Desus.* V. *aborrecível* (1).

abortado. [Part. de *abortar.*] *Adj.* **1.** Que abortou, não vingou, morreu antes de se desenvolver. **2.** Que abortou ou se malogrou; malogrado, gorado, falhado: *motim abortado.* **3.** Diz-se da família que se extinguiu por falta de sucessão. **4.** *Bras. Pop.* Diz-se de indivíduo de boa sorte, feliz. ● *S. m.* **5.** *Bras. Pop.* Indivíduo abortado (4).

abortamento. *S. m.* V. *aborto* (1).

abortar. [Do lat. *abortare.*] *V. int.* **1.** *Med.* Expulsar prematuramente do útero o produto da concepção — embrião ou feto inviável ou não. **2.** Não se desenvolver: *O projeto* abortou; *não tinha viabilidade.* **3.** Não ter êxito; não ser bem-sucedido; falhar, malograr-se, frustrar-se. *T. d.* **4.** Impedir o bom êxito de; malograr, frustrar. [Pres. ind.: *aborto,* etc. Cf. *aborto* (ô).]

aborteiro. *S. m. Bras.* Médico que pratica aborto (2); cureteiro, cureta.

abortício. *Adj.* Nascido por aborto (1 e 2).

abortífero. [Do lat. *abortu* + *-i-* + *-fero.*] *Adj.* V. *abortivo* (1).

abortivo. [Do lat. *abortivu.*] *Adj.* **1.** Que faz abortar, que provoca aborto· abortífero, amblótico. **2.** Diz-se de medicamento que faz abortar; ectrótico. **3.** Que não atingiu o seu natural desenvolvimento. **4.** Malsucedido, malogrado, frustrado, falhado. **5.** Que faz malograr, falhar. **6.** Diz-se de tratamento que visa a interromper instantaneamente o ciclo de uma doença. **7.** Anormal, monstruoso, horrendo: *cara abortiva.* ● *S. m.* **8.** Substância ectrótica, que pode produzir aborto; amblótico.

aborto (ô). [Do lat. *abortu.*] *S. m.* **1.** *Med.* Ação ou efeito de abortar (1); abortamento, amblose, móvito; mau sucesso. [Sin. fam.: *desmancho.*] **2.** *Jur.* Interrupção dolosa da gravidez, com expulsão do feto ou sem ela. **3.** Indivíduo disforme; monstro. **4.** Monstruosidade, anormalidade, anomalia. **5.** Insucesso, malogro. **6.** *Fig.* Produção imperfeita, defeituosa: "Não lhe falo de outras emoções truncadas, que são todas as minhas, abortos de prazer, planos que se esgarçam no ar" (Machado de Assis, *Histórias sem Data,* p. 164). **7.** *Fig.* Coisa rara, incomum, espantosa, extraordinária: *aborto da natureza; um aborto de perversidade.* [Pl.: *abortos* (ô). Cf. *aborto,* do v. *abortar.*]

aboscar. *V. t. d. Bras.* Ganhar, obter, conseguir. [Conjug.: v. *trancar.*]

abossadura. [De *a-*^{2} + *bossa* + *-dura.*] *S. f.* V. *bossagem.*

abostelar. [De *a-*^{2} + *bostela* + *-ar*^{2}.] *V. int.* Criar bostela.

abotecar. *V. t. d. Bras., N. Pop.* V. *abecar.* [Conjug.: V. *trancar.* Cf. *aboticar.*]

aboticado. [Part. de *aboticar.*] *Adj. Bras., N.* e *N.E. Pop.* Diz-se dos olhos ressaltados, salientes, arregalados.

aboticar. [Por *abotecar,* de *a-*^{2} + *boteco*^{1} + *-ar*^{2}.] *V. t. d. Bras., N.* e *N.E. Pop.* Arregalar (os olhos). [Conjug.: v. *trancar.* Cf. *abotecar.*]

abotinado^1. [De *a-*^{2} + *botina* + *-ado*^{1}.] *Adj.* Cuja forma lembra a da botina. ~ V. *sapato* —.

abotinado^2. [Part. de *abotinar.*] *Adj.* A que se deu forma de botina: "Eram de uso os sapatos abotinados ingleses" (Joaquim Manuel de Macedo, *Memórias da Rua do Ouvidor,* p. 119).

abotinar. [De *a-*^{2} + *botina* + *-ar*^{2}.] *V. t. d.* Dar a forma de botina a.

abotoação. *S. f.* Ato ou efeito de abotoar(-se).

abotoadeira. [Fem. de *abotoador.*] *S. f.* **1.** Mulher que faz botões ou que os prega. **2.** Instrumento para abotoar; abotoador.

abotoado. [Part. de *abotoar.*] *Adj.* **1.** Fechado por meio de botões: "Botinas pretas, abotoadas, deixando entrever, sobre o cano curto, uma nesga das meias xadrez." (Maria Julieta Drummond de Andrade, *O Valor da Vida,* p. 147.) **2.** Que está em botão; que ainda não desabrochou: *canteiro de roseiras abotoadas.* **3.** Unido, ligado. **4.** Diz-se da arma branca em cuja ponta se põe uma bola ou um botão para que não fira: *florete abotoado.* ● *S. m.* **5.** *Bras.* Peixe teleósteo, siluriforme, da família dos doradídeos (*Pterodoras granulosus* (Val.)), da Amaz., Paraguai, Argentina e Uruguai, de coloração geral vinosa, com o abdome mais claro, flanco com 27 a 28 escudos papilionáceos, com ponta retrovertida. Alimenta-se de crustáceos, moluscos e frutas, e chega a ter 1 m de comprimento. [Sin., nesta acepç.: *armado, armado-comum, botoado.* Cf. *cuiú-cuiú* (2).]

abotoador (ô). *Adj.* **1.** Que abotoa. ● *S. m.* **2.** Indivíduo que faz ou prega botões. [Fem.: *abotoadeira.*] **3.** Abotoadeira (2).

abotoadura. *S. f.* **1.** Ato de abotoar (1). **2.** Conjunto de botões para um vestuário. **3.** Botões removíveis, próprios para os punhos, o peito ou o colarinho das camisas: "punhos larguíssimos, ... unidos por abotoaduras de corrente" (Martins Fontes, *Terras da Fantasia,* p. 110). **4.** *Marinh.* Conjunto de botões que ligam dois cabos ou duas pernadas do mesmo cabo.

abotoamento. *S. m.* **1.** Ato ou efeito de abotoar(-se). **2.** Fileira de botões com suas respectivas casas: *vestido sem mangas, com abotoamento até a cintura.* **3.** Parte de uma veste por onde ela se abotoa.

abotoar. [De *a-*^{2} + *botão* + *-ar*^{2}.] *V. t. d.* **1.** Meter os botões nas casas para fechar (veste, etc.): "O Dr. Viriato ajudou-o a abotoar a camisa nova e o colete" (Autran Dourado, *As Imaginações Pecaminosas,* p. 24). **2.** Deitar (botões ou gomos); germinar. **3.** *Marinh.* Fazer botão ou botões em. **4.** *Marinh.* Ligar (um cabo a outro, ou duas pernadas do mesmo cabo) por meio de botões. **5.** *Bras.* V. *abecar.* **6.** *Bras. Gír.* V. *matar* (1). *Int.* **7.** Fechar com botões; colocar os botões de (veste, etc.) nas respectivas casas. **8.** Deitar (a planta) botões ou gomos. **9.** Aparecer, surgir: "No fim de ano e meio, abotoou no horizonte uma esperança" (Machado de Assis, *Histórias sem Data*, p. 34). **10.** *Bras. Gír.* V. *morrer* (1). *p.* **11.** Unir-se ou fechar-se com botões: *O vestido, sóbrio, abotoava-se até o pescoço.* **12.** Fechar (peça ou peças do próprio vestuário) com botões. **13.** Deitar (a planta) botões ou gomos. **14.** Obter indevidamente; apoderar-se com fraude. [Conjug.: v. *coroar.*]

abotoável. *Adj. 2 g.* Que se pode abotoar ou é próprio para ser abotoado: *camisa de colarinho abotoável.*

abotocado. [Part. de *abotocar.*] *Adj.* Var. de *abatocado.*

abotocar. [de a-[2] + *botoque* + *-ar*[2].] *V. t. d.* Var. de *abatocar.* [Conjug.: v. *trancar.*]

aboubado. [Part. de *aboubar-se.*] *Adj.* Cheio ou coberto de boubas. [Cf. *abobado.*]

aboubar-se. [De a-[2] + *bouba* + *-ar*[2] + *se*[1].] *V. p.* **1.** Encher-se ou cobrir-se de boubas. **2.** Ser atacado de boubas. [Cf. *abobar-se.*]

➧**ab ovo.** [Lat., 'desde o ovo'.] Desde o começo; retornando à origem.

abra. [Do fr. *havre.*] *S. f.* **1.** Enseada com ancoradouro seguro para embarcações; ancoradouro: "São os recortes dessa penedia que formam todas as embocaduras, todas as baías, todos os portos, todas as abras da costa brasileira." (Júlio Ribeiro, *A Carne*, p. 117.) **2.** *Bras., RS.* Clareira na mata. **3.** *Bras., RS.* Abertura entre dois montes.

abraâmico. *Adj.* Relativo ou pertencente a Abraão, patriarca hebreu, que teria vivido por volta de 1850 a.C. [Cf. *abraâmida.*]

abraâmida. *S. 2 g.* Descendente de Abraão. [Cf. *abraâmico.*]

abracadabra. [Do gr. *abracadabra*, pelo lat. *abracadabra.*] *S. m.* **1.** Palavra cabalística, que se escrevia em 11 linhas, com uma letra a menos em cada uma delas, de modo que formassem um triângulo, e à qual se atribuía a propriedade de curar certas doenças. **2.** Amuleto em que estava escrita ou gravada essa palavra. **3.** Crença supersticiosa. **4.** *Fig.* Expressão sem sentido, ininteligível.

abracadabrância. *S. f.* Prática de abracadabra, de coisas abracadabrantes [v. *abracadabrante* (2)].

abracadabrante. *Adj. 2 g.* **1.** Relativo ao abracadabra. **2.** Cabalístico, mágico, misterioso. **3.** Extraordinário, singular; estranho, excêntrico: "comprimida .... à lufa-lufa, em casas de ocasião, quartos de hotel, com maus jantares de mesa redonda, e abracadabrantes saraus dramático-musicais" (Fialho d'Almeida, *Pasquinadas*, p. 316). [Sin. ger.: *abracadábrico.*]

abracadábrico. *Adj.* V. *abracadabrante.*

abracadabrista. *S. 2 g.* Pessoa que pratica a abracadabrância.

abraçadeira. [Fem. de *abraçador.*] *S. f.* **1.** Chapa grossa de ferro em esquadro, usada como reforço de sambladuras de madeira. **2.** Peça de ferro para segurar vigas ou paredes. **3.** Cordão, tira, correia ou argola que cinge, um cortinado ou reposteiro, prendendo-o de lado.

abraçador (ô). *Adj. e s. m.* Que ou aquele que abraça; abraçante.

abraçamento. *S. m.* Ato ou efeito de abraçar(-se).

abraçante. *Adj. 2 g.* e *s. 2 g.* Abraçador.

abracar. *V. t. d. Bras., MG, SP* e *MT. Pop.* Abraçar (1). [Conj.: v. *trancar.*]

abraçar. [De *a*-[2] + *braço* + *-ar*[2].] *V. t. d.* **1.** Apertar com os braços; tomar entre os braços; cingir, abarcar: "Estendeu-lhe os braços, para abraçá-la e beijá-la como de costume." (José Rodrigues Miguéis, *Onde a Noite Se Acaba*, p. 52); "gritou D. Fernando, deitando-se aos pés de D. Leonor e abraçando-a pelos joelhos" (Alexandre Herculano, *Lendas e Narrativas*, I, p. 83). [Sin. pop., em MG, SP e MT: *abracar.*] **2.** Circundar, cercar, cingir, rodear: "O rio defronte descia .... abraçando, sem um sussurro, uma larga ilhota de pedra que rebrilhava." (Eça de Queirós, *A Cidade e as Serras*, p. 203.) **3.** Abranger, conter, abarcar. **4.** Adotar, seguir: "explicou-me o capitão que só por motivos graves abraçara a profissão marítima" (Machado de Assis, *Memórias Póstumas de Brás Cubas*, pp. 66-67). **5.** Ocupar-se de; tomar a responsabilidade de; chamar a si; avocar: *abraçar uma causa.* **6.** *Marinh.* Cingir com cabo. *Transobj.* **7.** Adotar (9 e 10). *P.* **8.** Cingir-se a, com ou em alguém ou algo; entrelaçar-se: "E Tertuliano, prorrompendo em soluços, abraçou-se de novo ao Doutor Claudino." (Artur Azevedo, *Contos fora da Moda*, p. 16.) **9.** Confundir-se, ligar-se, unindo-se. [Conjug.: v. *laçar.*]

abraço. [Dev. de *abraçar.*] *S. m.* **1.** Ato de abraçar; amplexo. **2.** *Fig.* Demonstração de amizade; acolhimento. **3.** Ligação, fusão, união. **4.** *Bot.* V. *gavinha.* **5.** *Arquit.* Ornato que circunda o fuste de uma coluna, reproduzindo em geral um entrelaçamento de folhagens. ◆ **Abraço de tamanduá.** *Bras.* Traição, deslealdade, felonia.

abrandamento. *S. m.* **1.** Ato ou efeito de abrandar(-se). **2.** *Fon.* Passagem de um fonema de articulação forte para outro de articulação fraca, como de /b/ para /v/ (lat. *faba* > port. *fava*), etc.; lenização. **3.** *Quím.* Tratamento de água que consiste em substituir os íons cálcio e magnésio por íons sódio com o intuito de eliminar a dureza.

abrandar. [De *a*-[2] + *brando* + *-ar*[2].] *V. t. d.* **1.** Tornar brando; amolecer. **2.** Suavizar, mitigar: *As palavras de consolo abrandaram-lhe a dor.* **3.** Aplacar; serenar: "abrandai a cólera, que não sou vosso inimigo" (Machado de Assis, *Páginas Recolhidas*, p. 189). **4.** Tornar dócil; amansar, convencer, persuadir; amolecer, enternecer. **5.** Fazer que desça, diminua, baixe (temperatura, mau tempo, velocidade, etc.). *Int.* **6.** Tornar-se brando, mole, flexível. **7.** Perder o ânimo, as forças, a resistência; desanimar, esmorecer. **8.** Serenar-se; amainar-se; abonançar-se; aplacar-se: "A tarde cai. O vento abranda. O ar escurece." (Olavo Bilac, *Poesias*, p. 213.) **9.** *Marinh.* Fazer brando, brandear, afrouxar (cabo, adriça). *P.* **10.** Tornar-se brando ou mole; amolecer, abrandar. **11.** Comover-se, enternecer-se, suavizar-se, abrandar. **12.** Diminuir de intensidade; atenuar-se, abafar-se, amortecer-se: "Os sons se abrandam, tomam um como timbre murmuroso." (Júlio Ribeiro, *A Carne*, p. 182.)

abrandecer. [De *a*-[2] + *brando* + *-ecer.*] *V. t. d.* Abrandar, embrandecer. [Conjug.: v. *aquecer.*]

abrangedor (ô). *Adj.* Abrangente.

abrangência. *S. f.* **1.** Qualidade de abrangente. **2.** Capacidade de abranger: "a essência da poesia transcende à abrangência semântica das palavras e das frases." (Aires da Mata Machado Filho, *Crítica de Estilos*, p. 96).

abrangente. *Adj. 2 g.* Que abrange; abrangedor: "foi [Archer M. Huntington] talvez o primeiro a usar a denominação Hispanic, em inglês, como abrangente da totalidade da cultura que tem origem na antiga Hispânia" (Eduardo Frieiro, *O Alegre Arcipreste e Outros Temas de Literatura Espanhola*, p. 13).

abranger. *V. t. d.* **1.** Cingir, abraçar, abarcar. **2.** Conter em si; compreender, incluir, encerrar, abarcar: "Pus a ciência acima de todas as coisas; mas não afirmei jamais que a ciência não possa abranger as coisas divinas." (Rui Barbosa, *Cartas de Inglaterra*, pp. 394-395.) **3.** Abarcar, dominar, com a vista: "Abrangíamos, dali, canaviais e casas, o bueiro do engenho, a roda d'água, gente" (Osmã Lins, *Nove, Novena*, p. 111). **4.** Apreender, perceber, entender, alcançar, atingir: *Com sua pouca percepção, não abrange todos os ângulos do problema.* **5.** Compreender, abarcar (no tempo); estender-se por; durar. *T. i.* **6.** Elevar-se, montar, chegar: *Seus recursos não abrangem a tanto.* **7.** Apreender, perceber, entender, alcançar, atingir. *Int.* **8.** Atingir o alvo; acertar. **9.** Apreender, perceber. *P.* **10.** Incluir-se, conter-se. [Conjug.: v. *tanger.*]

abrangível. *Adj. 2 g.* Que se pode abranger.

abranquial. *Adj. 2 g. Zool.* Abrânquio.

abrânquio. *Adj. Zool.* Que não tem brânquias ou guelras; abranquial.

abrantino. *Adj.* **1.** De, ou pertencente ou relativo a Abrantes (BA). ● *S. m.* **2.** O natural ou habitante de Abrantes.

abraõense. *Adj. 2 g.* **1.** De, ou pertencente ou relativo a Abraão (RJ). ● *S. 2 g.* **2.** Natural ou habitante de Abraão.

abraquia. [De *a*-[3] + *-braquia*-[1] + *-ia.*] *S. f. Ter.* Falta congênita dos braços.

abráquio. [De *a*-[3] + *-braquio*[1].] *Adj.* **1.** Sem braços; anóleno. ● *S. m.* **2.** *Ter.* Feto que apresenta abraquia.

abraquiocefalia. [De *a*-[3] + *-braquio*-[1] + *-cefal(o)*- + *-ia.*] *S. f. Ter.* Acefalobraquia.

abraquiocefálico. *Adj.* Relativo à abraquiocefalia.

abraquiocéfalo. *Adj. e s. m. Ter.* Diz-se de, ou feto que apresenta abraquiocefalia.

abrasado. [Part. de *abrasar.*] *Adj.* **1.** Em brasa; queimado, requeimado: "Lançai o olhar em torno; / Arde a terra abrasada / Debaixo da candente abóbada dum forno." (Guerra Junqueiro. *A Musa em Férias*, p. 167.) **2.** Quente, ardente: "Dessa terra combusta por longo e abrasado estio, já ressumam os viços que anunciam a poderosa expansão de sua fecundidade." (José de Alencar, *O Sertanejo*, p. 97.) **3.** Abrasador (2). **4.** Corado, encalorado, afogueado, esfogueado: *Chegou do passeio com as faces abrasadas.* **5.** *Fig.* Entusiasmado, excitado, inflamado.

abrasador (ô). *Adj.* **1.** Que abrasa; que queima: *sol abrasador*; "O estio abrasador queimou toda a verdura" (Medeiros e Albuquerque, *Poesias*, p. 155). **2.** De calor intenso; muito quente; abrasado: "Macróbios soturnos passam, trôpegos, trêmulos, na morna calma das tardes abrasadoras." (Graciliano Ramos, *Linhas Tortas*, p. 73.) **3.** *Fig.* Consumidor, aflitivo, torturante: "agora mesmo, já depois da posse completa, a mesma abrasadora incerteza continuava a devorá-lo ...." (Abel Botelho, *Sem Remédio*, p. 155). **4.** *Fig.* Que arrebata, excita ou inflama. [Sin. ger.: *abrasante.*] ● *S. m.* **5.** Aquele que abrasa.

abrasamento. *S. m.* **1.** Ato ou efeito de abrasar(-se). **2.** *Fig.* Ardor, veemência, entusiasmo, arrebatamento.

abrasante. *Adj. 2 g.* V. *abrasador:* "Raros pássaros voavam e no recesso das moutas insetos estralejavam, cigarras pareciam chiar ao sol abrasante." (Coelho Neto, *Treva*, p. 333).

abrasão. [Do lat. *abrasione.*] *S. f.* **1.** Raspagem, rasura. **2.** Desgaste provocado pelo atrito. **3.** Esfoladura, esfolamento, escoriação. **4.** *Med.* Desgaste de uma estrutura, como, p. ex., dente, em conseqüência de atrição intensa. **5.** *Med.* Raspagem de uma área do corpo por meio de processo mecânico. **6.** *Med.* Lesão traumática produzida por grande atrição tecidual.

abrasar. [De *a*-[2] + *brasa* + *-ar*[2].] *V. t. d.* **1.** Tornar em brasa; queimar. **2.** Aquecer ou acalorar em extremo: "Nunca os dias foram mais compridos, nunca o sol abrasou a terra com uma obstinação mais cansativa." (Machado de Assis, *Papéis Avulsos*, p. 230.) **3.** Tornar vermelho cor de brasa, de fogo; avermelhar. **4.** *P. ext.* Corar, enrubescer, ruborizar, avermelhar, afoguear: *A vergonha abrasou-lhe as faces.* **5.** Devastar, destruir, talar: *A seca abrasou os campos.* **6.** Entusiasmar, excitar, arrebatar, inflamar, exaltar: "O relâmpago da fé abrasara-o." (Camilo Castelo Branco, *Novelas do Minho*, I, p. 74.) *Int.* **7.** Produzir calor excessivo; aquecer em demasia: "O ar abrasava e .... o solo tinha a evaporação de um forno" (Coelho Neto, *Sertão*, p. 91). **8.** Ser ou estar quentíssimo: *Ao forte sol do meio-dia, o ar abrasava*; "É o tempo em que adormeces [ó mar] / Ao sol que abrasa" (Vicente de Carvalho, *Poemas e Canções*, p. 138); "Dezembro chegou trazendo calor e falta d'água. A cidade abrasava." (Carlos Heitor Cony, *A Verdade de Cada Dia*, p. 107). *P.* **9.** Converter-se em brasas; arder, queimar-se. **10.** Estar como que em brasa, em chama; abrasar. **11.** Consumir-se; arder. **12.** Corar, avermelhar-se, afoguear-se. **13.** Inflamar-se, exaltar-se; arrebatar-se, entusiasmar-se. [Perf. ind.: *abrasei, abrasaste, abrasou*, etc. Cf. *abrazô.*]

abraseado. [Part. de *abrasear.*] *Adj.* **1.** V. *esbraseado.* **2.** *Ant.* Cheio de ira; colérico.

abrasear. [De *a*-[2] + *brasa* + *-ear.*] *V. t. d., e int. e p.* V. *esbrasear.* [Conjug.: v. *frear.*]

abrasileirado. [De *a*-[2] + *brasileiro* + *-ado*[1].] *Adj.* **1.** Que tem modos, feição, sotaque brasileiro; que dá idéia de brasileiro. **2.** Próprio de brasileiro (2).

abrasileiramento. *S. m.* Ato ou efeito de abrasileirar(-se).

abrasileirar. [De *a*-[2] + *brasileiro* + *-ar*[2].] *V. t. d. e p.* Tornar(-se) brasileiro; adaptar(-se) ao temperamento, maneira ou estilo brasileiro. [Sin. bras: *abrasilianar.*]

abrasilianar. [De *a*-[2] + *brasiliano* + *-ar*[2].] *V. t. d. e p. Bras.* Abrasileirar.

abrasivo. [De *abrasu*, part. pass. do lat. *abradere*, 'raspar', + *ivo.*] *Adj. e s. m.* **1.** Que ou o que produz abrasão. **2.** Diz-se de, ou substâncias muito duras, como diamante, esmeril, etc., capazes de arrancar, por atrito, partículas de outros corpos.

abrasonar. [De *a*-[2] + *brasão* + *-ar*[2].] *V. t. d.* **1.** Conferir brasão a. **2.** Pôr brasão em.

abraxas. *S. m.* **1.** Palavra simbólica entre os gnósticos, que exprime o curso do Sol nos 365 dias do ano. **2.** Talismã gnóstico gravado com essa palavra.

abrazô. [Var. de *ambrazô* (q. v.).] *S. m. Bras.* Bolinho da culinária afro-baiana, feito de farinha de milho ou de mandioca misturada com azeite-de-dendê, pimenta e outros temperos, e frito nesse azeite; ambrazô, ambrozô. [Cf. *abrasou*, do v. *abrasar.*]

abre. [Da 3ª pess. sing. do pres. ind. de *abrir.*] *S. m. Bras. Gír.* V. *cachaça* (1).

ab-reação. [Do al. *Abreaktion.*] *S. f. Psican.* Descarga emocional mais ou menos intensa, em que o indivíduo revive um acontecimento traumático que o libera da repressão à qual estava submetido, e que pode ser espontânea ou manifestar-se no curso de certos processos psicoterápicos, por ação deles. [Pl.: *ab-reações.*]

abre-alas. [De *abrir* + o pl. de *ala.*] *S. m. 2 n. Bras.* **1.** Tabuleta, dístico, ou carro alegórico, que abre o desfile duma entidade carnavalesca. **2.** *P. ext.* Grupo de pessoas que levam o abre-alas (1).

abre-boca. [De *abrir* + *boca* (ô).] *S. m. Med.* Instrumento para forçar a abrir e manter aberta a boca de doentes e de animais de laboratório; abridor de boca. [Pl.: *abre-bocas.*]

abre-campense. *Adj. 2 g.* **1.** De, ou pertencente ou relativo a Abre-Campo (MG). ● *S. 2 g.* **2.** Natural ou habitante de Abre-Campo. [Pl.: *abre-campenses.*]

abre-e-fecha. [De *abrir e fechar.*] *S. m. 2 n. Bras., CE.* V. *tico-tico-rei.* [Pl. *abre-e-fechas.*]

abre-ilhós. [De *abrir* + *ilhós.*] *S. m. 2 n.* Instrumento com que se abrem buracos destinados a ilhós; furador. [Var.: *abre-ilhoses.*]

abre-ilhoses. *S. m. 2 n.* V. *abre-ilhós.*

abrejar. [De *a-*[2] + *brejo* + *-ar*[2].] *V. t. d. Bras., N.E.* **1.** Transformar em pântano ou brejo; alagar, encharcar, apaular. *Int.* **2.** V. *abrejar* (4). **3.** *Bras., N.E.* Existir em abundância. *P.* **4.** Transformar-se em brejo; alagar-se encharcar-se, apaular-se, abrejar. **5.** *Bras., PB. Pop.* Empanturrar-se, abarrotar. [Conjug.: v. *invejar.*]

abrejeirado. [De *a-*[2] + *brejeiro* + *-ado*[1].] *Adj.* **1.** Que tem aspecto e/ou modos brejeiros: *menina abrejeirada.* **2.** Próprio de brejeiro; malicioso: *atitudes abrejeiradas.*

abrenhar. [De *a-*[2] + *brenha* + *-ar*[2].] *V. t. d.* e *p.* Meter (-se) em brenhas; embrenhar(-se): "Os cabeços das serras, que cingem os matagais onde me abrenhei, negrejam através das nuvens cinzentas." (Camilo Castelo Branco, *A Mulher Fatal,* p. 19.)

abrenunciação. *S. f.* Ato ou efeito de abrenunciar; abrenúncio.

ab-renunciação. *S. f.* V. *abrenunciação.*

abrenunciar. *V. t. d.* **1.** Rejeitar reprovando; arrenegar, abjurar. **2.** Mostrar repugnância, desprezo ou horror a; repelir. **3.** Renunciar a (opinião, doutrina, posição, etc.); abjurar. [Pres. ind.: *abrenuncio,* etc. Cf. *abrenúncio.*]

ab-renunciar. *V. t. d.* V. *abrenunciar.*

abrenúncio. [Do lat. *abrenuntio.*] *S. m.* **1.** Abrenunciação. ● *Interj.* **2.** Credo; Deus me livre; sai, demônio. [Cf. *abrenuncio,* do v. *abrenunciar.*]

ab-renúncio. *S. m.* V. *abrenúncio.*

abrenunza. *S. f. Bras., SC. Folcl.* V. *bernúncia.*

ab-reptício. [De *abreptu,* part. pass. do lat. *abrepio.* 'arrebatar', + *-ício.*] *Adj.* Exaltado; arrebatado, possesso. [Pl.: *ab-reptícios.*]

abretanhado. [De *a-*[2] + *bretanha* + *-ado*[1].] *Adj.* Semelhante a bretanha: *tecido abretanhado.*

abreu. [F. red. de *manuel-de-abreu.*] *S. m.* **1.** Inseto coleóptero, clavicórneo (*Abroeus globosus*), que se encontra no feno e em substâncias em decomposição. **2.** *Bras., CE.* Abelha social, da família dos meliponídeos (*Trigona (Tetragona) varia* Lep.), que nidifica em taipa ou árvores ocas; moça-branca, manuel-de-abreu.

abreugrafia. [Do antr. *Abreu* + *-graf(o)-* + *-ia.*] *S. f. Med.* Método criado pelo médico brasileiro Manuel de Abreu (1894-1962), para fixar por meio de máquina fotográfica especial a imagem observada pela radioscopia; roentgenfotografia. [Importantíssimo no exame das coletividades, para o diagnóstico precoce da tuberculose e do câncer pulmonares.]

abreugráfico. *Adj.* Referente à abreugrafia.

abrevar. *V. t. d.* e *p.* V. *abeberar.*

abreviação. [Do lat. *abbreviatione.*] *S. f.* Ato ou efeito de abreviar; abreviamento, abreviatura.

abreviado. [Part. de *abreviar.*] *Adj.* **1.** Reduzido a menor extensão (espaço, tempo, etc.). **2.** Resumido, sucinto: *relação abreviada dos acontecimentos.* **3.** Antecipado, apressado. **4.** Posto em abreviatura (2 e 3): *escrita abreviada.* ~ V. *edição* — *a.*

abreviador (ô). *Adj.* e *s. m.* Que ou aquele que abrevia.

abreviamento. *S. m. Desus.* V. *abreviação.*

abreviar. [Do lat. *abbreviare.*] *V. t. d.* **1.** Tornar breve ou mais breve; encurtar: *abreviar uma visita.* **2.** Reduzir; resumir, diminuir: "A sua existência estava condenada: tratava-se apenas de abreviar sofrimentos inúteis." (Júlio Dantas, *Abelhas Doiradas,* p. 53.) **3.** Tornar mais próximo em tempo; apressar, acelerar, antecipar; precipitar. **4.** Resumir, sintetizar; compendiar: *abreviar uma narrativa.* **5.** *Mat.* Efetuar (uma operação matemática) de forma simplificada, desprezando a influência de grandezas ou variáveis de módulo pequeno diante dos resultados. *T. d. e i.* **6.** Acomodar, ajustar; *Abrevia o seu estilo ao de Anatole France. T. i.* **7.** Terminar, acabar, em breve tempo; dar fim com rapidez ou presteza. *Int.* **8.** Encurtar ou cortar conversa.

abreviativo. *Adj.* **1.** Que serve para abreviar. **2.** Que indica abreviatura (3). ~ V. *ponto* —.

abreviatura. *S. f.* **1.** V. *abreviação.* **2.** Representação de uma palavra por meio de alguma(s) de suas sílabas ou letras: *art.* por *artigo; Dr.* por *doutor.* **3.** Sinal ou cifra com que se representa uma palavra. **4.** Coisa reduzida, diminuta; miniatura: *Esta menina é uma abreviatura de mulher.*

abricó. [Do fr. *abricot.*] *S. m. Bras.* **1.** O fruto do abricoteiro, que é uma baga pequena, esférica, amarela, de polpa farinácea, doce, e sementes negras e lisas; abricoque, albricoque. **2.** *Bras.* Damasco (1). [F. paral. (bras.): *abricote.*]

abricó-amarelo. *S. m. Bras.* V. *abricoteiro* (1). [Pl.: *abricós-amarelos.*]

abricó-de-macaco. *S. f. Bras.* V. *castanha-de-macaco.* [Pl.: *abricós-de-macaco.*]

abricó-de-são-domingos. *S. m. Bras.* V. *abricó-do-pará.* [Pl.: *abricós-de-são-domingos.*]

abricó-do-brasil. *S. m. Bras.* V. *abricoteiro* (1). [Pl.: *abricós-do-brasil.*]

abricó-do-pará. *S. m. Bras.* Planta da família das gutíferas (*Mamea americana*), oriunda da América Central e bem cultivada no RJ. Gera baga muitas vezes maior que a do abricó comum, e a madeira é usada em construção interna, servindo o fruto para compotas, xaropes e refrescos. [Sin.: *abricoteiro, abricó-de-são-domingos, abricó-selvagem.* Pl.: *abricós-do-pará.*]

abricoque. *S. m. Bras.* V. *abricó.*

abricoqueiro. *S. m. Bras.* V. *abricoteiro* (1).

abricó-selvagem. *S. m. Bras.* V. *abricó-do-pará.* [Pl.: *abricós-selvagens.*]

abricote. *S. m. Bras.* V. *abricó.*

abricoteiro. *S. m. Bras.* **1.** Planta da família das sapotáceas (*Mimusops coriacea*), proveniente da África tropical e muito usada na arborização do Rio. Produz frutos edules, e a madeira é utilizada em construção civil e naval, em carpintaria, etc. [Sin.: *abricó-amarelo, abricó-do-brasil, abricoqueiro, albricoqueiro.*] **2.** V. *abricó-do-pará.*

abrideira. [Fem. de *abridor.*] *S. f. Bras.* **1.** Máquina usada na indústria de fiação. **2.** Bebida alcoólica, em geral aguardente, que se toma antes da refeição, em pequena quantidade, como aperitivo. **3.** *Pop.* V. *cachaça* (1).

abridela. *S. f.* O ato de abrir (a boca, os olhos, etc.): abrimento.

abridor (ô). *Adj.* **1.** Que abre. ● *S. m.* **2.** Aquele ou aquilo que abre. **3.** Gravador, burilador. **4.** Instrumento para abrir latas, garrafas, etc. ◆ **Abridor de boca.** *Med.* Abre-boca.

abrigada. *S. f.* V. *abrigo* (1).

abrigadoiro. *S. m.* Abrigadouro [q. v.].

abrigador (ô). *Adj.* e *s. m.* Que ou aquele que abriga.

abrigadouro. [Var. de *abrigadoiro.*] *S. m.* V. *abrigo* (1).

abrigar. [Do lat. *apricare.*] *V. t. d.* **1.** Resguardar do rigor do tempo, de dano ou perigo. **2.** *Fig.* Acolher; guardar, trazer, encerrar: "Ó crentes, como vós, no íntimo do peito / Abrigo a mesma crença e guardo o mesmo ideal." (Guerra Junqueiro, *A Velhice do Padre Eterno,* p. 5.) **3.** Acolher; acoitar: *Procuravam teto que os abrigasse.* **4.** Acolher, agasalhar: "Olinda abrigava as velhas famílias possuidoras dos latifúndios circunvizinhos" (Sousa Bandeira, *Evocação e Outros Escritos,* p. 64). **5.** Proteger, amparar. **6.** Conter; encerrar: *O galpão era pequeno para abrigar os flagelados da enchente.* **7.** Esconder, ocultar: *Seu semblante indiferente abriga ódios.* **8.** *Mar.* Proteger (embarcação) do mar ou do vento, utilizando-se de porto; acidente da costa, etc. *T. d. e i.* **9.** Resguardar do rigor do tempo: *Abriguei-o contra as chuvas; O grosso capote abriga-o do frio. P.* **10.** Resguardar-se do rigor do tempo, de dano ou perigo: "Quando os Schrapnells caíram na rua, o povo correu de novo para se abrigar nas igrejas." (João Felício dos Santos, *João Abade,* p. 237.) **11.** Conter-se, encerrar-se: "em su'alma abrigava-se a inocência". (Luís Murat, *Ondas,* III, p. 151). **12.** *Mar.* Acolher-se (embarcação) ao abrigo de porto, cabo, ilha ou costa; refugiar-se. [Conjug.: v. *largar.*]

abrigo. [Dev. de *abrigar.*] *S. m.* **1.** Lugar que abriga; refúgio, abrigada, abrigadouro. **2.** Cobertura, teto: "cada pobre, sob o abrigo da sua telhavã, se agacha no seu mantéu ao calor da lareira." (Eça de Queirós, *A Cidade e as Serras,* p. 164). **3.** Casa de assistência social onde se recolhem pobres, velhos, órfãos ou desamparados. **4.** Local que oferece proteção contra os rigores do sol, da chuva, do mar ou do vento. **5.** Túnel, caverna ou construção subterrânea usada como refúgio e para proteção durante ataques aéreos. **6.** Agasalho, em geral impermeável, usado em ocasião de mau tempo. **7.** *Fig.* Asilo, amparo, socorro, proteção: "reconheço agora o que vale o mundo com suas perfídias e tempestades. Quero achar um abrigo contra elas" (Machado de Assis, *Teatro,* p. 288). ◆ **Abrigo meteorológico.** *Met.* Casinha de madeira com venezianas de todos os lados, e sustentada por estacas, dentro da qual se instalam instrumentos meteorológicos, como, p. ex., higrógrafo, atmômetro, termógrafo e psicômetro. **Abrigo natural.** Caverna ou qualquer outra escavação rochosa, adaptada e devidamente aproveitada como lugar de moradia ou habitação permanente.

abril. [Do lat. *aprile.*] *S. m.* **1.** O quarto mês dos calendários juliano e gregoriano, com 30 dias. **2.** *Fig.* Idade da inocência e da alegria. **3.** *Fig.* Viço, frescor; juventude.

abrilada. *S. f.* **1.** Acontecimento ocorrido em abril. **2.** Revolta portuguesa de abril de 1824. **3.** *Bras.* Revolução restauradora, de abril de 1832, em PE.

abrilhantar. [De *a-*[2] + *brilhante* + *-ar*[2].] *V. t. d.* **1.** Dar brilho, ou luz viva, a; tornar brilhante, luzente, reluzente. **2.** Dar brilho, brilhantismo, realce, a: *abrilhantar uma reunião;* A flor mimosa abrilhanta o prado / Ao sol nascente vai pedir fulgor." (Casimiro de Abreu, *Obras,* p. 154). *P.* **3.** Tornar-se brilhante, luzente, reluzente. **4.** Adquirir maior realce, maior brilho; realçar-se.

abrilino. [De *abril* + *-ino*[1].] *Adj.* V. *Aprilino.*

abrimento. *S. m.* Ação ou efeito de abrir; abertura: *abrimento da boca.*

abrina. *S. f.* Toxialbumina encontrada no *abrus precatorius,* planta leguminosa.

abrir. [Do lat. *aperire.*] *V. t. d.* **1.** Mover (porta, janela, etc., fechada ou cerrada); descerrar: "Bonifácio abriu as janelas todas da frente e desceu à chácara." (Machado de Assis, *Outras Relíquias,* p. 29); "Teria de abrir o cofre, antes que os outros parentes voltassem do cemitério!" (Josué Montelo, *O Labirinto de Espelhos,* p. 153). **2.** Separar, afastar, as partes juntas ou contíguas de: *abrir os olhos; abrir a boca;* "o tabelião desabotoou o paletó, tirou a carteira, abriu-a, e mostrou-lhe duas notas de cinco mil-réis." (Machado de Assis, *Papéis Avulsos,* p. 204.) **3.** Separar, afastar, apartar: *O navio abria as águas do mar.* **4.** Estender, distender: *abrir os braços.* **5.** Fender, furar, mediante incisão, corte, golpe, etc. **6.** Fazer incisão em; cortar, rasgar: *O médico abriu o abscesso.* **7.** Desabotoar (3): *Abriu a camisa para refrescar-se.* **8.** Fazer desabotoar ou desabrolhar: "Neste limiar de indiferença, / não posso abrir a tênue rosa / do mais espiritual suspiro." (Cecília Meireles, *Obra Poética,* p. 248.) **9.** Descerrar (livro, revista), geralmente para ler ou consultar. **10.** Acender (a luz elétrica). **11.** Ligar[2] (10): *abrir a chave da luz.* **12.** Começar, principiar, encetar: *Abriu um choro convulsivo.* **13.** Dar por começado ou aberto: *Abriu a sessão solene com um breve discurso.* **14.** Montar (estabelecimento, loja, etc.). **15.** Gravar, burilar, esculpir, entalhar. **16.** Registrar, lavrar. **17.** Estabelecer (crédito). **18.** *Bras.* Ceder a interrogatório, confessando (crime) ou denunciando (alguém). **19.** *Gram.* Dar pronúncia aberta, longa, a (uma vogal). **20.** *Bras.* Afastar (o cavalo) da trilha. **21.** Na sinalização do trânsito, fazer passar (o sinal vermelho, que indica impedimento) a verde, que indica trânsito livre: *O guarda abriu o sinal.* **22.** *Tip.* V. *entrelinhar* (2). **23.** *Tip.* V. *interespacejar* (2). **24.** *Mar.* Romper pelas costuras: *O impacto da vaga abriu a embarcação. T. d. e i.* **25.** Descerrar. **26.** Estender, estirar: "— E ela abria-me os braços. E eu ficava." (Olavo Bilac, *Poesias,* p. 168.) **27.** Estabelecer, conceder (crédito). **28.** *Mar.* Variar (a marcação) afastando-se da direção da proa da embarcação. *T. i.* **29.** Descerrar a porta; franquear a entrada: *Mandou abrir aos que batiam.* **30.** Dar acesso, comunicação; dizer: *A janela abre para o jardim.* **31.** Fazer confidência(s); desabafar(-se); abrir-se: *Abriu, afinal, com o velho companheiro.* **32.** *Mar.* Afastar-se, distanciar-se: *O navio abriu do cais.* **33.** Rondar (o vento) no sentido da popa da embarcação: *O vento abriu para o través, e a alheta. Int.* **34.** Abrir a porta; franquear a entrada: "Bateram à minha porta, / Fui abrir, não vi ninguém." (Manuel Bandeira, *Estrela da Vida Inteira,* p. 197.) **35.** Abrir (48). **36.** Desabrochar, desabotoar; abrir-se: "Que linda noite! Os cravos vão a abrir ..." (Antônio Nobre, *Só,* p. 172). *As casas comerciais abrem às 9 horas.* **37.** Na sinalização do trânsito, passar (o sinal vermelho, que indica trânsito impedido) a verde, que indica trânsito livre: *Mal o carro freara, o sinal abriu.* **38.** Melhorar, serenar (as condições meteorológicas, o tempo). **39.** *Mar.* Diminuir (bruma, nevoeiro). **40.** *Bras.* Afastar-se. **41.** *Bras., S.* V. *fugir* (1 e 2). **42.** *Bras.* Ceder a interrogatório, confessando crime ou denunciando alguém. **43.** *Bras. Pop.* Mudar de idéia; ceder; abrir mão:

"Estou com os garis e não a b r o." (Lúcia Maria Mazzinho Costa, *Jornal do Brasil*, "Carta ao Leitor", 20.2.1979.) **44.** Surgir ou aparecer de súbito: "O relâmpago a b r i a, iluminava-me instantaneamente a razão e depois passava." (Cordeiro de Andrade, *Anjo Negro*, p. 107.) *P.* **45.** Rasgar-se, fender-se: *Com o terremotO as paredes do templo se abriram.* **46.** Fazer confidência(s); desabafar(-se); abrir: "Há .... umas certas considerações de orgulho, ou de vaidade, ... ou de desconfiança, que obstam sempre a que num ou noutro ponto da nossa vida n o s a b r a m o s completamente com o nosso amigo mais dedicado e mais íntimo." (Ramalho Ortigão, *Em Paris*, p. 122); "É reservado, tímido, mas s e a b r i u comigo, conquistei-o, parece." (Edson Guedes de Morais, *Outras Lembranças, Outra Casa, Outros Mortos*, p. 19.) **47.** Mover-se (porta ou janela fechada ou cerrada) para dar passagem, permitir a circulação de ar, etc. **48.** Pôr-se em condições de uso, estendendo-se, desdobrando-se; abrir: "o pára-quedas s e a b r i u por inteiro, como uma pequena abóbada volante" (Orígenes Lessa, *Omelete em Bombaim*, p. 143). **49.** V. abrir (36): "Papoulas plumejavam, cravos a b r i a m - s e em sangue, em borlas de neve" (Coelho Neto, *Rei Negro*, pp. 5-6). **50.** *Bras.* Ir(-se) embora; sair, partir, viajar. **51.** *Bras. Gír.* Viver sorrindo; sorrir. [Part. irreg.: *aberto.*] ● *S. m.* **52.** Ato de abrir(-se). ♦ **Num abrir e fechar de olhos.** Num instante; num átimo; num piscar de olhos, num vôo.

abrocadado¹. [De *a-*² + *brocado*¹ + *-ado*¹.] *Adj.* Semelhante ao brocado.

abrocadado². [Part. de *abrocadar.*] *Adj.* Tecido à maneira de brocado.

abrocadar. [De *a-*² + *brocado*¹ + *-ar*².] *V. t. d.* Tecer à maneira de brocado.

abrochado. [Part. de *abrochar*².] *Adj. Bras., AL. Pop.* Abarbado, atarefado, apertado.

abrochador (ô). [De *abrochar*¹ + *-dor.*] *S. m.* Aquilo que abrocha.

abrochadura. [De *abrochar*¹ + *-dura.*] *S. f.* Ato ou efeito de abrochar.

abrochar¹. [De *a-*² + *broche* + *-ar*².] *V. t. d.* **1.** Unir ou ornar com broche. **2.** Unir, ligar; abotoar; afivelar (peça do vestuário). **3.** Apertar, franzir: "a b r o c h o u os lábios e deu-lhe um beijo na boca." (Machado de Assis, *Várias Histórias*, p. 55). *Int.* **4.** Unir, ligar, prender, abotoar, com broche, as peças do vestuário. **5.** Encolher-se, retrair-se: "As pétalas de uma rosa, que a b r o c h a s s e m, outra vez tornando-se botão, de flor que eram, não teriam o gracioso enlace dos lábios que se apinhavam." (José de Alencar, *O Tronco do Ipê*, p. 199.) *P.* **6.** Abotoar-se com broche.

abrochar². [De *a-*² + *brocha* + *-ar*².] *V. t. d.* **1.** Ligar (os bois) com brocha (3) **2.** *Bras., AL. Pop.* Apertar com trabalho; atarefar, abarbar.

ab-rogação. [Do lat. *abrogatione.*] *S. f.* Ato de ab-rogar; ab-rogamento. [Pl.: *ab-rogações.*]

ab-rogador (ô). [Do lat. *abrogatore.*] *Adj.* e *s. m.* Que ou aquele que ab-roga, que tem a virtude de ab-rogar. [Pl.: *ab-rogadores.*]

ab-rogamento. *S. m.* Ab-rogação. [Pl.: *ab-rogamentos.*]

ab-rogar. [Do lat. *abrogare.*] *V. t. d.* **1.** Pôr em desuso; anular, suprimir, revogar, derrogar. **2.** *Jur.* Fazer cessar a existência ou a obrigatoriedade de (uma lei) em sua totalidade: "a b - r o g a n d o a lei antiga, ... Chindasvinto e seu filho Recesvinto quiseram substituir .... o direito territorial ao direito pessoal" (Alexandre Herculano, *Opúsculos*, V, p. 282). [Cf. *derrogar.* Conjug.: v. *largar.*]

ab-rogativo. *Adj.* ab-rogatório [q: v.]. [Pl.: *ab-rogativos.*]

ab-rogatório. *Adj.* Que tem a faculdade de ab-rogar; ab-rogativo. [Pl.: *ab-rogatórios.* Cf. *derrogatório.*]

ab-rogável. *Adj. 2 g.* Que deve ou pode ser ab-rogado. [Pl.: *ab-rogáveis.* Cf. *derrogável.*]

abrolhado. [Part. de *abrolhar.*] *Adj.* **1.** Coberto ou cheio de abrolhos, de botões, de espinhos; espinhoso. **2.** *Fig.* Cheio de dificuldades, de obstáculos; espinhoso, árduo. [Sin. ger.: *abrolhoso.*]

abrolhador (ô). *Adj.* Que abrolha.

abrolhar. *V. t. d.* **1.** Dar, produzir (abrolhos). **2.** Fazer nascer; fazer desabrochar. **3.** Fazer nascer; causar, originar. *Int.* **4.** *Bot.* Produzir abrolhos ou lançamentos a partir das gemas, olhos e gomos; gemar: "já uma depois de outra, iam renascendo as plantas, iam a b r o l h a n d o as árvores" (Almeida Garrett, *Viagens na Minha Terra*, p. 178); "Porque a b r o l h a em espinhos a roseira / Quem negará que as rosas são gentis?" (Vicente de Carvalho, *Poemas e Canções*, p. 42). **5.** Aparecer, surgir; brotar: "E, neste lance, as lágrimas a b r o l h a r a m a torrentes" (Camilo Castelo Branco. *O Regicida*, p. 120). *P.* **6.** Encher-se de abrolhos. [Pres. ind.: *abrolho*, etc. Cf. *abrolho* (ô).]

abrolho (ô). [Do lat. *aperi oculos*, 'abre os olhos'.] *S. m.* **1.** Designação comum a diversas plantas rasteiras e espinhosas. **2.** A ponta ou pua do fruto dessas plantas: "desandou o caminho percorrido, desvanecendo todo o indício de sua passagem até o ponto onde havia deixado o seu cavalo, que o esperava sem nenhuma impaciência, resmoendo um a b r o l h o mais novo de mandacaru." (José de Alencar, *O Sertanejo*. p. 64). **3.** Qualquer espinho; estrepe: "Dilacerem-te os pés urzes e cardos, / Pontas de rochas, híspidos a b r o l h o s ..." (Da Costa e Silva, *Sangue*, p. 51). **4.** Acidente do relevo submarino, em forma de rochedo, à flor da água; escolho. **5.** *Mil.* Estrepe (4). [Pl.: *abrolhos (ó).* Cf. *abrolho*, do v. *abrolhar.*] ~ V. *abrolhos.*

abrolho-aquático. *S. m. Bras.* V. *tríbulo-aquático.* [Pl.: *abrolhos-aquáticos.*]

abrolhos (ó). *S. m. pl. Fig.* Dificuldades, penas, desgostos, mágoas, mortificações. ~ V. *abrolho* (ô).

abrolhoso (ô). *Adj.* V. *abrolhado.*

abronzar. [De *a-*² + *bronze* + *-ar*².] *V. t. d.* **1.** Fundir (o cobre), em geral com estanho, para produzir o bronze. **2.** V. *bronzear* (1).

abronzear. [De *a-*² + *bronze* + *-ear.*] *V. t. d.* V. *bronzear* (1). [Conjug.: v. *frear.*]

abroque. [Do ár.] *S. m.* Espécie de manto azul e branco, usado pelas mulheres mouras.

abroquelado¹. [De *a-*² + *broquel* + *-ado*¹.] *Adj.* Que tem forma de broquel.

abroquelado². [Part. de *abroquelar.*] *Adj.* Coberto com broquel: *cama abroquelada.*

abroquelar. [De *a-*² + *broquel* + *-ar*².] *V. t. d.* **1.** Dar forma de broquel a. **2.** Resguardar ou cobrir com broquel. **3.** Proteger; defender, amparar, resguardar, escudar. *T. d. e i.* **4.** Resguardar, defender, amparar, escudar. *P.* **5.** Resguardar-se ou cobrir-se com broquel; escudar-se. **6.** Resguardar-se, defender-se, amparar-se, escudar-se. [F. paral.: *broquelar.*]

abrota. *S. f. Bras.* V. *abrótea.*

abrótano. *S. m.* Arbusto da família das compostas (*Artemisia abrotanum*), cultivado pelas suas flores ornamentais.

abrotar. [De *a-*⁴ + *brotar.*] *V. int. Desus.* Brotar. [Cf. *abrutar.*]

abrote. *S. m. Bras.* V. *abrótea.*

abrótea. *S. f.* Peixe teleósteo, anacantíneo, da família dos gadídeos, gênero *Urophycis*, que mede de 50 a 75 cm de comprimento e tem duas nadadeiras dorsais, a primeira das quais muito curta e provida de longo filamento. Coloração pardacenta, e abdome esbranquiçado. É semelhante ao bacalhau, no aspecto e no sabor, e dele há várias espécies nas costas brasileiras. [Var. (bras.): *abrota, abrote, brota.* Sin. (lus.): *balótica.*]

abrumar. [De *a-*² + *bruma* + *-ar*².] *V. t. d.* **1.** Cobrir ou encher de bruma. **2.** Tornar escuro, sombrio; escurecer: "Um tom cerúleo a b r u m a v a a selva resfriada, o solo esponjava, como encharcado, e o aroma silvestre espalhava-se em hálito balsâmico." (Coelho Neto, *Rei Negro*, p. 265.) **3.** Tornar apreensivo, triste, melancólico. *P.* **4.** Cobrir-se ou encher-se de bruma. **5.** Tornar-se escuro, sombrio.

abrunheira. *S. f.* V. *abrunheiro.*

abrunheiro. *S. m.* Arbusto europeu, da família das rosáceas, dotado de propriedades adstringentes e febrífugas, e empregado em tinturaria, marchetaria e curtume; abrunheira, abrunheiro-bravo, ameixeira-brava.

abrunheiro-bravo. *S. m.* V. *abrunheiro.* [Pl.: *abrunheiros-bravos.*]

abrunho. [De *a-*⁴ + lat. **pruneu* < *prumus*, 'ameixa'.] *S. m.* O fruto do abrunheiro, semelhante a uma pequena ameixa.

abrupção (ab-ru). [Do lat. *abruptione.*] *S. f.* **1.** *Med.* Fratura transversal de osso, com superfície desigual e rugosa. **2.** *Ret.* Figura pela qual se suprimem as transições a fim de tornar o estilo mais vivo, animado, expressivo.

abruptela (ab-ru). *S. f.* Terra desbravada ou novamente arroteada.

abrupto (ab-ru). [Do lat. *abruptu.*] *Adj.* **1.** Quase a pique; escarpado, íngreme: "A cordilheira vem dos abismos do oceano, surde, emerge, levanta-se a b r u p t a" (Júlio Ribeiro, *A Carne*, p. 117). **2.** *Fig.* Áspero, rude: "Joanito com pouca demora retirou-se. A maneira a b r u p t a por que o fez deixou aos outros a impressão de que não tornaria à casa de Augusta." (Xavier Marques, *As Voltas da Estrada*, p. 29.) **3.** Súbito, inopinado, repentino.

abrutado. [De *a-*² + *bruto* + *-ado*¹.] *Adj.* V. *abrutalhado.*

abrutalhado. [De *a-*² + *bruto* + *-alhado.*] *Adj.* Que tem modos ou semelhança de, ou que é próprio de bruto; rude, grosseiro, brutal; abrutado; *indivíduo abrutalhado; maneiras abrutalhadas.*

abrutalhar. [De *a-*² + *bruto* + *-alhar.*] *V. t. d.* e *p.* Tornar(-se) brutal, grosseiro, rude; abrutar(-se), abrutecer(-se), embrutecer(-se.)

abrutamento. *S. m.* **1.** Ato ou efeito de abrutar(-se); embrutecimento. **2.** Grosseria, rudeza, brutalidade.

abrutar. [De *a-*² + *bruto* + *-ar*².] *V. t. d.* e *p.* V. *abrutalhar.* [Cf. *abrotar.*]

abrutecer. [De *a-*² + *bruto* + *-ecer.*] *V. t. d.* e *p.* V. *abrutalhar.* [Conjug.: v. *aquecer.*]

▲**abs-.** V. *a-*¹.

absceder. [Do lat. *abscedere.*] *V. int.* Degenerar em abscesso; supurar.

abscesso. [Do lat. *abscessu.*] *S. m. Med.* Pus acumulado numa cavidade formada em meio dos tecidos orgânicos, ou mesmo num órgão cavitário, em conseqüência de processo inflamatório; apostema.

abscidar. [Do lat. *abscidere.*] *V. int.* Separar-se, desligar-se.

abscisão. [Do lat. *abscisione.*] *S. f. Cir.* Remoção por meio de seção; excisão.

abscissa. [Do lat. *abscissa.*] *S. f.* **1.** *Geom. Anal.* Numa reta, a distância dum ponto a outro tomado como origem; coordenada de um ponto sobre uma reta. **2.** *Geom. Anal.* Em um sistema cartesiano, coordenada referente ao eixo dos xx. **3.** *Geom. Descr.* Distância de um ponto a um plano de perfil tomado como referência.

absconder. [Do lat. *abscondere.*] *V. t. d. P. us.* Esconder, ocultar.

abscôndito. [Do lat. *absconditu.*] *Adj.* V. *absconso* (1).

absconsa. [Do lat. *absconsa.*] *S. f.* **1.** Pequena lâmpada velada, de antigo uso conventual. **2.** Estrela que se oculta ao pôr do Sol.

absconso. [Do lat. *absconsu.*] *Adj.* **1.** Escondido, oculto, esconso, abscôndito. ● *S. m.* **2.** Coisa secreta; segredo. **3.** *Anat.* Cavidade de um osso que abriga a cabeça de outro; cavidade cotilóide.

absenteísmo. [Do fr. *absentéisme*, deriv. do ingl. *absenteeism*, de *absentee*, 'pessoa que falta ao trabalho, à escola, etc.'.] *S. m.* **1.** Sistema de exploração rural no qual um intermediário (administrador, gerente, capataz) se interpõe entre o proprietário, que não reside em suas terras, e aqueles que a cultivam. **2.** Ausência habitual da pátria, da propriedade, do emprego, etc. **3.** Falta de assiduidade. **4.** *Bras.* Abstencionismo (1). [Var. ou f. paral.: *absentismo.*]

absenteísta. [Do fr. *absentéiste.*] *Adj. 2 g.* **1.** Relativo ao absenteísmo. **2.** Que vive ou está, por via de regra, ausente. **3.** Praticante ou seguidor do absenteísmo (1 e 4). ● *S. 2 g.* **4.** Praticante ou seguidor do absenteísmo (1 e 4). [Var. ou f. paral.: *absentista.*]

absentismo. *S. m.* **1.** Absenteísmo [q. v.]. **2.** Estado de alheamento à realidade, ao ambiente, ao mundo exterior.

absentista. *Adj. 2 g.* e *s. 2 g.* V. *absenteísta.*

absidal. *Adj. 2 g.* Relativo a, ou que tem forma de abside.

abside. [Do gr. *apsís*, pelo lat. *abside.*] *S. f. Arquit.* **1.** Qualquer recinto abobadado, cuja planta é semicircular ou poligonal. **2.** Nas basílicas romanas, o nicho semicircular e abobadado onde se achava o assento do juiz. **3.** Nas basílicas cristãs e noutros tipos de igreja, a cabeceira do templo, onde fica o altar-mor. **4.** Oratório reservado, por detrás do altar-mor.

absidíola. *S. f.* **1.** *Arquit.* Pequena abside ou capelinha, geralmente disposta em redor da abside central. **2.** Relicário arredondado.

absintado. [De *absinto* + *-ado*¹.] *Adj.* **1.** Que tem absinto. **2.** Que se tornou amargo como o absinto. **3.** *Fig.* Angustiado, amargurado.

absíntico. *Adj.* **1.** Que contém absinto. **2.** Da cor do absinto: "Lua a b s í n t i c a, verde, feiticeira" (Cruz e Sousa, *Últimos Sonetos*, p. 169).

absintina. *S. f. Quím.* Glicosídio do absinto. [Fórm.: $C_{30}H_{40}O_8$.]

absíntio. *S. m. P. us.* V. *absinto.*

absintismo. *S. m. Patol.* Estado mórbido provocado pelo abuso do absinto. [Cf. *absentismo.*]

absintite. *S. m.* Vinho absintado; vinho de losna.

absinto. [Do fr. *absinthe.*] *S. m.* **1.** Pequena erva aromática européia, da família das compostas (*Artemisia absinthium.*, dotada de propriedades amargas, e cujas sumidades floridas são empregadas no licor de absinto, muito conhecido por suas propriedades tóxicas; absinto-comum, absinto-maior, absinto-grande, losna, vermute. **2.** Bebida alcoólica muito amarga, preparada com as folhas dessa planta. **3.** *Fig.* Pesar, mágoa, amargura.

absinto-comum. *S. m.* V. *absinto* (1). [Pl.: *absintos-comuns.*]

absinto-grande. *S. m.* V. *absinto* (1). [Pl.: *absintos-grandes.*]

absinto-maior. *S. m.* V. *absinto* (1). [Pl.: *absintos-maiores.*]

absintoso (ô). *S. m.* Aquele que se entrega ao vício do absinto.

absogro (ô). [De *ab-* + *sogro*; moldado no lat. *absocer.*] *S. m.* Bisavô de um cônjuge, em relação ao outro. [Fem.: *absogra;* pl.: *absogros* (ô).]

absolto (ô). *Adj.* Perdoado, absolvido. [Cf. *absorto.*]

absoluta. *S. f. Gram.* V. *oração* (4).

absolutamente. [Do fem. de *absoluto* + *-mente.*] *Adv.* **1.** De modo absoluto; totalmente, inteiramente: "Desconhecia absolutamente as artimanhas do bem-falar" (Carlos de Laet, *Obras Seletas*, I, p. 37). **2.** V. *em absoluto* (2): "— Medo de encrenca, não é? — absolutamente. O comandante agiu de boa-fé." (Marques Rebelo, *A Mudança*, p. 378); "Serão os homens assim para o coração de Jorge Amado? Absolutamente não. Ele quer salvá-los, é esta a sua paixão." (Guilherme Figueiredo, *Cobras & Lagartos*, p. 85).

absolutismo. *S. m.* **1.** Sistema de governo em que o governante se investe de poderes absolutos, sem limite algum, exercendo de fato e de direito os atributos da soberania. **2.** Dominação, despotismo, tirania. **3.** *Ét.* Doutrina segundo a qual as distinções morais não são o resultado de mandamentos puramente arbitrários de Deus, nem convenções humanas variáveis segundo as circunstâncias, mas sim intrinsecamente válidas, e as mesmas para todos os seres humanos, em todos os tempos e lugares. **4.** *Estét.* Doutrina em que as distinções de beleza e fealdade não são inteiramente dependentes de sentimentos subjetivos, mas, pelo contrário, diferenças objetivas nas próprias coisas.

absolutista. *Adj. 2 g.* **1.** Pertencente ou relativo ao, ou que é partidário do absolutismo (1). ● *S. 2 g.* **2.** Partidário dele. ● *S. m.* **3.** *Bras., RS.* V. *carimboto.*

absoluto. [Do lat. *absolutu.*] *Adj.* **1.** Que não depende de outrem ou de uma coisa; independente: *Os feudos eram governados por senhores absolutos.* **2.** Que não tem limites; sem restrições; irrestrito, ilimitado, infinito: *poder absoluto; vontade absoluta.* **3.** Diz-se de um Estado ou de um governo em que o poder soberano reside no chefe; soberano. **4.** Não sujeito a condições; incondicional. **5.** Superior a todos os outros; único; seguro, firme: *Está senhor absoluto da situação.* **6.** Que não admite contradição; incontestável: *verdade absoluta.* **7.** Pleno, completo, total, cabal: *Vive na mais absoluta miséria.* **8.** Diz-se de substância quimicamente pura: *álcool absoluto.* **9.** Absolvido, perdoado. **10.** *Filos.* Diz-se, propriamente, do que existe em si e/ou por si. ~ V. *ampére —, conceito —, densidade —a, dispersão —a, escala — a de temperatura, estado — de um relógio, freqüência —a, futuro —, grau —, idealismo —, limiar —, maioria —a, música —a, oração —a, ouvido —, passado —, superlativo —, temperatura —a, valor — e zero —.* ● *S. m.* **11.** *Filos.* Conceito-limite que satisfaz a tendência totalizante e unificante do pensamento; conceito de um ser, ideal ou material, que se definiria como o princípio constitutivo e explicativo de toda a realidade. **12.** *P. ext.* Atributo metafísico de Deus. ♦ **Em absoluto. 1.** Completamente, totalmente. **2.** De modo nenhum; absolutamente não; absolutamente: *Em absoluto, não fiz tal promessa.*

absolutório. [Do lat. *absolutoriu.*] *Adj.* Que contém absolvição; que absolve.

absolvente. *Adj. 2 g.* Que absolve. [Cf. *absorvente.*]

absolver. [Do lat. *absolvere.*] *V. t. d.* **1.** Relevar da culpa imputada ou da pena que lhe corresponde; declarar inocente. **2.** Perdoar pecados a; remir. **3.** Conceder perdão; perdoar, desculpar: *Na hora da morte absolveu o inimigo. T. d. e i.* **4.** Relevar da culpa imputada ou da pena que lhe corresponde: "Este testamento absolveu-o do antigo desleixo dos seus deveres de pai, absolveu-o das suas culpas e dos seus erros." (Luís de Magalhães, *O Brasileiro Soares*, p. 15.) **5.** Perdoar pecados; dar, conceder absolvição. **6.** Conceder perdão; perdoar, desculpar. *T. i.* **7.** Relevar da culpa imputada ou da pena que lhe corresponde: *O júri absolveu-o do crime. Int.* **8.** Absolver (7). **9.** Perdoar pecados, remi-los. *P.* **10.** Relevar-se de culpa; perdoar, desculpar a si mesmo. [Cf. *absorver.*]

absolvição. *S. f.* **1.** Ação ou efeito de absolver(-se). **2.** Perdão de pecados ou culpas. **3.** *Jur.* Reconhecimento, por sentença, da improcedência da ação penal: *a absolvição do réu.* **4.** *Rel.* Ritual fúnebre de prece por um defunto, feito perante o cadáver ou o simples catafalco. ♦ **Absolvição canônica.** *Rel.* Suspensão de pena eclesiástica. **Absolvição da instância.** *Jur.* Extinção da relação processual, determinada por certos motivos previstos em lei, e em conseqüência da qual o réu é exonerado da demanda. **Absolvição sacramental.** *Rel.* Perdão de pecados ou culpas ao penitente que se mostra arrependido.

absonar. [Do lat. *absonare.*] V. int. **1.** Dissonar. **2.** Discordar, divergir, destoar. [Pres. ind.: *absono*, etc. Cf. *ábsono.*]

ábsono. [Do lat. *absonu.*] *Adj.* **1.** Dissonante, destoante. **2.** Contrário, discordante. [Cf. *absono*, do v. *absonar.*]

absorbância. *S. f. Quím.* Co-logaritmo da transmitância de uma solução.

absorção. [Do lat. *absorptione.*] *S. f.* **1.** Ação ou efeito de absorver; absorvimento. **2.** Anexação e assimilação de uma cultura, de uma crença, etc., pela fusão com outra dominante: *A absorção dos valores cristãos processou-se gradativamente entre os povos da Europa.* **3.** Anexação territorial; conquista. **4.** *Fig.* Elevação do espírito; transporte, êxtase. **5.** *Fís.* Fenômeno pelo qual um feixe de radiação transfere sua energia parcial ou totalmente, para o meio material que atravessa. **6.** *Fís. Nucl.* Interação em que uma partícula colide com outra e desaparece. **7.** *Fís.-Quím.* Fixação de uma substância, geralmente líquida ou gasosa, no interior da massa de outra substância, em geral sólida, e resultante dum conjunto complexo de fenômenos de capilaridade, atrações eletrostáticas, reações químicas, etc. **8.** *Biol.* Função pela qual as células dos seres vivos fazem penetrar em seu meio interno as substâncias que lhes são necessárias. ♦ **Absorção galáctica.** *Astr.* Absorção das radiações, produzida pela matéria interstelar das galáxias; absorção interstelar. **Absorção interstelar.** *Astr.* Absorção galáctica. **Absorção Intergaláctica.** *Astr.* Absorção das radiações, produzida pela matéria existente entre as galáxias. **Absorção não-seletiva.** *Astr.* Extinção (5).

absorsor (ô). *S. m. Fís.-Quím.* V. *absorvente* (5).

absortância. *S. f. Ópt.* Fração da luz que incide sobre uma superfície e é absorvida.

absortividade. *S. f. Fís.-Quím.* Constante que caracteriza quantitativamente o fenômeno da absorção de uma radiação monocrômica por uma solução; coeficiente de extinção, índice de absorvância.

absorto (ô). [Do lat. *absorptu.*] *Adj.* **1.** Absorvido (1). **2.** Concentrado em seus pensamentos; alheado, abstraído, abstrato, absorvido: "Vivia no ar, tão absorta que não raro era preciso falarem-lhe duas e três vezes para que ela chegasse a responder alguma coisa" (Machado de Assis, *Histórias sem Data*, p. 138). **3.** *Fig.* Extasiado, enlevado, embevecido, arrebatado, absorvido: "e começou a executar a sonata, sem saber de si, desvairado ou absorto, mas com grande perfeição." (Id., *Várias Histórias*, p. 65). [Cf. *absolto* (ô).]

absorvância. *S. f. Fís.* Logaritmo decimal do inverso da transmitância; densidade óptica, extinção.

absorvedoiro. *S. m.* Absorvedouro.

absorvedor (ô). *Adj.* **1.** Que absorve; absorvente. ● *S. m.* **2.** O que absorve; absorvente. **3.** *Fís.-Quím.* V. *absorvente* (6).

absorvedouro. [Var. de *absorvedoiro.*] *S. m.* Sorvedouro.

absorvência. *S. f.* Faculdade de absorver.

absorvente. [Do lat. *absorbente.*] *Adj. 2 g.* **1.** Absorvedor (1). **2.** Que ocupa fortemente a atenção, o espírito: "Absorvente e dominadora, a arte exigia tudo, o dom inteiro de si mesmo" (Lúcia Miguel Pereira, *Machado de Assis*, p. 139). **3.** Que atrai ou chama notavelmente a atenção; muito atraente: *paisagem absorvente.* **4.** Que tende a enfeixar em suas mãos todo o poder. ● *S. m.* **5.** Absorvedor (2). **6.** *Fís.-Quím.* Substância que, num fenômeno de absorção, fixa a substância absorvida; absorsor, absorvedor. [Cf. *absolvente.*]

absorver. [Do lat. *absorbere.*] *V. t. d.* **1.** Embeber em si; recolher em si; sorver. **2.** Consumir; esgotar, exaurir: *A difícil tarefa absorveu-lhe as energias;* "É longa a história dessa luta, que absorveu cerca de três dos melhores anos de minha mocidade." (José de Alencar, *O Guarani*, I, p. 66). **3.** Preocupar intensamente; requerer toda a atenção de. **4.** Aspirar; sorver: *absorver um perfume.* **5.** Engolir, comendo ou bebendo: "O serviço começou por ostras de Ning-Pó. Exímias! Absorvi duas dúzias com intenso regalo chinês." (Eça de Queirós, *O Mandarim*, p. 96.) **6.** Fazer que se concentre em si; tornar-se objetivo exclusivo de: *O filho caçula absorve a atenção da família.* **7.** Arrebatar, enlevar; entusiasmar: "O amor as absorvia; a exposição de uma tinha para outra um enlevo raro." (Machado de Assis, *Quincas Borba*, p. 299.) **8.** Recolher, apreender, assimilar: *Os romanos absorveram a cultura helênica adaptando-a à sua realidade histórica.* **9.** Aprender, reter, assimilar: *Esta criança absorve rapidamente o que lhe ensinam.* **10.** Não dar seguimento a; não levar às últimas conseqüências; superar: *O Presidente absorveu a estranha atitude do seu ministro.* **11.** *Fís.-Quím.* Realizar a absorção de (uma substância). *T. d. e i.* **12.** Concentrar, aplicar, ocupar inteiramente: *absorver a atenção no exame de um problema. P.* **13.** Concentrar-se, aplicar-se detidamente em. **14.** Ficar absorto; concentrar-se nos seus pensamentos. **15.** Arrebatar-se, enlevar-se, entusiasmar-se. [Cf. *absolver.*]

absorvibilidade. *S. f.* Qualidade de absorvível.

absorvido. [Part. de *absorver.*]. *Adj.* **1.** Que se absorveu; absorto. ~ V. *dose —a e dose —a integral.* ● *S. m.* **2.** *Fís.-Quím.* Substância que, num fenômeno de absorção, é fixada no interior da massa da substância absorvente.

absorvimento. *S. m.* Absorção (1).

absorvível. *Adj. 2 g.* Que pode ser absorvido.

abstemia. *S. f.* Qualidade ou caráter de abstêmio; sobriedade. [Cf. *abstêmia*, fem. de *abstêmio.*]

abstêmio. [Do lat. *abstemiu.*] *Adj. gr. e s. m.* Que ou aquele que se abstém de bebidas alcoólicas, que é sóbrio. [Fem.: *abstêmia.* Cf. *abstemia.*]

abstenção. [Do lat. *abstentione.*] *S. f.* **1.** Ação ou efeito de abster(-se); privação, abstinência: *O médico prescreveu-lhe a abstenção da leitura.* **2.** Recusa voluntária de participar de qualquer ato.

abstencionismo. *S. m.* **1.** Abstenção, voluntária ou não, do exercício do voto; absenteísmo. **2.** Tendência para a abstenção ou neutralidade em qualquer matéria.

abstencionista. *Adj. 2 g.* e *s. 2 g.* Praticante ou partidário do abstencionismo (1).

abstento. [Do lat. *abstentu.*] *Adj. e s. m. Jur.* Que ou aquele que desiste de uma herança.

abster. [Do lat. *abstenere*, por *abstinere.*] *V. t. d. e i.* **1.** Privar; impedir: *A doença abstém-na de andar. P.* **2.** Conter-se, refrear-se: "Considerando o formulário para declaração de imposto de renda algo assimilável aos textos em caracteres cuneiformes, sempre me abstive religiosamente de preenchê-lo." (Carlos Drummond de Andrade, *Cadeira de Balanço*, p. 35.) **3.** Deixar de intervir. **4.** Privar-se (de alimento, álcool, tabaco, etc.); fazer abstinência. [Irreg. Conjug.: v. *conter.*]

abstergência. [Do lat. *abstergentia.*] *S. f.* **1.** Qualidade de abstergente. **2.** Limpeza de uma ferida.

abstergente. [Do lat. *abstergente.*] *Adj. 2 g.* **1.** Que absterge; próprio para absterger. ● *S. m.* **2.** Substância ou medicamento abstergente. [Sin. ger.: *abstersivo.*]

absterger. [Do lat. *abstergere.*] *V. t. d.* **1.** Limpar (úlcera, chaga, ferida). **2.** Desobstruir. **3.** *P. ext.* Limpar-se, purificar-se. [Conjug.: v. *reger.*]

abstersão. [Do lat. *abstersione.*] *S. f.* Ato ou efeito de absterger.

abstersivo. *Adj.* e *s. m.* Abstergente.

absterso. [Do lat. *abstersu.*] *Adj.* Purificado, expurgado, limpo, abstergido.

abstido. [Part. de *abster.*] *Adj.* Que se absteve ou abstém; contido, reprimido.

abstinência. [Do lat. *abstinentia.*] *S. f.* **1.** Abstenção (1). **2.** Qualidade daquele que se abstém. **3.** Privação voluntária. **4.** Privação da carne de certos animais como alimento, por penitência.

abstinente. [Do lat. *abstinente.*] *Adj. 2 g.* **1.** Que pratica a abstinência: "Eu é que sabia como andava tresnoitado e abstinente de alimentos o meu pobre companheiro de hotel." (Camilo Castelo Branco, *A Mulher Fatal*, p. 40.) **2.** Penitente, asceta. ● *S. 2 g.* **3.** Praticante da abstinência.

abstração. [Do lat. *abstractione.*] *S. f.* **1.** Ato de abstrair (-se); abstraimento. **2.** *Filos.* Ato de separar mentalmente um ou mais elementos de uma totalidade complexa (coisa, representação, fato), os quais só mentalmente podem subsistir fora dessa totalidade. [Cf. *determinação* (6 e 7) e *generalização* (3).] **3.** *Filos.* O resultado de abstrações (termo, conceito, idéia, elemento de classe, etc.); abstrato. **4.** Estado de alheamento do espírito; enleio, devaneio, abstraimento. **5.** *P. ext.* Falta de atenção; distração, alheamento. **6.** *Art. Plást.* Obra de arte abstrata.

abstracionismo. *S. m.* **1.** Qualidade ou caráter de abstrato. **2.** Qualquer manifestação artística de características abstratas: *O abstracionismo na arte muçul-*

mana. [Cf. nesta acepç.: *figurativismo.*] **3.** *Art. Plást.* Corrente estética surgida em princípios do séc. XX, caracterizada pelo abandono total da representação figurativa das imagens ou aparências da realidade pelo uso de formas e cores com ritmo e expressão próprios e liberadas de qualquer conteúdo que perturbe a manifestação da sensibilidade do artista, e pela abertura para amplas interpretações subjetivas; arte abstrata. [Cf. (nessa acepç.): *concretismo* (2).] **4.** *Filos.* Tendência a considerar as abstrações, i. e., as representações puramente mentais, como equivalentes a realidades concretas. **5.** *Filos. Pej.* Abuso de abstrações.

abstracionista. *Adj. 2 g.* **1.** Pertencente ou relativo ao abstracionismo (2): *pintura abstracionista; teoria abstracionista.* **2.** Que é adepto do abstracionismo ou lhe adota os princípios • *S. 2 g.* **3.** Artista abstracionista. [Sin. ger.: *abstrato.*]

abstraído. [Part. de *abstrair.*] *Adj.* **1.** V. *absorto* (2). **2.** Alheado, distraído.

abstraimento (a-i). *S. m.* V. *abstração* (1, 4 e 5).

abstrair. [Do lat. *abstrahere.*] *V. t. d. e i.* **1.** Considerar isoladamente um ou mais elementos de um todo; separar, apartar. *T. d.* **2.** Considerar isoladamente (coisas que se acham unidas). **3.** Separar, afastar, apartar; alhear. **4.** *Filos.* Separar mentalmente para tomar em consideração (uma propriedade que não pode ter existência fora do todo concreto ou intuitivo em que aparece): *abstrair a cor ou a forma de um objeto. T. i.* **5.** Não levar em conta ou consideração; não considerar; pôr de parte; prescindir: "Abstraiamos de inúmeras causas perturbadoras, e consideremos os três elementos constituintes de nossa raça em si mesmos" (Euclides da Cunha, *Os Sertões*, p. 67); "A arte abstrai da morte, desconhece-a, com esse obstinado acreditar em si mesmo, que é o estigma do seu orgulho e da sua força." (Pontes de Miranda, *Obras Literárias*, p. 33). **6.** Separar (-se), afastar(-se), apartar(-se); alhear(-se). *P.* **7.** Alhear-se, distrair-se. **8.** Concentrar-se, absorver-se. **9.** *Filos.* Abster-se de considerar uma ou mais propriedades separadas mentalmente de um todo concreto ou intuitivo. [Irreg. Conjug.: v. *sair.* O part. irreg., *abstrato*, só é us. como adjetivo.]

abstrativo. *Adj.* Que abstrai.

abstrato. [Do lat. *abstractu.*] *Adj.* **1.** Resultante de abstração (2): *A coragem e o medo são conceitos abstratos.* **2.** Que utiliza abstrações, que opera com qualidades e relações, e não com a realidade sensível: *pensamento abstrato; ciência abstrata.* **3.** Que expressa uma qualidade ou característica separada do objeto a que pertence ou a que está ligada: *substantivo abstrato; As palavras* pobreza e honra *são abstratas.* **4.** *Art. Plást.* Diz-se da manifestação artística de conteúdo e forma alheios a qualquer representação figurativa, que é característica de diferentes épocas, culturas ou correntes estéticas, e transcende as aparências exteriores da realidade; abstracionista: *arte abstrata; decoração abstrata.* [Cf., nesta acepç.: *figurativo* (2).] **5.** *Filos.* Diz-se de representação à qual não corresponde nenhum dado sensorial ou concreto, i. e., daquela que apresenta seus objetos sem características individuadoras. [Cf., nesta acepç.: *concreto* (7).] **6.** *P. ext.* Que é de compreensão difícil; obscuro, vago abstruso: *texto abstrato.* **7.** Distraído, desatento: "percorreu distraído duas ou três páginas e ficou a olhar a chama trêmula da vela, cada vez mais abstrato e mais febril." (Aluísio Azevedo, *Casa de Pensão*, pp. 164-165). **8.** *Art. Plást.* Abstracionista (1 e 2): *pintor abstrato.* ~ V. *álgebra — a, arte — a, conceito — e substantivo —.* • *S. m.* **9.** Aquilo que se considera existente só no domínio das idéias e sem base material: "Fulgêncio vivia do escrito, do impresso, ... do abstrato, dos princípios e das fórmulas." (Machado de Assis, *Histórias sem Data*, p. 190.) **10.** *Filos.* Abstração (3). **11.** *Art. Plást.* Abstracionista (3).

abstrator (ô). *S. m.* Aquele cujo espírito propende para a abstração.

abstruso. [Do lat. *abstrusu.*] *Adj.* **1.** Oculto, escondido. **2.** Dificilmente compreensível; confuso, obscuro, intrincado: *linguagem abstrusa;* "Os nomes, ou elogios, que os químicos dão à pedra crisopéia, ou filosofal (que é o mais abstruso mistério de sua arte, em cujo alcance suam todos eles há muitos séculos), verdadeiramente são magníficos, e excitadores de grandes esperanças." (P.[e] Manuel Bernardes, *Nova Floresta*, IV, p. 254).

absurdez (ê). *S. f.* V. *absurdo* (5).

absurdeza (ê). *S. f.* V. *absurdo* (5).

absurdidade. [Do lat. *absurditate.*] *S. f.* V. *absurdo* (5).

absurdo. [Do lat. *absurdu.*] *Adj.* **1.** Contrário à razão, ao bom senso: *atitude absurda.* **2.** *P. ext.* Disparatado, tolo, inepto. **3.** *Filos.* Que fere as regras da lógica ou as leis da razão, ou é irredutível a elas: *raciocínio absurdo.* **4.** *Filos. P. ext.* Que escapa a regras ou a condições determinadas: *uma obra de arte absurda; acontecimento absurdo.* • *S. m.* **5.** Coisa absurda; absurdez, absurdeza, absurdidade. **6.** Quimera, utopia.

abu[1]. *S. m. Cronol.* O quinto mês do calendário caldeu.

abu[2]. [Do tupi.] *Adj. 2 g. Bras., AM.* Sem ruído; silencioso.

abudo. *Adj. Bras., S.* Que tem abas grandes: "alto, ruivo, delicado, quietão, chapéu abudo caído sobre os olhos" (Ciro Martins, *Paz nos Campos*, p. 9).

abufelar. [Por *abofelar*, de *bofes* (3).] *V. t. d. Bras., N.E. Pop.* V. *abecar:* "Receei que a mulher de calva e bigode .... engolisse um bocadinho de licor ou mesmo 'cachimbo', líquido de fácil absorção cerebral, para depois aborrecer a minha cara e me abufelar." (Mário Brandão, *Almas do Outro Mundo*, pp. 69-70.)

abugalhado[1]. [De *a-*[2] + *bugalho* + *-ado.*[1]] *Adj.* Diz-se dos olhos naturalmente muito abertos; esbugalhado.

abugalhado[2]. [Part. de *abugalhar.*] *Adj.* Diz-se dos olhos muito abertos; esbugalhado.

abugalhar. [De *a-*[2] + *bugalho* + *-ar*[2].] *V. t. d.* Abrir muito (os olhos); esbugalhar.

abugrado. [De *a-*[2] + *bugre* + *-ado*[1].] *Adj. Bras., S.* Semelhante a, ou descendente de bugre.

abuí. *Bras. S. 2 g.* e *Adj. 2 g.* V. *uabuí.*

abulado. [Part. de *abular.*] *Adj.* Selado com bula ou selo de chumbo. [Cf. *abolado.*]

abular. [De *a-*[2] + *bula* + *-ar*[2].] *V. t. d.* **1.** Selar com bula ou selo de chumbo. *P.* **2.** Adquirir bula. [Cf. *abolar.*]

abulia. [Do gr. *aboulía.*] *S. f. Med.* Alteração patológica que se caracteriza por diminuição ou supressão da vontade. [Cf. *abolia*, do v. *abolir.*]

abúlico. *Adj. e s. m.* Que ou aquele que sofre de abulia, que não tem ou quase não tem vontade: "Os doentes da vontade, chamados abúlicos, são freqüentemente surpreendidos por crises de torpor, de inércia, de mandriice enfim, e que só podem ser vencidas à custa de energias supremas, ou por ordem imperiosa de outrem." (A. Austregésilo, *Obras Completas*, III, p. 103.) [Sin.: *disbúlico.*]

abuna. [Do tupi.] *S. m. Bras.* Entre os tupis-guaranis, padre da Companhia de Jesus: abaruna. [Cf. *abaré.*]

abunã. *S. f. Bras., AM.* Pirão feito com ovos de tartaruga e farinha de mandioca, ao qual se adiciona, em geral, açúcar.

abundância. [Do lat. *abundantia.*] *S. f.* **1.** Grande quantidade, fartura, cópia, profusão. **2.** V. *quantidade* (3). **3.** Opulência, riqueza, abastança. **4.** *Fig.* Excesso, exagero: "Insisti logo, com abundância, puxando os punhos, saboreando o meu fácil filosofar." (Eça de Queirós, *A Cidade e as Serras*, p. 130.) **5.** *Astr.* Proporção de átomos ou de moléculas que entram na composição de uma atmosfera estelar. [Cf. *abundancia*, do v. *abundanciar.*] ♦ **Abundância isotópica.** *Quím.* Fração dos átomos que, numa amostra de um só elemento, tem a mesma massa atômica. **Abundância natural.** *Quím.* A concentração de qualquer dos isótopos de um elemento nas ocorrências naturais.

abundanciar. *V. t. d.* Tornar abundante. [Pres. Ind.: *abundancio, abundancias, abundancia*, etc. Cf. *abundância.*]

abundante. [Do lat. *abundante.*] *Adj. 2 g.* **1.** Que tem ou existe em abundância; copioso, farto, abundoso: *refeição abundante; cabelo abundante.* **2.** Em grande número; numeroso: *Fez-lhe abundantes perguntas durante o interrogatório.* **3.** Rico, opulento, abastado, abundoso. **4.** Fértil, fecundo, produtivo, abundoso. **5.** Falador, loquaz. **6.** V. *caudaloso.* ~ V. *número — e verbo —.*

abundar. [Do lat. *abundare.*] *V. int.* **1.** Existir em abundância, em grande quantidade; superabundar: "Que é um clássico? As definições imbecis abundam. Acredito ser o termo uma invenção dos livreiros, para poderem vender livros que ninguém gosta de ler." (Oto Maria Carpeaux, *A Cinza do Purgatório*, p. 188.) **2.** Sobejar, sobrar. *T. i.* **3.** Ter ou existir em grande abundância; superabundar. **4.** Ser da mesma opinião; estar de acordo; concordar, acordar: "— Abundo na decisão ilustrada e sobremaneira humana do tão douto conselheiro — disse o prelado" (Camilo Castelo Branco, *O Santo da Montanha*, p. 249). *T. d.* **5.** Tornar abundante, farto. **6.** Dizer (em aditamento ao que já se disse); acrescentar: *Disse que estava doente. — "De febre", abundou.*

abundoso (ô). *Adj.* V. *abundante* (1, 3 e 4).

abunhadio. *S. m.* Condição ou cargo de abunhado.

abunhado. *S. m.* Trabalhador indiano que, nascido em terras de um senhorio, era obrigado a viver e trabalhar nelas, conquanto não fosse escravo.

abunhar. *V. int.* **1.** Viver como abunhado, em abunhadio. **2.** *P. ext.* Viver com muita parcimônia

aburacar. [De *a-*[2] + *buraco* + *-a*[2].] *V. t. d. Desus.* Encher de buracos; esburacar. [Conjug.: v. *trancar.*]

aburbonado. [De *a-*[2] + *burbom* + *-ado*[1].] *Adj. Bras.* Diz-se do café proveniente da enxertia do cafeeiro burbom.

aburelado. [Part. de *aburelar.*] *Adj.* Diz-se do pano fabricado à imitação do burel.

aburelar. [De *a-*[2] + *burel* + *-ar*[2].] *V. t. d.* **1.** Fabricar (pano) à imitação do burel (1). **2.** Dar forma de burel (2) a. *P.* **3.** Vestir-se de burel.

aburguesado. [De *a-*[2] + *burguês* + *-ado*[1].] *Adj.* Que tem modos ou semelhança de, ou que é próprio de burguês: "uma respeitável matrona aburguesada, que .... conta histórias de fadas aos netinhos turbulentos" (Magalhães de Azeredo, *Alma Primitiva*, p. 74); *maneiras aburguesadas.*

aburguesamento. *S. m.* Ato ou efeito de aburguesar(-se).

aburguesar. [De *a-*[2] + *burguês* + *-ar*[2].] *V. t. d.* **1.** Dar modos, hábitos, aspecto de burguês, a. **2.** Tornar burguês; incluir na burguesia. *P.* **3.** Adquirir hábitos, modos ou aspecto de burguês. **4.** Banalizar-se, vulgarizar-se: "Ao lado dele [o burguês] nada resiste: o céu aburguesa-se, a mata banaliza-se..." (Antero de Figueiredo, *Jornadas em Portugal*, p. 365.)

abusado. [Part. de *abusar.*] *Adj.* **1.** Que abusa, que excede o permitido. **2.** *Fig.* Supersticioso, crendeiro. **3.** *Bras.* Intrometido, confiado, atrevido. **4.** *Bras., N.* e *N.E.* Provocador, rixento, briguento. **5.** *Bras., N.* e *N.E.* Aborrecido, enfadado, entediado. **6.** *Bras., N.* e *N.E.* Tedioso, enfadonho.

abusador (ô). *Adj. e s. m.* Que ou aquele que abusa.

abusão. [Do lat. *abusione.*] *S. f.* **1.** V. *abuso.* **2.** Engano, ilusão, erro: "Talvez as pisadas também tivessem sido abusão de sonho." (Graciliano Ramos, *S. Bernardo*, p. 158.) **3.** Superstição, crendice, abuso: "Não era ele dos mais supersticiosos, porém os modos estranhos do sertanejo .... despertaram em seu espírito as abusões da época." (José de Alencar, *O Sertanejo*, p. 88.) **4.** *Ret.* Catacrese.

abusar. [Do lat. ecles. *abusari*, freqüentativo de *abutor.*] *V. t. d.* **1.** Usar mal ou inconvenientemente de; malusar. **2.** Prevalecer-se, valer-se, aproveitar-se de. **3.** *Bras.* Ficar ou estar enfastiado de; enjoar, aborrecer. *T. i.* **4.** Usar mal ou inconvenientemente de; exceder-se ou exorbitar no emprego ou exercício de. **5.** Exceder-se no uso de alguma coisa; usá-la em excesso: "Abusava de perfumes: a sua roupa branca recendia a vetiver; A sândalo, a ixora, a *peau d'Espagne.*" (Júlio Ribeiro, *A Carne*, pp. 23-24.) **6.** Praticar excessos que causam ou podem causar dano: "não exporia seu corpo à chuva, não abusaria da saúde" (Jorge Medauar, *Água Preta*, p. 199). **7.** Prevalecer-se, valer-se, aproveitar-se: *Abusa da fraqueza do irmão mais novo.* **8.** Fazer pouco; ridiculizar, ridicularizar, zombar, escarnecer; achincalhar: *Abusou da humilde criatura, pondo-a em ridículo.* **9.** Desonrar, deflorar, desflorar, violentar, estuprar: — *D. Juan abusava de mulheres e donzelas que lhe despertavam a concupiscência.* **10.** *Bras.* Ficar ou estar farto[2] (1): *Na Suíça, abusou do chocolate e nunca mais o comeu.* **11.** *Bras.* Insultar, injuriar, afrontar: *Abusou comigo, e dei-lhe um soco. Int.* **12.** Usar mal ou inconvenientemente de qualquer situação de superioridade de que desfruta: *Às vezes os poderosos abusam, quando não encontram quem lhes oponha resistência.* **13.** Ir além das medidas ou limites; exceder-se, exorbitar. **14.** Tirar proveito, partido, vantagem; aproveitar-se: "as mulheres são teimosas, e quando descobrem o quanto é fraco e mole um coração de Braga começam a abusar." (Rubem Braga, *O Homem Rouco*, p. 69). [Perf. ind.: *abusei, abusaste, abusou*, etc. Cf. *abusó.*]

abusivo. [Do lat. *abusivu.*] *Adj.* Em que há abuso.

abuso. [Do lat. *abusu.*] *S. m.* **1.** Mau uso, ou uso errado, excessivo ou injusto; excesso, descomedimento, abusão. **2.** Exorbitância de atribuições ou poderes. **3.** Aquilo que contraria as boas normas, os bons costumes. **4.** Ultraje ao pudor; violação, defloramento. **5.** V. *abusão* (3). **6.** *Bras.* Aborrecimento, nojo. **7.** *Bras.* Fastio a comida ou bebida, enjôo.

abusó. *S. m. Bras., RJ. Folcl.* Fava usada nas cerimônias dos terreiros, e à qual se atribuem virtudes excepcionais; xoxó. [Cf. *abusou*, do v. *abusar.*]

abuta. *S. f. Bras.* V. *abutua* (1).

abutilo. *S. m.* Planta da família das malváceas (gênero

Abutilon), cultivada como têxtil e ornamental.

abutinha. [Dim. de *abuta.*] *S. f. Bras.* **1.** V. *abutua* (1). **2.** V. *cipó-de-cobra* (1).

abutre. [De a-[4] + lat. *vulture.*] *S. m.* **1.** Designação comum às aves falconiformes da família dos vulturídeos, do Velho Mundo, na maioria sarcófagas. [Em Portugal são conhecidas por esse nome as espécies dos gêneros *Vultur* e *Gyps.*] **2.** Designação dada impr. aos urubus brasileiros. **3.** *Fig.* Homem cruel, sanguinário, de maus instintos. **4.** *Fig.* Homem sem escrúpulos. **5.** *Fig.* Usurário, avaro, agiota, **6.** *Fig.* Pessoa que deseja a morte de outra para receber-lhe a herança. [Sin. ger. (desus.): *butre.*]

abutre-do-novo-mundo. *S. m.* Condor (1). [Pl.: *abutres-do-novo-mundo.*]

abutreiro. *S. m.* Caçador de abutres.

abutua. [Do tupi.] *S. f. Bras.* **1.** Designação comum a diversas plantas trepadeiras da família das menispermáceas, entre as quais se distinguem, no RJ, a *Abuta rufescens* e a *Chondodendron platyphyllum,* e cujas folhas têm bases de amônio quaternário, de ação curarizante; abuta, abutinha, abutua-grande, butua, butinha, butuinha, caapeba, cipó-de-cobra, grão-de-galo, parreira-brava. **2.** V. *Falso-paratudo.*

abútua. *S. f. Bras.* V. *abutua.*

abutua-da-terra. *S. f. Bras.* V. *abutua-grande* (1). [Pl.: *abutuas-da-terra.*]

abutua-de-batata. *S. f. Bras.* V. *batata-brava.* (2). [Pl.: *abutuas-de-batata.*]

abutua-grande. *S. f. Bras.* **1.** Planta da família das minispermáceas (*Chondodendron platyphyllum*), cujos frutos são drupas vermelhas, de sabor agradável; abutua-da-terra, abutua-legítima, abutua-preta, baga-da-praia, batata-brava, jabuticaba-de-cipó, uva-do-mato. **2.** *Bot.* V. *abutua* (1). [Pl.: *abutuas-grandes.*]

abutua-legítima. *S. f. Bras.* V. *abutua-grande* (1). [Pl.: *abutuas-legítimas.*]

abutua-preta. *S. f. Bras.* V. *abutua-grande* (1). [Pl.: *abutuas-pretas.*]

abuzinar. [De a-[2] + *buzina* + *-ar*[2].] *V. int.* **1.** Tocar buzina; buzinar. **2.** Fazer barulho impertinente. **3.** Falar alto. *T. d.* **4.** Dar forma de buzina a. **5.** Aturdir, atordoar, com barulho excessivo.

■**AC.** Sigla do Estado do Acre.

■**AC.** *Eletr.* CA.

■**Ac.** *Quím.* Símb. de *actínio.*

■**a. C.** Abrev. de *antes de Cristo.* [Cf. d. C. e a. *D.*]

aca. *S. f.* **1.** *Bras.* Mau cheiro; bodum, fartum, inhaca, iaca. **2.** *Bras., BA.* Cachaça ruim ou de mau gosto. ~ V. cachaça (1).

▲**-aca**[1]. Equiv. de *-aco*[2].

▲**-aca**[2]. [Do lat. *-aca-.*] *Suf. nom.* formador de designação de plantas: *pastinaca* (< lat. *pastinaca*), *ervilhaca.*

acá. *S. m. Bras.* Árvore da família das sapotáceas (*Pouteria ramiflora*), dotada de frutos edules; mas pouco carnosos, parecidos com o abiu, revestidos por densa pilosidade aveludada e fulva; abiu-do-mato.

aça. *Adj. 2 g. Bras.* **1.** Diz-se de pessoa ou animal albino [q. v.]. ● *S. 2 g.* **2.** Pessoa ou animal albino. ● S. m. **3.** Mulato alvacento. [Var. no m.: aço. Cf. *assa,* do v. *assar.*]

▲**-aça.** *Suf. nom.* = 'aumento'; 'resultado de ação enérgica'; 'depreciação': *barcaça, barbaça; gentaça.* [Equiv.: -aço, *-ázio, -uça, -uço: ricaço; copázio, balázio; dentuça; dentuço.*

acabaçado. [De a-[2] + *cabaça* + *-ado.*[1]] *Adj.* Que tem forma de ou é semelhante a cabaça.

acabaçar. [De a-[2] + *cabaça* + *-ar*[2].] *V. t. d.* Dar forma de cabaça a. [Conjug.: V. *laçar.*]

acabadiço. [De *acabado* + *-iço.*] *Adj. Pop.* Doentio, enfermiço, achacadiço.

acabado. [Part. de *acabar.*] *Adj.* **1.** Levado a cabo; concluído, rematado, pronto. **2.** Completo, inteiro. **3.** Exato, primoroso, perfeito: *F. é o tipo acabado do brasileiro; um poema acabado;* "Esta concha nasceu, como Vênus, da onda, / rósea, láctea, polida, intacta e sem defeito. / Não tinham tanto preço as gemas de Golconda. / Semelha um coração acabado e perfeito." (Alberto Ramos, *Poemas,* p. 77.) **4.** Gasto, consumido, esgotado. **5.** Abatido, exausto, enfraquecido: "Minha mãe andava cada vez mais pálida, mais acabada, e a sua voz adquiria aquele timbre próprio das pessoas sumamente desgraçadas." (Cordeiro de Andrade, *Anjo Negro,* p. 91.) **6.** Avelhentado, avelhantado, envelhecido, velho: *Anda pelos 50 anos, mas já é um homem acabado;* "A coitada estava tão velhinha, tão acabada ..." (Mário Donato, *A Parábola das 4 Cruzes,* p. 69). [Antôn., nas acepç. 1 e 2: *inacabado.*] ● *S. m.* **7.** Remate, acabamento: *roupa de bom acabado.*

acabador (ô). *Adj.* e *s. m.* Que ou aquele que acaba, ou dá a última demão.

acabadota. *Adj.* (*f.*) *Fam.* Fem. de *acabadote* [q. v.].

acabadote. *Adj. Fam.* Um tanto acabado; avelhentado. [Fem.: *acabadota.*].

acabamento. *S. m.* **1.** Ato ou efeito de acabar(-se). **2.** Remate, arremate, conclusão. **3.** Tratamento final (polimento, última demão, etc.) de obra de pintura, de metal, de madeira, etc. **4.** *Arquit.* Arremate final de todos os elementos construtivos de uma edificação. **5.** *Edit.* Fase final da produção física de uma publicação, compreendendo, usualmente, a dobragem das folhas impressas, alceamento dos cadernos. [v. *Caderno* (6)], costura do miolo, corte e colocação da capa. **6.** Fim, termo, limite: "A morte é o acabamento, ponto final de um conjunto de atividades que formam o conjunto vida." (Fidelino de Figueiredo, *Entre Dois Universos,* p. 224.) **7.** Morte (1): *Toda a família assistiu ao seu acabamento.* **8.** Aniquilamento, ruína. ◆ **Acabamento de máquina.** *Ind. Pap.* Acabamento que se dá ao papel na própria máquina contínua, sem o passar na calandra ou em qualquer outro aparelho.

acabanado[1]. [De a-[2] + *cabana* + *-ado*[1].] *Adj.* Que tem forma de cabana.

acabanado[2]. [De a-[2] + *cabano*[2] + *-ado*[1].] *Adj. Bras.* e *prov. lus.* **1.** Diz-se dos animais de chifres e orelhas inclinados para baixo. **2.** Diz-se dos chifres ou orelhas desses animais e também da orelha humana, quando caída.

acabanado[3]. [Part. de *acabanar*[2].] *Adj.* Diz-se do chapéu, ou de sua aba, quando descidos.

acabanar[1]. [De a-[2] + *cabana* + *-ar*[2].] *V. t. d.* Dar forma de cabana a.

acabanar[2]. [De a-[2] + *cabano* + *-ar*[2].] *V. t. d. Bras.* Voltar para baixo, descer (o chapéu ou a sua aba).

acaba-novenas. [De *acabar* + *novena.*] *S. m. 2 n. Bras., N.E. Pop.* **1.** Indivíduo metido a valente; desordeiro, arruaceiro. **2.** V. *valentão* (3): "Outra variedade do tipo cangaceiro é o cabra valentão, famanaz, 'desmancha-sambas', 'acaba-novenas', 'fecha-bodegas', jogador de cacete, faquista, desordeiro." (Gustavo Barroso, *Terra do Sol,* p. 150.)

acabar. [De a-[2] + *cabo*[1] (4) + *-ar*[2].] *V. t. d.* **1.** Levar a cabo; concluir; pôr termo a; dar fim a; terminar, findar, concluir. **2.** Chegar ao fim ou ao termo de; terminar: "Quando acabava a folha, pegava nela, e comparava as assinaturas" (Machado de Assis, *Quincas Borba,* p. 157); "O Romualdo acabou a sobremesa, tomou o café, saiu" (Artur Azevedo, *Contos Cariocas,* p. 22). **3.** Romper (relação amorosa); terminar: *Acabou o noivado sem mais nem menos.* **4.** Dar cabo de; destruir, matar. **5.** Consumir, esgotar, exaurir. **6.** Extinguir; fechar: "— Por que é que acabaram os conventos? Diga-me? Porque era um desaforo lá dentro!" (Eça de Queirós, *O Primo Basílio,* p. 200.) **7.** Conseguir, obter, alcançar. **8.** Rematar; aperfeiçoar. *T. i.* **9.** Pôr termo, pôr fim: *acabou com a briga atirando para o alto.* **10.** Dar cabo; destruir; matar: *Acabou com o adversário.* **11.** Chegar ao fim, ao termo; terminar: *A rua acaba no sopé do morro.* **12.** Ter como desfecho ou desenlace: *O médico temia que aquele nervosismo acabasse em loucura.* **13.** Desmanchar, terminar namoro, noivado, casamento: *Acabou com o noivo e daí a meses casou com outro.* **14.** Vir de terminar uma ação: "O relógio acabara de bater pausadamente onze horas." (Casimiro de Abreu, *Obras,* p. 416.) *Pred.* **15.** Vir a ser; tornar-se: *Tanto se esforçou que acabou o primeiro aluno da classe. Int.* **16.** Chegar ao seu termo; cessar, findar, terminar, acabar-se: "Este amor que, enfim, se acaba, / Acaba, não com o fragor / De uma torre que desaba..." (Alberto de Oliveira, *Poesias,* 2ª série, p. 360.) **17.** Consumir-se, esgotar-se, exaurir-se. **18.** Envelhecer: *Acabou em pouco tempo, depois da morte do marido.* **19.** Morrer, falecer: "Ali acabou. O rolo de uma onda rejeitou a morta contra um lapedo carcomido de cavernas sonoras" (Camilo Castelo Branco, *O Vinho do Porto,* p. 36). *P.* **20.** Chegar ao seu termo; ter fim; cessar, findar, acabar: "Este amor que, enfim, se acaba, / Acaba, não com o fragor / De uma torre que desaba..." (Alberto de Oliveira, *Poesias,* 2ª série, p. 360.) **21.** Consumir-se, extinguir-se: *A luz do Sol acabava-se aos poucos; era quase noite.* ◆ **Quando acaba.** *Bras. Pop.* Além de tudo; além do mais; ainda por cima: *É preguiçoso, burro, e, quando acaba, muito pedante.* **Um nunca acabar.** Uma série, uma grande quantidade, um número indefinido de: "reprovou a mania do empanturramento que caracteriza o brasileiro: um nunca acabar de pratos, tudo a esfriar." (Coelho Neto, *Turbilhão,* p. 331).

acabelado. [Part. de *acabelar.*] *Adj.* Que criou cabelo.

acabelar. [De a-[2] + *cabelo* + *-ar*[2].] *V. int.* Criar cabelo.

acaboclado. [De a-[2] + *caboclo* + *-ado*[1].] *Adj. Bras.* **1.** De origem ou de raça de caboclo: "era um homem de estatura regular, acaboclado" (Melo Morais Filho, *Festas e Tradições Populares do Brasil,* p. 176). **2.** Que tem modos ou semelhança de, ou é próprio de caboclo. **3.** Rústico, acaipirado, caipira.

acaboclar. [De a[2] + *caboclo* + *-ar*[2].] *Bras. V. t. d.* **1.** Dar aspecto, cor ou modos de caboclo a. *P.* **2.** Tomar aspecto ou cor do caboclo. **3.** Tornar-se rústico; acaipirar-se, amatutar-se.

acabralhado. [De a-[2] + *cabra* + *-alhado.*] *Adj. Bras.* Diz-se do mestiço que puxa ao tipo do cabra[2].

acabramar. *V. t. d.* **1.** Tolher os movimentos de (animal bovino, caprino, etc.), ligando-lhe com o cabramo a pata ao chifre. **2.** Prender um dos cornos de (animal bovino, caprino, etc.) a uma estaca, etc., com cabramo.

acabramo. *S. m.* Corda de acabramar.

acabrunhado. [Part. de *acabrunhar.*] *Adj.* **1.** Abatido, enfraquecido, quebrantado, prostrado. **2.** Que perdeu o ânimo por aflição ou desgosto; aflito, atormentado; triste, melancólico: "E o pobre menestrel, corrido, acabrunhado, chegou ao ponto de embebedar-se nas vendas e de chorar pelas esquinas." (Afonso Arinos, *Histórias e Paisagens,* pp. 29-30.) **3.** Envergonhado, humilhado.

acabrunhador (ô). *Adj.* Que acabrunha; acabrunhante: "Um mormaço acabrunhador amolecendo a gente." (Herman Lima, *Garimpos,* p. 12.)

acabrunhamento. *S. m.* Ato ou efeito de acabrunhar (-se).

acabrunhante. *Adj. 2 g.* Acabrunhador.

acaburrar. *V. t. d.* **1.** Abater, prostrar, oprimir, quebrantar: "o peso do sono ainda a acabrunhava, e as pálpebras descoradas se fecharam..." (Álvares de Azevedo, *Obras Completas,* II, p. 138); *A notícia da catástrofe acabrunhou a população.* **2.** Afligir, contristar, atormentar, apoquentar: "Num átomo de tempo experimentou o horror de todas as solidões acumuladas, que acabrunham o homem desde a primeira hora do mundo." (José Rodrigues Miguéis, *Onde a Noite Se Acaba,* p. 58.) **3.** Desanimar, desalentar: "Esta desilusão que me acabrunha / É mais traidora do que o foi Pilatos!..." (Augusto dos Anjos, *Eu,* p. 79.) *Int.* **4.** Causar acabrunhamento: "No fim de algum tempo arredei os olhos; se a figura repelia, a comparação acabrunhava." (Machado de Assis, *Memórias Póstumas de Brás Cubas,* p. 166.) *P.* **5.** Atormentar-se, afligir-se, apoquentar-se. **6.** Desanimar(-se), desalentar-se, prostrar-se: "Zé-Sacristão se acabrunhava. .... Não ajudava mais a missa." (João Clímaco Bezerra, *A Vinha dos Esquecidos,* p. 38.)

acaburro. *Adj.* e *s. m.* Zaburro.

acaçá. [Do ioruba.] *Bras. S. m.* **1.** Pequeno bolo de milho branco ou amarelo, ralado ou moído, cozido até se tornar gelatinoso, e envolvido, ainda quente, em folhas de bananeira. **2.** Refrigerante de fubá mimoso, de arroz ou milho fermentado em água açucarada. **3.** Aquilo que refresca; refrigerante, refrigério. **4.** Coisa que atrai; atrativo. **5.** Perfume forte, trescalante. **6.** *P. ext.* Coisa que embriaga.

açacalado. [Part. de *açacalar.*] *Adj.* **1.** Polido, brunido, luzente: *espadim açacalado.* **2.** Aperfeiçoado, apurado: *estilo açacalado.*

açacalador (ô). *S. m.* Aquele que açacala.

açacaladura. *S. f.* Ato ou efeito de açacalar.

açacalar. [De a-[2] + ár. *çaqala,* 'polir', + *-ar*[2].] *V. t. d.* **1.** Polir, brunir (armas brancas). **2.** *Fig.* Aperfeiçoar; apurar: *açacalar o estilo.*

acaçapado[1]. [De a-[2] + *caçapo*[1] + *-ado*[2].] *Adj.* **1.** Semelhante a caçapo. **2.** Que tem pouca altura; baixo: *casa acaçapada.* **3.** Achatado; chato: "olhos negros, nariz acaçapado" (Adolfo Caminha, *Bom-Crioulo,* p. 30). [Var.: *acachapado.*]

acaçapado[2]. [Part. de *acaçapar.*] *Adj.* **1.** Abaixado, encolhido, agachado. **2.** Oculto, escondido. [Var.: *achachapado.*]

acaçapador (ô). *Adj.* e *s. m.* Que ou aquele que acaçapa. [Var.: *acachapador.*]

acaçapamento. *S. m.* Ato ou efeito de acaçapar(-se). [Var.: *acachapamento.*]

acaçapante. *Adj. 2 g.* Irrecusável, irretorquível; esmagador. [Var.: *acachapante.*]

acaçapar. [De a-[2] + *caçapado*[1] + *-ar*[2]] *V. t. d.* **1.** Tornar semelhante a caçapo. **2.** Abater, achatar, esmagar. **3.** Esconder, ocultar. *P.* **4.** Agachar-se; encolher-se. **5.** Esconder-se, ocultar-se. [Var.: *acachapar.*]

acachapado. [Part. de *acachapar.*] *Adj.* Var. de *acaçapado*^{1}.
acachapador (ô). *Adj.* e *s. m.* Var. de *acaçapador.*
acachapamento. *S. m.* Var. de *acaçapamento.*
acachapante. *Adj. 2 g.* Var. de *acaçapante* [q. v.]
acachapar. *V. t. d.* e *p.* Var. de *acaçapar.* [q. v.]
acachar. *V. t. d.* **1.** Acaçapar, acachapar; agachar. **2.** Esconder, ocultar. *P.* **3.** Acaçapar-se, acachapar-se; agachar-se. **4.** Esconder-se, ocultar-se.
acachoar. [De *a-*^{2} + *cachão*^{1} + *-ar*^{2}.] *V. int.* e *p.* **1.** Formar cachão; borbulhar, borbotar, escachoar. **2.** Ferver; espumar, escumar. **3.** Agitar-se, formando ondas; marulhar. [Conjug.: v. *coroar.* Normalmente é defect., conjugável só nas 3as pess.]
acácia. [Do egípcio, atr. do gr. *akakía* e do lat. *acacia.*] *S. f.* Designação comum às espécies do gênero *Acacia*, da família das leguminosas, das quais a mais estimada como ornamental é a *Acacia cultriformis*, conhecida por *esponjinha*, cujos glomérulos são amarelos e perfumados. **2.** *Impr.* Designação de árvores e arbustos do gên. *Cassia.*
acácia-do-nilo. *S. f. Bras.* Árvore-da-goma-arábica. [Pl.: *acácias-do-nilo.*]
acácia-meleira. *S. f.* V. *espinheiro-da-virgínia.* [Pl.: *acácias-meleiras.*]
acácia-negra. *S. f. Bras.* Árvore da família das leguminosas (*Acacia decurrens*), originária da Austrália e muito cultivada em nosso país, dotada de madeira útil, e que produz boa goma, do tipo da goma-arábica, além de conter na casca, o que é mais importante, 30% a 40% de tanino. [Pl.: *acácias-negras.*]
acacianismo. *S. m.* Dito, escrito ou maneiras próprias de indivíduo acaciano.
acaciano. *Adj.* **1.** Ridiculamente sentencioso pelo tom convencional e vazio de sentido e/ou pela aparatosa gravidade das maneiras, lembrando o Conselheiro Acácio, personagem eciano [q. v.] do romance *O Primo Basílio.* • *S. m.* **2.** Indivíduo acaciano; acácio.
acácia-vermelha. *S. f. Bras.* Árvore ornamental, da família das leguminosas (*Cassia javanica*), com uns 10 m de altura, e flores róseas em grandes panículas localizadas por sobre a ramagem. [Pl.: acácias-vermelhas.]
acacifar. [De *a-*^{2} + *cacifo* + *-ar*^{2}.] *V. t. d.* Introduzir ou guardar em cacifo.
acácio. *S. m.* **1.** Acaciano (2). **2.** *Bras.* Bobo, tolo, pacóvio.
açacu. [Do tupi *asa'ku.*] *S. m. Bras.* Grande árvore da família das euforbiáceas (*Hura crepitans*), de látex venenosíssimo, empregado para envenenar as águas dos rios, na captura de peixes, e de madeira leve, resistente à umidade, de cerne esbranquiçado e superfície opaca, usada em obras internas e caixotaria; açacuzeiro: "o açacu, enorme, pavoroso, que envenena as águas que lhe banham as raízes, derramava na localidade o seu tóxico, tornando as redondezas doentias." (Raimundo Morais, *País das Pedras Verdes*, p. 50.)
acaculado. [Part. de *acacular.*] *Adj. Bras., MG, SP* e *MT. Pop.* Excessivamente cheio; abarrotado, atestado.
acacular. [De *a-*^{2} + *caculo*^{2} + *-ar*^{2}.] *V. t. d. Bras. MG, SP* e *MT. Pop.* Encher em excesso; abarrotar, atestar.
açacurana. [Do tupi *asaku'rana*, "semelhante ao açacu".] *S. f. Bras.* Árvore da família das leguminosas (*Erythrina glauca*), habitante das matas, porém já bastante cultivada, ocorrendo por toda a América tropical, e que em setembro se cobre toda de grandes flores mais ou menos amarelas; bucaré, suinã, bucare.
açacuzeiro. *S. m. Bras.* Açacu.
acadar. *V. t. d. Arc.* Agarrar, apanhar.
ácade. *Adj. 2 g.* e *s. 2 g.* Acadiano.
acadeirar-se. [De *a-*^{2} + *cadeira* + *-ar*^{2} + *se*^{1}.] *V. p.* Sentar-se em cadeira; abancar-se.
academia. [Do gr. *akadémía*, pelo lat. *academia*, pelo it. *accademia* e pelo fr. *académie.*] *S. f.* **1.** Escola criada por Platão [v. *platonismo*] em 387 a.C., situada nos jardins consagrados ao herói ateniense Academus, e que, embora destinada oficialmente ao culto das musas, teve intensa atividade filosófica. **2.** *P. ext.* Escola de qualquer filósofo. **3.** Estabelecimento de ensino superior de ciência ou arte; faculdade, escola: *academia de direito, de medicina, de engenharia; a Academia Militar das Agulhas Negras.* **4.** Escola onde se ministra o ensino de práticas desportivas ou lúdicas, prendas, etc.: *academia de Judô, de dança, de corte e costura.* **5.** Sociedade ou agremiação, particular ou oficial, com caráter científico, literário ou artístico. **6.** O conjunto dos membros de uma academia (5). **7.** Local onde se reúnem os acadêmicos [v. *acadêmico* (6 e 7)]. **8.** *Bras.* Uma das alas da escola de samba [q. v.]. **9.** *Bras. Restr.* A Academia Brasileira de Letras. [Cf. *acadêmia.*]
acadêmia. *S. f. Art. Plást. P. us.* Modelo plástico, em gesso. [Cf. *academia*, do v. *academiar* e s. f.]
academial. *Adj. 2 g. P. us.* Relativo a, ou próprio de academia; acadêmico.
academiar. *V. int.* Falar ou proceder academicamente. [Pres. ind.: *academio, academias, academia*, etc. Cf. *acadêmia.*]
academicismo. *S. m.* Mentalidade de quem faz parte, ou como que faz parte, de academia; espírito acadêmico; academismo: "O academicismo nos impõe suas fórmulas, não é? Desprezêmo-lo e desprezêmo-las. Costas à Academia!" (Gonzaga Duque, *Mocidade Morta*, p. 40.)
academicista. *Adj. 2. g.* **1.** Relativo ao, ou próprio do academicismo; academista. **2.** Academial, acadêmico.
acadêmico. [Do gr. *akademikós*, pelo lat. *academicu.*] *Adj.* **1.** Pertencente ou relativo a, ou próprio de academia (3 e 5) ou de acadêmico (6 e 7): *tradições acadêmicas; procedimento acadêmico.* **2.** *Art. Plást.* Relativo ao, ou próprio do academismo (1): *proporções acadêmicas; composição acadêmica; modelo acadêmico.* **3.** *Art. Plást.* Diz-se do artista e/ou da obra de arte que se conserva presa às regras e ao gosto do academismo (1), numa concepção estética imobilizada, alheia a novas correntes de expressão: *um escultor acadêmico; um quadro acadêmico.* **4.** *P. ext.* Diz-se de manifestação artística ou cultural de um convencionalismo estreito, hostil a qualquer inovação: *um conceito acadêmico; uma interpretação acadêmica.* **5.** *Fig. Deprec.* Bizantino (4): *uma discussão acadêmica.* ~V. *centro —, diretório —* e *solicitador —.* • *S. m.* **6.** Membro de uma academia (5). **7.** Aluno de academia (3). **8.** *Bras.* Membro de certas escolas de samba.
academismo. *S. m.* **1.** *Art. Plást.* Doutrina estética surgida na Itália em fins do séc. XVI como reação contra o virtuosismo maneirista [q. v.], e que preconizava o retorno aos equilíbrios dos cânones clássicos da Antiguidade e do Renascimento, buscando uma representação ideal da natureza e do homem. **2.** *Art. Plást.* O método de ensino baseado nessa doutrina. **3.** Obediência estrita, nas letras, nas artes, ou em outras áreas culturais, aos preceitos acadêmicos: "Na França, o estruturalismo é uma arma de ataque ao positivismo oficial e ao academismo universitário." (Fausto Cunha, *Situações da Ficção Brasileira*, p. 20.) **4.** Academicismo.
academista. *Adj. 2 g.* **1.** Academicista. • *S. 2 g.* **2.** Freqüentador de academia recreativa.
academizável. *Adj. 2 g. Bras.* Que tem condições ou títulos para ser acadêmico (6); que o merece.
acadiano. *Adj.* **1.** De, ou pertencente ou relativo à Acádia, hoje Nova Escócia (Canadá). • *S. m.* **2.** O natural ou habitante da Acádia. [Sin. ger.: *ácade.*]
acaé. [Do tupi.] *S. m. Bras.* V. *gralha* (1).
acaecer. *V. int. Arc.* Acontecer.
acaeraisaua (a-e). *S. f. Bras.* Certa ave do AM.
acafajestado. [De *a-*^{2} + cafajeste + *-ado*^{1}.] *Adj. Bras.* Que tem maneiras, modos ou procedimentos, ou que é próprio de cafajeste; acanalhado.
acafajestamento. *S. m. Bras.* Ação de acafajestar(-se); acanalhamento.
acafajestar-se. [De *a-*^{2} + cafajeste + *-ar*^{2} + *-se*^{1}.] *V. p. Bras.* Tornar-se cafajeste; acanalhar-se.
açafata. [De *açafate.*] *S. f.* Dama fidalga que estava a serviço das senhoras da família real, e que tinha a seu cargo o conduzir, em açafate, lenços, toucados, etc.; moça do açafate: "Tive [fala a filha dum rei] açafatas, damas de honor, / Galgos, falcões e alabardeiros" (Eugênio de Castro, *Obras Poéticas*, I, p. 195).
açafate. [Do ár. *as-safat.*] *S. m.* Cestinho de vime, de bordo baixo, sem arco e sem asas: "as frutas e as passas, as pinhas nos açafates das Caldas e em fruteiras de vidro, sorriam em disposições simétricas" (Fialho d'Almeida, *Contos*, p. 168).
açafate-de-oiro. *S. m. Bras.* Açafate-de-ouro. [Pl.: *açafates-de-oiro.*]
açafate-de-ouro. *S. m. Bras.* Designação comum a duas plantas herbáceas européias da família das crucíferas (*Alyssum saxatile* e *A. maritimum*), ornamentais, cultivadas em jardins, e de flores amarelas ou brancas [Var.: *açafate-de-oiro.* Pl.: *açafates-de-ouro.*]
acafelado. [Part. de *acafelar.*] *Adj.* **1.** Rebocado estucado. **2.** *Fig.* Encoberto, dissimulado, disfarçado.
acafelador (ô). *Adj.* e *s. m.* Que ou aquele que acafela.
acafetadura. *S. f.* acafelamento.
acafelamento. *S. m.* Ato ou efeito de acafelar; acafeladura.
acafelar. [De *a-*^{2} + ár. *gaffala*, 'tapar com pedra e cal', + *-ar*^{2}.] *V. t. d.* **1.** Rebocar com cal e arreia. **2.** Tapar com asfalto, cimento ou argamassa. **3.** *Fig.* Encobrir, dissimular; disfarçar.
acafetado. [De *a-*^{2} + *café* + *t* de ligação + *-ado*^{1}.] *Adj.* Tirante à cor do café.
acafetar. [De *a-*^{2} + *café* + *t* de ligação + *-ar*^{2}.] *V. t. d.* Dar a cor marrom-escura do café a.
açaflor (ô). [Cruz. de *açafrão* com *flor?*] *S. m.* Açafrão (2).
acafobado. [Part. de *acafobar.*] *Adj.* V. *afobado.*
acafobar. *V. t. d.* e *p.* Var. expressiva de *afobar.*
açafrão. [Do ár. *az-za'afran.*] *S. m.* **1.** Planta herbácea da família das iridáceas (*Crocus sativus* L.), de procedência européia, e possuidora de um bolbo perene. **2.** A flor dessa planta; açaflor. **3.** Pó preparado com os estigmas dessa flor, de cor tirante a amarelo forte, e utilizado como matéria corante, tempero culinário e medicamento **4.** *Bras.* V. *urucu* (2). ◆ **Açafrão vermelho.** *Quím.* Cartamina.
açafrão-da-terra. *S. m. Bras.* Erva da família das zingiberáceas (*Curcuma longa*), de frutos capsulares, usada em medicina e culinária, e cujos rizomas fornecem óleo essencial, amido e matéria corante; açafreiro, açafroeira, açafroeira-da-índia, açafroeiro-da-índia, árvore-triste, batatinha-amarela, gengibre-dourado, gengibre-de-dourar, mangarataia. [Pl.: *açafrões-da-terra.*]
açafrão-do-mato. *S. m. Bras.* Arbusto da família das escrofulariáceas (*Escobedia curialis*), de grande efeito ornamental, comum nos campos do Planalto Central Brasileiro. [Pl.: *açafrões-do-mato.*]
açafreiro. *S. m.* V. *açafrão-da-terra.*
açafroa (ô). [De *açafrão.*] *S. f.* V. *carrapeta* (2).
açafroado^1. [De *açafrão* + *-ado*^{1}.] *Adj.* Da cor do açafrão (3): "Ficou com a pele açafroada que nem flor de algodão." (Nélson de Faria, *Tiziu e Outras Estórias*, p. 125.)
açafroado^2. [Part. de *açafroar.*] *Adj.* Tingido ou temperado com açafrão: *fazenda açafroada; arroz açafroado.*
açafroal. *S. m.* Quantidade mais ou menos considerável de pés de açafrão dispostos proximamente entre si.
açafroar. *V. t. d.* Tingir ou temperar com açafrão (3). [Conjug.: v. *coroar.*]
açafroeira. *S. m.* V. *açafrão-da-terra.*
açafroeira-da-índia. *S. f.* V. *açafrão-da-terra.* [Pl.: *açafroeiras-da-índia.*]
açafroeiro-da-índia. *S. m.* V. *açafrão-da-terra.* [Pl.: *açafroeiros-da-índia.*]
açagador (ô). *S. m. Arc.* Alfageme.
acagual. *S. m. Bras.* V. *quimera* (5).
açaí. [Do tupi *yasa'i*, 'fruta que chora', i. e., que deita água.] *S. m. Bras. Amaz.* **1.** Palmeira (*Euterpe oleracea*), de cujos frutos se faz uma espécie de refresco muito apreciado; uaçaí, açaí-branco, açaí-do-pará, açaizeiro, coqueiro-açaí, iuçara, juçara, palmiteiro, palmito, piná, tucaniei. **2.** O fruto do açaí; juçara. **3.** Refresco desse fruto; juçara. [Cf. *assai*, do v. *assar.*]
acaiaca. *Bras. S. 2 g.* e *adj. 2 g.* V. *catapolitani.*
açaí-branco. *S. m. Bras.* V. *açaí* (1). [Pl.: *açaís-brancos.*]
acaiçarado. [De *a-*^{2} + *caiçara* + *-ado*^{1}.] *Adj. Bras.* **1.** Que tem maneiras, modos, ou é próprio de caiçara; caipira, matuto, amatutado. **2.** De origem humilde. **3.** Tosco, grosseiro, bronco.
acaiçarar-se. [De *a-*^{2} + *caiçara* + *-ar*^{2} + *se*^{1}.] *V. p. Bras.* **1.** Tornar-se caiçara ou caipira; acaipirar-se, amatutar-se. **2.** Adquirir modos de caiçara.
açaí-catinga. *S. m. Bot.* V. *açaí-chumbo.* [Pl.: *açaís-catingas* e *açaís-catinga.*]
açaí-chumbo. *S. m. Bras. Amaz.* Palmeira (*Euterpe catingas*), de fruto drupáceo, pequeníssimo, usado pelos aborígines para enfeite, a qual fornece palmito comestível; açaí-catinga, açaí-de-caatinga, açaí-mirim, uaçaí-chumbo, uaçaí-miri, uaçaí-mirim. [Pl.: *açaís-chumbos* e *açaís-chumbo.*]
acaico. [Do gr. *achaikós*, pelo lat. *achaicu.*] *Adj.* e *s. m.* V. *aqueu* (1 e 3).
açaí-de-caatinga. *S. m. Bras.* V. *açaí-chumbo.* [Pl.: *açaís-de-caatinga.*]
açaí-do-pará. *S. m. Bras.* V. *açaí* (1). [Pl.: *açaís-do-pará.*]
açaiense (ai). *Adj. 2 g.* **1.** De, ou pertencente ou relativo a Açaí (PR). • *S. 2 g.* **2.** Natural ou habitante de Açaí.
açaimar. [Var. de *açamar.*] *V. t. d.* **1.** Prender com açaimo ou açamo. **2.** Pôr açaimo a. **3.** *Fig.* Reprimir, refrear, silenciar. [Var.: *aceimar.*]
açaime. *S. m.* V. *açaimo.*
açaí-mirim. *S. m. Bras.* V. *açaí-chumbo.* [Pl.: *açaís-mirins.*]
açaimo. [Var. de *açamo.*] *S. m.* Cabrestilho que se põe

no focinho dos animais para não morderem ou não comerem. [Var.: *açaime*; sin.: *focinheira, mordaça, fiscela*.]

acaio. *Adj.* e *s. m.* V. *aqueu* (1 e 3).

acaipirado. [De *a-*[2] + *caipira* + *-ado*[1].] *Adj. Bras.* Que tem maneiras ou modos, ou é próprio de caipira; matuto: "A maçada era a Nicota, a mulher, tão franzina, desengonçada, ... sempre retraída, muito a c a i p i r a d a, cousa demais." (Visconde de Taunay, *Ao Entardecer*, p. 187.)

acaipirar-se. [De *a-*[2] + *caipira* + *-ar*[2] + *se*[1].] *V. p. Bras.* Tornar-se caipira; tomar hábitos e/ou o modo de falar dos roceiros; amatutar-se, acaiçarar-se, encaipirar-se.

açairana (a-i). [Do tupi *yasai'rana*, 'semelhante ao açaí'.] *S. f. Bras.* Palmeira amazonense (*Geonoma camana*).

acairelado. [Part. de *acairelar*.] *Adj.* Cercado ou guarnecido de cairel.

acairelador (ô). *Adj.* e *s. m.* Que ou aquele que acairela.

acairelar. [De *a-*[2] + *cairel* + *-ar*[2].] *V. t. d.* Cercar ou guarnecer de cairel; debruar, cairelar.

açaizal (a-i). *S. m. Bras., Amaz.* Quantidade mais ou menos considerável de açaizeiros dispostos proximamente entre si, e em geral à beira de rio.

açaizeiro (a-i). *S. m. Bras., Amaz.* V. *açaí* (1): "a palmeira por excelência, em toda a esplanada equatorial, é o a ç a i z e i r o, que se distingue por três espécies." (Raimundo Morais, *País das Pedras Verdes*, p. 102.)

acajadado. [De *a-*[2] + *cajado* + *-ado*[1].] *Adj.* Em forma de, ou semelhante a cajado.

acajadar. [De *a-*[2] + *cajado* + *-ar*[1].] *V. t. d.* Bater, espancar, com cajado; esbordoar, espancar.

acajibado. *Adj. Bras., SE. Pop.* Deformado pelo uso; envelhecido, acajipado.

acajipado. *Adj. Bras., SE. Pop.* V. *acajibado*.

acaju. [Do tupi *aka'yú*, 'caju'.] *S. m.* **1.** V. *mogno*. **2.** *P. ext.* Designação comum a várias madeiras parecidas à do mogno verdadeiro (*Swietenia macrophilla*). ● *Adj. 2 g.* e *2 n.* **3.** Que tem a cor castanho-avermelhada própria do mogno. **4.** Diz-se dessa cor.

acaju-catinga. *S. m. Bras.* V. *cedro*. [Pl.: *acajus-catingas* e *acajus-catinga*.]

acajucica. [Do tupi *akayu'sika*.] *S. f. Bras.* Resina produzida pelo cajueiro.

acajurana. [Do tupi *akayu'rana*, 'semelhante ao cajueiro'.] *S. f. Bras.* Certa árvore da família das leguminosas.

acajutibense. *Adj. 2 g.* **1.** De, ou pertencente ou relativo a Acajutiba (BA) ● *S. 2 g.* **2.** Natural ou habitante de Acajutiba.

▲-açal. *Suf. nom.* = 'quantidade': *lamaçal, lodaçal*.

acalantar. [De *calar*; cf. o esp. *callantar*.] *V. t. d.* e *p.* V. *acalentar*.

acalanto. [Dev. de *acalantar*.] *S. m.* **1.** Acalento (1 e 2). **2.** *Mús.* Composição vocal ou instrumental semelhante ao acalanto (1). [Sin., fr.: *berceuse*.]

acalasia. [De *a-*[3] + *calas(e)-* + *-ia*.] *S. f. Med.* Falta de relaxação dos esfíncteres.

acalcamento. *S. m.* Ato ou efeito de acalcar; calcamento.

acalcanhado. [Part. de *acalcanhar*.] *Adj.* **1.** Pisado com calcanhar; calcado. **2.** Diz-se do calçado cujo tacão se gastou de um lado, ou se entortou com o uso do andar; cambado: "Duas mocinhas de salto alto a c a l c a n h a d o e uma falha no incisivo superior." (Carlos Lacerda, *Xanã*, p. 15.) **3.** *Fig.* Espezinhado, esmagado, oprimido, vexado. **4.** *Bras.* Gasto, acabado, envelhecido, avelhentado.

acalcanhamento. *S. m.* Ato ou efeito de acalcanhar.

acalcanhar. *V. t. d.* **1.** Pisar com o calcanhar; calcar. **2.** Entortar, com o andar, o tacão de (o calçado). **3.** *Fig.* Espezinhar, oprimir, humilhar. **4.** *Bras.* Gastar, envelhecer. *Int.* **5.** Ficar (o calçado) com o tacão entortado.

acalcar. [De *a-*[4] + *calcar*.] *V. t. d.* Comprimir, calcar. [Conjug.: v. *trancar*.]

acalculia. [De *a-*[3] + *cálculo* + *-ia*.] *S. f. Patol.* Incapacidade de realizar cálculos aritméticos, por mais simples que sejam, causada por distúrbios cerebrais.

acaléfico. *Adj.* Pertencente ou relativo aos acalefos.

acaléfio. *S. m.* e *adj.* V. *cifozoário*.

acaléfios. *S. m. pl. Zool.* V. *cifozoários*.

acalefo. [Do gr. *akaléphe*, pelo lat. *acalephu*.] *S. m.* V. *cifozoário*.

acalefologia. [Do gr. *akaléphe*, 'acalefo', + *-log(o)-* + *-ia*.] *S. f.* Parte da zoologia que trata dos acalefos.

acalefológico. *Adj.* Referente à acalefologia.

acalefos. *S. m. pl.* V. *cifozoários*.

acalenta-menino. [De *acalentar* + *menino*.] *S. m.* **1.** *Bras.* Feijão saboroso, que cozinha depressa, muito usado na alimentação das crianças. **2.** *Bras. MG. Pop.* V. *valentão* (3). [Pl.: *acalenta-meninos*.]

acalentamento. *S. m.* Ato ou efeito de acalentar; acalento, acalanto: "Tu [ó Lua], que soluças pelos céus nevoentos / Longo soluço mágico de fada, / Dá-me os teus doces a c a l e n t a m e n t o s!" (Cruz e Sousa, *Últimos Sonetos*, p. 156).

acalentar. [Var. de *acalantar*.] *V. t. d.* **1.** Adormecer (criança) ao som de cantigas; embalar cantando, aconchegando ao peito: "a c a l e n t a v a m as criancinhas, com umas cantigas ingênuas, em que o *velho do outro mundo* era comparado ao *murucututu* de cima dos telhados" (Inglês de Sousa, *Contos Amazônicos*, p. 177). **2.** Tranqüilizar, sossegar, serenar. **3.** Chegar a si; aconchegar; conchegar: "Quando a separaram do cadáver, não percebeu; e, enrolando o seu xale molhado, apertou-o ao peito, a c a l e n t a n d o - o com um sorriso triste." (Conde de Ficalho, *Uma Eleição Perdida*, p. 201.) **4.** Amimar, acariciar, afagar. **5.** Alentar; favorecer; incentivar: *Sempre a c a l e n t o u sonhos impossíveis.* **6.** Consolar, confortar: "Criança e moço, a c a l e n t a r a m - me os afagos da mais extremosa das mães" (Ricardo Jorge, *Canhenho dum Vagamundo*, p. XIII). **7.** Cantar para adormecer ou embalar. **8.** Fazer dormir; embalar: "Quem põe mais lume / nesta lareira? // Quem conta estória / de a c a l e n t a r?" (Emílio Moura, *Itinerário Poético*, p. 83.) *P.* **9.** Adormecer ao som de cantigas; embalar-se.

acalento. [Var. de *acalanio*.] *S. m.* **1.** Ato de acalentar; acalentamento. **2.** Cantiga para adormecer criança; cantiga de ninar. [Sin. (bras., SP), nesta acepç., *dormenenê*.] **3.** Afago, carinho; acalentamento.

acálice. [De *a-*[3] + *cálice*.] *Adj. 2 g. Bot.* Acalicino.

acalicino. [De *a-*[3] + *cálice* + *-ino*[1].] *Adj. Bot.* Destituído de cálice (planta ou flor); acálice.

acalifa. *S. f. Bras.* Arbusto da família das euforbiáceas (*Acalypha wilkesiana*), comuníssimo nos jardins, de folhagem multicor, folhas grandes e delicadas, e flores avermelhadas; cauda-de-raposa, crista-de-peru, tapiáguaçu.

acalipto. *S. m. Bras. Pop.* Eucalipto.

acaliptrado. *S. m.* Espécime dos acaliptrados.

acaliptrados. *S. m. pl. Zool.* Insetos muscóideos, da ordem dos dípteros, cujas álulas ou calípteros são ausentes ou rudimentares.

acalmação. *S. f.* Ato ou efeito de acalmar(-se).

acalmado. [Part. de *acalmar*.] *Adj.* **1.** Tornado calmo; sossegado, tranqüilizado, serenado. **2.** Pacificado, apaziguado: *inimigos a c a l m a d o s*. — V. *aço* —.

acalmar. [De *a-*[2] + *calmo* + *-ar*[2].] *V. t. d.* **1.** Tornar calmo; tranqüilizar, serenar: "Ferve-me o sangue. A c a l m a - o com teu beijo" (Olavo Bilac, *Poesias*, p. 115). **2.** Moderar; diminuir, mitigar, aplacar: "Um banho morno, em que se demorou, não serviu para a c a l m a r - lhe os nervos" (Júlio Ribeiro, *A Carne*, p. 202). **3.** Pacificar, apaziguar. *Int.* e *p.* **4.** Tornar-se calmo; abrandar-se, tranqüilizar-se, sossegar-se, serenar-se: "a efusão deste sentimento [de saudade] s e a c a l m a r a, e de todo aplacou-se [D. Flor] ao entrar na choupana." (José de Alencar, *O Sertanejo*, p. 191.) [F. paral.: *calmar*.]

acalmia. [De *a-*[3] + *calmo* + *-ia*.] *S. f.* **1.** Período de calma ou repouso subseqüente a outro de agitação. **2.** Estiagem, aberta, bonança. **3.** *Med.* Período de serenidade, no curso de processo mórbido.

acalorado. [Part. de *acalorar*.] *Adj.* **1.** Cheio de calor (1); encalmado. **2.** Cheio de calor, de vivacidade; vivo, animado. **3.** Entusiasmado, apaixonado, exaltado: "Como bom patriota, deixava-se [João de Barros], ... às vezes, fascinar pela sublimidade das ações heróicas que descrevia, tornando-se mais panegirista a c a l o r a d o que historiador sereno e imparcial." (Pe. Arlindo Ribeiro da Cunha, *A Língua e a Literatura Portuguesa*, pp. 269-270.) **4.** Veemente, vigoroso. ● *S. m.* **5.** Aquele que tem calor; indivíduo calorento.

acalorar. [De *a-*[2] + *calor* + *-ar*[2].] *V. t. d.* **1.** Dar calor a; aquecer. **2.** Animar; entusiasmar; excitar: *A discussão a c a l o r o u os ânimos.* *P.* **3.** Entusiasmar-se; animar-se; excitar-se.

açalpão. *S. m. Bras. Pop. F.* metatética de *alçapão* [q. v.].

acamado. [De *a-*[2] + *cama* + *-ado*[1].] *Adj.* **1.** Deitado na cama, ou como em cama. **2.** Doente de cama. **3.** Disposto, acomodado, arrumado, formando camadas ou camas. **4.** Assentado; alisado. **5.** Diz-se do pasto seco que se deita sobre o solo. ● *S. m.* **6.** Pasto acamado.

acamamento. *S. m.* **1.** Ato ou efeito de acamar(-se). **2.** Queda das hastes do trigo e de outras gramíneas, por efeito de ventania. **3.** Acondicionamento das folhas do feno para fermentarem. **4.** *Geol.* Plano que separa as camadas contíguas das rochas sedimentares estratificadas; estratificação.

acamar. [De *a-*[2] + *cama* + *-ar*[2].] *V. t. d.* **1.** Deitar em cama ou superfície análoga: *Deu ordem para que a c a m a s s e m o doente.* **2.** Fazer deitar: "Uma brisa louca, mas amena, doudejava na campina, ramalhando as folhas, brincando com os arbustos, empolando e a c a m a n d o as ervas dos prados." (Rebelo da Silva, *Contos e Lendas*, p. 134.) **3.** Dispor em camas ou camadas. **4.** Alisar, anediar: "tinha no regaço uma cadelinha, e com a sua mão seca e fina, cheia de veias, a c a m a v a - lhe o pêlo branco como algodão." (Eça de Queirós, *O Crime do Padre Amaro*, p. 55). *Int.* **5.** Cair de cama; adoecer, enfermar. **6.** Pender ou cair, quase ficando, ou ficando, ao nível do solo; abater-se; acamar-se: *As espigas a c a m a r a m com o vendaval.* *P.* **7.** Pôr-se na cama; deitar-se. **8.** V. *acamar* (6). **9.** Acumular-se, amontoar-se: *A poeira s e a c a m a v a sobre os móveis.* **10.** Abater-se, humilhar-se.

açamar. *V. t. d.* V. *açaimar*: "As paixões nesta idade, quando são contrariadas, pesam sobre a alma, imobilizam-na, a ç a m a m - l h e os ímpetos" (Camilo Castelo Branco, *A Mulher Fatal*, p. 42).

acamaradar. [De *a-*[2] + *camarada* + *-ar*[2].] *V. int.* **1.** V. *acamaradar* (4). **2.** Andar de camaradagem, em companhia. *P.* **3.** Tornar-se camarada, companheiro; acamaradar. **4.** Andar de ou em camaradagem, companhia; acamaradar. **5.** Unir-se, ligar-se: "as castas femininas a c a m a r a d a r a m - s e sem escrúpulos na devoção da cruz roxa" (Ricardo Jorge, *Passadas de Erradio*, p. 195). **6.** Aparceirar-se, mancomunar-se.

acamatanga. [Do tupi *a'kã*, 'cabeça', + *mu'tãga* (por *pi'tãga*), 'vermelha'.] *S. f. Bras.* V. *chauã*.

acâmato. [Do gr. *akámatos*.] *Adj.* e *s. m. Fisiol.* Diz-se de ou aquele que tem constituição robusta.

açambarcação. *S. f.* V. *açambarcamento*.

açambarcador (ô). *Adj.* **1.** Que açambarca; açambarcante. ● *S. m.* **2.** Aquele que açambarca.

açambarcagem. *S. f.* V. *açambarcamento*.

açambarcamento. *S. m.* Ato ou efeito de açambarcar; açambarcação, açambarcagem, açambarque.

açambarcante. *Adj. 2 g.* Açambarcador (1).

açambarcar. *V. t. d.* **1.** Chamar (algo) exclusivamente a si, privando os outros da respectiva vantagem; monopolizar: "as operações em vasta escala do Banco Russo-Chinês, a ç a m b a r c a n d o todas as finanças do Oriente" (Euclides da Cunha, *Contrastes e Confrontos*, p. 123). **2.** Assenhorear-se de, apropriar-se de: *Os invasores a ç a m b a r c a r a m toda a produção.* [Conjug.: v. *trancar*.]

açambarque. [Dev. de *açambarcar*.] *S. m.* V. *açambarcamento*.

acambetado. [De *a-*[2] + *cambeta* + *-ado*[1].] *Adj.* V. *cambaio* (1).

acambetar. [De *a-*[2] + *cambeta* + *-ar*[2].] *V. int.* Andar com as pernas tortas; cambetear.

acamboar. [De *a-*[2] + *cambo* + *-ar*[2].] *V. t. d.* Tornar cambo; entortar, cambar. [Conjug.: v. *coroar*.]

acambulhado. [Part. de *acambulhar*.] *Adj.* **1.** Deitado de cambulhada **2.** *Lus.* Inclinado (o pão [3] nas searas) um sobre outro.

acambulhar. [De *a-*[2] + *cambulho* + *-ar*[2].] *V. t. d.* **1.** Pôr de cambulhada, desordenadamente. **2.** *Lus.* Acamar (o pão [3] nas searas) um sobre outro. *P.* **3.** Apresentar-se de cambulhada; misturar-se desordenadamente.

açamo. [Do ár. vulg. *as-samm(u)?*] *S. m.* V. *açaimo*.

açamoucado. [De *a-*[2] + *samouco* + *-ado*[1].] *Adj.* **1.** Mal construído. ● *S. m.* **2.** Mau emprego de materiais de construção, do qual resulta obra sem arte, sem gosto ou segurança. **3.** Serviço feito apressadamente e sem cuidado.

acampado. [Part. de *acampar*.] *Adj.* Alojado em acampamento.

acampainhado (a-i). [De *a-*[2] + *campainha* + *-ado*[1].] *Adj.* Que tem feitio de campainha.

acampamento. *S. m.* **1.** Ato ou efeito de acampar(-se). **2.** Lugar onde se acampa; arraial. **3.** Lugar de permanência provisória. **4.** *Camping.* **5.** Bando ou tropa acampada: *O a c a m p a m e n t o está em pé de guerra.* **6.** *Exérc.* Área ou modalidade de estacionamento em que a tropa se instala em barracas. [Cf. *acantonamento* (2) e *bivaque* (1).] **7.** *P. ext.* Instalação semelhante de escoteiros [v. *escoteiro*[2]] ou de bandeirantes [v. *bandeirante* (2)]. ◆ **Levantar acampamento. 1.** Mudar-se (de lugar, de casa, etc.) levando todos os seus pertences. **2.** Ir-se embora; retirar-se.

acampanar. *V. t. d. Bras., RJ. Gír.* Perseguir, espionar (alguém), de longe, para roubar, prender ou para outro fim. [Var.: *campanar*.]

acampar. [De *a-*^{2} + *campo*, + *-ar*^{2}.] *V. t. d.* **1.** Instalar em campo ou acampamento: *acampar um exército. Int.* e *p.* **2.** Estabelecer-se em campo ou acampamento: *Os ciganos acamparam nos arredores da cidade.* **3.** Assentar arraial (1). **4.** Estabelecer-se provisoriamente; arranchar-se: *Os excursionistas acamparam no topo da montanha; Vários rapazes acamparam-se aqui durante três dias.*

acampsia. [Do gr. *akampsía*.] *S. f. Med.* Ancilose.

acamurçado. [De *a-*^{2} + *camurça* + *-ado*^{1}.] *Adj.* Semelhante à camurça; camurçado.

acamurçar. [De *a-*^{2} + *camurça* + *-ar*^{2}.] *V. t. d.* Dar aspecto ou cor de camurça a. [Conjug.: v. *laçar*.]

acamutanga. *S. f. Bras.* V. *chauã*.

açaná. *S. f. Bras.* V. *frango-d'água* (1).

açanã. *S. f. Bras.* V. *frango-d'água* (1).

acanalado. [De *a-*^{2} + *canal* + *-ado*^{1}.] *Adj.* Que tem forma de canal. [Var.: *acanelado*.]

acanalador (ô). *Adj.* e *s. m.* Que ou aquele que acanala. [Var.: *acanelador*.]

acanaladura. *S. f.* V. *canelura*. [Var.: *acaneladura*.]

acanalar. [De *a-*^{2} + *canal* + *-ar*^{2}.] *V. t. d.* **1.** Abrir acanaladuras em; estriar. *P.* **2.** Formar fosso ou escavação à maneira de canal. [Var.: *acanelar*.]

acanalhado. [De *a-*^{2} + *canalha* + *-ado*^{1}.] *Adj.* Que tem maneiras de, ou que é próprio de canalha.

acanalhador (ô). *Adj.* e *s. m.* Que ou aquele que acanalha.

acanalhamento. *S. m.* Ato ou efeito de acanalhar(-se); aviltamento, envilecimento.

acanalhar. [De *a-*^{2} + *canalha* + *-ar*^{2}.] *V. t. d.* **1.** Dar modos ou feição próprios de canalha a; tornar canalha. **2.** Tornar desprezível ou abjeto; aviltar, envilecer, rebaixar, desmoralizar. *P.* **3.** Tornar-se canalha ou velhaco. **4.** Tornar-se desprezível ou abjeto; aviltar-se, rebaixar-se, infamar-se: "que vale o nosso bom senso, se ele serve apenas para nos manter na descrença em que nos acanalhamos, sem o amor da Pátria, sem o amor da Justiça, sem o amor da Beleza moral?" (Olavo Bilac, *Crítica e Fantasia*, p. 167).

acanati. [Var. de *acunati*.] *S. m. Bras.* V. *taiaçuíra*.

acanatique. *S. m. Bras.* V. *taiaçuíra*.

acanaveado. [Part. de *acanavear*.] *Adj.* **1.** Supliciado com puas de cana entre as unhas e a carne. **2.** *P. ext.* Martirizado, angustiado, torturado. **3.** *P. ext.* Emagrecido, emagrentado, abatido.

acanaveadura. *S. f.* Ato ou efeito de acanavear(-se).

acanavear. [De *a-*^{2} + *cânave* + *-ar*^{2}.] *V. t. d.* **1.** Torturar, supliciar, introduzindo puas de cana entre as unhas e a carne. **2.** *P. ext.* Martirizar, torturar, supliciar, mortificar. **3.** Tornar magro, abatido; emagrecer, abater, definhar. *P.* **4.** Atormentar-se; angustiar-se; preocupar-se. [Conjug.: v. *frear*.]

acancelado. [De *a-*^{2} + *cancela* + *-ado*^{1}.] *Adj.* Semelhante a cancela.

acancelar. [De *a-*^{2} + *cancela* + *-ar*^{2}.] *V. t. d.* **1.** Fazer em forma de cancela. **2.** Fechar com cancela.

acanelado^{1}. [De *a-*^{2} + *canela*^{1} + *-ado*^{1}.] *Adj.* Que tem cor de canela: "Fez reentrar na represa da camisa o seio acanelado e flácido." (Alberto Rangel, *Sombras n'Água*, p. 113.)

acanelado^{2}. *Adj.* Var. de *acanalado*.

acanelador (ô). *Adj.* e *s. m.* Var. de *acanalador*.

acaneladura. *S. f.* Var. de *acanaladura*. [q. v.].

acanelar^{1}. [De *a-*^{2} + *canela*^{1} + *-ar*^{2}.] *V. t. d.* **1.** Dar cor de canela a. **2.** Cobrir ou polvilhar com pó de canela.

acanelar^{2}. *V. t. d.* Var. de *acanalar*.

acangaceirado. [De *a-*^{2} + *cangaceiro* + *-ado*^{1}.] *Adj.* Que tem maneiras ou modos, ou que é próprio de cangaceiro: " 'Alexandre Francisco Cerbelon Verdeixa, padre sertanejo no Ceará', turbulento e acangaceirado, também se dizia presciente." (Gustavo Barroso, *Heróis e Bandidos*, p. 265.)

acangapara. [Do tupi-guar.] *S. m. Bras., MA.* V. *cágado* (1).

acangapeva. *S. m. Bras.* V. *cambeva* (1).

acangatar. *S. m. Bras.* V. *canitar*.

acangatara. *S. m. Bras.* V. *canitar*.

acanguçu. [Do tupi-guar.] *S. m. Bras.* V. *jaguar*. [Var.: *canguçu*.]

acangulado. [De *a-*^{2} + *cangulo* + *-ado*^{1}.] *Adj. Bras.* Diz-se de cangulo (2).

acanhação. *S. f. P. us.* V. *acanhamento*.

acanhadão. *Adj.* e *s. m.* Diz-se de, ou indivíduo muito acanhado (3). [Fem.: *acanhadona*.]

acanhado. [Part. de *acanhar*.] *Adj.* **1.** De tamanho menor que o normal: "Raquítico, miúdo, acanhado, ninguém de boa mente me daria mais do que dez anos." (Cordeiro de Andrade, *Anjo Negro*, p. 106); *apartamento acanhado.* **2.** Estreito, apertado. **3.** Sem desembaraço; tímido, retraído: "Tão expansivo era de coração, como acanhado de maneiras" (Machado de Assis, *Histórias sem Data*, p. 24). **4.** V. *avaro* (1). **5.** Covarde, pusilânime.

acanhadona. *Adj. (f.)* e *s. f.* Fem. de *acanhadão*.

acanhador (ô). *Adj.* e *s. m.* Que ou aquele que acanha.

acanhamento. *S. m.* **1.** Ato ou efeito de acanhar(-se). **2.** Estreiteza, aperto. **3.** Falta de desembaraço; timidez. **4.** Mesquinhez, sovinice. [Sin. ger. (p. us.): *acanho*, *acanhação*.]

acanhar. [De *a-*^{2} + *canho*^{1} + *-ar*^{2}] *V. t. d.* **1.** Impedir o desenvolvimento de; atrofiar; enfezar. **2.** Fazer ou tornar apertado; apertar, estreitar. **3.** Oprimir, premer, acabrunhar; apertar: *Grande é a mágoa que lhe acanha o peito.* **4.** Vexar, envergonhar: *Acanhava-o a pobreza de sua casa.* **5.** Embaraçar, tolher, intimidar. *P.* **6.** Envergonhar-se, vexar-se, correr-se. **7.** Tornar-se ou mostrar-se tímido. **8.** Acovardar-se, acobardar-se, intimidar-se. **9.** Tornar-se estreito, apertado; estreitar-se: *A larga estrada acanhava-se na curva.*

acanho. [Dev. de *acanhar*.] *S. m. P. us.* V. *acanhamento*: "era natural, sem acanho de roceira" (Machado de Assis, *Quincas Borba*, p. 118); "Não trazia o acanho natural a um pedinte" (Id., *Papéis Avulsos*, p. 195).

acanhoar. [De *a-*^{2} + *canhão* + *-ar*^{2}.] *V. t. d.* Acanhonear. [Conjug.: V. *coroar*.]

acanhonear. [De *a-*^{2} + *canhão* + *-ear*^{2}.] *V. t. d.* **1.** Disparar canhões contra. **2.** Bombardear. [F. paral.: *acanhoar*. Conjug.: v. *frear*.]

acaniácea. *S. f.* Espécime das acaniáceas.

acaniáceas. *S. f. pl. Bot.* Família de plantas australianas pertencente à ordem das geraníales, e que é constituída por uma única espécie, *Akania hillii*, lenhosa e com folhas compostas. ~ V. *acaniácea*.

acaniáceo. *Adj* Pertencente ou relativo às acaniáceas.

acanoado. [De *a-*^{2} + *canoa* + *-ado*^{1}.] *Adj. Bras.* **1.** Que tem feitio de canoa. **2.** Diz-se de tábua quando empena no sentido da largura.

acanoar. [De *a-*^{2} + *canoa* + *-ar*^{2}.] *V. t. d. Bras.* Dar a forma de canoa a. [Conjug.: v. *coroar*.]

acanônico. [De *ar-*^{3} + *cânon* + *-ico*^{2}.] *Adj.* Contrário aos cânones; não canônico.

acanonista. [De *a-*^{3} + *cânon* + *-ista*.] *Adj. 2 g.* e *s. 2g.* Que ou quem transgride ou ignora os cânones.

acantácea. *S. f.* Espécime das acantáceas.

acantáceas. *S. f. pl. Bot.* Grande família vegetal que encerra cerca de 2.000 espécies, sobretudo tropicais, e se inclui na ordem das tubiflorας, constituindo-se de ervas ou arbustos, e muito raramente de árvores (*Trichanthera*, da Amaz.). Apreciadíssimas como plantas ornamentais, têm flores hermafroditas, freqüentemente abundantes e dum belo colorido, com corola bilabiada, e os frutos são pequenas cápsulas. O Brasil é rico em espécies, sobretudo do gênero *Ruellia*, quase sempre dotadas de flores magníficas.

acantáceo. *Adj.* **1.** Pertencente ou relativo às acantáceas. **2.** Pertencente ou relativo ao acanto (1).

acantela. [De *acanto-* + *-ela*, atr. do lat. cient. *achantella*.] *S. f. Zool.* Larva infestante dos acantocéfalos, que já apresenta esboço de organização do verme adulto, e provém do acântor, larva primitiva.

acantina. [De *acanto-* + *-ina*.] *S. f. Zool.* Substância orgânica que forma o esqueleto dos protozoários radiolários, da subordem *acantharia*.

acantita. [De *acant (o)-* + *-ita*^{3}.] *S. f. Min.* Mineral ortorrômbico, sulfeto de prata.

acanto. [Do lat. *acanthu*.] *S. m.* **1.** Planta espinhosa, da família das acantáceas (*Acanthus spinosus*), muito decorativa, originária da Grécia e da Itália, cujas folhas serviram de modelo para ornatos arquitetônicos; ervagigante, melafólio. **2.** *P. ext.* Gênero de plantas que tem esta por tipo. **3.** Ornato escultórico que estiliza a folha daquela planta, empregado principalmente nos capitéis da ordem coríntia.

▲**acant(o)-.** [Do lat. *acantus, i.*] *El comp.* = 'afiado', 'espinhoso': *acantita*, *acantocéfalo*. [Equiv.: *-acanto*: *poliacanto*.]

▲**-acanto.** Equiv. de *acant(o)-*.

acantoado. [Part. de *acantoar*.] *Adj.* **1.** Posto ao canto. **2.** Separado, apartado, isolado. **3.** Escondido, oculto.

acantoamento. *S. m.* Ato ou efeito de acantoar(-se).

acantoar. [De *a-*^{2} + *canto* + *-ar*^{2}.] *V. t. d.* **1.** Pôr a um canto. **2.** Ocultar, esconder. **3.** Separar, apartar, isolar. **4.** Desprezar, rejeitar. *P.* **5.** Fugir ao convívio social; buscar a solidão; isolar-se, insular-se. [Conjug.: v. *coroar*.]

acantobdélido. *S. m.* **1.** Espécime dos acantobdélidos. ● *Adj.* **2.** Pertencente ou relativo a eles.

acantobdélidos. *S. m. pl. Zool.* Animais anelídeos hirudíneos, da ordem *Acanthobdellida*, caracterizados pela ausência de ventosa anterior, de probóscida ou de maxilas. Dois pares de cordas no segundo e quarto somitos, e celoma segmentado.

acantóbolo. *S. m.* Instrumento cirúrgico antigo, em forma de pinça, para a extração de corpos estranhos.

acantobótrio. [De *acant(o)-* + *-bótrio*.] *Zool. Adj.* **1.** Diz-se do escólex dos vermes cestódeos que apresenta quatro ventosas em forma de vaso ou taça. ● *S. m.* **2.** Esse escólex. **3.** Gênero de vermes platelmintos (*Acanthobotrie*), caracterizados por possuírem escólex acantobótrio.

acantocárpico. *Adj. Bot.* Acantocarpo (1).

acantocarpo. [De *acanto-* + *-carpo*.] *Adj. Bot.* **1.** Dotado de frutos espinhosos ou aculeados; acantocárpico. ● *S. m.* **2.** Fruto recoberto de espinhos.

acantocéfalo. [De *acanto-* + *-cefalo*.] *Adj. Zool.* **1.** Que tem a extremidade anterior do corpo provida de ganchos ou espinhos. ● *S. m.* **2.** Espécime dos acantocéfalos.

acantocéfalos. *S. m. pl. Zool.* Animais enterozoários, de simetria bilateral, ramo *Acanthocephala*, de corpo vermiforme e extremidade anterior com tromba retrátil armada de espinhos curvos. Tubo digestivo ausente; sexos separados. São parasitos de larvas, nos artrópodes, e de adultos, nos vertebrados. Conhecem-se atualmente acima de 300 espécies.

acantocisto. *S. m. Zool.* Vesícula que encerra os estiletes de reserva da tromba dos nemertinos.

acantocládio. *Adj. Bot.* Provido de ramos espinhosos ou aculeados, ou, ainda, de ramos transformados em espinhos.

acantóforo. [Do gr. *akanthophóros*.] *Adj. Zool.* Provido de espinhos ou ganchos.

acantólise. [De *acanto-* + *-lise*.] *S. f. Patol.* Atrofia e desprendimento da camada espinhosa da pele.

acantonado. [Part. de *acantonar*.] *Adj.* **1.** Distribuído por cantões ou aldeias. **2.** Instalado em acantonamento (2 e 3).

acantonamento. *S. m.* **1.** Ato ou efeito de acantonar(-se). **2.** *Exérc.* Área ou modalidade de estacionamento em que a tropa se instala em casas de alvenaria. [Cf. *acampamento* (6) e *bivaque* (1).] **3.** *P. ext.* Instalação análoga de grupo de escoteiros [v. *escoteiro*^{2} (1)] ou de bandeirantes [v. *bandeirante* (2)].

acantonar. [De *a-*^{2} + *cantão* + *-ar*^{2}.] *V. t. d.* **1.** Dispor ou distribuir (tropas) por cantões. *Int.* **2.** Distribuir-se (a tropa) por diferentes cantões, para descanso. **3.** *P. ext.* Instalar-se (escoteiro^{2} ou bandeirante [2]) em acantonamento (3).

acantopterígio. [De *acanto-* + *-pterígio*.] *S. m.* **1.** Espécime dos acantopterígios. ● *Adj.* **2.** Pertencente ou relativo a eles.

acantopterígios. *S. m. pl. Zool.* Animais metazoários, cordados, vertebrados, peixes osteíctes, cujas nadadeiras são reunidas por meio de raios espinhosos, ao menos na sua parte anterior.

acântor. *S. m. Zool.* Larva dos acantocéfalos, que tem três pares de ganchos provisórios na extremidade anterior, e cuja transformação dará origem a outra larva, dita *acantela* [q. v.]. [Pl.: *acântores*.]

acantose. *S. f.* **1.** *Bot.* Moléstia parasitária das plantas, causada pelo ataque de cogumelos e caracterizada pela emissão de formações que lembram pequenos espinhos. **2.** *Patol.* Espessamento da camada espinhosa da epiderme.

acantósporo. [De *acant(o)-* + *-sporo*.] *S. m. Bot.* Esporo revestido de minutas pontas ou apículos.

acantozóide. *S. m.* **1.** Espécime dos acantozóides. ● *Adj. 2 g.* **2.** Pertencente ou relativo a eles.

acantozóides. *S. m. Pl. Zool.* Pólipos defensivos representados por espinhos e encontrados nas colônias de hidrozoários.

acanular. [De *a-*^{2} + *cânula* + *-ar*^{2}.] *V. t. d.* Dar a forma de cana ou de cânula a.

ação. [Do lat. *actione*.] *S. f.* **1.** Ato ou efeito de atuar; atuação, ato, feito, obra. **2.** Manifestação de uma força, de uma energia, de um agente. **3.** Maneira como um corpo, um *agente, atua sobre outro; efeito: ação do tempo; ação de um medicamento; ações químicas.* **4.** Capacidade de mover-se, de agir: *Ao ser-lhe apontado o revólver, ficou sem ação; A má notícia deixou-o sem ação.* **5.** Movimento, funcionamento: *pôr em ação o motor do carro.* **6.** Modo de proceder; comportamento, atitude: *Pratica más ações.* **7.** Exercício da força, do poder de fazer alguma coisa: "cidade médicomilitar brotada por um milagre de ação em meses no deserto dum areal". (Ricardo Jorge, *Canhenho dum Vagamundo*, p. 3). **8.** Realização de atividade bélica; luta. **9.** Influência (sobre alguém ou alguma coisa): "nos primeiros anos de moço parecia [Machado de Assis] confiar na ação da sua vontade e na continuidade do trabalho." (Mário de Alencar, *in* Machado de Assis, *Teatro*, p. 10). **10.** Ocorrência, acontecimento, sucesso. **11.** Solenidade, cerimônia. **12.** Seqüência de acontecimentos duma peça teatral, dum filme, dum romance, etc.; enredo, intriga, trama. **13.** *Ét.* Atividade responsável de um sujeito; realização de uma vontade que se presume livre e consciente. **14.** *Filos.* Processo que decorre da natureza ou da vontade de um ser, o agente, e de que resulta criação ou modificação da realidade. [É considerada, de modo geral, em seu relacionamento com os diversos domínios do conhecimento.] **15.** *Filos.* O curso desse processo; atividade. **16.** *Filos.* Resultado ou efeito desse processo. **17.** *Fís.* A integral no tempo da lagrangiana de um sistema. Tem as dimensões de energia vezes tempo. **18.** *Gram.* Expressão de certos verbos e substantivos. **19.** *Fin.* Título de propriedade, negociável, representativo de uma fração do capital de um sociedade anônima; papel. [V. *título de crédito.*] **20.** *Fin.* Título ou documento representativo e comprobatório dos direitos e obrigações dos que pertencem a tais sociedades; papel: "a fortuna de Lopes Matoso estava quase toda em apólices e ações de estradas de ferro." (Júlio Ribeiro, *A Carne*, p. 6). **21** *Jur.* Faculdade de invocar o poder jurisdicional do Estado para fazer valer um direito que se julga ter. **22.** *Jur.* Meio processual pelo qual se pode reclamar à justiça o reconhecimento, a declaração, a atribuição ou efetivação de um direito, ou, ainda, a punição de um infrator das leis penais. **23.** *Teat.* Seqüência dos gestos, movimentos e atitudes dos atores em cena; ação dramática. **24.** *Cin.* e *Telev.* O ato de filmar. ♦ **Ação ao portador.** *Fin.* A que não traz escrito o nome de seu proprietário, pertencendo, pois, a quem a tiver em poder. **Ação combinada.** *Mil* Ação militar de que participam elementos de mais de uma força armada, todos subordinados diretamente a um mesmo comando. [Cf. *ação conjunta.*] **Ação comum.** *Fin.* Ação ordinária. **Ação conjunta.** *Mil.* Ação militar em que tomam parte elementos de mais de uma força armada, sem que fiquem diretamente subordinados a um mesmo comando. [Cf. *ação combinada.*] **Ação declaratória.** *Jur.* Aquela em que, mediante simples declaração, sem força executória, o juiz proclama a existência ou inexistência de uma relação jurídica, ou a falsidade ou autenticidade dum documento. **Ação de graças.** Ato de piedade e devoção com que se agradece a Deus ou aos santos um benefício recebido; eucaristia: "em ação de graças mandou ao senhor prior um galo para o almoço e um carro de raízes de carvalho para a braseira." (Aquilino Ribeiro, *Aldeia*, p. 133). **Ação diversionária.** *Mil.* A que tem por fim desviar a atenção do inimigo; ação diversiva; diversão. **Ação diversiva.** *Mil.* V. *ação diversionária.* **Ação dramática.** *Teat.* Ação (23). **Ação endossável.** *Fin.* Ação nominativa que pode ser transferida mediante simples endosso. **Ação entre amigos.** *Bras.* Rifa. **Ação executiva.** *Jur.* A que se inicia com a citação do réu para que pague em 24 horas a dívida reclamada, ou ofereça bens à penhora, só tomando o rito ordinário depois da contestação. **Ação imanente.** *Filos.* Ação pela qual o agente se modifica. [Distingue-se da *ação transitiva.*] **Ação mista.** *Jur.* Aquela pela qual se exerce um direito real e um direito pessoal. **Ação nominativa.** *Fin.* A que traz escrito o nome de seu proprietário, e cuja venda deve ser registrada em livro especial na empresa que a emitiu. **Ação ordinária.** *Fin.* A que, além de proporcionar participação nos lucros da empresa, dá a seu titular o direito de voto; ação comum. **Ação petitória.** *Jur.* Aquela em que se pretende o reconhecimento ou a garantia do direito de propriedade, ou de qualquer direito real. **Ação preferencial.** *Fin.* A que dá ao seu possuidor prioridade no recebimento de dividendos e, em caso de dissolução da empresa, no reembolso do capital. [Normalmente não confere direito a voto.] **Ação reipersecutória.** *Jur.* Ação em que o autor reclama o que se lhe deve ou lhe pertence, e que se acha fora de seu patrimônio, inclusive interesses e penas convencionais. **Ação transitiva.** *Filos.* Ação pela qual se cria, modifica ou aniquila um ser diferente do agente. [Distingue-se da *ação imanente.*] **Concentrar ações.** Reunir todas as ações de uma sociedade anônima, de modo que passe a dirigi-la sozinho, usando como expediente o nome de parentes ou sócios fictícios. **Fazer ação.** *Bras., N.E.* **1.** Reagir, lutar **2.** Praticar um ato de generosidade.

acapachar. [De *a-*[2] + *capacho* + *-ar*[2].] *V. t. d.* **1.** Pôr capacho em; cobrir com capacho; encapachar. **2.** Reduzir a capacho; esmagar, humilhar, desmoralizar. *P.* **3.** Reduzir-se a capacho; tornar-se subserviente; humilhar-se; encapachar-se.

acapadoçado. [De *a-*[2] + *capadócio* + *-ado*[1].] *Adj.* Que tem modos de, ou é semelhante a, ou que é próprio de capadócio (5).

acapangar-se. [De *a-*[2] + *capanga* + *-ar* + *se*[1].] *V. p. Bras.* Agir como capanga (2). [Conjug.: v. *largar.*]

acapelar. [De *a-*[2] + *capelo* + *-ar*[2].] *V. t. d.* **1.** Dar a forma de capelo a; encapelar. **2.** Cobrir com capelo (1 a 3). **3.** Submergir, afundar; soçobrar. *P.* **4.** Cobrir-se com capelo (1 a 3). **5.** Agitar-se, encrespar-se (o mar); encapelar-se.

acapitã. *S. f. Bras.* V. *cardeal* (3).

acapitular. [De *a-*[2] + *capítulo* + *-ar*[2].] *V. t. d.* **1.** Dividir em capítulos. **2.** Admoestar em pleno capítulo (4): *Dizem que o bispo acapitulou o padre.*

acapna. [Do gr. *ákapnos*, 'sem fumaça', pelo lat. *acapna*, i. e., *ligna acapna.*] *S. f.* Lenha seca, que não deita fumaça durante a combustão.

acapnia. [Do gr. *ákapnos*, 'sem fumaça', + *-ia.*] *S. f. Med.* Diminuição da taxa de gás carbônico do sangue.

acapno. [Do gr. *ákapnos*, 'sem fumaça', pelo lat. *acapnu.*] *Adj.* e *s. m.* Diz-se do, ou o melhor mel que se extrai da colmeia sem expulsar as abelhas por meio de fumaça.

acapociba. *S. f. Bras.* Designação comum a trepadeiras ornamentais, do gênero *Allamanda*, da família das apocináceas, leitosas e de flores amarelo-douradas. V. *alamanda.*

acapoeirar-se. [De *a-*[2] + *capoeira* + *-ar*[2] + *se*[1].] *V. p. Bras.* **1.** Tornar-se capoeira[2] (5). **2.** Acanalhar-se, abandalhar-se.

acapu. [Do tupi *aka'pu.*] *S. m. Bras., Amaz.* Árvore da família das leguminosas (*Vouacapoua americana*), comum na Amaz. e nas Guianas, e que atinge 20 ou mais metros de altura, de flores amarelo-douradas, dispostas em inflorescências terminais e erectas. Fornece madeira de ilimitada duração, utilizada para tacos e móveis finos [F. paral.: *uacapu;* sin.: angelim-de-folha-larga, aracuí, pitangueira.]

acapu-do-igapó. *S. m. Bras., Amaz.* V. *acapurana.* [Pl.: *acapus-do-igapó.*]

acapurana. [Do tupi *akapu'rana.*] *S. f. Bras., Amaz.* Árvore da família das leguminosas (*Campsiandra laurifolia*), de flores róseas, grandes frutos, e madeira durável, própria para construção, marcenaria, etc.; acapu-do-igapó, acapurana-vermelha, capoeirana, cumandá, manaiara. [F. paral.: *uacapurana.*]

acapurana-da-terra-firme. *S. f. Bras., Amaz.* Árvore da família das leguminosas (*Batesia floribunda*), de flores pequenas, frutos que são legumes medíocres, e cuja madeira pode ser facilmente trabalhada; tenteiro. [Pl.: *acapuranas-da-terra-firme.*]

acapurana-vermelha. *S. f. Bras.* V. *acapurana.* [Pl.: *acapuranas-vermelhas.*]

açapuva. *S. f. Bras.* V. *cipó-violeta.*

▲**-açar.** *Suf. verb.* = 'repetição', 'freqüência'; 'aumento': *esmurraçar, espicaçar; estiraçar.*

acará[1]. [Do tupi *aka'ra.*] *S. m. Bras.* **1.** Peixe teleósteo, percomorfo, da família dos ciclídeos, pertencente a diversos gêneros e espécies, sendo o *Geophagus brasiliensis* (Quoy & Gain.) que ocorre da BA ao RS, o mais comum no Brasil. Os acarás são iliófagos, e caracterizam-se por cuidarem da prole, chegando a esconder os alevinos na boca quando ameaçados. [Var.: *cará.*] **2.** V. *garça-branca-grande.*

acará[2]. [F. red. de *acarajé.*] *S. m. Bras., BA. Folcl.* Pedaço de algodão embebido em azeite-de-dendê, e em chamas, que, nos candomblés, se põe na palma das mãos ou se faz que o ingiram as pessoas de quem se suspeita estejam simulando possessão; prova ou confirmação da possessão.

acará-açu. [De *acará*[1] + *açu.*] *S. m. Bras.* V. *apaiari.* [Pl.: *acarás-açus.*]

acaraaia. *S. m. Bras.* V. *vermelho*[2] (1).

acará-bandeira. *S. m. Bras.* Peixe teleósteo, percomorfo, da família dos ciclídeos (*Pterophyllum scalare* (Val.) e *P. eimekei* (Ahl.)), da Amaz., de coloração prateada, com três linhas verticais de cor escura. Suas nadadeiras, ímpares, têm raias negras transversais, e na base caudal costuma aparecer uma quarta linha vertical. As nadadeiras anal e dorsal são muito longas, e as ventrais prolongadas em dois filamentos tão longos quanto o corpo, ou mais longos. A diferença entre as espécies reside nas proporções entre a altura e o comprimento do corpo, e no número de escamas. É peixe altamente apreciado para aquários, onde consegue viver muitos anos, reproduzindo-se com facilidade. [Sin.: *buvuari, buxuari, piraquenanã.* Pl.: *acarás-bandeiras* e *acarás-bandeira.*]

acará-bararuá. *S. m. Bras.* Peixe teleósteo, percomorfo, da família dos ciclídeos (*Cichlaurus psittacus* (Heckel)), da Amaz., o qual se caracteriza pela coloração esverdeada, com caprichosos desenhos escuros. [Sin.: *acará-fuso, acaraparaguá, acaraparaná, acaraparauá, araruá, bararuá.* Pl.: *acarás-bararuás* e *acarás-bararuá.*]

acará-bererê. *S. m. Bras., Amaz.* Peixe teleósteo, percomorfo, da família dos ciclídeos (*Cichlaurus festivus* (Heckel)), da Amaz. e Paraguai, de coloração que varia do branco-prateado ao amarelo-cobre ou esverdeado, sobre a qual, nos flancos, há faixas verticais. Região dorsal com uma linha escura lateral característica, que percorre o corpo desde o focinho até o extremo da nadadeira dorsal. Nadadeiras amarelas ou rosadas, manchadas de pardo ou branco, e base caudal com uma mácula avermelhada; comprimento de 10 a 15 cm. [Sin.: *acarapinaxame, pinaxame.* Pl.: *acarás-bererês* e *acarás-bererê.*]

acará-bobo. *S. m. Bras., Amaz.* Peixe teleósteo, percomorfo, da família dos ciclídeos (*Aequidens dorsigerus* (Heckel)), da Amaz. e Paraguai, cujo dorso apresenta manchas escuras. [Sin.: *acará-manaçaravé; acará-manacaravé, acará-pataquira.* Pl.: *acarás-bobos.*]

acará-cascudo. *S. m. Bras.* Peixe teleósteo, percomorfo, da família dos ciclídeos (*Cichlaurus facetus* (Jen.)), da Amaz., Brasil meridional e países limítrofes, de coloração variável, cor fundamental amarela com faixas transversais escuras. Comprimento: até 20 cm. [Pl.: *acarás-cascudos.*]

acará-chibante. *S. m. Bras. Amaz.* Peixe teleósteo, percomorfo, da família dos ciclídeos (*Geophagus jurupari* (Heckel)), da Amaz. e do Paraguai. Coloração verdoenga, com três faixas transversais escuras na região frontocervical e uma mácula negra muito pequena e oblíqua na nadadeira caudal. Comprimento: até 20 cm. [Sin.: *juruparipindá.* Pl.: *acarás-chibantes.*]

acaraçu. [Do tupi.] *S. m. Bras., AM.* V. *apaiari.*

acaracuaíma. *S. m. Bras. Amaz.* V. *acaradola.*

acaracuíma. [Do tupi.] *S. m. Bras., Amaz.* V. *acaradola.*

acará-diadema. *S. m. Bras.* A espécie de ciclídeo mais difundida no Brasil (*Geophagus brasiliensis* (Quoy. & Gain.)), esverdeado com faixas e manchas negras, além de manchas azul-nacaradas abaixo dos olhos e nas escamas; acará-ferreiro, acaraí, acará-topete, papa-terra. [Pl.: *acarás-diademas* e *acarás-diadema.*]

acará-disco. *S. m. Bras.* Peixe teleósteo, percomorfo, da família dos ciclídeos (*Symphysodon discus* (Heckel)), da Amaz., de coloração geral chocolate, com faixas verticais mais escuras e linhas longitudinais ou oblíquas azuladas, nadadeiras com orla azul, a anal e a dorsal com margens avermelhadas, que se tornam amarelas junto da caudal; corpo arredondado em forma de disco, o que lhe motivou o nome trivial. Comprimento: até 20 cm; altura: até 26 cm. [Sin.: *mererê, morerê, mororê, peixe-disco.* Pl.: *acarás-discos* e *acarás-disco.*]

acaradola. [De *acará*[1].] *S. m. Bras., Amaz.* Peixe teleósteo, percomorfo, da família dos ciclídeos (*Aequidens tetramerus* (Heckel)), da Amaz. e do Paraguai; acaracuaíma, acaracuíma, acaraiacuaíma, acará-tonto.

acaraense. *Adj. 2 g.* **1.** De, ou pertencente or relativo a Acará (PA). ● *S. 2 g.* **2.** Natural ou habitante de Acará.

acará-ferreiro. *S. m. Bras.* V. *acará-diadema.* [Pl.: *acarás-ferreiros.*]

acará-fuso. *S. m. Bras. Amaz.* V. *acará-bararuá.* [Pl.: *acarás-fusos* e *acarás-fuso.*]

acará-grande. *S. m. Bras.* V. *apaiari.* [Pl.: *acarás-grandes.*]

acará-guaçu. *S. m. Bras. AM.* V. *apaiari.* [Pl.: *acarás-guaçus.*]

acaraí. *S. m. Bras.* V. *acará-diadema.* [Cf. *acarai*, do v. *acarar.*]

acaraiacuaíma. *S. m. Bras. Amaz.* V. *acaradola.*

acaraiense (a-i). *Adj. 2 g.* **1.** De, ou pertencente ou relativo a Acaraí (MG). ● *S. 2 g.* **2.** Natural ou habitante de Acaraí.

acarajé. [Do ioruba.] *S. m. Bras.* Bolinho da culinária afro-baiana, feito de massa de feijão-fradinho, frito em azeite-de-dendê, e que se serve com molho de pimenta, cebola e camarão seco. [Cf. *carajé.*]

acará-manaçaravé. *S. m. Bras. Amaz.* V. *acará-bobo.* [Pl.: *acarás-manaçaravés* e *acarás-manaçaravé.*]

acará-mocó. *S. m. Bras.* V. *cangulo* (1). [Pl.: *acarás-mocós* e *acarás-mocó.*]

acaramuçu. *S. m. Bras.* V. *cangulo* (1).

acarangado. [De *a-*[2] + *carango* + *-ado*[1].] *Adj.* V.

encarangado.

acaranguejado. [De *a-*^{2} + *caranguejo* + *-ado*^{1}.] *Adj.* Semelhante a caranguejo.

acaraparaguá. [De *acará*^{1} + tupi *para'gwa*, 'papagaio'.] *S. m. Bras.* V. *acará-bararuá.*

acaraparaná. [De *acará*^{1} + tupi *para'ná*.] *S. m. Bras., Amaz.* V. *acará-bararuá.*

acaraparauá. *S. m. Bras., AM.* V. *acará-bararuá.*

acará-pataquira. *S. m. Bras., Amaz.* V. *acará-bobo.* [Pl.: *acarás-pataquiras* e *acarás-pataquira.*]

acarapeba. [De *acará*^{2} + tupi *pewa*, 'chato'.] *S. m. Bras.* **1.** V. *carapeba.* **2.** V. *acará-severo.*

acarapense. *Adj. 2 g.* **1.** De, ou pertencente ou relativo a Acarape (CE). ● *S. 2 g.* **2.** Natural ou habitante de Acarape.

acarapera. *S. m. Bras.* V. *acará-severo.*

acarapeva. *S. m.* **1.** *Bras.* V. *carapeba.* **2.** *Bras. AM.* V. *acará-severo.*

acarapi. *Bras. S. 2 g.* **1.** Indivíduo dos acarapis, tribo indígena que habita as imediações do rio Branco (RR). ● *Adj. 2 g.* **2.** Pertencente ou relativo a essa tribo. [Sin. ger.: *agarani.*]

acarapicu. (carà). [De *acará*^{1} + tupi *pu'ku*, 'comprido'.] *S. m. Bras.* **1.** V. *cangulo* (1). **2.** V. *carapicu* (2)

acarapinaxame (carà). [De *acará*^{2} + tupi *pina'xame*, de *pi'dá*, 'anzol, pindá' + *sam*, 'corda' (linha do anzol).] *S. m. Bras., Amaz.* V. *acará-bererê.*

acarapindá (carà). [Do tupi.] *S. m. Bras., Amaz.* V. *peixe-agulha* (1).

acarapinhar. [De *a-*^{2} + *carapinha* + *-ar*^{2}.] *V. t. d., int.* e *p.* V. *encarapinhar.*

acarapirambocaia (carà). *S. m. Bras., Amaz.* Peixe teleósteo, percomorfo, da família dos ciclídeos (*Aequidens vittatus* (Heckel)), da Amaz. e do Paraguai.

acarapitanga (carà). [De *acará*^{2} + tupi *pi'tãga*, 'vermelho'.] *S. m. Bras.* V. *vermelho*^{2} (1).

acarapixuna (carà). [De *acará*^{2} + tupi *pi'xuna*, 'preto'.] *S. m.* **1.** *Bras., Amaz.* V. *acará-preto.* **2.** *Bras., S.* Designação imprópria do lambari (*Astyanax abramis* (jen.)), do rio Amazonas, do Paraguai e do Uruguai, de coloração prateada, mácula negra atrás de cada opérculo, e faixa negra no pedúnculo e na nadadeira caudal.

acará-preto. *S. m. Bras., Amaz.* Peixe teleósteo, percomorfo, da família dos ciclídeos (*Cichlaurus cory phaenoides* (Heckel)), da Amaz., de coloração geral escura; acarapixuna, acaraúna. [Pl.: *acarás-pretos.*]

acarapuã. *S. m. Bras.* V. *vermelho*^{2} (1).

acarapucu. *S. m. Bras.* V. *cangulo* (1).

acarar. [De *a-*^{2} + *cara* + *-ar*^{2}.] *V. t. d.* e *t. i.* V. *encarar* (1 e 4). [Pres. ind.: *acaro*, etc.; imperat.: *acara, acarai*, etc. Cf. *ácaro, acaraí* e o top. *Acaraí.*]

acará-severo. *S. m. Bras.* Peixe teleósteo, percomorfo, da família dos ciclídeos (*Cichlaurus severus* (Heckel)), da Amaz., de coloração violácea no dorso, esverdeada nos flancos, rósea no abdome, com numerosos pontos avermelhados e, antes do pedúnculo caudal, uma faixa escura vertical. Nadadeiras dorsal e anal muito desenvolvidas. [Sin.: *acarapeba, acarapera, acarapeva.* Pl.: *acarás-severos.*]

acaratimbó. [De *acará*^{1} + *tupi ti'bo*, 'timbó'.] *S. m. Bras.* V. *garça-real.*

acaratinga. [De *acará*^{1} + *tupi ti'ga*, 'branco'.] *S. m.* **1.** *Bras.* V. *caratinga* (3). **2.** *Bras., Amaz.* V. *garça-branca-grande.*

acará-tonto. *S. m. Bras., Amaz.* V. *acaradola.* [Pl.: *acarás-tontos.*]

acará-topete. *S. m. Bras. Amaz.* V. *acará-diadema.* [Pl.: *acarás-topetes* e *acarás-topete.*]

acarauaçu (carà-u). [De *acará*^{1} + *tupi wa'su*, 'grande'.] *S. m. Bras.* V. *apaiari:* "o olho adestrado do tapuio .... descobre através das camadas líquidas o tambaqui cor de tijuco; .... o escuro e saboroso a c a r a u a ç u chato, de círculos vermelhos na extremidade e olhos de sapo" (José Veríssimo, *Cenas da Vida Amazônica*, p. 57). [Cf. *acaraú-açu.*]

acaraú-açu. [Do tupi.] *S. m. Bras.* Árvore da Amaz. da família das poligonáceas (*Symmeria paniculata*), que mede até 10 m de altura, de fruto suberoso e carnudo, flores sésseis e brancas, madeira escura, utilizada sobretudo em obras internas, e casca medicinal. [Pl.: *acaraús-açus.* Cf. *acarauaçu.*]

acarauçu (a-u). *S. m. Bras.* V. *apaiari.*

acarauense (a-u) *Adj. 2 g.* **1.** De, ou pertencente ou relativo a Acaraú (CE). ● *S. 2 g.* **2.** Natural ou habitante de Acaraú.

acaraúna. [De *acará*^{2} + tupi *una*, 'preto'.] *S. m. Bras.* V. *acará-preto.*

acardia. [Do lat. *acardia.*] *S. f. Terat.* Anomalia congênita do feto, caracterizada pela ausência de coração.

acardíaco. *Terat. Adj.* **1.** Sem coração ● *S. m.* **2.** Monstro desprovido de coração e que parasita outro feto.

acardiotrofia. *S. f. Patol.* Atrofia do coração.

acardiotrófico. *Adj.* Relativo à acardiotrofia.

acardumar-se. [De *a-*^{2} + *cardume* + *-ar*^{2} + *se*^{1}.] *V. t. d.* **1.** Reunir em cardume. *Int.* e *p.* **2.** Reunir-se em cardume; formar cardume; encardumar.

acareação. *S. f.* Ato de acarear; acareamento, careação.

acareamento. *S. m.* V. *acareação.*

acarear. [De *a-*^{2} + *cara* + *-ear.*] *V. t. d.* **1.** Pôr cara a cara, ou frente a frente; afrontar, enfrentar, acarar. **2.** Pôr (testemunhas cujos depoimentos ou declarações não são concordes) em presença uma das outras para tomar novos depoimentos; acaroar. **3.** Procurar, obter; granjear. *T. d.* e *t. i.* **4.** *Confrontar, cotejar:* A c a r e o u *uma edição atual de* Os Lusíadas *com a edição príncipe.* [Sin. ger., ant.: *carear.* Conjug.: v. *frear.*]

acari. *S. m. Bras.* **1.** V. *cascudo*^{2} (2). **2.** V. *uacari-vermelho.* **3.** V. *cacajau.*

▲**acari-.** [Do gr. *ákaris, eos.*] *El. comp.* = 'ácaro', 'inseto pequeno': *acaríase, acarígeno.* [Equiv.: *acaro-: acarofilia.*]

acariácea. *S. f.* Espécime das acariáceas.

acariáceas. *S. f. pl. Bot.* Família de plantas superiores, que engloba ervas e subarbustos ocorrentes na África austral, com algumas poucas espécies, de flores unissexuais, com três a cinco peças em cada verticilo, e fruto capsular.

acariáceo. *Adj.* Pertencente ou relativo às acariáceas.

acariaçu. [Do tupi.] *S. m. Bras.* Peixe teleósteo, siluriforme, da família dos loricarídeos (*Pseudacanthicus histrix* (Val.)), da Amaz., de coloração escura, o corpo revestido de placas ósseas com acículos, com o primeiro acúleo da nadadeira peitoral muito desenvolvido e revestido de numerosos acículos, formando uma escova. Comprimento: até 80 cm. [Sin.: *acariguaçu, guacariaçu, guacariguaçu, uacariaçu, uacariguaçu.*]

acari-amarelo. *S. m. Bras.* Peixe teleósteo, siluriforme, da família dos loricarídeos (*Pterygoplichthys etentaculatus* (Steind.)), do rio São Francisco, de coloração geral amarelada, e que tem os mesmos hábitos dos acaris; coroncho. [Pl.: *acaris-amarelos.*]

acaríase. *S. f. Patol.* Dermatose produzida por ácaros; sarna.

acari-chicote. *S. m. Bras.* Peixe teleósteo, siluriforme, da família dos loricarídeos (*Loricariichthys typus* (Bleek.)), de 22 cm de comprimento, distribuído por todo o Brasil. Tem nadadeiras marcadas por pontos negros, e a nadadeira caudal sem filamento longo. Sua forma, muito afilada na cauda, motivou-lhe o nome popular. [Sin.: *acari-laranja, acari-mole, acari-pintado.* Pl.: *acaris-chicotes* e *acaris-chicote.*]

acariciador (ô). *Adj.* **1.** Que acaricia; acariciante, acariciativo. ● *S. m.* **2.** Aquele que acaricia.

acariciante. *Adj. 2 g.* V. *acariciador* (1).

acariciar. [De *a-*^{2} + *carícia* + *-ar*^{2}.] *V. t. d.* **1.** Fazer carícias a; amimar; afagar, acarinhar. **2.** Roçar levemente; perpassar; afagar: "A viração do oceano a c a r i c i a - v a o rosto / Como incorpóreas mãos." (Manuel Bandeira, *Estrela da Vida Inteira*, p. 43.) **3.** Contemplar com enlevo, encanto. **4.** Copular com. **5.** Seduzir, aliciar. **6.** Lisonjear, incensar. **7.** Comprazer-se em pensar (alguma coisa): *Passou horas a fio* a c a r i c i a n d o *o plano.* **8.** Alentar, animar; alimentar: *Caindo em si, viu que* a c a r i c i a r a *sonhos irrealizáveis;* "A pobre senhora a c a r i c i a v a a esperança de que, antes do nascer do Sol, ali teria a filha, salva e pura." (Coelho Neto, *Turbilhão*, p. 35.) *Int.* **9.** Fazer carícias ou afagos; amimar. *P.* **10.** Fazer carícias a si mesmo, ou mutuamente; afagar-se, acarinhar-se: "Sob a chuva, a Cidade / Espelhante de casaria, / Tem a esquisita sensualidade / De gata que se lambe e que s e a c a r i c i a ..." (Olegário Mariano, *Toda Uma Vida de Poesia*, I, p. 253.); "Um ou outro casal s e a c a r i c i a." (Maria Julieta Drummond de Andrade, *Um Buquê de Alcachofras*, p. 21).

acariciativo. *Adj.* V. *acariciador* (1).

acaricida. [De *acari-* + *-cida.*] *Adj. 2 g.* e *s. m.* Diz-se de, ou substância que destrói ácaros.

açariçoba. [Do tupi.] *S. f. Bras.* Erva rasteira, da família das umbelíferas (*Hydrocatyle umbellata*), cujas flores são inaparentes, e que extensamente se alastra pelas praias e adjacências; erva-capitão.

acaridar. [De *a-*^{2} + *caridade* + *-ar*^{2}, com haplologia.] *V. t. d.* **1.** Usar de caridade com; tratar caridosamente. **2.** Tratar com carinho; acarinhar. *P.* **3.** Compadecer-se, condoer-se, doer-se, comiserar-se, apiedar-se.

acarídeo. *S. m.* Espécime dos acarídeos.

acarídeos. *S. m. pl. Zool.* Ordem da classe dos aracnídeos, de formas muito variadíssimas, geralmente com o corpo não segmentado e abdome soldado ao cefalotórax, com dois, três ou quatro pares de patas articuladas, mais freqüentemente quatro pares no estádio adulto, marinhos de água doce, terrestres e parasitos, como os causadores das sarnas.

acariense. *Adj. 2 g.* **1.** De, ou pertencente ou relativo ao Acari (RN). ● *S. 2 g.* **2.** Natural ou habitante do Acari.

acari-espada. *S. m.* **1.** *Bras. Pop.* Designação comum às espécies de peixes teleósteos, siluriformes, da família dos loricarídeos, gênero *Farlowella* Eig. & Eig., de corpo quase cilíndrico, muito afilado no rosto e no pedúnculo caudal. São muito apreciados para aquários e a maioria é da Amaz. [Sin.: *cascudo-espada, cascudo-viola.*] **2.** *Bras., SP.* Designação dada à espécie *Loricaria piracicabae* R. Ilher., de peixes cascudos do rio Piracicaba. [Pl.: *acaris-espadas* e *acaris-espada.*]

acarígeno. [De *acari-* + *-geno.*] *Adj* Que é produzido por ácaros.

acariguaçu. *S. m. Bras., Amaz.* V. *acariaçu.*

acarijuba. *S. m. Bras., Amaz.* Cascudo-comum.

acari-laranja. *S. m. Bras.* V. *acari-chicote.* [Pl.: *acaris-laranjas* e *acaris-laranja.*]

acari-lima. *S. m. Bras.* Peixe teleósteo, siluriforme, da família dos loricarídeos (*Rineloricaria lima* (Kner)), distribuído por todo o Brasil, de forma muito afilada no sentido da cauda, e uma série de filamentos no mento. Coloração olivácea, com pontos negros no corpo. [Sin.: *cascudo-barbado, cascudo-lima, aperta-galha.* Pl.: *acaris-limas* e *acaris-lima.*]

acari-mole. *S. m. Bras.* V. *acari-chicote.* [Pl.: *acaris-moles.*]

acarinhamento. *S. m.* Ato ou efeito de acarinhar.

acarinhar. [De *a-*^{3} + *carinho* + *-ar*^{2}.] *V. t. d.* **1.** Tratar com carinho; amimar, mimar, afagar, acariciar, acaridar: "Da minha ira empalidece a chama, / E, a c a r i n h a n d o - a , pago os seus carinhos." (Eugênio de Castro, *Obras Poéticas*, V, p. 174); "Ao ver a filha, Dona Maria do Carmo abraçou-se nela, a c a r i n h á -la, num choro convulsivo." (Jorge Amado, *Dona Flor e Seus Dois Maridos*, p. 381). **2.** Alisar, anediar, afagar: "Vagueia nas umbrosas alamedas / E a c a r i n h a , de leve, as sensitivas." (Cesário Verde, *Obra Completa*, p. 47).

acarino. *S. m.* **1.** Espécime dos acarinos. ● *Adj.* **2.** Pertencente ou relativo a eles.

acarinos. *S. m. pl. Zool.* Artrópodes aracnídeos da ordem *Acarina*, de corpo não segmentado, abdome soldado ao cefalotórax num todo indiviso, patas com seis a sete segmentos, cuja respiração se faz por traquéias ou através da pele, e que têm vida livre ou parasitária.

acari-pintado. *S. m. Bras.* V. *acari-chicote.* [Pl.: *acaris-pintados.*]

acariquara. *S. f. Bras.* Designação comum a duas árvores da família das olacáceas (*Minquartia guianensis* e *M. punctata*), de madeira incorrutível, utilizada em esteios, dormentes e obras exteriores; acariúba, acaximba, aguariguara.

acarirana. *S. f. Bras.* Árvore da família das apocináceas (*Geissospermum sericeum*), de flores pequeninas, madeira sem préstimo, e cuja casca, amarga, tem uso medicamentoso contra febres; pereira, pau-pereira, pau-forquilha, quinarana.

acariúba. *S. f. Bras.* V. *acariquara.*

acarnácea. *S. f.* Composta.

acarnáceas. *S. f. pl. Bot.* Compostas.

acarneirado. [De *a-*^{2} + *carneiro* + *-ado*^{1}.] *Adj.* **1.** Semelhante a carneiro. **2.** *Fig.* Doce, meigo, terno: *olhos* a c a r n e i r a d o s. **3.** *Fig.* Diz-se do céu coberto de nuvenzinhas brancas, e do mar picado, quando coberto de pequenas ondas espumosas.

▲**acaro-.** Equiv. de *acari-.*

ácaro. [Do lat. *acaru.*] *S. m.* Designação geral dos aracnídeos da ordem *acarina*, na qual se incluem também os carrapatos e os micuins. [Cf. *acaro*, do v. *acarar.*]

acaroar. [De *a-*^{2} + *carão* + *-ar*^{2}.] *V. t. d.* **1.** Pôr cara a cara, frente a frente; confrontar. **2.** Acarear (2). [Conjug.: v. *coroar.* Cf *acarear.*]

acarocecídia. *S. m.* Acarocecídio (1).

acarocecídio. *S. m. Bot.* **1.** Galha ou cecídio proveniente da ação parasitária dum ácaro, como, p. ex., na videira; acarocecídia. **2.** Acarodomácia.

acarodomácia. *S. f. Bot.* Cada uma das pequenas domácias produzidas nas folhas pela ação de um ácaro; acarocecídio. [F. paral.: *acarodomácio.*]

acarodomácio. *S. m. Bot.* V. *acarodomácia.*

acarofilia. [De *ácaro* + *-fil(o)-*^{1} + *-ia.*] *S. f. Bot.*

Simbiose de uma planta com os ácaros, com vantagens mútuas.
acarofílico. *Adj.* Concernente à acarofilia.
acarofobia. [De *ácaro* + *-fob(o)-* + *-ia.*] *S. f. Patol.* Medo patológico de contrair a sarna.
acarofóbico. *Adj.* Referente à acarofobia.
acaróide. [De *ácaro* + *-óide.*] *Adj. 2 g.* **1.** Semelhante a ácaro. **2.** Diz-se de uma resina que se obtém de certas espécies de plantas da família das liliáceas.
acarpantese. *S. f. Bot.* Floração estéril, não acompanhada da formação de frutos.
acarpetado. [Part. de *acarpetar.*] *Adj.* Carpetado: "Idas e voltas, pés pelo soalho / *a c a r p e t a d o*" (Geir Campos, *Cantar de Amigo ao Outro Homem da Mulher Amada,* p. 24).
acarpetar. [De *a-*[2] + *carpete* + *-ar*[2]] *V. t. d.* Carpetar.
acárpico. *Adj. Bot.* Sem fruto, que não gera fruto; acarpo.
acarpo. [Do gr. *ákarpos.*] *Adj. Bot.* Acárpico.
acarraçado. [De *a-*[2] + *carraça* + *-ado*[1].] *Adj.* Agarrado ou apegado como carraça [q. v.].
acarrado. [Part. de *acarrar.*] *Adj.* **1.** Que acarrou. **2.** Que está imóvel, quieto.
acarradoiro. *S. m.* Acarradouro [q. v.].
acarradouro. [Var. de *acarradoiro.*] *S. m.* Lugar onde o gado lanígero passa as horas de calor.
acarrancado. [De *a-*[2] + *carranca* + *-ado*[1].] *Adj.* Carrancudo (2): *aspecto a c a r r a n c a d o.*
acarrancar. [De *a-*[2] + *carranca* + *-ar*[2].] *V. t. d.* **1.** Tornar carrancudo; carranquear. *Int.* e *p.* **2.** Tornar-se carrancudo; mostrar carranca; carranquear. [Conjug.: v. *trancar.*]
acarrapatado. *Adj.* Renitente, obstinado, semelhante a carrapato (4).
acarrapatar. [De *a-*[2] + *carrapato* + *-ar*[2].] *V. t. d.* Tornar semelhante ao carrapato (4).
acarrar. *V. int.* e *p.* **1.** Resguardar-se do calor no acarradouro (o gado lanígero). **2.** Deixar de mover-se; ficar imóvel, quedo, por efeito de calor, doença, etc. **3.** Estar (o gado) muito junto para defender-se do calor do Sol.
acarrear. [De *a-*[2] + *carro* + *-ear.*] *V. t. d.* e *t. i.* V. *acarretar.* [Conjug.: v. *frear.*]
acarreio. [Dev. de *acarrear.*] *S. m.* Ato ou efeito de acarrear.
acarretador (ô). *S. m.* Que ou aquele que acarreta.
acarretadura. *S. f.* V. *acarretamento.*
acarretamento. *S. m.* Ação ou efeito de acarretar; acarretadura, acarreto.
acarretar. [De *a-*[2] + *carreta* + *-ar*[2].] *V. t. d.* **1.** Transportar em carreta ou carro; acarrear, carrear. **2.** Fazer frete ou carreto de; conduzir, transportar, acarrear, carrear. **3.** Trazer consigo; causar, ocasionar, acarrear, carrear: *O desabamento a c a r r e t o u consequências trágicas;* "A seca .... empobrece os ricos, obriga a emigrar, avilta os pobres, *a c a r r e t a* desonra" (Austregésilo de Ataíde, *in Discursos de Posse e Recepção na Academia Brasileira de Letras,* p. 54). *T. d.* e *i.* **4.** Causar, ocasionar, motivar, acarrear, carrear: "Depois de demorados debates, foi a proposta do governador unanimemente rejeitada por *a c a r r e t a r* pesado sacrifício aos contribuintes." (Vivaldo Coaraci, *O Rio de Janeiro no Século 17,* p. 152.) [Pres. ind.: *acarreto,* etc. Cf. *acarreto* (ê). F. paral. (p. us.): *carretar.*]
acarreto (ê). [Dev. de *acarretar.*] *S. m.* **1.** V. *acarretamento.* **2.** Plágio, imitação. **3.** Alegação forçada ou fora de tempo e lugar. [Pl.: *acarretos* (ê). Cf. *acarreto,* do v. *acarretar.*] ♦ **De acarreto.** Sem cabimento, fundamento ou originalidade: "Não são descrições trazidas de *a c a r r e t o.* As pessoas das narrativas vão para ali continuar a ação começada." (Machado de Assis, *Crítica,* p. 190.)
acartonado. [De *a-*[2] + *cartão* + *-ado*[1].] *Adj.* Que tem aspecto, consistência ou forma de cartão (1). [Cf. *cartonado.*]
acartonar. [De *a-*[2] + *cartão* + *-ar*[2].] *V. t. d.* Tornar semelhante a cartão (1); dar consistência de cartão (1) a.
acasacado. [De *a-*[2] + *casaca* ou *casaco* + *-ado*[1].] *Adj.* Semelhante a casaca ou casaco: *vestido a c a s a c a d o*
acasalação. *S. f.* Acasalamento.
acasalamento. *S. m.* Ato ou efeito de acasalar(-se); acasalação.
acasalar. [De *a-*[2] + *casal* + *-ar*[2].] *V. t. d.* **1.** Ajuntar (macho e fêmea) para a procriação; casalar. **2.** Reunir em casal; casalar. **3.** Ajuntar, emparelhando ou irmanando; casalar: *a c a s a l a r pares de meias, de sapatos. T. d.* e *i.* **4.** Ajuntar, emparelhando ou irmanando; casalar. *Int.* **5.** Juntar-se (macho e fêmea) para a procriação; casalar, acasalar-se. *P.* **6.** V. *acasalar* (5). **7.** Ajuntar-se, emparelhando ou irmanando; casalar-se. **8.** Amancebar-se, amasiar-se, amigar-se.
acascarrilhado. [De *a-*[2] + *cascarrilha* + *-ado*[2].] *Adj.* Diz-se do jogo em que se toma a cascarrilha[2] ou algumas cartas dela.
acasear. [De *a-*[2] + *casa* + *-ear*[2].] *V. t. d.* Casear. [Conjug.: v. *frear.*]
acaso. [De *a*[3] + *caso.*] *S. m.* **1.** Conjunto de pequenas causas independentes entre si, que se prendem a leis ignoradas ou mal conhecidas, e que determinam um acontecimento qualquer: "— Providência ou *a c a s o*?, perguntou o tenente. Eu sou mais pelo *a c a s o.*" (Machado de Assis, *Histórias da Meia-Noite,* p. 104); *Sua viagem foi obra do a c a s o.* **2.** O resultado desse conjunto de causas: *A maioria dos historiadores nega que o descobrimento do Brasil tenha sido um a c a s o.* **3.** Acontecimento fortuito; fato imprevisto; casualidade: "não era crime achar dinheiro, era uma felicidade, um bom *a c a s o,* era talvez um lance da Providência." (Machado de Assis, *Memórias Póstumas de Brás Cubas,* p. 151). **4.** Destino, fado, sorte, fortuna: "Resignei-me a abrir mão da aventura ou esperar a solução do *a c a s o.*" (Id., *Histórias sem Data,* p. 113.) **5.** *Filos.* Caráter de acontecimento imprevisível com relação às causas que o determinam (p. ex., a premiação de um bilhete), ou injustificável com respeito à significação assumida (p. ex., um atraso de segundos que provoca um desastre). ● *Adv.* **6.** Casualmente, acidentalmente, fortuitamente; por acaso: "Conheço apenas Dona Margarida / Por tê-la visto, *a c a s o,* num salão." (Paulo Setúbal, *Alma Cabocla,* p. 109.) **7.** Talvez, porventura: "a figura vaga do finado amigo passa-lhe *a c a s o* ao longe, muito longe, aos pedaços" (Machado de Assis, *Quincas Borba,* p. 43). **8.** Por acaso; porventura: "Zagais do monte que um lindo / Rebanho estais a guardar, / — Essa empós da qual vou indo, / *A c a s o* a vistes passar?" (Raimundo Correia, *Poesias,* p. 138.) ♦ **Ao acaso. 1.** Sem direção, sem rumo; à toa, a esmo: *andar ao a c a s o;* "A missa estava começada, e ele ficou ali, de pé, numa distração pouco devota, deixando a vista errar *a o a c a s o* pela igreja" (Conde de Ficalho, *Uma Eleição Perdida,* p. 105). **2.** Sem reflexão, impensadamente, inconsideradamente: *Respondeu ao a c a s o às perguntas formuladas pelo júri.* **Por acaso.** V. acaso (6 e 8): *Encontrou p o r a c a s o o livro que tanto buscara dias antes; P o r a c a s o viste o meu caderno?*
acastanhado. [De *a-*[2] + *castanho* + *-ado*[1].] *Adj.* De cor tirante a castanho; amarronzado.
acastanhar. [De *a-*[2] + *castanho* + *-ar*[2]] *V. t. d.* Tornar quase castanho.
acastelado. [Part. de *acastelar.*] *Adj.* **1.** Construído à maneira de castelo: "Sem saber como, Astrigildo achou-se junto das barreiras de um solar *a c a s t e l a d o.*" (Alexandre Herculano, *Lendas e Narrativas,* II, p. 28.) **2.** Fortificado com castelo; encastelado: *cidade a c a s t e l a d a.* **3.** *P. ext.* Defendido, protegido, seguro; encastelado. **4.** Que é senhor de castelo: *morgado a c a s t e l a d o.* **5.** Amontoado, acumulado, encastelado: "O vento vai quebrando, e já rareiam / Grossos montões de *a c a s t e l a d a s* nuvens" (Alexandre Herculano, *Poesias,* p. 115).
acastelamento. *S. m.* **1.** Ato ou efeito de acastelar(-se) **2.** *Constr. Nav.* Espécie de superestrutura (2).
acastelamentos. [Pl. de *acastelamento.*] *S. m. pl. Constr. Nav.* Superestruturas: *os a c a s t e l a m e n t o s do navio.* ~ V. *acastelamento.*
acastelar. [De *a-*[2] + *castelo* + *-ar*[2].] *V. t. d.* **1.** Fortificar com castelo; encastelar. **2.** Construir à maneira de castelo. **3.** Defender, proteger. **4.** Amontoar, acumular; empilhar; encastelar. *P.* **5.** Pôr-se em defesa; fortificar-se, encastelar-se. **6.** Prevenir-se; precaver-se, precatar-se. **7.** Amontoar-se, acumular-se, encastelar-se: "O sol subia no horizonte, escondido por densas nuvens pesadas, que se *a c a s t e l a v a m* na atmosfera." (Bernardo Pinheiro, *Pindela, Azulejos,* p. 85.)
acastelhanado. [De *a-*[2] + *castelhano* + *-ado*[1].] *Adj.* Que tem modos ou maneiras de, ou que é próprio de castelhano (3): *indivíduo a c a s t e l h a n a d o; pronúncia a c a s t e l h a n a d a.*
acastelhanar. [De *a-*[2] + *castelhano* + *-ar*[2].] *V. t. d.* **1.** Dar feição, modos, costumes castelhanos a; tornar semelhante aos castelhanos. *P.* **2.** Adquirir feição, modos, costumes castelhanos; tornar-se semelhante aos castelhanos.
acasulado. [De *a-*[2] + *casulo* + *-ado*[1].] *Adj.* Que tem a forma de casulo.
acasular. [De *a-*[2] + *casulo* + *-ar*[2].] *V. t. d.* Dar a forma de casulo a.
acatador (ô). *Adj.* e *s. m.* Que ou aquele que acata.
acatadura[1]. [De *acatar* (3) + *-(d)ura.*] *S. f.* Observação atenta.
acatadura[2]. [De *a-*[4] + *catadura.*] *S. f.* V. *catadura* (1).
acataléctico. *Adj.* ~ V. *verso* —. [Var.: *acatalético.* Cf. *acataléptico.*]
acatalepsia. [Do gr. *akatalepsía.*] *S. f.* **1.** *Filos.* Impossibilidade de compreensão; dúvida, incerteza. **2.** *Med.* Incerteza no diagnóstico e na prognose. **3.** *Patol.* Deficiência mental.
acataléptico. *Adj.* Referente à acatalepsia. [Cf. *acataléctico.*]
acatalético. *Adj.* Var. de *acataléctico.*
acatamatesia. [De *a-*[3] + gr. *katamathesis* + *-ia.*] *S. f. Patol.* **1.** Perturbação na capacidade de entender a linguagem. **2.** Percepção deficiente devida a uma lesão central.
acatamento. *S. m.* **1.** Ato ou efeito de acatar. **2.** Respeito, consideração, veneração. **3.** Vênia respeitosa; reverência. [Sin. ger.: *acato.*]
acatar. [De *a-*[3] + *catar* na acepç. de 'tratar de ver'.] *V. t. d.* **1.** Respeitar, reverenciar, honrar, venerar: "É.... um homem de bons costumes, *a c a t a* as famílias e preza as leis do decoro público e privado." (Machado de Assis, *Contos Avulsos,* p. 9.) **2.** Obedecer, cumprir, seguir (opinião, etc.): *A c a t a os conselhos dos pais.* **3.** *Ant.* Olhar atentamente.
acatarrado. [De *a-*[2] + *catarro* + *-ado*[1].] *Adj.* Que tem ou está cheio de catarro; acatarroado, encatarrado, encatarroado.
acatarroado. [Part. de *acatarroar-se.*] *Adj.* V. *acatarrado.*
acatarroar-se. [De *a-*[2] + *catarro* + *-ar*[2] + *se*[1].] *V. p.* Ser acometido de catarro; encatarrar-se, encatarroar-se. [Conjug.: v. *coroar.*]
acatassolar. [De *a-*[2] + *catassol* + *-ar*[2].] *V. t. d.* **1.** Tecer à maneira do catassol (2). **2.** Dar a cor irisada do catassol a.
acatável. *Adj. 2 g.* Que merece acatamento.
acatingado[1]. [De *a-*[2] + *catinga*[1] + *-ado*[1].] *Adj. Bras.* Que tem catinga[1] ou mau cheiro; malcheiroso, catingoso, catinguento.
acatingado[2]. [De *a-*[2] + *catinga*[2] + *-ado*[1].] *S. m. Bras., N.E.* Terreno ou formação vegetal que tem certas características da catinga[2], mas não se confunde com ela. ~ V. *agreste* —.
acátio. *S. m.* **1.** Pequena embarcação da Antiguidade greco-romana, movida a remos ou à vela, com um esporão na proa e a popa recurvada para dentro, e usada, em geral, por piratas. **2.** Taça de feitio semelhante ao dessa embarcação, destinada às libações. [Var.: *acato.*]
acatisia. [Do fr. *acathésie.*] *S. f. Patol.* Condição que varia entre uma sensação de inquietação e a incapacidade de sentar-se ou de deitar-se tranqüilamente, ou de dormir.
acatitado. [De *a-*[2] + *catita*[2] + *-ado*[1].] *Adj.* Que tem modos catitas; ajanotado, aperaltado.
acato[1]. [Dev. de *acatar.*] *S. m.* V. *acatamento.*
acato[2]. *S. m.* Var. de *acátio.*
acatocarpácea. *S. f.* Espécime das acatocarpáceas.
acatocarpáceas. *S. f. pl. Bot.* Família de plantas da ordem das centrospermas, com cerca de 14 espécies dos países intertropicais americanos, de flores unissexuais e fruto em baga. O gênero tropical é *Achatocarpus,* que alcança o extremo S. do Brasil.
acatocarpáceo. *Adj.* Pertencente ou relativo às acatocarpáceas.
acatólico. [De *a-*[3] + *católico.*] *Adj.* e *s. m.* Que ou aquele que não é católico.
acatruzar. [Alter, de *alcatruzar.*] *V. t. d. Bras., PB. Pop.* Aborrecer, apoquentar, importunar, amolar, aperrear.
acaú. *S. m.* V. *acauã.*
acauá. *S. m. Bras.* Árvore de flores coloridas, da família das rubiáceas (*Ferdinandusa paraensis*), cujos frutos são cápsulas médias, e cuja madeira se utiliza em marcenaria, embora a espécie não seja abundante; pau-de-bugre, acaú.
acauã. [Do tupi *waka'wã.*] *S. f.* e *m. Bras.* Ave falconiforme, da família dos falconídeos (*Herpetotheres cachinnans* (L.)), distribuída do Panamá à Argentina, de coloração pardacenta mais escura no dorso e na cauda, esta com faixas claras transversais; lado inferior branco, uma mancha clara circundando o pescoço, uma faixa negra em torno dos olhos, prolongando-se até a nuca, e o alto da cabeça branco. O povo considera seu canto de mau agouro e prenunciador de chuvas. "Tristonhos pios a *a c a u ã* desata, / Quando ao guerreiro prognostica males" (Gonçalves Dias, *Obras Poéticas,* p. 120); "outro gavião, o *a c a u ã,* meio águia e meio bruxo, devorando

cobra como um gênio tutelar do homem, mas, do mesmo passo, obrigando, por um pio expressivo, certos sujeitos .... a exclamarem: *acauã! acauã!*" (Raimundo Morais, *País das Pedras Verdes*, p. 45). [Var.: *cauã, macaá, macaguã, macauã, nacauã, uacauã*.]

acaudatar. [De a[2]- + *caudato* + *-ar*[2].] *V. t. d.* **1.** Segurar a cauda (4) de. **2.** Ir na cauda de (cortejo ou procissão): "*Acaudatavam*-no doze pagens com outros tantos cavalos de raça" (Aquilino Ribeiro, *Aventura Maravilhosa*, p. 9).

acaudilhar. [De *a-*[2] + *caudilho* + *-ar*[2].] *V. t. d.* **1.** Comandar como caudilho; capitanear. **2.** Chefiar partido ou facção política. *P.* **3.** Agrupar-se ou orientar-se sob o comando de um caudilho. **4.** Alistar-se, arregimentar-se (em partido, grupo, facção). [F. paral.: *caudilhar*.]

acaule. [Do gr. *ákaulos*.] *Adj. 2 g. Morfol. Veg.* Diz-se da planta destituída de caule. [Na verdade, tais casos são raríssimos: as plantas ditas *acaules* têm, de fato, um caule muito pequeno ou curto. Sin.: *acaulescente, acáulico, descaulino*.]

acaulescente. *Adj. 2 g. Morfol. Veg.* V. *acaule*.

acáulico. *Adj. Morfol. Veg.* V. *acaule*.

acauso. *S. m. Bras. Pop.* Acaso (1 a 4).

acaustobiólito. [Do gr. *ákaustos* + *-bio-* + *-lito*.] *S. m. Pet.* Rocha sedimentar constituída de restos de organismos não combustíveis.

acautelado. [Part. de *acautelar*.] *Adj.* **1.** Que se acautela; previdente, precavido, precatado, cauteloso, cauto. **2.** Astuto, astucioso, manhoso, sagaz. **3.** Guardado com cautela; resguardado, defendido.

acautelador (ô). *Adj.* e *S. m.* Que ou aquele que acautela.

acautelamento. *S. m.* Ação ou efeito de acautelar(-se); cautela. [F. paral.: *cautelamento*.]

acautelar. [De *a-*[2] + *cautela* + *-ar*.[2]] *V. t. d.* **1.** Pôr de sobreaviso; prevenir; precaver: *Acautelaram o banqueiro quanto a um possível assalto.* **2.** Pôr (alguém) de prevenção. **3.** Evitar, prevenir. **4.** Guardar com cautela: *Acautelou os documentos antes de viajar. T. d. e i.* **5.** Resguardar, defender: *Procurou acautelar os filhos dos perigos dos tóxicos. Int.* **6.** Usar de cautela; pôr-se de prevenção.*P.* **7.** Usar de cautela; resguardar-se; precaver-se: "Mais valia *acautelarem-se*, sacrificando-se por algumas semanas." (Machado de Assis, *Várias Histórias*, p. 10.) [F. paral.: *cautelar*.]

acautelatório. *Adj.* Próprio para acautelar, para resguardar; preventivo, cautelar: *medidas acautelatórias*.

acavalado[1]. [De *a-*[2] +*cavalo* + *-ado*[1].] *Adj.* **1.** Abrutalhado de maneiras; rude, grosseiro. **2.** *Bras.* Muito grande. **3.** *Bras. N.E.* Que tem o pênis enorme.

acavalado[2]. [Part. de *acavalar*.] *Adj.* **1.** Coberto, fecundado: *égua acavalada*. **2.** Sobreposto: *dentes acavalados*.

acavalamento. *S. m.* **1.** Ato ou efeito de acavalar(-se). **2.** *Geol.* Avanço de algumas centenas de metros de um terreno sobre outro, produzido tanto por falhas como por dobras.

acavalar. [De *a-*[2] + *cavalo* + *ar*[2].] *V. t. d.* **1.** Cobrir (a égua). **2.** Pôr (objetos) uns sobre os outros; sobrepor, amontoar. *T. d. e i.* **3.** Sobrepor, superpor: "Vitorino Teixeira, *acavalando* os óculos de ouro no grosso nariz vermelho, abriria o cofre" (Graciliano Ramos, *Caetés*, p. 86). *P.* **4.** Pôr-se (objetos) uns sobre os outros, ou dar a impressão de que estão postos assim; sobrepor-se, amontoar-se: "*acavalam-se* morros, esplendem casarias brancas pelo pendor das encostas" (Olavo Bilac, *Crítica e Fantasia*, p. 301).

acavaleirado. [Part. de *acavaleirar*.] *Adj.* Posto a cavaleiro; sobranceiro, elevado.

acavaleirar. [De *a-*[2] + *cavaleiro* + *-ar*[2].] *V. t. d.* **1.** Pôr a cavaleiro. **2.** Pôr em posição elevada, sobranceira ou dominante. **3.** Amontoar, sobrepor; acavalar. *T. d. e i.* **4.** Pôr a cavaleiro.

acavaletado. [De *a-*[2] + *cavalete* + *-ado*[1].] *Adj.* **1.** Com cavalete (1). **2.** *Bras.* Diz-se de nariz aquilino ou arqueado.

acaximba. *S. f. Bras.* V. *acariquara*.

▲-acaz. V. *-az*.

accepção (cs). *S. f.* V. *acepção*.

accessível (cs). *Adj. 2 g.* V. *acessível*.

accessório (cs). *S. m.* V. *acessório*.

acciano. *Adj.* Relativo aos jogos públicos instituídos por César [v. *cesáreo*] para comemorar a batalha de Áccio.

acê. *Pron. de tratamento. Bras. Pop.* V. *você*.

▲-ácea. *Suf. nom.* = 'espécime da família de (planta)': *rosácea, rubiácea*. [V. *-áceas*.]

▲-áceas. *Bot. Suf. nom.* = 'família de (planta): *rosáceas*. [V. *-ácea*.]

acebolado[1]. [De *a-*[2] + *cebola* + *-ado*[1].] *Adj.* Que tem gosto de cebola.

acebolado[2]. [Part. de *acebolar*.] *Adj.* Temperado com cebola: *bife acebolado*.

acebolar. [De *a-*[2] + *cebola* + *-ar*[2].] *V. t. d.* Temperar com cebola.

aceca. *S. f.* V. *acéquia*.

acedares. *S. m. pl.* Redes para pescar sardinhas. [Cf. *assedares*, do v. *assedar*.]

acedência. [Do lat. *accedentia*.] *S. f.* Ato ou efeito de aceder. [Cf. *acidência*.]

acedente. [Do lat. *accedente*.] *Adj. 2 g.* e *s. 2 g.* Que ou quem acede. [Cf. *acidente*.]

aceder. [Do lat. *accedere*.] *V. t. i.* **1.** Conformar-se, aprovando; concordar, assentir, aquiescer, anuir: *Acedeu em assumir as funções*; "Rubião *acedeu* ao pedido que lhe faziam de pegar em uma das argolas" (Machado de Assis, *Quincas Borba*, p. 189). **2.** Juntar-se, ajuntar-se, acrescer, adicionar-se: *À sua beleza acede uma graça inefável.* **3.** Anuir, aquiescer, assentir, concordar: *Acabou acedendo em aceitar o cargo. T. d. e i.* **4.** Juntar, ajuntar, acrescer, adicionar: *Acedeu aos exemplos vários outros de diferentes autores. Int.* **5.** Anuir, aquiescer, assentir, consentir, concordar em alguma coisa: "Quando ia à Capital, ... ele fazia-lhes a proposta. Geralmente elas *acediam*, não só pelo ganho que o sueco oferecia como pela aventura em vista e pela beleza viril de Undset." (Vasconcelos Maia, *O Leque de Oxum*, p. 47.) [Pres. ind: *acedo* (ê), etc.; pres. subj.: *aceda* (ê), *acedas* (ê), *aceda* (ê), etc. Cf. o pres. ind. e o pres. subj. do v. *assedar*.]

acedia. [Do gr. *akedia*.] *S. f.* Acidia. [Cf. *assedia*, do v. *assediar*.]

acefalia. [De *acéfalo* + *-ia*.] *S. f. Terat.* Ausência congênita de cabeça.

acefálico. *Adj.* Acéfalo (1 a 3).

acéfalo. [Do gr. *aképhalos*, pelo lat. *acephalu*.] *Adj.* **1.** *Terat.* Que apresenta acefalia: *monstro acéfalo*. **2.** *P. ext.* Sem inteligência; burro. **3.** *Fig.* Sem orientador, sem responsável, sem chefe: *governo acéfalo*; "Para que a prelazia não ficasse *acéfala*, reuniu-se o clero local e elegeu para administrador eclesiástico interino o vigário-geral" (Vivaldo Coaraci, *O Rio de Janeiro no Século 17*, p. 69). **4.** Diz-se do concílio não presidido pelo papa. **5.** *Mús.* Diz-se do desenho musical que não se inicia no começo do compasso, ou que recebe seu icto inicial sobre uma pausa; procataléctico. [Sin., nas acepç. 1 a 3: *acefálico*. ~V. *verso* —. ● *S. m.* **6.** *Terat.* Monstro sem cabeça. **7.** *Zool.* V. *pelecípode*. **8.** *Zool.* Larva de alguns insetos dípteros.

▲acefal(o)-. [Do gr. *aképhalos, os, on*.] *El. comp.* = *'sem cabeça', 'sem começo': acefalia, acefalobraquia*.

acefalobraquia. [De *acefal(o)-* + *-braqui(o)-* + *-ia*.] *S. f. Ter.* Anomalia congênita que consiste na ausência de cabeça e braços; abraquiocefalia.

acefalobráquico. *Adj.* Relativo à, ou que tem acefalobraquia.

acefalocisto. *S. m. Zool.* Larva da tênia (*Echinococcus granulosus*), causadora do cisto hidático, na qual não se formou escólex.

acefalóforo. *Adj.* e *s. m. Zool.* Diz-se do, ou o animal invertebrado, cuja cabeça não é distinta do corpo.

acéfalos. [Pl. de *acéfalo*.] *S. m. pl. Zool.* V. *pelecípodes*.

aceimar. *V. t. d.* V. *açaimar*.

aceiração. *S. f.* Aceiramento. [Cf. *aceração*.]

aceiramento. *S. m.* Ato ou operação de aceirar[1]; aceiração. [Cf. *aceramento*.]

aceirar[1]. [De *aceiro*[2] (5) + *-ar*[2].] *V. t. d.* V. *acerar* (1).

aceirar[2]. *V. t. d.* **1.** Cortar (a vegetação) em volta da mata. **2.** Cortar (o mato) nos extremos das herdades para demarcá-los e evitar comunicação de incêndios. **3.** Andar à volta de; rondar. **4.** *Bras.* Rodear, observando, trocando de posição para ver melhor. **5.** *Bras.* Aproximar-se, espreitando, de (alguém ou alguma coisa). **6.** *Bras.* Olhar com cobiça. [Cf. *acerar*.]

aceiro[1]. [Do gr. *chérros*.] *S. m.* **1.** Desbaste de terreno em volta de propriedades, matas, coivaras, para, pela descontinuidade assim estabelecida na vegetação, evitar a propagação de incêndios ou queimadas; atalhada: "O *aceiro* aberto na direção da fazenda tinha cortado a tromba do incêndio que o vento impelia naquele rumo" (José de Alencar, *O Sertanejo*, p. 44). **2.** *Bras., RJ* e *GO.* Limpeza que se faz em torno de uma cerca de arame, a 1 m de distância, mais ou menos, cada lado, para protegê-la contra o fogo por ocasião das queimadas. **3.** *Bras., GO.* Pequena queimada que os viajantes fazem no campo, em trechos não determinados de seu trajeto, para descanso próprio ou dos cavalos.

aceiro[2]. [De *aço* + *-eiro*.] *Adj.* **1.** Relativo ao aço, ou que tem as propriedades dele. **2.** *Fig.* Forte, agudo, penetrante: *sofrimento aceiro; voz aceira.* ● *S. m.* **3.** Operário que trabalha em aço. **4.** *Ant.* O próprio aço: *pregos de aceiro*.

aceitabilidade. *S. f.* Qualidade de aceitável.

aceitação. *S. f.* **1.** Ato ou efeito de aceitar. **2.** Acolhimento, receptividade: *Seus livros têm muita aceitação no mercado.* **3.** Concordância, anuência: "A vinda de D. Lourenço, e a sua *aceitação* ao convite que lhe ia fazer, eram agora, para ela, uma certeza" (Domingos Monteiro, *O Primeiro Crime de Simão Bolandas*, p. 118). **4.** Aprovação, aplauso. **5.** Respeito, consideração. [Sin. ger.: *aceitamento*.]

aceitador (ô). [Do lat. *acceptatore*.] *Adj.* **1.** Que aceita; aceitante. ~ V. *nível* —. ● *S. m.* **2.** Aquele que aceita; aceitante.

aceitamento. *S. m.* V. *aceitação*.

aceitante. [Do lat. *acceptante*.] *Adj. 2 g.* **1.** Aceitador (1). ● *S. 2 g.* **2.** Aceitador (2). **3.** Pessoa que assina o aceite numa letra de câmbio, ou duplicata de fatura, reconhecendo a obrigação por ela representada.

aceitar. [Do lat. *acceptare*.] *V. t. d.* **1.** Consentir em receber (coisa oferecida ou dada). **2.** Estar de acordo com; concordar com; anuir a: *Aceitou a proposta, considerando-a justa.* **3.** Conformar-se com (fato, circunstância, etc.): *Aceitou bem a reprimenda.* **4.** Chamar a si; arrogar-se, atribuir-se: *Aceitou a responsabilidade do crime.* **5.** Dar crédito a; ter como bom, como certo, como verdadeiro; acreditar: *É-me impossível aceitar esta informação.* **6.** *Jur.* Assumir a obrigação de pagar (título de crédito) no vencimento, pondo nele o aceite. **7.** *Jur.* Manifestar anuência a (os termos essenciais de uma proposta de contrato, que com isto se torna perfeito e acabado). *T. d. e i.* **8.** Concordar, anuir; admitir: "Simão Bacamarte começou por organizar um pessoal de administração; e, *aceitando* essa idéia ao boticário Crispim Soares, *aceitou*-lhe também dous sobrinhos" (Machado de Assis, *Papéis Avulsos*. p. 10). *Transobj.* **9.** Admitir, reconhecer: "Por que hei de *aceitar* como boa e infalível uma realidade geral, que, íntima e secretamente, ninguém aceita?" (Almeida Fischer, *10 Contos Escolhidos*, p. 65); *Aceito por verdadeira a doutrina.* **10.** Admitir, tolerar, suportar: *Os bovídeos aceitam bem o jugo. Int.* **11.** Assentir em alguma coisa; concordar com ela: *Dada a insistência do convite, não teve remédio senão aceitar.* **12.** Consentir em receber coisa oferecida ou dada. [Part.: *aceitado, aceito* e *aceite*. A última f. é us. quase só em Portugal.]

aceitável. [Do lat. *acceptabile*.] *Adj. 2 g.* Que pode ser aceito; digno de aceitação.

aceite[1]. [Dev. de *aceitar*.] *S. m.* **1.** Ato de aceitar (6). **2.** A assinatura do aceitante em título de crédito: "Jactou-se de não ter sequer um título a pagar. Nada de endossos nem *aceites*." (Otávio Issa, *Os Inquietos*, p. 8.) **3.** *P. ext.* O próprio título de crédito.

aceite[2]. [De aceito.] *Adj. 2 g. P. us. no Brasil.* Aceito: "Decidi que devia sacrificar a minha coragem a estas abusões hierárquicas geralmente *aceites*, e saltei fora." (Ramalho Ortigão, *Primeiras Prosas*, P. 167.)

aceito. [Do lat. *acceptu*.] *Adj.* **1.** Recebido, admitido: *pessoa aceita na melhor sociedade.* **2.** A que se anui ou anuiu; aprovado: *opinião aceita.* **3.** Admitido, acreditado: *Sua informação, apesar de estranha, é aceita.* **4.** Recebido com agrado; grato, aprazível: "Cada qual isento agora / d'enfadonha ocupação, / se dá todo aos passatempos / que mais *aceitos* lhe são." (Antônio Feliciano de Castilho, *Amor e Melancolia*, p. 31.)

aceitoso (ô). [De *aceito* + *-oso*.] *Adj. Desus.* **1.** Agradável, delicioso, acolhedor: "por haver deixado os *aceitosos* lugares de além, tão fagueiros e lindos na primavera" (Coelho Neto, *Treva*, p. 30). **2.** Que pode ou deve ser aceito; aceitável.

aceleirar. [De *a-*[2] + *celeiro* + *-ar*[2].] *V. t. d.* Meter em celeiro. [Cf. *acelerar*.]

aceleração. [Do lat. *acceleratione*.] *S. f.* **1.** Ação ou efeito de acelerar. **2.** Rapidez na execução; pressa, aceleramento. **3.** Pressa, precipitação. **4.** Aumento de velocidade. **5.** *Fís.* Variação da velocidade de um móvel na unidade de tempo; derivada, em relação ao tempo, da velocidade de um móvel; derivada segunda, em relação ao tempo, do espaço percorrido por um móvel. **6.** *Fís.* Aceleração instantânea. ◆ **Aceleração angular.** *Fís.* Variação da velocidade angular na unidade de tempo; derivada, em relação ao tempo, da velocidade angular de um móvel. **Aceleração centrífuga.** *Fís.* Aceleração de um móvel sujeito a uma força inercial centrífuga. **Aceleração centrípeta.** *Fís.* Componente do vector aceleração cujo suporte é o raio vector, e que está dirigido para o centro de curvatura da trajetória. **Aceleração da gravidade.** *Fís.* Aceleração de um corpo sujeito a atração gravitacional da Terra; aceleração de um corpo em queda livre na Terra. **Aceleração de Coriolis.** *Fís.* Aceleração de um móvel que se move retilineamente em relação a um sistema de referência, medida em um segundo sistema de referência que tem uma aceleração angular em relação ao primeiro; aceleração causada em um móvel por uma força de Coriolis. **Aceleração instantânea.** *Fís.* O limite da aceleração média quando o intervalo de tempo tende para zero; a derivada, em relação ao tempo, do vector velocidade. [Tb. se diz apenas *aceleração*.] **Aceleração média.** *Fís.* Cociente da variação de velocidade de um móvel num intervalo finito de tempo por esse intervalo. **Aceleração normal da gravidade.** *Fís.* Aceleração de um móvel igual a 9,80665 m.s^{-2}. **Aceleração radial.** *Fís.* Componente da aceleração de um móvel, cujo suporte é o raio vector do movimento. **Aceleração tangencial.** *Fís.* Componente da aceleração de um móvel, cujo suporte é a tangente à trajetória.

acelerado. [Part. de *acelerar.*] *Adj.* **1.** Tornado rápido ou mais rápido; apressado: *A rotação acelerada do toca-discos alterou o som.* **2.** Rápido, veloz, ligeiro: "Marchou em passo acelerado até defronte do palácio" (Bernardo Pinheiro, Pindela, *Azulejos*, p. 23). **3.** *Mec.* Diz-se do motor que trabalha em alta rotação. — V. *leitura —a, movimento — e referencial —a.* ● *S. m.* **4.** *Mil.* Passo de tropa que marcha a pé, de andamento mais rápido que o passo ordinário. ♦ **Em acelerado.** Em andamento ou ritmo acelerado; aceleradamente, apressadamente, apressuradamente.

acelerador (ô). *Adj.* **1.** Que acelera. ● *S. m.* **2.** Aquilo que acelera. **3.** *Fís. Nucl.* Aparelho destinado a atribuir a um feixe de partículas, atômicas ou subatômicas, carregadas eletricamente, uma energia elevada. **4.** *Constr.* Aditivo que torna mais rápida a pega de um concreto (9). **5.** *Mec.* Dispositivo de automóvel, trator ou motor, geralmente acionado por um pedal, destinado a regular a quantidade de mistura combustível que alimenta o motor, regulando-lhe a velocidade. **6.** *Mec.* O pedal, pelo qual se controla a aceleração de um veículo. **7.** *Tecn. Org.* Substância que acelera a vulcanização da borracha ou permite que ela se realize em temperatura baixa. ♦ **Acelerador a impulsos.** *Eng. Nucl.* Acelerador eletrostático onde a alta tensão se apresenta sob a forma de um impulso breve, produzido pela carga de condensadores em paralelo e sua descarga em série. **Acelerador a indução.** *Eng. Nucl.* Acelerador de elétrons em que estes recebem energia de um campo elétrico induzido pela variação de um campo magnético, que é, também, o campo que determina as trajetórias. **Acelerador eletrostático.** *Eng. Nucl.* Acelerador de partículas que utiliza uma diferença de potencial contínua, obtida pela acumulação de cargas elétricas sobre um eletrodo isolado. **Acelerador linear.** *Eng. Nucl.* Aquele em que as partículas descrevem trajetórias retilíneas.

aceleramento. *S. m.* Aceleração (1 e 2).

acelerar. [Do lat. *accelerare.*] *V. t. d.* **1.** Tornar célere ou mais célere; aumentar a velocidade de; apressar: *Acelerou a marcha e chegou antes da hora.* **2.** Dar pressa a; fazer progredir ou andar mais rápido; apressar, ativar: *acelerar o andamento de um processo.* **3.** Instigar, estimular. **4.** *Autom.* Imprimir maior velocidade a (o veículo automóvel), mediante aceleração progressiva do motor. *Int.* **5.** Tornar-se célere ou mais célere; apressar-se, acelerar-se: "A mão desvia, sobe o ombro, acelera, corre o braço" (José Cardoso Pires, *O Delfim*, p. 341). **6.** Aumentar de velocidade. **7.** *Autom.* Imprimir maior velocidade de rotação ao motor de um veículo automóvel. *P.* **8.** Tornar-se célere ou mais célere; adquirir maior velocidade; acelerar. [Cf. *aceleirar.*]

acelerômetro. [De *aceler(ação)* + *-o-* + *-metro.*] *S. m. Fís.* Instrumento para medir acelerações [v. *aceleração* (5)].

acelga. [Do ár. *as-silqâ.*] *S. f.* Erva de origem européia, da família das quenopodiáceas (*Beta vulgaris*), cujas folhas, amplas e macias, se utilizam como verdura. [Var.: *celga.*]

acélio. *S. m.* Espécime dos acélios.

acélios. *S. m. pl. Zool.* Animais platelmintos tubelários, da ordem *Acoela*, marinhos, providos de boca e faringe mas sem intestino, protonefrídias, ovidutos ou gônadas diferenciadas, e que medem 1 a 4 metros.

acelomado. *Zool. Adj.* **1.** Que não tem cavidade geral do corpo ou celoma verdadeiro, como, p. ex., os platelmintos e nemertinos. **2.** Pertencente ou relativo aos acelomados; diploblástico. ● *S. m.* **3.** Espécie dos acelomados; diploblástico.

acelomados. *S. m. pl. Zool.* Animais desprovidos de celoma, como os metazoários, que apresentam simetria radial em todas as fases da vida, e bem assim os mesozoários, os parazoários e os enterozoários radiados. No grupo se incluem também os animais de simetria bilateral, nos quais o espaço entre a parede do corpo e os órgãos internos é preenchido pelo parênquima, como os platelmintos e os nemertinos. [Sin.: *diploblásticos.*]

acelular. [De *a-*[2] + *célula* + *-ar*[2].] *Adj. 2 g.* Que não se compõe de células.

acém. [Do ár. *as-sem.*] *S. m.* Carne do lombo do boi, entre a pá e o cachaço. [Cf. *assem*, do v. *assar.*]

acemista. [De A. C. M., 'Associação Cristã dos Moços'.] *Adj. 2 g.* e *s. 2 g.* Diz-se de, ou membro da A.C.M.

acenafteno. *S. m. Quím.* Hidrocarboneto cristalino, incolor, obtido do alcatrão da hulha. [Fórm.: $C_{12}H_{10}$.]

acenamento. *S. m. P. us.* V. *aceno.*

acenar. [Do lat. vulg. **accinare.*] *V. int.* **1.** Fazer movimentos com a(s) mão(s), a cabeça, os olhos, etc., para avisar, mostrar, dar a entender, ameaçar, instigar, etc.; fazer aceno(s): "E via-o, ... a acenar, à sua espera no cais de desembarque em Lisboa." (Joaquim Paço d'Arcos, *Carnaval e Outros Contos*, p. 112.) **2.** Agitar-se, balançar, balouçar, acenando ou como que acenando: *Lenços brancos acenavam ao longe.* **3.** Chamar a atenção; fazer-se notar. *T. i.* **4.** Fazer movimento com a(s) mão(s), com a cabeça, com os olhos, para chamar, avisar, mostrar, dar a entender, ameaçar, instigar, etc.; fazer aceno(s): *Acenaram-lhe para que não prosseguisse;* "— Pois ide! disse o capitão-mor acenando-lhe com a mão." (José de Alencar, *O Sertanejo*, p. 121); "Ao montar, acenando ainda para a família, Hugo sentia os olhos úmidos" (Herman Lima, *Tijipió*, p. 149). **5.** Fazer alusão; referir-se, aludir: *Em suas memórias o escritor acena, vagamente, ao episódio que lhe inspirou o romance. Bit. i.* **6.** Procurar seduzir, atrair, aliciar: *Acenou-lhe com vantagens inesperadas;* "Avistando meu pai, acenou-lhe, e disse-lhe ....: / — *Adiós, Don Francisco, hasta el dia del juicio!*" (Bulhão Pato, *Memórias*, I, p. 23). *T. d.* **7.** Dar ou exprimir por meio de aceno(s): *Acenou um adeus.* **8.** Fazer movimento(s) com (a mão ou as mãos, a cabeça, etc.): "Passou por eles, acenou ligeiramente a cabeça em quase imperceptível saudação" (Patrícia Joyce, *Anúncio de Casamento*. p. 115). *T. d.* e *i.* **9.** Exprimir, enunciar, declarar, por meio de aceno(s): *Acenaram adeuses ao viajante. P.* **10.** Fazer acenos mutuamente.

acendalha. [De *acender.*] *S. f.* Tudo o que serve para acender lume; cavacos, gravetos, etc.: "Incendeia-os [os renques de macambira], batendo o isqueiro nas acendalhas das folhas ressequidas para os despir, em combustão rápida, dos espinhos." (Euclides da Cunha, *Os Sertões*, p. 138.)

acende-candeia. [De *acender* + *candeia.*] *S. f. Bras.* V. *vinhático-do-campo.* [Pl.: *acende-candeias.*]

acendedor (ô). *S. m.* **1.** Aquele ou aquilo que acende: "Lá vem o acendedor de lampiões da rua!" (Jorge de Lima, *Obra Completa*, I, p. 208.) **2.** Isqueiro. **3.** Aparelho elétrico destinado a acender bicos de gás.

acender. [Do lat. *accendere.*] *V. t. d.* **1.** Pôr fogo, fazer arder; queimar, incendiar: "Não se contenta a gente portuguesa, / Mas seguindo a vitória estrui e mata; / A povoação sem muro, e sem defesa, / Esbombardeia, acende e desbarata." (Luís de Camões, *Os Lusíadas*, I, 90.) **2.** Levar fogo a (pavio, cigarro, charuto, cachimbo, etc.) para fazer arder: "Neste estado violento, passeando no quarto, acendendo cigarros que deixava apagar em seguida, passou a manhã toda." (Conde de Ficalho, *Uma Eleição Perdida*, p. 144.) **3.** Levar fogo a, ou produzir fogo em (fogão, lareira, forno, etc.). **4.** Esquentar, aquecer: "O espúmeo chipre as faces dos convivas / Acendia." (Olavo Bilac, *Poesias*, p. 135.) **5.** Riscar, fazendo que se queime por atrito: *acender um fósforo.* **6.** Pôr em funcionamento (sistema elétrico de iluminação): *acender uma lâmpada.* **7.** Acalorar, animar, entusiasmar: *A intervenção do deputado acendeu o debate.* "Só o cheiro destes acepipes era o bastante para acender os homens e os lobos dos barrocais que nos cercam." (Aquilino Ribeiro, *A Via Sinuosa*, p. 76.) **8.** Fazer nascer; provocar, gerar, suscitar: "eleva [o ouro] os homens audazes, / e acende paixões que alastram / sinistras rivalidades." (Cecília Meireles, *Obra Poética*, p. 659.) *Int.* **9.** Arder, crescer, ativar-se. *P.* **10.** Pegar fogo; queimar-se, inflamar-se. **11.** Fulgurar, cintilar; iluminar-se: *Seus olhos acenderam-se, no calor da discussão.* "As estrelas acendem-se, radiando, / Altas, semeadas pelo céu sombrio." (Olavo Bilac, *Poesias*, p. 58). **12.** Exaltar-se, irritar-se, inflamar-se: *A dada altura do debate o orador acendeu-se.* **13.** Transportar-se, enlevar-se, arrebatar-se: *Enquanto orava, sua alma acendia-se em amor a Deus.* **14.** Despertar-se; ativar-se, inflamar-se: "À chegada de Padre Antônio de Morais o espírito de luta acendera-se novamente no cérebro de Chico Fidêncio." (Inglês de Souza, *O Missionário*, p. 87.) [Cf. *ascender.*]

acendimento. *S. m.* Ato ou efeito de acender(-se). [Sin., p. us. *acensão*. Cf. *ascendimento.*]

acendível. *Adj. 2 g.* Que se pode acender.

acendrado. [Part. de *acendrar.*] *Adj.* Apurado, acrisolado, purificado: "Um orador começou a discursar, enaltecendo a personalidade do Dr. Romão, o seu acendrado amor à democracia" (Almeida Fischer, *10 Contos Escolhidos*, p. 48).

acendrar. [Do esp. *acendrar.*] *V. t. d.* **1.** Limpar com cinza. **2.** Purificar, apurar, acrisolar; encendrar.

acenestesia. [De *a-*[3] + *-cen(o)-*[1] + *-estesia.*] *S. f. Patol.* Ausência ou perda da sensação normal de existência física do próprio corpo ou do seu funcionamento visceral.

aceno. [Dev. de *acenar.*] *S. m.* **1.** Movimento da cabeça, dos olhos ou das mãos, para exprimir idéias; gesto, sinal. **2.** Chamamento, apelo, convite. [Sin. (p. us.): *acenamento.*] ♦ **A qualquer aceno.** Ao mais leve indício da vontade.

acenoso (ô). *Adj. Bot.* Diz-se de qualquer órgão vegetal curvo na extremidade superior.

acensão. [Do lat. *accensione.*] *S. f. P. us.* Acendimento. [Cf. *ascensão*, *s. f.*, e *Ascensão*, hier., antr., e top. f.]

acenso. [Do lat. *accensu.*] *S. m.* **1.** Na antiga Roma, oficial adjunto a alto funcionário. **2.** Na época feudal, arrendamento de propriedade. [Cf. *ascenso*, o antr. *Ascenso* e *assenso.*]

acento. [Do lat. *accentu.*] *S. m.* **1.** *Fon.* A maior intensidade (3) com que, numa enunciação, a emissão de uma sílaba se opõe às que lhe são contíguas. **2.** Sinal diacrítico [q. v.] indicativo do acento (1). São, em português: *a)* o *acento agudo*, empregado para assinalar as vogais tônicas *a, i* e *u*: *página, aí, baú*, e as vogais tônicas abertas *e* e *o*: *pajé, etéreo, ósculo, herói*; *b)* o *acento grave*, apenas empregado, de acordo com as normas ortográficas vigentes, para indicar a crase da preposição *a* com a forma feminina do artigo (*a, as*) e com os pronomes demonstrativos (*a, as, aquele, aquela, aqueles, aquelas, aquilo*): *O político falou às massas; Refiro-me àquela pessoa que sabes; Quanto àquilo, nada sei; c)* o *acento circunflexo*, empregado para indicar o timbre fechado das vogais tônicas *e* e *o*, assim como do *a* seguido de *m* e *n*: *três, vêm, pôs, abdômen* [q. v.] *câmbio, cântico.* **3.** Tom de voz; inflexão, timbre: "Por volta de onze horas, um acento desconhecido na voz, Teixeira gritou por Inocência." (Orígenes Lessa, *Rua do Sol*, p. 244.) **4.** *P. ext.* Destaque, realce, relevo: "É uma das características inglesas realizar as maiores modificações na estrutura social ou política do país sem colocar jamais o acento da inovação sobre as suas resoluções." (Lindolfo Collor, *Europa 1939*, p. 143.) **5.** Consonância, harmonia: *Embalava o filho com os ternos acentos do seu canto.* **6.** *Fot.* Acentuação (3). **7.** *Gal.* Pronúncia peculiar a um indivíduo, a uma região; sotaque: "Era do Porto, do Poorto, como ela dizia, porque nunca perdera o seu acento minhoto" (Eça de Queirós, *O Primo Basílio*, p. 162). [Cf. *assento*, do v. *assentar*, e s. m.] ♦ **Acento agudo.** *Fon.* V. *acento* (2). **Acento circunflexo.** *Fon.* V. *acento* (2). **Acento de ritmo.** O resultante do modo por que se cadencia a dicção. **Acento diferencial.** *Fon.* O acento circunflexo que se usa, no *e* e no *o*, para distinguir timbres vocálicos, como, p. ex., em *pêlo* (em contraposição a *pelo*, contr., e pélo, do v. *pelar*), e *pôde* (em contraposição a *pode*). **Acento enfático.** *Ret.* Inflexão da voz com que, no discurso, se dá maior força de expressão a uma palavra ou frase. **Acento grave.** *Fon.* V. *acento* (2). **Acento oratório.** Inflexão da voz da pessoa de quem fala para expressar e comunicar aos ouvintes os sentimentos ou afeto de que deve estar possuído; acento patético. **Acento patético.** Acento oratório. **Acento postiço.** *Tip.* Sinal fundido separadamente, para integrar fontes desprovidas de letras acentuadas. **Acento provincial.** Inflexão da voz característica dos naturais duma província, estado ou região dum país. **Acento secundário.** *Fon.* Num vocábulo extenso, e em geral derivado, o acento que recai numa ou mais sílabas subtônicas, como, p. ex., em *resolutamente*, na sílaba *-lu-*, e em *indubitavel-*

mente, nas sílabas *-du-* e *-ta-*. **Acento tônico. 1.** *Fon.* Numa palavra, o acento predominante. **2.** O aspecto mais significativo, a idéia predominante, o ponto fundamental: "Eu, porém, não tinha uma parcela de legitimismo de direito divino; minha caracterização, o acento tônico, era outra: *liberal*, não no sentido passageiro, político, da expressão, mas no seu sentido humano, eterno" (Joaquim Nabuco, *Minha Formação*, p. 303).

▲acentro-. [Do gr. *akentrós, os, on.*] *El. comp.* = 'sem ponta', 'sem aguilhão': *acentróptero*.

acentróptero. [De *acentro-* + *-ptero*.] *S. m. Zool.* Inseto cujas asas não se evaginam na parte central do mesotórax.

acentuação. *S. f.* **1.** Ato, modo ou sistema de acentuar na fala ou na escrita. **2.** *Eletrôn.* Método eletrônico utilizado para realçar determinadas bandas de freqüência em um amplificador de áudio. **3.** *Fot.* Processo em que se realça um detalhe do objeto; acento. **4.** *Telecom.* Pré-ênfase.

acentuado. [Part. de *acentuar*.] *Adj.* **1.** Que tem acento(s) ortográfico(s). **2.** Definido, marcante: *estrada de curvas acentuadas*. **3.** Saliente, ressaltante, proeminente: "Tinha o rosto comprido mas cheio, com um nariz aquilino, proeminente, muito acentuado." (Virgílio Várzea, *Nas Ondas*, p. 13.) **4.** Claro, nítido: *Tem acentuada tendência para a música.*

acentual. *Adj. 2 g.* Relativo a acento ou à acentuação.

acentuar. [Do lat. medieval *accentuare*.] *V. t. d.* **1.** Empregar acento (2) em: *acentuar o o* de biótipo. **2.** Enunciar, pronunciar com os devidos acentos (sílaba[s] de um vocábulo). **3.** Pronunciar com clareza ou com intensidade; dar realce ou ênfase a; frisar: *Chamou-lhe "traidor", acentuando bem a palavra.* **4.** Tornar bem visível; pôr em realce; realçar, salientar: "A roupa molhada colava-se-lhe ao corpo, acentuando-lhe as formas angulosas." (Júlio Ribeiro, *A Carne*, p. 60); "Rugas, aos lados da boca, acentuavam o ar de cansaço." (Solange Lajes, *Passagem*, p. 63). **5.** Dar relevo a; pôr em relevo; relevar, salientar. *Int.* **6.** Enunciar, pronunciar ou escrever a(s) sílaba(s) de um vocábulo com os devidos acentos. *P.* **7.** Tornar-se mais nítido, mais intenso; aumentar: *Fechadas as janelas, acentuou-se o cheiro adocicado das flores murchas.* **8.** Adquirir relevo ou maior relevo; aumentar, crescer: *Com o tempo, acentuaram-se as dificuldades da tarefa; Sua beleza acentua-se a cada dia.*

▲-áceo. [Do lat. *aceu*.] *Suf. nom.* = 'origem', 'referência', 'pertinência': *sebáceo* (< lat. *sebaceu*), *cetáceo*.

▲-áceos. *Zool. Suf. nom.* = 'divisão de (animais)': *crustáceos*.

acepção. [Do lat. *acceptione*.] *S. f.* **1.** Sentido em que se emprega um termo; significação, significado, sentido. **2.** Interpretação, entendimento, compreensão. [Cf. *acessão*.] ◆ **Na acepção da palavra.** Em toda a extensão da palavra: *É um maluco na acepção da palavra.*

acepilhado. [Part. de *acepilhar*.] *Adj.* **1.** Alisado ou polido: *móvel acepilhado*. **2.** Aperfeiçoado, aprimorado, apurado: *estilo acepilhado*.

acepilhador (ô). *S. m.* Operário que acepilha, que trabalha com o cepilho.

acepilhadura. *S. f.* **1.** Ato ou efeito de acepilhar ou alisar os materiais. **2.** Maravalha tirada pelo cepilho; apara.

acepilhar. [De *a-*[2] + *cepilho* + *-ar*[2].] *V. t. d.* **1.** Alisar com o cepilho; aplainar: "Sob o risco de D. Cristóvão, que tão bem pegava da serra e cortava um tronco como da plaina e acepilhava uma tábua, fizeram os carros que eram necessários à coluna." (Aquilino Ribeiro, *Portugueses das Sete Partidas*, p. 91.) **2.** Polir com limas finas; limar, brunir. **3.** Aperfeiçoar, aprimorar, lapidar, burilar, brunir: *acepilhar o estilo*. **4.** Tornar bem-educado, cortês, sociável; polir, civilizar. *P.* **5.** Aperfeiçoar-se, aprimorar-se, apurar-se, polir-se. **6.** Tornar-se cortês, sociável; polir-se, civilizar-se. [F. paral.: *cepilhar*.]

acepipe. [Do ár. *az-zebib*, 'passa de uva'.] *S. m.* **1.** V. *petisco* (1): "Nos vossos lábios ainda prurem as saborosas lembranças dos *acepipes principescos*" (Mário de Alencar, *Alguns Escritos*, p. 131). **2.** *Lus. Hors-d'oeuvre.*

acepipeiro. *Adj.* e *s. m.* Que ou aquele que gosta de acepipes e/ou que os prepara.

aceptilação. [Do lat. tardio *acceptilatione*.] *S. f.* **1.** *Jur.* Quitação de dívida que se dá a um devedor, com efeito extintivo da dos demais coobrigados. **2.** Remissão de dívida não paga.

acéquia. [Do ár. *as-sāqīā*.] *S. f.* **1.** Represa de águas; açude. **2.** Rego; canal; aqueduto. [Var.: *aceca*.]

aceração. *S. f.* V. *aceragem* (1). [Cf. *aceiração*.]

acerácea. *S. f.* Espécime das aceráceas.

aceráceas. *S. f. pl. Bot.* Família da ordem das sapindales, constituída de árvores ou arbustos providos de folhas recortadas, a qual se compõe de cerca de 120 espécies, próprias das terras temperadas do Norte, de flores minutas e agrupadas em cachos, frutos que são nozes aladas, em geral com uma só semente. O gênero mais importante é *Acer*.

aceráceo. *Adj.* Pertencente ou relativo às aceráceas.

acerado. [Part. de *acerar*.] *Adj.* **1.** Que tem a têmpera do aço: *punhal acerado*. **2.** Afiado, aguçado, cortante: "Logo a inocente Dafne evita Apolo, / Correndo como os perseguidos gamos / Sob uma chuva de aceradas setas" (Eugênio de Castro, *Obras Poéticas*, X, p. 156). **3.** *Fig.* Que fere profundamente; mordaz, mordente, exacerbado: "A par de páginas da mais elevada moral e da mais perfeita religião, Madame de Girardin tinha a réplica acerada e a ironia viva e penetrante." (Ramalho Ortigão, *Em Paris*, p. 180.)

acerador (ô). *Adj.* **1.** Que acera; acerante. ● *S. m.* **2.** Cuteleiro.

aceragem. *S. f.* **1.** Ato ou efeito de acerar; aceração, aceramento. **2.** Trabalho de cuteleiro. **3.** *Art. Gráf.* Processo galvanoplástico pelo qual se deposita uma camada de ferro na superfície de clichês de cobre, e de gravuras em metal, para lhes dar a resistência necessária às grandes tiragens ou protegê-los do efeito corrosivo de certas tintas.

aceramento. *S. m.* V. *aceragem* (1). [Cf. *aceiramento*.]

acerante. *Adj. 2 g.* Acerador (1).

acerar. [Var. de *aceirar*[1].] *V. t. d.* **1.** Dar têmpera de aço a; transformar em aço; azerar. **2.** Tornar pungente, aguçado, cortante: "traições e iniqüidades, / As tramas, que urdes, e os punhais, que aceras" (Raimundo Correia, *Poesias*, p. 199). **3.** Acentuar, aguçar, exacerbar: *Aquelas palavras aceraram o seu ódio.* **4.** Fortalecer, avigorar, robustecer. **5.** *Art. Gráf.* Proteger (clichê ou gravura em metal) pela aceragem. [Pres. ind.: *acero*, etc. Cf. *ácero* e *aceirar*.]

aceratose. [De *a-*[3] + *-acerat(o)-* + *-ose*.] *S. f. Med.* Falta ou diminuição de tecido córneo.

aceratótico. *Adj.* Relativo à aceratose.

acerbar. *V. t. d.* **1.** Tornar acerbo. **2.** Tornar mais intenso ou mais acerbo; exacerbar, exasperar. **3.** Angustiar, atormentar, afligir.

acerbidade. [Do lat. *acerbitate*.] *S. f.* Qualidade de acerbo.

acerbo. [Do lat *acerbu*.] *Adj.* **1.** V. *azedo* (1 e 2): *fruto acerbo; leite acerbo*. **2.** V. *amargo* (1 e 2): *remédio acerbo*. **3.** Duro, difícil, árduo: *trabalho acerbo*. **4.** Severo, duro, áspero: *Suas críticas foram por demais acerbas.* **5.** Cruel, doloroso, lancinante: *Dor acerba pungia-o com a morte do pai.* **6.** Mordaz, maledicente, maldoso; ácido, amargo: *comentário acerbo*. **7.** Rude, insolente, desabrido.

acerca (ê). [De *a-*[3] + *cerca* (ê)[2].] *Adv. Ant.* **1.** A pequenina distância (no espaço ou no tempo); perto. **2.** Quase, cerca. [Cf. *acerca*, do v. *acercar*.] ◆ **Acerca de.** A respeito de; relativamente a; quanto a; com referência a; sobre: *Falou muito tempo acerca da sua última viagem*; "Conversas na rua e no mesmo cartório, acerca de sortes grandes" (Machado de Assis, *Outras Relíquias*, p. 74).

acercamento. *S. m.* Ato ou efeito de acercar(-se).

acercar. *V. t. d.* e *p.* **1.** Aproximar(-se), avizinhar(-se), abeirar(-se), achegar(-se): "Ela gostou dele, acercaram-se, amaram-se." (Machado de Assis, *Memórias Póstumas de Brás Cubas*, p. 203); "Com o tempo, o pobre deu mesmo para beber, e ficava sentado no botequim toda tarde, se lamuriando com os raros amigos que ainda se dignavam de acercar-se dele." (Fernando Sabino, *O Homem Nu*, p. 96). **2.** Rodear(-se); cercar(-se): *Os cães acercaram a caça; Gosta de acercar-se de amigos.* [M. us. como p. Conjug.: v. *trancar*. Pres. ind.: *acerco, acercas, acerca*, etc. Cf. *acerca* (ê).]

acerejado. [De *a-*[2] + *cereja* + *-ado*[1].] *Adj.* **1.** Tirante à cor da cereja: "O rosto acerejado, o gesto comovido" (Gonçalves Crespo, *Obras Completas*, p. 268). **2.** Semelhante a cereja.

acerejar. [De *a-*[2] + *cereja* + *-ar*[2].] *V. t. d.* **1.** Dar a cor da cereja a. "O sangue que acereja a epiderme das faces revela, quando muito, a compleição da pessoa." (Camilo Castelo Branco, *A Mulher Fatal*, pp. 36-37.) **2.** Corar, ruborizar, enrubescer. *P.* **3.** Tornar da cor de cereja. **4.** Corar-se, enrubescer-se, ruborizar-se. [Conjug.: v. *pelejar*.]

aceria[1]. *S. f.* Aciaria.

aceria[2]. *S. f.* **1.** O que é intempestivo ou inoportuno. **2.** *Med.* Aparecimento extemporâneo de um sintoma, ou crescimento precoce de um órgão.

acérido. [De *a-*[3] + *cer(o)-*[2] + *-ido*.] *Adj.* Desprovido de cera.

ácero. [Do gr. *ákeros*.] *Adj. Zool.* Diz-se dos artrópodes ou dos moluscos desprovidos de antenas ou de tentáculos. [Cf. *acero*, do v. *acerar*.]

acerola. [Do ár. *az-zu'rur*, pelo esp. *acerola*.] *S. f.* **1.** Arbusto originário das Antilhas, da família das malpighiáceas, cujo fruto lembra a cereja e é riquíssimo em vitamina A e C, ferro e cálcio. **2.** O fruto da acerola; cereja-das-antilhas. [Var.: azerola.]

áceros. *S. m. pl. Zool.* Artrópodes ou moluscos áceros.

aceroso (ô). *Adj. Bot.* Diz-se de órgão rígido e que termina em ponta pungente; acicular. [Aplica-se quase sempre à folha, como, p. ex., as do pinheiro-do-paraná.] ~ V. *folha* —a.

acerotosia. *S. f. Zool.* Ausência de cornos nos mamíferos ruminantes.

acerra. [Do lat. *acerra*.] *S. f.* **1.** Entre os antigos romanos, pequeno vaso ou cofre em que se guardava o incenso para os sacrifícios, em especial para a cremação dos mortos. **2.** Altar que se erigia aos pés do leito de um morto, e sobre o qual se queimavam perfumes e incenso. **3.** V. *naveta* (1).

acérrimo. [Do lat. *acerrimu*.] *Adj.* **1.** Superl. abs. sint. de *acre* e *agre*; muito acre: *fruta acérrima*. **2.** Muito tenaz; obstinado, pertinaz: *acérrimo defensor da democracia*; "Ao cabo de oito meses de luta acérrima, Sagunto sucumbiu." (Aquilino Ribeiro, *Os Avós dos Nossos Avós*, p. 117).

acertada. [Fem. substantivado do adj. *acertado*.] *S. f.* Ato ou efeito de acertar.

acertado. [Part. de *acertar*.] *Adj.* **1.** Posto ou tornado certo. **2.** Certo, adequado, apropriado: *medida acertada*. **3.** Sensato, judicioso, razoável: *resolução acertada*. **4.** Tratado, combinado, ajustado: *encontro acertado*. **5.** Atingido, tocado: *alvo acertado*.

acertador (ô). *S. m.* **1.** Aquele ou aquilo que acerta. **2.** *Bras.* Indivíduo que acerta a marcha dos animais de sela.

acertamento. *S. m.* Acerto (1).

acertar. [De *a-*[3] + *certo* + *-ar*[2].] *V. t. d.* **1.** Achar ao certo; atinar com; descobrir, encontrar: *Não acertou o caminho.* **2.** Dar ou bater em; atingir, alcançar: *O murro acertou-lhe o nariz.* **3.** Colocar de maneira certa, adequada; endireitar, assentar: "abriu demasiadamente os olhos, acertou os óculos na base do nariz" (Camilo Castelo Branco, *Novelas do Minho*, II, p. 80). **4.** Movimentar peça de (relógio, ou instrumento análogo) a fim de corrigir ou precisar a indicação desejada. **5.** *Bras.* Ensinar (o animal de sela) a obedecer à rédea. *T. d. e i.* **6.** Fazer atingir, tocar com justeza: *Acertou-lhe um murro no queixo.* **7.** Ajustar, combinar, acordar: *Acertou um encontro com a moça. T. i.* **8.** Dar, bater, alcançar, atingir: *Acertou no alvo.* **9.** Atinar, deparar, encontrar: "Foi feliz, acertou com um bom médico." (Júlio Ribeiro, *A Carne*, p. 194.) *Int.* **10.** Proceder com acerto ou prudência. **11.** Acontecer, suceder, por acerto ou acaso: *Estávamos em paz, quando acertou de chegar aquele desordeiro*; "Meu pai temia-o, e acautelava-se muito dele, quando acertava de falar furtivamente a Rosa" (Camilo Castelo Branco, *Doze Casamentos Felizes*, p. 178). **12.** Atingir o alvo (5): *Atirou contra a onça, e acertou*; "o caçador chega cantando, / À pomba faz o tiro… / A bala acerta e ela cai de bruços" (Casimiro de Abreu, *Obras*, pp. 90-91). **13.** Alcançar um resultado desejado; atingir o alvo (7). *P.* **14.** Suceder, acontecer, por acerto ou por acaso. **15.** Estar presente, achar-se, encontrar-se por acaso em algum lugar. [Pres. ind.: *acerto*, etc. Cf. *acerto* (ê) e *asserto* (ê).]

acerto (ê). [Dev. de *acertar*.] *S. m.* **1.** Ato ou efeito de acertar; acertamento. **2.** Sensatez, prudência, tino, sabedoria: *Respondeu com acerto às perguntas do advogado.* **3.** Acaso, sorte: "Era um achado, um acerto feliz, como a sorte grande" (Machado de Assis, *Memórias Póstumas de Brás Cubas*, p. 151). **4.** Dito acertado, justo, feliz; achado. **5.** Correção no falar, no escrever, no proceder: *Escreve e fala com acerto.* **6.** Ajuste, acordo, concerto. **7.** *Art. Gráf.* Ato ou efeito de regular uma máquina impressora para obtenção de uma impressão perfeita expressamente em relação ao registro (18 e 19). **8.** *Bras., N.E.* Contrato verbal entre o tirador de caroá e a direção da usina de beneficiamento dessa fibra. [Pl.: *acertos* (ê). Cf. *acerto*, do v. *acertar*, e *asserto*.] ◆ **Acerto de contas.** V. *ajuste de contas*.

acervar. *V. t. d.* **1.** Amontoar: "Acerva-se a lenha da vasta fogueira" (Gonçalves Dias, *Obras Poéticas*, II, p. 19). **2.** *Bras.* Levantar o acervo (3 e 4) de. [Pres. ind.: *acervo*, etc. Cf. *acervo* (ê).]

acervejado. [De a-[2] + *cerveja* + *-ado*[1].] *Adj.* **1.** Que sabe a cerveja. **2.** Tirante à cor da cerveja. **3.** Amante da cerveja.

acervo (é ou ê). [Do lat. *acervu.*] *S. m.* **1.** Montão, cúmulo. **2.** V. *quantidade* (3): "Formávamos juntos um acervo de trastes, valíamos tanto como as bagagens trazidas lá de baixo e as mercadorias a que nos misturávamos." (Graciliano Ramos, *Memórias do Cárcere.* I, p. 194.) **3.** Conjunto de bens que integram um patrimônio; cabedal: "E, perguntando-lhe eu que lhe parecia do plano de vender em leilão o acervo da companhia. .... vi-o .... soltar um suspiro tão grande, que pareceu trazer-lhe as entranhas para fora." (Machado de Assis, *A Semana*, II, p. 88.) **4.** O conjunto das obras de uma biblioteca, de um museu, etc.; fundo. **5.** Patrimônio, riqueza, cabedal: *acervo artístico; acervo moral.* [Dim. irreg.: *acérvulo.*]

acérvulo[1]. [Dim. de *acervo.*] *S. m.* Pequeno acervo.

acérvulo[2]. [Do lat. *acervulu.*] *S. m.* **1.** *Bot.* Conjunto de células portadoras de esporos dos himenomicetos, compondo uma camada. **2.** *Bot.* Estroma frutífero constituído por um coxim cheio de filamentos curtos, no ápice dos quais nascem os esporos do fungo. **3.** *Med.* Concreção calcária ou magnesiana encontrada no plexo coróide e na glândula pineal.

acescência. [Do lat. *acescentia*, de *acescere*, 'azedar'.] *S. f.* Disposição ou tendência para azedar.

acescente. [Do lat. *acescente.*] *Adj. 2 g.* Que principia ou tende a azedar(-se).

aceso (ê). *Adj.* **1.** Que se acendeu; abrasado: "Fifós acesos espalhavam bruxuleante claridade, projetando sombras pelo chão" (Vasconcelos Maia, *O Leque de Oxum*, p. 27). **2.** Vivo, brilhante: *A alegria deixou-lhe os olhos acesos.* **3.** Intenso, ardente, impetuoso: *Acesas paixões devoravam-lhe a alma.* **4.** Arrebatado, transportado; excitado: "Estavam tão acesas as duas mulheres, tão entretidas na conversa, que não ouviram, fora, um passo rápido na areia da estrada" (Conde de Ficalho, *Uma Eleição Perdida*, p. 243). **5.** Furioso, irritado, raivoso. • *S. m.* **6.** Ponto culminante; auge, apogeu: *No aceso da discussão feriu o adversário.*

acessão. [Do lat. *accessione.*] *S. f.* **1.** Ato ou efeito de aceder; consentimento: *acessão a um tratado.* **2.** Aumento, acrescentamento. **3.** Acesso, promoção à dignidade ou posto superior: *acessão à cátedra.* **4.** Subida ao trono. **5.** *Jur.* Modo de aquisição de coisa pertencente a outrem, por se considerar esta como acessória em relação à do adquirente, reputada principal. [Cf. *acepção.*]

acessibilidade. *S. f.* **1.** Qualidade de acessível. **2.** Facilidade na aproximação, no trato ou na obtenção.

acessional. *Adj. 2 g.* **1.** *P. us.* Que se junta ou sobrevém; adicional. **2.** *Med.* Que se mostra em acessos; intermitente: *febre acessional.*

acessível. [Do lat. *accessibile.*] *Adj. 2 g.* **1.** A que se pode chegar; de acesso fácil: *porto acessível a todo tipo de embarcação; É um professor acessível aos alunos.* **2.** Que se pode alcançar, obter ou possuir: *livros bons e acessíveis.* **3.** Inteligível, compreensível: *É um filme acessível a qualquer público.* **4.** Tratável, lhano, comunicativo: *É pessoa muito acessível, e simpática.* **5.** Módico, moderado, razoável: *preços acessíveis.*

acessivo. *Adj.* Que acresce; que se acrescenta.

acesso. [Do lat. *accessu.*] *S. m.* **1.** Ingresso, entrada: *Não teve acesso ao palácio.* **2.** Trânsito, passagem: *estrada particular: proibido o acesso.* **3.** Chegada, aproximação: *porto de fácil acesso; via de acesso.* **4.** Alcance de coisa elevada ou longínqua: *Nem todos, infelizmente, têm acesso à cultura.* **5.** Elevação em dignidade ou posto; promoção: *acesso a um cargo mais alto.* **6.** Trato, comunicação: *personalidade de fácil acesso.* **7.** Ataque súbito; ímpeto, impulso: *acesso de raiva;* "A polícia, tomada de um desses acessos de zelo intermitente que às vezes acometem esta veneranda instituição, acaba de assaltar várias casas de batota" (Ramalho Ortigão, *As Farpas*, I, p. 92). **8.** *Med.* Fenômeno fisiológico ou patológico que sobrevém e cessa periodicamente: "Reginaldo em vão perguntava a origem desses fugitivos acessos de melancolia..." (Artur Azevedo, *Contos Efêmeros*, p. 130.) **9.** *Proc. Dados.* Na operação de um computador, comunicação com uma unidade de armazenamento.

acessório. [Do lat. *accessu*, 'que chegou', + *-ório.*] *Adj.* **1.** Que não é fundamental; secundário: *máquina acessória.* **2.** Que se acrescenta a uma coisa, sem fazer parte integrante dela; suplementar, adicional: *termos acessórios de uma oração.* ~ V. *contrato —, mineral —* e *pena —* a. • *S. m.* **3.** Aquilo que se junta ao objeto principal, ou é dependente dele; complemento, achega. **4.** Pormenor, minúcia, minudência: "Com os subsídios ministrados pelo cura de Caldelas compus esta narrativa, espraiando-me por acessórios de duvidoso bom senso" (Camilo Castelo Branco, *A Brasileira de Prazins*, p. 389). **5.** Cada uma das peças ou objetos que contribuem para a harmonia do vestuário, ou da decoração de um ambiente, quer como complemento, quer como adorno. **6.** Objeto ou utensílio destinado a facilitar o desempenho de uma atividade. **7.** *Cin.*, *Teat.*, e *Telev.* Cada um dos objetos de cena duma peça, filme, novela, etc. **8.** *Autom.* Peça que, embora desnecessária ao funcionamento do veículo, contribui para a segurança e proteção dele, e para o conforto e segurança dos passageiros, podendo, também, servir apenas de adorno. **9.** *Gram.* Termo que se junta a um nome ou a um verbo para precisar-lhes o sentido. [Cf. *assessório.*]

acessorista. *S. 2 g. Cin.*, *Teat.* e *Telev.* Pessoa que se encarrega dos acessórios [v. *acessório* (6)].

acessual. *Adj. 2 g.* Que surge ou se manifesta por acessos.

acestrorinquíneo. *S. m.* **1.** Espécime dos acestrorinquíneos. • *Adj.* **2.** Pertencente ou relativo a eles.

acestrorinquíneos. *S. m. pl. Zool.* Subfamília de peixes caracídeos, de água doce, caracterizados por dentadura muito afiada, e uniforme. Algumas espécies possuem dentes distintos nos ossos palatinos. Ex.: o peixe-cachorro.

acesume. [De *aceso* + *-ume.*] *S. m. Bras.* Vivacidade exagerada; assanhamento.

acetabulado. *Adj.* Acetabuliforme.

acetabulária. *S. f. Bot.* Alga marinha de natureza calcária, coloração verde e formato de um pequeno guarda-chuva.

▲**acetabuli-.** [Do lat. *acetabulum, i.*] *El. comp.* = 'acetábulo', 'taça'; 'tentáculo': *acetabuliforme, acetabulífero.*

acetabulífero. [De *acetabuli-* + *-fero.*] *Adj.* e *s. m.* Cefalópode (2 e 3).

acetabulíferos. *S. m. pl. Zool.* Cefalópodes.

acetabuliforme. [De *acetabuli-* + *-forme.*] *Adj. 2 g.* Que tem forma de taça; acetabulado.

acetábulo. [Do lat. *acetabulu.*] *S. m.* **1.** Cavidade em forma de taça. **2.** Antigo vaso romano, pouco fundo, destinado a conter vinagre. **3.** Flor cujo cálice tem o feitio desse vaso. **4.** *Anat.* Cavidade cotilóide existente em cada um dos ossos ilíacos, na qual se articula a cabeça do fêmur. **5.** *Mús.* Instrumento musical, acetabuliforme, que se percute com maceta. **6.** *Zool.* Cavidade ou ventosa de que são providos certos animais, como, p. ex., os platelmintos.

acetal. [De *acet(i)-* + *-al.*] *S. m. Quím.* Produto da condensação do acetaldeído com o etanol. [Fórm.: $CH_3CH(OC_2H_5)_2$. Pl.: *acetóis.*]

acetaldeído. *S. m. Quím.* V. *aldeído acético.*

acetamida. *S. f. Quím.* Amida cristalina, branca, derivada do ácido acético. [Fórm.: CH_3CONH_3.]

acetanilida. *S. f. Quím.* Derivado cristalino da anilina, usado como antipirético e analgésico. [Fórm.: $C_6H_5NHCOCH_3$.]

acetar. *V. t. d.* e *p.* V. *acetificar.* [Pres. ind.: *aceto, acetas, aceta*, etc. Cf. *assetar* e *asceta.*]

acetato. *S. m.* **1.** *Quím.* Qualquer sal ou éster do ácido acético. **2.** *Radiotéc.* Disco de alumínio, recoberto de matéria mole especial, usado para gravações sonoras experimentais ou provisórias. **3.** Base não inflamável de película fotográfica e cinematográfica.

acéter. [Do gr. *sítla* ou do lat. *situla*, atr. do ár. *asdatl.*] *S. m. Ant.* Púcaro de beber água. [Pl.: *acéteres.*]

▲**acet(i)-.** [Do lat. *acetum, i.*] *El. comp.* = 'vinagre': *acetificar, acetar.*

acetia. *S. f.* **1.** Azedia, azedume. **2.** Doença do vinho que o azeda, transformando-o gradualmente em vinagre.

acético. *Adj.* **1.** *Quím.* Referente ao, ou derivado do ácido acético, ou próprio dele. **2.** Pertencente ou relativo ao vinagre. ~ V. *ácido —, aldeído —* e *anidrido —.* [Cf. *ascético* e *asséptico.*]

acetificação. *S. f.* Transformação de certas substâncias em ácido acético; conversão em vinagre.

acetificador (ô). *Adj.* e *s. m.* Que ou o que acetifica.

acetificar. [De *acet(i)-* + *-fico-* + *-ar*[2].] *V. t. d.* **1.** Transformar em ácido acético; converter em vinagre; avinagrar, azedar, acetar. **2.** Pôr ácido acético ou vinagre em. *P.* **3.** Transformar-se (o vinho ou o álcool) em ácido acético ou vinagre; avinagrar-se, azedar-se, acetar-se. [Conjug.: v. *trancar.*]

acetil. *S. m. Quím.* O radical CH_3CO-, derivado do ácido acético; acetila, acetilo.

acetila. *S. m. Quím.* V. *acetil.*

acetilação. *S. f. Quím.* Introdução de um grupo acetil numa molécula.

acetilcolina. *S. f. Quím.* Substância existente no organismo animal, onde provoca a dilatação das artérias. [Fórm.: $C_7H_{17}O_3N$.]

acetileneto (ê). *S. m. Quím.* Acetileto.

acetileno. *S. m. Quím.* Hidrocarboneto não saturado, gasoso, incolor, com cheiro desagradável, utilizado em inúmeras indústrias; etino. [Fórm.: C_2H_2.]

acetileto (ê). *S. m. Quím.* Qualquer derivado do acetileno por substituição dos hidrogênios; acetileneto.

acetilo. *S. m. Quím.* V. *acetil.*

acetilsalicilato. *S m. Quím.* Qualquer sal ou éster do ácido acetilsalicílico.

acetilsalicílico. [De *acetil* + *salicílico.*] *Adj.* ~ V. *ácido —.*

acetimétrico. *Adj.* Relativo ao acetímetro.

acetímetro. *S. m.* Instrumento com que se avalia a percentagem de ácido acético no vinagre comercial; acetômetro.

acetina. *S. f. Quím.* Qualquer acetato do glicerol.

acetinação. *S. f.* Ato ou efeito de acetinar; acetinagem.

acetinadeira. [De *acetinar* + *-deira.*] *S. f. Ind. Pap.* V. *calandra*[1] (1).

acetinado[1]. [De *a-*[2] + *cetim* + *-ado*[1].] *Adj.* Macio e lustroso como o cetim: "Parece .... que o ligeiro buço que lhe cobre a pele acetinada se erriça" (José de Alencar, *Lucíola*, p. 86).

acetinado[2]. [Part. de *acetinar.*] *Adj.* Que é, artificialmente, semelhante ao cetim: *tecido acetinado.* ~V. *papel —.*

acetinador (ô). *S. m. Ind. Pap.* Operário que trabalha em qualquer aparelho de acetinar. [Cf. *calandreiro.*]

acetinagem. *S. f.* Acetinação.

acetinar. [De *a-*[2] + *cetim* + *-ar*[2].] *V. t. d.* **1.** Tornar macio e lustroso como o cetim. **2.** *Ind. Pap.* Tornar liso (o papel), passando as folhas na calandra ou na lisa, ou intercalando-as com placas de metal e comprimindo-as numa prensa. [Cf. *calandrar* e *cilindrar.*]

acetoacético. *Adj.* ~ V. *ácido —.*

acetofenona. *S. f. Quím.* Cetona cristalina incolor. [Fórm.: $C_6H_5COCH_3$.]

acetol. [De *acet(i)-* + *-ol.*] *S. m.* O vinagre mais puro. [Pl.: *acetóis.*]

acetólise. *S. f. Quím.* Remoção de um grupo acetila de um composto orgânico.

acetomel. [Do lat. *acetu*, 'vinagre', + *melle*, 'mel'.] *S. m.* Xarope de vinagre com mel. [Pl.: *acetoméis.*]

acetométrico. *Adj.* V. *acetimétrico.*

acetômetro. *S. m.* V. *acetímetro.*

acetona. [De *acet(ato)* + *-ona.*] *S. f. Quím.* Propanona.

acetonemia. [De *acetona* + *-(h)em(o)-* + *-ia.*] *S. f. Med.* Presença de acetona no sangue.

acetonêmico. *Adj.* **1.** Relativo à acetonemia ou próprio dela, ou que dela sofre. • *S. m.* **2.** Aquele que sofre de acetonemia.

acetonuria. *S. f. Med.* Var. pros. de *acetonúria.*

acetonúria. [De *acetona* + *-ur(o)-* + *-ia.*] *S. f. Med.* Presença de acetona na urina. [Var. pros.: *acetonuria.*]

acetonúrico. *Adj.* **1.** Relativo à, ou que sofre de acetonúria. • *S. m.* **2.** Aquele que sofre de acetonúria.

acetoso (ô). [Do lat. *acetosu.*] *Adj.* Que sabe a vinagre.

acetoxi (cs). *S. m. Quím.* O radical CH_3COO-, derivado do ácido acético.

acevadar. [De *a-*[2] + *cevada* + *-ar*[2].] *V. t. d.* Alimentar ou arraçoar com cevada.

acevar. [De *a-*[4] + *cevar.*] *V. t. d.*, *t. d. e i.* e *p.* V. *cevar.*

acha[1]. [Do lat. *astula.*] *S. f.* Pedaço de madeira tosca, para o lume: "pôs um panelão de água a aquecer ao lume da lareira que ateou com novas achas e sentou-se na dormideira a ver o fogo crepitar." (Domingos Monteiro, *O Primeiro Crime de Simão Bolandas*, p. 36). [Sin. (bras., N.E., pop.): *lacha.*]

acha[2]. [Do germ. *hapja*, pelo fr. *hache.*] *S. f.* **1.** Arma antiga, com o feitio de machado; acha-d'armas. **2.** *Heráld.* Timbre que caracteriza a nobreza de origem militar.

achacadiço. *Adj.* Sujeito a achaques; enfermiço, achacoso.

achacador (ô). *Adj.* **1.** Que achaca. • *S. m.* **2.** *Bras. Gír.* Aquele que achaca outrem, extorquindo-lhe dinheiro: "Altamiro Escobar .... sempre e irremediavelmente abrindo o bolso às ameaças veladas do reles achacador." (José Condé, *Como Uma Tarde em Dezembro*, p. 42). **3.** *Bras. Gír.* Autoridade policial que extorque dinheiro de marginais para não os prender.

achacar. [De *a-*[2] + ár. *sákā*, 'queixar-se', + *-ar*[2].] *V. t. d.* **1.** Maltratar, molestar. **2.** Desgostar, desagradar, aborrecer. **3.** Roubar a alguém, intimidando-o. **4.** *Bras.*

Gír. Extorquir dinheiro de: *Funcionários desonestos* *achacavam negociantes. T. d. e i.* **5.** Acusar, imputar, censurar, atribuir; assacar. *Transobj.* **6.** Acoimar, tachar: *achaquei-o de negligente. Int. e p.* **7.** Ter achaques; adoecer, enfermar-se. [Conjug.: v. *trancar.*]

achacoso (ô). *Adj.* V. *achacadiço.*

achada. *S. f.* V. *planalto.* [Cf. *axada.*]

achadão. *S. m. Fam.* **1.** Grande achado ou pechincha; negócio ótimo. **2.** Proteção, encosto, arrimo.

acha-d'armas. *S. f.* Acha[2] (1). [Pl.: *achas-d'armas.*]

achádego. *S. m. Ant.* **1.** Coisa achada; achado. **2.** *Jur.* Recompensa devida a quem restitui coisa achada.

achadiço. *Adj.* Que se acha com facilidade; fácil de achar; achadio.

achadio. *Adj.* Achacadiço: "ensinou-lhe a vaqueanagem de todas as furnas recamadas de tesouros escondidos .... escondidos pelos cauílas, perdidos para os medrosos e achadios de valentes" (Simões Lopes Neto, *Contos Gauchescos e Lendas do Sul,* p. 294).

achado. [Part. de *achar.*] *Adj.* **1.** Que se achou; encontrado. **2.** Encontrado pela primeira vez; descoberto. [Fem.: *achada.* Cf. *axada.*] ● *S. m.* **3.** Ato ou efeito de achar; achamento: "Antônia referiu a Andrade a perda e o achado da cadelinha." (Machado de Assis, *Contos Fluminenses,* p. 18.) **4.** Coisa encontrada, ou descoberta, por acaso ou não: *Entre os achados e perdidos, encontrou a bolsa esquecida no ônibus; um achado arqueológico.* **5.** Acerto (4): *Sua resposta foi um achado: convenceu a todos.* **6.** Invento descoberta, descobrimento. **7.** *Fam.* V. *pechincha* (3). **8.** *Bras. Pop.* Coisa providencial; sorte: "Era um achado, um acerto feliz, como a sorte grande" (Machado de Assis, *Memórias Póstumas de Brás Cubas,* p. 151). ◆ **Achados do vento.** Idéias ou pensamentos que ocorrem ao acaso. **Ser um achado.** Vir a propósito; ser muito conveniente.

achadoiro. *S. m.* Achadouro [q. v.].

achador (ô). *Adj.* e *s. m.* Que ou aquele que acha.

achadouro. [Var. de *achadoiro.*] *S. m.* **1.** Lugar onde se achou alguma coisa. **2.** Lugar onde há vestígios de épocas pré-históricas.

achamalotado. [De *a-*[2] + *chamalote* + *-ado*[1].] *Adj.* Semelhante a chamalote: "Os cavaleiros .... ostentavam a tiracolo larga fita achamalotada, das cores brasileiras." (Melo Morais Filho, *Festas e Tradições Populares do Brasil,* p. 114.)

achamboado. [De *a-*[2] + *chambão* + *-ado*[1].] *Adj.* **1.** Grosseiro, tosco, rude, achavascado: "Uma alcatéia de lobos, dois ruços, medonhos em tudo, e três medianos, ... focinheira o que há de mais brutesco e achamboada" (Aquilino Ribeiro, *Quando ao Gavião Cai a Pena,* p. 107). **2.** Mal vestido; deselegante, desajeitado. [F. paral.: *achambonado.*]

achamboar. [De *a-*[2] + *chambão* + *-ar*[2].] *V. t. d.* e *p.* **1.** Tornar(-se) chambão, rude, grosseiro. *Int.* **2.** Proceder de maneira achamboada. [F. paral.: *achambonar.* Conjug.: v. *coroar.*]

achambonado. *Adj. Bras., RS.* v. *achamboado.*

achambonar. [De *a-*[2] + *chambão* + *-ar*[2].] *V. t. d., int.* e *p. Bras., RS.* Achamboar.

achamento. *S. m.* Achado (3).

achamorrado[1]. [De *a-*[2] + *chamorro* + *-ado*[1].] *Adj. Bras.* **1.** Semelhante a chamorro. **2.** Diz-se do nariz achatado, rombo, grosso.

achamorrado[2]. [Part. de *achamorrar.*] *Adj.* Tornado chamorro; tosquiado, tosado.

achanar. [De *a-*[2] + *chão* + *-ar*[2].] *V. t. d. Bras., N.E., pop.,* e *ant.* **1.** Tornar plano ou chão; nivelar, aplanar, aplainar, alhanar: *achanar um terreno.* **2.** Tornar lhano, afável, tratável; alhanar. **3.** Vencer, superar, remover (obstáculos, empecilhos, dificuldades). **4.** *Bras., N.E.* Tornar chato, plano; achatar. **5.** *Bras., N.E.* Reduzir ou aniquilar moralmente; abater, humilhar, achatar. **6.** *Bras., N.E.* Dominar, subjulgar: *Apesar de sua força, o adversário terminou achanando-o. P.* **7.** Tornar-se plano ou chão; aplanar-se, aplainar-se, alhanar-se.

achanti. *S. 2 g.* **1.** Indivíduo dos achantis, povo negro da Guiné Setentrional (África). ● *Adj. 2 g.* **2.** Pertencente ou relativo a esse povo.

achaparrado. [De *a-*[2] + *chaparro* + *-ado*[1].] *Adj.* **1.** Semelhante ao chaparro. **2.** Diz-se do indivíduo baixo e gordo: "três senhoras acompanhadas de um rapaz gordo, o Moreirinha, muito baixo, achaparrado de corpo." (Alberto de Oliveira, *ap.* Graciliano Ramos, *Contos e Novelas,* II, p. 43). ● *S. m.* **3.** *Bras.* Arvoredo baixo e cheio de ramagens.

achaparrar. [De *a-*[2] + *chaparro* + *-ar*[2].] *V. int.* Engrossar, crescendo pouco em altura.

achaque. [Do ár. *as-sakã.*] *S. m.* **1.** Doença ou mal-estar sem gravidade, em geral recorrente: *pessoa sujeita a achaques.* "Há dez dias não escrevo nada. Não é doença ou achaque de qualquer espécie, nem preguiça." (Machado de Assis, *Memorial de Aires,* p. 192.) **2.** Defeito moral; vício: "desejavam saber se era verdade que, além de outros achaques humanos, havia o de não pagar as dívidas" (Id., *Histórias sem Data,* p. 19). **3.** Assunto ou matéria sobre alguma coisa. **4.** Razão aparente: motivo, pretexto. **5.** *Ant.* Imposto ou multa em conseqüência de condenação judicial. **6.** *Ant.* Queixa, acusação. [Dimin. irreg.: *achaquilho.*]

achaquilho. *S. m.* Pequeno achaque.

achar[1]. [Do persa *achār.*] *S. m.* Conserva indiana preparada com frutos em vinagre e sal, e geralmente colorida com açafrão.

achar[2]. [Do lat. vulg. *aflare,* por *afflare.*] *V. t. d.* **1.** Encontrar por acaso ou procurando; deparar com: "Jamais em minha vida achei na rua ou em qualquer parte do globo um objeto qualquer." (Carlos Drummond de Andrade, *A Bolsa & a Vida,* p. 7.) **2.** Atinar (com); encontrar, descobrir: *Não achei modo de tocar no assunto.* **3.** Considerar, julgar, supor: *Achou que sua presença era indesejada.* **4.** Obter, conseguir: "achou logo amizade; o seu rosto bonito agradou." (Eça de Queirós, *O Crime do Padre Amaro,* p. 37). *T. d.* e *i.* **5.** Sentir, experimentar: *Acha na dança imenso prazer.* **6.** Descobrir, encontrar: " — Conversei com o homem; achei-lhe idéias delirantes." (Machado de Assis, *Quincas Borba.* p. 306.) *Transobj.* **7.** Julgar, considerar: "achava-o aborrecido e antipático." (Machado de Assis, *Várias Histórias,* p. 131); "Ptolomeu achou o raciocínio exato" (Id., *Histórias sem Data,* p. 101); "Achei lindas as negras." (Jorge de Lima, *Obra Completa,* I, p. 364); *Acha-o muito vaidoso.* **8.** Deparar com; encontrar: "Achou tudo mudado: casas novas, ... gente branca na roça." (Coelho Neto, *Banzo,* p. 11.) *T. i.* **9.** Julgar acertado; deliberar, resolver: *Achou de viajar repentinamente. Int.* **10.** Encontrar; descobrir. *P.* **11.** Estar; encontrar-se: "As pernas queriam descer e entrar... Camilo achou-se diante de um longo véu opaco..." (Machado de Assis, *Várias Histórias,* pp. 13-14); *Atualmente acha-se bem de finanças.* **12.** Estar situado; situar-se: *Brasília acha-se no Planalto Central.* **13.** Considerar-se, julgar-se, reputar-se: *Acha-se um gênio.* [Pres. subj.: *ache, aches, achem,* etc. Cf. *achém* e o top. *Achém.*] ◆ **Achar de bem.** Julgar acertado.

acharoado. [Part. de *acharoar.*] *Adj.* **1.** Envernizado com charão: *cômoda acharoada.* **2.** Que imita o charão.

acharoamento. *S. m.* Ato ou efeito de acharoar.

acharoar. [De *a-*[2] + *charão* + *-ar*[2].] *V. t. d.* **1.** Envernizar com o charão. **2.** Dar aparência de charão a. [Conjug.: v. *coroar.*]

achatadela. *S. f.* Ato ou efeito de achatar; amolgadela.

achatado[1]. [De *a-*[2] + *chato* + *-ado*[1].] *Adj.* Que tem, por natureza, forma chata. — V. *elipsóide* —*a.*

achatado[2]. [Part. de *achatar.*] *Adj.* **1.** Que tomou forma chata. **2.** *Fig.* Rebaixado, vexado, humilhado. **3.** *Fig.* Vencido, derrotado. **4.** Tornado extremamente baixo, ou aviltado: *preços achatados.*

achatadura. *S. f.* Achatamento (1).

achatamento. *S. m.* **1.** Ato ou efeito de achatar; achatadura. **2.** *Astr.* Relação entre a diferença dos semidiâmetros equatorial e polar e o semidiâmetro equatorial de um corpo celeste. **3.** *Estat.* Curtose. ◆ **Achatamento da coroa.** *Astr.* Fenômeno que consiste em apresentar-se achatada a coroa solar nas épocas de grande atividade solar. **Achatamento salarial.** *Bras.* Contenção de salários em um nível tal que, ainda que aumentados, continuem abaixo da taxa de aumento do custo de vida.

achatar. [De *a-*[2] + *chato* + *-ar*[2].] *V. t. d.* **1.** Tornar chato, plano ou quase plano; aplanar, aplainar: *O lanterneiro achatou o capô amassado.* **2.** Diminuir a curvatura ou o relevo de; rebaixar: *No projeto de reforma, o arquiteto achatou a linha do telhado.* **3.** Rebaixar, abater; humilhar. **4.** Vencer; derrotar, com argumentos. **5.** Aniquilar moralmente: *A ingratidão do amigo achatou-o. P.* **6.** Fazer-se chato: *Ao esfriar, o bolo achatou-se.* **7.** Curvar-se, humilhar-se, fazer-se mais pequeno: *Achata-se ante os poderosos.*

achavascado. [Part. de *achavascar.*] *Adj.* Grosseiro, tosco, rude, achamboado: *móvel achavascado.*

achavascar. [De *a-*[2] + *chavasco* + *-ar*[2].] *V. t. d.* **1.** Fazer (obra, trabalho) de maneira tosca ou grosseira; achamboar. *Int.* **2.** Deturpar, desfigurar, viciar. *P.* **3.** Tornar-se rude, grosseiro, bronco; achamboar-se, abrutalhar-se. [Conjug.: v. *trancar.*]

achável. *Adj. 2 g.* Que se pode achar; encontrável: "não poderia vos dizer mais do que já dito em livros facilmente acháveis." (Mário de Andrade, *O Baile das Quatro Artes,* p. 117.)

achega (ê). [Dev. de *achegar.*] *S. f.* **1.** Aditamento, acrescentamento, acréscimo. **2.** Ajuda, auxílio, subsídio; achego: *A herança, ainda que pequena, sempre foi uma boa achega.* **3.** Pequeno lucro; rendimento acessório. **4.** Subsídio ou contribuição para o aperfeiçoamento e/ou ampliação de alguma obra, de um ramo de conhecimento, etc.; achego: *Forneceu achegas para dicionários;* "O fabulário medieval se originou no velho Esopo, com achegas de toda parte" (Renato Almeida, *Inteligência do Folclore,* p. 77). **5.** Material de construção. [M. us. no pl. — V. *achegas.*]

achegadeira. *S. f.* Mulher que achega; alcoviteira.

achegado. [Part. de *achegar.*] *Adj.* **1.** Unido, ligado: "As hastes de milho, achegadas e compactas, enchem largos campos" (Abel Botelho, *Mulheres da Beira,* p. 2). **2.** Próximo, chegado: *parente achegado; lugar achegado.* **3.** Confortável, arranjado, aconchegado: *quarto achegado.* ● *S. m.* **4.** Indivíduo ligado a outro por parentesco. **5.** Partidário, aliado.

achegador (ô). *Adj.* e *s. m.* Que ou aquele que achega.

achegamento. *S. m.* Ação ou efeito de achegar(-se); aproximação.

acheganças. *S. f. pl.* Rendas suplementares; achegas.

achegar. [De *a-*[4] + *chegar.*] *V. t. d.* **1.** Ligar, unir. **2.** Aproximar, avizinhar: *Achegou uma cadeira e mandou-o sentar-se.* **3.** Arranjar, compor, aconchegando: *Sentindo frio, achegou a gola do capote. P.* **4.** Aproximar-se, avizinhar-se; apropinquar-se: "Às mulheres me achegava de manso, meu fraco eram as viúvas e as casadas, nunca me aproveitei de inocentes" (Osmã Lins, *Nove, Novena,* pp. 101-102); "Mal me achego de ti, minha querida, / Tu me iluminas desse amor sagrado." (João Ribeiro, *Versos,* p. 79). **5.** Acolher-se, recolher-se. [Conjug.: v. *largar;* quanto ao timbre do *e,* v. *chegar.*]

achegas (ê). [Pl. de *achega.*] *S. f. pl.* Acheganças. — V. *achega.*

achego (ê). [Dev. de *achegar.*] *S. m.* **1.** Ato ou efeito de achegar(-se). **2.** Proteção, amparo: *achego materno.* **3.** *Bras.* v. *achega* (2). **4.** *Bras.* Vantagem ou lucro inesperado, imprevisto: "ganho trezentos mil réis por mês, afora os achegos que aparecem." (Aluísio Azevedo, *Demônios,* p. 264). **5.** *Bras.* Esposa ou amante. **6.** *Bras.* Ato ou efeito de encostar; encosto.

achém[1]. *S. m.* Grande balança chinesa. [Cf. *achem,* do v. *achar.*]

achém[2]. *S. 2 g.* **1.** Indivíduo dos achéns, povo que habitava o antigo sultanato de Achém, em Sumatra, ilha da Indonésia. ● *Adj. 2 g.* **2.** Pertencente ou relativo a esse povo. [Cf. *achem,* do v. *achar.*]

achibantado. [De *a-*[2] + *chibante* + *-ado*[1].] *Adj.* Que tem maneiras de chibante.

achibantar. [De *a-*[2] + *chibante* + *-ar*[2].] *V. t. d.* e *p.* Tornar(-se) chibante.

achicar[1]. [Do lat. *exsicare.*] *V. t. d.* **1.** esgotar a água de (embarcação); estancar, enxugar, secar. *Int.* **2.** Esgotar a água de embarcação. [Conjug.: v. *trancar.*]

achicar[2]. [Do esp. *achicar.*] *Bras., RS. V. t. d.* **1.** Tornar pequeno; diminuir. *P.* **2.** Acovardar-se, intimidar-se. [Conjug.: v. *trancar.*]

achichelar. [De *a-*[2] + *chichelo* + *-ar*[2].] *V. t. d.* **1.** Arrastar (os passos) como quem anda de chinelo(s). **2.** *Bras., CE.* Achinelar (1).

achinado. [De *a-*[2] + *chino* + *-ado*[1].] *Adj.* Achinesado.

achinar. [De *a-*[2] + *chino* + *-ar*[2].] *V. t. d.* e *p.* Achinesar(-se).

achincalhação. *S. f.* Ato ou efeito de achincalhar; achincalhamento, achincalhe.

achincalhador (ô). *Adj.* **1.** Que achincalha; achincalhante. ● *S. m.* **2.** Aquele que achincalha.

achincalhamento. *S. m.* V. *achincalhação.*

achincalhante. *Adj. 2 g.* Achincalhador (1).

achincalhar. [De *a-*[2] + *chinquilho* + *-ar*[2].] *V. t. d.* **1.** Ridicularizar, ridicularizar, chacotear; escarnecer. **2.** Rebaixar, humilhar, aviltar: *Achincalhou a sua pessoa para conseguir enriquecer.*

achincalhe. [Dev. de *achincalhar.*] *S. m.* V. *achincalhação.*

achinelar. [De *a-*[2] + *chinelo* ou *chinela* + *-ar*[2].] *V. t. d.* **1.** Acalcanhar (o sapato), dando-lhe forma de chinelo ou chinela. [Sin., no CE: *achichelar.*] **2.** Rebaixar, humilhar. *P.* **3.** Rebaixar-se, humilhar-se.

achinesado. [De *a-*[2] + *chinês* + *-ado*[1].] *Adj.* Que tem aspecto ou aparência de pessoa ou coisa chinesa, ou próprio de chinês; achinado: *indivíduo achinesado;*

bigode *achinesado*; "saia de roda e falvalás, à Pompadour, de seda fofa e *achinesada* de Lião" (Martins Fontes, *A Dança*, p. 51).

achinesar. [De *a*-[2] + *chinês* + -*ar*[2].] *V. t. d.* **1.** Dar modos ou aspecto de chinês a; achinar. *P.* **2.** Adquirir modos e/ou hábitos de chinês; achinar-se.

achite. *S. m.* V. *anil-trepador.*

▲-acho. *Suf. nom.* = 'diminuição': *fogacho, populacho.* [Equiv.: *-icha, -icho, -ucha, -ucho: barbicha, governicho, casucha, gorducho.*]

achoar. [De *a*-[2] + *chão* + -*ar*[2].] *V. t. d.* **1.** Calcar com os pés depois de atirar ao chão; espezinhar. **2.** Moer de pancadas; surrar, espancar. [Conjug.: v. *coroar.*]

achocalhado. [De *a*-[2] + *chocalho* + -*ado*[1].] *Adj.* **1.** Semelhante ao chocalho. **2.** Munido de chocalho.

achocalhar. [De *a*-[2] + *chocalho* + -*ar*[2].] *V. t. d.* **1.** Dar feição ou som de chocalho a. **2.** Pôr chocalho em; enchocalhar. **3.** Divulgar, propalar; chocalhar.

achumbado. [De *a*-[2] + *chumbo* + -*ado*[1].] *Adj.* **1.** Que tem o aspecto, a cor ou o peso do chumbo. **2.** Diz-se do rosto macilento.

achumbar. [De *a*-[2] + *chumbo* + -*ar*[2].] *V. t. d.* Dar cor ou aspecto de chumbo a; tornar semelhante ao chumbo.

acinoblepsia. [De *a*-[3] + -*ciano*- + -*blepsia*.] *S. f. Med.* Defeito visual que impossibilita distinguir a cor azul; acianopsia.

acianopsia. [De *a*-[3] + -*ciano*- + -*opsia*.] *S. f. Med.* Acianoblepsia.

aciaria. *S. f.* Usina ou parte duma usina siderúrgica destinada à produção do aço; aceria[1].

acica. [Talvez do ár. *as-sikkâ*, 'a dinheiro'.] *S. f. Bras. Pop.* Bolso (1).

acicatar. *V. t. d.* **1.** Estimular (o cavalo) com acicate; esporear. **2.** *Fig.* Estimular, incentivar, excitar: "Vultos de mulheres afloravam-lhe à lembrança, negras como a noite em que haviam mergulhado; e nem a sombra dum desejo, já, o *acicatava*." (Joaquim Paço d'Arcos, *Carnaval e Outros Contos*, p. 77.)

acicate. [Do ár.] *S. m.* **1.** Espora de um só aguilhão: "Um clérigo velho, montado em uma alentada mula branca, ... espicaçava os ilhais da cavalgadura com seus *acicates* de prata." (Alexandre Herculano, *Lendas e Narrativas*, II, p. 71.) **2.** *Fig.* Incentivo, estímulo: "Se fugiu [Alexandre Magno], diga-o o seu Bucéfalo, em que montado e transmontado se salvou dos perigos da guerra índica: sendo-lhe tão fiel, que as mesmas lanças, que o crivaram, teve por *acicates* para correr melhor até o pôr em seguro" (P^e^. Manuel Bernardes, *Nova Floresta*, IV, p. 270).

acicatura. *S. f. Mús.* Ornamento melódico, muito usado na música setecentista para cravo e órgão.

aciclia. [De *a*-[3] + -*ciclia*.] *S. f. Med.* Falta de movimento dos fluidos da economia do organismo.

acíclico. *Adj.* **1.** Que não é cíclico. **2.** Relativo à aciclia. **3.** *Bot.* Diz-se da flor cujas peças não se inserem no mesmo ponto do eixo floral, mas ao longo desse eixo, como ocorre nas ninfeáceas. **4.** *Quím.* Diz-se de um composto cuja molécula não tem qualquer anel fechado.

acícula. [Do lat. *acicula*.] *S. f.* **1.** Ganchinho de metal, de osso ou de madeira, com que as romanas prendiam os cabelos. **2.** *Bot.* Qualquer parte aciculada do organismo vegetal. **3.** *Bot. Restr.* Folha comprida e fina, filiforme, como a de muitos pinheiros. **4.** *Bot. Restr.* Espécie de espinho curvo e flexível (apículo). **5.** *Zool.* Cerda ou espinho aguçado presente no corpo de certos animais, como, p. ex., os artrópodes e anelídeos.

aciculado. *Adj.* V. *acicular.*

acicular. [De *acicul(i)*- + -*ar*[1].] *Adj. 2 g.* Que tem forma de agulha; aciculado, aciculiforme, agulheado, aceroso. ~ V. *folha* —.

▲acicul(i)-. [Do lat. *acicula, ae.*] *El. comp.* = 'pequena agulha': *acicular, aciculiforme.*

aciculifoliado. [De *acicul(i)*- + -*foli*- + -*ado*.[1]] *Adj. Bot.* Diz-se do vegetal cujas folhas têm a forma de agulha.

aciculiforme. [De *acicul(i)*- + -*forme*.] *Adj. 2 g.* V. *acicular.*

acidação. *S. f.* Ato ou efeito de acidar(-se).

acidade. *S. f.* V. *acidez* (1).

acidar. *V. t. d.* e *p.* Tornar(-se) ácido; acidificar(-se). [Pres. ind.: *acido*, etc. Cf. *ácido*.]

acidável. *Adj. 2 g.* Que se pode acidar.

acidência. [Do lat. *accidentia*.] *S. f.* Qualidade do que é acidental. [Cf. *acedência*.]

acidentação. *S. f.* **1.** Ato ou efeito de acidentar(-se). **2.** *Mús.* Ato ou efeito de acidentar (4).

acidentado[1]. [De *acidente* + -*ado*.[1]] *Adj.* **1.** Que tem acidentes; irregular, desigual: *terreno acidentado.* **2.** Em que houve acidentes: *viagem acidentada.* **3.** Cheio de acidentes, peripécias, dificuldades; agitado, tumultuado: *vida acidentada.* ~V. *composição* —*a.* ● *S. m.* **4.** Qualidade do que é acidentado: *O acidentado do caminho dificultou-lhe a viagem.* **5.** Relevo que apresenta desnivelamentos marcantes.

acidentado[2]. [Part. de *acidentar*.] *Adj.* **1.** Que se acidentou; que foi vítima de acidente. **2.** *Mús.* Alterado com acidentes [v. *acidente* (12)]. ● *S. m.* **3.** Indivíduo que foi vítima de acidente (2).

acidental. *Adj. 2 g.* **1.** Casual, fortuito; imprevisto, acidentário: *Circunstâncias acidentais levaram-no ao crime.* **2.** Acessório, adicional, suplementar: "O tema do sono não foi *acidental* em Keats." (Eugênio Gomes, *Espelho contra Espelho*, p. 199.) **3.** *Estat.* V. *aleatório* (3). **4.** *Filos.* Que é ou que acontece de modo contingente. **5.** *Filos.* Relativo a acidente (8), e não à substância de um ser. ~ V. *amostra* —, *amostragem* — e *erro* —.

acidentalidade. *S. f.* Estado ou qualidade de acidental.

acidentalização. *S. f. Estat.* Planejamento de um experimento, em que se procura controlar, mediante uma lei probabilística, a influência de algumas variáveis; casualização, randomização.

acidentar. *V. t. d.* **1.** Produzir acidente em; modificar, alterar. **2.** Tornar (o terreno) irregular, desigual, acidentado. **3.** Ferir ou lesar em acidente (2): *O desastre acidentou 10 pessoas.* **4.** *Mús.* Alterar (o tom das notas musicais) com acidente (12). *P.* **5.** Sofrer modificação ou alteração: modificar-se, alterar-se. **6.** Tornar-se (o terreno) desigual, irregular, acidentado. **7.** Ser vítima de acidente (2). [Fut. pret.: *acidentaria*, etc. Cf. *acidentária*, fem. de *acidentário*.]

acidentário. *Adj.* **1.** V. *acidental* (1). **2.** *Jur.* Relativo à legislação sobre acidentes no trabalho. [Fem.: *acidentária.* C.f. *acidentaria*, do v. *acidentar*.]

acidentável. *Adj. 2 g.* Que se pode acidentar.

acidente. [Do lat. *accidente*.] *S. m.* **1.** Acontecimento casual, fortuito, imprevisto: "Cristo e Rousseau são os dous *acidentes* mais extraordinários na história do espírito humano." (Graça Aranha, *A Estética da Vida*. p. 193.) **2.** Acontecimento infeliz, casual ou não, e de que resulta ferimento, dano, estrago, prejuízo, avaria, ruína, etc.; desastre: *O acidente entre o ônibus e o caminhão vitimou 20 pessoas; A sabotagem praticada no avião resultou num terrível acidente.* **3.** O que se acresce ao principal; acessório. **4.** Pormenor, detalhe, particularidade. **5.** Alteração na disposição de uma camada de terreno: *acidentes do solo.* **6.** Disposição variada da luz: *O sol atravessava os vitrais, produzindo belos acidentes luminosos.* **7.** *Pop.* Ataque de epilepsia. **8.** *Filos.* O que só existe como determinação de um sujeito e pode desaparecer sem que o sujeito seja destruído. [V. — *inseparável* e — *separável*. Cf. *substância* (9) e *essência* (5).] **9.** *Filos.* O que resulta de contingência ou de acaso. **10.** *Gram. P. us.* Flexão (4). **11.** *Med.* Fenômeno patológico inesperado que sobrevém a uma doença e a agrava. **12.** *Mús.* Cada um dos sinais de alteração pelos quais um som da escala natural pode ser elevado ou abaixado de um ou dois semitons cromáticos: sustenido, bemol, bequadro, dobrado-sustenido, dobrado-bemol. [Cf. *acedente*.] ♦ **Acidente de trabalho.** *Jur.* Toda lesão corporal ou perturbação funcional que, no exercício ou por motivo do trabalho, resultar de causa externa, súbita, imprevista ou fortuita, determinando a morte do empregado ou a sua incapacidade para o trabalho, total ou parcial, permanente ou temporária. **Acidente geográfico.** *Geogr.* Manifestação contrastante do terreno em comparação com as áreas circunvizinhas. **Acidente inseparável.** *Filos.* Segundo Porfírio [v. *neoplatonismo*], qualidade permanente de um sujeito, a qual, no entanto, se pode conceber como eliminada, sem que o sujeito seja destruído. Ex.: a qualidade *negro* com relação ao sujeito *etíope*. **Acidente operatório.** Ocorrência imprevista no decurso duma intervenção cirúrgica. **Acidente pós-operatório.** Ocorrência imprevista que sobrevém a uma intervenção cirúrgica. **Acidente separável.** *Filos.* Segundo Porfírio [v. *neoplatonismo*], qualidade não permanente de um sujeito. P. ex.: *adormecido*, com relação ao sujeito *homem*. **Acidente vascular cerebral.** *Med.* Designação imprópria de distúrbio da circulação encefálica, de ocorrência súbita, duração e intensidade variáveis, e que pode ter causas diversas, sendo passível de produzir alterações, entre outras, da consciência, da motricidade, da palavra. [Abrev.: *AVC*.] **Por acidente.** *Filos.* Dependentemente das circunstâncias e não da natureza de um ser. [Cf. nesta acepç., *por si* (2).]

acidez (ê). *S. f.* **1.** Qualidade ou sabor do que é ácido; acidade, azedia, azedume. **2.** Propriedade que têm certas substâncias de libertar, quando em solução, íons hidrogênio. **3.** *Fig.* Azedume (2) **4.** *Quím.* Número de grupos hidroxila substituíveis em cada molécula de uma base. **5.** *Quím.* Quantidade de ácido livre nos óleos vegetais, resinas, etc.

▲acidi-. [Do lat. *acidus, i.*] *El. comp.* = 'ácido': *acidificar, acidimetria.* [Equiv.: *ácido*- e -*ácido*: *ácido-básico; aminoácido.*]

acídia. *S. f.* Abatimento do corpo e do espírito; moleza, frouxidão; acedia: "A inércia, a *acídia* e o desânimo intoxicam a existência e conduzem-nos involuntariamente ao desgosto e ao mal." (A. Austregésilo, *Obras Completas*, VII, p. 129.) [Cf. *ascídia*.]

acidífero. [De *acidi*- + -*fero*.] *Adj.* Que encerra ou produz ácido.

acidificação. *S. f.* Ação ou efeito de acidificar(-se).

acidificante. *Adj. 2 g.* e *s. m.* Que, ou substância que acidifica.

acidificar. [De *acidi*- + -*ficar*.] *V. t. d.* e *p.* Tornar(-se) ácido; acidar(-se). [Conjug.: v. *trancar*.]

acidimetria. [De *acidi*- + -*metria*.] *S. f. Quím.* Processo para determinar a composição duma solução ácida mediante uma solução básica de normalidade conhecida.

acidimétrico. *Adj.* Relativo à acidimetria, ou ao acidímetro.

acidímetro. [De *acidi*- + -*metro*.] *S. m.* Instrumento para medir o grau de acidez de um líquido.

acidioso (ô). *Adj.* Que tem acídia.

ácido. [Do lat. *acidu*.] *S. m.* **1.** *Quím.* Substância que em solução aquosa é capaz de libertar íons hidrogênio; substância capaz de ceder prótons. **2.** *Bras. Gír.* Ácido lisérgico. ● *Adj.* **3.** Que dá sensação picante ao olfato ou ao paladar; azedo, acre, agro: *fruta ácida.* ~V. *aço* —, *acumulador* —, *catálise* —*a*, *corante* —, *escória* —*a*, *rocha* —*a* e *sal* —. ♦ **Ácido abiênico.** *Quím.* Ácido encontrado na resina de certos abetos. [Fórm.: $C_{13}H_{20}O_2$.] **Ácido abiético.** *Quím.* Ácido monocarboxílico, derivado dos terpenos, cristalino, extraído da resina das coníferas. [Fórm.: $C_{20}H_{30}O_2$.] **Ácido acético.** *Quím.* Ácido monocarboxílico, líquido incolor, com cheiro característico, obtido por fermentação ou pela oxidação catalítica do acetileno. [Fórm.: CH_3COOH.] **Ácido acetilsalicílico.** *Quím.* Sólido incolor, cristalino, derivado do ácido salicílico, usado como analgésico e antipirético; aspirina. [Fórm.: $C_9H_8O_4$.] **Ácido acetoacético.** *Quím.* Líquido ácido incolor e xaroposo, instável. [Fórm.: $CH_3CO.CH_2COOH$.] **Ácido aconítico.** *Quím.* Ácido tricarboxílico não saturado, cristalino, incolor. [Fórm.: $C_6H_6O_6$.] **Ácido acrílico.** *Quím.* Ácido monocarboxílico não saturado, líquido, incolor, com cheiro parecido ao do ácido acético, e usado na fabricação de resinas acrílicas; ácido vinilfórmico. [Fórm.: $CH_2CHCOOH$.] **Ácido adípico.** *Quím.* Ácido dicarboxílico saturado, cristalino, incolor, utilizado na manufatura de fibras artificiais. [Fórm.: $HOOC(CH_2)_4COOH$.] **Ácido aminoacético.** *Quím.* V. *glicina*. **Ácido aminobenzóico.** *Quím.* Qualquer dos três isômeros que se obtém pela substituição de um hidrogênio do anel benzênico, no ácido benzóico, por um grupamento amina. [Fórm.: $NH_2C_6H_4COOH$.] **Ácido aminopropiônico.** *Quím.* Alanina. **Ácido antranílico.** *Quím.* Sólido pulverulento, branco, cujos derivados se usam na indústria de corantes e em perfumaria. É o isômero *orto* do ácido aminobenzóico. [Fórm.: $NH_2C_6H_4COOH$.] **Ácido araquídico.** *Quím.* Ácido graxo encontrado em alguns óleos vegetais, cristalino; ácido eicosânico. [Fórm.: $C_{20}H_{40}O_2$.] **Ácido ascórbico.** *Quím.* Substância cristalina existente em diversos frutos cítricos, e que deles se extrai, essencial ao metabolismo do organismo. [Fórm.: $C_6H_8O_6$.] **Ácido azótico.** *Quím. Desus.* V. *ácido nítrico*. **Ácido barbitúrico.** *Quím.* Derivado do ácido malônico e da uréia, cristalino, incolor. [Fórm.: $C_4H_4O_3N_2$.] **Ácido benzóico.** *Quím.* Ácido derivado do benzeno, cristalino, incolor, usado como preservativo de bebidas, como anti-séptico, e na indústria de corantes. [Fórm.: C_6H_5COOH.] **Ácido bórico.** *Quím.* Sólido cristalino, com emprego medicinal. [Fórm.: H_3BO_3.] **Ácido brômico.** *Quím.* Oxiácido do bromo, que não existe livre, mas forma os bromatos. [Fórm.: $HBrO_3$.] **Ácido bromídrico.** *Quím.* Solução aquosa do brometo de hidrogênio, fortemente ácida. [Fórm.: HBr.] **Ácido butírico.** *Quím.* Ácido monocarboxílico, líquido xaroposo, incolor, com odor e gosto de manteiga rançosa. [Fórm.: $C_4H_8O_2$.] **Ácido cáprico.** *Quím.* Ácido monocarboxílico, cristalino, existente no leite de cabra. [Fórm.: $C_{10}H_{20}O_2$.] **Ácido caprílico.** *Quím.* Ácido graxo presente no suor, e também no leite de cabra. [Fórm.: $C_8H_{12}O_2$.] **Ácido capróico.** *Quím.* Ácido graxo existente no leite de cabra e também no óleo de coco. [Fórm.: $C_6H_{12}O_2$.] **Ácido carbâmico.** *Quím.* Ácido que não é conhecido em estado livre, mas apenas sob a forma de sais ou ésteres. [Fórm.: H_2NCOOH.] **Ácido carbólico.** *Quím.* V. *fenol* (1). **Ácido carbônico.** *Quím.* Ácido fraco que se forma na dissolução do dióxido de carbono em água. [Fórm.: H_2CO_3.] **Ácido carmínico.** *Quím.* Sólido cristalino, vermelho, presente na cochonila. [Fórm.: $C_{22}H_{20}O_{13}$.] **Ácido ciânico.** *Quím.* Ácido facilmente hidrolisável, que não existe livre. [Fórm.: HCNO.] **Ácido cianídrico.** *Quím.* Ácido que só existe em solução. venenoso. [Sin., ant.: *ácido prússico.* Fórm.: HCN.] **Ácido ciclâmico.** *Quím.* O ácido cicloexano aminossulfônico, sólido, solúvel em água, edulcorante. [Fór.: $C_6H_{11}NHSO_3H$.] **Ácido cinâmico.** *Quím.* Ácido aromático não saturado, sólido, cristalino. [Fórm.: $C_6H_5C_3H_3O_2$.] **Ácido citracônico.** *Quím.* Ácido metilmaléico, sólido, incolor, cristalino. [Fórm.: $C_5H_6O_4$.] **Ácido cítrico.** *Quím.* Ácido tricarboxílico, cristalino, incolor, presente nos sucos das frutas cítricas. [Fórm.: $C_6H_8O_7$.] **Ácido clórico.** *Quím.* Oxiácido do cloro, instável, que forma diversos sais, os cloratos. [Fórm.: $HClO_3$.] **Ácido clorídrico.** *Quím.* Gás clorídrico em solução, muito ativo, com cheiro forte e sufocante, com importantes usos industriais. [Fórm.: HCl.] **Ácido cloroacético.** *Quím.* Sólido cristalino, incolor, solúvel em água. [Fórm.: $CH_2ClCOOH$.] **Ácido cloroso.** *Quím.* Ácido instável, formado pela solubilização do dióxido de cloro em água, cujos sais, os cloritos, são estáveis. [Fórm.: $HClO_2$.] **Ácido cresílico.** *Quím.* Mistura dos três isômeros do cresol, utilizada como anti-séptico. **Ácido crotônico.** *Quím.* Qualquer dos dois isômeros do ácido metilacrílico, ambos cristalinos-incolores. [Fórm.: $C_4H_6O_2$] **Ácido de bateria.** *Tec.* Solução aquosa de ácido sulfúrico a 33%, aproximadamente, usada nas baterias de veículos automotivos. **Ácido desoxirribonucléico.** *Genét.* Molécula que contém a informação genética, formada por duas cadeias polinucleotídicas constituídas por um açúcar (adesoxirribose), um grupo fosfato e uma base nitrogenada (timina, adenina, citosina ou guanina). [Simb.: *ADN* e (ingl.) *DNA*.] **Ácido dibásico.** *Quím.* O que tem dois hidrogênios substituíveis e pode formar duas séries de sais. **Ácido eicosânico.** *Quím.* Ácido araquídico. **Ácido enântico.** *Quím.* Ácido graxo com sete átomos de carbono, líquido. [Fórm.: $C_7H_{14}O_2$.] **Ácido esteárico.** *Quím.* Ácido graxo existente nas gorduras animais e vegetais, e cujos sais de sódio e potássio constituem os sabões. [Fórm.: $C_{17}H_{35}COOH$.] **Ácido etilenodiamino tetracético.** *Quím.* Cristais incolores, pouco solúveis em água, cujos sais, alcalinos, são usados como agentes quelantes de metais. [Fórm.: $C_{10}H_{16}O_8N_2$. Sigla: *EDTA*.] **Ácido fênico.** *Quím.* V. *fenol* (1). **Ácido fenolsulfônico.** *Quím.* Líquido amarelado, solúvel em água e álcool, irritante da pele e moderadamente tóxico. [Fórm.: $HOC_6H_4SO_3H$.] **Ácido fluorídrico.** *Quím.* Solução aquosa do gás fluorídrico, ácido forte, muito ativo. [Fórm.: H_2F_2.] **Ácido fluossilícico.** *Quím.* Líquido incolor, fumegante, solúvel em água, venenoso, corrosivo. [Fórm.: H_2SiF_6.] **Ácido fólico.** *Quím.* Substância cristalina, amarelo-alaranjada, encontrada no fígado, rins e folhas verdes, usada como agente antianêmico. **Ácido fórmico.** *Quím.* O mais simples dos ácidos monocarboxílicos, líquido, incolor, com cheiro penetrante. [Fórm.: HCOOH.] **Ácido forte.** *Quím.* O que se dissocia quase inteiramente. **Ácido fosfórico.** *Quím.* Oxiácido do fósforo, cristalino, que funde a 40° C, solúvel em água, formando diversos sais importantes; ácido ortofosfórico. [Fórm.: H_3PO_4.] **Ácido fosforoso.** *Quím.* Um dos ácidos em que o fósforo tem número de oxidação 3, sólido, cristalino, incolor; ácido ortofosforoso. [Fórm.: H_3PO_3.] **Ácido fraco.** *Quím.* O que se dissocia incompletamente. **Ácido ftálico.** *Quím.* Ácido aromático dicarboxílico, sólido, incolor. [Fórm.: $C_8H_6O_4$.] **Ácido fulmínico.** *Quím.* Composto volátil, instável, com cheiro parecido com do ácido cianídrico, e que forma sais utilizados como detonadores. [Fórm.: CNOH.] **Ácido fumárico.** *Quím.* Ácido graxo isômero do maléico, sólido, cristalino; ácido liquênico. [Fórm.: $C_4H_4O_4$.] **Ácido gálico.** *Quím.* Triidroxibenzóico, cristalino, incolor, encontrado muito freqüentemente nos tecidos vegetais, como constituinte dos taninos. [Fórm.: $C_6H_2(COOH)(OH)_3$.] **Ácido giberélico.** *Quím.* Hormônio natural de vegetais, cristalino, branco, usado para provocar o crescimento de plantas. [Fórm.: $C_{19}H_{22}O_6$.]. **Ácido glutâmico.** *Quím.* Aminoácido resultante da hidrólise de proteínas, cristalino, com sabor de carne, usado como condimento. [Fórm.: $C_5H_9O_4N$.] **Ácido graxo.** *Quím.* Qualquer ácido orgânico monocarboxílico. **Ácido hidrazóico.** *Quím.* Líquido incolor, venenoso, instável, de cheiro nauseante. [Fórm.: HN_3.] **Ácido hipúrico.** Ácido orgânico encontrado mais largamente na urina dos herbívoros. **Ácido iódico.** *Quím.* Sólido cristalino incolor, fortemente ácido em solução, muito oxidante. [Fórm.: HIO_3.] **Ácido iodídrico.** *Quím.* Solução aquosa do gás iodídrico, incolor ou levemente amarelado, com forte reação rápida. **Ácido láctico.** *Quím.* Líquido incolor, xaroposo, existente no organismo humano, onde tem papel metabólico importante. [Fórm.: $CH_3CHOHCOOH$.] **Ácido láurico.** *Quím.* Ácido graxo, cristalino, com baixo ponto de fusão, presente no leite, no óleo de coco, no espermacete. [Fórm.: $C_{12}H_{26}O$.] **Ácido linoléico.** *Quím.* Ácido graxo não saturado, encontrado em diversos óleos vegetais, líquido. [Fórm.: $C_{18}H_{32}O_2$.] **Ácido linolênico.** *Quím.* Ácido graxo, insaturado, líquido, incolor, presente sob a forma de éster nos óleos secativos. [Fórm.: $C_{17}H_{29}COOH$.] **Ácido liquênico.** *Quím.* Ácido fumárico. **Ácido lisérgico.** *Quím.* Produto da hidrólise de certos alcalóides vegetais, cristalino, alucinógeno. "Agora se embriaga de cardina, precursora do á c i d o l i s é r g i c o, servida pelas mãos rústicas de Helena, antepassada de Aldous Huxley." (Carlos Drummond de Andrade, *Cadeira de Balanço*, p. 131.) [Tb. se diz apenas *ácido*. Fórm.: $C_{16}H_{16}O_2N_2$.] **Ácido maléico.** *Quím.* Ácido dicarboxílico não saturado, isômero do fumárico, cristalino, incolor. [Fórm.: $C_4H_4O_4$.] **Ácido málico.** *Quím.* Ácido dicarboxílico hidroxilado, cristalino, incolor, ocorrente em diversas frutas (maçã, uva, etc.). [Fórm.: $C_4H_6O_5$.] **Ácido malônico.** *Quím.* Ácido dicarboxílico, cristalino, incolor. [Fórm.: $C_3H_4O_4$.] **Ácido margárico.** *Quím.* Ácido graxo com 17 átomos de carbono. [Fórm.: $C_{17}H_{34}O_2$.] **Ácido melíssico.** *Quím.* Ácido graxo, com 30 átomos de carbono, existente na cera de abelha. [Fórm.: $C_{30}H_{60}O_2$.] **Ácido metafosfórico.** *Quím.* Oxiácido do fósforo, líquido, viscoso. [Fórm.: HPO_3.] **Ácido metilmaléico.** *Quím.* Ácido citracônico. **Ácido mirístico.** *Quím.* Ácido graxo encontrado em grande número de óleos vegetais, cristalino, incolor. [Fórm.: $C_{14}H_{28}O_2$.] **Ácido monobásico.** *Quím.* Ácido que tem apenas um hidrogênio substituível e forma, por isso, apenas uma série de sais. **Ácido muriático.** *Tec.* Ácido clorídrico impuro, utilizado industrialmente em diversos processos, líquido, amarelo-esverdeado. **Ácido naftênico.** *Quím.* Sólido cristalino, na forma de prismas, incolor, usado na vulcanização da borracha, na fabricação de gelatinas explosivas e incendiárias, e em alguns processos industriais. [Fórm.: $C_7H_{12}O_2$.] **Ácido nítrico.** *Quím.* Líquido incolor, fortemente ácido, muito reativo, oxidante, com numerosíssimas aplicações industriais. [Fórm.: NHO_3.] **Ácido nitroso.** *Quím.* Ácido instável, redutor, que forma os sais conhecidos como nitritos. [Fórm.: HNO_2.] **Ácido oléico.** *Quím.* Ácido graxo, insaturado, encontrado sob a forma de ésteres em inúmeros óleos de origem animal ou vegetal, líquido, incolor, cujos sais constituem parte de diversos sabões. [Fórm.: $C_{17}H_{33}COOH$.] **Ácido ortofosfórico.** *Quím.* Ácido fosfórico. **Ácido ortofosforoso.** *Quím.* Ácido fosforoso. **Ácido ósmico.** *Quím.* Impr. Tetróxido de ósmio. **Ácido oxálico.** *Quím.* Ácido dicarboxílico, cristalino, incolor, venenoso, encontrado em alguns vegetais. [Fórm.: $C_2H_2O_4$.] **Ácido palmítico.** *Quím.* Ácido hexadecanóico, cristalino, existente na maioria dos óleos e gorduras. [Fórm.: $C_{16}H_{32}O_2$.] **Ácido pantotênico.** *Quím.* Fator de crescimento de certos microrganismos, líquido, viscoso. [Fórm.: $C_9H_{17}O_5N$.] **Ácido pelargônico.** *Quím.*: Ácido nonanóico, líquido, oleoso, incolor, [Fórm.: $C_9H_{18}O_2$.] **Ácido perclórico.** *Quím.* Líquido incolor, fumegante, oleoso. [Fórm.: $HClO_4$.] **Ácido persulfúrico.** *Quím.* Ácido dibásico, sólido, enérgico oxidante. [Fórm.: $H_2S_2O_8$.] **Ácido pícrico.** *Quím.* O trinitrofenol, sólido, cristalino, amarelo-brilhante, explosivo. [Fórm.: $C_6H_2OH(NO_2)_3$.] **Ácido pimélico.** *Quím.* Ácido dicarboxílico, cristalino, incolor, encontrado no óleo de rícino. **Ácido pirocatequínico.** *Quím.* V. *pirocatecol.* **Ácido pirofosfórico.** *Quím.* Oxiácido do fósforo, cristalino. [Fórm.: $H_4P_2O_7$.] **Ácido pirúvico.** *Quím.* Líquido incolor, de cheiro parecido com o do ácido acético, encontrado como intermediário no metabolismo dos açúcares. [Fórm.: $CH_3COCOOH$.] **Ácido polibásico.** *Quím.* O que é capaz de libertar, na dissociação, diversos prótons; ácido poliprótico. **Ácido poliprótico.** *Quím.* Ácido polibásico. **Ácido prússico.** *Quím. Ant.* Ácido cianídrico. **Ácido ribonucléico.** *Genét.* Molécula envolvida na transcrição e tradução da informação genética, formada pela polimerização de unidades constituídas por um açúcar (ribose), um grupo fosfato e uma base nitrogenada (uracil, adenina, citosina ou guanina.) [Símb.: *ARN* e (ingl.) *RNA*.] **Ácido ribonucléico de transferência.** *Genét.* O de baixo peso molecular, responsável pelo transporte dos aminoácidos até o sítio apropriado para a formação da cadeia polipeptídica. **Ácido ribonucléico mensageiro.** *Genét.* O de alto peso molecular, responsável pela transmissão da informação genética de ácido desoxirribonucléico até a formação da cadeia polipeptídica. **Ácido ribonucléico ribossonal.** *Genét.* Aquele que faz parte da estrutura dos ribossomos. **Ácido ricinoléico.** *Quím.* Ácido líquido, oleoso, encontrado no óleo de rícino. [Fórm.: $C_{18}H_{34}O_3$.] **Ácido salicílico.** *Quím.* Ácido aromático, cristalino, incolor, bactericida e fungicida, existente em alguns vegetais, usado em medicina. [Fórm.: $C_6H_4(OH)(COOH)$.] **Ácido succínico.** *Quím.* Ácido dicarboxílico, cristalino, incolor, existente em alguns vegetais. [Fórm.: $C_4H_6O_4$.] **Ácido sulfoictiólico.** *Quím.* Substância que se obtém pela sulfonação de óleo mineral obtido pela destilação de rocha betuminosa. [Fórm.: $C_{28}H_{36}S(SO_3H)_2$.] **Ácido sulfônico.** *Quím.* Qualquer substância de um grupo de compostos que têm o radical monovalente HSO_3 — ligado diretamente a um átomo de carbono. **Ácido sulfúrico.** *Quím.* Líquido viscoso, incolor, corrosivo, denso, enérgico desidratante e ácido muito forte, com aplicações extensas e variadas. [Fórm.: H_2SO_4.] **Ácido sulfuroso.** *Quím.* Ácido incolor que se forma na dissolução do dióxido de enxofre em água. [Fórm.: H_2SO_3.] **Ácido tânico.** *Quím.* Substância cristalina, branco-amarelada, encontrada nas galhas de certos vegetais, de onde é extraída, e usada no curtimento de peles. [Fórm.: $C_{76}H_{52}O_{46}$.] **Ácido tartárico.** *Quím.* Ácido dicarboxílico, diidroxilado, cristalino, incolor. [Fórm.: $C_4H_6O_6$.] **Ácido tiociânico.** *Quím.* Substância gasosa solúvel em água. [Fórm.: HSCN.] **Ácido tiônico.** *Quím.* Qualquer dos ácidos resultantes da ação do dióxido de enxofre sobre soluções de tiossulfato. [Fórm.: $H_2S_nO_6$.] **Ácido úrico.** *Quím.* Substância cristalina, pulverulenta, incolor existente em pequenas quantidades na urina humana. [Fórm.: $C_5H_4O_3N_4$.] **Ácido valeriânico.** *Quím.* Ácido valérico. **Ácido valérico.** *Quím.* Líquido incolor, de cheiro desagradável, usado em medicina e perfumaria; ácido valeriânico. [Fórm.: $C_5H_{10}O_2$.] **Ácido vinilfórmico.** *Quím.* Ácido acrílico.

▲**acido-.** V. *acidi-*.

▲**-ácido.** V. *acidi-*.

ácido-básico. *Adj.* ~V. *catálise —a.* [Pl.: *ácidos-básicos.*]

acidófilo. [De *acido-* + *-filo.*] *Adj.* **1.** Que se cora facilmente com corantes ácidos. **2.** Que vive nos meios ácidos; *bactérias a c i d ó f i l a s.*

acidorresistente. *Adj. 2 g.* Que resiste à ação corrosiva de certos ácidos.

acidose. [De *ácido-* + *-ose.*] *S. f. Patol.* Distúrbio resultante de acúmulo de ácido ou perda de base orgânicos, e caracterizado por diminuição do pH sanguíneo.

acidósico. *Adj.* Acidótico.

acidótico. *Adj.* Relativo à, ou em que há acidose; acidósico.

acidrado. [De *a-*[2] + *cidra* + *-ado*[1].] *Adj.* Semelhante à cidra, ou à cor da cidra: "o juiz da comarca, velho esmarrido, de cor a c i d r a d a" (Xavier Marques, *As Voltas da Estrada*, pp. 291-292). [Cf. *assidrado.*]

acidrar. [De *a-*[2] + *cidra* + *-ar*[2].] *V. t. d.* Tornar semelhante à cidra. [Cf. *assidrar.*]

acidulação. *S. f.* **1.** Ato ou operação de acidular. **2.** *Litogr.* Preparação (4).

acidulado. [Part. de *acidular.*] *Adj.* **1.** Tornado ácido. **2.** Acídulo. **3.** *Fig.* Irritado, enervado.

acidular. *V. t. d.* **1.** Tornar acídulo ou ácido; acidificar, acidar: "bebeu, sem sede, meia xícara de água gelada, a c i d u l a n d o -a com umas gotas de limão" (Paulo Mendes Campos, *O Cego de Ipanema*, p. 128). **2.** Adicionar a (um líquido) pequena quantidade de ácido. **3.** Irritar com ácido. *P.* **4.** Acidificar-se, acidar-se, azedar-se.

acídulo. [Do lat. *acidulu.*] *Adj.* Levemente ácido; acidulado. [Cf. *acidulo*, do v. *acidular.*]

ácie. [Do lat. *acie.*] *S. f. P. us.* Agudeza, argúcia, perspicácia.

aciganado. [De *a-*[2] + *cigano* + *-ado*[1].] *Adj.* Que tem modos ou maneira de, ou é próprio de cigano: "Os sabidos passavam a perna nos bobos. A c i g a n a d o s, barganhavam tudo." (Nélson de Faria, *Tiziu e Outras Estórias*, p. 190.)

aciganar. [De *a-*[2] + *cigano* + *-ar*[2]] *V. t. d.* **1.** Dar feição, hábitos ou modos de cigano a. *P.* **2.** Adquirir hábitos ou modos de cigano. **3.** Tornar-se trapaceiro e/ou manhoso.

acila. *S. f. Quím.* Radical obtido pela remoção de uma hidroxila de um ácido carboxílico.

acilação. *S. f. Quím.* Conversão química em que se introduz um radical acila numa molécula, seja pela ação de um ácido, seja pela reação de ésteres, de cloretos de acila ou de anidridos.

acilia. [De *a-*[3] + *-cili-* + *-ia*.] *S. f.* Privação ou ausência de cílios.

acima. [De *a-*[3] + *cima*.] *Adv.* **1.** Em lugar mais alto, mais elevado: "O fato de voarem uma atrás da outra, ora à direita, ora à esquerda, ora abaixo, ora acima, também não dá a razão do desvio, visto que nunca as borboletas voaram em linha reta, como simples militares." (Machado de Assis, *Histórias sem Data*, p. 197.] **2.** Em lugar precedente ou na parte superior: *Nos trechos acima transcritos encontrará resposta às suas indagações; Refiro-me aos acima citados.* **3.** Na direção da parte inferior para a superior; ascensionalmente: *O bloco passou rua acima entoando velhas marchas carnavalescas; Seguiu rio acima;* "Parede acima vais." (Fernando de Mendonça, *13 Decassílabos*, p. 8). **4.** Para o alto; para cima. ● *Interj.* **5.** Expressão de exortação; avante: *Acima, companheiros, não desanimemos!* ◆ **Acima de. 1.** Em posição superior, num conjunto, numa série, numa hierarquia, etc.: *O posto de general está acima do de coronel; Sua experiência de vida coloca-o bem acima de seus companheiros de idade* **2.** Mais que, mais do que: *Ganha acima de três salários mínimos; Tem acima de 7.000 livros.*

▲**acinaci-.** [Do lat. *acinaces, is.*] *El. comp.* = 'lâmina de sabre ou alfanje': *acinaciforme.*

acinaciforme. [De *acinaci-* + *-forme.*] *Adj. 2 g.* Que tem forma de espada curva. ~ V. *folha* —.

acincho. [De *a-*[4] + *cincho.*] *S. m.* V. *cincho* (1).

acinese. *S. f. Zool.* Divisão celular sem o fenômeno da cariocinese.

acinesia. [Do gr. *akinesia.*] *S. f. Patol.* Ausência anormal de movimento; imobilidade.

acinésico. *Adj.* V. *acinético.*

acinético. *Adj.* **1.** Contrário ao movimento; imóvel. **2.** Que produz acinesia.

acinetídeo. *S. m.* **1.** Espécime dos acinetídeos. ●*Adj.* **2.** Pertencente ou relativo aos acinetídeos.

acinetídeos. *S. m. pl. Zool.* Protozoários da classe dos suctórios, com tentáculos ou sugadores, que se alimentam de outros infusórios (*Acineta*), paralisando as vítimas pela ação do tóxico que os seus tentáculos emitem.

acineto. *S. m. Bot.* Célula reprodutiva das algas, desprovida de flagelos, e diretamente formada por espessamento da membrana de uma célula vegetativa, não havendo, pois, fecundação durante a formação dos acinetos.

acinetósporo. *S. m. Bot.* **1.** Esporo destituído de flagelos e, portanto, imóvel. **2.** Esporo que atravessa um período de repouso antes da germinação.

acingir. [De *a-*[4] + *cingir.*] *V. t. d., t. d. e. i. e p. P. us.* V. *cingir.* [Conjug.: v. *dirigir.*]

aciniforme. [Do lat. *acinu*, 'bago de uva', + *-forme.*] *Adj. 2 g.* Que tem forma de bago.

ácino. [Do gr. *ákinos*, pelo lat. *acinu.*] *S. m.* **1.** *Desus.* Baga (1). **2.** *Anat.* Designação genérica de pequenas dilatações saciformes, especialmente em glândulas.

acinoso (ô). [Do lat. *acinosu.*] *Adj.* Redondo como o ácino (1).

acinte. [Da loc. lat. *a scinte*, alter. de *a sciente*, 'sabendo, de propósito'.] *S. m.* **1.** Ação praticada premeditadamente, de caso pensado, com o fim de desgostar alguém; provocação. ●*Adv.* **2.** De propósito; de caso pensado; de estudo, adrede.

acintoso (ô). *Adj.* **1.** Em que há, ou que envolve acinte: *procedimento acintoso*: "Este discurso, acintoso e agressivo no seu insólito laconismo, deixou .... a Câmara vibrante de irritação." (Oliveira Viana, *Pequenos Estudos de Psicologia Social*, p. 188.) **2.** Dado a fazer acintes: *indivíduo acintoso.*

acinturado. [De *a-*[2] + *cintura* + *-ado*[1].] *Adj.* V. *cinturado.*

acinzado. [De *a-*[2] + *cinza* + *-ado.*] *Adj.* V. *acinzentado.*

acinzamento. *S. m.* Ato ou efeito de acinzar.

acinzar. [De *a-*[2] + *cinza* + *-ar*[2].] *V. t. d.* e *p.* V. *acinzentar.*

acinzentado. [De *a-*[2] + *cinzento* + *-ado*[1].] *Adj.* Tirante a cinzento; griséu, acinzado.

acinzentamento. *S. m.* Ato ou efeito de acinzentar(-se).

acinzentar. [De *a-*[2] + *cinzento* + *-ar*[2].] *V. t. d., int.* e *p.* Tornar(-se) cinzento, ou um tanto cinzento; acinzar(-se); cinzar(-se): "Algumas nuvens grossas e pardacentas acumuladas no horizonte acinzentavam o azul do céu" (Alberto Braga, *Novos Contos*, p. 3).

aciolismo. [Do antr. *Acióli* (Accioli) + *-ismo.*] *S. m. Bras. Obsol.* Monopolização de cargos públicos por família dominante na política.

aciolista. [Do antr. *Acióli* (Accioli) + *-ista.*] *S. 2 g. Bras.* Marreta (6).

acionado. [Part. de *acionar.*] *Adj.* **1.** A que se deu ou comunicou movimento; posto em ação. **2.** Demandado em juízo; processado. **3.** Incorporado (companhia ou sociedade por ações). **4.** Acompanhado de gestos adequados (discurso, declamação, etc.). ● *S. m.* **5.** Aquele que é demandado em juízo; réu. **6.** Gesto de quem fala ou representa: "Nem sempre ia naquele passo vagaroso e rígido. Também se descompunha em acionados, era muita vez rápido e lépido nos movimentos" (Machado de Assis, *Dom Casmurro*, p. 13).

acionador (ô). *Adj.* **1.** Que aciona. ● *S. m.* **2.** Aquele ou aquilo que aciona.

acional. *Adj. 2 g.* Relativo a ação.

acionar. *V. t. d.* **1.** Pôr em ação, em movimento; fazer funcionar: *Acionou o mecanismo.* **2.** Propor ou intentar ação judicial contra; demandar, processar. **3.** Incorporar (companhia ou sociedade) por ações. **4.** Acompanhar (discurso, declamação, etc.) com acionados [v. *acionado* (6)]. *Int.* **5.** Fazer acionados; gesticular. [Fut. pret.: *acionaria*, etc. Cf. *acionária*, fem. de *acionário.*]

acionário. *Adj.* **1.** Relativo a ação (19 e 20); acionista: *mercado acionário* ● *S. m.* **2.** Acionista (2). [Fem.: *acionária*. Cf. *Acionaria*, do v. *acionar.*]

acionável. *Adj. 2 g.* Que pode ser acionado.

acionista. *Adj.* **1.** Acionário (1). ● *S. 2 g.* **2.** Pessoa que tem ação ou ações de companhia industrial ou comercial, de organização financeira, etc.; acionário.

acipitrário. [Do lat. *accipitre*, 'gavião', + *-ário.*] *S. m.* Armadilha para aves de rapina.

acipitriano. [Do lat. *accipitre*, 'gavião', + *-i-* + *-ano.*] *Adj.* Acipitrino.

acipitrídeo. *S. m.* **1.** Espécime dos acipitrídeos. ● *Adj.* **2.** Pertencente ou relativo a eles.

acipitrídeos. *S. m. pl. Zool.* Aves falconiformes, da família *Accipitridae*, caracterizadas por terem as vértebras dorsais livres, ramos da mandíbula sem escavação, superfície ventral da maxila superior sem crista longitudinal mediana. No grupo se incluem os grandes gaviões brasileiros.

acipitriforme. [Do lat. *accipitre*, 'gavião', + *-forme.*] *S. m.* e *Adj. 2 g.* V. *falconiforme.*

acipitriformes. *S. m. pl. Zool.* V. *falconiformes.*

acipitrino. [Do lat. *accipitre*, 'gavião', + *-ino.*] *Adj.* Relativo ou pertencente a aves de rapina; acipitriano.

acipreste. [De *a-*[4] + *cipreste.*] *S. m.* V. *cipreste*: "Em torno de ti pois para memória vegetam / de prodígio, e tanta glória, / Não do acipreste as ramas lacrimosas, / mas pudicos jasmins, virgíneas rosas" (Frei Francisco de S. Carlos, *A Assunção*, p. 23).

acirandar. [De *a-*[2] + *ciranda* + *-ar*[2].] *V. t. d.* Limpar (cereais) com a ciranda; joeirar, cirandar.

acirologia. [Do gr. *akyros*, 'impróprio', + *-log(o)-* + *-ia.*] *S. f.* Impropriedade de expressão; maneira de falar imprópria.

acirológico. *Adj.* Referente a, ou em que se observa acirologia.

acirrado. [Part. de *acirrar.*] *Adj.* **1.** Irritado, exasperado, exacerbado: *ânimos acirrados;* "acirrada controvérsia teológico-política" (Sant'Ana Dionísio, *in* João Gaspar Simões, *Perspectiva da Literatura Portuguesa do Século XIX*, pp. 149-150). **2.** Incitado, instigado, provocado, açulado. **3.** Estimulado, excitado: *paixões e desejos acirrados.* **4.** Teimoso, obstinado, intransigente.

acirramento. *S. m.* Ato ou efeito de acirrar(-se).

acirrante. [De *acirrar* + *-nte.*] *Adj. 2 g.* **1.** Irritante, exasperante, exacerbante. **2.** Picante, estimulante.

acirrar. *V. t. d.* **1.** Irritar, exasperar, exacerbar: "O Andeiro é feito conde de Ourém. Isto acirra o povo." (Antero de Figueireido, *Leonor Teles*, p. 213.) **2.** Incitar, instigar; provocar, açular. **3.** Fazer crescer; estimular; excitar: *acirrar um sentimento. T. d. e i.* **4.** Incitar, instigar; provocar, açular: "O episódio .... deixou-nos abatidos por muito tempo. Acirrou o nosso ódio contra os altos." (Aníbal M. Machado, *Histórias Reunidas*, p. 148.) *P.* **5.** Incitar-se, excitar-se; irritar-se, exacerbar-se.

acismo. [Do gr. *akkismós.*] *S. m. Ret.* Recusa fingida.

acistia. [De *a-*[3] + *-cist(i)-* + *-ia.*] *S. f. Ter.* Ausência congênita de bexiga. [Cf. *assistia*, do v. *assistir.*]

acitara. [Do ár. *as-sitara.*] *S. f.* **1.** Cortina, reposteiro. **2.** Véu para cobrir coisas de igreja. **3.** Alfaia de tela fina e preciosa. **4.** Cobertura ou manta que se lançava sobre a sela ou sobre o dorso do cavalo. **5.** Barbacã, antemuro.

acitrinado. [De *a-*[2] + *citrino* + *-ado*[1].] *Adj.* Que tem o sabor ou a cor do limão; citrino: "até os indivíduos brancos ganham no nosso clima feio tom acitrinado" (Nestor Vítor, *Paris*, p. 32).

aclamação. [Do lat. *acclamatione.*] *S. f.* **1.** Ato ou efeito de aclamar; ovação. **2.** Reconhecimento da ascensão de um soberano ao trono. **3.** Manifestação, proclamação, divulgação. **4.** Testemunho, prova, manifestação: "vernaculíssimo escritor, cujo nome é, na literatura, uma aclamação de gênio e de saber." (Mário Barreto, *Novos Estudos da Língua Portuguesa*, p. 202). **5.** *Ret.* Frase sentenciosa que resume um raciocínio. ◆ **Por aclamação.** Por meio de aplausos, vivas e/ou outras ovações, em substituição ao escrutínio ou à votação individual: *As principais autoridades espartanas eram eleitas por aclamação.*

aclamador (ô). *Adj.* e *s. m.* Que, ou aquele que aclama ou proclama; aclamante.

aclamante. [De *aclamar* + *-nte.*] *Adj. 2 g.* e *s. 2 g.* Aclamador.

aclamar. [Do lat. *acclamare.*] *V. t. d.* **1.** Aplaudir ou aprovar entusiasticamente por meio de brados ou aplausos; saudar calorosamente: *O povo, em praça pública, aclamou o novo rei.* **2.** Reconhecer solenemente, proclamar (chefe de Estado). **3.** Eleger por aclamação, isto é, dispensando escrutínio. *Transobj.* **4.** Reconhecer solenemente como chefe de Estado, de governo, etc.; proclamar: *A 12 de outubro de 1822 os brasileiros aclamaram D. Pedro imperador constitucional.* **5.** Eleger por aclamação: *Aclamaram-no representante de suas aspirações. Int.* **6.** Levantar clamor em sinal de aprovação. *P.* **7.** Fazer-se aclamar, proclamar-se (chefe de Estado). **8** Atribuir a si mesmo honra, dignidade, título, etc.: *Aclamaram-se defensores da pátria.*

aclamativo. *Adj.* Relativo a, ou que encerra aclamação; aclamatório.

aclamatório. *Adj.* Aclamativo.

aclamídeo. *Adj. Bot.* Diz-se de planta, flor, etc., destituída de perianto, caso em que os órgãos sexuais podem ou não ser protegidos por uma bráctea; aperiantado.

aclaração. *S. f.* **1.** Ação ou efeito de aclarar(-se); aclaramento, esclarecimento. **2.** Aditamento que se faz a um texto legal ou contratual para esclarecer certas cláusulas ou artigos.

aclarado. [Part. de *aclarar.*] *Adj.* **1.** Tornado claro ou mais claro; alumiado, iluminado. **2.** Tornado mais claro, mais nítido, mais compreensível. **3.** Posto a claro; esclarecido, explicado, deslindado.

aclarador (ô). *Adj.* Que aclara, esclarece, elucida.

aclaramento. *S. m.* V. *aclaração* (1).

aclarar. [Do lat. *acclarare.*] *V. t. d.* **1.** Tornar claro; dar luz ou claridade a; iluminar, alumiar: "Desponte / A alvorada da Lua aclarando o horizonte..." (Martins Fontes, *Verão*, p. 166); "Minha verdade é mais que meu destino. / É projetor: aclara terras e águas..." (José Oiticica, *Fonte Perene*, p. 28). **2.** Tornar claro ou mais claro: "Leve palidez aclarou-lhe o moreno do rosto" (Afrânio Peixoto, *A Esfinge*. p. 14). **3.** Esclarecer; elucidar; explicar: *aclarar um mistério.* **4.** Clarificar, purificar, limpar. **5.** Tornar sensível, perceptível, distinto. *T. d. e i.* **6.** Explicar claramente: "a maturidade lhe foi aclarando o conhecimento das coisas" (Abel Botelho, *Os Lázaros*, p. 96). *Int.* **7.** Tornar-se claro; desanuviar-se: "Assim que aclarou o céu, já a senhora despertou a criada para lhe dar do baú outros vestidos e ornatos." (Camilo Castelo Branco, *O Bem e o Mal*, p. 206.) *P.* **8.** Tornar-se claro, visível, nítido.

aclase. *S. f. Med.* Var. pros. de *áclase.*

áclase. *S. f. Med.* Tecido patológico oriundo de tecido normal, mas integrado neste, formando estrutura contínua, como na condrodisplasia. [Var. pros.: *aclase.*]

aclaustrado. [De *a-*[2] + *claustro* + *-ado*[1].] *Adj.* Que tem forma de claustro.

aclavado. [De *a-*[2] + *clava* + *-ado*[1].] *Adj.* Que tem feitio de clava.

aclavulado. [De *a-*[2] + *clávula* + *-ado.*[1]] *Adj. Bot.* Que tem forma de pequena clava, i. e., dilatado em uma das extremidades; clavuliforme.

à clé. [Fr.] V. *à clef.*

➧**à clef** (a clê). [Fr., 'a chave'.] Diz-se de obra literária cujas personagens e situações, tomadas à vida real, podem ser identificadas; *à clé.*

aclerizar-se. [De *a-*[2] + *clero* + *-izar* + *se*[1].] *V. p.* Fazer-se clérigo.

aclidiano. *Adj. Zool.* Diz-se dos mamíferos que não têm clavículas; áclido.

áclido. [De *a-*[3] + gr. *kleidós*, 'chave' (clavícula).] *Adj. Zool.* Aclidiano.

aclimação. *S. f.* **1.** Ato ou efeito de aclimar(-se). **2.** *Biol.*

Faculdade que tem um ser vivo de, à custa de algumas modificações, viver e reproduzir-se em novo meio, diferente do habitual. **3.** *P. ext.* Adaptação, ajustamento. [Sin. ger.: *aclimamento, aclimatação, aclimatização.*]

aclimado. [Part. de *aclimar.*] *Adj.* **1.** Adaptado a certo clima. **2.** Adaptado, acostumado, afeito, ajustado. [Sin. ger.: *aclimatado* e *aclimatizado.*]

aclimador (ô). *Adj.* e *s. m.* Que ou o que aclima.

aclimamento. *S. m.* V. *aclimação.*

aclimar. [De *a-*^{2} + *clima* + *-ar*^{2}.] *V. t. d.* **1.** Habituar a um clima. **2.** Habituar, acostumar, afazer, adaptar. *T. d.* e *i.* **3.** Habituar a um clima: *A longa permanência o* a c l i m o u *ao frio da região.* **4.** Afazer, habituar, acostumar; adaptar: *Não consigo* a c l i m á *-lo a essa nova tarefa. P.* **5.** Identificar-se com as condições vitais de um clima; afazer-se a um clima. **6.** Habituar-se, acostumar-se, afazer-se. [Sin. ger.: *aclimatar, aclimatizar* e *climatizar.*]

aclimatação. *S. f.* V. *aclimação.*

aclimatado. [Part. de *aclimatar.*] *Adj.* V. *aclimado.*

aclimatar. [Do fr. *acclimater.*] *V. t. d., t. d. e i.* e *p.* V. *aclimar.*

aclimatável. *Adj.* V. *aclimável.*

aclimatização. *S. f.* V. *aclimação.*

aclimatizado. [Part. de *aclimatizar.*] *Adj.* V. *aclimado.*

aclimatizar. [De *a-*^{2} + *-limato-* + *-izar.*] *V. t. d., t. d.* e *i.* e *p.* V. *aclimar.*

aclimável. *Adj. 2 g.* **1.** Que pode ser aclimado. **2.** Fácil de se adaptar. [Sin. ger.: *aclimatável.*]

aclive. [Do lat. *acclive.*] *Adj. 2 g.* **1.** Disposto em subida; íngreme: "Sobe pelos caminhos mais a c l i v e s" (Martins Fontes, *Verão*, p. 15). ● *S. m.* **2.** Ladeira (considerada de baixo para cima): "uma trilha estendia-se pelos tabuleiros, a outra serpejava pelo doce a c l i v e que já ali formavam as abas da próxima serra." (José de Alencar, *O Sertanejo*, p. 33); "este trecho medonho de estrada, tortuoso e estreito, invadido de mato, rolando em a c l i v e s vivos, afundando em grotões" (Euclides da Cunha, *Contrastes e Confrontos*, p. 244). [Antôn.: *declive.*]

acloridria. *S. f. Med.* Ausência de ácido clorídrico na secreção gástrica.

aclorofiláceo. [De *a-*^{3} + *clorofila* + *-áceo.*] *Adj. Bot.* V. *aclorofilado.*

aclorofilado. *Adj. Bot.* Destituído de clorofila; aclorofiláceo, aclorofilo.

aclorofilia. [De *a-*^{3} + *clorofila* + *-ia.*] *S. f. Bot.* Ausência de clorofila.

aclorofilo. *Adj. Bot.* V. *aclorofilado.*

acme. [Do gr. *akme.*] *S. m.* **1.** O ponto mais alto; culminância, perfeição; clímax: *o* a c m e *do gozo.* **2.** Crise ou fase crítica de uma enfermidade.

acmeídeo. *S. m.* **1.** Espécime dos acmeídeos. ● *Adj.* **2.** Pertencente ou relativo a eles.

acmeídeos. *S. m. pl. Zool.* Família de moluscos gasterópodes, marinhos, com dois gêneros de distribuição; *Acmaea* nos mares do norte e *Scurria* na costa ocidental da América.

acmeísmo. *S. m. Liter.* Estilo pós-simbolista da poesia russa.

acne. [Do ingl. médico, atr. do fr. *acné.*] *S. f.* e *m. Patol.* Qualquer doença inflamatória das glândulas sebáceas: "o a c n e marcava-lhe o rosto de vermelhidões repulsivas" (Joaquim Paço d'Arcos, *Carnaval e Outros Contos*, p. 169).

▲**aco-**^{1}. [Do gr. *ákos, eos-ous.*] *El. comp.* = 'medicamento': *acognosia, acografia.*

▲**aco-**^{2}. [Do gr. *ákon, ontos.*] *El. comp.* = 'ponta': *acocéfalo.* [Equiv.: *acont(o)-* = 'lança': *acontista* (< gr. *akontistés*).]

▲**-aco**^{1}. [Do lat. *-acu.*] *Suf. nom.* = 'estado íntimo', 'pertinência', 'origem': *demoníaco* (< lat. *daemoniacu*), *maníaco, austríaco.*

▲**-aco**^{2}. *Suf. nom.* que entra, em geral, na formação de palavras populares: *cavaco, velhaco.* [Equiv.: *-aca*^{1}: *ruivaca.*]

aço^1. [Der. regress. de *aceiro.*]. *S. m.* **1.** *Metal.* Liga de ferro e carbono (teor de carbono variável entre 0,008% e 2,000%), que pode conter, além doutros elementos residuais resultantes do processo de fabricação, elementos de liga. **2.** Arma branca. **3.** Lâmina de arma branca: "O a ç o de um punhal lampejou no ar" (Camilo Castelo Branco, *Novelas do Minho*, XII, p. 75). **4.** *Poét.* Armadura (1). **5.** Amálgama de mercúrio e estanho que se aplica no vidro para formar a superfície refletora: *espelho de* a ç o. **6.** *Fig.* Aquilo que é duro, resistente, rígido, etc., como o aço: *têmpera de* a ç o; *coração de* a ç o. **7.** *Fig.* Energia, força, vigor, resistência: "gastara o a ç o da mocidade em divulgar uma concepção que ninguém lhe entendeu." (Machado de Assis, *Histórias sem Data*, p. 185). **8.** *Bras., S. Gír.* V. *cachaça* (1). [Cf. *asso*, do v. *assar.*] ♦ **Aço acalmado.** *Metal.* Aço desoxidado, na temperatura de fusão, pela adição de certos metais ou ligas, como, p. ex., o alumínio e o ferrossilício. **Aço ácido.** *Metal.* O que é obtido em forno cuja escória é predominantemente silícica. **Aço ao cadinho.** *Metal.* Aço fabricado em cadinho que se aquece em forno de coque. **Aço ao cromo.** *Metal.* Aço ligado com cromo. **Aço ao manganês.** *Metal.* Aço ligado com manganês. **Aço ao níquel.** *Metal.* Aço ligado com níquel. **Aço ao silício.** *Metal.* Aço ligado ao silício. **Aço ao vanádio.** *Metal.* Aço ligado com vanádio. **Aço austenítico.** *Metal.* Aço ligado com cromo e níquel, que tem como elemento estrutural a austenita e é muito resistente à corrosão. **Aço básico.** *Metal.* O que se obtém em forno que tem escória básica (dolomítica, calcária, p. ex.). **Aço cementado.** *Metal.* Aço cuja superfície foi enriquecida de carbono depois da têmpera. **Aço de bolha.** *Metal.* Aço temperado que se obtém com base em ferro doce, mediante aquecimento ao rubro brilhante, em presença de carvão. **Aço doce.** *Metal.* Aço com pouco carbono, até 0,25%. **Aço duro.** *Metal.* Aço com 0,60 a 0,70% de carbono. **Aço extraduro.** *Metal.* Aço com mais de 0,80% de carbono. **Aço inoxidável.** *Metal.* Aço com teor de cromo entre 10% e 25%, capaz de resistir à corrosão de muitos meios. **Aço martensítico.** *Metal.* Aço que tem a martensita como elemento estrutural. **Aço não-ligado.** *Metal.* Aço que não contém elementos de liga além do carbono; aço-carbono. **Aço rápido.** *Metal.* O que se utiliza na fabricação de ferramentas, com diversas composições, contendo vários metais (molibdênio, tungstênio, cobalto, p. ex.), e cujas propriedades mecânicas se mantêm inalteradas em temperaturas elevadas. **Aço temperado.** *Metal.* Aço que sofreu tratamento apropriado para conferir-lhe têmpera. **Aço temperado ao ar.** *Metal.* Aquele cuja têmpera se obtém pelo resfriamento, ao ar, da peça metálica aquecida. **Querer tirar o aço do espelho.** Passar muito tempo a mirar-se.

aço^2. *Adj.* e *s. m. Bras.* V. *aça* [Cf. *asso*, do v. *assar.*]

▲**-aço.** V. *-aça.*

acoar. [De *a-*^{2} + *cão* + *-ar*^{2}.] *V. int. Bras., RS.* Latir, ladrar. [Conjug.: v. *coroar.* Cf. *acuar.*]

acoaramuru. *S. m. Bras.* V. *babosa-branca.*

acobardado. [Part. de *acobardar.*] *Adj.* V. *acovardado.*

acobardamento. *S. m.* V. *acovardamento.*

acobardar. [De *a-*^{2} + *cobarde* + *-ar*^{2}.] *V. t. d.* e *p.* V. *acovardar:* "Branca .... a c o b a r d a v a - s e agora defronte da hipótese de um escândalo social." (Aluísio Azevedo, *O Coruja*, p. 264.)

acobertado. [Part. de *acobertar.*] *Adj.* **1.** Resguardado ou tapado com coberta; coberto. **2.** Encoberto, dissimulado; escondido: *crime* a c o b e r t a d o. **3.** Protegido, defendido, resguardado: *O criminoso,* a c o b e r t a d o, *saiu do país.*

acobertador (ô). *Adj.* **1.** Que acoberta. ● *S. m.* **2.** Aquele ou aquilo que acoberta.

acobertar. [De *a-*^{2} + *coberta* + *-ar*^{2}.] *V. t. d.* **1.** Tapar com coberta, manto, etc.; cobrir. **2.** Cobrir, resguardar, proteger, defender: *Pesadas armaduras* a c o b e r t a v a m *os cavaleiros medievais.* **3.** Apadrinhar, patrocinar; favorecer; proteger: A c o b e r t o u *as arbitrariedades cometidas por seus subordinados.* **4.** Cobrir, encobrir, dissimular, disfarçar, mascarar: a c o b e r t a r *um crime. P.* **5.** Cobrir-se ou resguardar-se com coberta, manto, etc.; abrigar-se, agasalhar-se, resguardar-se. **6.** Pôr-se a coberto ou a salvo; resguardar-se. **7.** Cobrir-se, escudar-se; proteger-se, defender-se. **8.** Dissimular-se, disfarçar-se; mascarar-se: *O grande ator* a c o b e r t a - v a - s e *sob um pseudônimo.* [F. paral.: *encobertar.*]

acobilhar. [Var. de *acovilhar.*] *V. t. d.* V. *acovilhar.*

acobreado. [Part. de *acobrear.*] *Adj.* Da cor ou aspecto do cobre: "Tratava-se dum homenzinho baixo, ... tez a c o b r e a d a" (Aquilino Ribeiro, *Quando ao Gavião Cai a Pena*, p. 204).

acobrear. [De *a-*^{2} + *cobre* + *-ar*^{2}.] *V. t. d.* **1.** Dar cor ou aspecto de cobre a. *P.* **2.** Adquirir cor ou aspecto de cobre: "uma ampla corola eritrina, sulfurina, sandicina, purpurizada, irial, que, onímoda, onicolor, ... se cobaltiza, se ambreia, s e a c o b r e i a" (Martins Fontes, *A Dança*, p. 64). [F. paral.: *cobrear.*]

acobu. *Bras. S. 2 g.* **1.** Indivíduo dos acobus, tribo indígena jê que vivia entre o MA e o PA. ● *Adj. 2 g.* **2.** Pertencente ou relativo a essa tribo.

acocação [De *acocar*^{1} + *-ção.*] *S. f. Bras., S. Fam.* Carinho, mimo; dengues.

acoçapatá. *S. m. Bras., MA.* Vodum de culto jeje da Casa-Grande da Mina.

acocar^1. [De *coca* (ô) + *-ar*^{2}?] *V. t. d. Bras., S. Fam.* Fazer mimos em; mimar, acariciar. [Conjug.: v. *trancar.*]

acocar^2. *V. t. d.* e *p. Bras. Pop.* Acocorar(-se). [Conjug.: v. *trancar.*]

aço-carbono. *S. m. Metal.* Aço não-ligado. [Pl.: *aços-carbonos* e *aços-carbono.*]

acochado. [Part. de *acochar.*] *Adj.* **1.** Acamado apertadamente; comprimido, cochado. **2.** *Fig.* Aconchegado, conchegado. **3.** *Bras.* Apressado, açodado.

acochambrar. *V. t. d.* Ajeitar, arranjar; forjar.

acochar. *V. t. d.* **1.** Acamar, calcando ou apertando. **2.** Apertar, comprimir, arrochar; cochar. **3.** *Bras.* Importunar, assediar, estorvar, maçar, amolar: *Não pára de* a c o c h a r *o amigo, pedindo-lhe favores.* **4.** *Bras.* Apressar, açodar, azafamar. *P.* **5.** Apertar-se, comprimir-se; arrochar-se. **6.** Agachar-se, acocorar-se. [Pres. ind.: *acocho*, etc. Cf. *acocho* (ô).]

acocho (ô). [Dev. de *acochar.*] *S. m.* Ato ou efeito de acochar. [Pl.: *acochos* (ô). Cf. *acocho*, do v. *acochar.*]

acóclide. *Adj. 2 g. Zool.* Diz-se dos moluscos que não têm concha.

acoclídeo. *S. m.* **1.** Espécime dos acoclídeos. ● *Adj.* **2.** Pertencente ou relativo a eles.

acoclídeos. *S. m. pl. Zool.* Família de moluscos cefalópodes, dibrânquios, desprovidos de conchas.

acocorado. [Part. de *acocorar.*] *Adj.* **1.** De cócoras; agachado. **2.** *Bras., SP.* Mimado, acarinhado: *menino muito* a c o c o r a d o.

acocoramento. *S. m.* **1.** Ato de acocorar(-se). **2.** Posição de cócoras.

acocorar^1. [De *a-*^{2} + *cócoras* + *-ar*^{2}.] *V. t. d.* **1.** Pôr de cócoras. **2.** *Bras.* Diminuir o moral de; humilhar, acobardar. *P.* **3.** Pôr-se de cócoras; agachar-se: "a c o c o r o u - s e junto ao fogão .... atiçou o fogo" (Nélson de Faria, *Tiziu e Outras Estórias*, p. 80); "deteve-se, a c o c o r o u - s e, ficou olhando." (Machado de Assis, *Dom Casmurro*, p. 312). **4.** Acovardar-se, humilhar-se.

acocorar^2. *V. t. d. Bras., SP.* Amimar, acariciar, acocar.

açodado. [Part. de *açodar.*] *Adj.* Apressado, precipitado, diligente: "o regedor de Fajões estava ali a dois passos. Veio logo todo a ç o d a d o acompanhado de dois cabos, a impor a sua autoridade" (João da Silva Correia, *Farândola*, p. 81).

açodamento. *S. m.* **1.** Ato de açodar(-se). **2.** Pressa, azáfama; precipitação. [Cf. *açudamento.*]

açodar. *V. t. d.* **1.** Apressar, acelerar, precipitar. **2.** Incitar, instigar, excitar, estimular, espicaçar, acicatar: A ç o d o u *os cães ao encalço do ladrão.* **3.** Ir ao encalço de; perseguir, acossar: *Os policiais* a ç o d a r a m *os assaltantes. P.* **4.** Apressar-se, apressurar-se: "em toda a Europa de além Pireneus os povos s e a ç o d a v a m a construir uma cultura, a melhorar e a dignificar a vida" (Fidelino de Figueiredo, *"...um pobre homem da Póvoa de Varzim..."*, p. 114). [Cf. *açudar.*]

acoelhado. [Part. de *acoelhar-se.*] *Adj. Bras.* Amedrontado, acovardado; tímido.

acoelhar-se. [De *a-*^{2} + *coelho* + *-ar*^{2} + *se*^{1}.] *V. p. Bras.* Mostrar-se ou tornar-se dócil, tímido ou acovardado: "Só gasto perfume francês... — A c o e l h o u - s e meigamente: — É um pequenino luxo a que me dou..." (Marques Rebelo, *O Simples Coronel Madureira*, p. 85.) [Conjug.: v. *aparelhar.*]

acofiar. [De *a-*^{4} + *cofiar.*] *V. t. d.* V. *cofiar.*

acognosia. [De *aco-*^{1} + *-gnos(i)(o)-* + *-ia.*] *S. f.* **1.** Conhecimento e estudo dos meios terapêuticos, cirúrgicos e médicos. **2.** Acologia.

acografia. [De *aco-*^{1} + *-graf(o)-* + *-ia.*] *S. f. Med.* Descrição dos medicamentos.

acográfico. *Adj.* Referente à acografia.

acogulado. [Part. de *acogular.*] *Adj.* **1.** Que faz cogulo; demasiadamente cheio; cheio a transbordar: "Iam e vinham carregadores com enormes cestos a c o g u l a - d o s" (Coelho Neto, *A Conquista*, p. 444). **2.** *Fig.* Amontoado, apinhado, aglomerado.

acogular. [De *a-*^{2} + *cogulo* + *-ar*^{2}.] *V. t. d.* **1.** Encher (uma medida, uma vasilha) em demasia, até formar cogulo: "a pitança ostentava-se na mesa com a farinha-d'água a c o g u l a n d o a cuia." (Alberto Rangel, *Lume e Cinza*, p. 180). **2.** Amontoar, acumular, aglomerar. *T. d.* e *i.* **3.** Encher a transbordar; abarrotar. *P.* **4.** Chegar ao cúmulo; atingir o auge; cumular-se. [F. paral.: *cogular*, var. *acucular.*]

açoiaba. [Do tupi *ahoi'hab*, 'coberta', part. de *ahoi'ab*, 'cobrir'.] *S. f. Bras.* Manto ou turbante de penas usado pelos índios em algumas de suas festividades.

acoimador (ô). *Adj.* e *s. m.* Que ou aquele que acoima.

acoimamento. *S. m.* Ato ou efeito de acoimar(-se).

acoimar. [De *a-*^{2} + *coima* + *-ar*^{2}.] *V. t. d.* **1.** Impor coima a; multar. **2.** Castigar, punir. **3.** Censurar, repreender. *T. d.* e *i.* **4.** Acusar, incriminar: "A mulher do

Crispim deu em protestar, esganada, acoimando a vizinha de não dar de comer ao animal." (Antunes da Silva, *O Aprendiz de Ladrão*, p. 191.) *Transobj.* **5.** Censurar, tachar: "Não faltou .... quem o acoimasse de impostor" (Aquilino Ribeiro, *Portugueses das Sete Partidas*, p. 262). *Int.* **6.** Vingar-se de dano recebido. *P.* **7.** Reconhecer-se culpado; acusar. [F. paral. (p. us.): *coimar;* sin. ger.: *encoimar.*]

acoimável. [De *acoimar* + *-ável.*] *Adj. 2 g.* V. *coimável.*

acoirelamento. *S. m.* Divisão em coirelas ou casais. [Var.: *acourelamento.*]

acoirelar. [De *a-*[2] + *coirela* + *-ar*[2].] *V. t. d.* Dividir (um terreno) em coirelas. [Var.: *acourelar.*]

açoita-cavalo. [De *açoitar* + *cavalo;* var. de *açouta-cavalo.*] *S. m. Bras.* **1.** Designação comum às árvores do gênero *Luhea*, da família das tiliáceas, cuja madeira, um tanto dura, facilmente putrescível, se usa em construções internas, móveis, etc.; ivantiji, ivitinga, caaueti, mutamba-preta, papeá-guaçu, ubatinga, vatinga. **2.** V. *tapeacuaçu.* [F. paral.: *açoita-cavalos, açouta-cavalo, açouta-cavalos.* Pl.: *açoita-cavalos.*]

açoita-cavalos. *S. m. 2 n. Bras.* V. *açoita-cavalo.*

acoitador (ô). [Var. de *acoutador.*] *Adj.* e *s. m.* Que ou aquele que acoita.

açoitador (ô). [Var. de *açoutador.*] *Adj.* e *s. m.* Que ou aquele que açoita.

açoitamento. [Var. de *açoutamento.*] *S. m.* Ato ou efeito de açoitar(-se).

acoitar. [De *a-*[2] + *coito*[2] + *-ar*[2]; var. de *acoutar.*] *V. t. d.* **1.** Dar coito[2], valhacoito, asilo, guarida a; homiziar, acoutar. **2.** Acolher, agasalhar, abrigar, acoutar. **3.** Esconder, ocultar, guardar. *T. d. e i.* **4.** Abrigar, proteger, defender. *Int.* **5.** Estabelecer-se; alojar-se. **6.** Esconder-se, ocultar-se, refugiar-se; acoutar-se. *P.* **7.** Abrigar-se, resguardar-se. **8.** Esconder-se, refugiar-se; acoutar: "e os olhos torcidos, de soslaio, para o ângulo escuro onde se acoitava a mulher." (Maria Archer, *Fauno Sovina*, p. 138).

açoitar. [Var. de *açoutar.*] *V. t. d.* **1.** Fustigar com açoite; fustigar, flagelar, vergastar. **2.** Dar pancada(s) ou golpe(s) em; bater em, ou de encontro a: *Açoitou cruelmente o adversário, e ainda o apunhalou;* "O mar gemia lôbrego e espumante, / Açoitando o navio" (Luís Guimarães, *Sonetos e Rimas*, p. 17); "O vento açoita as árvores" (Guimarães Passos, *Horas Mortas*, p. 57). **3.** Ferir, magoar, pungir: "Aquela cantoria era, para ele, pior que os açoites de Dom Pepe: açoitava a alma." (Barbosa Lessa, *O Boi das Aspas de Ouro*, p. 48.) **4.** Devastar, assolar: *As legiões de Átila açoitaram a Europa Central no século V.* **5.** Varrer (4); fustigar: *A ventania açoitava o arvoredo.* *P.* **6.** Fustigar-se com açoite; flagelar-se, vergastar-se.

açoite. [Var. de *açoute* < *ár. as-sot.*] *S. m.* **1.** Instrumento de tiras de couro, para fustigar; látego, azorrague, vergasta. **2.** V. *chicote* (1). **3.** *P. ext.* Qualquer objeto (vara, cipó, etc.) que pode servir para açoitar. **4.** Golpe com qualquer dos instrumentos acima referidos. **5.** Pancada com a mão aberta; palmada. **6.** *Fig.* Aflição, castigo, flagelo, calamidade: "Em seu seio escondi-me... como à noite / Incauto colibri, temendo o açoite / Das iras do tufão" (Castro Alves, *Obra Completa*, p. 162). ♦ **De açoite.** *Bras.* De repente, de súbito, subitamente, súbito; de estalo.

açoite-de-rio. [Var. de *açoute-de-rio.*] *S. m. Bras., BA.* **1.** Trecho de rio onde há maior sedimentação. **2.** Margem convexa de um meandro fluvial, onde há maior sedimentação de material erosivo e acentuada redução de sua correnteza. [Pl.: *açoites-de-rio.*]

açoiteira. [Var. de *açouteira.*] *S. f. Bras., S.* **1.** Ponta de rédea ou látego de rebenque com que o cavaleiro açoita o cavalo. **2.** Chicote curto usado pelos cavaleiros gaúchos. **3.** *Bras., BA* e *MG.* Na região são-franciscana, chicote, relho de carroceiro. [Var.: *soiteira.*]

acola. *S. f. Bras.* Antiga iguaria de chocolate e farinha de milho.

acolá. [Do lat. vulg. *eccu(m) illac*, 'eis lá'.] *Adv.* **1.** Em lugar afastado da pessoa que fala e daquela com quem se fala; naquele lugar; mais além; lá ao longe: "Aqui fareja, ali pára a coçar uma orelha, acolá cata uma pulga na barriga" (Machado de Assis, *Quincas Borba*, p. 42); "Ali dous velhos; além duas irmãs, uma viúva, outra divorciada; acolá duas criancinhas" (Camilo Castelo Branco, *Agulha em Palheiro*, p. 200). **2.** Para aquele lugar; para mais adiante, mais além: *Saiu agorinha, foi acolá, à casa do tio.*

acolchetado. [Part. de *acolchetar.*] *Adj.* Apertado ou seguro com colchetes.

acolchetar. [De *a*[2] + *colchete* + *-ar*[2].] *V. t. d.* **1.** Prender, unir ou apertar com colchete(s). **2.** Guarnecer de colchete(s). *Int.* e *p.* **3.** Prender-se, unir-se com colchete(s): *O vestido acolchetava nas costas; Sua vestimenta austera acolchetava-se até o pescoço.* [F. paral.: *colchetar.*]

acolchoadinho. [Dim. de *acolchoado*[1] (3).] *S. m.* **1.** Tecido que imita estofo acolchoado. **2.** Fazenda de algodão tramada em pequenos quadrados.

acolchoado[1]. [Part. de *acolchoar*[1].] *Adj.* **1.** Tecido lavrado como colcha. **2.** *P. us.* Guarnecido de colcha: *sacadas acolchoadas.* **3.** Diz-se de tecido, plástico, etc., cujo forro, de algodão em rama, ou material congênere, é preso com pontos, colado ou prensado. **4.** Diz-se daquilo que é revestido com acolchoado (6): *porta acolchoada.* [Cf., nas acepç. 3 e 4, *matelassê.*] ● *S. m.* **5.** Tecido lavrado ou forrado como colcha. **6.** Tecido plástico, etc., acolchoado (3). **7.** *Bras. S.* V. *edredom.*

acolchoado[2]. [Part. de *acolchoar*[2].] *Adj.* **1.** Cheio ou forrado como colchão; estofado, almofadado: *sofá acolchoado.* **2.** Guarnecido de colchão: *estrado acolchoado.*

acolchoador (ô). *Adj.* e *s. m.* Que ou aquele que acolchoa.

acolchoamento. *S. m.* Ato ou efeito de acolchoar.

acolchoar[1]. [De *a-*[2] + *colcha* + *-ar*[2].] *V. t. d.* **1.** Tecer ou lavrar à maneira de colcha. **2.** Guarnecer com colcha. **3.** Forrar (tecido, couro, plástico, etc.) com algodão em rama ou material análogo, para torná-lo fofo e macio. **4.** Revestir com acolchoado[1] (6): *Mandei acolchoar a cama do bebê.* [Conjug.: v. *coroar.*]

acolchoar[2]. [De *a-*[2] + *colchão* + *-ar*[2]] *V. t. d.* **1.** Encher ou forrar como o colchão. **2.** Estofar (1). [Conjug.: v. *coroar.*]

acoletado[1]. [De *a-*[2] + *colete* + *-ado*[1].] *Adj.* Que tem forma de colete: *blusa acoletada.*

acoletado[2]. [Part. de *acoletar.*] *Adj.* **1.** Vestido com colete. **2.** Vestido com apuro excessivo; janota.

acoletar. [De *a-*[2] + *colete* + *-ar*[2].] *V. t. d.* **1.** Dar feitio de colete a. *P.* **2.** Vestir-se ou apertar-se com colete.

acolhedor (ô). *Adj.* e *s. m.* Que ou aquele que acolhe bem; hospitaleiro.

acolher. *V. t. d.* **1.** Dar acolhida ou agasalho a; hospedar. **2.** Dar acolhida a; receber. **3.** Atender, receber: *O diretor acolheu bem o pedido.* **4.** Dar crédito a, dar ouvidos a: *Não acolheu a estranha reclamação.* **5.** Admitir, aceitar, receber: *Acolheu a triste notícia com resignação.* **6.** Tomar em consideração; atender a: "Sinto-me contente .... porque sei que o seu espírito acolhe com simpatia e amizade estas minhas tristezas de altura." (Fernando Pessoa, *Cartas a Armando Cortes-Rodrigues*, p. 44.) *Int.* **7.** Abrigar, agasalhar. *P.* **8.** Agasalhar-se, hospedar-se. **9.** Abrigar-se, recolher-se. **10.** Refugiar-se; amparar-se. [M.-q.-perf. ind.: *acolhera* (è), *acolheras* (è), *acolhera* (è), *acolhéramos* (è), *acolhêreis* (è), *acolheram* (è). Cf. o pres. ind. do v. *acolherar.*]

acolherar. [Do esp. plat. *acollerar.*] *Bras., S. V. t. d.* **1.** Atrelar ou ajoujar (animais) por meio de colhera. **2.** *P. ext.* Unir, juntar, agrupar, reunir (pessoas). *P.* **3.** Andar (duas ou mais pessoas) juntas, acompanhadas. **4.** Juntar-se, reunir-se (geralmente para certo fim): "Pois desta feita se acolheraram a jogar a taba o Osoro e o Chico Ruivo." (Simões Lopes Neto, *Contos Gauchescos e Lendas do Sul*, p. 214.) **5.** Juntar-se, amasiar-se, amigar-se, amancebar-se. [Pres. ind.: *acolhero, acolheras, acolhera, acolheramos, acolherais, acolheram.* Cf. o m.-q.-perf. ind. do v. *acolher.*]

acolhida. [De *acolher* + *-ida.*] *S. f.* V. *acolhimento.*

acolhimento. *S. m.* **1.** Ato ou efeito de acolher; recepção: "Chega, por fim, à Terceira, e mal aprecia o acolhimento carinhoso da família" (José Osório de Oliveira, *O Romance de Garrett*, p. 37). **2.** Atenção, consideração. **3.** Refúgio, abrigo, agasalho. [Sin. ger.: *acolhida.*]

acolia. [De *a-*[3] + *-colia.*] *S. f. Med.* Supressão ou suspensão da secreção biliar.

acólico. *Adj.* Referente à acolia.

aço-liga. *S. m. Metal.* Aço que contém, além do carbono, elementos de liga, adicionados a fim de conseguir-se material com determinadas propriedades mecânicas, térmicas, elétricas, magnéticas, anticorrosivas. [Pl.: *aços-ligas* e *aços-liga.*]

acolitar. *V. t. d.* **1.** Servir de acólito a; acompanhar como acólito. **2.** Seguir, acompanhar. **3.** Ajudar, auxiliar. *Int.* **4.** Servir de acólito. [Pres. ind.: *acolito*, etc. Cf. *acólito.*]

acolitato. *S. m.* A ordem de acólito, a quarta e última das ordens menores na Igreja Católica.

acólito. [Do gr. *akólouthos*, pelo lat. *acolythu.*] *S. m.* **1.** Aquele que recebeu a ordem do acolitato. **2.** Aquele que acompanha e serve, na Igreja Católica, aos ministros superiores. **3.** Aquele que acompanha, que ajuda; auxiliar, ajudante, assistente. [Cf. *acolito*, do v. *acolitar.*]

acologia. [De *aco-*[1] + *-log(o)-* + *-ia.*] *S. f.* Ciência que estuda os medicamentos; acognosia.

acológico. *Adj.* Referente à acologia.

acoluria. *S. f. Med.* Acolúria.

acolúria. [De *a-*[3] + *-col(e)-* + *-ur(o)-* + *-ia.*] *S. f. Med.* Ausência de pigmentos biliares na urina. [Var. pros.: *acoluria.*]

acolúrico. *Adj.* Relativo à acolúria.

acomadrar-se. [De *a-*[2] + *comadre* + *-ar*[2] + *se*[1].] *V. p.* **1.** Tornar-se (uma mulher) comadre de outrem. **2.** Ligar-se, unir-se, acamaradar-se, familiarizar-se.

acometedor (ô). *Adj.* e *s. m.* Que ou aquele que acomete.

acometer. [De *a-*[4] + *cometer.*] *V. t. d.* **1.** Investir contra ou sobre; atacar; assaltar: "Quando o índio, no golpe ousado, / Acomete a árvore anosa, / Sob o fio do machado / Flui a resina cheirosa." (Alberto de Oliveira, *Poesias*, 2ª série, p. 22.) **2.** Provocar, hostilizar; insultar, injuriar: *Ofendido, acometeu os provocadores com palavras enraivecidas.* **3.** Tentar (empresa arriscada); empreender, cometer: *Acometeram a deposição do presidente.* **4.** Chocar-se violentamete (um veículo com outro); ir de encontro a; abalroar: *O ônibus acometeu o caminhão, fazendo vítimas.* **5.** Manifestar-se de repente (doença, desejo, sono, etc.) em; atacar: "uma dessas paixões serôdias e abjetas que acometem as velhas" (Artur Azevedo, *Contos Possíveis*, p. 83). *T. i.* **6.** Lançar-se, abalançar-se, aventurar-se: *Acometeu corajosamente à aventura.* *Int.* **7.** Atacar, agredir, arremeter, investir. **8.** Empreender ataque ou assalto; encetar briga. *P.* **9.** Investir reciprocamente; atacar-se.

acometida. [De *acometer* + *-ida.*] *S. f.* V. *acometimento.*

acometimento. *S. m.* **1.** Ato ou efeito de acometer; cometimento. **2.** Investida, ataque, assalto. **3.** Manifestação súbita de um sentimento. **4.** Ataque súbito; insulto. **5.** Cometimento (2). [Sin. ger.: *acometida, cometida.*]

acometível. *Adj. 2 g.* Que pode ser acometido.

acometividade. [De **acometivo* + *-i-* + *-dade*, com infl. de vocábulos como *passividade*, etc.] *S. f.* Disposição para acometer; combatividade, agressividade.

acomia. [De *a-*[3] + *-com(a)-* + *-ia.*] *S. f.* Queda dos cabelos; calvície.

acomodação. *S. f.* **1.** Ato ou efeito de acomodar(-se); arranjo, arrumação, acomodamento. **2.** Adaptação, conformação, adequação: *acomodação da fantasia à realidade.* **3.** Divisão ou compartimento de uma casa; cômodo: *hotel com muitas acomodações.* **4.** Instalação, arrumação, disposição, arranjo de equipamento, móveis, etc., num espaço arquitetônico: "Para não descer da região poética em que nos achamos .... passo .... por alto as circunstâncias da acomodação do rapaz" (Machado de Assis, *Histórias sem Data*, p. 192). **5.** Meio de vida; emprego, colocação: *Enriqueceu com a acomodação que encontrou.* **6.** Dedução, conclusão: "Não é imaginação sem fundamento minha, é acomodação verdadeira, tirada, com toda a propriedade, do texto." (P.^e^ Antônio Vieira, *Sermões*, V. p. 559.) **7.** Falta de ambição, desambição, conformismo: *Sua acomodação impediu-o de vencer na vida.* **8.** *Med.* e *Ópt.* Focalização em geral espontânea, do sistema óptico da vista humana para observar objetos a diferentes distâncias.

acomodadiço. *Adj.* V. *acomodatício.*

acomodado. [Part. de *acomodar.*] *Adj.* **1.** Apropriado, adequado, cômodo. **2.** Instalado, alojado. **3.** Tranqüilo, quieto, sossegado. **4.** Ajustado a uma situação sem estar, ou não estando inteiramente, de acordo com ela; adaptado: *Seus argumentos de nada valem: é um sujeito acomodado politicamente.*

acomodador (ô). *Adj.* **1.** Que acomoda. ● *S. m.* **2.** O que acomoda. **3.** *Tip.* Peça da linotipo onde se alinham as matrizes, à medida que caem no componedor. [Cf. *graduador* (3).] ♦ **Acomodador de sortes.** *Tip.* Espécie de componedor onde se alinham mecanicamente as matrizes manuais da linotipo quando, após a fundição, descem pelo tubo de sortes [v. *sorte* (18)].

acomodamento. *S. m.* V. *acomodação* (1).

acomodar. [Do lat. *accommodare.*] *V. t. d.* **1.** Dar cômodo a; alojar: *O hotel, superlotado, não teve como acomodar os novos hóspedes.* **2.** Pôr ou dispor em ordem; ordenar, arrumar. **3.** Dar colocação ou emprego a; colocar, empregar. **4.** Apaziguar, acalmar, serenar, aquietar: acomodar *pessoas desavindas.* **5.** Pôr em lugar cômodo, conveniente; ajeitar: *Depois de* acomodar *o grande pacote, sentou-se a conversar. T. d.* e *i.* **6.** Adaptar, afeiçoar, afazer: *O hábito* acomoda *o homem às novas circunstâncias;* "o que ele queria era acomodar a realidade ao sentimento da ocasião." (Machado de Assis, *Histórias sem Data*, p. 54); "ficou a torcer as mãos à soleira da porta, olhos entrefechados, como a acomodar as pupilas à intensidade da luz repentina." (Josué Montelo, *Cais da Sagração*, p. 21); "Necessitando acomodar as suas observações com as afirmações alheias, acha que os políticos, individualmente, são criaturas como as outras, mas em conjunto são uns malfeitores." (Graciliano Ramos, *S. Bernardo*, p. 131). *Int.* **7.** Apaziguar-se, acalmar-se; acomodar-se. **8.** Apaziguar, acalmar, harmonizar pessoas desavindas. *P.* **9.** Retirar-se para os seus cômodos ou aposentos. **10.** Instalar-se, alojar-se: *Os convidados* acomodaram-se *à mesa.* **11.** Pôr-se em sossego; sossegar, acalmar-se; acomodar. **12.** Adaptar-se, adequar-se; afazer-se: "Disse-me ele que a frugalidade não era necessária para entender o Humanitismo ....; que esta filosofia acomodava-se facilmente com os prazeres da vida" (Machado de Assis, *Memórias Póstumas de Brás Cubas*, p. 281). [Pres. ind.: *acomodo*, etc. Cf. *acômodo*.]

acomodatício. *Adj.* **1.** Que se acomoda com facilidade; amoldável; adaptável. **2.** Transigente, condescendente. [Sin. ger.: *acomodadiço*.]

acomodável. *Adj. 2 g.* Que se pode acomodar. [Pl.: *acomodáveis*.]

acômodo. *Adj. Ant.* Oportuno, apto, cômodo. [Cf. *acomodo*, do v. *acomodar*.]

acompadração. *S. f.* Ato ou efeito de acompadrar(-se).

acompadrar. [De *a-*[2] + *compadre* + *-ar*[2].] *V. t. d.* **1.** Tornar compadre; ligar por compadrio. *T. d. e i.* **2.** Tornar amigo; familiarizar: Acompadrei *Inácio com Ismael. P.* **3.** Tornar-se compadre: *Já íntimos amigos, agora se* acompadraram. **4.** Acamaradar-se; familiarizar-se; aliar-se; associar-se: "Não quis acompadrar-se com os quartéis: dominou-os." (Rui Barbosa, *Cartas de Inglaterra*, p. 257.) [F. paral.: *compadrar*.]

acompanhadeira. *S. f.* Mulher que acompanha.

acompanhado. [Part. de *acompanhar*.] *Adj.* Seguido de companheiro(s), ou junto com ele(s). ~ V. *melodia* —a e *recitativo* —.

acompanhador (ô). *Adj.* e *s. m.* Que ou aquele que acompanha; acompanhante [q. v.].

acompanhamento. *S. m.* **1.** Ato ou efeito de acompanhar. **2.** Cortejo; comitiva, séquito, préstito. **3.** *Astr.* Movimento, paralelo ao equador celeste, realizado por um instrumento astronômico a velocidade constante, e que permite acompanhar o movimento diurno dos astros. **4.** *Astr.* V. *rastreamento* (2). **5.** *Educ.* Etapa do processo de orientação em que o orientador, mediante contatos com escolas e locais de trabalho, acompanha a atividade de um estudante que esteve sob sua orientação. **6.** *Mús.* Parte da música executada concomitantemente às vozes ou instrumentos. **7.** *Bras.* Prato secundário que acompanha o principal, como, p. ex., o arroz, a batata, etc. [Cf. (nesta acepç.) *guarnição* (12).]

acompanhante. *Adj. 2 g.* **1.** Que acompanha; acompanhador. • *S. 2 g.* **2.** Pessoa que acompanha; acompanhador. **3.** *Bras.* Pessoa que faz companhia ou dá assistência a indivíduo doente, idoso, inválido, etc.

acompanhar. [De *a-*[2] + *companhia* + *-ar*[2].] *V. t. d.* **1.** Ir em companhia de; fazer companhia a; seguir: "Rubião acompanhou-os ao portão de ferro." (Machado de Assis, *Quincas Borba*, p. 52.) **2.** Estar associado a: *Um vestígio de tristeza* acompanha, *por vezes, uma grande alegria.* **3.** Seguir a mesma direção de: *A amurada do castelo* acompanha *o rio.* **4.** Ir junto a; escoltar: Acompanhou *a visita até a porta.* **5.** Observar a marcha, a evolução de: Acompanhou *a convalescença do amigo com o maior interesse.* **6.** Ser da mesma política, da mesma opinião que. **7.** Participar dos mesmos sentimentos de. **8.** Entender (um raciocínio, uma exposição, etc.): *Esta aluna* acompanha *bem as aulas.* **9.** *Mús.* Executar o acompanhamento (6) de: *Cantava, enquanto eu a* acompanhava *ao piano. T. d. e i.* **10.** Aliar, unir: Acompanha *a beleza com a serenidade.* **11.** Dotar, favorecer: *A natureza* acompanhou-o *de notáveis dotes.* **12.** Adornar, ornar. **13.** Ilustrar, documentar. *Int.* **14.** *Mús.* Executar o acompanhamento (6). *P.* **15.** Fazer-se acompanhar; rodear-se, cercar-se. **16.** Unir-se, juntar-se, aliar-se, associar-se. **17.** Cantar, tocando ao mesmo tempo o acompanhamento (6): "Era Aninha, a filha mais jovem do Dr. Ives, vizinho próximo, cuja esposa .... cantava canções árabes acompanhando-se ao piano." (Jorge Amado, *Dona Flor e Seus Dois Maridos*, p. 61.)

acompleicionado. [De *a-*[2] + *compleição* + *-ado*[1].] *Adj.* De boa ou má compleição.

acompridar. [De *a-*[2] + *comprido* + *-ar*[2].] *V. t. d.* Tornar comprido ou mais comprido· alongar, encompridar.

acomunar-se. [De *a-*[2] *comum -ar*[2] *se*[1].] *V. p.* V. *mancomunar-se.*

aconá. *Bras. S. 2 g.* **1.** Indivíduo dos aconás, tribo indígena cariri que habita as imediações do baixo São Francisco (PE). •*Adj. 2 g.* **2.** Pertencente ou relativo a essa tribo.

aconchado. [Part. de *aconchar*.] *Adj.* **1.** A que se deu forma de concha; aconcheado. **2.** *Arquit.* Diz-se do teto construído de maneira que aproveite o vão do telhado.

aconchar. [De *a-*[2] + *concha* + *-ar*[2].] *V. t. d.* Dar a forma de concha a. [F. paral., bras.: *aconchear*.]

aconchavador (ô). [De *a-*[2] + *conchavar* + *-(d)or*.] *S. m.* **1.** Conchavador. **2.** *Bras.*, *S.* Indivíduo que arrebanha trabalhadores para os ervais.

aconchavar. [De *a-*[4] +*conchavar*.] *V. t. d.*, *t. i.*, *int.* e *p.* V. *conchavar* (1, 2, 4, 5 e 6).

aconcheado. [Part. de *aconchear*.] *Adj.* Aconchado (1).

aconchear. [De *a-*[2] + *concha* + *-ear*.] *V. t. d. Bras.* **1.** Aconchar. **2.** Pôr (a mão) em forma de concha atrás da orelha, para escutar. [Conjug.: v. *frear*.]

aconchegado. [Part. de *aconchegar*.] *Adj.* **1.** Aproximado, chegado, achegado. **2.** Cômodo, confortável, agasalhado: *ambiente* aconchegado.

aconchegante. *Adj. 2. g.* Que aconchega; conchegativo, agasalhador: "O teu sorriso aberto e aconchegante" (Pontes de Miranda, *Obras Literárias*, p. 489).

aconchegar. [De *a-*[4] + *conchegar*.] *V. t. d.* **1.** Aproximar, chegar, achegar. **2.** Tornar cômodo, confortável, aconchegado. **3.** Abrigar, agasalhar: Aconchegou *a criança na manta. T. d. e i.* **4.** Chegar a si; aproximar, chegar, achegar: Aconchegou *a criança ao peito;* "Aconchega mais o xaile sobre os ombros, baixa a cabeça trêmula e gelada" (Fialho d'Almeida, *O País das Uvas*, p. 94). **5.** Pôr em comunicação, em contato; ligar, unir. *P.* **6.** Acercar-se, abeirar-se, avizinhar-se, achegar-se: "Aconcheguei-me dela, a alma vibrante e louca, / o coração batendo" (Menotti del Picchia, *As Máscaras*, p. XXXVII). **7.** Sentar-se ou deitar-se procurando conchego, posição confortável; acomodar-se. **8.** Agasalhar-se, abrigar-se, aquecer-se. [F. paral.: *conchegar*. Conjug.: v. *chegar*.]

aconchego (ê). *S. m.* V. *conchego.*

acondicionação. *S. f.* Acondicionamento [q. v.].

acondicionado. [Part. de *acondicionar*.] *Adj.* Embalado, enfardado, empacotado. [Cf. *condicionado*.]

acondicionamento. *S. m.* Ato ou efeito de acondicionar(-se); acondicionação. [Cf. *condicionamento*.]

acondicionar. [De *a-*[2] +*condição* +*-ar*[2].] *V. t. d.* **1.** Dotar de certa condição, índole ou qualidade: *A fortuna* acondicionou *os homens diversamente.* **2.** Pôr condições a; regular, gerir; condicionar. **3.** Guardar em local conveniente. **4.** Embalar[2]. **5.** Preservar de deterioração. *T. d. e i.* **6.** Acomodar, adaptar, adequar, apropriar: Acondicionou *a peça ao aparelho;* Acondicionou *seu gênio ao da mulher. P.* **7.** Acomodar-se, adaptar-se, adequar-se, apropriar-se. [Cf. *condicionar*.]

acôndilo. [De *a-*[3] + *côndilo*.] *Adj. Anat.* Que não tem côndilo.

acondroplasia. [De *a-*[1] + *-condr(o)-* + gr. *plásis*, 'ato de modelar, formação', + *-ia*.] *S. f. Patol.* Distúrbio evolutivo das cartilagens epifisárias, que acarreta nanismo por deficiência de crescimento dos ossos longos.

acondroplásico. *Adj.* Concernente à acondroplasia: *nanismo* acondroplásico.

aconfeitado. [De *a-*[2] +*confeito* +*-ado*[1].] *Adj.* Que tem forma de, ou é semelhante a confeito. [Cf. *confeitado*.]

aconfeitar. [De *a-*[2] + *confeito* + *-ar*[2].] *V. t. d.* Dar forma de confeito a. [Cf. *confeitar*.]

aconfradar. [De *a-*[2] + *confrade* +*-ar*[2].] *V. t. d.* **1.** Admitir em uma confraria; tornar confrade. *Int.* e *p.* **2.** Ser admitido numa confraria; tornar-se confrade.

aconitato. [De *aconit(i)-* + *-ato*[2].] *S. m. Quím.* Qualquer dos sais e ésteres do ácido aconítico.

aconitela. [De *aconit(i)-* + *-ela*.] *S. f.* Planta da família das ranunculáceas, semelhante ao acônito (1).

▲**aconit(i)-.** [Do lat. *aconitum, i*.] *El. comp* = 'acônito': *aconítico, aconitiforme.*

aconítico. [De *aconit(i)-* + *-ico*[2].] *Adj.* ~ V. *ácido* —.

aconitiforme. [De *aconit(i)-* + *-forme*.] *Adj. 2 g.* Que tem a forma ou o aspecto do acônito (1).

aconitina. [De *aconit(i)-* + *-ina*[1].] *S. f. Quím.* Alcalóide cristalino, incolor, venenoso, encontrado no acônito. [Fórm.: $C_{34}H_{49}O_{11}N$.]

acônito. [Do gr. *akóniton*, pelo lat. *aconitu* (parox.), com deslocamento do acento tônico.] *S. m.* **1.** Planta da família das ranunculáceas (*Aconitum napellus*), de flores zigomorfas, comum em pastos montanhosos e lugares úmidos, tóxica em extremo, e empregada na medicina; napelo. **2.** *P. ext.* Medicamento preparado com essa planta.

aconselhado. [Part. de *aconselhar*.] *Adj.* **1.** Que recebeu conselho. **2.** Prudente, sensato, ajuizado, avisado. **3.** Indicado, recomendado, preconizado.

aconselhador (ô). *Adj.* e *s. m.* Que ou aquele que aconselha; conselheiro.

aconselhamento. *S. m.* **1.** Ato ou efeito de aconselhar(-se). **2.** *Educ.* Etapa do processo de orientação educativa em que o orientador auxilia o orientando [q. v.] nas decisões que deve tomar com referência à escolha de cursos, de profissão, etc. **3.** *Psicol.* Forma de assistência psicológica destinada à solução de leves desajustamentos da conduta. ♦**Aconselhamento clínico.** *Educ.* e *Psicol.* Aconselhamento baseado em amplo e completo diagnóstico do caso, no estudo de várias soluções ou caminhos apresentados ao orientando, e com ele francamente discutidos; aconselhamento diretivo. **Aconselhamento diretivo.** *Educ.* e *Psicol.* Aconselhamento clínico. **Aconselhamento não diretivo.** *Educ.* e *Psicol.* Aconselhamento que permite ao orientando expressar livremente seus anseios, preocupações, tensões emocionais, e bem assim os seus planos positivos de escolha, limitando-se o orientador educacional a fazer que o aluno adote a solução que melhor lhe pareça, e o orientador psicológico a valorizar a personalidade do paciente.

aconselhar. [De *a-*[2] + *conselho* + *-ar*[2].] *V. t. d.* **1.** Dar conselho a. **2.** Indicar a vantagem ou conveniência de; recomendar: "Jamais aconselharia o emprego de um recurso que ele viu falhar em suas próprias mãos" (Machado de Assis, *Papéis Avulsos*, p. 78). *T. d. e i.* **3.** Dar conselho(s): Aconselhei-o *a viajar.* **4.** Indicar, recomendar; prescrever, receitar: *O médico* aconselhou-*lhe um regime alimentício especial.* **5.** Procurar convencer da necessidade ou conveniência de; procurar induzir, persuadir: Aconselhou-*os a estudar. Int.* **6.** Dar conselho: *Não ouve conselhos, mas gosta de* aconselhar. *P.* **7.** Pedir ou tomar conselho: Aconselhou-se *antes de tomar decisão.* [Conjug.: v. *aparelhar*.]

aconselhável. *Adj. 2 g.* Que se pode ou deve aconselhar.

aconsoantado. [Part. de *aconsoantar*.] *Adj.* **1.** Que forma consoante. **2.** *Desus.* Consoante; rimado.

aconsoantar. [De *a-*[2] + *consoante* + *-ar*[2].] *V. t. d.* Tornar consoante; fazer rimar.

acontecer. [Do lat. **contigescere*, por **contingescere*, incoativo de *contingere*, 'acontecer'.] *V. int.* **1.** Suceder ou realizar-se inopinadamente: "Uma ocasião aconteceu vir [à corte] pelo carnaval" (Artur Azevedo, *Contos Possíveis*, p. 55); *Caso* acontecesse *o desabamento, sepultaria centenas de pessoas.* **2.** Passar a ser realidade; ocorrer, suceder, sobrevir: *Tudo* aconteceu *conforme se planejara.* **3.** *Bras.* Ser ou constituir fato de importância na vida social, ou em outros âmbitos: *É uma revista em que só figura gente que* acontece. *T. i.* **4.** Suceder, ocorrer: "Quando eu era capelão de S. Francisco de Paula .... aconteceu-me uma aventura extraordinária." (Machado de Assis, *Várias Histórias*, p. 23); "Acontecia-lhe chorar .... por causa de um vestido que a modista não lhe fizera a gosto" (José de Alencar, *Encarnação*, p. 299). [Defect. Normalmente só se usa nas 3as pess. do sing. e do pl. Não tem imperativo. Conjug.: v. *aquecer*.]

acontecido. [Part. de *acontecer*.] *Adj.* **1.** Que aconteceu. • *S. m.* **2.** Sucesso, ocorrrência, acontecimento.

acontecimento. *S. m.* **1.** Aquilo que acontece; sucesso. **2.** Fato que causa sensação; caso notável: *Sua eleição para a diretoria do clube foi um* acontecimento. **3.** Episódio, sucesso, ocorrência: "Já conhecemos o acontecimento de sua morte e a impressão que ela causara ao abade." (Machado de Assis, *Contos Fluminenses*, p. 309.) **4.** Coisa ou pessoa que causa viva sensação, constitui grande êxito: "Helena tornara-se o acontecimento do bairro; seus ditos e gestos eram o assunto da vizinhança" (Id., *Helena*, p. 39). **5.** *Estat.* Evento (3).

acontecível. *Adj. 2 g.* Que pode acontecer.

acôntio. [Do gr. *akóntion*.] *S. m.* **1.** Pequeno dardo usado pelos antigos gregos. **2.** Seta, flexa, frecha. **3.** *Zool.* Processo espiniforme existente nas actínias, que facilita a penetração das substâncias tóxicas segregadas

por elas.
acontista. [Do gr. *akontistés.*] *S. m.* V. *flecheiro.*
▲acont(o)-. Equiv. de aco-^{2}.
acontraltado. [De *a-*^{2} + *contralto* + *-ado*^{1}.] *Adj. Mus.* **1.** Diz-se da voz de soprano ou de meio-soprano que atinge os registros da do contralto. **2.** A que se deu caráter de contralto.
acôo. [Dev. de *acoar.*] *S. m. Bras., S.* Ação de acoar; latido, ladrido.
acoplação. *S. f.* V. *acoplamento.*
acoplado. [Part. de *acoplar.*] *Adj.* Junto ou unido em acoplamento: *naves acopladas.*
acoplador (ô). *S. m. Eletr.* Componente elétrico usado para conectar dois circuitos.
acoplagem. [Do fr. *accouplage.*] *S. f.* V. *acoplamento.*
acoplamento. [Do fr. *accouplement.*] *S. m.* **1.** Ato ou efeito de acoplar(-se). **2.** *Fís.* Ligação, conexão ou interação entre dois sistemas, mediante o que se transfere energia de um para o outro. **3.** *Astron.* Junção ou união de dois elementos de uma nave ou estação espacial. [Sin. ger.: *acoplação* e *acoplagem.*] ◆ **Acoplamento capacitivo.** *Eletr.* Ligação entre dois circuitos elétricos ou eletrônicos, realizada por meio de uma capacitância; acoplamento elétrico. **Acoplamento crítico.** *Eletrôn.* Acoplamento entre dois circuitos, no qual a transferência de energia de um para o outro só é máxima quando um deles funciona num estado único e bem determinado. **Acoplamento dissipativo.** *Fís.* Aquele em que há dissipação de energia na ligação existente entre os sistemas acoplados. **Acoplamento elástico.** *Fís.* O que se realiza por meio duma conexão elástica capaz de transmitir forças dum sistema para o outro, e é análogo ao acoplamento capacitivo entre dois circuitos elétricos. Ex.: acoplamento entre dois pêndulos rígidos, independentes, ligados entre si por uma mola elástica. [Sin.: *acoplamento estático.*] **Acoplamento elétrico.** *Eletr.* Acoplamento capacitivo. **Acoplamento eletrônico.** *Eletrôn.* Aquele em que a ligação entre dois circuitos se realiza por meio de uma válvula eletrônica de vários eletrodos na qual as correntes entre estes constituem as ligações entre os circuitos. **Acoplamento estático.** *Fís.* Acoplamento elástico. **Acoplamento flexível.** *Fís.* Aquele em que a transferência de energia entre os dois sistemas se realiza com uma eficiência da mesma ordem de grandeza, do primeiro para o segundo sistema, e vice-versa. [Quando o acoplamento é flexível, o primeiro sistema influencia o segundo e é, por sua vez, influenciado por este.] **Acoplamento forte.** *Fís. Nucl.* Interação entre partículas subatômicas, em que as forças entre elas têm intensidade suficiente para modificar substancialmente os níveis quânticos de cada uma. **Acoplamento fraco.** *Fís. Nucl.* O que existe entre partículas subatômicas, e no qual a interação entre elas é insuficiente para modificar substancialmente os níveis energéticos de cada uma. **Acoplamento galvânico.** *Eletr.* V. *acoplamento resistivo.* **Acoplamento indutivo.** *Eletr.* Ligação de dois circuitos elétricos ou eletrônicos realizada por meio de uma indutância; acoplamento magnético. **Acoplamento inercial.** *Fís.* O que se realiza graças a forças inerciais que atuam entre os dois sistemas. **Acoplamento magnético.** *Eletr.* Acoplamento indutivo. **Acoplamento ôhmico.** *Eletr.* V. *acoplamento resistivo.* **Acoplamento óptico.** *Ópt.* Justaposição de elementos de um sistema óptico realizada de maneira que se reduzam as perdas de luz por efeito de reflexão nas interfaces do sistema. **Acoplamento resistivo.** *Eletr.* Ligação entre dois circuitos elétricos ou eletrônicos realizada por meio de um resistor; acoplamento ôhmico, acoplamento galvânico. **Acoplamento rígido.** *Fís.* Acoplamento em que a transferência de energia é mais eficiente do primeiro para o segundo sistema do que deste para aquele.
acoplar. [Do fr. *coupler.*] *V. t. d.* **1.** *Fís.* Realizar o acoplamento de. *T. c.* **2.** Estabelecer acoplamento: *O módulo acoplou com a nave. P.* **3.** Juntar-se por acoplamento (3): *As naves acoplaram-se.* **4.** *Bras. Gír.* Casar(-se), matrimoniar-se. **5.** *Bras. Gír.* Amasiar-se, amigar-se, amancebar-se.
ácopo. [Do gr. *ákopon*, pelo lat. *acopu* (subentende-se *medicamentu*).] *S. m.* **1.** Designação dada pelos antigos aos medicamentos usados contra a fadiga, o cansaço. **2.** Pedra preciosa, transparente e com riscas douradas, à qual se atribuíam virtudes curativas da fadiga.
acoprose. [Do gr. *ákopros*, 'sem excremento', + *-ose.*] *S. f. Med.* Ausência de fezes no intestino.
acoquinar. [Do esp. plat. *acoquinar.*] *V. t. d.* e *p. Bras., S.* **1.** Intimidar(-se), acovardar(-se), amofinar(-se): "— É uma dos diabos, é ...., mas não se acoquine, homem!" (Simões Lopes Neto, *Contos Gauchescos e Lendas do Sul*, p. 126.) **2.** Inquietar(-se), desassossegar(-se).
açor (ô). [Do lat. *acceptore.*] *S. m.* Ave de rapina, diurna, semelhante ao gavião e menor que a águia. [Pl.: *açores* (ô). Cf. *açores*, do v. *açorar.*]
acoraçoado. [Part. de *acoraçoar.*] *Adj.* V. *acoroçoado.*
acoraçoador (ô). *Adj.* e *s. m.* V. *acoroçoador.*
acoraçoamento. *S. m.* V. *acoroçoamento.*
acoraçoar. *V. t. d., t. d. e i.* e *p.* V. *acoroçoar.* [Conjug.: v. *coroar.*]
açorado. [Part. de *açorar.*] *Adj.* Ávido, sôfrego.
açorar. *V. t. d.* **1.** Despertar grande desejo em; provocar tentação em. *P.* **2.** Sentir desejo veemente, ou tentação. [Pres. subj.: *açore, açores*, etc. Cf. *açores* (ô), pl. de *açor*, e o top. *Açores* (ô).]
acorçoado. [Part. de *acorçoar.*] *Adj.* V. *acoroçoado.*
acorçoador (ô). *Adj.* e *s. m.* V. *acoroçoador.*
acorçoamento. *S. m.* V. *acoroçoamento.*
acorçoar. *V. t. d., t. d. e i.* e *p.* V. *acoroçoar.* [Conjug.: v. *coroar.*]
acorcovar. [De *a-*^{2} + *corcova* + *-ar*^{2}.] *V. t. d., int.* e *p.* V. *acorcundar.*
acorcundado. [De *a-*^{2} + *corcunda* + *-ado*^{1}.] *Adj.* Um tanto corcunda.
acorcundar. [De *a-*^{2} + *corcunda* + *-ar*^{2}.] *V. t. d.* e *p.* **1.** Tornar(-se) corcunda; corcovar(-se), acorcovar(-se), encorcundar(-se). *Int.* **2.** Tornar corcunda; corcovar; acorcovar; encorcundar.
açorda (ô). [Do ár. *ath-thurdâ.*] *S. f. Lus.* **1.** Sopa de migas de pão, temperada com azeite, alho e coentro, ou preparada com ovos, manteiga e açúcar: "a açorda de coentros e o gaspacho de alho e vinagre" (Miguel Torga, *Portugal*, p. 120). [Cf. *massamorda.*] **2.** *Fig.* Pessoa fraca, medrosa, moleirona.
acordado^{1}. [De *a-*^{3} + *cordado.*] *S. m.* e *adj.* Invertebrado.
acordado^{2}. [Part. de *acordar.*] *Adj.* **1.** Desperto do sono; despertado: "Dormiam as crianças, mas dona Ernestina de Araújo ainda estava acordada." (Artur Azevedo, *Contos fora da Moda*, p. 47.) **2.** Próprio de quem está acordado: "se é que não foi sonho acordado, imaginação que a gente esquece" (Afrânio Peixoto, *As Razões do Coração*, p. 282). **3.** Lúcido, vivo, esperto. **4.** Resolvido de comum acordo; combinado. **5.** Que se recorda; lembrado. **6.** Que não perde o senso; prudente. **7.** *Jur.* Resolvido por acordo, ou por acórdão. **8.** *Mús. P. us.* Afinado (5). ● *S. m.* **9.** Aquele que está acordado.
acordados. *S. m. pl. Zool.* Invertebrados.
acordamento. *S. m.* Ato de acordar ou despertar.
acordante. *Adj. 2 g.* Acorde^{2} (2): *Suas decisões eram acordantes com o sentimento, e não com a razão.*
acórdão. [De *acordam* (*i. e.*, 'concordam'), 3ª pess. do pl. pres. ind. do v. *acordar.*] *S. m. Jur.* Decisão proferida em grau de recurso por tribunal coletivo. [Pl.: *acórdãos.* Cf. *acordam*, do v. *acordar.*]
acordar. [Do lat. vulg. *accordare.*] *V. t. d.* **1.** Tirar do sono; despertar: "A menina continuou dormindo. Era melhor acordar Ananias." (José Carlos Cavalcanti Borges, *O Assassino*, p. 33); "Mal raiava a manhã as buzinas acordavam logo as solidões." (Rebelo da Silva, *Contos e Lendas*, p. 127). **2.** Resolver de comum acordo; concordar. **3.** Trazer à memória; lembrar; recordar: *Aquela paisagem acordava-lhe a terra natal.* **4.** Pôr em atividade; fazer nascer; provocar, suscitar: "Margarida tinha uma voz saborosa e carnal, que acordava impulsos de animalidade." (José Rodrigues Miguéis, *Onde a Noite Se Acaba*, p. 45.) **5.** Excitar, animar, avivar: *O hino pátrio acordou-lhe o sentimento cívico.* **6.** Quebrar, interromper, cessar: *Três batidas de relógio acordaram o silêncio.* **7.** *Mús.* Afinar (6). **8.** *Mús.* Harmonizar (3). **9.** *Arquit.* Estabelecer concordância entre (as partes de uma obra) e entre (estas partes e o todo); ajuntar, equilibrar, harmonizar. *T. d.* e *i.* **10.** Despertar; tirar: "Mais de uma vez, era o próprio Palha que o acordava daqueles sonhos conjugais." (Machado de Assis, *Quincas Borba*, p. 157.) **11.** Conciliar, acomodar: *Não conseguia acordar o sentimento com a razão.* **12.** Convir; concordar: *Acordou com o amigo que andara mal.* **13.** Sair, despertar (de sono ou sonho). **14.** Voltar a si; recobrar os sentidos: *acordar de um desmaio.* **15.** Chegar a um acordo; concordar. *Pred.* **16.** Encontrar-se, sentir-se (em certo estado ou disposição) ao despertar: "Ao amanhecer dormiu um sono quieto, e acordou aflito." (Camilo Castelo Branco, *Amor de Salvação*, p. 227); "Nunca imaginei que um bom homem pudesse acordar casado." (Ursulino Leão, *Existência de Marina*, p. 87). **17.** Começar, principiar; despertar, raiar: *A manhã acordava bela. Int.* **18.** Sair do sono; despertar. **19.** Começar, principiar, despertar, raiar: *Pôs-se a caminho quando o dia acordava.* **20.** Reviver, ressurgir, ressuscitar: *No dia do Juízo Final os mortos hão de acordar. P.* **21.** Recordar-se, lembrar-se. **22.** Estar de acordo; combinar-se. **23.** Entender-se, avir-se, haver-se. **24.** Sair do sono, despertar; acordar: "Engole-Cobra acordou-se aos gritos." (Mário Brandão, *Almas do Outro Mundo*, p. 35); "Acordei-me com o barulho de pancadas enormes na minha porta." (Luís Jardim, *Maria Perigosa*, p. 61); "Acordava-se com os passarinhos e, antes do Sol nascer, já andava no campo cortando mandacaru para o gado." (Adalberon Cavalcanti Lins, *Curral Novo*, p. 42).
acorde^{1}. [Do fr. *accord.*] *S. m.* **1.** Cântico, verso ou poesia, especialmente lírica. **2.** *Mús.* Complexo sonoro resultante da emissão simultânea de três ou mais sons de freqüência diferente. [Cf. (nesta acepç.) *agregação* (3) e *agregado sonoro.*] **3.** *P. ext.* Som musical: "Então, ondulam no ar diáfano e fluente / Suavidades idílicas, acordes / De avenas, cornamusas e ocarinas" (Raul de Leoni, *Luz Mediterrânea*, p. 38).
acorde^{2}. [De *acordar.*] *Adj. 2 g.* **1.** Que está de acordo, ou em harmonia; conforme, concorde: "Todos os seus biógrafos [de Machado de Assis] são mais ou menos acordes em reconhecer a qualidade enigmática e inquietante de sua figura." (Barreto Filho, *Introdução a Machado de Assis*, p. 34); "Toda essa arte de escrever .... consiste em procurar, entre todas as estruturas da expressão de um pensamento, a mais artística, isto é, a mais acorde ao sentimento estético." (José Oiticica, *Curso de Literatura*, p. 127). **2.** Harmônico, afinado, acordante: *instrumentos acordes*; "O sino é um instrumento acorde com as vastas harmonias das serras e dos descampados." (Alexandre Herculano, *Lendas e Narrativas*, II, p. 130). ● *S. m.* **3.** Concordância, acordo, harmonia.
acordeão. [Do al. *Akkordium*, pelo fr. *accordéon.*] *S. m.* **1.** Designação comum a diversos instrumentos de sopro de palheta livre, dotados de um fole (1) pregueado que se comprime ou distende, movimentando o ar, que, ao ser expelido, faz vibrar as lâminas metálicas das palhetas. [Cf. *acordeona, fole* (5), *harmônica, realejo* (5), *concertina.*] **2.** Acordeão (1) dotado de um ou dois teclados diatônicos (executados com a mão direita), de botões que correspondem às baixas cromáticas (executados com a mão esquerda), e de registros. [F. paral (bras): *acordeom*; sin. (bras.): *sanfona.*]
acordeom. [Do fr. *accordéon.*] *S. m.* V. *acordeão.*
acordeona. *S. f. Bras., S.* Espécie de acordeão (1).
acordeonista. *S. 2 g.* Pessoa que toca acordeão.
acordina. [De *acorde*^{1} + *-ina*^{2}.] *S. f.* Relógio musical provido de tubos metálicos que reproduzem o acorde perfeito maior.
acordo. [Do it. *accordo.*] *S. m. Mús.* Instrumento italiano, muito popular nos sécs. XVII e XVIII, pertencente à família das violas graves, com 12 a 15 cordas friccionáveis, as quais com uma só arcada produzem sons acordes. [Pl.: *acordos* (ó). Cf. *acordo* (ô) e pl. *acordos* (ô).]
acordo (ô). [Dev. de *acordar.*] *S. m.* **1.** Concordância de sentimentos ou idéias; concórdia. **2.** Harmonia, concordância, consonância, conformidade: "Escobar confessou esse acordo do interno com o externo, por palavras tão finas e altas que me comoveram" (Machado de Assis, *Dom Casmurro*, p. 265). **3.** Composição (6). **4.** Combinação, ajuste, pacto. **5.** Conhecimento inteiro, resultante do perfeito uso e domínio dos sentidos; consciência: "Fez-se-lhe rubro o pálido semblante, / Tornou-se-lhe o olhar mais chamejante / E, sem acordo, ruiu, tombou no chão..." (Augusto Gil, *Alba Plena*, p. 34.) **6.** Tino, prudência, tato, discrição. [Pl.: *acordos* (ô). Cf. *acordo*, s. m., pl. *acordos*, e *acordo*, do v. *acordar.*] ◆ **Acordo de cavalheiros.** Entendimento ou acordo em que as partes, cordialmente, dispensam formalidades legais, garantindo-se pela palavra empenhada. [Us., não raro, ironicamente.]
acordoar. [De *a-*^{2} + *corda* + *-o-* + *-ar*^{2}.] *V. t. d.* Guarnecer de cordas; encordoar. [Conjug.: v. *coroar.*]
acori. *S. m.* Coral azul, existente nas costas africanas.
acoria^{1}. [Do gr. *akoría*, 'insaciabilidade'.] *S. f. Patol.* Perda da sensação de saciedade, que leva o doente a comer exageradamente apesar de, nem sempre, ter apetite exacerbado.
acoria^{2}. [De *a-*^{3} + gr. *kóre*, 'pupila', + *-ia.*] *S. f. Med.* Ausência congênita de pupila (3).
açorianismo. *S. m.* Palavra ou locução própria dos açorianos.
açoriano. *Adj.* **1.** Das, ou pertencente ou relativo às

ilhas dos Açores, situadas no Atlântico, a O. da Europa meridional; açórico, açoriense. • *S. m.* **2.** Natural ou habitante dos Açores; açoriense.

açórico. *Adj.* V. *açoriano* (1).

açoriense. *Adj. 2 g.* e *s. 2 g.* V. *açoriano* (1).

acorizano. *Adj.* **1.** De, ou pertencente ou relativo a Acorizal (MT). • *S. m.* **2.** O natural ou habitante de Acorizal.

acornado. [De *a-*[2] + *corno* + *-ado*[1].] *Adj.* Que tem forma de corno.

acornar. [De *a-*[2] + *corno* + *-ar*[2].] *V. t. d.* Dar a forma de corno ou chifre a.

ácoro. *S. m. Bras.* Planta herbácea, aromática, da família das zingiberáceas (*Acorus calamus*), originária do Oriente, e considerada oficinal; cálamo-aromático, cálamo.

acoroçoado. [Part. de *acoroçoar;* var. de *acoraçoado.*] *Adj.* Animado, alentado, esperançado. [Var.: *acorçoado.*]

acoroçoador (ô). [Var. de *acoraçoador.*] *Adj.* e *s. m.* Que ou aquele que acoroçoa.

acoroçoamento. [Var. de *acoraçoamento.*] *S. m.* Ato de acoroçoar; encorajamento.

acoroçoar. [Var. de *acoraçoar,* de *a-*[2] + *coração* + *-ar*[2].] *V. t. d.* **1.** Alentar, excitar; animar, estimular, encorajar: "A pouca densidade demográfica corrigiu, em certas regiões, as primeiras veleidades de separatismo acoroçoado pela geografia anticentralista." (Cassiano Ricardo, *Marcha para Oeste,* I, p. 15.) *T. d.* e *i.* **2.** Animar, estimular, encorajar; induzir, instigar. *P.* **3.** Cobrar alento, ânimo; alentar-se, animar-se. [Var.: *acorçoar.* Conjug.: v. *coroar.*]

acorrentado. [Part. de *acorrentar.*] *Adj.* **1.** Preso com corrente; encadeado. **2.** Preso, sujeito, escravizado. [Sin. ger., p. us: *encorrentado* (q. v.).]

acorrentamento. *S. m.* Ato ou efeito de acorrentar(-se).

acorrentar. [De *a-*[2] + *corrente* + *-ar*[2].] *V. t. d.* e *t. d.* e *i.* **1.** Prender com corrente; encadear: "Podes acorrentar-me às rochas das montanhas, / Pôr abutres roendo-me as entranhas!" (José Régio, *A Chaga do Lado,* p. 82.) **2.** Sujeitar, subjugar, escravizar. *P.* **3.** Pôr-se ou ficar na dependência; prender-se, sujeitar-se, submeter-se: *acorrentar-se aos poderosos; Acorrentou-se às fantasias do filho.* [F. paral. (p. us.): *encorrentar.*]

acorrer. [Do lat. *accurrere.*] *V. int.* **1.** Correr a algum lugar; acudir à pressa: "Acorrei, descuidadas, / vede as portas abertas, / e os canteiros e as cabras!" (Cecília Meireles, *Obra Poética,* p. 479.) **2.** Acudir, ir ou vir em socorro de alguém; acudir: "Súbito, cai ela também doente .... . Vêm médicos, vêm amigos, vêm vizinhos, acorre o padre com a Extrema-Unção" (Antero de Figueiredo, *Miradouro,* pp. 48-49); "Estava preparando o bornal quando gritos e pancadas na porta fizeram-no acorrer precipitado." (Ilza Espírito Santo Porto, *João sem Terra e Outros Contos,* p. 14). *T. i.* **3.** Acudir à pressa; correr. **4.** Ir ou vir em socorro; acudir. **5.** Valer, auxiliar: " — Jesus, filho da Virgem, acorre-me!" (Antero de Figueiredo, *Leonor Teles,* p. 171.) **6.** Vir à mente; ocorrer: *Acorreu-lhe, subitamente, a dúvida.* **7.** Prevenir, obviar. **8.** Remediar, valer, auxiliar. *P.* **9.** Acolher-se, refugiar-se. **10.** Recorrer a; servir-se, valer-se. [Conjug.: v. *socorrer.*]

acorrilhar. [De *a-*[2] + *corro* + *-ilhar.*] *V. t. d.* Meter em corro; encurralar; acantoar.

acorrimento. *S. m. P. us.* Ato de acorrer; socorro, auxílio, acorro. [Sin. p. us: *acorro.*]

acorro (ô). [Dev. de *acorrer.*] *S. m. P. us.* V. *acorrimento.*

acortinar. [De *a-*[2] + *cortina* + *-ar*[2].] *V. t. d.* Guarnecer com cortina(s); encortinar.

acoruchar. [De *a-*[2] + *coruchéu* + *-ar*[2].] *V. t. d.* Dar forma de coruchéu a.

acósmico. [De *a-*[3] + *cósmico.*] *Adj.* Que não é cósmico.

acosmismo. [De *a-*[3] + *-cosm(o)-* + *-ismo.*] *S. m. Filos.* Doutrina que nega o mundo como realidade independente e considera Deus como a última realidade.

acosmístico. *Adj.* Relativo ao acosmismo.

acossa. [Dev. de *acossar.*] *S. f. Pop* V. *acossamento.* [F. paral.: *cossa.*]

acossado. [Part. de *acossar.*] *Adj.* Perseguido, acuado.

acossador (ô). *Adj.* e *s. m.* Que ou aquele que acossa.

acossamento. *S. m.* Ato ou efeito de acossar; acossa, acosso.

acossar. [De *a-*[2] + *cosso*[1] + *-ar*[2].] *V. t. d.* **1.** Correr ao encalço de; perseguir; dar caça a: *Cães ensinados acossaram os fugitivos.* **2.** Afligir, atormentar, apoquentar; estafar: *Os invasores acossaram a população.* **3.** Flagelar, castigar: *terra acossada pela fome.* [Pres. ind.: *acosso,* etc. Cf. *acosso* (ô).]

acosso (ô). [Dev. de *acossar.*] *S. m.* V. *acossamento.* [Pl.: *acossos* (ô). Cf. *acosso,* do v. *acossar.*]

acostado. [Part. de *acostar.*] *Adj.* **1.** Encostado (embarcação) a um cais ou a outra embarcação. **2.** Encostado, arrimado. **3.** Deitado, recostado. • *S. m.* **4.** Indivíduo que vive na dependência de outro; encostado, agregado, parasito: "Por que não ides com os acostados que pelejam debaixo do vosso pendão, e vivem da vossa caldeira, ajuntar-vos com o infante?" (Alexandre Herculano, *O Bobo,* p. 61.) **5.** *Bras.* Capanga, jagunço.

acostagem. *S. f. Mar.* Ato ou efeito de acostar (1 e 4).

acostamento. *S. m.* **1.** Ato ou efeito de acostar (2, 3, 5, 6 e 7). **2.** Na superfície de uma rodovia, faixa contígua à direita da pista de rolamento, destinada à parada eventual de veículos, ao trânsito de pedestres e ao de veículos em caso de emergência: "O caminhão diminuiu a marcha. O do volante procurou um acostamento precário e fez funcionar o pisca-pisca." (Moreira Campos, *Os Doze Parafusos,* p. 31.) [Sin. (lus.), nesta acepç.: *berma.*] **3.** Área em torno do terreno mobilizado para cultivo, destinada às manobras das máquinas.

acostar. [De *a-*[2] + *costa* + *-ar*[2].] *V. t. d.* **1.** *Mar.* Encostar (a embarcação) a um cais ou a outra embarcação. *T. d.* e *i.* **2.** Encostar juntar, arrimar. *T. i.* **3.** Aproximar-se até tocar (costa, cais, etc.). *P.* **4.** *Mar.* Aproximar-se da costa. **5.** Apoiar-se, basear-se: "é de crer que aprimorasse mais o desenho de tão ilustre português e se acostasse a fatos verdadeiros, que os tinha bons" (Camilo Castelo Branco, *Curso de Literatura Portuguesa,* p. 300). **6.** Procurar amparo, auxílio. **7.** Recostar-se, deitar-se. [Pres. ind.: *acosto,* etc. Cf. *acosto* (ô).]

acostável. *Adj. 2 g.* Diz-se do cais ou local a que pode atracar ou acostar uma embarcação. ~ V. *cais* —.

acosto (ô). [Dev. de *acostar.*] *S. m.* Ato ou efeito de acostar(-se). [Pl.: *acostos* (ô). Cf. *acosto,* do v. *acostar.*]

acostumado. [Part. de *acostumar.*] *Adj.* Habitual, usual, costumeiro.

acostumar. [De *a-*[2] + *costume*[1] + *-ar*[2].] *V. t. d.* e *i.* **1.** Fazer tomar o costume de; habituar, afazer, avezar: *Acostumei-o ao trabalho; Acostumou o corpo ao frio. T. i.* **2.** *Bras. Pop.* Habituar-se, afazer-se, avezar-se: "A gente mesmo, na estrada, não acostuma com as coisas, não dá tempo." (Guimarães Rosa, *Manuelzão e Miguilim,* p. 126.) *P.* **3.** Habituar-se, afazer-se, avezar-se, acostumar: *Acostumar-se ao frio.*

➧**à côté** (a côtê). [Fr., 'ao lado'.] *Loc. adv.* De lado; acessoriamente.

açoteado. [De *açotéia* + *-ado*[1].] *Adj.* Que tem açotéia.

açotéia. [Do ár. *soTaihâ.*] *S. f.* Eirado ou terraço por cima das casas ou torres; mirante. [Var.: *sotéia.*]

acotiar. [De *a-*[2] + *cotio*[1] + *-ar*[2].] *V. t. d.* **1.** Trazer (roupa) a cotio. **2.** Usar; trazer. **3.** Ir amiúde a; freqüentar. **4.** Ser assíduo ou persistente em.

acotilédone. *Adj. 2 g. Bot.* V. *acotiledôneo.*

acotiledôneo. [De *a-*[3] + *cotiledôneo.*] *Adj. Bot.* Que não tem cotilédones; acotilédone, acotilédono, acotíleo. [Diz-se principalmente dos criptógamos.]

acotilédono. *Adj. Bot.* V. *acotiledôneo.*

acotíleo. *Adj. Bot.* V. *acotiledôneo.*

acótilo. [De *a-*[3] + *cotilo.*] *Adj. Zool.* Diz-se do animal desprovido de vértebras, boca central e cavidades laterais.

acotoar. [De *a-*[2] + *cotão* + *-ar*[2]] *V. t. d.* **1.** Encher ou cobrir de cotão. *Int.* e *p.* **2.** Cobrir-se de cotão. [Sin. ger.: acotonar. Conjug.: v. *coroar.*]

acotonar. [De *a-*[2] + *-coton(i)-* + *-ar*[2].] *V. t. d., int.* e *p.* Acotoar.

acotovelado. [Part. de *acotovelar.*] *Adj.* ~ V. *montagem* — *a.*

acotovelador (ô). *Adj.* e *s. m.* Que ou aquele que acotovela.

acotoveladura. *S. f.* Acotovelamento.

acotovelamento. *S. m.* Ação ou efeito de acotovelar(-se); acotoveladura.

acotovelar. [De *a-*[2] + *cotovelo* + *-ar*[2].] *V. t. d.* **1.** Dar ou tocar com o cotovelo em, geralmente com o fim de chamar atenção para alguma coisa. **2.** Dar cotoveladas ou encontrões em, geralmente para abrir caminho; empurrar, empuxar, encontroar: "os dois levantaram-se caminhando molemente, acotovelando mulheres que tresandavam a essências." (Coelho Neto, *A Conquista,* p. 46). **3.** Estar ou ficar ao lado de, próximo a. **4.** Despertar, instigar, provocar: *O empreiteiro passava o dia acotovelando os operários;* "O amor não correspondido juntar-se-ia à desilusão de ver recusados pelos empresários o drama e a comédia com que esperava conquistar fama e riqueza, acotovelando os autores da moda, conquistando atrizes, recebendo aplausos" (Melo Nóbrega, *O Soneto de Arvers,* p. 25). *Int.* **5.** Formar cotovelo (4): *A estrada acotovela logo depois do túnel. P.* **6.** Tocar-se com cotovelo, em geral com o fim de chamar a atenção para alguma coisa: *Quando o rapaz passou, as garotas acotovelaram-se e ficaram às risotas.* **7.** Dar cotoveladas ou encontrões recíprocos, para abrir caminho; empurrar-se, encontroar-se: *A turba acotovelava-se na ânsia de sair do recinto.* **8.** Dar encontrões recíprocos, esbarrar-se, pela exigüidade de espaço: "A sala é tão estreita, que todos estes funcionários se acotovelam uns aos outros" (Fialho d'Almeida, *Pasquinadas,* p. 11). [F. paral. p. us.: *cotovelar.*]

acoturnado. [Part. de *acoturnar.*] *Adj.* Que cobre o pé à maneira de coturno: *calçado acoturnado.*

acoturnar. [De *a-*[2] + *coturno* + *-ar*[2].] *V. t. d.* Dar a forma de coturno a.

açougada. *S. f. Fig.* V. *açougue* (4).

açougue. [Do ár. *as-soq.*] *S. m.* **1.** Lugar onde se vende carne verde; corte, talho, carniçaria. **2.** *Ant.* V. *matadouro* (1). **3.** *P. us.* V. *matadouro* (2). **4.** *Fig.* Lugar onde há desordem, vozerio; açougada. **5.** *Fig. Bras. Gír.* V. *prostíbulo.*

açougueiro. *S. m.* **1.** Proprietário de açougue (1). **2.** V. *magarefe* (1). **3.** *Fig.* Mau cirurgião; carniceiro, magarefe.

acourelamento. *S. m.* Var. de *acoirelamento.*

acourelar. *V. t. d.* Var. de *acoirelar.*

açouta-cavalo. *S. m. Bras.* V. *açoita-cavalo.* [Pl.: *açouta-cavalos.*]

açouta-cavalos. *S. m. 2 n. Bras.* V. *açoita-cavalo.*

acoutador (ô). *Adj.* e *s. m.* Acoitador [q. v.].

açoutador (ô). *Adj.* e *s. m.* Açoitador.

açoutamento. *S. m.* Açoitamento [q. v.].

acoutar. *V. t. d.* e *t. d.* e *i., int.* e *p.* V. *acoitar.*

açoutar. *V. t. d.* e *p.* V. *açoitar:* "Fr. Nuno Mendes estava lançado por terra defronte de uma gigantesca imagem de Jesus crucificado, nu da cinta para cima e açoutando-se rijamente com umas disciplinas." (Arnaldo Gama, *O Balio de Leça,* pp. 114-115.)

açoute. *S. m.* V. *açoite.*

açoute-de-rio. *S. m. Bras., BA.* Açoite-de-rio. [Pl.: *açoutes-de-rio.*]

açouteira. *S. f. Bras.,* *S.* V. *açoiteira.*

acouti. *S. f. Bras.* V. *cutia*[1].

acovar. [De *a-*[2] + *cova* + *-ar*[2].] *V. t. d.* Fazer covas em; encovar.

acovardado. [Part. de *acovardar.*] *Adj.* **1.** Atemorizado, amedrontado, medroso. **2.** Acanhado, intimidado, tímido. **3.** Desanimado, desalentado, descoroçoado: *ânimos acovardados.* [F. paral.: *acobardado.*]

acovardamento. *S. m.* **1.** Ato ou efeito de acovardar(-se); covardia. **2.** Timidez, acanhamento. [F. paral.: *acobardamento.*]

acovardar. [De *a-*[2] + *covarde* + *-ar*[2].] *V. t. d.* **1.** Tornar covarde; amedrontar, atemorizar, intimidar. **2.** Fazer perder o ânimo, a coragem, a energia; desanimar: *As circunstâncias adversas o acovardaram. P.* **3.** Encher-se de medo; amedrontar-se, atemorizar-se, intimidar-se. **4.** Perder o ânimo, a coragem, a energia; desanimar. [F. paral.: *acobardar; sin,* p. us.: *encovardar, encobardar.*]

acovilhar. [De *a-*[2] + *covil* + *-ar*[2], com palatalização.] *V. t. d.* **1.** Dar agasalho a; recolher em casa; acolher, abrigar, agasalhar. **2.** Cobrir (o fogo) com cinza. [Var.: *acobilhar.*]

acpalô. *S. m. Bras. Folcl.* Narrador iorubano das tradições populares, que anda de tribo em tribo, de lugar em lugar, contando os seus alôs.

acrá. *Bras. S. 2 g.* **1.** Indivíduo dos acrás, tribo indígena das imediações do rio Corrente (GO). • *Adj. 2 g.* **2.** Pertencente ou relativo a essa tribo. [Sin. ger.: *acroá.*]

acracia. [Do gr. *akrateía.*] *S. f.* **1.** Ausência de governo, de autoridade. **2.** Desordem, anarquia. **3.** *Med.* Fraqueza, debilidade, impotência.

acrania. [De *a-*[3] + *crânio* + *-ia.*] *S. f. Terat.* Ausência total ou parcial do crânio. [Cf. *acrânia,* fem. de *acrânio.*]

acrânio. [De *a-*[3] + *crânio.*] *Adj.* **1.** Sem crânio. **2.** Pertencente ou relativo aos acrânios; acraniota, protocordado. • *S. m.* **3.** Espécime dos acrânios; acraniota, protocordado. [Fem.: *acrânia.* Cf. *acrania.*]

acrânios. *S. m. pl. Zool.* Animais cordados primitivos, marinhos, desprovidos de crânio, maxilas, vértebras ou apêndices pares; acraniotas, protocordados.

acraniota. [De *a-*[3] + *crânio* + *-ota.*] *Adj. 2 g.* **1.** Diz-se do animal sem crânio. **2.** V. *acrânio* (2). • *S. m.* **3.** V. *acrânio* (3).

acraniotas. [Pl. de *acraniota.*] *S. m. pl. Zool.* V.

acrânios.

acrasia. [Do gr. *akrasía.*] *S. f.* Desregramento, intemperança.

acráspedo. *S. m. Zool.* Medusa dos celenterados sem véu.

acraspédota. *S. f.* Medusa desprovida de véu, característica da subclasse dos acalefos.

ácrata. *Adj. 2 g. e s. 2 g.* Partidário da acracia (1). [Por influência dos cognatos *aristocrata, democrata*, etc., há a tendência para fazer paroxítono o vocábulo.]

acrático. *Adj.* Relativo à acracia (1), ou aos ácratas.

acratismo. *S. m.* Sistema que se funda na acracia (1).

▲acrato-. [Do gr. *ákratos, os, on.*] *El. comp.* = 'vinho puro': *acratóforo* [q. v.].

acratóforo. [Do gr. *akratóphoron*, pelo lat. *acratophoru.*] *S. m.* Vaso para beber vinho, usado entre os antigos gregos e romanos.

acraturese. [Do gr. *akratés*, 'sem força', + *-urese.*] *S. f. Patol.* Dificuldade de micção, por atonia da bexiga urinária.

acravar. [De *a-*^{2} + *cravo*^{2} + *-ar*^{2}.] *V. t. d.* **1.** Traspassar com cravos; cravejar, cravar. **2.** Cravar com força pelo peso. **3.** Enterrar, soterrar. *T. d. e c.* **4.** Embeber, enterrar, fincar, encravar, cravar. *P.* **5.** Fixar-se, penetrando; embeber-se, encravar-se, cravar-se. **6.** Enterrar-se no lodo; atolar-se.

acre^{1}. [Do ingl. *acre.*] *S. m.* Medida agrária de alguns países. [O acre inglês e americano equivale a 40,47 ares.]

acre^{2}. [Do lat. *acre.*] *Adj. 2 g.* **1.** De sabor ácido ou amargo; áspero, acerbo: *fruta acre; vinho acre.* **2.** De aroma forte, ativo, áspero, seco: *perfumes acres.* **3.** Agudo, penetrante: *O som acre dos metais incomodava-lhe os ouvidos.* **4.** Diz-se de cheiro acre (2): "o aroma acre dos pinheiros" (Guerra Junqueiro, *A Musa em Férias*, p. 192). **5.** *Fig.* Áspero, ríspido, acrimonioso: *Falou-lhe num tom acre que muito o feriu.* **6.** *Fig.* Áspero, violento, desabrido: *Seu temperamento é um tanto acre.* [F. paral. (p. us.): *agre, acro.* Superl. abs. sint.: *acérrimo e acríssimo.*] ● S. m. **7.** Cheiro ou sabor acre (1): "o acre enjoativo do bolor." (Camilo Castelo Branco, *A Mulher Fatal*, p. 11).

acreano. *Adj. e s. m.* V. *acriano.*

acreditado. [Part. de *acreditar.*] *Adj.* **1.** Que tem crédito; que merece ou inspira confiança: *comerciante acreditado; professor acreditado.* **2.** Autorizado ou reconhecido por uma potência junto a outra: *diplomata acreditado.*

acreditador (ô). *Adj. e s. m.* Que ou aquele que acredita.

acreditar. [De *a-*^{2} + *crédito* + *-ar*^{2}.] *V. t. d.* **1.** Dar crédito a; crer: "A tia Bárbara dizia Alzira prendada, e acreditei-a" (Fialho d'Almeida, *Lisboa Galante*, p. 131). **2.** Ter como verdadeiro; crer: "Herder acreditava que, na origem, os homens falavam em verso" (João Ribeiro, *Goethe*, p. 16); "D. Leonor repelira o olhar, entre colérico e tímido, que mal acreditava a própria audácia" (Alexandre Herculano, *Lendas e Narrativas*, I, p. 196). **3.** Dar ou estabelecer crédito a; afiançar. **4.** Conceder reputação a; tornar digno de crédito, confiança; abonar. **5.** Conferir poderes a (alguém) para representar uma nação perante um país estrangeiro. *Transobj.* **6.** Julgar, achar, crer: *Não o acredito capaz de magnanimidades. T. i.* **7.** Ter como verdadeiro; crer: "Menina da roça, não podia deixar de acreditar em assombrações." (Brito Broca, *Memórias*, p. 17.) *P.* **8.** Adquirir crédito. **9.** Julgar-se, crer-se: *Acredita-se um grande homem.*

acreditável. *Adj. 2 g.* Que se pode ou deve acreditar; crível.

acre-doce. [De *acre*^{2} + *doce.*] *Adj. 2 g.* V. *agridoce* (1). [Pl.: *acre-doces.*]

acredor (ô). [De *a-*^{4} + *credor.*] *S. m.* V. *credor* (2 e 3).

acrense. *Adj. 2 g.* **1.** De, ou pertencente ou relativo a Acra (Gana). ● *S. m.* **2.** Natural ou habitante de Acra.

acresção. *S. f. Quím.* Operação de aglomeração de materiais particulados.

acrescência. [Do lat. *accrescentia*, de *accrescere*, 'acrescer'.] *S. f.* Estado ou qualidade do que é acrescente.

acrescentador (ô). *Adj.* Que acrescenta ou faz acrescentar.

acrescentamento. *S. m.* **1.** Ato ou efeito de acrescentar; aumento, ampliação, acréscimo, acrescente. **2.** Adição, aditamento, acréscimo, acrescimento, acrescente. **3.** Melhoramento, benfeitoria, benefício. **4.** Coisa acrescentada; suplemento.

acrescentar. [De *acrescer.*] *V. t. d.* **1.** Ajuntar alguma coisa a outra, para torná-la maior em tamanho, número ou força: *Encomendou 50 livros e depois acrescentou cinco.* **2.** Acrescentar bens, vantagens, graças, etc., a: *'Deus o acrescente', agradeceu o mendigo.* **3.** Dizer em aditamento a (o que já se disse). **4.** Ajuntar, aditar, adicionar. *T. d. e i.* **5.** Ajuntar, aditar, adicionar: *Acrescentou duas abonações à definição da palavra. T. i.* **6.** Acrescentar bens, vantagens, graças, etc.: "Deus lhe acrescente, minha senhora devota! exclamou o irmão das almas" (Machado de Assis, *Esaú e Jacó*, p. 10); "Nossa Senhora lhe acrescente — agradeceu a mulher de Francelino mais chocha em sua humildade." (Permínio Ásfora, *Vento Nordeste*, p. 20). *Int.* **7.** Acrescentar alguém em bens, vantagens, graças. **8.** Fazer acréscimo (1): "Afinal tornava ao trabalho, para reler, acrescentar, emendar." (Machado de Assis, *Páginas Recolhidas*, p. 96.) *P.* **9.** Ajuntar-se, juntar-se; somar-se, adicionar-se; acrescer.

acrescentável. *Adj. 2 g.* Que se pode acrescentar.

acrescente. [Do lat. *accrescente.*] *Adj. 2 g.* **1.** *Bot.* Que se desenvolve após a fecundação. ~ V. *cálice* —. ● *S. m.* **2.** V. *acrescentamento* (1 e 2). **3.** *P. us.* V. *cabeleira*^{1} (2).

acrescento. [Dev. de *acrescentar.*] *S. m.* V. *acréscimo* (1 e 5): "cerca de cem páginas impressas, corrigidas, refundidas, ... cobertas de emendas e acrescentos a lápis" (José Maria d'Eça de Queirós, em Eça de Queirós, *A Capital*, p. VIII).

acrescer. [Do lat. *accrescere.*] *V. t. d.* **1.** Fazer maior; aumentar. *T. i.* **2.** Juntar-se, ajuntar-se, acrescentar-se: "Acrescia à pobreza o excesso de trabalho." (Carlos de Laet, *O Frade Estrangeiro e Outros Escritos*, p. 17.) *Int.* **3.** Crescer, aumentar. **4.** Vir ou acontecer em acréscimo de motivo(s) ou argumento(s) expendidos antes; dever, ainda, ser considerado: *Não pude vir: estava doente, preocupado, e tinha outro compromisso urgente. Acresce que não havia condução.* [Conjug.: v. *crescer.*]

acrescimento. *S. m.* Ação ou efeito de acrescer; acrescentamento.

acréscimo. [De *acrescer.*] *S. m.* **1.** Aquilo que se acrescenta; acrescentamento, acrescento: *Narrou o fato com inúmeros acréscimos inverídicos.* **2.** Elevação, aumento, ascensão: *pouco acréscimo de temperatura.* **3.** V. *malária.* **4.** *Anál. Mat.* Variação positiva ou negativa do valor de uma variável; incremento. **5.** *Tip.* Intercalação de palavra, frase ou trechos inteiros inexistentes no original, feita pelo autor em prova tipográfica; intercalação, acrescento. [Cf. *alteração* (8).] ~ V. *acréscimos.* ◆ **Acréscimo de massa.** *Astr.* Processo pelo qual um objeto celeste aumenta a sua massa à custa de partículas do espaço.

acréscimos. *S. m. pl.* V. *malária.* ~ V. *acréscimo.*

acretivo. *Adj.* Que se forma por acresção.

acriançado. [De *a-*^{2} + *criança* + *-ado*^{1}.] *Adj.* Que tem modos de, ou que é próprio de criança: *indivíduo acriançado; brincadeiras acriançadas.*

acriançar-se. [De *a-*^{2} + *criança* + *-ar*^{2} + *se*^{1}.] *V. p.* Adquirir modos de criança; proceder infantilmente. [Conjug.: v. *laçar.*]

acriano. *Adj.* **1.** De, ou pertencente ou relativo ao AC. ● *S. m.* **2.** O natural ou habitante desse estado. [É menos boa a grafia oficial, *acreano.*]

▲acribo-. [Do gr. *akribés, és, és.*] *El. comp.* = 'preciso', 'rigoroso', 'exato': *acribologia* (< gr. *akribología*).

acribologia. [Do gr. *akribología.*] *S. f.* Propriedade, rigor e precisão no estilo.

acribológico. *Adj.* Concernente à acribologia.

acridade. [De *acre*^{2} + *-i-* + *-dade.*] *S. f.* Qualidade de acre^{2} (2): "saturava a friagem do ambiente a acridade enjoativa dos carvões e graxas dos estabelecimentos fabris já em repouso" (Gonzaga Duque, *Mocidade Morta*, p. 228).

acridão. *S. f.* V. *acridez* (1).

acrídeo. *S. m.* **1.** Espécime dos acrídeos. ● *Adj.* **2.** Pertencente ou relativo a eles. [Sin. ger.: *acridídeo.*]

acrídeos. *S. m. pl. Zool.* Família de insetos da ordem dos ortópteros. São hemimetabólicos, de corpo alongado e achatado lateralmente, e produzem som estridente pelo atrito dos fêmures com as asas. [Sin.: *acridídeos.*]

acridez (ê). *S. f.* **1.** Qualidade do que é acre^{2}; acridão, acritude, acrimônia. **2.** Acrimônia (2).

▲acridi-. [Do gr. *akrís, ídos.*] *El. comp.* = 'gafanhoto': *acridiforme.* [Equiv. *acrido-*: *acridofagia.*]

acridiano. [De *acridi-* + *-ano.*] *Adj.* **1.** Referente ou semelhante ao gafanhoto. ● *S. m.* **2.** V. *gafanhoto* (1). [Sin. ger.: *acrídio.*]

acridídeo. *S. m. e adj.* Acrídeo.

acridídeos. *S. m. pl. Zool.* Acrídeos.

acridiforme. [De *acridi-* + *-forme.*] *Adj. 2 g. Zool.* Que tem a configuração de um gafanhoto.

acrídio. [De *acríd(o)-* + *-io*^{2}.] *Adj. e s. m.* Acridiano.

acridióideo. *S. m. e adj.* Acridódeo.

acridióideos. *S. m. pl. Zool.* Acridódeos.

▲acrid(o)-. Equiv. de *acridi-*: *acridofagia.*

acridódeo. *S. m.* **1.** Espécime dos acridódeos. ● *Adj.* **2.** Pertencente ou relativo a eles. [Sin. ger.: *acridióideo.*]

acridódeos. *S. m. pl. Zool.* Inseto da ordem dos ortópteros, subordem *Acridodea*, providos de antenas muito mais curtas que o corpo, com menos de 30 segmentos, em geral filiformes; ovopositor inconspícuo, constituído de quatro peças córneas de ápices divergentes. São os gafanhotos em geral. [Sin.: *acridióideos.*]

acridofagia. [De *acrid(o)-* + *-fag(o)-* + *-ia.*] *S. f.* Hábito de comer gafanhotos, observado em alguns povos africanos e outros, e em certos indígenas brasileiros, especialmente os camaiurás e quicuros, do rio Xingu.

acridofágico. *Adj.* Relativo à acridofagia, ou a acridófago.

acridófago. [Do gr. *akridophágos.*] *S. m.* Aquele que come gafanhotos.

acrílico. [Do fr. *acrylique.*] *Adj.* **1.** *Quím.* Próprio ou derivado do ácido acrílico. ~ V. *ácido* —, *aldeído* — e *resina* —*a.* ● *S. m.* **2.** Designação genérica de polímeros derivados do aldeído acrílico.

acrimancia (cí). *S. f.* Adivinhação por meio do fogo.

acrimante. *S. 2 g.* Pessoa que pratica a acrimancia.

acrimântico. *Adj.* Referente à acrimancia, ou a acrimante.

acrimônia. [Do lat. *acrimonia.*] *S. f.* **1.** V. *acridez* (1). **2.** Aspereza, desabrimento; acridez: "os excessos oratórios dos padres e de outros religiosos que, do púlpito, censuravam, com acrimônia, os colonos, em termos pouco caridosos e evangélicos." (Mecenas Dourado, *A Conversão do Gentio*, p. 137). [Cf. *acrimonia*, do v. *acrimoniar.*]

acrimoniar. *V. t. d. e p.* **1.** Tornar(-se) acrimonioso. **2.** Azedar(-se), acidificar(-se). [Pres. ind.: *acrimonio, acrimonias, acrimonia*, etc. Cf. *acrimônia.*]

acrimoniosidade. *S. f.* Qualidade de acrimonioso.

acrimonioso (ô). *Adj.* Que tem ou denota acrimônia.

acrinia. [De *a-*^{3} + gr. *príno*, 'segrego', + *-a.*] *S. f. Med.* Falta ou diminuição de secreção.

acrínico. *Adj.* Referente à acrinia.

acrioulado^{1}. [De *a-*^{2} + *crioulo* + *-ado*^{1}.] *Adj.* Que tem modos e/ou aparência de, ou é próprio de crioulo: *pele acrioulada.*

acrioulado^{2}. [Part. de *acrioular.*] *Adj.* **1.** Tornado crioulo: *linguagem acrioulada.* **2.** *Bras.* Que adquiriu hábitos de crioulo, de natural da terra: *imigrantes acrioulados.* **3.** *Bras., RS.* Diz-se do animal que se adaptou a um meio estranho, passando a assemelhar-se ao tipo indígena local.

acrioular-se. *V. p.* **1.** Tornar-se acrioulado^{2}. **2.** *Bras., RS.* Acostumar-se, adaptar-se, aclimar-se (o animal) a um novo ambiente, a um meio estranho, ficando semelhante ao tipo desse meio.

acrípede. *Adj. 2 g. Zool.* Cujos pés são pontiagudos.

acrisia. *S. f. Med.* Ausência de crise durante a evolução de uma doença.

acrisolado. [Part. de *acrisolar.*] *Adj.* **1.** Purificado no crisol. **2.** *Fig.* Purificado, puro, acendrado. **3.** Aperfeiçoado, apurado: *estilo acrisolado.*

acrisolador (ô). *Adj. e s. m.* Que ou o que acrisola.

acrisolar. [De *a-*^{2} + *crisol* + *-ar*^{2}.] *V. t. d.* **1.** Purificar no crisol. **2.** Depurar, purificar, acendrar: "a assembléia desses credos submetidos mais jungia e melhor acrisolava os sentimentos religiosos dos vencidos." (Antero de Figueiredo, *Toledo*, p. 83). **3.** Aperfeiçoar, apurar, sublimar. *P.* **4.** Purificar-se, submetendo-se a provas. **5.** Aperfeiçoar-se, apurar-se, sublimar-se.

acríssimo. *Adj.* Superl. abs. sint. de *acre; acérrimo.*

acrítico^{1}. [De *a-*^{3} + *crítico.*] *Adj.* Não crítico.

acrítico^{2}. *Adj.* Relativo à acrisia.

acritocromacia. [Do gr. *ákritos*, 'confuso, indistinto', + *-cromat(o)-* + *-ia.*] *S. f. Patol.* Incapacidade de perceber as cores.

acritude. [Do lat. *acritudine.*] *S. f.* V. *acridez* (1).

acro^{1}. [Do lat. *acru.*] *Adj. P. us.* V. *acre*^{2}.

acro^{2}. *Adj.* **1.** Diz-se de material que, por ser pouco maleável, se quebra facilmente: *ferro acro.* **2.** Quebradiço, frágil.

▲acr(o)-^{1}. [Do gr. *ákros, a, on.*] *El. comp.* = 'ponta', 'extremidade'; 'alto', 'elevado', 'ponto culminante': *acranto, acrocianose, acromegalia, acrofobia.*

▲acr(o)-^{2}. [Do lat. *acer, acris, acre.*] *El. comp.* = 'acre', 'ácido': *acrografia*^{2}.

acroá. *S. 2. g. e adj. 2 g. Bras.* V. *acrá.*

acroama. [Do gr. *akróama*, pelo lat. *acroama.*] *S. m.* **1.** Discurso ou canto harmonioso. **2.** Entre os gregos, interlúdio instrumental. **3.** Entre os romanos, recitação

dramático-musical de uma peça recreativa, feita geralmente pelos escravos. **4.** Música de caráter alegre.
acroamático. [Do gr. *akroamatikós*, pelo lat. *acroamaticu*.] *Adj.* **1.** Agradável ao ouvido. **2.** Sublime, elevado, transcendente. **3.** *Mús.* Diz-se da aprendizagem da música só pelo ouvido. ● *S. m.* **4.** Peça musical não escrita, destinada a festas familiares. **5.** Músico de ouvido, instintivo.
acroanestesia. [De *acr(o)-*[1] + *anestesia*.] *S. f. Med.* **1.** Anestesia das extremidades. **2.** Ausência total de sensações.
acroanestésico. *Adj.* Referente à acroanestesia.
acroase. [Do gr. *akroásis*, pelo lat. *acroase*.] *S. m.* **1.** Preleção (2). **2.** Dificuldade de compreender sem explicações prévias.
acroático. [Do gr. *akroatikós*, pelo lat. *acroaticu*.] *Adj.* Que só é compreendido mediante explicações.
acrobacia. [Do fr. *acrobatie*, moldado em *acrobate*.] *S. f.* **1.** Arte ou profissão de acrobata; acrobatismo. **2.** Exercício ou exibição feita por acrobata; acrobatismo. **3.** Movimento que revela destreza, agilidade: "o Marrazes fazia toda a sorte de a c r o b a c i a s para evitar os tremedais e, a cada deslize, as pragas de sua boca saraivavam." (Aquilino Ribeiro, *A Batalha sem Fim*, p. 60). **4.** *Fig.* Ato ou procedimento que revela habilidade ou astúcia. **5.** *Aer.* Qualquer manobra que não faz parte do vôo normal, e que é objeto de treino especial.
acrobapto. *Adj. Zool.* Que tem mancha negra na extremidade das asas.
acrobata. [Do gr. *akróbatos*, 'que anda nas pontas dos pés', pelo fr. *acrobate*.] *S. 2 g.* **1.** Funâmbulo, equilibrista, dançarino, etc., que em geral se exibe em espetáculos de circo ou de variedades, apresentando números de ginástica difíceis e, não raro, perigosos. **2.** *Fig.* Equilibrista, malabarista. **3.** Palhaço saltimbanco. **4.** *P. ext.* Qualquer artista ginástico. **5.** *Aer.* Aviador que faz acrobacias. [Var. pros.: *acróbata*.]
acróbata. *S. 2 g.* V. *acrobata*
acrobático. *Adj.* Relativo a, ou próprio de acrobata, ou da acrobacia.
acrobatismo. *S. m.* **1.** Acrobacia (1 e 2). **2.** Instabilidade de opiniões; versatilidade: a c r o b a t i s m o *político*.
acrocárpico. *Adj. Bot.* Acrocarpo [q. v.].
acrocarpo. [De *acr(o)-*[1] + *-carpo*.] *Adj. Bot.* Diz-se de musgos dotados de arquegônios e esporogônios terminais; acrocárpico. [Opõe-se a *pleurocarpo*.]
acrocefalia. *S. f. Antrop.* Oxicefalia.
acrocefálico. *Adj.* Relativo à acrocefalia; oxicefálico.
acrocéfalo. [De *acr(o)-*[1] + *-céfalo*.] *Adj.* e *s. m.* Diz-se de, ou indivíduo que tem acrocefalia; oxicéfalo.
acroceráunio. *Adj.* Diz-se de monte alto e agudo, e exposto aos raios.
acrocianose. [De *acr(o)-*[1] + *cianose*.] *S. f. Med.* **1.** Desordem circulatória em que as extremidades (mãos, pés, nariz, orelhas) são permanentemente frias, azuis e úmidas. **2.** *P. ext.* A cor azulada das extremidades.
acrocoracóide. *S. m. Zool.* Extremidade da apófise coracóide das aves.
acrocordal. *Adj. 2 g. Zool.* Diz-se da cartilagem frontal ímpar e mediana do crânio das aves.
acrodendrofilia. *S. f. Zool.* Tendência de certas espécies animais para fazerem do alto ou da copa das árvores o seu hábitat preferido.
acrodendrofílico. *Adj.* Relativo à acrodendrofilia.
acrodinia. [De *acr(o)-*[1] + *-odin(o)-* + *-ia*.] *S. f.* **1.** *Patol.* Dor nas mãos e nos pés. **2.** *Patol.* Doença, sobretudo da infância, que apresenta fenômenos circulatórios (hipertensão arterial, taquicardia), neurológicos (hipomotilidade, dor nas mãos e nos pés, apatia, fotobia). **3.** *Veter.* Afecção, observada em ratos, causada por deficiência de piridosina, caracterizada por tumefação e vermelhidão das pontas das orelhas, do nariz e das patas, e que provoca necrose.
acrodínico. *Adj.* Relativo à acrodinia.
acródromo. [De *acr(o)-*[1] + *-dromo*.] *Adj. Bot.* Diz-se das nervuras que, partindo da base da folha se dirigem para o ápice foliar com um trajeto curvo.
acrofobia. [De *acr(o)-*[1] + *fobia*.] *S. f. Med.* Medo mórbido aos lugares elevados.
acrofóbico. *Adj.* Relativo à acrofobia.
acrofonia. [De *acr(o)-*[1] + *-fonia*.] *S. f.* Representação fonética de som inicial (sílaba ou letra) do nome de um objeto, por meio de símbolo que antes constituía seu ideograma. [V. *fonetismo*.]
acrofônico. *Adj.* Respeitante à acrofonia.
acrófora. *S. f. Zool.* Larva dos equinodermos, quando se forma a placa madrepórica.
acrogamia. [De *acr(o)*[1] + *-gam(o)* + *-ia*.] *S. f. Bot.* Porogamia.
acrogâmico. *Adj.* Referente à acrogamia.
acrogânglio. *S. m. Zool.* Gânglio nervoso supra-esofágico dos platelmintos, anelídeos, artrópodes e moluscos, e que é considerado o cérebro primitivo dos invertebrados.
acrógino. *Adj. Bot.* Diz-se dos musgos e hepáticas que apresentam órgãos reprodutivos no ápice caulinar.
acroglobina. *S. f. Zool.* Pigmento respiratório incolor de alguns tunicados e moluscos.
acrografia[1]. [De *acr(o)-*[1] + *-graf(o)-* + *-ia*.] *S. f.* No antigo conceito de geografia, o estudo dos cabos e promontórios.
acrografia[2]. [De *acr(o)-*[2] + *grafia*.] S. f. **1.** Arte de gravar em relevo sobre pedra ou metal, mediante o emprego de ácidos. **2.** A lâmina ou estampa assim obtidas.
acrográfico. *Adj.* Referente à acrografia.
acrograma. [De *acr(o)-*[1] + *-grama*.] *S. m.* Palavra formada por acrossemia; sigla.
acroíta. *S. f.* Variedade de turmalina.
acroleína. *S. f. Quím.* Aldeído não saturado, líquido, volátil, com cheiro característico, venenoso, irritante e congestionante das mucosas; aldeído acrílico. [Fórm.: CH_2CHCHO.]
acrólito. [Do gr. *akrólithos*, pelo lat. *acrolithu*.] *S. m.* **1.** Estátua antiga, com a extremidade superior de pedra ou mármore, e o resto de outra substância. ● *Adj.* **2.** Que tem extremidades de pedra.
acromania. [Do gr. *akrománes*, 'doido varrido', + *-ia*.] *S. f. Psiq.* Mania caracterizada por grande atividade motora.
acromasia. *S. f.* **1.** Ausência de pigmentação normal da pele. **2.** Perda de cromatina do núcleo das células. **3.** Palidez, descoramento. **4.** *Ópt.* Condição de um sistema óptico em que estão corrigidas as aberrações cromáticas.
acromaticidade. *S. f.* Acromatismo.
acromático. [De *acromat(o)-* + *-ico*[2].] *Adj.* **1.** Sem cor. **2.** Que não toma cor. **3.** Que não distingue as cores. **4.** Destituído de cromatina. **5.** Diz-se do elemento que deixa passar ou refrata a luz, sem a decompor em suas cores fundamentais. **6.** *Mús.* Em que não há cromatismo; diatônico. **7.** *Mús.* Diz-se dos cantares do povo, da música simples, monótona, com poucas modulações. **8.** *Mús.* Diz-se dos primeiros sons da série harmônica [q. v.]. **9.** *Ópt.* Diz-se de um sistema óptico que não tem aberração cromática e pode, portanto, transmitir luz branca sem decompô-la em seus componentes monocromáticos. ~ V. *fuso* — e *objetiva* —*a*.
acromatina. [De *acromat(o)-* + *-ina*[1].] *S. f. Bot.* Parte da substância nuclear que não recebe os corantes empregados para tingir o núcleo em preparações microscópicas. É constituída sobretudo por proteínas. [Sin. (desus.): *linina*.]
acromatínico. *Adj.* Referente à acromatina.
acromatismo. [De *acromat(o)-* + *-ismo*.] *S. m.* **1.** Qualidade de acromático. **2.** *Ópt.* Propriedade de um sistema óptico em que não existe aberração cromática. [Sin. ger.: *acromaticidade*.]
acromatização. *S. f. Fís.* **1.** Ação ou efeito de acromatizar. **2.** Superposição de radiações cromáticas para obtenção de uma radiação acromática ou branca.
acromatizar. [De *acromat(o)-* + *-izar*.] *V. t. d. Fís.* Tornar (um sistema óptico) acromático.
acrômato. [Do gr. *achrómatos*.] *Adj.* V. *acromo*.
▲**acromat(o)-.** [Do gr. *achrómatos, os, on*.] Equiv. de *acrom(o)-*.
acromatófilo. [De *acromat(o)-* + *-filo*[2].] *Adj.* Que não fixa os corantes.
acromatopsia. [De *acromat(o)-* + *-ops(e)-* + *-ia*.] *S. f. Med.* Incapacidade para discriminação de cores, conservada a percepção do branco e do negro.
acromatose. [De *acromat(o)-* + *-ose*.] *S. f. Bot.* Ausência dos pigmentos em quaisquer partes onde deveriam estar presentes; anomalia que gera descoloração de órgãos.
acromatótico. *Adj.* Referente à acromatose.
acromegalia. [De *acr(o)-*[1] + *-megal(o)-* + *-ia*.] *S. f. Med.* Condição mórbida caracterizada por desenvolvimento excessivo, no adulto, das extremidades do corpo (mãos, pés, nariz, queixo), e que se deve à excessiva secreção do hormônio de crescimento; doença de Marie, moléstia de Marie.
acromegálico. *Adj.* Referente à acromegalia.
acromia. [De *acrom(o)-* + *-ia*.] *S. f. Med.* Ausência ou diminuição de pigmentos em qualquer região do corpo.
acromial. *Adj. 2 g. Med.* Relativo ou pertencente ao acrômio.
acrômico. *Adj.* **1.** V. *acromo*. **2.** *Med.* Diz-se de lesões dermatológicas, congênitas ou adquiridas, caracterizadas pela despigmentação.
acromicria. [De *acro-*[1] + *-micr(o)-* + *-ia*.] *S. f. Terat.* Pequenez anormal dos pés e das mãos.
acromícrico. *Adj.* Relativo à acromicria.
acrômio. [Do gr. *akrómion*.] *S. m. Anat.* Apófise terminal da espinha de cada omoplata.
acromo. [Do gr. *áchromos*.] *Adj.* Sem cor; incolor, acrômato, acrômico.
▲**acrom(o)-.** [Do gr. *áchromos*.] *El. comp.* = 'sem cor': *acromia, acromodermia*. [Equiv.: *acromat(o)-*: *acromatopsia*.]
acromobacteriácea. *S. f.* Espécime das acromobacteriáceas.
acromobacteriáceas. *S. f. pl. Bot.* Família de bactérias baciliformes cujas células são imóveis ou providas de flagelos. Vivem nas águas ou no solo, poucas sendo parasitas.
acromobacteriáceo. *Adj.* Pertencente ou relativo às acromobacteriáceas.
acromodermia. [De *acrom(o)-* + *-derm(a)-* + *-ia*.] *S. f. Patol.* Anomalia congênita em que a pele se apresenta descorada.
acromodérmico. *Adj.* Relativo à acromodermia.
ácron. *S. m. Zool.* A região pré-oral dos insetos.
acronecrose. [De *acr(o)-*[1] + *-necrose*.] *S. f. Bot.* Morte das extremidades das plantas, quase sempre por ataques de vírus.
acronema. *S. f. Zool.* A parte terminal dos flagelos, nos protozoários.
acronemático. *Adj. Bot.* Diz-se dos flagelos que terminam por um filamento muito delicado, que vem a ser mero prolongamento do eixo do flagelo e é comum nas algas verdes da ordem das volvocales.
acronia. [De *a-*[3] + *-cron(o)-* + *-ia*.] *S. f.* Ausência de fatores temporais no estudo dos fatos lingüísticos.
acrônico[1]. *Adj.* **1.** Relativo à acronia. **2.** Que se realiza fora do tempo próprio. **3.** Que não tem tempo; eterno.
acrônico[2]. [Do gr. *akrónykhos*.] *Adj.* Relativo à tarde; vespertino. ~ V. *astro* —, *nascer* — e *pôr* —.
acrônimo. [De *acr(o)-*[1] + *-ônimo*.] *S. m.* Palavra formada pela primeira letra (ou mais de uma) de cada uma das partes sucessivas de uma locução ou pela maioria dessas partes. Ex.: *sonar* [< *so(und) na(vigation) r(anging)*].
ácrono. [De *a-*[3] + *-crono*.] *Adj. Bot.* Diz-se das plantas que não se regem pelas estações, especialmente as que não têm época certa para florescer ou frutificar.
acroparalisia. [De *acr(o)-*[1] + *paralisia*.] *S. f. Patol.* Paralisia das extremidades.
acropata. [De *acr(o)-*[1] + *-pata*.] *S. 2 g.* Pessoa que sofre de acropatia; acropático. [Var. pros.: *acrópata*.]
acrópata. *S. 2 g.* V. *acropata*.
acropatia. [De *acr(o)-*[1] + *-pat(a)-* + *-ia*.] *S. f. Patol.* Designação comum às afecções que atingem as extremidades dos membros.
acropático. [De *acr(o)-*[1] + *-pat(a)-* + *-ico*[2].] *Adj.* **1.** Relativo à acropatia. ● *S. m.* **2.** V. *acropata*.
acrópeto. [De *acr(o)-*[1] + *-peto*.] *Adj. Bot.* Diz-se de órgãos ou partes que se desenvolvem da base para o ápice, como, p. ex., folhas e flores, sendo, pois, as maiores e mais velhas as de baixo. [Sin.: *basífugo*.]
acropódio. [Do gr. *akropódion*, pelo lat. *acropodiu*.] *S. m.* **1.** Pedestal ou plinto baixo e quadrado, no qual se firma uma estátua. **2.** *Zool.* Acrópodo.
acrópodo. *S. m. Zool.* Lado superior do pé das aves; acropódio.
acrópole. [Do gr. *akrópolis*.] *S. f. Arquit.* Santuário (e, eventualmente, fortaleza) localizado no ponto mais alto da antiga cidade grega: "Demos .... que o engenho helênico chegara ao máximo cultivo e expansão; que a arte multiplicara aos olhos dos helenos em cada cidade e em cada burgo, nos templos e nas a c r ó p o l e s, as suas infinitas maravilhas" (Latino Coelho, *A Oração da Coroa*, p. CDIX).
acrorrago. *S. m. Zool.* Tubérculo marginal das actínias, que contém nematocistos.
acrósporo. [De *acr(o)-*[1] + *-sporo*.] *Adj. Bot.* Diz-se da formação de esporos e outras células reprodutivas dos fungos quando surgem na extremidade da célula-mãe, caso em que os esporos são exógenos.
acrossarco. [De *acr(o)-*[1] + *sarco*.] *S. m. Bot. P. us.* Qualquer das bagas oriundas de ovário ínfero e coroadas pelo cálice persistente.
acrossemia. [De *acr(o)-*[1] + *-sem(a)-* + *-ia*.] *S. f.* Redução de palavras ou expressões a letras ou sílabas iniciais.
acrossêmico. *Adj.* Referente à acrossemia.
acrossofia. [De *acr(o)-*[1] + *-sofia*.] *S. f.* A sabedoria divina.
acrossófico. *Adj.* Relativo à acrossofia.
acrossomo. [De *acr(o)-*[1] + *-somo*.] *S. m.* Parte apical do espermatozóide, em relação com o núcleo.

acróstico. [Do gr. *akróstichon.*] *S. m.* Composição poética na qual o conjunto das letras iniciais (e por vezes as mediais ou finais) dos versos compõe verticalmente uma palavra ou frase.
acrostólio. [Do gr. *akrostólion.*] *S. m.* Ornato em forma de escudo, capacete, cabeça de cisne, etc., que os antigos punham na proa dos navios.
acrotarso. [De *acr(o)-*^{1} + *-tarso.*] *S. m. Zool.* A parte dorsal dos tarsos das patas das aves.
acrotério. [Do gr. *akrotéria,* pelo lat. *acroteria.*] *S. m. Arquit.* **1.** Ponto mais elevado, ou cimo, de edifício. **2.** Pequeno pedestal sem ornatos, geralmente colocado nas extremidades e/ou no cume do frontão ou, ainda, de espaço a espaço, nas balaustradas, e que serve de suporte de estátuas ou de outras figuras esculpidas.
acroteriose. [Do gr. *akrotérion,* 'extremidade'. + -ose.] *S. f. Patol.* Gangrena senil das extremidades dos membros.
acrotismo. [De *a-*^{1} + gr. *krotismós,* 'pancada'.] *S. m. Med.* Ausência ou fraco batimento do pulso.
acrotomia. [Do gr. *akrótomos,* 'cortado pela ponta', + *-ia.*] *S. f. Cir.* Amputação das extremidades do corpo.
acrotômico. *Adj.* Concernente à acrotomia.
acrotorácico. *S. m.* **1.** Espécime dos acrotorácicos. ● *Adj.* **2.** Pertencente ou relativo a eles.
acrotorácicos. *S. m. pl. Zool.* Animais artrópodes, crustáceos, cirrípedes, da ordem *Acrothoracica,* que têm o corpo revestido de manto e menos de seis pares de apêndices no tronco.
actinauxismo (cs). *S. m. Bot.* Fenômeno derivado da atuação das radiações sobre o crescimento das plantas. [As radiações de onda muito curta retardam o desenvolvimento dos vegetais.]
▲**actini-.** Equiv. de *actin(o)-.*
actínia. [De *actin(o)-* + *-ia.*] *S. f.* V. *anêmona-do-mar:* "O bernardo-eremita, ou paguro — todos o sabem — é um caranguejo desprovido de carapaça, que se mete na concha espiralada de certo caramujo marinho, à qual se vem fixar, sempre, uma a c t í n i a vermelha, para aproveitar-se das sobras da alimentação do crustáceo." (Melo Nóbrega, *O Soneto de Arvers,* p. 29.)
actiniário. *S. m.* **1.** Espécime dos actiniários. ● *Adj.* **2.** Pertencente ou relativo a eles.
actiniários. *S. m. pl. Zool.* **1.** Animais celenterados zoantários, da ordem *Actiniaria,* desprovidos de esqueleto, e que apresentam pólipos de tamanho regular, colunares, com parede muscular e disco pedioso; estomodeu em geral com sifonoglifos; septos pares, geralmente em múltiplos de seis. Sésseis, porém não fixos, solitários, habitam rochas, areias, ou vivem sobre invertebrados. São as anêmonas-do-mar. **2.** Subordem de actiniários cujos filamentos têm áreas ciliadas.
actínico. [De *actin(o)-* + *-ico*^{2}.] *Adj.* **1.** Diz-se das radiações que exercem ação química sobre certas substâncias. **2.** *Zool.* Diz-se da região do corpo dos equinodermos onde se localizam os pés ambulacrários. ● *S. m.* **3.** *Zool.* Região oral tentacular das actínias.
actinídeos. *S. m. pl. Quím.* Os elementos que constituem um grupo com propriedades semelhantes, que inclui o actínio, o tório, o protactínio, o urânio, o netúrio, o plutônio, o amerício, o cúrio, o berquélio, o califórnio, o einstéinio, o férmio e o mendelévio.
actinidiácea. *S. f.* Espécime das actinidiáceas.
actinidiáceas. *S. f. pl. Bot.* Família da ordem das parietales, que contém umas 320 espécies de árvores e arbustos, volúveis ou trepadores, das regiões quentes, de flores actinomorfas, com estames e carpelos numerosos, e frutos que ou são cápsulas ou são bagas. Não ocorrem no Brasil.
actinidiáceo. *Adj.* Pertencente ou relativo às actinidiáceas.
actínio. [De *actin(o)-* + *-io*^{2}.] *S. m. Quím.* Elemento de número atômico 89, sólido, cristalino, branco-prateado, muito reativo, radioativo. [Símb.: *Ac.*]
actinismo. [De *actin(o)-* + *-ismo.*] *S. m.* **1.** Propriedade que tem a energia radiante de provocar transformações químicas. **2.** Qualidade actínica de determinadas radiações.
▲**actin(o)-.** [Do gr. *aktís, aktînos.*] *El. comp.* = 'raio', 'radiação': *actinoterapia.* [Equiv.: *actin(i)-: actinomorfo.*]
actinoblasto. *S. m. Zool.* Célula formadora das espículas dos poríferos ou espongiários.
actinocongestina. *S. f. Zool.* Substância tóxica contida no líquido urticante dos cnidoblastos dos celenterados.
actinódromo. [De *actin(o)-* + *-dromo.*] *Adj. Bot.* Diz-se da nervação de certas folhas nas quais as nervuras partem da base de modo radiado, tal como nas sete-chagas *(Tropaeolum).*
actinógrafo. [De *actin(o)-* + *-grafo.*] *S. m. Met.* Instrumento com que se registra intensidade de radiação solar.
actinograma. [De *actin(o)-* + *-grama.*] *S. m. Met.* Diagrama que apresenta escala vertical em calorias por centímetro quadrado por minuto e escala horizontal em tempo que, no actinógrafo. registra a intensidade de radiação solar.
actinólito. [De *actin(o)-* + *-lito.*] *S. m. Min.* Anfibólio, monoclínico verde, cristais aciculares, silicato de cálcio, magnésio e ferro; actinoto.
actinomancia (cl). [De *actin(o)-* + *-mancia.*] *S. f.* Ramo da astrologia em que se adivinha por meio das radiações estelares.
actinomante. [De *actin(o)-* + *-mante.*] *S. 2 g.* Pessoa que pratica a actinomancia.
actinomântico. *Adj.* Relativo à actinomancia, ou a actinomante.
actinometria. [De *actin(o)-* + *-metr(o)-* + *-ia.*] *S. f. Fís.* Medida da intensidade da radiação actínica.
actinométrico. *Adj.* Relativo à actinometria, ou ao actinômetro.
actinômetro. [De *actin(o)-* + *-metro.*] *S. m.* Instrumento empregado na actinometria.
actinomicetácea. *S. f.* Espécime das actinomicetáceas.
actinomicetáceas. *S. f. pl. Bot.* Família de bactérias que transitam para os fungos em virtude das colônias filamentosas e radialmente ramificadas. As células são imóveis e originam endósporos; o gênero-tipo, muito rico em espécies, é *Actinomyces,* produtor de pigmentos e muitos antibióticos, importantes na medicina.
actinomicetáceo. *Adj.* Pertencente ou relativo às actinomicetáceas.
actinomicete. [De *actin(o)-* + *-micete.*] *S. m. Biol.* e *Patol.* Microrganismo de transição, entre a bactéria e o fungo, e que inclui espécies patogênicas, como o *Actinomyces israeli* e o *Actinomyces bovis.*
actinomicetose. [De *actin(o)-* + *-micet(o)-* + *-ose.*] *S. f. Patol.* Actinomicose.
actinomicídio. *S. m.* **1.** Espécime dos actinomicídios. ● *Adj.* **2.** Pertencente ou relativo aos actinomicídios.
actinomicídios. *S. m. pl. Zool.* Animais protozoários cnidosporídios, ordem *Actinomyxidia,* que têm esporos com três cápsulas e três filamentos polares, e são parasitas no intestino e celoma de anelídeos aquáticos.
actinomicose. [De *actin(o)-* + *-mic(o)-* + *-ose.*] *S. f. Patol.* Doença crônica, supurativa, granulomatosa, produzida por actinomicetes, e que pode acometer o homem e certos animais, como, p. ex., os bovinos; actinomicetose.
actinomorfia. [De *actin(o)-* + *-morf(o)-* + *-ia.*] *S. f. Morfol. Veg.* Qualidade de actinomorfo; actinomorfismo. [A actinomorfia constitui importantíssima característica das plantas superiores.]
actinomórfico. *Adj.* Relativo à actinomorfia.
actinomorfismo. [De *actin(o)-* + *-morf(o)-* + *-ismo.*] *S. m. Morfol. Veg.* Actinomorfia.
actinomorfo. [De *actin(o)-* + *-morfo.*] *Adj. Bot.* Diz-se de qualquer órgão, ou parte de uma planta que tenha simetria radiada, i. e., que permita passar ou traçar vários planos de simetria. [Opõe-se a *zigomorfo.*]
actinônio. *S. m. Quím.* Isótopo do radônio.
actinópode. *S. m.* **1.** Espécime dos actinópodes. ● *Adj. 2 g.* **2.** Pertencente ou relativo a eles.
actinópodes. *S. m. pl. Zool.* Subclasse de protozoários que apresentam pseudópodes de forma irradiada, providos de um eixo interno.
actinopterígio. *S. m.* **1.** Espécime dos actinopterígios. ● *Adj.* **2.** Pertencente ou relativo a eles. [Sin. ger.: *neopterígio* e *teleósteo.*]
actinopterígios. *S. m. pl. Zool.* Classe dos peixes de esqueleto ósseo propriamente dito; neopterígios, teleósteos.
actinoscopia. [De *actin(o)-* + *-scop-* + *-ia.*] *S. f. Med.* Exame de tecidos e estruturas profundas do corpo, por meio de raios X; radioscopia, fluoroscopia.
actinoscópico. *Adj.* Relativo à actinoscopia.
actinostelia. *S. f. Bot.* Característica de raiz e caule que apresentam actinostelo.
actinostélico. *Adj.* Referente à actinostelia, ou ao actinostelo, ou de qualquer deles característico.
actinostelo. [De *actin(o)-* + *estelo.*] *S. m. Bot.* Estelo em que o xilema se abre para fora, em forma de vários ramos, recordando as pontas de uma estrela, entre os quais fica o líber. [É peculiar às raízes das plantas superiores e ao caule dos licopódios.]
actinóstoma. [De *actin(o)-* + *-stoma.*] *S. f. Zool.* A boca da anêmona-do-mar e da estrela-do-mar.
actinotatismo. *S. m. Bot.* Movimento realizado por vegetais unicelulares ou células reprodutoras, de acordo com o estímulo emanado da radiação.
actinoterapia. [De *actin(o)-* + *-terapia.*] *S. f. Med.* Técnica de tratamento por meio de energia radiante, seja proveniente do Sol, seja de fontes elétricas, seja de substâncias radioativas, raios X e ultravioleta, etc.; radioterapia.
actinoterápico. *Adj.* Relativo à actinoterapia.
actinoto. [Do gr. *aktinotós.*] *S. m.* Actinólito.
actinotoxemia (cs). [De *actin(o)-* + *-tox(i)-* + *-(h)em(o)-* + *-ia*] *S. f.* Toxemia devida a produtos de desintegração que, originados de tecidos corporais, surgem em conseqüência de efeito de irradiações [v. *irradiação* (3)].
actinotoxêmico (cs). *Adj.* Referente à actinotoxemia.
actinotropismo. [De *actin(o)-* + *tropismo.*] *S. m. Bot.* Fenômeno pelo qual o desenvolvimento ou as peculiaridades morfológicas de uma planta sofrem a influência de uma radiação que age lateralmente.
actinozoário. *S. m.* e *adj.* V. *antozoário.*
actinozoários. *S. m. pl. Zool.* **1.** V. *antozoários.* **2.** Grupo considerado por Blainville (1777-1850), que abrange os cnidários e equinodermos.
actínula. *S. m. Zool.* Forma larvária dos pólipos hidróides.
acu. [De provável or. tupi.] *S. m. Bras.* Calor, quentura.
▲**acu-^{1}.** [Do lat. *acus, us.*] *El. comp.* = 'agulha': *acupressão, acupunctura.*
▲**acu-^{2}.** Equiv. de *acuo-.*
açu. [Do tupi *gwa'su.*] *Adj. 2 g. Bras.* Grande; considerável: "Em escala descendente, a começar no Catete, onde pontifica o chefe a ç u , e a terminar no último lugarejo do sertão, com caudilho mirim, isto é um país a regurgitar de mandões" (Graciliano Ramos, *Linhas Tortas,* p. 9). [Antôn.: *mirim.*]
▲**-açu.** [Do tupi *wa'su.*] *El. comp.* que entra na formação de muitas palavras indígenas = 'grande', 'vasto', 'considerável': *tamanduá-açu, cupuaçu.* [Equiv.: *-guaçu, -uaçu: amoré-guaçu, acarauaçu.* Antôn.: *-mirim.*]
acuação. *S. f.* **1.** V. *acuamento* (1) **2.** *Bras.* Perseguição da caça, obrigando-a a refugiar-se na toca.
acuado. [Part. de *acuar.*] *Adj.* **1.** Perseguido, acossado. **2.** Diz-se da cavalgadura que não quer andar; empacado, emperrado. **3.** *Bras. Fig.* Constrangido, forçado, compelido, obrigado. **4.** *Bras., N.E.* e *MG.* Diz-se do animal bravio que está na defensiva, ameaçado pelos cães, cercado, entocado. **5.** *Bras., N.E.* e *MG. Fig.* Embaraçado, confuso, perplexo. **6.** *Bras., N.E.* e *MG.* Diz-se da dor localizada num ponto determinado.
acuador (ô). *Adj.* **1.** Que acua ou faz acuar. **2.** *Bras.* Diz-se do eqüídeo acuado (2). **3.** *Bras.* Diz-se de cavalo rústico, mas perito em perseguir reses tresmalhadas.
acuamento. *S. m.* **1.** Ato ou efeito de acuar; acuação, acuo. **2.** Retirada humilhante.
acuar. [De *a-*^{2} + *cu* + *-ar*^{2}.] *V. int.* **1.** Sentar-se (o animal) sobre as patas traseiras, para formar o salto. **2.** Recuar, retroceder: *A tropa de retaguarda fez o inimigo a c u a r.* 3. *Bras.* Parar, sem querer continuar a marcha (o cavalo); empacar. **4.** *Bras., N.E.* e *MG.* Deter-se de medo ou de espanto; ficar perplexo. *T. d.* **5.** Perseguir (a caça), especialmente para forçá-la a refugiar-se na toca; entocar, enfurnar. **6.** Cercar (a caça) com os cães, obrigando-a a defender-se. **7.** Perseguir (o inimigo, o adversário) em posição de que não possa fugir. **8.** *Bras., N.E* e *MG.* Deixar em situação embaraçosa. [Pres. subj.: *acue, acues, acue, acuemos, acueis, acuem.* Cf. *acuém* e *acoar.*]
açubá. *S. f. Bras., N.E. Folcl.* A primeira salá, rezada às quatro horas da manhã.
acúbito. [Do lat. *accubitu.*] *S. m.* Espécie de leito ou sofá destinado normalmente a um só conviva, nas refeições romanas.
açúcar. [Do sânscr. *çarkara,* 'grãos de areia', prácrito *sakkar,* atr. do ár. *as-sukkar.*] *S. m.* **1.** Produto alimentar fabricado industrialmente, de sabor doce, solúvel na água, extraído sobretudo da cana-de-açúcar e da beterraba, também chamado *sacarose* [q. v.]. **2.** *P. ext.* Cana-de-açúcar: *A cultura do a ç ú c a r é uma das principais riquezas do Nordeste.* **3.** Substância derivada do metabolismo vegetal e animal, encontrada em abundância nos frutos, no mel, no sangue, e, anormalmente, na urina dos diabéticos; glicose [q. v.]. **4.** *Fig.* Doçura, suavidade, brandura. **5.** *Fig.* Manha, lábia. **6.** *Bras.* Na zona dos engenhos e canaviais, nome de algumas danças e cantigas afro-negras. [Var. (pop.): *açucre.* Pl.: *açúcares.* Cf. *açucares,* do v. *açucarar; assucar;* e deste verbo a f. *assucares.*] ◆ **Açúcar de farmácia.** V. *açúcar-cande.* **Açúcar demerara.** Açúcar amarelado, constituído por cristais, e largamente exportado pelas usinas.

[Tb. se diz apenas *demerara.*] **Açúcar dos diabéticos.** Sacarina. **Açúcar mascavado.** Denominação comum aos açúcares de coloração amarelo-queimado, produzidos nos engenhos e usinas. [Cf. *açúcar mascavo.*] **Açúcar mascavo.** Variedade de açúcar mascavado [q. v.] de coloração mais intensa.

açucarado. [Part. de *açucarar.*] *Adj.* Que se açucarou. — V. *diabetes —a* e *diabetes —.*

açucarar. *V. t. d.* **1.** Adoçar com açúcar. **2.** Tornar doce; adoçar, dulcificar, edulcorar: *A ç u c a r o u excessivamente o café.* **3.** Tornar melífluo, harmonioso, suave; suavizar, edulcorar, adoçar: *a ç u c a r a r a voz.* **4.** Tornar meigo, terno, amorável; ameigar, suavizar. *Int.* **5.** Adquirir a consistência do açúcar; açucarar-se. *P.* **6.** Cobrir-se ou repassar-se de açúcar. **7.** Açucarar (5). **8.** Açucarar (4): "Quando se azeda [um ministro], é déspota; quando a ç u c a r a - s e, transige." (Carlos de Laet, *Obras Seletas*, I, p. 34.) [Pres. subj.: *açucare, açucares*, etc. Cf. *açúcares*, pl. de *açúcar*, e *assucares*, do v. *assucar.*]

açúcar-cande. [De *açúcar* + ár. *gandi*, de *gand*, 'suco de cana-de-açúcar espessado por meio de segunda cocção'.] *S. m.* O que é obtido pela cristalização da sacarose, e se apresenta em blocos vítreos; açúcar de farmácia, alfênico: "A que morreu trazia sempre ovos de a ç ú c a r - c a n d e para a merenda da segunda-feira da Páscoa." (Maria Julieta Drummond de Andrade, *O Valor da Vida*, p. 19.) [Pl.: *açúcares-candes* e *açúcares-cande.*]

açucareira. *S. f. Bras.* V. *formiga-açucareira.*

açucareiro. *S. m.* **1.** Fabricante de açúcar. **2.** Negociante de açúcar. **3.** Vaso em que se serve o açúcar. ● *Adj.* **4.** Pertencente ou relativo ao açúcar ou à cana-de-açúcar. **5.** Que se ocupa com a indústria e o comércio do açúcar.

açucena. [Do ár. *as-sūsanâ.*] *S. f.* **1.** *Bot.* Planta liliácea (*Lilliom candidum*), procedente da Ásia, muito cultivada por suas belíssimas flores alvas e perfumadas; açucena-branca, cebola-cecém, cecém, copo-de-leite, lírio, lírio-branco. **2.** *Bras.* Designação comum às espécies do gênero *Hippeastrum*, da família das amarilidáceas, de flores coloridas e variegadas, e que se propagam facilmente. [Sin.: *amarílis, amarílide.*] **3.** V. *flor-da-imperatriz.* **4.** V. *lírio* (3). **5.** V. *palma-de-são-josé.* **6.** Boca de castiçal onde se põe a vela. **7.** *Fig.* Lírio (4).

açucena-branca. *S. f. Bras.* V. *açucena* (1). [Pl.: *açucenas-brancas.*]

açucena-d'água. *S. f. Bras.* **1.** Planta herbácea, da família das amarilidáceas (*Crinum erubescens*), ornamental e cultivada, de flores sésseis, aromáticas, com coloração branca e filetes rubros; cebola-cecém. **2.** V. *cebola-brava-do-pará.*

açucena-do-campo. *S. f. Bras.* Designação comum às espécies campestres, dos planaltos austral e central brasileiros, da *Hippeastrum*, da família das amarilidáceas. [Pl.: *açucenas-do-campo.*]

açucena-do-mato. *S. f. Bras.* Pequena árvore ornamental da família das rubiáceas (*Posoqueria latifolia*), de flores alvas e perfumadas, e cujos frutos são bagas amarelas; araçá-da-praia, araçá-de-coroa, bacupari-de-capoeira, flor-de-mico, maria-peidorreira, papa-terra, posoquéria, puroí. [Pl.: *açucenas-do-mato.*]

açucena-do-rio. *S. f. Bras.* Carapitaia. [Pl.: *açucenas-do-rio.*]

açucenal. *S. m.* Quantidade mais ou menos considerável de açucenas dispostas proximamente entre si.

açucenense. *Adj. 2 g.* **1.** De, ou pertencente ou relativo a Açucena (MG). ● *S. 2 g.* **2.** Natural ou habitante de Açucena.

acuchi. *S. m. Bras.* V. *cotia*[1].

açucre. *S. m. Pop.* Var. de *açúcar* [q. v.].

açuçuapara. [De *suaçuapara*, por prótese e metátese.] *S. m. Bras.* V. *suaçuapara.*

acucular. *V. t. d., t. d. e i. e p.* V. *acogular.*

açudada. *S. f.* **1.** Porção de água represada pelo açude. **2.** Açude cheio.

açudador (ô) *Adj.* Que açuda, que represa águas.

açudagem. *S. f.* Ação ou efeito de açudar; açudamento.

açudamento. *S. m.* Açudagem. [Cf. *açodamento.*]

açudar. *V. t. d.* **1.** Represar (água) no açude. *Int.* **2.** Construir açudes. [Cf. *açodar.*]

açude. [Do ár. *as-sudd.*] *S. m.* **1.** Construção destinada a represar águas, em geral para fins de irrigação; barragem, acéquia, presúria. **2.** *Bras., N.E.* Vazante onde o sertanejo faz a sua cultura, à medida que baixa o nível da água. **3.** *Bras.* Lago formado por represamento.

acudir. [Do ant. *recudir*, do lat. *recutere*, 'rechaçar'.] *V. t. d.* **1.** Acorrer, ir em socorro, defesa ou proteção de; socorrer; auxiliar. "Quem me vê? quem me quer? quem me a c o d e ? / Ó maldito! // Quem abranda este ardor? quem apaga esta flama?" (Alberto Ramos, *Poemas*, p. 54.) **2.** Arcar com; atender a; assumir: "o vice-rei não tinha recursos; o cofre público mal podia a c u d i r urgências ordinárias." (Machado de Assis, *Papéis Avulsos*, p. 252). **3.** Responder prontamente; retorquir: "quando Pestana entregou a nova polca, e passaram ao título, o editor a c u d i u que trazia um .... para a primeira obra que ele lhe apresentasse." (Machado de Assis, *Várias Histórias*, p. 69). *T. i.* **4.** Ir em socorro ou em auxílio; valer em dificuldade; acorrer: "O pior é que o pequeno, se lhe não a c u d o, morre de fome..." (Camilo Castelo Branco, *Novelas do Minho*, I, p. 29); "Escolheu o soneto... A folha branca / Pede-lhe a inspiração; mas, frouxa e manca, / A pena não a c o d e ao gesto seu." (Machado de Assis, *Poesias Completas*, p. 330.) **5.** Obedecer, atender: "Vitorino Carneiro da Cunha a c o d e a todo chamado." (José Lins do Rego, *Fogo Morto*, p. 51.) **6.** Satisfazer, atender: "dava-se ao marido e ao amante por igual, a c u d i n d o a um e a outro com a mesma abnegação e o mesmo empenho." (Josué Montelo, *Uma Tarde, Outra Tarde*, p. 225). **7.** Interceder, intervir, interferir: "D. Fernanda deu algum dinheiro ao criado para que o fosse lavar [ao cão] e conduzir à casa de saúde, recomendando-lhe o maior cuidado, que o levasse ao colo, ou preso por um cordão. Nesta parte a c u d i u também Sofia, ordenando que a procurasse antes, em casa." (Machado de Assis, *Quincas Borba*, p. 349.) **8.** Responder, retorquir: "'Que bobagem!' ia pensando, em desconcertar o sorriso aprovador com que a c u d i a a todas as observações de D. Fernanda." (Id., *ib.*, pp. 346-347); *A c o d e a tudo que lhe perguntam.* **9.** Ir, dirigir-se, encaminhar-se (a um lugar): "Rubião escrevera ao Palha que o procurasse; este a c u d i u à casa de saúde, viu que ele raciocinava claramente, sem a menor sombra de delírio." (Machado de Assis, *Quincas Borba*, p. 353.) **10.** Responder por determinado nome, título, apelido, etc., ser conhecido por ele: *Chama-se Manuel, mas a c o d e também por Manuca.* **11.** Vir à lembrança; ocorrer: *Não lhe a c u d i a o nome certo da rua;* "Secou-me na boca o riso que ia rir, e a c u d i r a m - me idéias em que nunca tinha refletido." (Raul Brandão, *Os Pobres*, p. 197.) *Bit. i.* **12.** Atender ou acudir à(s) necessidade(s) de alguém ou de alguma coisa; cuidar, curar, tratar. **13.** Prover, remediar: "A pobreza foi o lote dos primeiros tempos de casados. Aguiar dava-se a trabalhos diversos para a c u d i r com suprimentos à escassez dos vencimentos." (Machado de Assis, *Memorial de Aires*, p. 28.) **14.** Responder, retorquir: "a juventude se queixa de ser reprovada em exames por não a c u d i r com resposta certa a perguntas difíceis." (Camilo Castelo Branco, *Curso de Literatura Portuguesa*, p. 287). *Int.* **15.** Ir ou vir em socorro de alguém; acorrer: "De repente perdeu os sentidos, o pulso enfraqueceu. A c u d i r a m ." (Geraldo França de Lima, *Jazigo dos Vivos*, p. 62.) **16.** Atender a chamado, aviso, convite, etc.: "Bati algum tempo e, não a c u d i n d o alguém de dentro, entrei sem mais cerimônia." (Afonso Arinos, *Pelo Sertão*, p. 177.) *P.* **17.** Socorrer-se, valer-se de alguém ou de alguma coisa: *Quando se viu sem dinheiro, a c u d i u - s e da família.* [Irreg. Muda o *u* da raiz em *o* nas 2ª e 3ª pess. sing. e 3ª pess. pl. do pres. ind., e na 2ª pess. sing. do imperat.: *acodes, acode, acodem; acode.*]

acuém. *Bras. S. 2 g.* **1.** Indivíduo do grupo indígena dos acuéns, principal ramo dos jês centrais, grupo constituído pela tribo dos xavantes e dos xerentes, e do qual faziam parte os xacriabás ● *Adj. 2 g.* **2.** Pertencente ou relativo a esse grupo. [Cf. *acuem*, do v. *acuar.*]

açuense. *Adj. 2 g.* **1.** Do, ou pertencente ou relativo ao Açu (RN). ● *S. 2 g.* **2.** Natural ou habitante do Açu.

acuera. [Do tupi *kwer*, 'o que foi'.] *Adj. 2 g. e s. f. Bras.* Diz-se de, ou coisas antigas, abandonadas ou extintas.

acúfeno. [Dos rad. gr. de *akoúo*, 'ouvir', + *faino*, 'aparecer'.] *S. m. Med.* Toda sensação auditiva que não resulta de estímulo exterior ao organismo.

acuidade (u-i). [Do fr. *acuité.*] *S. f.* **1.** Qualidade de agudo. **2.** Agudeza de percepção; perspicácia; finura: "Sá-Carneiro não deixará de continuar a beneficiar da sua imaginação metafórica riquíssima, da sua a c u i d a d e sensual invulgar" (João Gaspar Simões. *Liberdade do Espírito*, p. 53). **3.** Intensidade, veemência. **4.** Gravidade, seriedade, importância. **5.** *Ópt.* Poder de resolução do sistema óptico da vista humana. **6.** *Psicol.* Capacidade acentuada de discriminar estímulos sensoriais; agudeza.

açulador (ô). *Adj.* e *s. m.* Que ou aquele que açula.

aculálio. *S. m. Med.* Aparelho com que se ensinavam os surdos-mudos a falar.

açulamento. *S. m.* Ato ou efeito de açular(-se). [Sin., bras.: *açulo.*]

açular. *V. t. d.* **1.** Incitar, instigar (o cão) a morder: "Impensadamente, a ç u l e i o cachorro: — 'Isca! Pega!'" (Gustavo Barroso, *Terra de Sol*. p. 87.) **2.** Incitar, instigar, estimular, provocar, excitar: "Como que para a ç u l a r a ambição dos que o procuravam, variava [o ouro] de qualidade" (Paulo Prado, *Retrato do Brasil*. p. 93). *T. d. e i.* **3.** Incitar a morder; estumar. **4.** Incitar; provocar, estimular: "De mão dada com os adversários dos jesuítas, o embaixador .... não perdia ensejo de a ç u l a r a opinião contra a Sociedade, inundando Roma de pasquins" (J. Lúcio d'Azevedo, *O Marquês de Pombal e a Sua Época*, p. 200). *P.* **5.** Estimular-se, excitar-se: *O apetite a ç u l o u - se com a corrida.* [Cf. *assolar.*]

aculeado. [Do lat. *aculeatu.*] *Adj.* **1.** Que tem aguilhão ou ferrão. **2.** Agudo, pontiagudo. **3.** Pertencente ou relativo aos aculeados. ● *S. m.* **4.** Espécime dos aculeados.

aculeados. [Pl. de *aculeado* (q. v.).] *S. m. pl. Zool.* Animais metazoários artrópodes, insetos himenópteros cujas fêmeas têm um ferrão na extremidade do abdome.

acular. *V. t. d.* **1.** Armar ou prover de acúleo ou aguilhão. **2.** *Fig.* Ferir, magoar. [Conjug.: v. *frear.*]

aculeiforme. [Do lat. *aculeu*, 'acúleo', + *-i-* + *-forme.*] *Adj. 2 g.* Que tem forma de acúleo; acicular.

acúleo. [Do lat. *aculeu.*] *S. m.* **1.** Ponta aguçada; pua, espinho: "guaiapás perigosos, abrolhados em a c ú l e o s lancinantes e peçonhentos" (Júlio Ribeiro, *A Carne*, p. 25). **2.** *Fig.* Incentivo, estímulo, acicate: *os a c ú l e o s da ambição.* **3.** *Bot.* Emergência rígida e pungente ligada ao córtex e, portanto, abaixo da epiderme. Distingue-se do espinho por ser mais superficial que ele, podendo destacar-se com facilidade. **4.** *Zool.* Ferrão dos insetos himenópteros e dos escorpionídeos, que se liga a uma glândula peçonhenta. **5.** *Zool.* Ornamento acelular da cutícula dos insetos. **6.** *Zool.* Raio duro, pungente, da nadadeira de certos peixes. [Cf. *eculeo.*]

aculeolado. *Adj. Bot.* Provido de pequenos acúleos.

açulo. [Dev. de *açular.*] *S. m. Bras.* Açulamento.

aculturação. [Do ingl. *acculturation.*] *S. f.* **1.** Interpenetração de culturas. **2.** *Sociol.* Conjunto de fenômenos provenientes do contato direto e contínuo de grupos de indivíduos representantes de culturas diferentes.

aculturado. *Adj.* Que sofreu o processo de aculturação (2): "A nossa primeira sobremesa a c u l t u r a d a foi comida em Olinda, ... pelas gentes de Duarte Coelho e Jerônimo de Albuquerque: o mel de engenho com farinha de mandioca." (Mauro Mota, *Votos e Ex-Votos*, p. 19.)

acumã. [Do tupi, decerto.] *S. m. Bras.* Planta da família das palmeiras (*Syagrus campestris*), cujas nozes contêm semente oleífera, e de cujas folhas se fazem vassouras grosseiras; ariri, coco-da-serra, coco-de-vassoura, coquerinho-do-campo, coqueiro-do-campo, uacumã.

açumagrar. *V. t. d.* Curtir com açumagre.

açumagre. *S. m.* Var. de *sumagre* [q. v.].

acumatanga. [Var. de *acamatanga.*] *S. f. Bras.* V. *chauã.*

acumbente. [Do lat. *accumbente.*] *Adj. 2 g. Bot.* **1.** Diz-se dos cotilédones quando estão aplicados um contra o outro e a radícula se coloca ao longo dos bordos justapostos, em um dos lados. **2.** Nas hepáticas jungermaniales foliosas, quando as folhas são imbricadas, diz-se da folha que cobre com a base o ápice da que fica abaixo.

acume. [Do lat. *acumen.*] *S. m.* **1.** Ponta aguda e comprida. **2.** Ponto mais alto; ápice, cume. **3.** *Fig.* Agudeza, astúcia, argúcia. **4.** *Fig.* Estímulo, incentivo, acicate.

acumear. [De *a-*[2] + *cume* + *-ar*[2].] *V. t. d.* Levar ao cume ou acume; encumear. [Conjug.: v. *frear.*]

acúmen. *S. m.* V. *acume.* [Pl.: *acumens* e (p. us. no Brasil) *acúmenes.*]

acumetria. [De *acu(o)-* + *-metr(o)-* + *-ia.*] *S. f. Med.* Exame da capacidade auditiva por meio do acuômetro; acuometria, audiometria.

acumétrico. *Adj.* Relativo à acumetria.

acúmetro. [De *acu(o)-* + *-metro.*] *S. m.* V. *audiômetro.*

acuminado. *Adj.* **1.** Agudo, aguçado, pontiagudo. **2.** Terminado em, ou provido de acume (1): *folha a c u m i n a d a.*

acuminar. [Do lat. *acuminare.*] *V. t. d.* **1.** Estreitar em ponta; aguçar. *P.* **2.** Tornar-se acuminado.

acumpliciar. [De *a-*[2] + *cúmplice* + *-iar*[2].] V. t. d. e *p.* Tornar(-se) cúmplice; cumpliciar(-se).

acumulação. [Do lat. *accumulatione.*] *S. f.* **1.** Ato ou efeito de acumular(-se); acúmulo, amontoamento: "Quanto ao Tomé Gonçalves, pasmado de tantas dívidas velhas, não se fartava de elogiar a longanimidade dos credores, censurando-os ao mesmo tempo pela acumulação." (Machado de Assis, *Histórias sem Data*, p. 24.) **2.** Aumento, ampliação, acréscimo, acúmulo: *acumulação de capitais*. **3.** Ajuntamento, reunião de pessoas ou de coisas; acúmulo: *No quarto havia uma acumulação exagerada de móveis*. **4.** Designação genérica do trabalho construtivo das águas correntes, das águas do mar e dos lagos, das geleiras, dos ventos e dos vulcões. **5.** Exercício simultâneo de empregos ou cargos e respectivos réditos ou remunerações. **6.** Reunião dos poderes econômicos nas mãos de um número cada vez menor de capitalistas. ♦ **Acumulação eólia.** *Geog.* Acúmulo de areia, em conseqüência da ação dos ventos, que formam as dunas. **Acumulação marinha.** *Geog.* Depósito constante de areia, mediante a ação das águas do mar, e da qual se originam as praias e restingas.

acumulada. [Fem. substantivado do adj. *acumulado*.] *S. f. Turfe.* Modalidade de aposta que acumula cavalos de vários páreos em um mesmo jogo, e na qual o capital empatado se vai multiplicando à proporção que vão ganhando cada páreo os animais escolhidos. ♦ **Furar uma acumulada.** *Turfe.* Deixar de ganhar seu páreo (um dos cavalos da acumulada).

acumulado. [Part. de *acumular*.] *Adj.* **1.** Posto em cúmulo ou montão; amontoado, ajuntado. **2.** Ajuntado, reunido, junto. **3.** Associado, aliado. **4.** Que se vai acumulando gradualmente: *juros acumulados; ressentimentos acumulados*. ~ V. *distribuição de freqüência* —*a* e *freqüência* —*a*. • *S. m.* **5.** Aquilo que se acumulou.

acumulador (ô). [Do lat. *accumulatore*.] *Adj.* **1.** Que acumula. ~ V. *registrador* —. • *S. m.* **2.** Aquele que acumula. **3.** *Fís.-Quím.* Sistema eletroquímico capaz de converter energia química em energia elétrica operando em condições de quase-reversibilidade, o que permite recarregá-lo eletricamente pela transformação direta de energia elétrica em energia química; bateria secundária. **4.** *Eletr.* Bateria (3). **5.** *Proc. Dados.* Denominação dada a posições da área da memória (13 e 14) utilizadas para efetuar e acumular resultados de uma operação aritmética ou lógica. **6.** *Proc. Dados.* Registrador acumulador. ♦ **Acumulador ácido.** *Fís.-Quím.* Aquele cujo eletrólito é uma solução de ácido sulfúrico. **Acumulador alcalino.** *Fís.-Quím.* Aquele cujo eletrólito é, geralmente, uma solução de hidróxilo de potássio.

acumular. [Do lat. *accumulare*.] *V. t. d.* **1.** Pôr em cúmulo ou montão; amontoar, ajuntar. **2.** Ajuntar, juntar, reunir: *Antes de escrever o trabalho, acumulou vasta bibliografia sobre o assunto*. **3.** Exercer (várias funções, empregos, encargos, etc.) simultaneamente: "Rui de Pina, como Fernão Lopes e Zurara, acumulou os cargos de cronista-mor do Reino e de guarda-mor da Torre do Tombo." (Feliciano Ramos, *História da Literatura Portuguesa*, p. 83.) **4.** *Bibliogr.* Reunir (bibliografias, índices, etc., que se publicam em fascículos ou volumes semanais, quinzenais, etc.) numa só ordem alfabética, em um ou mais tomos, e, periodicamente, até formar coleção de determinada amplitude. *T. d. e i.* **5.** Associar, aliar. **6.** Exercer simultaneamente várias funções, cargos, empregos, etc.: "Latino Coelho (1825-1891), contemporâneo de Camilo, formou-se na Escola Politécnica, acumulando estas funções com uma intensa atividade jornalística, parlamentar e acadêmica." (Antônio José Saraiva e Óscar Lopes, *História da Literatura Portuguesa*, p. 787.) *Int.* **7.** Amontoar riquezas, bens; fazer fortuna. *P.* **8.** Pôr-se em cúmulo ou montão. **9.** Juntar-se amontoando; amontoar-se. **10.** Reunir-se, juntar-se: "É à medida que as palavras se acumulam sobre o papel que a poesia vai nascendo." (João Gaspar Simões, *O Mistério da Poesia*, p. 175.) **11.** Encher-se, transbordar. **12.** Unir-se, mancomunar-se, conjurar-se. [F. paral.: *cumular*. Pres. ind.: *acumulo*, etc. Cf. *acúmulo*.]

acumulativo. *Adj.* **1.** Que tem a faculdade de acumular. **2.** Que se acumula: *lucros acumulativos*. ~ V. *distribuição de freqüência* —*a*.

acumulável. *Adj. 2 g.* Que se pode acumular.

acúmulo. [Dev. de *acumular*.] *S. m.* V. *acumulação* (1 a 3). [Cf. *acumulo*, do v. *acumular*.]

acumutanga. [Var. de *acamatanga*.] *S. f. Bras.* V. *chauã*.

acunati. [Do tupi.] *S. m. Bras.* V. *taiaçuíra*.

acunhar. [De *a-*[2] + *cunha* + *-ar*[2].] *V. t. d.* **1.** Meter cunhas em; apertar com cunhas; falquejar. **2.** Proteger com empena ou cunha.

acunhear. [De *a-*[2] + *cunha* + *-ear*.] *V. t. d.* Dar forma de cunha a. [Conjug.: v. *frear*.]

acuo. [Dev. de *acuar*.] *S. m. Bras.* V. *acuamento* (1).

▲**acuo-.** [Do gr. *akoúo*.] *El. comp.* = 'audição': *acuômetro*. [Equiv.: *acu-*[2]; *acúmetro*.]

acuometria. [De *acu(o)-* + *-metr(o)-* + *-ia*.] *S. f.* V. *audiometria*.

acuômetro. [De *acu(o)-* + *-metro*.] *S. m.* V. *audiômetro*.

acupremir. [De *acu-*[1] + *premir*.] *V. t. d.* Praticar acupressão em. [Conjug.: v. *premir*.]

acupressão. [De *acu-*[1] + *pressão*.] *S. f. Terap.* Forma de tratamento mediante a acupressura.

acupressura. [Do ingl. *acupressure*.] *S. f. Terap. Desus.* Processo de hemóstase que consiste em comprimir, inserindo agulhas em suas adjacências, o(s) vaso(s) de onde surge a hemorragia.

acupunctor (ô). *S. m.* Acupuntor.

acupunctura. *S. f.* Acupuntura.

acupuncturar. *V. t. d.* Acupunturar.

acupuntor (ô). [Var. de *acupunctor*.] *S. m.* Especialista em acupuntura.

acupuntura. [Var. de *acupunctura*, de *acu-*[1] + *punctura*.] *S. f. Cir.* **1.** Picada feita com agulha. **2.** Método terapêutico usado desde milênios, pelos chineses e japoneses, e que consiste na introdução de agulhas muito finas em pontos cutâneos precisos, para tratamento de certas perturbações funcionais ou para aliviar dores.

acupunturar. [Var. de *acupuncturar*.] *V. t. d.* Praticar acupuntura em; tratar pela acupuntura.

acurácia. *S. f.* **1.** *Mat.* Exatidão de uma operação ou de uma tabela. **2.** *Fís.* Propriedade de uma medida de uma grandeza física que foi obtida por instrumentos e processos isentos de erros sistemáticos.

acurado. [Part. de *acurar*.] *Adj.* Feito ou tratado com muito cuidado, desvelo ou apuro: *exame acurado; acurada observação*.

acurar. [Do lat. *accurare*.] *V. t. d.* **1.** Tratar de (pessoa ou coisa) com cuidado, com desvelo ou interesse; cuidar de. **2.** Aperfeiçoar, aprimorar. *P.* **3.** Esmerar-se em.

acurativo. *Adj.* ~ V. *verbo* —.

acurau. [De *acuraua*, por apócope.] *S. m. Bras.* V. *bacurau* (1).

acuraua. [Do tupi *waku'rawa*.] *S. f. Bras., MT.* V. *bacurau* (1).

acuré. *S. f. Bras.* Entre caçadores, a anta; antacuré.

acurralar. [De *a-*[2] + *curral* + *-ar*[2].] *V. t. d.* Meter em curral; encurralar.

acurtar. [De *a-*[2] + *curto* + *-ar*[2].] *V. t. d.* **1.** Tornar curto ou mais curto; diminuir, encurtar. **2.** Restringir, limitar; encurtar. *Int.* e *p.* **3.** Tornar-se ou mostrar-se curto; encurtar.

acurvado. [Part. de *acurvar*.] *Adj.* Curvado, encurvado.

acurvamento. *S. m.* Ato ou efeito de acurvar(-se).

acurvar. [De *a-*[2] + *curvo* + *-ar*[2].] *V. t. d.* **1.** Fazer curvo; curvar, encurvar, vergar: "colheu .... uma pitada e, acurvando o busto, sorveu-a ruidosamente." (Afonso Arinos, *Pelo Sertão*, p. 141.) *P.* **2.** Curvar-se, dobrar-se, abaixar-se, encurvar-se: "Com uma solicitude rara eles [os floricultores] se acurvavam .... sobre os seus queridos arbustos" (Fialho d'Almeida, *Pasquinadas*, p. 185); "A praia acurva-se em meia-lua, erriçada de cachopos nos extremos" (Pedro Calmon, *História da Casa da Torre*, p. 19). **3.** *P. ext.* Ceder; sucumbir; dobrar-se.

acurvilhar. [De *a-*[2] + *curvilhão* + *-ar*[2].] *V. int.* **1.** Cair (a cavalgadura) sobre os joelhos amiúde quando tropeça. **2.** *P. ext.* Pôr-se de joelhos; ajoelhar(-se).

acusabilidade. *S. f.* Qualidade de acusável.

acusação. [Do lat. *accusatione*.] *S. f.* **1.** Ato ou efeito de acusar(-se); acusamento. **2.** Imputação de erro ou crime; inculpação, incriminação: "Emílio Olivier, culpado da acusação de cúmplice, defendeu-a [a imperatriz Eugênia] galhardamente até ao último arranco" (Ricardo Jorge, *Canhenho dum Vagamundo*, p. 162). **3.** Denúncia, delação. **4.** Confissão espontânea. **5.** *Dir. Jud. Pen.* Atividade realizada, perante um tribunal criminal, pelo Ministério Público ou pelo advogado do ofendido, para demonstrar a procedência da denúncia ou da queixa. **6.** *Dir. Jud. Pen.* O órgão incumbido dessa atividade. **7.** *Dir. Jud. Pen.* Exposição escrita ou oral da parte que acusa.

acusado. [Part. de *acusar*.] *Adj.* **1.** Que sofreu acusação; incriminado, increpado, acoimado. **2.** Denunciado, descoberto, revelado. **3.** Declarado, comunicado; confessado. **4.** Muito pronunciado; acentuado, realçado. • *S. m.* **5.** Aquele a quem se acusa de alguma coisa. **6.** *Dir. Jud. Pen.* Réu em processo-crime. **7.** *Bras.* Jogo infantil, semelhante ao trinta-e-um-de-janeiro [q. v.], e em que o pegador, ao descobrir o esconderijo de algum companheiro, o acusa, gritando: *Acusado F.* (em tal lugar), e o acusado foge para o pique, perseguido pelo acusador.

acusador (ô). [Do lat. *accusatore*.] *Adj.* **1.** Que acusa; acusante. • *S. m.* **2.** Aquele que acusa; acusante. **3.** *Restr. Dir. Jud. Pen.* Aquele a quem compete a acusação (5).

acusamento. *S. m.* Acusação (1).

acusante. [Do lat. *accusante*.] *Adj. 2 g.* e *s. 2 g.* Acusador (1 e 2).

acusar. [Do lat. *accusare*.] *V. t. d.* **1.** Imputar falta, delito ou crime a; incriminar, culpar: "Acusou clamorosamente o raptor Guilherme Nogueira, e pediu justiça" (Camilo Castelo Branco, *Novelas do Minho*, I, p. 22). **2.** Revelar, denunciar, indicar, mostrar: *O exame clínico acusou a doença*. **3.** Declarar, confessar, mencionar. **4.** Participar (o recebimento de carta, ofício, etc., a quem os escreveu). **5.** *Jur.* Demonstrar, perante o juiz ou tribunal competente, a responsabilidade de (alguém). *T. d. e i.* **6.** Culpar, incriminar, acoimar, increpar: "Nisard acusa Juvenal de relatar com indiferença o suplício dos primeiros cristãos." (Fausto Cunha, *Situações da Ficção Brasileira*, p. 100); "O delegado, brigado com o juiz, acusara-o de proteger o agressor." (José Lins do Rego, *Fogo Morto*, p. 236). *Transobj.* **7.** Tachar, incriminar: *Acusam-no de corruto*; "Fomos [os portugueses] os primeiros que, ao sair da Idade Média, começamos a *dilatar* a *fé* e o *império* por esses mares, aonde ninguém se aventurara, e, depois da empresa feita, ou a tacharam de fácil ou a acusaram de imitada." (Latino Coelho, *Fernão de Magalhães*, p. 194). *Int.* **8.** Imputar falta, crime ou delito a alguém; incriminar alguém: "Eu não acuso: inquiro por enquanto o teu testemunho" (Camilo Castelo Branco, *A Mulher Fatal*, p. 82). *P.* **9.** Declarar-se culpado: *Interrogados sobre a autoria da falta, nenhum dos dois se acusou*.

acusativo. [Do lat. *accusativu*.] *Adj.* **1.** Relativo a acusação; acusatório. **2.** Relativo ao acusativo (3). • *S. m.* **3.** *Gram.* Caso de declinação latina, grega, etc., que indica sobretudo o objeto direto.

acusatório. [Do lat. *accusatoriu*.] *Adj.* **1.** Que envolve ou contém acusação: "Passemos a examinar outros libelos acusatórios" (Melo Nóbrega, *Arredores da Poesia*, p. 18). **2.** Acusativo (1).

acusável. [Do lat. *accusabile*.] *Adj. 2 g.* Que pode ou deve ser acusado.

▲**-acus(i)-.** [Do gr. *ákousis*.] *El. comp.* = 'audição': *hiperacusia*.

acusma. [Do gr. *ákousma*, 'rumor'.] *S. m.* Alucinação auditiva que faz ouvirem-se no ar sons de vozes humanas, de instrumentos musicais, rumores, etc.

acústica. [Fem. substantivado de *acústico*, atr. do fr. *acoustique*.] *S. f.* **1.** Parte da física que estuda as oscilações e ondas ocorrentes em meios elásticos, e cujas freqüências estão compreendidas entre 20 e 20 000 Hz. Estas oscilações e ondas são percebidas pelo ouvido como ondas sonoras. **2.** Qualidade de um espaço arquitetônico sob o aspecto das condições de propagação do som: *O teatro tem boa acústica*.

acústico. [Do gr. *akoustikós*, atr. do fr. *acoustique*.] *Adj.* Relativo à acústica. ~ V. *abóbada* —*a*, *análogo* —, *concha* —*a*, *corneta* —*a*, *filtro* —, *massa* —*a*, *ohm* — e *tubo* —.

acuta. [Do lat. *acuta*, 'aguda'.] *S. f.* Instrumento com que se medem ou traçam ângulos; salta-regra, esquadria. [Cf. *esquadro* (1), *suta* e *transferidor*.]

acutangulado. *Adj.* Que tem ou forma ângulos agudos; acutangular.

acutangular. *Adj. 2 g.* Acutangulado.

acutângulo. [De *acut(i)-* + *ângulo*.] *Adj.* Com todos os ângulos agudos; oxígono. ~ V. *triângulo* —.

acutelado. [De *a-*[2] + *cutelo* + *-ado*[1].] *Adj.* Que tem feitio de cutelo. [Cf. *acutilado*.]

acutenáculo. [Do fr. *acutenacle*.] *S. m. Cir.* Instrumento com que se seguram as agulhas quando se fazem suturas onde as mãos não podem operar.

acuti. *S. m. Bras.* V. *cutia*[1].

▲**acut(i)-.** [Do lat. *acutus, a, um*.] *El. comp.* = 'agudo', 'em ponta': *acuticórneo*, *acutângulo*.

acutibóia. *S. f. Bras., Amaz.* V. *acutimbóia*.

acuticaudado. [De *acuti-* + *cauda* + *-ado*[1].] *Adj. Zool.* Diz-se dos animais de cauda pontiaguda.

acuticórneo. [De *acuti-* + *córneo*.] *Adj. Zool.* Diz-se do artrópode cujas antenas ou chifres terminam em ponta afilada.

acutifloro. *Adj. Bot.* Dotado de pétalas ou sépalas agudas.

acutifoliado. *Adj. Bot.* Acutifólio.

acutifólio. [De *acuti-* + *-fólio*.] *Adj. Bot.* Que tem folhas agudas, i. e., terminando em ponta estreitada; acutifoliado.

acutilado. [Part. de *acutilar.*] *Adj.* **1.** Que recebeu cutiladas. **2.** *Fig.* Experiente, experimentado. [Cf. *acutelado.*]

acutilador (ô). *Adj.* e *s. m.* Que ou aquele que acutila.

acutilamento. *S. m.* Ato ou efeito de acutilar(-se).

acutilar. *V. t. d.* **1.** Dar cutiladas em; golpear com cutelo ou arma branca. **2.** *P. ext.* Agredir, espancar, bater em; maltratar. *P.* **3.** Cortar-se ou ferir-se com cutelo ou arma branca. **4.** *P. ext.* Cortar-se, ferir-se: "os javardos / Uns aos outros coos dentes se acutilam" (Eugênio de Castro, *Obras Poéticas*, V. p. 39).

acutilobado. [De *acuti-* + *lobo* + *-ado*[1].] *Adj. Bot.* Acutilobo.

acutilobo. [De *acuti-* + *lobo.*] *Adj. Bot.* Provido de lobos agudos, como várias folhas, cálices e corolas; acutilobado.

acutimbóia. [Do tupi *acutim'bóia*, 'cobra-cutia'.] *S. f.* **1.** *Bras., Amaz.* Réptil ofídio, da família dos colubrídeos (*Chironius carinatus* (L.)), comum em todo o Brasil equatorial e no subtropical. Coloração verde-oliva no dorso, verde-amarela no mento, esbranquiçada na garganta e na região ventral; corpo muito fino, com uma quilha dorsal; é arborícola, e se alimenta sobretudo de perereca; sacaibóia. **2.** Réptil ofídio da família dos colubrídeos (*Chironius sexcarinatus* (Wagl.)), próprio da região subtropical temperada, de coloração parda, cabeça cor de tijolo, espécie mais fina que a *C. carinatus* (L.). [Var.: *acutibóia, cutimbóia;* sin.: *boitiabóia* e *sacabóia*. Cf. *cobra-cipó*.]

acutipum. [Do tupi.] *S. m. Bras.* Pequenino macaco de pele felpuda, lustrosa e preta.

acutipuru. [Do tupi *acutipu'ru*, 'cutia enfeitada'.] *S. m. Bras.* **1.** V. *quatipuru.* **2.** V. *caxinguelê.*

acutipuruaçu. [De *acutipuru* + *-açu.*] *S. m. Bras.* Quatipuruaçu.

acutirrostro. [De *acuti-* + *-rostro.*] *Adj. Zool.* De cabeça prolongada em bico.

acutíssimo. [Do lat. *acutissimu.*] *Adj.* Superl. absol. sint. de *agudo;* agudíssimo: "Cipião, além doutros excelentes predicados, tinha a inteligência lúcida e acutíssima." (Aquilino Ribeiro. *Os Avós dos Nossos Avós*, p. 216.)

acuti-tapuia. *Bras. S. 2 g.* **1.** Indivíduo dos acutis-tapuias, subgrupo indígena baniva da região do Içana, margem esquerda do Solimões, foz do Javari (AM). ● *Adj. 2 g.* **2.** Pertencente ou relativo aos acutis-tapuias. [Pl.: *acutis-tapuias.*]

acutiúsculo. [De *acut(i)-* + *-úsculo.*] *Adj. Bot.* Diz-se do órgão vegetal um tanto ou ligeiramente agudo: *folha acutiúscula* [q. v.].

■**a.D.** Abrev. de *anno Domini* (no ano do Senhor), utilizada nas inscrições latinas e nos países anglo-saxões, correspondente à abrev. portuguesa *d.C.* (depois de Cristo). [Cf. a.C.]

▲**ad-.** V. *a-*[2].

▲**-ada**[1]. *Suf. nom.* = 'ação' ou 'resultado de ação enérgica'; 'coleção', 'multidão'; 'golpe'; 'produto alimentar'; 'duração'; 'porção'; 'marca feita com um instrumento': *freada, unhada; boiada, cumeada; pedrada, facada; goiabada, laranjada; noitada, temporada; colherada, pincelada.*

▲**-ada**[2]. *Suf. nom.* = 'espécime de (plantas)'; 'espécime da família de (plantas)': *labiada.* [V. *-adas.*]

adactilia. [De *a-*[3] + *-da(c)til(o)-* + *-ia.*] *S. f. Ter.* Ausência congênita dos dedos das mãos ou dos pés. [Var.: *adatilia.*]

adáctilo. [De *a-*[3] + *-da(c)tilo.*] *Adj.* Que tem adactilia; congenitamente sem dedos. [Var.: *adátilo.*]

adaga. *S. f.* **1.** Arma branca, mais larga e maior que o punhal, com um ou dois gumes: "os trajos [eram] ricos, e muitos os anéis e alfinetes, as adagas e punhais tauxiados de ouro e prata com jóias engastadas." (Oliveira Martins, *História de Portugal*, I, p. 257). **2.** *Tip.* V. *cruz* (13). ◆ **Adaga dupla.** *Tip.* Cruz dupla.

adagada. *S. f.* Golpe de adaga.

adage. *S. m. Bras., SP, MG* e *MT. Pop.* **1.** Préstimo, serventia. **2.** Capacidade, aptidão. **3.** Coragem, valentia, valor.

adagial. *Adj. 2 g.* Referente a adágio[1].

adagiar. *V. int.* Citar adágios a propósito; sentenciar. [Pres. ind.: *adagio*, etc. Cf. *adágio.*]

adagiário. *S. m.* Coleção ou compêndio de adágios.

adágio[1]. [Do lat. *adagiu.*] *S. m.* V. *provérbio* (1). Ex.: "Água mole em pedra dura, tanto bate até que fura"; "De grão em grão enche a galinha o papo". [Cf. *adagio*, do v. *adagiar.*]

adágio[2]. [Do it. *adagio.*] *Adj. Mús.* **1.** Diz-se do andamento lento, vagaroso, pausado, entre o largo e o andante. ● *S. m.* **2.** Esse andamento. **3.** Composição musical, ou movimento ou divisão de uma composição (sonata, concerto, sinfonia, etc.), nesse andamento. [Cf. *adagio*, do v. *adagiar.*]

adagueiro. *S. m.* Veado ainda novo, cujos chifres semelham adagas.

adail (í). [Do ár. *ad-dalil.*] *S. m.* **1.** *Ant.* Chefe ou guia de soldados. **2.** *Ant.* Chefe de batedores de campo. **3.** *Fig.* Defensor dedicado; paladino. **4.** *Fig.* Chefe, guia, mentor: "Maravilhado e seduzido inconscientemente pelo renome dos grandes adaís da revolução intelectual" (Camilo Castelo Branco, *Curso de Literatura*, p. 9). [Pl.: *adaís.*]

adajibe. *S. m. Bras.* O conjunto dos cantos iniciais, numa cerimônia jeje.

adamado. [De *a-*[2] + *dama* + *-ado*[1].] *Adj.* **1.** Semelhante a dama (2) no vestir, no falar e/ou nas maneiras; efeminado [q. v.]. **2.** Próprio de dama (2); delicado, fino: "Tinha mas era mãos adamadas de quem vinha para a fábrica de luvas de pelica" (João da Silva Correia, *Farândola*, p. 130). ~ V. *vinho* ~.

adamantinense. *Adj. 2 g.* **1.** De, ou pertencente ou relativo a Adamantina (SP). ● *S. 2 g.* **2.** Natural ou habitante de Adamantina.

adamantino. [Do gr. *adamántinos*, pelo lat. *adamantinu.*] *Adj.* **1.** Como o diamante; diamantino. **2.** *Fig.* Íntegro, inatacável: *caráter adamantino.* [Sin. ger.: *adiamantino.*]

adamar. [De *a-*[2] + *dama* + *-ar*[2].] *V. t. d.* **1.** Enfeitar (o homem) com trajes ou adornos próprios de mulher. *P.* **2.** Enfeitar-se com os cuidados próprios de mulher. **3.** Adquirir maneiras afeminadas; afeminar-se, efeminar-se.

adamascado[1]. [De *a-*[2] + *damasco* + *-ado*[1].] *Adj.* Semelhante ao damasco, na cor e no sabor: *fruto adamascado.*

adamascado[2]. [Part. de *adamascar.*] *Adj.* **1.** Diz-se do tecido que imita o damasco (2) na feição dos lavrados e ornatos: "Largo e suntuoso leito de jacarandá e pau-rosa .... oferecia-lhes o inefável conchego das suas colchas adamascadas." (Artur Azevedo, *Contos fora da Moda*, p. 46.) **2.** *P. ext.* Que tem lavrado ou ornato à maneira de damasco: *papel adamascado.* ● *S. m.* **3.** Tecido adamascado (2); damasco: "o centro da mesa, sobre a qual fora estendida a toalha de adamascado das grandes ocasiões, ostentava um bolo em forma de tronco" (Maria Julieta Drummond de Andrade, *Um Buquê de Alcachofras*, p. 24).

adamascar. [De *a-*[2] + *damasco* + *-ar*[2].] *V. t. d.* Dar cor e/ou lavor de damasco a. [Conjug.: v. *trancar.*]

adamasquinado. [De *a-*[2] + *damasquino* + *-ado*[1].] *Adj.* Que tem lavores semelhantes aos das armas damasquinas.

adamaxeno. *S. m. Bras.* Machado de duas faces, de Xangô, nos candomblés jeje-nagôs.

adamelito. [Do top. *Adamello* + *-ito*[2].] *S. m. Pet.* Rocha magmática intrusiva, constituída essencialmente de quartzo, feldspatos alcalinos e plagioclásios.

adâmico. *Adj.* **1.** Relativo a, ou próprio de Adão, o primeiro homem, segundo a tradição bíblica: "as densas e frescas sombras despertam irresistivelmente no homem os velhos instintos adâmicos da ociosidade divina." (Eça de Queirós, *Cartas Familiares e Bilhetes de Paris*, p. 168). **2.** Adamítico.

adamita. [Do gr. *adamítes*, pelo lat. *adamita.*] *S. 2 g.* Membro de uma seita religiosa herética do séc. II, cujos adeptos compareciam às assembléias despidos para imitar o estado de inocência de Adão antes do pecado, e que ressuscitou no séc. XV entre os tchecos.

adamítico. *Adj.* Relativo aos tempos primitivos; adâmico.

adamo. *S. m.* **1.** *Alq.* Pedra filosofal [q. v.]. **2.** *Ant.* Adão[1].

adansônia. *S. f. Bot.* Gênero de plantas dicotiledôneas, da família das bombacáceas, ao qual pertence, entre outras, o baobá.

adão[1]. [De *Adão*, antr.] *S. m. Ant.* Pó medicinal que certos filósofos consideravam a quinta-essência do Universo; adamo.

adão[2]. [F. red. de *pomo-de-adão.*] *S. m. Bras., S.* e *C.O. Pop.* V. *pomo-de-adão.*

➡**ad aperturam libri** (ad aperturam líbri). [Lat.] *Aperto libri.*

adaptabilidade. *S. f.* **1.** Qualidade de adaptável. **2.** Capacidade de se adaptar.

adaptação. *S. f.* **1.** Ação ou efeito de adaptar(-se). **2.** Ajustamento de um organismo, particularmente do homem, às condições do meio ambiente: *A respiração pulmonar é uma adaptação à vida aérea, assim como a transpiração é uma adaptação ao calor; É grande a sua adaptação social.* **3.** Transformação de uma obra literária em representação teatral, cinematográfica, radiofônica ou televisionada: *A opereta* My Fair Lady *é uma adaptação da peça teatral* Pygmalion, *do escritor irlandês George Bernard Shaw.* **4.** *P. ext.* Uso de utensílio, objeto, peça, etc., para um fim diverso daquele ao qual se destinava: *Este pé de lâmpada é adaptação de um antigo moinho de café.* **5.** *Liter.* Transposição de uma obra para outro gênero. **6.** *Mús.* Transformação de uma obra musical para servir a um novo fim. [Cf. *arranjo* (6) e *transcrição* (6).] **7.** *Mús.* Utilização de obras já existentes como ilustração musical de uma obra dramática, coreográfica ou cinematográfica. **8.** *Arquit.* Acomodação de um complexo arquitetônico para novo uso ou programa, mediante intervenções necessárias à nova função; reutilização.

adaptado. [Part. de *adaptar.*] *Adj.* **1.** Que se adaptou. **2.** Acomodado, amoldado, ajustado: *O vazamento devia-se à torneira mal adaptada.* **3** Ajustado ao meio social em que vive. ● *S. m.* **4.** Indivíduo adaptado.

adaptador (ô). *Adj.* e *s. m.* Que ou aquele que adapta.

adaptar. [Do lat. *adaptare.*] *V. t. d.* **1.** Fazer acomodar à visão: *Adaptou a lente do telescópio.* **2.** Modificar o texto de (obra literária), ou tornando-o mais accessível ao público a que se destina, ou transformando-o em peça teatral, *script* cinematográfico, etc. **3.** *Mús.* Arranjar (7). *T. d.* e *i.* **4.** Tornar apto: *Adaptou o criado à tarefa.* **5.** Pôr em harmonia; harmonizar, acomodar, adequar: "Essa era a sua [do Conselheiro Nabuco de Araújo] qualidade principal de político: adaptar os meios aos fins" (Joaquim Nabuco, *Minha Formação*, p. 189). **6.** Amoldar, apropriar, conformar. **7.** Adequar ou acomodar uma coisa a outra: *Adaptou a lente ao binóculo.* *P.* **8.** Harmonizar-se, acomodar-se, adequar-se. **9.** Acomodar-se, ajustar-se, conformar-se: *Procurou adaptar-se às exigências do patrão.* **10.** Ambientar-se, aclimar-se.

adaptável. [Do lat. **adaptabile.*] *Adj. 2 g.* Que pode ser adaptado.

adarga. [Do ár. *ad-darghâ.*] *S. f.* Antigo escudo oval de couro, com duas braçadeiras: uma estreita, para a mão, e outra larga, para o braço: "Na adarga tresdobrada / .... / Bate e rebate, em vão, / A carga da estralante saraivada" (Bulhão Pato, *Livro do Monte*, p. 110).

adargueiro. *S. m.* **1.** Fabricante de adargas. **2.** Soldado que se servia habitualmente da adarga.

➡**ad argumentandum tantum** (ad argumentândum tântum). [Lat.] Só para argumentar.

adarme. [Do ár. *ad-dirHam.*] *S. m.* **1.** Peso antigo, igual a meia oitava ou dracma, aproximadamente, 2 g. **2.** Calibre de projetil de certas armas de fogo. **3.** *Fig.* Coisa insignificante; ninharia, bagatela, insignificância.

adarrum. *S. m. Bras.* No candomblé, ritmo apressado, forte e contínuo, marcado em uníssono por todos os atabaques e pelo agogô, e destinado a evocar qualquer santo, facilitando o transe (6).

adarvar. *V. t. d.* Fortificar por meio de adarves.

adarve. [Do ár. *ad-darb*, 'caminho', 'rua', 'ruela'.] *S. m.* **1.** Muro ameado de fortaleza: "Já conhecia esta povoação de a ver, com o binóculo, dos adarves da fortaleza de Santa Catarina" (Júlio Dantas, *Abelhas Doiradas*, p. 183). **2.** Caminho estreito no alto dos muros de uma fortaleza, atrás do parapeito.

▲**-adas.** *Suf. nom.* = 'família de (plantas)'; 'espécie de (plantas)': *labiadas.* [V. *-ada*[2].]

adastra. *S. f.* **1.** Instrumento com que os ourives endireitam aros de anéis. **2.** Bigorna de estender lâminas.

adastragem. *S. f.* Ato ou operação de adastrar.

adastrar. *V. t. d.* Endireitar ou corrigir com a adastra.

adatilia. *S. f. Ter.* Var. de *adactilia.*

adátilo. *Adj.* Var. de *adáctilo.*

adaxial (cs). [De *ad-* + *axial.*] *Adj. 2 g. Bot.* Diz-se das escamas superiores seminíferas das coníferas. [Cf. *abaxial* (2).]

➡**ad cautelam** (ad cautélam). [Lat.] Diz-se do ato que se pratica, ou medida que se toma, por simples preocupação.

➡**ad corpus** (ad córpuç). [Lat.] *Jur.* Diz-se da venda de imóvel em que se ajusta o preço do todo, sem especificar a medida da área, em oposição à venda *ad mensuram.*

➡**ad diem** (ad díem). [Lat. 'até o dia'.] Us. para designar o dia final de um prazo.

ad-digital. [De *ad-* + *-digital*.] *Adj.* 2 *g. Zool.* Situado na proximidade dos dedos. [Pl.: *ad-digitais*.]
adê. *S. m. Bras., BA.* Capacete cerimonial da deusa Oxum.
adeciduato. *S. m.* Espécime dos adeciduatos.
adeciduatos. *S. m. pl. Zool.* Grande divisão dos mamíferos, que abrange os animais cuja placenta não tem membrana caduca.
adefagia. [Do gr. *adephagía*.] *S. f. Med.* Apetite insaciável; voracidade. [Sin., desus.: *abdominia*.]
adefágico. *Adj.* Relativo à adefagia.
adéfago. *S. m.* **1.** Espécime dos adéfagos. ● *Adj.* **2.** Pertencente ou relativo aos adéfagos.
adéfagos. *S. m. pl. Zool.* Insetos da ordem dos coleópteros, subordem *Adephaga*, que têm o primeiro urosternito dividido pelos quadris posteriores, geralmente cinco ou seis urosternitos visíveis, porém os três basais (o segundo, o terceiro e o quarto), ou pelo menos o segundo e o terceiro, soldados na linha mediana, e tarsos pentâmeros.
adega. [Do gr. *apothéke*, 'depósito', pelo lat. *apotheca*.] *S. f.* **1.** Compartimento da casa, de temperatura baixa e constante, em geral subterrâneo, onde se guardam azeite, vinho e outras bebidas; cava: "O melhor vinho que encontrar na adega / É para hoje, olé!..." (Guerra Junqueiro, *A Velhice do Padre Eterno*, p. 172.) **2.** O conjunto de bebidas guardadas nesse lugar: *Que excelente adega tem ele!* **3.** *P. ext.* Lugar nas mesmas condições, onde se guardam gêneros alimentícios; despensa.
adegar. *V. t. d.* Guardar ou recolher em adega. [Conjug.: v. *regar*.]
adegueiro. *S. m.* Aquele que cuida da adega.
adeísmo. *S. m. Filos.* Adevismo [q. v.].
adejar. *V. int.* **1.** Mover as asas para manter-se em equilíbrio no ar; bater a(s) asa(s); voar. **2.** Dar vôos curtos e repetidos sem direção certa; esvoaçar, avoaçar, voejar: "Viram umas asas brancas, que adejavam pelos campos azuis." (José de Alencar, *Iracema*, p. 117); "Ao cheiro da fumaça, as vespas levantaram o vôo, adejaram sobre a cabeça da mulher e partiram" (Amadeu de Queirós, *Os Casos do Carimbamba*, p. 54). **3.** Estar iminente; pairar. **4.** Passar de leve, roçando, perpassar, aflorar: *Um sorriso adejou-lhe nos lábios. T. d.* **5.** Agitar à semelhança de asas; abanar, agitar. [Conjug.: v. *pelejar*.]
adejo[1] (ê). [Dev. de *adejar*.] *S. m.* Ato de adejar.
adejo[2] (ê). [De *andejo*, por desnasalação.] *Adj.* e *s. m. Bras., N.* Diz-se de, ou cavalo que vagueia sem cavaleiro nem carga.
adeleiro. [De *adelo* + *-eiro*.] *S. m.* Aquele que compra e vende trastes usados; belchior, adelo, bufarinheiro, ferro-velho, merca-tudo, zângano. [Cf. *bricabraquista* e *roupavelheiro*.]
adelfa. *S. f.* V. *espirradeira*.
adelfal. *S. m.* Quantidade mais ou menos considerável de adelfas dispostas proximamente entre si.
adelfia. [De *adelf(o)-* + *-ia*.] *S. f. Bot.* Soldadura dos estames pelos filetes, formando um ou vários feixes estaminais (monadelfia, diadelfia, etc.). [O termo designava tb. as classes do sistema sexual de Lineu (v. *lineano*).]
adelfo. [Do gr. *adelphós*, 'irmão'.] *Adj. Bot.* Que se caracteriza pela adelfia.
▲**adelf(o)-.** [Do gr. *adelphós, oû*.] *El. comp.* = 'irmão', 'união': *adelfógamo*. [Equiv.: *-adelfo*: *diadelfo*.]
▲**-adelfo.** Equiv. de *adelf(o)-*.
adelfogamia. [De *adelf(o)-* + *-gam(o)-* + *-ia*.] *S. f. Zool.* Cruzamento entre seres da mesma ninhada.
adelfogâmico. *Adj.* Relativo à adelfogamia.
adelfógamo. [De *adelf(o)-* + *-gamo*.] *S. m.* Animal que pratica a adelfogamia.
adelgaçado. [Part. de *adelgaçar*.] *Adj.* **1.** Delgado, fino, estreito. **2.** Aguçado, pontiagudo. **3.** Tênue, rarefeito. **4.** Emagrecido, magro.
adelgaçador (ô). *Adj.* e *s. m.* Que ou aquele que adelgaça.
adelgaçamento. *S. m.* Ato ou efeito de adelgaçar(-se).
adelgaçar. *V. t. d.* **1.** Fazer delgado, fino. **2.** Tornar fino ou agudo; aguçar. **3.** Tornar menos denso; tornar tênue; rarefazer. **4.** Diminuir, reduzir: "O homem, em menos dum mês ...., curou-se de reumatismo, adelgaçou as protuberâncias pedestres" (Camilo Castelo Branco, *A Mulher Fatal*, p. 27). **5.** Desbastar, desgastar. *Int.* **6.** Reduzir-se em tamanho, extensão, intensidade, etc.; estreitar-se, adelgar-se. *P.* **7.** Adelgaçar (6). **8.** Tornar-se menos denso; tornar-se tênue; rarefazer-se: "Ia-se a pouco e pouco adelgaçando o véu / Da noite." (Alberto de Oliveira, *Poesias*, 1ª série, p. 236.) **9.** Tornar-se magro; emagrecer. [Conjug.: v. *laçar*.]
adelgadar. [De *a-*[2] + *delgado* + *-ar*[2].] *V. t. d., int.* e *p. P. us.* V. *adelgaçar*.
adelo. [Do ár. *ad-dallal*.] *S. m.* **1.** V. *adeleiro*. **2.** Loja de adeleiro.
adelobrânquio. [Do gr. *ádelos*, 'incerto', 'obscuro', + *-brânquio*.] *Adj. Zool.* Diz-se de animal que tem brânquias pretas, escuras.
adelocórdio. *S. m.* e *adj.* Hemicordado.
adelocórdios. *S. m. pl. Zool.* Hemicordados.
adelofícea. *S. f. Bot.* Pequena planta fértil que faz parte do ciclo vegetativo de determinadas algas pardas ou feofíceas.
adelofíceo. *Adj. Bot.* Pertencente ou relativo a adelofícea.
adem. [Do lat. *anate*, atr. da f. arc. *aade*.] *S. m. Zool.* Ave palmípede dos lamelirrostros, espécie de pato: "Por cima de nós vogava um casal de adens, a fêmea de plumagem obscura, o macho de asas vistosas e com as duas guias azuis da cauda a reluzir." (José Cardoso Pires, *O Delfim*, p. 274.)
ademã. [Do esp. *ademán*.] *S. m.* **1.** *P. us.* V. *ademanes*: "E, feita uma ligeira vênia, ei-la que retorna a andar, naquele seu estudado ademã de requebrada e ondeante majestade" (Abel Botelho, *Amor Crioulo*, pp. 298-299). **2.** *Fig.* Aparência, aspecto, feitio, configuração: "Filhas dos mesmos pais [as línguas portuguesa e castelhana], diversamente educadas, distintas feições, vário gênio, porte e ademã tiveram: há contudo nas feições de ambas aquele *ar de família* que à primeira vista se colhe." (Almeida Garrett, *Obras Completas*, II, p. 348.) ~ V. *ademãs*.
ademães. *S. m. pl.* V. *ademanes*: "Não mais me mostrarão ventura oculta / Teus ademães risonhos." (Junqueira Freire, *Obras Póstumas*, II, p. 161.)
ademais. [De *a*[3] + *demais*.] *Adv.* Além disso; demais: "Vivia-se, por assim dizer, em comum. Não existindo segredo: um sabendo da vida do outro. .... Ademais, era obrigatória a passagem em frente ao local onde ele possuía a livraria." (Salim Miguel, *Alguma Gente*, p. 23.)
ademane. *S. m. P. us.* V. *ademanes*.
ademanes. [Do esp. *ademanes*.] *S. m. pl.* **1.** Movimentos (principalmente das mãos) para exprimir idéias; acenos, gestos, sinais, trejeitos: *Pôs-se a gritar, com ademanes coléricos.* **2.** Gestos afetados, amaneirados; trejeitos: "Meu amigo, — exclamou D. José de Noronha com ademanes triunfais — eu tenho palpado duas boas dúzias de corações de mulheres" (Camilo Castelo Branco, *O Santo da Montanha*, p. 34). [Var.: *ademães*. Tb. se usa *ademãs* e (embora menos) o sing. *ademane, ademã*.]
ademão. [De *a-*[3] + *demão*.] *S. m.* **1.** *Bras. Pop.* Auxílio, ajuda, demão. **2.** *Bras., SP.* V. *mutirão* (1). [Pl.: *ademãos*.]
ademãs. *S. m. pl.* V. *ademanes*. ~ V. *ademã*.
ademocrático. [De *a-*[3] + *democrático*.] *Adj.* Não democrático: "A França e a Inglaterra democráticas não poderiam .... reconhecer a Itália e a Alemanha antiliberais e ademocráticas." (Gilberto Amado, *Depois da Política*, p. 185.)
adenção. [Do lat. *ademptione*.] *S. f. Jur.* Revogação de legado ou doação.
adenda. [Do lat. *addenda*.] *S. f.* Aquilo que se acrescenta a um livro, a uma obra, para completá-la; apêndice, suplemento, adendo.
adendo. *S. m.* V. *adenda*.
adenectomia. [De *aden(o)-* + *-ectom-* + *-ia*.] *S. f. Cir.* Extirpação de glândula(s). [Cf. *adenotomia*.]
adenectômico. *Adj.* Relativo à adenectomia.
adenenfraxia (cs). [De *aden(o)-* + gr. *émphraxis*, 'ato de obstruir', + *-ia*.] *S. f. Patol.* Obstrução glandular.
adenia. [De *aden(o)-* + *-ia*.] *S. f. Patol.* **1.** Designação comum a algumas doenças dos gânglios linfáticos. **2.** Afecção crônica dos gânglios linfáticos.
adenina. *S. f. Genét.* Uma das bases nitrogenadas que compõem os ácidos nucléicos e que se liga à timina ou ao uracil.
adenite. [De *aden(o)-* + *-ite*[1].] *S. f. Patol.* Inflamação de glândula ou gânglio linfático.
▲**aden(o)-.** [Do gr. *adén, adénos*.] *El. comp.* = 'glândula': *adenóide, adenóforo*.
adenofilo. [De *aden(o)-* + *-filo*[1].] *Adj. Bot.* Dotado de folhas glandulosas, tal o maracujazeiro e a mamoneira.
adenóforo. [De *aden(o)-* + *-foro*.] *Adj.* e *s. m. Bot.* Diz-se de, ou planta ou órgão vegetal que possui glândulas.
adenóide. [De *aden(o)-* + *-óide*.] *Adj.* 2 *g. Med.* Semelhante a glândula. ~ V. *vegetações —s*.
adenoma. [De *aden(o)-* + *-oma*.] *S. m. Patol.* Tumor, em geral benigno, formado pela proliferação dos elementos próprios de uma glândula.
adenopata. [De *aden(o)-* + *-pata*.] *S.* 2 *g.* Pessoa que sofre de adenopatia. [Var. pros.: *adenópata*.]
adenópata. *S.* 2 *g.* Var. pros. de *adenopata*.
adenopatia. [De *aden(o)-* + *-pat(a)-* + *-ia*.] *S. f. Patol.* Designação comum às afecções dos gânglios linfáticos ou das glândulas.
adenopático. *Adj.* Referente à adenopatia.
adenotomia. [De *aden(o)-* + *-tom(o)-* + *-ia*.] *S. f. Cir.* Incisão de glândulas ou de gânglios linfáticos. [Cf. *adenectomia*.]
adenotômico. *Adj.* Relativo à adenotomia.
adensamento. *S. m.* **1.** Ato ou efeito de adensar(-se). **2.** *Constr.* Ação de agitar o concreto com varas de ferro ou com vibrador, fazendo-o ocupar todo o espaço das fôrmas e envolver bem os ferros. **3.** *Geol.* Consolidação de solos.
adensar. [Do lat. *addensare*.] *V. t. d.* **1.** Tornar espesso ou denso; condensar, espessar: *adensar um líquido*. **2.** Tornar denso, grave, pesado; carregar, agravar. **3.** Saturar, impregnar: *O forte perfume adensava o ar. P.* **4.** Tornar-se denso, espesso, compacto; espessar-se: "As nuvens adensavam-se a poente, escuras, e o dia parecia precipitar-se mais depressa para o fim." (José Rodrigues Miguéis, *Gente da Terceira Classe*, p. 97.) **5.** Saturar-se, impregnar-se, repassar-se. **6.** Tornar-se denso, grave, pesado; carregar-se, agravar-se. **7.** *Bras.* Reunir-se, formando grupo denso, compacto: "O povo adensava-se sob a *latada* coberta de folhagens." (Euclides da Cunha, *Os Sertões*, p. 198.)
adentado[1]. [De *a-*[2] + *dentado*[1].] *Adj.* V. *dentado*[1].
adentado[2]. [Part. de *adentar*.] *Adj.* V. *dentado*[2] (1).
adentar. [De *a-*[4] + *dentar*.] *V. t. d.* e *int.* V. *dentar* (2 e 3).
adentrar. [De *a-*[3] + *dentro* + *-ar*[2].] *V. t. d.* **1.** Fazer entrar. **2.** Entrar, penetrar em. *Int.* e *p.* **3.** Entrar, penetrar. **4.** Penetrar, internar-se, introduzir-se, embrenhar-se: "Milhares de homens, muitos vindos de outras paragens do Brasil, ... se adentram pela mata para extrair o leite das seringueiras." (Tiago de Melo, *Mormaço na Floresta*, p. 78.)
adentro. [De *a-*[3] + *dentro*.] *Adv.* **1.** No interior; dentro, interiormente. **2.** Para o interior; para dentro: "Saem correndo, Lula rua afora, Nina casa adentro" (Jorge Amado, *Teresa Batista Cansada de Guerra*, p. 249); "E as alegrias da tarde prosseguiram noite adentro, entrando pela madrugada" (Josué Montelo, *Os Degraus do Paraíso*, p. 32).
adepto. [Do lat. *adeptu*.] *S. m.* **1.** O conhecedor dos princípios ou dogmas de uma seita, religião, corrente filosófica, etc., ou o iniciado neles. **2.** Partidário, sectário, sequaz, prosélito. **3.** *Alq.* Indivíduo prestes a descobrir a pedra filosofal.
adequabilidade. *S. f.* Qualidade de adequável.
adequação. [Do lat. *adaequatione*.] *S. f.* **1.** Ato de adequar(-se). **2.** Ajustamento, adaptação. **3.** Correspondência exata; conformidade, identidade. **4.** *Filos.* Conformidade ou correspondência exata entre os termos de uma relação.
adequadamente. [Do fem. de *adequado* + *-mente*.] *Adv.* De maneira adequada; com adequação.
adequado. [Part. de *adequar*.] *Adj.* **1.** Apropriado, próprio, conveniente: "À intensa religiosidade do homem medieval correspondeu também uma literatura religiosa adequada." (Feliciano Ramos, *História da Literatura Portuguesa*, p. 43.) **2.** Acomodado, ajustado, adaptado. **3.** Conveniente, oportuno. **4.** *Filos.* Diz-se de uma representação que tem exata correspondência ou conformidade com o seu objeto.
adequar. [Do lat. *adaequare*.] *V. t. d.* e *i.* **1.** Tornar próprio, conveniente, oportuno; apropriar, adaptar: *Adequou o provérbio à ocasião.* **2.** Amoldar, acomodar, ajustar, apropriar. *P.* **3.** Adaptar-se; amoldar-se; acomodar-se, ajustar-se. [Defec. Us. só nas f. arrizotônicas: *adequamos, adequais; adequava; adequei; etc.*]
adequável. *Adj.* 2 *g.* Que pode ser adequado. ~ V. *conhecimento —*.
adereçamento. *S. m.* Ato ou efeito de adereçar(-se).
adereçar. [Do lat. vulg. **addirectiare*, de *directus*, 'direito'.] *V. t. d.* **1.** Adornar com adereço(s); enfeitar, ataviar: "Assim reflexionava Rubião, saindo para a sala de jantar, onde os copeiros adereçavam a mesa da ceia." (Machado de Assis, *Quincas Borba*, p. 219.) **2.** *P. us.* Preparar, dispor, aprontar; aparelhar. **3.** Endereçar (1). *T. d.* e *i.* **4.** Remeter, enviar, expedir; endereçar: *Adereceі-lhe ontem uma carta. P.* **5.** Adornar-se

com adereço ou jóia. **6.** Adornar-se, enfeitar-se, ataviar-se. **7.** Dirigir-se, encaminhar-se; endereçar-se. [Conjug.: v. *começar.* Pres. ind.: *adereço,* etc.; pres. subj.: *aderece, adereces,* etc. Cf. *adereço* (ê), *aderece* (è) e o pl. *adereces* (ê).]

aderece (ê). [Dev. de *adereçar.*] *S. m. Desus.* Adereço [q. v.]. [Pl.: *adereces* (ê). Cf. *aderece* e *adereces,* do v. *adereçar.*]

aderecista. *S. 2 g.* **1.** Pessoa que adereça. **2.** *Teat., Cin.* e *Telev.* Especialista que cria e executa os adereços (1 e 2) de cena e de indumentária para espetáculos teatrais, cinematográficos ou de televisão.

adereço (ê). [Dev. de *adereçar.*] *S. m.* **1.** Objeto de adorno; ornamento, enfeite. **2.** Objeto de valor destinado a adornar alguém ou sua indumentária; jóia: "diademas, colares, adereços, anéis e plumas" (Plínio Salgado, *O Estrangeiro,* p. 151). **3.** Conjunto de jóias (colar, brincos, broche, pulseira, etc.) que se combinam entre si pelo material e/ou pela feitura: *um adereço de ouro e rubis; um adereço de filigrana.* **4.** Adorno, enfeite, ornato. **5.** Arreio, jaez: *adereços de um cavalo.* **6.** Endereço, direção. [Pl.: *adereços* (ê). Cf. *adereço,* do v. *adereçar.*] ~ V. *adereços.*

adereços (ê). *S. m. pl.* **1.** *Teat., Cin.* e *Telev.* Acessórios cênicos de indumentária ou decoração. **2.** *Bras.* Trens, trastes, móveis. ~ V. *adereço.*

aderência. [Do lat. tardio *adhaerentia.*] *S. f.* **1.** Qualidade de aderente: *aderência da cola.* **2.** Adesão (1 e 2). **3.** Fixação, ligação, união, adesão: *aderência das gavinhas às estacas.* **4.** Efeito de aderir; marca, sinal, vestígio de coisa que aderiu: "entre a manga e o braço ferido havia aderências de sangue empastado." (Abel Botelho, *Os Lázaros,* p. 27). **5.** Atrito que se desenvolve entre as rodas motrizes de um veículo e a superfície de rolamento, e que assegura o deslocamento do veículo por se opor à patinhagem das rodas. **6.** *Med.* União anormal que se estabelece entre estruturas do organismo por meio de tecido fibroso.

aderente. [Do lat. *adhaerente.*] *Adj. 2 g.* **1.** Que adere. **2.** Pegado, unido, preso: *órgãos aderentes.* ~ V. *cálice — e peso —.* • *S. 2 g.* **3.** Pessoa que adere. **4.** Pessoa ligada a outrem por amizade ou dependência. [Nesta acepç. m. us. no pl.] **5.** Seguidor, sequaz, partidário. ~ V. *aderentes.*

aderentes. [Pl. de *aderente.*] *S. m. pl.* Amigos; sequazes: *É um homem só, sem parentes nem aderentes.* ~ V. *aderente.*

adergar. [Do lat. vulg. *addirigere, com alter. do final *-igere* para *-icare.*] *V. t. d., int.* e *p.* Adregar. [Conjug.: v. *largar.* Pres. ind.: *adergo,* etc. Cf. *adergo* (ê).]

adergo (ê). [Dev. de *adergar.*] *S. m.* Adrego (ê). [Pl.: *adergos* (ê). Cf. *adergo,* do v. *adergar.*]

aderir. [Do lat. *adhaerere.*] *V. int.* **1.** Estar ou tornar-se intimamente ligado, unido, colado: "A poeira entranhada sufoca-nos. Pega-se. Adere." (Raul Brandão, *Húmus,* p. 25.) **2.** Ser aderente; grudar, colar: "O ar é pastoso e adere como goma. (José Alcides Pinto, *O Criador de Demônios,* p. 57.) **3.** Abraçar partido, empresa, causa, seita, etc.; dar adesão. **4.** Conformar-se, aprovando. *T. i.* **5.** Tornar-se aderente; prender-se, unir-se, colar-se: *A camisa suada aderia ao corpo.* **6.** Tornar-se ou mostrar-se adepto (2); abraçar partido, empresa, causa, seita, etc. **7.** Unir-se a uma iniciativa de apreço, apoio ou solidariedade a alguém ou alguma causa: *Muitas pessoas aderiram à homenagem ao grande poeta.* *T. d.* e *i.* **8.** Unir, juntar, ligar, colar: *Adira esta folha de papel àquela outra.* *T. d.* **9.** Fazer pegar a ou em; unir, juntar. *P.* **10.** Ajuntar-se, unir-se, ligar-se, colar-se: *Construções gramaticais em que o gerúndio se adere a um substantivo.* [Irreg. Muda o e do radical em *i* na 1ª pess. sing. do pres. ind., *adiro, e,* portanto, em todas as pess. do pres. subj.: *adira, adiras, adira, adiramos, adirais, adiram.*]

adernado. [Part. de *adernar.*] *Adj.* **1.** *Mar.* Inclinado sobre um dos bordos **2.** *Bras., N.E.* Entornado, derramado.

adernal. *S. m.* Quantidade mais ou menos considerável de adernos dispostos proximamente entre si.

adernamento. *S. m. Mar.* **1.** Ato ou efeito de adernar. **2.** Banda[1] (6).

adernar. *V. t. d.* **1.** *Mar.* Inclinar (a embarcação) sobre um dos bordos: "uma força brutal e cega [do vento] que enchia as velas, adernava o barco, alteava as ondas bravias" (Josué Montelo, *Cais da Sagração,* p. 160). *Int.* **2.** *Mar.* Inclinar-se (a embarcação) sobre um dos bordos por ação do vento, vaga, ou alagamento parcial de compartimentos: "A canoa adernou, no começo com uma inclinação parcial." (Raul Bopp, *Putirum,* p. 211.) **3.** *Bras., N.E.* Inclinar-se ou emborcar-se (o recipiente), deixando cair conteúdo líquido.

aderno. [Do lat. *alaternu.*] *S. m. Bras.* **1.** V. *guarabupreto.* **2.** *Bot.* Árvore da família das olacáceas (*Emmotum nitens*), do cerradão e das matas secas, cuja madeira é usada para ripados, e as folhas são espessas e cobertas de pêlos sedosos.

adesão. [Do lat. *adhaesione.*] *S. f.* **1.** Ato de aderir; aderência. **2.** Assentimento. **3.** Aprovação, concordância, aderência. **4.** Manifestação de solidariedade a uma idéia, a uma causa; apoio: "eu não julgo necessário produzir bem alto a afirmação da minha profunda adesão ao Governo" (Eça de Queirós, *O Conde d'Abranhos,* p. 147). **5.** Aderência (3). **6.** O ato de aderir (7): *banquete de adesões.* **7.** *Fís.* Atração entre dois corpos sólidos ou plásticos, com superfícies de contato comuns, e produzida pela existência de forças atrativas intermoleculares de ação a curta distância.

adesionismo. *S. m.* Adesismo.

adesionista. *Adj. 2 g.* e *s. 2 g.* Adesista.

adesismo. *S. m.* **1.** Adesão sistemática, em política, às situações novas. **2.** Tendência para essa adesão. [Sin. ger.: *adesionismo.*]

adesista. *Adj. 2 g.* e *s. 2 g.* Que ou quem pratica o adesismo; adesionista.

adesividade. *S. f.* Qualidade ou propriedade de adesivo.

adesivo. *Adj.* **1.** Que adere; aderente. **2.** Que cola, une, adere: *tinta adesiva.* **3.** Que permanece colado depois de aplicado por pressão: *papel adesivo.* • *S. m.* **4.** Tira de papel, de pano, de plástico ou de qualquer outro material flexível, com um dos lados recoberto de substância adesiva (2) a uma superfície sem umedecimento.

adeso. [Part. irreg. de *aderir.*] *Adj.* Aderido.

adespois. [De *a-*[4] + *despois.*] *Adv. Bras. Pop.* Depois.

adestração. *S. f.* V. *adestramento.*

adestrado. [Part. de *adestrar.*] *Adj.* Destro; ensinado, amestrado, industriado: "queria .... atirar-se ao teto e cair de ponta-cabeça ao soalho, dando um salto no espaço, como funâmbulo adestrado." (João Pacheco, *Negra a caminho da Cidade,* p. 13).

adestrador (ô). *Adj.* e *s. m.* Que ou aquele que adestra.

adestramento. *S. m.* Ato ou efeito de adestrar(-se); treino, adestração.

adestrar. [De *a-*[2] + *destro* + *-ar*[2].] *V. t. d.* e *p.* Tornar(-se) destro, hábil, capaz; habilitar(-se), instruir(-se), preparar(-se), amestrar(-se): *Os espartanos adestravam os cidadãos para a vitória; Adestrou-se bem para a competição.*

adestro. [De *a-*[3] + *destro.*] *Adj.* **1.** Que vai ao lado a fim de preencher falta. **2.** Diz-se do cavalo que se conduz para muda no caminho.

adeus. [De *a-*[3] + *Deus.*] *Interj.* **1.** Emprega-se como cumprimento, em sinal de despedida, e significa 'Deus o acompanhe!' [Sin. (fam.): *adeusinho.*] **2.** Exprime pena ou saudade de pessoa ou coisa perdida ou desaparecida, de bem que se gozou: "Adeus! ó choça do monte! ... / ... Adeus! palmeiras da fonte!... / ... Adeus! amores ... adeus! ..." (Castro Alves, *Obra Completa,* p. 282.) **3.** Emprega-se para significar desaparecimento, como sin. de 'e lá se vai (ou se foi)': *Quando tudo ia tão bem, adeus, boa vida, adeus, casamento!* • *S. m.* **4.** Despedida, separação. **5.** Gesto ou sinal de despedida, ou, por vezes, de saudação: "Nenhum dos recrutas abraçou amigos e parentes; os adeuses trocaram-se com os olhos e com as mãos, de longe." (Inglês de Sousa, *Contos Amazônicos,* p. 27.) [Pl.: *adeuses.*] ◆ **Adeus de mão fechada.** *Bras. Chulo.* V. *manguito.* **Dar adeus.** *Gír. Turfe.* Despedir (15). **Dar adeus a.** Saudar à distância; dizer adeus a; dar adeusinho. **Dizer adeus a.** **1.** Despedir-se de (uma pessoa). **2.** Dar adeus a. **3.** Renunciar a (algo): *Com o casamento, disse adeus à boêmia.* **Dizer adeus ao mundo.** V. *morrer* (1).

adeusar. [De *a-*[2] + *Deus* + *-ar*[2].] *V. t. d.* e *p. P. us.* V. *endeusar.*

adeusinho. *Interj.* **1.** *Fam.* Adeus (1). • *S. m.* **2.** Gesto ou sinal de despedida carinhoso: "E despediram-se risonhas, com adeusinhos íntimos." (Coelho Neto, *Turbilhão,* p. 344.) ◆ **Dar adeusinho a.** Dar adeus a.

adevão. *S. m. Bras. Pop.* Contenda, luta, briga, desordem. V. *rolo*[1] (16).

adevismo. [De *a-*[1] + *deva* + *-ismo.*] *S. m. Filos.* Rejeição da multiplicidade de devas [v. *deva*], que são considerados como figuração de uma divindade única; adeísmo. [Cf. *ateísmo* e *teísmo.*]

➡**ad hoc** (adóc). [Lat., 'para isso', 'para este caso'.] **1.** De propósito; adrede. **2.** Designado, por se tratar de perito (4), para executar determinada tarefa. Ex.: *escrivão 'ad hoc'; advogado 'ad hoc'.* **3.** *Filos.* Diz-se de argumento ou de assunção forjados a partir do fato que pretendem justificar ou explicar.

➡**ad hominem** (adóminem). [Lat., 'ao homem'.] Us. na expr. *argumento* ad hominem. ◆ **Argumento "ad hominem".** Argumento com que se procura confundir o adversário, opondo-lhe seus próprios atos ou palavras. [Antôn.: *ad rem.*]

adiabata. *S. f. Fís.* Adiabática.

adiabática. [Fem. substantivado de *adiabático.*] *S. f. Fís.* Num diagrama de estado de um sistema, a curva representativa de uma evolução adiabática deste sistema; adiabata.

adiabático. [Do gr. *adiábatos,* 'impenetrável', + *-ico*[2].] *Adj. Fís.* Diz-se dum processo de transformação dum sistema em que não ocorrem trocas térmicas com o exterior. ~ V. *desmagnetização — a* e *transformação — a.*

adiáfano. [De *a-*[3] + *diáfano.*] *Adj.* Não diáfano; opaco.

adiaforese. [De *a-*[3] + *diaforese.*] *S. f. Patol.* Falta, ou diminuição acentuada, de secreção sudoral. [Antôn.: *sudorese.*]

adiaforético. *Adj.* Relativo à adiaforese.

adiaforia. [De *adiáforo* + *-ia.*] *S. f. Filos.* Indiferença completa em face de coisas e acontecimentos.

adiafórico. *Adj.* Relativo à adiaforia.

adiaforismo. [De *adiáforo* + *-ismo.*] *S. m.* **1.** *Filos.* Descrença sistemática na possibilidade de o homem alcançar a verdade. **2.** *Rel.* A doutrina dos luteranos moderados.

adiaforista. [De *adiáforo* + *-ista.*] *Adj. 2 g.* **1.** Respeitante ao, ou que é sectário do adiaforismo. • *S. 2 g.* **2.** Sectário dele.

adiáforo. [Do gr. *adiáphoros.*] *Adj.* Não essencial; acessório, secundário, dispensável.

adiamantado. [De *a-*[2] + *diamante* + *-ado*[1].] *Adj.* Semelhante ao diamante, no brilho e dureza.

adiamantar. [De *a-*[2] + *diamante* + *-ar*[2].] *V. t. d.* **1.** Tornar brilhante ou luminoso como o diamante. **2.** Tornar ou fazer duro como o diamante. **3.** Ornar, ornamentar, com diamantes.

adiamantino. *Adj.* V. *adamantino.*

adiamento. *S. m.* Ato ou efeito de adiar.

adiana. *Bras. S. 2 g.* **1.** Indivíduo dos adianas, tribo aruaque da bacia do Uaupés. • *Adj. 2 g.* **2.** Pertencente ou relativo a esses indígenas. [Sin. ger.: *adiânene, azâneni.*]

adiânene. *Bras. S. 2 g.* e *adj. 2 g.* V. *adiana.*

adiantado. [Part. de *adiantar.*] *Adj.* **1.** Que se adianta ou adiantou. **2.** Mais distante do começo ou mais próximo do fim (no tempo ou no espaço); avançado: *homem adiantado em anos; hora adiantada do dia; com a tarefa adiantada, saiu de férias.* **3.** Desenvolvido em conhecimentos, em estudos; avançado: *O aluno mais adiantado da classe ganhará um prêmio;* "Guiou dali Vieira [o P.e Antônio Vieira] para a escola ...., e logo animosamente pediu para argumentar com os mais sabedores e adiantados." (João Francisco Lisboa, *Obras,* IV, p. 10). **4.** Desenvolvido em cultura; civilizado: *povos adiantados.* **5.** *Bras.* Intrometido, metediço, audacioso. • *S. m.* **6.** Antigo governador de província. **7.** Qualidade de adiantado (2): *Em vista do adiantado da hora, teve de sair da reunião.* • *Adv.* **8.** Com antecipação, adiantadamente: *Pagou adiantado o aluguel da casa.*

adiantamento. *S. m.* **1.** Ato ou efeito de adiantar(-se). **2.** Proximamente ao fim ou à conclusão: *adiantamento da obra.* **3.** Dianteira, prioridade, primazia. **4.** Progresso, desenvolvimento, avanço: *adiantamento de um povo.* **5.** Progressos nos estudos. **6.** Quantia paga antecipadamente por conta de salários, vencimentos, honorários, títulos de dívidas, etc.: "Enterrara muito dinheiro no vapor de descaroçar e espalhara com os agricultores adiantamentos." (José Lins do Rego, *Pedra Bonita,* p. 70.)

adiantar. [De *adiante* + *-ar*[2].] *V. t. d.* **1.** Mover ou estender para diante: "O sertanejo adiantou alguns passos pela copa da árvore." (José de Alencar, *O Sertanejo,* p. 74); *O pedinte adiantou o braço para receber a esmola.* **2.** Fazer avançar, progredir, desenvolver: *Administrou inteligentemente, adiantando a indústria e o comércio durante a sua gestão* **3.** Acelerar, apressar: *Tinha pressa; pediu que adiantassem o almoço.* **4.** Fazer ou dizer antes do tempo; antecipar, precipitar: *Se pudesse, adiantaria o encontro que marcara para o mês seguinte.* **5.** Pagar adiantadamente parte ou total de (quantia ajustada). **6.** Abonar, emprestar (dinheiro). *T. d.* e *i.* **7.** Dizer ou afirmar com antecipação: "A polícia .... prendeu comunistas e simpatizantes .... . E vai tudo para o sul, posso-lhe adiantar." (Josué Montelo, *Uma Tarde, Outra Tarde,*

p. 8.) **8.** Pagar antecipadamente. **9.** Fazer avançar, progredir, desenvolver; melhorar, aperfeiçoar. *Int.* **10.** Trazer vantagem, proveito, lucro, benefício, resolver: *Processos violentos quase nunca adiantam.* **11.** Ter efeito; aproveitar; valer a pena; compensar: *Naquele caso, conselhos não adiantavam.* **12.** Avançar (o mecanismo do relógio) mais depressa que o normal, marcando a hora com adiantamento: *O seu relógio nunca adianta nem atrasa. P.* **13.** Ir para diante, caminhar para a frente; avançar: "Ana adiantou-se para mim, e dando-me a mão ...., apresentou rubescente a fronte pura e angélica." (José de Alencar, *Lucíola*, p. 178.) **14.** Fazer ou dizer antes do tempo; adiantar-se, precipitar-se: "no seu interesseiro inquérito, ele adiantara-se mais do que convinha. Urgia disfarçar a intenção." (Abel Botelho, *Os Lázaros*, p. 215). **15.** Apressar-se, acelerar-se. **16.** *Bras. Fam.* Tomar confiança, liberdade.

adiante. [De a^{3} + *diante*.] *Adv.* **1.** Na frente; na dianteira: "A s^{ra} morgada ia casar com um fidalgo muito rico de Alijó, que já tinha mandado adiante dez cargas de dinheiro." (Camilo Castelo Branco, *O Santo da Montanha*, p. 206.) **2.** Em primeiro lugar, primeiramente: *O pai entrou adiante de todos, furioso com os acontecimentos.* **3.** À frente; para a frente; para o primeiro lugar: "Enquanto os três amigos mais chegados do seminário passavam adiante, trabalhando e servindo, ... ele Teófilo era o mesmo apóstolo e místico dos primeiros anos" (Machado de Assis, *Histórias sem Data*, p. 185). **4.** Em lugar à frente daquele que se considera; além: "afastou-se do lugar. Adiante parou e refletiu" (Id., *Contos Fluminenses*, p. 35). **5.** Em seguida; depois, após: *Logo adiante uns meses viajou.* **6.** Em continuação; em diante, por diante: "Antes de ir adiante, direi que eram primos." (Machado de Assis, *Histórias sem Data*, p. 178.) **7.** Depois, posteriormente, futuramente: "Pelo tempo adiante reparou que os noivos tinham mais cara de enterro que de casamento." (Id., *Contos Fluminenses*, p. 41.) **8.** A uma fase adiantada de execução; à frente; avante: *Infelizmente não viu a obra que levou tão adiante.* • *Interj.* **9.** Exprime intimação para continuar alguma coisa interrompida, equivalendo a *passe adiante, prossiga, toque para frente*: " — Adiante, homem de Deus, adiante! — tornou o juiz de paz" (Aquilino Ribeiro, *Quando ao Gavião Cai a Pena*, p. 212).

adianto. *S. m.* Designação científica vulgarizada do gênero *Adiantum*, da família das polipodiáceas, o qual engloba plantas ornamentais, mais conhecidas como *avenca* [q. v.].

adiapneustia. [Do gr. *adiapneustía*.] *S. f. Patol.* Supressão da transpiração.

adiapnêustico. *Adj.* Relativo à adiapneustia.

adiar. [De a-^{2} + *dia* + *-ar*^{2}.] *V. t. d.* **1.** Transferir para outro dia; protelar, prorrogar, procrastinar. **2.** Reprovar em exame: *O professor adiou vários candidatos inscritos.*

adiatérmico. [De a-^{3} + *diatérmico*.] *Adj. Fís.* Diz-se de corpo ou substância opacos à radiação térmica.

adiável. *Adj. 2 g.* Que pode ou deve ser adiado.

adição^{1}. [Do lat. *aditione*.] *S. f.* Ato ou efeito de adir^{1}.

adição^{2}. [Do lat. *additione*.] *S. f.* **1.** Ato ou efeito de adir^{2}; adicionamento, adicionação. **2.** Acrescimento, acréscimo, acrescentamento, aditamento. **3.** *Mat.* Soma^{1}.

adição^{3}. [Do fr. *addition*.] *S. f. Bras.* Conta (7).

adicijá. [Do *ioruba*.] *S. m. Bras.* Esteira de palha usada nos terreiros jeje-nagôs como cama, mesa ou simples descanso.

adicionação. *S. f.* Ato de adicionar; adicionamento, adição.

adicionado. [Part. de *adicionar*.] *Adj.* **1.** Juntado, acrescentado, somado. **2.** *Bras., S.* Diz-se do cavalo que tem doença crônica ou defeito físico, particularmente nos órgãos locomotores. ~ V. *charada* —*a*.

adicionador (ô). *Adj.* e *s. m.* Que ou que adiciona.

adicional. *Adj. 2 g.* **1.** Que se adiciona, que se acrescenta. **2.** Acessório, complementar. ~ V. *ato*—. • *S. m.* **3.** Aquilo que se adiciona ou se acrescenta. **4.** Imposto, ou taxa, que se acrescenta a outro imposto ou taxa.

adicionamento. *S. m.* V. *adicionação*.

adicionar. *V. t. d.* **1.** Juntar, ajuntar, acrescentar, acrescer, aditar, adir. **2.** Fazer a adição (4) de; somar. **3.** *Bras., S.* Tornar (o cavalo) adicionado (2). *T. d. e i.* **4.** Acrescentar, juntar, ajuntar, aditar, adir: "Em obediência à medicina bruta do sertão, adicionavam cebola à beberagem, o que a tornava repugnante." (Graciliano Ramos, *Infância*, p. 124.) *P.* **5.** *Bras., S.* Tornar-se (o cavalo) adicionado.

adicionável. *Adj. 2 g.* Que pode ser adicionado.

adicto. [Do lat. *addictu*.] *Adj.* **1.** Afeiçoado, dedicado, apegado. **2.** Adjunto, adstrito, dependente.

adido. [Part. de *adir*^{2}.] *S. m.* **1.** Funcionário agregado a outro, a corporação ou a quadro, para auxiliar. **2.** Pessoa não pertencente aos quadros diplomáticos designada para servir junto a uma embaixada como representante de interesses específicos: *adido cultural; adido militar; adido de imprensa.*

adietado. [Part. de *adietar*.] *Adj.* **1.** Posto em dieta. **2.** Conforme a dieta: *almoço adietado.*

adietar. [De a-^{2} + *dieta* + *-ar*^{2}.] *V. t. d.* e *p.* Pôr(-se) em dieta; submeter(-se) a dieta.

adimensional. [De a-^{3} + *dimensional*.] *Adj. 2 g.* Que não tem dimensão. ~ V. *número* —.

adimplemento. *S. m. Jur.* Ato ou efeito de adimplir; adimplência: "Quando se diz que a propriedade e a posse se transferirão no dia tal, ... necessariamente se acordou na transmissão, como adimplemento ou modo de adimplemento do contrato de compra-e-venda." (Pontes de Miranda, *Tratado de Direito Privado*, XXXIX, p. 58.)

adimplência. *S. f. Jur.* Adimplemento.

adimplente. *Adj. 2 g. Jur.* Que cumpre no devido termo todas as obrigações contratuais; que adimple.

adimplir. [Do lat. tardio *adimplere*.] *V. t. d. Jur.* Cumprir, executar, completar (um contrato).

adinamia. [Do gr. *adynamía*.] *S. f.* **1.** Estado de prostração física e/ou moral; debilidade geral; falta de forças: "Imóveis largo tempo, um em frente ao outro, ... parecendo refletir a adinamia do mesmo esgotamento — espiavam-se, solertes, traiçoeiros, tocaiando-se." (Euclides da Cunha, *Os Sertões*, p. 584.) **2.** *Patol.* Ausência ou perda do tono normal, observada sobretudo no curso de doenças infecciosas prolongadas.

adinâmico. *Adj.* Respeitante à adinamia. ~ V. *íleo* —.

adínamo. [Do gr. *adynamos*.] *Adj.* Enfraquecido, debilitado, prostrado.

adinheirado. [De a-^{2} + *dinheiro* + *-ado*^{1}.] *Adj.* V. *endinheirado.*

adinimonadácea. *S. f.* Espécime das adinimonadáceas.

adinimonadáceas. *S. f. pl. Bot.* Família de dinoflagelados destituídos de carapaça.

adinimonadáceo. *Adj.* Pertencente ou relativo às adinimonadáceas.

➧**ad instar** (adínçtar). [Lat.] À semelhança de.

adíon. [De *ad*(sorvido) + *íon*.] *S. m. Fís.-Quím.* Íon adsorvido numa superfície.

ádipe. [Do lat. *adipe*.] *S. f.* e *m.* Gordura animal: "Quando ele surgiu na praça da cidade embarrilado no próprio ádipe, ..., vinha montando um robusto quartau" (Xavier Marques, *As Voltas da Estrada*, p. 23). [Var.: *ádipo*.]

adípico. [De *ádipe* + *-ico*^{2}.] *Adj.* ~ V. *ácido* —.

ádipo. *S. m.* Var. de *ádipe* [q. v.].

▲**adip(o)-.** [Do lat. *adeps, adipis*.] *El. comp.* = 'gordura': *adipoma, adipose.*

adipocera. [Do fr. *adipocire*.] *S. f. Med.* Massa branca, mole, quebradiça, que se forma nos diversos tecidos e órgãos dos cadáveres, principalmente dos inumados em lugares úmidos.

adipoma. [De *adip(o)-* + *-oma*.] *S. m. Patol.* Tumor gorduroso; lipoma.

adiposa. [Fem. substantivado de *adiposo*.] *S. f. Zool.* Pequena excrescência carnosa dos peixes, sem raios internos, encontrada atrás da nadadeira dorsal, e presente, em geral, nos nematognatos e nos caracídeos; nadadeira adiposa dos peixes.

adipose. [De *adip(o)-* + *-ose*.] *S. f. Med.* Aumento, em regra patológico, de gorduras no tecido celular subcutâneo; obesidade.

adiposidade. [De *adiposo* + *-i-* + *-dade*.] *S. f. Med.* Condição em que o peso corporal pode não exceder o normal, mas é excessiva a proporção de gordura nele existente. [Cf. *obesidade*.]

adiposo (ô). [De *ádipe* + *-oso*.] *Adj.* **1.** Gorduroso, gordo. **2.** Muito gordo; balofo, obeso. ~ V. *panículo* — e *tecido* —.

adiposuria. *S. f. Med.* Var. pros. de *adiposúria*.

adiposúria. [De *adiposo* + *-ur(o)-* + *-ia*.] *S. f. Med.* Presença de gordura na urina; lipúria. [Var. pros.: *adiposuria*.]

adiposúrico. *Adj.* Concernente à adiposúria.

adipsia. [Do gr. *ádipos*, 'sem sede', + *-ia*.] *S. f.* Falta de sede.

adípsico. *Adj.* Referente à adipsia.

adir^{1}. [Do lat. *adire*.] *V. t. d.* Entrar na posse de (os bens da herança). [Defect. Conjug.: v. *falir*.]

adir^{2}. [Do lat. *addere*.] *V. t. d. e i.* **1.** Acrescentar, juntar, ajuntar, adicionar: *Adiu novos argumentos a tantos outros já apresentados.* **2.** Agregar, incorporar. *P.* **3.** Juntar-se, ligar-se, aliar-se, unir-se; coligar-se. [Defect. Conjug.: v. *falir*.]

aditamento. [Do lat. *additamentu*.] *S. m.* **1.** Ato ou efeito de aditar^{2}; acrescentamento, adição. **2.** O que se junta ou adita a alguma coisa para esclarecê-la ou completá-la; suplemento.

aditar^{1}. [De a-^{2} + *dita* + *-ar*^{2}.] *V. t. d.* Proporcionar dita ou felicidade a; tornar ditoso; afortunar. [Pres. ind.: *adito*, etc. Cf. *ádito*.]

aditar^{2}. [Do lat. *additu*, part. pass. de *addere*, 'acrescentar', 'adir', + *-ar*^{2}.] *V. t. d. e t. d. e i.* **1.** Adicionar; acrescentar, juntar, adir: *Fez a declaração e não aditou minúcias; Aditou novos títulos aos da bibliografia. Int.* **2.** Fazer aditamento: "meu papel, subalterno e pouco menos de anônimo, limitado a corrigir, suprimir e aditar em obra alheia, não seria susceptível de comparação nenhuma com o do Professor Clóvis [Clóvis Beviláqua]" (Rui Barbosa, *Réplica*, p. 53). *P.* **3.** Juntar-se, ligar-se, associar-se; adir-se. [Pres. ind.: *adito*, etc. Cf. *ádito*.]

aditício. [Do lat. *additiciu*.] *Adj.* Que se juntou ao texto; acrescentado.

aditiva. [Fem. substantivado do adj. *aditivo*.] *S. f. Gram.* Conjunção aditiva.

aditivado. [De *aditivo* + *-ado*^{1}.] *Adj.* Que recebeu aditivo (2 a 5).

aditivo. [Do lat. *additivu*.] *Adj.* **1.** Que se adita; adicional. ~ V. *agente* —, *charada* —*a*, *conjunção* —*a*, *inverso* —, *operação* —*a*, *propriedade* —*a* e *sinal* —. • *S. m.* **2.** O que se adicionou. **3.** *Constr.* Substância que se junta, em pequenas quantidades, aos aglomerantes, para lhes modificar determinadas características. **4.** *Quím.* Substância adicionada a uma solução para aumentar, diminuir ou eliminar determinada propriedade desta; agente aditivo. **5.** *Ind. Pap.* Carga (18).

aditivo-constitutivo. *Adj.* ~ V. *propriedade* —*a*. [Pl.: *aditivo-constitutivos*.]

ádito. [Do gr. *ádyton*, pelo lat. *adytu*.] *S. m.* **1.** Câmara secreta, nos templos antigos; santuário onde só os sacerdotes podiam entrar: "Nos áditos do místico pagode / O ministro de Brama aspira incensos." (Junqueira Freire, *Obras Poéticas*, I, p. 71.) **2.** Compartimento reservado. **3.** Lugar recôndito; arcano: "densa abóbada de folhagem verde-negra cobria o ádito agreste, reservado aos mistérios do rito bárbaro." (José de Alencar, *Iracema*, p. 60). **4.** Entrada, abertura. **5.** Acesso, aproximação: *Conseguiu enfim ádito ao presidente.* **6.** Porta, portal, pórtico. [Cf. *adito*, do v. *aditar*.]

adivinha^{1}. [Dev. de *adivinhar*.] *S. f.* **1.** Coisa para adivinhar; enigma popular; adivinhação. **2.** Adivinhação (2). [Cf. *advinha*, do v. *advir*.]

adivinha^{2}. [Fem. de *adivinho*.] *S. f.* Mulher que pretende ter faculdades divinatórias; profetisa, pitonisa, adivinhadeira, adivinhona. [Cf. *advinha*, do v. *advir*.]

adivinhação. *S. f.* **1.** Ato ou efeito de adivinhar (1 e 6). **2.** Brincadeira que consiste na proposição de enigmas fáceis para serem decifrados; adivinha. **3.** Adivinha^{1} (1).

adivinhadeira. *S. f.* V. *adivinha*^{2}.

adivinhadeiro. *S. m.* V. *adivinho*.

adivinhador (ô). *Adj.* **1.** Que adivinha; adivinhante. • *S. m.* **2.** V. *adivinho*.

adivinhante. *Adj. 2 g.* Adivinhador (1).

adivinhão. *S. m.* **1.** V. *adivinho*. **2.** Bruxo, feiticeiro. [Fem.: *adivinhona*.]

adivinhar. [De *adivinho* + *-ar*^{2}.] *V. t. d.* **1.** Conhecer ou descobrir, por meios sobrenaturais ou artifícios hábeis, o que está oculto em (o passado, presente ou futuro). **2.** Descobrir por interpretação, indução, conjetura, intuição, etc.: *Desde as primeiras palavras adivinhei o seu talento de orador.* **3.** Acertar com; atinar (com), descobrir: *Não consigo adivinhar a causa de sua deliberação.* **4.** Tirar conclusões de; deduzir, interpretar: *Pelo seu aspecto acabrunhado, adivinhou a gravidade da notícia.* **5.** Interpretar, decifrar: *adivinhar um enigma, um mistério. T. d. e I.* **6.** Predizer, profetizar, vaticinar: *É fácil adivinhar-lhe um futuro glorioso. Transobj.* **7.** Supor, julgar, presumir, imaginar: *Adivinhou-a leviana e irresponsável.*

adivinhe-quem-vem-hoje. *S. m. 2 n. Bras.* V. *gente-de-fora-vem-aí.*

adivinho. [Do lat. *divinu*, i. e., *homo divinu*, 'homem a que os deuses concederam o dom de adivinhar'.] *S. m.* Aquele a quem se atribuem faculdades divinatórias, ou que atribui a si tais faculdades; adivinhador, adivinhadeiro, adivinhão, harĭolo, profeta.

adivinhona. *S. f. Pop.* V. *adivinha*^{2}.

adixá. *S. f. Bras., N.E. Folcl.* A quinta e última salá, rezada à noite.

adjá. *S. m. Bras., BA.* Comprida campainha de lata que pais-de-santo ou mães-de-santo vibram durante as cerimônias religiosas; campa.

adjacência. [Do lat. tardio *adjacentia.*] *S. f.* **1.** Situação adjacente; vizinhança, proximidade, contigüidade: "um jornal que defendesse os interesses da Igreja e doutrinasse os tapuios dos sítios do Urubus e adjacências." (Inglês de Sousa, *O Missionário*, p. 97). **2.** Qualidade, estado ou posição de adjacente, de contíguo.

adjacente. [Do lat. *adjacente.*] *Adj. 2 g.* **1.** Contíguo, junto, confinante: *adjacente ao cais.* **2.** Próximo, vizinho: *terras adjacentes.* ~ V. *ângulos —s* e *mar —.*

adjazer. [Do lat. *adjacere.*] *V. int.* Estar, permanecer, jazer junto. [Conjug.: v. *aprazer.*]

adjeção. [Do lat. *adjectione.*] *S. f.* Adição, acrescentamento.

adjetivação. *S. f.* Ato, efeito ou modo de adjetivar; adjetivamento.

adjetivado. [Part. de *adjetivar.*] *Adj.* **1.** Tornado adjetivo. **2.** Empregado como adjetivo: *advérbio adjetivado.* **3.** Acompanhado de adjetivo.

adjetival. *Adj. 2 g.* Referente ao, ou da natureza do adjetivo.

adjetivamento. *S. m.* Adjetivação.

adjetivar. *V. t. d.* **1.** Dar acepção ou valor gramatical de adjetivo a: *adjetivar um substantivo.* **2.** Acompanhar de adjetivo; qualificar. *T. d. e i.* **3.** Fazer coerente, compatível; amoldar, conformar, harmonizar: *Sabe adjetivar a sabedoria com a modéstia. Transobj.* **4.** Atribuir qualidade; qualificar; chamar: *Adjetivou de ilustres as pessoas presentes. Int.* **5.** Empregar o adjetivo: *Adjetiva muito, em seus escritos.*

adjetivo. [Do lat. *adjectivu.*] *S. m.* **1.** *Gram.* Palavra que caracteriza os seres [v. *ser* (19)] ou os objetos nomeados pelo substantivo, indicando-lhes uma qualidade, caráter, modo de ser ou estado; p. ex.: pessoa *caridosa*, mulher *honesta*, *boa* casa, céu *nublado*. ● *Adj.* **2.** Que se junta; adjeto. **3.** Equivalente ao adjetivo (1), ou que o traz implícito: *oração adjetiva.* ~ V. *direito —, lei —a, pronome —* e *verbo —.* ♦ **Adjetivo gentílico.** *Gram.* O que se aplica a raça ou povo: *latino, anglo, germânico.* [Tb. se diz apenas *gentílico.*] **Adjetivo pátrio.** *Gram.* O que se refere a continente, país, região, estado, cidade, província, vila, povoado: *americano, brasileiro, amazonense, amazônico, macaense, coimbrão, minhoto.*

adjeto. [Do lat. *adjectu.*] *Adj.* Acrescentado, juntado, adjunto. ~ V. *pacto —.*

adjudicação. [Do lat. *adjudicatione.*] *S. f. Dir. Jud. Civ.* O ato de transferir ao exeqüente bens penhorados, ou os respectivos rendimentos, em pagamento do seu crédito contra o executado.

adjudicador (ô). *Adj.* e *s. m. Jur.* Que ou aquele que adjudica.

adjudicando. *S. m. Jur.* O que se vai adjudicar.

adjudicar. [Do lat. *adjudicare.*] *V. t. d. Jur.* **1.** Fazer adjudicação de: *Mandou adjudicar os bens do menor.* **2.** Conceder a posse de (qualquer coisa), por decisão ou sentença de autoridade judicial ou administrativa. *T. d. e i.* **3.** *Jur.* Fazer adjudicação. **4.** Considerar como autor, causa ou origem; atribuir: *Impossível adjudicar a tão mau poeta um poema tão belo.* **5.** Vincular, ligar: *Adjudicou o seu trabalho ao pagamento da dívida paterna.* **6.** Confiar, conferir, entregar; incumbir. *P.* **7.** Chamar, atribuir, arrogar a si; atribuir-se, arrogar-se: *Adjudicou-se a falha do empreendimento.* [Conjug.: v. *trancar.*]

adjudicatário. *S. m. Jur.* Aquele a quem alguma coisa é adjudicada.

adjudicativo. *Adj. Jur.* Adjudicatório.

adjudicatório. *Adj. Jur.* Diz-se de ato ou sentença de que deriva a adjudicação; adjudicativo.

➧**ad judicia** (ad judícia). [Lat., 'para o juízo'.] *Jur.* Diz-se do mandato que se outorga aos advogados para procurarem em juízo os direitos do mandante, sem ser preciso mencionar especificadamente os poderes, salvo para determinados atos expressos em lei.

adjunção. [Do lat. *adjunctione.*] *S. f.* **1.** Ato ou efeito de juntar, de associar. **2.** *Álg. Mod.* Processo de passar de um corpo algébrico para o corpo das raízes de uma equação algébrica, cujos coeficientes estão no corpo primitivo. **3.** *Jur.* Modo de aquisição da propriedade móvel, pela justaposição de uma coisa a outra formando ambas um todo.

adjunto. [Do lat. *adjunctu.*] *Adj.* **1.** Unido, próximo, contíguo, associado, adjeto. **2.** Auxiliar, ajudante, assistente. ~ V. *promotor público —.* ● *S. m.* **3.** Ajudante, auxiliar, assistente, assessor: *adjunto de promotoria.* **4.** Substituto, suplente. **5.** *Gram.* Termo acessório, que modifica outro, principal ou acessório. **6.** *Bras., N.E.* V. *mutirão* (1). **7.** *Bras.* Na região amazônica, movimento coletivo que reúne dezenas ou até centenas de ribeirinhos, seringueiros ou agricultores visando uma ação política ou social. O adjunto tanto se presta para derrubada de um roçado [cf. *mutirão* (1)], como para resistir ou enfrentar os patrões ou os seus jagunços. ♦ **Adjunto adnominal.** *Gram.* Termo de valor adjetivo que especifica ou delimita o significado de um substantivo, qualquer que seja a função deste. **Adjunto adverbial.** *Gram.* Termo de valor adverbial que denota alguma circunstância do fato expresso pelo verbo ou intensifica o sentido deste, ou de um adjetivo, ou de um advérbio. **Adjunto de horta.** *Bras., MG.* Na região são-franciscana, cozimento de folhas, ervas ou raízes que crescem no fundo do quintal, usado como medicina caseira.

adjuntoria. *S. f. Bras.* **1.** Cargo ou função de adjunto; os adjuntos. **2.** O local onde eles trabalham.

adjuração. [Do lat. *adjuratione.*] *S. f.* Ato ou efeito de adjurar.

adjurador (ô). [Do lat. *adjuratore.*] *Adj.* e *s. m.* Que ou aquele que adjura.

adjurar. [Do lat. *adjurare.*] *V. t. d.* **1.** Exorcismar, exorcizar, esconjurar; conjurar: *O sacerdote adjurou o possesso.* **2.** Instar ou intimar, invocando o nome de Deus. **3.** Afirmar ou confirmar sob juramento; jurar. *T. d. e i.* **4.** Pedir ou solicitar com instância; instar: *Adjurei-o a cumprir as formalidades.* **5.** Ordenar com autoridade; intimar.

adjutor (ô). [Do lat. *adjutore.*] *S. m.* Aquele que ajuda ou adjutora; ajudante. [Pl.: *adjutores* (ô). Cf. *adjutores*, do v. *adjutorar.*]

adjutorar. *V. t. d.* Dar adjutório a; auxiliar, ajudar. [Pres. subj: *adjutore, adjutores*, etc. Cf. *adjutores* (ô), pl. de *adjutor.*]

adjutório. [Do lat. *adjutoriu.*] *Adj.* **1.** Adjuvante. ● *S. m.* **2.** Ajuda, auxílio, socorro. **3.** Ajudante, auxiliar. **4.** *Pop.* V. *clister.* **5.** *Bras., SE* e *BA.* V. *mutirão* (1).

adjuvante. [Do lat. *adjuvante.*] *Adj. 2 g.* Que ajuda ou auxilia; adjutório.

➧**ad libitum** (ad líbitum). [Lat., 'à vontade', 'a bel-prazer'.] **1.** *Mús.* Indicação de que o trecho pode ser executado à vontade do intérprete, ou, nas peças para conjunto instrumental, pode ser suprimido. **2.** *Teat.* Indicação cênica de que o ator pode continuar, improvisando-o, o diálogo escrito.

adligar-se (ad-li). [De *ad-* + *ligar* + *se*[1].] *V. p.* **1.** Prender-se, ligar-se. **2.** *Bot.* Fixar-se por apêndices ou pelas raízes (uma planta a outra). [Conjug.: v. *largar.*]

➧**ad litem** (ad lítem). [Lat., 'para o litígio'.] *Jur.* Relativamente a um processo litigioso.

➧**ad litteram** (ad líteram). [Lat.] À letra; ao pé da letra; literalmente.

➧**ad majorem Dei gloriam** (ad majórem dei glóriam). [Lat.] Para maior glória de Deus. [Divisa da Ordem dos Jesuítas.]

➧**ad mensuram** (ad mensúram). [Lat., 'por medida'.] *Jur.* Diz-se da venda cujo preço é estipulado por unidade de peso ou de medida, em oposição à venda *ad corpus* [q. v.].

adminiculante. [Do lat. *adminiculante.*] *Adj. 2 g.* Adminicular[1].

adminicular[1]. [De *adminículo* + *-ar*[1].] *Adj. 2 g.* Que serve de adminículo; adminiculante.

adminicular[2]. [Do lat. *adminiculare.*] *V. t. d.* Ministrar adminículo; auxiliar, ajudar. [Pres. ind.: *adminiculo*, etc. Cf. *adminículo.*]

adminículo. [Do lat. *adminiculu.*] *S. m.* **1.** Ajuda, auxílio, subsídio, contribuição. **2.** Presunção jurídica. [Cf. *adminiculo*, do v. *adminicular.*] ~ V. *adminículos.*

adminículos. [Pl. de *adminículo.*] *S. m. Pl.* Ornatos em volta de medalha antiga. ~ V. *adminículo.*

administração. [Do lat. *administratione.*] *S. f.* **1.** Ação de administrar. **2.** Gestão de negócios públicos ou particulares. **3.** Governo, regência. **4.** Conjunto de princípios, normas e funções que têm por fim ordenar os fatores de produção e controlar a sua produtividade e eficiência, para se obter determinado resultado. **5.** Prática desses princípios, normas e funções: *administração de uma empresa* **6.** Função de administrador; gestão, gerência. **7.** Pessoal que administra; direção: "eu tenho relações com a administração do correio..." (Machado de Assis, *Teatro*, p. 64). **8.** Sala, ou conjunto de salas, ou edifício, onde se alojam os administradores de uma instituição, empresa, etc. **9.** Secretaria ou repartição chefiada por um administrador. **10.** Ato de ministrar ou administrar (sacramentos, medicamentos).

administrador (ô). [Do lat. *administratore.*] *Adj.* **1.** Que administra; administrante. ● *S. m.* **2.** Pessoa encarregada de uma administração [q. v.]. **3.** Aquele que administra.

administrante. [Do lat. *administrante.*] *Adj. 2 g.* Administrador (1).

administrar. [Do lat. *administrare.*] *V. t. d.* **1.** Gerir (negócios públicos ou particulares). **2.** Reger com autoridade suprema; governar; dirigir: "tinha passado os seus quatro primeiros anos de rei a administrar inteligentemente o seu reino" (Antero de Figueiredo, *Leonor Teles*, pp. 28-29). **3.** Dirigir qualquer instituição. **4.** Conferir, ministrar (sacramento). **5.** Dar a tomar, ministrar (medicamento). *T. d. e i.* **6.** Dar a tomar; ministrar. *Administrou ao doente forte dose de penicilina.* **7.** Dar, aplicar: *O pai administrou-lhe umas boas palmadas, como corretivo.* **8.** Conferir, ministrar: *Administrou ao moribundo os últimos sacramentos. Int.* **9.** Governar, reger, gerir negócios públicos ou particulares; exercer função de administrador. *P.* **10.** Ministrar (medicamento) a si mesmo: "Para queimar esse açúcar .... ele mesmo se administra ampolas de insulina, todos os dias" (Haroldo Maranhão, *A Estranha Xícara*, p. 42).

administrativista. *S. 2 g.* Especialista em direito administrativo.

administrativo. [Do lat. *administrativu.*] *Adj.* Relativo à administração. ~ V. *advocacia —a, direito —, inquérito —* e *juízo —.*

admirabilidade. [Do lat. *admirabilitate.*] *S. f.* Qualidade de admirável.

admiração. [Do lat. *admiratione.*] *S. f.* **1.** Ação ou efeito de admirar. **2.** Estranheza, espanto, assombro, pasmo. **3.** Consideração, respeito, estima: *Minha avó inspirava admiração a toda a família.* **4.** Afeição, inclinação, simpatia: *Todos sabiam daquela admiração mútua, e a ninguém espantou o namoro dos dois.* **5.** Pessoa ou coisa admirada: *Manuel Bandeira é uma das minhas grandes admirações.*

admirador (ô). [Do lat. *admiratore.*] *Adj.* **1.** Que admira. ● *S. m.* **2.** Aquele que admira, que dá valor, que aprecia. **3.** Pessoa que sente alguma inclinação amorosa por alguém; adorador, apaixonado: *Sua beleza atraía sempre a sua volta um monte de admiradores.*

admirando. [Do lat. *admirandu.*] *Adj.* Admirável (2).

admirar. [Do lat. *admirare.*] *V. t. d.* **1.** Olhar ou considerar com admiração, espanto, assombro: "Milkau ficou um momento admirando os movimentos espertos e juvenis do ancião" (Graça Aranha, *Canaã*, p. 259). **2.** Experimentar sentimento de admiração (3 e 4) por: "Ninguém se fartava de o elogiar. Admiravam-lhe as maneiras e a inteligência." (Machado de Assis, *Histórias da Meia-Noite*, p. 29.) **3.** Causar admiração, surpresa, espanto, ou assombro, etc., a: "Tudo, quando passo, / olha-me e suspira. / — Será meu compasso / que tanto os admira?" (Cecília Meireles, *Obra Poética*, p. 139.) **4.** Extasiar-se diante de. *Int.* **5.** Causar admiração, surpresa, espanto, assombro, etc.: *Não admira que ela o tenha escolhido: é um rapaz de grandes qualidades*; "seu colo admirava pela majestade" (Joaquim Manuel de Macedo, *Os Romances da Semana*, p. 256). **6.** Sentir admiração, surpresa, espanto, assombro, etc.: *Admirou-se ao ouvir os elogios que lhe faziam;* "— Pois então? Casado. De quê se admira?" (Valentim Magalhães, *Vinte Contos*, p. 45). **7.** Ter ou sentir admiração a si mesmo. **8.** Ter ou sentir admiração recíproca: "João Ribeiro e Rui Barbosa foram amigos e se admiravam mutuamente." (Joaquim Ribeiro, *Rui Barbosa e João Ribeiro*, p. 23.)

admirativo. [Do lat. *admirativu.*] *Adj.* Que envolve ou exprime admiração: "Teresinha não despregava dela os olhos, em êxtase de admirativa curiosidade." (Domingos Olímpio, *Luzia-Homem*, p. 28.)

admirável. [Do lat. *admirabile.*] *Adj. 2 g.* **1.** Que causa admiração. **2.** Digno de ser admirado: "— Ó piedosa mulher dos olhos admiráveis, / *Miserere mei!...*" (Gomes Leal, *A Mulher de Luto*, p. 181).

admissão. [Do lat. *admissione.*] *S. f.* **1.** Ato ou efeito de admitir. **2.** Aceitação, aprovação, acolhimento. **3.** Ingresso, entrada: "Foi então que o Governo Imperial, em aviso de 19 de maio de 1855, proibiu a admissão de noviços aos conventos." (Afonso Arinos de Melo Franco, *Amor a Roma*, p. 33.) **4.** *Mec.* Entrada de ar ou de mistura (ar e combustível), para o interior do cilindro do motor térmico a combustão interna; primeiro tempo, entrada, aspiração. ● *S. m.* **5.** *Bras.* Ano escolar, extinto com a reforma do ensino, em 11 de agosto de 1971, que preparava o aluno para o exame de admissão ao curso ginasial. **6.** *Bras. P. ext.* O exame de admissão ao curso ginasial: *Fez um bom admissão.* ◆ **Admissão forçada.** *Mec.* Entrada do ar ou do combustível para o cilindro do motor sob pressão.

admissibilidade. [Do lat. *admissibile* + *-i-* + *-dade*.] *S. f.* Qualidade de admissível; aceitabilidade.

admissível. *Adj. 2 g.* Que se pode admitir, aceitar.

admistão. *S. f.* Ato de ajuntar, misturando; misturação.

admitância. [Do ingl. *admittance*.] *S. f. Eletr.* O inverso da impedância de um circuito elétrico.

admitido. [Part. de *admitir*.] *Adj.* **1.** Aceito, acolhido, recebido. **2.** Benquisto, considerado. **3.** Que recebeu aprovação; aprovado: *Já pode considerar-se aluno admitido.*

admitir. [Do lat. *admittere*.] *V. t. d.* **1.** Aceitar ou reconhecer como bom, verdadeiro ou legítimo; aceitar, abonar: *admitir o dogma da Imaculada Conceição.* **2.** Aceitar, reconhecer: *Admitia que tinha errado.* **3.** Aceitar, receber: *Admitia as homenagens mas não se deixava corromper.* **4.** Tolerar, permitir: "Vadinho! Não admito essas pilhérias..." (Jorge Amado, *Dona Flor e Seus Dois Maridos*, p. 427.) **5.** Receber, acolher: "Admitia pouca gente em sua casa e pouquíssima à sua presença." (Camilo Castelo Branco, *A Brasileira de Prazins*, p. 93.) **6.** *Filos.* Aceitar com reserva, provisória e/ou convencionalmente, em função de sua utilidade operacional (uma idéia, um pressuposto, uma regra); assumir. *T. d. e i.* **7.** Permitir o ingresso; acolher. *Transobj.* **8.** Aceitar, receber: *Admitiram-no como sócio; Admitem a notícia por verdadeira.* **9.** Empregar, contratar: *Admitiu-a como secretária.* **10.** Aceitar ou reconhecer como bom, verdadeiro ou legítimo; adotar, abonar: *Admitiu como verdadeira a declaração do réu.*

admoestação. *S. f.* **1.** Ato ou efeito de admoestar. **2.** Advertência, aviso, conselho. **3.** Leve repreensão; reparo, reprimenda, admonição, corrigenda.

admoestador (ô). *Adj. e s. m.* Que ou aquele que admoesta; admonitor.

admoestar. [De um lat. vulg. **admonestare*, decerto.] *V. t. d.* **1.** Advertir de falta: "sofrei as ignorâncias de vosso marido, porque assim vos é necessário; .... admoestai-o com brandura" (Diogo de Paiva de Andrada, *Casamento Perfeito*, p. 172). **2.** Censurar, repreender com brandura; aconselhar, exortar. *T. d. e i.* **3.** Exortar, concitar, incitar; aconselhar: *Admoestou-os a que cumprissem o seu dever.* **4.** Advertir; lembrar, avisar: "Concluiu admoestando a pobre senhora a que soubesse ser mãe" (Camilo Castelo Branco, *Doze Casamentos Felizes*, p. 216).

admoestatório. *Adj.* **1.** Que envolve admoestação. **2.** Próprio para admoestar; admonitório.

admonição. *S. f.* V. *admoestação* (3).

admonitor (ô). [Do lat. *admonitore*.] *Adj.* **1.** Admoestador. ● *S. m.* **2.** Admoestador. **3.** Noviço entre os jesuítas, encarregado de avisar os outros do que devem fazer.

admonitório. [Do lat. *admonitore*, 'admonitório', + *-io²*.] *Adj.* **1.** Admoestatório (2): *sermão admonitório.* ● *S. m.* **2.** Escrito ou discurso que admoesta.

➧**ad multos annos.** [Lat.] Por muitos anos.

■**ADN.** *Símb. de ácido desoxirribonucléico.* [Tb. us., em publicações científicas, o símb. (ingl.) DNA.]

adnata. [Fem. substantivado de *adnato*.] *S. f. Anat.* Conjuntiva.

adnato. [Do lat. *adnatu*.] *Adj.* **1.** Ligado a alguma coisa de que parece fazer parte. **2.** Que nasce junto de.

➧**ad negotia** (ad negócia). [Lat., 'para negócios'.] *Jur.* Diz-se do mandato outorgado para efeito de gerência ou administração de negócios.

adnominação. [Do lat. *adnominatione*.] *S. f.* V. *paronomásia* (1).

adnominal. *Adj. 2 g.* Relativo a, ou que indica adnominação. ~ V. *adjunto* —.

adnotação. [Do lat. *adnotatione*.] *S. f.* Resposta dada pelo Papa a uma súplica ou solicitação mediante a simples aposição de sua assinatura.

adnumeração. [Do lat. *adnumeratione*.] *S. f.* V. *enumeração.*

adnumerar. [Do lat. *adnumerare*.] *V. t. d.* V. *enumerar.*

➧**ad nutum** (ad nútum). [Lat., 'às ordens'.] *Jur.* **1.** Diz-se do ato que pode ser revogado pela vontade de uma só das partes. **2.** Diz-se da demissibilidade do funcionário público não estável, deliberada a juízo exclusivo da autoridade administrativa competente.

ado¹. *S. m. Alq.* **1.** Leite ordenhado recentemente. **2.** Nata (1).

ado². *S. m. Bras., BA.* Milho torrado, que se reduz a pó e se tempera com azeite-de-cheiro, ao qual se pode adicionar mel de abelha.

ado³. [Do ioruba *'wadu*.] *S. m. Bras., BA. Folcl.* Cágado (nos candomblés).

▲**-ado¹.** *Suf. nom.* = 'provido de'; 'um tanto', 'que tem caráter ou forma de': *barbado, ciliado; adamado, avermelhado.* [Equiv.: *-eado* e *-ido*: *amorreado, denteado; roupido*.]

▲**-ado².** [Do lat. *-atu*.] *Suf. nom.* = 'dignidade', 'cargo'; 'jurisdição'; 'instituição', 'corporação', 'classe'; 'qualidade': *papado, almirantado¹, cardinalado; bispado¹* (lat. *episcopatu*), *califado; almirantado², proletariado.* [Equiv.: *-ato¹*.]

▲**-ado³.** *Suf. nom.* = 'espécime de divisão de (animais): *celenterado.* [V. *-ados*.]

adô. *S. m. Bras.* Cabacinha usada nos colares de búzios de alguns orixás, com as cores rituais.

adoba (ô). *S. f.* V. *adobe* (ô) [Pl.: *adobas* (ô). Cf. *adoba* e *adobas*, do v. *adobar*.]

adobar. *V. t. d.* **1.** Prover de adobe(s). *Int.* **2.** Fazer adobe(s). [Pres. ind.: *adobo, adobas, adoba*, etc.; pres. subj.: *adobe, adobes*, etc. Cf. *adoba* (ô), *adobas* (ô), *adobe* (ô), *adobes* (ô), *adobo* (ô) e *adubar*.]

adobe (ô). [De *a-⁴* + ár. *Tob*.] *S. m.* **1.** Pequeno bloco semelhante ao tijolo, preparado com argila crua, secada ao sol, e que também é feito misturado com palha, para se tornar mais resistente; tijolo cru: "Os homens amassavam lodo, enformavam adobes, tocavam fogo nos tijolos" (Afrânio Peixoto, *Maria Bonita*, p. 108). **2.** Pedra lisa e arredondada que se encontra no leito dos rios. **3.** *Ant.* Grilhão com um tijolo de ferro na extremidade, que se atava aos pés ou às pernas dos presos. [Var.: *adobo* (ô) e *adoba* (ô). Pl.: *adobes* (ô). Cf. *adobe* e *adobes*, do v. *adobar*.]

adobo (ô). *S. m.* V. *adobe* (ô): "Passou pela cozinha, atravessou correndo o quintal até ao chuveiro — desajeitado chalezinho de adobo sem reboco." (Mário Palmério, *Vila dos Confins*, p. 22.) [Pl.: *adobos* (ô). Cf. *adobo, do v. adobar*.]

adoçado. [Part. de *adoçar*.] *Adj.* **1.** Tornado doce; açucarado. **2.** Suavizado, abrandado, atenuado. [Cf. *adossado*.]

adoçagem. *S. f.* Adoçamento (1).

adoçamento. *S. m.* **1.** Ato ou efeito de adoçar(-se); adoçagem. **2.** *Arquit.* Moldura côncava que suaviza a transição entre o plinto e a cornija. **3.** *Arquit.* Canelura que suaviza a ligação entre a parede e a saliência duma moldura.

adoçante. *Adj. 2 g.* **1.** Que adoça. ● *S. m.* **2.** Substância adoçante. [Sin. ger., p. us.: *edulcorante*.]

adoção. [Do lat. *adoptione*.] *S. f.* **1.** Ação ou efeito de adotar. **2.** Aceitação voluntária e legal de uma criança como filho; perfilhação, perfilhamento.

adoçar. [De *a-²* + *doce¹* + *-ar²*.] *V. t. d.* **1.** Tornar doce (1); adulçorar: *adoçar o café*; "Sua boca adoçava o próprio mel" (Eugênio de Castro, *Obras Poéticas*, V, p. 108). **2.** Tornar doce, agradável, aprazível; adulçorar: *O nascimento do neto adoçou-lhe a velhice.* **3.** Abrandar, suavizar, atenuar, mitigar; adulçorar: "Os gracejos da escrava Nuirat-eddia .... eram o único alívio que adoçava a existência aborrida do velho leão do islamismo." (Alexandre Herculano, *Lendas e Narrativas*, I, p. 39.) **4.** Comover, enternecer, sensibilizar, adulçorar: *As palavras amáveis adoçaram o seu humor.* **5.** Aplanar, alisar, amaciar: *adoçar as asperezas da madeira; adoçar a lima.* **6.** *Arquit.* Obter a concordância entre (diferentes elementos arquitetônicos) por meio de molduras, guarnições, meias-canas, etc. *P.* **7.** Acalmar-se, serenar-se, apaziguar-se; suavizar-se, abrandar-se. [Conjug.: v. *laçar*.]

adocianismo. *S. m.* Heresia do séc. II, segundo a qual Jesus foi adotado como filho de Deus desde o batismo no Jordão, e que nega, assim, uma filiação divina em sentido próprio.

adocianista. *Adj. 2 g.* **1.** Pertencente ou relativo ao adocianismo. **2.** Diz-se de partidário do adocianismo. ● *S. 2 g.* **3.** Partidário do adocianismo.

adocicado. [Part. de *adocicar*.] *Adj.* Um tanto doce.

adocicar. [De *a-²* + *doce¹* + *-icar*.] *V. t. d.* **1.** Tornar um tanto doce; adoçar incompletamente. **2.** Atenuar; abrandar, mitigar, minorar; adoçar. **3.** Tornar harmonioso, suave, melífluo: *adocicar a voz. P.* **4.** Mostrar-se melífluo; alambicar-se, afetar-se, adengar-se. [Conjug.: v. *trancar*.]

adoecer. [Do lat. *addolescere*.] *V. int.* **1.** Ficar doente; enfermar: "Amor não sei se o é, mas sei que te estremeço, / Que adoeci a talvez ele te saber doente." (Camilo Pessanha, *Clepsidra e Outros Poemas*, p. 212.) **2.** Tornar-se doentio: "Tinha ali adoecido o ar em tempo antigo, / e dera em pestilência" (Antônio Feliciano de Castilho, *As Geórgicas de Virgílio*, p. 207). **3.** *Bras. Pop.* Ficar (a mulher) menstruada. *T. d.* **4.** Tornar doente; enfermar: *O trabalho excessivo adoeceu-o.* [Conjug.: v. *aquecer*.]

adoecimento. *S. m.* O fato de adoecer.

adoentado. [Part. de *adoentar*.] *Adj.* **1.** Um tanto doente. **2.** Fraco, abatido, combalido.

adoentar. [De *a-²* + *doente* + *-ar²*.] *V. t. d. e p.* Tornar (-se) doente, ou um pouco doente.

adoestar. [De *a-⁴* + *doestar*.] *V. t. d. e p.* V. *doestar.*

adogã. [Do jeje.] *S. m. Bras.* Homem que toma conta das árvores sagradas nos terreiros jejes.

adoidado. [De *a-²* + *doido* + *-ado¹*.] *Adj.* **1.** Um tanto desatinado; amalucado. **2.** Estouvado, imprudente. **3.** Agitado, irrequieto. ● *Adv.* **4.** *Bras. Gír.* Em grande quantidade, ou com grande força ou intensidade; à beça: *Ontem choveu adoidado; Estudou adoidado, e não passou*; "Em 1945 parti para o Rio a fim de conhecer Pablo Neruda, que a gente lia adoidado" (Paulo Mendes Campos, *Os Bares Morrem numa Quarta-Feira*, p. 5). [F. paral.: *adoudado*; sin. (bras., PE.): *adoidarrado*.]

adoidar. [De *a-²* + *doido* + *-ar²*.] *V. t. d.* **1.** Tornar doido ou um pouco doido. endoidecer, endoidar. **2.** Tornar estouvado, imprudente ou leviano. *Int.* **3.** Ficar doido ou um pouco doido; endoidecer, endoidar, adoidar-se. *P.* **4.** Tornar-se doido ou um pouco doido; endoidecer, endoidar, adoidar. **5.** Tornar-se estouvado, imprudente ou leviano. [F. paral.: *adoudar*.]

adoidarrado. [De *a-²* + *doido* + *-arr(o)-* + *ado¹*.] *Adj. Bras., PE.* V. *adoidado.* [F. paral.: *adoudarrado*.]

adolescência. [Do *lat. adolescentia*.] *S. f.* **1.** O período da vida humana que sucede à infância, começa com a puberdade, e se caracteriza por uma série de mudanças corporais e psicológicas (estende-se aproximadamente dos 12 aos 20 anos). **2.** *Psicol.* Período que se estende da terceira infância até a idade adulta, marcado por intensos processos conflituosos e persistentes esforços de auto-afirmação. Corresponde à fase de absorção dos valores sociais e elaboração de projetos que impliquem plena integração social.

adolescente. [Do lat. *adolescente*.] *Adj. 2 g.* **1.** Que está na adolescência. **2.** *Fig.* Que está no começo, no início; que ainda não atingiu todo o vigor. **3.** De pouco tempo; novo: "Plantei, com a minha mão ingênua e mansa, / Uma linda amendoeira adolescente." (Raul de Leoni, *Luz Mediterrânea*, p. 65.) **4.** Próprio de adolescente: "D. Camila prolongou, quanto pôde, os vestidos adolescentes da filha, ... fez tudo para proclamá-la criança." (Machado de Assis, *Histórias sem Data*, p. 122.) ● *S. 2 g.* **5.** Pessoa que está na adolescência.

adolescer. [Do lat. *adolescere*.] *V. int.* **1.** Atingir a adolescência; tornar-se adolescente. **2.** Crescer; desenvolver-se. **3.** Rejuvenescer, remoçar, juvenescer: "O afastamento da terra onde brincou, onde adolesceu" (Antero de Figueiredo, *Jornadas em Portugal*, p. 309). [Conjug.: v. *crescer*.]

adolo (ô). [De um dev. **adulo* < *adular*.] *S. m. Bras. Pop.* V. *adulação*: "O Raimundo Benedito achava que os músicos queriam 'adolos', mas ele não nascera para adular ninguém." (Viriato Correia, *Contos do Sertão*, p. 233.)

adomado. [Part. de *adomar*.] *Adj. Bras. Pop.* Que aceita tudo, em geral, de bom grado; conformado, resignado.

adomar. [De *a-⁴* + *domar*.] *V. t. d.* **1.** Domar. *P. Bras. Pop.* **2.** Aceitar de bom grado (situação má, inconveniente, desconfortável); resignar-se, conformar-se. **3.** Habituar-se, acostumar-se: *A princípio estranhou o clima da cidade, mas, com o tempo, se adomou.*

adomingado. [Part. de *adomingar-se*.] *Adj.* V. *endomingado.*

adomingar-se. [De *a-²* + *domingo* + *-ar²* + *se¹*.] *V. t. d. e p.* V. *endomingar.* [Conjug.: *v. largar*.]

Adonai. [Do hebr., 'Senhor'.] *S. m.* Entre os hebreus, um dos nomes da divindade.

adonar-se. [De *a-²* + *dono* + *-ar²* + *se¹*.] *V. p. Bras., RS.* Tornar-se dono, apoderar-se de alguma coisa usando de esperteza ou velhacaria. [Pres. subj.: *adone-me, adones-te*, etc. Cf. *Adônis*, mit. e antr.]

adonde. *Adv. Ant.* e *pop.* **1.** Aonde: "esse caminho / Bem sei adonde vai" (Fr. Agostinho da Cruz, *Obras*, p. 1918); "— De noite a gente come. /— Adonde? / — Não sei." (Bariani Ortêncio, *Vão dos Angicos*, p. 103). **2.** Onde: "Se eu fosse as pedras morenas / Lá da serra adonde estás / As pedras seriam penas, / As penas que tu me dás..." (Augusto Gil, *O Craveiro da Janela*, p. 14); "— Mas o que é que anda fazendo? / — Procurando serviço. Será que ocê, que conhece tudo aqui pra Vila, sabe adonde tem?" (Amadeu de

Queirós, *João*, p. 15). ● *Interj.* **3.** *Bras. Pop.* Qual!, não é possível!: — *Pode-me emprestar algum dinheiro?* / — *Adonde, meu amigo!*

Adoníade. [De *Adônis*, mitôn.] *S. f.* **1.** Nome poético da deusa Vênus. **2.** *Fig.* Donzela esbelta e graciosa.

adônico. *Adj.* ~ V. *verso* —.

adônio. [Do gr. *adónios*, pelo lat. *adoniu.*] *Adj.* ~ V. *verso* —.

adônis. [Do mit. *Adônis*, herói grego famoso por sua beleza rara.] *S. m. 2 n.* **1.** Jovem de grande beleza e elegância. **2.** Erva européia do gênero *Adonis autumnalis*, da família das ranunculáceas, de lindas flores solitárias, vermelhas, cultivada em jardins. **3.** Certa borboleta. [Cf. *adones-te*, do v. *adonar-se.*]

adonisar. [De *Adônis* (q. v.) + *-ar*[2].] *V. t. d.* **1.** Tornar galante e presumido. **2.** Embelezar, enfeitar, adornar (alguém). *P.* **3.** Tornar-se elegante; ajanotar-se. **4.** Embelezar-se, enfeitar-se, adornar-se.

adonismo. [De *Adônis* (q. v.).] *S. m.* Elegância exagerada; faceirice, janotice, presunção.

a-do-ó. *S. f. Bras. Gír.* V. *cachaça* (1). [Pl.: *as-do-ó.*]

adoperar. [De *ad-* + *operar.*] *V. t. d.* **1.** Empregar numa obra. **2.** Empregar, manufaturar.

adoração. [Do lat. *adoratione.*] *S. f.* **1.** Ato de adorar. **2.** Culto a uma divindade. **3.** *P. ext.* Culto, reverência, veneração. **4.** Amor excessivo; idolatria. **5.** Gosto imoderado de alguma coisa. **6.** Quadro que representa a veneração dos Reis Magos ao Menino Jesus.

adorado[1]. [Part. de *adorar.*] *Adj.* **1.** Cultuado, venerado, reverenciado. **2.** Muito querido; amado: "Adeus, belo corpo adorado!" (Olavo Bilac, *Poesias*, p. 182.)

adorado[2]. [De *a-*[2] + *dor*[1] + *-ado*[1].] *Adj. Ant.* Adoentado, dolorido.

adorador (ô). [Do lat. *adoratore.*] *Adj.* e *s. m.* **1.** Que ou aquele que adora. **2.** V. *admirador* (3).

adoral. *Adj. 2 g. Zool.* Situado junto à boca, ou na vizinhança dela.

adorar. [Do lat. *adorare.*] *V. t. d.* **1.** Render culto a (divindade): "Um cerra as asas débeis e a divindade adora, / O outro adora a Deus e as asas níveas solta." (Fagundes Varela, *Poesias Completas*, I, p. 238). **2.** Reverenciar, venerar: "devotíssimo da Cruz, cujo sinal adorava com inclinação profunda sem diferença de lugar ou tempo." (Jacinto Freire de Andrada, *Vida de D. João de Castro*, p. 340). **3.** Amar extremosamente; idolatrar: *Adorava os pais;* "Amo-te muito; adoro-te, confesso" (Humberto de Campos, *Poesias Completas*, p. 54). **4.** *Fam.* Gostar muitíssimo de; ter grande predileção a: "Eu adorava meu avô Cesário Pereira, e ele adorava crianças." (Afonso Arinos Filho, *Primo Canto*, p. 27.) *Transobj.* **5.** Cultuar, reverenciar, venerar: *Os antigos egípcios adoravam o Sol por divindade. Int.* **6.** Prestar culto de adoração. *P.* **7.** Amar extremamente, venerar (a si mesmo). **8.** Amar-se mutuamente ao extremo: "Quando se conheceram, Romeu e Julieta estavam em plena adolescência. Adoraram-se, com a ternura ainda inconsciente de si mesma" (Múcio Leão, *Emoção e Harmonia*, p. 68).

adorativo. [Do lat. *adorativu.*] *Adj.* Que tem caráter de adoração: *culto adorativo.*

adoratório. [De *adorar.*] *S. m.* **1.** Lugar consagrado ao culto externo da divindade. **2.** Oratório[1] (3).

adorável. [Do lat. *adorabile.*] *Adj. 2. g.* **1.** Digno de adoração. **2.** Fascinante; encantador, admirável: *uma garota adorável.*

adorbital. [De *ad-* + *orbital.*] *Adj. 2 g.* **1.** *Anat.* Diz-se do osso que forma a órbita. ● *S. m.* **2.** Esse osso.

adormecedor (ô). *Adj.* e *s. m.* Que ou aquele que adormece ou faz adormecer.

adormecer. [Do lat. *addormiscere.*] *V. int.* **1.** Pegar no sono; cair no sono; dormir: "ando tresnoitado, disse ele e adormeceu." (Artur Azevedo, *Contos Possíveis*, p. 36); "Adormecia sorrindo / E despertava a cantar!" (Casimiro de Abreu, *Obras*, p. 94). **2.** Ficar ou cair em repouso; repousar, aquietar-se: "Ninguém ... A estrada, ampla e silente, / Sem caminhantes, adormece..." (Olavo Bilac, *Poesias*, p. 225.) **3.** Perder o calor, o entusiasmo; esfriar, arrefecer: *Aquele espírito, outrora tão esfuziante, adormeceu.* **4.** *Mar.* Permanecer (a embarcação) afocinhada ou adernada, por efeito de golpe de mar ou de vento, em risco de perder a estabilidade. **5.** Ficar dormente; entorpecer-se: "—Escrevia tanto que os dedos adormeciam." (Graciliano Ramos, *S. Bernardo*, p. 169.) *T. d.* **6.** Fazer dormir; causar sono a; adormecer, adormir: *A suave música adormeceu-o.* **7.** Acalentar (1): *Aconchegou a criança ao peito, embalando-a, adormecendo-a.* **8.** Causar sono ou enfado a: *O longo discurso adormeceu a assembléia.* **9.** Acalmar, serenar, abrandar. **10.** Entorpecer a sensibilidade de; insensibilizar: *A pancada adormeceu-lhe o braço.* **11.** Anestesiar, narcotizar: "um misto de perfume suavíssimo e de cheiro áspero de raízes e de seiva, que relaxava os nervos, que adormecia o cérebro." (Júlio Ribeiro, *A Carne*, pp. 25-26). **12.** Acalmar, sopitar; adormentar: *A apreensão adormecia-lhe o desejo.* **13.** Arrefecer; amortecer. *Pred.* **14.** Encontrar-se (em certo estado ou condição) ao adormecer: "Guimarães Airosa é assim, amanhece pobre e adormece semimilionário." (Jaime d'Altavila, *Lógica de um Burro*, p. 92.) *P.* **15.** Deixar-se dormir; pegar no sono, adormecer. **16.** Dormir para sempre; repousar eternamente. [Conjug.: v. *aquecer.*] ● *S. m.* **17.** Adormecimento (1).

adormecido. [Part. de *adormecer.*] *Adj.* **1.** Que adormeceu. **2.** Que está dormindo: "O lírio é menos cândido, a neve é menos pura / Que uma criança loira no berço adormecida" (Fagundes Varela, *Poesias Completas*, I, p. 238). **3.** Acalmado, abrandado, serenado. **4.** Entorpecido, dormente. [Sin. ger.: *adormido* e *dormido.*]

adormecimento. *S. m.* **1.** Ato ou efeito de adormecer; adormecer. **2.** Entorpecimento, torpor, letargo.

adormentado. [Part. de *adormentar.*] *Adj.* Adormecido, adormido: "O rio defronte descia, preguiçoso e como adormentado sob a calma já pesada de maio" (Eça de Queirós, *A Cidade e as Serras*, p. 203).

adormentador (ô). *Adj.* e *s. m.* Que ou aquele que adormenta.

adormentar. [De *a-*[2] + *dormente* + *-ar*[2].] *V. t. d.* **1.** Fazer dormir; adormecer; adormir. **2.** Predispor ao sono; cansar, entediar, enfastiar; adormecer. **3.** Anestesiar, narcotizar; adormecer: "Perfumes agudos de orquídeas fragrantes ... deliciavam o olfato, sem irritar e sem adormentar os nervos." (Júlio Ribeiro, *A Carne*, p. 147.) **4.** Suspender ou enfraquecer a ação, a energia, a percepção, a sensibilidade, etc., de. **5.** Abrandar, suavizar, amenizar, mitigar: "Mãe — que adormente este viver dorido, / E me vele esta noite de tal frio" (Antero de Quental, *Sonetos*, p. 171). *P.* **6.** Abrandar (-se), acalmar(-se), mitigar(-se); remitir(-se). [Var.: *atormentar*[2].]

adormido. [Part. de *adormir.*] *Adj.* V. *adormecido*: "Doce brisa da noite, aura mais frouxa / Que o débil sopro de adormido infante" (Fagundes Varela, *Poesias Completas*, II, p. 44).

adormir. [Do lat. *addormire.*] *V. t. d.* Fazer dormir; adormecer, adormentar.

adornamento. *S. m.* **1.** Ato ou efeito de adornar(-se). **2.** V. *adorno* (ô) (1).

adornar. [Do lat. *adornare.*] *V. t. d.* **1.** Ornar, ornamentar, enfeitar; compor, decorar: "Entre os quadrinhos que adornam as paredes do meu apartamento há um que me desperta particular ternura." (Manuel Bandeira, *Andorinha, Andorinha*, p. 50.) *T. d.* e *i.* **2.** Tornar atraente, agradável, interessante, etc.: *Procurou adornar a conversa com ditos facetos. P.* **3.** Enfeitar-se, ornar-se, ornamentar-se, compor-se. [Pres. ind.: *adorno*, etc. Cf. *adorno* (ô).]

adorno (ô). [Dev. de *adornar.*] *S. m.* **1.** Aquilo que adorna, que enfeita, que decora: *objeto de adorno.* **2.** Ornato, ornamento, adornamento. **3.** Atavio, enfeite. [Pl.: *adornos* (ô). Cf. *adorno*, do v. *adornar.*]

▲-ados. *Suf. nom.* = 'divisão de (animais)'; 'espécie de (animal)': *celenterados.* [V. *-ado*[3].]

adossado. [Do fr. *adossé.*] *Adj. Heráld.* Diz-se de duas figuras do escudo, iguais, que se apresentam dorso contra dorso. [Cf. *adoçado.*]

adotando. *S. m.* Indivíduo que vai ser adotado ou perfilhado por outrem.

adotante. [Do lat. *adoptante.*] *Adj. 2 g.* Que adota.

adotar. [Do lat. *adoptare.*] *V. t. d.* **1.** Optar ou decidir-se por; escolher, preferir: "Entre mandar a carta ao destinatário e entregá-la a Sofia, adotou afinal o segundo alvitre" (Machado de Assis, *Quincas Borba*, p. 183). **2.** Seguir, abraçar: *adotou a carreira do pai.* **3.** Tomar, assumir. **4.** Aceitar, acolher, observar, seguir: *adotar um conselho.* **5.** Pôr em prática, em uso; praticar, aplicar: *A nova república adotou o regime democrático.* **6.** Atribuir (a um filho de outrem) os direitos de filho próprio; perfilhar, legitimar. **7.** Usar de, ou passar a usar de; tomar, assumir: "Insensivelmente adotei um tom de cerimônia." (Domingos Monteiro, *Contos do Dia e da Noite*, p. 18.) *T. d.* e *i.* **8.** Aprovar; outorgar. *Transobj.* **9.** Admitir, aceitar; reconhecer: *Adotei-o por filho; Adotarei a criança como minha neta.* **10.** Recorrer a, valer-se de: *Adotou a passividade como defesa. Int.* **11.** *Jur.* Tomar por filho; perfilhar, legitimar.

adotável. [Do lat. *adoptabile.*] *Adj. 2 g.* Que pode ser adotado.

adotivo. [Do lat. *adoptivu.*] *Adj.* **1.** Que se adotou; adotado: *pátria adotiva.* **2.** Que adotou: *mãe adotiva.* **3.** Relativo a adoção. ~ V. *filho* —. ● *S. m.* **4.** Filho adotivo.

adoudado. [Part. de *adoudar.*] *Adj.* V. *adoidado.*

adoudar. [De *a-*[2] + *doudo* + *-ar*[2].] *V. t. d., int.* e *p.* V. *adoidar.*

adoudarrado. [De *a-*[2] + *doudo* + *-arr(o)-* + *-ado*[1].] *Adj. Bras., PE,* V. *adoidarrado.*

adoutrinar. [De *a-*[4] + *doutrina.*] *V. t. d.* e *int.* Doutrinar.

adoxácea (cs). *S. f.* Espécime das adoxáceas.

adoxáceas (cs). *S. f. pl. Bot.* Família da ordem das rubiales, constituída por uma única espécie do gênero *Adoxa*, erva perene das terras temperadas boreais.

adoxáceo (cs). *Adj.* Pertencente ou relativo às adoxáceas.

adoxografia (cs). [Do gr. *ádoxos*, 'sem glória', + *-graf(o)-* + *-ia.*] *S. f.* **1.** Arte de escrever brilhantemente sobre assuntos ou coisas vulgares. **2.** *Ret.* Elogio de pessoas ou coisas que o não merecem.

adoxográfico (cs). *Adj.* Referente à adoxografia.

adpedância. *S. f. Eletr.* Admitância ou impedância de um circuito elétrico.

➡ad perpetuam rei memoriam (ad perpétuam rei memóriam). [Lat., 'para perpétua lembrança da coisa'.] **1.** Fórmula empregada no começo de bulas papais referentes a questões de doutrina, e usada, também, em monumentos comemorativos, medalhas, etc. **2.** *Jur.* Diz-se da prova ou vistoria judicialmente feita, para resguardo ou conservação de um direito que se tenciona demonstrar oportunamente, nos autos da ação própria.

adpresso. *Adj. Bot.* Aplicado contra uma superfície, ou deitado sobre ela. [M. us. para designar pêlos aplicados sobre folhas ou ramos.]

➡ad quem (ad qüém). [Lat., 'para quem'.] *Jur.* **1.** Diz-se de juiz ou de tribunal para quem se recorre de despacho ou sentença de juiz inferior. **2.** Diz-se do dia em que expira um prazo.

adquirente. [Do lat. *adquirente.*] *Adj. 2 g.* e *s. 2 g.* Que ou quem adquire, compra; adquiridor.

adquirição. *S. f.* Ação ou efeito de adquirir; aquisição, adquisição.

adquirido. [Part. de *adquirir.*] *Adj.* Que se adquire; de que se fez aquisição ~ V. *caráter* —, *direito* —, *síndrome de deficiência imunológica a e adquiridos.*

adquiridor (ô). *Adj.* e *s. m.* Adquirente.

adquiridos. [Pl. substantivado de *adquirido.*] *S. m. pl.* Bens obtidos na constância do matrimônio. ~ V. *adquirido.*

adquirir. [Do lat. *acquirere.*] *V. t. d.* **1.** Obter; conseguir; alcançar: "A paisagem ficou espiritualizada. / Tinha adquirido uma alma." (Manuel Bandeira, *Estrela da Vida Inteira*, p. 44.) **2.** Obter por compra; comprar: *Adquiriu a casa que alugara.* **3.** Alcançar, conquistar, granjear: *adquirir renome.* **4.** Assumir, tomar: *A pele, outrora baça, adquiriu um tom rosado.* **5.** Passar a ter; vir a ter; criar, ganhar, contrair: "adquiri, neste escritório da Rua Erê, o hábito de filosofar" (Ciro dos Anjos, *O Amanuense Belmiro*, p. 25). *T. d.* e *i.* **6.** Fazer adquirir; proporcionar: *O dinheiro adquire-nos conforto. Int.* **7.** Ganhar dinheiro: *Ávido, só pensa em adquirir.*

adquirível. *Adj. 2 g.* Que se pode adquirir.

adquisição. [Do lat. *acquisitione.*] *S. f.* V. *adquirição.*

adraganta. [Do gr. *tragakántha*, pelo lat. *tragacanthu* e pelo fr. *adragante.*] *S. f.* V. *alcatira.*

adrede (ê). *Adv.* De propósito; de caso pensado; de estudo; intencionalmente: "Embaixo, adrede construída, desde a véspera, vê-se uma jangada de quatro paus boiantes" (Euclides da Cunnha, *À margem da História*, p. 91).

➡ad referendum (ad referêndum). [Lat., 'para referir'.] Sob condição de consulta aos interessados e aprovação deles.

adregar. [De *adergar*, com metátese.] *V. t. d.* **1.** Combinar, ajustar, concertar. **2.** Encontrar por acaso. *Int.* **3.** Acontecer casualmente; calhar. **4.** Chegar a propósito. *P.* **5.** Apresentar-se, oferecer-se inesperadamente; deparar-se. [F. paral.: *adergar.* Conjug.: v. *regar.* Pres. ind.: *adrego*, etc. Cf. *adrego* (ê).]

adrego (ê). [Dev. de *adregar.*] *S. m.* Acaso, casualidade. [F. paral.: *adergo* (ê). Pl.: *adregos* (ê). Cf. *adrego*, do v. *adregar.*]

➡ad rem. [Lat., 'à coisa'.] **1.** Us. na expr. *argumento 'ad rem'*, i. e., argumento relativo ao assunto em foco (por oposição a *ad hominem*). **2.** Us. tb. na acepç. de 'exatamente, de maneira pertinente'. **3.** *Jur.* Diz-se do direito ligado à coisa.

adrenalina. *S. f. Quím.* Hormônio produzido pela parte medular das glândulas supra-renais, e que tem numerosos efeitos no organismo (circulatórios, metabólicos e outros); epinefrina. [Fórm.: $C_9H_{13}O_3N$.]

➧**adresse** (adréç'). [Fr.] *S. f.* Indicação de morada; endereço.

adressógrafo. [De *Adressograph,* nome comercial.] *S. m.* Máquina de escritório, para imprimir endereços em cartas, folhetos, etc.; máquina de endereçar.

adriático. [Do lat. *adriaticu.*] *Adj.* Pertencente ou relativo ao mar Adriático (Europa), ou às suas imediações.

adriça. [Do it. *drizza,* atr. da f. *driça,* que veio a receber um a protético.] *S. f. Marinh.* Cabo de laborar utilizado para içar bandeira, flâmula, roupa, maca e determinadas vergas e velas; driça: "De improviso flutuaram todas [as canoas], com rangidos de adriças e palpitações do velame, que o vento encopava e propelia." (Xavier Marques, *Jana e Joel,* p. 53.) ♦ **A meia adriça. 1.** *Marinh.* Diz-se de bandeira içada até 2/3 da distância vertical que vai do lais da verga ou do tope do mastro ao local de onde foi içada a meio. **2.** *Mar. Gír.* Um tanto embriagado; tocado.

adriçar. *V. t. d.* **1.** Marinh. *P. us.* Erguer, içar (bandeira, flâmula, etc.) por meio de adriça. **2.** *Mar.* Endireitar (embarcação que esteja adernada). *P.* **3.** *Mar.* Endireitar-se (a embarcação) após um balanço ou deslocação de pesos. [Conjug.: v. *laçar.*]

adro. [Do lat. *atriu.*] *S. m.* **1.** Terreno em frente e/ou em volta da igreja, plano ou escalonado, aberto ou murado; períbolo: "— Pois vamos ver, disse Delfino com determinação, a vista perdida entre os profetas do adro da igreja lá fora, trágicos e esverdeados contra o céu azul e nublado" (Antônio Calado, *A Madona de Cedro,* p. 22). **2.** Antigo cemitério (ainda hoje existente em algumas localidades) situado nesse terreno.

ad-rogação. [Do lat. *adrogatione.*] *S. f.* Ato de ad-rogar. [Pl.: *ad-rogações.*]

ad-rogar. [Do lat. *adrogare.*] *V. t. d.* Adotar ou tomar por adoção (pessoa de maior idade). [Conjug.: v. *largar.*]

adscrever. [Do lat. *adscribere.*] *V. t. d. e i.* **1.** Acrescentar ao que está escrito: "Nos intervalos editava ordens ao Chalaça, acalentava-se nas prosternações das mensagens que lhe eram enviadas e redigia ao Coronel João de Castro uma carta em que a própria D. Domitila adscrevia um pós-escrito" (Alberto Rangel, *Dom Pedro Primeiro e a Marquesa de Santos,* p. 145). **2.** Registrar, inscrever. **3.** Obrigar, constranger; compelir, adstringir. **4.** Subordinar, submeter, sujeitar. *P.* **5.** Limitar-se, restringir-se, cingir-se, circunscrever-se. **6.** Obrigar-se, constranger-se, compelir-se. [Part. (irreg.) *adscrito.*]

adscrição. [Do lat. *adscriptione.*] *S. f.* **1.** Aditamento ao que está escrito. **2.** Registro, inscrição. **3.** Sujeição, submissão, dependência.

adscritício. [Do lat. *adscripticiu.*] *Adj.* Dizia-se do colono obrigado a viver e trabalhar em determinada terra; adscrito.

adscrito. [Do lat. *adscriptu.*] *Adj.* **1.** Aditado, acrescentado. **2.** Inscrito, registrado, arrolado. **3.** Sujeito, subordinado. **4.** Adscritício.

adsorção. [Do ingl. *adsorption.*] *S. f. Fís.-Quím.* Fixação das moléculas de uma substância (o *adsorvato*) na superfície de outra substância (o *adsorvente*).

adsorvato. *S. m. Fís.-Quím.* Num processo de adsorção, substância que é adsorvida.

adsorvente. *S. m. Fís.-Quím.* Substância que adsorve.

adsorver. *V. t. d. Fís.-Quím.* Realizar a adsorção de (uma substância).

adstrato. [De *ad-* + lat. *stratu,* part. de *sternere,* 'estender'.] *S. m. Ling.* Língua que constitui fonte de empréstimos para outra língua falada em região vizinha.

adstrição. [Do lat. *adstrictione.*] *S. f.* **1.** Ação ou efeito de adstringir. **2.** Ação ou resultado de um medicamento ou substância adstringente.

adstringência. [Do lat. *adstringentia.*] *S. f.* Qualidade de adstringente.

adstringente. [Do lat. *adstringente.*] *Adj. 2 g. e s. m.* **1.** Que ou o que adstringe; adstringitivo, adstringivo, adstritivo. **2.** *Med.* Diz-se de, ou medicamento ou substância que produz constrição; estíptico.

adstringir. [Do lat. *adstringere.*]. *V. t. d.* **1.** Apertar, comprimir, estreitar. **2.** Diminuir, limitar, reduzir, restringir. **3.** Unir, unificar; juntar, ajuntar. **4.** Submeter, sujeitar, subjugar; dominar. *T. d. e i.* **5.** Obrigar, constranger; adscrever: *Adstringi-o ao cumprimento da lei. P.* **6.** Apertar-se, comprimir-se, estreitar-se. **7.** Unir-se, ligar-se; juntar-se, ajuntar-se. **8.** Limitar-se, circunscrever-se, adscrever-se. [Conjug.: v. *dirigir.*]

adstringitivo. *Adj. e s. m.* V. *adstringente* (1).

adstringivo. *Adj. e s. m.* V. *adstringente* (1).

adstritivo. *Adj. e s. m.* V. *adstringente* (1).

adstrito. [Do lat. *adstrictu.*] *Adj.* **1.** Apertado, unido, ligado. **2.** Contraído, constrito. **3.** Cingido, limitado, restrito.

adua. [Do ár. ocidental *ad-dūllā.*] *S. f.* **1.** Rebanho de bestas e bois a cujo pastor se paga por cabeça. **2.** Correria, corrida. **3.** *Ant.* Imposto que se pagava ao suserano para a construção, reparo e conservação de obras de fortificação. **4.** *Ant.* Partilha de águas para irrigações, entre lavradores vizinhos. **5.** *Ant.* Convocação para a guerra. **6.** *Ant.* Obrigação de alistamento militar. **7.** *Ant.* Imposto pago pela isenção do serviço militar.

aduagem. *S. f.* Ato ou efeito de aduar[2].

aduana. [Do ár. *ad-diuānâ.*] *S. f.* **1.** Alfândega (1 a 3): "É a hora da fiscalização alfandegária. .... os funcionários da aduana se estendem detrás de largos bancos, prontos para o trabalho." (Albertino Moreira, *Uruguai — Argentina — Chile,* p. 25.) **2.** Antigo bairro fechado habitado por cristãos em terra de mouros.

aduanar. *V. t. d.* **1.** V. *alfandegar*[2].

aduaneiro. *Adj.* **1.** V. *alfandegário:* "Não pensava o funcionário aduaneiro que o navio de carga transportasse passageiros e confiou todo o despacho aos seus subordinados." (Joaquim Paço d'Arcos, *Carnaval e Outros Contos,* p. 164.) ~ V. *polícia —a.* • *S. m.* **2.** Funcionário do quadro aduaneiro.

aduar[1]. [Do ár. *ad-duuar.*] *S. m.* **1.** Povoação móvel mourisca: "Os mouros imediatamente soaram o alarme através dos aduares, baixaram e desmantelaram as obras e atacaram o destacamento." (Eça de Queirós, *Ecos de Paris,* p. 146.) **2.** *P. ext.* Acampamento de povos primitivos. **3.** *Fig.* Agrupamento, reunião.

aduar[2]. [De *adua* (4) + *-ar*[2].] *V. t. d. Ant.* Dividir (a água das regas) em aduas.

adubação. *S. f.* Ato ou efeito de adubar; adubagem.

adubadeira. *S. f.* Máquina para adubar terra.

adubador (ô). *Adj. e s. m.* Que ou aquele que aduba.

adubagem. *S. f.* Adubação.

adubar. [Do frâncico *dubban,* 'bater', pelo fr. ant. *adober.*] *V. t. d.* **1.** Temperar, guisar, condimentar: "ao jantar, dão-lhe carne, ... e um prato d'arroz e algum guisado com farto molho, para adubar o arroz" (Camilo Castelo Branco, *O Judeu,* II, p. 200). **2.** Fertilizar (o terreno) com adubo; estrumar. **3.** Curtir, preparar (o couro). **4.** Amanhar, cultivar (a terra). **5.** Dar chiste ou sal a (aquilo que se diz). **6.** *Fig.* Preparar, enfeitar, adornar, ornar, ataviar. **7.** *Mar. Ant.* Reparar (embarcação), especialmente o seu fundo. [Cf., nesta acepç., *radobar.*] **8.** *Mar. Ant.* Abastecer (navio) de mantimentos. *T. d. e i.* **9.** Misturar, mesclar, entremear: *Falando, aduba um pouco de mau francês com uma vaga tintura de espanhol.* [Cf. *adobar.*]

adubo. [Dev. de *adubar.*] *S. m.* **1.** Tempero, condimento. **2.** Resíduos animais ou vegetais, ou substância química, que se misturam à terra para fertilizá-la; fertilizante. **3.** *Fig.* Chiste, facécia; sal. **4.** *Fig.* Aquilo que favorece o desenvolvimento.

adução. [Do lat. tardio *adductione.*] *S. f.* **1.** Ação de aduzir. **2.** Operação de trazer a água, nos sistemas de abastecimento, desde o ponto de captação até à rede de distribuição.

aducha. [Do esp. *aducha.*] *S. f. Marinh.* **1.** Cada uma das voltas ou cobros de um cabo ou amarra arrumada de sorte que ocupe menos espaço e reduza o risco de se enroscar quando tiver de ser usada, ou apresente boa aparência. **2.** Cada uma das partes em que se dobra uma vela desenvergada e ferrada. **3.** Rolo ou meada de cabo ou amarra. ♦ **Aducha à inglesa.** *Marinh.* Rolo de cabo amarrado de maneira que cada volta fique justa e por fora da volta anterior e num mesmo plano. **Aducha em cobros.** *Marinh.* Meada de cabo ou amarra arrumada em ziguezague. **Aducha em pandeiro.** *Marinh.* Rolo de cabo ou amarra arrumado de maneira que cada volta fique por cima da anterior.

aduchar. *V. t. d. Marinh.* **1.** Arrumar em aduchas (cabo, amarra, etc.). **2.** Dobrar convenientemente (uma vela desenvergada).

aducir. [Do fr. *adoucir,* 'adoçar'.] *V. t. d.* Amaciar (metal) para o tornar flexível e pouco quebradiço.

aducto. *S. m. Quím.* Composto de adição em que moléculas de uma espécie ficam presas ou localizadas em vazios da rede formada por moléculas de outra espécie.

aduela. [De *a-*[4] + fr. *douelle.*] *S. f.* **1.** Tábua encurvada com que se forma o corpo de tonéis, pipas, etc. **2.** Pedra em forma de cunha secionada, que se emprega na construção de arcos e abóbadas de cantaria. **3.** Peça de madeira que forra as ombreiras das portas e janelas. **4.** Certa madeira americana. **5.** Abertura de ferro dos saca-trapos [v. *saca-trapo* (1)]. ♦ **Ter uma aduela de menos.** *Fam.* V. *ter um parafuso de menos.* **Ter uma aduela de mais.** *Fam.* V. *ter um parafuso de menos.*

aduelagem. *S. f.* Operação de executar e/ou colocar aduelas.

adufa. [Do ár. *ad-duffâ.*] *S. f.* **1.** Anteparo usado em portas, janelas e outros tipos de abertura, fabricado com lâminas estreitas de madeira, inclinadas e pouco afastadas entre si, de modo que proteja o interior da casa contra o excesso de vento, a luz muito viva, a chuva e a indiscrição de quem passa, só deixando entrar livremente o ar. **2.** Roda que esmaga a azeitona no lagar de azeite. **3.** Chapa (metálica) móvel em torno dum eixo, ou com movimento de correr, que se coloca nos condutos que regulam a vazão de um fluido. **4.** Dispositivo para regular o fluxo de qualquer material pulverulento. **5.** Abertura retangular, de grandes dimensões, feita em barragens ou canais, através da qual se pode escoar a água, e cujo fechamento pode ser graduado por uma comporta.

adufada. *S. f.* Ação de adufar[2]; toque de adufe.

adufar[1]. [De *adufa*[1] + *-ar*[2].] *V. t. d.* Resguardar com adufa(s).

adufar[2]. [De *adufe* + *-ar*[2].] *V. int.* **1.** Tocar adufe. *T. d.* **2.** Acompanhar ou marcar com o adufe o ritmo de (baile, canção, etc.).

adufe. [Do ár. *ad-duff.*] *S. m.* **1.** *Mús.* Espécie de pandeiro quadrado sem soalhas, feito de madeira leve, e com pele retesada dos dois lados: "muitas personagens, de variegados trajos exóticos, tangendo pandeiros, adufes e castanhetas" (Ramalho Ortigão, *As Farpas,* I, p. 83). **2.** *Bras.* Antigo pandeiro quadrado, de madeira, com dois tampos de pergaminho, que encerram fieiras de soalhas. [Var.: *adufo.*]

adufeiro. *S. m.* **1.** Tocador de adufe. **2.** Fabricante de adufes.

adufo[1]. *S. m.* Peça retangular de barro amassado e seco ao sol.

adufo[2]. *S. m.* **1.** *Bras.* Var. de *adufe.* **2.** *Bras., AL.* V. *cuíca* (2).

adulação. [Do lat. *adulatione.*] *S. f.* **1.** Ato ou efeito de adular. **2.** Lisonja, bajulação, louvaminha. [Sin., bras.: *adolo* (ô). Cf. (nesta acepç.) *banha* (3).]

adulador (ô). [Do lat. *adulatore.*] *Adj. e s. m.* V. *bajulador.*

adulão. [De *adular* + *-ão*[3].] *Adj. e s. m.* V. *bajulador.* [Fem.: *adulona.*]

adular. [Do lat. *adulare.*] *V. t. d.* **1.** Lisonjear servilmente; bajular, incensar, sabujar: *Adula os poderosos para alcançar favores.* **2.** Gabar por interesse próprio e com afetação. **3.** *Bras., MG.* Acarinhar, acariciar, agradar: *Como aquela mãe adula o filhinho!* **4.** *Bras., N.E.* Sentir admiração a; admirar. [Fut. do pret.: *adularia,* etc. Cf. *adulária.*]

adulária. [Do fr. *adulaire.*] *S. f. Min.* Variedade de ortoclásio usada em joalheria, e caracterizada pelo brilho de pérola e por opalescência; pedra-da-lua. [Cf. *adularia,* do v. *adular.*]

adulativo. *Adj.* V. *adulatório.*

adulatório. [Do lat. *adulatoriu.*] *Adj.* Que envolve adulação; lisonjeiro, adulativo: *Tem para com o chefe palavras e modos adulatórios.*

adulçorar. [De *a-*[2] + *dulçor* + *-ar*[2].] *V. t. d.* V. *adoçar.*

adulona. *Adj. (f.) e s. f.* Fem. de *adulão* [q. v.].

aduloso (ô). [De *adul(ar)* + *-oso.*] *Adj. e s. m.* V. *bajulador.*

adúltera. [Do lat. *adultera.*] *S. f.* Mulher que pratica adultério (1). [Cf. *adultera,* do v. *adulterar.*]

adulteração. [Do lat. *adulteratione.*] *S. f.* **1.** Ato ou efeito de adulterar. **2.** Falsificação, contrafação, corrupção, adultério.

adulterado. [Part. de *adulterar.*] *Adj.* **1.** Alterado com fraude; falsificado: *documentos adulterados; uísque adulterado.* **2.** Modificado, alterado: *texto adulterado.* **3.** Deturpado, deformado: *projeto adulterado.*

adulterador (ô). [Do lat. *adulteratore.*] *Adj. e s. m.* Que ou aquele que adultera.

adulterar. [Do lat. *adulterare.*] *V. t. d.* **1.** Falsificar, contrafazer: *adulterar documentos.* **2.** Corromper, viciar, deturpar, deformar. **3.** Mudar, alterar, modificar: "A prosódia crioula alterou tanto estas palavras africanas, ... que se tornaram irreconhecíveis." (Gustavo Barroso, *As Colunas do Templo,* p. 65.) *Int.* **4.** Cometer adultério; adulterar-se. *P.* **5.** Corromper-se, viciar-se, deturpar-se. **6.** Adulterar (4). [Pres. ind.: *adultero, adulteras, adultera,* etc. Cf. *adúltero* e *adúl-*

tera.]

adulterinidade. *S. f.* Qualidade de adulterino (1 e 2).

adulterino. [Do lat. *adulterinu.*] *Adj.* **1.** Em que há adultério (1); adulterioso, adúltero, adulteroso: *ligações adulterinas.* **2.** Proveniente de adultério: *filho adulterino.* **3.** Que sofreu adulteração. ~ V. *filho* —.

adultério. [Do lat. *adulteriu.*] *S. m.* **1.** Infidelidade conjugal; prevaricação. **2.** *Fig.* União destoante, aberrante. **3.** V. *adulteração* (2).

adulterioso (ô). *Adj.* **1.** V. *adulterino* (1). **2.** Que incorre em adultério (1).

adúltero. [Do lat. *adulteru.*] *Adj.* **1.** Alterado, corrompido, falsificado. **2.** Que violou ou viola a fidelidade conjugal. **3.** V. *adulterino* (1). ● *S. m.* **4.** Marido adúltero (2). [Cf. *adultero*, do v. *adulterar.*]

adulteroso (ô). *Adj.* **1.** V. *adulterino* (1). **2.** Inclinado ao adultério.

adulto. [Do lat. *adultu.*] *Adj.* **1.** Diz-se do indivíduo que atingiu o completo desenvolvimento e chegou à idade vigorosa. **2.** Que atingiu a maioridade (1). **3.** Próprio de pessoa adulta: *A pequena já tem idéias adultas.* **4.** Diz-se do ser vivo que atingiu o máximo do seu crescimento: *mangueira adulta; animal adulto.* **5.** *Psicol.* Diz-se de indivíduo que atingiu plena maturidade, expressa em termos de adequada integração social e adequado controle das funções intelectuais e emocionais. ● *S. m.* **6.** Indivíduo adulto.

adum. [Do ioruba.] *S. m. Bras.* Bolo feito de milho, azeite e mel.

adumbrar. [Do lat. *adumbrare.*] *V. t. d.* **1.** Cobrir de sombra; sombrear, obumbrar. **2.** Acompanhar como sombra. **3.** Esboçar, bosquejar, debuxar. *P.* **4.** Anuviar-se, obumbrar-se.

adunação. [Do lat. *adunatione.*] *S. f.* Ato ou efeito de adunar(-se); união de várias coisas em uma só; adunamento.

adunado. [Part. de *adunar.*] *Adj.* Que sofreu adunação. ~ V. *folhas* —*as.*

adunamento. *S. m.* Adunação.

adunar. [Do lat. *adunare.*] *V. t. d.* **1.** Reunir, incorporar, em um só; congregar, coadunar. *P.* **2.** Reunir-se, congregar-se: "No centro da taba se estende um terreiro, / Onde ora se aduna o concílio guerreiro / Da tribo senhora, das tribos servis" (Gonçalves Dias, *Obras Poéticas*, II, p. 19).

aduncar. *V. t. d.* Tornar adunco: "Susana envenenada de luxúria, Filomena aduncando o nariz e as unhas na avareza" (Osmã Lins, *Nove, Novena*, p. 98). [Conjug.: v. *trancar.*]

aduncidade. [Do lat. *aduncitate.*] *S. f.* Qualidade ou feição de adunco.

aduncirrostro. [Do lat. *adunci-* + *-rostro.*] *Adj. Zool.* Que tem bico adunco, recurvo ou aquilino, como as aves de rapina.

adunco. [Do lat. *aduncu.*] *Adj.* **1.** Curvo ou recurvado em forma de garra ou gancho: "Tinha o nariz curvo, adunco de ave de pilhagem, as barbas grisalhas e ralas." (Júlio Brandão, *Contos Escolhidos*, p. 54.) **2.** Recurvado, curvo: *ferro adunco.*

adurar. [De *a-*[4] + *durar.*] *V. int. Ant.* e *pop.* Durar.

adurência. [Do lat. *adurentia.*] *S. f.* Qualidade de adurente (1 e 2).

adurente. [Do lat. *adurente.*] *Adj. 2 g.* **1.** Que adure, queima, caustica; adustivo. **2.** Que produz sensação semelhante à da queimadura: *sede adurente.* ● *S. m.* **3.** Medicamento cáustico.

adurir. [Do lat. *adurere.*] *V. t. d.* Queimar, abrasar, causticar.

adustão. [Do lat. *adustione.*] *S. f.* **1.** Cauterização pelo fogo. **2.** Calor excessivo; abrasamento. **3.** *Bot.* Estado da planta queimada por ação de agentes do ambiente.

adustível. *Adj. 2 g.* V. *combustível* (1).

adustivo. *Adj.* Adurente (1).

adusto. [Do lat. *adustu*] *Adj.* **1.** Queimado, abrasado, ressequido: *vegetação adusta.* **2.** Muito quente; esbraseado, ardente: "Sopra um cinzento ar, / que empeçonha a cidade e as areias adustas" (Gomes Leal, *O Anticristo*, p. 84). **3.** Tisnado, tostado, enegrecido: *pele adusta.*

➧**ad usum Delphini** (adúzum delfíni). [Lat., 'para uso do Delfim'.] Inscrição que traziam as edições dos clássicos latinos especialmente expurgadas para uso do Delfim, filho de Luís XIV. [A expressão indica, hoje, qualquer edição expurgada.]

adutor (ô). [Do lat. *adductore.*] *Adj.* e *s. m.* Que ou o que aduz ou traz.

adutora (ô). [Fem. substantivado do adj. *adutor.*] *S. f.* Canal, galeria ou encanamento destinado a conduzir as águas de um manancial para o reservatório: "Isto se passou no período mais ardente da crise da adutora do Guandu, com o Rio sem água." (Carlos Drummond de Andrade, *Cadeira de Balanço*, p. 101.) [Cf. *aqueduto.*]

aduzir. [Do lat. *adducere.*] *V. t. d.* **1.** Trazer, apresentar (razões, provas, testemunhos, etc.): "Vieira com a habilidade de costume, aduz as várias razões". (Afonso Pena Júnior, *A Arte de Furtar e o Seu Autor*, I, p. 157). *T. d* e *i.* **2.** Trazer, apresentar: *O advogado aduzia ao juiz novos argumentos.* [Perde o e final da 3ª pess. sing. do pres. ind., *aduz*, e na 2ª pess. sing. do imperat. apresenta duas formas: *aduze* e *aduz.*]

➧**ad valorem** (ad valórem). [Lat., 'conforme o valor'.] *Jur.* Diz-se da tributação que se faz conforme o valor da mercadoria importada ou vendida, e não pelo seu volume, peso, espécie ou quantidade.

advecção. [Do lat. *advectione.*] *S. f. Met.* Transmissão do calor por um movimento horizontal de uma massa de ar.

ádvena. [Do lat. *advena.*] *Adj. 2 g.* e *s. 2 g.* Adventício (1 e 6).

adveniente. [Do lat. *adveniente.*] *Adj. 2 g.* Que advém.

adventícia. *S. f. Anat.* Túnica adventícia.

adventício. [Do lat. *adventiciu.*] *Adj.* **1.** Chegado de fora; estrangeiro, forasteiro, ádvena. **2.** Casual, fortuito, inesperado. **3.** *Biol.* Que está fora do lugar próprio, ou fora de época. **4.** *Fitogeogr.* Diz-se de espécie que se encontra vegetando noutro lugar que não o seu de origem. **5.** *Morfol. Veg.* Diz-se de qualquer órgão que nasce fora do lugar habitual: *raiz adventícia.* ~ V. *cratera* —*a, idéia* —*a, raiz* —*a* e *túnica* —*a.* ● *S. m.* **6.** Aquele que chega de fora, que é estranho ou intruso; estrangeiro, forasteiro, ádvena.

adventismo. [Do ingl. *adventism.*] *S. m.* Doutrina protestante dos adventistas, fundada nos E.U.A., em 1849, e que espera o cumprimento literal de algumas profecias numa segunda vinda de Jesus à Terra, visto não se haverem cumprido quando da primeira.

adventista. [Do ingl. *adventist.*] *Adj. 2 g.* **1.** Relativo ou pertencente ao adventismo ou aos adventistas. **2.** Que é seguidor do adventismo. ● *S. 2 g.* **3.** Seguidor do adventismo.

advento. [Do lat. *adventu.*] *S. m.* **1.** Vinda, chegada. **2.** Aparecimento, começo; instituição: *o advento da monarquia.* **3.** *Lit.* A primeira divisão do ano litúrgico [q. v.], período das quatro semanas antes do Natal, fixado pela Igreja Católica para a preparação espiritual compatível com esta festa.

adverbial. [Do lat. *adverbiale.*] *Adj. 2 g.* **1.** Referente ao, ou próprio do advérbio: *Em ferir fundo a palavra fundo tem função adverbial.* **2.** Que tem valor de advérbio: *locução adverbial.* ~ V. *adjunto* —.

adverbialidade. *S. f.* Qualidade ou caráter de adverbial.

adverbializado. [Part. de *adverbializar.*] *Adj.* Transformado em advérbio.

adverbializar. *V. t. d.* Transformar em advérbio.

adverbiar. *V. t. d.* Empregar com função ou terminação de advérbio; transformar em advérbio. [Pres. ind.: *adverbio*, etc. Cf. *advérbio.*]

advérbio. [Do lat. *adverbiu.*] *S. m. Gram.* Palavra invariável que modifica um verbo, um adjetivo ou outro advérbio, exprimindo circunstância de tempo, lugar, modo, dúvida, etc. [Cf. *adverbio*, do v. *adverbiar.*]

adversante. [Do lat. *adversante.*] *Adj. 2 g.* Oposto, contrário, adverso.

adversão. [Do lat. *adversione.*] *S. f.* **1.** Ato ou efeito de adversar; oposição, impugnação. **2.** V. *advertência* (2).

adversar. [Do lat. *adversare.*] *V. t. d.* Ser adverso a; contrariar, combater, impugnar. [Fut. pret.: *adversaria.* Cf. *adversária*, f. de *adversário.*]

adversário. [Do lat. *adversariu.*] *Adj.* **1.** Que luta contra; que se opõe a: *time adversário; partidos adversários; opiniões adversárias.* **2.** Oposto, contrário, adverso. ● *S. m.* **3.** Indivíduo que luta contra; inimigo. **4.** Indivíduo que se opõe a; opositor, antagonista. **5.** Rival, concorrente. [Fem.: *adversária.* Cf. *adversaria*, do v. *adversar.*]

adversativa. *S. f. Gram.* Conjunção adversativa.

adversativo. [Do lat. *adversativu.*] *Adj.* Oposto, adverso. ~ V. *conjunção* —*a.*

▲**adversi-.** [Do lat. *adversus*, *-a*, *-um.*] *El comp.* = 'oposto': *adversifólio.*

adversidade. [Do lat. *adversitate.*] *S. f.* **1.** Contrariedade, aborrecimento. **2.** Infelicidade, infortúnio, revés. **3.** Qualidade ou caráter de adverso (3): *a adversidade do clima equatorial.*

adversifólio. [De *adversi-* + *-fólio.*] *Adj. Bot.* Que tem no mesmo tronco folhas opostas.

adverso. [Do lat. *adversu.*] *Adj.* **1.** Oposto, contrário, adversário: "Ainda hoje são, por fado adverso, / Meus filhos — alimárias do Universo... / Eu — pasto universal." (Castro Alves, *Poesias Escolhidas*, p. 343.) **2.** Que traz infortúnio, infelicidade, má sorte: *épocas adversas.* **3.** Desfavorável, impróprio, inadequado, malpropício: *clima adverso à cultura do café.*

advertência. [Do lat. *advertentia.*] *S. f.* **1.** Ato ou efeito de advertir. **2.** Admoestação, observação, aviso, adversão. [Sin. ger. (p. us.): *advertimento.*]

advertido. [Part. de *advertir.*] *Adj.* **1.** Avisado, informado, aconselhado. **2.** Prudente, discreto. **3.** Atento, reparador.

advertimento. *S. m. P. us.* V. *advertência.*

advertir. [Do lat. *advertere.*] *V. t. d.* **1.** Observar com palavras; censurar levemente; admoestar. **2.** Atentar ou reparar em; notar, observar: *Luís ainda trabalhava, mas advertiu que era tarde e recolheu-se.* **3.** Chamar a atenção para; fazer que repare em: *Advertiu as faltas do subordinado.* **4.** Concluir, inferir, deduzir: *Explicou-me detalhadamente a situação, e só então adverti que agira corretamente.* **5.** Acautelar, prevenir, precatar: *Só não caiu na cilada porque o advertiram.* **6.** Dizer, participar, comunicar, repreendendo. *T. d.* e *i.* **7.** Avisar, admoestar: "Nessa mesma noite, leu-lhe o artigo em que advertia o partido da conveniência de não ceder às perfídias do poder" (Machado de Assis, *Quincas Borba*, p. 208). **8.** Fazer observar, atentar, reparar: *Os primeiros cabelos brancos advertiram-na da velhice que chegava;* "alguma cousa de suave lhe advertia que a afeição do sangue não tinha as asas da sua, essas asas auriverdes da esperança" (José de Alencar, *O Tronco do Ipê*, p. 198). *T. i.* **9.** Reparar, atentar, observar: *Só então advertiu na imprudência de seu ato.* *Int.* **10.** Fazer advertência; informar: "A um lado e outro, grandes letreiros dão conselhos fáceis de dizer, exortam, advertem, refrescam a lembrança do fogo do inferno" (Augusto Meyer, *No Tempo da Flor*, p. 40). *P.* **11.** Dar fé; reparar, atentar: *Ao cair da noite, advertiu-se de que não se agasalhara suficientemente.* [Conjug.: v. *aderir.*]

advincular. [De *ad-* + *vínculo* + *-ar*[1].] *Adj. 2 g.* Conexo, ligado, enlaçado.

advindo. [Part. de *advir.*] *Adj.* Que adveio ou sobreveio.

advir. [Do lat. *advenire.*] *V. t. i.* **1.** Suceder, ocorrer, acontecer, sobrevir: *Informou-o da desgraça que poderia advir-lhe.* *Bit. i.* **2.** Vir em conseqüência; resultar, proceder, derivar, provir: *Daquele feito advei-o-lhe a glória.* *Int.* **3.** Suceder, acontecer: *Fatos desastrosos advieram.* [Irreg. Conjug.: v. *vir.* Imperf. ind.: *advinha*, etc. Cf. *adivinha*, do v. *adivinhar* e s. f.]

advocacia. *S. f.* **1.** Ação de advogar. **2.** Profissão ou exercício da profissão de advogado. [Sin. (p. us.): *advocatura* e *advogacia.*] ◆ **Advocacia administrativa.** *Bras.* Tráfico de influência.

advocatício. *Adj.* Relativo às atividades do advogado; advocatório.

advocatório. *Adj.* **1.** Advocatício. **2.** Que tem poder para advogar ou defender.

advocatura. [Do lat. *advocatu*, 'advogado', + *-ura.*] *S. f. P. us.* V. *advocacia.*

advogacia. *S. f. P. us.* V. *advocacia.*

advogada. [Fem. de *advogado.*] *S. f. Rel.* A Virgem Maria, como intercessora dos homens junto a Cristo, seu filho.

advogado. [Do lat. *advocatu.*] *S. m.* **1.** Indivíduo legalmente habilitado a advogar, i. e., a prestar assistência profissional a terceiros em assunto jurídico, defendendo-lhes os interesses ou como consultor ou como procurador em juízo. [Cf. *bacharel* (1).] **2.** Patrono, defensor, protetor, padroeiro: *Santa Bárbara, advogada das tempestades, valei-nos!* **3.** Intercessor, medianeiro, mediador. ◆ **Advogado de porta de xadrez.** *Bras. Pop.* Advogado sem clientela, que vive a procurar clientes pelas prisões. **Advogado do Diabo.** *Rel.* **1.** O encarregado, na Cúria romana, de levantar objeções a uma proposta de canonização, ou de propor as objeções numa conferência religiosa. **2.** *P. ext.* Aquele que se encarrega de opor e sustentar objeções a qualquer tese, ou anda sempre a levantar dificuldades, a criar objeções.

advogar. [Do lat. *advocare.*] *V. t. d.* **1.** Interceder a favor de; apadrinhar: *Vendo repelida a sua pretensão, pediu ao velho amigo que o advogasse;* "Dize-lhe de mim o melhor que puderes dizer; advoga a minha causa com a tua eloqüência habitual" (Artur Azevedo, *Contos Cariocas*, p. 142). **2.** Defender com razões e argumentos: *Sabe advogar com calor os seus princípios;* "Maupassant, no célebre prefácio de *Pierre et Jean*, advoga um romance rigidamente objetivo, que represente com exatidão os atos, os gestos, o comportamento, em suma, das personagens" (Vítor Manuel de Aguiar e Silva, *Teoria da Literatura*, p. 302). **3.** Defender ou atacar (uma causa) em juízo (4 e 7). *Int.* **4.** Exercer a profissão de advogado: "Conheci .... uma filha deste magistrado casada com um bacharel transmontano .... , que advogou alguns anos em Lisboa" (Camilo Castelo Branco, *Noites de Insônia*, I, p. 72); "O bacharel não advogava" (José de Alencar, *Senhora*, p. 227). *T. i.* **5.** Interceder; exorar: *Advogou pelo pobre homem.* [Conjug.: v. *largar.*]

adzâneni. *Bras. S. 2 g.* **1.** Indivíduo dos adzânenis, tribo indígena aruaque que habita as imediações do rio Aquio. ● *Adj. 2 g.* **2.** Relativo ou pertencente a essa tribo. [Sin. ger.: *ariana* e *tatu-tapuia.*]

■ **Ae.** *Eletr.* Símb. de *ampère-espira.*

aedo (é). [Do gr. *aoidós*, 'cantor'.] *S. m.* **1.** Na Grécia antiga, poeta que recitava ou cantava suas composições religiosas ou épicas, acompanhando-se à lira: "Ninguém suspeita ainda nem de longe que o discurso proferido para acudir pela salvação ou pela honra da república, possa ter alguma coisa de comum com as formosas composições, que os rapsodes e aedos vão descantando pela Grécia" (Latino Coelho, *A Oração da Coroa*, pp. CDIII-CDIV). **2.** *P. ext.* V. *poeta.* (1).

á-é-i-ó-u. *S. m.* Substantivação de *a, e, i, o, u*, com que se designam as primeiras letras, ou rudimentos de uma matéria; á-bê-cê [q. v.].

aeração. [Do fr. *aération.*] *S. f.* **1.** Ato ou efeito de arejar; aeragem. **2.** Renovação do ar; ventilação. **3.** *Quím.* Passagem forçada de ar através de uma solução, de um banho, ou de outro sistema, com o objetivo de aumentar-lhe o teor de oxigênio ou expulsar gases indesejáveis.

aeragem. [Do fr. *aérage.*] *S. f.* Aeração (1).

aerelasticidade. [De *aer(o)-* + *elasticidade.*] *S. f. Fís.* Estudo dos efeitos estáticos e dinâmicos das forças exercidas sobre os corpos elásticos pelo ar em movimento.

aeremoto. *S. m.* Var. de *aeromoto* [q. v.].

aerênquima. [De *aer(o)-* + gr. *égchyma*, 'infusão', 'injeção'.] *S. m. Bot.* Parênquima caracterizado pela presença de grandes lacunas aeríferas, próprio de plantas aquáticas, às quais confere boas qualidades de flutuação.

aéreo. [Do gr. *aéreos.*] *Adj.* **1.** Relativo ao ar: *regiões aéreas.* **2.** Semelhante ao ar: *fluido aéreo.* **3.** Que é formado de ar: *correntes aéreas.* **4.** Suspenso no ar: *poeira aérea.* **5.** Que se desloca no ar: *engenho aéreo.* **6.** Que vive ou se desenvolve no ar: *planta aérea.* **7.** *Fig.* Alto, elevado, superior. **8.** *Fig.* Fantasioso, imaginário, vão: *Tinha uma visão aérea da realidade.* **9.** *Fig.* Ligeiro, leve, vaporoso. **10.** *Fig.* Desatento, distraído, irrefletido: *Aéreo de natureza, não se lembra nunca onde põe os seus pertences.* **11.** Efetuado pela aviação: *correio aéreo; ataque aéreo; acrobacia aérea.* **12.** Em que se usa a aviação como meio de transporte: *carta aérea; linhas aéreas.* ~ V. *anúncio —, cal —a, conhecimento —, direito —, espaço —, linha —a, navegação —a, papel —, poder —, ponte —a, táxi —* e *tráfego —.*

➧**aere perennius** (ére perêniuç). [Lat., 'mais durável que o bronze'.] Expressão com que Horácio [v. *horaciano*] caracterizava a sua própria obra poética.

▲**aeri-.** [Do lat. *aer, aeris.*] *El. comp.* = 'ar': *aerificar, aeriforme.*

aerícola. [De *aeri-* + *-cola.*] *Adj. 2 g.* Que vive no ar.

aerífero. [De *aeri-* + *-fero.*] *Adj.* **1.** Que conduz ou distribui o ar. ● *S. m.* **2.** *Arquit.* Pequena abertura disposta nos forros de casas, contornando a cimalha, para fins de ventilação.

aerificação. *S. f.* Ação ou efeito de aerificar; aerização.

aerificar. [De *aeri-* + *-ficar.*] *V. t. d.* e *p.* Reduzir(-se) ao estado gasoso; aerizar: "Seu espírito aerificou-se, eterizou-se" (Martins Fontes, *Terras da Fantasia*, p. 175). [Conjug.: v. *trancar.*]

aeriforme. [De *aeri-* + *-forme.*] *Adj. 2 g.* Semelhante ao ar.

aerínea. *S. f. Teat.* Vestimenta de cor azul-clara, usada pelos atores da antiga comédia grega.

aerívoro. [De *aeri-* + *-voro.*] *Adj.* Que vive ou se alimenta de ar, ou também de ar.

aerização. *S. f.* Ato ou efeito de aerizar; aerificação.

aerizar. [De *aeri-* + *-izar.*] *V. t. d.* e *p.* Aerificar.

▲**aer(o)-.** [Do gr. *aér, aéros.*] *El. comp.* = 'ar': *aerênquima, aerofagia.*

aerobalística. [De *aer(o)-* + *balística.*] *S. f.* Estudo do movimento dos corpos cuja trajetória é determinada tão-só pela aplicação dos princípios da aerodinâmica e da balística.

aerobalístico. *Adj.* Relativo à aerobalística.

aerobarco. [De *aer(o)-* + *barco.*] *S. m. Bras.* Barco a motor, que se desloca deslizando na superfície das águas.

aerobata. [De *aer(o)-* + *-bata.*] *S. 2 g.* **1.** Pessoa que anda pelo ar. **2.** Pessoa que faz acrobacias aéreas. [Var. pros.: *aeróbata.*]

aeróbata. *S. 2 g.* Var. pros. de *aerobata.*

aeróbio. [De *aer(o)-* + *-bio.*] *Adj. Biol.* **1.** Diz-se do organismo a cuja vida é imprescindível o oxigênio livre retirado do ar: *microrganismo aeróbio.* **2.** Relativo a, ou próprio de organismo aeróbico: *respiração aeróbia.* ● *S. m.* **3.** Organismo aeróbio. [Antôn.: *anaeróbio.*]

aerobionte. [De *aer(o)-* + *-bionte.*] *S. m.* Organismo aeróbio.

aerobiontia. [De *aer(o)-* + *-biont(e)-* + *-ia.*] *S. f.* Necessidade que os microrganismos da terra têm do oxigênio livre do ar para viverem.

aerobiose. [De *aer(o)-* + *-biose.*] *S. f. Biol.* Condição de vida em presença do oxigênio.

aerobiótico. *Adj.* Relativo à aerobiose.

aeroblasto. [De *aer(o)-* + *-blasto.*] *S. m. Bot.* Nas plantas aquáticas, o ramo que se expande no ar, fora da água.

aeroclube. [De *aer(o)-* + *clube.*] *S. m.* Centro de formação para pilotos civis, cujos objetivos principais são a prática e o ensino da aviação civil esportiva e de turismo.

aerocolia. [De *aer(o)-* + *-col(e)-* + *-ia.*] *S. f. Med.* Distensão do cólon, por gases.

aerocólico. *Adj.* Referente à aerocolia.

aerocondensador (ô). [De *aer(o)-* + *condensador.*] *Adj.* e *s. m. Mec.* Diz-se de ou dispositivo para condensar o vapor à saída das máquinas térmicas sem necessidade do emprego de água.

aerodinâmica. [Fem. de *aerodinâmico*, substantivado.] *S. f. Fís.* Estudo do ar e outros gases em movimento, no tocante às suas propriedades e características e às forças que exercem em corpos sólidos neles imersos. ◆ **Aerodinâmica transônica.** *Fís.* Ramo da aerodinâmica que trata dos escoamentos caracterizados pelas velocidades relativas vizinhas à do som.

aerodinâmico. [De *aer(o)-* + *dinâmico.*] *Adj. Fís.* **1.** Referente à aerodinâmica. **2.** Diz-se de um sólido cuja forma é tal que a resistência oferecida pelo ar ao seu deslocamento é pequena.

aeródino. *S. m.* Designação comum a qualquer aparelho de vôo mais pesado que o ar. [Há quatro tipos: aviões, helicópteros, autogiros e planadores.]

aeródromo. [De *aer(o)-* + *-dromo.*] *S. m.* Área delimitada em terra, na água, ou flutuante, destinada a pouso e decolagem de aeronaves: "Dez minutos depois do avião levantar vôo, o aeródromo de Haia, donde partiu, era ocupado pelo invasor." (Joaquim Paço d'Arcos, *Neve sobre o Mar*, p. 225.) [Cf. *aeroporto.*]

aeroduto. [De *aer(o)-* + *-duto.*] *S. m.* Conduto de ar empregado nas instalações de acondicionamento ou de simples renovação do ar num espaço edificado.

aeroelasticidade. *S. f. Fís.* V. *aerelasticidade.*

aeroespacial. [De *aer(o)-* + *espacial.*] *Adj. 2 g. Astron.* **1.** Relativo à aeronáutica e ao espaço aéreo (3). **2.** Concernente ao aeroespaço. ~ V. *veículo —.*

aeroespaço. [De *aer(o)-* + *espaço.*] *S. m. Astron.* Região de lançamento e controle de mísseis, foguetes e satélites artificiais.

aerofagia. [De *aer(o)-* + *-fag(o)-* + *-ia.*] *S. f. Patol.* Deglutição exagerada de ar, resultante da ingestão apressada de alimentos, ou própria de certos estados ansiosos, e cujo sintoma principal é a eructação, acompanhada de dispepsia, palpitação e enfartamento.

aerofágico. *Adj.* Relativo à aerofagia.

aerófago. [De *aer(o)-* + *-fago.*] *S. m.* Aquele que deglute ar, que tem aerofagia.

aerófano. [Do gr. *aerophanés.*] *Adj.* Que se torna transparente no ar.

aerofilme. [De *aer(o)-* + *filme.*] *S. m. Fot.* Seqüência de fotografias tiradas de avião.

aerófito. [De *aer(o)-* + *-fito.*] *S. m.* Organismo vegetal aeróbio.

aerofobia. [De *aer(o)-* + *-fob(o)-* + *-ia.*] *S. f.* Medo mórbido do ar.

aerofóbico. *Adj.* Referente à aerofobia.

aerófobo. [Do gr. *aerophóbos.*] *S. m.* Aquele que sofre de aerofobia. [Cf. *idiófano.*]

aerofólio. [De *aer(o)-* + *-fólio.*] *S. m. Autom.* Peça que se adapta à traseira do carro de corrida para dar-lhe melhor estabilidade: "Piquet teve um susto na largada, quando passou sobre uma peça de metal e chocou a dianteira de seu carro contra a traseira do de Arnoux, destruindo parcialmente o aerofólio de seu Brabham." (*Jornal do Brasil*, 5.8.1981.)

aerofone. [De *aer(o)-* + *-fone.*] *S. m. Mús.* Aparelho de ar comprimido, espécie de trombeta, inventado por Thomas Edison (1847-1931), que aumenta o volume da voz humana e a torna audível a grande distância.

aerófono. [Do gr. *aeróphonos.*] *Adj. Mús.* Diz-se dos instrumentos de sopro de madeira, de metal, de fole, que soam por meio de uma coluna de ar posta em vibração. [Cf. *idiófono.*]

aeróforo. [De *aer(o)-* + *-foro.*] *Adj.* Que conduz o ar.

aerofoto. [De *aer(o)-* + *-foto.*] *S. f. Fot.* Fotografia tirada de avião.

aerofotografia. [De *aer(o)-* + *fotografia.*] *S. f. Fot.* Método de fotografia aérea do terreno para reconhecimentos topográficos, geológicos, arqueológicos ou militares.

aerofotográfico. *Adj.* Relativo à aerofotografia.

aerofotogrametria. [De *aer(o)-* + *fotogra(fia)* + *-metr(o)-* + *-ia*, com haplologia.] *S. f.* Fotogrametria obtida por meio de fotografias aéreas.

aerofotogramétrico. *Adj.* Relativo à aerofotogrametria.

aerogel. *S. m. Fís.-Quím.* Solução coloidal em que a fase dispersa é gasosa e a fase dispersora é sólida. Ex.: sorvete italiano, musse. [Pl.: *aerogéis.*]

aerognosia. [De *aer(o)-* + *-gnos(i)(o)-* + *-ia.*] *S. f.* Estudo das propriedades do ar e de suas funções na natureza.

aerognóstico. *Adj.* Referente à aerognosia.

aerografia. [De *aer(o)-* + *-graf(o)-* + *-ia.*] *S. f.* **1.** Descrição do ar ou dos gases. **2.** Ciência que trata do ar atmosférico. **3.** Ato ou efeito de pintar ou envernizar utilizando aerógrafo (2).

aerográfico. *Adj.* Relativo à aerografia.

aerógrafo. [De *aer(o)-* + *-grafo.*] *S. m.* **1.** Aquele que estuda o ar e suas propriedades. **2.** Instrumento a ar comprimido, com que se colorem desenhos, cartazes, etc., espargindo tinta atomizada sobre a superfície desejada, e também empregado, em tipografia, no preparo de originais destinados à reprodução por via fotomecânica.

aerograma. [De *aer(o)-* + *-grama.*] *S. m.* **1.** *P. us.* V. *radiograma* (1). **2.** Papel de carta franqueado de antemão que, dobrado, se transmuda em envelope.

aeróide. [De *aer(o)-* + *-óide.*] *Adj. 2 g.* Da natureza do ar, ou semelhante a ele.

aerólito. [De *aer(o)-* + *-lito.*] *S. m. Astr.* V. *meteorito* (1).

aerologia. [De *aer(o)-* + *-log(o)-* + *-ia.*] *S. f.* Parte da meteorologia que estuda a atmosfera livre [q. v.].

aerológico. *Adj.* Referente à aerologia. ~ V. *sondagem —a.*

aeromancia (cí). [De *aer(o)-* + *-mancia.*] *S. f.* Adivinhação por meio da observação do ar.

aeromante. [De *aer(o)-* + *-mante.*] *S. 2 g.* Pessoa que se dedica à aeromancia.

aeromântico. *Adj.* Referente à aeromancia, ou a aeromante.

aerometria. [De *aer(o)-* + *-metr(o)-* + *-ia.*] *S. f.* Ciência da medição da densidade dos elementos do ar.

aerométrico. *Adj.* Relativo à aerometria, ou destinado a ela.

aerômetro. [De *aer(o)-* + *-metro.*] *S. m. Fís.* Instrumento empregado para medir a densidade ou o peso de um gás. [Sin. (pop.): *provete.*]

aeromoça (ô). [De *aer(o)-* + *moça.*] *S. f. Bras.* A bordo de aviões comerciais, funcionária incumbida de vários serviços indispensáveis à segurança e ao conforto dos passageiros; comissária: "A enfermeira tão limpa de avental branco não tem qualquer coisa da aeromoça tão gentil que oferece revistas, caramelos e algodõezinhos para os ouvidos?" (Lígia Fagundes Teles, *A Disciplina do Amor*, p. 94.) [Obsol. na f. do m.]

aeromoço (ô). [De *aer(o)-* + *moço.*] *S. m. Bras. Obsol.* V. *comissário* (5).

aeromodelismo. *S. m.* **1.** Ciência ou técnica de projetar e construir aeromodelos. **2.** Esporte praticado com aeromodelos.

aeromodelista. *S. 2 g.* Pessoa que pratica o aeromodelismo.

aeromodelo (ê). [De *aer(o)-* + *modelo.*] *S. m.* Miniatura de máquina voadora (avião, helicóptero, etc.), quer para fins experimentais de laboratório (estudo de sua aerodinâmica, etc.), quer para recreação, sobretudo juvenil. [No último caso, pode ter ou não propulsão própria, mediante o desenrolar de um feixe de elásticos particularmente resistentes, ou a utilização de pequenos motores a explosão, ou de pulsojactos.]

aeromoto. [De *aer(o)-* + *-moto.*] *S. m.* Tremor violento do ar. [Var. (por infl. de *terremoto*): *aeremoto.*]

aeronauta. [De *aer(o)-* + *-nauta.*] *S. 2 g.* **1.** Navegador aéreo. **2.** Aeróstata. **3.** Pessoa que viaja num aeróstato. ● *S. f.* **4.** Espécime dos aeronautas [q. v.].

aeronautas. *S. f. pl. Zool.* Espécies de aranhas que aproveitam as correntes ascensionais de ar para transportar-se a grandes distâncias. ~ V. *aeronauta.*

aeronáutica. [De *aer(o)-* + *-náutica.*] *S. f.* **1.** Ciência, arte e prática da navegação aérea: aeronavegação. **2.** Aviação militar de um país.

aeronáutico. *Adj.* Referente à aeronáutica.

aeronaval. [De *aer(o)-* + *naval.*] Adj. 2 g. Referente à força aérea e à força naval, ou à força aérea da marinha de guerra.

aeronave. [De *aer(o)-* + *nave.*] *S. f.* Designação genérica dos aparelhos por meio dos quais se navega no ar. [Há dois tipos de aeronaves: aeróstatos e aeródinos.]

aeronavegação. [De *aer(o)-* + *navegação.*] *S. f.* **1.** Arte de viajar em aeróstatos ou aeroplanos; navegação aérea. **2.** Aeronáutica.

aeronomia. [De *aer(o)-* + *-nom(o)-* + *-ia.*] *S. f. Geofís.* Ramo da geofísica que trata da investigação físico-química das camadas superiores da atmosfera.

aeronômico. *Adj.* Relativo à aeronomia.

aeropausa. [De *aer(o)-* + *pausa.*] *S. f. Astr.* Região superior da atmosfera, na qual esta cessa de funcionar para vôos guiados ou não.

aeropista. [De *aer(o)-* + *pista.*] *S. f.* Faixa de rodagem para aviões.

aeroplano. [Do fr. *aéroplane.*] *S. m.* Avião (1).

aeroporto (ô). [De *aer(o)-* + *porto.*] *S. m.* Aeródromo [q. v.] que dispõe de instalações próprias para os serviços de chegada e partida, carga e descarga e manutenção de aeronaves, assim como de atendimento, embarque e desembarque de passageiros; campo de aviação.

aeroportuário. *Adj.* Relativo a aeroporto.

aeroposta. [De *aer(o)-* + *posta*^{2}.] *S. f.* **1.** Instalação para o envio de cartas com o auxílio da pressão do ar. **2.** Posta ou correio aéreo.

aeroscópio. [De *aer(o)-* + *-scop-* + *-io*^{2}.] *S. m.* Instrumento físico para observações no ar.

aerosfera. [De *aer(o)-* + *-sfera.*] *S. f.* Atmosfera (1 e 2).

aerossol. [De *aer(o)-* + *sol*^{4}.] *S. m.* **1.** *Fís.-Quím.* Solução coloidal em que a fase dispersora é gasosa e a fase dispersa é sólida ou líquida. **2.** *P. ext.* Embalagem de um produto (tinta, inseticida, medicamento, desodorante, etc.) que deve ser usado sob forma de aerossol. [Pl.: *aerossóis.*]

aerostação. *S. f.* **1.** Ciência que estuda os princípios básicos dos aeróstatos. **2.** Arte de dirigir aeróstatos.

aeróstata. [De *aer(o)-* + *-stato.*] *S. 2 g.* Pessoa que dirige um aeróstato; aeronauta.

aerostática. *S. f.* **1.** Parte da física que estuda as leis dos gases em equilíbrio. **2.** Estudo dos aeróstatos, do seu manejo e direção.

aerostático. [De *aeróstato* + *-ico*^{2}.] *Adj.* Relativo à aerostação, ou aos aeróstatos.

aerostato. *S. m.* V. *aeróstato.*

aeróstato. [Do fr. *aérostate.*] *S. m.* **1.** Veículo mais leve que o ar, e ao qual o empuxo arquimediano fornece a força de sustentação. [Há dois tipos de aeróstatos: balões e dirigíveis.] **2.** *Bras., PE.* Balão (2) cuja forma lembra a do aeróstato: "distendiam os gomos do a e r ó s t a t o, jeitosamente, temendo rasgar o papel de seda" (Mário Sete, *Senhora de Engenho*, p. 27).

aerotático. *Adj.* Diz-se do órgão, atividade, operação, etc., relacionados a ações militares aéreas realizadas em proveito de forças terrestres ou navais com o fim de obter superioridade aérea, isolar o campo de batalha ou assegurar apoio aéreo imediato.

aerotecnia. [De *aer(o)-* + *-tecn(o)-* + *-ia.*] *S. f.* Ciência que trata das aplicações industriais do ar.

aerotécnico. *Adj.* Relativo à aerotecnia.

aerotelúrico. [De *aer(o)-* + *-telur(i)-* + *-ico*^{2}.] *Adj.* Relativo às correntes aéreas e demais fenômenos atmosféricos.

aeroterapêutica. [De *aer(o)-* + *terapêutica.*] *S. f. Med.* Método terapêutico que utiliza o ar na cura de moléstias; aeroterapia.

aeroterapêutico. *Adj.* Relativo à aeroterapêutica; aeroterápico.

aeroterapia. [De *aer(o)-* + *terapia.*] *S. f. Med.* Aeroterapêutica.

aeroterápico. *Adj.* Relativo à aeroterapia; aeroterapêutico.

aerotermodinâmica. *S. f. Astr.* Estudo dos problemas diretamente ligados à aerodinâmica e à termodinâmica.

aerotermodinâmico. *Adj.* Relativo à aerotermodinâmica.

aeroterrestre. [De *aer(o)-* + *terrestre.*] *Adj. 2 g.* **1.** Referente ao ar e à terra: *transportes a e r o t e r r e s t r e s ; comunicações a e r o t e r r e s t r e s .* **2.** Referente às forças militares do ar e da terra.

aerotransportado. [Part. de *aerotransportar.*] *Adj.* Diz-se de pessoal, equipamento, etc., transportado por aeronave.

aerotransportadora (ô). [De *aer(o)-* + *transportadora.*] *S. f.* Empresa especializada no transporte de cargas por via aérea.

aerotransportar. [De *aer(o)-* + *transportar.*] *V. t. d. e p.* Transportar(-se) por via aérea.

aerotransporte. [De *aer(o)-* + *transporte.*] *S. m.* **1.** Transporte por via aérea. **2.** Avião para transporte de grande vulto.

aerotrópico. *Adj.* Referente ao aerotropismo.

aerotropismo. [De *aer(o)-* + *tropismo.*] *S. m.* Influência do ar na orientação do crescimento dum vegetal.

aerovia. [De *aer(o)-* + *via.*] *S. f.* **1.** Corredor no espaço aéreo, de largura determinada, no qual se controla a navegação aérea. **2.** Empresa de navegação aérea. **3.** Espaço aéreo navegável que cobre determinada faixa no solo, e cuja largura é fixada pelas autoridades aeronáuticas de cada país segundo as convenções internacionais.

aeroviário. *Adj.* **1.** Relativo a aerovia, ou a aerotransporte. ● *S. m.* **2.** Aquele que trabalha em aerovia (2).

aerozoário. [De *aer(o)-* + *-zoário.*] *S. m.* **1.** Espécime dos aerozoários. ● *Adj.* **2.** Pertencente ou relativo aos aerozoários.

aerozoários. *S. m. pl. Zool.* Animais que não podem viver sem ar.

aético. [De *a-*^{3} + *ético.*] *Adj.* Alheio à ética; antiético.

afã. [Dev. de *afanar.*] *S. m.* **1.** Vontade, ânsia, entusiasmo. **2.** Sofreguidão, ambição. **3.** Pressa, azáfama. **4.** Diligência, cuidado. **5.** Trabalho, lida, faina. **6.** Cansaço, fadiga, exaustão.

afabilidade. [Do lat. *affabilitate.*] *S. f.* **1.** Qualidade ou maneiras de quem é afável; lhaneza de trato; delicadeza, cortesia. **2.** Benignidade, benevolência.

afabilíssimo. *Adj.* Superl. abs. sint. de *afável.*

afabulação. *S. f.* V. *fabulação* (2 e 3).

afacia. [De *a-*^{3} + *-fac(o)-* + *-ia.*] *S. f. Patol.* Defeito ocular, congênito ou adquirido, consistente na ausência do cristalino.

afadigador (ô). *Adj.* **1.** Que afadiga; afadigoso. ● *S. m.* **2.** Aquele ou aquilo que afadiga.

afadigar. [De *a-*^{2} + *fadiga* + *-ar*^{2}.] *V. t. d.* **1.** Causar fadiga a; fatigar, cansar: *As 12 horas de trabalho diário a f a d i g a m-no.* **2.** Importunar, enfastiar, enfarar, entediar: *O longo discurso a f a d i g o u o público.* **3.** Perseguir; acossar, maltratar (embarcação). *P.* **4.** Encher-se de fadiga; cansar-se, fatigar-se: "Hoje, que ninguém mais crê, não s e a f a d i g a m os santos em obrar as suas maravilhas" (João Ribeiro, *Crepúsculo dos Deuses*, p. 137). **5.** Trabalhar com afã: *Enquanto o velho pai s e a f a d i g a , vivem os filhos na indolência.* **6.** Importunar-se, enfastiar-se, enfarar-se, entediar-se. [Conjug.: v. *largar.*]

afadigoso (ô). *Adj.* Afadigador (1): "uma longa e a f a d i g o s a viagem" (Manuel Antônio de Almeida, *Memórias de um Sargento de Milícias*, p. 108).

afadistado. [De *a-*^{2} + *fadista* + *-ado*^{1}.] *Adj.* **1.** Que tem modos e/ou aparência de fadista (1). **2.** Próprio de fadista (1): *voz a f a d i s t a d a ;* "o horror de sentir aquelas frases em calão, ... a f a d i s t a d a s, como só Lisboa as pode criar" (Eça de Queirós, *Os Maias*, II, p. 287).

afadistar. [De *a-*^{2} + *fadista* + *-ar*^{2}.] *V. t. d.* **1.** Dar modos ou costumes de fadista a; tornar fadista. *P.* **2.** Tomar modos ou costumes de fadista; fazer-se fadista.

afagador (ô). *Adj.* **1.** V. *afagante.* ● *S. m.* **2.** Aquele que afaga.

afagamento. *S. m.* Ato ou efeito de afagar.

afagante. *Adj. 2 g.* Que afaga; afagador, afagoso, fagueiro.

afagar. [Do ár. *klalaka*, 'tratar alguém bondosamente', com prótese.] *V. t. d.* **1.** Fazer afagos ou festas a; mimar, amimar, acariciar, acarinhar, ameigar: "E o homem conhecendo também ao leão, começou de a f a g á - l o, e correr-lhe a mão pelas jubas." (P.e Manuel Bernardes, *Nova Floresta*, II, p. 159.) **2.** Alentar, animar, acalentar, alimentar: *a f a g a r uma esperança; a f a g a r uma idéia.* **3.** Desbastar saliências de; aplanar, aplainar, nivelar, alisar: *O marceneiro a f a g o u a tábua. Int.* **4.** Fazer afagos ou carícias; mimar, amimar, acarinhar, acariciar: "A mão que a f a g a é a mesma que apedreja." (Augusto dos Anjos, *Eu*, p. 101.) *P.* **5.** Fazer afagos a si mesmo; acariciar-se, amimar-se. **6.** Acariciar-se mutuamente. [Conjug.: v. *largar.*]

afagia. [De *a-*^{3} + *-fag(o)-* + *-ia.*] *S. f. Med.* Impossibilidade de deglutir.

afágico. *Adj.* Referente à afagia.

afago. [Dev. de *afagar.*] *S. m.* **1.** Ato ou efeito de afagar. **2.** Carícia, meiguice. **3.** *Fig.* Proteção, favor: *a f a g o s da sorte.*

afagoso (ô). *Adj.* V. *afagante:* "perante a sua máscara austera [de D. Fernando] quebravam-se, como num escudo, as mesuras, e encolhiam todos os sorrisos a f a g o s o s e falsos com que ela [Leonor Teles] vinha para o conquistar." (Antero de Figueiredo, *Leonor Teles*, p. 120).

afaimado. [Part. de *afaimar.*] *Adj.* V. *faminto* (1).

afaimar. [De *a-*^{2} + arc. *fame* + *-ar*^{2}.] *V. t. d.* V. *esfomear.*

afainar-se. [De *a-*^{2} + *faina* + *-ar*^{2} + *se*^{1}.] *V. p.* **1.** Trabalhar ativamente; azafamar-se, afanar-se. **2.** Esbaforir-se, apressar-se, afobar-se; afanar-se.

afalado. [Part. de *afalar.*] *Adj.* Diz-se do animal que entende as falas e por elas se governa.

afalar. [De *a-*^{2} + *fala* + *-ar*^{2}.] *V. t. i.* **1.** Dirigir palavras (aos animais) para incitá-los no trabalho.

afalcoado. [De *a-*^{2} + *falcão* + *-ado*^{1}.] *Adj.* Semelhante ao falcão.

afalcoar. [De *a-*^{2} + *falcão* + *-ar*^{2}.] *V. t. d.* **1.** Tornar semelhante ao falcão. **2.** Espicaçar, instigar, incitar, acirrar. [Conjug.: v. *coroar.*]

afaluado. *Adj. Bras.* **1.** Azafamado, apressado. **2.** Esbaforido, ofegante.

afamado. [Part. de *afamar.*] *Adj.* Que tem fama; famoso, notável, insigne, celebrado, célebre.

afamanado. [De *a-*^{2} + *fama* + *-n-* + *-ado*^{1}.] *Adj. Bras., N.E. Pop.* V. *famanaz:* "No meio da rua morava a celebérrima preta Inês. / Catimbozeira a f a m a n a d a, / Sempre às voltas com sapos e urubus!" (Ascenso Ferreira, *Catimbó e Outros Poemas*, p. 175.)

afamar. [De *a-*^{2} + *fama* + *-ar*^{2}.] *V. t. d.* **1.** Dar fama a; celebrizar, notabilizar. *P.* **2.** Adquirir fama; celebrizar-se, notabilizar-se.

afamilhado. [Var. de *afamiliado.*] *Adj.* **1.** *Bras.* Que tem muitos filhos, família grande. **2.** Que tem família, encargo de família. **3.** Casado. **4.** Amasiado, amigado, amancebado.

afamilhar-se. [Var. de *afamiliar-se*, de *a-*^{2} + *família* + *-ar*^{2} + *se*^{1}.] *V. p. Bras.* **1.** Ter muitos filhos; encher-se de família. **2.** Adquirir encargos de família. **3.** Criar família; casar-se. **4.** Amancebar-se, amigar-se, acasalar-se.

afamiliado. [Part. de *afamiliar;* var.: *afamilhado.*] *Adj. Bras.* Afamilhado [q. v.].

afamiliar-se. *V. p. Bras.* Afamilhar-se [q. v.]

afanar. [Do lat. **affanare.*] *V. t. d.* **1.** Buscar, procurar, investigar. **2.** Adquirir com afã; granjear. **3.** *Bras. Pop.* Roubar, furtar: "Os franceses, livres da fúria de Cristóvão Jaques, insistiam em a f a n a r o nosso pau-brasil." (Eduardo Almeida Reis, *De Colombo a Kubitschek*, p. 23.) **4.** Obter, conseguir, arranjar, com insistência e/ou ameaçando: "ele tentando a f a n a r o dinheiro de Dona Flor, ela resistindo, era o dinheiro das despesas" (Jorge Amado, *Dona Flor e Seus Dois Maridos*, p. 144). *Int.* **5.** Trabalhar com afã; labutar. *P.* **6.** Trabalhar com afã; azafamar-se, afainar-se. **7.** Cansar-se, afadigar-se. **8.** Apressar-se, apressurar-se, azafamar-se; afainar-se.

afandangado. [De *a-*^{2} + *fandango* + *-ado*^{1}.] *Adj.* Semelhante ao fandango.

▲ **afan(e)-.** [Do gr. *aphanés, és, és.*] *El. comp.* = 'escuro', 'obscuro', 'não aparente', 'oculto': *afanise.*

afania. [De *afan(e)-* + *-ia.*] *S. f. Med.* Medo mórbido de perder a capacidade sexual; afanise.

afânico. *Adj.* Relativo à afania.

afaníptero. *S. m. e adj.* V. *sifonáptero.*

afanípteros. *S. m. pl. Zool.* V. *sifonápteros.*

afanise. [De *afan(e)-* + *-ise.*] *S. f. Med.* Afania.

afanítico. *Adj.* ~ V. *rocha — a.*

afano. [Dev. de *afanar.*] *S. m.* **1.** Ato de afanar(-se); afã. **2.** *Bras. Pop.* Roubo, furto.

▲**afano-.** V. *afan(e)-.*

afanoso (ô). *Adj.* Cheio de afã; trabalhoso, laborioso.

afaquear. [De *a-*^{2} + *faca*^{1} + *-ear.*] *V. t. d.* Dar facadas em; encher de facadas; esfaquear. [Conjug.: v. *frear.*]

afarar-se. [De *a-*^{2} + *faro* + *-ar*^{2} + *se*^{1}.] *V. p.* Tomar ou adquirir faro (o cão).

afasia. [Do gr. *aphasía.*] *S. f. Patol.* Perda do poder de expressão pela fala, pela escrita ou pela sinalização, ou da capacidade de compreensão da palavra escrita ou falada, por lesão cerebral, e sem alteração dos órgãos vocais. [Cf. *afazia*, do v. *afazer*, e *afrasia.*] ◆ **Afasia atáxica.** *Patol.* Aquele em que o paciente sabe o que deseja expressar pela fala, mas não pode pronunciar as

palavras pela incapacidade de coordenar os músculos, por lesão cerebral; afemia.
afásico. *Adj.* **1.** Referente à, ou que sofre de afasia. **2.** Que sofre de afasia. ● *S. m.* **3.** Aquele que sofre de afasia.
afasmídio. *S. m.* **1.** Espécime dos afasmídios. ● *Adj.* **2.** Pertencente ou relativo a eles.
afasmídios. *S. m. pl. Zool.* Animais asquelmintos, nematódeos, subclasse *Aphasmida* de órgãos caudais sensoriais ou fasmídios ausentes e órgãos sensoriais anteriores ou anfídios numerosos, raramente em forma de poros.
afastado. [Part. de *afastar.*] *Adj.* **1.** Remoto, distante, longínquo, longe: *Viajou por terras afastadas.* **2.** Distante um do outro; separado: *pernas afastadas.* **3.** Posto de lado; separado.
afastador (ô). *Adj.* **1.** Que afasta. ● *S. m.* **2.** Aquele ou aquilo que afasta.
afastamento. *S. m.* **1.** Ato ou efeito de afastar(-se). **2.** Distância, a E. ou O., a que um avião se encontra de seu curso. **3.** *Astr.* Arco de paralelo entre dois meridianos, variável com a latitude. **4.** *Estat.* Diferença entre o valor de uma variável aleatória e a correspondente esperança matemática; desvio. **5.** *Mat.* Numa função de uma só variável, diferença entre dois valores da abscissa. **6.** *Urb.* Distância entre a construção e as divisas de lote[1] (8) em que está localizada, e que pode ser frontal, lateral e de fundos. ♦ **Afastamento mediano.** *Estat.* Mediana dos afastamentos de um conjunto de valores em relação a uma média dos valores. **Afastamento médio.** *Estat.* Média aritmética dos módulos dos afastamentos de uma variável em relação à media. **Afastamento padrão.** *Estat.* V. *desvio padrão.* **Afastamento provável.** *Estat.* Mediana dos módulos dos afastamentos dos membros de um conjunto em relação a uma origem. geralmente a média aritmética. **Afastamento quadrático médio.** *Estat.* **1.** Média quadrática dos afastamentos de uma variável em relação a uma origem determinada. **2.** Média quadrática da esperança matemática do afastamento de uma variável aleatória em relação à origem. **Afastamento quadrático médio da média.** *Estat.* V. *desvio padrão.* **Afastamento unitário.** *Estat.* V. *desvio padrão.*
afastar. *V. t. d.* **1.** Pôr de parte, de lado: *Terminada a refeição, afastou o prato; Afastou a idéia, por considerá-la impraticável.* **2.** Tirar do caminho; distanciar, apartar, arredar: *Afastou os móveis que impediam a passagem.* **3.** Tornar menos próximo ou chegado; distanciar: *A sua rispidez afastou os amigos.* **4.** Separar, apartar: *Afastou os bordos da ferida para desinfetá-la.* **5.** Impedir, obstar, frustrar: *O desentendimento entre os governos afastou as probabilidades de paz. T. d. e i.* **6.** Distanciar, apartar, arredar, desviar: "Conservou-a por algum tempo na vivenda da Boa Vista, afastando-a das rodas de freqüentadores do S. João" (Xavier Marques, *Vida de Castro Alves*, p. 161); "E eu afastei os olhos desse espetáculo lutuoso, e volvi-os em redor de mim." (Gonçalves Dias, *Meditação*, p. 9). *Int.* **7.** Distanciar, afastar, arredar. *P.* **8.** Distanciar-se, apartar-se; sair: "murmurou baixinho: — Adeus, seja feliz! — e afastou-se." (Artur Azevedo, *Contos fora da Moda*, p. 28); "o homem foi obrigado .... a afastar-se do Distrito Federal durante quarenta e oito horas" (Id., *Contos Efêmeros*, p. 186). **9.** Pôr-se à parte, ou de lado. **10.** Esfriar nas relações sociais, de amizade, de parentesco, etc.; distanciar-se: *Afastou-se completamente dos seus.*
afatiar. [De *a-*[2] + *fatia* + *-ar*[2].] *V. t. d.* **1.** Cortar em fatias; esfatiar, fatiar: afatiar o bolo. **2.** Cortar, fender, retalhar com arma branca.
afavecos. *S. m. pl. Bras., N.E.* **1.** V. *cacaréus.* **2.** Peças de roupa em uso. **3.** Preparos de viagem.
afável. [Do lat. *affabile.*] *Adj. 2 g.* **1.** Delicado no trato; fácil e cortês nas relações. **2.** Agradável, aprazível. **3.** Benévolo, bondoso. [Superl. abs. sint.: *afabilíssimo.*]
afavelado. [De *a-*[2] + *favela* + *-ado*[1].] *Adj.* Que tem o aspecto de favela; que se transformou em favela: "as vielas afaveladas da Cidade Livre." (Afonso Arinos de Melo Franco, *A Alma do Tempo*, p. 289).
afaxinar. [De *a-*[2] + *faxina* + *-ar*[2].] *V. t. d.* Fazer faxina em; faxinar.
afazendado. [Part. de *afazendar-se.*] *Adj.* Possuidor de fazenda(s) [v. *fazenda* (1, 2 e 8)].
afazendar-se. [De *a-*[2] + *fazenda* + *-ar*[2] + *se*[1].] *V. p.* **1.** Adquirir fazendas ou bens de raiz. **2.** Enriquecer, enricar.
afazer. *V. t. d. e i.* **1.** Habituar, acostumar, costumar, avezar: *Desde cedo afez o espírito à meditação.* **2.** Afeiçoar, adaptar, acomodar; aclimar, aclimatar: *Não conseguiu afazer os seus hábitos aos daquela terra. P.* **3.** Habituar-se, acostumar-se, avezar-se: "O homem do centro-sul, o mineiro principalmente, é .... pouco expansivo e só lentamente se afaz à confiança e à intimidade." (Oliveira Viana, *Pequenos Estudos de Psicologia Social*, pp. 37-38). **4.** Adaptar-se, acomodar-se, aclimar-se, aclimatar-se: "A tudo se habitua o homem, a todo o estado se afaz" (Almeida Garrett, *Viagens na Minha Terra*, p. 178). [Irreg. Conjug.: v. *fazer.* Imperf. ind.: *afazia*, etc. Cf. *afasia.*]
afazeres (ê). [Do fr. *affaire.*] *S. m. pl.* Trabalhos, ocupações, quefazeres.
afeado. [Part. de *afear.*] *Adj.* **1.** Que se tornou feio. **2.** Apresentado sob um aspecto desfavorável. [Cf. *afiado.*]
afeador (ô). *Adj. e s. m.* Que ou o que afeia. [Cf. *afiador.*]
afeamento. *S. m.* **1.** Ação ou efeito de afear(-se). **2.** Fealdade, feiúra. [Cf. *afiamento.*]
afear. [De *a-*[2] + *feio* + *-ar*[2].] *V. t. d.* **1.** Tornar feio; desfigurar: "os cabelos grisalhos, se o não embeleceram, não o afearam de todo." (Artur Azevedo, *Contos Cariocas*, p. 101); "Como inda é verde este caminho... / Mas como o afeia a solidão!" (Olavo Bilac, *Poesias*, p. 208). **2.** Deslustrar, empanar: *afear o estilo.* **3.** Deturpar, desfigurar, com maldade ou agravando: *Narrou o fato afeando a participação do inimigo. P.* **4.** Tornar-se feio. [Sin. ger.: *enfear, desfear.* Conjug.: v. *frear.* Cf. *afiar.*]
afeção. *S. f. Patol.* v. *afecção.*
afecção. [Do lat. *affectione.*] *S. f. Patol.* Processo mórbido considerado em suas manifestações atuais, com abstração de sua causa primordial; doença. [Var.: *afeção.*]
afefe. *S. m. Bras. Folcl.* Mensageiro de Oxumarê, representado pelo vento.
afegã. *Adj. 2 g. e s. 2 g.* V. *afegane.*
afegane. *Adj. 2 g.* **1.** Do, ou pertencente ou relativo ao Afeganistão (Ásia); afegânico. ● *S. 2 g.* **2.** Natural ou habitante do Afeganistão. [F. paral.: *afegã* e *afegão.*] ● *S. m.* **3.** Unidade monetária, e moeda, do Afeganistão.
afegânico. *Adj.* Afegane (1).
afegão. *Adj. e s. m.* V. *afegane.*
afeição. [Do lat. *affectione.*] *S. f.* **1.** Afeto, amizade, amor, afeiçoamento. **2.** Inclinação, tendência, pendor. **3.** Conexão, ligação, relação: "Pois ainda acredita na afeição íntima entre a descrença masculina e... dá licença? a leviandade feminina?" (Machado de Assis, *Teatro*, p. 71.)
afeiçoado[1]. [Part. de *afeiçoar.*[1]] *Adj.* **1.** Que tem feição, forma ou figura. **2.** Apropriado, adequado, adaptado. **3.** Bem-feito; aperfeiçoado. ~ V. *pedra* —*a.*
afeiçoado[2]. [Part. de *afeiçoar.*[2]] *Adj.* **1.** Que sente afeição. **2.** Inclinado, dedicado, devotado. ● *S. m.* **3.** Aquele que é objeto de afeição; amigo.
afeiçoador (ô). *Adj. e s. m.* Que ou aquele que afeiçoa.
afeiçoamento[1]. *S. m.* Ato ou efeito de afeiçoar[1].
afeiçoamento[2]. *S. m.* **1.** Ato ou efeito de afeiçoar[2]. **2.** V. *afeição* (1).
afeiçoar[1]. [De *a-*[2] + *feição* + *-ar.*[2]] *V. t. d.* **1.** Dar feição, forma ou figura a; amoldar, modelar: "Os homens foram por esse mundo rachar o lajedo e afeiçoar a pedra." (Raul Brandão, *Os Pescadores*, p. 44). **2.** Dar forma melhor ou mais perfeita a; melhorar, aperfeiçoar: "principia, às voltas com a figura disforme: salienta-lhe e afeiçoa-lhe o nariz" (Euclides da Cunha, *À margem da História*, p. 89); *Os grandes escritores afeiçoam a língua.* **3.** Instruir, preparar, educar, formar: *A instrução afeiçoa os homens. T. d. e i.* **4.** Adaptar, apropriar, acomodar: "Desejava afeiçoar a terra da seca a um tipo de civilização prática e feliz." (José Américo de Almeida, *O Boqueirão*, p. 84); *Afeiçoou o casarão a suas necessidades. P.* **5.** Tomar feição, forma ou figura; moldar-se, amoldar-se. **6.** Adaptar-se, acomodar-se, apropriar-se. **7.** Habituar-se, afazer-se, acostumar-se, avezar-se: "Afeiçoara-se a ver a fisionomia temerosa dos povos na ruinaria majestosa das cidades vastas" (Euclides da Cunha, *Os Sertões*, p. 570). [Conjug.: v. *coroar.*]
afeiçoar[2]. [De *afeição* + *-ar*[2].] *V. t. d.* **1.** Inspirar afeição a; granjear o afeto de: *A doçura da jovem afeiçoou o rapaz. P.* **2.** Ter ou tomar afeição, estima, amor: "Foi num desses bebedouros que a turma do Fragoso o conheceu e se lhe afeiçoou." (Valdemar Versiani dos Anjos, *Simplício*, p. 30); "ia se ensolteirando, não deixando que o coração se afeiçoasse a nenhuma mulher." (Rui Santos, *Teixeira Moleque*, p. 68). [Conjug.: v. *coroar.*]
afeitar. [Do esp. *afeitar.*] *V. t. d. e p. Obsol.* **1.** V. *enfeitar(-se):* "Euclides, em breve, mas enérgico artigo, verberou a infâmia que já começara de afeitar-se com a roupagem de *salvação pública.*" (Carlos de Laet, *Obras Seletas*, I, p. 97). **2.** *Bras., S.* Barbear-se.
afeito. [Part. irreg. de *afazer.*] *Adj.* **1.** Acostumado, habituado. **2.** Adaptado e/ou feliz em terra estranha.
afelear. [De *a-*[2] + *fel* + *-ear.*] *V. t. d.* **1.** Pôr fel em (mistura); misturar com fel. **2.** Dar fel a. **3.** Tornar amargo como fel: "Perdôo-te, entretanto, o mal que me fizeste, / Afeleando um dulçor, que era sobreceleste" (Martins Fontes, *Verão*, p. 132). **4.** Envenenar; ervar. **5.** Amargurar, amargar; angustiar, desgostar. [Conjug.: v. *frear.* Cf. *afiliar.*]
afélio. [Do lat. científico *aphelium.*] *S. m. Astr.* O ponto da órbita de um astro do sistema solar em que a sua distância ao Sol é máxima. [Antôn.: *periélio.*]
afemia. [Do gr. *áphemos*, 'que não fala', + *-ia.*] *S. f. Patol.* **1.** Perda do poder de expressão pela fala, devida a lesão cerebral. **2.** Afasia atáxica.
afêmico. *Adj.* Referente à afemia.
afeminação. *S. f.* Efeminação.
afeminado. [Part. de *afeminar.*] *Adj. e s. m.* V. *efeminado:* "homens corruptos e enfraquecidos por ócios e prazeres de vida afeminada" (Alexandre Herculano, *Lendas e Narrativas*, II, p. 99).
afeminar. [De *efeminar.*] *V. t. d. e p.* V. *efeminar:* "A natureza real tinha cedido o passo a esta natureza de convenção, natureza pálida, ... que afeminava o ânimo dos homens" (Latino Coelho, *Cervantes*, p. 83).
aferente. [Do lat. *afferente.*] *Adj. 2 g.* **1.** Que conduz; que leva. **2.** *Anat.* Diz-se de vaso que conduz o sangue que penetra numa estrutura, de nervo que conduz estímulo em direção a centro nervoso, ou de vaso linfático que conduz a linfa que penetra em gânglio linfático. [Cf. *eferente.*] ~ V. *cachorra* —.
aférese. [Do gr. *aphaíresis*, pelo lat. *aphaerese.*] *S. f. Gram.* Supressão de um fonema ou grupo de fonemas no começo da palavra; ablação. Ex.: *batina*, por *abatina; Zé*, por *José.*
aferético. [Do gr. *aphairetikós.*] *Adj.* Em que há, ou resultante de aférese. ~ V. *charada* —*a.*
aferição. *S. f.* **1.** Ação ou efeito de aferir; afilamento. **2.** Marca posta nas coisas aferidas. [Sin. ger.: *aferimento.*]
aferido[1]. *S. m.* Caneiro ou calha por onde cai a água nas rodas da azenha.
aferido[2]. [Part. de *aferir.*] *Adj.* **1.** Ajustado ao padrão. **2.** Cotejado, conferido, comparado.
aferidor (ô). *Adj.* **1.** Que afere. ● *S. m.* **2.** Aquele que afere. **3.** Instrumento para aferir.
aferimento. *S. m.* V. *aferição.*
aferir. [Do lat. **afferere*, por *afferre*, 'levar para'.] *V. t. d.* **1.** Conferir (pesos, medidas, etc.) com os respectivos padrões; afilar. **2.** Pôr a marca da aferição em. **3.** Avaliar, medir, estimar: *aferir um tamanho; aferir um valor.* **4.** Cotejar; avaliar; comparar. *T. d. e i.* **5.** Cotejar, comparar: "Isto de clareza, como não se tateia à mão, não se determina por conta, peso ou medida, nem se afere a regras de sintaxe, deixa em opinião entre os apreciadores o fazerem, cada qual segundo o seu paladar, ou interesse, da opacidade transparência e da transparência opacidade." (Rui Barbosa, *Réplica*, p. 206.) **6.** Julgar, estimar, calcular. *Int.* **7.** Avaliar, estimar, medir. *P.* **8.** Estimar-se, avaliar-se, julgar-se. [Irreg. Conjug.: v. *aderir.* Cf. *auferir.*]
aferível. *Adj. 2 g.* Que pode ser aferido. [Cf. *auferível.*]
aferrado. [Part. de *aferrar.*] *Adj.* Obstinado, pertinaz, teimoso, afincado.
aferrar. [De *a-*[2] + *ferro* + *-ar*[2].] *V. t. d.* **1.** Prender com ferro; segurar. **2.** Agarrar, prender, segurar com força: *Aferrou o gatuno pelo ombro;* "— Tu mentes, vilão — balbuciou por entre os dentes cerrados, aferrando-o ferozmente por um braço." (Arnaldo Gama, *O Balio de Leça*, p. 116). **3.** Firmar, afirmar, fixar. **4.** Atacar, investir, acometer: *Aferrou pelo flanco a tropa inimiga.* **5.** *Mar.* Aproximar-se de (a costa, o porto). *Int.* **6.** Atacar, acometer. **7.** *Mar.* Lançar ferro; fundear. *P.* **8.** Entregar-se com afinco; teimar; obstinar-se; agarrar-se. [Pres. ind.: *aferro*, etc. Cf. *aferro* (ê).]
aferrenhar. [De *a-*[2] + *ferrenho* + *-ar*[2].] *V. t. d.* **1.** Endurecer como o ferro; tornar duro. **2.** Tornar ferrenho, obstinado. *P.* **3.** Tornar-se ferrenho; obstinar-se.
aferretar. [De *a-*[2] + *ferrete* + *-ar*[2].] *V. t. d. e transobj.* V. *ferretear.*
aferretear. [De *a-*[2] + *ferrete* + *-ear.*] *V. t. d. e transobj.* V. *ferretear.* [Conjug.: v. *frear.*]
aferretoador (ô). *Adj. e s. m.* Que ou aquele que aferretoa; aferroador.
aferretoar. *V. t. d.* V. *aferroar.* [Conjug.: v. *coroar.*]
aferro (ê). [Dev. de *aferrar*(-se).] *S. m.* **1.** Ação ou efeito de aferrar(-se). **2.** Obstinação, pertinácia, teima, afincamento, afinco. [Pl.: *aferros* (ê). Cf. *aferro*, do v. *aferrar.*]
aferroador (ô). *Adj. e s. m.* Que ou aquele que aferroa;

aferretoador.

aferroar. [De *a-*[2] + *ferrão* + *-ar*[2].] *V. t. d.* **1.** Ferir com ferrão, presa, ou objeto pontiagudo; picar, espicaçar, aguilhoar: "carrapatos e moscas aferroam o couro dos cavalos, dos bodes e dos bois." (Osmã Lins, *Nove, Novena*, p. 158). **2.** Acossar, incomodar, estorvar. **3.** Afligir, torturar, magoar. **4.** Excitar, incitar, instigar, provocar. [Sin. ger.: *aferretoar.* Conjug.: v. *coroar.*]

aferrolhador (ô). *Adj.* e *s. m.* Que ou aquele que aferrolha.

aferrolhar. [De *a-*[2] + *ferrolho* + *-ar*[2].] *V. t. d.* **1.** Fechar com ferrolho. **2.** Guardar muito fechado e cuidadosamente: *Aferrolha todo o dinheiro que tem em casa.* **3.** Prender, aprisionar: "a única culpada verdadeira era Dona Rosilda, com suas artimanhas, sua intransigência, a proibir-lhe qualquer contacto com o namorado, aferrolhando-a dentro de casa" (Jorge Amado, *Dona Flor e Seus Dois Maridos*, p. 127). [F. paral.: *ferrolhar.*]

aferventação. *S. f.* Ato ou efeito de aferventar(-se).

aferventado. [Part. de *aferventar.*] *Adj.* **1.** Que se afervéntou ou entrecozeu. **2.** Afervorado, acalorado, ardente. **3.** *Bras. Pop.* Impaciente, insofrido, sôfrego, alvoroçado. ● *S. m.* **4.** *Bras., N.E.* Prato típico, em geral de restos de aves, carne, etc., assados, cozidos posteriormente com carnes defumadas, batatas e legumes e servido com pirão feito com o caldo do cozido: "Almoço ao ar livre na casa de U. e A. .... Aferventado de peru." (Gilberto Freire, *Tempo Morto e Outros Tempos*, p. 245.)

aferventar. [De *a-*[2] + *fervente* + *-ar*[2].] *V. t. d.* **1.** Submeter a uma rápida fervura; entrecozer; ferventar: *aferventar os legumes.* **2.** Excitar, estimular, incentivar: *As injúrias proferidas aferventaram-lhe o ódio.* **3.** *Bras. Pop.* Apressar, acelerar. *P.* **4.** Tornar-se fervente; ferver, afervorar-se; ferventar-se. **5.** Tornar-se fervoroso, ardoroso; afervorar-se. **6.** Apressar-se, acelerar-se. **7.** *Bras., N.E. Pop.* Excitar-se; alvoroçar-se. **8.** *Bras., N.E. Pop.* Impacientar-se.

afervorar. [De *a-*[2] + *fervor* + *-ar*[2].] *V. t. d.* **1.** Pôr em fervura; ferver, aferventar. **2.** Excitar o fervor, o ardor de; estimular, aferventar, afervorizar. **3.** Comunicar fervor a, tornar ardente, fervoroso; afervorizar: *afervorar a fé hesitante. P.* **4.** Tornar-se fervente; entrar em ebulição; ferver, aferventar-se. **5.** Encher-se de fervor; tomar-se de zelo e atividade; afervorizar-se. **6.** Incitar-se, estimular-se, afervorizar-se.

afervorizar. [De *a-*[2] + *fervor* + *-izar.*] *V. t. d.* e *p.* V. *afervorar* (2, 3, 5 e 6).

afestoado. [Part. de *afestoar.*] *Adj.* **1.** Ornado com festões; engrinaldado. **2.** Enfeitado, ataviado, engalanado.

afestoar. [De *a-*[2] + *festão* + *-ar*[2].] *V. t. d.* **1.** Guarnecer, revestir, ornamentar, com festões. **2.** Enfeitar, ataviar, engalanar. *P.* **3.** Ornar-se com festões; engrinaldar-se. **4.** Enfeitar-se, ataviar-se. [Sin. ger.: *enfestoar.* Conjug.: v. *coroar.*]

afetação. [Do lat. *affectatione.*] *S. f.* **1.** Ato ou efeito de afetar(-se). **2.** Falta de naturalidade; amaneiramento. **3.** Fingimento, simulação, falsidade. **4.** Vaidade, presunção.

afetado. [Part. de *afetar.*] *Adj.* **1.** Que mostra afetação (2, 3 e 4). **2.** Que sofreu afecção. **3.** *Bras. Pop.* Afetado de tuberculose; tuberculoso.

afetante. [Do lat. *affectante.*] *Adj. 2 g.* Que afeta.

afetar. [Do lat. *affectare.*] *V. t. d.* **1.** Fingir; simular: "a imagem do lojista saltava-lhe perfeita à memória — magricela, ... afetando delicadezas de alfaiate de Lisboa." (Aluísio Azevedo, *O Mulato*, p. 245). **2.** Produzir lesão em; atingir, lesar: *A tuberculose afetou-lhe o pulmão direito; O câncer afetou-o.* **3.** Afligir, comover, abalar: *Afetou-o muito a morte do amigo.* **4.** Dizer respeito a; concernir, interessar: *Afirmou que, naquilo que o afetava, nada tinha a opor.* **5.** Apresentar, imitar (a forma de uma coisa ou de um ser): *afetar a forma de um losango. T. i.* **6.** Fingir-se, fazer-se: "Os ricos afetam de pobres para não serem importunados" (Marquês de Maricá, *Máximas, Pensamentos e Reflexões*, p. 211). *P.* **7.** Apurar-se ridiculamente. [Part.: *afetado* e *afeto.*]

afetividade. *S. f.* **1.** Qualidade ou caráter de afetivo. **2.** *Psicol.* Conjunto de fenômenos psíquicos que se manifestam sob a forma de emoções, sentimentos e paixões, acompanhados sempre da impressão de dor ou prazer, de satisfação ou insatisfação, de agrado ou desagrado, de alegria ou tristeza.

afetivo. [Do lat. *affectivu.*] *Adj.* **1.** Relativo a afeto[1] ou a afetividade. **2.** Que tem, ou em que há afeto; dedicado, afeiçoado, afetuoso, carinhoso. ~ V. *linguagem* —a e *memória* —a.

afeto[1]. [Do lat. *affectu.*] *S. m.* **1.** Afeição, simpatia, amizade, amor: "amou-o assim como se amam as coisas belas, e o afeto de que o envolvia propagou-se em redor" (Rute Bueno, *O Livro de Auta*, p. 33). **2.** Sentimento,* paixão. **3.** Objeto de afeição: *Doía-lhe estar ausente do seu afeto.* **4.** *Psicol.* O elemento básico da afetividade (2).

afeto[2]. [Do lat. *affectu.*] *Adj.* **1.** Afeiçoado, dedicado. **2.** Partidário, sectário.

afetuoso (ô). [Do lat. *affectuosu.*] *Adj.* Afetivo (2): *filho afetuoso; afetuoso abraço; maneiras afetuosas.* [Cf. *efetuoso.*]

➧**affaire** (afér'). [Fr.] *S. m.* Caso (8). [É fem. em fr.]

➧**affrettando.** [It., gerúndio de *affrettare.*] *Adv. Mús.* Apressando (o andamento).

afiação. *S. f.* Ação ou efeito de afiar(-se); afiamento [q. v.].

afiado. [Part. de *afiar.*] *Adj.* **1.** De gume muito cortante; aguçado, amolado. **2.** Irritado, abespinhado. **3.** Apurado, aprimorado, aperfeiçoado, aguçado. **4.** *Fig.* Perspicaz, penetrante, agudo: *olhar afiado.* **5.** *Bras.* Bem adestrado ou bem preparado; com muita prática e/ou conhecimento seguro de algo: *O zagueiro estava afiado: jogou admiravelmente; Está fraco em francês, mas afiado em português.* ~ V. *língua* —a. [Cf. *afeado.*]

afiador (ô). *Adj.* e *s. m.* Que ou aquele que afia; amolador. [Cf. *afeador.*]

afiambrado. [Part. de *afiambrar.*] *Adj.* **1.** Preparado à maneira de fiambre. **2.** Feito de fiambre. **3.** Ridiculamente apurado no trajar. ● *S. m.* **4.** Carne preparada como fiambre.

afiambrar. [De *a-*[2] + *fiambre* + *-ar*[2].] *V. t. d.* **1.** *Bras.* Preparar (a carne) como presunto ou fiambre. **2.** Tornar por demais apurado no trajar; ajanotar, encasquilhar. *P.* **3.** Apurar-se em excesso no trajar; ajanotar-se, encasquilhar-se.

afiamento. *S. m.* Afiação. [Cf. *afeamento.*]

afiançado. [Part. de *afiançar.*] *Adj.* **1.** Que prestou fiança: *réu afiançado.* **2.** De quem alguém foi fiador; por quem alguém se responsabilizou: *dívida afiançada.* **3.** Apresentado como digno de confiança; abonado, acreditado, garantido. ● *S. m.* **4.** Indivíduo a favor do qual se presta ou se prestou fiança.

afiançador (ô). *Adj.* e *s. m.* Que ou aquele que afiança; abonador, fiador.

afiançar. [De *a-*[2] + *fiança* + *-ar*[2].] *V. t. d.* **1.** Ser fiador de; assumir responsabilidade por; abonar. **2.** Pagar a fiança de. **3.** Afirmar, assegurar, asseverar, garantir: *Afiançou que era aquele o caminho certo.* **4.** Apresentar ou inculcar como digno de confiança; garantir; abonar. *T. d. e i.* **5.** Afirmar, assegurar, asseverar, garantir: "Afianço-lhe que, apesar de tudo, havemos de ser amigos no outro mundo como fomos neste." (José de Alencar, *O Sertanejo*, p. 93.) **6.** Testemunhar, demonstrar: *O seu olhar afiança-me que não mente. Int.* **7.** Ser fiador; dar fiança. *P.* **8.** Pagar ou prestar fiança. [Conjug.: v. *laçar.*]

afiançável. [De *afiançar* + *-ável.*] *Adj. 2 g.* Que pode ser objeto de fiança.

afiar. [De *a-*[2] + *fio* + *-ar*[2].] *V. t. d.* **1.** Dar fio a; tornar cortante ou mais cortante; amolar; aguçar: *afiar uma faca, uma tesoura.* **2.** Tornar agudo, penetrante; adelgaçar na ponta; aguçar, apontar: *afiar um lápis.* **3.** Apurar, aprimorar, aperfeiçoar: *A experiência afia a sagacidade.* **4.** Tornar picante, mordaz; acerar: *Afiou ainda mais a linguagem de seus epigramas.* **5.** Estimular, intensificar: *A ameaça afiou-lhe a raiva.* **6.** Preparar para o assalto (os dentes, as garras). **7.** Irritar, exasperar. *P.* **8.** Apurar-se, aprimorar-se, aperfeiçoar-se: *Afiou-se para as provas finais.* [Cf. *afear.*] ◆ **Afiar com.** Avançar para, atacar (alguém).

aficionado. [Do esp. *aficionado.*] *Adj.* **1.** Propenso a alguma coisa; entusiasta, afeiçoado. ● *S. m.* **2.** Amador de um espetáculo, de um esporte, de uma arte, etc.: "— Empate! Empate! gritavam os aficionados ao longo da cancha por onde passava a parelha veloz, compassada como numa colhera." (Simões Lopes Neto, *Contos Gauchescos e Lendas do Sul*, p. 330.)

afidalgado[1]. [De *a-*[2] + *fidalgo* + *-ado*[1].] *Adj.* Que tem maneiras e/ou aparência de fidalgo, ou é próprio de fidalgo: *classe afidalgada; traje afidalgado.*

afidalgado[2]. [Part. de *afidalgar.*] *Adj.* **1.** Tornado fidalgo ou semelhante a fidalgo. **2.** Desabituado do trabalho.

afidalgamento. *S. m.* **1.** Ato ou efeito de afidalgar(-se). **2.** Fidalguia, nobreza.

afidalgar. [De *a-*[2] + *fidalgo* + *-ar*[2].] *V. t. d.* **1.** Tornar fidalgo ou semelhante a fidalgo; nobilitar. **2.** Dar aspecto ou ares de fidalguia a; tornar afidalgado: "Compreendo que ele, em suas viagens ao exterior, bafejadas por tamanha largueza de finanças, tenha afidalgado as suas maneiras" (Herberto Sales, *Dados Biográficos do Finado Marcelino*, p. 55). *P.* **3.** Tornar-se fidalgo ou semelhante a fidalgo; nobilitar-se. **4.** Desabituar-se do trabalho. [Conjug.: v. *largar.*]

afídeo. *S. m.* **1.** Espécime dos afídeos. ● *Adj.* **2.** Pertencente ou relativo a eles. [Sin. ger.: *afidídeo.*]

afídeos. *S. m. pl. Zool.* Família de insetos da ordem dos homópteros, vulgarmente chamados *pulgões.* São pequenos insetos de 1 a 5 mm, esbranquiçados, que parasitam a seiva dos vegetais. Os mais conhecidos são o pulgão-da-roseira, o pulgão-da-couve e o pulgão-da-laranjeira. Produzem secreção adocicada, que atrai as formigas. [Sin.: *afidídeos.*]

afidídeo. *S. m.* e *adj.* Afídeo.

afidídeos. *S. m. pl. Zool.* Afídeos.

afidóidea. *S. f.* **1.** Espécime das afidóideas. ● *Adj. 2 g.* **2.** Pertencente ou relativo a elas. [V. *afídeo.*]

afidóideas. *S. f. pl. Zool.* Subordem em que se classificam os pulgões, insetos da ordem dos homópteros. [V. *afídeos.*]

afiguração. *S. f.* **1.** Ato ou efeito de afigurar(-se); representação, imagem. **2.** Suposição, imaginação, fantasia.

afigurar. [De *a-*[2] + *figura* + *-ar*[2].] *V. t. d.* **1.** Apresentar forma ou figura de; assemelhar-se a: "Ele, avesso ao terror daquelas pobres almas, / Antes afigurava um deus sereno e forte" (Manuel Bandeira, *Estrela da Vida Inteira*, p. 69); *No escuro, afigurava um ser monstruoso.* **2.** Dar forma ou figura a; moldar (em barro, mármore, etc.). **3.** Representar em figura na imaginação; imaginar, figurar: "Se não a vejo e o espírito afigura, / Cresce este meu desejo de hora em hora..." (Manuel Bandeira, *Estrela da Vida Inteira*, p. 13.) *Transobj.* **4.** Representar em figura na imaginação; imaginar, figurar: *Não a conhecendo, afigurava-a bela. P.* **5.** Esboçar, delinear, pintar forma ou figura de. **6.** Parecer, semelhar, assemelhar-se. **7.** Representar-se na mente; parecer: "As intermináveis discussões acerca das origens da poesia lírica portuguesa afiguram-se-me, também, um tanto áridas." (Ciro dos Anjos, *Abdias*, p. 4.)

afigurativo. *Adj.* **1.** Que encerra figura ou parábola. **2.** Que se afigura.

afilado[1]. [De *a-*[2] + lat. *filu*, 'fio', + *-ado*[1].] *Adj.* Delicado, fino, adelgaçado: *nariz afilado;* "As minhas mãos magritas afiladas" (Florbela Espanca, *Sonetos Completos*, p. 109).

afilado[2]. [Part. de *afilar*[3].] *Adj.* Aferido (peça, medida, etc.).

afilador (ô). [De *afilar*[3].] *Adj.* e *s. m.* Que ou aquele que afila ou afere; aferidor.

afilamento. *S. m.* Ato ou efeito de afilar[3]; aferição.

afilar[1]. [De *a-*[2] + lat. *filu*, 'fio', + *-ar*[2].] *V. t. d.* **1.** Reduzir a fio. **2.** Tornar fino, delgado, ou aguçado; adelgaçar, afinar. *Int.* **3.** Tornar-se fino, delgado, ou aguçado; afinar(-se), adelgaçar(-se), afilar(-se). *P.* **4.** Tornar-se fino, delgado, ou aguçado; afinar(-se), adelgaçar-se; afilar: "Desbotava-se a rubidez das faces incendidas e afilava-se, a mais e mais, o nariz correto, aquilino." (Visconde de Taunay, *Ao Entardecer*, pp. 28-29.)

afilar[2]. [De *a-*[4] + *filar.*] *V. t. d.* **1.** Açular (cão) a morder; açular, filar. **2.** Excitar, estimular. [Var.: *afilhar.*]

afilar[3]. *V. t. d.* **1.** Acertar (a balança). **2.** Conferir, cotejar (pesos e medidas) com o respectivo padrão; aferir.

afilhada. [Fem. de *afilhado.*] *S. f.* A mulher em relação a seu padrinho e/ou a sua madrinha.

afilhadagem. *S. f.* **1.** Conjunto de afilhados. **2.** V. *afilhadismo.*

afilhadismo. *S. m.* Proteção aos afilhados ou favoritos; afilhadagem, favoritismo, nepotismo.

afilhado. [De *a-*[2] + *filho* + *-ado*[1].] *S. m.* **1.** O homem em relação a seu padrinho e/ou a sua madrinha. **2.** Protegido, favorito, preferido. **3.** *Bras., PE. Irôn.* Filho de padre ou de frade.

afilhar[1]. [De *a-*[2] + *filho* + *-ar*[2].] *V. int.* Dar filhos ou rebentos (as plantas). [Cf. *afiliar.*]

afilhar[2]. *V. t. d.* Var. de *afilar*[2]. [Cf. *afiliar.*]

afiliação. *S. f.* Ato ou efeito de afiliar.

afiliar. [De *a-*[2] + *-fili-*[2] + *-ar*[2].] *V. t. d.* e *p.* **1.** Agregar (-se) ou juntar(-se) a uma corporação ou sociedade. **2.** Inscrever(-se) como sócio ou membro. [F. paral.: *filiar.* Cf. *afilhar* e *afelear.*]

afilo. [Do gr. *aphyllos.*] *Adj. Bot.* Diz-se de planta desprovida de folhas, ou cujas folhas se reduzem a escamas tão insignificantes que parecem não existir, como se vê, p. ex., nos cactos.

afim. [Do lat. *affine.*] *Adj. 2 g.* **1.** Que apresenta afinidade: *almas afins; vocábulos afins; objetivos afins.* **2.** *Dir. Civ.* Diz-se de pessoa vinculada a outra por parentesco afim: *primas afins.* ~ V. *parentesco* — e *transformação* —. ● *S. 2 g.* **3.** *Dir. Civ.* Parente afim (2). [Cf. a loc. prep. *a fim de.*]

afinação. *S. f.* **1.** Ato ou efeito de afinar; afinamento. **2.** Qualidade de afinado. **3.** Aprimoramento, refinamento, apuro. **4.** Polidez, delicadeza. **5.** Purificação de metais; afinagem. **6.** *Fam.* Estado de irritação, de mau humor. **7.** *Mús.* Ajuste do tom de uma nota em relação a outra, de modo que o número de vibrações [cf. *lá normal*] corresponda às exigências da acústica. **8.** *P. ext.* Este ajuste aplicado à voz ou a instrumentos: *a afinação de um coral; a afinação de um quarteto.* **9.** *Mús.* Ajuste da tensão das cordas de um instrumento, de sorte que as notas emitidas coincidam, em freqüência, com uma escala tipo. **10.** *Mús.* Ajuste do comprimento de um tubo sonoro para se obter o tom correto. **11.** *Mús.* Seqüência das notas emitidas por certos instrumentos de corda: *A afinação do violino é* sol_2, $ré_3$, $lá_3$, mi_4. **12.** *Teat.* Conjugação harmônica dos cenários, efeitos luminosos e demais elementos cênicos e dramáticos: *ensaio de afinação.* **13.** *Autom.* Regulagem de um motor. [Antôn. (de 7, 8, 9, 10): *desafinação.*]

afinado. [Part. de *afinar.*] *Adj.* **1.** Que se afinou. **2.** Purificado, acrisolado. **3.** Aperfeiçoado, aprimorado, bem-acabado. **4.** Que tem as condições necessárias para emitir sons que correspondam à afinação (8): *cantor afinado.* **5.** *Mús.* Que tem afinação (7) perfeita ou quase perfeita: *um piano afinado; um violino afinado.* [Antôn. nas acepç. 4 e 5: *desafinado.*] **6.** *Fam.* Irritado, arreliado, agastado.

afinador (ô). *S. m.* **1.** Especialista em afinar (6) ou fazer certos reparos técnicos em instrumentos de teclado, como piano, cravo, órgão, etc. **2.** *Mús.* V. *diapasão* (5). **3.** *Mús.* Chave de ferro com que se afinam alguns instrumentos de cordas (piano, harpa, saltério, etc.).

afinagem. *S. f.* Afinação (5). [Cf. *afinamento.*]

afinal. [De a-^{3} + *final.*] *Adv.* **1.** Por fim; finalmente; afinal de contas: *Disse que vinha, mas afinal não veio;* "Consegui que fumasse um cigarro, depois outro, e afinal fumou-os às dúzias, sem acabar nenhum." (Machado de Assis, *Páginas Recolhidas*, p. 62). **2.** Em conclusão; pensando bem; afinal de contas: "Pois que agora lhe devolvera o quadro, com uma carta muito seca, dizendo que afinal Corot não era dos pintores da sua predileção" (Abel Botelho, *Amor Crioulo*, p. 382).

afinamento. *S. m.* Afinação (1). [Cf. *afinagem.*]

afinar. [De a-^{2} + *fino*^{1} + -*ar*^{2}.] *V. t. d.* **1.** Tornar fino, ou mais fino; adelgaçar. **2.** Apurar, aperfeiçoar: *afinar as maneiras; afinar o estilo.* **3.** Polir, educar: *Afinou os sentidos na contemplação do belo.* **4.** Aumentar a acuidade, a finura, de. **5.** Purificar (metais) no crisol; acrisolar. **6.** Proceder à afinação (7) de (voz ou instrumento): "O teatro transbordava. Os músicos afinavam os instrumentos." (D. João da Câmara, *Contos*, p. 84.) **7.** Ajustar e coordenar harmonicamente os elementos cênicos e dramáticos: *O diretor afinou o espetáculo.* **8.** *Autom.* Regular (um motor). *T. d. e i.* **9.** Ajustar, harmonizar, conciliar: *Resolveu afinar as suas idéias pelas da maioria;* "o Délfico [Apolo (v. *apolíneo*)], imberbe e cor d'ouro, afinando os pensamentos humanos pelo ritmo da sua cítara" (Eça de Queirós, *A Relíquia*, p. 293). **10.** Ajustar, harmonizar, acordar (instrumentos ou vozes entre si): *O regente afinou a orquestra pelo lá do oboé. T. i.* **11.** Ajustar-se, harmonizar-se, conciliar-se, regular-se: *Seu procedimento afina pelo do pai;* "Tanto os biógrafos de ontem como os de hoje afinam por idêntico diapasão" (Aquilino Ribeiro, *Luís de Camões*, II, p. 318). *Int.* **12.** Fazer-se fino, ou mais fino; adelgaçar(-se), afinar-se: "A chuva caía de rojão, afinando e engrossando, sem parar." (José Lins do Rego, *Pedra Bonita*, p. 25.) **13.** Cantar em uníssono, sem se afastar do tom. **14.** *Fam.* Irritar-se, ofender-se, agastar-se. **15.** *Bras. Gír. Fut.* Não disputar a bola com o adversário por medo de contusão; jogar de salto alto. *P.* **16.** V. *afinar* (12): "As canelas se afinaram, ficando como taboca" (José Lins do Rego, *Pedra Bonita*, p. 195). **17.** Concordar; ajustar; harmonizar. **18.** Apurar-se, aperfeiçoar-se: "Que por muito e por muito que se afinem / Nestas fábulas vãas também sonhadas, / A verdade que eu conto nua e pura / Vence toda grandíloca escritura." (Luís de Camões, *Os Lusíadas*, V, p. 89.) **19.** Polir-se, educar-se.

afincado. [Part. de *afincar.*] *Adj.* Pertinaz, aferrado; perseverante, obstinado.

afincamento. *S. m.* **1.** Ato ou efeito de afincar(-se). **2.** V. *aferro* (2).

afincar. [De a-^{2} + *finca* + -*ar*^{2}.] *V. t. d.* **1.** Plantar de estaca; cravar, fincar. *T. d. e i.* **2.** Fixar (a vista, a atenção, o pensamento, etc.); fitar: *Afincou os olhos na bela moça. T. i.* **3.** Teimar, insistir, persistir, perseverar, aferrar-se; fincar: *Afinca em princípios filosóficos disparatados. P.* **4.** Aferrar-se; insistir; teimar; obstinar-se: *Afincou-se à idéia, e ninguém o pôde demover.* [Conjug.: v. *trancar.*]

afinco. [Dev. de *afincar.*] *S. m.* **1.** V. *aferro* (2). **2.** Perseverança, persistência, constância: *trabalhar com afinco.*

afinidade. [Do lat. *affinitate.*] *S. f.* **1.** Relação, semelhança, analogia: *Há grande afinidade entre a língua portuguesa e a galega.* **2.** Semelhança entre duas ou mais espécies. **3.** Conformidade, identidade, igualdade: *afinidade de gostos; afinidade espiritual.* **4.** Tendência combinatória. **5.** Coincidência de gostos ou de sentimentos: *Dão-se bem porque têm muita afinidade.* **6.** *Dir. Civ.* Vínculo característico do parentesco afim [q. v.]. **7.** *Fís.-Quím.* Grandeza que mede a espontaneidade de uma reação química, e que se relaciona com a entalpia livre e o grau de avanço da reação.

afirmação. [Do lat. *affirmatione.*] *S. f.* **1.** Ação ou efeito de afirmar(-se). **2.** Aquilo que se afirma; asseveração. **3.** V. *afirmativa.* **4.** Testemunho, confirmação, prova. **5.** *Lóg.* Ato pelo qual se declara verdadeiro um juízo ou uma proposição, sem se levar em conta a forma afirmativa ou negativa que apresentem; asserção. **6.** *Lóg.* Proposição em que se considera existente a relação entre os termos. [Antôn., nesta acepç.: *negação.*] **7.** *Psicol.* Auto-afirmação.

afirmador (ô). [Do lat. *affirmatore.*] *Adj. e s. m.* Afirmante.

afirmante. [Do lat. *affirmante.*] *Adj. 2 g. e s. 2 g.* Que ou quem afirma; afirmador.

afirmar. [Do lat. *affirmare.*] *V. t. d.* **1.** Tornar firme, fazer firme; consolidar: *Afirmou as bases de seu governo.* **2.** Dizer ou declarar com firmeza; confirmar, sustentar, asseverar: "afirma, ante o olhar espantado e sôfrego do rei em delírio, que o pequeno Álvaro .... não é filho dela" (Antero de Figueiredo, *Leonor Teles*, p. 58). **3.** Certificar, atestar: "a sua fuga é inexplicável. Afirma-a, contudo, a sisudez do cronista sincero." (Euclides da Cunha, *Os Sertões*, p. 155). **4.** Firmar, fixar: *Afirmou a vista para ver melhor. T. d. e i.* **5.** Dizer ou declarar com firmeza; garantir, asseverar: "Foi o Sr. João Crisóstomo quem determinou a queda do governo, afirmando ao rei que, se ele insistisse, a revolução era inevitável." (Guerra Junqueiro, *Pátria*, p. 217); "Henriqueta [Henriette Renan], por mais que Renan nos afirme o contrário, tinha um fundo pessimista." (Machado de Assis, *Páginas Recolhidas*, p. 156); "— Se encontrar uma mulher tão completa como eu exijo, afirmo-lhe que me casarei." (Machado de Assis, *Contos Fluminenses*, p. 88.) *Int.* **6.** Fazer afirmação ou afirmações: *Costuma afirmar antes de se inteirar dos fatos.* **7.** Insistir, teimar; firmar-se. *P.* **8.** Certificar-se, assegurar-se (especialmente pela vista). **9.** Fixar-se, estabelecer-se: *Afirmou-se no cargo de chefe de escritório.* **10.** Deter-se em examinar alguém ou alguma coisa; reparar, atentar: "Quanto mais se afirmava nela, mais guapa se lhe afigurava." (Camilo Castelo Branco, *O Santo da Montanha*, p. 174.) **11.** Aparentar segurança, ou sentir-se seguro: *É agressivo apenas para se afirmar; Quer afirmar-se à custa do dinheiro da família.*

afirmativa. [Fem. substantivado de *afirmativo.*] *S. f.* Declaração que assevera; afirmação, confirmação.

afirmativamente. [Do fem. de *afirmativo* + -*mente.*] *Adv.* De modo afirmativo; com afirmação: "— Tudo pronto? — perguntou o recém-chegado. | O outro respondeu afirmativamente com a cabeça" (Wellington de Araújo Leão, *in Contos Alagoanos de hoje*, p. 74).

afirmativo. [Do lat. *affirmativu.*] *Adj.* **1.** Que afirma ou confirma: *resposta afirmativa.* **2.** Que denota aquiescência, concordância: *um movimento de cabeça afirmativo.* ~ V. *proposição particular* —a e *proposição universal* —a.

afirmável. *Adj. 2 g.* Que pode ser afirmado.

afistulado. [Part. de *afistular.*] *Adj.* **1.** Transformado em fístula. **2.** Cheio de fístulas.

afistular. [De a-^{2} + *fístula* + -*ar.*^{2}] *V. t. d.* **1.** Fazer ou abrir fístula em; fistular. **2.** *Fig.* Corromper, apodrecer, adulterar, deteriorar. *P.* **3.** Converter-se em fístula; fistular-se.

afitamento. *S. m.* **1.** *P. us.* Ato de afitar^2. **2.** *Ant. e pop.* V. *afito* (1). **3.** *Ant. e pop.* V. *diarréia.*

afitar^1. [De a-^{2} + *fita* + -*ar*^{2}.] *V. t. d.* Enfitar^1. [Pres. ind.: *afito*, etc. Cf. a loc. adv. *a fito.*]

afitar^2. [De a-^{4} + *fitar.*] *V. t. d.* **1.** Fitar. **2.** *Ant.* Causar afito a. **3.** *Bras.* Lançar afito ou mau-olhado a. [Pres. ind.: *afito*, etc. Cf. a loc. adv. *a fito.*]

afito. [Dev. de *afitar*^{2}] *S. m.* **1.** *Ant. e pop.* Indigestão (1); afitamento. **2.** *Ant. e pop.* V. *diarréia.* **3.** *Bras.* Mau-olhado. [Cf. a loc. adv. *a fito.*]

afivelado. [Part. de *afivelar.*] *Adj.* Apertado ou preso com fivela.

afivelar. [De a-^{2} + *fivela* + -*ar*^{2}.] *V. t. d.* **1.** Prender, atar, segurar, com fivela: "Depois do banquete os confederados afivelaram à cinta a sacola tradicional dos mendigos da Flandres" (Ramalho Ortigão, *A Holanda*, p. 194). **2.** Colocar fivela em. **3.** *Fig.* Ajustar, firmar, contratar, em caráter definitivo (um trato, um negócio, etc.); amarrar. [Cf. *enfivelar.*]

afixação (cs). *S. f.* **1.** Ato ou efeito de afixar. **2.** Emprego dos afixos [v. *afixo*].

afixar (cs). [De a-^{2} + *fixo* + -*ar*^{2}.] *V. t. d.* **1.** Tornar fixo, segurar; prender; firmar, fixar. **2.** Pregar em lugar público (avisos, editais, etc.).

afixo (cs). [Do lat. *affixu.*] *Adj.* **1.** Que se afixou; segurado, preso, fixo. ● *S. m.* **2.** *Gram.* Designação comum aos prefixos, sufixos e infixos. [Cf., nesta acepç., *desinência* (2).]

aflamengado. [De a-^{2} + *flamengo*^{2} + -*ado*^{1}.] *Adj.* Que tem modos e/ou aparência de, ou é próprio de flamengo^2: *veste aflamengada; pronúncia aflamengada.*

aflante. [Do lat. *afflante.*] *Adj. 2 g.* **1.** Que sopra ou bafeja. **2.** Que respira a custo; ofegante, anelante, arfante.

aflar. [Do lat. *afflare.*] *V. t. d.* **1.** Soprar; bafejar. **2.** Inspirar. *Int.* **3.** Respirar a custo; arfar, ofegar, anelar. **4.** Soprar (12): "Pulverizam-se, ao luar, as neblinas ... A brisa / Afla de leve ... O luar as cousas galvaniza." (Martins Fontes, *Volúpia*, p. 164). **5.** Agitar-se ao vento: "as folhas do arvoredo apenas aflavam com o brando sopro da viração." (José de Alencar, *O Sertanejo*, p. 112); "A nívea cambraia que lhe cobria o seio mimoso, aflava com um movimento quase imperceptível" (Id., *Alfarrábios*, p. 193).

aflato. [Do lat. *afflatu.*] *S. m.* **1.** Sopro, bafejo, hálito. **2.** Cheiro, emanação.

aflatoxina (cs). *S. f. Quím.* Produto tóxico gerado pelo mofo *Aspergillus flavus*, cancerígeno.

aflautado. [De a-^{2} + *flauta* + -*ado*^{1}.] *Adj.* **1.** Semelhante à flauta, na aparência ou no som. **2.** Suave, brando, à maneira de flauta: "Disposto a convencer-me do contrário, aflautado e melífluo, ele ainda insistiu, protestando contra a 'ditadura financeira' que eu desejava impor" (Luís Edmundo, *De um Livro de Memórias*, III, p. 857). **3.** Delgado, esguio. **4.** *Fam.* Esganiçado; agudo: *voz aflautada.* [F. paral.: *flautado.*]

aflautar. [De a-^{2} + *flauta* + -*ar*^{2}.] *V. t. d.* **1.** Tornar (a voz) suave, melodiosa, como certos sons da flauta; adocicar. **2.** Tornar (a voz) aguda, esganiçada, como certos sons da flauta. [F. paral.: *flautar.*]

aflechado^1. [De a-^{2} + *flecha* + -*ado*^{1}.] *Adj.* Semelhante a flecha. [Var.: *afrechado.*]

aflechado^2. [Part. de *aflechar.*] *Adj.* Ferido por flecha. [Var.: *afrechado.*]

aflechar. [De a-^{2} + *flecha* + -*ar*^{2}.] *V. t. d.* **1.** Dar forma ou semelhança de flecha a. **2.** Ferir com flecha; flechar. [Var.: *afrechar.* Conjug.: v. *flechar.*]

afleimar. [De a-^{2} + *fleima* + *ar*-^{2}.] *V. t. d. e p.* **1.** Irritar (-se), amofinar(-se), apoquentar(-se), ralar(-se), atenar(-se). *Int.* **2.** V. *afleumar* (2). [Var.: *afreimar* e, como int. e p., (bras., CE): *afuleimar-se.*]

afleumar. [De a-^{2} + *fleuma* + -*ar*^{2}.] *V. t. d.* **1.** Tornar pachorrento, fleumático. *Int.* **2.** Inflamar-se, apostemar (-se); inchar; afleimar.

aflição. [Do lat. *afflictione.*] *S. f.* **1.** Agonia, atribulação, angústia, sofrimento. **2.** Tristeza, mágoa, pesar, dor. **3.** Cuidado, preocupação, inquietação, ansiedade. **4.** Padecimento físico; tormento, tortura.

afligente. [Do lat. *affligente.*] *Adj. 2 g.* V. *aflitivo.*

afligidor (ô). *Adj.* **1.** V. *aflitivo.* ● *S. m.* **2.** Aquele que aflige.

afligimento. *S. m.* Ação ou efeito de afligir(-se).

afligir. [Do lat. *affligere.*] *V. t. d.* **1.** Causar aflição ou grande aflição a; angustiar, atormentar. **2.** Torturar, atormentar; mortificar. **3.** Atacar, atingir (doença): *Um mal desconhecido o afligia.* **4.** Assolar, devastar, talar. **5.** V. *apoquentar. Int.* **6.** Causar aflição: *Sua miséria aflige. P.* **7.** Entrar em aflição ou agonia (5); agoniar-se. *P.* **8.** Atormentar-se, torturar-se, mortificar-se. **9.** V. *apoquentar.* [Conjug.: v. *dirigir*, mas tem dois part.: *afligido* e *aflito.*]

aflitivo. *Adj.* Que causa aflição; afligente, afligidor.

aflito. [Do lat. *afflictu.*] *Adj.* **1.** Cheio de ansiedade; angustiado, agoniado. **2.** Atribulado, atormentado, torturado. **3.** Preocupado, inquieto. ● *S. m.* **4.** Aquele que tem aflição.

aflogístico. *Adj.* Que arde sem chama.

afloração. *S. f.* **1.** Ação ou efeito de aflorar; afloramento. **2.** Nivelamento de uma superfície com outra.

afloramento. *S. m.* **1.** Afloração (1). **2.** *Geol.* A parte de um maciço ou camada de rocha, ou de minério, que chega à superfície do solo, quer por irrupção, quer pelo desnudamento dum capeamento preexistente.

aflorar. [Do fr. *effleurer.*] *V. t. d.* **1.** Nivelar (uma superfície) com outra; pôr ao mesmo nível: "Ariel sustinha-se nas altas regiões do espaço e baixava muito até aflorar os tetos das choupanas, a farfalhosa coma das árvores" (Alberto Rangel, *Livro de Figuras*, p. 176). **2.** Tocar de leve ou ligeiramente; acariciar, afagar: *Aflourou-lhe a bela cabeleira.* **3.** Tratar superficialmente de; abordar: *aflorar um assunto.* **4.** Esboçar, delinear, entremostrar: *Desapontado, mal aflorou um sorriso. T. i.* **5.** Deixar-se entrever; entremostrar-se: "E trechos de salmos que aprendera em menino .... afloraram-lhe à boca." (Afonso Arinos, *Pelo Sertão*, pp. 42-43.) *Int.* **6.** Emergir à superfície; vir à tona: *Os peixes mortos afloraram; O cadáver aflorou na enseada.* **7.** Deixar-se entrever; entremostrar-se: *O riso mal aflorou;* "Desde cedo o homem de ciências aflorou na personalidade de Gonçalves Dias." (Josué Montelo, *Estante Giratória*, p. 69).

afluência[1]. [Do lat. *affluentia.*] *S. f.* **1.** V. *afluxo.* **2.** Corrente copiosa, abundante. **3.** Confluência (2). **4.** Grande concorrência (de pessoas ou coisas); abundância, convergência: *Há grande afluência às casas de diversões.*

afluência[2]. [Do ingl. *affluence.*] *S. f.* Abundância de dinheiro; riqueza.

afluente[1]. [Do lat. *affluente.*] *Adj. 2 g.* **1.** Que aflui. **2.** Copioso, abundante. **3.** *Tec.* Diz-se de corrente de fluido de processo que entra num equipamento. [Cf., nesta acepç., *efluente* (2).] ● *S. m.* **4.** Curso de água que deságua em outro curso de água, considerado principal, ou em um lago, contribuindo para lhes aumentar o volume; tributário. [Cf. *confluente* e *defluente.*]

afluente[2]. [Do ingl. *affluent.*] *Adj. 2 g.* Que tem, ou em que há afluência[2]; rico: *homens afluentes; sociedade afluente.*

afluição (u-i). *S. f.* V. *afluxo.*

afluir. [Do lat. *affluere.*] *V. t. c.* **1.** Correr para; convergir; concorrer: *Vários rios afluem ao Amazonas.* **2.** Concorrer em grande quantidade: *Grande multidão afluiu ao comício;* "Os fiéis afluíam .... à velha ermida solitária" (Artur Azevedo, *Contos Possíveis*, p. 51). *T. d. e i.* **3.** Concorrer em outro grande quantidade: "O ouro afluía-lhe de ricos banqueiros, que se honravam do parentesco de um cardeal." (Camilo Castelo Branco, *Livro de Padre Dinis*, p. 36.) *Int.* **4.** Concorrer em grande quantidade: "Afluíam os convidados: famílias, quase todas do bairro." (Galpi, *Narrativas Militares*, p. 48.) [Conjug.: v. *atribuir.*]

afluxo (cs). *S. m.* Ato ou efeito de afluir; afluição, afluência.

afobação. *S. f. Bras.* **1.** Grande pressa; lufa-lufa, azáfama. **2.** Atrapalhação, perturbação, nervosismo. **3.** Cansaço, fadiga, esfalfamento. [Sin. ger.: *afobamento* e (p. us.) *afobo.*]

afobado. [Part. de *afobar.*] *Adj. Bras.* **1.** Azafamado, apressado, precipitado. **2.** Atrapalhado, embaraçado, perturbado. **3.** Cansado, esfalfado, ofegante, afrontado: "Subo de automóvel à serra, que tantas vezes galguei a pé e afobado, para acudir a aflições urgentes." (Miguel Torga, *Diário*, X, p. 191.) [Sin. ger.: *acafobado.*]

afobamento. *S. m. Bras.* V. *afobação.*

afobar. *Bras. V. t. d.* **1.** Causar afobação (1 a 3) a. *P.* **2.** Ficar afobado: "— Ora, não se afobe, compadre, a afilhada já dorme, moída da festança" (Hugo de Carvalho Ramos, *Tropas e Boiadas*, p. 9). [Var.: *acafobar.*]

afobo (ô). [Dev. de *afobar.*] *S. m. Bras. P. us.* V. *afobação.* [Cf. *afobo*, do v. *afobar.*]

afocal. [De *a-*[3] + *focal.*] *Adj. 2 g.* ~ V. *sistema* —.

afocinhado. [Part. de *afocinhar.*] *Adj. Mar. Ant.* Dizia-se da embarcação cuja proa estava mais mergulhada que a popa; embicado. [Antôn.: *derrabado.*]

afocinhamento. *S. m.* Ato ou efeito de afocinhar.

afocinhar. [De *a-*[2] + *focinho* + *-ar*[2].] *V. t. d.* **1.** Acometer, investir, atacar com o focinho. **2.** Escavar com o focinho; fossar, fuçar: "Os porcos vinham chegando um a um afocinhando a terra" (Coelho Neto, *Rei Negro*, p. 131). **3.** Fazer cair de focinho, nariz ou ventas. *T. i.* **4.** Deparar ou encontrar frente a frente, ou cara a cara: "em tão boa hora caminham, que vão afocinhar os dois com o amigo particular do conde de Eu." (Fialho d'Almeida, *Os Gatos*, I, p. 91). *Int.* **5.** Cair de ventas no chão; ir de focinho ao chão; cair: "Se eu caísse, havia de ter graça! Afocinhava no tijuco e era uma vez o meu terno de casimira clara." (Ribeiro Couto, *Baianinha e Outras Mulheres*, p. 60.) **6.** Escavar com o focinho; fossar, fuçar. **7.** *Mar.* Mergulhar a proa (a embarcação), quer em conseqüência do balanço longitudinal, quer por excesso de carga a vante. [F. paral.: *focinhar.*]

afodal. *Adj. 2 g. Zool.* Diz-se de um tipo de aparelho ostiolar dos espongiários no qual as câmaras vibráteis estão separadas dos canais excurrentes pelos áfodos.

áfodo. *S. m. Zool.* Tubo curto e estreito que, nos espongiários, reúne as câmaras vibráteis aos canais excurrentes ou exalantes.

afofado. [Part. de *afofar.*] *Adj.* **1.** Tornado fofo (1). **2.** *Fig.* Jactancioso, vanglorioso, vaidoso, enfatuado.

afofamento. *S. m.* Ato ou efeito de afofar(-se).

afofar. [De *a-*[2] + *fofo* + *-ar*[2].] *V. t. d.* **1.** Tornar fofo (1), mole. **2.** Tornar fofo, vaidoso; envaidecer. *Int. e p.* **3.** Tornar-se fofo (1), mole. **4.** Tornar-se fofo, vaidoso; envaidecer-se. [Sin. ger.: *abalofar.*]

afofiê. [Do ioruba.] *S. f. Bras.* Pequena flauta de bambu com bocal de madeira, usada nos candomblés baianos.

afogadela. *S. f.* **1.** Ação ou efeito de afogar de leve. **2.** Afogadilho.

afogadense. *Adj. 2 g.* **1.** De, ou pertencente ou relativo a Afogados da Ingazeira (PE). ● *S. 2 g.* **2.** Natural ou habitante de Afogados da Ingazeira.

afogadiço. *Adj.* **1.** Que se afoga facilmente. **2.** Que produz sufocação; abafadiço: *atmosfera afogadiça.*

afogadilho. *S. m.* Pressa, precipitação, açodamento, afogadela: "Pedi que relatasse sem afogadilho: — No compasso, homem de Deus. No compasso". (José Cândido de Carvalho, *O Coronel e o Lobisomem*, p. 97.) ◆ **De afogadilho.** Apressadamente; à pressa, às pressas: *livro escrito de afogadilho.*

afogado. [Part. de *afogar.*] *Adj.* **1.** Que se afogou. **2.** Asfixiado, sufocado, afrontado. **3.** Abafadiço, afogadiço, abafado: *recinto afogado.* **4.** Diz-se de blusa ou vestido fechado até o pescoço (por oposição a *decotado*). **5.** Diz-se da voz cava, baixa, entrecortada. **6.** *Mar.* Diz-se de embarcação ou terra que mal se divisa acima do horizonte. **7.** *Bras. Mar. G. Gír.* Diz-se do indivíduo que tem pouca ou nenhuma habilidade para nadar. ~ V. *ponte* — a. ● *S. m.* **8.** Indivíduo que morreu afogado. **9.** Lugar oculto; arcano. **10.** *Cul.* Refogado (2) cuja panela se conserva tapada enquanto está no fogo.

afogador (ô). *Adj.* **1.** Que afoga. ● *S. m.* **2.** Aquele que afoga. **3.** Colar, gargantilha: "Cingia-lhe o pescoço alvo e redondo um rico afogador de pedraria" (Afonso Arinos, *Pelo Sertão*, p. 139). **4.** *Autom.* Disco de metal, móvel em torno de um eixo excêntrico, situado logo abaixo da entrada de ar do carburador, e que restringe a passagem do ar para a câmara de carburação, a fim de proporcionar mistura mais rica, sobretudo nas partidas com o motor frio.

afogadura. *S. f.* V. *afogamento.*

afogamento. *S. m.* **1.** Ato ou efeito de afogar(-se). **2.** Sufocação, asfixia, afogo. **3.** Morte por imersão. **4.** Afogo (2). [Sin. ger.: *afogadura.*]

afogar. [Do lat. *offocare*, com troca de prefixo.] *V. t. d.* **1.** Privar de respiração por asfixia; asfixiar, sufocar: "M. Prosper Arcourt não era marido de duelos, nem tampouco de afogar a mulher com o travesseiro". (Camilo Castelo Branco, *A Mulher Fatal*, pp. 153-154.) **2.** Privar de respiração por estrangulamento; estrangular, sufocar, asfixiar. **3.** Privar de respiração, ou matar, por submersão. **4.** Fazer desaparecer; anular, eliminar: "Por que não lhe vinha um sono que lhe afogasse os pensamentos loucos?" (José Lins do Rego, *Pedra Bonita*, p. 170.) **5.** Reprimir, abafar, sufocar, embargar: "Este é o altivo pecador sereno, / Que os soluços afoga na garganta" (Olavo Bilac, *Poesias*, p. 193). **6.** Encobrir, ocultar: "O caminho coberto por uma camada veludosa de areia fina, amarelenta, embebia-se pela neblina espessa que afogava a terra." (Júlio Ribeiro, *A Carne*, p. 145.) **7.** Impedir o crescimento de; sufocar: *A erva-de-passarinho afogou a mangueira.* **8.** *Cul.* Refogar. **9.** *Autom.* Fazer enguiçar (o motor) por excesso de gasolina ou pela obstrução da entrada de ar no carburador: *O carro afogou o motor na ladeira. T. d. e i.* **10.** Mergulhar, submergir. **11.** Embeber, ensopar: *Afogou o pão no vinho.* **12.** Extinguir, exterminar; destruir, liquidar, arrasar: "Não afogou a vida .... na grosseria e interesse do merceeiro." (João Ribeiro, *Crepúsculo dos Deuses*, p. 20.) *Int.* **13.** Asfixiar-se, sufocar-se. **14.** *Autom.* Enguiçar (o motor) por excesso de gasolina ou por obstrução da entrada de ar no carburador: *O motor afogou duas vezes, na viagem. P.* **15.** Matar-se ou morrer por asfixia ou por submersão. **16.** Embriagar-se, embebedar-se. **17.** Alagar-se, inundar-se, rasar-se: "os seus olhos se afogavam em lágrimas e o coração se lhe estorcia no peito" (Camilo Castelo Branco, *A Filha do Regicida*, pp. 100-101). **18.** Afundar-se, embeber-se. **19.** *Turfe.* Perder (o cavalo) o fôlego em carreira, por defeito no sistema respiratório. [Conjug.: v. *largar.* Pres. ind.: *afogo*, etc. Cf. *afogo* (ô).]

afogo (ô). [Dev. de *afogar.*] *S. m.* **1.** Sufocação, asfixia, afogamento. **2.** Aflição, ansiedade, angústia, afogamento. **3.** Arrebatamento, impetuosidade, fúria: *o afogo da guerra.* **4.** Grande calor; afogueamento, ardor: *o afogo da febre.* **5.** *Fig.* Calor, entusiasmo, ardor, aceso: *No afogo da peleja esportiva, lesou o menisco.* **6.** Pressa, urgência, azáfama. [Antôn.: *desafogo* (ô). Pl.: *afogos* (ô). Cf. *afogo*, do v. *afogar.*]

afogueado. [Part. de *afoguear.*] *Adj.* **1.** Submetido a muito fogo ou a muito calor. **2.** Muito quente; abrasado, incendido, ardente: *sertão afogueado.* **3.** Muito corado; vermelho, rubro: *faces afogueadas;* "No céu afogueado do entardecer, os adens riscavam as nuvens tranqüilamente" (José Cardoso Pires, *O Delfim*, p. 275). **4.** *Fig.* Animado, caloroso, ardente: *discussão afogueada.* [Sin., nestas acepç., *esfogueado.*] ● *S. m.* **5.** *Ant.* Na procissão do auto-de-fé [q. v.], o condenado à fogueira, que levava no sambenito insígnias de fogo.

afogueamento. *S. m.* **1.** Ato ou efeito de afoguear(-se) **2.** Grande calor; afogo, ardor.

afoguear. [De *a-*[2] + *fogo* + *-ear.*] *V. t. d.* **1.** Pôr fogo a; queimar. **2.** Submeter a muito fogo ou a muito calor. **3.** Aquecer muito; abrasar, esbrasear: "intenso calor afogueava-lhe o rosto" (Coelho Neto, *Rei Negro* p. 77). **4.** Fazer corar muito; fazer enrubescer; avermelhar: "O rubor afogueou as faces de Aurélia, ouvindo essa palavra acentuada pelo sarcasmo de Seixas." (José de Alencar, *Senhora*, p. 234.) **5.** Animar, excitar, entusiasmar. *P.* **6.** Abrasar-se, inflamar-se. **7.** Corar intensamente; enrubescer, ruborizar-se. **8.** Animar-se, entusiasmar-se. [Sin. ger.: *esfoguear.* Conjug.: v. *frear.*]

afoiçado. [De *a-*[2] + *foice* + *-ado*[1].] *Adj.* V. *falciforme.* [F. paral.: *afouçado.*]

afoitar. [De *afoito* (q.v.) + *-ar*[2]; var. de *afoutar.*] *V. t. d.* **1.** Tornar afoito; encorajar; animar, acoroçoar. **2.** Atrever-se, abalançar-se, arriscar-se a: *Afoitou uma empresa muito árdua para a sua idade. T. d. e i.* **3.** Induzir, incitar, animar, estimular: *As palavras de estímulo afoitaram-no a aceitar a difícil incumbência. P.* **4.** Tornar-se ou mostrar-se afoito, corajoso, audaz; animar-se, encorajar-se. **5.** Atrever-se, arriscar-se, abalançar-se: "nem me afoitava a incomodar as pessoas grandes com perguntas." (Graciliano Ramos, *Infância*, p. 108).

afoiteza (ê). [Var. de *afouteza;* v. *afoito.*] *S. f.* Qualidade de afoito; coragem, ânimo, arrojo, audácia.

afoito. [Var. de *afouto* < *a-*[4] + lat. *fautu*, 'favorecido'.] *Adj.* **1.** Sem medo; corajoso, ousado, destemido, audaz. **2.** V. *valentão* (1). **3.** Apressado; precipitado; ansioso.

afolar[1]. [De *a-*[4] + *folar.*] *S. m.* Folar.

afolar[2]. [De *a-*[2] + *fole* + *-ar*[2].] *V. t. d.* Soprar com fole.

afolhado[1]. [Part. de *afolhar.*] *Adj.* **1.** Que tem folha: *ramo afolhado.* **2.** Diz-se do terreno submetido a afolhamento.

afolhado[2]. [De *a-*[2] + *fólio* + *-ado*[1].] *Adj.* Diz-se do registro fiscal ou mercantil que tem os fólios numerados e rubricados.

afolhamento. *S. m.* Ato ou efeito de afolhar (1); rotação.

afolhar. [De *a-*[2] + *folha* + *-ar*[2].] *V. t. d.* **1.** Dividir (o terreno) em folhas ou porções grandes, para submetê-las a um ciclo ou alternação de culturas. *Int. e p.* **2.** Criar folhas (a planta); cobrir-se de folhas; folhar-se.

afolozado. [Part. de *afolozar.*] *Adj.* **1.** *Bras., AL. Pop.* Alargado ou largo em demasia; muito frouxo. **2.** *Bras., PB.* Inutilizado, estragado.

afolozar. [De *a-*[2] + *fole* + *-z-* + *-ar*[2], com assimilação.] *V. t. d.* **1.** *Bras., PB. Pop.* Inutilizar, estragar (um objeto, uma coisa de uso). **2.** *Bras., AL. Pop.* Alargar em demasia; afrouxar muito.

afonia. [Do gr. *aphonía.*] *S. f. Med.* Perda da voz por efeito de lesão no órgão vocal.

afônico. *Adj.* Sem voz; áfono, afono: "Desentoada, antimusical, quase afônica, hoje cantarei." (Eneida, *Cão da Madrugada*, p. 51.) ~ V. *pectoriloquia* — a.

afonjá. [Do ioruba.] *S. m. Bras.* Uma das variantes do orixá Xangô.

afono. *Adj.* V. *afônico.*

áfono. [Do gr. *áphonos.*] *Adj.* V. *afônico.* [Var. pros.: *afono.*]

afonso-arinense. *Adj. 2 g.* **1.** De, ou pertencente ou relativo a Afonso Arinos (RJ). ● *S. 2 g.* **2.** Natural ou habitante de Afonso Arinos. [Pl.: *afonso-arinenses.*]

afonso-bezerrense. *Adj. 2 g.* **1.** De, ou pertencente ou relativo a Afonso Bezerra (RN). ● *S. 2 g.* **2.** Natural ou habitante de Afonso Bezerra. [Pl.: *afonso-bezerrenses.*]

afonso-claudense. *Adj. 2 g.* **1.** De, ou pertencente ou relativo a Afonso Cláudio (ES). ● *S. 2 g.* **2.** Natural ou habitante de Afonso Cláudio. [Pl.: *afonso-claudenses.*]

afora. [De *a-*[3] + *fora.*] *Adv.* **1.** Para o lado de fora; exteriormente; fora; em fora; além: "Ele não disse uma palavra e saiu de porta afora.'' (Hermilo Borba Filho, *À margem das Lembranças*, p. 60); "É isto o nosso mar, em que vês barra afora / Saindo e entrando a um tempo, às mil, em confusão, / Velas que vêm ... velas que vão." (Alberto de Oliveira, *Poesias*, 4ª série, p. 76). **2.** Por toda a extensão (tempo e espaço); ao longo; fora; em fora: "Desde os tempos do colégio, nosso grupo foi um grupo de pessoas decentes. .... Pela vida afora, continuamos a ser pessoas decentes." (Herberto Sales, *Armado Cavaleiro, o Audaz Motoqueiro*, p. 144); *Foi-se estrada afora, feliz da vida.* ● *Prep.* **3.** Além de outro(s); além de: "casou ele com a segunda mulher, por meio da qual se multiplicou em sete filhos, afora outras multiplicações bastardas" (Camilo Castelo Branco, *Mosaico e Silva de Curiosidades*, p. 35). **4.** Com exclusão de; à exceção de; exceto, salvo, salvante, tora: "Afora os estirões, poucos são os trechos do rio em que se pode remar desembaraçadamente." (Gastão Cruls, *A Amazônia Que Eu Vi*, p. 125.)

aforação. *S. f. Dir. Civ.* V. *aforamento.*

aforado. [Part. de *aforar.*] *Adj.* V. *enfiteuticado.*

aforador (ô). *S. m.* Aquele que afora.

aforamento. [De *aforar*^{1} + *-mento.*] *S. m. Dir. Civ.* **1.** V. *enfiteuse.* **2.** Documento que comprova o aforamento. [Sin. ger.: *aforação.*]

aforar^{1}. [De *a-*^{2} + *foro (ô)* + *-ar*^{2}.] *V. t. d. e t. d. e i.* **1.** Dar por aforamento ou enfiteuse [q. v.]; emprazar. **2.** Tomar por aforamento ou enfiteuse [q. v.] **3.** Abonar (3): *aforar vocábulos. Transobj.* **4.** Conceder privilégio, direito ou honraria a. *P.* **5.** Arrogar a si, atribuir-se direitos, qualidades, etc.

aforar^{2}. [De *a-*^{2} + *fora* + *-ar*^{2}.] *V. t. d. Bras., SP. Pop.* Tirar, excetuar: *De oito, aforando três, ficam cinco.*

aforçurado. [Part. de *aforçurar.*] *Adj.* Apressado, apressurado; atarefado.

aforçuramento. *S. m.* Ato ou efeito de aforçurar-se; pressa.

aforçurar-se. [De *a-*^{2} + *forçura* + *-ar*^{2} + *se*^{1}.] *V. p.* Apressar-se, apressurar-se.

aforese. *S. f. Med.* Falta de secreção sudoral.

aforético. *Adj.* Relativo à aforese.

aforia. [Do gr. *aphoría.*] *S. f. Med.* V. *agenesia* (1).

afórico. *Adj.* Relativo a aforia; agenésico.

aforismático. *Adj.* Aforístico.

aforismo. [Do gr. *aphorismós*, pelo lat. *aphorismu.*] *S. m.* Sentença moral breve e conceituosa; máxima: "Esse outro aspecto .... está resumido num aforismo que gostava [Machado de Assis] de repetir, com ligeiras variações, o de que a morte é séria e não admite ironia." (Barreto Filho, *Introdução a Machado de Assis*, pp. 20-21.)

aforista. [Do gr. *aphorízo*, 'definir'.] *S. 2 g.* Pessoa que faz aforismos ou é dada a citá-los.

aforístico. [do gr. *aphoristikós.*] *Adj.* **1.** Relativo ou semelhante a aforismo. **2.** Que encerra aforismo. [Sin. ger.: *aforismático.*]

aformoseador (ô). *Adj.* **1.** Que aformoseia. ● *S. m.* **2.** Aquele ou aquilo que aformoseia.

aformoseamento. *S. m.* Ato ou efeito de aformosear(-se).

aformosear. [De *a-*^{2} + *formoso* + *-ear.*] *V. t. d.* **1.** Tornar formoso; embelezar, alindar: "um sorriso de inefável doçura lhe aformoseava os lábios" (Camilo Castelo Branco, *A Filha do Regicida*, p. 246). **2.** Enfeitar, adornar, ornamentar, ornar, decorar. *P.* **3.** Tornar-se formoso; embelezar-se, alindar-se. **4.** Enfeitar-se, adornar-se. [F. paral.: *formosear*; sin. ger.: *aformosentar, formosentar.* Conjug.: v. *frear.*]

aformosentar. [De *a-*^{2} + *formoso* + *-entar.*] *V. t. d. e p.* V. *aformosear.*

aforquilhado. [De *a-*^{2} + *forquilha* + *-ado*^{1}.] *Adj.* Que tem feitio de forquilha; bifurcado.

aforquilhar. [De *a-*^{2} + *forquilha* + *-ar*^{2}.] *V. t. d.* **1.** Dar forma de forquilha a. **2.** Segurar ou prender com forquilha; enforquilhar.

aforrado. [Part. de *aforrar*^{2}.] *Adj.* **1.** Forro, liberto, alforriado. **2.** Livre, desembaraçado, desimpedido, ligeiro. ● *S. m.* **3.** Indivíduo aforrado (1).

aforramento. *S. m.* Ato ou efeito de aforrar^{2}(-se).

aforrar^{1}. [De *a-*^{2} + *forro*^{1} + *-ar*^{2}.] *V. t. d.* **1.** Colocar forro^{1} em; revestir de forro^{1}; forrar. **2.** Arregaçar (a manga), dobrando a borda para cima. *P.* **3.** Tirar o paletó; pôr-se em mangas de camisa. [Pres. ind.: *aforro*, etc. Cf. *aforro* (ô).]

aforrar^{2}. [De *a-*^{2} + *forro*^{2} + *-ar*^{2}.] *V. t. d.* **1.** Tornar forro^{2}, libertar, alforriar, manumitir: *aforrar um escravo.* **2.** Economizar, juntando; amealhar: *Aforrou seus 800 cruzados. Int.* **3.** Fazer economia; economizar, amealhar. *P.* **4.** Alcançar ou comprar alforria; libertar-se, alforriar-se. [Pres. ind.: *aforro*, etc. Cf. *aforro* (ô).]

aforro (ô). [Dev. de *aforrar*^{2}.] *S. m.* Ato ou efeito de aforrar^{2} (1 e 2). [Pl.: *aforros* (ô). Cf. *aforro*, do v. *aforrar.*]

afortalecer. [De *a-*^{2} + *fortalecer.*] *V. t. d., int.* e *p.* Tornar (-se) forte; fortalecer(-se): "Se meus olhos a vêem, acontece, / Que a Excelente Senhora, por virtude, / Meu ânimo caído afortalece." (Antônio Correia d'Oliveira, *Líricas*, I, p. 35.) [Conjug.: v. *aquecer.*]

afortalezado. [Part. de *afortalezar.*] *Adj.* Que tem fortaleza.

afortalezamento. *S. m.* **1.** Ato ou efeito de afortalezar(-se). **2.** Obra de fortificação.

afortalezar. [De *a-*^{2} + *fortaleza* + *-ar*^{2}.] *V. t. d.* **1.** Transformar em fortaleza, fortificando com muros, etc. **2.** Prover de fortaleza; fortificar. **3.** Fortalecer (opinião); corroborar, confirmar. *P.* **4.** Acolher-se ou defender-se em fortaleza ou como em fortaleza. **5.** Fortificar-se, escudar-se; proteger-se, defender-se.

➡**a fortiori** (a forcióri). [Lat.] Com tanto mais razão.

afortunado. [Part. de *afortunar.*] *Adj.* Feliz, venturoso, ditoso, fortunoso, afortunoso.

afortunar. [De *a-*^{2} + *fortuna* + *-ar*^{2}.] *V. t. d.* **1.** Dar fortuna a; tornar ditoso, feliz, venturoso. *P.* **2.** Tornar-se feliz, ditoso, venturoso. [F. paral.: *fortunar.*]

afortunoso (ô). *Adj.* V. *afortunado.*

afótico. [De *a-*^{3} + *-fot* (o)- + *-ico*^{2}.] *Adj.* ~ V. zona —a.

afouçado. [De *a-*^{2} + *fouce* + *-ado*^{1}.] *Adj.* V. *afoiçado.*

afoutar. *V. t. d., t. d. e i.* e *p.* Afoitar [q. v.].

afouteza (ê). *S. f.* Afoiteza [q. v.].

afouto. *Adj.* Afoito [q. v.].

afoxé. *S. m. Bras., BA.* **1.** *Folcl.* Cortejo carnavalesco de negros que cantam canções de candomblé em nagô ou ioruba. [Cf. *maracatu.*] **2.** Candomblé de qualidade inferior. [Var. pros.: *afoxê.*]

afoxê. *S. m. Bras., BA.* Afoxé: "espiou o afoxê tão anunciado nos jornais, a maior beleza do carnaval baiano." (Jorge Amado, *Dona Flor e Seus Dois Maridos*, p. 30).

afracar. [De *a-*^{2} + *fraco* + *-ar*^{2}.] *V. int.* Enfraquecer. [Conjug.: v. *trancar.*]

afrancesado. [De *a-*^{2} + *francês* + *-ado*^{1}.] *Adj.* **1.** Que tem modos e/ou aparência de francês. **2.** Que é próprio de francês. **3.** Que afeta francesismo.

afrancesar. [De *a-*^{2} + *francês* + *-ar*^{2}.] *V. t. d.* e *p.* Tornar (-se) francês; adaptar(-se) ao temperamento, maneira e/ou estilo francês.

afrasia. [De *a-*^{3} + *frase* + *-ia.*] *S. f.* **1.** *Patol.* Impossibilidade de expressão por meio de frase(s), embora permaneça a capacidade de anunciar palavras isoladas. **2.** Mudez, mutismo. [Cf. *afasia.*]

afrásico^{1}. *Adj. P. us.* De, ou pertencente ou relativo à Afrásia (África e Ásia), afro-asiático.

afrásico^{2}. *Adj.* **1.** Relativo à, ou próprio da afrasia. **2.** Que tem afrasia. ● *S. m.* **3.** Aquele que a tem.

afrechado^{1}. [De *a-*^{2} + *frecha* + *-ado*^{1}.] *Adj.* Var. de *aflechado*^{1}.

afrechado^{2}. [Part. de *afrechar.*] *Adj.* Var. de *aflechado*^{2}.

afrechar. [De *a-*^{2} + *frecha* + *-ar*^{2}.] *V. t. d.* Var. de *aflechar.* [Conjug.: v. *flechar.*]

afreguesado. [Part. de *afreguesar.*] *Adj.* Que tem (muitos) fregueses; concorrido, freqüentado: "A loja do Sr. Antônio Severino era a mais afreguesada, por ser a mais bem sortida" (Brito Camacho, *Quadros Alentejanos*, p. 49).

afreguesar. [De *a-*^{2} + *freguês* + *-ar*^{2}.] *V. t. d.* **1.** Tornar freguês ou cliente. **2.** Granjear ou adquirir fregueses para. *P.* **3.** Fazer-se freguês.

afreimar. [De *a-*^{2} + *freima* + *-ar*^{2}.] *V. t. d., int.* e *p.* V. *afleimar.*

afrentar. [De *a-*^{2} + *frente* + *-ar*^{2}.] *V. t. d.* **1.** Pôr frente a frente; defrontar, confrontar. **2.** Confinar, convizinhar. **3.** Enraivecer, afligir.

afrescalhado. [De *a-*^{2} + *fresco* + *-alh(o)-* + *-ado*^{1}.] *Adj. Bras. Gír.* V. *efeminado* (2).

afrescar. *V. t. d., int.* e *p.* Refrescar. [Conjug.: v. *trancar.* Pres. ind.: *afresco*, etc. Cf. *afresco* (ê).]

afresco (ê). [Do it. *affresco.*] *S. m.* **1.** Técnica de pintura aplicada em paredes e tetos, que consiste em pintar sobre camada de revestimento recente, fresco, de nata de cal, gesso ou outro material apropriado ainda úmido, de modo que possibilite o embebimento da tinta. **2.** Pintura feita por esse processo: "Quando um pintor pinta um retrato, não é uma abstração que ele compõe, é o homem que ele quer descobrir sempre. | Agiu com esse critério absolutamente humano o pintor Portinari nos afrescos do Ministério da Educação." (José Lins do Rego, *Gordos e Magros*, p. 77.) [F. paral.: *fresco.* Pl.: *afrescos* (ê). Cf. *afresco*, do v. *afrescar.*]

afretador (ô). [De *afretar* + *-(d)or.*] *S. m.* **1.** *Mar. Merc.* Pessoa ou firma que, mediante compensação em dinheiro, utiliza uma embarcação mercante ou os serviços dela. **2.** Fretador.

afretamento. *S. m.* **1.** Ato de afretar; fretamento. **2.** Contrato mediante o qual se adquire o direito de utilizar um navio por aluguel.

afretar. [De *a-*^{4} + *fretar.*] *V. t. d. e t. d. e i.* V. *fretar.*

áfrica. [Do top. *África*, por alusão às famosas façanhas lá praticadas.] *S. f.* Façanha, proeza, feito: *Sua vitória no concurso foi uma áfrica*; "esgotar poço de pouca água não era nenhuma áfrica." (Mário de Andrade, *Contos Novos*, p. 82). [Cf. *africa*, do v. *africar.*]

africação. *S. f. Gram.* Ato ou efeito de africar.

africada. [Do lat. *affricata.*] *Adj.* (*f.*) e *s. f. Gram.* Diz-se de, ou consoante oclusiva com uma parte final constritiva, de tal modo que a emissão da corrente de ar se dá sem a explosão súbita própria das consoantes oclusivas, e sim com o atrito ou fricção que caracteriza as constritivas. [No português moderno não há consoante africada, e sim grupo consonantal africado, mesmo quando é representado por uma única letra, caso do *x* (= cs) da palavra *fixo.*]

africanada. [De *africano* + *-ada*^{1}.] *S. f.* V. *fanfarrice* (2).

africanas. [Fem. pl. substantivado de *africano.*] *S. f. pl.* Argolas de ouro para as mulheres trazerem nas orelhas, semelhantes às que usam os naturais da África: "apareceu-lhe .... um vendedor ambulante de jóias, a prestações; e ela .... fez-se dona de umas 'africanas' com a promessa de pagar dez mil-réis por mês." (Lima Barreto, *Vida e Morte de M. J. Gonzaga de Sá*, pp. 240-241).

africânder. *S. 2 g.* Indivíduo branco, natural ou habitante da República Sul-Africana, em geral descendente dos colonizadores holandeses. [Pl.: *africânderes.* Cf. *africâner.*]

africâner. *S. m.* Língua oriunda do holandês do século XVII, falada pelos bôeres, e atualmente pelos africânderes. [Cf. *bôer* e *africânder.*]

africanismo. *S. m.* **1.** O estudo das coisas da África. **2.** Influência da África. **3.** Costume ou modos próprios da África. **4.** Palavra ou expressão oriunda de alguma das línguas africanas. **5.** Sentimento de amor ou fidelidade às tradições, interesses ou ideais africanos, especialmente aos da África negra.

africanista. *Adj. 2 g.* **1.** Relativo ao africanismo. **2.** Diz-se de pessoa dada ao estudo das línguas e civilizações africanas. **3.** Que advoga os interesses dos Estados africanos, em especial os dos Estados negros. ● *S. 2 g.* **4.** Pessoa africanista (2 e 3). **5.** Viajante ou explorador de regiões da África.

africanizado. [Part. de *africanizar.*] *Adj.* Que se tornou africano; adaptado ao temperamento, maneiras e/ou estilo africano: "Santos Antônios proteiformes e africanizados, de aspecto bronco, de fetiches" (Euclides da Cunha, *Os Sertões*, p. 185).

africanizar. *V. t. d.* e *p.* Tornar(-se) africano; adaptar(-se) ao temperamento, maneiras e/ou estilo africano.

africano. [Do lat. *africanu.*] *Adj.* **1.** Da, ou pertencente ou relativo à África. ● *S. m.* **2.** O natural ou habitante da África. [Sin. ger.: *áfrico, afro.*]

africanologia. [De *africano* + *-log(o)-* + *-ia.*] *S. f.* Estudos relativos à África ou aos africanos.

africanológico. *Adj.* Relativo à africanologia.

africanologista. *S. 2 g.* Especialista em africanologia; africanólogo.

africanólogo. [De *africano* + *-logo.*] *S. m.* Africanologista.

africar. [Do lat. *affricare*, 'friccionar'.] *V. t. d. Gram.* Pronunciar (certas consoantes oclusivas) com oclusão incompleta. [Conjug.: v. *trancar.* Pres. ind.: *africo, africas, africa*, etc. Cf. *áfrica*, s. f., e o top. *África*, e *áfrico*, adj. e s. m.]

áfrico. [Do lat. *africu.*] *Adj.* **1.** V. *africano.* ● *S. m.* **2.** V. *africano.* **3.** *Ant.* Vento do sudoeste. [Cf. *africo*, do v. *africar.*]

afrizita. [Do gr. *aphrizo*, 'espumar', + *-ita*^{3}.] *S. f. Min.* Variedade negra de turmalina.

afro. [Do lat. *afru.*] *Adj.* e *s. m.* V. *africano.*

▲**afro-^{1}.** [Do lat. *afri, orum.*] *El. comp.* = 'africano': *afro-brasileiro.*

▲**afro-^{2}.** [Do gr. *aphrós, oû.*] *El. comp.* = 'espuma': *afrômetro.*

afro-ameríndio. [De *afro-*^{1} + *ameríndio.*] *Adj.* Relativo ou pertencente aos africanos e ameríndios. [Pl.: *afro-ameríndios.*]

afro-asiático. [De *afro-*^{1} + *asiático.*] *Adj.* **1.** Da África e da Ásia, ou pertencente ou relativo a esses dois continentes, ou que os lembra: *línguas afro-asiáticas; civilização afro-asiática*; "Neste mundo americano, eslavo e afro-asiático eu me sinto irremediavelmente cristão, ocidental, latino e mediterrâneo" (Afonso Arinos de Melo Franco, *A Alma do Tempo*, p. 148). **2.** De origem africana e asiática; afrásico. ● *S. m.* **3.** Indivíduo de origem afro-asiática (2). [Pl.: *afro-asiáticos.*]

afro-baiano. [De *afro-*^{1} + *baiano.*] *Adj.* Relativo ou pertencente à África e à BA: *culinária afro-baiana.* [Pl.: *afro-baianos.*]

afro-brasileiro. [De *afro-*[1] + *brasileiro.*] *Adj.* **1.** Relativo ou pertencente à África e ao Brasil. ● *S. m.* **2.** O negro brasileiro. [Pl.: *afro-brasileiros.*]

afrodisia. [De *afrodisíaco.*] *S. f.* Excitação sexual exagerada de caráter mórbido. [Cf. *hipersexualismo, satiríase* e *ninfomania.*]

afrodisíaco. [Do gr. *aphrodisiakós.*] *Adj.* e *s. m.* **1.** Que ou aquilo que restaura as forças geradoras. **2.** Excitante dos apetites sexuais. [Antôn.: *anafrodisíaco, antiafrodisíaco.*]

afrodita. [Do mit. *Afrodite*, deusa da beleza e do amor.] *Adj. 2 g.* e *s. m.* Que, ou o que se reproduz sem ato externo de geração.

▲**afrodito-.** [Do gr. *Aphrodíte*, es.] *El. comp.* = 'o planeta Vênus': *afroditografia.*

afroditografia. [De *afrodito-* + *-graf(o)-* + *-ia.*] *S. f.* Descrição do planeta Vênus.

afroditográfico. *Adj.* Referente à afroditografia.

afroditógrafo. [De *afrodito-* + *-grafo.*] *S. m.* Especialista em afroditografia.

afroixamento. *S. m.* V. *afrouxamento.*

afroixar. [De *a-*[2] + *froixo* + *-ar*[2].] *V. t. d., t. i., int.* e *p.* V. *afrouxar.*

afroixelado. [De *a-*[2] + *froixel* + *-ado*[1].] *Adj.* V. *afrouxelado.*

afroixelar. [De *a-*[2] + *froixel* + *-ar*[2].] *V. t. d.* V. *afrouxelar.*

afro-negro. [De *afro-*[1] + *negro.*] *Adj.* Relativo ou pertencente aos negros de origem africana. [Pl.: *afro-negros.*]

afronesia. [De *a-*[3] + gr. *phrónesis*, 'ato de pensar', + *-ia.*] *S. f.* Loucura, demência.

afronta. [Dev. de *afrontar.*] *S. f.* **1.** V. *afrontamento* (1). **2.** Desprezo ou injúria lançado em rosto; ofensa, ultraje. **3.** Vergonha, humilhação, vexame: *F. é uma afronta para a família.* **4.** Assalto, ataque, investida. **5.** Fadiga, cansaço, ofego. **6.** Mal-estar, indisposição, perturbação. **7.** Declaração do maior lanço nas arrematações.

afrontação. *S. f.* **1.** V. *afrontamento* (1). **2.** Falta de ar; dispnéia, afrontamento.

afrontado. [Part. de *afrontar.*] *Adj.* **1.** Que sofreu afronta; ultrajado, ofendido. **2.** Sufocado, asfixiado, afogado. **3.** Cansado, arquejante, ofegante, anelante. **4.** Incomodado em conseqüência de má digestão.

afrontador (ô). *Adj.* e *s. m.* Que ou aquele que afronta.

afrontamento. *S. m.* **1.** Ato ou efeito de afrontar(-se); afronta, afrontação. **2.** Perturbação causada por má digestão. **3.** V. *afrontação* (2).

afrontar. [De *a-*[2] + *fronte* + *-ar*[2].] *V. t. d.* **1.** Colocar fronte a fronte; confrontar. **2.** Estar situado defronte de: *O muro afronta a casa.* **3.** Encarar de frente; arrostar, defrontar: "afrontava furioso e destemido as violentas marradas e o coice rápido dos marruás." (Amadeu de Queirós, *Os Casos do Carimbamba*, p. 37); "Quando Gastão viesse, ... ela afrontaria resolutamente o problema" (Abel Botelho, *Sem Remédio*, p. 210). **4.** Infligir afronta a; insultar, ofender, injuriar: *Humilha-o, afronta-o, sem que o infeliz se defenda.* **5.** Afligir, molestar, importunar. **6.** Resistir a; suportar, tolerar, agüentar: "era uma criança, sem compleição nem robustez madura para afrontar climas inóspitos e gentes bárbaras." (Manuel Ribeiro, *A Planície Heróica*, p. 140). **7.** Causar afrontamento (2 e 3) a: *As iguarias do lauto banquete afrontaram-no. T. d.* e *i.* **8.** Confrontar, acarear: *O juiz afrontou a testemunha com o réu. Int.* **9.** Causar afrontamento; incomodar, perturbar. **10.** Sentir calor ou fadiga. *P.* **11.** Encontrar-se frente a frente, ou cara a cara; deparar; defrontar-se: "um simples duelo, onde se afrontem, com sua coragem ou seu fanatismo, apenas dois homens." (Costa Rego, *Águas Passadas*, p. 365). **12.** Atacar de frente, fazer face; acometer, combater: "O tanoeiro .... não tinha valor para afrontar-se face a face com D. Fernando" (Alexandre Herculano, *Lendas e Narrativas*, I, p. 144); "os soldados que Napoleão mandara afrontar-se com a raça indomável dos Viriatos e Cides" (Camilo Castelo Branco, *A Enjeitada*, p. 139). **13.** Sentir-se incomodado pelo calor ou por má digestão; encalmar-se. **14.** Fatigar-se, afadigar-se, esfalfar-se. **15.** *Bras.* Tornar-se abombado (a cavalgadura).

afrontoso (ô). *Adj.* **1.** Que causa afronta. **2.** Que envolve afronta; ignominioso, humilhante. **3.** Que provoca asfixia, sufocação: *calor afrontoso.*

afrouxamento. [Var. de *afroixamento.*] *S. m.* **1.** Ato ou efeito de afrouxar(-se). **2.** Abrandamento, relaxamento, enfraquecimento: *afrouxamento de relações.*

afrouxar. [De *a-*[2] + *frouxo* + *-ar*[2]; var. de *afroixar.*] *V. t. d.* **1.** Tornar frouxo, flexível. **2.** Alargar ou desapertar (o que está apertado): "Não tire, não deixe afrouxar o amarrilho da perna." (Júlio Ribeiro, *A Carne*, p. 187.) **3.** Diminuir a rapidez de: "E não podíamos parar, nem mesmo afrouxar a marcha, porque o danado do Bernardino vinha esporeando com vontade." (Valdemar Versiani dos Anjos, *O Jornal de Serra Verde*, p. 68.) **4.** Relaxar o rigor, a austeridade de; relaxar: *afrouxar a disciplina.* **5.** Abrandar, acalmar, aplacar: *O medicamento afrouxou as dores.* **6.** *Bras.* Dar largueza ou ampliar o espaço de (as pastagens). **7.** *Bras.* Dar liberdade a (o gado). **8.** *Bras.* Deixar escapar, revelar (segredo): "contei um par de rodelas, queimei campo a boche, mas não afrouxei nada da conversa" (Simões Lopes Neto, *Contos Gauchescos* e *Lendas do Sul*, p. 171). *T. i.* **9.** Entibiar, enfraquecer, moderar: "Os portugueses afrouxaram em sua vigilante desconfiança." (Aquilino Ribeiro, *Constantino de Bragança*, p. 243.) *Int.* **10.** Tornar-se frouxo, alargar-se, desapertar-se. **11.** Perder a ação, o ânimo; ceder: "É interesse dos nossos adversários ver-nos afrouxar, a troco da animação dada à parte corrupta do partido." (Machado de Assis, *Quincas Borba*, pp. 208-209.) **12.** Diminuir de velocidade ou andamento: *Com a fadiga, a marcha, dantes rápida, afrouxou.* **13.** Relaxar(-se); descuidar-se: *Ia bem no trabalho, mas em pouco tempo afrouxou.* **14.** Recuar por medo; acovardar-se. **15.** Revelar, deixar escapar segredo. *P.* **16.** Perder o vigor; relaxar-se. **17.** Perder em rigor; relaxar-se: *As exigências disciplinares afrouxaram-se.* **18.** Entibiar-se, reduzir-se, moderar-se. **19.** *Bras.* Esfalfar-se (a montada ou o próprio cavaleiro).

afrouxelado. [De *a-*[2] + *frouxel* + *-ado*[1]; var. de *afroixelado.*] *Adj.* Macio, mole como o frouxel (1).

afrouxelar. [De *a-*[2] + *frouxel* + *-ar*[2]; var. de *afroixelar.*] *V. t. d.* **1.** Tornar macio, brando ou mole como frouxel; amaciar, afofar. **2.** Dar a maciez do frouxel a. **3.** Cobrir ou encher de frouxel.

afrutado. [Part. de *afrutar.*] *Adj.* Carregado de frutos.

afrutar. [De *a-*[2] + *fruta* + *-ar*[2].] *V. int.* Carregar-se de frutos (a árvore); frutificar.

afta. [Do gr. *áphthai*, pelo lat. *aphthas.*] *S. f. Patol.* Pequena ulceração superficial das mucosas, principalmente da mucosa bucal.

aftosa. [Fem. substantivado de *aftoso.*] *S. f.* Febre aftosa.

aftoso (ô). *Adj.* **1.** Relativo a afta ou a aftosa. **2.** Que tem aftas ou aftosa. **3.** Que as causa. ~ V. *febre* —a.

afuaense. *Adj. 2 g.* **1.** De, ou pertencente ou relativo a Afuá (PA). ● *S. 2 g.* **2.** Natural ou habitante de Afuá.

afuazado. *Adj. Bras., MG, SP* e *MT. Pop.* **1.** Espantado, assustado: "Nisso foi chegando o filho de Julião, no seu rosilho afuazado." (Bernardo Élis, *Veranico de Janeiro*, p. 5.). **2.** Enfezado, aborrecido, irritado.

afugentador (ô). *Adj.* **1.** Que afugenta. ● *S. m.* **2.** Aquele ou aquilo que afugenta.

afugentamento. *S. m.* Ato ou efeito de afugentar.

afugentar. [De *a-*[2] + *fug(ir)* + *-entar.*] *V. t. d.* **1.** Pôr em fuga; fazer fugir; afastar; repelir. **2.** Fazer desaparecer.

afuleimação. [De *afuleimar-se.*] *S. f.* **1.** *Bras. Pop.* Inflamação, inchação, apostema. **2.** *Bras., CE. Pop.* Briga, contenda, altercação.

afuleimado. [Part. de *afuleimar-se.*] *Adj.* **1.** *Bras. Pop.* Inflamado, inchado. **2.** *Bras., CE. Pop.* V. *valentão* (1).

afuleimar. [De *afleimar-se*, por suarabácti.] *V. int.* e *p. Bras., CE.* Supurar(-se), apostemar(-se), inflamar(-se); afleumar.

afumação. *S. f.* V. *afumadura.*

afumado. [Part. de *afumar.*] *Adj.* **1.** Submetido à ação do fumo. **2.** Que sabe a fumo. **3.** Escuro, esfumado, tisnado.

afumadura. *S. f.* **1.** Ação ou efeito de afumar. **2.** Enegrecimento, tisnadura, escurecimento. [Sin. ger.: *afumação.*]

afumar. [De *a-*[2] + *fumo* + *-ar*[2].] *V. t. d.* **1.** Encher ou cobrir de fumo: *Os foguetes afumavam o ar.* **2.** Denegrir com fumo; esfumar. **3.** Deixar apanhar gosto de fumaça, defumar (comida). **4.** Tornar ou fazer negro ou lúgubre; escurecer, enegrecer: "E a noite desce, afuma o firmamento" (Olavo Bilac, *Poesias*, p. 132). *Int.* **5.** Cobrir-se de fumo, de fumaça, de vapores; exalar vapores; fumegar, fumaçar.

afundado. [Part. de *afundar.*] *Adj.* **1.** Que foi ao fundo, a pique. **2.** Metido no fundo; cavado, escavado, fundo: *olhos afundados.* **3.** Entristecido, abatido, acabrunhado.

afundamento. *S. m.* **1.** Ato ou efeito de afundar(-se). **2.** Depressão (3) devida ao tectonismo.

afundar. [De *a-*[2] + *fundo* + *-ar*[2].] *V. t. d.* **1.** Fazer ir ao fundo; mergulhar: *afundar uma âncora.* **2.** Tornar fundo; escavar, aprofundar: *afundar um poço.* **3.** Introduzir profundamente: *afundou a espada no peito do adversário.* **4.** Examinar detidamente, com atenção; profundar, aprofundar: *afundar uma matéria.* **5.** Meter no fundo; meter a pique. **6.** *Bras. Gír. escol.* Levar (o aluno) a sair-se mal num exame, pela dificuldade das questões: *Com aquelas perguntas, o professor afundou a turma. T. c.* **7.** Penetrar, entranhar-se, embrenhar-se: "atirando-se sobre o grupo, atropelou dois negros .... . O último afundou no mato espavorido." (Coelho Neto, *Rei Negro*, p. 26). *Int.* **8.** Ir ao fundo; imergir, submergir(-se), mergulhar: "Nadava, espadanando, aos gritos. De repente, duro, sem poder se mover, afundando, tudo a rodar em torno dele, as águas crescendo." (Salim Miguel, *Alguma Gente*, p. 14.) **9.** *Mar.* Ir a pique; submergir(-se), naufragar, soçobrar. **10.** *Mar.* Tocar o fundo. *P.* **11.** Penetrar, internar-se, meter-se, embrenhar-se: *Afundou-se no matagal.* **12.** Mergulhar, imergir. **13.** Penetrar, imergir; engolfar-se, mergulhar-se: "Estás triste, Patkull? triste porque te afundaste em recordações do passado?" (Gonçalves Dias, *Teatro*, p. 286.) **14.** Ter fim; findar(-se), acabar(-se), extinguir-se: "Mas eis que um dia chega negregado / Em que toda a ventura se afundou!" (Eugênio de Castro, *Obras Poéticas*, VI, p. 167.) **15.** Sair-se mal; frustrar-se, malograr-se. **16.** *Bras. Gír. escol.* Sair-se mal em exame: *Afundou-se no exame de matemática.* **17.** *Mar.* Ir a pique; submergir(-se), soçobrar. [Sin., p. us., salvo nas acepç. 6, 15 e 16: *afundir.*]

afundir. [De *a-*[2] + *fundo* + *-ir.*] *V. t. d., int.* e *p. P. us.* V. *afundar:* "e quando, já sem velas, / A nau no mar .... / Vai a afundir, por entre a ventania, / O grande mastro, amigo das estrelas, / Aos marinheiros apontando-a [a altura, i. e., o céu] está." (Alberto de Oliveira, *Poesias*, 4ª série, p. 23).

afunilado. [De *a-*[2] + *funil* + *-ado*[1].] *Adj.* **1.** Que tem feitio de funil (1); aguçado; enfunilado, infundibuliforme, coanóide: *chapéu afunilado.* **2.** Pontiagudo, pontudo; aguçado. **3.** Longo, esguio, delgado.

afunilamento. *S. m.* Ato ou efeito de afunilar(-se); enfunilamento.

afunilar. [De *a-*[2] + *funil* + *-ar*[2].] *V. t. d.* **1.** Dar forma de funil a; enfunilar. **2.** Diminuir a largura de; tornar estreito ou mais estreito; estreitar, afinar. *P.* **3.** Tomar a forma de funil. **4.** Tornar estreito ou mais estreito; estreitar-se, afinar-se: "E toda uma série de recortes alheios aos planos geográficos, desconhecidos das cartas, estranhos à retina dos práticos e dos pilotos, baila, afunila-se, arredonda-se, estira-se, encrespa-se, confunde-se, adensando-se e desfazendo-se ao sabor das brisas reinantes." (Raimundo Morais, *Na Planície Amazônica*, p. 75.)

afurá. [Do ioruba.] *S. m. Bras., BA.* Bolo de arroz fermentado, moído em pedra, e que, dissolvido em água açucarada, produz bebida refrigerante.

afuroado. [Part. de *afuroar.*] *Adj.* **1.** Caçado com o furão (1). **2.** *Fig.* Indagado, investigado, esmiuçado.

afuroador (ô). *S. m.* **1.** Aquele que emprega o furão (1) na caça. **2.** Curioso, esmiuçador, esquadrinhador.

afuroar. [De *a-*[2] + *furão* + *-ar*[2].] *V. t. d.* **1.** Caçar com furão. **2.** Procurar à maneira do furão; pesquisar, indagar com empenho; investigar, esmiuçar; esquadrinhar. [Conjug.: v. *coroar.*]

afusado. [De *a-*[2] + *fuso* + *-ado*[1].] *Adj.* Que tem forma de fuso (1); afuselado, fuselado, fusiforme, fusóide: *dedos afusados*; "espalmava a condessa a afusada mão sobre o seio" (Abel Botelho, *Próspero Fortuna*, p. 186).

afusal. *S. m.* Porção de fiadura que uma roca comporta.

afusão. [Do lat. *affusione.*] *S. f.* **1.** Banho, aspersão. **2.** Ato de deitar um líquido em qualquer remédio. **3.** *Med.* Processo terapêutico que consiste na aplicação dum jacto de água sobre parte do corpo para diminuir a temperatura ou combater sintomas nervosos.

afusar. [De *a-*[2] + *fuso* + *-ar*[2].] *V. t. d.* **1.** Dar forma ou semelhança de fuso a. **2.** Tornar aguçado como o fuso; aguçar, afilar.

afuselado. *Adj.* V. *afusado.*

afustado. [De *a-*[2] + *fuste* + *-ado*[2].] *Adj.* Que tem fuste(s); afustuado.

afustuado. *Adj.* Afustado [q. v.].

afutricado. [Part. de *afutricar.*] *Adj. Bras.* **1.** Importunado, apoquentado. **2.** Malfeito, imperfeito.

afutricar. [De *a-*[2] + *futrica* + *-ar*[2].] *V. t. d.* **1.** *Bras.* Importunar, molestar, aborrecer, apoquentar; fuxicar, futricar. **2.** Fazer (qualquer coisa) imperfeitamente. **3.** Dar pouco valor a; baratear. *Int.* **4.** Futricar (6). [Conjug.: v. *trancar.*]

afuzilar. [De a-^{4} + *fuzilar.*] *V. t. d.* e *int.* Fuzilar.

■ **Ag.** *Quím.* Símb. de *prata.*

agá. [Do b.-lat. *ah,* com o *h* aspirado.] *S. m.* Nome da letra *h* [q. v.]. [Pl.: *agás* ou *hh.*]

agachada. [Fem. substantivado de *agachado*^{2}.] *S. f. Bras., S.* **1.** Ardil, astúcia, manha. **2.** Ataque repentino; investida, arremetida. **3.** Impulso violento para frente que o cavaleiro dá ao cavalo, quer esteja este parado, quer já em marcha, para mudar do trote para a corrida. **4.** Alusão agressiva dirigida a alguém, para provocar assunto que lhe é desagradável; remoque. **5.** Dito engraçado; piada, pilhéria, chiste. **6.** Disparate, tolice. **7.** Alardeio, prosa, jactância, fanfarrice. **8.** Façanha, proeza. **9.** *Bras.* Ave caradriiforme, da família dos escolopacídeos (*Arenaria interpres morinella* (L.)), das terras árticas da América setentrional, e que emigra pelo inverno até às costas marítimas do N. do Brasil. Coloração pardo-clara, pintalgada de escuro, e parte das penas marginadas de branco. [Sin., nesta acepç.: *agachadeira, batuíra, vira-pedra.*]

agachadeira. [Fem. de *agachador.*] *S. f. Bras.* V. *agachada* (9).

agachado^{1}. [De a-^{2} + *gacho*^{1} + *-ado*^{1}.] *S. m. Bras., RS.* Galope de cavalo. ~ V. *agachados.*

agachado^{2}. [Part. de *agachar-se.*] *Adj.* **1.** Que se agachou; de cócoras; abaixado. **2.** Abatido, humilhado, rebaixado. **3.** Subserviente, servil. ~ V. *agachados.*

agachados. [Pl. de *agachado*^{2}, substantivado.] *S. m. pl.* V. *abaixados.* ~ V. *agachado.*

agachamento. *S. m.* **1.** Ato de agachar-se **2.** Efeito de agachar-se; postura de quem se agacha; agacho. **3.** Subserviência, servilismo.

agachar-se. [De a-^{2} + *gacho*^{1} + *-ar*^{2} + *se*^{1}?] *V. p.* **1.** Abaixar-se; acaçapar-se. **2.** Humilhar-se, rebaixar-se; aviltar-se: *Agacha-se diante de imposições injustas.* **3.** Curvar-se; ceder. **4.** Começar, principiar, pegar: "O bagual agachou-se a velhaquear, e, pra pior ainda, em volta, enredando-se no laço, frouxo" (Simões Lopes Neto, *Contos Gauchescos e Lendas do Sul,* p. 232).

agacho. [Dev. de *agachar.*] *S. m.* Agachamento (2).

agadado. [De a^{2} + *-gado* + *-ado*^{1}.] *Adj.* Diz-se do enxame de abelhas que, fora da colméia, forma cacho.

agadanhado^{1}. [De a-^{2} + *gadanho* + *-ado*^{1}.] *Adj.* Que tem forma de gadanho.

agadanhado^{2}. [Part. de *agadanhar.*] *Adj.* Ferido com o gadanho ou com as unhas; agatanhado.

agadanhador (ô). *S. m.* Aquele que agadanha.

agadanhar. [De a-^{2} + *gadanho* + *-ar*^{2}.] *V. t. d.* **1.** Lançar o gadanho a. **2.** Agarrar com as mãos, com as unhas ou com as garras; agafanhar. **3.** Ferir com as unhas ou garras; agatanhar, agafanhar. **4.** Roubar; furtar; agafanhar. *P.* **5.** Ferir-se com as unhas ou garras; arranhar-se, agafanhar-se.

agã-de-faca. *S. m. Bras., BA. Folcl.* V. *axogum.* [Pl.: *agãs-de-faca.*]

agafanhar. [De a-^{2} + *gafa*^{4} + *-anhar.*] *V. t. d.* **1.** Agarrar com a gafa^{3} (2). **2.** V. *agadanhar* (2 a 4). *P.* **3.** V. *agadanhar* (5).

agafita. *S. f. Min.* Mineral triclínico, fosfato de alumínio e cobre hidratado, pedra semipreciosa, azul.

agaí. [Do tupi *awa'í.*] *S. m. Bras. Amaz.* a *CE.* Arbusto da família das apocináceas (*Thevetia ahouai*), provido de flores amarelo-pálidas, cujo fruto é uma drupa trígona, e cujo látex e sementes são venenosos; aguaí, auaí, cascaveleira, tingui-de-leite.

agaiatado. [De a-^{2} + *gaiato* + *-ado*^{1}.] *Adj.* Que tem ares e/ou modos de gaiato, ou é próprio de gaiato.

agaiatar-se. [De a-^{2} + *gaiato* + *-ar*^{2} + *se*^{1}.] *V. p.* Tomar modos de gaiato; fazer-se gaiato, brejeiro; agarotar(-se), abrejeirar(-se).

agaitado. [De a-^{2} + *gaita* + *-ado*^{1}.] *Adj.* **1.** Que tem forma de gaita (1 a 3). **2.** Que tem som semelhante ao da gaita (1 a 3).

agalactação. *S. f.* Agalactia [q. v.].

agalactia. [Do gr. *agalaktía.*] *S. f.* Ausência de leite na puérpera; agalactação.

agaláctico. *Adj.* Relativo à agalactia.

agalanado. [Part. de *agalanar.*] *Adj.* V. *engalanado.*

agalanar. [De a-^{2} + *gala*^{1} + *-ar*^{2}.] *V. t. d.* e *p.* V. *engalanar(-se).*

agalegado. [De a-^{2} + *galego* + *-ado*^{1}.] *Adj.* **1.** Que tem modos e/ou aparência de galego (2). **2.** Que é próprio de galego (2). **3.** Grosseiro, estúpido, malcriado.

agalegar. [De a-^{2} + *galego* + *-ar*^{2}.] *V. t. d.* e *p.* **1.** Tornar(-se) galego ou semelhante a galego. **2.** Tornar(-se) grosseiro, incivil, indelicado; abrutalhar(-se). [Conjug.: v. *regar.*]

agalgar^{1}. [De a-^{2} + *galga*^{2} + *-ar*^{2}.] *V. t. d.* Moer com a galga (2). [Conjug.: v. *largar.*]

agalgar^{2}. [De a-^{2} + *galgo* + *-ar*^{2}.] *V. int.* Tomar (o cão) proporções, configuração e natureza de galgo. [Normalmente é defect., conjugável só nas 3as pess. Conjug.: v. *largar.*]

agalha. *S. f.* Galha, bugalho. ~ V. *agalhas.*

agalhado. [Part. de *agalhar.*] *Adj.* Que deitou ou tem galhos: *árvore agalhada; boi agalhado.*

agalhar. [De a-^{2} + *galho* + *-ar*^{2}.] *V. int.* Deitar galhos.

agalhas. [Do esp. plat. *agallas.*] *S. f. pl. Bras., RS.* **1.** Esperteza, velhacaria, trapaça, trampolinice. **2.** V. *fanfarrice* (2). ~ V. *agalha.* ♦ **De agalhas.** *Bras., RS.* Esperto, finório, velhaco: *um sujeito de agalhas.*

agalhudo. [Do esp. plat. *agalludo.*] *Adj. Bras., S.* Esforçado, forte, enérgico, animoso, audaz.

agalinhar-se. [De a-^{2} + *galinha* + *-ar*^{2} + *se*^{1}.] *V. p.* **1.** Agachar-se, acaçapar-se, acachapar-se. **2.** *Bras. Pop.* Baixar a crista; acovardar-se, apoltronar-se, humilhar-se, agachar-se. **3.** Revelar (a mulher) pouca compostura, ou entregar-se facilmente ao homem.

agaloado. [Part. de *agaloar.*] *Adj.* **1.** Guarnecido com galão^{1} ou galões: "Junto às rodas [do cupê] passou chotando, numa pileca branca, o correio agaloado." (Eça de Queirós, *Os Maias,* II, p. 409.) ● *S. m.* **2.** Guarnição de galão^{1} (1); agaloadura.

agaloadura. *S. f.* **1.** Ato de agaloar. **2.** Agaloado (2).

agaloar. [De a-^{2} + *galão*^{1} + *-ar*^{2}.] *V. t. d.* **1.** Guarnecer de galão ou de galões; galonar. **2.** *Fig.* Glorificar, enaltecer, exaltar, exalçar. [Conjug.: v. *coroar.*]

agalopado. *S. m. Bras. Liter. Pop.* V. *martelo agalopado.*

agami. [Do tupi?] *S. m. Bras.* V. *japacanim* (2).

agamia. [De *ágamo* + *-ia.*] *S. f. Bot.* Falta ou ausência de órgãos sexuais nas plantas quando ocorre a multiplicação vegetativa, i. e., reprodução sem o concurso de células sexuadas.

agâmico. *Adj. Biol. Ger.* Que não produz gametas diferenciados para a reprodução; de reprodução assexuada; ágamo, assexuado.

ágamo. [Do gr. *ágamos,* 'solteiro', pelo lat. *agamu.*] *Adj. Biol. Ger.* V. *agâmico.*

agamogênese. [De *ágamo* + *-gênese.*] *S. f. Biol. Ger.* Reprodução sem formação de gametas especializados; reprodução assexual.

agamogenético. *Adj.* Relativo à agamogênese.

agamogonia. [De *ágamo* + *-gon(o)-* + *-ia.*] *S. f. Biol. Ger.* Reprodução sem fecundação.

agamogônico. *Adj.* Concernente à agamogonia.

aganju. [Do ioruba.] *S. m. Bras., BA. Folcl.* Divindade iorubana que simboliza a Terra.

ágapa. *S. f.* Var. de *ágape* [q. v.]: "nas ágapas dos cristãos primitivos cantavam-se os salmos ao som do órgão!!!" (Alexandre Herculano, *Lendas e Narrativas,* II, p. 207).

agapanto. [Do gr. *agapé,* 'amor', + *-anto.*] *S. m.* Designação científica popularizada do gênero *Agapanthus umbellatus,* da família das liliáceas, erva altamente ornamental, de flores roxas ou brancas, muito comum em jardins.

ágape. [Do gr. *agapé,* 'amor', pelo lat. *agape.*] *S. f.* e *m.* **1.** Refeição que os primitivos cristãos tomavam em comum. **2.** *P. ext.* Banquete, almoço ou outra refeição de confraternização por motivos políticos, sociais, comerciais, etc. **3.** *Ét.* V. *caridade* (1). [Var.: *ágapa.*]

agapeta (ê). [Do gr. *agapeté,* 'amada', pelo lat. *agapeta.*] *S. f.* Cada uma das viúvas ou virgens cristãs que, nos primórdios do cristianismo, viviam em comunidade, sem fazer votos.

ágar. *S. m.* V. *ágar-ágar.* [Pl.: *ágares.*]

ágar-ágar. *S. m.* Substância existente em certas algas vermelhas *rodofíceas,* e que forma com facilidade um hidrogel, utilizado como meio de cultura de microrganismos; ágar, gelose. [Pl.: *ágar-ágares.*]

agarani. [Do tupi.] *S. 2 g.* e *adj. 2 g. Bras.* V. *acarapi.*

agareno. *Adj.* **1.** Descendente de Agar, escrava egípcia de Abraão [cf. *abraâmico*] e mãe de Ismael [cf. *ismaelita*]. **2.** *P. ext.* Muçulmano, maometano, mouro, mourisco; *acampamento agareno.* ● *S. m.* **3.** Indivíduo agareno.

agaricácea. *S. f.* Espécime das agaricáceas.

agaricáceas. *S. f. Bot.* Família de basidiomicetos, que encerra grande número de formas avantajadas, muito notórias, vulgarmente conhecidas como *orelha-de-pau.*

agaricáceo. *Adj.* Relativo às agaricáceas.

▲**agarici-.** Equiv. de *agáric(o)-.*

agarícola. *Adj. 2 g. Zool.* Diz-se dos insetos que vivem nos agáricos como parasitos.

agárico. [Do lat. *agaricu.*] *S. m.* **1.** Cogumelo que nasce nos troncos de árvores velhas ou cortadas. **2.** Visco (1).

▲**agáric(o)-.** [Do gr. *agárikon, ou.*] El. comp. = 'espécie de cogumelo': *agaricácea.* [Equiv.: *agaric(i)-*: *agarícola.*]

agarnachar. [De a-^{2} + *garnacha* + *-ar*^{2}.] *V. t. d.* e *p.* Vestir(-se) de garnacha (1).

agarotado. [De a-^{2} + *garoto* + *-ado*^{1}.] *Adj.* **1.** Que tem modos e/ou aparência de garoto. **2.** Que é próprio de garoto.

agarotar-se. [De a-^{2} + *garoto* + *-ar*^{2} + *se*^{1}.] *V. p.* Tornar-se garoto; abrejeirar-se, agaiatar-se.

agarra. [Dev. de *agarrar.*] *S. m.* **1.** *Bras.* Ato ou efeito de agarrar, prender, segurar; agarramento. ● *Interj.* **2.** Pega^{1} (12).

agarração. *S. f.* **1.** Agarramento (1). **2.** *Bras.* V. *agarramento* (4).

agarradeira. [Fem. de *agarrador.*] *S. f. Bras.* Cada uma das saliências que se fazem na planta do casco do cavalo para permitir a este maior firmeza em terrenos úmidos ou escorregadios.

agarradiço. *Adj.* **1.** Que se agarra ou pega facilmente. **2.** Acostumado, afeito a agarrar-se.

agarrado. [Part. de *agarrar.*] *Adj.* **1.** Preso ou seguro com força. **2.** Teimoso. obstinado. **3.** V. *avaro* (1). **4.** Muito ligado: afeiçoado em extremo: *O caçula é muito agarrado à mãe.* ● *S. m.* **5.** V. *agarramento* (4): "— Esse menino é mesmo que o pai por um rabo-de-saia. É um agarrado com aquela professora..." (Adalberon Cavalcanti, *Curral Novo,* p. 246.) **6.** Espaço apertado entre as rochas de uma grota.

agarrador (ô). *Adj.* **1.** Que agarra; agarrante. **2.** *Bras., S.* Que sabe firmar-se bem em cavalo que salta ou corcoveia. ● *S. m.* **3.** O que agarra. **4.** *Bras.* V. *rêmora.* **5.** *Bras., S.* Indivíduo agarrador.

agarramento. *S. m.* **1.** Ato ou efeito de agarrar(-se); agarração. **2.** Avareza, sovinice, somiticaria. **3.** *Bras.* Ligação estreita, união constante entre duas ou mais pessoas. **4.** *Bras.* Contato voluptuoso; esfregação, xumbregação, agarração, agarrado: *Mesmo em público, os dois viviam num agarramento.*

agarranado. [De a-^{2} + *garrano* + *-ado*^{1}.] *Adj. Bras., S.* Semelhante a garrano: *cavalo agarranado; indivíduo agarranado.*

agarrante. *Adj. 2 g.* **1.** Agarrador (1). **2.** *Heráld.* Diz-se da ave representada com a presa nas garras.

agarra-pé. [De *agarrar* + *pé.*] *S. m. Bras.* Arbusto ornamental da família das marcgraviáceas (*Norantea brasiliensis*), comuníssimo em todo o litoral, e cujas flores, vivamente sangüíneas, se agrupam em longos cachos. [Pl.: *agarra-pés.*]

agarra-pinto. [De *agarrar* + *pinto.*] *S. m. Bras.* Planta da família das nictagináceas (*Boorhavia hirsuta*), usada como purgativo ou emético; amarra-pinto, pega-pinto, erva-tostão. [Pl.: *agarra-pintos.*]

agarrar. [De a-^{2} + *garra*^{1} + *-ar*^{2}.] *V. t. d.* **1.** Prender com garra^{1} (1); garrear [q. v.]. **2.** Pegar em; apanhar, tomar: "Dobrou-se, agarrou uma caixa que deixara sobre a cadeira e tentou entregar-lha" (Ferreira de Castro, *A Tempestade,* p. 260). **3.** Prender, segurar com força. **4.** Capturar, aprisionar: "Existia um cidadão mantido pela câmara com obrigação de agarrar os vadios e pô-los a servir." (Camilo Castelo Branco, *Mosaico e Silva de Curiosidades,* p. 54); "— Vitoriano, se te agarram, / terás de cumprir sentença!" (Cecília Meireles, *Obra Poética,* p. 758). **5.** Lançar mão de; valer-se de; recorrer a. *T. i.* **6.** Segurar-se, prender-se; agarrar-se. **7.** Segurar; pegar: *Agarrou nos seus pertences e foi embora;* "E, agarrando na mão trêmula e fria do Cantidiano, levou-o até à sala de visitas." (Artur Azevedo, *Contos Efêmeros,* p. 33). **8.** Pegar; apanhar, tomar: *Agarrando no chapéu, saiu apressadamente;* "agarrei na escopeta, saltei para a canoa, e assim Deus me salve como não ficou garça viva no rio!" (Júlio Dantas, *Abelhas Doiradas,* p. 161). *Int.* **9.** *Bras.* Tomar uma deliberação; resolver-se: *Agarrou e partiu, i. e., resolveu partir e partiu, indiferente a apelos.* **10.** *Bras. Fut.* Jogar de goleiro; defender: "pela facilidade com que chuta [Pelé], com que passa ou finaliza, cabeceia ou até mesmo agarra" (*Jornal do Brasil,* Rio, 14.11.1969). *P.* **11.** Segurar-se, prender-se: "Continuava junto a mim, e agarrava-se ao meu braço, como se tivesse medo." (Magalhães de Azeredo, *Alma Primitiva,* p. 161); "Agarrou-se comigo e me beijou como se me quisesse comer." (José Lins do Rego, *Meus Verdes Anos,* p. 218). **12.** Manter-se aferrado ou ligado: *agarrar-se a uma idéia.* **13.** Lançar mão; valer-se: *Agarrou-se a tudo para ver se a retinha.* **14.** Recorrer à proteção; valer-se, socorrer-se. **15.** *Pop.* Abraçar(-se) fortemente; atracar-se: *Os namorados agarravam-se no jardim; Agarrou-se à moça, beijando-a à força.*

agarrochar. [De a-^{2} + *garrocha* + *-ar*^{2}.] *V. t. d.* **1.** Ferir ou picar com garrocha; garrochar. **2.** Incitar, excitar, estimular. **3.** Atormentar, afligir, mortificar. [Cf. *agarrochar* e *agarrunchar*.]

agarrotar. [De *a-*^{4} + *garrotar*.] *V. t. d.* V. *garrotar*.

agarruchar. [De *a-*^{2} + *garrucha*^{1} + *-ar*^{2}.] *V. t. d.* Apertar ou atar com garrucha (2). [Cf. *agarrochar* e *agarrunchar*.]

agarrunchar. *V. t. d.* Ligar com garruncho. [Cf. *agarruchar* e *agarrochar*.]

agasalhadeiro. *Adj.* Que se compraz em agasalhar; hospitaleiro, acolhedor.

agasalhado. [Part. de *agasalhar*.] *Adj.* **1.** Coberto, enroupado, abrigado. **2.** Coberto, abafado. ~ V. *agasalhados*.

agasalhador (ô). *Adj.* e *s. m.* Que ou aquele que agasalha.

agasalhados. [Pl. de *agasalhado*, substantivado.] *S. m. pl. Mar. Merc.* Mercadorias não compreendidas na carga, mas que permitem ao pessoal da equipagem embarcar para fazer comércio por sua conta. ~ V. *agasalhado*.

agasalhar. [Do lat. vulgar **adgasiliare*?] *V. t. d.* **1.** Dar agasalho a; hospedar; abrigar, receber, albergar: "Agasalharam o velho, que tiritava" (Camilo Castelo Branco, *O Santo da Montanha*, p. 298). **2.** Receber com agrado; acolher bem: "Da vinda tua tem tanta alegria, / Que não deseja mais que agasalhar-te, / Ver-te, e do necessário reformar-te." (Luís de Camões, *Os Lusíadas*, II, p. 2.) **3.** Cobrir, enroupar, abafar: "Recolheu-a, agasalhou-a, e como estivesse gelada como as pedras, dormiu com ela para a aquecer sob a mesma manta no fio." (Raul Brandão, *A Farsa*, p. 115.) **4.** Resguardar do mau tempo; abrigar do frio ou da chuva. **5.** Ter capacidade para conter ou abrigar. **6.** Ter em si; conter, encerrar, abrigar. *P.* **7.** Hospedar-se, abrigar-se, albergar-se. **8.** Recolher-se a casa ou aos aposentos. **9.** Cobrir-se, enroupar-se, abafar-se: "Vestia um modesto vestido de seda, e agasalhava-se em uma capa de martas." (Camilo Castelo Branco, *A Mulher Fatal*, p. 97.) **10.** Resguardar-se do mau tempo. [Var. ou f. paral.: *gasalhar*.]

agasalho. [Dev. de *agasalhar*.] *S. m.* **1.** Ação de agasalhar. **2.** Bom acolhimento, bom trato; atenção. **3.** Alojamento, pousada, hospedagem; gasalhado. **4.** Proteção, asilo, abrigo. **5.** Calor, conforto, gasalhado. **6.** Peça de vestuário destinada a conservar o calor do corpo; abafo.

agastadiço. *Adj.* Que facilmente se agasta; dado a agastamentos; irascível, irritadiço, zangadiço.

agastado. [Part. de *agastar*.] *Adj.* **1.** Que se agastou; irritado, encolerizado, irado. **2.** Aborrecido, enfadado, zangado. **3.** *Bras., AL. Fam.* V. *encarapinhado*. ~ V. *cabelo* —.

agastamento. *S. m.* **1.** Ato ou efeito de agastar(-se). **2.** Irritação, cólera, ira. **3.** Aborrecimento, enfado, zanga, desavença.

agastar. [De *a-*^{4} + *gastar*.] *V. t. d.* **1.** Irar, irritar, encolerizar. *P.* **2.** Irritar-se, irar-se, encolerizar-se. **3.** Aborrecer-se, enfadar-se, zangar-se: "Vovô, às vezes, é um selvagem no tratar as pessoas. Não tome conhecimento das apreciações que ele faz, nem se agaste com a opinião dele." (Nélson de Faria, *Tiziu e Outras Estórias*, p. 90.) **4.** Pôr-se de mal; zangar-se. **5.** Enfraquecer por privação de alimento.

agastrário. *Adj. Zool.* V. *agástrico* (2).

agastria. [De *a-*^{3} + *-gastr(o)-* + *-ia*.] *S. f.* **1.** *Med.* Ausência de estômago. **2.** *Zool.* Ausência de vestígios de canal intestinal.

agástrico. *Adj.* **1.** Relativo à agastria. **2.** *Zool.* Diz-se dos animais em que há agastria; agastrário, agastro, agastrozoário.

agastro. *Adj. Zool.* V. *agástrico* (2).

agastrozoário. *Adj. Zool.* V. *agástrico* (2).

agastura. *S. f.* **1.** Fraqueza, mal-estar, por falta de alimento. **2.** Necessidade de comer. [Cf. *gastura*.]

ágata^{1}**.** [Do gr. *achátes*, pelo lat. *achates*.] *S. f. Min.* Variedade de calcedônia de brilho ceroso e litóide, formada de zonas concêntricas e diversamente coloridas, que serve para a manufatura de jóias, objetos de arte, etc. [Cf. *ágate*.]

ágata^{2}**.** [Do fr. *agate*.] *S. f. Bras. Pop.* Ágate: "O bule de ágata, descascado pelo uso de uma dezena de anos, estava cheio." (Permínio Asfora, *Vento Nordeste*, p. 246.)

ágata^{3}**.** *S. f.* **1.** *Encad.* V. *brunidor de ágata*. **2.** *Tip.* O caráter de 5 e 1/2 pontos. [Cf. *ágate*.]

agatanhado. [Part. de *agatanhar*.] *Adj.* Ferido com as unhas; arranhado, agadanhado.

agatanhadura. *S. f.* Arranhadura, agatanhamento.

agatanhamento. *S. m.* Agatanhadura.

agatanhar. [De *agadanhar*, com infl. de *gato*.] *V. t. d* e *p.* Ferir (-se) com as unhas; unhar (-se), arranhar (-se), agadanhar (-se), agafanhar (-se), esgatanhar (-se). [Cf. *agatinhar*.]

ágate. [Do fr. *agate*.] *S. m.* Ferro esmaltado: *um bule de ágate*. [F. paral. (bras., pop.): *ágata*. Cf. *ágata*^{1} e *ágata*.^{3}]

agateado. [De *a-*^{2} + *gato* + *-eado*.] *Adj. Bras.* Diz-se dos olhos amarelo-esverdeados semelhantes aos dos gatos; gateado: "Os olhos agateados, em contraste com a pele morena, brilhavam de brejeirice." (Gustavo Barroso, *Mississípi*, p. 103.)

agáteo. [De *ágata*^{1} + *-eo*.] *Adj.* Que tem veios semelhantes aos da ágata^{1}.

agatífero. [De *ágata* + *-i-* + *-fero*.] *Adj.* Que contém ágata^{1}.

agatinhar. [De *a-*^{2} + *gatinha* + *-ar*^{2}.] *V. t. d.* **1.** Subir, trepando com dificuldade. *Int.* **2.** V. *engatinhar* (1) [Cf. *agatanhar*.]

agatismo. [De *agat(o)-* + *-ismo*.] *S. m.* Doutrina otimista segundo a qual todas as coisas tendem para o bem.

▲**agat(o)-.** [Do gr. *agathós, é, ón*.] *El. comp.* = 'bom', 'bem': *agatóide* (< gr. *agathoeidés*), *agatismo*, *agatologia*.

agatóide. [Do gr. *agathoeidés*.] *Adj. 2 g.* Que tem a natureza do bem; benigno, benévolo.

agatologia. [De *agat(o)-* + *-log(o)-* + *-ia*.] *S. f.* Doutrina do bem e da perfeição.

agatológico. *Adj.* Relativo à agatologia.

agatunado. [De *a-*^{2} + *gatuno* + *-ado*^{1}.] *Adj.* **1.** Um tanto gatuno; meio gatuno. **2.** Que se tornou gatuno.

agaturrar. [De *agarrar* e *gato*, com aglutinação.] *V. t. d. Bras., S.* **1.** Agarrar, segurar. **2.** Prender, capturar.

agaú. [Do tupi?] *S. m. Bras.* V. *japacanim* (2).

agauchado^{1} (a-u). [De *a-*^{2} + *gaúcho* + *-ado*^{1}.] *Adj. Bras.* **1.** Que tem modos e/ou aparência de gaúcho: *um moço agauchado*. **2.** Que é próprio de gaúcho: *ar agauchado; roupa agauchada*.

agauchado^{2} (a-u). [Part. de *agauchar*.] *Adj.* Que adquiriu modos ou hábitos de gaúcho.

agauchar-se (a-u). [De *a-*^{2} + *gaúcho* + *-ar*^{2} + *se*^{1}.] *V. p. Bras.* Adquirir modos ou hábitos de gaúcho. [Conjug.: v. *saudar*.]

agavácea. *S. f.* Espécime das agaváceas.

agaváceas. *S. f. pl. Bot.* Família de plantas mexicanas cujos caracteres estão descritos em *henequém* [q. v.], e da qual temos uma só espécie nativa, dispersa ao longo do litoral, dita *piteira* [q. v.].

agaváceo. *Adj.* Pertencente ou relativo às agaváceas.

agave. [Do gr. *agaué*, 'admirável'.] *S. m.* e *f.* **1.** Designação comum às espécies do gênero *agave*, da família das agaviáceas, que fornecem o sisal ou agave; sisal, piteira^{1}, pita, babosa-brava, abecedária, iúca. **2.** *Bras.* Fibra extraída e suas folhas, com a qual se fazem cordas, barbantes, tapetes, etc., e também utilizada no preparo da pasta celulótica para fabricar papel e na fabricação de cortisona.

agavelar. [De *a-*^{2} + *gavela* + *-ar*^{2}.] *V. t. d.* V. *engavelar*.

agaviácea. *S. f.* Espécime das agaviáceas.

agaviáceas. *S. f. pl. Bot.* Família de plantas pertencentes às amarilidáceas (*Agave americana*), da ordem das lilifloras, originária do México, e cultivada no Brasil como planta ornamental ou como fonte de fibras para corda.

agaviáceo. *Adj.* Relativo às agaviáceas.

agavio. *S. m. Bras., MG.* Na região são-franciscana, aperitivo com base de cachaça.

agavotocuengue. *Bras. S. 2 g.* **1.** Indivíduo dos agavotocuengues, tribo indígena pouco conhecida que vive entre os rios Curisevo e Culuene, no Alto Xingu. ● *Adj. 2 g.* **2.** Pertencente ou relativo a essa tribo.

agazuado. [De *a-*^{2} + *gazua* + *-ado*^{1}.] *Adj.* Que tem forma de gazua.

agbé. [Do ioruba.] *S. m. Bras.* V. *cabaça*^{1} (4).

▲**-agem**^{1}**.** [Do lat. *-agine-*.] *Suf. nom.* = 'ação' ou 'resultado de ação': *voragem* (< lat. *voragine*), *imagem* (< lat. *imagine*).

▲**-agem**^{2}**.** [Do provenç. *-atge* ou do fr. *-age*.] *Suf. nom.* = 'ação' ou 'resultado de ação'; 'coleção': *vadiagem*, *aprendizagem; folhagem, plumagem*.

agência. [Do lat. *agentia*.] *S. f.* **1.** Função ou cargo de agente. **2.** Gratificação de agente; comissão. **3.** Empresa especializada em prestação de serviços, e que desempenha, em geral, função intermediária: *agência de viagens; agência de empregos*. **4.** Sucursal de repartição pública, de banco, ou de casa comercial: *a agência dos Correios e Telégrafos; a agência do Banco do Brasil em Maceió*. **5.** Diligência, atividade, trabalho. **6.** *Propag.* Agência de propaganda. [Cf. *agencia*, do v. *agenciar*.] ◆ **Agência de notícias.** *Jorn.* Empresa de serviços que produz matérias jornalísticas e as distribui para seus assinantes através de teletipo, telex, telefoto, etc. **Agência de propaganda.** *Propag.* Empresa de serviços que planeja, executa, distribui e controla a propaganda comercial dos seus clientes; agência de publicidade. [Tb. se diz apenas *agência*.] **Agência de publicidade.** *Propag.* V. *agência de propaganda*. **Agência internacional.** Agência de notícias, privada ou governamental, que transmite internacionalmente notícias e comentários de interesse geral, e que dispõe de aparelhamento técnico e de ampla rede de informantes e correspondentes.

agenciação. *S. f.* **1.** Ação ou efeito de agenciar. **2.** Diligência ou indústria de agenciar.

agenciadeira. [Fem. de *agenciador*.] *Adj.* (*f.*) e *s. f.* **1.** Diz-se de, ou mulher que obtém meios de vida por sua indústria e diligência. **2.** Diz-se de, ou inculcadeira, alcoviteira.

agenciador (ô). *Adj.* **1.** Que agencia. **2.** Ativo, trabalhador, diligente. [Sin. ger.: *agencioso*.] ● *S. m.* **3.** Aquele que agencia.

agenciamento. *S. m.* **1.** Ato ou efeito de agenciar. **2.** Tratamento de determinado sítio e/ou aspecto de uma construção.

agenciar. *V. t. d.* **1.** Tratar de (negócios) como representante ou agente: *agenciar os interesses de uma indústria estrangeira*. **2.** Tratar ou cuidar de; lutar por; cavar: "Há só uma correção a fazer .... : a de que não é por ignorância que eles caem na falta, mas pela dura necessidade de agenciar a vida." (Antônio Sérgio, *Cartas do Terceiro Homem*, p. 72.) **3.** Esforçar-se por obter; diligenciar: *Vai agenciar tua saída de tão desagradável função*. **4.** Solicitar, requerer, promover. [Pres. ind.: *agencio, agencias, agencia*, etc. Cf. *agência*.]

agencioso (ô). *Adj.* V. *agenciador*. (1 e 2).

agenda. [Do lat. *agenda*.] *S. f.* **1.** Caderneta, caderno ou registro, em geral com a data dia a dia, destinado a anotações de compromissos, de encontros, de despesas, etc. **2.** Essas anotações, ou compromissos, encontros, despesas, etc., ainda que não anotados em agenda (1): *A minha agenda de hoje é muito grande*.

agendar. *V. t. d.* Fazer constar de agenda (1); incluir em agenda (1).

ageneiosídeo. *S. m.* **1.** Espécime dos ageneiosídeos. ● *Adj.* **2.** Pertencente ou relativo a eles.

ageneiosídeos. *S. m. pl. Zool.* Grupo de peixes dos gêneros *Ageneiosus* e *Pseudageneiosus*, de água doce, carne tenra e poucas espinhas. Ex.: mandubi ou mandubé.

agenesia. [De *a-*^{3} + *-genes(e)-* + *-ia*.] *S. f. Patol.* **1.** Impossibilidade de gerar; esterilidade, aforia. **2.** Ausência de uma estrutura do corpo. [T. us., em especial, quando essa ausência resulta do não aparecimento do primórdio dela no desenvolvimento embrionário.]

agenésico. [De *a-*^{3} + *-genes(e)* + *-ico*^{2}.] *Adj.* Que não é capaz de gerar; afórico.

agente. [Do lat. *agente*.] *Adj. 2 g.* **1.** Que opera, agencia, age. ~ V. *intelecto* —. ● *S. 2 g.* **2.** Pessoa agente (1). **3.** Pessoa que trata de negócio por conta alheia. **4.** Procurador, delegado, administrador. **5.** Pessoa encarregada de uma agência (4). **6.** Pessoa que pratica a ação. **7.** Membro de corporação policial; polícia: *agente secreto*. **8.** Autor, causador, promotor. ● *S. m.* **9.** Tudo o que opera, age. **10.** Causa, razão, motivo. **11.** Motor, propulsor, impulsor: "Todo o movimento ascensional .... teve por primeiro agente essa impulsão inicial, recebida da ciência britânica." (Ricardo Jorge, *Canhenho dum Vagamundo*, p. 33.) **12.** *Filos.* O princípio ou o sujeito de uma ação. **13.** *Filos.* Natureza ou vontade que se manifesta na ação. **14.** *Filos.* Sede física, psicológica, moral, social ou metafísica da ação. **15.** *Gram.* O executante de uma ação verbal. ◆ **Agente aditivo.** *Quím.* Aditivo (4). **Agente da passiva.** *Gram.* Agente da voz passiva. **Agente da voz passiva.** *Gram.* Termo que, na voz passiva, representa quem pratica a ação indicada pelo verbo, e que é regido pelas preposições *por* ou *de*; agente da passiva. **Agente secreto.** **1.** Pessoa de confiança, especialmente da confiança de um governo, que se encarrega de missões sigilosas diplomáticas, policiais e outras. **2.** Espião. **Agente técnico.** *Lus.* Indivíduo diplomado por certas escolas técnicas de nível médio.

agentivo. [De *agente* + *-ivo*.] *Adj.* e *s. m. Gram.* Diz-se de, ou substantivo ou adjetivo que denota o agente (15).

ageometria. [De *a-*^{3} + *geometria*.] *S. f.* Ageometrosia.

ageométrico. [De *a-*^{3} + *geométrico*.] *Adj.* **1.** Que não é geométrico. **2.** Que não segue os princípios da geometria.

ageometrosia. [De *a*-^{3} + *geometr(ia)*- + *-ose* + *-ia.*] *S. f.* Ignorância e afastamento dos princípios da geometria; ageometria.

agerasia. [Do gr. *agerasía.*] *S. f. Med.* Estado de quem apresenta aspecto bem mais jovem do que o que seria de esperar tendo em vista a idade avançada.

agerásico. *Adj.* Referente à agerasia.

agerato^{1}. [Do gr. *agératon*, pelo lat. *ageratu.*] *S. m. Bot.* Gênero das compostas rico em espécies nativas herbáceas ou arbustivas; mentrasto.

agerato^{2}. [Do gr. *ageratós.*] *Adj.* Que não envelhece.

agermanar. [De *a*-^{2} + *germano*^{1} + *-ar*^{2}.] *V. t. d.* **1.** *Ant.* Tornar irmão; igualar. **2.** Associar, unir, aparceirar. *T. d. e i.* **3.** Associar, unir, aparceirar. *P.* **4.** Ligar-se, associar-se.

agérrimo. *Adj.* Superl. abs. sint. de *agre* e *agro*; agríssimo: "Agras e agérrimas são de si as entrepresas deste gênero; mas por isso mesmo é que aliciam almas generosas." (Antônio Feliciano de Castilho, *Amor e Melancolia*, p. 339.) [M. regular seria *acérrimo.*]

ageusia. [Do gr. *ageustía.*] *S. f. Med.* Ausência ou enfraquecimento do sentido do paladar; ageustia.

ageustia. *S. f. Med.* Ageusia.

agigantado. [De *a*-^{2} + *gigante* + *-ado*^{1}.] *Adj.* **1.** Que tem proporções de gigante; enorme, colossal: "os Ramires entroncavam .... no filho do Conde Nuno Mendes, aquele agigantado Ordonho Mendes" (Eça de Queirós, *A Ilustre Casa de Ramires*, p. 7). **2.** Desmedido, desmensurado, incomensurável: *passos agigantados.* **3.** Muito forte; hercúleo.

agigantamento. *S. m.* Ato ou efeito de agigantar(-se).

agigantar. [De *a*-^{2} + *gigante* + *-ar*^{2}.] *V. t. d.* **1.** Tornar gigantesco: *Agigantou a dívida pública.* **2.** Aumentar, exagerar: *Agiganta sempre os pequenos impasses. P.* **3.** Tornar-se gigantesco; crescer ou aumentar muito.

ágil. [Do lat. *agile.*] *Adj. 2 g.* **1.** Que se move com destreza; destro, hábil, desenvolto: *dançarino ágil; Com suas mãos ágeis, em três tempos arrumou a casa.* **2.** Rápido, desembaraçado, ligeiro, presto, veloz: "Refiro-me ao pitoresco do diálogo de Oswald de Andrade — o diálogo mais ágil, mais agudo, mais inteligente que já encontrei desde que iniciei estas colunas de crítica." (Guilherme Figueiredo, *Cobras & Lagartos*, p. 103); *raciocínio ágil; É ainda muito ágil para a idade que tem.* **3.** Ativo, expedito, diligente. [Pl.: *ágeis;* superl. abs. sint.: *agílimo* e *agilíssimo.*]

agilidade. [Do lat. *agilitate.*] *S. f.* Qualidade ou caráter de ágil.

agílimo. [Do lat. *agillimu.*] *Adj.* Superl. abs. sint. de *ágil;* agilíssimo.

agilíssimo. *Adj.* Agílimo.

agilitar. *V. t. d. P. us.* Agilizar.

agilização. *S. f.* Ato ou efeito de agilizar.

agilizar. *V. t. d. Neol.* Imprimir maior agilidade, rapidez, eficiência, a. [F. paral.: *agilitar.*]

aginha. *Adv. Ant.* Asinha^{2}.

ágio. [Do it. *aggio.*] *S. m.* **1.** Diferença que o comprador paga a mais sobre o valor nominal de um título. **2.** Nas taxas de câmbio, lucro sobre a diferença do valor real da moeda: "o responsável pela portaria me propunha comprar com alto ágio os dólares que eu tivesse..." (Costa Rego, *Águas Passadas*, p. 261). **3.** Juro de dinheiro emprestado; usura: "o Dermeval Guedes tomou conta do guichê, recebendo os vales que descontou com o ágio de 50 por cento" (Geraldo França de Lima, *Brejo Alegre*, p. 83). [Cf. *deságio.*]

agiota. [Dev. de *agiotar.*] *Adj. 2 g. e s. 2 g.* Que, ou quem se entrega à agiotagem; usurário, interesseiro, onzenário.

agiotagem. [Do fr. *agiotage.*] *S. f.* **1.** Especulação sobre fundos, câmbios ou mercadorias, com o fim de obter lucros exagerados; usura. **2.** Lucro resultante dessa especulação. **3.** Empréstimo de dinheiro a juros exorbitantes.

agiotar. [Do fr. *agioter.*] *V. int.* **1.** Entregar-se à agiotagem; especular. **2.** Rebater, descontar título de crédito.

agir. [Do fr. *agir.*] *V. int.* Praticar ou efetuar na qualidade de agente; obrar, operar, atuar: "O leitor dum poema age como o sol sobre o gelo: provoca o regresso ao estado fluido da realidade psicológica cristalizada." (João Gaspar Simões, *O Mistério da Poesia*, p. 14) [Conjug.: v. *dirigir.* Pres. subj.: aja, ajas, aja, etc. Cf. o pres. subj. do v. *haver.*]

agirafado. [De *a*-^{2} + *girafa* + *-ado*^{1}.] *Adj.* Esguio como a girafa.

agironado. [De *a*-^{2} + *girão* + *-ado*^{1}.] *Adj.* Guarnecido de girão (1 e 3).

agitação. [Do lat. *agitatione.*] *S. f.* **1.** Ação ou efeito de agitar(-se); agitamento. **2.** Movimento, abalo, oscilação. **3.** Perturbação, excitação, inquietação; efervescência: "Padilha, numa agitação constante, devorava manifestos e roía as unhas." (Graciliano Ramos, *S. Bernardo*, p. 180.) **4.** Comoção política; sublevação, desordem, conflito. **5.** Alvoroço, rebuliço, barulho, tumulto. **6.** Manifestação de caráter político e/ou social que expressa novas tendências, ou descontentamento, por meio de atos públicos, de atuação sobre determinados grupos, de divulgação escrita ou visual, etc. **7.** *Psiq.* Atividade motora exagerada, desordenada e incoerente, com excitação ou confusão mental.

agitadiço. *Adj.* Que se agita facilmente.

agitado. [Part. de *agitar.*] *Adj.* **1.** Diz-se de indivíduo inquieto, perturbado, desvairado. ● *S. m.* **2.** Indivíduo agitado (1).

agitador (ô). [Do lat. *agitatore.*] *Adj.* **1.** Que agita. ● *S. m.* **2.** Indivíduo agitador. **3.** Mecanismo que nas manteigueiras serve para agitar o leite a fim de separar dele a nata ou a manteiga. **4.** Promotor de perturbações da ordem; sublevador, revolucionário. **5.** Indivíduo que divulga em discursos, panfletos, etc., as idéias de um grupo político.

agitamento. *S. m.* Agitação (1).

agitante. [Do lat. *agitante.*] *Adj. 2 g.* Que agita ~ V. *paralisia* —.

agitar. [Do lat. *agitare.*] *V. t. d.* **1.** Mover com freqüência; abalar: *O barulho do trovão agitou a casa toda;* "O vento brando agita as bandeiras" (Lígia Fagundes Teles, *A Disciplina do Amor*, p. 61). **2.** Comover fortemente; abalar, excitar: *Medidas tão injustas agitariam o ódio dos vencidos.* **3.** Discutir (uma questão) com veemência. **4.** Suscitar, ventilar: *agitar um problema.* **5.** Inquietar, perturbar: *Aquela visão tenebrosa ainda o agita.* **6.** Incitar à revolta; sublevar. *P.* **7.** Mover-se, mexer-se: "O doente agitava-se no leito e delirava." (Artur Azevedo, *Contos Cariocas*, p. 43); "as papoulas, quando vinha a aragem, agitavam-se como asas vermelhas de borboletas pousadas..." (Eça de Queirós, *O Primo Basílio*, p. 86). **8.** Preocupar-se, inquietar-se, perturbar-se.

agitável. [Do lat. *agitabile.*] *Adj. 2 g.* Que pode ser agitado.

agito. [Dev. de *agitar.*] *S. m. Bras. Gír.* V. *agitação.*

aglaia. [Do gr. *aglaía*, 'esplêndida'.] *S. f.* Planta da família das meliáceas (*Aglaía odorata*), nativa da Ásia e da Oceânia.

aglia. [Do gr. *aglíe.*] *S. f. Med.* Cicatriz branca na córnea.

aglicônio. *S. m. Quím.* Substância diferente de uma *ose*, que se forma na hidrólise dum heterosídeo.

áglifo. [Do gr. *áglyphos.*] *Zool. Adj.* **1.** Diz-se dos dentes dos ofídios que não são canaliculados. ● *S. m.* **2.** Grupo de cobras que têm todos os dentes pequenos, iguais, pontudos, e não possuem presas inoculadoras, sendo, por isso, totalmente inofensivas.

aglifodonte. *S. m.* Espécime dos aglifodontes.

aglifodontes. *S. m. pl. Zool.* Grupo de ofídios caracterizados por falta de dentes acanalados ou tubulados e ausência de secreção venenosa.

aglomeração. *S. f.* Ação ou efeito de aglomerar(-se); ajuntamento, agrupamento, amontoamento. ◆ **Aglomeração urbana.** Qualquer agrupamento urbano, seja vila ou cidade; aglomerado urbano.

aglomerado. [Part. de *aglomerar.*] *Adj.* **1.** Junto, reunido; acumulado, amontoado. ● *S. m.* **2.** Conjunto, reunião, aglomeração. **3.** Conjunto de cimento e pedras imitante a mármore. **4.** Argamassa hidráulica de cimento e pedra britada. **5.** *Geol.* Rocha constituída por fragmentos vulcânicos angulosos ligados, sem orientação definida, por cimento, usualmente vulcânico. **6.** *Astr.* V. *aglomerado estelar.* **7.** Placa prensada e resistente constituída de partículas de madeira, e que se usa em certos trabalhos de carpintaria e marcenaria. [Cf. *compensado*^{1}.] ◆ **Aglomerado aberto.** *Astr.* V. *aglomerado galáctico.* **Aglomerado de galáxias.** *Astr.* Grupo de galáxias que ocupam posições muito próximas no espaço. [Os aglomerados podem formar grupos muito pobres, como o grupo local, com 10 a 100 galáxias, ou ricos, como os grandes aglomerados, com cerca de 1.000 galáxias. Sin.: *agrupamento de galáxias, cúmulo de galáxias.*] **Aglomerado estelar.** *Astr.* Conjunto de dezenas até milhares de estrelas, ligadas entre si pela atração gravitacional, com movimentos próprios associados; cúmulo estelar; grupo estelar, aglomerado. **Aglomerado fechado.** *Astr.* V. *aglomerado globular.* **Aglomerado galáctico.** *Astr.* Aglomerado assimétrico e com poucas estrelas, próximo ao plano galáctico; aglomerado aberto, cúmulo galáctico. [Cf. *aglomerado de galáxias.*] **Aglomerado globular.** *Astr.* Aglomerado rico em membros, com simetria esférica, e situado longe do plano galáctico; aglomerado fechado, cúmulo globular. **Aglomerado móvel.** *Astr.* Grupo de estrelas ligadas gravitacionalmente, que se movem na mesma direção, com movimento próprio sensível; cúmulo móvel. **Aglomerado urbano.** Aglomeração urbana.

aglomerante. [Do lat. *agglomerante.*] *Adj. 2 g.* **1.** Que aglomera. ● *S. m.* **2.** *Constr.* Aglutinante (4).

aglomerar. [Do lat. *agglomerare.*] *V. t. d.* **1.** Juntar, reunir, acumular. *P.* **2.** Ajuntar-se, reunir-se, amontoar-se: "Sob o dossel de uma latada, a apendoar de uvas maduras, toda a gente da aldeia se aglomera, para ver bailar as raparigas." (Martins Fontes, *A Dança*, p. 73.) [F. paral. (p. us.): *glomerar.*]

aglomerato. [Do lat. *agglomeratu.*] *S. m. Geol.* Rocha heterogênea de origem vulcânica.

aglossia. [Do gr. *aglossía*, cuja significação exata, aliás, é 'mutismo'.] *S. f. Med.* Falta da língua.

aglóssico. *Adj.* Relativo à aglossia.

aglosso. [Do gr. *áglossos.*] *Adj.* **1.** Que não tem língua. **2.** *P. ext.* Que fala de maneira bárbara. **3.** *Zool.* Diz-se de inseto desprovido de glossa na lígula do lábio. ● *S. m.* **4.** Aquele que não tem língua. **5.** Aquele que fala de maneira bárbara.

aglutição. [De *a*-^{3} + *glut*, raiz do lat. *gluttire*, 'engolir', + *-ção.*] *S. f.* Impossibilidade ou dificuldade de engolir ou deglutir.

aglutinação. *S. f.* **1.** Ação ou efeito de aglutinar; aglutinamento. **2.** *Gram.* V. *composição* (7). [Cf. *deglutinação.*]

aglutinado. [Part. de *aglutinar.*] *Adj.* Reunido, juntado e/ou colado.

aglutinamento. *S. m.* Aglutinação (1).

aglutinante. [Do lat. *agglutinante.*] *Adj. 2 g.* **1.** Que aglutina; aglutinativo. **2.** Que pega como grude. ~ V. *língua* —. ● *S. m.* **3.** Substância glutinosa; cola, grude, etc. **4.** *Constr.* Material ativo (cimento, cal, etc.) que, em concretos, argamassas e alvenarias, liga entre si as partículas de um agregado; aglomerante.

aglutinar. [Do lat. *agglutinare.*] *V. t. d.* **1.** Unir com cola ou grude; colar, grudar. **2.** Unir, reunir, ligar: "Era o marimbu solitário e miasmático — ondulante bosque aquático aglutinando lama, folhas e hastes no pântano, para em seguida se fundir na mata" (Herberto Sales, *Além dos Marimbus*, p. 21). **3.** Reunir, justapondo, os bordos de uma ferida. **4.** *Gram.* Reunir por aglutinação (2).

aglutinativo. *Adj.* **1.** Aglutinante (1). **2.** Próprio para aglutinar.

aglutinável. *Adj. 2 g.* Que se pode aglutinar.

aglutinidade. *S. f.* Qualidade ou caráter de aglutinável.

aglutinina. *S. f. Biol. Ger.* Anticorpo que produz a aglutinação de um antígeno determinado, como, p. ex., bactérias.

agnação. [Do lat. *agnatione.*] *S. f.* Parentesco de consangüinidade por linha masculina. [Cf. *cognação.* (1 e 2).]

agnado. [Var. de *agnato* (q. v.).] *Adj. e s. m.* Que ou aquele que é parente por agnação; agnato.

agnatia. [De *a*-^{3} + *-gnat(o)*- + *-ia.*] *S. f. Terat.* Ausência congênita de mandíbula.

agnatício. [Do lat. *agnaticiu.*] *Adj.* Pertencente ou relativo ao(s) agnado(s); agnático.

agnático^{1}. *Adj.* Agnatício.

agnático^{2}. *Adj.* **1.** Relativo a agnatia. **2.** Que sofre de agnatia. ● *S. m.* **3.** Aquele que sofre de agnatia; ágnato.

agnato. [Do lat. *agnatu.*] *Adj. e s. m.* Agnado. [Cf. *ágnato.*]

ágnato. [De *a*-^{1} + *-gnato.*] *Adj.* **1.** *Terat.* Que não tem mandíbula. **2.** Relativo aos ágnatos [q. v.]. ● *S. m.* **3.** Agnático^{2} (3). **4.** Espécime dos ágnatos [q. v.]. [Cf. *agnato.*]

ágnatos. *S. m. pl. Zool.* **1.** Grupo de animais vertebrados desprovidos de maxilas, não só fósseis, mas também atuais; são os *Cyclostomata* ou lampréias. **2.** V. *efemerópteros.* ~ V. *ágnato.*

agnelina. [Do lat. *agnellu*, 'cordeirinho', + *-ina*^{2}.] *Adj. (f.)* **1.** Diz-se da primeira lã que se tosquia dos cordeiros. ● *S. f.* **2.** Pele de carneiro com lã: "Leva anéis de cobre com aventurinas, / Brincos de sueiras, manto de agnelinas." (Eugênio de Castro, *Obras Poéticas*, I, p. 107.)

agnome. [Do lat. *agnomen.*] *S. m.* Entre os romanos, alcunha ou apelido que se acrescentava ao cognome, e que ordinariamente se derivava de uma virtude ou feito notáveis.

agnominação. [Do lat. *agnominatione.*] *S. f. Ret.* V. *Paronomásia* (2).

agnosia. [Do gr. *agnosía.*] *S. f.* **1.** *Filos.* Ignorância,

especialmente a universal, definida pela sentença socrática "Só sei que nada sei". **2.** *Patol.* Perda do poder de reconhecimento perceptivo sensorial. [A cada um dos sentidos corresponde uma variedade: auditiva, visual, etc.]

agnosticismo. [De *agnóstico* + *-ismo.*] *S. m. Filos.* **1.** Posição metodológica pela qual só se aceita como objetivamente verdadeira uma proposição que tenha evidência lógica satisfatória. **2.** Atitude que considera fútil a metafísica. **3.** Doutrina que ensina a existência de uma ordem de realidade incognoscível. [Cf. *dogmatismo.*]

agnóstico. [Do gr. *ágnostos*, 'ignorado', + *-ico*[2].] *Filos. Adj.* **1.** Relativo ao agnosticismo. **2.** Diz-se de pessoa ou doutrina que aceita ou representa qualquer forma de agnosticismo. ● *S. m.* **3.** Sectário do agnosticismo.

agnostozóico. [Do gr. *ágnostos-*, 'ignorado' + *-zóica.*] *Adj.* e *s. m.* ~ V. *era* —*a.*

ágnus-dei. [Do lat. *Agnus Dei*, 'Cordeiro de Deus'.] *S. m.* Medalha de cera benzida pelo Papa e usada ao pescoço como proteção contra diversos males e perigos. [Pl.: *ágnus-deis.* Cf. *Agnus Dei.*]

➧**Agnus Dei.** [Lat., 'Cordeiro de Deus'.] *Loc. s. m. Lit.* Oração recitada ou cantada na missa (1), e que antecede a comunhão. [V. *liturgia da missa.* Cf. *ágnus-dei.*]

agô. [Do ioruba.] *S. m. Bras., BA.* Licença (7).

agoge. [Do lat. *agoge.*] *S. f. Mús.* Entre os gregos, sucessão ascendente, descendente, ou ascendente e descendente, de uma série de sons, por graus conjuntos; agógica.

agógica. [Fem. substantivado de *agógico.*] *S. f.* **1.** *Mús.* Doutrina das modificações passageiras do andamento de um trecho musical, tais como aceleração, precipitação, retardamento, etc., suas causas determinantes e seus efeitos. **2.** *Mús.* Agoge.

agógico. *Adj.* Relativo à agoge, ou à agógica.

agogô. [Do ioruba *agogô*, 'sino'.] *S. m. Bras.* Instrumento de percussão, de origem africana, constituído por duas campânulas de ferro, o qual se percute com vareta do mesmo metal, e é usado particularmente nos candomblés da BA, nas baterias das escolas de samba, no maracatu de PE e em conjuntos musicais: "Da casa do pai-de-santo Jubiabá vinham sons de atabaque, agogô, chocalho, cabaça" (Jorge Amado, *Jubiabá*, p. 91). [Cf. *gã.*]

▲**-agog(o)-.** [Do gr. *agogós, ós, ón.*] *El. comp.* = 'o que conduz', 'o que leva': *pedagogo* ⁄ gr. paidagogós), antropagogia.

agoiral. *Adj. 2 g.* Var. de *agoural.*

agoirar. *V. t. d., t. d. e i., int.* e *p.* V. *agourar:* "Anda [o vento] a chorar nas trevas, *agoirando* / Desgraças e desgraças..." (Teixeira de Pascoais, *D. Carlos*, p. 51.)

agoireiro. *Adj.* V. *agoureiro:* "Piam perto, na sombra, as aves *agoireiras.*" (Olavo Bilac, *Poesias*, p. 266.)

agoirentar. *V. t. d.* V. *agourentar.*

agoirento. *Adj.* V. *agourento.*

agoiro. *S. m.* V. *agouro.*

agolpear. [De *a-*[2] + *golpe* + *-ear.*] *V. t. d.* e *p.* Golpear. [Conjug.: v. *frear.*]

agomar. [De *a-*[2] + *gomo* + *-ar*[2].] *V. int.* **1.** Lançar gomos ou rebentos, germinar, abrolhar. *P.* **2.** Cobrir-se de gomos ou rebentos.

agomia. [Var. de *gomia* < *a-*[4] + ár. *kumiia.*] *S. f.* **1.** Arma curva e cortante usada pelos mouros do Malabar. **2.** Faca de ponta recurvada.

agomiada. *S. f.* Golpe de agomia.

agomil. [Do lat. **aquiminile*, por *aquimanile.*] *S. m.* V. *gomil.*

agomilado. [De *a-*[2] + *gomil* + *-ado*[1].] *Adj.* Que tem feitio de gomil.

agonais. [Do lat. *Agonalia.*] *S. f. pl.* Na Roma antiga, festas em honra de Jano, personagem mítica, o mais antigo rei do Lácio.

agonfíase. *S. f. Med.* **1.** Estado dos dentes abalados e que se movem nos alvéolos. **2.** Ausência de dentes. [Sin. ger.: *agonfose.*]

agonfo. *Adj.* **1.** Diz-se dos dentes não implantados em alvéolos. **2.** Sem dentes. **3.** *Zool.* Diz-se do animal que não tem alvéolos nem dentes.

agonfose. [De *a-*[3] + gr. *gámphosis.*] *S. f. Med.* Agonfíase.

agongorado. [Part. de *agongorar.*] *Adj.* **1.** Com arrebiques de gongorismo; rebuscado, empolado, artificioso: *estilo agongorado.* **2.** *P. ext.* Um tanto obscuro; enigmático, incompreensível.

agongorar. [De *a-*[2] + o antr. *Góngora* + *-ar*[2].] *V. t. d.* **1.** Tornar semelhante ao estilo gongórico [q. v.] *P.* **2.** Cair na imitação desse estilo.

agonia. [Do gr. *agonía*, 'luta' (contra a morte), pelo lat. *agonia.*] *S. f.* **1.** *Med.* Conjunto de fenômenos mórbidos que aparecem na fase final de doenças agudas ou crônicas e anunciam a morte; ânsia de morte. **2.** Espaço de tempo que dura a agonia (1). **3.** Estado de moribundo; agoniação. **4.** Sofrimento, amargura, dor. **5.** Angústia, ansiedade, aflição: "Na *agonia* de tantos pesadelos / Uma dor bruta puxa-me os cabelos." (Augusto dos Anjos, *Eu*, p. 111.) **6.** Desejo ardente; ansiedade, ânsia. **7.** Decadência que precede o fim: *A civilização romana entrava em agonia.* **8.** Termo, fim, ocaso: *Vivia o grande escritor a agonia de sua glória;* "Transmonta fulvo o sol. E a natureza assiste, / Na mesma solidão e na mesma hora triste, / À *agonia* do herói e à *agonia* da tarde." (Olavo Bilac, *Poesias*, p. 266). **9.** *Pop.* Náusea, enjôo. **10.** *Bras.* Pressa, azáfama, afobação. **11.** *Bras.* Indecisão; chove-não-molha: *Vai ficar muito tempo nessa agonia?*

agoniação. *S. f.* **1.** Ação ou efeito de agoniar(-se). **2.** Agonia (3).

agoniada. [Fem. de *agoniado*, com substantivação.] *S. f. Bras.* Árvore silvestre, pequena, leitosa, da família das apocináceas (*Himatanthus lancifolia*), de flores alvas e grandes, muito apreciada pelo povo como panacéia; arapuê, quina-branca, quina-mole, tapuoca.

agoniadina. *S. f. Quím.* Alcalóide que se extrai da agoniada.

agoniado. [Part. de *agoniar.*] *Adj.* **1.** Que sente agonia; agonizado, ansiado, ansioso. **2.** Muito penalizado; triste, amargurado. **3.** Aflito moralmente; angustiado. **4.** Muito indisposto; nauseado. **5.** *Bras.* Apressado, afobado.

agoniador (ô). *Adj.* Que causa agonia (4 e 5). [Sin.: *agoniento* e (p. us.) *agonizante.*]

agoniar. *V. t. d.* **1.** Causar agonia, aflição, náusea, a. **2.** Afligir, inquietar, atribular, mortificar: "E uma saudade de casa começou a me *agoniar.*" (José Lins do Rego, *Doidinho*, p. 171); *A longa espera agoniava-o.* **3.** Irritar, agastar, apoquentar. *P.* **4.** Indispor-se do estômago; ansiar-se. **5.** Afligir-se, inquietar-se, atribular-se: "Nenhuma simpatia ao companheiro desgraçado, que se *agoniava* no pelourinho, aguardando a tortura." (Graciliano Ramos, *Infância*, p. 81.) **6.** Irritar-se, agastar-se, apoquentar-se.

agônico. [Do gr. *agonikós*, pelo lat. *agonicu.*] *Adj.* Relativo à, ou próprio da agonia. ~ V. *linha* —*a* e *morte* —*a.*

agoniento. *Adj.* V. *agoniador:* "rebentava em choro ou caía em profundos silêncios *agonientos.*" (João do Rio, *Dentro da Noite*, p. 82).

agoniologia. [Do gr. *agonía*, 'agonia', *-o-* + *-log(o)-* + *-ia.*] *S. f. Med.* Estudo da esterilidade humana e dos meios de a corrigir ou evitar.

agoniológico. *Adj.* Relativo à agoniologia.

agonística. [Do gr. *agonistiké*, i. e., *techne agonistiké*, 'arte da luta', pelo lat. *agonistica.*] *S. f.* Entre os gregos antigos, parte da ginástica que tratava da luta dos atletas.

agonístico. [Do gr. *agonistikós* pelo lat. *agonisticu.*] *Adj.* **1.** Relativo à agonística. **2.** Relativo à luta, em particular à luta pela vida. **3.** *Filos.* Diz-se das doutrinas favoráveis à luta por verem nela o instrumento do progresso.

agonizado. [Part. de *agonizar.*] *Adj.* V. *agoniado* (1).

agonizante. *Adj. 2 g.* **1.** Que está na agonia. **2.** *P. us.* V. *agoniador.* **3.** Prestes a acabar: *civilização agonizante.* ● *S. 2 g.* **4.** Pessoa em transe de morte; moribundo.

agonizar. *V. int.* **1.** Estar moribundo; estar morrendo, ou a acabar; padecer agonia; estertorar: "O João da Luz tem uma filha, e é ela / Que está a *agonizar*, / Delgada e branca assim como uma vela / Que ardeu, ardeu e se apagou no altar." (Conde de Monsaraz, *Musa Alentejana*, p. 183); "E Mães, a *agonizar* de fome e de cansaço, / Levam com o coração mais do que com o braço / Os filhos pequeninos." (Vicente de Carvalho, *Poemas e Canções*, p. 58). **2.** Ir-se extinguindo (luz ou chama); bruxulear: "espevita o lampadário, / Cuja luzinha d'azeite / *Agoniza* ante o sacrário." (Eugênio de Castro, *Obras Poéticas*, IX, p. 30). **3.** Levar vida desregrada ou miserável; sofrer. *T. d.* **4.** Mortificar, flagelar, martirizar. **5.** Afligir, penalizar, agoniar.

ágono. [Do gr. *ágonos.*] *Adj.* Sem ângulos.

agonóteta. [Do gr. *agonothétes*, pelo lat. *agonotheta.*] *S. m.* Na Grécia antiga, aquele que presidia aos jogos e combates públicos.

agora[1]. [Do hebr. *'ăgōrāh.*] *S. m.* Moeda divisionária que representa a centésima parte do siclo (3). [Cf. *ágora.*]

agora[2]. [Do lat. *hac hora*, 'nesta hora'.] *Adv.* **1.** Neste instante, neste momento, nesta hora: *Chegou agora; Agora não posso sair.* **2.** Presentemente, atualmente: *A moda agora são as roupas unissex.* **3.** Nesse ou naquele instante, nesse ou naquele momento, nessa ou naquela hora; então: *Lutara muito e agora queria descansar.* **4.** Nesse ou naquele tempo; então: "o Dr. Mendonça inventou um elixir contra a doença; e tão excelente era o elixir, que o autor ganhou um bom par de contos de réis. *Agora* exercia a medicina como amador." (Machado de Assis, *Contos Fluminenses*, p. 6). **5.** Depois disto, diante disto: "E *agora*, José? / A festa acabou, / a luz apagou, / o povo sumiu, / a noite esfriou, / e *agora*, José?" (Carlos Drummond de Andrade, *Reunião*, p. 70). **6.** De agora em diante; doravante: "Estava livre! Passara o perigo! *Agora* era esquecer o passado, ser dele, de Macambira, só dele!" (Coelho Neto, *Rei Negro*, p. 120.) ● *Conj.* **7.** Mas, porém, contudo, todavia: *Ir é fácil; agora, voltar é que são elas.* **8.** Umas vezes... outras vezes; ora... ora: "Língua minha dulcíssona e canora, / Em que mel com aroma se mistura, / *Agora* leda, lastimosa *agora*, / Mas não isenta nunca de brandura" (José Albano, *Rimas*, p. 75). ● *Interj.* **9.** *Lus.* Ora essa; ora: "— Mas os outros são mais do que nós, mãe? — *Agora!* Tu és melhor que os filhos dos outros." (Raul Brandão, *A Farsa*, p. 64.) [Cf. *ágora.*] ◆ **Agora agora.** *Bras.* V. *agorinha.* **Agora mesmo.** V. *agorinha: A carta chegou agora mesmo.* **Agora por ora.** *Bras., MG.* Na região são-franciscana, por enquanto. **De agora.** Do presente; atual: *As crianças de agora são bem mais precoces que as de antes.* **Por agora.** Por enquanto: *Obrigado, por agora não necessito de nada.*

ágora. [Do gr. *agorá.*] *S. f.* Praça das antigas cidades gregas, na qual se fazia o mercado e onde se reuniam, muitas vezes, as assembléias do povo. [Cf. *agora.*]

agorafobia. [Do gr. *agorá*, 'ágora', + *-fob(o)-* + *-ia.*] *S. f.* Medo mórbido e angustiante de lugares públicos e grandes espaços descobertos: "Westphal descreveu a *agorafobia*, isto é, horror das praças, dos lugares extensos e descobertos, sobretudo das cidades." (A. Austregésilo, *Obras Completas*, III, p. 52.) [Antôn.: *claustrofobia.*]

agorafóbico. *Adj.* Relativo à agorafobia.

agoráfobo. [Do gr. *agorá*, 'ágora', + *-fobo.*] *S. m.* Aquele que sofre de agorafobia. [Antôn.: *claustrófobo.*]

agorentar. *V. t. d.* V. *aguarentar.* [Pres. ind.: *agorento*, etc. Cf. *agourento*, adj., o pres. ind. dos v. *agourentar* e *agurentar*, e estes verbos.]

agorinha. *Adv. Bras.* Há poucos instantes; agora mesmo; ainda agora; agora agora; ainda agorinha, agorinha mesmo: *Por pouco você o encontrava em casa: saiu agorinha;* "Quer um cafezinho? Foi passado *agorinha.*" (Chico Anísio, *Teje Preso*, p. 15). ◆ **Agorinha mesmo.** *Bras.* V. *agorinha.*

agostiniano. [Do antr. *Augustinu*, 'Agostinho', + *-iano.*] *Adj.* **1.** Relativo ou pertencente a Santo Agostinho, nascido na África romana (354-430), ou à ordem fundada por ele. ● *S. m.* **2.** Frade dessa ordem.

agostinismo. *S. m. Hist. Filos.* Corrente teológico-filosófica proveniente de Santo Agostinho [v. *agostinianol*], com forte propensão para o platonismo; augustinismo, augustinismo.

agostinista. *Adj. 2 g. Filos.* **1.** Pertencente ou relativo ao agostinismo. **2.** Partidário do agostinismo. ● *S. 2 g.* **3.** *Filos.* Partidário do agostinismo. [Sin. ger.: *augustiniano* e *augustinista.*]

agosto (ô). [Do lat. *Augustu.*] *S. m.* O oitavo mês dos calendários juliano e gregoriano, com 31 dias. [Pl.: *agostos* (ô).]

agoural. [Do lat. *augurale.*] *Adj. 2 g.* Relativo a agouros. [Var.: *agoiral.*]

agourar. [Do lat. *augurare.*] *V. t. d.* **1.** Adivinhar, prever, pressentir, prognosticar: *Os técnicos agouram sucesso na empresa.* *T. d.* e *i.* **2.** Fazer agouro; predizer, pressagiar, vaticinar: *A situação instável em que se encontra agoura-lhe um futuro caótico.* *T. i.* **3.** Fazer agouro; pressagiar: "*agourara* mal do silêncio do noivo" (Camilo Castelo Branco, *A Mulher Fatal*, p. 25). *Int.* **4.** Ter ou fazer mau agouro: "Um caburé piou na moita de murici. Desgraçado de caburé. Ainda vinha *agourar* mais." (Renato Castelo Branco, *Senhores e Escravos*, p. 16.) *P.* **5.** Prever o que está para acontecer a si mesmo. [Var.: *agoirar.*]

agoureiro. *Adj.* **1.** Que agoura; agourento. **2.** Que vaticina ou anuncia, ou se crê vaticinar ou anunciar, desgraças, infortúnios: *um velho agoureiro; aves agoureiras;* "Fora da mata, pela estrada erma e escura, pulavam bacuraus *agoureiros*" (Alberto Deodato, *Canaviais*, p. 39). **3.** Crente em agouros; supersticioso, crendeiro, agourento. ● *S. m.* **4.** Indivíduo que vaticina males e desgraças. **5.** Aquele que agoura; adivinho, áugure. **6.** Áugure (1). [Var.: *agoireiro.*]

agourentar. *V. t. d.* Fazer mau agouro sobre; ameaçar com desdita; predizer desgraças a. [Var.: *agoirentar.* Pres. ind.: *agourento,* etc. Cf. *agourento,* adj. e *agorento* e *agurento,* dos v. *agorentar* e *agurentar,* e estes verbos.]

agourento. *Adj.* **1.** Que envolve agouro. **2.** V. *agoureiro* (1 e 3): "as agourentas corujas grazinavam. Tremi." (Coelho Neto, *Sertão,* p. 144). [Var.: *agoirento.* Cf. *agorento, agurento,* dos v. *agorentar* e *agurentar,* e estes verbos.]

agouro. [Do lat. *auguriu.*] *S. m.* **1.** Predição baseada no vôo ou no canto das aves; augúrio. **2.** Profecia, prognóstico, vaticínio, predição, augúrio. **3.** Presságio, pressentimento, previsão, augúrio: "A visita pareceu de mau agouro ao médico." (Machado de Assis, *Contos Fluminenses,* p. 38.) **4.** Sinal que pressagia; augúrio. **5.** Presságio de coisa má; mau agouro. [Var.: *agoiro.*]

▲-agra. [Do gr. *ágra, as.*] *El. comp.* = 'presa': *odontagra, omagra.*

agraciação. *S. f.* Ação ou efeito de agraciar.

agraciado. [Part. de *agraciar.*] *Adj.* **1.** Que recebeu graça, mercê; condecorado, galardoado. **2.** Que recebeu mercê, indulto, perdão.

agraciador (ô). *Adj.* e *s. m.* Que ou aquele que agracia.

agraciar. [De *a-*[2] + lat. *gratia,* 'graça', + *-ar*[2].] *V. t. d.* **1.** Conceder graça, honraria, condecoração ou mercê a; galardoar: *o rei agraciou o velho servidor da coroa. T. d. e i.* **2.** Conceder graça, honraria, condecoração ou mercê: "Em 1841 agraciou-o D. Pedro II [a José Joaquim da Rocha] com o título de Conselho." (Afonso d'E. Taunay, *Grandes Vultos da Independência Brasileira,* p. 69). **3.** Dar ou comunicar graça ou perfeição a. **4.** Perdoar ou comutar pena a; anistiar, indultar. *Transobj.* **5.** Conceder o título de: *O decreto real agraciava-o barão.*

agraço. [De *agro-*[2] + *-aço.*] *S. m.* **1.** Agraz [q. v.] **2.** Suco de uva verde. **3.** Verdor, viço, vigor: "Árvores murcham no esplendor do agraço." (Luís Carlos, *Colunas,* p. 20.)

agradabilíssimo. *Adj.* Superl. abs. sint. de *agradável.*

agradar[1]. [De *a-*[2] + *grado*[1] + *-ar*[2].] *V. t. i.* **1.** Ser agradável; aprazer, deleitar: *A gentileza do rapaz agradou a todos.* **2.** Cair no agrado, no gosto; contentar, satisfazer: "o interior do casarão agradara-lhe também, com a sua disposição apalaçada" (Eça de Queirós, *Os Maias,* I, p. 8). *T. d.* **3.** *Bras.* Fazer agrado(s), festas; amimar, acarinhar, afagar: "Tinhô caiu em si, arrependeu-se e procurou agradar o filho" (Amadeu de Queirós, *João,* p. 24): "Quando cresci e tentei agradá-la, recebeu-me suspeitosa e hostil" (Graciliano Ramos, *Infância,* p. 37). **4.** Ser agradável a; causar satisfação a; contentar, satisfazer. *Int.* **5.** Causar ou inspirar complacência ou satisfação; ser agradável: "Que moças boas, adivinhando que a melhor forma de agradar era não ser triste!..." (José Américo de Almeida, *O Boqueirão,* p. 17); "Hoje .... ninguém há que não cuide do corpo para agradar." (João do Rio, *Sésamo,* p. 27). **6.** Parecer bem; aprazer, quadrar. **7.** Contentar, satisfazer: "A peça havia um mês em cena, agradara em cheio" (Antero de Figueiredo, *Cômicos,* p. 111). *P.* **8.** Sentir prazer, satisfação; comprazer-se. **9.** Tomar-se de amores; encantar-se, enamorar-se; simpatizar, afeiçoar-se: "quem sabe se ela não se agradaria de algum desses bolos, esquecendo-se de mim?..." (Raul Pompéia, *Contos,* p. 22); *Agradou-se da criança abandonada, tomando-a para criar; Tanto se agradou da moça que lhe propôs casamento.*

agradar[2]. [De *a-*[2] + *grade* + *-ar*[2].] *V. t. d.* V. *gradar*[1].

agradável. *Adj. 2 g.* **1.** Que agrada. **2.** Aprazível, deleitável: *ambiente agradável.* **3.** Bom, prazenteiro, grato: *Disse-lhe palavras agradáveis de ouvir.* **4.** Afável, delicado, cortês: *pessoa de trato agradável.* **5.** Que agrada, dá prazer aos sentidos: *cheiro agradável;* sabor *agradável.* ● *S. m.* **6.** Aquilo que agrada: *Unir o útil ao agradável.* [Superl. abs. sint.: *agradabilíssimo.*]

agradecer. [De *a-*[2] + *grado*[1] + *-ecer.*] *V. t. d.* **1.** Mostrar-se grato por. *T. d. e i.* **2.** Demonstrar, manifestar gratidão: "Hoje [23 de novembro], nos Estados Unidos, é o dia de agradecer a Deus os benefícios e favores recebidos." (Dario de Almeida Magalhães, *Páginas Avulsas,* p. 18); "Calisto levantou-se, agradecendo à Providência a chegada de um ancião respeitável que se aproximava dele a cortejá-lo." (Camilo Castelo Branco, *A Queda dum Anjo,* p. 150). **3.** Retribuir, recompensar: *Agradeceu o gesto amável com o melhor dos sorrisos;* "— Também eu esperava este momento para agradecer-lhe os cuidados e desvelos que dispensou a Aurélia, e assegurar-lhe minha sincera amizade." (José de Alencar, *Senhora,* p. 171). *T. i.* **4.** Demonstrar ou manifestar gratidão: *Recebi dele um favor, e ainda não lhe agradeci;* "Rubião foi agradecer a notícia ao Camacho" (Machado de Assis, *Quincas Borba,* p. 125). *Int.* **5.** Demonstrar ou manifestar gratidão; mostrar-se grato: *Recebe favores, e não agradece.* [Conjug.: v. *aquecer.*]

agradecido. [Part. de *agradecer.*] *Adj.* **1.** Grato, reconhecido, penhorado. **2.** V. *bem-agradecido.*

agradecimento. *S. m.* **1.** Ato ou efeito de agradecer. **2.** Gratidão, reconhecimento. **3.** Palavras ou fatos com que o agradecimento se manifesta: *Não recebeu agradecimentos pelo presente enviado.*

agradecível. *Adj. 2 g.* Que merece gratidão; digno de agradecimento.

agrado. [Dev. de *agradar.*] *S. m.* **1.** Ato ou efeito de agradar(-se). **2.** Aprazimento, satisfação, contentamento. **3.** Aceitação, aprovação, beneplácito. **4.** Afabilidade, amabilidade, delicadeza, cortesia. **5.** Manifestação de carinho; carícia, afago. **6.** Gratificação, prêmio, gorjeta. ~ V. *agrados.*

agrados. [Pl. de *agrado.*] *S. m. pl. Bras.* **1.** Presentes, dádivas. **2.** Mimos, festas: "— Estou brincando, Maria! Pra quê esse beicinho? Isso é zanga? / E foi agradá-la, com agrados de sargento." (Luís Jardim, *Maria Perigosa,* p. 13.) ~ V. *agrado.*

agrafe. [Do fr. *agrafe.*] *S. m.* **1.** Grampo de cabelo. **2.** *Bras., MA.* Alfinete de fralda. [Cf. *agrafo.*]

agrafia. [De *a-*[3] + *-graf(o)-* + *-ia.*] *S. f. Med.* Perda da capacidade de escrever, devida a incoordenação motora (*agrafia motora*), ou a incapacidade de formar frases (*agrafia cerebral* ou *agrafia mental*). ♦ **Agrafia cerebral.** *Med.* V. *agrafia.* **Agrafia mental.** *Med.* V. *agrafia.* **Agrafia motora.** *Med.* V. *agrafia.*

agráfico. *Adj.* **1.** Relativo à agrafia. **2.** Que não pode escrever.

agrafo. [Do fr. *agrafe.*] *S. m.* Grampo metálico com que, nas operações cirúrgicas, se faz a sutura de incisões e feridas. [Cf. *ágrafo* e *agrafe.*]

ágrafo. [Do gr. *ágraphos.*] *Adj.* **1.** Que não está escrito. **2.** Que não tem ou não admite escrita: *língua ágrafa.* [Cf. *agrafo.*]

agramatismo. [Do gr. *agrámmatos,* 'que não sabe ler', + *-ismo.*] *S. f. Patol.* Perturbação da linguagem oral ou escrita, caracterizada pela omissão de letras ou sílabas ou pela incapacidade de relacionar as palavras formando frases.

agranelar. [De *a-*[2] + *granel* + *-ar*[2].] *V. t. d.* Recolher ou pôr em granel.

agranizar. [De *a-*[2] + *granizo* + *-ar*[2].] *V. t. d.* Cobrir de granizo; granizar.

agranulocitose. [De *a-*[1] + *grânulo* + *cit,* abrev. de *leucócito,* + *-ose.*] *S. f. Med.* Síndrome caracterizada por neutropenia intensa, acompanhada, com muita freqüência, de baixa considerável da taxa total de leucócitos. Apresenta sinais clínicos de infecção, como febre alta, adinamia, ulcerações em locais diversos (boca, reto, vagina), piodermia, e pode ter origens diversas, como, p. ex., medicamentosa.

agrar. *V. t. d.* Transformar em agro[1]; aplanar (terras) para cultivo. [Fut. pret.: *agraria,* etc. Cf. *agrária, f.* de *agrário.*]

agrarianismo. *S. m.* Doutrina ou sistema que preconiza a repartição das terras entre os agricultores.

agrário. [Do lat. *agrariu.*] *Adj.* **1.** Relativo à terra: *medida agrária.* **2.** Relativo ou pertencente aos campos e à agricultura; rural: *população agrária.* ~ V. *reforma* — a. ● *S. m.* **3.** Partidário do agrarianismo. [Fem.: *agrária.* Cf. *agraria,* do v. *agrar.*]

agraudar (a-u). [De *a-*[2] + *graúdo* + *-ar*[2].] *V. int.* Tornar-se graúdo; crescer. [Conjug.: v. *saudar.*]

agravação. [Do lat. *aggravatione.*] *S. f.* V. *agravamento.*

agravado. [Part. de *agravar.*] *Adj.* **1.** Tornado pior ou mais grave; piorado. **2.** Exasperado, exacerbado. **3.** Que sofreu agravo ou injustiça. **4.** *Jur.* Diz-se da pessoa ou da decisão contra a qual se interpôs o recurso de agravo. [Cf. *recorrido* (1 e 2).] ● *S. m.* **5.** Pessoa que sofreu agravo. **6.** *Jur.* Pessoa contra quem é interposto o recurso de agravo.

agravador (ô). *Adj.* **1.** V. *agravante* (1). ● *S. m.* **2.** Aquele que agrava.

agravamento. *S. m.* **1.** Ato ou efeito de agravar(-se). **2.** Exacerbação de uma enfermidade ou de um sintoma; agravo. **3.** Agravo (1). [Sin. ger.: *agravação.*]

agravante. [Do lat. *aggravante.*] *Adj. 2 g.* **1.** Que agrava; agravador, agravativo. **2.** Que aumenta a gravidade. **3.** *Jur.* Diz-se de circunstância acidental do crime, legalmente prevista, reveladora de sua maior gravidade, e que acarreta, obrigatoriamente, aumento da pena, a critério do juiz, respeitado porém o limite máximo da cominação. ● *S. f.* **4.** Circunstância agravante (2). ● *S. 2 g.* **5.** Pessoa que interpõe agravo (5).

agravar. [Do lat. *aggravare.*] *V. t. d.* **1.** Tornar mais grave, mais pesado: *As palavras de consolo agravavam sua desgraça.* **2.** Tornar pior; piorar, empiorar: *Novas chuvas agravaram a situação dos flagelados.* **3.** Oprimir com peso ou carga; sobrecarregar. **4.** Tornar mais grave; exacerbar: *A falta de cuidados agravou-lhe as feridas.* **5.** Exagerar a importância de; aumentar, exacerbar. **6.** Ofender, magoar, molestar. **7.** Inflamar, irritar: *A poeira agrava os olhos. T. i.* **8.** *Jur.* Interpor agravo; recorrer mediante agravo: *A parte agravou da questão. P.* **9.** Tornar-se pior ou mais grave: "O amor é uma forma de loucura e, como a loucura, tem alternativas; agrava-se subitamente hoje, amanhã se atenua sem sabermos por quê." (Ciro dos Anjos, *Abdias,* p. 65.) **10.** Ofender-se, magoar-se. **11.** Aumentar, intensificar: "Os ataques sucediam-se e agravavam-se." (Raul Brandão, *Memórias,* I, p. 317.)

agravativo. *Adj.* V. *agravante* (1).

agravável. *Adj. 2 g.* Que pode ser agravado.

agravo. [Dev. de *agravar.*] *S. m.* **1.** Ofensa, injúria, afronta, agravamento. **2.** Prejuízo, dano. **3.** Motivo grave de queixa. **4.** Agravamento (2). **5.** *Jur.* Denominação comum a vários recursos cabíveis, por via de regra, contra decisões interlocutórias ou terminativas, e excepcionalmente contra definitivas. [Cf. (nesta acepç.) *minuta*[1] (3).]

agraz. [Var. de *agraço* (1).] *S. m.* Qualquer fruta (principalmente uva) muito acre de verde; agraço.

agre. [Do lat. *acre.*] *Adj. 2 g. P. us.* Acre, azedo, ácido: "aproveitaram a ocasião para deitarem-me na língua o conteúdo de uma cápsula de quinino. Ao despertar, percebi a pilhéria e não me dei por achado. Só momentos após levantei-me para cuspir n'água a agre saliva." (Braga Montenegro, *As Viagens,* p. 61). [Superl. abs. sint.: *acérrimo* e *agríssimo.*]

agredido. [Part. de *agredir.*] *Adj.* e *s. m.* Que ou aquele que sofreu agressão.

agredir. [Do lat. *aggredere.*] *V. t. d.* **1.** Atacar, assaltar, acometer. **2.** Provocar, injuriar, insultar: *Embriagado, agredia, inconveniente, os passantes.* **3.** Bater em; surrar, espancar. **4.** Causar impressão desagradável a; incomodar, irritar (qualquer dos sentidos): *Esta loção agride o olfato; Aqueles espigões agridem a vista; Certas músicas agridem o ouvido; Aquele filé agrediu-me o paladar.* **5.** Ir contra, não levar em conta (o que é evidente): *Realista, não costuma agredir os fatos.* **6.** Demonstrar agressividade (4). *Int.* **7.** Demonstrar agressividade (4). [Irreg. Muda o *e* do radical em *i* nas f. rizotônicas do pres. ind.: *agrido, agrides, agride, agridem,* e, portanto, em todo o pres. subj. e nas f. do imperat. que deste deriva.]

agregação. *S. f.* **1.** Ação ou efeito de agregar(-se). **2.** Reunião em grupo; associação, aglomeração. **3.** *Mús.* Acorde dissonante que escapa às categorias fixas em que se classificam os acordes. [Cf. (nesta acepç.) *acorde*[1](2) e *agregado sonoro.*]

agregado. [Part. de *agregar.*] *Adj.* **1.** Reunido, junto, anexo. **2.** Pertencente ou relativo aos agregados. ● *S. m.* **3.** Conjunto, reunião, aglomerado. **4.** *Bras.* Aquele que vive numa família como pessoa da casa. **5.** *Bras.* Pessoa que vive maritalmente com outra. **6.** *Bras.* Criado, serviçal. **7.** *Bras.* Lavrador pobre estabelecido em terra alheia mediante certas condições; morador. **8.** *Bras., N.E.* Aquele que vive em fazenda ou engenho, cultivando certa porção de terra que não lhe pertence e prestando serviço ao proprietário alguns dias por semana, mediante remuneração. **9.** *Bras, SP.* Aquele que vive em fazenda ou sítio, prestando serviços avulsos, sem ser propriamente um empregado. **10.** Constr. Material granular inerte (pedra, areia, etc.), que participa da composição de concretos, argamassas e alvenarias, e cujas partículas são ligadas entre si por um aglutinante. **11.** Espécime dos agregados. ♦ **Agregado graúdo.** *Constr.* Classe de agregado (10) cujo diâmetro máximo é superior a 4,8 mm, e que compreende a brita, a pedra-de-mão e o pedregulho natural. **Agregado miúdo.** *Constr.* Classe de agregado (10) cujo diâmetro máximo é inferior a 4,8 mm, e que compreende a areia, o pó-de-pedra e o pedrisco. **Agregado sonoro.** *Mús.* Complexo de vibrações acústicas de diferentes freqüências, que se produzem simultaneamente ou em curto intervalo de tempo. [Cf. *acorde*[1](2) e *agregação.*]

agregados. *S. m. pl. Zool.* Família de moluscos acéfalos, sem concha, caracterizada pela reunião de muitos indivíduos da mesma espécie dentro duma pele comum, que lhes confere a aparência de um indivíduo único.

agregar. [Do lat. *aggregare*.] *V. t. d.* **1.** Reunir, congregar: *Agregou os mais lúcidos para um conselho.* **2.** Acumular, juntar, reunir: *Agregou vários exemplos.* **3.** *Bras. Mar. G.* Retirar temporariamente (o nome de um oficial) da escala numérica do corpo ou quadro a que pertence, de sorte que não ocupe vaga na referida escala. *T. d. e i.* **4.** Reunir, juntar, acrescentar, associar: *Agregou novas razões a tantas já aduzidas. P.* **5.** Reunir-se, associar-se **6.** Reunir-se, acrescentar-se, ajuntar-se. [Conjug.: v. *regar*.]

agregativo. *Adj.* Que agrega; capaz de agregar.

➡**agrément** (agrêmã). [Fr.] *S. m. Jur.* Consulta reservada feita por um governo a outro para saber se o agente diplomático que o primeiro pretende acreditar junto desse outro é ou não de seu agrado e conveniência. [Cf. *persona-grata* (1).]

agremiação. *S. f.* **1.** Ato de agremiar(-se). **2.** V. *sociedade* (7). **3.** Ajuntamento em assembléia.

agremiador (ô). *Adj.* e *s. m.* Que ou aquele que agremia.

agremiar. [De *a-*^{2} + *grêmio* + *-ar*^{2}.] *V. t. d.* **1.** Reunir (indivíduos) em grêmio ou em assembléia; associar. **2.** Associar, ligar, reunir, agregar. *P.* **3.** Associar-se, ligar-se, reunir-se, agregar-se: "Em 1849 havia na Itália uma propaganda católica, cujos membros todavia não chegaram nunca a *agremiar-se* e a constituir-se em sociedade" (Ramalho Ortigão, *As Farpas*, II, p. 83).

agressão. [Do lat. *aggressione*.] *S. f.* **1.** Ação ou efeito de agredir. **2.** Bordoada, cacetada, pancada. **3.** Investida, acometimento, ataque. **4.** Provocação, desafio, hostilidade. **5.** Ofensa, acometimento, ataque. **6.** *Psic.* Conduta caracterizada por intuito destrutivo.

agressividade. *S. f.* **1.** Qualidade de agressivo. **2.** Disposição para agredir. **3.** Dinamismo, atividade, energia, força. **4.** *Psicol.* Disposição para o desencadeamento de condutas hostis, destrutivas, fixada e alimentada pelo acúmulo de experiências frustradoras.

agressivo. *Adj.* **1.** Que agride, ou envolve ou denota agressão: *homem agressivo; palavras e gestos agressivos.* **2.** *Psicol.* Diz-se de indivíduo em cuja personalidade prevalece como componente a disposição para condutas destrutivas, hostis. ● *S. m.* **3.** *Psicol.* Indivíduo agressivo (2).

agressor (ô). [Do lat. *aggressore*.] *Adj.* e *s. m.* Diz-se de, ou aquele que agride. [M. us. como s. m.]

agrestado. [De *agreste* + *-ado*^{1}.] *S. m. Bras., N.E.* Terreno ou formação vegetal que tem certas características do agreste, mas que dele difere.

agreste. [Do lat. *agreste*.] *Adj. 2 g.* **1.** Relativo ao campo ou agro, sobretudo quando não cultivado; campestre. **2.** Tosco, rude, rústico. **3.** Inclemente, rigoroso, áspero: *tempo agreste;* "Rompe *agreste* e chuvosa a madrugada." (Eugênio de Castro, *Obras Poéticas*, V, p. 71). **4.** Desabrido, indelicado. ● *S. m.* **5.** *Bras.* Zona fitogeográfica do N.E., entre a mata e o sertão, caracterizada pelo solo pedregoso e pela vegetação escassa e de pequeno porte (mirtáceas, leguminosas e combretáceas). ♦ **Agreste acatingado.** *Bras.* Agreste com certos característicos próprios da caatinga.

agrestia. *S. f.* **1.** Qualidade do que é agreste. **2.** *Fig.* Rudeza, rusticidade. **3.** *P. ext.* Grosseria, desabrimento. [Sin. ger.: *agrestidade*.]

agrestidade. *S. f.* V. *agrestia*.

agrestinense. *Adj. 2 g.* **1.** De, ou pertencente ou relativo a Agrestina (PE). ● *S. 2 g.* **2.** Natural ou habitante de Agrestina.

agrestino. [Do lat. *agrestinu*.] *Adj. Bras., N.E.* **1.** Pertencente ou relativo ao agreste (5). ● *S. m.* **2.** O natural ou habitante do agreste (5).

▲**agri-**^{1}. [Do lat. *acer, acris, acre*, ou lat. vulg. *acer, acra, acrum*.] *El. comp.* = 'ácido', 'azedo': *agridoce*. [Equiv.: *agro-*^{1}: *agro-doce*.]

▲**agri-**^{2}. [Do lat. *ager, agri*] *El. comp.* = 'campo': *agrícola* (< lat. *agricola*), *agricultor*.

agrião^{1}. [De *agre*.] *S. m.* Erva de origem européia, da família das crucíferas (*Nasturtium officinale*), cultivada universalmente para usar-se, em geral, à mesa como salada.

agrião^{2}. *S. m.* Tumor duro e sem dor, no curvilhão das cavalgaduras.

agrião-do-brejo. *S. m. Bras.* Pequena erva da família das compostas (*Eclipta alba*), de flores alvas e folhas pequenas e sésseis, usada pelo povo como medicamento caseiro; erva-de-botão. [Pl.: *agriões-do-brejo*.]

agrião-do-pará. *S. m. Bras.* V. *nhambu* (2). [Pl.: *agriões-do-pará*.]

agrícola. [Do lat. *agricola*.] *Adj. 2 g.* **1.** Relativo à agricultura: *produtos agrícolas.* **2.** Que se dedica à agricultura: *país agrícola.* **3.** Que é baseado na agricultura: *economia agrícola.* — V. *ano —, colônia —, defensivo —* e *parceria —a.* ● *S. 2. g.* **4.** Agricultor.

agricultado. [Part. de *agricultar*.] *Adj.* **1.** Cultivado, lavrado, amanhado: "Uma umidade excessiva de selva subia daquele vale, ... errava pelas chapadas, onde .... repontavam as primeiras chaminés dos casais à roda dos campos *agricultados*" (Pedro Calmon, *História da Casa da Torre*, p. 17). **2.** Diz-se do terreno em que se aplicaram os processos agrícolas.

agricultar. [De *agri-*^{2} + *culto*^{2} + *-ar*^{2}.] *V. t. d.* **1.** Cultivar (terras). *Int.* **2.** Dedicar-se à agricultura.

agricultável. *Adj. 2 g.* Que se pode agricultar; arável.

agricultor (ô). [Do lat. *agricultore*.] *Adj.* **1.** Que agricultа: *povo agricultor.* ● *S. m.* **2.** Aquele que agricultа; lavrador. **3.** Lavrador (3).

agricultura. [Do lat. *agricultura*.] *S. f.* **1.** Arte de cultivar os campos; cultivo da terra; lavoura; cultura. **2.** Conjunto de operações que transformam o solo natural para produção de vegetais úteis ao homem. ♦ **Agricultura itinerante.** Sistema primitivo de cultura do solo, característico das regiões tropicais, e pelo qual, após a queimada da mata, se instala determinada lavoura, que é abandonada apenas a terra dá mostras de esgotamento, ocasião em que o lavrador parte à procura de nova área ainda inexplorada. **Agricultura superior.** A que se caracteriza pelo emprego de adubos e irrigação artificial, selecionamento e cruzamento de vegetais, combate às pragas e moléstias e uso de toda a tecnologia, com vista a aumentar a produtividade.

agridoce (ô). [De *agri-*^{1} + *doce*.] *Adj. 2 g.* **1.** Agro e doce ao mesmo tempo; agro-doce, acre-doce: "Quis chorar, porém não pôde. Um sentimento estranho, *agridoce*, o impedia, envolvendo-o numa onda de pesar e esperança" (O. G. Rego de Carvalho, *Somos Todos Inocentes*, p. 21). ● *S. m.* **2.** Sabor agridoce.

agrilhoamento. *S. m.* Ato ou efeito de agrilhoar.

agrilhoar. [De *a-*^{2} + *grilhão* + *-ar*^{2}.] *V. t. d.* **1.** Prender com grilhões; pôr grilhões em; acorrentar. **2.** *Fig.* Constranger; reprimir, refrear: *agrilhoar o ódio. T. d. e i.* **3.** Prender, ligar: *Não admite que o agrilhoem a convenções. P.* **4.** Prender-se, ligar-se: "Quis a má fortuna que aquele coração peregrino se *agrilhoasse* no cativeiro de um amor forte" (Lúcio de Mendonça, *Horas do Bom Tempo*, p. 142). [Conjug.: v. *coroar*.]

agrílica-de-rama. *S. f. Bras.* V. *cipó-de-sapo*. [Pl.: *agrílicas-de-rama*.]

agrimar-se. [De *a-*^{2} + *grima* + *-ar*^{2} + *se*^{1}.] *V. p.* **1.** Tornar-se de grima. **2.** Deixar-se invadir por terror supersticioso.

agrimensão. *S. f.* V. *agrimensura*.

agrimensar. *V. t. d.* Medir (terrenos agrícolas).

agrimensor (ô). [Do lat. *agrimensore*.] *S. m.* **1.** Medidor de terras. [Sin., no RS: *piloto*.] **2.** *Pop.* Designação comum às larvas de certas borboletas da família dos geometrídeos, que se locomovem de maneira peculiar.

agrimensório. *Adj.* Relativo à agrimensão.

agrimensura. [Do lat. *agrimensura*.] *S. f.* **1.** Medição das terras. **2.** A arte dessa medição. [Sin. ger.: *agrimensão* e *gromática*.]

agrimônia^{1}. [Do lat. *agrimonia*, por *agermonia*.] *S. f.* Planta da família das rosáceas (*Agrimonia eupatoria*), cultivada no Brasil, de flores amarelas e frutos ouriçados.

agrimônia^{2}. [Do lat. *acrimonia*.] *S. f.* V. *acrimônia*.

agrinaldar. [De *a-*^{2} + *grinalda* + *-ar*^{2}.] *V. t. d.* e *p.* V. *engrinaldar*.

▲**agrio-.** [Do gr. *ágrios, a, on*.] *El. comp.* = 'rude', 'rústico', 'silvestre': *agriófago*.

agriófago. [De *agrio-* + *-fago*.] *Adj.* e *s. m.* Que ou aquele que se alimenta de animais silvestres.

agriote. *S. m. Zool.* Gênero de besouros, ou de coleópteros, da família dos elaterídeos, de porte médio e cor cinza, e cujas larvas, nocivas, destroem as raízes de gramíneas e da beterraba.

agripa. [Do lat. *agrippa*.] *S. 2 g.* Criança que ao nascer apresenta primeiro os pés.

agripene. *Adj. 2 g. Zool.* Diz-se da ave que tem as penas da cauda aguçadas ou em forma de leque.

agripina. *S. f. Bras.* Inseto lepidóptero, da família dos noctuídeos (*Thysania agrippina* [Cramer]), um dos maiores insetos conhecidos, cuja envergadura das asas pode atingir 27 cm; imperador, tisânia.

agrisalhado. [Part. de *agrisalhar*.] *Adj.* Meio grisalho.

agrisalhar. [De *a-*^{2} + *grisalho* + *-ar*^{2}.] *V. t. d.* e *p.* Tornar(-se) grisalho. [Cf. *grisalhar*.]

agríssimo. *Adj.* Superl. abs. sint. de *agro; agérrimo* [q. v.].

agro^{1}. [Do lat. *agru*.] *S. m. Ant.* Terra cultivada ou cultivável; campo: "E imita muita vez do vento as vozes / Pela noturna solidão dos *agros*." (José Severiano de Resende, *Mistérios*, p. 115.)

agro^{2}. [Do lat. *acru*.] *Adj.* **1.** Acre, agre, azedo, ácido: "E nós inda em nossa pátria / Longe — longe — viveremos. / Mesmo ali — *agra* saudade / Um do outro curtiremos" (Gonçalves Dias, *Obras Poéticas*, II, p. 33). **2.** Duro, árduo, inclemente, rigoroso: "nas horas de desalento, quando a atenção cansada do *agro* labor dos estudos repousava na contemplação de um cantinho qualquer da natureza, ... a pungente saudade o torturava ainda e o perseguia sempre" (Inglês de Sousa, *O Missionário*, p. 206). **3.** Dificultoso, íngreme, escabroso: "Julgou achar no Amor o bem mais desejado, / Mas atrás desse amor, trilhando *agro* caminho, / Ensangüentou seus pés" (Eugênio de Castro, *Obras Poéticas*, III, p. 155). ● *S. m.* **4.** Sabor agro. **5.** Agrura (2 e 4). [Superl. abs. sint.: *agérrimo* e *agríssimo*.]

▲**agro-**^{1}. Equiv. de *agri-*^{1}.

▲**agro-**^{2}. [Do gr. *agrós, oû*.] *El. comp.* = 'campo': *agrografia, agrologia, agronomia*.

agroaçucareiro. [De *agro-*^{2} + *açúcar* + *-eiro*.] *Adj.* Relativo à cultura e industrialização da cana-de-açúcar.

agro-doce. *Adj. 2 g.* V. *agridoce* (1). [Pl.: *agro-doces*.]

agrógano. *S. m. Bras.* Planta insetívora, da família das lentibulariáceas (*Polypompholix laciniata*), dotada de minúsculas bolsas, localizadas nas raízes, que aprisionam insetos pequenos, posteriormente digeridos.

agrogeologia. [De *agro-*^{2} + *geologia*.] *S. f.* Ciência que trata da constituição física e química do solo em relação com a agricultura.

agrogeológico. *Adj.* Relativo à agrogeologia.

agrografia. [De *agro-*^{2} + *-grafo-* + *-ia*.] *S. f.* Descrição das coisas referentes à agricultura.

agrográfico. *Adj.* Concernente à agrografia.

agroindústria (o-i). [De *agro-*^{2} + *indústria*.] *S. f.* **1.** A indústria nas suas relações com a agricultura ou dependências desta. **2.** Indústria que beneficia matéria-prima oriunda da agricultura.

agroindustrial (o-i). *Adj. 2 g.* Referente à agricultura e à indústria, ou à agroindústria.

agrologia. [De *agro-*^{2} + *-log(o)-* + *-ia*.] *S. f.* Ramo da agronomia que trata do conhecimento dos terrenos nas suas relações com a agricultura.

agrológico. *Adj.* Relativo à agrologia.

agrólogo. [De *agro-*^{2} + *-logo*.] *S. m.* Especialista em agrologia.

agromancia (cí). [De *agro-*^{2} + *-mancia*.] *S. f.* Adivinhação pelo aspecto dos campos.

agromania. [De *agro-*^{2} + *mania*.] *S. f.* Mania ou paixão da agricultura.

agromaníaco. *Adj.* e *s. m.* Que ou aquele que tem agromania.

agromante. [De *agro-*^{2} + *-mante*.] *S. 2 g.* Pessoa que se dá à prática da agromancia.

agromântico. *Adj.* Relativo à agromancia, ou a agromante.

agrometeorologia. [De *agro-*^{2} + *meteorologia*.] *S. f.* Meteorologia aplicada à agricultura.

agrometeorológico. *Adj.* Referente à agrometeorologia.

agronomando. [De *agrônomo* + *-ando* (q. v.).] *S. m.* Aquele que está prestes a formar-se ou graduar-se em agronomia.

agronometria. [De *agrono(mia)* + *-metr(o)-*^{2} + *-ia*.] *S. f.* Ramo da agronomia destinado a calcular a força produtiva do solo.

agronométrico. *Adj.* Relativo à agronometria.

agronomia. *S. f.* Conjunto das ciências e dos princípios que regem a prática da agricultura.

agronômico. *Adj.* Respeitante à agronomia.

agrônomo. [Do gr. *agronómos*.] *S. m.* Especialista em agronomia.

agropecuária. [De *agro-*^{2} + *pecuária*.] *S. f.* Teoria e prática da agricultura e da pecuária, nas suas relações mútuas.

agropecuário. *Adj.* Relativo à agropecuária.

agropecuarista. *S. 2 g.* Pessoa que se dedica à agropecuária.

agroquímica. [De *agro-*^{2} + *química*.] *S. f.* Designação genérica dos conhecimentos químicos relativos à fabricação de produtos destinados à agronomia (defensivos agrícolas, p. ex.), ou pertinentes à ação de produtos químicos sobre culturas agrícolas.

agroquímico. *Adj.* Referente à agroquímica.

agror (ô). [Do lat. *acrore*.] *S. m.* Azedume, amargura, agrura.

agróstea. *S. f.* Espécime das agrósteas.

agrósteas. *S. f. pl. Bot.* Gênero de plantas da família das gramíneas, amplamente distribuído pelo mundo. Têm

folhas rugosas e panícula aberta ou contrata, com espículas pequenas, de uma só flor.
agrósteo. *Adj.* Pertencente ou relativo às agrósteas.
▲**agrosto-.** [Do gr. *agrôstis, idos.*] *El. comp* = 'grama', 'gramínea': *agrostografia, agrostologia.*
agrostografia. [De *agrosto-* + *-graf(o)-* + *-ia.*] *S. f.* Agrostologia.
agrostográfico. *Adj.* Referente à agrostografia; agrostológico.
agrostógrafo. [De *agrosto-* + *-grafo.*] *S. m.* Especialista em agrostografia; agrostólogo.
agrostologia. [De *agrosto-* + *-log(o)-* + *-ia.*] *S. f.* Ramo da botânica que estuda as plantas da família das gramíneas; agrostografia.
agrostológico. *Adj.* Relativo à agrostologia; agrostográfico.
agrostólogo. [De *agrosto-* + *-logo.*] *S. m.* Especialista em agrostologia; agrostógrafo.
agrotíneo. *S. m.* **1.** Espécime dos agrotíneos. ● *Adj.* **2.** Pertencente ou relativo a eles.
agrotíneos. *S. m. pl. Zool.* Gênero de lipidópteros noturnos, mariposas, da família dos noctuídeos, cujas lagartas, cinzentas, permanecem enterradas durante o dia para mais tarde alimentarem-se de plantas.
agrotóxico (cs). [De *agro-*[2] + *tóxico.*] *S. m. Pop.* Defensivo agrícola [q. v.].
agrovia. [De *agro-*[2] + *via.*] *S. f.* Via para escoamento de produtos agrícolas.
agrovila. [De *agro-*[2] + *vila.*] *S. f. Bras. Neol.* Núcleo de povoamento, com serviços integrados de comunidade, planejado e construído para abrigo e prestação de assistência aos construtores de estradas de penetração e a suas famílias.
agrumar-se. [De *a-*[2] + *grumo* + *-ar*[2] + *se*[1].] *V. p.* Tomar a forma de grumo; formar grumo.
agrumelar. *V. t. d.* e *p.* V. *agrumular.*
agrumetar. [De *a-*[2] + *grumete* + *-ar*[2].] *V. t. d. Ant.* Prover de grumete(s).
agrumular. [De *a-*[2] + *grúmulo* + *-ar*[2].] *V. t. d.* **1.** Coagular em grúmulos; coagular, coalhar. *P.* **2.** Formar grúmulos; coagular-se, coalhar-se. [Var.: *agrumelar.*]
agrupação. *S. f. P. us.* V. *agrupamento.*
agrupamento. *S. m.* **1.** Ato ou efeito de agrupar(-se). **2.** Reunião, ajuntamento, aglomeração. [Sin. (p. us.): *agrupação.*] ◆ **Agrupamento de galáxias.** V. *aglomerado de galáxias.*
agrupar. [De *a-*[2] + *grupo* + *-ar*[2].] *V. t. d.* **1.** Juntar ou reunir em grupo(s). **2.** Dispor em grupos; grupar. *P.* **3.** Juntar-se em grupo; formar grupo: "Soltou um grito, e caiu com sua filha nos braços da multidão, que se agrupou a indagar o sucesso." (Camilo Castelo Branco, *Livro Negro de Padre Dinis,* p. 35.)
agrura. *S. f.* **1.** Qualidade de agro. **2.** Aspereza, fragosidade, escabrosidade, agro. **3.** Dificuldade, obstáculo, óbice, impedimento, empecilho. **4.** Dissabor, amargura, aflição, agro.
água[1]. [Do lat. *aqua.*] *S. f.* **1.** *Quím.* Óxido de diidrogênio, líquido, incolor, essencial à vida. [Fórm.: H_2O.]. **2.** A parte líquida do globo terrestre. **3.** Chuva (1). **4.** Qualquer das secreções orgânicas aquosas: suor, lágrima, saliva, urina, humor, etc.: "Irmãos na Dor, os olhos rasos de água, / Chorai comigo a minha imensa mágoa, / Lendo o meu livro só de mágoas cheio!..." (Florbela Espanca, *Sonetos Completos,* p. 21.) **5.** Seiva que corre de certas plantas quando cortadas ou postas no fogo. **6.** Suco de frutos; caldo, sumo. **7.** Sopa rala. **8.** Preparado líquido proveniente de maceração ou destilação. **9.** Aparência cristalina; limpidez, lustre, lustro, brilho. **10.** Grau de transparência e brilho do diamante ou de outras pedras preciosas: "Diamantes achavam-se assim aos punhados, em qualquer lavagem, e não eram fundos, refugos de partida, 'chapéus-de-frade' ...., mas diamantes de primeira água." (Afrânio Peixoto, *Bugrinha,* p. 173.) **11.** Qualidade, predicado, talento. **12.** Cada uma das superfícies planas que constituem um telhado; água de telhado: *telhado de uma água.* **13.** *Veter. Ant.* Variedade de coriza do falcão, que se atribuía à alimentação imprópria do animal e à falta de cuidados higiênicos; água-comum. **14.** *Bras.* V. *embriaguez* (1). **15.** *Bras. Gír.* Coisa fácil; sopa. **16.** *Bras. N. E.* Qualquer medicamento em forma líquida; infusão. **17.** *Bras., N. E.* Época das piracemas marítimas: *água das tainhas.* ∼ V. *águas.* ◆ **Água bidestilada.** *Quím.* Água usada em procedimentos analíticos muito finos, obtida pela destilação de uma água destilada. **Água boricada.** *Quím.* Solução aquosa, diluída, de ácido bórico, usada como anti-séptico. **Água de barita.** *Quím.* Solução aquosa de barita, usada como reativo para o gás carbônico. **Água de barrela.** **1.** V. *barrela.* **2.** Água suja. **3.** Café muito ralo. **Água de bromo.** *Quím.* Solução aquosa de bromo, usada como agente oxidante. **Água de cal.** *Quím.* Suspensão aquosa de hidróxido de cálcio, usada como reativo para o dióxido de carbono e como meio alcalino. **Água de cloro.** *Quím.* Solução aquosa de cloro, usada como agente oxidante. **Água de cristalização.** *Quím.* A que faz parte da rede cristalina de um sal. **Água de hidratação.** *Quím.* A que constitui um hidrato. **Água de Javel.** *Quím.* Solução aquosa de hipoclorito de sódio e cloreto de sódio, ou de potássio, usada como anti-séptico e alvejante. **Água de louro-cereja.** V. *louro-cereja.* **Água de muro.** *Arquit.* Superfície plana que forma a face superior do muro e se inclina para o lado do terreno a que ele pertence. **Água de rosas.** *Quím.* Solução aquosa diluída de solução alcoólica de essência de rosas. **Água destilada.** *Quím.* Água isenta de sais minerais, a menos de traços, obtida por destilação. **Água de telhado.** *Arquit.* Água (12). **Água do monte.** *Bras., S.* Anormalidade que se registra na correnteza de um rio em virtude de enxurradas extemporâneas: docinho. **Água dura.** *Quím.* Água com sais de cálcio e magnésio dissolvidos, e que dificilmente espuma com sabão. **Água lisa.** *Lus.* Água mineral sem gás. **Água lustral.** Água sagrada dos antigos, a qual se obtinha extinguindo-se na água comum um tição ardente tirado da pira dos sacrifícios. Tb. se diz apenas *lustral.* **Água meteórica.** *Met.* Água da chuva. **Água mineral.** Água natural potável, com apreciável quantidade de sais minerais (no mínimo um grama por litro, sem contar os sais carbonáticos, que lhe dão valor terapêutico). **Água mineral gasosa.** *Quím.* Água mineral que contém gás carbônico dissolvido. **Água natural.** *Quím.* Água existente na natureza, em rios, lagos, fontes, na chuva, etc., contendo em geral sais e gases dissolvidos ou matéria insolúvel em suspensão. **Água oxigenada.** *Quím.* Solução aquosa de peróxido de hidrogênio, líquido incolor, inarável, usado como anti-séptico, alvejante e oxidante. **Água panada.** *Bras.* Infusão com pão torrado. **Água pesada.** *Quím.* Óxido de deutério, ou solução aquosa deste óxido, líquida, incolor. **Água potável.** *Quím.* A que é conveniente para consumo humano, isenta de quantidades apreciáveis de sais minerais ou de microrganismos nocivos. **Água residual.** *Quím.* Designação genérica de soluções aquosas, ou não, resultantes de operações industriais. **Água sanitária.** Composto clorado que se usa como descorante e desodorante. **Águas colatícias.** As que correm pelas vertentes. **Águas continentais.** *Geol.* Designação genérica dos lagos, geleiras e cursos de água. **Águas de janeiro.** Primeiras-águas (3). **Águas de março.** Primeiras-águas (1). "São as águas de março / Fechando o verão" (Tom Jobim, *Águas de Março*). **Águas dormentes.** Águas lacustres. **Águas lacustres.** Águas de um lago ou lagoa; águas dormentes. **Águas passadas.** *Fig.* Coisas do passado; o que já passou e já não interessa: *Para ele a briga com a família são águas passadas.* **Águas selvagens.** V. *enxurradas* (1). **Águas territoriais.** Designação genérica de mar territorial [q. v.], e dos lagos e rios sujeitos à jurisdição de um só Estado. **Água termal.** Água medicinal cuja temperatura normal excede a do ambiente onde se encontra. **Água tremida.** Tremor que se registra à superfície das águas de um rio por causa de qualquer obstáculo submerso. **Água vegeto-mineral.** Solução medicamentosa adstringente que tem por base o acetato de chumbo. **Abrir água.** *Mar.* Começar a fazer água. [v. *fazer água*]. **Afogar-se em pouca água.** **1.** Afligir-se por pouco, à toa. **2.** Pôr tudo a perder por nada. **Aquentar água para o mate de.** *Bras., R.S.* Fazer a cama para (outrem). **Até debaixo da água.** *Bras.* **1.** Muito, muitíssimo, extraordinariamente: *O homem sabe eletrônica até debaixo da água.* **2.** Em todos os sentidos; em qualquer circunstância; para o que der e vier: "Foste meu amigo até o último momento, amigo até debaixo d'água!" (Nélson Rodrigues, *100 Contos Escolhidos. A Vida como Ela É,* II, p. 51.) **Banhar-se em água de rosas.** **1.** Estar em situação lisonjeira; sentir-se muito feliz. **2.** Alegrar-se muito com a infelicidade alheia, especialmente quando esta resultou da não obediência aos conselhos de alguém. **Beber água nas orelhas dos outros.** *Bras., S.* Viver sempre aos cochichos, a fazer intrigas. **Bom como água.** Muito bom; excelente; bom como pão. [Aplica-se a pessoas.] **Botar água às mãos.** Mostrar superioridade, revelar-se superior: "Não havia em toda a rua outro caixeiro, que lhe botasse água às mãos na meiguice do gesto, na elegância com que cortava uma peça de seda, ameaçando cortar também os dedos mimosos da freguesa." (Pedro Ivo, *Contos,* p. 125.) **Carregar água em cesto.** Fazer esforço inútil; perder tempo; carregar água em peneira; enfiar água no espeto. **Carregar água em peneira.** V. *carregar água em cesto.* **Claro como água.** Extremamente claro; patente, evidente; claro como o dia. **Com água na boca.** **1.** Com intenso apetite de determinado alimento: *O menino olhava o sorvete com água na boca.* **2.** *P. ext.* Com vivo desejo, cobiça, inveja: *Ganhou na loteria e deixou todo o mundo com água na boca.* [Sin. ger.: *com água no bico.*] **Com água no bico.** Com água na boca. **Como água.** Em abundância; em grande quantidade. **Como da água para o vinho.** De maneira total; radicalmente: *O homem nem parece o que era: mudou como da água para o vinho.* **Corra água por onde correr.** *Fam.* Aconteça o que acontecer: haja o que houver. **Cozinhar em água fria.** Cozinhar (3). **Crescer água na boca.** Produzir vontade ou desejo de, em; apetecer: *Com o cheiro da comida, cresceu-lhe água na boca.* **Dar água pela barba.** Apresentar dificuldades ou risco; dar grande trabalho: "Não me lembro de problemas dentro da metrificação, que eu não tivesse resolvido prontamente. No entanto os primeiros versos do poema 'Gesso', que é em versos livres, me deram água pela barba durante anos." (Manuel Bandeira, *Poesia e Prosa,* II, pp. 33-34); "Essas sessões têm dado água pela barba a padre Atanásio. Ainda ontem estava arengando com o Neves por causa das materializações." (Graciliano Ramos, *Caetés,* p. 92). **Dar em água.** V. *dar em água de barrela.* **Dar em água de barrela.** Não dar bom resultado; perder-se, malograr-se; dar em água, dar em nada. **De água doce.** Pouco versado ou pouco experiente em seu ofício: *poeta de água doce.* **De fazer água na boca.** Muito bom; excelente: "Dê um salto a S. Bernardo para eu lhe mostrar o que é uma lavoura de fazer água na boca." (Graciliano Ramos, *S. Bernardo,* p. 78.) **De primeira água.** Excelente; de primeira ordem, de primeira: *Machado de Assis é escritor de primeira água.* **Enfiar água no espeto.** *Bras., S.* V. *carregar água em cesto.* **Entre duas águas.** **1.** Nem na flor nem no fundo da água. **2.** *Fig.* Neutro entre dois partidos ou opiniões opostas. **Estar nas águas.** *Bras. N. E. Pop.* Estar embriagado. **Estar nas águas de.** *Bras.* Ir nas águas de (1). **Fácil como água.** *Bras.* Extremamente fácil; fácil como água do pote. **Fácil como água do pote.** *Bras.* Fácil como água. **Fazer água.** **1.** *Mar.* Ser (uma embarcação) invadida pela água. **2.** *P. ext.* Principiar (uma tarefa) a perder-se, durante sua execução. **Fazer água na boca.** Aguçar o apetite; tornar apetecível. **Ferver em pouca água.** Excitar-se por coisa pouco importante. **Ficar em água de bacalhau.** Ficar em águas de bacalhau. **Ficar em águas de bacalhau.** Ficar em nada; frustrar-se (falando-se de um negócio ou intento); ficar em água de bacalhau. **Ir de água abaixo.** Ir por água abaixo. **Ir nas águas de.** *Bras.* **1.** Concordar com, seguir, acompanhar a maneira de pensar ou de agir de; estar nas águas de. **2.** Aproveitar-se de uma oportunidade ou favor dado a outrem: *É muito caradura: sempre vai nas águas dos amigos.* **Ir por água abaixo.** Não realizar-se; malograr-se, gorar, falhar, fracassar: "Abdias, não quero morrer. .... Se eu morrer, tudo aqui irá por água abaixo." (Ciro dos Anjos, *Abdias,* p. 111.); ir de água abaixo. **Mariscar na água.** *Bras.* Pescar (1). **Na água e no couro.** *Bras., N.E.* Expr. us. em frases como: *F. só tem uma roupa* (ou camisa, etc.), *na água e no couro* (i. e., unicamente uma, para lavar e vestir imediatamente). **Pescar em águas turvas.** Tirar partido de situação confusa. **Pôr água na fervura.** Acalmar, moderar, arrefecer o entusiasmo, o ânimo, a excitação, etc. **Sem dizer água vai.** Sem dar qualquer aviso; sem mais nem menos; subitamente: "Encontrou o outro ali no galpão, e, sem dizer água vai, meteu-lhe a faca na barriga, montou no cavalo e se foi..." (Telmo Vergara, *Contos da Vida Breve,* p. 52.) **Ser aquela água.** *Bras. Pop.* **1.** Pôr-se a perder; ir por água abaixo. **2.** Desenrolar-se (determinado fato ou situação) de maneira peculiar. **3.** Ser um deus-nos-acuda. **Sujar a água que bebe.** Ser ingrato, mal-agradecido; cuspir no copo em que bebeu, cuspir no prato em que comeu. **Ter bebido água de chocalho.** *Fam.* Falar pelos cotovelos. **Tirar água de pedra.** Realizar trabalho ou tarefa impossível ou quase impossível. **Tirar água do joelho.** *Bras. Gír.* V. *urinar* (1). **Tomar água.** *Mar.* Munir-se de água potável para o abastecimento de um navio; fazer aguada. **Verter água.** V. *verter águas.* **Verter águas.** V. *urinar* (1); verter água.
água[2]. [Do tupi?] *S. m. Bras.* Entre os omáguas, indivíduo do sexo masculino; homem.
água-amarga. *S. f. Bras., N. E. Pop.* **1.** Purgativo salino. **2.** Infusão de quina. [Pl.: *águas-amargas.*]
água-benta. *S. f. Bras.* V. *cachaça* (1). [Pl.: *águas-bentas.*]
água-boense. *Adj. 2 g.* **1.** De, ou pertencente ou relativo

a Água Boa (MG). ● *S. 2 g.* **2.** Natural ou habitante de Água Boa. [Pl.: *água-boenses.*]
água-branca. *S. f. Bras., AM.* Designação comum a águas fluviais ricas em sedimentos. [Pl.: *águas-brancas.*]
água-branquense. *Adj. 2 g.* **1.** De, ou pertencente ou relativo a Água Branca (PI, PB e AL). ● *S. 2 g.* **2.** Natural ou habitante de Água Branca. [Pl.: *água-branquenses.*]
água-brava. *S. f. Bras.* V. *manipueira.* [Pl.: *águas-bravas.*]
água-bruta. *S. f. Bras.* V. *cachaça* (1). [Pl.: *águas-brutas.*]
aguaça. [De *água*[1] + *-aça.*] *S. f.* V. *enxurrada* (1).
aguaçal. [De *aguaça* + *-al.*] *S. m.* V. *pântano:* "Parecia-lhe, na verdade, de mau agouro que, dentro de uma casa atolada no a g u a ç a l fosse possível um incêndio." (Dalcídio Jurandir, *Três Casas e Um Rio*, p. 21).
aguaceira. *S. f.* Água ou saliva que se expele da boca por indisposição do estômago.
aguaceirada. *S. f. Bras.* Fortes aguaceiros [v. *aguaceiro* (1)] freqüentemente repetidos.
aguaceiro. *S. m.* **1.** Chuva repentina e de pouca duração; cordoada, manga-d'água, pé-d'água. V. *salseiro* (1). **2.** Contratempo, contrariedade, infortúnio. **3.** *Fig.* Acesso de raiva; arrufo, zanga. ♦ **Aguaceiro branco.** *Bras., Recôncavo da BA.* Pé-de-vento repentino, não acompanhado de chuva.
aguacento. *Adj.* **1.** Semelhante à água. **2.** Impregnado de água; molhado, encharcado: *terras a g u a c e n t a s.* **3.** Diluído em água; aquoso.
água-clarense. *Adj. 2 g.* **1.** De, ou pertencente ou relativo a Água Clara (MS). ● *S. 2 g.* **2.** Natural ou habitante de Água Clara. [Pl.: *água-clarenses.*]
água-com-açúcar. *Adj. 2 g.* e *2 n.* Simples, fácil, elementar; convencionalmente romântico: *romance á g u a - c o m - a ç ú c a r.*
água-compridense. *Adj. 2 g.* **1.** De, ou pertencente ou relativo a Água Comprida (MG). ● *S. 2 g.* **2.** Natural ou habitante de Água Comprida. [Pl.: *água-compridenses.*]
água-comum. *S. f. Veter. Ant.* Água[1] (13). [Pl.: *águas-comuns.*]
aguaçu. *S. m. Bras.* V. *babaçu.*
aguada. *S. f.* **1.** Abastecimento de água potável, sobretudo para viagens. **2.** Lugar onde se faz esse abastecimento. **3.** Lugar onde existe água para se beber; bebedouro natural. **4.** Fonte, rio, lagoa ou qualquer manancial existente numa propriedade agrícola. **5.** Chuva forte; chuvada. **6.** Mistura de água e clara de ovo empregada pelos encadernadores. **7.** Técnica de pintura que consiste em colorir um desenho a aquarela, guache, etc. com a tinta muito diluída em água. **8.** A obra de arte feita com essa técnica. **9.** *Mar.* Provisão de água potável que a embarcação leva para consumo da tripulação. **10.** *Mar.* Local onde as embarcações podem abastecer-se de água potável. [Cf. *fazer aguada.*] **11.** *Bras., N.E.* Lugar onde se abrem cacimbas, ou em que existem poços ou fontes. **12.** *Bras., RS.* Estância que tem boas vertentes ou arroios. **13.** *Bras., RS.* Lugar onde os animais bebem água. ♦ **Fazer aguada.** *Mar.* Tomar água. [Cf. *aguada* (10).]
água-da-colônia. *S. f.* V. *água-de-colônia.* [Pl.: *águas-da-colônia.*]
água-da-guerra. *S. f. Bras., S.* O líquido de Dakin, assim dito por causa do seu largo emprego durante a I Guerra Mundial. [Pl.: *águas-da-guerra.*]
água-de-briga. *S. f. Bras. Gír.* V. *cachaça* (1). [Pl.: *águas-de-briga.*]
água-de-cana. *S. f. Bras.* V. *cachaça* (1). [Pl.: *águas-de-cana.*]
água-de-cheiro. *S. f. Bras. Pop.* Água-de-colônia; extrato, perfume: "Seu José Luís das miudezas .... fazia as suas vendas de alfinetes, agulhas, carretéis de linha, á g u a - d e - c h e i r o, fitas, galões." (José Lins do Rego, *Meus Verdes Anos*, p. 50.) [Pl.: *águas-de-cheiro.*]
água-de-coco. *S. f. Bras.* Albume líquido do coco-da-bahia ainda verde, utilizado em geral como bebida refrigerante.
água-de-colônia. [De *água* + *de* + o top. *Colônia*, cidade alemã onde a princípio, no séc. XVIII, se fabricou esse produto.] *S. f.* Solução alcoólica de essências de bergamota, de limão e de lavanda, usada como perfume: "ela entrou, derramando um fresco cheiro de sabão Windsor e d'á g u a - d e - c o l ô n i a" (Eça de Queirós, *A Relíquia*, p. 129). [Var.: *água-da-colônia.* Tb. se diz apenas *colônia.* Pl.: *águas-de-colônia.*]
água-de-flor. *S. f.* Água de flor de laranjeira. [Pl.: *águas-de-flor.*]
água-de-goma. *S. f. Bras.* V. *manipueira.* [Pl.: *águas-de-goma.*]

aguadeiro. [De *aguada* + *-eiro.*] *S. m.* **1.** Vendedor, carregador ou distribuidor de água: "os a g u a d e i r o s .... invadiram sem cerimônia as casas para encher as banheiras e os potes." (Aluísio Azevedo, *O Mulato*, p. 9). **2.** *Astr. P. us.* Aquário (1). [Var. (bras., S.): *aguateiro.*]
água-de-oxalá. *S. f. Bras., BA. Folcl.* Cerimônia propiciatória (renovação das águas) que inicia o ciclo de festas públicas dos candomblés. [Pl.: *águas-de-oxalá.*]
aguadilha. [De *água*[1].] *S. f.* **1.** Secreção orgânica aquosa: muco, humor, suor, saliva, serosidade, etc. **2.** Chuva miúda, chuvisco.
aguado. [Part. de *aguar.*] *Adj.* **1.** Diluído em água; misturado com água: *leite a g u a d o.* **2.** Cheio de água. **3.** Diz-se dos olhos rasos de lágrimas. **4.** Não carregado; diluído, desvanecido, deslavado: *azul a g u a d o.* **5.** Desmanchado, perturbado, frustrado: *projeto a g u a d o.* **6.** Insípido, desgostoso, dessaborido: *arroz a g u a d o.* **7.** Diz-se do cabelo ralo e fino. **8.** Diz-se do animal que sofre de aguamento. **9.** *Pop.* Que está com água na boca [v. *aguar* (6)]: *Dava pena ver a criança a g u a d a em frente à vitrina de doces.* **10.** *Bras.* Que está na água; embriagado. **11.** *Bras., N.E.* Diz-se do café, chá ou refresco com pouco açúcar. **12.** *Bras., MG. Pop.* Muito desejoso. **13.** *Bras., BA* e *MG.* Na região são-franciscana, diz-se de animal empestado. ● *S. m.* **14.** *Bras., BA* e *MG.* Esse animal.
água-docense. *Adj. 2 g.* **1.** De, ou pertencente ou relativo a Água Doce (ES). ● *S. 2 g.* **2.** Natural ou habitante de Água Doce. [Pl.: *água-docenses.*]
aguador (ô). *S. m.* **1.** Aquele que água. **2.** Vaso para aguar; regador.
água-emendada. *S. f. Bras.* Nascente ou desaguadouro comum a dois ou mais rios pertencentes a bacias diversas. [Tb. us. no pl.: *águas-emendadas.*]
água-flórida. *S. f. Bras.* Espécie de perfume: "tinha o rosto coberto por um lenço de labirinto encharcado de á g u a - f l ó r i d a" (Aluísio Azevedo, *O Mulato*, p. 194). [Pl.: *águas-flóridas.*]
água-forte. *S. f.* **1.** Designação vulgar do ácido azótico. **2.** Mistura de ácido nítrico e de água, empregada para desoxidar e gravar metais. **3.** Gravura a água-forte. **4.** *Quím.* O ácido nítrico concentrado usado na clicheria sobre zinco. **5.** *Fig.* Conceito, pensamento, descrição, notáveis pela expressão vigorosa, direta, incisiva. [F. paral. (p. us.): *aquaforte.* Pl.: *águas-fortes.*] ♦ **Água-forte em relevo.** Gravura a água-forte em que se faz o ácido corroer as partes que devem aparecer em branco na estampa. **Água-forte pura.** *Grav.* Placa destinada a acabamento a ponta-seca, água-tinta, etc., e que apresenta apenas a mordaçagem inicial dos traços.
água-fortista. *S. 2 g.* Gravador que emprega água-forte; aquafortista. [Pl.: *água-fortistas.*]
água-furtada. [De *água* + *furtada*, fem. do part. de *furtar;* abrange um espaço furtado às águas do telhado.] *S. f.* Espécie de sótão em que as janelas abrem sobre o telhado interrompendo-lhe ou modificando-lhe as águas; desvão: "Das á g u a s - f u r t a d a s, levantadas nos telhados muito negros, espreitava-se o rio" (José-Augusto França, *Despedida Breve*, p. 114). [Pl.: *águas-furtadas.*]
aguagem. *S. f.* **1.** Ação ou efeito de aguar; aguamento. **2.** Correnteza de água impetuosa.
aguaí. [Do tupi.] *S. m. Bras.* **1.** Designação comum a várias espécies do gênero *Chrysophyllum*, da família das sapotáceas, cuja madeira é compacta, mas racha com facilidade, sendo empregada na confecção de cabos de ferramentas e pequenos móveis; aranhão. **2.** V. *agaí.* **3.** V. *aguaizeiro.* [Cf. *aguai*, do v. *aguar.*]
aguaiano (a-i). *Adj.* **1.** De, ou pertencente ou relativo a Aguaí (SP). ● *S. m.* **2.** O natural ou habitante de Aguaí.
aguaizeiro (a-i). [De *aguaí* + *-z-* + *-eiro.*] *S. m. Bras., S.* Árvore da família das sapotáceas, de folhas coriáceas, cujo fruto é uma baga amarela, com polpa doce, edule, e cuja madeira, compacta, tem usos vários; aguaí, caixeta-amarela.
água-má. *S. f. Pop.* V. *água-viva* (2). [Pl.: *águas-más.*]
água-mãe. *S. f. Quím.* Solução aquosa de onde se precipitaram sais ou que sobrenada um precipitado. [Pl.: *águas-mães.*]
água-marinha. *S. f.* Variedade azulada do berilo, pedra semipreciosa muito encontradiça no Brasil, e assim chamada pela sua cor azul-clara, que lembra a água do mar. [Pl.: *águas-marinhas.*]
água-mel. *S. f.* V. *hidromel.* [Pl.: *águas-méis* e *águas-mel.*]
aguamento. *S. m.* **1.** Aguagem (1). **2.** Doença de animais de carga ou de tração, resultante de excesso de trabalho, ou de resfriamento.

água-mestra. *S. f. Arquit.* Água[1] que tem forma trapezoidal no telhado de planta retangular com quatro águas. [Pl.: *águas-mestras.* Cf. *águas-mestras.*]
água-morna. *S. 2 g. Fam.* Pessoa pacata, inofensiva, mole, irresoluta, sem vida: "Á g u a - m o r n a, temia complicações, preferia baixar a cabeça, esperar que as coisas acontecessem." (Permínio Asfora, *Vento Nordeste*, p. 13.) [Pl.: *águas-mornas.*]
aguano. *S. m. Bras., Amaz.* V. *mogno.*
aguapé[1]. [De *água* + *pé.*] *S. f.* **1.** Bebida de baixo teor alcoólico, que se obtém adicionando água à balsa (1) e tornando a espremê-la. **2.** Vinho fraco.
aguapé[2]. [Do tupi *awa'pé* < *awa*, 'redondo', e *pewa*, 'chato', em alusão às folhas, que semelham um prato.] *S. m. Bras.* **1.** Designação comum a várias plantas aquáticas flutuantes, de flores violáceas e ornamentais, e das quais a *Eichhornia crassipes*, da família das pontederiáceas, é a mais comum; mururé, orelha-de-veado, pavoá, rainha-do-lago, uape, uapê. **2.** Flecha (10). **3.** Trama vegetal constituída de plantas aquáticas que crescem na superfície das águas dos rios, lagos e pantanais, e que, prendendo-se mutuamente, formam um tapete capaz de sustentar um homem sobre ele deitado.
água-pedrense. *Adj. 2 g.* **1.** De, ou pertencente ou relativo a Águas de São Pedro (SP). ● *S. 2 g.* **2.** Natural ou habitante de Águas de São Pedro. [Pl.: *água-pedrenses.*]
aguapezal (pè). *S. m. Bras., S.* Grande extensão de água coberta de aguapés.
água-pretense[1]. *Adj. 2 g.* **1.** De, ou pertencente ou relativo à Água Preta (PE). ● *S. 2 g.* **2.** Natural ou habitante de Água Preta. [Pl.: *água-pretenses.*]
água-pretense[2]. *Adj. 2 g.* **1.** De, ou petencente ou relativo a Uruçuca (BA). ● *S. 2 g.* **2.** Natural ou habitante de Uruçuca. [Pl.: *água-pretenses.*]
água-que-gato-não-bebe. *S. f. Bras., SP. Pop.* V. *cachaça* (1). [Pl.: *águas-que-gato-não-bebe.*]
água-que-passarinho-não-bebe. *S. f. Bras. Pop.* V. *cachaça* (1). [Pl.: *águas-que-passarinho-não-bebe.*]
aguar. [Do lat. **aquare*, por *aquari.*] *V. t. d.* **1.** Borrifar com água ou outro líquido; regar, molhar: *a g u a r as plantas;* "Está na horta a g u a n d o suas alfaces" (Antonio Olavo Pereira, *Marcoré*, p. 5). **2.** Misturar água com (qualquer líquido): "Peguei mais gelo, a g u a n d o a bebida." (Ricardo Ramos, *Matar um Homem*, p. 90.) **3.** Falsificar ou adulterar (um líquido) pela adição de água. **4.** Interromper o gosto ou alegria de; frustrar: "A g u a v a porém este inofensivo prazer o cuidado que lhe estava dando a demora da família" (Júlio Dinis, *Uma Família Inglesa*, p. 159). **5.** *Bras., MG. Pop.* Desejar intensamente; apetecer muito. *Int.* **6.** *Pop.* Ficar com água na boca; ter salivação, pelo desejo de certa comida, ou simplesmente de comida. **7.** Ter aguamento (a cavalgadura). [Pres. ind.: *águo, águas, água, aguamos, aguais, águam;* pret. perf.: *agüei, aguaste, aguou, aguamos, aguastes, aguaram;* pres. subj.: *ágüe, ágües, ágüe, agüemos, agüeis, ágüem;* imperat.: *água, ... aguai, ágüem.* Cf. *aguaí.*]
aguará. [De *a-*[4] + *guará.*] *S. m. Bras.* V. *guará*[2].
aguaraçu. [De *aguará* + *-açu.*] *S. m. Bras.* V. *guará*[2].
aguaraibá-guaçu (a-i). [Do tupi.] *S. f. Bras.* V. *aroeira* (1). [Pl.: *aguaraibás-guaçus.*]
aguarapondá. [Do tupi *agua'rá*, 'guará', + *põ'dá*, de or. obscura.] *S. f. Bras.* Planta da família das verbenáceas (*Stachytarpha dichotoma*), com propriedades medicinais. [Cf. *gervão.*]
aguaraquiá. [Do tupi *agua'rá*, 'guará', + *kii'i*, 'pimenta'.] *S. m. Bras.* V. *caraxixu.*
aguaraquiá-açu. [De *aguaraquiá* + *-açu.*] *S. m. Bras.* Planta da família das solanáceas (*Solanum pterocaulon*). [Pl.: *aguaraquiás-açus.*]
aguaraúçá (a-u). *S. m. Bras.* V. *espia-maré* (3).
aguaraxaim (a-ím). *S. m. Bras.* V. *graxaim.*
aguarda. [Dev. de *aguardar.*] *S. f.* Aguardamento.
aguardador (ô). *S. m.* Aquele que aguarda.
aguardamento. *S. m.* Ação ou efeito de aguardar; aguarda.
aguardar. [De *a-*[4] + *guardar.*] *V. t. d.* **1.** Estar à espera de; permanecer na expectativa de; esperar. **2.** Respeitar, observar, acatar; guardar: *a g u a r d a r o regulamento.* **3.** Vigiar, velar; guardar.
aguardentação. *S. f.* Ato ou efeito de aguardar (1).
aguardentado[1]. [De *aguardente* + *-ado*[1].] *Adj.* **1.** Tirante ao sabor ou cheiro da aguardente: *hálito a g u a r d e n t a d o.* **2.** Que denuncia o costume de ingerir aguardente: *voz a g u a r d e n t a d a.*
aguardentado[2]. [Part. de *aguardentar.*] *Adj.* **1.** Misturado com aguardente. **2.** Embriagado com aguardente.

aguardentar. *V. t. d.* **1.** Misturar com aguardente. **2.** Fartar de aguardente.

aguardente. [De *água* + *ardente.*] *S. f.* **1.** Bebida de elevado teor alcoólico (40 a 60%), que se obtém por destilação de inúmeros frutos, cereais, raízes, sementes, tubérculos, etc. **2.** V. *cachaça* (1). ♦ **Aguardente da cabeça.** *Bras., S.* A que se destila em primeiro lugar, e que de ordinário é preparada com flores cheirosas; cachaça da cabeça. **Aguardente de cana.** V. *cachaça* (1).

aguardenteiro. *S. m.* **1.** Fabricante e/ou vendedor de aguardente. **2.** Ébrio habitual; beberrão, pau-d'água, bêbedo, bêbado.

aguardo. [Dev. de *aguardar.*] *S. m. Bras.* Ato ou efeito de aguardar; espera: *Estamos ao* a g u a r d o *de suas notícias.*

água-redonda. *S. f. Bras. AM.* **1.** Lago (1). **2.** Lagoa[1] (1). [Pl.: *águas-redondas.*]

água-régia. *S. f. Quím.* Mistura, na proporção de 3 para 1, de ácido clorídrico a 35% e ácido nítrico a 65%, com poderosa ação oxidante. [Pl.: *águas-régias.*]

aguarela. *S. f.* Aquarela. [q. v.]

aguarelar. *V. int.* Aquarelar. [q. v.].

aguarelista. *S. 2 g.* Aquarelista. [q. v.].

aguarentador (ô). *Adj. e s. m.* Que, ou o que aguarenta.

aguarentar. [De *a*-[2] + *guarente* + *-ar*[2].] *V. t. d.* **1.** Aparar em roda (a extremidade de peça de vestuário). **2.** Cortar; diminuir, encurtar. **3.** Desacreditar, amesquinhar, depreciar. **4.** Tirar o gosto de; aguar. [Var.: *agorentar.* Cf. *agurentar.*]

aguariguara. *S. f. Bras.* V. *acariquara.*

aguarrás. *S. f.* **1.** Essência de terebintina: "Quando cheguei a Lisboa, mandei .... lavar com uma mistura de cera e a g u a r r á s o couro dos painéis." (Bernardo Pinheiro, Pindela, *Azulejos,* p. 11.) **2.** *Bras., SE.* V. *cachaça* (1).

água-ruça. *S. f.* Líquido pardo que escorre da azeitona quando laborada para extração do azeite. [Pl.: *águas-ruças.*]

águas. [Pl.: de *água*[1]] *S. f. pl.* **1.** O mar (1) **2.** As marés [v. *maré* (1)]. **3.** As chuvas [v. *chuva* (1)]. **4.** Águas minerais ou termais. **5.** V. *estância hidromineral: Só melhorou depois que voltou das* á g u a s. **6.** V. *urina.* **7.** Líquido amniótico expulso por ocasião do parto. **8.** Ondas formadas no cabelo, no marfim, em estofos, etc. **9.** Sinais exteriores, mostras. **10.** *Mar.* Esteira[1] (1): *seguir nas* á g u a s *da capitânea.* **11.** *Fig.* Tendências, inclinações, propensões. ~ V. *água.*

águas-belense. *Adj. 2 g.* **1.** De, ou pertencente ou relativo a Águas Belas. (PE). ● *S. 2 g.* **2.** Natural ou habitante de Águas Belas. [Pl.: *águas-belenses.*]

águas-de-setembro. *S. f. pl. Bras., SP. Pop.* V. *cachaça* (1).

águas-emendadas. *S. f. pl. Bras.* Água-emendada.

águas-formosense. *Adj. 2 g.* **1.** De, ou pertencente ou relativo a Águas Formosas (MG). ● *S. 2 g.* **2.** Natural ou habitante de Águas Formosas. [Pl.: *águas-formosenses.*]

águas-iguais. *S. f. pl. Bras., PA.* Marés do quarto dia após a lua nova e a lua cheia.

águas-mestras. *S. f. pl. Constr.* Plano de telhado com forma trapezoidal. [Cf. *água-mestra.*]

água-só. *S. m.* V. *narcejão.* [Pl.: *águas-sós.*]

águas-pegadas. *S. f. pl. Bras., PA.* Marés do quarto dia após o quarto crescente e o quarto minguante.

águas-puladeiras. *S. f. pl. Bras., MG.* Corredeira forte.

água-suja. *S. f. Bras. Pop.* **1.** Discussão, altercação, bateboca. **2.** V. *rolo*[1] (16). **3.** Intriga, mexerico. [Pl.: *águas-sujas.*]

aguatal. *S. f. Bras.* Água insossa.

aguateiro. [Var. de *aguadeiro.*] *S. m. Bras., S.* **1.** V. *aguadeiro.* **2.** Animal que carrega água ou puxa uma carroça de água. **3.** Cavalo ruim. **4.** Homem que vive nas estâncias menos por necessidade do serviço que por condescendência do proprietário, e que se ocupa em trabalhos ligeiros.

água-tinta. *S. f.* Gravura à água-tinta. [Pl.: *águas-tintas* e *águas-tinta.*] ♦ **Água-tinta a açúcar.** *Tip.* Aquela em que o desenho é feito a pincel, com tinta misturada a açúcar, na placa descoberta, depois envernizada, banhada em água para que o açúcar, ao dissolver-se, descubra o metal nas partes que serão mordaçadas, e, finalmente, submetida a granulagem. **Água-tinta a sal.** Aquela em que se cobre a placa com camada de cera sobre a qual se pulveriza sal, que, após ser aquecido para penetrar até o metal, e dissolvido, produz efeito semelhante ao da granulagem.

água-tintista. *S. 2 g.* Pessoa que grava à água-tinta. [Pl.: *água-tintistas.*]

água-tofana. [Var. de *aquatofana.*] *S. f.* Veneno (provavelmente com base no anidrido arsenioso) célebre na Itália nos sécs. XVI e XVII. [Pl.: *águas-tofanas.*]

água-viva. *S. f.* **1.** *Geofís.* V. *maré de sizígia.* **2.** *Zool.* Designação comum a todas as espécies de medusa ou celenterado marinho, da classe dos cifozoários, de corpo mole, gelatinoso e transparente, providos de aparelho defensivo de células urticantes, que causam queimadura na pele humana, com dor intensa. As espécies mais comuns no litoral brasileiro pertencem ao gênero *Rhizostoma* Lamarck. [Cf. (nesta acepç.): *medusa.*] (1). Sin.: *água-má, alforreca, cansanção, caravela, chora-vinagre, mãe-d'água, mãe-joana, mija-vinagre, ponom, urtiga-do-mar, vinagreira.* [Pl.: *águas-vivas.*]

aguaxado. *Adj.* **1.** *Bras.* Saturado de água. **2.** *Bras., S.* e *GO.* Diz-se do cavalo que, após longo período de descanso, fica tão gordo que não pode fazer uma longa marcha sem transpirar em demasia, produzindo uma espuma branca: "Nem mortos ele deixava. Só os cavalos abombados, aguados, a g u a x a d o s." (Bernardo Élis, *Ermos e Gerais,* p. 66.)

aguazil. [Var. de *alguazil* < ár. *al-uazir.*] *S. m. Ant.* **1.** Governador plenipotenciário de cidade ou província, por nomeação real. **2.** Magistrado supremo. **3.** Juiz ordinário de primeira instância, eleito pelo povo ou por outros juízes. **4.** Vereador municipal; camarista. **5.** Oficial de diligências; meirinho, esbirro, beleguim. [Var.: *alquazil, alvazil, alvazir, guazil.*]

aguçadeira. [Fem. de *aguçador.*] *S. f.* Pedra de aguçar ou de amolar.

aguçado. [Part. de *aguçar.*] *Adj.* **1.** Afiado, cortante, agudo: "se avistava seixos a g u ç a d o s ou uma pedra áspera, por sobre elas se empurrava" (Eça de Queirós, *Últimas Páginas,* p. 311). **2.** Terminado em ponta ou em bico; afunilado; agudo: *os picos* a g u ç a d o s *da serra.* **3.** Afilado, fino, agudo: *nariz* a g u ç a d o. **4.** Perspicaz, agudo, sagaz, atilado: *espírito* a g u ç a d o. **5.** Atento, vivo, alerta: *ouvido* a g u ç a d o. **6.** Diz-se do sentido (5) capaz de captar as sensações com exatidão e rapidez; agudo, apurado: *paladar* a g u ç a d o*; olfato* a g u ç a d o.

aguçador (ô). *Adj.* Que aguça. ● *S. m.* **2.** Aquele ou aquilo que aguça.

aguçadura. *S. f.* **1.** Ação ou efeito de aguçar. **2.** Gume dado a instrumento de corte; corte; fio. **3.** Adelgaçamento, afunilamento. **4.** *Fig.* Sutileza, agudeza, esperteza, sagacidade.

aguçar. [Do lat. vulg. * *acutiare.*] *V. t. d.* **1.** Tornar agudo; adelgaçar na ponta: "navalhas de a g u ç a r os lápis e de cortar a côdea do milhão" (João de Araújo Correia, *Contos Bárbaros,* p. 30). **2.** Dar fio a; afiar, amolar. **3.** Excitar, estimular: "A dificuldade a g u ç a v a - l h e o apetite." (Abel Botelho, *Sem Remédio,* p. 89.) **4.** Tornar perspicaz; apurar, sutilizar: *As boas leituras* a g u ç a m *a inteligência.* **5.** Tornar intenso; animar, excitar: *As palavras maldosas* a g u ç a r a m - l h e *o ódio. Int.* **6.** Adelgaçar-se, afunilar-se. *P.* **7.** Fazer-se diligente, apressado: "Não t e a g u c e s para beber este final de dia" (Abgar Renault, *A outra Face da Lua,* p. 91). **8.** Excitar-se, estimular-se. **9.** *Bras. Pop.* V. *Fugir* (1 e 2). [Conjug.: v. *laçar.*]

aguço. [Dev. de *aguçar.*] *S. m.* Objeto aguçado; espeto, estoque.

agude. *S. f.* Formiga de asas; agúdia.

agudecer. [De *agudo* + *-ecer.*] *V. t. d.* Tornar agudo ou mais agudo: "Ao longe os montes têm neve ao sol, / Mas é suave já o frio calmo / Que alisa e a g u d e c e os dardos do sol alto." (Fernando Pessoa, *Odes de Ricardo Reis,* p. 25.) [Conjug.: v. *aquecer.*]

agudense. *Adj. 2 g.* **1.** De, ou pertencente ou relativo a Agudos (SP). ● *S. 2 g.* **2.** Natural ou habitante de Agudos.

agudez (ê). *S. f.* V. *agudeza.*

agudeza (ê). *S. f.* **1.** Qualidade do que é agudo ou cortante, **2.** Gume, fio. **3.** Sutileza; perspicácia, penetração, finura; acuidade. **4.** Acrimônia, aspereza. **5.** Intensidade ou estado agudo de doença. [Var.: *agudez.*]

agúdia. *S. f.* Agude.

agudíssimo. *Adj.* Superl. abs. sint. de *agudo;* acutíssimo.

agudo. [Do lat. *acutu.*] *Adj.* **1.** Terminado em ponta ou em gume: *estilete* a g u d o*; machado* a g u d o; "Mas já as a g u d a s proas apartando / Iam as vias úmidas de argento" (Luís de Camões, *Os Lusíadas,* II, 67). **2.** Penetrante, intenso, áspero: *vento* a g u d o. **3.** Arguto, perspicaz, sutil, penetrante: *inteligência* a g u d a. **4.** Intenso, forte, violento: *paixão* a g u d a*; dor* a g u d a; "pelos a g u d o s frios da serra, andavam figuras solitárias, de mãos atrás das costas" (Graciliano Ramos, *Infância,* p. 48). **5.** Picante, satírico, mordaz. **6.** *Ant.* Exasperado, iracundo, irado. **7.** V. *aguçado* (6): *vista* a g u d a*; olfato* a g u d o. **8.** *Gram.* Oxítono. **9.** *Med.* Diz-se da doença que apresenta curso grave e curto. **10.** *Mús.* Diz-se do som alto, ao contrário do som baixo ou grave. **11.** *Mús.* Na escala geral dos sons, diz-se da região que se estende do dó4 ao dó5. [Superl. abs. sint.: *acutíssimo* e *agudíssimo.*] ~ V. *acento —, ângulo —, pneumonia —a, poliomielite anterior —a* e *verso —.* ● *S. m.* **12.** *Mús.* Nota musical aguda.

agüê. *S. m. Bras., BA. Folcl.* V. *cabaça*[1] (4).

agüeira. *S. f.* Vala ou rego por onde correm as águas de rega; agüeiro.

agüeiro. *S. m.* **1.** Agüeira. **2.** Cano que dá vazão às águas dos telhados; algeroz.

agüentador (ô). *Adj.* **1.** Que agüenta. ● *S. m.* **2.** Aquele ou aquilo que agüenta.

agüentar. [Do it. *agguantare.*] *V. t. d.* **1.** Sustentar, suportar, tolerar (peso, carga, trabalho, etc.). **2.** Sofrer, aturar, tolerar, padecer, suportar: A g ü e n t o u *com resignação a dura perda.* **3.** Resistir a; suportar: *Esse carro não* a g ü e n t a *outra batida; Tróia* a g ü e n t o u *durante dez anos o cerco dos aqueus.* **4.** Manter, sustentar: *Precisa trabalhar 12 horas por dia para* a g ü e n t a r *a numerosa família. Int.* **5.** Oferecer resistência; resistir, suportar: *Essa corda não* a g ü e n t a *mais, vai arrebentar. P.* **6.** Manter-se firme; equilibrar-se. **7.** Manter-se, conservar-se; sustentar-se. A g ü e n t o u - s e *dez anos no poder.* **8.** Haver-se, arranjar-se: *Ele que se* a g ü e n t e *sozinho, agora!* ♦ **Agüentar firme.** Agüentar o rojão.

agüente. [Do esp. plat. *aguante.*] *S. m. Bras., S.* Resistência física.

agueré. *S. m. Bras., BA.* O toque (3) predileto de Oxóssi, nos terreiros jeje-nagôs.

aguerrear. [De *a*-[2] + *guerra* + *-ear.*] *V. t. d.* **1.** Habituar à guerra; afazer aos combates; aguerrir. *P.* **2.** Preparar-se, exercitar-se para a guerra; aguerrir-se. [Conjug.: v. *frear.*]

aguerrido. [Part. de *aguerrir.*] *Adj.* **1.** Afeito à guerra: *exército* a g u e r r i d o **2.** Corajoso, valente, destemido. **3.** Combativo, agressivo; belicoso; guerreiro: *O espírito* a g u e r r i d o *dos maquis favoreceu a resistência na França.*

aguerrilhar. [De *a*-[2] + *guerrilha* + *-ar*[2].] *V. t. d.* **1.** Converter ou reunir em guerrilha. *P.* **2.** Alistar-se em guerrilha.

aguerrir. [Do fr. *aguerrir.*] *V. t. d.* **1.** Afazer à guerra; aguerrear. **2.** Habituar às lutas, trabalhos, contrariedades, etc. **3.** Tornar valoroso, enérgico, destemido. *P.* **4.** Exercitar-se nas armas, na guerra; aguerrear-se. **5.** Afazer-se às lutas, aos trabalhos, às contrariedades. [Defect. Só se conjuga nas f. em que ao *r* da raiz se segue *i; aguerrimos, aguerris; aguerria; aguerri;* etc.]

águia. [Do lat. *aquila.*] *S. f.* **1.** Denominação restrita às aves de rapina da ordem dos falconiformes, notáveis pelo seu tamanho e vigor, inexistentes na fauna brasileira. As verdadeiras águias, do gênero *Aquila* L., não ocorrem na América do Sul. **2.** *P. ext.* Insígnia ou símbolo representado pela figura estilizada deste animal. **3.** *Fig.* Pessoa de grande talento e perspicácia. **4.** Designação de pessoa notável, por antonomásia, com indicação da terra de sua naturalidade ou do lugar onde se tornou célebre: Á g u i a *de Haia* (Rui Barbosa); Á g u i a *de Austerlitz* (Napoleão I). **5.** Chefe, governante. **6.** *Bras.* No jogo do bicho [q. v.] o segundo grupo (8), que abrange as dezenas 05, 06, 07 e 08, e corresponde ao número dois. **7.** *Astr.* Constelação boreal, situada nos confins da Via-láctea. ● *S. m.* **8.** *Bras.* Velhaco, tratante, espertalhão. ♦ **Águia de Haia.** Antonomásia de Rui Barbosa, estadista e jurisconsulto brasileiro (1849-1923), dada em virtude da sua atuação na Segunda Conferência de Paz, em Haia (1907).

águia-chilena. *S. f. Bras.* **1.** Ave falconiforme, da família dos acipitrídeos (*Geranoaetus melanoleucus* (Vieil.)), distribuída desde o N. e E. da Argentina até o Paraguai e o Brasil meridional, de coloração preta, coberteiras menores e medianas da asa cinzentas, cruzadas por barras negras, coberteiras maiores pretas, cauda com ponta branca, e lado inferior acinzentado, com barras escuras. Alimenta-se de gafanhotos e pequenos vertebrados. **2.** O *Buteo fuscescens* (Vieil), do S. do continente americano. [Pl.: *águias-chilenas.*]

águia-cinzenta. *S. f. Bras., RS.* Ave falconiforme, da família dos acipitrídeos (*Harphyhaliaetus coronatus* (Vieil.)), do Brasil meridional e ocidental, países vizinhos e Chile. É um gavião de porte agigantado (cerca de 85 cm de comprimento), coloração cinzenta, penas em penacho no occipício, e que se alimenta de outras aves e de pequenos mamíferos. [Pl.: *águias-cinzentas.*]

aguiaense. *Adj. 2 g.* e *s. 2 g.* V. *aguiarense.*

aguião. *S. m.* V. *aquilão*[1].
águia-pescadora. *S. f. Bras.* V. *gavião-pescador* (1). [Pl.: *águias-pescadoras.*]
águia-pesqueira. *S. f. Bras.* V. *gavião-pescador* (1). [Pl.: *águias-pesqueiras.*]
águia-real-européia. *S. f.* Ave falconiforme, da família dos falconídeos (*Aquila Chrysaetus* (L.)), das regiões paleártica e neártica, com plumagem pardo-escura, penas do pescoço mais claras, cauda cinza-clara. Nidifica em rochas, usando o mesmo ninho anos seguidos, e é o maior dos rapineiros utilizados em falcoaria na caça de animais de grande porte, como antílopes e cabras selvagens. [Pl.: *águias-reais-européias.*]
aguiarense. *Adj. 2 g.* **1.** De, ou pertencente ou relativo a Aguiar (PB). ● *S. 2 g.* **2.** Natural ou habitante de Aguiar.
agueiro. [De *a-*[4] + *gueiro.*] *S. m. Constr.* Pau dos madeiramentos de uma casa, sobre o qual se cruzam as vigas em que assenta o telhado.
aguieta (ê). [Dim. irreg. de *águia.*] *S. f.* Pequena águia (1); aguiazinha.
águila. *S. f.* Planta da família das dicotiledôneas apétalas, natural da Índia, e cuja madeira, odorífera e resinosa, é empregada em farmácia e perfumaria: "de envolta com perfume de á g u i l a e benjoim, evolava-se a poeira sutil e, com ela, um cheiro humano, que aguçava os sentidos." (Afonso Arinos, *Pelo Sertão*, p. 143).
aguilhada. [Do lat. * *aquileata*, por *aculeata*, de *aculeu*, 'aguilhão', 'acúleo'.] *S. f.* Vara comprida com ferrão na ponta, usada para tanger os bois: "Nem se revolta [o boi], quando o lavrador, sem pena, / Para o instigar, lhe crava a ponta da a g u i l h a d a ." (Olavo Bilac, *Poesias Infantis*, p. 53.) [Sin.: *aguilhão*; *pereiro* (CE); *picana* (RS e MT), e pop. *guiada.*] ◆ **Aguilhada de terra.** Antiga medida agrária.
aguilhão. [Do lat. *aquileone*, por *aculeone*, de *aculeu*, 'aguilhão'.] *S. m.* **1.** A ponta de ferro da aguilhada; ferrão. **2.** V. *aguilhada.* **3.** *P. ext.* Ponta aguçada; bico. **4.** Estímulo, incitamento, incentivo. **5.** Sofrimento pungente. **6.** Ferrão ou dardo retrátil, na extremidade do abdome de alguns insetos ou dos escorpionídeos. **7.** V. *espadarte.* **8.** *Bras.* Peça de ferro que se coloca no meio dos cilindros ou eixos de pau dos engenhos de açúcar.
aguilhó. *S. m.* Antigo toucado feminino.
aguilhoada. *S. f.* **1.** Picada com aguilhão; ferretoada, ferroada. **2.** Dor forte, fina e momentânea; pontada, aguilhada. **3.** Incitamento, instigação, provocação.
aguilhoadela. *S. f.* Ato de aguilhoar uma vez.
aguilhoador (ô). *Adj.* e *s. m.* Que ou aquele que aguilhoa.
aguilhoamento. *S. m.* Ato ou efeito de aguilhoar.
aguilhoar. [De *aguilhão* + *-oar.*] *V. t. d.* **1.** Picar ou ferir com aguilhão; aferroar. **2.** Espicaçar; estimular, incitar: *As próprias dificuldades da tarefa a g u i l h o a r a m - n o.* **3.** Causar grande dor moral a; pungir. [Conjug.: v. *coroar.*]
aguilhoeiro. *S. m.* Aquele que fabrica ou vende aguilhões.
agüinha. [Dim. de *água*[1].] *S. f. Bras., Drepc.* Medicamento homeopático em gotas: *O doutor me receitou uma agüinha.*
aguinir. *V. t. d* e *p. Bras., CE. Pop.* V. *apoquentar.*
aguitarrado. [De *a-*[2] + *guitarra* + *-ado*[2].] *Adj.* **1.** Que tem feitio ou som de guitarra. **2.** *Pej.* Que adquiriu sons próprios de guitarra.
aguizalhado. [De *a-*[2] + *guizo* + *-alh(o)-* + *-ado*[1].] *Adj. Heráld.* Que tem guizo de esmalte diferente (açor, falcão).
agulha[1]. [Do lat. *acucula.*] *S. f.* **1.** Hastezinha fina de aço, aguçada numa das extremidades, e com um orifício na outra, por onde se enfia linha, fio, lã, cadarço, barbante, etc., para coser, bordar ou tecer: "Chegou a costureira, ... pegou da a g u l h a , pegou da linha, enfiou a linha na a g u l h a , e entrou a coser." (Machado de Assis, *Várias Histórias*, p. 231.) **2.** Varinha de metal, madeira, aço, celulóide, marfim, etc., com gancho próprio, e usada para fazer meia, renda, ou obras de malha. **3.** Naveta de madeira, própria para tecer rede. **4.** Ponteiro de relógio, de bússola, etc. **5.** Qualquer haste ou ponta metálica. **6.** Extremidade aguda. **7.** Pequena peça fina e pontuda, usualmente de aço polido ou de outro material, como safira ou diamante, utilizada para transmitir vibrações, como as de um disco fonográfico. **8.** Peça de aço que, nas modernas armas de fogo, percute o fulminante. **9.** Sistema de carris de ferro móveis para facilitar, nas linhas férreas, a passagem dos trens de uma via para outra. **10.** Obelisco (1). **11.** Pico de forma cônica e pontiaguda: as *A g u l h a s Negras.* **12.** Agulhão (1). **13.** Ponto de junção das espáduas dos animais. **14.** *Fig.* Trabalho de costura, de bordado. **15.** *Fig.* Meio de subsistência e modo de vida da costureira: *Laura vive da a g u l h a .* **16.** *Fig.* Intriga, maledicência. **17.** *Fig.* Dito irônico; sarcasmo, troça, zombaria. **18.** *Arquit.* Arremate piramidal ou cônico, de pequena base e grande altura, posto no coroamento de torre ou campanário para avivar a impressão de esbeltez. **19.** *Arquit.* Nas construções de taipa de pilão, pequena peça cilíndrica de madeira empregada para assegurar a verticalidade das tábuas do taipal. **20.** *Autom.* Estilete (3). **21.** *Cir.* Instrumento aculeiforme, usado para fazer suturas ou punções, ou para dar injeções. **22.** *Constr.* Haste de ferro, redonda e pontuda, com cerca de 2 m de comprimento, destinada à sondagem rápida de terrenos pouco consistentes. **23.** *Grav.* Ponta (14). **24.** *Náut.* V. *bússola* (1). **25.** *Náut.* Agulha de marear. **26.** *Náut.* Qualquer instrumento que indique ao navegante a direção do pólo da Terra, ainda que seu funcionamento não dependa de peça que se assemelhe a uma agulha. **27.** *Tip.* Peça semelhante à agulha (1), comum de coser, porém maior e mais resistente, com que os encadernadores costuram o volume nas estribilhas. **28.** *Zool.* Designação comum a algumas espécies de peixe da família dos escômbridas. **29.** *Bras.* Variedade de arroz. **30.** *Bras., MG.* O mineral rutílio, um dos satélites do diamante [v. *satélite* (7).] **31.** Folha, acicular, do pinheiro e de outras plantas coníferas: "Nem uma a g u l h a bulia / Na quieta melancolia / Dos pinheiros do caminho..." (Augusto Gil, *Luar de Janeiro*, p. 27). ~ V. *agulhas.* ◆ **Agulha de crochê.** Haste de metal, plástico, etc., que tem numa extremidade um gancho destinado a puxar a linha para formar os pontos. [Cf. *crochê.*] **Agulha de disparo.** *Tip.* Haste que, no componedor da linotipo, tem por fim soltar o carro despachador [q. v.]. **Agulha de escaler.** *Náut.* Agulha magnética portátil para uso em embarcação miúda. **Agulha de governo.** *Náut.* Agulha instalada a bordo por ante-a-vante da roda do leme, e por meio da qual o timoneiro governa o navio no rumo ordenado. **Agulha de marear.** *Ant. Náut.* Bússola própria para a navegação marítima, e que era uma agulha magnética montada sobre uma rosa-dos-ventos desenhada numa placa de cortiça e posta a flutuar dentro de uma tina com água. [Tb. se diz apenas *agulha.*] **Agulha de marinheiro.** *Marinh.* Agulha com que os marinheiros cosem lona, brim e panos grossos em geral. **Agulha de palombar.** *Marinh. Bras.* Agulha curva para costurar tralhas de velas e toldos. **Agulha de tricô.** Haste longa, de metal, plástico, etc., que tem uma extremidade pontuda para retirar as malhas da outra agulha, e a extremidade oposta terminada numa espécie de botão para impedir que as malhas se escapem. [Cf. *tricô.*] **Agulha giroscópica.** *Náut.* Instrumento de navegação cujo funcionamento se baseia na propriedade que tem o eixo de um giroscópio de, quando obrigado a permanecer horizontal, orientar-se de modo que coincida com a direção do meridiano verdadeiro local. **Agulha líquida.** *Náut.* Agulha magnética cuja cuba (ou morteiro) é cheia de água destilada, para atenuar as oscilações da rosa-dos-ventos resultantes das guinadas rápidas e dos balanços do navio. **Agulha magnética.** *Fís.* e *Náut.* V. *bússola* (1). **Agulha principal.** *Náut.* V. *agulha-padrão.* **Agulha repetidora.** *Náut.* Agulha que repete as indicações da agulha-mãe. **Procurar agulha em palheiro.** Procurar coisa dificílima de achar.
agulha[2]. *S. f.* F. red. de *peixe-agulha* (1).
agulha-branca. *S. f. Bras., BA.* Peixe teleósteo, sinentógnato, da família dos hemiranfídeos (*Hyporhamphus unifasciatus* (Ranz.)), da costa atlântica, de forma idêntica à do peixe-agulha, e que mede 30 cm de comprimento. [Sin.: no RS. *peixe-agulha.* Pl.: *agulhas-brancas.*]
agulha-crioula. *S. f. Bras., BA.* Peixe teleósteo, sinentógnato, da família dos hemiranfídeos (*Hemiramphus brasiliensis* (L.)), da costa atlântica, de coloração prateada, um pouco olivácea para o dorso, e que mede 35 cm; agulha-preta. [Pl.: *agulhas-crioulas.*]
agulhada. *S. f.* **1.** Ferimento ou picada com agulha. **2.** V. *aguilhoada* (2). **3.** Uma enfiadura de linha.
agulha-do-mar. *S. f. Bras.* Peixe-cachimbo. [Pl.: *agulhas-do-mar.*]
agulha-ferrugenta. *S. f. Fig.* e *fam.* Pessoa intrigante, mexeriqueira. [Pl.: *agulhas-ferrugentas.*]
agulha-mãe. *S. f. Náut.* Agulha principal, magnética ou giroscópica, provida, em geral, de agulhas repetidoras. [Pl.: *agulhas-mães.*]
agulhão. [Aum. de *agulha.*] *S. m.* **1.** Pedra pontiaguda submersa no leito de um rio; agulha. **2.** *Náut.* V. *agulha-padrão.* **3.** *Bras.* Peixe teleósteo, sinentógnato, da família dos belonídeos (*Strongylura raphidoma* (Ranz.)), de corpo ovóide, maior que o peixe-agulha [q. v.], nadadeira dorsal com 22 a 23 raios, e anal com 20 a 21. Ocorre da Flórida ao litoral baiano. [Sin. no RN, nesta acepç.: *agulhão-de-vela.*] **4.** *Bras.* Designação comum a outras espécies.
agulhão-bandeira. *S. m. Bras.* Peixe teleósteo, perciforme, da família dos istioforídeos (*Istiophorus albicans* (Lat.)), do Atlântico, de dorso negro-azulado, com a primeira nadadeira dorsal azulada e muito desenvolvida, a anal crescentiforme, abdome claro, focinho terminado em longo e afilado bico, e comprimento de até mais de 2 m. Alimenta-se de outros peixes. [Sin.: *bicudo, guebo, guebuçu.* Pl.: *agulhões-bandeiras* e *agulhões-bandeira.*]
agulhão-de-vela. *S. m. Bras., RN.* Agulhão (3). [Pl.: *agulhões-de-vela.*]
agulhão-trombeta. *S. m. Bras.* V. *peixe-trombeta.* [Pl.: *agulhões-trombetas* e *agulhões-trombeta.*]
agulha-padrão. *S. f. Náut.* A agulha magnética de maior confiança a bordo, e por cujas indicações se aferem as demais; agulhão, agulha principal. [Pl.: *agulhas-padrões* e *agulhas-padrão.*]
agulha-preta. *S. f. Bras.* Agulha-crioula. [Pl.: *agulhas-pretas.*]
agulhar. *V. t. d.* **1.** Ferir com agulha. **2.** Incomodar; afligir, torturar.
agulhas. [Pl.: de *agulha.*] *S. f. pl. Bras.* Pedaço de carne unido ao osso do espinhaço do boi. ~ V. *agulha.*
agulheado. [De *agulha* + *-eado.*] Adj. V. *acicular.*
agulheiro. *S. m.* **1.** Pequeno estojo, ou pequeno caderno com folhas de pano, para guardar agulhas de coser. **2.** Fabricante de agulhas. **3.** O empregado que faz o serviço das agulhas nos caminhos de ferro. **4.** *Constr.* Buraco que se faz na parede para embeber a ponta dos travessões do andaime; baldoeiro. **5.** *Constr.* Abertura estreita e profunda para deixar passar o ar e/ou a luz. **6.** *Constr. Nav.* Abertura circular ou elíptica, em geral de exíguas dimensões, para acesso a compartimentos do navio normalmente não habitados ou freqüentados (tanques, porões, duplos-fundos, etc.). ~ V. *agulheiros.*
agulheiros. [Pl. de *agulheiro.*] *S. m. pl.* Aberturas por onde se escoam as águas dos tanques e chafarizes. ~ V. *agulheiro.*
agulheta (ê). [Dim. irreg. de *agulha.*] *S. f.* **1.** Remate metálico dos atacadores [v. *atacador* (2)], para facilitar o enfiamento em ilhoses e orifícios. **2.** Agulha grossa e de fundo largo, para enfiar fitas ou cordões. **3.** Peça metálica atarraxada a uma das extremidades das mangueiras de grande pressão para condensar e dirigir o jacto de água. **4.** Remate metálico em que terminam os cordões de alguns uniformes. **5.** Peixe marítimo do ES. [Pl.: *agulhetas* (ê), Cf. *agulheta* e *agulhetas*, do v. *agulhetar.*] ◆ **Agulheta de seleção** *Tip.* Eixo que, situado na entrada da caixa seletora da linotipo, suporta o seletor de fonte.
agulhetar. *V. t. d.* **1.** Pôr agulhetas em (fardamento militar, etc.). *Int.* **2.** Pôr agulhetas. [Pres. ind.: *agulheto, agulhetas, agulheta*, etc. Cf. *agulheta* (ê) e pl. *agulhetas* (ê).]
agulheteiro. *S. m.* Fabricante de agulhetas ou de agulhas.
agurentar. [Var. de *aguarentar* (q. v.).] *V. t. d. Bras. Recôncavo da BA.* Acertar ou aparar a roda de (o pano ou as faces do tabuado). [Pres. ind.: *agurento*, etc. Cf. *agorento*, do v. *agorentar; agourento*, do v. *agourentar* e adj; e *aguarentar.*]
aguti. [Do tupi *akú'ti.*] *S. m. Bras.* V. *cutia*[1].
agutiguepe. *S. f. Bras.* V. *araruta* (1).
agutiguepe-obi. *S. m.* **1.** Erva da família das marantáceas (*Calathea*), muito ornamental, comum em jardins. **2.** V. *arumarana.* [Pl.: *agutiguepes-obis.*]
agutipuru. [Var. de *acutipuru.*] *S. m. Bras.* V. *quatipuru.*
ah. [Do lat. *ah*, provavelmente.] *Interj.* Exprime admiração, alegria, desejo, dúvida, espanto, ironia, dor, tristeza, etc., e é us. às vezes enfaticamente, para dar mais força e realce às palavras a que se junta: "— A h , estou doido por ela! não imaginas... Que encanto de pequena!" (Abel Botelho, *Sem Remédio*, p. 113); "A h ! o senhor é que é o Pestana?" (Machado de Assis, *Várias Histórias*, p. 61); "— A h ! Se eu soubesse! atalhou o Dr. Castro. Teria vindo passar a noite aqui, oferecer os meus préstimos." (Graciliano Ramos, *Caetés*, p. 175). [Cf. *há*, do v. *haver.*]
■ **A.h.** *Fís.* Simb. de *ampère-hora.*
ah-ah. *Interj.* **1.** Voz de quem acerta, ou daquele a quem principia a acontecer alguma coisa como deseja. **2.** Indica surpresa, ironia, incredulidade e o riso: "O Azeredo torcia-se em esgares trocistas e ria, ria, gaiatamente. A h ! A h ! É então por isso tanta arrelia?" (Abel

Botelho, *Amor Crioulo*, p. 205.)

ai[1]. *S. m.* **1.** Grito de dor, e às vezes de alegria: "Ó boa Madrinha, que o enxugas de leve, / Tem dó desses gritos! compreende esses a i s" (Antônio Nobre, *Só*, p. 69). ● *Interj.* **2.** Designa dor, lamento, e, por vezes, alegria: "não pode fugir nem desatar aos berros. Apenas suspira baixinho: — A i ! ..." (Raul Brandão, *A Farsa*, p. 157); "A i , no fundo não sou mais do que um bugre, eis tudo." (Vicente de Carvalho, *Poemas e Canções*, p. 151): "A i ! vejam como é bonita / Coas tranças presas na fita, / Coas flores no samburá!" (Casimiro de Abreu, *Obras*, p. 116); "A i , me dá vontade até de morrer." (Dalton Trevisan, *O Vampiro de Curitiba*, p. 9). [Cf. *aí*.] ◆ **Ai de.** Pobre de; desgraçado de: "A i d e tua esquisita petulância, / Alma das incoerências continuadas!" (Fernando de Mendonça, *Treze Decassílabos*, p. 8) **Num ai.** Num instante; num repente; num abrir e fechar de olhos: "N u m a i tudo se apaga e ela perde a noção de quanto a cerca." (Orlando Gonçalves, *Este Mundo dos Homens*, p. 96.)

ai[2]. *S. m.* Tipo de vinho do Marne (França), [Cf. *aí*.]

aí[1]. [Do tupi *a'í*, voc. onom.] *S. m. Bras.* V. *preguiça* (5). [Cf. *ai*.]

aí[2]. *Adv.* **1.** Nesse lugar: *Espero que me escrevas contando o que tens feito a í*; "Ele espanta-se de a ver ali àquela hora. / — Ainda a í , hem?" (Natércia Freire, *A Alma da Velha Casa*, p. 83). **2.** A esse lugar: *Espere por mim, vou a í logo mais.* **3.** Nesse ponto; nesse aspecto; nessa particularidade; nisso: *A í é que está o busílis;* "Inimigo da humanidade, traidor da arte, adulador do déspota! Já é alguma coisa. Mas creio que é a í , precisamente a í , nessas três fraquezas, que reside a sua verdadeira grandeza [de Goethe]" (Oto Maria Carpeaux, *A Cinza do Purgatório*, p. 29); "No que eles estavam todos de acordo é que ela era extraordinariamente bela; a í foram entusiastas e sinceros." (Machado de Assis, *Várias Histórias*, p. 84). **4.** Pelo mundo; por aí fora; por aí afora, por aí: *Coitado! Anda a í como um cão vadio, maltratado, desprezado por todos.* **5.** Junto, juntamente; em anexo: *A í vai o documento que me solicitou na última carta.* **6.** A esse respeito; quanto a isso: *É um mau sujeito, mas, em matéria de inteligência, a í não é possível senão elogiá-lo.* **7.** Nessa ocasião; nessa altura; então: *O convidado de honra chegou às duas horas da tarde, e só a í começaram a servir o almoço.* **8.** Nesse caso; nessa hipótese; então: "— Para o juiz não vir, só se acontecesse alguma coisa séria, mas a í ele mandava avisar." (Bernardo Élis, *O Tronco*, p. 5.) **9.** Em frases onde aparecem palavras ou locuções designativas de quantidade, equivale a 'cerca de', 'mais ou menos', indicando ou reforçando a imprecisão dessa quantidade: *Sua biblioteca tem a í uma centena de livros; Ganhou na transação a í uns 500 cruzados;* "um traquina alourado, a í uns doze anos" (Davi Antunes, *Briguela*, p. 3). **10.** Seguido da prep. *por* e de palavra ou locução designativa de lugar, reforça a idéia de local impreciso, contida na preposição: *Saiu cedo; a estas horas já deve ir a í por Teresópolis; Mora a í pelos arredores de Maceió.* **11.** Seguido da prep. *por* e de palavra ou expressão relativa a tempo, reforça a idéia de data ou tempo impreciso, já expressa pela preposição: *Sua fase áurea foi a í por 1930; Chegou a São Paulo a í pelas 10 horas;* "Aí pela madrugada, Calisto Elói amodorrou-se em roncado dormir" (Camilo Castelo Branco, *A Queda dum Anjo*, p. 154). **12.** É de uso mais ou menos freqüente, sobretudo no português antigo, depois do verbo *haver* (na acepção de 'existir'), e, por vezes, de outros verbos: "Se fiamos num bem, que a mente cria, / Que outro remédio há a í senão ser triste?" (Antero de Quental, *Sonetos*, p. 172); "Quem sabe a í / quem é e onde vive?" (João José Cochofel, *Os Dias Íntimos*, p. 16). ● *Interj.* **13.** Serve para aplaudir, animando: *Bravo! A í, moço!;* "Quem abriu o baile foi o padeiro, dançando com a mulher. / — A í, rapaz! gritou-lhe o Bento. Mas era lá preciso que o animassem!" (D. João da Câmara, *Contos*, p. 11.) **14.** Encerra sentido malicioso: *A í, hem, seu malandro;* "A í ...hem?... / pensas que eu não sei..." (Da marcha *Aí...hem?...*, de Lamartine Babo e Paulo Valença). **15.** Equivale a 'basta', 'alto', 'pára', 'chega': *A í, menino, já gritaste demais.* [Cf. *ai*.] ◆ **E por aí.** E sempre nesse teor; e assim por diante; e por aí afora: *Um grande almoço: peru, faisão, champanha, e p o r a í .* **E por aí afora.** E por aí. **Por aí. 1.** Pelo mundo fora, por aí fora, por aí afora: "Vestiu uma camisa listrada e saiu p o r a í" (Do samba *Camisa Listrada*, de Assis Valente). **2.** Em lugar indeterminado, incerto: — *Onde mora aquele boêmio?* — *Sei lá! P o r a í .* **3.** Mais ou menos; aproximadamente: *O apartamento custou 100 mil cruzados, p o r a í .*

aia. [Fem. de *aio*.] *S. f.* **1.** Dama de companhia. **2.** Encarregada da educação doméstica de crianças nobres. **3.** Criada de dama nobre; camareira "A imperatriz, em estado de 'buena esperanza',....cuida dos seus três filhos, do meneio da casa, e, entre camareiros e a i a s , fia, borda e sarta pérolas e aljôfares." (Antero de Figueiredo, *Toledo*, pp. 155-156.) [Cf. *Haia*, top.]

aiaçá. [Do tupi *aia'sá*.] *S. f. Bras., Amaz.* Reptil da ordem dos quelônios, da família dos pelomedusídeos (*Podocnemis sextuberculata* Corn.], da Amaz., de coloração parda a olivácea, plastrão amarelado, cabeça avermelhada na parte superior. Tem carapaça oval, deprimida, atrás muito mais larga que na frente, bordo posterior do plastrão com seis tubérculos, no máximo, mas evidentes nas formas jovens. Mede até 35 cm de comprimento. [Var.: *aiuçá*.]

aiagná. *Bras. S. 2 g.* **1.** Indivíduo dos aiagnás, tribo indígena do tronco lingüístico jê (MT). ● *Adj. 2 g.* **2.** Pertencente ou relativo a essa tribo.

aiaia. *S. f. Bras.* **1.** Brinquedo (1). **2.** Vestido de criança.

aiaiá. *S. f. Bras.* V. *colhereiro* (2).

aiapaína. [Var. de *aiapana* < tupi *aia'pana*.] *S. f. Bras.* Planta medicinal da família das compostas, que os índios empregavam como antídoto do veneno das cobras; aiapana.

aiapana. *S. f. Bras.* Aiapaina [q. v.].

aiapuá . [Do tupi *aiapu'á*.] *S. f. Bras.* Mandioca brava da Amazônia.

aiar. *V. int.* **1.** Dar ou soltar ais; guaiar. **2.** Soltar ou emitir gritos de dor; gemer: "ali junto, apertando ainda a lança, ... estrebuchava o Hilarião, sem dar acordo, a i a n d o , só a i a n d o ..." (Simões Lopes Neto, *Contos Gauchescos e Lendas do Sul*, p. 203). [Pres. ind.: *aio, aias, aia*, etc. Cf. *Haia*, top.]

aiará. [Do tupi.] *S. m.* V. *cumari* (1).

aiaraçu. [Do tupi.] *S. m. Bras., Amaz.* V. *apaiari*.

ai-a-sari. *S. f. Bras., N.E. Folcl.* A terceira salá, rezada à tarde. [Pl.: *ai-a-saris*.]

aiatolá. [Do ár. *āyatallāh*, 'sinal de Alá, na Terra'.] *S. m.* Para os xiitas, líder eclesiástico de posição muito elevada, apenas abaixo do imame, e líder máximo espiritual: "O a i a t o l á Ruhollah Khomeiny declarou ontem que precisa derrotar o Iraque para abrir caminho para a conquista de Jerusalém" (*Jornal do Brasil* 17.7.1982). [Essa posição só se alcança por aclamação dos seguidores, e não por nomeação, nem promoção por nenhuma autoridade.]

aibi. [Talvez do tupi.] *S. m. Bras., BA.* Riachinho que, na região costeira, sofre a influência das marés.

aicá. *Bras. S. 2 g.* **1.** Indivíduo dos aicás, tribo indígena que habita as imediações do rio Maracá (AM). ● *Adj. 2 g.* **2.** Pertencente ou relativo a essa tribo.

▲**-aico.** [Do lat. *-aicu*.] *Suf. nom.* = 'referência', 'pertinência': *prosaico* (< lat. *prosaicu*), *judaico* (< lat. *judaicu*).

aicuna. [Do esp. plat. *ay, cuna!*] *Interj. Bras. S.* Designa entusiasmo, admiração, surpresa, ira; aijuna [q. v.].

➡**aide-mémoire** (ed-mêmuár). [Fr.] *S. m.* Resumo ou anotação cujo fito é ajudar a memória com dados essenciais sobre determinado assunto. [Sin., bras.: *pró-memória*.]

aidético. *Adj.* **1.** Diz-se daquele que contraiu a Síndrome de Deficiência Imunológica Adquirida [q. v.] ou padece desta doença: "em Nova Iorque milhares de estudantes e pais lutam para impedir que outra criança a i d é t i c a continue a freqüentar uma escola pública." (Manchete, 28.09.85). ● *S. m.* **2.** Indivíduo aidético: *Os a i d é t i c o s da penitenciária foram isolados.*

➡**AIDS.** [Ingl.] [Das iniciais de *Acquired Immunological Deficiency Syndrome*.] V. *Síndrome de Deficiência Imunológica Adquirida.*

aiê. [Do afr.] *S. f. Bras.* Entre os nagôs, festa que assinalava a passagem do ano novo.

aiereba. [Do tupi *aye'reb*, 'o que volve, o que roda'.] *S. f. Bras.* Espécie de arraia pardo-escura, da família dos dasiatídeos (*Dasyatis orbicularis* Bl. e Schon.).

➡**aigrette** (egret'). [Fr.] *S. f.* V. *egrete*.

aígue. [Do tupi.] *S. f. Bras.* V. *preguiça* (5).

aí-ibiretê. [Do tupi *aí + ibire'tê*, 'de terra verdadeira, firme'.] *S. m. Bras.* Mamífero da família dos bradipodídeos (*Aretopitecus pallidus* Wagner). [Pl.: *aís-ibiretês* e *aí-ibiretês*.]

ai-jesus. *Interj.* **1.** Designa dor ou surpresa. ● *S. m. 2 n.* **2.** O queridinho; o predileto: *O pequeno é o a i - j e s u s dos pais.*

aijuba. [Do tupi.] *S. f. Bras., AM* e *PA.* Árvore da família das lauráceas (*Aniba permollis*), de córtex aromático, e cujo fruto tem cúpula subemisférica verrucosa; aiúba, ajuba, aniúba, anjuba, auuva.

aijulata. [De or guaicuru, talvez.] *S. f. Bras.* Peça de pano, espécie de tanga, em que se enrolam os índios e índias. [Var.: *ajulata* e *julata*.]

aijuna. [Do esp. plat. *ahijuna*, contr. de *iah, hijo de una ...*] *Interj. Bras., S.* Aicuna.

ai-lá. *S. f. Bras., N.E. Folcl.* A segunda salá, rezada ao meio-dia. [Pl.: *ai-lás*.]

ailanticultura. [De *ailanto* + *-i-* + *cultura*.] *S. f.* Cultura do ailanto.

ailantina. *S. f.* Matéria têxtil fornecida pelo bicho-da-seda criado nas folhas do ailanto.

ailanto. [Do malaio *kayulangit*.] *S. m.* Árvore da família das simarubáceas *(Ailanthus glandulosa)* da qual se extrai o verniz-do-japão, e em cujas folhas se cria um bicho-da-seda.

➡**aileron** (èlerom). [Fr.] *S. m. Aeron.* Dispositivo móvel localizado na parte posterior da extremidade da asa do avião destinado a controlar os movimentos de inclinação lateral do aparelho, como, p. ex., nas curvas.

aimara. [Do tupi?] *S. f. Bras.* Arvoreta da família das rubiáceas *(Posoqueria palustris)*, semelhante à açucena-do-mato, inclusive pelo fruto bacáceo, chamado *araçá-do-brejo;* araçá-do-brejo, posoquéria.

aimará[1]. *S. m. Bras.* Túnica de algodão entretecida de penas, usada pelos guaranis: "Uma simples túnica de algodão, a que os indígenas chamavam a i m a r á , ... caía-lhe dos ombros até ao meio da perna" (José de Alencar, *O Guarani*, I, p. 100).

aimará[2]. *[Do quíchua.] S. 2 g.* **1.** Indivíduo dos aimarás, aborígines dos Andes peruanos e bolivianos. ● *S. m.* **2.** Família lingüística indígena que abrange todas as línguas faladas pelos aimarás. ● *Adj. 2 g.* **3.** Pertencente ou relativo a esse povo.

aimbiré (a-im). *S. 2 g.* e *adj. 2 g. Bras.* V. *aimoré[2]*.

aimboré (a-im). *S. 2 g.* e *adj. 2 g. Bras.* V. *aimoré[2]*.

aí-mirim. [De *aí[1]* + *-mirim*.] *S. m. Bras., Amaz.* Preguiça-de-bentinho. [Pl.: *aís-mirins* e *aí-mirins*.]

aimoré[1]. *S. m. Bras.* V. *amboré*.

aimoré[2]. *Bras. S. 2 g.* **1.** Indivíduo dos aimorés, tribo botocuda dos sécs. XVI e XVII que habitava territórios hoje pertencentes ao ES e à BA. ● *Adj. 2 g.* **2.** Pertencente ou relativo a essa tribo. [F. paral.: *aimbiré* e *aimboré*.]

aimoreense (eè). *Adj. 2 g.* **1.** De, ou pertencente ou relativo a Aimorés (MG). ● *S. 2 g.* **2.** Natural ou habitante de Aimorés.

ainda. [De *a-[4]* + *inda*.] *Adv.* **1.** Até agora; até o presente: "Ai, ai, ai deste último homem, está morrendo e a i n d a sonha com a vida." (Machado de Assis, *Várias Histórias*, p. 269); "Inês de Castro .... é .... o mais simples assunto que a i n d a trataram poetas." (Almeida Garrett, *Frei Luís de Sousa*, p. 37); *A i n d a mora no Russell.* **2.** Até então; até aquele tempo, ou aquele momento: *Conheci-o em 1930, a i n d a era solteiro; Levou o empurrão e não reagiu de pronto, porque a i n d a pensava que era brincadeira.* **3.** Até lá; até esse tempo (futuro): *Morrerá velho, decerto, e a i n d a morará na casa onde nasceu e mora.* **4.** Até (o tempo presente): *Esta geladeira, comprada há cerca de 15 anos, a i n d a hoje funciona bem.* **5.** Um dia; algum dia (futuro): *A i n d a lhe direi as razões da minha queixa, mas, por enquanto, prefiro calar; Você a i n d a se arrepende de tratá-lo tão mal.* **6.** Novamente; de novo; outra vez, mais uma vez: "E o frêmito esvoaça, / Esvoaça a i n d a , e vagaroso morre..." (Alberto de Oliveira, *Poesias*, 2ª série, p. 38.) **7.** Mais; além disso, ou além desse(s), dessa(s), etc.: "Os demais retratos eram de compositores clássicos, Cimarosa, Mozart, Beethoven, Gluck, Bach, Schumann, e a i n d a uns três" (Machado de Assis, *Várias Histórias*, pp. 64-65); *Não pare de cantar: cante a i n d a !* **8.** Afinal; por fim; finalmente: *Resta-lhe, a i n d a , um argumento para sua defesa.* **9.** Em qualquer tempo passado; já, jamais: "Era a mais bela e majestosa cabeça de velho que a i n d a meus olhos viram!" (Camilo Castelo Branco, *Memórias do Cárcere*, I, p. 73); "uma ruiva planície imensa em abandono, / a landa mais queimada e estéril que a i n d a vi" (Carlos Magalhães de Azeredo, *Vida e Sonho*, p. 231). **10.** Precisamente, exatamente; mesmo: *A i n d a agora esteve aqui; Morreu, ele que a i n d a há um mês parecia vender saúde.* **11.** Ainda assim; mesmo assim; não obstante; nada obstante: *Quero-lhe tanto que, havendo recebido dela as maiores ingratidões, a i n d a lhe perdôo.* **12.** Mais, demais, ademais, também, além disso: *Tem dois filhos e, a i n d a , duas belas filhas.* **13.** Ao menos; pelo menos: *Se a i n d a fosse meu amigo, eu lhe perdoaria; mas nem isso é; Por que tanto orgulho? A i n d a se fosse rico...* **14.** Nem; nem mesmo: *Não* *trairei meus companheiros,* ainda *por todo o ouro do mundo.* **15.** Mesmo, até; ainda que: *Ainda lutando como tem lutado, nada conseguirá; Hei de vencer, ainda à custa dos maiores esforços.* **16.** Até; mesmo; até mesmo; inclusivamente, inclusive: "A opinião que domina é sempre intolerável, ainda quando se recomenda por muito liberal." (Marquês de Maricá, *Máximas, Pensamentos e Reflexões*, p. 19); "Em seus *Venenos*, Sainte-Beuve maculou todos os nossos ídolos românticos, ainda os mais belos, ainda os mais puros." (Múcio Leão, *Emoção e Harmonia*, p. 135.) **17.** Além disso; ainda por cima; ainda em cima: *Roubou-o, e ainda lhe bateu.* ◆ **Ainda agora.** V. *agorinha.* **Ainda agorinha.** *Bras.* V. *agorinha.* **Ainda assim.** Não obstante; nada obstante; apesar disso. **Ainda bem.** Felizmente; graças a Deus: *Não morreu? Ainda bem!* **Ainda quando.** Mesmo que; ainda que: *Não virá; e, ainda quando viesse, seria inútil.* **Ainda que. 1.** V. *ainda quando:* "Um estudante é poeta, ainda que não faça versos" (Joaquim Manuel de Macedo, *Os Romances da Semana*, p. 136). **2.** Apesar de que; embora: "Ainda que mal me lembre, lá fora as coisas devem ser diferentes" (Geir Campos, *O Vestíbulo*, p. 18). **3.** Apesar de; embora; conquanto: "vi que era inteligente, dócil e meiga, ainda que fria" (Machado de Assis, *Casa Velha*, p. 109).

ainhum (a-i). [Do ioruba = 'serra' (decepa os dedos como serra).] *S. m. Bras.* Doença originária da África, muito freqüente nos antigos escravos, caracterizada pelo espessamento progressivo da pele e conseqüente formação, à volta da raiz de um ou mais dedos do pé, dum anel fibroso, que termina decepando-os.

aino. *S. m.* **1.** Indivíduo dos ainos, povo que habita o N. do Japão e, atualmente já muito reduzido, tende a desaparecer. ● *Adj.* **2.** Pertencente ou relativo a esse povo.

ainsa (a-í). [Do sânscr., 'não injúria'.] *S. m. Filos.* Princípio ético adotado particularmente no jainismo, e que consiste na rejeição permanente da violência e no respeito absoluto à vida de qualquer dos seres.

aio. *S. m.* **1.** Preceptor de crianças ilustres ou ricas. **2.** Criado-grave; camareiro, escudeiro: "Os Ataídes vêm de boa estirpe portuguesa e pretendem descender em linha reta do grande Egas Moniz, aio de Afonso Henriques." (Ciro dos Anjos, *Abdias*, p. 11.)

aió. [Do cariri.] *S. m. Bras.* Bolsa de caça feita de fibras de caroá: "Levava no aió um frasco de creolina" (Graciliano Ramos, *Vidas Secas*, p. 21).

aipatsê. *Bras. S. 2 g.* **1.** Indivíduo dos aipatsês, tribo indígena que habita na margem esquerda do rio Culuene, no alto Xingu. ● *Adj. 2 g.* **2.** Pertencente ou relativo a essa tribo.

aipé. [De *a-*[4] + *ipé.*] *S. m. Bras.* Ipê-da-folha-miúda.

aipi. *S. m. Bras. P. us.* V. *mandioca* (1 e 2).

aipim. [Var. de *aipi* < tupi *ai'pi.*] *S. m. Bras.* V. *mandioca* (1 e 2).

aipixuna (a-i). [De *ai*[1] + tupi *pi'xuna*, 'preto'.] *S. m. Bras.* Preguiça-de-coleira.

aipo. [Do lat. *apiu.*] *S. m.* Erva da família das umbelíferas *(Apium graveolens L.)*, cujas folhas, profundamente recortadas, são sustentadas por largos pecíolos de cor variada, crassos, carnosos, estriados, muitíssimo odoríferos, e que se usam em saladas, sopas, molhos, etc., ou como condimento. [Há variedades com raízes grossas e comestíveis, tais como o aipo-rábano, o salsão.]

aipo-rábano. *S. m.* V. *aipo.* [Pl.: *aipos-rábanos* e *aipos-rábano.*]

airá (a-i). [Do ioruba.] *S. m. Bras.* Variante do orixá Xangô, considerado o mais velho.

airado. [Do esp. *airado.*] *Adj.* **1.** Desvairado, alucinado, louco. **2.** Sem seriedade; leviano, irresponsável. **3.** Vadio, vagabundo, doidivanas, estróina. **4.** *Bras.* Constipado, resfriado. ~ V. *vida* —a.

airãoense. *Adj. 2 g* **1.** De, ou pertencente ou relativo a Airão (AM). ● *S. 2 g.* **2.** Natural ou habitante de Airão.

airar. [Do esp. *airar.*] *V. int. Bras., MT.* Tomar ar; refrescar-se.

aire. [Do esp. *aire.*] *S. m. Bras.* Coisa vã.

➧**airglow** (èrglou). [Ingl.] *S. m. Astr.* Fraca luminosidade do céu, invisível ao olho humano, e que surge ocasionalmente, de dia ou de noite, provocada pela ionização de minúsculas partículas da atmosfera; emissão atmosférica.

airi. [Do tupi *ai'ri.*] *S. m. Bras.* Palmeira silvestre, da família das palmeiras *(L. Astrocaryum auri)*, cujas nozes são usadas pelas crianças para fazer pião; sendo as sementes saborosas e oleosas; iri, coco-de-iri, brejaúba, brejaúva: "A trecho e trecho o cálix de ametista / Abre a flor da quaresma; o airi meneia / A folha adulta e a bráctea em lança enrista." (Alberto de Oliveira, *Poesias*, 3ª série, p. 279.)

airimirim. [De *airi* + *-mirim.*] *S. f. Bras.* Planta da família das palmeiras *(Bactris vulgaris)*, ornamental, mas agreste, e de nozes atro-rubras, com polpa lútea. [Var.: *irimirim.*]

airini. *S. 2 g.* e *adj. 2 g. Bras.* V. *ariini.*

airoba. [Do tupi-guar.] *S. f. Bras.* Membrana serosa que envolve o abdome da capivara, e donde vem o mau cheiro e gosto ruim da carne desse animal.

airosidade. *S. f.* Qualidade de airoso.

airoso (ô). [Do esp. *airoso.*] *Adj.* **1.** Esbelto, elegante, garboso. **2.** Gentil, delicado, donairoso. **3.** Digno, honroso, decoroso: *atitude airosa.*

aistórico. [De *a-*[3] + *histórico.*] *Adj.* Anistórico (1): "Kafka .... desnuda a história até o simples desejo de poder e de dominação, que é aistórico e não tem outro conteúdo senão ele mesmo." (Fernando Pedreira, *in* Jornal do Brasil, 11.3.1984.)

aitá. [Do tupi?] *S. f. Bras., Amaz.* Árvore da família das moráceas *(Brossimum lecointei)*, cuja madeira, imputrescível, é adequada para ebanisteria e outros usos que requerem lenho de lei; caimberama, uaitá.

aíte. [Da língua dos parecis.] *S. f. Bras.* Pasta de cera e pó de sementes com que os parecis se pintavam para festas e cerimônias.

aiú. [De or. afr.] *S. m. Bras., BA. Folcl.* **1.** Antigo jogo africano de quadrícula: um tabuleiro com 12 concavidades em que os dois parceiros vão colocando frutinhos ou donde os vão retirando. **2.** Cada um desses frutinhos.

aiuá (ai-u). *Interj. Bras.* Exprime alegria, gracejo ou mofa; aiuê.

aiuabense (ai-u). *Adj. 2 g.* **1.** De, ou pertencente ou relativo a Aiuaba (CE). ● *S. 2 g.* **2.** Natural ou habitante de Aiuaba.

aiuara-aiuara (ai-u). [Do tupi.] *S. f. Bras.* V. *mãe-d'água* (1). [Pl.: *aiuara-aiuaras.*]

aiuateri (ai-u). *Bras. S. 2 g.* **1.** Indivíduo dos aiuateris, tribo indígena do AM que habita no rio Demeni, a montante do Taraú, nos rios Mapulau e Totobi, formadores do Demeni, afluente da margem esquerda do rio Negro. ● *Adj. 2 g.* **2.** Pertencente ou relativo a essa tribo.

aiúba. *S. f. Bras.* **1.** Árvore da família das lauráceas *(Aydendron permalle)*, habitante da floresta amazônica, cuja madeira serve para construção em geral, sendo a casca do tronco aromática, e o fruto uma baga mediana; ajuba, aniúba. **2.** V. *aijuba.*

aiucá (a-i). *S. m. Bras., BA. Folcl.* **1.** O fundo do mar. **2.** V. *Iemanjá.* [Var.: *arucá.*]

aiuçá (a-i). *S. f. Bras., Amaz.* Var. de *aiaçá.*

aiuê (ai-u). *Interj. Bras.* Aiuá.

aiuimoroti (ai-uí). *S. m. Bras.* V. *canela-rajada.*

aiuiú (iu-iú). *S. m. Bras.* V. *canela-baraúna.*

aiuruapara (ai-u). [Do tupi *ayurua'para.*] *S. m. Bras.* V. *papagaio-campeiro.*

aiurucatinga (ai-u). [Do tupi *ayuru* + *aka*, 'ponta', + *tĩga*, 'branco'.] *S. m. Bras.* V. *papagaio-do-mangue.*

aiurujuba (a-i). [Do tupi *ay'ru*, 'ajuru', + *yub*, 'amarelo'.] *S. m. Bras., Amaz.* V. *guaruba.*

aiuruoquense (a-i). *Adj. 2 g.* **1.** De, ou pertencente ou relativo a Aiuruoca (MG). ● *S. 2 g.* **2.** Natural ou habitante de Aiuruoca.

aíva. *Bras. Adj. 2 g.* **1.** Sem valor; insignificante, reles. **2.** Mau, ruim. **3.** Adoentado, mofino, indisposto. **4.** Fora de si; desorientado, desatinado. ● *S. 2 g.* **5.** Pessoa ou coisa aíva (1). ● *S. f.* **6.** Doença incurável.

aivado. [Alter. de *alvado* (q. v.).] *S. m. Bras.* Buraco de colmeia.

aivão. [Alter. de *alvão.*] *S. m.* **1.** Andorinha rasteira. **2.** Faisão ordinário.

aiveca. *S. f.* Cada uma das duas peças que sustentam a relha do arado, e que servem para alargar o sulco.

aizoácea. *S. f.* Espécime das aizoáceas.

aizoáceas. *S. f. pl. Bot.* Família de plantas floríferas, da ordem das centrospermas, composta de espécies herbáceas ou subarbustivas, de flores simples, não raro vistosas.

aizoáceo. *Adj.* Pertencente ou relativo às aizoáceas.

ajabô. [Do ioruba.] *S. m. Bras.* Certa comida também chamada *caruru-branco*, por não conter azeite-de-dendê.

ajaezado. [Part. de *ajaezar.*] *Adj.* **1.** Diz-se de cavalo com todos os seus arreios e ornatos: "Não muito longe, um cavalo branco, ajaezado, espera-a." (Osmã Lins, *Nove, Novena*, p. 171.) **2.** Enfeitado, ornado, adereçado.

ajaezar. [De *a-*[2] + *jaez* + *-ar.*[2]] *V. t. d.* **1.** Adornar de jaezes. *P.* **2.** Enfeitar-se, adornar-se. [F. paral.: *jaezar.*]

ajajá. [Do tupi *aya'yá.*] *S. f. Bras.* V. *colhereiro* (2).

ajajemi. *Bras. S. 2 g.* e *adj. 2 g. Bras.* V. *catapolitani.*

ajanotado[1]. [De *a-*[2] + *janota* + *-ado*[1].] *Adj.* Que tem ares ou modos de janota: "um deles, louro, muito ajanotado, de luneta" (Luís de Magalhães, *O Brasileiro Soares*, p. 29).

ajanotado[2]. [Part. de *ajanotar.*] *Adj.* Que tem trajes de janota.

ajanotar. [De *a-*[2] + *janota* + *-ar.*[2]] *V. t. d.* **1.** Tornar janota. *P.* **2.** Vestir-se ou apresentar-se como janota.

ajantarado. [De *a-*[2] + *jantar* + *-ado*[1].] *Adj.* **1.** Semelhante a um jantar. ● *S. m.* **2.** *Bras.* Refeição farta e substanciosa, servida, em certos dias, um tanto depois da hora habitual do almoço, com o fim de suprimir o jantar; almoço ajantarado.

ajapá. [Do ioruba.] *S. m. Bras., BA.* V. *cágado* (1).

ajaponado. [De *a-*[2] + *japona* + *-ado*[1].] *Adj.* Semelhante a japona. (1): *casaco ajaponado.*

ajará. [Do tupi *aya'rá.*] *S. f. Bras., Amaz.* e *N.E.* Árvore modesta, da família das violáceas (*Rinorea guianensis*), provida de flores pequenas e frutos capsulares; inambuquiçaua.

ajaraí. *S. f. Bras., Amaz.* Árvore da família das sapotáceas (*Glycoxylon pedicellatum*), cujos frutos (bagas) são comestíveis, graças à polpa suculenta e doce, tendo a casca nítido sabor adocicado.

ajardinado. [Part. de *ajardinar.*] *Adj.* **1.** Que tem jardim: *casa ajardinada.* **2.** Disposto à maneira de jardim (1): *quintal ajardinado; praça ajardinada.*

ajardinamento. *S. m.* Ato ou efeito de ajardinar.

ajardinar. [De *a-*[2] + *jardim* + *-ar*[2].] *V. t. d.* **1.** Dispor em forma de jardim. **2.** Transformar em jardim: "sem o auxílio de ninguém, ... ele havia ajardinado o terreno, onde já se ostentavam lindíssimas flores." (Artur Azevedo, *Contos Cariocas*, p. 247).

ajaré. [Do tupi, decerto.] *S. m. Bras.* Arbusto da família das leguminosas, subfamília papilionácea (*Tephrosia nitens*), usado pelos índios para envenenar flechas. É espécie do mesmo gênero dos timbós.

ajeitação. *S. f.* Ato ou efeito de ajeitar(-se); ajeitamento.

ajeitamento. *S. m.* Ajeitação.

ajeitar. [De *a-*[2] + *jeito* + *-ar*[2].] *V. t. d.* **1.** Pôr a jeito; acomodar: *Foi ao espelho e ajeitou a gravata.* **2.** Conseguir, alcançar, por meios hábeis: *Lutou, mas ajeitou uma colocação para o filho. T. d. e i.* **3.** Oferecer, apresentar, proporcionar: *Conseguiu quem lhe ajeitasse uma entrevista com o prefeito. P.* **4.** Mostrar jeito; revelar-se hábil, jeitoso. **5.** Dar-se bem em qualquer serviço. **6.** Pôr-se a jeito; acomodar-se. **7.** Aparecer, deparar-se, oferecer-se: "Entrou Baltasar Pereira à sala; e, assim que a ocasião se ajeitou, foi sentar-se ao lado de Mécia." (Camilo Castelo Branco, *O Santo da Montanha*, p. 166.)

ajeru. [Var. de *ajuru.*] *S. m. Bras.* V. *papagaio* (1).

ajesuitado (u-i). [De *a-*[2] + *jesuíta* + *-ado*[1].] *Adj.* **1.** Que tem modos e/ou aparência de jesuíta: *um homem ajesuitado.* **2.** Próprio de jesuíta: *ar ajesuitado.*

ajesuitar (u-i). [De *a-*[2] + *jesuíta* + *-ar*[2].] *V. t. d.* e *p.* Tornar(-se) jesuíta (2) ou semelhante a jesuíta (2). [Conjug.: v. *ajuizar.*]

ajé. *Adj. Bras., MG.* Na região são-franciscana, estúpido, bronco.

ajê-xaluga. *S. m. Bras. Folcl.* Orixá iorubano da medicina. [Pl.: *ajês-xalugas.*]

ajirauzado. [De *a-*[2] + *jirau* + *-z-* + *-ado*[1].] *Adj. Bras.* Que tem forma ou semelhança de jirau.

ajoanetado. [De *a-*[2] + *joanete* + *-ado*[1].] *Adj.* **1.** Que tem grandes joanetes. **2.** Que tem forma de joanete.

ajoelhação. *S. f.* Ação de ajoelhar(-se); genuflexão [q. v.].

ajoelhado. [Part. de *ajoelhar.*] *Adj.* **1.** Posto de joelhos; genuflexo. **2.** *Fig.* Prostrado, humilhado, contrito.

ajoelhar. [De *a-*[2] + *joelho* + *-ar*[2].] *V. t. d.* **1.** Pôr de joelhos; fazer dobrar os joelhos. *Int.* **2.** Pôr-se de joelhos; ajoelhar-se: "Ajoelhou, sem orar." (Camilo Castelo Branco, *No Bom Jesus do Monte*, p. 14); "Ajoelha e reza uma oração." (Manuel Bandeira, *Estrela da Vida Inteira*, p. 128). **3.** Sucumbir, fraquejar, submeter-se. *P.* **4.** Pôr-se de joelhos; ajoelhar: "—Bem, ajoelhou-se e rezou." (Machado de Assis, *Várias Histórias*, p. 34.) **5.** Humilhar-se, humildar-se [Conjug.: v. *aparelhar.*]

ajoié. [Do ioruba.] *S. m. Bras.* Zeladora dos pejis.

ajorca. *S. f.* Var. de *axorca.*

ajorcado. [Part. de *ajorcar.*] *Adj.* Var. de *axorcado.*

ajorcar. *V. t. d.* Var. de *axorcar.* [Conjug.: v. *trancar.*]

ajorjar. [De *ajoujar.*] *V. t. i.* e *int. Bras., GO. Pop.* Amigar, amasiar.

ajornalado. [Part. de *ajornalar.*] *Adj.* Que trabalha por jorna ou jornal.

ajornalar. [De a-[2] + *jornal* + -ar[2].] *V. t. d.* **1.** Contratar para trabalhar por jornal ou diária. *P.* **2.** Trabalhar por jornal ou diária.

ajoujado. [Part. de *ajoujar.*] *Adj.* **1.** Ligado ou preso com ajoujo. **2.** Curvado ao peso de uma carga física ou moral.

ajoujamento. *S. m.* Ato ou efeito de ajoujar(-se).

ajoujar. [Do lat. **adjugium*, de **adjugare*, + -ar[2].] *V. t. d.* **1.** Prender ou ligar com ajoujo. **2.** Unir, juntar.**3.** *P. ext.* Unir ou ligar moralmente. **4.** Prender, atar, ligar. **5.** Oprimir, sobrecarregar, vexar: *ajoujar os mais humildes.* **6.** Fazer vergar ao peso de uma grande carga. *P.* **7.** Unir-se, juntar-se. **8.** Deixar-se dominar por outrem.

ajoujo. [Dev. de *ajoujar.*] *S. m.* **1.** Cordão ou corrente com que se prendem ou jungem animais pelo pescoço. **2.** Um par de animais ligados um ao outro. **3.** *Fig.* União forçada e incômoda. **4.** *Bras., N.E.* e *C.O.* Embarcação híbrida de balsa e canoa, para transporte de carga no rio São Francisco, constituída de duas a quatro canoas, tendo por cima um estrado de madeira (*coxia*) a elas fortemente amarrado por meio de tiras de couro cru, e que é impelida por longas varas. **5.** *Bras., N.E.* e *C.O.* Cada uma dessas tiras. **6.** *Bras., RS.* Tira de couro, de cerca de 80 cm de comprido por 2 de largo, usada para unir dois bois pelos chifres.

ajuacora. [Do tupi.] *S. f. Bras.* Colar de conchas usado pelos índios.

ajuaga. *S. f.* Tumor que se forma nos cascos das cavalgaduras.

ajuba. [Do tupi *ai'uuba.*] *S. f. Bras.* **1.** V. *aijuba*. **2.** V. *aiúba* (1).

ajucará. *S. m. Bras., BA. Folcl.* Colar de dentes, quase sempre um troféu de caça ou de guerra, usado pelos tupinambás.

ajuda. [Dev. de *ajudar.*] *S. f.* **1.** Ato ou efeito de ajudar. **2.** Auxílio, amparo, proteção, socorro. **3.** Favor, obséquio. [Sin. nessas acepç.: *ajudada*.] **4.** Capela ou igreja sucursal de uma igreja paroquial cujos fregueses moram a grande distância. **5.** Espécie de tributo feudal. **6.** *Ant.* Clister. **7.** *Bras. N.E.* Adicionamento ao caldo da cana-de-açúcar de uma substância alcalina ou alcalino-terrosa, geralmente cal, para que tal substância, combinando-se com os ácidos que esse caldo contém, possibilite a eliminação deles. ♦ **Ajuda de custa.** Ajuda de custo. **Ajuda de custo.** Quantia suplementar paga por determinados serviços, ou dada para determinadas despesas; ajuda de custa. **Ainda para mais ajuda.** Ainda por cima; ainda em cima.

ajudada. *S. f. Bras. Pop.* V. *ajuda* (1 a 3).

ajudadoiro. *S. m.* V. *ajudadouro*.

ajudador (ô). *Adj.* **1.** Ajudante (1). ● *S. m.* **2.** V. *ajudante* (2). **3.** *Bras., BA. Folcl.* Personagem importante nos ritos funerários do sertão, chamado, quando se tem um moribundo em casa, para que, por meio de cantos de incelência, defumações e simpatias, ajude o enfermo a morrer e a sua alma a encaminhar-se para lugar bom.

ajudadouro. *S. m.* Socorro, auxílio. [Var.: *ajudadoiro*.]

ajudância. *S. f. Bras.* Cargo ou função de ajudante.

ajudante. *Adj. 2 g.* **1.** Que ajuda; ajudador. ● *S. 2 g.* **2.** Pessoa que ajuda; ajudador, acólito. [Em Portugal tb. é us. o fem. *ajudanta*.] ● *S. m.* **3.** V. *hierarquia militar*. **4.** Militar que detinha a posição hierárquica de ajudante.

ajudante-de-ordens. *S. m.* Oficial às ordens de outro de patente mais alta, ou de um ministro, ou de um chefe de governo. [Pl.: *ajudantes-de-ordens*.]

ajudar. [Do lat. *adjutare.*] *V. t. d.* **1.** Dar ajuda a; auxiliar: "há proveito em irem as pessoas da minha história colaborando nela, *ajudando* o autor" (Machado de Assis, *Esaú e Jacó*, p. 46). **2.** Socorrer; favorecer. **3.** Facilitar; favorecer, propiciar: *Repouso ajuda a cura da gripe.* **4.** *Bras. N. E.* Fazer a ajuda (7) em (o caldo de cana-de-açúcar, nos engenhos). *T. d. e i.* **5.** Auxiliar a fazer alguma coisa: "Rosto contraído, boca torta, pediu finalmente à mulher que o *ajudasse* a conseguir uma visão melhor." (Gilvã Lemos, *Jutaí Menino*, p. 7.) *T. i.* **6.** Dar ajuda, prestar auxílio: *Queixa-se de que ninguém lhe ajuda. Int.* **7.** Dar ajuda, prestar auxílio a alguém: "Pessoas que viram a cena correram para se informar, para *ajudar*, e encontraram Geminiano debruçado na roda chorando." (José J. Veiga, *A Hora dos Ruminantes*, p. 29.) *P.* **8.** Valer-se, aproveitar-se, socorrer-se. **9.** Prestar auxílio a si mesmo. **10.** Auxiliar-se reciprocamente: "Os homens em sociedade são como as pedras em uma abóbada, resistem e se *ajudam* simultaneamente." (Marquês de Maricá, *Máximas, Pensamentos e Reflexões*, p. 28.)

ajudengado. [Part. de *ajudengar.*] *Adj.* **1.** Que segue a seita e os costumes judaicos. **2.** Ajudeuzado (1).

ajudengar. [De a-[2] + *judeu* + *-eng(o)-* + -ar[2].] *V. t. d.* **1.** Comunicar ou transmitir os modos judaicos a. *P.* **2.** Fazer-se judeu. **3.** Adquirir modos de judeu. [Conjug.: v. *largar*.]

ajudeuzado. [De a-[2] + *judeu* + -z- + *-ado*[1].] *Adj.* **1.** Que tem modos e/ou aparência de judeu, ou é próprio de judeu; ajudengado. **2.** Meio judeu.

ajugaíba. [Do tupi.] *S. f. Bras.* V. *búgula*.

ajuizado[1] (u-i). [De a-[2] + *juízo* + *-ado*[1].] *Adj.* Que tem juízo; sensato, prudente, judicioso.

ajuizado[2] (u-i). [Part. de *ajuizar.*] *Adj. Jur.* **1.** Que está em juízo. **2.** Dependente de apreciação judiciária.

ajuizador (u-i...ô). *Adj.* e *s. m.* Que ou aquele que ajuíza.

ajuizamento (u-i). *S. m.* Ato ou efeito de ajuizar(-se).

ajuizar (u-i). [De a-[2] + *juízo* + -ar[2].] *V. t. d.* **1.** Formar juízo ou conceito acerca de; julgar, avaliar, ponderar: *ajuizar a verdadeira importância de um acontecimento.* **2.** Avaliar, calcular, computar: *Ainda não ajuizaram os danos da inundação.* **3.** Pôr a juízo; levar a juízo (numa demanda); tornar em objeto de processo ou de mando judicial. *T. i.* **4.** Formar juízo ou conceito; julgar, avaliar, ponderar: *Não posso ajuizar de seus méritos. Int.* **5.** Ponderar, refletir; pensar: *Coçando a cabeça, ajuizava. P.* **6.** Julgar-se, considerar-se. [Pres. ind.: *ajuízo, ajuízas, ajuíza, ajuizamos* (u-i), *ajuizais* (u-i), *ajuízam*; pres. subj.: *ajuíze, ajuízes, ajuíze, ajuizemos* (u-i), *ajuizeis* (u-i), *ajuízem*; imperat.: *ajuíza, ajuizai* (u-i), etc.]

ajuizável (u-i). *Adj. 2 g.* Que se pode levar a juízo: *questão ajuizável*.

ajular. *V. t. d. Mar. Ant.* Impelir para julavento; arribar, sotaventear.

ajulata. *S. f. Bras.* V. *aijulata*.

ajumentado. [De a-[2] + *jumento* + *-ado*[1].] *Adj.* Que tem aparência de jumento (1).

ajunta. [Dev. de *ajuntar.*] *S. f.* Ajuntamento (1).

ajuntadeira. [Fem. de *ajuntador.*] *S. f.* Mulher que ajunta e cose as peças superiores do calçado.

ajuntado. [Part. de *ajuntar.*] *Adj.* **1.** Junto, ligado, unido. **2.** Congregado, associado, reunido. **3.** Amontoado, acumulado, acrescentado.

ajuntadoiro. *S. m.* Ajuntadouro [q. v.].

ajuntador (ô). *Adj.* **1.** Que ajunta. ● *S. m.* **2.** Aquele que ajunta. **3.** Pescador a quem cabe fechar a rede com os pés, debaixo da água, a fim de prender os peixes.

ajuntadouro. [Var. de *ajuntadoiro.*] *S. m.* Lugar onde se juntam águas das chuvas ou outras coisas.

ajuntamento. *S. m.* **1.** Ato ou efeito de ajuntar(-se); ajunta. **2.** Reunião de pessoas; agrupamento, aglomeração.

ajunta-pedra. [De *ajuntar* + *pedra*.] *S. m. Bras.* Peixe teleósteo, percomorfo, da família dos ciclídeos (*Retroculus lapidifer* (Cast.)), do rio Araguaia, cinza-esverdeado, com cinco faixas escuras transversais características e abdome claro, e que tem o aspecto geral dos acarás. [Costuma ajuntar pedras no lugar onde desova, donde o nome. Pl.: *ajunta-pedras*.]

ajuntar. [De a-[2] + *junto* + -ar[2].] *V. t. d.* **1.** Pôr junto; aproximar, unir: *Ajuntou as duas cadeiras, improvisando uma cama.* **2.** Reunir, agrupar. **3.** Coligir, colecionar, reunir: *ajuntar selos; ajuntar figurinhas.* **4.** Unir, coligar: "Não lhes foi difícil *ajuntarem* a freguesia contra nós" (Camilo Castelo Branco, *Doze Casamentos Felizes*, p. 179). **5.** Acrescentar, adicionar, adir: "Não *ajuntarei* palavras para encarecer as providências que aponto." (Tavares Bastos, *O Vale do Amazonas*, p. 155.) **6.** Dizer em seguida; acrescentar: *Disse que estava desorientado e ajuntou que esperava a minha ajuda.* **7.** Economizar, amealhar, aforrar: *ajuntar dinheiro*; "andei, virei, mexi, ... até que *ajuntei* um saldozinho, e me atirei pro Ceará." (Herman Lima, *Tijipió*, p. 108). **8.** Acasalar, casar. *T. d. e i.* **9.** Pôr junto; unir, aproximar, juntar: *ajuntar um tijolo a outro.* **10.** Agregar, associar: "a esses ditos *ajuntou* por seu lado a princesa o gracioso sorriso" (João Ribeiro, *Crepúsculo dos Deuses*, p. 15). **11.** Agregar, anexar, acrescentar: "Isidro deu a Dolores tudo que havia em casa, *ajuntando* aos bens vinte libras para que ela não ficasse a pedir." (Coelho Neto, *Treva*, p. 24.) *Int.* **12.** Juntar dinheiro; economizar, poupar: "Eles prosperavam. Trabalhando por hábito, gostavam de *ajuntar*." (José Vieira, *Vida e Aventura de Pedro Malasarte*, p. 89.) *P.* **13.** Unir-se, reunir-se; juntar-se: "À embriaguez do sangue viera *ajuntar-se* a embriaguez do vinho." (Camilo Castelo Branco, *Livro Negro de Padre Dinis*, p. 14.) **14.** Reunir-se, congregar-se; aglomerar-se. **15.** Amasiar-se, amancebar-se, amigar-se. **16.** Ter cópula; copular. [F. paral.: *juntar*.]

ajuntável. *Adj. 2 g.* Que se pode ajuntar.

ajuntoira. *S. f.* V. *ajuntoura*.

ajuntoura. *S. f.* Juntoura (2). [Var.: *ajuntoira*.]

ajupá. [Do tupi?] *S. m. Bras.* V. *tijupá* (1 a 4).

ajupe. *Interj. Bras., S.* Voz com que os arrieiros e tropeiros estimulam os animais.

ajuramentado. [Part. de *ajuramentar.*] *Adj.* Que prestou juramento; juramentado: *testemunha ajuramentada*.

ajuramentar. [De a-[2] + *juramento* + -ar[2].] *V. t. d.* **1.** Deferir juramento a. **2.** Fazer jurar. *P.* **3.** Obrigar-se por juramento. [F. paral.: *juramentar*.]

ajurana. [Do tupi, decerto.] *S. f. Bras.* Árvore mediana, da família das rosáceas (*Hirtella martiana*), de flores pequenas, dispostas em cachos, drupa ovóide, com duas sementes, e frutos edules; comandatuba.

ajuri. [Do tupi *ayru'ri.*] *S. m. Bras. AM.* V. *mutirão* (1).

ajuru. [Do tupi *ayu'ru.*] *S. m.* **1.** *Bras., Amaz.* Árvore da família das rosáceas (*Licania*), de madeira dura, com odor de óleo rançoso, e cujos frutos são drupas comestíveis, graças à polpa. **2.** *Bras.* V. *papagaio* (1).

ajuruaçu. *S. m. Bras.* V. *moleiro* (3).

ajuruapara. [Var. de *aiuruapara.*] *S. m. Bras.* V. *papagaio-campeiro*.

ajurucatinga. [Var. de *aiurucatinga.*] *S. m. Bras.* V. *papagaio-do-mangue*.

ajurucuruca. [Do tupi *ayuruku ruka*, 'papagaio resmungador'.] *S. m. Bras.* V. *papagaio-do-mangue*.

ajuruetê. [Do tupi *ayurue'tê*, 'ajuru verdadeiro'.] *S. m. Bras.* V. *papagaio-verdadeiro*.

ajurujubacanga. *S. f. Bras.* Jubacanga.

ajururé. *Bras. S. 2 g.* **1.** Indivíduo dos ajururés, tribo indígena do baixo Xingu e do Madeira, pertencente à família caraíba, idêntica à dos araras. ● *Adj. 2 g.* **2.** Pertencente ou relativo a essa tribo.

ajustado. [Part. de *ajustar.*] *Adj.* **1.** Conforme, concorde. **2.** Combinado, contratado, acordado. **3.** Justo, estreito, apertado. ● *S. m.* **4.** Aquilo que se ajustou; ajuste.

ajustagem. *S. f. Bras.* Ato ou efeito de ajustar (7); ajustamento, ajuste.

ajustamento. *S. m.* **1.** Ato ou efeito de ajustar(-se); ajuste. **2.** Adaptação, amoldamento, conformação, ajuste. **3.** V. *ajuste* (2). **4.** Ajuste de contas (1). **5.** Reconciliação entre pessoas desavindas; acomodamento, concórdia. **6.** Inteireza, retidão, justiça. **7.** *Constr.* V. *assentamento* (3). **8.** *Mat.* Construção ou determinação de uma função analítica que se aproxima, segundo um critério preestabelecido, de um conjunto de pontos determinados experimentalmente; interpolação. **9.** *Bras.* V. *ajustagem*.

ajustar. [De a-[2] + *justo* + -ar[2].] *V. t. d.* **1.** Tornar justo, exato; unir bem; igualar. **2.** Convencionar, combinar; estipular: *Ajustou as condições para o negócio.* **3.** Adaptar, acomodar, harmonizar: *Com esse novo comportamento procura ajustar melhor a sua pessoa.* **4.** Acertar, regularizar (contas). **5.** Tomar para o serviço; contratar, assalariar: *Ajustou o empregado por três meses apenas.* **6.** Apertar, estreitar (peça de vestuário). **7.** Tornar justo o grau de folga ou justeza existente entre duas peças justapostas de uma máquina. **8.** *Mat.* Efetuar o ajustamento (7) de (dados); interpolar. *T. d. e i.* **9.** Adaptar, acomodar: *Ajustou a chave inglesa ao rebite. T. i.* **10.** Adaptar-se, acomodar-se. *Int.* **11.** Ficar, cair (bem ou mal): *Este vestido ajusta bem. P.* **12.** Conformar-se, conciliar-se, harmonizar-se; concordar. **13.** Adaptar-se; acomodar-se: "É caso em que vai bem a alegria, porque sempre se *ajusta* e cabe quando se rememora façanha heróica tão altanada" (João Ribeiro, *Crepúsculo dos Deuses*, p. 70). **14.** Preparar-se, armar-se: "*Ajusta-se* sobre os sertões o cautério das secas; .... empedra-se o chão, gretando, recrestado" (Euclides da Cunha, *Os Sertões*, p. 40). **15.** Conformar-se, concordar: *Não se ajustou à situação, rebelou-se.* [F. paral. nas acepç. 1 a 7 e 9 a 11: *justar*[2].]

ajustável. *Adj. 2 g.* **1.** Que se pode ajustar. **2.** Adaptável, aplicável.

ajuste. [Dev. de *ajustar.*] *S. m.* **1.** Ajustamento (1 e 2). **2.** Acordo, trato, combinação, convenção, pacto, ajustamento. **3.** Ajuste de contas (1). **4.** Ajustado (4). **5.** *Bras. Mar. Merc.* Contrato de engajamento de tripulante de embarcação mercante. [É feito pelo rol de equipagem, e pode ser: por viagem redonda, por tempo (mensal), ou por quinhão no frete.] **6.** *Bras.* V. *ajustagem*. ♦ **Ajuste de contas. 1.** *Cont.* Liquidação dos débitos ou créditos pendentes; ajuste, ajustamento, encontro de contas. **2.** *Fig.* Represália, desagravo ou revindita que se toma contra alguém. [Sin. ger.: *acerto de contas*.] **Não estar pelos ajustes.** Não querer saber deles.

ajustura. *S. f.* Pequena cavidade na ferradura para esta se ajustar bem ao casco.

ajusturar. *V. t. d.* Fazer ajustura em.
ajutório. *S. m. Ant.* e *Bras.* V. *adjutório.*
al[1]. [Do lat. **ale,* por *alid,* na f. clássica *aliud,* 'outra coisa'.] *Pron.* **1.** *Ant.* Outra pessoa, outra coisa; o mais: "Al não disse, e, fitando olhos ardentes / Na moça, que de enleio enrubescia, / Com discursos mais fortes e eloqüentes / Na exposição do caso prosseguia" (Machado de Assis, *Poesias Completas,* p. 154). ● *S. m.* **2.** *Ant.* As outras coisas; o mais; o resto.
al[2]. Contr. da prep. a com o art. arc. *lo, la* (= *o, a).
▲**-al.** [Do lat. *-ale.*] *Suf. nom.* = 'relação', 'pertinência'; 'coleção', 'quantidade'; 'cultura de vegetais': *genial* (< lat. *geniale*), *setorial; areal, pantanal; arrozal, bananal.* [Alterna-se, às vezes, com *-ar: elemental, elementar; familial, familiar.*]
■**Al.** *Quím.* Símb. de *alumínio.*
■**AL.** Sigla do Estado de Alagoas.
ala. [Do lat. *ala*] *S. f.* **1.** *Ant.* V. *asa* (1). **2.** Fila, fileira, renque: "Que caminho triste, e que viagem! / Alas de ciprestes negros a gemer no vento" (Vicente de Carvalho, *Poemas e Canções,* p. 18). **3.** Cada um dos agrupamentos que em qualquer forma de associação tem particulares afinidades: *a ala direita de um partido político; a ala dos católicos progressistas; a ala das baianas da escola de samba da Portela.* **4.** Em certos jogos desportivos de competição, como futebol, rúgbi, etc., cada um dos lados da linha de ataque. **5.** *Constr.* Parte do edifício que se prolonga de um ou de outro lado do corpo principal; asa. **6.** *Constr.* Alão[2]. **7.** *Constr.* Cada um dos resguardos laterais de uma ponte. **8.** *Mil.* Unidade ou fração de unidade que opera no flanco de um dispositivo de forças militares. ● *S. m.* **9.** Jogador que atua na ala (4). ◆ **Abrir alas.** Formarem-se pessoas em fileiras, frente a frente, abrindo espaço para que passe alguém entre elas.
alabá. [Do ioruba.] *S. m. Bras., BA.* O quarto irmão e protetor dos ibejis, sem objeto de culto.
alabama. [De *Alabama,* nome de um navio.] *S. m. Bras.* **1.** Brilhante grande, mas de qualidade inferior. **2.** V. *caixeiro viajante.* **3.** Indivíduo que arrebanha jogadores para as tavolagens. **4.** *Zool.* Gênero de insetos lepidópteros ao qual pertence o curuquerê [q. v.].
alabamba. *S. m. Bras.* Espécie de papagaio de papel.
alabâmio. *S. m. Quím. Obsol.* Astatínio.
alabanda. [De *alabanda,* top.] *S. f.* Mármore negro, chamado assim por haver sido encontrado por Plínio, o Velho (23-79), na cidade do mesmo nome, na Ásia Menor.
alabarar. [De *labareda.*] *V. t. d.* **1.** Tostar ao fogo. **2.** Arder, queimar. **3.** Consumir, extinguir.
alabarda. [Do alto-al. médio *helmbarte,* atr. do it. *alabarda* ou do fr. *hallebarde.*] *S. f.* Arma antiga, constituída de uma longa haste de madeira rematada em ferro largo e pontiagudo, atravessado por outro em forma de meia-lua.
alabardada. *S. f.* Golpe de alabarda.
alabardeiro. *S. m.* **1.** Indivíduo que usa alabarda. **2.** Archeiro (1).
alabardino. *Adj.* Em forma de alabarda.
alabastrino. *Adj.* **1.** Da cor do alabastro (2): "A frouxa luz da alabastrina lâmpada / Lambe volutuosa os teus contornos..." (Castro Alves, *Poesias Escolhidas,* p. 68.) **2.** Que apresenta outras das propriedades dessa rocha.
alabastro. [Do gr. *alábastros,* 'vaso para perfume', pelo lat. *alabastru.*] *S. m.* **1.** *Min.* Rocha pouco dura e muito branca, translúcida, finamente granulada, constituída de gipsita. **2.** *Fig.* Alvura, brancura. **3.** Entre os gregos antigos pequeno vaso sem asa utilizado para queimar perfumes. **4.** Botão floral.
alabastro-calcário. *S. m. Min.* Mármore de granulação muito fina e textura fibrosa. [Pl.: *alabastros-calcários.*]
alabê. [Do ioruba *alagbê.*] *S. m. Bras., BA. Folcl.* O chefe da orquestra de atabaques e cabaças dos candomblés.
alabirintado. [De *a-*[2] + *labirinto* + *-ado*[1].] *Adj.* **1.** Que tem forma de labirinto. **2.** *Fig.* Confuso, complicado, tortuoso.
alabregado. [De *a-*[2] + *labrego* + *-ado*[1].]. *Adj.* Que tem aparência e/ou maneiras de labrego; grosseiro, lapuz.
alacaiado. [De *a-*[2] + *lacaio* + *-ado*[1].]. *Adj.* Que tem maneiras de lacaio.
➡**à la carte** (a la cart'). [Fr.] Escolhendo livremente, no restaurante, pratos que não figuram num cardápio fixo.
alacoado. [De *a-*[2] + *lacão* + *-ado*[1].] *Adj.* Da cor do lacão ou do presunto; rubicundo.
alacrado. [De *a-*[2] + *lacre* + *-ado*[1].] *Adj.* Alacreado.
alacraia. [De *lacraia,* com prótese.] *S. f. Bras.* V. *lacraia.*
alacranado. [De *a-*[2] + *alacrão* + *-ado*[1].] *Adj. Bras., S.* **1.** De superfície áspera, cheia de talhos e esfoladuras, como que dentada ou espinhosa. **2.** Diz-se de animal cheio de feridas ou chagas.
alacrão. *S. m. Ant.* V. *lacrau.*
álacre. [Do lat. *alacre.*] *Adj. 2 g.* Alegre, jovial, animado, entusiasmado: "falas com torrencial abundância e com álacre mobilidade, todo cheio de tua deliberação e todo iluminado por ela." (Amadeu Amaral, *O Elogio da Mediocridade,* p. 36.)
alacreado. [De *a-*[2] + *lacre* + *-ado*[1].] *Adj.* Da cor do lacre; alacrado.
alacridade. [Do lat. *alacritate.*] *S. f.* Qualidade de álacre; vivacidade, jovialidade, alegria, entusiasmo: "Vi-a tornar à mesma alacridade, / Ria-se, ria-se, aloucada e linda." (Alberto de Oliveira, *Poesias,* p. 155).
alactamento. *S. m.* Amamentação.
aladeirado. [De *a-*[2] + *ladeira* + *-ado*[1].] *Adj.* **1.** Que tem ladeira. ● *S. m.* **2.** *Bras., SP.* Terreno montuoso ou cheio de ladeiras, íngreme.
➡**à la diable** (a la diabl'). [Fr.] Desordenadamente, atabalhoadamente; a trouxe-mouxe.
aladina. *Adj. (f.)* Diz-se de uma tintura amarela usada na impressão da chita indiana.
alado. [Do lat. *alatu.*] *Adj.* **1.** Que tem asas. **2.** Que tem forma de asa. **3.** *Fig.* Leve, aéreo, delicado. **4.** *Fig.* Gracioso, elegante, airoso. **5.** *Morfol. Veg.* Provido de asas ou expansões membranáceas ao longo ou à volta: *pecíolo alado; semente alada.* **6.** *Heráld.* Áleo. ● *S. m.* **7.** Ser ou ente alado: "Negro e laranja, o japiim, sendo o pássaro mais esquivo,.... foi o primeiro alado que se aproximou do selvagem." (Raimundo Morais, *País das Pedras Verdes,* p. 47.)
aladroado. [De *a-*[2] + *ladrão* + *-ado*[1].] *Adj.* **1.** Que tem queda para ladrão; que furta embora pouco. **2.** Diz-se do peso em que há fraude.
aladroar. [De *a-*[2] + *ladrão* + *-ar*[2].] *V. t. d.* Cercear com fraude; desfalcar com dolo. [Conjug.: v. *coroar.*]
alagação. *S. f.* **1.** Alagamento (1). **2.** *Bras.* Inundação periódica das terras marginais do rio Amazonas. ◆ **Alagação de outubro.** *Bras., BA.* Período de chuvas que ocorre em outubro e dura de quatro a seis dias, considerado sinal de verão úmido.
alagadeiro. [De *alagar* + *-deiro.*] *Adj.* **1.** Gastador, esbanjador, dissipador, perdulário. [Us. sobretudo em relação a mulheres, e comumente como substantivo: *Teresa é uma alagadeira: dinheiro não lhe pára nas mãos.*] ● *S. m.* **2.** Indivíduo gastador, esbanjador, perdulário. **3.** Alagadiço (3).
alagadiceiro. *Adj. Bras.* Que pasta em terreno alagadiço: *bois alagadiceiros.*
alagadiço. *Adj.* **1.** Sujeito a alagar-se; encharcadiço. **2.** Lodoso, pantanoso, paludoso. ● *S. m.* **3.** Terreno alagadiço; alagadeiro. [Sin. bras. *chepe-chepe.*]
alagado. [Part. de *alagar.*] *Adj.* **1.** Cheio de água; encharcado. ● *S. m.* **2.** Pequena lagoa transitória ou temporária.
alagador (ô). *Adj.* e *s. m.* Que ou o que alaga: "uma chuvinha irritante, alagadora e fácil, enlameia o asfalto da Avenida" (Mateus de Albuquerque, *Da Arte e do Patriotismo,* pp. 189-190).
alagadoramente. [Do fem. de *alagador* + *-mente.*] *Adv.* De modo alagador; com alagamento: "o ruído fervente das espumas que se esparramavam alagadoramente." (Coelho Neto, *Banzo,* p. 172).
alagamar. [De *a-*[4] + *lagamar.*] *S. m.* Lagamar (2).
alagamento. *S. m.* **1.** Ato ou efeito de alagar(-se); alagação. **2.** *Fig.* Ruína, destruição, arrasamento. [Sin. ger., p. us.: *alago.*]
alagar. [De *a-*[2] + *lago* + *-ar*[2].] *V. t. d.* **1.** Tornar como em lago; cobrir de água; inundar: "A chuva cai, alaga o chão, encharca os ventos" (Joaquim Cardoso, *Poesias Completas,* P. 8); "A onda investia furente, ... alagava o bote" (Herman Lima, *Tijipió,* p. 123). **2.** Cobrir ou encher de qualquer líquido: *A chuva alagou a baixada.* **3.** Fig. Tornar repleto; encher: "Uma inundação de bondade alagava todos os corações." (Carlos de Laet, *Obras Seletas,* I, p. 80.) **4.** Alastrar-se por; invadir, ocupar: *A partir do século IV os povos germânicos alagaram o império romano.* **5.** Destruir, arruinar: *O terremoto alagou vários bairros da cidade.* **6.** *Ant.* Desperdiçar, dissipar. *T. d.* e *i.* **7.** Afundar, mergulhar. **8.** Encher, cobrir (de um líquido qualquer). *P.* **9.** Encher-se ou cobrir-se de água. **10.** Subverter; naufragar. [Conjug.: v. *largar.*]
alagartado. [De *a-*[2] + *lagarto* + *-ado*[1].] *Adj.* **1.** Manchado, como o lagarto; sarapintado. **2.** Adormecido, à maneira do lagarto.
alagartixado. [De *a-*[2] + *lagartixa* + *-ado*[1].] *Adj.* Semelhante a lagartixa.
alago. [Dev. de *alagar.*] *S. m. P. us.* V. *alagamento.*
alagoa (ô). [De *a-*[4] + *lagoa.*] *S. f.* V. *lagoa*[1] *(1).*
alagoa-grandense. *Adj. 2 g.* **1.** De, ou pertencente ou relativo a Alagoa Grande (PB). ● *S. 2 g.* **2.** Natural ou habitante de Alagoa Grande. [Pl.: *alagoagrandenses.*]
alagoano. *Adj.* **1.** De, ou pertencente ou relativo a AL. ● *S. m.* **2.** O natural ou habitante desse estado. [Sin. ger., desus.: *alagoense.*]
alagoa-novense. *Adj. 2 g.* **1.** De, ou pertencente ou relativo a Alagoa Nova (PB). ● *S. 2 g.* **2.** Natural ou habitante de Alagoa Nova. [Pl.: *alagoa-novenses.*]
alagoense. *Adj. 2 g.* e *s. 2 g. Desus.* Alagoano.
alagoinha (o-i). [Dim. de *alagoa.*] *S. f. Bras.* Lagoa pequena e rasa, temporária, alimentada mais por depósitos fluviais temporários que por cursos de água que para ela afluam.
alagoinhense[1] (o-i). *Adj. 2 g.* **1.** De, ou pertencente ou relativo a Alagoinha (PB e PE). ● *S. 2 g.* **2.** Natural ou habitante de Alagoinha.
alagoinhense[2] (o-i). *Adj. 2 g.* **1.** De, ou pertencente ou relativo a Alagoinhas (BA). ● *S. 2 g.* **2.** Natural ou habitante de Alagoinhas.
alagoso (ô). *Adj.* **1.** Cheio de água; alagado. **2.** Paludoso, pantanoso, alagadiço: "Nos mistérios com que se acotovelavam os raros habitantes da terra alagosa e ignota, a credulidade fazia-se-lhes doentiamente exagerada." (Alberto Rangel, *Sombras n'Água,* pp. 150-151.)
alagostado. [De *a-*[2] + *lagosta* + *-ado*[1]] *Adj.* Da cor avermelhada da lagosta.
alalá. *S. m. Bras. Gír. de jornal.* Comentário para dar a um fato aspecto sensacional.
alalia. [Do gr. *alalía.*] *S. f. Patol.* Impossibilidade de falar.
alamanda. [Do antr. *allamand,* de J. N. S. Allamand, cientista suíço.] *S. f.* Designação comum às espécies do gênero *allamanda,* da família das apocináceas, trepadeiras e arbustos ornamentais, de flores amarelas, das quais algumas são tóxicas; santa-maria, dedal-de-rosa. [Cf. *acapociba.*]
alamar. [Do ár. *al'-amārā.*] *S. m.* Galão de fio metálico, ou de seda, lã, etc., que guarnece e abotoa a frente de um vestuário, passando de um lado a outro da abotoadura: "Só então reparei no seu uniforme, ornado de galões e alamares" (Geir Campos, *O Vestíbulo,* p. 23).
alamarado. [De *alamar* + *-ado*[1].] *Adj.* Guarnecido de alamares.
alambari. *S. m. Bras.* V. *lambari* (1).
alambazado. [De *a-*[2] + *lambaz* + *-ado*[1].] *Adj.* **1.** Corpulento e desajeitado. **2** Grande, volumoso. **3.** Grosseiro, desajeitado, asselvajado. **4.** Guloso, glutão, lambaz.
alambazar-se. [De *a-*[2] + *lambaz* + *-ar*[2] + *se*[1].] *V. p.* **1.** Fazer-se lambaz; comer muito; empanturrar-se. **2.** Tornar-se grosseiro, desajeitado, asselvajado.
alambel. [De *a-*[4] + *lambel.*] *S. m. Ant.* Pano listado ou decorado com que se cobrem mesas, cadeiras, etc.; lambel. [Pl.: *alambéis.*]
alambicada. [Fem. substantivado de *alambicado.*] *S. f.* Porção de aguardente preparada de cada vez que se carrega o alambique.
alambicado. [Part. de *alambicar.*] *Adj.* **1.** Destilado em alambique. **2.** Presumido, pretensioso, afetado, arrebicado: "Dava tratos à Musa escrevendo copiosas e alambicadas líricas" (Coelho Neto, *A Conquista,* p. 72).
alambicar. *V. t. d.* **1.** Destilar no alambique. **2.** Tornar afetado e pretensioso; arrebicar; ataviar. **3.** Requintar, aprimorar com afetação (a fala, o estilo). *P.* **4.** Tornar-se afetado, pretensioso, presunçoso; afetar-se. [Conjug.: v. *trancar.*]
alambique. [Do gr. *ámbyx,* 'vaso de beira levantada', pelo ár. *al-lanbīq.*] *S. m.* Aparelho de destilação, constituído por uma caldeira na qual se depositam os materiais por destilar, e onde se desprendem e acumulam os vapores que, por meio de uma tubulação especial, chegam ao condensador, e aí tornam, pelo resfriamento, ao estado líquido; destilador.
alambiqueiro. *S. m.* **1.** Aquele que trabalha com alambique. **2.** *Bras., BA.* Proprietário de alambique.
alambor (ô). *S. m.* Suporte ou aumento de espessura na base de uma construção de alvenaria. [Pl.: *alambores* (ô). Cf. *alambores,* do v. *alamborar.*]
alamborado. [Part. de *alamborar.*] *Adj.* Que tem alambor.
alamborar. *V. t. d.* **1.** Dar feição de alambor a. **2.** Dar declive a; tornar convexo; abaular, alombar. [Pres.

subj.: *alambore, alambores*, etc. Cf. *alambores* (ô), pl. de *alambor*.]

alambra. [Var. de *alambre*. (1).] *S. f.* **1.** Álamo negro. **2.** Resina extraída do choupo.

alambrado. [Do esp. plat. *alambrado*.] *Adj.* **1.** Cercado com arame: *terreno alambrado*. • *S. m.* **2.** Cerca de fios de arame. **3.** Terreno alambrado (1). [Sin. ger.: *aramado*.]

alambrador (ô). [Do esp. plat. *alambrador*.] *S. m.* **1.** Fabricante de fios de arame, para cercas; arameiro. **2.** Aquele que alambra.

alambrar. [Do esp. plat. *alambrar*.] *V. t. d.* Cercar (terreno) com alambre[2]; aramar.

alambre[1]. [Do ár. *al'-anbar*.] *S. m.* **1.** V. *âmbar* (2). **2.** *Fig.* Pessoa esperta, arguta, sagaz.

alambre[2]. [Do esp. *alambre*.] *S. m.* Arame (2).

alambreado. [De *alambre*[1] + *-ado*[1].] *Adj.* **1.** Da cor amarelo-dourada do alambre[1] (1). **2.** Diz-se dessa cor: "o perfume do cabelo de cor alambreada" (Afonso Arinos, *Pelo Sertão*, p. 138).

alameda (ê). *S. f.* **1.** Rua ou avenida marginada de álamos. **2.** *P. ext.* Rua ou avenida marginada de quaisquer árvores. **3.** Aléia (2). **4.** Plantio de álamos. [Pl.: *alamedas* (ê). Cf. *alameda* e *alamedas*, do v. *alamedar*.]

alamedado. [Part. de *alamedar*.] *Adj.* **1.** Plantado de álamos. **2.** Disposto em alameda.

alamedar. *V. t. d.* **1.** Plantar de álamos. **2.** Dar a forma ou a disposição de alameda a. [Pres. ind.: *alamedo, alamedas, alameda*, etc. Cf. *alameda* (ê) e pl. *alamedas* (ê).]

alamia. [Do ár.] *S. f.* Certa peça dos jaezes do cavalo.

alamiré. *S. m.* V. *lamiré*.

álamo. *S. m.* V. *choupo-branco*. [Pl.: *álamos*. Cf. *alamos*, do v. *alar*.]

álamo-preto. *S. m.* Choupo-preto. [Pl.: *álamos-pretos*.]

alâmpada. [De *a-*[5] + *lâmpada*.] *S. f. P. us.* Var. de *lâmpada*: "A alâmpada na igreja triste e muda / Bruxuleava seu clarão" (Alexandre Herculano, *Poesias*, p. 114).

alampadário. [De *a-*[5] + *lampadário*.] *S. m.* Var. de *lampadário* [q. v.].

alanceado. [Part. de *alancear*.] *Adj.* **1.** Ferido, golpeado com lança. **2.** Torturado moralmente; atormentado, aflito, amargurado.

alanceador (ô). *Adj.* e *s. m.* Que, ou aquele que alanceia.

alanceamento. *S. m.* Ato ou efeito de alancear.

alancear. [De *a-*[2] + *lança* + *-ear*.] *V. t. d.* **1.** Ferir com lança; lancear. **2.** Ferir, pungir. **3.** Atormentar, afligir: *Os remorsos o alancearam até a morte*; "um pressentimento de morte próxima e violenta, punhal ou veneno, alanceia o padre" (Camilo Castelo Branco, *Maria da Fonte*, p. 167). **4.** Espicaçar, estimular. [Conjug.: v. *frear*.]

alandeado. [De *a-*[2] + *lande* + *-ado*[1].] *Adj.* **1.** Que tem forma de lande[1]; glandiforme. **2.** Semelhante à lande[1].

alangiácea. *S. f.* Espécime das alangiáceas.

alangiáceas. *S. f. pl. Bot.* Família da ordem das mirtales, que compreende arbustos das zonas tropicais da Ásia, Europa e África, de folhas alternas, flores hermafroditas e frutos drupáceos. Comporta o gênero *alangium*, com umas 21 espécies.

alangiáceo. *Adj.* Pertencente ou relativo às alangiáceas.

alanguidar-se. [De *a-*[2] + *lânguido* + *-ar*[2] + *se*[1].] *V. p.* Tornar-se lânguido; enlanguescer(-se), languescer, languir.

alanhado. [Part. de *alanhar*.] *Adj.* **1.** Cheio de lanhos; lacerado, golpeado. **2.** Vexado, oprimido.

alanhador (ô). *Adj.* e *s. m.* Que ou aquele que alanha.

alanhar. [De *a-*[2] + *lanho* + *-ar*[2].] *V. t. d.* **1.** Fazer lanhos em; golpear; esfaquear; lanhar. **2.** Fazer incisões em (o peixe), para salgá-lo ou secá-lo. **3.** Oprimir, vexar, angustiar, lanhar. *P.* **4.** Ferir-se, golpear-se; lanhar-se.

alanina. *S. f. Quím.* Aminoácido cristalino, incolor, que se forma na hidrólise de certas proteínas do organismo; ácido aminopropiônico. [Fórm.: $C_3H_7O_2N$.]

alanita. [Do antr. *Allan*, de T. Allan, cientista escocês, + *-ita*[3].] *S. f. Min.* Ortita.

alano[1]. *S. m.* Alão[1].

alano[2]. [Do lat. *alanu*.] *S. m.* **1.** Indivíduo dos alanos, povo bárbaro de origem asiática estabelecido na Sarmácia, entre o mar de Azov e o Cáucaso, e que no séc. V invadiu e dominou, algum tempo, a Gália e Península Ibérica. • *Adj.* **2.** Pertencente ou relativo ao povo alano.

alanterna. [De *a-*[5] + *lanterna*.] *S. f. P. us.* Lanterna.

alantíase. [Do gr. *allâs, ántos*, 'salsicha', + *-íase*.] *S. f. Patol. P. us.* Botulismo.

alantóide. [Do gr. *allantoedés*.] *Adj. 2 g.* **1.** Botuliforme. • *S. f.* **2.** *Zool.* Uma das três membranas que revestem o embrião, formando a placenta, nos vertebrados superiores. Origina-se no intestino posterior, espalhando-se no interior do cório; tem vascularização sangüínea, e atua como órgão respiratório e excretor do embrião.

alantoidiano. *S. m. Zool.* Animal vertebrado em cujo embrião se forma o alantóide (2). São os reptis, as aves e os mamíferos.

alantósporo. *S. m. Morfol. Veg.* Esporo, unicelular ou não, botuliforme.

alantotóxico (cs). [Do gr. *allâs, allántos*, 'salsicha', + *-tóxico*.] *S. m.* Veneno hipotético que se forma nas carnes conservadas, produzindo a alantíase.

alanzoador (ô). *Adj.* e *s. m.* Que, ou aquele que alanzoa.

alanzoar. *V. t. d.* **1.** Dizer à toa, tagarelando. *Int.* **2.** Tagarelar, parolar, papaguear. **3.** Bazofiar; jactar-se, vangloriar-se.[Conjug.: v. *coroar*.]

alão[1].[Do esp. *alano*.] *S. m.* Grande cão de fila, utilizado na caça: "o latir dos galgos e alãos" (Alexandre Herculano, *Lendas e Narrativas*, I, p. 185). [Var. de *alano*[1]. Pl.: *alãos, alães* e *alões*.]

alão[2]. *S. m. Constr.* Laje de pedra com que se arremata a face superior de um muro, para evitar o desmoronamento das pedras miúdas; ala.

alapado[1].[Part. de *alapar*.] *Adj.* **1.** Semelhante a lapa[1] (1).

alapado[2]. [De *a-*[2] + *lapa* + *-ado*[1].] *Adj.* **1.** Escondido, oculto, alapardado. **2.** Encolhido, agachado, acachapado, alapardado.

alapar. [De *a-*[2] + *lapa* + *-ar*[2].] *V. t. d.* **1.** Esconder em lapa. **2.** Ocultar debaixo ou por trás de alguma coisa. *P.* **3.** Esconder-se rente ao chão; ocultar-se; alapardar-se. **4.** Agachar-se; encolher-se; alapardar-se.

alapardado. [Part. de *alapardar*.] *Adj.* V. *alapado* (2 e 3).

alapardar-se. [De *láparo?*] *V. p.* **1.** V. *alapar* (3): "Punha-se de guarda, ... alapardando-se nas moitas de camará." (José Américo de Almeida, *A Bagaceira*, p. 37.) **2.** V. *alapar* (4).

alapoado. [De *a-*[2] + *lapão*[3] + *-ado*[1]] *Adj.* Que tem modos e/ou aspecto de lapão[2], rústico, grosseiro.

alaque. *S. m. Arquit.* Plinto.

alar[1]. [De *ala* (1) + *-ar*[1].] *Adj. 2 g.* **1.** V. *aliforme*. **2.** Relativo a asa. ~ V. *alares*.

alar[2]. [De *ala* + *-ar*[2].] *V. t. d.* **1.** Dar asa(s) a: *alar a imaginação, a fantasia*. **2.** Dispor em alas; formar em alas. *T. d. e i.* **3.** Fazer voar: *alar o pensamento a Deus*. *P.* **4.** Criar asas: *insetos que se alam em épocas determinadas*. **5.** Desferir vôo; elevar-se voando: "Parece uma ave que se alou, há pouco, / Desdobrando em suave desarranjo, / Um canto alegre, descuidado e louco..." (Francisco Mangabeira, *Poesias*, p. 442.) [Pres. ind.: *alo, alas, ala, alamos*, etc.; pres. subj.: *ale, ales, ale, alem*, etc. Cf. *halo*, s. m.; *álamos*, pl. de *álamo*; *Álamos*, pl. do antr. *Álamo*; e *além*.]

alar[3] [Do fr. *haler*.] *V. t. d.* **1.** Puxar para cima; içar. **2.** Erguer, levantar, suspender. **3.** Remontar, librar. *P.* **4.** Elevar-se, alçar-se: "Meu ser ao céu se eleva, se ala, / pela cromática escala / dessa fala!" (Gilca da Costa Melo Machado, *Poesias*, p. 61.) **5.** Engrandecer-se, elevar-se. [Pres. ind.: *alo, alas, ala, alamos*, etc.; pres. subj.: *ale, ales, ... alem*, etc. Cf. *halo*, s. m.; *álamos*, pl. de *álamo; Álamos*, pl. do antr. *Álamo*; e *além*.]

alar[4]. *V. int. Gír.* Viver, existir. [Pres. ind.: *alo, alas, ala, alamos*, etc.; pres. subj.: *ale, ales, ... alem*, etc. Cf. *halo*, s. m.; *álamos*, pl. de *álamo*; *Álamos*, pl. do antr. *Álamo*; e *além*.]

alar[5]. *V. t. d. Bras., MG, SP* e *MT. Pop.* Desenvolver, apressar (o trabalho). [Pres. ind.: *alo, alas, ala, alamos*, etc.; pres. subj.: *ale, ales, ... alem*, etc. Cf. *halo*, s. m.; *álamos*, pl. de *álamo*; *Álamos*, pl. do antr. *Álamo*, e *além*.]

alaranjado. [De *a-*[2] + *laranja* + *-ado*[1].] *Adj.* **1.** Que tem gosto, odor ou forma de laranja. **2.** Da cor amarelo-avermelhada da casca ou da polpa de certas laranjas, da cor da tangerina, do abricó; laranja. **3.** Diz-se dessa cor: *vestido de cor alaranjada*. • *S. m.* **4.** Essa cor, em suas diversas gradações; laranja. [V. de *cor* (3).] **5.** No espectro visual [q. v.], cor da radiação eletromagnética com comprimento de onda situado, aproximadamente, entre 590 e 620 manometros, entre o amarelo e o vermelho; laranja.

alarar. [De *a-*[2] + *lar* + *-ar*[2].] *V. t. d.* Estender no lar ou lareira.

alardar[1]. *V. t. d.* e *int. P. us.* V. *alardear*.

alardar[2]. [De *a-*[2] + *lardo* + *-ar*[2].] *V. t. d.* e *t. d. e i.* Lardear.

alarde. [Do ár. *al'-arD*.] *S. m.* **1.** Ostentação, jactância, aparato, alardeio. **2.** Bazófia, fanfarrice, vanglória. [Var. (ant.): *alardo* (q. v.).]

alardeadeira. [Fem. de *alardeador*.] *S. f.* Mulher que alardeia.

alardeador (ô). *Adj.* e *s. m.* **1.** Que, ou aquele que alardeia. **2.** V. *fanfarrão*.

alardear. *V. t. d.* **1.** Fazer alarde de; ostentar. *Int.* **2.** Bazofiar, vangloriar-se; gabar. [F. paral. (p. us.): *alardar*. Conjug.: v. *frear*.]

alardeio. [Dev. de *alardear*.] *S. m.* V. *alarde* (1).

alardo. [Var. de *alarde*.] *S. m. Ant.* **1.** Revista anual de tropas. **2.** *Bras., ES. Folcl.* Auto ou representação popular evocativa das lutas entre mouros e cristãos. **3.** Manifestação ou demonstração militar para exercício ou para preparativos de luta. **4.** Resenha minuciosa da gente de armas. **5.** Rol onde se faz essa resenha.

alares. [Pl. substantivado de *alar*[3].] *S. m. pl.* Laços de crina de cavalo com que se apanham perdizes. ~ V. *alar*.

alargador (ô). *Adj.* e *s. m.* Que, ou aquele que alarga.

alargamento. *S. m.* **1.** Ação ou efeito de alargar(-se). **2.** Estado do que se alargou; dilatação. **3.** *Gram.* Transformação de uma vogal em ditongo. Ex.: *meo* > *meio*; *cheo* > *cheio*; *aposento* > *apousento* (port. ant.). ♦ **Alargamento Doppler.** *Astr.* Alargamento de uma raia espectral, produzido pelo efeito Doppler, originado este pelo movimento de massas gasosas, ou pelo movimento dos átomos dessa massa.

alargar. [De *a-*[2] + *largo* + *-ar*[2].] *V. t. d.* **1.** Tornar largo ou mais largo; larguear: "o divino riso, consolador dos homens, alegrava as caras, alargava as bocas" (Augusto Meyer, *No Tempo da Flor*, p. 17). **2.** Afrouxar, desapertar: *Sentindo-se sufocado, alargou o colarinho*. **3.** Ampliar, desenvolver, aumentar: *Resolveu alargar o seu círculo de amizades*. **4.** Dar maior duração a; prolongar: *Alargou o passeio até o parque*. *Int.* **5.** Fazer-se largo ou mais largo; alargar-se: "A casa alarga, crescem as paredes" (Orlando Gonçalves, *Este Mundo dos Homens*, p. 96). *P.* **6.** Fazer-se largo ou mais largo; alargar. **7.** Gastar largamente. **8.** Prolongar-se, estender-se: "Não discutirei aqui, por não alargar-me muito" (Mário Barreto, *Novos Estudos da Língua Portuguesa*, p. 128). **9.** Alastrar-se, espalhar-se, propagar-se:"E de onda em onda cada vez mais larga, / De brisa em brisa cada vez mais pura, / O nome dessa excelsa criatura / Por todo aquele imenso mar se alarga" (João de Deus, *Campo de Flores*, I, p. 171). [Conjug.: v. *largar*.]

alarida. *S. f. P. us.* Var. de *alarido*. [q. v.].

alarido. *S. m.* **1.** Clamor de vozes; gritaria, algazarra, celeuma. **2.** Choradeira, lamúria, lamentação: "ouviu berreiro de crianças e mulheres, e a voz de Tertuliano, que dominava de vez em quando o alarido geral, soltando, num tom estrídulo e angustiado, esta palavra: 'Xandoca'." (Artur Azevedo, *Contos fora da Moda*, p. 11). [Var. (p. us.): *alarida*.]

alarifaço. *Adj.* e *s. m. Bras., S.* Aum. de *alarife* (2, 3 e 4).

alarifagem. *S. f. Bras., S.* Qualidade ou ação de quem é alarife (2); esperteza, trapaça, velhacagem.

alarife. [Do ár. *al-arîf*.] *S. m.* **1.** *Ant.* Arquiteto; construtor; mestre-de-obras. **2.** Indivíduo finório, espertalhão, velhaco. **3.** Indivíduo de maus costumes; bandido, ladrão. **4.** V. *valentão* (3). • *Adj.* **5.** Finório, esperto, velhaco, trapaceiro, ladino. **6.** V. *valentão* (1).

alarma. *S. m.* V. *alarme*: "Percebida a fuga, foi dado o alarma, ... ao som rouco de córneas buzinas" (Afonso Arinos, *Pelo Sertão*, p. 126).

alarmante. *Adj. 2 g.* **1.** Que causa alarme: *Sua palidez era um sinal alarmante*. **2.** Que assusta, alvorota, sobressalta: *notícias alarmantes se espalharam por toda a cidade*.

alarmar. *V. t. d.* **1.** Dar voz de alarme a. **2.** Pôr em alarme (4); assustar, sobressaltar, alvoroçar: *A ameaça de invasão alarmou o povo*. *P.* **3.** Assustar-se, sobressaltar-se, alvoroçar-se.

alarme. [Do it. *all'arme*.] *S. m.* **1.** Brado às armas; rebate. **2.** Sinal para dar aviso dalgum perigo: *campainha de alarme; Ouvindo passos, o cão latiu dando o alarme*. **3.** Confusão, comoção, tumulto: *Houve com as notícias divulgadas pelos jornais um grande alarme na bolsa de valores*. **4.** Susto, sobressalto, inquietação. **5.** Vozearia, gritaria. [Var.: *alarma*.]

alarmismo. De *alarme* + *-ismo*.] *S. m.* Difusão de boatos ou notícias alarmantes.

alarmista. [De *alarme* + *-ista*.] *Adj. 2 g.* e *s. 2 g.* Que, ou quem se compraz em espalhar notícias ou boatos alarmantes.

alarvado. [De *alarve* + *-ado*[1].] *Adj.* Que tem modos e/ou aspecto de alarve (5 e 6).

alarvaria. *S. f.* **1.** Ação própria de alarve; brutalidade, rusticidade. **2.** Glutonaria.

alarve. [Do ár. *al-'arab*, 'os árabes'.] *Adj. 2 g.* **1.** *Ant.* Relativo aos árabes; arábico. **2.** Rústico, grosseiro, rude, selvagem. **3.** Tolo, parvo, idiota, palerma. ● *S. 2 g.* **4.** *Ant.* Árabe do deserto; beduíno. **5.** Pessoa alarve (2 e 3). **6.** Comilão, glutão.

alarvia. *S. f.* Multidão de alarves.

alasquense. *Adj. 2 g.* e *s. 2 g.* Alasquiano.

alasquiano. *Adj.* **1.** Do, ou pertencente ou relativo ao Estado do Alasca (E.U.A.). ● *S. m.* **2.** O natural ou habitante desse estado. [Sin. ger.: *alasquense.*]

alastrado. *S. m. Bras., N.E.* V. *xiquexique* (1): "A cachorra Baleia saiu correndo entre os alastrados e quipás, farejando a novilha raposa." (Graciliano Ramos, *Vidas Secas*, p. 25.)

alastramento. *S. m.* Ação ou efeito de alastrar(-se).

alastrante. *Adj. 2 g.* Que se alastra.

alastrar. [De *a-*[2] + *lastro* + *-ar*[2].] *V. t. d.* **1.** Cobrir com lastro; lastrar. **2.** Cobrir, espalhando; cobrir, encher: "Devorador incêndio alastra os ares" (Gonçalves Dias, *Obras Poéticas*, II, p. 231). **3.** Propagar; difundir: *O vento alastrou a epidemia.* **4.** Derramar, estender: *As espigas maduras alastravam os seus pendões. T. d.* e *i.* **5.** Encher, cobrir. *Int.* **6.** Estender-se, alargar-se gradualmente. **7.** Ir lavrando; propagar; espalhar-se. *P.* **8.** Estender-se, espalhar-se, alargar-se gradualmente: "De repente raiou uma pluma de fogo na escuridão. Cresceu, alastrou-se" (Rebelo da Silva, *Contos e Lendas*, p. 42). **9.** Ampliar-se, alargar-se. **10.** Propagar-se, espraiar-se, grassar, lastrar: "começa a aparecer a vegetação do litoral, alastram-se pelas encostas vastíssimos bananais." (Júlio Ribeiro, *A Carne*, p. 132); "Um perfume agreste se alastra, / De ácido mel." (Cecília Meireles, *Obra Poética*, p. 225).

alastrim. [De *alastrar.*] *S. m.* **1.** *Patol.* Doença eruptiva epidêmica, produzida por vírus, contagiosa, forma atenuada da varíola: "Depois daquilo, nem alastrim, nem febre tífica, nem cobreiro deram com ele na cama por mais de uma semana." (Nélson de Faria, *Tiziu e Outras Estórias*, p. 125.) **2.** *Bras.* V. *sururu* (1).

alatinado. [Part. de *alatinar.*] *Adj.* Que imita o latim na forma ou na construção; latinizado.

alatinamento. *S. m.* Ato ou efeito de alatinar.

alatinar. [De *a-*[2] + *latino* + *-ar*[2].] *V. t. d.* Dar feição latina a (a linguagem), na morfologia ou na sintaxe:"Nutrido, desde tenra idade, com o *Leite dos Meninos*, e afeito às belezas de Virgílio, Horácio e Ovídio, alatinou o jovem More, à moda dos humanistas, o próprio nome, transmudando-o em Morus" (Ivã Lins, *Tomás Morus e a Utopia*, p. 4).

alatoar. [De *a-*[2] + *latão* + *-ar*[2].] *V. t. d.* Guarnecer com cintas ou incrustações de latão. [Conjug.: v. *coroar.*]

alaudado (a-u). [De *alaúde* + *-ado*[1].] *Adj.* Que lembra o alaúde, pela forma e/ou pelo som.

alaúde. [Do ár. *al-'aud.*] *S. m.* Antigo instrumento de cordas dedilháveis, de origem oriental, com a caixa de ressonância sensivelmente abaulada, sem costilhas e em forma de meia pêra, e com a pá do cravelhame inclinada, formando ângulo quase reto com o braço longo: "Ouvem-se, ao longe, os sons de um concerto gazil, /De cítola e doçaina, alaúde e arrabil..." (Martins Fontes, *Verão*, p. 73.) [Var. (p. us.): *laúde.*]

alaudista (a-u). *S. 2 g.* Pessoa que toca alaúde.

alaúza. *S. f. Bras. Gír.* v. *laúza.*

alavanca. *S. f.* **1.** *Fís.* Máquina simples que consiste em um corpo rígido (geralmente linear) capaz de girar em volta de um ponto fixo (fulcro), e no qual se estabelece um equilíbrio de momentos pela ação de duas forças: a potência e a resistência. **2.** Barra de ferro ou de madeira, bem rígida, que se emprega para mover ou levantar objetos pesados. **3.** *Fig.* Meio de ação; expediente. **4.** *Bras.* Peça que, nos veículos de tração elétrica, corre sob os cabos condutores de energia para transmiti-la ao motor. ◆ **Alavanca de câmbio.** *Autom.* V. *alavanca de mudanças.* **Alavanca de marcha.** *Autom.* V. *alavanca de mudanças.* **Alavanca de mudanças.** *Autom.* Haste metálica por meio da qual o motorista alterna convenientemente as marchas do veículo; alavanca de marchas, alavanca de câmbio, câmbio, mudança. **Alavanca interfixa.** *Fís.* Aquela em que o fulcro está entre a potência e a resistência. Ex.: a tesoura. **Alavanca interpotente.** *Fís.* Aquela em que a potência está entre a resistência e o fulcro. Ex.: a pinça. **Alavanca inter-resistente.** *Fís.* Aquela em que a resistência está entre a potência e o fulcro. Ex.: o quebra-nozes.

alavercar. *V. t. d.* **1.** Curvar, encolher; rebaixar, humilhar. *Int.* **2.** Agachar-se, humilhar-se. *P.* **3.** Curvar-se humildemente; humilhar-se. [Conjug.: v. *trancar.*]

alazão. [Do ár. *al-'az'ár*, 'ruivo'.] *Adj.* e *s. m.* Diz-se de, ou cavalo que tem a pelagem cor de canela, amarelo-avermelhada: "Estrada .... castigada pelos cascos de zainos e alazães." (Chico Anísio, *Teje Preso*, p. 12.) [Var.: *lazão.* Fem.: *alazã*; pl. *alazães* e *alazões.*]

alazarado. [De *a-*[2] + *lázaro* + *-ado*[1].] *Adj.* Semelhante a um lázaro; chaguento.

alazeirado. [De *a-*[2] + *lazeira* + *-ado*[1].] *Adj.* Que tem lazeira.

alba[1]. [Do lat. *alba.*] *S. f.* Var. de *alva*[1].

alba[2]. [Do provenç. *auba.*] *S. f.* Antiga composição poética trovadoresca em que se cantavam cenas ocorridas ao romper da aurora. [Var.: *alva.*]

albacora. [Do ár. marroquino *al-bakūra.*] *S. f. Bras.* Peixe teleósteo, percomorfo, da família dos tunídeos, gênero *Thunnus* L., de corpo grosso, nadadeiras bem desenvolvidas, sobretudo a caudal, e carne ótima, muito procurada para indústrias de conservas. [Var.: *alvacora.*]

albacorinha. [Dim. de *albacora.*] *S. f. Bras.* Peixe teleósteo, percomorfo, da família dos tunídeos (*Thunnus atlanticus* Less.), do Atlântico.

albafar. [Do ár. *al-bakhār.*] *S. m.* Antigo perfume extraído da raiz da junça. [Var.: *abafar.*]

albanês. *Adj.* **1.** Da, ou pertencente ou relativo à Albânia (Europa). ● *S. m.* **2.** O natural ou habitante da Albânia. **3.** Língua indo-européia falada na Albânia, de filiação desconhecida. [Sin. ger.: *albano.* Flex.: *albanesa* (ê), *albaneses* (ê), *albanesas* (ê).]

albano[1]. *Adj.* e *s. m.* Albanês.

albano[2]. *Adj.* **1.** De, ou pertencente ou relativo a Alba Longa (Itália). ● *S. m.* **2.** O natural ou habitante dessa cidade.

albará. *S. f.* Planta herbácea, da família das canáceas (*Canna angustifolia*); albarã.

albarã. *S. f.* Albará.

albarda. [Do ár. *albarda'a* ou *al-barda'â.*] *S. f.* **1.** Sela grosseira, enchumaçada de palha, para bestas de carga. **2.** *Pop.* Jaqueta ou casaco malfeito. **3.** *Fig.* Opressão, vexame, humilhação.

albardada. [Part. de *albardar* (3), substantivado.] *S. f.* Iguaria coberta com ovos, e frita: *albardada de bacalhau.*

albardado[1]. [Part. de *albardar.*] *Adj.* Aparelhado com albarda.

albardado[2]. *Adj.* Diz-se do touro que, sem ser malhado nem sardo, apresenta no lombo mancha de cor diferente da do resto do pêlo.

albardão. [Aum. de *albarda.*] *S. m.* **1.** Albarda grande. **2.** Sela com o feitio da albarda, mas forrada de carneira, com bordas, e própria para cavalaria. **3.** *Bras.* Pequena coxilha. **4.** *Bras.* Cadeia de coxilhas alternadas de baixadas, ao longo de cursos de água: "a estância era na costa de dois rios; e tem muitos albardões com mato, que eram a querência da gadaria xucra." (Simões Lopes Neto, *Contos Gauchescos e Lendas do Sul*, p. 232). **5.** *Bras.* Terreno elevado, à beira de rios ou lagunas. **6.** *Bras.* Dique marginal. [Pl.: *albardões.*]

albardar. *V. t. d.* **1.** Pôr albarda ou albardão em. **2.** Oprimir, dominar. **3.** Cobrir (fatias, postas de peixe, bifes, etc.) com ovos, para frituras. **4.** Enganar, burlar, lograr, intrujar. **5.** *Burl.* Vestir mal. **6.** *Pop.* Fazer mal e às pressas (qualquer coisa).

albardeiro. *S. m.* **1.** Fabricante ou vendedor de albardas [v. *albarda* (1)] ou albardões [v. *albardão* (1 e 2)]. **2.** *Pop.* Mau alfaiate. ● *Adj.* **3.** Imperito, imperfeito (no seu ofício); abaldeiro, abaldeirado. **4.** Mentiroso, enganador.

albardilha. *S. f.* **1.** Pequena albarda. **2.** Armadilha para apanhar falcões.

albarrã[1]. [Do ár. *al-barran.*] *Adj. (f.)* e *s. f.* Diz-se da, ou a torre saliente em castelos ou erguida de distância em distância, ao longo das muralhas. [Var.: *alvarrã.*]

albarrã[2]. *S. f.* Cebola silvestre da família das liliáceas (*Urginea scilla*). [Var.: *alvarrã.*]

albatroz. [Do ingl. *albatross*, atr. do fr. *albatros.*] *S. m. Bras.* **1.** Ave procelariforme, da família dos diomedeídeos. (*Thalassarche melanophris* (Tem.)), do Atlântico e Pacífico meridionais, de coloração branca, asas e cauda pardacento-escuras, pés e bico amarelos, com área negra sobre os olhos. É ave oceânica, só vindo à terra (ilhas) para nidificar; freqüenta as costas do Brasil, onde excepcionalmente aparece além de 20º paralelo sul; alimenta-se de peixes. **2.** Designação comum às aves procelariformes do gênero. *Thalassarche* Reich., oceânica. [Sin. (nestas acepç.): *gaivotão.*] **3.** Designação comum às aves procelariformes do gênero *Diomedea.* [Sin., impr. (nesta acepç.): *gaivotão.*]

albatroz-real. *S. m. Bras.* Ave procelariforme, da família dos diomedeídeos (*Diomedea epomophora longirostris* Mat.), branca com as pontas das asas pretas e pés cor de salmão, que ocorre do Cabo Horn ao S. do Brasil. [Pl.: *albatrozes-reais.*]

albedo (ê). [Do lat. *albedo.*] *S. m.* **1.** *Ópt.* Poder difusor de uma superfície; fração da luz incidente que é difundida pela superfície. **2.** *Astr. Restr.* Relação entre a luz refletida pela superfície de um planeta ou um satélite e a luz que aquele ou este recebe do Sol.

albente. [Do lat. *albente.*] *Adj. 2 g.* V. *alvejante (2):* "Os seus corcéis anões que o espaço embriaga, / Com a cabeça de cervo e cor albente, / Como um bando de cisnes que divaga, / Os ares atravessam bruscamente." (Alphonsus de Guimaraens, *Obra Completa*, p. 182.)

alberca. [Do ár. *al-birkâ.*] *S. f.* Alverca. [q. v.].

albergado. [Part. de *albergar.*] *Adj.* **1.** Hospedado, alojado, abrigado. **2.** Recolhido por caridade; asilado. **3.** *Bras.* Diz-se do detento que desfruta das prerrogativas concedidas pelo sistema de prisão-albergue. ● *S. m.* **4.** Bras. Detento albergado (3).

albergador (ô). *Adj.* e *s. m.* Que ou aquele que alberga.

albergamento. *S. m.* Ato ou efeito de albergar(-se); albergaria.

albergar. *V. t. d.* **1.** Dar albergue a; receber, hospedar, agasalhar. **2.** Recolher em albergue; asilar: **3.** Conter, encerrar, guardar, abrigar: *Aquele peito alberga um coração generoso. T. c.* e *int.* **4.** V. *albergar* (5). *P.* **5.** Tomar albergue ou pousada; hospedar-se, alojar-se, agasalhar-se, albergar. **6.** Recolher-se em albergue ou asilo. [Conjug.: v. *largar.*]

albergaria. *S. f.* **1.** Albergamento. **2.** V. *albergue (2).* **3.** V. *hospedaria.* **4.** Pousada ou estalagem onde eram recolhidos peregrinos e viajantes, principalmente os pobres. **5.** Contrato de hospedagem.

albergue. [Do gót. **haribaírgo.*] *S. m.* **1.** V. *hospedaria.* **2.** Lugar em que se recolhe alguém por caridade; hospício, abrigo, asilo, albergaria, **3.** Refúgio, abrigo, resguardo. [Var.: *alvergue.*] ◆ **Albergue noturno.** Asilo onde se recolhem de noite os mendigos.

albergueiro. *S. m.* Aquele que alberga; hospedeiro: "Voemos agora ao almoço do albergueiro, que lá nos espera com a tradicional galinha com arroz" (Afonso Arinos, *Histórias e Paisagens*, p. 215).

albertogalvano. *S. m. Tip.* Galvano obtido com matriz de chumbo e usado, por sua durabilidade, nas grandes tiragens ou em certas impressões a cores. [Inventado em 1902 pelo alemão Eugen Albert (1856-1929), donde o nome.]

albescente. [Do lat. *albescente.*] *Adj. 2 g.* Que desmaia para branco; alvacento.

albetoça. *S. f. Ant. Embarcação de vela e remo, usada por portugueses e mouros, no Mediterrâneo e no Ocidente, para se guerrearem.*

▲**albi-.** [Do lat. *albus, i.*] *El. comp.* = 'branco': *albicaule, albificar.* [Equiv.: *albo-*: *albocinéreo.*]

albicante. [Do lat. *albicante.*] *Adj. 2 g.* Esbranquiçado, brancacento, alvacento.

albicastrense. [De *albi-* + *-castru*, 'fortaleza, castelo', + *-ense.*] *Adj. 2 g.* **1.** De, ou pertencente ou relativo a Castelo Branco (Portugal). ● *S. 2 g.* **2.** Natural ou habitante de Castelo Branco.

albicaude. [De *albi-* + *-caude.*] *Adj. 2 g. Zool.* De cauda branca. [*Antôn.*: *atricaude.*]

albicaule. [De *albi-* + *caule.*] *Adj. 2 g. Bot.* De caule esbranquiçado ou branco.

albicole. [De *albi-* + *-cole.*] *Adj. 2 g. Zool.* Que tem colo branco.

álbido. [Do lat. *albidu.*] *Adj.* Esbranquiçado, brancacento, alvacento.

albificação. *S. f.* Ação de albificar.

albificar. [De *albi-* + *-fico-* + *-ar*[2]] *V. t. d.* Tornar alvo ou branco; alvejar, branquear. [Conjug.: v. *trancar.*]

albiflor (ô). *Adj. 2 g.* V. *albifloro.*

albifloro. [De *albi-* + *-floro.*] *Adj.* Que tem flores alvas.

albigense[1]. [Do lat. *albigense.*] *S. 2 g.* **1.** Indivíduo dos albigenses, hereges do S. da França (sécs. XII e XIII), que professavam doutrina dualista maniquéia. ● *Adj. 2 g.* **2.** Pertencente ou relativo aos albigenses. [Sin. ger.: *cátaro.*]

albigense[2]. [De *Albi*, top.] *Adj. 2 g.* **1.** De, ou pertencente ou relativo a Albi (França). ● *S. 2 g.* **2.** Natural ou habitante de Albi.

albina. [De *albi-* + *-ina.*] *S. f.* Planta lenhosa da família das turneráceas (*Turnera ulmifolia*), ornamental e usada em medicina; chanana.

albinervado. *Adj. Bot.* Albinerve.

albinerve. *Adj. 2 g. Bot.* Que tem nervuras brancas; albinervado.

albinia. *S. f.* V. *albinismo.*

albinismo. [De *albino* + *-ismo.*] *S. m.* **1.** Anomalia congênita, caracterizada pela ausência total ou parcial do pigmento da pele, dos pêlos, da íris e da coróide. **2.** *Bot.* Anomalia congênita das plantas, consistente na diminuição ou ausência total da clorofila. O albinismo parcial produz manchas alvas em fundo verde, e corresponde à chamada *variegação*. Neste caso, o vegetal torna-se ornamental graças à beleza que adquire. [Sin. ger.: *albinia, leucopatia.*].

albino. [De *albi-* + *-ino.*] *Adj.* **1.** Que tem albinismo; saruê. ● *S. m.* **2.** Indivíduo albino; barata descascada, olho-de-fogo, taturana. [Sin. ger.: *aça* ou *aço, gazo, grauçá, sarará, sarassará.*]

albirrosado. [De *albi-* + *rosado.*] *Adj.* V. *alvirrosado:* "Eis que alfim lá surge, gracilmente esbelta, / Cabelos em domo, fresca boca em delta, // Orelhas em concha, busto albirrosado, / Dona Briolanja com seu noivo ao lado." (Eugênio de Castro, *Obras Poéticas*, I, p. 116.)

albirrostro. [De *albi-* + *-rostro.*] *Adj. Zool.* Que tem o bico ou o focinho branco.

albistelado. [De *albi-* + lat. *stella*, 'estrela', + *-ado*[1].] *Adj.* Diz-se do boi cujo pêlo tem estrelas ou manchas brancas.

albita. [De *albo-* + *-ita.*] *S. f. Min.* Mineral triclínico do grupo dos feldspatos (plagioclásio), silicato de alumínio e sódio.

▲**albo-.** Equiv. de *albi-.*

albocinéreo. [De *albo-* + *cinéreo.*] *Adj. Anat.* Diz-se do órgão nervoso com substância branca e cinzenta.

albogue. *S. m. Mús.* Var. de *alboque.*

➧**albo notanda lapillo.** [Lat., '(dia) que deve ser marcado com pedra branca'.] Dia feliz, ditoso.

alboque. [Do ár. *al-bóq.*] *S. m. Mús.* **1.** Certa espécie de doçaina. **2.** *Mús.* Antigo instrumento pastoril, de sopro e palhetas, ainda em uso na Biscaia. **3.** Cada um dos pratinhos de latão usados no acompanhamento de canções e danças populares. [Var.: *albogue.*]

albor (ô). [Do lat. *albore.*] *S. m.* V. *alvor:* "Ao empalidecer a luz das velas com os primeiros albores do dia, foi que deram acordo de si." (Júlio Ribeiro, *A Carne*, p. 77.)

alborcar. *V. t. d. e i.* Dar ou receber por alborque; permutar, trocar. [Conjug.: v. *trancar.*]

albornoz (ó). [Do ár. *al-burnūs.*] *S. m.* Grande manto de lã com capuz, usado pelos árabes; burnu, burnus: "Um largo albornoz de lã grossa, em riscas pardas, orlado de franjas azuis, cobria-o até aos pés" (Eça de Queirós, *A Relíquia*, p. 230).

alboroque. [Do ár. *al-borok.*] *S. m.* Refeição que se oferece quando se firma um contrato.

alborotar. *V. t. d.* e *p.* V. *alvoroçar:* "A taba se alborota, os golpes descem, / Gritos, imprecações profundas soam" (Gonçalves Dias, *Obras Poéticas*, II, p. 33).

alborque. *S. m.* V. *troca* (2).

albricoque. [Do lat. *procoquum*, atr. do gr. *praikókion* e do ár. *al-burqōq.*] *S. m.* V. *abricó.*

albricoqueiro. *S. m.* V. *abricoteiro* (1).

albufeira. *S. f. Lus.* **1.** Laguna (1). **2.** Água ruça que escorre das azeitonas antes da preparação do azeite.

albugem. [Do lat. *albugine.*] *S. f.* **1.** Belida. **2.** V. *leuconíguia.* [Sin., nessas acepç.: *albugo.*] **3.** *Bot.* Doença das plantas, gerada por fungos e caracterizada pela emissão de pequenas pústulas esbranquiçadas e salientes. As partes atacadas não raro acusam atrofia e várias deformações.

albuginado. [Do lat. *albugine*, 'albugem', + *-ado*[1].] *Adj.* V. *albugíneo.*

albugínea. *S. f. Anat.* Designação comum a diversas túnicas fibrosas do organismo: *albugínea ocular* (a esclerótica); *albugínea do testículo; albugínea do ovário.*

albugíneo. [Do lat. *albugine*, 'albugem' + *-eo.*] *Adj.* Relativo à albugínea; albuginado, albuginoso.

albuginoso (ô). [Do lat. *albuginosu.*] *Adj.* V. *albugíneo.*

albugo. [Do lat. *albugo.*] *S. m.* **1.** V. *albugem* (1 e 2). **2.** Gênero de fungos parasíticos do grupo dos ficomicetos, causadores da albugem (3).

albulídeo. *S. m.* **1.** Espécime dos albulídeos. ● *Adj.* **2.** Pertencente ou relativo a eles.

albulídeos. *S. m. pl. Zool.* Família de peixes teleósteos, de corpo alongado e fusiforme, coberto de escamas, exceto na cabeça, e que habitam os mares quentes.

álbum. [Do lat. *album*, atr. do al. *Album* e do fr. *album.*] *S. m.* **1.** Tabuleta ou painel pintado de branco, no qual os romanos transcreviam, para afixar em público, éditos dos pretores, listas de juízes, etc. **2.** Livro carcelado, de folhas de cartolina ou de papel forte, próprio para colagem de fotografias, selos, recortes, etc. **3.** Livro em branco, mais ou menos luxuoso, destinado a receber autógrafos, versos, pensamentos, desenhos, etc. **4.** Volume de estampas, desenhos, etc., que se publica autonomamente, com texto breve e legendas, como os de vistas de cidades, ou para servir de complemento visual a volume de texto. [Cf., nesta acepç.: *atlas* (2) e *porta-fólio.* Pl.: *álbuns.*]

albume. [Do lat. *albume.*] *S. m.* **1.** Clara de ovo. **2.** *Morfol. Veg.* Tecido nutritivo rico em substâncias alimentares, que envolve o embrião em muitas plantas, como na polpa do coco-da-baía, na parte comestível do grão de milho, etc.; endosperma. [F. paral.: *albúmen.*]

albúmen. *S. m.* V. *albume.* [Pl.: *albumens* e (p. us. no Brasil) *albúmenes.*]

albumina. [Do fr. *albumine.*] *S. f. Quím.* Qualquer membro de uma classe de proteínas solúveis em água e coaguláveis por aquecimento.

albuminado. [De *albumina* + *-ado*[1].] *Adj.* Que tem albumina.

albuminífero. [De *albumina* + *i* de ligação + *-fero.*] *Adj.* Que contém albumina.

albuminiforme. [De *albumina* + *i* de ligação + *-forme.*] *Adj. 2 g.* Semelhante à albumina.

albuminóide. [De *albumina* + *-óide.*] *Adj. 2 g.* Da natureza da albumina.

albuminoso (ô). *Adj.* **1.** Que contém albumina. **2.** Que tem os caracteres, as propriedades da albumina. **3.** *Morfol. Veg.* Dotado de albume ou endosperma: *semente albuminosa.* [Opõe-se, nesta acepç., a *exalbuminoso.*]

albuminuria. *S. f. Patol.* Var. pros. de *albuminúria.*

albuminúria. [De *albumina* + *-ur(o)-* + *-ia.*] *S. f. Patol.* Presença de albumina na urina. [Var. pros.: *albuminuria.*]

albuminúrico. *Adj.* **1.** Relativo à, ou que tem albuminúria. ● *S. m.* **2.** Aquele que a tem.

alburno. [Do lat. *alburnu.*] *S. m. Anat. Veg.* Parte periférica e mais nova da madeira do tronco das árvores, de cor clara, onde as células vivas realizam a condução da água, de baixo para cima; borne. [Cf. *madeira*[1] (1).]

alça[1]. [Dev. de *alçar*[1].] *S. f.* **1.** Aselha ou puxadeira para levantar, puxar ou prender alguma coisa; asa, argola. **2.** Parte de uma coisa, usualmente em forma de arco ou laçada, feita especialmente para se agarrar ou segurar. **3.** Suspensório com que se seguram nos ombros certas peças do vestuário: *alça de maiô; alças de jardineira.* **4.** Pedaço de sola que os sapateiros ajustam às fôrmas para torná-las mais altas. **5.** Parte do aparelho de pontaria (pequena régua graduada) pela qual se dá à arma a inclinação conveniente a atingir o alvo; alça de mira. **6.** *Anat.* Parte de um órgão que descreve um arco: *alça intestinal.* **7.** *Geom. Anal.* Laço (5). **8.** *Tip.* Recorte de papel que se cola na folha de aviamento ou debaixo da fôrma, para corrigir a impressão nas partes que saem fracas; calço. **9.** *Marinh.* Estropo feito de cabo. **10.** *Ant.* Gratificação, luvas. ◆ **Alça de grifo.** *Tip.* Lingüeta fixa à mesa da morsa da linotipo, e que serve para fazer sentar o primeiro elevador na posição de grifo; borboleta. **Alça de mira.** Alça (5): "A lazarina apoiada ao ombro, a pontaria serena se equilibrando do olhar atilado à alça de mira." (Newton Navarro, *ap.* Nei Leandro de Castro, *Contistas Norte-Rio-Grandenses*, p. 72.) **Alça sigmóide.** *Anat.* A parte terminal do cólon. **Estar na alça de mira de.** *Bras. Pop.* Estar sob a observação de.

alça[2]. [Do imper. de *alçar*[1].] *Interj.* Usada para mandar levantar ou içar.

alçação. *S. f. Tip.* Operação de alçar[1] (5 e 6); alceação.

alcáçar. *S. m.* V. *alcácer.* [Pl.: *alcáçares.*]

alcaçaria. [Do ár. *al-qaisarua.*] *S. f.* **1.** Lugar onde era permitido aos judeus e mouros negociar. **2.** Edifício destinado a alojamento de mercadores em trânsito, que dispunha de depósitos para mercadorias. **3.** O mercado principal de uma cidade. **4.** Arruamento de lojas. **5.** V. *curtume* (3). **6.** V. *alcácer* (2).

alcácer. [Do ár. *al-qaçr.*] *S. m.* **1.** Antiga fortaleza ou castelo fortificado. **2.** *P. ext.* Habitação suntuosa; castelo, palácio, alcaçaria. [Var.: *alcáçar.* Pl.: *alcáceres.*]

alcacereno. *Adj.* e *s. m.* Alcacerense.

alcacerense. *Adj. 2 g.* **1.** De, ou pertencente ou relativo a Alcácer (Portugal). ● *S. 2 g.* **2.** Natural ou habitante de Alcácer. [Sin. ger.: *alcacereno.*]

alcachinado. [Part. de *alcachinar.*] *Adj.* Encolhido, curvado, corcovado: "deparo com um ginja alcachinado, que sem pudor ourina em cena" (Fialho d'Almeida, *Pasquinadas*, p. 99).

alcachinar. *V. t. d.* e *p.* **1.** Curvar(-se), corcovar(-se). **2.** Encolher(-se); abaixar(-se). **3.** Abater(-se), acabrunhar(-se).

alcachofra (ô). [Do ár. *al-kharxōfā.*] *S. f.* **1.** Planta hortense da família das compostas (*Cynara scolymus*), de que são comestíveis o receptáculo da inflorescência e a base das brácteas, riquíssimas em vitamina C. **2.** A inflorescência dessa planta. [Pl.: *alcachofras* (ô). Cf. *alcachofra* e *alcachofras*, do v. *alcachofrar.*]

alcachofrado[1]. [De *alcachofra* + *-ado*[1].] *Adj.* Semelhante, por natureza, à alcachofra.

alcachofrado[2]. [Part. de *alcachofrar.*] *Adj.* **1.** Tornado semelhante à alcachofra. ● *S. m.* **2.** Bordado em forma de alcachofra.

alcachofra-dos-telhados. *S. f.* Planta da família das crassuláceas (*Sempervivum tectorum*), de folhas carnosas, aveludadas, e ricas em albumina vegetal, flores róseas e fruto folicular. [Pl.: *alcachofras-dos-telhados.*]

alcachofral. [De *alcachofra* (1) + *-al.*] *S. m.* Quantidade mais ou menos considerável de pés de alcachofra dispostos proximamente entre si.

alcachofrar. *V. t. d.* **1.** Tornar semelhante à alcachofra. **2.** Tornar crespo ou áspero. **3.** Fazer bordados crespos em. [Pres. ind.: *alcachofro, alcachofras, alcachofra*, etc. Cf. *alcachofra* (ô) e pl. *alcachofras* (ô).]

alcáçova. [Do ár. *al-gaçbâ.*] *S. f.* **1.** Castelo fortificado; fortaleza. **2.** Castelo antigo. **3.** *Ant. Constr. Nav.* Construção que se erguia sobre a tolda do castelo da popa das embarcações de guerra; capitel.

alcaçuz. [Do ár. *'arq as-sūs.*] *S. m.* **1.** Arbusto da família das leguminosas (*Glycyrrhia glabra*), cuja raiz, doce, é medicinal. **2.** Subarbusto de cerrado, da família das leguminosas (*Periandra mediterranea*), cuja raiz, adocicada, o povo considera medicinal.

alcaçuz-bravo. *S. m.* V. *boi-gordo.* [Pl.: *alcaçuzes-bravos.*]

alcaçuz-da-terra. *S. f.* Arbusto da família das leguminosas, subfamília papilionácea (*Periandra dulcis*); raiz-doce. [Pl.: *alcaçuzes-da-terra.*]

alçada. [Fem. substantivado do part. de *alçar.*] *S. f.* **1.** *Ant.* Tribunal coletivo e ambulante que, visitando os povos, lhes administrava justiça. **2.** *Jur.* Limite máximo de valor dentro do qual um órgão judicial pode conhecer da causa, ou pode julgá-la sem recurso para outro órgão. **3.** Jurisdição, competência. **4.** Limite da ação, autoridade ou influência de alguém.

alcadafe. [Do ár. *al-qudaf.*] *S. m. Lus.* Vaso de barro ou de madeira sobre o qual o taberneiro mede o vinho e apara as verteduras. [Var.: *alcadefe.*]

alcadefe. *S. m. Lus.* Var. de *alcadafe* [q. v.].

alçado. [Part. de *alçar.*] *Adj.* **1.** Erguido, levantado, alteado, alceado. **2.** *Art. Gráf.* Diz-se do volume cujos cadernos foram reunidos para costura. **3.** *Bras., S.* Diz-se do gado que fugiu para o mato ou nele se extraviou, tornando-se bravio. **4.** *Bras., S.* Diz-se do animal que abandona a casa. V. *cruz* —*a.* ● *S. m.* **5.** *Arquit.* Elevação (8). **6.** *Tip.* Casa do alçado.

alçador (ô). *S. m.* **1.** Aquele que alça. **2.** *Tip.* Gráfico encarregado da operação de alçar[1] (5 e 6). [F. paral. (p. us.): *alceador.*]

alçadora (ô). *S. f. Art. Gráf.* Máquina que serve para alçar[1] (6). [Sin. (p. us.): *alceadora.*]

alçadura. *S. f.* **1.** V. *alçamento*[1] (1). **2.** *Tip.* V. *alçamento*[1] (2).

alçagem. *S. f. Tip.* V. *alçamento*[1] (2).

alcagüeta (ê). [Fem. de *alcagüete.*] *S. f.* V. *alcoviteira* (1 e 2).

alcagüetagem. *S. f. Bras. Gír.* Ato ou efeito de alcagüetar. [Var.: *cagüetagem;* sin., bras., N.E.: *cabuetagem.*]

alcagüetar. *V. t. d. e t. d. e i. Bras. Gír.* Delatar (2, 4 e 5). [Var.: *cagüetar;* sin., bras., N.E.: *cabuetar.*] Pres. subj.: *alcagüete, alcagüetes*, etc. Cf. *alcagüete* (ê) e pl. *alcagüetes* (ê).]

alcagüete (ê). [Do ár. *al-qawwād.*] *S. m.* **1.** V. *alcoviteiro* (2). **2.** *Bras. Gír.* de gat. Despertador (3). ● *S. 2 g.* **3.** *Bras. Gír.* Espião de polícia; dedo-duro: "distingo pelo andar o alcagüete ou o maconheiro." (Ledo Ivo, *A Morte do Brasil*, p. 11). **4.** *Bras. Gír.* Pessoa que delata outrem; dedo-duro, delator. [Var. (us. nas acepç. 2, 3 e 4): *cagüete.* Sin., nas acepç. 3 e 4: *cabueta.* Pl.: *alcagüetes* (ê). Cf. *alcagüete, alcagüetes*, do v. *alcagüetar.*]

alcaico. [Do gr. *alkaikós*, pelo lat. *alcaicu.*] *Adj.* ~ V. *verso* —, *verso grande* — e *verso pequeno* —. [Cf. *arcaico.*]

alcaidaria. *S. f.* Dignidade ou funções de alcaide.

alcaide. [Do ár. *al-qaid.*] *S. m.* **1.** Antigo governador de castelo ou de província. **2.** Antigo oficial de justiça. **3.** Atual autoridade administrativa espanhola, cujas funções correspondem às de um prefeito. [Fem.: *alcaidessa* e *alcaidina.*] **4.** *Astr.* Nome tradicional da estrela eta da Ursa Maior. **5.** *Bras.* Objeto velho, feio, fora de moda, desusado, imprestável. **6.** *Bras.* Resto de mercadoria que não encontra comprador; encalhe. **7.** *Bras. P. ext.*

Pessoa muito feia ou muito velha. **8.** *Bras., SP.* V. *tietê.* **9.** *Bras., S.* Cavalo ruim.

alcaidessa (ê). *S. f.* Mulher de alcaide, ou que exerce funções de alcaide; alcaidina.

alcaidina. *S. f.* Alcaidessa.

alcaiota. [Fem. de *alcaiote.*] *S. f.* V. *alcoviteira* (1 e 2).

alcaiote. [Do ár. *al-qawwād.*] *S. m.* V. *alcoviteiro* (1 e 2).

alcalescência. *S. f.* **1.** Passagem ao estado alcalino. **2.** Alcalinidade leve.

alcalescente. *Adj. 2 g.* Diz-se de substância levemente alcalina, ou que tende para a alcalinidade.

álcali. [Do ár. *al-qali.*] *S. m. Quím.* Qualquer hidróxido, ou óxido, dos metais alcalinos (lítio, sódio, potássio, rubídio e césio).

alcalificante. *Adj. 2 g.* Que alcalifica.

alcalificar. [De *álcali* + *-fic(o)-* + *-ar*[2].] *V. t. d.* Dar propriedades alcalinas a. [Conjug.: v. *trancar.*]

alcalimetria. [De *álcali* + *-metr(o)-*[2] + *-ia*[2].] *S. f. Quím.* Processo analítico de determinação da concentração de uma solução alcalina mediante uma solução ácida.

alcalimétrico. *Adj.* Relativo à alcalimetria.

alcalímetro. [De *álcali* + *-metro.*] *S. m.* Bureta com que se realiza uma alcalimetria.

alcalinar. *V. t. d.* e *p. Quím.* Converter(-se) em, ou tornar(-se), álcali ou alcalino; alcalinizar(-se), alcalizar (-se).

alcalinidade. *S. f.* Qualidade de alcalino.

alcalinização. [De *alcalinizar* + *-ção.*] *S. f. Quím.* **1.** Operação em que se eleva o pH de uma solução. **2.** Alcalização.

alcalinizar. *V. t. d.* e *p. Quím.* V. *alcalinar.*

alcalino. *Adj. Quím.* **1.** Referente a, ou próprio de um álcali. **2.** *P. ext.* Referente a, ou próprio de uma base forte em solução aquosa. — V. *acumulador —, metal — reserva — a* e *rocha —a.*

alcalino-terroso. *Adj.* — V. *metal —.* [Pl.: *alcalino-terrosos.*]

alcalização. *S. f.* Ação ou efeito de alcalizar; alcalinização.

alcalizar. *V. t. d.* e *p. Quím.* V. *alcalinar.*

alcalóide. *S. m. Quím.* Qualquer das substâncias de um extenso grupo encontrado nos vegetais, em geral nitrogenados, heterocíclicos, básicos, com pronunciada ação fisiológica sobre os animais.

alcaloidéia. *Adj.* Fem. de *alcaloideu.*

alcaloideu. *Adj.* Relativo ou pertencente aos alcalóides; alcalóidico. [Fem.: *alcaloidéia.*]

alcalóidico. *Adj.* Alcaloideu.

alcalose. [De *álcali* + *-ose.*] *S. f. Patol.* Estado patológico produzido pelo acúmulo de bases [v. *base* (27)] ou perda de ácidos no organismo, e que se caracteriza por elevação do pH sanguíneo.

alcalótico. *Adj.* Relativo à, ou que produz alcalose.

alçamento[1]. *S. m.* **1.** Ato ou efeito de alçar[1](-se); alceamento, alçadura. **2.** *Tip.* Operação de alçar (5 e 6). [Sin.: *alçadura, alçagem* e *alceamento.*]

alçamento[2]. *S. m.* Ato de alçar[2]; alceamento.

alcamonia. [Do ár. *al-kammunīa.*] *S. f.* Doce feito, em geral, de melaço e farinha de mandioca. [Var.: *alcomonia.*]

alcançadiço. *Adj.* Que se alcança facilmente.

alcançado. [Part. de *alcançar.*] *Adj.* **1.** Apanhado, agarrado. **2.** Atingido, tocado. **3.** Obtido, conseguido. **4.** Compreendido, percebido, entendido. **5.** Abrangido com a vista; abarcado, avistado. **6.** Empenhado, endividado. **7.** Diz-se do valor ou dinheiro que sofreu alcance ou desfalque. **8.** Que sofreu ou praticou alcance ou desfalque. **9.** Prejudicado, estragado, deteriorado.

alcançador (ô). *Adj.* e *s. m.* Que, ou aquele que alcança.

alcançadura. *S. f.* Contusão que o animal produz em si mesmo quando marcha, topando com um pé no outro; alcance.

alcançamento. *S. m.* Alcance (1 e 4).

alcançar. [Do lat. vulg. **incalciare.*] *V. t. d.* **1.** Chegar a; ir até: "vadeando rios e atravessando os mares, alcançou o deserto" (João Ribeiro, *Floresta de Exemplos,* p. 96). **2.** Chegar ou conseguir chegar até (alguém ou algo que vai distante ou que se afasta); apanhar: "lá estava a sua figura ensombrada a galgar pacientemente o morro. .... O Nenzinho apressou-se para alcançá-lo" (Miroel Silveira, *Bonecos de Engonço,* p. 124); *Correu até alcançar o trem, que já dera partida;* "Não te encontro, não te alcanço ..." (Cecília Meireles, *Obra Poética,* p. 249). **3.** Abranger, atingir: *O panorama, do cimo da montanha, alcançava todo o vale.* **4.** Completar, inteirar; atingir: *Esperou até alcançar a idade requerida.* **5.** Chegar ou poder chegar com a mão até, ou perto de (algo): "Levantei-me ainda no escuro e alcancei a lista telefônica." (Raquel Jardim, *Inventário das Cinzas,* p. 15); *Estirando o braço e ficando na ponta dos pés, pôde alcançar a última prateleira.* **6.** Obter, conseguir, lograr: *alcançar honrarias;* "Tia Mônica teve arte de alcançar aposento para os três" (Machado de Assis, *Relíquias de Casa Velha,* p. 12); "nunca a gente alcança / Aquilo que mais deseja." (Ricardo Gonçalves, *Ipês,* p. 142). **7.** Compreender, entender, perceber: *Não consigo alcançar a razão de seu procedimento;* "Claro que não era brincadeira, mas o velho, estonteado, não alcançava o desastre" (Graciliano Ramos, *Infância,* p. 221). **8.** Prejudicar, estragar, gastar, desgastar: *A idade alcançou-o muito.* **9.** Ter vivido em, ter conhecido (determinada época, ou determinado lugar, em certa fase; ou determinada usança, costume, etc.); apanhar, pegar. **10.** Atingir, causando grande dano ou a morte: "A moléstia é como a fome: só alcança os pobres, os sem-dinheiro." (Lima Barreto, *Feiras e Mafuás,* p. 58.) *T. d.* e *i.* **11.** Conseguir, obter: *Alcança do amigo tudo quanto deseja;* "Levava comigo um retrato de Maria Cora; alcançara-o dela mesma, ... com uma pequena dedicatória cerimoniosa." (Machado de Assis, *Relíquias de Casa Velha,* p. 37). **12.** Praticar alcance (8); desfalcar, defraudar: *O caixa alcançou a firma em 1 milhão. T. i.* **13.** Ser suficiente, bastante; bastar: *Os seus bens não alcançam a tão alto empreendimento. Int.* **14.** Conseguir o que se pretende: "Quem espera sempre alcança" (prov.). **15.** *Vet.* Sofrer alcançadura. *P.* **16.** Seguir-se ou suceder-se a breves intervalos. **17.** Desfalcar os fundos que tem a seu cargo: *Meteu-se em altas especulações, e acabou alcançando-se.* [Conjug.: v. *laçar.*]

alcançável. *Adj. 2 g.* Que pode ser alcançado.

alcance. [Dev. de *alcançar.*] *S. m.* **1.** Ato ou efeito de alcançar; alcançamento. **2.** Limite dentro do qual se consegue tocar ou atingir alguma coisa: *ao alcance da vista e da mão.* **3.** Busca, encalço, seguimento: *Foi em alcance do irmão para transmitir-lhe a boa notícia.* **4.** Conseguimento, obtenção; alcançamento. **5.** Distância horizontal entre a boca da arma de fogo (origem) e o ponto de queda do projétil. **6.** Distância máxima a que pode chegar uma comunicação emitida por determinado equipamento de comunicação. **7.** Distância máxima em que dado tipo de alvo pode ser detectado por determinado equipamento eletrônico. **8.** Apropriação, extravio, desvio ou falta verificada na prestação de contas, de dinheiro ou valores confiados à guarda de alguém em razão de cargo, múnus ou função; desfalque. **9.** *Fig.* Penetração do entendimento; inteligência, acuidade. **10.** *Fig.* Importância, valor: *problema de pequeno alcance.* **11.** Alcançadura. **12.** *Fís. Nucl.* A espessura máxima de um absorvedor que pode ser atravessada por um feixe de partículas. [F. paral.: *alcanço.*]

alcancia (cí). *S. f.* Var. de *alcanzia.* [q. v.].

alcancilhos. [De *alcançar.*] *S. m. pl.* Torneio ou espécie de evolução, nas cavalhadas.

alcanço. [Dev. de *alcançar.*] *S. m.* **1.** V. *alcance.* **2.** O dedo insulado nos pés das aves de rapina.

alcândor. *S. m.* Cimo, sumidade, píncaro. [Pl.: *alcândores.* Cf. *alcandores,* do v. *alcandorar-se,* e *alcândora.*]

alcândora. [Do ár. *al-kāndāra.*] *S. f.* Poleiro das aves, especialmente de papagaio ou de falcão. [Cf. *alcandora-se,* do v. *alcandorar-se,* e *alcândor.*]

alcandorado. [Part. de *alcandorar-se.*] *Adj.* **1.** Empoleirado alto. **2.** Colocado a grande altura; elevado. **3.** *Fig.* Exaltado, sublimado.

alcandorar-se. *V. p.* **1.** Pousar em alcândora. **2.** Guindar-se, elevar-se. **3.** Sublimar-se, exaltar-se. [Pres. ind.: *alcandoro-me, alcandoras-te, alcandora-se,* etc.; pres. subj.: *alcandore-me, alcandores-te, alcandore-se,* etc. Cf. *alcândora,* pl. *alcândoras,* e *alcândores,* pl. de *alcândor.*]

alcanfor (ô). [Var. de *alcânfora.*] *S. m.* V. *cânfora* (1). [Pl.: *alcanfores* (ô). Cf. *alcanfores,* do v. *alcanforar.*] ◆ **Virar alcanfor.** *Bras. Pop.* V. *fugir* (1 e 2).

alcânfora. [Do art. ár. *al* e sânscr. *karapura,* atr. do ár. *fūr* e do lat. med. *camphora.*] *S. f.* V. *cânfora* (1). [Cf. *alcanfora,* do v. *alcanforar.*]

alcanforar. *V. t. d.* Canforar. [Pres. ind.: *alcanforo, alcanforas, alcanfora,* etc.; pres. subj.: *alcanfore, alcanfores,* etc. Cf. *alcânfora,* pl. *alcânforas,* e *alcanfores* (ô), pl. de *alcanfor.*]

alcanforeira. *S. f.* V. *canforeira.*

alcanforeira-do-japão. *S. f.* V. *canforeira.* [Pl.: *alcanforeiras-do-japão.*]

alcano. *S. m. Quím.* Qualquer composto binário de carbono e hidrogênio saturado, acíclico; hidrocarboneto saturado. [Fórm.: C_nH_{2n+2}.]

alcantarense. *Adj. 2 g.* **1.** De, ou pertencente ou relativo a Alcântara (MA). ● *S. 2 g.* **2.** Natural ou habitante de Alcântara.

alcantil. [Der. regress. de *alcantilado.*] *S. m.* **1.** Rocha escarpada, talhada a pique. **2.** Despenhadeiro escarpado: "As águas caudalosas de dois rios, juntando-se num delta, corriam algum tempo soltas, numa levada tranqüila, até uma apertada garganta, entre alcantis" (Coelho Neto, *Treva,* p. 269). **3.** Píncaro, pináculo, cume: "É o Gerez em toda a sua imponência. Formidável! Belo! Anfractuoso, de cristas recortadíssimas, alcantis sobre alcantis, massas azuis para além de outras massas azuis" (Antero de Figueiredo, *Jornadas em Portugal,* p. 202).

alcantilada. *S. f.* **1.** Sucessão de alcantis. **2.** Despenhadeiro longo.

alcantilado. [De *a-*[2] + *cantil* canto, 'pedra', + *-ado*[1]; note-se o primeiro *l,* epentético, por infl. do segundo.] *Adj.* **1.** Lavrado a cantil (2); talhado a pique. **2.** Escarpado, íngreme, escabroso: "chegou à beira da cachoeira, precipitada em despenhadeiro alcantilado" (Alphonsus de Guimaraens, *Obra Completa,* p. 399). **3.** Alto, empinado. [Sin. ger.: *alcantiloso.*]

alcantilar. *V. t. d.* **1.** Transformar em alcantil. **2.** Talhar a pique. **3.** Elevar-se como alcantil.

alcantilense. *Adj. 2 g.* **1.** De, ou pertencente ou relativo a Alcantil (PB). ● *S. 2 g.* **2.** Natural ou habitante de Alcantil.

alcantiloso (ô). *Adj.* V. *alcantilado.*

alcanzia. [Do ár. *al-kanzīā.*] *S. f.* **1.** Bola de barro, oca, que se arremessava cheia de flores e de outros mimos, nas cavalhadas antigas. **2.** Espécie de granada de barro usada nas guerras de outrora. **3.** Mealheiro de barro. [Var.: *alcancia.*]

alcanziada. *S. f.* Arremesso de alcanzia.

alçapão. [Do imperat. de *alçar* e do de *pôr,* este na f. *pom: alça pom,* 'alça põe'.] *S. m.* **1.** Porta ou tampa horizontal, que se fecha de cima para baixo e dá entrada para o porão ou para o desvão do telhado. **2.** Abertura que comunica um pavimento com outro inferior: "Na parte de cima da Cadeia funcionava o Tribunal do Júri. Para o julgamento, os presos a ele tinham acesso por um alçapão em cuja abertura se lançava uma escada." (Cĺro dos Anjos, *A Menina do Sobrado,* p. 96.) **3.** Peça antiga das calças, que tapava a abertura da braguilha. **4.** *Fig.* V. *armadilha* (2): *Acreditou no vigarista, e caiu no alçapão.* **5.** *Teat.* Abertura no chão do palco, dissimulada aos olhos dos espectadores, para encenar efeitos de aparição e desaparição. **6.** *Bras.* Armadilha para apanhar pássaros: gaiola ou caixa cuja parte superior tem uma portinhola que desarma automaticamente quando a ave nela pousa; alçapão falso. ◆ **Alçapão falso.** *Bras.* Alçapão (6).

alcaparra. [Do gr. *kápparis,* pelo ár. *al-kabbāra.*] *S. f.* **1.** Botão floral da alcaparreira, aromático, usado como condimento, em conserva no vinagre. **2.** Alcaparreira.

alcaparrado. [De *alcaparra* + *-ado*[1]] *Adj.* **1.** Temperado com alcaparras. **2.** *Fig.* Desenfastiado, estimulado, incitado.

alcaparral. *S. m.* Quantidade mais ou menos considerável de alcaparreiras dispostas proximante entre si.

alcaparreira. *S. f.* Planta hortense, da família das caparidáceas *(Capparis spinosa),* de que se conhecem 350 espécies tropicais, e que fornece a alcaparra (1). [Na caatinga nordestina ocorre uma espécie de *Capparis,* porém a mais usual na industrialização do condimento é nativa da região mediterrânea. Sin.: *alcaparra.*]

alcaparreira-cheirosa. *S. f.* Planta do mesmo gênero da alcaparreira *(Capparis odoratissima),* ornamental, de folhas coriáceas e flores aromáticas, e cujo fruto é baga séssil. [Pl.: *alcaparreiras-cheirosas.*]

alcaparreiro. *S. m.* **1.** Vendedor de alcaparras. **2.** *P. ext.* Vendedor de conservas e condimentos.

alça-pé. [De *alçar*[1] + *pé.*] *S. m.* **1.** Armadilha para apanhar aves pelos pés. **2.** Ato traiçoeiro em que o lutador mete um pé entre as pernas do adversário para fazê-lo cair. **3.** *Fig.* Artifício doloso. [Pl.: *alça-pés.*]

alçapoado. [De *alçapão* + *-ado*[1]] *Adj.* Que serve como alçapão.

alçaprema. [Dos imperat. de *alçar*[1] e do ant. *premar* (mod. *premer*).] *S. f.* **1.** Grande alavanca para levantar pesos consideráveis. **2.** Tenaz de dentista. **3.** Aziar (1). **4.** *Fig.* Grande aflição; aperto, opressão. [Cf. *saprema.*]

alçapremar. *V. t. d.* **1.** Levantar ou escorar com alçaprema. **2.** Levantar, alçar. **3.** Oprimir; tiranizar.

alcaptona. [Do fr. *alcaptone.*] *S. f.* Substância formada por perturbação congênita do metabolismo de alguns ácidos aminados, a qual empresta cor escura às cartilagens e à urina, e se admite ser um produto de transformação da tirosina.

alcaptonuria. *S. f. Patol.* Alcaptonúria.

alcaptonúria. [De *alcaptona* + *-ur(o)-* + *-ia.*] *S. f. Patol.* **1.** Presença de alcaptona na urina. **2.** A doença que deu lugar à formação da alcaptona. [Var. pros.: *alcaptonuria.*]

alcaptonúrico. *Adj.* **1.** Relativo à, ou que tem alcaptonúria. • *S. m.* **2.** Aquele que a tem.

alçar[1]. [Do lat.: **altiare*, por *altare.*] *V. t. d.* **1.** Tornar alto; altear, erguer, levantar, alcear: *Alçou os muros que cercavam a sua propriedade.* **2.** Suspender, erguer: *alçar os braços; alçar a voz.* **3.** Edificar, erigir: *alçar um monumento aos bandeirantes.* **4.** Celebrar, exaltar: *Em* Os Lusíadas *Camões alça as glórias de seu povo.* **5.** *Tip.* Pendurar (as folhas impressas) para secarem, quando previamente umedecidas. **6.** *Tip.* Agrupar, manual ou mecanicamente (os cadernos impressos), para formar o livro; alcear. *T. d. e i.* **7.** Elevar, erguer: *Alçou os braços aos céus, pedindo perdão. Transobj.* **8.** Nomear, eleger; aclamar: *Alçaram-no em rei mal atingiu a maioridade. P.* **9.** Levantar-se, erguer-se: "E as raparigas do alto, orgulhosas, enamoradas, *alçam-se* na ponta dos pés, para ver, por cima das cabeças, o filho do *Choco* tocando a pandeireta com ademanes espanhóis." (José Vieira, *Sol de Portugal*, p. 157.) **10.** Elevar-se, sobressair. **11.** Ensoberbecer-se, engrandecer-se. **12.** *Bras.* Fugir para o mato (o gado), tornando-se selvagem. **13.** *Bras.* Formar guerrilha (1) nas montanhas: *Vinte revoltosos alçaram-se* [Conjug.: v. *laçar.*]

alçar[2]. *V. t. d.* Colocar alça em; alcear[2] [Conjug.: v. *laçar.*]

alcaravão. [Do ár. *al-karauan.*] *S. m.* Garça paludícola da família dos ardeídeos (*Ardea stellaris*), de pescoço e patas curtas, raiada de pardo.

alcaravia. [Do ár. *al-karauia.*] *S. f.* Planta herbácea da família das umbelíferas (*Carum carvi* L.), cujas sementes, que contêm um óleo volátil, têm uso em medicina e culinária; cominho-armênio, cariz.

alcaraviz. [Do ár.?] *S. m.* tubo de ferro que conduz o ar do fole à forja: "O fole resfólega ventando pelo *alcaraviz* rajadas assoviantes" (Alberto Rangel, *Quinzenas de Campo e Guerra*, p. 154). [Var.: *algaraviz.*]

alcarrada. *S. f.* Movimento circular da ave de rapina para apanhar a presa.

alcatear. *V. int.* e *p.* Juntar-se em alcatéia. [Conjug.: v. *idear.*]

alcatéia. [Do ár. *al-qaTi'â*, 'rebanho'.] *S. f.* **1.** Bando de lobos. **2.** Grupo ou manada de animais ferozes: "os agentes ciclistas surgem e somem-se velozes e silenciosos como *alcatéia* de tigres nas selvas" (Aquilino Ribeiro, *É a Guerra*, p. 166). **3.** Quadrilha de malfeitores: "O que esbravejava aí era uma *alcatéia* de crapulosas muito cabeludas, convulsionadas pelo espírito das tavernas e das sacristias" (Camilo Castelo Branco, *Maria da Fonte*, p. 72). **4.** *Bras. Mar. G.* Grupo de submarinos que operam ofensivamente juntos; matilha. ♦ **De alcatéia.** À espera: *estar, ficar, continuar de alcatéia.*

alcatifa. [Do ár. *al-qaTifâ.*] *S. f.* **1.** Tapete ou tecido de lã ou seda para revestir o chão ou pendurar nas janelas em dias de festa. **2.** Alfombra (1). **3.** *P. ext.* Tudo o que se estende como alcatifa: *uma alcatifa de grama.* **4.** *Bras.* Planta rasteira, da família das compostas (*Trichospira menthoides*).

alcatifado. [Part. de *alcatifar.*] *Adj.* Coberto com alcatifa; atapetado, tapetado, tapeçado, alfombrado.

alcatifar. *V. t. d.* **1.** Revestir com alcatifa(s). **2.** Cobrir à maneira de alcatifa. [Sin. ger.: *atapetar, tapetar, tapeçar, alfombrar.*]

alcatifeiro. *S. m.* Fabricante de alcatifas [v. *alcatifa* (1)].

alcatira. [Do ár. *al-kathira.*] *S. f.* **1.** Arbusto da família das leguminosas, subfamília papilionácea (*Astragalus gummifer*), de cujo caule se extrai a goma de igual nome. **2.** *P. ext.* Essa goma. [Sin. ger.: *adraganta, tragacanto.*]

alcatra. [Do ár. *al-qatrâ.*] *S. f.* **1.** Peça de carne da rês, situada onde termina o fio do lombo, e em que se pegam os rins. **2.** A anca dos bovídeos. **3.** *Chulo.* Nádega. [Var. (bras., S.): *alcatre.*] ♦ **Andar nas alcatras.** *Bras.* Montar em pêlo. **Bater a alcatra na terra ingrata.** *Bras., RS. Pop.* V. *morrer* (1).

alcatrão. [Do ár. *al-qaTrān.*] *S. m. Quím.* Mistura de diversos componentes, líquida, negra, viscosa, obtida na destilação de várias substâncias orgânicas, como, p. ex., petróleo, madeira ou carvão.

alcatrate. [Do ár. *al-qaTrāt*, 'parcelas, pedaços'.] *S. m.* **1.** *Constr. Nav.* Série de pranchões colocados de proa a popa sobre o topo das aposturas do cavername, e que serve de remate dos revestimentos externo e interno do casco; talabardão. **2.** *Marinh.* Peça de madeira que cobre o topo do cavername, nas embarcações miúdas, e sobre a qual se assentam os cocões das chumaceiras ou as chapas das toleteiras.

alcatraz[1]. [Do ár. *al-gattāz*, 'mergulhador'.] *S. m.* Ave pelicaniforme, da família dos fregatídeos (*Fregata magnificens rothschildi* Mat.), das costas atlântica e pacífica da América tropical e subtropical. O macho é inteiramente negro, com pescoço vermelho no período de procriação; a fêmea tem abdome esbranquiçado, cauda longa, bifurcada. [Sin.: *carapirá, cararapirá, grapirá, guarapirá, fragata, joão-grande, tesourão, urubu-do-mar.*]

alcatraz[2]. [De *alcatra* + *-az.*] *S. m. Pop.* Aquele que conserta ossos deslocados.

alcatre. *S. m. Bras., S.* Var. de *alcatra.*

alcatreiro. [De *alcatra* (3) + *-eiro.*] *Adj. Pop.* Que tem grandes alcatras; nadegudo, bundudo.

alcatroado. [Part. de *alcatroar.*] *Adj.* Coberto, misturado ou untado com alcatrão. ~ V. *barbante* —.

alcatroamento. *S. m.* Ato ou efeito de alcatroar.

alcatroar. *V. t. d.* Cobrir, misturar ou untar com alcatrão. [Conjug.: v. *coroar.*]

alcatroeiro. *S. m.* Aquele que fabrica e/ou vende alcatrão.

alcatruz. [Do gr. *kádos*, pelo ár. *al-kādūs.*] *S. m.* **1.** Vaso de barro, geralmente cilíndrico, em que se levanta a água das noras; caçamba. **2.** Manilha ou tubo com que se faz canalização de água: "ouvia-se distintamente o ruído de uma nora distante, ... a água dos *alcatruzes* caindo em jorros sobre o tabuleiro" (Conde de Ficalho, *Uma Eleição Perdida*, p. 156).

alcatruzado. [De *alcatruz* + *-ado*[1].] *Adj.* **1.** Que tem alcatruzes. **2.** Que tem a forma de alcatruz. **3.** Curvado, curvo, abaulado. **4.** *Bras.* Entristecido, melancólico, abichornado.

alcatruzar. *V. t. d.* **1.** Dar feitio de alcatruz a. **2.** Prover de alcatruzes. **3.** Curvar em arco; abaular. *Int.* e *p.* **4.** Curvar ou envergar o corpo, por idade ou velhice.

alcavala. [Do ár. *al-gabalâ.*] *S. f.* **1.** Certo tributo que outrora o vassalo pagava ao senhor feudal. **2.** Imposto forçado; extorsão do fisco. **3.** *Fig.* Traficância, logro, intrujice.

alcavaleiro. *S. m.* **1.** Antigo arrendatário de alcavalas [v. *alcavala* (1)]. **2.** Aquele que administrava ou arrecadava o produto das alcavalas.

alce[1]. [Do germ., atr. do lat. *alce.*] *S. m.* Mamífero artiodáctilo ruminante, da família dos cervídeos (*Alce* Blum.), com chifres ramificados em galhadas foliáceas. Ocorre na região holártica.

alce[2]. [Dev. de *alçar*[1].] *S. m.* **1.** Ato ou efeito de alçar ou levantar alguma coisa. **2.** *Bras., S.* Ato de alçar ou levantar o cavalo por meio das rédeas.

alce[3]. [Do esp. plat. *alce.*] *S. m. Bras., RS.* **1.** Folga, descanso, trégua. **2.** Melhora do estado físico; engorda. **3.** Diminuição da marcha de uma cavalgadura, para poupá-la e depois fazê-la andar com rapidez.

alceação. [De *alcear*[1] + *-ção.*] *S. f. Tip. P. us.* Alçação.

alceado. [Part. de *alcear*[1].] *Adj.* **1.** *Tip.* Preparado com alça (8): *clichê alceado* **2.** Posto no alto; erguido, alçado: *O número alceado distingue verbetes homógrafos de etimologias diferentes.*

alceador (ô). [De *alcear*[1] + *-dor.*] *S. m. Tip. P. us.* Alçador (2).

alceadora (ô). [Fem. de *alceador*, > *alcear*[1].] *S. f. Tip. P. us.* Alçadora.

alceame. [De *alça*[1] (9) + *-ame.*] *S. m. Marinh.* Conjunto de alças.

alceamento[1]. *S. m.* **1.** Ação ou efeito de alcear[1]; erguimento, levantamento, alçamento[1]. **2.** *Tip.* V. *alçamento*[1] (2).

alceamento[2]. *S. m.* Ato de alcear[2]; alçamento[2].

alcear[1]. [Do lat. **altiare.*] *V. t. d.* **1.** Alçar; erguer, levantar. **2.** *Tip.* Alçar[1] (6). [Conjug.: v. *frear.*]

alcear[2]. [De *alça*[1] + *-ear.*] *V. t. d.* Alçar[2]. [Conjug. v. *frear.*]

alcedínida. *S. m.* e *adj. 2 g.* V. *alcedinídeo.*

alcedínidas. *S. m. pl. Zool.* V. *alcedinídeos.*

alcedinídeo. *S. m.* **1.** Espécime dos alcedinídeos. • *Adj.* 2. Pertencente ou relativo a eles.

alcedinídeos. *S. m. pl. Zool.* Aves coraciformes, da família *Alcedinidae*, caracterizadas por terem o bico comprido, forte, com margens não serradas. Vivem perto dos rios e lagos, e alimentam-se de pequenos peixes, que pescam dando mergulhos. São os martins-pescadores ou ariramba̲s.

alceno. *S. m. Quím.* Composto binário de carbono e hidrogênio, acíclico, não-saturado, com uma dupla ligação; alqueno, olefina. [Fórm.: C_nH_{2n}.]

alcião. *S. m.* V. *alcíone.* [Pl.: *alciãos, alciães* e *alciões.*]

alcicorne. [De *alce*[1] + *-corne.*] *Adj. 2 g.* Que tem cornos semelhantes aos do alce[1].

alcino. *S. m. Quím.* Composto binário de carbono e hidrogênio, acíclico, insaturado com uma ligação tripla; alquino. [Fórm.: C_nH_{2n-2}.]

alcíon. *S. m.* V. *alcíone.* [Pl.: *alcíones.*]

alcionáceo. *S. m.* **1.** Espécime dos alcionáceos. • *Adj.* **2.** Pertencente ou relativo a eles.

alcionáceos. *S. m. pl. Zool.* Animais celenterados, alcionários, da ordem *Alcyonácea.* Pólipos com a parte inferior fundida a uma massa carnosa, tendo apenas a região oral destacada; esqueleto de espículas calcárias isoladas, sem eixo. Ocorrem, na maioria, em águas litorâneas quentes.

alcionário. *S. m.* **1.** Espécime dos alcionários. • *Adj.* **2.** Pertencente ou relativo aos alcionários. [Sin. ger.: *octocoraliário.*]

alcionários. *S. m. pl. Zool.* Animais metazoários, celenterados, antozoários, da subclasse *Alcyonaria*, com oito tentáculos e oito septos completos; octocoraliários.

alcíone. [Do gr. *alkyon*, pelo lat. *alcyone.*] *S. f.* **1.** Ave fabulosa, dos antigos: "Longe, por esse azul dos vastos mares, / Na soidão melancólica das águas / Ouvi gemer a lamentosa *Alcíone.*" (Almeida Garrett, *Camões*, p. 102.) **2.** *Astr.* Uma das sete estrelas visíveis à vista desarmada do asterismo das Plêiades. [Var.: *alcíon* e *alcião.*]

alciôneo. [De *alcíone* + *-eo.*] *Adj.* Alciônico.

alciônico. *Adj.* **1.** Relativo à alcíone. **2.** *Fig.* Sereno, agradável, bonançoso. [F. paral.: *alciôneo.*]

alcmânico. [Do lat. *alcmanicu.*] *Adj.* Alcmânio.

alcmânio. *Adj.* ~ V. *verso*—. [F. paral.: *alcmânico.*]

alcobaça. [Do top. *Alcobaça*, vila portuguesa de onde se importavam estes lenços.] *S. m.* Lenço grande de algodão, em geral vermelho, usado sobretudo por quem cheira rapé.

alcobacense. *Adj. 2 g.* **1.** De, ou pertencente ou relativo a Alcobaça (Portubal e BA). **2.** Relativo ou pertencente ao mosteiro de Alcobaça (Portugal). • *S. 2 g.* **3.** Natural ou habitante de Alcobaça.

alcofa[1] (ô). [Do ár. *al-quffâ.*] *S. f.* Cesto flexível, de vime, de esparto ou de folha de palma, achatado e com asas: "via-se num canto, enroscada numa *alcofa*, uma cadela parida, lambendo docemente a cabeçorra exótica das crias." [Fialho d'Almeida, *O País das Uvas*, p. 276). [Pl.: *alcofas* (ô). Cf. *alcofa* e *alcofas*, do v. *alcofar.*]

alcofa[2] (ô). *S. 2 g.* Alcoviteiro ou alcoviteira. [Pl: *alcofas* (ô). Cf. *alcofa* e *alcofas*, do v. *alcofar.*]

alcofar. *V. t. d.* Preparar, arranjar, inculcar, servindo de alcofa[2]; alcovitar. [Pres. ind.: *alcofo, alcofas, alcofa*, etc. Cf. *alcofa* (ô) e pl. *alcofas* (ô).]

alcoice. *S. m.* V. *alcouce.*

alcoiceiro. *S. m.* Var. de *alcouceiro.*

alcomonia. *S. f.* Var. de *alcamonia.*

álcool. [Da f. vulg. *al-kuhl*, do ár. *al-kuhul*, atr. do esp. *alcohol.*] *S. m.* **1.** *Quím.* Composto orgânico que contém pelo menos uma hidroxila ligada diretamente a um átomo de carbono. **2.** *Quím.* Líquido incolor, volátil, com cheiro e sabor característicos, obtido por fermentação de substâncias açucaradas ou amiláceas, ou mediante processos sintéticos, utilizado com larga faixa de propósitos; etanol, álcool etílico. [Fórm.: C_2H_5OH.] **3.** *P. ext.* Qualquer bebida espirituosa. [Pl.: *álcoois* (òis).] ♦ **Álcool cetílico.** *Quím.* Álcool saturado, sólido, incolor, presente na forma de éster palmítico no espermacete. [Fórm.: $C_{16}H_{33}OH$.] **Álcool etílico.** *Quím.* V. *álcool* (2). **Álcool isoamílico.** *Quím.* Líquido incolor, com odor pouco agradável, presente no resíduo de algumas fermentações, usado como solvente e em sínteses orgânicas. [Fórm.: $(CH_3)_2CHCH_2CH_2OH$.] **Álcool isopropílico.** *Quím.* Líquido incolor, volátil, com odor característico, usado como solvente. [Fórm.: C_3H_8O.] **Álcool metílico.** *Quím.* Líquido incolor com cheiro etílico, formado na destilação da madeira, usado como solvente, venenoso; metanol. [Fórm.: CH_3OH.] **Álcool pirúvico.** *Quím.* Líquido incolor com cheiro agradável. [Fórm.: $CH_3CO.CH_2OH$.]

alcoolato. *S. m.* **1.** Líquido resultante da destilação conjunta do álcool com uma substância volátil. **2.** *Quím.* Composto que se forma pela ação de certos metais sobre um álcool; alcóxido.

alcoólatra. [De *álcoo(l)* + *-latra.*] *S. 2 g.* Pessoa que se entrega ao alcoolismo, viciada na ingestão de bebidas alcoólicas; alcoólico, alcoolista, etilista.

alcoolatura. *S. f.* Líquido proveniente da maceração de matérias vegetais ou animais em álcool.
alcooleiro. *Bras. Adj.* De, ou referente a álcool, ou que o produz: "o Projeto Araguaia, que consiste na implantação de grandes centros produtores de álcool e pólos *alcooleiros*" (in *Amazônia,* nº 51, março-abril 1980).
alcoolemia. [De *álcool* + *-(h) em (o)-* + *-ia.*] *S. f. Med.* Presença de álcool no sangue.
alcoolêmico. *Adj.* Relativo à alcoolemia.
alcóolico. *Adj.* **1.** Que contém álcool; espirituoso. **2.** Referente ao álcool. • *S. m.* **3.** V. *alcoólatra.*
alcoólise. *S. f. Quím.* Transesterificação.
alcoolismo. *S. m.* **1.** Vício de ingerir bebidas alcoólicas; dipsomania. **2.** Estado patológico originado pelo abuso do álcool. [Sin. ger.: *etilismo.*]
alcoolista. *S. 2 g.* V. *alcoólatra.*
alcoolização. *S. f.* Ato ou efeito de alcoolizar(-se).
alcoolizado. [Part. de *alcoolizar.*] *Adj.* **1.** Tratado ou misturado com álcool. **2.** Ébrio, bêbedo, embriagado. **3.** Próprio de ébrio: "inspirava receio, desconfiança e afastamento, mesmo na venda, na confraternização da pinga, quando os seus olhos *alcoolizados*, em vez de se congestionarem, tornavam-se ameaçadoramente amarelos." (Amadeu de Queirós, *Os Casos do Carimbamba,* p. 28).
alcoolizar. *V. t. d.* **1.** Adicionar álcool a (qualquer líquido). **2.** Embriagar, embebedar. *P.* **3.** Embriagar-se, embebedar-se.
alcoolômetro. [De *álcool* + *o* de ligação + *-metro.*] *S. m. Fís.* Instrumento para a medição da composição de soluções alcoólicas, e cujo funcionamento é idêntico ao dos aerômetros de peso constante; alcoômetro.
alcoolquímica. *S. f.* Química da obtenção do etanol e de seus derivados.
alcoômetro. [De *álcoo(l)* + *-metro.*] *S. m.* V. Alcoolômetro.
alcoranista. *Adj. 2 g.* e *s. 2 g.* **1.** Que ou quem é versado nas doutrinas do Alcorão. **2.** Partidário do alcorão (2); maometano.
Alcorão. [Do ár. *al-qurān,* 'a leitura', i. e., a leitura por excelência.] *S. m.* **1.** O livro sagrado do islamismo. **2.** V. *maometismo.* [Pl.: *alcorões* e *alcorães.*]
alcorca. *S. f.* Valado para escoamento das águas; vala, alcorcova.
alcorça (ô). [Do ár. *al-qorçâ.*] *S. f.* Alcorce.
alcorce (ô). [Do ár. *al-qorç.*] *S. m.* Massa de açúcar, com a qual se fazem ou cobrem doces; alcorça.
alcorcova. *S. f.* **1.** Curva saliente; corcova. **2.** Alcorca.
alcorcovar. *V. t. d.* **1.** Fazer alcorcovas em. **2.** Curvar, encurvar; corcovar.
alcorque. [Do ár, *al-qurq.*] *S. m.* Chapim antigo, com sola de cortiça.
alcouce. *S. m.* V. *prostíbulo.* [Var.: *alcoice.*]
alcouceiro. *S. m.* **1.** Dono ou gerente de alcouce. **2.** Freqüentador de alcouce. [Var.: *alcoiceiro.*]
alcova (ô). [Do ár. *al-qubbâ,* 'abóbada'.] *S. f.* **1.** Pequeno quarto de dormir situado no interior da casa, sem aberturas para o exterior; recâmara. **2.** Quarto de mulher. **3.** Dormitório de casal. **4.** Quarto de dormir. **5.** *Teat.* V. *inner stage.*
alcoveta (ê). [Fem. de *alcoveto.*] *S. f.* V. *alcoviteira* (1 e 2).
alcoveto (ê). [Do ár. *al-gawwād.*] *S. m.* V. *alcoviteiro* (1 e 2).
alcovista. *S. m.* Indivíduo femeeiro, freqüentador de alcovas.
alcovitagem. *S. f.* Ato ou efeito de alcovitar.
alcovitar. *V. t. d.* **1.** Servir a (alguém) de intermediário em relações amorosas. **2.** Intrigar; mexericar. *T. d.* e *i.* **3.** Inculcar, servindo de alcoviteiro. *Int.* **4.** Servir de alcoviteiro. **5.** Fazer intriga; intrigar, enredar, mexericar.
alcoviteira. *S. f.* **1.** Mulher que alcovita; lena. **2.** Mulher que tem casa de alcouce. [Sin. (nessas acepç.): *achegadeira, alcagüeta, alcaiota, alcoveta, celestina, proxeneta.*] **3.** Mexeriqueira, intrigante; leva-e-traz.
alcoviteirice. *S. f.* **1.** Ofício de alcoviteiro. **2.** Mexerico, bisbilhotice, mexericada. **3.** V. *lenocínio.* [Sin. ger.: *alcovitice.*]
alcoviteiro. *S. m.* **1.** Homem que alcovita; intermediário de namorados. [Sin. (bras.): *pau-de-cabeleira.*] **2.** Corretor de prostitutas. [Sin. (nessa acepç.): *alcoveto, alcaiote, alcagüete, cáften* e *proxeneta.*] **3.** Mexeriqueiro, intrigante. **4.** *Bras., N.E.* V. *periquito*[1] (6).
alcovitice. *S. f.* Alcoviteirice.
alcóxido (cs). *S. m. Quím.* Alcoolato (2).
alcunha. [Do ár. *al-kuniâ.*] *S. f.* Cognome geralmente depreciativo que se põe a alguém, e pelo qual fica sendo conhecido, tirado de alguma particularidade física ou moral: apelido, apodo.
alcunhar. *V. transobj.* Pôr alcunha a; apelidar: *O povo alcunhou Joaquim José da Silva Xavier de Tiradentes.*
aldagrante. *Adj. 2 g.* e *s. m. Bras. S.* Tratante, velhaco, trampolineiro, vagabundo.
aldeado. [Part. de *aldear.*] *Adj.* **1.** Dividido ou disposto em aldeias. **2.** Povoado de aldeias.
aldeamento. *S. m.* **1.** Ato ou efeito de aldear. **2.** *Bras.* Povoação de índios dirigida por missionários ou por autoridade leiga. **3.** *Bras.* Alojamento de presidiários em FN, os quais ali eram recolhidos em cumprimento de sentença.
aldeão. *Adj.* **1.** Pertencente ou relativo a aldeia: *costumes aldeões; trajo aldeão.* **2.** Próprio de aldeia; rústico, camponês. • *S. m.* **3.** Natural ou habitante de aldeia. [Fem.: *aldeã;* pl. *aldeãos, aldeões* e *aldeães.*]
aldear. *V. t. d.* **1.** Dividir em aldeias; distribuir por aldeias: *Os jesuítas costumavam aldear os índios catequizados.* **2.** Reunir, formando aldeia. **3.** Reduzir numa só aldeia. [Conjug.: v. *frear.*]
aldebarã. *S. f. Astr.* Nome tradicional da estrela alfa de Touro.
aldeense. *Adj. 2 g.* **1.** De, ou pertencente ou relativo a São Pedro da Aldeia (RJ). • *S. 2 g.* **2.** Natural ou habitante de São Pedro da Aldeia.
aldeia. [Do ár. *aD-Dai'â.*] *S. f.* **1.** Pequena povoação, de categoria inferior a vila; povoação rústica; povoado. **2.** *Bras.* Povoação constituída exclusivamente de índios; maloca. **3.** *Bras., BA.* Terreiro (7), nos candomblés de cabocio; roça. **4.** *Bras., RS.* Grupo de casas de construção muito pobre situadas nas imediações dos quartéis ou dos acampamentos, e onde residem as famílias dos soldados. [Dim. irreg.: *aldeola* e *aldeota.*]
aldeidase (e-i). [De *aldeído* + *-ase.*] *S. f. Med.* Enzima produzida pelo fígado, e que transforma alguns aldeídos em ácidos.
aldeído. [De *al,* abrev. de *álcool,* + *dei,* adaptação de *hydrogenatum,* 'álcool desprovido de hidrogênio', + *-do.*] *S. m. Quím.* Classe de compostos orgânicos que contêm o grupo CHO ligado diretamente a um átomo de carbono. ◆ **Aldeído acético.** *Quím.* Líquido incolor, com cheiro característico, obtido pela oxidação do etanol; etanal, acetaldeído. [Fórm.: CH_3CHO.] **Aldeído acrílico.** *Quím.* Acroleína. **Aldeído benzóico.** *Quím.* Aldeído do ácido benzóico, líquido incolor, volátil, utilizado em sínteses orgânicas, em medicina e na manufatura de corantes e perfumes; benzaldeído. [Fórm.: C_6H_5CHO.] **Aldeído cinâmico.** *Quím.* Líquido oleoso, com cheiro de canela, encontrado no óleo de canela, usado em perfumaria. [Fórm.: C_9H_8O.] **Aldeído fórmico.** *Quím.* Gás incolor, com cheiro característico e agressivo, bactericida; metanal, formaldeído. [Fórm.: HCHO.]
aldeola. *S. f.* Pequena aldeia; aldeota.
aldeota. *S. f.* Aldeola.
alderamim. *S. f. Astr.* Nome tradicional da estrela alfa do Cefeu.
aldino. *Adj.* Pertencente ou relativo ao impressor italiano Aldo Manuzio (1450-1515), ou próprio dele. V. ~ *encadernação —a.*
aldo. *S. m. Bibliogr.* Livro impresso por Aldo Manuzio [v. *aldino*].
aldol. *S. m. Quím.* Substância resultante da dimerização de aldeídos, com um grupamento hidroxila e outro aldeídico. [Pl.: *aldóis.*]
aldose. *S. f. Quím.* Aldeído que possui diversas hidroxilas uma das quais vizinha da carbonila.
aldraba. [Do ár. *aD-Dabbâ.*] *S. f.* Aldrava [q. v.]. ~ V. *aldrabas.*
aldrabada. *S. f.* Aldravada. [q. v.].
aldrabado. [Part. de *aldrabar.*] *Adj.* Aldravado.
aldrabão. *S. m.* Aldravão. [q. v.].
aldrabar. *V. t. d., t. i.* e *int.* Aldravar.
aldrabas. *S. f. pl. Bras.* Perneiras de couro dos sertanejos. ~ V. *aldraba.*
aldrabice. *S. f.* Aldravice [q. v.].
aldrabona. *S. f.* Aldravona [q. v.].
aldrava. [Var. de *aldraba.*] *S. f.* **1.** Tranqueta de metal com que se fecha a porta, com dispositivo que permite abrir e fechar por fora. **2.** Tranca de porta, para escorar portas e janelas. **3.** Argola ou maça de metal com que se bate às portas, chamando a atenção de quem está dentro; batente. **4.** Tranqueta com que se fecha a cana do leme.
aldravada. [Var. de *aldrabada.*] *S. f.* Pancada com aldrava.
aldravado. [Part. de *aldravar;* var. de *aldrabado.*] *Adj.* **1.** Que tem aldrava: *porta aldravada.* **2.** Feito ou dito apressadamente, confusamente e mal.
aldravão. [Var. de *aldrabão.*] *S. m.* **1.** Aldrava grande. **2.** Indivíduo trapaceiro, mentiroso. **3.** Indivíduo que faz ou diz as coisas atabalhoadamente, confusamente. [Fem.: *aldravona.*]
aldravar. [Var. de *aldrabar.*] *V. t. d.* **1.** Pôr aldrava em. **2.** Fechar com aldrava. **3.** Executar mal, imperfeitamente (obra ou serviço). *T. i.* **4.** Dar pancadas com aldrava. *Int.* **5.** Falar confusamente. **6.** Mentir muito.
aldravice. [Var. de *aldrabice.*] *S. f.* **1.** Patranha de aldravão ou aldrabão; trapaça. **2.** Trabalho malfeito.
aldravona (ô). [Var. de *aldrabona.*] *S. f.* Fem. de *aldravão* (2 e 3).
álea[1]. [Do lat. *alea,* 'dado de jogar'.] *S. f. Jur.* Probabilidade de perda concomitante à probabilidade de lucro. [Cf. *risco*[2] (2) e *aléia.*]
álea[2]. *S. f.* V. *aléia.*
➧**alea jacta est** (álea jacta éçt). [Lat., 'a sorte está lançada'.] Frase que se atribui a Júlio César ao resolver, em 49 a.C., atravessar o rio Rubicão com suas tropas, em vez de licenciá-las conforme a ordem do Senado romano. [Emprega-se para indicar decisão irrevogável. Cf. *atravessar o Rubicão.*]
alealdar. [De *a-*[4] + *lealdar.*] *V. t. d.* V. *lealdar.*
aleatório. [Do lat. *aleatoriu.*] *Adj.* **1.** Dependente de fatores incertos, sujeitos ao acaso; casual, fortuito, acidental: "Por longa e penosa experiência, sabia que o pagamento dos *pro labore* era coisa muito incerta e *aleatória*, dependendo de imprevisíveis caprichos e circunstâncias." (Vivaldo Coaraci, *Todos Contam Sua Vida,* p. 241.) **2.** Dependente de um acontecimento incerto quanto às vantagens ou prejuízos. **3.** *Fís.* Diz-se do fenômeno físico que envolve uma variável de caráter estatístico, como, p. ex., a desintegração de um núcleo atômico, o movimento browniano; estocástico, randômico. [Cf. *alheatório.*] ~ V. *contrato —, música —a, números —s* e *variável —a.*
alecítico. [De *a-*[3] + *lecito* + *-ico.*] *Adj.* Diz-se do ovo sem vitelo[2], como o dos mamíferos.
alecrim. [Do ár. *al-iklil.*] *S. m.* **1.** Arbusto da família das labiadas (*Rosmarinus officinalis*) que exala odor agradável e forte, e por destilação dá abundante quantidade de óleo essencial volátil, e se usa como medicamento e como condimento; alecrim-de-cheiro. **2.** Ramo, folha ou flor desse arbusto.
alecrim-de-angola. *S. m.* Pimenteiro (1). [Pl.: *alecrins-de-angola.*]
alecrim-de-cheiro. *S. m.* Alecrim (1). [Pl.: *alecrins-de-cheiro.*]
alecrim-do-campo. *S. m.* Designação comum a vários arbustos pertencentes às famílias das compostas, das labiadas e das verbenáceas. [Pl.: *alecrins-do-campo.*]
aléctico. [Do gr. *álektos,* 'que não se deve ou não se pode dizer', + *-ico.*] *Adj.* **1.** Relativo à alexia. **2.** Que sofre de alexia. [Var.: *alético.*]
alectório. [Do lat. *alectoria,* i. e., *lápis —.*] *Adj.* Respeitante ao galo. ~ V. *pedra —a.*
▲**alectoro-.** [Do gr. *aléktor.*] *El. comp.* = 'galo': *alectoromaquia.*
alectoromancia (cí). [Do gr. *alektoromanteía.*] *S. f.* Antiga arte de adivinhar por meio de um galo que ia comendo os grãos de milho colocados sobre letras que formavam palavras.
alectoromante. [De *alectoro-* + *-mante.*] *S. 2 g.* Pessoa que praticava a alectoromancia.
alectoromântico. *Adj.* Referente à alectoromancia, ou a alectoromante.
alectoromaquia. [De *alectoro-* + *-maquia.*] *S. f.* Luta de galos.
alectoromáquico. *Adj.* Relativo à alectoromaquia.
alef. *S. m. Mat.* Designação genérica dos cardinais transfinitos. ◆ **Alef zero.** *Mat.* Número cardinal transfinito de todos os conjuntos infinitos numeráveis; o primeiro cardinal transfinito.
alefriz. [Do ár. vulg. *al-frāD.*] *S. m. Constr. Nav.* **1.** Entalhe feito na quilha, na roda de proa e no cadaste, e no qual se encaixa o tabuado que constitui o forro externo do casco. **2.** Entalhe feito na parte interna das braçolas da escotilha de paiol ou porão, para apoio dos quartéis de cobertura.
alegabilidade. *S. f.* Qualidade ou caráter de alegável.
alegação. [Do lat. *allegatione.*] *S. f.* **1.** Ato ou efeito de alegar. **2.** Aquilo que se alega; argumento, arrazoado, prova. **3.** Explicação justificativa. ~ V. *alegações.*
alegações. [Pl. de *alegação.*] *S. f. pl. Jur.* Razões de fato ou de direito produzidas em juízo pelos litigantes; arrazoado, alegado. ~ V. *alegação.*
alegado. [Part. de *alegar,* substantivado.] *S. m. Jur.* V. *alegações.*

alegânico. [Do ingl. *alleghanian.*] *Adj.* Pertencente ou relativo aos montes Alegânis ou Apalaches (E.U.A.).

alegante. [Do lat. *allegante.*] *Adj. 2 g. e s. 2 g.* Que ou quem alega.

alegar. [Do lat. *allegare.*] *V. t. d.* **1.** Citar, mencionar como prova: *A l e g o u , perante o juiz, um álibi duvidoso.* **2.** Apresentar como explicação, desculpa ou pretexto: "O seu desejo era não acudir ao chamado; a l e g a r que estava doente, ou não a l e g a r coisa alguma, e lá não ir." (Artur Azevedo, *Contos Cariocas*, p. 22.) **3.** Citar, referir, mencionar. **4.** *Jur.* Fazer, em juízo, alegação de: "Figuravam no seu ativo dez ou doze mortes, todas de tocaia .... Inquirido a respeito, a l e g a v a , enxugando uma lágrima, que matara só uns três." (Ciro dos Anjos, *A Menina do Sobrado*, p. 96). *T. d. e i.* **5.** Apresentar, citar (um fato) em defesa ou justificativa. *T. i.* **6.** Expor fato(s), razão ou razões, argumento(s): *Não deu crédito ao que o aluno lhe a l e g a r a .* *P.* **7.** Referir-se a si próprio; citar-se. [Conjug.: v. *largar.*]

alegável. *Adj. 2 g.* Que pode ser alegado.

alegoria. [Do gr. *allegoría*, pelo lat. *allegoria.*] *S. f.* **1.** Exposição de um pensamento sob forma figurada. **2.** Ficção que representa uma coisa para dar idéia de outra. **3.** Seqüência de metáforas que significam uma coisa nas palavras e outra no sentido. **4.** Obra de pintura ou de escultura que representa uma idéia abstrata por meio de formas que a tornam compreensível. **5.** Simbolismo concreto que abrange o conjunto de toda uma narrativa ou quadro, de maneira que a cada elemento do símbolo corresponda um elemento significado ou simbolizado.

alegórico. [Do gr. *allegórikos*, pelo lat. *allegoricu.*] *Adj.* **1.** Referente a alegoria. **2.** Que encerra alegoria. ~ V. *carro* — e *estátua* —*a*.

alegorista. [Do gr. *allegoristés*, pelo lat. *allegorista.*] *Adj. 2 g.* **1.** Que usa de estilo alegórico. ● *S. 2 g.* **2.** Pessoa que faz alegorias ou por elas explica escritos de outrem.

alegorizar. [Do gr. *allegorízo*, pelo lat. *allegorizare.*] *V. t. d.* **1.** Apresentar por meio de alegoria. **2.** Explicar em sentido alegórico.

alegrado[1]. [Part. de *alegrar*[1].] *Adj.* Alegre, contente, satisfeito, divertido.

alegrado[2]. [Part. de alegrar[2].] *Adj.* Aberto ou cortado com legra.

alegrador (ô). [De *alegrar*[1] + *-dor.*] *Adj. e s. m.* Que ou aquele que alegra.

alegramento. [De *alegrar*[1] + *-mento.*] *S. m. P. us.* alegria.

alegrão. *S. m.* Grande alegria (2): "Ninguém me espera, vou daqui dar um a l e g r ã o à minha gente." (Fialho d'Almeida, *O País das Uvas*, p. 93.)

alegrar[1]. [De *alegre*[1] + *-ar*[2].] *V. t. d.* **1.** Tornar ou pôr alegre, contente; contentar: "o divino riso, consolador dos homens, a l e g r a v a as caras, alargava as bocas" (Augusto Meyer, *No Tempo da Flor*, p. 17). **2.** Embelezar, aformosear, alindar: *O nascer do Sol a l e g r o u os campos.* **3.** Pôr ligeiramente embriagado. *P.* **4.** Sentir alegria, satisfação; tornar-se alegre: "Tudo s e a l e g r a e ri em torno dela." (Gonçalves Dias, *Obras Poéticas*, II, p. 152).

alegrar[2]. [De *a-*[2] + *legra* + *-ar*[2].] *V. t. d.* **1.** Cortar com legra. **2.** Sulcar, geralmente empregando legra, as juntas de (paredes, muros ou pisos de tijolo ou pedra), seja para renovar a argamassa, seja para dar ressalto ao efeito plástico do material.

alegrativo. *Adj.* **1.** Próprio para tornar alegre[2]. **2.** Que causa alegria; alegrador.

alegre[1]. [De *a-*[4] + *legra.*] *S. m. Bras., N.* **1.** Ferramenta com que se fazem colheres de pau. **2.** Ferramenta com que se raspa o tronco da maniçoba para obter o látex.

alegre[2]. [Do lat. *alacre*, pelo provenç. trovadoresco *alegre.*] *Adj. 2 g.* **1.** Que tem, sente alegria, prazer de viver; contente, satisfeito: "a Luzia, a mais linda, a mais a l e g r e rapariga das que no verão arranchavam nas vindimas." (Trindade Coelho, *Os Meus Amores*, p. 228); "Num quiosque em festa a a l e g r e turba grita." (Augusto dos Anjos, *Eu*, p. 69). **2.** Que inspira alegria: *ambiente a l e g r e ; canção a l e g r e .* **3.** Em que há alegria; jovial, prazenteiro: *Foi muito a l e g r e o seu jantar de noivado.* **4.** Ligeiramente embriagado; alegrete, bicado, riscado, tocado. **5.** Diz-se da cor viva e vistosa. **6.** Um tanto licencioso ou libertino: *viúva a l e g r e .*

alegrense. *Adj. 2 g.* **1.** De, ou pertencente ou relativo a Alegre (ES). ● *S. 2 g.* **2.** Natural ou habitante de Alegre.

alegrete[1] (ê). *S. m.* Pequeno canteiro para plantas ou flores: "Quando veio regar os craveiros, aproximei-me do a l e g r e t e" (Conde de Ficalho, *Uma Eleição Perdida*, p. 231).

alegrete[2] (ê). *Adj. 2 g.* Um tanto alegre[2] (1 e 4).

alegretense. *Adj. 2 g.* **1.** De, ou pertencente ou relativo a Alegrete (RS). ● *S. 2 g.* **2.** Natural ou habitante de Alegrete.

alegreto (ê). [Do it. *allegretto.*] *Mús. Adj.* **1.** De andamento entre o andante e o alegro. ● *S. m.* **2.** Esse andamento. **3.** Trecho musical de caráter gracioso e leve, escrito nesse andamento.

alegria. *S. f.* **1.** Qualidade ou estado de alegre[2]: *A nota característica de seus quadros é a a l e g r i a ; Tem um gênio privilegiado: nunca perde a a l e g r i a .* **2.** Contentamento, satisfação, júbilo, exultação: *A a l e g r i a de ser mãe notava-se-lhe nos olhos;* "Neste retiro os longos dias passo, / Sem a l e g r i a s e sem dissabores" (Ricardo Gonçalves, *Ipês*, p. 37). **3.** Tudo quanto alegra, contenta, jubila, exulta: *Os filhos são a sua única a l e g r i a ; Foi uma a l e g r i a para todos sua vinda pelo Natal.* **4.** Prazer moral; felicidade. **5.** Divertimento, festa. ~ V. *alegrias.*

alegrias. *S. f. pl.* Testículos de animal. ~ V. *alegria.*

alegriense[1]. *Adj. 2 g.* **1.** De, ou pertencente ou relativo a Chã da Alegria (PE). ● *S. 2 g.* **2.** Natural ou habitante de Chã da Alegria.

alegriense[2]. *Adj. 2 g.* **1.** De, ou pertencente ou relativo a Santo Antônio da Alegria (SP). ● *S. 2 g.* **2.** Natural ou habitante de Santo Antônio da Alegria.

alegrinho. [Dim. de *alegre*[1].] *S. m. Bras.* Ave passeriforme, da família dos tiranídeos (*Serpophaga subcristata* (Vieill.)), de coloração cinzento-azeitonada na parte superior e branco-amarelada na inferior, vértice com uma mancha e duas faixas brancas onduladas sobre as asas. Ocorre no S. do Brasil, e é encontrada até MG e SP. [Sin.: *caga-sebinho* e *caga-sebito.*]

alegro. [Do it. *allegro.*] *Mús. Adv.* **1.** Viva e alegremente; em andamento animado. ● *S. m.* **2.** Trecho musical nesse andamento.

aléia. [Do fr. *allée.*] *S. f.* **1.** Fileira ou renque de arbustos ou de árvores. **2.** Passeio ou arruamento (de jardim, parque, etc.) ladeado de árvores ou de arbustos; alameda: "Adiante, a lividez do luar alumiou-lhes o passo por uma a l é i a de buxos aparados e de cheirosos canteiros de alfazema." (Gustavo Barroso, *A Ronda dos Séculos*, p. 234.) **3.** Passagem ou caminho ladeado de muros. [Cf. *álea.*]

aleijada. [F. do adj. *aleijado*, com substantivação.] *S. m.* Variedade de cana-de-açúcar.

aleijado. [Part. de *aleijar.*] *Adj.* **1.** Que tem algum defeito, deformidade ou mutilação física; defeituoso, estropiado: *cachorro a l e i j a d o ; braço a l e i j a d o .* **2.** *P. ext.* Que tem defeito moral ou espiritual. **3.** *P. ext.* Imperfeito, incorreto, defeituoso: *Suas trovas, quase todas a l e i j a d a s , mostram ser mau poeta.* ● *S. m.* **4.** Aquele que é aleijado (1).

aleijamento. *S. m.* **1.** Ato ou efeito de aleijar(-se). **2.** *Ant.* Aleijão.

aleijão. [De *a-*[4] + lat. *laesione*, 'lesão'.] *S. m.* **1.** Deformidade ou defeito físico ou moral. **2.** Pessoa com grande deformidade física; monstro. **3.** Coisa malfeita, disforme, hedionda.

aleijar. [De *a-*[4] + lat. **laesiare*, por *laesionare*, 'provocar lesão'; ou de *aleijão.*] *V. t. d.* **1.** Causar aleijão a; deformar, mutilar, estropiar. **2.** Deturpar, adulterar. **3.** Magoar muito. **4.** Causar prejuízo financeiro a; explorar: *A l e i j o u - m e na venda da casa. Int. e p.* **5.** Ficar aleijado ou mutilado: *A l e i j o u por causa de uma ferida; A l e i j o u - s e na guerra.*

aleiloar. [De *a-*[2] + *leilão* + *-ar*[2].] *V. t. d.* Leiloar. [Conjug.: v. *coroar.*]

aleirado. [Part. de *aleirar.*] *Adj.* Dividido em leiras.

aleirar. [De *a-*[2] + *leira* + *-ar*[2].] *V. t. d.* Dividir em leiras; leirar.

aleitação. *S. f.* V. *aleitamento*[1].

aleitamento[1]. *S. m.* Ato ou efeito de aleitar[1]; aleitação, amamentação.

aleitamento[2]. *S. m.* Ato ou efeito de aleitar[2].

aleitar[1]. [De *a-*[2] + *leite* + *-ar*[2].] *V. t. d.* **1.** Criar a leite; amamentar: "A tua menina cá fica entregue à Maria Lemenha, ... que pode a l e i t a r três crianças" (Camilo Castelo Branco, *Vulcões de Lama*, p. 97). **2.** Tornar claro como leite.

aleitar[2]. [De *a-*[2] + *leito* + *-ar*[2].] *V. t. d.* **1.** Meter no leito ou na cama; acamar. **2.** Ajustar a superfície de (uma pedra), para colocar outra em cima.

aleitativo. *Adj.* Referente à aleitação.

aleive. *S. m.* **1.** V. *aleivosia*: "Não se disse .... em público e raso que a mulher do ministro da guerra, uma senhora de grande nobreza moral, avessa no seu porte simples ao *clinquant*, sempre no seu vestido *tailleur*, não ostentara numa recepção o colar de diamantes que lhe trouxera um embaixador aliado como arras do suborno, e o a l e i v e não correu e ficou impune?" (Aquilino Ribeiro, *Estrada de Santiago*, p. 137.)

aleivosia. *S. f.* **1.** Traição, perfídia, deslealdade. **2.** Dolo, fraude. **3.** Falsa acusação; calúnia, injúria. [Sin. ger.: *aleive.*]

aleivoso (ô). *Adj.* **1.** Em que há aleive; fraudulento. **2.** Que procede com aleive; desleal, traidor, pérfido. **3.** Caluniador.

aleli. [Do berbere *alîli*, 'adelfa'.] *S. m.* **1.** Planta ornamental da família das crucíferas (*Cheirantus cheri*), de flores rubras raiadas de branco, ou amarelas, e cheirosas; goiveiro. **2.** A flor dessa planta. [Sin. ger.: *goivo.*]

alelismo. [De *alel(o)-* + *-ismo.*] *S. m. Genét.* Ocorrência de dois ou mais genes localizados no mesmo lugar do cromossomo; alelomorfismo.

alelo. *S. m. Genét.* Uma das formas alternativas de um gene, que ocupa determinado lócus no cromossomo.

▲alel(o)-. [Do gr. *allélon.*] *El. comp.* = 'de um ao outro': *alelomorfo.*

alelobiose. [De *alel(o)-* + *-bio-* + *-ose.*] *S. f. Biol. Ger.* O conjunto das relações vitais entre os indivíduos.

alelomorfismo. [De *alel(o)-* + *-morfo-* + *-ismo.*] *S. m. Genét.* Alelismo.

alelomorfo. [De *alel(o)-* + *-morfo.*] *S. m. Genét.* Alelo.

alelositismo. [De *alel(o)-* + *-sit(o)-* + *-ismo.*] *Genét.* Parasitismo duma planta. *S. m.* Planta parasita que vive sobre outra do mesmo grupo, como, p. ex., um líquen heterotrófico vegetando à custa de outro líquen, este autotrófico; sintrofia.

aleluia[1]. [Do hebr. *alleluiah*, 'louvai jubilosamente a Jeová'.] *S. f.* **1.** Canto de alegria e louvor, freqüente nos salmos, e adotado pela Igreja na sua liturgia, especialmente no tempo da Páscoa. **2.** Alegria, regozijo. **3.** O sábado da Ressurreição. **4.** *Lit.* Versículo precedido e seguido dessa palavra que se recita ou canta antes do Evangelho. [V. *missa* (1).] **5.** Arbusto ornamental, da família das leguminosas, subfamília cesalpinácea (*Cassia bacillaris*). ~ V. *aleluias.*

aleluia[2]. [De *siliiluia.*] *S. f. Bras.* Designação comum aos exemplares alados (macho e fêmea) dos insetos isópteros, ou cupins, quando abandonam o ninho para o vôo nupcial, após o qual as fêmeas fecundadas formam novas colônias; arará, cupim, siliiluia, siriruia. ~ V. *aleluias.*

aleluiar. *V. t. d.* **1.** *Mús.* Adicionar a (antífonas, versículos, intróitos, etc.) as aleluias que, no tempo próprio, a liturgia determina. *Int.* **2.** Cantar aleluias. **3.** Alegrar-se muito; jubilar-se, rejubilar-se.

aleluias. *S. f. pl.* V. *direitos de estola.* ~ V. *aleluia.*

aleluítico. *Adj.* **1.** Em que há aleluia. **2.** Que louva; que saúda; que celebra.

além. [Do lat. *ecce hinc*, 'eis ali'?] *Adv.* **1.** Lá, acolá, lá ao longe: "Era noite! ...A tormenta a l é m rugia..." (Castro Alves, *Obra Completa*, p. 176); "Aqui, o rio azul ao sol do estio; / A l é m , o monte, no horizonte suave." (Campos de Figueiredo, *Imagem da Noite*, p. 29). **2.** Longe, bem longe: "Vou-me com ele, sem saber onde vamos. A l é m , espera-nos o Jordão." (Tristão da Cunha, *Histórias do Bem e do Mal*, p. 53.) **3.** Mais adiante; mais à frente: "Não deram mais um passo a l é m . Ultimara-se uma empresa deplorável." (Euclides da Cunha, *Os Sertões*, p. 219.) **4.** Afora (1): "O caçador por essa linha migratória a l é m terá ensejo de fazer bom cinto." (Aquilino Ribeiro, *Aldeia*, p. 183.) ● *S. m.* **5.** O que vem depois da morte; o outro mundo; a eternidade, o desconhecido, o além-mundo, o além-túmulo; a ultravida: "Que bom com um dia assim deixar a terra, / Ir-se da vida! e a um sol tão puro, / Buscar assim o A l é m que nos aterra!" (Alberto de Oliveira, *Poesias*, 4ª série, p. 237); "Porventura estarei também algumas vezes / Nesses vagos a l é n s / que a esperam, chamam e levam?" (Cecília Meireles, *Obra Poética*, p. 211). [Antôn.: *aquém*. Cf. *alem*, do v. *alar.*]

◆ **Além de. 1.** Para mais de, para lá de: "Se perguntarem: Que mais queres, / a l é m d e versos e mulheres?..." (Manuel Bandeira, *Estrela da Vida Inteira*, p. 50); *já estava a l é m d o s oitenta anos quando adoeceu pela primeira vez.* **2.** Mais adiante de: *Não pôde ir a l é m d a s primeiras casas da cidade.* **3.** Do outro lado de: *A estrada ficava a l é m d o rio;* "Eu nasci a l é m d o s mares" (Casimiro de Abreu, *Obras*, p. 57). **4.** Acima de: *Gasta a l é m d a s suas posses.* **5.** Ademais de; afora de: *É, a l é m d e levado, muito malcriado.* **Além disso.** De mais a mais; além do mais; a mais; outrossim, também: *É viajado e, a l é m d i s s o , muito lido.* **Além do mais.** V. *além disso.*

▲além-. *El. comp.* = 'além de', 'para além de': *além-mar, além-túmulo.*

alemã. *Adj.* (*f.*) e *s. f.* Fem. de *alemão* (1 e 2).
alemânico. [Do lat. *alamannicu.*] *Adj. P. us.* **1.** Relativo à Alemanha ou aos alemães; germânico. ● *S. m.* **2.** Ling. V. *alemão* (3).
alemanismo. [De *alemão* + *-ismo.*] *S. m.* Germanismo.
alemanista. *S. 2 g.* Germanista.
alemanizar. *V. t. d.* e *p.* Germanizar.
alemão. [Do lat. *alamanu.*] *Adj.* **1.** Da, ou pertencente ou relativo à Alemanha (Europa). ~ V. *aspas —ãs, cortina —ã, grifo —, marco*[2] *—, pastor —* e *sarampo —.* ● *S. m.* **2.** O natural ou habitante da Alemanha. [Sin. deprec., durante a I e a II Guerra Mundial: *boche.*] **3.** Língua germânica oficial da Alemanha, Áustria e parte da Suíça. [Unificada no séc. XVI, durante a Reforma (q. v.), dividia-se, antes, em dois grandes grupos: **a)** o alto-alemão, falado ao S. (compreendendo o bávaro e o alemânico) e documentado desde o séc. VIII; **b)** o baixo-alemão, documentado desde o séc. IX, e do qual procedem o holandês e o neerlandês.] ~ V. *germânico* (3). [Flex.: *alemã;* pl.: *alemães.*]
alemão-ocidental. *Adj.* **1.** Da, ou pertencente ou relativo à Alemanha Ocidental (República Federal da Alemanha). ● S. m. **2.** O habitante ou natural da Alemanha Ocidental. [Pl.: *alemães-ocidentais.* Flex.: *alemã-ocidental;* pl.: *alemãs-ocidentais.*]
alemão-oriental. *Adj.* **1.** Da, ou pertencente ou relativo à Alemanha Oriental (República Democrática Alemã). ● *S. m.* **2.** O natural ou habitante da Alemanha Oriental. [Pl.: *alemães-orientais.* Flex.: *alemã-oriental;* pl.: *alemãs-orientais.*]
alembrar. [De *a-*[4] + *lembrar.*] *V. t. d., t. d. e i. e p. Ant.* e *pop.* Lembrar: "encanecidos / Pescadores de outrora a l e m b r a m com saudade / As pescarias" (Vicente de Carvalho, *Versos da Mocidade*, p. 124); "Algumas vezes eu m e a l e m b r o duma / tarde na roça" (Gilberto Mendonça Teles, *Saciologia Goiana*, p. 34).
além-mar. *Adv.* **1.** Além do mar; ultramar. ● *S. m.* **2.** As terras situadas além-mar. [Antôn.: *aquém-mar.* Pl.: *além-mares.*]
além-mundo. *S. m.* V. *além* (5). [Pl.: *além-mundos.*]
alemoa (ô). *Adj.* (*f.*) e *s. f. Pop.* Fem. de *alemão* (1 e 2): "Atravessando sozinho alguma ponte, depois dos sinos de Santo Antônio badalarem nove horas, arriscava-se a ser levado para o fundo das águas por uma linda a l e m o a de cabelos louros." (Gilberto Freire, *Assombrações do Recife Velho*, p. 29.)
alemoado[1]. [De *alemão* + *ado*[1].] *Adj. Bras., S.* De aspecto germânico.
alemoado[2]. [Part. de *alemoar.*] *Adj. Bras., S.* Que adquiriu hábitos de alemão; que se alemoou.
alemoar. [De *alemão* + *-ar*[2].] *V. t. d* e *p. Bras., S.* Germanizar. [Conjug.: v. *coroar.*]
além-túmulo. *S. m.* V. *além* (5). [Pl.: *além-túmulos.*]
alencariano. *Adj.* **1.** Pertencente ou relativo a José de Alencar (1829-1877), notável representante da nossa escola romântica, ou próprio dele. **2.** Que é seu admirador e/ou conhecedor profundo de sua obra. ● *S. m.* **3.** Admirador e/ou conhecedor profundo da obra de José de Alencar. [Sin. ger.: *alencarino.*]
alencarino. *Adj.* e *s. m.* Alencariano.
aleno. *S. m. Quím.* Classe de hidrocarbonetos não saturados que têm duas duplas ligações sucessivas.
alenquerense. *Adj. 2 g.* **1.** De, ou pertencente ou relativo a Alenquer (PA). ● *S. 2 g.* **2.** Natural ou habitante de Alenquer.
alentado. [Part. de *alentar.*] *Adj.* **1.** Valente, animoso, brioso, esforçado. **2.** V. *valentão* (1). **3.** Grande, avantajado, volumoso: *um a l e n t a d o tomo de física.* **4.** Corpulento, robusto. **5.** Farto, substancial.
alentador (ô). *Adj.* **1.** Que alenta. ● *S. m.* **2.** Aquele ou aquilo que alenta.
alentar. *V. t. d.* **1.** Dar alento, ânimo, coragem, a; encorajar: *Uma esperança ainda o a l e n t a v a.* **2.** Alimentar, nutrir. *Int.* **3.** Tomar alento; respirar, resfolegar. **4.** Dar alento, ânimo, coragem; animar, encorajar, esperançar: *A verdadeira fé a l e n t a e revigora. P.* **5.** Tomar alento; animar-se, encorajar-se. **6.** Tomar fôlego: "agarrou-se ao corrimão da escada e desceu com passos malseguros, parando de degrau em degrau para respirar e a l e n t a r - s e." (Joaquim Manuel de Macedo, *Os Romances da Semana*, p. 301).
alentecer. [De *a-*[2] + *lento* + *-ecer.*] *V. int.* Tornar-se lento, vagaroso. [Conjug.: v. *aquecer.*]
alentecimento. *S. m.* Ato ou efeito de alentecer. ◆ **Alentecimento dos relógios.** *Fís.* Efeito relativístico resultante da existência de um tempo em cada referencial, e que se manifesta pela modificação da marcha de um relógio quando se lhe altera o estado de movimento.
alentejano. *Adj.* **1.** Do, ou pertencente ou relativo ao Alentejo (Portugal). ● *S. m.* **2.** O natural ou habitante do Alentejo.
alento. [Do lat. *anhelitu.*] *S. m.* **1.** Bafo, hálito, respiração. **2.** Coragem, ânimo, força. **3.** Alimento, sustento, mantimento: "A Aurora é o riso do Céu, a alegria dos campos, a vida e a l e n t o do mundo." (P.[e] Antônio Vieira, *Sermões*, I, p. 126). **4.** Inspiração, estro, entusiasmo. ~ V. *alentos.* ◆ **Dar o último alento.** V. *morrer* (1).
alentos. *S. m. pl.* **1.** Orifícios nas ventas dos cavalos. **2.** Ornatos que as freiras usavam no toucado. ~ V. *alento.*
áleo. [Do lat. *ala*, 'asa', + *-eo.*] *Adj. Heráld.* Figurado com asas; alado.
aleonado. [De *a-*[2] + *leão* + *-ado*[1].] *Adj.* **1.** Semelhante ao leão. **2.** Da cor do leão; fulvo.
alepidoto. [Do gr. *alepídotos.*] *Adj. Zool.* **1.** Desprovido de escamas. ● *S. m.* **2.** Peixe alepídoto.
alepocéfalo. [De *a-*[3] + gr. *lépos*, 'escama', + *-céfalo.*] *Adj. Zool.* Diz-se de peixe que não tem escamas na cabeça.
alequeado. [De *a-*[2] + *leque* + *-ado*[2].] *Adj.* **1.** Que tem forma de leque. **2.** *Bot.* Diz-se de certas folhas que, como as de algumas palmeiras, têm essa forma.
alergênico. *S. m. Med.* V. *alergênio.*
alergênio. *S. m. Med.* Agente capaz de produzir alergia; alergênico, alérgeno.
alérgeno. *S. m. Med.* V. *alergênio.*
alergia. [De *al(o)-* + *-ergo(o)*[1] + *-ia.*] *S. f.* **1.** *Med.* Hipersensibilidade a determinadas substâncias e agentes físicos, à qual se atribuem muitas doenças, como, p. ex., asma, enxaqueca, urticária. **2.** *Fig.* Aversão, repulsão, antipatia, ojeriza: *Tem a l e r g i a às declamadoras; É notória sua a l e r g i a ao trabalho.*
alérgico. *Adj.* **1.** Relativo à alergia, ou próprio da alergia (1). **2.** Que sofre de alergia (1). **3.** Que sente alergia (2): *É a l é r g i c o à política.* ~V. *rinite—a.* ● *S. m.* **4.** Aquele que sofre de alergia.
alergista. *S. 2 g.* Especialista no tratamento de alergia.
alergizante. *Adj. 2 g.* e *s. m.* Diz-se de, ou substância que provoca alergia.
▲**alerg(o)-.** [De *alergia.*] *El. comp.* = 'alergia': *alérgico, alergêneo.*
alergodiagnóstico. [De *alerg(o)-* + *diagnóstico.*] *S. m. Med.* Diagnóstico de alergia (1).
alergologia. [De *alerg(o)-* + *-log(o)-* + *-ia.*] *S. f.* Ramo da medicina que estuda os fenômenos da alergia.
alergológico. *Adj.* Relativo à alergologia.
alergologista. *S. 2 g.* Especialista em alergologia; alergólogo.
alergólogo. [De *alerg(o)-* + *-logo.*] *S. m.* Alergologista.
alerta. [Do it. *all'erta.*] *Adv.* **1.** Em atitude de quem vigia, de vigilância; de sobreaviso: *estar, ficar, continuar a l e r t a.* ● *Adj. 2 g.* **2.** Atento, vigilante, alertado: *Nada lhes escapa, são homens a l e r t a s.* ● *Interj.* **3.** Sentido! atenção! cuidado! *S. m.* **4.** Sinal para estar vigilante.
alertar. *V. t. d.* **1.** Tornar ou deixar alerta: *Os primeiros tiros a l e r t a r a m a população. Int.* e *p.* **2.** Pôr-se alerta.
alesado. [De *a-*[4] + *lesado.*] *Adj. Bras., MG, SP* e *MT. Pop.* Prejudicado, lesado.
alesagem. [Do fr. *alésage.*] *S. f.* Diâmetro interno de um cilindro.
alestar. [De *a-*[2] + *lesto* + *-ar*[2].] *V. t. d.* e *p.* Tornar(-se) lesto; apressar(-se); ativar(-se).
aleta (ê). *S. f.* **1.** Pequena ala. **2.** Cada uma das duas asas do nariz; narícula, narina. [Cf. *alheta.*]
aletargado. [De *a-*[2] + *letargo* + *-ado*[1].] *Adj.* Posto ou caído em letargo.
alético. *Adj.* Var. de *aléctico* [q. v.].
aleto. *S. m. Bras.* V. *aracangüira.*
▲**aleto-**[1]. [Do gr. *alethés, és, és.*] *El. comp.* = 'verdadeiro': *aletologia.*
▲**aleto-**[2]. [Do gr. *alétes, ou.*] *El. comp.* = 'errante': *aletócito.*
aletócito. [De *aleto-*[2] + *-cito.*] *S. f. Med.* Célula errante.
aletologia. [De *aleto-*[1] + *-log(o)-* + *-ia.*] *S. f. Filos.* Tratado ou discurso acerca da verdade.
aletológico. *Adj.* Concernente à aletologia.
aletradar-se. [De *a-*[2] + *letrado* + *-ar*[2] + *se*[1].] *V. p.* Fazer-se letrado; tornar-se versado em letras.
aletria. [Do ár. *al-iTrīa.*] *S. f.* **1.** Massa de farinha de trigo em fios delgados, usada em sopas ou preparada com ovos, leite e açúcar. [Var.: *letria;* sin.: *cabelo-de-anjo, fidelino, fidéus.*] **2.** *Bras.* V. *manjuba* (1).
aletriado. [De *aletria* + *-ado*[1].] *Adj.* Semelhante à aletria.
▲**aleur(o)-.** [Do gr. *áleuron, ou.*] *El. comp.* = 'farinha': *aleuromancia, aleurômetro.*
aleuromancia (ci). [Do gr. *aleuromanteía.*] *S. f.* Antiga prática de adivinhar por meio da farinha de trigo; alfitomancia.
aleuromante. [Do gr. *aleuromántis.*] *S. 2 g.* Pessoa que pratica a aleuromancia alfitomante.
aleuromântico. *Adj.* Relativo à aleuromancia, ou a aleuromante; alfitomântico.
aleurômetro. [De *aleur(o)-* + *-metro.*] *S. m.* Instrumento com que se mede a quantidade de glute existente na farinha de trigo.
aleurona. [De *aleur(o)-* + *-ona.*] *S. f. Bot.* Substância de reserva, de natureza protéica, armazenada nas células do albume das sementes sob a forma de grânulos, e que se destina a alimentar o embrião em crescimento nas primeiras fases.
aleúte. *S. 2 g.* **1.** Indivíduo dos aleútes, povo nativo das ilhas Aleútas (N.O. da América do Norte) e de certas partes do Alasca. ● *S. m.* **2.** *Ling.* Cada uma das duas línguas faladas por esse povo, de características próximas das dos esquimós, e que parecem relacionadas com o grupo altaico. ● *Adj. 2 g.* **3.** Pertencente ou relativo a esse povo ou às suas línguas.
alevadoiro. *S. m.* Alevadouro [q. v.].
alevadouro. [Var. de *alevadoiro.*] *S. m.* Pau com que se levanta a pedra do moinho ou da atafona.
alevantadiço. *Adj. Desus.* Propenso a sublevar-se, rebelar-se, alevantar-se.
alevantar. [De *a-*[4] + *levantar.*] *V. t. d.* e *p.* Levantar(-se): "E um pássaro, com as asas espalmadas, / O vôo a l e v a n t o u, seguindo o rumo / Das lembranças, na Pátria enraizadas." (Múcio Teixeira, *Brasas e Cinzas*, p. 84); "Este Povo ressurge e novas forças, / Muito embora contrárias, s e a l e v a n t a m." (Teixeira de Pascoais, *D. Carlos*, p. 18); "Quando o dia s e a l e v a n t a, / Virgem Santa! / fica assim de sabiá." (Da canção *Casa de Caboclo*, de Heckel Tavares e Luis Peixoto).
alevante. [Dev. de *alevantar.*] *S. m.* **1.** Levante[2] (1). **2.** V. *levante*[2] (3).
alevedar. [De *a-*[2] + *lêvedo* + *-ar*[2].] *V. t. d.* V. *levedar.*
alevim. *S. m.* Alevino [q. v.].
alevino. [Do fr. *alevin.*] *S. m.* **1.** Filhote de peixe. **2.** Forma embrionária, inicial, dos peixes, com bolsa vitelínica volumosa. [F. paral.: *alevim.*]
alexânder (cs). [Do ingl. *alexander.*] *S. m.* **1.** Coquetel preparado com gim, licor de cacau e leite condensado. **2.** Dose dessa bebida. [Sin. ger. (bras.): *leite-de-onça.* Pl.: *alexânderes.*]
alexandriense. *Adj. 2 g.* **1.** De, ou pertencente ou relativo a Alexandria (RN). ● *S. 2 g.* **2.** Natural ou habitante de Alexandria.
alexandrinismo [De *alexandrino*[2] + *-ismo.*] *S. m.* **1.** Conjunto de manifestações filosóficas, científicas e artísticas da civilização grega de Alexandria no período que vai do séc. III a.C. ao séc. III. **2.** *Hist. Filos.* Conjunto das doutrinas dos neoplatônicos e dos outros filósofos, cristãos e judeus, ligados a Alexandria, nos sécs. II e III. **3.** *P. ext.* Designação geral dada às letras e artes nas épocas de decadência requintada. [Cf. *alexandrismo.*]
alexandrino[1]. [Do antr. *Alexandrino.*] *S. m. Bras. Mar. G.* Uniforme constituído de calça branca e jaquetão azul-marinho, instituído pelo Alm. Alexandrino Faria de Alencar, e usado pelo pessoal da Marinha do Brasil nos festejos da Batalha do Riachuelo.
alexandrino[2]. [Do lat. *alexandrinu.*] *Adj.* Relativo a Alexandre Magno (356-323 a. C.), rei da Macedônia, ou à sua época.
alexandrino[3]. [Do romance (1) *Alexandre*, o Grande, do francês Alexandre de Bernay (séc. XII), + *-ino.*] *Adj.* e *s. m.* ~ V. *verso —.*
alexandrino[4]. *Adj.* **1.** De, ou pertencente ou relativo a Alexandria (Egito). **2.** Relativo ao alexandrinismo. ~ V. *Charada —a* e *judaísmo —.* ● *S. m.* **3.** O natural ou habitante de Alexandria.
alexandrismo. *S. m. Hist. Filos.* Doutrina de pensadores aristotélicos italianos dos sécs. XIV e XV, que se apoiava na interpretação de Aristóteles dada pelo filósofo grego Alexandre de Afrodísia (fins do séc. II e começos do III). [V. *aristotelismo* e *peripatetismo.* Cf. *alexandrinismo.*]
alexandrista. *Adj. 2 g. Filos.* **1.** Relativo ao, ou que é partidário do alexandrismo. ● *S. 2 g.* **2.** Partidário do alexandrismo.
alexandrita. [Do antr. *Alexandre*, czar da Rússia (1818-1881), + *-ita*[3].] *S. f. Min.* Variedade de crisoberilo, verde-esmeralda, mineral ortorrômbico, aluminato de glucínio, pedra semipreciosa.
▲**alex(i)-.** [Do gr. *aléxo.*] *El. comp.* = 'que expulsa': *alexina.*
alexia (cs). [De *a-*[3] + *-lex-* + *-ia.*] *S. f. Med.* Perda patológica da capacidade de apreender o significado da palavra escrita; cegueira verbal.

aléxico (cs). *Adj.* **1.** Relativo à, ou que tem alexia. ● *S. m.* **2.** Aquele que tem alexia.

alexina (cs). [De *alex(i)-* + *-ina.*] *S. f. Fís.-Quím.* Fator termolábil presente no soro normal, e que, junto com um anticorpo natural, confere àquele soro poder bactericida.

aleziriado. [De a-[1] + *lezíria* + *-ado*[1].] *Adj.* Cheio de lezírias.

alfa[1]. [Do hebr. *alef,* 'boi', pelo gr. *álpha* e pelo lat. *alpha.*] *S. m.* **1.** Nome da 1ª letra dos alfabetos grego (A, α) e siríaco. **2.** *Fig.* Princípio, começo, início. [Opõe-se a *ômega.*] **3.** *Astr.* A principal estrela de uma constelação, em geral a mais brilhante. **4.** *Mús.* Na antiga notação, figura que abrangia dois lugares de um pentagrama e representava duas notas ligadas. ● *S. f.* **5.** *Fís. Nucl.* Partícula alfa. ● *Adj.* (*f.*) **6.** *Astr.* Diz-se da principal estrela de uma constelação: *Aldebarã é a estrela* a l f a *de Touro.* ~ V. *ferro* —. ♦ **Alfa e ômega.** O princípio e o fim. **Alfa do Centauro.** *Astr.* A estrela principal da constelação do Centauro, e a mais brilhante. É uma estrela múltipla, e uma de suas componentes, a *Proxima Centauri,* é de todas as estrelas a mais próxima do Sol.

alfa[2]. [Do ár. *halfa,* atr. do fr. *alfa.*] *S. f.* Certa gramínea muito usada no fabrico de papel.

alfa[3]. [De or. afr., *decerto.*] *S. m.* Sacerdote, entre os negros maometanos do Senegal.

alfabetação. *S. f.* Ato ou operação de alfabetar; alfabetamento.

alfabetado. [Part. de *alfabetar.*] *Adj.* Disposto por ordem alfabética.

alfabetador (ô). *S. m.* Aquele que alfabeta.

alfabetamento. *S. m.* Alfabetação.

alfabetar. *V. t. d.* Dispor por ordem alfabética. [Fut. do pret.: *alfabetaria,* etc. Cf. *alfabetária,* fem. de *alfabetário,* e *alfabetizar.*]

alfabetário. *Adj.* Concernente ao alfabeto. [Fem.: *alfabetária.* Cf. *alfabetaria,* do v. *alfabetar.*]

alfabético. *Adj.* **1.** Pertencente ao alfabeto, ou próprio dele. **2.** Que está segundo a ordem das letras do alfabeto. ~ V. *índice* —.

alfabetismo. *S. m.* **1.** Sistema de escrita pelo alfabeto. [V. *fonetismo.*] **2.** Estado ou qualidade de alfabetizado. **3.** *Neol.* Instrução primária.

alfabetização. *S. f.* Ação de alfabetizar, de propagar o ensino da leitura.

alfabetizado. [Part. de *alfabetizar.*] *Adj.* e *s. m.* Que, ou aquele que sabe ler.

alfabetizando. *S. m.* Aquele que vai ser alfabetizado.

alfabetizante. *Adj. 2 g.* ~ V. *escrita* —.

alfabetizar. *V. t. d.* **1.** Ensinar a ler: "Capitão Josué contratou uma professora, em Santana, para a l f a b e t i z a r os filhos." (Gentil Ursino Vale, *Confidências do Agreste,* p. 11.) **2.** Dar instrução primária a. *P.* **3.** Aprender a ler por si mesmo: "eu estava ansioso para rever a Rua da Fábrica, que eu retinha, na lembrança ... e as duas casas, conjugadas, junto à Fábrica de Óleos, onde cresci, a l f a b e t i z e i - m e e aprendi muitas lições de coisas..." (Povina Cavalcanti, *Volta à Infância,* p. 11). [Cf. *alfabetar.*]

alfabeto. [Do neol. gr. *alphábetos,* pelo lat. *alphabetu.*] *S. m.* **1.** Disposição convencional das letras de uma língua. **2.** O conjunto dessas letras. **3.** Qualquer sistema de sinais estabelecidos para representar letras, fonemas ou palavras: a l f a b e t o *dos cegos;* a l f a b e t o *semafórico.* **4.** Relação ou lista em ordem alfabética. **5.** *P. ext.* Qualquer série convencional. **6.** *Fig.* V. *á-bê-cê* (4): "Alceu ignorou o a l f a b e t o até entrar para o Ginásio Nacional, em 1903." (Antônio Carlos Vilaça, *O Desafio da Liberdade,* p. 24.) **7.** Escrita (2). [Sin. ger.: *abecedário.*] ♦ **Alfabeto cirílico.** Alfabeto eslavo do séc. IX, de que resultou o moderno alfabeto usado na U.R.S.S., na Bulgária e em outros países eslavos. **Alfabeto fonético.** Sistema convencional de caracteres gráficos elaborado pelos lingüistas para a transcrição exata dos textos falados ou escritos. **Alfabeto glagolítico.** Alfabeto eslavo primitivo, cuja composição provavelmente se inspirou nas letras gregas. **Alfabeto gótico.** Alfabeto composto pelo bispo Úlfilas, no séc. IV, com unciais gregas e caracteres rúnicos. **Alfabeto ideográfico.** O que representa os sons pelo desenho ou pintura das idéias. **Alfabeto maiúsculo.** O conjunto das letras maiúsculas; abecedário maiúsculo. **Alfabeto manual.** Sistema de sinais executados com os dedos de uma das mãos, ou de ambas, e usados para comunicação, em especial dos surdos-mudos entre si ou com outrem; abecedário manual. **Alfabeto minúsculo.** O conjunto das letras minúsculas; abecedário minúsculo. **Alfabeto Morse.** O ideado pelo norte-americano Samuel Morse (1791-1872), inventor do telégrafo sem fio, e no qual as letras do alfabeto comum são representadas por conjuntos de pontos, traços e suscetíveis de ser transmitidos pelo telégrafo, ou por lampejos, apitos, etc., representando o ponto um sinal breve e o traço um sinal longo; código Morse. **Alfabeto ugarítico.** Um dos primeiros ensaios de escrita alfabetizante, com o emprego de sinais cuneiformes, inventado por volta do séc. XIV a. C.

alfabetologia. [De *alfabeto* + *-log(o)-* + *-ia.*] *S. f. Paleogr.* Parte da história da escrita que se ocupa das origens do alfabeto.

alfabetológico. *Adj.* Referente à alfabetologia.

alfaçal. *S. m.* Quantidade mais ou menos considerável de pés de alface dispostos proximamente entre si.

alface. [Do ár. *al-khass.*] *S. f.* Planta hortense, da família das compostas (*Lactuca sativa),* usada geralmente para salada.

alface-d'água. *S. f.* V. *Bras. flor-d'água.* [Pl.: *alfaces-d'água.*]

alface-do-mar. *S. f.* V. *ulva.* [Pl.: *alfaces-do-mar.*]

alfacinha. [Dim. de *alface.*] *Adj. 2 g.* e *s. 2 g.* V. *lisboeta.*

alfaemissor (ô). *S. m. Fís. Nucl.* Nuclídeo radioativo que emite partículas alfas. [Var.: *alfemissor.*]

alfafa. [Do ár. *al-halfâ,* por dissimilação.] *S. f.* Planta forraginosa, da família das leguminosas, subfamília papilionácea (*Medicago sativa),* excelente forragem. [Sin. lus.: *luzerna.*]

alfafal. *S. m.* Quantidade mais ou menos considerável de pés de alfafa dispostos proximamente entre si; luzernal, luzerneira.

alfageme. [Do ár. *al-hajjām.*] *S. m. Ant.* **1.** Barbeiro que, além do seu ofício, limpava e afiava armas brancas. **2.** Fabricante de espadas e alfanjes; armeiro, espadeiro.

alfaia. [Do ár. *al-hajâ.*] *S. f.* **1.** Móvel ou utensílio de uso ou adorno doméstico. **2.** Enfeite, adorno, atavio; jóia. **3.** Utensílio agrícola. **4.** Paramento de igreja.

alfaiar. *V. t. d.* **1.** Guarnecer de alfaias; mobiliar, mobilhar. **2.** Ornamentar, ornar, adornar. **3.** Enfeitar, embelezar, aformosear.

alfaiata. *S. f.* Mulher que trabalha como alfaiate.

alfaiatar. *V. t. d.* **1.** Coser ou talhar (peças de vestuário). *Int.* **2.** Trabalhar como alfaiate.

alfaiataria. *S. f.* Oficina ou estabelecimento de alfaiate.

alfaiate. [Do ár. *al-khaiiāT.*] *S. m.* **1.** Indivíduo que faz roupas de homem e/ou de mulher, de talhe masculino. [Fem.: *alfaiata.* Cf. *costureiro* (1 e 2).] **2.** *Bras.* V. *tiziu.*

alfalfa. *S. f.* V. *alfafa.*

alfama. [Do ár. *al-khama.*] *S. m. Ant.* **1.** Bairro onde habitavam judeus. **2.** Asilo, refúgio.

alfândega. [Do gr. *pandocheîon,* pelo ár. *al-funduqâ.*] *S. f.* **1.** Repartição pública encarregada de vistoriar bagagens e mercadorias em trânsito, e cobrar os correspondentes direitos de entrada e saída. **2.** Conjunto de salas, ou edifício onde se instala essa repartição pública. **3.** Direitos alfandegários. [Sin. (nessas acepç.): *aduana.*] **4.** *Fig.* Lugar onde se faz muita algazarra. [Cf. *alfandega,* do v. *alfandegar.*] ♦ **Alfândega marítima.** Aquela que se instala em porto de mar. **Alfândega seca.** A que se instala em algum porto de trânsito terrestre e aéreo.

alfandegagem. *S. f.* **1.** Ato ou efeito de alfandegar[2]. **2.** Cobrança de direitos aduaneiros. [Sin. ger.: *alfandegamento.*]

alfandegamento. *S. m.* V. *alfandegagem.*

alfandegar[1]. *Adj. 2 g.* V. *alfandegário.*

alfandegar[2]. *V. t. d.* **1.** Despachar na alfândega. **2.** Armazenar na alfândega. [Conjug.: v. *regar.*] Pres. ind.: *alfandego, alfandegas, alfandega,* etc.; fut. do pret.: *alfandegaria,* etc. Sin. ger.: *aduanar.* Cf. *alfândega,* s. f., e *alfandegária,* fem. de *alfandegário.*]

alfandegário. *Adj.* Relativo ou pertencente à alfândega; aduaneiro, alfandegar, alfandegueiro. [Fem.: *alfandegária.* Cf. *alfandegaria,* do v. *alfandegar.*]

alfandegueiro. *Adj.* **1.** V. *alfandegário.* ● *S. m.* **2.** *Ant.* Aquele que está empregado na alfândega.

alfanjada. *S. f.* Golpe de alfanje.

alfanjado. [De *alfanje* + *-ado*[1].] *Adj.* Semelhante a alfanje.

alfanje. [Do ár. *al-khanjal* ou *khanjar.*] *S. m.* **1.** Sabre de folha curta e larga: "No calor da peleja que se trava, / Parte-se a folha da ligeira espada / E o a l f a n j e, como anjo de extermínio, / Prostra exangues, sem dó, esses valentes / Que em cem batalhas não tremeram nunca!" (Casimiro de Abreu, *Obras,* pp. 23-24.) **2.** *Bras.* V. *gadanha.*

alfanumérico. [De *alfa(beto)* + *numérico.*] *Adj.* **1.** Diz-se do sistema de codificação em que se combinam letras do alfabeto e algarismos. **2.** *P. ext.* Diz-se do que é codificado por esse sistema: *placa* a l f a n u m é r i c a. ~ V. *caráter* —.

alfaque. [Do ár. *al-fakk.*] *S. m.* **1.** Pego que se forma pela deslocação de areia. **2.** *Mar.* Banco de areia movediça que se forma principalmente na embocadura dos rios, no cruzamento de correntes marítimas e nas costas de fundo muito irregular. **3.** *Mar.* Baixio de pedra, menos extenso que o parcel, e mais fundo, que permite a passagem de navios de pequeno calado. **4.** *Mar.* Conjunto de pedras soltas em fundo baixo de areia, no porto.

alfaqui. [Do ár. *al-faqūh.*] *S. m.* Entre os muçulmanos, sacerdote e legista.

alfaquim. *S. m.* V. *peixe-galo.*

alfaraz. [Do ár. *Al-faras,* 'cavalo'.] *S. m.* **1.** Cavalo árabe de grande ligeireza, adestrado na guerra. **2.** Cavaleiro destro e bem montado. ● *Adj. 2 g.* **3.** *Fig.* Veloz, ligeiro.

alfario. [Do ár. *alfaraz.*] *Adj.* Diz-se do cavalo brincalhão, saltador e rinchador.

alfarrábio. [Do antr. ár. *Al-Fārābī,* filósofo († 950-1).] *S. m.* Livro antigo ou velho e de pouco préstimo, ou valioso por ser antigo: "Um dia num a l f a r r á b i o / Eu li que um louco vivia, / Toda a noite e todo o dia, / Uma estátua a namorar." (Guimarães Passos, *Versos de um Simples,* p. 35.)

alfarrabista. *S. 2 g.* **1.** Vendedor e/ou colecionador de alfarrábios. **2.** *Lus.* Sebista.

alfarrabístico. *Adj.* Relativo a alfarrabista, ou a alfarrábios.

alfarricoque. [De *farricoco,* decerto.] *S. m. P. us.* Indivíduo insignificante; joão-ninguém.

alfarroba (ô). [Do ár. *al-Harrūbâ.*] *S. f.* Fruto da alfarrobeira. [Pl.: *alfarrobas* (ô). Cf. *alfarroba* e *alfarrobas,* do v. *alfarrobar.*]

alfarrobal. *S. m.* Quantidade mais ou menos considerável de alfarrobeiras dispostas proximamente entre si.

alfarrobar. *V. t. d.* **1.** Preparar com alfarroba. **2.** Esfregar (linhas de pesca) com alfarroba verde, para as enrijar e escurecer. [Pres. ind.: *alfarrobo, alfarrobas, alfarroba,* etc. Cf. *alfarroba* (ô) e pl. *alfarrobas* (ô).]

alfarrobeira. *S. f.* Árvore da família das leguminosas, subfamília cesalpiniácea (*Ceratonia siliqua*), cujo fruto é uma vagem de polpa doce e muito nutritiva, usada contra a gastrenterite dos lactentes, e cuja madeira, vermelha e dura, se emprega em marcenaria.

alfatópico. *Adj. Fís. Nucl.* Diz-se de um núcleo que difere de outro por duas unidades no número atômico e quatro unidades no número de massa.

alfavaca. [Do ár. *al-habāqâ.*] *S. f.* Planta hortense, da família das labiadas, do gênero *Ocimum,* cultivada nos jardins pelo seu aroma e beleza das folhas e utilizada como condimento.

alfavaca-de-cobra. *S. f.* V. *bétis.* [Pl.: *alfavacas-de-cobra.*]

alfavaca-do-campo. *S. f. Bras.* Segurelha[2]. [Pl.: *alfavacas-do-campo.*]

alfazema. [Do ár. *al-khuzāmâ.*] *S. f.* Arbusto aromático, da família das labiadas *(lavandula spica); lavanda.*

alfazemar. *V. t. d.* Perfumar com alfazema.

alfeça. [Do ár. *al-fâç.*] *S. f.* Peça de ferro para abrir os alvados das enxadas, martelos, machados, etc. [Var.: *alferça* (q. v.).]

alfeire. [Do ár. *al-hair.*] *S. m.* **1.** Curral de porcos; chiqueiro, pocilga. **2.** Gado que não tem crias.

alfeireiro. *S. m.* Guardador de alfeire.

alfeizar. *S. m. Carp.* Peça de madeira que se encaixa nas testeiras das serras.

alféloa. [Do ár. *al-hāud.*] *S. f.* **1.** Pasta de melaço ou de açúcar, em ponto grosso, que ao esfriar é manipulada até embranquecer, e com a qual se fazem diversos artigos de confeitaria. [Sin. bras.: *felô.*] **2.** Bala feita com essa pasta, retorcida.

alfeloeiro. *S. m.* Fabricante e/ou vendedor de alféloas; confeiteiro.

alfemissor (ô). *S. m. Fís. Nucl.* Var. de *alfaemissor.*

alfena. [Do ár. *al-hinnā.*] *S. f.* Arbusto da família das oleáceas (*Ligustrum vulgare*), de flores alvas e bagas negras; alfeneiro.

alfenado. [De *alfena* + *-ado*[1].] *Adj.* Da cor da baga da alfena.

alfenar. *V. t. d.* **1.** Tingir com bagas ou pés de alfena. **2.** *Fig.* Tornar efeminado; efeminar, afeminar.

alfeneiro. *S. m.* Alfena.

alfenense. *Adj. 2 g.* **1.** De, ou pertencente ou relativo a Alfenas (MG). ● *S. 2 g.* **2.** Natural ou habitante de Alfenas.

alfênico. *S. m.* V. *açúcar-cande.*

alfenide. [Do antr. *Alphen,* o inventor da liga, + *-ide.*] *S. m.* Liga metálica que imita a prata.

alfenim. [Do ár. *al-fanīd.*] *S. m.* **1.** Massa de açúcar muito branca, a que se dá ponto especial. **2.** *Fig.* Pessoa

delicada, melindrosa.
alfeninado. [De *alfenim* + *-ado*[1].] *Adj.* **1.** Delicado, frágil, franzino. **2.** Efeminado, afeminado.
alfeninar-se. [De *alfenim* + *-ar*[2] + *se*[1].] *V. p.* **1.** Tornar-se frágil, delicado, melindroso. **2.** Efeminar-se, afeminar-se.
alferça. [Var. de *alfeça* (q. v.).] *S. f.* Picareta, alvião. [Var.: *alferce.*]
alferce. *S. m.* Var. de *alferça* [q. v.].
alferes. [Do ár. *al-fars*, 'cavaleiro'.] *S. m. 2 n.* **1.** V. *hierarquia militar.* **2.** Militar que detinha a posição hierárquica de alferes: "Umbelina fora casada com um alferes de cavalaria" (Bernardo Guimarães, *O Seminarista*, p. 17). **3.** *Ant.* Porta-bandeira.
alfim. [De *a*[2] + *fim.*] *Adv. P. us.* Afinal, finalmente, ao cabo: "Sobrevieram com instâncias muito afetuosas, e alfim conseguiram removê-lo" (Camilo Castelo Branco, *A Enjeitada*, p. 15).
alfinetada. *S. f.* **1.** Picada de alfinete. **2.** Dor muito aguda e rápida, que produz sensação de picada. **3.** *Fig.* Dito ou alusão picante; picuinha, remoque. [Sin. ger.: *alfinetadela.*]
alfinetadela. *S. f.* V. *alfinetada.*
alfinetar. *V. t. d.* **1.** Picar com alfinete. **2.** Dar forma de alfinete a. **3.** Marcar (uma costura) com alfinete. **4.** Criticar, magoando: *Não a censurou com doçura: alfinetou-a mordazmente.* **5.** Ferir com palavras; satirizar. **6.** Dirigir epigramas ou poeminhas a. [Pres. subj.: *alfinete, alfinetes, alfinete, etc.* Cf. *alfinete* (ê) e pl. *alfinetes* (ê).]
alfinete (ê). [Do ár. *al-khilāl.*] *S. m.* **1.** Pequena e fina haste de metal, com uma das extremidades aguçada e a outra em forma de cabeça, utilizada para prender ou segurar panos, papéis, etc.: "— Que cabeça, senhora! A senhora não é alfinete, é agulha. Agulha não tem cabeça." (Machado de Assis, *Várias Histórias*, p. 229.) **2.** Jóia semelhante ao alfinete, que os homens pregam na gravata. **3.** Adorno ou jóia semelhante ao alfinete, usado pelas mulheres para prender o chapéu ou os cabelos. **4.** Planta ornamental da família das valerianáceas (*Centranthus ruber* DC.). **5.** Designação comum a outras plantas, tais como: *Erythrae centaurium* L., da família das gencianáceas, e *Silene armeria* L., da família das cariofiláceas. [Pl.: *alfinetes* (ê). Cf. *alfinete* e *alfinetes*, do v. *alfinetar.*] ~ V. *alfinetes.* ◆ **Alfinete de fralda.** Alfinete de segurança que se usa nas roupas dos bebês. **Alfinete de segurança.** *Bras.* Espécie de alfinete formado de duas partes articuladas, e cuja ponta se prende em uma cavidade da cabeça, a fim de que não pique nem se desprenda; segurança, joaninha. **Não valer um alfinete.** Não ter nenhum valor; não valer dois caracóis.
alfineteira. *S. f.* **1.** Caixa ou tubo para guardar alfinetes. **2.** Almofadinha onde se cravam alfinetes. [F. paral.: *alfineteiro.*]
alfineteiro. *S. m.* **1.** V. *alfineteira.* **2.** Vendedor e/ou fabricante de alfinetes.
alfinetes (ê). [Pl. de *alfinete.*] *S. m. pl.* **1.** Objetos de uso pessoal, nem sempre indispensáveis; miudezas; *Trabalha só para comprar seus alfinetes.* **2.** Despesas miúdas ou particulares: *Dá uma pequena mesada à mulher para os seus alfinetes.* ~ V. *alfinete.*
alfitete. [Do ár. *al-fitāt.*] *S. m.* Massa de ovos, açúcar, manteiga ou toicinho e vinho, que tem vários usos culinários.
▲**alfito-.** [Do gr. *álphiton, ou.*] *El. comp.* = 'farinha de cevada'; *alfitomancia.*
alfitomancia (cí). [De *alfito-* + *-mancia.*] *S. f.* Aleuromancia.
alfitomante. [De *alfito-* + *-mante.*] *S. 2 g.* Pessoa que pratica a alfitomancia; aleuromante.
alfitomântico. *Adj.* Referente à alfitomancia; aleuromântico.
alfobre (ô). [Do ár. *al-hufrâ*; var. de *alfofre.*] *S. m.* **1.** Viveiro de plantas; almácego. **2.** V. *leira* (2). [Var.: *alfovre.*]
alfofre (ô). *S. m.* V. *alfobre.*
alfombra. [Do ár. *al-khomra*, 'esteirinha'.] *S. f.* **1.** Tapete espesso e fofo; alcatifa. **2.** *P. ext.* Tapete de verdura ou de relva: "entre dormir a sesta numa alfombra tapetada de folhas e numa laja à torreira, prefere [a cabra] a laja" (Aquilino Ribeiro, *Luís de Camões*, II, p. 88).
alfombrado. [Part. de *alfombrar.*] *Adj.* **1.** Atapetado, tapetado, tapeçado. **2.** Arrelvado, relvado.
alfombrar. *V. t. d.* **1.** Forrar com alfombra; atapetar, tapetar, alcatifar. **2.** Cobrir de relva; arrelvar.
alfonsia. *S. f.* Alforra (ô).
alfonsim. [Do antr. *Alfonso*, por *Afonso*, de um rei de Portugal, + *-im.*] *S. m.* Antiga moeda portuguesa.
alforjada. *S. f.* **1.** O conteúdo de um alforje; alforje. **2.** Porção de coisas várias. **3.** Bolso grande cheio. [Cf. *abada*[1].]
alforjar. *V. t. d.* **1.** Meter no alforje. **2.** Meter nas algibeiras: Alforjou o fruto do roubo. Int. **3.** Encher as algibeiras com muita coisa, sobretudo comestíveis.
alforje. [Do ár. *al-khurj.*] *S. m.* **1.** Duplo saco, fechado nas extremidades e aberto no meio, formando como que dois bornais, que se enchem equilibradamente, sendo a carga transportada no lombo de cavalgaduras ou ao ombro de pessoas. **2.** Alforjada (1). **3.** *Bras. Gír.* Nariz grande e muito chato.
alforra (ô). [Do ár. *al-hurr.*] *S. f.* Ferrugem das searas, causada por uma espécie de fungo; alfonsia. [Pl.: *alforras* (ô). Cf. *alforra* e *alforras*, do v. *alforrar.*]
alforrar. *V. int.* Criar alforra (ô). [Pres. ind.: *alforro, alforras, alforra*, etc. Cf. *alforra* (ô) e pl. *alforras* (ô).]
alforreca. [Do ár. *al-hurraiqâ*, ou da var. marroquina *hurriga.*] *S. f. Lus.* V. *água-viva* (2).
alforria. [Do ár. *al-hurriâ.*] *S. f.* **1.** Liberdade concedida ao escravo; manumissão. **2.** *P. ext.* Libertação de qualquer jugo ou domínio.
alforriado. [Part. de *alforriar.*] *Adj.* **1.** Que recebeu carta de alforria; liberto, livre, forro. ● *S. m.* **2.** Indivíduo alforriado; manumisso.
alforriar. *V. t. d.* **1.** Dar alforria a; resgatar, libertar, manumitir; forrar. *P.* **2.** Libertar-se, livrar-se.
alfovre (ô) *S. m.* V. *alfobre.*
alfredense[1]. *Adj. 2 g.* **1.** De, ou pertencente ou relativo a Alfredo Chaves (ES). ● *S. 2 g.* **2.** Natural ou habitante de Alfredo Chaves.
alfredense[2]. *Adj. 2 g.* **1.** De, ou pertencente ou relativo a João Alfredo (PE). ● *S. 2 g.* **2.** Natural ou habitante de João Alfredo.
alfredo (è). [Do antr. *Alfredo.*] *S. m.* Candeeiro ordinário, sem manga.
alfridária. [Do lat. mod. *alfridaria*, calcado no ár. *alfarīDaha.*] *S. f.* Influência que os astrólogos árabes atribuíam a determinados astros durante certo número de anos.
alfuja. *S. f.* Var. pop. de *alfurja.*
alfurja. [Do ár. *al-fujra.*] *S. f. Ant.* **1.** Pátio interno destinado a ventilar e iluminar cômodos de uma casa. **2.** Rua estreita, ou área qualquer, onde se atirava o despejo das casas. **3.** *Fig.* Pocilga, monturo. [Var. (pop.): *alfuja.*]
alga. [Do lat. *alga.*] *S. f.* Família de plantas da classe das criptogâmicas, que vivem no fundo ou na superfície de águas salgadas ou doces. [Ocupam o último lugar na série vegetal, e entre elas se acham os organismos mais simples e microscópicos.] ◆ **Algas apoteciais.** *Bot.* Algas que ocorrem em determinados liquens. **Algas verdes.** *Bot.* V. *clorofíceas.*
algáceo. *Adj.* Relativo ou pertencente às algas.
algaço. *S. m.* Qualquer das vegetações que o mar arroja à praia.
algália[1]. [Do gr. *ergaleton*, 'instrumento de trabalho', pelo lat. *algalia.*] *S. f. Cir. Desus.* Sonda para extração de urina ou para exame de cálculos vesicais; candelinha. [Cf. *algalia*, do v. *algaliar.*]
algália[2]. [Do ár. *al-gāliâ*] *S. f.* **1.** Licor odorífero que se extrai de várias glândulas do almiscareiro. **2.** Almiscareiro. [Cf. *algalia*, do v. *algaliar.*]
algaliar. *V. t. d.* Sondar com a algália. [Pres. ind.: *algalio, algalias, algalia*, etc. Cf. *algália.*]
algar. [Do ár. *al-gār.*] *S. m.* **1.** Caverna, furna, gruta. **2.** Barranco feito pelas enxurradas. **3.** Despenhadeiro, abismo. **4.** *Lus.* Conduto natural que, nas regiões calcárias, une a superfície do terreno ao interior de uma gruta ou caverna.
algaravia. [Do ár. *al-garbīi*, 'referente ao Algarve'.] *S. f.* **1.** Língua árabe. **2.** *Fig.* Linguagem confusa e ininteligível: "Pôs-se a falar, na sua algaravia que a comoção ainda tornava menos compreensível." (João Alphonsus, *Rola-Moça*, p. 122.) **4.** Coisa difícil de perceber. [Var.: *algravia.*]
algaraviada. *S. f.* Confusão de vozes; algazarra, gritaria. [Var.: *algraviada.*]
algaraviar. *V. int.* **1.** Falar ou escrever confusamente. *T. d.* **2.** Exprimir em algaravia (2). [Var.: *algraviar.*]
algaraviz. *S. m.* Var. de *alcaraviz.*
algarismo. [Do ár. *al-khuarizmi.*] *S. m. Mat.* Símbolo (6) usado para a representação sistemática de números. ◆ **Algarismo arábico.** *Mat.* Cada um dos símbolos representativos dos números, na notação usualmente adotada, baseada no sistema decimal de numeração; cada um dos membros do conjunto dos símbolos 0, 1, 2, 3, 4, 5, 6, 7, 8 e 9, respectivamente zero, um, dois, três, quatro, cinco, seis, sete, oito e nove. **Algarismo exato.** *Mat.* Em um número aproximado, cada um dos algarismos que, a começar do primeiro algarismo à esquerda diferente de zero, está isento de erro. **Algarismo romano.** *Mat.* Cada um dos símbolos representativos dos números, no sistema romano de numeração; qualquer dos símbolos I, V, X, L, C, D e M. **Algarismo significativo.** *Mat.* Na expressão de um número aproximado, cada um dos algarismos que, a começar do primeiro à esquerda diferente de zero, está isento de erro, ou tem um erro no máximo igual a meia unidade de sua ordem decimal, por falta ou por excesso.
algarítmico. *Adj.* Respeitante a algarismo.
algarobeira. *S. f.* Árvore da família das leguminosas, subfamília mimosácea (do gênero *Prosopis*); algarobo, algarrobo.
algarobo (ô). [Do esp. plat. *algarobo.*] *S. m.* V. *algarobeira.*
algarrobo (ô). *S. m.* V. *algarobeira.*
algarviense. *Adj. 2 g.* e *s. 2 g.* Algarvio (1 e 2).
algarvio. [Do ár. *al-garbīi.*] *Adj.* **1.** Do ou pertencente ou relativo ao Algarve (Portugal). ● *S. m.* **2.** O natural ou habitante do Algarve. [Sin. (nessas acepç.): *algarviense.*] **3.** *Fig.* Palrador, tagarela, falador.
algazarra. [Do ár. *al-gazara.*] *S. f.* **1.** Gritaria que os mouros levantavam em qualquer acometida militar. **2.** Vozearia, gritaria, clamor, assuada.
algazarrar. *V. int.* Fazer algazarra: "À orla dos banhados, as seriemas já algazarravam aos pulos, alvissareiras da manhã." (Vieira Pires, *Querência*, p. 131.)
álgebra. [Do ár. *al-jabrâ.*] *S. f.* **1.** Parte da matemática que estuda as leis e processos formais de operações com entidades abstratas. **2.** Tratado ou compêndio dessa matéria. **3.** Exemplar de um desses tratados ou compêndios. **4.** *Ant.* Arte de consertar ossos fraturados ou deslocados. ◆ **Álgebra abstrata.** Parte da álgebra moderna em que se investigam as propriedades dos sistemas algébricos que permanecem invariantes nas transformações isomórficas. **Álgebra da lógica.** *Log.* Uma das formas da logística[1]. **Álgebra divisão.** *Álg. Mod.* Álgebra linear em que todo elemento diferente de zero tem um inverso multiplicativo. **Álgebra linear.** *Álg. mod.* Conjunto de elementos que é um espaço vectorial de ordem finita sobre um corpo, e em que se define um produto binário associativo e bilinear. **Álgebra matricial.** *Álg. Mod.* Parte do cálculo matricial em que se investigam as propriedades e transformações das matrizes sob as operações de soma, produto, combinação linear de linhas e colunas, etc. **Álgebra motorial.** *Cálc. Vect.* Parte do cálculo motorial em que se usam apenas as operações da álgebra. **Álgebra vectorial.** Parte do cálculo vectorial em que se estudam as propriedades dos vectores sob as operações algébricas de soma, produto escalar, produto vectorial, etc. **Álgebra zero.** *Álg. Mod.* Álgebra linear em que o produto de qualquer de seus elementos por si mesmo é igual a zero.
algébrico. *Adj.* **1.** Relativo à álgebra. **2.** Que se resolve por álgebra. ~ V. *complemento —, curva —a, equação —a, equação —a irracional, equação —a racional, equação —a racional inteira, função —a, número —, operação —a* e *soma —a.*
algebrista. *S. 2 g.* **1.** Pessoa versada em álgebra (f.). **2.** *Ant.* Pessoa que consertava fraturas ou deslocação de ossos; especialista em álgebra (4).
algebrizar. *V. t. d.* Encher de fórmulas algébricas.
algema. [Do ár. *al-jāma'â*, 'pulseira'.] *S. f.* **1.** Instrumento de ferro com que se prendem os braços pelos pulsos. [Sin. (bras., gír.): *pulseira.*] **2.** Cadeia, grilheta. **3.** *Fig.* Coação, coerção, opressão. [M. us. no pl.]
algemar. *V. t. d.* **1.** Prender ou maniatar com algemas. **2.** Prender moralmente; oprimir; coagir, obrigar: *Um juramento solene o algemava.*
algemas. *S. f. pl.* V. *algema.*
algente. [Do lat. *algente.*] *Adj. 2 g.* Álgido (1): "Agora, a deslizar pelo arvoredo mudo, / Como um choro de prata algente o luar escorre." (Olavo Bilac, *Poesias*, p. 271.)
algeriano. [Do fr. *algérien*, de *Algérie.*] *Adj.* e *s. m.* V. argelino.
algeroz (ó). [De possível or. ár.] *S. m.* **1.** Calha que recolhe as águas pluviais do telhado, encaminhando-as para os condutores: "E assim ela se conservara algum tempo ao pé da espádua erguida do morro, no prédio vetusto de adufas desusadas e biqueiras muito sobressaídas dos algerozes." (Alberto Rangel, *Lume e Cinza*, p. 197.) **2.** Agüeiro (2).
▲**alges(i)-.** [Do gr. *álgesis.*] *El. comp.* = 'dor', 'sofrimento': *hiperalgesia.*
algesia. [Do gr. *álgesis*, 'dor física', + *-ia.*] *S. f. Med.* Sensibilidade à dor.
▲**algi-.** [Do lat. *alga, ae.*] *El. comp.* = 'alga':

algícola. [Equiv.: *algo-*: *algologia.*]

algia. [De *alg(o)-*[2] + *-ia.*] *S. f. Patol.* Dor regional, sem alterações somáticas perceptíveis.

algibe. [Do esp. *aljibe.*] *S. m.* V. *cisterna.*

algibeba. *S. f.* Fem. de *algibebe* [q. v.].

algibebe. [Do ár. *al-jabbab.*] *S. m.* Aquele que fabrica e vende roupas de fazenda ordinária. [Fem.: *algibeba.*]

algibeira. [Do ár. *al-jibairâ.*] *S. f.* **1.** Bolso que faz parte integrante da roupa: "Estas palavras disse-as o Alfredo enquanto tirava uma nota da algibeira das calças" (Artur Azevedo, *Contos Possíveis*, p. 39). **2.** Pequena bolsa em forma de saquinho que as mulheres prendiam à cintura, em geral, por baixo dos vestidos ou aventais. ♦ **Pôr de sua algibeira.** Pagar à sua custa.

algícola. [De *algi-* + *-cola.*] *Adj. 2 g.* Que vive ou se cria sobre as algas.

algidez (ê). *S. f.* **1.** Qualidade ou estado de álgido; grande frialdade. **2.** *Patol.* Estado patológico caracterizado pelo resfriamento das extremidades, sensação de frio intenso.

álgido. [Do lat. *algidu.*] *Adj.* **1.** Muito frio; gélido, glacial, algente: "Álgido inverno! Oblíquo o sol, gelado..." (Camilo Pessanha, *Clepsidra e Outros Poemas*, p. 179); "Uma noite de novembro caía neve, e os aspectos do céu profundamente frio tinham umas estrelas trêmulas, lucilantes, e um luar álgido que dava às concavidades nevadas a claridade nítida duns lagos de prata fundida." (Camilo Castelo Branco, *Sentimentalismo e história*, p. 180.) **2.** *Patol.* No qual, ou durante o qual se observa algidez (2): *o período álgido da cólera.*

algirão. *S. m.* Abertura por onde os peixes entram na rede ou na armação. [Sin., bras. (SC e RS): *sanga.*]

algo. [Do lat. *aliquod.*] *Pron. indef.* **1.** Alguma coisa, qualquer coisa: *Por que não dizem algo?* ● *Adv.* **2.** Um tanto, um pouco: *Acha-se algo adoentado.* ● *S. m.* **3.** *Ant.* Quantia em dinheiro; fazenda, cabedal, bens. **4.** *Ant.* Aquele que possui, que é rico: *filho de algo* (fidalgo).

▲**algo-**[1]. Equiv. de *algi-.*

▲**algo-**[2]. *El. comp.* = 'dor': *algofilia.* [Equiv.: *alg(o)-*: dacriadenalgia.]

▲**-alg(o)-.** Equiv. de *algo-*[2].

algodão[1]. [Do ár. *al-quTun.*] *S. m.* **1.** *Bot.* Conjunto de compridos pêlos alvos e entrelaçados, macios, que revestem a superfície das sementes do algodoeiro. Aparecem em outras malváceas e em plantas de variadas famílias, onde podem receber nomes especiais, como *paina,* por exemplo. **2.** Fio ou tecido fabricados com esses pêlos. **3.** Algodão hidrófilo. **4.** *Pop.* V. *cúmulo* (3). ♦ **Algodão em rama.** Algodão sem preparação. **Algodão hidrófilo.** O algodão perfeitamente dessecado e desinfetado, para uso em farmácia e medicina; algodão. **Algodão mercerizado.** Algodão (2) que foi tratado por hidróxilo de sódio com o fim de aumentar-lhe o brilho e a capacidade de tingimento. **Ser algodão entre cristais.** Buscar evitar atritos entre pessoas inimigas.

algodão[2]. *S. m.* F. ref. de *algodão-doce* [q. v.].

algodão-bravo. *S. m.* **1.** Planta da família das convolvuláceas (*Ipomea fistulosa* Mart.). **2.** Planta da família das malváceas (*Hibiscus furcellatus* Desr.). [Pl.: *algodões-bravos.*]

algodão-colódio. *S. m.* V. *nitrocelulose.* [Pl.: *algodões-colódios* e *algodões-colódio.*]

algodão-cravo. *S. m. Bras.* V. *butuá-de-corvo.* [Pl.: *algodões-cravos.*]

algodão-da-praia. *S. m. Bras.* Arbusto ou árvore da família das malváceas (*Hibiscus tiliaceus*), de flores amarelas, empregada na arborização urbana. [Pl.: *algodões-da-praia.*]

algodão-de-açúcar. *S. m. Bras.* V. *algodão-doce.* [Pl.: *algodões-de-açúcar.*]

algodão-de-vidro. *S. m. Tec.* Substância que tem o aspecto e consistência do algodão, e formada de inúmeros fios capilares de vidro. [Pl.: *algodões-de-vidro.*]

algodão-do-brejo. *S. m. Bras.* V. *fanfã.* [Pl.: *algodões-do-brejo.*]

algodão-do-campo. *S. m. Bras.* Planta da família das coclospermáceas (*Cochlospermum insigne*); periquiteira. [Pl.: *algodões-do-campo.*]

algodão-doce. *S. m. Bras.* Espécie de doce que se faz com o açúcar reduzido, em ponto especial, a fios finíssimos, e tem o aspecto de algodão em rama. [Tb. se diz apenas *algodão;* sin.: *algodão-de-açúcar.* Pl.: *algodões-doces.*]

algodão-do-mato. *S. m. Bras.* V. *butuá-de-corvo.* [Pl.: *algodões-do-mato.*]

algodão-macaco. *S. m.* Variedade de algodoeiro (*Gossypium*) cuja matéria têxtil é pardacenta. [Pl.: *algodões-macacos* e *algodões-macaco.*]

algodão-pólvora. *S. m. Quím. Expl. Desus.* V. *nitrocelulose.* [Pl.: *algodões-pólvoras* e *algodões-pólvora.*]

algodãorana. [De *algodão* + *-rana.*] *S. f. Bras.* Planta têxtil, amazonense, da família das malváceas (*Pavonia paniculata*).

algodãozinho. [Dim. de *algodão.*] *S. m. Bras.* Tecido grosseiro de algodão: "Vestindo invariavelmente grosseiras calças de algodãozinho" (Almeida Fischer, *10 Contos Escolhidos*, p. 73); "Esta conversa animou os dois, que limparam os olhos e o nariz na manga arregaçada da camisa de algodãozinho." (Bariani Orténcio, *Vão dos Angicos,* p. 100.) [Cf. *algodoim.*]

algodoal. *S. m.* Quantidade mais ou menos considerável de algodoeiros dispostos proximamente entre si: "florescia o algodoal pintalgado de branco e amarelo." (Jaime d'Altavila, *Lógica de um Burro,* p. 11).

algodoar. *V. t. d.* **1.** Encher, entulhar de algodão: *algodoar almofadas.* **2.** Tornar semelhante ao algodão, ou ao que se acha revestido de algodão: *A névoa algodoava os campos. P.* **3.** Tornar-se parecido ao algodão, ou ao que se acha revestido de algodão: *Os cúmulos algodoavam-se no horizonte.* [Conjug.: v. *coroar.*]

algodoaria. *S. f.* Edifício ou estabelecimento onde se fabricam fios ou tecidos de algodão; cotonaria, cotonifício.

algodoeiro. *S. m.* **1.** Cada uma de várias plantas do gênero *gossypium* que produzem o algodão, e das quais a espécie mais cultivada é o *Gossypium herbaceum.* **2.** Fabricante de algodão. ● *Adj.* **3.** Relativo ao algodão: *indústria algodoeira.*

algodoeiro-do-campo. *S. m. Bras.* V. *butuá-de-corvo.* [Pl.: *algodoeiros-do-campo.*]

algodoim (o-im). [Por **algodoinho*, dim. de *algodão*] *S. m.* Tecido rústico de algodão, mais grosseiro que o algodãozinho [q. v.].

algofilia. [De *algo-*[2] + *-fil(o)-*[2] + *-ia.*] *S. f. Psiq.* Tendência mórbida para a procura de sensações dolorosas, que se distingue do masoquismo pela ausência de componente erótico. [Antôn.: *algofobia.*]

algofílico. *Adj.* Relativo à algofilia.

algófilo. [De *algo-*[2] + *-filo.*] *Adj.* e *s. m.* Que ou aquele que sofre de algofilia. [Antôn.: *algófobo.*]

algofobia. [De *algo-*[2] + *-fob(o)-* + *-ia.*] *S. f. Med.* Terror mórbido de sensação dolorosa. [Antôn.: *algofilia.*]

algofóbico. *Adj.* Relativo à algofobia.

algófobo. [De *algo-*[2] + *-fobo.*] *Adj.* e *s. m.* Que ou aquele que sofre de algofobia. [Antôn.: *algófilo.*]

algóide. [De *algo-*[1] + *-óide.*] *Adj. 2 g.* Semelhante à alga.

algol[1]. [Do ár. *(ra's) al-ghul*, '(a cabeça) do demônio'.] *S. m. Astr.* Estrela dupla variável, muito brilhante, da constelação de Perseu. [Pl.: *algóis.*]

algol[2]. [Das iniciais da loc. ingl. *al(gorithmic) o(riented) l(anguage).*] *S. f. Proc. Dados.* Compilador científico que traduz, em linguagem de máquina, programas expressos em formas análogas a equações algébricas. [Pl.: *algóis.*]

algolagnia. [De *algo-*[2] + gr. *lagneía,* 'prazer'.] *S. f. Psiq.* Perversão daquele que só tem prazer sexual associado a uma dor experimentada por ele mesmo ou infligida a outrem. ♦ **Algolagnia ativa.** *Psiq.* Sadismo (1). **Algolagnia passiva.** *Psiq.* Masoquismo (1).

algologia. [De *algo-*[1] + *-log(o)-* + *-ia.*] *S. f.* Estudo ou tratado das algas; ficologia.

algológico. *Adj.* Relativo à algologia; ficológico.

algologista. *S. 2 g.* Especialista em algologia; algólogo. ficologista.

algólogo. [De *algo-*[1] + *-logo.*] *S. m.* V. *algologista.*

algonquino. *S. m.* **1.** Indivíduo dos algonquinos, tribo de indígenas do S. do Canadá. **2.** Língua falada pelos algonquinos. ● *Adj.* **3.** Pertencente ou relativo aos algonquinos. [Sin. ger.: *algonquiano.*]

algonquiano. *Adj.* e *s. m.* **1.** Diz-se da, ou última fase do período pré-cambriano, em que aparecem as primeiras manifestações de vida. [V. *período* (9).] **2.** V. *algonquino* (1 a 3).

algor (ô). [Do lat. *algore.*] *S. m.* Frio veemente; viva sensação de frio.

algoritmo. [Do lat. med. *algorismos, algorithmos,* 'algarismo', por infl. do gr. *arithmós,* 'número'.] *S. m.* **1.** *Mat.* Processo de cálculo, ou de resolução de um grupo de problemas semelhantes, em que se estipulam, com generalidade e sem restrições, regras formais para a obtenção do resultado, ou da solução do problema. **2.** *Proc. Dados.* Conjunto predeterminado e bem definido de regras e processos destinados à solução de um problema, com um número finito de etapas. ♦ **Algoritmo da divisão.** *Álg. Mod.* O que se destina à divisão de dois polinômios. **Algoritmo de Briot-Ruffini.** *Álg.* O que se utiliza para determinar o resto da divisão de um polinômio por um binômio do primeiro grau, ou para determinar as raízes inteiras de uma equação algébrica: dispositivo prático de Briot. **Algoritmo de Euclides.** *Mat.* O que é aplicável à determinação do máximo divisor comum de dois inteiros.

algoso (ô). [Do lat. *algosu.*] *Adj.* Que tem algas. [Cf. *algozo,* do v. *algozar.*]

algóstase[1]. [De *algo-*[1] + *-stase.*] *S. f. Bot.* Ficóstase.

algóstase[2]. [De *algo-*[2] + *-stase.*] *S. f. Med.* Diminuição ou extinção da sensibilidade à dor, nos casos de grande traumatismo.

algostático. *Adj. Bot.* Ficostático.

algoz (ô). [Do ár. *al-gozz,* nome duma tribo na qual se recrutavam os verdugos.] *S. m.* **1.** V. *carrasco*[1] (1): "Vinga-te! Já o algoz tremendo me conduz / Ao cadafalso: e horror! já sobre mim reluz / O aço triangular da guilhotina!" (Raimundo Correia, *Poesias,* p. 253.) **2.** *Fig.* Pessoa cruel, desumana, que mata ou aflige outra: "Não tive amigos e nem deixo amores; / E, se os tive, tornaram-se traidores, / Algozes vis de um'alma consumida." (Francisco Otaviano, *ap.* Manuel Bandeira, *Antologia dos Poetas Brasileiros da Fase Romântica,* p. 105.) **3.** *Fig.* Coisa que magoa ou aflige. [Pl.: *algozes* (ô). Cf. *algozes,* do v. *algozar.*]

algozar. *V. t. d.* **1.** Dar tratos de algoz a; martirizar, torturar, supliciar. *Int.* **2.** Executar atos de algoz; praticar morticínio. [Pres. ind.: *algozo,* etc.; pres. subj.: *algoze, algozes,* etc. Cf. *algoso* (ô), adj., e *algozes* (ô), pl. de *algoz.*]

algozaria. *S. f.* Ação própria de algoz; crueldade; barbaridade.

algoz-das-árvores. *S. m.* Trepadeira da família das celastráceas (*Celastrus scandens* L.). [Pl.: *algozes-das-árvores.*]

algrafia. [De *al(umínio)* + *-graf(o)-* + *-ia.*] *S. f.* **1.** Processo metalográfico em que o alumínio em placas especialmente preparadas substitui a pedra litográfica; aluminografia. **2.** Estampa tirada por esse processo.

algráfico. *Adj.* Relativo à algrafia.

algravia. *S. f.* V. *algaravia.*

algraviada. *S. f.* Var. de *algaraviada.*

algraviar. *V. int.* Var. de *algaraviar* [q. v.].

alguazil. *S. m. Ant.* V. *aguazil.*

alguém. [De *algum,* com infl. de *quem.*] *Pron. indef.* **1.** Alguma pessoa: *Ficava horas à janela, a ver se alguém conhecido passava.* **2.** Determinada pessoa: "Para alguém sou o lírio entre os abrolhos. / E tenho as formas ideais do Cristo" (Gonçalves Crespo, *Obras Completas,* p. 150). **3.** Pessoa de relevo intelectual e/ou social: *Sua maior ambição é ser alguém na vida; Era de condição modestíssima, e pelo seu esforço tornou-se alguém; Lutou para fazer-se alguém.* ● *S. m.* **4.** Ente, pessoa: "E se esse alguém existe, é porque existo" (Id., *ib,* p. 150).

alguergado. [Part. de *alguergar.*] *Adj.* Ornado ou revestido com mosaico feito de alguergue.

alguergar. *V. t. d.* Ornar com mosaicos feitos de alguergues. [Conjug.: v. *regar.*]

alguergue. [Do ár. *al-qerq.*] *S. m.* V. *abáculo* (1).

alguidar. [Do ár. *al-giDar.*] *S. m.* Vaso de barro ou de metal, baixo, em forma de tronco de cone invertido, e com diversos usos domésticos: ababá.

alguidarada. *S. f.* Porção contida em alguidar.

algum. [Do lat. vulg. **olicunu.*] *Pron. indef.* **1.** Um entre dois ou mais: *Algum daqueles romances foi retirado da biblioteca.* **2.** Um, qualquer: "esteve ele em perigo de romper alguma veia importante, à conta de sufocar o riso" (Camilo Castelo Branco, *O Santo da Montanha,* p. 71). **3.** Um certo; determinado: "Muitas vezes encontro sua lembrança em alguma esquina da cidade" (Rubem Braga, *A Cidade e a Roça,* p. 178). **4.** Um pouco de; um certo: "batíamos em vão as ruas do centro, a suar, procurando algum jeito de arranjar algum dinheiro" (Id. *ib,* p. 33). [Posposto ao substantivo em frase onde (nem sempre) apareça partícula negativa ou a preposição *sem,* corresponde a *nenhum: Não tenho interesse algum neste negócio;* "É a guerra aquela calamidade composta de todas as calamidades, em que não há mal algum, que ou se não padeça, ou se não tema" (Pe. Antônio Vieira, *Sermões,* XIV, p. 8). "Em parte alguma vejo / Dias lindos como estes do Alentejo!" (Conde de Monsaraz, *Musa Alentejana,* p. 108.) ● *S. m.* **5.** *Pop.* Algum dinheiro: *O malandro sempre descola algum.* [Flex.: *alguma, alguns, algumas.*] ~ V. *alguns.* ♦ **Algum tanto.** Um pouco; medianamente: "sorriam-me as esperanças, algum tanto vaidosas, de obter de Deus deferimento às minhas pretensões infantis" (Alexandre Herculano, *Lendas e Narrativas*, II, p. 119).

alguma. *Pron. indef.* **1.** Fem. de *algum*: *Alguma razão teve para agir como agiu.* • *S. f.* **2.** *Fam.* Alguma coisa nova, estranha, inconveniente, má: "— Ai! como tu estás hoje... — Tu é que não vens bom! Alguma te aconteceu..." (Abel Botelho, *O Livro de Alda*, p. 345); *Vigie bem este garoto, senão ele apronta alguma.*

alguns. [Pl. de *algum.*] *Pron. indef. pl.* Mais de um; diversos, vários (entre maior número): *Estiveram aqui alguns professores;* "A vida sempre foi amarga para alguns" (Ribeiro Couto, *Poesias Reunidas*, p. 156). — V. *algum.*

algures. [Do provenç. *alhors*, com infl. de *algum.*] *Adv.* Em alguma parte; em algum lugar: "Não foi este o próprio vocábulo empregado por ela; já lá disse algures que D. Carmo não possui o estilo enfático." (Machado de Assis, *Memorial de Aires*, pp. 258-259.) [Cf. *nenhures* e *alhures.*]

▲-alha. [Do it. *-aglia.*] *Suf. nom.* = 'quantidade', 'coleção' em geral pejorativo: *canalha* (< it. *canaglia*), gentalha (< it. *gentaglia*), *miucalha.*

alhada. *S. f.* **1.** Quantidade de alhos. **2.** Guisado com muito alho. **3.** *Fig.* Intriga, embrulhada, trapalhada, encrenca.

alhal. *S. m.* Quantidade mais ou menos considerável de pés de alho dispostos proximamente entre si.

alhanar. [De *a-*[2] + *lhano* + *-ar*[2].] *V. t. d.* **1.** Tornar lhano, afável, delicado. **2.** Tornar plano ou igual; igualar, nivelar. **3.** Resolver as dificuldades de; facilitar; aplanar. **4.** Assolar; arrasar. *P.* **5.** Abater-se, humilhar-se.

alhandrense. *Adj. 2 g.* **1.** De, ou pertencente ou relativo a Alhandra (PB). • *S. 2 g.* **2.** Natural ou habitante de Alhandra.

▲-alhão. V. *-ão*[1].

▲-alhar. [De *-alho* + *-ar*[2].] *Suf.* formador de verbos: *emporcalhar, avacalhar.*

alhas. [De *alho*, tomado como adj.] *Adj. f. pl.* ~V. *palhas* —*s.*

▲-alhaz. V. *-az.*

alheabilidade. *S. f.* Qualidade de alheável.

alheação. *S. f.* V. *alheamento*: "cada um em seu canto de sofá, separados ainda mais pela completa alheação do que pelo espaço que entre ambos mediava, ela absorta, ele agitado, passaram esse primeiro serão de sua vida conjugal." (José de Alencar, *Senhora*, p. 262).

alheado. [Part. de *alhear.*] *Adj.* **1.** Distraído, desatento. **2.** V. *absorto* (2). **3.** Enlevado, arrebatado, extasiado, alienado. **4.** V. *alienado* (3).

alheador (ô). *S. m.* Aquele que alheia (1); alienador.

alheamento. *S. m.* Ato ou efeito de alhear(-se); alheação, alienação.

alhear. [Do lat. *alienare.*] *V. t. d.* **1.** Tornar alheio; transferir para outrem o direito de; alienar: *alhear uma propriedade.* **2.** Desviar, afastar, apartar: *Alheou a atenção por momentos.* **3.** Perturbar, desvairar: *A grande mágoa alheia-lhe o espírito.* *T. d. e i.* **4.** Afastar, distanciar, desviar. *P.* **5.** Afastar-se, apartar-se, desviar-se. **6.** Esquecer-se de si mesmo; distrair-se. **7.** Arrebatar-se, enlevar-se, extasiar-se, arroubar-se. **8.** Enlouquecer, alienar-se. [Conjug.: v. *frear.*]

alheatório. *Adj.* Que alheia. [Cf. *aleatório.*]

alheável. *Adj. 2 g.* Que se pode alhear.

alheio. [Do lat. *alienu.*] *Adj.* **1.** Que não é nosso; que pertence a outrem: "Eu, Marília, não sou algum vaqueiro, / que viva de guardar alheio gado" (Tomás Antônio Gonzaga, *Marília de Dirceu*, p. 1); *Os males alheios não o comovem.* **2.** Estranho, estrangeiro: *Acabou morrendo em terra alheia.* **3.** Que nada tem que ver com o assunto de que se trata; impróprio: *Seus apartes, sempre alheios à matéria, prejudicaram a explanação do conferencista.* **4.** Distante, apartado, afastado: *Alheio da roda do crime, é hoje outro homem; ninguém o reconhece.* **5.** Diverso, contrário, oposto: *Não consegue se entrosar porque suas aspirações são alheias às dos grupo.* **6.** Falto, privado: *Casmurro e triste, viveu alheio de afeições.* **7.** Isento, livre: *É um tipo alheio de más intenções.* **8.** Distraído, desatento, abstraído: *Vive alheia a tudo.* **9.** Desconhecedor, insciente, ignorante: *Alheio da realidade, meteu os pés pelas mãos.* **10.** Alienado, louco, doido. • *S. m.* **11.** Aquilo que não nos pertence: *os amigos do alheio;* "Quem o alheio veste, na praça o despe" (prov.). ~ V. *alheios.* ◆ **Alheio de si.** Absorto, alienado, alheado.

alheios. [Pl. substantivado do adj. *alheio.*] *S. m. pl.* Os estranhos; os que não são parentes: *Prefere a companhia dos alheios à dos seus.* ~ V. *alheio.*

alheira. *S. f.* **1.** Vendedora de alhos. **2.** Chouriça transmontana temperada especialmente com alhos.

alheiro. *S. m.* **1.** Negociante de alhos. **2.** Viveiro de alhos.

alheta[1] (ê). [Do fr. *alette.*] *S. f.* **1.** *Constr. Nav.* O encontro do painel da popa com o costado, nas embarcações de popa quadrada. **2.** Parte curva do costado, de um e de outro bordo, à popa da embarcação. **3.** A direção que fica a meio caminho entre o través e a popa: "Pela alheta de boreste vinha-se chegando .... O vulto sombrio de um grande vapor de dois canos." (Adolfo Caminha, *Bom-Crioulo*, p. 61.) **4.** *Tip.* Cada uma das duas alavancas (*alheta superior* e *alheta inferior*) que, acionadas por uma trava, ligam e desligam o movimento da linotipo. [Cf. *aleta.*] ◆ **Alheta inferior.** *Tip.* V. *alheta* (4). **Alheta superior.** *Tip.* V. *alheta* (4).

alheta[2] (ê). *S. f.* Pista, encalço, rasto. [Us. em geral na expr. *ir na alheta de.*]

alho. [Do lat. *alliu.*] *S. m.* **1.** Planta hortense da família das liliáceas, cujo bulbo se emprega como condimento (*Allium sativum*). **2.** O bulbo desse vegetal, vulgarmente chamado *cabeça*, constituído de vários dentes. **3.** *Fig.* Pessoa muito esperta, muito viva. ◆ **Misturar alhos com bugalhos.** Confundir coisas dessemelhantes.

▲-alho. [Do lat. *-aculu.*] *El. comp.* = 'inferioridade', 'depreciação', etc.: *cangalho, escovalho, aguizalhado.*

alho-poró. *S. m. Bras.* V. *porro* (*1 e 2*). [*Pl.*: *alhos-porós.*]

alho-porro. *S. m.* V. *porro* (1 e 2). [Pl.: *alhos-porros.*]

alhures. [Do provenç. *aliors.*] *Adv.* Noutro lugar, noutra parte: "Olhou para o retrato de Beethoven, e começou a executar a sonata, sem saber de si, desvairado e absorto .... Tornou ao piano; era a vez de Mozart, pegou de um trecho, e executou-o do mesmo modo, com a alma alhures." (Machado de Assis, *Várias Histórias*, p. 65.) [Cf. *algures* e *nenhures.*]

ali. [Do lat. *ad illic.*] *Adv.* **1.** Naquele lugar; lá: *Mudou-se para Belo Horizonte e ali ficou por toda a vida;* "Foi aqui, foi ali, além..." (Casimiro de Abreu, *Obras*, p. 108). **2.** Em lugar que já se indicou, ou se está indicando, de modo expresso: "Um cônego da Capela Imperial lembrou-se de fazer-me entrar ali de sacristão" (Machado de Assis, *Histórias sem Data*, p. 29); *Mora ali na esquina.* **3.** Àquele lugar: *Vou ali e volto já;* "Chegara ali, apegara-se aos parentes" (Bárbara de Araújo, *O Bezerro de Ouro*, p. 21). **4.** Naquele procedimento, atitude, deliberação, negócio, etc.; naquilo: "Iaiá sentiu os olhos úmidos e atirou-se aos braços da madrasta. A efusão era sincera; havia ali afeto, reconhecimento e admiração." (Machado de Assis, *Iaiá Garcia*, p. 315); *Ninguém entende aquilo, ali há dente de coelho.* **5.** Naquele assunto ou matéria; àquele respeito: *Concordávamos em tudo, mas, quanto à religião, ali não nos conseguíamos entender.* **6.** Aquela hora; aquele momento: "Agora, eu que até ali havia resistido, orgulhoso marinheiro de primeira viagem, também me sentia entregue." (Salim Miguel, *Alguma Gente*, p. 46.) **7.** Seguido da prep. *por* e de palavra ou expressão relativa a tempo, reforça a idéia, contida no *por*, de data ou hora imprecisa: *Chegara ao Rio ali por 1920; Ficou de vir às três horas, e só apareceu ali pelas nove.* **8.** Seguido da mesma preposição e de palavra ou expressão relativa a lugar, indica ou reforça a idéia de local impreciso: *Seguiu há duas horas para São Paulo, e agora deve andar ali por Barra Mansa; Reside ali pela Penha.* **9.** Vizinho de um pronome pessoal ou demonstrativo, ou de um antropônimo, serve para indicar o lugar onde se acha a pessoa a quem eles se referem, podendo ter, e às vezes tendo, valor algo afetivo: *Ele ali não é nada tolo; Aquele ali é meu amigo velho;* "pra inteirar o aluguer, tive de tomar emprestado ali à Do Carmo." (Armando Fontes, *Os Corumbas*, p. 78). **10.** Naquela(s) pessoa(s), naquela(s) criatura(s); nele(s), nela(s): *É um rapaz modesto, mas ali há cultura de verdade; O Carlos e o Sousinha — coragem é ali!* • *S. m.* **11.** Aquele lugar: *Vive em Petrópolis. Enquanto o Rio é muito quente, ali é deveras agradável.* ◆ **Até ali.** A mais não poder; inexcedivelmente: *Homem bom, até ali!* ~ V. *ser ali.*

▲ali-. [Do lat. *ala, ae.*] *El. comp.* = 'asa': *aliforme, alinegro.*

aliá. [Do cing. *aliyā.*] *S. f.* No Sri Lanka, a fêmea do elefante [q. v.].

aliáceo. *Adj.* Semelhante ou referente ao alho, ou que a ele recende.

aliado. [Part. de *aliar.*] *Adj.* **1.** Unido, ligado, junto. **2.** Unido a outro ou a outros para ação comum: *nações aliadas.* **3.** V. *coligado* (2). • *S. m.* **4.** O que contraiu aliança. **5.** Partidário, cúmplice, sequaz. **6.** Parente por afinidade. **7.** V. *coligado* (3).

aliadofilia. [De *aliado* + *-fil(o)-*[2] + *-ia.*] *S. f.* Qualidade ou caráter de aliadófilo. [Antôn.: *aliadofobia.* Cf. *germanofilia.*]

aliadófilo. [De *aliado* + *-filo*[2].] *Adj.* e *s. m.* Diz-se de, ou aquele que na I Guerra Mundial era favorável às nações aliadas, que lutaram contra a Alemanha e o Império Austro-húngaro, ou que na II Guerra Mundial era favorável às nações que se uniram na luta contra o Eixo (15). [Antôn.: *aliadófobo.* Cf. *germanófilo.*]

aliadofobia. [De *aliado* + *-fob(o)-* + *-ia.*] *S. f.* Qualidade ou caráter de aliadófobo. [Antôn.: *aliadofilia.* Cf. *germanofobia.*]

aliadófobo. [De *aliado* + *-fobo.*] *Adj.* e *s. m.* O contrário de aliadófilo [q. v.]. [Cf. *germanófobo.*]

aliagem. *S. f. P. us.* Aliança (1): "Márcio Dias já havia publicado o *Umbu de Tapera*, aliagem singular de Regionalismo e Simbolismo." (Augusto Meyer, *A Forma Secreta*, p. 183.)

aliamba. [De *liamba*, por prótese.] *S. f. Bras.* V. *maconha.*

aliança. [Do fr. *alliance.*] *S. f.* **1.** Ato ou efeito de aliar (-se). [Sin. (p. us.): *aliagem.*] **2.** Ajuste, acordo, pacto. **3.** União por casamento. **4.** Anel simbólico de noivado ou de casamento. **5.** Cada um dos pactos que, segundo as Escrituras, Deus fez com os homens.

aliançar. *V. t. d.* e *p. P. us.* Ligar(-se), unir(-se), aliar(-se): "Acabamos.... de assistir a nova prova da indissolúvel estima que aliança as duas grandes nações [o Brasil e a Argentina]" (Aloísio de Castro, *Excertos*, p. 61). [Conjug.: v. *laçar.*]

aliancense. *Adj. 2 g.* **1.** De, ou pertencente ou relativo a Aliança (PE). • *S. 2 g.* **2.** Natural ou habitante de Aliança.

aliar. [Do fr. *allier.*] *V. t. d.* **1.** Reunir, juntar, associar; combinar: *aliar metais; aliar qualidades. T. d. e i.* **2.** Reunir, juntar, associar; combinar: *Aliava a beleza ao espírito;* "O crítico de segunda ordem alia à capacidade de apreciação a incapacidade de compreensão e de análise." (Fernando Pessoa, *Páginas de Doutrina Estética*, p. 39). **3.** Unir por pacto, tratado, convenção militar, etc.; confederar: *A Tríplice Aliança aliou o Brasil, o Uruguai e a Argentina contra o Paraguai.* **4.** Ligar pelo casamento: *Famílias nobres aliavam seus filhos à casa real. P.* **5.** Unir-se, ligar-se. **6.** Unir-se por tratado, pacto ou convenção militar; confederar-se. **7.** Unir-se por casamento.

aliás. [Do lat. *alias*, com deslocamento do acento tônico.] *Adv.* **1.** De outra maneira, de outro modo; do contrário: *O rapaz é teu amigo, aliás não falaria bem de ti.* **2.** Além disso; além do mais: *É boa pessoa aliás, muito inteligente.* **3.** No entanto; não obstante; nada obstante; apesar disso; contudo: *Fazer dicionário é trabalho árduo, sem, aliás, deixar de ser interessante.* **4.** Diga-se a propósito; seja dito de passagem: *Esteve ontem aqui. Aliás, trouxe-te um recado do pai.* **5.** Ou por outra; ou seja; digo: *Estamos a 25 de janeiro, aliás, de fevereiro.*

aliável. *Adj. 2 g.* Que se pode aliar ou ligar.

aliaxé. *S. m. Bras. Folcl.* Camarinha do terreiro onde a noviciada se recolhe para a iniciação. [Var. pros.: *aliaxê.*]

aliaxê. *S. m. Bras. Folcl.* Var. pros. de *aliaxé.*

aliazar. *S. m.* Var. de *aljazar.*

alibambar. [De *a-*[2] + *libambo* + *-ar*[2].] *V. t. d. Bras.* Prender ao libambo; acorrentar.

álibi. [Do lat. *alibi*, 'noutro lugar'.] *S. m. Jur.* Meio de defesa que o réu apresenta provando sua presença, no momento do crime ou do delito, em lugar diferente daquele em que este foi cometido.

alíbil. [Do lat. *alibile.*] *Adj. 2 g.* **1.** Próprio para a nutrição: *substância alíbil.* • *S. m.* **2.** *Med.* A parte dos alimentos assimilável pelo organismo. [Pl.: *alíbeis.*]

alibilidade. *S. f.* Qualidade de alíbil (1).

alicaído. [De *ali-* + *caído.*] *Adj.* **1.** De asas caídas, pendentes. **2.** *Fig.* Desanimado, desalentado, descoroçoado, desacoroçoado.

alicali. [De or. afr.] *S. m. Bras., BA* e *RJ.* Diretor espiritual dos antigos negros muçulmanos malés, no Brasil.

alicantina. [Do esp. *alicantina.*] *S. f.* Astúcia, manha, trapaça, treta: "Reconheço a minha inferioridade em nutrir uma antecipação absurda pelos que coxeiam e suponho que me veio a tara ao avaliar as malas-artes de Mercúrio, deus das alicantinas e patifarias, que arrastava a pena tão lastimosamente." (Aquilino Ribeiro, *Lápides Partidas*, p. 30.)

alicantinador (ô). *S. m.* V. *alicantineiro.*

alicantineiro. *S. m.* Aquele que usa de alicantinas;

treteiro, astucioso, trapaceiro; alicantinador.

alicate. [Do ár. *al-liqāT*.] *S. m.* Ferramenta própria para segurar, prender ou cortar certos objetos, composta de duas barras de ferro ou de aço que se cruzam, presas por um eixo sobre o qual se movem, e terminando em pontas chatas ou recurvadas. ♦ **Alicate aperta-nervos.** *Encad.* Alicate de bico largo e chato, para moldar os nervos; aperta-nervos, forma-nervos.

alicerçado. [Part. de *alicerçar*.] *Adj.* **1.** Em que se fez alicerce; fundamentado, cimentado. **2.** Baseado, fundamentado, esteado. **3.** Consolidado, firmado.

alicerçador (ô). *Adj. e s. m.* Que ou aquele que alicerça.

alicerçar. *V. t. d.* **1.** Fazer o alicerce de; fundamentar; cimentar: *alicerçar uma construção.* **2.** Basear, fundamentar, estear: *Aliçerçou bem a sua concepção.* **3.** Consolidar; firmar: *A compreensão demonstrada pelo amigo alicerçou as relações de ambos.* [Conjug.: v. *começar*.]

alicerce. [Do ár. *al-isas*, atr. do ant. *alicece*.] *S. m.* **1.** Maciço de alvenaria, enterrado, que serve de base às paredes de um edifício; base, fundação. **2.** A escavação onde assenta o alicerce; vala. **3.** *Fig.* Base, fundamento, sustentáculo.

aliciação. *S. f.* Aliciamento.

aliciador (ô). *Adj.* **1.** Que alicia; aliciante, aliciente. ● *S. m.* **2.** Aquele que alicia. **3.** Aquilo que alicia ou que serve para aliciar.

aliciamento. *S. m.* Ação ou efeito de aliciar; aliciação.

aliciante. *Adj. 2 g.* V. *aliciador* (1).

aliciar. [Do lat. *alliciare, por *allicere*.] *V. t. d.* **1.** Atrair a si; seduzir, atrair: *Aliciou o amigo, fazendo-o ciente do segredo;* "Em São Paulo, Luís Gama, Raul Pompéia e outros *aliciavam* escravos para que se rebelassem e fugissem para o Rio, onde encontrariam guarida e liberdade." (R. Magalhães Júnior, *Artur Azevedo e Sua Época*, p. 127). **2.** Peitar, subornar: *Aliciou testemunhas para deporem a seu favor.* **3.** Atrair, angariar: "enquanto se *aliciavam* adeptos ...., Seu Ramiro nos visitou com freqüência." (Graciliano Ramos, *Infância*, p. 233). *T. d. e i.* **4.** Seduzir, atrair: *Foi preso por aliciar menores para a prostituição.* **5.** Incitar, instigar: *Aliciou os partidos a assumirem posições contrárias.*

alicíclico. *Adj. Quím.* Diz-se de composto orgânico cíclico que não contém o anel benzênico.

aliciente. [Do lat. *alliciente*.] *Adj. 2 g.* **1.** V. *aliciador* (1): "— Eu era livre, mas andava tão triste, tão abandonado... e eis que o acaso me oferece esse duplo amor *aliciente*." (Maria Julieta Drummond de Andrade, *O Valor da Vida*, p. 86.) ● *S. m.* **2.** Coisa que alicia; sedução.

alicorne. [Var. de *alincorne* (< *unicorne*), com desnasalação.] *S. m.* **1.** Licorne. **2.** *Bras., Amaz.* V. *anhuma*.

alicuri. *S. f. Bras.* V. *aricuri*.

alidada. *S. f. Fís.* Var. de *alidade* [q. v.].

alidade. [Do ár. *al'-Dād*.] *S. f. Fís.* Qualquer dispositivo mecânico destinado a medir ângulos ou afastamentos angulares mediante um alinhamento óptico. [Var.: *alidada*.]

alienabilidade. *S. f.* Qualidade de alienável.

alienação. [Do lat. *alienatione*.] *S. f.* **1.** Ato ou efeito de alienar(-se); alheação. **2.** Cessão de bens. **3.** Transporte, enlevo, arrebatamento. **4.** *Psiq.* Alienação mental [q. v.]. **5.** *Filos.* Processo ligado essencialmente à ação, à consciência e à situação dos homens, e pelo qual se oculta ou se falsifica essa ligação de modo que apareça o processo (e seus produtos) como indiferente, independente ou superior aos homens, seus criadores. [Cf. (nessa acepç.): *objetivação* e *reificação*.]. **6.** *Filos.* Estado, condição ou produto de alienação. **7.** *Hist. Filos.* Segundo Hegel [v. *hegelianismo*], processo essencial à consciência e pelo qual ao observador ingênuo o mundo parece constituído de coisas independentes umas das outras, e indiferentes à consciência — independência e indiferença serão negadas pelo conhecimento filosófico. **8.** *Hist. Filos.* Segundo Marx [v. *marxismo*] situação resultante dos fatores materiais dominantes da sociedade, e por ele caracterizada sobretudo no sistema capitalista, em que o trabalho do homem se processa de modo que produza coisas que imediatamente são separadas dos interesses e do alcance de quem as produziu, para se transformarem, indistintamente, em mercadorias. **9.** *P. ext.* Falta de consciência dos problemas políticos e sociais. ♦ **Alienação mental.** *Psiq.* Qualquer forma de perturbação mental que incapacita o indivíduo para agir segundo as normas legais e convencionais do seu meio social. [Tb. se diz apenas *alienação*.]

alienado. [Do lat. *alienatu*.] *Adj.* **1.** Cedido, transferido; vendido. **2.** V. *alheado* (3). **3.** Louco, doido, desvairado, alheado. **4.** Que se encontra no estado de alienação (9). ● *S. m.* **5.** Aquele que endoideceu; doido, louco. **6.** Aquele que se acha no estado de alienação (9).

alienador (ô). [Do lat. *alienatore*.] *Adj.* **1.** Que aliena. ● *S. m.* **2.** Alheador.

alienante. [Do lat. *alienante*.] *Adj. 2 g. e s. 2 g.* Que ou quem aliena a propriedade, transfere o domínio.

alienar. [Do lat. *alienare*.] *V. t. d.* **1.** Transferir para outrem o domínio de; tornar alheio; alhear: *O testamento proibia alienar os bens herdados.* **2.** Desviar, afastar; alhear. **3.** Indispor, malquistar: *Evita alienar o ânimo do velho amigo.* **4.** Alucinar, perturbar; alhear: *O grande desgosto alienou-lhe o juízo. T. d. e i.* **5.** Desviar, apartar: *Alienou de mim a boa vontade que o ministro demonstrara. P.* **6.** Enlouquecer, endoidecer; alhear-se.

alienatário. *S. m.* Aquele a quem se transfere posse ou propriedade de alguma coisa.

alienatório. *Adj.* **1.** Transmissível por alienação. **2.** Que causa alienação.

alienável. *Adj. 2 g.* Que se pode alienar.

alienia. [De *a-*[3] + *-lien(o)-* + *-ia*.] *S. f. Med.* Ausência de baço; anesplenia.

alienígena. [Do lat. *alienigena*.] *Adj. 2 g. e s. 2 g.* Que ou quem é de outro país; estrangeiro: "Naquela pequena sociedade encontrava-se a representação fiel do ambiente nacional. Nem mesmo faltavam exemplares de origem *alienígena*." (Vivaldo Coaraci, *Todos Contam Sua Vida*, p. 180.) [Antôn.: *indígena*.]

alienista. [Do fr. *aliéniste*.] *Adj. 2 g.* **1.** Relativo ao tratamento dos alienados [v. *alienado* (3)]. ● *S. 2 g.* **2.** Médico especialista em doenças mentais.

alifafe. [Do ár. *al-lihāf*.] *S. m.* Tumor entre o nervo do jarrete e o osso da perna dos animais cavalares: "cavalicoque cheio de *alifafes*" (João de Araújo Correia, *Sem Método*, p. 64).

alifático. *Adj. Quím.* Diz-se de composto orgânico que não é cíclico.

alífero. [Do lat. *aliferu*.] *Adj.* **1.** Que tem asas; alígero. ● *S. m.* **2.** Animal alado.

aliforme. [De *ali-* + *-forme*.] *Adj. 2 g.* Que tem forma de asa; alar, ansiforme.

aligátor. [Do ingl. *alligator*.] *S. m.* Reptil crocodiliano, da família dos aligatorídeos, gênero *Alligator* Raf., cujas espécies têm focinho mais curto e mais largo que os crocodilos e jacarés. Vivem em regiões temperadas meridionais dos E.U.A. e nalguns lugares da China. [Pl.: *aligatores* (ô).]

aligatorídeo. *S. m.* **1.** Espécime dos aligatorídeos. ● *Adj.* **2.** Pertencente ou relativo a eles.

aligatorídeos. *S. m. pl. Zool.* Família que reúne os reptis crocodilianos da América do Norte. Animais de cabeça curta e larga; o primeiro e o quarto dentes inferiores fazem oclusão com diastemas na arcada superior. Ex.: o aligátor e o caimã.

aligeirar. [De *a-*[2] + *ligeiro* + *-ar*[2].] *V. t. d.* **1.** Tornar ligeiro ou leve. **2.** Tornar ligeiro, rápido; apressar: *aligeirar o passo.* **3.** Mitigar; atenuar; aliviar. *P.* **4.** Desfazer-se, desembaraçar-se; livrar-se. **5.** Tornar-se leve ou mais leve; aliviar-se, abrandar-se, serenar: "Quando sinto teu sorriso, / tudo se doura e *aligeira*, / teu sorriso é na minha alma / como o sol numa roseira." (Adelmar Tavares, *Poesias Completas*, p. 199.)

alígero. [Do lat. *aligeru*.] *Adj.* **1.** *Poét.* Alífero (1). **2.** Ligeiro, veloz, rápido: "E o *alígero* corcel, e o tigre e o leão" (Luís Delfino, *Algas e Musgos*, p. 152).

alijação. *S. f.* Alijamento.

alijamento. *S. m.* Ato de alijar(-se); alijação.

alijar. [Do fr. *alléger*, 'tornar leve'.] *V. t. d.* **1.** Deitar fora da embarcação, aliviar (a carga). **2.** Desembaraçar-se de, livrar-se de; aliviar-se de: "O poeta, afinal, convida os pessimistas a que vão, dromedários do tédio, *alijar* no cemitério a carga que os derreia" (Camilo Castelo Branco, *Serões de São Miguel de Ceide*, III, p. 92). **3.** Desconhecer, negar (responsabilidade, compromisso, etc.). *T. d. e i.* **4.** Atirar, arremessar, lançar. *Int.* **5.** Lançar (o navio) carga ao mar. *P.* **6.** Apartar de si; desembaraçar-se, desobrigar-se: *Alijou-se de todos os compromissos.*

alil. *S. m. Quím.* O grupamento CH_2CHCH_2-, derivado do propeno.

▲**alil-.** *Quím.* El. comp. Designa o radical *alila*.

alila. *S. f. Quím.* O radical monovalente não saturado C_3H_5- derivado do propeno.

alimanada. [De *animalada*, com metátese.] *S. f. Bras., RS. Pop.* Animalada.

alimangariba. *S. f. Bras., N.E. Folcl.* A quarta salá, rezada ao pôr do Sol.

alimária. [Do lat. *animalia*, 'animais'.] *S. f.* **1.** Animal irracional; animália: "Kipling nos descreve o majestoso espetáculo de uma parada de tropas inglesas na Índia. São cerca de 30.000 soldados que desfilam, ... arrastando a multidão heterogênea das *alimárias* de guerra: bois, cavalos, elefantes." (Oliveira Viana, *Problemas de Política Objetiva*, pp. 100-101.) **2.** Animal de carga; besta, animália. **3.** *Fig.* V. *animal* (3): "Ainda hoje são, por fado adverso, / Meus filhos — *alimárias* do Universo... / Eu — pasto universal." (Castro Alves, *Poesias Escolhidas*, p. 343.)

alimentação. *S. f.* **1.** Ato ou efeito de alimentar(-se). **2.** Conjunto das substâncias de que um indivíduo costuma alimentar-se: *Sua alimentação é sadia e equilibrada.* **3.** Abastecimento, provimento, fornecimento: *A alimentação dos mercados de autopeças está irregular.* **4.** *Eletr.* Fonte de força eletromotriz que fornece corrente a um circuito.

alimentando. *S. m. Jur.* Aquele a quem se devem alimentos; alimentário.

alimentante. *S. 2 g. Jur.* Pessoa obrigada por lei a prestar alimentos a outra.

alimentar[1]. *Adj. 2 g.* **1.** Relativo a alimentos: *regime alimentar.* **2.** Próprio para a alimentação; alimentício: *produtos alimentares.* **3.** Que dá alimento.

alimentar[2]. *V. t. d.* **1.** Dar alimento a; nutrir; sustentar. **2.** Nutrir; fomentar: *alimentar uma esperança.* **3.** Conservar; manter: *Alimentava a mágoa que a decepção lhe causara.* **4.** Munir, abastecer: *Alimentou o rifle com balas de caça.* **5.** Fornecer assunto para: *alimentar uma conversa.* **6.** *Eletr.* Ligar (um circuito) a uma fonte de força eletromotriz. *P.* **7.** Nutrir-se, sustentar-se. [Fut. do pret.: *alimentaria*, etc. Cf. *alimentária*, fem. de *alimentário*.]

alimentário. [Do lat. *alimentariu*.] *S. m. Jur.* Alimentando. [Fem.: *alimentária*. Cf. *alimentaria*, do v. *alimentar*.]

alimentício. *Adj.* **1.** Alimentar[1] (2): *gêneros alimentícios.* **2.** Que alimenta; que sustenta; nutritivo: *A soja tem importantes qualidades alimentícias.* **3.** Que proporciona ou dá alimento; que sustenta; alimentar[1]: *pensão alimentícia.* ~ V. *pensão* —*a*.

alimento. [Do lat. *alimentu*.] *S. m.* **1.** Toda substância que, ingerida por um ser vivo, o alimenta ou nutre. **2.** Mantimento, sustento, alimentação. **3.** Aquilo que faz subsistir, conserva alguma coisa: *A madeira da casa serviu de alimento ao incêndio.* **4.** Aquilo que estimula, fomenta alguma coisa; alento, fomento: *A viagem forneceu alimento à sua criação artística.* ~V. *alimentos*. ♦ **Alimento de poupança.** Substância, tal como o álcool, o chá, o café, o guaraná, a cola, que não concorrendo para suprir necessidades alimentares, estimula o sistema nervoso central e produz energia passageira, com poupança das reservas do organismo.

alimentos. [Pl. de *alimento*.] *S. m. pl.* Recursos considerados indispensáveis ao sustento, que se devem aos parentes até certo grau impossibilitados de os prover, e entre os quais se incluem habitação, vestuário, assistência médica, e, caso seja menor o alimentando, auxílio para sua educação e instrução. ~ V. *alimento*.

alimentoso (ô). *Adj.* Alimentício, nutritivo.

➧**a limine** (a límine). [Lat., 'desde o limiar'.] Desde o princípio; sem maior exame.

alimpa. [Dev. de *alimpar*.] *S. f.* **1.** V. *alimpadura* (1). **2.** Desbaste de plantas daninhas ou de ramos supérfluos; limpa.

alimpadeira. [Fem. de *alimpador*.] *S. f.* Mulher que alimpa. ~ V. *alimpadeiras*.

alimpadeiras. [Pl. de *alimpadeira*.] *S. f. pl.* Abelhas que vão adiante do seu enxame alimpar o sítio onde as outras, as obreiras, hão de trabalhar. ~ V. *alimpadeira*.

alimpador (ô). *S. m.* **1.** Indivíduo ou coisa que alimpa. **2.** Instrumento para alimpar.

alimpadura. *S. f.* **1.** Ação ou efeito de alimpar; alimpa, alimpamento, limpa, limpamento. **2.** Resíduo ou restos que ficam de alguma coisa depois de limpa. **3.** Resíduos dos cereais joeirados.

alimpamento. *S. m.* V. *alimpadura* (1).

alimpar. [De *a-*[2] + *limpo* + *-ar*[2].] *V. t. d., int. e p.* Limpar: "Não havia quem não estivesse ativo, cuidando de sua arma, *alimpando* os fuzis, calculando imaginárias pontarias" (Albertino Moreira, *Boca-Pio*, p. 66); "Formosa virgem dos vales, / Visão dos tempos de Deus, / Vem, corre, transforma, *alimpa* / Meus pensamentos ateus." (Junqueira Freire, *Obras Póstumas*, II, p. 64).

alincorne. *S. m.* V. *alicorne*.

alindado. [Part. de *alindar*.] *Adj.* Enfeitado, adornado, ornado; embelezado.

alindamento. *S. m.* Ato ou efeito de alindar(-se); alinde.

alindar. [De *a-*[2] + *lindo* + *-ar*[2].] *V. t. d.* e *p.* Tornar(-se) lindo, ornado, adornado; aformosear(-se), embelezar (-se).

alinde. [Dev. de *alindar.*] *S. m.* Alindamento.

alínea. [Do lat. *a linea.*] *S. f.* **1.** Linha escrita que marca a abertura de novo parágrafo. **2.** Cada uma das subdivisões de artigo (2), indicada por um número ou letra que tem à direita um traço curvo como o que fecha parênteses; inciso, parágrafo.

alínegro (ê). [De *ali-* + *negro.*] *Adj.* Que tem asas negras.

alingüetado. [De *a-*[2] + *lingüeta* + *-ado*[1].] *Adj.* Em forma de lingüeta.

alinhado. [Part. de *alinhar.*] *Adj.* **1.** Posto em linha reta. **2.** Trajado com esmero; elegante. **3.** Que tem linha, que é correto nas maneiras e/ou no proceder; íntegro, reto, correto.

alinhador (ô). *S. m.* **1.** Aquele que alinha. **2.** *Tip.* Aparelho, dotado de lente e parafuso micrométrico, com que se alinham os tipos na unidade fundidora da monotipo.

alinhamento. *S. m.* **1.** Ato ou efeito de alinhar(-se); alinho. **2.** V. fileira. **3.** Direção do eixo de uma estrada, rua, canal, etc. **4.** *Tip.* Disposição correta das letras sobre a reta ideal (linha) que passa pela sua base. **5.** *Tip.* Disposição das linhas de um texto de forma que estas comecem ou terminem em uma reta imaginária vertical (alinhamento vertical à direita ou à esquerda, respectivamente). **6.** *Astr.* Superconjunção. **7.** *Urb.* Linha oficial, traçada pela autoridade competente, que limita o lote[1] (8) em relação ao logradouro (2).

alinhar. [De *a-*[2] + *linha* + *-ar*[2]] *V. t. d.* **1.** Dispor em linha reta. **2.** Enfeitar, adornar, ataviar. **3.** *Tip.* Fazer o alinhamento de. *P.* **4.** Formar-se ou dispor-se em linha reta; enfileirar-se: "Com pouco vencíamos a curva do rio, vendo desaparecer a meia dúzia de casas alinhando-se na ponta do Tento." (Sabóia Ribeiro, *Contos do Cacau*, p. 133.) **5.** Medir-se, nivelar-se: *Tem a ousadia de querer alinhar-se ao mestre.* **6.** Apurar-se no vestir: *Antes de sair, passa horas ao espelho alinhando-se.*

alinhavado. [Part. de *alinhavar.*] *Adj.* **1.** Em que se fez ou deu alinhavo. **2.** Arranjado à pressa; mal concatenado: *desculpas alinhavadas.* **3.** *Bras., AL.* Diz-se do cabelo entremeado de fios brancos.

alinhavar. [De *alinhavo* + *-ar*[2].] *V. t. d.* **1.** Coser a ponto largo, como preparo de costura que se fará depois com ponto miúdo: "Noca .... alinhavava um timãozinho." (José Carlos Cavalcanti Borges, *O Assassino*, p. 19). **2.** Preparar, aprontar; improvisar: *Alinhavou uma desculpa por haver chegado tarde.* **3.** Traçar os lineamentos gerais de; delinear, esboçar: *Alinhavou o romance, para escrevê-lo mais tarde.* **4.** Executar mal, apressadamente: *Entregou o trabalho, mas reconheceu que pudera apenas alinhavá-lo.*

alinhavo. *S. m.* **1.** Ação ou efeito de alinhavar. **2.** Os pontos com que se alinhava.

alinho. [Dev. de *alinhar.*] *S. m.* **1.** Alinhamento (1). **2.** Cordel de alinhar. **3.** Ornato, atavio. **4.** Apuro, asseio. **5.** Decência, decoro.

aliósio. [Do fr. *alios*, 'espécie de grés', + *-io.*] *S. m. Geol.* Variedade de arenito pardo-avermelhada, proveniente da cimentação dos grãos de areia pelo óxido de ferro.

alípede. [Do lat. *alipede.*] *Adj. 2 g.* Que tem, ou como que tem, asas nos pés: "Alípede, esbelta e cheia de elance, perfume que perpassa, ave leve, rápida, lépida como um relance." (Pedro Nava, *Beira-Mar*, p. 273.)

alipina. [De *a-*[3] + *-lipe-* + *-ina.*] *S. f.* Medicamento anestésico de mucosas.

alipotente. [De *ali-* + *potente.*] *Adj. 2 g.* Que tem asas poderosas.

alíquota (co). [Do lat. *aliquot*, 'alguns'.] *S. f.* Percentual com que determinado tributo incide sobre o valor da coisa tributada: *As alíquotas desse imposto são inferiores a 45%.*

alisado[1]. [Part. de *alisar.*] *Adj.* **1.** Tornado liso; plano: *tábua alisada.* **2.** Sem rugas; desenrugado: *fazenda permanentemente alisada.* **3.** Diz-se do cabelo crespo tratado a fim de parecer liso. **4.** Brunido, polido. **5.** Abrandado, serenado.

alisado[2]. *Adj.* **1.** *Met.* ~ V. *vento* —. ● *S. m.* **2.** *Met.* V. *vento alisado.*

alisador (ô). *Adj.* **1.** Que alisa. ~ V. *prensa* —a. ● *S. m.* **2.** Aquele ou aquilo que alisa.

alisar. [De *a-*[2] + *liso* + *-ar*[2].] *V. t. d.* **1.** Tornar liso, plano; aplanar, igualar. **2.** Desenrugar, desrugar, desencarquilhar: *A operação plástica alisou-lhe bonitamente a pele.* **3.** Tornar liso, desencrespar (o cabelo). **4.** Abrandar, serenar, aplacar: *As palavras amáveis foram suficientes para alisar seu ânimo.* **5.** Passar a mão por, geralmente numa carícia: *Afagou o animal alisando-lhe o pêlo.* **6.** *Bras.* Proteger, livrando de punição; passar a mão pela cabeça. *P.* **7.** Tornar-se liso, plano. [Cf. *alizar.*]

alisboetar. [De *a-*[2] + *lisboeta* + *-ar*[2].] *V. t. d.* e *p.* Tornar(-se) lisboeta; adaptar(-se) ao temperamento, maneira ou estilo lisboeta.

aliseu. *Adj.* **1.** *Met.* ~ V. *vento* —. ● *S. m.* **2.** *Met.* V. *vento aliseu.*

alísio. *Adj.* **1.** *Met.* ~ V. *vento* —. ● *S. m.* **2.** *Met.* V. *vento alísio.*

alisma. *S. f. Bot.* Gênero de plantas da família das alismatáceas, próprias dos terrenos úmidos, pântanos e lagoas.

alismatácea. *S. f.* Espécime das alismatáceas.

alismatáceas. *S. f. pl. Bot.* Família de plantas floríferas monocotiledôneas, próprias de ambientes ricos em água, de folhagem ampla, flores abundantes e coloridas e de frutos de uma só semente. Há com certo número de representantes no Brasil.

alismatáceo. *Adj.* Pertencente ou relativo às alismatáceas.

alissóide. *S. f. Mat.* Curva plana em que o raio de curvatura é uma função linear do quadrado do comprimento do arco.

alistabilidade. *S. f.* Qualidade de alistável; possibilidade de ser alistado.

alistamento. *S. m.* **1.** Ato ou efeito de alistar(-se). **2.** Recrutamento para o serviço militar. **3.** Inscrição, voluntária ou compulsória, feita perante autoridade pública, a fim de se exercer um direito ou cumprir um dever.

alistando. *S. m.* Aquele que vai ser alistado.

alistão. *S. m.* Pedra esquadriada e facetada para cantaria.

alistar. [De *a-*[2] + *lista* + *-ar*[2].] *V. t. d.* **1.** Pôr em lista(s); relacionar; arrolar. **2.** Fazer a inscrição (3) de; inscrever: *Alistou a família inteira para a competição.* **3.** Recrutar (1). *P.* **4.** Assentar praça: "Fui a Porto Alegre, alistei-me e marchei para a campanha." (Machado de Assis, *Relíquias de Casa Velha*, pp. 36-37.)

alistável. *Adj. 2 g.* Que pode ser alistado.

alistridente. [De *ali-* + lat. *stridente*, 'estridente'.] *Adj. 2 g.* Que faz estridor com as asas: "O caprichoso e alistridente Ariel librava-se no ar, com asas níveas e mais rápidas que as das libélulas." (Alberto Rangel, *Livro de Figuras*, p. 175.)

aliteração. [De *a-*[2] + lat. *littera*, 'letra', + *-ção.*] *S. f.* Repetição de fonema(s) no início, meio ou fim de vocábulos próximos, ou mesmo distantes (desde que simetricamente dispostos) em uma ou mais frases, em um ou mais versos; paragramatismo. Ex.: "E fria, fluente, frouxa claridade / Flutua como as brumas de um letargo..." (Cruz e Sousa, *Broquéis*, p. 50); "Rara, rubra, risonha, régia rosa" (Félix Pacheco, *Poesias*, p. 19); "Na messe, que enlourece, estremece a quermesse..." (Eugênio de Castro, *Obras Poéticas*, I, p. 58); "Alípede, esbelta e cheia de elance, perfume que perpassa, ave leve, rápida, lépida como um relance." (Pedro Nava, *Beira-Mar*, p. 273).

aliteramento. *S. m. P. us.* V. *aliteração.*

aliterar. [De *a-*[2] + lat. *littera*, 'letra', + *-ar*[2].] *V. t. d.* **1.** Dispor em aliteração. *Int.* **2.** Fazer aliteração.

aliteratado. [Part. de *aliteratar-se.*] *Adj.* Um tanto literato; com ares de literato: "recebera Glória luzes de instrução com que seduzira o médico do sítio. Além de médico, o médico era aliteratado." (José Régio, *Histórias de Mulheres*, p. 96).

aliteratar-se. [De *a-*[2] + *literato* + *-ar*[2] + *se*[1].] *V. p.* Assumir modos de literato.

alitização. *S. f. Min.* Processo pelo qual se verifica a lixiviação de silicatos e da própria sílica, e de que resulta a formação de hidratos de alumina. [É muito comum nas regiões tropicais e subtropicais úmidas.]

alitúrgico. [De *a-*[1] + *litúrgico.*] *Adj.* Excluído da liturgia. ~ V. *dia* —.

aliviação. *S. f. P. us.* V. *alívio* (1).

aliviado. [Part. de *aliviar.*] *Adj.* **1.** Livre de todo ou em parte, de algum peso, encargo ou incômodo. **2.** Descansado, repousado, folgado. **3.** *Bras. Gír.* Depenado (2) ~ V. *luto* —.

aliviador (ô). *Adj.* **1.** Que alivia. ● *S. m.* **2.** Aquele ou aquilo que alivia.

aliviamento. *S. m.* **1.** *P. us.* V. *alívio* (1). **2.** *Pop.* Parto.

aliviar. [Do lat. *alleviare.*] *V. t. d.* **1.** Dar alívio, tranqüilidade, a; serenar, acalmar, tranqüilizar. **2.** Tornar leve ou mais leve, diminuir o peso de; descarregar, alijar: *Aliviaram a embarcação para que não submergisse.* **3.** Abrandar, suavizar, mitigar: *Este analgésico alivia rapidamente dores de cabeça;* "Viver! Eu sei que a alma chora / E a vida é só dor ingrata, / Pranto, que não alivia, / Olhos, que o estão a verter..." (Raimundo Correia, *Poesias*, p. 7). **4.** Minorar atenuar: *Pediu que o ajudassem a aliviar a sua grande dor.* **5.** Tornar menos carregado ou vigoroso (o leite). **6.** *Bras., RJ. Gír.* Dar cobertura a; proteger: *la acusá-lo de roubo, mas, atendendo a pedido da mãe, resolvi aliviá-lo.* **7.** *Bras., N.E.* V. *matar* (1). *T. d.* e *i.* **8.** Desafogar, desembaraçar: *A confissão aliviou-o da angústia.* **9.** *Bras. Gír.* Roubar, furtar: *Aliviaram-no de todo o dinheiro que levava. Int.* **10.** Diminuir de intensidade; remitir: *A dor aliviou com o analgésico.* **11.** Atenuar a dor, o cansaço, a mortificação; confortar: *O pranto alivia. P.* **12.** Sentir alívio; ficar aliviado. **13.** Desafogar-se, desembaraçar-se: *Com a confissão, aliviou-se de grande peso.* **14.** *Pop.* V. *defecar* (5). **15.** *Pop.* Expelir gases pelo ânus; peidar. **16.** *Chulo.* Ter cópula (2); copular. [Pres. ind.: *alívio*, etc. Cf. *alívio.*]

alívio. [Dev. de *aliviar.*] *S. m.* **1.** Ato ou efeito de aliviar (-se). [Sin. (p. us.): *aliviamento* e *aliviação.*] **2.** Diminuição de dor, de peso, de trabalho, etc. **3.** Desopressão, desafogo. **4.** Descanso, tranqüilidade. **5.** Consolo, refrigério. [Cf. *alivio*, do v. *aliviar.*] ◆ **Alívio cômico.** *Teat.* Numa peça, situação cômica intercalada pelo dramaturgo entre dois momentos de maior dramaticidade, para aliviar a tensão do espectador; descanso cômico, pausa cômica.

alizaba. *S. f.* Espécie de túnica de mangas largas e aberta na frente, usada pelos mouros.

alizar. [Do ár. *al-izār.*] *S. m.* **1.** Guarnição de madeira, que cobre a junta entre a ombreira ou marco da esquadria e a parede. **2.** Régua para proteção duma parede, fixada na altura do encosto das cadeiras. **3.** V. *rodapé* (2). **4.** Lambri. [Cf. *alisar.*]

alizari. [Do ár. *al-'açara*, 'suco de planta', pelo fr. *alizari.*] *S. m.* Raiz seca da ruiva ou garança.

alizarina. [Do fr. *alizarine.*] *S. f. Quím.* Corante, cristalino, vermelho-alaranjado, obtido sinteticamente e utilizado, sob forma de diversos derivados, no tingimento de tecidos. [Fórm.: $C_{14}H_8O_4$.]

aljafra. *S. f.* Seio ou bolso das redes de arrastar.

aljamia. [Do ár. *al-'ajamīïa*, 'língua estrangeira'.] *S. f.* Nome dado pelos mouros, na Península Ibérica, ao romance (1) dos moçárabes, escrito em caracteres árabes.

aljava. [Do ár. *al-ja'abâ.*] *S. f.* Coldre ou estojo onde se metiam as setas e que se trazia pendente do ombro; carcás, fáretra: "Pendura a um verde tronco as várias penas, / E o arco, e as setas, e a sonora aljava" (José Basílio da Gama, *O Uraguai*, III, p. 52).

aljazar. [Do ár, *al-jazar?*] *S. m.* Terreno seco, cercado de água do mar. [Var.: *aliazar.*]

aljôfar. [Do ár. *al-juHar.*] *S. m.* **1.** Pérola muito miúda: "chapéus de plumas bordados de pérolas e aljôfar" (Oliveira Martins, *Histórias de Portugal*, II, p. 7). **2.** Gotas de água. **3.** O orvalho da manhã. **4.** *Poét.* Lágrimas de mulher bela. **5.** *Poét.* Lágrimas. [Var.: *aljofre* (ô). Pl.: *aljôfares.* Cf. *aljofares*, do v. *aljofarar.*]

aljofarar. *V. t. d.* **1.** Ornar com aljofre. **2.** Salpicar com pequenas gotas; orvalhar. [Var.: *aljofrar.* Pres. subj.: *aljofare, aljofares*, etc. Cf. *aljôfares*, pl. de *aljôfar.*]

aljofrar. *V. t. d.* Var. de *aljofarar.* [Pres. subj.: *aljofre, aljofres*, etc. Cf. *aljofre* (ô) e pl. *aljofres* (ô).]

aljofre (ô). *S. m.* Var. de *aljôfar.* [Pl.: *aljofres* (ô). Cf. *aljofre* e *aljofres*, do v. *aljofrar.*]

aljuba. [Do ár. *al-jubbâ.*] *S. f.* **1.** Veste árabe semelhante ao colete, com ou sem meias mangas ou sem elas; gibão. **2.** Veste talar, com fraldas e mangas largas, usada pelas mulheres portuguesas dos sécs. XIV e XV, e imposta aos mouros pelas Ordenações Afonsinas. **3.** Veste imposta aos judeus no séc. XIV, a qual devia ostentar uma estrela de seis pontas feita de pano de cor viva. [Dim. irreg. *aljubeta.*]

aljube. [Do ár. *al-jubb.*] *S. m.* **1.** Cômodo sem abertura para o exterior, com deficiência de iluminação e ventilação. **2.** Prisão escura; cárcere. **3.** Cárcere de foro eclesiástico, que ficava, em geral, junto a um mosteiro; prisão de padres. **4.** Caverna, gruta, furna.

aljubeiro. [De *aljube* + *-eiro.*] *S. m. Desus.* Carcereiro.

aljubeta (ê). [Dim. irreg. de *aljuba.*] *S. f.* Antiga veste talar.

aljubeteiro. *S. m.* Aquele que fazia aljubetas.

➡**all right** (ól rait). [Ingl., 'tudo direito'.] Frase que se emprega para indicar que tudo vai bem, ou para exprimir consentimento.

➡**allure** (alur'). [Fr.] *S. f.* **1.** Maneira de se apresentar ou de se movimentar; postura, atitude. **2.** Maneira de proceder; atitude. [Nesta acepç., usa-se geralmente no pl.]

alma. [Do lat. *anima.*] *S. f.* **1.** Princípio de vida. **2.** *Filos.* Entidade a que se atribuem, por necessidade de um princípio de unificação, as características essenciais à vida (do nível orgânico às manifestações mais diferenciadas da sensibilidade) e ao pensamento: *as faculdades da* a l m a. **3.** Princípio espiritual do homem concebido como separável do corpo e imortal: "A a l m a precisa de silêncio e prece" (Cruz e Sousa, *Últimos Sonetos*, p. 95); *Reza pelas* a l m a s *dos vivos e dos mortos.* **4.** O conjunto das funções psíquicas e dos estados de consciência do ser humano que lhe determina o comportamento, embora não tenha realidade física ou material; espírito: *Seu estado de* a l m a *sempre lhe transparece nos olhos.* **5.** Sede dos afetos, dos sentimentos, das paixões: "Do teu Príncipe ali te respondiam / As lembranças que na a l m a lhe moravam" (Luís de Camões, *Os Lusíadas*, III, 121). **6.** *Pop.* Espírito desencarnado: *Diz ele que anda vendo* a l m a s. **7.** Índole ou caráter de um indivíduo ou de um grupo de indivíduos: a l m a *bem-formada;* a a l m a *brasileira.* **8.** Sentimento, generosidade, coração: *É uma pessoa sem* a l m a. **9.** Coragem, ânimo: *Não tive* a l m a *para recusar-lhe o favor.* **10.** Veemência de sentimento; entusiasmo, arrebatamento: *cantar, recitar, representar com* a l m a. **11.** Expressão, animação, vida: *Certas cores dão* a l m a *aos ambientes.* **12.** Pessoa, indivíduo: *Era uma boa* a l m a*; Mora num lugarejo de dez mil* a l m a s. **13.** Pessoa que cria e/ou anima alguma coisa: *Foi Tiradentes a* a l m a *da Conjuração Mineira.* **14.** Pessoa que é objeto de vivo amor ou amizade: "A l m a minha gentil que te partiste / tão cedo desta vida descontente, / repousa lá no Céu eternamente" (Luís de Camões, *Rimas*, p. 172). **15.** Condição primacial; essência: *O segredo é a* a l m a *do negócio.* **16.** Vazio, interior, cilíndrico, de uma arma de fogo, que vai desde a culatra até a boca do cano, destinado a resistir à pressão dos gases produzidos pela combustão da pólvora e orientar o projetil. **17.** Parte central de um trilho ferroviário, vertical e estreitada, situada entre o boleto e o patim. **18.** Parte central de uma viga, estreitada, situada entre a laje ou mesa e a base alargada. [Tb. us. geralmente em estruturas de aço.] **19.** Pedaço entre a sola e a palmilha do sapato ou da bota. **20.** O vão da sola do pé. **21.** Pau em volta do qual se enrola o tabaco ou fumo de rolo. **22.** Pedaço de madeira ou de plástico que se cobre de pano para servir de botão. **23.** Pedaço de couro que permite a entrada do ar no fole e não o deixa sair. **24.** Molde em que se funde a estátua. **25.** *Expl.* Parte interior de um estopim ou cordel detonante, e que contém o núcleo de explosivo. **26.** *Mús.* Nos instrumentos da família do violino, pequeno cilindro de madeira colocado verticalmente entre o tampo e o fundo, um pouco atrás do pé-direito do cavalete, e cuja função é transmitir as vibrações sonoras à caixa de ressonância, e sustentar o tampo do lado direito, para que ele resista à pressão das cordas sobre o cavalete. ◆ **Alma do outro mundo.** V. *fantasma* (3): "E almas penadas, a l m a s d o o u t r o m u n d o, / Passam gemendo pela noite em fora." (Ricardo Gonçalves, *Ipês*, p. 25). **Alma penada. 1.** Espectro de morto que o povo crê errar pela Terra. **2.** *P. ext.* Pessoa sem rumo, desprotegida, desamparada. [Sin. ger.: *alma perdida.*] **Alma perdida.** V. *alma penada.* [Cf. *alma-perdida.*] **Abrir a alma.** Expandir os seus sentimentos; abrir o coração; desabafar. **Botar a alma pela boca.** Estar ou ficar ofegante, com a respiração opressa. **Cortar a alma.** Tocar, comover ao extremo; cortar o coração. **Criar alma nova.** Recobrar a coragem, o ânimo, o entusiasmo: "não viu mais o Barão, nem seus horrendos companheiros. C r i o u a l m a n o v a" (Ézio Pinto Monteiro, *Chico*, p. 79). **Dar a alma a Deus.** V. *morrer* (1): "Elisa caiu-me nos braços; removi-a para a cama. A noite tinha d a d o a a l m a a D e u s." (Machado de Assis, *Contos sem Data*, p. 95.) **Dar a alma ao Criador.** V. *morrer* (1). **Dar a alma ao Diabo.** Fazer o possível e o impossível para se conseguir alguma coisa que se deseja intensamente, por alusão a uma lenda popular. **Entregar a alma a Deus.** V. *morrer* (1). **Entregar a alma ao Diabo.** V. *morrer* (1). **Render a alma.** V. *morrer* (1). **Render a alma a Deus.** V. *morrer* (1). **Render a alma ao Criador.** V. *morrer* (1). **Rezar por alma de.** Perder a esperança de receber de volta (dinheiro ou coisa emprestada). **Sua alma, sua palma.** Faça-se-lhe a vontade, ainda que seja para seu mal.

almácega. [Do gr. *mastíche*, atr. do ár. *al-mastaka.*] *S. f.* Pequeno tanque ou reservatório destinado a armazenar água da nora ou da chuva.

almácego. [Do esp. plat. *almacigo.*] *S. m. Bras., S.* Alfobre (1).

almaço. [Contr. de *a lo maço*, expr. que alude à maneira de fabricar este papel.] *Adj.* **1.** ~ V. *formato — e papel —.* ● *S. m.* **2.** Papel almaço [q. v.].

alma-danada. *S. 2 g.* Pessoa perversa, malvada, de alma empedernida; alma-de-cântaro, alma-de-púcaro, alma-do-diabo. [Pl.: *almas-danadas.*]

alma-de-caboclo. *S. f. Bras.* V. *alma-de-gato* (1). [Pl.: *almas-de-caboclo.*]

alma-de-cântaro. *S. f.* V. *alma-danada.* [Pl.: *almas-de-cântaro.*]

alma-de-gato. *S. f.* **1.** *Bras.* Ave cuculiforme, insetívora, da família dos cuculídeos (*Piaya cayana macroura* Gam.), de coloração vermelho-castanha, retrizes vermelhas com brilho purpúreo e pontas brancas, e parte inferior cinzenta. Freqüenta matas e capoeiras, e ocorre no N. da Argentina, no Paraguai, e ao S. do Brasil. [Sin.: *alma-de-caboclo, alma-perdida, crocoió, maria-caraíba, meia-pataca, oraca, pataca, pato-pataca, piá, rabilonga, rabo-de-escrivão, tinguaçu, urraca.* Cf. *rabo-de-palha* (3).] **2.** *Bras., RS.* V. *anum-branco.* [Pl.: *almas-de-gato.*]

alma-de-mestre. *S. f. Bras.* Andorinhão-das-tormentas: "Encontram-se no alto mar umas avezinhas que de noite dão sentidíssimos e longos pios, às quais os marinheiros puseram o nome de a l m a s - d e - m e s t r e." (Almeida Garrett, *Camões*, p. 254.)

almádena. [Do ár. *al-madnâ.*] *S. f.* Minarete.

alma-de-púcaro. *S. f.* V. *alma-danada.* [Pl. *almas-de-púcaro.*]

almadia. [Do ár. afr. *al-ma'adîa.*] *S. f.* Embarcação africana e asiática, muito comprida e estreita, feita, por via de regra, de um só pau, escavado; tone: "Uns vão nas a l m a d i a s carregadas, / Um corta o mar a nado diligente." (Luís de Camões, *Os Lusíadas*, I, 92).

alma-do-diabo. *S. f.* V. *alma-danada.* [Pl.: *almas-do-diabo.*]

alma-do-padeiro. *S. m.* Vão deixado pela amassadura no interior do pão. [Pl.: *almas-do-padeiro.*]

almadraba. [Do ár. *al-maDrabâ.*] *S. f.* **1.** Armação de pesca de atum. **2.** Pescaria de atum. **3.** Lugar onde se pesca ou onde se reúnem os pescadores de atum. [Var.: *almadrava.*]

almadrava. *S. f.* Var. de *almadraba* [q. v.].

almagra. *S. f.* V. *almagre.*

almagrar. *V. t. d.* **1.** Tingir com almagre. **2.** Marcar, assinalar.

almagre. [Do ár. *al-magrâ.*] *S. m.* **1.** Argila avermelhada que se emprega em artes industriais e em pinturas grosseiras; rubrica. **2.** *Fig.* Sangue plebeu. [Var.: *almagro, almagra.*]

almagro. *S. m.* V. *almagre.*

almainha (aí). [Do ár. *al-munia?*] *S. f.* **1.** Quintal cercado. **2.** Quinta suburbana.

almajarra. [De *al-majarra.*] *S. f.* V. *almanjarra.*

almajarrar. *V. t. d.* Almanjarrar.

almalho. [Do b.-lat. **animaliu*, de *animal*, 'animal'.] *S. m.* Novilho, bezerro.

➧**alma mater** (alma máter). [Lat., 'Mãe nutridora'.] *Fig.* Expr. com que por vezes se designa a Universidade; alma parens.

almanaque. [Do ár. *al-manakh.*] *S. m.* Publicação que, além de um calendário completo, contém matéria recreativa, humorística, científica, literária e informativa. ◆ **Almanaque astronômico.** *Astr.* Livro ou tábua que contém dados astronômicos para um determinado ano; anuário astronômico. **Almanaque náutico.** *Náut.* Publicação que fornece dados astronômicos anuais sobre o Sol, a Lua, os planetas de navegação e as estrelas de navegação. **De almanaque.** Diz-se de cultura, saber, conhecimento, imperfeitos, precários, superficiais.

almandina. [Do lat. *alabandina*, i. e., *gemma alabandina.*] *S. f. Min.* Mineral monométrico, silicato de alumínio e ferro, variedade do grupo das granadas. É pedra semipreciosa.

almanjarra. [Var. de *almajarra.*] *S. f.* **1.** Pau de nora, que o animal puxa para movimentá-la: "Montado num dos paus da a l m a n j a r r a, empunhando um relho, divertia-me naquele carrossel rústico que as bestas faziam girar esmagando a cana." (Raul Lima, *O Fio do Tempo*, p. 53.) [Sin. (bras.): *traquitanda.*] **2.** Rodo usado nas salinas. **3.** Coisa enorme, desmedida, mal-acabada. **4.** *Fig.* Homem agigantado, colossal.

almanjarrar. [Var. de *almajarrar.*] *V. t. d.* Tirar com a almanjarra.

➧**alma parens** (alma parênç.). [Lat., 'Mãe nutridora'.] *Alma Mater.*

alma-perdida. *S. f. Bras.* V. *alma-de-gato* (1). [Pl.: *almas-perdidas.* Cf. *alma perdida.*]

almarado. *Adj.* **1.** Diz-se do touro que apresenta em volta dos olhos uma circunferência de cor diversa da do resto da cabeça. **2.** Diz-se do boi ou do cavalo que tem pêlos cor-de-rosa ou azulados em vários pontos da cabeça.

almargeado. [De *almarge(m)* + *-ado*[1].] *Adj.* **1.** Coberto de almargem. **2.** Diz-se do terreno abandonado por não ter préstimo.

almargeal. *S. m.* Terreno pantanoso, com almargem: "Vista assim [a barca], ... por entre o a l m a r g e a l verdejante, ... parece o aceno de uma velha mão amiga abençoando as searas" (Ramalho Ortigão, *A Holanda*, p. 83).

almargem. [Do ár. *al-marj.*] *S. m.* e *f.* **1.** Prado natural; pastagem: "distinguia .... a pasta barrenta desse lamentoso Tejo contorcido, cuja ânsia de correr, liberto entre a l m a r g e n s chãs, ... se vem ouvindo pelos séculos fora." (Antero de Figueiredo, *Toledo*, p. 16). **2.** Erva para pasto, que cresce nos almargeais.

almargio. *Adj.* **1.** Relativo ao almargem. **2.** Diz-se do animal lançado ao almargem; *cavalo* a l m a r g i o.

almário. *S. m. Ant.* e *pop.* Armário: "Bota antes [o peixe preparado] neste a l m á r i o!" (Aluísio Azevedo, *O Mulato*, p. 264.)

almazém. *S. m. Ant.* e *pop.* Armazém.

almécega. [Do gr. *mastíche*, 'goma de mascar', pelo ár. *al-maçTakâ.*] *S. f.* **1.** Resina de aroeira ou de lentisco amarelado, que se usa em mistura de tintas e como condimento: mástique. **2.** *Bras.* Espécie de goma. [Cf. *almecega*, do v. *almecegar.*]

almecegado. [De *almécega* + *-ado*[1].] *Adj.* **1.** Da cor da almécega. **2.** Preparado com almécega.

almecegar. *V. t. d.* **1.** Tornar amarelo como a almécega. **2.** Aplicar almécega a. [Pres. ind.: *almecego, almecegas, almecega*, etc. Cf. *almécega.* Conjug.: v. *regar.*]

almecegueira. *S. f.* **1.** Designação comum a vários arbustos da família das burseráceas, gênero *Protium*, que produzem a almécega. **2.** V. *aroeira-do-campo.*

almeia[1]. [Do ár. oriental *âlmé*, atr. do fr. *almée.*] *S. f.* Dançarina egípcia, cujas danças lascivas são geralmente acompanhadas de canto improvisado.

almeia[2]. [Do ár. *al-mai'â.*] *S. f.* Bálsamo natural, produzido no Oriente e de uso em farmácia e perfumaria.

almeida. *S. f. Constr. Nav.* Parte curva do costado dos antigos navios de popa quadrada, logo abaixo do painel, e que com este forma ângulo obtuso ou uma curvatura.

almeidense. *Adj. 2 g.* **1.** De, ou pertencente ou relativo a Conceição do Almeida (BA). *S. 2 g.* **2.** Natural ou habitante de Conceição do Almeida.

almeirão. [Do moçárabe *amairón.*] *S. m.* Espécie de chicória (*Chicorium intybus* Lin.): "acostumava-se o belo-horizontino a comer hortaliças, e não só a couve tradicional, mas ainda o a l m e i r ã o, a alface, o repolho" (Eduardo Frieiro, *Feijão, Angu e Couve*, p. 228).

almejante. *Adj. 2 g.* Que almeja; desejoso, ansioso.

almejar. [De *alma* + *-ejar.*] *V. t. d.* **1.** Desejar ardentemente, com ânsia; ansiar: *Vive a* a l m e j a r *a paz;* "Os homens de pensamento a l m e j a m a construção duma ordem moral em que se alicerce o novo império espanhol." (Eduardo Frieiro, *O Alegre Arcipreste*, p. 106). *T. i.* **2.** Desejar com ânsia; ansiar: A l m e j a *por uma vida tranqüila;* "Terminando sempre com grandes protestos de fidelidade ao Governo, a l m e j a n d o pelo dia em que lhe pudesse prestar, 'outros serviços políticos superiores a estes pequenos negócios de campanário'." (Luís de Magalhães, *O Brasileiro Soares*, p. 39). *Int.* **3.** Estar próximo a morrer, a dar a alma; agonizar: *Ao chegar o médico, já o doente* a l m e j a v a. [Conjug.: v. *pelejar.*]

almejável. *Adj. 2 g.* Que pode ser almejado.

almejo (ê). [Dev. de *almejar.*] *S. m.* Desejo ansioso, veemente: "Por que teu vulto se levanta airoso, / Ébrio de a l m e j o s de volúpia infinda?" (Fagundes Varela, *Poesias Completas*, II, p. 157).

almenara. [Do ár. *al-manarâ.*] *S. f.* **1.** Facho ou farol que outrora se acendia nas torres ou castelos para dar sinal ao longe: "o clarão das a l m e n a r a s, ou o rebate das trombetas não consentia nem leve repouso aos defensores da verdadeira lei." (Rebelo da Silva, *Contos e Lendas*, p. 19). **2.** Torre em que se acendiam esses fachos.

almicantarado. *S. m. Astr.* V. *almocântara.*

alminha. [Dim. de *alma.*] *S. f. Pej.* Pessoa (1).

almino-afonsense. *Adj. 2 g.* **1.** De, ou pertencente ou relativo a Almino Afonso (RN). ● *S. 2 g.* **2.** Natural ou habitante de Almino Afonso. [Pl.: *almino-afonsenses.*]

almirantado. *S. m.* **1.** Posto, cargo ou dignidade de almirante. **2.** Corporação de oficiais superiores de marinha. ● *Adj.* **3.** ~ V. *latão* —.

almirante. *S. m.* **1.** V. *hierarquia militar.* **2.** Oficial que detém o posto de almirante. **3.** *Bras.* Denominação comum a *almirante, almirante-de-esquadra, vice-almirante* e *contra-almirante.* **4.** Concha univalve. **5.** Borboleta diurna. **6.** Variedade de pêra. **7.** Espécie de papoula (*Papaver paeonifolium*).

almirante-de-esquadra. *S. m.* **1.** V. *hierarquia militar.* **2.** Oficial que detém o posto de almirante de esquadra. [V. *almirante* (3). Pl.: *almirantes-de-esquadra.*]

almíscar. [Do persa *mushk,* 'testículo', atr. do ár. *almisk.*] *S. m.* **1.** Substância odorífera de sabor amargo e cor amarelada, muito volátil, segregada pelo almiscareiro [q. v.], e utilizada em perfumaria e farmácia. **2.** *P. ext.* Odor muito ativo. **3.** *Fam.* Sabor desagradável; saibo. **4.** Planta da família das estiracáceas (*Styrax glabratum*), arbusto freqüente nos cerrados, com folhas muito perfumadas. **5.** *Bras., N.E.* Cheiro de peixe; pitiú. [Pl.: *almíscares.* Cf. *almiscares,* do v. *almiscarar.*] ♦ **Almíscar de jacaré.** O mau cheiro das axilas.

almiscarado. [Part. de *almiscarar.*] *Adj.* Perfumado com almíscar.

almiscarar. *V. t. d.* e *p.* Perfumar(-se) com almíscar. [Pres. subj.: *almiscare, almiscares, almiscare,* etc. Cf. *almíscares,* pl. de *almíscar.*]

almiscareira. *S. f.* Planta da família das geraniáceas, cujo cheiro lembra o almíscar (4).

almiscareiro. *S. m.* Mamífero artiodáctilo, ruminante, da família dos cervídeos (*Moschus moschiferus* L.), da Ásia, o qual se caracteriza pela forte secreção odorífera produzida por uma glândula abdominal; algália. [Cf. *almíscar* (1).]

almo. [Do lat. *almu.*] *Adj. Poet.* **1.** Que cria, alimenta ou nutre. **2.** Adorável, delicioso, encantador: "Doura-lhe o fino lábio nacarado / Almo sorrir de amor, puro, inocente..." (Gonçalves Crespo, *Obras Completas,* p. 172). **3.** Benigno, benéfico, bom: "Entre responsos e entre salmos, / Há de florir meu coração / Em sonhos bons, desejos almos, / No leito real dos Sete Palmos, / Nas cinco tábuas de um caixão." (Da Costa e Silva, *Sangue,* p. 43.) **4.** Santo, venerável.

almocábar. [Do ár. *al-muqabar.*] *S. m. Ant.* Almocávar [q. v.]. [Pl.: *almocábares.*]

almoçadeira. [De *almoçar* + *-deira.*] *Adj.* (*f.*) e *s. f.* Diz-se de, ou xícara grande, usada, em geral, ao desjejum.

almocadém. [Do ár. *al-muqaddem.*] *S. m. Ant.* **1.** Capitão ou caudilho de infantaria, na milícia árabe e portuguesa. **2.** Comandante; chefe.

almoçado. [Part. de *almoçar.*] *Adj.* **1.** Que almoçou; que tomou a primeira das refeições substanciais do dia: "almoçado e acendendo um charuto, Bonifácio pensou na boa fortuna, que seria, se ela lhe aparecesse." (Machado de Assis, *Outras Relíquias,* p. 59). **2.** *Bras., N.E.* Forte, perito: *No rifle o cabra é almoçado.*

almocafo. [Alter. de *almocafre* (q. v.).] *S. m. Bras., BA.* Enxada que se usa na mineração, com o tamanho muito reduzido pelo excesso de uso, e à qual se adapta um cabo comprido.

almocafre. [Do ár. *al-mihfar,* 'enxada'.] *S. m.* Sacho de ponta usado na mineração: "Enquanto os homens, metidos na água até os joelhos e remontando a corrente, remexiam com o almocafre o cascalho acumulado na barragem, as mulheres recolhiam o saibro amontoado à beira do córrego" (Eduardo Frieiro, *O Mameluco Boaventura,* pp. 38-39).

almocântara. *S. m. Astr.* Círculo menor da esfera celeste, paralelo ao horizonte; círculo de altura, almicantarado, almocantarado.

almocantarado. *S. m. Astr. P. us.* V. *almocântara.*

almoçar. *V. int.* **1.** Tomar o almoço: *Passou o dia sem almoçar;* "ia à minha casa almoçar conosco e abençoar os bisnetos." (Francisco Ribeiro Sampaio, *Renembranças,* p. 101). *T. d.* **2.** Comer ao almoço: *Almoçou um churrasco;* "Vem almoçar umas trutas que eu pesquei" (Eça de Queirós, *Contos,* p. 122). [Conjug.: v. *laçar.* Pres. ind.: *almoço,* etc. Cf. *almoço* (ô).] **Almoçar, jantar, cear.** Almoçar, jantar e cear: "Durante todo o tempo que viajamos juntos, você, por assim dizer, almoçava, jantava, ceava, e quem sabe se até sonhava o progresso econômico de Minas Gerais." (Afonso Pena Júnior, *Saudação a Teófilo Ribeiro,* p. 10.) ♦ **Almoçar, jantar e cear.** Pensar exclusivamente, ou até de modo obsessivo, em; ter sempre em mente; almoçar, jantar, cear.

almocávar. [Var. de *almocábar.*] *S. m. Ant.* Cemitério ou sepultura de mouros ou de judeus, na Península Ibérica. [Pl.: *almocávares.*]

almoço (ô). [Do lat. *admordere,* 'morder de leve, principiar a comer'.] *S. m.* **1.** A primeira das duas refeições substanciais do dia, usualmente feita ao princípio da tarde. **2.** A comida que constitui essa refeição: *O almoço está servido.* **3.** *Fig.* O primeiro acontecimento do dia. [Pl.: no Brasil, *almoços* (ô); em Portugal, predominantemente *almóços* (ó). Cf. *almoço,* do v. *almoçar.*] ♦ **Almoço ajantarado.** Ajantarado (2). **Almoço bravo.** Almoço tardio, fora de horas. **Almoço comercial.** *Bras.* Almoço trivial e de baixo preço, de serviço rápido, que já vem servido, e que consta de um prato substancioso básico, pão, um copo de leite ou de suco e sobremesa simples; prato comercial, prato feito, pê-efe. **Almoço manso.** Almoço na hora certa, normal. **Pequeno almoço.** V. *desjejum.*

almocrevar. *V. t. d.* **1.** Transportar em bestas de almocreve. *Int.* **2.** Trabalhar como almocreve: "Não conhecia ele o Lourenço senão de o ver uma vez por outra almocrevando" (Franklin Távora, *O Matuto,* p. 86).

almocrevaria. *S. f.* Exercício da profissão de almocreve.

almocreve. [Do ár.] *S. m.* Homem que se ocupa em conduzir bestas de carga; recoveiro, carregador, arrocheiro: "Sob a chibata do almocreve as bestas aceleraram o chouto." (Aquilino Ribeiro, *Jardim das Tormentas,* p. 188.)

almoeda. [Do ár. *al-munādâ.*] *S. f.* **1.** Venda em hasta pública; leilão. **2.** Exposição ou oferta ao público.

almoedar. *V. t. d.* Pôr em almoeda; vender em leilão.

almofaça. [Do ár. *al-mihassâ.*] *S. f.* Escova de ferro com que se limpam cavalgaduras.

almofaçadura. *S. f.* Ato de almofaçar.

almofaçar. *V. t. d.* Limpar com almofaça: "No alpendre formado pela abóbada estava um criado almofaçando um alazão irrequieto" (Camilo Castelo Branco, *A Filha do Regicida,* p. 95). [Conjug.: v. *laçar.*]

almofacilha. *S. f.* Porção de estopa que se enrola na barbela do cavalo para ele não ferir os queixos.

almofada. [Do ár. *al-mukhaddâ.*] *S. f.* **1.** Espécie de saco estofado para encosto, assento, ou ornato. **2.** Peça saliente, reentrante ou simplesmente guarnecida por filete, moldura ou ranhura, geralmente retangular, em obras de madeira, pedra ou outro material. **3.** Parte saliente formada na pasta da frente da capa de um livro. **4.** Caixa retangular de metal, com tampo, provida de uma "cama" interna de feltro, ou de pano, retentora de tinta, para a tintagem dos carimbos. **5.** *Arquit.* Face aparente da aduela, no intradorso da cúpula. **6.** *Tip.* Revestimento de folhas de papel, cartolina, pano, borracha, etc., que se põe no cilindro ou na platina das prensas, para abrandar o seu contato com a superfície impressora. [Tb. se usa *cama,* sobretudo quando se trata de cilindro e frisa. Cf. *branqueta.*] **7.** *Tip.* Espécie de coxim cheio de areia que serve de apoio à placa de metal, durante a gravação.

almofadado. [Part. de *almofadar.*] *Adj.* Que tem almofadas; ornado ou coberto com almofadas. ~ V. *capa* —*a.*

almofadão. [Aum. de *almofada.*] *S. m.* **1.** Almofada (1 e 2) grande. **2.** Massa de penas dorsais de certas aves, que parcialmente cobre a cauda. [Pl.: *almofadões.*]

almofadar. *V. t. d.* **1.** Ornar ou cobrir com almofada (1). **2.** Sotopor a (um objeto) uma peça ou substância que o alteie. **3.** Dar maior volume a, acolchoando: *Certas damas almofadam os quadris.* **4.** Ornar com almofada (2).

almofadilha. [Dim. de *almofada.*] *S. f. Arquit.* Parte lateral da voluta do capitel jônico.

almofadinha. [Dim. de *almofada.*] *S. f.* **1.** Pregadeira de alfinetes ou agulhas. **2.** Saquinho com substância aromática para perfumar roupas. **3.** Rodilha que os carregadores põem na cabeça para protegê-la do fardo. ● *S. m.* **4.** *Bras. Obsol.* Homem que se veste com excessivo apuro; casquilho, janota: "Em frente dele [o prédio] há sempre almofadinhas de várias idades que tomam sol horas a fio só para dizerem piadas às moças que passam desacompanhadas." (Antônio de Alcântara Machado, *Cavaquinho e Saxofone,* p. 4.); "um elegante cavalheiro, tipo perfeito de um almofadinha, de polainas, de luvas e monóculo." (Luís Edmundo, *De um Livro de Memórias,* III, p. 662).

almofadismo. *S. m. Bras. P. us.* **1.** Elegância adamada. **2.** Hábitos, atos, atitudes de almofadinha (4).

almofariz. [Do ár. *al-miHarās.*] *S. m.* Recipiente de pedra, metal, madeira, etc., em que se trituram e homogeneízam substâncias sólidas; pilão, gral, morteiro.

almofate. [Do ár. *al-muHait.*] *S. m.* Espécie de sovela ou furador usado pelos correeiros para abrir buracos na sola.

almofeira. [Do ár., talvez.] *S. f.* Líquido escuro que escorre das azeitonas em talha; reima.

almofreixe. [Do ár. magrebino *al-mafrâx.*] *S. m.* Grande mala antiga de viagem.

almofrez (ê). [Do ár. *al-mukhrāz.*] *S. m.* Sovela de sapateiro.

almogaure. [Do ár. *al-mugāuār,* 'aquele que faz incursões'; var. de *almogávar.*] *S. m. Ant.* **1.** Guerreiro que vivia emboscado nos matos, donde efetuava correrias freqüentes em terras de mouros. **2.** Soldado de certos corpos de cavalaria antiga. [Var.: *almogrvave.*]

almogávar. *S. m. Ant.* V. *almogaure.* [Pl.: *almogávares.*]

almogavaria. *S. f. Ant.* **1.** Tropa de almogávares. **2.** Expedição, correria de almogávares em terras de mouros.

almograve. *S. m. Ant.* V. *almogaure.*

almojávena. [Do ár. *al-mujabanâ.*] *S. f.* Bolo ou torta de farinha e queijo ou requeijão.

almolina. *S. f.* Antigo brinquedo, espécie de cabra-cega.

almôndega. [Do ár. vulg. *al-bundqâ,* pelo ant. *albondega.*] *S. f.* Bolinho de carne picada com ovos e temperos, cozido em molho espesso. [Cf. *almondega,* do v. *almondegar.*]

almondegar. *V. t. d.* **1.** Dar forma de almôndega a. **2.** Misturar, mesclar. [Conjug.: v. *regar.* Pres. ind.: *almondego, almondegas, almondega,* etc. Cf. *almôndega.*]

almorávida. [Do ár. *almurābiT.*] *S. 2 g.* **1.** Membro da seita religiosa, e depois também política, dos almorávidas, dominante na Espanha até à conquista de Granada pelos reis católicos. ● *Adj. 2 g.* **2.** Relativo ou pertencente aos almorávidas. [F. paral.: *almorávide.*]

almorávide. *S. 2 g.* e *adj. 2 g.* Almorávida [q. v.].

almorreimas. [Do b.-lat. **haemorreheuma,* do gr. *halma,* 'sangue', + *rheúma,* 'fluxo'.] *S. f. pl. Pop.* Hemorróidas.

almotaçar. *V. t. d. Ant.* **1.** Taxar (o almotacé) o preço de. **2.** *P. ext.* Regular; regrar. *T.-pred.* **3.** Taxar; qualificar. [Conjug.: v. *laçar.* Pres. subj.: *almotace, almotaces, almotaceis,* etc. Cf. *almotacéis,* pl. de *almotacel.*]

almotaçaria. *S. f. Ant.* **1.** Cargo ou função de almotacé. **2.** Fixação do preço dos víveres feita por eles.

almotacé. [Do ár. *al-muhtasib.*] *S. m. Ant.* Inspetor encarregado da aplicação exata dos pesos e medidas e da taxação dos gêneros alimentícios. [Var.: *almotacel.*]

almotacel. *S. m. Ant.* Var. de *almotacé* [q. v.]. [Pl.: *almotacéis.* Cf. *almotaceis,* do v. *almotaçar.*]

almotolia. [Do ár. *al-moToliiâ.*] *S. f.* **1.** Pequeno vaso de folha, de feitio cônico, para azeite e outros líquidos, principalmente oleosos: "A outro, promessa feita a Maria, / Deitam-lhe azeite na almotolia." (Guerra Junqueiro, *Os Simples,* p. 104.) **2.** Aparelho para lubrificação de pequenas máquinas: "Juntava chaves inúteis, ... cadeados emperrados que eu lubrificava com a pequena almotolia da máquina de costura." (Oto Lara Resende, *O Retrato na Gaveta,* p. 142.) [Sin. ger.: *azeiteira.*]

almoxarifado. *S. m.* **1.** Cargo ou função de almoxarife. **2.** Área de jurisdição do almoxarife. **3.** Depósito de objetos, materiais e matérias-primas.

almoxarife. [Do ár. *al-muxrif.*] *S. m.* **1.** *Ant.* Oficial da Fazenda que tinha a seu cargo a cobrança das rendas reais. **2.** *Ant.* Tesoureiro da casa real. **3.** *Ant.* Administrador de propriedades da casa real. **4.** *Ant.* Cobrador de portagem. **5.** Aquele que, nos estabelecimentos públicos ou particulares, é responsável pelo almoxarifado (3); fiel.

almuadem [Do ár. *al-muadhan.*] *S. m.* Mouro que anuncia, em voz alta, do alto das almádenas, a hora das preces: "A cruz hasteava-se outra vez sobre o crescente quebrado; os coruchéus das mesquitas convertiam-se em campanários de sés, e a voz do almuadem trocava-se por toada de sinos, que chamavam à oração entendida por Deus." (Alexandre Herculano, *Lendas e Narrativas,* II, p. 84.) [Var.: *almuédão.* — É m. us. a f. *muezim,* embora tida por menos boa, por ser galicismo.]

almudada. *S. f.* **1.** Almude de cereais. **2.** Terra que leva um almude de semeadura. **3.** Almude cheio.

almudar. *V. t. d.* Medir ou encher os almudes.

almude. [Do ár. *al-mudd.*] *S. m.* Antiga unidade de medida de capacidade para líquidos, equivalente a 12 canadas [v. *canada*[2]], ou seja, 31,94 litros.

almuédão. *S. m.* Var. de *almuadem* [q. v.], [Pl.: *almuédãos.*]

alna. [Do gót. *álina,* 'cotovelo'.] *S. f.* Antiga medida de comprimento, de três palmos.

alnico. *S. m. Metal.* Nome comercial de ligas magnéticas permanentes, constituídas por níquel, alumínio, manganês, cobalto e silício.

alno. [Do lat. *alnu.*] *S. m.* Amieiro.

▲**al(o)-.** [Do gr. *állos, é, o.*] *El. comp.* = 'outro', 'um outro', 'diferente': *alopatia, alógamo, alóbaro.*

aló. [De *a ló.*] *Adv. Mar.* Para barlavento. [Cf. *alô.*]

alô[1]. [Do ingl. *hallo.*] *Interj.* **1.** Serve para chamar a atenção. **2.** Serve de saudação, especialmente ao telefone. **3.** Exprime surpresa. ● *S. m.* **4.** Cumprimento em que se diz alô (2): *Ao ver-me, fez um alô muito chocho.* [Cf. *aló.*]

alô[2]. [Do ioruba.] *S. m. Bras.* Narrativa popular, levada pelos acpalôs de tribo a tribo, na África, e que os iorubas trouxeram para o Brasil, conservando-lhe muitas das características. [Cf. *aló.*]

alóbaro. *Adj. Quím.* Diz-se de elemento cuja composição isotópica é diferente da natural.

alobrógico. [Do lat. *allobrogicu.*] *Adj.* **1.** Alóbrogo (3). **2.** Próprio de alóbrogo (2).

alóbrogo. *S. m.* **1.** Indivíduo dos alóbrogos, antigo povo da região hoje chamada Sabóia. **2.** Homem grosseiro, rústico. ● *Adj.* **3.** Relativo ou pertencente aos alóbrogos; alobrógico. **4.** Rústico, rude, grosseiro.

alocação. *S. f.* Ato ou efeito de alocar.

alocar. *V. t. d.* **1.** Colocar (um ser) num lugar de uma seqüência de lugares. **2.** Destinar (fundo orçamentário, verba, etc.) a um fim específico, ou a uma entidade. [Conjug.: v. *trancar.* Cf. *aloucar.*]

alocásia. *S. f.* Designação comum a diversas aráceas ornamentais.

alocroísmo. [Do gr. *allóchros,* 'que apresenta diferença de cor', + *-ismo.*] *S. m. Hist. Nat.* Mudança ou diferença de cor em uma mesma substância, de acordo com a variação do tipo, quantidade e distribuição do pigmento a que se deve a coloração.

alocromatia. [De *al(o)-* + *-cromat(o)-* + *-ia.*] *S. f.* V. *alocromia.*

alocromático. *Adj.* V. *alocrômico.*

alocromia. [De *al(o)-* + *-crom(o)-* + *-ia.*] *S. f.* **1.** *Med.* Doença de que resulta verem-se cores diferentes das reais. **2.** *Fís.* Qualquer forma de reemissão de luz em que a luz emitida tem o comprimento de onda diferente da luz absorvida.

alocrômico. *Adj.* **1.** Referente à alocromia. **2.** Diz-se dos minerais cuja cor, em virtude de impureza, difere da normal.

aléctone. [De *al(o)-* + gr. *chtón,* 'terra'.] *Adj. 2 g.* e *s. m.* Diz-se de, ou pessoa que não é originária do país onde habita. [Opõe-se a *autóctone.*] ~ V. *depósito — e solo —.*

alocução. [Do lat. *allocutione.*] *S. f.* Discurso breve, proferido em ocasião solene: "A Academia Brasileira de Letras, de que ele [Valentim Magalhães] era um dos mais conspícuos membros, fez-se representar nesse ato [o seu enterro] pelo seu secretário Rodrigo Otávio, que proferiu sentida alocução à memória do morto" (Raimundo Correia, *Poesia Completa e Prosa,* p. 580).

alocurtose. *S. f. Estat.* Característica de uma distribuição de dois atributos cujas distribuições condicionadas são assimétricas.

alodê. *S. m. Bras., BA. Pop.* Homem de cor escura e carregada.

alodial. [Do lat. medieval *allodiale.*] *Adj. 2 g.* Diz-se da propriedade imóvel livre de foros, vínculos, pensões e ônus. ~ V. *bens alodiais.*

alodialidade. *S. f.* Qualidade de alodial.

alódio. [Do frâncico *al-ôd,* pelo lat. *allodiu.*] *S. m. Ant.* Bens ou propriedades com isenção de direitos senhoriais.

alodiplóide. *Adj. 2 g. Biol.* Diz-se dos indivíduos com o número diplóide normal de cromossomos, acrescido de um ou mais cromossomos pertencentes a outra espécie.

áloe. *S. m.* V. *aloés.*

aloendro. [De *a-*[4] + *loendro.*] *S. m.* V. *espirradeira.*

aloeocélio. *S. m.* **1.** Espécime dos aloeocélios. ● *Adj.* **2.** Pertencente ou relativo a eles.

aloeocélios. *S. m. pl. Zool.* Animais platelmintos turbelários, da ordem *Alloeocoela,* providos de intestino reto ou com ramificações curtas, geralmente cilíndricas, de 1 a 4 cm de comprimento. São, na maioria, marinhos, ocorrendo, porém, algumas espécies em água doce ou lugares úmidos.

aloerotismo. [De *al(o)-* + *erotismo.*] *S. m. Psicol.* Orientação da libido para objetos externos; heteroerotismo. [Cf. *auto-erotismo.*]

aloés. [Do gr. *aloé,* pelo lat. *aloes,* gen. de *aloe.*] *S. m. 2 n.* **1.** Planta suculenta, medicinal, da família das liliáceas (*Aloe succotrina* e *Aloe vera).* [Sin. (pop.): *babosa.*] **2.** Resina que se extrai dessa planta.

aloético. [Do lat. *aloe,* 'aloés', + *-t-* + *-ico*[2].] *Adj.* **1.** Que contém aloés. **2.** Diz-se de mistura com base em aloés.

aloetina. [Do lat. *aloe,* 'aloés', + *-t-* + *-ina.*] *S. f.* Substância extraída do aloés, amarga e purgativa, solúvel na água e insolúvel no álcool.

alofana. [De *al(o)-* + gr. *phan,* raiz de *phaíno,* 'parecer'.] *S. f. Min.* Mineral amorfo, silicato hidratado de alumínio.

alofone. [De *al(o)-* + *-fone.*] *S. m. Ling.* Cada uma das realizações de um fonema: no português carioca, [d], como aparece em *dar* (foneticamente ['dah]), e [d], como em *dia* (foneticamente [d iy]), são alofones de um mesmo fonema /d/; variante. [V. *alfabeto fonético.*]

aloftalmia. [De *al(o)-* + *-oftalm(o)-* + *-ia.*] *S. f. Med.* Diferença entre os dois olhos, por via de regra na cor.

aloftálmico. *Adj.* Relativo à aloftalmia.

alogamia. [De *alógamo* + *-ia.*] *S. f.* **1.** *Bot.* Fenômeno pelo qual o pólen de uma flor vai ter ao estigma de outra. [Opõe-se a *autogamia.*] **2.** *Genét.* Fecundação, por união de gametas, oriunda de dois seres diferentes; fecundação cruzada.

alogâmico. *Adj.* Relativo à alogamia.

alógamo. [De *al(o)-* + *-gamo.*] *Adj.* Que se reproduz por alogamia. [Opõe-se a *autógamo.*]

alógeno. [Do gr. *allogenés.*] *Adj. Biol. Ger.* Originário de outra espécie ou raça.

alogia. [Do gr. *alogía,* pelo lat. *alogia.*] *S. f.* **1.** Absurdo, disparate, contra-senso. **2.** *Patol.* Impossibilidade de falar por lesão dos centros nervosos.

alogiano. *S. m.* Membro da seita dos alogianos, heréticos que negavam a autenticidade do Evangelho e do Apocalipse de S. João, e recusavam a Cristo a qualidade de verbo eterno; alogo.

alógico. [De *alogia* + *-ico*[2].] *Adj.* **1.** Que dispensa demonstração ou prova para se ver que é certo; que é evidente. **2.** *Filos.* Diz-se do pensamento que é privado de determinações lógicas e, assim, situado a igual distância de lógico [q. v.] e ilógico [q. v.]. ● *S. m.* **3.** O que é alógico: "a arte é uma ficção individual, ... é uma luta incessante com o imperceptível, o alógico e o indizível." (Fidelino de Figueiredo, *Últimas Aventuras,* p. 214).

alogismo. *S. m. Filos.* Pensamento alógico.

alogo. *S. m.* Alogiano.

alogonia. *S. f. Biol. Ger.* Ocorrência de diferentes períodos de maturação em indivíduos da mesma espécie.

aloína. *S. f. Quím.* Mistura complexa de substâncias ativas obtidas das folhas do aloés, usada como aperiente e purgativo.

aloinado (o-i). *Adj.* Semelhante ao aloés. [Cf. *aloína.*]

aloirado. [De *a-*[2] + *loiro*[3] + *-ado*[1].] *Adj.* Alourado [q. v.].

aloirar. [De *a-*[2] + *loiro*[3] + *-ar*[2].] *V. t. d., int.* e *p.* Alourar: "— Já vai aloirando o porquinho, irmão Egídio! A pele já tosta, meu santo!" (Eça de Queirós, *Contos,* p. 147.)

aloisar. [De *a-*[2] + *loisa* + *-ar*[2].] *V. t. d.* Var. de *alousar.*

aloite. [De *loita.*] *S. m. Bras., SP* e *C. Pop.* Lida, esforço, luta. [Cf. *loita* e *luita.*]

alojação. *S. f.* Alojamento (1).

alojamento. *S. m.* **1.** Ação ou efeito de alojar[1](-se); alojação. **2.** *Ant.* Estalagem, hospedaria. **3.** Aboletamento; quartel.

alojar[1]. [De *a-*[2] + *loja* + *-ar*[2]] *V. t. d.* **1.** Recolher em loja; acomodar. **2.** Hospedar, agasalhar: *Não tinha onde alojar os amigos.* **3.** Aboletar; aquartelar: *Alojou as tropas invasoras.* **4.** Armazenar, depositar. *Int.* e *p.* **5.** Hospedar-se, agasalhar-se: *Alojaram em casa de parentes:* "Gararoba alojou-se numa casa próxima à estrebaria." (A. S. de Mendonça Júnior, *O Anel de Brilhante e Outras Histórias,* p. 27). **6.** Acampar; pousar: *Alojaram na beira do rio; A tropa alojou-se nos arredores da cidade.* [Pres. ind.: *alojo,* etc. Cf. *alojo* (ô).]

alojar[2]. *V. t. d* e *int. Bras., MG.* V. *vomitar* (1 e 11). [Pres. ind: *alojo,* etc. Cf. *alojo* (ô).]

alojo (ô). [Dev. de *alojar*[2].] *S. m. Bras., MG.* V. *vômito.* [Pl.: *alojos* (ô). Cf. *alojo,* do v. *alojar.*]

alombado. [Part. de *alombar.*] *Adj.* **1.** Arqueado, abaulado, curvado. **2.** Indisposto para o trabalho; derreado, alquebrado. **3.** *Bras.* Preguiçoso, indolente.

alombamento. *S. m.* Ação ou efeito de alombar.

alombar[1]. [De *a-*[2] + *lombo* + *-ar*[2].] *V. t. d.* **1.** Tornar curvo como o lombo; arquear. **2.** Derrear com pancadas no lombo.

alombar[2]. [De *a-*[2] + *lombada* + *-ar*[2], por síncope.] *V. t. d.* Pôr lombada em (livro); enlombar, endorsar.

alomorfe. [De *al(o)-* + *morfe.*] *S. m. Ling.* Cada uma das variantes de um morfema.

alomorfia. [Do gr. *allómorphos,* 'de forma diferente', + *-ia.*] *S. f.* Passagem de uma forma para outra, diferente; metamorfose.

alomórfico. *Adj.* **1.** Relativo a alomorfia. **2.** Que tem forma diferente.

alonga. [Dev. de *alongar.*] *S. f.* Tubo fusiforme, de vidro, que se adapta às retortas e balões, nos laboratórios químicos.

alongado. [Part. de *alongar.*] *Adj.* **1.** Que se tornou longo; comprido. **2.** Afastado, distante, longínquo: *Viajou por alongadas terras;* "Assim andou por alongados climas" (Machado de Assis, *Poesias,* p. 254). **3.** *Bras.* Diz-se do animal doméstico que foge para o mato e não volta.

alongador (ô). *Adj.* e *s. m.* Que ou aquele que alonga.

alongamento. *S. m.* **1.** Ato ou efeito de alongar(-se). **2.** Prolongamento, continuação. **3.** Afastamento, apartamento. **4.** Demora, tardança. **5.** Alongue.

alongar. [De *a-*[2] + *longo* + *-ar*[2]] *V. t. d.* **1.** Tornar longo, ou mais longo; estender, encompridar: *alongar o vestido; alongar um prazo.* **2.** Estender, estirar: *Alongou o braço para alcançar o livro.* **3.** Dirigir para longe; estender: *Alongou a vista para o navio que partia;* "Triste, o olhar por céus em fora / Uma druidisa alonga" (Olavo Bilac, *Poesias,* p. 235). *T. d.* e *i.* **4.** Pôr distante; afastar, apartar: *Não queria alongar de si o filho. P.* **5.** Tornar-se longo, ou mais longo; prolongar-se, estender-se: *A conversação alongou-se por duas horas;* "Não enxergara as claridades que se alongavam e encurtavam" (Graciliano Ramos, *Infância,* p. 56). **6.** Afastar-se, apartar-se: *Há meses que se alongou de sua terra.* **7.** Estender-se, estirar-se: *Uma enorme cobra alongava-se na estrada.* [Conjug.: v. *largar.*]

alonginquar. [De *a-*[2] + *longínquo* + *-ar*[2].] *V. t. d.* e *p.* Afastar(-se); distanciar(-se), apartar(-se): "ó praias do país que alongínqua, à medida que se apropínqua o turbulento país do carvão" (Adelino Magalhães, *Obras Completas,* I, p. 623) [Conjug.: v. *apropinquar.*]

alongue. [Dev. de *alongar.*] *S. m.* Papel que se cola a uma letra de câmbio à qual falta espaço para endossos, e que lhe serve de suplemento; alongamento.

alônimo. [De *al(o)-* + *-ônimo.*] *Adj.* **1.** Publicado sob o nome de outrem. ● *S. m.* **2.** Autor que usa nome diverso do seu. **3.** Aquele que se serve do nome de outrem. **4.** Obra publicada sob o nome de outrem. **5.** Pseudônimo; criptônimo. [Cf. *anônimo.*]

alonjar-se. [De *a-*[2] + *longe* + *-ar*[2] + *se*[1].] *V. p.* Afastar-se, alongar-se: "os olhos do meu rosto viam a consolação da graça de Maria Puríssima que se alonjava ..." (Simões Lopes Neto, *Contos Gauchescos e Lendas do Sul,* p. 305).

alopata. [De *al(o)-* + *-pata.*] *S. 2 g.* Pessoa que exerce a alopatia ou dela se utiliza. [Var. pros.: *alópata.*]

alópata. *S. 2 g.* Var. pros. de *alopata.*

alopatia. [De *al(o)-* + *-pat(a)-* + *-ia.*] *S. f.* Sistema terapêutico que consiste em tratar as doenças por meios contrários a elas, procurando conhecer suas causas e combatê-las. [Termo introduzido por Hannemann (v. *homeopatia)* em cerca de 1850, com referência a qualquer outro método de cura que não o homeopático, e que, posteriormente, passou a abranger quaisquer outras práticas da medicina exercidas por médicos graduados em escolas não homeopáticas. Cf. *homeopatia* e *isopatia.*]

alopático. *Adj.* Relativo ou pertencente à alopatia. [Cf. *homeopático* (1).]

alopatria. *S. f. Biol.* Impossibilidade de ocorrência simultânea, numa mesma área geográfica, de certas espécies ou populações, por umas excluírem as outras.

alopátrico. *Adj.* Relativo à alopatria. ~ V. *espécie —a.*

alopecia. [Do gr. *alopekía,* pelo lat. *alopecia.*] *S. f. Med.* Ausência, congênita ou não, dos cabelos ou dos pêlos do corpo; falacrose, peladura.

alopécico. *Adj.* **1.** Relativo à alopecia, ou que a tem. ● *S. m.* **2.** Aquele que tem alopecia.

alópia. *S. f.* Concha fina e mais ou menos rugosa.

alopoliplóide. *Adj. 2 g. Biol.* Diz-se da planta poliplóide que se formou pela fusão de duas células, com guarnições cromossômicas distintas. [Opõe-se a *autopoliplóide.*]

alopração. *S. f. Bras. Gír.* Qualidade, estado ou modos de aloprado.

aloprado. *Adj. Bras. Gír.* **1.** Muito inquieto, muito agitado. **2.** V. *amalucado.*

aloprar. *V. int. Bras. Gír.* **1.** Tornar-se inquieto, agitado, aloprado. **2.** V. *amalucar* (2).

alóptero. [De *al(o)-* + *-ptero.*] *Adj. Zool.* Diz-se dos peixes cujas nadadeiras não têm posição fixa.

aloquete (ê). [De *a-*[4] + *loquete.*] *S. m.* Var. de *loquete.*

alor (ô). [Do fr. *allure.*] *S. m.* **1.** Estímulo, incitamento.

2. Ímpeto, impulso: "Mas também nos é impossível calar impulsos profundos do nosso alor vital" (Fidelino de Figueiredo, *Música e Pensamento*, p. 130). **3.** Movimento, marcha: "eram vultos afilados, de alvas e longas túnicas, movendo-se em meneios espectrais, por vezes, em alor sereno, como se subissem em ascensão de fumo" (Coelho Neto, *Rei Negro*, pp. 266-267).

alosna. *S. f.* V. *losna.*

alósporo. *S. m. Citol.* Esporo que dá origem ao gametófito.

alossomo. *S. m. Citol.* Cromossomo que difere de um para o outro sexo, em tamanho, forma, número ou comportamento.

alotador (ô). [De *alotar* (2) + *-dor.*] *S. m. Bras.* Cavalo garanhão ao qual compete padrear um lote de éguas.

alotar. [De *a-*[2] + *lote* + *-ar*[2].] *V. t. d.* **1.** Pôr em lotes: "Ocasiões havia de grande movimento: quando aqueles mesmos homens da capatazia vinham a alotar fardos de algodão no grande armazém" (Moreira Campos, *Portas Fechadas*, p. 245). **2.** *Bras.* Velar para que não se tresmalhem (as éguas que formam um lote, a cargo de um garanhão). **3.** *Bras.* Juntar e acostumar (reses em manada).

alotígeno. [Do gr. *állothi*, 'noutro lugar', + *-geno.*] *Adj.* Detrítico.

alotípico. *Adj.* Diz-se da mitose redutora em que a divisão celular se processa com redução do número de cromossomos; meiótico. [Opõe-se a *típico* e *somático.*]

alótipo. [De *al(o)-* + *-tipo.*] *S. m. Biol. Ger.* Indivíduo de sexo oposto ao que originalmente serviu para descrever a espécie, e que serve para suplementar essa descrição.

▲**alotri(o)-.** [Do gr. *allótrios, a, on.*] *El. comp.* = 'estranho', 'anormal': *alotriosmia, alotriomórfico.*

alotriógnato. *S. m.* Espécime dos alotriógnatos.

alotriógnatos. *S. m. pl. Zool.* Animais, classe dos peixes, neopterígios, da ordem *Allotriognathi*, marinhos, e em sua maioria oceânicos, de olhos grandes, dentes ausentes ou muito fracos, raios das nadadeiras às vezes espinhosos. No grupo se inclui o peixe-fita.

alotriomórfico. [De *alotri(o)-* + *-morf(o)-* + *-ico*[2].] *Adj.* Xenomórfico.

alotriosmia. [De *alotri(o)-* + *-osm(o)-*[1] + *-ia.*] *S. f. Patol.* Condição em que os odores são interpretados de modo incorreto.

alotriósmico. *Adj.* Relativo à alotriosmia.

alotropia. [De *alótropo* + *-ia.*] *S. f. Fís.-Quím.* Fenômeno que consiste em poder um elemento químico cristalizar em mais de um sistema cristalino e ter, por isso, diferentes propriedades físicas.

alotrópico. *Adj.* Referente à, ou em que há alotropia.

alótropo. [Do gr. *allótropos.*] *Adj.* **1.** *Bot.* Diz-se das flores que apresentam o pólen e o néctar a descoberto, i. e., ao alcance de qualquer inseto. **2.** Diz-se dos insetos visitantes de flores cujo corpo não demonstra conformação especial em consonância com a morfologia floral, porque também se alimentam alhures. ● *S. m.* **3.** *Fís.-Quím.* Qualquer das formas alotrópicas dum elemento. **4.** *Gram.* Cada um dos vocábulos que têm a mesma origem que outro da mesma língua: *delicado* e *delgado; mancha, malha* e *mágoa.*

aloucado. [De *a-*[2] + *louco* + *ado*[1].] *Adj.* **1.** Que tende para a loucura; adoidado, amalucado: "Ria-se, ria-se, aloucada e linda." (Alberto de Oliveira, *Poesias*, 4ª série, p. 155). **2.** Insensato, temerário, doidivanas.

aloucamento. *S. m.* Ato ou efeito de aloucar(-se).

aloucar. [De *a-*[2] + *louco* + *-ar*[2].] *V. t. d.* **1.** V. *enlouquecer. P.* **2.** V. *enlouquecer.* **3.** Amalucar(-se). [Conjug.: v. *trancar.* Cf. *alocar.*]

alourado. [De *a-*[2] + *louro*[3] + *-ado*[1].] *Adj.* Tirante a louro[3] (1): "surpreendeu-a Teresinha, a rapariga branca e alourada" (Domingos Olímpio, *Luzia-Homem*, p. 17); "os cabelos alourados das axilas que roçavam sua pele provocavam arrepios súbitos" (José Condé, *Como uma Tarde em Dezembro*, p. 209). [F. paral.: *aloirado.*]

alourar. [De *a-*[2] + *louro*[3] + *-ar*[2].] *V. t. d.* **1.** Tornar louro, ou aproximadamente louro; enlourecer: *alourar os cabelos. Int.* **2.** Dourar-se ao fogo (o assado): *O peru já está alourando.* **3.** Mostrar-se na sua cor ou tonalidade loura: "Os roçados de milho alouravam ao sol." (Gustavo Barroso, *Terra de Sol*, p. 186.) *P.* **4.** Tornar-se louro. [F. paral.: *aloirar;* sin. ger.: *enlourar.*]

alousar. [De *a-*[2] + *lousa* + *-ar*[2].] *V. t. d.* Cobrir com lousa. [Var.: *aloisar.*]

alpaca[1]. [Do quíchua *paco*, 'vermelho'; o *al-* é analógico.] *S. f.* **1.** Mamífero artiodáctilo, da família dos camelídeos (*Lama pacos* (L.)), menor que a lhama, de pescoço muito longo, cabeça pequena, orelhas curtas não encurvadas para dentro. A pelagem do corpo é lanosa, longa, de coloração muito variável, mais comumente chocolate-escura, quase negra uniforme. É freqüente no Peru e na Bolívia, em domesticidade. A forma selvagem já se acha extinta. [Sin.: *lhama*[2].] **2.** A lã desse animal. **3.** Tecido leve feito dessa lã.

alpaca[2]. *S. f.* Liga metálica de cobre, zinco, níquel e prata; metal branco.

alparca. [Do ár. norte-africano *al-balgâ.*] *S. f.* V. *alpercata:* "Nas alparcas dos pés, enfim de tudo, / Cobrem ouro e aljôfar ao veludo." (Luís de Camões, *Os Lusíadas*, II, p. 95.)

alparcata. [Do ár. *al-balgat.*] *S. f.* V. *alpercata:* "Objetos de couro, desde os magníficos chapéus de custosa fabricação até os arreios de animais, as alparcatas, estas últimas pioneiras da indústria de calçados populares" (Sousa Barros, *Cercas Sertanejas*, p. 24).

alparcateiro. *S. m.* V. *alpercateiro.*

alpargata. *S. f.* V. *alpercata:* "borzeguins de briche castanho e alpargatas de corda nos pés" (Oliveira Martins, *Cartas Peninsulares*, p. 142).

alpargataria. *S. f.* Oficina ou loja de alpargatas.

alpargateiro. *S. m.* V. *alpercateiro.*

alparqueiro. *S. m.* V. *alpercateiro.*

alpece. *S. m.* V. *alperche.*

alpedo (ê). *Adv. Bras., RS.* À toa; em vão; debalde, embalde.

alpendrada. [De *alpendre* + *-ada.*] *S. f.* Grande alpendre, apoiado em esteios ou colunas, aberto aos quatro ventos ou protegido por alguma parede, destinado, em geral, a abrigar colheitas, máquinas, implementos agrícolas, animais, etc.; alpendrado: "O sertanejo modorrava na tipóia à sombra da alpendrada." (Gustavo Barroso, *Terra de Sol*, p. 186.)

alpendrado[1]. [De *alpendre* + *-ado*[1].] *Adj.* Que tem forma de alpendre.

alpendrado[2]. [Part. de *alpendrar.*] *Adj.* Que tem alpendre; coberto com alpendre.

alpendrado[3]. *S. m.* Alpendrada.

alpendrar. *V. t. d.* Cobrir com alpendre.

alpendre. *S. m.* **1.** Cobertura saliente, de uma só água, de ordinário à entrada de um prédio, apoiada, de um lado, na parede deste, e de outro, em esteios, pilares ou colunas; telheiro. **2.** Pátio coberto. **3.** *Bras.* V. *varanda* (6).

alpense. [Do lat. *alpense.*] *Adj. 2 g.* V. *alpino* (1).

alpercata. [Var. de *alparcata.*] *S. f.* Sandália que se prende ao pé por tiras de couro ou de pano: "adiantou-se arrastando as alpercatas" (Coelho Neto, *Banzo*, p. 45). [F. paral., var. e sin.: *alparca, alparcata, alpargata, apragata, paragata, pracata, pargata, pragata* e (bras.) *loré.*]

alpercateiro. *S. m.* Fabricante e/ou vendedor de alpercatas; alparcateiro, alpargateiro, alparqueiro.

alperce. *S. m.* V. *alperche.*

alperceiro. *S. m.* Alpercheiro.

alperche. *S. m.* Damasco (1) grande, cujo cheiro lembra o do pêssego. [F. paral.: *alperce;* var.: *alpece.*]

alpercheiro. *S. m.* Árvore que produz o alperche. [F. paral.: *alperceiro.*]

alpestre. [Do it. *alpestre.*] *Adj. 2 g.* **1.** V. *alpino* (1). **2.** Semelhante aos Alpes; alpino: "Do cimo da montanha alcança-se um horizonte vastíssimo, ... e, ao longo dela, um panorama alpestre, nada semelhante aos quadros tropicais, desdobra-se a nossos olhos." (Ciro dos Anjos, *Abdias*, p. 49.) **3.** Pedregoso, fragoso, alcantilado, alpino. **4.** Das montanhas; montês, alpino: *aroma alpestre.* **5.** Rude, grosseiro, rústico, montês. **6.** Diz-se das plantas e dos animais que vivem em qualquer montanha de cerca de 1.000 m de altitude. [Cf., nesta acepç., *alpino* (3).]

álpico. [Do lat. *alpicu.*] *Adj.* V. *alpino* (1).

alpícola. [Do top. *Alpe(s)* + *i* de ligação + *-cola.*] *Adj. 2 g.* e *s. 2 g.* Que, ou quem vive nos Alpes.

alpinismo. [Do fr. *alpinisme.*] *S. m.* Montanhismo.

alpinista. [Do fr. *alpiniste* ou do it. *alpinista.*] *Adj. 2 g.* e *s. 2 g.* Montanhista.

alpino. [Do lat. *alpinu.*] *Adj.* **1.** Pertencente ou relativo aos Alpes, sistema montanhoso da Europa ocidental e meridional; alpestre, álpico, alpense: *os cumes alpinos; um chalé alpino.* **2.** V. *alpestre* (2 a 4). **3.** Diz-se da planta ou do animal que nasce ou cresce nas altas montanhas, a mais de 1.000 m de altitude. [Cf., nesta acepç., *alpestre* (6).] **4.** Diz-se do soldado ou da unidade militar especializada na luta ou guerra nos Alpes ou nas altas montanhas: *caçador alpino; tropas alpinas.* ● *S. m.* **5.** O natural ou habitante dos Alpes. **6.** Soldado ou corpo militar alpino.

alpinopolense. *Adj. 2 g.* **1.** De, ou pertencente ou relativo a Alpinópolis (MG). ● *S. 2 g.* **2.** Natural ou habitante de Alpinópolis.

alpista. *S. f.* **1.** Planta da família das gramíneas (*Phalaris canariensis*). **2.** Grãos dessa planta que se dão aos pássaros engaiolados ou domésticos. [Sin., nessas acepç., *milho-alpista, milho-alpiste.*] **3.** *Bras. Gír.* V. *Cachaça* (1). [F. paral.: *alpiste.*]

alpiste. *S. m.* Alpista [q. v.]: "A minha vida passou a girar em torno do canário. Comprava-lhe alpiste e minha Tia Naninha me deu uma gaiola" (José Lins do Rego, *Meus Verdes Anos*, p. 343).

alpondras. *S. f. pl.* Pedras que atravessam um rio ou um ribeiro de uma para outra margem; passadeira: "Quando chegamos ao sítio em que o Mondego engrossa com a água que desce do rio velho, ainda espumante e batida das alpondras dum açude, fomos obrigados a parar, para ceder passagem a um barco que vinha rápido trazido na corrente." (Alberto Braga, *Novos Contos*, p. 170.)

alporama. [Do fr. *alporama.*] *S. m.* Vista ou panorama dos Alpes em quadro.

alporca. [De *porca* (1).] *S. f.* **1.** *Pop.* Escrófula (2). **2.** *Agric.* Var. de *alporque* [q. v.].

alporcar. *V. t. d. Agric.* Fazer alporque em: "Afora um bocado de breviário, não lê senão um repertório para estar ao fato das luas e saber quando convém alporcar as pereiras e semear os pepinos." (Ramalho Ortigão, *As Farpas*, II, p. 86.) [Conjug.: v. *trancar.*]

alporque. *S. m. Agric.* Mergulhia. [Var.: *alporca.*]

alporquento. *Adj.* Que tem alporca (1); escrofuloso.

alquebrado. [Do esp. *aliquebrado*, 'de asas quebradas, partidas'.] *Adj.* **1.** Enfraquecido, fraco, abatido, prostrado. **2.** *Mar.* Que se alquebrou [v. *alquebrar* (4)]: *embarcação alquebrada.*

alquebramento. *S. m.* **1.** Ato ou efeito de alquebrar. **2.** Esgotamento de forças; abatimento, cansaço, fadiga. **3.** *Mar.* Curvatura que toma a quilha das embarcações sujeitas a esforços excessivos ou continuados, e na qual as extremidades ficam mais baixas que a parte central.

alquebrar. [De *alquebrado* (q. v.).] *V. t. d.* **1.** Curvar, dobrar: *O peso da pasta fazia-o alquebrar o ombro.* **2.** Prostrar, enfraquecer, derrear: *A longa enfermidade alquebrou-o. Int.* **3.** Curvar da espinha, por fraqueza, doença, etc.: *O viúvo inconsolável alquebrou em poucas semanas.* **4.** *Mar.* Adquirir (a embarcação) alquebramento.

alqueiramento. *S. m.* Ato de alqueirar.

alqueirão. [Aum. de *alqueire.*] *S. m.* Alqueire grande. [Sin., lus.: *rasão.*]

alqueirar. *V. t. d.* Medir aos alqueires.

alqueire. [Do ár. *al-kail.*] *S. m.* **1.** Antiga unidade de medida de capacidade para secos, equivalente a quatro quartas [v. *quarta*[1] (2)], ou seja, 36,27 litros: "passante já de duas horas de espera, surgiu o comerciante com escassa ração de milho no fundo de um alqueire" (João da Silva Correia, *Farândola*, p. 50). **2.** *Bras.* Unidade de medida de superfície agrária equivalente em MG, RJ e GO a 10.000 braças quadradas (4,84 hectares), e em SP a 5.000 braças quadradas (2,42 hectares): "Servir de espoleta a um sujeito mau como Seu Juca, de coração duro como pedra, ... dono de muitos alqueires de terra, esquecido de que, para o descanso daqueles ossos velhos, eram suficientes sete palmos dela, nada mais, nada menos!" (Nélson de Faria, *Tiziu e Outras Estórias*, p. 133.) **3.** Área de terreno cujo plantio comporta um alqueire (1) de semeadura. ◆ **Alqueire do Norte.** *Bras.* Medida de superfície, equivalente a 27.225 m². **Alqueire do Pará.** *Bras.* Medida de capacidade destinada a medir a farinha-d'água, e correspondente a dois paneiros, ou cerca de 30 quilos.

alqueivar. *V. t. d.* Lavrar (a terra) e deixá-la de pouso para que adquira força produtiva. [V. *alqueive.*]

alqueive. [Talvez dev. de *alqueivar.*] *S. m.* **1.** Ato de alqueivar. **2.** Terreno alqueivado: "E, através de vastíssimas campinas, / Pelos terrenos sáfaros, enxutos, / Dos alqueives, das lavras e das leivas, / Enloireçam searas, rutilando!" (Martins Fontes, *Verão*, p. 59.) **3.** Estado da terra alqueivada.

alqueno. *S. m. Quím.* V. *alceno.*

alquequenje. [Do ár. *al-kākanj.*] *S. m.* Planta herbácea, medicinal, da família das solanáceas (*Physalis alkekengi* L.). [Var.: *alquequenque.*]

alquequenque. *S. m.* Var. de *alquequenje* [q. v.].

alquermes. [Do ár. *al-kermez.*] *S. m. 2 n.* **1.** Licor napolitano, cujo nome deriva do quermes vegetal, ao qual deve a coloração vermelha. **2.** Preparação farmacêutica muito traventa, hoje em desuso, e na qual entravam sementes de quermes.

alquifa. [Der. regress. de *alquifol.*] *S. f.* **1.** Mistura de galena e areia, usada em cerâmica, na preparação de

vidrados e vernizes. **2.** Pó de galena com que os orientais escurecem as pálpebras. [Var. de *alquifu.*]
alquifol. [Do hispano-árabe *al-kuhul.*] *S. m.* V. *alquifa.* [F. paral.: *alquifu.* Pl.: *alquifóis.*]
alquifu. [Do ár. *al-kuhul.*] *S. m.* V. *alquifa.*
alquila. *S. m. Quím.* Radical que se obtém retirando um hidrogênio de um hidrocarboneto alifático.
alquilação. *S. m. Quím.* Introdução de um alquila numa molécula orgânica.
alquilador (ô). *S. m.* Indivíduo que alquila.
alquilar. *V. t. d.* Alugar (especialmente cavalgadura).
alquilaria. *S. f.* **1.** Estabelecimento onde se alquila. **2.** Contrato de alquilar. **3.** Profissão de alquilador.
alquilé. [Do ár. *al-kirá.*] *S. m.* Aluguel (em especial de cavalgadura). [Var.: *alquiler.*]
alquiler. *S. m.* Var. de *alquilé* [q. v.].
alquime. [Der. regress. de *alquimia.*] *S. m.* V. *ouropel:* "as raparigas pobres, ... doidas por um anel de coralina ou a l q u i m e" (Brito Camacho, *Quadros Alentejanos,* p. 48).
alquimia. *S. f.* A química da Idade Média e da Renascença, que procurava, sobretudo, descobrir a pedra filosofal [q. v.] e o elixir da longa vida; espagíria.
alquimiar. *V. int.* Cultivar a alquimia.
alquímico. *Adj.* Relativo à alquimia.
alquimista *S. 2 g.* Cultor da alquimia.
alquino. *S. m. Quím.* Alcino.
alquitara. [Do ár. *al-qiTarâ.*] *S. f.* Espécie de alambique, sem serpentina.
alrotar. *V. int.* **1.** Fazer grande tumulto, vozerio. **2.** Pedir esmola com grande clamor: "Passageiros saltaram, os pobres correram à esmola a l r o t a n d o, gemendo, uma moeda caiu-lhe aos pés, atirada de longe" (Coelho Neto, *Banzo,* p. 31).
alrucabá. *S. f. Astr.* V. *estrela polar.*
alsaciano. *Adj.* **1.** Da, ou pertencente ou relativo à Alsácia (França). ● *S. m.* **2.** O natural ou habitante da Alsácia.
alstroeméria. *S. f.* Gênero de amarilidáceas sul-americanas, cultivadas graças às suas flores ornamentais.
alta[1]. [Fem. substantivado do adj. *alto*[2].] *S. f.* **1.** Subida de preços ou de cotação; aumento: *As ações voltaram à a l t a ?* **2.** Nota ou licença dada pelo médico ao doente internado, autorizando a sua saída do hospital. **3.** A parte mais elevada de uma cidade: *Mora na a l t a de Salvador.* **4.** *Ant.* Espécie de dança que se executava saltando com os pés levantados. **5.** *Teat.* O âmbito do palco, desde o centro até o fundo da cena. **6.** *Met.* V. *anticiclone.* [V. *baixa.*]
alta[2]. *S. f.* F. red. de *alta-roda:* "Não quero Vila do Conde / da praia da gente da a l t a : / quero-lhe as praias aonde / minha alma vai e se exalta." (Alberto de Serpa, *Almanaque de Lembranças Luso-Brasileiro,* p. 14); "As paraibanas são da a l t a, têm na alma a brancura dos algodoais e do leite correndo de cima da Borborema." (Mauro Mota, *O Pátio Vermelho,* p. 156).
alta-costura. *S. f.* Os grandes costureiros [v. *costureiro* (2)]: *As novas coleções da a l t a - c o s t u r a parisiense valorizam os contornos femininos.*
alta-fidelidade. *S. f.* **1.** *Eletrôn.* Conjunto de técnicas eletrônicas pelas quais se reproduz e amplifica sem distorção um impulso sonoro. **2.** *Bras.* Eletrola ou toca-discos cujo funcionamento se baseia nessa técnica: *Depois que adquiriu a a l t a - f i d e l i d a d e não pára de ouvir música.* [Pl.: *altas-fidelidades.*]
altaico. *Adj.* **1.** Pertencente ou relativo aos montes Altai (Ásia Central) ou aos povos que neles habitam. **2.** *Ling.* Pertencente ou relativo às línguas que constituem um dos subgrupos uralo-altaicos. ● *S. m.* **3.** *Ling.* O subgrupo altaico. V. *uralo-altaico* (3).
altamado. *Adj.* De todas as classes ou espécies; de vários tipos: *panos a l t a m a d o s .*
altamirense. *Adj. 2 g.* **1.** De, ou pertencente ou relativo a Altamira (PA). ● *S. 2 g.* **2.** Natural ou habitante de Altamira. [Sin. ger.: *xinguense* (u-en).]
altamisa. *S. f. Bras.* Planta da família das compostas (*Baccharis artemisioides*), empregada como forragem, apesar de dar ao leite das vacas sabor desagradável.
altanadice. *S. f.* Qualidade de altanado; altanaria, soberba.
altanado. [Part. de *altanar-se.*] *Adj.* **1.** Altaneiro, elevado, erguido: "Canta, filho do sol da zona ardente, / Destes cerros soberbos, a l t a n a d o s !" (Castro Alves, *Poesias Escolhidas,* p. 312.) **2.** Orgulhoso, soberbo, altivo; altaneiro. **3.** Leviano, estróina. **4.** Alvoroçado, alterado. ● *S. m.* **5.** Indivíduo altanado (2 e 3). **6.** Juiz do tribunal criminal.
altanaria. [Do esp. *altanería.*] *S. f.* **1.** Qualidade de altaneiro; soberba, altivez. **2.** Qualidade de caça que voa alto. **3.** Caça das aves que voam alto, como, em geral, as de rapina. [Cf. nesta acepç.: *volataria* (1).]
altanar-se. *V. p.* **1.** Erguer-se, elevar-se muito. **2.** Tornar-se ou mostrar-se soberbo, altivo, orgulhoso. **3.** Tornar-se leviano ou irrefletido. **4.** Alvoroçar-se, alvorotar-se.
altaneiro. [Do esp. *altanero.*] *Adj.* **1.** Que se eleva muito: *vôo a l t a n e i r o .* **2.** Que voa muito alto: *ave a l t a n e i r a .* **3.** Soberbo, altivo, sobranceiro, altanado: *temperamento a l t a n e i r o .* [Sin. ger.: *altanado.*]
altar. [Do lat. *altare.*] *S. m.* **1.** Mesa especial consagrada aos sacrifícios religiosos. **2.** Mesa, balcão ou bloco de pedra destinado à imolação de vítimas em holocausto ou a outros tipos de sacrifícios; ara. **3.** Mesa, geralmente triangular, em que tomam assento o venerável e outros dignitários da maçonaria. **4.** *Fig.* Culto, religião. **5.** *Fig.* O estado eclesiástico. **6.** *Fig.* Adoração, veneração. **7.** *Astr.* Constelação circumpolar austral, ao S. da Ave-do-Paraíso, a O. do Triângulo Austral e da Régua, ao N. do Escorpião e a L. da Coroa Austral, do Telescópio e do Pavão. [Apesar da sua extensão, é fácil localizá-la e identificá-la pela forma semelhante à de um pássaro.] **8.** Parede divisória, feita de tijolos refratários, que se levanta no fundo das fornalhas, na extremidade das grelhas, para encaminhar convenientemente a chama.
altaragem. [De *altar* + *-agem*[2].] *S. f.* Direitos sobre as oferendas de igreja.
altareiro. *S. m.* **1.** Aquele que era encarregado da limpeza e ornamentação dos altares. **2.** Aquele que tem pendor para o ministério eclesiástico. **3.** Beato, carola.
altarista. *S. m.* Cônego a quem compete, na basílica do Vaticano, cuidar do altar-mor e dos frontais.
altar-mor. *S. m.* O altar principal de uma igreja, na extremidade oposta à porta de entrada. [Pl.: *altares-mores.*]
alta-roda. *S. f.* A alta sociedade; a sociedade de escol. [Tb. se diz apenas *alta.* Pl.: *altas-rodas.*]
alta-tensão. *S. f. Radiotéc.* Tensão de alimentação da placa de uma válvula. [Pl.: *altas-tensões.*]
altazimutal. *Adj. 2 g.* **1.** Relativo ao altazimute. **2.** Relativo às coordenadas horizontais locais.
altazimute. *S. m. Astr.* Instrumento astronômico, cuja montagem lhe permite deslocar-se segundo as coordenadas horizontais, azimute e altura.
alteador (ô). *Adj.* e *s. m.* Que ou aquele que alteia.
alteamento. *S. m.* **1.** Ação ou efeito de altear(-se). **2.** *Arquit.* Aumento da altura de uma parede, de um andar, de uma coluna, etc.
altear. *V. t. d.* **1.** Tornar alto, ou mais alto. **2.** Tornar mais forte; elevar (o som): "É a mesa — disse ela, a l t e a n d o a voz — que o Senhor Inspetor prefere." (Domingos Monteiro, *Histórias das Horas Vagas,* p. 117.) **3.** Erguer, elevar: *A girafa a l t e a v a o pescoço até alcançar os brotos de folhas.* **4.** Tornar mais alto (16); elevar; aumentar: "O sujeito magro contou uma anedota, e tornou a tratar da casa, a l t e a n d o a proposta. — Trinta e oito contos, disse ele." (Machado de Assis, *Memórias Póstumas de Brás Cubas,* p. 241.) **5.** Tornar alto, sublime: "Torce [o poeta], aprimora, a l t e i a, lima / A frase" (Olavo Bilac, *Poesias,* p. 2). **6.** Fazer subir, erguer, promover: *Alguns feitos a l t e a r a m o seu nome ao cume da glória. Int.* **7.** Crescer, avultar: *Seu peito a l t e a v a e abaixava, nos estertores finais.* **8.** Aumentar de volume; inchar, crescer: *Esta massa deve a l t e a r bastante. P.* **9.** Tornar-se alto, ou mais alto. **10.** Estar ou mostrar-se alto, sobranceiro; elevar-se, erguer-se: "No meio das tabas de amenos verdores, / Cercadas de troncos — cobertos de flores, / A l t e i a m - s e os tetos d'altiva nação" (Gonçalves Dias, *Obras Poéticas,* II, p. 18.) **11.** Subir, elevar-se (a posto ou posição). [Conjug.: v. frear. Pres. ind.: *alteio, alteias, alteia,* etc. Cf. *altéia* e pl. *altéias.*]
altéia. [Do gr. *althaía,* pelo lat. *althaea.*] *S. f.* V. *malvavisco.* [Pl.: *altéias.* Cf. *alteia, alteias,* do v. *altear,* e o top. e mit. f. *Altéia.*]
altense. *Adj. 2 g.* **1.** De, ou pertencente ou relativo a São Sebastião do Alto (RJ). ● *S. 2 g.* **2.** Natural ou habitante de São Sebastião do Alto.
álter. [Do lat. *alter,* 'outro'.] *S. m.* Conceito de cada indivíduo segundo o qual os outros seres são distintos dele próprio. [Opõe-se a ego (1). Pl.: *álteres.* Cf. *alteres,* do v. *alterar,* e *halteres,* pl. de *haltere, halter.*]
alteração. *S. f.* **1.** Ato ou efeito de alterar(-se). **2.** Mudança, modificação. **3.** Falsificação, adulteração: *a l t e r a ç ã o das moedas.* **4.** Degeneração, decomposição: a a l t e r a ç ã o de um remédio. **5.** Inquietação, agitação, desassossego. **6.** Perturbação, desordem, subversão: *A injustiça cometida causou a l t e r a ç õ e s entre os detidos.* **7.** V. *rolo*[1] (16). **8.** *Tip.* Mudança feita pelo autor em texto já tipograficamente composto, e que pode consistir em acréscimo [q. v.], supressão [q. v.], ou simples modificação.
alterado. [Part. de *alterar.*] *Adj.* **1.** Modificado, mudado. **2.** Falsificado, adulterado. **3.** Perturbado moralmente. **4.** Inquieto, agitado, desassossegado. **5.** Nervoso, irritado. [Cf. *halterado.*]
alterador (ô). *Adj.* **1.** Que altera; alterante. ● *S. m.* **2.** Aquele ou aquilo que altera.
alterante. [Do lat. *alterante.*] *Adj. 2 g.* Alterador (1).
alterar. [Do lat. *alterare.*] *V. t. d.* **1.** Mudar, modificar, transformar: *A palavra trocada a l t e r a v a o sentido do texto.* **2.** Perturbar, desorganizar: *Sua chegada intempestiva a l t e r o u os festejos.* **3.** Falsificar, adulterar: *a l t e r a r a verdade.* **4.** Decompor, degenerar: *substâncias que a l t e r a m o vinho.* **5.** Agitar, alvorotar. **6.** Comover, perturbar, turvar, transtornar: *A perda do amigo muito o a l t e r o u .* **7.** Inquietar, desassossegar, sobressaltar: *O número de baixas a l t e r o u o general.* **8.** Irritar, enfurecer, encolerizar. **9.** *Ant.* Provocar sede em [Cf. (nesta acepç.) *desalterar* (2 e 3).] *P.* **10.** Variar, mudar, modificar-se: "Aparentemente nada s e a l t e r o u [no teatro Bolshoi]. A mesma platéia, os mesmos camarotes, os mesmos lustres." (Graciliano Ramos, *Viagem,* p. 39). **11.** Perder a serenidade; perturbar-se, turvar-se. **12.** Irritar-se; enfurecer-se, irar-se, encolerizar-se: *Estava calmo, mas ao ser insultado, a l t e r o u - s e deveras.* **13.** Corromper-se, estragar-se. **14.** Sublevar-se, amotinar-se. [Pres. subj.: *altere, alteres,* etc. Cf. *álter,* pl. *álteres,* e *haltere,* e pl. *halteres.*]
alterativo. *Adj.* Que tem o poder de alterar.
alterável. *Adj. 2 g.* Que pode alterar-se.
altercação. [Do lat. *altercatione.*] *S. f.* Ato ou efeito de altercar.
altercador (ô). [Do lat. *altercatore.*] *Adj.* e *s. m.* Que ou aquele que alterca.
altercar. [Do lat. *altercare.*] *V. int.* **1.** Discutir com ardor; provocar polêmicas: *Após a conferência, os defensores das teorias contrárias a l t e r c a r a m . T. i.* **2.** Disputar calorosamente; debater, argumentar: *Irritado, a l t e r c a v a com todos os presentes. T. d.* **3.** Defender em polêmica: *a l t e r c a r uma questão.* [Conjug.: v. *trancar.*]
➡**alter ego** (álter égo). [Lat., 'outro eu'.] Amigo íntimo, no qual se pode confiar tanto como em si mesmo.
alternação. [Do lat. *alternatione.*] *S. f.* Alternância (1).
alternado. [Part. de *alternar.*] *Adj.* Disposto com alternação; que vem um depois do outro sucessivamente: ~ V. *charada —a, corrente —a, proposição —a, rimas —as, seqüência —a, série —a.*
alternador (ô). *Adj.* **1.** Que alterna; alternante. ● *S. m.* **2.** O que alterna. **3.** *Eng. Elétr.* Aparelho elétrico, mecânico ou eletromecânico, que fornece corrente alternada.
alternância. [Do lat. *alternantia.*] *S. f.* **1.** Ação ou efeito de alternar; alternação. **2.** Repetição de dois motivos diferentes, sempre na mesma ordem. **3.** *Agric.* Cultura alternada. **4.** *Bot.* Disposição das folhas ou partes florais em que há uma em cada nó caulinar. **5.** *Geol.* Disposição das camadas de terreno estratificado. ♦ **Alternância de gerações.** *Biol.* Alternância de gerações assexuais e sexuais na reprodução de um organismo, como ocorre em certos seres inferiores; heterogênese.
alternante. [Do lat. *alternante.*] *Adj. 2 g.* Alternador (1). ~ V. *geração —.*
alternar. [Do lat. *alternare.*] *V. t. d.* **1.** Fazer suceder repetida e regularmente; revezar: *Homem de humor vário, a l t e r n a expansão e sisudez.* **2.** Colocar em posições recíprocas; dispor em ordem alternada. **3.** *Mat.* Trocar entre si (os meios ou extremos de uma proposição). *T. d. e i.* **4.** Substituir regularmente; revezar: "o jesuíta folgava de a l t e r n a r a conversação com o exame de livros raros." (Camilo Castelo Branco, *O Santo da Montanha,* p. 245). *T. i.* **5.** Surgir, aparecer (ora uma, ora outra coisa). *Int.* **6.** Suceder, vir (uma coisa ou pessoa após outra). *P.* **7.** Suceder alternadamente: "Numa promíscua reunião, casas comerciais s e a l t e r n a m com pequenos sobrados residenciais." (Arnoldo Jambo, *Diário de Pernambuco,* p. 94.) **8.** Mudar-se alternadamente.
alternativa. [Fem. substantivado do adj. *alternativo.*] *S. f.* **1.** Sucessão de duas coisas reciprocamente exclusivas. **2.** Opção entre duas coisas. **3.** *Lóg.* Sistema de duas ou mais proposições das quais pelo menos uma é verdadeira, e que, portanto, não se excluem necessariamente; disjunção. **4.** *Lóg.* Sistema de proposições das quais só uma é verdadeira. **5.** *Lóg.* Cada uma das proposições que fazem parte de uma alternativa; proposição alternada.
alternativo. *adj.* **1.** Que se diz ou faz com alternação. **2.**

Que vem ora um, ora outro; alternado. **3.** Diz-se das coisas de que se pode escolher a que mais convenha. **4.** Que não está ligado aos interesses ou tendências políticas dominantes: *imprensa alternativa.* **5.** *Tec.* Diz-se de motor ou qualquer outro equipamento em que peças móveis efetuam movimento de vaivém. [Cf., nesta acepç., *rotativo* (4).] ~ V. *bomba —a, conjunção —a, espaço —, imprensa —a, máquina —a, movimento — e título —.*

▲alterni-. [Do lat. *alternus, -a, -um.*] *El. comp.* = 'alterno', 'alternado': *alternípede.*

alternifl̃óreo. [De *alterni- + -flor(i)- + -eo.*] *Adj. Bot.* Que tem flores alternas ou esparsas; alternifloro.

alternifloro. [De *alterni- + -floro.*] *Adj. Bot.* Alternifl̃óreo.

alternifoliado. *Adj. Bot.* Alternifólio.

alternifólio. [De *alterni- + -fólio.*] *Adj. Bot.* Provido de folhas alternas; alternifoliado.

alternípede. [De *alterni- + -pede.*] *Adj. 2 g. Zool.* Que tem as patas alternativamente de duas cores diversas.

alternipenado. *Adj. Bot.* ~ V. *folha —a.*

alternípene. *Adj. 2 g. Bot.* ~ V. *folha —.*

alternipétalo. [De *alterni-* + gr. *pétalon,* 'folha' (pétala).] *Adj. Bot.* Que leva as peças florais em alternância com as pétalas: *estame alternipétalo.*

alternissépalo. *Adj. Bot.* Diz-se das peças florais quando estão em alternância com as sépalas.

alterno. [Do lat. *alternu.*] *Adj.* **1.** Revezado, alternado. **2.** *Bot.* Diz-se dos órgãos e partes de uma planta colocados um depois do outro. ~ V. *ângulos —s externos, ângulos —s internos e folha —a.*

alterosas. *S. f. pl.* us. na loc. as Alterosas. ♦ **As Alterosas.** O Estado de Minas Gerais.

alterosense. *Adj. 2 g.* **1.** De, ou pertencente ou relativo a Alterosa (MG). ● *S. 2 g.* **2.** Natural ou habitante de Alterosa.

alteroso (ô). [Do esp. *alteroso.*] *Adj.* **1.** De grande altura: *montanhas alterosas;* "Já vamos longe... Os morros benfazejos / Metem na bruma os cimos alterosos..." (Luís Guimarães, *Sonetos e Rimas,* p. 9.) **2.** Grandioso, majestoso, imponente. **3.** Altaneiro, altivo, soberbo. **4.** *Mar.* Diz-se de embarcação cujas obras-mortas emergem muito acima da linha-d'água; de alto-bordo: "manda o mui político Hiparco armar uma alterosa galé de cinqüenta remos, mastros dourados e velas de púrpura" (Antônio Feliciano de Castilho, *A Lírica de Anacreonte,* p. 15). **5.** *Mar.* Diz-se de mar que tem ondas altas.

alteza[1] (ê). [Do lat. tardio *altitia.*] *S. f.* **1.** Qualidade do que é alto. **2.** Elevação moral; grandeza, sublimidade, nobreza: "A alteza dos pensamentos anuncia a nobreza dos sentimentos." (Marquês de Maricá, *Máximas, Pensamentos e Reflexões,* p. 208.)

alteza[2] (ê). [Do it. *altezza.*] Tratamento dado outrora aos reis, e posteriormente apenas aos príncipes.

▲alti-. [Do lat. *altus, i.*] *El. comp.* = 'altura', 'alto': *altiloqüente, altimurado, altícola.*

altibaixo. [De *alti- + baixo.*] *Adj.* Que tem elevações e depressões: *solo altibaixo.* ~ V. *altibaixos.*

altibaixos. [Pl. substantivado de *altibaixo.*] *S. m. pl.* **1.** Desigualdades do terreno acidentado; desnivelamentos. **2.** *Fig.* Vicissitudes, reveses: *os altibaixos da vida.* **3.** *Fig.* Misto de virtudes e defeitos: *Tanto é capaz do bem como do mal — tem altibaixos.* [Sin. ger.: *altos e baixos.*] ~ V. *altibaixo.*

altícola. [De *alti- + -cola.*] *Adj.* Que vive em lugar elevado.

alticolúnio. [De *alti- + coluna + -io.*] *Adj.* Que tem colunas altas.

altícomo. [De *alti- + -como.*] *Adj.* Que tem coma[1] (4) alta.

alticornígero. [De *alti- + cornígero.*] *Adj. Zool.* Que tem cornos muito altos.

altígrafo. [De *alti- + -grafo.*] *S. m. Fís.* V. *barógrafo.*

altiloqüência. [De *alti-* + lat. *loquentia.*] *S. f.* Alta eloqüência; estilo elevado e grandioso.

altiloqüente. [De *alti-* + lat. *loquente,* part. pres. de *loqui,* 'falar'.] *Adj. 2 g.* Altíloquo.

altiloqüentíssimo. *Adj.* Superl. abs. sint. de *altíloquo.*

altíloquo (co). [De *alti- + -loquo.*] *Adj.* Que se exprime com altiloqüência; que fala com sublimidade; altiloqüente. [Superl. abs. sint.: *altiloqüentíssimo.*]

altimetria. [De *alti- + metr(o)-[2] + ia.*] *S. f.* **1.** Operação de medir as altitudes de pontos de um terreno. **2.** Representação dessas altitudes numa planta topográfica. [Sing. ger.: *hipsometria.*]

altímetro. [De *alti- + -metro.*] *S. m.* Instrumento com que se medem altitudes. [Cf. *hipsômetro.*]

altimurado. [De *alti- + murado.*] *Adj.* Que tem muros altos.

altinense. *Adj. 2 g.* **1.** De, ou pertencente ou relativo a Altinho (PE). ● *S. 2 g.* **2.** Natural ou habitante de Altinho.

altinopolense. *Adj. 2 g.* **1.** De, ou pertencente ou relativo a Altinópolis (SP). ● *S. 2 g.* **2.** Natural ou habitante de Altinópolis.

altiplano. [Do esp. amer. *altiplano.*] *S. m.* V. *planalto.*

altiplanura. [De *alti- + planura.*] *S. f.* V. *planalto.*

altipotente. [Do lat. *altipotente.*] *Adj. 2 g.* Que tem alto poder; poderosíssimo.

altirna. *S. f.* Vestidura sacerdotal da Ásia, especialmente da China: "afora outra muito grande cópia de daroeses...; os quais por insígnia do sacerdócio andam vestidos de roxo, com suas altirnas verdes sobraçadas, que são como entre nós as estolas" (Fernão Mendes Pinto, *Peregrinação,* III, p. 185).

altirrostro. [De *alti- + -rostro.*] *Adj. Zool.* Cujo bico é mais alto que comprido.

altíssimo. [Do lat. *altissimu.*] *Adj.* **1.** Superl. abs. sint. de alto[2]. ● *S. m.* **2.** Deus: "tudo que os homens fizerem contra ele [o amor ardente entre dois seres] é um....atentado contra os desígnios do Altíssimo." (Camilo Castelo Branco, *Carlota Ângela,* p. 58).

altissonante. [Do lat. *altisonante.*] *Adj. 2 g.* **1.** Que soa muito alto: "um grupo de fidalgos, a cavalo,....saía dos Paços de Apar São Martinho, descendo, a tropear, as estreitas ruas de Lisboa, até ao Terreiro da Sé, parando aí e pregoando em voz altissonante, este brado agoirento....: — Arraial, arraial, arraial pela Rainha D. Beatriz de Portugal, nossa Senhora." (Antero de Figueiredo, *Leonor Teles,* p. 255). **2.** Pomposo, aparatoso. [Sin. ger.: *altíssono.*]

altíssono. [Do lat. *altisonu.*] *Adj.* V. *altissonante:* "Aclamações altíssonas / Corram nos ares da imortal Caxias." (Gonçalves Dias, *Obras Poéticas,* II, p. 145).

altista[1]. [De *alto[1]* + *-ista.*] *S. 2 g. Mús.* **1.** No quarteto vocal, pessoa cuja voz tem as características da voz de contralto ou alto. **2.** No quarteto de cordas, pessoa que executa a parte de viola ou alto.

altista[2]. [De *alta[1]* (1) + *-ista.*] *S. 2 g.* **1.** Pessoa que joga na alta do câmbio, ou que eleva o preço das mercadorias. ● *Adj. 2 g.* **2.** Diz-se do especulador que assim procede. **3.** Relativo aos altistas. **4.** Próprio de, ou provocado por altista: *Cada dia sobem os preços: são manobras altistas.*

altitonante. [Do lat. *altitonante.*] *Adj. 2 g.* **1.** Que troveja nas alturas. **2.** Estrepitoso, estrondoso, retumbante.

altitude. [Do lat. *altitudine.*] *S. f.* Altura em relação ao nível do mar.

altitúdico. *Adj.* Relativo a altitude.

altívago. [Do lat. *altivagu.*] *Adj.* Que vaga no espaço, nas alturas.

altivar. *V. t. d. P. us.* Tornar altivo.

altivez (ê). *S. f.* **1.** Qualidade de altivo (2); nobreza, elevação, brio. **2.** Qualidade de altivo (3); arrogância, orgulho, amor-próprio. [Var. (p. us.): *altiveza.*]

altiveza (ê). *S. f. P. us.* V. *altivez.*

altivo. [De *alto* (em sent. fig.) + *-ivo.*] *Adj.* **1.** Elevado, alto. **2.** Nobre, elevado, brioso, digno, ilustre. **3.** Arrogante, orgulhoso, presunçoso.

altivolante. [Do lat. *altivolante.*] *Adj. 2 g.* Que voa alto; altívolo: "O altivolante abutre." (Alberto de Oliveira, *Poesias,* 3ª série, p. 21).

altívolo. [Do lat. *altivolu.*] *Adj.* Altivolante.

alto[1]. [Do it. *alto.*] *Mús. S. m.* **1.** V. *contralto.* **2.** V. *viola[1]* (2) **3.** O saxorne contralto. **4.** O segundo instrumento da moderna família dos saxofones. ● *Adj.* **5.** Diz-se de um instrumento de sopro em relação a outros análogos, para caracterizar-lhe o registro de contralto.

alto[2]. [Do lat. *altu.*] *Adj.* **1.** De grande extensão vertical; elevado: *prédio alto.* **2.** Levantado, erguido; ereto: *seios altos.* **3.** Elevado, grande, intenso: *fornos de alta temperatura.* **4.** Que soa forte: "Todos falavam em voz alta, de mesa para mesa" (Domingos Monteiro, *Histórias das Horas Vagas,* p. 117). **5.** Ilustre, superior, preclaro: *o alto imperador.* **6.** Excelente, insigne, nobre: *homem de altas qualidades de espírito.* **7.** Elevado, eminente, categorizado: *alto cargo.* **8.** Grande, importante, relevante: *os altos negócios do Estado.* **9.** De muita importância; grave, sério: *alta traição.* **10.** Difícil, superior, transcendente: *alta matemática.* **11.** Magnífico, elevado, sublime: "Deste Deus homem, alto, e infinito, / Os Livros que tu pedes, não trazia." (Luís de Camões, *Os Lusíadas,* I, 66); "Tinha um filho e Deus levou-o. Altos juízes seus!" (Rebelo da Silva, *Contos e Lendas,* p. 189); *oração em alto estilo.* **12.** De grande alcance; penetrante, agudo: *alta inteligência.* **13.** Altivo, soberbo, brioso. **14.** Que revela arrojo, destemor; arrojado: *altas façanhas.* **15.** Completo, total, absoluto: *Um grito lancinante cortou o alto silêncio da noite.* **16.** Que não é módico; elevado: *preço alto.* **17.** Muito fundo; profundo: "Ver as nuvens do mar com largo cano / Sorver as altas águas do Oceano." (Luís de Camões, *Os Lusíadas,* V, 18.) **18.** Afastado no tempo; remoto: *a alta Antiguidade.* **19.** Adiantado no seu curso: *alta noite.* **20.** Diz-se do mar que fica longe da costa. [Cf. (nesta acepç.) *alto-mar.*] **21.** Situado em nível ou altitude superior à de outro: *bairro alto.* **22.** Situado ao norte: *o alto Minho.* **23.** Distante, remoto, longínquo: *Nasceu no alto sertão.* **24.** Diz-se do trecho (e dos lugares circunvizinhos) de um rio mais próximo às suas nascentes: *Nunca esteve no alto Amazonas.* **25.** *Bras. Pop.* Um tanto embriagado; bêbedo: *estar, ficar, andar alto.* [Superl. abs. sint. (nem todos us. em todas as acepç.): *altíssimo, supérrimo, supremo e sumo.*] ~ V. *—a burguesia, —a comédia, — chapadão, esquerda —a, —a freqüência, —a indagação, —a noite, — explosivo, —as horas, caixa —a, câmara —a, centro —, cidade —a, direita —a, em — grau, estatura —a, mar —, maré —a, nuvem —a, ponto —, e turfeira —a e vogal —a.* ● *S. m.* **26.** Altura (1), considerada em elevação ou profundidade: *parede com 3 m de alto; poço com 4 m de alto.* **27.** O ponto mais alto de alguma coisa; topo, cimo: "desesperado por ter visto que um homem saía dos meus braços, foi provocar, no próprio antro da fera, uma onça medonha que habita o alto da serra do Sambê" (Lúcio de Mendonça, *Horas do Bom Tempo,* p. 289); *alto da cabeça.* **28.** Cômoro, outeiro, monte: *A casa foi construída num alto.* **29.** Os que mandam, os que dirigem; governo, direção: *As ordens vieram do alto.* **30.** *Fig.* O Céu. **31.** Saliência, protuberância: *Está com um alto na testa.* **32.** Trecho de rio distante da foz. ● *Adv.* **33.** A grande altura; em lugar elevado; nas alturas: *O condor voava alto.* **34.** Em som ou voz alta; sonoramente, fortemente: "Capitu ria alto, falava alto, como se me avisasse" (Machado de Assis, *Dom Casmurro,* pp. 220-221). ~ V. *altos.* ♦ **Chutar para o alto.** Deixar de interessar-se por; pôr de lado; desprezar. **Por alto.** Sem esmiuçar, sem se deter em minúcias: "Digo essas cousas por alto, segundo as ouvi narrar anos depois; ignoro a mor parte dos pormenores daquele famoso dia." (Machado de Assis, *Memórias Póstumas de Brás Cubas,* p. 31.)

alto[3]. [Do al. *halt,* imperat. de *halten,* 'parar'.] *Interj.* **1.** Pare; suspenda. **2.** *Mil.* Voz de comando para que os soldados suspendam a marcha, cessem fogo, etc. ● *S. m.* **3.** Ato de parar, de suspender marcha: *fazer alto.*

▲alt(o)-. *El. comp.* = 'alto': *altoplano, alto-falante.*

alto-alemão. *S. m. Ling.* V. *alemão* (3). [Pl.: *alto-alemães.*]

alto-astral. *Adj. 2 g.* e *S. 2 g.* **1.** Diz-se de, ou indivíduo que está ou vive bem-humorado, feliz, como que sob boa influência astral. ● *S. m.* **2.** Situação ou circunstância favorável, atribuída a suposta influência positiva dos astros. [Pl.: *alto-astrais* e *altos-astrais.* Antôn.: *baixo-astral.*]

alto-contraste. *S. m. Fotog.* Reprodução onde se acentua fortemente a diferença entre os elementos claros e escuros, eliminando-se, muitas vezes e por completo, os meios-tons. [Pl.: *altos-contrastes.*]

alto-cúmulo. *S. m. Met.* Nuvem constituída de elementos que fazem lembrar seixos arredondados, dispostos em camadas ou fiadas, maiores e mais escuros que os do cirro-cúmulo e menores que os do estrato-cúmulo, e situada a uma altitude média (2.500 a 6.000 m). [Pl.: *altos-cúmulos.*]

alto-e-malo. [De *alto[2]* + *malo[2].*] *Adv.* **1.** Ao acaso; a esmo. **2.** Sem escolha; indistintamente. [Var.: *alto-e-mau.*]

alto-e-mau. *Adv.* Var. de *alto-e-malo* (q. v.).

alto-estrato. *S. m. Met.* Nuvem que apresenta o aspecto de um lençol acinzentado, mais claro que o nimbo-estrato e mais escuro que o cirro-estrato, e situada a uma altitude média (2.500 a 6.000 m). [Pl.: *altos-estratos.*]

alto-falante. [De *alto[2]* (34) + *falante.*] *S. m.* **1.** *Eletrôn.* Transdutor eletracústico que transforma um sinal de audiofreqüência numa onda acústica. **2.** Ampliador do som nos aparelhos de rádio. [Pl.: *alto-falantes.*] ♦ **Alto-falante a bobina móvel.** *Eletrôn.* Alto-falante dinâmico. **Alto-falante dinâmico.** *Eletrôn.* Aquele em que uma bobina, ligada mecanicamente a um diafragma flexível, se move pela ação de forças magnéticas; alto-falante a bobina móvel. **Alto-falante eletrostático.** *Eletrôn.* Alto-falante em que a membrana elástica é acionada por forças eletrostáticas.

alto-forno. [De *alto[2]* + *forno.*] *S. m.* Construção de dimensões variadas, revestida externamente de chapas metálicas e internamente de tijolos refratários, destinada a fundir e a reduzir o minério de ferro transformando-o em ferro-gusa. [Pl.: *altos-fornos.*]

alto-fundo. *S. m.* Parte do fundo do mar elevada sobre o seu nível geral, mas que não constitui perigo para a navegação. [Tb. se diz apenas *fundo.* Pl.: *altos-fundos.*]

alto-garcense. *Adj. 2 g.* **1.** De, ou pertencente ou relativo ao Alto Garças (MT). ● *S. 2 g.* **2.** Natural ou habitante de Alto Garças. [Pl.: *alto-garcenses.*]

alto-horário. [De *alto*³ (2) + *horário.*] *S. m. Mil.* Alto³ (3) regulamentar de 10 min., para descanso de tropa que marcha a pé, após cada 50 min. de marcha. [Pl.: *altos-horários.*]

alto-mar. *S. m.* **1.** *Mar.* Qualquer ponto do mar afastado da costa e donde não se avista a terra. [Sin.: *mar alto, mar largo, largo, pleno mar* e (bras., pop.) *marzão.*] **2.** *Dir. Intern.* Porção do mar que fica fora dos limites das águas territoriais de qualquer Estado, sendo por isso inteiramente livre à navegação; mar alto, mar livre, mar pleno. [Pl.: *altos-mares.*]

alto-paranaense. *Adj. 2 g.* **1.** De, ou pertencente ou relativo a Alto Paraná (PR). ● *S. 2 g.* **2.** Natural ou habitante de Alto Paraná. [Pl.: *alto-paranaenses.*]

alto-parnaibano. *Adj.* **1.** Do, ou pertencente ou relativo ao Alto Parnaíba (MA). ● *S. m.* **2.** O natural ou habitante do Alto Parnaíba. [Pl.: *alto-parnaibanos.*]

altoplano. *S. m.* V. *planalto.*

altor (ô). [Do lat. *altore.*] *Adj. e s. m.* Que ou o que nutre ou sustenta. [Fem.: *altriz.*]

alto-relevo. *S. m.* **1.** Escultura feita sobre plano de fundo, mas que dele sobressai em relevo ou saliência. **2.** Impressão ou gravura em que certas partes sobressaem do fundo. [Pl.: *altos-relevos.* Cf.: *baixo-relevo.*]

alto-rio-docense. *Adj. 2 g.* **1.** Do ou pertencente ou relativo ao Alto Rio Doce (MG). ● *S. 2 g.* **2.** Natural ou habitante do Alto Rio Doce. [Pl.: *alto-rio-docenses.*]

altos. [Pl. de *alto*¹] *S. m. pl. Bras., N.E.* Saliências do relevo, correspondente ao afloramento de pegmatitos. ~ V. *alto.* ♦ **Altos e baixos.** V. *altibaixos.*

alto-serrano. *adj.* **1.** De, ou pertencente ou relativo a Alto da Serra (RJ). ● *S. m.* **2.** O natural ou habitante de Alto da Serra. [Pl.: *alto-serranos.*]

alto-vácuo. *S. m. Fís.* Faixa de pressões inferiores a um centésimo de milímetro de mercúrio. [Pl.: *altos-vácuos.*]

altriz. [Do lat. *altrice.*] *Adj. (f.)* **1.** Fem. de *altor.* ● *S. f.* **2.** A que nutre ou sustenta. **3.** A parte nutritiva duma substância.

altruísmo. [Do fr. *altruisme.*] *S. m.* **1.** Amor ao próximo; filantropia. **2.** Desprendimento, abnegação: "Em terras pequenas raro faz lei social a aceitação de responsabilidade por *altruísmo* puro e sem lucro." (Fialho d'Almeida, *Vida Errante,* p. 92.) **3.** *Ét.* Doutrina que considera como fim da conduta humana o interesse do próximo, e que se resume nos imperativos: "Viva para outrem"; "Ama o próximo mais do que a ti mesmo". [Cf. *egoísmo* (4). Antôn. nas acepç. 1 e 2: *egoísmo* (1 e 2).]

altruísta. [Do fr. *altruiste.*] *Adj. 2 g.* **1.** Altruístico (1). **2.** Que pratica o altruísmo. ● *S. 2 g.* **3.** Pessoa altruísta (1). [Antôn.: *egoísta* (1 a 4).]

altruístico. *Adj.* **1.** Relativo a altruísmo; altruísta. **2.** Que envolve ou revela altruísmo: *Seu procedimento altruístico deixou-nos surpresos.* **3.** Próprio de altruísta. [Antôn.: *egoístico.*]

altuense. *Adj. 2 g.* **1.** De, ou pertencente ou relativo a Altos (PI). ● *S. 2 g.* **2.** Natural ou habitante de Altos.

altura. *S. f.* **1.** Dimensão vertical de um corpo, da base para cima: *a altura de um prédio.* **2.** Posição de um corpo acima de um plano ou ponto de referência: *a altura das nuvens.* [Cf. *altitude.*] **3.** Estatura (1). **4.** Elevação, eminência. **5.** Cume, cimo, topo. **6.** Alto (26). **7.** Momento, instante: *A certa altura do discurso, a emoção embargou-lhe a voz.* **8.** Ponto, lugar: *Em que altura de Copacabana mora ele?* **9.** Grau de adiantamento: *Em que altura anda o livro que estás escrevendo?* **10.** Importância, valia, categoria: *empreendimento de grande altura.* **11.** *Astr.* Distância angular entre o horizonte e um ponto da esfera celeste, contada segundo o círculo vertical que passa por esse ponto. **12.** *Fís.* Propriedade de uma onda ou vibração sonora, caracterizada pela freqüência da vibração. **13.** *Geom.* Num cilindro, distância entre as bases. **14.** *Geom.* Num cone, distância entre o vértice e o plano da base. **15.** *Geom.* Num paralelogramo, distância que separa dois lados opostos. **16.** *Geom.* Numa pirâmide, distância entre o vértice e a base. **17.** *Geom.* Num prisma, distância entre os planos paralelos que determinam as bases. **18.** *Geom.* Num retângulo, comprimento do lado que está em posição vertical. **19.** *Geom.* Num trapézio, distância que separa os dois lados paralelos. **20.** *Geom.* Num triângulo, distância entre um vértice e o lado oposto. **21.** *Geom.* Num tronco de cone, distância entre as bases. ~ V. *alturas.* ♦ **Altura americana.** *Tip.* Altura inglesa. **Altura barométrica.** *Fís.* Altura de uma coluna de mercúrio cuja pressão é equilibrada pela pressão atmosférica, e que constitui, por isso, medida dessa pressão. **Altura da maré.** *Ocean.* **1.** Altura do nível da água acima do zero hidrográfico, em determinado instante. **2.** Elevação ou abaixamento do nível da água em relação ao nível médio da maré, em determinado instante. **Altura da onda.** *Ocean. Fís.* Distância vertical entre a crista e o cavado da onda. **Altura de arrebentamento.** *Mil.* Distância, acima do solo, em que explode um projetil, bomba, ou engenho nuclear com espoleta de tempo. **Altura de um triângulo.** *Mat.* Segmento da perpendicular baixada de um vértice sobre o lado oposto. **Altura de uma pirâmide.** *Mat.* Segmento da perpendicular baixada do vértice sobre a base. **Altura do nariz.** Distância compreendida entre a glabela e a raiz do lábio superior. **Altura do papel.** *Tip.* Distância entre a base do tipo e a superfície do olho, correspondente à que vai do cofre da prensa ao papel; tipo-altura. [Cf. *altura francesa* e *altura inglesa.*] **Altura do pólo.** *Náut.* Ângulo que o eixo da Terra faz com o plano do horizonte do observador: *A altura do pólo é igual à latitude do observador.* **Altura francesa.** *Tip.* Altura do papel do sistema Didot, igual a 23,566 mm, em vigor na América Latina e em grande parte da Europa. [Cf. *altura do papel* e *altura inglesa.*] **Altura inglesa.** *Tip.* No sistema anglo-norte-americano, altura do papel, igual a 23,317 mm, e vigorante nos E.U.A. e na Inglaterra; altura americana. [Cf. *altura do papel* e *altura francesa.*] **Altura negativa.** *Astr.* Depressão (6). **Altura padrão.** *Fís.* Padrão de freqüência adotado em acústica, e igual a 440 Hz. **Altura piezométrica.** *Geol.* Distância compreendida entre a superfície do terreno e a superfície do lençol de água subterrâneo. **A altura.** O céu, os céus; Deus; o Altíssimo: "baixava a cabeça como para receber, contrito, as mercês da altura" (Coelho Neto, *Sertão,* p. 284). **À altura. 1.** V. *à altura da situação:* "O Chico portou-se à altura, como um homem." (Garibaldino Andrade, *Vila Branca,* p. 195.) **2.** Exatamente como deve ou devia fazer, sem frouxidão, com precisão e desassombro: *Insultado, revidou à altura.* **À altura da situação.** Como a situação ou as circunstâncias exigem, de acordo; conforme; à altura: *Portou-se à altura da situação; É um homem à altura da situação.* **À altura de.** Em condições para bom exercício ou desempenho de: *estar à altura do cargo; Acha-se à altura do mandato.* **Nesta altura da situação.** A esta altura (7); neste ponto; agora, presentemente; nesta altura dos acontecimentos. **Nesta altura dos acontecimentos.** V. *nesta altura da situação.* **Pôr nas alturas. 1.** Elevar, exaltar, endeusando; mitificar. **2.** Atribuir qualidades ideais a; idealizar. **Responder à altura.** Responder nos mesmos termos em que foi interpelado, de forma categórica.

alturas. [Pl. de *altura.*] *S. f. pl.* O céu, o firmamento: *Glória a Deus nas alturas.* ~ V. *altura.*

aluá. [Do quimb. *ualuá.*] *S. m.* Bebida refrigerante, feita no N. com farinha de arroz ou milho torrado fermentada com açúcar em potes de barro, e na BA e MG com cascas de abacaxi, pelo mesmo processo: "queixou-se do calor, e mandou vir um copo de aluá." (Machado de Assis, *Memórias Póstumas de Brás Cubas,* p. 58). [Var. us. na BA: *aruá.* Cf. *abacaxibirra.*]

aluado. [Part. de *aluar.*] *Adj.* **1.** Influenciado pela Lua; lunático; amalucado. **2.** Diz-se do animal que está no cio. ● *S. m.* **3.** Indivíduo aluado.

aluamento. *S. m.* **1.** Estado de aluado; doidice, maluquice. **2.** Cio dos animais; lua. **3.** *Marinh.* Curva reentrante na esteira das velas (redondas e latinas) para evitar que rocem na verga, na retranca, ou no estai inferior.

aluar-se. [De *a-*² + *lua* + *-ar*² + *se*¹.] *V. p.* **1.** Ficar louco, lunático; enlouquecer, adoidar-se, aloucar-se. **2.** Ficar (o animal) aluado (2).

alucinação. [Do lat. *alucinatione.*] *S. f.* **1.** Ato ou efeito de alucinar(-se). **2.** Ilusão, devaneio, fantasia. **3.** Arrebatamento, desvairamento, desvario. **4.** *Psiq.* e *Psicol.* Percepção de objeto (3) inexistente.

alucinado. [Part. de *alucinar.*] *Adj.* **1.** Iludido, arrebatado, por efeito de alucinação. **2.** Amalucado, aloucado. **3.** Louco, doido, alienado.

alucinador (ô). [Do lat. *alucinatore.*] *Adj.* **1.** V. *alucinante.* ● *S. m.* **2.** O que alucina.

alucinamento. *S. m.* Ato de alucinar(-se).

alucinante. [Do lat. *alucinante.*] *Adj. 2 g.* **1.** Que alucina, que faz perder o tino, a razão, o entendimento; alucinatório. **2.** Apaixonante, tentador, estonteante. [Sin. ger.: *alucinador.*]

alucinar. [Do lat. **alucinare,* por *alucinari,* 'errar', 'enganar-se'.] *V. t. d.* **1.** Privar da razão, do entendimento; desvairar, aloucar: *As repetidas torturas físicas alucinaram o pobre homem.* **2.** Fazer cair em alucinação. **3.** Fazer ficar perdidamente enamorado, apaixonado: *Sua graça e beleza o alucinaram de todo. Int.* **4.** Causar delírio ou desvario: *As drogas alucinam, alterando transitoriamente a personalidade;* "Tu és a flor da Jurema,/Flor que embebeda e alucina" (Luís Murat, *Ondas,* II, p. 65). **5.** Ter alucinação ou alucinações. *P.* **6.** Perder a razão, o entendimento; desvairar-se. **7.** Apaixonar-se a ponto de perder o uso do entendimento.

alucinatório. *Adj.* **1.** Alucinante (1). **2.** Em que há alucinação: *delírio alucinatório.*

▲**alucin(o)-.** [De *alucinação.*] *El. comp.* = 'alucinação': *alucinógeno.*

alucinógeno. [De *alucin(o)-* + *-geno.*] *Adj.* **1.** Diz-se da substância, produto ou estado que provoca alucinações. ● *S. m.* **2.** Substância ou produto alucinógeno.

alude. [De um voc. pré-romano = 'desprendimento de neve', aparentado ao vasc. *elur,* 'neve'.] *S. m.* Grande massa de neve que se desagrega da montanha e despenha encosta abaixo. [Em geral se designa pelo galicismo *avalanche,* ou por seu aportuguesamento, *avalancha.*]

aludel. [Do ár. *al-huthal.*] *S. m.* Conjunto de vasos encaixados uns nos outros, formando um tubo, que outrora se usava nos laboratórios de química para a obtenção de certos sublimados. [Pl.: *aludéis.*]

aludir. [Do lat. *alludere.*] *V. t. i.* **1.** Fazer alusão; referir-se: *Preferi não aludir ao desagradável incidente;* "Chanceler, aludistes vagamente a insolências, a conspirações, e não sei a que mais." (Alexandre Herculano, *O Monge de Cister,* I, p. 37). *T. d. e i.* **2.** *P. us.* Mencionar (pessoa, fato, etc., a alguém). [Não admite o pronome *lhe(s),* mas apenas as f. analíticas a *ele(s),* a *ela(s): Não quero aludir àquele caso, jamais aludirei a ele.*]

alufá. [De or. afr.] *S. m. Bras.* Sacerdote do culto dos negros malês ou muçulmins, em nosso país.

alugação. *S. f. Desus.* Ato de alugar; alugamento.

alugado. [Part. de *alugar.*] *Adj.* **1.** Tomado em aluguel; arrendado. **2.** Assoldadado, assalariado: *trabalhadores alugados.* ~V. *inimigo —.* ● *S. m.* **3.** *Bras.* Trabalhador que se aluga para vários serviços. **4.** *Bras., BA.* Garimpeiro assalariado, que trabalha sem direito às pedras extraídas.

alugador (ô). *S. m.* **1.** Aquele que aluga. **2.** V. *locatário.*

alugamento. *S. m. Desus.* Alugação.

alugar. [Do lat. *allocare.*] *V. t. d.* **1.** Tomar de aluguel: *Alugou uma casa à beira-mar.* **2.** Dar de aluguel; locar: *Tendo de viajar, alugou o apartamento.* **3.** Assoldadar, assalariar. *T. d. e i.* **4.** Dar de aluguel: *Alugou-lhe a casa por três anos.* **5.** Tomar de aluguel: "Aluguei um telescópio ao Sr. Reis, e observei o cometa" (Joaquim Manuel de Macedo, *Os Romances da Semana,* p. 54). [Conjug.: v. *largar.* Pres. subj.: *alugue, alugues, alugue, aluguemos, alugueis, aluguem.* Cf. *aluguéis,* pl. de *aluguel.*]

alugatário. *S. m.* Inquilino, locatário: "Em Lisboa só há ainda em conta: as casas, em cujas rendas os alugatários pagam também as décimas, e os criados, felizes por ter a garantia de comer bem sem gastar." (João do Rio, *Portugal dagora,* p. 168.)

aluguel. [De *alugar,* por infl. de *alquilel.*] *S. m.* **1.** Cessão do uso e gozo de prédio, coisa ou animal, ou prestação de serviços, por tempo determinado ou não, mediante pagamento de um preço; locação. **2.** Remuneração paga ao locador em razão da locação. [Var.: *aluguer.* Pl.: *aluguéis.* Cf. *alugueis,* do v. *alugar.*]

aluguer. *S. m.* Var. de *aluguel:* "Estou comprando fiado na bodega. E pra inteirar o aluguer da casa, tive de tomar emprestado ali à Do Carmo." (Amando Fontes, *Os Corumbas,* p. 78.)

aluição (u-i). *S. f.* Ato ou efeito de aluir(-se); aluimento.

aluidor (u-i...ô). *Adj.* Que alui, que faz aluir.

aluimento (u-i). *S. m.* Aluição.

aluir. [Do lat. *alluere.*] *V. t. d.* **1.** Fazer vacilar; abalar. **2.** Abalar, sacudir: *Sua argumentação aluiu as afirmações do réu.* **3.** Pôr abaixo; derribar, derrubar: *Aluíram a velha casa para construir ali um moderno edifício;* "se o Dr. Carneiro houvesse atentado a notação ortográfica, e não se esquecesse de ir perguntar-lhe ao próprio Whitney pela significação, teria visto que ela dá em terra com seu castelo etimológico, aluindo-o pela base." (Rui Barbosa, *Réplica*, p. 342). **4.** Arruinar, prejudicar: *aluir a reputação de alguém. T. c.* **5.** *Bras.* Mexer-se, mover-se: "'Falou, papudo' — pensou o rezador sem aluir do lugar." (Bernardo Élis, *Veranico de Janeiro*, p. 43.) *Int.* **6.** Abalar-se, estremecer. **7.** Deixar de estar firme ou seguro; ameaçar ruína; oscilar. **8.** Desabar, desmoronar-se, ruir: "Uma prepotência desabusada surgira — e aluíam muralhas de papel." (Graciliano Ramos, *Memórias do Cárcere*, I, p. 98.) *P.* **9.** Desmoronar-se, ruir, cair: "abateu-se a torre com grande estrépito, as quadrelas aluíram-se" (Rebelo da Silva, *Contos e Lendas*, p. 47). **10.** Ameaçar ruína. [Conjug.: v. *atribuir*.]

alujá. *S. m. Bras., BA. Folcl.* Toque cerimonial das orquestras de candomblé para Xangô, o deus das tempestades; rebate.

álula. [Do lat. *ala*, 'asa', + *-ula*.] *S. f.* Pequena ala ou asa.

alumbrado. [Part. de *alumbrar*.] *Adj.* **1.** Iluminado espiritualmente; inspirado. **2.** Deslumbrado, maravilhado.

alumbrador (ô). *Adj.* Que alumbra.

alumbramento. *S. m. P. us.* **1.** Inspiração sobrenatural; iluminismo. **2.** Deslumbramento, maravilhamento: "Um dia eu vi uma moça nuinha no banho / Fiquei parado o coração batendo / Ela se riu / Foi o meu primeiro alumbramento" (Manuel Bandeira, *Estrela da Vida Inteira*, p. 116). **3.** Inspiração, iluminação.

alumbrar. [Do esp. *alumbrar*.] *V. t. d. e p.* **1.** Iluminar(-se), alumiar(-se). **2.** Deslumbrar(-se), maravilhar (-se). **3.** Inspirar(-se); espiritar(-se).

alume. [Do lat. *alumen*.] *S. m. Quím.* Qualquer sulfato duplo de um metal trivalente (alumínio, cromo, ferro) e de um metal alcalino ou de amônio.

alumel. *S. m. Metal.* Nome comercial de liga de níquel com manganês, alumínio, silício e ferro, usada para fabricação de resistores elétricos. [Pl.: *aluméis*.]

alúmen. *S. m. Quím.* V. *alume*. [Pl.: *alumens* e (p. us. no Brasil) *alúmenes*.]

alumiação. *S. f.* Ato ou efeito de alumiar; iluminação, aluminação; alumiamento.

alumiado. [Part. de *alumiar*.] *Adj.* **1.** Que tem luz, claridade: *quarto alumiado.* **2.** *Fig.* Esclarecido, ilustrado, instruído, inteligente: *homem culto, alumiado.*

alumiamento. *S. m.* V. *alumiação*.

alumiar. [Do lat. *illuminare*.] *V. t. d.* **1.** Dar luz, claridade a; iluminar: "A lamparina alumiava o seu quarto de dormir" (Machado de Assis, *Esaú e Jacó*, p. 258); "Leitor, foi um relâmpago. Tão depressa alumiou a noite, como se esvaiu" (Id., *Dom Casmurro*, p. 200). **2.** Dar lume a; acender: *alumiar a lamparina.* **3.** Dar claridade, brilho, vida, a: "um sorriso alumiou o rosto da enferma, sobre o qual a morte batia a asa eterna." (Machado de Assis, *Memórias Póstumas de Brás Cubas*, p. 78). **4.** Instruir, ilustrar, esclarecer: *alumiar o espírito. Int.* **5.** Dar ou espargir luz, claridade; iluminar: "É a luz mais benigna que o Sol; porque o Sol alumia, mas abrasa: a luz alumia, e não ofende." (P.^e^ Antônio Vieira, *Sermões*, I, p. 250); "o Sol, escondido por trás da serra, ainda alumiava bastante" (Fran Martins, *Dois de Ouros*, p. 46). **6.** *Bras.* Reluzir, rebrilhar, resplandecer: *O tacho alumiava, de tão limpo. P.* **7.** Ficar iluminado; iluminar-se. **8.** Ilustrar-se, instruir-se; iluminar-se.

alumina. [De *alum(ínio)* + *-ina*.] *S. f. Quím.* O trióxido de dialumínio.

aluminação[1]. *S. f.* Ato ou efeito de aluminar[1]; aluminagem.

aluminação[2]. *S. f.* Ato ou efeito de aluminar[2]; alumiação.

aluminagem. *S. f.* **1.** Aluminação[1]. **2.** *Fot.* Banho de alumina.

aluminar[1]. *V. t. d.* Misturar com alume.

aluminar[2]. *V. t. d. Desus.* Alumiar.

aluminato. *S. m. Quím.* Qualquer derivado do hidróxido de alumínio em que o hidrogênio foi substituído.

▲**alumin(i)-.** [De *alumínio*.] *El. comp.* = 'alumínio', 'alume': *aluminita; aluminífero.* [Equiv.: *alumin(o)-: aluminografia.*]

alumínico. *Adj.* Relativo ao alumínio.

aluminífero. [De *alumin(i)-* + *-fero*.] *Adj.* Que contém alume; aluminioso.

alumínio. [Do lat. científico *aluminium*, calcado no lat. *alumen*, 'pedra-ume'.] *S. m. Quím.* Metal branco prateado, com número atômico 13, leve, mole, dúctil, resistente à corrosão, com inúmeras aplicações. [Simb.: *Al*.]

aluminioso (ô). *Adj.* Aluminífero.

aluminita. [De *alumin(i)-* + *-ita*[2].] *S. f. Min.* Mineral provavelmente ortorrômbico, sulfato de alumínio hidratado.

aluminização. *S. f.* Ato ou operação de aluminizar.

aluminizado. [Part. de *aluminizar*.] *Adj.* Feito ou recoberto com uma camada de alumínio: *papel aluminizado.*

aluminizar. *V. t. d.* Recobrir (uma superfície, de vidro ou de outro material) com uma fina camada de alumínio, tornando-a refletora.

▲**alumin(o)-.** Equiv. de *alumin(i)-*.

aluminografia. [De *alumin(o)-* + *-graf(o)-* + *-ia*.] *S. f.* Algrafia (1).

aluminoso (ô). [De *alumina* + *-oso*.] *Adj.* Que contém alumina. ~ V. *cimento* —.

aluminossilicato. *S. m. Min.* Composto que contém alumínio e silício, combinados com oxigênio na proporção estequiométrica dos respectivos óxidos, além de outros metais.

aluminotermia. [De *alumin(o)-* + *-term(o)-* + *-ia*.] *S. f. Quím.* Procedimento de obtenção mediante a redução, fortemente exotérmica, dos óxidos pelo alumínio metálico. [O processo é tb. us. para efetuar soldas.]

alunado. *S. m. Bras.* Alunato [q. v.].

alunagem. [De *a-*[2] + lat. luna, 'lua', + *-agem*.] *S. f. Astron.* Alunissagem.

alunar. [De *a-*[2] + lat. *luna*, 'lua', + *ar*[2].] *V. int. Astron.* V. *alunissar.*

alunato. *S. m. Bras.* **1.** Conjunto de alunos. **2.** Os alunos. [Var.: *alunado*.]

alunissagem. [Do fr. *alunissage*.] *S. f. Astron.* Pouso suave na superfície lunar; alunagem.

alunissar. [De *alunissagem*.] *V. int. Astron.* Pousar suavemente na superfície lunar; alunar, alunizar.

alunita. [Do fr. *alunite*.] *S. f. Min.* Mineral trigonal, sulfato básico de alumínio e potássio.

alunizar. *V. int. Astron.* V. *alunissar.*

aluno. [Do lat. *alumnu*, primitivamente, 'criança que se dava para criar'.] *S. m.* **1.** Pessoa que recebe instrução e/ou educação de algum mestre, ou mestres, em estabelecimento de ensino ou particularmente; estudante, educando, discípulo. **2.** Aquele que tem escassos conhecimentos em certa matéria, ciência ou arte; aprendiz. **3.** *Ant.* Indivíduo natural de certa terra, país ou lugar; natural, filho. ♦ **Aluno excepcional.** Aquele que apresenta atraso no desenvolvimento psíquico e na aprendizagem, necessitando, assim, de cuidados e técnicas especiais para que obtenha rendimento escolar. [Tb. se diz apenas *excepcional*.]

alusão. [Do lat. *allusione*.] *S. f.* **1.** Ato ou efeito de aludir. **2.** Referência vaga e indireta. **3.** Menção, referência, relação. **4.** *Ret.* Apreciação indireta de uma pessoa ou de um ato, por meio de referência a um fato ou personagem conhecidos. Ex.: *Está sob a espada de Dâmocles; O exército vencedor sofreu tantas baixas que não pôde continuar a lutar: seu general alcançara uma vitória de Pirro.*

alusivo. *Adj.* **1.** Que contém alusão. **2.** Referente, respeitante, relativo. **3.** Alegórico, figurado.

alutáceo. *Adj.* Semelhante ao couro quanto ao aspecto, coloração, etc.

aluvai. *Interj. Bras., N.E.* Alto lá.

aluvial. *Adj. 2 g.* De, semelhante ou relativo a aluvião ou alúvio; aluvionário: *terrenos aluviais.* ~V. *cone* — e *solo* —.

aluviano. *Adj.* ~ V. *depósito* — e *terreno* —.

aluvião. [Do lat. *alluvione*.] *S. f. e m.* **1.** *Geol.* Depósito de cascalho, areia e argila que se forma junto às margens ou à foz dos rios, proveniente do trabalho de erosão; alúvio: "a lembrar paisagens rudimentares de grandes quadrúpedes lacustres, atolados até os joelhos, entre os juncais, nas águas espapaçadas, reverberantes, das estagnações do aluvião." (Silva Guimarães, *Os Borrachos*, p. 12). [Cf. *eluvião*.] **2.** Inundação, cheia, enchente, enxurrada, alúvio. **3.** *Fig.* Grande quantidade, ou grande número de pessoas ou coisas: "levava até à noite fazendo visitas, percorrendo toda a cidade, entrando numa aluvião de casas." (Artur Azevedo, *Contos Cariocas*, pp. 42-43); "Baralhavam-lhe o bronco cérebro uma aluvião de idéias, atropeladas, confusas e mal distintas, que o traziam raivoso" (Abel Botelho, *Mulheres da Beira*, p. 27). **4.** *Jur.* Acessão de propriedade em conseqüência de nesta ocorrerem acréscimos formados por depósitos e aterros naturais, ou pelo desvio das águas de um rio.

alúvio. [Do lat. *alluviu*.] *S. m.* Aluvião (1 e 2).

aluvionamento. *S. m. Geol.* Processo de depositação de aluviões.

aluvionário. *Adj.* Aluvial. [q. v.].

alva[1]. [Fem. substantivado do adj. *alvo*.] *S. f.* **1.** O primeiro alvor da manhã; antiaurora: "A alva desponta. Dói-lhe a claridade / Nos olhos tristes." (Manuel Bandeira, *Estrela da Vida Inteira*, p. 65.) **2.** Veste talar, de pano branco: "Com a mesma cerimônia de rezas, aspersões e às vezes oblações de incenso, arrancando-lhe [a Fr. Caneca] estola, manípulo, cordão, alva, amito, deixando-o em camisa e calça" (Tobias Monteiro, *O Primeiro Reinado*, p. 233). **3.** V. *esclerótica*. **4.** *Ant.* Espécie de túnica que os condenados vestiam ao ir para o suplício. [Var. de *alba*[1].]

alva[2]. *S. f.* Var. de *alba*[2] [q. v.].

alvacá. *S. f.* V. *cânhamo-de-manilha*.

alvaçã. *Adj. (f.) Fem. de alvacão* [q. v.]: "duas novilhas alvaçãs de honesta linhagem" (Francisco Carvalho, *Rosa dos Eventos*, p. 84).

alvação. *Adj.* **1.** V. *alvacento*. **2.** *Bras., N.E.* Diz-se da rês branca, sem mancha: "Juízes e mordomos da festa, vinham eles com estirados séquitos, a cavalo e em carros puxados por juntas de 10 bois, formada cada junta, a capricho, de animais de pêlo igual: ou todos pretos, ou alvaçãos, laranjos, malhados, bragados, caraças." (Xavier Marques, *As Voltas da Estrada*, p. 16.) [Fem.: *alvaçã*; pl.: *alvaçãos*.]

alvaçar. *S. f. Bras., Recôncavo da BA.* Peça de madeira, na proa das embarcações, que serve de amparo ao mastro.

alvacento. *Adj.* Quase branco; esbranquiçado; cinzento-claro; alvadio, albescente: "E límpida, sem mácula, alvacenta, / A lua a estrada solitária banha..." (Raimundo Correia, *Poesias*, p. 112.) [Outro sin. (p. us.): *alvar*.]

alvacora. *S. f. Bras.* Var. de *albacora*.

alvadio. [Do lat. *albatu*, 'vestido de branco', + *-io*, ou de um lat. **albativu*.] *Adj.* V. *alvacento*: "Trajava de cetim escuro, ... diamantes nas orelhas e num laço dos cabelos, envolta em uma capa alvadia roçagante." (Camilo Castelo Branco, *Perfil do Marquês de Pombal*, p. 16.)

alvado. [Do lat. *alveatu*.] *S. m.* **1.** Vão, ou olho, de alguns instrumentos, por onde entra o cabo deles. **2.** Buraco por onde entram as abelhas no cortiço. **3.** *Pop.* Alvéolo (dos dentes). **4.** *Bras., AL. Pop.* V. *ânus*.

alvaiadar. *V. t. d.* Pintar ou tingir com alvaiade.

alvaiade. [Do ár. *al-baiāD*, 'brancura'.] *S. m. Quím.* Pigmento branco, seja de carbonato básico de chumbo (de composição variável), seja de óxido de zinco.

alvaiado. [Por *alvaiadado*, de *alvaiadar*, com haplologia.] *Adj.* Pintado ou tingido com alvaiade.

alvanel. [Do ár. *al-bannā*.] *S. m.* Pedreiro (1). [Var.: *alvaner, alvanéu, alvenel, alvener, alvenéu, alveneiro.* Pl.: *alvanéis*.]

alvaner. *S. m.* V. *alvanel*.

alvanéu. *S. m.* V. *alvanel*.

alvar. [De *alvo* (1) + *-ar*[1].] *Adj. 2 g.* **1.** *P. us.* V. *alvacento*. **2.** Estúpido, grosseiro, ingênuo [v. *tolo* (1 a 3)]: "E a Sra. Fernandinha, hipopótamo enorme, flácida, com aquela cara alvar e espapaçada, sorria-lhe alarvemente." (Antônio Madeira, *Caminhos Magnéticos*, p. 35.) [Pl.: *alvares*. Cf. *Álvares*, ant.]

alvará. [Do ár. *al-barā*, 'carta', 'cédula'.] *S. m.* **1.** Documento passado a favor de alguém por autoridade judiciária ou administrativa, que contém ordem ou autorização para a prática de determinado ato. **2.** Licença administrativa para o exercício de uma atividade, ou para realização de obra arquitetônica. **3.** *Ant.* Resolução, rubricada pelo soberano e referendada pelo ministro competente, acerca de negócios, públicos ou particulares, em geral de efeito temporário. [Pl.: *alvarás*. Cf. *alvaraz*.]

alvarado. [Do antr. *alvarado*.] *S. m.* Planta da família das ciperáceas *(Scleria hirtella)*, empregada como forragem e no fabrico de papel.

alvaraz. [Do ár. *al-baraç*.] *S. m. Ant.* **1.** Lepra branca. **2.** Manchas brancas que se manifestam na pele. **3.** Vitiligem de eqüídeos. [Var., ant.: *alvarazo*. Cf. *alvarás*, pl. de *alvará*.]

alvarazo. *S. m. Ant.* Var. de *alvaraz* [q. v.].

alvarenga. [Do antr. *alvarenga*, decerto.] *S. f. Bras.* Embarcação para carga e descarga de navios.

alvarengueiro. *S. m. Bras.* Dono e/ou tripulante de alvarenga.

alvarinho. [Alter. de *alvaraz*.] *S. m.* Bexigas benignas que atacam as cabras e ovelhas.

álvaro-carvalhense. *Adj. 2 g.* **1.** De, ou pertencente ou relativo a Álvaro de Carvalho (SP). ● *S. 2 g.* **2.** Natural ou habitante de Álvaro de Carvalho. [Pl.: *álvaro-carvalhenses*.]

alvarrã[1]. *S. f.* Var. de *albarrã*[1].

alvarrã[2]. *Adj. (f.) e s. f.* Var. de *albarrã*[2].

alvazil. *S. m.* V. *aguazil:* "Alcaides, a l v a z i s, meirinhos e corregedores policiam a governança e administram justiça." (Antero de Figueiredo, *Jornadas em Portugal,* p. 77.)

alvazir. *S. m.* V. *aguazil.*

alveador (ô). *S. m. P. us.* Aquele que alveia; caiador.

alveamento. *S. m.* Ato ou efeito de alvear.

alvear. *V. t. d. P. us.* V. *caiar.* [Conjug.: v. *frear.*]

alveário. [Do lat. *alveariu.*] *S. m.* **1.** Colmeia, enxame. **2.** *Ant.* Concha de orelha.

alvedrio. [Dev., talvez, de um ant. verbo **alvidriar,* do qual veio *alvidrar.*] *S. m.* Vontade própria; arbítrio: "Deixo ao a l v e d r i o de cada leitor pontuar o período à medida do seu pasmo." (Camilo Castelo Branco, *A Enjeitada,* p. 22.)

alveiro. *Adj.* **1.** De cor branca: *pão a l v e i r o;* "No delíquio e ametista dos crepúsculos, vai sossegando o rancho a l v e i r o e sonolento, que se agasalha, tapizando de branco o frondeado estendedouro das moitas negras e misteriosas." (Alberto Rangel, *Sombras n'Água,* p. 156). **2.** Diz-se do moinho que mói somente farinha muito alva. ● *S. m.* **3.** Marco branco que serve de alvo.

alveitar. [Do gr. *hippiatrós,* 'médico de cavalos', pelo ár. *al-baiTār.*] *S. m.* **1.** Curandeiro de doenças de animais. **2.** Ferrador de cavalgaduras: "Lá se encontra também o 'Parafuso', um preto, domador de cavalos e a l v e i t a r estimado." (Lima Barreto, *Vida e Morte de M. J. Gonzaga de Sá,* p. 200.) **3.** *Fig.* Médico inábil.

alveitaria. *S. f.* Arte de alveitar.

alvejante. *Adj. 2 g.* **1.** Que alveja, branqueia, torna alvo ou branco; branquejante: *A água sanitária é a l v e j a n t e.* **2.** Que alveja, branqueia, é alvo ou branco; branquejante, albente: *a lua a l v e j a n t e.* **3.** Que se apresenta em sua cor alva ou branca; branquejante: *Vê ao longe, a l v e j a n t e, a capelinha.* ● *S. m.* **4.** Substância com que se alvejam ou branqueiam tecidos.

alvejar. *V. t d.* **1.** Tornar alvo ou branco; branquear, alvorejar: *A lavadeira a l v e j o u todas as camisas.* **2.** Tomar como alvo ou ponto de mira. **3.** Atirar em: *a l v e j a r a caça.* Int. **4.** Tornar-se alvo; branquear: *pôr a roupa lavada ao sol, para a l v e j a r.* **5.** Apresentar-se em sua cor alva; alvorejar: "Momento é esse em que no céu sereno / Plácida a l v e j a a Lua" (Gonçalves de Magalhães, *A Confederação dos Tamoios,* p. 82); "sua asseada e garrida casinha a l v e j a n d o entre o verdor das .... campinas" (Bernardo Guimarães, *O Seminarista,* p. 16). **6.** Despontar (a aurora, a alva). [Conjug.: v. *pelejar.*]

alvenaria. [De *alvener* + *-ia,* atr. do ant. *alvanaria.*] *S. f.* **1.** Arte ou ofício do pedreiro ou do alvanel [q. v.]. **2.** Tipo de construção constituído de pedras naturais, irregulares, ou artificiais (p. ex., tijolos), justapostas e superpostas: "Morava .... no arraial de S. Gonçalo da Ponte, cuja ponte o rio já levara, deixando dela somente os pilares de a l v e n a r i a." (Gustavo Barroso, *O Sertão e o Mundo,* p. 103.) **3.** *Constr. P. ext.* Conjunto de elementos utilizados na construção de parede, muro, ou alicerce: alvenaria de pedra, de tijolos, mista, etc. ◆ **Alvenaria aparelhada.** Aquela em que os paramentos são de pedra aparelhada. **Alvenaria de pedra seca.** Aquela cujas pedras não são ligadas por argamassa; alvenaria insossa. **Alvenaria gorda.** A que contém muita cal. **Alvenaria hidráulica.** Aquela cuja argamassa contém cimento ou cal hidráulica. **Alvenaria insossa.** Alvenaria de pedra seca. **Alvenaria poliédrica.** Tipo de calçamento de rua constituído de pedras irregulares.

alveneiro. *S. m.* V. *alvanel.*

alvenel. *S. m.* V. *alvanel.* [Pl.: *alvenéis.*]

alvener. *S. m.* V. *alvanel.*

alvenéu. *S. m.* V. *alvanel.*

alvense. *Adj. 2 g.* **1.** De, ou pertencente ou relativo a Presidente Alves (SP). ● *S. 2 g.* **2.** Natural ou habitante de Presidente Alves.

álveo. [Do lat. *alveu.*] *S. m.* **1.** Leito (5). **2.** Sulco, escavação.

alveolado. [Do lat. *alveolatu.*] *Adj.* Provido de alvéolos; alveolar.

alveolar. *Adj. 2 g.* **1.** Pertencente ou relativo ao alvéolo. **2.** Alveolado. ~ V. *consoante* —, *corrosão* — e *piorréia* — *dentária.* *S. f.* **3.** *Fon.* Consoante alveolar.

alveolariforme. [De *alveolar* + *-i-* + *-forme.*] *Adj. 2 g.* Que tem forma de alvéolo.

alveolite. [De *alvéolo* + *-ite.*] *S. f. Patol.* Inflamação dos alvéolos, dentários ou pulmonares.

alvéolo. [Do lat. *alveolu.*] *S. m.* **1.** Cavidade pequena. **2.** Célula do favo de mel. **3.** Casulo. **4.** Cavidade onde se implantam os dentes. [Sin., pop. (nesta acepç.): *alvado.*] **5.** Pequena vala ou cava, aberta para a construção de alicerce. **6.** Cavidade aberta em uma superfície do terreno vertical ou inclinada. **7.** *Bot.* Cavidade minuta, limitada por paredes erectas, que se observa em alguns fungos, polens, sementes, receptáculos, etc. **8.** *Geog.* Larga porção de um vale fluvial onde se acumulam sedimentos, e que costuma aparecer a jusante de uma garganta. ◆ **Alvéolo dental.** *Anat.* Cavidade ou bolsa em que a raiz do dente é contida pela membrana peridental. **Alvéolo pulmonar.** *Anat.* Pequena projeção do saco alveolar, através de cuja parede ocorrem trocas de gases.

alverca. [Do ár. *al-birqa;* var. de *alberca.*] *S. f.* **1.** Terreno alagadiço. **2.** Tanque para receber água de nora. **3.** Vala de encanar água para sangrar a terra. **4.** Viveiro de peixes.

alvergue[1]. *S. m.* V. *albergue:* "Ali naquele a l v e r g u e derrocado / Pela sanha do norte / Um velho existe." (Junqueira Freire, *Obras Poéticas,* I, p. 111.)

alvergue[2]. [Alter. de *alverca.*] *S. m.* Nos lagares de azeite, depósito onde repousa o líquido escorrido do bagaço da azeitona.

▲**alvi-.** [De *alvo.*] *El. comp.* = 'alvo', 'branco': *alvinegro, alvirrubro.*

alvião. *S. m.* Enxadão (2) ou picareta (1).

alviceleste. [De *alvi-* + *celeste.*] *Adj. 2 g.* e *s. 2 g.* V. *azulino* (2, 3 e 5).

alvidração. *S. f. P. us.* Ato ou efeito de alvidrar; arbitramento, avaliação; alvidramento.

alvidramento. *S. m. P. us.* V. *alvidração.*

alvidrar. [De *arbitrar,* por dissimilação e sonorização.] *V. t. d. P. us.* Arbitrar.

alvinegro (ê). [De *alvi-* + *negro.*] *Adj.* e *s. m. Bras.* **1.** V. *botafoguense.* **2.** V. *corintiano*[2] (3). **3.** V. *atleticano*[1].

alvíneo. *Adj.* Var. de *alvino.*

alvinitência. *S. f.* Qualidade de alvinitente.

alvinitente. [De *alvi-* + *nitente.*] *Adj. 2 g.* De alvura imaculada: "Ao pé da porta a a l v i n i t e n t e clina / Desenrolada de um corcel flutua." (Alberto de Oliveira, *Poesias,* 1ª série, p. 298).

alvino. [Do lat. *alvinu.*] *Adj.* Relativo ao ventre ou aos intestinos. [Var.: *alvíneo.*]

alvinopolense. *Adj. 2 g.* **1.** De, ou pertencente ou relativo a Alvinópolis (MG). ● *S. 2 g.* **2.** Natural ou habitante de Alvinópolis.

alvirrosado. *Adj.* Branco tirante a róseo, ou branco e róseo; alvirróseo, albirrosado: "E emerge, então da espuma, a graça feminina / Num torso... num quadril... num seio a l v i r r o s a d o." (Luís Carlos, *Colunas,* p. 58.)

alvirróseo. [De *alvi-* + *róseo.*] *Adj.* V. *alvirrosado.*

alvirrubro. [De *alvi-* + *rubro.*] *Adj.* **1.** Branco e vermelho. **2.** *Bras.* V. *banguense.* **3.** Regatiano (1 e 2). ● *S. m.* **4.** *Bras.* V. *banguense.* **5.** V. *regatiano* (3).

alvissarar. *V. t.* **1.** Noticiar a fim de receber alvíssaras. **2.** Noticiar, referir, relatar: *A l v i s s a r o u por toda a cidade a infausta notícia.* **3.** Deparar, topar, com; encontrar: *Pesquisando com paciência, hás de a l v i s s a r a r muita coisa interessante.* *T. d. e i.* **4.** Noticiar a fim de receber alvíssaras: *a l v i s s a r e i - l h e sua nomeação.* [Pres. ind.: *alvissaro, alvissaras,* etc. Cf. *alvíssaras.*]

alvíssaras. [Do ár. *al-buxrā,* 'boa nova'.] *S. f. pl.* **1.** Prêmio ou recompensa que se concede a quem anuncia boas novas ou entrega coisa que se perdera: "Dou a V. M. de *a l v í s s a r a s, pelas boas novas de Lamego, as mortificações que lhe tenho dado; que esta é a melhor moeda daqueles que em Deus são amigos.*" (Fr. Antônio das Chagas, *Cartas Espirituais,* p. 141.) ● *Interj.* **2.** Serve para anunciar boas novas. [Cf. *alvissaras,* do v. *alvissarar.*]

alvissareiro. *Adj.* **1.** Que pede ou dá alvíssaras. **2.** Auspicioso, prometedor: *Notícia a l v i s s a r e i r a; futuro a l v i s s a r e i r o.* ● *S. m.* **3.** Aquele que pede ou recebe, dá ou promete alvíssaras. **4.** Portador de boas novas. **5.** Aquele que anunciava a chegada de um navio à barra e ia pedir ao dono da embarcação as alvíssaras. **6.** *P. ext.* O que anuncia; anunciador; núncio: "À orla dos banhados, as seriemas já algazarram aos pulos, a l v i s s a r e i r a s da manhã." (Vieira Pires, *Querência,* p. 131.)

alvitana. [Do ár. *al-biTānâ.*] *S. f.* **1.** Rede grande, de malha miúda, para reter o pescado. **2.** Cada um dos panos exteriores do tresmalho.

alvitórax (cs). [De *alvi-* + *tórax.*] *Adj. 2 g* e *2 n.* Diz-se do animal de tórax branco.

alvitrador (ô). *Adj.* **1.** Que alvitra. ● *S. m.* **2.** Alvitreiro.

alvitramento. *S. m.* Ato ou efeito de alvitrar; alvitre.

alvitrar. [De *arbitrar,* por dissimilação.] *V. t. d.* **1.** Aconselhar; propor, sugerir, lembrar: *A l v i t r o u o emprego da força para resolver a questão.* **2.** Lembrar, sugerir: *A l v i t r o u o nome do amigo para o cargo.* *T. d. e i.* **3.** Aconselhar, propor, sugerir: *A l v i t r e i - l h e providências que lhe pareceram boas.*

alvitre. [Dev. de *alvitrar.*] *S. m.* **1.** Lembrança, sugestão, opinião, arbítrio, proposta, parecer, alvitramento. **2.** *Ant.* Notícia, novidade, nova.

alvitreiro. *S. m.* Aquele que apresenta alvitres; alvitrador.

alviverde (ê). [De *alvi-* + *verde.*] *Adj. 2 g.* e *s. 2 g. Bras.* V. *curitibano*[2].

alvo. [Do lat. *albu.*] *Adj.* **1.** Branco, claro: "'imaginei' uma rapariga muito a l v a / e de tranças negras e longas." (Jáder de Carvalho, *Delírio da Solidão,* p. 9); "seixinhos da mais a l v a porcelana" (Camilo Pessanha, *Clepsidra e Outros Poemas,* p. 197). **2.** Puro, inocente, cândido. ● *S. m.* **3.** A cor branca; branco. **4.** V. *esclerótica.* **5.** Ponto a que se dirige o tiro; mira. **6.** Ponto de convergência, ponto de mira; objeto, mira; pontaria: *É o a l v o de todas as atenções.* **7.** *Fig.* Fito, objetivo, fim, desígnio. **8.** *Fís. Nucl. Alvo nuclear.* ◆ **Alvo nuclear.** *Fís. Nucl.* Material submetido a um bombardeamento de partículas; alvo. **Enquadrar o alvo.** *Bras.* Numa salva de artilharia, obter que o ponto médio de queda da salva fique sobre o alvo.

alvo-argênteo. *Adj.* Branco prateado. [Pl.: *alvo-argênteos.*]

alvor (ô). [Var. de *albor.*] *S. m.* **1.** A primeira luz da manhã; alva[1]. **2.** Alvura, brancura: "nas folhas deste livro puro / Não manche o pranto da inocência o a l v o r" (Casimiro de Abreu, *Obras,* p. 154); "Não fosse ela aos jardins roubar, trêfega e louca, / O rubor da papoula e o a l v o r das açucenas!" (Olavo Bilac, *Poesias,* p. 176). **3.** Brilho, esplendor. **4.** *Fig.* Alvorada (5). **5.** Peixe de água doce, parecido à tainha. [Pl.: *alvores* (ô). Cf. *alvores,* do v. *alvorar.*]

alvorada. [Fem. substantivado do part. de *alvorar*[1].] *S. f.* **1.** Crepúsculo matutino; a claridade que precede o romper do Sol; arraiada, dilúculo: "Não tarda que a a l v o r a d a em fogo resplandeça" (Olavo Bilac, *Poesias,* p. 201). **2.** Canto das aves ao amanhecer. **3.** Toque militar nos quartéis, ao raiar do dia, para despertar os soldados. **4.** Toque de qualquer música ao despontar da manhã: "— Numerosos habitantes desta cidade ... vieram hoje aqui, ao romper d'alva, no intuito de dar os bons-dias a V. Exª, acompanhados de uma banda de música para tocar a a l v o r a d a" (Artur Azevedo, *Contos Cariocas,* p. 62). **5.** *Fig.* Princípio, começo, início, aurora; alvor: *a a l v o r a d a da independência do Brasil; a a l v o r a d a da vida.*

alvoradense-do-sul. *Adj. 2 g.* **1.** De, ou pertencente ou relativo a Alvorada do Sul (PR). ● *S. 2 g.* **2.** Natural ou habitante de Alvorada do Sul. [Pl.: *alvoradenses-do-sul.*]

alvorar[1]. [De *alvor* + *-ar*[2].] *V. int.* V. *alvorecer.* [Cf. *arvorar.*]

alvorar[2]. [De *arvorar,* por dissimilação.] *V. t. d.* **1.** Hastear, arvorar. *Int.* **2.** *Ant.* Levantar-se ou empinar-se (a besta). [Pres. ind.: *alvoro,* etc.; pres. subj.: *alvore, alvores, alvore,* etc. Cf. *alvoro* (ô), s. m.; *alvores* (ô), pl. de *alvor;* e *arvorar.*]

alvorecer. [De *alvor* + *-ecer.*] *V. int.* **1.** Romper o dia; amanhecer, alvorejar, alvorar: *Mal a l v o r e c e u, saiu a trabalhar.* **2.** Principiar a manifestar-se (qualidade, idéia ou sentimento); aparecer; alvorejar, alvorar: *O romantismo a l v o r e c e u pelos fins do século XVIII.* [Defect., impess.; só se conjuga na 3ª pess. do sing.: *alvorece, alvoreceu,* etc.] ● *S. m.* **3.** O romper do dia.

alvorejar. [De *alvor* + *-ejar.*] *V. int.* **1.** V. *alvorecer.* **2.** Mostrar-se alvo; alvejar. *T. d.* **3.** Branquear, alvejar. [Conjug.: v. *pelejar.*]

alvoro (ô). [Dev. de *alvorar*[1].] *S. m. Bras., Ilhas do Recôncavo da BA.* Alvorada, alva, madrugada. [Pl.: *alvoros* (ô). Cf. *alvoro,* do v. *alvorar.*]

alvoroçado. [Part. de *alvoroçar.*] *Adj.* **1.** Inquieto de ânimo; irrequieto, agitado. **2.** Apressado, açodado, acelerado. **3.** Revoltoso, amotinado, sublevado. **4.** Alegre, entusiasmado. **5.** *Bras., N.E. Fam.* Amalucado, adoidado. **6.** *Bras., N.E. Pop.* V. *desgrenhado* (1). **7.** *Bras., RS.* Diz-se da fêmea em período de cio.

alvoroçador (ô). *Adj.* e *s. m.* Que, ou aquele que alvoroça.

alvoraçamento. *S. m.* Ato ou efeito de alvoroçar(-se).

alvoroçar. *V. t. d.* **1.** Pôr em alvoroço; agitar: "O saltimbanco .... rufou numa caixa, a l v o r o ç o u a aldeia que se abalou toda para o redor dele" (Camilo Castelo Branco, *A Enjeitada,* p. 121). **2.** Alegrar; entusiasmar: *O êxito do pai a l v o r o ç o u a família inteira.* **3.** Amotinar, sublevar: *Os revoltosos a l v o r o ç a r a m as tropas.* **4.** Assustar, sobressaltar, sobressaltear: *Os lati-*

dos do cão de guarda alvoroçaram o ladrão. P. **5.** Assustar-se, sobressaltar-se, sobressaltear-se. **6.** Alegrar-se; entusiasmar-se. *Int.* **7.** *Bras., RS.* Entrar (a fêmea) no cio; reinar. [Var.: *alvorotar* e *alborotar.* [Conjug.: v. *laçar.*) *Pres. ind.: alvoroço,* etc. Cf. *alvoroço* (ô).]

alvoroço (ô). [Do ár. *al-buruz?*] *S. m.* **1.** Agitação, sobressalto, perturbação. **2.** Pressa, azáfama. **3.** Alarma, tumulto, confusão. **4.** Motim, revolta, sublevação. **5.** Entusiamo, veemência. **6.** *Bras.* Gritaria, balbúrdia. **7.** *Bras., RS.* V. *cio* (1). [F. paral.: *alvoroto.* Pl.: *alvoroços* (ô). Cf. *alvoroço,* do v. *alvoroçar.*]

alvorotar. [Do lat. *volutare,* 'agitar'?] *V. t. d* e *p.* V. *alvoroçar.* [Pres. ind.: *alvoroto,* etc. Cf. *alvoroto* (ô).]

alvoroto (ô). [Dev. de *alvorotar.*] *S. m.* V. *alvoroço.* [Pl.: *alvorotos* (ô). Cf. *alvoroto,* do v. *alvorotar.*]

alvura. *S. f.* **1.** Qualidade do que é alvo; brancura. **2.** Candura, pureza, inocência.

alxaima. [Do ár. *al-khaimâ.*] *S. f.* Acampamento mourisco.

■**Am.** *Quím.* Símb. de *amerício.*

■**AM[1].** *Telecom.* Sigla de *amplitude modulada.*

■**AM[2].** Sigla do Estado do Amazonas.

ama[1]. [Do lat. hispânico infantil *amma.*] *S. f.* **1.** V. *ama-de-leite.* **2.** V. *ama-seca.* **3.** A dona da casa em relação aos criados. **4.** Governanta (1). **5.** Criada de companhia; aia. **6.** *Bras., N.E.* Criada, em geral.

ama[2]. [De *ama,* palavra formada pelas anteras da planta.] *S. f.* Planta da família das acantáceas (*Ruellia macrantha*), cultivada em jardins, no Brasil e na Europa, de flores grandes, roxas ou vermelhas, e fruto capsular.

▲**-ama.** *Suf. nom.* = 'coleção', 'quantidade': *gentama, courama.* [Equiv.: *-ame: mulherame, cordame.* Alternam-se, às vezes, entre si: *dinheirama, dinheirame; raizama, raizame.*]

amã[1]. *S. m.* **1.** Perdão que os muçulmanos concedem a quem não pratica o islamismo. **2.** Entre os árabes, mercê ou perdão outorgado a um inimigo ou insurreto vencido. **3.** Ablução usada entre os turcos. **4.** Certo tecido de algodão levantino.

amã[2]. *S. m* e *f. Bras., N.* Grama[1] rasteira e gorda.

amã[3]. *S. m.* Título comum aos chefes de alguns cantões suíços.

amabilidade. [Do lat. *amabilitate.*] *S. f.* **1.** Qualidade de amável: *É impressionante a finura, a amabilidade do seu trato.* **2.** Delicadeza, atenção, cortesia. **3.** Simplicidade, afabilidade, lisura, lhaneza. **4.** Palavra, frase, gesto que revela amabilidade, próprio de quem é amável: *Nunca poderei agradecer bastante as suas amabilidades.*

amabilíssimo. [Do lat. *amabilissimu.*] *Adj.* Superl. abs. sint. de *amável.*

amacacado. [De *a-*[2] + *macaco* + *-ado*[1].] *Adj.* **1.** Que tem modos e/ou feições de macaco. **2.** Próprio de macaco. **3.** *Fig.* Reduzido em proporções; sem grandeza.

amacacar. [De *a-*[2] + *macaco* + *-ar*[2].] *V. t. d.* **1.** Assemelhar a macaco; macaquear. **2.** *Bras.* Imitar, copiar, plagiar. [Conjug.: v. *trancar.*]

amaçarocado. [De *a-*[2] + *maçaroca* + *-ado*[1].] *Adj.* Semelhante a maçaroca.

amaçarocar. [De *a-*[2] + *maçaroca* + *-ar*[2]] *V. t. d. Bras., S.* Dar forma de maçaroca a. [Conjug.: v. *trancar.*].

amachonar-se. [De *a-*[2] + *machona* + *-ar*[2] + *se*[1].] *V. p. Bras., S.* Amachorrar.

amachorrada. *Adj.* (*f.*) *Bras., S.* Diz-se da fêmea que se tornou estéril ou que toma ares masculinos.

amachorrar. [De *a-*[2] + *machorra* + *-ar*[2].] *V. int. Bras., S.* Ficar ou tornar-se estéril (a fêmea), ou adquirir ares de macho; amachonar-se.

amachucado. [Part. de *amachucar.*] *Adj.* Machucado.

amachucar. [De *a-*[4] + *machucar.*] *V. t. d.* e *p.* V. *machucar.* [Conjug.: v. *trancar.*]

amaciamento. *S. m.* Ato ou efeito de amaciar(-se).

amaciar. [De *a-*[2] + *macio* + *-ar*[2].] *V. t. d.* **1.** Tornar macio. **2.** Abrandar, suavizar, mitigar: *O tempo amaciou sua ira.* **3.** Amolecer, embrandecer: *conversa que amacia corações empedernidos.* **4.** *Autom.* Fazer funcionar (motor novo ou retificado) a baixa velocidade, para posterior ajustamento. **5.** *Autom.* Amaciar (4) o motor de (o veículo automóvel). **6.** *Bras. Fut.* V. *amortecer* (6). *P.* **7.** Acalmar-se, serenar-se.

amadeirado[1]. [De *a-*[2] + *madeira* + *-ado*[1].] *Adj.* Semelhante ou imitante a madeira.

amadeirado[2]. [Part. de *amadeirar.*] *Adj.* Emadeirado.

amadeirar. [De *a-*[2] + *madeira* + *-ar*[2].] *V. t. d.* **1.** Dar cor ou aspecto de madeira a. **2.** Emadeirar.

ama-de-leite. *S. f.* Mulher que amamenta criança alheia; ama, babá, criadeira, mamã. [Pl.: *amas-de-leite.*]

amado. [Part. de *amar.*] *Adj.* **1.** Que é objeto de especial afeição; querido, estimado, dileto: "Quando você tiver .... uma mulher amada e amante ao pé de si, será um homem completo e feliz." (Machado de Assis, *Contos Fluminenses,* p. 88); "Mãe sempre amada, / Sempre querida" (José Albano, *Rimas,* p. 216). ● *S. m.* **2.** O homem a quem se ama.

amador (ô). [Do lat. *amatore.*] *Adj.* **1.** V. *amante*[2] (2). **2.** Diz-se daquele que se dedica a uma arte ou ofício por prazer, sem fazer destes um meio de vida: *músico amador.* **3.** Diz-se da arte ou ofício praticado por amadores: *teatro amador.* ● *S. m.* **4.** V. *amante*[2] (5): "Transforma-se o amador na cousa amada" (Luís de Camões, *Rimas,* p. 142). **5.** Indivíduo amador (2). **6.** Entusiasta, apreciador: *amador de café.* **7.** Aquele que entende superficialmente de alguma coisa.

amadorismo. *S. m.* **1.** Condição de amador, de não profissional. **2.** Doutrina, sistema ou regime contrário ao profissionalismo.

amadorista. *Adj. 2 g.* e *s. 2 g.* Partidário do amadorismo.

amadorístico. *Adj.* Relativo ao, ou próprio do amadorismo.

amadornar. [De *a-*[2] + *madorna* + *-ar*[2].] *V. t. d., int.* e *p.* V. *madornar:* "Pouco a pouco me fui amadornando, até cair num sono embrulhado e penoso." (Graciliano Ramos, *S. Bernardo,* p. 170.)

amadorrar. *V. t. d., int.* e *p.* V. *amodorrar.*

amadrinhado. [Part. de *amadrinhar.*] *Adj.* **1.** Protegido, apadrinhado. **2.** Diz-se das cavalgaduras, e, p. ext., de outros animais, que andam sempre juntos.

amadrinhador (ô). *S. m.* **1.** Aquele que amadrinha. **2.** Indivíduo que acompanha o domador nos exercícios para domar animais cavalares e muares.

amadrinhar. [De *a-*[2] + *madrinha* + *-ar*[2].] *V. t. d.* **1.** Servir de madrinha a. **2.** Jungir (um boi manso) com um bravo. **3.** *Bras., S.* Emparelhar (cavalo) com égua ou burro; madrinhar. **4.** *Bras., S.* Acostumar (os muares) a seguir as éguas madrinhas; madrinhar. **5.** *Bras., S.* Acompanhar em cavalo ou burro manso (o animal que está sendo domado), a fim de que este não se dirija a lugares perigosos; madrinhar.

amadurado. [Part. de *amadurar.*] *Adj.* Amadurecido, maduro.

amaduramento. *S. m.* V. *amadurecimento* (1).

amadurar. [De *a-*[2] + *maduro* + *-ar*[2].] *V. t. d.* e *int.* V. *amadurecer:* "naquele seu vestidinho de chita azul bem liso e justo ao corpo, fruto capitoso que o sol sertanejo amadurara e enrubecera" (Hugo de Carvalho Ramos, *Tropas e Boiadas,* p. 69); "Eis que as vinhas rebentaram / e as uvas amaduraram, / sanguíneas, com sol na cor." (Cruz e Souza, *Obra Completa,* p. 283.)

amadurecer. [De *a-*[2] + *maduro* + *-ecer.*] *V. t. d.* **1.** Tornar maduro; sazonar, madurar, maturar, madurecer, amadurar: *O calor do sol amadurece os frutos.* **2.** Fazer chegar a estado de amadurecimento, aprimoramento; aperfeiçoar, aprimorar: *Na Antiguidade, os gregos amadureceram o conceito de democracia.* **3.** Fazer chegar a um estado comparável à madureza dos frutos. **4.** *Fig.* Tornar maduro, assisado, refletido, prudente, experiente: *A luta pela vida amadureceu o rapaz.* **5.** Deter-se longamente em; ponderar, pesar: *amadurecer um projeto. Int.* **6.** Tornar-se maduro; sazonar, maturar, madurar, madurecer, amadurar, amadurecer-se. **7.** Chegar a estado de amadurecimento, aperfeiçoamento; tornar-se maduro; aperfeiçoar-se, aprimorar-se: *O projeto amadurecia no seu espírito.* **8.** Chegar a ponto de supuração (abscesso, furúnculo, etc.). *P.* **9.** Tornar-se maduro; sazonar-se, maturar, madurar, madurecer, amadurar, amadurecer. **10.** Aprimorar-se, aperfeiçoar-se; amadurecer. [Conjug.: v. *aquecer.*]

amadurecido. [Part. de *amadurecer.*] *Adj.* **1.** Maduro, amadurado; sazonado. **2.** *Fig.* Que amadureceu; que se tornou assisado, refletido, prudente; experiente, vivido. **3.** *Fig.* Pensado, refletido, pesado, ponderado: *plano amadurecido.*

amadurecimento. *S. m.* **1.** Ato ou efeito de amadurecer (6); sazonamento, maturação, maduração, amaduramento. **2.** Ato ou efeito de amadurecer (nas demais acepções): *o amadurecimento de uma idéia, do pensamento, de um abscesso,* etc. **3.** Estado ou condição de amadurecido (2).

amaduri. *S. m. Bras.* Abiurana.

amagar. *V. t. d. Bras., RS.* Levar (o corpo) à frente, quando a cavalo, para dar impulso ao animal: "Amaguei o corpo e pendurei-lhe de esporas, toquei a galope largo." (Simões Lopes Neto, *Contos Gauchescos e Lendas do Sul,* p. 127.) [Conjug.: v. *largar. Pres. ind.: amago,* etc. Cf. *âmago.*]

amagat. *S. m. Fís.* Sistema de unidades que adota a atmosfera como unidade de pressão e 22,4 como unidade de volume, usado em alguns casos na investigação de gases.

âmago. *S. m.* **1.** *Anat. Veg.* V. *cerne* (1). **2.** *P. ext.* O centro, o meio de qualquer coisa: *Mora no âmago da cidade.* **3.** A parte mais íntima de um ser; a essência, o íntimo, a alma: *Os soluços vinham-lhe do âmago.* **4.** A parte fundamental; o principal, a essência: *o âmago da questão.* [Cf. *amago,* do v. *amagar.*]

âmago-furado. *S. m. Bras.* Doença que ataca a planta do tabaco. [Pl.: *âmagos-furados.*]

amagotado. [Part. de *amagotar.*] *Adj.* Posto ou disposto em magotes.

amagotar. [De *a-*[2] + *magote* + *-ar*[2].] *V. t. d.* Pôr ou dispor em magotes.

amaiaripucu. *S. m. Bras., Amaz.* Piquirão (1).

amainar. [Do cat., talvez.] *V. t. d.* **1.** Colher (a[s] vela[s])): "sabia governar um escaler ou uma canoa, amainar com destreza a vela num temporal" (Aluísio Azevedo, *Demônios,* p. 240). **2.** Abrandar, acalmar, tranqüilizar: "E a Senhora o manto abria / e amainava as procelas" (*Os Versos de Afonso Lopes Vieira,* p. 119). *Int.* **3.** Abrandar(-se), serenar(-se), acalmar(-se); diminuir, cessar: "Enfim, a tempestade amainou." (Machado de Assis, *Memórias Póstumas de Brás Cubas,* p. 66); *A epidemia amainou;* "O pranto continuava. Quando amainou, ele não conseguiu nem ler, nem o sono." (José Carlos Cavalcanti Borges, *O Assassino,* p. 35). **4.** Colher ou arriar a(s) vela(s). *P.* **5.** Abrandar(-se), serenar(-se), acalmar(-se); diminuir, cessar: "Aquela tempestade enfim se amaina" (Gonçalves Dias, *Obras Poéticas,* II, p. 122).

amajouva. *S. f. Bras.* Planta da família das auráceas (*Aiouea brasiliensis*).

amalá. [Do ioruba.] *S. m. Bras.* Caruru-de-baba.

amaldiçoado. [Part. de *amaldiçoar.*] *Adj.* e *s. m.* V. *maldito* (1 a 5).

amaldiçoador (ô). *Adj.* e *s. m.* Que ou aquele que amaldiçoa.

amaldiçoar. [De *a-*[2] + *maldição* + *-ar*[2].] *V. t. d.* **1.** Lançar maldição a. **2.** Declarar mau ou funesto, praguejando contra; maldizer. **3.** Abominar, execrar: *Passa a vida a amaldiçoar a sua má fortuna.* [Conjug.: v. *coroar.*]

amalecita. [De *Amalec,* neto de Esaú, personagem bíblica, + *-ita*[2].] *S. 2 g.* **1.** Indivíduo do antigo povo árabe dos amalecitas. ● *Adj. 2 g.* **2.** Pertencente ou relativo a esse povo.

amaleitado. [De *a-*[2] + *maleita* + *-ado*[1].] *Adj.* Doente de maleita; maleitoso.

amálgama. [Do lat. dos alquimistas *amalgama.*] *S. f.* e *m.* **1.** *Quím.* Liga de mercúrio. **2.** *P. ext.* Amálgama de mercúrio e, geralmente, pó de prata, usado pelos dentistas para obturar os dentes. **3.** *Min.* Mineral monométrico, constituído por mercúrio e prata em misturas isomorfas. **4.** *Fig.* Mistura de elementos que, embora diversos, contribuem para formar um todo: *O espetáculo foi um excelente amálgama de formas e sons.* [Cf. (nesta acepç.) *amassilho* (3).] **5.** *Fig.* Reunião de pessoas de diferentes classes e qualidades. [Cf. *amalgama,* do v. *amalgamar.*]

amalgamação. *S. f.* **1.** Ato ou efeito de amalgamar(-se). **2.** Processo de extrair ouro e prata das minas pela ação do mercúrio. **3.** *Fig.* Ligação íntima **4.** Processo de união biológica e social de grupos de etnia e raça diferentes; fusão. **5.** *Quím.* Formação de amálgama (1).

amalgamador (ô). *Adj.* e *s. m.* Que ou aquele que amalgama.

amalgamar. *V. t. d.* **1.** Fazer amálgama de (mercúrio com outro metal). **2.** Confundir (coisas diversas); reunir, misturar, mesclar. *T. d.* e *i.* **3.** Ligar, misturar, combinar, entrelaçar: *A fantasia daquele romancista amalgama o verossímil com o inverossímil. P.* **4.** Combinar-se, mesclar-se, juntar-se. [Pres. ind.: *amalgamo, amalgamas, amalgama,* etc. Cf. *amálgama.*]

amalgâmico. *Adj.* Que se pode amalgamar ou combinar.

amalhar[1]. [De *a-*[4] + *malhar*[2].] *V. t. d.* **1.** Conduzir à malhada; levar ao redil. **2.** Levar por bom caminho. *Int.* e *p.* **3.** Entrar (o gado) na malhada; abrigar-se; recolher-se. [Var.: *amalhoar.*]

amalhar[2]. [De *a-*[2] + *malha*[1] + *-ar*[2].] *V. t. d.* **1.** Prender na malha. **2.** Ilaquear; enredar.

amalhoar. *V. t. d., int.* e *p. Pop.* Var. de *amalhar*[1]. [Conjug.: v. *coroar.*]

amalocar. [De *a-*[2] + *maloca* + *-ar*[2].] *V. t. d. Bras.* Juntar em maloca (2); aldear, malocar. [Conjug.: v. *trancar.* Cf. *amalucar.*]

amaltado. [Part. de *amaltar.*] *Adj.* Reunido em malta^{1}.

amaltar. [De *a-*^{2} + *malta*^{1} + *-ar*^{2}.] *V. t. d. e p.* Reunir (-se) em malta.

amalucado. [De *a-*^{2} + *maluco* + *-ado*^{1}.] *Adj.* Que não é muito certo do juízo, da bola; um tanto maluco; adoidado, giro, maníaco. [Sin. (bras., gír.): *abilolado, aloprado, biruta, boleado, gira, pancada.* V. *tolo* (1 a 3).]

amalucar. [De *a-*^{2} + *maluco* + *-ar*^{2}.] *V. t. d.* **1.** Tornar maluco, ou um tanto maluco; enlouquecer, adoidar: *O sofrimento amalucou-o. Int. e p.* **2.** Tornar-se maluco, ou um tanto maluco; adoidar(-se), aloucar(-se), embirutar: *Com a mania de grandezas, amalucou; Amalucou-se, coitado, desde que perdeu a mãe.* [Conjug.: v. *trancar.* Cf. *malucar* e *amalocar.*]

amambaiense. (a-i). *Adj. 2 g.* **1.** De, ou pertencente ou relativo a Amambaí (MS). ● *S. 2 g.* **2.** Natural ou habitante de Amambaí.

amame. *Adj. 2 g.* Diz-se do cavalo ou da égua de pêlo preto e branco.

amamentação. *S. f.* Ato ou efeito de amamentar; alactamento.

amamentador (ô). *Adj.* e *s. m.* Que ou aquele que amamenta.

amamentadora (ô). *Adj. (f.)* e *s. f.* Diz-se de, ou mulher que amamenta.

amamentar. [De *a-*^{2} + *mamar* + *-entar.*] *V. t. d.* **1.** Dar de mamar a; criar ao peito; aleitar; lactar. **2.** Alimentar, nutrir: *Passa a vida a acobertar e amamentar as estroinices do filho.* **3.** Dar vida ou alento a: *Existem aparentes virtudes que amamentam muitos vícios. Int.* **4.** Dar de mamar; criar ao peito: "Os teus seios miraculosos, / Que amamentaram sem perder / O precário frescor da pubescência, / .... / São dele quando ele bem quer." (Manuel Bandeira, *Estrela da Vida Inteira,* p. 88.)

amaná. [Do tupi.] *S. f. Bras.* V. *aruanã (1).*

amanacaí. [Do tupi.] *S. f. Bras.* Certa abelha amazônica.

amanaçaia. *S. f. Bras.* Var. de *mandaçaia.*

amanaci. [Do tupi *amana'si.*] *S. f. Bras.* Certa ave amazônica.

amanaga. [Do tupi.] *S. f. Bras., Amaz.* Espécie de tecido de algodão, entre certas tribos indígenas.

amanajé. *Bras. S. 2 g.* e *adj. 2 g.* V. *ararandeuara.*

amanamanha. [Do tupi, decerto.] *S. f. Bras.* Certo sapo amazônico.

amanarauá. *Bras. S. 2 g.* **1.** Indivíduo dos amanarauás, tribo indígena do N. do PA. ● *Adj. 2 g.* **2.** Pertencente ou relativo a essa tribo.

amancebado. [Part. de *amancebar-se.*] *Adj.* **1.** Que vive em mancebia; amigado, amasiado. ● *S. m.* **2.** Amásio, amante.

amancebamento. *S. m.* **1.** Ato ou efeito de amancebar-se. **2.** Estado de quem vive amancebado; concubinato, mancebia. **3.** *Pej.* Ligação, aliança: *Por conveniências políticas, sujeitou-se a um amancebamento com pessoas indignas.*

amancebar-se. [De *a-*^{2} + *mancebo* + *-ar*^{2} + *se*^{1}.] *V. p.* **1.** Ligar-se com alguém em mancebia; amasiar-se, amigar-se, concubinar-se. **2.** *Pej.* Aliar-se, juntar-se, ligar-se: *A fé amancebava-se com a crendice.* [Conjug.: v. *chegar.*]

amanchar-se. [De *a-*^{2} + *mancha* + *-ar*^{2} + *se*^{1}.] *V. p.* Estar (o javali) na mancha (5).

amaneirado. [De *a-*^{2} + *maneira* + *-ado*^{1}.] *Adj.* **1.** Que não é natural ou simples; afetado; presumido. **2.** Esteticamente rebuscado: *pintura amaneirada.* ● *S. m.* **3.** O que é amaneirado.

amaneiramento. *S. m.* **1.** Ato ou efeito de amaneirar (-se). **2.** Afetação, artificialismo, maneirismo. **3.** Modo de expressão próprio do maneirismo.

amaneirar. [De *a-*^{2} + *maneira* + *-ar*^{2}.] *V. t. d.* **1.** Tornar amaneirado. *T. d. e i.* **2.** Adaptar; acomodar: *Amaneirou a peça ao gosto atual. P.* **3.** Tornar-se amaneirado.

amanequinar. [De *a-*^{2} + *manequim* + *-ar*^{2}.] *V. t. d.* Pintar ou esculpir sem arte, apenas à vista e imitação do manequim.

amanhã. [Do lat. vulg. **maneana,* i. e., *hora—,* 'em hora matinal'.] *Adv.* **1.** No dia seguinte àquele em que estamos: *Hoje é feriado, mas amanhã irei trabalhar;* "Amanhã traga Juventina para nossa casa." (José Carlos Cavalcanti Borges, *O Assassino,* p. 42). **2.** Mais tarde; para o futuro: *Amanhã sofrerão o resultado dessa vida extravagante.* ● *S. m.* **3.** O dia seguinte: "Não deixes para amanhã o que podes fazer hoje" (prov.). **4.** A época vindoura; o futuro: *os homens de amanhã;* "Fundiste espaço e tempo em luz e geometria, / o amanhã e o passado." (Valdemar Lopes, *Elegia para Joaquim Cardoso,* p. 5). ◆ **Depois de amanhã.** Após o dia imediatamente seguinte ao de amanhã.

amanhação. *S. f.* Ato ou operação de amanhar; amanho.

amanhado. [Part. de *amanhar.*] *Adj.* **1.** Lavrado, cultivado; adubado. **2.** Arranjado, preparado. **3.** Consertado, reparado. **4.** *Fam.* Ataviado, enfeitado.

amanhador (ô). *Adj.* e *s. m.* Que ou aquele que amanha.

amanhar. [De *a-*^{2} + *manha* + *-ar*^{2}.] *V. t. d.* **1.** Dar amanho a; cultivar, lavrar, agricultar: *amanhar as terras.* **2.** Arranjar, aprontar, preparar: *Mal teve tempo de amanhar as malas: o trem partia em minutos.* **3.** Preparar de acordo com determinadas regras: *amanhar o peixe para o secar.* **4.** Ataviar, adornar, enfeitar: *Amanhou o chapéu com flores silvestres. P.* **5.** Arranjar-se, compor-se, enfeitar-se, adornar-se, ataviar-se: *Amanhou-se faceiramente para receber o noivo.* **6.** Acomodar-se, aviar-se: *Cada qual se amanhe como lhe convier.*

amanhecente. *Adj. 2 g.* Que amanhece.

amanhecer. [Do lat. vulg. **admanescere.*] *V. int.* **1.** Raiar a manhã, romper o dia: "Também tem graça [o céu] / quando amanhece" (Tomás Antônio Gonzaga, *Marília de Dirceu,* p. 45); *Mal amanheceu, partimos.* **2.** Raiar, romper, despontar: "O dia amanheceu como os outros." (Pedro Nava, *Balão Cativo,* p. 73). **3.** Estar ou encontrar-se ao amanhecer em algum lugar: *Viajaram toda a noite, e amanheceram na cidade. Pred.* **4.** Ser, estar (pela manhã): "Amanhecera um belo dia de sol, quente, luminoso" (Adolfo Caminha, *Bom-Crioulo,* p. 75). **5.** Encontrar-se, achar-se (em certo estado) pela manhã: "Amanheci doloroso." (Ribeiro Couto, *Baianinha e Outras Mulheres,* p. 77). [Conjug.: v. *aquecer.* Na 1ª e 2ª acepç. é unipessoal.] ● *S. m.* **6.** O raiar do dia; o alvorecer; a aurora. **7.** *Fig.* O começo de alguma coisa; a origem, a aurora: *o amanhecer da civilização; o amanhecer da vida.*

amanhecimento. *S. m. P. us.* Ato de amanhecer.

amanho. [Dev. de *amanhar.*] *S. m.* **1.** Lavoura, cultivo. **2.** Arranjo (1), correção. ~ V. *amanhos.*

amanhos. [Pl. de *amanho.*] *S. m. pl.* Utensílios. ~ V. *amanho.*

amaninhador (ô). *Adj.* Que amaninha, esteriliza; esterilizante.

amaninhar. [De *a-*^{2} + *maninho* + *-ar*^{2}.] *V. t. d. e p.* Tornar(-se) maninho; esterilizar(-se): "no fim do inverno, o mata-pasto invadiu ferozmente as pastagens, amaninhando-as, ou o tingui nasceu, a granel, por entre o capinzal." (Gustavo Barroso, *Terra de Sol,* p. 24); "As terras amaninharam-se abandonadas." (Id., *Heróis e Bandidos,* p. 22).

amaniú. *Bras. S. 2 g.* **1.** Indivíduo dos amaniús, tribo indígena que habita as imediações do vale do rio Moju (PA). ● *Adj. 2 g.* **2.** Pertencente ou relativo a essa tribo.

amânoa. [De or. americana.] *S. f.* Planta americana da família das euforbiáceas (*Amanoa guianensis*), de sementes oleaginosas. [Sin. (na Amaz.): *andorinha.*]

amanonsiado. [Part. de *amanonsiar.*] *Adj. Bras., S.* Diz-se do cavalo manso sem ser montado; manoseado.

amanonsiador (ô). *S. m. Bras., S.* Aquele que amanonsia; manoseador.

amanonsiar. [De *a-*^{4} + esp. plat. *manosear.*] *V. t. d. Bras., S.* Amansar (um cavalo) sem o montar; tirar-lhe as manhas; domesticá-lo por meios brandos, sem o montar; manosear.

amansadela. *S. f.* Ato de amansar ligeiramente, sem insistir

amansador (ô). *Adj.* e *s. m.* **1.** Que, ou aquele que amansa. **2.** Amestrador, domesticador.

amansamento. *S. m.* **1.** Ato ou efeito de amansar(-se). **2.** *Bras., Amaz.* Preparação que se faz nos seringais antes de neles estender os canequinhos de folha, para começo da colheita.

amansar. [De *a-*^{2} + *manso* + *-ar*^{2}.] *V. t. d.* **1.** Tornar manso; domesticar, amestrar. **2.** Aplacar, apaziguar, sossegar. **3.** Refrear; moderar: *Os argumentos não amansaram sua ira;* "Presença serena, / Que a tormenta amansa" (Luís de Camões, *Rimas,* p. 103). **4.** Abrandar, mitigar, atenuar, minorar, suavizar: *O emplastro amansou a dor.* **5.** Tornar (os sapatos) mais brandos, mais cômodos para o uso, andando calçado com eles. *Int.* **6.** Tornar-se manso; serenar(-se), acalmar(-se). *P.* **7.** Tornar-se manso; domar-se. **8.** Sossegar, acalmar-se.

amansa-senhor. [De *amansar* + *senhor.*] *S. m. Bras.* Planta venenosa da família das fitolacáceas (*Petiveria tetrandra*). [Pl.: *amansa-senhores.*]

amansia. *S. f.* Ato de amansar o touro para acostumá-lo ao trabalho.

amantar. [De *a-*^{2} + *manta* + *-ar*^{2}.] *V. t. d.* Cobrir com manto ou manta: "D. José deteve-se na cavalariça a almofaçar e amantar o cavalo" (Camilo Castelo Branco, *O Santo da Montanha,* p. 25).

amante^{1}. [Do gr. *himás,* 'correia', pelo lat. vulg. *himante.*] *S. m. Mar. Merc.* Amantilho de pau de carga.

amante^{2}. [Do lat. *amante.*] *Adj. 2 g.* **1.** Que ama. **2.** Que gosta de alguma pessoa ou coisa; amador, apreciador: *pessoa amante de boa música.* **3.** Apaixonado, amoroso: "Quando você tiver .... uma mulher amada e amante ao pé de si, será um homem feliz e completo." (Machado de Assis, *Contos Fluminenses,* p. 88); "Chegava: e os nossos corações amantes / Apressados batiam." (Humberto de Campos, *Poesias Completas,* p. 16). ● *S. 2 g.* **4.** Pessoa que ama; namorado; apaixonado. **5.** Pessoa que tem gosto ou inclinação por outra pessoa ou coisa; amador; apreciador: *os amantes da boa mesa.* **6.** Pessoa que tem com outra relações extramatrimoniais, mais ou menos passageiras: "era sempre e simultaneamente amante das mulheres e amado pelos maridos." (Valentim Magalhães, *Vinte Contos,* p. 46); *Não faltou quem insinuasse ao rapaz que sua mulher era amante do presidente da empresa.* [Sin. (bras., gír.), nesta acepç.: *osso.*] **7.** V. *concubina.* **8.** V. *amásio.*

amanteigado^{1}. [De *a-*^{2} + *manteiga* + *-ado*^{1}.] *Adj.* Semelhante à manteiga, na brandura, na cor ou no gosto: *creme amanteigado.*

amanteigado^{2}. [Part. de *amanteigar.*] *Adj.* **1.** Untado ou feito com manteiga: "Trazia-nos .... os melhores biscoitos amanteigados de Petrópolis." (Afonso Arinos Filho, *Primo Canto,* p. 27.) ● *S. m.* **2.** *Bras.* Espécie de biscoito feito sobretudo com manteiga.

amanteigar. [De *a-*^{2} + *manteiga* + *-ar*^{2}.] *V. t. d.* **1.** Tornar brando como a manteiga. **2.** Dar cor ou sabor de manteiga a. **3.** Passar manteiga em: *amanteigar o pão.* [Conjug.: v. *largar.*]

amantelar. *V. t. d.* Cercar de muralhas; fortificar.

amantético. *Adj.* **1.** Ridiculamente apaixonado ou amoroso. **2.** Exageradamente carinhoso: "A erotomania do ternissimo Macias está dentro ... dos hábitos amantéticos galaico-lusitanos." (Eduardo Frieiro, *O Alegre Arcipreste,* p. 294.) **2.** Dado a alguma coisa em que tem prazer.

amantilhar^{1}. [De *amantilho* + *-ar*^{2}.] *V. t. d. Marinh.* **1.** Pôr amantilhos em. **2.** Manobrar o(s) amantilho(s) de (uma verga) com o fim de levá-lo(s) à posição horizontal. **3.** Içar (o pau de surriola) à vertical.

amantilhar^{2}. [De *amante?*] *V. t. d.* **1.** Ter relações sexuais com. **2.** *Gír.* Envolver, prender. *P.* **3.** Amasiar-se, amigar-se, amancebar-se.

amantilho. [Dim. de *amante*^{1}.] *S. m. Marinh.* **1.** Cabo, teque, talha ou corrente que agüenta para cima a extremidade de uma lança (pau de carga), pau de surriola, carangueja ou retranca. [Cf. *amante*^{1}.] **2.** Cada um dos cabos que vão dos laises da verga à cabeça do mastro ou mastaréu para sustentá-la horizontalmente ou dar-lhe movimento no plano vertical. [Cf. *braço da verga.*]

amanuensado. *S. m.* Funções ou cargo de amanuense.

amanuense. [Do lat. *amanuense.*] *S. 2 g.* **1.** Escrevente, copista. **2.** Funcionário público de condição modesta que fazia a correspondência e copiava ou registrava documentos: "O pai tinha razão, do ponto de vista genealógico: como Borba, fali. .... Meu consolo é que sou um grande amanuense. Um burocrata! exclamava com desprezo." (Ciro dos Anjos, *O Amanuense Belmiro,* p. 10.)

amapá. [Do tupi *ama'pá.*] *S. m. Bras., PA.* Árvore da família das apocináceas (*Parahancornia amapa*), de madeira útil, e cuja casca, amarga, exsuda látex medicinal, de aplicação no tratamento da asma, bronquite e afecções pulmonares, tendo seu uso externo poder resolutivo e cicatrizante de golpes e feridas.

amapá-doce. *S. m. Bras.* V. *conduru-de-sangue.* [Pl. *amapás-doces.*]

amapaense. *Adj. 2 g.* **1.** Do, ou pertencente ou relativo ao AP. ● *S. 2 g.* **2.** Natural ou habitante desse território.

amapola (ô). [Do esp. *amapola,* 'papoula'.] *S. f.* Planta da família das cactáceas (*Peireskia amapola*), característica das formações xerófilas.

amapuru. *Bras. S. 2 g.* **1.** Indivíduo dos amapurus, tribo indígena que habita entre o PI e MA. ● *Adj. 2 g.* **2.** Pertencente ou relativo a essa tribo. [F. paral.: *anapuru.*]

amar. [Do lat. *amare.*] *V. t. d.* **1.** Ter amor a; querer muito bem a; sentir ternura ou paixão por: "Amo-te, é certo; adoro-te, confesso" (Humberto de Campos, *Poesias Completas,* p. 54); "Goethe amou Roma como artista e não como sábio." (Afonso Arinos de Melo Franco, *Amor a Roma,* p. 24); "O poeta Daniel amava em Francisca tudo: o coração, a beleza, a mocidade, a inocência e até o nome." (Machado de Assis, *Contos

Recolhidos, p. 13). **2.** Ter afeição, dedicação ou devoção a; prezar: *amar a Deus; amar o próximo.* **3.** Sentir prazer em; apreciar muito, gostar de: *Ama a vida ao ar livre;* "Amo a grandeza misteriosa e vasta" (Antero de Quental, *Sonetos*, p. 73). **4.** Praticar, realizar o amor físico com; possuir. **5.** *Ant.* Desejar, querer. **6.** *Ant.* Preferir, escolher. *Int.* **7.** Ter amor; estar enamorado: "Que ânsia de amar! E tudo a amar me ensina" (Alberto de Oliveira, *Poesias*, II, p. 273); "Quem ama, ama só a igual, porque o faz igual com amá-lo." (Fernando Pessoa, *Páginas de Doutrina Estética*, p. 117.) **8.** Ser propenso ao amor ou capaz de amar: *Não sente, não vibra, não ama.* **9.** Praticar o ato sexual. *P.* **10.** Experimentar (duas ou mais pessoas) um sentimento mútuo de amor, ternura, paixão: "em que escritura, divina ou humana, já foi dado como delito amarem-se duas criaturas?" (Machado de Assis, *Teatro*, p. 253). **11.** Praticar (duas pessoas ou animais) o ato sexual: "Beijemo-nos! amemo-nos! espera! (Olavo Bilac, *Poesias*, p. 151.) **12.** Votar amor a si mesmo: "Amar-me, já o não consigo" (José Régio, *Mas Deus é Grande*, p. 53). [M.-q.-perf. ind.: *amara, amáramos, amáreis*, etc.; fut. pres.: *amarei, amarás, amareis*, etc.; pres. subj.: *ame, ames, amem*, etc.; imperf. subj.: *amasse, amássemos, amásseis*, etc. Cf. *amaramos* e *amareis*, do v. *amarar; amassemos* e *amasseis*, do v. *amassar;* e *amém*, interj. e s. m.]

amáraco. [Do gr. *amárakon*, pelo lat. *amaracu*.] *S. m.* Manjerona-do-campo.

amarado. [Part. de *amarar*.] *Adj.* **1.** Afastado da costa. **2.** Cheio de água; marejado, inundado.

amaragem. *S. f. P. us.* Ato de amarar^{1} (2); amerissagem.

amarantácea. *S. f.* Espécime das amarantáceas.

amarantáceas. *S. f. pl. Bot.* Família de plantas da ordem das centrospermas formada por espécies herbáceas e arbustivas, algumas delas trepadeiras. Flores pequenas, porém numerosas e agregadas em capítulos e glomérulos, muitas vezes coloridas, secas, paleáceas, sendo popularmente conhecidas pelo nome de *sempre-viva*, pois não murcham. O Brasil tem cerca de 850 espécies, mais comuns nas zonas quentes, e das quais a crista-de-galo é exemplo vulgar em jardins.

amarantáceo. *Adj.* **1.** Semelhante ou relativo ao amaranto. **2.** Pertencente ou relativo a ele.

amarante. *S. m. Bras., Amaz.* Pau-roxo.

amarantino^{1}. *Adj.* **1.** De, ou pertencente ou relativo a Amarante (Portugal e PI). ● *S. m.* **2.** O natural ou habitante de Amarante.

amarantino^{2}. *Adj.* **1.** De, ou pertencente ou relativo a Amarante do Maranhão (MA). ● *S. m.* **2.** O natural ou habitante de Amarante do Maranhão.

amaranto. [Do gr. *amárantos*, 'imarcescível', pelo lat. *amarantu*.] *S. m.* **1.** Gênero de plantas herbáceas da família das amarantáceas cultivadas por suas flores. **2.** Macelão.

amarar^{1}. [De *a-*^{2} + *mar* + *-ar*^{2}.] *V. int.* **1.** Fazer-se ao mar largo; amarar(-se). **2.** Pousar (o hidravião) na água; amerissar. *V. t. d.* **3.** Encher de água, de lágrimas: *A saudade amarava-lhe os olhos. P.* **4.** Fazer-se ao mar largo; amarar. **5.** Encher-se de água, de pranto; marejar-se: *À vista do navio que partia, amararam-se os olhos do rapaz.* **6.** Inundar-se, alagar-se. [Pres. ind.: *amaro, amaras, amaramos*, etc.; pres. subj.: *amare, amares, amareis*, etc. Cf. *amáramos* e *amáreis*, do v. *amar*.]

amarar^{2}. [De *amaro* + *-ar*^{2}.] *V. t. d.* e *p.* V. *amargurar*.

amarasmear. [De *a-*^{2} + *marasmo* + *-ear*.] *V. int.* **1.** Mostrar marasmo; estar marasmado. *P.* **2.** Cair em marasmo. [Conjug.: v. *frear*.]

amarela. [Fem. substantivado do adj. *amarelo*.] *S. f.* Moeda de ouro. ~ V. *amarelas*.

amarelado^{1}. [De *amarelo* + *-ado*^{1}.] *Adj.* **1.** Tirante a amarelo; amarelento: "Sáris amarelos e azuis, / Homens envoltos em velhos panos amarelados" (Cecília Meireles, *Obra Poética*, p. 702). **2.** Pálido, descorado: *Nunca teve boa cor, sempre foi amarelada.*

amarelado^{2}. [Part. de *amarelar*.] *Adj.* **1.** Tornado amarelo, ou tirante a amarelo. **2.** Amadurecido, amadurado.

amarelamente. [Do fem. de *amarelo* + *-mente*.] *Adv.* À maneira de quem ri ou sorri amarelo [v. *sorrir amarelo*]: "gaguejei amarelamente as primeiras palavras que havia decorado." (Gilberto Amado, *Depois da Política*, p. 84).

amarelão. [Aum. de *amarelo*.] *Adj. Bras.* **1.** Diz-se de certo tipo de arroz. ● *S. m.* **2.** *Bras.* V. *ancilostomíase*.

amarelar. *V. t. d.* **1.** Tornar amarelo, amarelecer: *O sol amarelou as laranjas.* **2.** Tornar tirante a amarelo; descorar: *Os anos amarelaram as folhas de papel.* **3.** Amadurecer, amadurar: *O calor amarelou as frutas. Int.* **4.** Fazer-se amarelo; amarelar-se. **5.** Perder o viço; empalidecer. *P.* **6.** Fazer-se amarelo; amarelar. [Sin. ger.: amarelecer.]

amarelas. *El. s. f. pl. Bras., CE* a *PE. Pop.* Usa-se em loc., como *ver-se nas amarelas*, etc. ~ V. *amarela*. ◆ **Ver-se nas amarelas.** Ver-se em apuros, em dificuldades.

amarelecer. *V. t. d.* **1.** Tornar amarelo; amarelar [q. v.]: "O outono amarelece e despoja os lariços." (Manuel Bandeira, *Estrela da Vida Inteira*, p. 14.) **2.** Tornar descorado, tirante a amarelo: *O tempo amareleceu as cartas guardadas no baú. Int.* e *p.* **3.** Ficar amarelo: "Já amarelecem as folhas do caquizeiro" (Carlos Lacerda, *A Casa de Meu Avô*. p. 49). **4.** Perder o viço, empalidecer. [Conjug.: v. *aquecer*.]

amarelecido. [Part. de *amarelecer*.] *Adj.* Que amareleceu: "as flores de papel do jarro.... estavam desbotadas, amarelecidas." (José Carlos Cavalcanti Borges, *O Assassino*, p. 31).

amarelecimento. *S. m.* Ação ou efeito de amarelecer (-se).

amarelejar. *V. int.* Mostrar-se, fazer-se notar, na sua cor amarela: "Os matos amarelejavam lançando faíscas" (Coelho Neto, *Rei Negro*, p. 105); *Ao longe amarelejavam os ipês.* [Conjug.: v. *pelejar*. Normalmente é defect.; conjugável só nas 3as pess.]

amarelento. *Adj.* **1.** Amarelado (1): "era a água amarelenta das poças do estio." (José Vieira, *Vida e Aventura de Pedro Malasarte*, p. 59). **2.** *Bras.* Doente de febre amarela.

amarelidão. *S. f.* **1.** Qualidade de amarelo (4). **2.** *Fam.* Palidez, palor. [Sin. ger.: *amarelidez*.]

amarelidez (ê). *S. f. amarelidão*.

amarelinha^{1}. [Dim. de *amarela*, fem. de *amarelo*.] *S. f. Bras.* **1.** Trepadeira ornamental da família das acantáceas (*Thumbergia alata*), originária da África Oriental, cujos ramos e folhas são comestíveis para o gado, e que é naturalizada e subespontânea no Brasil; bunda-de-mulata, cu-de-cachorro, cu-de-mulata, erva-de-cabrita. **2.** V. *garapa* (6).

amarelinha^{2}. [Do fr. *marelle*, donde, por etimologia popular, terá vindo amarela, a que se adicionou, afetivamente, o suf. diminutivo.] *S. f. Bras.* Jogo infantil que consiste em pular num pé só sobre casas riscadas no chão, exceto aquela em que cai a pedra que marca a progressão do brincante. [Sin.: *macaco, marela, maré* (MG e GO) e *sapata* (RS).]

amarelinho. [Dim. substantivado do adj. *amarelo*.] *S. m.* **1.** V. *sebinho* (1). **2.** *Bras.* Variedade de fumo em rama. **3.** V. *arapoca*. **4.** *Bras.* V. *vinhático-do-campo*.

amarelo. [Do b.-lat. hispânico *amarellu*.] *Adj.* **1.** Da cor do ouro, da gema do ovo, do topázio, do enxofre: "A boca negra, os dentes amarelos." (Luís de Camões, *Os Lusíadas*, V, 39). **2.** Diz-se dessa cor: *tecido de cor amarela.* **3.** Pálido, descorado, amarelado. ~ V. *bismuto* —, *cera* —*a*, *cobre* —, *febre* —*a*, *latão* —, *riso* — e *sorriso* —. ● *S. m.* **4.** A cor amarela em todas as suas gradações [v. de *cor* (3)]. **5.** No espectro visível [q. v.], cor da radiação eletromagnética de comprimento de onda, compreendido, aproximadamente, entre 575 e 590 nanometros. **6.** *Bras.* Pessoa que tem amarelão. **7.** *Bras.* V. *vinhático-do-campo*. **8.** *Bras., N.E., MG, SP* e *MT. Pej.* Pessoa pálida. [Sin. (em PE): *come-longe*.] ~ V. *amarelos*.

amarelo-cinzento. *Adj.* **1.** De cor amarela com laivos de cor cinza: "O nevoeiro, espessíssimo, ... parecia tecido de sucessivas e infindas camadas d'algodão em rama, de cor amarelo-cinzenta, como se houvesse andado a rolar longamente no pó." (Virgílio Várzea, *Nas Ondas*, p. 58.) ● *S. m.* **2.** Essa cor. [Pl.: *amarelo-cinzentos* e *amarelos-cinzentos*.]

amarelo-claro. *Adj.* **1.** De um tom claro de amarelo. ● *S. m.* **2.** Essa cor: "Tudo é gris, desde os restolhais, cujo amarelo-claro entra inalterável pelo outono, aos coutos de urze e sargaço onde o tom era sempre verde." (Aquilino Ribeiro, *Aldeia*, p. 185.) [Pl.: *amarelo-claros* e *amarelos-claros*.]

amarelo-enxofre (ô). *Adj.* **1.** Diz-se da cor amarela com traços que lembram o enxofre: "Cortando a tela de lado a lado, a meia altura, uma curva larga, feita a compasso, representa a crista de uma colina; o que fica por cima, e deve normalmente ser céu, é amarelo-enxofre" (Léu Vaz, *Páginas Vadias*, p. 232). ● *S. m.* **2.** Essa cor. [Pl.: *amarelo-enxofres* e *amarelos-enxofres*.]

amarelo-esverdeado. *Adj.* **1.** Da cor amarela com laivos verdes: "Na escuridão, ele via as pupilas amarelo-esverdeadas das duas feras, fixas nele, impassíveis, sinistras." (Darci Azambuja, *A Prodigiosa Aventura*, p. 224.) ● *S. m.* **2.** Essa cor. [Pl.: *amarelo-esverdeados* e *amarelos-esverdeados*.]

amarelo-fosco (ô). *Adj.* **1.** Diz-se da cor amarela com laivos foscos: "Não muito longe dele, vadiava sempre um cão felpudo, amarelo-fosco." (Adelino Magalhães, *Obras Completas*, I, p. 127.) ● *S. m.* **2.** Essa cor. [Pl.: *amarelo-foscos* e *amarelos-foscos*.]

amarelo-gualdo. *Adj.* **1.** Amarelo claríssimo. ● *S. m.* **2.** Essa cor. [Pl.: *amarelo-gualdos* e *amarelos-gualdos*.]

amarelo-ouro. *Adj. 2 g.* e *2 n.* **1.** De cor amarela tirante a ouro. ● *S. m.* **2.** Essa cor. [Pl. do s.: *amarelo-ouros* e *amarelos-ouros*.]

amarelo-torrado. *Adj. 2 g.* e *2 n.* **1.** Da tonalidade acastanhada do amarelo. ● *S. m.* **2.** Essa cor. [Pl. do s.: *amarelo-torrados* e *amarelos-torrados*.]

amarelos. [Pl. de *amarelo*.] *S. m. pl.* Acessórios, fechos, guarnições, etc., de metal amarelo: "Zé Figo e o companheiro trepavam a encosta íngreme, com o sol a bulir nos amarelos da farda." (Mário Braga, *Serranos*, p. 51.) ~ V. *amarelo*.

amarescente. [Do lat. *amarescente*.] *Adj. 2 g.* V. *amargo* (1).

amarfalhar. *V. t. d.* V. *amarfanhar*.

amarfanhar. *V. t. d.* **1.** Apertar, comprimir, deixando sinais de vincos ou dobras em; machucar, amachucar; amarrotar: "Um dia, enfurecido, amarfanhou o jornal, só porque trouxera um soneto na primeira página." (Carlos Paurílio, *Solidão*, p. 24.) **2.** Maltratar; vexar, humilhar: *Amarfanhou-o com uma repreensão.* [F. paral.: *amarfalhar* e *amorfanhar*.]

amargado. [De *amargo* + *-ado*^{1}.] *Adj.* V. *amargo* (1 e 3): "Que m'importa do mundo a inclemência / E esta vida cruel, amargada?" (Gonçalves Dias, *Obras Poéticas*, II, p. 184.)

amargar. [Do lat. *amaricare*.] *V. t. d.* **1.** Tornar amargo; fazer amargoso. **2.** Tornar desagradável, penoso: *As loucuras do filho amargam os seus dias.* **3.** Sofrer, padecer; suportar: "Amargou saudades do Brasil ao voltar para a Suíça." (Augusto Meyer, *No Tempo da Flor*, p. 71.) **4.** Sofrer as conseqüências de; expiar: *Vai amargar todos os seus erros. Int.* **5.** Ter sabor amargo. **6.** Ser desagradável; causar desgosto: "Os longos dias / Do exílio amargam" (Guimarães Passos, *Horas Mortas*, p. 39); *O remorso amarga. P.* **7.** Causar amargura, desgosto, penas, a si próprio; afligir-se, atormentar-se: *Sempre se amargou com ciúmes.* [Conjug.: v. *largar*.] ◆ **De amargar.** *Bras.* Difícil de suportar ou de resolver: *O homenzinho é de amargar, com as suas manias;* "Quem me criou o primeiro [problema] na vida de magistério foi Lord Byron. E problema de amargar." (Genolino Amado, *O Reino Perdido*, p. 16).

amargo. [Do lat. hispânico **amaricu*, de *amaru*, 'amargo'.] *Adj.* **1.** Que tem sabor adstringente, penetrante, desagradável como, p. ex., o fel e a quássia; amargoso, amargado, acre, amarescente: *remédio amargo:* **2.** Diz-se do sabor com essas características; acerbo: "O corvo que comer as tuas fibras / Há de achar nelas um sabor amargo!" (Augusto dos Anjos, *Eu*, p. 36.) **3.** *Fig.* Doloroso, triste, penoso, acre, amargado: *o sentimento amargo da desilusão;* "Tu me perguntas por que um riso amargo, / Fúnebre e triste me descora os lábios" (Gonçalves Dias, *Obras Poéticas*, II, p. 154). **4.** *Fig.* Áspero, cruel, duro, desabrido, acre: *o golpe amargo da derrota.* **5.** *Fig.* Cheio de ressentimento; vivamente magoado; amargurado, sofrido: *Que homem amargo!; Tem o olhar amargo.* **6.** *Pop.* Azedo (gosto). [Sin. ger.: *amaro*. Superl. abs. sint.: *amarguíssimo*.] ~ V. *sal* —. ● *S. m.* **7.** V. *amargor* (1). **8.** *Bras., S.* Mate chimarrão: "Tomava um amargo, sesteava e, com a fresca, tocava de novo." (Vieira Pires, *Querência*, pp. 38-39.) ~ V. *amargos*.

amargor (ô). *S. m.* **1.** Sabor amargo; amargura, amargo. **2.** Qualidade de amargo. **3.** *Fig.* V. *amargura* (2 e 3).

amargos. [Pl. de *amargo*.] *S. m. pl.* Remédios amargos. ~ V. *amargo*.

amargoseira. [De *amargoso* + *-eira*.] *S. f.* Planta da família das meliáceas, cuja flor é arroxeada.

amargosense. *Adj. 2 g.* **1.** De, ou pertencente ou relativo a Amargosa (BA). ● *S. 2 g.* **2.** Natural ou habitante de Amargosa.

amargoso (ô). [Do b.-lat. hispânico *amaricosu*.] *Adj.* **1.** V. *amargo* (1). **2.** *Fig.* Penoso, triste, amargo. **3.** *Bras., S. Pop.* V. *valentão* (1). ● *S. m.* **4.** Planta da família das leguminosas, subfamília papilionácea (*Tipuana fusca*).

amarguíssimo. *Adj.* Amaríssimo.

amargura. *S. f.* **1.** V. *amargor* (1). **2.** *Fig.* Tristeza, sofrimento, mágoa; amargor: "Quando se fez ao largo a nave escura / Na praia essa mulher ficou chorando, / No doloroso aspecto figurando / A lacrimosa estátua da amargura." (Gonçalves Crespo, *Obras Completas*, p. 331); *Com um olhar de amargura via o navio afastar-*

se. **3.** *Fig.* Sofrimento arraigado de dor e ressentimento; acrimônia, azedume; amargor: *Pensava com amargura que não se fazia justiça ao mérito.*

amargurado. [Part. de *amargurar.*] *Adj.* Cheio de amargura, amarguroso: *indivíduo amargurado; vida amargurada.*

amargurar. *V. t. d.* **1.** Causar amargura a; angustiar, afligir: *A falta de recursos amargura o pobre homem.* **2.** Tornar amargo; dar sabor amargo a. **3.** Tornar acrimonioso; imprimir azedume a: *O seu tom áspero amargurou ainda mais a palavra. P.* **4.** Angustiar-se; afligir-se. [Sin. ger.: *amarar.*]

amarguroso (ô). [De *amargura* + *-oso.*] *Adj.* Amargurado: "Oh vida entre todas amargurosa!" (Eça de Queirós, *A Relíquia,* p. 79.)

amaribá. *Bras. S. 2 g.* **1.** Indivíduo dos amaribás, tribo indígena caraíba do Rio Branco (RR). ● *Adj. 2 g.* **2.** Pertencente ou relativo a essa tribo. [F. paral.: *amaripá.*]

amaricado. [De *a-*^{2} + *maricas* + *-ado*^{1}.] *Adj.* V. *efeminado* (1).

amaricar-se. [De *a-*^{2} + *maricas* + *-ar*^{2} + *se*^{1}.] *V. p.* Tornar-se maricas; efeminar-se. [Conjug.: v. *trancar.*]

amárico. *S. m. Ling.* V. *etiópico* (2).

amaridar. [De *a-*^{2} + *marido* + *-ar*^{2}.] *V.t.d. e t. d. e i.* **1.** Maridar. *T. i.* **2.** Maridar. **3.** Ter intimidade com alguém. *P.* **4.** Maridar-se: "vancê quer ser minha?" vancê quer se amaridar comigo?" (Tito Carvalho, *Bulha d'Arroio,* p. 101).

amarídeo. *S. m. Farm.* Substância amarga.

amarilha. [Do esp. *amarilla.*] *S. f.* Caquexia aquosa nas bestas.

amarilho. [Do esp. *amarillo.*] *S. m. Bras.* **1.** Ligadura, atadura. **2.** *Bras., PR* e *RS.* Arbusto ou árvore da família das combretáceas (*Terminalia australis*), cuja casca, adstringente e resinosa, serve para curtume, e que fornece madeira de lei, própria para construção civil e naval, carroçaria, carpintaria e carvão; sarandi-amarelo. **3.** Cavalo baio de crina branca. ● *Adj.* **4.** Diz-se de cavalo com essas características.

amarílico. [Do esp. *amarillo,* provavelmente.] *Adj. Bras.* Relativo à febre amarela.

amarilidácea. *S. f.* Espécime das amarilidáceas.

amarilidáceas. *S. f. pl. Bot.* Família da ordem das lilifióreas, composta de plantas herbáceas, delicadas, providas de grandes e belas flores coloridas, e que muitas vezes têm 'cebola' ou bolbo. É idêntica às liliáceas, tendo, porém, o ovário ínfero. A família é própria dos climas temperados, onde encerra cerca de 1.000 espécies, estimadíssimas como ornamentos hortenses pela beleza das flores, das quais são poucas as que o Brasil possui, distinguindo-se, entre estas últimas, as do gênero *Hippeastrum,* belíssimas e bem conhecidas, como a açucena.

amarilidáceo. *Adj.* Pertencente ou relativo às amarilidáceas.

amarílide. [Do antr. *Amarílide,* uma pastora de Teócrito.] *S. f.* V. *açucena* (1).

amarilidiforme. [De *amarílide* + *-forme.*] *Adj. 2 g.* Semelhante ao amarílis.

amarílis. [Do antr. gr. *Amaryllís,* pelo lat. *Amaryllis.*] *S. 2 g. e 2 n.* **1.** V. *açucena* (1). **2.** Lírio-amarelo.

amaríneo. *Adj.* Que contém substâncias amargas ou amaras.

amarinhar-se. [De *a-*^{2} + *marinha* + *-ar*^{2} + *se*^{1}.] *V. p.* **1.** Acostumar-se ao mar. **2.** Adquirir hábitos, maneiras, qualidades de marinheiro.

amarinheirado. [De *a-*^{2} + *marinheiro* + *-ado*^{1}.] *Adj.* **1.** Afeito à vida do mar. **2.** Que tem modos de marinheiro.

amaríntias. [Do gr. *amarynthis,* de *Amarinto.*] *S. f. pl.* Festas em honra de Diana, que eram celebradas na cidade grega de Amarinto.

amario. *Adj. Bras., SP.* Diz-se do cavalo baio com crina e cauda brancas.

amariolar-se. [De *a-*^{2} + *mariola* + *-ar*^{2} + *se*^{1}.] *V. p.* Tornar-se mariola; acanalhar-se, aviltar-se.

amaripá. *S. 2 g.* e *adj. 2 g. Bras.* Amaribá.

amaríssimo. [Do lat. *amarissimu.*] *Adj.* Superl. abs. sint. de *amaro:* "Nada mais resta dos meus verdes anos, / Nem á dor amaríssima e profunda." (José Severiano de Resende, *Mistérios,* p. 71.)

amaro. [Do lat. *amaru.*] *Adj.* V. *amargo.* [Superl. abs. sint.: *amaríssimo.*]

amaro-leitense. *Adj. 2 g.* **1.** De, ou pertencente ou relativo a Amaro Leite (GO). ● *S. 2 g.* **2.** Natural ou habitante de Amaro Leite. [Pl.: *amaro-leitenses.*]

amarotar-se. [De *a-*^{2} + *maroto* + *-ar*^{2} + *se*^{1}.] *V. p.* Adquirir modos de maroto; tornar-se maroto.

amarra. [Dev. de *amarrar.*] *S. f.* **1.** *Marinh.* Corrente especial formada por elos em geral reforçados por travessões, que segura a âncora à embarcação. **2.** *Mar.* Unidade de comprimento igual aproximadamente a 200 m, usada para se indicarem distâncias no mar. [O nome provém das amarras dos navios antigos, que tinham, de ordinário, esse comprimento. Como o valor da braça variava de país para país, também o da amarra diferia. Na Marinha do Brasil, 1 amarra = 1/10 milha marítima = 185,2 m; na dos E.U.A., 1 amarra = 120 braças = 720 pés = 219 metros. Na prática, arredonda-se para 200 m.] **3.** *P. ext.* Qualquer corda ou corrente que serve para amarrar ou prender coisa pesada. **4.** *Fig.* Apoio, proteção. [Dim. irreg.: *amarreta* (q. v.).] ◆ **Colher a amarra.** *Marinh.* Pôr safa a amarra, para facilidade de manobra; ferrar a amarra. **Cortar as amarras com.** *Fig.* Desligar(-se), separar(-se) de (aquele ou aquilo que serve de amparo ou proteção). **Ferrar a amarra.** *Mar.* Colher a amarra. **Portar pela amarra.** *Mar.* Puxar por ela (o navio), aproando ao vento ou à maré.

amarração. *S. f.* **1.** Ação ou efeito de amarrar(-se). **2.** Correões que suspendem as seges. **3.** *Constr.* Disposição dos materiais, numa construção, de sorte que cada nova peça assentada, ao ligar-se com as outras, aumenta a junção entre elas, contribuindo para imprimir maior solidez e estabilidade ao conjunto. **4.** *Marinh.* Conjunto de viradores ou espias empregados para segurar uma embarcação ao cais, ou a outra construção ou embarcação. **5.** *Marinh.* Conjunto de duas ou mais âncoras e amarras usado em certos casos para segurar uma embarcação ao ancoradouro. **6.** *Bras.* Ligação ou prisão amorosa.

amarrado. [Part. de *amarrar.*] *Adj.* **1.** Preso, atado: *A gravura representava um escravo amarrado.* **2.** Preso com amarra (3). **3.** *Fig.* Preso por obrigação ou promessa; impossibilitado, impedido, tolhido: *um padre amarrado pelo segredo da confissão.* **4.** Diz-se do semblante carrancudo, fechado. **5.** *Fam.* Comprometido (por ligação amorosa); noivo, casado ou amigado. **6.** *Bras., RS.* Sem desembaraço; acanhado, tímido, atado. — V. *de bode* — e *rabo-de-arraia* —. ● *S. m.* **7.** *Bras.* Mato enredado de cipós; cipoal. **8.** *Bras.* Angu ou pirão seco, engrolado. **9.** *Bras.* Embrulho ou volume atado. **10.** *Bras.* Apanhado de coisas atadas (vassouras, flores, canas, ervas, etc.).

amarradoiro. *S. m.* Amarradouro [q. v.].

amarrador (ô). *Adj.* **1.** Que amarra. ● *S. m.* **2.** Aquele ou aquilo que amarra. **3.** *Bras.* Mestre das jangadas grandes.

amarradouro. [Var. de *amarradoiro.*] *S. m.* Lugar onde se amarra.

amarra-pinto. [De *amarrar* + *pinto.*] *S. m. Bras.* V. *agarra-pinto.* [Pl.: *amarra-pintos.*]

amarrar. [Do neerl. médio *aanmarren,* atr. do fr. *amarrer.*] *V. t. d.* **1.** Ligar fortemente; atar, prender. **2.** Prender por laços morais: *A promessa que fizera deixava-o atado, amarrava-o.* **3.** Opor obstáculos a; dificultar, estorvar: *Não quis amarrar as negociações do amigo.* **4.** Carregar (as feições), demonstrando aborrecimento. **5.** *Cineg.* Ficar (o cão de caça) imóvel diante de (a presa), aguardando a chegada do caçador: "— Esperem, esperem — pediu, olhos esbugalhados, imóvel como um perdigueiro ao amarrar a caça." (Fernando Sabino, *O Homem Nu,* p. 141.) **6.** *Bras.* Ajustar em definitivo (um negócio); concluir. **7.** *Bras.* Impedir o bom andamento de; embaraçar, entravar: *amarrar um trabalho, uma negociação.* **8.** *Bras.* Botar farinha demais em (angu ou pirão), tornando-o seco, engrolado. **9.** *Bras. Gír.* Prender por laços amorosos; conquistar, ganhar: *Amarrou uma bela garota.* **10.** *Bras.* Jogar continuamente em (um mesmo bicho): "gostava do jogo do bicho. Mas andava de azar nos últimos tempos. Amarrara o cachorro e o danado desaparecera da roda." (João Clímaco Bezerra, *O Semeador de Ausências,* p. 37). *T. d. e i.* **11.** Atar fortemente; prender, ligar. **12.** Unir ou ligar afetivamente: "Que acaso infeliz amarrara àquele estafermo a mulher que devia ser minha?" (Graciliano Ramos, *Caetés,* p. 253.) **13.** Fazer depender; sujeitar, prender: "Pretenda-se ou não amarrar o comércio do Amazonas a mais um novo regulamento, ... ao governo cabe decretar de sua autoridade a liberdade da navegação e criar portos habilitados." (Tavares Bastos, *O Vale do Amazonas,* p. 59.) *T. i.* **14.** Valer-se, servir-se, aproveitar-se: *Vive a amarrar ao nome do pai. P.* **15.** Atar-se, ligar-se, prender-se. **16.** Teimar, obstinar-se. **17.** *Gír.* Deixar-se cativar; ficar enamorado, apaixonado. **18.** Casar(-se), matrimoniar-se. **19.** Amancebar-se, amigar-se. ◆ **Amarrar a ficar.** *Marinh.* **1.** Amarrar de forma definitiva, nos lugares competentes, uma vez terminada a manobra, os cabos com que ela foi executada. **2.** Amarrar convenientemente uma embarcação ou pau de surriola, uma vez terminado o serviço diário.

amarreta (ê). [Dim. irreg. de *amarra.*] *S. f. Marinh.* **1.** Amarra de bitola menor que a amarra principal. **2.** Amarra de pequena bitola e cujos elos têm estais.

amarrilho. *S. m.* Cordão ou fio com que se ata ou amarra qualquer coisa: "alta de porte, bem desempenada, a saia de chita descendo exata sobre os quadris, o cabelo sustido de lado por um amarrilho de fita." (Albertino Moreira, *Boca-Pio,* p. 108).

amarroado. [Part. de *amarroar.*] *Adj.* **1.** Abatido; alquebrado. **2.** Melancólico, deprimido. **3.** Pensativo, meditabundo. **4.** Teimoso, insistente, renitente. ~ V. *pedra* —a.

amarroamento. *S. m.* Ato ou efeito de amarroar.

amarroar. [De *a-*^{2} + *marrão*^{2} + *-ar*^{2}.] *V. t. d.* **1.** Bater com marrão em. *Int.* **2.** Andar abatido, alquebrado, meditativo. [Conjug.: v. *coroar.*]

amarronzado. [De *a-*^{2} + *marrom* + *-z-* + *-ado*^{1}.] *Adj. Bras.* De cor tirante a marrom; acastanhado.

amarroquinado. [De *a-*^{2} + *marroquim* + *-ado*^{1}.] *Adj.* Semelhante ao marroquim.

amarroquinar. *V. t. d.* Tornar semelhante ao marroquim.

amarrotado. [Part. de *amarrotar.*] *Adj.* **1.** Diz-se de coisa lisa que mudou de forma, ou ficou vincada ou enrugada, por efeito de compressão: *papel amarrotado; pára-lama amarrotado; vestido amarrotado.* **2.** Diz-se de traços fisionômicos irregulares, achatados: *cara amarrotada.* Sin. [(nessas acepç.): *amachucado, machucado, amarfanhado, amassado.*] **3.** *Fig.* Contundido, machucado.

amarrotar. [De *a-*^{4} + um ant. **marrotar,* de **manroto,* 'roto com as mãos'.] *V. t. d.* **1.** Apertar, comprimir, machucar, deixando sinais de vincos ou dobras em; enxovalhar; amarfanhar. **2.** Enrugar (1): *O tempo amarrotou-lhe as feições.* **3.** Esmagar, vencer (com argumentação irrespondível); amassar. **4.** *Pop.* Quebrar a cara a (alguém): *Amarrotou-o com um soco violento. P.* **5.** Amachucar-se, machucar-se, amarfanhar-se. **6.** Perder o lustro.

amartelado. [Part. de *amartelar.*] *Adj.* **1.** Batido com martelo (1); abolado, amolgado: *cobre amartelado.* **2.** *Fig.* Vencido, subjugado. **3.** *Fig.* Amoldado, ajeitado, afeiçoado.

amartelar. [De *a-*^{2} + *martelo* + *-ar*^{2}.] *V. t. d., t. i* e *int.* V. *martelar.*

amartilhar. *V. t. d.* Engatilhar, martilhar: "Tirei a pistola do cinto; amartilhei o gatilho... benzi-me, e encostei no ouvido o cano, grosso e frio, carregado de bala..." (Simões Lopes Neto, *Contos Gauchescos e Lendas do Sul,* p. 129.)

amarugem. [De *amaro* + *-ugem.*] *S. f.* **1.** Sabor levemente amargo. **2.** Coisa amarga [v. *amargo* (1 e 2)]: "Provando a horrenda amarugem, / Os paralíticos rugem / Nas contorções do terror." (Martins Fontes, *Poesias,* 5º vol., p. 79.) [Cf. *amarujem,* do v. *amarujar.*]

amarugento. [De *amarugem* + *-ento.*] *Adj.* Que amaruja.

amarujar. [De *amaruge(m)* + *-ar*^{2}.] *V. int.* **1.** Ter amargura; ser levemente amargo. **2.** Tornar-se amargo. [Pres. subj.: *amaruje, amarujes, ... amarujem.* Cf. *amarugem.*]

amarulento. [Do lat. *amarulentu.*] *Adj.* Muito amargo.

amarulhar. [De *a-*^{2} + *marulho* + *-ar*^{2}.] *V. t. d.* Tornar marulhoso.

amarume. [De *amaro* + *-ume.*] *S. m.* **1.** Sabor amargo; amargor. **2.** *Fig.* Amargura (2 e 3). **3.** *Fig.* Azedume, irritação: "Essa esquivança, essa impenetrabilidade, essa reserva causou-nos .... um certo amarume" (Oliveira Viana, *Pequenos Estudos de Psicologia Social,* p. 38).

ama-seca. [De *ama* + *seca* (ê), fem. do adj. *seco* (ê).] *S. f.* Criada que cuida de crianças sem amamentá-las; ama: "era um garoto gorducho e irrequieto, e os braços de graveto da ama-seca ficavam vermelhos de carregá-lo." (Lia Correia Dutra, *Navio sem Porto,* p. 79). [Sin. (bras.): *pajem, babá, bá.* Pl.: *amas-secas.*]

amásia. [Do lat. *amasia,* primitivamente 'namorada'.] *S. f.* V. *concubina:* "Alguns até conservaram uma espécie de velha amásia oficial, que chegara a conquistar a quase honorabilidade duma esposa segunda." (José Régio, *Histórias de Mulheres,* p. 289.) [Cf. *amasia-se,* do v. *amasiar-se,* e *amazia,* s. f.]

amasiar-se. *V. p.* V. *amancebar-se* (1). [Pres. ind.: *amasio-me, amasias-te, amasia-se,* etc. Cf. *amásia* e *amazia,* s. f.]

amasio. [Dev. de *amasiar-se.*] *S. m.* V. *concubinato.* [Cf. *amásio.*]

amásio. [Do lat. *amasiu.*] *S. m.* Indivíduo amancebado;

amancebado, amante, amigo. [Cf. *amasio*.]

amasisa. *S. f. Bras.* Planta ornamental da família das leguminosas, subfamília papilionácea (*Erythrina amasisa*).

amassa-barro. [De *amassar* + *barro*.] *S. m. Bras.* V. *joão-de-barro.* [Pl.: *amassa-barros*.]

amassadeira. [Fem. de *amassador*.] *S. f.* **1.** Mulher que amassa farinha para fazer pão. **2.** Máquina de amassar. **3.** Vaso ou prancha em que se amassa alguma coisa, em especial a farinha para o fabrico do pão. [Cf. *masseira* (1)]. **4.** Recipiente de madeira dentro do qual se processa a mistura de massa destinada à fabricação de tijolos.

amassadela. *S. f.* **1.** Ato de amassar uma vez ou rapidamente. **2.** Ato de amassar ligeiramente.

amassado. [Part. de amassar.] **1.** *Adj.* Amarrotado, amarfanhado, machucado: *guardanapo amassado.* ● *S. m.* **2.** V. *amassadura* (1).

amassadoiro. *S. m.* Amassadouro [q.v.].

amassador (ô). *S. m.* **1.** Aquele que amassa. **2.** O operário que prepara, nas obras, a argamassa. **3.** Lugar onde se misturam os materiais que constituem a argamassa [Cf. *amassadeira* (4).] **4.** Lugar onde se amassa o pão; amassaria. [Cf. *amassadeira* (3).]

amassadouro. [Var. de *amassadoiro*.] *S. m.* Recipiente, tabuleiro ou lugar onde se amassa.

amassadura. *S. f.* **1.** Ato ou efeito de amassar(-se); amassamento, amassado. **2.** Fornada (1). **3.** Sinal de pancada; amolgadura, mossa. **4.** *Fig.* Mistura, combinação, união.

amassamento. *S. m.* V. *amassadura* (1).

amassar. [De *a*-^{2} + *massa* + *-ar*^{2}.] *V. t. d.* **1.** Converter em massa ou pasta; sovar. **2.** Misturar, mesclar, confundir. **3.** Machucar, amachucar, amarrotar, amarfanhar, amarfalhar: *Amassou o papel e atirou-o longe.* **4.** Esmagar, pisar: *Ouvia-se o ruído das passadas que amassavam o mato seco.* **5.** Vencer (com argumentação irrespondível); esmagar, achatar: *Com esta asserção amassou logo o adversário.* **6.** *Pop.* Juntar, amealhar: *Amassa os seus oitenta cruzados por mês.* **7.** *Bras., PA. Chulo.* V. *bolinar* (4). *Int.* **8.** Tornar-se em massa, pasta; amassar-se. **9.** Amarrotar-se, machucar-se, amachucar-se, amarfanhar-se: "Seus cabelos já estavam brancos, a pele amassando de rugas." (Jorge Medauar, *Água Preta*, p. 119.) **10.** *Bras. Chulo.* V. *bolinar* (2). *P.* **11.** Tornar-se em massa; amassar. **12.** Amarrotar-se, amarfanhar-se. **13.** Ligar-se, unir-se; misturar-se, confundir-se. **14.** Afazer-se, acostumar-se, acomodar-se: *Amassa-se a qualquer trabalho que lhe dêem.*

amassaria. *S.f.* Amassador (4).

amassilho. *S. m.* **1.** Porção de farinha que se amassa de uma só vez. **2.** Aparelho de amassar. **3.** Mistura de coisas heterogêneas. [Cf. *amálgama* (4).]

amastia. *S.f.* Amazia [q. v.].

amastozoário. [De *a*-^{3} + *mastozoário*.] *S. m. Zool.* Animal vertebrado que não tem mamas.

amatalar. [De *a*-^{2} + *mata*^{2} + *l* de ligação + *-ar*^{2}.] *V. int.* Encher-se (um animal) de matas ou mataduras.

amatalotar. [De *a*-^{2} + *matalote* + *-ar*^{2}.] *V. t. d. Ant.* **1.** Revezar (marinheiros) no serviço de bordo. **2.** Associar (marinheiros) dois a dois. **3.** Dar pousada a, alojar (marinheiros). *P.* **4.** *Fig.* Associar-se, emparceirar-se.

amatilhar. [De *a*-^{2} + *matilha* + *-ar*^{2}.] *V. t. d.* **1.** Reunir (cães) em matilha. **2.** *Pej.* Congregar, emparceirar, reunir; abandar: *Amatilhou os políticos da terra para decidir a situação. P.* **3.** *Pej.* Emparceirar-se, abandar-se.

amatividade. *S. f.* **1.** Qualidade de amativo. **2.** Propensão ou disposição para amar: "Não há gelo, ... nem o das almas, nem o da morte ...., que consiga arrefecer-lhe [a Castro Alves] a natural amatividade." (Xavier Marques, *Vida de Castro Alves*, p. 173.)

amativo. [De *amatu*, part. pass. do lat. *amare*, 'amar', + *-ivo*.] *Adj.* Propenso para o amor.

amatol. *S. m. Quím.* Explosivo constituído por uma mistura de nitrato de amônio e trinitrotolueno. [Pl.: *amatóis*.]

amatório. [Do lat. *amatoriu*.] *Adj.* **1.** Referente ao, ou próprio do amor: *canções amatórias.* **2.** Que tem a virtude de despertar o amor: *filtro amatório.* ● *S. m.* **3.** *Anat.* Músculo oblíquo do olho.

amatronar. [De *a*-^{2} + *matrona* + *-ar*^{2}.] *V. t. d.* **1.** Dar aspecto de matrona a. *P.* **2.** Adquirir aspecto de matrona; avelhantar-se. **3.** Engordar.

amatular-se. [De *a*-^{2} + *matula*^{1} + *-ar*^{2} + *se*^{1}.] *V. p.* Juntar-se ou bandear-se com gente de má condição, com a matula^{1}: "Amatula-se num daqueles bandos, que lá se vão, caminho em fora, debruando de ossadas as veredas" (Euclides da Cunha, *Os Sertões*, p. 138).

amatungado. [De *a*-^{2} + *matungo* + *-ado*^{1}.] *Adj. Bras., S.* Diz-se do cavalo que aparenta ser ruim como o matungo (1 e 3).

amatutado. [Part. de *amatutar*.] *Adj.* Que se amatutou ou se amatuta.

amatutar-se. [De *a*-^{2} + *matuto* + *-ar*^{2} + *se*^{1}.] *V. p. Bras.* **1.** Tornar-se matuto. **2.** Adquirir maneiras rudes, que lembram as de matuto.

amauaca. *S. 2 g.* **1.** Indivíduo dos amauacas, tribo indígena pano que habita as imediações do rio Purus superior. ● *Adj. 2 g.* **2.** Pertencente ou relativo a essa tribo. [Var.: *amaúca*.]

amaúca. *S. 2 g.* e *adj. 2 g. Bras.* Var. de *amauaca*.

amaurose. [Do gr. *amaúrosis*, 'escurecimento', 'escuridão'.] *S.f. Patol.* Cegueira, em especial a que ocorre sem lesão aparente do olho, mas por doença do nervo óptico, da retina. [Sin.: *encefalopatia* e (pop.) *gota-serena*.]

amaurósporo. *S. m. Bot.* Esporo dos fungos de coloração pardo-violácea.

amaurótico. *Adj.* **1.** Relativo à, ou próprio da amaurose. **2.** Que sofre de amaurose. ● *S. m.* **3.** Aquele que sofre dessa doença.

amaurotizar. *V. t. d.* Tornar amaurótico.

amável. [Do lat. *amabile*.] *Adj. 2 g.* **1.** Digno de ser amado: *Por sua bondade, é uma pessoa genuinamente amável.* **2.** Que procura agradar; delicado, atencioso: *um vendedor amável.* **3.** De trato ameno; agradável, simples, lhano: *O grande artista era amável com todos os que dele se acercavam.* **4.** Em que há, ou que denota amabilidade (2 e 3): *feitio amável; convite amável.*

amavio. [De *amar*.] *S. m.* V. *amavios*.

amavios. [Pl. de *amavio*.] *S. m. pl.* **1.** Filtros amatórios [v. *amatório* (2)]. **2.** Meios de sedução; feitiços, encantos: "Aprazaram-no para a noite seguinte se encontrar, num quarto apropriado, com uma sultana, cujos amavios descreveram a tão atraentes cores que o poeta se embutiu de 'pílulas do Serralho' e nunca mais sossegou." (M. Teixeira-Gomes, *Gente Singular*, p. 131.) [É p. us. no sing.]

amavioso (ô). *Adj.* **1.** Em que há amavios. **2.** Suave; delicado, amável. [Cf. *mavioso*.]

amaxofobia (cs). [Do gr. *ámaxa*, 'carro', + *-o-* + *-fob(o)-* + *-ia*.] *S. f.* Sensação de medo em presença de veículos.

amaxofóbico (cs). *Adj.* Relativo à amaxofobia.

amaxófobo (cs). [Do gr. *ámaxa*, 'carro', + *-o-* + *-fobo*.] *S. m.* Aquele que sofre de amaxofobia.

amazelado. [Part. de *amazelar*.] *Adj.* **1.** Cheio de mazelas. **2.** *Fig.* Que tem mazela ou mancha na reputação; desonesto.

amazelar. [De *a*-^{2} + *mazela* + *-ar*^{2}.] *V. t. d.* e *p.* Tornar (-se) mazelento; cobrir(-se) de mazelas; mazelar(-se).

amazia. [De *a*-^{3} + gr. *mazós*, 'seio', 'mamas', + *-ia*.] *S. f.* Ausência ou falta de mamas; amastia. [Cf. *amasia*, do v. *amasiar*, e *amásia*, s. f.]

amazigue. *S. 2 g.* **1.** Indivíduo dos amazigues, antigos povos do N. da África. ● *Adj. 2 g.* **2.** Pertencente ou relativo a eles.

amazona. [Do gr. *amazón*, pelo lat. *amazon*.] *S. f.* **1.** Mulher aguerrida e de coragem viril: "Amazona belicosa / de aljava pendente ao lado, / aponta com o arco invicto / o lindo peito cortado." (Antônio Feliciano de Castilho, *Amor e Melancolia*, p. 85.) **2.** Mulher que monta a cavalo. **3.** Vestido de saia longa, usado por amazona (3). ~ V. *amazonas*.

amazonas. [Pl. de *amazona*.] *S. f. pl.* Mulheres guerreiras da Antiguidade que habitavam a Ásia Menor e cuja existência alguns consideravam lendária. [No séc. XVI, essa designação foi dada a mulheres com as mesmas características, cuja existência histórica é discutida, e que combateram os conquistadores ibéricos na região depois cognominada *Amazônia*.] ~ V. *amazona*.

amazonense. *Adj. 2 g.* **1.** Do, ou pertencente ou relativo ao AM. ● *S. 2 g.* **2.** Natural ou habitante desse estado. [Sin. ger.: *baré*.]

amazônico^{1}. [Do gr. *amazonikós*, pelo lat. *amazonicu*.] *Adj.* Referente a amazona.

amazônico^{2}. [Do top. *Amazônia*.] *Adj.* Da Amazônia, ou pertencente ou relativo a ela; amazônio.

amazônida. *S. 2 g.* Pessoa que nasceu ou que habita na Amazônia.

amazônio. [Do gr. *amazónios*, pelo lat. *amazoniu*.] *Adj.* Amazônico^{2}: "O que eu via e acabo de contar não era outra cousa que a região amazônia que começava a desenhar-se risonha, azulada, esplêndida." (Franklin Távora, *O Cabeleira*, p. 9.)

amazonólogo. [De *Amazônia* + *-o-* + *-logo*.] *S. m.* Especialista em coisas da Amazônia; profundo conhecedor delas.

ambages. [Do lat. *ambages*.] *S. m. pl. P. us.* Rodeios, voltas, evasivas: *Falemos claro, deixemos de ambages.*

ambaíba. *S. f. Bras.* V. *umbaúba*.

âmbar. [Do ár. *anbar*.] *S. m.* **1.** Substância sólida, parda ou preta, de cheiro almiscarado, proveniente do intestino do cachalote; âmbar-gris: "Quando entrei no elevador, senti um perfume delicioso: âmbar." (Lígia Fagundes Teles, *A Disciplina do Amor*, p. 101.) **2.** Resina fóssil, proveniente de uma espécie extinta de pinheiro do período terciário, sólida, amarelo-pálida ou acastanhada, transparente ou opaca, utilizada na fabricação de vários objetos; âmbar amarelo, alambre, sucino: *um colar de âmbar; uma piteira de âmbar.* [Pl: *âmbares*.].

âmbar-amarelo. *S. m.* V. *âmbar* (2). [Pl.: *âmbares-amarelos*.].

âmbar-gris. *S. m.* V. *âmbar* (1). [Pl.: *âmbares-grises*.].

ambárico. *Adj.* **1.** Relativo ao, ou que lembra o âmbar, pelo cheiro e/ou pela cor; ambarino. **2.** Feito de âmbar.

ambarina. *S. f.* Substância extraída do âmbar (1).

ambarino. *Adj.* Ambárico (1): "A chuva cai. O ar fica mole... / Indistinto... ambarino ... gris..." (Manuel Bandeira, *Estrela da Vida Inteira*, p. 36.)

ambarizar. *V. t. d.* **1.** Perfumar com âmbar (1). **2.** Dar o aspecto ou a cor do âmbar (2) a.

ambaúba. *S. f. Bras.* V. *umbaúba*.

ambe. [Do gr. *ambé*, 'rebordo'.] *S. m.* Instrumento cirúrgico usado outrora para reduzir as luxações da espádua.

ambé. [Do tupi.] *Adj. 2 g. Bras., AM.* Áspero, rugoso.

ambi. [Do gr. *ambé*, 'rebordo'.] *S. m.* V. *ambe*.

▲**ambi-.** [Do lat. *ambo, ae, o*.] *El. comp.* = 'ambos': *ambívio* (< lat. *ambiviu*), *ambivalente*.

ambição. [Do lat. *ambitione*.] *S. f.* **1.** Desejo veemente de alcançar aquilo que valoriza os bens materiais ou o amor-próprio (poder, glória, riqueza, posição social, etc.): *A ambição o levou aos mais altos postos, apesar da origem humilde.* **2.** Desejo ardente de alcançar um objetivo de ordem superior; aspiração, anelo: *Foi ambição de João XXIII dar ao catolicismo um sentido ecumênico.* 3. Aspiração relativamente ao futuro: *Minha grande ambição é ver meus filhos encaminhados.* **4.** Desejo intenso: "E eis por que sentes, dia a dia, à toa / Essa ambição de apodrecer na rede / E esses impulsos de brigar em Goa!" (Humberto de Campos, *Poesias Completas*, p. 299.)

ambicionar. *V. t. d.* **1.** Ter ambição de; desejar ardentemente. **2.** Desejar; cobiçar; pretender: "eu não duvido pelo mero prazer de duvidar, mas sim porque ambiciono uma certeza." (Rui Cinatti, *Anoitecendo, a Vida Recomeça*, p. 82).

ambicioneiro. *Adj.* e *s. m. Bras., MG* e *RS. Pop.* Ambicioso (1 e 3).

ambicioso (ô). [Do lat. *ambitiosu*.] *Adj.* **1.** Que tem ambição: *rapaz ambicioso.* **2.** Em que há ambição: *caráter ambicioso.* **3.** Que exige muita capacidade, coragem ou perícia; ousado, audacioso: *projeto ambicioso; manobra ambiciosa.* ● *S. m.* **4.** Indivíduo ambicioso. [Sin. (MG e RS) nas acepç. 1 e 4: *ambicioneiro*.]

ambidestria. *S. f.* Qualidade de ambidestro.

ambidestrismo. [De *ambidestro* + *-ismo*.] *S. m.* **1.** Princípio segundo o qual devem usar-se indiferentemente as duas mãos. **2.** Treino para servir-se das duas mãos com igual facilidade.

ambidestro (ê). [Do lat. tardio *ambidextru*.] *Adj.* e *s. m.* Que, ou aquele que utiliza as duas mãos com a mesma facilidade. [Antôn.: *ambiesquerdo*.]

ambiência. [Do fr. *ambiance*.] *S. f.* **1.** Meio material ou moral onde se vive; meio ambiente: *ambiência poluída; ambiência mística.* **2.** *Arquit.* O espaço, arquitetonicamente organizado e animado, que constitui um meio físico e, ao mesmo tempo, meio estético, ou psicológico, especialmente preparado para o exercício de atividades humanas; ambiente.

ambiental. *Adj. 2 g.* Relativo a, ou próprio de ambiente; ambiente.

ambientar. *V. t. d.* e *p.* Adaptar(-se) a um ambiente ou meio.

ambiente. [Do lat. *ambiente*.] *Adj. 2 g.* **1.** Que cerca ou envolve os seres vivos ou as coisas, por todos os lados; envolvente: *meio ambiente*; "Agitam as palmeiras no ar ambiente / Os grandes leques que encontrados soam" (Alberto de Oliveira, *Poesias*, 2ª série, p. 341). — V. meio—. ● *S. m.* **2.** Aquilo que cerca ou envolve os seres vivos ou as coisas; meio ambiente. **3.** Lugar, sítio, espaço, recinto: *ambiente mal ventilado.* **4.** Meio (6). **5.** V. *meio* (7). **6.** O conjunto de condições materiais e morais que envolve alguém; atmosfera: *ambiente amigo; ambiente de intrigas.* **7.** *Arquit.* Ambiência (2).

ambiesquerdo (ê). [De *ambi-* + *esquerdo.*] *Adj.* **1.** Desajeitado de ambas as mãos. **2.** *Fig.* Inábil, desastrado, desazado. ● *S. m.* **3.** Indivíduo desajeitado de ambas as mãos. [Antôn. (1 e 3): *ambidestro.*]

ambígeno. [Do lat. *ambigenu.*] *Adj.* Proveniente de duas espécies diversas.

ambigüidade. [Do lat. *ambiguitate.*] *S. f.* **1.** Qualidade ou estado de ambíguo. **2.** *Gram.* Anfibologia (1). **3.** *Automat.* Num servomecanismo, existência de dois ou mais estados de equilíbrio.

ambíguo. [Do lat. *ambiguu.*] *Adj.* **1.** Que se pode tomar em mais de um sentido; equívoco: *explicação ambígua.* **2.** *Gram.* Anfibológico: *período ambíguo; expressão ambígua.* **3.** Cujo procedimento denota incerteza, insegurança; indeciso: *É um homem ambíguo: consultei-o sobre o assunto, e não se definiu.* **4.** Indeterminado, impreciso, incerto: *vocábulos de gênero ambíguo* (que podem ser masculinos ou femininos, como, p. ex. *laringe, diabetes, preá, guariba*); "Já não tinha o aspecto indeciso de solteirona, a feição de sexo neutro, o ar *ambíguo* como das frutas que antes de maduras engilham [v. *engilhar*] no galho." (Mário de Alencar, *Contos e Impressões*, p. 79.)

ambilátero. [De *ambi-* + *-látero.*] *Adj.* Bifacial.

ambíparo. [De *ambi-* + *-paro.*] *Adj. Bot.* Diz-se dos botões de que saem folhas e flores.

ambira. [Do tupi?] *S. f. Bras., SP.* Tatarana, em certas regiões.

ambisséxuo (cs). [De *ambi-* + *sexo* + *-uo*, por analogia com palavras como *ambíguo, oblíquo*, etc.] *Adj.* Que participa dos dois sexos; bissexual.

ambistomídeo. *S. m.* **1.** Espécime dos ambistomídeos. ● *Adj.* **2.** Pertencente ou relativo a eles.

ambistomídeos. *S. m. pl. Zool.* Família de anfíbios da ordem dos urodelos, vulgarmente chamados *salamandras*, de corpo alongado, pulmões, e olhos protegidos por pálpebras. No Brasil só há uma espécie, do gênero *Bolitoglossa.*

âmbito. [Do lat. *ambitu.*] *S. m.* **1.** Contorno, periferia; circunferência: "Estando de cima contemplando a horrenda furna e estômago do monte, cuja disforme boca mostra ter uma légua de *âmbito*, ouviu três estalidos grandíssimos, como tiros de artilharia grossa" (P^e^. Manuel Bernardes, *Nova Floresta*, II, p. 227). **2.** Espaço delimitado; recinto: "Habituei-me a uma paisagem confinada e a um horizonte quase doméstico. No seu *âmbito* poucas são as imagens do presente, e muitas as do passado." (Ciro dos Anjos, *O Amanuense Belmiro*, p. 18.) **3.** *Fig.* Campo de ação; zona de atividade.

ambivalência. [De *ambi-* + *valência.*] *S. f.* **1.** Caráter do que apresenta dois aspectos ou dois valores: *a ambivalência de um fato histórico.* **2.** *Psicol.* Estado de quem experimenta ao mesmo tempo, numa determinada situação, sentimentos opostos.

ambivalente. [De *ambi-* + *valente.*] *Adj. 2 g.* Relativo à, ou em que há ambivalência.

ambívio. [Do lat. *ambiviu.*] *S. m.* V. *encruzilhada* (1).

▲**ambli-.** [Do gr. *amblýs, eîa, ý.*] *El. comp.* = 'embotado', 'fraco'; 'ângulo obtuso': *ambliopia* (< gr. *amblyopía*), *amblígono* (< gr. *amblygónios*).

amblícero. *S. m.* **1.** Espécime dos amblíceros. ● *Adj.* **2.** Pertencente ou relativo a eles.

amblíceros. *S. m. pl. Zool.* Insetos da ordem dos malófagos, subordem *Amblycera*, providos de palpos maxilares e antenas clavadas ou capitosas, escondidas em fossetas quando em repouso.

ambligonita. [Do gr. *amblygónius*, 'obtusângulo', + *-ita*³.] *S. f. Min.* Mineral triclínico, fluorfosfato de alumínio e lítio.

amblígono. [Do gr. *amblígonios.*] *Adj.* Que tem ângulos obtusos.

ambliope. *Adj. 2 g.* e *s. 2 g.* Amblíope [q. v.].

amblíope. [Do gr. *amblyopós*, por infl. de *míope* e outros compostos de *ōpse*; var. pros. de *ambliope.*] *Adj. 2 g.* e *s. 2 g.* Que ou quem sofre de ambliopia.

ambliopia. [Do gr. *amblyopia.*] *S. f. Med. Patol.* Imprecisão de visão sem lesão orgânica perceptível do olho.

ambliópico. *Adj.* Referente à ambliopia.

amblípigo. *S. m.* **1.** Espécime dos amblípigos. ● *Adj.* **2.** Pertencente ou relativo a eles.

amblípigos. *S. m. pl. Zool.* Artrópodes aracnídeos, pedipalpos, da subordem *Amblypygi*, que têm corpo desprovido de glândulas odoríferas e abdome sem flagelo terminal.

amblose. [Do gr. *ámblosis.*] *S. f. Med.* V. *aborto* (1).

amblótico. *Adj.* **1.** Relativo a aborto. **2.** V. *abortivo* (1). ● *S. m.* **3.** V. *abortivo* (8).

amboré. [Var. de *amoré.*] *S. m.* Peixe teleósteo, percomorfo, da família dos gobídeos (*Bathygobius soporator* Val.), do Atlântico. Nadadeira ventral numa só peça, dotada de uma espécie de ventosa central, com que se prende às pedras. Pequeno, sem valor econômico, tem sobre o corpo uma mucilagem, o que lhe valeu, em certas regiões, o nome popular de *babosa.* Vive entre pedras, alimentando-se de crustáceos e outros invertebrados marinhos, e tem ampla distribuição geográfica. [Var. e sin.: *aimoré, amoré, amoré-guaçu, amoréia, aramaré, babosa, candunga, cundunda, florete, maiuíra, maria-da-toca, moréia, muçurungo, peixe-flor, tajacica, ximboré.*]

amborepinima (borè). [Var. de *amorepinima.*] *S. m. Bras.* Peixe teleósteo, percomorfo, da família dos gobídeos (*Muraena ocellata* (Licht.)), do Atlântico, caracterizado pela coloração preta, manchada de amarelo. Pertence ao grupo das moréias ou caramurus.

amborepixuna (borè). *S. m. Bras.* Var. de *amorepixuna.*

ambos. [Do lat. *ambos.*] *Num.* Um e outro; os dois: *Segurou a fruta com ambas as mãos;* "Vivia casto como certas damas antigas casadas, de acordo com os maridos, em obséquio à pureza dos anjos de *ambos* os sexos" (Camilo Castelo Branco, *História e Sentimentalismo*, p. 173). ◆ **Ambos de dois.** F. pleonástica de ambos, ainda muito usada pelo povo: "De *ambos os dous* a fronte coroada" (Luís de Camões, *Os Lusíadas*, IV, 72). [Tb. o são as f. *ambos e dois* e *ambos os dois.* Cf. Hernâni Cidade, in Luís de Camões, *Os Lusíadas*, LXXII.]

ambrazô. *S. m. Bras.* V. *abrazô.*

ambre. *S. m. Ant.* Âmbar.

ambreada. [De *ambre* + *-ada*¹.] *S. f.* Substância que imita o âmbar (2).

ambreado¹. [De *ambre* + *-ado*¹.] *Adj.* De cor semelhante à do âmbar (2).

ambreado². [Part. de *ambrear.*] *Adj.* **1.** A que se deu a cor do âmbar (2). **2.** Perfumado com âmbar (1). **3.** *P. ext.* Perfumado, aromatizado.

ambrear. [De *ambre* + *-ar*².] *V. t. d.* **1.** Dar a cor do âmbar a. **2.** Perfumar com âmbar; ambarizar. **3.** Perfumar, aromatizar. *P.* **4.** Adquirir a cor ou o perfume do âmbar: "uma ampla corola eritrina, sulfurina, sandicina, purpurizada, irial, que onímoda, onicolor, ... se cobaltiza, se *ambreia*, se acobreia" (Martins Fontes, *A Dança*, p. 64). [Conjug.: v. *frear.*]

ambreta (ê). [Dim. de *ambre* (âmbar).] *S. f.* Planta da família das malváceas (*Gibiscus abelmoschus*), cujas sementes, quando esfregadas, têm cheiro de almíscar, extraindo-se delas um óleo muito usado em perfumaria. A casca produz fibra muito resistente.

▲**ambr(i)-.** [De *ambre.*] *El. comp.* = 'âmbar': *ambrita.*

ambrita. [De *ambr(i)-* + *-ita*³.] *S. f.* Variedade de resina fóssil encontrada na Nova Zelândia. [F. paral.: *ambrite.*]

ambrite. *S. f.* Ambrita [q. v.].

ambrosia. [Do gr. *ambrosía*, pelo lat. *ambrosia.*] *S. f.* **1.** *Mitol.* Manjar dos deuses do Olimpo, que dava e conservava a imortalidade. **2.** *P. ext.* Comida ou bebida deliciosa. **3.** *Bras.* Doce feito com ovos e leite cozidos em calda de açúcar. [Cf. *ambrósia* e o antr. f. *Ambrósia.*]

ambrósia. *S. f.* Gênero de plantas da família das compostas. [Cf. *ambrosia.*]

ambrosia-americana. *S. f. Bras.* Erva da família das compostas (*Ambrosia artemisiaefolia*), cujas folhas e ápices floridos têm propriedades anti-helmínticas, anti-hemorrágicas, antileucorréicas, tônicas e febrífugas [Pl.: *ambrosias-americanas.*]

ambrosíaco. *Adj.* **1.** Relativo a ambrosia. **2.** *P. ext.* Delicioso, saboroso.

ambrosiano. [Do lat. *ambrosianu.*] *Adj.* **1.** Do rito de Santo Ambrósio. ~ V. *hino* —. ● *S. m.* **2.** Sectário anabatista.

ambrósio. [Do antr. *Ambrósio*, decerto.] *S. m. Bras., BA.* Armação que sustenta o saco em que se coa o café (2).

ambrozô. *S. m. Bras.* V. *abrazô.*

ambuá. [Do tupi *ãbu'á.*] *S. m. Bras., MT.* V. *embuá.*

âmbula. *S. f.* Pequeno vaso onde se guardam os santos óleos: "E pela serra fora, caminho de casal remoto, vai o velho prior: adiante o sacristão com a lanterna e a *âmbula* da extrema-unção, e ele atrás com o cibório." (Alexandre Herculano, *Lendas e Narrativas*, II, p. 137.) [Cf. *ambula*, do v. *ambular.*]

ambulação. [Do lat. *ambulatione.*] *S. f.* Ato de ambular.

ambulacral. *Adj. 2 g.* Ambulacrário.

ambulacrário. *Adj.* Respeitante a ambulacro (2); ambulacral.

ambulacriforme. [De *ambulacro* + *-i-* + *-forme.*] *Adj. 2 g.* Que tem forma de ambulacro (2).

ambulacro. [Do lat. *ambulacru.*] *S. m.* **1.** Alameda plantada de árvores em renques regulares. **2.** *Zool.* Tubo elástico, terminado ou não por uma ventosa, o qual funciona como órgão locomotor em numerosos equinodermos (asteróides, equinóides e holoturóideos).

ambulância. [Do fr. *ambulance.*] *S. f.* **1.** Hospital militar móvel. **2.** *P. ext.* Qualquer estabelecimento destinado a prestar os primeiros socorros a doentes ou feridos. **3.** Veículo automóvel especialmente equipado para conduzir doentes e feridos. [Sin.: *assistência* e (bras.) *mãe-caridosa, mãe-carinhosa, carinhosa* (MA).] **4.** *Lus.* Veículo privativo dos correios, para transporte de correspondência.

ambulante. [Do lat. *ambulante.*] *Adj. 2 g.* **1.** Que anda: *Parece um defunto ambulante* **2.** Que não permanece no mesmo lugar; que vai de terra em terra, ou de rua em rua; ambulativo, errante, erradio: *músico ambulante; ator ambulante.* **3.** Que funciona em local não fixo: *biblioteca ambulante.* ~V. *cabide*—. ● *S. 2 g.* **4.** Vendedor ou comprador que exerce o seu comércio em logradouros públicos ou em locais de acesso franqueado ao público.

ambular. [Do lat. *ambulare.*] *V. int.* Passear, vaguear; deambular, perambular. [Pres. ind.: *ambulo, ambulas, ambula*, etc. Cf. *âmbula.*]

ambulativo. [Do lat. *ambulativu.*] *Adj.* **1.** Ambulante, errante, erradio. **2.** Que não obriga o doente a acamar ou hospitalizar-se; ambulatório.

ambulatorial. *Adj. 2 g.* Pertencente ou relativo a ambulatório (3 e 4).

ambulatório. [Do lat. *ambulatoriu.*] *Adj.* **1.** Que impele a andar, a movimentar-se: *delírio ambulatório.* **2.** Ambulativo (2). ● *S. m.* **3.** Departamento hospitalar, para atendimento (curativos, primeiros socorros, pequena cirurgia, exames, etc.) de enfermos que se podem locomover. [Sin., lus., nesta acepç.: *banco.*] **4.** *P. ext.* Departamento anexo a uma instituição, organizado em moldes de ambulatório (3): *ambulatório da escola, da paróquia.* **5.** V. *fasmido.*

ambulatórios. [Pl. de *ambulatório.*] *S. m. pl. Zool.* V. *fasmidos.*

▲**ambuli-.** *V. ambul(o)-.*

ambulípede. [De *ambuli-* + *-pede.*] *Adj. 2 g. Zool.* Diz-se de qualquer mamífero de pés bem conformados para andar.

▲**ambul(o)-.** [Do lat. *ambulare.*] *El. comp.* = 'caminhar', 'andar': *noctâmbulo.* [Equiv.: *-ambulo* e *ambuli-*: *ambulípede.*]

▲**-ambulo.** V. *ambul(o)-.*

ambundo. [Do quimb. *ambundu*, 'negros'.] *Adj.* e *s. m.* V. *bundo* (1, 2, 5 e 6).

amburana. *S. f. Bras.* V. *cumaru-do-ceará.*

ambustão. [Do lat. *ambustione.*] *S. f. Cir.* Cauterização [v. *cauterizar* (1).]

▲**-ame.** Equiv. de *-ama.*

ameaça. [De *a-*⁵ + lat. vulg. *minacia.*] *S. f.* **1.** Palavra ou gesto intimidativo: *A ameaça do pai não surtiu o efeito desejado.* **2.** Promessa de castigo ou malefício: *Segundo o Livro de Jonas, o Senhor não consumou a ameaça contra o povo de Nínive porque este se mostrou arrependido.* **3.** Prenúncio ou indício de coisa desagradável ou temível, de desgraça, de doença: *ameaça de tempestade; ameaça de guerra; ameaça de enfarte.* [F. paral.: *ameaço.*]

ameaçador (ô). *Adj.* **1.** Que ameaça; ameaçante. [Sin., poét.: *minaz.*] **2.** Diz-se do tempo quando está iminente um temporal. ● *S. m.* **3.** Aquele ou aquilo que ameaça.

ameaçante. *Adj. 2 g.* **1.** Ameaçador (1). **2.** *Heráld.* Em atitude ameaçadora.

ameaçar. *V. t. d.* **1.** Dirigir ameaça(s) a. **2.** Procurar intimidar, meter medo em: *Sacou o revólver para ameaçar o ladrão.* **3.** Pôr em perigo; pôr em xeque: *Esta medida ameaça a liberdade de ação.* **4.** Anunciar castigo ou malefício a: "Acaso não terás receios / do infortúnio que o *ameaça*?" (Eugênio de Castro, *Obras Poéticas*, II, p. 23.) **5.** Dar mostras ou indícios de (coisa iminente); anunciar: "A noite *ameaçava* chuva." (João Clímaco Bezerra, *O Semeador de Ausências*, p. 119.) **6.** Estar na iminência de: *A velha árvore ameaçava tombar. T. d. e i.* **7.** Anunciar castigo ou malefício; prometer (algo mau): *Ameaçou-o de baterlhe, e até de o matar. T. i.* **8.** Estar próximo a chegar, a aparecer, a acontecer, a afluir: *Via-se que estava comovido, que as lágrimas lhe ameaçavam aos olhos. Int.* **9.** Fazer ameaça(s). **10.** Estar próximo a acontecer; estar iminente: *Ventava forte, um temporal* a m e a ç a v a. **11.** *Bras.* Pôr certas peças de construção numa posição provisória, em caráter de experiência, antes da colocação definitiva. [Conjug.: v. *laçar*.]

ameaço. [Dev. de *ameaçar*.] *S. m.* Ameaça: "à noite, quando o tempo ia refrescando, sentia a m e a ç o s de febre" (Aluísio Azevedo, *O Coruja*, p. 204).

ameado. [Part. de *amear*.] *Adj.* Guarnecido de ameias.

amealhado. [Part. de *amealhar*.] *Adj.* **1.** Diz-se de dinheiro economizado, poupado. **2.** Distribuído, repartido ou dado em pequenas parcelas, porções ou mealhas.

amealhador (ô). *S. m.* Aquele que amealha.

amealhar. [De *a-*^{2} + *mealha* + *-ar*^{2}.] *V. t. d.* **1.** Juntar pouco a pouco, às mealhas; economizar, poupar, forrar: *Com o seu negócio já* a m e a l h o u *bons cobres;* "Numa mala de pregaria unida à cama dos dois...., a m e a l h a v a m o ganho líquido" (José Vieira, *Vida e Aventura de Pedro Malasarte*, p. 89). **2.** Distribuir ou repartir em pequenas porções ou parcelas. *Int.* **3.** Regatear na compra; discutir o preço mealha por mealha. **4.** Fazer economias; economizar, poupar: *Apesar de tão rico, só pensa em* a m e a l h a r; "Moço, viera para o Brasil, onde a m e a l h a r a, adquirira bens" (Thiers Martins Moreira, *Os Seres*, pp. 62-63).

amear^{1}**.** [De *ameia* + *-ar*^{2}.] *V. t. d.* **1.** Guarnecer de ameias. **2.** Abrir fendas semelhantes a ameias em. [Conjug.: v. *frear*.]

amear^{2}**.** [De *a-*^{2} + *meio* + *-ar*^{2}.] *V. t. d.* Dividir ao meio; mear. [Conjug.: v. *frear*.]

ameba. [Do gr. *amoibé*, 'que muda'.] *S. f. Zool.* Animal protozoário, rizópode, da ordem dos amebinos, gêneros *Amoeba* Ehremb., *Endamoeba* Leidy e outros. Locomove-se e alimenta-se por meio de pseudópodes. As amebas são de vida livre, comensais ou parasitas. [A espécie *E. histolytica* Schaudimm é a causadora da disenteria amebiana. Tb. se diz *amiba*.]

amebiano. *Adj.* **1.** Referente à ameba; amébico. **2.** Em que há amebas. ~ V. *disenteria —a*.

amebíase. *S. f. Med.* Doença originada por ameba.

amébico. *Adj.* Amebiano (1).

amebino. *S. m.* **1.** Espécime dos amebinos. • *Adj.* **2.** Pertencente ou relativo a eles. [Sin. ger.: *loboso*.]

amebinos. [Pl. de *amebino*.] *S. m. Zool.* Animais protozoários, rizópodes, da ordem *Amoebina*. Corpo dotado de pseudópodes curtos, lobados, variáveis; nus, ou dentro de carapaça com uma só abertura; aquáticos ou parasitos. Pertence ao grupo a *Entamoeba histolytica* Schaudimm, agente etiológico da disenteria amebiana. [Sin.: *lobosos*.]

amebócito. [De *ameba* + *-o-* + *-cito*.] *S. m. Biol.* Célula móvel, de forma variável, semelhante a uma ameba.

ameboide. [De *ameba* + *-óide*.] *Adj. 2 g. Biol.* Semelhante a uma ameba. ~ V. *movimento —*.

amedrontador (ô). *Adj.* e *s. m.* Que ou aquele que amedronta.

amedrontadoramente. [Do fem. de *amedrontador* + *-mente*.] *Adv.* De modo amedrontador; produzindo amedrontamento: "No teatro sentam-se na cadeira que lhes é mostrada pela *ouvreuse*, sem notar os olhos da matrona de cabeleira eriçada a m e d r o n t a d o r a m e n t e fisgados na sua pessoa." (Gilberto Amado, *Depois da Política*, p. 63.)

amedrontamento. *S. m.* Ato ou efeito de amedrontar (-se).

amedrontar. [De *a-*^{2} + arc. *medorento*, 'medroso', + *-ar*^{2}] *V. t. d.* **1.** Meter medo a; assustar; atemorizar. *T. d. e i.* **2.** Levar, induzir pelo medo: A m e d r o n t o u *os invasores a deixarem o lugar. P.* **3.** Assustar-se, atemorizar-se.

ameia. [De *a-*^{5} + lat. *mina*.] *S. f.* **1.** Cada uma das partes salientes retangulares, separadas por intervalos iguais, na parte superior das muralhas, castelos, etc.: "duas torres quadradas, rendilhadas de a m e i a s" (Ramalho Ortigão, *As Farpas*, I, p. 48). **2.** *P. ext.* Motivo decorativo semelhante às ameias.

ameigado. [Part. de *ameigar*.] *Adj.* **1.** Que é objeto de meiguice ou carinho; amimado, afagado, acarinhado, acariciado. **2.** Meigo, carinhoso, terno.

ameigador (ô). *Adj.* e *s. m.* Que ou aquele que ameiga.

ameigar. [De *a-*^{2} + *meigo* + *-ar*^{2}.] *V. t. d.* **1.** Fazer meiguices a; afagar, amimar, acarinhar, acariciar: "O pequenito .... parecia olhar para o pai, que, sentado ao lado, ... o a m e i g a v a com as mãos sujas e calosas" (Bernardo Pinheiro, Pindela, *Azulejos*, p. 73); "levaram-na para o quarto de d. Emerenciana, deitaram-na a m e i g a n d o - a muito" (Coelho Neto, *Treva*, p. 193). **2.** Tornar meigo, suave: "Escondidos na folhagem os pássaros a m e i g a v a m o canto." (José de Alencar, *Iracema*, p. 51.) *P.* **3.** Fazer-se meigo, carinhoso, terno: "ao ver-me compungido, ele s e a m e i g a v a acariciando-me, quase com ares e gestos de arrependido" (Rocha Pombo, *No Hospício*, p. 37). [Conjug.: v. *largar*.]

ameija. *S. f.* V. *amêijoa* (2).

amêijea. *S. f.* V. *amêijoa* (2).

amêijoa. [Do ár. *al* + lat. *mytilu*.] *S. f.* **1.** *Bras., S.* Designação comum aos moluscos bivalves, da família dos lucinídeos, sobretudo os *Phacoides pectinatos* (Gmel.), e outros do gênero *Codokia* (Scop.), *Divaricella* (Mart.) e *Linga* (Greg.). [Sin. (na BA): de *Phacoides pectinatus: cernambi*.] **2.** Venerídeo do gênero *Amiantis* (Carp.), empregado na alimentação. [Sin. (nesta acepç.): *amêijea, ameija,* e *cernambi (BA)*.] **3.** Molusco bivalve, *Cardium edule* (L.), da família dos cardídeos, comestível, de concha sólida, convexa, coloração branca ou ferruginosa, interior branco com manchas castanhas do lado posterior, e que ocorre no Atlântico e no Mediterrâneo; berbigão. [Cf. ameijoa (ô), do v. *ameijoar*.].

amêijoa-branca. *S. f. Bras. SC.* Molusco bivalve, da família dos venerídeos (*Dosinia concentrica* (Born.)), conhecido desde a Flórida até o S. do Brasil; cernambitinga. [Pl.: *amêijoas-brancas*.]

ameijoada^{1}**.** [De *amêijoa* + *-ada*.] *S. f.* Guisado de amêijoas.

ameijoada^{2}**.** [De *a-*^{2} + arc. *maijom*, do lat. *mansione*, 'lugar de permanência', + *-ada*^{1}.] *S. f.* **1.** Redil (1). **2.** Pastagem onde o gado passa a noite. **3.** *Ant.* Espera que o caçador faz à caça. **4.** *Bras.* Noite passada em claro, no trabalho, no jogo, em diversões, etc. [Var.: *meijoada*.]

ameijoar. [De *ameijoada*.] *V. t. d.* **1.** Juntar (o gado) na malhada. **2.** Reunir (animais) ao ar livre, à noite. *Int.* **3.** Recolher-se à ameijoada^{2} (1 e 2). **4.** Recolher-se, abrigar-se. [Conjug.: v. *coroar*. Pres. ind.: *ameijôo, ameijoas* (ô), *ameijoa* (ô), etc. Cf. *amêijoa*.]

amêijoa-redonda. *S. f.* Animal molusco, bivalve, da família dos venerídeos (*Dosinia exoleta* (L.)), do Atlântico e do Mediterrâneo. Coloração branco-amarelada, com duas ou mais zonas radiais, oblíquas e triangulares, e numerosas manchas angulosas, dispostas geralmente em ziguezague e em quatro ou cinco zonas concêntricas. Interior branco. Comprimento: 3 a 4 cm. [Pl.: *amêijoas-redondas*.]

ameiju. [Do tupi *ame'yu*.] *S. m. Bras.* Planta da família das anonáceas, gênero *Duguetia*.

ameiva. [Do tupi *a'meywa*.] *S. f. Bras.* Reptil lacertílio, da família dos teídeos (*Ameiva ameiva* (L.)), comum em todo o Brasil. Coloração verde no dorso, com faixa longitudinal escura; pernas desde o verde ao azulado e o corpo inteiro salpicado de amarelo. [Estas cores são, no entanto, variáveis.] Vive em capoeiras, e se alimenta sobretudo de frutas. [Sin.: *bico-doce, camaleão-ferro*.]

ameixa. [De *a-*^{5} + lat. *damascena*, i. e., *pruna damascena*, 'ameixa de Damasco'.] *S. f.* **1.** Fruto da ameixeira; amêixoa. **2.** Ameixeira, amêixoa. **3.** Folha-de-serra. **4.** *Bras., GO. pop.* V. *bala* (1). **5.** *Bras., RJ. Fut. Bola* (3). **6.** *Bras.* Ameixa-preta.

ameixa-amarela. *S. f. Bras.* **1.** Pequena árvore da família das rosáceas (*Eryobotrya japonica*), originária da China e do Japão, de frutos comestíveis, e cujas flores encerram óleo do qual se fabricam essências, sendo as folhas tidas por antidiarréicas e estomáquicas; ameixa-americana, ameixa-do-canadá, ameixa-japonesa, ameixa-do-japão. **2.** V. *nespereira* (1). [Pl.: *ameixas-amarelas*.]

ameixa-americana. *S. f.* V. *ameixa-amarela* (1). [Pl.: *ameixas-americanas*.]

ameixa-da-baía. *S. f.* V. *ameixeira-do-brasil*. [Pl.: *ameixas-da-baía*.]

ameixa-da-terra. *S. f.* V. *ameixeira-do-brasil*. [Pl.: *ameixas-da-terra*.]

ameixa-de-espinho. *S. f.* V. *ameixeira-do-brasil*. [Pl.: *ameixas-de-espinho*.]

ameixa-de-madagáscar. *S. f.* Planta da família das flacurtiáceas (*Flacourtia ramontchi*). [Pl.: *ameixas-de-madagáscar*.]

ameixa-do-canadá. *S. f.* V. *ameixa-amarela* (1). [Pl.: *ameixas-do-canadá*.]

ameixa-do-japão. *S. f.* V. *ameixa-amarela* (1). [Pl.: *ameixas-do-japão*.]

ameixa-do-pará. *S. f.* V. *ameixeira-do-brasil*. [Pl.: *ameixas-do-pará*.]

ameixa-japonesa. *S. f.* V. *ameixa-amarela* (1). [Pl.: *ameixas-japonesas*.]

ameixal. *S. m.* Quantidade mais ou menos considerável de ameixeiras dispostas proximamente entre si; ameixial, ameixoal.

ameixa-preta. *S. f.* Passa de ameixa (1). [Tb. se diz (no Brasil) apenas *ameixa*. Pl.: *ameixas-pretas*.]

ameixeira. *S. f.* Árvore pequena ou arbusto ornamental, da família das rosáceas (*Prunus domestica*), originária da Europa e do Cáucaso, e que tem drupas de polpa doce e frutos comestíveis; ameixieira, ameixoeira, ameixa, nêspera, nespereira.

ameixeira-brava. *S. f.* V. *abrunheiro*. [Pl.: *ameixeiras-bravas*.]

ameixeira-do-brasil. *S. f. Bras.* Arbusto da família das olacáceas (*Ximenia americana*), cujas flores se utilizam na indústria de perfumaria, e que tem drupas amarelo-alaranjadas, de polpa doce comestível; ameixa-da-baía, ameixa-da-terra, ameixa-de-espinho, ameixa-do-pará, ameixeira-do-pará, espinheiro-de-ameixa. [Pl.: *ameixeiras-do-brasil*.]

ameixeira-do-pará. *S. f. Bras.* V. *ameixeira-do-brasil*. [Pl.: *ameixeiras-do-pará*.]

ameixial. *S. m.* V. *ameixal*.

ameixieira. *S. f.* V. *ameixeira*.

amêixoa. *S. f.* **1.** Ameixa (1). **2.** Ameixa (2).

ameixoal. *S. m.* V. *ameixal*.

ameixoeira. *S. f.* V. *ameixeira*.

amelaçar. [De *a-*^{2} + *melaço* + *-ar*^{2}.] *V. t. d.* **1.** Dar a cor, consistência ou gosto de melaço a. **2.** Converter em melaço. **3.** Afetar, amaneirar: "Gosta mais do canto estridente da cigarra, modulando cavatinas em plena luz? disse ele, a m e l a ç a n d o a voz." (Monteiro Lobato, *Urupês, Outros Contos e Coisas*, p. 101.) [Conjug.: v. *laçar*.]

amelado. [De *a-*^{2} + *mel* + *-ado*^{1}.] *Adj.* Da cor do mel: "José Fernandes e seu compadre vestiam regularmente casaca de antigo e forte pano a m e l a d o" (Camilo Castelo Branco, *Aventuras de Basílio Fernandes Enxertado*, p. 13).

amelê. *S. m. Bras., BA.* V. *ganzá* (1).

amélia. [Do antr. *Amélia*, do samba *Ai! que saudade da Amélia*, de autoria de Ataulfo Alves e Mário Lago.] *S. f. Bras. Pop.* Mulher que aceita toda sorte de privações e/ou vexames sem reclamar, por amor a seu homem.

ameloado. [De *a-*^{2} + *melão* + *-ado*^{1}.] *Adj.* Semelhante ao melão, na forma, cor, cheiro ou sabor.

amelopia. [De *a-*^{3} + gr. *mélas* + *-op(e)* + *-ia*.] *S. f. Med.* Diminuição ou perda parcial da vista.

amelópico. *Adj.* **1.** Referente à, ou que sofre de amelopia. • *S. m.* **2.** Aquele que sofre de amelopia.

amelroado. [De *a-*^{2} + *melro* + *-ado*^{1}.] *Adj.* Da cor do melro (1).

amém. [Do hebr. *amén*, 'assim seja', atr. do lat. *amen*.] *Interj.* **1.** Palavra litúrgica de aclamação, que indica anuência firme, concordância perfeita, com um artigo de fé; assim seja. • *S. m.* **2.** Concordância; aprovação, consentimento, anuência: *Nada faz sem o* a m é m *da família*. ♦ **Dizer amém a.** Consentir em; aprovar; anuir a; condescender com: *Diz* a m é m *a todas as loucuras dos filhos*. [Var. de *âmen*. Cf. *amem*, do v. *amar*.]

âmen. *Interj.* e *s. m.* V. *amém*.

amência. [Do lat. *amentia*.] *S. f. P. us.* Demência.

amêndoa. [Do gr. *amygdále*, pelo lat. *amygdala*.] *S. f.* **1.** Fruto ou semente da amendoeira. **2.** V. *amendoeira-da-praia*. **3.** *P. ext.* Qualquer semente contida em caroço. **4.** A semente da amêndoa (1) recoberta de açúcar ou de sal. **5.** *Pet.* Cavidade, relativamente pequena, parcial ou totalmente cheia de minerais secundários; amígdala. ~ V. *amêndoas*.

amendoada. *S. f.* Emulsão de amêndoas.

amêndoa-de-coco. *S. f.* V. *amendoeira* (1). [Pl.: *amêndoas-de-coco*.]

amendoado. [De *amêndoa* + *-ado*^{1}.] *Adj.* **1.** Semelhante a amêndoa. **2.** Preparado com amêndoas. **3.** Diz-se de olhos (apertados, em geral) como que repuxados para as têmporas; repuxado: "Os corpos morenos, pés largos, cabelos lisos, olhos a m e n d o a d o s, deslizam pelos jiraus" (Eneida, *Cão da Madrugada*, p. 16).

amêndoa-dos-andes. *S. f.* V. *castanha-de-macaco*. [Pl.: *amêndoas-dos-andes*.]

amêndoa-durázio. *S. f.* V. *amendoeira* (1). [Pl.: *amêndoas-durázios* e *amêndoas-durázio*.]

amêndoa-molar. *S. f.* V. *amendoeira* (1). [Pl.: *amêndoas-molares*.]

amendoal. *S. m.* Quantidade mais ou menos considerável de amendoeiras dispostas proximamente entre si.

amêndoas. [Pl. de *amêndoa*.] *S. f. pl. P. us.* Presente que se dá por ocasião de certas festividades, especialmente as da Páscoa, e que consiste quase sempre em amêndoas (4) confeitadas. ~ V. *amêndoa*.

amendoeira. *S. f.* **1.** Árvore da família das rosáceas (*Amygdalus communis*), originária da África e Mesopotâmia, de semente oleaginosa, apreciada como fruto de inverno, do qual se fabrica o marasquino; amêndoa-de-coco, amêndoa-durázio, amêndoa-molar. **2.** V. *amendoeira-da-praia.*

amendoeira-da-praia. *S. f. Bras.* Árvore ornamental, da família das combretáceas (*Terminalia catappa*), própria para beira-mar, de raiz e casca adstringentes, contendo a amêndoa um óleo doce, usado em emulsões peitorais; amêndoa, amendoeira, anoz, árvore-de-anoz, castanhola, chapéu-de-sol, guarda-sol, terminália. [Pl.: *amendoeiras-da-praia.*]

amendoeira-dos-andes. *S. f.* V. *castanha-de-macaco.* [Pl.: *amendoeiras-dos-andes.*]

amendoeirana. [De *amendoeira* + *-rana*, por haplologia.] *S. f. Bras.* **1.** Planta da família das leguminosas, subfamília papilionácea (*Meibomia axillaris*); amor-do-campo, mandubirana. **2.** V. *boi-gordo.*

amendoí. *S. m. Bras.* V. *amendoim.*

amendoim (o-ím). [Do tupi *mãdu'bi, mãdu'i*, com infl. de *amêndoa*.] *S. m.* Planta herbácea da família das leguminosas (*Arachis hypogaea*), cujo fruto é empregado na alimentação humana, e de cujas sementes se extrai óleo de vários empregos, como, p. ex., óleo de cozinha e lubrificante de máquinas e motores. [Var.: *amendoí, amendoís, mandobi, mandubi, mendubi, menduí, mindubi.*]

amendoim-bravo. *S. m. Bras.* V. *faveiro* (1). [Pl.: *amendoins-bravos.*]

amendoís. *S. m. Bras.* V. *amendoim.*

amenia. [De *a-*[3] + *-men(o)-* + *-ia.*] *S. f. Patol.* Amenorréia.

amênico. *Adj.* Relativo à amenia; amenorréico.

amenidade. [Do lat. *amoenitate.*] *S. f.* **1.** Conjunto de condições, ou caráter ou qualidade de ameno. **2.** Bem-estar; deleite, agrado: *Invadiu-o uma sensação de a m e n i d a d e, ao penetrar no parque.* **3.** Polidez, delicadeza, urbanidade: *a m e n i d a d e no trato.* **4.** Graça, leveza: *a m e n i d a d e de estilo.* ~V. *amenidades.*

amenidades. *S. f. pl.* Assuntos vagos, gerais, superficiais: *A conversa girou em torno de a m e n i d a d e s.* ~ V. *amenidade.*

ameninado. [De *a-*[2] + *menino* + *-ado*[1].] *Adj.* **1.** Com aparência e/ou modos de menino. **2.** Fraco, débil, delicado.

ameninar. [De *a-*[2] + *menino* + *-ar*[2].] *V. t. d.* **1.** Dar aparência ou modos de menino a. *Int.* e *p.* **2.** Tomar aparência de menino; acriançar-se; remoçar. **3.** Enfraquecer, debilitar-se.

amenista. [De *amém* (ou *âmen*) + *-ista.*] *S. 2 g.* Pessoa condescendente, que diz amém ou sim a tudo.

amenizado. [Part. de *amenizar.*] *Adj.* Tornado ameno.

amenizador (ô). *Adj.* e *s. m.* Que ou aquele que ameniza.

amenizar. *V. t. d.* **1.** Tornar ameno; abrandar, suavizar, mitigar. **2.** Tornar menos árduo, ou menos difícil. *Int.* e *p.* **3.** Tornar-se ameno; suavizar-se, abrandar-se: *O tempo a m e n i z o u ; Passada a zanga, a voz do pai a m e n i z o u - s e .* **4.** Tornar-se menos árduo, ou menos difícil.

ameno. [Do lat. *amoenu.*] *Adj.* **1.** De trato suave, delicado; brando, afável, agradável: *pessoa a m e n a .* **2.** Que se processa de maneira fácil e agradável, aprazível: "Muito inteligente, relativamente culta, tinha caligrafia excelente e estilo a m e n o escrevendo cartas." (Júlio Belo, *Memória de um Senhor de Engenho*, p. 21); *leitura a m e n a ; conversação a m e n a .* **3.** Deleitoso, delicioso, aprazível: *recanto a m e n o .* **4.** Temperado, moderado, suave: *clima dos mais a m e n o s ; temperatura a m e n a .* [Sin. ger. (p. us.): *amenoso.*]

amenorréia. [De *a-*[3] + *-men(o)-* + *-reia.*] *S. f.* Ausência de menorréia ou menstruação; amenia.

amenorréico. *Adj.* Referente à amenorréia; amênico.

amenoso (ô). *Adj. P. us.* V. *ameno.*

amenta. [Dev. de *amentar*[2].] *S. f.* **1.** Ação de amentar[2]. **2.** Oração com intenção especial. **3.** Prece por um defunto. **4.** Quantia que se paga para amentar as almas de certos defuntos.

amentácea. *S. f. Obsol.* Espécime das amentáceas.

amentáceas. *S. f. pl. Bot. Obsol.* Grupo de plantas que abrangia árvores providas de amento (4), como *Salix, Alnus, Betula, Fagus, Quercus*, etc.

amentáceo. *Adj. Obsol.* **1.** Pertencente ou relativo às amentáceas. **2.** Relativo a amento (4). **3.** O que lembra o amento (4), como, p. ex., uma inflorescência pêndula, tipo espiga.

amentador (ô). [De *amentar*[2].] *S. m.* Aquele que amenta.

amentar[1]. [De *amente* + *-ar*[2].] *V. t. d.* e *p.* V. *dementar.*

amentar[2]. [De *a-* + *mente* + *-ar*[2].] *V. t. d.* **1.** Trazer à mente, à memória; recordar, rememorar. **2.** Rememorar (o nome dos defuntos) orando por eles. **3.** Encomendar a Deus; responsar. **4.** *Ant.* Convocar por conjuro; conjurar.

amentar[3]. [Do lat. *amentare.*] *V. t. d.* **1.** Prender com correias. **2.** *P. ext.* Prender, atar.

amente. [Do lat. *amente.*] *Adj. 2 g.* e *s. 2 g. P. us.* Demente: "Tentava em vão gritar pávido e a m e n t e / E harto estertor morria-me no peito." (José Severiano de Resende, *Mistérios*, p. 153.)

▲**amenti-.** [Do lat. *amentum, i.*] *Pref.* = 'amento': *amentífero, amentifloro.*

amentífero. [De *amenti-* + *-fero.*] *Adj. Bot.* Provido de flores ordenadas em amento (4).

amentifloro. [De *amenti-* + *-floro.*] *Adj.* Diz-se das plantas cujas flores são dispostas em amento (4).

amentiforme. [De *amenti-* + *-forme.*] *Adj. 2 g. Bot.* Que tem forma de, ou é semelhante ao amento (4).

amentilho. [Dim. de *amento.*] *S. m.* **1.** Amento (4). **2.** Variedade de espiga simples e unissexuada.

amento. [Do lat. *amentu*, 'correia'.] *S. m.* **1.** Correia fixada ao dardo (2), que servia para o lançamento dele. **2.** Dardo (2). **3.** Seta[1] (1). **4.** *Bot.* Tipo de inflorescência denso e pêndulo, peculiar a árvores dos climas temperados do Norte, e constituído por minúsculas flores inconspícuas, quase sempre unissexuais e nuas. Lembra grosseiramente a cauda peluda de um gato, e o seu pólen, abundantíssimo, é disseminado pelo vento. [Sin.: *amentilho.* Cf. *anemogamia.*]

ameraba. [De *amer(i)-* + *-aba*[1]; voc. proposto por Henrique George Hurley.] *Adj. 2 g.* e *s. 2 g. Bras.* V. *ameríndio.*

amerceador (ô). *S. m.* Aquele que amerceia ou se amerceia.

amerceamento. *S. m.* Ato ou efeito de amercear(-se).

amercear. [De *a-*[2] + *mercê* + *-ar*[2].] *V. t. d.* **1.** Fazer mercê a; conceder mercê a. **2.** Comutar a pena de: *O governador a m e r c e o u os condenados. P.* **3.** Condoer-se, doer-se, compadecer-se, apiedar-se, comiserar-se: "parecia-lhe que talvez um dia a Sorte se a m e r c e a s - s e dela, daquele filho que nascera tão perfeito" (Adelaide Félix, *Cada Qual com Seu Milagre...*, p. 246). [Conjug.: v. *frear.*]

amereurasiático. [De *amer(i)-* + *eurasiático.*] *Adj.* Relativo ou pertencente à América e à Eurásia.

▲**amer(i)-.** [De *América.*] *El. comp.* = 'americano': *ameríndio, amerígena.* [Equiv.: *americo-*: *americófilo, americomania.*]

américa[1]. *S. f. Bras.* **1.** Coisa grande, desmedida, fora do comum. **2.** Bom negócio.

américa[2]. *Adj. 2 g.* e *s. 2 g. Bras.* V. *americano*[2].

americana. [Fem. substantivado do adj. *americano.*] *S. f.* Antiga carruagem de quatro rodas, pequena e leve.

americanada. *S. f. Deprec.* **1.** Conjunto de americanos, especialmente norte-americanos. **2.** Ato(s), maneira(s) ou modo(s) característicos de americano; americanice.

americanense. *Adj. 2 g.* **1.** De, ou pertencente ou relativo a Americana (SP). ● *S. 2 g.* **2.** Natural ou habitante de Americana.

americanice. *S. f. Deprec.* **1.** Americanada (2) **2.** Extravagância, excentricidade.

americanidade. *S. f.* Americanismo (1 a 3).

americanismo. *S. m.* **1.** Admiração, apreço ou mania das coisas da América, particularmente dos E.U.A. **2.** Tudo que diz respeito à cultura, tradição, instituições do continente americano, ou que o caracteriza. **3.** Amor ao continente americano. [Sin., nestas acepç., *americanidade.*] **4.** O conjunto das ciências humanas (etnologia, antropologia, lingüística, história, etc.) consagradas ao continente americano. **5.** Peculiaridade do inglês falado nos E.U.A., do espanhol da América, ou do português do Brasil. [Nesta acepç., cf. *brasileirismo* (2).]

americanista. *S. 2 g.* **1.** Especialista em assuntos americanos. **2.** Partidário dos usos e costumes da América. **3.** Especialista em americanismo (5).

americanização. *S. f.* Ação ou efeito de americanizar (-se).

americanizar. *V. t. d.* e *p.* Tornar(-se) americano[1] ou norte-americano; adaptar(-se) ao temperamento, maneira ou estilo americano[1] ou norte-americano.

americano[1]. *Adj.* **1.** De, ou pertencente ou relativo às Américas do Norte, Central e do Sul, ou ao continente americano. **2.** Diz-se das línguas indígenas do continente americano. ~ V. *altura —a, formato —, galão —, ponto —, sanduíche —* e *tonelada —a.* ● *S. m.* **3.** O natural ou habitante do continente americano. **4.** Certo tecido grosseiro de algodão.

americano[2]. *Bras. Adj.* **1.** Pertencente ou relativo ao América Futebol Clube (RJ e MG). **2.** Que é torcedor ou jogador de qualquer dessas duas agremiações. ● *S. m.* **3.** Membro, torcedor ou jogador de qualquer delas. [Sin. ger.: *américa, rubro* (do RJ); *américa, coelho* (de MG).]

americano[3]. *Adj.* e *s. m.* V. *norte-americano.*

americano-do-norte. *Adj.* e *s. m.* V. *norte-americano.* [Pl.: *americanos-do-norte.*]

americanofilia. [De *americano* + *-filia.*] *S. f.* Amor ou preferência à América, aos americanos, em especial aos Estados Unidos da América; americofilia. [Antôn.: *americanofobia.*]

americanófilo. [De *americano* + *-filo.*] *Adj.* e *s. m.* **1.** Que ou aquele que tem americanofilia. [Antôn.: *americanófobo.*] **2.** *P. ext.* Que ou aquele que é partidário da América, em especial dos Estados Unidos da América, em detrimento de outros países. [Sin. ger.: *americófilo.*]

americanofobia. [De *americano* + *-fob(o)-* + *-ia.*] *S. f.* Ódio aos americanos, em especial aos dos Estados Unidos da América; americofobia. [Antôn.: *americanofilia.*]

americanófobo. [De *americano* + *-fobo.*] *Adj.* e *s. m.* Que ou aquele que tem americanofobia; americófobo. [Antôn.: *americanófilo.*]

americanomania. [De *americano* + *-mania.*] *S. f.* Admiração e/ou imitação exagerada de tudo quanto é americano; americomania.

americanomaníaco. *Adj.* **1.** Relativo à, ou que tem americanomania. ● *S. m.* **2.** Aquele que a tem. [Sin. ger.: *americomaníaco.*]

amerício. [Do lat. científico *americiu*, do top. *América* + suf. *-ium.*]. *S. m. Quím.* Elemento de número atômico 95, artificial, radiativo, metálico, prateado, reativo. [Simb.: *Am.*]

▲**americo-.** Equiv. de *amer(i)-.*

americofilia. [De *americo-* + *-filia.*] *S. f.* Americanofilia. [Antôn.: *americofobia.*]

americófilo. [De *americo-* + *-filo.*] *Adj.* e *s. m.* Americanófilo. [Antôn.: *americófobo.*]

americofobia. [De *americo-* + *-fob(o)-* + *-ia.*] *S. f.* Americanofobia. [Antôn.: *americofilia.*]

americófobo. [De *americo-* + *-fobo.*] *Adj.* e *s. m.* Americanófobo. [Antôn.: *americófilo.*]

americomania. [De *americo-* + *-mania.*] *S. f.* Americanomania.

americomaníaco. [De *americo-* + *maníaco.*] *Adj.* e *s. m.* Americanomaníaco.

amerígena. [De *amer(i)-* + *(indí)gena*; t. proposto por Saladino de Gusmão, em 1936.] *Adj. 2 g. Bras* V. *ameríndio.*

ameríncola. [De *amer(i)-* + *íncola.*] *Adj. 2 g.* e *s. 2 g. Bras* V. *ameríndio.*

ameríndio. [De *amer(i)-* + *índio*; t. sugerido pelo Dr. Charles Scott ao geólogo e etnólogo norte-americano John Wesley Powell (1834-1902), e empregado para distinguir o índio americano do índio asiático.] *Adj. Bras.* **1.** Pertencente ou relativo ao indígena americano. ● *S. m.* **2.** O indígena americano. [Sin. ger.: *ameraba, ameríncola, amerígena.*]

amerissagem. [Do fr. *amerrissage.*] *S. f. Gal.* Ato de amerissar. [*Amaragem*, melhor f., é muito p. us. no Brasil.]

amerissar. [Do fr. *amerrir.*] *V. int. Gal.* Pousar (aeronave) na água. [*Amarrar*, a boa forma, quase não é us. no Brasil.]

amerósporo. *S. m.* Esporo unicelular, i. e., indiviso, simples.

amesendar. [De *mesa.*] *V. t. d.* **1.** Fazer sentar à mesa. **2.** Fazer tomar assento; instalar, acomodar. *Int.* e *p.* **3.** Sentar-se à mesa: "Ele saudou num fio de voz, canhestro, e foi a m e s e n d a r - s e . A mãe trouxe-lhe a sopa" (Orlando Gonçalves, *Este Mundo dos Homens*, p. 112). **4.** Repoltrear-se, refestelar-se, repimpar-se. **5.** Ficar-se sentado e muito quedo. [Var.: *amesendrar.*]

amesendrar. *V. t. d., int.* e *p.* V. amesendar: "A sobrinha a m e s e n d r o u - s e sobre o enxergão" (Camilo Castelo Branco, *Vulcões de Lama*, p. 221).

amesquinhado. [Part. de *amesquinhar.*] *Adj.* Tornado mesquinho; depreciado, diminuído, humilhado: *A m e s q u i n h a d o perante os colegas, o garoto não queria mais comparecer às aulas.*

amesquinhador (ô). *Adj.* e *s. m.* Que ou aquele que amesquinha.

amesquinhamento. *S. m.* Ato ou efeito de amesquinhar (-se).

amesquinhar. [De *a-*[2] + *mesquinho* + *-ar*[2].] *V. t. d.* **1.** Tornar mesquinho, insignificante: "Sou o primeiro a reconhecer a falta de merecimento, a pobreza de ação, e os descuidos e desmazelo de estilo que a m e s q u i - n h a m estes pobres romances que improvisei." (Joaquim Manuel de Macedo, *Os Romances da Semana*, p.

V); *A presença exuberante do amigo amesquinhava a sua.* **2.** Humilhar, deprimir, depreciar: *É um caráter vil: amesquinha a toda hora os amigos mais humildes. P.* **3.** Tornar-se mesquinho, avarento, somítico. **4.** Humilhar-se, depreciar-se: *Amesquinhou-se para conseguir cargo tão elevado.*

amestrado. [Part. de *amestrar.*] *Adj.* **1.** Tornado mestre ou perito; industriado, adestrado: *ginasta amestrado.* **2.** Domesticado, domado, amansado: *cavalo amestrado.* **3.** Ensinado, adestrado: *elefante amestrado.*

amestrador (ô). *Adj.* e *s. m.* Que ou aquele que amestra.

amestramento. *S. m.* Ato ou efeito de amestrar(-se).

amestrar. [De *a-*[2] + *mestre* + *-ar*[2].] *V. t. d.* **1.** Tornar mestre, perito. **2.** Ensinar, instruir, adestrar: "habituada à vida claustral do castelo triste, cismando ao luar, entre aias que rezam e pajens louros que passam a mestrando falcões" (Olavo Bilac, *Crítica e Fantasia,* p. 307). *P.* **3.** Tornar-se mestre; adestrar-se, instruir-se; industriar-se.

ametabólico. [De *a-*[2] + *metaból(e)-* + *-ico*[2].] *Adj. Zool.* Diz-se dos insetos apterigotos que não sofrem metamorfose: proturos, colêmbolos, dipluros e tisanuros.

ametábolo. *S. m.* e *adj.* Apterigoto.

ametábolos. *S. m. pl. Zool.* Apterigotos.

ametade. [De *a-*[4] + *metade.*] *S. f. P. us.* Metade.

ametal. [De *a-*[1] + *metal.*] *S. m.* Designação comum aos elementos químicos eletronegativos, sem brilho metálico e geralmente maus condutores de calor e eletricidade; não-metal. [Cf. *metalóide* (1).]

ametalar. [De *a-*[2] + metal + *-ar*[2].] *V. t. d.* **1.** Dar aspecto de metal a. **2.** Ornar com metal. **3.** Misturar com metal.

ametista. [Do gr. *améthystos,* pelo lat. *amethystu.*] *S. f.* Pedra semipreciosa, variedade roxa do quartzo.

ametístico. *Adj.* **1.** Relativo à ametista. **2.** Que tem a cor e/ou o brilho da ametista; ametistino.

ametistino. *Adj.* Ametístico (2).

ametódico. [De *a-*[3] + *metódico.*] *Adj.* Sem método; desordenado.

ametria[1]**.** [De *a-*[3] + *-metr(o)-* + *-ia.*] *S. f.* Falta de medida.

ametria[2]**.** [De *a-*[3] + *-metr(a)-* + *-ia.*] *S. f. Med.* Falta congênita de útero.

amétrico[1]**.** *Adj.* Referente à ametria[1].

amétrico[2]**.** *Adj.* Referente à ametria[2].

ametrope. *Adj.* e *s. 2 g.* Var. pros. de *amétrope.*

amétrope. [De *a-*[3] + *-metr(o)-* + *-ope.*] *Adj. 2 g.* **1.** Diz-se do olho que apresenta ametropia, i. e., em que as imagens tendem a formar-se adiante ou atrás do plano da retina correspondente à visão distinta. **2.** Diz-se de quem tem ametropia. ● *S. 2 g.* **3.** Pessoa que tem ametropia. [Var. pros.: *ametrope.*]

ametropia. [De *a-*[3] + *-metr(o)-* + *-ope* + *-ia.*] *S. f. Patol.* Distúrbio dos poderes de refração do olho, que produz hipermetropia, miopia ou astigmatismo, por não serem as imagens recebidas pela retina no foco adequado.

ametrópico. *Adj.* Relativo à ametropia.

amezinhador (ô). *S. m.* Aquele que amezinha.

amezinhar. [De *a-*[2] + *mezinha* + *-ar*[2].] *V. t. d* e *p.* Tratar(-se) por meio de mezinhas, de remédios caseiros.

ami. [De or. indígena, decerto.] *S. f. Bras., Amaz. Pop.* Designação comum a algumas espécies de aranhas solitárias que não tecem teia.

amial. [Contr. de *amieiral.*] *S. m.* Amieiral.

amianto. [Do gr. *amíantos,* pelo lat. *amiantu.*] *S. m. Min.* Silicato natural hidratado de cálcio e magnésio, de contextura fibrosa, composta de fibras finíssimas e sedosas, em geral brancas e brilhantes, refratárias, dificilmente fusíveis, e com as quais se fabricam tecidos, torcidas, placas, etc., resistentes ao fogo. [Cf. *asbesto.*]

amiastenia. [De *a-*[3] + *-mi(o)-* + *-asten(o)-* + *-ia.*] *S. f. Patol.* Astenia muscular; falta de forças; sensação de cansaço e prostração.

amiastênico. *Adj.* Relativo à amiastenia.

amiba. [Imitação do fr. *amibe.*] *S. f.* Ameba.

amical. [Do lat. *amicale.*] *Adj. 2 g.* Amigável, amistoso, amigo: *gesto amical; aparência amical.*

amicícia. [Do lat. *amicitia.*] *S. f. Desus.* Amizade.

amicíssimo. [Do lat. *amicissimu.*] *Adj.* Superl. abs. sint. de *amigo;* amiguíssimo.

amictico. *Adj. Bot.* Relativo à amixia.

amicto. [Do lat. *amictu.*] *S. m.* Pano branco, bento, que cobre o pescoço e os ombros do padre, por baixo da alva, quando se paramenta para dizer missa: "ia-se [o padre] despindo com lentidão .... da casula, da estola, do manípulo, da alva, e do amicto, dobrando sucessivamente e beijando com respeito esses atributos" (Bernardo Pinheiro, Pindela, *Azulejos,* p. 58). [Var.: amito.]

amículo. [Do lat. *amiculu.*] *S. m.* **1.** Pequeno manto ou véu que era usado pelas mulheres romanas. **2.** Espécie de mantilha.

amida. [De *am(oníaco)* + *-ida.*] *S. f. Quím.* Classe de compostos orgânicos derivados de amônia pela substituição de um ou mais de um de seus hidrogênios por grupamentos acila.

amídala. *S. f. Anat.* V. *amígdala.*

amidálico. *Adj.* V. *amigdálico.*

amidalina. *S. f. Quím.* V. *Amigdalina.*

amidalino. *Adj.* V. *amigdalino.*

amidalite. *S. f. Med.* V. *amigdalite.*

amidalítico. *Adj. Anat.* V. *amigdalítico.*

amidalóide. *Adj. 2 g. Anat.* e *Pet.* V. *amigdalóide.*

amideria. *S. f. Bras.* Fábrica de polvilho ou amido.

amido. [Do gr. *ámylon,* 'farinha de trigo feita sem mó', pelo lat. *amylu,* atr. do it. *amido.*] *S. m.* **1.** *Quím.* Polissacarídeo existente em numerosos vegetais (trigo, arroz, milho, batata, etc.), muito utilizado na alimentação humana, e que também se emprega em diversas preparações farmacêuticas e cosméticas, em vários tipos de cola, e no apresto e acabamento de tecidos, etc. [Fórm.: $(C_6H_{10}O_5)n$.] **2.** Pó obtido de muitas plantas, especialmente dos grãos dos cereais; polvilho. [Var. pros. (p. us.): *âmido.* F. paral. (desus.): *amilo.*]

âmido. *S. m. P. us.* V. *amido.*

amidoado. [De *amido* + *-ado*[1].] *Adj.* Que contém amido.

amieiral. *S. m.* Quantidade mais ou menos considerável de amieiros dispostos proximamente entre si; amial.

amieiro. *S. m.* Árvore ornamental da família das betuláceas *(Alnus glutinosa),* introduzida no S. do Brasil, cuja madeira se presta em especial para obras hidráulicas, marcenaria comum, pontes, etc., e cuja casca, adstringente, serve para combater a angina e é usada para curtume; alno.

amielia. [De *a-*[3] + *-miel(o)-* + *-ia.*] *S. f. Ter.* Ausência congênita de medula espinhal.

amiélico. *Adj.* Concernente à amielia.

amiga. [Do lat. *amica.*] *S. f.* **1.** Mulher ligada a outra pessoa por laços de amizade. **2.** V. *concubina.* **3.** *Bras., PE.* Caldo preparado com o do feijão, engrossado com farinha peneirada, e temperado com pimenta.

amigação. *S. f.* **1.** Ato de amigar-se. **2.** Estado de amigado.

amigaço. *S. m. P. us.* V. *amigalhaço.*

amigado. [Part. de *amigar-se.*] *Adj.* Amasiado, amancebado.

amigalhaço. [Aum. irreg. de *amigo.*] *S. m.* Grande amigo. [Sin.: *amigalhão, amigão* e (p. us.) *amigaço.* Freqüentemente us. em sentido pejorativo.]

amigalhão. *S. m.* V. *amigalhaço.*

amigamente. [Do fem. de *amigo* + *-mente.*] *Adv.* V. *amigavelmente.*

amigão. *S. m.* V. *amigalhaço.*

amigar. *V. t. d.* **1.** Unir por amizade; tornar amigo. *P.* **2.** Tornar-se amigo. **3.** V. *amancebar-se* (1): "já nem sabe se ama a mulher legítima que o espera, se a preta com quem se amigou" (Miguel Torga, *Traço de União.* p. 115). [Conjug.: v. *largar.*]

amigável. [Do lat. *amicabile.*] *Adj. 2 g.* **1.** Feito ou dito com espírito conciliador: *partilha amigável; desquite amigável.* **2.** Próprio de amigos; amical, amistoso, amigo: *atitude amigável; ambiente amigável.*

amigavelmente. [De *amigável* + *-mente.*] *Adv.* De modo amigável; com amizade; amigamente.

amígdala. [Do gr. *amygdále,* 'amêndoa', pelo lat. *amygdala.*] *S. f.* **1.** *Anat.* Aglomerado de tecido linfóide entre os pilares do véu do paladar (*amígdala palatina*), na base da língua (*amígdala lingual*) ou na rinofaringe, (*amígdala rinofaríngea*), tonsila. **2.** *Anat.* Substância cinzenta na porção anterior do lobo temporal. **3.** *Anat.* Lóbulo na superfície inferior do cerebelo. **4.** *Pet.* Amêndoa (5). [Var.: *amídala.*] ◆ **Amígdala lingual.** *Anat.* V. *amígdala* (1). **Amígdala palatina.** *Anat.* V. *amígdala* (1). **Amígdala rinofaríngea.** *Anat.* V. *amígdala* (1).

amigdálico. *Adj. Quím.* Que contém amigdalina. [Var: *amidálico.*]

amigdalina. *S. f. Quím.* Glicosídio encontrado nos frutos das rosáceas, e princípio ativo da essência de amêndoas amargas. [Fórm.: $C_{20}H_{27}O_{11}N$. Var.: *amidalina.*]

amigdalino. [Do lat. *amygdala,* 'amêndoa', + *-ino.*] *Adj.* **1.** Relativo a amêndoas. **2.** Feito ou preparado com amêndoas. [Var.: *amidalino.*]

amigdalite. [De *amígdala* + *-ite.*] *S. f. Med.* Inflamação das amígdalas; angina tonsilar, esquinência. [Var.: *amidalite.*]

amigdalítico. *Adj.* Relativo à amigdalite.

amigdalóide. [Do gr. *amydaloeidés.*] *Adj. 2 g.* **1.** *Anat.* Semelhante a amígdala. **2.** *Pet.* Relativo a amêndoa (5). [Var. *amidalóide.*]

amigo. [Do lat. *amicu.*] *Adj.* **1.** Que é ligado a outrem por laços de amizade: *pessoa amiga; animal amigo;* **2.** Em que há amizade; amical, amistoso: *abraço amigo.* "Clama uma voz amiga: — 'Aí tem o Ceará'." (Manuel Bandeira, *Estrela da Vida Inteira,* p. 56); "Ouve da minha boca as palavras amigas, / Que te podem salvar!" (Eugênio de Castro, *Obras Poéticas,* p. 34). **3.** Simpático, acolhedor: *anfitrião amigo; casa amiga.* **4.** Que ampara ou defende; protetor: *Precisava de uma alma bastante amiga para o auxiliar naquele transe.* **5.** Diz-se dos países que mantêm relações amistosas ou são aliados: *Em 1808 Portugal abriu os portos do Brasil às nações amigas.* **6.** Benigno, propício: "Ai!, a noite é amiga! / Ai!, a noite é boa!" (Alberto de Serpa, *Rua,* p. 86.) — V. *números —s.* ● *S. m.* **7.** Homem ligado a outrem por laços de amizade (1). **8.** Companheiro, colega. **9.** Aquele que é amigo (4); defensor, protetor: *Raimundo Castro Maia foi grande amigo das artes no Brasil.* **10.** Apreciador, admirador, amante: *os amigos de Machado de Assis.* **11.** Simpatizante ou partidário: *Os amigos do Flamengo exultaram com a vitória.* **12.** Aquele que é dado a um hábito ou um vício: *É amigo das longas caminhadas na praia; Infelizmente é amigo do jogo.* **13.** País amigo: *Portugal tem no Brasil um amigo.* [Aum.: *amigaço* (p. us.), amigalhaço, amigalhão; superl. abs. sint.: *amicíssimo* e *amiguíssimo.*] ◆ **Amigo de seus amigos.** Aquele que se mostra amigo verdadeiro, excelente; amigo do seu amigo. **Amigo do alheio.** V. *ladrão* (2). **Amigo do gênero humano.** Aquele que aparenta ser amigo de todos, sem ter, em verdade, amizade profunda a ninguém. **Amigo do peito.** Amigo muito querido; amigo íntimo: "O senhor é um amigo do peito, gente minha, gosto do senhor." (Antônio Celso Alves Pereira, *Rua do Quenta-Sol,* p. 178.) **Amigo do seu amigo.** Amigo de seus amigos: "ativo negociante de vinhos no Porto, amigo do seu amigo" (Camilo Castelo Branco, *Aventuras de Basílio Fernandes Enxertado,* p. 5). **Amigo oculto.** *Bras.* Numa festa comemorativa em que há troca de presentes, como, por ex., o Natal, cada uma das pessoas que, após o sorteio dos nomes de todos os participantes, oferta anonimamente um presente àquela que lhe coube por sorte. [Cf. *amigo-oculto.*] **Meu amigo.** *Fam.* F. amistosa de tratamento; meu chapa; amizade.

amigo-da-onça. *S. m. Bras. Fam.* Amigo-urso. [Pl.: *amigos-da-onça.*]

amigo-oculto. *S. m. Bras.* Espécie de sorteio festivo [V. *amigo-oculto*]. [Pl.: *amigos-ocultos.*]

amigo-urso. *S. m.* Amigo falso, hipócrita, infiel; amigo-da-onça. [Pl.: *amigos-ursos.*]

amigueiro. [De *amigo* + *-eiro.*] *Adj.* Afável, amável, dado, atencioso.

amiguete. *S. 2 g. Irôn.* Colega, companheiro; amigo.

amiguíssimo. *Adj.* Amicíssimo.

▲amil-. *Quím. El. comp.* Designa o radical C_5H_{11} —.

amila. *S. f. Quím.* O radical monovalente C_5H_{11} —.

amiláceo. [De *amilo* + *-áceo.*] *Adj.* **1.** Semelhante ao amido. **2.** Que contém amido.

amilíase. *S. f. Bioquím.* Designação comum a enzimas presentes na saliva, no suco pancreático, na levedura de cerveja, etc., que provocam a hidrólise dos glicídeos.

amilhado. [Part. de *amilhar.*] *Adj. Bras.* Diz-se de animal arraçoado com milho: "a Tudinha tinha cavalo amilhado, só do andar dela, e alguma prata nos preparos." (Simões Lopes Neto, *Contos Gauchescos e Lendas do Sul,* p. 132).

amilhamento. *S. m.* Ato de amilhar.

amilhar. [De *a-*[2] + *milho* + *-ar*[2].] *V. t. d. Bras.* Tratar a milho; arraçoar com milho.

amilífero. *Adj.* Rico em amilo.

amilo. *S. m. Desus.* Amido [q. v.].

amilogênese. [De *amilo* + *-gênese.*] *S. f.* Processo formativo do amilo nas células vegetais.

amilógeno. [De *amilo* + *geno.*] *Adj.* Que produz amilo ou amido.

amilóide. [De *amilo* + *-óide.*] *Adj. 2 g.* Semelhante ao amido, i. e., que se torna azul com iodo por conter algum amido, como os esporos de certos fungos.

amilólise. [De *amilo* + *-lise.*] *S. f.* Transformação do amido em açúcares solúveis por ação de fermentos hidrolíticos ou amilases. Passa-se no interior de células que contêm amido, de modo que possa este ser aproveitado pela economia vegetal sob a forma de açúcares.

amilolítico. *Adj.* Relativo à amilólise.

amilopectina. *S. f.* Um dos polissacarídeos mais simples que entram na constituição química do amido.

amiloplasta. [De *amilo* + *plasta*.] *S. m.* Plasta ou corpúsculo intracelular incolor que transforma os açúcares solúveis em amido, ficando este depositado no interior das células sob a forma de granulações; amiloplastídio. [Cf. *leucoplasta*.]

amiloplastídio. *S. m.* Amiloplasta [q. v.].

amilose. [De *amilo* + *-ose*.] *S. f.* Polissacarídeo elementar que, com a amilopectina, entra na constituição da mólecula do amido. [A amilose é que reage com o iodo, dando a característica coloração azul que o amido apresenta.]

amimado. [Part. de *amimar*.] *Adj.* Tratado com mimo, com carinho; mimado.

amimador (ô). *Adj.* e *s. m.* Que ou aquele que anima.

amimalhado. [Part. de *amimalhar*.] *Adj.* A que ou a quem se dá mimo exagerado: "os cães mansos, os gatos amimalhados, os pequenos pôneis de sela" (Ramalho Ortigão, *Pela Terra Alheia*, II, p. 189).

amimalhar. [De *a-*[2] + *mimo* + *-alhar*.] *V. t. d.* Dar mimo demasiado a.

amimar. [De *a-*[2] + *mimo*[1] + *-ar*[2].] *V. t. d.* **1.** Tratar com mimo, com carinho; acariciar, acarinhar, **2.** Cativar com amabilidades; atrair com agrados ou promessas. **3.** Fazer festas, afagos, a; afagar. *P.* **4.** Tratar-se com mimo; acariciar-se, acarinhar-se, afagar-se. [F. paral.: *mimar*.]

amimia. [De *a-*[3] + *mimo* + *-ia*.] *S. f. Med.* **1.** Ausência de mímica. **2.** Perda da faculdade de expressão por gestos e sinais.

amímico. *Adj.* Relativo à amimia.

amina. [De *am(oníaco)* + *-ina*.] *S. f. Quím.* Classe de compostos orgânicos derivados da amônia pela substituição de um ou mais de um de seus hidrogênios por radicais hidrocarbônicos.

amineirar. [De *a-*[2] + *mineiro*[2] (2) + *-ar*[2].] *V. t. d.* e *p. Bras.* Adaptar(-se) ao temperamento, maneiras ou estilo mineiro[2] (2).

aminguar. [De *a-*[4] + *minguar*.] *V. int. P. us.* Minguar. [Conjug.: v. *aguar*.]

▲**amino-.** *Quím. El. comp.* Indica o grupamento NH_2-.

aminoacético. *Adj.* ~ *V. ácido* —.

aminoácido. [De *amino-* + *ácido*.] *S. m. Quím.* Classe de compostos orgânicos que contêm um grupamento carboxila e um grupamento amino.

aminobenzóico. *Adj.* ~ *V. ácido* —.

aminólise. [De *amino-* + *-lise*.] *S. f. Quím.* Decomposição de uma substância pelo amoníaco ou por uma amina.

aminopropiônico. *Adj.* ~ V. *ácido* —.

aminossubstituído. *Adj.* Diz-se de composto em que há substituição de um radical por um radical amino.

amintinha. *S. m. Bras.* V. *lacerdinha*.

amiostenia. [De *a-*[3] + *-mi(o)-* + *-sten-* + *-ia*.] *S. f. Med.* Diminuição de força muscular.

amiostênico. *Adj.* Relativo à amiostenia.

amiotrofia. [De *a-*[3] + *-mi(o)-* + *-trof(o)-* + *-ia*.] *S. f. Med.* Atrofia de tecido muscular.

amiotrófico. *Adj.* Relativo à amiotrofia.

amir. [Do ár. *amir*.] *S. m.* F. erudita de *emir*.

amisaua. [Do tupi *ami'sawa*.] *S. f. Bras.* Certo vespídeo da Amazônia.

amiseração. *S. f.* V. *comiseração*.

amiserar-se. [De *a-*[2] + *mísero* + *-ar*[2] + *se*[1].] *V. p.* **1.** V. *comiserar* (2): "O ímpio não se amiserara de tantos sinais de lágrimas em que a tinta se apagara!" (Camilo Castelo Branco, *Carlota Ângela*, p. 62.)

amissão. [Do lat. *amissione*.] *S. f.* Perda (1).

amissível. [Do lat. *amissibile*.] *Adj. 2 g.* Suscetível de perder-se.

amistar. [Do esp. *amistar*.] *V. t. d.* e *p.* Tornar(-se) amigo; conciliar(-se), congraçar(-se).

amistosamente. [Do fem. de *amistoso* + *-mente*.] *Adv.* De modo amistoso; com amizade; cordialmente.

amistoso (ô). [Do esp. *amistoso*.] *Adj.* **1.** Próprio de amigo; amical, amigável, amigo: *relações amistosas; olhar amistoso*. **2.** Propenso à amizade: *índole amistosa*. **3.** *Fut.* Diz-se de partida disputada fora de campeonato ou de torneio, em geral para fins beneficentes, de treinamento, de confraternização, ou para arrecadação de fundos. ● *S. m.* **4.** *Fut.* Partida dessa espécie.

amisular. [De *a-*[2] + *mísula* + *-ar*[2].] *V. t. d. 1.* Pôr mísula(s) em. **2.** Pôr sobre mísula(s).

➡**amitié amoureuse** (amitiê amurêz). [Fr.] Amizade mesclada com amor.

amito. *S. m.* Var. de *amicto*.

amitose. [De *a-*[3] + *-mit(o)-* + *-ose*.] *S. f. Citol.* Divisão do núcleo em dois, sem as figuras de mitose e, por via de regra, sem divisão do citoplasma.

amitótico. *Adj.* Concernente à amitose.

amiudado (i-u). [Part. de *amiudar*.] *Adj.* Freqüente, repetido. [Sin. poét.: *crebro*.]

amiudar[1] (i-u). [De *amiúde* + *-ar*[2].] *V. t. d.* **1.** Fazer ou executar amiúde, freqüentemente: *Visitava-me raramente, mas agora amiudou as visitas*; "Vem, corre, amiúda os teus ligeiros passos." (Guimarães Passos, *Horas Mortas*, p. 70). *Int.* **2.** Repetir-se com pequenos intervalos; suceder amiúde; amiudar-se: "Alta madrugada, quando começava a amiudar o canto dos galos, dois vultos, cautelosos, sorrateiros, surdiram do interior da saleta da frente" (Lúcio de Mendonça, *Horas do Bom Tempo*, p. 226); *Os soluços amiudaram tanto que a menina perdeu o fôlego*. **3.** Cantar (o galo) pela madrugada, a curtos intervalos: "Galos amiudavam, empoleirados nas árvores" (Herman Lima, *Tijipió e Garimpos*, p. 96). *P.* **4.** Repetir-se com pequenos intervalos; amiudar: "As figueiras amiúdam-se no caminho e no campo." (Viana Moog, *Um Rio Imita o Reno*, p. 125.) [O *u* leva acento agudo nas formas rizotônicas: *amiúdo, amiúdas, amiúda, amiúdam; amiúde, amiúdes, amiúdem*.]

amiudar[2] (i-u). [De *a-*[2] + *miúdo* + *-ar*[2].] *V. t. d.* **1.** Tornar miúdo (1). **2.** Investigar, pesquisar detidamente; esmiuçar. [O *u* leva acento agudo nas f. rizotônicas: *amiúdo, amiúdas, amiúda, amiúdam; amiúde, amiúdes, amiúdem*.]

amiúde. [Do lat. *adminutim*.] *Adv.* Repetidas vezes; repetidamente; freqüentemente; a miúdo: *Rosa vem amiúde à minha casa*; "os pés amiúde esbarram em presenças insuspeitas" (Geir Campos, *O Vestíbulo*, p. 17).

amixia (cs). [Do gr. *amixiá*.] *S. f.* **1.** Impossibilidade de cruzamento entre uma espécie e outra, ou entre espécie e variedade. **2.** *Bot.* Estado apresentado em muitas plantas, inclusive superiores, em que não há reprodução sexuada ou anfimixia. **3.** *Med.* Falta de secreção mucosa.

amizade. [Do lat. vulg. **amicitate*.] *S. f.* **1.** Sentimento fiel de afeição, simpatia, estima ou ternura entre pessoas que geralmente não são ligadas por laços de família ou por atração sexual: *A moça demonstrava grande amizade por sua velha mestra*. **2.** Estima, simpatia ou camaradagem entre grupos ou entidades: *A amizade entre os clubes locais desenvolveu-se quando do Campeonato Nacional*. **3.** Pessoa amiga; amigo: *Paula é uma de suas grandes amizades*. **4.** Vinculação de caráter exclusivamente social; relações: *Não gosta de fazer amizades*. [M. us. no pl.] **5.** Mancebia, concubinato; amasio. **6.** Entendimento, concordância, fraternidade: *a amizade luso-brasileira*. **7.** Benevolência, bondade: *Todos tratavam o velhinho com amizade*. **8.** Dedicação de certos animais ao homem: *a amizade de um cão a seu dono*. **9.** *Bras. Pop.* F. de tratamento: meu amigo, meu chapa; nossa-amizade: " — Mas eu sou campeão de caça a irerê e queria bater meu recorde! / — Calma amizade." (Carlos Drummond de Andrade, *in Jornal do Brasil*, 5.5.1973.) ♦ **Amizade colorida.** *Bras.* Relacionamento íntimo, amoroso, sem compromisso social: "Fomos jantar no Sheraton e ele começou a insistir para a gente passar a noite juntos lá mesmo, esse negócio de amizade colorida." (Maria Julieta Drummond de Andrade, *O Valor da Vida*, p. 156.) [Cf. *amizade-colorida*.]

amizade-colorida. *S. f. Bras.* Amante (6). [Cf. *amizade colorida*.]

amnesia. *S. f.* Amnésia [q. v.].

amnésia. [Do gr. *amnesía*.] *S. f. Med.* Perda total ou parcial da memória. [Cf. *amnesia*, do v. *amnesiar*. Var. pros.: *amnesia*.]

amnesiar. *V. t. d.* Causar amnésia a. [Pres. ind.: *amnesio, amnesias, amnesia*, etc. Cf. *amnésia*.]

amnésico. *Adj.* **1.** Referente à, ou que sofre de amnésia. ● *S. m.* **2.** Indivíduo amnésico (2). [Cf. *amnéstico*.]

amnéstico. *Adj.* Que faz perder a memória. [Cf. *amnésico*.]

amniapé. *S. 2 g. Bras.* **1.** Indivíduo dos amniapés, tribo indígena extinta da bacia do Guaporé (RO). ● *Adj. 2 g.* **2.** Pertencente ou relativo a essa tribo.

âmnio. [Do gr. *ámnion*.] *S. m. Anat.* Membrana que se desenvolve em torno do embrião dos vertebrados superiores, formando o saco ou cavidade amniótica, na qual está contido o líquido amniótico, destinado a conservar úmido o embrião e protegê-lo contra choques e adesão.

amniomancia (cí). [De *âmnio-* + *-mancia*.] *S. f.* Adivinhação por meio do âmnio. [Segundo a crendice popular, é bom agouro apresentar-se a cabeça do feto envolvida naquela membrana, razão por que se diz de quem tem sorte que nasceu empelicado, ou num fole.]

amniomante. [De *âmnio-* + *-mante*.] *S. 2 g.* Pessoa que pratica a amniomancia.

amniomântico. *Adj.* Pertencente ou relativo à amniomancia, ou a amniomante.

amniota. *S. m. Zool.* Vertebrado reptil (ave ou mamífero) cujo embrião se desenvolve dentro do âmnio.

amniótico. [Do fr. *amniotique*.] *Adj.* Pertencente ou referente ao âmnio. ~ V. *líquido* —.

amnistia. *S. f.* V. *anistia*.

amnistiado. *Adj.* e *s. m.* V. *anistiado*.

amnistiar. *V. t. d.* V. *anistiar*.

amnistiável. *Adj. 2 g.* V. *anistiável*.

amo. [De *ama*[1].] *S. m.* **1.** Dono da casa; patrão (em relação aos empregados): "todos em casa, amos e criados, se preocupavam muito com o inquilino da casinha dos fundos." (Artur Azevedo, *Contos Cariocas*, p. 246). **2.** Patrão, senhor, chefe: *Cumprirei suas ordens, meu amo*. **3.** Tratamento dado outrora ao rei por seus cortesãos. **4.** *Bras., MA. Folcl.* O dono do boi, o fazendeiro, no bumba-meu-boi.

amocambado. [Part. de *amocambar*.] *Adj. Bras.* **1.** Refugiado, aquilombado. **2.** Escondido, oculto.

amocambamento. *S. m. Bras.* Ato de amocambar(-se).

amocambar. [De *a-*[2] + *mocambo* + *-ar*[2].] *V. t. d. Bras.* **1.** Reunir em mocambo; aquilombar. **2.** Esconder, ocultar. *P.* **3.** Ocultar-se no mato (o gado). **4.** Retrair-se, segregar-se.

amochar-se. [De *a-*[2] + *mocho* + *-ar*[2] + *se*[1].] *V. p.* **1.** Fazer-se misantropo; retrair-se; recolher-se. **2.** Esconder-se; ocultar-se, embiocar-se. [Cf. *amouxar*.]

amodernar. [De *a-*[2] + *moderno* + *-ar*[2].] *V. t. d.* e *p.* Tornar moderno; dar forma ou feição moderna a; modernizar.

amódita. [Do gr. *ammodytes*.] *Adj. 2 g.* e *s. 2 g.* Diz-se de, ou planta ou animal que vive na areia.

amodorrar. [De *a-*[2] + *modorra* + *-ar*[2].] *V. t. d.* **1.** Causar modorra a; produzir sonolência em. **2.** Fazer cair em modorra; tornar sonolento. *Int.* e *p.* **3.** Cair em modorra: "Aí pela madrugada, Calisto Elói amodorrou-se em roncado dormir" (Camilo Castelo Branco, *A Queda dum Anjo*, p. 154). **4.** Entranhar-se; mergulhar: *Amodorrou-se numa grande melancolia*. [Var.: *amadorrar*.]

amoedação. *S. f.* Ato de amoedar; cunhagem, moedagem.

amoedar. [De *a-*[2] + *moeda* + *-ar*[2].] *V. t. d.* **1.** Reduzir (o metal) a moedas; cunhar, monetizar. **2.** Inventar, criar; cunhar (4): *amoedar palavras*. [Pres. ind.: *amoedo*, etc. Cf. *Amoedo* (ê), antr. e top.]

amoedável. *Adj. 2 g.* Que pode ser amoedado ou cunhado.

amofinação. *S. f.* Ato ou efeito de amofinar(-se).

amofinado. [Part. de *amofinar*.] *Adj.* Aborrecido, apoquentado, aflito; enfadado; infeliz: *É um homem amofinado, embora sem causa aparente*.

amofinador (ô). *Adj.* **1.** Que amofina, apoquenta; apoquentador: *atitude amofinadora*. ● *S. m.* **2.** Indivíduo amofinador.

amofinar. [De *a-*[2] + *mofina* + *-ar*[2].] *V. t. d.* **1.** Tornar mofino (1); apoquentar [q. v.]: *Aquela preocupação amofinava-o, consumia-o*. *P.* **2.** V. *apoquentar*: "— Não te amofines assim por causa de uma cozinheira." (Artur Azevedo, *Contos fora da Moda*, p. 45.)

amofumbar. [De *a-*[4] + *mofumbar*.] *V. t. d. Bras.* V. *mofumbar*.

amoipira. *Bras. S. 2 g.* **1.** Indivíduo dos amoipiras, tribo indígena tupi-guarani do rio São Francisco. ● *Adj. 2 g.* **2.** Pertencente ou relativo a essa tribo.

amoiriscado. [De *a-*[2] + *moirisco* + *-ado*[1].] *Adj.* Var. de *amouriscado*.

amoiriscar. [De *a-*[2] + *moirisco* + *-ar*.] *V. t. d.* Var. de *amouriscar*. [Conjug.: v. *trancar*.]

amoitado. [Part. de *amoitar*.] *Adj.* Escondido, ocultado.

amoitar. [De *a-*[2] + *moita* + *-ar*[2].] *V. int.* **1.** *Bras.* Esconder-se, ocultar-se, amoitar-se. **2.** *Bras. Gír.* Moitar. *P.* **3.** *Bras.* Esconder-se, ocultar-se, amoitar.

amojado. *Adj.* **1.** Cheio de leite ou suco. **2.** *Bras., N. E.* e *MG*. [Diz-se da vaca e de outras fêmeas de animais prestes a parir e, por isso, com o úbere desenvolvido.]

amojar. *V. t. d. Ant.* **1.** Ordenhar. *Int.* **2.** Encher-se de leite ou de suco. **3.** Aumentar (o úbere das fêmeas dos animais) nas vésperas do parto. [Pres. ind.: *amojo*, etc. Cf. *amojo* (ô).]

amojo (ô). [Dev. de *amojar*.] S. m. **1.** Ato ou efeito de *amojar*; **2.** Apojadura (1). **3.** Estado lactescente dos grãos de cereais. [Pl.: *amojos* (ô). Cf. *amojo*, do v.

amojar.]
amolação. *S. f.* **1.** Estorvo, incômodo, maçada. **2.** Aborrecimento, desgosto, contrariedade. **3.** Apoquentação, importunação; implicância. **4.** V. *amoladura* (1).
amoladeira. [Fem. de *amolador.*] *S. f.* Esmeril (2).
amoladela. *S. f.* V. *amoladura* (1).
amolado. [Part. de *amolar.*] *Adj.* **1.** Afiado, aguçado. **2.** *Bras.* Aborrecido (4 e 5).
amolador (ô). *Adj.* **1.** Que amola ou afia. **2.** *Bras.* V. *maçante* (1). ● *S. m.* **3.** Aquele que amola ou afia facas, tesouras, etc. **4.** *Bras.* V. *maçante* (2).
amoladura. *S. f.* **1.** Ato de afiar na amoladeira ou no rebolo; amolação, amoladela. **2.** Resíduo de rebolo (1) que fica na água empregada para amolecer o mesmo rebolo.
amolante. [De *amolar* + *-nte.*] *Adj. 2 g.* V. *maçante* (1).
amolar. [Do esp. *amolar.*] *V. t. d.* **1.** Afiar na amoladeira ou no rebolo; tornar cortante ou mais cortante; afiar, aguçar. **2.** Tornar perspicaz, aguçar: *amolar o espírito.* **3.** Pôr em dificuldades. **4.** *Bras.* Enfadar, maçar, aborrecer, importunar, cacetear: "Como o problema o amolava!" (Bernardo Élis, *Veranico de Janeiro,* p. 32.) *T. i.* **5.** Meditar no que se ouviu, leu, etc.: *Passou a tarde a amolar nos conselhos do pai. Int.* **6.** Meditar no que se ouviu, leu, etc. **7.** Causar tédio, aborrecimento, enfado, amolação; aborrecer: *Apertures de dinheiro sempre amolam. P.* **8.** *Bras.* Aborrecer-se, irritar-se, enfadar-se, cacetear-se. **9.** *Bras.* Achar-se em dificuldade.
amoldar. [De *a-*[2] + *molde* + *-ar*[2].] *V. t. d.* **1.** Ajustar ao molde; moldar. *T. d. e i.* **2.** Modelar, conformar: *Procura amoldar seus escritos pelos dos grandes escritores.* **3.** Ajustar, adaptar, harmonizar: *Amoldou sua ideologia às conveniências da época.* **4.** Acostumar, habituar, afazer: *Só o tempo e a necessidade o amoldaram a viver no estrangeiro. P.* **5.** Ajustar-se ao molde; modelar-se, conformar-se. **6.** Acostumar-se, habituar-se, afazer-se.
amoldável. *Adj. 2 g.* Suscetível de amoldar-se.
amolecado. [De *a-*[2] + *moleque* + *-ado*[1].] *Adj.* **1.** Que tem ar moleque, de moleque, ou pratica ações de moleque: *sujeito amolecado.* **2.** Em que há, ou que denota molecagem (1): *Olhou o professor com um ar amolecado.*
amolecar. [De *a-*[2] + *moleque* + *-ar*[2].] *Bras. V. t. d.* **1.** Tratar indecorosamente; ridicularizar, ridicularizar, rebaixar, vexar: *Ainda que considerando-o culpado, não o deveriam amolecar em público. P.* **2.** Tornar-se moleque (2 e 3). [Conjug.: v. *trancar.*]
amolecedor (ô). *Adj.* **1.** Que amolece; amolecente. ● *S. m.* **2.** Aquele ou aquilo que amolece.
amolecente. *Adj. 2 g.* Amolecedor (1): "ostentava, ao entrar para o meu serviço, uma brenha cerrada, um espinheiro, no qual pente tentaria em vão penetrar, e dentro do qual cosméticos, banhas, lanolinas se sumiriam sem produzir efeito amolecente ou domesticante." (Gilberto Amado, *Depois da Política,* p. 95).
amolecer. [De *a-*[2] + *mole* + *-ecer.*] *V. t. d.* **1.** Tornar mole[2], flexível, macio, tenro; amolentar, molificar. **2.** Abrandar, enternecer; comover, apiedar; amolentar: *Conseguiu amolecer o duro coração do amigo. Int.* **3.** Ficar mole[2]: *A massa amoleceu com o calor.* **4.** Perder o ânimo, a energia, o vigor. **5.** Fazer perder o ânimo, a energia, o vigor; entorpecer: "O calor amolecia. Muita gente deitava-se de bruços e começava a dormir." (Gustavo Barroso, *A Ronda dos Séculos,* p. 105.) [Conjug.: v. *aquecer.*]
amolecido. [Part. de *amolecer.*] *Adj.* **1.** Tornado mole, frouxo. **2.** Enternecido, comovido.
amolecimento. *S. m.* Ato ou efeito de amolecer(-se).
amolegar. [Do lat. vulg. **admollicare* < *mollis,* 'mole'; cf. *amolgar.*] *V. t. d.* Apalpar apertando (um corpo mole[2]); amolgar. [Conjug.: v. *regar.*]
amolentador (ô). *Adj.* e *s. m.* Que ou o que amolenta.
amolentamento. *S. m.* Ação ou efeito de amolentar(-se).
amolentar. [De *a-*[2] + *mole*[2] + *-entar.*] *V. t. d.* **1.** Tornar um pouco mole[2], amolecer. **2.** Suavizar, abrandar: *amolentar as saudades.* **3.** Enternecer, comover: *As ternas súplicas da filha acabaram amolentando-o. Int.* **4.** Fazer perder a força, a energia; tornar mole, alquebrado, debilitado: "uma vaga quebreira amolentava, trazia desejos de sesta" (Eça de Queirós, *O Primo Basílio,* p. 6). *P.* **5.** Perder a força, a energia; amolecer, enervar-se.
amolestar. [De *a-*[4] + *molestar.*] *V. t. d.* V. *molestar* (1).
amolgação. *S. f.* V. *amolgadura* (1).
amolgadela. *S. f.* V. *amolgadura.*
amolgado. [Part. de *amolgar.*] *Adj.* Que se amolgou; amassado, amarrotado, machucado, deformado.
amolgadura. *S. f.* **1.** Ação de amolgar; amolgação, amolgadela. **2.** Mossa feita em objeto que se amolgou; amolgadela, amassadura.
amolgar. [Do lat. vulg. *admollicare* < *mollis,* 'mole'; cf. *amolegar.*] *V. t. d.* **1.** Deformar, deprimindo ou esmagando; abolar, achatar: *Os salteadores quase lhe amolgaram o crânio a pancada.* **2.** Abalar, abrandar; amolecer, quebrantar: *O sofrimento não lhe amolgou o temperamento rancoroso.* **3.** Dar pancadas em; contundir, pisar: *Amolgou-lhe as costas com um rijo cacete.* **4.** Subjugar, abater; vencer, derrotar: *É um despotismo que tudo amolga.* **5.** *Expl.* Estrangular a parte vazia de (uma espoleta) sobre o estopim ou cordel detonante; estriar. *T. d. e i.* **6.** Obrigar, forçar: *A política o amolgou a posições contrárias ao seu feitio.* **7.** Acomodar, conformar, amoldar, ajeitar, ajustar: *Grande político, amolga os espíritos aos interesses da causa. Int.* **8.** Deformar-se, amassar-se, abolar-se. **9.** Ceder, render-se. *P.* **10.** Amolecer-se, amassar-se, abolar-se. **11.** Render-se, sujeitar-se; torcer-se. [Conjug.: v. *largar.*]
amolgável. *Adj. 2 g.* Que pode ser amolgado.
amonal. *S. f. Quím.* Explosivo constituído por nitrato de amônio, trinitrotolueno, alumínio em pó e carvão.
amônia. *S. f. Quím.* **1.** Solução aquosa do amoníaco, incolor, básica, com odor característico, utilizada em diversos e importantes setores. **2.** Impr. V. *amoníaco.*
amoniacado. [De *amoníaco* + *-ado*[1].] *Adj.* Amoniacal.
amoniacal. *Adj. 2 g.* Que tem amoníaco ou as propriedades dele; amoniacado.
amoníaco. [Do gr. *ammoniakón,* pelo lat. *ammoniacu.*] *S. m. Quím.* Gás incolor, com cheiro característico e pungente, muito solúvel em água, sintetizado a partir do nitrogênio e do hidrogênio, com importantes e variadas aplicações. [Fórm.: NH_3. Tb. se diz *amônia.*]
amônio. [Dev. regress. de *amoníaco.*] *S. m. Quím.* Radical univalente que em solução aquosa tem diversas reações análogas às dos íons alcalinos, e que deriva do amoníaco. [Fórm.: NH_4^+.]
amonite. [De *Amon,* epíteto de Júpiter num oásis da Líbia exterior, + *-ite.*] *S. f.* **1.** Gênero de moluscos cefalópodes fósseis. **2.** *Expl.* Explosivo de segurança, de que existem vários tipos, e cuja substância ativa predominante é o nitrato de amônio.
amoniuria (i-u). *S. f. Med.* Amoniúria.
amoniúria. [De *amônio* + *-ur(o)-* + *-ia.*] *S. f. Med.* Presença de amônia na urina. [Var. pros.: *amoniuria.*]
amonizar. [De *amônia* + *-izar.*] *V. t. d.* Adicionar amônia a.
amonjeaba. *S. f.* Capim-amonjeaba.
amonômetro. *S. m.* Aparelho para dosar o amoníaco.
amontado. [Part. de *amontar*[1].] *Adj.* Diz-se do animal doméstico que fugiu para o mato e se fez bravio.
amontanhar. [De *a-*[2] + *montanha* + *-ar*[2].] *V. int.* e *p.* **1.** Elevar-se como montanha. **2.** Crescer em monte; avolumar-se: "Deixou amontanhar os calos para não poder calçar botas dum ciclope" (Camilo Castelo Branco, *A Mulher Fatal,* p. 26).
amontar[1]. [De *a-*[2] + *monte* + *-ar*[2].] *V. t. d.* **1.** Dar forma de monte a. **2.** Levar para o monte; fazer andar pelo monte: *amontar o gado. Int.* **3.** Fugir (o animal doméstico) para o mato e tornar-se bravio.
amontar[2]. [De *a-*[4] + *montar.*] *V. t. i.* Elevar-se; importar, montar: *A despesa amonta a cem cruzeiros novos.*
amontoa (ô). [Dev. de *amontoar.*] *S. f. Agric.* Operação consistente em chegar a terra para o pé das plantas, ou por serem elas suscetíveis de formação de raízes ou tubérculos adventícios, ou para melhor firmá-las no solo.
amontoação. *S. f.* Amontoamento (1).
amontoado. [Part. de *amontoar.*] *Adj.* **1.** Posto em montão; acumulado. **2.** Ajuntado confusamente; empilhado sem ordem. **3.** Amealhado, economizado. ● *S. m.* **4.** Conjunto de coisas em montão; amontoamento.
amontoador (ô). *S. m.* **1.** Aquele que amontoa. **2.** Espécie de charrua com duas aivecas, para amontoar a terra.
amontoamento. *S. m.* **1.** Ato de amontoar(-se); amontoação. **2.** Acumulação, cúmulo, amontoado.
amontoar. [De *a-*[2] + *montão* + *-ar*[2].] *V. t. d.* **1.** Pôr em montão; acumular. **2.** Ajuntar confusamente; empilhar sem ordem: *Amontoou a roupa usada.* **3.** Expor profusamente, sem nexo: *Amontoou argumentos para comprovar sua afirmação.* **4.** Guardar, acumular, amealhar; arrecadar. **5.** Juntar, reunir: "vil rebanho de gado humano / que a miséria amontoa" (Alberto Ramos, *Poemas,* p. 61). *Int.* **6.** Acumular riquezas, cabedais, economizar; amealhar. **7.** Ajuntar-se, acumular-se, amontoar-se. *P.* **8.** Ajuntar-se, acumular-se; amontoar: *Nuvens escuras começavam a amontoar-se no céu.* **9.** Estar junto em grande quantidade e desordenadamente: "Alguns móveis amontoavam-se no fundo do quintal, esperando quem os pusesse nos lugares." (Adalberon Cavalcanti Lins, *Curral Novo,* p. 240.) [Conjug.: v. *coroar.*]
amonturar. [De *a-*[2] + *monturo* + *-ar*[2].] *V. t. d.* Juntar em monturo.
amoquecar. [De *a-*[2] + *moqueca* + *-ar*[2]?] *V. int.* e *p. Bras., PE. Pop.* **1.** Pôr-se a cômodo, a salvo, em lugar seguro; moquecar(-se). **2.** Fugir da luta; acovardar-se; fraquejar. [Conjug.: v. *trancar.*]
amor (ô). [Do lat. *amore.*] *S. m.* **1.** Sentimento que predispõe alguém a desejar o bem de outrem, ou de alguma coisa: *amor ao próximo; amor ao patrimônio artístico de sua terra.* **2.** Sentimento de dedicação absoluta de um ser a outro ser ou a uma coisa; devoção, culto; adoração: "Amor é um fogo que arde sem se ver" (Luís de Camões, *Rimas,* p. 135); "Vereis amor da pátria não movido / De prêmio vil, mas alto e quase eterno" (Id., *Os Lusíadas,* I, 10); *amor a uma causa.* **3.** Inclinação ditada por laços de família: *amor filial; amor conjugal.* **4.** Inclinação forte por pessoa de outro sexo, geralmente de caráter sexual, mas que apresenta grande variedade de comportamentos e reações: "Tenho frio e ardo em febre! / O amor me acalma e endouda, o amor me eleva e abate!" (Olavo Bilac, *Poesias,* p. 124); *estar louco de amor; casamento de amor.* **5.** *P. ext.* Atração física e natural entre animais de sexos opostos: *Os pombos arrulhavam de amor.* **6.** Amor (4) passageiro e sem conseqüência; capricho: *Seu amor à prima não passou de fogo de palha.* **7.** Aventura amorosa; amores (3): *Aquele amor foi a desgraça do casal.* **8.** Sentimento equivalente ao amor (4), no caso do homossexualismo. **9.** Afeição, amizade, carinho, simpatia, ternura. **10.** Inclinação ou apego profundo a algum valor ou a alguma coisa que proporcione prazer; entusiasmo, paixão: *amor à verdade; amor à natureza; amor ao jogo.* **11.** Muito cuidado; zelo, carinho: *O artesão trabalhava com amor.* **12.** O objeto do amor (1 a 9). **13.** *Mit.* Cupido: "Não me parecia que Amor / pudesse tanto comigo / que donde entra por amigo / se levante por senhor." (Luís de Camões, *Rimas,* p. 69.) ~ V. *amores.* ◆ **Amor à primeira vista.** Amor súbito, ao primeiro encontro. **Amor carnal.** O que busca a satisfação sexual; amor físico. **Amor físico.** Amor carnal. **Amor livre.** O que repudia a consagração religiosa ou legal, representada pelo casamento. **Amor platônico.** Ligação amorosa sem aproximação sexual. **De mil amores.** *Bras.* De todo o gosto; com o maior prazer; com prazer: *Se me pedir algum favor, eu o farei de mil amores.* **Fazer amor.** Ter relações sexuais; copular: "tiraram as roupas e fizeram amor." (Moreira Campos, *Os Doze Parafusos,* p. 22). [Sin.: *fazer o amor* e (bras., N.E.) *fazer amorzinho.*] **Fazer o amor.** V. *fazer amor:* "Só quando trouxeram Vadinho do necrotério e o deixaram nu no leito de casal onde tantas e tantas vezes tinham feito o amor, ... encontrou-se sozinha com a morte do marido e se sentiu viúva." (Jorge Amado, *Dona Flor e Seus Dois Maridos,* p. 31.) **Pelo amor de Deus.** Por caridade; por compaixão. **Por amor à arte.** Desinteressadamente, gratuitamente. **Por amor de.** Por causa de; em atenção a: "Aceitar o destino que vier, / Por amor desta terra e desta gente." (Domingos Carvalho da Silva, *Liberdade embora tarde,* p. 51.) "Por amor de um triste velho / Que ao termo fatal já chega, / Vós, guerreiros, concedestes / A vida a um prisioneiro." (Gonçalves Dias, *Obras Poéticas,* II, p. 29); "Falava muita gente, mas sem provas, que ele penava ali por amor de um crime encoberto" (Raquel de Queirós, *Crônicas Escolhidas,* p. 5). **Um amor.** *Fam.* **1.** Pessoa ou coisa muito linda; um amoreco, um sonho, uma graça, um encanto, uma coisa, um doce, um doce-de-coco, um negócio, um troço, uma uva: *A noiva está um amor.* **2.** Pessoa muito bondosa, ou muito simpática; uma coisa: "— Não é um amor este velhinho? — disse ela coçando o nariz do Senhor Mânlio." (José J. Veiga, *Os Pecados da Tribo,* p. 64.) [Cf. *um amor de.*] **Um amor de.** Loc. a que se segue um substantivo (pessoa ou coisa) referente ao sujeito da oração, ou que é, por vezes, o próprio sujeito, e que tem o mesmo sentido das locuções anteriores: *Elza é um amor de pessoa* (i. e., é uma pessoa muito bonita e/ou muito bondosa); *A residência dele é um amor de casa; A criança é um amor de bebê.* [Cf. *um amor.*]
amora. [De *a-*[5] + lat. *mora.*] *S. f.* **1.** Fruto (ou melhor, infrutescência) da amoreira. **2.** Amoreira.
amora-da-mata. *S. f. Bras.* Árvore da família das morá-

ceas *(Helicostylis tomentosa)*, de casca rugosa, frutos agregados e comestíveis, e que vegeta desde a Amaz. até as matas litorâneas. [Pl.: *amoras-da-mata.*]

amorado. [De *amora* + *-ado*[1].] *Adj.* Da cor da amora; morado. [Cf. *amurado.*]

amor-agarradinho. *S. m. Bras.* Trepadeira da família das poligonáceas *(Antiginum leptópus)*, muito ornamental, com flores róseas oriunda do México; amor-em-penca, rosália. [Pl.: *amores-agarradinhos.*]

amoral. [De *a-*[3] + *moral.*] *Adj. 2 g.* **1.** Que não é nem contrário nem conforme à moral: *Segundo Oscar Wilde, a arte não é moral nem imoral, mas amoral.* **2.** A que falta moral: *procedimento amoral.* **3.** Que não tem o senso da moral: *Muitos o consideram escritor amoral.* **4.** *Ét.* Que é privado de qualificação moral; que se situa fora da categoria [q. v.], por não se referir a fato suscetível de julgamento normativo do ponto de vista do bem e do mal. **5.** *Ét.* Diz-se da conduta humana que, suscetível de qualificação moral, não se pauta pelas regras morais vigentes em um dado tempo e lugar, seja por ignorância do indivíduo ou do grupo considerado, seja pela indiferença, expressa e fundamentada, aos valores morais. [Cf. *moral* (1) e *imoral* (2,3 e 4).] ● *S. 2 g.* **6.** Pessoa que não tem o senso da moral: *Revela-se em tudo um amoral; É uma grande amoral.* [Cf. *imoral.*]

amoralidade. [De *amoral* + *-i-* + *-dade.*] *S. f.* Qualidade ou procedimento de amoral; amoralismo: "Em Capitu, há um fundo vertiginoso de amoralidade que atinge as raias da inocência animal." (Augusto Meyer, *Machado de Assis*, p. 148.) [Cf. *imoralidade.*]

amoralismo. *S. m.* **1.** Amoralidade. **2.** *Ét.* Doutrina que nega a possibilidade de formulação de juízos morais, por não admitir possam ter fundamento objetivo universal necessário ao caráter normativo categórico (relativo ou absoluto) que essencialmente os qualifica. **3.** *Ét.* Estado do que é amoral (4). [Cf. *imoralismo.*]

amoralista. *Adj. 2 g.* **1.** Referente ao amoralismo. **2.** Que o pratica ou o segue. ● *S. 2 g.* **3.** Praticante ou seguidor do amoralismo.

amoralizar. *V. t. d.* **1.** Privar de moral. **2.** Tornar amoral. *P.* **3.** Tornar-se amoral.

amora-preta. *S. f. Bras.* Fruto da amoreira-preta [q. v.]. [Pl.: *amoras-pretas.*]

amorar. *Ant. V. t. d.* **1.** Fazer retirar; afugentar. **2.** Esconder, ocultar, sonegar. *P.* **3.** Retirar-se, fugir. **4.** Esconder-se, ocultar-se. [Pres. subj.: *amore, amores,* etc. Cf. *amores* (ô), pl. de *amor*, e *amurar.*]

amorativo. *Adj.* Capaz de, ou próprio para amar.

amorável. *Adj. 2 g.* **1.** Que é propenso ao amor ou à amizade; terno, meigo, afável. **2.** Em que há amor (9); afetuoso, carinhoso: *procedimento amorável; gestos amoráveis.* **3.** Digno de ser amado; estimável, amável.

amora-vermelha. *S. f. Bras.* Arbusto da família das rosáceas *(Rubus rosaefolius)*, originário da Ásia tropical, e cujo fruto é drupáceo e comestível; framboesa. [Pl.: *amoras-vermelhas.*]

amor-caridade. *S. m. Ét.* V. *caridade* (1). [Pl.: *amores-caridades.*]

amor-crescido. *S. m. Bras.* Planta da família das portulacáceas (Portulaca hirsutissima). [Pl.: *amores-crescidos.*]

amordaçamento. *S. m.* Ato ou efeito de amordaçar.

amordaçar. [De *a-*[2] + *mordaça* + *-ar*[2].] *V. t. d.* **1.** Pôr mordaça em; açaimar. **2.** Impedir de falar, de opinar, de manifestar-se: *O suborno amordaçou a testemunha.* [Sin. ger.: *emordaçar.* Conjug.: v. *laçar.*]

amor-de-moça. *S. m. Bras.* Erva da família das compostas *(Cosmus bipinnatus)*, de flores róseas ou brancacentas, originária do México, e usada na medicina popular; císmea, cosmos, beijo-de-moça, picão-açu, picão-uçu, picão-de-flor-grande. [Pl.: *amores-de-moça.*]

amor-de-vaqueiro. *S. m.* Planta da família das leguminosas, subfamília papilionácea (*Meibomia aspera*). [Pl.: *amores-de-vaqueiro.*]

amor-do-campo. *S. m.* V. *amendoeirana* (1). [Pl.: *amores-do-campo.*]

amoré. [Do tupi *amo' ré.*]*S. m. Bras.* V. *amboré.*

amoreco. [Dim. carinhoso de *amor.*] *El. s. m.* Us. na loc. *um amoreco.* ◆ **Um amoreco.** *Bras.* V. *um amor* (1).

amoré-guaçu. *S. m. Bras.* V. *amboré.* [Pl.: *amorés-guaçus.*]

amoréia. [De *amoré.*] *S. f. Bras.* V. *amboré.*

amoreira. *S. f.* Árvore da família das moráceas, de cujas folhas se nutre o bicho-da-seda, e cujas espécies principais são a amoreira-branca e amoreira-preta; amora.

amoreira-branca. *S. f.* Árvore da família das moráceas (*Morus alba*), originária da China, de madeira útil e fruto comestível, saboroso, do qual se extrai álcool e com que se faz bebida vinosa, xaropes e geléias. [Pl.: *amoreiras-brancas.*]

amoreiral. *S. m.* Quantidade mais ou menos considerável de amoreiras dispostas proximamente entre si.

amoreira-preta. *S. f.* Árvore da família das moráceas (*Morus nigra*), proveniente do Irã e do Cáucaso, e que fornece madeira de uso na indústria. [Pl.: *amoreiras-pretas.*]

amoreirense. *Adj. 2 g.* **1.** De, ou pertencente ou relativo a Amoreira (SP). ● *S. 2 g.* **2.** Natural ou habitante de Amoreira.

amor-em-penca. *S. m. Bras.* V. *amor-agarradinho.* [Pl.: *amores-em-penca.*]

amorenado[1]. [De *a-*[2] + *moreno* + *-ado*[1].] *Adj.* Tirante a moreno; um tanto moreno.

amorenado[2]. [Part. de *amorenar.*] *Adj.* Tornado moreno.

amorenar. [De *a-*[2] + *moreno* + *-ar*[2].] *V. t. d.* e *p.* Tornar(-se) moreno: "Mitavaí mandou que fossem tomar banho, e eles foram mentir na praia e amorenar a pele." (M. Cavalcanti Proença, *Manuscrito Holandês*, p. 221); *Com o sol da praia, amorenou-se.*

amorepinima (è). [De *amoré* + tupi *pi' nima*, 'pintado'.] *S. m. Bras.* Amborepinima.

amorepixuna (è). [De *amoré* + tupi *pi' xuna*, 'preto'.] *S. m. Bras.* Peixe teleósteo, percomorfo, da família dos bodídeos (*Gobius pisonis* Gmelin), do Atlântico, que tem a nadadeira ventral em forma de ventosa, com que se agarra às pedras, e cujo corpo é revestido de uma mucilagem conhecida por *babosa*; amborepixuna.

amores (ô). [Pl. de *amor.*] *S. m. pl.* **1.** Namoro: *amores de infância.* **2.** O objeto amado; amor: *Maria, meus amores daquela época.* **3.** Relações amorosas: "Meneses trazia amores com uma senhora, separada do marido" (Machado de Assis, *Páginas Recolhidas*, p. 78). **4.** *Mit.* Divindades subordinadas a Vênus e Cupido [v. *amor* (13)]. [Cf. *amores*, do v. *amorar.*] ~ V. *amor.* ◆ **Lindo como os amores.** Lindíssimo, belíssimo: "Tudo ia bem: a filha estava linda como os amores." (Machado de Assis, *Memórias Póstumas de Brás Cubas*, pp. 217-218.) [Us. geralmente só em relação a pessoas.] **Matar de amores.** Inspirar grande paixão a. **Morrer de amores por.** Ter grande estima, afeição ou paixão por; ansiar: *Morria de amores pelo primo.* **Não morrer de amores por.** Gostar pouco, ou nada (de alguém ou alguma coisa); *Não morre de amores pela nova empregada; Não morre de amores pelo uísque.*

amores-de-negro. *S. m. 2 n. Bras.* V. *espinho-de-carneiro.*

amores-do-campo-sujo. *S. m. 2 n.* V. *carrapicho* (3).

amorfanhar. *V. t. d.* V. *amarfanhar.*

amor-febril. *El. s. m.* Us. na loc. *no amor-febril.* ◆ **No amor-febril.** *Bras., N.E. Pop.* A pé; à pata: *ir, andar no amor-febril.*

amorfia. [Do gr. *amorphía.*] *S. f.* Ausência de forma determinada.

amórfico. *Adj.* Em que há amorfia.

amorfo. [Do gr. *ámorphos.*] *Adj.* **1.** Sem forma definida; informe. **2.** *Fís.* e *Quím.* Diz-se de um estado de agregação inteiramente isotrópico. **3.** *Min.* Diz-se de mineral que não apresenta estrutura cristalina. ● *S. m.* **4.** Espécime dos amorfos.

amorfófito. [De *amorfo* + *-fito.*] *Adj. Bot.* Diz-se da planta sem forma definida.

amorfos. *S. m. pl. Zool.* Designação usada por Ducrotay de Blainville, cientista francês (1777-1850), para os animais pertencentes aos grupos dos espongiários, infusórios e coralinos.

amorico. [Dim. irreg. de *amor.*] *S. m.* Amor ligeiro; namorico.

amorífero. [Do lat. *amoriferu.*] *Adj.* Que encerra ou provoca amor.

amorim. *Adj. (f.)* Diz-se de uma espécie de pêra serôdia muito sumarenta.

amoriscado. *Adj.* Próprio de namorado (4). [Cf. *amouriscado.*]

amoriscar-se. *V. p.* Tomar-se de amores; enamorar-se. [Cf. *amouriscar.* Conjug.: v. *Trancar.*]

amormado. [De *a-*[2] + *mormo* + *-ado*[1].] *Adj.* **1.** Doente de mormo. **2.** *P. ext.* Adoentado, achacado.

amornado. [Part. de *amornar.*] *Adj.* Tornado morno, tépido; levemente aquecido.

amornar. [De *a-*[2] + *morno* + *-ar*[2].] *V. t. d.* **1.** Tornar morno, tépido; aquecer levemente; mornar, amornecer. *Int.* **2.** Pôr-se morno; amornecer: *a água amornou.* [Sin. ger.: *amornecer.*]

amornecer. [De *a-*[2] + *morno* + *-ecer.*] *V. t. d.* e *int.* V. *amornar.* [Conjug.: v. *aquecer.*]

amorosa. [Fem. substantivado do adj. *amoroso.*] *S. f.* **1.** *Bras.* Certa planta medicinal. **2.** *Bras.* Indisposição para o trabalho; preguiça, lomba. **3.** *Ant. Mús.* Peça para instrumentos de cordas com temas melodiosos ou sentimentais.

amorosidade. *S. f.* Qualidade de amoroso.

amoroso (ô). [Do lat. *amorosu.*] *Adj.* **1.** Que tem ou sente amor, ou é propenso ao amor: *mulher amorosa.* **2.** Em que há, ou que denota amor: *olhares amorosos.* **3.** De, ou relativo ao amor, a coisas de amor: *ligação amorosa; correspondência amorosa.* **4.** Carinhoso, terno, meigo: *mãe amorosa.* ~ V. *triângulo* —. ● *S. m.* **5.** Aquele que tem ou sente amor; aquele que está apaixonado: *Sua beleza atraía multidão de amorosos.* **6.** *Teat.* Personagem-tipo que representa o jovem apaixonado, romântico e tímido. **7.** *Teat.* Galã.

amor-perfeito. *S. m.* Planta da família das violáceas (*Viola tricolor*), de estípulas foliáceas e corola grande, e que constitui uma raça cultivada de amor-perfeito-bravo; flor-seráfica, violeta-tricolor. [Pl.: *amores-perfeitos.*]

amor-perfeito-bravo. *S. m.* Planta calcífuga originária da Europa, da família das violáceas (*Viola tricolor*), anual ou bienal, de folhas ovais, as inferiores de base cordiforme, flores amarelas, brancas, roxas ou variegadas, e fruto capsular trígono. Tem propriedades depurativas, anti-reumáticas, expectorantes, e usa-se no tratamento da herpes e da escrofulose. [Pl.: *amores-perfeitos-bravos.*]

amor-perfeito-da-china. *S. m.* Planta ornamental da família das escrofulariáceas *(Torenia fournieri)*. [Pl.: *amores-perfeitos-da-china.*]

amor-perfeito-do-mato. *S. m. Bras.* Designação comum a várias orquidáceas do gênero *Miltonia.* [Pl.: *amores-perfeitos-do-mato.*]

amor-próprio. *S. m.* **1.** *Ét.* Sentimento de dignidade pessoal e de suas exigências morais e sociais. [Cf. *egoísmo* (5).] **2.** *P. ext.* Orgulho, vaidade, brio: *Não quero ferir-lhe o amor-próprio.* [Pl.: *amores-próprios.*]

amorreado. [De *a-*[2] + *morro* + *-eado.*] *Adj.* Que tem muitos morros ou uma série de elevações arredondadas.

amorrinhar-se. [De *a-*[2] + *morrinha* + *-ar*[2] + *se*[1].] *V. p.* **1.** Adoecer de morrinha (1 a 4). **2.** Enfraquecer(-se); alquebrar(-se), morrinhar.

amor-seco. [De *amor* + *seco* (ê).] *S. m.* **1.** Planta da família das leguminosas, subfamília papilionácea (*Desmodium adscendens*). **2.** Planta da família das euforbiáceas (*Alchornea glandulosa*). [Pl.: *amores-secos.*]

amorsegar. [De *a-*[4] + *morsegar.*] *V. t. d.* V. *morsegar.* [Conjug.: v. *regar.*]

amortalhadeira. [Fem. de *amortalhador.*] *S. f.* Mulher que tem por ofício amortalhar defuntos.

amortalhado. [Part. de *amortalhar.*] *Adj.* **1.** Envolvido em mortalha. **2.** *Fig.* Vestido com a simplicidade e desprendimento de quem morreu para as coisas do mundo. **3.** *P. ext.* Envolvido, coberto.

amortalhador (ô). *Adj.* e *s. m.* Que ou aquele que amortalha. [Fem.: *amortalhadeira.*]

amortalhamento. *S. m.* Ato ou efeito de amortalhar(-se).

amortalhar. [De *a-*[2] + *mortalha* + *-ar*[2].] *V. t. d.* **1.** Envolver em mortalha. **2.** Envolver, ou como que envolver, à maneira de mortalha; entristecer: *Um manto de neve amortalhava a natureza:* "Um horror grande e mudo, um silêncio profundo / No dia do Pecado amortalhava o mundo." (Olavo Bilac, *Poesias*, p. 172). **3.** Destruir, aniquilar; matar: *O luto e a tristeza não amortalharam seu altruísmo. T. d.* e *i.* **4.** Cobrir com algo semelhante a mortalha: *Amortalharam os santos com panos roxos.* **5.** Vestir como para mostrar que morreu para o mundo: *Amortalharam a jovem num hábito de freira. P.* **6.** Vestir-se como quem morreu para o mundo: *Amortalhou-se num hábito de monge.*

amortecedor (ô). *Adj.* **1.** Que amortece, afrouxa, abranda. **2.** Que abafa (o som); abafador. ~ V. *bloco* —. ● *S. m.* **3.** Aquilo que amortece, afrouxa ou abranda **4.** Qualquer dispositivo que impede ou abranda os choques ou a trepidação de veículos, máquinas, instrumentos, etc. **5.** *Aer.* Mecanismo do trem de aterragem, que, quando as rodas do avião tocam o solo, evita saltos e amortece os choques. **6.** *Autom.* Peça que se adapta ao sistema de suspensão para amortecer as oscilações das molas. **7.** *Tip.* Placa que tem a forma da matriz da linotipo e que, levada pelo dedo do impulsor, empurra a linha do prisma do guindaste para a caixa seletora.

amortecer. [De *a-*[2] + *morto* + *-ecer.*] *V. t. d.* **1.** Tornar como morto: *Sofria de sufocações que o amorteciam.* **2.** Fazer perder a força; diminuir de ímpeto: *Amorteceu a pancada protegendo-se com um travesseiro.* **3.** Enfraquecer, abrandar; diminuir: *Amorteceu o fogo, abafando-o; Amorteceu o som.* **4.** Acalmar, moderar (sentimentos). **5.** Entorpecer, adormecer: *A má posição amortece-lhe os membros.* **6.** *Fut.* Reduzir o ímpeto de (a bola); amaciar, matar. *Int.* **7.** Diminuir de intensidade; abrandar: *A luz do Sol amortecia no poente.* **8.** Perder grande parte da força ou do impulso: *O projetil amorteceu antes de atingir o soldado.* **9.** Enfraquecer, diminuir, abrandar, afrouxar: *Já noite alta, o burburinho amorteceu. P.* **10.** Tornar-se como morto. **11.** Perder a força; desfalecer, desmaiar. **12.** Entorpecer-se; adormecer. **13.** Diminuir de intensidade; enfraquecer, abrandar. [Sin. ger.: *emortecer.* Conjug.: v. *aquecer.*]

amortecido. [Part. de *amortecer.*] *Adj.* **1.** Que tem aparência de morte: *corpo amortecido.* **2.** Quase morto; moribundo. **3.** Sem vigor ou intensidade; enfraquecido: *som amortecido; golpe amortecido.* **4.** Quase extinto; mortiço: *farol amortecido; fogo amortecido.* **5.** Dormente, entorpecido: *Acordou com os pés amortecidos.* **6.** Baço, fosco, mortiço: *olhar amortecido; luz amortecida* **7.** *Fig.* Abrandado, diminuído, moderado: *a dor amortecida pelo tempo.*

amortecimento. *S. m.* **1.** Ato ou efeito de amortecer(-se). **2.** Enfraquecimento; esmorecimento; diminuição. **3.** Dormência, entorpecimento. **4.** *Fís.* Diminuição da amplitude de um movimento vibratório por um processo dissipativo de energia.

amortiçado. [Part. de *amortiçar.*] *Adj.* **1.** Que é ou se tornou mortiço: "— Matar-me! — disse com veemência Lopo, deixando cair os braços, e descendo ao chão os olhos *amortiçados.*" (Camilo Castelo Branco, *A Queda dum Anjo*, p. 236.) **2.** Apagado, extinto.

amortiçar. [De *a-*[2] + *mortiço* + *-ar*[2].] *V. t. d.* e *p.* **1.** Tornar(-se) mortiço. **2.** Apagar(-se), extinguir(-se). [Conjug.: v. *laçar.*]

amortização. *S. f.* **1.** Ato de amortizar. **2.** Cada uma das parcelas das dívidas amortizáveis. ◆ **Amortização de ações.** *Jur.* Operação pela qual as sociedades anônimas, dos fundos disponíveis e sem redução do capital, distribuem por todos os acionistas, ou por alguns deles, a título de antecipação, somas de dinheiro que caberiam às ações em caso de liquidação.

amortizar. [De *a-*[2] + *morte* + *-izar.*] *V. t. d.* **1.** Passar (bens, haveres, etc.) para corporações de bens de mão-morta [v. *bens de mão-morta*] **2.** Extinguir (dívida) aos poucos ou em prestações. **3.** Abater (parte de uma dívida), efetuando o pagamento correspondente: *Amortizou 20% de sua dívida bancária.*

amortizável. *Adj. 2 g.* Que se pode amortizar. ~ V. *dívida* —.

amorudo. *Adj. Pop.* Muito dado ao amor; apaixonadiço.

amorzinho. *S. m.* Dim. de *amor.* Us. na loc. *fazer amorzinho.* ◆ **Fazer amorzinho.** *Bras., N.E.* V. *fazer amor.*

amossar. [De *a-*[2] + *mossa* + *-ar*[2]] *V. t. d.* Fazer mossas em.

amossegar. [De *a-*[4] + *mossegar.*] *V. t. d.* V. *morsegar.* [Conjug.: v. *regar.*]

amostado. [De *a-*[2] + *mosto* + *-ado*[1]] *Adj.* Que sabe a mosto (1 e 2).

amostardado. [De *a-*[2] + *mostarda* + *-ado*[1].] *Adj.* **1.** Temperado com mostarda. **2.** *Fig.* Picante, mordaz.

amostra. [Dev. de *amostrar.*] *S. f.* **1.** Ato ou efeito de amostrar. **2.** Porção, fragmento ou unidade de um produto natural ou fabricado destituído de valor comercial, e apresentado para demonstrar sua natureza, qualidade ou tipo: *amostra grátis; amostra de trigo, de aço, de azulejo.* **3.** Pedaço pequeno de mercadoria, apresentado ao freguês para dar uma idéia do todo: *amostra de tecido, de papel de parede.* **4.** Espécime notável; modelo, padrão: *Essa artista é uma amostra da beleza sueca.* **5.** Mostra, exteriorização, demonstração, manifestação: *Isso é uma amostra de sua habilidade, de seu talento.* **6.** Fragmento ou exemplar representativo de alguma coisa: *Esse trecho é uma amostra do estilo de Guimarães Rosa; Este quadro é uma amostra da técnica de Portinari.* **7.** Sinal, indício: *amostra de medo, de indignação.* **8.** *Estat.* Subconjunto de uma população por meio do qual se estabelecem ou estimam as propriedades e características dessa população. **9.** *Farm.* Amostra grátis de medicamento que os laboratórios farmacêuticos distribuem, como propaganda, para conhecimento dos médicos. **10.** *Mús. Concr.* Um prelevantamento [q. v.] de qualquer largura temporal, na qual não se distingue nenhum centro de interesse bem definido. ◆ **Amostra acidental.** *Estat.* A que foi obtida por um processo de amostragem casual; amostra casual, amostra randômica. **Amostra casual.** *Estat.* V. *amostra acidental.* **Amostra indeformada.** *Constr.* Amostra de solo obtida de tal modo que se podem considerar como subsistentes nela todas as características que se verificam no local de onde foi extraída. **Amostra pequena.** *Estat.* Amostra que tem um número de elementos insuficientes para permitir fazer uma estimativa não viciada dos parâmetros da população. **Amostra randômica.** *Estat.* V. *amostra acidental.* **Amostra representativa.** *Estat.* A que foi obtida por um processo isento de vício.

amostradiço. *Adj.* Que se amostra muito.

amostrador (ô). *S. m. Constr.* Aparelho destinado a extrair dos solos amostras indeformadas.

amostragem. *S. f.* **1.** Ato ou processo de seleção de amostra (2) para ser analisada como representante de um todo. **2.** *Estat.* Ato ou processo de seleção e escolha dos elementos de uma população para constituir uma amostra. ◆ **Amostragem acidental.** *Estat.* A que se realiza segundo uma lei probabilística e leva à formação de uma amostra acidental; amostragem casual, amostragem randômica. **Amostragem casual.** *Estat.* V. *amostragem acidental.* **Amostragem forçada.** *Prom. Vend.* Atividade promocional que visa a levar consumidores a comprarem e experimentarem um novo produto, mediante o oferecimento de vantagens especiais. **Amostragem randômica.** *Estat.* V. *amostragem acidental.* **Amostragem simples.** *Estat.* Aquela em que a probabilidade de escolha de um membro da população para participar da amostra é igual para todos os membros em todas as escolhas.

amostrar. [De *a-*[4] + *mostrar.*] *V. t. d.* **1.** Mostrar (1 a 5): "a manga arregaçada / Até à doce curva, o braço *amostra* / delicioso e nu." (Machado de Assis, *Outras Relíquias*, p. 128). **2.** *Estat.* Extrair uma amostra de (uma população). *T. d. e i.* **3.** Mostrar (6 a 10): "Então é que o senso íntimo *amostra* ao coração a sua ignomínia e miséria." (Camilo Castelo Branco, *Amor de Salvação*, p. 7.) *P.* **4.** Mostrar (11 a 13).

amostra-tipo. [De *amostra* + *tipo.*] *S. f. Com.* Pequena porção de gênero devidamente classificada segundo os seus caracteres qualitativos. [Pl.: *amostras-tipos* e *amostras-tipo.*]

amostrinha. [Dim. de *amostra.*] *S. f. Bras.* V. *rapé.*

amota. [De *a-*[4] + *mota.*[1]] *S. f.* V. *mota* [1].

amotar. [De *a-*[2] + *mota*[1] + *-ar*[2].] *V. t. d.* **1.** Cobrir de mota[1] o pé de (planta). **2.** Fazer aterro em (margem de rio) para proteger de inundação as terras próximas.

amotinação. *S. f.* **1.** Ato ou efeito de amotinar(-se); amotinamento. **2.** Perturbação da ordem constituída; alvoroço, agitação. **3.** V. *motim* (1, 2 e 3). [F. paral.: *motinação.*]

amotinado. [Part. de *amotinar.*] *Adj.* e *s. m.* Que ou aquele que se amotinou; rebelde, revoltoso, sublevado, insurreto.

amotinador (ô). *Adj.* e *s. m.* Que ou aquele que amotina.

amotinamento. *S. m.* V. *amotinação.*

amotinar. [De *a-*[2] + *motim* + *-ar*[2].] *V. t. d.* **1.** Levantar em motim; sublevar, revoltar. **2.** Perturbar; alvoroçar, alvorotar. *P.* **3.** Sublevar-se, insurgir-se, revoltar-se: "as tribos inimigas / Adunam-se, *amotinam-se* os guerreiros" (Gonçalves Dias, *Obras Poéticas*, II, p. 252). **4.** Agitar-se, alvoroçar-se, alvorotar-se. [F. paral.: *motinar.*]

amotinável. *Adj.* 2. *g.* Propenso a amotinar-se.

amoucado[1]. [De *a-*[2] + *mouco* + *-ado*[1].] *Adj.* Um tanto mouco.

amoucado[2]. [Part. de *amoucar.*] *Adj.* Tornado mouco; surdo.

amoucar[1]. [De *a-*[2] + *mouco* + *-ar*[2].] *V. p.* Tornar-se mouco; ensurdecer. [Conjug.: v. *trancar.*]

amoucar[2]. [De *amouco*[2] + *-ar*[2].] *V. t. d.* **1.** Lisonjear servilmente (os superiores). *P.* **2.** Submeter-se à vontade dos superiores; humilhar-se. **3.** Enfurecer-se; desesperar-se. [Conjug.: v. *trancar.*]

amouco[1]. [Do mal. *amoq.*] *S. m.* **1.** Homem que, na Índia, jura morrer pelo seu chefe. **2.** Indivíduo servil, que bajula e defende sistematicamente os seus superiores. **3.** *P. ext.* Indivíduo apaixonado, fanático, na defesa das suas opiniões, das suas admirações: "A conclusão, hábil e de rara profundidade dum elevado espírito [o de Eça de Queirós] que acha — embora tarde — o seu verdadeiro caminho, é digna de citar-se, até porque nos justifica plenamente contra os *amoucos* e os ingênuos que nos acoimaram de facciosos." (José Agostinho, *Eça de Queirós*, pp. 167-168.) ● *Adj.* **4.** Votado à morte; desesperado.

amouco[2]. [De *a-*[4] + *mouco.*] *Adj.* Mouco.

amouriscado. [De *a-*[2] + *mourisco* + *-ado*[1].] *Adj.* **1.** À maneira dos mouros: *estilo amouriscado.* **2.** Semelhante a mouro: *cavaleiro amouriscado.* **3.** Diz-se do telhado em que cada fiada de telhas é segura de um e outro lado com argamassa. [Var.: *amoiriscado.* Cf. *amoriscado.*]

amouriscar. [De *a-*[2] + *mourisco* + *-ar*[2].] *V. t. d.* Dar feição mourisca a. [Var.: *amoiriscar.* Cf. *amoriscar-se.*] [Conjug.: v. *trancar.*]

amouxar. *V. t. d. Bras., MG, SP* e *MT.* **1.** Guardar ou entesourar avaramente. **2.** Esconder, ocultar (os bens) das vistas alheias. [Cf. *amochar-se.*]

amouxo. [Dev. de *amouxar.*] *S. m. Bras., MG, SP* e *MT.* Ato ou efeito de amouxar.

amover. [Do lat. *amovere.*] *V. t. d.* e *t. i.* **1.** Afastar; apartar; desviar. **2.** Privar; desapossar.

amovibilidade. *S. f.* Qualidade ou caráter de amovível.

amovível. *Adj. 2 g.* **1.** Capaz de mover-se ou de ser removido. **2.** Suscetível de remoção, de transferência: *funcionário amovível.* **3.** Não vitalício; sem estabilidade; transitório: *cargo amovível.*

amoxamar. [De *a-*[2] + *moxama* + *-ar*[2]] *V. t. d.* **1.** Secar como moxama. **2.** Tornar semelhante a moxama. *P.* **3.** Tornar-se magro, seco, como moxama.

ampalágua. [Var. de *ampelágua.*] *S. f. Bras.* V. *sucuri-amarela.*

amparado. [Part. de *amparar.*] *Adj.* **1.** Apoiado, esteado, escorado. **2.** *Fig.* Diz-se de quem, não tendo meios para sustentar-se, desfruta de amparo: *Ao morrer deixou os órfãos amparados.*

amparador (ô). *Adj.* e *s. m.* Que ou aquele que ampara.

amparar. [Do lat. *anteparare*, 'pôr algo à frente para proteger'.] *V. t. d.* **1.** Dar, ou servir de amparo a; estear; escorar: *Amparou-a nos braços ao ver que desfalecia.* **2.** Proteger, patrocinar; favorecer: *Tratou de amparar a filha enquanto durasse aquela situação difícil.* **3.** Dar meios de vida a; sustentar: *Com a morte dos pais, não há quem ampare as crianças. T. d. e i.* **4.** Suster para impedir de cair; estear, escorar. **5.** Resguardar, defender: *Procurei ampará-lo do perigo; O chapelão amparava-o contra o sol. P.* **6.** Agarrar-se a alguma coisa para não cair; escorar-se, apoiar-se: *Sentindo-se fraco, amparou-se contra o muro;* "Estava de joelhos sobre a cama, *amparando-se* no pescoço do sacerdote, cujas forças não sustinham já o estertor convulsivo da agonizante." (Camilo Castelo Branco, *Livro Negro de Padre Dinis*, p. 215). **7.** Abrigar-se, refugiar-se; defender-se, resguardar-se: *Tão intenso era o calor que os viajantes necessitaram amparar-se.*

amparense[1]. *Adj. 2 g.* **1.** De, ou pertencente ou relativo a Amparo (SP). ● *S. 2 g.* **2.** Natural ou habitante de Amparo.

amparense[2]. *Adj. 2 g.* **1.** De, ou pertencente ou relativo a Amparo de São Francisco (SE). ● *S. 2 g.* **2.** Natural ou habitante de Amparo de São Francisco.

amparense[3]. *Adj. 2 g.* **1.** De, ou pertencente ou relativo a Santo Antônio do Amparo (MG). ● *S. 2 g.* **2.** Natural ou habitante de Santo Antônio do Amparo.

amparense[4]. *Adj. 2 g.* **1.** De, ou pertencente ou relativo a Nossa Senhora do Amparo (RJ). ● *S. 2 g.* **2.** Natural ou habitante de Nossa Senhora do Amparo.

amparo. [Dev. de *amparar.*] *S. m.* **1.** Ação ou efeito de amparar. **2.** Pessoa ou coisa que ampara; escora, esteio, arrimo: *O avô era o amparo da família; As paredes da catedral eram sustentadas pelo amparo dos arcobotantes.* **3.** Auxílio, ajuda: *amparo* aos necessitados. **4.** Refúgio, abrigo: *Procuraram um amparo contra a tempestade.* **5.** *Fig.* Proteção, auxílio, socorro: *Ajoelhou-se e pediu o amparo da Virgem.*

ampelágua. [Do quíchua.] *S. f. Bras., MS.* V. *sucuri-amarela.* [Var.: *ampalágua.*]

ampelina. [De *ampelito.*] *S. f.* Substância graxa resultante da destilação de alguns xistos betuminosos, e que, por seu aspecto límpido, se assemelha ao creosoto.

ampelito. [Do gr. *ampelîtis*, i. e., *gê ampelîtis*, 'terra de vinha'.] *S. m.* Variedade de ardósia friável impregnada de carbono, que era usada em pulverizações para destruir insetos nocivos à vinha.

▲**ampel(o)-.** [Do gr. *ámpelos, ou.*] *El. comp.* = 'vinha', 'uva': *ampelologia, ampelógrafo.*

ampelografia. [De *ampel(o)-* + *-graf(o)-* + *-ia.*] *S. f.* Parte da botânica em que se estuda a videira.

ampelográfico. *Adj.* Referente à ampelografia.

ampelógrafo. [De *ampel(o)-* + *-grafo.*] *S. m.* Especialista em ampelografia; aquele que se ocupa cientificamente das vinhas.

ampelologia. [De *ampel(o)-* + *-log(o)-* + *-ia.*] *S. f.* Conjunto de teorias ou estudos respeitantes à cultura e tratamento da vinha.

ampelológico. *Adj.* Relativo à ampelologia.

amperagem. *S. f. Eletr.* Intensidade duma corrente elétrica, medida em ampères.

ampère. [Do antr. *Ampère*, de André-Marie Ampère, físico francês (1775-1836).] *S. m. Eletr.* Unidade de medida de intensidade de corrente elétrica no Sistema Internacional: intensidade de uma corrente elétrica invariável que, mantida em dois condutores paralelos, retilíneos, de comprimento infinito e de área de secção transversal insignificante, e situados no vácuo a um metro de distância um do outro, produz entre estes condutores uma força de 2 × 10^{-7} newtons por m de comprimento dos condutores. [Símb.: *A*.] ♦ **Ampère absoluto.** *Eletr.* Unidade de medida de intensidade de corrente elétrica, adotada como unidade fundamental no Sistema Internacional. **Ampère internacional.** *Eletr.* Unidade de medida de intensidade de corrente elétrica: intensidade duma corrente elétrica constante que, passando através de um voltâmetro que contém uma solução aquosa de nitrato de prata, deposita eletroliticamente 0,001118 gramas de prata por segundo. Um ampère internacional é igual a 0,99985 ampères do Sistema Internacional.

ampère-espira. *S. m. Eletr.* Unidade de força magnetomotriz no Sistema Internacional: força magnetomotriz de um circuito constituído por uma só espira na qual circula uma corrente elétrica de intensidade invariável igual a um ampère. [Símb.: *Ae*; Pl.: *ampères-espiras*.] ♦ **Ampère-espira por Weber.** *Fís.* Unidade de medida de relutância no Sistema Internacional de Pesos e Medidas, igual à relutância de um meio homogêneo e isotrópico tal que uma força magnetomotriz invariável de um ampère-espira produz um fluxo de indução magnética uniforme de um weber. [Símb.: *Ae/Wb*.]

ampère-hora. *S. m. Eletr.* Quantidade de carga elétrica que circula em uma hora num condutor percorrido por uma corrente elétrica de intensidade invariável igual a um ampère, e que é igual a 3 600 coulombs. [Símb.: *A.h.* Pl.: *ampères-horas*.]

amperimetria. [De *ampère* + *-i-* + *-metro*[2] + *-ia*.] *S. f. Fís.-Quím.* Conjunto de técnicas de análise quantitativa baseadas na medida da intensidade de uma corrente elétrica que, em condições controladas, atravessa uma solução. [F. paral.: *amperometria*.]

amperímetro. [De *ampère* + *-i-* + *-metro*[2].] *S. m. Eletr.* Instrumento utilizado para medir a intensidade de uma corrente elétrica. [F. paral.: *amperômetro*.]

amperometria. *S. f. Fís.-Quím.* Amperimetria.

amperômetro. *S. m. Eletr.* Amperímetro.

ampersand. [Ingl., alter. de *and per se and*, e + lat. *per se*, 'por si', + e.] *S. m.* Sinal gráfico (&) que representa a conj. e a qual une um substantivo ou uma locução a outro(a), como, p. ex., em *Silva & Cia.*, por *Silva (e) por si e Companhia*.

ampletivo. [De *amplect*, rad. do lat. *amplecti*, 'abraçar', + *-ivo*.] *Adj. Bot.* Diz-se do órgão vegetal que abraça ou enlaça outro. [Aplica-se às folhas que, estando dobradas ou enroladas, se enlaçam entre si.]

amplexi- (cs). [Do lat. *amplexu*.] *El. comp.* = 'abraçado': *amplexifloro*.

amplexicaule (cs). [De *amplexi-* + *caule*.] *Adj. 2 g. Bot.* Que abraça ou envolve o caule ou o ramo. [Diz-se sobretudo das folhas que circundam o caule pela base alargada (bainha), como a folha invaginante dos monocotiledôneos.] ~ V. *folha* —.

amplexifloro (cs). [De *amplexi-* + *-floro*.] *Adj. Bot.* Diz-se de brácteas que envolvem as flores, como nas compostas.

amplexifoliado (cs). [De *amplexi-* + *foliado*.] *Adj. Bot.* Amplexifólio.

amplexifólio (cs). [De *amplexi-* + *-fólio*.] *Adj. Bot.* Diz-se das plantas que têm folhas amplexicaules; amplexifoliado.

amplexo (cs). [Do lat. *amplexu*.] *S. m.* Abraço (1): "O fogueteiro é abraçado pelo juiz da festa, ele mesmo o abraça também num *amplexo* hercúleo" (Ramalho Ortigão, *John Bull*, p. 216).

ampliação. [Do lat. *ampliatione*.] *S. f.* **1.** Ato ou efeito de ampliar(-se). **2.** *Ópt.* Num sistema óptico, o cociente entre uma dimensão linear de uma imagem e a dimensão correspondente do objeto; aumento. **3.** *Fot.* Projeção, em câmara escura, de um negativo pequeno sobre uma folha de papel sensibilizado de dimensões maiores, com o fim de aumentar a imagem e, até, modificar-lhe a composição, alterando-lhe o enquadramento. [Antôn. (nesta acepç.): *redução* (3).] **4.** *Fot.* O resultado dessa operação: *Pendurou no quarto uma bela ampliação do Rio; Mandou revelar as fotos e recebeu uma bela ampliação grátis.*

ampliado. [Part. de *ampliar*.] *Adj.* Que teve ou sofreu ampliação.

ampliador (ô). [Do lat. *ampliatore*.] *Adj.* **1.** Que amplia. • *S. m.* **2.** O que amplia. **3.** *Fot.* Instrumento utilizado em técnica de fotografia para obter reproduções, em geral ampliadas, de negativos fotográficos. É dotado de fonte de luz, de suporte para o negativo e de lente, e é montado em estrutura móvel, ascendente ou descendente, de grande firmeza para, sem tremer, graduar o tamanho da cópia desejada. [Cf. *amplificador*.]

ampliar. [Do lat. *ampliare*.] *V. t. d.* **1.** Tornar amplo, ou mais amplo: *A estada na Inglaterra ampliou os seus conhecimentos do inglês.* **2.** Aumentar (em área); alargar, dilatar: *O Tratado de Petrópolis, firmado a 17.11.1903, ampliou o território brasileiro, acrescentando-lhe a parte meridional do Acre.* **3.** Dilatar, alongar, aumentar: *Ampliou ainda o discurso, que já era grande.* **4.** Desenvolver; exagerar: *Costuma ampliar tudo o que vê e ouve.* **5.** *Fot.* Reproduzir em formato maior: *ampliar uma fotografia*. *P.* **6.** Tornar-se amplo ou mais amplo; alargar-se, dilatar-se.

ampliatiforme. [Do lat. *ampliatu*, 'ampliado', + *-i-* + *-forme*.] *Adj. 2 g.* Que tem grandes dimensões.

ampliativo. *Adj.* Que amplia ou serve para ampliar.

ampliável. *Adj. 2 g.* Que pode ser ampliado.

amplidão. *S. f.* **1.** Qualidade ou caráter do que é amplo. **2.** Grande extensão; largura, vastidão. **3.** Espaço indefinido: *olhar perdido na amplidão*. **4.** *Fig.* Extensão, vastidão: *Era espantosa a amplidão de seus conhecimentos.* [Sin. ger.: amplitude.]

amplidínamo. *S. f. Automat.* Amplificador magnético, girante, baseado na resposta rápida de um gerador de corrente contínua, e que necessita de pequena potência para a resposta; amplificador dinamelétrico.

amplificação. [Do lat. *amplificatione*.] *S. f.* **1.** Ato ou efeito de amplificar. **2.** *Ret.* Figura que consiste em desenvolver as particularidades de um assunto. **3.** *Eletrôn.* Elevação da energia de um sinal sem alterar-lhe a forma.

amplificador (ô). [Do lat. *amplificatore*.] *Adj.* **1.** Que amplifica; amplificante, amplificativo. ~ V. *válvula* —*a*. • *S. m.* **2.** Aquilo ou aquele que amplifica. **3.** *Eletrôn.* Dispositivo com que se aumenta no sinal de saída um parâmetro do sinal de entrada, graças a fontes de energia que lhe são pertinentes. [Cf. *ampliador*.] **4.** *Restr.* Aparelho utilizado na reprodução ou aumento de sons (música, fala); amplificadora. ♦ **Amplificador classe A.** *Eletrôn.* Amplificador a válvula em que a polarização da grade e a sua tensão alternada permitem que a corrente de placa circule durante todo o tempo do ciclo. **Amplificador classe AB.** *Eletrôn.* Amplificador a válvula no qual a polarização da grade e a tensão alternada que lhe é aplicada são tais que a corrente de placa circula durante um intervalo maior que a metade do ciclo e menor que o ciclo inteiro. **Amplificador classe B.** *Eletrôn.* Amplificador a válvula em que a polarização da grade é quase igual à tensão de corte e a corrente de placa circula aproximadamente durante a metade de cada ciclo de uma tensão alternada aplicada à grade. **Amplificador classe C.** *Eletrôn.* Amplificador eletrônico em que a tensão de operação da grade é maior que a tensão de corte e a corrente de placa é nula durante um tempo maior que a metade do ciclo de uma tensão alternada aplicada à grade. **Amplificador de áudio.** *Eletrôn.* O que se destina a amplificar sinais de audiofreqüência. **Amplificador de vídeo.** *Eletrôn.* Amplificador de faixa larga capaz de amplificar videofreqüência, usado para amplificar pulsos em radar e sinais visuais periódicos em televisão. **Amplificador dinamelétrico.** *Automat.* Amplidínamo. **Amplificador linear.** *Eletrôn.* Amplificador em que a tensão de saída é diretamente proporcional à tensão do sinal de entrada.

amplificadora (ô). [Fem. de *amplificador*.] *S. f. Bras.* Amplificador (4): "Há três dias que o Coronel Francelino anunciava pela *amplificadora* que o jipe tinha saído de São Luiz e devia chegar nesses dias." (José Sarney, *Norte das Águas*, p. 203.)

amplificante. *Adj. 2 g.* V. *amplificador* (1). ~ V. *indução* —.

amplificar. [Do lat. *amplificare*.] *V. t. d.* **1.** Fazer maior (o que já era grande); ampliar. **2.** Exaltar ou engrandecer o valor ou merecimento de. [Conjug.: v. *trancar*.]

amplificativo. *Adj.* V. *amplificador* (1).

amplificável. *Adj. 2 g.* Que pode ser amplificado.

amplitude. [Do lat. *amplitudine*.] *S. f.* **1.** Amplidão (1 a 4). **2.** *P. ext. Fig.* Qualidade ou caráter daquilo que abrange grande amplidão; extensão: *a amplitude de um salão; amplitude de uma superfície; Médico e ensaísta, seu talento é de grande amplitude.* **3.** *Astr.* Complemento do azimute: arco do círculo do horizonte, que vai dos pontos norte ou sul até o círculo vertical que passa por um ponto dado da esfera celeste. **4.** *Estat.* Numa distribuição de freqüências, diferença entre os limites de uma classe; amplitude de classe. **5.** *Fís.* Valor máximo de uma grandeza que varia periodicamente segundo uma lei harmônica simples. **6.** *Mat.* Numa função harmônica simples, o coeficiente da função periódica; a metade do módulo da diferença entre as ordenadas máxima e mínima de uma função harmônica simples. **7.** *Geom. Anal.* V. *ângulo polar*. ♦ **Amplitude centil.** *Estat.* Amplitude percentil. **Amplitude da maré.** Diferença entre a altura de uma preamar e a baixamar anterior ou subseqüente. **Amplitude da onda.** *Ocean. Fís.* Altura da crista da onda sobre o nível do mar em repouso. [É aproximadamente o dobro da altura da onda.] **Amplitude decil.** *Estat.* A amplitude de um intervalo decil numa distribuição de freqüências ou de probabilidades. **Amplitude de classe.** *Estat.* Amplitude (4). **Amplitude diurna.** **1.** *Geog.* Amplitude térmica. **2.** Diferença, em altura, entre a preamar média mais alta e a baixamar média mais baixa, nos lugares onde existe maré diurna. **Amplitude ecológica.** O grau de tolerância que uma dada espécie animal ou vegetal apresenta em face dos fatores ambientais. [Pode ser estreita ou ampla, conforme a variação de condições mesológicas que o indivíduo ou a espécie possam suportar.] **Amplitude interquartil.** *Estat.* Amplitude quartil. **Amplitude modulada.** *Eletr.* A amplitude de um sinal que resulta da superposição de dois outros, cujas freqüências são muito diferentes; amplitude que varia periodicamente com uma freqüência muito menor que a do sinal. [Sigla: *AM*.] **Amplitude no ocaso.** *Astr.* Azimute de um astro no seu ocaso. **Amplitude ortiva.** *Astr.* Amplitude de um astro no seu nascer. **Amplitude percentil.** *Estat.* A amplitude de um intervalo centil numa distribuição de freqüências ou de probabilidades; amplitude centil. **Amplitude quartil.** *Estat.* A amplitude de um intervalo quartil numa distribuição de freqüências ou de probabilidades; amplitude interquartil. **Amplitude térmica.** *Geog.* Diferença registrada no decorrer de um dia ou 24 horas, entre a temperatura mais alta e a mais baixa, no decurso de um dia, um mês, um ano; amplitude diurna.

amplo. [Do lat. *amplu*.] *Adj.* **1.** De grandes dimensões; muito extenso; espaçoso, vasto: *território amplo; sala ampla*. **2.** Muito grande; considerável: *messe ampla; refeição ampla; obra ampla*. **3.** Rico, farto, pródigo; abundante: *recompensa ampla; lucros amplos*. **4.** Largo, folgado: *poltrona ampla; vestes amplas*. **5.** Numeroso, copioso: *amplas virtudes; amplos conhecimentos*. **6.** De grande amplitude (2); lato, dilatado: *sentido amplo; interpretação ampla*. **7.** Largo, generoso: *abraço amplo; gesto amplo*. **8.** Sem restrições; ilimitado: *autoridade ampla; amplas possibilidades; amplos poderes*. **9.** Que abrange um grande campo (9); extenso, desenvolvido: *propaganda ampla; projeto amplo*.

ampola (ô). [Do lat. *ampulla*.] *S. f.* V. *empola* (1 a 3). **2.** Pequeno tubo de vidro, ou de plástico, em geral dotado de gargalo, hermeticamente fechado, e destinado a conter um líquido, medicamentoso ou não: *uma ampola de injeção, de perfume*. **3.** O conteúdo de uma ampola (2): *Tomou duas ampolas e ficou bom.*

ampuláceo. *Adj.* Semelhante à ampola.

ampulária. *S. f. Bras.* V. *aruá*[1].

ampularídeo. *S. m.* **1.** Espécime dos ampularídeos. • *Adj.* **2.** Pertencente ou relativo aos ampularídeos.

ampularídeos. *S. m. pl. Zool.* Família de moluscos gasterópodes, prosobrânquios, que vivem nos lagos e rios das Américas do Sul e Central, da Ásia meridional e da África. No Brasil são designados vulgarmente por *aruá* ou *uruá*.

ampulheta (ê). [Do esp. *ampolleta*.] *S. f.* Instrumento constituído por dois vasos cônicos de vidro que se comunicam, nos vértices, por um pequeno orifício, e usado para medir o tempo mediante a passagem de certa quantidade de areia finíssima do vaso superior para o inferior: "Noutra parte suprimo e arredo estas idéias — como suprimo e arredo o tempo. Mas aqui tenho sempre presente a idéia de Deus e a idéia da morte e vejo o tempo medir minuto a minuto na *ampulheta* a vida que passa." (Raul Brandão, *As Ilhas Desconhecidas*, p. 50.); "Apenas se escutava /

Leve, a areia, a cair no vidro da ampulheta..." (Olavo Bilac, *Poesias*, 136).
ampuliforme. [Do lat. *ampulla*, 'ampola', + *-forme*.] *Adj. 2 g.* Em forma de ampola.
amputação. [Do lat. *amputatione*.] *S. f.* **1.** Ato ou efeito de amputar. **2.** *Med.* Ablação parcial ou total de uma estrutura orgânica, como braço, pênis, apêndice vermiforme, permanecendo no local uma deformidade que, em alguns casos, pode ser compensada por prótese.
amputado. [Part. de *amputar*.] *Adj.* Que se amputou; mutilado, cortado.
amputador (ô). *Adj. e s. m.* Que ou o que amputa.
amputar. [Do lat. *amputare*.] *V. t. d.* **1.** Fazer a amputação de: "Essa deslocação de um velho carinho quase paterno doía-lhe como se amputassem um dos seus membros." (Menotti del Picchia, *Salomé*, p. 21.) **2.** Reduzir, limitar, restringir: *amputar despesas.* **3.** Eliminar, suprimir: "E isto confirma mais uma vez o que eu disse acerca da singular monomania que leva os nossos homens de letras, ainda moços...., a abdicarem da sua própria personalidade, amputando os dons de origem, para entrarem a macaquear .... qualquer semideus canonizado pelas gerações anteriores." (Fialho d'Almeida, *Pasquinadas*, p. 251.)
amsterdamês. *Adj.* **1.** De, ou pertencente ou relativo à cidade de Amsterdã, capital da Holanda. ● *S. m.* **2.** O natural ou habitante dessa cidade. [Flex.: *amsterdamesa* (ê), *amsterdameses* (ê), *amsterdamesas* (ê).]
amuado. [Part. de *amuar*.] *Adj.* **1.** Que tem amuo; mal-humorado, aborrecido. **2.** Que se afasta ou retrai agastado ou melindrado. **3.** Guardado ou entesourado sem render (dinheiro, riquezas).
amuamento. *S. m.* Ato de amuar(-se).
amuar. [De *a-*[2] + *mu* + *-ar*[2].] *V. t. d.* **1.** Provocar amuo a; aborrecer, importunar. **2.** Guardar, amontoar, arrecadar (dinheiro ou valores que se retiram de circulação e se entesouram, sem que rendam): "Ninguém extraiu nunca tão implacavelmente da algibeira dos outros o ouro, a prata, o papel e o cobre; ninguém os amuou com mais zelo e prontidão." (Machado de Assis, *Várias Histórias*, p. 30.) *T. i.* **3.** Insistir muito, obstinar-se: *Amuou em partir no dia seguinte.* *Int.* **4.** Ter amuo; demonstrar, no aspecto, mau humor, aborrecimento, melindre; amuar-se. **5.** Fazer amuo (2): *Irritaram-no, e ele amuou.* **6.** Não amadurecer nem desintumescer (um abscesso). **7.** Não abrolhar (a planta). **8.** Não resolver, progredir ou avançar (negócio, assunto, etc.). *P.* **9.** Ficar amuado, de mau humor; agastar-se, melindrar-se; amuar.
amuimó (u-i). *Bras.*, *S. 2 g.* **1.** Indivíduo dos amuimós, tribo indígena que habita nas cabeceiras do rio Nhamundá (N. do PA). ● *Adj. 2 g.* **2.** Pertencente ou relativo a essa tribo.
amulatado. [De *a-*[2] + *mulato* + *-ado*[1].] *Adj.* Que tem cor e/ou feições de mulato.
amulatar-se. [De *a-*[2] + *mulato* + *-ar*[2] + *se*[1].] *V. p.* Tomar a cor e/ou feições de mulato.
amulético. *Adj.* Relativo a amuleto.
amuleto (ê). [Do lat. *amuletu*.] *S. m.* Pequeno objeto (figura, medalha, figa, etc.) que, desde a mais alta antiguidade, alguém traz consigo ou guarda por acreditar em seu poder mágico passivo de afastar desgraças ou malefícios; talismã preservativo: "Velhos abaçanados, escaveirados, ... a camisa de madapolão desabotoada, deixando ver os bentinhos e os amuletos pendurados do pescoço, com as mãos cruzadas nos joelhos, não se moviam" (Coelho Neto, *A Conquista*, pp. 361-362). [Cf. *talismã* (1) e *fetiche* (1).]
amulherado. [De *a-*[2] + *mulher* + *-ado*[1].] *Adj.* Que parece ou tem modos de mulher; efeminado, afeminado, amulherengado.
amulherar-se. [De *a-*[2] + *mulher* + *-ar*[2] + *se*[1].] *V. p.* Adquirir modos de mulher; efeminar-se, afeminar-se, amulherengar-se.
amulherengado. [De *a-*[2] + *mulherengo* + *-ado*[1].] *Adj.* V. *amulherado.*
amulherengar-se. [De *a-*[2] + *mulherengo* + *-ar*[2] + *se*[1].] *V. p.* Amulherar-se [Conjug.: v. *largar*.]
amumiado. [De *a-*[2] + *múmia* + *-ado*[1].] *Adj.* **1.** Semelhante a, ou próprio de múmia. **2.** *Fig.* Muito magro; seco, mirrado.
amumiar. [De *-a*[2] + *múmia* + *-ar*[2].] *V. t. d. e p.* **1.** Tornar(-se) semelhante a múmia; mumificar(-se). **2.** *Fig.* Tornar(-se) seco, magro, definhado; mumificar(-se).
amundiçado. [De *a-*[2] + *mundiça* + *-ado*[1].] *Adj. Bras.* **1.** Sujo, imundo, sórdido. **2.** Sem educação; grosseiro.
amunhecar. [De *a-*[2] + *munheca* + *-ar*[2].] *V. int. Bras., N.E.* **1.** Fraquejar das mãos (o eqüídeo ou o muar); cair: "Muitas vezes brandira a espada em estocadas espetaculares, fazendo touros bravos amunhecarem a seus pés." (Jorge Medauar, *Água Preta*, p. 171.) **2.** *P. ext.* Fugir da luta; acobardar-se. **3.** Interromper, por exaustão, atividade que requer esforço físico: *No meio da subida, amunhecou.* **4.** Perder o vigor, a energia; entibiar-se; afrouxar: *Com a idade, enfraqueceu, amunhecou.* [Conjug. v. *trancar*.]
amunhegado. [De *amunhecado*, com sonorização.] *Adj. Bras. SE. Pop.* Fraco, alquebrado, abatido.
amuniciamento. *S. m.* Ato ou efeito de amuniciar.
amuniciar. [De *a-*[4] + *municiar*.] *V. t. d.* V. *municionar.*
amuo. [Dev. de *amuar*.] *S. m.* **1.** Mau humor, enfado, traduzido no aspecto, nos gestos ou no silêncio; arrufo, calundu, lundu. **2.** Gesto ou trejeito de mau humor, enfado, etc.
amura. [Der. regress. de *amurada*.] *S. f.* **1.** *Constr. Nav.* Bochecha (2). **2.** *Marinh.* Cabo com que se puxa para vante o punho de barlavento de uma vela redonda, de modo que ela receba bem o vento. **3.** *Marinh.* Cabo com que se prende ao mastro ou na direção da proa, o punho da amura de uma vela latina.
amurada. [Fem. substantivado de *amurado*.] *S. f.* **1.** *Constr. Nav.* Face interna do costado de uma embarcação. **2.** *Constr. Nav.* Prolongamento do costado da embarcação, acima do convés descoberto; borda da embarcação. **3.** *P. ext.* Muro de arrimo; paredão; parede.
amurado. [Part. de *amurar*[2].] *Adj.* **1.** Amuralhado. **2.** *Bras.* Preso, encurralado. [Cf. *amorado*.]
amuralhado. [Part. de *amuralhar*.] *Adj.* Cercado de muralhas ou de muros; amurado.
amuralhar. [De *a-*[2] + *muralha* + *-ar*[2].] *V. t. d.* Cercar de muros ou muralhas; amurar, muralhar.
amurar[1]. [De *amura* + *-ar*[2].] *V. t. d. Marinh.* **1.** Fixar a amura de (uma vela) no lugar conveniente, para que ela se possa enfunar. **2.** Alar as amuras de (uma vela). **3.** Orientar as velas de (uma embarcação) a fim de que recebam o vento de maneira conveniente à navegação.
amurar[2]. [De *a-*[2] + *muro* + *-ar*[2].] *V. t. d.* V. *amuralhar.* [Cf. *amorar*.]
amurchecer-se. [De *a-*[2] + *murcho* + *-ecer-* + *se*[1].] *V. p. Desus.* Murchar(-se), emurchecer, murchecer. [Comumente é defect., conjugável só nas 3as. pess. Conjug.: v. *aquecer*.]
amurê. *S. m. Bras. Folcl.* O casamento dos negros malês.
amuri. [Do tupi.] *S. m. Bras.* Cacique (1) de uma aldeia de índios parecis.
amusia. [Do gr. *amousía*, pelo lat. *amusia*.] *S. f.* Perda completa ou parcial da faculdade musical.
amúsico. *Adj.* Relativo à amusia.
▲**an-.** V. *a-*[3].
▲**an(a)-.** [Do gr. *aná*.] *Pref.* = 'ação ou movimento contrário'; 'movimento de baixo para cima'; 'repetição', 'intensidade': *anagrama* (< gr. *anágramma*), *anacrônico*; *anacatártico* (< gr. *anakathartikós*), *anacâmptico*; *anáfora* (< gr. *anaphorá*), *anafilático*.
▲**-ana**[1]. Fem. de *-ano*: *murciana* [de *Múrcia*, top., + *-ana*[1]].
▲**-ana**[2]. *Suf. nom.* = 'aumento': *bundana*.
anâ[1]. [Do hindustani *ãnã*.] *S. m.* Moeda divisionária da Índia, correspondente a 1/16 da rúpia.
aná[2]. [Do gr. *aná*, prep. que nas derivações funciona como prefixo, valendo como repetição.] *Adv. Farm.* De cada um, 'na mesma proporção'. [Abrev.: ãa.]
anã. *Adj.* (*f.*) **1.** Fem. de *anão*: "uma arvorezinha nova ou anã, de ramos a rojar pelo chão" (Irene Lisboa, *Voltar atrás para quê?*, p. 134). ~ V. *estrela* —. ● *S. f.* **2.** Fem. de anão. **3.** *Astr.* V. *estrela anã.* ♦ **Anã branca.** *Astr.* V. *estrela anã.* **Anã vermelha.** *Astr.* V. *estrela anã.*
anabantídeo. *S. m.* **1.** Espécime dos anabantídeos. ● *Adj.* **2.** Pertencente ou relativo a eles.
anabantídeos. *S. m. pl. Zool.* Família de peixes teleósteos, labirintiformes, que vivem no Vietname, os quais, valendo-se das espículas de suas nadadeiras ventrais e peitorais, trepam nas árvores que margeiam rios e lagos onde vivem.
anabatismo. [De *an(a)-* + *batismo*.] *S. m.* Doutrina dos anabatistas.
anabatista. [De *an(a)-* + *batista*.] *S. 2 g.* **1.** Membro da seita protestante do séc. XVI, que rejeita o batismo das crianças e rebatiza todos os seus adeptos. ● *Adj. 2 g.* **2.** Referente aos anabatistas ou ao anabatismo.
anabenodáctilo. [Do gr. *anabaíno*, 'trepar, subir', + *-dá(c)tilo*.] *Adj.* Diz-se dos animais cujos dedos são conformados para trepar. [Var.: *anabenodátilo*.]
anabenodátilo. *Adj.* Var. de *anabenodáctilo* [q. v.].
anabi. [Do tupi *ana'bi*.] *S. f.* **1.** Arbusto da família das loganiáceas (*Potalia amara*), de flores alvas de tubo amarelo, e cujas folhas têm propriedades adstringentes e mucilaginosas. Ocorre na Guiana, no AM e em MT. **2.** Pau-de-cobra.
anabiose. [Do gr. *anabíosis*, 'ressurreição'.] *S. f. Biol. Ger.* Suspensão das funções vitais do organismo, seguida, porém, de revivescência; morte aparente.
anabiótico. *Adj.* Relativo à anabiose.
anablepídeo. *S. m.* **1.** Espécime dos anablepídeos. ● *Adj.* **2.** Pertencente ou relativo a eles.
anablepídeos. *S. m. pl. Zool.* Peixes teleósteos, da família dos ciprinodontídeos, da América tropical, vivíparos, de corpo alongado, olhos muito salientes, e que nadam mantendo parte da cabeça fora da água.
anabólico. [Do gr. *anabolé*, 'demora', + *-ico*[2].] *Adj.* Referente ao anabolismo.
anabolismo. [Do gr. *anabolé*, 'demora', + *-ismo*.] *S. m. Fisiol.* V. *assimilação* (3).
anabrose. [Do gr. *anabrósis*.] *S. f.* **1.** Corrosão das partes sólidas do organismo animal por um humor acre. **2.** Ulceração superficial.
anabrótico. [Do gr. *anabrotikós*.] *Adj.* **1.** Relativo à, ou próprio da anabrose. **2.** Corrosivo, cáustico.
anacá. *S. m. Bras.* V. *anacã.*
anacã. [Var. de *anacá* < tupi *ana' ká*.] *S. m. Bras.* Ave psitaciforme, da família dos psitacídeos, *Deroptyus accipitrinus* (L.), da Amaz. Coloração verde, parte da cauda azul-escura, rêmiges pretas, alto e lados da cabeça pardos, raiados de um tom esbranquiçado que se estende à fronte; no occipício tem uma crista de penas alongadas, vermelho-escuras, marginadas de azul, e os flancos verdes. Não aprende a falar como os papagaios do gênero *Amazona* Less. [Sin.: *papagaio-de-coleira, vanaquiá*.]
anacâmptico. [De *an(a)-* + gr. *kámpto*, 'dobrar', + *-ico*[2].] *Adj. Fís.* Que reflete a luz ou o som.
anacantíneo. *S. m.* **1.** Espécime dos anacantíneos. ● *Adj.* **2.** Pertencente ou relativo a eles.
anacantíneos. *S. m. pl. Zool.* Gênero de peixes teleósteos caracterizados pela ausência de espinhas nas nadadeiras.
anacantino. *S. m.* **1.** Espécime dos anacantinos. ● *Adj.* **2.** Pertencente ou relativo a eles. [Sin. ger.: *fisoclisto*.]
anacantinos. *S. m. pl. Zool.* Animais, classe dos peixes neopterígios, da ordem *Anacanthini*, cujos raios das nadadeiras são moles e, nas ventrais, mais numerosos; bexiga natatória sem duto. São os bacalhaus. [Sin.: *fisoclistos*.]
anaçar. [Do lat. *anateare < *natare*, 'nadar'.] *V. t. d.* Revolver, misturar; bater: *anaçar líquidos; anaçar ovos.* [Conjug.: v. *laçar*.]
anacarado. [De *a-*[2] + *nácar* + *-ado*[1].] *Adj.* V. *nacarado.*
anacardiácea. *S. f.* Espécime das anacardiáceas.
anacardiáceas. *S. f. pl. Bot.* Família de plantas floríferas que englobam árvores e arbustos, em número de 500 espécies, ocorrentes nos países tropicais e temperados. Folhas compostas; flores inconspícuas; os frutos, drupáceos, não raro são comestíveis, como, p. ex., a manga e os cajás. As plantas levam condutos resiníferos, cujo conteúdo lhes imprime aroma peculiar. [É representada, no Brasil, pelas aroeiras, pelo gonçalo-alves, etc.; o caju (*Anacardium*) é membro importante desta família, com várias espécies nativas.]
anacardiáceo. *Adj.* Pertencente ou relativo às anacardiáceas.
anacatártico. [Do gr. *anakathartikós*.] *Adj.* Que limpa mediante a expectoração, o vômito, etc.
anacé. *Bras. S. 2 g.* **1.** Indivíduo dos anacés, tribo indígena tupi-guarani, que habitava a região dos rios São Francisco e Jaguaribe. ● *Adj. 2 g.* **2.** Pertencente ou relativo a essa tribo.
anacefaleose. [Do gr. *anakephalaiósis*.] *S. f. Ret.* Recapitulação dos pontos principais de um discurso, de uma exposição escrita ou oral.
anacenose. [Do gr. *anakoínosis*, 'comunicação', pelo lat. *anacoenose*.] *S. f. Ret.* Apóstrofe dirigida diretamente aos ouvintes, pedindo-lhes a opinião.
anacíclico. [Do gr. *anakyklikós*, 'revirado circularmente'.] *Adj. e s. m.* ~ V. *verso* —.
anacirtose. *S. f. Med.* Autoridade que deve exercer o médico sobre o doente.
anáclase. [Do gr. *anáklasis*, 'refração', pelo lat. *anaclase*.] *S. f.* **1.** Inflexão articular. **2.** Na metrificação, troca de lugar entre a sílaba longa no fim de um verso e a breve no começo do verso seguinte.
anaclisia. [Do gr. *anáklisis*, 'ação de deitar-se', + *-ia*.] *S. f.* Posição horizontal ou quase horizontal de um doente na cama ou numa cadeira inclinada.
anacolia. [De *an(a)-* + *col(e)-* + *-ia*.] *S. f. Med.*

Ausência de secreção biliar.
anacólico. *Adj.* Referente à anacolia.
anacolutia. [Do gr. *anakolouthía.*] *S. f.* V. *anacoluto.*
anacolútico. *Adj.* Relativo a, ou em que há anacolutia ou anacoluto.
anacoluto. [Do gr. *anakolouthus*, pelo lat. *anacoluthon.*] *S. m.* Figura de sintaxe que consiste no emprego de um relativo sem antecedente, ou na mudança abrupta de construção; frase quebrada; anacolutia. Ex.: "Quem o feio ama, bonito lhe parece" (prov.); "O forte, o cobarde / Seus feitos inveja" [i. e., 'O cobarde inveja os feitos do forte'] Gonçalves Dias, *Obras Poéticas*, II, p. 43); "tinha não sei que balanço no andar, como quem lhe custa levar o corpo" (Machado de Assis, *Páginas Recolhidas*, p. 82).
anaconda. [Do tâmul *anai-kondra.*] *S. f. Bras.* V. *sucuri* (1).
anacorese. [Do gr. *anachóresis*, 'ação de retirar-se', pelo lat. *anachorese.*] *S. f. Med.* Atração de microrganismos para órgãos, ou para tecidos com lesões localizadas (tuberculosas, sifilíticas, ou de outra natureza).
anacoreta (ê). [Do gr. *anachoretés*, pelo lat. *anachoreta.*] *S. m.* **1.** Religioso ou penitente que vive na solidão, em vida contemplativa: "ou porque Ifigênia se lhe figurasse algum daqueles serafins que visitavam os *anacoretas* na Tebaida" (Camilo Castelo Branco, *A Queda dum Anjo*, p. 209). **2.** *Fig.* Pessoa que vive afastada do convívio social; monge. [Cf. *cenobita.*]
anacorético. [Do gr. *anachoretikós.*] *Adj.* Relativo a, ou próprio de anacoreta.
anacreôntica. [Fem. substantivado de *anacreôntico.*] *S. f.* Poesia de Anacreonte [v. *anacreôntico*] ou acomodada ao gosto desse poeta.
anacreôntico. [Do lat. *anacreonticu.*] *Adj.* **1.** Pertencente ou relativo ao poeta grego Anacreonte (560-478 a. C.), ou próprio dele. **2.** Do gênero ou gosto das suas poesias.
anacrógeno. *Adj.* Que traz os esporogônios nos flancos do talo e não no ápice. ~ V. *jungermanniales* —*as.*
anacrônico. [De *an(a)-* + *crônico.*] *Adj.* **1.** Que contém ou encerra anacronismo (1): *documento anacrônico; ensinamento anacrônico.* **2.** Que está em desacordo com a moda, o uso, constituindo atraso em relacão a eles: *Usa vestes anacrônicas.* **3.** Avesso aos costumes hodiernos; retrógrado: *pessoa anacrônica; idéias anacrônicas.*
anacronismo. [Do gr. *anachronismós.*] *S. m.* **1.** Confusão de data quanto a acontecimentos ou pessoas. **2.** Fato ou atitude anacrônica. [Sin. ger.: *anticronismo.*]
anacronizar. [Do gr. *anachronízo.*] *V. t. d.* Referir ou narrar cometendo anacronismos.
anacrusa. *S. f. Mús.* e *Liter.* V. *anacruse.*
anacruse. [Do gr. *anákrousis*, 'acão de repelir'.] *S. f.* **1.** *Mús.* Nota ou notas que, no início de peça musical, se realizam no tempo fraco do compasso e antecedem o primeiro tempo forte do compasso inicial; prótese. **2.** *Liter.* Sílaba ou sílabas que vêm no princípio do verso grego e do latino, antecedendo o tempo forte do primeiro pé. [Var.: *anacruse.*]
anacrústico. [Do gr. *anakroustikós.*] *Adj. Mús.* Diz-se do ritmo que principia por anacruse.
anacusia. [De *an-* + *-acus(i)-* + *-ia.*] *S. f. Patol.* Perda total da audição. [Cf. *hipacusia* e *disacusia.*]
anacústico. *Adj.* Relativo à anacusia.
anadel. *S. m. Ant.* Chefe de companhia militar; capitão de besteiros: "O *anadel* começou a protestar, entressachando as suas manifestações oficiais com um chuveiro de pragas e ameaças" (Alexandre Herculano, *O Monge de Cister*, II, p. 299). [Pl.: *anadéis.*]
anadelaria. *S. f. Ant.* Cargo ou patente de anadel.
anadiense. *Adj. 2 g.* **1.** De, ou pertencente ou relativo a Anadia (AL). ● *S. 2 g.* **2.** Natural ou habitante de Anadia.
anadiplose. [Do gr. *anadíplosis*, pelo lat. *anadiplose.*] *S. f. Ret.* Repetição de palavra(s) do fim de um período ou oração, ou de um verso, no princípio do período, oração ou verso seguinte. Ex.: "Contou muitas histórias. Histórias de lembranças." (Álvaro Moreira, *Havia uma Oliveira no Jardim.* p. 104); "O dia surge todo de bruma, / todo de bruma, todo de neve." (Alphonsus de Guimaraens, *Obras Completas*, p. 117); "E a fonte, rápida e fria, / Com um sussurro zombador, / Por sobre a areia corria, / Corria levando a flor." (Vicente de Carvalho, *Poemas e Canções*, p. 263). [Cf. *epanadiplose.*]
anadiplótico. *Adj.* Relativo à anadiplose.
anádromo. [De *an(a)-* + *-dromo.*] *Adj.* Diz-se da disposição da nervação das frondes dos fetos ou samambaias (pteridófitos) em que as nervuras ímpares estão situadas na margem superior e as pares na inferior. [Opõe-se a *catádromo.*]
anaeróbio. [De *an-* + *-aer(o)-* + *-bio.*] *Adj. Biol.* **1.** Diz-se de organismo que pode viver privado do contato do ar ou do oxigênio livre. **2.** Relativo ou próprio dos organismos anaeróbios: *Vida anaeróbia.* ● *S. m.* **3.** Organismo anaeróbio. [Antôn.: *aeróbio.*]
anaerobionte. *S. m. Biol.* Organismo anaeróbio.
anaerobiose. *S. f. Biol. Ger.* Condição de vida em ausência do oxigênio; anoxibiose.
anafa. [Do ár. *an-nafalâ.*] *S. f.* Planta da família das leguminosas, semelhante à cevada.
anafado. [Part. de *anafar.*] *Adj.* Bem nutrido, gordo, luzidio: "anjinhos *anafados*, com cintos de rosas caindo-lhes nos quadris roliços, abraçavam os fustes de colunazinhas" (Afonso Arinos, *Pelo Sertão*, p. 118).
anafaia. [Do ár. *an-nafãiâ*, 'à parte pior duma coisa'.] *S. f.* A primeira seda que o sirgo (1) fia antes de formar o casulo: "Sei que saí, para encontrar minha irmã sobre os chinelos vazios, suspensa num cordão de *anafaia*, roçando o chão com os artelhos." (Osmã Lins, *Nove, Novena*, p. 70.)
anafar. *V. t. d.* **1.** Alimentar com anafa. **2.** Tornar gordo, nédio, por boa alimentação. **3.** Friccionar com substância untuosa.
anáfase. [De *an(a)-* + *-fase.*] *S. f. Citol.* Fase da mitose em que as "metades" dos cromossomos se separam e iniciam movimento para cada pólo.
anafásico. *Adj.* Relativo à anáfase.
anáfega. [Do ár. *an-nabiqâ*, 'o fruto do loto'.] *S. f.* **1.** Espécie de macieira. **2.** *P.* ext. O fruto, doce, da anáfega.
anafil[1]. [Do ár. *an-nafir.*] *S. m.* Antiga trombeta mourisca: "O brado estrídulo dos *anafis* e das charamelas ressoava nas abóbadas góticas da igreja" (Antero de Figueiredo, *Leonor Teles*, p. XIX); "Com toucas na cabeça, e navegando, / *Anafis* sonorosos vão tocando." (Luís de Camões, *Os Lusíadas*, I, p. 47). [Pl.: *anafis.* Var.: *nafil* e *nafir.*]
anafil[2]. *Adj.* Diz-se de uma espécie de trigo rijo, originário de Anafé, atual Casablanca (Marrocos).
anafiláctico. [De *an(a)-* + *filáctico.*] *Adj.* Relativo à anafilaxia. [Var.: *anafilático.*]
anafilactizar. *V. t. d.* Produzir estado de anafilaxia em. [Var.: *anafilatizar.*]
anafilático. *Adj.* Var. de *anafiláctico.*
anafilatizar. *V. t. d.* Var. de *anafilactizar.*
anafilaxia (cs). [Do gr. *an(a)-* + *-filax-* + *-ia.*] *S. f. Med.* Reação exagerada do organismo a uma proteína a ele estranha, ou a outro tipo de substância. Aumento da sensibilidade do organismo animal a uma substância determinada com que esse organismo já estivera em contato.
anafileiro. *S. m.* Tocador de anafil[1].
anáfise. *S. f.* Filamento estéril que ocorre nos apotécios liquênicos no meio dos ascos, e corresponde à paráfise dos fungos.
anafonese. [Do gr. *anaphónesis*, 'exclamação', pelo lat. *anaphonese.*] *S. f.* Exercício vocal destinado a robustecer as vias respiratórias.
anáfora. [Do gr. *anaphorá*, pelo lat. *anaphora.*] *S. f.* **1.** *Ret.* Repetição de uma ou mais palavras no princípio de duas ou mais frases, de membros da mesma frase, ou de dois ou mais versos; epanáfora. Ex.: "ela não sente, ela não ouve, avança! avança!" (Fialho d'Almeida, *O País das Uvas*, p. 94); "Era o concurso. Era a viagem. Eram os quinhentos." (José Carlos Cavalcanti Borges, *O Assassino*, p. 35); "Depois o areal extenso ... / Depois o oceano de pó ... / Depois no horizonte imenso / Desertos ... desertos só ..." (Castro Alves, *Obra Completa*, p. 282); "Quase tu mataste, / Quase te mataste, / Quase te mataram!" (Manuel Bandeira, *Estrela da Vida Inteira*, p. 244). **2.** *Gram.* Referência, mediante o uso de pronome, a um termo já enunciado: *Compareceram Pedro e João; este o irmão da noiva, aquele o seu primo.*
anaforese. *S. f. Fís.-Quím.* Eletroforese.
anafórico. [Do gr. *anaphorikós*, pelo lat. *anaphoricu.*] *Adj.* Em que há anáfora; epanafórico.
anaforismo. *S. m.* Abuso da anáfora.
anafrodisia. [Do gr. *anaphrodisía.*] *S. f.* Ausência de apetite sexual.
anafrodisíaco. *Adj.* e *s. m.* Diz-se de, ou medicamento ou substância que atenua ou evita os apetites sexuais, que provoca anafrodisia; antiafrodisíaco. [Antôn.: *afrodisíaco.*]
anafrodita. [Do gr. *anaphróditos.*] *Adj. 2 g.* e *s. 2 g.* Que ou quem é insensível ao amor carnal.
anafrodítico. *Adj.* **1.** Relativo a anafrodita. **2.** Que não provém de geração propriamente dita ou do concurso de sexos.
anagaláctico. *Adj. Astr.* V. *extragaláctico.*
anagênese. [Do gr. *anagénnesis.*] *S. f. Med.* Reprodução ou regeneração tecidual.
anagenético. *Adj.* Relativo à anagênese.
anagênico. [De *an(a)-* + *-gen(o)-*[1] + *-ico*[2].] *Adj. Geol.* ~ V. *depósito* —.
anageotrópico. *Adj.* Referente ao anageotropismo.
anageotropismo. *S. m.* Geotropismo negativo.
anaglífico. *Adj.* Relativo a anáglifo.
anáglifo. [Do gr. *anáglyphos*, pelo lat. *anaglypha.*] *S. m.* Figura que combina duas imagens obtidas de pontos de visão diferentes e impressas em cores contrastantes (usualmente vermelho e verde), e que, olhada através de óculos com lentes dessas cores, produz a ilusão de profundidade.
anagliptografia. [Do gr. *anáglyptos*, 'cinzelado em relevo', + *-graf(o)-* + *-ia.*] *S. f.* Sistema de escrita em relevo, inventado pelo francês Louis Braille, cego (1809-1852), para os cegos lerem; braile. [Cf. *ectipografia.*]
anagliptográfico. *Adj.* Referente à anagliptografia.
anagnosia. [De *an(a)-* + *-gnos(i)(s)-* + *-ia.*] *S. f.* Percepção e leitura supranormal de textos inacessíveis aos sentidos normais.
anagnosigrafia. *S. f.* Processo de ensinar a ler e a escrever ao mesmo tempo.
anagnosigráfico. *Adj.* Referente à anagnosigrafia.
anagnosta. [Do gr. *anagnostes*, pelo lat. *anagnostes.*] *S. m.* Escravo romano que era encarregado de ler em alta voz durante os banquetes de seus senhores.
anagogia. [Do gr. *anagogé*, 'ação de fazer subir', + *-ia.*] *S. f.* **1.** Elevação da alma na contemplação das coisas divinas; êxtase, arrebatamento, enlevo. **2.** Interpretação das Sagradas Escrituras, ou de outras obras, como as de Virgílio, Dante, etc., que permite passar do sentido literal ao sentido místico.
anagógico. [Do gr. *anagogikós*, pelo lat. *anagogicu.*] *Adj.* Relativo à anagogia.
anagrama. [Do gr. *anágramma.*] *S. m.* Palavra ou frase formada pela transposição das letras de outra palavra ou frase. Ex.: *Belisa* (de *Isabel*); *Soares Guiamar* (pseudônimo de *Guimarães Rosa*); "Pelo seu próprio conteúdo, a *Menina e Moça* [de Bernardim Ribeiro.] não pode deixar de ter um fundo autobiográfico, de ser, pelo menos em parte, um *roman à clef*, como sugerem numerosos *anagramas* transparentes: Binmarder (Bernardim), Aônia (Joana), Avalor (Álvaro), Arima (Maria), Donanfer (Fernando), etc." (Antônio José Saraiva e Oscar Lopes, *História da Literatura Portuguesa*, p. 239); "E dizem que a *Iracema* do romance de Alencar é o *anagrama* de *América.*" (João Ribeiro, *Curiosidades Verbais*, p. 76).
anagramático. [Do gr. *anagramma, atos*, 'anagrama', + *-ico*[2].] *Adj.* **1.** Relativo a anagrama. **2.** Em que há anagrama.
anagramatismo. [Do gr. *anagrammatismós.*] *S. m.* Hábito de anagramatizar.
anagramatizar. [Do gr. *anagrammatízo.*] *V. int.* Fazer anagramas.
anágua. [Do taíno *naguas*, atr. do esp. *enaguas*; var. de *enágua.*] *S. f.* Saia usada sob o vestido, de feitios e materiais diversos, curta ou longa, estreita ou larga; saia de baixo: "Uma trouxa de roupa é um mundo animado de *anáguas*, de corpinhos, de fronhas" (Jorge de Lima, *Obra Completa*, I, p. 357).
anaiá. *S. m.* V. *anajá* (1).
anais. [Do lat. *annales.*] *S. m. pl.* **1.** História ou narração organizada ano por ano. **2.** Publicação periódica de ciências, letras ou artes. **3.** *P. ext.* Registro de fatos históricos ou pessoais. ~ V. *anal.*
anaiuri (ai-u). [Do tupi *anayu'ri.*] *S. m. Bras., Amaz.* Designação indígena dos machos da tracajá [q. v.].
anajá[1]. [Do tupi *ana'yá*; var. de *anaiá.*] *S. m.* **1.** *Bras., MA.* Palmeira cultivada, da família das palmáceas (*Pindarea concinna*), de cerca de 5 a 6 m de altura, de fruto drupáceo, verde-amarelo; anaiá, coco-de-indaiá, coco-indaiá, inaiá, inajá, indaiá, najá, perinã. **2.** *Bras.* Catulé (2).
anajá[2]. *Bras. S. 2 g.* **1.** Indivíduo dos anajás, tribo indígena do AM, a qual pertencia à família tupi-guarani. ● *Adj. 2 g.* **2.** Pertencente ou relativo a essa tribo.
anajaense. *Adj. 2 g.* **1.** De, ou pertencente ou relativo a Anajás (PA). ● *S. 2 g.* **2.** Natural ou habitante de Anajás.
anajatubense. *Adj. 2 g.* **1.** De, ou pertencente ou relativo a Anajatuba (MA). ● *S. 2 g.* Natural ou habitante de Anajatuba.
anal[1]. [De *ano*[2] + *-al.*] *Adj. 2 g.* Relativo ou pertencente ao ânus; sedal. ~ V. *anais.*
anal[2]. [De *ano*[1] + *-al.*] *Adj. 2 g.* **1.** *P. us.* Anual. ● *S. m.* **2.** Cerimônia religiosa que se celebra todos os dias,

durante um ano. ~ V. *anais*.

analabo. *S. m.* Estola de frades gregos.

analagmático. *Adj.* ~ V. *curva —a*.

analandense. *Adj. 2 g.* **1.** De, ou pertencente ou relativo a Analândia (SP). ● *S. 2 g.* **2.** Natural ou habitante de Analândia.

analcima. [De *an-* + gr. *álkimos*, 'forte'.] *S. f. Min.* Analcita.

analcita. [De *an-* + gr. *alké*, 'força', + *-ita*[3].] *S. f. Min.* Mineral pseudomonométrico, silicato hidratado de alumínio e sódio; analcima.

analecto. [Do gr. *análektos*, 'recolhido', pelo lat. *analecta*.] *S. m.* **1.** Coleção de escritos. V. *antologia* (2). **2.** Coleção de aforismos, ou ditos célebres.

analector (ô). *S. m.* Aquele que organiza analecto (1).

analema. [Do gr. *análemma*, pelo lat. *analemma*.] *S. m.* **1.** *Astr.* Projeção ortogonal da esfera sobre o coluro dos solstícios; planisfério. **2.** Instrumento de gnomônica.

analemática. [Fem. substantivado de *analemático*.] *S. f. Astr.* Arte de usar o analema para determinar a posição de um astro.

analemático. [Do gr. *analemma, atos* (v. *analema*), + *-ico*[2].] *Adj.* Relativo ao analema.

analepse. [Do gr. *análeps*.] *S. f. Med.* V. *analepsia*.

analepsia. [De *analepse* + *-ia*.] *S. f. Med.* Restauração das forças perdidas por doença; convalescença; analepse.

analéptica. [Fem. substantivado de *analéptico*.] *S. f.* Parte da higiene que ensina a restabelecer as forças dos convalescentes.

analéptico. [Do gr. *analeptikós*.] *Adj.* **1.** Referente à analepsia. **2.** Que restaura as forças; tônico.

analfa. *S. 2 g. Bras. Gír.* F. red. de *analfabeto*.

analfabético. *Adj.* ~ V. *língua —a*.

analfabetismo. *S. m.* Estado ou condição de analfabeto; falta absoluta de instrução.

analfabeto. [Do gr. *analphabeta*, 'aquele que não sabe nem o alfa nem o beta', pelo lat. *analphabetu*.] *Adj.* **1.** Que não conhece o alfabeto. **2.** Que não sabe ler e escrever: "E que fez Rousseau? Quase analfabeto até aos trinta anos, começa a escrever aos trinta e cinco." (Graça Aranha, *A Estética da Vida*, p. 194.) **3.** Absolutamente ou muito ignorante. **4.** Que desconhece determinado assunto ou matéria: *É analfabeto em geografia.* ● *S. m.* **5.** Indivíduo analfabeto (1 e 2). **6.** Indivíduo ignorante, sem nenhuma instrução. [Sin. bras., gír. (nessas 2 acepç.): *analfa*.] ♦ **Analfabeto de pai e mãe.** Indivíduo rigorosamente analfabeto.

analgesia. [Do gr. *analgesía*.] *S. f. Patol.* Perda da sensibilidade à dor; analgia.

analgésico. *Adj.* **1.** Respeitante à analgesia. **2.** Que suprime a dor. ● *S. m.* **3.** Medicamento ou substância que produz analgesia, que suprime a dor: "Não saberei dizer se rolei horas inteiras porque adormeci sob doses maciças de analgésicos." (Geraldo França de Lima, *Branca Bela*, p. 210.) [F. paral.: *analgético*.]

analgesídeo. *S. m.* **1.** Espécime dos analgesídeos. ● *Adj.* **2.** Pertencente ou relativo a eles.

analgesídeos. *S. m. pl. Zool.* Aracnídeos da ordem dos acarinos, família dos sarcoptídeos. Parasitam aves, mantendo-se entre as penas, e nutrem-se da gordura produzida pelas glândulas sebáceas.

analgético. *Adj.* e *s. m.* Analgésico.

analgia. [De *an-* + *alg(o)-* + *-ia*.] *S. f.* Analgesia.

análgico. *Adj.* Relativo à analgia.

analisado[1]. [Part. de *analisar*[1].] *Adj.* Que se analisou ou foi submetido a análise.

analisado[2]. [Part. de *analisar*[2].] *Adj.* e *s. m.* F. red. de *psicanalisado*.

analisador (ô). *Adj.* **1.** Que analisa. ● *S. m.* **2.** Aquele que faz análise, que examina com minúcia; analista. **3.** *Eletrôn.* Tipo de equipamento de teste eletrônico usado na análise das características de desempenho dos circuitos. **4.** *Fís. Nucl.* Sistema físico capaz de separar partículas segundo suas energias. **5.** *Ópt.* Componente de um sistema óptico que só é transparente à luz polarizada paralelamente a um determinado plano. ♦ **Analisador harmônico.** *Fís.* Instrumento para efetuar a análise harmônica de um sinal periódico, e de que existem diversos tipos, a maioria dos quais baseada em circuitos elétricos ou eletrônicos capazes de medir a intensidade dos diversos componentes de um sinal.

analisando. [De *analisar*[2].] *S. m.* F. red. de *psicanalisando*.

analisar[1]. [De *análise* + *-ar*[2].] *V. t. d.* **1.** Decompor (um todo) em suas partes componentes; fazer análise (3) de: *analisar o sangue, a água.* **2.** Observar, examinar com minúcia; esquadrinhar: *Procurou analisar a situação, antes de opinar.* **3.** Submeter a crítica; examinar criticamente: *analisar uma obra de arte.* **4.** *Gram.* Decompor (uma oração ou período) nos seus elementos, a fim de classificar cada um destes, de acordo com as regras gramaticais. *P.* **5.** Proceder à análise, estudo, exame, de si próprio: "Muitas vezes, a sós, eu me analiso e estudo, / os meus gostos crimino e busco, em vão, torcê-los" (Gilca da Costa Melo Machado, *Poesias*, p. 172). [Pres. subj.: *analise*, etc. Cf. *análise*.]

analisar[2]. *V. t. d., int.* e *p.* F. red. de *psicanalisar*. [Pres. subj.: *analise*, etc. Cf. *análise*.]

analisável. *Adj. 2 g.* Que pode ser analisado.

análise[1]. [Do gr. *análysis*.] *S. f.* **1.** Ato ou efeito de analisar. **2.** Decomposição de um todo em suas partes constituintes: *análise de uma amostra de minério; análise de um organograma.* **3.** Exame de cada parte de um todo, tendo em vista conhecer sua natureza, suas proporções, suas funções, suas relações, etc.: *análise de um mecanismo; análise de dados referentes a um grupo social.* **4.** *P. ext.* O resultado da análise (1 a 3): *A análise comprovou o erro da nova política econômica.* **5.** Estudo pormenorizado; exame, crítica: *análise de um romance, de uma obra de arte.* **6.** *Filos.* Determinação dos elementos que se organizam em uma totalidade, dada ou a construir, material ou ideal. [Cf. *análise cartesiana*.] **7.** *Gram.* Análise léxica. **8.** *Gram.* Análise sintática. **9.** *Mat.* V. *análise matemática*. **10.** *Med.* Análise clínica. [Cf. *analise*, do v. *analisar*.] ♦ **Análise cartesiana.** *Filos.* Regra de método que consiste em dividir cada problema em quantas partes seja necessário para melhor resolvê-lo. [Cf. *análise* (6).] **Análise clínica.** *Med.* Análise, geralmente feita em laboratórios especializados, de material oriundo do organismo de um paciente, para avaliar o seu estado geral ou determinar o diagnóstico de alguma enfermidade; exame. [Tb. se diz apenas *análise*.] **Análise colorimétrica.** *Quím.* Análise quantitativa em que se compara a absorvância ou a transmitância de uma solução de concentração desconhecida, com o mesmo parâmetro de outra solução, qualitativamente idêntica à primeira, mas de concentração conhecida; colorimetria. **Análise combinatória.** Parte da matemática que investiga o número de disposições possíveis dos membros de um conjunto nos seus subconjuntos. **Análise de regressão.** *Estat.* Conjunto de métodos que visam a determinar a significância dos parâmetros de uma equação de regressão. **Análise de variância.** *Estat.* Técnica estatística que tem por objeto determinar a influência que alguns fatores, capazes de modificar o valor de uma variável aleatória, exercem sobre a variância desta variável. **Análise dimensional.** *Fís.* Processo analítico pelo qual se verifica a coerência de uma expressão matemática que traduz uma lei física, ou para determinar as formas possíveis de uma relação entre diferentes grandezas físicas, e que consiste em exprimir todas as grandezas físicas que entram na relação em termos de um reduzido número delas, escolhidas como fundamentais, e ver se as expressões obtidas são identidades ou podem reduzir-se a identidades mediante uma seleção apropriada de expoentes e coeficientes. **Análise diofantina.** *Mat.* Parte da álgebra que investiga as soluções inteiras de determinados tipos de equações ou de sistemas de equações. **Análise espectral.** *Quím.* Conjunto de técnicas de análise qualitativa e quantitativa baseadas na produção e no estudo de espectros de emissão, de absorção, de fluorescência, etc. **Análise fatorial.** *Estat.* Processo de análise de um fenômeno estatístico complexo, em que se procura determinar ou medir, por meio de correlações apropriadas, a influência de determinados fatores nesse fenômeno. **Análise gramatical.** *Gram.* Análise léxica. [Tb. se diz apenas *análise*.] **Análise granulométrica.** *Tec.* Granulometria. **Análise harmônica.** *Fís.* Método de análise numérica, ou mecânica, que tem por objetivo determinar a amplitude, fase freqüência dos movimentos harmônicos simples que constituem um movimento periódico. **Análise infinitesimal.** *Mat.* Análise matemática. **Análise intencional.** *Filos.* Descrição sem pressupostos da consciência viva. **Análise léxica.** *Gram.* Aquela em que se examina cada palavra (ou, nalguns casos, locução), em um enunciado, a fim de determinar-lhe a classe gramatical; análise gramatical. [Tb. se diz apenas *análise*.] **Análise lógica.** *Gram.* Análise sintática. [Tb. se diz apenas *análise*.] **Análise matemática.** *Mat.* Parte da matemática em que se utilizam os processos de passagem ao limite e que compreende o cálculo diferencial e integral, o estudo das equações de derivadas ordinárias e parciais, o cálculo variacional, etc.; análise infinitesimal. [Tb. se diz apenas *análise*.] **Análise morfológica.** *Gram.* Aquela em que se determina o processo de formação das palavras mediante a classificação de seus elementos mórficos. [V. *morfema*.] **Análise reflexiva.** *Filos.* Processo pelo qual se evidenciam os elementos e os princípios fundamentais do pensamento. **Análise regressiva.** *Filos.* Processo que visa a encontrar um princípio explicativo do objeto considerado. **Análise seqüencial.** *Estat.* Investigação de uma hipótese estatística por meio de observações sucessivas em que o prosseguimento ou o término da seqüência de observações é determinado pelos resultados obtidos nas observações anteriores. **Análise sintática.** *Gram.* Aquela em que se divide um período em orações, classificando estas em seus elementos constituintes; análise lógica. [Tb. se diz apenas *análise*.] **Análise técnica.** *Cin.* Pormenorização sistematizada de uma produção cinematográfica, em que se faz o levantamento dos atores, roupas, objetos e máquinas exigidos para a filmagem do plano ou da cena. **Análise térmica.** *Fís.-Quím.* Método de investigação pelo qual se mede continuamente um parâmetro de um sistema que se aquece ou resfria uniforme e continuamente; termoanálise. **Análise transacional.** Técnica psicoterápica aplicada em grupo ou individualmente, criada em 1958 pelo psiquiatra canadense Eric Berne, e que tem por fim permitir ao indivíduo maior autonomia e espontaneidade através da compreensão e do aprendizado, e se caracteriza pela linguagem clara e pela visão tripartida da personalidade (a criança, o adulto, o pai). **Em última análise.** Esgotando todos os aspectos (de um assunto).

análise[2]. *S. f.* F. red. de *psicanálise*.

analista[1]. *S. 2 g.* Pessoa que escreve anais.

analista[2]. *S. 2 g.* **1.** Pessoa que faz análise[1]. **2.** Observador, analisador. **3.** *P. us.* Pessoa versada em álgebra. **4.** Pessoa que faz análises químicas, clínicas, etc. **5.** *Proc. Dados.* Analista de sistema. ♦ **Analista de sistema.** *Proc. Dados.* Perito na definição e no desenvolvimento de algoritmos necessários à solução de um problema, particularmente dos algoritmos que podem ser resolvidos num computador. [Tb. se diz apenas analista.]

analista[3]. *S. 2 g.* F. red. de *psicanalista*.

analiticidade. *S. f. Anál. Mat.* Propriedade de uma função de ser analítica.

analítico. [Do gr. *analytikós*, pelo lat. *analyticu*.] *Adj.* **1.** Relativo à análise. **2.** Que procede por análise. **3.** *Mat.* Referente à, ou próprio da análise matemática. ~ V. *balança —a, escrita —a, função —a, função —a regular, geometria —a, índice —, juízo —* e *mecânica —a*.

analogado. *S. m. Filos.* Termo de relação de analogia (3 a 5).

analogia. [Do gr. *analogía*, pelo lat. *analogia*.] *S. f.* **1.** Ponto de semelhança entre coisas diferentes. **2.** Semelhança, similitude, parecença. **3.** *Filos.* Identidade de relações entre os termos de dois ou mais pares. **4.** *Filos.* Semelhança entre figuras que só diferem quanto à escala. **5.** *Filos.* Semelhança de função entre dois elementos, dentro de suas respectivas totalidades. [Cf., nas acepç. 3 a 5, *generalização* (3).] **6.** *Fís.* Relação entre dois fenômenos físicos distintos que podem ser descritos por um formalismo matemático idêntico, a qual pode existir entre um fenômeno elétrico e outro mecânico, entre um acústico e um elétrico, etc. **7.** *Jur.* Operação lógica mediante a qual se suprem as omissões da lei, aplicando à apreciação de uma dada relação jurídica as normas de direito objetivo disciplinadoras de casos semelhantes. **8.** *Ling.* Mudança que afeta a fonação de um vocábulo pela coesão deste com outro(s), e que se processa ou em virtude da associação de formas fonológicas semelhantes (p. ex., em português, *-st-* ao lado de *-str-*, produzindo variantes: *registo* e *registro*, etc.), ou porque uma associação morfológica ou semântica se estende à fonação (p. ex., no vocábulo *estrela* < lat. *stella*, há interferência analógica semântica do vocábulo *astro*).

analógico. [Do gr. *analogikós*, pelo lat. *analogicu*.] *Adj.* **1.** Fundado na analogia. **2.** Que tem analogia. **3.** *Fís.* Diz-se de um sistema cuja expressão matemática da relação existente entre suas grandezas físicas é análoga ou semelhante à mesma expressão de um outro sistema. **4.** *Fís.* Diz-se de uma informação fornecida por um instrumento a um observador, na qual a medida de uma grandeza física é fornecida explicitamente pela medida de uma segunda grandeza que tem com a primeira uma relação biunívoca. ~ V. *circuito —, computador —, simulação —a* e *sistemas —s*.

analogismo. *S. m. Filos.* V. *raciocínio por analogia*.

analogista. *S. 2 g.* Quem discorre por analogia.

analogístico. [Do gr. *analogistikós*.] *Adj.* Em que se procede por analogia.

análogo. [Do gr. *análogos*, pelo lat. *analogu*.] *Adj.* **1.** Em que há, ou que demonstra analogia; semelhante, comparável, afim: *reações análogas; aspectos análogos; formas análogas.* **2.** Fundado em analogia. **3.** Diz-se dos órgãos ou partes que, conquanto sejam de origens diferentes, têm a mesma função biológica. **4.** *Filos.* Diz-se de palavra, conceito ou atributo em relação de analogia (3 a 5). **5.** *Hist. Filos.* Segundo os tomistas, diz-se especialmente de palavra, conceito ou atributo que se aplica, de modo nem totalmente diverso nem totalmente idêntico, a objetos essencialmente diferentes. É uma qualificação que se situa a igual distância de *unívoco* [q. v.] e de *equívoco* [q. v.] **6.** *Fís.* Diz-se de qualquer sistema, fenômeno, etc., que tem analogia com outro. ● *S. m.* **7.** O que é análogo; equivalente: *Esse fato não tem análogo na História.* **8.** *Fís.* Qualquer sistema análogo. ◆ **Análogo acústico.** *Fís.* Fenômeno ou processo acústico que tem analogia [q. v.] com outra classe de fenômenos físicos.

anamari. *S. 2 g.* e *adj. 2 g. Bras.* V. *canamiri.*

anambé[1]. [Do tupi *anã'bé.*] *S. m. Bras. Amaz.* **1.** Designação comum às aves da família dos cotingídeos, que vivem nas matas virgens e se alimentam de bagas e frutas; coaraciuirá, cotinga, guainambé, guinambé, uanambé. **2.** V. *saurá.*

anambé[2]. *Bras. S. 2 g.* **1.** Indivíduo dos anambés, tribo indígena tupi que habita a margem esquerda do baixo Tocantins. ● *Adj. 2 g.* **2.** Pertencente ou relativo a essa tribo.

anambé-açu. *S. m. Bras.* **1.** Ave passeriforme, da família dos cotingídeos *(Gymnoderus foetidus* (L.)), da Amaz., de coloração preta, asas de uma tonalidade clara de xisto, e azul a pele nua da cabeça. **2.** Ave passeriforme, da família dos cotingídeos *(Haematoderus militaris* Lath.), vermelho-escura, asas e cauda pardo-escuras. A fêmea é parda, tendo a cabeça e a parte inferior encarnadas. [Sin. ger.: *pombo-anambé, anambé-pombo, anambé-grande, anambé-pitiú.* Pl.: *anambés-açus.*]

anambé-azul. *S. m. Bras.* **1.** Ave passeriforme, da Amaz., da família dos cotingídeos *(Cotinga cayana* (L.)), cujo macho tem coloração azul, bases das penas, asas e cauda pretas, garganta purpúrea, sendo a fêmea de um pardo acinzentado, mais claro na parte inferior. **2.** Ave passeriforme, da família dos cotingídeos *(Cotinga cotinga* (L.)), cujo macho tem coloração azul-brilhante, peito e barriga purpúreos, cauda e asas pretas, sendo a fêmea de um pardo tirante a preto. [Sin. ger.: *bacaca, curuá.* Pl.: *anambés-azuis.*]

anambé-branco. *S. m. Bras.* Ave passeriforme, da Amaz., da família dos cotingídeos (*Tutyra cayana* (L.)), cujo macho tem coloração branco-acinzentada, sendo a cabeça, parte das asas e cauda pretas; urubuzinho. [Pl.: *anambés-brancos.*]

anambé-grande. *S. m. Bras., Amaz.* V. *anambé-açu.* [Pl.: *anambés-grandes.*]

anambé-pitiú. *S. m. Bras., Amaz.* V. *anambé-açu.* [Pl.: *anambés-pitiús* e *anambés-pitiú.*]

anambé-pombo. *S. m. Bras., PA.* V. *anambé-açu.* [Pl.: *anambés-pombos* e *anambés-pombo.*]

anambé-preto. *S. m. Bras.* **1.** Ave passeriforme, da família dos cotingídeos (*Xipholena lamellipennis* (Laf.)), do baixo Amazonas, cujo macho tem coloração preta com brilho purpúreo, rêmiges e cauda brancas, sendo a fêmea parda, mais clara na parte inferior, e com parte das penas marginadas de branco; bacacu-preto, uiranembi. **2.** V. *anambeúna.* [Pl.: *anambés-pretos.*]

anambé-roxo. *S. m. Bras.* Ave passeriforme da Amaz., da família dos cotingídeos (*Xipholena punicea* (Pallas)), cujo macho apresenta coloração purpúrea brilhante, asas brancas, pontas das retrizes da mão pretas, sendo a fêmea cinzenta, mais clara na parte inferior; bacacu. [Pl.: *anambés-roxos.*]

anambeúna (è). [De *anambé*[1] + *-una.*] *S. m. Bras.* Ave passeriforme da Amaz., da família dos cotingídeos *(Querula purpurata* (Mul.)), de coloração preta, sendo a garganta do macho purpúrea; anambé-preto, mãe-de-tucano.

anamburucu. [Do ioruba.] *S. m. Bras., BA. Folcl.* Divindade iorubana que vive num poço e é considerada a mais velha das mães-d'água, donde o seu sincretismo com a Senhora Sant'Ana; nanã, nanamburucu.

anamês. *Adj.* **1.** Anamita (1). ● *S. m.* **2.** Anamita (2). [Flex.: *anamesa* (ê), *anameses* (ê), *anamesas* (ê). **3.** O idioma falado no Aname.

anamiri. *S. 2 g.* e *adj. 2 g. Bras.* V. *canamiri.*

anamita. *Adj. 2 g.* **1.** Do, ou pertencente ou relativo ao Aname, região do Vietname localizada na costa oriental da península indochinesa. ● *S. 2 g.* **2.** Natural ou habitante do Aname. [Sin. ger.: *anamês.*]

anamítico. *Adj.* Relativo ou pertencente aos anamitas.

anamnese. [Do gr. *anámnesis.*] *S. f.* V. *anamnésia:* "Há um lance no exercício da profissão que sempre me apaixonou: a anamnese. O relato dos padecimentos feito pelo doente à cordialidade inquisidora do médico." (Miguel Torga, *Diário,* IX, pp. 55-56.)

anamnesia. *S. f.* V. *anamnésia.*

anamnésia. *S. f.* **1.** *Ret.* Figura pela qual nos fingimos recordar de coisa esquecida. **2.** *P. ext.* Reminiscência, recordação. **3.** *Med.* Informação acerca do princípio e evolução duma doença até à primeira observação do médico. [Cf., nesta acepç., *catamnésia.* Sin. ger.: *anamnese.* Var. pros.: *anamnesia.*]

anamnésico. *Adj.* **1.** Relativo à anamnésia. **2.** Que desperta a memória. [F. paral.: *anamnéstico.*]

anamnéstico. [Do gr. *anamnestikós.*] *Adj.* Anamnésico.

anamniota. [De *an-* + *amniota.*] *Adj. 2 g.* e *s. 2. g. Zool.* Diz-se de, ou animal vertebrado desprovido de âmnio. São os ciclostomados, os peixes e os anfíbios.

anamorfismo. [De *an-* + *-morf(o)-* + *-ismo.*] *S. m. Geol.* Processo metamórfico realizado em profundidade pelo qual se formam novas rochas com base em minerais quimicamente mais simples. [Opõe-se a *catamorfismo.*]

anamorfose. [Do gr. *anamórphosis.*] *S. f.* **1.** *Biol. Ger.* Evolução contínua, sem etapas descontínuas ou saltos. **2.** *Mat.* Mapeamento de uma função por meio de um operador funcional; correspondência entre o domínio e o contradomínio de uma função e o domínio e o contradomínio de outra, realizada por meio de um operador funcional. **3.** *Ópt.* Deformação de uma imagem formada por um sistema óptico cuja ampliação longitudinal é diferente da ampliação transversal. **4.** Arte de representar essa imagem.

anamorfótico. *Adj.* Referente à anamorfose.

ananá. [De *a-*[5] + tupi *na'ná.*] *S. f. Bras.* V. *abacaxi*[1] (1 e 2).

ananaí. [Do tupi *wanana'í.*] *S. f. Bras.* V. *marreca-ananaí.*

ananás. [De *a-*[5] + tupi *na'ná* + um *s* paragógico.] *S. m.* V. *abacaxi*[1] (1 e 2). [Pl.: *ananases.*]

ananaseiro. *S. m.* V. *abacaxi*[1] (1).

anandrio. [Do gr. *ánandros,* 'que não tem elemento masculino, i. e., estame'.] *Adj.* Diz-se de planta, flor, etc., destituídas de estames, ou seja, dos órgãos reprodutivos masculinos.

anani. [Do tupi *wana'ni.*] *S. m. Bras.* Árvore da família das gutiferáceas (*Symphonia globulifera*), originária da América Central. A madeira é própria para construção e carpintaria e a casca produz resina utilizada na indústria. [Var.: *ananim.*]

ananicado. [De *a-*[2] + *nanico* + *-ado*[1].] *Adj.* **1.** Quase anão; pequenino, enfezado, raquítico. **2.** *Fig.* Mesquinho, baixo, desprezível, ignóbil.

ananicar. [De *a-*[2] + *nanico* + *-ar*[2].] *V. t. d.* **1.** Tornar anão, pequeno, enfezado. **2.** Tornar mesquinho, desprezível; depreciar, amesquinhar: *ananicar as qualidades de alguém.* [Sin. ger.: *ananzar.* Conjug.: v. *trancar.*]

ananico. [De *a-*[4] + *nanico.*] *Adj.* V. *nanico.*

ananim. *S. m. Bras.* Var. de *anani.*

ananindeuense. *Adj. 2 g.* **1.** De, ou pertencente ou relativo a Ananindeua (PA). ● *S. 2 g.* **2.** Natural ou habitante de Ananindeua.

ananismo. [De *anano* + *-ismo.*] *S. m. Morfol. Veg.* Nanismo.

anano. [De *a-*[4] + *nano.*] *Adj.* V. *nanico.*

anantero. *Adj. Bot.* Destituído de anteras. ~ V. *estame*—.

ananzar. *V. t. d.* **1.** V. *ananicar. P.* **2.** Tornar-se anão, pequeno, enfezado. **3.** Apoucar-se, enfezar-se, atrofiar-se.

anão. [Do gr. *nános,* pelo lat. *nanu,* com a protético introduzido modernamente.] *S. m.* **1.** Indivíduo que apresenta nanismo (1). **2.** Personagem fictícia, de estatura diminuta, muito popular no folclore, nas lendas e nos contos infantis: *Branca de Neve e os Sete Anões.* [Cf. (nesta acepç.): *gnomo.*] **3.** *Deprec.* Indivíduo de pequeno talhe; nanico, pigmeu. **4.** *Deprec.* Indivíduo raquítico, mirrado, enfezado. **5.** *Fig.* Aquele que é de pouca inteligência e/ou cultura, de escasso merecimento, insignificante (em oposição a *gigante*): *Sentia-se um anão, ante a cultura do amigo.* ● *Adj.* **6.** Diz-se do animal e da planta que, mesmo quando já desenvolvidos, se apresentam com tamanho muito inferior ao normal: *São famosas as árvores anãs cultivadas pelos japoneses.* **7.** De baixíssima estatura; enfezado, raquítico: *raça anã.* **8.** Muito pequeno; Muito baixo: *A torre é anã em relação à igreja.* **9.** Apoucado, acanhado, reduzido: *inteligência anã.* [Fem.: *anã;* pl.: *anões* e *anãos.*]

anapéstico. [Do gr. *anapaistikós,* pelo lat. *anapaesticu.*] *Adj.* Composto de anapestos.

anapesto. [Do gr. *anápaistos,* pelo lat. *anapaestu.*] *S. m.* Pé de verso grego ou latino formado de três sílabas, as duas primeiras breves e a última longa.

ana-pinta. *S. f. Bras.* **1.** V. *abobrinha* (2). **2.** V. *abobrinha-do-mato* (2) [Pl.: *ana-pintas.*]

anaplasia. [Do gr. *anáplasis* + *-ia.*] *S. f.* **1.** *Med.* Condição em que células tumorais perdem a diferenciação e organização normais, e a função específica. **2.** *Cir.* Técnica de restabelecer a forma normal de uma parte do corpo mutilada; anaplastia. [Cf. *autoplastia.*]

anaplásico. *Adj.* V. *anaplástico.* [Cf. *autoplástico.*]

anaplasmose. *S. f.* Doença infecciosa, mas não contagiosa, que afeta os bovinos. Ocorre principalmente nos E.U.A., e ainda no Uruguai, Argentina e Brasil.

anaplastia. [De *an(a)-* + *-plast-* + *-ia.*] *S. f. Cir.* Anaplasia (2).

anaplástico. *Adj.* Respeitante à anaplastia. [Cf. *autoplástico.*]

anapolino. *Adj.* **1.** De, ou pertencente ou relativo a Anápolis (GO). ● *S. m.* **2.** O natural ou habitante de Anápolis.

anaptixe (cs). [Do gr. *anáptyx,* 'desdobramento'.] *S. f. Gram.* Suarabácti.

anapuru. *S. 2 g.* e *adj. 2 g. Bras.* Amapuru.

anarcisar-se. [De *a-*[4] + *narcisar-se.*] *V. p.* V. *narcisar-se.*

anarcotina. *S. f.* Narcotina pura.

anari. [Do tupi?] *S. m. Bras.* Peixe teleósteo, caraciforme, da família dos caracídeos (*Creagrutus anary* Fowl.), do rio Madeira.

anarmônico. [De *an-* + *harmônico.*] *Adj. Fís.* Diz-se do movimento de um oscilador sujeito a uma força de restauração que não é proporcional ao deslocamento. ~ V. *movimento* — *e razão* —*a.*

anarquia. [Do gr. *anarchía.*] *S. f.* **1.** Falta de governo ou de outra autoridade capaz de manter o equilíbrio da estrutura política, social, econômica, etc. **2.** Confusão ou desordem gerada por essa situação. **3.** Negação do princípio da autoridade. **4.** Estrutura social em que não se exerce qualquer forma de coação sobre o indivíduo. **5.** *P. ext.* Ausência de comando ou de regras em qualquer esfera de atividade ou organização: *A anarquia do hospital causou grandes danos aos internados.* **6.** Qualquer organização, instituição, sociedade, etc., carecente de autoridade e de normas: *Aquela escola é uma anarquia: os alunos fazem o que entendem.* **7.** Desordem; confusão; baralhada: *Há grande anarquia nas suas idéias.* **8.** Desordem, desarrumação, bagunça: *Que anarquia fizeram as crianças!* **9.** Desmoralização, desrespeito, avacalhação: *É dado a fazer anarquia com as pessoas velhas.*

anárquico. *Adj.* **1.** Que está em anarquia: *sociedade anárquica.* **2.** Em que há anarquia: *rebelião anárquica.* **3.** Que excita à anarquia: *teorias anárquicas.* **4.** Confuso, desordenado, caótico: *A notícia deixou a família em estado anárquico.*

anarquismo. [De *anarquia* + *-ismo.*] *S. m.* **1.** Teoria política fundada na convicção de que todas as formas de governo interferem injustamente na liberdade individual, e que preconiza a substituição do Estado pela cooperação de grupos associados. **2.** Resistência ou agressão à ordem estabelecida. **3.** Os anarquistas ou as organizações anarquistas. [Cf. *antarquismo.*]

anarquista. [De *anarquia* + *-ista.*] *Adj. 2 g.* **1.** Relativo ao anarquismo. **2.** Diz-se de pessoa partidária do anarquismo (1); libertário. **3.** Diz-se de pessoa dada à anarquia, à desordem. ● *S. 2 g.* **4.** Pessoa anarquista. [Cf. *antarquista.*]

anarquização. *S. f.* Ato de anarquizar.

anarquizado. [Part. de *anarquizar.*] *Adj.* **1.** Em estado de anarquia. **2.** *Bras.* Que não tem ordem ou método; desordenado, desarrumado: *Que sujeito anarquizado!* **3.** *Bras. Fig.* Que não se leva a sério; desmoralizado. ● *S. m.* **4.** Indivíduo anarquizado (2).

anarquizador (ô). *Adj.* e *s. m.* Que, ou aquele que anarquiza.

anarquizar. *V. t. d.* **1.** Tornar anárquico. **2.** Incitar à desordem; sublevar: *Tentou anarquizar o povo com suas idéias extremadas.* **3.** Pôr em desordem, em confusão; desordenar: *Saiu depois de anarquizar toda a casa.* **4.** Pôr em ridículo; desmoralizar; espinafrar: *Usa do seu espírito crítico para anarquizar todos os amigos.*

anartria. [Do gr. *anarthría,* 'debilidade'.] *S. f. Med.* Impossibilidade de articular as palavras, conquanto não haja paralisia dos músculos da fonação.

anártrico. *Adj.* Relativo à anartria.

anartro. [Do gr. *ánarthros.*] *Adj.* Que sofre de anartria.

anasarca. [De *an(a)-* + *-sarca.*] *S. f.* **1.** *Patol.* Edema maciço e generalizado, que atinge todas as partes do corpo (algumas delas, como a face, raramente). **2.** Doença grave dos cavalos, bois e carneiros.

anasarcado. [De *anasarca* + *-ado*[1].] *Adj.* Que sofre de anasarca.

anasárcico. *Adj.* Referente à anasarca; anasarco.

anasarco. *Adj.* Anasárcico.

anaspidáceo. *S. m.* **1.** Espécime dos anaspidáceos. ● *Adj.* **2.** Pertencente ou relativo a eles.

anaspidáceos. *S. m. pl. Zool.* Animais artrópodes crustáceos, malacostráceos sincarídeos, da ordem *Anaspidacea*, de corpo desprovido de carapaça e olhos pedunculados ou sésseis.

anastaciano. *Adj.* **1.** De, ou pertencente ou relativo a Santo Anastácio (SP). ● *S. m.* **2.** O natural ou habitante de Santo Anastácio.

anastático. [Do gr. *anastatikós.*] *Adj.* **1.** Diz-se do processo de reproduzir por transporte químico textos ou desenhos impressos. **2.** Diz-se do solo em que a concentração da solução edáfica varia durante o período de crescimento da vegetação que o recobre. [Opõe-se a *eustático.*] ~ V. *impressão —a.*

anastigmata. *S. f. Ópt.* Lente composta corrigida para o astigmatismo e a curvatura de campo. [Cf. *lente anastigmática.*]

anastigmático. [De *an(a)-* + *astigmático.*] *Adj. Ópt.* Diz-se de sistema óptico aplanético livre de astigmatismo. ~ V. *lente —a.*

anastilose. [De *an(a)-* + *gr. stylósis*, 'colunata'.] *S. f. Arquit.* Em edificações arruinadas, a recomposição de partes existentes, porém desmembradas ou deslocadas de sua posição original.

anastomatíneo. *S. m.* **1.** Espécime dos anastomatíneos. ● *Adj.* **2.** Pertencente ou relativo aos anastomatíneos.

anastomatíneos. *S. m. pl. Zool.* Aves da família dos ciconídeos, onde se reúnem espécies africanas e asiáticas conhecidas como *bico-aberto* ou *íbis*, de hábitos semelhantes aos das cegonhas.

anastomosado. [Part. de *anastomosar.*] *Adj.* Unido por anastomose.

anastomosante. *Adj.* Que pode ou é capaz de anastomosar(-se).

anastomosar. *V. t. d.* **1.** Juntar por anastomose. *Int.* e *p.* **2.** Juntar-se por anastomose. **3.** Intercomunicar-se por meio de ramificações [Cf. *abocar* (6).]

anastomose. [Do lat. *anastomose.*] *S. f. Anat.* e *Cir.* Comunicação, material ou artificial, entre dois vasos sanguíneos ou outras formações tubulares. [Cf. *inosculação.*]

anastomótico. [Do gr. *anastomotikós.*] *Adj.* Relativo à anastomose.

anástrofe. [Do gr. *anastrophé*, 'inversão', pelo lat. *anastrophe.*] *S. f. Gram.* e *Ret.* Inversão, mais ou menos forte, da ordem natural das palavras ou das orações: inversão. Ex.: "Se morre, descansa / Dos seus na lembrança". (Gonçalves Dias, *Obras Poéticas*, II, p. 43), i. e., 'na lembrança dos seus'; "Ouviram do Ipiranga as margens plácidas / De um povo heróico o brado retumbante" (Osório Duque Estrada, *Hino Nacional Brasileiro*), i. e., 'As margens plácidas do Ipiranga ouviram o brado retumbante de um povo heróico'. [Cf. *hipérbato* e *sínquise.*]

anastrofia. *S. f. Anat.* Inversão visceral.

anastrófico. *Adj.* Relativo à anastrofia.

anata. [Do it. *annata.*] *S. f. Ant.* Taxa paga à autoridade eclesiástica por quem recebia um benefício, calculada pelo rendimento de um ano desse benefício.

anatado. [De *a-*[2] + *nata* + *-ado*[1].] *Adj.* Semelhante à nata, na cor e/ou na consistência.

anatar. [De *a-*[2] + *nata* + *-ar*[2].] *V. t. d.* **1.** Cobrir de nata. **2.** Tornar semelhante à nata, na cor e/ou na consistência.

anatásio. [Do gr. *anátasis*, 'alongamento', + *-io.*] *S. m. Min.* V. *octaedrita.*

anateirado. [Part. de *anateirar.*] *Adj.* Em que há nateiro; coberto de nateiro.

anateirar. [De *a-*[2] + *nateiro* + *-ar*[2].] *V. t. d.* Cobrir de nateiro.

anátema. [Do gr. *anáthema*, pelo lat. *anathema.*] *S. m.* **1.** Expulsão do seio da Igreja; excomunhão: "Ter o Bispo encerrado no paço, ou fulminando anátemas desde Roma, ... eis o ideal dos cidadãos do Porto." (Jaime Cortesão, *A Carta de Pêro Vaz de Caminha*, p. 54.) **2.** Maldição, execração, opróbrio: "Era como se aquele cão obstinado à minha cola denunciasse em mim o anátema que pesava na noite sobre a humanidade inteira pelo crime ainda não resgatado" (Fernando Sabino, *O Homem Nu*, p. 228). **3.** Reprovação enérgica. **4.** Indivíduo que sofreu excomunhão (1). **5.** Excomungado, maldito, amaldiçoado: "Quem foi o anátema que se atreveu a tal sacrilégio?" (Almeida Garrett, *Viagens na Minha Terra*, p. 361.) **6.** Réprobo, condenado. ● *Adj.* **7.** Excomungado, amaldiçoado.

anatemático. *Adj.* Relativo a, ou que encerra anátema: *condenação anatemática; bula anatemática.*

anatematismo. [Do gr. *anathematismós.*] *S. m.* Bula ou escrito que contém anátema.

anatematização. *S. f.* Ato de anatematizar.

anatematizador (ô). *Adj.* e *s. m.* Que ou aquele que anatematiza.

anatematizar. [Do gr. *anathematízo*, pelo lat. *anathematizare.*] *V. t. d.* **1.** Excomungar (1). **2.** Reprovar energicamente; votar à execração; condenar: "Há trinta e poucos anos um jovem deputado brasileiro, Maurício Lacerda, querendo anatematizar a Câmara por seus delíquios em face do governo, disse que ela se avacalhara." (Costa Rego, *Águas Passadas*, p. 377.) **3.** Amaldiçoar, execrar. *T. d.* e *i.* **4.** Banir, excluir.

anatéxis (cs). [Do gr. *anátexis*, 'liqüefação'.] *S. f. 2 n. Pet.* Refusão de uma rocha preexistente pela sua incorporação ao magma.

anátida. *S. m.* Anatídeo (1).

anátidas. *S. m. pl. Zool.* Anatídeos.

anatídeo. *S. m.* **1.** Espécime dos anatídeos; anátida. ● *Adj.* **2.** Pertencente ou relativo aos anatídeos.

anatídeos. *S. m. pl. Zool.* Aves anseriformes, da família *Anatidae*, de bico largo, guarnecido de lamelas. Aquáticas, vivem aos bandos, e se alimentam de matéria vegetal, pequenos animais e toda sorte de invertebrados. São os patos, marrecas e marrecões. [Sin.: *anátidas.*]

anatista. *S. m.* Oficial a quem cabia receber e escriturar as anatas.

anato. [Do caraíba.] *S. m.* **1.** Substância amarelo-avermelhada com que se dá cor a certos queijos. **2.** *Bras.* V. *pirarucu.*

anatocismo. [Do gr. *anatokismós*, pelo lat. *anatocismu.*] *S. m.* Capitalização dos juros de uma importância emprestada.

anatoliano[1]. *Adj.* e *s. m.* Anatólio.

anatoliano[2]. *Adj.* **1.** Pertencente ou relativo ao escritor francês Anatole France (1844-1924), ou próprio dele. ● *S. m.* **2.** Grande admirador e/ou profundo conhecedor da obra desse autor.

anatólio. *Adj.* **1.** Da, ou pertencente ou relativo à Anatólia (Turquia). ● *S. m.* **2.** O natural ou habitante da Anatólia. [Sin. ger.: *anatoliano.*]

anatomia. [Do gr. *anatomé*, 'incisão', 'dissecação', + *-ia*, pelo lat. *anatomia.*] *S. f.* **1.** *Biol.* Ciência que trata da forma e da estrutura dos seres organizados: *anatomia dos animais superiores; anatomia vegetal.* **2.** *Restr.* Anatomia (1) humana: *anatomia descritiva; anatomia patológica.* **3.** *P. ext.* Tratado ou compêndio desta ciência: *Estudou pela anatomia de Testu*; "Pediu pra gente vir a semana inteira, procurar aqui uma anatomia, nem me lembro do nome do autor" (Mauro Mota, *O Pátio Vermelho*, pp. 117-118). **4.** Dissecação do corpo humano ou de qualquer animal ou planta para conhecer-lhes as partes, a estrutura, o aspecto, etc.: *A Lição de Anatomia, de Rembrandt, representa a autópsia de um cadáver, como era feita no séc. XVII.* **5.** Aspecto exterior do corpo humano; compleição: *De biquíni, ela exibe uma bela anatomia.* **6.** A própria estrutura anatômica de um corpo organizado. **7.** *Fig.* Análise meticulosa, rigorosa; estudo minudente: *a anatomia de um crime; a anatomia do ciúme, da vaidade.* ♦ **Anatomia artística.** Estudo das formas exteriores do corpo humano, em repouso ou em movimento, baseado no conhecimento dos órgãos internos, do esqueleto, dos músculos, etc.

anatômico. [Do gr. *anatomikós*, pelo lat. *anatomicu.*] *Adj.* **1.** Referente à anatomia: *caracteres anatômicos.* **2.** Onde se estuda ou pratica anatomia: *gabinete anatômico.* **3.** Diz-se do objeto destinado a ser utilizado pelo homem, e que se adapta à anatomia humana: *colchão anatômico; colete anatômico.* ~ V. *peça —a* e *tabaqueira —a.* ● *S. m.* **4.** *P. us.* Anatomista (2).

anatomista. *Adj. 2 g.* e *s. 2 g.* **1.** Que é especialista em anatomia. ● *S. 2 g.* **2.** Pessoa especialista em anatomia. [Sin. (p. us.), nesta acepç.: *anatômico.*]

anatomização. *S. f.* Ato de anatomizar.

anatomizar. *V. t. d.* **1.** Praticar anatomia (4) em; dissecar. **2.** Estudar minuciosamente.

anatomopatologia. [De *anat(omia)* + *-o-* + *patologia.*] *S. f.* Ciência que estuda as estruturas do organismo alteradas por processos patológicos.

anatomopatológico. *Adj.* Referente à anatomopatologia.

anatomopatologista. *S. 2 g.* Especialista em anatomopatologia: "Experimentador, biologista, fisiologista, microbiologista, micologista, anatomopatologista, ... — sua contribuição é enorme em cada um desses terrenos de nossa atividade intelectual." (Pedro Nava, *Beira-Mar*, p. 151.)

anatoxina (cs). [De *an(a)-* + *toxina.*] *S. f. Bacter.* Substância estável e inócua proveniente de tratamento químico de toxina.

anatropia. *S. f.* Estado, caráter ou qualidade de anátropo.

anatrópico. *Adj.* Referente à anatropia.

anátropo. [De *an(a)-* + *-tropo.*] *Adj.* Diz-se do óvulo que, tendo sofrido um movimento de 180º, se torna invertido, caso em que a micrópila passa a situar-se ao lado do hilo e o funículo se solda lateralmente ao óvulo, formando a rafe.

anauerá. [Do tupi *anawi'rá.*] *S. f. Bras.* Árvore da família das rosáceas (*Licania macrophylla*), cuja madeira é utilizada em construção.

anauquá. *S. 2 g.* e *adj. 2 g. Bras.* Var. de *nauquá.*

anavalhado. [De *a-*[2] + *navalha* + *-ado*[1].] *Adj.* **1.** Que tem forma de navalha. **2.** Muito afiado: "O canzarrão .... rosnou, pôs a pata sobre o osso e, abrindo a boca, mostrou os dentes anavalhados." (Alexandre Herculano, *Lendas e Narrativas*, II, p. 13.)

anavalhar. [De *a-*[2] + *navalha* + *-ar*[2].] *V. t. d.* **1.** Dar forma de navalha a. **2.** Ferir com navalha. **3.** Cortar como navalha: *A ventania anavalhava-lhes a pele.*

ana-velha. *S. f. Bras., BA.* V. *socozinho* (ò). [Pl.: *anas-velhas.*]

anavinga. *S. f. Bras.* Árvore da família das flacurtiáceas (*Casearia ovata*).

anaxagoriano (cs). *Adj.* e *s. m.* V. *anaxagórico.*

anaxagórico (cs). *Adj.* **1.** Pertencente ou relativo a Anaxágoras de Clazômenes, filósofo grego (c. 500-428 a.C.), ou próprio dele; anaxagoriano, clazomeniano. ● *S. m.* **2.** Adepto ou seguidor desse filósofo; anaxagoriano, clazomeniano.

anca. [Do franciano **hanka*, atr. do provenç. ou do cat.] *S. f.* **1.** O quarto traseiro dos quadrúpedes; garupa. **2.** O primeiro segmento das pernas dos artrópodes. **3.** Cadeiras, quadris, nádegas. [Tb. us. no pl.] ♦ **Dar anca.** Deixar que se lhe monte na garupa: *Aquele cavalo dá anca.*

▲**-ança.** [Do lat. *-antia.*] *Suf. nom.* = 'ação' ou 'resultado da ação', 'estado': *esperança* (< lat. *sperantia*), *matança, vingança.* [Equiv.: *-ância*: *observância* (< lat. *observantia*), *tolerância* (< lat. *tolerantia*); e (raríssimo) *-anço*: *habitanço.*]

ancado. *Adj.* Derreado; desancado.

ancarense. *Adj. 2 g.* **1.** Da, ou pertencente ou relativo à cidade de Ancara, capital da Turquia. ● *S. 2 g.* **2.** Natural ou habitante dessa cidade.

ancas. [Pl. de *anca.*] *S. f. pl.* V. *anca*: "Vêm sacudindo as ancas opulentas!" (Cesário Verde, *Obra Completa*, p. 104.)

ancê. Pron. de tratamento. *Bras., MG* e *C. O. Pop.* V. *você*: "Ancê quer que a gente ande com a cabeça no tempo?" (Antônio Versiani, *Paisagens Humanas*, p. 48); "— Ancê num se alembra a velha Custodiana Mesquita?" (Bernardo Élis, *O Tronco*, p. 45).

ancenúbio. [Neologismo proposto por Castro Lopes para substituir o fr. *nuance.*] *S. m. Desus.* Matiz, cambiante, nuança.

ancestrais. [Pl. de *ancestral.*] *S. 2 g. pl.* Antepassados, antecessores, avós. ~ V. *ancestral.*

ancestral. [Do fr. *ancestral.*] *Adj. 2 g.* **1.** Relativo ou pertencente a antecessores, a antepassados. **2.** Antiqüíssimo, remoto: *lembranças ancestrais*; "Onde a quadrilha ancestral, lembrando amores varonis de tempos idos?" (Mateus de Albuquerque, *Da Arte e do Patriotismo*, p. 262). ~ V. *ancestrais.*

ancestralidade. *S. f.* Qualidade de ancestral.

ancestre. [Do fr. *ancêtre*, ant. *ancestre.*] *S. m.* V. *ascendente* (3).

anchietano (xiê). *Adj.* Relativo ou pertencente ao P[e]. José de Anchieta (1534-1597), ou próprio dele.

anchietense (xiê). *Adj. 2 g.* **1.** De, ou pertencente ou relativo a Anchieta (ES). ● *S. 2 g.* **2.** Natural ou habitante de Anchieta.

anchietina (xiê). *S. f.* Alcalóide extraído do cipó-suma.

ancho. [Do lat. *amplu.*] *Adj.* **1.** Largo, amplo. **2.** *Fig.* Cheio de si; vaidoso, convencido: "Primeiro ficou orgulhoso e até abria suas belas asas brancas, muito ancho delas." (Homero Homem, *Menino de Asas*, p. 40.)

anchova (ô). *S. f.* V. *enchova.*

anchovinha. [Dim. de *anchova.*] *S. f. Bras.* V. *enchova.*

anchura. [De *ancho* + *-ura.*] *S. f.* V. *largura (1).*

▲-ância. V. *-ança.*

anciã. *Adj.* (*f*) e *s. f.* Fem. de *ancião* (1, 2 e 3): "Em *La Porteña* mora uma sobrinha de Güiraldes [Ricardo Güiraldes] com a mãe a n c i ã ." (Maria Julieta Drummond de Andrade, *Um Buquê de Alcachofras,* p. 19.)

anciania. *S. f. P. us.* Ancianidade.

ancianidade. *S. f.* **1.** Qualidade ou estado de ancião: "era uma espécie de mocidade qüinquagenária ou de a n c i a n i d a d e viçosa, à escolha..." (Machado de Assis, *Dom Casmurro,* p. 324). **2.** Antigüidade (1). [Sin. (p. us.): *anciania.*]

ancião. [Do fr. ant. *ancien.*] *Adj.* **1.** Diz-se de pessoa de idade provecta; velho, idoso: "Perguntei certa vez a um velho negro que idade tinha. O negro a n c i ã o sorriu com indiferença: nunca tivera idade." (Eduardo Frieiro, *O Cabo das Tormentas,* p. 8.) **2.** Antigo, velho: "Outros convivas se haviam espalhado pelos salões, formando grupos aqui e acolá, bocejando alguns, falando animadamente outros, levípedes, de faces rubras, aos estos de um xerez a n c i ã o , ou de um madeira longo tempo sopitado em garrafas poentas." (Afonso Arinos, *Pelo Sertão,* p. 138). ● *S. m.* **3.** Homem muito velho e respeitável. **4.** V. *presbítero* (2). [Fem.: *anciã;* pl.: *anciãos, anciães* e *anciões.*]

➧ancien régime (anciã regím'). [Fr., 'antigo regime'.] O sistema de governo que vigorou na França antes da Revolução de 1789.

ancila. [Do lat. *ancilla.*] *S. f.* **1.** Escrava, serva: "De todas as artes a mais bela, a mais expressiva, a mais difícil, é.... a arte da palavra. De todas as mais se entretece e se compõe. São as outras como a n c i l a s e ministras; ela soberana universal." (Latino Coelho, *A Oração da Coroa,* p. XVII.) **2.** *Fig.* Coisa que serve de auxílio ou subsídio a outra.

ancilar. [Do lat. *ancillare.*] *Adj. 2 g.* **1.** Relativo a, ou próprio de ancila. **2.** Auxiliar, subsidiário: "A gramática foi entendida como a n c i l a r do estudo filosófico que trata das leis do raciocínio." (Joaquim Matoso Câmara Jr., *Estrutura da Língua Portuguesa,* p. 2.)

▲ancil(o)-. [Do gr. *agkúlos, e, ou.*] *El. comp.* = 'curvo', 'anguloso', 'apertado', 'aderente': *ancilóstomo; ancilose, anciloglossia.*

anciloglossia. [De *ancil(o)-* + *-gloss(o)-* + *-ia.*] *S. f. Med.* Aderência da língua à parede inferior da boca por meio do freio da língua.

ancilóglóssico. *Adj.* Relativo à anciloglossia.

ancilosar. *V. t. d.* **1.** Causar ancilose a. *P.* **2.** Ser atacado de ancilose.

ancilose. [Do gr. *agkylosis.*] *S. f. Med.* Diminuição ou impossibilidade absoluta de movimentos em uma articulação naturalmente móvel; acampsia. [A f. *anquilose,* geralmente considerada menos boa, é muito usada.]

ancilostomíase. *S. f. Patol.* Infecção produzida pelo *Ancylostoma duodenale* ou pelo *Necator americanus,* nematódeos muito parecidos entre si. [Sin.: *ancilostomose, necatoríase, uncinariose,* e (bras.): *opilação, amarelão, canguari, mal-da-terra, mofina.*]

ancilostomídeo. *S. m.* **1.** Espécime dos ancilostomídeos. ● Adj. **2.** Pertencente ou relativo a eles.

ancilostomídeos. *S. m. pl. Zool.* Família de helmintos parasitos do intestino do homem e de vários animais, causadores da ancilostomíase.

ancilóstomo. [De *ancil(o)-* + *-stoma.*] *S. m. Zool.* Animal asquelminto, hematódeo, estrongilóide, da família dos ancilostomídeos, gênero *Ancylostoma* Dubini, provido de dentes na margem anterior da cápsula bucal. A espécie parasita do homem é *A. duodenale* (Dubini), com quatro dentes grandes e dois pequenos na cápsula bucal. Acidentalmente as espécies *A. Caninum* (Ercolani), com seis dentes grandes na cápsula bucal, e *A. brasiliense* (G. Faria), com dois dentes grandes e dois pequenos, quase imperceptíveis, podem também parasitar o homem, produzindo a conhecida larva migrans, embora sejam ambos normalmente parasitos de felídeos e canídeos. Alimentam-se de sangue, que retiram da mucosa intestinal, perfurando-a com os dentes. Ciclo evolutivo através da corrente circulatória e dos pulmões. [V. *necátor.* Evite-se a f. *anquilóstomo.*]

ancilostomose. *S. f. Patol.* V. *ancilostomíase.*

ancilótomo. *S. m.* Qualquer instrumento cortante e recurvo.

ancinhar. *V. t. d.* Passar o ancinho em; limpar com o ancinho.

ancinho. [Do lat. *uncinu,* 'gancho'.] *S. m.* **1.** Instrumento agrícola, de cabo longo, dotado de uma travessa dentada e destinado a juntar palha, folhas secas, ou a outros usos semelhantes. [Sin., bras.: *unha-de-gato.*] **2.** V. *fancho.*

ancipital. *Adj. 2 g.* Ancípite [q. v.].

ancípite. *Adj. 2 g.* Que tem duas cabeças, ou duas faces, ou dois lados, ou dois gumes, etc. [Var.: *ancipital.*] ~ V. *sílaba* —.

anco. [Der. regress. do gr. *agkón,* 'cotovelo'.] *S. m.* Cotovelo ou enseada na costa.

▲-anço. V. *-ança.*

ancôneo. [Do lat. mod. *anconeu.*] *S. m. Anat.* Músculo triangular da parte posterior da articulação do cotovelo.

anconeu. *Adj. Anat.* Referente ao ancôneo.

âncora. [Do gr. *agkyra,* pelo lat. *ancora.*] *S. f.* **1.** *Marinh.* Peça de formato especial e peso conveniente, e que, presa à extremidade da amarra, agüenta a embarcação no fundeadouro. [Cf. *ferro* (9 e 10). Sin., bras. *pombeira.*] **2.** Adorno, distintivo ou marca em forma de âncora de navio. **3.** *Fig.* Proteção, amparo, arrimo, abrigo. **4.** Símbolo da esperança. [Cf. *ancora,* do v. *ancorar,* e *Âncora,* antr.] ♦ **Âncora flutuante.** *Marinh.* Aparelho flutuante usado para manter filada ao vento e ao mar, em caso de mau tempo, embarcação que se encontra à matroca ou à deriva. **Levantar âncora.** V. *levantar ferro.*

ancoração. *S. f. P. us.* Ancoragem.

ancoradoiro. *S. m.* Ancoradouro [q. v.].

ancoradouro. [Var. de *ancoradoiro.*] *S. m.* **1.** Lugar próprio para os navios ancorarem com razoável segurança contra o mau tempo. **2.** Local onde o navio permanece ancorado, embora não ofereça boas condições de fundeio e abrigo. **3.** Área próxima a um porto, destinada à ancoragem dos navios que aguardam atracação no cais. [Sin. ger.: *fundeadouro.*]

ancoragem. *S. f.* **1.** Ato ou efeito de ancorar. **2.** Imposto que para ancorar devem os navios pagar nalguns portos.

ancorar. *V. int.* **1.** Lançar (a embarcação) uma âncora ao fundo, para com ela manter-se parada; lançar ferro. *T. d* **2.** Fundear, lançando âncora. *T. d.* e *i.* **3.** Basear, fundamentar, estribar: *a n c o r a r uma idéia em determinada filosofia. T. i.* **4.** Fundar-se, fundamentar-se, basear-se, estribar-se: *Suas afirmações a n c o r a m nas dos grandes juristas.* [Pres. ind.: *ancoro, ancoras, ancora,* etc. Cf. *âncora* e o antr. *Âncora.*]

ancoreta (ê). [Dim. de *âncora.*] *S. f.* **1.** Pequeno barril, achatado lateralmente, para transportar aguardente ou vinho; ancorote: "encontrou no caminho um matuto que conduzia, num cavalo, duas a n c o r e t a s de aguardente." (L. Lavenère, *O Padre Cornélio,* p. 150). **2.** *Marinh.* quartola.

ancorote. [Dim. de *âncora.*] *S. m.* **1.** Ancoreta (1). **2.** Pequena âncora.

ancudo. *Adj.* Que tem grandes ancas: "Zazá, de corpo bem fornido, a n c u d a , lábios grossos" (José Condé, *Como uma Tarde em Dezembro,* pp. 40-41). [Sin. (bras.): *quartudo, bundudo.*]

ancusa. [Do gr. *ágchousa,* pelo lat. *anchusa.*] *S. f.* Planta ornamental da família das borragináceas (*Anchusa capensis*), de flores azuis.

anda. [Dev. de *andar.*] *Interj.* Exprime mando, súplica, impaciência, ameaça, exortação, a fim de que alguém se apresse. — V. *andas.*

▲-anda. Fem. de *-ando.*

andá. [Do tupi *ã'dá.*] *S. f. Bras.* V. *andá-açu.*

andá-açu. *S. m. Bras.* Árvore frondosa, da família das euforbiáceas (*Joannesia princeps*), de flores brancacentas ou roxas, cuja madeira tem várias utilidades, entre as quais a fabricação de palitos de fósforo e de papel, e cuja casca e semente são tidas por medicinais; andá, coco-de-purga, cutieira, cutieiro, fruta-de-arara, fruta-de-cutia, fruteira-de-arara, indaguaçu, indaiaçu, purga-de-gentio, purga-dos-paulistas. [Pl.: *andás-açus.*]

andaço. [De *andar.*] *S. m.* **1.** *Fam.* Pequena epidemia. **2.** *Bras. Pop.* Diarréia, disenteria.

andada. *S. f.* Ato de andar; caminhada.

andadeira. *S. f.* Andadeiras.

andadeiras. [Pl. de *andadeira.*] *S. f. pl.* Faixas de pano com que se cinge a criança por sob as axilas, e às quais se atam cordões ou fitas, em que alguém pega para ensiná-la a andar. [Tb. us. no sing.]

andadeiro. [De *andar* + *-deiro.*] *Adj.* Andador (1).

andado. [Part. de *andar.*] *Adj.* **1.** Percorrido, perlustrado: *caminho a n d a d o .* **2.** Passado, decorrido, transcorrido: *tempo a n d a d o .*

andador (ô). *Adj.* **1.** Que anda muito e/ou depressa; andadeiro. **2.** *Bras. N. E.* Diz-se do cavalo ensinado especialmente para montaria. **3.** *Bras., S.* Diz-se do cavalo ágil, que caminha com desenvoltura. ● *S. m.* **4.** Empregado subalterno, especialmente em irmandades e confrarias, que se encarrega de entregas, pequenas cobranças, etc.

andadoria. *S. f.* Ofício de andador (4).

andadura. *S. m.* **1.** Maneira de andar, especialmente a das cavalgaduras. [Sin.: *andar* e, pop., *leva.*] **2.** *Bras., MG* e *S.* Certa marcha que a cavalgadura aprende usando travas [v. *trava*[1] (3)].

andaimada. *S. f.* Andaimaria.

andaimar. *V. t. d.* Construir, armar ou colocar andaime em (uma obra).

andaimaria. *S. f.* Conjunto de andaimes; andaimada.

andaime. [Do ár. *ad-da'aim.*] *S. m.* Armação de madeira ou de metal com estrado, sobre o qual trabalham os operários nas construções quando já não é possível trabalhar apoiado no chão. [Sin., p. us.: *cadafalso, apodiamento.*] ♦ **Andaime fixo.** O que se apóia no chão e/ou em agulheiros, na própria parede que se constrói. **Andaime rolante.** O que se apóia em rodas, podendo deslocar-se horizontalmente.

andaina. [De uma f. romântica **andagine.*] *S. f.* **1.** Fileira, renque. **2.** Roupa completa. **3.** *Lus.* Enviada. [Var.: *andana.*]

andaluz. *Adj.* **1.** Da, ou pertencente ou relativo à Andaluzia (Espanha). ● *S. m.* **2.** O natural ou habitante da Andaluzia. [Fem.: *andaluza.*]

andaluza. *Adj. (f.)* e *s. f.* Fem. de *andaluz.*

andaluzita. [Do top. *Andaluzia* + *-ita*[3].] *S. f. Min.* Mineral ortorrômbico, silicato de alumínio.

andamento. *S. m.* **1.** Ato de andar; andança. **2.** Modo de andar, de se desenvolver; prosseguimento: *Neste a n d a m e n t o , o trabalho vai longe.* **3.** Direção, rumo: *O a n d a m e n t o que o caso está tomando não me parece bom.* **4.** *Mús.* Grau de velocidade que se imprime à execução de um trecho musical. [Conforme esse grau, consideram-se três tipos de andamento: *lento, moderado* e *rápido.*] ♦ **Dar andamento a.** Promover a movimentação ou a execução de.

andana. *S. f.* Var. de *andaina* [q. v.].

andança. *S. f.* **1.** Andamento (1). **2.** Ação de andar, de viajar; viagem, peregrinação ou excursão: "surpreendia-se a si mesmo contando a Tóia .... coisas de sua vida, de sua carreira, de suas a n d a n ç a s pelo mundo." (Viana Moog, *Tóia,* p. 74). [Nesta acepç. é m. us. no pl.] **3.** *Fam.* Trabalho, faina, lida.

andante[1]. *Adj. 2 g.* **1.** Que anda; errante, vagamundo, vagabundo. **2.** *Heráld.* Diz-se de animal que se representa caminhando no campo do escudo. ~ V. *cavalaria* — e *cavaleiro* —. ● *S. 2 g.* **3.** V. *transeunte* (3).

andante[2]. [Do it. *andante.*] *Adj. 2 g. Mús.* **1.** De andamento moderado, entre adágio e alegro. ● *S. m.* **2.** Trecho musical nesse andamento.

andantesco (ê). *Adj.* Relativo à, ou próprio da cavalaria (5), ou de cavaleiro.

andantino. [Do it. *andantino.*] *Mús. Adv.* **1.** De andamento um pouco mais vivo que o andante. ● *S. m.* **2.** Trecho de música nesse andamento.

anda-que-anda. [De *andar* + *que* (= 'e') + *andar.*] *Adv.* **1.** Em passo acelerado; apressadamente. **2.** Sem interrupção na andadura.

andar. [Do lat. *ambulare.*] *V. int.* **1.** Movimentar-se, dando passos: '' a n d a r ... Perder o seu passo / na noite, também perdida." (Cecília Meireles, *Obras Poéticas,* p. 171.) **2.** Movimentar-se, por impulso próprio ou não, sem dar passos; mover-se: *As borboletas a n d a m quase sempre aos pares;* "A vaga abriu o ventre, acolheu o despojo, fechou-se .... e a galera foi a n d a n d o ." (Machado de Assis, *Memórias Póstumas de Brás Cubas,* p. 68). **3.** Continuar, seguir, prosseguir: "A linha não respondia nada; ia a n d a n d o ." (Id., *Várias Histórias.* p. 231.) **4.** Passar, decorrer, escoar-se (o tempo): *Os anos a n d a r a m , e nada fizemos.* **5.** Trabalhar, funcionar: *O relógio, de velho, já não a n d a .* **6.** Proceder, agir; portar-se: *Não a n d o u com acerto ao desamparar o amigo.* **7.** Ser transportado; viajar: *Normalmente a n d o de carro.* **8.** Existir, viver: *Enquanto a n d a r e m homens sobre a Terra haverá discórdia;* "Eu a n d a v a sem ti, / Como as velas sem mar." (Alberto de Serpa, *Fonte,* p. 15). **9.** Correr os devidos trâmites; ter seguimento: *O processo a n d o u mais depressa do que se esperava.* **10.** Continuar, prosseguir: "É verdade que o romance não a n d a v a , encrencando miseravelmente no segundo capítulo." (Graciliano Ramos, *Caetés,* p. 90.) **11.** *Basq.* Mover (o atleta) o pé de apoio sem quicar a bola. *T. c.* **12.** Percorrer em viagem; viajar: *A n d o u por toda a Europa;* "Vi terras da minha terra./ Por outras terras a n d e i ." (Manuel Bandeira, *Estrela da Vida Inteira,* p. 173). **13.** Movimentar-se dando passos:"Ela a n d o u por aqui" (Luís Delfino, *Íntimas e Aspásias,* p. 11). **14.** Fazer-se acompanhar; estar em companhia: *Só a n d a com poderosos.* **15.** Atingir aproximadamente (certo número): *A n d a pela casa dos trinta;* "a dívida do

Terceiro Mundo anda pela casa dos 750 bilhões de dólares" (Paulo Francis, *Folha de S. Paulo*, 28.9.1983). **16.** Ter relações sexuais; copular: "Gostava das mulheres, andava com elas, tinha-as nos braços" (José Lins do Rego, *Riacho Doce*, p. 136). *Pred.* **17.** Estar, sentir-se ou viver em determinado estado, condição ou aspecto: *Anda acabrunhado;* "Havia oito dias que Lúcia não andava boa." (José de Alencar, *Lucíola*, p. 176). **18.** Estar, existir: "Discrição e caras serviçais nem sempre andam juntos." (Machado de Assis, *Quincas Borba*. p. 37.) **19.** Decorrer, suceder: *Com os preparativos da viagem, tudo andava muito atrapalhado. T. d.* **20.** Percorrer, correr, perlustrar: "Andei longes terras" (Gonçalves Dias, *Obras Poéticas*, II, p. 23); "Quanto mais andava aquela Rua dos Barbonos, mais me aterrava a idéia de chegar a casa" (Machado de Assis, *Dom Casmurro*, p. 199); "Alta noite, uma luz andava os campos..." (Ádelmar Tavares, *Poesias Completas*, p. 108). ● *S. m.* **21.** V. *andadura* (1): "tinha não sei que balanço no andar, como quem lhe custa levar o corpo." (Machado de Assis, *Páginas Recolhidas*, p. 82). **22.** Num edifício, qualquer pavimento situado acima do térreo ou de uma sobreloja. **23.** *P. ext.* Camada (2). **24.** *Art. Gráf.* Cada uma das plataformas onde se distribuem, funcionalmente, os órgãos (unidades de impressão, dobradeiras e suportes de bobinas) de certas rotativas de grande porte: *As bobinas estão sempre no andar térreo ou no subsolo.* **25.** Cada um dos vários níveis ou alturas da vegetação; guarda, vergada. **26.** *Bras. N.E.* Qualquer dos três passos que se ensinam aos cavalos de sela: *baixo, meio e esquipado.* **27.** Marcha, ritmo; andamento: *Neste andar as coisas não acabam tão cedo.* ~ V. *andares.* ♦ **Andar naufragado.** *Bras., N.E.* Trajar(-se) muito pobremente. **Andar, virar, mexer.** *Bras.* Mover-se, agitar-se, tomando providências para ganhar a vida ou atingir um dado fim; virar e mexer: "No Norte, andei, virei, mexi, três anos e tanto, até que ajuntei um saldozinho, e me atirei pro Ceará." (Herman Lima, *Tijipió*, p. 108.)

andaraiense (a-i). *Adj. 2 g.* **1.** De, ou pertencente ou relativo a Andaraí (BA). ● *S. 2. g.* **2.** Natural ou habitante de Andaraí.

andareco. [De *andar* (18).] *Bras., S. Adj.* **1.** Diz-se do cavalo de andar ou marcha ligeira, mas incômoda. ● *S. m.* **2.** Animal pequeno, feio, ordinário.

andarengo. *Adj. Bras. S.* V. *andejo* (1).

andares. [Pl. de *andar.*] *S. m. pl. Bras., Amaz.* **1.** Praia em forma de anfiteatro. **2.** Extensos areais ou praias que os rios deixam baixar, e aonde as tartarugas costumam desovar. ~ V. *andar.*

andarilho. *S. m.* **1.** Aquele que anda muito. **2.** *Ant.* Aquele que levava cartas ou notícias. **3.** *Ant.* Lacaio que acompanhava a pé os amos que iam de carro ou cavalo.

andarivel (é). [Do esp. plat. *andarível.*] *S. m. Bras., R.S. Desus.* Cada um dos paus fincados entre os trilhos que os cavalos devem percorrer numa corrida, colocados a certa distância uns de outros, para evitar que os corredores saiam da linha que devem seguir, misturando-se. [Pl.: *andarivéis.*]

andas. [Do lat. *amites.* 'varas de liteira'.] *S. f. pl.* **1.** Pernas ou muletas de pau com um estribo ou ressalto onde se apóiam os pés; pernas de pau: "Como não lhe era possível andar sobre as longas pernas de pau dentro do apartamento, mandou confeccionar um par de andas menores, para uso doméstico." (Almeida Fischer, *10 Contos Escolhidos*, p. 76.) **2.** Liteira ou cama sobre varais, transportada por homens ou por cavalos. **3.** V. *andor.* **4.** *Ant.* Varais sobre os quais se colocava o esquife. ~ V. *anda.*

andável. *Adj. 2 g.* Que se pode andar ou percorrer; transitável.

andeiro. *Adj.* V. *andejo* (1): "o falar comedido, um pouco hesitante, de um sertanejo forte, andeiro e cavaleiro" (Olavo Bilac, *Últimas Conferências e Discursos*, p. 30).

andejar. *V. int.* **1.** Andar ao acaso; vaguear **2** Ser andejo. [Conjug.: v. *pelejar.*]

andejo (ê). *Adj.* **1.** Que anda ou caminha muito, por muitas terras; erradio, andarengo; andeiro. **2.** Que não pára em casa; rueiro.

anderesa (ê). [Do antr. *Andresa*, com epêntese?] *S. f. Bras., BA. Folcl.* Prato feito com caldo de galinha, farinha de mandioca, e sal.

andesita. [Do top. *Andes* + *-ita*[3].] *S. f. Min.* Mineral triclínico, do grupo dos feldspatos (plagioclásio), mistura isomorfa de albita e anortita, variando esta de 30 a 50 por cento. [Cf. *andesito.*]

andesito. [Do top. *Andes* + *-ito*[2].] *S. m. Pet.* Rocha efusiva porfírica ou felsítica, cujos componentes essenciais são a andesita ou oligoclásio e um ou mais minerais fêmicos, em quantidade subordinada. [Cf. *andesita.*]

andiche. *S.f.* Endiche.

andícola. [Do top. *Andes* + *cola.*] *Adj. 2 g.* **1.** Que habita ou cresce nos Andes. ● *S. 2 g.* **2.** Pessoa que habita nos Andes; andino.

andilhas. [Dim. de *andas.*] *S.f. pl.* Armação de madeira destinada a amparar sobre a cavalgadura quem monta sentado; cadeirinha: "Violante e Andresa, montadas em suas mulas, sobre andilhas, iam acompanhadas dum escravo a pé" (Eduardo Frieiro, *O Mameluco Boaventura*, p. 144).

andino. *Adj.* **1.** De, ou pertencente, ou relativo aos Andes. ● *S. m.* **2.** O natural ou habitante dos Andes; andícola.

andira[1]. *S. f. Bras.* Gênero de plantas da família das leguminosas, subfamília papilionácea, cuja madeira (os angelins) é usada em obras externas, carpintaria, etc.

andira[2]. *Bras. S. 2 g.* **1.** Indivíduo dos andiras, tribo indígena das margens do rio Jauaperi. ● *Adj. 2 g.* **2.** Relativo ou pertencente aos andiras.

andirá[1]. [Do tupi *ãdi'rá.*] *S. m. Bras., Amaz.* V. *morcego* (1).

andirá[2]. *S. f. Bras.* V. *fava-de-bolota.*

andirá-açu. *S. m. Bras.* Morcego grande (geralmente as espécies frugívoras da família dos filostomídeos); andirá-guaçu, guandiraçu. [Pl.: *andirás-açus.*]

andirá-da-várzea. *S. f. Bras.* V. *fava-de-impigem.* [Pl.: *andirás-da-várzea.*]

andirá-guaçu. *S. m. Bras.* V. *andirá-açu.* [Pl.: *andirás-guaçus.*]

andirapuampé. *S. f. Bras.* Planta amazônica da família das bignoniáceas (*Bignonia vespertilia* Rodr.).

andiroba. [Do tupi *ãdi'roba*, 'óleo amargo'.] *S. f. Bras.* **1.** Árvore da família das meliáceas *(Carapa guianensis)*, de flores pequenas, amarelas e vermelhas, madeira usada em marcenaria e carpintaria, e na medicina popular, e de cujas sementes se extrai o azeite-de-andiroba. Ocorre da Amaz. à BA. [Var.: *andirova.* Sin.: *andiroba-suruba.*] **2.** Trepadeira ou erva prostrada, da família das cucurbitáceas *(Fevillea trilobata)*, provida de gavinhas, folhas trilobadas, membranáceas e tomentosas, pequenas flores ordenadas em panículas, e cujos frutos, grandes bagas, com 7 a 9 cm de diâmetro, têm sementes de 4 a 5 cm, purgativas. [Var.: *andirova, nhandiroba, nhandirova, jandiroba e jendiroba;* sin.: *cipó-de-jabutá, cipó-de-jabuti, cipó-jabutá, fava-de-santo-inácio, guapeva, igarçu, jabutá.*] **3.** V. *fava-de-santo-inácio-falsa.* **4.** V. *castanha-mineira* (1).

andirobal. *S. m. Bras.* Quantidade mais ou menos considerável de andirobas dispostas proximamente entre si. [Var.: *andiroval.*]

andiroba-suruba. *S. f. Bras.* V. *andiroba* (1). [Pl.: *andirobas-surubas.*]

andirova. *S. f. Bras.* V. *andiroba.*

andiroval. *S. m. Bras.* V. *andirobal.*

ândito. [Do it. *andito.*] *S. m.* **1.** Passagem estreita e elevada, ao longo de túneis, pontes ou ruas. **2.** Passeio lateral estreito. **3.** Espaço para andar, em volta de um edifício.

▲**-ando.** El. comp. us., às vezes, em vocábulos eruditos: *abominando, infando, nefando*, e, modernamente, em outros vocábulos [v. *economando*]. [Fem.: *-anda.*]

andó. [Do antr. *Andò*, de Flavio Andò, ator italiano.] *Adj. (f.) Bras.* Diz-se da barba em ponta.

andóbia. *S. f.* Pedra sobre a qual gira a mó, em certos engenhos.

ando-peruano. *Adj.* Pertencente ou relativo aos Andes e ao Peru, ou aos Andes peruanos. [Pl.: *ando-peruanos.*]

andor (ô). [Do sânscr. *hindola*, 'redouça', pelo malaiala *andola.*] *S. m.* Padiola portátil e ornamentada, sobre a qual se conduzem imagens nas procissões; charola, andas.

andorinha. [De um dim. **hirundina*, do lat. *hirundine*, 'andorinha'.] *S. f.* **1.** Bras. Designação comum a várias espécies de aves passeriformes da família dos hirundinídeos, que se alimentam só de insetos, e contam cerca de 14 espécies em nosso país. Realizam periodicamente migrações, vindo algumas espécies do hemisfério norte nidificar no Brasil, em buracos, nos barrancos, em ocos de paus, ou nos telhados das habitações. [Cf. *uiriri.*] **2.** *Bras.* Carro para mudanças: "Ao cabo desse tempo vieram as andorinhas da Empresa Geral de Mudanças, e os meus vizinhos abalaram para outro bairro" (Artur Azevedo, *Contos Efêmeros*, p. 217). **3.** Lancha movida a vapor. **4.** *Bras., Amaz.* Amânoa. **5.** *Bras., RS.* Prostituta (em geral, a que anda de cidade em cidade). V. *meretriz.* **6.** *Bras., PR. Folcl.* Dança do fandango, muito graciosa, de linha melódica definida, com batida e roda, e no qual os dançarinos começam a girar entre palmas e sapateados, seguindo-se o passo do arco.

andorinha-coleira. *S. f. Bras.* V. *andorinhão.* [Pl.: *andorinhas-coleiras* e *andorinhas-coleira.*]

andorinha-de-bando. *S. f. Bras.* Andorinha-pequena. [Pl.: *andorinhas-de-bando.*]

andorinha-de-casa. *S. f. Bras. S.* Ave passeriforme da família dos hirundinídeos (*Progne chalybea domestica* (Vieil.)), de dorso azulado, garganta e pescoço cinzentos, abdome branco, a cauda bifurcada. Alimenta-se de insetos, e freqüenta habitações e igrejas. [Sin.: *andorinha-dos-beirais.* Pl.: *andorinhas-de-casa.*]

andorinha-de-pescoço-vermelho. *S. f. Bras.* Ave passeriforme, da família dos hirundinídeos (*Hirundo rustica erythrogaster* (Bodd.), da América do Norte. Costuma realizar migrações até a Argentina, freqüentando a América do Sul durante o inverno nórdico. Coloração negra-azulada brilhante no dorso, asas e cauda pardo-escuras, retrizes pintadas de branco, região da garganta com mancha avermelhada, o que lhe valeu o nome popular. Nidifica em penhascos e o ninho é construído de barro. [Pl.: *andorinhas-de-pescoço-vermelho.*]

andorinha-de-rabo-branco. *S. f. Bras.* Ave passeriforme, da família dos hirundinídeos (*Iridoprocne albiventer* (Bodd.)), da América do Sul, de dorso verde-escuro metálico, uropígio e lado inferior brancos. Nidifica em troncos velhos, e freqüenta rios e lagoas, em cuja superfície costuma capturar os insetos com que se alimenta. [Pl.: *andorinhas-de-rabo-branco.*]

andorinha-do-campo. *S. f. Bras.* V. *taperá.* [Pl.: *andorinhas-do-campo.*]

andorinha-do-mar. *S. f. Bras.* **1.** Designação comum a duas aves caradriiformes da família dos larídeos: *Phaetusa simplex* (Gmel.), das costas e grandes rios do N. e L. da América do Sul, e *Phaetusa chloropoda* (Vieil.), dos grandes rios e estuários das partes meridional e oriental. São ambas de coloração cinzenta, com o alto da cabeça preto, parte das coberteiras e rêmiges do braço brancas, rêmiges da mão pretas com a parte inferior branca, e bico amarelo. **2.** Ave procelariforme, da família dos hidrobatídeos (*Oceanodroma castro* (Harc.)), do Atlântico tropical. Dorso preto, cabeça e garganta acinzentadas, coberteiras superiores e inferiores da cauda mescladas de branco, abdome pardo-escuro. [Sin. ger.: *gaivota, trinta-réis, trinta-réis-grande.* Pl.: *andorinhas-do-mar.*]

andorinha-do-mato. *S. f. Bras.* Ave piciforme, da família dos buconídeos (*Chelidoptera t. tenebrosa* (Pall.)), do Brasil central e setentrional, de coloração preta, com uropígio e crisso brancos, e a parte posterior do abdome avermelhada; urubuzinho. [Pl.: *andorinhas-do-mato.*]

andorinha-do-oco-do-pau. *S. f. Bras.* Ave passeriforme, da família dos fringilídeos (*Poospiza cinerea* Bon.), do Brasil-Central, de coloração pardo-acinzentada, e que tem os traços gerais dos tico-ticos. Alimenta-se de sementes e insetos. [Pl.: *andorinhas-do-oco-do-pau.*]

andorinha-dos-beirais. *S. f. Bras.* Andorinha-de-casa. [Pl.: *andorinhas-dos-beirais.*]

andorinha-grande. *S. f. Bras.* Ave passeriforme, da família dos hirundinídeos (*Progne chalybea* (Gmel.)), que ocorre do Brasil ao Panamá. Coloração preto-azulada brilhante, garganta e flancos pardo-cinzentos, meio do peito e abdome brancos. [Pl.: *andorinhas-grandes.*]

andorinhão. [Aum. de *andorinho.*] *S. m. Bras.* Ave micropodiforme, da família dos micropodídeos (*Streptoprocne zonaris* (Shaw)), distribuída por todo o Brasil, de coloração pardo tirante a preto, com lustro metálico, fita nucal e peitoral brancos; andorinha-coleira, taperuçu.

andorinhão-das-tormentas. *S. f. Bras.* Ave procelariforme, da família dos hidrobatídeos (*Oceanites oceanicus* (Kuhl)), da parte meridional dos oceanos Índico, Atlântico e Pacífico. Coloração pardacenta, coberteiras da cauda brancas, coberteiras do braço tirante a ocra. [Sin.: *alma-de-mestre.* Pl.: *andorinhões-das-tormentas.*]

andorinha-pequena. *S. f. Bras.* Ave passeriforme, da família dos hirundinídeos (*Pygochelidon cyanoleuca* (Vieil.)), do S. da América Central e toda a América do Sul cisandina, de coloração azul-aço, brilhante, no dorso, abdome branco e crisso azul. Nidifica em barrancos e alimenta-se de insetos. [Sin.: *andorinha-de-bando.* Pl.: *andorinhas-pequenas.*]

andorinho. *S. m.* **1.** Pequena andorinha. **2.** *Marinh.* Cabo pendente do pau de surriola, e munido de um sapatilho para nele as embarcações miúdas poderem amarrar. **3.** *Marinh.* Cabo que agüenta pelo seio o estribo de uma verga. **4.** *Marinh.* Peça de poleame surdo, com dois ou três gornes para guia ou retorno de cabos de manobra.

andorrano. [Do esp. *andorrano.*] *Adj.* **1.** De, ou pertencente ou relativo a Andorra, nos Pireneus (Europa). ● *S. m.* **2.** O natural ou habitante de Andorra. [Sin. ger.: *andorrense.*]

andorrense. *Adj. 2 g.* e *s. 2 g.* Andorrano.

andrade. [Do antr. *Andrade*, decerto.] *S. m. Bras.* Árvore da família das lauráceas (*Persea venosa*).

andradense. *Adj. 2 g.* **1.** De, ou pertencente ou relativo a Andradas (MG). ● *S. 2 g.* **2.** Natural ou habitante de Andradas.

andradinense. *Adj. 2 g.* **1.** De, ou pertencente ou relativo a Andradina (SP). ● *S. 2 g.* **2.** Natural ou habitante de Andradina.

andradino. *Adj.* **1.** De, ou pertencente ou relativo a Andrade Pinto (RJ). ● *S. m.* **2.** O natural ou habitante de Andrade Pinto.

andradita. [Do antr. *Andrada*, de José Bonifácio de Andrada e Silva, o Patriarca da Independência brasileira (1765-1838), mineralogista que estudou e descreveu este mineral, + *-ita*[3].] *S. f. Min.* Mineral monométrico, silicato de ferro e cálcio, variedade do grupo das granadas, e que se apresenta em grande número de subvariedades.

andrajo. [Do ár. *indiraj*, atr. do esp. *andrajo.*] *S. m.* Trapo, farrapo: "Os destroços do exército de López .... caíam aos pedaços despencando .... os seus soldados imberbes, nos andrajos de fardas esfarrapadas, desmaiados de cansaço e de fome" (Vicente de Carvalho, *Luisinha*, p. 110). ~ V. *andrajos.*

andrajos. [Pl. de *andrajo.*] *S. m. pl.* Vestes esfarrapadas: "sem as rugas do mendigo, nem os sapatos rotos, nem os andrajos" (Machado de Assis, *Quincas Borba*, p. 77).

andrajoso (ô). *Adj.* Coberto de andrajos; esfarrapado, esmolambado.

andrantossomo. *S. m. Genét.* Autossomo com genes para masculinidade.

andrecia. *S. f. Bot.* Presença exclusiva de flores masculinas em uma dada planta.

andreense (èên). *Adj. 2 g.* **1.** De, ou pertencente ou relativo a Santo André (SP). ● *S. 2 g.* **2.** Natural ou habitante de Santo André.

andrelandense. *Adj. 2 g.* **1.** De, ou pertencente ou relativo a Andrelândia (MG). ● *S. 2 g.* **2.** Natural ou habitante de Andrelândia.

andrequicé. (drê). [Do tupi *ãdi'rá*, 'morcego', + *ki'sé*, 'faca'.] *S. m. Bras.* Planta da família das gramíneas (*Leersia hexandra*), de folhas cortantes.

▲-andria. [Do gr. *-andría.*] *El. comp.* = 'homem', 'macho', 'elemento masculino': *poliandria* (< gr. *polyandría*).

▲andro-. [Do gr. *anér, andrós.*] *El. comp.* = 'homem', 'macho', 'elemento masculino': *androceu, andrófobo.* [Equiv.: *-andro: heteroandro.*]

▲-andro. Equiv. de *andro-*.

androantossomo. *S. m. Genét.* Andrantossomo.

androceu. [Do lat. *androceu.*] *S. m. Morfol. Veg.* O conjunto dos órgãos masculinos, ditos *estames*, o qual constitui o terceiro verticilo numa flor hermafrodita. [Cf. *gineceu* (2).]

androfagia. [De *andro-* + *-fag(o)-* + *-ia.*] *S. f.* Antropofagia.

androfágico. *Adj.* Referente à androfagia; antropofágico.

andrófago. [Do gr. *androphágos.*] *Adj.* **1.** V. *antropofágico.* **2.** Antropófago. ● *S. m.* **3.** Antropófago.

androfobia. [De *andro-* + *-fob(o)-* + *-ia.*] *S. f. Med.* Horror ao sexo masculino.

androfóbico. *Adj.* Relativo à androfobia.

andrófobo. [De *andro-* + *-fobo.*] *Adj.* e *s. m.* Que, ou aquele que tem androfobia.

andróforo. [De *andro-* + *-foro.*] *S. m. Morfol. Veg.* **1.** Porção alargada do eixo floral que conduz os estames, em flores de diversos grupos. [Opõe-se a *ginóforo.*] **2.** Coluna estaminal das malváceas, formada pela soldadura de múltiplos filetes, como se vê na graxa-de-estudante.

androgênese. [De *andro-* + *gênese.*] *S. f. Biol. Ger.* Desenvolvimento do ovo apenas com o núcleo paterno.

androgenesia. [De *andro-* + *-genes(e)-* + *-ia.*] *S. f.* Estudo do desenvolvimento físico e moral do homem.

androgenésico. [De *andro-* + *genésico.*] *Adj.* Androgenético.

androgenético. [De *andro-* + *genético.*] *Adj.* Relativo à androgênese ou à androgenesia; androgenésico.

androgenia. [Do gr. *androgéneia.*] *S. f. Biol. Ger.* Produção de machos, em uma partenogênese. [Cf. *androginia.*]

androgênico. *Adj.* Relativo à androgenia. [Cf. andrógínico.]

androgênio. *S. m. Bioquím.* Grupo de hormônios sexuais que estimulam caracteres masculinos secundários.

andrógeno. [De *andro-* + *-geno*[1].] *Adj. Biol.* Diz-se do fator que origina ou estimula os caracteres masculinos. [Cf. *andrógino.*]

androginia. *S. f.* Qualidade ou caráter de andrógino. [Cf. *androgenia.*]

andrógínico. *Adj.* Andrógino (2). [Cf. *androgênico.*]

androginismo. *S. f. Biol. Ger.* Hermafroditismo (1).

andrógino. [Do gr. *andrógynos*, pelo lat. *androgynu.*] *Adj.* **1.** *Biol. Ger.* Hermafrodito: "das irmãs Cotovia, de meiga voz, ... à Mulher Barbada, ser andrógino que atraía e angustiava a um tempo" (Maria Julieta Drummond de Andrade, *O Valor da Vida*, p. 36). **2.** *Bot.* Diz-se dos vegetais que têm simultaneamente flores masculinas e femininas, agrupadas no mesmo pedúnculo ou na mesma espiga; andrógínico. [As flores dotadas de órgãos dos dois sexos não se chamam *andróginas*, e sim *hermafroditas.*] **3.** Diz-se dos fungos quando há anterídio e ogônio sobre uma mesma hifa. [Cf. *andrógeno.*] ● *S. m.* **4.** *Biol. Ger.* Hermafrodito.

androginóforo. [De *andro-* + *-gino-* + *-foro.*] *S. m. Bot.* Prolongamento do receptáculo das flores que sustenta, a um tempo, o androceu e o gineceu, e que se encontra nas passifloráceas, como, p. ex., o maracujá.

andróide. [De *andro-* + *-óide.*] *S. m.* **1.** Autômato de figura humana. **2.** Antropopiteco.

andrólatra. [De *andro-* + *-latra.*] *S. 2 g.* Quem rende culto divino a um homem; quem pratica a androlatria.

androlatria. [De *andro-* + *-latria.*] *S. f.* Culto divino prestado a um homem.

androlátrico. *Adj.* Respeitante à androlatria.

andrologia. [De *andro-* + *-log(o)-* + *-ia.*] *S. f.* **1.** Ciência do homem e, em especial, das suas doenças. **2.** *Med.* Estudo das doenças dos órgãos sexuais masculinos.

andrológico. *Adj.* Referente à andrologia.

andromania. [Do gr. *andromanía.*] *S. f.* V. *ninfomania.*

andromaníaca. [Fem. substantivado de *andromaníaco.*] *S. f.* Aquela que sofre de andromania.

andromaníaco. *Adj.* Relativo à, ou que tem andromania: *Aquela mulher é um pobre ser andromaníaco.*

andrômeda. [Do mit. *Andrômeda.*] *S. f.* **1.** Constelação boreal, ao S. da constelação de Cassiopéia. **2.** Planta arbustiva da família das ericáceas, tipo de urze americana de folhagem persistente, própria de lugares secos áridos, de flores e folhas de beleza notável.

andromedídio. *S. m. Astr.* Meteoro pertencente à chuva de meteoros [q. v.], visível na segunda quinzena de novembro, cujo radiante está nas vizinhanças da estrela gama de Andrômeda; bielídio.

andromedítico. *Adj.* Relativo à andrômeda.

andromerogonia. [De *andro-* + *merogonia.*] *S. f. Citol.* Merogonia em que o fragmento do ovo contém apenas cromossomos do pai.

andrômina. *S. f.* V. *endrômina.*

androplasma. *S. m. Citol.* Protoplasma do gameta masculino.

androplásmico. *Adj. Citol.* Que produz gametas masculinos.

androsperma. *S. m. Biol. Ger.* Gameta determinante do filho macho, produzido pelo indivíduo heterogamético.

androssomia. *S. m. Citol.* Cromossomia que só ocorre em núcleo masculino.

androssômico. *Adj.* Relativo à androssomia.

androsterona. *S. m. Quím.* Substância que tem sobre o organismo humano o efeito fisiológico do hormônio masculino. [Fórm.: $C_{19}H_{30}O_2$.]

androstilo. *S. m. Morfol. Veg.* V. *ginostêmio.*

andu. *S. m. Bras.* Fruto do anduzeiro; guando, guandu, feijão-guando.

andubé. *S. m. Bras.* V. *mandubi*[2].

anduiá. [Var. de *anujá.*] *S. m. Bras.* **1.** Peixe teleósteo siluriforme, da família dos auquenipterídeos (*Glanidium albescens* Rein.), largamente distribuído pelo Brasil, de coloração cinzenta, flancos escassa e delicadamente pontilhados de branco, abdome branco, pedúnculo e nadadeira dorsal com pequenas manchas escuras, e 12 cm de comprimento; bureva, buneva. **2.** V. *anujá.*

andurriais. [De *andar*; pl. de *andurrial.*] *S. m. pl.* Lugares públicos, sujos e trilhados por muita gente: "andou esse extravagante inglês [Cook] pisando todos os areais, haurindo todas as brisas ...., correndo todos os andurriais do Planeta" (Olavo Bilac, *Crítica e Fantasia*, p. 150). ~ V. *andurrial.*

andurrial. *S. m.* Lugar ermo, sem caminhos. ~ V. *andurriais.*

anduzeiro. *S. m. Bras.* Planta arbustiva da família das leguminosas, (*Canajus indicus*), subfamília papilionácea (*Cajanus indicus*), de flores amarelas, e sementes (uma espécie de feijão) comestíveis; guandeiro.

anduzinho. [Dim. de *andu.*] *S. m. Bras.* Certa leguminosa do N. de MG.

anecumênico. [De *an-* + *ecumênico.*] *Adj.* Relativo ao anecúmeno.

anecúmeno. [De *an-* + *ecúmeno.*] *Adj.* e *s. m. Geog.* Diz-se de, ou área inabitável pelo homem. [Opõe-se a *ecúmeno.*]

anediar. [De *a-*[2] + *nédio* + *-ar*[2].] *V. t. d.* **1.** Tornar nédio, lustroso, luzidio. **2.** Alisar, afagar: *Anediou os cabelos do filhinho*; "roçava timidamente o rosto pelas folhas, anediando-as com a mão, na cisma de serem as madeixas, que tanto amava." (José de Alencar, *O Sertanejo*, p. 71).

anedota. [Do gr. *anékdotos*, 'inédito', atr. do fr. *anecdote.*] *S. f.* **1.** Relato sucinto de um fato jocoso ou curioso. **2.** Particularidade engraçada de figura histórica ou lendária.

anedotário. *S. m.* Coleção de anedotas.

anedótico. *Adj.* Relativo a, ou que encerra anedota.

anedotista. *S. 2 g.* Contador e/ou colecionador de anedotas.

anedotizar. *V. t. d.* **1.** Contar à maneira de anedota. *Int.* **2.** Contar anedotas.

anegar. [Do lat. *enecare.*] *V. t. d.* **1.** Cobrir de água; submergir; inundar, alagar. *T. d.* e *i.* **2.** Mergulhar, submergir. [Conjug.: v. *regar.*]

anegrado. [De *a-*[2] + *negro* + *-ado*[1].] *Adj.* **1.** Um tanto negro; anegriscado, negrusco. **2.** Escuro (2).

anegrar. [De *a-*[2] + *negro* + *-ar*[2].] *V. t. d.* **1.** Dar a cor negra a. *P.* **2.** Tornar-se negro.

anegrejar. [De *a-*[2] + *negro* + *-ejar.*] *V. t. d.* Tornar negro; enegrecer: "mostra [o mar] a profundura a anegrejar-lhe o seio" (Martins Fontes, *O Mar*, p. 10). [Conjug.: v. *pelejar.*]

anegriscado. [De *a-*[2] + **negrisco* + *-ado*[2].] *Adj.* Anegrado (1).

aneiro. *Adj.* **1.** Dependente da maneira como correr o ano: *árvores aneiras.* **2.** Incerto, precário, contingente.

anejo (ê). [Do esp. *anejo.*] *Adj.* Que tem um ano.

anel. [Do lat. *annellu*, por *annulu*, atr. do provenç. *anel.*] *S. m.* **1.** Pequena tira circular, geralmente de metal, simples ou com engaste de pedras preciosas, esmalte, etc., que se usa nos dedos como adorno ou símbolo. [Sin. no AM, MG e RS: *memória.*] **2.** *P. ext.* Selo ou sinete do próprio anel. **3.** Qualquer objeto ou órgão de forma circular. **4.** Caracol ou cacho de cabelo. **5.** Cada peça de corrente; elo. **6.** *Álg. Mod.* Conjunto de elementos em que valem as seguintes propriedades: a) o conjunto é um grupo abeliano sob uma operação de soma; b) o conjunto é fechado sob uma operação binária de produto; c) o produto é associativo e distributivo em relação à soma. **7.** Bot. Nos fungos, a porção remanescente da ruptura do véu parcial que cobre o píleo do aparelho esporígeno. **8.** *Bot.* Nos pteridófitos, fileira de células espessadas que circula o esporângio. **9.** *Caligr.* Elo formado pelo traçado de certas letras. **10.** *Citol.* Figura formada na meiose pela associação de cromossomos, ponta com ponta. [Pl.: *anéis.*] ♦ **Anéis de Saturno.** *Astr.* Pequenos satélites formados no plano equatorial do planeta Saturno, os quais, muito próximos uns dos outros, semelham anéis delgados e contínuos. [Três são os anéis visíveis de Saturno: *o anel A, o anel B e o anel C ou anel de crepe*, que se seguem de fora para dentro.] **Anel A.** *Astr.* V. *anéis de Saturno.* **Anel B.** *Astr.* V. *anéis de Saturno.* **Anel C.** *Astr.* V. *anéis de Saturno.* **Anel comutativo.** *Alg. Mod.* Anel de cujos elementos fazem parte a identidade aditiva e o inverso aditivo. [A identidade multiplicativa pode existir ou não.] **Anel de Bishop.** *Astr.* Denominação proposta por P. Bishop, astrônomo norte-americano contemporâneo, para um halo lunar ou solar com características especiais, observável quando o astro se acha próximo do horizonte, e causado por partículas de pó da alta atmosfera. **Anel de compressão.** *Autom.* Anel mediante o qual é mantida a compressão dentro do cilindro. **Anel de crepe.** *Astr.* V. *anéis de Saturno.* **Anel de guarda.** *Eletr.* Dispositivo utilizado para diminuir ou eliminar a influência das bordas das armaduras de um capacitor de placas paralelas, na homogeneidade do campo elétrico. **Anel de integridade.** *Álg. Mod.* Anel comutativo que: a) tem um elemento unidade que não é nulo; b) não tem divisores próprios do zero. **Anel divisão.** *Álg. Mod.* Conjunto de elementos em que valem as seguintes propriedades: a) o conjunto é um grupo abeliano sob uma operação binária de soma; b) existe a identidade aditiva; c) excetuando-se a identidade aditiva, o conjunto é um grupo sob uma operação binária de produto; d) o produto é distributivo à direita e à esquerda em relação à soma. **Anel fantasma.** *Astr.* Anel invisível do planeta Saturno, externo aos três anéis visíveis. [v. *anéis de Saturno*] e cuja existência se pode comprovar pela diminuição da luz de uma estrela, durante uma ocultação desta pelo planeta.

anelação. [Do lat. *anhelatione.*] *S. f.* **1.** Respiração difícil, curta, ofegante. **2.** V. *anelo.*

anelado. [De *anel* + *-ado*[1]]. *Adj.* **1.** V. *aneliforme.* **2.** Diz-se do cabelo encaracolado: "Cabelos negros, finos, anelados" (Austro-Costa, *Mulheres e Rosas*, p. 29); "Os longos cabelos, os sobrolhos e a barba espessa, comprida e anelada, eram de cor preta retinta." (Arnaldo Gama, *O Balio de Leça*, p. 2.) **3.** Pertencente ou relativo aos anelados; anelídeo. ~ *V. letra —a* e *vermes —s.* ● *S. m.* **4.** Espécime dos anelados; anelídeo.

anelados. [Pl. de *anelado* (4).] *S. m. pl. Zool.* V. *anelídeos.*

anelante. [Do lat. *anhelante.*] *Adj. 2 g.* **1.** Que denota ânsia; ofegante: "Ao descair do sol daquele dia / Anelantes os dous enfim chegaram / Ao cimo do elevado promontório" (Gonçalves de Magalhães, *A Confederação dos Tamoios*, p. 214); *respiração anelante* **2.** Que revela anelo: "E aí ficou imóvel, mas anelante, cheia de ansiedade, de receio e de temores, até que finalmente ouviu o sinal da hora aprazada e suprema." (Joaquim Manuel de Macedo, *Os Romances da Semana*, p. 299); *Vive anelante de conhecer terras.*

anelão. [Aum. de *anel.*] *S. m. Bras.* Anel grosso, pesado, de prata ou de ouro.

anelar[1]. [De *anel* + *-ar*[1].] *Adj. 2 g.* **1.** Anular[1] (2). **2.** V. *aneliforme.*

anelar[2]. [De *anel* + *-ar*[2]]. *V. t. d.* **1.** Dar forma de anel a. **2.** Por em anéis; cachear: "Lúcia ocupava-se em anelar os cabelos louros da irmã" (José de Alencar, *Lucíola*, p. 183).

anelar[3]. [Do lat. *anhelare.*] *V. t. d.* **1.** Desejar ardentemente; aspirar a: Anelava a glória. *T. i.* **2.** Ansiar, almejar: *Passa os dias anelando pela presença do amado. Int.* **3.** Respirar com dificuldade; ofegar: "Tardo o passo, anelando, a íngreme ladeira / Subo." (Alberto de Oliveira, *Poesias*, 1ª série, p. 245).

anelasticidade. *S. f. Fís.* Propriedade de um sólido elástico em que a deformação depende do tempo de ação da tensão.

aneleira. *S. f.* Caixinha para guardar anéis. [Cf. *anileira.*]

▲**aneli-.** [Do lat. *annellus, i.*] *El. comp.* = 'anel': *aneliforme.* [V. *anuli-.*]

anelídeo. *S. m.* **1.** Espécime dos anelídeos; anelado ● *Adj.* **2.** Pertencente ou relativo aos anelídeos; anelado.

anelídeos. *S. m. pl. Zool.* Animais enterozoários de simetria bilateral, filo *Annelida.* Corpo segmentado, cada anel ou segmento com um par de nefrídios, tubo digestivo tubular completo; celoma bem diferenciado; sistema vascular fechado. São as minhocas, poliquetas e sanguessugas. [Sin.: *anelados, vermes anelados.*]

aneliforme. [De *aneli-* + *-forme.*] *Adj. 2 g.* Que tem forma de anel; anelado; anelar, anular.

anelípede. [De *aneli-* + *-pede.*] *Adj. 2 g.* Que tem patas em forma de anel.

anélito. [Do lat. *anhelitu.*] *S.m.* **1.** Hálito, respiração, bafo. **2.** V. *anelo.*

anelo. [Do lat. *anhelu.*] *S. m.* V. *anseio* (2). [Sin., p. us.: *anelação, anélito.*]

anemia. [Do gr. *anaimía.*] *S. f. Patol.* **1.** Deficiência de hemácias ou hemoglobina no sangue circulante. **2.** *Fig.* Debilidade, fraqueza.

anemiante. *Adj. 2 g.* Que anemia.

anemiar. *V. t. d.* **1.** Causar anemia em. **2.** Debilitar, enfraquecer. *P.* **3.** Ficar anêmico. [Sin. ger.: *anemizar.*]

anêmico. *Adj.* **1.** Referente à, ou próprio da anemia. **2.** Que sofre de anemia. **3.** *Fig.* Sem vigor, sem relevo; pobre de substância: *discurso anêmico*. **4.** *Fig.* Fraco, frouxo; mortiço: *luz anêmica*. ● *S. m.* **5.** Indivíduo que sofre de anemia.

anemizar. *V. t. d.* e *p.* V. *anemiar.*

▲**anemo-.** [Do gr. *anemos.*] *El. comp.* = 'vento'; *anemógrafo.* [Equiv.: *-anemo: barosânemo.*]

▲**-anemo.** Equiv. *de anemo-.*

anemocoria. *S. f. Bot.* Disseminação das plantas pelo vento, i. e., transporte de suas estruturas reprodutivas pelo ar em movimento.

anemocórico. *Adj.* Referente à anemocoria.

anemofilia. [De *anemo-* + *-fil(o)-*[2] + *-ia.*] *S. f.* Polinização pelo vento, i. e., transporte dos grãos de pólen pelo ar em movimento, método pelo qual se processa a polinização cruzada, indo o pólen de uma flor fecundar os óvulos de outra a distância.

anemófilo. [De *anemo-* + *-filo*[2].] *Adj. Bot.* Que é polinizado pela ação do vento.

anemogamia. [De *anemo-* + *-gam(o)-* + *ia.*] *S. f. Bot.* Fenômeno que consiste na fecundação por anemofilia. [As gramíneas, p. ex., são fecundadas por anemogamia.]

anemogâmico. *Adj.* Referente à anemogamia.

anemógamo. [De *anemo-* + *-gamo.*] *Adj. Bot.* Que é fecundado por anemogamia.

anemografia. [De *anemo-* + *-graf(o)-* + *-ia.*] *S. f.* Descrição dos ventos.

anemográfico. *Adj.* Referente à anemografia.

anemógrafo. [De *anemo-* + *-grafo.*] *S. m.* **1.** Especialista em anemografia. **2.** Aparelho que registra a direção e força dos ventos.

anemologia. [De *anemo-* + *log(o)-* + *-ia.*] *S. f.* Tratado sobre os ventos.

anemológico. *Adj.* Referente à anemologia.

anemólogo. [De *anemo-* + *-logo.*] *S. m.* Especialista em anemologia.

anemometria. [De *anemo-* + *-metr(o)-* + *-ia.*] *S. f.* Medida da intensidade e da velocidade dos ventos.

anemométrico. *Adj.* Referente à anemometria.

anemômetro. [De *anemo-* + *-metro*[2].] *S. m. Meteor.* Instrumento para medir a velocidade ou a intensidade do vento, e também, nalguns casos, a sua direção.

anêmona. [Do gr. *anemóne*, pelo lat. *anemona.*] *S. f.* Espécie de gênero *Anemone*, da família das ranunculáceas, ervas exóticas, muito ornamentais em virtude das grandes flores variadamente coloridas.

anêmona-do-mar. *S. f.* Animal celenterado, antozoário, zoantário, da ordem *Actiniaria*, sem esqueleto calcário, cujos pópilos têm parede muscular e disco pedioso sésseis, mas não fixos, e de hábito solitário; flor-das-pedras, actínia. [Pl.: *anêmonas-do-mar.*]

anemoscopia. [De *anemo-* + *-scop-* + *-ia.*] *S. f.* Estudo da direção dos ventos.

anemoscópico. *Adj.* Relativo à anemoscopia.

anemoscópio. [De *anemo-* + *-scop-* + *-io*[2].] *S. m.* Instrumento indicador da direção dos ventos.

anemoterapia. [De *anemo-* + *terapia.*] *S. f. Terap.* Tratamento de doenças por inalações.

anemoterápico. *Adj.* Relativo à anemoterapia.

anencefalia. [De *an-* + *encéfalo* + *-ia.*] *S. f. Ter.* Anomalia de desenvolvimento, que consiste em ausência de abóbada craniana, estando os hemisférios cerebrais ausentes ou representados por massas pequenas que repousam na base. Monstruosidade consistente na falta de cérebro.

anencefálico. *Adj.* Referente à anencefalia.

anencéfalo. [De *an-* + *encéfalo.*] *Adj.* e *s. m. Ter.* Diz-se de, ou aquele que apresenta anencefalia.

▲**-âneo.** [Do lat. *-aneu-.*] *Suf. nom.* = 'modo de ser', 'qualidade'; 'duração'; 'próprio de', 'relativo a': *espontâneo* (< lat. *spontaneu*); *momentâneo* (< lat. *momentaneu*), *contemporâneo* (< lat. *contemporaneu*); *cutâneo.*

anepigrafia. *S. f.* Qualidade de anepigráfico.

anepigráfico. *Adj.* Diz-se de medalha, baixo-relevo, etc., sem título ou inscrição; anepígrafo.

anepígrafo. [Do gr. *anepígraphos.*] *Adj.* Anepigráfico.

anequim. *S. m. Bras.* Peixe elasmobrânquio pleurotremado, da família dos isurídeos (*Carcharodon charcharias* (L.)), de coloração cinzento-clara, cosmopolita. Tido como um dos mais ferozes do grupo, atacando tudo que encontra pela frente, é dado a acompanhar os navios, tornando-se um flagelo nos naufrágios. Comprimento: 6 a 7 metros. [Sin.: *cação-anequim.* Var.: *enequim.*]

aneróide. *S. m. Adj. 2 g. Fís.* Diz-se de certos instrumentos de medida que operam sem a interveniência de fluidos, em contraste com outros, do mesmo tipo, que atuam com essa interveniência.

anérveo. *Adj. Zool.* Diz-se do inseto cujas asas são desprovidas de filetes nervosos.

anesférico. [De *an(a)-* + o fem. de *esférico.*] *Adj. Geom.* Diz-se de superfície que não tem raio de curvatura constante. ~ V. *lente —a.*

anesplenia. [De *an-* + *-esplen(o)-* + *-ia.*] *S. f. Med.* Alienia.

anestesia. [Do gr. *anaisthésia.*] *S. f.* **1.** *Med.* Perda total ou parcial da sensibilidade, em qualquer de suas formas, que se manifesta em resultado de várias causas mórbidas, ou é conseguida de propósito, para aliviar a dor ou evitar que ela apareça no curso das intervenções cirúrgicas. **2.** Anestésico (2).

anestesiante. *Adj. 2 g.* Anestésico (1).

anestesiar. *V. t. d.* Provocar a anestesia (1) em. [Cf. *narcotizar* (2).]

anestésico. *Adj.* **1.** Que anestesia; anestesiante. ● *S. m.* **2.** Medicamento que suprime a sensibilidade. [F. paral.; (p. us.): *anestético.*]

anestesiologia. *S. f.* Ramo da medicina que estuda os fenômenos da anestesia.

anestesiológico. *Adj.* Relativo à anestesiologia.

anestesiologista. *S. 2 g.* Especialista em anestesiologia.

anestesista. *S. 2 g.* Profissional que aplica anestesia.

anestético. *Adj.* e *s. m. P. us.* Anestésico.

anete (ê). *S. m. Marinh.* **1.** Arganéu ou manilha presa ao furo existente na extremidade superior da haste de uma âncora, e na qual é talingada a amarra. **2.** Arganéu colocado na parte superior de uma bóia de amarração.

aneto. [Do gr. *ánethon*, pelo lat. *anethu.*] *S. m. Bras.* Erva da família das umbelíferas *(Anethum graveolens)*, originária da Europa e da Ásia, e cujas sementes se usam como aromatizantes em sopas e licores; luzendro.

anetol. *S. m. Quím.* O principal constituinte da essência de anis, cristalino, escamoso, branco, com cheiro característico. [Fórm.: $C_{10}H_{12}O$. Pl.: *anetóis.*]

aneuplóide. *Adj. 2 g.* Que tem guarnição cromossômica que não é a diplóide normal nem um múltiplo desta.

aneuploidia. *S. f.* Caráter ou qualidade de aneuplóide.

aneurina. *S. f. Quím.* Substância cristalina, incolor, encontrada em cereais, ovos, fermentos, e cuja ausência da dieta humana provoca o beribéri; tiamina.

aneurisma. [Do lat. *aneurysma.*] *S. m. Patol.* Dilatação das paredes de artéria ou veia, de forma variável (saciforme, fusiforme, etc.), e que contém sangue.

aneurismal. *Adj. 2 g.* **1.** Que tem forma ou semelhança de aneurisma. **2.** Da natureza do aneurisma. [Sin. ger.: *aneurismático.*]

aneurismático. *Adj.* **1.** Que tem aneurisma. **2.** Aneurismal.

aneuro. *Adj. Morfol. Veg.* Enérveo.

anexação (cs). *S. f.* Ato ou efeito de anexar(-se).

anexado (cs). [Part. de *anexar.*] *Adj.* Que se anexou; reunido.

anexador (cs...ô). *Adj.* e *s. m.* Que ou aquele que anexa.

anexar (cs). *V. t. d.* e *i.* **1.** Juntar a coisa considerada como principal: *anexar outras cláusulas ao contrato.* **2.** Reunir (um país, ou parte dele, a outro), preservando-lhe ou não a autonomia: *Em 1809 D. João VI anexou a Guiana Francesa aos domínios portugueses. P.* **3.** Incorporar-se, reunir-se, juntar-se.

anexim (ch). [Do ár. *an-naxid.*] *S. m.* **1.** V. *provérbio* (1): "Com tais elementos acha-se, ou pelo menos achava-se naquele tempo facilmente, um marido; não desses que justificam o anexim: — nunca falta um chinelo velho para um pé doente — mas um marido regular, capaz de direitos e obrigações." (França Júnior, *Folhetins*, pp. 626-627.) **2.** Dito sentencioso.

anexim (cs). [De *anexo.*] *S. m. Bras., RJ. Antiq.* **1.** Aluno de curso anexo à antiga Escola Politécnica do Rio de Janeiro, de preparação para o exame vestibular. **2.** *P. ext.* Qualquer calouro daquela escola: "Eu hei de sempre te fazer justiça / Ó 'Jack-estripador' dos anexins!..." (D. Xiquote, *Saguão da Posteridade*, p. 37.) [Cf. *anexim.*]

anexionismo (cs). *S. m.* Doutrina ou teoria pela qual os pequenos Estados deveriam ser incorporados aos grandes, seus vizinhos, a pretexto de afinidade de raça, língua, costumes, etc.

anexionista (cs). *Adj. 2 g.* **1.** Referente ao anexionismo, ou que é partidário dessa doutrina. ● *S. 2 g.* **2.** Partidário dela.

anexite (cs). [De *anexo* (6) + *-ite.*] *S. f. Patol.* Inflamação de anexo.

anexo (cs). [Do lat. *annexu.*] *Adj.* **1.** Ligado, junto, contíguo: *casa anexa*. **2.** Incorporado, apenso: *documento anexo*. **3.** Dependente, subordinado. ● *S. m.* **4.** Aquilo que está ligado como acessório. **5.** O prédio que, num conjunto edificado, é dependente de outro, principal, ou que o complementa. **6.** *Anat.* O ovário e a trompa, considerados como dependência do útero.

anfetamina. *S. f. Quím.* Líquido incolor, com ação marcada sobre o organismo humano, e utilizado como vasoconstritor, e como estimulante. [Fórm.: $C_9H_{13}N$.]

▲**anf(i)-.** [Do gr. *amphí.*] *Pref.* = 'de um e outro lado', 'ao redor': *anfípode, anfopositivo, anfiteatro* (< lat. *amphitheatru* < gr. *amphitheátron*).

anfiartrose. [De *anfi-* + *artrose.*] *S. f. Anat.* Articulação apenas capaz de movimentação reduzida, e que não dispõe de cavidade articular nem de membrana sinovial.

anfiaster. *S. m. Citol.* Figura cromática, na divisão celular, formada de dois centros celulares e um fuso acromático.

anfíbio. [Do gr. *amphíbios.*] *Adj.* **1.** Diz-se de animal ou planta que vive tanto em terra como na água. **2.** Que pode ser utilizado em terra e/ou na água: *veículo* anfíbio; *embarcação* anfíbia. **3.** Que se realiza, ao mesmo tempo, em terra e/ou em água: "As galés castelhanas arpoavam os navios portugueses, e a luta anfíbia travava-se de dentro dos navios encalhados e amarrados" (Oliveira Martins, *A Vida de Nun'Álvares,* p. 187). **4.** Que tem sentimentos opostos, ou segue duas opiniões diferentes, ou tem dois modos de vida. **5.** Pertencente ou relativo a anfíbio (7); nudipilífero. **6.** *Mar. G.* Diz-se de, ou pertinente a uma atividade, operação ou organização cujo fim é efetuar o desembarque ou a retirada de uma força terrestre em um ponto do litoral defendido ou atacado pelo inimigo. ~ V. *avião* —. ● *S. m.* **7.** Espécime dos anfíbios; nudipilífero. **8.** *Fig.* Aquele que tem sentimentos opostos, ou segue duas opiniões diferentes.

anfibiografia. [De *anfíbio* + *-graf(o)-* + *-ia.*] *S. f.* Tratado descritivo dos anfíbios.

anfibiográfico. *Adj.* Relativo à anfibiografia.

anfibiólito. [De *anfíbio* + *-lito.*] *S. m.* Fragmento de anfíbio petrificado.

anfibiologia. [De *anfíbio* + *-log(o)-* + *-ia.*] *S. f.* Parte da zoologia que trata dos anfíbios. [C. f. *anfibologia.*]

anfibiológico. *Adj.* Referente à anfibiologia. [Cf. *anfibológico.*]

anfíbios. *S. m. pl. Zool.* Animais cordados craniotas gnastomados tetrápodes, da classe *Amphibia.* Pele nua, glandular, sempre umedecida, sem escamas; coração com três cavidades; respiração através de brânquias nos estágios iniciais (podendo persistir a vida inteira), e depois através de pulmões, pele e mucosa bucal, separada ou concomitantemente; fecundação externa. Abrangem as cecílias, salamandras e anuros. [Sin.: *nudipilíferos.*]

anfibolia. [Do gr. *amphibolía,* 'equívoco', atr. do lat. *amphibolia.*] *S. f.* **1.** *Lóg.* Locução ou proposição com duplo sentido, em razão da sua construção; anfibologia. **2.** *Lóg.* Segundo o lógico francês Edmond Goblot (1858-1935), uso transcedente dos conceitos (sentido consagrado por Kant [v. *kantismo*] na expressão *anfibolia transcendental),* distinguindo-se, pois, de anfibologia (2). **3.** *Med.* Período, nas doenças, de prognóstico duvidoso. ◆ **Anfibolia transcendental.** *Lóg.* V. *anfibolia* (2).

anfibólio. [Do gr. *amphíbolos,* 'duvidoso', + *-io*[1].] *S. m. Min.* Designação comum aos minerais do grupo muito semelhante, quanto à composição química, ao dos piroxênios. São silicatos que contêm cálcio, magnésio ou ferro, e podem também conter manganês, sódio e potássio.

anfibolito. [De *anfibólio* + *-ito*[3].] *S. m. Pet.* Rocha metamórfica ou magmática, essencialmente constituída de anfibólio.

anfibologia. [Do gr. *amphíbolos,* 'ambíguo', + *-log(o)-* + *-ia.*] *S. f.* **1.** *Gram.* Ambigüidade ou duplicidade de sentido numa construção sintática; ambigüidade. Ex.: *Ama o pai o filho.* **2.** *Lóg.* Anfibolia (1). [Cf. *anfibiologia.*]

anfibológico. *Adj.* Referente a, ou que encerra anfibologia; ambíguo. [Cf. *anfibiológico.*]

anfibologista. *S. 2 g.* Quem comete anfibologia.

anfibolóide. [De *amphíbolos,* 'duvidoso', + *-óide.*] *Adj. 2 g.* Semelhante ao anfibólio.

anfíbraco. [Do gr. *amphíbrachys,* 'breve dos dois lados', pelo lat. *amphibrachu.*] *S. m.* Pé de verso grego ou latino que tem uma sílaba longa entre duas breves.

anfibráquico. *Adj.* **1.** Referente a anfíbraco. **2.** Em que há anfíbraco.

anficelo. *S. m.* **1.** Espécime dos anficelos. ● *Adj.* **2.** Pertencente ou relativo a eles. ~ V. *vértebra* —*a.*

anficelos. *S. m. pl. Zool.* Animais cordados anfíbios anuros, da ordem *Amphicoela,* que têm vértebras anficelas e dois músculos residuais na cauda.

anficribal. *Adj. 2 g. Morfol. Veg.* V. *anficribral.*

anficribral. *Adj. 2 g. Morfol. Veg.* Provido de tubos crivados ou vasos liberianos em toda a volta. [Var.: *anficribal;* sin.: *anficrivado.*]

anficrivado. *Adj. Morfol. Veg.* V. *anficribral.*

anfictião. [Do gr. *amphiktyones,* pelo lat. *amphictyones.*] *S. m.* Anfictíone.

anfictíone. [Do gr. *amphiktyones.*] *S. m.* Cada membro do conselho de representantes dos antigos Estados gregos, que se reuniam para deliberar sobre negócios de interesse geral; anfictião.

anfictionia. [Do gr. *amphiktyonía.*] *S. f.* **1.** Reunião dos anfictiones. **2.** Direito de ser representado no conselho deles.

anfictiônico. [Do gr. *amphiktyonikós.*] *Adj.* Pertencente ou relativo aos anfictiones.

anfídios. *S. m. pl. Zool.* Órgãos sensoriais anteriores dos vermes nematódeos.

anfidrômico. *Adj.* ~ V. *ponto* —.

anfifloemático. *Adj. Bot.* Que tem floema ou líber interna e externamente; anfiflóico.

anfiflóico. *Adj. Bot.* Anfifloemático.

anfigamia. *S. f. Biol.* Fecundação em que os gametas procedem de indivíduos distintos ou do mesmo indivíduo ou, ainda, de variedades ou de espécies diferentes.

anfigâmico. *Adj.* Referente à anfigamia.

anfígamo. *Adj.* Referente à, ou que realiza a anfigamia: *espécie* anfígama.

anfigástrio. *S. m. Bot. Morfol. Veg.* Var. de *anfigastro.*

anfigastro. *S. m. Morfol. Veg.* Pequenina folha que forma série na face inferior do talo das hepáticas foliosas. São menores do que as folhas normais e constituem uma terceira fileira, razão por que eram, outrora, chamados de *estípulas.* [Var.: *anfigástrio.*]

anfigênese. *S. f. Biol.* Reprodução sexuada.

anfigenético. *Adj.* Relativo à anfigênese.

anfigênio. [De *anf(i)-* + *-gen(o)-*[2] + *-io.*] *S. m.* **1.** *Min.* Leucita. ● *Adj.* **2.** *Quím.* Diz-se de qualquer dos elementos capazes de produzir tanto ácidos como bases.

anfígeno. [De *anf(i)-* + *-geno.*] *Adj.* **1.** *Biol.* Produzido por anfigênese. **2.** *Bot.* Que se encontra ou surge em ambas as páginas da folha: *frutificações* anfígenas. ● *S. m.* **3.** *Bot.* O talo laminar dos liquens.

anfigonia. [De *anf(i)-* + *-gon(o)-*[2] + *-ia.*] *S. f. Biol. Ger.* Reprodução por meio de dois indivíduos diferentes.

anfigônico. *Adj. Biol. Ger.* Relativo à, ou resultante da anfigonia: *reprodução* anfigônica.

anfiguri. [Do fr. *amphigouri.*] *S. m.* **1.** Trecho ou discurso deliberadamente ininteligível. **2.** Peça literária desordenada e sem sentido.

anfigúrico. *Adj.* Que tem forma ou caráter de anfiguri; anfigurítico.

anfigurismo. *S. m.* **1.** Vício do que é anfigúrico. **2.** Abuso do anfiguri.

anfigurítico. *Adj.* Anfigúrico.

anfilepse. *S. f. Genét.* Num híbrido, a manifestação dos caracteres de ambos os pais.

anfimixia (cs). [De *anf(i)-* + gr. *míxis,* 'mistura', + *-ia.*] *S. f. Biol. Ger.* União de gametas masculino e feminino, na reprodução; singamia.

anfineuro. *S. m.* **1.** Espécime dos anfineuros; cabrião, caramujo-cascudo. ● *Adj.* **2.** Pertencente ou relativo a eles.

anfineuros. *S. m. pl. Zool.* Animais moluscos marinhos, da classe dos *Amphineura,* caracterizados por terem o corpo alongado, cabeça reduzida, sem tentáculos, carapaça com oito placas ou nenhuma. São os placóforos e poliplacóforos.

anfioxo (cs). *S. m.* **1.** Espécime dos anfioxos. ● *Adj.* **2.** Pertencente ou relativo aos anfioxos.

anfioxos (cs). *S. m. pl. Zool.* Animais cordados acrânios cefalocordados, da classe dos leptocárdios, gênero *Branchiostoma* Costa, segmentados, pisciformes, que vivem enterrados na lama ou na areia de praias rasas, mantendo fora apenas a parte anterior do corpo. Têm, no máximo, 10 cm de comprimento. [Cf. *leptocárdios* e *cefalocordados.*]

anfípode. [De *anf(i)-* + *-pode.*] *Adj. 2 g.* **1.** Que tem duas qualidades de pé. **2.** Pertencente ou relativo aos anfípodes. ● *S. m.* **3.** Espécime dos anfípodes.

anfípodes. *S. m. pl. Zool.* Animais artrópodes, crustáceos paracarídios, ordem *Amphipoda.* Corpo comprimido, desprovido de carapaças; um único par de maxilípedes; olhos sésseis; patas torácicas dispostas em dois grupos. Grande número desses animais são marinhos.

anfiprótico. *Adj.* ~ V. *solvente* —.

anfisbena. [Do gr. *amphísbaina,* pelo lat. *amphisbaena.*] *S. f.* **1.** *Bras.* V. *cobra-de-duas-cabeças.* **2.** *Heráld.* Serpente de duas cabeças.

anfisbenídeo. *S. m.* **1.** Espécime dos anfisbenídeos. ● *Adj.* **2.** Pertencente ou relativo a eles.

anfisbenídeos. *S. m. pl. Zool.* Família de reptis ápodes, da subordem dos lacertílios, que reúne animais de vida subterrânea, com cauda semelhante à cabeça, e por isso conhecidos vulgarmente pelo nome de *cobra-de-duas-cabeças* ou *minhocão.*

anfíscio. [Do gr. *amphískios,* pelo lat. *amphisciu.*] *Adj.* e *s. m.* Diz-se do, ou habitante da zona equatorial (sua sombra, no decorrer do ano, se estende ora para o norte, ora para o sul, conforme o hemisfério percorrido pelo Sol).

anfísdromo. [De *anf(i)-* + *-dromo.*] *Adj.* Que pode atracar com a proa ou com a popa.

anfiteatral. [Do lat. *amphitheatrale.*] *Adj. 2 g.* **1.** Relativo a anfiteatro. **2.** Em forma de anfiteatro. [Sin. ger.: *anfiteátrico.*]

anfiteátrico. [Do lat. *amphitheatricu.*] *Adj.* Anfiteatral.

anfiteatro. [Do gr. *amphitheátron,* 'teatro dos dois lados', pelo lat. *amphitheatru.*] *S. m.* **1.** Antigo edifício oval ou circular, com arquibancadas e, no centro, uma arena, para espetáculos públicos, combates de feras ou de gladiadores, jogos e representações. **2.** Sala, de ordinário circular ou semicircular, com palco ou estrado e arquibancadas, para representações teatrais, aulas, palestras, demonstrações, etc. ◆ **Anfiteatro de erosão.** *Geol.* Porção de terreno de forma semicircular ou ovalada, aberta pela erosão na encosta duma montanha ou na borda de um chapadão; circo de erosão.

anfitécio. *S. m.* A porção do talo que circunda o apotético, nos discoliquens, e que apresenta gonídios.

anfiteno. *S. m. Biol. Ger.* Zigóteno.

anfitriã. *S. f.* Anfitrioa: "cortava fatias de bolo e sorria aquele sorriso de anfitriã perfeita que prefere deixar os convidados à vontade" (Lígia Fagundes Teles, *O Jardim Selvagem,* p. 54).

anfitrião. [Do antr. *Anfitrião,* rei de Tebas, personagem da mitologia grega e duma comédia de Plauto, entre outras. *S. m.* **1.** Aquele que recebe convivas; dono da casa. **2.** Aquele que dá ou dirige um banquete. **3.** Aquele que paga as despesas de uma refeição: "A fortuna de Rubião é dissipada, como a de Timão de Atenas, em rasgos de filantropia e liberalidades de anfitrião." (Eugênio Gomes, *Espelho contra Espelho,* p. 100.) [Fem.: *anfitrioa* e *anfitriã.*]

anfitrioa (ô). *S. f.* Fem. de *anfitrião; anfitriã.*

anfitrite. [Do mit. *Anfitrite.*] *S. f.* **1.** Na mitologia grega, a deusa do mar. **2.** *Fig.* O mar. ● *S. m.* **3.** Espécime dos anfitrites. ● *Adj. 2 g.* **4.** Pertencente ou relativo a eles.

anfitrites. *S. m. pl. Zool.* Animais anelídeos, poliquetas, com longas brânquias, os quais vivem em buracos ou tubos e se alimentam de detritos ou de plancto.

anfivasal. [De *anf(i)-* + *vaso* + *-al.*] *Adj. 2 g. Morfol. Veg.* Que apresenta vasos lenhosos, condutores de água, em toda a volta: *feixe* anfivasal.

▲**anfo-.** [Do gr. *ámpho.*] *El. comp.* = 'ambos': *anfófilo, anfolofótrico.*

anfófilo. [De *anfo-* + *-filo*[2].] *Adj.* Que se cora por meio dos corantes ácidos e básicos da anilina.

anfolofótrico. [De *anfo-* + *-lofo-* + *-trico.*] *Adj.* Diz-se dos bacilos que nas duas extremidades apresentam cílios vibráteis.

ânfora. [Do gr. *amphoreûs,* pelo lat. *amphora.*] *S. f.* **1.** Vaso grande de cerâmica, com duas asas simétricas e fundo pontiagudo, usado por gregos e romanos para armazenar azeite, vinho, água, etc.: "Vêem-se amêndoas de Betlém, / e as áureas ânforas contêm / Os vinhos róseos de Siquém." (Martins Fontes, *Verão,* p. 85.) **2.** Qualquer vaso em forma de ânfora. **3.** *Bot.* Porção inferior do pixídio que se abre por fenda circular superior ou opérculo, como na sapucaia.

anforal. *Adj. 2 g. Poét.* Contido em ânfora.

anforicidade. *S. f. Med.* Existência do sopro anfórico.

anfórico. *Adj.* Diz-se do som que se obtém soprando numa ânfora, ou noutra vasilha de gargalo estreito. ~ V. *sopro* —.

anfótero. [Do gr. *amphóteros,* 'um e outro'.] *Adj.* **1.** Que reúne em si duas qualidades opostas. **2.** *Quím.* Que ora reage como base, ora como ácido.

anfractuosidade. *S. f.* **1.** Saliência, depressão ou sinuosidade irregulares. **2.** *Geol.* Saliência ou cavidade em rocha ou em terreno.

anfractuoso (ô). [Do lat. *anfractuosu.*] *Adj.* Que apresenta anfractuosidade.

anga. [Do tupi *ãga,* 'espírito, alma'.] *S. m. Bras. PE.* Mau-olhado, enguiço.

angapanga. *S. f. Bras.* V. *pique*[1] (3).

angapora. [Do tupi *ága'pora.*] *S. f. Bras.* Certo quelônio amazônico.

angareira. *S. f. Bras.* Pequena rede de malhas apertadas, usada na pesca da tainha.

angária. [Do gr. *aggareía,* pelo lat. *angaria.*] *S. f. Ant.* Requisição ou aluguel de besta de carga. [Cf. *angaria,* do v. *angariar.*]

angariação. *S. f.* Ato ou efeito de angariar; angariamento.

angariador (ô). *Adj.* e *s. m.* Que ou aquele que angaria.

angariamento. *S. m.* Angariação.

angariar. [Do persa, pelo gr. *aggareúo* e pelo lat. *angariare.*] *v. t. d.* **1.** Obter, pedindo a um e a outro: "Artur Azevedo .... estava sempre solidário com todas as festividades teatrais e 'benefícios' destinados a ang a r i a r fundos para a libertação de escravos." (R. Magalhães Júnior, *Artur Azevedo e Sua Época*, p. 122.) **2.** Atrair a si; alcançar, granjear: *A n g a r i o u reputação no meio político*; "Mas eu ainda espero a n g a r i a r as simpatias da opinião, e o primeiro remédio é fugir a um prólogo explícito e longo." (Machado de Assis, *Memórias Póstumas de Brás Cubas*, p. X). **3.** Recrutar, aliciar: *A n g a r i a combatentes no exterior.* [Pres. ind.: *angario, angarias, angaria*, etc. Cf. *angária*.]

angarilha. [Do esp. *angarilla*.] *S. f.* Revestimento de palha, vime, etc., com o qual se protegem vasilhas de barro ou de vidro, garrafas, etc.

angatecô. [Do tupi *aga'tá*, 'inquieto'.] *S. m. Bras., AM.* Susto, sobressalto.

angaturama. [De or. indígena.] *S. m. Bras.* Entre os indígenas muras, o espírito protetor.

angaú. [Do tupi?] *S. m. Bras.* V. *japacanim* (2).

▲angel(i)-. [Do lat. *angelus, i.*] *El. comp.* = 'anjo': *angelizar, angelicida.*

angélica. *S. f. Bras.* **1.** Planta da família das umbelíferas (*Archangelica officinalis*), originária da Europa, de propriedades medicinais, e cujo caule se usa no fabrico de licores e em confeitaria. **2.** Árvore da família das rubiáceas (*Guettarda argentea*), originária das Guianas, de fruto drupáceo, cuja casca é adstringente e tônica. **3.** V. *fruta-de-cachorro* (1). **4.** Designação comum a duas variedades de pêra. **5.** *Liturg.* Lição cantada por ocasião da bênção do círio pascal. **6.** *Mús.* Espécie de espineta do séc. XVII. **7.** *Mús.* Registro do órgão e do harmônio. **8.** *Mús.* Espécie de alaúde, muito usado na Inglaterra no fim do séc. XVI e no séc. XVII, provido de 17 cordas, pequena caixa de ressonância, enorme braço, e dois cravelhames.

angélica-da-mata. *S. f. Bras.* Árvore da família das apocináceas (*Plumeria bracteata*), de grandes flores alvas ocorrente em matas úmidas; banana-de-papagaio. [Pl.: *angélicas-da-mata*.]

angélica-do-mato. *S. f. Bras.* Árvore da família das rubiáceas (*Guettarda angelica*), de propriedades febrífugas e adstringentes, usada na medicina popular, e cuja madeira é utilizada em pequenas obras de marcenaria. Ocorre do PI até a BA, MG e SP; angélica-mansa. [Pl.: *angélicas-do-mato*.]

angélica-do-pará. *S. f. Bras.* Árvore da família das leguminosas, subfamília cesalpinóidea (*Dicorynia paraensis*), de flores alvas e madeira própria para obras hidráulicas, marcenaria e carpintaria. Ocorre nas Guianas e no PA. [Pl.: *angélicas-do-pará*.]

angelical. *Adj. 2 g.* V. *angélico.*

angélica-mansa. *S. f. Bras.* Angélica-do-mato. [Pl.: *angélicas-mansas*.]

angelicida. [De *angel(i)-* + *-cida*.] *Adj. 2 g.* e *s. 2 g.* Que ou quem mata anjos.

angélico. [Do gr. *aggelikós*, pelo lat. *angelicu*.] *Adj.* **1.** Relativo a, ou próprio de anjo(s). **2.** *Fig.* Puríssimo, imaculado: *alma a n g é l i c a.* **3.** Belo ao extremo, ou perfeitíssimo. [Sin. ger.: *angelical*.]

angelicó. *S. f. Bras.* Trepadeira ornamental, da família das aristoloquiáceas (*Aristolochia trilobata*); urubucaá.

angelim. [Do tâmul *anjili*.] *S. m.* V. *fava-de-bolota.*

angelim-amarelo. *S. m. Bras.* V. *angelim-araroba.* [Pl.: *angelins-amarelos*.]

angelim-amargoso. *S. m. Bras.* V. *angelim-araroba.* [Pl.: *angelins-amargosos*.]

angelim-araroba. *S. m. Bras.* Árvore da família das leguminosas, subfamília papilionácea (*Vataireopsis araroba*), de flores róseas e madeira útil, e cuja casca, triturada, se usa contra doenças da pele. Ocorre da BA até o RJ e MG. [Sin.: *angelim-amarelo, angelim-amargoso, araroba*. Pl.: *angelins-ararobas* e *angelins-araroba*.]

angelim-coco. *S. m. Bras.* Árvore pequena da família das leguminosas, subfamília papilionácea (*Andira legales*), de flores violáceas, cuja madeira se emprega em obras expostas, carpintaria, etc., e cuja casca e sementes possuem propriedades vermífugas; angelim-doce, paupintado, uraréma. [Pl.: *angelins-cocos* e *angelins-coco*.]

angelim-de-espinho. *S. m. Bras.* Árvore da família das leguminosas, subfamília papilionácea (*Andira spinulosa*). [Pl.: *angelins-de-espinho*.]

angelim-de-folha-larga. *S. m. Bras.* V. *acapu.* [Pl.: *angelins-de-folha-larga*.]

angelim-doce. *S. m. Bras.* V. *angelim-coco.* [Pl.: *angelins-doces*.]

angelim-do-pará. *S. m. Bras.* Designação comum a espécie do gênero *Angelim*, da família das leguminosas, subfamília papilionácea, cujas árvores são altas, de flores róseo-violáceas e róseo-purpúreas. [Pl.: *angelins-do-pará*.]

angelim-pedra. *S. m.* Árvore da família das leguminosas, subfamília papilionácea (*Ferreirea Spectabilis* e *Hymenolobium petraeum*). [Pl.: *angelins-pedras* e *angelins-pedra*.]

angelimpinima. [De *angelim* + tupi *pinima*, 'pintado, malhado'.] *S. m. Bras.* Árvore da família das leguminosas, subfamília papilionácea (*Andira pisonis*).

angelim-rajado. *S. m. Bras.* Árvore da família das leguminosas, subfamília mimosácea (*Pithecolobium racemosum*). [Pl.: *angelins-rajados*.]

angelim-rosa. *S. m.* Árvore da família das leguminosas, subfamília papilionácea (*Platycyamus regnelli*). [Pl.: *angelins-rosas* e *angelins-rosa*.]

angelinense. *Adj. 2 g.* **1.** De, ou pertencente ou relativo a Angelim (PE). ● *S. 2 g.* **2.** Natural ou habitante de Angelim.

angelismo. *S. m.* **1.** Tendência a espiritualizar demasiadamente o homem. **2.** *Filos.* Atitude filosófica que tende a considerar o homem como um puro espírito. **3.** *Pej.* Inocência, simplicidade.

angelita. [De *angel(i)-* + *-ita*².] *S. 2 g.* Herege da seita dos angelitas, que rendiam culto aos anjos.

angelitude. [De *angel(i)-* + *-tude*.] *S. f.* Estado ou condição de anjo.

angelizar. *V. t. d.* **1.** Tornar angélico. **2.** Comparar a anjo. *P.* **3.** Tornar-se angélico: "Dilata [Pasteur] a existência, destrói a enfermidade, consegue a agerasia, ... a n g e l i z a - s e, diviniza-nos!" (Martins Fontes, *Terras da Fantasia*, p. 211).

▲angelo-. [Do gr. *ággelos, ou.*] *El. comp.* = 'anjo': *angelologia, angelólatra.*

angelólatra. [De *angelo-* + *-latra*.] *S. 2 g.* Pessoa que pratica a angelolatria.

angelolatria. [De *angelo-* + *-latria*.] *S. f.* Adoração dos anjos.

angelolátrico. *Adj.* Relativo à angelolatria.

angelologia. [De *angelo-* + *-log(o)-* + *-ia*.] *S. f.* **1.** Tratado acerca de anjos. **2.** Crença na intervenção dos anjos.

angelológico. *Adj.* Concernente à angelologia.

angelônia. *S. f. Bras.* Designação comum a várias espécies brasileiras do gênero *Angelonia*, da família das escrofulariáceas, arbustos ornamentais, espécies medicinais.

ângelus. [Do lat. *angelus*, a primeira palavra da oração em honra do mistério da *Encarnação* e em louvor à Virgem Maria.] *S. m. 2 n.* **1.** Esta oração, rezada ao amanhecer, ao meio-dia e ao anoitecer. **2.** Ave-marias (1): "Â n g e l u s tangido em lentidões de sino" (Mário Pederneiras, *Outono*, p. 59).

angevino. [Do fr. *angevin*.] *Adj.* **1.** Da, ou pertencente ou relativo à região de Anju (França). ● *S. m.* **2.** O natural ou habitante de Anju. (F. paral.: *anjuvino*.]

angialgia. [De *angi(o)-* + *-alg(o)-* + *-ia*.] *S. f. Patol.* Dor no trajeto de um vaso.

angiálgico. *Adj.* Referente à angialgia.

angical. *S. m. Bras.* Quantidade mais ou menos considerável de angicos dispostos proximamente entre si.

angicalense¹. *Adj. 2 g.* **1.** De, ou pertencente ou relativo a Angical (BA). ● *S. 2 g.* **2.** Natural ou habitante de Angical.

angicalense². *Adj. 2 g.* **1.** De, ou pertencente ou relativo a Angical do Piauí (PI). ● *S. 2 g.* **2.** Natural ou habitante de Angical do Piauí.

angicano. *Adj.* **1.** De, ou pertencente ou relativo a Angicos (RN). ● *S. m.* **2.** O natural ou habitante de Angicos.

angico¹. *S. m. Bras.* Árvore do gênero *Piptadenia*, da família das leguminosas, subfamília mimosóidea, de madeira utilíssima.

angico². *S. m. Bras., BA.* Negro banto da costa sudeste da África, e que tomou, no Brasil, a denominação genérica de *moçambique*.

angico-barbatimão. *S. m. Bras.* Abaremotemo. [Pl.: *angicos-barbatimões*.]

angico-branco. *S. m. Bras.* Árvore da família das leguminosas, subfamília mimosácea (*Piptadenia colubrina*). [Pl.: *angicos-brancos*.]

angico-de-minas. *S. m. Bras.* V. *favela-branca.* [Pl.: *angicos-de-minas*.]

angico-roxo. *S. m. Bras.* Árvore da família das leguminosas, subfamília mimosácea (*Piptadenia cebil*). [Pl.: *angicos-roxos*.]

angico-surucucu. *S. m. Bras.* V. *catanduba.* [Pl.: *angicos-surucucus* e *angicos-surucucu*.]

angico-verdadeiro. *S. m. Bras.* Árvore da família das leguminosas, subfamília mimosácea (*Piptadenia rigida*). [Pl.: *angicos-verdadeiros*.]

angico-vermelho. *S. m. Bras.* Árvore da família das leguminosas, subfamília mimosácea (*Pithecolobium gummiferum*). [Pl.: *angicos-vermelhos*.]

angico-vermelho-do-campo. *S. m. Bras.* V. *favela-branca.* [Pl.: *angicos-vermelhos-do-campo*.]

angiectasia. [De *angi(o)-* + *-ectas-* + *-ia*.] *S. f. Patol.* Dilatação de vaso (sanguíneo ou linfático).

angiectásico. *Adj.* Angiectático.

angiectático. *Adj.* Referente à angiectasia; angiectásico.

angiectopia. [De *angi(o)-* + *ectop-* + *-ia*.] *S. f. Med.* Localização anômala dum vaso sanguíneo.

angiectópico. *Adj.* Relativo à angiectopia.

angiite. [De *angi(o)-* + *-ite*¹.] *S. f. Patol.* Inflamação de um vaso.

angina. [Do lat. *angina*.] *S. f. Patol.* **1.** Dor espasmódica sufocante. [T. us., com freqüência para designar a condição que produz tal dor.] **2.** Qualquer inflamação, de caráter agudo, na garganta. ♦ **Angina do peito.** *Patol.* Dor constritiva intensa, no peito, freqüentemente irradiada para o braço esquerdo, provocada por isquemia do miocárdio, e resultante, quase sempre, de moléstia coronariana. **Angina tonsilar.** V. *amigdalite.*

anginoso (ô). *Adj.* Referente à angina.

▲angi(o)-. [Do gr. *aggeîon, ou.*] El. comp. = 'vaso capilar', 'vaso': *angialgia, angiospermo, angiosclerose.* [Equiv.: *-angio*: *esporângio*.]

▲-angio. Equiv. de *angi(o)-*.

angiocolite. [De *angi(o)-* + *colite*.] *S. f. Patol.* Inflamação dos canais biliares.

angiografia. [De *angi(o)-* + *-graf(o)-* + *-ia*.] *S. f. Med.* **1.** Descrição dos vasos do corpo humano. **2.** Visualização radiológica de vaso(s) do aparelho circulatório após introdução de contraste nele(s).

angiográfico. *Adj.* Referente à angiografia.

angiologia. [Do gr. *aggeiologia*.] *S. f.* Estudo dos vasos que integram o aparelho circulatório.

angiologista. *S. 2 g.* Especialista em angiologia.

angioma. [De *angi(o)-* + *-oma*.] *S. m. Patol.* Tumor causado pela proliferação de vasos sanguíneos ou linfáticos.

angiopatia. [De *angi(o)-* + *-pat-* + *-ia*.] *S. f. Patol.* Designação comum às doenças do aparelho vascular; angiose.

angiopático. *Adj.* Relativo à angiopatia.

angiosclerose. [De *angi(o)-* + *esclerose*.] *S. f. Patol.* Esclerose dos vasos sanguíneos. [Cf. *arteriosclerose*.]

angiose. [De *angi(o)-* + *-ose*.] *S. f. Patol.* Angiopatia.

angiosperma. [De *angi(o)-* + gr. *spérma*, 'semente'.] *S. f.* Espécime das angiospermas.

angiospermas. *S. f. pl. Bot.* **1.** Grupo de plantas floríferas providas de sementes encerradas no pericarpo. **2.** Grupo sistemático de plantas superiores, uma subdivisão do reino vegetal. [Cf. (nas 2 acepç.) *gimnospermas*.]

angiospermia. *S. f. Bot.* Ocorrência de sementes no interior do pericarpo. [Opõe-se a *gimnospermia*.]

angiospérmico. *Adj.* Relativo à angiospermia, ou às angiospermas; angiospermo.

angiospermo. *Adj.* Angiospérmico.

angledôzer. [Do ingl. *angledozer*.] *S. m.* Buldôzer que pode ser girado em volta de um eixo vertical. [Pl.: *angledôzeres*.]

anglesita. [Do top. *Anglesey* + *-ita*².] *S. f. Min.* Mineral ortorrômbico, sulfato de chumbo natural, que se extrai das minas da ilha de Anglesey (Grã-Bretanha).

▲angl(i)-. [Do lat. *angli, orum*.] *El. comp.* = 'inglês': *anglizar, anglicida.* [Equiv.: *anglo-*: *anglófobo, anglomania*.]

anglicanismo. [De *anglicano* + *-ismo*.] *S. m.* A Igreja oficial da Inglaterra desde Henrique VIII (1491-1547).

anglicano. [Do ingl. *anglican*, do lat. medieval *anglicanu*.] *Adj.* **1.** Referente ao, ou partidário do anglicanismo. ● *S. m.* **2.** Partidário dele.

anglicida. [De *angl(i)-* + *-cida*.] *Adj. 2 g.* e *s. 2 g.* Que ou quem mata inglês.

anglicismo. [Do fr. *anglicisme*.] *S. m.* **1.** Palavra ou locução inglesa introduzida noutra língua e empregada como se fora desta. **2.** Idiotismo dessa língua.

anglicizar. [De *ânglico* + *-izar*.] *V. t. d.* **1.** Submeter à influência inglesa ou ânglica; anglizar: *a n g l i c i z a r um país.* **2.** Encher (a linguagem) de anglicismos, anglizar.

ânglico. [Do lat. medieval *anglicu*.] *Adj.* V. *inglês* (1).

anglizar. [De *angl(i)-* + *-izar*.] *V. t. d.* Anglicizar.

anglo. [Do b. -lat. *anglu*.] *Adj.* **1.** V. *inglês* (1). ● *S. m.* **2.** Inglês (2). **3.** Indivíduo dos anglos, povo germânico antigo que colonizou o norte e o centro da Inglaterra e a ela deu nome.

▲anglo-. Equiv. de *angl(i)-*.

anglo-americano¹. *Adj.* **1.** De, ou pertencente ou relativo à Grã-Bretanha e aos E.U.A. **2.** De origem inglesa e americana. ● *S. m.* **3.** Indivíduo de origem inglesa e americana. [Sin. ger.: *anglo-norte-americano.*] [Pl.: *anglo-americanos.*]

anglo-americano[2]. *Adj.* **1.** De, ou pertencente ou relativo à América inglesa. ● *S. m.* **2.** O natural ou habitante da América inglesa. [Pl.: *anglo-americanos.*]

anglo-canadense. *Adj. 2 g.* **1.** Da Grã-Bretanha e do Canadá, ou pertencente ou relativo a eles. **2.** Diz-se de canadense de origem e/ou língua inglesa. ● *S. 2 g.* **3.** Canadense de origem inglesa. [Pl.: *anglo-canadenses.*]

anglo-catolicismo. *S. m.* Ala da Igreja Anglicana que simpatiza com o rito e as instituições da Igreja Católica Romana. [Pl.: *anglo-catolicismos.*]

anglofilia. [De *anglo-* + *-filia.*] *S. f.* Amor ou preferência à Inglaterra, aos ingleses, ou a tudo quanto seja inglês. [Antôn.: *anglofobia.*]

anglófilo. [De *anglo-* + *-filo*[2].] *Adj.* e *s. m.* **1.** Que, ou aquele que tem anglofilia. [Antôn.: *anglófobo.*] **2.** *P. ext* Que, ou aquele que é partidário da Inglaterra, em detrimento de outros países.

anglofobia. [De *anglo-* + *-fob(o)-* + *-ia.*] *S. f.* Ódio aos ingleses, à Inglaterra. [Antôn.: *anglofilia.*]

anglófobo. [De *anglo-* + *-fobo.*] *Adj.* e *s. m.* Que, ou aquele que tem anglofobia. [Antôn.: *anglófilo.*]

anglófono. [De *anglo-* + *-fono.*] *Adj.* e *s. m.* Diz-se de, ou indivíduo que fala inglês.

anglo-germânico. *Adj.* **1.** De, ou pertencente ou relativo à Grã-Bretanha e à Alemanha. **2.** De origem inglesa e alemã. ● *S. m.* **3.** Indivíduo anglo-germânico. [Pl.: *anglo-germânicos.*]

anglo-indiano. *Adj.* **1.** De, ou pertencente ou relativo à Grã-Bretanha e à Índia. **2.** De origem inglesa e hindu. ● *S. m.* **3.** Indivíduo anglo-indiano. [Sin. ger.: *indo-inglês.* Pl.: *anglo-indianos.*]

anglomania. [De *anglo-* + *-mania.*] *S. f.* Admiração e/ou imitação exagerada de tudo quanto é inglês.

anglomaníaco. *Adj.* **1.** Relativo à, ou que tem anglomania. ● *S. m.* **2.** Aquele que a tem.

anglo-normando. *Adj.* **1.** De origem inglesa e normanda. ● *S. m.* **2.** Indivíduo descendente de normandos que após a conquista da Inglaterra se fundiram com os anglo-saxões. [Pl.: *anglo-normandos.*]

anglo-norte-americano. *Adj.* Anglo-americano[1] (1 e 2). ~ V. *ponto* — e *sistema* —. ● *S. m.* **3.** Anglo-americano[1] (3). [Pl.: *anglo-norte-americanos.*]

anglo-saxão (cs). *S. m.* **1.** Indivíduo dos povos germânicos (anglos, saxões e jutos) que invadiram a Inglaterra entre os séculos V e VI, e lá se fixaram. **2.** A língua falada por esses povos. **3.** *P. ext.* Inglês (2) ou aquele que tem origem inglesa. ● *Adj.* **4.** Pertencente ou relativo aos anglo-saxões. **5.** *P. ext.* Inglês (1) ou de origem inglesa. [Pl.: *anglo-saxões.*] Sin., nas acepç. 1, 3, 4 e 5: *anglo-saxônico* e *anglo-saxônio.*

anglo-saxônico (cs). *S. m.* e *adj.* V. *anglo-saxão* (1, 3, 4 e 5). [Pl.: *anglo-saxônicos.*]

anglo-saxônio (cs). *S. m.* e *adj.* V. *anglo-saxão* (1, 3, 4 e 5). [Pl.: *anglo-saxônios.*]

angóia. *S. f. Bras., SP.* Saquinho de palha, provido de alça, com sementes dentro, semelhante ao caxixi, e que serve de instrumento musical na dança do jongo.

angola[1]. *S. f.* V. *galinha-d'angola.*

angola[2]. *S. 2 g. Bras.* **1.** V. *angolense* (2). **2.** Negro (11). **3.** V. *banto* (1).

angolano. *Adj.* e *s. m.* V. *angolense.*

angolense. *Adj. 2 g.* **1.** De, ou pertencente ou relativo a Angola (África); angolano. ● *S. 2 g.* **2.** Natural ou habitante de Angola; angolano, angola.

angolinha. [Dim. de *angola*[1].] *S. f. Bras.* V. *galinha-d'angola.*

angolista. [De *angola*[1] + *-ista.*] *S. f. Bras., SP.* V. *galinha-d'angola.* [Cf. *angulista.*]

angorá. [De *Angora,* ant. nome de *Ancara,* atr. do fr. *angora.*] *Adj. 2 g.* **1.** Diz-se de certa raça de gatos, cabras ou coelhos notáveis por seu pêlo comprido e fino, e dos animais desta raça. **2.** Diz-se da lã natural feita com o pêlo de qualquer desses animais, ou da lã sintética que a imita. **3.** *P. ext.* Diz-se de roupa ou tecido feito com essa lã: *um casaco angorá.* ● *S. m.* **4.** A lã ou o tecido angorá: *Este angorá tem a desvantagem de soltar muito pêlo.* ● *S. 2 g.* **5.** Gato ou gata angorá: *O angorá tinha um olho verde e outro azul; Ganhou, pelo aniversário, uma bela angorá.*

angra. *S. f.* Enseada ou pequena baía, largamente aberta, que aparece onde há costas altas; calheta: "a direção do oceano afora, Serra do Mar abaixo, das saídas e das fugas por .... *angras,* barras, bancos, recifes, ilhas" (Pedro Nava, *Baú de Ossos,* p. 13).

angrense[1]. *Adj. 2 g.* **1.** De, ou pertencente ou relativo a Angra dos Reis (RJ). ● *S. 2 g.* **2.** Natural ou habitante de Angra dos Reis.

angrense[2]. *Adj. 2 g.* **1.** De, ou pertencente ou relativo a Angra do Heroísmo (Açores). ● *S. 2 g.* **2.** Natural ou habitante de Angra do Heroísmo.

angström. [Do antr. *Angström,* de A. J. Angström, físico sueco (1814-1874).] *S. m. Fís.* Unidade de medida de comprimento, equivalente a 10^{-10}m, utilizada correntemente em óptica e em técnica de raios X. [Símb.: Å.]

angu. [De or. afr.] *S. m. Bras.* **1.** Massa consistente de farinha de milho (fubá), de mandioca ou de arroz, com água e sal, escaldada ao fogo. [Cf. *polenta.*] **2.** *Pop.* Confusão, complicação; angu-de-caroço, anguzada. **3.** *Pop.* Intriga, mexerico, mexericada, angu-de-caroço, anguzada. **4.** *Pop.* V. *rolo*[1] (16). **5.** *Bras.* V. *japacanim* (2).

angu-de-caroço. *S. m. Bras. Pop.* **1.** V. *angu* (2 e 3). **2.** V. *rolo*[1] (16). **3.** Coisa que dá resultado contrário ao previsto. [Pl.: *angus-de-caroço.*]

▲**angüi-.** [Do lat. *anguis, is.*] *El. comp.* = 'cobra': *angüicida, angüiforme.*

angüicida. [De *angüi-* + *-cida.*] *Adj. 2 g.* Que mata cobra(s).

angüicomado. [De *angüicomo* + *-ado*[2].] *Adj. Poét.* Coroado de serpentes; angüícomo.

angüícomo. [Do lat. *anguicomu.*] *Adj. Poét.* Angüicomado.

angüídeo. *S. m.* **1.** Espécime dos angüídeos. ● *Adj.* **2.** Pertencente ou relativo a eles.

angüídeos. *S. m. pl. Zool.* Família de reptis da subordem dos lacertílios. Apresentam atrofia dos membros locomotores; o corpo é recoberto de escamas córneas, e a cauda muito quebradiça, donde o nome de *cobra-de-vidro.*

angüífero. [Do lat. *anguiferu.*] *Adj.* Que cria ou tem cobras.

angüiforme. [De *angüi-* + *-forme.*] *Adj. 2 g.* V. *serpentiforme.*

▲**angüil (i)-.** [Do lat. *anguilla, ae.*] *El. comp.* = 'enguia': *angüiliforme.*

angüiliforme. [De *angüil(i)-* + *-forme.*] *Adj. 2 g.* **1.** Que tem forma de enguia. **2.** Pertencente ou relativo aos angüiliformes. ● *S. m.* **3.** Espécime dos angüiliformes.

angüiliformes. [Pl. de *angüiliforme.*] *S. m. pl. Zool.* Peixes ápodes ou angüiliformes, da família dos malacopterígeos.

angüiluliforme. *Adj. 2 g. Micol.* Vermiforme.

angüípede. [Do lat. *anguipede.*] *Adj. 2 g.* Que tem pés de dragão.

angüite. [De *angu?*] *S. f. Bras. MA.* Comida semelhante ao caruru.

angulação. *S. f.* Ato ou efeito de angular[2].

angulado. [Do lat. *angulatu.*] *Adj.* V. *angular*[1] (2).

angular[1]. [De *ângulo* + *-ar*[1].] *Adj. 2 g.* **1.** Relativo a ângulo(s). **2.** Que tem ângulo(s); angulado, anguloso. **3.** Em forma de ângulo. **4.** Que forma ângulo. ~ V. *aceleração —, charada —, coeficiente —, diâmetro —, discordância —, distância —, freqüência —, impulsão —, momento —, pedra —* e *velocidade —.*

angular[2]. [Do lat. *angulare.*] *V. int.* Andar, formando ângulo com uma linha, um objeto, uma rua; enviesar: *Acompanhava-nos com insistência, quando, de súbito, angulou para a esquerda.* [Pres. ind.: *angulo,* etc. Cf. *ângulo,* s. m., e *Ângulo,* top.]

angularidade. *S. f.* Qualidade do que tem ângulo(s), do que é angular.

angulário. *S. m.* Instrumento com que se medem ângulos.

angulete (ê). *S. m.* **1.** Pequeno ângulo; angulozinho. **2.** Cavidade aberta em ângulo reto.

▲**anguli-.** [Do lat. *angulus, i.*] *El. comp.* = 'ângulo', 'anguloso': *angulirrostro.*

angulicolo. [De *anguli-* + *-colo.*] *Adj.* Que tem pescoço anguloso.

angulirrostro. [De *anguli-* + *-rostro.*] *Adj.* Diz-se das aves que têm o bico anguloso.

angulista. *S. m. Bras.* Certo pássaro de MG. [Cf. *angolista.*]

ângulo. [Do lat. *angulu.*] *S. m.* **1.** Esquina, canto, aresta. **2.** *Geom.* Figura formada por duas retas que têm um ponto comum: *ângulo plano; ângulo retilíneo.* **3.** *Geom.* Medida do afastamento entre duas retas que têm um ponto comum: *ângulo plano; ângulo retilíneo.* [Dim. irreg.: *angulete* (ê).] **4.** *Fot.* e *Cin.* Aquilo que se vê através da lente da câmara. **5.** *Fig.* Ponto de vista; aspecto: *Considerada do ângulo científico, a obra é muito falha.* [Cf. *angulo,* do v. *angular.*] ◆ **Ângulo agudo.** *Geom.* Ângulo menor que um ângulo reto. **Ângulo central.** *Geom.* Aquele cujo vértice está no centro de uma circunferência. **Ângulo circunscrito.** *Geom.* Aquele cujos lados são tangentes a uma circunferência. **Ângulo complementar.** *Geom.* O que se deve somar a outro para se obter um ângulo reto; complemento. **Ângulo conjugado.** *Geom.* O que se deve somar a outro para se obterem 360º. [Tb. se diz apenas *conjugado.* Sin.: *ângulo replementar, replemento, ângulo explementar* e *explemento.*] **Ângulo de desvio mínimo.** *Ópt.* O menor ângulo de desvio entre um raio luminoso incidente em um prisma e o raio emergente do prisma. [Tb. se diz apenas *desvio mínimo.*] **Ângulo de entrada.** *Astron.* Ângulo entre a direção da velocidade de um veículo espacial, relativamente ao meio resistente em que se move, e a vertical local. **Ângulo de fase.** *Astr.* Ângulo entre as direções planetocêntricas da Terra e do Sol. **Ângulo de Mach.** *Fís.* Ângulo do vértice da frente de onda cônica que se forma quando um corpo se desloca num fluido com velocidade superior à do som neste fluido, e cujo seno é igual ao cociente dessa velocidade pela velocidade do corpo. **Ângulo de reflexão.** *Ópt.* Ângulo entre o raio luminoso refletido por uma superfície e a perpendicular a esta superfície no ponto de incidência; ângulo entre uma frente de onda plana refletida por uma superfície e esta mesma superfície. **Ângulo de refração.** *Ópt.* Ângulo entre o raio refratado e a perpendicular à superfície de separação dos dois meios onde se verifica a refração; ângulo entre uma frente de onda plana refratada e a superfície refratora. **Ângulo de repouso.** *Fís.* O maior ângulo entre um plano material e o plano horizontal, e para o qual um corpo, sujeito à ação da gravidade, colocado sobre o plano, permanece sobre este sem deslizar. **Ângulo de segmento.** *Geom.* Numa circunferência, ângulo formado por uma tangente e por uma secante que passa pelo ponto de tangência. **Ângulo diedro.** *Geom.* Figura formada por dois planos que se interceptam. [Tb. se diz apenas *diedro.*] **Ângulo esférico.** *Geom.* Figura formada pela interseção de duas circunferências de uma esfera. **Ângulo excêntrico.** *Geom.* O que é formado por duas cordas de uma circunferência, das quais uma, pelo menos, não é um diâmetro. **Ângulo explementar.** *Geom.* V. *ângulo conjugado.* **Ângulo externo.** *Geom.* **1.** Num polígono, o ângulo formado por um lado e pelo prolongamento de outro lado, que lhe é adjacente. **2.** Qualquer dos quatro ângulos formados por duas retas coplanares e uma secante comum, e que jazem fora da região entre as retas. **Ângulo facial.** *Anat.* Ângulo compreendido entre a linha que une a glabela à raiz dos dentes incisivos medianos e a linha que vai destes até o conduto auditivo externo. **Ângulo horário.** *Náut.* Ângulo diedro que o círculo de declinação do astro faz com o meridiano celeste superior (*ângulo horário astronômico*) ou inferior (*ângulo horário civil*) do observador. **Ângulo horário astronômico.** *Náut.* V. *ângulo horário.* **Ângulo horário civil.** *Náut.* V. *ângulo horário.* **Ângulo inscrito.** *Geom.* Aquele cujo vértice está na circunferência e cujos lados são cordas. **Ângulo interno.** *Geom.* **1.** O formado por dois lados consecutivos de um polígono e situado no seu interior. **2.** Qualquer dos quatro ângulos formados por duas retas coplanares e uma secante comum, e que jazem na região entre as retas. **Ângulo limite de refração.** *Ópt.* Ângulo de refração de um raio luminoso que incide paralelamente à interface que separa dois meios ópticos. **Ângulo negativo.** *Trig.* O que tem o sentido horário. **Ângulo no pólo.** *Náut.* Ângulo diedro que o círculo de declinação do astro faz com o meridiano celeste superior do observador. **Ângulo oblíquo.** *Geom.* Ângulo cuja medida não é um múltiplo de 90º. **Ângulo obtuso.** *Geom.* O que tem mais de 90º. **Ângulo orientado.** *Geom. Anal.* Aquele para cuja medida se estabelecem um sentido de rotação positiva (geralmente o oposto ao da rotação dos ponteiros de um relógio) e um negativo (geralmente o da rotação dos ponteiros do relógio). [V. *ângulo positivo* e *ângulo negativo.*] **Ângulo polar.** *Geom. Anal.* Num sistema de coordenadas polares, o ângulo orientado entre o eixo polar e o raio vector; ângulo vectorial, amplitude, anomalia, argumento. **Ângulo poliédrico.** *Geom.* Figura formada por vários planos que se interceptam dois a dois e têm um ponto comum; ângulo sólido. **Ângulo positivo.** *Trig.* O que tem o sentido anti-horário. **Ângulo replementar.** *Geom.* V. *ângulo conjugado.* **Ângulo reto.** *Geom.* O que é formado por duas retas perpendiculares; o que mede 90º. **Ângulos adjacentes.** *Geom.* Os que têm o mesmo vértice e estão situados em regiões opostas do seu lado comum; ângulos consecutivos. **Ângulos alternos externos.** *Geom.* Numa figura formada por duas retas coplanares e uma secante, par de ângulos externos situados em lados opostos da secante. **Ângulos alternos internos.** *Geom.* Numa figura formada por duas retas coplanares e uma secante, par de ângulos externos situados em lados opostos da secante. **Ângulos alternos internos.** *Geom.* Numa figura formada por duas retas coplanares e uma secante, par de ângulos internos situados em lados opostos da secante. **Ângulos colaterais.** *Geom.* Os que têm um lado comum. **Ângulos congruentes.** *Geom.* Aqueles entre os quais há uma diferença de um múltiplo inteiro de 360º; ângulos côngruos. **Ângulos côngruos.** *Geom.* Ângulos congruentes. **Ângulos consecutivos.** *Geom.* Ângulos adjacentes. **Ângulos correspondentes.** *Geom.* V. *ângulos externo-interno.* **Ângulos externo-interno.** *Geom.* Numa figura formada por duas retas coplanares e uma secante comum, par de ângulos não adjacentes, um externo e outro interno, situados do mesmo lado da secante. [Tb. se diz *ângulos interno-externo.* Sin.: *ângulos correspondentes.*] **Ângulos interno-externo.** *Geom.* V. *ângulos externo-interno.* **Ângulo sólido.** *Geom.* **1.** Área definida sobre uma esfera unitária, e limitada pela interseção da esfera com uma superfície cônica que tem como vértice o centro da esfera e como diretriz uma curva fechada. [Sin. (p. us.): *angulóide.*] **2.** Ângulo poliédrico. **Ângulos opostos pelo vértice.** *Geom.* Ângulos não adjacentes formados por duas retas que se cortam. **Ângulo suplementar.** *Geom.* O que se deve somar a outro a fim de obter 180º; suplemento. **Ângulo vectorial.** *Geom. Anal.* V. *ângulo polar.*

angulóide. [De *ângulo* + *-óide.*] *S. m. Geom. P. us.* Ângulo sólido.

anguloso (ô). [Do lat. *angulosu.*] *Adj.* **1.** V. *angular*[1] (2). **2.** Que tem esquina ou saliências pontiagudas e irregulares. **3.** *P. ext.* Que tem os ossos muito salientes; ossudo: *rosto anguloso; cotovelo anguloso.* — V. *ponto* —.

angurriado. *Adj. Bras., RS.* Acabrunhado, tristonho, angustiado.

▲**angusti-.** [Do lat. *angustus, a, um.*] *El. comp.* = 'estreito', 'acuminado', 'pontudo': *angustifoliado, angustirrostro.*

angústia. [Do lat. *angustia.*] *S. f.* **1.** Estreiteza, limite, redução, restrição: *angústia de espaço; angústia de tempo.* **2.** Ansiedade ou aflição intensa; ânsia, agonia. **3.** Sofrimento, tormento, tribulação: *A triste revelação acarretou o agravamento de suas angústias.* **4.** *Hist. Filos.* Segundo Kierkegaard [v. *kierkegaardiano*], determinação que revela a condição espiritual do homem, caso se manifeste psicologicamente de maneira ambígua e o desperte para a possibilidade de ser livre. **5.** *Hist. Filos.* Segundo Heidegger [v. *heideggeriano*], disposição afetiva pela qual se revela ao homem o nada absoluto sobre o qual se configura a existência [q. v.]. [Cf. *angustia,* do v. *angustiar.*]

angustiado. [Part. de *angustiar.*] *Adj.* Cheio de angústia; aflito, agoniado, atormentado, atribulado.

angustiante. [Do lat. *angustiante.*] *Adj. 2 g.* Que angustia; angustioso.

angustiar. [Do lat. *angustiare.*] *V. t. d.* **1.** Causar angústia, aflição ou ansiedade a; afligir, atormentar, agoniar. *P.* **2.** Sentir angústia, aflição, ansiedade; afligir-se, atormentar-se, agoniar-se. [Pres. ind.: *angustio, angustias, angustia,* etc. Cf. *angústia.*]

angustidentado. [De *angusti-* + *dentado.*] *Adj.* Que tem os dentes estreitos e apertados.

angustifoliado. [De *angusti-* + *foliado.*] *Adj. Bot.* Angustifólio. [q. v.].

angustifólio. [De *angusti-* + *-folio.*] *Adj. Bot.* De folhas estreitas; angustifoliado. [Opõe-se a *latifólio.*]

angustímano. [De *angusti-* + *-mano.*] *Adj.* De mãos estreitas.

angustioso (ô). *Adj.* Angustiante.

angustipene. [De *angusti-* + *-pene.*] *Adj. 2 g. Zool.* De asas estreitas.

angustirrostro. [De *angusti-* + *-rostro.*] *Adj. Zool.* De bico estreito.

angusto. [Do lat. *angustu.*] *Adj.* Apertado, estreito: *orifício angusto.*

angustur. *S. m. Bras.* V. *apojitaguara.*

angustura. [De *angusto* + *-ura.*] *S. f.* **1.** Passagem estreita entre ribanceiras íngremes ou entre montanhas; garganta. **2.** V. *encanado*[1] (2). **3.** *Bras.* V. *apojitaguara.* **4.** *P. ext.* A casca da angustura (3), e de outras plantas da família das rutáceas, de propriedades febrífugas e estomacais. **5.** Licor amargo extraído da angustura (4) e usado no preparo de várias bebidas alcoólicas.

anguzada. [De *angu* + *-z-* + *-ada*[1].] *S. f. Bras., N.* e *N.E.* **1.** Mistura de coisas; mescla. **2.** V. *angu* (2 e 3). **3.** Reunião desordenada de pessoas.

anguzó. *S. m.* Var. pros. de *anguzô.*

anguzô. [De *angu.*] *S. m.* **1.** *Bras.* Angu com caruru. **2.** *Bras.* Espécie de angu de milho. **3.** *Bras., PE.* Esparregado que se come com angu. [Var. pros.: *anguzó.*]

anhá. [De or. indígena, talvez.] *S. m. Bras.* Peixe teleósteo siluriforme, da família dos loricarídeos (*Plecostumus agna* Mir. Rib.), de SP e PA, de coloração cinza-chumbo, cabeça e nadadeiras com pontos pretos marginados de cor alaranjada, e com 22 cm de comprimento. [Var.: *anhã.* Sin.: *mãe-do-anhã*]

anhã. *S. m. Bras.* V. *anhá.*

anhambi. *S. m. Bras.* V. *veado-roxo.*

anhanga. [Do tupi *a'ñãga,* 'diabo'.] *S. m. Bras.* Anhangá. [Var.: *anhangá.*]

anhangá. [Var. de *anhanga.*] *S. m. Bras.* **1.** Na mitologia tupi-guarani, o espírito do mal. V. *diabo* (2). **2.** Espécie de veado do AM.

anhangapa. [Do tupi, decerto.] *S. f. Bras.* Planta da família das melastomáceas (*Clidemia blepharodes*); aningapiri.

anhanguense. *Adj. 2 g.* **1.** De, ou pertencente ou relativo a Anhanga (PA). ● *S. 2 g.* **2.** Natural ou habitante de Anhanga.

anhanguera. *S. m.* Var. pros. de anhangüera.

anhangüera. [Do tupi *añã'gwera,* 'diabo velho'.] *S. m. Bras.* **1.** V. *diabo* (2). **2.** *Fig.* V. *valentão* (3). [Var. pros.: *anhanguera.*]

anhangüerino. *Adj.* **1.** De, ou pertencente ou relativo a Anhangüera (GO). ● *S. m.* **2.** O natural ou habitante de Anhangüera.

anhapa. [Var. de *inhapa.*] *S. f. Bras. Pop.* V. *gorjeta* (2).

anhembiense. *Adj. 2 g.* **1.** De, ou pertencente ou relativo a Anhembi (SP). ● *S. 2 g.* **2.** Natural ou habitante de Anhembi.

anhima. *S. f. Bras.* V. *anhuma.*

anhimídeo. *S. m.* **1.** Espécime dos anhimídeos. ● *Adj.* **2.** Pertencente ou relativo a eles. [Sin.: *palamedeído.*]

anhimídeos. *S. m. pl. Zool.* Aves palamedeiformes da família *Palamedeidae,* representada na Amaz. por apenas uma espécie, a anhuma [q. v.], e em MT pela tachã [q. v.]. [Sin.: *palamedeídeos.*]

anhinga. [Do tupi *a'ñĩga.*] *S. f. Bras.* V. *carará*[1].

anhingídeo. *S. m.* **1.** Espécime dos anhingídeos. ● *Adj.* **2.** Pertencente ou relativo a eles. [Sin. ger.: *plotídeo.*]

anhingídeos. *S. m. pl. Zool.* Aves pelicaniformes da família *Plotidae,* de bico subcilíndrico, com ponta direita, afilada, e cabeça e pescoço muito finos e móveis, permitindo-lhes mergulhar com erícia para capturarem peixes, de que se alimentam. São os cararás. [Sin.: *plotídeos.*]

anho. [Do lat. *agnu.*] *S. m.* Cordeiro (1): "Breves faz o Senhor as noites macias do mês de Nizã, quando se come em Jerusalém o anho branco de Páscoa" (Eça de Queirós, *A Relíquia,* p. 182).

anhoto (ô). *Adj. Ant. e bras.* Lento, lerdo, vagaroso.

anhuaque. *Bras. S. 2 g.* **1.** Indivíduo dos anhuaques, tribo indígena das margens do rio Branco. ● *Adj. 2 g.* **2.** Pertencente ou relativo a essa tribo. [Sin. ger.: *anhuquicê.*]

anhuma. [Do tupi *ña'um,* 'ave preta', com aglutinação do artigo.] *S. f. Bras.* Ave anseriforme, da família dos anhimídeos (*Anhuma cornuta* (L)), dos pântanos e banhados da América tropical e subtropical. Coloração dorsal preta; penas da cabeça pintadas de branco, e as do pescoço de cinzento; peito preto; barriga e coberteiras superiores menores das asas, brancas; tem um espinho na testa, e dedos longuíssimos. [Sin.: *alicorne, anhima, cametau, cauintã, cavintau, cavitantau, cuintau, inhaúma, inhuma, licorne, unicorne, unicórnio.*]

anhumapoca. [De *anhuma* + tupi *poka,* 'barulhento'.] *S. f. Bras., MT.* V. *tachã.*

anhumense. *Adj. 2 g.* **1.** De, ou pertencente ou relativo a Anhumas (SP). ● *S. 2 g.* **2.** Natural ou habitante de Anhumas.

anhupoca. [De *anhumapoca,* com síncope.] *S. f. Bras.; MT.* V. *tachã.*

anhuquicê. *S. 2 g.* e *adj. 2 g. Bras.* Anhuaque.

aniagem. [Por *niagem,* alter. de *linhagem,* com prótese.] *S. f.* Pano grosseiro sem acabamento, de juta ou de outra fibra vegetal análoga, usado para confecção de fardos; serapilheira.

aniba[1]. [De or. amer.] *S. f. Bras.* **1.** Designação comum a várias espécies do gênero *Aniba,* da família das lauráceas. **2.** Arbusto da família das lauráceas (*Ocotea aniboides*), de casca amarga, e que ocorre no RJ.

aniba[2]. *Bras. S. 2 g.* **1.** Indivíduo dos anibas, tribo indígena tupi-guarani, do rio Aniga (AMp). ● *Adj. 2 g.* **2.** Pertencente ou relativo a essa tribo. [Sin. ger.: *anoiúba.*]

anicauera (ê). [Do tupi, decerto.] *S. m. Bras.* V. *peixe-cachorro* (1).

anicavara. [Do tupi, decerto.] *S. f. Bras.* V. *pintassilgo-da-mata.*

anichar. [De *a-*[2] + *nicho* + *-ar*[2].] *V. t. d.* **1.** *Pôr em nicho ou em lugar estreito.* **2.** Aninhar. **3.** *Fam.* Colocar em emprego rendoso: *O presidente anichou toda a família.* *P.* **4.** Agachar-se; esconder-se, ocultar-se. **5.** Fixar-se; arraigar-se. [Pres. ind.: *anicho,* etc. Cf. *anixo.*]

anicoré. *Bras. S. 2 g.* **1.** Indivíduo dos anicorés, tribo indígena do rio Madeira. ● *Adj. 2 g.* **2.** Pertencente ou relativo a essa tribo.

anicuense. *Adj. 2 g.* **1.** De, ou pertencente ou relativo a Anicuns (GO). ● *S. 2 g.* **2.** Natural ou habitante de Anicuns.

anidrido. [De *an-* + *-hidr(o)-* + *(ác)ido.*] *S. m. Quím.* Substância derivada de um ácido pela eliminação de uma ou mais moléculas de água. [Var. pros. (p. us.): *anídrido.*] ◆ **Anidrido acético.** *Quím.* Derivado do ácido acético, líquido incolor com cheiro irritante. [Fórm.: $C_4H_6O_3$.] **Anidrido ftálico.** *Quím.* O anidrido do ácido ftálico, sólido, acicular, sedoso, droga intermediária importante em diversas sínteses. [Fórm.: $C_8H_4O_3$.]

anídrido. *S. m. Quím. P. us.* Var. pros. de *anidrido.*

anidrita. *S. f. Min.* Mineral ortorrômbico, sulfato de cálcio anidro.

▲**anidr(o)-.** [Do gr. *ánydros, os, on.*] *El. comp.* = 'ausência de água', 'ausência de líquido': *anidrobiose.*

anidrobiose. [De *anidr(o)-* + *-bio-* + *-ose.*] *S. f. Bot.* Vida sob condições de carência hídrica, observada em muitas espécies vegetais de lugares secos.

anidrose. [Do gr. *anídrosis.*] *S. f.* **1.** *Med.* Ausência ou diminuição da secreção do suor. [Cf. *hiperidrose.*] **2.** *Bot.* Condições de carência hídrica, em que vivem muitas plantas; seca.

anielagem. *S. f.* Var. de *nigelagem.*

anielar. *V. t. d.* Var. de *nigelar.* [Cf. *aniilar.*]

aniilar. [Do lat. *annihilare.*] *V. t. d.* e *p. P. us.* V. *aniquilar:* "Tu que das serpes o veneno aniilas, / Que das plantas conheces as virtudes, / Mostrado és tu aqui como um amigo / Dos homens e do céu" (Domingos José Gonçalves de Magalhães, *A Confederação dos Tamoios,* p. 39). [Cf. *anielar.*]

anijuaganga. *S. m. Bras.* Reptil lacertílio da família dos iguanídeos (*Enyalius catenatus* (Wied.)), da região oriental e nordestina do País. Coloração verde manchada de escuro, com áreas amarelo-esverdeadas na cabeça e focinho, pernas e cauda pardo-avermelhadas, flanco com uma fita azul, parte inferior branca. Comprimento total: 30 cm. Vive nas árvores.

anil[1]. [Do ár. *an-nīl,* 'azul-escuro'.] *S. m.* **1.** *Quím.* Composto heterocíclico existente em diversas plantas, cristalino, azul, utilizado como corante; índigo. [Fórm.: $C_{16}H_{10}O_2N_2$.] **2.** *Ópt.* Cor da radiação eletromagnética cujo comprimento de onda está situado, aproximadamente, entre 450 e 480 nanômetros. **3.** A cor azul. ● *Adj. 2 g.* e *2 n.* **4.** Azul.

anil[2]. [Do lat. *anile.*] *Adj. 2. g. P. us.* Velho, senil.

anilaçu. [De *anil* + *-açu.*] *S. m. Bras.* Arbusto da família das compostas (*Eupatorium laeve* DC.).

anilado[1]. [De *anil* + *-ado*[1].] *Adj.* V. *azulado* (1).

anilado[2]. [Part. de *anilar.*] *Adj.* A que se deu cor de anil; azul.

anilar. *V. t. d.* **1.** Dar cor de anil a. **2.** Tingir de azul; azular. *P.* **3.** Tomar a cor de anil. **4.** Mostrar-se em sua cor de anil: "Ondulam campinas verdes achamalotadas ao sol, anilam-se longínquas serras, águas crespas reboam" (Olavo Bilac, *Crítica e Fantasia,* p. 301).

anil-bravo. *S. m. Bras.* Designação comum a várias espécies do gênero *Tephrosia,* da família das leguminosas-papilionáceas, planta ou arbusto usado para tinguijar peixes em rios e lagoas. [Pl.: *anis-bravos.*]

anileira. *S. f. Bras.* Designação comum a várias espécies do gênero *Indigofera,* da família das leguminosas-papilionáceas, de fruto em forma de vagem, e que fornece matéria tintorial, o anil. [Cf. *aneleira.*]

anileira-verdadeira. *S. f. Bras.* Arbusto da família das leguminosas-papilionáceas (*Indigofera anil*), de flores róseas, que produz anil de qualidade e possui propriedade insetífuga; caachica, caaobi, guajaná-timbó, timbó-mirim. [Pl.: *anileiras-verdadeiras.*]

anilho. [Do esp. *anillo.*] *S. m. Bras., S.* **1.** Ilhó (2). **2.** Anel, de couro ou de metal, pertencente à colhera, que enlaça o pescoço do animal e é fechado por um botão.

anilina. [De *anil* + *-ina*[1].] *S. f.* **1.** *Quím.* Amina derivada do benzeno, líquido incolor, oleoso, com odor característico, largamente usada na indústria de corantes. [Fórm.: $C_6H_5NH_2$.] **2.** *P. ext.* Material corante fabricado industrialmente com anilina.

anilite. *S. f. Expl.* Explosivo líquido, poderoso e de pronta explosão, constituído por uma mistura de dióxido de nitrogênio e dissulfeto de carbono ou gasolina.

anil-trepador. *S. m. Bras.* Trepadeira da família das vitáceas (*Cissus sicyoides*), cultivada como ornamental, de flores pálidas ou amarelo-esverdeadas, bagas pretas, e cujo fruto produz matéria tintorial; achite, caavurana-de-cunhã, tinta-dos-gentios, uva-brava, cortina-de-pobre. [Pl.: *anis-trepadores*.]

animação. [Do lat. *animatione*.] *S. f.* **1.** Ato ou efeito de animar(-se). **2.** Vivacidade, calor, vida. **3.** Atividade, movimentação, rebuliço. **4.** Alegria, entusiasmo. **5.** *Cin.* A arte, ou a técnica, de animar desenhos ou bonecos, que consiste em fotografar em seqüência uma série de imagens, feitas de sorte que, ao ser projetado o filme, figuras e objetos se movam como na ação ao vivo.

animado. [Part. de *animar*.] *Adj.* **1.** A que se deu alma ou vida, ou aparência de vida. **2.** Vivo, vivaz; alegre, bem-disposto. **3.** Decidido, resoluto. ~ V. *desenho* —.

animador (ô). [Do lat. *animatore*.] *Adj.* **1.** Que anima; animante. ● *S. m.* **2.** Aquele que anima. **3.** *Cin.* Aquele que faz animação (5). **4.** *Bras.* Animador de programa. ♦ **Animador de programa.** *Bras.* Indivíduo que, em rádio ou televisão, organiza e dirige programa(s), em geral de longa duração, com variados temas, e que, sempre estando presente em cena, imprime ao espetáculo seu cunho pessoal. [Tb. se diz apenas *animador*.]

animadversão. [Do lat. *animadversione*.] *S. f.* **1.** V. *repreensão* (1). **2.** Rancor, ódio, aversão.

animal. [Do lat. *animale*.] *S. m.* **1.** Ser vivo organizado, dotado de sensibilidade e movimento (em oposição às plantas). **2.** Qualquer animal que não o homem; animal irracional. **3.** Pessoa muito ignorante, estúpida; animalejo, alimária. **4.** Pessoa desumana, bárbara, cruel. **5.** V. *cavalo* (2). **6.** A natureza animal, em oposição à mente ou espírito. **7.** *Bras.* Cavalo (1). **8.** *Zool.* Ser organizado, com a forma do corpo relativamente constante, órgãos na maioria internos, tecidos banhados em solução que contém cloreto de sódio, células revestidas de membranas delicadas, com crescimento limitado, e provido de irritabilidade ou sistema nervoso, que lhe permite responder prontamente aos estímulos. **9.** *Bras., PE.* Égua (1). **10.** *Bras., S.* Animal cavalar, principalmente o macho. [Aum.: *animalaço* e *animalão*; dim.: *animalzinho, animalejo, animálculo*.] ● *Adj.* **11.** Relativo ou pertencente aos animais: *reino animal*. **12.** Proveniente de animal: *gordura animal*. **13.** Próprio de animal; animalesco. **14.** Material, por oposição a *mental* ou *espiritual*. **15.** Sensual, lascivo, lúbrico. ~ V. *carvão* —, *espíritos* — *ais, magnetismo* —, *psicologia* — e *reino* —. ♦ **Animal inferior.** *Zool.* Qualquer animal invertebrado. **Animal irracional.** Qualquer dos animais superiores, à exceção do homem; qualquer dos brutos. [Tb. se diz apenas *animal* ou *irracional*. Sin.: *animália, alimária*.] **Animal racional.** O homem. **Animal sem fogo.** *Bras., CE.* Animal ainda não marcado. **Animal sem rabo.** *Bras.* Pessoa muito grosseira, estúpida. **Animal superior.** *Zool.* Qualquer animal do filo dos vertebrados.

animalaço. [Aum. irreg. de *animal*.] *S. m.* Estupidarrão, ignorantão, animalão.

animalada. *S. f. Bras., S.* Grande número de animais cavalares; alimanada: "Vancê vê que desse jeito ninguém sabia bem o que era seu, de *animalada*." (Simões Lopes Neto, *Contos Gauchescos e Lendas do Sul*, p. 163.)

animalão. [Aum. irreg. de *animal*.] *S. m.* **1.** V. *animalaço*. **2.** *Bras., S.* Cavalo de boa qualidade.

animálculo. *S. m.* Animal microscópico.

animalejo (ê). [Dim. irreg. de *animal*.] *S. m.* **1.** V. *animalzinho*. **2.** *Fig.* V. *animal* (3).

animalesco (ê). *Adj.* **1.** Relativo ou pertencente aos animais; animal. **2.** Que participa da qualidade dos animais. **3.** Próprio de animal; animal: *instinto animalesco*; "Nas residências os figurantes desvestiam os trajes *animalescos*, humanizando-se." (Pelópidas Soares, *Cordão dos Bichos*, p. 14). Próprio de animal (5): *maneiras animalescas*.

animália. [Do lat. *animalia*. V. *alimária*.] *S. f.* **1.** Alimária (1 e 2). **2.** Fera (1).

animalidade. *S. f.* **1.** Caráter ou condição do que é animal. **2.** Conjunto dos atributos do animal.

animalismo. *S. m.* Natureza do animal.

animalista. *Adj. 2 g. e s. 2 g.* Diz-se de, ou artista plástico especialista em reproduzir animais.

animalização. *S. f.* Ato de animalizar(-se).

animalizar. *V. t. d.* **1.** Converter (certos alimentos) em substância própria ao sustento ou ao desenvolvimento do animal. **2.** Tornar bruto: embrutecer, bestializar: *O excesso de álcool animaliza o homem*. *P.* **3.** Embrutecer-se, bestializar-se.

animante. [Do lat. *animante*.] *Adj. 2 g.* Animador (1).

animar. [Do lat. *animare*.] *V. t. d.* **1.** Dar alma ou vida a: *Narra a Bíblia que Deus, soprando o barro, animou o homem*. **2.** Dar vida, aparência de vida, a: *animar um quadro*. **3.** Dar ânimo, coragem, vigor, força, a. **4.** Imprimir movimento, aceleração, a. **5.** Dar animação, vivacidade, a: *animar um diálogo*. **6.** Desenvolver, fomentar: *animar a indústria, o comércio*. *T. d. e i.* **7.** Incitar, estimular, encorajar: *Os bons resultados o animam a prosseguir*. *Int.* **8.** Criar ânimo; cobrar esperança; animar-se. *P.* **9.** Cobrar alento, ânimo, esperança; animar. **10.** Adquirir vida, expressão, movimento: *Com a chegada dos reforços, os semblantes animaram-se*; "A estância desolada anima-va-se por algumas horas." (Euclides da Cunha, *Os Sertões*, p. 481). **11.** Adquirir vida, animação, viveza, vivacidade: *Passados os primeiros momentos, as conversas animaram-se*. **12.** Resolver-se, decidir-se, deliberar-se; atrever-se. [Pres. ind.: *animo*, etc. Cf. *ânimo*.]

➧**animato.** [It.] *Mús.* Com animação.

animatógrafo. [Do lat. *animatu*. 'animado', + *-grafo*.] *S. m. Desus.* Cinematógrafo [v. *cinema*].

animável. [Do lat. *animabile*.] *Adj. 2 g.* Que se pode animar.

anime. *S. f.* Resina aromática que escorre de várias árvores da família das leguminosas; jetaicica, gomacopal.

▲**animi-.** [Do lat. *anima, ae*.] *El. comp.* = 'alma': *animicida*.

animicida. [De *animi-* + *-cida*.] *S. 2 g.* Pessoa que mata a alma.

anímico. [De *animi-* + *-ico*^{2}.] *Adj.* Pertencente ou relativo à alma; psíquico.

animismo. [De *animi-* + *-ismo*.] *S. m.* **1.** *Filos.* Doutrina segundo a qual uma só e mesma alma é o princípio da vida e do pensamento; monodinamismo. [Cf. *organicismo* (1).] **2.** *Filos.* Tendência a considerar todos os seres da natureza como dotados de vida e capazes de agir conforme uma finalidade: "Foi [E. B. Tylor] buscar a palavra *animismo* em velhas concepções do espírito humano, tão caras aos filósofos da Antiguidade, retomando-a, na acepção extensa de uma filosofia primitiva geral, onde, para a mente do selvagem, almas e espíritos animam todas as cousas, vivas e inertes, do Universo." (Artur Ramos, *O Negro Brasileiro*, I, p. 289.) [Cf. *pampsiquismo* e *vitalismo*.]

animista. *Adj. 2 g.* **1.** Referente ao, ou que é seguidor do animismo. ● *S. 2 g.* **2.** Seguidor do animismo.

ânimo. [Do lat. *anima*, 'alma'.] *S. m.* **1.** Alma, espírito, mente. **2.** Gênio, índole: *homem de mau ânimo*. **3.** Valor, coragem; resolução: *cobrar ânimo para vencer*. **4.** Intenção, vontade. ● *Interj.* **5.** Coragem, força, eia, sus. [Cf. *animo*, do v. *animar*.]

animosidade. [Do lat. *animositate*.] *S. f.* Aversão persistente; má vontade, rancor: "Nisto, os Mestres do Romantismo não procederam, originariamente, por *animosidade* contra uma classe cujos modos, gostos, interesses, lhes repugnassem" (Eça de Queirós, *Notas Contemporâneas*, p. 166).

animoso (ô). [Do lat. *animosu*.] *Adj.* Que tem ânimo; corajoso.

➧**animus abutendi** (ânimuç abutêndi). [Lat.] *Jur.* Intenção de abusar.

➧**animus furandi** (ânimuç furândi). [Lat.] *Jur.* Intenção de furtar.

➧**animus laedendi** (ânimuç ledêndi). [Lat.] *Jur.* Intenção de ferir, ofender ou atacar.

➧**animus necandi** (ânimuç necândi). [Lat.] *Jur.* Intenção de matar.

➧**animus rem sibi habendi** (ânimuç rem síbi abêndi). [Lat.] *Jur* Intenção de possuir a coisa como própria.

aninado. [Part. de *aninar*.] *Adj.* Embalado, acalentado, ninado.

aninar. [De *a-*^{4} + *-ninar*.] *V. t. d.* Embalar, acalentar, ninar.

aninga. [Do tupi *a'nîga*.] *S. f. Bras., SP.* Planta da família das aráceas (*Montrichardia linifera*).

aningaçu. [De *aninga* + *-açu*.] *S. f. Bras.* V. *aningaúba*.

aninga-de-espinho. *S. f. Bras.* V. *aningaúba*. [Pl.: *aningas-de-espinho*.]

aninga-de-macaco. *S. f. Bras.* V. *aningaúba*. [Pl.: *aningas-de-macaco*.]

aninga-do-pará. *S. f. Bras.* V. *aningaúba*. [Pl.: *aningas-do-pará*.]

aningaíba. [De *aninga* + tupi *íwa*, 'árvore'; var.: *aningaúba*.] *S. f. Bras.* V. *aningaúba*.

aningal. *S. m. Bras. Pop.* Vegetação constituída de aningaúbas, comum nos furos e ilhas flutuantes da Amazônia.

aningapara. [De *aninga* + tupi *a'para*, 'recurvada'.] *S. f. Bras., Amaz.* Comigo-ninguém-pode.

aningaperê. *S. m. Bras.* V. *aningaúba*.

aningapiri. [Do tupi *anĩgape'ri*.] *S. f. Bras.* Anhangapa

aningaúba. [Var. de *aningaíba*.] *S. f. Bras.* Planta da família das aráceas (*Montrichardia arborescens*), de fibras aproveitáveis para cordoalha e no fabrico de papel, e cuja raiz é drástica e anti-hidrópica; aningaíba, aningaçu, aninga-de-espinho, aninga-de-macaco, aninga-do-pará, aningaperê, banana-de-macaco, guimberana, imbé-da-praia, imberana, sini. [Cf. *aningal*.]

aninha. De *Aninha*, dim. do antr. *Ana*, decerto, por afetividade. *S. f. Bras. Pop. V. cachaça (1)*.

aninhar. [De *a-*^{4} + *ninho* + *-ar*^{2}.] *V. t. d.* **1.** Pôr ou recolher em ninho. **2.** Acolher; abrigar, agasalhar: *Aninhou, por muitos anos, aquela esperança*. **3.** Conchegar, ajeitar, acomodar: *Aninhou a criança a um canto da poltrona*. **4.** Recolher, ocultar. *Int.* **5.** Fazer ninho, aninhar-se. **6.** Estar em ninho. *P.* **7.** Acolher-se em ninho. **8.** Fazer ninho; aninhar. **9.** Acolher-se, agasalhar-se, abrigar-se: "Vê tu que pomba aquela, que puro seio onde *se aninham* os amores inocentes do paraíso terreal!" (Camilo Castelo Branco, *O Santo da Montanha*, p. 191.)

aniodol. *S. m.* Preparado farmacêutico empregado como anti-séptico. [Pl.: *aniodóis*.]

anion. *S. m. Quím.* V. *ânion*.

ânion. [Do gr. *ánion*.] *S. m. Quím.* Átomo ou grupo de átomos com excesso de carga negativa; anion, anionte. [Cf. *cátion*.]

aniônio. *S. m. Quím.* V. *anion*.

anionte. *S. m. P. us. Quím.* V. *anion*.

anipnia. [De *an-* + *-hipn(o)-* + *-ia*.] *S. f.* Med. V. *insônia*.

aniqui. [Do *tupi*?] S. f. Bras. Certa formiga amazônica.

aniquilação. *S. f.* **1.** Aniquilamento (1). **2.** *Fís. Nucl.* V. *Desmaterialização* (2).

aniquilado. [Part. de *aniquilar*.] *Adj.* **1.** arruinado, destruído. **2.** Abatido, prostrado.

aniquilador (ô). *Adj. e s. m.* Que ou aquele que aniquila.

aniquilamento. *S. m.* **1.** Ato ou efeito de aniquilar(-se); aniquilação. **2.** *Fís. Nucl.* V. *desmaterialização* (2).

aniquilar. [Do *lat.* tardio *annihilare*.] *V. t. d.* **1.** Reduzir a nada; nulificar, anular: *impossível aniquilar direitos secularmente consagrados*. **2.** Destruir, matar exterminar. **3.** Abater física ou moralmente; deprimir, prostrar: *A enfermidade o aniquilou*; "Ama. Vem a amargura que o *aniquila*." (Olegário Mariano, *Toda uma Vida de Poesia*, I. p. 146). *P.* **4.** Abater-se, humilhar-se. [F. paral.: (p. us.): *aniilar*.]

aniria. [De *an-* + *íris* + *-ia*.] *S. f. Med.* Ausência congênita de íris (2); aniridia, irideremia. [*Aniridia* é f. preferível a *aniria*.]

aniridia. [De *an-* + *-irid(o)-* + *-ia*.] *S. f. Med.* V. *aniria*.

anis. [Do gr. *ánison*, de or. oriental, pelo lat. *anisu* e *pelo fr. anis*.] *S. m.* **1.** Erva da família das umbelíferas (*Pimpinella anisum*), originária do Egito, a qual fornece a essência de anis, usada na fabricação de licores e xaropes; erva-doce, pimpinela. **2.** *V. anisete*. **3.** Árvore ornamental da família das rutáceas (*clausena anisata*), originária da Ásia, cujo perfume lembra o do anis (1). [Pl.: *anises*.]

anisanto. [De *anis(o)-* + *-anto*.] *Adj. Bot.* Diz-se das plantas cujas flores são desiguais.

anisado. [Part. de *anisar*.] *Adj.* **1.** Preparado com anis. **2.** A que se deu sabor de anis.

anisar. *V. t. d.* **1.** Preparar com anis. **2.** Dar o sabor de anis a.

anis-doce. *S. m. V. funcho*. [Pl.: *anises-doces*.]

anis-estrelado. *S. m.* Arbusto da família das magnoliáceas (*Illicium anisatum*), cujo fruto, muito aromático, é usado em farmácia, em licores, etc.; badiana, badiana-de-cheiro. [Pl.: *anises-estrelados*.]

aniseta (ê). *S. f. P. us. no Brasil.* Anisete.

anisete. [Do fr. *anisette*] S. m. Licor de anis; anis, aniseta.

anisina. *S. f.* Corpo volátil e cristalizável, que se obtém decompondo cânfora de anis.

▲**anis(o)-.** [Do gr. *ánisos, os, ou*.] *El. comp.* = 'desigual': *anisocéfalo; anisanto*.

anisocéfalo. [De *anis(o)-* + *-céfalo*.] *Adj. Bot.* Diz-se das plantas cujas flores formam capítulos desiguais.

anisocoria. [De *anis(o)-* + *-cor(e)-*^{2} + *-ia*.] *S. f. Med.* Diferença de diâmetro entre as duas pupilas.

anisocórico. *Adj.* Relativo à anisocoria.

anisocotilia. [De *anis(o)-* + *cotil(édone)* + *-ia.*] *S. f. Morfol. Veg.* Ocorrência de cotilédones desiguais, como nas gesneriáceas. [Opõe-se a *isocotilia.*]
anisocótilo. *Adj. Morfol. Veg.* Diz-se das plantas, sementes, etc., que apresentam anisocotilia.
anisofilia. [De *anis(o)-* + *-fil(o)-*[1] + *-ia.*] *S. f. Morfol. Veg.* Existência, em um mesmo ramo ou região, de folhas diferentes, já pela forma, já pelas dimensões, como, p. ex., nas plantas jovens de jaqueira. [Opõe-se a *isofilia.* Cf. *heterofilia.*]
anisofilo. [De *anis(o)-* + *-filo*[1].] *Adj.* Concernente à, ou que apresenta anisofilia: *espécie anisofila.*
anisogamia. [De *anis(o)-* + *-gam(o)-* + *-ia.*] *S. f. Biol.* **1.** Heterogamia. **2.** Condição do organismo que produz gametas de tamanho diferente. [Cf. *isogamia.*]
anisogâmico. *Adj.* Relativo à anisogamia.
anisógeno. [De *anis(o)-* + *-geno.*] *Adj. Morfol. Veg.* Que tem carpelos e sépalas em número desigual. [Antôn.: *isógino.*]
anisoína. *S. f. Quím.* Polímero sólido, cristalino, do anetol.
anisolobo. [De *anis(o)-* + *-lobo.*] *Adj.* Que mostra lobos, ou peças, lacínias, etc., desiguais; anisótomo: *cálice anisolobo.*
anisomelia. [De *anis(o)-* + *-mel(o)-* + *-ia.*] *S. f. Med.* Desigualdade flagrante entre membros homólogos.
anisomélico. *Adj.* Referente à anisomelia.
anisômero. [De *anis(o)-* + *-mero*[1].] *Adj. Bot.* Que não tem o mesmo número de partes ou peças.
anisomiário. *S. m.* **1.** Espécime dos anisomiários. ● *Adj.* **2.** Pertencente ou relativo a eles.
anisomiários. *S. m. pl. Zool.* Animais metazoários, moluscos, pelecípodes, que têm dois músculos adutores desiguais.
anisomorfia. [De *anis(o)-* + *-morf(o)-* + *-ia.*] *S. f.* **1.** Forma irregular. **2.** Forma distinta de um órgão ou de parte duma planta, de acordo com a posição em que se acham.
anisomórfico. [De *anis(o)-* + *-morf(o)-* + *-ico*[2].] *Adj.* Que apresenta anisomorfia; anisomorfo.
anisomorfo. [De *anis(o)-* + *-morfo.*] *Adj.* Anisomórfico.
anisopétalo. [De *anis(o)-* + *pétalo.*] *Adj. Morfol. Veg.* Diz-se da flor que exibe pétalas desiguais, como a do flamboaiã, a do feijoeiro, etc.
anisopia. [De *anis(o)-* + *-op(e)-* + *-ia.*] *S. f. Med.* Desigualdade de visão nos dois olhos.
anisópico. *Adj.* Referente à anisopia.
anisóptero. [De *anis(o)-* + *-ptero.*] *Adj.* **1.** *Anat. Veg.* Que tem asas desiguais, i. e., que tem expansões laminares diferentes em dois lados: *As sâmaras são anisópteras.* **2.** Pertencente ou relativo aos anisópteros. ● *S. m.* **3.** Espécime dos anisópteros.
anisópteros. *S. m. pl. Zool.* Insetos odonatos, da subordem *Anisoptera,* que têm as asas posteriores mais largas na base do que as anteriores, e ninfas com brânquias retais.
anisospermo. [De *anis(o)-* + *-spermo.*] *Adj. Morfol. Veg.* Diz-se do fruto provido de sementes desiguais. [São raríssimos os frutos anisospermos.]
anisósporo. [De *anis(o)-* + *-sporo.*] *Adj. e s. m. Morfol. Veg.* Diz-se de, ou fungo portador de esporos diferentes.
anisostêmone. *Adj. 2 g.* Que apresenta anisostemonia. [Opõe-se a *isostêmone.*]
anisostemonia. [De *anis(o)-* + *-stemon(e)-* + *-ia.*] *S. f. Morfol. Veg.* Ocorrência, nos vegetais, de um androceu formado por número de estames diverso do número de pétalas, como nas mirtáceas.
anisostilia. [De *anis(o)-* + *-stil(o)* + *-ia.*] *S. f. Morfol. Veg.* Ocorrência de dois tipos de flores no mesmo indivíduo: umas que levam estiletes curtos (*flores brevistilas*) e outras com estiletes mais longos (*flores longistilas*).
anisótomo. [De *anis(o)-* + *-tomo.*] *Adj.* Anisolobo.
anisotropia. [De *anis(o)-* + *-trop(o)-* + *-ia.*] *S. f. Min.* Qualidade, peculiar a certas substâncias cristalizadas, de reagir diferentemente segundo a direção de propagação de um determinado fenômeno físico, como a propagação da luz ou do calor, o crescimento do cristal, a dureza, etc. [Opõe-se a *isotropia.*]
anisotrópico. [De *anis(o)-* + *-trop(o)-* + *-ico*[2].] *Adj. Min.* Anisótropo. [Opõe-se a *isotrópico.*]
anisótropo. [De *anis(o)-* + *-tropo.*] *Adj. Min.* Que apresenta anisotropia; anisotrópico.
anistia. [Do gr. *amnestía,* pelo lat. tardio *amnestia.*] *S. f.* **1.** Perdão geral. **2.** *Jur.* Ato pelo qual o poder público declara impuníveis, por motivo de utilidade social, todos quantos, até certo dia, perpetraram determinados delitos, em geral políticos, seja fazendo cessar as diligências persecutórias, seja tornando nulas e de nenhum efeito as condenações. [Cf. *clemência* (1), *indulto* (1) e *graça* (3). F. paral.: *amnistia.*]
anistiado. [Part. de *anistiar.*] *Adj. e s. m.* Que ou aquele que teve anistia. [F. paral.: *amnistiado.*]
anistiar. *V. t. d.* **1.** Conceder anistia a. **2.** *P. ext.* Desculpar, perdoar. [F. paral.: *amnistiar.*]
anistiável. *Adj. 2 g.* Que pode ou deve ser anistiado. [F. paral.: *amnistiável.*]
anistórico. [De *an-* + *histórico.*] *Adj.* **1.** Não histórico; alheio a história; aistórico. **2.** Contrário à história; anti-histórico [q. v.].
anisuria. *S. f. Patol.* Var. pros. de *anisúria.*
anisúria. [De *anis(o)-* + *-ur(o)-* + *-ia.*] *S. f. Patol.* Alternância de oligúria e poliúria. [Var. pros.: *anisuria.*]
aniúba. [Do tupi.] *S. f. Bras.* **1.** V. *aijuba.* **2.** V. *aiúba* (1).
aniversariante. *Adj. 2 g. e s. 2 g.* Que, ou quem faz anos, aniversaria.
aniversariar. *V. int. Bras.* Ver decorrer o dia aniversário (2); fazer anos. [Pres. ind.: *aniversario,* etc. Cf. *aniversário.*]
aniversário. [Do lat. *anniversariu.*] *Adj.* **1.** Diz-se do dia em que faz um ano, ou mais, que se deu certo acontecimento. **2.** Diz-se do dia em que se completa um ano, ou mais, de idade. **3.** Relativo a esse dia, ou próprio dele, ou do que nele se realiza: "Já de manhã lhe enviara um bilhete de cumprimentos acompanhando o pequeno vaso de porcelana, que estava em cima de um móvel com outros presentinhos *aniversários.*" (Machado de Assis, *Memorial de Aires,* p. 18); "aconselhou-me a ir cumprimentá-los por ocasião das festas *aniversárias.*" (Id., *ib.,* p. 11). ● *S. m.* **4.** O dia aniversário (de um acontecimento): *o aniversário da Abolição.* **5.** O dia aniversário (de alguém); aniversário natalício. [Cf. (nessa acepç.): *genetlíaco* (4).] **6.** Festa comemorativa de aniversário: *Fomos ao aniversário de Lúcia — houve muitos comes e bebes, e dançou-se à vontade.* [Cf. *aniversario,* do v. *aniversariar.*] ◆ **Aniversário natalício.** Aniversário (5).
anixi. [De or. indígena, decerto.] *S. m. Bras.* Pó que cobre, em grande parte, a superfície dos rios da Amaz., trazido pelas enxurradas e resultante de detritos que se acumulam nos igapós.
anixo. [Do lat. *annixu.*] *S. m.* Gancho de ferro, em forma de S, preso a um cabo. [Cf. *anicho,* do v. *anichar.*]
anjinho. [Dim. de *anjo.*] *S. m.* **1.** Anjo (4). **2.** Anjo (5). **3.** *Pej.* Inocente, ingênuo. ~ V. *anjinhos.*
anjinhos. [Pl. de *anjinho?*] *S. m. pl.* Anéis de ferro com que se prendiam e apertavam os dedos de criminosos: "Nas altas do preço de vida, ... não restava ao plebeu outro recurso que não fosse apelar para o agiota. Duas ou três prestações insatisfeitas, o publicano ia, seqüestrava os bens do insolvente e passava-lhe os *anjinhos* aos pulsos." (Aquilino Ribeiro, *Os Avós de Nossos Avós,* p. 69.)
anjo. [Do gr. *ággelos,* pelo lat. *angelu.*] *S. m.* **1.** Ser espiritual que exerce o ofício de mensageiro entre Deus e os homens. **2.** A personificação deste ser em imagens, quadros, etc. **3.** Criança vestida de anjo nas procissões ou outras cerimônias católicas. **4.** Criança sossegada; anjinho. **5.** Criança morta; anjinho. **6.** Pessoa bondosa, virtuosa, caritativa. ◆ **Anjo corredor.** *Bras., AL. Folcl.* Personagem fantástico representado por um homem armado de cacete ou cajado, que anda sem parar, batendo nas cancelas dos engenhos, amedrontando as crianças e as mães. **Anjo custódio.** Anjo da guarda. **Anjo da guarda. 1.** Espírito celeste que se crê velar sobre cada pessoa, afastando-a do mal e inclinando-a para o bem; anjo custódio. **2.** Pessoa que protege, que defende outra. **Anjo mau.** V. *Diabo* (2). [Cf. *anjo-mau.*] **Anjo rebelde.** V. *Diabo* (2).
anjo-bento. *S. m. Bras., MG. Pop.* Mosquito branco do vale do rio Doce. [Pl.: *anjos-bentos.*]
anjo-mau. *S. m. Bras., MG. Pop.* Certo mosquito, de picada dolorosa, do vale do rio Doce. [Pl.: *anjos-maus.* Cf. *anjo mau.*]
anjuba. [Do tupi, decerto.] *S. f. Bras.* V. *aijuba.*
anjuvino. *Adj. e s. m.* Angevino.
ano[1]**.** [Do lat. *annu.*] *S. m.* **1.** *Astr.* Intervalo de tempo correspondente a uma revolução da Terra em torno do Sol. **2.** *Astr. P. ext.* Período de revolução de outros astros em torno de seu principal (9). Ex.: *o ano de Júpiter.* **3.** Espaço de 12 meses. **4.** Ano de idade, de existência: *Ela faz hoje 15 anos.* [Pl.: *anos.* Cf. *ânus.*] ◆ **Ano agrícola.** O tempo que decorre entre as sementeiras e as colheitas (especialmente de cereais). **Ano anomalístico.** *Astr.* Período de uma revolução completa da Terra em torno do Sol, referido à passagem pelo periélio, e que equivale a 365 dias, 6 horas, 13 minutos e 53 segundos médios. **Ano bissêxtil.** *Astr.* Ano bissexto. **Ano bissexto.** *Astr.* O que tem 366 dias, sendo que a introdução de um dia extra no mês de fevereiro compensa a incomensurabilidade entre os períodos de translação e rotação da Terra; ano bissêxtil. [Há um de quatro em quatro anos. Por convenção, são bissextos os anos cujo milésimo é divisível por 4, com exceção dos anos seculares cujo milésimo não é divisível por 400. Ex.: o ano *1900* não foi bissexto, mas o ano *2000* o será.] **Ano civil.** O que vai de 1 de janeiro a 31 de dezembro. **Ano climatérico.** Aquele durante o qual se crê que a vida corre perigo. [Têm este nome todos os anos que são múltiplos de sete, sendo o mais crítico o sexagésimo terceiro por ser múltiplo de sete e nove. Sin.: *ano decretório.*] **Ano comercial.** Aquele cujos meses são todos considerados como de 30 dias. **Ano corrente.** Aquele em que estamos. **Ano decretório.** Ano climatérico. **Ano econômico.** O tempo compreendido entre a abertura e o encerramento das contas anuais de um país. **Ano embolísmico.** *Cronol.* Ano do calendário grego [q. v.] e do calendário israelita [q. v.], intercalado entre outros anos de uma série para fazer coincidir o ano lunar com o ano solar. **Ano emergente.** O que se principia a contar de uma data qualquer e vai até igual data do ano seguinte. **Ano letivo.** Período do ano em que funcionam os estabelecimentos de ensino. **Ano litúrgico.** Ciclo anual através do qual a Igreja Católica comemora todo o mistério do Cristo, e que consta de: tempo do Advento, Natal, Epifania, tempo comum, Quaresma, Semana Santa, Páscoa, tempo pascal, Pentecostes e tempo comum até encerrar-se o ciclo no primeiro domingo do Advento. **Ano lunar.** *Cronol.* Período que compreende 12 revoluções lunares. **Ano móvel.** Período de 365 dias que, para fins jurídicos, principia a correr em qualquer instante. **Ano sabático.** Entre os judeus, o último ano de cada período de sete durante o qual não se cultivavam as terras e não se cobravam as dívidas. **Ano santo.** Jubileu (1) periódico dos católicos, determinado pela autoridade papal. **Ano secular.** *Astr.* Ano cujo milésimo termina em 00. **Ano sideral.** *Astr.* O tempo necessário para que a Terra complete uma revolução na sua órbita, em relação às estrelas fixas, e que equivale a 365,256 36 dias solares médios. **Ano solar.** *Cronol.* Período que compreende um número inteiro de dias e corresponde à revolução da Terra em torno do Sol. **Ano trópico.** O tempo necessário para que o Sol execute uma revolução aparente na eclíptica, de equinócio vernal a equinócio vernal. **Ano útil.** O que dura 365 dias não feriados. **Adiantado em anos.** V. *entrado em anos:* "O P. Manuel da Nóbrega faleceu cerca de quatro meses depois deste imenso desastre, ... menos *adiantado em anos* (pois apenas contava cinqüenta e três) que exausto e rendido de trabalho e fadigas." (João Francisco Lisboa, *Obras,* II, p. 397.) **Avançado em anos.** V. *entrado em anos:* "Homero morreu respeitado, *avançado em anos,* mas livre." (Maria José de Queirós, *Como Me Contaram,* p. 23.) **Entrado em anos.** Idoso, velho; avançado em anos, adiantado em anos: "Viúva de pouco, já *entrada em anos,* mas ainda frescelhota" (Garibaldino Andrade, *Vila Branca,* p. 160). [Tb. se diz apenas *entrado.*] **Fazer anos.** Ver decorrer a data do seu aniversário natalício; aniversariar. **Não passarem os anos por.** Estar (alguém) muito bem-conservado, sem ou quase sem os vestígios do passar do tempo.
ano[2]**.** *S. m. P. us.* Ânus.
▲-ano. Equiv. de *-ão*[2]. [Em química, indica os hidrocarbonetos saturados: *metano, propano.*]
ano-base. *S. m. Estat.* Na descrição quantitativa da evolução dum fenômeno histórico, ano que é escolhido, convencionalmente, como a origem dos tempos, e em que as grandezas pertinentes ao fenômeno são medidas, também convencionalmente, em unidades arbitrárias iguais a cem. [Pl.: *anos-bases* e *anos-base.*]
anobiídeo. *S. m.* **1.** Espécime dos anobiídeos. ● *Adj.* **2.** Pertencente ou relativo a eles.
anobiídeos. *S. m. pl. Zool.* Família de insetos da ordem dos coleópteros, que reúne pequenos insetos destruidores da madeira e dos livros. Suas larvas, pequeníssimas, são de grande voracidade. No Brasil os mais nocivos são do gênero *Anobium.*
ano-bom. *S. m.* Ano-novo (2 e 3). [Pl.: *anos-bons.*]
ano-de-noivos. *S. m. Ant.* Lua-de-mel (1): "Exprime-a [esta época] em francês a frase lua-de-mel: o português diz *ano-de-noivos.*" (Alexandre Herculano, *Lendas e Narrativas,* II, pl. 256.) [Pl.: *anos-de-noivos.*]
anódico. *Adj. (pl.)* ~ V. *raios —s.*
anodinia. [Do gr. *anodynía.*] *S. f.* Insensibilidade à dor.
anódino. [Do gr. *anódynos,* pelo lat. *anodynu.*] *Adj.* **1.** Que mitiga as dores (medicamento); antálgico. **2.** Paliativo (2). **3.** Insignificante, medíocre. **4.** Que é pouco

importante; secundário.
anódio. *S. m. Eletr.* V. *ânodo.*
anodizado. *Adj. Quím.* Diz-se de certos metais, como, p. ex., o alumínio e o magnésio, que, em virtude duma oxidação anódica especial, estão recobertos por uma camada superficial protetora de óxido, a que se podem incorporar ou não substâncias corantes.
anodo. *S. m. Eletr.* Var. pros. de *ânodo.*
ânodo. [Do gr. *ánodos.*] *S. m. Eletr.* Eletrodo positivo; eletrodo para onde se dirigem os íons negativos. [Var. pros.: *anodo,* e var.: *anódio.* Cf. *catodo.*]
anodonte. [Do gr. *anódous, óntos.*] *Adj. 2 g.* **1.** Sem dentes. **2.** Pertencente ou relativo aos anodontes. ● *S. m.* **3.** Espécime dos anodontes.
anodontes. [Pl. de *anodonte.*] *S. m. pl. Zool.* Gênero de moluscos acéfalos.
anodontia. [De *anodonte* + *-ia.*] *S. f. Med.* Ausência congênita, parcial ou total, de dentes da primeira e segunda dentição, ou apenas da segunda.
ano-e-dia. *S. m. Jur.* Período de 365 dias, no qual não se leva em conta o dia do começo, mas se inclui o do fim.
anoético. *Adj. Filos.* Diz-se da função ou ato psíquico diferente e independente da apreensão intelectual. Ex.: a sensibilidade.
anófele. [Do gr. *anophelés.*] *S. m.* **1.** Espécime dos anófeles. ● *Adj. 2 g.* **2.** Pertencente ou relativo a eles. [Sin. ger.: *anofelino.*]
anófeles. [Pl. de *anófele.*] *S. m. pl. Zool.* Insetos dípteros da família dos culicídeos, gênero *Anopheles* Meig., transmissores da malária. Têm as asas recobertas de escamas; as larvas respiram mantendo o corpo paralelo à tona da água, e os adultos pousam com o corpo em ângulo inclinado com a superfície dos troncos ou paredes. Conhecem-se no Brasil cerca de 12 espécies. Os anófeles sugam, em geral, ao anoitecer. [Sin.: *anofelinos.*]
anofelino. *S. m.* e *Adj.* Anófele.
anofelinos. *S. m. pl. Zool.* Anófeles.
anoftalmia. [De *anóphtalmos,* 'sem olhos', + *-ia.*] *S. f. Ter.* Ausência congênita de um ou de ambos os olhos.
anoftálmico. *Adj.* Referente à anoftalmia.
anogueirado[1]. [De *a-*[2] + *nogueira* + *-ado*[1].] *Adj.* Da cor da nogueira, ou aproximadamente dessa cor, por natureza.
anogueirado[2]. [Part. de *anogueirar.*] *Adj.* A que se deu a cor da nogueira.
anogueirar. [De *a-*[2] + *nogueira* + *-ar*[2].] *V. t. d.* Dar a cor da nogueira a.
anoitecer. [De *a-*[2] + *noite* + *-ecer.*] *V. int.* **1.** Ir chegando, ou cair, a noite; fazer-se noite: "A natureza apática esmaece... / Pouco a pouco, entre as árvores, a lua / Surge trêmula, trêmula... A n o i t e c e." (Raimundo Correia, *Poesias,* p. 108.) **2.** Estar ou achar-se em determinado lugar, ao anoitecer: *A n o i t e c e m o s em pleno campo. T. d.* **3.** Tornar escuro, cobrir de trevas; escurecer. [Conjug.: v. *aquecer.* Como int. (na 1ª acepç.), é unipessoal, conjugável só na 3ª pess. do sing., com sujeito zero.] ● *S. m.* **4.** O cair da noite: "Chegamos a Jerusalém num a n o i t e c e r de violeta e ouro..." (Eugênio de Castro, *Obras Poéticas,* II, p. 152.) [F. paral.: *anoutecer.*]
anoiúba. *S. 2 g.* e *adj. 2 g. Bras.* V. *aniba*[2].
anojadiço. *Adj.* **1.** Que se anoja com facilidade. **2.** Irascível, agastadiço, zangadiço.
anojado[1]. *S. m. Bras., MA.* V. *anujá.*
anojado[2]. [Part. de *anojar.*] *Adj.* **1.** Que está de luto. **2.** Desgostoso, triste. [F. paral.: *nojado.*]
anojador. (ô). *Adj.* Que anoja.
anojamento. *S. m.* Ato ou efeito de anojar(-se); anojo.
anojar. [De *a-*[2] + *nojo* + *-ar*[2].] *V. t. d.* **1.** Causar nojo, repulsão, náusea, a; nausear, enojar. **2.** Causar dissabor, sentimento, desgosto ou pesar a; entristecer, desgostar. **3.** Causar grande mágoa a; cobrir de luto; enlutar. **4.** Causar tédio a; entediar, enfadar, aborrecer. *P.* **5.** Pôr-se de nojo ou luto; enlutar-se. **6.** Agastar-se, aborrecer-se, incomodar-se, enfadar-se. [Pres. ind.: *anojo,* etc. Cf. *anojo* (ô).]
anojo (ô). [Dev. de *anojar.*] *S. m.* Anojamento. [Pl.: *anojos* (ô). Cf. *anojo,* do v. *anojar.*]
anojoso (ô). *Adj.* V. *nojento* (1).
anóleno. [De *an-* + gr. *oléne,* 'braço'.] *Adj.* Abráquio (1).
ano-luz. *S. m. Astr.* Unidade de distância que equivale à distância percorrida pela luz, no vácuo, em um ano à razão de aproximadamente 300 000 km por segundo. [Pl.: *anos-luz.*]
anomalia. [Do gr. *anomalía,* pelo lat. *anomalia.*] *S. f.* **1.** Irregularidade, anormalidade. **2.** *Astr.* Ângulo que define a posição de um astro em sua órbita. **3.** *Astr.* Qualquer desigualdade periódica no movimento orbital de um planeta. **4.** *Geom. Anal.* V. *ângulo polar.* ◆ **Anomalia da maré.** *Geofís.* Irregularidade na amplitude e periodicidade da maré.
anomalifloro. [De *anômalo* + *i* de ligação + *-floro.*] *Adj. Bot.* Que tem flores anômalas.
anomalípede. [De *anômalo* + *i* de ligação + *-pede.*] *Adj. 2 g. Zool.* Diz-se do animal de patas desiguais.
anomalístico. *Adj.* Referente à evolução de um astro, tendo como origem o periastro. ~ V. *ano —, mês —, período —* e *revolução —a.*
anômalo. [Do gr. *anómalos,* pelo lat. *anomalu.*] *Adj.* Que apresenta anomalia; irregular, anormal. [Cf. *atípico.*] ~ V. *estrutura —a, dispersão —a* e *verbo —.*
anomia. [De *a-*[3] + *-nom(o)-* + *-ia.*] *S. f.* Ausência de leis, de normas ou de regras de organização.
anômico. *Adj.* Relativo à anomia.
anominação. [Do lat. *annominatione.*] *S. f. Ret.* Alteração intencional de uma palavra para desvirtuar-lhe o sentido.
▲**anom(o)-.** [Do gr. *anomos, os, ou.*] *El. comp.* = 'anomalia', 'irregularidade': *anomocéfalo, anomuro.*
anomocarpo. [De *anom(o)-* + *-carpo.*] *Adj. Morfol. Veg.* **1.** Diz-se das plantas cujos frutos são desiguais; heterocarpo. **2.** Diz-se dos fungos de frutificação irregular, fora do comum. [Antôn.: *isocarpo.*]
anomocéfalo. [De *anom(o)-* + *-céfalo.*] *Adj.* Que tem cabeça irregular.
anomocelo. *S. m.* **1.** Espécime dos anomocelos. ● *Adj.* **2.** Pertencente ou relativo a eles.
anomocelos. *S. m. pl. Zool.* Animais cordados, anfíbios anuros, da ordem *Anomocoela.* As vértebras sacrais são proceladas; não têm costelas livres.
anomósporo. [De *anom(o)-* + *-sporo.*] *Adj.* Provido de esporos irregulares, desiguais.
anomuro. *S. m.* **1.** Espécime dos anomuros. ● **2.** *Adj.* Pertencente ou relativo a eles.
anomuros. [Pl. de *anomuro.*] *S. m. pl. Zool.* Animais marinhos, artrópodes, crustáceos, malacostráceos, da ordem dos decápodes, subordem dos anomuros, com abdome reduzido, porém exposto, e cefalotórax longo, comprimido. São os tatuís e os paguros.
anona. *S. f.* Gênero da família das anonáceas (*Anona squamosa* L.), ao qual pertencem diversas espécies dotadas de frutos comestíveis, como, p. ex., a fruta-de-conde e a graviola.
anonácea. *S. f.* Espécie das anonáceas.
anonáceas. [Pl. de *anonácea.*] *S. f. pl. Bot.* Família de plantas com flores, da ordem das *Magnoliales,* constituída de árvores e arbustos de folhas simples, próprios dos países intertropicais, e que engloba cerca de 800 espécies, muitas das quais brasileiras — dos gêneros *Annona, Duguetia* e *Xilopia,* p. ex., flores grandes e belas, com numerosos estames e carpelos, mas só três pétalas e sépalas; e os frutos, secos ou carnosos, são, em muitos casos, grandes bagas comestíveis, apreciadíssimas (fruta-de-conde, ata, graviola, etc.).
anonáceo. *Adj.* Pertencente ou relativo às anonáceas.
anonadar. [Do esp. plat. *anonadar.*] *V. t. d. Bras.* Reduzir a nada; aniquilar.
anonário. [Do lat. *annonariu.*] *Adj.* Relativo a mantimentos.
➨**a non domino** (a non dômino). [Lat., 'da parte de quem não é dono'.] *Jur.* Diz-se da transferência de coisas móveis ou imóveis por quem não é proprietário delas.
anônfalo. [De *an-* + *-ônfalo.*] *Adj.* A que falta umbigo.
anonimato. *S. m.* **1.** Estado do que é anônimo. **2.** Hábito ou sistema de escrever sem assinar.
anonímia. [Do gr. *anonymía.*] *S. f.* Qualidade do que é anônimo; anonimidade: "vaníloqua versatilidade de sentimentos e juízos do nosso homem vulgar, sobretudo quando acobertado ou disfarçado em a n o n í m i a." (Paulino Santiago, *Temas e Processos do Cancioneiro de Alagoas,* p. 68).
anonimidade. *S. f.* Anonímia: "Passeava minha a n o n i m i d a d e sem despertar a menor reação." (Carlos Drummond de Andrade, *De Notícia & Não Notícias Faz-se a Crônica,* p. 11.)
anônimo. [Do gr. *anónymos,* pelo lat. *anonymu.*] *Adj.* **1.** Sem o nome ou a assinatura do autor; sem denominação: *obra a n ô n i m a ; carta a n ô n i m a .* **2.** Sem nome ou nomeado; obscuro: *poeta a n ô n i m o .* ~V. *sociedade —a.* ● *S. m.* **3.** Aquele que oculta o seu nome. **4.** Indivíduo obscuro, sem nome ou renome. [Cf. *alônimo.*]
ano-novo. *S. m.* **1.** O próximo ano; o ano entrante: "Estamos com sono, vamos dormir. Damos boa noite, bom a n o - n o v o, eu abraço meu tio." (Ricardo Ramos, *Matar um Homem,* p. 168.) **2.** A meia-noite do dia 31 de dezembro; ano-bom. **3.** O dia 1º de janeiro; ano-bom. [Pl.: *anos-novos.*]
anopistógrafo. [De *an-* + *opistógrafo.*] *Adj.* Diz-se da folha ou documento escrito ou impresso apenas de um lado. [Cf. *opistógrafo.*]
▲**anopl(o)-.** [Do gr. *ánoplos, os, ou.*] *El. comp.* = 'ausência de armas', 'desarmado', 'sem defesa': *anopluro, anoplotério.*
anoplo. *S. m.* **1.** Espécie dos anoplos; protonemertino. ● *Adj.* **2.** Pertencente ou relativo a eles. [Sin. ger.: *protonemertino.*]
anoplos. *S. m. pl. Zool.* Animais metazoários, asquelmintos, nemertinos, classe *Anopla,* desprovidos de estiletes na trompa; protonemertinos.
anoplotério. [De *anopl(o)-* + *-tério*[1].] *S. m. Zool.* Gênero de mamíferos paquidermes da época eocena que atingiam o porte de um tapir.
anopluro. *S. m.* **1.** Espécime dos anopluros. ● *Adj.* **2.** Pertencente ou relativo a eles. [Sin. ger.: *áptero, elipóptero, lipognato, parasito, pseudo-rincoto, sifunculado.*]
anopluros. *S. m. pl. Zool.* Animais artrópodes, da classe dos insetos, ordem *Anoplura.* São ectoparasitos de mamíferos, ápteros, aparelho bucal sugador, cabeça estreita, pernas com tarsos terminados em unhas fortes; hematófagos, conhecidos vulgarmente como *piolhos-sugadores.* No grupo se incluem a muquirana, o piolho-da-cabeça e o chato, parasitos do homem. [Sin.: *ápteros, elipópteros, lipognatos, parasitos, pseudo-rincotos, sifunculados.*]
anopsia. *S. f. Med.* Desuso ou supressão da visão em um olho, como ocorre na heterotropia.
anoque. [Do ár.] *S. m.* **1.** V. *curtume* (3). **2.** *Bras.* Couro quadrado, suspenso por estacas em cada ângulo, e que forma uma concavidade, onde se faz a decoada. **3.** *Bras.* Cesto suspenso, destinado ao mesmo fim. **4.** *Bras., S.* Casa ou abrigo onde se prepara e armazena a erva-mate. [Var.: *noque.*]
anoraque. [Do esquimó *anoraq.*] *S. m.* **1.** Agasalho de pele com capuz, usado pelos esquimós. **2.** *P. ext.* Agasalho três-quartos com capuz, feito de pele, lã, tecido sintético, etc.
anorexia (cs). [De *an-* + *-orex-* + *-ia.*] *S. f. Patol.* Redução ou perda de apetite; inapetência.
anoréxico (cs). *Adj.* Referente à anorexia.
anorexígeno (cs). [De *anorexia* + *-geno.*] *Adj.* e *s. m. Med.* Diz-se de, ou droga que provoca anorexia.
anorgânico. [De *an-* + *orgânico.*] *Adj.* V. *inorgânico.*
anoriense. *Adj. 2 g.* **1.** De, ou pertencente ou relativo a Anori (AM). ● *S. 2 g.* **2.** Natural ou habitante de Anori.
anormal. [Do lat. escolástico *anormalis.*] *Adj. 2 g.* **1.** Que não é normal; que está fora da norma ou padrão; abnorme, abnormal, anômalo: *Sua inteligência é a n o r m a l , muito superior à média.* **2.** Contrário às regras; irregular, abnorme, abnormal, anômalo: *conjugação a n o r m a l dos verbos.* **3.** Fora do costume; incomum: *O movimento da loja foi a n o r m a l .* **4.** Diz-se de indivíduo cujo desenvolvimento físico, intelectual ou mental é defeituoso. ● *S. 2 g.* **5.** Aquilo que não é normal; anormalidade. **6.** Indivíduo anormal (3). **7.** *P. ext.* Tarado (6). **8.** Excepcional (6) [q. v.].
anormalidade. *S. f.* **1.** Qualidade ou estado do que é anormal; abnormalidade, abnormidade, anomalia. **2.** Fato ou situação anormal.
anorquia. [Do gr. *ánorchos,* 'sem testículos', + *-ia.*] *S. f. Ter.* Ausência congênita dos testículos; anorquidia.
anorquidia. *S. f. Ter.* Anorquia [q. v.].
anorquídico. *Adj.* Que tem anorquidia ou anorquia; sem testículos.
anorretal. [De *ano*[2] + *reto* + *-al.*] *Adj. 2 g. Anat.* Pertencente ou relativo ao ânus e ao reto.
anorrinco. *Adj. Zool.* Desprovido de nariz ou bico.
anortita. [De *an-* + *-ort(o)-* + *-ita*[3].] *S. f. Min.* Mineral triclínico, do grupo dos feldspatos (plagioclásio), silicato de cálcio e alumínio.
anortoclásio. *S. m. Min.* Mineral triclínico do grupo dos feldspatos, mistura de silicato de alumínio e sódio com silicato de alumínio e potássio.
anortose. [Do gr. *anórthosis.*] *S. f. Patol.* Perda ou ausência da propriedade de manter-se ereto (3).
anoruegado. [De *a-*[2] + *noruega* + *-ado*[1].] *Adj.* Diz-se das encostas frias ou sombrias. [V. *noruega.*]
anosidade. [Do lat. *annositate.*] *S. f.* Qualidade de anoso.
anosmia. [Do gr. *ánosmos,* 'sem cheiro', + *-ia.*] *S. f. Patol.* Perda ou enfraquecimento do olfato.
anósmico. *Adj.* Relativo à anosmia.
anoso (ô). [Do lat. *annosu.*] *Adj.* Que tem muitos anos; velho: *árvore a n o s a ;* "O a n o s o buriti curva a copa, e farfalha." (Humberto de Campos, *Poesias Completas,*

p. 61). [M. us. em relação a coisas que a pessoas.]
anosteozoário. *Adj.* e *s. m. Zool.* Diz-se de, ou animal desprovido de ossos.
anostomatíneo. *S. m.* **1.** Espécime dos anostomatíneos. ● *Adj.* **2.** Pertencente ou relativo a eles.
anostomatíneos. *S. m. pl. Zool.* Subfamília de peixes de água doce, de corpo fusiforme, um tanto comprimido lateralmente. Ex.: a *solteira*.
anostráceo. *S. m.* **1.** Espécime dos anostráceos. ● *Adj.* **2.** Pertencente ou relativo a eles.
anostráceos. *S. m. pl. Zool.* Animais artrópodes, crustáceos, branquiópodes, da ordem *Anostraca*. Corpo alongado, desprovido de carapaça; olhos pedunculados; apêndices do tronco em número de 11 a 19 pares.
anotação. [Do lat. *annotatione*.] *S. f.* **1.** Ato ou efeito de anotar. **2.** Apontamento escrito; nota: *caderno de* anotações. **3.** Comentário (1). **4.** *Cin.* O ato, ou o ofício, de anotar pormenores de uma filmagem tais como os principais dados técnicos, a posição dos atores ao final de um determinado plano, etc.
anotado. [Part. de *anotar*.] *Adj.* Em que se fez anotação, ou anotações. ~ V. *edição* —*a*.
anotador (ô). [Do lat. *annotatore*.] *Adj.* **1.** Que anota. ● *S. m.* **2.** Aquele que anota. **3.** Comentarista. **4.** *Cin.* Aquele que faz anotação (4).
anotar. [Do lat. *annotare*.] *V. t. d.* **1.** Apor notas a. **2.** Esclarecer com comentários [v. *comentário* (1)]: anotar *uma obra literária*. **3.** Tomar nota ou apontamento de; apontar: Anote *o número do meu telefone*.
anotino. [Do lat. *annotinu*.] *Adj.* Que tem um ano. ~ V. *folhas* —*as*.
anoutecer. *V. int.* e *t. d.* V. *anoitecer*.
anovelado. [Part. de *anovelar*.] *Adj.* V. *enovelado*.
anovelar. [De *a*-^{2} + *novelo* + *-ar*^{2}.] *V. t. d.* e *p.* V. *enovelar*.
anoxemia (cs). [De *an-* + *-oxi-* + *-(h) em(o)-* + *-ia*.] *S. f. Med.* Falta de oxigenação no sangue.
anoxia (cs). [De *an-* + *-oxi-* + *-ia*.] *S. f. Med.* Hipóxia.
anoxibiose (cs). *S. f. Biol. Ger.* Anaerobiose.
anóxico (cs). *Adj.* Relativo à anoxia.
anoxítono (cs). *Adj.* e *s. m. Gram. Desus.* Não oxítono.
anoz. *S. f. Bras.* V. *amendoeira-da-praia*.
anquilosar. *V. t. d.* e *p.* V. *ancilosar*.
anquilose. [Do gr. *agkýlosis*.] *S. f. Med.* V. *ancilose*.
anquilostomíase. *S. f. Patol.* V. *ancilostomíase*.
anquilóstomo. *S. m. Zool.* V. *ancilóstomo*.
anquinhas. [Dim. pl. de *anca*.] *S. f. pl.* Armação de arame com que se alteavam os quadris e estufavam as saias das mulheres; ancas postiças.
anrique. *S. m. Ant. Marinh.* Arinque.
ansa. [Do lat. *ansa*, 'asa de vaso'.] *S. f.* **1.** *Ant.* e *poét.* V. *asa* (1). **2.** Enseada pequena e mais ou menos abrigada. **3.** *Fig.* Oportunidade, ensejo. [Cf. *hansa*.] ◆ **Ansas de Saturno.** *Astr.* Extremidades internas dos anéis de Saturno, as quais são observadas como saliências no globo desse planeta.
➧**Anschluss** (ánxluç). [Al.] **1.** Anexação. **2.** *Restr.* A anexação da Áustria à Alemanha, efetuada em março de 1938 por um golpe dos nazistas, e que a vitória dos Aliados anulou.
anseio. [Dev. de *ansiar*.] *S. m.* **1.** Ato de padecer ânsias. **2.** Desejo ardente; anelo, ânsia; aspiração: "Com sua luta, seu cansado anseio,/Seu louco amor, dissolva-se [o coração] no seio/Desse infecundo, desse amargo mar!" (Antero de Quental, *Sonetos*, p. 143.)
anselmiano. *Adj. Filos.* **1.** Pertencente ou relativo a Santo Anselmo (1033-1109), arcebispo de Cantuária, teólogo e filósofo agostinista italiano, autor da fórmula *Credo ut intelligam* [q. v.], ou próprio dele. ● *S. m.* **2.** Partidário de Santo Anselmo.
anseriforme. *Adj.* 2 *g.* **1.** Que tem forma de pato ou de ganso. **2.** Pertencente ou relativo aos anseriformes. ● *S. m.* **3.** Espécime dos anseriformes.
anseriformes. *S. m. pl. Zool.* Aves neórnites, neógnatas, da ordem *Anseriformes*, com uma série de lâminas córneas transversais, paralelas, na borda do bico, e de pernas curtas, pés palmados ou dedos livres, e com duplo esporão nas asas. São os patos, marrecos, cisnes, gansos e anhumas.
anserina. *S. f. Bot.* V. *quenopódio*.
anserino. [Do lat. *anserinu*.] *Adj.* Semelhante ou relativo ao pato ou ao ganso. ~ V. *marcha* —*a*, *pele* —*a* e *voz* —*a*.
ânsia. [Do lat. *anxia*.] *S. f.* **1.** Aflição, angústia: *A ausência prolongada do amigo causava-lhe* ânsia. **2.** V. *anseio* (2): "Que ânsia de amar!" (Alberto de Oliveira, *Poesias*, 2ª. série, p. 273.) **3.** Perturbação de espírito causada pela incerteza, ou pelo receio: *Esperava o filho em* ânsia. *Viria? Não viria?* **4.** Extertor, vasca: *Estava na* ânsia *da morte*. ~ V. *ânsias*.
ansiadamente. [Do fem. de *ansiado* + *-mente*.] *Adv.* De maneira ansiada; com ânsia: "Disse-lhe ansiadamente que a menina o esperava na sala." (Camilo Castelo Branco, *Noites de Lamego*, p. 100).
ansiado. [Part. de *ansiar*.] *Adj.* **1.** Que padece ânsias. **2.** Desejado ardentemente; almejado: *A* ansiada *viagem por fim saíra!*
ansiar. [Do lat. *anxiare*.] *V. t. d.* **1.** Causar ânsia ou ansiedade a; oprimir, angustiar. **2.** Desejar ardentemente ou com ânsia; anelar, almejar: "o sem-ventura/Nada aceitava, ansiando só fugir-me." (Antônio Feliciano de Castilho, *A Primavera*, p. 222); "Sonha, deseja e anseia a luz do Oriente..." (Cruz e Sousa, *Últimos Sonetos*, p. 164). *T. i.* **3.** Desejar com veemência; anelar, almejar: "Ansiava por lhe vergastar o carão duro, inexpressivo." (Mário Braga, *Serranos*, p. 71); "Apesar de líquida,....; você anseia pelas coisas firmes" (Nélida Piñon, *O Calor das Coisas*, pp. 165-166); "Decerto os parentes paulistas [de Álvares de Azevedo] ansiavam para admirar aquela maravilha humana, o garoto fabuloso de quem os pais, necessariamente, deviam gabar-se nas cartas familiares." (R. Magalhães Júnior, *Poesia e Vida de Álvares de Azevedo*, p. 19). *Int.* **4.** Ter, padecer, ânsias; ansiar-se. **5.** Respirar com dificuldade e ruidosamente; ofegar: "Ai! Canta a cavatina do delírio,/Ri, soluça, suspira, anseia e chora..." (Castro Alves, *Poesias Escolhidas*, p. 69.) *P.* **6.** Padecer ânsias; ansiar. **7.** Angustiar-se, agoniar-se. [Irreg. Conjug.: v. *odiar*.]
ânsias. [Pl. de *ânsia*.] *S. f. pl.* Náuseas. ~ V. *ânsia*.
ansiedade. [Do lat. *anxietate*.] *S. f.* **1.** Ânsia (1 a 3): "Partir! Partir também! Que ansiedade esquisita/De desaparecer pela água infinita!" (Ribeiro Couto, *Poesias Reunidas*, p. 24.) **2.** *Med.* Receio sem objeto ou relação com qualquer contexto de perigo, e que se prende, na realidade, a causa psicológica inconsciente. [Cf., nesta acepç., *disforia*.]
ansiforme. [De *ânsa* (1) + *i* de ligação + *-forme*.] *Adj.* 2 *g.* V. *aliforme*. [Cf. *ensiforme*.]
ansiolítico. [De *ansi(edade)* + *-o-* + gr. *lytikós*, 'capaz de dissolver, de liberar'.] *Adj.* e *s. m. Med.* V. *tranqüilizante*.
ansioso (ô). [Do lat. *anxiosu*.] *Adj.* Que tem ânsia ou anseio: *Anda* ansioso *por uma viagem a Europa*; "o Coronel Chico estava ansioso para saber das notícias." (José Sarney, *Norte das Águas*, p. 173); "parecia ansioso de a conversar sobre alguma cousa." (Machado de Assis, *Helena*, p. 116).
anspeçada. [Do it. *lancia spezzata*, 'lança despedaçada', atr. do fr. *anspessade*.] *S. m.* **1.** V. *hierarquia militar*. **2.** Militar que detinha a posição hierárquica de anspeçada.
anta^{1}. [Do lat. *anta*.] *S. f.* **1.** Monumento megalítico formado por grande pedra horizontal que fica sobre outras, menores e verticais. [Cf. *dólmen*.] **2.** Pilastra angular de um edifício.
anta^{2}. [Do ár. *lamTa*.] *S. f.* **1.** *Bras.* Mamífero perissodáctilo da família dos tapirídeos (*Tapirus terrestris* (L.)), distribuído desde a Colômbia até o N. da Argentina. Atinge até 2 m de comprimento por 1 m de altura, tem quatro dedos na mão e três no pé. Seu peso pode alcançar até 180 quilos. Pêlo uniforme, pardacento; os filhotes, porém, são malhados, com quatro ou cinco linhas longitudinais claras, além de outros traços e manchas irregulares intercalados. A cauda é muito curta, o nariz prolongado em tromba. O período de gestação é de 14 meses, parindo um filho de cada vez. Vive nas matas, nas proximidades de rios ou lagoas, alimentando-se de frutas e folhas. [Sin.: *anta-gameleira, anta-sapateira, antaxuré, batuvira, pororoca, tapiira, tapir, tapira, tapiretê*.] **2.** A pele da anta. **3.** *Gír. Fut. Bras.* Jogador bisonho, que se deixa levar pelos empresários. **4.** *Bras. Fam.* Pouco inteligente; tolo, tapado. ● *S.* 2 *g.* **5.** *Bras.* Pessoa sabida, sagaz, viva, esperta.
antacuré. [Do tupi.] *S. f. Bras.* Acuré.
antado. [Part. de *antar*.] *Adj. Bras.* Preparado com pele de anta.
anta-gameleira. *S. f. Bras.* V. *anta*^{2} (1). [Pl.: *antas-gameleiras*.]
antagônico. [V. *antagonista*.] *Adj.* Oposto, contrário: *Nunca se entenderão: têm opiniões* antagônicas.
antagonismo. [V. *antagonista*.] *S. m.* **1.** Oposição de idéias ou de sistemas. **2.** Rivalidade, incompatibilidade: "A brusca solução de continuidade entre o século XVI e a Idade Média .... revela-se nitidamente na dualidade artística, no antagonismo das duas escolas da poesia, da pintura, da arquitetura e da ourivesaria." (Teófilo Braga, *História da Literatura Portuguesa*, II, *Renascença*, p. 6.)
antagonista. [Do gr. *antagonistés*, pelo lat. *antagonista*.] *Adj.* 2 *g.* **1.** Que atua em sentido oposto; opositor, adversário. **2.** *Anat.* Diz-se dos músculos que, numa mesma região anatômica ou função fisiológica, trabalham em sentido contrário. **3.** *Anat.* Diz-se dos dentes do arco dentário superior em relação aos do arco mandibular. ● *S.* 2 *g.* **4.** Pessoa que é contra alguém ou algo; adversário, opositor.
antagonístico. *Adj.* Relativo a, ou em que há antagonismo.
antagonizar-se. [De *antagôn(ico)* + *-izar* + *se*^{1}.] *V. p.* Mostrar-se contrário, hostil, antagônico: "Comovi-me, mas por hipótese alguma cairia na asneira de antagonizar-me assim, tão nitidamente, com a situação vitoriosa." (Gilberto Amado, *Depois da Política*, p. 144.)
antalgia. [De *ant(i)-* + *-alg(o)-* + *-ia*.] *S. f.* Estado de combate à dor.
antálgico. [De *ant(i)-* + *-alg(o)-* + *-ico*^{2}.] *Adj.* **1.** Que combate a dor. **2.** Anódino (1).
antanáclase. [Do gr. *antanáklasis*, 'repercussão', pelo lat. *antanaclase*.] *S. f. Ret.* Figura que consiste em usar palavras quase semelhantes no som, mas diferentes ou opostas no sentido.
antanagoge. [De *ant(i)-* + gr. *anagogé*, 'ação de puxar para cima'.] *S. f. Ret.* Figura pela qual se voltam contra o acusador os argumentos que lhe serviram à acusação.
antanho. [Do esp. *antaño*.] *Adv.* **1.** No ano passado. **2.** Nos tempos idos; antigamente, outrora: "Os formatos [dos livros modernos], que variam ordinariamente de acordo com os submúltiplos dos tipos AA e BB, adotados como padrões pelos nossos fabricantes de papel, são quase os mesmos de antanho." (Eduardo Frieiro, *Os Livros Nossos Amigos*, p. 86.)
antão. *Adv. Ant.* e *pop.* Então: "já voltava para o Zeca Estevo, num passo ondulado e mole, quando este quis saber o nome da doença: / — Antão, meu patrão velho, o que é que eu tenho?" (Valdomiro Silveira, *Os Caboclos*, p. 71).
antar. *V. t. d. Bras.* Preparar com pele de anta.
antarquismo. [De *ant(i)-* + *-arqu(e)-* + *-ismo*.] *S. m.* Oposição sistemática a todos os governos. [Cf. *anarquismo*.]
antarquista. [De *ant(i)-* + *-arqu(e)-* + *-ista*.] *Adj.* 2 *g.* **1.** Relativo ao antarquismo, ou que é partidário do antarquismo. ● *S.* 2 *g.* **3.** Partidário dele. [Cf. *anarquista*.]
antártico. [Do gr. *antarktikós*, pelo lat. *antarcticu*.] *Adj.* **1.** Oposto ao pólo ártico. **2.** Do pólo sul. ● *S. m.* **3.** *Fitog.* Reino florístico que ocorre no extremo S. da América do Sul e nas ilhas aí situadas. [A região, extremamente fria, é de vegetação escassa se comparada com a da zona quente tropical; existem, aí, florestas de notófagos e de coníferas.] ~ V. *pólo* — *e zona glacial* —*a*.
anta-sapateira. *S. f. Bras.* V. *anta*^{2} (1). [Pl.: *antas-sapateiras*.]
antaxuré. *S. f. Bras.* V. *anta*^{2} (1).
ante. [Do lat. *ante*.] *Prep.* **1.** Diante de; em presença de; perante: *Ficou muito tempo* ante *a moça, admirando-a*; "estava ainda ao piano, ante um folheto de música aberto." (Machado de Assis, *Memorial de Aires*, p. 122); "A escuridão se extingue ante a alvorada" (Francisco Mangabeira, *Poesias*, p. 255). **2.** Em conseqüência de; por efeito de; diante de: "— Ah, isso é que tenho de ir por força! / Ante a inabalável firmeza desta declaração, voltou a sacudir-me uma onda de cólera". (Abel Botelho, *O Livro de Alda*, p. 119.) ● *Adv. Ant.* **3.** Antes: "Em janeiro mete obreiro; mês meante, que não ante" (prov. lus.).
▲**ant(e)-.** [Do lat. *ante*.] *Pref.* = 'anterioridade': *antolhos*, *antepor* (< lat. *anteponere*), *antediluviano*.
▲**-ante.** [Do lat. *-ante-*.] *Suf. nom.* = 'agente'; 'ação', 'qualidade', 'estado': *amante* (< lat. *amante*), *despachante, estudante; semelhante, radiante, tolerante* (< lat. *tolerante*).
anteâmbulo. *S. m.* V. *prefácio* (1).
anteambulone. [Do lat. *anteambulone*.] *S. m.* Escravo romano que ia à frente da liteira do senhor ou da senhora para abrir caminho entre a multidão.
ante-a-ré de. *Loc. prep. Mar.* Mais para-ré do que (um objeto, uma peça de bordo tomada como referência): *F. está* ante-a-ré *do mastro do traquete*.
anteato. [De *ante-* + *ato*.] *S. m. Teat.* Representação teatral curta, antecedente à peça principal.
anteaurora. [De *ante-* + *aurora*.] *S. f.* Alva^{1} (1).
ante-a-vante de. *Loc. prep. Mar.* Mais para vante do que (um objeto, uma peça de bordo tomada como referência): *F. está* ante-a-vante *do mastro do traquete*.
anteboca (ô). *S. f.* A parte anterior da boca. [Antôn.: *pós-boca*.]

antebraço. [De *ante-* + *braço.*] *S. m.* A parte do membro superior do homem entre o cotovelo e o punho.

antebraquial. *Adj. 2 g.* Pertencente ou relativo ao antebraço.

antecâmara. *S. f.* **1.** Aposento anterior à câmara. **2.** Ante-sala (2)

antecanto. [De *ante-* + *canto.*] *S. m.* Estribilho que se repete no começo de cada estrofe.

antecarga. [De *ante-* + *carga.*] *Adj. 2 g.* e *s. f. Bras. Mil.* Diz-se de, ou arma de fogo de carregar pela boca.

antecedência. [Do lat. *antecedentia.*] *S. f.* **1.** Ato ou efeito de anteceder(-se). **2.** Precedência, anterioridade. ♦ **Com antecedência.** Antes do tempo estabelecido; adiantadamente: *É bom chegar à estação com antecedência.*

antecedente. [Do lat. *antecedente.*] *Adj. 2 g.* **1.** Que antecede; precedente. **2.** Antepassado (1). ~ V. *rio* —. ● *S. m.* **3.** *Filos.* Fenômeno que precede no tempo, em particular de modo imediato, a outro fenômeno. **4.** *Gram.* Palavra ou oração à qual se refere o pronome relativo. **5.** *Lóg.* Em relação de implicação, o termo que implica. [Opõe-se a *conseqüente.*] **6.** *Mat.* Numerador de uma razão. **7.** *Anál. Mat.* Numa seqüência ordenada, termo que precede imediatamente um outro. **8.** *Mús.* V. *imitação* (2). ~ V. *antecedentes.*

antecedentes. [Pl. de *antecedente.*] *S. m. pl.* Os fatos anteriores, que deixam prever os que hão de seguir-se. ~ V. *antecedente.*

anteceder. [Do lat. *antecedere.*] *V. t. d.* **1.** Vir, estar ou ficar antes; preceder: *A revolta de Filipe dos Santos (1720) antecedeu a Conjuração Mineira (1789).* **2.** Realizar antes do tempo: *Tendo em vista o feriado, antecedeu o pagamento dos empregados.* **3.** Chegar antes de; preceder: *Um aviso antecedeu a sua vinda.* **4.** Prever, prenunciar, prognosticar: *A futurologia antecede os diferentes futuríveis. T. i.* **5.** Ser anterior; preceder: *Antecederam à doença numerosos sintomas. P.* **6.** Ser anterior; preceder, antecipar-se: *Em várias invenções os chineses antecederam-se a outros povos; Antecedeu-se a todos na solução do problema.*

antecena. [De ante- + cena.] *S. f. Teat.* Proscênio.

antecessor (ô). [Do lat. *antecessore*] *S. m.* Aquele que antecede; predecessor. ~ V. *antecessores.*

antecessores (ô). [Pl. de *antecessor*] *S. m. pl.* Os avós, os antepassados. ~ V. *antecessor.*

antécios. *S. m. pl.* V. *antecos.*

antecipação. [Do lat. *anticipatione.*] *S. f.* **1.** Ato ou efeito de antecipar(-se). **2.** *Jur.* Pagamento, total ou parcial, feito antes de vencida a obrigação. **3.** *Mús.* Manifestação prematura, temporariamente dissonante, de uma nota ou de um grupo de notas pertencente à harmonia do acorde seguinte àquele em que se encontram, e que o anunciam. **4.** *Mús. Concr.* Qualquer movimento que produz um som cujo efeito é registrado numa placa de disco ou sobre uma fita magnética. [Pode ser um registro de som direto, ou registros de sons obtidos com o auxílio de registros prévios.] ♦ **Antecipação bancária.** Operação de mútuo levada a efeito por banco mediante garantia real de mercadorias depositadas, ou de títulos que as representam (conhecimentos marítimos, conhecimentos e *warrants*), ou de títulos de crédito cotados em bolsa e de liquidação fácil.

antecipado. [Part. de *antecipar.*] *Adj.* **1.** Que se realiza antes do tempo próprio: *pagamento antecipado.* **2.** Dito de antemão. **3.** Recebido ou pago antes do tempo: *quantia antecipada.*

antecipar. [Do lat. *anticipare.*] *V. t. d.* **1.** Fazer, dizer, sentir, fruir, fazer ocorrer, antes do tempo marcado, previsto ou oportuno; precipitar: *Sabedor das manobras inimigas, o general antecipou o ataque.* **2.** Chegar antes de; anteceder: *Só chegaram ontem, a tua carta os antecipou T. d. e i.* **3.** Comunicar com antecipação: *Antecipou-lhe a decisão que pretendia tomar.* **4.** Tomar a dianteira: *Antecipou-o no intento caridoso. Int.* **5.** Ocorrer antes do tempo marcado, previsto ou oportuno; adiantar-se: *Teria esperado, se pudesse prever que o acontecimento acabaria por antecipar.* **6.** Dizer ou fazer alguma coisa antes do tempo oportuno; antecipar-se. *P.* **7.** Agir ou proceder com antecipação; adiantar-se: *Antecipou-se ao sócio na escolha do nome da firma.* **8.** Ir ou vir com antecipação; adiantar-se, antecipar. **9.** Tomar a dianteira; colocar-se antes.

antecipo. [Dev. de *antecipar*, ou do esp. *anticipo.*] *S. m. Bras., S.* Adiantamento de dinheiro.

anteclássico. [De *ante-* + *clássico.*] *Adj.* Que precede o classicismo, ou os clássicos; pré-clássico. [Cf. *anticlássico.*]

antecontrato. [De *ante-* + *contrato.*] *S. m.* Contrato provisório ou convenção que antecede e assegura a celebração do contrato definitivo (promessa de compra e venda, promessa de locação, arras, etc.); pré-contrato.

antecor. [De *ante-* + lat. *cor*, 'coração'.] *S. m. Vet.* **1.** Tumor no peito do cavalo; loba, lobão. **2.** Carbúnculo mortífero do gado bovino. [Sin. ger.: *antecoração.*]

antecoração. *S. f.* V. *antecor.*

antecoro (ô). [De *ante-* + *coro (ô).*] *S. m.* Recinto que antecede o coro, em igrejas e mosteiros. [Pl.: *antecoros* (ó).]

antecos. *S. m. pl.* Habitante de lugares que têm a mesma longitude, mas latitudes simétricas; antécios, antíscios. [Cf. *periecos* e *antípoda.*]

antedata. *S. f.* Data anterior que se põe num escrito ou documento para fazer supor que foi feito nessa data. [Antôn.: *pós-data.*]

antedatado. [Part. de *antedatar.*] *Adj.* Em que se pôs antedata; que se antedatou: *documento antedatado.* [Cf. *pré-datado.* Antôn.: *pós-datado.*]

antedatar. *V. t. d.* Pôr antedata em. [Cf. *pré-datar.* Antôn.: *pós-datar.*]

antediluviano. *Adj.* **1.** Anterior ao dilúvio. [Antôn.: *pós-diluviano.*] **2.** *Fig.* Muito antigo ou velho: *Trajava um sobretudo antediluviano.*

antedizer. [Do lat. *antedicere.*] *V. t. d.* Predizer; profetizar; prognosticar; vaticinar. [Irreg. Conjug.: v. *dizer.*]

anteduna. [De *ante-* + *duna.*] *S. f.* Barreira artificial que se estabelece a barlavento de uma duna para facilitar-lhe a fixação, pelo obstáculo que constitui à chegada de areia ao local.

anteface. [De *ante-* + *face.*] *S. f.* **1.** Véu com que se cobre o rosto: "começaram a fazer uma larga distribuição de prendas aos convidados: chapéus e barretinas de papel, grinaldas de flores, disfarces burlescos, pequenas antefaces de seda..." (Gastão Cruls, *4 Romances*, pp. 380-381.) **2.** Máscara. [Var.: *antifaz.*]

anteferir. [Do lat. **anteferere*, por *anteferre.*] *V. t. d.* Preferir; antepor. [Irreg. Conjug.: v. *aderir.*]

antefirma. [De *ante-* + *firma.*] *S. f.* Palavras de cortesia que antecedem a assinatura ou firma de uma carta.

antefixa (cs). [Do lat. *antefixa.*] *S. f.* Cada uma das telhas que servem de anteparo às carreiras de telhas convexas que cobrem as junções das telhas ocas, nas cumeeiras ou nos beirais.

antefosso (ô). [De *ante-* + *fosso* (ô).] *S. m.* Pequeno fosso aberto diante da esplanada. [Pl.: *antefossos* (ó).]

antegostar. *V. t. d.* **1.** Gostar antecipadamente. **2.** V. *antegozar.* [Pres. ind.: *antegosto*, etc. Cf. *antegosto* (ô).]

antegosto (ô). *S. m.* **1.** Antegozo. **2.** Gosto que supomos ter de algo que ainda não experimentamos. [Pl.: *antegostos* (ô). Cf. *antegosto*, do v. *antegostar.*]

antegozar. *V. t. d.* Gozar antecipadamente; prelibar, antegostar: "E, na angústia que a quebranta, / Somente espera e antegoza / A proteção milagrosa / Da Virgem Mãe de Jesus!" (Vicente de Carvalho, *Poemas e Canções*, p. 208.) [Pres. ind.: *antegozo*, etc. Cf. *antegozo* (ô).]

antegozo (ô). *S. m.* Ato de antegozar; gozo antecipado; antegosto. [Pl.: *antegozos* (ô). Cf. *antegozo*, do v. *antegozar.*]

anteguarda. [De *ante-* + *guarda.*] *S. f. P. us.* V. *vanguarda.*

ante-histórico. *Adj.* Pré-histórico [q. v.]. [Pl.: *ante-históricos.* Cf. *anti-histórico.*]

anteiro. *S. m. Bras.* Cão amestrado para a caça de antas.

antejulgamento. *S. m.* Ato ou efeito de antejulgar.

antejulgar. [De *ante-* + *julgar.*] *V. t. d.* Julgar com antecipação: "E Raimundo antejulgava perfeitamente que aquele empenho de Manuel em negar-lhe a filha, longe de arredá-la do seu amor, mais e mais o empurrava para ela, ligando-a para sempre ao seu destino." (Aluísio Azevedo, *O Mulato*, p. 238.) [Conjug.: v. *largar.*]

antela. *S. f. Bot.* Tipo de inflorescência em que os raminhos laterais são mais compridos que o eixo da inflorescência. É uma variedade de tirso, comum nas juncáceas.

antelação. [Do b.-lat. *antelatione.*] *S. f. Jur.* V. *preferência* (5).

antelado. [De *antela* + *-ado*[1].] *Adj.* Provido de antela.

antélice. [De *ant(i)-* + *hélice.*] *S. f. Anat.* Eminência do pavilhão da orelha.

antélio. [Do gr. *anthélios.*] *S. m.* Claridade refletida pelo Sol no lado oposto a ele. [Cf. *anti-hélio.*]

➡**ante lítem** (ante lítem). [Lat., 'antes do litígio'.] *Jur.* Diz-se da medida de caráter preliminar ou preparatório, preparada, pois, antes da ação.

antelmíntico. *Adj.* e *s. m.* V. *anti-helmíntico.*

antelóquio. [Do lat. *anteloquiu.*] *S. m.* V. *prefácio* (1).

antelucano. [Do lat. *antelucanu.*] *Adj.* Feito antes da luz do dia.

antemanhã. [De *ante-* + *manhã.*] *Adv.* **1.** Pouco antes de amanhecer: "No dia aprazado, antemanhã, a *Gaivota* largou de rumo ao farol." (Monteiro Lobato, *Urupês, Outros Contos e Coisas*, p. 8.) ● *S. f.* **2.** O alvorecer: "as vozes dos galos esperavam nas gargantas ardentes o momento do desabrochar das roxas luzes da antemanhã." (Augusto Frederico Schmidt, *O Galo Branco*, p. 342).

antemão. [De *ante-* + *mão.*] *Adv. P. us.* Com antecipação; previamente, antecipadamente; antemão: "Ideou as batatas em suas várias formas, classificou-as pelo sabor, pelo aspecto, pelo poder nutritivo, fartou-se antemão do banquete da vida." (Machado de Assis, *Quincas Borba*, p. 31.) ♦ **De antemão.** Com antecedência; antecipadamente, previamente: "o guarda-livros poucas vezes arriscava a sua anedota e só se determinava a isso tendo de antemão escolhido um assunto discreto e conveniente." (Aluísio Azevedo, *Casa de Pensão*, pp. 4-5).

antemeridiano. [Do lat. *antemeridianu.*] *Adj.* Anterior ao meio-dia. [Antôn.: *pós-meridiano.*]

antemesa (ê). [De *ante-* + *mesa.*] *S. f.* Pano consagrado sobre o qual dizem missa, na falta de altar, os sacerdotes do rito grego.

antemultiplicação. [De *ante-* + *multiplicação.*] *S. f. Mat.* Multiplicação à esquerda.

antemultiplicar. [De *ante-* + *multiplicar.*] *V. t. d. Mat.* Efetuar antemultiplicação de (um elemento por outro).

antemurado. [Part. de *antemurar.*] *Adj.* Fortificado com antemuros.

antemural. [Do lat. *antemurale.*] *Adj. 2 g.* **1.** Relativo a antemuro. ● *S. m.* **2.** V. *antemuro.*

antemuralha. [De *ante-* + *muralha.*] *S. f.* V. *antemuro.*

antemurar. *V. t. d.* **1.** Fortificar com antemuros. **2.** *P. ext.* Defender; proteger.

antemuro. [De *ante-* + *muro.*] *S. m.* **1.** Conjunto de obras exteriores de defesa das muralhas; obra avançada de fortificação. **2.** Barbacã (1). [Sin. ger.: *antemural, antemuralha.*]

antena. [Do lat. *antenna.*] *S. f.* **1.** *Zool.* Apêndice cefálico sensorial dos artrópodes, em número de quatro nos crustáceos e de dois nas demais classes, e ausentes nos aracnídeos, tardígrados e pentastomídeos. **2.** *Eng. Eletrôn.* Parte de um transmissor cujo potencial varia rapidamente, irradiando para o espaço ondas eletromagnéticas. **3.** *Eng. Eletrôn.* Parte de um receptor de rádio ou de ondas eletromagnéticas que capta a energia eletromagnética, introduzindo-a no aparelho sob forma de impulsos elétricos. **4.** *P. ext.* Estrutura metálica, fio ou conjunto de fios com as mesmas funções indicadas nas acepç. 2 e 3. **5.** *Bot.* Delicados prolongamentos do ginostêmio das orquídeas, sensíveis a um estímulo mecânico, que leva as anteras a reagirem, lançando as polínias. **6.** *Constr. Nav.* Pau de grandes dimensões, próprio para fabricação de mastro, verga, etc. **7.** *Marinh.* Designação genérica de verga e mastaréu sobressalente. **8.** *Marinh.* Verga duma vela bastarda. ♦ **Antena direcional.** *Astr.* Antena usada em radioastronomia, capaz de ser orientada para uma região determinada da esfera celeste. **De antena(s) ligada(s).** *Bras.* Atento ao que se passa, ao que se ouve, ao que se vê. **Ter antenas.** *Bras.* Perceber, com muita acuidade, o que se passa em volta.

antenado. [De *antena* + *-ado*[1].] *Adj.* **1.** Provido de antenas. **2.** Mandibulado. ● *S. m.* **3.** Mandibulado.

antenados. [Pl. de *antenado.*] *S. m. pl. Zool.* Mandibulados.

antenal. *Adj. 2 g. Zool.* Relativo a antena (4); antenífero.

antenarídeo. *S. m.* **1.** Espécime dos antenarídeos. ● *Adj.* **2.** Pertencente ou relativo aos antenarídeos.

antenarídeos. *S. m. pl. Zool.* Família de peixes teleósteos de forma esquisita, cabeça grande, boca enorme; nadadeira dorsal com a primeira espícula transformada em tentáculo móvel. Vivem no alto-mar, entre algas do gênero *Sargasso.*

antenífero. [De *antena* + *i* de ligação + *-fero.*] *Adj. Zool.* Antenal.

antenista. [De *antena* + *-ista.*] *S. 2 g.* Pessoa que instala e/ou conserta antenas [v. *antena* (2 e 3)].

antenome. *S. m.* **1.** Título que antecede o nome. **2.** V. *prenome.*

antense[1]. *Adj. 2 g.* **1.** De, ou pertencente ou relativo a Anta (RJ). ● *S. 2 g.* **2.** Natural ou habitante de Anta.

antense[2]. *Adj. 2 g.* **1.** De, ou pertencente ou relativo a Antas (BA). ● *S. 2 g.* **2.** Natural ou habitante de Antas.

antênula. [Dim. irreg. de *antena*.] *S. f. Zool.* O segundo par de antenas dos artrópodes crustáceos.
antenupcial. [Do lat. *antenuptiale*.] *Adj. 2 g.* Pré-nupcial. [Cf. *antinupcial*.]
anteocupação. [Do lat. *anteoccupatione*.] *S. f.* **1.** Ato ou efeito de anteocupar. **2.** *Ret.* Figura pela qual se prevêem e destróem as objeções do antagonista.
anteocupar. [Do lat. *anteoccupare*.] *V. t. d. e p. P. us.* Preocupar(-se).
anteolhos. [De *ante-* + *olhos*.] *S. m pl.* V. *antolhos*.
anteontem. *Adv.* No dia anterior ao de ontem; antes de ontem: "Passando anteontem na Rua do Ouvidor, olhei para dentro da chapelaria do Jacinto Lopes" (Artur Azevedo, *Contos Efêmeros*, p. 65.)
antepagar. *V. t. d.* Pagar antecipadamente. [Conjug.: v. *pagar*.]
antepaís. *S. m. Geol.* Maciço rígido que, relativamente ao impulso orogênico, se situa aquém da zona de enrugamento. [Pl.: *antepaíses*.]
antepaixão. [Do lat. *antepassione*.] *S. f. Ant.* **1.** Preconceito. **2.** Paixão que precede a reflexão.
antepara. [Dev. de *anteparar*.] *S. f. Constr. Nav.* Tabique, de qualquer material rígido, que separa cada compartimento do seu vizinho, a bordo de uma embarcação: "A guarnição arranjava o navio para a atracação, ... ajeitava defensas, limpava anteparas." (Moacir C. Lopes, *Maria de Cada Porto*, p. 282.) [Cf. *anteparo*.] ♦ **Antepara de colisão.** *Constr. Nav.* Antepara estanque que delimita o compartimento de colisão. **Antepara estanque.** *Constr. Nav.* Antepara reforçada e impermeável à água, que, nos navios de aço, constitui meio eficiente para limitar o alagamento interior do casco, se este abrir água.
anteparar. [Do lat. *anteparare*.] *V. t. d.* **1.** Pôr anteparo em; cobrir. **2.** Impedir; prevenir, atalhar. **3.** Resguardar, proteger: *A prefeitura anteparou as curvas da estrada com uma amurada. T. d. e i.* **4.** Resguardar, defender, proteger: *Antepare-o das tentações. Int.* **5.** *Ant.* Deter um pouco; entreparar; sobrestar. *P.* **6.** Resguardar-se, defender-se. **7.** Sustar-se, sobrestar.
anteparo. [Dev. de *anteparar*.] *S. m.* **1.** Ato de anteparar. **2.** Designação genérica das peças (tabiques, biombos, guarda-ventos, etc.) que servem para resguardar ou proteger alguém ou alguma coisa. **3.** Resguardo, proteção, defesa. [Cf. *antepara*.]
anteparto. *S. m.* O conjunto dos sintomas precedentes ao parto.
antepassado. [Part. de *antepassar*.] *Adj.* **1.** Que passou ou aconteceu antes; antecedente. **2.** Que viveu antes: *famílias antepassadas; parentes antepassados*. • *S. m.* **3.** Ascendente (3), especialmente o que é anterior aos avós: *Ele tem um antepassado índio.* **4.** Tipo de animal do qual outros se originam. **5.** Antecessor, predecessor, precursor: *Os antigos instrumentos de teclado são antepassados do piano.* ~ V. *antepassados*.
antepassados. [Pl. de *antepassado*.] *S. m. pl.* Ancestrais, ascendentes, avós. ~ V. *antepassado*.
antepassar. *V. t. d.* Acontecer ou passar(-se) antes de; anteceder, preceder.
antepasto. [De *ante-* + *pasto* (4).] *S. m.* Iguaria que se serve antes do primeiro prato, e que se destina a abrir o apetite; aperitivo, acepipe.
antepeitoral. *Adj. 2 g. Anat.* Situado na parte anterior do peito.
antepenúltimo. [Do lat. *antepaenultimu*.] *Adj.* Que precede imediatamente o penúltimo.
antepétalo. [De *ant(e)-* + *-pétalo*.] *Adj.* ~V. *estame* —.
anteplatônico. *Adj.* **1.** Anterior a Platão [v. *platonismo*]. **2.** *Hist. Filos. Restr.* Pertencente ou relativo a pensador ou a escola filosófica que tenham florescido na Grécia entre o séc. VII a. C. e o advento da filosofia de Platão (429-347 a.C.).
antepor. [Do lat. *anteponere*.] *V. t. d. e i.* **1.** Pôr antes: *antepor uma palavra a outra.* **2.** Querer antes; preferir: *Antepor a honestidade a qualquer dos bens materiais.* **3.** Contrapor, opor: *À ira do marido antepunha a sua mansidão. P.* **4.** Pôr-se ou colocar-se antes. [Conjug.: v. *pôr* (q. v.). Antôn.: *pospor*.]
anteporta. *S. f.* **1.** Porta anterior a outra. **2.** Cortina, reposteiro.
anteportaria. *S. f.* Abrigo, por via de regra alpendrado, na frente da portaria.
anteporto (ô). [De *ante-* + *porto* (ô).] *S. m.* Abrigo à entrada de alguns portos. [Pl.: *anteportos* (ô).]
anteposição. *S. f.* **1.** Ato ou efeito de antepor(-se). [Antôn.: *posposição*.] **2.** Precedência, preferência. **3.** *Med.* Desvio da bacia e do útero para diante.
antepositivo. *Adj.* Que se antepõe. [Antôn.: *pospositivo* (1).]
antepraia. *S. f. Ocean. Geol.* A parte da praia entre a arrebentação e o terraço (7).
antepredicamentais. *S. f. pl.* Questões preliminares.
anteprimeiro. *Adj.* **1.** Que antecede o primeiro. **2.** Preliminar prévio.
anteprojeto. *S. m.* **1.** Estudo preparatório, ou esboço, de projeto **2.** Preliminares de um plano.
antera. [Do gr. *antherá*.] *S. f. Bot.* Porção dilatada, sacular, que se acha no ápice do filete do estame e encerra os grãos de pólen. É formada por duas tecas, unidas pelo conectivo, cada uma delas composta de dois sacos polínicos. As anteras abrem-se por fendas ou por poros para dar saída ao seu produto — os grãos de pólen.
anteral. *Adj. 2. g. Bot.* Antérico (1).
antérico. *Adj. Bot.* Relativo à antera; anteral.
anteridial. *Adj. 2 g.* **1.** Relativo ao anterídio; anterídico. **2.** Próprio do anterídio.
anterídico. *Adj.* Anteridial (1).
anteridiforme. *Adj. 2 g. Bot.* Semelhante ao anterídio: *esporângio anteridiforme.*
anterídio. *S. m. Bot.* Espécie de gametângio masculino comum aos criptógamos, de forma e estrutura muitíssimo variáveis.
anteridióforo. [De *anterídio-* + *-foro*.] *S. m. Bot.* Suporte ou pedículo que sustenta os anterídios.
anterífero. [De *antera* + *i* de ligação + *-fero*.] *Adj. Bot.* Que tem antera.
anteriforme. [De *antera* + *i* de ligação + *-forme*.] *Adj. 2 g.* Semelhante a antera.
anterior (ô) [Do lat. *anteriore*.] *Adj. 2 g.* Que está adiante; que vem ou fica antes. V. *câmara — e vogal —*. [Antôn.: *posterior*.]
anterioridade. *S. f.* Qualidade ou estado do que é anterior. ♦ **Anterioridade lógica.** *Lóg.* Qualidade do que é princípio, premissa ou condição de uma proposição.
▲**anter(o)-.** [Do gr. *antherós, á, ón*.] *El. comp.* = 'florido': *anterofilia*.
▲**ântero-.** [De *anterior*.] *Pref.* = 'anterior': *ântero-dorsal*.
anterocerotales. *S. f. pl. Bot.* Pequena classe de hepáticas dotadas de folhas cujos esporângios são muito longos e delgados. Vivem sobre rochas úmidas à beira-mar, no Rio de Janeiro, p. ex.
ântero-dorsal. *Adj. 2 g.* Situado na parte anterior do dorso. [Pl.: *ântero-dorsais*.]
ântero-externo. *Adj.* Situado na parte anterior e externa. [Pl.: *ântero-externos*.]
anterofilia. [De *anter(o)* + *-fil(o)*-[1] + *-ia*.] *S. f. Bot.* Transformação das anteras em folhas.
anterofílico. *Adj.* Relativo à anterofilia.
ântero-inferior. *Adj. 2 g.* Situado na parte anterior e inferior. [Pl.: *ântero-inferiores*.]
ântero-interno. *Adj.* Situado na parte anterior e interna. [Pl.: *ântero-internos*.]
antero lateral. *Adj. 2 g.* Localizado na parte lateral anterior. [Pl.: *ântero-laterais*.]
antero posterior (ô). *Adj. 2 g.* Que vai ou que está de diante para trás. [Pl.: *ântero-posteriores*.]
ante-rosto. [De *ant(e)-* + *rosto* (5).] *S. m. Bibliogr.* V. *falsa folha de rosto*. [Pl.: *ante-rostos*.]
ântero-superior. *Adj. 2 g.* Situado na parte anterior e superior. [Pl.: *ântero-superiores*.]
anterozóide. [Do gr. *anter(o)-* + *-zoo-* + *-óide*.] *S. m. Bot. P. us.* Espermatozóide dos vegetais, quando esta célula é ciliada ou flagelada e tem movimentos natatórios ativos, o que ocorre em todas as plantas verdes, salvo as angiospermas e as gimnospermas.
antes. [Da prep. *ante*, com *s* paragógico, por infl. de advérbios como *depois, mais, menos*.] *Adv.* **1.** Em tempo anterior: "Todo pecado foi antes um ato religioso." (Luís da Câmara Cascudo, *Pequeno Manual do Doente Aprendiz*, p. 19.) **2.** Dantes; antigamente: *Os tempos mudaram: antes, as crianças não tinham liberdade de abrir-se com os pais.* **3.** Em lugar anterior: *Desceu do trem não em São Paulo, mas antes.* **4.** De preferência; antes de tudo: *Considera, antes, as qualidades morais dos amigos;* "Ah! minha Nossa Senhora! antes eu tivesse morrido." (Coelho Neto, *Sertão*, p. 182). **5.** Pelo contrário, ao contrário: *Não é calmo como pensas: é, antes, uma pessoa nervosíssima.* **6.** Aproximadamente mais; talvez mais: "É antes alto que baixo, e não magro." (Machado de Assis, *Memorial de Aires*, p. 97.) ♦ **Antes de. 1.** Anteriormente a. **2.** À frente de. **3.** Em lugar mais próximo a. **Em antes.** Dantes. **Em antes de.** Antes de. **Ou antes.** Ou melhor; (ou) mais precisamente: "Andrade apertou a mão das duas senhoras, ou antes apertou a mão de Antônia e os dedos de Margarida." (Id., *Contos Fluminenses*, p. 17.)
ante-sala. *S. f.* **1.** Aposento que antecede uma sala. **2.** Sala de espera; antecâmara. [Pl.: *ante-salas*.]
antese. [Do gr. *ánthesis*.] *S f. Bot.* Abertura dos botões florais em flores; florescência.
ante-sentir. *V t. d.* Sentir com antecipação; pressentir: "A caveira ante-sinto / Que serei não sentindo" (Fernando Pessoa, *Odes de Ricardo Reis*, p. 96).
ante-sépalo. *Bot. Adj.* ~V. *estame* —. [Pl.: *ante-sépalos*.]
ante-socrático. *Adj. e s. m.* Pré-socrático. [Pl.: *ante-socráticos*.]
antetempo. *Adv.* Antes do tempo próprio; prematuramente.
antético. [De *antese*.] *Adj. Bot.* Que pode florescer: *planta antética.*
antetônico. *Adj. Gram.* Pretônico.
antevelhice. [De *ant(e)-* + *velhice*.] *S. f.* Velhice antecipada: "a pele do rosto é áspera, os dentes falhados e uma espécie de antevelhice precoce de expressão" (Ribeiro Couto, *Cabocla*, p. 39).
antever. [Do lat. *antevidere*.] *V. t. d.* **1.** Ver antes; ver com antecedência: *Remava despreocupadamente, sem antever a cachoeira que se aproximava.* **2.** Ver antecipadamente; prever, prognosticar, pressagiar, prenunciar: "antevi, em sonhos grandiosos, o largo destino da pátria republicana, e, no solo paulista, tive orgulho de ser brasileiro." (Lúcio de Mendonça, *Horas do Bom Tempo*, p. 315); *Apesar dos claros indícios, ninguém anteviu a catástrofe.* [Irreg. Conjug.: v. *ver*.].
anteversão. [Do lat. *anteversione*.] *S. f. Cir.* **1.** Posição oblíqua do útero. **2.** Desvio da massa de órgão para diante, mas não curvado em ângulo.
antevéspera. *S. f.* Dia precedente à véspera.
antevidência. [Do lat. *antevidentia*.] *S. f.* V. *previdência*.
antevisão. *S. f.* Ato de antever; visão antecipada; previsão.
antevocálico. *Adj. Gram.* Que está antes de vogal.
▲**anti-.** [Do gr. *antí*.] **1.** *Pref.* = 'ação contrária', 'oposição', 'contrariedade', 'contra': *anticlerical, antiácido, antidemocrático; antífen.* **2.** *Fís. Pref.* utilizado diante de nome de uma partícula elementar para designar outra partícula com algumas propriedades físicas simétricas.
antiabortivo. *Adj. e s. m.* Que ou substância que evita o aborto.
antiácido. *Adj.* **1.** Que atua contra os ácidos, neutralizando-lhes a ação. • *S. m.* **2.** Substância que combate a acidez gástrica.
antiacoplamento. *S. m. Fís.* Acoplamento negativo entre dois circuitos, realizado de maneira que o segundo circuito reage aos sinais originados no primeiro, diminuindo-lhes a intensidade.
antiaéreo. *Adj.* **1.** Que se opõe aos ataques aéreos: *defesa antiaérea.* **2.** Que protege dos ataques aéreos: *abrigo antiaéreo.*
antiafrodisíaco. *Adj. e s. m.* Anafrodisíaco [q. v.]. [Antôn.: afrodisíaco.]
antialcoólico. *Adj. e s. m.* Que, ou substância que anula ou modifica a ação do álcool.
antialérgico. *Adj. e s. m.* Diz-se de, ou medicamento que combate a alergia.
antiamarílico. *Adj. Bras.* Que combate a febre amarela.
antiamericanismo. *S. m.* Sentimento ou atitude própria de antiamericano.
antiamericano. *Adj. e s. m.* Que ou aquele que é contrário aos E.U.A. ou aos americanos, seus costumes e/ou sua política.
antianêmico. *Adj. e s. m.* Diz-se de, ou substância que combate a anemia.
antianti. *S. f. Bras. Amaz.* Designação comum às aves do gênero *Lanus*.
antiápex (cs). *S. m. 2 n. Astr.* Ponto da esfera celeste oposto ao ápex, e que fica na constelação da Pomba, a cerca de 30º ao S. do cinturão de Órion.
antiapopléctico. *Adj.* Que evita a apoplexia. [Var.: *antiapoplético*.]
antiapoplético. *Adj.* Var. de *antiapopléctico*.
antiáris. *S. m. 2 n.* Gênero de plantas da família das moráceas, de origem afro-asiática, cuja madeira se emprega em compensados, e que produz látex tóxico, utilizada pelos indígenas de Java para envenenar as flechas; árvore-da-morte.
antiaristocrata. *Adj. 2 g. e s. 2 g.* Que ou quem é contrário à aristocracia.
antiaristocrático. *Adj.* Contrário à aristocracia.
antiartrítico. *Adj. e s. m.* Que, ou medicamento que combate a artrite.
antiasmático. *Adj. e s. m. Que, ou substância que combate a asma.*

antiautomorfismo. *S. m. Álg. Mod.* Correspondência biunívoca de um anel consigo mesmo, a qual: **a)** é um automorfismo em relação à soma; **b)** tem o produto *ab* de dois elementos *a* e *b*, que se transforma no produto *b'* *a'* dos elementos transformados *a'* e *b'*. [Sin.: *automorfismo recíproco.*]

antibacteriano. *Adj.* e *s. m.* Diz-se de, ou substância ou agente que combate as bactérias.

antibaquio. [Do gr. *antibakkeios*, pelo lat. *antibacchiu.*] *Adj.* e *s. m.* Diz-se de, ou pé de verso latino formado por duas sílabas longas e uma breve. [Cf. *baquio.*]

antibárion. [De *anti-* + *bárion.*] *S. m. Fís. Nucl.* Designação comum às antipartículas de número bariônico igual a menos um e de massa superior à do próton.

antibélico. [De *anti-* + *bélico.*] *Adj.* Contrário às guerras, ou ao belicismo.

antibiograma. [De *antibio(tico)* + *-grama.*] *S. m. Med.* Prova que registra a resistência dos micróbios a vários antibióticos.

antibiose. [De *anti-* + gr. *bíosis*, 'estado de vida'.] *S. f.* Produção e difusão no ambiente de substâncias químicas capazes de matar ou impedir o desenvolvimento de outros organismos.

antibiótico. [De *anti-* + gr. *biotikós*, 'referente à vida'.] *Adj.* **1.** Que produz a morte. ~ V. *espectro* —. ● *S. m.* **2.** Substância produzida por seres vivos, ou mesmo por síntese, capaz de impedir o crescimento de microrganismos ou de matá-los, e de largo emprego na terapêutica contra moléstias infecciosas. [A penicilina é o protótipo das substâncias antibióticas.]

antiblenorrágico. *Adj.* e *s. m.* Diz-se de, ou substância usada contra a blenorragia.

antibotrópico. *Adj.* Que combate o veneno de cobras do gênero *Bothrops* (jararacuçu, quatiara, etc.).

antibrasileiro. *Adj.* e *s. m.* Que, ou aquele que é contrário ao Brasil ou aos brasileiros.

anticapa. *S. m. Fís. Nucl.* Antipartícula dos mésons capa.

anticapa-menos. *S. m. Fís. Nucl.* Méson de massa igual a 0,533 unidade de massa atômica, spin nulo, carga igual à do eléctron, número bariônico igual a zero, estranheza mais um, spin isobárico 1/2. [Pl.: *anticapas-menos.*]

anticapa-zero. *S. m. Fís. Nucl.* Méson de massa igual a 0,533 unidade de massa atômica, spin nulo, paridade negativa, carga elétrica nula, e hipercarga igual a menos um; antipartícula do méson capa-zero. [Pl.: *anticapas-zeros.*]

anticarro. *Adj. 2 g.* e *2 n. Exérc.* Diz-se de arma, obstáculo, mina, etc., empregados contra carros de combate; antitanque.

anticaspa. *Adj. 2 g.* e *2 n.* **1.** Diz-se de substância que previne ou combate a caspa. ● *S. m.* **2.** Essa substância.

anticátodo. *S. m. Fís.* O eletrodo de um tubo de raios X sobre o qual incide o feixe de elétrons, e donde são emitidos os raios X.

anticefalálgico. *Adj.* e *s. m.* Diz-se de, ou substância contra as cefalalgias.

anticéptico. *Adj.* Contrário aos cépticos ou ao cepticismo. [Var.: *anticético.* Cf. *anti-séptico.*]

anticético. *Adj.* Var. de *anticéptico* [q. v.].

anticiclone. [De *anti-* + *ciclone.*] *S. m. Met.* Região da atmosfera onde a pressão é alta em relação às das regiões circunvizinhas, num mesmo nível; centro de alta pressão, centro de alta, alta. [Opõe-se a *ciclone.*]

anticívico. *Adj.* Contrário ao civismo; aos deveres de cidadão.

anticlássico. [De *anti-* + *clássico.*] *Adj.* Contrário ao classicismo ou aos clássicos. [Cf. *anteclássico.*]

anticlerical. *Adj. 2 g.* Contrário ao clero, à clerezia.

anticlímax (cs). [De *anti-* + *clímax.*] *S. m. 2 n.* **1.** *Ret.* Figura que consiste no emprego da gradação descendente: *É modesto, apagado, um joão-ninguém.* [Opõe-se a *clímax.*] **2.** *Teat.* Cena desnecessária ou absurda, em relação ao clímax que a precede. **3.** *Teat.* Clímax inverossímil, falso, inconvincente.

anticlinal. [De *anti-* + *klin*, raiz de *klíno*, 'inclinar', + *-al.*] *Geol. S. f.* **1.** Dobra cujos flancos se voltam para baixo e cuja convexidade se volta para cima; anticlíneo, anticlino. [Cf. *periclinal.*] ● *Adj. 2 g.* **2.** ~ V. *vale* —.

anticlíneo. [De *anti-* + *klin*, raiz do gr. *klíno*, 'inclinar', + *-eo.*] *S. m.* **1.** *Geol.* V. *anticlinal.* ● *Adj.* **2.** *Bot.* Diz-se das paredes celulares de um órgão, perpendiculares à superfície dele.

anticlino. *S. m. Geol.* V. *anticlinal.*

anticlinório. [De *anti-* + *klin*, raiz do gr. *klíno*, 'inclinar', + *-or* e *-io*[1].] *S. m. Geol.* Grupo de dobras que, no conjunto, constituem uma saliência convexa, semelhante a uma grande anticlinal [q. v.].

anticloro. [De *anti-* + *cloro.*] *S. m. Tecn. Org.* Nas indústrias de polpa de madeira, alvejamento e tingimento, qualquer produto que sirva para neutralizar ou remover hipoclorito, ou libertar o cloro após as operações de alvejamento.

ântico. *Adj.* ~ V. *apotécio* —.

anticódon. [De *anti-* + *códon.*] *S. m. Genét.* Seqüência de três nucleotídeos da molécula de ácido ribonucléico de transferência que se liga ao códon de uma molécula de ácido ribonucléico mensageiro durante a síntese de proteínas.

anticoincidência (o-ín). [De *anti-* + *coincidência.*] *S. f. Eletrôn.* Característica de uma montagem de detetores em que o sinal fornecido por um deles, após a deteção de uma radiação, paralisa um ou vários outros durante um intervalo de tempo.

anticomania. [Do lat. *antiquu*, 'antigo', + *-mania.*] *S. f.* Mania das coisas antigas; gosto excessivo de antiguidades.

anticomaníaco. *Adj.* Referente à anticomania.

anticomercial. *Adj. 2 g.* Contrário aos interesses ou às normas do comércio.

anticomunismo. *S. m.* Sistema, opinião ou sentimento adverso ao comunismo.

anticomunista. *Adj. 2 g.* **1.** Relativo ao, ou que é partidário do anticomunismo. ● *S. 2 g.* **2.** Partidário dele.

anticoncepção. [De *anti-* + *concepção.*] *S. f. Med.* Prevenção da gravidez.

anticoncepcional. *Adj. 2 g.* e *s. 2 g.* Que, ou substância que evita a concepção.

anticonstitucional. *Adj. 2 g.* Contrário ao que dispõe a constituição de um país.

anticonvulsivante. *Adj. 2 g.* e *s. m.* Diz-se de, ou substância que previne ou impede convulsões.

anticorpo (ô). [De *anti-* + *corpo.*] *S. m. Bacter.* Gamaglobina formada como resposta a estímulo imunogênico e capaz de interagir com o antígeno que levou à sua síntese, ou com outro estreitamente relacionado com ele. [Cf. *antígeno.* Pl.: *anticorpos* (ó).]

anticorrosivo. *Adj.* **1.** Que protege da corrosão, ou que a evita. ● *S. m.* **2.** Substância anticorrosiva.

anticrepúsculo. [De *anti-* + *crepúsculo.*] *S. m. Astr.* Iluminação difusa do lado oposto ao do Sol, antes do nascer e após o ocaso desse astro.

anticrese. [Do gr. *antíchresis.*] *S. f. Jur.* Contrato pelo qual o devedor entrega ao credor um imóvel, dando-lhe o direito de receber os frutos e rendimentos como compensação da dívida; consignação de rendimento. [Cf. *hipoteca* (1).]

anticresista. *S. 2 g. Jur.* Credor anticrético.

anticrético. *Adj.* Referente à, ou da natureza da anticrese.

anticristão. *Adj.* e *s. m.* Contrário aos cristãos, à doutrina cristã; inimigo do cristianismo. [Fem.: *anticristã*; pl.: *anticristãos.*]

anticristo. [Do lat. *antichristu.*] *S. m.* **1.** Personagem que, segundo o Apocalipse, virá, antes do fim do mundo, semear a impiedade até ser afinal vencido por Cristo. **2.** A personificação de todas as forças que se opõem a Cristo. **3.** *P. ext.* Qualquer perseguidor feroz dos cristãos.

anticronismo. [Do gr. *antichronismós.*] *S. m.* Anacronismo.

anticrotálico. [De *anti-* + *crótalo* + *-ico.*] *Adj.* Que combate o veneno de cobras do gênero *Crotalus* (cascavel, urutu, etc.).

anticsi. *S. m. Fís. Nucl.* Antipartícula das partículas *csi.*

anticsi-mais. *S. m. Fís. Nucl.* Antibárion de massa igual a 1,415 unidades de massa atômica, spin igual a um meio e carga igual à do próton. [Pl.: *anticsis-mais.*]

anticsi-zero. *S. m. Fís. Nucl.* Antibárion de massa igual a 1,415 unidades de massa atômica, spin igual a um meio, e carga nula. [Pl.: *anticsis-zeros.*]

antíctone. [Do gr. *antíchthon.*] *S. m.* V. *antípoda* (1). [Us. quase só no pl.]

antideclamatório. *Adj.* Contrário à declamação; não declamatório: "A poesia antidescritiva e *a n t i d e c l a m a t ó r i a* por excelência, mas profundamente subjetiva e terna, de Ribeiro Couto, era a negação do alexandrino martelado e sonoro" (Afonso Arinos de Melo Franco, *A Alma do Tempo*, p. 65).

antidemocrata. *Adj. 2 g.* e *s. 2 g.* Diz-se de, ou pessoa infensa à democracia.

antidemocrático. *Adj.* Contrário à democracia: *procedimento a n t i d e m o c r á t i c o ; livro a n t i d e m o c r á t i c o.*

antidepressante. [Do ingl. *antidepressant.*] *Adj. 2 g.* e *s. m. Angl.* Antidepressivo.

antidepressivo. [De *anti-* + *depressivo.*] *Psiq. Adj.* e *s. m.* **1.** Diz-se de, ou medicamento que evita ou atenua a depressão (8). **2.** Diz-se de, ou substância que estimula o ânimo de um paciente em depressão (8).

antiderivada. *S. f. Anál. Mat.* V. *integral indefinida.*

antiderrapante. *Adj. 2 g.* Diz-se do pneu dotado de propriedades que o impedem de derrapar; antideslizante.

antidescritivo. *Adj.* Contrário à descrição: não descritivo.

antideslizante. *Adj. 2 g.* Antiderrapante.

antidetonante. [De *anti-* + *detonante.*] *S. m.* Aditivo acrescentado a um combustível para impedir-lhe a combustão prematura durante a compressão em um motor de combustão interna.

antidiabético. [De *anti-* + *diabético.*] *Adj.* e *s. m.* Diz-se de, ou medicamento que combate o diabetes.

antidiarréico. [De *anti-* + *diarréico.*] *Adj.* e *s. m.* Diz-se de, ou medicamento que combate a diarréia.

antidiftérico. [De *anti-* + *diftérico.*] *Adj.* e *s. m.* Diz-se de, ou medicamento que combate a difteria.

antidinástico. [De *anti-* + *dinástico.*] Adj. Contrário à dinastia, ou à realeza em geral.

antidínico. [De *anti-* + gr. *dînos*, 'vertigem', + *-ico*[2].] *Adj.* e *s. m.* Diz-se de, ou medicamento que combate a vertigem.

antidisentérico. [De *anti-* + *disentérico.*] *Adj.* e *s. m.* Diz-se de, ou medicamento que combate a disenteria.

antidispnéico. [De *anti-* + *dispnéico.*] *Adj.* e *s. m.* Que, ou medicamento que combate a dispnéia.

antidisrítmico. [De *anti-* + *disritm(ia)* + *-ico*[2].] *Adj.* e *s. m.* Diz-se do medicamento que combate a disritmia.

antidistônico. [De *anti-* + *distônico.*] *Adj.* e *s. m.* Diz-se de, ou medicamento que combate a distonia.

antidivorcista. *Adj. 2 g.* e *s. 2 g.* Que ou quem é contrário ao divórcio.

antidogmático. *Adj.* Relativo ao, ou próprio do antidogmatismo.

antidogmatismo. *S. m.* Doutrina ou atitude oposta ao dogmatismo.

antidotismo. *S. m.* Uso ou abuso de antídotos.

antídoto. [Do gr. *antídoton*, *i. e.*, *pharmakon antidoton*, 'remédio dado contra' (veneno), pelo lat. *antidotu.*] *S. m.* V. *contraveneno.*

antidramático. *Adj.* Contrário às regras da arte cênica ou dramática; antiteatral.

antielitista. [De *anti-* + *elitista.*] *Adj.* e *s. m.* Diz-se de, ou aquele ou aquilo que é contrário ao elitismo.

antiepicentro. [De *anti-* + *epicentro.*] *S. m. Geofís.* Ponto antípoda do epicentro de um sismo.

antiescorbútico. [De *anti-* + *escorbútico.*] *Adj.* e *s. m.* Diz-se de, ou aquilo que combate o escorbuto.

antiespasmódico. [De *anti-* + *espasmódico.*] *Adj.* e *s. m.* Que, ou substância que evita ou alivia os espasmos.

antiespumante. [De *anti-* + *espumante.*] *Adj. 2 g.* e *s. 2 g.* Diz-se de, ou aditivo que tem a finalidade de obstar ou diminuir a formação de espuma.

antiestabelecimento. [Do ingl. *anti-establishment.*] *S. m.* Conjunto de pessoas e/ou grupos que se opõem aos grupos e/ou idéias dominantes numa sociedade.

antiestético. *Adj.* Contrário à estética; em que não há bom gosto nem beleza.

antiético. [De *anti-* + *ético.*] *Adj.* Contrário à ética; aético.

antietimológico. [De *anti-* + *etimológico.*] *Adj.* Contrário à etimologia.

antifascismo. [De *anti-* + *fascismo.*] *S. m.* Sistema, opinião ou sentimento adverso ao fascismo.

antifascista. [De *anti-* + *fascista.*] *Adj. 2 g.* **1.** Relativo ao, ou que é partidário do antifascismo. ● *S. 2 g.* **2.** Partidário dele.

antifaz. *S. m.* Var. de *anteface.*

antifebril. *Adj. 2 g.* e *s. m.* V. *febrífugo.*

antífen. [De *ant(i)-* + *hífen.*] *S. m. Tip.* Sinal de revisão [#] que indica a necessidade de espacejamento. [Pl.: *antifens* e (p. us. no Brasil) *antífenes.*]

antifernais. *Adj. pl.* ~ V. *bens* —.

antiferromagnetismo. *S. m. Fís.* Propriedade de certas substâncias, como o óxido de manganês, de possuírem spins atômicos antiparalelos.

antiflatulento. *Adj.* Aplicável contra a flatulência; carminativo.

antiflogístico. *Adj.* e *s. m.* Diz-se de, ou substância aplicável contra as inflamações; antiinflamatório.

antifogo. [De *anti-* + *fogo.*] *Adj. Quím.* Diz-se de material usado para impregnar outro, a fim de tornar difícil ou impossível a propagação do fogo.

antífona. [Do gr. *antiphoné*, pelo lat. *antiphona.*]. *S. f. Mús.* **1.** Curto versículo recitado ou cantado pelo celebrante, antes e depois de um salmo, e ao qual respondem alternadamente duas metades do coro. **2.** Forma surgida na Inglaterra no séc. XVI *(anthem)*, e que apresenta a estrutura do motete latino, porém com a letra em inglês. [Em sua evolução, aproxima-se hoje da cantata.]

antifonário. *S. m.* Livro de antífonas.

antifoneiro. *S. m.* O chantre que entoa [V. *entoar* (2)] a antífona.

antifônico. *Adj.* Referente à antífona.

antífrase. [Do gr. *antíphrasis*, pelo lat. *antiphrase*.] *S. f. Ret.* Emprego de palavra ou frase em sentido oposto ao verdadeiro, como no famoso caso do Cabo das Tormentas, cujo nome, para fugir-se ao mau agouro, foi trocado em Cabo da Boa Esperança.

antifricção. *Adj. Tec.* Diz-se de liga suficientemente plástica que serve para guarnecer certos rolamentos, diminuindo o desgaste provocado pelo atrito.

antifúngico. *Adj.* e *s. m.* Diz-se de, ou substância que combate os fungos.

antigalha. *S. f.* V. *antigualha* (1).

antigênico. *Adj.* Relativo a antígeno, ou que o constitui. [Cf. *anti-higiênico*.]

antígeno. [De *anti-* + *-geno*.] *S. m. Med.* Qualquer das substâncias capazes de, penetrando no organismo, provocar a formação de anticorpos [v. *anticorpo*].

antigo. [Do lat. *antiquu*.] *Adj.* **1.** Do tempo remoto: *Só estuda as civilizações* antigas, *indiferente às modernas.* **2.** Que existiu no passado: *animais* antigos. **3.** Que sucedeu outrora: *as* antigas *conquistas do povo grego.* **4.** Que é, ou existe, desde muito tempo; velho: *Nem sempre os amigos* antigos *são melhores que os recentes.* **5.** Que já não está em exercício (de cargo, função, profissão, etc.): antigo *professor;* antigo *industrial.* [Superl. abs. sint.: *antiqüíssimo* e *antiguíssimo*.] ~ V. *charada —a, código —, comédia —a, continente —, gótico —, prussiano —* e *romano —*. ~ V. *antigos*.

antigório. [Do top. *Antigorio*.] *S. m.* Esmalte grosseiro usado na fabricação de louça.

antigos. [Pl. de *antigo*.] *S. m. pl.* Os homens do passado. ~ V. *antigo*.

antigovernamental. [De *anti-* + *governamental*.] *Adj. 2 g.* Contrário ao governo; que lhe é hostil.

antígrafo. [Do gr. *antigraphos*, pelo lat. *antigraphu*.] *S. m.* **1.** Cópia manuscrita; transcrição. **2.** *Paleogr.* Sinal arciforme, que servia para separar do texto as notas ou glosas.

antigravidade. [De *anti-* + *gravidade*.] *S. f.* **1.** *Astr.* Efeito hipotético, que constituiria na anulação da gravidade. **2.** *Fís.* Repulsão de uma massa por outra, causada pela ação de uma força de tipo gravitacional, e que implicaria a existência de uma massa negativa.

antigualha. *S. f.* **1.** Objetos antigos: antiguidades; antigalha, antiqualha. **2.** Costume ou hábito antigo. **3.** Ferro-velho.

antiguano. *Adj.* **1.** De, ou pertencente ou relativo a Antígua e Barbuda (mar das Antilhas). ● *S. m.* **2.** O natural ou habitante de Antígua e Barbuda.

antiguidade. [Do lat. *antiquitate*.] *S. f.* **1.** Qualidade de antigo: *O quadro é valioso pela* antiguidade. **2.** O tempo, a era remota: *pensadores da* Antiguidade. **3.** Os povos, os homens de outras eras: *as crenças da* Antiguidade. **4.** O tempo de serviço (num cargo, função, profissão): *Foi promovido por* antiguidade. [Var. pros.: *antigüidade*.] ~ V. *antiguidades*.

antigüidade. *S. f.* Var. pros. de *antiguidade* [q. v.]. ~ V. *antigüidades*.

antiguidades. [Pl. de *antiguidade*.] *S. f. pl.* **1.** Instituições antigas. **2.** Objetos antigos, raros ou de especial valor material, artístico, etc.: *especialista em* antiguidades *gregas*. [Var. pros.: *antigüidades*.] ~ V. *antiguidade*.

antigüidades. [Pl. de *antigüidade*.] *S. f. pl.* Var. pros. de antiguidades.

antiguíssimo. *Adj.* Superl. abs. sint. de *antigo;* antiqüíssimo.

anti-halo. *Adj. Ópt.* Diz-se de camada ou superfície que absorve certas radiações e que, presente num dispositivo óptico, impede a formação de imagens refletidas. [Pl.: *anti-halos*.]

anti-hélio. [De *anti-* + *-hélio*.] *S. m. astr.* Ponto da esfera celeste diametralmente oposto ao Sol. [Pl.: *anti hélios*. Cf. *antélio*.]

anti-helmíntico. [De *anti-* + *-helmint(o)-* + *-ico*[2].] *Adj.* **1.** Que afugenta os vermes [v. *verme* (2)] ou os destrói; antiverminoso, vermífugo. ● *S. m.* **2.** Aquilo que afugenta ou destrói os vermes; vermífugo. [Pl.: *anti-helmínticos*.]

anti-hemorrágico. *Adj.* e *s. m.* Diz-se de, ou substância que combate a hemorragia. [Pl.: *anti-hemorrágicos*.]

anti-herói. *S. m.* Protagonista de romance, filme, peça dramática, etc., a quem faltam as qualidades físicas ou as virtudes que se atribuíam ao herói clássico. [Pl.: *anti-heróis*.]

anti-higiênico. *Adj.* Contrário à higiene. [Pl.: *anti-higiênicos*.] [Cf. *antigênico*.]

anti-hipnótico. *Adj.* e *s. m.* Que, ou substância que tira o sono. [Pl.: *anti-hipnóticos*.]

anti-hipocondríaco. *Adj.* Aplicável contra as afecções hipocondríacas. [Pl.: *anti-hipocondríacos*.]

anti-histamínico. *Adj.* e *s. m.* Que, ou substância que combate a ação da histamina. [Pl.: *anti-histamínicos*.]

anti-histérico. *Adj.* Aplicável contra a histeria. [Pl.: anti-histéricos.]

anti-histórico. *Adj.* Contrário à história, aos seus fatos e/ou princípios; anistórico. [Pl.: *anti-históricos*. Cf. *ante-histórico*.]

anti-hitleriano. *Adj.* e *s. m.* Anti-hitlerista. [Pl.: *anti-hitlerianos*.]

anti-hitlerismo. *S. m.* Doutrina, corrente ou sentimento adverso ao hitlerismo. [Pl.: *anti-hitlerismos*.]

anti-hitlerista. *Adj. 2 g.* **1.** Relativo ao, ou que é adversário do hitlerismo. ● *S. 2 g.* **2.** Adversário do hitlerismo. [Sin.: *anti-hitleriano*.] [Pl.: *anti-hitleristas*.]

anti-horário. *Adj.* ~ V. *sentido —*. [Pl.: *anti-horários*.]

anti-humanitário. *Adj.* Contrário aos princípios da humanidade. [Pl.: *anti-humanitários*.]

anti-humano. *Adj.* Desumano, inumano: "o homem aparece como uma criatura anti-humana" (Eça de Queirós, *A Cidade e as Serras*, p. 129). [Pl.: *anti-humanos*.]

antiibérico. *Adj.* Infenso ao iberismo.

antiiberismo. *S. m.* Doutrina, corrente ou sentimento contrário à fusão dos povos da Península Ibérica.

antiiberista. *Adj. 2 g.* **1.** Relativo ao, ou que é partidário do antiiberismo. ● *S. 2 g.* **3.** Partidário dele.

antiictérico. *Adj.* e *s. m.* Que, ou substância que combate a icterícia.

antiimigrantista. *Adj. 2 g.* Infenso à imigração

antiimperialismo. *S. m.* Doutrina, corrente ou sentimento contrário ao imperialismo.

antiimperialista. *Adj. 2 g.* **1.** Relativo ao, ou que é partidário do antiimperialismo ● *S. 2 g.* **2.** Partidário do antiimperialismo.

antiinflacionário. [De *anti-* + *inflacionário*.] *Adj.* Contrário à inflação ou que a combate.

antiinflamatório. *Adj.* e *s. m.* Antiflogístico.

antiintelectualismo. [De *anti-* + *intelectualismo*.] *S. m. Filos.* Irracionalismo.

antiintelectualista. [De *anti-* + *intelectual* + *-ista*.] *Adj. 2 g.* Relativo ao antiintelectualismo, ou próprio dele; antiintelectualístico.

antiintelectualístico. [De *antiintelectualista* + *-ico*[2]] *Adj.* Antiintelectualista.

antijuricidade. *S. f.* V. *antijuridicidade*.

antijuridicidade. *S. f.* Ilicitude jurídica, contrariedade ao direito; injuridicidade.

antijurídico. *Adj.* Contrário ao direito; injurídico; ilegal.

antílabe. [Do gr. *antilabe*.] *S. f. Desus.* Sentença breve.

antilambda. [De *anti-* + *lambda*.] *S. m. Paleogr.* Sinal em forma de lambda deitado [<] com a abertura para a direita, usado para indicar citação. [Cf. *diple*.]

antilambda-zero. *S. m. Fís. Nucl.* Antibárion que no estado fundamental tem massa igual a 1,197 unidades de massa atômica, spin igual a um meio, paridade positiva e carga nula; antipartícula do lambda-zero. [Pl.: *antilambdas-zeros*.]

antileucêmico. [De *ant(i)-* + *leucêmico*.] *Adj.* e *s. m.* Diz-se de, ou medicamento que combate a leucemia.

antileucorréico. [De *ant(i)-* + *leucorréico*.] *Adj.* e *s. m.* Diz-se de, ou medicamento que combate a leucorréia.

antilhano. *Adj.* **1.** De, ou pertencente ou relativo às Antilhas (América Central). ● *S. m.* **2.** O natural ou habitante das Antilhas.

antiliberal. [De *ant(i)-* + *liberal*.] *Adj. 2 g.* e *s. 2 g.* Que ou quem é contrário ao liberalismo: *político* antiliberal; *atitude* antiliberal; *Procedeu como um* antiliberal.

antiligante. *Adj. 2 g.* ~ V. *orbital —*.

antilocaprídeo. *S. m.* **1.** Espécime dos antilocaprídeos. ● *Adj.* **2.** Pertencente ou relativo a eles.

antilocaprídeos. *S. m. pl. Zool.* Família de cervídeos onde se classificam os antílopes-cabras americanos, especialmente os da região do Missúri, na América do Norte.

antilogaritmo. *S. m. Mat.* Número cujo logaritmo é um número dado.

antilogia. [Do gr. *antilogía*.] *S. f.* **1.** Contradição aparente de palavras ou idéias. **2.** Contradição de um autor consigo mesmo. **3.** *Filos.* No ceticismo, oposição entre argumentos resumida na fórmula geral: a todo argumento se opõe outro de igual força. **4.** *Filos.* Disputa ou arte de disputa, i. e., arte de opor um assunto a outro. [Cf., nas acepç. 3 e 4, *antilogismo*.] **5.** *Med.* Associação de sintomas contraditórios que impossibilita a formação de diagnóstico.

antilógico. [Do gr. *antilogikós*.] *Adj.* **1.** Em que se verifica antilogia. **2.** *Filos.* Diz-se de pensamento que, ou por deficiência ou por expressa determinação, contraria regras lógicas. [Cf. *ilógico* e *alógico*.]

antilogismo. *S. m. Filos.* Atitude ou doutrina filosófica hostil à razão discursiva. [Cf. *antilogia (3 e 4)*.]

antílope. [Do gr. *anthálops*, pelo b.-lat. *antilops*, pelo ingl. *antelope* e pelo fr. *antilope*.] *S. m.* Mamífero artiodáctilo ruminante da família dos bovídeos e antilocaprídeos, de porte médio ou pequeno, chifres permanentes, longos, dirigidos para cima e para trás. São comuns na África.

antiluético. *Adj.* e *s. m.* *Anti-sifilítico*.

antimaculador (ô). *Adj.* e *s. m. Art. Gráf.* Diz-se de, ou pó, às vezes suspenso em líquido, que por meio de vaporizador se esparge nas folhas que vão sendo impressas, nelas formando uma espécie de poeira isolante, destinada a evitar repintes.

antimagnético. [De *ant(i)-* + *magnético*.] *Adj.* Que resiste à magnetização; impérvio aos efeitos de um campo magnético. ~ V. *cinta —a*.

antimalárico. [De *ant(i)-* + *malárico*.] *Adj.* e *s. m.* Diz-se de, ou medicamento que tem ação terapêutica contra a malária.

antimatéria. *S. f. Fís.* Átomo ou matéria constituída pelas antipartículas do próton, do nêutron, do elétron, etc. Um átomo de antimatéria em contato com o seu análogo material levaria ao aniquilamento dos dois com as transformações destes em neutrinos e radiação gama.

antimeridiano. *S. m.* Círculo de longitude oposto ao círculo de longitude local, dele diferindo, portanto, de 180º em longitude.

antimetábole. [Do gr. *antimetabolé*, pelo lat. *antimetabole*.] *S. f. Ret.* Figura que consiste em repetir, numa frase, palavras da anterior, mas em ordem diversa e com acepções diferentes; antimetalepse, antimetátese: *Glutão, não come para viver: vive para comer.*

antimetafísico. [De *ant(i)-* + *metafísico*.] *Adj.* Contrário à metafísica; de natureza oposta a ela.

antimetalepse. [Do gr. *antimetálepsis*.] *S. f. Ret.* V. *antimetábole*.

antimetátese. [Do gr. *antimetáthesis*.] *S. f. Ret.* V. *antimetábole*.

antimicrobiano. *Adj.* e *s. m.* Diz-se de, ou agente que extermina as bactérias ou micróbios; antimicróbico.

antimicróbico. *Adj.* e *s. m.* Antimicrobiano.

antimilitarismo. *S. m.* **1.** Sistema, opinião ou sentimento contrário ao militarismo. **2.** Sentimento hostil à guerra.

antimilitarista. *Adj. 2 g.* **1.** Relativo ao antimilitarismo. **2.** Contrário ao militarismo. ● *S. 2 g.* **3.** Pessoa contrária ao militarismo.

antimíssil. *Adj. 2 g.* Diz-se do míssil guiado destinado a interceptar, no vôo, outro míssil. [Pl.: *antimísseis*.]

antimoda. [De *anti-* + *moda* (9).] *S. f. Estat.* Numa curva de freqüências ou de probabilidades, valor da abscissa cuja ordenada corresponde a um mínimo relativo.

antimonárquico. *Adj.* **1.** Relativo ao antimonarquismo. **2.** Contrário ao monarquismo.

antimonarquismo. *S. m.* Sistema, opinião ou sentimento adverso ao governo monárquico.

antimonarquista. *Adj. 2 g.* **1.** Relativo ao, ou que é partidário do antimonarquismo. ● *S. 2 g.* **3.** Partidário dele.

antimoneto (ê). *S. m. Quím.* Combinação binária de antimônio com um metal.

antimonial. *Adj. 2 g.* **1.** Relativo ao, ou que contém antimônio. ● *S. m.* **2.** Medicamento que contém antimônio.

antimoniato. *S. m. Quím.* Designação genérica de sais derivados do antimônio, oxigenados em diferentes proporções. [Fórm.: $MSbO_3$, M_3SbO_4, $M_2H_2Sb_2O_7$, $M[Sb(OH)_6]$.]

antimônio. [Do fr. *antimoine* < lat. medieval *antimonium*.] *S. m. Quím.* Elemento de número atômico 51, com aspecto metálico, branco-azulado, utilizado em ligas e sob a forma de compostos. [Símb.: *Sb*.]

antimonita. *S. f. Min.* Mineral ortorrômbico, sulfeto de antimônio, o mais importante dos minérios de antimônio; estibina.

antimoral. *Adj. 2 g.* Que é hostil à moral (1). [Cf. *imoral*.]

antimudancista. *Adj. 2 g.* e *s. 2 g. Bras.* Que ou quem é contrário aos mudancistas. [Antôn.: *mudancista*.]

antinacional. [De *ant(i)-* + *nacional*.] *Adj. 2 g.* Contrá-

rio à nação, aos interesses dela.
antinatural. *Adj. 2 g.* Oposto ou contrário à natureza; contranatural.
antineutrino. *S. m. Fís. Nucl.* Partícula sem carga, de massa em repouso nula, emitida na desintegração beta-mais.
antinêutron. *S. m. Fís. Nucl.* Partícula elementar de massa igual à do nêutron e de carga elétrica nula. É instável, desintegrando-se num tempo muito curto.
antinó. [De *anti-* + *nó.*] *S. m. Fís.* V. *ventre* (8).
antinodais. *Adj. 2 g. (pl.)* ~ V. *pontos* —.
antinodo. *S. m.* **1.** *Astr.* Uma das intersecções de órbita de um astro com a reta perpendicular à linha dos nodos, reta que passa pelo foco e está contida no plano da órbita. **2.** *Fís.* V. *ventre* (8).
antinomia. [Do gr. *antinomía*, pelo lat. *antinomia.*] *S. f.* **1.** Contradição entre duas leis ou princípios. **2.** Oposição recíproca: "Vereis, entretanto, que a a n t i n o m i a entre os dois aspectos extremos de sua vida [de Machado de Assis] é apenas aparente, pois em verdade, aqui como quase sempre, os extremos se tocam." (Moisés Velinho, *Letras da Província*, p. 178.) **3.** *Filos.* Conflito entre duas afirmações demonstradas ou refutadas aparentemente com igual rigor. [Cf. *aporia* e *paradoxo.*]
antinomianismo. [De *antinomiano* + *-ismo.*] *S. m.* Doutrina luterana de Johannes Schnitter, cognominado Johann Agricola (1492-1566), que afirmava ser a fé, e não os atos, a única condição de salvação; antinomismo.
antinomiano. [De *antinomia* + *-ano.*] *Adj.* **1.** Relativo ou pertencente ao antinomianismo, ou que é sectário dele. ● *S. m.* **2.** Sectário do antinomianismo [q. v.].
antinômico. [Do gr. *antinomikós.*] *Adj.* Que encerra antinomia; contraditório, oposto.
antinomismo. [De *antonomia* + *-ismo.*] *S. m.* **1.** Antinomianismo. **2.** *Filos.* Argumentação que se desenvolve por meio de antinomias.
antinupcial. *Adj. 2 g.* Infenso ao casamento. [Cf. *antenupcial.*]
antiofídico. *Adj.* e *s. m.* Diz-se de, ou substância que combate o veneno de cobras.
antiômega-mais. *S. m. Fís. Nucl.* Antibárion que no estado fundamental tem massa igual a 1,800 unidades de massa atômica, spin igual a três meios, paridade positiva, e carga positiva igual à do próton.
antioxidante (cs). *Adj. 2 g.* e *s. m.* Diz-se de, ou qualquer classe de composto que se adiciona à borracha vulcanizada, à gasolina, a óleos e gorduras naturais, sabões e outras substâncias, para retardar a oxidação, a deterioração e a rancificação.
antipacifista. *Adj. 2 g.* e *s. 2 g.* Que, ou quem é contrário à paz universal, se opõe ao pacifismo.
antipapa. *S. m.* Falso papa, usurpador da jurisdição do legítimo.
antipapado. *S. m.* **1.** Jurisdição de antipapa. **2.** O tempo do seu pontificado.
antipapismo. *S. m.* Posição daqueles que não reconhecem o verdadeiro Papa, o de Roma.
antipapista. *Adj. 2 g.* **1.** Contrário ao Papa. **2.** Que é partidário ou sectário do antipapismo. ● *S. 2 g.* **3.** Partidário ou sectário dele.
antiparalelo. *Adj.* Diz-se de duas grandezas a que se podem atribuir direção e sentido, que têm a mesma direção mas sentidos opostos. ~ V. *antiparalelos.*
antiparalelos. *Adj. (pl.)* ~V. Vectores—. ~ V. *antiparalelo.*
antiparasitário. *Adj.* e *s. m.* Diz-se de, ou substância que combate os parasitos.
antiparástase. [Do gr. *antiparástasis.*] *S. f. Ret.* Figura pela qual se demonstra que o acusado seria digno de louvor caso tivesse praticado a ação de que o acusam.
antipartícula. *S. f. Fís. Nucl.* Denominação genérica das partículas elementares descobertas nos últimos anos, e que apresentam massa idêntica à de uma partícula, porém carga oposta.
antipatário. *S. m.* **1.** Espécime dos antipatários. ● *Adj.* **2.** Pertencente ou relativo a eles.
antipatários. *S. m. pl. Zool.* Animais celenterados zoantários, ordem *Antipatharia.* Têm esqueleto arborescente, ramificações formadas de material córneo com pólipos laterais, e seis tentáculos; vivem em águas tropicais profundas. São os corais-pretos.
antipatia. [Do gr. *antipátheia*, pelo lat. *antipathia.*] *S. f.* Aversão espontânea e instintiva; repugnância. [Antôn.: *simpatia.*]
antipaticíssimo. *Adj.* Superl. abs. sint. de *antipático.*
antipático. *Adj.* **1.** Que inspira antipatia: *Só fala de si mesmo: é muito a n t i p á t i c o ; Sua intransigência é deveras a n t i p á t i c a .* **2.** Que sente antipatia; contrário, adverso: *Sou a n t i p á t i c o à idéia de homenagear aquele tipo.* **3.** Discordante, discorde, desacorde, desarmônico: *temperamentos a n t i p á t i c o s ; concepções a n t i p á t i c a s .* ● *S. m.* **4.** Indivíduo antipático. [Superl. abs. sint.: *antipaticíssimo.* Antôn.: *simpático.*]
antipatizar. *V. t. i.* Ter ou sentir antipatia: *A n t i p a t i z o com os pedantes;* "Encontrava-o agora todos os dias em casa de Lúcia; e desde a primeira vez a n t i p a t i z a r a com a sua enjoativa figura." (José de Alencar, *Lucíola*, p. 158.) [Antôn.: *simpatizar.*]
antipatriota. *Adj. 2 g.* e *s. 2 g.* Que ou quem é contra a pátria; despatriota.
antipatriótico. *Adj.* Contrário aos interesses da pátria; despatriótico.
antipedagógico. *Adj.* Contrário às normas da pedagogia.
antiperiódico. *Adj. Med.* Aplicável contra as afecções periódicas.
antiperistáltico. *Adj. Fisiol.* Contrário aos movimentos peristálticos.
antiperístase. [Do gr. *antiperístase.*] *S. f.* Circunstância que põe em relevo uma qualidade por influência de outra oposta.
antipestoso (ô). *Adj.* Que combate a peste.
antipirético. [De *anti-* + *pirético.*] *Adj.* e *s. m.* V. *febrífugo.*
antipirina. *S. Med.* Medicamento antitérmico e analgésico.
antipleurítico. *Adj.* Aplicável contra a pleuris.
antípoda. [Do gr. *antípous, odos*, pelo lat. *antipodes.*] *S. m.* **1.** Habitante que, em relação a outro do globo, se encontra em lugar diametralmente oposto; antíctone. [Us. quase só no pl. Cf. *antecos* e *periecos.*] **2.** *Fig.* O contrário, o oposto. *S. f.* **3.** *Bot.* Cada uma das três células que, no saco embrionário das plantas angiospérmicas, se localizam no extremo oposto ocupado pelas sinérgides e pela ovocélula. ● *Adj. 2 g.* **4.** Contrário, oposto.
antipodal. *Adj. 2 g. Bot.* Próprio das, ou relativo às antípodas [v. *antípoda* (3)]: *extremidade a n t i p o d a l do saco embrionário.*
antipódico. *Adj.* relativo aos, ou próprio dos antípodas.
antipodismo. *S. m.* Qualidade ou situação de antípoda.
antipoético. *Adj.* Apoético (2).
antipoliorcética. *S. f.* Arte da defesa de praças sitiadas.
antipoluente. [De *ant(i)-* + *poluente.*] *Adj. 2 g.* Diz-se de sistema ou procedimento que visa a eliminar fatores de poluição ambiental.
antiprincipais. *Adj. (pl.)* V. *antiprincipal.* ~V. *pontos*—.
antiprincipal. *Adj.* ~ V. *antiprincipais.*
antipróton. *S. m. Fís. Nucl.* Partícula elementar de massa e spin iguais aos do próton, e de carga também igual, mas de sinal contrário.
antipruriginoso (ô). [De *ant(i)-* + *pruriginoso.*] *Adj.* e *s. m.* Diz-se de, ou medicamento contra pruridos; antipsórico.
antipsórico. [De *ant(i)-* + gr. *psorikós*, 'sarnento'.] *Adj.* e *s. m. Antipruriginoso.*
antiptose. [Do gr. *antíptosis*, pelo lat. *antiptose.*] *S. f. Gram.* Emprego de um caso gramatical por outro.
antipútrido. *Adj.* Que combate a putrefação.
antiquado. [Part. de *antiquar.*] *Adj.* Tornado antigo; desusado, arcaico, obsoleto.
antiqualha. [Do lat. *antiquu*, 'antigo', + *-alha.*] *S. f.* V. *antigualha* (1).
antiquar. [Do lat. *antiquare.*] *V. t. d.* **1.** Tornar antigo ou antiquado. *P.* **2.** Cair em desuso; tornar-se antiquado. [Defect. Só se conjuga nas f. arrizotônicas.]
antiquariato. *S. m.* **1.** Conhecimentos ou atividades de antiquário. **2.** Lugar onde se depositam coisas antigas. **3.** Conjunto de conhecimentos relativos a objetos de arte antigos.
antiquário. [Do lat. *antiquariu.*] *S. m.* Estudioso, colecionador ou comerciante de antiguidades ou antigualhas.
antiqüíssimo. [Do lat. *antiquissimu.*] *Adj.* Superl. abs. sint. de *antigo.*
anti-rábico. *Adj.* Aplicável contra a hidrofobia ou raiva. [Pl.: *anti-rábicos.*]
anti-raquítico. [De *ant(i)-* + *raquítico.*] *Adj.* e *s. m.* Diz-se de ou substância que combate o raquitismo. [Pl.: *anti-raquíticos.*]
anti-regimental. [De *ant(i)-* + *regimental.*] *Adj. 2 g.* Contrário ao que dispõe o regimento de uma instituição. [Pl.: *anti-regimentais.*]
anti-ressonância. [De *anti-* + *ressonância.*] *S. f. Fís.* A condição de um sistema oscilante (mecânico, elétrico ou eletrônico) na qual a impedância de entrada é muito grande. [Pl.: *anti-ressonâncias.*]
anti-reumático. [De *ant(i)-* + *reumático.*] *Adj.* e *s. m.* Diz-se de, ou medicamento que combate o reumatismo. [Pl.: *anti-reumáticos.*]
anti-revisionismo. *S. m.* Corrente política infensa ao revisionismo. [Pl.: *anti-revisionismo.*]
anti-revisionista. *Adj. 2 g.* **1.** Referente ao anti-revisionismo, ou que é partidário dele. ● *S. m.* **2.** Partidário do anti-revisionismo. [Pl.: *anti-revisionistas.*]
anti-satélite. [De *anti-* + *satélite.*] *Adj. 2 g.* e *s. m. Astron.* Diz-se de, ou satélite artificial utilizado para a destruição de outros. [Pl.: *anti-satélites.*]
anti-sátira. *S. f.* Sátira feita em réplica a outra. [Pl.: *anti-sátiras.*]
antíscios. [Do gr. *antiskoi*, pelo lat. *antiscios.*] *S. m. pl.* V. *antecos.* [Cf. *períscios.*]
anti-secretório. *Adj.* e *s. m.* Diz-se de, ou substância que combate a secreção. [Pl.: *anti-secretórios.*]
anti-selene. [De *anti-* + *Selene*, 'a Lua.'] *S. m. Astr.* Ponto da esfera celeste diametralmente oposto à Lua. [Pl.: *anti-selenes.*]
anti-semita. *Adj. 2 g* e *s. 2 g.* Inimigo da raça semítica, e especialmente dos judeus. [Pl.: *anti-semitas.*]
anti-semítico. *Adj.* **1.** Relativo aos anti-semitas ou ao anti-semitismo. **2.** Contrário aos semitas e judeus. [Pl.: *anti-semíticos.* Cf. *semitófobo.*]
anti-semitismo. *S. m.* **1.** Qualidade de anti-semita. **2.** Doutrina ou movimento contra os judeus. [Pl.: *anti-semitismos.* Cf. *semitofobia.*]
anti-sepsia. [De *anti-* + *-sepsi-* + *-ia.*] *S. f. Med.* O emprego de substâncias anti-sépticas; desinfecção. [Pl.: *anti-sepsias.*]
anti-séptico. *Adj.* **1.** Relativo à anti-sepsia. **2.** Diz-se de substância capaz de impedir, pela inativação ou destruição dos micróbios, a proliferação deles; desinfetante. ● *S. m.* **3.** Essa substância; desinfetante. [Cf. *anticéptico.* Pl.: *anti-sépticos.*]
anti-sifilítico. *Adj.* e *s. m.* Que, ou substância que combate a sífilis; antiluético. [Pl.: *anti-sifilíticos.*]
anti-sigma. [De *anti-* + *sigma.*] *S. m. Paleogr.* Sinal de correção, em forma de sigma invertido [Ↄ], posto antes de palavras, versos, etc., que se devem transpor. [Pl.: *anti-sigmas.*]
anti-sigma-mais. *S. m. Fís. Nucl.* Antibárion que no estado fundamental tem massa igual a 1,281 unidades de massa atômica, spin igual a um meio, paridade positiva, e carga elétrica positiva igual à do próton. [Pl.: *anti-sigmas-mais.*]
anti-sigma-menos. *S. m. Fís. Nucl.* Antibárion que no estado fundamental tem massa igual a 1,281 unidades de massa atômica, spin igual a um meio, paridade positiva, carga negativa igual à do elétron. [Pl.: *anti-sigmas-menos.*]
anti-sigma-zero. *S. m. Fís. Nucl.* Antibárion que no estado fundamental tem massa igual a 1,281 unidades de massa atômica, spin igual a um meio, paridade positiva e carga elétrica nula. [Pl.: *anti-sigmas-zeros.*]
anti-simétrico. *Adj.* V. *assimétrico.* ~ V. *função* —*a*, *determinante* — *função* —*a* e *matriz* —*a*. [Pl.: *anti-simétricos.*]
anti-social. *Adj. 2 g.* Contrário à sociedade. [Pl.: *anti-sociais.*]
anti-sociável. *Adj. 2 g.* Contrário ou indiferente à sociabilidade. [Pl.: *anti-sociáveis.*]
anti-solar. *Adj. 2 g.* ~V. clarão—, *luminosidade*—e *luz* —. [Pl.: *anti-solares.*]
antíspase. [Do gr. *antíspasis.*] *S. f. Med.* V. *revulsão.*
antispástico. [Do gr. *antispastikós*, pelo lat. *antispasticu.*] *Adj.* V. *revulsivo.*
antispasto. [Do gr. *antíspastos*, pelo lat. *antispastu.*] *S. m.* Pé de verso grego ou latino composto de duas sílabas longas entre duas breves.
antiste. [Do lat. *antiste.*] *S. m.* Var. de *antístite.*
antístite. [Do lat. *antistite.*] *S. m.* **1.** Sumo sacerdote pagão, na antiguidade. **2.** *P. ext.* Título honorífico que se dava a bispos, padres, etc: " o severo a n t í s t i t e não apreciava, mesmo, familiaridades entre sacerdotes e fiéis." (Ciro dos Anjos, *A Menina do Sobrado*, p. 90). [Var.: *antiste.*]
antístrofe. [Do gr. *antistrophé*, pelo lat. *antistrophe.*] *S. f.* **1.** A segunda parte da ode antiga. [Cf. *estrofe* (2) e *epodo* (1).] **2.** *Gram.* Mudança de sentido na associação de certas palavras, pela repetição delas em ordem inversa.
antistrumático. [De *anti-* + lat. *strumaticu*, 'escrofuloso'.] *Adj.* Diz-se de medicamento que combate as escrófulas.
anti-submarino. *Adj. 2 g.* e *2 n.* Diz-se da embarcação, armamento, operação tática, etc. destinados a dar combate a submarinos e destruí-los.
antitanque. *Adj. 2 g.* e *2 n. Exérc.* Anticarro.
antitênar. *S. m. Anat.* Localização oposta à palma da

mão ou à planta do pé. [Var. pros.: *antítenar*. Pl.: *antitênares*.]

antítenar. *S. m. Anat.* Var. pros. de *antitênar* [q. v.]. [Pl.: *antitênares*.]

antitérmico. *Adj.* e *s. m.* **1.** Que, ou medicamento que faz baixar a temperatura. **2.** V. *febrífugo*.

antiterrorismo. *S. m.* Sistema, opinião ou sentimento contrário ao terrorismo.

antiterrorista. *Adj. 2 g.* **1.** Relativo ao antiterrorismo. **2.** Contrário a ele. ● *S. 2 g.* **3.** Pessoa contrária ao terrorismo.

antítese. [Do gr. *antíthesis*, pelo lat. *antithese*.] *S. f.* **1.** Figura pela qual se salienta a oposição entre duas palavras ou idéias; enantiose. Ex.: "Era o porvir — em frente do passado, / A Liberdade — em face à Escravidão" (Castro Alves, *Obra Completa*, p. 154); "Deixa que hoje me chame eternidade!" (Campos de Figueiredo, *Imagem da Noite*, p. 15). **2.** *P. ext.* Qualquer oposição flagrante: *O branco e o preto formam uma antítese*. **3.** Ser ou coisa que representa essa oposição; o oposto: *O Diabo é a antítese de Deus*. **4.** *Filos.* Oposição, por contrariedade ou por contradição, entre dois termos ou duas proposições. [Cf. *dialética* (3).]

antitetânico. *Adj.* e *s. m.* Que, ou substância que combate ou evita o tétano.

antitético. [Do gr. *antithetikós*.] *Adj.* Que contém ou constitui antítese.

antítipo. [Do gr. *antítypon*.] *S. m.* **1.** Tipo ou figura que representa outra. **2.** *Bot.* Exemplar de herbário recolhido pela mesma pessoa que colheu o tipo (7), no mesmo lugar e data. **3.** *P. ext. Bot.* Qualquer fragmento do tipo (7). **4.** *Bot.* Exemplar de planta cultivada a partir de outra, considerada como típica.

antitorpédico. *Adj. Bras. Mar. G.* Contra torpedo(s): *defesa antitorpédica*.

antitóxico (cs). *Adj.* **1.** Contrário aos tóxicos. ● *S. m.* **2.** V. *contraveneno*.

antitoxina (cs). *S. f. Med.* Anticorpo neutralizante específico contra toxina de microrganismo, zootoxina e fitotoxina. [Cf. *antiveneno*.]

antítrago. [Do gr. *antítragos*.] *S. m. Anat.* Saliência ântero-inferior do trago[2].

antitrigonométrico. *Adj.* ~ V. *função —a* e *sentido —*.

antitrinitário. *Adj.* Contrário ao dogma da Trindade.

antitussígeno. [De *ant(i)-* + *tussígeno*.] *Adj.* e *s. m.* Diz-se de, ou medicamento que combate a tosse; béquico.

antivariólico. *Adj.* Aplicável contra a varíola. ~ V. *vacina —a*.

antiveneno. *S. f. Med.* Anticorpo neutralizante específico produzido no organismo em conseqüência da presença de veneno. [Cf. *antitoxina*.]

antivenéreo. *Adj.* Que combate ou evita moléstia venérea.

antiverista. [De *ant(i)-* + *verista*.] *Adj.* Contrário ao verismo.

antiverminoso (ô). *Adj.* V. *anti-helmíntico* (1).

antizímico. [De *anti-* + *-zim(e)-* + *-ico*[2]] *Adj.* Que combate ou evita a fermentação.

antliado. *Adj.* e *s. m.* V. *díptero* (2 e 3).

antliados. *S. m. pl. Zool.* V. *dípteros*.

▲ant(o)-. [Do gr. *anthos, eos, ous*.] *El. comp.* = 'flor': *antófilo; antóide*.

antocerotácea. *S. f.* Espécime da família das antocerotáceas.

antocerotáceas. *S. f. pl. Bot.* Família de hepáticas talosas, lobadas, de pequenas dimensões, que vivem sobre rochas e outros habitats ricos em água. As cápsulas (*esporogônio*) são alongadas e finas, e a columela diferenciada. Ocorre multiplicação vegetativa. O gênero mais importante, *Anthoceros*, existe no Brasil.

antocerotáceo. *Adj.* Pertencente ou relativo às antocerotáceas.

antocerotales. *S. f. pl. Bot.* Ordem de hepáticas que engloba a família das antocerotáceas.

antociânico. *Adj.* Pertencente ou relativo aos pigmentos antocianos.

antocianina. *S. f. Quím.* Qualquer dos glicosídios que constituem os pigmentos vermelhos, azuis ou violáceos das folhas, frutos ou flores dos vegetais.

antociano. *S. m.* Pigmento que confere às flores e outros órgãos e partes das plantas as colorações roxa, violácea, azul e vermelha, e que se localiza sobretudo nas porções exteriores dos tecidos, caracterizando-se por ser solúvel na água e, pois, dissolver-se no líquido intracelular. [Os matizes dos antocianos dependem da reação do meio, e sua composição química engloba uma ou duas moléculas de açúcar, visto serem glicosídios.]

antódico. *Adj.* Relativo ao antódio.

antódio. [Do lat. científico *anthodium*, calcado no gr. *anthódes*, 'floriforme'.] *S. m. Morfol. Veg.* Capítulo (5).

antofagastense. *Adj. 2 g.* **1.** De, ou pertencente ou relativo à cidade de Antofagasta (Chile). ● *S. 2 g.* **2.** Natural ou habitante dessa cidade.

antófago. [De *ant(o)-* + *-fago*.] *Adj.* Que come flores.

antofílico. *Adj.* Concernente aos antofilos.

antofilita. *S. f. Min.* Mineral ortorrômbico, silicato de ferro e magnésio.

antofilo. [De *ant(o)-* + *-filo*[1].] *S. m. Bot.* Designação de peças florais que merecem a denominação de folhas florais, visto que, de acordo com teoria mais aceita sobre a sua origem, são apenas folhas reduzidas e modificadas no curso da evolução para a específica função da reprodução. [As pétalas e os estames, p. ex., são antofilos ou folhas florais.]

antófilo. [De *ant(o)-* + *-filo*[2].] *Adj.* Diz-se dos insetos polinizadores.

antófito. [De *ant(o)-* + *-fito*.] *S. m.* **1.** Espécime dos antófitos. ● *Adj.* **2.** Pertencente ou relativo a eles.

antófitos. *S. m. pl. Bot.* Plantas com flores; fanerógamas.

antogênese. [De *ant(o)-* + *gênese*.] *S. f.* Formação de flores.

antogenético. *Adj.* Relativo à antogênese.

antógeno. [De *ant(o)-* + *-geno*.] *Adj.* Que determina a antogênese.

antografia. [De *ant(o)-* + *-graf(o)-* + *-ia*.] *S. f.* Linguagem e descrição das flores.

antográfico. *Adj.* Referente à antografia.

antóide. [De *ant(o)-* + *-óide*.] *Adj. 2 g.* Semelhante a flor ~ V. *inflorescência —*.

antojadiço. [De *antojado* + *-iço*.] *Adj.* Cheio de caprichos ou vontades; caprichoso.

antojado[1]. [De *antojo* + *-ado*[1].] *Adj.* Enfastiado, entediado, aborrecido, enojado.

antojado[2]. [Part. de *antojar*.] *Adj.* **1.** Posto diante dos olhos. **2.** Representado na imaginação. **3.** Desejado, apetecido.

antojador (ô). *S. m.* Aquele que antoja.

antojar. [De *antojo*[1] (ô).] *V. t. d.* e *i.* **1.** Pôr diante dos olhos. **2.** Representar na imaginação; figurar. **3.** Desejar, apetecer. *P.* **4.** Oferecer-se à vista, à imaginação, ao desejo. [Pres. ind.: *antojo*, etc. Cf. *antojo* (ô). Sin. ger.: *antolhar*.]

antojo[1] (ô). [Do esp. *antojo*.] *S. m.* **1.** Ato de pôr diante dos olhos. **2.** Aparência enganosa; visão. **3.** Desejo extravagante que, supostamente, acomete as mulheres grávidas. **4.** Apetite caprichoso, desarrazoado. [Sin.: *antolho*. Pl.: *antojos* (ó). Cf. *antojo*, do v. *antojar*, e *antojos* (ô), pl. de *antojo*[2] (ô).]

antojo[2] (ô). [De *entejo*.] *S. m.* **1.** Repugnância, nojo, entejo. **2.** Tédio, fastio, aborrecimento, nojo. **3.** Aquele ou aquilo que provoca asco, irritação ou antipatia; nojo. [Pl.: *antojos* (ô). Cf. *antojo*, do v. *antojar*, e *antojos* (ó), pl. de *antojo*[1] (ô).]

antolhar. *V. t. d.* e *i.* e *p.* V. *antojar*. [Pres. ind.: *antolho*, etc. Cf. *antolho* (ô).]

antolho (ô). *S. m.* Antojo[1]. [Pl.: *antolhos* (ó). Cf. *antolho* (ó), do v. *antolhar*.]

antolhos. [De *ant(e)-* + *olhos*.] *S. m. pl.* **1.** Pala com que se resguardam contra a luz olhos doentes. **2.** Peças de couro ou de outra matéria opaca que se colocam ao lado dos olhos das cavalgaduras, limitando-lhes o âmbito de visão, para que não se espantem. [F. paral.: *anteolhos*.] ◆ **Ter antolhos.** Ser limitado intelectualmente.

antologia. [Do gr. *anthología*.] *S. f.* **1.** Tratado acerca das flores. **2.** Coleção de trechos em prosa e/ou em verso; analecto, crestomatia, florilégio, espicilégio, seleta, parnaso.

antologiar. *V. t. d.* Coligir, reunindo em antologia.

antológico. *Adj.* **1.** Relativo a antologia. **2.** Digno de figurar em antologia (2): *Raquel de Queirós escreve crônicas antológicas sobre fatos corriqueiros*.

antologista. *S. 2 g.* Autor de antologia; antólogo.

antólogo. [Do gr. *anthólogos*.] *S. m.* **1.** Coleção de hinos da igreja grega. **2.** Antologista.

antomania. [De *ant(o)-* + *-mania*.] *S. f.* Floromania.

antomaníaco. *Adj.* Concernente à antomania.

antomedusa. *S. f.* **1.** Espécime das antomedusas. ● *Adj. 2 g.* **2.** Pertencente ou relativo a elas. [Sin. ger.: *gimnoblástico, hidrário*.]

antomedusas. *S. f. pl. Zool.* Animais metazoários celenterados hidrozoários, subordem *Anthimedusae*, que têm blastotilos não protegidos por gonângios; gimnoblásticos, hidrários.

antomiída. *S. 2 g.* e *adj. 2 g.* Antomiídeo.

antomiídas. *S. m. pl. Zool.* Antomiídeos.

antomiídeo. *S. m.* **1.** Espécime dos antomiídeos. ● *Adj.* **2.** Pertencente ou relativo a eles.

antomiídeos. *S. m. pl. Zool.* Família de insetos da ordem dos dípteros, que compreende moscas comuns. São, em geral, de cor escura e finos pêlos eretos, na superfície inferior do escutelo.

antonímia. [Do gr. *antonymía*.] *S. f.* **1.** Caráter das palavras antônimas. **2.** Emprego de antônimos. [Antôn.: *sinonímia*.]

antonímico. *Adj.* Relativo à antonímia.

antônimo. [Do gr. *antónymos*.] *Adj.* **1.** Diz-se das palavras ou locuções de significação oposta. ● *S. m.* **2.** Palavra antônima. [Antôn.: *sinônimo*. Cf. *autônimo, homônimo* e *parônimo*.]

antoninense. *Adj. 2 g.* **1.** De, ou pertencente ou relativo a Antonina (PR). ● *S. 2 g.* **2.** Natural ou habitante de Antonina.

antonino. *S. m.* Religioso de Santo Antônio.

antônio-carlense. *Adj. 2 g.* **1.** De, ou pertencente ou relativo a Antônio Carlos (MG). ● *S. 2 g.* **2.** Natural ou habitante de Antônio Carlos. [Pl.: *antônio-carlenses*.]

antônio-diense. *Adj. 2 g.* **1.** De, ou pertencente ou relativo a Antônio Dias (MG). ● *S. 2 g.* **2.** Natural ou habitante de Antônio Dias. [Pl.: *antônio-dienses*.]

antonomásia. [Do gr. *antonomasía*, pelo lat. *antonomasia*.] *S. f.* **1.** *Ret.* Substituição de um nome próprio por um comum ou uma perífrase. Ex.: *o cisne de Mântua* (Virgílio); *a águia de Haia* (Rui Barbosa); *o Poeta Negro* (Cruz e Sousa); ou vice-versa: *um nero* (um homem cruel); *um romeu* (um homem apaixonado). [Sin.: *pronominação*.] **2.** V. *cognome*: *Virgulino Ferreira, por antonomásia "Lampião"; Edson Arantes do Nascimento, por antonomásia "Pelé"*; "Informou-me da história das capelas .... o sacristão, conhecido pela antonomásia de Bucho-de-Piaba" (Alberto Rangel, *Lume e Cinza*, p. 161).

antonomástico. *Adj.* Em que há antonomásia.

antorismo. [Do gr. *antorismós*.] *S. m. Ret.* Substituição de uma palavra por outra que se considera mais enérgica ou mais precisa.

antotáctico. *Adj.* Relativo à antotaxia.

antotaxia (cs). [De *ant(o)-* + *-tax(i)(o)-* + *-ia*.] *S. f. Bot.* Disposição da flor na haste.

antozoário. [De *ant(o)-* + *-zo(o)-* + *-ário*.] *S. m.* **1.** Espécime dos antozoários. ● *Adj.* **2.** Pertencente ou relativo aos antozoários. [Sin. ger.: *actinozoário, coraliário*.]

antozoários. [Pl. de antozoário.] *S. m. pl. Zool.* Animais celenterados, classe *Anthozoa*, caracterizados por terem só a forma de pólipo. Cavidade digestiva dividida em septos radiais; boca circundada por um disco oral provido de tentáculos. São os corais com exosqueleto calcário, todos marinhos e fixos, vivendo em colônias ou isolados. [Sin.: *actinozoários, coraliários*.]

antracemia. [De *antrac(o)-* + *-(h)em(o)-* + *-ia*.] *S. f. Med.* **1.** Envenenamento pelo monóxido de carbônio. **2.** Presença desta substância no sangue.

antracêmico. *Adj.* Concernente à antracemia.

antraceno. *S. m. Quím.* Substância cristalina incolor, com leve fluorescência, obtida do alcatrão de hulha. [Fórm.: $C_{14}H_{10}$.]

antracífero. [De *antrac(o)-* + *-fero*.] *Adj.* Que tem antracito.

antracito. [De *antrac(o)-* + *-ito*[2].] *S. m.* Tipo de carvão fóssil, negro, de fratura concoidal, brilho vítreo, muito pobre em substâncias voláteis, e de grande poder calorífico.

antracnose. *S. f. Bot.* Designação geral das moléstias das plantas superiores causadas por vários fungos da ordem das melanconiales. A antracnose gera nas folhas manchas escuras, deprimidas e, muitas vezes, aureoladas, que acabam por úlceras. Ataca, com grande freqüência, plantas cultivadas importantes, dando consideráveis prejuízos.

▲antrac(o)-. [Do gr. *ánthrax, ánthrakos*.] *El. comp.* = 'carvão', 'carbúnculo': *antracito, antracomante*.

antracóide. [Do gr. *anthrakoeidés*.] *Adj. 2 g.* **1.** Semelhante ao carvão. **2.** Semelhante ao antraz.

antracolítico. [De *antrac(o)-* + *-lit(o)-* + *-ico*[2].] *Adj.* e *s. m.* ~ V. *período —*.

antracomancia (cí). [De *antrac(o)-* + *-mancia*.] *S. f.* Antiga adivinhação pelo exame do carvão incandescente.

antracomante. [De *antrac(o)-* + *-mante*.] *S. 2 g.* Pessoa que pratica a antracomancia.

antracomântico. *Adj.* Relativo à antracomancia, ou a antracomante.

antracose. [Do gr. *anthrákosis*.] *S. f. Patol.* Pneumoconiose por poeira de carvão.

antracótico. *Adj.* Relativo à antracose.
antranilato. *S. m. Quím.* Éster do ácido antranílico. O de metila é a essência artificial da flor de laranjeira.
antranílico. *Adj.* ~ V. *ácido —.*
antraquinona. *S. f. Quím.* Substância resultante da oxidação do antraceno, cristalina, amarelo-pálida, usada na obtenção de corantes. [Fórm.: $C_{14}H_8O_2$.]
antraz. [Do gr. *ánthrax*, 'carvão', pelo lat. *anthrace.*] *S. m.* **1.** *Patol.* Grave infecção que ocorre em animais, produzida pelo *Bacillus anthracis*, e que, ocasionalmente, se transmite ao homem, por inoculação acidental de pele ou por inalação. **2.** *Zool.* Certo inseto díptero.
antríbido. *S. m.* **1.** Espécime dos antríbidos. ● *Adj.* **2.** Pertencente ou relativo a eles.
antríbidos. *S. m. pl. Zool.* Família de insetos da ordem dos coleópteros, que apresentam focinho curto e alargado, e antenas não geniculadas. São pequenos besouros, de 3 a 20 mm. Ex.: o caruncho do café (*Araecerus fasciculatus*).
antrite. [De *antro* + *-ite*[1].] *S. f. Patol.* Inflamação de qualquer antro (3), especialmente o da mastóide.
antro. [Do gr. *ántron*, pelo lat. *antru.*] *S. m.* **1.** Cova profunda e escura; caverna, furna, abismo: *o antro das feras.* **2.** Casa ou lugar de perdição, corrupção, vícios: *Afastou-se dos antros da malandragem, da jogatina.* **3.** *Anat.* Cavidade, geralmente dentro de osso, como o frontal, o maxilar, etc.; seio. **4.** *Anat.* Uma das porções do estômago.
antropagogia. [De *antrop(o)-* + *-agog(o)-* + *-ia.*] *S. f.* Sistema pedagógico que tende a estender a ação educativa para além da escola e da família.
antrópico. *Adj.* Diz-se das vegetações resultantes da ação do homem sobre a vegetação natural, como p. ex., a savana. ~ V. *princípio —.*
▲**antrop(o)-.** [Do gr. *ánthropos, ou.*] *El. comp.* = 'homem', 'ser humano': *antropônimo, antropocêntrico.* [Equiv.: *-antropo; apantropo* (< gr. *apánthropos*).]
▲**-antropo.** Equiv. de *antrop(o)-.*
antropocêntrico. [De *antropo-* + *-centr(o)-* + *-ico*[2].] *Adj.* **1.** Que considera o homem como o centro ou a medida do Universo, sendo-lhe por isso destinadas todas as coisas. **2.** Que concebe o universo em termos de experiências ou valores humanos. **3.** *Filos.* Diz-se principalmente das ingênuas doutrinas finalísticas que admitem que todas as coisas foram criadas por Deus para propiciar a vida humana.
antropocentrismo. [De *antropo-* + *-centr(o)-* + *-ismo.*] *S. m. Filos.* Atitude ou doutrina antropocêntrica.
antropocentrista. [De *antropo-* + *-centr(o)-* + *-ista.*] *Adj. 2 g.* **1.** Relativo ao, ou que é partidário do antropocentrismo. ● *S. 2 g.* **2.** Partidário dele.
antropocoria. *S. f.* Disseminação voluntária ou involuntária, feita pelo homem, de plantas daninhas ou cultivadas.
antropocórico. *Adj.* Relativo à antropocoria.
antropofagia. [Do gr. *anthropophagía.*] *S. f.* Estado, condição ou ato de antropófago; androfagia. [Cf. *canibalismo.*]
antropofágico. Adj. **1.** Concernente à antropofagia. **2.** Próprio de antropófago. [Sin. ger.: *andrófago.* Cf. *canibalesco.*]
antropófago. [Do gr. *anthropophágos*, pelo lat. *anthropophagu.*] *Adj. e s. m.* Que, ou aquele que come carne humana: andrófago. [Cf. *canibal.*]
antropófilo. *Adj.* Relativo ao antropófito: *espécie antropófila.*
antropófito. *S. m.* Qualquer espécie vegetal introduzida num determinado lugar por antropocoria.
antropofobia. [De *antropo-* + *-fob(o)-* + *-ia.*] *S. f.* Misantropia. [Antôn.: *filantropia.*]
antropofóbico. *Adj.* Referente à antropofobia.
antropófobo. [De *antropo-* + *-fobo.*] *Adj. e s. m.* Misantropo (1 e 2). [Antôn.: *filantropo.*]
antropogênese. [De *antropo-* + *gênese.*] *S. m.* **1.** Estudo da geração dos homens e dos fenômenos da sua reprodução; antropogenia. **2.** Estudo das origens e da evolução do homem.
antropogenético. *Adj.* Relativo à antropogênese.
antropogenia. [De *antropo-* + *-geno-* + *-ia.*] *S. f.* Antropogênese (1).
antropogênico. *Adj.* Relativo à antropogenia.
antropogeografia. [De *antropo-* + *geografia.*] *S. f.* Geografia humana.
antropogeográfico. *Adj.* Relativo à antropogeografia.
antropografia. [De *antropo-* + *-graf(o)-* + *-ia.*] *S. f.* Descrição anatômica do corpo humano.
antropográfico. *Adj.* Relativo à antropografia.
antropóide. [Do gr. *anthropoeidés.*] *Adj. 2 g.* **1.** Semelhante ao homem. **2.** Pertencente ou relativo aos antropóides. ● *S. m.* **3.** Espécime dos antropóides; antropomorfo.
antropóides. *S. m. pl. Zool.* Grupo de símios catarríneos do Velho Continente que compreende os chimpanzés, os gorilas e os orangotangos, bem como algumas espécies fósseis. São desprovidos de cauda e ocasionalmente bípedes. [Sin.: *antropomorfos.*]
antropólatra. [Do gr. *anthropolátres*, pelo lat. *anthropolatra.*] *Adj. 2 g. e s. 2 g.* Que ou quem pratica a antropolatria.
antropolatria. [Do gr. *anthropolatreía.*] *S. f. Filos.* **1.** Culto de um ser humano a quem se empresta caráter divino. **2.** Culto de divindade que tomou a forma humana.
antropolátrico. *Adj.* Relativo à antropolatria.
antropologia. [De *antropo-* + *-log(o)-* + *-ia.*] *S. f.* Ciência que reúne várias disciplinas cujas finalidades comuns são descrever o homem e analisá-lo com base nas características biológicas (*antropologia física*) e culturais (*antropologia cultural*) dos grupos em que se distribui, dando ênfase, através das épocas, às diferenças e variações entre esses grupos. ♦ **Antropologia cultural.** Ramo da antropologia que trata das características culturais do homem (costumes, crenças, comportamento, organização social) e que se relaciona, portanto, com várias outras ciências, tais como etnologia, arqueologia, lingüística, sociologia, economia, história, geografia humana. [A designação *antropologia cultural* é m. us. nos E.U.A., enquanto na Grã-Bretanha o termo *antropologia social* designa ou a etnologia, ou a antropologia cultural. Nos demais países europeus — p. ex., na França — observa-se uma tendência para o uso dos três termos que representam os níveis de pesquisa que, gradualmente, se vêm estabelecendo nos E.U.A. dentro da antropologia cultural: etnografia, etnologia comparada, antropologia social. Os autores nacionais fazem uso de ambas as designações.] **Antropologia física.** Ramo da antropologia que se ocupa da origem e da evolução biológica do homem, assim como das diversidades raciais e seus vários subgrupos. **Antropologia social.** V. *antropologia cultural.*
antropológico. *Adj.* Relativo à antropologia.
antropologista. *S. 2 g.* Antropólogo.
antropólogo. [Do gr. *anthropológos.*] *S. m.* Especialista em antropologia; antropologista.
antropomagnético. [De *antropo-* + *magnético.*] *Adj.* Referente ao antropomagnetismo.
antropomagnetismo. [De *antropo-* + *magnetismo.*] *S. m.* Magnetismo animal [q. v.] considerado quanto às relações existentes entre o homem e os outros corpos.
antropomancia (cì). [De *antropo-* + *-mancia.*] *S. f.* Arte de adivinhar mediante o exame das vísceras humanas.
antropomante. [De *antropo-* + *-mante.*] *S. 2 g.* Pessoa que pratica a antropomancia.
antropomântico. *Adj.* Relativo à antropomancia, ou a antropomante.
antropometria. [De *antropo-* + *-metr(o)*[2]*-* + *-ia.*] *S. f.* **1.** Processo ou técnica de mensuração do corpo humano ou de suas várias partes. **2.** *P. ext.* Repartição (4) onde se pratica a antropometria.
antropométrico. *Adj.* Relativo à antropometria. ~ V. *ficha —a.*
antropomorfia. *S. f.* Qualidade de antropomorfo.
antropomórfico. *Adj.* Antropomorfo (1).
antropomorfismo. [De *antropomorfo* + *-ismo.*] *S. m.* **1.** Crença ou doutrina que atribui a Deus ou a deuses forma(s) ou atributo(s) humano(s). **2.** *Filos.* Aplicação a algum domínio da realidade (social, biológico, físico, etc.) de linguagem ou de conceitos próprios do homem ou do seu comportamento.
antropomorfista. *S. 2 g.* Adepto do antropomorfismo; antropomorfita.
antropomorfita. *S. 2 g.* Antropomorfista.
antropomorfo. [Do gr. *anthropómorphos.*] *Adj.* **1.** Semelhante ao homem; antropomórfico. ~ V. *letra —a.* ● *S. m.* **2.** Antropóide (3).
antropomorfos. [Pl. de *antropomorfo.*] *S. m. pl.* Antropóides.
antroponímia. *S. f.* Estudo dos antropônimos.
antroponímico. *Adj.* Relativo à antroponímia, ou a antropônimo.
antropônimo. [De *antrop(o)-* + *-onimo.*] *S. m.* Nome próprio de pessoa. Ex. *Joaquim, Manuel, Silveira, Soares.*
antroponomia. [De *antrop(o)-* + *-nom(o)-* + *-ia.*] *S. f.* Conhecimento das leis que atuam na formação do homem e nos fenômenos do seu organismo.
antroponômico. *Adj.* Relativo à antroponomia.
antropopatia. [De *antrop(o)-* + *-pat(o)-* + *-ia.*] *S. f.* Atribuição de sentimentos humanos à divindade, ou a outros seres ou coisas da natureza. [É empregada sobretudo pelos fabulistas.]
antropopiteco. [De *antrop(o)-* + *-piteco* (cf. *pitecantropo*), pelo lat. científico *Anthropopithecus.*] *S. m. Paleont.* Animal fóssil intermediário entre o macaco e o homem; andróide.
antroposfera. [De *antrop(o)-* + *-sfera.*] *S. f. Geog.* Parte da Terra em que vive o homem; ideosfera.
antroposofia. *S. f.* Antropossofia.
antroposófico. *Adj.* Antropossófico.
antroposofista. *Adj. 2 g. e s. 2 g.* Antropossofista.
antropossociologia. [De *antrop(o)-* + *sociologia.*] *S. f.* **1.** Parte da antropologia que estuda o homem no seu meio social. **2.** Estudo dos fenômenos sociológicos com base exclusivamente antropológica.
antropossociológico. *Adj.* Referente à antropossociologia.
antropossofia. [De *antrop(o)-* + *-sof(o)-* + *-ia.*] *S. f.* **1.** Estudo da natureza humana sob o aspecto da moral. **2.** Doutrina espiritual e mística que teve sua origem na teosofia e que se baseia, principalmente, nos ensinamentos de Rudolf Steiner (1861-1925), filósofo austríaco.
antropossófico. *Adj.* Referente à antropossofia.
antropossofista. *Adj. 2 g. e s. 2 g.* Diz-se de, ou pessoa que segue ou ensina as teorias antropossóficas.
antropossomatologia. [De *antrop(o)-* + *somatologia.*] *S. f.* Estudo da estrutura do corpo humano.
antropossomatológico. *Adj.* Relativo à antropossomatologia.
antropoteísmo. [De *antrop(o)-* + *-te(o)-* + *-ismo.*] *S. m.* **1.** Deificação da humanidade. **2.** Representação da divindade sob forma e atributos humanos.
antropotomia. [De *antrop(o)-* + *-tom(o)-* + *-ia.*] *S. f.* Dissecação do cadáver humano; anatomia do homem.
antropotômico. *Adj.* Relativo à antropotomia.
antropozóico. [De *antrop(o)-* + *-zo(o)-* + *-ico*[2].] *Adj. e s. m.* ~ V. *era -a.*
antrorso. *Adj. Morfol. Veg.* Voltado para a frente ou para cima. [Opõe-se a retrorso.]
antrotomia. [De *antro (3)* + *-tom(o)-* + *-ia.*] *S. f. Cir.* Abertura cirúrgica de qualquer antro, especialmente o da mastóide.
antrotômico. *Adj.* Relativo à antrotomia.
antuerpiano. *Adj.* **1.** Da ou pertencente ou relativo a Antuérpia (Bélgica). ● *S. m.* **2.** O natural ou habitante de Antuérpia.
antúrio. [Do lat. mod. *anthurium*, do gr. *anthos*, 'flor', + *ourá*, 'cauda'.] *S. m.* Cada uma de várias plantas da família das aráceas, todas ornamentais (gênero *Anthurium*).
anu. [Do tupi *a'nu*; var.: *anum.*] *S. m.* **1.** *Bras.* Anum. **2.** *Bras., S.* Modalidade de fandango (6). **3.** *Bras., PR. Folcl.* A primeira marca do fandango (6), em que homens e mulheres se alternam na roda, embora só os homens sapateiem, e, nos intervalos, as palmas substituem o sapateado, sendo o passo principal o *oito*, que os homens descrevem tendo por centro dos dois círculos as damas.
ânua. [Fem. substantivado de ânuo.] *S. f. Ant.* Carta-relatório dos sucessos ocorridos durante um ano. [Cf. *anua*, do v. *anuir.*]
anuaí. [Do tupi.] *S. m. Bras., Amaz.* V. *Anum-preto.*
anual. [Do lat. *annuale.*] *Adj. 2 g.* **1.** Que dura ou é válido por um ano: *assinatura anual (de jornal, revista, etc.).* **2.** Que se realiza ou se publica uma vez por ano: *reunião anual; revista anual.* **3.** Que se paga anualmente: *contribuição anual.* [Sin. (nessas acepç.): ânuo.] **4.** *Bot.* Diz-se da planta que completa o seu ciclo vegetativo e reprodutivo no prazo de um ano. **5.** *Bot.* Diz-se da planta que completa o seu ciclo vegetativo e reprodutivo em alguns meses. [Nos climas muito frios ou demasiado secos (desertos) as plantas anuais, simples ervas, crescem, florescem e frutificam em poucas semanas, enquanto as condições são favoráveis; depois, morrem, perpetuando-se pelas sementes, que ficarão aguardando nova estação de crescimento. Cf. *monocárpico* (2).] ~ V. *equação —* e *paralaxe —.*
anualidade. *S. f.* Anuidade (1).
anuário. *S. m.* Publicação anual. ♦ **Anuário astronômico.** *Astr.* Almanaque astronômico.
anu-branco. *S. m. Bras.* V. *anum-branco.* [Pl.: *anus-brancos.*]
anucleado. [De *a-*[3] + nucleado.] *Adj. Biol.* Destituído de núcleo individualizado, i. e., com a matéria cromática disseminada pelo protoplasma, como as bactérias e as algas azuis.
anu-coroca. *S. m. Bras., PA.* V. *anum-coroca.* [Pl.: anus-

corocas.]

anu-coróia. *S. m. Bras.* V. *anum-coroca.* [Pl.: *anus-coróias.*]

anu-da-serra. *S. m. Bras.* V. *anum-coroca.* [Pl.: *anus-da-serra.*]

anu-de-enchente. *S. m. Bras. SP.* V. *anum-coroca.* [Pl.: anus-de-enchente.]

anu-do-brejo. *S. m. Bras.* V. *anum-coroca.* [Pl.: anus-do-brejo.]

anu-do-campo. *S. m. Bras. CE.* V. *anum-branco.* [Pl.: *anus-do-campo.*]

anu-dourado. *S. m. Bras.* V. *anum-coroca.* [Pl.: *anus-dourados.*]

anuência. [Do lat. *annuentia.*] *S. f.* Ato ou efeito de anuir, consentimento, acordo, aprovação.

anuente. [Do lat. *annuente.*] *Adj. 2 g.* e *s. 2 g.* Que ou quem anui.

anu-galego. *S. m. Bras.* V. *anum-coroca.* [Pl.: anus-galegos.]

anu-grande. *S. m. Bras.* V. *anum-coroca.* [Pl.: *anus-grandes.*]

anuguaçu. [De *anu* + *-guaçu.*] *S. m. Bras.* V. *anum-coroca.*

anuí [Do tupi.] *S. m. Bras.* V. *anum-preto.* [Cf. *anui,* do v. anuir.]

anuidade (u-i). [De *ânuo* + *-i-* + *-dade,* pelo fr. *annuité.*] *S. f.* **1.** Quantia que se paga periodicamente para a constituição dum capital ou a amortização duma dívida, e capital e juros; anualidade. **2.** Cada um dos termos das rendas anuais. **3.** Quantia que se paga anualmente a uma instituição: *As anuidades escolares foram majoradas este ano.* [Cf. *mensalidade* (2).]

anuir. [Do lat. *annuere.*] *V. t. i.* e *int.* Dar consentimento, aprovação; estar de acordo; condescender, assentir, consentir: "Os holandeses, não menos cavilosos da sua parte, *anuíram* de boa mente à mesma cláusula" (João Francisco Lisboa, *Obras,* IV, p. 39); "Lélio escutava, *anuindo* com a cabeça" (João Guimarães Rosa, *Corpo de Baile,* I, p. 267). [Pres. ind.: *anuo, anuis, anui, anuímos,* etc.; pres. subj.: *anua, anuas,* etc. Cf. *ânuo, anui* e *ânua.*]

anuitário (u-i). *Adj.* Que se amortiza por anuidades.

anujá. [Do tupi *anu'yá.*] *S. m. Bras.* Peixe teleósteo, siluriforme, da família dos auquenipterídeos (*Trachycorystes galeatus* (L.)), e outras espécies do gênero, largamente distribuído pelo Brasil. A cabeça é revestida de placas ósseas granulosas; tem coloração parda com desenhos brancos, e 20 cm de comprimento. [Sin.: *anduiá, anojado, cabeça-de-ferro, cachorrinho, cachorrinho-de-padre, cachorro-de-padre, cachorrinho-do-padre, cachorro-do-padre, chorão, chorãozinho, cumbaca mandicumbá, mandizinho.*]

anulabilidade. *S. f.* Qualidade de anulável.

anulação. *S. f.* Ato ou efeito de anular(-se).

anulador (ô). *Adj.* **1.** Que anula; anulante. ● *S. m.* **2.** Aquele que anula.

anulante. [Do lat. *annullante.*] *Adj. 2 g.* Anulador (1).

anular¹. [De *anul(i)-* + *-ar¹.*] *Adj. 2 g.* **1.** V. *aneliforme.* **2.** Em que se usa pôr anel; anelar. **3.** *Bot.* Relativo ao anel dos esporângios dos pteridófitos (samambaia, avenca, etc.), de certos vasos lenhosos. ~ V. *dedo —, eclipse —, nebulosa —* e *protuberância —.* ● *S. m.* **4.** Dedo anular: "vi um homem gordo, de quarenta anos mais ou menos, com a aliança de casado no *anular.*" (José Carlos Oliveira, *A Revolução das Bonecas,* p. 104). **5.** *Bot.* Embrião em forma de anel.

anular². [Do lat. *annullare.*] *V. t. d.* **1.** Tornar nulo; invalidar: *Anulou todas as sentenças ilegais.* **2.** Reduzir a nada; destruir, eliminar, aniquilar: *É um monstro: vive a anular animais.* **3.** Destruir o efeito de; resistir a: *Sua arte é tão viva que anula o tempo.* **4.** Fazer parecer insignificante: *Gosta de exibir a sua erudição, para anular os colegas. P.* **5.** Fazer-se nulo, imprestável: *Com o avanço da técnica se anulam máquinas dantes consideradas modernas.* **6.** Desfazer-se, destruir-se. [Sin. ger.: *nulificar.* Pres. ind.: *anulo,* etc. Cf. *ânulo.*]

anulatório. *Adj. Jur.* Que tem força de anular; capaz de anular: *decisão anulatória.*

anulável. *Adj. 2 g.* Que se pode ou deve anular; nulificável.

▲anul(i)-. [Do lat. *annulus, i.*] *El. comp.* = 'anel': *anuliforme.* [V. *aneli-.*]

anuliforme. [De *anul(i)-* + *-forme.*] *Adj. 2 g.* Que tem forma de anel.

ânulo. *S. m. Arquit.* Filete colocado por sob o bocel da cornija do capitel dórico. [Cf. *anulo,* do v. *anular.*]

anuloso (ô). [De *anul(i)-* + *-oso.*] *Adj.* Cheio de, ou formado por anéis.

anum. [Var. de *anu.*] *S. m. Bras.* Ave cuculiforme, família dos cuculídeos, gêneros *Crotophaga* L. e *Guira* Less., de bico forte, comprimido lateralmente, cauda longa e mole, dois dedos para frente e dois para trás. Nidificam coletivamente e são vorazes destruidores de insetos, sobretudo ortópteros.

anum-branco. [Var. de *anu-branco.*] *S. m. Bras.* Ave cuculiforme da família dos cuculídeos (*Guira guira* Gmel.), comum em todo o país. Alto da cabeça avermelhado, nuca amarelada, penas raiadas de preto, dorso alto raiado de branco, dorso inferior branco, uropígio e parte basal da cauda amarelados, cauda preta, retrizes laterais com pontas brancas. Insetívora, tendo predileção por insetos ortópteros, sobretudo gafanhotos, freqüenta matas e cerrados. [Sin.: *anu-do-campo, anum-do-campo, alma-de-gato, pelincho, guirá-acangatara, piló, piriguá, quiriquiri, quiriru.* Pl.: *anuns-brancos.*]

anum-coroca. [Var. de *anu-coroca.*] *S. m. Bras.* Ave cuculiforme da família dos cuculídeos (*Crotophaga major* Gmel.), distribuída do L. do Panamá até o N. da Argentina, de coloração preta, dorso com brilho azulado; vive na beira de rios e lagos, e se alimenta de artrópodes, não desdenhando peixes pequenos. [Sin.: *anu-coroca, anu-coróia, anu-da-serra, anu-de-enchente, anu-do-brejo, anu-dourado, anu-galego, anu-grande, anuguaçu, anum-coróia, anum-da-serra, anum-de-enchente, anum-do-brejo, anum-galego, anum-grande, anum-peixe, anum-dourado, anunguaçu, anu-peixe, anuu, coroca, coróia, groló.* [Pl.: *anuns-corocas.*]

anum-coróia. *S. m. Bras.* V. *anum-coroca.* [Pl.: *anuns-coróias.*]

anum-da-serra. *S. m. Bras.* V. *anum-coroca.* [Pl.: *anuns-da-serra.*]

anum-de-enchente. *S. m. Bras., SP.* V. *anum-coroca.* [Pl.: *anuns-de-enchente.*]

anum-do-brejo. *S. m. Bras.* V. *anum-coroca.* [Pl.: *anuns-do-brejo.*]

anum-do-campo. *S. m. Bras., CE.* V. *anum-branco.* [Pl.: *anuns-do-campo.*]

anum-dourado. *S. m. Bras.* V. *anum-coroca.* [Pl.: *anuns-dourados.*]

anum-galego. *S. m. Bras.* V. *anum-coroca.* [Pl.: *anuns-galegos.*]

anum-grande. [Var. de *anu-grande.*] *S. m. Bras.* V. *anum-coroca.* [Pl.: *anuns-grandes.*]

anum-peixe. [Var. de *anu-peixe.*] *S. m. Bras.* V. *anum-coroca.* [Pl.: *anuns-peixes* e *anuns-peixe.*]

anum-pequeno. [Var. de *anu-pequeno.*] *S. m. Bras.* V. *anum-preto.* [Pl.: *anuns-pequenos.*]

anum-preto. *S. m. Bras.* Ave cuculiforme, da família dos cuculídeos (*Crotophaga ani* L.), das Antilhas, América do Sul e, acidentalmente, da América Central, México e S. dos E.U.A. Coloração preta, dorso com brilho violáceo. É insetívora e costuma viver junto ao gado, onde apanha os insetos tocados por esses animais. Ao contrário do que se diz, não se alimenta de carrapatos. Nidifica em colônia, geralmente em bambuzais ou em densas touceiras de vegetação. [Sin.: *anum-pequeno* ou *anu-pequeno, anuaí, anuí.* Pl.: *anuns-pretos.*]

anunciação. [Do lat. *annuntiatione.*] *S. f.* **1.** Ato ou efeito de anunciar. [Sin., p. us.: *anunciada.*] **2.** *Teol.* Mensagem do anjo Gabriel à Virgem Maria, para lhe anunciar o mistério da encarnação (3). **3.** O dia fixado pela Igreja para a comemoração desse mistério.

anunciada. [Do lat. *annuntiata,* 'anunciada'.] *S. f. P. us.* Anunciação (1).

anunciador (ô). [Do lat. *annuntiatore.*] *Adj.* e *s. m.* Anunciante.

anunciante. [Do lat. *annuntiante.*] *Adj. 2 g.* e *s. 2 g.* Que, ou pessoa que anuncia; anunciador.

anunciar. [Do lat. *annuntiare.*] *V. t. d.* **1.** Promover e custear a divulgação de anúncios de (produto ou serviço). **2.** Fazer conhecer por anúncio (4); pôr anúncio de: *Anunciou o automóvel e o vendeu em dois dias.* **3.** Dar a conhecer; fazer saber; noticiar: *O Imperador anunciou que pretendia abdicar.* **4.** Noticiar, publicar. *Todos os jornais anunciaram o ocorrido.* **5.** Predizer, prenunciar, pressagiar, vaticinar: *Profetas que anunciam bons momentos;* "A alteza dos pensamentos *anuncia* a nobreza dos sentimentos." (Marquês de Maricá, *Máximas, Pensamentos e Reflexões,* p. 208). **6.** Iniciar, introduzir: *Nem sempre as orações subordinadas têm conjunções que as anunciem.* **7.** Indicar, prenunciar: *O céu quase negro anuncia chuva.* **8.** Prevenir da presença ou da chegada de: *O mordomo anunciou o visitante. T. d.* e *i.* **9.** Fazer saber; noticiar, comunicar, participar: *Anunciou à noiva que pretendia romper o trato.* **10.** Prevenir da presença ou da chegada: *O empregado anunciou a seu patrão a hóspede que chegava.* **11.** Predizer, prenunciar, pressagiar, vaticinar: *A cigana anunciou-me lindo futuro. Int.* **12.** Promover e custear a divulgação de anúncio (4): "Quem não *anuncia* se esconde" (*slogan* comercial.) *P.* **13.** Fazer-se anunciar: "Profissionais de todas as categorias se *anunciam.*" (Delso Renault, *O Rio Antigo nos Anúncios dos Jornais,* p. 234.) [Pres. ind.: *anuncio,* etc. Cf. *anúncio.*]

anunciativo. *Adj.* **1.** Que anuncia. **2.** Que contém anúncio.

anúncio. [Do lat. *annuntiu.*] *S. m.* **1.** Notícia ou aviso pelo qual se dá qualquer coisa ao conhecimento público. **2.** Previsão, prognóstico, vaticínio. **3.** Sinal, vestígio, indício. **4.** *Propag.* Mensagem que, por meio de palavras, imagens, música, recursos audiovisuais e/ou efeitos luminosos, pretende comunicar ao público as qualidades de um determinado produto ou serviço, assim como os benefícios que tal produto ou serviço oferece aos seus eventuais consumidores. [Cf. *anuncio,* do v. *anunciar.*] ♦ **Anúncio aéreo.** *Propag.* Anúncio (4) que, sob a forma de faixa ou cartaz, é rebocado por avião ou aeróstato em vôo, à vista de concentrações de público. **Anúncio classificado.** Anúncio de pequeno formato, geralmente sem ilustração, divulgado em seções especializadas de jornais e revistas. [Tb. se diz apenas *classificado.*] **Anúncio cooperativo.** *Propag.* Anúncio que, promovendo as vendas de um produto de determinada marca, tem o seu custeio financiado cooperativamente pelo fabricante do produto e pela loja ou cadeia de lojas onde é vendido. **Anúncio de sustentação.** *Propag.* Aquele que mantém presente nos veículos de divulgação a propaganda de um produto ou serviço já existente no mercado.

anúncio-sanduíche. *S. m. Propag.* Anúncio volante, apresentado sob a forma de dois cartazes justapostos, presos aos ombros do transportador, um à frente e outro às costas. [Tb. se diz apenas *sanduíche.* Pl.: *anúncios-sanduíches* e *anúncios-sanduíche.*]

anuncista. *S. 2 g. Tip.* Gráfico encarregado de compor ou montar anúncios, em oficina de jornal.

anunguaçu. [Var. de *anuguaçu* (q. v.).] *S. m. Bras.* V. *anum-coroca.*

anunzé. *Bras. S. 2 g.* **1.** Indivíduo dos anunzés, tribo indígena nambiquara da região do rio 12 de Outubro (MT). ● *Adj. 2 g.* **2.** Pertencente ou relativo a essa tribo.

ânuo. [Do lat. *annuu.*] *Adj.* Anual: *lei ânua* [q. v.]. [Cf. *anuo,* do v. *anuir.*] ~ V. *aberração —a, equação —a* e *paralaxe —a.*

anu-peixe. *S. m. Bras.* V. *anum-coroca.* [Pl.: *anus-peixes* e *anus-peixe.*]

anu-pequeno. *S. m. Bras.* V. *anum-preto.* [Pl.: *anus-pequenos.*]

anurese. [De *an-* + *urese.*] *S. f. Patol.* **1.** Retenção da urina na bexiga. **2.** Anúria.

anurético. *Adj.* Referente à anurese.

anuri. [Do tupi.] *S. m. Bras., Amaz.* V. *tracajá.*

anuria. *S. f. Patol.* V. *anúria.*

anúria. [De *an-* + *-ur(o)-²* + *-ia.*] *S. f. Patol.* Diminuição ou supressão da secreção urinária. [Var. pros.: *anuria.*]

anúrico. *Adj.* Relativo à anúria.

anuro. [De *an-* + *-uro¹.*] *Adj.* **1.** Desprovido de cauda. **2.** Pertencente ou relativo aos anuros; saliêncio, batrácio, batráquio. ● *S. m.* **3.** Espécime dos anuros; saliêncio, batrácio, batráquio.

anuros. *S. m. pl. Zool.* Animais cordados; anfíbios, da subclasse *Anura,* caracterizados pela cabeça fundida ao corpo, pescoço e caudas ausentes, membros locomotores posteriores mais desenvolvidos, fecundação externa, fase larvária sob forma de girino. São os sapos, rãs e pererecas. [Sin.: *saliêncios* e *batráquios.*]

ânus. [Do lat. *anus.*] *S. m. 2 n. Anat.* Orifício na extremidade terminal do intestino, pelo qual se expelem os excrementos. [Sin. (pop. ou chulos): *cu* e (bras.) *feofó* ou *fiofó, fiota* ou *fiote, finfa, foba, pevide, viegas, alvado, ás-de-copas, fueiro, furico, oritimbó, rosca, zé-de-quinca.* Cf. *anos,* pl. de *ano.*] ♦ **Ânus artificial.** *Cir.* Orifício, de caráter transitório ou permanente, construído cirurgicamente, e que estabelece comunicação direta entre o intestino e o meio exterior, dando passagem a fezes.

anuu. [Do tupi.] *S. m. Bras.* V. *anum-coroca.*

anuviar. [Do lat. *annubilare.*] *V. t. d.* e *p.* Nublar (1, 2 e 3): "Raiva de tigre *anuviou-lhe* o rosto" (Gonçalves Dias, *Obras Poéticas,* II, p. 255).

anverso. [Do fr. *envers.*] *S. m.* **1.** Face de medalha ou de moeda onde se vê a efígie ou emblema. **2.** A parte anterior ou principal de qualquer objeto que tenha dois lados opostos. [Antôn.: *reverso.*]

▲-anzil. *Suf. nom.* = 'aumento': *corpanzil.*

anzol. [Do lat. vulg. *hamiciolu, dim. de hamus, 'gancho'.]. S. m. **1.** Pequeno gancho para pescar, terminado em farpa na qual se põe a isca. **2.** Qualquer gancho com finalidade análoga à do anzol (1). **3.** P. ext. Fig. Isca, engodo: A mulher servia-lhe de a n z o l para pegar os incautos. [Pl.: anzóis.] ♦ **Cair no anzol.** V. cair na esparrela.

anzolado. Adj. **1.** Que tem forma de anzol (1). **2.** Bras. Muito magro; macérrimo.

anzolar. V. t. d. Dar forma ou semelhança de anzol a.

anzol-de-lontra. S. m. Bras., Amaz. Trepadeira arbustiva da família das loganiáceas (Strychnos ericetina), munida de gavinhas axilares, ramos opostos, de um cinzento aveludado, folhas aproximadamente cordiformes na base, flores de pedúnculo curto, brancas, fragrantes, e dispostas em cimeiras axilares, e fruto bacáceo, cor de laranja. A casca da raiz é amarga e contém matéria tintorial. [Pl.: anzóis-de-lontra.]

anzoleiro. S. m. Fabricante e/ou negociante de anzóis.

ao[1]. Comb. da prep. a com o art. o: Vou a o baile. [Flex.: à, aos, às.]

ao[2]. Comb. da prep. a com o pron. dem. neutro o; àquele: Não darei prêmio ao aluno mais inteligente, e sim a o mais aplicado; Devemos valer a o que sofre, e nunca desampará-lo. [Flex.: à, aos, às. Cf. ao[4].]

ao[3]. Comb. da prep. a com o pron. dem. neutro o; àquilo: Não posso responder a o que me perguntas.

ao[4]. Comb. anômala da prep. a com o pron. dem. neutro o, resultante do deslocamento destas duas palavras: Sei bem o que quero, a o que aspiro. [" A o que aspiro" corresponde a 'o a que aspiro', i. e., 'aquilo a que aspiro'. Cf. ao[3].]

▲-ão[1]. Suf. nom. = 'aumento': figurão, facão. [Equiv.: -alhão, -arão, -(z)arrão, -eirão: espertalhão, grandalhão; casarão; homenzarrão, santarrão; boqueirão, toleirão.]

▲-ão[2]. [Do lat. anu.] Suf. nom. = 'providência', 'origem'; 'característica'; 'ofício', 'profissão'; 'relativo a', 'partidário de', 'adepto de': pagão (< lat. paganu), coimbrão, a l d e ã o; e s c r i v ã o, t e c e l ã o; f o l h ã o. [Equiv.: -ano: romano (< lat. romanu), sergipano; ciceroniano (< lat. ciceronianu), luterano.]

▲-ão[3]. Suf. nom., vernáculo = 'ação' ou 'resultado da ação': arranhão, puxão. [Equiv.: -ção (do lat. -tione) e -(s)são (do lat. (s)sione): nomeação (< lat. nominatione); extensão (< lat. extensione), agressão (< lat. aggressione).]

aonde. [De a[3] + onde.] Adv. **1.** A que lugar; lugar a que ou ao qual: A o n d e foste?; "Lá vou! Não sei se saberei a o n d e ..." (Campos de Figueiredo, Imagem da Noite, p. 13). ● Interj. **2.** Bras. Indica descrença ou dúvida ante uma afirmação: — Morreu agora mesmo. — A o n d e ! [Logicamente não seria lícito confundir aonde, 'a que lugar', com onde, 'em que lugar'; e pela distinção entre um e outro se bateram, e ainda hoje se batem, muitos gramáticos e estudiosos. O uso dos melhores autores, porém, desde um Azurara, da fase arcaica da língua, até um José Régio ou um Miguel Torga, dos nossos dias, não distingue onde de aonde. Clássico dos mais reputados, Rebelo da Silva usa aonde por onde cerca de 40 vezes nos seus Contos e Lendas; uma delas (só para exemplificar), na pág. 20: "o cemitério a o n d e dormem os que nos amaram". Por vezes ocorre o emprego simultâneo de um e outro advérbio com a mesma significação: "Nise? Nise? o n d e estás? a o n d e ? a o n d e ?'' (Cláudio Manuel da Costa, Obras Poéticas, I, p. 109); "Mas a o n d e te vais agora, / O n d e vais, esposo meu?" (Machado de Assis, Poesias Completas, p. 207). Note-se, na abonação machadiana, que a métrica não se oporia à repetição do aonde. [Cf. onde.]

aoristo. [Do gr. aóristos, 'indefinido'.] S. m. Gram. Tempo da conjugação grega que indica haver a ação ocorrido em época passada, sem determinar, porém, se está inteiramente realizada no instante em que se fala. [Cf. oaristo.]

aorta. [Do gr. aorté, pelo lat. aorta.] S. f. Anat. Grande artéria que nasce no ventrículo esquerdo do coração.

aortalgia. [De aort(o)- + -algia.] S. f. Patol. Dor na região da aorta.

aortálgico. Adj. Relativo à aortalgia.

aortectasia. [De aort(o)- + -ectas- + -ia.] S. f. Patol. Dilatação da aorta.

aórtico. Adj. Pertencente ou relativo à aorta.

aortite. [De aorta + -ite[1].] S. f. Patol. Inflamação da aorta.

▲aort(o)-. [Do gr. aorté, ês.] El. comp. = 'aorta': aortalgia, aortoclasia.

aortoclasia. S. f. Patol. Ruptura da aorta; aortoclastia.

aortoclastia. [De aort(o)- + -clast(o)- + -ia.] S. f. Patol. Aortoclasia.

aortoclástico. Adj. Relativo à aortoclastia.

aos[1]. Comb. da prep. a com o art. os: "No homem .... tudo é possível. Desde as maiores canalhices a o s mais absurdos sacrifícios." (Salim Miguel, Alguma Gente, p. 61.)

aos[2]. Comb. da prep. a com o pron. dem. masc. os; àqueles: Perdoa até a o s que lhe fazem mal.

➧à outrance (a utranç'). [Fr.] A todo o transe; sem tréguas; até o fim.

■AP. Sigla do Território do Amapá.

apá[1]. [De provável or. indígena.] S. m. Bras. **1.** V. espadeira. **2.** Espécie de peneira.

apá[2]. [De a-[5] + pá, por aglutinação.] S. m. e f. Bras. Pop. Pá[1] (3): "Saiu para curar uma bicheira da novilha cirigada, que levou uma estrepada na a p á ." (Adalberon Cavalcanti Lins, Curral Novo, p. 30.)

apacamã. [De provável or. tupi.] S. m. Bras. V. pacamão (1).

apacanim. [Do tupi yapaka'ni.] S. m. Bras. **1.** Designação comum às espécies de gaviões dos gêneros Spizastur G. R. Gray e Spizastur melanoleucos Vieil., [v. gavião-pato.], que ocorrem desde a América Central até o N. da Argentina, na região cisandina da América do Sul. Uma das espécies do primeiro e outras do segundo gênero têm os tarsos empenados até os dedos: há duas espécies no Brasil. São todos de grande porte e se alimentam preferencialmente de mamíferos; [Var.: inapacanim; sin.: urutaurana.] **2.** Gavião da espécie Spizastur ornatus Daud., com o alto da cabeça negro, dorso e asas brunos, com malhas pretas, nuca bruna avermelhada, meio do peito e rabadilha brancos, abdome preto listrado de branco e uma tira preta que parte do canto da boca. Tem penacho e se alimenta de mamíferos, preferindo macacos; gavião pega-macaco.

apache. [Do ingl. apache, deriv. de um idioma indígena do Novo México, E.U.A., pelo fr. apache.] S. 2 g. **1.** Indivíduo dos apaches, tribo indígena norte-americana de peles-vermelhas. ● S. m. **2.** Em Paris, homem mau e perigoso, explorador de mulheres. **3.** P. ext. Malfeitor, ladrão. ● Adj. 2 g. **4.** Pertencente ou relativo a apache (1).

apachismo. S. m. Atitude ou ação próprias de apache (2 e 3).

apachorrar-se. [De a-[2] + pachorra + -ar[2] + se[1].] V. p. Encher-se de pachorra.

apadrinhador (ô). Adj. e s. m. Que ou aquele que apadrinha.

apadrinhamento. S. m. Ato ou efeito de apadrinhar(-se).

apadrinhar. [De a-[2] + padrinho + -ar[2].] V. t. d. **1.** Ser padrinho de. **2.** Proteger, favorecer, defender: Não encontrou quem a p a d r i n h a s s e a sua pretensão. **3.** Patrocinar; sustentar: a p a d r i n h a r uma causa. **4.** Turfe. Fazer correr (um cavalo manso) junto a outro, geralmente potro indomado, nos exercícios, para amansá-lo. P. **5.** Pôr-se sob a proteção de. **6.** Abonar-se; autorizar-se: Ao defender a sua tese, a p a d r i n h a - s e com bons autores.

apadroar. V. t. d. **1.** Ser padroeiro de. **2.** Favorecer, defender, apadrinhar [Conj.: v. coroar.]

apaga. S. f. Marinh. Cada um dos cabos de laborar fixos às testas dos papafigos, e que, com os brióis, servem para carregar essas velas, prolongando-lhes as testas com o gurutil.

apagado. [Part. de apagar.] Adj. **1.** Que já não arde, não tem fogo ou luz; extinto. **2.** Que não tem brilho; embaciado. **3.** Que não sobressai; sem relevo; medíocre: "O contista e romancista admirável, ... o criador de obras-primas como 'O Alienista', seria um teatrólogo a p a g a d o e medíocre" (R. Magalhães Jr., Artur Azevedo e Sua Época, p. 50). **4.** Riscado, raspado; sumido. **5.** Frustrado, baldado. **6.** Fig. Negro, sombrio. **7.** Que não tem cultura; inculto, ignaro. ~ V. cal —a e tição —.

apagador (ô). S. m. **1.** Aquele ou aquilo que apaga: "Já se imaginava .... fingindo apagar as velas de cera com o a p a g a d o r de couro preto pregado à comprida vara" (Inglês de Sousa, O Missionário, p. 384). **2.** Utensílio escolar de madeira com uma das faces recobertas de feltro, ou material análogo, e que se destina a apagar os traços de giz em quadros-negros ou lousas.

apagamento. S. m. Ato ou efeito de apagar(-se).

apaga-pó. [De apagar + pó.] S. m. Bras., BA. **1.** V. chuvisco (1). **2.** V. garoa[1] (3). [Pl.: apaga-pós.]

apagar. [De a-[4] + pagar.] V. t. d. **1.** Fazer cessar a combustão de (o fogo); extinguir (o fogo ou a luz): "O quarto estava escuro, eu ia sair e acabava de a p a g a r a vela, quando a figura alta e magra do Elisiário apareceu à porta." (Machado de Assis, Páginas Recolhidas, p. 40); "À noite mandaram-no a p a g a r a luz e dormir." (Camilo Castelo Branco, A Mulher Fatal, p. 15). **2.** Fazer perder o brilho; embaciar. **3.** Destruir, aniquilar, extinguir: O ódio a p a g o u - l h e a razão. **4.** Desmanchar, fazer desaparecer o que está escrito, desenhado ou pintado em: a p a g a r o quadro-negro. **5.** Fazer desaparecer; suprimir: "Que o tempo tudo a p a g u e . / Até mesmo o sonhado. / É preciso esquecer." (Emílio Moura, Itinerário Poético, p. 336.) **6.** Aplacar, abrandar, mitigar. **7.** Desvanecer, desbotar: O sol forte a p a g a as cores. **8.** Deslustrar, obscurecer. **9.** Bras. Gír. Fazer perder os sentidos; desacordar: Valendo-se de narcótico, a p a g o u o seqüestrado. **10.** Bras. Gír. V. matar (1): Pretendia a p a g a r as testemunhas antes do julgamento. Int. **11.** Extinguir-se, acabar-se, apagar-se. **12.** Bras. Pop. V. morrer (1). **13.** Bras. Pop. Perder o ânimo, o entusiasmo: Lá pelo fim da festa os convidados começaram a a p a g a r. **14.** Perder o ânimo, o entusiasmo; desanimar, desestimular-se: Ia muito bem nos estudos, com a reprovação injusta, a p a g o u - s e. **15.** Bras. Pop. Entrar em letargia, por efeito de álcool ou droga. **16.** Perder a vivacidade; ceder ao cansaço; esmorecer, desmaiar: Estava muito animado, e de repente a p a g o u . P. **17.** Acabar-se, extinguir-se. **18.** Perder o brilho, embaciar-se: Os olhos da moça a p a g a r a m - s e após a desilusão. **19.** Morrer, falecer, perecer: A p a g o u - s e ainda jovem. [Conjug.: v. largar.]

ápage. [Do gr. ápage, 'vá-se embora', pelo lat. apage.] Interj. V. irra.

apagogia. [Do gr. apagogé, 'ação de levar', + -ia.] S. f. Filos. Redução de um problema a outro; abdução.

apagógico. Adj. Referente à apagogia.

apaí. [Do tupi apa'í.] S. f. Bras., Amaz. V. irerê.

apaiari. [De provável or. tupi.] S. m. Bras. Peixe teleósteo, percomorfo, da família dos ciclídeos, Astronotus ocellatus (Cuv.), da Amaz. e Paraguai. Coloração geral pardo-escura, com faixas transversais escuras e um ocelo característico na base da nadadeira caudal; comprimento: até 30 cm, sendo o maior dos acarás brasileiros; peso: até 1,5 kg. Utiliza-se com bons resultados em piscicultura. [Sin.: acará-grande, acará-açu, acaraçu, acará-guaçu, acarauaçu, acarauçu, aiaraçu, apiari, carauaçu.]

apaideguado. [De a-[2] + pai-d'égua + -ado[1].] Adj. Bras. Pop. De proporções desconformes; muito grande; pai-d'égua: "A chegada do Neca Lourenço acabou com a prosa fiada. Tipão graúdo, a p a i d e g u a d o , mostrando a peitaria cabeluda e dum gordo socado, rijo." (Mário Palmério, Vila dos Confins, p. 138.)

apainelado[1]. [De a-[2] + painel + ado[1].] Adj. Que tem feitio de painel.

apainelado[2]. [Part. de apainelar.] Adj. **1.** Dividido em painéis. **2.** Decorado com painéis: "o interior do casarão agradara-lhe também com a sua disposição apalaçada, os tetos a p a i n e l a d o s , as paredes cobertas de frescos" (Eça de Queirós, Os Maias, I, p. 8).

apainelamento. S. m. **1.** Ato ou efeito de apainelar. **2.** Obra de talha, de estuque, etc., que forma painéis em tetos, paredes, portas, etc.

apainelar. [De a-[2] + painel + -ar[2].] V. t. d. **1.** Dar forma de painel a. **2.** Dividir em painéis. **3.** Ornar, artesoar (teto, parede, etc.) com molduras ou artesões [v. artesão[2]]; lavrar em forma de painel.

apaiolar. [De a-[2] + paiol + -ar[2].] V. t. d. **1.** Meter em paiol. **2.** Guardar como em paiol: A p a i o l o u os mantimentos a um canto.

apaisanado. [De a-[2] + paisano + -ado[1].] Adj. Que tem modos e/ou aspecto de paisano.

apaisanar. [De a-[2] + paisano + -ar[2].] V. t. d. Dar modos, aspecto de paisano a.

apaixonadamente. [Do fem. de apaixonado + -mente.] Adv. De modo apaixonado; com paixão: "Se os meus lábios calavam-se, falava / O meu olhar a p a i x o n a d a m e n t e '' (Guimarães Passos, Versos de um Simples, p. 9).

apaixonadiço. Adj. Que se apaixona facilmente.

apaixonado. [Part. de apaixonar.] Adj. **1.** Dominado por paixão; enamorado. **2.** Que denota, ou em que há paixão: "sentava-se ao piano, e os fados tristes, as cavatinas a p a i x o n a d a s gemiam instintivamente no teclado" (Eça de Queirós, O Primo Basílio, p. 75). **3.** Arrebatado, exaltado, entusiasta. **4.** Diz-se do indivíduo a quem a paixão impede um julgamento imparcial; parcial. ● S. m. **5.** Indivíduo apaixonado. **6.** V. admirador (3).

apaixonante. Adj. 2 g. Que apaixona, prende, cativa; aliciante: problema a p a i x o n a n t e ; enredo a p a i x o n a n t e ; beleza a p a i x o n a n t e ; "O volume [Fronteiras da Santidade, de Otávio de Faria] reúne alguns estudos profundos e ardorosos sobre a a p a i x o n a n t e figura de Léon Bloy" (Mário de Andrade, O Empalhador de Passarinhos, p. 205).

apaixonar. [De a-^{2} + *paixão* + *-ar*^{2}.] *V. t. d.* **1.** Inspirar paixão a; despertar amor em: *Sua graça e beleza apaixonaram o rapaz.* **2.** Entusiasmar, exaltar, arrebatar; "Com a partida de D. João [João VI] abre-se o período de agitações: a emancipação e a nacionalidade assumem formas de reivindicações que apaixonam o povo." (Delso Renault, *O Rio Antigo nos Anúncios de Jornais*, p. 45.) **3.** Consternar, prostrar: *A morte do amigo apaixonou-o* **4.** *Bras. N.E. Pop.* Gostar de; apreciar: "Ouvi falar a este [o Visconde de Sinimbu] bastantes vezes; não apaixonava o debate, mas era simples, claro, interessante, e, fisicamente, não perdia a linha." (Machado de Assis, *Páginas Recolhidas*, pp. 163-164.) *P.* **5.** Encher-se de paixão; deixar-se dominar por sentimento profundo: "Explicou que tinha vindo a Buenos Aires para estudar .... e aqui se apaixonara por uma argentina, com quem se casara." (Maria Julieta Drummond de Andrade, *Um Buquê de Alcachofras*, p. 27); "Na faculdade, se apaixonara [Alceu Amoroso Lima] por três autores: Anatole France, Eça de Queirós, Machado de Assis, três cépticos." (Antônio Carlos Vilaça, *O Desafio da Liberdade*, p. 31). **6.** Encolerizar-se, irar-se, enfurecer-se.

apaixonável. *Adj. 2 g.* Capaz de apaixonar-se.

apajear. [De a-^{2} + *pajem* + *-ar*^{2}.] *V. t. d.* **1.** Servir de pajem a: "Sobre o regaço da Tia Bá, a Mãe-Preta que apajeou todos os filhos do Neto [de Coelho Neto], a Violeta dormia." (Martins Fontes, *Terras da Fantasia*. p. 19.) **2.** Adular, lisonjear. [F. paral.: *pajear*. Conjug.: v. *frear*.]

apalaçado. [De a-^{2} + *palácio* + *-ado*^{1}.] *Adj.* Com aspecto ou forma de palácio: "Entraram na casa apalaçada de Ruivães, inesperadamente." (Camilo Castelo Branco, *Noites de Insônia*, II, p. 33.)

apalaçar. [De a-^{2} + *palácio* + *-ar*^{2}.] *V. t. d.* Dar aparência ou forma de palácio a. [Conjug.: v. *laçar*.]

apalacetado. [De a-^{2} + *palacete* + *-ado*^{1}.] *Adj.* Diz-se de construção com feitio de palacete.

apalachiano. [Do top. *Apalaches* + *-iano*.] *Adj. Geol.* Diz-se do tipo de relevo resultante do reinício da erosão, numa área anteriormente peneplanizada.

apalacianado. [De a-^{2} + *palaciano* + *-ado*^{1}.] *Adj.* Que tem modos palacianos.

apalacianar. [De a-^{2} + *palaciano* + *-ar*^{2}.] *V. t. d.* e *p.* Tornar(-se) palaciano; afazer(-se) à vida do paço.

apaladar. [De a-^{2} + *paladar* + *-ar*^{2}, com síncope.] *V. t. d.* Dar bom sabor ou paladar a.

apalaí. *Bras. s. 2 g.* **1.** Indivíduo dos apalaís, tribo indígena caraíba localizada na região dos rios Maicuru, Paru e Jari, entre o PA e o AP. É uma nação indígena praticamente extinta, pois, com a invasão de suas terras pelo projeto Jari e o conseqüente empobrecimento populacional, e a proximidade dos vaiânia, os apalaí se integraram consideravelmente com esta tribo caraíba de parentesco muito próximo. ● *Adj. 2 g.* **2.** Pertencente ou relativo a essa tribo. [Sin. ger.: *aparaí*.]

apalancar^1. [De a-^{2} + *palanca* + *-ar*^{2}.] *V. t. d.* **1.** Fechar com palancas; trancar. **2.** Defender, fortificar com palancas. *P.* **3.** Defender-se, entrincheirar-se. [Conjug.: v. *trancar*.]

apalancar^2. [De a-^{2} + *palanque* + *-ar*^{2}.] *V. t. d.* Guarnecer de palanques. [Conjug.: v. *trancar*.]

apalavrado. [Part. de *apalavrar*.] *Adj.* Ajustado, combinado, convencionado.

apalavramento. *S. m.* Ato ou efeito de apalavrar(-se).

apalavrar. [De a-^{2} + *palavra* + *-ar*^{2}.] *V. t. d.* **1.** Ajustar sob palavra; contratar; combinar, pactuar. **2.** Ajustar, acertar (negócio) sob palavra. *P.* **3.** Obrigar-se, comprometer-se, empenhar-se, penhorar-se pela palavra.

apalazador (ô). *S. m. Bras. PE* e *AL.* Operário que apalaza sapatos.

apalazar. *Bras. PE* e *AL. V. t. d.* **1.** Costurar os diversos pedaços de couro de (o sapato). *Int.* **2.** Costurar os diversos pedaços de couro do sapato.

apaleador (ô). *S. m.* Aquele que apaleia.

apaleamento. *S. m.* Ato ou efeito de apalear.

apalear. [Do esp. *apalear*.] *V. t. d.* Bater com pau em; espancar. [Conjug.: v. *frear*.]

apalermado. [De a-^{2} + *palerma* + *-ado*^{1}.] *Adj.* Que tem modos e/ou ar de palerma.

apalermar. [De a-^{2} + *palerma* + *-ar*^{2}.] *V. t. d.* e *p.* Tornar(-se) palerma; aparvalhar(-se), atoleimar(-se).

apalmado. [De a-^{2} + *palma* + *-ado*^{1}.] *Adj. Heráld.* Diz-se do escudo onde aparece mão que mostra a palma.

apalpação. *S. f.* Ato ou efeito de apalpar(-se); apalpamento, apalpo.

apalpadeira. [Fem. de *apalpador*.] *S. f. Lus.* Funcionária que, nos postos fiscais, ou de embarque ou desembarque de passageiros, verifica se pessoas de seu sexo conduzem objetos proibidos, como contrabando, armas, etc.

apalpadela. *S. f.* Ato de apalpar uma vez; palpadela. ◆ **Às apalpadelas. 1.** Apalpando, tateando. **2.** Às cegas; em dúvida; com hesitação.

apalpador (ô). *Adj.* e *s. m.* Que, ou aquele que apalpa.

apalpamento. *S. m.* V. *apalpação*.

apalpão. *S. m.* Apalpadela grosseira ou obscena.

apalpar. [De a-^{4} + *palpar*.] *V. t. d.* **1.** Tocar com a mão para conhecer pelo tato; tatear: "Fechei os olhos. Mexi os dedos, procurei as falanges, apalpei os braços, o tronco, o pescoço." (Graciliano Ramos, *Infância*. p. 175); "Ele riu apalpando os bolsos do paletó até encontrar o cigarro." (Lígia Fagundes Teles, *Antes do Baile Verde*, p. 9). **2.** Tocar com delicadeza e brandamente: "Minha mãe passava a mão pela testa, apalpava o rosto como uma tonta: / — Até que enfim ... Parece um sonho!" (Cordeiro de Andrade, *Anjo Negro*, p. 100.) **3.** Procurar, experimentar, sondar: *Apalpava um caminho na mata intrincada.* **4.** Sondar o ânimo, a capacidade, as intenções, a opinião, etc. de; tatear; apalpar o terreno. **5.** Maltratar, afligir: *A longa seca assoladora apalpava a população.* **6.** Deixar vestígios em; abater: *A gripe apalpou-o.* *P.* **7.** Tocar-se com a mão para procurar, ou examinar alguma coisa em si mesmo: "De quando em quando, apalpava-se, e já a carne crescia gorda." (Moreira Campos, *Portas Fechadas*, p. 15.) **8.** Consultar a si mesmo; deliberar consigo: *Antes de tomar a resolução, apalpou-se.* [F. paral.: *palpar*.]

apalpo. [Dev. de *apalpar*.] *S. m.* V. *apalpação*.

apanágio. [Do fr. *apanage*.] *S. m.* Propriedade característica; atributo: "naquele país de montanhas [a Beira Alta] habita a mais bela, a mais laboriosa, e a mais típica raça portuguesa, poetizada por todas as melancolias da pobreza, e opulenta entretanto das virtudes familiais que foram apanágio dos antigos povos pastores." (Fialho d'Almeida, *Pasquinadas*. pp. 330-331).

apandado. [Part. de *apandar*.] *Adj.* Tornado pando.

apandar. [De a-^{2} + *pando* + *-ar*^{2}.] *V. t. d.* e *p.* Tornar (-se) pando.

apandilhar. [De a-^{2} + *pandilha* + *-ar*^{2}.] *V. t. d.* **1.** Roubar (alguém) no jogo. *P.* **2.** Reunir-se em pandilha (1, 2 e 3). **3.** Tornar-se vadio. **4.** Aviltar-se, envilecer, acanalhar-se, abandalhar-se, pandilhar-se.

apandria. [De *ap(o)-* + *-andr(o)-* + *-ia*.] *S. f. Med.* Horror ao sexo masculino.

apândrico. *Adj.* Referente à apandria.

apanha. [Dev. de *apanhar*.] *S. f.* Ato ou efeito de apanhar; colheita, apanhação, apanhadura, apanhamento, apanho: "as mãos calejadas no eito ou na apanha do café" (Autran Dourado, *As Imaginações Pecaminosas*, p. 67).

apanhação. *S. f. Bras.* V. *apanha*.

apanhadeira. [Fem. de *apanhador*.] *S. f.* **1.** Mulher que apanha frutos, cereais, etc. **2.** Pá com que se apanha o lixo, junto com a vassoura.

apanhadiço. *Adj.* Fácil ou em condições de ser apanhado.

apanhado. [Part. de *apanhar*.] *Adj.* **1.** Que se apanhou. ● *S. m.* **2.** Aquilo que se apanhou ou juntou: *um apanhado de flores.* **3.** Resumo, epítome, sinopse. **4.** Nas obras de costura, panejamento colhido ou arregaçado em pregas, dobras, refegos: *A cortina formava, no centro, um apanhado preso por uma larga fita.*

apanhador (ô). *Adj.* **1.** Que apanha. ● *S. m.* **2.** Aquele que apanha. **3.** *P. ext.* Qualquer máquina ou instrumento que apanha, colhe, reúne. **4.** Indivíduo que colhe o fruto maduro do café. **5.** Aquele que extrai o látex da seringa e com ele prepara a borracha.

apanhadura. *S. f.* V. *apanha*.

apanhamento. *S. m.* V. *apanha*.

apanha-moscas. [De *apanhar* + o pl. de *mosca*.] *S. m. 2 n.* **1.** Aparelho para apanhar moscas. ● *S. f. 2 n.* **2.** Planta insetívora da família das droseráceas (*Dionaea muscipula*), cujas folhas se contraem e se fecham sobre os insetos que as tocam, digerindo-os; papa-moscas. **3.** *Bras.* V. *papa-mosca* (1).

apanha-o-bago. [De *apanhar* + *o*^{2} + *bago*.] *S. m. Bras., BA. Folcl.* Um dos passos tradicionais do samba-de-roda da BA, em que o dançarino se agacha como que para apanhar o bago, ou caroço, de jaca: "Os passos do samba já estão consagrados. São apenas três: — o corta-a-jaca, o separa-o-visgo e o apanha-o-bago." (Édson Carneiro, *A Sabedoria Popular*, p. 187.) [Pl.: *apanha-os-bagos*. Cf. *corrido* (9).]

apanhar. [Do esp. *apañar*.] *V. t. d.* **1.** Colher, recolher: *Curvou-se para apanhar flores;* "Eu quinze anos levei a apanhar nas campinas / Os lírios mais gentis e as mais puras boninas" (Luís Delfino, *Posse Absoluta*, p. 65). **2.** Tomar, segurar com a(s) mão(s): *Apanhou o bebê e acariciou-o;* "Apanhou o rifle, saiu ao meio da trilha e detonou." (Coelho Neto, *Banzo*, p. 93). **3.** Segurar com força; agarrar: *O vaqueiro apanhou o novilho, imobilizando-o rapidamente.* **4.** Levantar do chão: *Apanhou, gentilmente, a luva que caíra;* "Apanhando um fio de seda que encontrara a seus pés, começou a enrolá-lo por entre os dedos." (Joaquim Manuel de Macedo, *Os Romances da Semana*, p. 15); "Caiu uma carta do baralho. Ela se curvou para apanhar a carta." (Adalberon Cavalcanti Lins, *Curral Novo*, p. 381). **5.** Caçar ou pescar com rede, armadilha, etc.: *O menino lançou a tarrafa, apanhando vários peixes.* **6.** Prender, capturar, agarrar: *A polícia apanhou o ladrão em poucas horas.* **7.** Tomar, pegar (um veículo): *Saiu e apanhou um táxi.* **8.** Levantar, arregaçar: *Apanhou o vestido para banhar os pés; Apanhou as mangas da camisa.* **9.** Apoderar-se, assenhorar-se de. **10.** Roubar, furtar: *Apanhou tudo o que pôde, no exercício do cargo.* **11.** Contrair, pegar (doença): *apanhar gripe.* **12.** Ser atingido por (chuva, vento, sol, etc.); tomar, pegar: *Saiu sem agasalho e apanhou chuva.* **13.** Receber, sofrer, tomar, levar: *Apanharás muitas lambadas pela travessura.* **14.** Obter, conseguir, receber: "sofreram como os demais, considerando-se felizes quando apanhavam dez ou vinte mil-réis por conta dos vencimentos atrasados." (Artur Azevedo, *Contos Cariocas*, p. 93). **15.** Atingir, alcançar: *Correu muito, mas apanhou o fujão.* **16.** Utilizar, aproveitar: *Apanhou-lhe a idéia e desenvolveu-a.* **17.** Entender, compreender, apreender, perceber: *Apanhou rapidamente o sentido de minhas palavras.* **18.** Adquirir; pegar: *Mudou-se para São Paulo e apanhou logo o sotaque da terra.* **19.** V. *alcançar* (9). *Transobj.* **20.** Encontrar, surpreender, pegar: *Sempre que apanhava o adversário desprevenido, aplicava-lhe um soco.* *Int.* **21.** Fazer colheita; colher. **22.** Levar pancada; ser espancado. **23.** Perder em luta, guerra, jogo, competição desportiva, etc.: *Os italianos apanharam na II Guerra Mundial; Meu time apanhou hoje.* **24.** Demorar ou encontrar grande dificuldade em fazer, resolver, compreender, aprender alguma coisa: *Vai apanhar muito até resolver a equação.* *P.* **25.** Achar-se, ver-se; encontrar-se: *Apanhando-se no poder, esqueceu os velhos amigos.*

apanha-saia. [De *apanhar* + *saia*.] *S. f. Bras.* V. *ganha-saia* (2). [Pl.: *apanha-saias*.]

apanho. [Dev. de *apanhar*.] *S. m.* V. *apanha*.

apaniecra. *Bras. S. 2 g.* **1.** Indivíduo dos apaniecras, tribo indígena timbira. ● *Adj. 2 g.* **2.** Pertencente ou relativo a essa tribo.

apaniguado. [Part. de *apaniguar*.] *S. m.* **1.** Protegido, favorito. **2.** Sectário, partidário. [Sin. bras., S., nesta acepç.: *mumbava*.] [Var. (p. us.): *paniguado*.]

apaniguar. [De a-^{2} + lat. *panificare*, 'fazer pão', 'dar pão'.] *V. t. d.* Dispensar proteção a; favorecer; sustentar. [Conjug.: v. *averiguar*.]

apantomancia (cí). [Do gr. *ápas*, *ápantos*, 'tudo', + *-mancia*.] *S. f.* Adivinhação ou previsão por meio de coisas que se apresentam imprevistamente aos olhos.

apantomante. [Do gr. *ápas*, *ápantos*, 'tudo', + *-mante*.] *S. 2 g.* Pessoa que pratica a apantomancia.

apantomântico. *Adj.* Relativo à apantomancia, ou a apantomante.

apantóptero. *S. m.* e *adj.* Colêmbolo.

apantópteros. *S. m. pl. Zool.* Colêmbolos.

apantropo. [De *ap(o)-* + *-antropo*.] *S. m. Desus.* V. *misantropo*.

apantufado. [Part. de *apantufar*.] *Adj.* Que tem feitio de pantufa (1).

apantufar. [De a-^{2} + *pantufa* + *-ar*^{2}.] *V. t. d.* **1.** Dar feição de pantufa a. *P.* **2.** Calçar pantufas.

apapá. [Do tupi *apa'pá*.] *S. m. Bras., Amaz.* **1.** Designação popular de várias espécies de sardinhas de água doce que ocorrem na Amaz., sobretudo as dos gêneros *Neostens* Norm., *Pristigaster* Cuv. e *Rhinosardinia* Eig., de pequeno valor comercial. [Cf. *sardinha-branca*, *sardinha-da-água-doce*, *sardinha-dourada*.] **2.** Planta da família das ocnáceas, gênero *Elvasia*.

apapagaiado. [De a-^{2} + *papagaio* + *-ado*^{1}.] *Adj. Bras.* Que parece ou lembra papagaio, sobretudo pelo tom berrante do colorido.

apaparicar. [De a-^{2} + *paparico* + *-ar*^{2}.] *V. t. d.* **1.** Dar paparicos ou guloseimas a. **2.** Tratar com paparicos; acariciar, amimar, adular. **3.** Gabar, lisonjear, incensar. [F. paral.: *paparicar* (q. v.). Conjug.: v. *trancar*.]

apapocuva. *Bras. S. 2 g.* **1.** Indivíduo dos apapocuvas, tribo indígena guarani das imediações do rio Iguatemi (MT). ● *Adj. 2 g.* **2.** Pertencente ou relativo a essa tribo.

apar. *S. m. Bras.* V. *tatu-bola.* [Cf. a loc. *a par.*]

apara[1]. [Dev. de *aparar.*] *S. f.* **1.** Fragmento de qualquer objeto que se desbasta, com serra, lima, etc.; cerceadura. **2.** *Tip.* Sobra de papel cortado ou aparado nas margens, em geral com guilhotina. ~ V. *aparas.*

apara[2]. [F. red. de *tatuapara.*] *S. m. Bras.* V. *tatu-bola.* ~ V. *aparas.*

aparabolar. [De *a-*[2] + *parábola*[1] + *-ar*[2]] *V. t. d.* **1.** Dar feição de parábola a. **2.** Explicar por meio de parábola.

aparação. *S. f.* Aparagem.

aparadeira. [Fem. de *aparador.*] *S. f.* **1.** Parteira curiosa: "Parto natural, com a aparadeira sem ter muito o que fazer." (Povina Cavalcanti, *Volta à Infância*, p. 15.) **2.** V. *comadre* (5). **3.** *Bras., AL.* Vaso onde se vomita.

aparadela. *S. f.* Ato ou efeito de aparar uma vez ou de leve: *Dei uma aparadela no cabelo.*

aparado. [Part. de *aparar.*] *Adj.* **1.** Que recebeu apanagem ou aparadela. ● *S. m.* **2.** *Bras.* Ponto terminal, abrupto, de uma serra. ~ V. *aparados.*

aparador (ô). *Adj.* **1.** Que apara. ● *S. m.* **2.** Aquele que apara. **3.** Móvel de sala de jantar, relativamente longo, da altura da mesa de refeições, e cujo tampo serve para receber os pratos ou travessas com comida durante o almoço ou jantar; bufê, bufete: "O aparador cheio dos frascos de cristal, dos jarros de flores, da fruteira" (Pedro Nava, *Balão Cativo*, p. 43).

aparados. [Pl. de *aparado.*] *S. m. pl. Bras., RS.* Os contrafortes da Serra Geral. ~ V. *aparado.*

aparafusamento. *S. m.* Ato ou efeito de aparafusar.

aparafusar. [De *a-*[2] + *parafuso* + *-ar*[2].] *V. t. d.* **1.** Fixar, segurar com parafuso. **2.** Apertar (parafuso) com a respectiva chave. **3.** Firmar, fixar, imobilizar. *Int.* **4.** Meditar, cismar. [F. paral.: *parafusar.*]

aparagatar. *V. t. d. Bras. Pop.* V. *apragatar.*

aparagem. *S. f.* Ato ou efeito de aparar; aparação.

aparai. *Bras. S. 2 g.* e *adj. 2 g.* Apalai.

apara-lápis. [De *aparar* + *lápis*] *S. m. 2 n.* Apontador (3).

apara-mangaba. [De *aparar* + *mangaba*] *Adj.* e *s. m. Bras. BA. Pop.* Diz-se de, ou chapéu de abas muito largas. [Pl.: *apara-mangabas.*]

aparamentar. [De *a-*[2] + *paramento* + *-ar*[2].] *V. t. d.* e *p.* V. *paramentar.*

aparar. [De *a-*[4] + *parar.*] *V. t. d.* **1.** Tomar, receber, segurar (o que se tira, ou o que cai): *Atiravam-lhe frutos, que aparava no avental.* **2.** Receber (ataque, golpe, coisa arremessada, etc.) resguardando-se de ser atingido. **3.** Cortar parte, porção da(s) borda(s) ou ponta(s) de: *aparar a grama.* **4.** Desbastar as asperezas de; alisar, aplainar. **5.** Aguçar, adelgaçar; apontar: *aparar um lápis.* **6.** Apurar, aperfeiçoar, polir: *aparar o estilo.* **7.** Tolerar, aceitar. **8.** *Bras.* Mimar, amimar, adular. **9.** *Bras., N.E.* Fazer o parto de (uma criança).

aparas. [Pl. de *apara*[1].] *S. f. pl.* **1.** Sobras do queijo imprensado. **2.** Lascas de mandioca secas ao sol. **3.** Pedaços de carne que sobram de um peso grande. ~ V. *apara.*

aparatar. [De *aparato* + *-ar*[2].] *P. us. V. t. d.* **1.** Tornar aparatoso. **2.** Enfeitar, adornar, ornar. *P.* **3.** Enfeitar-se, adornar-se, ornar-se.

aparato. [Do lat. *apparatu.*] *S. m.* **1.** Ostentação em atos públicos ou particulares. **2.** Magnificência, luxo, pompa. **3.** Conjunto de elementos materiais específicos de que se lança mão para mostrar poder, força, erudição, etc.: *aparato bélico; edição feita com aparato crítico.*

aparatoso (ô). *Adj.* **1.** Feito com aparato. **2.** Em que há aparato; magnificente, luxuoso, pomposo.

aparceirar. [De *a-*[2] + *parceiro* + *-ar*[2].] *V. t. d.* **1.** Tomar como parceiro ou sócio. **2.** Fazer entrar em sociedade. *P.* **3.** Entrar em sociedade ou parceria; associar-se, emparceirar-se. **4.** Mancomunar-se, abandar-se.

aparcelado[1]. [Part. de *aparcelar*[1].] *Adj.* Disposto ou dividido em parcelas.

aparcelado[2]. [Part. de *aparcelar*[2].] *Adj.* Cheio de parcéis (o mar).

aparcelamento. *S. m.* Ato ou efeito de aparcelar[1].

aparcelar[1]. [De *a-*[2] + *parcela* + *-ar*[2].] *V. t. d.* Dividir ou dispor em parcelas [v. *parcela* (1 e 2)]. [Cf. *parcelar*[2].]

aparcelar[2]. [De *a-*[2] + *parcel* + *-ar*[2].] *V. t. d.* Encher de parcéis.

aparecente. [Do lat. *apparescente.*] *Adj. 2 g.* Que principia a aparecer.

aparecer. [Do lat. *apparescere.*] *V. int.* **1.** Principiar a ser visto; tornar-se visível; mostrar-se: "Vejo-a, e cuido uma dríada estar vendo, / Por entre os claros de uma selva basta, / Aparecendo e desaparecendo..." (Raimundo Correia, *Poesias*, p. 130); *ao raiar do dia, a terra apareceu ao longe.* **2.** Expor-se à vista; exibir-se, mostrar-se: *A rainha apareceu na sacada do palácio.* **3.** Ser patente, perceptível ou sensível; mostrar-se, revelar-se: *Seu modo de pensar aparece claramente em seus escritos.* **4.** Surgir; manifestar-se: *Nove anos após a Conjuração Mineira apareceu outro movimento em prol da independência, conhecido como "Conjuração Baiana".* **5.** Ser publicado; sair: *Esta revista aparece aos sábados.* **6.** Ir a reuniões; fazer vida social; ser notado: *Gosta de aparecer.* *T. i.* **7.** Comparecer; apresentar-se. **8.** Mostrar-se, apresentar-se: *Uma visão apareceu-lhe em sonho;* "De noite, quando dormia, apareceu-lhe um anjo" (Machado de Assis, *A Semana*, II, p. 287). *Pred.* **9.** Mostrar-se, apresentar-se: "Fora das luvas, as mãos apareciam grandes e nodosas." (Graciliano Ramos, *Viagem*, p. 40.) [Conjug.: v. *aquecer.*]

aparecidense[1]. *Adj. 2 g.* **1.** De, ou pertencente ou relativo a Aparecida (SP). ● *S. 2 g.* **2.** Natural ou habitante de Aparecida.

aparecidense[2]. *Adj. 2 g.* **1.** De, ou pertencente ou relativo a Aparecida do Tabuado (MS). ● *S. 2 g.* **2.** Natural ou habitante de Aparecida do Tabuado. [Sin. Ger.: *tabuadense.*]

aparecidense[3]. *Adj. 2 g.* **1.** De, ou pertencente ou relativo a Conceição da Aparecida (MG). ● *S. 2 g.* **2.** Natural ou habitante de Conceição da Aparecida.

aparecidense[4]. *Adj. 2 g.* **1.** De, ou pertencente ou relativo a Nossa Senhora da Aparecida (RJ). ● *S. 2 g.* **2.** Natural ou habitante de Nossa Senhora da Aparecida.

aparecido. [Part. de *aparecer.*] *Adj.* **1.** Que apareceu. ● *S. m.* **2.** Aquele ou aquilo que apareceu.

aparecimento. *S. m.* **1.** Ato ou efeito de aparecer. **2.** Origem, princípio: *Trabalhou no Jornal desde o aparecimento deste.* [Sin. ger.: *aparição.*]

aparelhado. [Part. de *aparelhar.*] *Adj.* Que se aparelhou. ~ V. *alvenaria —a* e *pedra —a.*

aparelhador (ô). *S. m.* **1.** Aquele que aparelha. **2.** Aquele que dirige certos trabalhos de construção.

aparelhagem. *S. f.* **1.** Conjunto de aparelhos. **2.** *Carp.* Ato ou operação de aplainar, fixar, preparar a madeira.

aparelhamento. *S. m.* Ato ou efeito de aparelhar(-se); aparelho.

aparelhar. [Do lat. vulg. **appariculare* < *apparare*, 'preparar'.] *V. t. d.* **1.** Dispor convenientemente; preparar, organizar, arranjar. **2.** Enfeitar, ornar, adornar. **3.** Arrear (a cavalgadura): "Aparelha esse cavalo preto, curador!" (Camilo Castelo Branco, *O Santo da Montanha*, p. 53.) **4.** Atrelar a(s) cavalgadura(s) a: *aparelhar uma carroça.* **5.** Prover de equipamentos, engenhos, peças, etc. **6.** Dispor as peças que hão de servir para (alguma obra). **7.** Desbastar, lavrar, aplainar (madeira ou pedra) para obra: "Seu ofício era outro, o de sapateiro. Não aquele, o de aparelhar, juntar e pregar tábuas." (Nélson de Faria, *Tiziu e Outras Estórias*, p. 137.) **8.** Dar a primeira demão de pintura ou caiação a (uma superfície). **9.** Dotar (embarcação) de todos os equipamentos, engenhos, peças, etc., necessários ao cumprimento de sua missão. *T. d. e i.* **10.** Preparar, dispor. *Int.* **11.** Preparar-se para partir. *P.* **12.** Preparar-se, aprontar-se, dispor-se. **13.** Armar-se; prover-se: "Co ferro o duro Pirro se aparelha" (Luís de Camões, *Os Lusíadas*, III, p. 131). **14.** Enfeitar-se, adornar-se. [Tem o e fechado nas f. rizotônicas: *aparelho* (ê), *aparelhas* (ê), *aparelha* (ê), *aparelham* (ê); *aparelhe* (ê), *aparelhes* (ê), *aparelhe* (ê), *aparelhem* (ê).]

aparelhável. *Adj. 2 g.* Que pode ser aparelhado.

aparelho (ê). [Do lat. **appariculu* < **appariculare*, 'aparelhar'.] *S. m.* **1.** Aparelhamento. **2.** Disposição, organização. **3.** Conjunto de mecanismos, de finalidade específica, numa máquina, engenho, etc.: *aparelho de pontaria; aparelho de inversão da marcha.* **4.** Máquina, instrumento(s), objeto(s), ou utensílio(s) para um determinado uso: *aparelho de barbear; aparelho de pesca.* **5.** Peça ou conjunto formado pelas ataduras, tala(s), gesso, etc., com que se protegem fraturas ósseas, luxações, etc.: *Ela já saiu do hospital com a perna no aparelho.* **6.** *Anat.* Designação genérica de grupo de órgãos que agem em conjunto visando cumprir uma função especial, como, p. ex., aparelho digestivo, aparelho respiratório. [Cf. *sistema* (12).] **7.** Serviço (12): *O jantar foi servido num aparelho da Companhia das Índias.* **8.** *Arquit.* Disposição ou maneira de assentar as pedras ou os tijolos na construção de paredes, arcos ou cúpulas, com objetivo de obter boa amarração. **9.** *Bras.* O médium que recebe um espírito ou um orixá, nas manifestações espíritas ou de umbanda. [Cf. *cavalo* (12) e *cavalo do santo.*] **10.** *Bras.* Telefone (2). **11.** *Bras.* V. *latrina* (1). **12.** *Bras.* Local (casa, apartamento, etc.) destinado a reuniões de um grupo político clandestino, à guarda de material, a esconderijo ou moradia de seus membros. ◆ **Aparelho de laborar.** *Marinh.* Sistema composto de moitões ou cadernais, um fixo e outro móvel, e de um cabo neles passado. [Cf. *aparelho do navio.*] **Aparelho do navio.** *Marinh.* Conjunto de todas as peças que contribuem para a propulsão de um navio a vela. Subdivide-se em aparelho fixo e aparelho de laborar. [Cf. *aparelho de laborar, aparelho fixo.*] **Aparelho esporífero.** *Morfol. Veg.* Órgão aéreo dos cogumelos, destinado a produzir os esporos, pelos quais se processa a reprodução; aparelho esporígeno. [Cf. *píleo* (3).] **Aparelho esporígeno.** *Morfol. Veg.* Aparelho esporífero. **Aparelho fixo.** *Marinh.* Sistema de cabos e peças de poleame, tais como estais, brandais, enxárcias, etc., permanentemente ligados a mastros, mastaréus, vergas, etc. [Cf. *aparelho do navio.*] **Aparelho fonador.** *Fon.* O conjunto dos órgãos da fala, constituído das seguintes partes: a) pulmões, brônquios, e traquéia, órgãos respiratórios que fornecem a corrente de ar para a fonação; *b*) laringe, onde se localizam as cordas vocais, que produzem a energia sonora utilizada na fonação; c) cavidades supralaríngeas — faringe, boca e fossas nasais — que funcionam como caixas de ressonância. [A cavidade bucal varia de forma e volume, em função dos movimentos de órgãos ativos, sobretudo a língua.] **Aparelho sanitário.** Cada uma das peças do equipamento dos banheiros, lavabos, etc., tais como a pia, a banheira, o chuveiro, o bidê, o vaso ou w.c., com os respectivos acessórios; louça sanitária.

aparência. [Do lat. *apparentia.*] *S. f.* **1.** Aquilo que se mostra à primeira vista, exteriormente; aspecto, ar: *Tem aparência de pessoa fina.* **2.** Aquilo que parece realidade sem o ser; ilusão, fingimento; disfarce: *Seu interesse no caso era pura aparência.* **3.** *Filos.* Simulação da realidade e, portanto, ocultamento de uma realidade diferente. **4.** *Filos.* Manifestação, total ou parcial, da realidade. ~ V. *aparências.*

aparências. *S. f. pl.* **1.** Sinais exteriores: "As aparências enganam" (prov.). **2.** Superficialidades, exterioridades: *Ela só liga para as aparências.* ~ V. *aparência.* ◆ **Manter as aparências.** Dar demonstração externa de decoro, decência, correção, bondade, amizade, riqueza, etc.: *Apesar de empobrecida fazia qualquer sacrifício para manter as aparências.* **Salvar as aparências.** Proceder de modo que não dê a perceber uma situação embaraçosa, vergonhosa, penosa, difícil, etc.: *Os dois cunhados ainda se falavam, só para salvar as aparências.*

aparentado. [Part. de *aparentar.*] *Adj.* **1.** Que tem parentesco com alguém. **2.** *P. ext.* Que tem parentes influentes.

aparentar[1]. [De *aparente* + *-ar*[2].] *V. t. d.* **1.** Apresentar na aparência, exteriormente: *Não aparenta a idade que tem.* **2.** Inculcar (qualidade, aspecto, etc., que não tem); fingir, afetar. *É um vaidoso, e aparenta grande modéstia;* "Precisava aparentar placidez de cordeiro." (Adalberon Cavalcanti Lins, *Curral Novo*, p. 314). *T. i.* **3.** Ter aparência; dar ares: *Este indivíduo aparenta de pessoa honrada.* *P.* **4.** Dar-se aparência de; inculcar-se, fingir-se: *Gosta de aparentar-se rico.* **5.** Ter a aparência de; assemelhar-se a; parecer-se: "A política aparenta-se muito ao comércio; também ela vive dum princípio de exploração e de lucro." (Murilo Mendes, *O Discípulo de Emaús*, p. 89.) [Var. (p. us.): *parentar.*]

aparentar[2]. [De *a-*[2] + *parente* + *-ar*[2].] *V. t. d.* **1.** Estabelecer parentesco entre. *T. d. e i.* **2.** Ligar por parentesco; tornar parente: *O casamento aparentou-o com pessoas ilustres.* *P.* **3.** Fazer-se parente; contrair parentesco.

aparente. [Do lat. *apparente.*] *Adj. 2 g.* **1.** Que dá a aparência (1) de ser, que parece ser mas não é; falso, fingido. **2.** Que parece real ou verdadeiro, mas não existe, necessariamente, na realidade. **3.** Que aparece, que se vê; visível. ~ V. *concreto —, discurso indireto —, horizonte —, meio-dia —, potência —* e *vento —.*

apáreon. *S. m. Astr.* Ponto da órbita de um satélite de Marte quando este satélite se acha mais próximo do planeta.

aparição. [Do lat. *apparitione.*] *S. f.* **1.** V. *aparecimento.* **2.** V. *fantasma* (3).

aparo. [Dev. de *aparar.*] *S. m.* **1.** Ato ou efeito de aparar. **2.** Corte que se dava na pena de ave com que se escrevia. **3.** *Lus.* Pena metálica, que se adapta a uma caneta; pena.

aparoquiado. [Part. de *aparoquiar.*] *Adj.* Que se aparoquiou.

aparoquiar-se. [De *a-*[2] + *paróquia* + *-ar*[2] + *se*[1].] *V. p.* **1.** Tornar-se paroquiano. **2.** Estabelecer-se na paróquia.
aparrado. [De *a-*[2] + *parra* + *-ado*[1].] *Adj.* **1.** Semelhante à parra. **2.** *Fig.* Baixo e largo; atarracado.
aparreirado. [Part. de *aparreirar.*] *Adj.* Plantado, coberto ou cercado de parreiras.
aparreirar. [De *a-*[2] + *parreira* + *-ar*[2].] *V. t. d.* Plantar, cobrir ou cercar de parreiras.
aparta. [Part. de *apartar.*] *S. f. Ind. Pap.* Separação dos trapos em classes, nas fábricas de papel, segundo a qualidade de fibra, a cor, etc.
apartação. *S. f.* **1.** Ato ou efeito de apartar(-se); apartada, apartamento. **2.** *Bras.* Ato de apartar ou separar o gado para certo fim; aparte[2] **3.** Vaquejada (2).
apartada. *S. f.* V. *apartação* (1).
apartado. [Part. de *apartar.*] *Adj.* **1.** Desviado do caminho; afastado. **2.** Longínquo, remoto.
apartador (ô). *Adj.* e *s. m.* Que, ou aquele que aparta.
apartamento[1]**.** [De *apartar* + *-mento.*] *S. m.* **1.** V. *apartação* (1). **2.** *Náut.* Distância, em milhas marítimas, entre os meridianos de dois pontos da superfície terrestre, medida sobre o paralelo comum quando ambos estão na mesma latitude, e sobre o paralelo médio quando estão em latitudes diferentes.
apartamento[2]**.** [Do fr. *appartement.*] *S. m. Arquit.* **1.** Residência particular, servida por espaços de uso comum, em edifícios com diversas unidades. **2.** Aposento separado; quarto; câmara. **3.** Muro divisório; cerca. ◆ **Apartamento conjugado.** Apartamento[2] (1), composto de sala e quarto reunidos em uma só peça, de banheiro e de cozinha ou *kitchenette* [q. v.]. [Tb. se diz apenas *conjugado.*]
apartar. [De *a-*[2] + *parte* + *-ar*[2].] *V. t. d.* **1.** Desunir, separar; afastar: *Com uma alavanca, a p a r t o u as rochas que fechavam a gruta; Uma briga à-toa os a p a r t o u.* **2.** Pôr de parte; separar: *A p a r t o u as melhores cavalgaduras e ofereceu-as aos soldados.* **3.** Separar (os contendores, numa briga). **4.** Fazer cessar (uma briga), apartando os contendores. **5.** Sulcar, cortar: *a p a r t a r as ondas.* **6.** Desviar, afastar: *Ao vê-la, a p a r t o u os olhos.* **7.** *Bras., N.E. Pop.* Trocar (dinheiro) em miúdos. **8.** *Bras.* Separar (o gado) em grupos ou lotes, por ocasião das vaquejadas. *T. d. e i.* **9.** Separar, estremar: *a p a r t a r o bem do mal.* **10.** Separar de um grupo; segregar: *A p a r t e i -o das más companhias. Int.* **11.** *Bras.* Secar (um rio de regime torrencial) durante a estiagem. **12.** *Bras.* Secar (o leite da vaca, até que esta dê nova cria). *P.* **13.** Separar-se, afastar-se: "Quando de ti m e a p a r t o, sinto logo / A desconsolação dos infelizes / Que despertam dum sonho venturoso..." (Eugênio de Castro, *Obras Poéticas,* V, p. 50.) **14.** Ausentar-se, retirar-se. **15.** Divorciar-se. **16.** Ir-se, partir, separando-se de um grupo. [Pres. subj.: *aparte,* etc. Cf. a loc. adv. *à parte.*]
aparte[1]**.** [De *à*[1] + *parte.*] *S. m.* **1.** Interrupção que se faz a um orador, no meio do seu discurso. **2.** *Teat.* Aquilo que um ator diz em cena como se fosse unicamente para si. **3.** *Teat.* Comentário crítico ou esclarecedor, dirigido aos espectadores por um ou mais personagens, no decorrer da ação da peça: *os a p a r t e s do Arlequim.* [Cf. a loc. adv. *à parte.*]
aparte[2]**.** [Part. de *apartar.*] *S. m. Bras., S.* V. *apartação* (2). [Cf. a loc. adv. *à parte.*]
aparteador (ô). *Adj.* e *s. m.* Aparteante.
aparteante. *Adj. 2 g.* e *s. 2 g.* Que ou quem aparteia; aparteador.
apartear. *V. t. d.* **1.** Interromper com apartes; dirigir apartes a. *Int.* **2.** Interromper com apartes; dirigir apartes a alguém. [Conjug.: v. *frear.*]
➧**apartheid** (apart'rait). [Hol.] *S. f.* **1.** Separação. **2.** *Restr.* Sistema oficial de segregação racial praticada na África do Sul para proteger a minoria branca.
apartidário. [De *a-*[3] + *partidário.*] *Adj.* Alheio ou contrário a partidos [v. *partido* (4)].
apartidarismo. *S. m.* Sistema, convicção ou pendor apartidário.
apartista. *Adj. 2 g.* e *s. 2 g.* Que ou quem tem a mania de apartear.
aparvalhado. [Part. de *aparvalhar.*] *Adj.* **1.** V. *tolo* (1 a 3). **2.** Desorientado, desnorteado.
aparvalhamento. *S. m.* Ato ou efeito de aparvalhar(-se).
aparvalhar. [De *a-*[2] + *parvo* + *-alhar.*] *V. t. d.* e *p.* **1.** Tornar(-se) parvo, idiota, atoleimado; apalermar(-se), atoleimar(-se). **2.** Tornar(-se) atrapalhado, desorientado, desnorteado; desorientar(-se), desnortear(-se).
aparvoado. [De *a-*[2] + *parvo* + *-ado*[1].] *Adj.* Um tanto parvo, atoleimado.
aparvoar. [De *a-*[2] + *parvo* + *-ar*[2].] *V. t. d.* e *p.* Aparvalhar. [Conjug.: v. *coroar.*]
apascentador (ô). *Adj.* e *s. m.* Que ou aquele que apascenta (especialmente rebanhos).
apascentamento. *S. m.* Ato ou efeito de apascentar(-se).
apascentar. [De *a-*[2] + *pascente,* part. pres. do lat. *pascere,* 'pastar', + *-ar*[2].] *V. t. d.* **1.** Levar ao pasto ou pastagem. **2.** Guardar durante o pasto; pastorear, pastorar, apastorar. **3.** Doutrinar, ensinar; guiar, pastorear: *Cristo a p a s c e n t a v a os seus seguidores usando de parábolas.* **4.** Recrear, deleitar, entreter: *A p a s c e n t a v a os olhos num grupo de belas mulheres.* **5.** Nutrir, alimentar, sustentar. *P.* **6.** Nutrir-se, alimentar-se, sustentar-se. **7.** Recrear-se, deleitar-se, entreter-se. [F. paral.: *pascentar.*]
apassamanado. [Part. de *apassamanar.*] *Adj.* Guarnecido ou adornado de passamanes.
apassamanar. [De *a-*[2] + *passamanes* + *-ar*[2].] *V. t. d.* Guarnecer ou adornar com passamanes ou passamanaria; passamanar.
apassivação. *S. f.* Ato ou efeito de apassivar; passivamento.
apassivado. [Part. de *apassivar.*] *Adj. Gram.* Empregado na voz passiva.
apassivador (ô). *Adj. Gram.* Que apassiva; apassivante. ~ V. *partícula* —a.
apassivamento. *S. m.* Apassivação.
apassivante. *Adj. 2 g. Gram.* Apassivador.
apassivar. [De *a-*[2] + *passivo* + *-ar*[2].] *V. t. d.* **1.** Tornar passivo, inerte ou indiferente. **2.** *Gram.* Pôr (verbo) na voz passiva; empregar passivamente.
apastorar. [De *a-*[4] + *pastorar.*] *V. t. d.* V. *pastorar.*
apatacado. [De *a-*[2] + *pataca* + *-ado*[1].] *Adj. Bras.* Que tem muitas patacas ou dinheiro; endinheirado, rico.
apatetado. [De *a-*[2] + *pateta* + *-ado*[1].] *Adj.* **1.** Um tanto pateta; abobalhado, amalucado. **2.** V. *tolo* (1, 2 e 3).
apatetamento. *S. m.* Ato ou efeito de apatetar(-se).
apatetar. [De *a-*[2] + *pateta* + *-ar*[2].] *V. t. d.* e *p.* Tornar(-se) pateta; atoleimar(-se), aparvalhar(-se).
apatia. [Do gr. *apátheia,* pelo lat. *apathia.*] *S. f.* **1.** Estado de insensibilidade; impassibilidade, indiferença. **2.** Falta de energia; indolência: "Era uma insurreição .... que desejava, acima de tudo, marcar a diferença .... entre a a p a t i a e o dinamismo" (Alceu Amoroso Lima, *Quadro Sintético da Literatura Brasileira,* p. 100). **3.** *Filos.* No ceticismo e no estoicismo, estado em que a alma se torna insensível à dor e a qualquer sofrimento. [Cf. *ataraxia* (1), *atambia* e *eutimia.*] **4.** *Patol.* V. *acrodinia* (2).
apático. *Adj.* Que tem apatia.
apatifar. [De *a-*[2] + *patife* + *-ar*[2].] *V. t. d.* e *p.* Tornar(-se) patife ou desprezível; aviltar(-se), envilecer(-se).
apatita. *S. f. Min.* Mineral hexagonal, fluorfosfato ou clorofosfato de cálcio, ou ambos em mistura, matéria-prima para a fabricação de adubo fosfatado.
apatizar. *V. t. d.* e *p.* Tornar(-se) apático.
apátrida. [Do gr. *ápatris, idos.*] *S. 2 g.* Pessoa que não tem nacionalidade, por haver perdido a nacionalidade de origem, em conseqüência de naturalização, casamento ou outro fator, e haver depois perdido a nacionalidade adquirida sem readquirir a primeira.
apatronar. *V. t. d. Bras.* Laçar (o gado) a tiracolo.
apaulado (a-u). [De *a-*[2] + *paul* + *-ado*[1].] *Adj.* Em que há paul; paludado, palustre, pantanoso.
apaular (a-u). [De *a-*[2] + *paul* + *-ar*[2].] *V. t. d.* e *p.* Converter(-se) em paul; fazer(-se) paludoso. [Conjug.: v. *saudar.*]
apaulistado. [De *a-*[2] + *paulista* + *-ado*[1].] *Adj. Bras.* Semelhante a, ou próprio de paulista; ou do que o é: "A voz era brandíssima, um tanto a p a u l i s t a d a" (Machado de Assis, *Várias Histórias,* p. 83); *Tem um modo de viver a p a u l i s t a d o.*
apavesar. [De *a-*[2] + *pavês* + *-ar*[2].] *V. t. d., int.* e *p.* V. *empavesar.*
apavonar. [De *a-*[2] + *pavão* + *-ar*[2].] *V. t. d.* e *p.* V. *empavonar.*
apavorado. [Part. de *apavorar.*] *Adj.* Cheio de pavor; aterrorizado, pávido: *É uma criança eternamente a p a v o r a d a.*
apavorador (ô). *Adj.* Apavorante.
apavoramento. *S. m.* Ato ou efeito de apavorar(-se).
apavorante. *Adj. 2 g.* Que apavora; apavorador.
apavorar. [De *a-*[2] + *pavor* + *-ar*[2].] *V. t. d.* **1.** Causar pavor a; aterrar; aterrorizar, espavorir, espantar. *Int.* **2.** Infundir pavor; meter medo; ser pavoroso; aterrar, aterrorizar: "Quando este mar embravece, vagalhões como montanhas despedaçam-se com fúria nas falésias maciças, ecoam nas grutas e ribombam com um estrondo que a p a v o r a." (Raul Brandão, *As Ilhas Desconhecidas,* pp. 227-228.) *P.* **3.** Assustar-se, aterrorizar-se, aterrar-se: "Minha mãe descobriu nódoas no chão, ... a p a v o r o u - s e ao ter notícia de que elas eram sangue de tuberculoso." (Graciliano Ramos, *Infância,* p. 54.)
apazeiro (pà). [De *apá*[1] + *-z-* + *-eiro.*] *S. m. Bras.* V. *espadeira.*
apaziguador (ô). *Adj.* **1.** Que apazigua; apaziguante. ● *S. m.* **2.** Aquele que apazigua.
apaziguamento. *S. m.* Ato ou efeito de apaziguar(-se).
apaziguante. *Adj. 2 g.* Apaziguador (1).
apaziguar. [De *a-*[4] + lat. **pacificare.*] *V. t. d.* e *p.* **1.** Pôr(-se) em paz; pacificar(-se). **2.** Aplacar(-se); aquietar(-se), assossegar(-se), sossegar(-se): "esta solidão, este solene silêncio, ... a p a z i g u a os sentimentos como um banho calmante" (Ramalho Ortigão, *A Holanda,* p. 161). **3.** Reconciliar(-se), harmonizar(-se). [Var.: *paziguar.* Conjug.: v. *averiguar.*]
apé. [Do tupi *a'pé.*] *S. m.* **1.** *Bras.* V. *conduru-de-sangue.* **2.** *Bras., AM.* V. *vitória-régia.* [Cf. *apê* e a loc. adv. *a pé.*]
apê. [Do tupi.] *S. m. Bras.* Planta amazônica da família das aráceas (*Urospatha caudata*), de folhas grandes e lobadas, cultivada em vaso. [Cf. *apé* e a loc. adv. *a pé.*]
apeadeira. [De *apear* + *-deira.*] *S. f.* Poial ou tronco destinado a facilitar que alguém se apeie da cavalgadura e que a monte. [Cf. *apeadeiro.*]
apeadeiro. [De *apoiar* + *-deiro.*] *S. m.* Lugar da linha férrea, em geral desprovido de estação, onde o trem às vezes pára só a fim de deixar ou receber passageiros; apeadoiro, apeadouro: "Algum sumido a p e a d e i r o, onde o trem se atardava, esfalfado, resfolgando" (Eça de Queirós, *A Cidade e as Serras,* p. 191). [Cf. *apeadeira.*]
apeadoiro. *S. m.* V. *apeadeiro.*
apeadouro. *S. m.* V. *apeadeiro.*
apealar. [De *a-*[4] + *pealar.*] *V. t. d. Bras., MG, SP* e *MT.* Pealar.
apeanhado[1]**.** [De *a-*[2] + *peanha* + *-ado*[1].] *Adj.* Semelhante a peanha.
apeanhado[2]**.** [Part. de *apeanhar.*] *Adj.* Posto em peanha.
apear. [De *a-*[2] + *pé* + *-ar*[2].] *V. t. d.* **1.** Fazer pôr o pé em terra; fazer descer; desmontar: *Tomando-a nos braços, a p e o u - a da cavalgadura.* **2.** Pôr abaixo; derrubar: *A verdade reconstituída, a p e o u o ídolo que o povo criara. T. d.* e *i.* **3.** Fazer descer. **4.** Privar ou destituir de emprego, cargo, honraria, dignidade, etc.: *Finalmente o a p e a r a m do poder. Int.* **5.** Descer de montaria ou viatura; apear-se: "Iam todos a p e a n d o e penetrando na sala depois de terem amarrado os animais às árvores e às estacas do cercado" (Antônio Sales, *Aves de Arribação,* p. 32); "A marquesa a p e o u da cadeirinha, dispensando o amparo dos padres." (Camilo Castelo Branco, *Perfil do Marquês de Pombal,* p. 16). **6.** Hospedar-se, ao chegar de viagem; apear-se. **P.** *7.* Descer de montaria ou viatura; apear: "Meia hora depois a p e a v a - s e Félix de um tílburi à porta de uma casa no Rossio." (Machado de Assis, *Ressurreição,* p. 19.) **8.** Hospedar-se, ao chegar de viagem; apear: *A p e o u - s e na casa do compadre.* [Conjug.: v. *frear.* Part.: *apeado.* Cf. *apiado,* do v. *apiadar-se* (ant.) ou *apiedar-se* (q. v.).]
apecu. [Do tupi, decerto.] *S. m. Bras.* Coroa de areia feita pelo mar. [Cf. *apecum, apicu* e *apicum.*]
apecuitá (u-i). [Do tupi?] *S. m. Bras., AM.* O remo das igaras indígenas.
apecum. [Do tupi *ape'kũ,* 'língua' (figuradamente).] *S. m. Bras.* Espuma de mandioca. [Cf. *apecu, apicu* e *apicum.*]
apedado. *Adj. Morfol. Veg.* V. *folha* —a.
apedantado. [De *a-*[2] + *pedante* + *-ado*[1].] *Adj.* Um tanto pedante.
apedantar. [De *a-*[2] + *pedante* + *-ar*[2].] *V. t. d.* e *p.* Tornar(-se) pedante.
apedeuta. [Do gr. *apídeutos.*] *S. 2 g.* Pessoa ignorante, sem instrução; apedeuto: "Conhecia o essencial que um homem de cultura precisa conhecer, no Ocidente. Estava a par dos grandes temas, ... não era um a p e d e u t a." (Antônio Carlos Vilaça, *O Nariz do Morto,* p. 41.)
apedeutismo. *S. m.* Caráter ou condição de apedeuta; ignorância.
apedeuto. *S. m.* Apedeuta.
apedicelado. [De *a-*[2] + *pedicelo* + *-ado*[2].] *Adj. Bot.* Desprovido de pedicelo ou de pedúnculo.
apedido. [Da loc. adv. *a pedido,* com aglut.] *S. m. Bras.* Seção de jornal em que se publicam notícias, anúncios, artigos, pagos ou a pedido dos interessados. [M. us. no pl.]
apedrar. [De *a-*[2] + *pedra* + *-ar*[2].] *V. t. d.* **1.** Guarnecer de pedraria. **2.** Empedrar, calcetar. **3.** *Ant.* Apedrejar. *T.*

d. e i. **4.** Ornar, adornar, enfeitar. *Int.* **5.** Tornar-se duro como pedra; empedernir-se.

apedregulhar. [De a-[2] + *pedregulho* + *-ar*[2].] *V. t. d.* Entulhar ou encher de pedras miúdas ou cascalho.

apedrejado. [Part. de *apedrejar.*] *Adj. e s. m.* Diz-se de, ou indivíduo ferido de ou corrido a pedradas: "Atrás dos apedrejados correm as pedras" (prov.).

apedrejador (ô). *S. m.* Aquele que apedreja.

apedrejamento. *S. m.* Ato ou efeito de apedrejar.

apedrejar. [De a-[2] + *pedra* + *-ejar*[2].] *V. t. d.* **1.** Atirar pedra(s) contra: "Apedreja essa mão vil que te afaga" (Augusto dos Anjos, *Eu*, p. 101). **2.** Supliciar a pedradas; lapidar. **3.** Ferir ou atacar, arremessando quaisquer objetos. **4.** Correr à pedrada. **5.** Ofender; injuriar, insultar. *Int.* **6.** Atirar pedra(s): "A mão que afaga é a mesma que apedreja" (Augusto dos Anjos, *Eu*, p. 101). *P.* **7.** Atirar pedras reciprocamente: "Dois homens que se medem e floreteiam a remoques são dois fundibulários que se apedrejam." (Camilo Castelo Branco, *A Mulher Fatal*, p. 9.) [Conjug.: v. *pelejar.*]

apegação. *S. f.* Apegamento.

apegadiço. *Adj.* **1.** Que pega ou se transmite com facilidade; contagioso. **2.** Que se apega ou afeiçoa facilmente.

apegador (ô). *Adj. e s. m.* Que, ou aquele que apega.

apegamento. *S. m.* Ato ou efeito de apegar[1](-se); apegação.

apegar[1]. *V. t. d.* **1.** Fazer aderir; juntar, colar, pegar. **2.** Comunicar ou transmitir por contágio: *O doente, sem querer, apegou a moléstia. T. d. e i.* **3.** Comunicar ou transmitir por contágio. **4.** Afeiçoar, amoldar, adaptar: *A mesquinhez apega o homem a atos sórdidos. Int.* **5.** Dar aderência; colar: *Aquela resina apega muito. P.* **6.** Aderir, agarrar-se, prender-se: *O carrapicho apegou-se-lhe às roupas;* "O fedegoso bravo, as malícias garranchentas e irredutíveis, a apegar-se, como carrapicho, à canela do desastrado animal aventurado na vereda." (Hugo de Carvalho Ramos, *Tropas e Boiadas*, p. 19). **7.** Aferrar-se, fincar-se: *Apegou-se a está última esperança.* **8.** Agarrar-se, valer-se, recorrer, procurando amparo ou patrocínio: *As beatas se apegaram ao santo milagroso.* **9.** Tomar apego; afeiçoar-se, dedicar-se: *Apegou-se extremadamente ao filho adotivo;* "Chegara ali, apegara-se aos parentes" (Bárbara de Araújo, *O Bezerro de Ouro*, p. 21). **10.** Comunicar-se por contágio, ou por exemplo; pegar-se. [Conjug.: V. *regar.* Pres. ind.: *apego*, etc. Cf. *apego* (ê).]

apegar[2]. [De a-[2] + *pego*[1] + *-ar*[2].] *V. t. d.* **1.** Meter em pego; afundar, mergulhar. *Int.* **2.** Meter-se em pego; apegar-se. **3.** Formar pego: *As águas tortuosas do rio apegavam adiante da cachoeira. P.* **4.** Meter-se no pego; afundar-se, mergulhar, apegar. [Conjug.: v. *regar.* Pres. ind.: *apego*, etc. Cf. *apego* (ê).]

apego (ê). [Dev. de *apegar.*] *S. m.* **1.** Aferro, pertinácia, tenacidade, afinco. **2.** Inclinação afetuosa; afeição: *Ter grande apego à família.* **3.** Timão de charrua. [Pl.: *apegos* (ê). Dim. irreg.: *apeguilho.* Cf. *apego*, do v. *apegar.*]

apeguava. *S. f. Bras.* V. *beguaba.*

apeguilho. [Dim. irreg. de *apego* (ê).] *S. m.* Afeição passageira ou pouco intensa.

apeíba. [Do tupi *ape'iwa.*] *S. f. Bras.* Gênero de plantas da família das tiliáceas.

apeiragem. *S. f.* O conjunto das correias necessárias para jungir bois; apeiro.

apeirar. [Do lat. vulg. *appariare*, 'emparelhar'.] *V. t. d. e i.* Jungir ao carro ou à charrua. [Cf. *aperar.*]

apeiro. [Dev. de *apeirar.*] *S. m.* **1.** O conjunto dos instrumentos de lavoura, e de qualquer arte ou ofício. **2.** Apeiragem. [Cf. *aperos.*]

➧**apeíron.** [Gr., 'ilimitado'.] *S. m. Hist. Filos.* Segundo Anaximandro, filósofo grego (séc. VI a.C.), a matéria primordial, *physis*, elemento primeiro — eterno, infinito, invisível e ilimitado — de que todas as coisas se compõem.

apejar. [De a-[4] + *-pejar.*] *V. t. d., t. d. e i., int.* e *p.* pejar. [Conjug.: v. *pelejar.*] [Quanto ao timbre do e, v. *pelejar.*]

apelação. [Do lat. *appellatione.*] *S. f.* **1.** Ato ou efeito de apelar. [Sin., p. us.: *apelamento.*] **2.** *Fig.* Recurso, remédio. **3.** Chamamento, chamada. **4.** *Jur.* Recurso que se interpõe das decisões terminativas do processo a fim de os tribunais reexaminarem e julgarem de novo as questões decididas na instância inferior.

apelado. [Part. de *apelar.*] *Adj.* **1.** Diz-se do litigante ou do julgamento atacado pela apelação. [Cf. *recorrido* (1 e 2).] ● *S. m.* **2.** Pessoa ou entidade que responde à apelação interposta pelo apelante.

apelamento. *S. m. P. us.* Apelação (1).

apelante. [Do lat. *appellante.*] *Adj. 2 g. e s. 2 g.* Que ou quem apela.

apelar. [Do lat. *appellare.*] *V. t. i.* **1.** Invocar proteção ou testemunho; pedir auxílio: *Desesperado, apelou para o Senhor onipotente.* **2.** Valer-se de alguém, ou de alguma coisa: *Estando mal de vida, apelou para os amigos.* **3.** *Dir. Jur.* Recorrer por apelação; interpor recurso judicial: *O advogado apelou da sentença.* **4.** *Bras. Gír.* Recorrer a expediente(s) em que há, em geral, violência ou grosseria de palavras ou ações: *Não brinque com ele: quando se irrita apela para a brutalidade. Int.* **5.** *Jur.* Recorrer por apelação a juiz ou tribunal de instância superior; interpor apelação: "O promotor Júlio Ottoni apelou, a apelação foi provida, e outro júri se realizou" (R. Magalhães Júnior, *Artur Azevedo e Sua Época*, p. 43). **6.** *Bras. gír.* Recorrer a expediente(s) em que há violência ou grosseria de palavras ou ações; apelar para a ignorância; partir para a ignorância: *Tudo ia bem, mas, quando se falou no caso do desfalque, aí ele apelou. P.* **7.** Ter o nome de; chamar-se, apelidar-se. [Pres. ind.: *apelo*, etc. Cf. *apelo* (ê), S. m., e *a pêlo*, loc. adv.]

apelativo. [Do lat. *appelativu.*] *Adj. e s. m. Gram.* **1.** Diz-se do nome comum aos indivíduos de uma classe. — V. *função* —*a.* ● *S. m.* **2.** Nome apelativo.

apelatório. [Do lat. *appelatoriu.*] *Adj.* Relativo a, ou que encena apelação.

apelável. *Adj. 2 g.* **1.** De que se pode apelar ou recorrer: *decisão apelável.* **2.** A quem se pode chamar ou recorrer: "O rapazito ainda não gozava honras de criado apelável para assunto grave." (Camilo Castelo Branco, *O Bem e o Mal*, p. 85.)

apelidação. *S. f.* Ato ou efeito de apelidar(-se).

apelidar. [Do lat. *appellitare.*] *V. transobj.* **1.** Designar por apelido; cognominar, denominar: *Apelidaram-no de fuinha. T. d. e i.* **2.** Convocar; convidar. *T. d.* **3.** Pôr alcunha ou apelido em; alcunhar. *P.* **4.** Ter ou dar a si próprio sobrenome, apelido ou alcunha: *Apelida-se Pereira; Após dissolver o Parlamento inglês, Oliver Cromwell, apelidando-se "Lord Protector" (1653), governou por algum tempo como senhor absoluto.*

apelido. [Dev. de *apelidar.*] *S. m.* **1.** Sobrenome (2). **2.** V. *alcunha.* **3.** Designação especial de alguém ou de alguma coisa: "Mas deixemos o estreito e conhecido / Cabo de Jasque dito já Carpela / Com todo seu terreno malquerido / Da natura e dos dões usados dela / Carmânia teve já por apelido." (Luís de Camões, *Os Lusíadas*, X, 105.) ♦ **Ser apelido.** *Bras. Gír.* Não ser (a qualidade enunciada por alguém a respeito de outrem ou de alguma coisa) a expressão inteira da verdade, estando a pessoa ou coisa muito acima do que foi dito: — *Que bonita moça! — Bonita é apelido; — É um bom romance! — Bom? Bom é apelido: é extraordinário;* "Tudo começou porque eu era muito magrinha. Magrinha é apelido: eu era magríssima ...., um esqueleto" (Maria Julieta Drummond de Andrade, *O Valor da Vida*, p. 150).

apelintrado. [De a-[2] + *pelintra* + *-ado*[1].] *Adj.* **1.** Que tem modos ou ares de pelintra; *indivíduo apelintrado.* **2.** Próprio de pelintra: *meninas apelintradas.*

apelo (ê). [Dev. de *apelar.*] *S. m.* **1.** Apelação, invocação, chamamento. **2.** Convite ou sugestão para se prestar auxílio. **3.** Valor ou qualidade notável atribuída a um produto, com vista a conquistar o consumidor. **4.** *Ling.* Função gramatical presente em contextos nos quais o falante interpela o ouvinte, usando, em geral, o vocativo. [Pl.: *apelos* (ê). Cf. *apelo*, do v. *apelar*, e a loc. adv. *a pêlo.*] ♦ **Apelo *ad verecundiam*.** *Filos.* V. *apelo ao respeito.* **Apelo ao respeito.** *Filos.* Argumento que se impõe ao adversário por invocar o peso da opinião de uma autoridade universalmente reconhecida, ou que é apresentada como tal; apelo *ad verecundiam*, argumento da autoridade.

apenado. [Part. de *apenar.*] *Adj.* Condenado a pena[2]; punido.

apenar. [De a-[2] + *pena*[2] + *-ar*[2].] *V. t. d.* **1.** Condenar a pena; castigar, punir. **2.** Fazer sofrer; supliciar.

apenari. *Bras. S. 2 g.* **1.** Indivíduo dos apenaris, tribo indígena das imediações dos rios Juruá e Jutaí, afluentes do Amazonas. ● *Adj. 2 g.* **2.** Pertencente ou relativo a essa tribo.

apenas. [De *a* + *penas*, pl. de *pena*[2].] *Adv.* **1.** A custo; dificilmente, mal: *um ruído apenas audível;* "Os nossos filhos apenas vêem seu pai, porque aqui não se entra quando você trabalha..." (Machado de Assis, *Quincas Borba*, p. 324); "as folhas do arvoredo apenas aflavam com o brando sopro da viração." (José de Alencar, *O Sertanejo*, p. 112). **2.** Só, somente, unicamente: "um bom rapaz que tinha apenas um defeito" (Artur Azevedo, *Contos fora da Moda*, p. 130). ● *Conj.* **3.** Logo que; mal: "Apenas entrou em casa examinou cuidadosamente a cadelinha." (Machado de Assis *Contos Fluminenses*, p. 6.)

apenável. [De *apenar* + *-vel.*] *Adj. 2 g.* Capaz de acarretar imposição de pena ou castigo.

apender. [Do lat. *appendere.*] *V. t. d. e i.* Juntar, anexar, apensar: *Apendeu ao requerimento várias certidões.*

apêndice. [Do lat. *appendice.*] *S. m.* **1.** Parte anexa ou acrescentada a uma obra; acréscimo, anexo, acrescentamento. **2.** *Anat.* Parte acessória dum órgão, ou que lhe é contínua, porém distinta pela sua forma ou posição. **3.** *Anat.* V. *apêndice ileocecal.* **4.** *Bot.* Designação de qualquer parte saliente, quase sempre curta e estreita, e de importância secundária, de um órgão ou parte da planta. [As anteras muitas vezes têm apêndices.] [Dim. irreg. de *apêndice* (1 e 4): *apendículo.*] ♦ **Apêndice ileocecal.** *Anat.* Saliência do ceco, com a forma de dedo de luva; apêndice vermiforme, apêndice. **Apêndice vermiforme.** *Anat.* V. *apêndice ileocecal.* **Apêndice xifóide.** *Anat.* Apêndice alongado e cartilaginoso que termina inferiormente o esterno; apêndice xifóideo. **Apêndice xifóideo.** *Anat.* Apêndice xifóide.

apendiceado. [De *apêndice* + *-ado*[1].] *Adj.* Que tem apêndice(s).

apendicectomia. [Do lat. *appendice* + *-ectom-* + *-ia.*] *S. f. Cir.* Extirpação do apêndice (3).

apendicectômico. *Adj.* Relativo à apendicectomia.

apendiciforme. [Do lat. *appendice* + *-forme.*] *Adj. 2 g.* Em forma de apêndice (3).

apendicite. [De *apêndice* + *-ite*[1].] *S. f. Med.* Inflamação do apêndice (3).

apendiculação. *S. f.* Ato ou efeito de apendicular[2].

apendiculado. [De *apendículo* + *-ado*[1].] *Adj. Bot.* Provido de apêndice ou apendículo: *anteras apendiculadas.*

apendicular[1]. [De *apendículo* + *-ar*[1].] *Adj. 2 g.* **1.** Referente a apêndice. **2.** Que não é essencial ao todo a que pertence.

apendicular[2]. [De *apendículo* + *-ar*[2].] *V. t. d.* **1.** Acrescentar como apêndice. **2.** Fazer terminar em apêndice. [Pres. ind.: *apendiculo*, etc. Cf. *apendículo.*]

apendiculária. *S. f. e adj. 2 g.* Larváceo.

apendiculárias. *S. f. pl. Zool.* Larváceos.

apendículo. [Do lat. *appendiculu.*] *S. m.* Pequeno apêndice. [Cf. *apendiculo*, do v. *apendicular.*]

apêndix (cs). [Do lat. *appendix.*] *S. m. P. us.* V. *apêndice.*

apendoado. [Part. de *apendoar.*] *Adj.* Ornado, enfeitado ou guarnecido de pendões: "Enveredou pela roça. O milharal apendoado era tão alto que o homem desaparecia seguindo os carreiros cobertos de folhas secas." (Coelho Neto, *Treva*, p. 152.)

apendoamento. *S. m.* Ato ou efeito de apendoar.

apendoar. [De a-[2] + *pendão* + *-ar*[2].] *V. t. d.* **1.** Ornar ou guarnecer de pendões. **2.** *P. ext.* Ornar, enfeitar, afestoar. *Int.* **3.** Apresentar pendão, embandeirar-se (a planta, quando começa a botar pendão ou bandeira); pendoar: "o gado gordo, os roçados cheios de milho apendoando e as várzeas cobertas de melancia ou jerimum" (Austregésilo de Ataíde, *in Discursos de Posse e Recepção na Academia Brasileira de Letras*, p. 53). [Conjug.: v. *coroar.*]

apenedado. [De a-[2] + *penedo* + *-ado*[1].] *Adj.* **1.** Que tem muitas penhas ou penedos; apenhado. **2.** Semelhante a penedo.

apenhado. [De a-[2] + *penha* + *-ado*[1].] *Adj.* Apenedado (I). [Cf. *apinhado.*]

apenhascado. [De a-[2] + *penhasco* + *-ado*[1].] *Adj.* Semelhante a penhasco.

apenínico. *Adj.* Relativo ou pertencente aos montes Apeninos (Itália).

apeninsulado. [De a-[2] + *península* + *-ado*[1].] *Adj.* Que tem forma ou semelhança de península.

apensação. *S. f.* apensamento.

apensamento. *S. m.* Ato ou efeito de apensar; apensação.

apensar. *V. t. d.* **1.** Juntar em apenso. *T. d. e i.* **2.** Juntar, acrescentar, adicionar, anexar; apender: *Apensou três documentos aos que ia remeter.*

apenso. [Do lat. *appensu.*] *Adj.* **1.** Junto, anexo. ● *S. m.* **2.** Aquilo que se apensa; acréscimo, anexo.

apepinador (ô). *Adj. e s. m. Fam. e burl.* Que ou aquele que apepina.

apepinar. [De a-[2] + *pepino* + *-ar*[2].] *V. t. d. Fam. e burl.* Escarnecer, troçar, ridicularizar, ridicularizar, desfrutar.

apepsia. [Do gr. *apepsía.*] *S. f. Patol.* Ausência de função digestiva.

apéptico. *Adj.* Que sofre de apepsia.

apequenado. [De a-[2] + *pequeno* + *-ado*[1].] *Adj.* Um tanto pequeno ou baixo.

apequenar. [De *a-*^{2} + *pequeno* + *-ar*^{2}.] *V. t. d.* **1.** Tornar ou fazer pequeno. **2.** Diminuir, amesquinhar: *apequenar os méritos de alguém. P.* **3.** Tornar-se pequeno; diminuir de volume; encolher-se. **4.** Humilhar-se, rebaixar-se, amesquinhar-se: *apequenou-se diante do chefe.*

aperado. [Part. de *aperar.*] *Adj. Bras., S.* **1.** Diz-se do cavalo encilhado com esmero; ajaezado. **2.** *Fig.* Bem vestido; bem-posto.

aperaltado. [De *a-*^{2} + *peralta* + *-ado*^{1}.] *Adj.* Que tem modos de peralta; ajanotado.

aperaltar. [De *a-*^{2} + *peralta* + *-ar*^{2}.] *V. t. d.* **1.** Tornar peralta; dar modos de peralta a; aperalvilhar. *P.* **2.** Tornar-se peralta; ajanotar-se, aperalvilhar-se.

aperalvilhar. [De *a-*^{2} + *peralvilho* + *-ar*^{2}.] *V. t. d e p.* Tornar(-se) peralvilho; aperaltar(-se).

aperana. [Do tupi *ape'rana.*] *S. f. Bras.* Planta da família das gencianáceas (*Liminanthemum humboldtianum*).

aperar. [Do esp. plat. *aperar.*] *Bras., S. V. t. d.* **1.** Pôr os aperos em. **2.** Encilhar com bons arreios. *P.* **3.** Vestir-se bem. [Pres. ind.: *apero*, etc. Cf. *apero* (ê), s. m., e o v. *apeirar.*]

aperceber. [De *a-*^{4} + *perceber.*] *V. t. d.* **1.** Aprestar, preparar, apromtar; aparelhar: *Aperceberam as naus para a longa travessia.* **2.** Notificar, avisar; prevenir: *Vendo que alguém se aproximava, a sentinela apercebeu o capitão.* **3.** Notar, ver, distinguir, perceber: "pareceu-lhe aperceber dous vultos na escuridão." (Rebelo da Silva, *Contos e Lendas*, p. 107); "O monteiro, apercebendo Telo, encaminhou-se para ele." (Id., *ib.*, p. 162). *T. d. e i.* **4.** Prover, fornecer, abastecer: *Apercebi-o do necessário.* **5.** Notificar, avisar, prevenir: *Apercebeu o amigo de sua próxima chegada. P.* **6.** Pôr-se em condições; aparelhar-se, preparar-se: *O castelão apercebera-se para um cerco prolongado.* **7.** Prover-se, munir-se. **8.** Dar-se conta; notar, perceber: "desaparece por entre o arvoredo do pomar, volvendo um olhar na direção da casa, para certificar-se que não se apercebiam de sua ausência." (José de Alencar, *O Sertanejo*, p. 99); "E tão grande foi a sua influência [de Filinto Elísio], que constituiu um grupo literário, sem disso se aperceber." (Martins de Aguiar, *Notas de Português de Filinto e Odorico*, p. 289). [É excelente — e não condenável, como querem puristas maníacos — o uso de *aperceber* nas acepç. 3 e 8.]

apercebimento. *S. m.* **1.** Ato ou efeito de aperceber(-se). **2.** V. *aprestamento.*

apercepção. [De *a-*^{4} + *percepção.*] *S. f.* **1.** Percepção nítida de qualquer objeto. **2.** Faculdade ou ato de apreender imediatamente pela consciência uma idéia, um juízo; intuição. **3.** *Psic.* Assimilação de novas experiências. [Cf. *percepção.*]

aperceptibilidade. *S. f.* **1.** Qualidade de aperceptível. **2.** Faculdade de aperceber(-se).

aperceptível. *Adj. 2 g.* Que se pode aperceber, avistar ou distinguir.

apereá. [Do tupi *apere'á.*] *S. m.* e *f. Bras.* V. *preá.*

aperema. [Do tupi *ape'rema.*] *S. f. Bras., Amaz.* Reptil da ordem dos quelônios, da família dos testudinídeos (*Geomydapuhctularia* (Spix)), da Amaz., de coloração geral pardacenta, escudos marginais na parte inferior, amarelos, plastrão amarelo com manchas escuras, duas manchas longitudinais no occipício, pés posteriores com membranas natatórias rudimentares, e quilha vertebral desenvolvida em toda a extensão; cabeua, cambéua, jabuti-aperema.

aperfeiçoado. [Part.de *aperfeiçoar.*] *Adj.* Que adquiriu, ou a que se deu maior perfeição; melhorado: *É um exemplar aperfeiçoado das qualidades da família.*

aperfeiçoador (ô). *Adj* e *s. m.* Que, ou aquele que aperfeiçoa.

aperfeiçoamento. *S. m.* Ato ou efeito de aperfeiçoar (-se).

aperfeiçoar. [De *a-*^{2} + *perfeição* + *-ar*^{2}.] *V. t. d.* **1.** Tornar perfeito ou mais perfeito. **2.** Acabar com perfeição; concluir com esmero. **3.** Dar a última demão a; acabar, completar: *Pediu mais tempo para aperfeiçoar a obra.* **4.** Perfazer ou completar (o que estava incompleto). *P.* **5.** Adquirir maior grau de instrução ou aptidão: *Depois de formado, aperfeiçoou-se numa universidade européia.* **6.** Emendar os próprios defeitos; corrigir-se, emendar-se. [F. paral. (p. us.): *perfeiçoar.* [Conjug.: v. *coroar.*]

aperfeiçoável. *Adj. 2 g.* Que se pode aperfeiçoar.

apergaminhado. [De *a-*^{2} + *pergaminho* + *-ado*^{1}.] *Adj.* Pergaminhoso: "mostrava o filho .... com pescocinho de pássaro e a pele apergaminhada e velhinha." (Aquilino Ribeiro, *Alemanha Ensangüentada*, p. 125), ~ V. *papel* —.

aperiantado. [De *a-*^{3} + *periantado.*] *Adj. Bot.* Aclamídeo.

aperibense. *Adj. 2 g.* **1.** De, ou pertencente ou relativo à Aperibé (RJ). ● *S. 2 g.* **2.** Natural ou habitante de Aperibé.

aperiente. [Do lat. *aperiente.*] *Adj. 2 g.* V. *aperitivo* (2).

aperiódico. *Adj. Fís.* Diz-se de um fenômeno que não é periódico.

aperispérmico. [De *a-*^{2} + *perisperma* + *-ico*^{2}.] *Adj. Bot.* Que não tem perisperma.

aperistalse. [De *a-*^{3} + *peristalse.*] *S. f. Fisiol.* Ausência de ação peristáltica; aperistaltismo. [Cf. *peristalse.*]

aperistaltismo. [De *a-*^{3} + *peristaltismo.*] *S. m. Fisiol.* Aperistalse. [Cf. *peristaltismo.*]

aperitivo. [Do lat. *aperitivu.*] *Adj.* **1.** Que abre os poros. **2.** Que abre ou estimula o apetite; aperiente, ecfrático: "O próprio soldado mudara de feição: o seu enternecimento agora era o bacalhau no fundo da marmita, com seu fio d'azeite aperitivo, um dente d'alho..." (Fialho d'Almeida, *O País das Uvas*, p. 90); "tonificado pelo bom ar da manhã, saudável e aperitivo, empurrava o pesadíssimo portão do palácio do Visconde de Montenegro." (Coelho Neto, *A Conquista*, p. 121). [Antôn.: *apositico.*] ● *S. m.* **3.** Aquilo que faz abrir o apetite. **4.** *P. ext.* Bebida espirituosa (vermute, uísque, gim, etc.) ou coquetel ingerido antes das refeições, supostamente como aperitivo (3), e que se faz, em geral, acompanhar de tira-gosto.

aperitório. [Do fr. *apéritoire.*] *S. m.* Lâmina usada pelos fabricantes de alfinetes para igualar os arames.

apero (ê). [Do esp. plat. *apero.*] *S. m. Bras., S.* V. *aperos.* [Cf. *apero*, do v. *aperar.*]

aperolar. [De *a-*^{2} + *pérola* + *-ar*^{2}.] *V. t. d.* Dar semelhança de pérola a; perlar, perolar.

aperos (ê). [Pl. de *apero.*] *S. m. pl. Bras., S.* O conjunto das peças necessárias para encilhar o cavalo; arreios, jaez, [Tb. us. (menos) no sing. Cf. *apeiro.*]

aperrar. [De *a-*^{2} + *perro*^{1} + *-ar*^{2}.] *V. t. d.* Levantar o cão de (arma de fogo); engatilhar.

aperreação. *S. m.* **1.** Ato ou efeito de aperrear(-se). **2.** Estado de muita sujeição; opressão. **3.** V. *apoquentação* (2). **4.** *Bras.* Apertura(s), apuro(s), dificuldade(s). [Sin. ger.: *aperreamento, aperreio.*]

aperreado. [Part. de *aperrear.*] *Adj.* **1.** Preso, oprimido: "Dantes eram livres. / Agora aperreados, / pastam pelos prados / como por favor." (Sebastião da Gama, *Cabo da Boa Esperança*, p. 71.) **2.** V. *apoquentado.* **3.** *Bras.* Que vive ou se acha em aperturas financeiras; apertado. **4.** *Bras., S.* Emagrecido, enfezado.

aperreador (ô). *Adj.* e *s. m.* Que, ou aquele que aperreia.

aperreamento. *S. m.* V. *aperreação.*

aperrear. [De *a-*^{2} + *perro*^{1} + *-ear.*] *V. t. d.* **1.** Fazer perseguir por cães ou perros. **2.** *Fig.* Ser muito sujeito ou preso. **3.** V. *apoquentar*: "Trindade estava seguro na caverna, longe da zombaria dos meninos que gostavam de aperreá-lo, longe de toda gente, fora do alcance das ordens irritadas do Padre Couto." (Oto Lara Resende, *Boca do Inferno*, p. 13.) *P.* **4.** V. *apoquentar.* [Conjug.: v. *frear.*]

aperreio. [Dev. de *aperrear.*] *S. m. Bras., N.E.* V. *aperreação*: "— Eu só penso é nessa moça... Se for cheia de dengos, de soberbias, torcer o nariz a todos nós, há de ser um aperreio..." (Mário Sete, *Senhora de Engenho*, p. 93.)

aperta-a-cunha. *S. f. 2 n. Jog. Inf. Bras., PA.* Brinquedo infantil em que as crianças ficam de pé, em fila, e começam a comprimir-se umas às outras. [Cf. *tocar bomba.*]

aperta-chico. [De *apertar* + *chico.*] *S. m. Bras., CE.* V. *rolo*^{1} (16). [Pl.: *aperta-chicos.*]

apertada. [Fem. substantivado do adj. *apertado.*] *S. f.* V. *aperto* (5).

apertadela. *S. f.* **1.** Ato ou efeito de apertar de leve, ou rapidamente. **2.** *P. ext. Fam.* Aperto (1). **3.** V. *aperto* (5).

apertado. [Part. de *apertar.*] *Adj.* **1.** Que se apertou, comprimiu, cerrou, restringiu, etc., sem deixar nenhuma folga ou espaço livre: *nó apertado.* **2.** Bem aproximado ou unido: *A convulsão deixou-o de lábios apertados; Dei-lhe um abraço apertado.* **3.** De pouca largura; estreito: *passagem apertada; saia apertada.* **4.** De reduzidas dimensões; pouco amplo: *sala apertada.* **5.** *P. ext.* Ajustado, ou tão justo que desconforta: *blusa apertada; A fronha apertada tornou duro o travesseiro.* **6.** Seguro fortemente; agarrado: *Os dois tinham as mãos apertadas.* **7.** Limitado, restrito: *Estou com o tempo apertado; É apertada a margem de lucro.* **8.** Em que a diferença é por pequena margem: *vitória apertada.* **9.** Difícil, dificultoso, duro: *negócio apertado; vida apertada; jogo apertado.* **10.** Rigoroso, severo: *regime apertado; horário apertado.* **11.** Diz-se de pessoa em dificuldades, especialmente de ordem financeira. **12.** Aflito, angustiado: *A situação deixou-a de coração apertado.* ~ V. *voga* —a ● *Adv.* **13.** Em condições difíceis, penosas, apertadas [v. *apertado* (9)]; a custo, dificilmente: *O Vasco da Gama ganhou apertado do Fluminense.* ● *S. m.* **14.** *Bras.* Lugar estreito de rio ou de caminho. V. *encanado* (3). **15.** *Bras.* V. *aperto* (5). **16.** *Bras.* V. *brechão.* ◆ **Estar apertado.** *Pop.* Sentir forte necessidade de defecar ou urinar.

apertadoiro. *S. m.* V. *apertadouro.*

apertador (ô). *Adj.* **1.** Que aperta. ● *S. m.* **2.** Aquele ou aquilo que aperta.

apertadouro. [Var. de *apertadoiro.*] *S. m.* **1.** O lugar onde se aperta. **2.** Aquilo que aperta; apertador.

aperta-galha. [De *apertar* + *galha.*] *S. m.* V. *acari-lima.* [Pl.: *aperta-galhas.*]

aperta-luvas. [De *apertar* + *luva.*] *S. m. 2 n.* Espécie de gancho com que se abotoam as luvas.

aperta-nervos. [De *apertar* + *nervo.*] *S. m. 2 n. Encad.* V. *alicate aperta-nervos.*

apertão. *S. m.* **1.** Grande aperto. **2.** V. *aperto* (5). **3.** *Chulo.* Aperto (ê) (1) com intenção libidinosa. ◆ **Dar um apertão.** *Bras.* Insistir, instar, pressionar. **Levar um apertão.** *Bras.* Ser pressionado; sofrer coação.

apertar. *V. t. d.* **1.** Comprimir, premer, premir: "Aperta as minhas mãos geladas" (Manuel Bandeira, *Estrela da Vida Inteira*, p. 73); "Amarrei o clavinote nos coldres da sela, apertei bem o pedrês" (Afonso Arinos, *Pelo Sertão*, p. 169). **2.** Segurar, agarrar em volta, com força; constringir, restringir: *Quando sentiu que o agressor se aproximava, apertou o cabo do facão.* **3.** Cerrar, cingir, estreitar com firmeza nos braços: *Apertou estreitamente, comovido o filho amado.* **4.** Resumir, abreviar: *Apertaram o assunto numa narrativa sucinta.* **5.** Espremer, comprimir: *Apertou a esponja úmida.* **6.** Fazer com que não esteja largo ou frouxo; ajustar: *apertar uma roupa.* **7** Diminuir, restringir, limitar: *apertar despesas.* **8.** Tornar mais ativo, diligente; cerrar: *apertar a vigilância.* **9.** Tornar mais ligeiro; apressar: *apertar o passo.* **10.** Confranger, afligir, molestar, atormentar, angustiar: *A cena trágica apertou o coração dos que a presenciaram. T. d. e i.* **11.** Aproximar ou unir muito. **12.** Cerrar, estreitar fortemente aos braços: "A rapariga apertou o filho ao peito" (Conde de Ficalho, *Uma Eleição Perdida*, p. 200); "Eu contra o peito o aperto" (Alberto de Oliveira, *Poesias*, 3ª série, p. 248). **13.** Instar, insistir: *Quando apertamos no argumento cedeu; Apertou com o amigo a fim de que aceitasse o cargo. Int.* **14.** Apertar-se, unir-se, juntar-se muito. **15.** Tornar-se ou fazer-se intenso, ou mais intenso: *À noitinha o frio apertou.* **16.** Tornar-se mais estreito, mais apertado: *Depois da curva, a estrada apertava.* **17.** Aproximar-se (tempo determinado, prazo, etc.), da data preestabelecida: *O prazo está apertado.* **18.** Tornar-se mais intenso, mais forte; aumentar de intensidade: "E a fome aperta! Meio-dia!" (O. G. Rego de Carvalho, *Somos Todos Inocentes*, p. 105); *O calor, hoje, apertou.* **19.** *Bras.* Ter travo; travar: *O vinho verde aperta. P.* **20.** Cingir fortemente o corpo: *Apertou-se para parecer mais esbelta.* **21.** Unir-se ou cingir-se com força, mutuamente: "Daquele beijo .... nasceram outros, e as mãos se apertaram, juntaram-se as cabeças no escuro do cinema." (Jorge Amado, *Dona Flor e Seus Dois Maridos*, p. 320.) **22.** Confranger-se, afligir-se, angustiar-se. **23.** *Bras.* Ver-se em dificuldades financeiras: *Apertou-se muito, com a compra da casa.* **24.** *Bras.* Reduzir as despesas; apertar o cinto: *Para manter-se dentro deste pequeno orçamento, terá de se apertar muito.* [Pres. ind.: *aperto*, etc. Cf. *aperto* (ê).]

aperta-ruão. *S. m. Bras.* **1.** Arbusto da família das melastomatáceas (*Leandra lacunosa*), cujas folhas são adstringentes e tônicas. **2.** Arbusto da família das piperáceas (*Piper aduncum*), cujos frutos têm propriedades antiblenorrágicas e carminativas; erva-de-jabuti, jaborandi-do-mato, maticofalso, pimenta-de-fruto-ganchoso. [Pl.: *aperta-ruões.*]

apertinente. *Adj. 2 g.* Conciliador, harmonizador. [Cf. *pertinente.*]

aperto (ê). [Dev. de *apertar.*] *S. m.* **1.** Ato ou efeito de apertar. **2.** *Fig.* Angústia, aflição. **3.** Multidão compacta de gente. **4.** Pressa, urgência. **5.** Situação difícil, aflitiva, embaraçosa, perigosa, etc.; apertada, apertadela, apertado, apertão, apertura, apuro. **6.** Estreitamento (2). **7.** *Tip.* V. *cunho* (8). [Pl.: *apertos* (ê). Cf. *aperto*, do v. *apertar.*]

➡**aperto libro.** [Lat., 'de livro aberto'.] Em qualquer

página que se abra (de um livro); *ad aperturam libri*: *Grande latinista, traduz Cícero* a p e r t o   l i b r o.
apertômetro. *S. m. Ópt.* Instrumento para medida da abertura numérica da objetiva de um microscópio.
apertura. [Do lat. *apertura*.] *S. f.* V. *aperto* (ê) (5).
aperuação. *S. f. Bras.* Peruação.
aperuar. [De *a*-[2] + *peru* + *-ar*[2].] *V. t. d.* e *int. Bras.* Peruar: "A p e r u e i meia hora e percebi que o rapaz era pexote e estava sendo roubado descaradamente." (Graciliano Ramos, *S. Bernardo*, p. 17.)
apesar. Us. nas loc. prep. *apesar de* e *apesar de que* ◆ **Apesar de.** Não obstante; a despeito de; sem embargo de: *Saiu,* a p e s a r d a *chuva;* "Iam com pressa a p e s a r d e ser domingo." (Ricardo Ramos, *Os inventores Estão Vivos*, p. 13). **Apesar de que.** Ainda que; embora: *Creio que virá,* a p e s a r d e q u e *me haja afirmado que não viria.*
apesarar. [De *a*-[2] + *pesar* + *-ar*[2].] *V. t. d.* Tornar pesaroso: contristar, agoniar.
apesentar. [De *a*-[2] + *peso* (ê) + *-entar*.] *V. t. d.* e *p.* Tornar(-se) pesado.
apessoado. [De *a*-[2] + *pessoa* + *-ado*[1].] *Adj. Bras.* V. *bem-apessoado*: "Senhor duns sessenta anos, homem a p e s s o a d o, cabelos brancos que em vez de aparentar velhice lhe davam um ar de reinante simpatia." (Bariani Ortêncio, *Vão dos Angicos*, p. 76.)
apestanado. [De *a*-[2] + *pestana* + *-ado*[1].] *Adj.* Que tem pestanas, ou as tem fartas. [Cf. *ciliado* (1).]
apestar. [De *a*-[2] + *peste* + *-ar*[2].] *V. t. d.* e *p.* V. *empestar*.
apetalado. [De *a*-[3] + *pétala* + *-ado*[1].] *Adj. Bot.* Apétalo.
apetalia. [De *a*-[3] + *pétala* + *-ia*.] *S. f. Bot.* Ausência de pétalas.
apetalifloro. [De *apetalia* + *-floro*.] *Adj. Bot.* Diz-se da planta cujas flores apresentam apetalia.
apétalo. [Do gr. *apétalos*.] *Adj. Bot.* Diz-se da planta cujas flores não têm pétalas, ou da própria flor; apetalado: *As casuarinas são árvores* a p é t a l a s.
apeté. *S. m. Bras.* Certa iguaria baiana: "Dona Flor, a boba, aindaprometera nas folgas de tempo lhe ensinar ao menos o vatapá, o xinxim e o a p e t é." (Jorge Amado, *Dona Flor e Seus Dois Maridos*, p. 387.)
apetecedor (ô). *Adj.* **1.** Que apetece ou deseja. **2.** V. *apetecível*.
apetecer. [Do lat. **appetescere*, incoativo de *appetere*, 'desejar'.] *V. t. d.* **1.** Ter apetite de; desejar: *Acordou faminto,* a p e t e c e n d o *uma lauta refeição;* "a p e t e c e u a alface rechonchuda e crespa" (Eça de Queirós, *A Cidade e as Serras*, p. 214). **2.** Desejar intensamente; aspirar a pretender, cobiçar, ambicionar: *Estudava com gosto;* a p e t e c i a *um diploma de doutor. T. i.* **3.** Despertar apetite ou desejo veemente: *As comidas picantes* a p e t e c e m *-lhe* **4.** Agradar, interessar: "A p e t e c i a *-lhe*, às vezes, um instante de repouso" (João da Silva Correia, *Farândola*, p. 42); *As riquezas nunca lhe* a p e t e c e r a m. *Int.* **5.** Despertar ou provocar apetite: *O leitão assado* a p e t e c i a. [Conjug.: v. *aquecer*.]
apetecível. *Adj. 2 g.* Digno de ser apetecido; apetecedor, apetitoso.
apetência. [Do lat. *appetentia*.] *S. f.* Apetite (1). [Antôn.: *inapetência*.]
apetente. [Do lat. *appetente*.] *Adj. 2 g.* Que apetece, tem apetite, deseja. [Antôn.: *inapetente*.]
apetitar. *V. t. d. P. us.* **1.** Causar apetite a; despertar o apetite de. **2.** Excitar o desejo de; tentar.
apetite. [Do lat. *appetitu*.] *S. m.* **1.** Vontade de comer; apetência. **2.** *P. ext.* Vontade, disposição, ânimo: *Tal viagem não me desperta* a p e t i t e. **3.** Ambição, cobiça, sofreguidão: a p e t i t e *de posições, de glória*. **4.** Gosto especial; predileção, preferência: *Tem* a p e t i t e *para as ciências exatas*. **5.** Sensualidade, lubricidade.
apetitivo. [Do lat. *appetitivu*.] *Adj.* **1.** Que tem apetite. **2.** Sensual, lúbrico. **3.** Apetitoso (1).
apetitoso (ô). *Adj.* **1.** Que desperta apetite; apetitivo. **2.** V. *apetecível*. **3.** Gostoso, saboroso: *O almoço fora muito* a p e t i t o s o. **4.** Cobiçoso, ambicioso.
apetrechar. *V. t. d.* e *p.* Munir ou prover de apetrechos; petrechar. [Conjug.: v. *fechar*.]
apetrechos (ê). [Do esp. *pertrechos*.] *S. m. pl.* V. *petrechos*: "duas espingardas com os respectivos a p e t r e c h o s de caça" (Gilvão Lemos, *Jutaí Menino*, p. 69).
ápex (cs). [Do lat. *apex*.] *S. m.* **1.** *Astr.* Ponto da esfera celeste para o qual se dirige o Sol e todo o sistema solar, e que está situado na constelação de Hércules, a 10º S. O. da estrela Vega. **2.** *Geom.* Ponto de uma figura geométrica cuja distância a uma linha ou a um plano horizontais pertencentes à figura é máxima.

apezinhar. [De *a*-[2] + *pé* + *-z-* + *-inhar*.] *V. t. d.* V. *espezinhar*.
▲**api-.** [Do lat. *apis, is*.] *El. comp.* = 'abelha': *apicultor, apícola*.
apiabar. [De *a*-[2] + *piaba* + *-ar*[2]] *V. int. Bras. Gír.* Pedir dinheiro emprestado, no jogo; piabar.
apiabetê. *Bras. S. 2 g.* **1.** Indivíduo dos apiabetês, tribo indígena de língua geral. ● *Adj. 2 g.* **2.** Pertencente ou relativo a essa tribo.
apiacá[1]. *S. m. Bras., MT. Pop.* Espécie de marimbondo de notável agressividade, cujo nome científico ainda não está bem definido.
apiacá[2]. [Do tupi *apia'ká*.] *Bras. S. 2 g.* **1.** Indivíduo dos apiacás, tribo indígena tupi-guarani extinta, das imediações do alto Tapajós. **2.** Indivíduo de outra tribo do mesmo nome, das margens do rio Tocantins, pertencente à família caraíba; apingui. ● *Adj. 2 g.* **3.** Pertencente ou relativo a essas tribos.
apiaiense (a-i). *Adj. 2 g.* **1.** De, ou pertencente ou relativo a Apiaí (SP). ● *S. 2 g.* **2.** Natural ou habitante de Apiaí.
apianado. *Adj.* De acabamento esmerado.
apiançado. [Part. de *apiançar*.] *Adj. Bras., N.E.* e *MG. Pop.* **1.** Ansiado, aflito. **2.** V. *asmático* (2).
apiançar. *V. t. d.* e *t. i. Bras., N. E. Pop.* Desejar ardentemente. [Conjug.: v. *laçar*.]
apiari. [De provável or. tupi.] *S. m. Bras., PA.* V. *apaiari*.
apiário. [Do lat. *apiariu*.] *Adj.* **1.** Referente às abelhas. ● *S. m.* **2.** Estabelecimento de criação de abelhas.
apiastro. [Do lat. *apiastru*.] *S. m.* V. *erva-cidreira*.
apicaçar. [De *a*-[2] + *pico* + *-açar*.] *V. t. d.* Espicaçar. [Conjug.: v. *laçar*.]
apicado. [Do lat. *apicatu*.] *Adj.* **1.** Que tem ápice. **2.** Que termina superiormente em pico.
apical. *Adj. 2 g.* Terminado em ápice.
ápice. [Do lat. *apice*.] *S. m.* **1.** O ponto mais elevado; vértice, cume, cimo. **2.** O mais alto grau; apogeu. **3.** *Bot.* Porção terminal de folha, raiz, etc. **4.** *Paleogr.* Sinal de forma variada (vírgula, acento agudo, L virado), usado nas antigas inscrições latinas para indicar vogal longa. [Cf. *braquia* e *macro*.] ~ V. *ápices*. ◆ **Num ápice.** Num instante; num abrir e fechar de olhos: "N u m á p i c e, ... os olhos caíram-lhe nos seus ricos pêssegos, os pêssegos que tinham custado quatro mil-réis" (João da Silva Correia, *Farândola*, p. 31). **Por um ápice.** V. *por um triz* (1).
ápices. [Pl. de *ápice*.] *S. m. Gram.* V. *trema*. ~V. *ápice*.
apichar-se. *V. p. Bras., RS.* Acovardar-se, acobardar-se, achicar-se.
apichelado. [De *a*-[2] + *pichel* + *-ado*[1].] *Adj.* Que tem forma de pichel.
apichelar. [De *a*-[2] + *pichel* + *-ar*[2].] *V. t. d.* Dar forma de pichel a.
▲**apici-.** [Do lat. *apex, apicis*.] *Pref. nom.* = 'ápice': *apicifloro*.
apiciadura. *S. f.* Ponto de união de dois volantes, nos trabalhos de armador (2).
apicida. [De *api-* + *-cida*.] *Adj. 2 g.* Que provoca a morte de abelhas.
apicifixo (cs). [De *apici-* + *fixo*.] *Adj. Bot.* Que se acha ligado ou unido ao ápice de dado órgão ou parte: *antera* a p i c i f i x a. [Opõe-se a *basifixo*.]
apicifloro. [De *apici-* + *-floro*.] *Adj. Bot.* Portador de flores no ápice ou ponta dos ramos.
apicoado[1]. [Part. de *apicoar*.] *Adj.* **1.** Desbastado a picão. ● *S. m.* **2.** *Arquit.* Acabamento tosco, produzido com o picão, em superfície de pedra ou de concreto armado.
apicoado[2]. [De *a*-[2] + *pico*[1] + *-ado*[1].] *Adj. Bras.* Talhado a pique; empinado.
apicoar. [De *a*-[2] + *picão* + *-ar*[2].] *V. t. d.* Desbastar com o picão. [Conjug.: v. *coroar*.]
apícola. [De *api-* + *-cola*.] *Adj. 2. g.* **1.** Pertencente ou relativo à apicultura. ● *S. 2. g.* **2.** V. *apicultor*. [Cf. *apícula*.]
apicu. *S. m. Bras., N.* Var. de *apicum*. [Cf. *apecu* e *apecum*.]
apicuí. [Do tupi, decerto.] *S. m. Bras.* V. *rola-cabocla*.
apícula. *S. f.* Var. de *apículo*. [Cf. *apícola*.]
apiculado. [De *apículo* + *-ado*[1].] *Adj. Bot.* Provido de apículo: *As anteras das acantáceas são, comumente,* a p i c u l a d a s.
apicular. *Adj. 2 g.* Relativo ao apículo.
apículo. [Do lat. *apiculu*.] *S. m.* Ponta aguda, rija e curta. [Var.: *apícula*.]
apicultor (ô). [De *api-* + *cultor*.] *S. m.* Criador de abelhas; apícola, abelheiro, colmeeiro.
apicultura. [De *api-* + *cultura*.] *S. f.* **1.** Arte de criação de abelhas européias para obtenção de mel, cera ou polinização de pomares. **2.** *P. ext.* Criação de abelhas.
apicum. [Do tupi *ape'kũ*.] *S. m.* **1.** *Bras., N.* Brejo de água salgada, à borda do mar. **2.** *Bras., MA* e *BA.* Elevação muito íngreme. **3.** *Bras. PE.* Terreno formado de areia fina misturada com pouca argila, e imprestável para o plantio de cana-de-açúcar. **4.** *Bras. BA* e *SE.* Estrema de terra firme com o mangue, limite da preamar. [Var.: *apicu* e *picum*. Cf. *apecum* e *apecu*.]
apídeo. *S. m.* **1.** Espécime dos apídeos. ● *Adj.* **2.** Pertencente ou relativo a eles.
apídeos. *S. m. pl. Zool.* Insetos himenópteros da família *Apidae*, ou *abelhas sociais verdadeiras*, com células hexagonais em corte transversal, que transportam o pólen depois de coletá-lo em pêlos situados na corbícula, e constroem os ninhos com cera.
apiedador (ô). *Adj.* e *s. m.* Que ou aquele que se apieda, se condói.
apiedar. [De ** apiedadar* (de *a*-[2] + *piedade* + *-ar*[2]), com haplologia.] *V. t. d.* **1.** Mover à piedade, à compaixão; condoer. **2.** *P. us.* Tratar com piedade, dó ou compaixão. *P.* **3.** Ter piedade ou compaixão; condoer-se; doer-se; compadecer-se, amiserar-se. comiserar-se. [Irreg., segundo a maioria dos autores, mudando o e da raiz em a nas f. rizotônicas — 1ª, 2ª e 3ª pess. sing. e 3ª do pl. do pres. ind., do pres. subj. e do imper.: *apiado* [cf. *apeado*], *apiadas, apiada, apiadam; apiade, apiades, apiade, apiadem*. Parece-nos, porém, que deve ser considerado regular, deixando-se essas formas para o ant. *apiadar*. Portanto: *apiedo(-me)*, etc., como se vê em numerosos escritores, brasileiros e portugueses, entre eles Raimundo Correia, Tristão da Cunha, Carlos Drummond de Andrade, Alberto Rangel, Ronald de Carvalho, Antero de Figueiredo e Raul Brandão.]
apiforme. [De *api-* + *-forme*.] *Adj. 2 g.* Que tem forma de abelha.
apiloar. [De *a*-[2] + *pilão* + *-ar*[2].] *V. t. d.* Bater ou socar com pilão; v. *pilar*. [Conjug.: v. *coroar*.]
apimentado. [Part. de *apimentar*.] *Adj.* **1.** Temperado com pimenta; picante. **2.** Excitante, estimulante. **3.** *Fig.* Malicioso, licencioso: *comédia* a p i m e n t a d a.
apimentar. [De *ar*-[2] + *pimenta* + *-ar*[2].] *V. t. d.* **1.** Temperar com pimenta. **2.** Estimular, excitar, apetitar. **3.** Tornar picante: A p i m e n t o u *o molho com vários condimentos*. **4.** *Fig.* Tornar picante, malicioso, licencioso: A p i m e n t o u *a conversa, contando anedotas picantes*.
apinajé. *S. 2 g. Bras.* **1.** Indivíduo dos apinajés, grupo indígena jê, integrado à sociedade nacional, que habita a região entre o baixo rio Araguaia e o Tocantins (GO). ● *Adj. 2 g.* **2.** Pertencente ou relativo aos apinajés.
apincelar. [De *a*-[2] + *pincel* + *-ar*[2].] *V. t. d.* **1.** Dar forma de pincel (1 e 2) a. **2.** Dar, com pincel (1), mão de tinta ou de cal a. [Cf. *pincelar*.]
apinchar. [De *a*-[4] + *pinchar*.] *V. t. d. Bras., S.* Atirar fora com ímpeto; arremessar, arrojar, pinchar.
apingui. *S. 2 g.* e *adj. 2 g. Bras.* Apiacá[2] (2).
apinhado. [Part. de *apinhar*.] *Adj.* **1.** Completamente cheio; superlotado. **2.** Amontoado, aglomerado. [Cf. *apenhado*.]
apinhar. [De *ar*-[2] + *pinha* + *-ar*[2].] *V. t. d.* **1.** Unir, como pinhões na pinha; ajuntar. **2.** Encher ou ocupar totalmente: *O povo* a p i n h a v a *a praça*. **3.** *Bras.* Dar forma de pinha a. *P.* **4.** Unir-se muito e apertadamente; aglomerar-se: *Centenas de pessoas* a p i n h a v a m *-se no salão;* "*o povo* .... a p i n h a v a *-se, cada vez mais basto, ao redor da alpendrada.*" (Alexandre Herculano, *Lendas e Narrativas*, I, pp. 148-149). **5.** Estar ou ficar inteiramente cheio: *As ruas, estreitas,* a p i n h a r a m *-se de curiosos*.
apióide. [Do gr. *ápyos*, 'sem pus' + *-óide*.] *Adj. 2 g.* **1.** Não corrompido; puro, limpo. **2.** *Med.* Não purulento.
apipado. [De *a*-[2] + *pipa* + *-ado*[1].] *Adj.* Que tem feitio de pipa.
apipar. [De *a*-[2] + *pipa* + *-ar*[2].] *V. t. d.* Dar forma de pipa (1) a.
apiranga. [De provável or. tupi.] *S. f. Bras.* Planta da família das melastomáceas (*Mouriria apiranga*).
apirético. [De *a*-[3] + *pirético*.] *Adj. Patol.* Que não tem febre.
apirexia (cs). [De *a*-[3] + *pirexia*.] *S. f. Patol.* Ausência ou cessação da febre.
ápiro. [Do gr. *ápyros* 'sem fogo'.] *Adj.* **1.** Que não se altera ao fogo. **2.** Infusível.
apisoamento. *S. m.* Ato ou efeito de apisoar.
apisoar. [De *a*-[2] + *pisão*[1] + *-ar*[2].] *V. t. d.* **1.** Apertar, lustrar ou bater (o pano) com o pisão[1] (1); pisoar. **2.** Bater ou socar (terra) em camadas sucessivas, para compactar o solo e preparar o piso de chão batido ou o leito do contrapiso. [Conjug.: v. *coroar*.]

apisteiro. *S. m.* Xícara com bico, semelhante a um bule, pela qual se dá caldo ou apisto a pessoa deitada.
apisto. *S. m.* **1.** Caldo substancioso para doentes. **2.** *Fig.* Conforto, auxílio.
apitã. *S. m. Bras., Amaz, P. us.* V. *urubu-comum.*
apitar. [Voc. onom.] *V. int.* **1.** Tocar apito; fazer soar o apito: *O carro avançou o sinal e o guarda apitou.* **2.** Dar sinal por meio de apito: "O trem apitou" (José Lins do Rego, *Ficção Completa*, I, p. 284). **3.** *Bras. Pop.* V. *morrer* (1). *T. d.* **4.** *Bras. Fut.* Marcar ou assinalar, tocando apito: *O juiz apitou a falta imediatamente.* **5.** *Bras. Fut.* Arbitrar (1): "Árbitros europeus apitando jogos de equipes européias" (Armando Nogueira, *in Jornal do Brasil*, Rio, 19.7.1970).
apitau. *S. m. Bras., AM. P. us.* V. *urubu-comum.*
apito. [Dev. de *apitar.*] *S. m.* **1.** Qualquer instrumento em que o ar, comprimido entre membranas, produz som estridente relativamente prolongado, e que serve para dirigir manobras, pedir socorro, orientar o trânsito, etc. **2.** Pequeno instrumento de metal, madeira, etc., que se faz soar por meio de sopro (3); assobio. **3.** Silvo (1): "Quando o apito / da fábrica de tecidos / vem ferir os meus ouvidos / eu me lembro de você." (De *Três Apitos*, samba de Noel Rosa.) ◆ **Engolir o apito.** *Bras. Fut.* Apitar (5) (o juiz) mal o jogo.
apívoro. [De *api-* + *-voro.*] *Adj.* Que come abelhas.
aplacação. *S. f.* Ato ou efeito de aplacar(-se).
aplacador (ô). *Adj.* **1.** Que aplaca. ● *S. m.* **2.** Aquele, ou aquilo que aplaca.
aplacar. [Do lat. *applacare.] *V. t. d.* **1.** Tornar plácido; tranqüilizar, serenar, apaziguar: *Aplacaram os selvagens distribuindo quinquilharias;* "Sua mão, que aplacou a tormenta das águas / No lago, certo dia, / A toda a hora aplaca as nossas mágoas, / Nossos prantos e lutos alivia..." (Alberto d'Oliveira, *Prosa e Verso*, p. 243). **2.** Abrandar; mitigar; moderar: *Não há remédio que lhe aplaque a dor; Nada pode aplacar a sua ira;* "Quero um beijo sem fim, / Que dure a vida inteira e aplaque o meu desejo!" (Olavo Bilac, *Poesias*, p. 115). *Int.* e *p.* **3.** Tornar-se plácido; aquietar(-se), serenar(-se). **4.** Diminuir em força ou intensidade; suavizar(-se), abrandar(-se): *Aquele rancor jamais aplacará; Com o tempo, sua paixão aplacou-se.* [F. paral.: *placar.* Conjug.: v. *trancar.*]
aplacável. *Adj. 2 g.* Que se pode aplacar.
aplacentário. [De *a-*^{3} + *placentário.*] *Adj. Zool.* Diz-se do animal sem placenta.
aplacóforo. *S. m.* **1.** Espécime dos aplacóforos. ● *Adj.* **2.** Pertencente ou relativo a eles. [Sin. ger.: *solenogastro.*]
aplacóforos. *S. m. pl. Zool.* Animais moluscos anfineuros, da ordem *Aplacophora.* Desprovidos de concha ou sola pediosa; vermiformes; tegumento grosso, com minúsculas espículas calcárias; marinhos, vivem no fundo, entre 20 e 2.000 m. [Sin.: *solenogastros.*]
aplainado. [Part. de *aplainar.*] *Adj.* **1.** Alisado com plaina: *madeira aplainada.* **2.** Aplanado: *terreno aplainado.*
aplainamento. *S. m.* Ação ou efeito de aplainar(-se); aplanação.
aplainar. [De *a-*^{2} + *plaina* + *-ar*^{2}.] *V. t. d.* **1.** Alisar com plaina; aparelhar. **2.** V. *aplanar* (1 a 3): *aplainar asperezas; aplainar obstáculos;* "As escabrosidades / Da rima o poeta aplaina." (Luís Murat, *Ondas*, III, p. 10). *P.* **3.** V. *aplanar* (4 e 5): "uma série de acasos transformou a impossibilidade em dificuldade; esta se aplainou sem que eu tivesse feito o mínimo esforço" (Graciliano Ramos, *Viagem*, p. 7).
aplanação. *S. f.* Aplanamento.
aplanado. [Part. de *aplanar.*] *Adj.* Nivelado, plano, aplainado.
aplanador (ô). *Adj.* **1.** Que aplana. ● *S. m.* **2.** Aquele ou aquilo que aplana. **3.** *Tip.* V. *tamborete* (3).
aplanadora (ô). [Fem. de *aplanador.*] *S. f.* V. *niveladora.*
aplanamento. *S. m.* Ato ou efeito de aplanar(-se); aplanação.
aplanar. [De *a-*^{2} + *plano* + *-ar*^{2}.] *V. t. d.* **1.** Tornar plano ou chão; nivelar, achanar, aplainar. **2.** Tornar fácil; facilitar, simplificar, aplainar: "O tom com que o pároco proferiu estas palavras deu uma alma nova ao Manuel da Ventosa. Imaginou logo que o padre prior tinha aplanado o negócio." (Alexandre Herculano, *Lendas e Narrativas*, II, p. 168.) **3.** Vencer, remover, superar (obstáculos, empecilhos, dificuldades, etc.); desembaraçar, aplainar. *P.* **4.** Tornar-se ou apresentar-se plano ou chão; achanar-se, aplainar-se. **5.** Resolver-se, desembaraçar-se; aplainar-se: *Após uma conversa as dificuldades entre os dois se aplanaram.*
aplanético. *Adj.* **1.** Que só apresenta aplanósporos. **2.** *Ópt.* Referente ao aplanetismo. ~ V. *lente—a* e *sistema —.*
aplanetismo. *S. m. Ópt.* Propriedade dum sistema óptico em que a imagem dum objeto plano é também plana.
aplanogameta. *S. m.* Gameta desprovido de cílios.
aplanósporo. *S. m.* Esporo imóvel, i. e., sem órgãos locomotores (flagelos, cílios), muito comuns nas algas.
aplasia. [De *a-*^{3} + gr. *plásis*, 'modelagem', + *-ia.*] *S. f. Biol. Ger.* Desenvolvimento incompleto ou imperfeito de qualquer parte do organismo animal ou vegetal.
aplastado. [Part. de *aplastar*^{2}.] *Adj. Bras., S.* Fatigado, cansado, esfalfado (cavalo e, p. ext., pessoa).
aplastar^{1}. *V. t. d.* Desfraldar, desferir (vela).
aplastar^{2}. [Do esp. *aplastar.*] *V. t. d.* e *p. Bras., S.* Fatigar(-se), cansar(-se), esfalfar(-se). [Us. com relação a cavalo e, p. ext., a pessoas.]
aplástico. [De *a-*^{3} + *plástico.*] *Adj.* **1.** Que não tem plasticidade. **2.** Referente à aplasia.
aplaudente. [Do lat. *applaudente.*] *Adj. 2 g.* Aplaudidor (1).
aplaudido. [Part. de *aplaudir.*] *Adj.* A quem ou a que se dá ou deu aplauso; louvado, elogiado, aclamado.
aplaudidor (ô). *Adj.* **1.** Que aplaude; aplaudente. ● *S. m.* **2.** Aquele que aplaude.
aplaudir. [Do lat. *applaudere.*] *V. t. d.* **1.** Festejar demonstrando aprovação e louvor; dar aplauso a; aclamar. **2.** Aprovar, louvar, elogiar. *Int.* **3.** Aprovar, louvar, elogiar alguém ou algo: "o público freqüentador do teatro é .... intransigente diante da cena: vaia ou aplaude com entusiasmo." (Delso Renault, *O Rio Antigo nos Anúncios de Jornais*, p. 45). *P.* **4.** Ficar satisfeito consigo mesmo; gloriar-se. [Sin. ger., p. us.: *plaudir.*]
aplausível. *Adj. 2 g.* Digno de aplauso; plausível.
aplauso. [Do lat. *applausu.*] *S. m.* **1.** Ato ou efeito de aplaudir, aclamação, ovação. **2.** V. *apoio* (3): *O empreendimento conta com o meu aplauso.* **3.** Elogio, louvor, gabo. **4.** Demonstração pública, em geral ruidosa, de aprovação: *Muito depois de findo o espetáculo ainda se ouviam os aplausos.*
aplebear-se. [De *a-*^{2} + *plebe* + *-ar*^{2} + *se*^{1}.] *V. p.* Adquirir modos de plebeu (2). [Conjug.: v. *frear.*]
aplerótico. *Adj.* Diz-se do estado vazio de oósporos dos oogônios de determinados fungos.
aplestia. [Do gr. *aplestía.*] *S. f. Patol.* V. *bulimia.*
aplicabilidade. *S. f.* Qualidade ou faculdade de aplicável.
aplicação. [Do lat. *applicatione.*] *S. f.* **1.** Ato ou efeito de aplicar(-se). **2.** Execução prática de uma teoria ou disciplina; emprego: *a aplicação do pensamento de Einstein.* **3.** Cumprimento, execução: *aplicação de uma pena.* **4.** Emprego, utilização, uso: *aplicação de novos métodos; aplicação de uma matéria-prima, de um medicamento.* **5.** Administração de medicamento. **6.** Concentração do espírito, da atenção, da vontade, da atividade, etc.: *A aplicação do aluno granjeou-lhe especial menção.* **7.** Ornato que se faz separadamente para depois se aplicar à obra: *caixa de madeira com aplicações de prata.* **8.** Obra de bordado ou de crochê, renda, passamanaria ou outro tecido, etc., que se aplica sobre peça de costura, como adorno: *blusa de linho com aplicações.* **9.** O limite de dinheiro que um banco dá a um gerente para aplicar. **10.** *Álg. Mod.* Relação unívoca dos elementos de um conjunto com os de outro.
aplicado. [Part. de *aplicar.*] *Adj.* **1.** Que se aplicou; aposto, justaposto, sobreposto. **2.** Voltado para o estudo, para o trabalho; zeloso, diligente; esforçado: *aluno aplicado; funcionário aplicado.* **3.** *Morfol. Veg.* Diz-se da folha que está unida ao eixo, mas sem concrescência ou soldadura. **4.** *Antiq.* Padre não pertencente à paróquia, auxiliar do vigário. ~ V. *artes —as, botânica —a, ciências —as* e *matemáticas —as.*
aplicador (ô). *Adj.* **1.** Que aplica; aplicante. ● *S. m.* **2.** Aquele que aplica. **3.** Objeto com que se aplica alguma coisa.
aplicante. [Do lat. *applicante.*] *Adj. 2 g.* Aplicador (1).
aplicar. [Do lat. *applicare.*] *V. t. d.* **1.** Justapor; sobrepor; apor: *aplicar um emplastro.* **2.** Pôr em prática; empregar: *Costuma aplicar métodos persuasivos.* **3.** Receitar, prescrever. **4.** Ministrar, administrar: "Fazia chás, aplicava injeção de óleo canforado e contava longas histórias de morte, de desastres, de assombrações." (João Clímaco Bezerra, *Não Há Estrelas no Céu*, p. 7.) **5.** Infligir, impor: *aplicar sanções, penalidades.* *T. d. e i.* **6.** Justapor, sobrepor, apor: *aplicar um emplastro nas costas.* **7.** Acomodar, adaptar, adequar: *Aplicou a história às suas conveniências.* **8.** Pôr em prática; empregar: *Aplicou àquela pesquisa um novo método.* **9.** Atribuir, conferir: *Calou-se, para não lhe aplicar uma injúria.* **10.** Investir, inverter: *aplicar dinheiro na bolsa.* **11.** Infligir, impor: *Aplicou-lhes a excomunhão.* **12.** Concentrar determinado(s) sentido(s): *Aplicou o ouvido à porta.* **13.** *Bras. Gír.* Dar, pespegar, assentar: "Os soldados .... aplicavam bofetadas em Valdevinos." (Adalberon Cavalcanti Lins, *Curral Novo*, p. 245). *P.* **14.** Entregar-se com afinco a uma ocupação, estudo, etc.; consagrar-se, dedicar-se: "Não sabia ler, a pequena, nunca quisera aprender. .... Tinha horror a aplicar-se..." (Eça de Queirós, *O Crime do Padre Amaro*, p. 452.) **15.** Acomodar-se, adaptar-se, adequar-se. **16.** Ministrar, administrar. **17.** *Bras. Gír.* Aplicar em si mesmo entorpecente intravenoso. [Conjug.: v. *trancar.*]
aplicativo. *Adj. P. us.* Aplicável.
aplicável. *Adj. 2 g.* Que pode ser aplicado. [Sin. (p. us.): *aplicativo.*]
aplique. [Do fr. *applique.*] *S. m.* Objeto aplicado à parede para servir de ornamento e/ou como foco de iluminação: *O espelho do quarto tinha de cada lado um aplique de opalina.*
aplísia. *S. f.* Molusco gasterópode, desprovido de concha, da ordem dos opistobrânquios, conhecido vulgarmente como *lesma-do-mar.*
aplisídeo. *S. m.* **1.** Espécime dos aplisídeos. ● *Adj.* **2.** Pertencente ou relativo a eles.
aplisídeos. *S. m. pl. Zool.* Família de moluscos gasterópodes, da ordem dos opistobrânquios, animais de corpo alongado, desprovidos de concha, verde-dourados, munidos de tentáculos orais, e com 15 a 17 cm de comprimento. Conhecidos vulgarmente como *aplísias* ou *lesmas-do-mar.*
aplito. [Do gr. *hapl(o)-* + *-ito*^{2}.] *S. m. Geol.* Rocha magmática diferenciada, de textura fina, mais comumente siálica. [A boa forma seria *haplito.*]
▲**apl(o)-.** V. a f. correta, *hapl(o)-.*
➧**aplomb** (aplõ). [Fr.] Segurança, desembaraço, desenvoltura.
apluvião. *S. f. Geog.* Aplúvio.
aplúvio. *S. m.* Depósito de detritos transportados pelas águas pluviais; apluvião.
apluvionamento. *S. m. Geog.* Sedimentação proveniente de aplúvios.
apnéia. [Do gr. *ápnoia.*] *S. f. Med.* Suspensão da respiração.
apnéico. *Adj.* Relativo à apnéia.
apo^{1}. *S. m.* Designação antiga da *ave-do-paraíso* [q. v.], por se julgar que não tinha pés.
apo^{2}. *S. m.* Haste de madeira à qual se prendem as peças principais do arado.
▲**ap(o)-.** [Do gr. *apó.*] *Pref.* = 'afastamento', 'separação': *apocromático, apofonia.*
apoastro. [De *ap(o)-* + *astro.*] *S. m. Astr.* Ponto da órbita de um astro, no qual este se encontra mais afastado do seu centro de atração.
apocalipse. [Do gr. *apokalypsis*, 'revelação', pelo lat. tardio *apocalypse.*] *S. m.* **1.** *Rel.* O último livro do Novo Testamento [q. v.], atribuído a S. João, o Evangelista, e que contém revelações terrificantes acerca dos destinos da humanidade. **2.** Literatura apocalíptica e escatológica, em especial a produzida pelos judeus entre 200 a. C. e 200 d. C., aproximadamente. **3.** *P. ext. Fig.* Grande cataclismo; flagelo terrível. **4.** *Fig.* Linguagem muito obscura, sibilina.
apocalíptico. [Do gr. *apokalyptikós*, 'que revela'.] *Adj.* **1.** Relativo a, ou ao Apocalipse (1). **2.** *Fig.* Difícil de compreender; obscuro, sibilino: *estilo apocalíptico.* **3.** Que lembra o Apocalipse (1), o fim do mundo; pavoroso, terrificante. [Var.: *apocalítico.*]
apocalítico. *Adj.* V. *apocalíptico.*
apocárpico. *Adj. Bot.* Diz-se da flor, gineceu ou fruto nos quais os carpelos se mostram livres, independentes, cada um constituindo um ovário completo. [O fruto resultante do ovário apocárpico é múltiplo, sendo formado por várias partes separadas embora aproximadas, como, p. ex., o morango, em que cada grão duro é um frutinho. Opõe-se a *sincárpico.*]
apocarpo. *S. m. Bot.* Fruto proveniente de um gineceu apocárpico.
apocatástase. [Do gr. *apokatástasis*, pelo lat. *apocatastase.*] *S. f.* **1.** *Astr.* Revolução periódica de um astro. **2.** Origenismo [q. v.].
apocinácea. *S. f.* Espécie das apocináceas.
apocináceas. *S. f. pl. Bot.* Grande e importante família de plantas floríferas, constituída de árvores, arbustos, ervas e trepadeiras, quase sempre leitosas, de folhas opostas, flores ornamentais, frutos secos ou carnosos, vários deles comestíveis, e muitas vezes com sementes pilosas. [Há perto de 1.000 espécies, por excelência tropicais, nas quais o Brasil é rico; a mangaba e a

espirradeira, p. ex., são apocináceas.]

apocináceo. *Adj.* Relativo ou pertencente às apocináceas.

apocíntio. *S. m. Astr.* Na órbita de um satélite lunar, a posição em que ele se encontra mais afastado da Lua.

apócito. *S. m. Biol.* Célula multinucleada. [Os vários núcleos existentes nos apócitos têm o seu próprio protoplasma, havendo verdadeira individualidade, embora sem membrana divisória. Os apócitos provêm da divisão incompleta de uma célula única inicial. Cf. *sincício.*]

apocopado. [Part. de *apocopar.*] *Adj.* Que sofreu apócope; apocópico: *A palavra frei é forma apocopada de freire.* ~ V. *charada —a.*

apocopar. *V. t. d.* Fazer apócope em (uma palavra). [Pres. subj.: *apocope*, etc. Cf. *apócope.*]

apócope. [Do gr. *apokopé*, pelo lat. *apocope.*] *S. f. Gram.* Supressão de fonema ou de sílaba no fim de palavra: *bel*, por *belo* (em *bel-prazer*); *são*, por *santo; mui*, por *muito.* [Cf. *apocope*, do v. *apocopar.*]

apocópico. *Adj.* **1.** Referente a apócope. **2.** Apocopado [q. v.].

apocrifia. *S. f.* Qualidade de apócrifo.

apócrifo. [Do gr. *apókryphos*, pelo lat. *apocryphu.*] *Adj.* **1.** Diz-se de obra ou fato sem autenticidade, ou cuja autenticidade não se provou. **2.** Diz-se, entre os católicos, dos escritos de assunto sagrado não incluídos pela Igreja no Cânon das Escrituras autênticas e divinamente inspiradas.

apócrito. *S. m.* e *adj.* V. *clitogastro.*

apócritos. *S. m. pl. Zool.* V. *clitogastros.*

apocromático. [De *ap(o)-* + *cromático.*] *Adj. Bot.* Diz-se dos cromatóforos que perderam a clorofila, mas continuam em estado incolor, como, p. ex., *as algas verdes* do gênero *Euglena.* ~ V. *lente—a* e *objetiva—a.*

apodacrítico. [De *ap(o)-* + gr. *dacrytós*, 'chorado', + *-ico*[2].] *Adj. Med.* Que produz secreção de lágrimas.

apodador (ô). *Adj.* e *s. m.* Que ou aquele que apoda.

apodar. [Do lat. tardio *apputare*, 'calcular'; 'comparar'.] *V. t. d.* **1.** Dirigir apodos a. **2.** Escarnecer, zombar, troçar de: *Apodam-lhe, desde moço, o temperamento casmurro.* **3.** Dirigir injúrias a; apostrofar. *Transobj.* **4.** Alcunhar, apelidar, pejorativamente: *Apodou-o "Cebolinha".* **5.** Tachar, acoimar: *Apodaram-no de palhaço. T. d. e i.* **6.** Comparar, assemelhar: *Apodou-a com um saco de batatas, tão gorda a encontrou.* [Pres. ind.: *apodo*, etc.; pres. subj.: *apode*, etc. Cf. *apodo* (ô) e *ápode.*]

ápode. [Do gr. *ápous, odos.*] *Adj. 2 g.* **1.** Sem pés **2.** Pertencente ou relativo aos ápodes. ● *S. m.* **3.** Espécime dos ápodes (1, 3 e 4). **4.** Gimnofiono. [Cf. *apode*, do v. *apodar.*]

apodengado. [De *a-*[2] + *podengo* + *-ado*[1].] *Adj.* Semelhante a podengo.

apoderar-se. [De *a-*[2] + *poder* + *-ar*[2] + *se*[1].] *V. p.* Apossar-se, assenhorear-se: "Uma grande serenidade foi se *apoderando* de mim, me invadindo sutilmente como um perfume." (Cordeiro de Andrade, *Anjo Negro*, p. 95.)

ápodes. [Pl. de *ápode.*] *S. m. pl. Zool.* **1.** Animais da classe dos peixes, neopterígios, da ordem *Apodes.* Nadadeiras ventrais ausentes, a dorsal e a anal contínuas com a cauda; corpo alongado, columbiforme; escamas minúsculas ou ausentes. São as enguias-verdadeiras e as moréias. **2.** Gimnofionos. **3.** Artrópodes crustáceos cirrípedes, da ordem *Apoda*, corpo desprovido de manto e de apêndices no tronco. **4.** Equinodermos holoturóides, ordem *Apoda*, cujo corpo é desprovido de pés ambulacrários e arborescências respiratórias; têm tentáculos pinados.

apodia. [Do gr. *apodía.*] *S. f. Ter.* Falta congênita de pés.

apodiamento. *S. m. P. us.* V. *andaime.*

apodíctico. [Do gr. *apodeiktikós*, pelo lat. *apodicticu.*] **1.** *Adj. Filos.* Diz-se do que é demonstrável ou do que é evidente, valendo, pois, de modo necessário. **2.** *P. ext.* Irrefutável, evidente: "Num tom excessivamente *apodíctico*, afirma o autor que só existem duas espécies de tradução: a literal e a livre, e pronuncia-se sem ressalvas a favor da primeira." (Paulo Rónai, *Escola de Tradutores*, p. 54.) [Var.: *apodítico.*] ~ V. *juízo — e silogismo —.*

apódida. *S. m.* e *adj. 2 g.* V. *apodídeo.*

apódidas. *S. m. pl. Zool.* V. *apodídeos.*

apodídeo. *S.m.* **1.** Espécime dos apodídeos. ● *Adj.* **2.** Pertencente ou relativo a eles. [Sin. ger.: *apódida.*]

apodídeos. *S. m. pl. Zool.* Aves da família *Apodidae*, cujas espécies semelham as andorinhas, diferindo destas pelo formato das asas, muito grandes, pontiagudas e falciformes. Voam extremamente rápido, e alimentam-se de insetos.

apodiense. *Adj. 2 g.* **1.** De, ou pertencente ou relativo a Apodi (RN). ● *S. 2 g.* **2.** Natural ou habitante de Apodi.

apodiforme. *S. m.* **1.** Espécime dos apodiformes. ● *Adj. 2 g.* **2.** Pertencente ou relativo a eles. [Sin. ger.: *micropodiforme.*]

apodiformes. *S. m., pl. Zool.* Designação comum às aves neórnites neognatas, diurnas, da ordem *Apodiformes*, de bico pequeno e fraco, às vezes delgado, longa língua tubulosa, pernas muito curtas e pés pequeníssimos, asas pontudas, porte geralmente pequeno, as quais se alimentam sobretudo durante o vôo. São as andorinhas e os beija-flores. [Sin.: *micropodiformes.*]

apodioxe (cs). [Do gr. *apodíoxis.*] *S. f. Ret.* Figura pela qual se rejeita um argumento que se considera absurdo.

apodítico. *Adj. Filos.* Var. de *apodíctico* [q.v.].

apodização. *S. f. Ópt.* Num instrumento óptico, diminuição da intensidade luminosa dos anéis externos da figura de difração da imagem de um objeto pontual, por meio de diafragmas convenientemente colocados no sistema óptico.

apodizar. *V. t. d. Ópt.* Realizar a apodização de (um sistema óptico).

apodo (ô). [Dev. de *apodar.*] *S. m.* **1.** Zombaria, mofa, motejo. **2.** Comparação, em geral depreciativa. **3.** Epíteto zombeteiro; alcunha, apelido. [Pl.: *apodos* (ô). Cf. *apodo*, do v. *apodar*, e *ápodo.*]

ápodo. *Adj. Bot.* Diz-se do vegetal sem haste que lhe suporta órgão ou parte deste. [P. ex.: os vegetais sem pedicelo ou pedúnculos são ápodos. Cf. *apodo*(ô) e *apodo*, do v. *apodar.*]

apódose. [Do gr. *apódosis*, pelo lat. *apodose.*] *S. f.* A segunda parte de um período gramatical, em relação à primeira, chamada *prótase*, de cujo sentido é complemento.

apodrecer. [De *a-*[2] + *podre* + *-ecer.*] *V. t. d.* **1.** Tornar podre; putrefazer. **2.** Corromper, estragar moralmente; perverter. *Int.* **3.** Ficar podre; corromper-se. **4.** Causar podridão. **5.** Corromper-se moralmente. **6.** Permanecer, deixar-se estar, por indiligência e/ou indolência, por falta de proteção: *Homem de rara inteligência, apodreceu num cargo obscuro. P.* **7.** Tornar-se podre; deteriorar-se. **8.** Estragar-se, corromper-se moralmente. [Sin. ger.: *apodrentar.* Conjug.: v. *aquecer.*]

apodrecido. [Part. de *apodrecer.*] *Adj.* **1.** Que apodreceu, apodrido, putrefato, putrefeito, podre. **2.** *Fig.* Corrompido moralmente.

apodrecimento. *S. m.* Ato ou efeito de apodrecer(-se).

apodrentar. [De *a-*[2] + *podre* + *-entar.*] *V. t. d., int.* e *p.* V. *apodrecer.*

apodrido. [Part. de *apodrir.*] *Adj.* V. *apodrecido* (1).

apodrir. [De *a-*[2] + *podre* + *-ir.*] *V. int.* Principiar a apodrecer; apodrecer.

apoético. [De *a-*[3] + *poético.*] *Adj.* **1.** Indiferente à poesia: *Objetivo cem por cento, é a mais apoética das criaturas.* **2.** Contrário à poesia; antipoético. **3.** Em que não há poesia, ou que não lhe segue as normas ou o espírito; impoético: *assunto apoético; página apoética.*

apofântica. *S. f. Lóg.* Teoria das proposições.

apofântico. *Adj. Hist. Filos.* Segundo Aristóteles [v. *aristotelismo*], diz-se de enunciados verbais suscetíveis de serem falsos ou verdadeiros, i. e., dos juízos de atribuição de um predicado a um sujeito.

apófase. *S. f. Filos.* Proposição negativa; negação. [Opõe-se a *catáfase.*]

apofático. *Adj.* Relativo a, ou que encerra apófase. [Opõe-se a *catafático.*]

apófige. [Do gr. *apophygé*, pelo lat. *apophyge.*] *S. f. Arquit.* Anel que cerca o fuste da coluna logo acima da base ou abaixo do capitel.

apofilita. *S. f. Min.* Mineral tetragonal, fluossilicato hidratado de potássio e cálcio.

apófise. [Do gr. *apóphisis.*] *S. f.* **1.** *Anat.* Eminência ou saliência, sobretudo de um osso. **2.** *Bot.* Excrescência piramidal das escamas dos cones de várias coníferas. **3.** *Bot.* Nos fungos, filamento inflado na ponta, semelhante à paráfise. **4.** *Bot.* Nos fungos, porção dilatada da haste que sustenta os esporângios. **5.** *Bot.* Proliferação anômala vegetativa de certas inflorescências. **6.** *Geol.* Terminação aguçada graças à redução gradual de espessura de grande massa intrusiva de rocha. **7.** *Zool.* Saliência de qualquer segmento dos apêndices dos artrópodes. ◆ **Apófise coracóide.** *Anat.* A que termina exteriormente a borda superior da omoplata; apófise coracóidea. **Apófise coracóidea.** *Anat.* Apófise coracóide. **Apófise estilóide.** *Anat.* Formação óssea pontiaguda existente na porção pétrea do osso temporal. **Apófise mastóide.** *Anat.* Parte do osso temporal, cônica, localizada por detrás do pavilhão da orelha; apófise mastóidea. **Apófise mastóidea.** *Anat.* Apófise mastóide.

apofisiário. *Adj.* Relativo à apófise.

apofítico. *Adj.* Relativo a apófito.

apofito. *S. m. Bot.* Vegetal que, embora sendo nativo, se acha fora de seu habitat natural por ação humana.

apofoco. *S. m. Astr.* Apside de uma órbita elíptica, na qual o astro secundário se encontra mais afastado do centro de forças.

apofonia. [De *ap(o)-* + *-fon(o)-* + *-ia.*] *S. f. Ling.* Troca que se opera na estrutura fonológica dum elemento vocabular, especialmente troca de uma vogal, fenômeno esse a que às vezes corresponde uma mudança na função ou classe gramatical. Ex.: lat. *surripio* (de *sub* e *rapio*), *insulsus* (de *in* e *salsus*); ingl. *to write*, que no pret. faz *wrote*; fazer, cujo perf. ind. é *fiz.* [Sin., al.: *Ablaut.*]

apofônico. *Adj.* Relativo à apofonia.

apogametia. *S. f. Biol. Ger.* V. *apogamia.*

apogamia. *S. f. Biol. Ger.* Tipo de apomixia [q. v.] em que o embrião se desenvolve não do núcleo do óvulo, mas de um núcleo do gametófito; reprodução vegetativa; apogametia.

apogâmico. *Adj.* Que apresenta apogamia: *planta apogâmica.*

apogáster. [De gr. ápous, 'ápode', + *-gastero.*] *Adj. 2 g. Zool.* Diz-se dos moluscos cujo ventre é desprovido de pés. [F. paral.: *apogástreo* e *apogastro.*]

apogástreo. [Do gr. *ápous*, 'ápode', + *-gastr(o)-* + *-eo.*] *Adj.* V. *apogáster.*

apogastro. [Do gr. *ápous*, 'ápode', + *-gastro.*] *Adj.* V. *apogáster.*

apogeu. [Do gr. *apógeion.*] *S. m. Astr.* **1.** Posição em sua órbita de um satélite terrestre (a Lua ou satélite artificial) quando, em sua revolução em torno da Terra, se encontra mais afastado dela. **2.** *P. ext.* Posição do Sol, em sua órbita relativa aparente em redor da Terra, quando se encontra mais afastado desta. **3.** *Fig.* O mais alto grau; o auge: "A ventura das armas mocelemanas tinha chegado ao *apogeu*, e a sua declinação começava, finalmente." (Alexandre Herculano, *Eurico, o Presbítero*, p. 286.) **4.** V. *paroxismo* (2). [Antôn.: *perigeu.*]

apogístico. *Adj.* Relativo ao apogeu.

apográfico. *Adj.* Relativo a, ou que tem o caráter de apógrafo.

apógrafo. [Do gr. *apógraphon*, pelo lat. *apographu.*] *S. m.* **1.** Reprodução dum escrito original; traslado. [Antôn.: *autógrafo.*] **2.** Aparelho para cópia de desenhos.

apoiado. [Part. de *apoiar.*] *Adj.* **1.** Que recebeu apoio; aprovado. **2.** Defendido, favorecido. **3.** Fundado, fundamentado. **4.** Arrimado, formado. ● *S. m.* **5.** V. *apoio* (3). ● *Interj.* **6.** Indica aprovação, aplauso: Muito bem! Bravo! [Us. tb. como s. m.]

apoiador (ô). *Adj.* e *s. m.* Que ou aquele que apóia.

apoiamento. *S. m. P. us.* Apoio.

apoiar. [Do it. *appoggiare.*] *V. t. d.* **1.** Dar apoio a; aprovar: *O povo apoiou a atitude do político; O partido apoiou a sua candidatura.* **2.** Sustentar, amparar: *apoiar um pedido.* **3.** Defender, favorecer, secundar: *Os jornais não apoiaram as iniciativas do governo. T. d. e i.* **4.** Sustentar, firmar; encostar: "A velha, numa cadeira de balanço austríaca, muito arqueada, ... *apoiava* as mãos secas de dedos nodosos a uma bengala de jucá." (Moreira Campos, *Portas Fechadas*, p. 23.) **5.** Fundar, fundamentar: *Apoiou a sua tese em pesquisas preliminares. P.* **6.** Arrimar-se, encostar-se; firmar-se, sustentar-se: "encostou a cabeça no meu ombro. *Apoiou-se* mais e foi levantando a perna." (Lígia Fagundes Teles, *A Disciplina do Amor*, pp. 116-117); "Chegou-se à escada, *apoiou-se* ao corrimão, voltado para a copa" (Graciliano Ramos, *Insônia*, p. 24); "A moça *apoiava-se* nas pontas dos dedos à secretária de cabiúna" (Afonso Arinos, *Pelo Sertão*, p. 150). **7.** Prestar-se auxílio mútuo. **8.** Fundar-se, fundamentar-se. [O *o* recebe acento agudo nas f. rizotônicas: *apóio, apóias, apóia, apóiam; apóie, apóies, apóiem.* Pres. ind.: *apóio*, etc. Cf. *apoio.*]

apóideo. *S. m.* **1.** Espécime dos apóideos. ● *Adj.* **2.** Pertencente ou relativo a eles.

apóideos. *S. m. pl. Zool.* Superfamília de insetos da ordem dos himenópteros, na qual se classificam as abelhas. Diferem das vespas pelo fato de as formas jovens alimentarem-se de pólen e mel. Produzem o mel com o néctar coletado das flores e elaborado no papo.

apoio. [Dev. de *apoiar.*] *S. m.* **1.** Tudo o que serve de sustentáculo, de suporte: *A casa, sem o apoio dos alicerces já gastos, ruiu; Sem o apoio dos amigos não conseguirá vencer.* **2.** Auxílio, socorro, amparo: *Ele faltou, quando ela mais precisava de seu apoio.* **3.**

Aprovação; aplauso, apoiada: *Sua atitude conta com o meu apoio.* **4.** Fundamento (2): *Sua tese de concurso peca por falta de apoio.* **5.** Auxílio financeiro e/ou de outra natureza; subsídio, prestígio: *O evento contará com o apoio da Coordenadoria de Atividades Culturais da USP.* **6.** *Arquit.* Qualquer elemento que funcione como suporte de cargas, como, p. ex., pilares, pilastras, colunas, pilotis. [Cf. *apóio*, do v. *apoiar*.]

apois. [De *a-*[4] + *pois*.] *Conj. pop.* pois.

apoitaguara. [De provável or. tupi.] *S. f. Bras.* V. *apojitaguara.*

apoitar. [Var. de *apoutar* (q. v.).] *V. t. d.* **1.** Fundear em poita. *Int.* **2.** *Lançar poita.*

apojado. [Part. de *apojar*.] *Adj.* **1.** Intumescido com algum líquido: *teta apojada.* **2.** *P. ext.* Cheio ao máximo; repleto.

apojadura. [De *apojar* (1) + *-dura*.] *S. f.* **1.** Grande afluência de leite aos peitos da mulher que amamenta, ou às tetas das fêmeas animais que criam; amojo. **2.** *Bras., S.* Apojamento.

apojamento. *S. m.* Ato ou efeito de apojar. [Sin. (Bras., S.): *apojadura*.]

apojar. *V. int.* **1.** Encher-se ou intumescer-se de leite, ou de outro líquido (o seio da mulher ou a teta da fêmea). **2.** *Fig.* Encher-se ao máximo; intumescer-se, inchar; chegar ao auge. *T. d.* **3.** Fazer (o leite ou outro líquido) que se encha ou intumesça (o seio da mulher ou a teta das fêmeas): "O leite escasso não a *apojava* o peito." (José de Alencar, *Iracema*, p. 149.) **4.** *Bras.* e *prov. lus.* Fazer (o bezerro) mamar segunda vez, com o fim de obter o apojo. [Pres. ind.: *apojo*, etc. Cf. *apojo* (ô).]

apojatura. [Do it. *appoggiatura*.] *S. f. Mús.* Ornamento melódico representado por uma ou duas pequenas notas estranhas à harmonia e que precedem a nota real, da qual subtraem o próprio valor e a acentuação.

apojitaguara. [De provável or. tupi.] *S. f. Bras.* Árvore pequena, da família das rutáceas (*Esenbeckia intermedia*), de folhas coriáceas, casca verrucosa, e que é sucedânea da quina verdadeira. Ocorre no RJ, SP e MT. [Var.: *apoitaguara, pitaguara*; sin.: *angustura* ou *angustur.*]

apojo (ô). [Dev. de *apojar*.] *S. m. Bras.* O leite mais grosso que se pode extrair da vaca depois de tirado o primeiro, que é pouco espesso. [Pl.: *apojos* (ô). Cf. *apojo*, do v. *apojar*.]

apolainado. [De *a-*[2] + *polaina* + *-ado*[1].] *Adj.* **1.** Que tem forma de polainas. **2.** Revestido de polainas.

apolar. [De *a-*[3] + *polar*.] *Adj. 2 g.* **1.** *Fís-Quím.* Diz-se de molécula ou grupamento de átomos que não têm momento de dipolo permanente. **2.** *P. ext.* Diz-se de uma substância cujas moléculas são apolares. **3.** *Fís-Quím.* Diz-se de uma ligação entre átomos ou moléculas apolares.

apoldrada. [De *a-*[2] + *poldro* + *-ada*, fem. de *-ado*[1].] *Adj. (f.)* Diz-se da égua que tem ou cria poldro.

apolegar. [De *a-*[2] + *polegar* + *-ar*[2], por haplologia.] *V. t. d.* Machucar com os dedos, sobretudo com o polegar. [Conjug.: v. *regar*.]

apolentador (ô). *Adj.* e *s. m.* Que ou aquele que apolenta.

apolentar. [De *a-*[2] + *polenta* + *-ar*[2].] *V. t. d.* Engordar com polenta.

apólice. [Do gr. bizantino *apodeíxis*, pelo lat. medieval *apodixa*, pelo it. *polizza*, pelo fr. *police*, com aglut. do artigo a.] *S. f.* **1.** Certificado escrito de uma obrigação mercantil. **2.** Ação de companhia (7). **3.** Título representativo da dívida pública, de obrigação civil e/ou mercantil. [Cf. (nessa acepç.) *debênture* e *bônus* (2).] **4.** Ação de sociedades anônimas. **5.** Documento que formaliza o contrato de seguro.

apolinarismo. *S. m.* Doutrina herética de Apolinário, bispo de Laodicéia, por volta de 350, que nega a existência de uma mente humana em Jesus Cristo, a qual teria sido substituída pela ação da divindade do Verbo.

apolíneo. [Do lat. *apollineu*.] *Adj.* **1.** Relativo a, ou próprio de Apolo, deus da luz, das artes e da adivinhação, que personificava o Sol; apolínico. **2.** Que, pela beleza, lembra esse deus; apolínico: *um jovem apolíneo.* **3.** Que se caracteriza pelo equilíbrio, sobriedade, disciplina, comedimento: *as qualidades apolíneas que se exigem para um chefe de Estado.* [Antôn. (nesta acepç.): *dionisíaco* (3). Cf. *apolo*. ~ V. *espírito* —.]

apolínico. *Adj.* Apolíneo.

apólise. [Do gr. *apólysis*.] *S. f. Lit.* A parte final da missa grega, correspondente ao *Ite, missa est* dos latinos.

apolítico. [Do gr. *apolitikós*.] *Adj.* **1.** Que não é político: *conduta apolítica.* **2.** Que não se envolve em, ou não tem interesse por política: *indivíduo apolítico.*

apolo. [Do mit. *Apolo*, deus grego-romano, o mais belo dos deuses.] *S. m.* Homem belo e forte. [Cf. *apolíneo*. (1 e 2).]

apologal. *Adj. 2 g.* Referente a, ou que contém apólogo(s).

apologético. [Do gr. *apologetikós*, pelo lat. *apologeticu*.] *Adj.* Que encerra apologia: *discurso apologético.*

apologia. [Do gr. *apologia*, pelo lat. *apologia*.] *S. f.* **1.** Discurso para justificar, defender ou louvar. **2.** Encômio, louvor, elogio. [Sin. ger.: *apologismo*.]

apológico. *Adj.* Referente a, ou que tem caráter de apologia.

apologismo. [Do gr. *apologismós*.] *S. m.* Discurso apologético; apologia.

apologista. *Adj. 2 g.* e *s. 2 g.* **1.** Que ou quem faz apologia. **2.** Que ou quem é prosélito ou admirador exaltado: *apologista de Castro Alves.*

apologizar. [Do gr. *apologízo*.] *V. t. d.* Fazer a apologia de.

apólogo. [Do gr. *apólogos*, pelo lat. *apologu*.] *S. m.* Historieta mais ou menos longa, que ilustra uma lição de sabedoria e cuja moralidade é expressa como conclusão. [Cf. *fábula* (1 e 2).]

apoltronar-se[1]. [De *a-*[2] + *poltrona* + *-ar*[2] + *se*[1].] *V. p.* Sentar-se em poltrona.

apoltronar-se[2]. [De *a-*[2] + *poltrão* + *-ar*[2] + *se*[1].] *V. p.* Fazer-se ou mostrar-se poltrão; acovardar-se, acobardar-se.

apolvilhar. [De *a-*[2] + *polvilho* + *-ar*[2].] *V. t. d.* e *t. d. e i.* V. *polvilhar*: "E no túrgido ocaso se avista / Entre a cinza que o céu apolvilha, / Um clarão momentâneo" (Gonçalves Dias, *Obras Poéticas*, II, p. 231).

apombocado. [De *a-*[2] + *pomboca* + *-ado*[1].] *Adj. Bras.* V. *tolo* (1 a 3).

apomeiose. *S. f. Biol.* Formação de um gameta sem prévia divisão redutiva do núcleo celular.

apomíctico. *Adj.* Relativo à apomixia.

apomixia (cs). *S. f. Biol. Ger.* Formação do embrião sem fecundação, pelo desenvolvimento da oosfera ou ovocélula [Cf. *partenogênese*] ou pelo desenvolvimento de uma célula vegetativa [Cf. *apogamia*].

apomorfina. *S. f. Quím.* Sólido cristalino, incolor, obtido pela desidratação da morfina, usado em medicina. [Fórm.: $C_{17}H_{17}NO_2$.]

aponejicrã. *Bras., MA. S. 2 g.* **1.** Indivíduo dos aponejicrãs, tribo indígena jê. ● *Adj. 2 g.* **2.** Pertencente ou relativo a essa tribo.

aponeurologia. [De *aponeuro(se)* + *-log(o)-* + *-ia*.] *S. f.* Parte da anatomia que trata das aponeuroses. [Var.: *aponevrologia*.]

aponeurológico. *Adj.* Relativo a aponeurologia. [Var.: *aponevrológico*.]

aponeurose. [Do gr. *aponeúrosis*.] *S. f. Anat.* Membrana fibrosa que reveste ou envolve os músculos e, em certos casos, os termina à guisa de tendão. [Var.: *aponevrose*.]

aponeurótico. *Adj.* Referente à aponeurose. [Var.: *aponevrótico*.]

aponevrologia. *S. f.* Var. de *aponeurologia*.

aponevrológico. *Adj.* Var. de *aponeurológico*.

aponevrose. *S. f.* Var. de *aponeurose*.

aponevrótico. *Adj.* Var. de *aponeurótico*.

aponogetonácea. *S. f.* Espécime das aponogetonáceas.

aponogetonáceas. [Pl. de *aponogetonácea*.] *S. f. pl. Bot.* Família de plantas superiores monocotiledôneas, da ordem das helobiales. São vegetais aquáticos providos de rizomas afundados na lama, e de folhas flutuantes e submersas; perigônio simples, petalóides; seis estames; o fruto parece baga. Ocorrem poucas espécies tropicais, sem importância, algumas brasileiras.

aponogetonáceo. *Adj.* Pertencente ou relativo às aponogetonáceas.

apontado[1]. [Part. de *apontar*[1].] *Adj.* **1.** Que tem ponta; que termina em ponta. **2.** Mostrado, indicado, indigitado. **3.** Dirigido, orientado, encaminhado. ~ V. *dente* —.

apontado[2]. [Part. de *apontar*[2].] *Adj.* **1.** Marcado com ponto; assinalado. **2.** Anotado, notado, registrado. **3.** Assentado, determinado, resolvido.

apontador[1] (ô). [De *apontar*[1] + *-(d)or*.] *S. m.* **1.** Homem que aponta, que faz pontas de instrumento. **2.** Ponteiro, mão ou agulha de relógio. **3.** *Bras.* Objeto para apontar ou aguçar lápis; apara-lápis. **4.** *Bras.* Indivíduo que ajuda o animal reprodutor no ato da padreação.

apontador[2] (ô). [De *apontar*[2].] *S. m.* **1.** Encarregado de tomar o ponto dos operários, nas obras. **2.** *Teat.* V. *ponto* (27).

apontamento. *S. m.* **1.** Registro escrito, geralmente para uso posterior, de alguma coisa ouvida, vista, lida ou pensada; nota, lembrete: *Consegui reconstituir toda a aula só com meus apontamentos.* **2.** Registro resumido, para posterior aproveitamento, de obra consultada: *Como fazer a crítica do livro se perdi a gravação com meus apontamentos?* **3.** Indicação reduzida de obra ou trabalho por executar: *Os apontamentos do compositor já prenunciam a partitura definitiva.* **4.** *Bras.* Preparo dos engenhos de açúcar para a moagem. [M. us., nas acepç. 1 a 3, no pl.] ~ V. *apontamentos*.

apontamentos. [Pl. de *apontamento*.] *S. m. pl.* Apontamento (1 a 3).

apontar[1]. [De *a-*[2] + *ponta* + *-ar*[2].] *V. t. d.* **1.** Fazer a ponta de; aguçar, pontar: *apontar um lápis.* **2.** Erguer em ponta (as orelhas); fitar: *O cachorro firmou-se nas patas traseiras e apontou as orelhas.* **3.** Mostrar, indicar, com o dedo, com um gesto, com o olhar, etc., qualquer objeto; indigitar. **4.** Citar, mencionar, indicar: *A testemunha do crime não conseguiu apontar os criminosos.* **5.** Expor, alegar, aduzir: *apontar razões.* *T. d. e i.* **6.** Mostrar, indicar, com o dedo, com um gesto, com o olhar, etc.: *Apontei-lhe a casa que ele procurava*; "A moça apontou a Seixas uma cadeira próxima." (José de Alencar, *Senhora*, p. 179); "O Juízo Final, com o dedo duro do Criador apontando a uns o caminho do céu e a outros o das penas eternas, confundia o espírito do menino" (Povina Cavalcanti, *Volta à Infância*, pp. 88-89). **7.** Pôr em pontaria; assestar: *Apontou a arma para o assaltante.* *Transobj.* **8.** Indigitar, indicar: *Apontam-no como herói de mil façanhas*; "E apontava para Asa Branca, chamando-o de covarde" (Fran Martins, *Dois de Ouros*, p. 13). *T. i.* **9.** Mostrar ou indicar com o dedo, um gesto qualquer, etc.; indigitar: *Apontou imediatamente para o culpado.* **10.** Deixar-se ver; mostrar-se; aparecer: *Logo que apontou à sacada, foi prontamente ovacionado.* *Int.* **11.** Mostrar-se, apresentar-se, erguendo-se em ponta: *A torre da igreja apontava ao longe.* **12.** Começar a aparecer; despontar: "O sol apontou formoso e purpurino" (Camilo Castelo Branco, *A Mulher Fatal*, p. 32); "Lá vem o dia apontando ..." (Paulo Setúbal, *Alma Cabocla*, p. 53.) *P.* **13.** Dirigir-se com a ponta ou proa: *A embarcação apontou-se para o Sul.*

apontar[2]. [De *a-*[2] + *ponto* + *-ar*[2].] *V. t. d.* **1.** Marcar ou notar com ponto ou sinal; assinalar: *Apontou as passagens mais difíceis do livro.* **2.** Tomar apontamento de; notar, anotar: *Apontou os principais temas da reunião.* **3.** Assentar, determinar, estabelecer: *Apontou o dia da viagem.* **4.** Dirigir para um ponto. **5.** Alvitrar, sugerir: *Apontava as medidas a serem tomadas.* **6.** Coser a pontos largos. **7.** *Bras.* Preparar (o engenho de açúcar) para a moagem. **8.** *Teat.* Acompanhar (cena, peça, etc.) como ponto (27): *Apontou inúmeras vezes a cena do monólogo de Hamlet.* *Int.* **9.** *Teat.* Apontar (8); pontar. *P.* **10.** Enfeitar-se, adornar-se; apurar-se: "medos de catástrofes desvaneceram-se desde que vi o meu amigo apontar-se no trajar" (Camilo Castelo Branco, *A Mulher Fatal*, p. 42). **11.** Caprichar; requintar, timbrar: *Aponta-se em modéstia e simplicidade.*

apontável. [De *apontar*[2] + *-ável*.] *Adj. 2 g.* Que pode ser apontado.

apontoado[1]. [Part. de *apontoar*[1].] *Adj.* **1.** Seguro com pontos largos; alinhavado. ● *S. m.* **2.** Conjunto de coisas desconexas.

apontoado[2]. [Part. de *apontoar*[2].] *Adj.* **1.** Seguro, esteado, com pontões; especado, escorado. **2.** *Fig.* Amparado, coadjuvado.

apontoar[1]. [De *a-*[2] + *ponto* + *-ar*[2]] *V. t. d.* **1.** Coser ou prender com pontos largos. **2.** Citar a ponto, a propósito. [Sin. ger.: *pontoar*. Conjug.: v. *coroar*.]

apontoar[2]. [De *a-*[2] + *pontão* + *-ar*[2].] *V. t. d.* **1.** Escorar (fôrmas de concreto armado, qualquer outro elemento construtivo ainda não fixado em seu lugar, ou obra em perigo de desabamento) por meio de pontaletes; especar, estear. **2.** *Fig.* Amparar, sustentar. [Conjug.: v. *coroar*.]

apopétalo. [De *ap(o)-* + *-pétalo*.] *Adj. Morfol. Veg.* V. *coripétalo* (1).

apopléctico. [Do gr. *apoplektikós*, pelo lat. *apoplecticu*.] *Adj.* **1.** Relativo à apoplexia. **2.** Sujeito a apoplexias. **3.** *Fig.* Irritado, acalorado. [Var.: *apoplético*.]

apoplético. *Adj.* Var. de *apopléctico* [q. v.].

apoplexia (cs). [Do gr. *apoplexía*, pelo lat. *apoplexia*.] *S. f. Med.* **1.** Afecção cerebral que se manifesta imprevistamente, acompanhada de privação dos sentidos e do movimento, determinada por lesão vascular cerebral aguda (hemorragia, embolia, trombose). **2.** Qualquer das afecções resultantes da formação rápida de um derrame sangüíneo ou seroso no interior de um órgão.

apoquentação. *S. f.* **1.** Ato ou efeito de apoquentar(-se). **2.** Aquilo que apoquenta, aborrece, consome, preocupa, aflige; aperreação, aporreamento, aporrinhação, aporrinhamento: "Agora me achava mais ou menos tranqüilo: as apoquentações da chegada evaporaram-se." (Graciliano Ramos, *Viagem*, p. 14.)

apoquentado. [Part. de *apoquentar.*] *Adj.* Aborrecido, consumido, preocupado, aflito; aperreado, aporreado, aporrinhado.

apoquentador (ô). *Adj.* e *s. m.* Que ou aquele que apoquenta.

apoquentar. [De *a-*^{2} + *pouco* + *-ar*^{2}, com redução do ditongo; freqüentativo de *apoucar.*] *V. t. d.* e *p.* Aborrecer(-se) com poucas ou pequenas coisas, com certa insistência, impacientando(-se). [Sin.: *chatear(-se), consumir(-se), vexar(-se), ralar(-se), aflingir(-se), aborrecer (-se), amofinar(-se), atenazar(-se), importunar(-se), molestar(-se), aporrear(-se), aporrinhar(-se),* e (bras.) *abodegar(-se), aguinir(-se), aperrear(-se), atubibar(-se), atucanar(-se), avexar(-se), azoretar(-se), azucrinar(-se), sovelar(-se).*]

apor (ô). [Do lat. *apponere.*] *V. t. d.* **1.** Pôr junto; juntar, justapor: *Após, em sua obra, elegância de estilo e conteúdo dramático.* **2.** Aplicar ou dar (assinatura): "não se trata de homem que apenas aponha sua assinatura em papéis e olhe as cousas por alto." (Arnon de Melo, *África*, p. 35). *T. d.* e *i.* **3.** Acrescentar, juntar: *Não apôs palavra ao comentário.* **4.** Justapor; sobrepor; aplicar. **5.** Acrescentar, juntar, ligar. **6.** Aplicar ou dar (assinatura) a tratado, lei, etc.: *Não quis apor a sua assinatura a nenhum daqueles decretos.* [Irreg. Conjug.: v. *pôr.* (q. v.). Pret. perf. ind. *apus, apuseste, apôs,* etc.; part.: *aposto* (ô). Cf. *após,* adv. e *aposto,* do v. *apostar.*]

aporética. *S. f.* O estudo das aporias.

aporia. [Do gr. *aporía,* pelo lat. *aporia.*] *S. f.* **1.** *Filos.* Dificuldade, de ordem racional, que parece decorrer exclusivamente de um raciocínio ou do conteúdo dele. [Cf. *antinomia* e *paradoxo.*] **2.** *Hist. Filos.* Conflito entre opiniões, contrárias e igualmente concludentes, em resposta a uma mesma questão. **3.** *Ret.* Figura pela qual o orador finge hesitar, ter dúvida, na escolha de uma expressão, de um rumo para o discurso. ♦ **Aporias de Zenão.** *Filos.* Aporias de Zenão de Eléia [v. *eleatismo*] em que pela primeira vez na História se emprega o raciocínio por absurdo [q. v.].

aporídeo. *S. m.* **1.** Espécime dos aporídeos. ● *Adj.* **2.** Pertencente ou relativo a eles.

aporídeos. *S. m. pl. Zool.* Animais platelmintos cestóideos, da ordem *Aporida,* desprovidos de canais ou poros genitais, e cujo escólex tem quatro ventosas e rostelo armado. São parasitos de cisnes.

aporismar. *V. t. d., int.* e *p.* V. *apostemar.*

aporismo. [Do gr. *aporía,* 'dificuldade de passar', + *-ismo,* atr. dum b.-lat. *aporisma.*] *S. m. Med.* **1.** Extravasamento do sangue. **2.** Ulceração superficial da pele.

áporo. [Do gr. *áporos,* 'sem passagem'.] *S. m.* **1.** Inseto himenóptero. **2.** Problema de solução difícil.

aporobrânquio. [Do gr. *áporos,* 'sem passagem', + *-branquio.*] *Adj. Zool.* **1.** Que tem guelras pouco desenvolvidas. ● *S. m.* **2.** Articulado da classe dos aracnídeos; molusco cefalópode.

aporreado. [Part. de *aporrear.*] *Adj.* **1.** Espancado, sovado. **2.** *Fig.* V. *apoquentado.* **3.** *Bras.* Diz-se do cavalo mal domado ou indomável.

aporreamento. *S. m.* **1.** Ato ou efeito de aporrear(-se). **2.** *Fig.* V. *apoquentação* (2).

aporrear. [De *a-*^{2} + *porra* + *-ear.*] *V. t. d.* **1.** Bater em; espancar, sovar. **2.** *Fig.* V. *apoquentar.* **3.** *Bras., S.* Domar (um cavalo) de modo vicioso. *P.* **4.** *Bras., S.* Tornar-se (o cavalo) velhaco, por domação imperfeita. [Conjug.: v. *frear.*]

aporrinhação. *S. f. Pop.* **1.** Ato ou efeito de aporrinhar (-se). **2.** V. *apoquentação* (2).

aporrinhado. [Part. de *aporrinhar.*] *Adj. Pop.* V. *apoquentado:* "Desculpe, não o vi. Muito boa tarde a todos. Vinha tão aporrinhado que não vi ninguém." (Graciliano Ramos, *Caetés,* p. 245.)

aporrinhamento. *S. m. Pop.* V. *apoquentação* (2).

aporrinhar. [De *a-*^{2} + *porra* + *-inhar.*] *V. t. d.* e *p. Pop.* V. *apoquentar.*

aportamento. *S. m.* Ato ou efeito de aportar.

aportar. [Do lat. *apportare.*] *V. t. d.* e *i.* **1.** Conduzir (o navio) ao porto. **2.** Encaminhar ou levar a algum lugar: *Que bons ventos te aportaram por aquelas plagas? T. c.* **3.** Entrar, chegar: *Aportamos ao Rio pela manhã; O navio aportou em Lisboa. Int.* **4.** Chegar ao porto.

aporte. *S. m.* Subsídio de naturezas várias — moral, social, literária, ou científica — para algum fim; achega(s), contribuição. [Corresponde ao fr. *apport.*]

aportelado. [De *a-*^{2} + *portela* + *-ado*^{1}.] *Adj.* Que tem pequenas portas, ou portelas.

aportilhar. [De *a-*^{2} + *portilha* + *-ar*^{2}.] *V. t. d.* **1.** Abrir portilhas ou portilhões em (muros, muralhas, obras de fortificação ou costados de navios). **2.** Abrir brecha em (qualquer cerca), para passar.

aportuguesado^1. [De *a-*^{2} + *português* + *-ado*^{1}.] *Adj.* **1.** Que tem modos, feição, sotaque de português (2). **2.** Que dá idéia de, ou é próprio de português (2): *ar aportuguesado; estilo aportuguesado.*

aportuguesado^2. [Part. de *aportuguesar.*] *Adj.* Que se aportuguesou: *Há inúmeras palavras estrangeiras aportuguesadas.*

aportuguesamento. *S. m.* Ato ou efeito de aportuguesar(-se).

aportuguesar. [De *a-*^{2} + *português* + *-ar*^{2}.] *V. t. d.* e *p.* Adaptar(-se) à forma, caráter, temperamento, maneira, sotaque, etc., português: *aportuguesar a linguagem; A longa permanência em Portugal aportuguesou o seu feitio; Numerosas palavras estrangeiras se aportuguesaram; Com o largo convívio lusitano, aportuguesou-se.* [F. paral. (p. us.): *portuguesar.*]

aportuguesável. *Adj. 2 g.* Que se pode aportuguesar.

após. [Do lat. *ad post.*] *Prep.* **1.** Depois de; atrás de; trás; após de: "Anos após ano, ia comprando prédios de renda" (Antunes da Silva, *O Aprendiz de Ladrão,* p. 220); "Você não sabe sentir o cheiro da terra após a chuva." (Elias José, *Inquieta Viagem no Fundo do Poço,* p. 31). **2.** Atrás de, após de (no sentido espacial): "Retirou-se orgulhosa para o corredor como se levasse após si.... todo o sol da varanda." (João de Araújo Correia, *Terra Ingrata,* p. 142.); "'Stamos em pleno mar...Doudo no espaço / Brinca o luar — dourada borboleta — / E as vagas após ele correm..." (Castro Alves, *Poesias Escolhidas,* p. 325). ● *Adv.* **3.** Em outro momento ou ocasião; depois: *Falaremos após, agora não posso.* **4.** Atrás de si; empós: Presa ao mastro da mezena / Saudosa bandeira acena / Às vagas que deixa após." (Castro Alves, *Obra Completa,* p. 278.) [Cf. *apôs,* do v. *apor.*] ♦ **Após de.** V. *após* (1 e 2): "o seu peito tremia, e ela estava pálida como após de uma longa noite sensual." (Álvares de Azevedo, *Obras Completas,* II, pp. 135-136).

aposentação. *S. f. P. us. no Brasil.* V. *aposentadoria* (1 e 2).

aposentado. [Part. de *aposentar.*] *Adj.* e *s. m.* Que, ou aquele que se aposentou.

aposentador (ô). *Adj.* e *s. m.* Que, ou aquele que aposenta.

aposentadoria. *S. f.* **1.** Ato ou efeito de aposentar. **2.** Hospedagem, albergaria, alojamento: "Foi Afonso de Teive para Lisboa. Como ia desgostoso e intratável, rejeitou a aposentadoria em casa do tio desembargador." (Camilo Castelo Branco, *Amor de Salvação,* p. 131.) [Sin. (nessas acepç.): *aposentação* (p. us. no Brasil), *aposentamento* (p. us.).] **3.** *Bras.* Estado de inatividade de funcionário público ou de empresa particular, ao fim de certo tempo de serviço, com determinado vencimento. [Cf., nesta acepç.: *inatividade* (2), *reforma* (4) e *jubilação* (2).] **4.** *Bras.* Quantia recebida mensalmente pelo beneficiário como resultado de suas contribuições durante o tempo que legalmente trabalhou.

aposentamento. *S. m. P. us.* V. *aposentadoria* (1 e 2).

aposentar. [Do ant. *apousentar* < *pouso,* com redução do ditongo.] *V. t. d.* **1.** Dar aposento, pousada, a; alojar, hospedar: *Aposentou o viandante que lhe bateu à porta.* **2.** Conceder reforma ou dispensa de serviço com soldo ou ordenado por inteiro, ou parte dele a; conceder aposentadoria a. **3.** Reformar, jubilar. **4.** Pôr de parte, de lado: *Já aposentou há muito tempo esta idéia. T. d.* e *i.* **5.** Abrigar, agasalhar, acolher *T. c.* **6.** Morar, viver, habitar: *Aposenta nesta cidade há anos. P.* **7.** Tomar aposento; alojar-se, hospedar-se. **8.** Fixar aposento ou residência. **9.** Abrigar-se, agasalhar-se: *Novo amor em seu peito se aposentou.* **10.** Deixar o serviço público ou de empresa particular, conservando o ordenado inteiro, ou parte dele; ficar aposentado.

aposento. [Dev. de *aposentar.*] *S. m.* **1.** Residência, moradia, hospedagem. **2.** Compartimento de casa, especialmente o quarto de dormir. ~ V. *aposentos.*

aposentos. [Pl. de *aposento.*] *S. m. pl.* Quarto(s) de uma casa, privativo(s) de determinada pessoa ou de determinado uso. ~ V. *aposento.*

após-guerra. *S. m.* Período subseqüente a uma guerra: "foi o tema principal da declaração do Comitê Jurídico presidido por Afrânio de Melo Franco, a declaração em que, para o restabelecimento da realidade democrática no após-guerra, se reconhecia a legalidade da difusão cultural, da liberdade de cátedra" (Guilherme Figueiredo, *Cobras & Lagartos,* p. 342). [Us. particularmente em relação à I e à II Guerras Mundiais. F. paral.: *pós-guerra.* Pl.: *pós-guerras.*]

aposição. [Do lat. *appositione.*] *S. f.* **1.** Ação ou efeito de apor. **2.** Justaposição (2). **3.** Sobreposição (2). **4.** *Gram.* Emprego de um substantivo, ou locução substantiva, como aposto (3): uso do aposto. **5.** *Bot.* Crescimento em espessura da parede celular por efeito da deposição de pequeninas lâminas sucessivas, do qual resulta a formação de uma estrutura estratificada.

aposiopese. [Do gr. *aposiópesis,* pelo lat. *aposiopese.*] *S. f. Ret.* Interrupção intencional no meio de uma frase; reticência.

apositico. *Adj.* Que faz cessar o apetite. [Antôn.: *aperitivo* (2).]

apositivo. *Adj.* Relativo a aposição (4), ou que a encerra.

apósito. [Do lat. *appositu.*] *Adj.* **1.** Adequado, conveniente, acomodado. ● *S. m.* **2.** Medicamento, emplastro, penso ou curativo posto sobre ferimento.

apossar. [De *a-*^{2} + *posse* + *-ar*^{2}.] *V. t. d.* **1.** Pôr de posse; dar posse a. **2.** Tomar posse de: *Pedro Álvares Cabral apossou, em nome do rei de Portugal, as terras que descobrira. P.* **3.** Tomar posse; apodera-se, conquistar. **4.** Cativar ou prender a atenção ou o afeto de: *Naquele momento apossou-se dele grande tristeza.*

apossear-se. [De *a-*^{2} + *posse* + *-ar*^{2} + *se*^{1}.] *V. p. Bras., RS.* Apossar-se. [Conjug.: v. *frear.*]

apossínclise. [De *apo-* + *síncl ise.*] *S. f. Gram.* Intercalação de palavra(s) entre o verbo e o pronome átono. Ex.: *o livro que lhe eu ofereci,* em vez de *o livro que eu lhe ofereci;* "Quem rosas colhe sem lhe a mão sangrar?" (Antero de Quental, *Primaveras Românticas,* p. 14), em vez de *Quem rosas colhe sem a mão lhe sangrar?;* "Já se me a luz de todo anuviava" (João de Deus, *Campo de Flores,* I, 203), em vez de *Já a luz de todo se me anuviava.*

apossinclítico. *Adj.* Referente à apossínclise.

apossuir-se. [De *a-*^{2} + *possuir* + *se*^{1}.] *V. p. Desus.* Apossar-se. [Conjug.: v. *atribuir.*]

aposta^1. [Fem. substantivado do adj. *aposto.*] *S. f.* **1.** Ajuste entre pessoas de opiniões diversas, no qual a que não acerta deve pagar à outra algo de antemão determinado; jogo. **2.** A coisa ou quantia que se aposta. **3.** *P. ext.* Desafio; porfia.

aposta^2. *S. f. Bras., MG* e *SP.* O osso, em forquilha, do peito da galinha. [Sin.: *ganhador* (MA) e *jogador* (RS).]

apostado^1. [Part. de *apostar*^{1}.] *Adj.* **1.** Que foi objeto de aposta^1: *dinheiro apostado.* **2.** Disputado, pleiteado.

apostado^2. [Part. de *apostar*^{2}.] *Adj.* **1.** Colocado em determinado posto: *apostado à porta.* **2.** Resolvido, combinado, concertado.

apostador (ô). *S. m.* Aquele que aposta.

apostar^1. [De *aposta*^{1} + *-ar*^{2}.] *V. t. d.* **1.** Fazer aposta^1 (1) de: *apostou os seus últimos vinténs.* **2.** Afirmar com segurança; asseverar, sustentar: "Ela sorria... / E apostou que, submisso e vil, naquela / Mesma noite a seus pés o prostraria." (Olavo Bilac, *Poesias,* p. 136.) **3.** Disputar, pleitear: *Preparam-se para apostar uma corrida.* **4.** Jogar, arriscar: *Apostou toda a sua fortuna. T. d.* e *i.* **5.** Fazer aposta^1: *Apostou alta soma no favorito daquele páreo; "Apostaria uma perna em como aquele felizardo está a estas horas enfeitando a cabeça do comendador."* (Valentim Magalhães, *Vinte Contos,* p. 50). **6.** Fazer por avantajar-se; porfiar. *T. i.* **7.** Estar convencido da vitória de alguém: *A maior parte do público apostava pelo africano.* **8.** Competir, empenhar-se. *P.* **9.** Aparelhar-se, aperceber-se. [Pres. ind.: *aposto,* etc. Cf. *aposto* (ô).]

apostar^2. [De *a-*^{2} + *posto*^{1} + *-ar*^{2}.] *V. t. d.* **1.** *P. us.* Fixar no seu posto; colocar, acomodar. *P.* **2.** Colocar-se em determinado posto; pôr-se a postos; colocar-se: *Aprestou a cavalgadura e apostou-se ao lado do senhor.* **3.** Preparar-se; dispor-se: *Apostaram-se para resolver o problema.*

apóstase. [Do gr. *apóstasis.*] *S. f.* **1.** Patol. Formação de abscesso. **2.** *Med.* Final ou crise de um acesso de doença.

apostasia. [Do gr. *apostasía,* pelo lat. *apostasia.*] *S. f.* **1.** Separação ou deserção do corpo constituído (de uma instituição, de um partido, de uma corporação) ao qual se pertencia. **2.** Abandono da fé de uma igreja, especialmente a cristã: "Prescinde-se também .... da apostasia, quando se desampara o Mosteiro, ou o hábito" (P.^{e} Manuel Bernardes, *Vários Tratados,* II, pp. 507-508). **3.** Abandono do estado religioso ou sacerdotal.

apóstata. [Do gr. *apostátos,* pelo lat. *apostata.*] *Adj. 2 g.*

e *s. 2 g.* Que ou quem cometeu apostasia. [Cf. *apostata*, do v. *apostatar.*]
apostatar. [De *apóstata* + *-ar*^{2}.] *V. t. i.* **1.** Desertar (da fé). **2.** Mudar (de religião ou de partido): *A p o s t a t o u da religião de seus pais. Int.* **3.** Cometer apostasia. [Pres. ind.: *apostato, apostatas, apostata*, etc. Cf. *apóstata.*]
apostema. [Do gr. *apóstema*, pelo lat. *apostema.*] *S. m.* Abscesso. [Var.: *postema.*]
apostemação. *S. f.* Formação de apostema; abscesso.
apostemar. *V. t. d.* **1.** Produzir apostema em; infetar, infectar. **2.** Corromper, estragar, contaminar. *Int.* **3.** Criar apostema: "— A orelha cortada, lá nele, voltou a inchar. Sarar, sarou não. .... Sara, a p o s t e m a, sara, a p o s t e m a." (Dalcídio Jurandir, *Ponte do Galo*, p. 26.) *P.* **4.** Tornar-se purulento; supurar. **5.** Agastar-se, zangar-se, irritar-se. [Sin. ger.: *aporismar, postemar* e (bras., MG) *empostemar.*]
apostemático. [Do gr. *apostematikós.*] *Adj.* Relativo a apostema; apostemoso.
apostemeira. *S. f. Bras.* Grande quantidade de apostemas.
apostemoso (ô). *Adj.* Apostemático.
➡**a posteriori** (a poçterióri). [Lat.] *Filos.* **1.** Diz-se de conhecimento, afirmação, verdade, etc., provenientes da experiência, ou que dela dependem. **2.** Diz-se de argumento, prova, raciocínio ou demonstração que passe de fatos a conclusões gerais, como os que vão do condicionado ao condicionante.
apostila. [Do b.-lat. *postilla*, 'após aquelas coisas', com prótese.] *S. f.* **1.** Aditamento ou correção marginal ou interlinear de um texto (1). **2.** Nota suplementar a um diploma oficial. **3.** Recomendação à margem de um documento: escritura, requerimento, petição, etc. **4.** Acréscimo ao fim de uma carta. [Cf., nesta acepç.: *pós-escrito* (3).] **5.** Pontos ou matérias de aulas publicados para uso de alunos. [Sin., nesta acepç.: *postila* (bras.), *polígrafo* e (lus.) *sebenta*. Var.: *apostilha.*]
apostilb. *S. m.* Unidade de luminância, igual a um pi avos da unidade de luminância no Sistema Internacional e a 10^{-4} lambert. [Símb.: *asb.*]
apostilha. *S. f.* V. *apostila.*
aposto (ô). [Do lat. *appositu.*] *Adj.* **1.** Que se apôs; posto sobre; adjunto. **2.** Aumentado, acrescentado. [Flex.: *aposta, apostos* (ó), *apostas*. Cf. *aposto*, do v. *apostar.*] ● *S. m.* **3.** *Gram.* Nome, ou expressão equivalente, que exerce a mesma função sintática de outro elemento a que se refere. Ex.: *Joana*, irmã de Pedro, *sofreu um acidente*. [Pl.: *apostos* (ó). Cf. *aposto*, do v. *apostar.*]
apostolado. *S. m.* **1.** Missão de apóstolo. **2.** Grupo dos apóstolos. **3.** Propaganda de um credo ou doutrina.
apostolar[1]. *Adj. 2 g.* **1.** Próprio de, ou relativo a apóstolo. **2.** *Fig.* Moralizador, edificante.
apostolar[2]. *V. t. d. e t. i.* **1.** Pregar como apóstolo (evangelho, doutrina); evangelizar. *Int.* **2.** Exercer o ministério do apóstolo. [Sin. ger.: *apostolizar*. Pres. ind.: *apostolo*, etc. Cf. *apóstolo.*]
apostolical. *Adj. 2 g.* Apostólico.
apostolicidade. *S. f.* **1.** Qualidade de apostólico. **2.** Conformidade de doutrina com a dos apóstolos.
apostólico. [Do gr. *apostolikós*, pelo lat. *apostolicu.*] *Adj.* **1.** Relativo ou pertencente aos apóstolos. **2.** Procedente dos apóstolos. **3.** Dependente da Santa Sé. **4.** Papal. [Sin. ger.: *apostolical.*] ~ V. *letras — as.* ● *S. m. Ant.* **5.** O Papa.
apostolizar. *V. t. d., t. i.* e *int.* V. *apostolar*[2].
apóstolo. [Do gr. *apóstolos*, 'enviado', pelo lat. *apostolu.*] *S. m.* **1.** Cada um dos 12 discípulos de Jesus Cristo. **2.** Aquele que evangeliza. **3.** Propagador de qualquer idéia ou doutrina. [Cf. *apostolo*, do v. *apostolar.*]
apostrofar[1]. *V. t. d.* **1.** Dirigir apóstrofes a. **2.** Interromper com apóstrofes. [Pres. ind.: *apostrofo*, etc.; pres. subj.: *apostrofe*, etc. Cf. *apóstrofo* e *apóstrofe.*]
apostrofar[2]. *V. t. d.* Pôr apóstrofo em: *A p o s t r o f a r vivalma constitui erro.* [Pres. ind.: *apostrofo;* pres. subj.: *apostrofe*. Cf. *apóstrofo* e *apóstrofe.*]
apóstrofe. [Do gr. *apostrophé*, pelo lat. *apostrophe.*] *S. f.* **1.** *Ret.* Figura que consiste em dirigir-se o orador ou o escritor, em geral (e não sempre) fazendo uma interrupção, a uma pessoa ou coisa real ou fictícia: "Deus! ó Deus! onde estás que não respondes?" (Castro Alves, *Obra Completa*, p. 290.) [Este exemplo, tomado às "Vozes d'África", e constituído pelo primeiro verso do famoso poema, é prova (e outras poderiam ser dadas) de que a apóstrofe nem sempre é uma interrupção, como em nossos dicionários se lê.] **2.** Interpelação direta e inopinada. **3.** Catilinária. [Cf. *apostrofe*, do v. *apostrofar*, e *apóstrofo.*]
apóstrofo. [Do gr. *apóstrophos*, pelo lat. *apostrophu.*] *S. m. Gram.* Sinal diacrítico [q. v.], em forma de vírgula (') para indicar supressão de letra(s); viracento. [Cf. *apostrofo*, do v. *apostrofar*, e *apóstrofe*, s. f.]
apostura. [De *a-*^{4} + *postura.*] *S. f.* **1.** *Ant.* Postura (1) **2.** Elegância, garbo. **3.** *Constr. Nav.* O último braço de cada baliza (8).
apotecial. *Adj. 2 g. Bot.* Concernente ao apotécio.
apotécio. *S. m. Bot.* Nos cogumelos e nos líquens, o corpo frutífero, em forma de pequeno disco, o qual é revestido na face superior plana pelo himênio e se abre no ar. [É peculiar aos chamados *discomicetos* e *discoliquens.*] ◆ **Apotécio ântico.** *Bot.* O que fica na face superior do talo, que é também a anterior.
apotegma. [Do gr. *apóphthegma.*] *S. m.* Dito curto e sentencioso, aforismo, máxima.
apotegmático. [Do gr. *apóphthegmatikós.*] *Adj.* Relativo a, ou que contém apotegma.
apotegmatismo. *S. m.* Uso ou emprego de apotegmas.
apótema. *S. m. Geom.* **1.** Segmento da perpendicular baixada do centro de um polígono regular sobre um lado; raio do círculo inscrito num polígono regular. **2.** Altura de qualquer dos triângulos isósceles que formam a superfície lateral de uma pirâmide regular. **3.** Altura de qualquer dos trapézios isósceles que compõem a superfície lateral de um tronco de pirâmide regular. **4.** Geratriz de um cone ou de um tronco de cone.
apoteosar. *V. t. d.* Fazer a apoteose de; glorificar, apoteotizar.
apoteose. [Do gr. *apothéosis*, pelo lat. *apotheose.*] *S. f.* **1.** Deificacão, divinização, endeusamento. **2.** Conjunto de honras ou homenagens tributadas a alguém. **3.** Glorificação; esplendor: *A volta do herói à sua terra foi uma a p o t e o s e.* **4.** Cena ou quadro final, em certas peças teatrais ou de tevê, que representa uma visão de glória.
apoteótico. *Adj.* **1.** Referente a, ou em que há apoteose. **2.** *Fig.* Muito elogioso ou glorificante.
apoteotizar. *V. t. d.* V. *apoteosar.*
apótese. [Do gr. *apóthesis*, pelo lat. *apothese.*] *S. f. Cir.* Posição que se deve dar a um membro fraturado, uma vez reduzida a fratura.
ápoto. [De *a-*^{3} + lat. *potu*, 'bebido'.] *Adj.* Que não deve ser bebido; impotável.
apotó. *Bras. S. 2 g.* **1.** Indivíduo dos apotós, tribo indígena das imediações dos rios Jamundá e Trombetas. ● *Adj. 2 g.* **2.** Pertencente ou relativo a ela.
apótomo. [Do gr. *apótomos*, 'dividido'.] *S. m. Ant. Mús.* Parte do tom ora maior ora menor que o semitom médio.
apotrar-se. [De *a-*^{2} + *potro* + *-ar*^{2} + *se*^{1}.] *V. p. Bras., S.* **1.** Adquirir manhas de potro. **2.** Tornar-se (o cavalo) arisco. **3.** *Fig.* Zangar-se, irritar-se, encolerizar-se; embravecer: "Não te a p o t r e s, que domadores não faltam ..." (Simões Lopes Neto, *Contos Gauchescos e Lendas do Sul*, p. 236.)
apoucado. [Part. de *apoucar.*] *Adj.* **1.** Reduzido a pouco; restrito; *Restam-lhe a p o u c a d o s bens.* **2.** Rebaixado, humilhado, amesquinhado. **3.** Mal provido; mesquinho. **4.** Pouco desenvolvido; acanhado, enfezado: *criança a p o u c a d a.* **5.** Diminuído, abatido, enfraquecido.
apoucador (ô). *Adj.* e *s. m.* **1.** Que ou aquele que apouca.
apoucamento. *S. m.* **1.** Ato ou efeito de apoucar(-se). **2.** Rebaixamento, humilhação, amesquinhamento. **3.** Falta de energia; abatimento, enfraquecimento.
apoucar. [De *a-*^{2} + *pouco* + *-ar*^{2}] *V. t. d.* **1.** Reduzir a pouco ou a poucos; restringir. **2.** Tornar menor; diminuir: *A escassez de alimentos, levou-o a a p o u c a r as rações.* **3.** Diminuir o valor, a significação, a importância, etc., de; depreciar: *Relatou o fato, a p o u c a n d o, por modéstia, a sua participação nele.* **4.** Rebaixar, amesquinhar, humilhar. *T. d. e i.* **5.** Reduzir, restringir: *A crítica a p o u c o u o talento do poeta a dimensões irrisórias. P.* **6.** Dar-se pouco valor; humilhar-se. **7.** Amesquinhar-se, humilhar-se: "Quem dirá que um fidalgo daquela idade e gentileza se a p o u q u e em serviços tão impróprios da sua esfera!..." (Camilo Castelo Branco, *O Santo da Montanha*, p. 44.) **8.** Reduzir-se a pouco, ou a menor número: "A p o u c a m - s e - me os cabelos, e isto eu posso verificar com as mãos tateando a fronte cada vez mais larga" (Geir Campos, *O Vestíbulo*, p. 16). **9.** Diminuir; enfraquecer: *Sentia que suas forças se a p o u c a v a m.* **10.** *Bras., S.* Emagrecer progressivamente; definhar. [Conjug.: v. *trancar.*]
apoutar. [De *a-*^{2} + *pouta* + *-ar*^{2}.] *V. t. d.* e *int.* Apoitar.
apózema. [Do gr. *apózema*, pelo lat. *apozema.*] *S. f.* Cozimento medicinal de vegetais, ao qual se adicionam outras substâncias, que o adoçam e clarificam. [Cf. *apozema*, do v. *apozemar.*]
apozemar. [De *apózema* + *-ar*^{2}.] *V. t. d.* Ministrar apózema a. [Pres.ind.: *apozemo, apozemas, apozema*, etc. Cf. *apózema.*]
➡**apport** (apór). [Fr.] *S. m.* V. *aporte.*
➡**approach** (âprouch). [Ingl.] *S. m.* Elo, ligação; enfoque.
apragata. *S. f. Bras. Pop.* V. *alpercata.*
apragatar. [De *apragata* + *-ar*^{2}.] *V. t. d. Bras. Pop.* Achatar, esmagar. [Var.: *aparagatar.*]
apraxia (cs). [Do gr. *apraxía.*] *S. f. Med.* Incapacidade de executar os movimentos apropriados a um determinado fim, conquanto não haja paralisia.
aprazador (ô). *S. m.* Aquele que apraza.
aprazamento. *S. m.* Ato ou efeito de aprazar.
aprazar. [De *a-*^{2} + *prazo* + *-ar*^{2}.] *V. t. d.* **1.** Marcar, determinar (tempo, data) para alguma coisa; *A p r a z o u, afinal, o dia do casamento.* **2.** Marcar, determinar tempo ou data para: *a p r a z a r uma reunião.* **3.** Convocar para ocasião prefixada: *A p r a z o u os sócios da firma a fim de estipular novas metas.* **4.** Designar, fixar (lugar certo). **5.** Delimitar o prazo de: *A p r a z o u três meses para o término do trabalho*
aprazer. [De *a-*^{4} + *prazer.*] *V. t. i.* **1.** Causar prazer; ser aprazível; agradar, deleitar: *A p r a z -lhe falar do amigo; Aquele quadro a p r a z à vista. Int.* **2.** Causar prazer; ser aprazível; agradar: *A p r a z ouvi-la falar.* **3.** Sentir prazer, contentamento; contentar-se, deleitar-se. [Conquanto não seja defect., *aprazer* é m. us. nas 3as pess.; como p., usa-se correntemente em todas as pess. Falta-lhe o e da 3ª pess. sing. do pres. ind.: *apraz, apraz-se.*]
aprazibilidade. *S. f.* Qualidade de aprazível.
aprazimento. [De *aprazer* + *-mento.*] *S. m.* **1.** Agrado, contentamento, deleite, prazer. **2.** Consentimento, aprovação, beneplácito.
aprazível. *Adj. 2 g.* **1.** Que apraz. **2.** Diz-se do lugar onde se goza de panorama bonito e/ou de ameno clima: "A p r a z í v e l é o sítio, sombreado de velhas árvores." (Alexandre Herculano, *Lendas e Narrativas*, I, p. 217.) [F. paral., p. us.: *prazível.*]
aprazivelense. *Adj. 2 g.* **1.** De, ou pertencente ou relativo a Monte Aprazível (SP). ● *S. 2 g.* **2.** Natural ou habitante de Monte Aprazível.
apre. *Interj.* V. *irra*: "A p r e ! que já é forte birra!" (Abel Botelho, *Fatal Dilema*, pp. 213-214.)
apreçador (ô). *S. m.* Aquele que apreça. [Cf. *apressador.*]
apreçamento. *S. m.* Ato ou efeito de apreçar. [Cf. *apressamento.*]
apreçar. [De *a-*^{2} + *preço* + *-ar*^{2}.] *V. t. d.* **1.** Perguntar o preço de: *A p r e ç o u o terreno e achou-o caro.* **2.** Ajustar o preço de: *Os sócios discordaram ao terem de a p r e ç a r a empreitada.* **3.** Atribuir grande preço ou valor a; ter apreço a: *A p r e ç o vivamente a honra que me dá em visitar-me.* [Conjug.: v. *começar*. Pres. ind.: *apreço*, etc. Cf. *apreço* (ê), s. m., e *apressar.*]
apreciação. *S. f.* **1.** Ato ou efeito de apreciar. **2.** Conceito, julgamento, opinião. **3.** Análise, exame. **4.** *Filos.* Reconhecimento do valor de uma idéia ou de um fenômeno, i. e., do grau de perfeição deles relativamente a um fim determinado. [Cf. *aprovação* (4).]
apreciador (ô). *Adj.* e *s. m.* Que, ou aquele que aprecia.
apreciar. [Do lat. *appretiare.*] *V. t. d.* **1.** Dar apreço, merecimento, a; estimar, prezar: *Não sabe a p r e c i a r o que recebe;* "Não a p r e c i o livros, nem leio versos" (Moreira Campos, *Vidas Marginais*, p. 35). **2.** Julgar, avaliar: *Não me cabe a p r e c i a r o teu comportamento.* **3.** Ponderar, examinar, considerar: *Passemos a a p r e c i a r os prós e os contras.* **4.** Calcular, estimar, avaliar: *Faltam dados para a p r e c i a r o montante do prejuízo.*
apreciativo. *Adj.* Que denota apreciação. [Antôn.: *depreciativo.*]
apreciável. *Adj. 2 g.* **1.** Digno de apreço ou estima; estimável. **2.** Que se pode apreciar, estimar, calcular: *Não é facilmente a p r e c i á v e l a extensão dos danos.* **3.** Considerável, ponderável, vultoso: *Ganhou na transação uma importância a p r e c i á v e l.*
apreço (ê). [Dev. de *apreçar.*] *S. m.* **1.** Valor em que é tida alguma coisa. **2.** Consideração, estima. [Pl.: *apreços* (ê). Cf. *apreço*, do v. *apreçar; apresso* (é), s. m., e *apresso*, do v. *apressar.*]
apreendedor (ô). *Adj.* e *s. m.* Que, ou aquele que apreende.
apreender. [Do lat. *apprehendere.*] *V. t. d.* **1.** Apropriar-se judicialmente de: *A polícia a p r e e n d e u o contrabando.* **2.** Segurar, pegar, agarrar, prender. **3.** Assimilar mentalmente; entender, compreender: *A p r e e n d e rapidamente tudo o que lhe ensinam. Int.* **4.** Cismar; ruminar.

apreensão. [Do lat. *apprehensione*.] *S. f.* **1.** Ato ou efeito de apreender. **2.** Receio, preocupação, cisma. **3.** *Filos.* Conhecimento imediato (por meio de percepção, julgamento, memória ou imaginação) de um objeto relativamente simples, e que resulta na pura presença desse objeto à consciência. **4.** *Filos.* Conhecimento imediato de um objeto relativamente simples, em oposição a processos mais elaborados, como, p. ex., a compreensão, o julgamento, o raciocínio.

apreensibilidade. *S. f.* **1.** Qualidade de apreensível. **2.** Faculdade de apreender.

apreensível. [Do lat. *apprehensibile*.] *Adj. 2 g.* Que se pode apreender.

apreensivo. [Do lat. *apprehensu*, 'apreendido', + *-ivo*.] *Adj.* **1.** Que apreende. **2.** Preocupado, receoso, cismático: "As aulas começarão depois de amanhã. Estou apreensivo. Foi uma temeridade haver aceitado o convite." (Ciros dos Anjos, *Abdias*, p. 4.)

apreensor (ô). *Adj.* e *s. m.* Que, ou aquele que apreende.

apreensório. *Adj.* Que serve para apreender.

aprefixar (cs). [De *a-*² + *prefio* + *-ar*².] *V. t. d.* Juntar prefixo a (palavra). [Cf. *prefiar*.]

apregoado. [Part. de *apregoar*.] *Adj.* **1.** Publicado ou anunciado por pregão. **2.** Proclamado, notório.

apregoador (ô). *Adj.* e *s. m.* Que ou aquele que apregoa.

apregoar. [De *a-*² + *pregão* + *-ar*².] *V. t. d.* **1.** Anunciar com pregão; proclamar em voz alta: "Um homem loquaz apregoa balõezinhos de cor" (Manuel Bandeira, *Estrela da Vida Inteira*, p. 98). **2.** Declarar em público; proclamar, divulgar, publicar: *Saíram da exposição apregoando o talento do artista.* *Transobj.* **3.** Proclamar, chamar: *Apregoaram-no de ladrão.* *Int.* **4.** Anunciar alguma coisa com pregão: "vencendo o rumor, a voz tonitruante de um alentado cabo-verde apregoava." (Coelho Neto, *A Conquista*, p. 445). [F. paral: *pregoar*. Conjug.: v. *coroar*.]

apremer. [Do lat. *aprimere*.] *V. t. d.* Premer, premir.

aprender. [De *apreender*, por síncope.] *V. t. d.* **1.** Tomar conhecimento de: Comecei a *aprender* a parte do presente que há no passado, e vice-versa." (Machado de Assis, *Páginas Recolhidas* p. 165.) **2.** Reter na memória, mediante o estudo, a observação ou a experiência: *Aprende línguas estrangeiras com facilidade;* "tentei aprender coisas e acabei por esquecer umas poucas que sabia." (Geir Campos, *O Vestíbulo*, p. 26). *T. i.* **3.** Tornar-se apto ou capaz de alguma coisa, em conseqüência de estudo, observação, experiência, advertência, etc.: *Aprendi a falar português em seis meses.* *Bit. i.* **4.** Aprender (3): "Aprendi com meu pai a amar e compreender a velha Olinda" (Sousa Bandeira, *Evocações e Outros Escritos*, p. 61); "as meninas aprendem a cozinhar o peixe para o almoço (James Amado, *Chamado do Mar*, p. 15). *Int.* **5.** Tomar conhecimento de algo, retê-lo na memória, em conseqüência de estudo, observação, experiência, advertência, etc.: *Aprende com mais facilidade que o irmão.*

aprendiz. [Do fr. ant. *apprentiz*.] *S. m.* **1.** Aquele que aprende ofício ou arte. **2.** Aquele que é pouco experiente; principiante. [Fem., p. us., nestas acepç.: *aprendiza*.] **3.** *Turfe.* Moço que inicia a carreira de jóquei e que, antes de chegar ao estágio final, passa pelos estágios de aprendiz de terceira, de segunda e de primeira, em função do número de vitórias que alcança.

aprendiza. *S. f. P. us.* Fem. de *aprendiz* (1 e 2): "já andava a tratar .... dum ror de cousas a fazer, a tabuleta, os figurinos, os manequins, as aprendizas, anúncios nos jornais" (Maria Archer, *Fauno Sovina*, p. 95).

aprendizado. *S. m.* **1.** Ato ou efeito de aprender, especialmente profissão manual ou técnica. **2.** *P. ext.* O tempo que dura tal aprendizagem. **3.** O exercício ou prática inicial da matéria aprendida; experiência, tirocínio. [Sin. (nessas acepç.): *aprendizagem*.] **4.** *Bras.* Estabelecimento de ensino técnico ou profissional: *Os alunos começam a exercer a profissão no próprio Aprendizado Agrícola.*

aprendizagem. *S. f.* Aprendizado (1 a 3).

aprendiz-marinheiro. *S. m. Bras. Mar. G.* Aluno de qualquer das escolas que a Marinha mantém para preparação do corpo do pessoal subalterno da Armada. [Pl.: *aprendizes-marinheiros*.]

apresador (ô). *Adj.* e *s. m.* Que, ou aquele que apresa.

apresamento. *S. m.* Ato de apresar; presa.

apresar. [De *a-*² + *presa* + *-ar*².] *V. t. d.* **1.** Tomar como presa; captura, aprisionar, apreender. **2.** Agarrar como ave de rapina. *T. d. e i.* **3.** V. *prender* (8): "Ela apresava / Agora a pulseira ao punho." (Alberto de Oliveira, *Poesias* 3ª série, p. 148.) [F. paral.: *presar*.]

apresbiterar-se. [De *a-*² + *presbítero* + *-ar*² + *se*¹.] *V. p.* Tomar as ordens de presbítero.

apresentação. *S. f.* **1.** Ato ou efeito de apresentar(-se): *Exige-se, na entrada, apresentação da carteira de sócio.* **2.** *P. ext.* Ato pelo qual alguém, seja por meio de escrita (em prefácio, folheto de propaganda, etc.), seja pela fala (discurso, programa de rádio ou televisão, etc.), apresenta alguém ou alguma coisa ao público. **3.** Ato ou manifestação no decurso do qual se apresenta alguma coisa ao público: *A apresentação dos modelos de inverno desagradou em cheio.* **4.** Ato de apresentar(-se) uma pessoa a outra(s), à sociedade, etc.: *Quero fazer minha apresentação: sou a nova colega; Este jantar é para a apresentação de minha noiva.* **5.** Modo por que uma coisa é apresentada: *Não gostei da apresentação das mercadorias naquele supermercado.* **6.** Aparência externa; aspecto: *O que o prejudica é sua péssima apresentação; Que bela apresentação tem este livro!* **7.** *Jur.* Ato pelo qual o sacador ou o portador de um título de crédito o entrega ao sacado para aceite ou pagamento. **8.** *Med.* Posição do feto na ocasião do parto, em referência à parte que se apresenta na entrada do útero: *apresentação cefálica.* **9.** *Rel.* Proposta para provimento de determinados cargos eclesiásticos. **10.** *Rel.* Festa celebrada pela Igreja Católica a 21 de novembro em comemoração de haver sido a Virgem Maria apresentada no Templo aos três anos de idade.

apresentado [Part. de *apresentar*.] *Adj.* e *s. m.* **1.** Que ou aquele de quem se faz apresentação: *O meu apresentado é pessoa muito capaz.* **2.** *Bras. Pop.* Saliente, saído, espevitado.

apresentador (ô). *Adj.* **1.** Que apresenta. ● *S. m.* **2.** Aquele que apresenta; apresentante. **3.** Numa transmissão de rádio ou TV, ou num espetáculo ao vivo, pessoa que apresenta o programa, os artistas e/ou os participantes, as atrações, etc. **4.** Pessoa que introduz os tópicos principais e conduz um programa de entrevistas, de debates, etc.

apresentante. *S. 2 g.* **1.** Apresentador (2). **2.** Pessoa que faz a apresentação de um título de crédito.

apresentar. [De *a-*⁴ + *presentar*.] *V. t. d.* **1.** Pôr diante, à vista, ou na presença de. **2.** Oferecer ou expor à vista; mostrar: *A casa assaltada apresentava triste espetáculo.* **3.** Mostrar, exibir: *Apresenta seriedade.* **4.** Passar às mãos de; entregar: *apresentar credenciais.* **5.** Expor, aduzir: *apresentar razões; apresentar argumentos.* **6.** Fazer travar conhecimento ou relações sociais. **7.** Submeter a apreciação; indicar, propor: *Apresentou ontem sua candidatura.* *T. d. e i.* **8.** Pôr diante, à vista ou na presença; mostrar: "Elvira ficou embevecida examinando belíssimas sedas que lhe apresentavam" (Joaquim Manuel de Macedo, *Memórias da Rua do Ouvidor*, p. 220); *Apresentou-lhe a dádiva com um gesto de cortesia.* **9.** Dar, manifestar; exprimir, expressar: *Apresentei-lhe as minhas condolências;* "Convencido da falsidade do título de barão de Vila Rica, apresentou o comendador queixa à polícia." (R. Magalhaẽs Júnior, *Artur Azevedo e Sua Época*, p. 43). **10.** Dar a conhecer uma ou mais pessoa(s) a outra(s), pô-la(s) em contato, em presença dela(s) ou mediante carta de apresentação: *Apresento-lhe meu futuro marido; Apresento-lhe meu amigo, para quem solicito a sua atenção;* "Conheci Carlos Pereira em 1849. Apresentara-mo José Barbosa e Silva." (Camilo Castelo Branco, *A Mulher Fatal*, p. 13); "Madalena apresentou Fernando a Soares." (Machado de Assis, *Contos Recolhidos*, p. 78). **11.** Passar às mãos; entregar: "Inácio estremeceu, ouvindo os gritos do solicitador, recebeu o prato que este lhe apresentava e tratou de comer " (Id., *Várias Histórias*, p. 41); *Apresentou-lhe as suas credenciais.* **12.** Mostrar, exibir. *P.* **13.** Ser presente; comparecer; mostrar-se: *Apresentou-se imediatamente ao tribunal.* **14.** Ir à presença de alguém: *Apresentou-se ao juiz.* **15.** Identificar-se, nomear-se: "Apresento-me. Chamo-me José Joaquim Marinho de Albuquerque Matos." (Luís Martins, *A Girafa de Vidro*, p. 13.) **16.** Surgir, manifestar-se: *Apresentou-se uma dificuldade inesperada.* **17.** Parecer, afigurar-se, figurar-se: *O final desta guerra apresenta-se cada vez menos provável.* **18.** Mostrar-se em público, dando impressão boa ou má, pela educação, pela maneira de vestir-se, etc.: *Costuma apresentar-se bem; Apresentou-se mal, por falta de tempo para vestir-se a rigor.*

apresentável. *Adj. 2 g.* **1.** Digno de ser apresentado. **2.** Que tem boa apresentação (6).

apresilhar. [De *a-*² + *presilha* + *-ar*².] *V. t. d.* **1.** Guarnecer de presilha(s). **2.** Prender com presilha(s). [F. paral.: *presilhar*.]

apressado. [Part. de *apressar*.] *Adj.* **1.** Que tem pressa; açodado: *viajante apressado;* "Bandos de aves / Passam velozes, passam apressados" (Antero de Quental, *Sonetos*, p. 307). **2.** Que requer pressa; urgente: *viagem apressada.* **3.** Que peca pela pressa, rapidez ou precipitação com que é feito, tomado, etc.: *trabalho apressado; conclusão apressada; decisão apressada.* **4.** Pronto, rápido, acelerado: *Saiu em apressada corrida atrás do assaltante.* [Sin. ger.: *apressurado*.]

apressador (ô). *Adj.* e *s. m.* Que ou aquele que apressa. [Cf. *apreçador*.]

apressamento. *S. m.* Ato ou efeito de apressar(-se). [Cf. *apreçamento*.]

apressar. [De *a-*² + *pressa* + *-ar*².] *V. t. d.* **1.** Dar pressa a; tornar rápido ou mais rápido; acelerar: *Apressou o passo;* "Todo o seu sangue, alvoroçado, o curso / Apressa" (Olavo Bilac, *Poesias*, p. 96). **2.** Antecipar; abreviar: *Vamos, apresse o fim da história!* **3.** Instar com; instigar, incitar; apertar: *Apressava o amigo para saírem mais cedo.* *T. d. e i.* **4.** Instar, instigar, induzir: *Apressei-o a partir.* *Int.* **5.** Dar-se pressa; apressar-se: *O receio de assalto o levou a apressar.* *P.* **6.** Dar-se pressa; mostrar-se apressado: *Vendo que anoitecia, apressou-se;* "Chegou Perpétua com duas cadeiras. Carlos apressou-se a tomar uma" (Camilo Castelo Branco, *A Mulher Fatal*, p. 74); *Todos apressaram-se em sair.* **7.** Tomar-se diligente, breve ou rápido. **8.** Aprontar-se ou preparar-se apressadamente; despachar-se. **9.** Tornar-se mais rápido; acelerar-se. [Pres. ind.: *apresso*, etc. Cf. *apresso* (ê), s. m.; apresso. do v. *apressar; apreço* (ê), s. m.; e *apreçar*.]

apresso (ê). [Dev. de *apressar*.] *S. m.; Ant.* Aperto, opressão. [Pl.: *apressos* (ê). Cf. *apreço* (ê), s. m., *apresso*, do v. *apressar*, e *apreço*, do v. *apreçar*.

apressurado. [Part. de *apressurar*.] *Adj.* V. *apressado*.

apressuramento. *S. m.* **1.** Ato ou efeito de apressurar (-se). **2.** Precipitação, diligência, pressa.

apressurar. [Do esp. *apresurar*.] *V. t. d.* **1.** Tornar pressuroso; apressar, acelerar. *P.* **2.** Aprontar-se com precipitação; apressar-se, despachar-se.

aprestador (ô). *S. m.* Aquele que apresta.

aprestamar. *V. t. d. Ant.* Dar em apréstamo. [Pres. ind.: *aprestamo*, etc. Cf. *apréstamo*.]

aprestamento. *S. m.* Ato ou efeito de aprestar-se; apercebimento, aprontamento, apronto, approntes, apresto.

apréstamo. [De *a-*⁴ + *préstamo*.] *S. m. Ant.* **1.** Consignação de frutos, que se impunha a algumas propriedades para pagamento de certos encargos. **2.** Herdade sujeita a essa obrigação. [Pl.: *apréstamos*. Cf. *aprestamos*, do v. *aprestar*.]

aprestar. [De *a-*² + *presto* + *-ar*².] *V. t. d.* **1.** Aprontar, preparar com prontidão. **2.** *Mar.* Prover do necessário: *Aprestou o navio para largar.* *P.* **3.** Dispor-se, preparar-se, aprontar-se: "a vendeira aprestava-se a fechar as portas do negócio." (Hugo de Carvalho Ramos, *Tropas e Boiadas*, p. 76); *Aprestaram-se esmeradamente para sair.*

apresto. [Dev. de *aprestar*.] *S. m.* V. *aprestamento*. ~V. *aprestos*.

aprestos. *S. m. Pl.* Petrechos (2). ~ V. *apresto*.

aprilino. [Do lat. *aprile*, 'abril', + *-ino*.] *Adj.* **1.** De, ou próprio de abril: "Seu fino colo de aprilino encanto!" (Eugênio de Castro, *Obra Poética*, V, p. 110). **2.** Viçoso, fresco: "E Fábia, a de olhos perturbantes, lassos, / E de morenas, aprilinas pomas" (Id., ib., II, p. 40). [F. paral.: *abrilino*.]

aprimorado. [Part. de *aprimorar*.] *Adj.* **1.** Feito com primor, esmero, apuro: *trabalho aprimorado.* **2.** *P. ext.* Perfeito, acabado, excelente: *Era ela produto aprimorado de uma educação rigorosa.*

aprimoramento. *S. m.* **1.** Ato ou efeito de aprimorar(-se) **2.** Perfeição, excelência, primor.

aprimorar. [De *a-*² + *primor* + *-ar*².] *V. t. d.* **1.** Tornar primoroso; aperfeiçoar, esmerar: "Torce [o poeta], aprimora, alteia, lima / A frase" (Olavo Bilac, *Poesia*, p. 2); *Aprimorou-o a sua cultura.* **2.** Acompanhar de primor ou delicadeza: *aprimorar uma dádiva.* *P.* **3.** Aperfeiçoar-se, esmerar-se.

➡**a priori** (a prióri). [Lat.] *Filos.* Diz-se de conhecimento, afirmação, verdade, etc., anterior à experiência, ou que a experiência não pode explicar.

apriorismo. [Da loc. lat. *a priori* + *-ismo*.] *S. m. Filos.* Aceitação, na ordem do conhecimento, de fatores independentes da experiência.

apriorista. [Da loc. lat. *a priori* + *-ista*.] *S. 2 g.* Pessoa que raciocina *a priori*.

apriorístico. *Adj.* Relativo a, ou em que há apriorismo.

apriscar. [Do lat. **appressicare* < *apressu*, part. pass. de *opprimere*, 'estreitar' 'apertar'.] *V. t. d. P. us.* **1.** Recolher ou encerrar no aprisco. **2.** Prender, encarcerar. [Conjug.: v. *trancar.*]

aprisco. [Dev. de *apriscar.*] *S. m.* **1.** Curral (particularmente o que se destina às ovelhas); redil. V. *ovil.* **2.** *P. ext.* Covil, toca. **3.** Abegoaria. **4.** *P. ext.* A casa; o lar.

aprisionado. [Part. de *aprisionar.*] *Adj.* Que se aprisionou; prisioneiro, cativo.

aprisionador (ô). *Adj.* e *s. m.* Que, ou aquele que aprisiona.

aprisionamento. *S. m.* Ato ou efeito de aprisionar.

aprisionar. [De a-[2] + *presione*, 'prisão', + -*ar*[2].] *V. t. d.* **1.** Fazer prisioneiro; apresar. **2.** Meter em prisão; cativar; encarcerar. [Sin. ger.: *emprisionar.*]

aproamento. *S. m.* Ato ou efeito de aproar.

aproar. [De a-[2] + *proa* + -*ar*[2].] *V. t. d. e i.* **1.** Pôr a proa de (embarcação) em uma dada direção: *aproar a embarcação no rumo 085; "Vêm aproando à terra as largas velas / Ao som da voz dos tardos pescadores."* (Luís Guimarães, *Sonetos e Rimas*, p. 179). *T. i.* **2.** Pôr (a embarcação) a proa em direção ao vento, à corrente, etc. [Sin.: *proar, aproejar, emproar.* Conjug.: v. *coroar.*]

aprobativo. [Do lat. *approbativu.*] *Adj.* **1.** Que aprova. **2.** Que envolve aprovação. [Var.: *aprovativo*; sin.: *aprobatório.*]

aprobatório. *Adj.* V. *aprobativo.*

aproche. [Do fr. *approche.*] *S. m. Desus.* Entrincheiramento para facilitar a chegada às praças sitiadas.

aprochegar-se. [De *apro(ximar-se)* + *chegar-se.*] *V. p.* Aproximar-se, achegar-se, abeirar-se: 'Zeferino espiou, *aprochegou-se* do cavalo, e andou até o paiol.' (Alaor Barbosa, *Picumãs*, p. 15.) [Conjug.: v. *chegar.*]

aproejar. [De a-[2] + *proa* + -*ejar.*] *V. t. d. e i. e t. i.* V. *aproar.* [Conjug.: v. *pelejar.*]

aprofundador (ô). *Adj.* e *s. m.* Que ou aquele que aprofunda.

aprofundamento. *S. m.* Ato ou efeito de aprofundar(-se).

aprofundar. [De a-[4] + *profundar.*] *V. t. d.* **1.** Tornar fundo ou mais fundo; escavar: *aprofundar um buraco, uma trincheira.* **2.** Meter muito para dentro; enterrar: *As marteladas aprofundaram a estaca.* **3.** Examinar ou investigar a fundo, ou com minúcia; indagar, pesquisar, perquirir: "Não *aprofundes* nunca, nem pesquises / O segredo das almas que procuras" (Raul de Leoni, *Luz Mediterrânea*, p. 99); *À luz de dados estatísticos, os economistas aprofundavam as razões da crise.* **4.** Entender, ou compreender perfeitamente; penetrar: *Tentava aprofundar os mistérios daquela alma. T. i.* **5.** Introduzir-se, entrar, penetrar, entranhar-se: *A raiz aprofundou-se no solo. P.* **6.** Tornar-se mais fundo ou profundo: *Com o sofrimento, as suas rugas aprofundaram-se.* **7.** Penetrar ou adentrar-se muito; embrenhar-se: *Sem o sentir, aprofundara-se na mata.* **8.** Entrar, penetrar em um assunto, tema, idéia, etc., investigando-o a fundo ou com minúcia. [Sin. ger.: *profundar.*]

aprofundável. *Adj. 2 g.* Que se pode aprofundar; profundável.

aprontamento. *S. m.* **1.** Ato ou efeito de aprontar(-se). **2.** V. *aprestamento.*

aprontar. [De a-[2] + *pronto* + -*ar*[2].] *V. t. d.* **1.** Pôr pronto; dispor, preparar. **2.** Aparelhar, aprestar. **3.** Concluir, terminar (obra). **4.** *Fam.* Começar, iniciar; abrir: *A criança, não encontrando a mãe, aprontou um berreiro.* **5.** *Bras. MG. Pop.* Dar chá de raízes a (alguém), para captar-lhe o bem-querer: "Só Tomé é que vovó mandou embora porque diz que é feiticeiro e estava *aprontando* Andresa com um chá de raízes para ela casar com ele." (Helena Morley, *Minha Vida de Menina*, p. 32.) *Int.* **6.** *Turfe.* Preparar-se para uma disputa; treinar: *O cavalo aprontou muito bem; O time está aprontando com dedicação. P.* **7.** Preparar-se, dispor-se; aprestar-se. **8.** *Fam.* Vestir-se; arrumar-se.

aprontes. [Pl. de *apronte*, dev. de *aprontar.*] *S. m. pl. Bras., RS.* V. *aprontamento.*

apronto. [Dev. de *aprontar.*] *S. m. Bras.* **1.** V. *aprestamento.* **2.** *Turfe.* Último galope de treinamento que o cavalo dá, em seus preparativos. **3.** *Esport.* Exercício final para verificação das condições técnicas, dum indivíduo ou de um grupo.

apropinquação. [Do lat. *appropinquatione.*] *S. f.* Ação ou efeito de apropinquar; aproximação.

apropinquar. [Do lat. *appropinquare.*] *V. t. d., t. d. e i.* e *p.* Aproximar (1, 2, 7 e 10): "6 praias do país que se alongínqua, à medida que se *apropinqua* o turbulento país do carvão" (Adelino Magalhães, *Obras Completas*, I, p. 623). [Pres. ind.: *apropínquo, apropínquas, apropínqua, apropinquamos, apropinquais, apropínquam*; perf. ind.: *apropinqüei, apropinquaste, etc.*; pres. subj.: *apropinqüe*, etc. Quase só se usa como pronominal.]

➧ **à propos** (apropô). [Fr.] A propósito; por falar nisso. [Cf. *à-propos.*]

➧ **à-propos** (apropô). [Fr.] *S. m.* A-propósito. [Cf. *à propos.*]

aproposítado. [Part. de *apropositar.*] *Adj.* **1.** Vindo a propósito; conveniente, adequado. **2.** Discreto, sensato, sisudo.

apropositar. [De a-[2] + *propósito* + -*ar*[2].] *V. t. d.* **1.** Dizer ou fazer a propósito. **2.** Fazer chegar em momento ou lugar oportuno e conveniente. **3.** Conformar à razão; acomodar: *Os bons exemplos hão de apropositar seu gênio. T. d. e i.* **4.** Adaptar, apropriar, adequar: *Apropositou a situação às conveniências. P.* **5.** Vir a propósito; ser oportuno. **6.** Tomar propósito; tornar-se sensato, judicioso: *Depois de muitas cabeçadas, o jovem apropositou-se.* [Pres. ind.: *aproposito*, etc. Cf. as loc. *a propósito* e *a propósito de.*]

a-propósito. [Do fr. *à-propos.*] *S. m.* Propriedade, justeza, precisão, pertinência: "As idéias, as frases me acudiam com um *a-propósito*, uma leveza e uma segurança que a mim mesmo surpreendiam." (Gilberto Amado, *Depois da Política*, pp. 226-227.) [Pl.: *a-propósitos.*]

apropriação. [Do lat. *appropriatione.*] *S. f.* **1.** Ato ou efeito de apropriar(-se). **2.** Acomodação, adaptação. ♦ **Apropriação direta.** *Etnogr.* Atividade econômica dos povos primitivos representada pela coleta, caça e pesca rudimentares.

apropriado. [Part. de *apropriar.*] *Adj.* **1.** Azado, oportuno, próprio. **2.** Conveniente, adequado, útil.

apropriador (ô). *Adj.* e *s. m.* Que ou aquele que (se) apropria.

apropriagem. *S. f.* Na fabricação de chapéus, a fase de acabamento.

apropriar. [Do lat. *appropriare.*] *V. t. d. e i.* **1.** Tomar como propriedade, como seu; arrogar-se a posse de: *Como ousas apropriar a ti o que não tens de direito?* **2.** Tornar como próprio ou adequado, conveniente; adequar, adaptar, acomodar: *Procurou apropriar as palavras ao estado de espírito do pai. T. d.* **3.** Tornar próprio, seu; apossar-se de: *A Alemanha apropriou parte do território polonês.* **4.** Tornar próprio (um substantivo comum). *P.* **5.** Tomar para si; apossar-se, apoderar-se: *Apropriou-se indebitamente de bens da família.*

aprosexia (cs). [Do gr. *aprosexía.*] *S. f. Med.* Falta de atenção, ou impossibilidade de fixá-la, por fadiga psíquica ou má audição.

aprótico. *Adj.* ~ V. *solvente* —.

aprovação. [Do lat. *approbatione.*] *S. f.* **1.** Ato ou efeito de aprovar. **2.** Consentimento, beneplácito. **3.** Louvor, encômio. **4.** *Ét.* Reconhecimento de conduta ou de caráter moralmente bons. [Cf. *apreciação* (4).]

aprovado. [Part. de *aprovar.*] *Adj.* **1.** Que se aprovou ou aprova; julgado bom. **2.** Sancionado, autorizado. ● *S. m.* **3.** Indivíduo ou coisa aprovada.

aprovador (ô). [Do lat. *approbatore.*] *Adj.* e *s. m.* Que ou aquele que aprova.

aprovar. [Do lat. *approbare.*] *V. t. d.* **1.** Dar aprovação a; considerar bom. **2.** Consentir em; dar a aprovação ou autorização para: *Não aprovou o casamento do filho.* **3.** Dar por habilitado, em exame (o estudante) ou em concurso (o candidato). **4.** Autorizar; sancionar, ratificar: *aprovar uma medida, um parecer. Int.* **5.** Dar prova de boa qualidade, de conveniência, etc.; ser considerado bom: *Este automóvel não aprovou.* **6.** Dar por habilitado o aluno, em exame, ou o candidato, em concurso: *Este professor aprova sempre.*

aprovativo. *Adj.* V. *aprobativo.*

aprovável. [Do lat. *approbabile.*] *Adj. 2 g.* Digno de aprovação.

aproveitado. [Part. de *aproveitar.*] *Adj.* **1.** Diz-se daquilo que dá ou de que se tira proveito; vantajoso, proveitoso. **2.** *P. ext.* Econômico, poupado.

aproveitador (ô). *Adj.* **1.** Que (se) aproveita. [Sin. (p. us.): *aproveitante.*] ● *S. m.* **2.** Aquele que (se) aproveita.

aproveitamento. *S. m.* **1.** Ato ou efeito de aproveitar (-se). **2.** Bom emprego ou aplicação. **3.** Adiantamento ou progresso nos estudos.

aproveitante. *Adj. 2 g. P. us.* Aproveitador (1).

aproveitar. [De a-[2] + *proveito* + -*ar*[2]] *V. t. d.* **1.** Tirar proveito, vantagem de; valer-se, utilizar-se de: *Aproveitando a distração do viajante, o ladrão roubou-lhe a bagagem.* **2.** Tornar proveitoso, útil ou rendoso: *Aproveitou bem o terreno na construção da casa.* **3.** Não desperdiçar: *aproveitar as horas vagas. T. d. e i.* **4.** Dar emprego; aplicar, consagrar: *Aproveita no estudo os momentos livres. T. i.* **5.** Tirar proveito, vantagem; prevalecer-se, valer-se; lucrar: *Aproveitou com a mudança da administração.* **6.** Ser proveitoso, útil, conveniente: *As viagens aproveitaram-lhe deveras.* **7.** Ter aproveitamento; fazer progresso; adiantar-se: *Tem aproveitado muito nas aulas de alemão. Int.* **8.** Tirar proveito, vantagem de alguma coisa; lucrar com alguma coisa: "*Aproveita* enquanto o Brás é tesoureiro!" (prov.) **9.** Ter aproveitamento; fazer progressos; adiantar-se nos estudos: *Este menino aproveita muito na escola. P.* **10.** Tirar proveito, vantagem; utilizar-se, prevalecer-se, valer-se: *Aproveitou-se da distração do freguês e deu-lhe o troco errado.* **11.** *Bras.* Deflorar, violentar, estuprar; abusar: *Aproveitou-se da jovem desprotegida.*

aproveitável. *Adj. 2 g.* **1.** Que se pode aproveitar. **2.** Digno de ser aproveitado.

aprovisionador (ô). *Adj.* e *s. m.* Que ou aquele que aprovisiona.

aprovisionamento. *S. m.* Abastecimento de provisões.

aprovisionar. [Do fr. *approvisionner.*] *V. t. d.* **1.** Abastecer de provisões; prover. *T. d. e i.* **2.** *P. ext.* Prover, abastecer. [F. paral.: *provisionar* (1).]

aproximação (ss). *S. f.* **1.** Ato de aproximar(-se). **2.** Estimativa, avaliação. **3.** Avizinhação. **4.** *Mat.* Resultado aproximado. **5.** *Mat.* Processo para a obtenção de um resultado aproximado, na solução de um problema numérico. **6.** *Tip.* Cada uma das duas rebarbas laterais do tipo. **7.** *Tip.* Claro que separa uma letra da outra numa palavra composta sem espacejamento.

aproximado (ss). *Adj.* **1.** Que se aproxima, se avizinha; próximo. **2.** Feito por aproximação (5); aproximativo: *avaliação aproximada.* **3.** *Filos.* Diz-se de conhecimento considerado válido, mas ainda não definitivo, e para o qual se busca maior perfeição. ~ V. *resultado* —.

aproximar (ss). [Do lat. *aproximare.*] *V. t. d.* **1.** Pôr próximo; tornar próximo; achegar, avizinhar, apropinquar. **2.** Fazer com que (alguma coisa ou alguém) pareça estar perto ou mais perto; apropinquar: *O telescópio aproxima os corpos celestes.* **3.** Estabelecer relações entre; relacionar, unir, ligar: *A dor comum os aproximou.* **4.** Fazer chegar; apressar: *A abolição da escravatura aproximou a proclamação da República.* **5.** Fazer chegar (um cálculo) o mais próximo à exatidão. **6.** Pôr (idéias, fatos, coisas) em paralelo; relacionar, comparar. *T. d e i.* **7.** Tornar próximo; chegar perto; avizinhar; apropinquar: *Aproximou o rosto ao do namorado;* "O homeopata *aproximou* os lábios do ouvido de Dona Agostinha, para que os outros consulentes não ouvissem" (Mário Donato, *A Parábola das 4 Cruzes*, p. 62). **8.** Pôr duas ou mais pessoas em contato; relacionar: *Esforçou-se para aproximá-lo da família.* **9.** *Mat.* Efetuar um processo de aproximação. *P.* **10.** Pôr-se próximo ou mais próximo; avizinhar-se, achegar-se, chegar-se, abeirar-se: "Separei-me bruscamente de Isabelita e *aproximei-me* do caixão." (Domingos Monteiro, *Histórias das Horas Vagas*, p. 110); "Miranda *aproximou-se* do piano." (Machado de Assis, *Várias Histórias*, p. 131.) **11.** Relacionar-se; ligar-se, unir-se. [Sin., p. us., nas acepç. 1, 2, 7 e 10: *apropinquar.*]

aproximativa. [Fem. substantivado de *aproximativo.*] *S. f. Gram.* Conjunção aproximativa.

aproximativo (ss). *Adj.* **1.** Que aproxima. **2.** Aproximado (2): *cálculo aproximativo.* ~V. *conjunção* —*a.*

aprumado. [Part. de *aprumar.*] *Adj.* **1.** Posto a prumo. **2.** Perfeitamente vertical. **3.** *Fig.* Diz-se de indivíduo correto e digno; alinhado. **4.** *Fig.* Bem vestido, bem-apresentado, bem-posto, alinhado. **5.** *Bras.* Melhorado de situação financeira ou de saúde, sobretudo após abalo sério de uma ou de outra.

aprumar. [De a-[2] + *prumo* + -*ar*[2].] *V. t. d.* **1.** Pôr a prumo; pôr vertical. **2.** *Fig.* Tornar altivo, arrogante, orgulhoso. *Int.* **3.** *Mar. Desus.* Prumar. *P.* **4.** Endireitar-se, empertigar-se: *A Seleção aprumou-se ao ouvir o Hino Nacional;* "Nas ameias, manchando o céu caliginoso, / *Aprumam-se* perfis de imóveis sentinelas." (Olavo Bilac, *Poesias*, p. 213.) **5.** *Bras.* Melhorar de sorte ou de saúde: *Andava mal de vida, mas ultimamente se aprumou.* **6.** *Bras.* Vestir-se com apuro.

aprumo. [Dev. de *aprumar.*] *S. m.* **1.** Efeito de aprumar (-se). **2.** Posição direita, vertical. **3.** Energia, altivez. [Cf. a loc. adv. *a prumo.*]

apside (sí). [Do gr. *apsís*, 'abóbada', pelo lat. *apside.*] *S. f. Astr.* Ponto da órbita de um astro, no qual este se encontra mais afastado, ou menos afastado, de seu centro de atração.

apterige. *S. m.* e *adj. 2 g.* Apterigiforme.
apteriges. [Pl. de *apterige.*] *S. m. pl. Zool.* Apterigiformes.
apterigiforme. *S. m.* **1.** Espécime dos apterigiformes. ● *Adj. 2 g.* **2.** Pertencente ou relativo a eles. [Sin. ger.: *apterige.*]
apterigiformes. [Pl. de *apterigiforme.*] *S. m. pl. Zool.* Aves neórnites paleognatas, ordem *Apterygiformes*, de bico longo e delgado, com as narinas na extremidade, asas atrofiadas desprovidas de rêmiges, úmero vestigial, patas com quatro dedos; a plumagem do corpo é mole. São os quivis da Nova Zelândia. [Sin.: *apteriges.*]
apterigoto. *S. m.* **1.** Espécime dos apterigotos. ● *Adj.* **2.** Pertencente ou relativo a eles. [Sin. ger.: *ametábolo.*]
apterigotos. [Pl. de *apterigoto.*] *S. m. pl. Zool.* Insetos da subclasse *Apterygota*, ametabólicos, desprovidos de asas mesmo na fase embrionária, e cujo abdome tem apêndices ventrais, além dos cercos. São os proturos, colêmbolos, dipluros e tisanuros. [Sin.: *ametábolos.*]
aptério. [De *a-*[3] + *-pter(o)-* + *-io.*] *S. m.* Edifício sem colunas.
áptero. [Do gr. *ápteros.*] *Adj.* **1.** Sem asas. **2.** V. *anopluro.* **3.** V. *tisanuro.* ● *S. m.* **4.** V. *anopluro.* **5.** V. *tisanuro.*
ápteros. [Pl. de *áptero.*] *S. m. pl. Zool.* **1.** V. *anopluros.* **2.** V. *tisanuros.*
aptidão. [Do lat. *aptitudine.*] *S. f.* **1.** Disposição inata; queda: *Tem natural aptidão para lidar com as pessoas.* **2.** Habilidade ou capacidade resultante de conhecimentos adquiridos: *É notável sua aptidão como secretária.* [Sin. ger., desus.: *aptitude.*]
aptigmático. *Adj. Geol.* Que não apresenta dobras ou enrugamentos.
aptitude. [Do lat. *aptitudine.*] *S. f.* V. *aptidão:* "não há dúvida que bater monte e empregar meia dúzia de cartuchos .... representa uma aptitude física e técnica, em que estão empenhados todos os sentidos para lá do normal." (Aquilino Ribeiro, *O Homem da Nave*, p. 48).
apto. [Do lat. *aptu.*] *Adj.* **1.** Que tem aptidão inata ou adquirida; idôneo, hábil, habilitado, capaz. **2.** *Jur.* Que satisfaz as condições legais. **3.** *P. ext.* Apropriado, adequado: *obras aptas ao bom êxito dos meus estudos.*
apuá. [De provável or. tupi.] *S. f. Bras.* A fêmea do siri.
apuado[1]. [De *a-*[2] + *pua* + *-ado*[1].] *Adj.* Semelhante a, ou que termina em pua; pontiagudo.
apuado[2]. [Part. de *apuar.*] *Adj.* **1.** Cravado ou supliciado por meio de puas. **2.** *Fig.* Torturado, afligido, aflito.
apuamento. *S. m.* Ato ou efeito de apuar.
apuar. [De *a-*[2] + *pua* + *-ar*[2].] *V. t. d.* **1.** Atacar com puas. **2.** Armar com puas. **3.** Supliciar com puas. **4.** *P. ext.* Supliciar, torturar.
apuava. [De provável or. tupi.] *Adj. 2 g. Bras.* Diz-se do cavalo espantadiço, arisco, arruá.
apucaranense. *Adj. 2 g.* **1.** De, ou pertencente ou relativo a Apucarana (PR). ● *S. 2 g.* **2.** Natural ou habitante de Apucarana.
apucuitaua. [Do tupi *apukui'tawa.*] *S. m. Bras., AM.* Remo[1]. [Cf. *apecuitá.*]
➧**apud** (ápud). [Lat., 'junto a; em'.] *Prep.* empregada geralmente em bibliografia, para indicar a fonte de uma citação indireta: Machado de Assis, *Quincas Borba*, apud Álvaro Lins, *Jornal de Crítica.*
➧**apud acta** (ápud ácta). [Lat., 'nos autos'.] *Jur.* ~ V. *procuração* —.
apué. [De provável or. tupi.] *S. m. Zool. Bras.* Espécie de bodião.
apuí. [Do tupi *apu'í.*] *S. m. Bras.* Designação comum às espécies *Ficus fagifolia* e *Ficus nymphaefolia*, da família das moráceas, árvores cuja casca exsuda látex; apuizeiro.
apuirana (u-i). [Do tupi *apui'rana*, 'semelhante ao apuí'.] *S. f. Bras.* Árvore da família das loganiáceas (*Strychnos rouhamon*), que se presume conter estricnina.
apuizeiro (u-i). *S. m. Bras.* Apuí.
apulso. [Do lat. *appulsu.*] *S. m.* **1.** No direito romano, o direito de fazer o gado passar pela propriedade de outrem para chegar ao tanque comum. **2.** *Astr.* Configuração celeste em que dois astros se encontram a uma distância aparente muito pequena. [Cf. a loc. adv. *a pulso.*]
apunhalado. [Part. de *apunhalar.*] *Adj.* Ferido ou morto com punhal.
apunhalar. [De *a*[2] + *punhal* + *-ar*[2].] *V. t. d.* **1.** Ferir ou matar com punhal; dar punhalada(s) em: *O criminoso apunhalou a vítima e fugiu;* "Apunhala um fantasma! — solta um grito / Larga o punhal, convulso e arrepiado!" (Gonçalves Dias, *Obras Poéticas*, II, p. 151). **2.** Ferir com instrumento pontiagudo que lembre um punhal: "a aresta / De um seixo apunhalando o pé já todo em sangue" (Vicente de Carvalho, *Poemas e Canções*, p. 57). **3.** Ofender gravemente com atos ou palavras; magoar ou melindrar muito; pungir: *Tuas injúrias apunhalaram-no.* **4.** Desfazer, destruir, matar: "Bóia em teus olhos a esperança morta, / Que as mulheres de lá te apunhalaram." (Castro Alves, *Obra Completa*, p. 177.) *Int.* **5.** Produzir a sensação de uma punhalada: *Certas dores apunhalam.* *P.* **6.** Ferir-se ou matar-se com punhal.
apunhar. [De *a-*[2] + *punho* + *-ar*[2].] *V. t. d.* **1.** Empunhar: "De um leão fulvo com sanguíneos laivos / Pele talar enverga, apunha a lança." (Manuel Odorico Mendes, *Ilíada de Homero*, p. 125.) *T. i.* **2.** Bater com os punhos.
apupada. *S. f.* **1.** Ato ou efeito de apupar. **2.** V. *vaia.* **3.** *P. ext.* Vaia prolongada.
apupar. [T. onom.] *V. t. d.* **1.** Perseguir com apupos; escarnecer. *Int.* **2.** Tocar buzina ou apupo para os monteiros se reunirem.
apupo. [Dev. de *apupar.*] *S. m.* **1.** V. *vaia:* "Então o Diabo, fazendo horribilíssimos biocos, ... fugiu pela igreja fora, com grandes apupos e doestos dos espectadores." (Alexandre Herculano, *Lendas e Narrativas*, I, p. 262.) **2.** Buzina que produz sons desafinados.
apuração. *S. f.* **1.** Ato ou efeito de apurar; apuro. **2.** V. *contagem* (2). **3.** *Estat.* Operação em que os resultados de um inquérito estatístico ou coletivo são reunidos em tabelas ou modelos apropriados. **4.** *Bras.* Fase final da lavagem do cascalho.
apurada. [Fem. substantivado do adj. *apurado.*] *S. f. Bras., SP.* Terra roxa de grande fertilidade; terra apurada.
apurado. [Part. de *apurar.*] *Adj.* **1.** Em que há apuro, esmero, elegância. **2.** Feito com apuro; esmerado: *encadernação apurada.* **3.** Escolhido por melhor. **4.** Delicado, fino, requintado: *gosto apurado.* **5.** Aguçado (6). **6.** *Bras.* Em apuros ou dificuldades financeiras. **7.** *Bras.* Sobrecarregado de serviço; abarbado. **8.** *Bras.* Impaciente, sôfrego. **9.** *Bras., S.* Apressado, azafamado. ~ V. *terra* —*a.* ● *S. m.* **10.** Quantia que se juntou ou apurou nas vendas de um estabelecimento comercial em um dia ou noutro período de tempo.
apurador (ô) *Adj.* e *s. m.* Que ou aquele que apura.
apuramento. *S. m.* **1.** V. *apuração* (1). **2.** V. *contagem* (2). **3.** Liquidação (8).
apurar. [De *a-*[2] + *puro* + *-ar*[2].] *V. t. d.* **1.** Tornar puro; livrar de impureza; purificar: *apurar a lã.* **2.** Tornar puro ou perfeito; aperfeiçoar, esmerar, aprimorar, refinar, polir: *apurar o estilo.* **3.** Afinar (metais). **4.** Juntar, amealhar (dinheiro proveniente de venda, troca, aluguel, esmola, etc.). **5.** Cobrar, receber, arrecadar (importância correspondente a dívidas ou impostos). **6.** Conhecer ao certo; averiguar indagar: *Temos de apurar o que se passa aqui.* **7.** Conhecer ao certo; averiguar: *Não pôde apurar o que se passara.* **8.** Tornar mais concentrado, ou saboroso, por meio do acréscimo de temperos e/ou de ebulição demorada: *apurar um molho.* **9.** *Bras.* Acelerar a marcha de. **10.** *Bras.* Lavar (o cascalho diamantífero). *T. d.* e *i.* **11.** Afinar, aguçar: "apurava o ouvido aos rumores e vozes da platéia". (Aquilino Ribeiro, *Estrada de Santiago*, p. 95). *Int.* **12.** Tornar-se puro; purificar-se. **13.** Esmerar-se, aperfeiçoar-se, aprimorar-se. **14.** Concentrar-se, tornar-se mais suculento, por meio de ebulição demorada: *O caldo apurou muito.* *P.* **15.** Tornar-se puro; purificar-se. **16.** Esmerar-se, aperfeiçoar-se, aprimorar-se. **17.** Vestir-se com primor e elegância; esmerar-se no trajar: *Quando sai, apura-se.* **18.** Perder a calma; irritar-se: *Apura-se, às vezes, com as crianças.* **19.** Caminhar apressadamente; apressar-se; azafamar-se. **20.** *Bras.* Ficar em apuros, financeiros ou de outra natureza.
apurativo. [De *apurar* + *-(t)ivo.*] *Adj.* Purificante, depurativo.
apurinã. *Bras. S. 2 g.* **1.** Indivíduo dos apurinãs, tribo indígena pertencente à família lingüística aruaque. Somam cerca de 500 indivíduos e estão espalhados por todo o médio Purus, no AM. Apresentam já um alto grau de aculturação com a sociedade abrangente e buscam, inclusive, ser considerados como não índios. ● *Adj. 2 g.* **2.** Pertencente ou relativo aos apurinãs.
apuro. [Dev. de *apurar.*] *S. m.* **1.** Apuração (1). **2.** Requinte, excesso: *apuro de amabilidade.* **3.** Perfeição, esmero: *apuro de linguagem; apuro no vestir.* **4.** V. *aperto* (5): *Está sem dinheiro, em verdadeiro apuro.* **5.** Soma de quantias apuradas ou arrecadadas. [Cf. *apurado* (9).] **6.** *Bras., S.* Pressa, azáfama; rodaviva. ◆ **Ver-se em apuros.** Encontrar-se em situação difícil, em angústia, em miséria.
apurpurado. [De *a-*[2] + *púrpura* + *-ado*[1].] *Adj.* V. *purpúreo.*
apuruí. [Do tupi, decerto.] *S. m. Bras.* Cada uma de quatro árvores da família das rubiáceas: *Amaioua monteroi, Thieleodoxa verticillata, T. sorbilis* e *Duroia macrophylla.*
■ **aq.** Sigla de *molécula de água* ou de *meio aquoso.*
aquadrilhamento. *S. m.* Ato ou efeito de aquadrilhar (-se).
aquadrilhar. [De *a-*[2] + *quadrilha* + *-ar*[2].] *V. t. d.* **1.** Alistar ou formar em quadrilha. *P.* **2.** Reunir-se em quadrilhas.
aquaforte. [Do it. *acquaforte.*] *S. f. P. us.* Água-forte.
aquafortista. [Do it. *acquafortista.*] *S. 2 g.* Água-fortista.
aqualirado. [De *a-*[2] + *qualira* + *-ado*[1].] *Adj.* V. *efeminado* (2).
aqualouco. [Do lat. *aqua*, 'água', + *louco.*] *S. m. Bras.* Acrobata que, geralmente em grupo e vestido de maneira extravagante, sobretudo com maiôs meia-calça e camiseta, em peça única, à moda das primeiras décadas do séc. XX, dá saltos de trampolim sem preocupação ornamental, mas com o fim de divertir, em demonstração cômica: "há um outro eu invisível que é aqualouco, patinador sobre arco-íris, menino tonto" (Rubens Braga, *Ai de Ti, Copacabana*, p. 37).
aquando. [De *a-*[3] + *quando.*] *Conj. Ant.* e *pop.* Ao tempo em que; quando. ◆ **Aquando de.** Por ocasião de: *Visitei as terras de meu avô aquando da minha visita a Portugal.*
aquaplanagem. [Do lat. *aqua*, 'água', + *-plano* + *-agem*[2] *S. f.* **1.** Pouso sobre água; amerissagem. **2.** *Gír.* Aterrissagem perigosa em pista molhada: "Dizem os comandantes que a pista de Congonhas não oferece condições mínimas de segurança quando chove. Citam vários pequenos acidentes .... conhecidos na gíria da aviação como aquaplanagem." (*Jornal do Brasil*, 19.11.1981.)
aquarela. [Do it. *acquarello.*] *S. f.* **1.** Massa com pigmento de várias cores, que se deve dissolver em água para reduzi-la a tinta: *caixa de aquarelas; tubo de aquarelas.* **2.** Técnica de pintura sobre papel em que se emprega essa tinta, permitindo um meio de expressão delicado e transparente de difícil execução, uma vez que o aquarelista deve trabalhar rapidamente, sem se deter em minúcias e sem poder sobrepor a tinta para retoques. **3.** A pintura feita com essa técnica. **4.** *Fig.* Visão alegre ou otimista de uma época, uma situação, um lugar, etc.: *A* Aquarela do Brasil, *de Ari Barroso, popularizou nossa música não erudita no exterior.* [F. paral.: *aguarela.*]
aquarelado. [Part. de *aquarelar.*] *Adj.* Pintado a aquarela.
aquarelar. *V. int.* Pintar a aquarela. [F. paral.: *aguarelar.*]
aquarelista. *S. 2 g.* Pintor de aquarelas. [F. paral.: *aguarelista.*]
aquariano. *S. m.* **1.** Indivíduo nascido sob o signo de Aquário. ● *Adj.* **2.** Diz-se de, ou pertencente ou relativo a aquariano (1).
aquarídio. *S. m. Astr.* Meteoro pertencente à chuva cujo radiante está na constelação do Aquário.
aquário[1]. [Do lat. *aquariu.*] *S. m.* **1.** Depósito de água para conservar, criar ou observar animais ou plantas aquáticas, especialmente peixes ornamentais. **2.** Viveiro (2). **3.** *Astr.* A 11ª constelação do zodíaco, situada no hemisfério sul, a 23 h de ascensão reta e -10º de declinação sul. [Sin. (p. us.): *aguadeiro.*] **4.** *Astrol.* O 11º signo do zodíaco, relativo aos que nascem entre 20 de janeiro e 18 de fevereiro. [Com maiúscula, nas acepç. 3 e 4.]
aquário[2]. [Do lat. *aquariu.*] *Adj.* V. *aquático* (2).
aquariófilo. [De *aquário*[1] + *-ó-* + *-filo*[2].] *S. m.* Aquele que se dedica, como interessado ou como amador, à criação de peixes em aquários; aquarista.
aquarista. *S. 2 g.* Aquariófilo.
aquartalado. *Adj.* Diz-se de cavalo de quartos desenvolvidos e baixos.
aquartelado. [Part. de *aquartelar.*] *Adj.* **1.** Alojado em quartéis. **2.** *Heráld.* Diz-se do escudo dividido em quartéis.
aquartelamento[1]. *S. m. Heráld.* Divisão do escudo em quartéis.
aquartelamento[2]. [De *aquartelar*[2].] *S. m.* **1.** Ato ou efeito de aquartelar(-se). **2.** V. *quartel*[2] (1).
aquartelar[1]. [De *a-*[2] + *quartel*[1] + *-ar*[2].] *V. t. d. Heráld.* Dividir (o escudo) em quartéis.
aquartelar[2]. [De *a-*[2] + *quartel*[2] + *-ar*[2].] *V. t. d.* **1.** Alojar em quartéis; aboletar. *Int.* **2.** Alojar-se em quartéis. *P.* **3.**

Alojar-se em quartéis; aboletar-se. **4.** Alojar-se, hospedar-se.

aquartilhar. [De *a*-[2] + *quartilho* + -*ar*[2].] *V. t. d.* Medir ou vender aos quartilhos: "Ao pé de Guimarães há um taberneiro que fabrica em cada ano duas pipas de vinho. Com essas duas pipas taberneia, baldroca e aquartilha seis, e com isso mantém o seu giro de comércio" (Ramalho Ortigão, *As Farpas*, I, p. 54).

aquático. [Do lat. *aquaticu*.] *Adj.* **1.** Pertencente ou relativo à água. **2.** Que vive na água ou sobre ela; aquátil, aquário. ~ V. *esqui* — e *pólo*[2] —. ● *S. m.* **3.** *Bras.* Aquele que freqüenta estações de águas minerais: "Em Caxambu...., freqüentando rodas de aquáticos, esse problema o assaltava....: por que razão as roupas não realçavam nele?" (Ribeiro Couto, *Largo da Matriz e Outras Histórias*, p. 193.)

aquátil. [Do lat. *aquatile*.] *Adj. 2 g.* V. *aquático* (2). [Pl.: *aquáteis*.]

aquatofana. [Do it. *acqua tofana*.] *S. f.* Água-tofana.

aquavia. [Do lat. *aqua*, 'água', + *via*.] *S. f.* Hidrovia.

aquebrantar. [De *a*-[4] + *quebrantar*.] *V. t. d. e p.* V. *quebrantar*.

aquecedor (ô). *Adj.* **1.** Que aquece. ● *S. m.* **2.** Aparelho destinado a aquecer. **3.** Aparelho doméstico para aquecer água de banhos, de pias, etc. **4.** Aparelho destinado à calefação.

aquecer. [De *a*-[4] + lat. *calescere*.] *V. t. d.* **1.** Transmitir calor a; tornar quente; aquentar, esquentar: *Acendeu o fogo para aquecer a comida;* "O Sol, um Sol piedoso, se levanta, / Aquecendo a modesta casinhola." (Ricardo Gonçalves, *Ipês*, p. 56); "Aquece-me com a tua mocidade!" (Olavo Bilac, *Poesias*, p. 168). **2.** Acalorar, animar, entusiasmar: *aquecer os ânimos.* **3.** Exaltar, irritar; encolerizar. **4.** Servir de consolo (ô) a; consolar; amenizar: *Esta menina aquece a velhice do avô. Int.* **5.** Tornar-se quente: *A estufa aqueceu com a maior rapidez.* **6.** Dar calor: *Sua mocidade aquece e alegra.* **7.** Excitar-se, exaltar-se, encolerizar-se; esquentar-se. *P.* **8.** Fazer-se quente; aquentar-se: *Pelas manhãs, aquecia-se ao sol.* **9.** Entusiasmar-se, animar-se. **10.** Irritar-se, exaltar-se. **11.** *Bras.* Pôr-se (o jogador), pouco antes de iniciada a partida, em condições de atuar, executando exercícios musculares à beira do campo; aquecer as turbinas. [Nas f. rizotônicas apresenta as seguintes particularidades: **a)** no pres. ind. a 1ª pess. sing. tem o e fechado: *aqueço* (ê), e a 2ª do sing. (e, portanto, a mesma pess. do imperat.), a 3ª do sing. e a 3ª do pl. têm o e aberto: *aqueces* (é), *aquece* (é), *aquecem* (é); *aquece* (é); **b)** no pres. subj. o e é sempre fechado: *aqueça* (ê), *aqueças* (ê), etc. Muda o c em ç antes de a e o.]

aquecimento. *S. m.* Ato ou efeito de aquecer(-se). ◆ **Aquecimento central.** **1.** Sistema de aquecimento de água por meio de caldeira central, que abastece quartos de banho, cozinha, máquinas de lavar roupa, etc. **2.** Sistema de aquecimento de ambiente por meio de aparelhagem central, que distribui ar quente pelos diferentes cômodos, ou faz circular água quente em radiadores neles instalados; calefação central. **Aquecimento dielétrico.** *Eletr.* Aquecimento produzido num dielétrico por meio da dissipação de energia dum campo elétrico alternado de alta freqüência. **Aquecimento indutivo.** *Eletr.* O que é produzido pelas correntes de Foucault induzidas num material condutor de eletricidade. **Aquecimento por microondas.** *Eletr.* Tipo de aquecimento dielétrico em que se usam campos de freqüência entre 915 e 2.450 MHz, com o que se conseguem, em certos casos, elevada rapidez e grande eficiência na calefação.

aquecível. *Adj. 2 g.* Que se pode aquecer.

aquedar. [De *a*-[2] + *quedo* + -*ar*[2]] *V. t. d.* **1.** Tornar quedo ou sossegado; aquietar. *Int.* **2.** Quedar. *P.* **3.** Aquietar-se; acomodar-se.

aqueduto. [Do lat. *aquaeductu*.] *S. m.* **1.** Sistema de canalização, ao ar livre ou em subterrâneo, destinado a captar e conduzir a água de um lugar a outro. **2.** *Arquit.* Aqueduto (1) muito usado outrora, e que ganhava expressão arquitetônica, ao atravessar vales ou outras depressões do terreno, graças à sua estrutura com uma ou mais ordens de arcadas superpostas. [Cf. *adutora*.]

aquéia. *Adj. (f.)* Fem. de *aqueu*.

aquela. *Pron. dem.* **1.** Flex. f. de *aquele*. ● *S. f.* **2.** Pessoa do sexo feminino que não se nomeia, ou cujo nome se ignora; fulana: *Conheço bem aquela: é uma espertalhona.* [Cf. *àquela*.] ◆ **Sem mais aquela.** **1.** Sem cerimônia, sem acanhamento. **2.** Sem mais preâmbulos, inesperadamente: *Sem mais aquela, rompeu em impropérios.*

àquela. Flex. f. de *àquele* [q. v.]: "Àquela hora o edifício parecia repousar em sono calmo" (Coelho Neto, *Turbilhão*, p. 27). [Cf. *aquela*.]

aquelar. *V. t. d. Lus.* Palavra-ônibus que supre um verbo que, geralmente por preguiça mental, não ocorre no momento e significa, entre muitíssimas outras coisas, arranjar, compor; fazer, preparar; atinar com. [Pres. ind.: *aquelo, aquelas, aquela*, etc.; pres. subj.: *aquele, aqueles, etc.* Cf. *àquela, àquelas, àquele, àqueles, aquele (ê) e aqueles (ê)*. Equivale, aproximadamente, ao v. *coisar*.]

aquele (ê). [Do lat. vulg. *eccum ille*, 'ei-lo'.] *Pron. dem.* **1.** Indica pessoa ou coisa mais ou menos afastada, ou como que afastada, do sujeito falante e do ouvinte, ou de quem ambos já ouviram falar (ou apenas o primeiro ouviu, e supõe que também o segundo), dando, aproximadamente, neste último caso, a idéia de 'conhecido', 'famoso': *Aquele senhor de pé, no fundo da sala, é meu pai;* "Eu sou aquele oculto e grande cabo, / A quem chamais vós outros Tormentório" (Luís de Camões, *Os Lusíadas*, V, 50). **2.** Refere-se a pessoa ou coisa dantes mencionada, e equivale a o[2] (3): "O grande homem, em literatura, não é aquele que se presta para as biografias; é, ao contrário, o que se constitui uma impossibilidade para o biógrafo." (Álvaro Lins, *Literatura e Vida Literária*, p. 31); "Estranho livro aquele que escreveste" (Florbela Espanca, *Sonetos Completos*, p. 40). **3.** Indica pessoa ou coisa mais ou menos afastada, no contexto: *Convivi longamente com Pedro, e nunca vi ninguém de tão bom trato como aquele homem.* **4.** Indica afastamento no tempo: *Deliciosos foram aqueles dias que passaste conosco.* **5.** Em relação a duas pessoas ou coisas já referidas, indica a primeira delas, por oposição a este, que indica a mais próxima: *Gosto de João e Manuel, mas aquele é mais amigo meu do que este.* **6.** Indica afetividade: "Alô, moça da favela, aquele abraço!" (Do samba *Aquele Abraço*, de Gilberto Gil.) **7.** Aquele homem; aquela pessoa: "Eu sou aquele que ficou sozinho / Cantando sobre os ossos do caminho / A poesia de tudo quanto é morto!" (Augusto dos Anjos, *Eu*, p. 203). **8.** Us. a par de este, apresenta quase nulo o caráter demonstrativo, sendo antes um indefinido, com o valor de *tal* ... [*tal outro*], *um*... [*outro*]: "um capricho puro, uma criancice, vê-la trajar de certo modo, com tais e tais enfeites, este vestido e não aquele" (Machado de Assis, *Memórias Póstumas de Brás Cubas*, p. 55). [Notem-se tb., na abonação (para reforço do que fica observado), os indefinidos *certo* e *tais*.] ● *S. m.* **9.** Pessoa do sexo masculino que não se nomeia, ou cujo nome se ignora; fulano: *Ó aquele, vem cá!* [Flex.: *aquela, aqueles* (ê), *aquelas*. Cf. *este* (ê) e *esse* (ê); *aquele, aqueles*, do v. *aquelar*, e *àquele, àquela, àqueles, àquelas*.]

àquele (ê). Contr. da prep. *a* com o pron. dem. *aquele*: *Diga àquele rapaz que não faça tanto barulho;* "— Quê? Pois preferes o jumento àquele belo alazão?...." (Aluísio Azevedo, *O Coruja*. p. 42); "Que acaso infeliz amarrara àquele estafermo a mulher que devia ser minha?" (Graciliano Ramos, *Caetés*, p. 253). [Flex.: *àquela, àqueles, àquelas*. Cf. *aquela, aquelas, aquele, aqueles*, do v. *aquelar*, e *aquele*(ê), pron. dem. flex. *aquela, aqueles*(ê), *aquelas*. Há muitos exemplos do emprego, corretíssimo, de *a aquele(s)*, *a aquela(s)*, sem a contração: em Cláudio Manuel da Costa, *Obras Poéticas*, I, p. 335; Matias Aires, *Reflexões sobre a Vaidade dos Homens*, p. 275; Gonçalves Dias, *Obras Poéticas*, I, p. 220; Manuel Bandeira, *Estrela da Vida Inteira*, p. 63, e *Andorinha, Andorinha*, p. 248; etc., etc.]

aqueloutro. Contr. dos pron. *aquele* e *outro*: um segundo que está ali ou além. [Flex.: *aqueloutra, aqueloutros, aqueloutras*. Cf. *àqueloutro*. É lícito usar, em vez da contração, a locução correspondente: "aquele outro deixava a imaginação correr livre." (França Júnior, *Folhetins*, p. 360); "aqueles liberais; aqueles outros republicanos." (Oliveira Viana, *O Ocaso do Império*, p. 146).]

àqueloutro. Contr. da prep. *a* com o pron. dem. *aqueloutro* [q. v.]. [É normal o emprego de àquele outro.]

aquém. [Do lat. vulg. *eccum*, part. enfática, + *hinc*, 'de cá'.] *Adv.* Do lado de cá: *Não terás de atravessar o rio: a casa fica situada aquém.* [*Aquém*, como adv., pode ter todas as acepç. do *aquém de*, loc. prep., tirando-se na definição o de final. Antôn.: *além*.] ◆ **Aquém de.** **1.** Do lado de cá de: *O meu chalé está aquém da serra.* **2.** Abaixo de; por menos de: *O preço unitário ficará aquém do custo.* **3.** Abaixo de; menos de: *Nenhum dos livros custa aquém de 20 cruzados.*

aquém-mar. *Adv.* **1.** Aquém do mar. ● *S. m.* **2.** As terras de aquém-mar. [Antôn.: *além-mar* Pl.: *aquém-mares*.]

aquênico. *Adj. Bot.* Referente ao aquênio: *fruto aquênico.*

aquênio. [Do lat. científico *achaenium*.] *S. m. Bot.* Tipo de fruto minuto, seco, indeiscente, provido de uma só semente, a qual se acha inteiramente livre no interior do pericarpo fino, e que é característico da família das compostas (dália, margarida, etc.), embora apareça irregularmente em muitas outras. [Os "carocinhos" do morango e do figo são aquênios.]

aquense. *Adj. 2 g.* **1.** De, ou pertencente ou relativo a Aix (França). ● *S. 2 g.* **2.** Natural ou habitante de Aix.

aquentamento. *S. m.* Ato ou efeito de aquentar(-se).

aquentar. [De *a*-[4] + lat. vulg. *calentare*, freqüentativo de *calere*, 'estar quente'.] *V. t. d.* **1.** Tornar quente; aquecer, esquentar. **2.** Dar ânimo, coragem a; animar. *P.* **3.** Aquecer-se, esquentar-se: *Passou a noite a aquentar-se junto ao fogo.* [Sin. ger.: *quentar*.]

áqüeo. [Do lat. *aqua*, 'água', + -*eo*.] *Adj.* V. *aquoso*.

aquerenciadeira. [Fem. de *aquerenciador*.] *S. f. Bras., RS.* Égua madrinha com que se acolhera outro animal para ser aquerenciado.

aquerenciado. [Do esp. plat. *aquerenciado*.] *Adj. Bras., RS.* Diz-se do animal acostumado a um lugar, ou a viver com outros animais. [Tb. se aplica, p. ext., às pessoas.]

aquerenciador (ô). [Do esp. amer. *aquerenciador*.] *Adj. Bras., RS.* **1.** Que aquerencia. **2.** Diz-se do campo bom, preferido pelos animais. ● *S. m.* **3.** Aquele que aquerencia.

aquerenciar. [Do esp. amer. *aquerenciar*.] *V. t. d. Bras., RS.* **1.** Acostumar (o animal) a determinado lugar que não o de seu pouso habitual ou de seu nascimento, ou a determinada campanha. *P.* **2.** Habituar-se (o animal, ou p. ext., pessoa) a certo lugar, ou a viver com outrem.

aqueronteia. *Adj. (f.)* Fem. de *aqueronteu*.

aqueronteu. [Do gr. *acheronteîos*, pelo lat. *acheronteu*.] *Adj.* Aquerôntico. [Fem.: *aqueronteia*.]

aquerôntico. *Adj. Mitol.* Pertencente ou relativo a Aqueronte, um dos rios do Inferno; aqueronteu.

aqüestos. *Adj. (pl.) Jur.* ~ V. *bens* —.

aquetóideo. *S. m.* e *adj.* V. *grilóideo*.

aquetóideos. *S. m. pl. Zool.* V. *grilóideos*.

aqueu. [Do lat. *achaeu*.] *Adj.* **1.** De, ou pertencente ou relativo a Acaia, região da Grécia antiga; acaio, acaico. **2.** Pertencente ou relativo aos aqueus; aquivo. ● *S. m.* **3.** O natural ou habitante de Acaia; acaio, acaico. **4.** Indivíduo dos aqueus, ramo do povo grego antigo; aquivo. [Fem.: *aquéia*.]

aqui. [Do lat. *eccu*, part. enfática, + *hic*, 'aqui'.] *Adv.* **1.** Neste lugar: *Reside aqui há cerca de três anos;* "Fui pecador e arrependo-me. Aqui estou." (Machado de Assis, *Contos Fluminenses*, p. 55). **2.** A este lugar: *Veio aqui a serviço;* "viemos aqui dar para ganhar um migalho de pão azedo." (Camilo Castelo Branco, *O Santo da Montanha*, p. 299). **3.** Neste momento ou ocasião; neste ponto, nisto: "Calaram-se todos, inclinaram-se os bustos, atentos, esperando. Aqui fiquei com medo." (Machado de Assis, *Várias Histórias*, p. 29.) **4.** A época ou momento atual; hoje, agora: *Até aqui ele se tem portado bem, e espero continue assim.* **5.** A este respeito; quanto a isto: — *Gosto de leitura. E você?* — *Discordo do amigo em muitas coisas, mas aqui estamos de pleno acordo: é um dos meus poucos prazeres.* **6.** Até aqui; a ou até este lugar: "que de Santarém aqui é uma corrida de cavalo" (Alexandre Herculano, *Lendas e Narrativas*, I, p. 250). **7.** *Cá*[1] (5): "Homem, eu aqui, com os patacos que arranjei, posso talvez fazer algum bem." (Luís de Magalhães, *O Brasileiro Soares*, p. 38); *O papai aqui sabe das coisas.* **8.** Usa-se, principalmente em Portugal, antes de expressões designativas de tempo decorrido: "— Já tive um [vestido] assim, aqui há anos..." (Abel Botelho, *O Livro de Alda*, p. 65); "Você sabe que as casas, aqui há anos, baixaram muito..." (Machado de Assis, *Memórias Póstumas de Brás Cubas*, p. 132). ● *S. m.* **9.** Este lugar: *Estou em Teresópolis. Esse Rio é quente como diabo, mas aqui é muito agradável.*

▲**aqü(i)-.** [Do lat. *aqua, ae*.] *El. comp.* = 'água': *aqüicultura, aqüífero.*

aqüícola. [De *aqü(i)*- + -*cola*.] *Adj. 2 g.* **1.** Que vive na água. **2.** Relativo à aqüicultura. ● *S. 2 g.* **3.** Pessoa que vive na água.

aqüicultura. [De *aqü(i)*- + *cultura*.] *S. f.* Arte de criar e multiplicar animais e plantas aquáticas.

aquidabãense. *Adj. 2 g.* **1.** De, ou pertencente ou relativo a Aquidabã (SE). ● *S. 2 g.* **2.** Natural ou habitante de Aquidabã.

aquidauanense. *Adj. 2 g.* **1.** De, ou pertencente ou

relativo a Aquidauana (MS). ● *S. 2 g.* **2.** Natural ou habitante de Aquidauana.

aqui-del-rei. [De *aqui* + *del*, contr. da prep. *de* com o ant. art. def. *el*, + *rei*; f. abrev. de *acudam aqui os guardas del-rei*.] *Interj.* Usava-se para pedir socorro: "fechou rapidamente a janela e gritou com todo o vigor dos seus pulmões juvenis: / — Aqui-del-rei! os de Jacó Patacho!" (Inglês de Sousa, *Contos Amazônicos*, p. 165).

aquiescência. [Do lat. *acquiescentia*.] *S. f.* Ato ou efeito de aquiescer; anuência, consentimento, assentimento: "Aquela conquista, fato consumado pelo triunfo militar, pela aquiescência de todas as nações, ... é, neste momento, duvidosa, problemática e talvez inexeqüível." (Euclides da Cunha, *Contrastes e Confrontos*, p. 184.)

aquiescente. [Do lat. *acquiescente*.] *Adj. 2 g.* Que aquiesce, consente, anui.

aquiescer. [Do lat. *acquiescere*.] *V. int.* e *t. i.* Consentir, assentir; concordar, anuir: *Sentindo-se constrangido, aquiesceu;* "Seu Cardoso relutou em aquiescer ao pedido da mulher." (Gastão Cruls, *De Pai a Filho*, p. 23). [Conjug.: v. *crescer*.]

aquietação. *S. f.* Ato ou efeito de aquietar(-se); apaziguamento, calma.

aquietador (ô). *Adj.* e *s. m.* Que ou aquele que aquieta.

aquietar. [De *a-*[2] + quieto + -ar.[2]] *V. t. d.* **1.** Pôr ou tornar quieto; acalmar; apaziguar, tranqüilizar. *Int.* e *p.* **2.** Ficar quieto, tranqüilo; acalmar(-se), serenar(-se): "— Papai verá que vai dormir. / O pai aquietou-se e esperou. .... Quem disse que o sono chegava?" (Manuel Bandeira, *Estrela da Vida Inteira*, p. 147.)

aqüífero. [De *aqu(i)-* + *fero*.] *Adj.* Que contém água.

aqüifoliácea. *S. f.* Espécime das aqüifoliáceas.

aqüifoliáceas. *S. f. pl. Bot.* Família de plantas superiores, da ordem das sapindales, composta de árvores e arbustos com folhas alternas e inflorescências cimosas, flores pequeninas e unissexuais, e frutos pequenos e drupáceos, sem valor. Há cerca de 300 espécies, tanto dos países temperados como dos tropicais, não sendo raras no Brasil, onde domina o grande gênero *Ilex*, ao qual pertence a erva-mate.

aqüifoliáceo. *Adj.* Pertencente ou relativo às aqüifoliáceas.

aquilão[1]. [Do lat. *aquilone*.] *S. m. Poét.* **1.** O vento norte: "O frio aumenta. Já silva, / Às refregas, o aquilão!" (Bulhão Pato, *O Livro do Monte*, p. 68.) **2.** *Ant.* O vento nordeste. **3.** A região boreal; o Norte. [F. paral.: *áquilo; var.: aguião*.]

aquilão[2]. *S. m. Bras.* Ungüento semelhante ao basilicão.

aquilária. [Do lat. *aquila*, 'águia', + *-ária*.] *S. f.* Gênero de plantas fanerogâmicas, da família das timeleáceas, de que se conhecem espécies nativas no S.O. asiático, e cuja madeira produz uma resina aromática.

aquilatador (ô). *S. m.* Aquele que aquilata.

aquilatar. [De *a-*[2] + *quilate* + *-ar*[2].] *V. t. d.* **1.** Determinar o quilate ou o número de quilates de: *aquilatar o ouro*. **2.** Pesar no ânimo; apreciar, avaliar, julgar: *Conhecendo-o de perto posso bem aquilatar os seus méritos*. **3.** Melhorar, aperfeiçoar, aprimorar, apurar. *P.* **4.** Aperfeiçoar-se, aprimorar-se, apurar-se. [Sin. ger.: *quilatar*.]

aquilégia. *S. f.* Planta ornamental, da família das ranunculáceas, de flores azuis ou roxas em geral.

aquiléia. *Adj. (f).* Fem. de *aquileu*.

aquileu. [Do gr. *achílleios*, pelo lat. *achilleu*.] *Adj. Anat.* Relativo ao tendão de Aquiles [q. v.]. [Fem.: *aquiléia*.] ~ V. *reflexo* —.

aquilhado. [De *a-*[2] + *quilha* + *-ado*[1]] *Adj.* Diz-se de embarcação que tem quilha.

aquilia[1]. [De *a-*[3] + *-quil(o)-*[1] + *-ia*.] *S. f. Med.* Ausência ou deficiência de formação de quilo[1]. ◆ **Aquilia gástrica.** *Med.* Ausência de secreção do suco gástrico.

aquilia[2]. [De *a-*[3] + *-quil(o)-*[2] + *-ia*.] *S. f. Terat.* Falta congênita de um lábio, ou de ambos.

aquilino. [Do lat. *aquilinu*.] *Adj.* **1.** Pertencente à águia, ou próprio dela. **2.** Diz-se do nariz adunco como o bico da águia: "o nariz aquilino do ministro arriscava-se farejando os importunos" (Rebelo da Silva, *De noite Todos os Gatos São Pardos*, p. 95). **3.** Diz-se do olhar penetrante como os olhos da águia.

aquilo. [Do lat. *eccu*, part. enfática, + *illud*, 'aquilo'.] *Pron. dem.* **1.** Aquela(s) coisa(s): "O nosso clero está longe de ser aquilo que pede a religião do cristianismo." (Machado de Assis, *Poesia e Prosa*, p. 111.) **2.** *Deprec.*, ou, ao invés, *apreciat.* Aquela pessoa: *Aquilo é um canalha; Aquilo é um anjo!* [Cf. *àquilo* e *áquilo*.]

áquilo. *S. m.* V. *aquilão*[1]. [Cf. *aquilo* e *àquilo*.]

àquilo. Contr. da prep. *a* com o pron. *aquilo*: "acrescia a veste sacra do sacerdote, que dava àquilo um ar de solenidade e consagração." (Machado de Assis, *Helena*, p. 169); "foi depois disso que deixei de dar importância àquilo." (Antonio Olinto, *Copacabana*, p. 30). [Em vez da contr., pode-se usar *a aquilo*. Cf. *aquilo* e *áquilo*.]

aquilombado. [Part. de *aquilombar*.] *Adj. Bras.* Dizia-se do escravo refugiado em quilombo.

aquilombar. [De *a-*[2] + *quilombo* + *-ar*[2].] *V. t. d. Bras.* **1.** Reunir (escravos fugitivos) em quilombo; amocambar. *P.* **2.** Refugiar-se em quilombo (1), ou como em quilombo (1): "Muitos escravos fugiam para se aquilombar nas matas vizinhas, na vizinhança de tribos índias." (E. Roquete-Pinto, *Seixos Rolados*, p. 62.)

aquilonal. [Do lat. *aquilonale*.] *Adj. 2 g.* Do aquilão[1]; boreal, aquilonar, aquilônio.

aquilonar. [Do lat. *aquilonare*.] *Adj. 2 g.* V. *aquilonal*.

aquilônio. [Do lat. *aquiloniu*.] *Adj.* V. *aquilonal*.

aquilotado. [Part. de *aquilotar*.] *Adj. Bras., N. E. Pop.* **1.** Habituado, acostumado. **2.** Avinhado (4).

aquilotar-se. [De *a-*[4] + *quilotar* + *se*[1].] *V. p. Bras., N. E. Pop.* Habituar-se, acostumar-se; quilotar-se.

aquinense. *Adj. 2 g.* **1.** De, ou pertencente ou relativo a São Tomás de Aquino (MG). ● *S. 2 g.* **2.** Natural ou habitante de São Tomás de Aquino.

aquinhoador (ô). *Adj.* e *s. m.* Que ou aquele que aquinhoa.

aquinhoamento. *S. m.* Ato ou efeito de aquinhoar, de repartir e/ou distribuir em quinhões.

aquinhoar. [De *a-*[2] + *quinhão* + *-ar*[2].] *V. t. d.* **1.** Dividir, repartir em quinhões. **2.** Partilhar, compartilhar: *Aquinhoamos o vosso pesar*. **3.** Dar de quinhão; dotar: *A natureza aquinhoou-o de inúmeras qualidades*. **4.** *P. ext.* Contemplar, dotar, favorecer: *É um homem feliz: a fortuna o aquinhoou*. *T. i.* **5.** Participar, partilhar, compartilhar: "eu te levantarei, eu aquinhoarei de tuas angústias, pois que .... das minhas próprias já não tenho alguma que possa lutar com a piedade do meu Senhor, Jesus Cristo." (Camilo Castelo Branco, *O Santo da Montanha*, p. 215). *P.* **6.** Tomar parte ou quinhão de; servir-se de quinhão. [F. paral.: *quinhoar*. Conjug.: v. *coroar*.]

aquiqui. [De or. indígena, decerto.] *S. m. Bras.* Aguardente de milho dos índios caingangues.

aquirijebó (jè). *S. 2 g. Bras.* Freqüentador assíduo de festas de vários candomblés; sete-roncós.

aquiritivo. *Adj.* Próprio para a aquisição; aquisitivo.

aquisição. [Do lat. *acquisitione*.] *S. f.* **1.** Ato ou efeito de adquirir; adquirição. **2.** Coisa adquirida: *Considero esta casa minha melhor aquisição*. **3.** *Astron.* Processo de localizar a órbita de um satélite ou engenho espacial, que permite sejam escolhidos os dados telemétricos ou de rastreamento do veículo.

aquisitivo. *Adj.* **1.** Aquiritivo. **2.** Relativo à aquisição. ~ V. *poder* — e *prescrição* —*a*.

aquistar. *V. t. d. Ant.* Adquirir; ganhar.

aquivo. [Do lat. *achivu*.] *S. m.* e *adj.* V. *aqueu* (2 e 4).

▲**aquo-.** *El. comp.* Indica uma molécula de água.

➧**a quo** (a quó). [Lat.] **1.** Em jejum: *estar a quo*. **2.** Na ignorância: *ficar a quo*. **3.** *Jur.* Diz-se do juiz ou do tribunal de cuja sentença se recorre. **4.** Diz-se do dia a partir do qual principia a correr um prazo.

aquosidade. [Do lat. *aquositate*.] *S. f.* Qualidade ou estado de aquoso.

aquoso (ô). [Do lat. *aquosu*.] *Adj.* **1.** Que contém água. [Sin. *poét.*: *undífero*.] **2.** Da natureza da água, ou semelhante a ela. [Sin. ger.: *áqueo*.] ~ V. *humor*— e *sol*[4]—.

ar. [Do gr. *aér*. pelo lat. *aere*.] *S. m.* **1.** Camada gasosa que envolve a Terra; atmosfera: "O ar fino e puro entrava na alma, e n'alma espalhava alegria e força." (Eça de Queirós, *A Cidade e as Serras*, p. 206); "Essa dor de tossir bebendo o ar fino, / A esmorecer e desejando tanto ..." (Manuel Bandeira, *Estrela da Vida Inteira*, p. 8). **2.** *P. ext.* Vento, brisa, aragem: *Um ar quente e abafado tudo envolvia*. **3.** O espaço acima do solo: *Voaram pelo ar os pedaços de louça*. **4.** *Quím.* Gás que constitui a atmosfera terrestre, constituído, aproximadamente, por oxigênio (20%), nitrogênio (79%) e quantidades ligeiramente variáveis de vapor d'água, dióxido de carbono e argônio, e outros gases nobres. **5.** V. *aparência* (1): *O ar de pobreza da moça contrastava com sua extrema beleza; A casa tinha um ar de sujeira:* "Entraste com ar cansado / Numa igreja fria e triste." (Augusto Gil, *Luar de Janeiro*, p. 31). **6.** Semblante, fisionomia: *Que ar inteligente o deste menino!; Está com um ar abatido;* "A um canto, a barba crescida, um ar idiota, ... seu Rafael parecia não enxergar o povo que invadia a sua casa" (Cordeiro de Andrade, *Anjo Negro*, p. 112). **7.** Maneiras, modos; ares: *Tem um ar acafajestado*. **8.** *Bras. Pop.* Paralisia, estupor; ar-de-vento. **9.** V. *respiração* (2). ~ V. *ares*. ◆ **Ar comprimido.** Ar submetido a uma pressão superior à atmosférica. **Ar condicionado.** Atmosfera confinada a que se atribuem artificialmente condições de umidade e temperatura para ser máxima a sensação de conforto das pessoas que nela estão. [Cf. *ar-condicionado*.] **Ar de família.** Semelhança de certos traços fisionômicos, de postura, de temperamento, etc., entre membros de uma família: *O ar de família dos Gomes é inconfundível: você os reconhece até pelo andar*. **Ar de poucos amigos.** Cara de poucos amigos: "O peitinho da menina começara a arfar de novo, e ela olhava para as primas com ar de poucos amigos." (Cardoso de Oliveira, *Dois Metros e Cinco*, p. 115.) **Ar encanado.** V. *corrente de ar*. **Ao ar livre.** No exterior (2), fora de qualquer recinto coberto. **Apanhar no ar.** Apreender com muita rapidez. **Com ar de resto.** Com desprezo, com indiferença: *Tratou o velho amigo com ar de resto*. **Dar um ar de sua graça.** *Fam.* Dar (em geral, numa reunião) manifestação de seu espírito, de sua pessoa: *Todo o mundo fala e ele não dá um ar de sua graça*. **No ar.** **1.** Imperfeitamente assentado; não bem combinado ou decidido: *O negócio ainda está muito no ar*. **2.** Na iminência (realmente ou aparentemente) de acontecer, sendo objeto de comentários, mais ou menos sem fundamento preciso: *A reforma do Ministério está no ar; Andam no ar, muitas novidades*. **3.** Com a cabeça no ar: "Vivia no ar, tão absorta que não raro era preciso falarem-lhe duas e três vezes para que ela chegasse a responder alguma coisa" (Machado de Assis, *Contos sem Data*, p. 138.) **Tomar ar.** Passear (1).

■**Ar.** *Quím.* Símb. de *argônio*.

▲**ar-**[1]. V. *a-*[2].

▲**ar-**[2]. V. *a-*[4].

▲**ar-**[3]. Equiv. de *a-*[5].

▲**-ar**[1]. [Do lat. *-àre-*.] *Suf. nom.* = 'relação', 'pertinência': familiar (< lat. *familiare*), *alimentar*. [V. *-al*.]

▲**-ar**[2]. Desin. do inf. dos v. de tema em *-a*, originária do lat. *-are* ou, por analogia, de formação vernácula; *cantar* (< *lat. cantare*), *amar* (< *lat. amare*); *casar (de casa), morcegar (de morcego)*.

ara[1]. [Do lat. *ara*.] *S. f.* Altar (2) [Pl.: *aras*. Cf. *haras*.] ◆ **Ara da cruz.** A cruz em que foi crucificado Jesus Cristo.

ara[2]. [Das duas sílabas iniciais de nomes de navios do Lóide Brasileiro que faziam o percurso do N. ao S. do País.] *S. m. obsol.* Qualquer desses navios: o *Araraquara, Araranguá, Aratimbó*, etc. [Pl.: *aras*. Cf. *haras*.]

ara[3]. [Var. de *ora*[2] (3).] *Interj. Bras.* Ora: "— Ara vamos lá, Sr. Padre, disse o Pedro fazendo valer a condescendência." (Inglês de Sousa, *O Missionário*, p. 216.)

ará. [Do tupi *a'rá*.] *S. m. Bras.* **1.** Arara[1] (1). **2.** V. *tinhorão*.

araã. [Do tupi.] *Interj. Bras.* Indica surpresa e saudade.

arabaiana. [De provável or. indígena.] *S. f. Bras.* V. *olho-de-boi* (4).

árabe. [Do lat. *arabe*.] *S. 2 g.* **1.** Natural ou habitante da Arábia, península ao S. da Ásia, entre o Mar Vermelho e o Golfo Pérsico, e que inclui a região desértica e diversos Estados. **2.** *P. ext.* Indivíduo de qualquer dos povos semitas de origem árabe espalhados pelas regiões circunvizinhas, como, p. ex., o N. da África. ● *S. m.* **3.** A língua semítica falada pelos árabes; arábico. [Distinguem-se o árabe literário e os dialetos falados do árabe, como o sírio, o líbio, o egípcio, o argelino.] V. *semítico* (3). ● *Adj. 2 g.* **4.** Da, ou pertencente ou relativo à Arábia; arábico, arábigo, arábio. **5.** Pertencente ou relativo aos, ou próprio dos árabes, sua língua, cultura, costumes, etc. **6.** Diz-se de animal cavalar originário de certa raça da Arábia.

arabebéu. [Do tupi, provavelmente.] *S. m. Bras.* V. *cernambiguara*.

árabe-saudita. *Adj. 2 g.* **1.** Da, ou pertencente ou relativo à Arábia-Saudita, país do Sudeste asiático. ● *S. 2 g.* **2.** Natural ou habitante desse país. [Sin. ger.: *saudi-arábico* e *saudita*. Pl.: *árabe-sauditas*.]

arabescar. *V. t. d.* **1.** Ornar com arabescos. **2.** Traçar à maneira de arabescos. [Conjug.: v. *trancar*. Pres. ind.: *arabesco*, etc. Cf. *arabesco* (ê).]

arabesco (ê). [Do it. *arabesco*.] *S. m.* **1.** Ornato de origem árabe, no qual se entrelaçam linhas, ramagens, grinaldas, flores, frutos, etc. **2.** Rabisco, garatuja. [Pl.: *arabescos* (ê). Cf. *arabesco*, do v. *arabescar*.]

arabi. [Do ár. *arabii*, 'arábio'.] *S. m.* Rabino[1].

arábias. El. s. f. pl. Us. na loc. *ser das arábias*. ◆ **Ser das arábias.** Ser muito esperto. [No pl., em alusão às três Arábias: *a Feliz, a Pétrea e a Deserta*.]

arábico. [Do lat. *arabicu*.] *Adj.* **1.** V. *árabe* (4). [Var.:

arábigo. ~ V. *algarismo* —. ● *S. m.* **2.** V. *árabe* (3).

arábigo. [Var. de *arábico.*] *Adj.* V. *'árabe* (4).

arabina. [De *arab*, abrev. de *arábica* + *-ina.*] *S. f. Quím.* Substância ácida, líquida, presente na goma-arábica. [Fórm.: $C_5H_{10}O_6.H_2O$.]

arabinose. [De *arabina* + *-ose.*] *S. f. Quím.* Pentose encontrada em algumas gomas e celuloses. [Fórm.: $C_5H_{10}O_5$.]

arábio. [Do lat. *arabiu.*] *Adj.* V. *árabe* (4): "Ungirei de claros bálsamos a r á b i o s / Tua jovem boca de purpúreos lábios!" (Luís Guimarães, [filho], *Pedras Preciosas*, p. 101.)

arabismo. *S. m.* Palavra, expressão ou construção própria da língua árabe.

arabista. *S. 2 g.* Especialista em língua árabe.

arabizar. *V. t. d.* e *p.* **1.** Tornar(-se) árabe; adaptar(-se) ao temperamento, maneira ou estilo árabe. *Int.* **2.** Dedicar-se ao estudo da língua árabe.

arabóia. [Do tupi.] *S. f. Bras.* **1.** V. *caninana* (1). **2.** Ofídio (*Chironius fuscus* (L.)), comum em toda a região equatorial do Brasil; urupiagara.

arabu. [Do tupi *ara'bu.*] *S. m. Bras., N.* Iguaria feita com ovos de tartaruga ou de tracajá, farinha e açúcar.

arabutã. [Do tupi, *arabu'tã*, por *arapitã*, 'pau vermelho'.] *S. m. Bras.* V. *pau-brasil.*

araca. [Do ár. *'araq*, 'suor' (da tamareira).] *S. f.* Aguardente de arroz fermentado. [Cf. *áraque.*]

araçá. [Do tupi *ara'sá.*] *Bras. S. m.* **1.** V. *araçazeiro.* **2.** O fruto do araçazeiro. ● *Adj. 2 g.* **3.** Diz-se do bovino de pêlo amarelo salpicado ou mascarado de preto.

araçá-congonha. *S. m. Bras.* Arbusto da família das mirtáceas (*Campomanesia suaveolens).* [Pl.: *araçás-congonhas* e *araçás-congonha.*]

aracaçu. [De possível or. tupi.] *S. m. Bras.* Certo fruto.

araçá-da-anta. *S. m. Bras.* Árvore da família das melastomáceas (*Beclucia grossularioides*). [Pl.: *araçás-da-anta.*]

aracadaini. *Bras. S. 2 g.* **1.** Indivíduo dos aracadainis, tribo indígena das margens do rio Curiá (AM). ● *Adj. 2 g.* **2.** Pertencente ou relativo a essa tribo.

araçá-da-praia. *S. m. Bras.* V. *açucena-do-mato.* [Pl.: *araçás-da-praia.*]

araçá-de-coroa. *S. m. Bras.* V. *açucena-do-mato.* [Pl.: *araçás-de-coroa.*]

araçá-de-minas. *S. m. Bras.* V. *araçá-felpudo.* [Pl.: *araçás-de-minas.*]

araçá-de-pomba. *S. m. Bras.* Certa árvore do N. de MG. [Pl.: *araçás-de-pomba.*]

araçá-de-são-paulo. *S. m. Bras.* V. *araçá-felpudo.* [Pl.: *araçás-de-são-paulo.*]

araçá-do-brejo. *S. m. Bras.* **1.** V. *aimara.* **2.** O fruto do araçá-do-brejo. [Pl.: *araçás-do-brejo.*]

araçá-do-pará. *S. m. Bras., Amaz.* Árvore ornamental, da família das mirtáceas (*Campomanesia acida*), de flores alvas e bagas amarelas, fruto comestível, e madeira útil para obras de torno, lenha e carvão. [Pl.: *araçás-do-pará.*]

araçaeiro. *S. m. Bras.* V. *araçazeiro.*

araçá-felpudo. *S. m. Bras.* Arbusto da família das mirtáceas (*Psidium incanescens*), de bagas comestíveis, madeira útil, e cuja casca e folhas têm propriedades medicinais adstringentes; araçá-de-minas, araçá-de-são-paulo, goiabinha, guabiroba. [Pl.: *araçás-felpudos.*]

araçaí. [Do tupi *arasa'i*, 'araçá pequeno'.] *S. m. Bras.* Planta medicinal (*Psidium arasahu*); auí.

araçaíba. [Do tupi *arasa'iwa*, 'árvore do araçá'.] *S. m. Bras.* Árvore da família das mirtáceas (*Psidium pumilum*); araçá-mirim.

aracaju. *Bras. S. 2 g.* **1.** Indivíduo dos aracajus, tribo indígena das imediações do rio Xingu, pertencente à família tupi-guarani. ● *Adj. 2. g.* **2.** Pertencente ou relativo a essa tribo.

aracajuano. *Adj.* **1.** De, ou pertencente ou relativo a Aracaju, capital de SE. ● *S. m.* **2.** O natural ou habitante de Aracaju. [Sin. ger. p. us.: *aracajuense.*]

aracajuense. *Adj. 2 g.* e *s. 2 g. P. us.* Aracajuano.

aracambé. [Do tupi (v. *jaguaracambé*).] *S. m. Bras.* **1.** V. *aracangüira.* **2.** V. *cachorro-do-mato-vinagre.*

aracambi. [Do tupi, decerto.] *S. m. Bras.* Pau encavilhado no centro da jangada. [Cf. *aracambus.*]

aracambus. [Do tupi, decerto.] *S. m. pl. Bras., N. E.* **1.** Cruzeta em que descansa a verga da mezena, nas jangadas. **2.** Armação, nas jangadas, onde se penduram os aparelhos de pesca. [Cf. *aracambi.*]

araçá-mirim. [De *araçá* + *-mirim.*] *S. m. Bras.* Araçaíba. [Pl.: *araçás-mirins.*]

aracane. *Bras. S. 2 g.* **1.** Indivíduo dos aracanes, tribo indígena que, nos tempos da conquista, habitava as imediações do RS, entre o Brasil e o Uruguai. ● *Adj. 2 g.* **2.** Pertencente ou relativo a essa tribo.

aracanga. [De *araracanga*, com haplologia.] *S. f. Bras.* V. *arara-vermelha* (2).

araçanga. [Do tupi *ara'sãga.*] *S. f. Bras.* Pequeno cacete com que os jangadeiros matam os peixes já ferrados; buruçanga.

aracangüira. [Do tupi.] *S. m. Bras.* Peixe teleósteo, percomorfo, da família dos carangídeos (*Blepharis crinitus* (Mit.)), do Pacífico e do Atlântico tropicais. A coloração do dorso é verde-azulada, o abdome é prateado e os raios das nadadeiras longos, escuros; destes, os primeiros das nadadeiras dorsal posterior e anal são mais longos que o corpo, ultrapassando a caudal. Aproxima-se, no aspecto, do peixe-galo [q. v.] não tendo, porém, como este, a fronte inclinada. [Sin.: *abacataia, abacutaia, abacatuaia, abacatuia, abacatúxia, abacatina, aleto, aracambé, peixe-galo-do-brasil.* Cf. *galo*[1] (6).]

aração[1]. [Do lat. *aratione.*] *S. f.* Trabalho com o arado.

aração[2]. [De um suposto *arar*[2], calcado em *arado*[2].] *S. f. Bras.* **1.** O ato de comer com sofreguidão. **2.** Fome excessiva.

araçá-pedra. *S. m. Bras.* Árvore da família das mirtáceas (*Psidium oligospermum*). [Pl.: *araçás-pedras* e *araçás-pedra.*]

aracapuri. [Do tupi *arakapu'ri.*] *S. m. Bras., Amaz.* Peixe teleósteo caraciforme, da família dos caracídeos, gênero *Hoplerythrynus* Gill, cuja espécie ainda não está bem correlacionada com o nome popular. Coloração esverdeada, com três listras negras, que se cruzam com a faixa escura longitudinal. Comprimento: até 10 cm.

araçarana. [Do tupi *arasa'rana*, 'semelhante ao araçá'.] *S. f. Bras.* **1.** Árvore da família das melastomáceas (*Bellucia sp.* var.). **2.** Árvore da família das rubiáceas (*Tocoyena bullata*).

araçareiro. *S. m. Bras.* V. *araçazeiro.*

araçari. [Do tupi *arasa'ri.*] *S. m.* **1.** *Bras.* Ave piciforme, da família dos ranfastídeos, gêneros *Pteroglossus* Ill., *Baillonius* Cass., *Selenidera* Gould e *Bauharnaisius* Bon., das matas virgens brasileiras, cujas ventas são visíveis na superfície do bico, e que se alimentam de pequenos frutos e bagas na floresta; tucani, tucaninho, tucanuí. **2.** *Bras., AM.* V. *planalto.*

araçari-banana. *S. m. Bras.* Ave piciforme, da família dos ranfastídeos (*Baillonius bailloni* (Vieil.)), do S.E. do Brasil. Dorso ocra com tonalidade oliva; parte ventral amarela; bico verde na ponta e azulado na parte alta, com malha cor de sangue guarnecendo-lhe a parte posterior, e rabadilha vermelha. [Sin.: *araçari-branco.* Pl.: *araçaris-bananas* e *araçaris-banana.*]

araçari-branco. *S. m. Bras.* Araçari-banana. [Pl.: *araçaris-brancos.*]

araçari-de-minhoca. *S. m. Bras.* Araçari-minhoca. [Pl.: *araçaris-de-minhoca.*]

araçari-minhoca. *S. m.* Ave piciforme, da família dos ranfastídeos (*Pteroglossus aracari* (L.)), distribuída por todo o Brasil. Dorso alto, asas e cauda verdes, cabeça, pescoço e garganta negros, fita peitoral vermelha, e região abdominal amarela; bico com estria preta na cumeeira. Alimenta-se de frutas e freqüenta as matas virgens. [Sin.: *araçari-de-minhoca.* Pl.: *araçaris-minhocas* e *araçaris-minhoca.*]

araçaripoca. [De *araçari* + *-poca.*] *S. m. Bras.* Ave piciforme, da família dos ranfastídeos (*Selenidera maculirostris* (Licht.)), do S. E. do Brasil. O bico, que apresenta cinco dentes serráteis, é ornado de linhas pretas, e a nuca, de uma fita amarela. [Sin.: *saripoca.*]

araçari-preto. *S. m. Bras.* Ave piciforme, da família dos ranfastídeos (*Selenidera piperivora* (L.)), da margem esquerda do rio Amazonas para o N. Coloração do dorso verde-escura; cabeça e pescoço pretos, marginados na nuca por uma banda amarela; mancha da mesma cor atrás do olho; lado inferior preto, baixo-ventre e flancos verde-amarelados, crisso escarlate, bico preto com base avermelhada e bandas transversais mais escuras. Na fêmea o colar da nuca é castanho-escuro, e a parte inferior do corpo verde-acinzentada. Alimenta-se, em geral, de frutas. [Pl.: *araçaris-pretos.*]

aracaroba. [Do tupi.] *S. m. Bras.* V. *xaréu-branco.*

aracati. [Do tupi *araka'ti.*] *S. m. Bras.* Vento que em regiões nordestinas (especialmente no CE) sopra de N.E. para S.O.: "Era o tempo em que o doce a r a c a t i chega do mar, e derrama a deliciosa frescura pelo árido sertão." (José de Alencar, *Iracema*, p. 59); "uma aragem agradável soprando constantemente — o doce a r a c a t i da hora do crepúsculo" (Raquel de Queirós, *100 Crônicas Escolhidas*, p. 45).

araçatibano. *Adj.* **1.** De, ou pertencente ou relativo à Praia de Araçatiba (RJ). ● *S. m.* **2.** O natural ou habitante da Praia de Araçatiba.

aracatiense. *Adj. 2 g.* **1.** De, ou pertencente ou relativo a Aracati (CE). ● *S. 2 g.* **2.** Natural ou habitante de Aracati.

aracatu. [Do tupi *araka'tu*, 'tempo bom'.] *S. m. Bras., AM.* Dia de tempo firme.

araçatubense. *Adj. 2 g.* **1.** De, ou pertencente ou relativo a Araçatuba (SP). ● *S. 2 g.* **2.** O natural ou habitante de Araçatuba.

araçazada (çà). *S. f. Bras.* Doce de araçá (2).

araçazal. *S. m. Bras.* Quantidade mais ou menos considerável de araçazeiros dispostos proximamente entre si.

araçazeiro (çà). *S. m. Bras.* Arvoreta ou arbusto da família das mirtáceas (*Psidium littorale)*, cujo fruto é muito apreciado; araçá. [F. paral.: *araçaeiro* e (irregularmente formados) *araçareiro* e *araçoeiro.*]

arácea. *S. f.* Espécime das aráceas.

aráceas. [Pl. de *arácea.*] *S. f. pl. Bot.* Grande família de plantas floríferas, monocotiledôneas, formada por plantas mais ou menos herbáceas, embora não raro de grande porte, e que habitam, em geral, as matas sombrias e úmidas. As flores, unissexuais, são insignificantes, mas apresentam-se reunidas em espigas, envoltas por vastas brácteas coloridas, de apreciável efeito ornamental; as plantas têm, quase sempre, rizomas tuberosos, vários deles comestíveis. Vivem sobretudo na Zona Tropical, e há quase 2.000 espécies, numerosas brasileiras. *Philodendron, anthurium, caladium, colocasia*, etc., são gêneros importantes.

aráceo. *Adj.* Pertencente ou relativo às aráceas.

araci. *Bras. S. 2 g.* **1.** Indivíduo dos aracis, tribo indígena que habitava em MT. ● *Adj. 2 g.* **2.** Pertencente ou relativo a essa tribo.

aracimbora. [Do tupi, decerto.] *S. f. Bras.* V. *xaréu-branco.*

araciuirá (i-u-i). [Do tupi *ara'si wi'rá*, 'pássaro da aurora'.] *S. m. Bras.* V. *saurá.*

▲**aracn(e)-.** [Do gr. *aráchne, es.*] *El. comp.* = 'aranha': *aracnídeo.* Equiv.: *aracni-* e *aracno-*: *aracnícola, aracnologia.*]

▲**aracni-.** V. *aracn(e)-.*

aracnícola. [De *aracni-* + *-cola.*] *S. 2 g.* Pessoa que se dedica à aracnicultura; aracnicultor.

aracnicultor (ô). [De *aracni-* + *-cultor.*] *S. m.* Aracnícola.

aracnicultura. [De *aracni-* + *cultura.*] *S. f.* Cultura de aranhas para aproveitamento de suas teias.

aracnídeo. [De *aracn(e)-* + *ídeo.*] *S. m.* **1.** Espécime dos aracnídeos. ● *Adj.* **2.** Pertencente ou relativo a eles.

aracnídeos. [Pl. de *aracnídeo.*] *S. m. pl. Zool.* Animais artrópodes, classe *Arachnida*, terrestres em sua maioria. Corpo dividido em cefalotórax e abdome; áceros, com quelíceras, um par de palpos, e quatro pares de patas torácicas. Respiração por meio de pulmões foliáceos ou traquéias. São as aranhas, os escorpiões e os ácaros.

▲**aracno-.** V. *aracn(e)-.*

aracnóide. [Do gr. *arachnoiedés.*] *S. f.* **1.** *Anat.* Membrana serosa delgada e transparente que envolve o cérebro e a medula espinhal, e fica entre a dura-máter e a pia-máter. [V. *meninge.*] ● *Adj. 2 g.* **2.** *Bot.* Diz-se da camada medular de muitos liquens quando as hifas que a formam se acham entrelaçadas frouxamente, deixando grandes espaços vazios. **3.** *Micol.* Diz-se dos micélios frouxos que se espalham como teia de aranha.

aracnóideo. *Adj.* **1.** Relativo à aracnóide. **2.** Aranhoso.

aracnoidite. *S. f. Patol.* Inflamação da aracnóide (1).

aracnologia. [De *aracn(o)-* + *-log(o)* + *-ia.*] *S. f. Zool.* Parte da entomologia que estuda especialmente os aracnídeos.

aracnológico. *Adj.* Referente à aracnologia.

aracnologista. *S. 2 g.* Especialista em aracnídeos; aracnólogo.

aracnólogo. [De *aracn(o)-* + *-log(o).*] *S. m.* Aracnologista.

araçoeiro. *S. m. Bras.* V. *araçazeiro.*

araçóia. [Do tupi.] *S. f. Bras., Amaz.* Saiote de penas usado pelas mulheres indígenas. [Var.: *arazóia.*]

araçoiabano. *Adj.* **1.** De, ou pertencente ou relativo a Araçoiaba da Serra (SP). ● *S. m.* **2.** O natural ou habitante de Araçoiaba da Serra.

aracorama. *S. f. Bras.* V. *galo-branco* (2).

aracruzense. *Adj. 2 g.* **1.** De, ou pertencente ou relativo a Aracruz (ES). ● *S. 2 g.* **2.** O natural ou habitante de Aracruz.

aracu. [Do tupi *ara'ku.*] *S. m. Bras., Amaz.* V. *piaba* (1).

aracuã. *S. f. Bras., Amaz.* V. *araquã.*

araçuaba. *S. 2 g. Bras., BA. Folcl.* Mulato claro, do tipo sarará.

araçuaiava. [Do tupi, decerto.] *S. f. Bras.* Sabiacica.

aracuão. [Do tupi; alter. de *araquã*.] *S. m. Bras.* V. *taiaçuíra*.

aracu-branco. *S. m. Bras.* Peixe teleósteo, caraciforme, da família dos caracídeos (*Leporinus mulleri* (Gunt)), da Amaz., e que é a menor das espécies do gênero; aracutinga. [Pl.: *aracus brancos*.]

aracuí. [De possível or. tupi] *S. m. Bras.* V. *acapu*.

aracujá. *Bras. S. 2 g.* **1.** Indivíduo dos aracujás, tribo indígena tapuia-jê das imediações do rio São Francisco • *Adj. 2 g.* **2.** Pertencente ou relativo a essa tribo.

aracupinima. [De *aracu* + tupi *pi'nima*, 'pintado'.] *S. m. Bras., Amaz.* Aracu-pintado (3).

aracu-pintado. *Bras. S. m.* **1.** Indivíduo dos aracus-pintados, tribo indígena tapuia-jê de GO. **2.** Peixe teleósteo, caraciforme, da família dos caracídeos (*Leporinus friderici* (Bloch)), dos rios Amazonas e Paraguai, que tem quatro manchas escuras ao longo da linha lateral. **3.** Peixe teleósteo, caraciforme, da família dos caracídeos (*Schizodon fasciatus* Agass.), da Amaz. e Paraguai. Coloração do dorso avermelhada, pintas pelo corpo e quatro faixas verticais escuras; 30 cm de comprimento. É a espécie mais comum dos aracus amazônicos. [Sin. (nesta acepç.): *aracupinima*.] • *Adj. 2 g.* **4.** Pertencente ou relativo à tribo dos aracus-pintados [Pl.: *aracus-pintados*.]

aracutinga. [De *aracu* + tupi *tĩga*, 'branco'.] *S. m. Bras* Aracu-branco.

arada[1]. [De *arar* + *-ada*[1].] *S. f.* Aradura.

arada[2]. [Fem. substantivado do part. de *arar*[1].] *S. f.* Terra lavrada com arado.

aradado. [Part. de *aradar*.] *Adj.* Sulcado com arado: "As terras a r a d a d a s e as incultas" (Francisco Carvalho, *Rosa dos Eventos*, p. 90).

aradar. [De *arado*[1] + *-ar*[2]] *V. t. d.* Sulcar com arado: "Pensa na mão que a r a d a o eito" (Francisco Carvalho, *Rosa dos Eventos*, p. 46).

arado[1]. [Do lat. *aratru*, com dissimilação.] *S. m.* Instrumento para lavrar a terra.

arado[2]. [Part. de *arar*[2].] *Adj. Bras.* Esfomeado esfaimado, faminto; varado.

arador (ô). [Do lat. *aratore*.] *S. m.* Aquele que ara; lavrador.

aradura. *S. f.* Ato ou efeito de arar; arada[1]

araé. *Bras. S. 2 g.* **1.** Indígena dos araés, tribo indígena jê de GO. • *Adj. 2 g.* **2.** Pertencente ou relativo a essa tribo.

aragarcense. *Adj. 2 g.* **1.** De, ou pertencente ou relativo a Aragarças (GO). • *S. 2 g.* **2.** O natural ou habitante de Aragarças.

aragem. [De *ar* + *agem*.] *S. f.* **1.** Vento brando; brisa, viração. **2.** *Fig. Pop.* Ocasião propícia; oportunidade, ensejo, bafejo. ♦ **Aproveitar a aragem.** Valer-se da oportunidade, tal como procedem com o vento os navegantes.

aragonês. [Do esp. *aragonés*.] *Adj.* **1.** De, ou pertencente ou relativo a Aragão (Espanha). • *S. m.* **2.** O natural o. habitante de Aragão. [Flex.: *aragonesa* (ê), *aragoneses* (ê), *aragonesas* (ê).]

aragonita. [Do top. *Aragão* + *-ita*[3].] *S. f. Min.* Mineral ortorrômbico, carbonato de cálcio dimorfo com a calcita.

araguacemense. *Adj. 2 g.* **1.** De, ou pertencente ou relativo a Araguacema (GO). • *S. 2 g.* **2.** Natural ou habitante de Araguacema.

araguaguá. [Do tupi *arawa'wá*.] *S. m. Bras.* **1.** V. *peixe-serra*. **2.** V. *espadarte*.

araguaguai. [Do tupi.] *S. m. Bras.* V. *peixe-serra*.

araguaí. [Do tupi *arawa'í*.] *S. m. Bras.* V. *maracanã*.

araguaiano. *Adj. Bras.* **1.** Relativo ou pertencente ao rio Araguaia, ou à região por ele banhada. • *S. m.* **2.** O natural ou habitante da região desse rio.

araguari. [Do tupi.] *S. f. Bras.* V. *maracanã*.

araguarino. *Adj.* **1.** De, ou pertencente ou relativo a Araguari (MG). • *S. m.* **2.** O natural ou habitante de Araguari.

araguatinense. *Adj. 2 g.* **1.** De, ou pertencente ou relativo a Araguatins (GO). • *S. 2 g.* **2.** Natural ou habitante de Araguatins.

araguirá. [Do tupi *arawi'rá*, 'pássaro da aurora'.] *S. m. Bras.* V. *tico-tico-rei*.

arai. *Bras. S. 2 g.* **1.** Indivíduo dos arais, tribo indígena que habitava os sertões situados entre os rios Araguaia e Xingu. • *Adj. 2 g.* **2.** Pertencente ou relativo a essa tribo.

araiaué. [Do tupi *ara iau'é*, 'dia assim mesmo', 'todo dia'.] *Interj. Bras., AM.* Exprime tédio pela repetição de notícia já muito sabida.

araicá. *S. 2 g.* e *adj. 2 g. Bras.* Araicu.

araicu. *Bras. S. 2 g.* **1.** Indivíduo dos araicus, tribo indígena aruaque das imediações dos rios Juruá e Javaí. • *Adj. 2 g.* **2.** Pertencente ou relativo a essa tribo. [F. paral.: *araicá*.]

[illegible] *S. 2 g.* e *adj. 2 g. Bras.* V. *ariini*.

araiosense. *Adj. 2 g.* **1.** De, ou pertencente ou relativo a Araioses (MA). • *S. 2 g.* **2.** Natural ou habitante de Araioses

araiú. [De possível or. tupi.] *S. m. Bras., Amaz.* Peixe teleósteo siluriforme, da família dos taquissurídeos (*Tachys[illegible] oncina* (Goeldi)), de pele flácida, coloração pardo-esbranquiçada com manchas regulares escuras, e que se movimenta à noite.

aralha. *S. f.* Novilha de dois anos que já é empregada para lavrar ou arar.

araliácea. *S. f.* Espécime das araliáceas.

araliáceas. *S. f. pl. Bot.* Família de plantas floríferas, da ordem das umbelifloras, constituída por arbustos e árvores, estas raramente trepadeiras, providos de folhas alternas muitas vezes recortadas, sendo as flores absolutamente insignificantes, e os frutos, pequeninos e sem préstimo, bacáceos ou drupáceos. Compreende perto de 700 espécies, que habitam os países quentes, mas são mal representadas no Brasil; as espécies ornamentais, sobretudo as *Polyscias*, encontram-se, contudo em jardins brasileiros.

araliáceo. *Adj.* Pertencente ou relativo às araliáceas.

araliano. *Adj.* Relativo ou pertencente ao mar de Aral (Rússia asiática), ou à região por ele banhada.

aramá[1]. [De *ara'mà*, por desnasalação.] *S. f. Bras Amaz.* Inseto himenópiero, da família dos meliponídeos (*Trigona heideri* Frèse), abelha agressiva, de coloração que vai de preta a ferrugínea, asas amareladas, mais escuras no ápice, cujo ninho, largo e, às vezes, muito comprido, feito em ocos de árvores, tem a entrada construída com resina escura. [Var. de *aramã*; sin *borá-boi, borá-cavalo, borá*[2].]

aramá[2]. *Adj. Ant.* V. *eramá*.

aramã. *S. m. Bras.* V. *aramá*.

aramaçá. [Do tupi *arama'sá*.] *S. m. Bras.* **1.** V. *linguado* (5). **2.** Designação às vezes dada aos linguados marinhos, bem como aos pleuronectídeos. [Var.: *aramata aramaça, arumaçá, arumaçá*.]

aramaça. *S. m Bras Amaz.* V. *aramaçá*.

aramado. [Part. de *aramar*.] *Bras. Adj.* **1.** V. *alambrado* (1). ~ V. *vidro* —. • *S. m.* **2.** Alambrado (2 e 3). **3.** Rede ou tela de arame: *O a r a m a d o que cercava o galinheiro desabou com o temporal.* **4.** *Bras.* Painel ou placa feita com fios cruzados de arame grosso.

aramador (ô). *S. m. Bras.* Fabricante de aramado (3).

aramagem. *S. f. Bras.* Gradeamento de arame.

aramaico. [Do top. *Arame* + *-aico*.] *Adj.* **1.** Arameu (3). • *S. m.* **2.** *Ling.* Língua semítica falada pelos arameus, que atingiu o apogeu entre os anos 300 a. C. a 650 d. C. [É a língua em que Jesus e seus discípulos pregaram e nela se acha escrita uma parte da Bíblia. V. *semítico* (3).]

aramandaia [De provável or. tupi.] *S. f. Bras., PE* e *PB*. Besouro ou broca dos coqueiros, da família dos curculionídeos (*Rhynchophorus palmarum* (L.)), que atinge 4,5 cm de comprimento e tem coloração negra, com os élitros estriados longitudinalmente; moleque.

aramar. *V. t. d. Bras.* **1.** Pôr grade ou tela de arame em. **2.** Alambrar.

aramare. [De provável or. tupi.] *S. m. Bras.* V. *amboré*.

aramaris. *Bras. S. 2 g.* **1.** Indivíduo dos aramarises, tribo indígena do interior da BA. • *Adj. 2 g.* **2.** Pertencente ou relativo a essa tribo.

aramatá. [Do tupi *arama'tá*.] *S. m. Bras., Amaz.* V. *aramaçá*.

aramatiá. [Do tupi *aramati'á*.] *S. m. Bras., AM.* Certo inseto fitófago.

arame. [Do lat. *aeramen*.] *S. m.* **1.** *Ant.* Liga de cobre e zinco, ou de outros metais. **2.** Fio mais ou menos delgado, de metal flexível, puxado à fieira; alambre. **3.** *Fam.* V. *dinheiro* (3). ♦ **Arame farpado.** Cabo formado por dois fios de arame enrolados, e no qual se fixam, de espaço a espaço, farpas do mesmo metal.

araméia. *S. f.* e *adj.* (*f*) Fem. de *arameu* (1 e 3).

arameiro. *S. m. Bras.* **1.** Indivíduo que trabalha em arame, ou que o vende, ou que vende objetos feitos com ele. **2.** Alambrador (1).

arameu. [Do lat. *aramaeu*.] *S. m.* **1.** Indivíduo dos arameus, povo que vivia em Arame (a antiga Síria) e na Mesopotâmia. **2.** *Ling.* V. *aramaico* (2). • *Adj.* **3.** Pertencente ou relativo aos arameus; aramaico. [Fem., na 1ª e 3ª acepç.: *araméia*.]

aramídeo. *S. m.* **1.** Espécime dos aramídeos. • *Adj.* Pertencente ou relativo a eles.

aramídeos. *S. m. pl. Zool.* Aves gruiformes da família *Aramidae*, de porte médio ou grande, que têm as penas da cabeça ordinárias e as pernas muito alongadas, e cujos hábitos alimentares são os mesmos das garças. São os carões.

aramifício. [De *arame* + *-i-* + *-fico-* + *-io*[2]] *S. m. Bras.* **1.** Fábrica de arame. **2.** Tela de arame.

aramina. [De *arame* + *-ina*?] *S. f. Bras.* Fibra, têxtil, do carrapicho (3).

aramista. *S. 2 g.* V. *funâmbulo* (1).

aramita. *Bras. S. 2 g.* **1.** Indivíduo dos aramitas, tribo indígena que habitava o litoral da BA. • *Adj. 2 g.* **2.** Pertencente ou relativo a essa tribo.

aramitchó. *Bras. S. 2 g.* **1.** Indivíduo dos aramitchós, tribo indígena do alto do Paru de Oeste (N. do PA). • *Adj. 2 g.* **2.** Pertencente ou relativo a essa tribo.

arampatere (té). *S. m. Bras., BA. Folcl.* Comida feita com fígado, bofe e carne do músculo de boi.

aramudo. *Adj. Bras. Fam.* Cheio de arame ou dinheiro; endinheirado, dinheiroso, rico.

aranacuacena. *Bras. S. 2 g.* **1.** Indivíduo dos aranacuacenas, tribo indígena do AM. • *Adj. 2 g.* **2.** Pertencente ou relativo a essa tribo.

arancim. [Alter. de *iraxim*.] *S. m. Bras., SP.* V. *iraxim*.

arancuã. *S. m. Bras.* V. *araquã*.

arandela. [Do esp. *arandela*.] *S. f.* **1.** Guarda-mão da lança. **2.** Peça que se adapta ao castiçal, junto ao lugar onde se fixa a vela, e onde caem os pingos desta. **3.** Vaso de barro cozido, em forma de aro, e que, cheio de água, se põe à volta de uma planta, para impedir a passagem das formigas. **4.** *Bras.* Suporte preso à parede para receber bico de gás, vela ou lâmpada elétrica. **5.** *P. ext.* Qualquer luminária engastada ou apoiada em parede.

▲**arane(i)-.** [Do lat. *araneus i-*.] *El. comp.* = 'aranha': *araneídeo, araneífero, araneiforme*. [Equiv. de *araneo-*.]

araneídeo. *S. m.* **1.** Espécime dos araneídeos. • *Adj.* **2.** Pertencente ou relativo a eles.

araneídeos. *S. m. pl. Zool.* Designação comum aos artrópodes aracnídeos da ordem *Araneida*, popularmente chamados *aranhas*, na maioria terrestres. Cefalotórax ligado ao abdome por um pedículo muito estreitado; abdome não segmentado, provido de um a três pares de fiandeiras; quelíceras bissegmentadas, o segmento distal em forma de garra; aparelho copulador do macho no tarso dos palpos; ovos envolvidos, geralmente, em casulos.

araneífero. [De *arane(i)-* + *-fero*.] *Adj.* Que tem teias de aranha.

araneiforme. [De *arane(i)-* + *-forme*.] *Adj. 2 g.* Que tem forma de, ou é semelhante à aranha.

▲**araneo-.** Equiv. de *arane(i)-*.

araneomorfa. *S. f.* **1.** Espécime das araneomorfas. • *Adj.* **2.** Pertencente ou relativo a elas. [Sin. ger.: *labidognata, dipnêumone*.]

araneomorfas. *S. f. pl. Zool.* Artrópodes aracnídeos araneídeos, da subordem *Araneomorpha*, providos de quelíceras verticais; labidógnatas, dipnêumones.

aranha. [Do lat. *aranea*.] *S. f.* **1.** Animal artrópode aracnídeo, da ordem dos araneídeos, de cefalotórax e abdome não segmentados, unidos por pedúnculo estreito, quelíceras terminadas em ponta para inoculação de peçonha, abdome com glândulas ou fiandeiras que segregam seda, com a qual fazem as teias. A maioria das espécies são terrestres e predadoras de outros artrópodes. **2.** *P. ext.* Designação comum a diversos objetos cuja forma lembra a da aranha (1). **3.** Carruagem leve, de duas rodas, puxada por um cavalo: "Íamos os dois, na a r a n h a sacolejante, ao trote largo do Paputinga" (A. S. de Mendonça Júnior, *O Anel de Brilhante e Outras Estórias*, p. 54). **4.** *Bras.* Planta da família das liliáceas (*Glonosia simplex*). **5.** *Bras.* Planta da família das orquidáceas (*Renanthera coccinea*). **6.** *Marinh.* Conjunto de cabos finos que irradiam do centro, como as pernas de uma aranha (1), e se fixam na cabeceira de uma maca, no espinhaço de um toldo, no terço de uma vela redonda, etc. **7.** *Bras. Fig.* Pessoa lenta e desajeitada nos movimentos ou no trabalho. **8.** *Bras. CE.* Cavalo velho, que se abate para alimento das feras, nos circos. • *S. m.* **9.** *Bras.* V. *tolo* (8). ~ V. *aranhas*.

aranha-caranguejeira. *S. f. Bras.* Designação comum às grandes aranhas do gênero *Grammostola* Simon, *Acanthoscurria* Auss., *Lasiodora* (Koch) e a outros migalomorfos da família dos terafosídeos. Errantes e solitárias, algumas delas vivem em galerias no solo; são inofensivas ao homem e a animais domésticos; o pêlo, que se lhes desprende do corpo, causa irritação na pele; carnívoras, alimentam-se de toda sorte de pequenos animais, dos quais sugam o conteúdo líquido. [Sin.: *aranhuçu, caranguejeira, migala*. Pl.: *aranhas-caranguejeiras*.]

aranha-caranguejo. *S. f. Bras.* Aranha da família dos heteropodídeos (*Heteropoda venatoria* (Linnaeus)), de coloração parda, porte achatado, pernas dirigidas para os lados, o que lhe permite caminhar ao jeito dos caranguejos, e cuja picada, embora doa muito, não é venenosa. [Pl.: *aranhas-caranguejos* e *aranhas-caranguejo*.]

aranhaçu. [De *aranha* + *-açu*.] *S. f. Bras., AM.* Caranguejeira (1).

aranha-de-coco. *S. f. Bras. MG.* Cocada de coco verde cortado em tiras. [Pl.: *aranhas-de-coco*.]

aranha-do-mar. *S. f. Bras.* Crustáceo decápode, braquiúro, oxirrinco, das famílias dos partenopídeos e inaquídeos, de corpo afilado na parte dianteira, prolongando-se geralmente em rostro alongado, pernas em geral muito longas e finas. Muito características do grupo são as espécies do gênero *Libinia* (Leach), que vivem, de ordinário, em grandes profundidades. A espécie *Macrocheira kampferi*, das costas do Japão, pode atingir até 3 m de envergadura. [Sin.: *santola*. Pl.: *aranhas-do-mar*.]

aranhagato. *S. m. Bras.* V. *vinhático*.

aranhão. [Aum. de *aranha*.] *S. m. Bras.* Aguaí (1).

aranhar. *V. int. Bras., S.* **1.** Andar vagarosamente, como a aranha. **2.** Tardar, remanchar, na execução de um serviço.

aranhas. *S. f. Pop.* Araneídeos ~ V. *aranha*.

aranheiro. *S. m.* Aranhol (1)

aranhento. *Adj.* **1.** Relativo à, ou próprio da aranha. **2.** Cheio de aranhas ou de suas teias.

aranhiço. *S. m.* **1.** Aranha pequena **2.** *Fig.* Indivíduo frágil, débil. ~ V. *aranhiços*.

aranhiços. *S. m. pl. Arquit.* Conjunto de nervuras salientes das abóbadas do gótico flamejante. ~ V. *aranhiço*.

aranhinha. [Dim. de *aranha*.] *S. f. Bras., RJ.* Aranha da família dos teridídeos (*Latrodectus geometricus* (Koch)), de abdome oval pontudo e coloração cinzenta com desenhos geométricos, muito comum nos recantos das paredes, porões, garagens. Seu veneno é inócuo, e seu comprimento é de cerca de 1 cm.

aranhol. *S. m.* **1.** Lugar onde há teias de aranha, onde as aranhas se recolhem; aranheiro. **2.** Armadilha para caçar pássaros, semelhante a uma teia de aranha. **3.** *Eletrôn. Gír.* Circuito elétrico, ou eletrônico, cuja montagem foi realizada sem cuidado e ordem, apresentando-se sob forma confusa, com cruzamentos e conexões supérfluas. **4.** *Bras.* Rede de pesca, simples, sem bolsa, de fio duplo, que se arma fixando ao barranco dos rios uma das extremidades e distendendo a outra por meio de uma puíta. [Pl.: *aranhóis*.]

aranhoso (ô). *Adj.* Semelhante à aranha ou à sua teia; aracnóideo.

aranhuçu. *S. f. Bras.* V. *aranha-caranguejeira*.

aranquã. *S. m.* e *f. Bras., MT.* V. *araquã*.

aranzel. *S. m.* **1.** V. *arenga* (2): "O deputado, entre sério e risonho, prolongou por três quartos de hora, em estilo declamativo, um a r a n z e l de lugares-comuns, ... com referência à degeneração da sociedade, no capítulo casamento." (Camilo Castelo Branco, *Amor de Salvação*, p. 150.) **2.** *Bras., GO.* V. *rolo*[1] (16). [Pl.: *aranzéis*.]

arão. [Do gr. *áron*, pelo lat. *aron*.] *S. m. Bras.* V. *taioba* (1).

▲-arão. V. *-ão*[1].

arapabaca. [Do tupi *arapa'waka*.] *S. f. Bras.* **1.** Designação comum a várias espécies do gênero *Spigelia*, da família das loganiáceas, de caules eretos e ramificados, e cujos frutos são cápsulas pequenas. **2.** Planta catártica e vermífuga (*Spigelia anthelmia*) que encerra o princípio espigelina, venenoso e narcótico, mortal para o gado; espigélia, erva-lombrigueira, lombrigueira.

arapace. *Bras. S. 2 g.* **1.** Indivíduo dos arapaces, tribo indígena das margens do rio Uaupés (AM). ● *Adj. 2 g.* **2.** Pertencente ou relativo a essa tribo.

arapaçu. [Do tupi *arapa'su*.] *S. m. Bras.* **1.** Designação comum a diversas aves passeriformes da família dos dendrocolaptídeos, com muitos gêneros e espécies no Brasil, aves trepadoras, semelhantes aos pica-paus, deles diferindo por terem o bico muito longo e três dedos para a frente e um para trás. As retrizes, duras e muito pontudas, permitem que se mantenham, nos troncos, em posição vertical; alimentam-se de insetos e de suas larvas. **2.** Designação comum às espécies de passeriformes dos gêneros *Phylidor* (Spix) e *Automolus* (Reich). [Sin. ger.: *pica-pau-vermelho, uirapaçu*.]

arapaçu-grande. *S. m. Bras.* Espécie de dendrocolaptídeo (*Dendrocolaptes platyrostris* Spix.), do S.E. do Brasil, de coloração ocre-olivácea no peito, cabeça ocra manchada de negro, abdome com manchas negras, garganta branca, cauda castanha, subideira, tarasca. [Pl.: *arapaçus-grandes*.]

arapapá. [Do tupi *arapa'pá*.] *S. m. Bras.* **1.** Ave ciconiforme, da família dos coclearídeos (*Cochlearius cochlearia* (L.)), da América meridional, de coloração cinza-claro no dorso, com mancha parda tirante a vermelho na nuca, cabeça preta, flancos pretos, meio do peito e da barriga vermelhos. Os indivíduos jovens têm o dorso cor de cinamomo claro. [Var. e sin.: *arapopó, ararapá, arataiá, arataiaçu, sabacu, socó-de-bico-largo, tamatiá*.] **2.** Planta amazonense da família das tiliáceas (*Lueheopsis violacea*).

arapapá-de-bico-comprido. *S. m. Bras.* V. *taquiri*. [Pl.: *arapapás-de-bico-comprido*.]

arapari. [Do tupi *arapa'ri*.] *S. m. Bras.* Árvore de grande porte, da família das leguminosas, subfamília cesalpinóideas (*Macrolobium acaciaefolium*), de propriedades adstringentes, e cuja madeira é útil para carpintaria e caixotaria. Ocorre das Guianas ao MA e GO.

araparirana. [Do tupi *arapari'rama*, 'semelhante ao arapari'.] *S. f. Bras.* Árvore da família das leguminosas, subfamília cesalpinóideas (*Macrolobium pendulum*).

arapari-vermelho. *S. m. Bras., Amaz.* Árvore da família das leguminosas, subfamília cesalpinóideas (*Elizabetha paraensis*). [Pl.: *araparis-vermelhos*.]

araparizal. *S. m. Bras.* Quantidade mais ou menos considerável de araparis dispostos proximamente entre si.

arapati. [Do tupi, decerto.] *S. m. Bras., BA.* Árvore da família das leguminosas (*Arapatiella trepocarpa*), fornecedora de tela madeira de lei vermelha; faveca-vermelha.

arapiraquense. *Adj. 2 g.* **1.** De, ou pertencente ou relativo a Arapiraca (AL). ● *S. 2 g.* **2.** Natural ou habitante de Arapiraca.

arapoca. [Do tupi *ara'poka*.] *S. f. Bras.* Árvore ornamental da família das rutáceas (*Raputia magnifica*), de madeira amarela, usada para obras expostas e internas, móveis torneados, etc., e cuja casca encerra propriedades medicinais; amarelinho, gema-de-ovo, guataiapoca, gurataiapoca, pau-amarelo.

arapoca-branca. *S. f. Bras.* Árvore da família das rutáceas (*Raputia alba*), cuja madeira é de lei, utilizável em obras hidráulicas expostas e internas e em marcenaria de luxo, tendo a casca propriedades medicinais. Ocorre da BA até SP. [Sin.: *arapoca-verdadeira*. Pl.: *arapocas-brancas*.]

arapoca-verdadeira. *S. f. Bras.* Arapoca-branca. [Pl.: *arapocas-verdadeiras*.]

araponga. [Do tupi *wi'rá põga*, 'pássaro soante', var. de *guiraponga, uiraponga* e *iraponga*.] *S. f. Bras.* **1.** Ave passeriforme da família dos cotingídeos (*Procnias nudicollis* (Vieil.)), do Brasil médio-oriental e estemeridional. O macho é branco, sendo verde a zona nua da cabeça; a fêmea é verde-azeitona na parte superior, amarelada com manchas escuras do lado ventral, o vértice e a garganta pretos. Alimenta-se exclusivamente de frutos, e o seu canto lembra os sons metálicos produzidos pelo bater de ferro em bigorna. [Sin.: *ferreiro, ferrador, guiraponga, iraponga, uiraponga*.] **2.** *Fig.* Pessoa de voz estridente, ou que fala aos gritos.

araponga-da-horta. *S. f. Bras.* V. *araponguinha* (2). [Pl.: *arapongas-da-horta*.]

araponguense. *Adj. 2 g.* **1.** De, ou pertencente ou relativo a Arapongas (PR). ● *S. 2 g.* **2.** Natural ou habitante de Arapongas.

araponguinha. [Dim. de *araponga*.] *S. f. Bras.* **1.** Ave passeriforme da família dos cotingídeos (*Tityra, t. cayana* Sw.), de coloração geral branco-acinzentada, e a cabeça, parte das asas e a cauda pretas, sendo a fêmea pintada de preto. **2.** Ave passeriforme da família dos cotingídeos (*Tityra inquisitor* Lich.), de coloração branco-acinzentada, parte inferior branca, e o alto da cabeça, parte das asas e a cauda pretos, tendo a fêmea a fronte e região auricular avermelhadas; urubuzinho, canjica, araponga-da-horta, araponguira.

araponguira. [Do tupi *wi'rá põg wi'rá*, 'pássaro soante pássaro'.] *S. f. Bras.* V. *araponguinha* (2).

arapopó. [Do tupi *arapó'pó*.] *S. m. Bras., Amaz.* V. *arapapá* (1).

arapotiense. *Adj. 2 g.* **1.** De, ou pertencente ou relativo a Arapoti (PR). ● *S. 2 g.* **2.** Natural ou habitante de Arapoti.

arapuá. [Var. de *arapuã* (q. v.).] *S. f. Bras.* **1.** V. *irapuá*. **2.** Cabeleira emaranhada.

arapuã. [Var. de irapuã (q. v.).] *S. f. Bras.* V. *irapuá*.

arapuar. *V. int.* e *p. Bras., MG. Fam.* Zangar-se, abespinhar-se, irritar-se, encolerizar-se: "Quando ouviu falar em negrinhos de senzala, mamãe diz que ela a r a p u o u e gritou para Nhonhô: 'Larga isso aí já! Se eles não querem ser negrinhos de senzala, você é que há de ser?'" (Helena Morley, *Minha Vida de Menina*, p. 67.)

arapuca. [Do tupi *ara'puka*.] *S. f. Bras.* **1.** Armadilha para apanhar pássaros pequenos, formada de pauzinhos cada vez mais curtos, dispostos em forma piramidal; urupuca: "os braços roliços de fora, o colo trigueiro à vista, armando a r a p u c a s aos pássaros pela aba do morro" (Herman Lima, *Tijipió*, p. 123). **2.** *P. ext.* Cilada, armadilha. **3.** Estabelecimento mal-afamado de crédito, seguros, sorteios, etc. **4.** Engodo, logro, velhacaria, embuste. **5.** Casa velha, esburacada, que ameaça ruir. **6.** Arataca (1). [Cf. *urupuca*.] ◆ **Cair na arapuca.** *Bras.* Deixar-se apanhar.

arapuçá. [De possível or. tupi.] *S. f. Bras., Amaz.* Reptil da ordem dos quelônios, da família dos pleomedusídeos (*Podocnemis lewyana* Dum.), de coloração pardacento-escura, carapaça mais ou menos vermiculada, e malhada de preto. Tem duas bárbulas, e carapaça sem quilha dorsal, e atinge 45 cm de comprimento.

arapucu. *Bras. S. 2 g.* **1.** Indivíduo dos arapucus, tribo indígena que habitava o interior do PA. ● *Adj. 2 g.* **2.** Pertencente ou relativo a essa tribo.

arapué. [De possível or. tupi.] *S. m. Bras.* V. *agoniada*.

arapuqueiro. [De *arapuca* (4).] *Adj.* e *s. m. Bras., AM.* Diz-se de, ou indivíduo velhaco, tratante, embusteiro.

arapuru. *S. m. Bras., Amaz.* V. *uirapuru* (1).

araputanga. [Do tupi, decerto.] *S. f. Bras.* V. *mogno*.

araquã. [Do tupi *ara'kwã*.] *S. m. Bras.* Ave galiforme da família dos cracídeos, gênero *Ortalis* Merr., com cinco espécies no Brasil. Vivem a maior parte do tempo nas árvores, raramente vindo ao chão; e se alimentam sobretudo de pequenos frutos e vegetais em geral. O gênero é diferenciado de outros cracídeos por ter a maxila mais alta que larga, barba interior das rêmiges da mão não recortada, e garganta com uma estria de penas no meio. [Var.: *aracuã, arancuã, aranquã*.]

araquariense. *Adj. 2 g.* **1.** De, ou pertencente ou relativo a Araquari (SC). ● *S. 2 g.* **2.** Natural ou habitante de Araquari.

araque. *S. m. Bras. Gír.* Acaso, casualidade. [Cf. *áraque*.] ◆ **De araque.** *Bras. Gír.* **1.** Por acaso; casualmente: *Fez um gol de a r a q u e.* **2.** De qualidade inferior; ordinário; sem relevo: *uísque de a r a q u e*; "os historiadores preferem a figura histórica de a r a q u e à figura real do estadista ou lá o que foi Pedro II." (Stanislaw Ponte Preta, *Febeapá 2*, p. 38). **3.** Expr. us. para repelir energicamente uma proposta, uma qualificação, uma acusação, etc. [Cf. *áraque*.]

áraque. [Do ár.] *S. m.* Bebida alcoólica, anisada, muito forte, e que se deve tomar diluída em água. [Cf. *araca* e *araque*.]

araqueado. [De *araque* + *-ado*[1].] *Adj.* **1.** *Gír. Turfe.* Diz-se do apostador que raramente acerta nas corridas. **2.** *Gír. Turfe.* Diz-se do cavalo que perde seguidamente em conseqüência de fatos adversos ao seu desempenho. **3.** *Bras. Gír.* Sem sorte; azarado.

araquídico. *Adj.* ~ V. *ácido* —.

arar[1]. [Do lat. *arare*.] *V. t. d.* **1.** Lavrar, sulcar (a terra): "Os grandes homens agora já não eram somente os que limpavam a floresta, construíam a sua cabana, a r a v a m a terra" (Viana Moog, *Bandeirantes e Pioneiros*, I, p. 10). **2.** Sulcar as águas de; navegar. [Pres. ind.: *aro, aras*, etc.; pres. subj.: *are, ares*, ... *arem*. Cf. *haras* e *harém*.]

arar[2]. *V. int. Bras.* Ter ou ficar com muita fome. [Pres. ind.: *aro, aras*, etc.; pres. subj.: *are, ares*, ... *arem*. Cf. *haras* e *harém*.]

arara[1]. [Do tupi *a'rara*.] *S. f.* **1.** *Bras.* Designação comum às aves psitaciformes da família dos psitacídeos, gêneros *Anodorhynchus* Spix, *Ara* Lac., *Cyanopsitta* Bon., todas de grande porte, cauda longa e bico muito forte, e que se alimentam de frutas e sementes em geral; ará: "Entre as aves trepadoras sobressaem as a r a r a s, que habitam o cimo das maiores árvores, onde comem e dormem." (Raimundo Morais, *Anfiteatro Amazônico*, p. 176.) **2.** *Bras.* Espécie de amaranto. **3.** Móvel formado de uma peça roliça presa em dois suportes e onde se dependuram em lojas, etc., os cabides com roupas expostas. **4.** *Bras. AM.* Certa formiga. **5.** *Lus. Fam.* Mentira, balela. ● *S. 2 g. Bras.* V. *tolo* (8). ● *S. m.* **7.** *Bras., AM* ao *RJ. Folcl.* Dança em que um dos cavalheiros não tem par e, com um sinal convencionado, toma a dama de outro que então o substitui, como o arara ou bobo, às vezes caracterizado por um capuz e um bordão. ◆ **Estar uma arara.** Ficar uma arara. **Ficar uma arara.** Ficar muito irritado; estar uma arara.

arara[2]. *Bras. S. 2 g.* **1.** Indivíduo dos araras, tribo indígena caraíba que habitava o baixo Xingu, ou das tribos homônimas tupi e xapacura, da bacia do Madeira, ou da tribo homônima pano, da bacia do Juruá. ● *Adj. 2 g.* **2.** Pertencente ou relativo a qualquer dessas tribos.

arará[1]. [Do taíno, talvez.] *S. m.* Certa árvore cubana.

arará[2]. [De possível or. tupi.] *S. m. Bras.* **1.** V. *cararà*[1]. **2.** Entre os índios urubus, designação comum às pulseiras e adornos plumários das saias femininas.

arará[3]. [Do tupi *ara'rá.*] *S. m. Bras.* V. *aleluia*[2].

arara-azul. *S. f. Bras.* **1.** Ave psitaciforme, da família dos psitacídeos (*Anodorhynchus leari* Bon.), rara, com distribuição geográfica mal conhecida. **2.** V. *araraúna.* [Pl.: *araras-azuis.*]

araracanga. [Do tupi *arara'kãga.*] *S. f. Bras.* **1.** V. *arara-vermelha* (2). **2.** V. *pequiá-marfim.*

araracangaçu. [Do tupi *ararakãga'su,* 'cabeça grande de arara'.] *S. m. Bras.* Quelônio da família dos pleomedusídeos (*Podocnemis dumeriliana* Schneid.). [Cf. *tracajá.*]

arara-canindé. *S. f. Bras.* Ave psitaciforme, da família dos psitacídeos (*Ara ararauna* (L)), distribuída do Panamá ao S. do Brasil, de coloração dorsal e coberteiras inferiores da cauda azuis, fronte e vértice verdes, faces nuas, com algumas estrias empenadas verde-escuras, mento enegrecido, abdome amarelo-vivo; arari, canindé. [Pl.: *araras-canindés* e *araras-canindé.*]

ararajuba. *S. f. Bras.* V. *guaruba.*

ararama. [De provável or. tupi.] *S. f. Bras.* Certa árvore de madeira própria para construções.

arara-macau. *S. f. Bras. Pop.* V. *arara-vermelha* (2). [Pl.: *araras-macaus* e *araras-macau.*]

ararambóia. [Do tupi *a'rara mbói,* 'cobra arara'.] *S. f. Bras., Amaz.* Reptil ofídio da família dos boídeos (*Boa canina* L.), de coloração verde com traços ou linhas amarelas. Vive trepada em árvores, e se alimenta sobretudo de pássaros miúdos; muito temida pelo povo, por ser peçonhenta; comprimento: até 2 m. [Var.: *arauembóia;* sin.: *boa, cobra-papagaio, jibóia-verde, perinquitambóia.*]

ararandéua. [De possível or. tupi.] *S. f. Bras.* Árvore da família das leguminosas, subfamília mimosácea (*Pithecolobium cauliflorum*).

ararandeuara. *Bras. S. 2 g.* **1.** Indivíduo dos ararandeuaras, tribo indígena que habita as margens do rio Ararandéua, afluente do rio Capim (PA). ● *Adj. 2 g.* **2.** Pertencente ou relativo a essa tribo. [Sin. ger.: *amanajé* e *manaié.*]

araranguaense. *Adj. 2 g.* **1.** De, ou pertencente ou relativo a Araranguá (SC). ● *S. 2 g.* **2.** Natural ou habitante de Araranguá.

ararapá. [De possível or. tupi.] *S. m. Bras., Amaz.* V. *arapapá* (1).

ararapiranga. [Do tupi *a'rara pi'rãga.*] *S. f. Bras.* V. *arara-vermelha* (2).

ararapitiu. *S. f. Bras.* V. *fava-de-bolota.*

arara-preta. *S. f. Bras.* V. *araraúna.* [Pl.: *araras-pretas.*]

araraquarense. *Adj. 2 g.* **1.** De, ou pertencente ou relativo a Araraquara (SP), ou à zona servida pela estrada de ferro homônima. ● *S. 2 g.* **2.** Natural ou habitante de Araraquara, ou desta zona.

araratucupé. [Do tupi *araratuku'pi,* 'tucupi de arara'; var. de *araratucupi.*] *S. f. Bras.* Árvore da família das leguminosas, subfamília mimosácea (*Parkia oppositifolia*). [F. paral.: *araratucupi.*]

araratucupi. *S. f. Bras.* Araratucupé [q. v.].

ararau. *Bras. S. 2 g.* **1.** Indivíduo dos araraus, tribo indígena das margens do alto rio Jatapu (N. do PA) ● *Adj. 2 g.* **2.** Pertencente ou relativo a essa tribo.

araraua. *Bras. S. 2 g.* **1.** Indivíduo dos ararauas, tribo indígena que habitava no alto curso do rio Gregório (AC). ● *Adj. 2 g.* **2.** Pertencente ou relativo a essa tribo.

araraúba. [Var. de *araraúva.*] *S. f. Bras.* **1.** V. *pequiá-marfim.* **2.** V. *araribá-amarelo.* **3.** V. *araribá-rosa.* [F. paral.: *araraúva.*]

araraúna. [Do tupi *a'rara una,* 'arara preta'.] *S. f. Bras.* Ave psitaciforme da família dos psitacídeos (*Anodorhynchus hyachinthinus* (Lath.)), da região dos cerrados brasileiros, sobretudo onde existem extensas formações de buritizais. Coloração azul; amarela a pele nua da cabeça. [Sin.: *arara-azul, arara-preta, araruna.*]

araraúva. [Do tupi.] *S. f. Bras.* V. *araraúba.*

arara-verde. *S. f. Bras.* V. *arara-vermelha* (2). [Pl.: *araras-verdes.*]

arara-vermelha. *S. f. Bras.* **1.** Ave psitaciforme da família dos psitacídeos, do gênero *Ara* Lac. (*Ara macao* L.), do S. do México ao Brasil, alcançando o AM, PA e N. de MT, caracterizada por ter amareladas as coberteiras superiores médias das asas. **2.** Ave psitaciforme da família dos psitacídeos, do gênero *Ara* Lac. (*Ara chloroptera* Gray), do S. da América Central até os estados meridionais do Brasil, caracterizada por ter verdes as coberteiras superiores médias das asas. [Sin. ger.: *arara-verde, aracanga, araracanga, arara-macau, ararapiranga, macau.* Pl.: *araras-vermelhas.*]

ararense[1]. *Adj. 2 g.* **1.** De ou pertencente ou relativo a Arara (PB). ● *S. 2 g.* **2.** Natural ou habitante de Arara.

ararense[2]. *Adj. 2 g.* **1.** De, ou pertencente ou relativo a Araras (SP). ● *S. 2 g.* **2.** Natural ou habitante de Araras.

arari. [Do tupi *ara'ri.*] *S. m. Bras.* **1.** V. *arara-canindé.* **2.** Certo peixe amazônico. **3.** V. *cururu* (3).

arariba. [Do tupi, decerto.] *S. f. Bras.* **1.** V. *folha-redonda.* **2.** V. *putumuju* (1).

araribá. [Do tupi *arari'wa,* 'árvore de arara'.] *S. f. Bras* V. *putumuju* (1). [Var.: *iriribá.*]

araribá-amarelo. *S. m. Bras.* Árvore da família das leguminosas, subfamília papilionáceas (*Centrolobium robustum*), de madeira útil para obras hidráulicas e também usada como lenha, e cuja casca e raiz fornecem matéria corante rosa ou carmim; araraúba. mutumiju, putumuju-amarelo. putumuiú-iriribá [Var.: *iriribá-amarelo.* Pl.: *araribás-amarelos.*]

araribal. *S. m. Bras.* Quantidade mais ou menos considerável de araribás dispostos proximamente entre si.

araribá-rosa. *S. m. Bras.* Árvore da família das leguminosas. subfamília papilionáceas (*Centrolobium tomentosum*), de porte elevado, e cuja madeira útil, casca e tronco fornecem líquido resinoso avermelhado, de uso em tinturaria; araraúba, araruva, carijó, iriribá-rosa, putumuju, tipiri. [Var.: *iriribá-rosa.* Pl.: *araribás-rosas.*]

arariense. *Adj. 2 g.* **1.** De, ou pertencente ou relativo a Arari (MA). ● *S. 2 g.* **2.** Natural ou habitante de Arari.

ararinha. [Dim. de *arara.*] *S. f. Bras.* **1.** V. *maracanã.* **2.** Maracanã-do-buriti.

ararinha-de-cabeça-encarnada. *S. f. Bras.* Ave psitaciforme da família dos psitacídeos (*Pyrrhura picta lucianii* (Dev.)), do O. do AM e Peru. Coloração geral verde; coberteiras das rêmiges primárias, azuis; lados da nuca e orla das penas do vértice, ocre-esbranquiçado; peito verde-oliváceo mais ou menos transfaciado, seguido de uma nódoa vermelha tirante a vinho; dorso francamente rubro da região escapular à cauda; coberteiras auriculares claras; curva da asa verde. [Sin.: *marrequém, merequém, quetua. rupequeiro.* Pl.: *ararinhas-de-cabeça-encarnada.*]

araripense. *Adj. 2 g.* **1.** De, ou pertencente ou relativo a Araripe (CE). ● *S. 2 g.* **2.** Natural ou habitante de Araripe.

araripinense. *Adj. 2 g.* **1.** De, ou pertencente ou relativo a Araripina (PE). ● *S. 2 g.* **2.** Natural ou habitante de Araripina.

araripirá. [De *arari* + tupi *pi'rá,* 'peixe'.] *S. m. Bras., Amaz.* Peixe teleósteo, caraciforme, da família dos caracídeos (*Leporinus moralesi* Fowl.), com cerca de 10 manchas transversais no dorso, duas pintas e uma linha longitudinal posterior nos flancos, negras.

araroba. [Do tupi, decerto.] *S. f. Bras.* V. *angelim-araroba.*

araruá. *Bras. S. m.* **1.** V. *acará-bararuá.* ● *S. 2 g.* **2.** Indivíduo dos araruás, tribo indígena das imediações do rio Japurá. ● *Adj. 2 g.* **3.** Pertencente ou relativo a essa tribo.

araruama. [Do top. *Araruama.*] *S. 2 g. Bras. RJ.* V. *caipira* (1).

araruamense. *Adj. 2 g.* **1.** De, ou pertencente ou relativo a Araruama (RJ). ● *S. 2 g.* **2.** Natural ou habitante de Araruama.

araruna. *S. f.* **1.** *Bras.* V. *araraúna.* **2.** *Bras., RN.* Certa dança folclórica.

ararunense. *Adj. 2 g.* **1.** De, ou pertencente ou relativo a Araruna (PB e PR). ● *S. 2 g.* **2.** Natural ou habitante de Araruna.

araruta. [Do aruaque *aru-aru,* 'farinha de farinha'.] *S. f. Bras.* **1.** Erva cultivada, da família das marantáceas (*Maranta arundinacea*), de fruto com sementes vermelho-claras, e de cujo rizoma se obtém fécula branca nutritiva, utilizável na alimentação; agutiguepe, araruta-caixulta, araruta-comum, araruta-especial, araruta-gigante, araruta-palmeira, araruta-raiz-redonda, araruta-ramosa, embiri. **2.** A fécula alimentar extraída da araruta. ◆ **Araruta raiz-redonda.** *Bras.* V. *araruta* (1).

araruta-bastarda. *S. f. Bras.* V. *biru-manso.* [Pl.: *ararutas-bastardas.*]

araruta-caixulta. *S. f. Bras.* V. *araruta* (1). [Pl.: *ararutas-caixultas.*]

araruta-comum. *S. f. Bras.* V. *araruta* (1). [Pl.: *ararutas-comuns.*]

araruta-de-porco. *S. f. Bras.* V. *biru-manso.* [Pl.: *ararutas-de-porco.*]

araruta-especial. *S. f. Bras* V *araruta* (1). [Pl.: *ararutas-especiais.*]

araruta-gigante. *S. f. Bras.* V. *araruta* (1). [Pl *ararutas-gigantes.*]

araruta-palmeira. *S f. Bras* V. *araruta* (1). [Pl.: *ararutas-palmeiras* e *ararutas-palmeira.*]

araruta-ramosa. *S. f. Bras.* V *araruta* (1). [Pl.: *ararutas-ramosas.*]

araruva. *S. f. Bras.* V *araribá-rosa.*

araruvense. *Adj. 2 g.* **1.** De. ou pertencente ou relativo a Araruva (PR). ● *S. 2 g.* **2.** Natural ou habitante de Araruva.

aratá. *Bras. S. 2 g.* **1.** Indivíduo dos aratás, tribo indígena que habita a região do Xingu. ● *Adj. 2 g.* **2.** Pertencente ou relativo a essa tribo.

arataca. [Do tupi *ara'taka,* 'o que cai estalando'.] *S. f. Bras.* **1.** Armadilha com que se apanham animais silvestres; arapuca. ● *S. 2 g.* **2.** Nortista, cabeça-chata.

arataciú. [De possível or. tupi.] *S f Bras.* Planta da família das euforbiáceas (*Sagotia racemosa*), de raízes perfumadas.

arataiá. [Do tupi *arata'yá.*] *S m Bras.* V. *arapapá* (1).

arataiaçu. [Do tupi *aratava'su.*] *S. m. Bras.* V. *arapapá* (1).

arataná. *S. m. Bras* V *uiratauá.*

aratanha. [Do tupi *a'rá taem,* 'bico de ará'.] *S. f.* **1.** *Bras., Pl.* Vaca pequena. **2.** *Bras., AL.* Pequeno camarão de água doce.

aratauá. *S. f Bras., Amaz.* V. *uiratauá.*

aratibense. *Adj. 2 g.* **1.** De, ou pertencente ou relativo a Aratiba (RS). ● *S. 2 g.* **2.** Natural ou habitante de Aratiba.

araticu. *S. m. Bras.* V. *araticum.*

araticuense. *Adj. 2 g.* **1.** De, ou pertencente ou relativo a Araticu (PA). ● *S. 2 g.* **2.** Natural ou habitante de Araticu.

araticum. [Do tupi *arati'kũ.*] *S. m. Bras.* **1.** Designação comum às espécies nativas do gênero *Anona.* **2.** Árvore do cerrado, da família das anonáceas (*Anona crassiflora*), cujos frutos, enormes bagas múltiplas, doces, perfumadas e agradáveis ao paladar, chegam a pesar 2 quilos, e cujas flores são amplas e coriáceas; araticum-cortiça, marolo. [Sin., nessas acepç.: *araticunzeiro* e *araticuzeiro.*] **3.** V. *coração-de-boi.* **4.** O fruto dessas árvores. [Var.: *araticu.*]

araticum-abareno. *S. m. Bras.* Árvore da família das anonáceas (*Anona cananga*). [Pl.: *araticuns-abarenos* e *araticuns-abareno.*]

araticum-alvadio. *S. m. Bras.* Árvore da família das anonáceas (*Rollinia exalbida*). [Pl.: *araticuns-alvadios.*]

araticum-apê. *S. m. Bras.* Árvore da família das anonáceas (*Anona pisonis*). [Pl.: *araticuns-apês* e *araticuns-apê.*]

araticum-cagão. *S. m. Bras.* Árvore ornamental da família das anonáceas (*Anona cacans*), de bagas ovóides, de polpa comestível; araticum-do-campo. [Pl.: *araticuns-cagões.*]

araticum-catinga. *S. m. Bras.* Árvore da família das anonáceas (*Anona foetida*). [Pl.: *araticuns-catingas* e *araticuns-catinga.*]

araticum-cortiça. *S. m. Bras.* V. *araticum* (2). [Pl.: *araticuns-cortiças* e *araticuns-cortiça.*]

araticum-da-lagoa. *S. m. Bras.* Árvore da família das anonáceas (*Anona paludosa*). [Pl.: *araticuns-da-lagoa.*]

araticum-de-cheiro. *S. m. Bras.* V. *coração-de-boi.* [Pl.: *araticuns-de-cheiro.*]

araticum-do-campo. *S. m. Bras.* **1.** Araticum-cagão. **2.** V. *cabeça-de-negro* (1). [Pl.: *araticuns-do-campo.*]

araticum-dos-lisos. *S. m. Bras.* V. *cabeça-de-negro* (1). [Pl.: *araticuns-dos-lisos.*]

araticunzeiro. *S. m. Bras.* V. *araticum* (1 e 2).

araticuzeiro. *S. m. Bras.* V. *araticum* (1 e 2).

aratim. *S. m. Bras.* V. *iraxim.*

aratinga. [Do tupi *ara'tĩga,* 'ará branca'.] *S. f. Bras.* Designação comum às espécies de psitacídeos do gênero *Aratinga* Spix, de coloração verde, porte médio e cauda relativamente longa, conhecidas pelo nome de *jandaia* no N.E. e *maritaca* em MG e SP.

aratório. [Do lat. *aratoriu.*] *Adj.* **1.** Pertencente ao arado. **2.** Referente à agricultura.

aratriforme. [Do lat. *aratru* + *-i-* + *-forme.*] *Adj. 2 g.* Semelhante ao arado.

aratu. [Do tupi *ara'tu.*] *S. m. Bras.* **1.** Animal artrópode, crustáceo, malacostráceo, decápode, braquiúro, da família dos grapsídeos, especialmente *Aratus pisoni* Milne Edw., de carapaça quadrangular e coloração acinzentada. Ocorre nos mangues; sobe com facilidade nas árvores ou arbustos. **2.** Denominação comum a outras espécies, gêneros *Goniopsis* de Haan, *Sesarma* Say, etc., de hábitos semelhantes. [Sin. ger.: *mari-*

nheiro.]

aratubaia. [Do tupi, decerto.] *S. m. Bras.* V. *galhudo* (4).

aratubense. *Adj. 2 g.* **1.** De, ou pertencente ou relativo a Aratuba (CE). ● *S. 2 g.* **2.** Natural ou habitante de Aratuba.

aratu-da-pedra. *S. m. Bras.* V. *marinheiro* (9). [Pl.: *aratus-da-pedra.*]

aratu-do-mangue. *S. m. Bras.* V. *aratu-vermelho.* [Pl.: *aratus-do-mangue.*]

aratuipense (u-i). *Adj. 2 g.* **1.** De, ou pertencente ou relativo a Aratuípe (BA). ● *S. 2 g.* **2.** Natural ou habitante de Aratuípe.

aratu-marinheiro. *S. m. Bras.* V. *marinheiro* (9). [Pl.: *aratus-marinheiros.*]

aratupeba. [Do tupi *ara'tu pewa*, 'aratu chato'.] *S. m. Bras.* V. *marinheiro* (9).

aratupinima. [De *aratu* + tupi *pi'nima*, 'pintado'.] *S. m. Bras., Amaz.* V. *marinheiro* (9).

aratu-vermelho. *S. m. Bras.* Crustáceo decápode, braquiúro, da família dos grapsídeos (*Goniopsis curentata* (Latreille)), de coloração esverdeada na carapaça, pernas e quelas avermelhadas, no dorso uma área avermelhada e pequenas marcas pretas. Ocorre da Flórida à GB, e vive nos mangues. [Sin.: *aratu-do-mangue, aratu-vermelho-e-preto.* Pl.: *aratus-vermelhos.*]

aratu-vermelho-e-preto. *S. m. Bras.* V. *aratu-vermelho.* [Pl.: *aratus-vermelhos-e-pretos.*]

araua. *Bras. S. 2 g.* **1.** Indivíduo dos arauas, tribo indígena que habitava na foz do Chiruã, afluente direito do rio Juruá. ● *Adj. 2 g.* **2.** Pertencente ou relativo a essa tribo.

arauá. *S. m. Bras., SE.* V. *aruá*[1].

arauaná. [Do tupi *araua'ná.*] *S. m. Bras. Zool.* V. *aruaná*[1].

arauari. *S. f. Bras., Amaz.* V. *piraba.*

arauatu. [Do caribe.] *S. m. Bras., Amaz.* Guariba-vermelho.

araucânio. *S. m.* Araucano (1).

araucano. [Do top. *Arauco* + *-ano.*] *S. m.* **1.** Indivíduo dos araucanos, aborígines do Chile, hábeis tecedores e cultivadores; araucânio. **2.** Família lingüística indígena que abrange os vários dialetos falados pelos araucanos. ● *Adj.* **3.** Pertencente ou relativo a esse povo.

araucária. [Do top. *Arauco* + *-ária.*] *S. f.* V. *pinheiro-do-paraná.*

araucariácea. *S. f.* Espécime das araucariáceas.

araucariáceas. *S. f. pl. Bot.* Família de plantas superiores, gimnospérmicas (coníferas), cujos estames apresentam 5 a 19 sacos polínicos e carpelos uniovulados. São grandes árvores de folhas pequenas e aciculares que habitam as zonas mais frias, mesmo nos trópicos. O gênero principal é *Araucaria,* de que existe importante espécie brasileira, o *pinheiro-do-paraná.*

araucariáceo. *Adj.* Pertencente ou relativo às araucariáceas.

araucária-do-japão. *S. f.* V. *cedro-japonês.* [Pl.: *araucárias-do-japão.*]

araué. [Do tupi, talvez.] *S. f. Bras. Amaz.* Designação comum a certas baratas da madeira.

arauembóia. *S. f. Bras. Amaz.* V. *ararambóia.*

arauense. *Adj. 2 g.* **1.** De, ou pertencente ou relativo a Arauá (SE). ● *S. 2 g.* **2.** Natural ou habitante de Arauá.

arauiri (au-i). [Do tupi *araui'ri.*] *S. m. Bras. Amaz.* V. *piraba.*

araujense (a-u). *Adj. 2 g.* **1.** De, ou pertencente ou relativo a Araújos (MG). ● *S. 2 g.* **2.** Natural ou habitante de Araújos.

araúna. [Do tupi *a'rá*, por *wi'rá*, 'pássaro', + *-una.*] *S. f.* **1.** *Bras.* Uma das figuras do reisado [q.v.]. **2.** *Bras., Amaz.* V. *graúna.*

arauto. [Do frâncico **herald*, 'chefe do exército', pelo fr. *héraut.*] *S. m.* **1.** Nas monarquias da Idade Média, oficial que fazia as proclamações solenes, conferia títulos de nobreza, transmitia mensagens, anunciava a guerra e proclamava a paz: "Tinham um grande-pendão com S. Jorge, e outros balções à mistura, livremente, pois, não havendo rei d'armas, nem *arauto,* nessa corte ontem nascida no intervalo de duas batalhas, faltava a etiqueta, e cada qual se armava e preparava com as insígnias preferidas." (Oliveira Martins, *A Vida de Nun'Álvares,* p. 262.) **2.** Emissário, mensageiro; pregoeiro; núncio. **3.** *Fig.* Mensageiro (4): "As praias e as restingas, as serras e as matas nos chamavam, enviando-nos a sua mensagem naquele trrriii insistente que saudava o Sol e o calor. E assim acostumei-me a ver nas cigarras *arautos* da liberdade e da alegria." (Vivaldo Coaraci, *91 Crônicas Escolhidas,* p. 90.) **4.** *P. ext.* Defensor, lutador, propugnador: *José do Patrocínio foi um dos arautos da Abolição.*

aravaque. *S. 2 g.* e *adj. 2 g. Bras.* V. *aruaque* (1 e 3).

aravari. *S. f. Bras. Amaz.* V. *piraba.*

arável. [Do lat. *arabile.*] *Adj. 2 g.* Que se pode arar ou lavrar.

aravela. *S. f.* Peça da charrua onde se apóia a mão de quem a dirige.

aravia. [Do ár. *árabĩiã.*] *S. f.* Linguagem ininteligível ou deturpada; algaravia: "Pela noite, sentindo a viela deserta, vinham bater-lhe surdamente na porta, ou cantar-lhe fados de alcouce, numa *aravia* baixa" (Fialho d'Almeida, *A Cidade do Vício,* p. 113).

aravine. *Bras. S. 2 g.* **1.** Indivíduo dos aravines, tribo indígena tupi que habita as imediações do rio Sete de Setembro, afluente do Culuene (bacia do alto Xingu). ● *Adj. 2 g.* **2.** Pertencente ou relativo a essa tribo.

araxá. [Do tupi.] *S. m. Bras., C.O.* e *MG.* Planalto [q.v.] em forma de tabuleiro; alto chapadão.

araxaense. *Adj. 2 g.* **1.** De, ou pertencente ou relativo a Araxá (MG). ● *S. 2 g.* **2.** Natural ou habitante de Araxá.

araxixá. *S. f. Bras.* V. *xixá.*

araxixu. [Do tupi *arati'xu.*] *S. m. Bras.* V. *caraxixu.*

▲**-araz.** V. *-az.*

araza. *Bras. S. 2 g.* **1.** Indivíduo dos arazas, tribo indígena das imediações do alto Amazonas. ● *Adj. 2 g.* **2.** Pertencente ou relativo a essa tribo.

arazóia. *S. f. Bras.* Var. de *araçóia:* "Meus olhos outros olhos nunca viram, / Não sentiram meus lábios outros lábios, / Nem outras mãos, Jatir, que não as tuas / A *arazóia* na cinta me apertaram." (Gonçalves Dias, *Obras Poéticas,* II, p. 17.)

arbaleta (ê). *S. f. Astr.* Antigo instrumento formado de réguas de visada horizontais, que servia para medir alturas.

arbim. *S. m.* Antigo tecido de lã, grosseiro, usado como luto.

arbitração. [Do lat. *arbitratione.*] *S. f.* V. *arbitragem* (1).

arbitrador (ô). [Do lat. *arbitratore.*] *Adj.* e *s. m.* Que ou aquele que arbitra.

arbitragem. *S. f.* **1.** Ato ou efeito de arbitrar; arbitração, arbitramento. **2.** O julgamento, decisão ou veredicto de árbitro(s); arbítrio. ◆ **Arbitragem de câmbio.** Operação que consiste em procurar o processo mais vantajoso de câmbio direto ou indireto para o pagamento ou recebimento de uma quantia fixada em moeda estrangeira; arbítrio de câmbio.

arbitral. [Do lat. *arbitrale.*] *Adj. 2. g.* **1.** Feito por árbitros. **2.** Respeitante a árbitros. ~ V. *juízo* —.

arbitramento. *S. m.* V. *arbitragem* (1).

arbitrar. [Do lat. *arbitrare.*] *V. t. d.* **1.** Julgar como árbitro. [Sin. (no futebol): *apitar.*] **2.** Determinar, fixar (quantia) por arbítrio. **3.** Decidir, resolver, segundo a própria consciência: *Arbitrou afastar-se do convívio dos amigos. T. d. e i.* **4.** Atribuir judicialmente; adjudicar: *Vive apenas da quantia que lhe arbitraram.* [Pres. ind.: *arbitro,* etc.; imperf.: *arbitraria,* etc. Cf. *árbitro,* s. m., e *arbitrária,* fem. de *arbitrário.*]

arbitrariedade. *S. f.* **1.** Qualidade de arbitrário. **2.** Ação ou procedimento arbitrário: *O comissário praticou uma arbitrariedade; O juiz faz-se notar, lamentavelmente, pela arbitrariedade.*

arbitrário. [Do lat. *arbitrariu.*] *Adj.* **1.** Que independe de lei ou regra, e só resulta do arbítrio, ou mesmo do capricho de alguém: *decisão arbitrária;* "Desejo uma fotografia / como esta .... // Não meta fundos de floresta / Nem de *arbitrária* fantasia... / Não... Neste espaço que ainda resta, / ponha uma cadeira vazia." (Cecília Meireles, *Obra Poética,* p. 223.) [Sin., p. us.: *arbitrativo.*] **2.** Que não respeita lei ou regras, que não aceita restrições: despótico, discricionário: *indivíduo arbitrário.* **3.** Não necessário; eventual; facultativo. [Fem.: *arbitrária.* Cf. *arbitraria,* do v. *arbitrar.*] ~ V. *signo* —.

arbitrarismo. *S. m.* Qualidade do que ou de quem é arbitrário: "a tirania da massa popular, o seu *arbitrarismo* despótico, é tão intolerável como qualquer outra." (Álvaro Lins, *A Glória de César e o Punhal de Brutus,* p. 167.)

arbitrativo. *Adj.* Arbitrário (1).

arbítrio. [Do lat. *arbitriu.*] *S. m.* **1.** Resolução que depende só da vontade. **2.** Arbitragem (2). **3.** Parecer, opinião. ◆ **Arbítrio de câmbio.** Arbitragem de câmbio.

arbitrista. [De *arbítrio* + *-ista.*] *S. 2 g.* **1.** Pessoa que planeja meios extraordinários para atingir um fim. **2.** Pessoa que regula alguma coisa ou resolve a respeito dela.

árbitro. [Do lat. *arbitru.*] *S. m.* **1.** Aquele que dirime questões por acordo das partes litigantes ou por designação oficial; mediador. **2.** *P. ext.* Aquele que é chamado para, como juiz, dirimir dúvidas, opinar em debates, julgar algum assunto, decidir sobre alguma coisa, etc.: *Quero que seja o nosso árbitro: qual a melhor cor para o novo uniforme?* **3.** Aquele que julga um jogo ou prova esportiva, com direito de decisão quanto ao seu desenvolvimento ou aos fatos disciplinares. [Sin. (nesta acepç.): *juiz.*] **4.** Senhor absoluto; soberano. **5.** Modelo, regra, exemplo: *É um árbitro da elegância.* [Cf. *arbitro,* do v. *arbitrar.*] ◆ **Árbitro da elegância.** Pessoa de gosto refinado, que dá o tom em coisas da moda.

arbóreo. [Do lat. *arboreu.*] *Adj.* **1.** Relativo ou semelhante a árvore. **2.** Diz-se de planta que tem porte de árvore.

arborescência. [Do lat. *arborescentia.*] *S. f.* Qualidade ou estado de arborescente. [Var.: *arvorecência.*]

arborescente. [Do lat. *arborescente.*] *Adj. 2 g. Bot.* **1.** Que apresenta o porte (ou hábito) de árvore: *A samambaiuçu é um feto arborescente.* **2.** Diz-se do micélio cujas ramificações (hifas) se dispõem à maneira dos ramos de uma árvore: *hifas arborescentes.* [Var.: *arvorecente.*]

arborescer. [Do lat. *arborescere.*] *V. int.* **1.** Tornar-se árvore. **2.** Crescer como a árvore; desenvolver-se. [Var.: *arvorecer.* Conjug.: v. *crescer.*]

arboreto (ê). [Do lat. *arboretu.*] *S. m.* Coleção de árvores plantadas para fins diversos, como estudos científicos, exibição ao público, etc.

▲**arbor(i)-.** [Do lat. *arbor, oris.*] *El. comp.* = 'árvore': *arborista, arborizar, arborícola.*

arborícola. [De *arbor(i)-* + *-cola.*] *Adj. 2 g.* **1.** Que vive nas árvores. **2.** Próprio do ser que nelas vive: *O sapo-ferreiro tem hábitos arborícolas.* **3.** *Bot.* Diz-se dos epífitos.

arboricultor (ô). [De *arbor(i)-* + *cultor.*] *S. m.* Especialista em arboricultura; arborista.

arboricultura. [De *arbor(i)-* + *cultura.*] *S. f.* Cultura das árvores, sobretudo de árvores frutíferas ou ornamentais.

arboriforme. [De *arbor(i)-* + *-forme.*] *Adj. 2 g.* Que tem forma de árvore.

arborista. [De *arbor(i)-* + *-ista.*] *S. 2 g.* Arboricultor.

arborização. *S. f.* **1.** Ato ou efeito de arborizar. **2.** *P. ext.* O conjunto das árvores plantadas: *Esta cidade tem uma bela arborização.* **3.** *Min.* Ramificação dos veios de certos minerais semelhante às das árvores.

arborizado. [Part. de *arborizar.*] *Adj.* Plantado ou cheio de árvores.

arborizar. *V. t. d.* Plantar árvores em; guarnecer com árvores.

arbúscula. [Do lat. *arbúscula.*] *S. f.* Pequena árvore; arvoreta.

arbúsculo. [Do lat. *arbusculu.*] *S. m.* Pequeno arbusto.

arbústeo. *Adj.* **1.** Relativo a arbusto; arbustivo. **2.** Pertencente ou relativo à classe dos arbustos.

arbustiforme. [Do *arbusto* + *-i-* + *-forme.*] *Adj. 2 g.* Em forma de arbusto.

arbustivo. [Do lat. *arbustivu.*] *Adj.* **1.** Da natureza do arbusto: *vegetação arbustiva.* **2.** Arbústeo (1).

arbusto. [Do lat. *arbustu.*] *S. m.* Vegetal lenhoso cujo caule é ramificado desde a base. Não há, portanto, um tronco indiviso como nas árvores. Os arbustos podem ser pequenos ou bastante altos, com vários metros. [Dim. irreg.: *arbúsculo.*]

arbutina. [Do lat. *arbutu*, 'medronheiro', + *-ina.*] *S. f. Farm.* Glicosídeo incolor que se obtém das folhas do *Arbutus urva ursi,* de muitas ericáceas, etc., poderoso anti-séptico, de valor farmacológico, empregado no catarro vesical; ursina.

arca. [Do lat. *arca.*] *S. f.* **1.** Grande caixa, geralmente de madeira, dotada de tampa chata e destinada a guardar roupas, objetos, etc. **2.** V. *cofre* (1). [Dim. irreg.: *archete.*] **3.** Tesouro de uma sociedade ou instituição. **4.** Arca do peito. **5.** *Bras., MG.* A última costela flutuante. ◆ **Arca do peito.** Cavidade torácica; arca.

▲**arc(a)-.** [Do gr. *arch(i)-.*] *El. comp.* = 'superioridade', 'primazia', 'proeminência': *arcangélico* (< gr. *archanggelikós*). [Equiv.: *arce-, arci-* e *arqui-*: *arcebispo* (< lat. *archiepiscopu* < gr. *archiepískopos*), *arcipreste* (< lat. *archipresbyteru* < gr. *archipresbyteros*), *arquiduque, arquimilionário.*]

▲**-arca.** [Do gr. *-archés.*] *El. comp.* = 'que comanda', que chefia: *monarca* (< gr. *monarchés*), *heresiarca* < lat. *haeresiarcha* < gr. *hairesiarchés*).

arcaboiço. *S. m.* V. *arcabouço.*

arcabouço. [De *arca.*] *S. m.* **1.** Ossatura ou disposição do peito; tórax, peito. **2.** Esqueleto humano ou de qualquer animal. **3.** *Fig.* Traços gerais; lineamentos; esboço: *o arcabouço de uma estátua, de um quadro, de um romance.* **4.** V. *estrutura* (3). **5.** V. *esqueleto* (4). [F. paral.: *arcaboiço.*]

arcabuz. [Do neerl. *hakebus,* pelo fr. *arquebuse.*] *S. m.*

Antiga arma de fogo portátil, espécie de bacamarte.

arcabuzada. *S. f.* **1.** Tiro ou sucessão de tiros de arcabuz. **2.** *P. ext.* Tiroteio (1).

arcabuzamento. *S. m.* Ato ou efeito de arcabuzar.

arcabuzar. *V. t. d.* **1.** Matar a tiros de arcabuz. **2.** Ferir ou matar com espingarda; espingardear.

arcabuzaria. *S. f.* **1.** Tropa armada de arcabuzes. **2.** Descarga de arcabuzes.

arcabuzeiro. *S. m.* **1.** Aquele que fabricava ou vendia arcabuzes. **2.** Indivíduo armado de arcabuz. **3.** Soldado cuja arma é o arcabuz.

arcada[1]. [De *arco* + *-ada*[1].] *S. f. Arquit.* **1.** Passagem ou galeria guarnecida com, pelo menos, uma série de arcos contíguos: "Esperei-a no vestíbulo da igreja sob arcadas franciscanas" (Antero de Figueiredo, *Miradouro*, p. 137). **2.** Abertura em parede ou muralha, com forma de arco (3). **3.** Abóbada arqueada. [Sin. ger.: *arcaria*.] ~ V. *arcadas*. ◆ **Arcada dentária.** *Anat.* Cada uma das estruturas recurvadas em arco, uma superior e outra inferior, formadas, em estado normal, pelas coroas dos dentes.

arcada[2]. [Do it. *arcata*.] *S. f. Mús.* Movimento do arco nos instrumentos de cordas friccionáveis. ~ V. *arcadas*.

arca-d'água. *S. f. Constr.* Reservatório onde se junta a água que vai ser distribuída pelos chafarizes; mãe-d'água. [Pl.: *arcas-d'água*.]

arcadas. [Pl. de *arcada*[1]] *S. f. pl.* Movimentos anelantes do peito quando se respira com ânsia ou se vomita; arquejos. ~ V. *arcada*.

árcade. [Do gr. *arkas, ados*, pelo lat. *arcade*.] *Adj. 2 g.* **1.** Da, ou pertencente ou relativo à Arcádia, região da Grécia. **2.** Diz-se do estilo, da maneira literária dos membros das arcádias. ● *S. 2 g.* **3.** Natural ou habitante da Arcádia. **4.** Membro da arcádia.

arcádia. *S. f.* Sociedade literária típica da última fase do classicismo, cujos membros adotavam nomes poéticos simbólicos, a primeira das quais se fundou em 1690, tendo havido muitas outras no século XVIII, como, p. ex., a *Arcádia Lusitana* e a *Nova Arcádia*: "a primeira Arcádia foi a de Roma, fundada em 1690 por quatorze poetas que se reuniram no palácio da Rainha Cristina da Suécia." (Caio de Melo Franco, *O Inconfidente Cláudio Manuel da Costa*, p. 14).

arcádico. [Do lat. *arcadicu*.] *Adj.* **1.** Referente ou pertencente às arcádias, ou próprio delas. **2.** Bucólico, pastoril.

arcadismo. *S. m.* **1.** Corrente literária das arcádias. **2.** Influência dessa corrente. **3.** Bucolismo (2).

arcado. [Part. de *arcar*[1].] *Adj.* V. *arqueado*[1].

arcador (ô). *S. m.* Operário que seleciona o pêlo, preparando-se para a fula, nas fábricas de chapéu.

arcadura. [De *arcar*[1] + *-dura*.] *S. f.* V. *arqueadura*.

arcaico. [Do gr. *archaikós*, pelo lat. *archaicu*.] *Adj.* **1.** Relativo a épocas remotas; muito antigo. **2.** Obsoleto (1). **3.** V. *antiquado*. [Cf. *alcaico*.]

arcaísmo. [Do gr. *archaismós*.] *S. m.* **1.** Palavra, expressão ou construção arcaica. **2.** Modo de falar ou de escrever antiquado.

arcaísta. *Adj. 2 g.* e *s. 2 g.* Arcaizante (1).

arcaizante (a-i). *Adj. 2 g.* **1.** Que na conversação e/ou na escrita emprega arcaísmos; arcaísta. **2.** Que está em via de arcaizar-se. ● *S. 2 g.* **3.** Pessoa arcaizante.

arcaizar (a-i). [Do gr. *archaízo*.] *V. t. d.* **1.** Dar feição arcaica a; tornar arcaico. *Int.* **2.** Empregar arcaísmos. *P.* **3.** Tornar-se arcaico. [Conjug.: v. *ajuizar*.]

arcal. *S. m.* Planta rosácea, espécie de esteva.

arcangelicamente. [Do fem. de *arcangélico* + *-mente*.] *Adv.* De modo arcangélico; à maneira de arcanjo: "o cavaleiro herói tomava uma fisionomia arcangelicamente indefinida." (Oliveira Martins, *A Vida de Nun'Álvares*, p. 310).

arcangélico. [Do gr. *archaggelikós*, pelo lat. *archangelicu*.] *Adj.* Relativo a, ou próprio de arcanjo.

arcanjo. [Do gr. *archággelos*, pelo lat. *archangelu*.] *S. m.* **1.** Anjo de ordem superior. **2.** O primeiro dentre os anjos.

arcano. [Do lat. *arcanu*.] *S. m.* **1.** Segredo, mistério. **2.** Lugar recôndito: "esconder nos recônditos arcanos de sua alma o amor e o nome del-rei" (Camilo Castelo Branco, *A Filha do Regicida*, p. 39). **3.** *Med.* Designação genérica de remédio secreto. ● *Adj.* **4.** Oculto, encoberto. **5.** Misterioso, secreto: "no encalço da ventura, / O basilisco fabuloso, a arcana / Pedra filosofal busca, procura!" (Raimundo Correia, *Poesias*, p. 271).

arcão. *S. m.* Máquina empregada na indústria de chapéus.

arção. [Do lat. vulg. **arcione*.] *S. m.* Parte arqueada e saliente da sela: "surgiu na curva do caminho um homem a cavalo e de espingarda atravessada no arção da sela." (Herberto Sales, *Além dos Marimbus*, p. 105.)

arcar[1]. [De *arco* + *-ar*[2].] *V. t. d.* **1.** Arquear (1): *A idade arcou-lhe o corpo.* **2.** Guarnecer de arcos [v. *arco* (3)]. **3.** Dar a forma de arco a. *Int.* e *p.* **4.** Curvar(-se), arquear-se. [Conjug.: v. *trancar*.]

arcar[2]. [De *arca* + *-ar*[2].] *V. t. i.* **1.** Lutar, pelejar. **2.** Lutar corpo a corpo. **3.** Fazer face, arrostar, enfrentar: *arcar com responsabilidades.* [Conjug.: v. *trancar*.]

arcaria. *S. f. Arquit.* **1.** Arcada[1]: "Mas dessas arcarias / Negras, e desses torreões medonhos, / Alguém se assenta sobre as lájeas frias" (Raimundo Correia, *Poesias*, p. 164). **2.** Os arcos que sustentam o pórtico de um edifício.

arcatura. [Do lat. *arcatura*.] *S. f. Arquit.* Pequena arcada[1] (2), real ou simulada, de efeito decorativo, aplicada sobretudo em fachadas romanas, românicas, góticas e renascentistas.

arcaz. [Aum. irreg. de *arca*.] *S. m.* Grande arca com gavetões, usada em sacristias, para guardar vestes e objetos sagrados: "Encanecido e curvado sobre o arcaz, ia-se despindo com lentidão, murmurando as palavras da sagrada liturgia, da casula, da estola" (Bernardo Pinheiro, Pindela, *Azulejos*, p. 58).

■ **arc cos.** *Mat.* Símb. de *arco co-seno* [q. v.].

■ **arc cosec.** *Mat.* Símb. de *arco co-secante* [q. v.].

■ **arc cosech.** *Mat.* Símb. de *arco co-secante hiperbólica* [q. v.].

■ **arc cosh.** *Mat.* Símb. de *arco co-seno hiperbólico* [q. v.].

■ **arc cosv.** *Mat.* Símb. de *arco co-seno verso* [q. v.].

■ **arc cot.** *Mat.* Símb. de *arco co-tangente* [q. v.].

■ **arc cotg.** *Mat.* Símb. de *arco co-tangente* [q. v.].

■ **arc cotgh.** *Mat.* Símb. de *arco co-tangente hiperbólica* [q. v.].

■ **arc coth.** *Mat.* Símb. de *arco co-tangente hiperbólica* [q. v.].

■ **arc csc.** *Mat.* Símb. de *arco co-secante* [q. v.].

■ **arc csch.** *Mat.* Símb. de *arco co-secante hiperbólica* [q. v.].

■ **arc ctg.** *Mat.* Símb. de *arco co-tangente* [q. v.].

■ **arc ctgh.** *Mat.* Símb. de *arco co-tangente hiperbólica* [q. v.].

■ **arc ctn.** *Mat.* Símb. de *arco co-tangente* [q. v.].

■ **arc ctnh.** *Mat.* Símb. de *arco co-tangente hiperbólica* [q. v.].

▲**arce-.** V. *arc(a)-*.

arcebispado. *S. m.* **1.** Dignidade arquiepiscopal. **2.** Território onde o arcebispo exerce a sua jurisdição; arquidiocese. **3** Residência do arcebispo. [Sin. ger. (p. us.): *arquiepiscopado*.]

arcebispal. *Adj. 2 g. P. us.* Arquiepiscopal (1).

arcebispo. [Do gr. *archiepískopos*, pelo lat. *archiepiscopu*.] *S. m.* O primeiro em dignidade entre os bispos de uma circunscrição eclesiástica; metropolita.

arceburguense. *Adj. 2 g.* **1.** De, ou pertencente ou relativo a Arceburgo (MG). ● *S. 2 g.* **2.** Natural ou habitante de Arceburgo.

arcediagado. *S. m.* Dignidade de arcediago.

arcediago (á). [Do gr. *archidiákonos*, pelo lat. *archidiaconu*.] *S. m.* **1.** Dignitário capitular. **2.** *Ant.* O primeiro entre os diáconos.

arcete (ê). [Do fr. *archet*.] *S. m.* **1.** Pequeno arco. **2.** Serra especial para pedras.

archa. [De *acha*[2].] *S. f.* Arma antiga semelhante ao manchil de açougueiro, munida de cabo e usada pelos archeiros. [Cf. *arxa*, do v. *arxar*.]

➡**arché.** [Gr.] *S. f. Hist. Filos.* Arqué.

archeiro. [Do fr. *archer*.] *S. m.* **1.** Guarda do paço; alabardeiro. **2.** *F. paral. ant.* de *arqueiro*[1] (2).

archete[1] (ê). [Do fr. *archette*.] *S. m.* Arqueta (1).

archete[2] (ê). [Do fr. *archet*.] *S. m.* Peça colocada por trás da padieira de uma porta ou janela, para completar a espessura da parede; contrapadieira, arquete.

archotada. *S. f.* Cortejo noturno iluminado com archotes.

archote. [Do esp. *hachote*, por epêntese.] *S. m.* **1.** Facho breado que se acende para iluminar, em geral ao ar livre. **2.** *Marinh.* Trabalho de marinheiro que consiste em abotoar o chicote do cabo para o seu vivo.

▲**arci-[1].** V. *arc(a)-*.

▲**arci-[2].** El. comp. = 'arco': *arcífero, arciforme.*

arcífero. [De *arci-*[2] + *-fero*.] *Adj.* Armado de arco.

arcifínio. [Do lat. *arcifiniu*.] *Adj.* **1.** Diz-se do limite geográfico natural. ● *S. m.* **2.** Esse limite.

arciforme. [De *arci-*[2] + *-forme*.] *Adj. 2 g.* Em forma de arco; arcual.

arciprestado. *S. m.* Dignidade e jurisdição de arcipreste.

arciprestal. *Adj. 2 g.* Relativo a arcipreste.

arcipreste. [Do gr. *archipresbyteros*, pelo lat. *archipresbyteru* e pelo fr. ant. *arcipreste*.] *S. m.* **1.** *Ant.* Chefe dos padres que compunham o clero de um bispo, ou de uma comunidade rural de clérigos. **2.** Dignidade conferida aos párocos de algumas catedrais ou colegiadas.

arco. [Do lat. *arcu*.] *S. m.* **1.** *Geom.* Segmento de uma curva. **2.** *Geom.* Medida linear de um segmento de curva. **3.** *Arquit.* Peça curva, geralmente montada com tijolos ou aduelas de pedra, segundo o sistema de construção das abóbadas, e que se emprega para vencer vãos de portas, janelas ou outras aberturas. **4.** *Arquit.* Curvatura de abóbada. **5.** Arma com que se atiram setas. **6.** Cinta de madeira ou de metal que prende as aduelas dos barris. **7.** Cada um dos semicírculos do parêntese. [Dim. irreg.: *arcete*.] **8.** *Eletr.* Descarga elétrica de baixa tensão e alta corrente, obtida entre dois eletrodos metálicos ou de carvão; arco elétrico. **9.** *Eletr.* Fonte luminosa constituída por um arco elétrico. **10.** *Fut.* V. *gol* (1). **11.** *Mús.* Vara, ao mesmo tempo firme e flexível, com as extremidades ligadas por uma madeixa de crinas de cavalo untadas com resina, e que serve para pôr em vibração as cordas de certos instrumentos, como, p. ex., o violino. **12.** *Mús.* No fuste ou corpo principal dos tambores, tímpanos, bombos, etc., cinto circular, de madeira mole, o qual, por meio de cordagem ou de parafusos, retesa a pele que está enrolada nos arquilhos. **13.** *Tip.* Defeito da composição linotípica, quando, por má regulagem das navalhas, ela tende a abaular-se; baú. **14.** *Cin.* Refletor de grande potência, dotado de carvões, que se usa em certas filmagens. **15.** *Jog. Inf.* Brincadeira infantil que consiste em andar ou correr fazendo rolar um arco de pipa ou de barril, com o auxílio de uma haste de arame retorcida numa das pontas. ◆ **Arco abatido.** *Arquit.* Aquele cujo perfil é uma curva policêntrica, formada de arcos de círculo, sendo sua flecha menor que a metade da largura do vão; arco de geração, arco de volta abatida. **Arco abaulado.** *Arquit.* O que tem por perfil um segmento de círculo menor que 180°. **Arco aviajado.** *Arquit.* Aquele cujo perfil é uma curva policêntrica formada de arcos de círculo, e que tem as nascenças paralelas entre si, mas situadas em níveis diferentes. **Arco bizantino.** *Arquit.* V. *arco mourisco*. **Arco coronal.** *Astr.* Arco solar [q. v.] que se estende até a coroa. **Arco co-secante.** *Mat.* Função inversa da função co-secante; co-secante inversa. [Símb.: *arc csc* e *arc cosec*. Tb. se usam, impr., csc^{-1} e $cosec^{-1}$.] **Arco co-secante hiperbólica.** *Mat.* Função inversa da função co-secante hiperbólica; co-secante hiperbólica inversa. [Símb.: *arc csch* e *arc cosech*. Tb. se usam, impr., $csch^{-1}$ e $cosech\text{-}1$.] **Arco co-seno.** *Mat.* Função inversa da função co-seno; co-seno inverso. [Símb.: *arc cos*. Tb. se usa, impr., cos^{-1}.] **Arco co-seno hiperbólico.** *Mat.* Função inversa da função co-seno hiperbólico; co-seno hiperbólico inverso. [Símb.: *arc cosh*. Tb. se usa, impr., $cosh^{-1}$.] **Arco co-seno verso.** *Mat.* Função inversa da função co-seno verso. [Símb.: *arc cosv*. Tb. se usa, impr., $cosv^{-1}$.] **Arco co-tangente.** *Mat.* Função inversa da função co-tangente; co-tangente inversa. [Símb.: *arc cot, arc ctg, arc cotg* e *arc ctn*. Tb. se usam, impr., cot^{-1}, ctg^{-1}, $cotg^{-1}$ e ctn^{-1}.] **Arco co-tangente hiperbólica.** *Mat.* Função inversa da função co-tangente hiperbólica; co-tangente hiperbólica inversa. [Símb.: *arc coth, arc ctgh, arc cotgh* e *arc ctnh*. Tb. se usam, impr., $coth^{-1}$, $ctgh^{-1}$, $cotgh^{-1}$ e $ctnh^{-1}$.] **Arco crepuscular.** *Astr.* Segmento de arco diurno de um astro, que vai da interseção com o horizonte racional até uma distância zenital de 108°. **Arco cruzeiro. 1.** *Arquit.* No intradorso de uma abóbada de aresta, aquele que une diagonalmente os ângulos. **2.** *Arquit. Pop.* Arco que, nas igrejas, separa a nave da capela-mor. **Arco de escarção.** *Arquit.* Escarção. **Arco de ferradura.** *Arquit.* V. *arco mourisco*. **Arco de ferradura apontado.** *Arquit.* Arco lanceolado. **Arco de ferradura visigótica.** *Arquit.* V. *arco mourisco*. **Arco de geração.** *Arquit.* V. *arco abatido*. **Arco de meio ponto.** *Arquit.* O que tem por perfil uma semicircunferência; arco semicircular, arco de volta inteira, arco de volta redonda, arco de pleno cimbre. **Arco de pleno cimbre.** *Arquit.* V. *arco de meio ponto*. **Arco de triunfo.** *Arquit.* Grande pórtico, geralmente ornado de figuras esculpidas, baixos-relevos e inscrições alusivas, erigido para comemorar acontecimento notável; arco triunfal. **Arco de volta abatida.** *Arquit.* V. *arco abatido*. **Arco de volta inteira.** *Arquit.* V. *arco de meio ponto*. **Arco de volta redonda.** *Arquit.* V. *arco de meio ponto*. **Arco diurno.** *Astr.* Arco de paralelo celeste, descrito por um astro, em seu movimento diurno, acima do horizonte. **Arco elementar.** *Anál. Mat.* Elemento de arco. **Arco elétrico.** *Eletr.* Arco (8). **Arco eruptivo.** *Astr.* Proeminência solar com a forma de arco. **Arco lanceolado.** *Arquit.* Variação do arco mourisco na qual o arco é formado por duas curvas que fazem vértice no alto; arco de ferradura apontado. **Arco mourisco.** *Arquit.* Aquele cuja curvatura ultrapassa a semicircunferência, medindo mais que 180º; arco revindo, arco de ferradura, arco bizantino, arco de ferradura visigótica. **Arco ogival.** *Arquit.* Aquele cujo perfil é formado por dois segmentos de um mesmo círculo, que se cortam no alto. **Arco protuberancial.** *Astr.* Arco solar [q. v.] que se forma associado a uma protuberância. **Arco revindo.** *Arquit.* V. *arco mourisco.* **Arcos congruentes.** *Geom.* Dois arcos de circunferência cujos comprimentos diferem de um múltiplo inteiro de 2 π radianos; arcos côngruos. **Arcos côngruos.** *Geom.* Arcos congruentes. **Arco secante.** *Mat.* Função inversa da função secante; secante inversa. [Símb.: *arc sec.* Tb. se usa, impr., sec^{-1}.] **Arco secante hiperbólica.** *Mat.* Função inversa da função secante hiperbólica; secante hiperbólica inversa. [Símb.: *arc sech.* Tb. se usa, impr., $sech^{-1}$.] **Arco semicircular.** *Arquit.* V. *arco de meio ponto.* **Arco semidiurno.** *Astr.* Ângulo horário de um astro no seu ocaso. **Arco senil.** *Med.* Gerontoxo. **Arco seno.** *Mat.* Função inversa da função seno; seno inverso. [Símb.: *arc sen.* Tb. se usa, impr., sen^{-1}.] **Arco seno hiperbólico.** *Mat.* Função inversa da função seno hiperbólico; seno hiperbólico inverso. [Símb.: *arc senh.* Tb. se usa, impr., $senh^{-1}$.] **Arco seno verso.** *Mat.* Função inversa da função seno verso. [Símb.: *arc senv* e *arc vers.* Tb. se usam, impr., $senv^{-1}$ e $vers^{-1}$.] **Arco solar.** *Astr.* Matéria ejetada pela fotosfera solar sob a forma de um arco. [Cf. *arco coronal, arco eruptivo* e *arco protuberancial.*] **Arco tangente.** *Mat.* Função inversa da função tangente; tangente inversa. [Símb.: *arc tan* e *arc tg.* Tb. se usam, impr., tan^{-1} e tg^{-1}.] **Arco tangente hiperbólica.** *Mat.* Função inversa da função tangente hiperbólica; tangente hiperbólica inversa. [Símb.: *arc tanh* e *arc tgh.* Tb. se usam, impr., $tanh^{-1}$ e tgh^{-1}.] **Arco triunfal.** *Arquit.* Arco de triunfo. **Arco vertebral.** *Anat.* Formação situada posteriormente em cada vértebra, e que contribui na constituição do forame vertebral. Excetua-se a primeira vértebra que tem dois arcos vertebrais, um posterior e outro anterior. **Abrir o arco.** *Bras. Pop.* V. *fugir* (1 e 2). **Embandeirado em arco.** *Bras.* Muito alegre, muito feliz: *Está embandeirado em arco: conseguiu finalmente a nomeação.* Meter o arco. *Bras. Pop.* V. *fugir* (1 e 2).

arcobotante. [Do fr. *arc-boutant.*] *S. m. Arquit.* Peça característica da arquitetura gótica, construída em forma de arco aviajado, que se encosta à parte externa do edifício para aliviar a parede do peso das abóbadas de cobertura, descarregando-o nos botaréus, e permitindo, assim, a abertura de grandes janelas e rosáceas.

arco-celeste. *S. m.* V. *arco-íris.* [Pl.: *arcos-celestes.*]

arco-da-aliança. [De *arco* + *aliança, i. e,* a aliança que, segundo o Gênese, Deus fez com os homens após o Dilúvio.] *S. m.* V. *arco-íris.* [Pl.: *arcos-da-aliança.*]

arco-da-chuva. *S. m.* V. *arco-íris.* [Pl.: *arcos-da-chuva.*]

arco-da-velha. [De *arco* + *velha,* fem. de velho, i. e., 'velha lei'.] *S. m. Pop.* V. *arco-íris.* ~V. *coisa do* — e *história do* —.[Pl.: *arcos-da-velha.*]

arco-de-deus. [De *arco* + *Deus:* o arco mandado por Deus, segundo o Gênese.] *S. m. Pop.* V. *arco-íris.* [Pl.: *arcos-de-deus.*]

arco-de-flores. *S. m. Bras. PR* e *SC. Folcl.* V. *balainha.* [Pl.: *arcos-de-flores.*]

arco-de-pipa. *S. m. Bras.* Árvore da família das eritroxiláceas (*Erythoxylum pulchrum*). [Pl.: *arcos-de-pipa.*]

arco-íris. [De *arco* + o mit. *Íris* (a mensageira da deusa Juno), que vinha do Céu caminhando por este arco.] *S. m. 2 n. Ópt.* Fenômeno resultante da dispersão de luz solar em gotículas de água suspensas na atmosfera, e que é observado como um conjunto de arcos de circunferência (excepcionalmente como circunferências inteiras) coloridos com as cores do espectro solar; arco-celeste, arco-da-aliança, arco-da-chuva, arco-da-velha, arco-de-deus.

ar-condicionado. *S. m.* V. *condicionador de ar: O ar-condicionado da sala está defeituoso.* [Pl.: *ares-condicionados.* Cf. *ar condicionado.*]

arcontado. [De *arconte* + *-ado²*.] *S. m.* **1.** Título ou cargo de arconte. **2.** A instituição dos arcontes.

arconte. [Do lat. *archonte.*] *S. m.* Magistrado da Grécia antiga, primeiramente com poder de legislar, e, depois de Sólon († em c. 559 a. C.), mero executor das leis. ◆ **Arconte epônimo.** *Teat.* Entre os gregos antigos, magistrado que se incumbia da preparação e organização dos concursos de tragédias e comédias: "Na Grécia, o arconte epônimo, a cargo de quem o Estado delegava as despesas das representações, esmava o dispêndido de cada um em dois talentos" (Camilo Castelo Branco, *A Queda dum Anjo,* p. 44)

arcóseo. [Do fr. *arkose.*] *S. m. Pet.* Arenito que contém quantidade apreciável de feldspato.

arcote. [Do fr. *arcot.*] *S. m.* Escória do cobre.

arcoverdense. *Adj. 2 g.* **1.** De, ou pertencente ou relativo a Arcoverde (PE). ● *S. 2. g.* **2.** Natural ou habitante de Arcoverde.

■ **arc sec.** *Mat.* Símb. de *arco secante* [q. v.].

■ **arc sech.** *Mat.* Símb. de *arco secante hiperbólica* [q. v.].

■ **arc sen.** *Mat.* Símb. de *arco seno* [q. v.].

■ **arc senh.** *Mat.* Símb. de *arco seno hiperbólico* [q. v.].

■ **arc senv.** *Mat.* Símb. de *arco seno verso* [q. v.].

arctação. [Do lat. *arctatione.*] *S. f. Med.* Estreitamento ou contração do orifício de um meato ou canal no organismo.

■ **arc tg.** *Mat.* Símb. de *arco tangente* [q. v.].

■ **arc tgh.** *Mat.* Símb. de *arco tangente hiperbólica* [q. v.].

▲**-arct(o)-.** [Do lat. *arctare.*] *El. comp.* = 'que aperta', 'que estreita': *arteriarctia.*

arctogéia. *S. f. Zool.* Região zoogeográfica aceita por alguns autores, que inclui as regiões paleártica, neártica, oriental e etiópica, mais ou menos equivalente à região holártica. O nome indica *região* ou *terra dos ursos.*

arctos. [Do gr. *arctos,* 'urso'.] *S. m. pl. Astr.* Asterismo formado pelas estrelas das constelações da Ursa Maior e Ursa Menor.

arcturo. [Do lat. *arcturu.*] *S. m. Astr.* Estrela alfa do Boieiro Arcturus [lat.].

arcturus (arctúruç). [Lat.] *S. m.* Arcturo.

arcual. *Adj. 2 g.* Arciforme.

arcuense. *Adj. 2 g.* **1.** De, ou pertencente ou relativo a Arcos (MG). ● *S. 2 g.* **2.** Natural ou habitante de Arcos.

■ **arc vers.** *Mat.* Símb. de *arco seno verso* [q. v.].

ar-de-dia. *S. m. Bras., PI, CE* e *BA.* Crepúsculo matutino ou vespertino. [Pl.: *ares-de-dia.*]

árdego. [Provavelmente de *arder,* 'exaltar-se'.] *Adj.* **1.** Impetuoso, arrebatado, ardente. **2.** Diz-se do cavalo muito esperto, fogoso: "montado em árdego ginete, na mão direita o rebenque de prata" (Jorge Amado, *Teresa Batista Cansada de Guerra,* p. 247). **3.** Irritável, irascível. **4.** Árduo (3).

ardêidas. *S. m. pl.* V. *ardeídeo.*

ardeídeo. *S. m.* **1.** Espécime dos ardeídeos. ● *Adj.* **2.** Pertencente ou relativo a eles.

ardeídeos. *S. m. pl. Zool.* Aves ardeiformes da família *Ardeidae,* cujo bico é direito e cujo dedo posterior é articulado em posição não mais alta do que os anteriores. Vivem nos lagos, igapós, rios e alagadiços em geral, alimentando-se quase exclusivamente de peixes. São as *garças,* os *maguaris,* os *taquiris* e os *socós.*

ardeiforme (e-i). *S. m.* **1.** Espécime dos ardeiformes. ● *Adj. 2 g.* **2.** Pertencente ou relativo a eles.

ardeiformes (e-i). *S. m. pl. Zool.* Aves neórnites, neógnatas, consideradas por alguns autores como uma ordem. Têm os dedos livres, dispostos três para a frente e um para trás, e as pernas muito compridas; as cores principais da plumagem são: branco, cinzento, cinzento-azulado, encarnado, cor-de-rosa ou vermelho. São as *garças,* os *guarás,* os *jabirus,* os *colhereiros,* os *tuiuiús,* os *maguaris,* os *socós* e os *cororós.*

ardência. [Do lat. *ardentia.*] *S. f.* **1.** Qualidade, caráter ou estado de ardente; ardor: "Dezembro, verão, a ardência do sol, praia, suores" (Maria Julieta Drummond de Andrade, *Um Buquê de Alcachofras,* p. 152). **2.** Sensação provocada no paladar pela ingestão de certas substâncias acres ou picantes. **3.** Sensação de queimadura na pele. [Sin. (nestas acepç.): *ardor; ardimento.*] **4.** *Bras., RS.* V. *noctiluca.*

ardenense. *Adj. 2 g.* e *s. 2 g.* V. *ardenês.*

ardenês. *Adj.* **1.** De, ou pertencente ou relativo às Ardenas, região da França. ● *S. m.* **2.** O natural ou habitante das Ardenas. [Flex.: *ardenesa* (ê), *ardeneses* (ê), *ardenesas* (ê). Sin. ger.: *ardenense.*]

ardente. [Do lat. *ardente.*] *Adj. 2 g.* **1.** Que está em chamas ou em brasa; que arde. **2.** Que queima ou requeima: *o sol ardente de janeiro.* **3.** Que tem sabor picante, acre ou azedo: *molho muito ardente.* **4.** V. *árdego* (1). **5.** Cheio de paixão; apaixonado: *um jovem ardente.* **6.** Intenso, enérgico, vivo: "Porque teu nome é para mim o nome / De uma pátria distante e idolatrada, / Cuja saudade ardente me consome." (Olavo Bilac, *Poesias,* p. 59); *É ardente a sua paixão pelas letras.* **7.** Diz-se da mó que não tritura o grão, mas quebra-o. **8.** *Marinh.* Diz-se da embarcação à vela que tende a orçar. ~ V. *clima* — e *nuvem* —.

ardentia. [De *ardente* + *-ia.*] *S. f.* **1.** Fosforescência marítima: "Lembrando o lucilar das ardentias / Pelas noites do mar." (Alberto de Oliveira, *Poesias,* 2ª série, p. 188.) **2.** Ardor (1): "aroma de matas, frescuras de água corrente e ardentias de sol" (Herman Lima, *Tijipió e Garimpos,* p. 268).

ardentoso (ô). [De *ardente* + *-oso.*] *Adj.* Que provoca ardor ou pungência, como a urtiga.

arder. [Do lat. *ardere.*] *V. int.* **1.** Consumir-se em chamas; queimar-se: *O edifício ardeu durante a noite.* **2.** Consumir-se como que em chamas; abrasar-se, inflamar-se de amor, ânsia, ódio, cólera, etc: "Ardo em desejo na tarde que arde!" (Manuel Bandeira, *Estrela da Vida Inteira,* p. 81); "— Que queres dizer?... / Nada, minha tia. / Mas eu ardo de impaciência..." (Joaquim Manuel de Macedo, *Os Romances da Semana,* p. 129). **3.** Estar como que em chamas, em brasa: *Ao crepúsculo, o céu ardia;* "Mugem soturnamente as águas. O céu arde." (Olavo Bilac, *Poesias,* p. 266). **4.** Estar aceso: *A lamparina ardia à cabeceira.* **5.** Ter a propriedade da combustão: *Esta madeira arde bem.* **6.** Produzir sensação de ardor; queimar, abrasar: "Levantava-se mais [o Sol], brilhava, ardia, / No prado verdejante, / Na fonte e na devesa" (Gonçalves Dias, *Obras Poéticas,* II, p. 100); "Talvez que o sol abrande / O fogo que em mim arde." (Rui Cinatti, *Anoitecendo, a Vida Recomeça,* p. 67.) **7.** Fazer prurido. **8.** Fazer grande estrago; lavrar, grassar. **9.** Cintilar, brilhar: *A estrela ardia no horizonte.* **10.** Sentir grande calor: *Ardia em febre.* **11.** Criar ardência, ranço, sabor acre: *Este toicinho arde; não pode ser usado.* **12.** Desbaratar-se, arruinar-se, destruir-se: *A herança que lhe deixara os pais ardia lentamente.* **13.** Doer, incomodar, com a sensação de ardor: *A fumaça faz com que os olhos ardam. T. i.* **14.** Provocar sensação de ardor; ter sabor acre: *Arde-lhe muito? É pimenta malagueta.* **15.** Desejar ardentemente; ansiar, anelar: *Ardia por voltar à sua terra.*

ar-de-vento. *S. m. Pop.* Estupor, apoplexia, ar. [Pl.: *ares-de-vento.*]

ardidez (ê). [De *ardido²* + *-ez.*] *S.f.* **1.** Coragem (1 e 2). **2.** Gênio inquieto, insofrido. [F. paral.: *ardideza;* sin.: *ardimento.*]

ardideza (ê). [De *ardido²* + *-eza.*] *S. f.* V. *ardidez.*

ardido[1]. [Part. de *arder.*] *Adj.* **1.** Queimado, crestado. **2.** Em início de decomposição, e/ou fermentado. **3.** *Bras.* V. *ardoso.* **4.** *Bras. Pop.* Rançoso (1). ● *S. m.* **5.** *Bras.* Pequena irritação cutânea.

ardido[2]. [Do fr. *hardi.*] *Adj.* **1.** Corajoso, valente, intrépido: "Foge à estância da paz o ardido moço; / Esperança, fortuna, amor e pátria // "A guerrear o levam." (Machado de Assis, *Poesias,* p. 232). **2.** Renhido, encarniçado.

ardil. [Do cat. *ardit.*] *S. m.* **1.** Astúcia, manha, artimanha, artifício; estratagema, ardileza: "O ardil de Pelágio para resistir com vantagem aos mocelemanos, cem vezes mais numerosos que os cristãos, surtira o desejado efeito." (Alexandre Herculano, *Eurico, o Presbítero,* p. 287). **2.** V. *armadilha* (2).

ardileza (ê). *S. f.* V. *ardil* (1).

ardiloso (ô). *Adj.* Que usa de ardis; astucioso, manhoso, velhaco.

ardimento[1]. [De *arder* + *-mento.*] *S. m.* V. *ardência.*

ardimento[2]. [De *ardi(do)²* + *-mento.*] *S. m.* V. *ardidez.*

▲**-ardo.** *Suf. nom.* = 'aumento': *felizardo, moscardo.*

ardômetro. *S. m. Fís.* Pirômetro de radiação total, cujo dispositivo de medida é constituído por um pequeno disco de platina que recebe a radiação e cuja temperatura é medida por um termopar.

ardor (ô). [Do lat. *ardore.*] *S. m.* **1.** Calor intenso; ardentia. **2.** Ardência (1). **3.** Sabor acre ou picante de certas substâncias. **4.** Entusiasmo, paixão. **5.** Vivacidade, energia.

ardoroso (ô). *Adj.* Cheio de ardor (4); apaixonado, entusiasta: *partidário ardoroso da democracia.*

ardósia. [De um **ardesia,* aparentado ao céltico, atr. do fr. *ardoise.*] *S. f.* **1.** *Pet.* Rocha rudimentar, cinzento-escura ou azulada, levemente metamorfizada, de granulação finíssima, separável em lâminas resistentes, cujos planos independem do plano de estratificação original, e com que se cobrem casas, etc. **2.** Lousa (3).

ardosieira. *S. f.* Rocha ou pedreira de ardósia (1).

ardoso (ô). *Adj. Bras.* Ardente, queimante, picante; acre: *molho muito ardoso.*

ardras. [Do *daomeano.*] *S. m. pl.* Negros de cultura jeje que tiveram ação notável na luta contra os holandeses no Brasil.

arduidade (u-i). [Do lat. *arduitate.*] *S. f.* Qualidade de árduo.

ardume. *S. m. Bras.* Qualidade de ardoso; ardor, queimor.

árduo. [Do lat. *arduu.*] *Adj.* **1.** Escarpado, escabroso. **2.** Espinhoso, áspero: *missão árdua.* **3.** Trabalhoso, custoso: *árdua incumbência.* **4.** Penoso, acerbo: *árduo sofrimento.*

are. [Do fr. *are.*] *S. m.* Unidade de medida agrária, equivalente a $100m^2$.

aré. *Bras. S. 2 g.* **1.** Indivíduo dos arés, tribo indígena tupi-guarani que habita as proximidades do rio Ivaí (SC) e que a si mesmos dão o nome de *xetá.* ● *Adj. 2 g.* **2.** Pertencente ou relativo a essa tribo.

área. [Do lat. *area;* cf. *eira.*] *S. f.* **1.** A medida de uma superfície. **2.** Superfície plana, delimitada. **3.** Extensão de terreno. **4.** *Fig.* Campo de ação; esfera, domínio. **5.** *Biol.* Zonas ou pontos diferentes que costumam aparecer na superfície de certos órgãos. **6.** *Geom.* O limite da soma das áreas das faces de uma superfície poliédrica inscrita na superfície, ou circunscrita a ela, quando as arestas tendem para zero. **7.** *Fut.* V. *gol* (1). **8.** *Fut.* Grande área [q. v.]: "Pepe continua avançando, dribla os dois zagueiros, invade a *área*, tira o goleiro da jogada..." (Fernando Sabino, *O Homem Nu,* p. 141). **9.** *Bras.* Espaço aberto no interior dum edifício, geralmente com a função de iluminar e ventilar os cômodos que abrem para ele; pátio. **10.** *Bras.* Área de serviço. [Cf. *ária.*] ♦ **Área ativa.** *Astr.* Grupo (6). **Área ciclonal.** *Met.* Qualquer área da superfície da Terra sobre a qual há ciclones. **Área crítica.** *Mar. G.* Área marítima que, por sua importância estratégica, é especialmente visada pelos ataques do inimigo. [Cf. *área focal.*] **Área de afundamento.** *Geol.* Região que está sofrendo, ou sofreu, um abaixamento, em virtude de forças tectônicas, ou da erosão em terrenos calcários. **Área de construção.** *Arquit.* Soma das áreas dos pisos [v. piso (3)] utilizáveis, cobertos ou não, de todos os pavimentos de uma edificação. [Cf. *área útil.*] **Área de geração da onda.** *Ocean. Fís.* A área do oceano na qual o vento está a gerar, ou gerou, um sistema de ondas. **Área de serviço.** *Bras.* Nos apartamentos, a parte aberta ou envidraçada, destinada à lavanderia, a armários, etc., em geral anexa à cozinha, e que se comunica com as dependências de empregadas e a entrada de serviço. **Área de subsidência.** *Geol.* Região que sofreu, ou está sofrendo, um abaixamento, por efeito do peso dos sedimentos nela acumulados; bacia de subsidência. **Área focal.** *Mar. G.* Área marítima, onde, em virtude de condições geográficas, hidrográficas ou meteorológicas, as rotas comerciais convergem ou se cruzam, apresentando partes de tráfego comum obrigatório. [Cf. *área crítica.*] **Área selecionada.** *Astr.* Expressão proposta pelo astrônomo holandês Jacobus Kapteyen (1851-1922) para designar uma região do céu de cujas estrelas se faz a análise estatística. **Área útil.** *Arquit.* Área do piso (3) dos compartimentos de uma edificação, descontada a área das seções horizontais das paredes. [Cf. *área de construção.*] **Grande área.** *Fut.* A área maior junto à meta delimitada por um retângulo, e dentro da qual as faltas cometidas por jogador de time que a defenda são punidas com pênalti. [Tb. se diz apenas *área.*] **Pequena área.** *Fut.* A área menor, retangular, mais próxima da meta, e no interior da grande área.

areação. *S. f.* Ato ou efeito de arear[1].

areadense. *Adj. 2 g.* **1.** De, ou pertencente ou relativo a Areado (MG). ● *S. 2 g.* **2.** Natural ou habitante de Areado.

areado[1]. [Part. de *arear*[1].] *Adj.* **1.** Esfregado ou limpo com areia ou outras substâncias. **2.** Diz-se do açúcar refinado. **3.** *Bras. S.* V. *pronto* (10). ~ V. *tacho* —.

areado[2]. [Part. de *arear*[2].] *Adj.* **1.** Absorto, alheado, estonteado, ourado. **2.** Perdido, desnorteado, desorientado.

areal. *S. m.* **1.** Trecho de terreno onde predomina a areia; areeiro. **2.** Areão (1). **3.** Praia. [Sin. ger. (bras., S.): *arenal.*]

arealense. *Adj. 2 g.* **1.** De, ou pertencente ou relativo a Areal (RJ). ● *S. 2 g.* **2.** Natural ou habitante de Areal.

arealvense. *Adj. 2 g.* **1.** De, ou pertencente ou relativo a Arealva (SP). ● *S. 2 g.* **2.** Natural ou habitante de Arealva.

➡**area non aedificandi** (área non edificândi). [Lat.] Espaço onde não é permitido construir.

areão. [Aum. de *areia.*] *S. m. Bras.* **1.** Grande areal; areal. **2.** *Bras., S.* Areia grossa, com 5 mm de diâmetro.

arear[1]. [De *areia* + *-ar*[2].] *V. t. d.* **1.** Cobrir com areia ou com matéria semelhante a areia. **2.** Limpar, polir, esfregando com areia, ou com outra substância saponácea: *arear um tacho, os talheres;* "*Areei* a arma bem areadinha" (Afonso Arinos, *Pelo Sertão,* p. 168). **3.** Refinar (o açúcar). **4.** Escovar (os dentes). *Int.* **5.** Turvar-se (a vista). *P.* **6.** Encher-se ou cobrir-se de areia. [Conjug.: v. *frear.*]

arear[2]. [De *ar* + *-ear?*] *V. int.* **1.** Perder rumo; desnortear-se, desorientar-se. **2.** Turvar ou perturbar o juízo, a cabeça, as idéias, etc. **3.** Ficar pateta; estontear-se, pasmar-se. [Conjug.: v. *frear.*]

areca. [Do malaiala *adekka.*] *S. f.* Gênero de palmeira asiática cultivada em parques e jardins, da qual se extrai a goma, o palmito, o córtex, com o qual se fabricam fibras para cordas, e o coco, com que se prepara o bétele (2); arequeira.

arecal. *S. m.* Quantidade mais ou menos considerável de requeiras dispostas proximamente entre si.

arecíneo. *Adj.* Pertencente ou relativo à, ou semelhante à areca.

arecolina. *S. f. Quím.* Alcalóide, líquido, extraído da noz da areca. [Fórm.: $C_8H_{13}H_2N$.]

arecuná. *Bras. S. 2 g.* **1.** Indivíduo dos arecunás, tribo indígena caraíba, que habita as imediações do alto Rio Branco (RR). ● *Adj. 2 g.* **2.** Pertencente ou relativo a essa tribo. [F. paral.: *aricuna.*]

aredê. *Bras. S. 2 g.* **1.** Indivíduo dos aredês, tribo indígena que habitava em MG, na serra do Espinhaço. ● *Adj. 2 g.* **2.** Pertencente ou relativo a essa tribo.

areeiro. *S. m.* **1.** Vaso em que se guardava areia (1) fina para secar a escrita. **2.** Areal (1). **3.** Lugar de onde se extrai areia (1). **4.** Aquele que extrai areia. **5.** Dispositivo existente em certas locomotivas, pelo qual se pode jogar areia sobre os trilhos para melhorar as condições da aderência. **6.** *Bras., N.E.* Barco que conduz para o alto-mar areias provenientes de dragagens, no serviço dos portos. **7.** *Ind. Pap.* Canal com saliências transversais onde a massa, antes de entrar na máquina contínua, vai deixando a areia e outras impurezas sólidas que possa conter. [Cf. (nesta acepç.): *depurador.*]

areense[1]. *Adj. 2 g.* **1.** De, ou pertencente ou relativo a Areia (PB). ● *S. 2 g.* **2.** Natural ou habitante de Areia.

areense[2]. *Adj. 2 g.* **1.** De, ou pertencente ou relativo a Areias (SP) ● *S. 2 g.* **2.** Natural ou habitante de Areias.

areento. *Adj.* Arenoso (1). ~ V. *ablução —a.*

arefação. [Do lat. *arefacere,* 'secar', pelo padrão de formações análogas, como calefação.] *S. f.* Dessecação das substâncias que hão de ser reduzidas a pó.

areia. [Do lat. *arena.*] *S. f.* **1.** Partículas de rochas em desagregação que se apresentam em grãos mais ou menos finos, nas praias, leito de rios, desertos, etc. **2.** *P. ext.* A praia. **3.** Qualquer pó. **4.** Grânulos calcários da urina. **5.** *Constr.* Parte constituinte dos solos cujas partículas têm diâmetros compreendidos, aproximadamente, entre 0,02 mm e 2 mm. **6.** *Fam.* Falta de juízo; tolice, maluquice. ● *S. m.* **7.** Tonalidade de bege semelhante à cor da areia: *O areia fica muito bem em complementos.* ● *Adj. 2 g.* e *2 n.* **8.** Diz-se dessa tonalidade: *Comprei um tecido de tonalidade areia.* [Cf. *aréia.*] ♦ **Areia monazítica.** A que contém monazita. **Areia movediça.** Aquela que não oferece resistência ao peso e pode engolir pessoas, animais ou veículos que por ela transitem; areia-engolideira, areia-gulosa. **Entrar areia em.** *Bras. Gír.* Surgir algo imprevisto que vem dificultar ou impossibilitar a realização de (um plano ou algo semelhante): "Parece que *entrou areia* no programa de TV que seria estrelado no Canal 2 pelo psicanalista Eduardo Mascarenhas." ("Zózimo", *Jornal do Brasil,* 3.10.1981.) **Morder a areia. 1.** Cair sobre a areia. **2.** Enterrar-se na areia.

aréia. *Adj. (f.)* Fem. de *areu.* [Cf. *areia.*]

areia-branquense. *Adj. 2 g.* **1.** De, ou pertencente ou relativo a Areia Branca (RN e SE). ● *S. 2 g.* **2.** Natural ou habitante de Areia Branca. [Pl.: *areia-branquenses.*]

areia-engolideira. *S. f. Bras., N.* V. *areia-gulosa* (1 e 2). [Pl.: *areias-engolideiras.*]

areia-gulosa. *S. f. Bras., N.* **1.** V. *areia movediça.* **2.** Banco de areia misturada com lama, onde facilmente se atola tudo quanto por ela passa; areia-engolideira, gulosa. **2.** *Pop.* Ninfômana. [Pl.: *areias-gulosas.*]

areia-manteiga. *S. f.* Marga argilosa de certos rios. [Pl.: *areias-manteigas* e *areias-manteiga.*]

areia-preta. *S. f. Bras., MG. Pop.* V. *rapé:* "Distraído, de olhos fixos, tirou a boceta de rapé, demorou-se com ela na mão, levando .... dois dedos da *areia-preta* às ventas." (Agripa Vasconcelos, *Fome em Canaã,* p. 96.) [Pl.: *areias-pretas.*]

areias-gordas. *S. f. pl.* **1.** *Bras. Pop.* O Inferno: *Vai-te para as areias-gordas, miserável!* **2.** *Bras., BA.* Terreno arenoso onde medram, sem adubo especial, plantações de cereais e fumo.

areísco. *Adj.* e *s. m. Bras., N.E.* **1.** Areiúsca. **2.** V. *arisco* (1 e 7).

areiúsca. *S. f. Bras., BA* e *SP.* Terra misturada de areia; areísco.

arejado. [Part. de *arejar.*] *Adj.* **1.** Que se arejou. **2.** Ventilado (1): *um quarto bem arejado.* **3.** *Fig.* Diz-se de indivíduo esclarecido, que aceita o que é novo, moderno, avançado, ventilado. **4.** *Fig. Bras. Chulo.* Diz-se do pederasta passivo; ventilado, fresco. ~ V. *composição —a* e *concreto —.*

arejamento. *S. m.* **1.** Ato ou efeito de arejar(-se). **2.** Renovação do ar em um recinto, por meio de aberturas, eventualmente reforçada por chaminés de tiragem. **3.** Ventilação natural. [Sin., nessas acepç.: *arejo.*] **4.** *Bras.* Certa peste dos gados cavalar e muar. [Sin. ger.: *arejo.*]

arejar. *V. t. d.* **1.** Expor ao ar; ventilar: "Mãos invisíveis abrem as arcas e *arejam* alfaias domésticas e o fato de vestir." (Alcântara Machado, *Vida e Morte do Bandeirante,* p. 29.) **2.** Renovar o ar em; ventilar: *Abriu as janelas a fim de arejar os aposentos. Int.* **3.** Tomar novo ar, novo alento; espairecer; arejar-se: *Cansado, deixou por momentos o trabalho e saiu a fim de arejar. P.* **4.** Tomar ar; refrescar-se. **5.** Arejar (3). **6.** Constipar-se (o animal). [Conjug.: v. *pelejar.*]

arejo (ê). [Dev. de *arejar.*] *S. m.* Arejamento (1 e 2).

arena. [Do lat. *arena.*] *S. f.* **1.** Área central, coberta de areia, nos antigos circos romanos, onde combatiam os gladiadores e as feras; circo, anfiteatro. **2.** Espaço central do circo, onde se exibem os artistas; picadeiro. **3.** Terreno circular, fechado, para corridas de touros e outros espetáculos. **4.** Palco, nos teatros de arena. **5.** Estrado alto, para lutas de boxe. **6.** Lugar de debate; campo de discussão. **7.** Saibro (2).

arenã. *S. m. Bras. Pop.* V. *valentão* (3).

arenáceo. [Do lat. *arenaceu.*] *Adj.* Relativo à, ou da natureza de areia.

arenado. [Do lat. *arenatu.*] *Adj.* Coberto de areia.

arenal. [Do esp. plat. *arenal.*] *S. m. Bras., S.* Areal.

arenapolitano. *Adj.* **1.** De, ou pertencente ou relativo a Arenápolis (MT). ● *S. m.* **2.** O natural ou habitante de Arenápolis. [Cf. *arenopolitano.*]

arenária. [Do lat. *arenaria.*] *S. f.* Planta da família das ciperáceas (*Calyptrocarya sp.*), que cresce na rocha e na areia, de flores cor-de-rosa e azuis.

arenário. *Adj.* Que habita a areia.

arenático. *Adj.* e *s. m. Bras. Gír. Turfe.* Diz-se do, ou o animal que demonstra acentuada preferência por correr em pista de areia. [Cf. *gramático*[2].]

arenato. [Do lat. *arenatu.*] *Adj.* **1.** Em cuja composição entra a areia. ● *S. m.* **2.** Pedra com grãos cristalinos.

arenga. [Talvez de or. gótica.] *S. f.* **1.** Alocução, discurso. **2.** Discurso prolixo e enfadonho; aranzel, lengalenga. **3.** Alteração, disputa. **4.** *Bras.* Intriga, mexerico, enredo. **5.** *Bras.* V. *arengada.*

arengada. *S. f. Bras.* Conversa longa, fastidiosa; arenga, lengalenga.

arenga-de-mulher. *S. f. Bras., PE* e *Pl.* V. *garoa*[1] (3). [Pl.: *arengas-de-mulher.*]

arengador (ô). *Adj.* e *s. m.* Que, ou aquele que arenga.

arengar. *V. int.* **1.** Fazer arenga (1); discursar. **2.** Fazer arenga (2); discursar prolixa e enfadonhamente. **3.** Discutir, altercar, disputar: "Não conseguiram entender-se, *arengaram* azedos, iam-se atracando." (Graciliano Ramos, *Vidas Secas,* p. 82.) **4.** *Bras.* Fazer intriga; mexericar. **5.** *Bras., RS.* Não se deixar pegar (o cavalo). *T. d.* **6.** Dirigir arenga, discurso ou oração, a. *T. i.* **7.** Dirigir arenga ou discurso. **8.** Discutir, altercar, rezingar: "Essas sessões têm dado água pela barba a padre Atanásio. Aí ontem estava *arengando* com o Neves por causa das materializações." (Graciliano Ramos, *Caetés,* p. 92.) [Conjug.: v. *largar.*]

arenguear. *V. int.* e *t. i. Bras., S.* Arengar. [Conjug.: v. *frear.*]

arengueiro. *Adj.* **1.** Que discursa fastidiosamente; que faz arengas. **2.** Que gosta de altercar. **3.** *Bras.* Intrigante, mexeriqueiro. **4.** *Bras., RS.* Diz-se do cavalo que arenga. ● *S. m.* **5.** V. *leva-e-traz.*

▲**aren(i)-.** [Do lat. *arena, ae.*] *El. comp.* = 'areia': *arenito, arenícola, arenífero.*

arenícola. [De *aren(i)-* + *-cola.*] *Adj. 2 g.* e *s. 2 g.* Que ou quem vive em terreno arenoso.

arenífero. [De *aren(i)-* + *-fero.*] *Adj.* Que contém ou leva areia.

areniforme. [De *aren(i)-* + *-forme.*] *Adj. 2 g.* Semelhante à areia.

arenismo. *Bras. S. m.* **1.** O ideário da Arena (*Aliança Renovadora Nacional*), agremiação política surgida em 1965 e extinta em 1979; o programa, o espírito desse partido. **2.** Filiação a esse partido, ou simpatia por ele.

arenista. *Bras. Adj. 2 g.* **1.** Relativo à Arena, ou ao arenismo (1). **2.** Que é partidário ou simpatizante da

Arena. • *S. 2 g.* **3.** Partidário ou simpatizante dela.

arenito. [Do lat. *arena* + *-ito*[2].] *S. m. Petr.* Rocha constituída predominantemente de grãos de areia consolidados por um cimento. [Sin. desus. *grés*.]

arenopolitano. *Adj.* **1.** De, ou pertencente ou relativo a Arenópolis (GO). • *S. m.* **2.** O natural ou habitante de Arenópolis. [Cf. *arenapolitano*.]

arenoso (ô). [Do lat. *arenosu*.] *Adj.* **1.** Cheio ou coberto de areia; areento. **2.** Que tem aspecto ou cor de areia. **3.** Misturado com areia. [F. paral. (p. us.): *areoso*.]

arenque. [Do frâncico *hâring*, pelo fr. *hareng* ou pelo provenç. *arenc*.] *S. m.* V. *manjuba* (1).

arensar. [Voc. onom., provavelmente.] *V. int.* **1.** Soltar a voz (o cisne): "A Lira fulge! O cisne *arensa*!" (Martins Fontes, *Poesias*, V, p. 164.) • *S. m.* **2.** A voz dessa ave.

▲**areo-**[1]. [Do gr. *araiós, á, ón*.] *El. comp.* = 'fraco', 'tenro', 'tênue', 'débil', 'estreito', 'pouco profundo', 'raro', 'intermitente': *areômetro*.

▲**areo-**[2]. [Do gr. *Áreios, os on*.] *El comp.* = 'Marte' e, p. ext., 'guerra': *areografia*.

areocêntrico. [De *areo-*[2] + *centro* + *-ico*[2].] *Adj. Astr.* Relativo ao centro do planeta Marte. ~ V. *coordenadas —as, latitude —a* e *longitude —a*.

areocó. *S. m. Bras.* V. *vermelho-henrique*.

areografia[1]. [De *área* + *-o-* + *-graf(o)-* + *-ia*.] *S. f. Bot.* Parte da fitogeografia que se ocupa do estudo das áreas de distribuição das espécies botânicas.

areografia[2]. [De *areo-*[2] + *-graf(o)-* + *-ia*.] *S. f. Astr.* Estudo do planeta Marte.

areográfico[1]. *Adj.* Relativo à areografia[1].

areográfico[2]. *Adj.* Relativo ao disco aparente do planeta Marte. ~ V. *coordenadas —as, latitude —a* e *longitude —a*.

aréola. [Do lat. *areola*.] *S. f.* **1.** Canteiro de jardim. **2.** Círculo pigmentado em torno do mamilo; halo: "Tive como que um estremecimento ao ver aqueles dois peitinhos pontudos de *aréolas* retintas." (Fontes Ibiapina, *Congresso de Duendes*, p. 51.) **3.** *Astr.* Área brilhante entre a coroa, o halo, e o disco do Sol ou da Lua. **4.** *Med.* Círculo avermelhado, em redor de um ponto inflamatório. **5.** *Bot.* Rebordo circular à volta das pontoações dos elementos vasculares ou condutores lenhosos das plantas. **6.** *Bot.* Nas cactáceas, grupo de espinhos sobre os cladódios. **7.** *Bot.* Círculo, estreito e translúcido, em torno de manchas foliares produzidas por fungos. **8.** *Bot.* Camada mucosa que circunda os poros. **9.** *Bot.* Parte circular que, num órgão vegetal, se distingue por coloração ou estrutura diversa do restante. [Cf. *auréola*.]

areolado. [De *aréola* + *-ado*[1].] *Adj.* **1.** Provido de aréolas. **2.** Cheio de aréolas. V. *pontoação —a*. [Sin. ger.: *areolar*.]

areolar. *Adj. 2 g.* V. *areolado*. [Cf. *aureolar*.] ~V. *tecido — e velocidade —*.

areometria. [De *are(o)-*[1] + *-metr(o)-*[2] + *-ia*.] *S. f. Fís.* Técnica de medida de densidade por meio de areômetro.

areométrico. *Adj.* Relativo ao areômetro, ou à areometria.

areômetro. [De *are(o)-*[1] + *-metro*.] *S. m. Fís.* Aparelho para medição de massa específica ou de densidade de líquidos, e às vezes também de sólidos, constituído por um corpo cuja posição ao flutuar num líquido é indicadora da grandeza que se deve medir. ♦ **Areômetro de peso constante.** *Fís.* Aquele cuja massa é constante e que determina as densidades de líquidos por meio de maior ou menor imersão neles. **Areômetro de volume constante.** *Fís.* Aquele cujo volume imerso na água ou em um líquido é constante e cujo peso é, portanto, variável.

areopagita. [Do gr. *areiopagítes*, pelo lat. *areopagita*.] *S. m.* Membro do areópago.

areópago. [Do lat. *Areopagu*.] *S. m.* Tribunal ateniense, assembléia de magistrados, sábios, literatos, etc.: "Mnezarete, a divina, a pálida Frinéia, / Comparece ante a austera e rígida assembléia / Do *Areópago* supremo." (Olavo Bilac, *Poesias*, p. 77.)

areoso (ô). [Do lat. *arenosu*, por desnasalação.] *Adj. P. us.* V. *arenoso*. [Cf. *arioso*.]

areotectônica. [De *are(o)-*[2] gr. *tektoniké, i. e, téchne tektoniké*, 'arte de construir'.] *S. f.* Arte de construir fortificações, ou de fortificar um lugar.

areotectônico. *Adj.* Relativo à areotectônica.

arequeira. *S. f.* Areca.

arequena. *Bras. S. 2 g.* **1.** Indivíduo dos arequenas, tribo indígena que habitava a margem esquerda do rio Amazonas (PA), perto das cabeceiras do Trombetas. • *Adj. 2 g.* **2.** Pertencente ou relativo a essa tribo.

ares[1]. [Pl. de *ar*.] *S. m. pl.* **1.** Condições climáticas; clima: *Os ares da serra fizeram-lhe bem* **2.** V. *ar* (7): *Assume, às vezes, ares de grã-senhora*; "Era o Vidigal um homem alto, muito gordo, com *ares* de moleirão" (Manuel Antônio de Almeida, *Memórias de um Sargento de Milícias*, p. 127). ~ V. ar. ♦ **Beber os ares por. 1.** Ter extrema dedicação a. **2.** Amar apaixonadamente. [Sin. ger.: *beber os ventos por*.] **Dar ares de sua graça.** Aparecer; manifestar-se, onde era esperado ou desejado: *Há meses que Paulo não vem aqui, que não dá ares da sua graça*; "Lá-Salete é que não dá *ares de sua graça*. Naufragou, por certo, naquele mar bravo de serranias." (João da Silva Correia, *Farândola*, p. 75). **Dar uns ares de.** Ser parecido com (alguém). **Ir aos ares.** Exasperar-se, enfurecer-se; ir às nuvens. **Ir pelos ares.** Ser destruído por explosão, ou por qualquer cataclismo. **Mudar de ares.** Mudar de um lugar que não oferece boas condições à saúde, tranqüilidade, segurança, etc., por outro mais propício.

ares[2]. *S. m.* **1.** V. *Marte* (1). **2.** *mitol.* O deus da guerra, entre os antigos gregos. [Cf. *Marte* (2).]

aresense. *Adj. 2 g.* **1.** De, ou pertencente ou relativo a Arês (RN). • *S. 2 g.* **2.** Natural ou habitante de Arês.

aresta. [Do lat. *arista*, no lat. vulg. **aresta*.] *S. f.* **1.** Ângulo exterior formado por dois planos que se cortam; esquina, quina, canto[1]. **2.** Pragana (1). **3.** Coisa sem importância. **4.** Certo prego quase destituído de cabeça, muito usado pelos sapateiros e vidraceiros. **5.** *Geom.* Segmento de reta comum a duas faces adjacentes de um poliedro. ~ V. *arestas*. ♦ **Aresta de anticlinal.** *Geol.* Saliência um tanto aguda, correspondente à parte mais alta de uma dobra.

arestado. [De *aresta* + *-ado*[1].] *Adj.* Que tem arestas. [Cf. *aristado*.]

arestas. *S. f. pl.* Traços de temperamento ou de caráter próprios de pessoa de trato difícil, complicado. ~ V. *aresta*.

aresteiro. *S. m.* Jurisconsulto que, em vez de leis, alega arestos.

arestim. [Do esp. *arestín*.] *S. m.* **1.** Eczema ou tumor nos pés das cavalgaduras. **2.** *Bras.* Dermatose pruriginosa.

aresto. [Var. de *arresto*.] *S. m. Jur.* Decisão de um tribunal que serve de paradigma para solução de casos análogos; acórdão: "Tanto a praxe como a boa hermenêutica aconselhariam apresentar queixa em juízo contra o delinqüente e prosseguir na causa, julgando-a desde o sumário até *aresto* final." (Alberto Rangel, *Fura-Mundo!*, p. 155.) [Cf. *arresto*.]

arestoso (ô). [Do lat. *aristosu*.] *Adj.* Cheio de arestas; arestudo. [Cf. *aristoso*.]

arestudo. *Adj.* Arestoso.

aretino. [Do lat. *aretinu*.] *Adj.* **1.** De, ou pertencente ou relativo à Arezzo (Itália). • *S. m.* **2.** O natural ou habitante de Arezzo.

aretologia. [Do gr. *areté*, 'virtude', + *-log(o)-* + *-ia*.] *S. f. Ét.* Estudo da virtude.

aretológico. *Adj.* Relativo à aretologia.

aréu. *Adj.* Que não sabe o que fazer; embaraçado, atrapalhado, confuso. [Fem.: *aréia*.]

▲**-aréu.** *Suf. nom.* = 'aumento', 'coleção': *fogaréu, povaréu*.

arfada. *S. f.* **1.** Arfagem (1). **2.** Palpitação, ânsia, arquejo. **3.** *Astron.* Movimento de um veículo espacial em volta do eixo horizontal perpendicular ao eixo longitudinal desse veículo. **4.** *Marinh.* V. *arfagem* (2).

arfadura. *S. f. Marinh.* V. *arfagem* (2).

arfagem. *S. f.* **1.** Ato ou efeito de arfar; arfada. **2.** *Marinh.* Balanço da embarcação no sentido longitudinal, de proa a popa; arfada, arfadura. [Cf. (nesta acepç.): *caturrada* (2).]

arfante. *Adj. 2 g.* Que arfa.

arfar. *V. int.* **1.** Respirar com dificuldade; ansiar, ofegar, arquejar. **2.** Balançar, balancear, balouçar: "Tangida por brandos ventos, *arfa*, por vezes, a ramaria das árvores" (Rodrigo Otávio, *Contos de ontem e de hoje*, p. 211). **3.** Altear e baixar ritmadamente; pulsar, palpitar: "entre o alvo amículo e o lindo seio que *arfava*, escondia-se a carta do seu amante." (Camilo Castelo Branco, *Anátema*, p. 55). **4.** *Mar.* Balouçar, oscilar (a embarcação) no sentido longitudinal, erguer a proa. [Cf. (nesta acepç.): *caturrar* (2 e 3) e *jogar* (16).] *T. d.* **5.** Ter, sofrer (palpitações, emoções, etc.).

argali. [Do mongol, de *arga*, 'crista de montanha'.] *S. m.* Carneiro da Sibéria *(Ovis ammon)*.

argamandel. *S. m. Pop.* V. *trapaceiro*. [Pl.: *argamandéis*.]

argamassa. [De um el. obscuro + *massa*.] *S. f.* Mistura de um aglutinante com areia e água, empregada no assentamento de alvenaria, tijolos, ladrilhos, etc., da qual resulta uma massa de consistência mais ou menos plástica, que endurece com o tempo: "Botou o último tijolo, alisou a *argamassa*." (Marina Colasanti, *A Morada do Ser*, "Apto. 101".) ♦ **Argamassa gorda.** Aquela em que o material aglutinante (a cal, p. ex.) entra em alta proporção. **Argamassa hidráulica.** A que tem a propriedade de endurecer na água. **Argamassa magra.** Aquela em cuja preparação o material aglutinante entra em pequena quantidade; massa fraca.

argamassador (ô). *S. m.* Aquele que prepara argamassa e/ou que a aplica.

argamassar. *V. t. d.* **1.** Tapar, cobrir, rebocar, ligar ou fechar com argamassa. **2.** Amassar como se faz com a argamassa.

arganaz. *S. m.* **1.** V. *ratazana* (2). **2.** *Fam.* V. *galalau*.

arganel. *S. m.* V. *arganéu*. [Pl.: *arganéis*.]

arganéu. [Var. de *arganel*, do esp. *arganel*.] *S. m. Constr. Nav.* Peça de ferro, geralmente de forma circular, porém às vezes em forma de triângulo ou de oito, presa em um olhal, para engatar talha, amarra ou espia: *arganéu da âncora; arganéu da bóia*.

argau. *S. m.* Tubo de folha ou de cana, com que se extraem líquidos das vasilhas.

argel. [Do ár *arjal*.] *Adj. 2 g.* **1.** Diz-se dos eqüídeos cujos pés traseiros são brancos. **2.** *Bras., N.* e *N.E.* Descuidado, desmazelado. [Pl.: *argéis*.]

argeliano. *Adj.* e *s. m.* Argelino[1].

argelino[1]. *Adj.* **1.** Da, ou pertencente ou relativo à Argélia (África). • *S. m.* **2.** O natural ou habitante da Argélia. **3.** O dialeto árabe falado na Argélia. [Sin. ger.: *argeliano*.]

argelino[2]. *Adj.* **1.** De, ou pertencente ou relativo a Argel (Argélia). • *S. m.* **2.** O natural ou habitante de Argel.

árgema. [Do gr. *árgema*, pelo lat. *argema*.] *S. m. Patol.* Úlcera branca da córnea.

argemona. [Do gr. *argemóne*, pelo lat. *argemone*.] *S. f. Bot.* Gênero de plantas da família das papaveráceas, de origem mexicana, cujo látex fornece um colírio.

argentado. [Do lat. *argentatu*.] *Adj.* Prateado (1) ~ V. *papel —*.

argentador (ô). *Adj.* e *s. m.* Que ou aquele que argenta; prateador.

argentão. [Do fr. *argentan* ou *argenton*.] *S. m.* Liga de cobre, níquel e estanho.

argentar. [De *argento* + *-ar*[2].] *V. t. d.* **1.** Tornar da cor da prata; pratear, argentear: " 'Pensas acaso no morrer da lua / Que além se esconde e *argenta* as folhas negras / Dos silvosos cabeços da montanha?' " (Álvares de Azevedo, *Obras Completas*, I, p. 510.) **2.** Dar banho de prata em; cobrir com prata; pratear. [Fut. pret.: *argentaria*, etc. Cf. *argentária*, fem. de *argentário* (q. v.).]

argentaria. [De *argento* + *-aria*.] *S. f.* Guarnição, talheres ou baixelas de prata. [Cf. *argentária*, fem. de *argentário* (q. v.).]

argentário. [Do lat. *argentariu*.] *S. m.* **1.** Guarda-pratas. **2.** Indivíduo muito rico; milionário. [Fem. (na 2ª acepç.): *argentária*. Cf. *argentaria*, do v. *argentar* e s. f.]

argentear. *V. t. d.* V. *argentar* (1): "à calada da noite, quando a lua passeava no céu *argenteando* os campos, e a brisa rugitava nos palmares." (José de Alencar, *Iracema*, p. 50). [Conjug.: v. *frear*.]

argênteo. [Do lat. *argenteu*.] *Adj.* **1.** Prateado, argentino[1]: "todo inundado dos fluidos do luar *argênteo*, o céu parecia absorver em si a luz das estrelas" (Sabóia Ribeiro, *Contos do Cacau*, p. 135). **2.** Feito de prata; argentino. **3.** Argentino[1] (2): "Duma sereia começava a ouvir / A *argêntea* voz, que lhe tirava o sono" (Eugênio de Castro, *Obras Poéticas*, V, p. 83). **4.** *Bot.* Diz-se das folhas com pêlos seríceos adpressos: *A imbaúba carioca tem folhas argênteas*. [Sin. ger.: *argentino*.]

▲**argenti-.** [Do lat. *argentum, i*.] *El. comp.* = 'prata': *argentino, argentífero*.

argentífero. [De *argenti-* + *-fero*.] *Adj.* Que contém prata.

argentifoliado. [De *argenti-* + *foliado*.] *Adj. Bot.* Argentifólio.

argentifólio. [De *argenti-* + *-folio*.] *Adj. Bot.* Que tem folhas prateadas; argentifoliado.

argentino[1]. [Do lat. *argentinu*.] *Adj.* **1.** V. *argênteo* (1 e 2). **2.** De timbre fino como o da prata (voz, som); argênteo: "A voz *argentina* da senhora começou a dizer as primeiras palavras; era uma demanda." (Machado de Assis, *Quincas Borba*, p. 116.)

argentino[2]. *Adj.* **1.** Da, ou pertencente ou relativo à República Argentina (América do Sul). ~ V. *tango* —. • *S. m.* **2.** O natural ou habitante da Argentina.

argentita. [De *argenti-* + *-ita*[3].] *S. f. Min.* Mineral monométrico, sulfeto de prata, um dos minérios de prata mais preciosos e ricos.

argento. [Do lat. *argentu.*] *S. m. Ant.* Prata (1). ♦ **Salso argento.** *Poét.* O mar.

argento-vivo. [Do lat. *argentu vivum.*] *S. m.* Azougue (1). [Pl.: *argentos-vivos.*]

▲**-argia.** [Do gr. *argía, as.*] *El. comp.* = 'inanição': *hepatargia.*

argila. [Do gr. *árgilos*, pelo lat. *argilla.*] *S. f.* **1.** *Min.* Designação comum a silicatos de alumínio hidratados, que constituem os minerais ditos argilosos. **2.** *Pet.* Sedimento clástico predominantemente constituído por fragmentos inferiores a dois micros de diâmetro, e que, conforme o mineral argiloso existente, pode ser plástico; barro. [Cf. *grega.*] **3.** Essa argila que, quando fofa e gordurosa, pode ser amassada com água e modelada, donde seu uso por escultores e ceramistas; barro. **4.** *Fig.* Fragilidade. ♦ **Argila gorda.** Aquela em que predomina a alumina, e que por isso é mais plástica, razão pela qual os produtos cerâmicos que delas se obtêm estão geralmente mais sujeitos a deformações. **Argila magra.** Aquela em que predomina a sílica, e que fornece produtos cerâmicos mais porosos e quebradiços.

argiláceo. [Do lat. *argillaceu.*] *Adj.* Argiloso.

argileira. *S. f.* Lugar donde se extrai a argila; barreira.

▲**argil(i)-.** [Do lat. *argila, ae.*] *El. comp.* = 'argila': *argiláceo* (< lat. *argillaceu*), *argilífero, argiliforme.*

argilífero. [De *argil(i)-* + *-fero.*] *Adj.* Que contém argila.

argiliforme. [De *argil(i)-* + *-forme.*] *Adj. 2 g.* Argilóide.

▲**argil(o)-.** [Do gr. *árgilos, ou.*] *El. comp.* = 'argila': *argilóide.*

argilóide. [De *argila* + *-óide.*] *Adj. 2 g.* Semelhante a argila; argiliforme.

argiloso (ô). [Do lat. *argillosu.*] *Adj.* **1.** Da natureza da argila. **2.** Que contém argila em abundância. [Sin. ger.: *argiláceo.*]

arginase. [De *argen(tum)*, 'prata', + *-ase.*] *S. f.* Enzima existente no fígado e que decompõe a arginina.

arginina. [De *argen(tum)*, 'prata', + *-ina.*] *S. f. Quím.* Aminoácido essencial ao organismo, cristalino, com importante papel fisiológico. [Fórm.: $C_6H_{14}O_2N_4$.]

argiopídeo. *S. m.* **1.** Espécime dos argiopídeos. ● *Adj.* **2.** Pertencente ou relativo a eles.

argiopídeos. *S. m. pl. Zool.* Aracnídeos araneídeos de abdome grande e patas longas, encontrados nas regiões temperadas e quentes do globo, e conhecidos vulgarmente como *aranhas-de-jardim.*

argirântemo. [De *argir(o)-* + *-antemo.*] *Adj.* Argirofilo.

argírico. [Do gr. *argyrikós.*] *Adj.* Relativo à prata.

argirismo. [De *argir(o)-* + *-ismo.*] *S. m. Patol.* Distúrbio de coloração de pele, conjuntiva e órgãos internos, que se apresentam permanentemente de cor acinzentada. Decorre do uso continuado de sais de prata.

▲**argir(o)-.** [Do gr. *árgyros, ou.*] *El. comp.* = 'prata': *argirântemo, argirócomo.*

argirócomo. [De *argir(o)-* + *como.*] *Adj.* Diz-se de cometa que tem cabeleira branca.

argirofilo. [De *argir(o)-* + *-filo*[1].] *Adj.* Provido de folhas argênteas; argirântemo.

argirose. [De *argir(o)-* + *-ose.*] *S. f.* Doença das plantas que dá aparência prateada aos órgãos afetados, e que se deve ao ataque de certos fungos ou, mesmo, à infestação por insetos.

argivo. [Do lat. *argivu.*] *Adj.* **1.** De, ou pertencente ou relativo a Argos, antiga cidade do Peloponeso (Grécia). **2.** *Poét.* Grego (1). ● *S. m.* **3.** *Poét.* Grego (4).

argo. [Do gr. *Argo.*] *S. f.* Vasta constelação austral habitualmente designada pelo nome de *Navio* e que se divide em quatro sub-regiões: *Carina* ou Proa, *Puppis* ou Popa, *Vela*, e *Pyxis Nautica* ou Bússola.

argô. *S. m.* V. *argot.*

argol. *S. m. Quím.* O bitartarato de potássio impuro que se obtém na fermentação de mosto de uva. [Pl.: *argóis.*]

argola. [Do ár. *al-gullâ.*] *S. f.* **1.** Anel metálico para prender ou puxar qualquer coisa. **2.** *P. ext.* Qualquer objeto em forma de argola. **3.** Golilha (1). **4.** Aldrava em forma de anel. ~ V. *argolas.*

argolaço. *S. m. Bras., RS.* **1.** Argola grande e/ou vistosa. **2.** Argolada.

argolada. *S. f.* Pancada com argola (4), na porta ou no portão. [Sin., no RS: *argolaço.*]

argolado. [Part. de *argolar.*] *Adj.* Que tem argola.

argolão. [Aum. de *argola.*] *S. m.* Anel inteiriço e grosso, com pedra ou sem ela, e geralmente com escudo e monograma.

argolar. *V. t. d.* **1.** Prender com argolas. **2.** Munir de argolas. [Pres. ind.: *argolo*, etc. Cf. *Argolo* (ô), antr.]

argolas. [Pl. de *argola.*] *S. f. pl.* Arrecadas. ~ V. *argola.*

argoleiro. *S. m.* Fabricante e/ou vendedor de argolas.

argolinha. [Dim. de *argola.*] *S. f.* **1.** Certo jogo popular que lembra a justa medieval. **2.** Massa com feitio de argola para sopa. **3.** Biscoito pequeno, com feitio de argola.

argonaço. *Adj. Bras.* **1.** Irascível, irritadiço, zangadiço. **2.** Atrevido, insolente.

argonauta. [Do gr. *argonaútes*, pelo lat. *argonauta.*] *S. m.* **1.** Tripulante lendário da nau mitológica Argo. **2.** *Por ext.* Navegador ousado. **3.** Molusco cefalópode, dibranquiado, octópode, da família dos argonautídeos (*Argonauta argo* L.), do Mediterrâneo e mares quentes, e que chega até a costa do Brasil. Apenas a fêmea, maior que o macho, apresenta concha externa, tendo também dois braços com dilatação apical que lhe serve de vela para locomoção. O macho tem um dos braços muito mais desenvolvido que os demais, o qual atua como portador de espermatóforos, e se destina à fecundação. Passa o dia no fundo do mar, tornando-se ativo à noite, quando sobe à superfície.

argonáutico. *Adj.* Referente aos argonautas.

argonautídeo. *S. m.* **1.** Espécime dos argonautídeos. ● *Adj.* **2.** Pertencente ou relativo a eles.

argonautídeos. *S. m. pl. Zool.* Importante família de moluscos cefalópodes que apresenta machos pequenos e fêmeas muito grandes, conhecidos como *argonautas* por causa da belíssima concha secretada pela fêmea, com ornamentos variados, e que serve de proteção ao órgão ovipositor. Dos mares quentes, principalmente o Mediterrâneo.

argônio. [Do gr. *árgon*, 'inativo', + *-io.*] *S. m. Quím.* Gás nobre, de número atômico 18, incolor e inodoro, encontrado na atmosfera terrestre, e utilizado no enchimento de lâmpadas elétricas. [Simb.: *Ar* e *a*[1] (6) [q. v.].

argos. [De *Argos*, mit.] *S. m. 2 n.* **1.** *Mitol.* Personagem de cem olhos. **2.** *Fig.* Pessoa de vista penetrante. **3.** Pessoa perspicaz, sagaz.

➧**argot** (gô). [Fr.] *S. m.* Gíria; calão.

argúcia. [Do lat. *argutia.*] *S. f.* **1.** Agudeza de espírito. **2.** Sutileza de raciocínio ou de argumentação. [Cf. *argucia*, do v. *arguciar.*]

arguciar. *V. int.* e *t. i.* Usar de argúcia. [Pres. ind.: *argucio, argucias, argucia*, etc. Cf. *argúcia.*]

argucioso (ô). *Adj.* **1.** Que usa de argúcia. **2.** Que encerra argúcia: *razões arguciosas.*

argueireiro. *Adj.* **1.** Que procura argueiros [v. *argueiro* (1)]. **2.** *Fig.* Que se preocupa com argueiros [v. *argueiro* (2)], com minúcias ou sutilezas; minucioso.

argueiro. *S. m.* **1.** Partícula leve, separada de qualquer corpo; grânulo, cisco: "Ver o *argueiro* nos olhos dos outros e não ver a trave nos seus" (prov.). **2.** *Fig.* Coisa insignificante, de pouca monta. ♦ **Fazer de um argueiro um cavaleiro.** Emprestar muita importância a coisa insignificante.

argüente. [Do lat. *arguente.*] *Adj. 2 g.* e *s. 2 g.* Que ou quem argúi ou argumenta; argumentante, argumentador.

argüição. *S. f.* **1.** Ato ou efeito de argüir(-se). **2.** *P. ext.* Exame (2) oral. **3.** Alegação, argumentação.

argüido. [Part. de *argüir.*] *Adj.* e *s. m.* Que ou aquele que se submeteu a argüição.

argüidor (ô). *S. m.* Aquele que argúi; examinador.

argüir. [Do lat. *arguere.*] *V. t. d.* **1.** Repreender, censurar, criminar, verberar, condenar com argumentos ou razões: *Argüiu o filho, demonstrando-lhe a sua insensatez;* "Ninguém nos lisonjeia tanto como o nosso amor-próprio, nem nos *argúi* com mais perseverança do que a própria consciência" (Marquês de Maricá, *Máximas, Pensamentos e Reflexões*, p. 42). **2.** Revelar, inculcar, demonstrar: "A sisudeza do semblante *argüía* o incômodo da consciência." (Camilo Castelo Branco, *A Queda dum Anjo*, p. 158.) **3.** Examinar questionando ou interrogando: *Na prova oral, o professor argúi os alunos.* **4.** Impugnar, combater com argumentos. *T. d. e i.* **5.** Acusar, censurar, criminar, condenar: "— Perdoa-me — disse ele, beijando-a com estremecimento. — Não me lembres o que sofreste, que eu cuidarei que me *argúis* de ingrato." (Camilo Castelo Branco, *O Bem e o Mal*, p. 109); "Por mais de uma vez o *argüiram* [a Artur Azevedo] de haver-se abastecido na fonte alheia ao urdir a anedota de um conto." (Josué Montelo, *Artur Azevedo e a Arte do Conto*, p. 53.) **6.** Examinar, questionar ou interrogando. *T. i.* **7.** Argumentar, contender, disputar. *Transobj.* **8.** Acusar, acoimar: *Argüíram-no de covarde.* **9.** Qualificar, tachar. *Int.* **10.** Argumentar, contender, disputar. **11.** Examinar um aluno ou concorrente, questionando ou interrogando: "Tobias fazia parte de uma banca examinadora. Ao chegar a sua vez de *argüir*, dissertou sobre o ponto." (Hermes Lima, *Tobias Barreto*, p. 245.) *P.* **12.** Acusar-se de falta; dar-se por convencido de algum erro. [O *u* perde o trema, ou o tem substituído pelo acento agudo, na 2ª e 3ª pess. do sing., e na 3ª do pl. do pres. do ind. (*arguo* [ú], *argúis, argúi, argúem*), no pres. do subj. (*argua* [ú], etc.) e no imperat., exceto a 2ª pess. do pl.: *argúi, argua* [ú], *arguamos, arguam* [ú].]

argüitivo. *Adj.* **1.** Que encerra argüição. **2.** Acusatório, condenatório.

argüível. *Adj. 2 g.* Que pode ser argüido. [Pl.: *argüíveis.*]

argumentação. [Do lat. *argumentatione.*] *S. f.* **1.** Ato ou efeito de argumentar. **2.** Conjunto de argumentos. **3.** Discussão, controvérsia.

argumentador (ô). [Do lat. *argumentatore.*] *Adj.* e *s. m.* **1.** Que, ou aquele que argumenta. **2.** V. *argüente.*

argumentante. [Do lat. *argumentante.*] *Adj. 2 g.* e *s. 2 g.* V. *argüente.*

argumentar. [Do lat. *argumentare.*] *V. int.* **1.** Apresentar argumentos; aduzir os raciocínios que constituem uma argumentação. **2.** Discutir, altercar: *Argumentaram toda a noite, sem chegar a conclusão. T. i.* **3.** Tirar ilações; deduzir, concluir. **4.** Apresentar argumentos; sustentar controvérsias: *Não argumentou contra o mestre. T. d. e i.* **5.** Pregar, ensinar: "— Basta... Eu não concebo que me argumentem moral... Tenho descido da minha dignidade em ouvir-te..." (Camilo Castelo Branco, *Anátema*, p. 54.) *T. d.* **6.** Apresentar como argumento; alegar: *Argumentou que ia mal de finanças.*

argumentativo. *Adj.* Que envolve argumento.

argumentista. *S. 2 g.* Pessoa que escreve argumento (6) para cinema: "Gianfrancesco Guarnieri, *argumentista* e ator, reconheceu que teve de fazer mudanças na peça em que se baseou o filme" (Jornal do Brasil, 7.9.1981).

argumento. [Do lat. *argumentu.*] *S. m.* **1.** Raciocínio pelo qual se tira uma conseqüência ou dedução. **2.** Indício, vestígio. **3.** Assunto, tema, enredo. **4.** Sumário, resumo. **5.** Discussão, contenda, altercação. **6.** *Cin.* História especialmente preparada para cinema: *O filme tem ótimo argumento.* **7.** *Anál. Mat.* Variável independente. **8.** *Mat.* Ângulo que, num diagrama, de Argand, o vetor representativo de um complexo faz com o eixo real. **9.** *Geom. Anal.* V. *ângulo polar.* ♦ **Argumento *ad hominem*.** Argumento com que se confunde um adversário opondo-lhe suas próprias palavras ou ações. **Argumento *ad judicium*.** Argumento fundamentado na opinião corrente ou no senso comum. **Argumento baculino.** *Hist. Filos.* **1.** Argumento que consiste em pretender provar a existência do mundo exterior golpeando o solo, ou mesmo aquele com quem se argumenta, com um bastão. **2.** *P. ext.* Demonstração ou refutação de uma tese filosófica por meio de uma ação material, como, p. ex., mover-se, para provar aos que negam a possibilidade do movimento que este existe. **3.** Imposição de uma tese com base no medo ou na timidez do adversário em face da superioridade física de quem argumenta. **Argumento da autoridade.** *Filos.* V. *apelo ao respeito.* **Argumento da latitude.** *Astr.* Ângulo medido sobre a órbita de um astro, na direção de seu movimento, a partir do nodo ascendente. É a soma do argumento do periastro [q. v.] com a anomalia verdadeira [q. v.]. **Argumento de periélio.** *Astr.* Arco de círculo máximo, da esfera celeste, contado no sentido positivo, do nodo ascendente até o periélio. **Argumento do periastro.** *Astr.* Distância angular medida sobre o plano da órbita, entre a linha dos nodos e a linha dos apsides. **Levar um argumento.** *Bras. Gír.* Ter diálogo; manter conversação; tratar um assunto.

arguto. [Do lat. *argutu.*] *Adj.* **1.** De espírito vivo, engenhoso, sutil. **2.** Argucioso, perspicaz. **3.** De som afinado e agudo; canoro.

ária[1]. [Do it. *aria.*] *S. f.* **1.** Peça de música para uma só voz: "Entrou.... cantarolando não sei que *ária* do seu repertório italiano." (José de Alencar, *Diva*, p. 198.) **2.** Melodia, cantiga. **3.** Parte que exprime o sentimento inspirado pelo assunto da cantata. [Cf. *área.*]

ária[2]. *S. 2 g.* **1.** Indivíduo dos árias, os mais antigos antepassados que se conhecem da família indo-européia. ● *Adj. 2 g.* **2.** Pertencente ou relativo aos árias. [Cf. *área.*]

▲**-aria.** *Suf. nom.* = 'atividade', 'estabelecimento comercial', 'ramo de negócio'; 'coleção'; 'ação própria de certos indivíduos': *cavalaria, chapelaria, leitaria, pedraria, bruxaria, infantaria, patifaria, gritaria.* [Equiv.: *-eria: leiteria, infanteria, sorveteria.*]

ariá. [Do tupi *ari'á.*] *S. f. Bras.* **1.** Cauaçu (1). **2.** Uariá.

ariacó. [De or. indígena.] *S. m. Bras., CE.* Certo peixe.

ariana. *S. 2 g.* e *adj. 2 g. Bras.* V. *adzâneni.*

arianismo. [De *ariano*[1] + *-ismo.*] *S. m.* Doutrina de

Ário, famoso heresiarca de Alexandria (280-336), segundo a qual era Cristo uma criatura de natureza intermediária entre a divindade e a humanidade.
ariano¹. [Do lat. *arianu*.] *S. m.* Sectário do arianismo.
ariano². [De *Áries* + *-ano*.] *S. m.* **1.** Indivíduo nascido sob o signo de Áries. ● *Adj.* **2.** Diz-se de, ou pertencente ou relativo a ariano³ (1).
ariano³. [De *ária* + *-ano*.] *Adj.* **1.** Relativo ou pertencente aos árias. **2.** Da raça dos árias. **3.** Entre os modernos teóricos do racismo alemão, diz-se dos europeus de raça supostamente pura, descendentes dos árias, sem ascendência judaica. ● *S. m.* **4.** Indivíduo ariano. **5.** A língua falada pelos árias.
ariauá (i-au). [De or. indígena, decerto.] *S. f. Bras.* Planta amazonense da família das voquisiáceas (*Qualea grandiflora*).
ariaucane. *Bras. S. 2 g.* **1.** Indivíduo dos ariaucanes, tribo indígena do AM que habitava as imediações do rio Madeira. ● *Adj. 2 g.* **2.** Pertencente ou relativo a essa tribo.
ariaxé. *S. m. Bras., BA. Folcl.* Banho ritual, de folhas, pela madrugada, durante o noviciado nos candomblés nagôs. [Cf. *maionga*.]
aribé. *S. f. Bras., BA.* Grande frigideira de barro, usada na região são-franciscana.
aricá. *S. m.* Moeda de cobre que corria em Goa e Damão.
aricapu. *Bras. S. 2 g.* **1.** Indivíduo dos aricapus, tribo indígena da bacia do Guaporé, que tem na sua língua muitos elementos jês. ● *Adj. 2 g.* **2.** Pertencente ou relativo a essa tribo.
aricó. *S. m. Bras.* V. *vermelho-henrique*.
aricoboé. *Bras. S. 2 g.* **1.** Indivíduo dos aricoboés, tribo indígena de GO. ● *Adj. 2 g.* **2.** Pertencente ou relativo a essa tribo.
aricuiá. *S. f. Bras.* V. *dedal* (3).
aricuí. *S. f. Bras.* V. *aricuri*.
aricuna. *S. 2 g.* e *adj. 2 g. Bras.* Arecunã.
aricungo. *S. m. Bras., SC. Pop.* Cavalo sem serventia.
aricurana. *S. f. Bras.* V. *urucurana* (1).
aricuri. [Do tupi *ariku'ri*.] *S. m. Bras.* Planta da família das palmeiras (*Cocos coronata*), de drupas comestíveis, cuja medula fornece fécula e cuja semente fornece óleo alimentar. [Var.: *alicuri, aricuí, iricuri, uricuri, ouricuri, licuri, nicuri*; sin.: *urucuriiba, coco-cabeçudo, coqueiro-cabeçudo, butiá, butiazeiro, licurizeiro*.]
aricuriroba. [Do tupi *aricuri'roba*, 'aricuri amargo'.] *S. f. Bras.* Planta da família das palmeiras (*Arikuryroba capanemae*), de flores de pétalas coriáceas e fruto drupáceo subgloboso, amarelo, comestível. Ocorre na BA e SE. [Var.: *nicuriroba, uricuriroba*.]
aridez (ê). *S. f.* **1.** Qualidade ou estado de árido. **2.** Aspereza, rudeza. **3.** *Fig.* Falta de amenidade, suavidade, brandura, sensibilidade, etc. **4.** *Geol.* Estado atmosférico observável quando, em determinada área, a evaporação é superior às precipitações.
árido. [Do lat. *aridu*.] *Adj.* **1.** Sem umidade; seco: *clima á r i d o.* **2.** V. *estéril* (1): *terra á r i d a.* **3.** *Fig.* Duro, insensível: *Seu á r i d o coração não se comove nunca.* **4.** *Fig.* Desagradável, fastidioso: *conversa á r i d a.* **5.** De compreensão difícil; pouco ameno: *assunto á r i d o.*
arielesco (ê). [De *Ariel*, espírito do ar em *A Tempestade*, de Shakespeare (v. *shakespeariano*), + *-esco*.] *Adj. Poét.* Doce, suave; espiritual: "Mas Alceu insiste no artigo admirável, em que evoca a figura a r i e l e s c a de Kopke, na infelicidade da infância." (Antônio Carlos Vilaça, *O Desafio da Liberdade*, p. 24.)
Áries. [Do lat. *Aries*, 'carneiro'.] *S. f.* **1.** *Astr.* A primeira constelação do zodíaco, situada no hemisfério norte a 2h 30 min de ascensão reta e 13º de declinação norte. [Há mais de 2.000 anos a. C., o ponto vernal estava em Áries, mas, em virtude da precessão dos equinócios, agora se encontra nos Peixes, mantendo-se por tradição, entretanto, a situação de Áries como primeira constelação. Sin. (p. us.): *Carneiro*.] **2.** *Astrol.* O primeiro signo do Zodíaco, relativo aos que nascem entre 21 de março e 19 de abril.
arieta (ê). [Do it. *arietta*.] *S. f. Mús.* **1.** Pequena melodia, de caráter amável, mas de estrutura semelhante à da ária, e que se encontra na ópera ligeira ou na cantata. **2.** Curta melodia vocal que se aproxima da romança.
aríete. [Do lat. *ariete*.] *S. m.* **1.** Antiga máquina de guerra para abater muralhas [Cf. *vaivém* (3)]:"a r í e t e s poderosos procuravam aluir a muralha, marrando e tornando a marrar os grossos silhares e juntoiros, ao passo que turmas de mineiros buscavam a raiz dos alicerces para provocar o desmoronamento." (Aquilino Ribeiro, *Os Avós dos Nossos Avós*, p. 115). **2.** Máquina para elevar água, acionada pela própria água. [Sin.: *Carneiro hidráulico* ou apenas *carneiro*.] **3.** *Constr. Nav.* Esporão (4). [É comum a pronúncia *ariete* (ê).]
arietino. [Do lat. *arietinu*.] *Adj.* **1.** Relativo ou pertencente a aríete. **2.** Relativo a carneiro¹ (1).
arigbóia. [Do tupi.] *S. f. Bras., AM.* V. *sucuri* (1).
arigó. *S. m.* **1.** *Bras.* Cassaco (2). **2.** *Bras., RJ* e *C.O.* Indivíduo rústico; matuto, caipira.
arigó-da-vazante. *S. m. Bras., PB. Pop.* V. *tolo* (8). [Pl.: *arigós-da-vazante*.]
arigofe. *S. m. Bras., BA.* **1.** Homem preto. **2.** Símbolo de antigo terno-de-reis, representado por um boneco preto.
ariini. *Bras. S. 2 g.* **1.** Indivíduo dos ariinis, tribo indígena que habita as imediações do rio Negro (AM). ● *Adj. 2 g.* **2.** Pertencente ou relativo a essa tribo. [F. paral.: *araini* e *airini*.]
▲-aril. *Quím. El.comp.* designativo do radical que se obtém retirando um hidrogênio de um hidrocarboneto aromático.
arilado. [De *arilo* + *-ado*¹.] *Adj. Bot.* Provido de arilo.
arilo. [Do it. *arillo*, atr. do lat. botânico *arillus*.] *S. m. Bot.* Designação comum às excrescências observadas na superfície de muitas sementes, como a noz-moscada, a mamona, etc. O arilo pode ser piloso, como no algodoeiro e na paineira.
arilocarpo. *S. m. Bot.* Nas taxáceas, semente envolvida por uma espécie de arilo carnoso e às vezes fortemente colorido.
arilódio. *S. m. Bot.* Tecido semelhante ao arilo, formado pelos tegumentos, em torno da micrópila.
arilóide. [De *arilo* + *-óide*.] *Adj. 2 g. Bot.* **1.** Semelhante ao arilo. ● *S. m.* **2.** Pequeno arilo, encontrado em muitas sementes.
arimã. [Do sânscr.] *S. m. Filos.* O princípio do mal, origem da morte e da desordem. [Opõe-se a *aúra-masda* (q. v.). V. *masdeísmo*.]
arimaru. [De provável or. indígena.] *S. f. Bras., Amaz.* Planta arbustiva da família das loganiáceas (*Strychnos cogens*), de ramos sarmentosos, folhas opostas, de pecíolo curto, lanceoladas, grandes, acuminadas, flores dispostas em panículas axilares pilosas, e cujo fruto é uma baga amarela.
arimbá. [De provável or. indígena.] *S. m. Bras.* Boião de barro vidrado onde se guardam doces em calda.
arimética. *S. f.* Var. de *aritmética* [q. v.].
arimético. *Adj.* e *s. m.* Var. de *aritmético* [q. v.]
ariná. *Bras. S. 2 g.* **1.** Indivíduo dos arinás, tribo indígena das imediações do rio Negro (AM). ● *Adj. 2 g.* **2.** Pertencente ou relativo a essa tribo.
arincobdélido. *S. m.* e *adj.* Gnatobdélido.
arincobdélidos. *S. m. pl. Zool.* Gnatobdélidos.
aringa. *S. f.* Campo fortificado, reduto dos sobas africanos.
arino. *Bras. S. m.* **1.** Indivíduo dos arinos, tribo indígena das cabeceiras do rio Arinos (MT). ● *Adj.* **2.** Pertencente ou relativo a essa tribo. [Var. pros.: *arinó*.]
arinó. *S. 2 g.* e *adj. 2 g. Bras.* Var. pros. de *arino*.
arinque. [Do neerl. *ooring*. 'brinco de orelha'.] *S. m.* — **1.** *Bras; SC.* Espécie de espinhel. **2.** *Marinh.* Linha que prende o ferro a uma bóia para indicar a posição daquele quando se encontra fundeado.
arinta. *S. f.* Arinto.
arinto. *S. m.* **1.** Casta de uva branca, para vinho. **2.** O vinho feito com essa uva. [F. paral.: *arinta*.]
▲-ário. [Do lat. *-ariu-*] *Suf. nom.* = 'profissão', 'ofício', 'ocupação'; 'lugar onde se guardam coisas'; 'coleção'; 'relação', 'posse', 'origem'; 'árvore', 'arbusto'; 'intensidade'; 'objeto de uso': *operário* (< lat. *operariu*), *bancário; vestiário* (< lat. *vestiariu*); *rimário, anedotário; partidário, calcário* (< lat. *calcariu*). [Equiv.: *-eiro*: *barbeiro, copeiro, açucareiro, tinteiro; formigueiro, viveiro* (< lat. *vivariu*); *caseiro, mineiro; abacateiro*; fem. (de *-eiro*): *-eira*: *copeira, laranjeira, coleira, pulseira*; *-ério*: *elastério*.
ariocó. [De or. indígena.] *S. m. Bras. ES.* V. *vermelho-henrique*.
arioso (ô). [Do it. *arioso*.] *S. m. Mús.* **1.** Fragmento melódico que, por sua estrutura, se situa entre o recitativo e a ária propriamente dita. **2.** Ária de sentimento patético e profundo. [Cf. *areoso*.]
aripaquitsa. *Bras. S. 2 g.* **1.** Indivíduo dos aripaquitsas, tribo indígena pertencente à família lingüística jê, com cerca de 300 indivíduos, localizados no vale do rio Juruna, aproximadamente a 200 km descendo da desembocadura do rio Arinos, em MT. ● *Adj. 2 g.* **2.** Pertencente ou relativo a esta tribo.
aripar. [De *aripo* + *-ar*².] *V. int.* Cavar e joeirar a areia das ostreiras a fim de recolher pérolas ou aljôfares.
aripeiro. *S. m.* Aquele que aripa.
aripo. [Do malaiala *arippo*.] *S. m.* Ato ou tarefa de aripar.
aripuanense¹. *Adj. 2 g.* **1.** De, ou pertencente ou relativo a Aripuanã (MT). ● *S. 2 g.* **2.** Natural ou habitante de Aripuanã.
aripuanense². *Adj. 2 g.* **1.** De, ou pertencente ou relativo a Novo Aripuanã (AM). ● *S. 2 g.* **2.** Natural ou habitante de Novo Aripuanã.
ariqueme. *Bras. S. 2 g.* **1.** Indivíduo dos ariquemes, tribo indígena que habita as imediações do rio Jamari, afluente do Madeira. ● *Adj. 2 g.* **2.** Pertencente ou relativo a essa tribo.
ariquena. *Bras. S. 2 g.* **1.** Indivíduo dos ariquenas, tribo indígena que habita as margens do rio Madeira. ● *Adj. 2 g.* **2.** Pertencente ou relativo a essa tribo.
ariramba. [Do tupi *ari'rãba*.] *S. f. Bras., Amaz.* V. *martim-pescador*.
ariramba-da-mata. *S. f. Bras.* V. *ariramba-da-mata-virgem*. [Pl.: *arirambas-da-mata*.]
ariramba-da-mata-virgem. *S. f. Bras.* Designação comum a várias espécies de aves piciformes, da família dos galbulídeos, especialmente dos gêneros *Uregalba* Bon., *Galbula* Briss. e *Brachygalba* Bon., das matas virgens brasileiras. Têm aspecto de arirambas ou de beija-flores, com bico fino, longo, cores muito brilhantes, de tom metálico, verde ou azul, com variados matizes; alimentam-se exclusivamente de insetos. [Sin.: *ariramba-da-mata, beija-flor-da-mata, beija-flor-da-mata-virgem, beija-flor-do-mato-virgem, beija-flor-grande, cavadeira, cutielão, jacaió, jacamaici, jacamar, jacamarici, uirapiana*. Pl.: *arirambas-da-mata-virgem*.]
ariramba-grande. *S. f. Bras.* V. *martim-pescador-grande*. [Pl.: *arirambas-grandes*.]
ariramba-miudinha. *S. f. Bras.* Ariramba-miudinho.
ariramba-miudinho. *S. m. Bras., Amaz.* **1.** Ave alcedinídea (*Chloroceryle inda* L.), conhecida em quase todo o Brasil, e que se estende para o N. até a Nicarágua. Coloração verde-bronzeado escura na parte superior do corpo; rêmiges e cauda pintadas de branco; fita nucal e parte inferior do corpo, cor de ferrugem. **2.** Ave alcedinídea (*Chloroceryle aenea* Pallas), que apresenta fita nucal e garganta vermelho-amareladas. [Sin.: *ariramba-miudinha*. Pl.: *arirambas-miudinhos*.]
ariramba-pequena. *S. f. Bras.* Martim-pescador-pequeno. [Pl.: *arirambas-pequenas*.]
ariramba-pintada. *S. f. Bras., Amaz.* Martim-pescador-pintado. [Pl.: *arirambas-pintadas*.]
ariramba-verde *S. f. Bras. Amaz.* Espécie de martim-pescador conhecida em quase toda a América meridional, América Central e L. do México (*Chloroceryle amazona* (Lath.)), de coloração dorsal verde-bronzeada, cauda e rêmiges pintadas de branco, garganta, fita nucal e barriga brancas, peito ferrugíneo. A fêmea é idêntica ao macho, mas tem o peito branco, pintado de verde. [Sin.: *martim-pescador-verde*. Pl.: *arirambas-verdes*.]
arirana. [Do tupi.] *S. f. Bras.* Certa ave amazônica.
ariranha. [Do tupi *ari'raña*.] *S. f. Bras.* Mamífero carnívoro, da família dos mustelídeos (*Pteronura brasiliensis* (Zimm.)), outrora comum na região cisandina da América do Sul, e atualmente só encontrado em regiões pouco desbravadas da Amaz. e do Brasil Central. Cauda achatada em forma de remo. Tem hábitos diurnos, e associa-se em bandos; a pele, ainda que inferior à da lontra, é muito procurada pelos caçadores; alimenta-se de peixes, que geralmente vai devorar em terra. [Sin.: *onça-d'água*.]
ariranhense. *Adj. 2 g.* **1.** De, ou pertencente ou relativo a Ariranha (SP). ● *S. 2 g.* **2.** Natural ou habitante de Ariranha.
arireaçu. *Bras. S. 2 g.* **1.** Indivíduo dos arireaçus, tribo extinta de índios tapajós que habitava a região que é hoje a cidade de Santarém (PA). ● *Adj. 2 g.* **2.** Pertencente ou relativo a essa tribo.
ariri. [Do tupi *ari'ri*.] *S. m. Bras.* **1.** Planta da família das palmeiras (*Diplothemium campestre*), de fruto drupáceo amarelo cuja parte carnosa tem propriedades febrífugas, e de folhas forrageiras, empregadas no fabrico de vassouras e trabalhos trançados; buri-do-campo, coco-de-vassoura, coqueiro-pissandó, guriri-do-campo, imburi, pissandó ou pissandu. **2.** V. *acumã*.
ariri-de-festa. *S. m. Bras., MA. Pop.* V. *peru-de-festa*. [Pl.: *ariris-de-festa*.]
arisaro. *S. m.* Gênero de plantas da família das aráceas, cujas espécies se encontram na Europa e na Ásia.
ariscar. *V. t. d.* e *p. Bras., SP. Pop.* **1.** Tornar(-se) arisco. **2.** Espantar(-se), assustar(-se), sobressaltar(-se). [Conjug.: v. *trancar*.]
arisco. *Adj.* **1.** Abundante em areia; areísco. **2.** Que rejeita carinhos; arredio, tímido. **3.** Esquivo, desconfiado. **4.** Áspero, insociável, intratável. **5.** Diz-se do

animal que não se deixa domesticar; bravio. ● *S. m.* **6.** Bovino rebelde ou bravio. **7.** *Bras., N.E.* Terreno sílico-humoso, muito fértil, e cuja formação se acha na região paraibana chamada *brejo;* arelsco.

arista. *S. f. Bot.* Prolongamento ou apêndice, mais ou menos rígido, freqüentemente encontrado no ápice das glumas e glumelas das inflorescências das gramíneas ou em outras famílias de vegetais.

aristado. [Do lat. *aristatu.*] *Adj.* Provido de arista ou aresta; aristoso. [Cf. *arestado.*] ~ V. *folha —a.*

aristarco. [Do antr. *Aristarco,* gramático e crítico grego (séc. II a. C.).] *S. m.* Crítico ou censor severo, mas judicioso.

aristiforme. [Do lat. *arista,* 'espiga', + *-i-* + *-forme.*] *Adj. 2 g.* Que tem forma de aresta: *setas aristiformes; pêlos aristiformes.*

▲aristo-. [Do gr. *áristos, e, on.*] *El. comp.* = 'ótimo': *aristocracia* (< gr. *aristokratía*), *aristodemocracia.*

aristocracia. [Do gr. *aristokratía.*] *S. f.* **1.** Tipo de organização social e política em que o governo é monopolizado por um número reduzido de pessoas privilegiadas não raro por herança. **2.** Essa classe de pessoas; fidalguia, nobreza. **3.** Grupo de indivíduos que se distinguem pelo saber e merecimento real; casta, nata.

aristocracismo. *S. m.* Aristocratismo: "O aristocracismo de Machado, porém, ... pôs a vida a serviço da obra, a sensibilidade sob a disciplina da inteligência" (Barreto Filho, *Introdução a Machado de Assis,* p. 26).

aristocrata. [Do fr. *aristocrate.*] *Adj. 2 g.* e *s. 2 g.* **1.** Que ou quem pertence à aristocracia; nobre, fidalgo. **2.** Que ou quem tem maneiras distintas, requintadas.

aristocrático. [Do gr. *aristokratikós.*] *Adj.* **1.** Relativo à, ou próprio da aristocracia; nobre, fidalgo. **2.** Distinto, requintado, delicado, fidalgo.

aristocratismo. *S. m.* Princípios, tendências, maneiras ou procedimento de aristocrata; aristocracismo.

aristocratização. *S. f.* Ato ou efeito de aristocratizar(-se).

aristocratizar. *V. t. d., transobj.* e *p.* Tornar(-se) aristocrata ou aristocrático; afidalgar(-se): *O convívio com pessoas finas aristocratizou-o;* "A cultura da cana, no Nordeste, aristocratizou o branco em senhor" (Gilberto Freire, *Nordeste,* p. 123); *O plebeu aristocratizou-se.*

aristodemocracia. [De *aristo-* + *democracia.*] *S. f.* **1.** Governo de nobres do qual o povo participa. **2.** Governo exercido pela aristocracia, mas com tendências democráticas.

aristodemocrata. [De *aristo-* + *democrata.*] *Adj. 2 g.* e *s. 2 g.* Partidário da aristodemocracia.

aristofanesco (ê). *Adj.* Pertencente ou relativo a Aristófanes, comediógrafo grego (séc. V a. C.), ou próprio dele; aristofânico.

aristofânico. [Do lat. *aristophanicu.*] *Adj.* Aristofanesco.

aristofanismo. *S. m.* Gênero, estilo ou influência de Aristófanes. [V. *aristofanesco*]

aristolóquia. [Do gr. *aristolóchia,* pelo lat. *aristolochia.*] *S. f.* Gênero de plantas trepadeiras da família das aristoloquiáceas.

aristoloquiácea. *S. f.* Espécie das aristoloquiáceas.

aristoloquiáceas. *S. f. pl. Bot.* Família de plantas trepadeiras caracterizadas por enormes flores de aspecto muito estranho, fortemente coloridas, e não raro malcheirosas, razão por que atraem grande número de moscas, sendo, porém, altamente ornamentais. Os frutos são cápsulas com sementes algo aladas. O Brasil é rico em espécies do gênero principal, *Aristolochia,* com perto de 300 espécies, vulgarmente chamadas *cipó milhomens, papo-de-peru,* etc.

aristoloquiáceo. *Adj.* Pertencente ou relativo às aristoloquiáceas.

aristoloquiale. *S. f.* Espécime das aristoloquiales.

aristoloquiales. *S. f. pl. Bot.* Ordem de plantas superiores que compreendem as famílias aristoloquiáceas, raffesiáceas e hidnoráceas.

aristoloquina. *S. f.* Alcalóide extraído de sementes e raízes de certas aristolóquias.

aristoso (ô). [Do lat. *aristosu.*] *Adj.* Aristado. [Cf. *arestoso.*]

aristotélico. [Do lat. *aristotelicu.*] *Adj.* **1.** Pertencente ou relativo a Aristóteles, ou ao aristotelismo [q. v.], ou próprio daquele ou deste. **2.** Que é partidário do aristotelismo. ~ V. *indução —a.* ● *S. m.* **3.** Partidário do aristotelismo. [Sin. ger.: *peripatético.*]

aristotelismo. *S. m.* **1.** *Filos.* O grupo das doutrinas de Aristóteles, filósofo grego (384-322 a. C.), e de seus seguidores. São temas centrais do aristotelismo a teoria da abstração e do silogismo, os conceitos de ato e potência, forma e matéria, e substância e acidente, doutrinas todas que serviram à criação da lógica formal e da ética, e que exerceram e ainda exercem enorme influência no pensamento ocidental. [Sin. (nesta acepç.): *peripatetismo.*] **2.** Influência de Aristóteles na filosofia.

aristu. [Do ingl. *irish stew.*] *S. m.* Prato de carne refogada com batatas, cebolas, cenouras e molho bem espesso.

aritarai. *Bras. S. 2 g.* **1.** Indivíduo dos aritarais, tribo indígena do AM. ● *Adj. 2 g.* **2.** Pertencente ou relativo a essa tribo.

aritencéfalo. [Do gr. *arytaina,* 'cântaro', 'ânfora', + *-céfalo.*] *Adj.* e *s. m. Antrop.* Diz-se de, ou indivíduo de cérebro grande, cuja capacidade craniana é superior a 1.450 cm^3.

aritenóide. [Do gr. *arytaina,* 'cântaro', 'ânfora', + *-óide.*] *S. f.* Cada uma das duas pequenas cartilagens existentes na laringe.

aritenóideo. *Adj.* Relativo às aritenóides; aritenoidiano.

aritenoidiano. *Adj.* Aritenóideo.

ariti. *Bras. S. 2 g.* **1.** Indivíduo dos aritis, nome que dão a si mesmos os índios parecis [v. *pareci*]. *S. m.* **2.** Dialeto da língua pareci. ● *Adj. 2 g.* **3.** Pertencente ou relativo aos aritis.

aritmancia (cí). *S. f.* V. *aritmomancia.*

aritmante. *S. 2 g.* V. *aritmomante.*

aritmântico. *Adj.* V. *aritmomântico.*

aritmética. [Do gr. *arithmetiké,* i. e., *epistéme arithmetiké,* 'ciência dos números', pelo lat. *arithmetica.*] *S. f.* **1.** Parte da matemática em que se investigam as propriedades elementares dos números inteiros e racionais. **2.** Tratado ou compêndio de aritmética. **3.** Exemplar de um desses tratados ou compêndios. [Var.: *arimética.*]

aritmético. [Do gr. *arithmetikós,* pelo lat. *arithmeticu.*] *Adj.* **1.** Pertencente ou relativo à aritmética. ~ V. *média —a, número —, progressão —a, soma1 —a, unidade —a* e *unidade —a e lógica.* ● *S. m.* **2.** Especialista em aritmética. [Var.: *arimético.*]

▲aritm(o)-. [Do gr. *arithmós, oû.*] *El. comp.* = 'número': *aritmologia.* [Equiv.: *-aritmo: logaritmo* (< lat. *logarithmu* < gr. *lógos* + *arithmós*).]

▲-aritmo. Equiv. de *-aritm(o).*

aritmografia. [De *aritm(o)-* + *-graf(o)-* + *-ia.*] *S. f.* Arte de escrever os números exprimindo-os em expressões mais simples.

aritmográfico. *Adj.* Relativo à aritmografia, ou a aritmógrafo.

aritmógrafo. [De *aritm(o)-* + *-grafo.*] *S. m.* Instrumento com que se fazem mecanicamente operações aritméticas.

aritmologia. [De *aritm(o)-* + *-log(o)-* + *-ia.*] *S. f.* Ciência que trata dos números e da medição das grandezas em geral.

aritmológico. *Adj.* Relativo à aritmologia.

aritmomancia (cí). [Do gr. *arithmomanteía.*] *S. f.* Arte de adivinhar por meio de números. [Var.: *aritmancia.*]

aritmomante. [De *aritm(o)-* + *-mante.*] *S. 2 g.* Pessoa que pratica a aritmomancia. [Var.: *aritmante.*]

aritmomântico. *Adj.* Referente à aritmomancia, ou a aritmomante. [Var.: *aritmântico.*]

aritmômetro. [De *aritm(o)-* + *-metro.*] *S. m. Desus.* Máquina de calcular.

➧arivederci (arivedêrtchi). [It., 'até à vista'.] *Interj.* **1.** Usa-se como cumprimento em sinal de despedida a pessoa que se deseja rever. ● *S. m.* **2.** Gesto ou sinal de despedida.

arixenino (cs). *S. m.* **1.** Espécime dos arixeninos. ● *Adj.* **2.** Pertencente ou relativo aos arixeninos.

arixeninos (cs). *S. m. pl. Zool.* Insetos da ordem dos dermápteros, subordem *Arixenina,* cujas mandíbulas, denteadas no ápice e franjadas, com cerdas, na margem interna, não são adaptadas para a mastigação. Cercos fracamente quitinizados; ápteros ectoparasitos de morcegos.

arlequim. [Do antr. *Arlequim.*] *S. m.* **1.** *Teat.* Personagem da antiga comédia italiana [v. *commedia dell'arte*], de traje multicolor (feito em geral de losangos), que tinha a função de divertir o público, nos intervalos, com chistes e bufonadas, e paulatinamente se foi introduzindo nas peripécias das comédias, transformando-se numa de suas mais importantes personagens. **2.** Farsante, truão. **3.** *Fig.* Indivíduo irresponsável; fanfarrão, brigão. **4.** Amante cínico. **5.** Fantasia carnavalesca inspirada na roupa dessa personagem. **6.** *Bras.* Inseto coleóptero, da família dos cerambicídeos (*Acrocinus longimanus* (L)), de colorido preto, entrecortado por um mosaico irregular de faixas cinzento-prateadas, em parte recobertas de vermelho-tijolo, quase encarnado. Tem antenas e pernas anteriores extremamente desenvolvidas, e dois espinhos longos no tórax. O comprimento do corpo vai até 9 cm, e a envergadura das pernas anteriores até 30 cm. Larvas em figueiras, jaqueiras, paineiras e pequiás. [Sin. (nesta acepç.): *arlequim-da-mata, arlequim-grande, besouro-da-figueira.*] **7.** Pintagol. **8** *Bras., N.E.* Personagem do bumba-meu-boi.

arlequim-da-mata. *S. m. Bras.* V. *arlequim* (6). [Pl.: *arlequins-da-mata.*]

arlequim-grande. *S. m. Bras.* V. *arlequim* (6). [Pl.: *arlequins-grandes.*]

arlequina. *S. f. Teat.* Na *commedia dell'arte* [q. v.], personagem feminina que desempenha o papel correspondente ao do Arlequim.

arlequinada. *S. f.* **1.** *Teat.* Comédia em que o protagonista é Arlequim. **2.** Modos típicos de Arlequim. **3.** Truanice, farsada, palhaçada. **4.** Fanfarronice, gabolice, pacholice.

arlequinal. *Adj. 2 g.* Relativo a, ou próprio de Arlequim ou de arlequim.

arlequíneo. *Adj.* Diz-se de animal de cores variadas.

arlesiano. [Do fr. *arlésien.*] *Adj.* **1.** Da, ou pertencente ou relativo à região de Arles (França). ● *S. m.* **2.** O natural ou habitante dessa região.

arma. [Do lat. tardio *arma, ae.*] *S. f.* **1.** Instrumento ou engenho de ataque ou de defesa. **2.** *P. ext.* Qualquer coisa que sirva para um desses fins, especialmente no caso de certos animais. **3.** Cada uma das subdivisões, básicas da tropa do exército: infantaria, cavalaria, artilharia, engenharia, comunicações. **4.** *Fig.* Recurso, meio, expediente: *Para vencer, suas armas foram o caráter e a inteligência.* ~ V. *armas.* ◆ **Arma automática.** Arma de fogo cujo recarregamento se faz de modo automático, utilizando a força expansiva dos gases da própria carga de projeção. **Arma biológica.** Arma que emprega organismos vivos, substâncias tóxicas de origem bacteriana, inibidores químicos do crescimento das plantas, etc., para produzir morte ou baixa entre homens, animais ou plantas. **Arma branca.** Qualquer arma constituída essencialmente de uma lâmina metálica e destinada a produzir ferimentos cortantes ou perfurantes, no combate a curta distância e na luta corpo a corpo. **Arma de arremesso.** Aquela que, não sendo arma de fogo, é lançada a distância, como, p. ex., lança, dardo, flecha. **Arma de curar ataques.** *Bras., MG. Pop. Joc.* Carabina. **Arma de dois gumes.** *Fig.* Aquilo que, ao lado de um aspecto vantajoso, aliciante, apresenta outro inconveniente ou perigoso. **Arma de fogo.** Toda aquela que funciona mediante a deflagração de uma carga explosiva que dá lugar à formação de gases, sob cuja ação é lançado no ar um projetil. **Arma de repetição.** Arma de retrocarga, não-automática, cujo carregamento, uma vez introduzida a munição pelo atirador no respectivo depósito, é realizado por dispositivo mecânico. **Arma de retrocarga.** Arma de fogo cujo carregamento é feito pela culatra. **Arma estriada.** Arma raiada. **Arma não automática.** Aquela cujo carregamento é feito mediante o emprego da força muscular do atirador. **Arma nuclear.** Qualquer arma cujo efeito destruidor resulta da energia liberada pelas reações respeitantes ao núcleo atômico, seja a fissão (dissociação do átomo), seja a fusão, ou sejam ambas. **Arma raiada.** Aquela cujo cano apresenta internamente estrias ou ranhuras helicoidais (raias) que imprimem ao projetil, quando impelido pelos gases da carga de projeção, um movimento de rotação que lhe confere grande precisão de trajetória; arma estriada. **Armas de São Francisco.** *Lus.* V. *manguito2.* **Arma semi-automática.** A que tem funcionamento automático parcial: o carregamento é feito de maneira mecânica, mediante o aproveitamento dos gases da carga de projeção, ao passo que o tiro é dado pelo atirador. **Com armas e bagagem.** *Bras.* De maneira total; integralmente; de mala e cuia; de armas e bagagem: *Bandeou-se para o inimigo com armas e bagagem.* [Tb. se usa a palavra *bagagem* no pl.: "numa manhã nublada, com armas e bagagens embarcaram os dois afoitos portugueses num — salve engano — galeão" (Herberto Sales, *Os Pareceres do Tempo,* p. 16). **De armas e bagagem.** *Bras.* Com armas e bagagem. **Depor as armas.** Render-se, entregar-se; ensarilhar as armas. **Ensarilhar as armas.** *Mil.* **1.** Dispô-las em grupos de três ou quatro, formando pirâmide. **2.** Depor as armas. **3.** *Fig.* Pôr termo a uma luta. **Mostrar as armas.** *Bras. Chulo.* Mostrar os órgãos genitais (o homem). **Passar pelas armas.** **1.** Fuzilar (2). **2.** *Fig.* Copular com; possuir sexualmente. **Passar-se com armas e bagagem para.** Fugir levando tudo que lhe pertence para aliciar-se a (adversário ou pessoa do lado contrário ao em que estava); passar-se de armas e bagagem para. **Passar-se de armas e bagagem para.** Passar-se com armas e bagagem para. **Pegar em armas.** Prestar serviço militar, ser soldado; guerrear, combater: "A paixão política, posto que forte, não o levaria a pegar em armas, se não fosse uma espécie de desafio da parte de Prazeres." (Machado de Assis, *Relíquias de Casa Velha*, p. 19). **Valente como as armas.** Muito valente.

armabutó. *Bras. S. 2 g.* **1.** Indivíduo dos armabutós, tribo indígena que habita o N. do AM. ● *Adj. 2 g.* **2.** Pertencente ou relativo a essa tribo.

armação. [Do lat. *armatione.*] *S. f.* **1.** Ato ou efeito de armar(-se): *Foi rápida a armação da barraca;* "porque Clodoaldo vai jogar plantado, por ordens de Zagalo, deixando o trabalho de armação para Gérson e Rivelino." (*Correio da Manhã*, Rio, 20.6.1970). **2.** Peça ou conjunto de peças que serve(m) para sustentar, revestir, fixar, reforçar, fortalecer, unir, etc., as diversas partes de um todo: *a armação dos óculos; a armação do guarda-chuva; a armação do espelho.* **3.** V. *estrutura* (3). **4.** Armadura (2). **5.** Conjunto de armários, balcões, vitrinas e prateleiras de uma loja. **6.** V. *armas* (7). **7.** *Marinh.* Mastreação e velame de um navio a vela, e que o caracterizam: *armação de galera, armação de lugre, armação de patacho.* **8.** *Marinh. Ant.* Local em que se aparelhavam ou aprestavam navios para a pesca da baleia: *ponta da armação; Armação dos Búzios.* [As armações foram comuns nos litorais baiano, fluminense, paulista e catarinense.] **9.** *Bras., N.* Acumulação de nuvens espessas nas baixas camadas atmosféricas, que prenuncia chuva ou trovões, raios, relâmpagos. **10.** *Bras., CE.* Os chifres ou armas de um bovino. **11.** *Bras., S.* Boa presença; aprumo, elegância. **12.** *Ant. Bras., S.* Empresa bandeirante para a caça de índios. ◆ **Ter muita armação e pouco jogo.** *Bras., S.* Ter presença muito agradável, mas ser incapaz de mostrar-se útil em momentos difíceis.

armada. [Part. fem. de *armar*, substantivado.] *S. f.* **1.** *Lus. Mar. Ant.* Em começos do séc. XV, conjunto não muito numeroso de navios de guerra que navegavam juntos. [Quando o conjunto era numeroso, chamava-se *frota.*] **2.** *Lus. Mar. Ant.* Grupo de navios comandados por um capitão-mor. **3.** *Mar.* Totalidade dos navios destinados ao serviço naval, pertencentes ao Estado e incorporados à Marinha de Guerra. **4.** Companhia de monteiros para bater caça. **5.** Armadilha, ardil, cilada. **6.** *Bras., N.E.* V. *fantasma* (3). **7.** *Bras. N.E.* Proeza, façanha, artimanha. **8.** *Bras. S.* Laçada corrediça com que se prende a rês. ◆ **Ser de armada grande.** *Bras. S.* Ser pachola, gabola(s), conversar fiado; usar armada grande. **Usar armada grande.** *Bras. S.* V. *ser de armada grande.*

armadilha. [Do esp. *armadilla.*] *S. f.* **1.** Laço, engenho ou artifício para apanhar qualquer animal. **2.** Logro astucioso; cilada, ardil, embuste, engano, esparrela, estratagema, alçapão, ratoeira.

armadilídeo. *S. m.* **1.** Espécime dos armadilídeos. ● *Adj.* **2.** Pertencente ou relativo a eles.

armadilídeos. *S. m. pl. Zool.* Família de crustáceos isópodes terrestres de corpo convexo, e capazes de se encurvar formando uma bola. Conhecidos vulgarmente, no Brasil, como tatuzinhos.

armado. [Part. de *armar.*] *Adj.* **1.** Munido ou provido de arma(s): *Anda armado, para garantir-se contra os malfeitores.* **2.** Que se apóia ou baseia nas armas: *forças armadas; poder armado.* **3.** Munido, provido. **4.** Preparado, disposto. **5.** Prevenido, acautelado, precatado. **6.** Que se trava ou efetua com o emprego de armas: *luta armada.* **7.** Diz-se do tecido que tem bom caimento (6). **8.** Diz-se do tecido que, embora flexível, tem textura relativamente rígida, quer pelo preparo da fibra, como, p. ex., o tafetá, a *faille*, o gorgorão, quer por efeito de goma. ~ V. *chapéu —, cimento —, concreto — e forças —as.* ● *S. m.* **9.** *Bras.* V. *cuiú-cuiú* (2). **10.** *Bras.* V. *abotoado* (5).

armado-comum. *S. m. Bras.* V. *abotoado* (5). [Pl: *armados-comuns.*]

armadoira. *S. f.* Armadoura [q. v.].

armador[1] (ô). [Do lat. *armatore.*] *S. m.* **1.** Aquele que arma. **2.** Decorador de igrejas, salas, etc. **3.** Aquele que prepara a armadilha (1). **4.** *Bras.* Gancho de ferro em que se prende o punho da rede (17): "Paredes extraordinariamente afastadas, rede infinita, os armadores longe" (Graciliano Ramos, *Infância*, p. 30). **5.** *Bras. Fut.* Meia-armador. [Fem., nas acepç. (1 a 3 e 5): *armadora* (ô).]

armador[2] (ô). [Do it. *armatore.*] *S. m.* **1.** *Mar. Merc.* Pessoa ou firma que, à sua custa, equipa, mantém e explora comercialmente embarcação mercante, podendo ser ou não o seu proprietário. **2.** *Bras., RS,* e *lus.* Proprietário de casa mortuária. [Fem.: *armadora* (ô).]

armadora (ô). *S. f.* Fem. de *armador* [q. v.]. [Cf. *armadoura.*]

armador-gerente. *S. m. Jur.* e *Com.* Aquele que gere a exploração comercial de embarcação pertencente a mais de um proprietário; caixa. [Pl.: *armadores-gerentes.*]

armador-locatário. *S. m. Jur.* e *Com.* O que explora comercialmente embarcação pertencente a outrem. [Pl.: *armadores-locatários.*]

armador-proprietário. *S. m. Jur.* e *Com.* O que explora comercialmente embarcação de sua propriedade. [Pl.: *armadores-proprietários.*]

armadoura. [Var de *armadoira.*] *S. f. Constr. Nav.* Cada uma das vigas ou sarrafos que se pregam exteriormente nas balizas, para agüentar a ossada durante a fase inicial da construção da embarcação; armadoura de construção. [Cf. *armadora* (ô), fem. de *armador.*] ◆ **Armadoura de construção.** *Constr. Nav.* Armadoura.

armadura. [Do lat. *armatura.*] *S. f.* **1.** Conjunto de armas defensivas dos antigos guerreiros, especialmente aquelas que constituíam a sua vestidura e proteção direta do corpo (elmo, couraça, cota de malha, etc.): *Do séc. XIV ao séc. XVII as principais peças da armadura eram feitas de placas de ferro.* **2.** Tudo que serve para reforçar ou fortalecer qualquer obra; armação. **3.** Aquilo que o animal usa para sua defesa ou para ataque, como cornos, dentes, garras, patas, etc.; armas. **4.** *Eng. Eletr.* A parte móvel de uma máquina elétrica (motor ou gerador) onde é induzida uma força eletromotriz. **5.** *Eng. Elétr.* Qualquer estrutura em que uma força eletromotriz é induzida por um campo magnético, como nos motores e geradores elétricos, nos alto-falantes magnéticos, etc. **6.** *Eletr.* V. *eletrodo* (2). **7.** *Mús.* Conjunto de sustenidos ou de bemóis colocados junto à clave, numa ordem determinada, para indicar o tom e o modo em que está escrito o trecho musical.

armamentismo. [De *armamento* + *-ismo.*] *S. m.* Doutrina ou teoria que preconiza o aumento do material bélico de um país ou dos países.

armamentista. *Adj. 2 g.* **1.** Referente ao, ou que é partidário do armamentismo. ● *S. 2 g.* **2.** Partidário deste.

armamento. [Do lat. vulg. *armamentu.*] *S. m.* **1.** Ato ou efeito de armar. **2.** Apetrechos de guerra. **3.** Depósito, e/ou conjunto de armas; armaria. **4.** *Mar. G.* Conjunto de armas de que dispõem um navio, aeronave, ou tropa.

armando. *S. m.* Espécie de mingau que se dá aos cavalos debilitados.

armanhaque. [Do fr. *armagnac.*] *S. m.* Espécie de conhaque da região de Armanhaque (S. da França).

armão. [Do fr. *armon.*] *S. m.* **1.** O jogo dianteiro de uma viatura. **2.** Carreta de duas rodas que rebocava as peças de artilharia.

armar. [Do lat. *armare.*] *V. t. d.* **1.** Munir de armas; fornecer armamento a: *Armou cinco mil soldados para a guerra.* **2.** Vestir ou cobrir com armadura ou arma defensiva: *Armou-o com um escudo.* **3.** Preparar (qualquer aparelho, engenho ou maquinismo) para funcionar: "menino do mato, armando arapuca" (Hélio Galvão, *Cartas da Praia*, p. 17). **4.** Erguer o cão de (arma de fogo), para deixá-la pronta a disparar. **5.** Aparelhar, equipar, aprestar (uma embarcação mercante). **6.** Instalar, montar: *armar uma tenda.* **7.** Erguer, edificar: *Os antigos armavam altares e templos.* **8.** Arquitetar, conceber, imaginar: *armar planos.* **9.** Suscitar, aprontar; fazer: *armar um berreiro.* **10.** Dispor ou encaixar peças ou partes de (um objeto) de determinada maneira: *O marceneiro armou a estante em 10 minutos.* **11.** Dar forma, consistência, corpo, a (tecido, cortina, vestido, etc.), adicionando-lhes certo produto, como, p. ex., goma, ou usando forro de material mais rígido, encorpado: *É preciso armar um pouco mais a saia do vestido.* **12.** *Bras.* Prender no armador os punhos de (rede de dormir). *T. d. e i.* **13.** Munir ou prover de armas; fornecer armamento: *Armou o povo contra os invasores.* **14.** Urdir, tecer, maquinar, tramar. *T. i.* **15.** Fazer preparativos de guerra: *armar contra o invasor.* **16.** Ter em vista; visar: "Esse patife, que intrigava armando sempre a novas graças, no desempenho de missão abjeta, era um dos inimigos de Tomás Antônio Gonzaga" (Alberto Faria, *Acendalhas*, p. 89). *Int.* **17.** Dispor armadilha. **18.** Apetrechar ou aparelhar embarcação. **19.** Dispor ou encaixar peças ou partes de um objeto de determinada maneira: *estante de armar; brinquedo de armar.* **20.** Ter o tecido, a peça de roupa, bom caimento (6): *Esta calça não arma bem. P.* **21.** Preparar-se para a guerra: *Armai-vos, que o inimigo se aproxima!* **22.** Munir-se ou prover-se de arma(s). **23.** Fazer preparativos bélicos. **24.** Vestir-se ou cobrir-se com armadura ou arma defensiva. **25.** Resguardar-se, precaver-se, precatar-se, acautelar-se: *armar-se contra o mau tempo.* **26.** Preparar-se, formar-se: *Armou-se grande tempestade;* "De repente armava-se uma grande briga; ouviam-se grunhidos agudos, mugidos roucos, orneios feros." (Júlio Ribeiro, *A Carne*, p. 40).

armaria. *S. f.* **1.** Depósito ou arrecadação (2) de armas, arsenal. **2.** Conjunto de armas; armamento. **3.** A arte heráldica.

armarinheiro. *S. m. Bras.* Dono ou proprietário de armarinho.

armarinho. [Dim. de *armário.*] *S. m. Bras.* Loja onde se vendem tecidos, material de costura e atavios femininos. "Com algum esforço entrou de caixeiro para um armarinho." (Machado de Assis, *Relíquias de Casa Velha*, p. 5.) [Sin.: *loja de miudezas* (bras.) e *loja de capela* (lus.).]

armário. [Do lat. *armariu.*] *S. m.* Móvel de madeira, metal, etc., ou vão aberto na parede, com prateleiras e/ou gavetas, para guardar roupas, louças, papéis, remédios, ou quaisquer outros objetos: ◆ **Armário embutido.** Aquele que se situa num vão formado por duas ou três paredes.

armas. [Pl. de *arma.*] *S. f. pl.* **1.** A profissão militar. **2.** Força militar. **3.** Feito militar. **4.** Distintivo de nobreza. **5.** Insígnias de brasão. **6.** Armadura (3). **7.** O conjunto de armas ou chifres de animais cornígeros; armação, cornos, tocos: "Era um verdadeiro boi de circo. Armas compridas e reviradas nas pontas, pernas delgadas e nervosas, indício de grande ligeireza." (Rebelo da Silva, *Contos e Lendas*, p. 177). ~ V. *arma.*

armazelo (ê). *S. m. Ant.* Espécie de rede ou armadilha de pescar.

armazém. [Do ár. *al-makhazan.*] *S. m.* **1.** Depósito de mercadorias, de munições, etc. **2.** V. *mercearia* (1). **3.** Grande estabelecimento comercial, geralmente atacadista, e de secos e molhados. **4.** *Tip. P. us.* V. *magazine* (3).

armazém-geral. *S. m* **1.** Estabelecimento que recebe em depósito mercadorias com garantia das quais pode emitir conhecimentos negociáveis. **2.** *Bras., N. E.* Trapiche (1). [Pl.: *armazéns-gerais.*]

armazenado. [Part. de *armazenar.*] *Adj.* Retido ou guardado em armazém.

armazenador. (ô). *Adj.* **1.** Que armazena. ● *S. m.* **2.** Aquele que armazena. **3.** *Proc. Dados. P. us.* V. *memória* (13).

armazenagem. *S. f.* **1.** Ato ou efeito de armazenar. **2.** Quantia que se paga pelo depósito e permanência de mercadorias em alfândegas, cais de estradas de ferro, trapiches, etc. **3.** *Proc. Dados.* Armazenamento.

armazenamento. *S. m.* **1.** Ato de armazenar; armazenagem. **2.** *Restr. Proc. Dados.* Ato de armazenar informações; armazenagem.

armazenar. *V. t. d.* **1.** Guardar ou recolher em armazém: *Com a geada, foi necessário armazenar depressa o trigo.* **2.** Conter em depósito: *celeiros que armazenam o trigo.* **3.** Acumular, cumular, juntar: *armazenar sabedoria.* **4.** *Proc. Dados.* Introduzir dados num dispositivo qualquer de memória (13), do qual podem ser posteriormente extraídos. *Int.* **5.** Fazer provisões: *insetos que armazenam para o inverno.* [Fut. pret.: *armazenaria*, etc. Cf. *armazenária.* f. de *armazenário.*]

armazenária. *S. f.* Fem. de *armazenário.* [Cf. *armazenaria*, do v. *armazenar.*]

armazenário. *S. m. Bras., PE.* **1.** Negociante de açúcar ou de algodão. **2.** Aquele que tem armazém dessas mercadorias. [Fem.: *armazenária.* Cf. *armazenaria*, do v. *armazenar.*]

armazeneiro. *S. m. Bras., S.* **1.** Aquele que armazena. **2.** Proprietário de armazém.

armazenista. *S. m. Bras.* Fiel ou encarregado de armazém.

armeiro. *S. m.* **1.** Fabricante ou vendedor de armas; alfageme, espadeiro. **2.** Aquele que conserta armas [v. *arma* (1)].

armela. [Do lat. *armilla*, 'bracelete'.] *S. f.* **1.** Anel ou peça metálica por onde se enfia o ferrolho para trancar a porta ou janela. **2.** Argola pela qual se puxam as portas e por onde se passa a alça do cadeado. **3.** Parafuso com cabeça em forma de argola. **4.** V. *armila* (1).

armelina. *S. f.* Pele branca de armelino.

armelino. [Do it. *armelino.*] *S. m.* **1.** Arminho (1). ● *Adj.* **2.** Relativo a armelino.

armênico. *Adj.* e *s. m. P. us.* Armênio.

armênio. [Do lat. *armeniu.*] *Adj.* **1.** Da ou pertencente ou relativo à República Socialista Soviética da Armênia (Ásia). **2.** Pertencente ou relativo às línguas armênias. ● *S. m.* **3.** O natural ou habitante da Armênia. **4.** *Ling.* Grupo de línguas indo-européias faladas na região montanhosa do Cáucaso e no N. da Mesopotâmia, cujas primeiras manifestações escritas datam do séc. IX a.C. O armênio atual é falado sobretudo nas repúblicas socialistas soviéticas da Armênia e da Geórgia. [F. paral., p. us.: *armênico.*]

armental. [Do lat. *armentale.*] *Adj. 2 g.* Relativo a armento.

armentio. [Do lat. *armentivu.*] *S. m.* Armento: "O a r m e n t i o real, que ao longe a relva / No monte anda a pascer, dirige à praia." (Antônio Feliciano de Castilho, *As Metamorfoses*, p. 110.)

armento. [Do lat. *armentu.*] *S. m.* Rebanho, principalmente de gado vacum; armentio: "E no aprisco fechado o pobre a r m e n t o / Pelo triste Pastor em vão balava." (Domingos dos Reis Quita, *Obras*, I, p. 144.)

armentoso (ô). [Do lat. *armentosu.*] *Adj.* Possuidor de muitos armentos ou rebanhos.

arméu. *S. m.* Manojo de lã, de estopa ou de linho, que se põe de uma vez na roca; armo.

armezim. *S. m.* Espécie de tafetá leve e fosco, manufaturado na Itália no séc. XVI, e que depois passou à França.

▲**armi-.** [Do lat. *arma, orum.*] *El. comp.* = 'arma': *armífero* (< lat. *armiferu*).

armífero. [Do lat. *armiferu.*] *Adj.* **1.** Que traz armas; armígero. ● *S. m.* **2.** Aquele que traz armas; soldado. **3.** Pajem, que levava as armas do cavaleiro.

armígero. [Do lat. *armigeru.*] *Adj.* Armífero (1).

armila. [Do lat. *armilla.*] *S. f.* **1.** *Ant.* Bracelete com que se ornavam os braços; armela, manilha. **2.** *Arquit.* Conjunto de anéis ou pequenas molduras que cercam a base de alguns tipos de colunas e o capitel da coluna dórica. **3.** *Astr.* Um dos círculos, máximos ou paralelos, de uma esfera que reproduz em modelo a esfera celeste com os seus meridianos e paralelos. **4.** *Bot.* Espécie de anel que circunda a porção superior da haste do esporóforo nos cogumelos das agaricáceas. **5.** *Med.* Engrossamento do punho.

armilado. [De *armila* + *-ado*[1].] *Adj.* Provido de armila.

armilar. *Adj. 2 g.* **1.** Que tem armilas. **2.** *Astr.* Formado de armilas. ~ V. *esfera —.*

armilheiro. [De *arma* + *-ilho* + *-eiro.*] *S. m.* Espécie de formão pequeno.

armim. [De *armino*, com apócope.] *S. m.* Malha de pêlos perto do casco das cavalgaduras, de cor diversa da do resto do corpo; armino.

arminado. [De *armim* + *-ado*[1].] *Adj.* Que tem armim.

arminhado. [De *arminho* + *-ado*[1].] *Adj.* **1.** Que tem guarnição de arminho. **2.** Branco, mas pontoado de negro.

arminho. [Do lat. *armenius*, i. e., *mus armenius*, rato armênio, com metafonia do e.] *S. m.* **1.** Mamífero mustelídeo das regiões polares, cuja pele é macia e alvíssima no inverno; armelino. **2.** *P. ext.* A pele ou o pêlo do arminho. **3.** *Fig.* Alvura, brancura. ~ V. *arminhos.*

arminhos. [Pl. de *arminho.*] *S. m. pl.* Títulos de nobreza. ~ V. *arminho.*

armino. [De *arminho.*] *S. m.* Armim.

armipotente. [Do lat. *armipotente.*] *Adj. 2 g.* **1.** Muito poderoso em armas. **2.** Guerreiro (2). ● *S. 2 g.* **3.** Pessoa armipotente: "o general previa / Que Roma, a invicta, a forte, a a r m i p o t e n t e, havia / De ter o mesmo fim da orgulhosa Cartago..." (Olavo Bilac, *Poesias*, p. 36).

armíssono. [Do lat. *armissonu.*] *Adj. Poét.* Que soa como as armas brancas quando se entrechocam.

armista. [De *arma* + *-ista.*] *S. 2 g.* Pessoa versada em armaria (3).

armistício. [Do lat. mod. *armistitiu*, forjado à maneira de, p. ex., *solstitiu* e *justitiu.*] *S. m.* **1.** Suspensão das hostilidades entre beligerantes como resultado de uma convenção, sem contudo pôr fim à guerra; trégua: "aqueles ânimos, quebrados já pela miséria, pela fome e pela doença originada de tantos cadáveres insepultos, vergaram diante do iminente risco e depuseram as armas, erguendo as mãos e pedindo um a r m i s t í c i o até a manhã seguinte, para se tratar da capitulação." (Alexandre Herculano, *História de Portugal*, I, p. 393). **2.** Suspensão de guerra.

armo. *S. m.* Arméu.

armolão. *S. m. Bras.* Planta da família das quenopodiáceas, cujas folhas, comestíveis, têm propriedades semelhantes às do espinafre (q. v.); armoles.

armoles. *S. f.* Armolão.

armoriado. [Part. de *armoriar.*] *Adj. Heráld.* Que tem armas ou brasão pintados, esculpidos ou aplicados. ~ V. *encadernação —a.*

armorial. [Do fr. *armorial.*] *Adj. 2 g.* **1.** Relativo à armaria (3), aos brasões: *Ariano Suassuna qualifica seu romance* A Pedra do Reino *como romance* a r m o r i a l *popular brasileiro.* ● *S. m.* **2.** Livro onde vêm registrados os brasões.

armoriar. [Do fr. *armorier.*] *V. t. d. Heráld.* **1.** Pôr armas ou brasões em. **2.** Empregar os símbolos da nobreza em.

armoricano. *Adj.* e *s. m.* Armórico.

armórico. [Do lat. *armoricu.*] *Adj.* **1.** Da, ou pertencente ou relativo à Armórica, parte da Gália que forma a atual Bretanha (França). ● *S. m.* **2.** O natural ou habitante da Armórica. [Sin. ger.: *armoricano.*]

■**ARN.** Símb. de ácido *ribonucléico.* [Tb. us. em publicações científicas, ou símb. (ingl.) *RNA.*]

arnabuto. *Bras. S. m.* **1.** Indivíduo dos arnabutos, tribo indígena que habita regiões do PA. ● *Adj.* **2.** Pertencente ou relativo a esses indígenas.

arnado. [Do lat. *arenatu*, com síncope.] *S. m.* Terreno estéril e arenoso; arnedo, arneiro.

arnedo (ê). *S. m.* V. *arnado.*

arneiro. [Do lat. *arenariu*, com síncope e metátese.] *S. m.* V. *arnado.*

arneiroso (ô). *Adj. Bras.* Diz-se de terreno alagado.

arnela. [Do lat. **arenella*, por *arenula*, 'grão de areia'.] *S. f.* Raiz de dente que fica na gengiva.

arnês. [Do fr. ant. *herneis*, hoje *harnais.*] *S. m.* **1.** Antiga armadura completa de um guerreiro. **2.** Arreios de cavalo. **3.** *Fig.* Proteção, abrigo, arrimo, amparo. [Pl.: *arneses* (ê). Cf. *arneses*, do v. *arnesar.*]

arnesar. *V. t. d.* e *p.* Vestir(-se) com arnês. [Pres. subj.: *arnese, arneses*, etc. Cf. *arneses* (ê), pl. de *arnês.*]

arnica. [Do gr. *ptarmiké*, 'planta cujo cheiro provoca espirro', pelo lat. *ptarmica*, no lat. medieval *armica*, e *arnica* no lat. botânico.] *S. f.* **1.** Erva alpestre, da família das compostas (*Arnica montana*), originária da Europa, cultivada no Brasil, e que contém arnicina. Foi muito empregada na medicina. **2.** A tintura extraída dessa planta.

arnica-do-campo. *S. f.* Planta da família das compostas (*Chionolaena latifolia*). [Pl.: *arnicas-do-campo.*]

arnicina. *S. f.* Resina que se extrai da arnica, e que é um veneno enérgico e abortivo.

aro[1]. [Do lat. *aruu.*] *S. m.* **1.** Pequeno círculo; anel. **2.** *P. ext.* Qualquer objeto ou parte de objeto em forma de aro: *o* a r o *da peneira; o* a r o *das lentes dos óculos.* **3.** Armação (2) de óculos. **4.** Marco das janelas. **5.** Arredores de um lugar importante.

aro[2]. [Do lat. *aru.*] *S. m. Bras.* V. *taioba* (1).

aroaqui. *Bras. S. 2 g.* **1.** Indivíduo dos aroaquis, tribo indígena que habitava regiões das imediações do rio Negro (AM). ● *Adj. 2 g.* **2.** Pertencente ou relativo a essa tribo.

aroeira. *S. f. Bras.* **1.** Árvore ornamental, da família das anacardiáceas (*Schinus molle*), de madeira útil, cuja casca possui várias propriedades medicinais e cujos frutos, drupáceos, contêm matéria tintorial rosa; abaraíba, aguaraibá-guaçu, aroeira-do-amazonas, aroeira-folha-de-salso, corneíba, pimenteira-do-peru. **2.** V. *urundeúva.*

aroeira-branca. *S. f. Bras.* Arbusto ou arvoreta da família das anacardiáceas (*Lithraea molleodes*), de flores pequenas e madeira útil, cuja folhas, aromáticas, são medicinais, e cujos frutos encerram óleo essencial; aroeira-brava, aroeira-de-capoeira, aroeirinha. [Pl.: *aroeiras-brancas.*]

aroeira-brava. *S. f. Bras.* **1.** V. *aroeira-branca.* **2.** V. *aroeira-de-bugre.* [Pl.: *aroeiras-bravas.*]

aroeira-da-praia. *S. f. Bras.* Arbusto cultivado, originário da Europa, da família das anacardiáceas (*Pistacia lentiscus* L.), com folhas paripenadas de pecíolos alados, flores amarelas ou avermelhadas, e frutos drupáceos, globosos, vermelhos. Fornece uma resina amarelada, a almécega; as folhas, taníferas, são usadas para falsificar o sumagre; dos frutos se extrai óleo de emprego medicinal, útil ainda na indústria de sabões, na iluminação, etc; o lenho fornece ótimo carvão. [Sin. (lus.): *lentisco.* Pl.: *aroeiras-da-praia.*]

aroeira-de-bugre. *S. f. Bras.* Arbusto da família das anacardiáceas (*Lithraea brasiliensis* March.), de casca lenticular, folhas em geral simples, às vezes compostas, flores branco-esverdeadas, em panículas, e fruto drupáceo, globoso, branco ou verde-azeitona claro. Fornece madeira para esteios, moirões, lenha e carvão. [Sin.: *aroeira-brava, aroeira-do-mato, aroeirinha-preta, coração-de-bugre, pau-de-bugre.* Pl.: *aroeiras-de-bugre.*]

aroeira-de-capoeira. *S. f. Bras.* **1.** Variedade de aroeira-vermelha (*Schinus terebenthifolius* var. *raddiana*), de pecíolo estreitamente alado entre os folíolos. **2.** V. *aroeira-branca.* [Pl.: *aroeiras-de-capoeira.*]

aroeira-de-goiás. *S. f. Bras.* V. *aroeira-do-rio-grande.* [Pl.: *aroeiras-de-goiás.*]

aroeira-do-amazonas. *S. f. Bras.* V. *aroeira* (1). [Pl.: *aroeiras-do-amazonas.*]

aroeira-do-campo. *S. f. Bras.* **1.** Arbusto pequeno, da família das anacardiáceas (*Schinus weinmanniaefolius* Engl.), de folhas imparipenadas, flores brancacentas em panículas axilares, e bagas vermelhas globosas, perigosas para o gado, e que provocam dermatites. Ocorre de SP ao RS. [Sin. (nesta acepç.): *aroeira-rasteira, aroeirinha-do-campo.*] **2.** V. *aroeira-do-rio-grande.* **3.** Variedade de aroeira-vermelha (*Schinus terebenthifolius* Raddi var. *selloana*), em que toda a planta é densamente pubescente. [Pl.: *aroeiras-do-campo.*]

aroeira-do-mato. *S. f. Bras.* V. *aroeira-de-bugre.* [Pl.: *aroeiras-do-mato.*]

aroeira-do-rio-grande. *S. f. Bras.* Arbusto pequeno, da família das anacardiáceas (*Schinus lentiscifolius* March.), de folhas compostas e flores brancacentas em panículas, o qual ocorre no RS e em GO; aroeira-de-goiás, aroeira-do-campo, aroeirinha. [Pl.: *aroeiras-do-rio-grande.*]

aroeira-do-sertão. *S. f. Bras.* V. *urundeúva.* [Pl.: *aroeiras-do-sertão.*]

aroeira-folha-de-salso. *S. f. Bras.* V. *aroeira* (1). [Pl.: *aroeiras-folhas-de-salso.*]

aroeira-mansa. *S. f. Bras.* Aroeira-vermelha (1). [Pl.: *aroeiras-mansas.*]

aroeira-preta. *S. f. Bras.* V. *urundeúva.* [Pl.: *aroeiras-pretas.*]

aroeira-rasteira. *S. f. Bras.* V. *aroeira-do-campo* (1). [Pl.: *aroeiras-rasteiras.*]

aroeira-vermelha. *S. f. Bras.* **1.** Arbusto ornamental, da família das anacardiáceas (*Schinus terebenthifolius*), de fruto drupáceo diurético, casca febrífuga e depurativa, da qual se obtém o azeite-de-aroeira, usado contra tumores, doenças da córnea, etc.; aroeira-mansa. **2.** V. *chibatã.* [Pl.: *aroeiras-vermelhas.*]

aroeirense. *Adj. 2 g.* **1.** De, ou pertencente ou relativo a Aroeiras (PB). ● *S. 2 g.* **2.** Natural ou habitante de Aroeiras.

aroeirinha. [Dim. de *aroeira.*] *S. f. Bras.* **1.** V. *aroeira-branca.* **2.** V. *aroeira-do-rio-grande.*

aroeirinha-do-campo. *S. f. Bras.* V. *aroeira-do-campo* (1). [Pl.: *aroeirinhas-do-campo.*]

aroeirinha-preta. *S. f. Bras.* V. *aroeira-de-bugre.* [Pl.: *aroeirinhas-pretas.*]

arolio. [Do lat. mod. *arolium.*] *S. m. Zool.* Pequeno lobo entre as unhas dos insetos e de certos aracnídeos.

aroma. [Do gr. *aroma*, pelo lat. *aroma.*] *S. m.* **1.** Odor agradável de certas substâncias animais, vegetais, químicas, etc.; perfume, fragrância. **2.** *P. ext.* Cheiro bom e mais ou menos penetrante: *Toda a casa recendia com o* a r o m a *da carne assada.* **3.** Essência odorífera. [Sin. ger., p. us.: *arômata.*]

aromal. *Adj. 2 g.* **1.** Relativo a aroma(s). **2.** V. *aromático* (1).

aromar. *V. t. d., int.* e *p.* Aromatizar: "escovando-se, enxugando-se, a r o m a n d o - s e, Palha imaginava o pasmo e a inveja da única testemunha do desastre" (Machado de Assis, *Quincas Borba*, p. 270).

arômata. *S. m. P. us.* Aroma.

aromaticidade. *S. f.* Qualidade de aromático.

aromático. [Do gr. *aromatikós*, pelo lat. *aromaticu.*] *Adj.* **1.** De perfume agradável; odorífero; aromal. **2.** *Quím.* Diz-se de uma substância cuja molécula contém um anel benzênico.

aromatização. *S. f.* Ato de aromatizar(-se).

aromatizado. [Part. de *aromatizar.*] *Adj.* Que se tornou aromático; que se aromatizou.

aromatizador (ô). *Adj.* e *s. m.* Que, ou aquilo que aromatiza ou serve para aromatizar; aromatizante.

aromatizante. *Adj. 2 g.* e *s. m.* Aromatizador.

aromatizar. [Do gr. *aromatízo*, pelo lat. *aromatizare.*] *V. t. d.* **1.** Tornar aromático; impregnar de aroma; perfumar, aromar: "Ah, como as limas-da-pérsia / A r o m a t i z a m este ar!" (Paulo Setúbal, *Alma Cabocla*, p. 50.) *Int.* e *p.* **2.** Tornar-se aromático; impregnar-se de aroma; perfumar-se.

aroquim. *S. m. Bras. Folcl.* Narrador iorubano das tradições nacionais e das crônicas do passado.

arpado. *Adj.* Que termina em dentes miúdos como os da serra.

arpão. [Do fr. *harpon.*] *S. m.* **1.** O conjunto formado por um ferro em feitio de seta fixado a um cabo, e que se destina a usos diversos, como a caça submarina, a pesca de peixes de grande porte, ou de cetáceos, etc. [Cf. *fisga* (1).] **2.** Certa arma indiana de arremesso. **3.** *Bras. cap.* Movimento em que o capoeirista persegue o adversário de costas para ele, com o corpo rente ao chão, apoiando-se nas pernas estendidas e nos braços flexionados, e olhando por cima do ombro. Se o adversário não foge, geralmente com aú [q. v.], é derrubado por uma tesoura [q. v.]. **4.** *Bras. Gír.* Seringa para aplicação de entorpecente ou droga.

arpar. [Do fr. *harper*, de or. germânica.] *V. t. d.* V. *arpoar.* [Pres. ind.: *arpo, arpas, arpa,* etc. Cf. *harpa* e *harpar.*]

arpear. *V. t. d.* V. *arpoar.* [Conjug.: v. *frear,* Cf. *harpear.*]

arpejar. [Do it. *arpeggiare.*] *V. int.* Produzir arpejos. [Conjug.: v. *pelejar.* Cf. *harpejar.*]

arpejo (ê). [Do it. *arpeggio.*] *S. m. Mús.* Execução rápida e sucessiva de notas de um acorde, geralmente em instrumento de cordas. [Cf. *harpejo* do v. *harpejar.*]

arpéu. [Do fr. *harpeau*, pronunciado à antiga.] *S. m.* **1.** Gancho de ferro utilizado na abordagem. **2.** Pequeno arpão (1). ~ V. *arpéus.*

arpéus. [Pl. de *arpéu.*] *S. m. pl. Lus. Pop.* Mãos, garras, gadanhos, unhas. ~ V. *arpéu.*

arpista. *Adj. 2 g. Bras.* **1.** Arisco, prevenido, desconfiado. **2.** Assustadiço, espantadiço. [Cf. *harpista.*]

arpoação. *S. f.* Ato ou efeito de arpoar; golpe com o arpão; arpoadela.

arpoadela. *S. f.* Arpoação.

arpoador (ô). *S. m.* Aquele que arpoa.

arpoar. *V. t. d.* **1.** Cravar o arpão ou o arpéu em. **2.** Ferrar com arpão ou arpéu. **3.** Lançar o arpão ou o arpéu contra. **4.** *Fig.* Seduzir; agarrar, apanhar: *Crê que o Demônio usa todos os meios para arpoar as suas vítimas.* [Sin.: *arpear* e (menos recomendável) *arpar.*] *P.* **5.** *Bras., CE.* Manifestar, com altivez, ressentimento de alguém. [Conjug.: v. *coroar.* Cf. *arpuar.*]

arpoeira. *S. f.* Corda que se prende ao arpéu (2).

arpuar. *V. t. d.* e *int. Bras., BA* e *MG.* Na região do médio São Francisco, trepar, subir. [Cf. *arpoar.*]

▲**arque-.** [Do gr. *arche-.*] *El. comp.* = 'primeiro', 'princípio', 'origem': *arquétipo* (< lat. *archetipo* < gr. *archétypos*), *arquegônio* (< gr. *archégonos*).

arqué. *S. f. Hist. Filos.* Segundo Aristóteles [v. *aristotelismo*], princípio ou fonte ou causa; arché.

arqueação. *S. f.* **1.** Ato ou efeito de arquear; arqueio. **2.** Curvatura de um arco. **3.** Medição da capacidade de vasilhas arqueadas. **4.** *Mar. Merc.* Medida da capacidade dos espaços internos de uma embarcação mercante, para efeito de pagamento de certos impostos, e que é expressa em toneladas de arqueação, sendo 1 tonelada de arqueação = 100 pés cúbicos = 2,832m³.

arqueado¹. [De *arco* + *-eado.*] *Adj.* **1.** Que tem forma de arco; curvo, arcado, recurvo: *pernas arqueadas;* "Cílios longos. Sobrancelhas ligeiramente *arqueadas.*" (Solange Lajes, *Passagem*, p. 41). **2.** Provido de arco.

arqueado². [Part. de *arquear.*] *Adj.* Que se arqueou; curvado, dobrado: *Está velho, de costas muito arqueadas.*

arqueador (ô). *S. m.* Aquele que arqueia.

arqueadura. *S. f.* Curvatura em arco; arqueamento, arcadura.

arqueamento. *S. m.* **1.** V. *arqueadura.* **2.** *Geol.* Movimento epirogênico de que resulta o levantamento em arco de um trecho inteiro da crosta terrestre; bombeamento.

arqueano. [De *arque-* + *ano*] *Adj.* e *s. m.* Diz-se da, ou fase mais antiga do período pré-cambriano [v. *período* (9)].

arquear. *V. t. d.* **1.** Curvar em forma de arco: *Arqueou o corpo a fim de livrar-se do golpe;* "*Arqueou* as sobrancelhas, surpreendido" (Lígia Fagundes Teles, *A Disciplina do Amor*, p. 121). **2.** *Mar. Merc.* Medir a capacidade dos espaços internos de (uma embarcação). *P.* **3.** Curvar-se em forma de arco; dobrar-se: *Arqueou-se, num incrível passe de acrobacia;* "No alto, o céu límpido e azulado *arqueava-se* numa translucidez magnífica." (Virgílio Várzea, *Mares e Campos*, pp. 33-34). [Conjug.: v. *frear.*]

arqueável. *Adj. 2 g.* Que se pode arquear; flexível [q. v.].

arquegoniada. *S. f. Bot.* Planta criptogâmica em que os gametas femininos se originam no interior de um arquegônio; arquegoniófito. São arquegoniadas os musgos e os pteridófitos.

arquegonial. *Adj. 2 g.* Do, ou relativo ao arquegônio; arquegônico.

arquegônico. *Adj.* Arquegonial.

arquegônio. [De *arque-* + *-gon(o)-* + *-io¹.*] *S. m. Morfol. Veg.* Pequeno órgão, geralmente em forma de garrafa, que dá origem à oosfera ou gameta feminino, nos criptógamos e nas gimnospermas. Consta de uma parte basal dilatada, o ventre, onde se acha a célula sexual feminina, e uma parte afilada que é um pequeno canal, o colo.

arquegoniofítico. *Adj.* Concernente aos arquegoniófitos.

arquegoniófito. [De *arquegônio* + *-fito.*] *S. m. Bot.* Arquegoniada.

arquegonióforo. [De *arquegônio* + *-foro.*] *S. m.* Haste que sustenta certos arquegônios.

arqueio. [Dev. de *arquear.*] *S. m.* Arqueação (1).

arqueiro¹. *S. m.* **1.** Fabricante e/ou vendedor de arcos. **2.** Soldado armado com arco, ou aquele que atira com arco. [Cf. *archeiro.*] **3.** *Bras. Fut.* V. *goleiro.*

arqueiro². *S. m.* Fabricante e/ou vendedor de arcas.

arquejamento. *S. m.* V. *arquejo* (2).

arquejante. *Adj. 2 g.* Que arqueja; ofegante, anelante.

arquejar¹. [De *arca* (4) + *-ejar.*] *V. int.* **1.** Respirar com dificuldade; arfar, ofegar, ansiar: *O moribundo arquejava no leito. T. d.* **2.** Dar, soltar, arquejando: *arquejar soluços.* [Conjug.: v. *pelejar.*]

arquejar². [De *arco* + *-ejar.*] *V. t. d.* e *p.* Arquear. [Conjug.: v. *pelejar.*]

arquejo (ê). [Dev. de *arquejar.*] *S. m.* **1.** Ato de arquejar¹. **2.** Respiração difícil; ânsia, arfada, arquejamento.

▲**arqueo-.** [Do gr. *archaîos, a on.*] *El. comp.* = 'antigo', 'antiguidade': *arqueologia* (< gr. *archaiología*), *arqueozóico.*

arqueoastronomia. [De *arqueo-* + *astronomia.*] *S. f. Astr.* Ciência que estuda os monumentos astronômicos antigos, especialmente os do período pré-histórico; astroarqueologia: "O interesse pelo estudo da Astronomia entre os povos primitivos deu origem a uma nova ciência, a astroarqueologia, mais conhecida como *Arqueoastronomia*, que surgiu nos fins do século passado com os estudos do astrônomo norte-americano Norman Lockyer sobre a orientação dos templos egípcios" (Ronaldo Rogério de Freitas Mourão, *Astronomia e Astronáutica*, p. 55).

arqueoastronômico. *Adj.* Relativo à arqueoastronomia; astroarqueológico.

arqueografia. [De *arqueo-* + *-graf(o)-* + *-ia.*] *S. f.* Descrição dos monumentos antigos.

arqueográfico. *Adj.* Relativo à arqueografia.

arqueologia. [Do gr. *archaiología.*] *S. f.* Ciência que estuda a vida e a cultura dos povos antigos por meio de escavações ou através de documentos, monumentos, objetos, etc., por eles deixados.

arqueológico. [Do gr. *archaiologikós.*] *Adj.* **1.** Referente à arqueologia. **2.** Consagrado a assuntos de arqueologia: *instituto arqueológico.* **3.** *P. ext.* Muito antigo ou velho; antediluviano: *dama arqueológica; um fraque arqueológico.* ● V. *jazida —a* e *sítio —.*

arqueólogo. *S. m.* Especialista em arqueologia.

arqueozóico. [De *arqueo-* + *-zóico.*] *Adj.* e *s. m. Obsol.* ~ V. *era —a.*

arquespórios. *S. m. pl. Bot.* Células que, nos musgos, por ulterior divisão, darão origem às células-mães dos esporos.

arqueta (ê). [De *arca* + *-eta.*] *S. f.* **1.** Pequena arca (1 e 2); archete¹. **2.** Caixinha de esmolas usada nas igrejas; mealheiro: "A dádiva primeira fazem-na à chegada: ao passar pela *arqueta*, depositam moedas de cobre, vinténs, dez, cinco réis." (José Vieira, *Sol de Portugal*, p. 159.)

arquete¹ (ê). [De *arca* + *-ete.*] *S. m.* Urna cinerária; tumba.

arquete² (ê). [De *arco* + *-ete.*] *S. m.* **1.** *Arquit.* V. *archete².* **2.** *Mús.* Pequeno arco para tocar instrumentos de corda.

arquetípico. *Adj.* Relativo a, ou que tem o caráter de arquétipo.

arquétipo. [Do gr. *archétypon.*] *S. m.* **1.** Modelo de seres criados. **2.** Padrão, exemplar, modelo, protótipo. **3.** *Psicol.* Segundo C. G. Jung, psicólogo e psicanalista suíço (1875-1961), imagens psíquicas do inconsciente coletivo [q. v.], que são patrimônio comum a toda a humanidade: *O paraíso perdido, o dragão, o círculo são exemplos de arquétipos que se encontram nas mais diversas civilizações.*

▲**arqui-.** V. *arc(a)-.*

arquiabade. [De *arqui-* + *abade.*] *S. m.* Superior de um grupo de abades.

arquiabadia. [De *arqui-* + *abadia.*] *S. f.* O mosteiro principal de uma região.

arquiacantocéfalo. *S. m.* **1.** Espécime dos arquiacantocéfalos. ● *Adj.* **2.** Pertencente ou relativo a eles.

arquiacantocéfalos. *S. m. Zool.* Animais asquelmintos, acantocéfalos, da ordem *Archiacanthocephala.* Espinhos da probóscida concêntricos; protonefrídias presentes; os machos têm oito glândulas de cemento; parasitos de hospedeiros terrestres.

arquialaúde. [De *arqui-* + *alaúde.*] *S. m. Mús.* Variante da tiorba, com a caixa maior e mais alongada; arquilaúde.

arquianelídeo. *S. m.* **1.** Espécime dos arquianelídeos. ● *Adj.* **2.** Pertencente ou relativo a eles.

arquianelídeos. *S. m. pl. Zool.* Designação dos animais anelídeos, classe *Archiannelida.* São pequenos, vermiformes, segmentação visível internamente, anéis sem cerdas ou parápodes, com dois tentáculos cefálicos. Marinhos, vivem ao longo das praias. São os poligórdios.

arquiavó. *S. f.* Fem. de *arquiavô* [q. v.].

arquiavô. [De *arqui-* + *avô.*] *S. m.* Avô muito remoto. [Fem. *arquiavó;* pl.: *arquiavós* ou *arquiavôs.*]

arquibaldo. *S. m. Bras. Pop.* Freqüentador da arquibancada (1). [Cf. *geraldino* e o antr. *Arquibaldo.*]

arquibancada. [De *arqui-* + *bancada.*] *S. f.* **1.** *Bras* Série de assentos em filas, sucessivas, cada uma em plano mais elevado que a outra, à maneira de escada, e que se destina a dar melhor visibilidade aos assistentes, em anfiteatros, circos, estádios, campos de futebol, auditórios, salas de demonstração, etc. **2.** Construção circular ou não, semelhante ao anfiteatro.

arquibanco. [De *arco* + *-i-* + *banco.*] *S. m.* Banco grande, geralmente usado em sacristia e casas antigas, dotado de espaldar, e cujo assento é a tampa de uma espécie de arca, com divisões internas.

arquicélebre. [De *arqui-* + *célebre.*] *Adj. 2 g.* Muito célebre.

arquichanceler. [De *arqui-* + *chanceler.*] *S. m.* Primeiro chanceler.

arquichantre. [De *arqui-* + *chantre.*] *S. m.* Chantre principal.

arquiclamídea. *S. f.* Espécime das arquiclamídeas. [Sin. (p. us.): *coripétala.*]

arquiclamídeas. *S. f. pl. Bot.* Grupo de plantas com flores, caracterizado pela presença de perianto monoclamídeo ou diclamídeo, mas dialipétalo, e pela ausência total de perianto, como, p. ex., o feijoeiro e a roseira. [Sin. (p. us.): *coripétalas.*]

arquiclamídeo. *Adj.* Pertencente ou relativo às arquiclamídeas. [Sin. (p. us.): *coripétalo.*]

arquiclavo. [De *arqui-* + lat. *clave.*] *S. m. Ant.* Regente de coro de mosteiro.

arquiconfraria. [De *arqui-* + *confraria.*] *S. f.* Confraria principal.

arquidiocesano. *Adj.* Concernente a arquidiocese.

arquidiocese. [De *arqui-* + *diocese.*] *S. f.* Diocese que tem outras sufragâneas; arcebispado.

arquiducado. *S. m.* **1.** Dignidade de arquiduque. **2.** Território onde o arquiduque exerce a sua jurisdição.

arquiducal. *Adj. 2 g.* Relativo ou pertencente a arquiduque, ou a arquiducado.

arquiduque. [De *arqui-* + *duque.*] *S. m.* **1.** V. *barão* (1). **2.** Título honorífico dos príncipes da antiga família reinante da Áustria. [Fem.: *arquiduquesa.*]

arquiduquesa (ê). *S. f.* **1.** Esposa de arquiduque. **2.** Título das princesas da Casa da Áustria.

arquiepiscopado. *S. m. P. us.* Arcebispado.

arquiepiscopal. *Adj. 2 g.* **1.** Relativo ou pertencente a arcebispo. [Sin., p. us.: *arcebispal.*] **2.** Que é sede de arcebispado ou arquiepiscopado.

arquifonema. [De *arqui-* + *fonema.*] *S. m. Ling.* Entidade teórica resultante da neutralização (3), em determinado ambiente fônico, da oposição (12) entre dois sons.

arquiinimigo. [De *arqui-* + *inimigo.*] *S. m.* Inimigo poderoso; inimigo supremo.

arquilaúde. *S. m. Mús.* Arquialaúde.

arquilho. *S. m. Mús.* Arco delgado, de metal ou de madeira, nos tambores e nos bombos, sobre o qual se retesa a pele, que outro arco comprime por meio de parafusos e cordas.

arquiloquiano. *Adj.* Pertencente ou relativo a Arquíloco, poeta satírico grego (séc. VII a.C.), ou próprio dele.

arquimandrita. [Do gr. *archimandrítes*, pelo lat. *archimandrita.*] *S. m.* Superior de mosteiro na Igreja Grega: "nos concílios entre bispos e *arquimandritas* facciosos" (João Ribeiro, *Floresta de Exemplos*, p. 33).

arquimediano. *Adj.* Relativo a Arquimedes (287-212 a.C.), sábio grego, considerado o maior matemático da Antiguidade. ~ V. *empuxo —.*

arquimilionário. [De *arqui-* + *milionário.*] *Adj.* e *s. m.* Que, ou aquele que é muitas vezes milionário.

arquimosteiro. [De *arqui-* + *mosteiro.*] *S. m.* O mosteiro principal de uma ordem.

arquipélago. [Do gr. bizantino **archipélagos*, 'mar

principal', atr. do it. *arcipelago.*] *S. m.* **1.** Conjunto mais ou menos numeroso de ilhas de vários tamanhos, agrupadas em determinado ponto do oceano. **2.** Reunião de dois ou mais grupos de ilhas.

arquipélago-estado. *S. m.* Arquipélago que constitui um só Estado. [Pl.: *arquipélagos-estados* e *arquipélagos-estado.*]

arquiprior (ô). [De *arqui-* + *prior.*] *S. m.* **1.** O primeiro dos priores. **2.** Título do grão-mestre dos Templários. [Fem.: *arquiprioresa.*]

arquipriorado. [De *arquiprior* + *-ado*[2].] *S. m.* Dignidade ou funções de arquiprior.

arquiprioresa (ê). *S. f.* Fem. de *arquiprior.* [V. *arquiprior* (1).]

arquíptero. *S. m.* e *adj.* V. *odonato.*

arquípteros. *S. m. pl. Zool.* V. *odonatos.*

arquisseguro. [De *arqui-* + *seguro.*] *Adj.* Muito, muitíssimo seguro: "Entre os grupos, o Lopes circulava, radiante, numa auréola de glória — a eleição estava segura, seguríssima, a r q u i s s e g u r a!" (Conde de Ficalho, *Uma Eleição Perdida*, p. 132.)

arquitetar. [Do lat. *architectare.*] *V. t. d.* **1.** *Arquit.* Idear ou conceber espaço ou elemento arquitetônico. **2.** *Arquit.* Elaborar projeto de arquitetura; projetar. **3.** Edificar, construir. **4.** Idear, projetar, planear: "Durante meses e meses a r q u i t e t a r a, desenvolvera aquele projeto." (Jorge Amado, *Teresa Batista Cansada de Guerra*, p. 72); "A r q u i t e t a v a o seu plano de vingança." (Adalberon Cavalcanti Lins, *Curral Novo*, p. 68). *Int.* **5.** Trabalhar com arquiteto.

arquiteto. [Do gr. *architékton*, pelo lat. *architectu.*] *S. m.* **1.** Profissional legalmente habilitado para o exercício da arquitetura (1) **2.** Aquele que projeta, idealiza ou fantasia qualquer coisa.

arquitetônico. [Do gr. *architektonikós*, pelo lat. *architectonicu.*] *Adj.* Relativo à arquitetura; arquitetural. ~ V. *desenho —e espaço —.*

arquiteto-paisagista. *S. m.* Paisagista (2). [Pl.: *arquitetos-paisagistas.*]

arquitetura. [Do lat. *architectura.*] *S. f.* **1.** Arte de criar espaços organizados e animados, por meio do agenciamento urbano e da edificação, para abrigar os diferentes tipos de atividades humanas. **2.** O conjunto das obras de arquitetura realizadas em cada país ou continente, cada civilização, cada época, etc. **3.** Disposição das partes ou elementos de um edifício ou espaço urbano. **4.** Os princípios, as normas, os materiais e as técnicas utilizados para criar o espaço arquitetônico. **5.** O conjunto de conhecimentos relativos à arquitetura (4), ou que têm implicações com ela, ministrados nas respectivas faculdades. **6.** *Fig.* Boa forma de arquitetura (3): "Tinha eu meus quinze anos .... e já havia entrado para a Faculdade de Medicina, então rebrilhando de galas novas no seu grande prédio sem a r q u i t e t u r a da Praia Vermelha." (Walter Benevides, *Da Arte de Ter Clínica.*) **7.** *Fig.* Plano, projeto.

arquitetural. *Adj. 2 g.* Arquitetônico.

arquitravada. [Fem. substantivado de *arquitravado.*] *S. f. Arquit.* Cimalha sem friso.

arquitravado. [De *arquitrave* + *-ado*[1].] *Adj.* Construído ou montado com arquitraves.

arquitrave. [De *arqui-* + *trave.*] *S. f.* **1.** *Arquit.* Viga mestra, assentada horizontalmente sobre colunas ou pilares, para vencer o vão entre eles — ou intercolúnio —, recebendo e transmitindo para os apoios as cargas de eventuais pavimentos superiores e da cobertura. **2.** Na arquitetura romana, parte do entablamento que repousa nos capitéis das colunas; epistílio. [Cf. *trave* (1).]

arquival. *Adj. 2 g.* Arquivístico (1).

arquivamento. *S. m.* Ato ou efeito de arquivar.

arquivar. *V. t. d.* **1.** Guardar em arquivo. **2.** Conservar, guardar, reter na memória; memorizar: *Consegue a r q u i v a r tudo o que aprende.* **3.** Sobrestar o andamento de (processo, inquérito, etc.): *Obedecendo a ordens superiores, o juiz a r q u i v o u o inquérito.* **4.** *Fig.* Não dar a (alguém) as oportunidades de ascensão ou de influência, realização profissional, etc.: *Que injustiça a r q u i v a r e m assim o velho funcionário, sempre tão dedicado!* **5.** *Fig.* Não levar em conta; esquecer: "Sarney a r q u i v a divergências e recebe Geisel" (*Jornal do Brasil*, 3.6.1985).

arquivista. *S. 2 g.* Pessoa encarregada de um arquivo (1); papelista.

arquivística. *S. f.* Arquivologia.

arquivístico. *Adj.* **1.** Relativo a arquivo; arquival. **2.** Arquivológico.

arquivo. [Do gr. *archeîon*, pelo lat. *archiu* ou *archivu.*] *S. m.* **1.** Conjunto de documentos manuscritos, gráficos, fotográficos, etc., recebidos ou produzidos oficialmente por uma entidade ou por seus funcionários, e destinados a permanecer sob a custódia dessa entidade ou funcionários. **2.** Lugar onde se recolhem e guardam esses documentos. **3.** Móvel, geralmente de metal e com gavetas, para guardar documentos. **4.** *Proc. Dados.* Conjunto organizado de *registros* afins, geralmente organizados em um dispositivo físico, tais como disco magnético, fita magnética, cartão perfurado, etc. (ex.: arquivo de folha de pagamento — um registro para cada empregado, mostrando seu salário, nome, matrícula, deduções, etc.) ♦ **Arquivo morto.** O que já não é consultado, ou, raramente o é, pelo órgão que o originou. **Arquivo público.** Órgão que reúne, para conservação, consulta e divulgação, os documentos constitutivos de arquivos de entidades públicas e privadas. **Arquivo vertical.** Aquele em cujas gavetas os documentos são colocados na posição vertical, em pastas ou envelopes. **Arquivo vivo.** *Bras. Gír. pol.* Testemunha de um crime. **Queimar o arquivo.** *Pop.* Tirar a vida (o mandante de um crime), por suas próprias mãos ou pelas de outrem, do executante desse crime, para evitar denúncia.

arquivologia. [De *arquivo* + *-log(o)-* + *-ia.*] *S. f.* Estudo ou conhecimento dos arquivos; arquivística.

arquivológico. *Adj.* Relativo à arquivologia; arquivístico.

arquivologista. *S. 2 g.* Especialista em arquivologia.

arquivolta. [Do it. *archivolto.*] *S. f. Arquit.* **1.** Moldura que guarnece um arco, esculpida nas próprias aduelas que o constituem. **2.** Série de arcos, concêntricos e decrescentes, que formam os portais de muitos edifícios românicos e góticos.

arquivonomia. [De *arquivo* + *-ono(m)(a)-* + *-ia.*] *S. f.* Conjunto de conhecimentos relativos à organização e administração dos arquivos.

arquivonômico. *Adj.* Referente à arquivonomia.

➧-arra. V. *orra.*

arrabalde. [Do ár. *ar-rabaD.*] *S. m.* Cercanias de uma cidade ou povoação; subúrbio: "à noite pedia-me que a levasse a algum a r r a b a l d e distante da cidade" (José de Alencar, *Lucíola*, p. 155).

arrabaldeiro. *Adj.* **1.** Relativo a arrabalde. **2.** Que vive em arrabalde. ● *S. m.* **3.** Aquele que vive em arrabalde.

arrábido. *S. m.* **1.** Capucho do convento da Arrábida em Setúbal (Portugal). ● *Adj.* **2.** Pertencente ou relativo aos arrábidos.

arrabil. [Do ár. *ar-rabāb.*] *S. m.* Rabeca mourisca de uma ou duas cordas friccionáveis com arco tosco, e tampo de pele [Cf. *rababe*]: "Pensando triste [a castelã senil] nos ditosos dias / Em que a seus pés um menestrel vibrava / O mimoso a r r a b i l." (Gonçalves Crespo, *Obras Completas*, p. 141). [Var.: *rabil.*]

arrabileiro. *S. m.* Tocador de arrabil.

arrabujar-se. [De *ar-*[1] + *rabuge(m)* + *-ar*[2] + *se*[1].] *V. p.* **1.** Tornar-se rabugento. **2.** Encher-se de rabugem (o cão).

arraçado. *Adj.* e *s. m. Bras., BA.* Diz-se de, ou mestiço alvacento, passando por branco.

arracachá. [De possível or. indígena.] *S. f. Bras.* V. *batata-baroa.*

arraçar. [De *ar-*[1] + *raça* + *-ar*[2].] *V. t. d.* **1.** Obter (boas crias) cruzando animais de boa raça com outros que não o são: *Um bom reprodutor a r r a ç a a futura cria. Int.* **2.** Sair de boa raça. **3.** Sair à raça dos pais. [Conjug.: v. *laçar.*]

arracimado. [De *ar-*[1] + *racimo* + *-ado*[1].] *Adj.* Que tem forma de racimo [q. v.]

arracimar-se. [De *ar-*[1] + *racimo* + *-ar*[2] + *se*[1].] *V. p.* **1.** Cobrir-se de racimos. **2.** Tomar a forma de cacho.

arraçoamento. *S. m.* Ato ou efeito de arraçoar.

arraçoar. [De *ar-*[1] + *ração* + *-ar*[2].] *V. t. d.* **1.** Dar ração a. **2.** Dar alimento a. **3.** Dividir, repartir em rações. [Conjug.: v. *coroar.*]

arraia[1]. [De *ar-*[2] + *raia*[2].] *S. f.* **1.** Raia[2] (1): "A a r r a i a possui um dente no céu da boca, agudo e penetrante, que arranca o xaboque da carne da pessoa atacada" (Hélio Galvão, *Cartas da Praia*, pp. 22-23). **2.** *Bras.* V. *papagaio* (5) pequeno; raia.

arraia[2]. [De *ar-*[2] + *raia*[1].] *S. f.* V. *fronteira* (1).

arraia[3]. [Do ár. *ar-ra'āiā*, 'rebanho que se faz apascentar; os governados, os súditos'.] *S. f.* V. *ralé* (1)

arraia-arara. *S. f. Bras.* V. *raia-pintada* (2). [Pl.: *arraias-araras* e *arraias-arara.*]

arraia-borboleta. *S. f. Bras.* V. *raia-manteiga* (1). [Pl.: *arraias-borboletas* e *arraias-borboleta.*]

arraiada. *S. f.* V. *alvorada* (1): "Ao quebrar da barra — a a r r a i a d a ainda hesitante." (José Américo de Almeida, *A Bagaceira*, p. 17.)

arraiado. [Part. de *arraiar.*] *Adj.* Raiado (1).

arraia-elétrica. *S. f. Bras.* V. *treme-treme.* [Pl.: *arraias-elétricas.*]

arraia-grande. *S. f. Bras.* V. *boró*[1]. [Pl.: *arraias-grandes.*]

arraial. [De *ar-*[1] + ant. *reial*, hoje *real*, 'do rei'.] *S. m.* **1.** Acampamento (2), especialmente de tropas. **2.** Lugar onde se juntam romeiros, onde há tendas provisórias, barracas de comestíveis, de jogos e diversões, e ornamentado, com música, etc. **3.** *P. ext.* Festa popular com barracas de comestíveis, jogos e diversões, etc., semelhante ao arraial (1). **4.** Povoação de caráter temporário, geralmente formada em função de certas atividades extrativas, como a lavra de minérios ou metais raros, etc. **5.** *Bras.* Aldeola, lugarejo.

arraialense. *Adj. 2 g.* **1.** De, ou pertencente ou relativo a Arraial do Cabo (RJ). ● *S. 2 g.* **2.** Natural ou habitante de Arraial do Cabo.

arraialesco (ê). *Adj.* Referente a, ou próprio de arraial.

arraia-mijona. *S. f. Bras.* Arraia[1] (2) provida de um cordão de bandeirolas. [Pl.: *arraias-mijonas.*]

arraia-miúda. [De *arraia*[3] + o fem. do adj. *miúdo.*] *S. f.* V. *ralé* (1). [Pl.: *arraias-miúdas.*]

arraiano[1]. [De *arraia*[2] + *-ano*; var. de *raiano.*] *Adj.* e *s. m.* Que ou aquele que mora na arraia ou fronteira.

arraiano[2]. *Adj.* **1.** De, ou pertencente ou relativo a Arraias (GO). ● *S. m.* **2.** O natural ou habitante de Arraias.

arraia-pintada. *S. f. Bras.* V. *raia-pintada* (1). [Pl.: *arraias-pintadas.*]

arraiar. [De *ar-*[2] + *raiar*[1].] *V. int.* V. *raiar*[1].

arraia-viola. *S. f. Bras.* V. *viola*[1] (5). [Pl.: *arraias-violas* e *arraias-viola.*]

arraieira. *S. f. Bras.* Rede de tucum para a pesca de arraias.

arraieiro. [De *arraia*[1] + *-eiro.*] *S. m. Bras. BA.* Pescador de arraias.

arraigada. [De *arraigar* + *-ada*[1].] *S. f. Anat.* Base por onde a língua se prende ao osso hióide. ~ V. *arraigadas.*

arraigadas. [Pl. de *arraigada.*] *S. f. pl. Marinh.* Cabos de mastreação ~ V. *arraigada.*

arraigado. [Part. de *arraigar.*] *Adj.* **1.** Que se arraigou; enraizado, radicado. **2.** *Fig.* Aferrado, obstinado.

arraigar. [De *ar-*[2] + ant. *raigar*, 'criar raízes'.] *V. t. d.* **1.** Firmar pela raiz; fixar, enraizar: *a r r a i g a r uma planta; a r r a i g a r uma idéia.* **2.** Fazer durável, permanente; aferrar: *Os anos de sofrimento a r r a i g a r a m o ódio em seu coração mt.* **3.** Lançar ou criar raízes; radicar-se: *As plantas a r r a i g a m dificilmente em terrenos pedregosos.* **4.** Estabelecer-se em algum lugar, com o ânimo de permanecer, fixar moradia; arraigar-se: *Mudou-se para o interior e ali a r r a i g o u. P.* **5.** Estabelecer-se, firmar-se, fixar-se **6.** Estabelecer-se em algum lugar, com o ânimo de permanecer; fixar moradia; arraigar: *Indivíduo inquieto não consegue a r r a i g a r-s e em lugar algum* [Conjug.: v. *largar.*]

arraio. *S. m. Bras., BA* e *MG.* No médio São Francisco, chefe de pescaria de rede.

arrais. [Do ár. *ar-raiç*, 'chefe', 'capitão de navio'.] *S. m. 2 n. Mar. Merc.* **1.** Marítimo com conhecimentos práticos locais de navegação. **2.** Pessoa que comanda embarcação de tráfego ou de serviço portuário: "Era uma solidão um vasto silêncio de terra morta, apenas docemente quebrado pela cadência dos remos e pelo canto dorente do a r r a i s..." (Eça de Queirós, *A Correspondência de Fradique Mendes*, p. 35.)

arralentar. [De *ar-*[2] + *ralo* + *-entar.*] *V. t. d.* **1.** Tornar pouco espesso ou menos denso; tornar ralo. **2.** Desbastar (plantação).

arramalhar. [De *ar-*[2] + *ramalho* + *-ar*[2].] *V. int.* **1.** Ramalhar. **2.** Esconder-se debaixo dos ramos (reptil). **3.** Agitar-se na rede (peixe). *T. i.* **4.** Orçar; beirar: *A r r a m a l h a pelos 40 anos.*

arramar. [De *ar-*[1] + *rama* + *-ar*[2].] *V. int.* **1.** Encher-se de rama. *P.* **2.** Espalhar-se; alastrar-se; ramificar-se.

arrampado. [De *ar-*[1] + *rampa* + *-ado*[1].] *S. m. Bras.* Declive, talude.

arrampadoiro. *S. m.* V. *arrampadouro.*

arrampadouro. [Var. de *arrampadoiro.*] *S. m. Ant.* **1.** Terra inculta e arável. **2.** *Bras.* Encosta, flanco, vertente.

arranca. [Dev de *arrancar.*] *S. f.* **1.** V. *arrancamento.* **2.** *Bras.* A colheita da mandioca.

arrancada. [De *arrancar* + *-ada*[2].] *S. f.* **1.** V. *arrancamento.* **2.** Partida súbita e violenta; arranco. **3.** Movimento inesperado ou precipitado; arrancadela, arranco. **4.** Terreno de onde se arrancaram raízes para ser cultivado. ♦ **De arrancada.** V. *de arranco.*

arrancadela. *S. f.* **1.** Ato de arrancar uma vez. **2.** V. *arrancada* (3)

arrancado. [Part. de *arrancar.*] *Adj.* ~ V *voga —a.*

arrancador (ô). *S. m.* **1.** Aquele que arranca. **2.** Utensílio para arrancar batatas. **3.** *Bras., SE* e *BA.* Terreno para pastoreio do gado, onde antes havia plantação de mandioca e legumes.

arrancadura. *S. f.* **1.** V. *arrancamento.* **2.** Porção que se arranca de uma vez.

arranca-estrepe. [De *arrancar* + *estrepe.*] *S. m.* Planta da família das malváceas (*Pavonia spinifex*). [Pl.: *arranca-estrepes.*]

arranca-língua. [De *arrancar* + *língua.*] *S. m. Bras., GO. Folcl.* Personagem lendário, representado por um vulto de homem amacacado, gigante, que surge para punir os ladrões de gado, arrancando a língua dos animais. [Pl.: *arranca-línguas.*]

arrancamento. *S. m.* Ato ou efeito de arrancar; arranca, arrancada, arrancadura.

arranca-milho. [De *arrancar* + *milho.*] *S. m.* **1.** V. *graúna.* **2.** V. *pássaro-preto.* [Pl.: *arranca-milhos.*]

arranca-peito. [De *arrancar* + *peito.*] *S. m. Bras. Pop.* V. *lasca-peito.* [Pl.: *arranca-peitos.*]

arrancar. *V. t. d.* **1.** Tirar com mais ou menos força ou violência; fazer sair, puxando; despegar: "Arranca o Estatuário uma pedra dessas montanhas, tosca, bruta, dura, informe" (Pe. Antônio Vieira, *Sermões*, III, p. 419); "O menino mordia os beiços, arrancava os cabelos, esbravejava" (Afonso Arinos, *Pelo Sertão*, p. 169). *Arrancou uma a uma as pétalas da flor.* **2.** Desprender da terra; desenraizar, desarraigar. **3.** Extinguir, destruir; exterminar, erradicar: *Nada lhe disse, para não lhe arrancar as últimas ilusões.* **4.** Despertar, provocar, suscitar: *arrancar aplausos.* **5.** Desferir (vôo). *T. d.* e *i.* **6.** Tirar ou extrair com força ou violência: "A dor vencera a raiva, o boticário não arrancou as orelhas ao alienista" (Machado de Assis, *Papéis Avulsos*, p. 75.) **7.** Erguer, à força ou a custo: "—E o homem, como tonto, arranca a custo os pés do solo." (Garibaldino de Andrade, *Vila Branca*, p. 23.) **8.** Tirar à força; arrebatar: *Não conseguiu arrancar a filha dos braços da mãe.* **9.** Fazer sair à força, com esforço, ou por insistência: *Com muito custo arrancou-o da cama.* **10.** Separar, afastar, desviar: "Encerrou-se por alguns dias; o major Siqueira arrancou-o à solidão." (Machado de Assis, *Quincas Borba*, p. 149); "Juliana embevecida não podia arrancar os olhos do rosto de Jorge" (Joaquim Manuel de Macedo, *Os Romances da Semana*, p. 291); *Nada o arrancava de sua profunda melancolia.* **11.** Obter, conseguir, à custa de insistência, ou importunação: "A mucama que a servia, apesar da familiaridade que existia entre elas, não pôde arrancar-lhe uma palavra" (Machado de Assis, *Várias Histórias*, p. 121); "Falam-lhe no pai que morreu no patíbulo, e arrancam-lhe segredos que não se perguntam a uma criança..." (Camilo Castelo Branco, *A Filha do Regicida*, p. 158). *T. i.* **12.** Avançar com ímpeto: *Arrancou contra o inimigo.* **13.** Desprender (-se), soltar(-se): "Subitamente, porém, entesou [o balão], enfunou-se e arrancou das mãos que o tenteavam." (Manuel Bandeira, *Estrela da Vida Inteira*, p. 97.) *Int.* **14.** Partir ou sair, com ímpeto ou de repente: *O touro arrancou pela cerca fora;* "E os cavalos arrancaram picados de esporas." (Herman Lima, *Tijipió*, p. 149). **15.** Desferir vôo. **16.** Dar os últimos arrancos ou estertores; estertorar, agonizar. **17.** *Autom.* Pôr-se em movimento; dar partida: *Quando cheguei à porta, o automóvel já arrancara.* **18.** V. *fugir* (1 e 2). *P.* **19.** Partir ou sair com ímpeto ou de repente. **20.** V. *fugir* (1). **21.** Afastar-se, retirar-se: "Quando se arrancaram dali, e se despediram uns dos outros, deu-se um fenômeno com que não contavam" (Machado de Assis, *Quincas Borba*, p. 305); *Ninguém o faz arrancar-se da cama antes do meio-dia.* **22.** Livrar-se, libertar-se: "Fez um esforço enorme, arrancou-se do feitiço que a dementava" (Júlio Ribeiro, *A Carne*, pp. 18-19). [Conjug.: v. *trancar.*]

arranca-rabo. [De *arrancar* + *rabo.*] *S. m. Bras. Pop.* V. *rolo*[1] (16). [Pl.: *arranca-rabos.*]

arranca-raízes. [De *arrancar* + o pl. de *raiz.*] *S. m. 2 n.* Instrumento com que se extraem raízes.

arranca-sonda. [De *arrancar* + *sonda.*] *S. m.* Instrumento para puxar as sondas de mina quando ficam presas ou se partem nos furos. [Pl.: *arranca-sondas.*]

arranca-toco. [De *arrancar* + *toco* (ô).] *S. m. Pop.* **1.** *Bras., CE.* V. *rolo*[1](16). **2.** *Bras., PB.* Indivíduo irritadiço, neurastênico. **3.** *Bras., MA.* Jogo violento de futebol. [Pl.: *arranca-tocos.* Cf. *arranca-tocos.*]

arranca-tocos. [De *arrancar* + *toco* (ô).] *S. m. 2 g. Bras. Pop.* **1.** V. *valentão* (3). **2.** *Bras., MG, SP* e *MT.* Tecido forte, resistente. **3.** Destocador (2). [Cf. *arranca-toco.*]

arrancável. *Adj. 2 g.* Que pode ser arrancado.

arranchação. [De *arranchar* + *-ção.*] *S. f. Bras., SP. Pop.* Morada ou residência provisória.

arranchamento. [De *arranchar* + *-mento.*] *S. m.* **1.** *Bras.* Conjunto de ranchos ou casebres; rancharia. **2.** *Bras., RS.* Casa de moradia no campo, com seus complementos — currais ou mangueiras, galpões, estrebarias, etc. — ou sem eles; sede de fazenda ou de estância: "Quando Maria Altina .... andava nos dezasseis anos, este arranchamento era um paraíso" (Simões Lopes Neto, *Contos Gauchescos e Lendas do Sul*, p. 140).

arranchar. [De *ar*[1]- + *rancho* + *-ar*[2].] *V. t. d.* **1.** Reunir em ranchos. **2.** Dar pousada a. *Int.* **3.** Reunir-se em rancho ou mesa comum. *P.* **4.** Tirar e comer o rancho (4) (no quartel). **5.** Hospedar-se ou estabelecer-se provisoriamente.

arrancho. [Dev. de *arranchar.*] *S. m.* Pousada, pouso; rancho: "Quer repousar. Mas teme não encontrar pouso e comida, e temeroso pergunta: / — Nesta terra tem arrancho?" (Padre Antônio Vieira, *Sertão Brabo*, p. 17.)

arranco. [Dev. de *arrancar.*] *S. m.* **1.** Ímpeto violento. **2.** V. *arrancada* (2 e 3). **3.** Agonia, estertor, arquejo: "E o sono sempre cortado / Pelo arranco de um finado, / E o baque de um corpo ao mar..." (Castro Alves, *Poesias Escolhidas*, p. 334). [Tb. us. no pl. nesta acepç. F. paral.: *arranque.*] **4.** *Teat.* Exagero do ator na declamação de um drama ou tragédia; arranco dramático. ~ V. *arrancos.* ◆ **Arranco dramático.** *Teat.* Arranco (4). ◆ **De arranco.** De súbito; com ímpeto; de arrancada: "Levantando-se de arranco, Azarias tirou a linha da água, enrolando-a na vara" (Eduardo Canabrava Barreiro, *O Segredo de Sinhá Ernestina*, p. 11).

arrancorar-se. [De *ar-*[1] + *rancor* + *-ar*[2] + *se*[1].] *V. p.* Tornar-se rancoroso; tomar-se de rancor.

arrancos. *S. m. pl.* V. *arranco.*

arranha-céu. [De *arranhar* + *céu;* trad. do ingl. americano *sky-scrapper.*] *S. m.* Edifício de muitos pavimentos. [F. paral.: *arranha-céus.* Pl.: *arranha-céus.*]

arranha-céus. *S. m. 2 n.* Arranha-céu [q. v.].

arranhado. [Part. de *arranhar.*] *Adj.* Que sofreu arranhão.

arranhador (ô). *S. m.* **1.** Aquele que arranha [v. *arranhar* (1).] **2.** Aquele que se inicia no estudo de um instrumento musical. **3.** *Pej.* Aquele que sabe imperfeitamente qualquer matéria.

arranhadura. *S. f.* **1.** Ferida leve ou unicamente da pele; pequena escoriação. **2.** Ranhura (2) pouco profunda que causa prejuízo a uma superfície polida. [Sin. ger.: *arranhão.*]

arranhão. *S. m.* Arranhadura.

arranhar. [Do esp. *arañar.*] *V. t. d.* **1.** Raspar de leve com as unhas ou com a ponta de qualquer instrumento. **2.** Ferir ou esfolar mais ou menos de leve, com as unhas ou com qualquer outra coisa, a pele de. **3.** Conhecer pouco (uma língua, uma disciplina): "Tocava bem piano, / Arranhava francês e italiano." (Artur Azevedo, *Contos em Verso*, p. 240.) **4.** Iniciar o estudo de, ou tocar mal (um instrumento musical). **5.** Ofender, ferir moralmente: *arranhar a reputação de alguém.* **6.** Causar atrito a: *Ao dar a partida, arranhou a mudança do carro.* **7.** Ganhar, lucrar, aproveitar: *Nada há que arranhar ali.* *Int.* **8.** Ferir ou esfolar, com as unhas, a pele de alguém, ou qualquer superfície: *Os felinos arranham em defesa própria.* **9.** Produzir arranhadura: *Friccionada numa superfície, a lixa arranha.* **10.** Ser áspero, rancoroso, podendo produzir arranhadura: *As superfícies cimentadas arranharam.* **11.** Fazer qualquer coisa superficialmente, sem se aprofundar. *P.* **12.** Ferir-se ou esfolar-se com as unhas, com a ponta de qualquer objeto, etc.

arranjadeiro. *Adj.* Cuidadoso, metódico.

arranjado. [Part. de *arranjar.*] *Adj.* **1.** Que se arranjou. **2.** *Bras.* Que tem situação financeira regular; remediado.

arranjador (ô). *Adj.* **1.** Que arranja. ● *S. m.* **2.** Aquele que arranja. **3.** *Bras. Restr.* Aquele que faz arranjo (6), ou que arranja [V. *arranjar* (7)]: "Antônio Carlos Jobim foi logo empregado como arranjador pela Leeds Corporation" (José Ramos Tinhorão, *O Samba Agora Vai...*, p. 105).

arranjamento. *S. m.* Ato ou efeito de arranjar.

arranjar. [Do fr. *arranger.*] *V. t. d.* **1.** Pôr em ordem; colocar ou dispor convenientemente, com acerto e regularidade; arrumar, compor: *Arranjou a louça no armário.* **2.** Resolver amigavelmente; acertar, conciliar: *O advogado arranjou a questão.* **3.** Consertar, reparar, compor: *Mandei arranjar os sapatos.* **4.** Enfeitar, adornar, ataviar. **5.** Conseguir, obter, alcançar: *Arranjou um emprego, após as tentativas frustradas.* **6.** Apanhar, contrair: *Arranjou uma gripe que o pôs de molho por uma semana.* **7.** *Mús.* Fazer arranjo de (peça musical); adaptar. *T. d.* e *i.* **8.** Conseguir, obter, alcançar: "Arranjara-lhe colocação na mercearia de um parente, na cidade." (Gilvã Lemos, *Jutaí Menino*, p. 89); "Arranjei-lhe uma casa pequena, mas pode ser que, ainda assim, passe para um estabelecimento de saúde." (Machado de Assis, *Quincas Borba*, p. 304). **9.** Colocar, empregar: *Arranjou o filho numa firma sólida.* *P.* **10.** Conseguir boa situação; arrumar-se. **11.** Conseguir namorado(a), noivo(a), marido ou mulher, ou amante; arrumar-se. **12.** Governar-se bem: *Sabe arranjar-se na vida.* **13.** Obter emprego, colocação: *Desempregado desde muito tempo, agora, felizmente arranjou-se.* **14.** Avir-se, arrumar-se: *Não seguiu o meu conselho, agora que se arranje sozinho.*

arranjo. [Dev. de *arranjar.*] *S. m.* **1.** Ato ou efeito de arranjar (1); boa ordem ou disposição. **2.** administração e/ou arrumação doméstica. **3.** Disposição harmoniosa ou artística: *arranjo de flores.* **4.** Fortuna, bens. **5.** *Mat.* Subconjunto ordenado de um conjunto finito. **6.** *Mús.* Versão diferente da original, de obra ou fragmento de obra musical, feita pelo próprio compositor ou por outra pessoa. [Cf. *adaptação* (6), *harmonização* (v. *harmonizar* [3]), *instrumentação* (v. *instrumentar* [1]), *redução (6) e transcrição* (6).] **7.** *Mús.* No *jazz*, processo de criação que procura substituir a improvisação pela anotação prévia. **8.** *Bras.* Conchavo, conluio. **9.** *Bras.* Negócio fraudulento; negociata, mamata. **10.** *Bras.* Emprego conseguido à custa de pistolão. **11.** *Bras. Gír.* V. *caso* (6). **12.** *P. ext. Gír.* V. *concubina.* ~ V. *arranjos.*

arranjos. [Pl. de *arranjo.*] *S. m. pl.* **1.** Preparativos. **2.** Apréstos, petrechos. ~ V. *arranjo.*

arranque. [Dev. de *arrancar.*] *S. m.* **1.** Arranco (1 a 3). **2.** *Arquit.* Primeira aduela de arco, que se apóia diretamente na emposta; nascimento do arco. **3.** Parte onde começa a curvatura da abóbada. **4.** *Autom.* V. *motor de arranque.*

arrapazado. [De *ar-*[1] + *rapaz* + *-ado*[1].] *Adj.* **1.** Que tem maneiras de rapaz. **2.** Próprio de rapaz.

arraposado. [Part. de *arraposar-se.*] *Adj.* Manhoso, astucioso, ao modo da raposa.

arraposar-se. [De *ar-*[1] + *raposa* + *-ar*[2] + *se*[1].] *V. p.* Adquirir manhas, como as da raposa.

arras. [Da língua semítica, atr. do gr. *arrhabón*, abreviado, no lat., em *arrhas.*] *S. f. pl.* **1.** Garantia ou sinal de um contrato; penhor. **2.** Bens dotais que, por contrato, o noivo assegura à esposa. **3.** Prova, demonstração: "Depois daquela festa, onde tudo se unira, / Para dar ao gigante arras de um grande amor, / Tudo estava tranqüilo, e tudo enfim dormira" (Luís Delfino, *A Angústia do Infinito*, p. 115).

arrás. [Do top. *Arrás.*] *S. m.* Tapeçarias antigas e valiosas fabricadas em Arrás (França). [Pl.: *arrases.*]

arrasado. [Part. de *arrasar.*] *Adj.* **1.** Tornado raso, plano. **2.** Cheio até às bordas. **3.** Devastado, destruído, assolado. **4.** Muito deprimido, física ou moralmente; aniquilado, prostrado. **5.** Humilhado, vexado. **6.** Cansadíssimo esfalfado, extenuado, exausto.

arrasador (ô). *Adj.* **1.** Que arrasa; arrasante. ● *S. m.* **2.** Aquele que arrasa. **3.** V. *rasoura* (1).

arrasadura. *S. f.* **1.** Ato de arrasar. **2.** Sobras da medida, depois de arrasada [v. *arrasar* (2)].

arrasamento. *S. m.* Ato ou efeito de arrasar(-se).

arrasante. *Adj. 2 g.* Arrasador (1).

arrasar. [De *ar-*[1] + *raso* + *-ar*[2].] *V. t. d.* **1.** Tornar raso; nivelar, aplanar, aplainar. **2.** Nivelar (a medida) com a rasoura. **3.** Lançar por terra; demolir, derrubar, destroçar: *O bombardeio arrasou várias casas.* **4.** Destruir, devastar, arruinar, talar: *A tempestade de granizo arrasou as plantações.* **5.** Humilhar, vexar, mortificar: *Arrasou o empregado com palavras grosseiras.* **6.** Abater, moral ou fisicamente, em excesso; prostrar, aniquilar: *A morte da filha arrasou-o.* **7.** Encher até transbordar. **8.** Dizer as últimas a; afrontar gravemente: *Arrasou o empregado responsável pelo acidente.* *T. i.* **9.** Dizer o diabo; dizer cobras e lagartos: *Arrasa com quem lhe contraria a opinião.* *P.* **10.** Cansar-se ao extremo; esfalfar-se, extenuar-se, exaurir-se. **11.** Abater-se, humilhar-se. **12.** Perder os bens; arruinar-se: *Arrasou-se com a queda da bolsa.* **13.** V. *rasar* (7).

arrasta. *S. m. Bras.* F. red. de *arrasta-pé* (2) [q. v.].

arrastadeiro. [De *arrastar* + *-deiro.*] *Adj.* V. *rasteiro* (1).

arrastadiço. *Adj.* Que se deixa facilmente arrastar ou influenciar por outrem.

arrastado. [Part. de *arrastar.*] *Adj.* **1.** V. *rasteiro* (1). **2.** Que roça ou desliza pelo chão: *passos arrastados.* **3.** Lento, pausado; frouxo: *voz arrastada.* **4.** Demorado, delongado: *negócio arrastado.* **5.** Miserável, humilde. ~ V. *preço* —. ● *S. m.* **6.** *Bras.* Ato ou efeito de arrastar. **7.** V. *arrasta-pé* (1). **8.** *Bras.* Um dos toques da viola ou da guitarra.

arrastador (ô). *S. m. Bras., N.* e *N.E.* **1.** Caminho estreito, nos matos, que os vaqueiros atravessam à procura dos pastos habituais, do gado. **2.** Picada tosca aberta no mato pelos sertanejos para a condução de madeiras. **3.** Atalho para comunicação com as roças feitas no interior das florestas.

arrastadura. *S. f.* Arrastamento.

arrastamento. *S. m.* Ato de arrastar(-se); arrastadura.

arrastão. [Aum. de *arrasto.*] *S. m.* **1.** Esforço violento para arrastar. **2.** Vara que nasce junto ao pé da videira. **3.** Rede de arrastar pelo fundo, que apanha todas as espécies de peixe que encontra. **4.** *Lus. P. ext.* Embarcação própria para a pesca com essa rede. **5.** *Cap.* Pontapé que se aplica numa queda-de-quatro, a fim de que os pés atinjam partes vulneráveis do corpo do adversário. **6.** *Bras.* Ato de recolher do mar a rede de pesca. ♦ **Ir no arrastão.** *Bras. Pop.* Deixar-se envolver pela influência de outrem; deixar-se iludir.

arrasta-pé. [De *arrastar* + *pé.*] *S. m. Bras. Pop.* **1.** Baile popular; baile reles; arrastado, bate-chinela, bate-coxa, bate-pé, bochinche, bochincho ou bachinche, biqueiro, chinfrim, choro, fobó, forrobodó, forró, fuzo, gafieira, rala-bucho, samba, serra-osso, sorongo, surungo, sumpes, sovacada, subacada. **2.** Festa familiar, geralmente improvisada, em que há dança; bailarico, baileco, arrasta, assustado. [Tb. se diz apenas *arrasta*. Pl.: *arrasta-pés.*]

arrastar. [De *ar-*[1] + *rasto* + *-ar*[2].] *V. t. d.* **1.** Levar ou trazer de rastos ou de rojo; arrojar: *A mãe* arrastava *a criança birrenta.* **2.** Levar, puxar, ou mover à força, ou a custo: Arrastaram *o prisioneiro pelos grilhões.* **3.** Deslocar, fazer mover, sem afastar do chão: "Nisto acordou o velho, e veio a mim arrastando os pés." (Machado de Assis, *Páginas Recolhidas*, p. 95); "quis fugir, mas arrastou uns passos trôpegos, e caiu sem sentidos sobre o tapete." (José de Alencar, *Senhora*, p. 235). **4.** Roçar ou roçagar pelo chão: *Andava com majestade,* arrastando *a cauda do vestido.* **5.** Emitir (a voz) morosamente, por preguiça ou dificuldade na pronúncia. **6.** Atrair, impelir, levar, conduzir: *A curiosidade o* arrastara *àquele local.* **7.** Levar, viver, agüentar, suportar (vida apagada, de sofrimento, de miséria, etc.): Arrastou *longos anos aquela miserável existência. T. d. e i.* **8.** Conduzir, compelir, impelir: *A miséria pode* arrastá*-lo ao crime. Int.* **9.** Ir de rojo; rastejar. **10.** Roçar, rocegar pelo chão. *P.* **11.** Ir ou andar a custo; rastejar: "Quando a repartição se fecha, arrasto-me até o relógio oficial" (Graciliano Ramos, *Angústia*, p. 7). **12.** Andar sobre os joelhos ou com as mãos pelo chão. **13.** Decorrer ou passar (o tempo) mais lentamente do que se espera ou deseja: *Ficou aflito: as horas se* arrastavam, *e ela não vinha;* "A noite arrasta-se em passos de cobra, lenta, pegajosa" (Ciro de Matos, *Os Brabos*, p. 24). **14.** Seguir os seus trâmites, tramitar, marchar lentamente (um processo, pleito, etc.).

arraste. *S. m. Quím.* Separação de um componente de uma mistura por meio duma corrente de fluido (geralmente vapor) que passa no seio da mistura.

arrasto. [Dev. de *arrastar.*] *S. m.* **1.** Ato de arrastar. **2.** Saco e alares de rede de pesca. **3.** Sulco nos declives das montanhas, produzido pela lenha tombada pelos lenhadores. **4.** *Astron.* Força de resistência ao avanço de um veículo espacial, resultante da ação do meio. **5.** *Bras., BA.* Passagem estreita que liga entre si as partes amplas de uma mesma gruna. **6.** *Bras., RS.* Transporte de toros em zorra ou carreta.

arrátel. [Do ár. *ar-ratl.*] *S. m.* Antiga unidade de medida de peso, equivalente a 459 g ou 16 onças; libra. [Pl.: *arráteis.*]

arratelar. *V. t. d.* **1.** Dividir em porções de arrátel. **2.** Vender aos arráteis.

▲**-arraz.** V. *-az.*

arrazoado. [De *ar-*[1] + *razão* + *-ado*[1].] *Adj.* **1.** Conforme à razão; congruente, razoável. **2.** Acertado, justo. ● *S. m.* **3.** Discurso, oral ou escrito, com que se defende uma causa; defesa, razoado, razões. **4.** V. *alegação* (2).

arrazoador (ô). *S. m.* **1.** Aquele que faz arrazoado (2); discursador. **2.** V. *maçante* (2).

arrazoamento. *S. m.* Ato de arrazoar; arrazoado.

arrazoar. [De *ar-*[1] + *razão* + *-ar*[2].] *V. t. d.* **1.** Expor ou defender (causa, assunto, argumento, etc.) alegando razões. **2.** Censurar, repreender, argüir: Arrazoou *severamente o aluno faltoso. T. i.* **3.** Altercar, disputando; discutir: Arrazoou *com o irmão durante horas, mas não chegaram a entendimento.* **4.** Discorrer, falar: Arrazoou *longamente sobre o assunto. Int.* **5.** Discorrer, falar. **6.** Altercar, disputando: *Vivem a* arrazoar, *sem nunca se entenderem.* **7.** Cantar à viola de improviso. [Conjug.: v. *coroar.*]

arre. *Interj.* **1.** Designa cólera ou enfado. **2.** Emprega-se para incitar as bestas a andarem.

arreação. *S. f. Bras.* Série de golpes verticais com que se sangra a seringueira. [Cf. *arriação.*]

arreador (ô). *S. m.* **1.** Aquele que arreia. **2.** *Bras.* V. *arrieiro* (1) **3.** *Bras., RS.* Relho comprido com que os campeiros tocam os animais.

arreamento. *S. m.* **1.** Ato ou efeito de arrear(-se). **2.** O conjunto da mobília, alfaias, etc., de uma casa. **3.** *Bras.* O conjunto de peças necessárias à montaria do cavalo; arreio, arreios.

arrear. [Do gót. **reths*, pelo lat. **arredare.*] *V. t. d.* **1.** Pôr arreios em; aparelhar. **2.** Pôr arreios ou enfeites em; enfeitar, adornar, ataviar. **3.** Mobiliar, mobilhar. *P.* **4.** Enfeitar-se, adornar-se, ataviar-se. **5.** Jactar-se, gloriar-se, vangloriar-se. [Conjug.: v. *frear.* Fut. do pret.: *arrearia*, etc. Cf. *arriar*, v. e *arriaria*, s. f.]

arreata. [Dev. de *arreatar.*] *S. f.* Correia ou corda com que se prendem e por onde se conduzem as bestas; reata, reate.

arreatada. *S. f.* Pancada com arreata.

arreatadura. *S. f.* **1.** Ato de arreatar. **2.** *Marinh. Ant.* Reforço aplicado a mastro ou verga que tenha estalado, feito com vigas ou barrotes de madeira bem apertados, com botões de volta redonda passados de espaço a espaço. **3.** *Marinh. Ant.* Ligação de um objeto a outro com voltas redondas de cabo bem apertadas.

arreatar. [De *ar-*[1] + *re-* + *atar.*] *V. t. d.* Prender com arreata.

arrebanhador (ô). *S. m.* Aquele que arrebanha.

arrebanhar. [De *ar-*[1] + *rebanho* + *-ar*[2].] *V. t. d.* **1.** Ajuntar em rebanho: arrebanhar *o gado.* **2.** Reunir, juntar; recolher: Arrebanhou *todos os seus pertences e voltou para a terra natal.* **3.** Varrer os últimos restos de. *P.* **4.** Juntar-se, reunir-se, apinhar-se: *A multidão* arrebanhara-se *aos poucos.* [F. paral.: *rebanhar.*]

arrebatado. [Part. de *arrebatar.*] *Adj.* **1.** Veemente, arrojado, impetuoso. **2.** Precipitado, inconsiderado, irrefletido. **3.** Inflamado, exaltado. **4.** Ríspido, irritadiço, intratrável. **5.** Extasiado, enlevado, transportado.

arrebatador (ô). *Adj.* **1.** Que arrebata; arrebatante. ● *S. m.* **2.** Aquele que arrebata.

arrebatamento. *S. m.* **1.** Ato ou efeito de arrebatar(-se). **2.** Precipitação, excitação. **3.** Fúria súbita; exaltação, irritação, ira. **4.** Estado de quem se acha arrebatado (5); êxtase, enlevo, transporte, arroubo.

arrebatante. *Adj. 2 g.* **1.** Arrebatador (1). **2.** *Heráld.* Em postura de arrebatar a presa[1] (4) (lobo, raposa ou ave de rapina).

arrebatar. [De *ar-*[1] + *rebate* + *-ar*[2].] *V. t. d.* **1.** Tirar com violência ou força; arrancar: Arrebatou *a carta e dispôs-se a lê-la.* **2.** Levar, desprender, de um ímpeto: *Flores frágeis, o vento as* arrebata. **3.** Raptar (1): *O apaixonado amante* arrebatou *a donzela.* **4.** Impelir, conduzir: Arrebatado *pelo terror, galgou o alto muro;* "Se a fé te arrebata e inflama, / Vai aonde ela te levar." (Alberto de Oliveira, *Póstuma*, p. 71). **5.** Encantar, enlevar, extasiar: *A beleza do lugar* arrebatou*-os.* **6.** Levar à ira, à cólera; irar, enfurecer, encolerizar: *O riso irônico do amigo* arrebatou*-o, e o desfecho foi violento. T. d. e i.* **7.** Tirar por força ou violência; arrancar: "Sentado à mesa, ele comigo brinca: / Eu lhe arrebato o seu melhor bocado" (José Bonifácio, *Poesias*, p. 67). **8.** Apossar-se por força ou violência; roubar: Arrebataram*-lhe todo o dinheiro que trazia consigo.* **9.** Provocar, suscitar; arrancar: *A interpretação do pianista* arrebatou *aplausos aos presentes. P.* **10.** Extasiar-se, maravilhar-se, entusiasmar-se. **11.** Enfurecer-se, irar-se, encolerizar-se. **12.** Transportar-se em êxtase místico, religioso, etc.

arrebém. *S. m. Marinh.* **1.** Cabo de meia polegada (12,7 mm) de bitola. **2.** Cabo fino e velho, usado para serviços eventuais de menor importância. [V. *rebém.* Var.: *arrevém.*]

arrebenta-boi. [De *arrebentar* + *boi.*] *S. m. Bras.* **1.** Erva da família das campanuláceas (*Isotoma longiflora*), originária das Antilhas, venenosa, de folhas lanceoladas e flores alvas; arrebenta-cavalo, cega-olho, jasmim-da-itália. **2.** V. *arrebenta-cavalo* (1). [Pl.: *arrebenta-bois.*]

arrebentação. *S. f.* **1.** Ato ou efeito de arrebentar(-se). **2.** *Ocean. Fís.* Esboroamento da onda, por instabilidade própria ou por encontrar obstáculo ao seu deslocamento (costa ou fundos rasos). [F. paral.: *rebentação.*] **3.** *P. ext.* O lugar onde as ondas quebram de encontro à praia: *É bom não passar da* arrebentação: *o mar está puxando muito.* [F. paral.: *rebentação.*] **4.** *Fam.* V. *pindaíba* (4).

arrebenta-cavalo. [De *arrebentar* + *cavalo.*] *S. m. Bras.* **1.** Erva da família das solanáceas (*Solanum aculeatissimum*), ruderal e provida de uma multidão de acúleos pungentes, com folhas amplas e membranosas, sendo brancas as flores e os frutos bagas globosas, grandes e comestíveis, e que é usada como medicinal; arrebenta-boi, babá, bobó, juá, juá arrebenta-cavalo, juá-bravo, juati, melancia-da-praia. **2.** V. *arrebenta-boi* (1). [Pl.: *arrebenta-cavalos.*]

arrebentadiço. *Adj.* Fácil ou suscetível de arrebentar.

arrebentado. [Part. de *arrebentar.*] *Adj.* **1.** Que (se) arrebentou. **2.** Sem dinheiro ou recursos; quebrado, falido. **3.** Esfalfado, estafado, exausto, estourado. [F. paral.: *rebentado.*]

arrebentamento. *S. m.* Ato ou efeito de arrebentar(-se).

arrebentão. [De *ar-*[2] + *rebentão.*] *S. m.* V. *rebentão.*

arrebenta-panela. [De *arrebentar* + *panela.*] *S. f. Bras., PE.* V. *corcoroca* (1 e 2). [Pl.: *arrebenta-panelas.*]

arrebenta-pedra. [De *arrebentar* + *pedra.*] *S. f. Bras.* Planta da família das euforbiáceas, do gênero *Phyllanthus*, usada em farmácia como diurético e no tratamento de cálculos biliares renais; erva-pombinha, saxifraga. [Pl.: *arrebenta-pedras.*]

arrebenta-peito. [De *arrebentar* + *peito.*] *S. f.* **1.** *Bras.* V. *lasca-peito.* **2.** *Bras., SC. Pop.* V. *cachaça* (1). [Pl.: *arrebenta-peitos.*]

arrebentar. [De *ar-*[2] + *rebentar.*] *V. int., t. i.* e *t. d.* V. *rebentar:* "Bate, arrebenta, assobia, / Retumba, estrondeia o mar." (Raimundo Correia, *Poesias*, p. 273).

arrebento. [De *ar-*[1] + *rebento.*] *S. m.* V. *Rebento.*

arrebicar. *V. t. d.* **1.** Pôr arrebiques em: Quanto mais arrebica as faces, mais velha parece. **2.** Enfeitar com exagero: Arrebicava *a menina a ponto de torná-la ridícula. P.* **3.** Compor o rosto com arrebiques. **4.** Enfeitar-se, ataviar-se ridiculamente. [Conjug.: v. *trancar.*]

arrebique. [Do ár. *ar-rabik.*] *S. m.* **1.** Cosmético róseo para pintar o rosto. **2.** Enfeite excessivo e de mau gosto. **3.** Amaneiramento e afetação do estilo. [Var.: *rebique.*]

arrebitado. [Part. de *arrebitar.*] *Adj.* **1.** Revirado para cima na ponta: *nariz* arrebitado. **2.** *Bras. Fig.* Irascível, genioso, arrebatado. **3.** *Bras.* Vivo, esperto. **4.** *Bras.* Petulante, insolente.

arrebitamento. *S. m.* **1.** Ato ou efeito de arrebitar(-se). **2.** *Bras.* Feitio ou procedimento de quem é arrebitado (4).

arrebitar. [De *ar-*[1] + *rebite* + *-ar*[2]] *V. t. d.* **1.** Revirar (a ponta ou a aba) para cima: Arrebitava *o lábio superior, despeitado. P.* **2.** Levantar-se, altear-se. **3.** Levantar-se com altivez; emproar-se. **4.** Irritar-se, abespinhar-se. [F. paral.: *rebitar.*]

arrebita-rabo. [De *arrebitar* + *rabo.*] *S. f. Bras.* V. sabiá-do-campo. [Pl.: *arrebita-rabos.*]

arrebite. [Dev. de *arrebitar.*] *S. m.* Rebite (1).

arrebito. [Dev. de *arrebitar.*] *S. m.* **1.** Configuração de coisa arrebitada. **2.** *Fig.* Petulância, insolência, desaforo.

arrebol. [De *ar-*[1] + lat. *rubore*, 'rubor', com dissimilação.] *S. m.* Vermelhidão do nascer ou do pôr-do-sol: "veio a loucura do arrebol da tarde a pôr no horizonte lumaréus de fogueira" (Adelaide Félix, *Cada Qual com Seu Milagre...*, p. 198). [Pl.: *arrebóis.*]

arrebolar[1]. [De *ar-*[1] + *rebolo* + *-ar*[2].] *V. t. d.* **1.** Dar feitio de bola a; arredondar, abolar. **2.** Amolar no rebolo.

arrebolar[2]. [De *arrebol* + *-ar*[2].] *V. t. d.* Dar cor de arrebol a.

arre-burrinho. [De *arre* + *burrinho.*] *S. m.* **1.** V. *gangorra*[1] (1). **2.** *Fam.* Pessoa que se presta ao debique de todos; joguete. [Pl.: *arre-burrinhos.*]

arrecabe. *S. m.* Corda para puxar os arrastões de pesca.

arrecada. [Talvez do ár.] *S. f.* Brinco (1), em geral de metal e em forma de argola: "Têm nas orelhas grossas arrecadas, / Nas mãos (com luvas) *trinta moedas*, em anéis, / Ao pescoço serpentes de cordões" (Antônio Nobre, *Só*, p. 32). [M. us. no pl., pelo menos no Brasil.] ~ V. *arrecadas.*

arrecadação. *S. f.* **1.** Ato ou efeito de arrecadar; arrecadamento. **2.** Lugar onde se arrecada ou guarda alguma coisa; depósito. **3.** Cobrança de renda ou tributo. **4.** Prisão, custódia.

arrecadado. [Part. de *arrecadar.*] *Adj.* **1.** Posto a bom recado; guardado. **2.** Diz-se de renda ou tributo que se cobrou. **3.** Econômico, poupado, parcimonioso.

arrecadador (ô). *Adj.* e *s. m.* Que ou aquele que arrecada.

arrecadamento. *S. m.* Arrecadação (1).

arrecadar. [De *ar-*[1] + lat. *recapitare.*] *V. t. d.* **1.** Ter ou guardar em lugar seguro; pôr a bom recado; guardar: Arrecadou *cuidadosamente as jóias.* **2.** Cobrar (renda, tributo). **3.** Aceitar em pagamento; receber: *Arrecada boa gratificação mensal.* **4.** Tomar posse de: *Está às vésperas de arrecadar a herança materna.* **5.** Ajuntar, juntar; guardar: "A mulher, cuidadosa, juntava sementes e pedaços de casca, arrecadava tudo no lenço e na bolsa." (Graciliano Ramos, *Viagem*, p. 32.) **6.** Segurar, prender: *Arrecadou a mão da amada.* **7.** Conseguir, obter, arranjar. *Int.* **8.** Conseguir, alcançar, obter o que se deseja: *Tardou, mas arrecadou.*

arrecadas. *S. f. pl.* V. *arrecada.*

arrecadável. *Adj. 2 g.* Que se pode arrecadar (1).

arrecear. [De *ar-*[2] + *recear.*] *V. t. d., t. i.* e *p.* V. *recear.* [Conjug.: v. *frear.*]

arrecife. [De *ar-*[2] + *recife.*] *S. m.* Recife [q. v.]: "Fico nos arrecifes, olhando o mar." (Hélio Galvão, *Cartas da Praia*, p. 40); "negrejavam brutos arrecifes recobertos de limo verde" (Herman Lima, *Tijipió*, p. 121).

arrecto. [Do lat. *arrectu.*] *Adj. Bot.* Teso, ereto, erecto.

arrecuas. *El. s. f. pl.* Us. na loc. *às arrecuas.* ◆ **Às arrecuas.** Andando para trás; recuando.

arreda. [Dev. de *arredar.*] *Interj.* Designa ordem para alguém se afastar ou arredar: desvia, afasta, fora, para trás.

arredado. [Part. de *arredar.*] *Adj.* **1.** Que se arredou; afastado. **2.** Longínquo, distante, remoto, apartado.

arredamento. *S. m.* **1.** Ato ou efeito de arredar(-se). **2.** Desvio, afastamento.

arredar. [Do lat. *adretrare.] *V. t. d.* **1.** Afastar, desviar, remover para trás; fazer recuar: *Agarrou-o pela aba do paletó para arredá-lo dali.* **2.** Tirar do lugar, apartar de um lugar para outro; remover: *Levantaram-se arredando as cadeiras. T. d. e i.* **3.** Afastar, desviar, apartar: *Ninguém consegue arredá-lo desta casa.* **4.** Dissuadir, demover: *Impossível arredá-lo de sua deliberação. Int.* **5.** Pôr-se longe; afastar-se, apartar-se: *O policial ordenou aos curiosos que arredassem. P.* **6.** Afastar-se para trás; recuar, retroceder. **7.** Afastar-se, apartar-se, retirar-se.

arredável. *Adj. 2 g.* Que pode ser arredado.

arre-diabo. [De *arre* + *diabo.*] *S. m. Bras.* V. *urtiga-de-mamão.* [Pl.: *arre-diabos.*]

arredio. *Adj.* **1.** Que vive longe dos lugares que freqüentava ou das companhias que tinha. **2.** Que se afasta do trato ou do convívio social. **3.** Afastado, separado, apartado. **4.** Diz-se do gado tresmalhado, desgarrado.

arredonda-ângulos. [De *arredondar* + o pl. de *ângulo.*] *S. m. 2 n. Encad.* Aparelho com que se dá aparo arredondado aos cantos do papel ou do cartão.

arredondado. [De *a-*[2] + *redondo* + *-ado*[1].] *Adj.* Que tem forma redonda, circular ou de bola: "Presa à cintura pelo cós, desce a saia preta contornando os quadris arredondados." (Ana Elisa Gregori, *Os Barões da Candeia*, p. 11.) ~ V. *folha —a.*

arredonda-dorso. [De *arredondar* + *dorso.*] *S. m. Encad.* Espécie de prensa para encurvar o dorso dos livros, em substituição do processo manual, a martelo, dos encadernadores. [Pl.: *arredonda-dorsos.*]

arredondamento. *S. m.* **1.** Ato ou efeito da arredondar (-se). **2.** *Mat.* Num cálculo aproximado, abandono de todos os algarismos posteriores aos de uma certa ordem decimal, com eventual modificação do último algarismo conservado.

arredondar. [De *ar-*[1] + *redondo* + *-ar*[2].] *V. t. d.* **1.** Tornar redondo; abolar. **2.** Dar figura, forma ou feição redonda, esférica ou circular a: *Arredondou os braços para abraçá-la.* **3.** Completar, inteirar: *Conseguiu, com sua economia, arredondar pequena fortuna.* **4.** Perfazer (conta, quantia), transformando-lhe o total em números redondos: *Para facilitar o troco, resolveu arredondar a conta.* **5.** Dar harmonia, sonoridade, a (frase ou período): "Expletivo, também se diz de vocábulos, geralmente mui curtos, desnecessários para o sentido, mas que servem para encher (*explere*), arredondar a frase." (Mário Barreto, *Novos Estudos da Língua Portuguesa*, p. 436.) **6.** *Mat.* Efetuar o arredondamento de (um número). *Int.* **7.** Adquirir formas redondas; engordar: *Entregou-se à gula, e arredondou.* **8.** *Mat.* Efetuar um arredondamento. *P.* **9.** Tornar-se redondo. **10.** Tomar forma arredondada: "Nutrira, arredondaram-se proeminências faciais." (Camilo Castelo Branco, *A Mulher Fatal*, p. 123.)

arredor. [De *a-*[2] + *redor.*] *Adv.* **1.** Ao redor, em redor, em volta. ● *Adj. 2 g.* **2.** Circunvizinho, confinante. ● *S. m.* **3.** *P. us.* Arredores: "Quem assim falava? No arredor atento, / Ninguém vi" (Alberto de Oliveira, *Póstuma*, p. 24). ~ V. *arredores.*

arredores. [Pl. de *arredor.*] *S. m. pl.* Circunvizinhança, imediações, cercanias. [Tb. us. (pouco) no sing.] ~ V. *arredor.*

arrefeçado. [Part. de *arrefeçar.*] *Adj.* **1.** Tornado refece; vendido por preço vil. **2.** *Fig.* Aviltado, rebaixado.

arrefeçar. [De *ar-*[1] + *refece* + *-ar*[2].] *V. t. d.* **1.** Vender por preço vil. **2.** Tornar vil; aviltar. [Conjug.: v. *começar.* Pres. ind.: *arrefeço, arrefeças, arrefeça, arrefeçam*, etc. Cf. *arrefeço* (ê), *arrefeças* (ê), *arrefeça* (ê), *arrefeçam* (ê), do v. *arrefecer.*]

arrefecedor (ô). *Adj.* **1.** Que faz arrefecer. ● *S. m.* **2.** Aquele ou aquilo que faz arrefecer.

arrefecer. [De *ar-*[1] + lat. *refrisgescere.*] *V. int.* **1.** Tornar-se frio; perder o calor; esfriar: "A cinza arrefeceu sobre o brasido." (Camilo Pessanha, *Clepsidra e Outros Poemas*, p. 177); *Quando chegou à mesa, já a sopa arrefecera;* "Esse beijo da manhã, que foi quente alguns anos, arrefecera." (José Vieira, *Espelho de Casados*, p. 10). **2.** Perder a energia, o zelo, o fervor, o entusiasmo, etc.; desanimar, desalentar-se, afrouxar: *Começou trabalhando com entusiasmo, mas, quando viu que seria mal pago, arrefeceu*, "A palestra arrefecera em torno das brasas extintas. Cada qual se isolava em suas reflexões." (Godofredo Rangel, *Vida Ociosa*, p. 187). **3.** Ceder, abrandar: *Sua alta temperatura foi aos poucos arrefecendo. T. d.* **4.** Moderar (o zelo, o entusiasmo, a energia, a atividade). **5.** Fazer esfriar; fazer perder o calor; desanimar: *Tua indiferença acabou por arrefecê-lo.* **6.** Fazer perder (zelo, fervor, entusiasmo, energia, etc.); desanimar, entibiar. *P.* **7.** Tornar-se frio; perder o calor. **8.** Perder o calor, a vivacidade; esfriar. [F. paral.: *refecer.* Cf. *arrefentar.* Conjug.: v. *aquecer.* Pres. ind.: *arrefeço* (ê), *arrefeces, arrefece*, etc.; pres. subj.: *arrefeça* (ê), *arrefeças* (ê), *arrefeça* (ê), *arrefeçam* (ê). Cf. *arrefeço, arrefeças, arrefeça, ... arrefeçam*, do v. *arrefeçar.*]

arrefecido. [Part. de *arrefecer.*] *Adj.* **1.** Que arrefeceu, esfriou. **2.** Desanimado, desalentado, entibiado.

arrefecimento. *S. m.* **1.** Ato ou efeito de arrefecer(-se). **2.** Perda do calor; resfriamento.

arrefentado. [Part. de *arrefentar.*] *Adj.* Um tanto frio.

arrefentar. [Cruz. de *arrefecer* e *aquentar.*] *V. t. d.* Tornar um tanto frio. [Cf. *arrefecer.*]

ar-refrigerado. *S. m.* V. *condicionador de ar.* [Pl.: *ares-refrigerados.* Cf. *ar refrigerado.*]

arregaçada. [De *ar-*[1] + *regaço* + *-ada*[1].] *S. f.* **1.** Regaço cheio. **2.** Porção que enche o regaço. **3.** Grande porção: *uma arregaçada de rosas.*

arregaçado. [Part. de *arregaçar.*] *Adj.* **1.** Apanhado, arrepanhado: *vestido arregaçado; mangas arregaçadas.* **2.** Levantado, por efeito de enrolamento, arqueamento, enrugamento, etc.: *Tem o lábio arregaçado.*

arregaçar. [De *ar-*[1] + *regaçar.*] *V. t. d.* **1.** Colher a borda de (um vestido), formando regaço; apanhar, arrepanhar. **2.** Puxar, ou dobrar para cima (as calças, ou outra peça ou parte do vestuário): "Gostava de arregaçar as mangas para mostrar os braços, luxo de alvura, braços perfeitos de princesa" (Raul Pompéia, *O Ateneu*, p. 113). **3.** Levantar, contraindo-os ou arqueando-os, os lábios, mostrando, deixando ver (riso, sorriso): *Provocado, arregaçou um sorriso de desdém. P.* **4.** Levantar-se, enrolando-se, arqueando-se, contraindo-se, enrugando-se, etc.: *O lábio superior arregaçava-se por cima dos dentes.* [F. paral.: *regaçar.* Conjug.: v. *laçar.*]

arregaço. [Dev. de *arregaçar.*] *S. m. Bras.* **1.** V. *repreensão* (1). **2.** Discussão violenta; briga, altercação. **3.** V. *rolo*[1] (16).

arregalado. [Part. de *arregalar.*] *Adj.* Muito aberto; esbugalhado: *olhos arregalados.*

arregalar. [Var. do esp. ant. *arreguilar.*] *V. t. d.* Abrir e esbugalhar muito (os olhos), por espanto, admiração surpresa, satisfação, etc.: "Os negociantes dinheirosos arregalavam olhos concupiscentes" (Artur Azevedo, *Contos Possíveis*, p. 25).

arreganhado. [Part. de *arreganhar.*] *Adj.* **1.** Que se deixa mostrar (dentes) abrindo os lábios com expressão colérica ou de riso. **2.** *Bras., S.* Diz-se do cavalo que em tempo de calor intenso, depois de marchas imoderadas, havendo bebido pouco, é acometido de uma espécie de espasmo, caracterizado pela contração dos maxilares e das narinas.

arreganhar. *V. t. d.* **1.** Mostrar (os dentes) abrindo os lábios com expressão de cólera ou de riso: "A sertaneja, dengosa, arreganhou os dentes falhados" (Alberto Deodato, *Canaviais*, p. 27). **2.** Abrir, alargar, enrugando ou encrespando: *arreganhar os lábios. Int.* **3.** Rachar, fender, arregoar (o fruto). *P.* **4.** Mostrar os dentes com expressão de cólera ou de riso. **5.** *Fig.* Irritar-se, irar-se, encolerizar-se. **6.** Fazer chacota; escarnecer, troçar, zombar.

arreganho. [Dev. de *arreganhar.*] *S. m.* **1.** Ato ou efeito de arreganhar. **2.** Gesto de desassombro, de intrepidez. **3.** Desassombro, audácia, intrepidez. **4.** Ameaça, intimidação: *Não teme arreganhos.*

arregimentação. *S. f.* Ato ou efeito de arregimentar.

arregimentar. [De *ar-*[1] + *regimento* + *-ar*[2].] *V. t. d.* **1.** Alistar ou reunir em regimento. **2.** Reunir, associar, em partido, sociedade ou bando: *Arregimentou grande número de amigos para a campanha eleitoral.*

arreglar. [Do esp. plat. *arreglar.*] *V. t. d. Bras., RS.* **1.** Ajustar, combinar, concertar. **2.** Pôr em ordem (assunto, negócio, etc.): *Chamou a peonada e procurou arreglar a questão.*

arreglo[1]. [Do esp. *arreglo.*] *S. m.* Adaptação de peça teatral.

arreglo[2]. [Do esp. plat. *arreglo.*] *S. m. Bras., RS.* Ato ou efeito de arreglar; ajuste, combinação.

arrego (ê). *Bras. Gír.* **1.** *Interj.* Exprime impaciência ou irritação. **2.** *El. s. m.* Us. na loc. verb. *pedir arrego.* ◆ **Pedir arrego.** *Bras. Gír.* V. *pedir penico.*

arregoar. [De *ar-*[2] + *rego* + *-ar*[2].] *V. t. d.* **1.** Abrir regos em; regoar. **2.** Molhar, inundar; regoar. *Int.* **3.** Abrir-se, gretar (o fruto). [Conjug.: v. *coroar.*]

arreia. [De *relha?*] *S. f. Bras., N.E.* Parte terminal das rodas cheias dos carros de bois.

arreigada. [Fem. substantivado do part. de *arreigar.*] *S. f. Marinh.* Ligação do chicote de um cabo, ou do gato ou rabicho de um poleame, a um objeto firme. ◆ **Fazer arreigada.** *Marinh. Ant.* Ligar ou prender o chicote de um cabo, corrente, etc., ou o rabicho de um poleame enrabichado, em um objeto que possa agüentá-lo. [Cf. *fazer fixo.*]

arreigar. *V. t. d., int.* e *p.* V. *arraigar.* [P. us. no Brasil.]

arreio. [Dev. de *arrear.*] *S. m.* **1.** V. *arreamento* (3). **2.** Conjunto de peças necessárias ao trabalho de carga do eqüídeo. [Tb. us. no pl., nessas acepç.] **3.** Enfeite, ornamento, adorno. [Cf. a loc. *a areio.*] ~ V. *arreios.* ◆ **Sacudir os arreios.** *Bras., S.* Opor-se a alguma coisa; rebelar-se, reclamar. **Sair vendendo os arreios.** *Bras., RS.* Sair (o cavalo) em liberdade, em disparada campo fora, quando encilhado fugindo do cavaleiro e espalhando as peças do arreamento.

arreios. [Pl.: de *arreio.*] *S. m. pl.* V. *arreio* (1 e 2). [Sin., bras.: *jereba.*]

arreísmo. *S. m. Georgr.* Conjunto de condições características das regiões sem escoamento de água corrente.

arreitado. [Part. pass. de *arreitar.*] *Adj.* Que experimenta excitação do apetite venéreo; que sente desejos venéreos. [Var.: *arretado.*]

arreitar. [Do lat. *adrectare.] *V. t. d.* **1.** Excitar o apetite venéreo em. *Int.* e *p.* **2.** Sentir desejos venéreos. [Var.: *arretar*[2]. Cf. *arretar*[1].]

arrejeitar. [De *ar-*[2] + *rejeitar.*] *V. t. d.* e *t. d. e i.* Arremessar, atirar para longe.

arrelhada. [De *relha.*] *S. f.* Raspadeira de ferro com que se limpa o arado.

arrelhador (ô). [De *arrelhar* + *-dor.*] *S. m. Bras., N.* Relho com que se ata o bezerro à perna da vaca, quando esta é ordenhada.

arrelhar. [De *ar-*[1] + *relho* + *-ar*[2].] *V. t. d. Bras., N.* Prender (o bezerro), com o relho, à vaca, na ordenha. [Conjug.: v. *aparelhar.*]

arrelia. [De *arre?*] *S. f.* **1.** Zanga, aborrecimento, irritação. **2.** Impaciência, sofreguidão. **3.** Quizila, quizília, rixa. **4.** *Bras.* V. *rolo*[1] (16). **5.** Mau agouro. **6.** *Bras., N. E. Pop.* V. *mutirão*: "Há, naturalmente, uma série enorme de variantes de mutirão e adjunto .... que denunciam a procedência portuguesa do costume vicinal, como arrelia, bandeira, batalhão, boi-de-cova .... nos Estados nordestinos." (Edison Carneiro, *A Sabedoria Popular*, p. 60.)

arreliado. [Part. de *arreliar.*] *Adj.* **1.** Dado a arrelias ou rixas; brigão, brigalhão, briguento; arreliento. **2.** Insolente, atrevido.

arreliador (ô). *Adj.* **1.** Que arrelia; arreliante, arrelioso. ● *S. m.* **2.** Aquele que arrelia.

arreliante. *Adj. 2 g.* Arreliador (1).

arreliar. [De *arre?*] *V. t. d.* **1.** Fazer ou causar arrelia a; aborrecer, irritar, zangar. *P.* **2.** Aborrecer-se, zangar-se; impacientar-se.

arreliento. *Adj.* V. *arreliado* (1).

arrelioso (ô). *Adj.* Que arrelia, impacienta; arreliador [q. v.].

arrelique. [De *a-*[5] + *relique.*] *S. m. Bras., PB.* **1.** Medicação de efeito rápido. **2.** Coisa muito valiosa. **3.** Pedaço muito pequeno de alguma coisa.

arrelvar. [De *a-*[2] + *relvar.*] *V. t. d.* e *p.* **1.** Cobrir(-se) de relva; arrelvar, celvar: "E proseguiu no passeio, chibatando, com ares de Tarqüínio ou Pombal, as florinhas que se abriam, por entre o ervaçal que arrelvava a alameda." (Camilo Castelo Branco, *O Bem e o Mal*, p. 83.) **2.** Tornar(-se) verdejante.

arremangar. [De *ar-*[2] + *remangar.*] *V. int.* **1.** Arregaçar as mangas. **2.** Levantar a mão contra alguém, como que para atacar. **3.** Simular que trabalha. *T. d.* **4.** Arregaçar as mangas de; arregaçar: "Desatracou o barco, arremangou a camisa, ... travou da vara" (Camilo Castelo Branco, *Doze Casamentos Felizes*, p. 132). *p.* **5.** Dispor-se a fazer alguma coisa. [F. paral.: *remangar.* Conjug.: v. *largar.*]

arremansar-se. [De *ar-*[2] + *remansar-se.*] *V. p.* Ficar em remanso; remansar-se, remansear-se.

arrematação. *S. f.* **1.** Ato ou efeito de arrematar[2]. **2.** Adjudicação em hasta pública. [F. paral.: *rematação.*]

arrematador (ô). *Adj.* e *s. m.* Arrematante.

arrematante. *Adj. 2 g.* e *s. 2 g.* Que ou quem arremata, dá lanços em uma arrematação; arrematador.

arrematar[1]. [De *a-*[2] + *rematar.*] *V. t. d.* **1.** Dar remate a; concluir, acabar, terminar, rematar. **2.** Dar segunda cava ou sacha a (o milho). **3.** *Bras.* Concluir, terminar, de maneira tosca ou imperfeita: *Apenas arrematou o trabalho, para entregá-lo mais depressa.* **4.** Fazer os acabamentos em: *A costureira ainda não arrematou o vestido.* **5.** Prender, para que não se desfaça, o último ponto de (costura, bordado, etc.); rematar. **6.** *Fut.* Finalizar (uma jogada) com chute ou cabeçada para o gol. **7.** Dizer, concluindo ou finalizando: *Irritadíssimo, arrematou: — Não ponha mais os pés aqui! Int.* **8.** Terminar, finalizar. *P.* **9.** Acabar-se, concluir-se.

arrematar[2]. [De *ramo?*] *V. t. d.* **1.** Vender ou dar de arrendamento em leilão ou almoeda, aos lanços ou a quem mais der; adjudicar a quem oferece maior lanço. **2.** Comprar ou tomar de arrendamento em leilão ou almoeda. *Int.* **3.** Dar por vendida a coisa que se pôs em almoeda.

arremate. [Dev. de *arrematar*[1].] *S. m.* **1.** Ato ou efeito de arrematar[1], de dar remate a. **2.** Acabamento, conclusão, remate. **3.** *Bras. Fut.* Lançamento para o gol, em finalização de uma jogada.

arremeção. *S. m.* Antiga medida agrária de 19 palmos e meio, i. e., 4,30 m. [Cf. *arremessão.*]

arremedador (ô). *S. m.* Aquele que arremeda.

arremedar. [De *ar-*[2] + *remedar.*] *V. t. d.* **1.** Imitar grotescamente; macaquear: *Fazia caretas engraçadas, arremedando a mãe ao espelho.* **2.** Reproduzir, (pessoa ou animal, ou característica daquela ou deste): *arremedar uma criança o grasnar do marreco;* "Ele arremeda o nambu, a zabelê, a galega, ... com tal precisão, que a vítima vem cair em cima de sua espingarda certeira." (Hélio Galvão, *Cartas da Praia*, p. 31). **3.** Ser semelhante a; semelhar, parecer: *canto que arremeda o dos pássaros.* [F. paral.: *remedar.* Pres. ind.: *arremedo*, etc. Cf. *arremedo* (ê).]

arremedilho. [De *arremedo* + *-ilho.*] *S. m. Lus. Teat.* Representação teatral curta e chistosa, de caráter popular; entremez, farsa.

arremedo (ê). [Dev. de *arremedar.*] *S. m.* **1.** Ato de arremedar. **2.** Cópia, imitação. **3.** Imitação ridícula ou grosseira. **4.** *Teat.* Paródia (3). [Pl.: *arremedos* (ê). F. paral.: *remedo.* Cf. *arremedo*, do v. *arremedar.*]

arremessador (ô). *S. m.* Aquele que arremessa.

arremessamento. *S. m.* Arremesso (1).

arremessão. *S. m.* **1.** Impulso de arremessar. **2.** Aquilo que se arremessa. **3.** Arma de arremesso. [Cf. *arremeção.*]

arremessar. [De *ar-*[2] + *remessar.*] *V. t. d.* **1.** Atirar, lançar com força para longe; arrojar. **2.** Fazer caminhar com ímpeto; impelir: "Não foge: mas espera confiado, / E o ginete belígero arremessa" (Luís de Camões, *Os Lusíadas*, III, p. 50). **3.** Repelir, repudiar: *Arremessa com orgulho as demonstrações de sentimentalismo. T. d.* e *i.* **4.** Atirar, arrojar, lançar com força ou ímpeto: *Arremessou a lança contra o inimigo. P.* **5.** Atirar-se ou arrojar-se com força; lançar-se, precipitar-se. **6.** Investir, acometer, arremeter. **7.** Abalançar-se, atrever-se, aventurar-se: *Não o julgava capaz de arremessar-se a tal empresa.* [Pres. ind.: *arremesso*, etc. Cf. *arremesso* (ê) F. paral.: *remessar.*]

arremesso (ê). *S. m.* **1.** Ato ou efeito de arremessar; arremessamento. **2.** Arrojo, ousadia. **3.** Acometimento, ataque, investida. **4.** Intimidação, ameaça. **5.** *Basq.* Lançamento livre, em cobrança de falta; chute. [Pl.: *arremessos* (ê). F. paral.: *remesso* (ê). Cf. *arremesso*, do v. *arremessar.*] ~ V. *arremessos.*

arremessos (ê). [Pl. de *arremesso.*] *S. m. pl.* **1.** Vôos, remígios. **2.** Assomos, indícios, aparências: *Desde menino tinha uns arremessos de escritor.* ~ V. *arremesso.*

arremetedor (ô). *Adj.* e *s. m.* **1.** Que ou aquele que arremete. **2.** Agressor, assaltante.

arremetedura. *S. f.* V. *arremetida.*

arremetente. *Adj. 2 g.* Que arremete; arremetedor.

arremeter. [De *ar-*[2] + *remeter.*] *V. t. i.* **1.** Arrojar-se, lançar-se, atacar com ímpeto ou fúria; investir: *Os cães, açulados, arremeteram contra os bandidos;* "De um salto, arremeteu contra o inimigo" (Afonso Arinos, *Pelo Sertão*, p. 27); "Porfírio arremeteu furioso contra o adversário!" (Camilo Castelo Branco, *Noites de Lamego*, p. 16). **2.** Adiantar-se, com ímpeto; avançar ameaçadoramente: "O militar enfureceu-se, transfigurou-se, e de tal sanha arremeteu ao filho, que o teria retalhado com a espada, se ele se não lançasse por uma janela." (Camilo Castelo Branco, *Doze Casamentos Felizes*, p. 205.) **3.** Abalançar-se, arrojar-se, atrever-se; arremessar-se: *Arremeteu corajosamente à empresa. Int.* **4.** Avançar com ímpeto: "Sob a pressão da espora, o corcel arremete, / Rompe a distância, vai, fantástico ginete.... " (Olegário Mariano, *Toda uma Vida de Poesia*, I, p. 98.) **5.** Dizer em tom impetuoso, rude, muito irritado: "Feitas as apresentações .... Dona Rosilda foi logo arremetendo .... : / — Filha minha não namora em pé de escada nem em canto de rua" (Jorge Amado, *Dona Flor e Seus Dois Maridos*, p. 79). *T. d.* **6.** Fazer sair com ímpeto; incitar, açular, impelir, arremessar: *O caçador, em frente à fera, arremete o cavalo.*

arremetida. *S. f.* **1.** Ato ou efeito de arremeter (1): cometimento, investida, assalto, **2.** Ação temerária, arrojada. **3.** Conflito, luta. [Sin. ger.: *arremetedura, arremetimento, remetida, remetimento.*] ◆ **De arremetida.** De arranco; de súbito.

arremetimento. *S. m.* V. *arremetida.*

arreminação. *S. f. Pop.* Ato ou efeito de arreminar-se; zanga, cólera.

arreminado. [Part. de *arreminar-se.*] *Adj. Pop.* Zangado, irado, encolerizado e ameaçador.

arreminar-se. *V. p. Pop.* Zangar-se, irar-se, encolerizar-se, fazendo ameaças.

arrendação. *S. f. P. us.* Arrendamento.

arrendado[1]. [Part. de *arrendar*[1].] *Adj.* **1.** Dado ou tomado em arrendamento. **2.** Que tem boas rendas ou rendimentos. ~ V. *arrendados.*

arrendado[2]. [Part. de *arrendar*[2].] *Adj.* **1.** V. *rendado* (1 e 2): "vestia-lhe as roupinhas finas, arrendadas, com seu laçarote azul." (Maria Archer, *Fauno Sovina*, p. 93.) ● *S. m.* **2.** *Arquit.* Lavor em forma de renda. ~ V. *arrendados.*

arrendador (ô). [De *arrendar*[1] + *-dor.*] *S. m.* Aquele que dá em arrendamento. [Antôn.: *arrendatário.*]

arrendados. [Pl. de *arrendado*[2].] *S. m. pl.* Ornatos miúdos e delicados que lembram renda. ~ V. *arrendado.*

arrendamento. *S. m.* **1.** Ato ou efeito de arrendar[1]. **2.** Aluguel ou contrato pelo qual alguém cede a outrem, por certo tempo e preço, o uso e gozo de coisa não fungível (geralmente imóveis). **3.** Instrumento desse contrato. **4.** Preço estipulado para fruição da coisa arrendada. [Sin. ger. (p. us.): *arrendação.*]

arrendar[1]. [De *ar-*[1] + *renda*[2] + *-ar*[2].] *V. t. d.* e *t. d. e i.* **1.** Dar em arrendamento: *Pretendia arrendar parte de suas terras; Arrendou a propriedade a um velho amigo.* **2.** Tomar em arrendamento; alugar: *Para montar o escritório arrendou uma grande casa; Arrendou de um médico uma bela propriedade.* [F. paral. (p. us.): *rendar.*]

arrendar[2]. [De *ar-*[2] + *rendar*[1].] *V. t. d.* Rendar[2].

arrendar[3]. [Do arc. *arredrar.*] *V. t. d.* V. redrar.

arrendar[4]. [De *ar-*[1] + ant. *renda*, 'rédea', + *-ar*[2].] *V. t. d.* Sujeitar (o cavalo) à rédea.

arrendatário. *S. m.* Aquele que toma de arrendamento (2). [Antôn.: *arrendador.*]

arrendável. *Adj. 2 g.* Que se pode arrendar[1].

arrendilhado. [De *ar-*[2] + *rendilhado.*] *Adj.* Var. de *rendilhado.*

arrenegação. [De *arrenegar* + *-ação;* var. de *renegação.*] *S. f.* **1.** Ato ou efeito de arrenegar(-se); arrenego, renegação. **2.** Apostasia, abjuração. **3.** *Fam.* Enfado, irritação, zanga.

arrenegada. [Fem. substantivado do part. de *arrenegar;* var. de *renegada.*] *S. f. Ant.* V. *zanga* (5).

arrenegado. [Part. de *arrenegar;* var. de *renegado.*] *Adj.* **1.** Que arrenegou; renegado. **2.** *Fam.* Enfadado, irritado, zangado. ● *S. m.* **3.** *Bras. Pop.* V. *Diabo* (2).

arrenegar. [De *ar-*[2] + *renegar.*] *V. t. d.* e *t. i.* **1.** V. *renegar* (1 a 11): Morreu arrenegando o assassino; "Grande cousa é liberdade, / Ter pouco, mas sem contenda, / Que arrenega da fazenda, / Por quem se vende a vontade." (Francisco Rodrigues Lobo, *Églogas*, p. 63.) *p.* **2.** Zangar-se, abespinhar-se, irritar-se, encolerizar-se: *Anda de mau humor: arrenega-se por qualquer ninharia.* **3.** Ter aversão a; aborrecer. [Conjug.: v. *regar.* Pres. ind.: *arrenego*, etc. Cf. *arrenego* (ê).]

arrenego (ê). [Dev. de *arrenegar.*] *S. m.* V. *arrenegação* (1). [Pl.: *arrenegos* (ê). Cf. *arrenego*, do v. *arrenegar* e interj.]

arrenego. *Interj. Pop.* Tarrenego. [Cf. *arrenego* (ê).]

arrentar. [De *ar-*[2] + *rente* + *-ar*[2].] *V. t. d. Lus.* Rondar em torno de; rentear: "O menino anda-me por aqui a arrentar a porta, a ver se me desencaminha a filha" (Alberto Braga, *Contos Novos*, p. 177).

arrepanhado. [Part. de *arrepanhar.*] *Adj.* **1.** Que forma pregas, dobras; enrugado, refegado. **2.** *Fig.* V. *avaro* (1).

arrepanhar. *V. t. d.* **1.** Puxar, repuxar, fazendo dobras ou rugas em: "Arrepanhando o vestido / De chita azul, nhá Carola / Põe feijão na caçarola / Para o almoço do marido." (Ricardo Gonçalves, *Ipês*, p. 17.) **2.** Recolher, apanhar. **3.** Poupar, economizar avaramente. **4.** *Fig.* Tirar, apanhar com violência; arrebatar. **5.** Roubar (1). *P.* **6.** Repuxar-se, enrugar-se. [Var.: *repanhar.*]

arrepelação. *S. f.* **1.** V. *arrepelão* (1). **2.** Briga, conflito.

arrepelada. *S. f.* V. *arrepelão* (1).

arrepelador (ô). *Adj.* Que arrepela; arrepelante.

arrepelamento. *S. m.* V. *arrepelão* (1).

arrepelante. *Adj. 2 g.* Arrepelador.

arrepelão. *S. m.* **1.** Ato ou efeito de arrepelar(-se); arrepelação, arrepelada, arrepelamento. **2.** V. *repelão* (1). [Cf. *repelão.*]

arrepelar. [De *ar-*[2] + *repelar.*] *V. t. d.* **1.** Puxar, arrancar (pêlos, penas, etc.). **2.** Escalpelar, escarapelar: "De vez em quando, parecia-lhe que uma cousa lhe arrepelava os cabelos" (Afonso Arinos, *Pelo Sertão*, p. 25). **2.** *P. ext.* Puxar (1): *Arrepelou as orelhas da criança desobediente. P.* **3.** Puxar os próprios cabelos ou a barba: "Chora, arrepela-se, promete matar-se, se a morte não vier espontaneamente." (Camilo Castelo Branco, *Cenas da Foz*, p. 162.) **4.** Lastimar-se, lamentar-se, arrependido. [F. paral.: *repelar.*]

arrepender-se. [De *ar-*[2] + ant. **repender* + *se*[1].] *V. p.* **1.** Sentir mágoa ou pesar por faltas ou erros cometidos: *Arrependo-me de o haver tratado mal.* **2.** Mudar de atitude, de procedimento, de parecer; voltar atrás em relação a compromisso assumido: *Arrependeu-se de se haver associado ao irmão.* **3.** *Bras.* Mudar (o tempo) de aspecto, passando de bom a chuvoso.

arrependido. [Part. de *arrepender-se.*] *Adj.* e *S. m.* Que ou aquele que se arrependeu; repeso.

arrependimento. *S. m.* **1.** Ato ou efeito de arrepender-se. **2.** Compunção, contrição. **3.** *Ét.* Insatisfação causada por violação de lei ou de conduta moral; e que resulta na livre aceitação do castigo e na disposição de evitar futuras violações.

arrepia-cabelo[1]. [De *arrepiar* + *cabelo.*] *S. m.* Pessoa ríspida, áspera, intratável. [Pl.: *arrepia-cabelos.*]

arrepia-cabelo[2]. [Da loc. *a arrepia-cabelo.*] *Adv.* Em sentido oposto ao natural; a contrapelo, a pospelo. [Tb. se diz *a arrepia-cabelo.*] ◆ **A arrepia-cabelo.** V. *arrepia-cabelo.*

arrepiado. [Part. de *arrepiar.*] *Adj.* **1.** Eriçado, erriçado, ouriçado. **2.** Assustado, aterrorizado, apavorado. **3.** *Bras.* Desconfiado, esquivo, arisco.

arrepiador (ô). *Adj.* V. *arrepiante.*

arrepiadura. *S. f.* Arrepiamento.

arrepiamento. *S. m.* Ato ou efeito de arrepiar(-se); arrepiadura

arrepiante. *Adj. 2 g.* Que arrepia, provoca arrepios; assustador, terrível, pavoroso, arrepiador.

arrepiar. [Do lat. *horripilare.*] *V. t. d.* **1.** Levantar, eriçar, encrespar (cabelos, pêlos, etc.). **2.** Fazer eriçar ou tremer de medo, susto, horror; causar arrepios em: *As novas que recebia do front arrepiavam-no.* **3.** Causar horror a; horripilar: *As ameaças de fogo eterno arrepiavam os fiéis.* **4.** Fazer tremer de frio; causar arrepios em: *As lufadas de vento gélido o arrepiavam.* **5.** Franzir, enrugar; arregaçar: *Um sorriso irônico arrepiava-lhe o canto dos lábios.* **6.** Golpear e salgar (o peixe), para conserva. *Int.* **7.** Causar arrepios: *Seu passado de crimes arrepia.* **8.** Tornar-se desabrido (o tempo). *P.* **9.** Eriçar-se, estremecer ou tremer de medo, susto, horror, etc.: *Ao ouvir infaustas novas, senti que as carnes se me arrepiavam.* **10.** Sentir arrepios por medo, susto, frio, etc.: *Arrepio-me só de pensar naquele crime.* [Var. (bras., N.E., pop.): *arrupiar.*] ◆ **De arrepiar.** Espantoso, terrível, atroz, arrepiante; de arrepiar cabelos: *Durante a luta houve cenas de arrepiar;* "O banqueiro Celestino dissera cada uma de arrepiar, eta português de boca suja" (Jorge Amado,

Dona Flor e Seus Dois Maridos, p. 327).

arrepio. [Dev. de *arrepiar*.] *S. m.* Tremor resultante de frio, medo, etc.; calafrio, horripilação. [Var. (bras., N.E., pop.): *arrupio*.] ♦ **Ao arrepio.** Em direção oposta à normal; contra a corrente; contra a maré. **Ao arrepio de.** Ao contrário de; ao revés de: *agir ao arrepio do bom senso*.

arrepolhado. [De *ar-*[1] + *repolho* + *-ado*[1].] *Adj.* **1.** Semelhante ao repolho. **2.** *Fig. Pop.* Baixo e gorducho. **3.** *Fig.* Embrulhado em muitas roupas.

arrepolhar. [De *ar-*[1] + *repolho* + *-ar*[2].] *V. t. d.* **1.** Dar a forma de repolho a. **2.** Tornar inchado; intumescer, entufar. *Int.* **3.** Tomar forma de repolho.

arrepsia. [Do gr. *arrepsía*.] *S. f.* Dúvida, incerteza, irresolução.

arrequife. [Do ár. *ar-rikab?*] *S. m.* Ferro agudo que se adapta à ponta de um pau para limpar o algodão.

arrestado. [Part. de *arrestar*.] *Adj. e s. m.* Que ou aquele que sofreu arresto.

arrestante. *S. 2 g.* Pessoa que requer arresto.

arrestar. [Do lat. vulg. *arrestare*.] *V. t. d.* **1.** Fazer arresto em; embargar. **2.** Apenar.

arresto. *S. m. Dir. Jur. Civ.* Providência cautelar que consiste na apreensão judicial de bens não litigiosos do suposto devedor, para garantia da eventual execução que contra ele se venha a promover; embargo. [Cf. *aresto* e *seqüestro*.]

arretado. [Part. de *arretar*[2].] *Adj.* **1.** *Bras. Pop.* Var. de *arreitado* [q. v.]. **2.** *Bras.*, *N.E. Fam.* e *gír.* Palavra-ônibus que indica numerosas idéias apreciativas, equivalendo a, p. ex., bonito, elegante, excelente, etc., bacana, legal: *uma pequena arretada; uma gravata arretada; um discurso arretado*. [Sin., bras., BA (na acepç. 2): *retado*. Cf. *arreitado*.]

arretar[1]. [De *ar-*[2] + *reptar*.] *V. t. d.* **1.** Fazer retornar. **2.** Sustar a marcha de (animal, rebanho, etc.). [Cf. *arreitar*.]

arretar[2]. *V. t. d., int.* e *p. Bras. Pop.* Var. de *arreitar* [q. v.].

arretrasado. *Adj. Bras. Pop.* V. *atrasado* (5).

arrevém. *S. m. Marinh.* Var. de *arrebém*.

arrevesado. [Part. de *arrevesar*.] *Adj.* **1.** Intricado, confuso, obscuro. **2.** Diz-se de vocábulo de pronúncia difícil.

arrevesamento. *S. m.* **1.** Ato ou efeito de arrevesar. **2.** Qualidade ou caráter de arrevesado. ♦ **Arrevesamento dos tempos.** *Fís.* Operação em que se trocam os sinais das coordenadas de um sistema que dependem linearmente do tempo.

arrevesar. [De *ar-*[1] + *revés* + *-ar*[2].] *V. t. d.* **1.** Pôr ao revés, às avessas. **2.** Dar sentido contrário a: *Ele não disse tal coisa; quem o ouviu arrevesou suas palavras.* **3.** Tornar confuso, obscuro, intricado.

arrevessado. [Part. substantivado de *arrevessar*.] *S. m.* **1.** O vomitado; vômito. **2.** *Fig.* Erro cometido anteriormente.

arrevessar. [De *ar-*[2] + *revessar*.] *V. t. d.* **1.** V. *vomitar* (1): "Mal .... encheu a boca com o primeiro trago, fugiu-lhe a coragem de suicidar-se e, já arrependida de tal propósito, *arrevessou* de uma golfada sobre a mesa o veneno líquido" (Aluísio Azevedo, *O Coruja*, p. 170). **2.** Detestar, aborrecer, odiar. *Int.* **3.** Vomitar (11). **4.** Tornar-se revolto (o mar). [Pres. ind.: *arrevesso*, etc. Cf. *arrevesso* (ê).]

arrevesso (ê). [De *a-*[4] + *revesso*.] *Adj.* e *s. m.* V. *revesso* (ê). [Pl.: *arrevessos* (ê). Cf. *arrevesso*, do v. *arrevessar*.]

arriação. *S. f.* Ato ou operação de arriar(-se). [Cf. *arreação*.]

arriado. [Part. de *arriar*.] *Adj.* Prostrado, por cansaço ou doença.

arriar. [Do cat. *arriar*.] *V. t. d.* **1.** Abaixar, descer (o que estava suspenso ou levantado). **2.** Colocar, deitar no chão, sobre um móvel, etc. (objeto pesado): *O carregador arriou o fardo.* **3.** Depor (armas); render-se. **4.** *Marinh.* Deixar correr pouco a pouco (um cabo que agüenta um peso): *arriar o tirador da talha.* *Int.* **5.** Cair ou vergar sob peso; arriar-se: *Uma das estacas arriara.* **6.** Perder as forças, o ânimo; desanimar, desistir, afrouxar: *Não vás desanimar agora: nunca foste homem de arriar.* **7.** *Bras. Gír.* Ficar intensamente apaixonado, perdido de amores por alguém: *Quando viu a pequena, arriou.* **8.** *Bras. Autom.* Descarregar (17). *P.* **9.** Cair ou vergar sob peso; arriar: "O boticário entrou em silêncio, *arriando-se* na cadeira que Dulce lhe oferecia." (O. G. Rego de Carvalho, *Somos Todos Inocentes*, p. 22.) [Pres. subj.: *arrie, arries, ... arrieis, arriem*. Cf. *arrear*, v., *arriéis*, pl. de *arriel*.]

arriaria. *S. f.* Profissão de arrieiro. [Cf. *arrearia*, do v. *arrear*.]

arriaz. [Do ár. *ar-rias*, 'punho de espada'.] *S. m.* Fivela por onde se enfiam os loros dos estribos.

arriba[1]. [De *a*[2] + *riba*, com aglutinação.] *S. f.* **1.** V. *riba* (1): "Era um antigo carreiro tortuoso, ... findando abruptamente em *arriba* sobre a estrada." (Coelho Neto, *Rei Negro*, p. 171.) **2.** *Lus.* Falésia.

arriba[2]. [De *a-*[3] + *riba*, com aglutinação.] *Adv.* **1.** Acima; adiante. ● *Interj.* **2.** Acima, adiante.

arribaçã. [De *arribação*, com apócope.] *S. f. Bras.* V. *avoante*.

arribação. *S. f.* **1.** Ato de arribar; arribada, arribe: "E agora estão chegando as andorinhas... / Deve ser o tempo propício à *arribação*." (Clemente Luz, *Invenção da Cidade*, p. 102.) **2.** *Bras.* V. *avoante*. **3.** *Bras.* Comida feita de arroz, feijão e pombas-de-arribação secas. **4.** *Bras.*, *Amaz.* Época da vazante, quando as tartarugas põem seus ovos nas praias fluviais.

arribada. *S. f.* **1.** V. *arribação* (1). **2.** *Fam.* Convalescença, melhora.

arribadiço. [De *arribar* + *-(d)iço*.] *Adj.* **1.** Diz-se das aves de arribação. **2.** *Fig.* adventício, intruso.

arribana. *S. f.* **1.** V. *curral* (1). **2.** V. *cabana*: "Abram-se à luz palhoças e *arribanas*!" (Alberto de Oliveira, *Poesias*, 2ª série, p. 215.)

arribanceirado. [De *ar-*[1] + *ribanceira* + *-ado*[1].] *Adj.* **1.** Que forma ribanceira. **2.** Que tem ribanceira.

arribar. [De *a-*[3] + *riba* + *-ar*[2].] *V. t. i.* **1.** *Mar.* Regressar ao porto de partida ou entrar em outro que não seja o da escala ou de destino: *O navio arribou a Santos para deixar um doente grave.* **2.** *Mar.* Alterar a rota para aproximar-se de (terra ou outra embarcação). *O navio inimigo arribou sobre nós.* **3.** Subir ou chegar ao cimo de algum lugar. **4.** Sair ou ausentar-se sem licença, às ocultas, ou discretamente: *Arribou de casa a altas horas da noite.* **5.** Não prosseguir em coisa começada: *Arriba sempre de qualquer tarefa.* *Int.* **6.** *Mar.* Guinar para sotavento; afastar a proa da embarcação da linha do vento. **7.** *Mar.* Desviar-se da rota previamente escolhida, em razão das condições de tempo ou mar. **8.** Sair ou ausentar-se sem licença, às ocultas ou discretamente. **9.** Melhorar ou restabelecer-se (o doente): *Estava muito mal, mas, graças a Deus, arribou.* **10.** Melhorar de fortuna. **11.** Mudar de pouso; migrar: *As aves européias arribam no inverno.* **12.** *Bras.* Estourar (a boiada). *T. d.* **13.** Levantar, erguer: *Arribou, a custo, a pesada saca.*

arribe. [Dev. de *arribar*.] *S. m. Bras.* V. *arribação* (1).

arriçar. [De *ar-*[1] + *riço* + *-ar*[2].] *V. t. d.* e *p.* V. *eriçar*.

arrida. [De *ar-*[2] + o ant. escandinavo *rif*, atr. do fr. *ride*.] *S. f. Marinh.* **1.** Pedaço de linha de barca ou arrebém que prende a fasquia do toldo de embarcação miúda à borda, a fim de mantê-lo em posição horizontal. **2.** Cabo preso ao olhal ou à palmatória da aranha de cada cabeceira de uma maca, para suspendê-la. **3.** Cada um dos cabos que, numa esparrela de palmatória, vão fixar-se a pés-de-galinha presos de um lado e do outro da palmatória, e por meio dos quais está é manobrada.

arridar. *V. t. d. Marinh.* Passar arrida(s) em; segurar com arrida(s).

arrieirada. *S. f.* V. *arrieirice*.

arrieirice. *S. f.* Dito; ato ou modos de arrieiro; arrieirada.

arrieiro. [De *arre* + *-eiro*.] *S. m.* **1.** Homem que guia bestas de carga; almocreve, arreador, tropeiro: "O *arrieiro* decidiu aliviar o burro da carga" (Braga Montenegro, *As Viagens*, p. 164). **2.** *Fig.* Indivíduo rude, grosseiro.

arriel. [De *ar-*[2] + esp. *riel*.] *S. m.* **1.** Argola de ouro usada por certos povos nas orelhas e nariz. **2.** Barra de ouro ou prata vazada na rilheira. **3.** Alavanca de cavouqueiro. [Pl.: *arriéis*. Cf. *arrieis*, do v. *arriar*, e *arreeis*, do v. *arrear*.]

➡**arrière-pensée** (arriér'-pansê). [Fr.] *S. f.* Segunda intenção.

arrife. [Do ár. *ar-rif*.] *S. m.* V. *recife*.

arrijar. [De *ar-*[1] + *rijo* + *-ar*[2].] *V. t. d., int.* e *p.* V. *enrijar*.

arrimadiço. *Adj.* **1.** Muito dado a arrimar-se. **2.** *Fig.* Parasito (7).

arrimador (ô). *S. m.* Aquele ou aquilo que arrima.

arrimar. [De *ar-*[1] + *rima*[3] (1).] *V. t. d.* **1.** Pôr em rima[3] (2). **2.** Pôr em ordem; arrumar. **3.** Servir de arrimo a; amparar: *Desde que perdeu o pai, trabalha para arrimar a família.* **4.** Apoiar, escorar: *Estacas arrimavam o teto em ruína.* *T. d.* e *i.* **5.** Encostar, apoiar, escorar. *P.* **6.** Apoiar-se, encostar-se, escorar-se: "desceu a barranca .... *arrimando-se* ao cajado e foi beirando o rio merencório." (Coelho Neto, *Banzo*, p. 32). **7.** Agregar-se; aderir. **8.** Socorrer-se, valer-se de: *Arrima-se nos bens da família.* **9.** Apoiar-se, estribar-se, fundamentar-se: *Para defesa de sua tese arrimou-se a bons argumentos.*

arrimo. [Dev. de *arrimar*.] *S. m.* **1.** Encosto, apoio, escora: *Já não dá dois passos sem servir-se de um arrimo.* **2.** Amparo, proteção, auxílio: *Quando lhe morreu o pai, sentiu que perdia seu único arrimo.* ♦ **Arrimo de família.** Pessoa que ampara uma família, ministrando-lhe os meios de subsistência.

arrincoar. [De *ar-*[1] + *rincão* + *-ar*[2].] *V. t. d.* **1.** Meter em rincão. **2.** Pôr em lugar estreito e sem saída; encurralar. *P.* **3.** Acantoar-se. [F. paral. (bras.): *arrinconar*. Conjug.: v. *coroar*.]

arrinconar. [Do esp. plat. *arrinconar*.] *V. t. d.* e *p. Bras.* V. *arrincoar*.

arrió. *S. m.* V. *arriós* (1).

arriol. *S. m.* V. *arriós* (1). [Pl.: *arrióis*.]

arriós. *S. m.* **1.** Bala de arcabuz; arrió, arriol. **2.** *Bras.* Fava amargosa, de casca grossa e cinzenta. [Pl.: *arrioses*.]

arriosca. *S. f.* Logro, cilada, esparrela; falcatrua.

arriota. *S. f. Bras.*, *AM.* Trabalho para a obtenção do látex da seringueira.

arripunar. [Alter. de *repugnar*.] *V. int. Bras.*, *PB*, *Pop.* Sentir enjôo com a ingestão de alimentos muito doces.

arriscado. [Part. de *arriscar*.] *Adj.* **1.** Que apresenta risco ou perigo; perigoso: *empresa arriscada.* **2.** Que se expõe a risco ou perigo; ousado, atrevido, intrépido: *combatente arriscado.*

arriscar. [De *ar-*[1] + *risco* + *-ar*[2].] *V. t. d.* **1.** Pôr em risco ou perigo; expor: *Atirou-se ao mar, arriscando a vida.* **2.** Sujeitar à sorte; aventurar: *Sabia o que arriscava, ao tomar a si a empresa.* *T. d.* e *i.* **3.** Pôr em risco ou perigo; expor: *Arriscou a vida pela salvação da pátria.* *Int.* **4.** Expor-se a risco, a bom ou mau sucesso; aventurar-se, arriscar-se: "Quem não *arrisca* não petisca" (prov.). *P.* **5.** V. *arriscar* (4). **6.** Aventurar-se, abalançar-se; atirar-se, expor-se. [Conjug.: v. *trancar*.]

arrispidar-se. [De *ar-*[1] + *ríspido* + *-ar*[2] + *se*[1].] *V. p.* Tornar-se ríspido, grosseiro, intratável; ficar de mau humor.

arritmia. [Do gr. *arrhythmía*.] *S. f.* **1.** Perturbação ou desvio do ritmo. **2.** *Med.* Arritmia cardíaca. [Antôn.: *eurritmia*.] ♦ **Arritmia cardíaca.** *Med.* Qualquer desvio da normalidade do ritmo das contrações cardíacas. [Tb. se diz apenas *arritmia*.]

arrítmico. [Do gr. *árrhythmos*, 'sem ritmo', + *-ico*.] *Adj.* Não rítmico; sem ritmo: *movimentos arrítmicos.*

arritmo. [Do gr. *árrhythmos*.] *Adj.* Arrítmico.

➡**arrivedérci** (arrivedêrtxi). [It.] *Interj* e *s. m.* V. *arivederci*.

arrivismo. [De *arrivista*.] *S. m.* Procedimento de arrivista, de quem quer vencer na vida de qualquer modo.

arrivista. [Do fr. *arriviste*.] *S. 2 g.* Pessoa inescrupulosa, que quer vencer na vida a todo custo.

arrizo. [Do gr. *árrhizos*.] *Adj. Bot.* Sem raiz ou radícula.

arrizófito. [De *a-*[3] + *-riz(o)-* + *-fito*.] *S. m.* Vegetal desprovido de raiz. [Opõe-se a *rizófito*.]

arrizotônico. [De *a-*[3] + *rizotônico*.] *Adj. Gram.* Diz-se das formas verbais não rizotônicas. Ex.: *comprarei*, *amamos*.

▲**-arro.** V. *-orra*.

arroba (ô). [Do ár. *ar-rubá*.] *S. f.* **1.** Antiga unidade de medida de peso, equivalente a 32 arráteis, ou seja 14,7 kg aproximadamente. **2.** Unidade ainda usada no Brasil, como medida de peso de produtos agropecuários, equivalente a 15 kg; arroba métrica. [Pl.: *arrobas* (ô). Cf. *arroba, arrobas*, do v. *arrobar*, e *arrouba, arroubas*, do v. *arroubar*.] ♦ **Arroba métrica.** Arroba (2).

arrobação. *S. f. Bras.*, *N.* e *N.E.* Arrobamento. ♦ **De boa arrobação.** *Bras.*, *N.* e *N.E.* Diz-se de rês que tem muito peso ou muita carne.

arrobamento. *S. m.* Ato ou efeito de arrobar[1] (1); arrobação. [Cf. *arroubamento*.]

arrobar[1]. [De *arroba* + *-ar*[2].] *V. t. d.* **1.** Pesar por arroba. **2.** *Fig.* Avaliar, à simples vista. [Pres. ind.: *arrobo, arrobas, arroba*, etc.; pres. subj.: *arrobe, arrobes*, etc. Cf. *arroba* (ô), pl. *arrobas* (ô); *arrobe* (ô), pl. *arrobes* (ô); *arroubo*; e *arroubar*.]

arrobar[2]. [De *arrobe* + *-ar*[2].] *V. t. d.* Temperar com arrobe. [Pres. ind.: *arrobo, arrobas, arroba*, etc.; pres. subj.: *arrobe, arrobes*, etc. Cf. *arroba* (ô), pl. *arrobas* (ô); *arrobe* (ô), pl. *arrobes* (ô); *arroubo*; e *arroubar*.]

arrobe (ô). [Do ár. *ar-rubb*.] *S. m.* **1.** Xarope ou compota de várias frutas. **2.** Vinho de mosto apurado ao fogo. [Pl.: *arrobes* (ô). Cf. *arrobe, arrobes*, do v. *arrobar*, e *arroube, arroubes*, do v. *arroubar*.]

arrobobô. [Do ioruba.] *S. m. Bras.* Saudação para o orixá Oxumarê.

arrobustar. [De *ar-*[1] + *robusto* + *-ar*[2].] *V. t. d., int.* e *p.*

Robustecer(-se).

arrocado. [De *ar-*[1] + *roca* + *-ado*[1].] *Adj.* Em forma de roca[1] (2): *tira arrocada.*

arrochada. *S. f.* **1.** Pancada com arrocho. **2.** *P. ext.* Paulada, bordoada, cacetada. [Cf. *arroxada*, fem. de *arroxado.*]

arrochado. [Part. de *arrochar.*] *Adj.* **1.** Apertado com arrocho (1). **2.** Muito apertado; ajustado: "o cabelo preto escorrido e os peitinhos miúdos pulando sob o vestido *arrochado*..." (Dias da Costa, *Canção do Beco*, p. 79). **3.** *Fig.* Apertado, difícil. [Cf. *arroxado.*]

arrochador (ô). *Adj.* **1.** Que arrocha. ● *S. m.* **2.** Aquele ou aquilo que arrocha.

arrochadora (ô). [Fem. de *arrochador.*] *S. f.* Peça de atafona com que se aperta ou arrocha a almanjarra.

arrochadura. *S. f.* Ato ou efeito de arrochar(-se). [Sin., ant. e pop.: *arrojadura.*]

arrochar. *V. t. d.* **1.** Apertar (carga) com arrocho. **2.** Apertar muito: *Arrocha exageradamente a cintura, a fim de parecer mais magra. T. i.* e *int.* **3.** Ser exigente com aqueles que estão sob sua dependência. **4.** Criar dificuldades. **5.** *Bras., Amaz.* Amarrar (o tronco da seringueira) para obter maior quantidade de látex. *P.* **6.** Apertar-se, comprimir-se: *Arrocha-se dentro de uma cinta, e ninguém diz que é tão gorda.* [Pres. ind.: *arrocho, arrochas*, etc. Cf. *arrocho* (ô), s. m., e *arroxar.*]

arrocheiro. [De *arrocho* + *-eiro.*] *S. m.* V. *almocreve.*

arrocho (ô). *S. m.* **1.** Pau torto e curto com que se torcem as cordas para apertar fardos, cargas, etc. **2.** Situação difícil; dificuldade, apertura. **3.** *Bras.* Repressão policial rigorosa e permanente. **4.** *Bras., N. E.* Aparelho usado nas casas de farinha para espremer a massa da mandioca, e composto das seguintes peças: *prensa, virgem, vara, fuso, mão, masseira e brinqueto* ou *brinquete.* [Pl.: *arrochos* (ô). Cf. *arrocho*, do v. *arrochar*, e *arroxo*, do v. *arroxar.*] ◆ **Dar um arrocho em.** *V. pôr a faca no peito de.* **Levar um arrocho.** Sofrer pressão ou coação.

arrocinador (ô). *S. m. Bras., S.* Aquele que arrocina cavalos.

arrocinar. [Do esp. plat. *arrocinar.*] *V. t. d. Bras., S.* Tirar as manhas de (o cavalo), preparando-o para qualquer serviço.

arrodear. [De *a-*[4] + *rodear.*] *V. t. d.* e *p.* Var. de *rodear:* "Toda espécie de gente *arrodeava* às mesas." (Ciro Martins, *Paz nos Campos*, p. 10.) [M. us. na ling. pop. Conjug.: v. *frear.*]

arrodelar. [De *ar-*[1] + *rodela* + *-ar*[2].] *V. t. d.* **1.** Armar, cobrir ou defender com rodela ou escudo. **2.** Dar forma de rodela a. *P.* **3.** Proteger-se, escudar-se.

arrofo (ô). *S. m.* Orifício no remate da tarrafa. [Pl.: *arrofos* (ô).]

arrogação. [Do lat. *arrogatione.*] *S. f. P. us.* Perfilhação de adulto que não tem pai.

arrogador (ô). [Do lat. *arrogatore.*] *Adj.* e *s. m.* Que ou aquele que arroga a si alguma coisa.

arrogância. [Do lat. *arrogantia.*] *S. f.* **1.** Altivez, soberba, orgulho. **2.** Insolência, atrevimento. [Sin. ger., desus.: *arrogo.*]

arrogante. [Do lat. *arrogante.*] *Adj. 2 g.* Que tem ou revela arrogância.

arrogar. [Do lat. *arrogare.*] *V. t. d.* **1.** Tomar como próprio; apropriar-se de. *T. d.* e *i.* **2.** Atribuir, imputar: *Arrogou a si direitos de posse. P.* **3.** Tomar como seu; atribuir a si, atribuir-se. [Conjug.: v. *largar.* Pres. ind.: *arrogo*, etc. Cf. *arrogo* (ô) e *arrugar.*]

arrogo (ô). [Dev. de *arrogar.*] *S. m. Desus.* V. *arrogância.* [Pl.: *arrogos* (ô). Cf. *arrogo*, do v. *arrogar.*]

arroiar. *V. int.* Correr ou manar mansamente como arroio. [Conjug.: v. *apoiar.* Pres. ind.: *arróio*, etc. Cf. *arroio.*]

arroio. [Do lat. vulg. **arrugiu.*] *S. m.* **1.** Pequeno curso de água, permanente ou não: "Murmurava um *arroio* de água pura; os medronheiros estavam cobertos de frutos maduros" (Aquilino Ribeiro, *Dom Frei Bertolameu*, p. 58). **2.** Pequena corrente de qualquer líquido. [Cf. *arróio*, do v. *arroiar.*]

arroio-grandense. *Adj. 2 g.* **1.** De, ou pertencente ou relativo a Arroio Grande (RS). ● *S. 2 g.* **2.** Natural ou habitante de Arroio Grande. [Pl.: *arroio-grandenses.*]

arroio-meense. *Adj. 2 g.* **1.** De, ou pertencente ou relativo a Arroio do Meio (RS). ● *S. 2 g.* **2.** Natural ou habitante de Arroio do Meio. [Pl.: *arroio-meenses.*]

arrojadiço. [De *arrojado* + *-iço.*] *Adj.* **1.** Próprio para ser arrojado. **2.** Arrojado. (1).

arrojadita. [Do antr. *Arrojado*, de Miguel Arrojado Lisboa, engenheiro brasileiro (1872-1932), + *-ita*[3].] *S. f. Min.* Mineral monoclínico, fosfato de ferro, manganês, etc.

arrojado. [Part. de *arrojar.*] *Adj.* **1.** Temerário, ousado, destemido, arrojadiço: *indivíduo arrojado.* **2.** V. *valentão* (1). **3.** Que revela ou em que há arrojo; temerário, arriscado: *empreendimento arrojado.* **4.** Que apresenta características inovadoras; ousado: *uma obra de arte arrojada para sua época.* **5.** *Bras., N. E.* e *GO.* Em que há muita afluência, e animação e alegria: *festa arrojada;* "A conversa era em torno de bois, vacas, cavalos, ... Que o leilão ia ser muito *arrojado*, que Estevo da Estiva deu um par de novilho mestiço de zebu, um trem chique mesmo." (Bernardo Élis, *Veranico de Janeiro*, p. 77). **6.** *Bras., N. E.* Que está em franco progresso: *cidade arrojada.* **7.** *Bras., N. E.* Que tem grande sortimento; muito sortido; bem sortido: *Montou uma casa de negócios arrojada.* ● *S. m.* **8.** V. *valentão* (3).

arrojador (ô). *S. m.* Aquele que arroja.

arrojadura. *S. f. Ant.* e *pop.* Arrochadura.

arrojamento. *S. m.* Ato ou efeito de arrojar(-se).

arrojão. *S. m.* Empurrão violento para levar de rojo.

arrojar. [De *ar-*[2] + lat. **rotulare*, 'lançar rodando' < *rotare*, 'rodar'.] *V. t. d.* **1.** Levar ou trazer de rojo ou de rastos; arrastar. *Tentava arrojar o ferido que jazia inerte.* **2.** Lançar com ímpeto ou força; atirar, arremessar: *arrojou longe a arma que lhe estenderam.* **3.** Lançar (o mar) à praia. *T. d.* e *i.* **4.** Lançar com ímpeto ou força; atirar, arremessar: *arrojou o anel ao chão. Int.* **5.** *Bras. N., N.E.* e *MG. Pop.* V. *vomitar* (11). *P.* **6.** Andar de rojo, de rastos; arrastar-se: *É um pobre aleijado que se arroja pela rua, esmolando.* **7.** Lançar-se, arremessar-se, precipitar-se: "Ei-lo que ao rio *arroja-se.*" (Castro Alves, *Poesias Escolhidas*, p. 267); "*arrojara-se* estupidamente à empresa insensata" (Graciliano Ramos, *Viagem*, p. 13). **8.** Ousar, atrever-se, arriscar-se. **9.** Abaixar-se, rebaixar-se; aviltar-se, envilecer-se. [Pres. ind.: *arrojo*, etc. Cf. *arrojo* (ô).]

arrojo (ô). [Dev. de *arrojar.*] *S. m.* **1.** Temeridade, ousadia; audácia, atrevimento. **2.** Ato de arrojar, de arremessar. **3.** Apresentação pomposa; aparato. **4.** *Bras. AC.* Afluência de peixes em grande quantidade nos lagos ou trechos do rio. **5.** *Bras., N.E. Pop.* Animação, movimento (especialmente falando-se de festas). [Pl.: *arrojos* (ô). Cf. *arrojo*, do v. *arrojar.*]

arrolador (ô). [De *arrolar*[1] + *-dor.*] *S. m.* Aquele que arrola.

arrolamento. *S. m.* **1.** Ato de arrolar[1]; levantamento. **2.** Efeito de arrolar; inventário, lista.

arrolante. [De *arrolar*[1] + *-nte.*] *Adj. 2 g.* e *s. 2 g.* Que ou quem arrola pessoas e bens.

arrolar[1]. [De *ar-*[1] + *rol* + *-ar*[2].] *V. t. d.* **1.** Meter em rol ou lista. **2.** Fazer relação de; inventariar. *T. d.* e *i.* **3.** Pôr no rol de; classificar: *Arrolaram-no entre os mais capazes.* [Pres. ind.: *arrolo*, etc. Cf. *arrolo* (ô).]

arrolar[2]. [De *ar-*[1] + *rolo* + *-ar*[2].] *V. t. d.* **1.** Dar forma de rolo a; enrolar. *Int.* **2.** formar rolos; rolar: "E os trovões rolam na serra / Como vagas a *arrolar!*" (Antônio Nobre, *Só*, p. 98.) [Pres. ind.: *arrolo*, etc. Cf. *arrolo* (ô).]

arrolar[3]. [De *arrulhar.*] *V. int.* Cantar, acalentando; arrulhar. [Pres. ind.: *arrolo* etc. Cf. *arrolo* (ô).]

arrolhador[1] (ô). [De *arrolhar*[1] + *-dor.*] *S. m.* Aquele que arrolha, que põe rolha(s).

arrolhador[2] (ô). [De *arrolhar*[2] (2).] *S. m. Bras., S.* Ervateiro que arrolha, que desfolha a erva-mate.

arrolhador[3] (ô). [De *arrolhar*[1] (5).] *Bras., S. Adj.* e *s. m.* Diz-se de, ou indivíduo medroso, poltrão.

arrolhamento[1]. *S. m.* Ato ou efeito de arrolhar[1] (1).

arrolhamento[2]. *S. m. Bras., S.* Ato ou efeito de arrolhar[2] (2).

arrolhar[1]. [De *a-*[2] + *rolha* + *-ar*[2]] *V. t. d.* **1.** Colocar rolha em; rolhar. **2.** *Bras.* Fazer calar; silenciar: *Arrolharam a testemunha, subornando-a.* **3.** *Bras.* Intimidar, assustar. **4.** *Bras., S.* Vencer, derrotar (o adversário). *Int.* e *p.* **5.** Calar-se ou fugir, vencido ou acovardado. **6.** *Bras., S.* Encolher-se (o cavalo), ameaçando corcovear. [Pres. ind.: *arrolho*, etc. Cf. *arrolho* (ô) e *arrulhar.*]

arrolhar[2]. *V. int. Bras., S.* **1.** Reunir animais cavalares. **2.** Desfolhar a erva-mate. [Pres. ind.: *arrolho*, etc. Cf. *arrolho* (ô) e *arrulhar.*]

arrolho (ô). *S. m.* Ato de arrolhar[1] (1). [Pl.: *arrolhos* (ô). Cf. *arrolho*, do v. *arrolhar.*]

arrolo (ô). *S. m.* Arrulho (3) [Pl.: *arrolos* (ô). Cf. *arrolo*, do v. *arrolar.*]

arromançar. [De *ar-*[1] + *romance* + *-ar*[2].] *V. t. d.* **1.** Romancear. **2.** Traduzir em romance (1). [Conjug.: v. *laçar.*]

arromba. [Dev. de *arrombar*] *S. f.* Cantiga ruidosa para viola. ◆ **De arromba.** Extraordinário, excelente, assombroso, de espantar; de estouro: *festa de arromba;* "não imaginasse o amigo Maia, que ele tinha feito um discurso. / — Ora essa! exclamou o velho, agitando o lenço. E um dos melhores que eu tenho ouvido na Câmara! Dos *de arromba!*" (Eça de Queirós, *Os Maias*, I, pp. 447-448).

arrombada. *S. f.* **1.** Arrombamento (1). **2.** *Ant. Mar.* Borda falsa de fortuna.

arrombado. [Part. de *arrombar.*] *Adj.* **1.** Roto com violência. **2** Vencido, abatido; quebrantado, humilhado. **3.** *Bras., RJ. Pop.* Diz-se de quem tem muita sorte; sortudo. ● *S. m.* **4.** *Bras., Amaz.* Furo que une dois rios através de um manguezal.

arrombador (ô). *Adj.* e *s. m.* Que ou aquele que arromba.

arrombamento. *S. m.* **1.** Ato ou efeito de arrombar; arrombada. **2.** Abertura forçada, rombo.

arromba-peito. [De *arrombar* + *peito.*] *S. m. Bras., N.E. Pop.* V. *lasca-peito.* [Pl.: *arromba-peitos.*]

arrombar. [De *ar-*[1] + *rombo*[1] + *-ar*[2].] *V. t. d.* **1.** Fazer rombo em; romper: *As águas arrombaram o açude.* **2.** Abrir à força: *O ladrão arrombou a porta.* **3.** Vencer, derrotar. **4.** Quebrantar; abater; humilhar: *O descaso do amigo arrombou-lhe o ânimo.* **5.** *Bras. Chulo.* Desvirginar, deflorar, desflorar.

arromeno. *S. m.* **1.** Indivíduo dos arromenos, povos do S. da Iugoslávia, Bulgária, Albânia e Grécia setentrional. **2.** Dialeto romeno falado pelos arromenos. ● *Adj.* **3.** Pertencente ou relativo a eles.

arrosetado. *Adj. Morfol. Veg.* Rosulado.

arrostar. [De *ar-*[1] + *rosto* + *-ar*[2].] *V. t. d.* **1.** Olhar de frente, encarar, sem medo; afrontar; fazer face a. *T. i.* **2.** Encarar, resistir, afrontar. *P.* **3.** Defrontar-se; afrontar-se; expor-se.

arrotador (ô). *S. m.* **1.** Aquele que arrota. **2.** *Fig.* V. *fanfarrão* (2).

arrotar. [Do lat. *eructare.*] *V. int.* **1.** Dar arroto(s). **2.** Vangloriar-se; blasonar. *T. d.* **3.** Soltar pela boca (o ar do estômago, saturado do cheiro do que se comeu ou bebeu); bofar. **4.** Alardear, ostentar, blasonar, bofar: *arrotar valentia. T. i.* **5.** Jactar-se, vangloriar-se de. [Pres. ind.: *arroto*, etc. Cf. *arroto* (ô).]

arroteado. [Part. de *arrotear.*] *Adj.* Que se arroteou ou lavrou.

arroteador (ô). *S. m.* Aquele que arroteia.

arroteamento. *S. m.* Ato ou efeito de arrotear.

arrotear. [De *ar-*[1] + *roto* + *-ear.*] *V. t. d.* **1.** Cultivar (terreno inculto). **2.** Educar; instruir; cultivar. [F. paral.: *rotear.* Conjug.: v. *frear.* Pres. ind.: *arroteio, arroteias, arroteia*, etc. Cf. *arrotéia.*]

arrotéia. [Dev. de *arrotear.*] *S. f.* Terra dantes inculta que se principia a lavrar. [Cf. *arroteia*, do v. *arrotear.*]

arroto (ô). [Dev. de *arrotar*, decerto.] *S. m.* **1.** Erupção ruidosa de gases do estômago pela boca; eructação. **2.** Respiradouro de gruta ou caverna. [Pl.: *arrotos* (ô). Cf. *arroto*, do v. *arrotar.*]

arroto-choco (ô...ô). *S. m.* Eructação de pessoas que têm má digestão. [Pl.: *arrotos-chocos.*]

arroto-de-gruna. *S. m. Bras., BA.* Entre os garimpeiros, ponto onde aflora à superfície o curso de água subterrâneo que atravessa as grunas ou grutas cavadas no subsolo. [Pl.: *arrotos-de-gruna.*]

arroubamento. *S. m.* V. *arroubo.* [Cf. *arrobamento.*]

arroubar. [De *ar*[1] + *roubar.*] *V. t. d.* e *p.* **1.** Extasiar(-se), enlevar(-se), arrebatar(-se). **2.** Transportar-se ou remontar-se em êxtases ou arrebatamentos: "Ascendo, *arroubo-me* às imensidades, / Onde estruge a aleluia das esferas..." (Raimundo Correia, *Poesias*, p. 199). [Cf. *arrobar.*]

arroubo. [Dev. de *arroubar.*] *S. m.* Êxtase, enlevo, arrebatamento, encanto, arroubamento: "Recordo-me de que tive agitados *arroubos* de amor carnal" (Júlio Brandão, *Contos Escolhidos*, p. 185). [Cf. *arrobo* (ô), do v. *arrobar.*]

arroupado. [Part. de *arroupar.*] *Adj.* V. *enroupado* (1).

arroupar. [De *ar-*[1] + *roupa* + *-ar*[2].] *V. t. d.* e *p.* V. *enroupar.*

arroxado[1]. [De *ar-*[1] + *roxo* + *-ado*[1].] *Adj.* V. *arroxeado*[1] (1). [Fem.: *arroxada.* Cf. *arrochado* e *arrochada.*]

arroxado[2]. [Part. de *arroxar.*] *Adj.* V. *arroxeado*[2]. [Fem.: *arroxada.* Cf. *arrochado* e *arrochada.*]

arroxar. [De *ar-*[1] + *roxo* + *-ar*[2].] *V. t. d., int.* e *p.* V. *roxear.* [Cf. *arrochar.*]

arroxeado[1]. [De *ar-*[1] + *roxo* + *-eado*[1].] *Adj.* **1.** De cor tirante a roxo: *lábios arroxeados.* **2.** Diz-se dessa cor: *vestido de cor arroxeada.* [F. paral.: *arroxado; sin.: roxeado.*]

arroxeado[2]. [Part. de *arroxear.*] *Adj.* Que se arroxeou; arroxado.

arroxear. [De *ar-*[1] + *roxo* + *-ear.*] *V. t. d., int.* e *p.* V. *roxear:* "A alva errante / Também sumiu-se no clarão crescente, / A arroxear o levante." (Alberto de Oliveira, *Poesias*, 1ª série, p. 14.) [Conjug.: v. *frear*.]

arroz (ô). [Do ár. *ar-ruz*.] *S. m.* **1.** Planta da família das gramíneas. (*Oryza sativa*), com cada espigueta provida apenas de uma flor de seis estames e o fruto rodeado por duas glumelas ligadas. Largamente difundida na Ásia, estendeu-se a cultura do arroz à África, América, e mais recentemente à Europa, tornando-se ele importante base alimentícia humana e animal. **2.** O grão dessa planta. **3.** *Cul.* Esse grão, depois de descascado e, em geral, polido, usado cozido na alimentação: *Não dispensa o arroz no almoço e no jantar.* ◆ **Arroz à crioula.** *Cul.* Arroz muito lavado, branco, cozido apenas com água e sal, sem temperos. [Cf. *arroz-crioulo*.]

arrozal. *S. m.* Quantidade mais ou menos considerável de pés de arroz dispostos proximamente entre si; arrozeira.

arrozalva. [De *arroz* + *alva*, fem. de *alvo*.] *S. f. Bras.* Farinha de arroz.

arroz-bravo. *S. m. Bras.* Abatiapé. [Pl.: *arrozes-bravos*.]

arroz-crioulo. *S. m. Bras. Cul.* Arroz preparado com alho, cebola e caldo de carne, bem frito, para adquirir cor castanha e bem dourada. [Pl.: *arrozes-crioulos*. Cf. *arroz à crioula*.]

arroz-d'água. *S. m. Bras., SC.* Arrozeira (2). [Pl.: *arrozes-d'água*.]

arroz-de-carreteiro. *S. m. Bras. Cul.* Prato típico da cozinha do S., feito de arroz ao qual se adiciona carne-seca ou carne-de-sol desfiada ou picada, às vezes paio e lingüiça em pedaços, refogados em bastante gordura, com alho, cebola, tomate e cheiro-verde. [Tb. se diz apenas *carreteiro*. Pl.: *arrozes-de-carreteiro*.]

arroz-de-casca. *S. 2 g. Bras.* Pessoa muito sensível. [Pl.: *arrozes-de-casca*.]

arroz-de-cuxá. *S. m. Bras. Cul.* Arroz cozido em água e sal, que se come acompanhado de cuxá. [Pl.: *arrozes-de-cuxá*.]

arroz-de-festa. *S. m. Bras., SP. Pop.* V. *peru-de-festa*: "Já puxou a cara umas três vezes, se pinta feita uma palhaça, virou arroz-de-festa e ainda namorando um moço que poderia ser seu filho!" (Lígia Fagundes Teles, *A Disciplina do Amor*, p. 136.) [Pl.: *arrozes-de-festa*.]

arroz-de-função. *S. m. Bras.* V. *arroz-doce*. [Pl.: *arrozes-de-função*.]

arroz-de-hauçá. *S. m. Bras. Cul.* Prato típico da cozinha baiana e nordestina: arroz branco, sem outro tempero senão o sal, e que se costuma enfeitar com pedacinhos de carne-do-sertão, ou de charque, fritos com alho e cebola, e postos em volta do prato. [Pl.: *arrozes-de-hauçá*.]

arroz-de-leite. *S. m.* V. *arroz-doce*. [Pl.: *arrozes-de-leite*.]

arroz-de-rato. *S. m. Bras.* Planta da família das crassuláceas (*Sedum album*). [Pl.: *arrozes-de-rato*.]

arroz-de-viúva. *S. m. Bras., BA. Cul.* Arroz com sal e leite de coco, sem açúcar, e mais consistente que o arroz-doce: "Após o ofício, voltava a imagem em procissão para a nossa casa, onde era servida lauta mesa de doces, cuscuz, arroz-doce, arroz-de-viúva, aipim com manteiga, bolos, queijo e café com leite." (Hermano Requião, *Itapagipe*, p. 31.) [Pl.: *arrozes-de-viúva*.]

arroz-do-campo. *S. m. Bras.* Designação comum a várias plantas da família das gramíneas. [Pl.: *arrozes-do-campo*.]

arroz-doce. *S. m. Cul.* Arroz cozido no leite adoçado com açúcar, e temperado com casca de limão, canela em pau, ou água de flor de laranja, cravo, etc., e em geral polvilhado com canela; arroz-de-função, arroz-de-leite. [No N. e no N.E. adiciona-se leite de coco ao leite de vaca.]

arroz-doce-de-festa. *S. m. Bras. Pop.* V. *peru-de-festa*: "Essa criatura não perde baile, missa ou tocata: é o arroz-doce de toda a festa." (Godofredo Rangel, *Os Humildes*, p. 48.) [Pl.: *arrozes-doces-de-festa*.]

arroz-doce-de-pagode. *S. m. Bras. Pop.* V. *peru-de-festa*. [Pl.: *arrozes-doces-de-pagode*.]

arrozeira. *S. f.* **1.** Arrozal. **2.** *Bras., SC.* Processo de cultivo do arroz mediante o aproveitamento de riachos e ribeiras, cujas águas se canalizam para submersão das plantas; arroz-d'água.

arrozeiro. *S. m.* **1.** Plantador e/ou negociante de arroz. ● *Adj.* **2.** Que gosta muito de arroz. **3.** *Bras.* Referente à lavoura de arroz.

arruá. [Var. de *aruá*^{4}.] *Adj. 2 g. Bras.* **1.** Espantadiço, assustadiço. **2.** Indomável, selvagem, bravio. **3.** Mau, perverso.

arruaça. [De *rua*.] *S. f.* **1.** Motim de rua; assuada. **2.** V. *rolo*^{1} (16).

arruação. *S. f.* V. *arruamento*.

arruaçar. *V. int.* Promover arruaça(s). [Conjug.: v. *laçar*.]

arruaceiro. *Adj.* e *s. m.* Que, ou aquele que faz arruaças; que arruaça; arruador.

arruado. [De *ar-*^{1} + *rua* + *-ado*^{1}.] *S. m.* **1.** V. *arruamento*: "um arruado triste, casinholos de taipa cobertos de palha, na maioria." (Herman Lima, *Garimpos*, p. 16). **2.** *Bras., N.E.* Pequena povoação de casas à margem de uma estrada.

arruador (ô). *Adj.* **1.** Arruaceiro. ● *S. m.* **2.** Aquele que arrua [v. *arruar* (4)]: "Foi para a turba dos apaixonados arruadores grande assombro e maior escândalo, esse de verem todas as tardes, ... o rolho velhinho, conversando e brincando na maior intimidade com a menina." (José de Alencar, *Senhora*, pp. 195-196.) **3.** Arruaceiro. **4.** Vagabundo, vadio.

arruamento. [De *arruar*^{1} + *-mento*.] *S. m.* **1.** Traçado, demarcação e abertura de ruas. **2.** Conjunto de ruas, num loteamento. **3.** Instalação de estabelecimentos de uma mesma profissão, na mesma rua. [Sin. ger.: *arruação, arruado*.]

arruar^{1}. [De *ar-*^{1} + *rua* + *-ar*^{2}.] *V. t. d.* **1.** Traçar, demarcar e abrir (ruas) para fazer loteamento, vila ou cidade. **2.** Traçar, demarcar e fazer os caminhos ou passeios em (jardim ou parque). *Int.* **3.** Percorrer as ruas, como vadio: "um pajem que nos deixava gazear a escola, ir caçar ninhos de pássaros, ... ou simplesmente arruar, à toa, como dous peraltas sem emprego." (Machado de Assis, *Memórias Póstumas de Brás Cubas*, p. 47). **4.** Passear pelas ruas: "Hoje, já não se sabe arruar direito. Anda-se, ou melhor, corre-se pelas ruas. Os meios de transporte não favorecem esse prazer dos antigos." (Mário Sete, *Arruar*, p. 9.) **5.** Passear com pompa, com ostentação.

arruar^{2}. [T. onom.] *V. int.* **1.** Grunhir (o javali). **2.** Mugir (o touro).

arrubé. *S. m. Bras., AM.* Óleo extraído de certa mandioca.

arruçado. [Part. de *arruçar*.] *Adj.* Que arruçou: *cabelo arruçado*.

arruçar. [De *ar-*^{1} + *ruço* + *-ar*^{2}.] *V. t. d., int.* e *p.* V. *ruçar*: "Andou, andou, já a alba arruçava a lomba dos oiteiros e o recorte das árvores" (Aquilino Ribeiro, *Estrada de Santiago*, p. 312). [Conjug.: v. *laçar*.]

arruda. [De *ar-*^{3} + lat. *ruta*.] *S. f.* Designação comum a várias espécies da família das rutáceas, nativas da Europa meridional, aromáticas e medicinais, das quais a mais comum é a *Ruta graveolens*.

arruda-dos-muros. *S. f. Bras.* Planta da família das polipodiáceas asplenóideas (*Asplenium ruta muraria*), feto de folhas pinatífidas, comum em fendas de muros. Ocorre nas regiões temperadas do hemisfério norte. [Pl.: *arrudas-dos-muros*.]

arruela. [De *ar-*^{3} + fr. *rouelle*; var. de *ruela*.] *S. f.* **1.** Chapa redonda, de aço, com furo circular, na qual se mete o parafuso a fim de que a porca não desgaste a peça que vai ser aparafusada. **2.** *Heráld.* Besante de brasão; roel. **3.** Pedaço de prata lavrado em tijolo.

arruelado. [De *arruela* + *-ado*^{1}.] *Adj.* Que tem arruelas.

arrufadiço. [De *arrufado* + *-iço*.] *Adj.* Que facilmente se arrufa; agastadiço, irritadiço.

arrufar^{1}. [De *ar-*^{2} + *rufar*^{1}.] *V. t. d.* e *int.* Rufar^{1}: "No ar arrufa o pandeiro, / Todo enfeitado de fitas" (Melo Morais Filho, *Cantos do Equador*, p. 53).

arrufar^{2}. [De *ar-*^{1} + *rufo*^{2} + *-ar*^{2}.] *V. t. d.* **1.** Tornar irritado, agastado; irritar. **2.** Encrespar, arrepiar, rufar: *A ave arrufou a plumagem*. *P.* **3.** Tornar-se crespo; encrespar-se, arrepiar-se. **4.** Entufar-se, agastar-se, amuar-se. **5.** Mostrar mau modo; encrespar-se: *Não gostou do que lhe disseram: arrufou-se e saiu batendo a porta.*

arrufianado. [De *ar-*^{1} + *rufião* + *-ado*^{1}.] *Adj.* **1.** Que tem modos de rufião: *moço arrufianado*. **2.** Próprio de rufião: *maneiras arrufianadas*.

arrufo. [Dev. de *arrufar*^{2}.] *S. m.* **1.** Ato ou efeito de arrufar(-se). **2.** V. *amuo* (1). **3.** Ressentimento passageiro entre pessoas que se querem bem.

arrugado. [Part. de *arrugar*.] *Adj.* V. *enrugado*.

arrugadura. *S. f.* V. *arrugamento*.

arrugamento. *S. m.* Ato ou efeito de arrugar(-se); arrugadura, enrugamento.

arrugar. [De *ar-*^{1} + *ruga* + *-ar*^{2}.] *V. t. d.* e *p.* V. *enrugar*: "a brisa do mar arrugava levemente a superfície do Tejo" (Camilo Castelo Branco, *Novelas do Minho*, XII, p. 73). [Conjug.: v. *largar*. Cf. *arrogar*.]

arrúgia. [Do lat. *arrugia*.] *S. f.* Canal para escoamento de águas, nas minas.

arruído. [Do *ar-*^{2} + *ruído*.] *S. m.* **1.** Barulho, ruído: "Música — uns finos, leves arruídos" (Alberto de Oliveira, *Lírica*, p. 95); "O arruído dos guizos aumentava" (Cleonice Rainho, *João Mineral*, p. 13). **2.** Clamor confuso de muitas vozes; vozearia. **3.** Desordem, tumulto, briga.

arruinação (u-i). *S. f.* V. *arruinamento*.

arruinado (u-i). [Part. de *arruinar*.] *Adj.* **1.** Reduzido à ruína(s); destruído. **2.** Reduzido à pobreza; empobrecido. **3.** Prejudicado; perdido. **4.** *Fam.* Inflamado ou apostemado: *A ferida arruinada ameaçava o pé inteiro.*

arruinador (u-i...ô). *Adj.* e *s. m.* Que, ou aquele que arruína.

arruinamento (u-i). *S. m.* Ato ou efeito de arruinar(-se); arruinação, ruína.

arruinar (u-i). [De *ar-*^{1} + *ruína* + *-ar*^{2}.] *V. t. d.* **1.** Causar ruína a; destruir, arrasar: *A nuvem de gafanhotos arruinou a plantação.* **2.** Reduzir a ruínas; destruir, demolir, aluir: *Os últimos temporais arruinaram as edificações.* **3.** Reduzir à miséria; empobrecer: *Perdulário, acabará arruinando a família.* **4.** Estragar, danificar: *O tráfego arruinou a estrada.* **5.** Prejudicar, abalar, estragar (a saúde, o crédito, etc.). *Int.* **6.** Cair em ruína; desmoronar-se, aluir. **7.** Estragar-se; deteriorar-se: *Toda a colheita arruinou no celeiro.* **8.** *Bras.* Infeccionar; gangrenar: *A ferida arruinou.* *P.* **9.** Cair em ruína; destruir-se, aluir-se. **10.** Ficar sem recursos; empobrecer(-se): "Eram restos da classe velha, tipos que já não podiam ter escravos e se arruinavam em loucura furiosa, agarrados a prostitutas." (Graciliano Ramos, *Viagem*, p. 16.) **11.** Perder a saúde; enfermar. [Recebe acento nas f. rizotônicas *arruíno, arruínas, arruína, arruínam, arruíne, arruínes, arruínem*.]

arruivado. [De *ar-*^{1} + *ruivo* + *-ado*^{1}] *Adj.* Tirante a ruivo; arruivascado: *cabelos arruivados; barba de um tom arruivado*: "Ressurge a Terra enfim! O Sol quente e arruivado / Beija-a com louco amor" (Eugênio de Castro, *Obras Poéticas*, IV, p. 177).

arruivascado. [De *ar-*^{1} + *ruivo* + *-asca-* + *-ado*^{1}] *Adj.* Arruivado; "Lembro que antes das brancas eles [os cabelos] eram dum castanho arruivascado" (Pedro Nava, *Beira-Mar*, p. 84).

arrular. *V. int.* e *t. d.* Var. de *arrulhar*: "Rola que estás arrulando / À beira do poço fundo, / Eu também sofro e não ando / A queixar-me a todo o mundo..." (Augusto Gil, *O Craveiro da Janela*, p. 83.)

arrulhar. [T. onom.] *V. int.* **1.** Produzir arrulhos; cantar como os pombos e rolas; rolar: "Os pequenos engraxates ambulantes, os pombos que arrulham entre os pés dos transeuntes, a estátua de D. Pedro I, as cartomantes e batedores de carteira" (Ledo Ivo, *A Morte do Brasil*, p. 10). **2.** Dizer palavras doces, amorosas, em tom meigo. **3.** Acalentar crianças. *T. d.* **4.** Exprimir com ternura (um sentimento da alma); rolar: *Os namorados arrulham seu amor.* [Var.: *arrular*. Aplicado em relação a animais, só se emprega nas 3as pess. Pode-se empregar em todas as pess. nos outros casos. Cf. *arrolhar*.]

arrulho. [Dev. de *arrulhar*.] *S. m.* **1.** Ato de arrulhar. **2.** Canto ou gemido de rolas e pombos: "Era um arrulho de juritis perdido no meio da atroadora garrulice dos melros." (Bernardo Guimarães, *O Seminarista*, p. 43.) **3.** Canto para adormecer crianças; arrolo. [Var.: arrulo; sin. ger.: *rulo*.]

arrulo. [Dev. de *arrular*.] *S. m.* V. *arrulho*.

arrumação. *S. f.* **1.** Ato ou efeito de arrumar(-se), arranjar. **2.** Boa ordem ou disposição. [Sin. nessas acepç.: *arranjo* e (p. us.) *arrumo*.] **3.** Escrituração em ordem. **4.** Posição na carta geográfica; rumo. **5.** Emprego, colocação. **6.** *Pop.* Tratantada, traficância, arranjo.

arrumada. *S. f.* V. *arrumadela*.

arrumadeira. [De *arrumar* + *-(d)eira*.] *Adj. (f.)* **1.** Diz-se da mulher zelosa na arrumação dos objetos e móveis da sua casa. ● *S. f.* **2.** *Bras.* Criada incumbida da arrumação e limpeza da casa: Teresinha, quando veio do interior para trabalhar como copeira e arrumadeira, ... quase não cooperou nada porque .... antes de querer ser arrumadeira, pensou em se arrumar." (Stanislaw Ponte Preta, *Febeapá 2*, p. 81.)

arrumadela. *S. f.* Arrumação (1) superficial ou rápida; arrumação ligeira; arrumada.

arrumado. [Part. de *arrumar*.] *Adj.* **1.** Que se arrumou. **2.** Vestido, pronto.

arrumador (ô). *S. m.* Aquele que arruma. [Tb. us. como adj.]

arrumar. [Do fr. *arrumer*.] *V. t. d.* **1.** Pôr em ordem; arranjar, compor: *Arrumou os seus trastes e deixou a casa; Arrumou os livros da biblioteca.* **2.** Dar determinado rumo a; dirigir para; rumar. **3.** Colocar, empregar: *Conseguiu arrumar o filho na empresa em que trabalha.* **4.** Pespegar, impingir: *Arrumou uma boa mentira como desculpa.* **5.** *Bras.* Conseguir, obter, alcançar: *Arrumou um bom emprego.* *T. d. e i.* **6.** Atirar, arrojar, arremessar: *Arrumaram pedras às vidraças.* *T. i.* **7.** Pôr de lado; acabar com; liqüidar: *Estava velho e cansado; resolveu arrumar com a loja.* *P.* **8.** Estabelecer-se, empregar-se, colocar-se: *Desempregado há cerca de um ano, felizmente agora se arrumou.* **9.** Conseguir boa situação, sob o aspecto financeiro, sentimental, etc.; arranjar-se: *Andou meio sem sorte, mas acabou por se arrumar.* **10.** Acomodar-se, arranjar-se, ajeitar-se: "o desarranjo estava previsto e numa hora as coisas se arrumariam da melhor forma." (Graciliano Ramos, *Viagem*, p. 13). **11.** Avir-se: *Nada tenho com isso: ele que se arrume sozinho!* **12.** *Fam.* Vestir-se, aprontar-se.

arrumo. [Dev. de *arrumar*.] *S. m. P. us.* V. *arrumação* (2).

arrunhar. [Alter. de *arruinar*.] *V. t. d.* **1.** Aparar (a sola ao redor do calçado). **2.** Abrir, rasgar.

arrupiar. *V. t. d., int. e p. Bras., N.E. Pop.* Var. de *arrepiar*.

arrupio. *S. m. Bras., N.E. Pop.* Var. de *arrepio*.

arsenal. [Do ár. *dar-aq-çina'â*, 'casa da indústria'.] *S. m.* **1.** Conjunto edificado, com armazéns e dependências para fabricação e/ou guarda de munições e petrechos de guerra. **2.** *Fig.* Lugar onde há muitas armas. **3.** *P. ext. Fig.* Grande porção; série, porção; conjunto: *Tem todo um arsenal de expedientes para fugir ao trabalho;* "Também ele, em criança, ... foi supersticioso, teve um arsenal inteiro de crendices" (Machado de Assis, *Várias Histórias*, p. 5).

arseniato. [De *arsênio* + *-ato*².] *S. m. Quím.* Qualquer sal do ácido arsênico.

arsenical. *Adj. 2 g.* Que contém arsênio ou arsênico.

arsênico. [Do gr. *arsenikós*, 'viril' pelo lat. *arsenicu*.] *S. m. Quím.* O trióxido de arsênio, sólido, branco, pulverulento, venenoso, com diversas aplicações industriais. [Fórm.: As_2O_3.]

arsenieto (ê). *S. m. Quím.* Sal binário que contém arsênio e um metal.

arsenífero. *Adj.* Que contém arsênio.

arsênio. [De *arsênico*.] *S. m. Quím.* Elemento de número atômico 33, sólido cristalino, acinzentado, utilizado sob a forma de compostos em medicina: [Simb. *As*.] ◆ **Arsênio branco.** *Quím.* Trióxido de diarsênio, pó branco cristalino, veneno poderoso. [Fórm.: As_2O_3.]

arsenioso (ô). [De *arsênio* + *-oso*.] *Adj. Quím.* Diz-se do ácido em que o arsênio tem número de oxidação 3.

arsenito. [De *arsênio* + *-ito*³.] *S. m. Quím.* Qualquer sal do ácido arsenioso.

arses. *S. m. 2 n.* Ave africana da ordem dos dentirrostros. [Cf. *ársis*.]

➧**ars gratia artis** (arç grácia ártiç). [Lat.] Trad. lat. da expr. *arte pela arte*.

arsina. [De *ars(ênico)* + *-ina*¹.] *S. f. Quím.* Gás, tóxico, com cheiro de alho, incolor. [Fórm.: AsH_3.]

ársis. [Do gr. *ársis*, pelo lat. *arsis*.] *S. f. 2 n.* **1.** *Mús.* Entre os gregos, o levantar do pé na dança e, em conseqüência, a parte acentuada do ritmo. **2.** *Mús.* Na métrica musical, o tempo fraco do compasso. **3.** *Liter.* Na versificação latina, a parte do pé (em geral uma sílaba longa) marcada pelo acento métrico. **4.** *P. ext.* Elevação do tom ou da voz. [Cf. *arses*, e, nas acepç. 1 e 2, *tésis*.]

arsônio. *S. m. Quím.* O íon AsH^+_4.

arsonvalização. *S. f. Med.* Darsonvalização [q. v.].

➧**art déco** (ar decô). [Fr., f. red. de *art. décoratif*, 'arte decorativa'.] *Loc. s. m.* **1.** Movimento nas artes decorativas que surgiu nos anos 20 e dominou a década de 30, e que, inspirado basicamente no cubismo e nos preceitos da nova arquitetura, buscava o equilíbrio dos volumes, uma certa singeleza linear e uma fácil adaptação à produção industrial. ● *Adj. 2 g. e 2 n.* **2.** Referente a, ou próprio do *Art déco*; decô: *um salão art déco*.

arte¹. [Do lat. *arte*.] *S. f.* **1.** Capacidade que tem o homem de pôr em prática uma idéia, valendo-se da faculdade de dominar a matéria: *A arte de usar o fogo surgiu nos primórdios da civilização.* **2.** A utilização de tal capacidade, com vista a um resultado que pode ser obtido por meios diferentes: *a arte da medicina; a arte da caça; a arte miltar; a arte de cozinhar; Liceu de Artes e Ofícios.* **3.** Atividade que supõe a criação de sensações ou de estados de espírito de caráter estético carregados de vivência pessoal e profunda, podendo suscitar em outrem o desejo de prolongamento ou renovação: *uma obra de arte; as artes visuais; a arte religiosa; arte popular; a arte da poesia;* a arte musical. **4.** A capacidade criadora do artista de expressar ou transmitir tais sensações ou sentimentos: *A arte do Aleijadinho é considerada a maior manifestação do barroco brasileiro.* **5.** *Restr. As artes plásticas: Crítica de arte: mercado de arte; uma história de arte.* **6.** O conjunto das obras de arte de uma época, de um país, de uma escola: *a arte pré-histórica; a arte moderna; a arte italiana; a arte impressionista.* **7.** Os preceitos necessários à execução de qualquer arte: *a arte da marinharia; a arte de falar corretamente uma língua; A arte helênica marcou profundamente a estética ocidental.* **8.** Livro, tratado ou obra que contém tais preceitos: a Arte Poética *de Boileau;* a Arte da Fuga, de Bach. **9.** Capacidade natural ou adquirida de pôr em prática os meios necessários para obter um resultado: *a arte de viver; a arte de calar; a arte de ganhar dinheiro; escrever sem arte.* **10.** Dom, habilidade, jeito: *Tem a arte de comunicar-se; Esse cachorrinho tem a arte de me irritar.* **11.** Ofício, profissão (nas artes manuais, especialmente): *Naquela família a arte de entalhador é uma tradição* **12.** Artifício, artimanha, engenho: *Não sei que artes usou para convencê-la.* **13.** Maneira, modo, meio, forma: *De tal arte envolveu o chefe que logo se tornou seu secretário;* "A podenga negra, essa sumiu-se por tal arte, que ninguém no castelo lhe tornou a pôr a vista em cima." (Alexandre Herculano, *Lendas e Narrativas*, II, pp. 14-15). **14.** *Propag.* V. *arte de propaganda.* **15.** *Bras.* Traquinada, travessura. ~ V. *artes.* ◆ **Arte abstrata.** Abstracionismo (2). **Arte concreta.** Concretismo. **Arte culinária.** Arte de preparar os alimentos segundo normas gastronômicas ou dietéticas. **Arte de propaganda.** *Propag.* **1.** Conjunto de atividades relacionadas com a apresentação gráfico-visual de anúncios. **2.** Especialização dos artistas (leiautistas, ilustradores, fotógrafos) que trabalham na preparação de um anúncio. [Sin.: *arte publicitária. Tb.* se diz apenas *arte*.] **Arte de vanguarda.** A que apresenta características inovadoras na forma e no conteúdo, opondo-se geralmente aos padrões, aceitos pelo consenso geral. **Arte do livro.** Parte das artes gráficas que, compreendendo a judiciosa escolha de papéis e tintas, a tipografia, a ilustração e a encadernação, tem por fim a harmoniosa integração, no livro, de sua dupla função de objeto de estudo e de objeto de arte. **Arte do marinheiro.** *Marinh.* Arte de fazer costuras em cabos e trancas, de dar nós e voltas em cabos, e de executar outros trabalhos artesanais próprios do marinheiro de convés. [Cf. *marinharia*. (2).] **Arte dramática.** V. *teatro*: "O país onde primeiro apareceu a arte dramática moderna foi a Inglaterra" (Alexandre Herculano, *Opúsculos*, IX, p. 75). **Arte gráfica.** *P. us.* A arte da gravura. [V. *artes gráficas* (2).] **Arte mágica. 1.** Magia, feitiçaria. **2.** V. *prestidigitação.* **Arte moderna.** V. *modernismo* (4 e 6). **Arte naval.** *Mar.* Estudo do navio, sua estrutura, equipamento, conservação, e das manobras que com ele se fazem e fainas que nele se realizam. [Cf. *marinharia* (2).] **Arte plumária.** A arte indígena de trabalhar plumas coloridas: "Só é legítimo falar em arte plumária, quando o valor estético das penas é superado por um esforço de imaginação, sensibilidade e virtuosismo, que permite construir com elas obras que valham por si próprias." (Darcy Ribeiro e Berta G. Ribeiro, *Arte Plumária dos Índios Caapor*, p. 13). [Tb. se diz apenas *plumária*.] **Arte publicitária.** *Propag.* V. *arte de propaganda.* **Arte rupestre.** Os desenhos, pinturas, etc., feitos nas cavernas pelos homens pré-históricos. **Artes aplicadas.** As que se ocupam das qualidades de beleza, elegância, etc., de qualquer objeto de produção artesanal ou industrial. **Artes de reprodução.** O conjunto das artes gráficas que se realizam em duas fases distintas: a da criação de uma fôrma e a da multiplicação, por impressão, do trabalho nela executado, assim compreendidas a gravura, a tipografia e a fotogravura (1). **Artes do espetáculo.** Designação comum às artes que envolvem o espetáculo, e das quais o teatro e o cinema são as principais. **Artes gráficas. 1.** No sentido mais geral, o conjunto das artes de representar figuras, ornatos e letras em superfície plana, agrupando a pintura, o desenho, a caligrafia, a gravura, a tipografia e outras técnicas de impressão, entre as quais a arte do livro e a fotografia. **2.** Em sentido mais restrito, o conjunto das artes de representar figuras, ornatos e letras, em superfície plana e material leve, incluindo ou não o desenho, excluindo a fotografia e compreendendo a gravura, a caligrafia, a tipografia e outras técnicas de impressão, e a arte do livro. [Nesta acepç. usa-se às vezes no sing. V. *artes de reprodução.* Cf. nas acepç. 1 e 2, *artes plásticas.*] **3.** Correntemente, o conjunto das artes e técnicas que constituem a indústria gráfica. **Artes liberais.** Na Idade Média, designação comum às matérias de instrução e ensino. **Artes mecânicas.** As que se baseiam no trabalho manual, especialmente com a utilização de ferramentas ou máquinas. **Artes menores.** Ramo da arte (3) que se ocupa da feitura de objetos em que o fator estético se alia à utilidade prática: *A cerâmica, a encadernação, o bordado são artes menores.* **Artes plásticas.** As que se manifestam por meio de elementos visuais e táteis, como linhas, cores, volumes, etc., reproduzindo formas da natureza ou realizando formas imaginárias; belas-artes; arte. Compreendem o desenho, a pintura, a gravura, a colagem a escultura, etc. **A sétima arte.** O cinema: "O cinema falado impediu o cinema mudo de completar sua trajetória. Quando a sétima arte começava a produzir os seus clássicos — ou seja, a aproveitar toda a sua experiência como expressão — surgiu o *talkie*, e foi preciso recomeçar tudo" (Mário da Silva Brito, *Diário Intemporal*, p. 111). **Por artes de berliques e berloques.** Por artes mágicas; inexplicavelmente; milagrosamente. **Por artes do Diabo.** Por desgraça, por infelicidade. **Fazer arte de.** Agir de modo provocante, com determinado intuito: *Estás fazendo arte de me irritar.*

arte². *S. f.* **1.** F. red. de *arte-final.* (1). **2.** Setor de arte² em agência de propaganda ou anunciante direto.

artefacto. *S. m.* Artefato [q. v.]

artefato. [Do lat. *arte factu*, 'feito com arte'; var. de *artefacto*.] *S. m.* **1.** Qualquer objeto manufaturado; peça. **2.** *Bot.* Na preparação de lâminas para estudo microscópico, toda estrutura observada que não é natural, e sim produto de manipulações; artifício. [A fixação e a coloração produzem vários tipos de artefato.] ◆ **Artefato pirotécnico.** Artifício de fogo.

arte-final. *S. f. Art. Gráf.* **1.** Qualquer trabalho (desenho, fotografia, ilustração, etc.) pronto para reprodução. [Tb. se diz apenas *arte*.] **2.** Montagem de um trabalho gráfico (livro, anúncio, cartaz, etc.) pronta para ser fotografada e reproduzida, contendo todos os elementos do texto e ilustrações. [Pl.: artes-finais.]

arte-finalista. *S. 2 g. Art. Gráf.* Indivíduo que executa artes-finais. [Pl.: artes-finalistas.]

arte-finalizar. *V. t. d.* Executar arte-final de.

arteirice. *S. f.* **1.** Ação de arteiro; manha, astúcia, ardil. **2.** *Bras.* Traquinada, travessura.

arteiro. *Adj.* **1.** Que revela arte (12); manhoso, astucioso, ardiloso. **2.** *Bras.* Que faz artes ou traquinices; traquinas, travesso. [Sin., bras., GO: *custoso*.]

artelho (ê). [Do lat. *articulu*, e talvez por infl. do fr. *orteil*.] *S. m.* V. *pododáctilo*.

arte-maior. *S. f.* V. *verso de arte-maior.* [Pl.: *artes-maiores*.]

artemão. [Do gr. *artémon*, pelo lat. *artemone*.] *S. m. Marinh.* **1.** Mastro de popa em um navio de três mastros. **2.** Vela mestra de navio.

arte-menor. *S. f.* V. *verso de arte-menor.* [Pl.: *artes-menores.* Cf. *artes menores*.]

artemigem. *S. f. Bras.* V. *artemísia*.

artemija. *S. f. Bras.* V. *artemísia*.

artemísia. [Do gr. *artemísia*, pelo lat. *artemisia*.] *S. f.* **1.** Gênero (*Artemisia*) de plantas da família das compostas de que se conhecem cerca de 250 espécies, e ao qual pertencem o absinto (*A. absinthium*), o estragão (*A. dracuncullus*) e a santonina (*A. santonica*). **2.** Artemísia-verdadeira. [Var., bras.: *artemigem, artemija*.]

artemisiácea. *S. f.* Espécime das artemisiáceas.

artemisiáceas. *S. f. pl. Bot.* Família de plantas superiores distinta das compostas, a qual engloba os gêneros próximos de *Artemisia*, que a maioria prefere manter entre as compostas.

artemisiáceo. *Adj.* Pertencente ou relativo às artemisiáceas.

artemísia-verdadeira. *S. f.* Planta ramosa da família das compostas (*Artemisia vulgaris*), aromática, de folhas muito recortadas e flores em capítulos ovóides dispostos em espiguetas paniculadas. [Tb. se diz apenas *artemísia*.]

artéria. [Do lat. *arteria*.] *S. f.* **1.** *Anat.* Cada um dos vasos que conduzem o sangue do coração a todas as partes do corpo. **2.** Grande via de comunicação: "a Rua do Ouvidor era a veia mestra, a artéria dominante." (R. Magalhães Júnior, *Artur Azevedo e Sua Época*, p. 17). [Dim. irreg.: *arteríola*.] ◆ **Artéria carótida externa.** *Anat.* Cada uma das duas artérias que se originam da carótida primitiva, do mesmo lado, e que se distribuem pelo pescoço, face e crânio. **Artéria carótida interna.** *Anat.* Cada uma das duas carótidas que se originam da carótida primitiva, do mesmo lado, e que se distribuem pelo cérebro. **Artéria carótida primitiva.** *Anat.* Cada uma das duas artérias de onde se originam, de cada lado, uma carótida externa e uma interna.

arterial. *Adj. 2 g.* Concernente às artérias; arterioso. ~V. *esclerose —, hipertensão —, hipotensão —, pressão —* e *sangue —.*

arterialização. *S. f.* Ato ou efeito de arterializar(-se).

arterializar. *V. t. d.* **1.** Transformar (o sangue venoso) em arterial. *P.* **2.** Converter-se (o sangue venoso) em arterial.

arteriarctia. [De *arteri(o)-* + *-arctia.*] *S. f. Patol.* Diminuição do calibre de uma artéria. [V. *coarctação.*]

▲ **arteri(o)-.** [De *artéria.*] *El. comp.* = 'artéria': *arteriosclerose.*

arteriografia. [De *arteri(o)-* + *-graf(o)-* + *-ia.*] *S. f.* **1.** *Med. Desus.* Descrição do sistema arterial. **2.** Visualização radiológica de uma ou mais artérias depois de se introduzir nela(s) substância de contraste.

arteriográfico. *Adj.* Relativo à arteriografia.

arteríola. *S. f.* Dim. irreg. de *artéria.*

arteriologia. [De *arteri(o)-* + *-log(o)-* + *-ia.*] *S. f.* Parte da anatomia que estuda as artérias.

arteriológico. *Adj.* Relativo à arteriologia.

arteriosclerose. [De *arteri(o)-* + *-sclerose.*] *S. f. Patol.* Esclerose ou endurecimento das artérias; esclerose arterial. [Cf. *angiosclerose.*]

arterioso (ô). *Adj.* Arterial [q. v.]

arteriotomia. [Do gr. *arteriotomía*, pelo lat. *arteriotomia.*] *S. f. Cir.* Incisão numa artéria.

arteriotômico. *Adj.* Relativo à arteriotomia.

arterite. [De *arteri(o)-* + *-ite*[1].] *S. f. Patol.* Inflamação arterial.

artes. [Pl. de *arte.*] *S. f. pl.* Aparelhos de pesca. ~V. *arte.*

artesa (ê). [Do gr. *ártos*, 'pão'.] *S. f.* Caixa de madeira, quadrilonga, que serve de amassadouro e tem outros usos caseiros.

artesã. *S. f.* Fem. de *artesão*[1] [q. v.]: "Aqui e acolá encontramos velhas rendeiras com seus bilros e suas almofadas. Das entrevistas com essas artesãs, chegamos à conclusão de que é do Norte e Nordeste que vêm seus conhecimentos e sua arte." (Regina Lacerda, *Papa-Ceia*, p. 16)

artesanal. *Adj. 2 g.* Relativo a, ou próprio de artesão[1], ou artesanato: *indústria artesanal; obra artesanal.*

artesanato. *S. m.* **1.** A técnica, o tirocínio ou a arte do artesão (1): *Era a toalha uma obra do mais fino artesanato.* **2.** O conjunto ou a classe dos artesãos. **3.** *P. ext.* O produto do trabalho do artesão (2), objeto feito por ele. *Via-se na praça todo o artesanato da cidadezinha; O artesanato de couro invandiu agora as lojas mais requintadas.* **4.** Local onde se pratica ou ensina o artesanato (1): *O artesanato de Paulo Afonso é conhecido pela excelência dos seus produtos.*

artesão[1]. [Do it. *artigiano.*] *S. m.* **1.** Artista (4) que exerce uma atividade produtiva de caráter individual. **2.** Indivíduo que exerce por conta própria uma arte, um ofício manual. [Fem.: *artesã*; pl.: *artesãos.]*

artesão[2]. [De *artesa* + *-ão.*] *S. m. Arquit.* Cada um dos painéis quadrangulares ou poligonais, formados por molduras, que se aplicam na decoração de tetos, abóbadas, voltas de arcos, etc. [Pl.: *artesões.*]

artesianismo. *S. m.* O fenômeno de, nos poços artesianos, a água se elevar por si para manter o equilíbrio do lençol subterrâneo.

artesiano. [Do fr. *artésien.*] *Adj.* **1.** De, ou pertencente ou relativo a Artésia (Artois — França). **2.** Diz-se do lençol de água subterrâneo que está em regime de escoamento forçado. ~ V. *poço —.* ● *S. m.* **3.** O natural ou habitante da Artésia.

artesoado. [Part. de *artesoar.*] *Adj.* Ornado com artesões [v. *artesão*[2]].

artesoar. *V. t. d.* Ornar com artesões [v. *artesão*[2]]; artesonar. [Conjug.: v. *coroar.*]

artesonar. *V. t. d.* Artesoar.

ártico. [Do lat. *arcticu.*] *Adj.* **1.** Do Norte; boreal: *pólo ártico*, "Pessoas passavam, grossas de tanta roupa, quase cilíndricas nos seus capotões, como habitantes das regiões árticas." (José Geraldo Vieira, *A Mulher Que Fugiu de Sodoma*, p. 156). **2.** *Bot.* Diz-se da parte mais ao N. da zona fitogeográfica dita *circumboreal*, nas proximidades do Pólo Norte, na qual não habitam árvores, sendo a vegetação subarbustiva e herbácea e os líquenes numerosos. ~ V. *frente —a, pólo*[1] *—* e *zona glacial —a.*

articulação. [Do lat. *articulatione.*] *S. f.* **1.** Ato ou efeito de articular(-se). **2.** Pronunciação distinta das palavras. **3.** *Anat.* Dispositivo orgânico por meio do qual permanecem em contato dois ou mais ossos; artículo. **4.** *Bot.* Zona de conexão, distintamente demarcada, de dois órgãos ou de dois segmentos de um mesmo órgão, a qual facilita a separação das partes articuladas. [O pecíolo é comumente articulado com o ramo.] **5.** *Fon.* Cada uma das três fases do movimento dos órgãos fonadores na emissão de um fonema. A primeira fase de articulação, a aproximação dos lábios, chama-se *catástase, implosão* ou *intensão;* a segunda fase, a manutenção da aproximação feita, denomina-se *tensão, duração* ou *articulação sistente;* e a terceira, de retorno do órgão fonador (os lábios) à posição de repouso, diz-se *metástase, explosão* ou *distensão.* **6.** *Geog.* Saliência ou reentrância do litoral e de qualquer forma de relevo. **7.** *Jur.* Exposição em artigos de petição, libelo, etc.; articulado. **8.** *Mec.* União de duas ou mais peças de um mecanismo de modo que realizem movimentos coordenados. **9.** *N. E.* Discussão, polêmica. **10.** *Bras., N. E.* V. *descompostura* (2). ◆ **Articulação sistente.** *Fon.* V. *articulação* (5).

articulado. [Part. de *articular*[2].] *Adj.* **1.** Que tem articulações. **2.** *Bot.* Diz-se, nos fungos, dos filamentos divididos por septos transversais. **3.** Pertencente ou relativo aos articulados; testicárdine. ~ V. *capa —a* e *linguagem —a.* ● *S. m.* **4.** *Jur.* Articulação (7). **5.** Espécime dos articulados; testicárdine.

articulados. [Pl. de *articulado.*] *S. m. pl. Zool.* **1.** Designação comum aos animais metazoários, braquiópodes, da classe *Articulata*, que têm as válvulas dorsal e ventral desiguais, constituídas por prismas calcários oblíquos, e são providos de articulação e desprovidos de ânus; testicárdines. **2.** Grupo de animais estabelecido por Cuvier, que inclui os anelídeos, os crustáceos, os aracnídeos e os insetos.

articulante. [Do lat. *articulante.*] *Adj. 2 g.* **1.** Que articula. ● *S. 2 g.* **2.** *Jur.* Indivíduo que deduz ou alega em artigos.

articular[1]. [Do lat. *articulare.*] *Adj. 2 g.* **1.** Pertencente ou relativo às articulações. **2.** *Gram.* Que é da natureza do artigo (9). ~ V. *reumatismo — agudo.*

articular[2]. [Do lat. *articulare.*] *V. t. d.* **1.** Unir pelas articulações. **2.** Juntar formando cadeias. **3.** Ligar, unir, juntar: *Articulou as diversas peças do maquinismo.* **4.** Pronunciar, proferir: "via Asa Branca acocorado, batendo os queixos de febre, sem articular uma palavra." (Fran Martins, *Dois de Ouros*, p. 13). **5.** Pronunciar com distinção e clareza (palavra ou fonema): *Não articula o erre de modo nenhum.* **6.** Expor em artigos ou parágrafos separados. **7.** Estabelecer contatos entre duas ou mais pessoas para a realização de: *Articulou um encontro para conciliar os dois amigos; Articulou a entrevista dos jornalistas com o presidente. T. i. e int.* **8.** *Bras. N.E., e prov. lus.* Discutir, altercar. *P.* **9.** Ligar-se por cadeias. **10.** Ligar-se, unir-se, juntar-se. **11.** Entender-se, acordar-se: *Articularam-se para organizar a recepção.* [Pres. ind.: *articulo*, etc. Cf. *artículo.*]

articulável. *Adj. 2 g.* Que se pode articular[2].

articulista. *S. 2 g.* Autor de artigos de jornal, revista, etc.

artículo. [Do lat. *articulu.*] *S. m.* **1.** Divisão de um trabalho escrito; artigo. **2.** *Anat.* Articulação (3), ossos. **3.** *Anat.* Segmento interarticular. **4.** *Bot.* Entrenó bem delimitado do caule, i. e., parte distinta compreendida entre as articulações. [No gênero *Phoradendron* as espigas apresentam artículos perfeitamente separáveis.] **5.** *Micol.* Segmento compreendido entre dois septos transversais, em um dado filamento miceliano ou hifa. **6.** *Bot.* Porção destacável de um fruto articulado. **7.** *Zool.* Segmento dos apêndices dos artrópodes. [Cf. *articulo*, do v. *articular.*]

articuloso (ô). [Do lat. *articulosu.*] *Adj.* Que tem ou se compõe de artículos.

artífice. [Do lat. *artifice.*] *S. 2 g.* **1.** Operário ou artesão que trabalha em determinados ofícios; artista. **2.** Operário (1). **3.** *Fig.* Autor, inventor. [Sin. ger., p. us.: *opífice.*]

artificial. [Do lat. *artificiale.*] *Adj. 2 g.* **1.** Produzido pela arte ou pela indústria; não natural. **2.** Dissimulado, disfarçado, fingido: *Exibe sempre aquele sorriso artificial.* **3.** Postiço (1): *Passou a usar depois da operação seios artificiais.* ~V. *ânus —, canal —, chuva —, desintegração —, dia —, gravidade —, horizonte —, inseminação —, lua —, luz —, marcapasso cardíaco —, menstruação —, perna —, pneumotórax —, radioatividade —, satélite —, seda —, sistema —, sono —* e *traquéia —.*

artificialidade. *S. f.* Qualidade ou caráter de artificial; artificialismo.

artificialismo. *S. m.* Artificialidade.

artificializar. *V. t. d.* e *p.* Tornar(-se) artificial ou não natural.

artificiar. *V. t. d.* **1.** Fazer ou executar com artifício, com arte. **2.** Fazer com artifício ou ardil; maquinar, urdir, tramar. [Pres. ind.: *artificio*, etc. Cf. *artifício.*]

artifício. [Do lat. *artificiu.*] *S. m.* **1.** Processo ou meio para se obter um artefato (1) ou um objeto artístico. **2.** Recurso engenhoso. **3.** Habilidade, perspicácia: *Usou de artifício para conseguir o que pretendia.* **4.** Astúcia, manha, fingimento, artimanha, ardil: *Se aquele choro é sincero? Não passa de artifício para comover os tolos.* **5.** Aquilo que é artificial, não natural, postiço, fingido: *Para quê tanta pintura? Moça bonita dispensa artifício.* **6.** *Bot.* Artefato (2). **7.** *Mil.* Engenho pirotécnico de guerra. **8.** *Bras., RN, BA* e *GO. Pop.* Isqueiro: "O velho ficou .... enrolando o cigarrão de palha, acendendo-o no artifício." (Bernardo Élis, *O Tronco*, p. 94.) **9.** *Ant.* Engenho, mecanismo: "E assim como se ia movendo aquele artifício, e dando volta ao homem, ao chegar com o rosto ao brasido, deitava a língua fora mui comprida, e a passava pelas áscuas" (P[e]. Manuel Bernardes, *Vários Tratados*, II, p. 476). [Cf. *artificio*, do v. *artificiar.*] ◆ **Artifício de cálculo.** *Mat.* Processo engenhoso empregado para simplificar a demonstração de um teorema ou a resolução de um problema. **Artifício de fogo.** *Expl.* Dispositivo pirotécnico destinado a provocar, no momento desejado, a explosão de uma carga; artefato pirotécnico. [Cf. *fogo de artifício.*]

artificioso (ô). [Do lat. *artificiosu.*] *Adj.* Que encerra artifício.

artigo. [Do lat. *articulu.*] *S. m.* **1.** Objeto de negócio; mercadoria: *Nesta casa vendem artigos de viagem.* **2.** Cada uma das divisões, ordinalmente numeradas, de lei, decreto, código, etc. **3.** Parágrafo das contestações, petições e outros escritos forenses. **4.** Cada uma das partes que se quer destacar, ou pontos, de um escrito: *É bom sublinhar os principais artigos da carta, para não restarem mais dúvidas.* **5.** Escrito de jornal revista, etc.: *Seus artigos semanais de crítica literária são muito comentados.* [Neste sentido tem os dim. deprec.: *artiguelho* e *artiguete.*] **6.** Conjuntura; momento: *artigo de morte.* **7.** Ponto doutrinário: *artigo de fé.* **8.** *Ant.* V. *verbete* (3). **9.** *Gram.* Palavra variável que precede o substantivo, indicando-lhe o gênero e o número. É definido — *o, a, os, as* — quando se aplica a um ser determinado dentre outros da mesma espécie: *Já comprei o livro* (i. e., determinado livro), e indefinido — *um, uma, uns, umas* — quando se refere a um ser qualquer dentre outros da mesma espécie: *Comprei um livro hoje cedo.* ◆ **Artigo definido.** *Gram.* V. *artigo* (9). **Artigo de fundo.** *Jorn.* V. *editorial* (2). **Artigo indefinido.** *Gram.* V. *artigo* (9). **Em artigo de morte.** Prestes a expirar; quase morrendo: "convalescendo de uma perigosa enfermidade, disse que ganhara muito com ela, porque pondo-o em artigo de morte, o ensinara a não ser soberbo, visto como era mortal." (Dom Frei Amador Arrais, *Diálogos*, p. 109); "Estando em artigo de morte um Padre antigo do famoso deserto de Cites, os outros Monges rodeando-lhe a pobre cama, ou esteira em que jazia, choravam amargamente." (Padre Manuel Bernardes, *Nova Floresta*, I, p. 43.)

artiguelho (ê). *S. m. Deprec.* **1.** Artigo (5) insignificante. **2.** Escrito de caráter ofensivo publicado em jornal. [Sin. ger.: *artiguete.*]

artiguete (ê). *S. m.* **1.** Pequeno artigo (5). **2.** *Deprec.* Artiguelho.

artilhamento. *S. m.* Ato ou efeito de artilhar.

artilhar. [Do fr. ant. *artiller.*] *V. t. d.* Guarnecer ou fortificar com artilharia.

artilharia. [Do fr. *artillerie.*] *S. f.* **1.** Conjunto de canhões e mais bocas-de-fogo para lançar projetis a grande distância. **2.** Tropa de artilheiros; uma das armas do exército. **3.** Ciência que ensina as regras para utilização do material de artilharia. **4.** Fogo que as peças, canhões, etc. despedem. **5.** *Fig.* Poder de argumentação, riqueza de dados e informações, com que se defende uma tese ou um ponto de vista. [F. paral.: *artilheria.*]

artilheiro. *S. m.* **1.** Soldado de artilharia. **2.** *Bras. Fut.* O jogador que faz o maior número de gols (numa partida ou num campeonato); goleador. **3.** *Bras. Fut.* O jogador que está sempre fazendo gols, que os faz em grande número; goleador.

artilheria. *S. f.* Artilharia. [q. v.]: "Dura inda nos vales / O ronco som da irada artilheria." (Basílio da Gama, *O Uraguai*, p. 1); "Ouvira a quando e quando, a estremecer a terra, / Troar, saudando-a, no mar, pesada a artilheria" (Alberto de Oliveira, *Poesias*, 3ª série, p. 96).

artimanha. [De *arte* + *manha.*] *S. f.* Astúcia, artifício, ardil, manha: "primeiro, com a simplez e tendência para a credulidade próprias dos orientais, depois com o poder da artimanha e cilada, que não lhes é menos peculiar ..... numa ceia a que o convidou, mandá-lo decapitar .... foi tão simples como beber um copo de água." (Aquilino Ribeiro, *Constantino de Bragança*, p. 379).

artinha. [Dim. de *arte*.] *S. f. Bras.* Manual de rudimentos ou noções de determinada matéria didática.

artiodáctilo. [De *artio-* + *dáctilo*.] *S. m.* **1.** Espécime dos artiodáctilos. ● *Adj.* **2.** Pertencente ou relativo a eles. [Var.: *artiodátilo*.]

artiodáctilos. *S. m. pl. Zool.* Designação comum aos mamíferos da ordem *Artiodactyla*, de pernas longas, número par de dedos funcionais em cada membro (dois ou, mais raramente, quatro), providos de cascos, o eixo funcional da perna passando entre os dedos. A maioria tem estômago dividido em compartimentos. São os porcos, os camelos e os bovinos. [Var.: *artiodátilos*.]

artiodátilo. *S. m.* e *adj.* Var. de *artiodáctilo*.

artiodátilos. *S. m. pl. Zool.* Var. de *artiodáctilos*.

artiozoário. [De *artio-* + *-zo(o)-* + *-ário*.] *S. m.* **1.** Espécime dos artiozoários. ● *Adj.* **2.** Pertencente ou relativo aos artiozoários.

artiozoários. *S. m. pl. Zool.* Designação que certos autores usavam para os animais metazoários providos de simetria bilateral, de vida livre e errante. São os vermes em geral, os moluscos, os artrópodes e os cordados.

artista. *S. 2 g.* **1.** Pessoa que se dedica às belas-artes, e/ou que delas faz profissão: "Europa é sempre Europa, a gloriosa! ... / A mulher deslumbrante e caprichosa, / Rainha e cortesã. / Artista — corta o mármor de Carrara" (Castro Alves, *Poesias Escolhidas*, p. 341). **2.** Pessoa que revela sentimento artístico. **3.** V. *ator* (2): *artista de teatro; artista de televisão.* **4.** Pessoa que revela engenho ou talento no desempenho de suas tarefas: *Este bombeiro é um artista* [Nesta acepç. o voc. assume, às vezes, conotação irônica.] **5.** Artífice (1): *Os artistas do cobre reuniram-se numa cooperativa.* **6.** Pessoa que, por suas habilidades especiais, se exibe em circos, feiras, etc. ● *Adj. 2 g.* **7.** Que revela sentimento ou gênio artístico. **8.** Diz-se de indivíduo engenhoso, talentoso. **9.** Astucioso, manhoso, arteiro.

artístico. *Adj.* **1.** Relativo às artes, especialmente às belas-artes. **2.** Que tem arte. **3.** De lavor primoroso e original. ~ V. *nu* —.

➧**art nouveau** (ar nuvô). [Fr., 'arte nova'.] *Loc. s. m.* **1.** Estilo decorativo que floresceu aproximadamente entre 1895 e 1914, surgido como reação ao historicismo imitativo do séc. XIX, e que se caracteriza, em princípio, pela assimetria das linhas sinuosas, pelas formas orgânicas (longos cabelos, folhas, flores, etc.) e pela originalidade da imaginação. ● *Adj. 2 g.* e *2 n.* **2.** Referente a, ou próprio do *art nouveau*.

artófago. [Do gr. *artóphagos*.] *Adj.* Que ou aquele que prefere pão a outro alimento.

artola. [Do vasc. *artola-k*, pelo esp. plat. *artolas*.] *S. f. Bras.* Espécie de padiola.

artólatra. [Do gr. *ártos*, 'pão', + *-latra*.] *S. 2 g.* Adorador de pão.

artolatria. [Do gr. *ártos*, 'pão', + *-latria*.] *S. f.* Adoração do pão.

artolátrico. *Adj.* Relativo à artolatria.

artopleono. *S. m.* **1.** Espécime dos artopleonos. ● *Adj.* **2.** Pertencente ou relativo aos artopleonos.

artopleonos. *S. m. pl. Zool.* Insetos da ordem dos colêmbolos, subordem *Arthopleona*, de corpo alongado, subcilíndrico, na maioria distintamente segmentado, e que têm urômeros em número de cinco a seis ou quatro a seis, por vezes fundidos.

artralgia. [De *artr(o)-* + *alg(o)-* + *-ia*.] *S. f. Patol.* Dor em articulação.

artrálgico. *Adj.* Relativo à artralgia.

artrite. [Do gr. *arthrîtis*, i. e., *nósos arthrîtis*, pelo lat. *arthrite*.] *S. f. Patol.* Inflamação em articulação. [Cf. *reumatismo*.]

artrítico. [Do gr. *arthritikós*, pelo lat. *arthriticu*.] *Adj.* **1.** Relativo à artrite. **2.** Que sofre de artrite ou de artritismo. ● *S. m.* **3.** Aquele que sofre de artrite ou de artritismo.

artritismo. *S. m. Patol.* **1.** Diátese gotosa. **2.** Diátese peculiar que predispõe à artropatia.

▲**artr(o)-.** [Do gr. *árthron, ou*.] *El. comp.* = 'juntura', 'articulação': *artralgia, artrópode*. [Equiv.: *-artro*: *anartro* (< gr. *anarthros*).]

▲**-artro.** Equiv. de *artr(o)-*.

artrobactéria. *S. f. Bot.* Bactéria que se multiplica por intermédio de artrósporos.

artrocondrite. [De *artr(o)* + *-condr(o)-* + *-ite*[1].] *S. f. Patol.* Inflamação das cartilagens articulares.

artrodese. [De *artr(o)-* + gr. *désis*, 'ligação'.] *S. f. Cir.* Fixação cirúrgica de articulação; ancilose artificial.

artrômetro. *S. m. Bot.* Artículo (4).

artropatia. [De *artr(o)-* + *-pat-* + *-ia*.] *S. f. Patol.* Qualquer das afecções articulares.

artropático. *Adj.* Relativo à artropatia.

artrópode. [De *artr(o)-* + *-pode*.] *S. m.* **1.** Espécime dos artrópodes. ● *Adj. 2 g.* **2.** Pertencente ou relativo aos artrópodes. [Sin. ger.: *quitinóforo*.]

artrópodes. [Pl. de *artrópode*.] *S. m. pl. Zool.* Animais enterozoários de simetria bilateral, ramo *Arthropoda*, cujo corpo é revestido de esqueleto quitinoso dividido em cabeça, tórax e abdome, com quatro ou mais pares de apêndices, quase sempre articulados. Tubo digestivo completo; respiração por meio de traquéias, pulmões ou brânquias; sexos geralmente separados. Terrestres ou aquáticos, de vida livre, comensais ou parasitas. [Sin.: *quitinóforos*.]

artrose. [De *artr(o)-* + *-ose*.] *S. f. Patol.* Afecção não inflamatória, degenerativa, de uma articulação.

artrospórico. *Adj.* Relativo ao artrósporo.

artrósporo. *S. m.* **1.** Bot. Esporo resultante da fragmentação de uma cadeia de células articuladas. **2.** *Bacter.* e *Micol.* Esporo procedente de uma célula vegetativa que espessou a parede. [Tais elementos reprodutivos podem permanecer muito tempo em estado de vida latente.]

artrostráceo. *S. m.* e *adj.* Edrioftalmo.

artrostráceos. *S. m. pl. Zool.* Edrioftalmos.

aru. [Do tupi *a'ru*.] *S. m. Bras., AM.* V. *pipa* (6).

arua. *Bras. S. 2 g.* **1.** Indivíduo dos aruas, tribo indígena da bacia do Guaporé (RO), de língua tupi. ● *Adj. 2 g.* **2.** Pertencente ou relativo a essa tribo. [Var.: *aruá*[3]. Sin.: *purubora*.]

aruá[1]. [Do tupi *aru'á*.] *S. m. Bras.* Molusco gastrópode, prosobranquiado, da família dos ampularídeos, gênero *Ampullaria* Lam., com cerca de 34 formas no Brasil. Vive na água ou em locais muito úmidos, fechando-se na concha por meio de um opérculo, quando em lugares secos; aparece, sob a forma de pequenos aglomerados de ovos brancos, cor-de-rosa ou alaranjados, no caule de plantas aquáticas ou em barrancos marginais; e constitui alimento específico do gavião-caramujeiro. [Sin.: *ampulária, arauá, aruá-do-banhado, aruá-do-brejo, caramujo-do-banhado, fuá, uruá*.] ◆ **Besta como aruá.** *Bras., N.E. Fam.* Tolo ou ingênuo em demasia: "Muito ingênuo, emprenha pelos ouvidos, inteligência de peru novo, besta como aruá." (Graciliano Ramos, *S. Bernardo*, p. 54.)

aruá[2]. *S. m. Bras., BA. Pop.* Var. de *aluá*.

aruá[3]. *Bras. S. 2 g.* e *adj. 2 g.* V. *arua*.

aruá[4]. [Do tupi *aru'á*.] *Adj. 2 g. Bras.* Arruá [q. v.].

aruã. *Bras. S. 2 g.* **1.** Indivíduo dos aruãs, tribo indígena aruaque, que habita a ilha de Marajó (PA). ● *Adj. 2 g.* **2.** Pertencente ou relativo a essa tribo.

aruá-do-banhado. *S. m. Bras.* V. *aruá*[1]. [Pl.: *aruás-do-banhado*.]

aruá-do-brejo. *S. m. Bras.* V. *aruá*[1]. [Pl.: *aruás-do-brejo*.]

aruá-do-mato. *S. m. Bras.* V. *bulimo*. [Pl.: *aruás-do-mato*.]

aruagal. *Bras. S. 2 g.* **1.** Indivíduo dos aruagais, tribo indígena que habita nas margens do rio Negro (AM). ● *Adj. 2 g.* **2.** Pertencente ou relativo a essa tribo.

aruaí. [Do tupi *aruá* + *i*.] *S. f. Bras.* **1.** Filhote do aruá[1]. **2.** V. *maracanã*.

aruanã[1]. *S. m. Bras.* Peixe teleósteo, da ordem dos isopôndilos ou clupeídeos, da família dos osteoglossídeos (*Osteoglossum bicirrhosum* Vand), da bacia amazônica, de até 1 m de comprimento, coloração cinzento-prateada no dorso, amarelada no abdome, boca com fenda oblíqua, mento com dois barbilhões curtos, escamas muito grandes, prateadas, e nadadeiras dorsal e anal situadas na parte posterior do corpo; amaná, aruanã, arauaná.

aruanã[2]. *Bras. S. 2 g.* **1.** Indivíduo dos aruanãs, tribo indígena que habita as margens do Juruá. ● *Adj. 2 g.* **2.** Pertencente ou relativo a essa tribo.

aruanã. *S. m.* **1.** *Bras.* V. *aruaná*. **2.** *Bras., AM. Folcl.* Festa dos carajás, durante a lua cheia, com danças cromáticas, em que se imitam feitos épicos e amorosos.

aruaque. [Do aruaque *aruwak*, 'comedor de farinha'.] *S. 2 g.* **1.** Indivíduo dos aruaques, ramo indígena da América do Sul que habita a região amazônica a leste do rio Negro e que compreende muitas tribos; aravaque, arauaque. ● *S. m.* **2.** Importante família lingüística indígena da América, cujas manifestações se estendem desde a Flórida até o Paraguai, e do litoral peruano à embocadura do rio Amazonas; nuaruaque. ● *Adj. 2 g.* **3.** Pertencente ou relativo a aruaque (1); aravaque, arauaque.

aruau. *Bras. S. 2 g.* **1.** Indivíduo dos aruaus, tribo indígena extinta do PA. ● *Adj. 2 g.* **2.** Pertencente ou relativo a essa tribo.

arubé. [Do tupi *aru'bé*.] *S. m. Bras., N.* Massa de mandioca com sal, pimenta e alho, a qual, desfeita em molho de peixe, serve de tempero, à mesa.

arucá. *S. m. Bras., BA. Folcl.* Var. de *aiucá*.

arucuiana. *Bras. S. 2 g.* **1.** Indivíduo dos arucuianas, tribo indígena que habita a zona limítrofe do Brasil com a Guiana, antiga Guiana Inglesa. ● *Adj. 2 g.* **2.** Pertencente ou relativo a essa tribo.

aruega. [De *noruega*, por aférese e dissimilação.] *S. f. Bras., MG.* Chuvisco muito frio, acompanhado de neblina.

árula. [Do lat. *arula*.] *S. f.* Pequeno altar.

arumá. *S. 2 g.* e *adj. 2 g. Bras.* Jarumá.

arumã. [Do tupi *aru'mã*.] *S. m. Bras.* Planta da família das marantáceas (*Ischnosiphon ovatus*), com que se fazem balaios, paneiros, cestos, etc.

arumaçá. [De possível or. tupi.] *S. m. Bras.* V. *aramaçá*.

arumaçã. *S. m. Bras.* V. *aramaçá*.

arumará. [De possível or. tupi.] *S. m. Bras.* **1.** V. *chupim* (1). **2.** V. *pássaro-preto*.

arumarana. [De *arumã* + *-rana*.] *S. f. Bras.* Planta ornamental cultivada, da família das marantáceas (*Thalia geniculata*), útil para a indústria do papel, de cujo rizoma se obtém fécula semelhante à araruta, e cujas folhas são comestíveis para o homem e forrageiras para o cavalo; bananeirinha-do-mato, agutiguepe-obi, caité.

arumbava. *Adj.* e *s. m. Bras., SP.* Protegido, apaniguado, mumbava [q. v.]

arunco. [Do gr. *áryggos*, pelo lat. *aruncu*.] *S. m.* Gênero (*Aruncus*) de plantas da família das rosáceas ao qual pertence a barba-de-cabra [q. v.].

arundináceo. *Adj.* Arundinoso (1). [Aplica-se às gramíneas e várias plantas graminóides, às vezes dicotiledôneas.]

arundíneo. [Do lat. *arundineu*.] *Adj.* Feito de cana[1](1).

arundinoso (ô). [Do lat. *arundinosu*.] Adj. **1.** Semelhante a cana[1](1); arundináceo. **2.** Abundante em cana[1](1).

arupanado. *Adj. Bras., BA. Pop.* **1.** Irrequieto, irrefletido, fogoso. **2.** Irritadiço, turbulento.

arurá. [Var. de *ururau*.] *S. m. Bras.* V. *jacaré-de-papo-amarelo*.

aruru. *S. m. Bras., Amaz.* Árvore da família das burseráceas (*Protium decandrum*), cuja madeira é utilizada em construções, e cuja resina, conhecida no comércio como *incenso-de-caiena* ou *chipa*, tem propriedades diuréticas e antiblenorrágicas.

aruspicação. [De um suposto verbo **aruspicar* < lat. *haruspex, icis*, 'arúspice', + *-ção*.] *S. f.* Arte divinatória do arúspice.

arúspice. [Do lat. *haruspice*.] *S. m.* Sacerdote romano que adivinhava o futuro mediante o exame das entranhas das vítimas; áuspice.

aruspicino. [Do lat. *haruspicinu*.] *Adj.* Referente aos arúspices.

aruspício. [Do lat. *haruspiciu*.] *S. m.* Prognóstico feito pelos arúspices.

arvais. [Do lat. *arvales*.] *S. m. pl.* Antigos sacerdotes de Ceres. ~ V. *arval*.

arval. [Do lat. *arvale*.] *S. m.* Campo cultivado. ~ V. *arvais*.

arvense. [Do lat. *arvense*.] *Adj. 2 g. Bot.* Diz-se das plantas que vivem em terras cultivadas pelo homem.

▲**arvi-.** [Do lat. *arvum, i*.] *El. comp.* = 'campo', 'terra de lavoura': *arvícola, arvicultura*.

arvícola. [De *arvi-* + *-cola*.] *Adj. 2 g.* **1.** Que habita o campo ou terra de lavoura. ● *S. m.* **2.** Aquele que habita o campo ou terra de lavoura; camponês.

arvicultor (ô). [De *arvi-* + *cultor*.] *Adj.* e *s. m.* Que, ou aquele que se dedica à arvicultura.

arvicultura. [De *arvi-* + *cultura*.] *S. f.* **1.** Cultura dos campos. **2.** Cultura dos cereais.

arvoado. [Part. de *arvoar*.] *Adj.* Aturdido, estonteado tonto. [Cf. *avoado*.]

arvoamento. *S. m.* Ato ou efeito de arvoar(-se) aturdimento, estonteamento.

arvoar. *V. t. d.* **1.** Aturdir, estontear, entontecer. *Int.* **2.** Sentir tonturas. *P.* **3.** Ficar atordoado; aturdir-se, estontear-se. [Conjug.: v. *coroar*.]

arvorado. [Part. de *arvorar*.] *Adj.* **1.** Erguido, levantado. **2.** Hasteado, içado. **3.** *Bras., PA. Pop.* Metido a valente; provocador, brigão. ● *S. m.* **4.** Soldado com atribuições de cabo.

arvoragem. *S. f.* Ato ou efeito de arvorar.

arvorar. [De *árvore* + *-ar*[2].] *V. t. d.* **1.** Plantar árvores em; arborizar. **2.** Elevar ou levantar perpendicularmente: *O desportista arvorou, com orgulho, o troféu.* **3.** Hastear, içar (bandeira, insígnia, pavilhão, etc.). **4.**

Fazer praça de; ostentar, alardear, estadear: *Arvora um sentimento de altruísmo.* **5.** *Mar. Ant.* Espigar (um mastro, mastaréu, etc.). *T. i.* **6.** Assumir por autoridade própria qualquer título, ofício, encargo, etc.: *O espião arvorou de general. Transobj.* **7.** Transformar, converter, elevando: *Arvoraram-no em chefe. Int.* **8.** *Lus.* Colocar os remos de uma embarcação miúda na vertical, com os punhos apoiados no fundo da embarcação e as **pás** paralelas ao plano longitudinal dela. **9.** *Bras.* Deixar de remar, mantendo as pás dos remos na horizontal. **10.** Elevar-se, erguer-se. **11.** Assumir por autoridade própria qualquer ofício, título, encargo, etc.: *Arvorou-se em chefe da quadrilha.* [Pres. subj.: *arvore*, etc. Cf. *árvore*.]

árvore. [Do lat. *arbore*.] *S. f.* **1.** Vegetal lenhoso cujo caule, chamado *tronco*, só se ramifica bem acima do nível do solo, ao contrário do arbusto, que exibe ramos desde junto ao solo. **2.** *Mec.* Eixo que gira transmitindo esforços de torção. [Cf. *arvore*, do v. *arvorar*.] ◆ **Árvore de manivelas.** *Autom.* Virabrequim. **Árvore de Natal. 1.** Pinheiro natural ou artificial, ou outra planta, ou galho de pinheiro, ou qualquer objeto, de formatos vários, que se ornamenta com bolas coloridas, luzes, etc., para decoração natalina. **2.** *Bras. Fig.* Pessoa muito enfeitada que usa roupas, penteado e jóias de feitio e cores berrantes. [Cf. *árvore-de-natal* e *árvore-do-natal*.] **Árvore de Porfírio.** *Hist. Filos.* Célebre esquema ou modelo de definição por dicotomias sucessivas, que descem do gênero mais geral às espécies ínfimas, ordenando, portanto, as idéias segundo sua compreensão crescente e extensão decrescente. **Árvore genealógica. 1.** Representação gráfica dos antepassados de uma pessoa. **2.** Linhagem, estirpe, genealogia. **Em árvore seca.** *Mar. Ant.* Dizia-se do navio que, acossado por forte tormenta, recolhia todas as velas e corria com o tempo (mar e vento).

arvorecência. *S. f.* Arborescência.

arvorecente. *Adj. 2 g.* Arborescente.

arvorecer. *V. int.* Arborescer.

árvore-da-borracha. *S. f.* Seringueira. [Pl. *árvores-da-borracha*.]

árvore-da-goma-arábica. *S. f. Bras.* Árvore pequena, originária da Arábia e cultivada sobretudo em SP, da família das leguminosas mimosóides (*Acacia arabica*), de casca com fendas longitudinais, folhas compostas, de raque glanduloso, flores amarelas em glomérulos, e vagens compridas. Fornece madeira para carpintaria, marcenaria, etc., e os ramos se usam para confecção de obras trançadas e fabrico de papel; do líber se fazem cordas; a casca é tanífera e tônica, e as vagens empregadas em tinturaria e curtume; os ramos e folhas jovens são forragem para o gado, inclusive camelos; na farmacopéia é base de todas as pastas. [Sin.: *acácia-do-nilo*. Pl.: *árvores-da-goma-arábica*.]

árvore-da-lã. *S. f.* V. *barriguda* (4). [Pl.: *árvores-da-lã*.]

árvore-da-morte. *S. f.* Antiáris. [Pl.: *árvores-da-morte*.]

árvore-da-preguiça. *S. f. Bras.* V. *umbaúba*. [Pl.: *árvores-da-preguiça*.]

árvore-da-vida. *S. f.* Tuia[1]. [Pl.: *árovres-da-vida*.]

árvore-de-anoz. *S. f. Bras.* V. *amendoeira-da-praia*. [Pl.: *árvores-de-anoz*.]

árvore-de-bálsamo. *S. f.* V. *flor-de-coral* (4). [Pl.: *árvores-de-bálsamo*.]

árvore-de-cuia. *S. f. Bras.* V. *cuieira* (1). [Pl.: *árvores-de-cuia*.]

árvore-de-incenso. *S. f.* Árvore da família das dipterocarpáceas (*Vateria indica* L.), de grande porte, que fornece uma goma-resina. [Pl.: *árvores-de-incenso*.]

árvore-de-leite. *S. f.* V. *curipitã*. [Pl.: *árvores-de-leite*.]

árvore-de-natal. *S. f.* V. *cedro-japonês*. [Pl.: *árvores-de-natal*. Cf. *árvore-do-natal* e *árvore de Natal*.]

árvore-de-ranho. *S. f. Bras.* V. *babosa-branca*. [Pl.: *árvores-de-ranho*.]

árvore-de-santa-luzia. *S. f. Bras.* V. *mata-olho*. [Pl.: *árvores-de-santa-luzia*.]

arvoredo (ê). [Do lat. *arboretu*.] *S. m.* **1.** Aglomeração de árvores. **2.** *Constr. Nav.* Conjunto de mastros, mastaréus e vergas da embarcação.

árvore-do-dragão. *S. f.* Árvore da família das liliáceas (*Dracaena draco*), nativa nas ilhas Canárias. [Pl.: *árvores-do-dragão*.]

árvore-do-natal. *S. f. Bras.* Árvore da família das pináceas (*Cunninghamia sinensis*), *nativa no Brasil, de folhas largas e luzidias*. [Pl.: árvores-do-natal. C.f. *árvore de Natal* e *árvore-de-natal*.]

árvore-do-papel. *S. f.* Pau-papel. [Pl.: *árvores-do-papel*.]

árvore-do-papel-de-arroz. *S. f.* Árvore ornamental da família das araliáceas (*Tetrapanax papyriferum*), cuja entrecasca é aproveitada para a fabricação de um papel finíssimo. [Pl.: árvores-de-papel-de-arroz.]

árvore-dos-pagodes. *S. f.* Árvore ornamental, da família das leguminosas-papilionáceas (*Sophora japonica*) [Pl.: *árvores-dos-pagodes*.]

árvore-do-viajante. *S. f.* Árvore ornamental da família das musáceas (*Ravenala madagascariensis*), nativa na África, cultivada em parques e jardins públicos. [Pl.: *árvores-do-viajante*.]

arvorejar. *V. t. d.* **1.** Guarnecer de árvores; arborizar. *P.* **2.** Encher-se (o terreno) de árvores não cultivadas. [Conjug.: v. *pelejar*.]

árvore-mãe. *S. f.* V. *porta-sementes* (2). [Pl.: *árvores-mães*.]

árvore-santa. *S. f.* V. *cinamomo*. [Pl.: *árvores-santas*.]

arvoreta (ê). *S. f.* Dim. irreg. de *árvore*.

árvore-triste. *S. f. Bras.* V. *açafrão-da-terra*. [Pl.: *árvores-tristes*.]

arxar. *V. t. d.* V. *redrar*. [Pres. ind.: *arxo, arxas, arxa*, etc. Cf. *archa*.]

arzola. [Do ár.] *S. f.* Planta anual, da família das compostas (*Xanthirm spinosum*).

as[1]. F. pl. do art. def. *o*: *as casas*. [Cf. *às, ás* e *az*.]

as[2]. F. pl. do pron. pess. *o*: *As meninas, ainda há pouco as vi.* [Cf. *ás, às* e *az*.]

as[3]. F. pl. do pron. dem. *o*: *Das obras de Machado de Assis,* Dom Casmurro *e* Quincas Borba *são as que mais me agradam.* [Cf. *ás, às* e *az*.]

■ **As.** *Quím.* Símb. de *arsênio*. [Cf. *às, ás* e *az*.]

▲**as-[1].** V. *a-[2]*.

▲**as-[2].** V. *a-[4]*.

▲**as-[3].** V. *a-[3]*.

ás. [Do lat. *asse*.] *S. m.* **1.** Carta de baralho marcada com um só ponto e que inicia (ou, conforme o jogo, termina) a seqüência de cartas de cada naipe. **2.** *Fig.* Pessoa exímia em determinada atividade: *É um ás da aviação; Tornou-se um ás em física.* [Cf. *as, às* e *az*.]

às[1] (ás). Contr. da prep. *a* com o art. *as*: *Dirigiu-se às autoridades; Aspira às mais altas posições.* [Cf. *as, ás* e *az*.]

às[2] (ás). Contr. da prep. *a* com o pron. dem. *as*: *Sua poesia fala às almas, principalmente às dos humildes; Referiu-se com louvor às moças, sobretudo às que eram suas alunas; "Às que choravam pedia que a não lastimassem, porque ela estava consolada com a esperança de descansar."* (Camilo Castelo Branco, *Carlota Ângela*, p. 96). [Cf. *as, ás, az*.]

asa. [Do lat. *ansa*, 'asa de vaso'.] *S. f.* **1.** Cada um dos membros emplumados das aves (um par), órgão principal do vôo (como nos pássaros), ou auxiliar da corrida (como nas galinhas, avestruzes, etc.), ou do nado (como nos pingüins). [Sin., ant. e poét.: *ala* e *ansa*.] **2.** Cada um dos órgãos de vôo do morcego (um par). [Dim., nessas acepç.: *álula, aselha*.] **3.** Excrescência membranosa ou córnea do tórax dos insetos (um ou dois pares). **4.** Nadadeira peitoral de certos peixes. **5.** *P. ext.* Aquilo que pela sua forma se assemelha à asa: *as asas dos anjos.* **6.** Parte saliente de certos utensílios, que serve para segurá-los: *asa de xícara; as asas do cesto.* **7.** Uma das partes da dobradiça, que se liga à outra pelo pino. **8.** Cada um dos caixilhos revestidos de tela dos moinhos de vento; aspas. **9.** *Aeron.* Parte da superfície do avião destinada a produzir sustentação aerodinâmica. **10.** *Arquit.* Nave lateral de uma igreja. **11.** *Bot.* Expansão de certas sementes ou frutos. **12.** *Constr.* Ala (5). **13.** *Fut. Half-back.* **14.** *Bras. Fam.* Os ombros ou os braços. **15.** *Bras., RS.* Mau cheiro das axilas. [Cf. *aza*, do v. *azar*, e *azinha*.] ~ V. *asas*. **Aparar as asas de.** Restringir as manifestações de independência ou de intimidade: *É uma criança metediça; precisamos aparar-lhe as asas.* **Arrastar a asas a.** Insinuar-se junto a (alguém) com intenções amorosas; procurar namorar. V. *namorar* (1). **Bater asas.** *Pop.* V. *fugir* (1 e 2). **Bater as asas.** *Pop.* V. *fugir* (1 e 2). **Dar asa a.** Dar confiança ou intimidade a: *Não dê asa a este rapaz; ele é muito confiado.* **Dar asas a.** Dar expansão a; dar velas a; dar largas a: *No seu último romance deu asas à imaginação.* **Debaixo da asa.** Sob sua proteção: *pôr, botar, ter, trazer debaixo da asa.* **Ter asas nos pés. 1.** Ser muito feliz. **2.** Andar muito rápido.

asa-branca. *S. f. Bras.* V. *pomba-trocaz*: *"Lá vem a asa-branca, / no espaço voando, / vem alto, gritando... / — Meu Deus, o que é?"* (Ascenso Ferreira, *Catimbó e Outros Poemas*, p. 99.) [Pl.: *asas-brancas*.]

asa-de-barata. *S. f. Bras.* Barba-de-barata. [Pl.: *asas-de-barata*.]

asa-delta. *S. f. Esport.* Asa constituída de uma armação com a forma aproximada de um triângulo (o delta maiúsculo do alfabeto grego), coberta de tecido fino, não poroso, e que tem ao centro um trapézio feito de tubos metálicos onde o praticante se apóia e ao qual se prende por meio de tiras de lona. [V. *vôo livre*. Cf. *planador*.]

asa-de-papagaio. *S. f. Bras.* V. *folha-de-sangue*. [Pl.: *asas-de-papagaio*.]

asa-de-telha. *S. f. Bras.* Ave passeriforme, da família dos icterídeos (*Molothrus badius* (Vieil.)), ao S. do Brasil, de coloração pardo-acinzentada, mais clara na parte inferior, e asas castanho-claras. Como o *chupim*, faz postura em ninhos de outras aves, sempre que para isso acha oportunidade. [Pl.: *asas-de-telha*.]

asado. [Part. de *asar*.] *Adj.* **1.** Que tem asas; alado. ● *S. m.* **2.** Vaso com asas. [Cf. *azado*.]

asafia. [Do gr. *asaphía*, 'obscuridade'.] *S. f. Med.* Articulação viciosa e indistinta das palavras.

asáfico. *Adj.* Relativo à asafia.

asana. *S. m. Hist. Filos.* Assama.

asa-negra. *S. 2 g.* Pessoa que prejudica ou embaraça outra constantemente. [Pl.: *asas-negras*.]

asa-nortista. *Adj. 2 g.* **1.** De, ou pertencente ou relativo à Asa Norte, área setentrional do plano piloto de Brasília. ● *S. 2. g.* **2.** Natural ou habitante dessa área.

asar. *V. t. d.* Guarnecer de asas. [Pres. ind.: *aso*, etc. Cf. *azar* e *azo*, s. m.]

asarina. *S. f.* Princípio ácido existente no ásaro.

ásaro. [Do gr. *ásaron*, pelo lat. *asaru*.] *S. m.* Planta européia da família das aristoloquiáceas (*Asarum europaeum*), que habita os bosques úmidos, de folhas de odor nauseabundo e flores externamente verdes e vermelhas no lado interno; bacarija.

asas. [Pl. de *asa*.] *S. f. pl.* As metades inferiores das partes do nariz. ~ V. *asa*.

asase. [Do fanti-axanti.] *S. f.* A deusa da Terra, a Mãe-Terra.

asa-sulista. *Adj. 2 g.* **1.** De, ou pertencente ou relativo à Asa Sul, área meridional do plano piloto de Brasília. ● *S. 2 g.* **2.** Natural ou habitante dessa área. [Pl.: *asa-sulistas*.]

■ **Asb.** *Ópt.* Símb. de *apostilb*.

asbestino. *Adj.* Relativo ao asbesto.

asbesto. [Do gr. *ásbestos*, pelo lat. *asbestu*.] *S. m. Min.* Variedade de anfibólio composta de silicato de cálcio e de magnésio, que se apresenta em massas fibrosas incombustíveis e infusíveis, de aplicação comercial, sendo o amianto sua variedade mais pura. [Cf. *amianto*.]

asca. *S. f.* **1.** Asco[1] (1). **2** *Bras., Recôncavo da BA.* Mau cheiro corporal; morrinha, aca.

ascafilme. *S. m. Geofís.* Filme obtido com uma câmara todo-céu.

ascágrafo. *S. m. Geofís.* Aparelho utilizado para transferir, semi-automaticamente, as informações acerca das auroras polares contidas no ascagrama em mapas especiais.

ascagrama. *S. m. Geofís.* Fotografia de aurora polar, obtida com uma câmara todo-céu.

ascalaboto. *S. m.* **1.** Espécime dos ascalabotos. ● *Adj.* **2.** Pertencente ou relativo aos ascalabotos.

ascalabotos. *S. m. pl. Zool.* Animais cordados, reptis, escamados, divisão *Ascalabota*, em geral com mais de quatro fileiras de escamas ventrais em cada segmento do corpo, as quais, quando imbricadas, deixam larga margem posterior livre.

ascaplot. *S. m. Geofís.* Gráfico obtido com uma câmara todo-céu.

ascárida. [Do gr. *áskaris*, pelo lat. *ascaride*.] *Adj. 2 g.* e *s. m.* V. *ascarídeo*.

ascáridas. *S. m. pl. Zool.* V. *ascarídeos*.

ascarídeo. *S. m.* **1.** Espécime dos ascarídeos. ● *Adj.* **2.** Pertencente ou relativo a eles. [Sin. ger.: *ascárida*.]

ascarídeos. *S. m. pl. Zool.* Família de animais nematelmintos, nematódeos, fasmídeos, da ordem *Rhabditida*, subordem *Ascaridina*, de grande porte, boca trilabiada, esôfago claviforme, macho com dois espículos, ovos elipsóides de casca espessa. Não têm ventrículo no esôfago, nem divertículo intestinal. São as lombrigas. [Sin.: *ascáridas*.]

ascaridíase. [De *ascárida* + *-íase*.] *S. f. Patol.* Infecção por ascáridas.

ascendência. [Do lat. *ascendentia*.] *S. f.* **1.** V. *ascensão* (1). **2.** Superioridade, preponderância, ascendente. **3.** *P. ext.* Influência, prestígio. **4.** Série de gerações anteriores a um indivíduo; progênie. **5.** Os antepassados, os avós: *Minha ascendência materna é portuguesa.*

ascendente. [Do lat. *ascendente*.] *Adj. 2 g.* **1.** Que sobe, se eleva; ascensionário. ~ V. *letra —, nodo —, pielografia — e seiva —.* ● *S. m.* **2.** Predomínio, preponderância, ascendência ● *S. 2 g.* **3.** Pessoa de quem se descende;

antepassado, ancestre: *Diversas famílias de Santa Catarina têm ascendentes alemães.* ● *S. f.* **4.** A haste que em certas letras de caixa-baixa, como o *b* ou o *d*, se projeta para cima. [Cf. *letra ascendente.*]

ascender. [Do lat. *ascendere.*] *V. t. i., int.* e *p.* Subir; elevar-se: "Via-me, ao longe, ascender do chão das turbas, e remontar ao céu" (Machado de Assis, *Memórias Póstumas de Brás Cubas*, p. 12); *D. Pedro II ascendeu ao trono em 1841*; "O Sol ascende vagarosamente." (Alberto de Oliveira, *Poesias*, 1ª série, p. 14); *O balão, tremeluzindo, ascendeu*; "Eu a alma deixo voar, deixo que ela se ascenda / Ao mundo da ilusão, às regiões da quimera" (Lima Júnior, *Canções da Idade de Oiro*, p. 40); "Ascender para a Luz é ser celeste" (Cruz e Sousa, *Últimos Sonetos*, p. 99). [Cf. *acender.*]

ascendimento. *S. m.* V. *ascensão* (1). [Cf. *acendimento.*]

ascensão. [Do lat. *ascensione.*] *S. f.* **1.** Ato de ascender; ascendência, ascendimento, ascenso. **2.** Subida, elevação: "Para os amantes do alpinismo há a ascensão ao Itacolomi, cuja altura é de 1 752 metros." (Manuel Bandeira, *Poesia e Prosa*, II, p. 845.) **3.** V. *promoção*[1] (2). **4.** Festa eclesiástica, comemorativa da glorificação de Cristo logo após sua morte, representada especialmente como subida aos Céus. **5.** O dia dessa festa. [Cf. *acensão* e *assunção.*] ◆ **Ascensão reta.** *Astr.* Ângulo formado no pólo entre o meridiano celeste do astro e o meridiano celeste do ponto vernal. [É contado de 0º a 360º, a partir do meridiano do ponto vernal, no sentido do movimento aparente do Sol.] **Ascensão reta geocêntrica.** *Astr.* Ascensão reta de um ponto da esfera celeste, referida ao centro da Terra. **Ascensão reta heliocêntrica.** *Astr.* Ascensão reta de um ponto da esfera celeste, referida ao centro do Sol. **Ascensão reta selenocêntrica.** *Astr.* Ascensão reta de um ponto da esfera celeste, referida ao centro da Lua. **Ascensão reta topocêntrica.** *Astr.* Ascensão reta de um ponto da esfera celeste, referida ao ponto de observação.

ascensional. *Adj. 2 g.* **1.** Relativo a ascensão. **2.** Que obriga a subir, a ascender.

ascensionário. *Adj.* Ascendente (1).

ascensionista. *S. 2 g. Bras.* Pessoa que faz excursão a pontos elevados em balão ou de outro modo.

ascenso. [Do lat. *ascensu.*] *S. m.* V. *ascensão* (1) [Antôn.: *descenso* (1). Cf. *acenso* e *assenso.*]

ascensor (ô). [Do fr. *ascenseur.*] *S. m.* Elevador (2).

ascensorista. *S. 2 g. Bras.* Pessoa encarregada de manejar o ascensor; cabineiro.

ascese. [Do gr. *áskesis*, 'exercício' (espiritual).] *S. f. Ét.* Exercício prático que leva à efetiva realização da virtude, à plenitude da vida moral: "A literatura e a vida religiosa tinham para ele [Charles Du Bos] o mesmo grau de elevação, de ascese, de êxtase no seio do Criador." (João Gaspar Simões, *Crítica*, I, p. 49.)

asceta. [Do gr. *asketes*, 'que se exercita' (espiritualmente).] *S. 2 g.* Pessoa que se consagra à ascese: "Simeão por si mesmo escolheu o deserto que lhe convinha, nas terras sagradas da Palestina, ao longe de Jerusalém. Ali a princípio habitou uma laura, como lhe chamavam, espécie de aldeia de monges e ascetas separados em cabanas esparsas como ilhas de desolação e de morte." (João Ribeiro, *Floresta de Exemplos*, pp. 33-34.) [CF. *aceta*, do v. *acetar* e *asseta* do v. *assetar.*]

ascetério. [Do gr. *asketérion*, pelo lat. *asceteriu.*] *S. m.* **1.** Retiro de ascetas. **2.** *P. ext.* Lugar de meditação. **3.** V. *convento* (1).

asceticismo. *S. m.* V. *ascetismo.*

ascético. [Do gr. *asketikós.*] *Adj.* **1.** Relativo a ascetas ou ao ascetismo. **2.** Devoto, místico; contemplativo. [Cf. *acético* e *asséptico.*]

ascetismo. *S. m. Ét.* **1.** Prática da ascese. **2.** Doutrina que considera a ascese como o essencial da vida moral. **3.** Moral que desvaloriza os aspectos corpóreos e sensíveis do homem. [Sin. ger.: *asceticismo.*]

ascetizar. *V. t. d.* e *p.* Tornar(-se) asceta.

ascídia. [De *ascídio.*] *S. f. Zool.* Animal cordado do subfilo dos protocordados, classe dos urocórdios, tunicados, ascidiáceo, marinho, em geral fixo, tendo alguns vida livre na areia ou na lama. [F. paral.: *ascídio.* Cf. *acídia.*]

ascidiáceo. *S. m.* **1.** Espécime dos ascidiáceos; ascídio. ● *Adj.* **2.** Pertencente ou relativo aos ascidiáceos.

ascidiáceos. *S. m. pl. Zool.* Animais cordados, do subfilo dos protocordados, tunicados, solitários ou coloniais, geralmente sésseis após metamorfose em que perdem o notocório, a corda nervosa e a cauda, e revestidos de túnica bem desenvolvida, permanente. Têm numerosas fendas branquiais. [Sin.: *ascídios.*]

ascidiado. [De *ascídio* + *-ado*[1].] *Adj. Bot.* Munido de ascídio (2).

ascidiforme. *Adj. 2 g. Bot.* Em forma de ascídio: *folha ascidiforme.*

ascídio. [Do gr. *askídion*, 'pequeno odre'.] *S. m.* **1.** *Zool.* Ascídia. **2.** *Zool.* Ascidiáceo. **3.** *Bot.* Espécie de saco ou urna resultante da transformação de uma folha ou do limbo. [É um órgão peculiar a certos tipos de plantas carnívoras, e destina-se a capturar e digerir pequenos insetos, pois contém glândulas secretoras de uma espécie de suco digestivo. As plantas ascidiadas possuem raízes normais; pertencem à família das nepentáceas, e não se encontram no Brasil.]

ascídios. *S. m. pl. Zool.* Ascidiáceos.

ascífero. *Adj. Micol.* Portador de ascos [v. *asco*[2]; ascígero.

ascígero. *Adj. Micol.* Ascífero.

■**ASCII** (asqui). [Sigla (ingl.) de *A(merican) S(tandard) C(ode) (for) I(nformation) I(nterchange)* 'Código Padrão para Intercâmbio de Informações'] *Proc. Dados.* Codificação que envolve um conjunto especificado de 128 caracteres, no qual cada caráter é representado por um conjunto de *bits*, dito *Código de 7 bits*. [Cf. *EBCDIC.*]

ascinomancia (cí). *S. f.* Adivinhação baseada na profundidade, forma e direção do golpe de um machado num tronco.

ascinomante. *S. 2 g.* Pessoa que pratica a ascinomancia.

ascinomântico. *Adj.* Relativo à ascinomancia, ou a ascinomante.

áscios. [Do lat. *ascios.*] *S. m. pl.* Habitantes da zona tórrida, que não têm sombra ao meio-dia em duas épocas do ano.

ascite. [Do gr. *askítes*, pelo lat. *ascite.*] *S. f. Patol.* Acúmulo de líquido na cavidade abdominal. [Sin. vulg.: *barriga-d'água.*]

ascítico. *Adj.* **1.** Relativo à ascite. **2.** Que sofre de ascite. ● *S. m.* **3.** Aquele que sofre de ascite.

asclepiadácea. *S. f.* Espécime das asclepiadáceas.

asclepiadáceas. *S. f. pl. Bot.* Família de plantas trepadeiras ou erectas, de pequeno porte, leitosas, com flores caracterizadas pelos grãos de pólen reunidos em massas ditas políneas, e frutos que são folículos e contêm paina. Há cerca de 1 700 espécies nos países tropicais, sendo o Brasil rico em representantes, que não têm importância prática.

asclepiadáceo. *Adj.* Pertencente ou relativo às asclepiadáceas.

asclepiadeu. [Do lat. *asclepiadeu.*] *Adj.* e *s. m.* ~V. *verso* —.

asco[1]. [Der. regress. de *ascoroso.*] *S. m.* **1.** Nojo, repugnância, aversão, asca: "A velha sentiu um frio por dentro, ... ao tocar a barriga funda de Isidoro; num asco, retirou a mão." (Bernardo Élis, *Veranico de Janeiro*, p. 39.) **2.** Tédio, enjôo.

asco[2]. [Do gr. *askós*, 'odre'.] *S. m. Citol.* Pequeno órgão saciforme, encontrado nos fungos ascomicetos e liquens ascoliquens, e no interior do qual se formam esporos sexuais. Possuem, em geral, oito esporos, e podem ser deiscentes ou indeiscentes, conforme se abram ou não para os libertar.

▲**-asc(o)-.** *El. comp.* = 'diminuição', 'atenuação', 'depreciação': *arruivascado.* [Equiv.: *-asco.*]

▲**-asco.** Equiv. de *-asc(o)-.*

ascocarpo. *S. m. Micol.* Aparelho esporífero dos cogumelos ascomicetos, de forma assaz variável.

ascóforo. [De *asco*[2] + *-foro.*] *Adj. Citol.* Portador de ascos: *forma ascófora.*

ascógeno. [De *asco*[2] + *-geno.*] *Adj. Citol.* Que produz ascos: *hifa ascógena.*

ascolíquen. [De *asco*[2] + *líquen.*] *S. m. Citol.* Classe de liquens em que a associação simbiótica é formada por um ascomiceto e uma ou mais algas. [Pl.: *ascoliquens* e (p. us. no Brasil) *ascolíquenes.*]

ascoma. [Do gr. *askoma.*] *S. m.* **1.** *Micol.* Aparelho esporífero existente nos fungos ascomicetos, a princípio fechado, porém largamente aberto na maturidade, formado por uma massa estromática na qual se acham os ascos. **2.** *Marinh.* Revestimento de couro preso à haste do remo, no lugar em que ela trabalha na toleteira ou na forqueta, para diminuir-lhe o desgaste.

ascomático. *Adj.* Relativo ao ascoma.

ascomiceto. *S. m.* **1.** Espécime dos ascomicetos. ● *Adj.* **2.** Pertencente ou relativo a eles.

ascomicetos. *S. m. pl. Micol.* Classe de fungos providos de micélio pluricelular e esporos formados em ascos que, por sua vez, nascem no interior dos peritécios ou dos apotécios. Podem ser pequenos ou grandes, e vivem como saprófitos. Há muitos milhares de espécies no mundo inteiro.

asconóide. *S. m.* **1.** Espécime dos asconóides. ● *Adj. 2 g.* **2.** Pertencente ou relativo a eles.

asconóides. *S. m. pl. Zool.* Esponjas que apresentam os coanócitos dispostos diretamente em contacto com o átrio.

ascórbico. *Adj. Quím.* ~ V. *ácido* —.

ascorosidade. *S. f.* V. *asquerosidade.*

ascoroso (ô). [De um lat. **escharosu*, oriundo de um lat. **escharosu*, de *eschara*, 'escara'.] *Adj.* V. *asqueroso:* "Preferisse [Ariel] ser batráquio tórpido e ascoroso, planta de raízes sedentas, vivendo da química das decomposições." (Alberto Rangel, *Livro de Figuras*, p. 176.)

ascosidade. *S. f.* V. *asquerosidade.*

ascoso (ô). *Adj.* V. *asqueroso:* "Sempre o contraste! Pássaros cantando / sobre túmulos... flores sobre a face / De ascosas águas pútridas boiando..." (Olavo Bilac, *Poesias*, p. 119.)

ascospórico. *Adj.* Relativo aos ascósporos.

ascósporo. [De *asco*[2] + *-sporo.*] *S. m. Citol.* Esporo formado no interior dos ascos.

ascotorácico. *S. m.* **1.** Espécime dos ascotorácicos. ● *Adj.* **2.** Pertencente ou relativo aos ascotorácicos.

ascotorácicos. *S. m. pl. Zool.* Animais artrópodes, crustáceos, cirrípedes, da ordem *Ascothoracica*, que têm corpo com seis pares de apêndices no tronco, e tubo digestivo com ramificações no manto. São parasitos do coral-preto.

áscua. [Do pré-romano.] *S. f.* **1.** Brasa viva: "Vi um grandíssimo fogo todo de áscuas mui incendidas, como troncos de carvalho mui grandes." (Pe. Manuel Bernardes, *Vários Tratados*, II, p. 475.) **2.** Chispa que se desprende do ferro em brasa ao ser malhado: " — Eu sou o Ferro. E tu? — Eu sou o homem. — Perdoa! / Teu martelo a bater nas bigornas reboa; / Torço-me, ranjo, estalo e espirro áscuas subtis, / partículas de fogo, efêmeros fuzis..." (Raimundo Correia, *Poesias*, p. 251.) **3.** *Fig.* O fuzilar dos olhos de pessoa encolerizada.

ascuma. [Do vasc. *askon* ou *azkona.*] *S. f. Ant.* Pequena lança que se arremessava contra o inimigo; ascuna, ascunha.

ascumada. *S. f. Ant.* Golpe ou pancada com ascuma.

ascuna. *S. f. Ant.* V. *ascuma.*

ascunha. *S. f. Ant.* V. *ascuma.*

ás-de-copas. *S. m. 2 n. Bras., N.E. Pop.* V. *ânus.*

▲**-ase.** *Quím.* Suf. nom. = 'fermento': *maltase.*

➡**a se.** [Lat.] *Filos.* Por si (4).

aseidade. *S. f. Rel.* Atributo divino fundamental, que consiste em existir por si próprio.

aselha (ê). [Do lat. **ansicula.*] *S. f.* **1.** Pequena asa. **2.** Casa (12) feita com uma alça de tecido ou com diversos fios de linha caseados juntos, e que prende um botão ou um colchete; casa de alça.

asfaltado. [Part. de *asfaltar.*] *Adj.* Coberto ou revestido de asfalto. ~V. *papel* —.

asfaltador (ô). *S. m.* Operário que asfalta, que aplica o asfalto.

asfaltagem. *S. f.* Asfaltamento (1).

asfaltamento. *S. m.* **1.** Ato de asfaltar; asfaltagem. **2.** Efeito de asfaltar; pavimento asfáltico; asfalto.

asfaltar. *V. t. d.* Cobrir ou revestir (pisos, pavimentos, etc.) de asfalto ou de mistura asfáltica: *asfaltar estradas.*

asfáltico[1]. *Adj.* Relativo ao mar Morto ou lago Asfaltite.

asfáltico[2]. *Adj.* **1.** Feito de, ou em que entra o asfalto: *pavimentação asfáltica; mistura asfáltica.* **2.** *Min.* Diz-se dos pirobetumes mais duros e de ponto de fusão mais alto que as asfaltitas. **3.** *Pet.* Diz-se do arenito e outras rochas que contêm impregnação de asfalto. ~ V. *betume.* —, *cimento* — e *mástique* —.

asfaltita. *S. f. Min.* Designação comum aos hidrocarbonetos sólidos com pontos de fusão acima de 110ºC e peso específico menor que 1,20, solúveis entre 0 e 60% no sulfeto de carbono.

asfalto. [De or. semítica, atr. do gr. *ásphaltos* e do lat. *asphaltu.*] *S. m.* **1.** Designação comum aos pirobetumes asfálticos, naturais ou artificiais, utilizados para pavimentação de estradas e impermeabilização. **2.** Pavimentação asfáltica; asfaltamento: *O carro deslizava sobre o asfalto.* **3.** Nas cidades, a parte ou ambiente urbano, em oposição ao rural, ou ao suburbano, ou ao das favelas: "Maria lava roupa lá no alto, / Lutando pelo pão de cada dia, / sonhando com a vida no asfalto, / que acaba onde o morro principia." (Do samba *Lata d'Água na Cabeça*, de Luís Antônio e Jota Júnior.)

asfixia (cs). [Do gr. *asphyxía*, 'falta de pulso'.] *S. f. Med.* **1.** Estado mórbido resultante de obstáculo à passagem do ar através das vias respiratórias ou dos pulmões. Nesta situação, há hipoxia e aumento da tensão de dióxido de carbono no sangue e tecidos. **2.** Suspensão

da respiração; sufocação.
asfixiador (cs...ô). *Adj.* **1.** V. *asfixiante.* ● *S. m.* **2.** Aquele que asfixia.
asfixiante (cs). *Adj. 2 g.* Que asfixia; asfixiador, asfíxico, asfixioso. ~ V. *gás* —.
asfixiar (cs). *V. t. d.* **1.** Causar asfixia a; privar da respiração; sufocar, abafar: *Os soluços convulsivos asfixiavam-na.* **2.** Matar por asfixia; sufocar, abafar. **3.** Oprimir, vexar: *Impôs um regulamento que asfixiava os subordinados. Int.* **4.** Não poder respirar livremente; sentir-se abafado, sufocado; abafar, sufocar; asfixiar: *Os presos asfixiavam na cela apertada e sem janelas.* **5.** V. *sufocar* (8): "O calor asfixia e o ar escurece." (Humberto de Campos, *Poesias Completas,* p. 61.)
asfíxico (cs). *Adj.* V. *asfixiante.*
asfixioso (cs...ô). *Adj.* V. *asfixiante.*
asianista. *Adj. 2 g.* e *s. 2 g.* **1.** Que ou quem é versado em assuntos referentes à Ásia; orientalista. **2.** Diz-se de, ou partidário da política da Ásia para os asiáticos.
asiano. [Do lat. *asianu.*] *Adj.* e *s. m.* Asiático (1 e 4).
asianologia. [De *asiano* + *-log(o)-* + *-ia.*] *S. f.* Conjunto de conhecimentos ou estudos acerca dos povos asiáticos.
asianológico. *Adj.* Referente à asianologia.
asianólogo. [De *asiano* + *-logo.*] *S. m.* Especialista em asianologia.
asiática. [Fem. substantivado do adj. *asiático.*] *S. f. Bras. Pop.* Epidemia benigna de gripe, que grassou no Brasil na década de 50: "São Cosme e São Damião passaram o dia de hoje visitando os meninos que estão com febre e dor no corpo e na cabeça por causa da asiática, e deram muitos doces e balas aos meninos sãos." (Rubem Braga, *Ai de Ti, Copacabana!,* p. 69.)
asiaticismo. *S. m.* Palavra ou expressão oriunda de alguma das línguas asiáticas; asiatismo. [Cf. *asiatismo.*]
asiático. [Do gr. *asiatikós,* pelo lat. *asiaticu.*] *Adj.* **1.** Da, ou pertencente ou relativo à Ásia; asiano. **2.** Diz-se do luxo excessivo, como o que exibiam certos potentados da Ásia. **3.** *Fig.* Indolente, preguiçoso. ~ V. *estilo*—. ● *S. m.* **4.** O natural ou habitante da Ásia; asiano.
asiatismo. *S. m.* **1.** Influência da Ásia. **2.** Costume(s) ou modo(s) próprio(s) da Ásia. **3.** Asiaticismo. **4.** Sentimento de amor ou fidelidade às tradições, interesses ou ideais asiáticos. **5.** *Fig.* Estilo asiático. [Cf. *asiaticismo.*]
asilado. [Part. de *asilar.*] *Adj.* e *s. m.* Diz-se de, ou aquele que está recolhido ou abrigado em asilo, ou a quem se deu asilo.
asilar. *V. t. d.* **1.** Recolher em asilo (1). **2.** Dar guarida, abrigo, proteção a; abrigar. **3.** Dar asilo (2) a. **4.** Acolher, recolher; abrigar: *Asilou castamente aquela paixão. P.* **5.** Abrigar-se ou albergar-se em asilo de caridade. **6.** Procurar para si mesmo amparo, abrigo ou proteção em lugar seguro; refugiar-se. **7.** Recolher-se a asilo (2).
asilo. [Do gr. *ásylos,* pelo lat. *asylu.*] *S. m.* **1.** Casa de assistência social onde são recolhidas, para sustento ou também para educação, pessoas pobres e desamparadas, como mendigos, crianças abandonadas, órfãos, velhos, etc. **2.** Lugar onde ficam isentos da execução das leis os que a ele se recolhem: *Os revoltosos vencidos escolheram para asilo a embaixada do México.* **3.** Guarida, abrigo, proteção.
asimina. *S. f.* Planta ornamental da família das anonáceas *(Asimina triloba),* originária da América do Norte, de cujo fruto, comestível, se faz um caldo.
➡**a simultaneo.** [Lat.] *Filos.* Diz-se de argumento, raciocínio, prova ou demonstração que conclui pela simples consideração da essência ou da noção por demonstrar.
asinal. [Do lat. *asinale.*] *Adj. 2 g.* V. *asinino.*
asinário. [Do lat. *asinariu.*] *Adj.* V. *asinino.*
asinha[1]. *S. f.* Dim. de asa; álula. [Cf. *azinha.*]
asinha[2]. [Do lat. vulg. *agina.*] *Adv. Ant.* Com brevidade, depressa: "E eu lá daquela altura que amendronta, / Sem poder abalar, correr asinha, / Vingar com mão sanhosa a dura afronta!" (Guerra Junqueiro, *Pátria,* p. 135.) [Var.: *aginha.* Cf. *azinha.*]
asinino. [Do lat. *asininu.*] *Adj.* **1.** De, ou pertencente ou relativo ao asinino, ou próprio dele. **2.** V. *burro* (12). [Sin. ger.: *asinal, asinário, asnal, asnático, asneiro, asnil.*] ● *S. m.* **3.** Animal asinino.
asininos. *S. m. pl. Zool.* Animais mamíferos, da ordem dos perissodáctilos, da família dos eqüídeos, subfamília *Asininae.* Compreendem os jumentos, os mulos e os burros.
▲**ásio-.** [De *Ásia.*] *El. comp.* = 'asiático': *ásio-americano.*
ásio-americano. [De *ásio-* + *americano.*] *Adj.* **1.** Da Ásia e do continente americano, ou pertencente ou relativo a estes dois continentes. **2.** De origem asiática e americana. ● *S. m.* **3.** Indivíduo de origem ásio-americana. [Pl.: *ásio-americanos.*]
asir. [De *asa* + *-ir:* 'agarrar pela asa'.] *V. t. d.* e *t. d.* e *i. P. us.* Tomar com a mão; segurar, agarrar, empunhar: "vendo um tição inflamado na mão de um companheiro, asiu-o, e entrou a descrever com ele, no ar, figuras caprichosas, círculos, elipses" (João Ribeiro, *A Carne,* p. 99). [Imperf. ind. *asia,* etc. Cf. *azia,* s. f. e o top. *Ásia.*]
asma. [Do gr. *ásthma,* pelo lat. *asthma.*] *S. f. Patol.* Condição que se caracteriza por acessos recorrentes de dispnéia paroxística, tosse e sensação de constrição, por efeito da contração espasmódica dos brônquios. Em muitos casos é de natureza alérgica. [Sin. (bras., pop.): *puxado, puxá, puxação, puxamento, puxeira.*]
asmático. [Do gr. *astmatikós,* pelo lat. *asthmaticu.*] *Adj.* **1.** Relativo à asma. **2.** Que sofre de asma. [Sin.: *asmento* (bras., pop.), *apiançado* e (bras., BA) *estalecido.*] ● *S. m.* **3.** Aquele que sofre de asma; asmento.
asmento. *Adj.* e *s. m.* V. *asmático* (2 e 3).
asmo. *Adj. Pop.* Var. de *ázimo* [q. v.].
asna. [Do lat. *asina,* por síncope.] *S. f.* **1.** V. *burra* (1). **2.** *Constr.* Tesoura (6). **3.** *Heráld.* Bandas em ângulo no escudo. ◆ **Asna francesa.** *Arquit.* Aquela em que a linha está a meia altura das pernas, ou no seu terço, permitindo a construção do chamado *forro de gamela.*
asnada. *S. f.* **1.** Manada ou récua de asnos. **2.** V. *asneira* (1). [Sin. ger.: *asnaria.*]
asnal. *Adj. 2 g.* V. *asinino.*
asnamento. *S. m. Constr.* Conjunto de asnas que sustentam uma cobertura; asnaria.
asnaria[1]. [De *asno* + *-aria.*] *S. f.* V. *asneira* (1).
asnaria[2]. [De *asna* (2) + *-aria.*] *S. f.* Asnamento.
asnático. *Adj.* V. *asinino.*
asnear. [De *asno* + *-ear.*] *V. int.* **1.** Dizer ou fazer asneiras; tolejar, bobear, asneirar. **2.** Mostrar-se presumido, cheio de si. [Conjug.: v. *frear.*]
asneira. *S. f.* **1.** Ação tola, geralmente impensada; babaquice, bobagem, bobeira, besteira, bestice, bestidade, bobice, tolice, dislate, disparate, parvoíce, estupidez, burrice, burrada, burricada, burriquice, jericada, asnada, asnaria, asneirada, asnice, asnidade. **2.** Ato ou palavra obscena.
asneirada. *S. f.* **1.** Grande asneira. **2.** V. *asneira* (1).
asneirão. [Aum. de *asno.*] *S. m.* Asno (2) em excesso; toleirão, parvalhão. [Fem.: *asneirona.*]
asneirar. [De *asneira* + *-ar[2].*] *V. int. Bras.* V. *asnear* (1).
asneirento. *Adj.* Que diz asneiras.
asneiro. *Adj.* **1.** V. *asinino.* **2.** Diz-se do muar procedente de cavalo e burra. ● *S. m.* **3.** Burriqueiro. **4.** Tratador de asno.
asneirola. [De *asneira* + *-ola.*] *S. f.* Expressão equívoca ou indecente.
asneirona. *S. f.* Fem. de *asneirão.*
asnice. *S. f.* V. *asneira* (1).
asnidade. *S. f.* V. *asneira* (1).
asnil. *Adj. 2 g.* V. *asinino.*
asno. [Do lat. *asinu,* por síncope.] *S. m.* **1.** V. *jumento* (1). **2.** *Fig.* V. *burro* (8). [Aum.: *asneirão.*]
aspa. [Do gót. **haspa.*] *S. f.* **1.** Instrumento de suplício, em forma de X. **2.** *Arquit.* Cruzamento de peças, em forma de *x,* usado para garantir a estabilidade de armações ou estruturas. **3.** *Heráld.* Peça honrosa de primeira ordem, formada pela combinação da banda com a barra; sautor, sotoar. **4.** *Bras.* Chifre, no animal. [M. us. no pl.] V. *corno* (1). ~ V. *aspas.* ◆ **Estar de aspa torta.** *Bras., RS. Pop.* Estar zangado, mal-humorado.
aspaço. *S. m. Bras.* Pancada com as aspas ou chifres; chifrada, cornada.
aspado. [Part. de *aspar.*] *Adj.* **1.** Aspeado. **2.** *Bras.* Furioso, furibundo.
aspar. *V. t. d.* **1.** Aspear. **2.** Atar ou crucificar na aspa (1). **3.** Lesar fisicamente; maltratar, mortificar, torturar. **4.** Riscar, eliminar; expungir. *T. d.* e *i.* **5.** Riscar, eliminar, expungir: *Procurava aspar da memória todos aqueles anos de sofrimento.*
▲**asparag(i)-.** [Do lat. *asparagus, i.*] *El. comp.* = 'aspargo' ou 'espargo': *asparagina.*
asparagina. [De *asparag(i)-* + *-ina.*] *S. f. Quím.* Aminoácido, natural, cristalino, rômbico, existente em diversas plantas. [Fórm.: $C_{14}H_{O3}N_{2}$.]
aspárago. *S. m. Desus.* V. *aspargo.*
asparagolita. [De *aspárago* + *-lita.*] *S. m. Min.* Variedade de verde-amarelada da apatita.
aspargo. [Do gr. *aspáragos,* pelo lat. *asparagu,* por síncope.] *S. m.* Planta da família das liliáceas *(asparagus officinalis),* de rizoma escamoso, com brotos carnosos, comestíveis, e cujas folhas são amarelo-esverdeadas, campanuladas e geminadas, sendo os frutos bagas vermelhas que contêm sementes escuras; melindre. [Var.: *espargo.*]
aspargo-de-jardim. *S. m.* Planta exótica e ornamental, da família das liliáceas *(Asparagus sprengeri),* originária da África, dotada de flores alvas, pequenas e aromáticas, dispostas em racimos axilares, e cujo fruto é uma pequena baga vermelha. [Pl.: *aspargos-de-jardim.*]
aspas. [Pl. de *aspa.*] *S. f. pl.* **1.** Asa (8). **2.** Sinais de pontuação (" " ou " ", que em geral se grafam alceados, com que se abre e fecha uma citação; comas, vírgulas dobradas. [O segundo destes sinais (" ou ") é us. para evitar a repetição de palavras em linhas sucessivas.] **3.** *Arquit.* Ornato em feitio de ziguezague. ~ *V. aspa.* ◆ **Aspas alemãs.** *Tip.* Aspas que têm a forma de vírgulas, ficando na altura de linha as que abrem a citação, e invertidas e ao alto as que a fecham [„......"]. **Aspas francesas.** *Tip.* As de forma angular e alinhamento uniforme [«....»]. **Aspas inglesas.** *Tip.* As que têm a forma de vírgulas colocadas ao alto, sendo invertidas as que abrem a citação [".....”]. **Aspas simples.** Sinal de pontuação (' ou ') com que se inicia e termina a tradução de uma palavra ou expressão estrangeira, uma citação dentro de outra citação, etc. **Bater aspas.** *Bras., RS.* V. *bater orelha.* **Fincar as aspas.** *Bras., RS. Pop.* Cair de cabeça para baixo. **Fincar as aspas no Inferno.** *Bras., RS. Pop.* Expressão com que se faz referência a morte de pessoa indesejável.
aspa-torcida. *S. m. Bras., RS. Pop.* V. *valentão* (3). [Pl.: *aspas-torcidas.*]
aspa-torta. *S. m. Bras., RS. Pop.* V. *valentão* (3). [Pl.: *aspas-tortas.*]
aspe. [De *aspa.*] *S. m.* Raio de roda do engenho de açúcar movido por água.
aspeado. [Part. de *aspear.*] *Adj.* Posto entre aspas; aspado.
aspear. *V. t. d.* Pôr entre aspas [q. v.]; aspar: *Esqueceu-se de aspear o texto transcrito.* [Conjug.: v. *frear.*]
aspecto. [Do lat. *aspectu.*] *S. m.* **1.** V. *aparência* (1): *Notei-o magro, com aspecto doentio.* **2.** *P.* ext. Semblante, fisionomia, ar. **3.** A parte externa das coisas: *A manga tem bom aspecto, mas não sei se está saborosa.* **4.** Cada um dos lados por que uma coisa se apresenta aos nossos o".os ou à nossa observação; lado, face, ângulo: *Cumpre ver todos os aspectos da questão.* **5.** *Anat.* Parte de uma superfície do corpo humano observada a partir de um determinado ponto. **6.** *Astr. P. us.* Fase (3). **7.** *Gram.* Categoria que indica, principalmente, a relação processo/tempo. [Var.: *aspeto.*]
asperejar. *V. int. Bras. S.* **1.** Tratar alguém com aspereza. **2.** Repreender alguém com violência; descompor. [Var.: *asprejar.* Conjug.: v. *pelejar.*]
aspereza (ê). *S. f.* **1.** Qualidade ou estado de áspero. **2.** Saliência, desigualdade, rugosidade numa superfície. **3.** Severidade, austeridade, rispidez. **4.** Rudeza, desabrimento. [Sin. ger.: *asperidade, asperidão.*]
asperger. *V. t. d.* e *p. P. us.* V. *aspergir.*
asperges. [Do lat. *asperges.*] *S. m.* Aspersão com água benta.
aspergido. [Part. de *aspergir.*] *Adj.* Asperso.
aspergiliforme. *Adj. 2 g. Micol.* Em forma de aparelho esporífero de aspergilo: *estigma aspergiliforme.*
aspergilo. [Do lat. *aspergillu.*] *S. m. Micol.* Gênero de fungos *(Aspergillus)* cuja frutificação vegetativa tem a forma de um aspersório sobre o qual os esporos se acham empilhados. [É uma das formas de mofo mais comuns.]
aspergilose. *S. f.* [De *aspergilo* + *-ose.*] *S. f. Patol.* Micose causada por espécies de *Aspergillus,* e que causa lesões na pele, ouvido, seios nasais, pulmões, ossos, meninges.
aspergimento. *S. m.* Aspersão (1).
aspergir. [Do lat. *aspergere;* var. da f. p. us. *asperger.*] *V. t. d.* **1.** Borrifar ou respingar com gotas de água ou de outro líquido; orvalhar: *Aspergiu o tapete com essência de flores.* **2.** Espalhar em pequenas gotas; borrifar, respingar com o hissope ou um ramo molhado: "irás .... ao pé da igreja onde te batizaste .... e é onde aspergirão de água benta o teu caixão de defunta." (Alberto Rangel, *Livro de Figuras,* pp. 115-116). *P.* **3.** Borrifar a si mesmo; orvalhar-se: *Aspergiu-se do mais suave perfume.* [1ª pess. sing. do pres. ind.: *aspirjo;* pres. subj.: *aspirja, aspirjas,* etc. São muito p. us. essas formas. *Aspirjo* é substituído, não raro, por *asperjo,* do antigo v. *asperger.* Part.: *aspergido* e *asperso.*]
aspericomo. *Adj. Zool.* Cujas antenas ou comas têm pêlos ásperos.

asperidade. [Do lat. *asperitate.*] *S. f.* V. *aspereza.*
asperidão. *S. f.* V. *aspereza.*
asperifólio. [Do lat. *asperu* + *-i-* + *-folio.*] *Adj. Bot.* Diz-se do vegetal de folhas ásperas.
asperíssimo. *Adj.* Aspérrimo.
aspermatismo. [De *a-*[3] + *-spermat(o)-* + *-ismo.*] *S. m. Med.* Aspermia (1).
aspermia. [De *aspermo* + *-ia.*] *S. f.* **1.** Falta de secreção de esperma; aspermatismo. **2.** *Bot.* Ausência de sementes em frutos.
aspérmico. [De *aspermia* + *-ico.*] *Adj. Bot.* Que não tem gameta reprodutivo.
aspermo. [Do gr. *áspermos.*] *Adj.* Desprovido de sementes: *A banana é um fruto aspermo.*
áspero. [Do lat. *asperu.*] *Adj.* **1.** De superfície desigual; acidentado, irregular: *terreno áspero.* **2.** Escarpado, escabroso, fragoso, confragoso: *região áspera.* **3.** Desagradável ao tato; não macio ou liso: *pele áspera.* **4.** Duro, rijo. **5.** Diz-se do cabelo ressequido, sem oleosidade natural, sem vida. **6.** Desagradável ao ouvido: penetrante, pungente: *som áspero.* **7.** Desagradável ao paladar; acre, azedo, ácido. **8.** Severo, austero, ríspido: *É homem áspero, mas de bom coração;* "Este, que vês, morreu num africano areal / Por vingança cruel do áspero pombal." (Gonçalves Crespo, *Obras Completas,* p. 205). **9.** Intratável, insociável, rude, desabrido. **10.** *Morfol. Veg.* Dotado de pêlos curtos e rígidos, difíceis de ver à vista desarmada, mas sensíveis ao tato. [Superl. abs. sint.: *aspérrimo* e *asperíssimo.*] ~ V. *folha —a.*
aspérrimo. [Do lat. *asperrimu.*] *Adj.* Superl. abs. sint. de *áspero;* asperíssimo: "É longa a estrada, aspérrima e difícil!" (D. J. G. de Magalhães, *Suspiros Poéticos e Saudades,* p. 75.)
aspersão. [Do lat. *aspersione.*] *S. f.* **1.** Ato ou efeito de aspergir; aspergimento. **2.** Borrifo, respingo.
asperso. [Do lat. *aspersu.*] *Adj.* Aspergido, borrifado, respingado.
aspersório. *S. m.* Instrumento de metal ou de madeira com que se asperge água benta; hissope.
aspérula. [Do lat. bot. *asperula,* 'um pouco áspera'.] *S. f.* Planta medicinal da família das rubiáceas (*Asperula odorata*).
aspérulo. [Do lat. bot. *asperulo* (v. *aspérula*).] *Adj. Bot.* Um tanto áspero: *folha aspérula.*
aspeto. *S. m.* V. *aspecto.*
áspide. [Do lat. *aspide.*] *S. f.* e *m.* Animal cordado, reptil, escamado, ofídio, da família dos viperídeos (*Vipera aspis* L.), da Europa, com presas anteriores ocas, para inocular a peçonha, porém desprovido de fosseta lacrimal, como as demais víboras paleárticas: "Só nos resta, / Em festa sanguinosa, / Sob a traidora rosa / O áspide esconder." (Alexandre Herculano, *Poesias,* p. 181.)
▲**aspido-.** [Do gr. *aspís, ídos.*] *El. comp.* = 'escudo', 'placa': *aspidocéfalo.*
aspidobrânquio. *S. m.* **1.** Espécime dos aspidobrânquios. ● Adj. **2.** Pertencente ou relativo aos aspidobrânquios.
aspidobrânquios. *S. m. pl. Zool.* Animais moluscos, gastrópodes, prosobrânquios, da ordem *Aspidobranchia.* Ctenídios ausentes ou em número reduzido (um ou dois), plumosos, com duas fileiras de filamentos; coração com duas aurículas, dois nefrídios.
aspidocéfalo. [De *aspido-* + *céfalo.*] *Adj. Zool.* Que tem a cabeça guarnecida de placas.
aspidocótilo. [De *aspido-* + *cótilo.*] *S. m.* **1.** Espécime dos aspidocótilos. ● *Adj.* **2.** Pertencente ou relativo a eles. [Sin. ger.: *aspidogastro.*]
aspidocótilos. *S. m. pl. Zool.* Animais platelmintos, trematódios, ordem *Aspidocotylea,* desprovidos de ventosa oral ou órgãos adesivos, com superfície ventral com uma grande ventosa ou uma fileira delas, poro excretor único e posterior, e endoparasitos em um único hospedeiro. [Sin.: *aspidogastros.*]
aspidogastro. *S. m.* e *adj.* Aspidocótilo.
aspidogastros. *S. m. pl. Zool.* Aspidocótilos.
aspidoquiroto. *S. m.* **1.** Espécime dos aspidoquirotos. ● *Adj.* **2.** Pertencente ou relativo aos aspidoquirotos.
aspidoquirotos. *S. m. pl. Zool.* Animais equinodermes, holoturóides, da ordem *Aspidochirota,* com boca anterior, e cujo corpo é provido de numerosos tentáculos (geralmente em número de 20) peltados.
aspidosperma. [De *aspido-* + *-sperma.*] *S. f.* Gênero de plantas da família das apocináceas (*Aspidosperma*), ao qual pertencem diversas árvores brasileiras produtoras de madeiras de utilidade industrial, como, p. ex., a *peroba-rosa* e o *pau-cetim.*
aspiração. [Do lat. *aspiratione.*] *S. f.* **1.** Ato de aspirar; absorção. **2.** V. *anseio* (2). **3.** Desejo intenso de alcançar um objetivo, um alvo, um fim. **4.** *Fon.* Som produzido pelo sopro de ar que acompanha a emissão de determinadas consoantes, como, p. ex., o /h/. **5.** *Mec.* V. *admissão* (4).
aspirado. [Part. de *aspirar.*] *Adj.* **1.** Sorvido, absorvido. **2.** *Fon.* Que tem aspiração (3); aspirativo.
aspirador (ô). *Adj.* **1.** Que aspira. ● *S. m.* **2.** Aparelho para aspirar (2), sobretudo a poeira, partículas de lixo, areia, etc.; aspirador de pó. ◆ **Aspirador de pó.** Aspirador (2).
aspirância. *S. f.* Ato de aspirar alguma coisa.
aspirante. [Do lat. *aspirante.*] *Adj. 2 g.* **1.** Que aspira **2.** Que sorve ou absorve. ~ V. *bomba — e caixa —.* ● *S. 2 g.* **3.** V. *hierarquia militar.* **4.** Militar que detém a posição hierárquica de aspirante. ◆ **Aspirante de Marinha.** *Bras. Mar.* Aluno da Escola Naval; aspirante.
aspirante-a-oficial. *S. m.* **1.** V. *hierarquia militar.* **2.** Militar que detém o posto de aspirante-a-oficial. [Pl.: *aspirantes-a-oficial.*]
aspirante-a-oficial-voador. *S. m.* **1.** V. *hierarquia militar.* **2.** Militar que detém o posto de aspirante-a-oficial-voador. [Pl.: *aspirantes-a-oficial-voador.*]
aspirante-premente. *Adj. 2 g.* ~ V. *bomba —.* [Pl.: *aspirantes-prementes.*]
aspirar. [Do lat. *aspirare.*] *V. t. d.* **1.** Atrair (o ar) aos pulmões; respirar; inspirar: "E com os lábios entreabertos aspirou com delícia a aura impregnada de perfumes" (José de Alencar, *Cinco Minutos,* p. 74). **2.** Atrair por meio de formação de vácuo ou de rarefação do ar: *Utilizaram bombas para aspirar a água extravasada.* **3.** Atrair ao interior das fossas nasais; sorver, cheirar: "Félix deu alguns passos na sala, aspirou as flores que tinham sido postas numa jarra" (Machado de Assis, *Ressurreição,* pp. 20-21); "Nos áditos do místico pagode / O ministro de Brama aspira incensos." (Junqueira Freire, *Obras Poéticas,* I, p. 71). **4.** Sorver, absorver, chupar: *Velhos tempos aqueles em que os médicos usavam ventosas para aspirar o sangue.* **5.** *Fon.* Pronunciar com a aspiração (3): *Os ingleses aspiram o agá. T. i.* **6.** Desejar ardentemente; pretender: "Minha alma, ó Deus, a outros céus aspira" (Antero de Quental, *Sonetos,* p. 188); "Aspiro a ser puro e não a ser purista." (Manuel Odorico Mendes, *Ilíada de Homero,* p. 37); "Sente o sol muito longe, sente a claridade no ar que rareia. E toda a noite aspira pela luz." (Raul Brandão, *A Farsa,* p. 152). Não admite o pronome lhe(s), mas apenas as f. analíticas a *eles,* a *elas:* "E a mim, que aspiro a ele [Deus], a mim, que o chamo, / Que anseio por mais vida e maior brilho, / Há de negar-me o termo deste anseio?" (Antero de Quental, *Sonetos,* p. 187); *É honraria muito cobiçada, e no entanto a ela não aspiro. Int.* **7.** Respirar: "Nós éramos alegres porque sonhávamos, aspirávamos, esperávamos, bebíamos." (Martins Fontes, *A Alegria,* p. 28.) **8.** Soprar: *A brisa aspirava brandamente.*
aspirativo. *Adj. Fon.* **1.** Aspirado (2). **2.** Que serve para indicar aspiração (3).
aspirina. [De *Aspirin* ® voc. us. a princípio, na Alemanha, como nome comercial.] *S. f.* **1.** *Quím.* V. *ácido acetilsalicílico.* **2.** *P. ext.* Comprimido de aspirina.
asplênio. *S. m. Bot.* Gênero de samambaias *(Asplenium)* da família das polipodiáceas comum nas fendas dos muros.
ásporo. [Do gr. *ásporos.*] *Adj. Bot.* Sem esporos.
aspredinídeo. *S. m.* **1.** Espécime dos aspredinídeos. ● *Adj.* **2.** Pertencente ou relativo a eles.
aspredinídeos. *S. m. pl. Zool.* Família de peixes teleósteos, siluriformes, da Amazônia e das Guianas. Compreende espécies denominadas vulgarmente de bagres. Ex.: *rabeca.*
asprejar. *V. int. Bras., S. Pop.* Var. de *asperejar* [q. v.]. [Conjug.: v. *pelejar.*]
aspudo. *Bras., S. Adj.* **1.** Diz-se do animal de chifres ou aspas grandes. **2.** *Gír.* V. *corno* (10). ● *S. m.* **3.** *Gír.* V. *corno* (8).
asquelminto. *S. m.* **1.** Espécime dos asquelmintos. ● *Adj.* **2.** Pertencente ou relativo a eles.
asquelmintos. *S. m. pl. Zool.* Animais enterozoários, pseudocelomados, do ramo *Aschelminthes,* cujo corpo, geralmente cilíndrico, é revestido por uma camada quitinosa, e que experimentam mudas na fase do crescimento. Têm tubo digestivo completo, e ânus posterior.
asquerosidade. *S. f.* **1.** Qualidade de asqueroso; imundície; ascosidade, ascorosidade. **2.** Coisa asquerosa: *Tire da minha mesa estas asquerosidades.*
asqueroso (ô). [De *ascoroso,* por dissimilação.] *Adj.* Que causa asco; repelente, nauseabundo, ascoso, ascoroso.
assacadilha. [De *assacar.*] *S. f.* Imputação aleivosa.
assacador (ô). *Adj.* e *s. m.* Que ou aquele que faz assacadilhas, que assaca.
assacar. [De *as-*[1] + *sacar.*] *V. t. d.* e *i.* Imputar ou atribuir aleivosamente: *Assacam-lhe o crime, que na verdade não praticou:* "Como podia suportar-lhe os modos sobranceiros .... e o descoco com que lhe assaca a responsabilidade de insucessos e fiascos?" (Aquilino Ribeiro, *É a Guerra,* p. 224). [Conjug.: v. *trancar.*]
assacate. *S. m.* Sebo que se extrai do mesentério das reses.
assadeira. [Fem. de *assador.*] *S. f.* **1.** Mulher que assa castanhas e outras coisas. **2.** Utensílio para assar; assadeiro, assador, tabuleiro.
assadeiro. *S. m.* V. *assadeira* (2).
assado. [Part. de *assar.*] *Adj.* **1.** Que se assou. **2.** *Fig. Bras., N. Fam.* Irritado, zangado. ● *S. m.* **3.** *Cul.* Qualquer prato que conste de iguaria assada, em especial de carne assada. **4.** *Bras., S.* Um pedaço de carne própria para assar. **5.** V. *assadura* (3). ~ V. *assados.* ◆ **Assado com couro.** *Bras., S.* Assado de couro. **Assado de couro.** *Bras., S.* Carne assada com o couro; assado com couro. **Assim ou assado.** De um modo ou de outro.
assador (ô). [Do lat. *assatore.*] *S. m.* **1.** Aquele que assa. **2.** V. *assadeira* (2). **3.** *Bras., S.* Espeto onde se enfia a carne para ser assada.
assados. [Pl. de *assado.*] *S. m. pl.* Lances, dificuldades; aperto. ~ V. *assado.*
assadura. [Do lat. *assatura.*] *S. f.* **1.** Ato ou efeito de assar. **2.** Pedaço de carne que se assa de uma vez. **3.** Inflamação cutânea devida a atrito, calor, etc.; intertrigem, assado.
assa-fétida. [Do persa *asa,* 'almácega', + lat. *foetida,* 'fétida'.] *S. f.* **1.** Planta da família das umbelíferas, de cheiro nauseante *(Ferula assafaetida).* **2.** *Quím.* Goma-resina vegetal, que contém sesquiterpeno e compostos sulfurados, de cheiro desagradável, usada em perfumaria. [Pl.: *assa-fétidas.*]
assalariado. [Part. de *assalariar.*] *Adj.* **1.** Pago ou remunerado com salário: *funcionário assalariado; trabalho assalariado.* ● *S. m.* **2.** Aquele que trabalha mediante salário. [Não se consideram como assalariados nem os domésticos nem os funcionários públicos propriamente ditos.] **3.** *P. ext.* Indivíduo que está a soldo de outro. [F. paral.: *salariado.*]
assalariador (ô). *S. m.* Aquele que assalaria.
assalariamento. *S. m.* Ato ou efeito de assalariar.
assalariar. [De *as-*[1] + *salário* + *-ar*[2].] *V. t. d.* **1.** Dar salário a; estipendiar. **2.** *Gír.* Subornar, peitar: *Assalariou o funcionário desonesto para apressar o despacho do processo. P.* **3.** Empregar-se por salário. **4.** Deixar-se subornar ou corromper.
assa-leitão. [De *assar* + *leitão.*] *S. m. Bras., MG.* Árvore ainda não classificada, que fornece excelente madeira de lei. [Pl.: *assa-leitões.*]
assalmoado. [De *as-*[1] + *salmão* + *-ado*[1].] *Adj.* V. *assalmonado.*
assalmonado. [De *as-*[1] + *salmão* + *-ado*[1].] *Adj.* **1.** Da cor do salmão; assalmoado. **2.** Que tem gosto tirante a salmão.
assaloiado. [De *a-*[1] + *saloio* + *-ado*[1].] *Adj.* **1.** Semelhante a saloio. **2.** *Fig.* Rústico, rude.
assaltada. *S. f.* V. *assalto* (1).
assaltador (ô). *Adj.* e *s. m.* Assaltante.
assaltante. *Adj. 2 g.* e *s. 2 g.* Que ou quem assalta; assaltador.
assaltar. [Do lat. vulg. **assaltare,* por *assultare.*] *V. t. d.* **1.** Atacar de repente; investir com ímpeto e de súbito: *Os comandos assaltaram a posição inimiga.* **2.** Acometer à traição: *Os bandidos o assaltaram e levaram-lhe o dinheiro.* **3.** Acometer, atacar: *Assaltou-a uma dor fortíssima, que a fez perder os sentidos.* **4.** Lembrar de repente; ocorrer: *Assaltou-os a idéia de que já o tinham visto.* **5.** Assediar (3): *No desembarque do deputado, os repórteres o assaltaram com perguntas. Int.* **6.** Assaltar (1 e 2): *Na Idade Média, bandos de malfeitores roubavam e assaltavam nas estradas. P.* **7.** Sentir-se como que assaltado; assustar-se, apavorar-se: *Ao ver o guarda o gatuno assaltou-se.* [Sin. ger.: *saltear*[1] e, p. us.: *assaltear.*]
assaltear. *V. t. d. P. us.* V. *assaltar.* [F. paral.: *saltear.* Conjug.: v. *frear.*]
assalto. *S. m.* **1.** Ato ou efeito de assaltar; investida impetuosa; arremetida, assaltada. **2.** Ataque inesperado e com emprego de força, com o fito de roubar, seqüestrar, etc.: *Não conseguiram descobrir os autores*

do *assalto ao trem pagador.* **3.** Ataque súbito e violento, brutal, seja físico ou psíquico: *Encontraram-no semimorto, vítima do assalto dos malfeitores; Cada vez que via sua vítima, sofria o assalto de um remorso profundo; Não soube resistir ao assalto da paixão e casou com ela.* **4.** Cada investida do adversário em esgrima, duelo, etc. **5.** Cada um dos períodos de tempo em que se divide uma luta, em pugilismo, luta livre, etc. **6.** Jogo semelhante ao de damas, porém de 24 pedras contra duas. **7.** *Fam.* Festa íntima e de improviso.

assalvado. [De *salva*[1] + *-ado*[1].] *Adj. Bot.* Afunilado, infundibuliforme: *corola assalvada.*

assamês. *Adj.* **1.** De, ou pertencente ou relativo a Assã (Índia). **2.** Referente ao idioma assamês. ● *S. m.* **3.** O natural ou habitante de Assã. **4.** A língua falada em Assã. [Flex.: *assamesa* (ê), *assameses* (ê), *assamesas* (ê).]

assana. [Do sânscr. *S. m. Hist. Filos.* No sistema ioga, cada uma das posturas pelas quais se visa a obter, em última instância, a supressão da atividade intelectual consciente ou inconsciente; asana.

assanhaço. [De *as-*[2] + *sanhaço.*] *S. m. Bras.* V. *sanhaço.*

assanhadiço. *Adj.* Que se assanha com facilidade; irascível, abespinhadiço.

assanhado. [Part. de *assanhar.*] *Adj.* **1.** Cheio de sanha, enfurecido; furioso. **2.** *Bras.* Irrequieto, buliçoso, turbulento. **3.** *Bras.* Inquieto, agitado, excitado. **4.** *Bras. Fam.* Erótico, namorador. **5.** Diz-se do cabelo despenteado; desgrenhado, alvoroçado.

assanhamento. *S. m.* Ato ou efeito de assanhar(-se); assanho.

assanhar. [De *a-*[1] + *sanha* + *-ar*[2].] *V. t. d.* **1.** Provocar a sanha, raiva ou fúria de; encher de sanha: *Vendo-o enfurecido, calou-se, para não assanhá-lo mais ainda.* **2.** Irritar, excitar. **3.** Agravar, exacerbar: *Tais lembranças assanham seu desespero.* **4.** Tornar agitado, revolto (o mar, as ondas); encrespar, encapelar. **5.** Tornar revolto; desgrenhar: "Na rua, veio uma lufada fria e assanhou os seus cabelos." (Joel Silveira, *Onda Raivosa,* p. 12.) *P.* **6.** Irritar-se, irar-se, encolerizar-se, enfurecer-se. **7.** Mostrar-se irrequieto, turbulento. **8.** Proceder de modo que revela excitação, falta de compostura ou de comedimento; inflamar-se, alvoroçar-se, exceder-se: *É uma garota calma, mas quando está em companhia das amigas, assanha-se.* **9.** Tornar-se impetuoso, agitado, revolto (o mar, as ondas); encrespar-se, encapelar-se.

assanho. [Dev. de *assanhar.*] *S. m.* Assanhamento.

assa-peixe. [De *assar* + *peixe.*] *S. m. Bras.* Cambará-guaçu: "No desvio, assoberbava o assa-peixe tristonho, agitadas as franças cá e lá pela arribada atônita de pintassilgos, coleiros e patativas" (Hugo de Carvalho Ramos, *Tropas e Boiadas.* p. 19).

assar. [Do lat. *assare.*] *V. t. d.* **1.** Submeter à ação do fogo, ou ao calor do forno até ficar cozido ou tostado. **2.** Consumir em chamas; arder; queimar: *Ante a sanha de seus perseguidores, Galileu já se via assado nas fogueiras da Inquisição.* **3.** Causar grande calor a; abrasar: *Este sol de meio-dia acabará assando-a.* **4.** Causar assadura (3) em. *Int.* **5.** Preparar (o alimento) ao calor de fogo e em seco: *As carnes assavam no espeto.* **6.** Causar grande calor; abrasar: *O sol dos trópicos assa.* **7.** Tostar-se, crestar-se. [Pres. ind.: *asso, assas, assa,* etc.; pres. subj.: *asse, assem,* etc. Cf. *aço, aça* e *acém.*]

assaranzar. *V. t. d.* e *p. Bras.* V. *azaranzar.*

assarapantar. [De *as-*[2] + *sarapantar.*] *V. t. d., int.* e *p.* V. *sarapantar.*

assaria. *S. f.* Casta de uva de bago grosso.

assarilhado. [De *a-*[1] + *sarilho* + *-ado*[1].] *Adj.* Que tem forma de sarilho.

assassinador (ô). *Adj.* e *s. m. P. us.* Assassino.

assassinamento. *S. m. P. us.* V. *assassínio.*

assassinar. [De *assassino* + *-ar*[2].] *V. t. d.* **1.** Matar com violência ou à traição. **2.** Matar (ser humano). **3.** *Fig.* Extinguir, destruir, aniquilar: *assassinar a liberdade;* "Dão-me o repouso do corpo e assassinam-me o da alma!" (Alexandre Herculano, *Lendas e Narrativas,* I. p. 243). **4.** *Fig.* Tocar mal (um trecho de música): "Ela mandou iluminar a sala, e foi para o piano assassinar miseravelmente a marcha da *Aída*" (Artur Azevedo, *Contos fora da Moda,* p. 46). **5.** Falar mal (uma língua): *Fala passavelmente o francês, mas assassina o alemão.* **6.** *Fig.* Representar mal (uma peça ou um papel).

assassinato. [Do fr. *assassinat.*] *S. m.* V. *assassínio.*

assassínio. *S. m.* Ato de assassinar; homicídio, assassinato, assassinamento.

assassino. [Do ár. *haxaxi.*] *S. m.* **1.** Aquele que tira a vida a alguém, que assassina. **2.** *Fig.* Aquele que causa perda ou ruína, que destrói, aniquila: *os assassinos da democracia.* ● *Adj.* **3.** Que produz o assassínio; mortífero: *punhal assassino.* **4.** *Fig.* Que inspira paixão veemente; que mata de amores: *olhos assassinos.* [Sin. ger. (p. us.): *assassinador.*]

assaz. [Do provenç. *assatz* < lat. *ad satie.*] *Adv.* **1.** Bastante, suficientemente: "O Cruzeiro, que a linda Sofia não quis fitar, ... está assaz alto para não discernir os risos e as lágrimas dos homens." (Machado de Assis, *Quincas Borba,* p. 360.) **2.** Em alto grau: muito: *Ficou assaz irritado, a ponto de perder a cabeça.* ● *Pron. indef.* **3.** Bastante, suficiente, ou muito: "E com assaz dor de seu coração respondeu .... estas palavras" (Fr. Luís de Sousa, *Vida de D. Fr. Bertolameu dos Mártires,* I, p. 377); "com assaz liberalidade" (Id., *ib.,* I, p. 19); "com assaz segurança" (Garção-Stockler, in Sousa Caldas, *Obras Poéticas,* I. p. 182).

assazonado. [De *as-*[1] + *sazonado.*] *Adj.* Maduro, sazonado.

asse. [Do lat. *asse.*] *S. m.* Antiga moeda romana de cobre.

asseadaço. *Adj. Bras., S.* Diz-se do cavalo brioso, asseado (4).

asseado. [Part. de *assear.*] *Adj.* **1.** Que tem asseio, higiene; limpo: "Mr. Bauer é um homem baixo, pálido, ... asseado, barbeado, ... e com uma voz assombrosa." (Eça de Queirós, *Notas Contemporâneas,* p. 8.) **2.** Que revela asseio, higiene, limpeza: *A cozinha, de aspecto asseado, recomenda o restaurante.* **3.** Diz-se de obra, trabalho, etc., realizado com apuro, correção, esmero. **4.** *Bras., S.* Diz-se do cavalo garboso, brioso, elegante. **5.** *Bras., S. P.* ext. Diz-se do objeto elegante, belo.

assear. [Do lat. vulg. **assedare,* 'pôr as coisas na sua sede, no seu lugar'.] *V. t. d.* **1.** Tornar limpo, varrendo ou lavando; limpar. **2.** *Ant.* Enfeitar, ornar, ataviar. *P.* **3.** Fazer a higiene de si mesmo; limpar-se. **4.** Vestir-se com apuro, com esmero. [Conjug.: v. *frear.*]

assecla. [Do lat. *assecla.*] *S. 2 g.* Partidário, sectário, sequaz: "Falo de doutrinas constituídas em plena independência crítica pelos pensadores e não por asseclas e caudatários de déspotas, que tratam de se legitimar com vãs filosofias." (Fidelino de Figueiredo, *O Medo da História,* p. 79.)

assecuratório. *Adj. Bras.* Que assegura.

assedadeira. [Fem. de *assedador.*] *S. f.* Mulher que asseda o linho.

assedador (ô). *S. m.* Aquele que asseda o linho. [Fem.: *assedadeira.*]

assedagem. *S. f.* Operação de assedar.

assedar. [De *as-*[1] + *seda* + *-ar*[2].] *V. t. d.* **1.** Limpar (o linho) no sedeiro. **2.** Tornar macio como seda. [F. paral.: *sedar.* Pres. ind.: *assedo, assedas, asseda,* etc.; pres. subj.: *assede,* etc. Cf. o pres. ind. e o pres. subj. do v. *aceder,* e *acederes,* s. m. pl.]

assedentado. [De *as-*[1] + *sedento* + *-ado*[1].] *Adj.* Sedento, sequioso.

assediador (ô). *Adj.* **1.** Que assedia ou põe assédio; assediante, sitiante. ● *S. m.* **2.** Aquele que põe assédio; sitiante. **3.** *Fig.* Aquele que assedia, importuna, persegue: *A moça teve um trabalhão para livrar-se do assediador.*

assediante. *Adj. 2 g.* V. *assediador* (1).

assediar. *V. t. d.* **1.** Pôr assédio ou cerco a (praça ou lugar fortificado). **2.** Perseguir com insistência: *Vive a assediar a moça com intenção de namorá-la.* **3.** Importunar, molestar, com perguntas ou pretensões insistentes; assaltar: *O repórter assediou o deputado para arrancar-lhe declarações.* [Pres. ind.: *assedio, assedias, assedia,* etc. Cf. *assédio* e *acedia.*]

assédio. [Do lat. *obsidiu?*] *S. m.* **1.** Cerco posto a um reduto para tomá-lo; sítio: "Na Holanda, quando, ao levantar-se o cerco de Leide pelo Duque de Alba, o povo se reúne no templo para entoar o coral de Lutero, a grande multidão, dilacerada pelas resistências do assédio e pelas devastações da fome, esquece-se da sua própria dor" (Ramalho Ortigão, *Figuras e Questões Literárias,* I, pp. 128-129). **2.** *Fig.* Insistência importuna, junto de alguém com perguntas, propostas, pretensões, etc.: "Foi, aí, ainda no limiar da adolescência, que começou a sofrer o assédio dos seres do outro sexo que a perseguiam com olhares e propostas." (Amando Fontes, *Rua do Siriri,* p. 48.) [Cf. *assedio,* do v. *assediar.*]

assegmentado. [De *as-*[3] + *segmento* + *-ado*[1].] *Adj. Zool.* Diz-se dos animais cujo corpo não apresenta segmentos ou somitos, como ocorre nos vermes trematódeos.

asseguração. *S. f.* Ato ou efeito de assegurar(-se); asseguramento.

assegurado. [Part. de *assegurar.*] *Adj.* **1.** Que se assegurou; garantido. **2.** Estabelecido, firmado. **3.** Sossegado, tranqüilo.

assegurador (ô). *Adj.* e *s. m.* Que, ou aquele que assegura.

asseguramento. *S. m.* Asseguração.

assegurar. [Do lat. vulg. *assecurare.*] *V. t. d.* **1.** Tornar seguro; garantir: *O desembarque das tropas aliadas assegurou a vitória.* **2.** Afirmar com segurança ou certeza; asseverar: *Interrogado, assegurou que cumprira a tarefa.* **3.** Garantir formalmente a concessão ou outorga de: "Na Holanda, o Estado assegura pensão de 1 000 florins anuais ao velho, quer tenha ou não contribuído para a Previdência Social." (Mário Filizzola, *Como Emplacar 100 Anos,* p. 31.) *T. d. e i.* **4.** Afirmar com segurança ou certeza; asseverar: *Assegurou-me que estava em perfeito juízo;* "Posso assegurar-lhes que não havia autorizado Álvaro a denunciar uma presença que fatalmente provocaria atritos e suspeitas." (Nélida Piñon, *A Força do Destino,* p. 11.) **5.** Tornar seguro; garantir: *Sua eleição assegurará ao país dias tranqüilos.* **6.** Tornar possível; permitir, com segurança: "Em pouco tempo, a orientação intelectual de Barrow assegurou a Newton uma excelente formação e o conhecimento dos grandes problemas de matemática." (Ronaldo Rogério de Freitas Mourão, *Astronomia e Astronáutica,* p. 18.) *P.* **7.** Firmar-se; apoiar: *Tal resolução não se pode assegurar no uso da força.* **8.** Certificar-se; convencer-se: *Para se assegurar de que suas ordens seriam cumpridas, seguiu o criado.*

asseguráve. *Adj. 2 g.* Que se pode assegurar.

asseio. [Dev. de *assear.*] *S. m.* **1.** Limpeza, higiene. **2.** Perfeição, apuro, correção: *Escreve com asseio.* **3.** Esmero no vestir.

asselar. [De *as-*[2] + selar.] *V. t. d. P. us.* **1.** Selar. **2.** Legalizar, validar; confirmar, ratificar. *T. d. e i.* **3.** Afirmar, assegurar.

asselvajado. [De *as-*[1] + *selvage(m)* + *-ado*[1].] *Adj.* **1.** Que tem modos de selvagem; bruto, rude. **2.** *Fig.* Brutal, estúpido, grosseiro.

asselvajamento. *S. m.* Ato ou efeito de asselvajar(-se).

asselvajar. [De *as-*[1] + *selvage(m)* + *-ar*[2].] *V. t. d.* **1.** Tornar selvagem, bruto, rude. *P.* **2.** Fazer-se grosseiro, selvagem; brutalizar-se.

assembléia. [Do fr. *assemblée.*] *S. f.* **1.** Reunião de numerosas pessoas para determinado fim. **2.** Sociedade, corporação. **3.** Congresso (4).

assemelhação. *S. f.* Ato ou efeito de assemelhar(-se).

assemelhado. [Part. de *assemelhar.*] *Adj.* Que se assemelha; parecido, semelhante. ~ V. *assemelhados.*

assemelhados. [Pl. de *assemelhado.*] *S. m. pl.* Produtos e artigos similares de outros: *casimira, xantungue e assemelhados.* ~ V. *assemelhado.*

assemelhar. [Do lat. **similiare,* em vez de *similare.*] *V. t. d.* **1.** Tornar semelhante; assimilar, assimilhar: *Uma longa convivência acaba por assemelhar as pessoas.* **2.** Ser semelhante a; parecer, imitar, semelhar: "Estava medonho, assemelhava um espectro." (Arnaldo Gama, *O Balio de Leça,* p. 115.); *O fogaréu, ao longe, assemelhava um pequeno ponto de luz. T. d. e i.* **3.** Tornar semelhante: "o manto preto que envolvia sua cabeça, deixando contornado o rosto muito alvo, assemelhava-a a uma monja medieval" (Hermilo Borba Filho, *O Cavalo da Noite,* p. 180). **4.** Julgar semelhante; comparar: *Não conseguia assemelhá-lo aos demais companheiros. P.* **5.** Ser semelhante; ter semelhança; parecer-se, semelhar: "Por toda a parte foram encontrando riachos cheios que se assemelhavam a rios." (Franklin Távora, *Lourenço* p. 125.) **6.** Tornar-se semelhante; semelhar-se. [Conjug.: v. *aparelhar.*]

assenhoreamento. *S. m.* Ato ou efeito de assenhorear (-se).

assenhorear. [De *as-*[1] + *senhor* + *-ear.*] *V. t. d.* **1.** Dominar como senhor ou dono: *Tem em mira assenhorear toda a região. P.* **2.** Tornar-se senhor; entrar no domínio; tomar posse; apossar-se; apoderar-se; ensenhorear-se: *Assenhoreou-se de todas as terras vizinhas.* [Conjug.: v. *frear.*]

assenso. [Do lat. *assensu.*] *S. m.* V. *assentimento:* "Nem por isso o poder temporal fica inibido de negar o seu assenso às resoluções sinodais." (Alexandre Herculano, *Opúsculos,* I, p. 286.); "Tinha um assenso para tudo e um sorriso civilizado para as palavras que ouvia." (Gastão de Holanda, *O Burro de Ouro,* p. 189.) [Cf. *acenso* e *ascenso.*]

assentada. [De *assentar* + *-ada*[1].] *S. f.* **1.** Sessão forense para inquirição de testemunhas. **2.** Termo que se lavra do depoimento de testemunhas; sessão. **3.** Tempo ininterrupto em que se está sentado. **4.** *Bras.* Esbarrada (2). **5.** *Bras., Amaz.* Alto de praia preferido pelas tartarugas para desovarem, visto ser aí o terreno sempre seco. **6.** *Bras. BA* e *GO.* V. *assentado* (6). **7.** *Bras., S.* Vez, ocasião: *Desta assentada o homem vai mesmo.* ♦ **De uma assentada.** De uma só vez; ininterruptamente: *Li o romance de uma assentada.*

assentado. [Part. de *assentar.*] *Adj.* **1.** Que se assentou; sentado. **2.** Posto sobre uma base; assente, fundamentado: *Já há muitos tijolos assentados, falta assentar só alguns.* **3.** Firmado, resolvido, deliberado: *Quanto a isso, não há dúvida: é matéria assentada.* **4.** Combinado, convencionado. **5.** Pousado, acamado: *borra assentada no fundo da garrafa.* ● *S. m.* **6.** *Bras.* Terreno plano no alto de morro ou de serra; assentada, assente, assento, sentada.

assentador (ô). *S. m.* **1.** Aquele que assenta. **2.** Pau esmerilhado no qual se assenta o fio da navalha. **3.** Operário especializado no assentamento de azulejos, ladrilhos ou outro material de revestimento; colocador, ladrilheiro. **4.** *Tip.* V. *tamborete* (3). ♦ **Assentador de provas.** *Tip.* Tamborete de provas.

assentamento. *S. m.* **1.** Ato ou efeito de assentar(-se). **2.** Assento, lançamento, registro. **3.** *Constr.* Colocação no seu devido lugar das peças de qualquer construção; ajustamento, lançamento.

assenta-pau. [De *assentar* + *pau.*] *S. f. Bras.* Designação dada a várias espécies de borboletas ninfalídeas do gênero *Ageronia,* assim chamadas por costumarem pousar nas árvores com as asas coladas ao tronco. [Pl.: *assenta-paus.*]

assentar. [De *a-*^{4} + *sentar.*] *V. t. d.* **1.** Pôr sobre; fazer sentar-se ou assentar-se; sentar. **2.** Colocar ou dispor de modo que fique seguro: *assentar a pedra fundamental de um edifício; assentar um tijolo.* **3.** Armar, instalar: *assentar barracas; assentar uma cabana.* **4.** Estabelecer, fixar, firmar: *Ainda não teve tempo para assentar suas idéias sobre o assunto.* **5.** Determinar, estipular: *assentar as condições dum negócio.* **6.** Decidir, resolver, deliberar: *Assentou mandá-la à Europa.* **7.** Fazer com que não exceda os limites da moderação, do comedimento, da circunspecção: *Os anos e a experiência assentaram-lhe o juízo.* **8.** Ter para si, persuadir-se de; presumir, supor, estabelecer, julgar, achar: *Ouvindo aquela voz, assentei que era a dele; mas enganei-me.* **9.** Notar por escrito; anotar, registrar: *assentar os gastos do dia-a-dia.* **10.** Manter, conservar (os cabelos, o penteado) em forma: *Este preparado assenta o penteado.* **11.** *Bras.* Esbarrar [q. v.] (o cavalo). *T. d. e i.* **12.** Aplicar, ajustar, adaptar: *Assentou pedra sobre pedra.* **13.** Fundar, fundamentar, basear: *Sua cultura assenta em boas leituras. T. i.* **14.** Basear-se, firmar-se, fundar-se, fundamentar-se: "Meu receio de que a revolução ainda fosse capaz de triunfar assentava num fato personalíssimo: o emprego que eu esperava." (Ribeiro Couto, *Prima Belinha,* p. 35.) **15.** Resolver, decidir, deliberar: *Assentou de viajar, e o fez logo cedo; "assentou de atraí-lo suavemente acenando-lhe com a perspectiva de um rico e vantajosíssimo casamento."* (Bernardo Guimarães, *A Escrava Isaura,* p. 33). **16.** Convir, concordar, anuir: *Assentou em dar o seu apoio à campanha;* "assentemos e concordemos todos em que este livro é a urna, em que determinei guardar estes pobres romances que morreram." (Joaquim Manuel de Macedo, *Os Romances da Semana,* p. VI). **17.** Condizer, combinar; harmonizar-se: *O verde não assenta com o roxo.* **18.** Ficar, ajustar-se (bem ou mal): *Este vestido assenta-lhe bem:* "Não assentam num lírio as expressões da rosa." (Félix Pacheco, *Poesias,* p. 13). *Int.* **19.** Tomar assento; sentar-se, assentar-se. **20.** Baixar, descer, depositando-se numa superfície qualquer: *A poeira assentou (no chão, sobre um móvel, etc.).* **21.** Tornar-se ajuizado, ponderado; assentar a cabeça, assentar o juízo: *Era um desmiolado, mas depois de velho assentou. P.* **22.** Tomar assento; sentar-se, assentar: "Assentei-me no banco que circulava a mesa" (Aluísio Azevedo, *Demônios,* p. 153). **23.** Fazer-se inscrever; alistar-se [Pres. ind.: *assento,* etc.; part.: *assentado* e *assente.* Cf. *assento* e *acento,* s. m.]

assente. [Part. irreg. de *assentar.*] Adj. 2 g. **1.** Assentado, firme: "Aprendi com meu pai a amar e compreender a velha Olinda, ..., assente nas colinas que dominam o horizonte" (Souza Bandeira, *Evocações e Outros Escritos,* p. 61). **2.** Resolvido, firmado, deliberado. ● *S. m.* **3.** *Bras., SP.* V. *assentado* (6).

assentimento. *S. m.* **1.** Ato ou efeito de assentir; anuência, assenso. **2.** *Filos.* Adesão mental a uma proposição, i. e., aceitação da verdade desta proposição. [Há graus diversos de assentimento, e é famosa a classificação em *certeza, crença* e *opinião.*]

assentir. [Do lat. *assentire.*] *V. t. d. e i.* e *int.* **1.** Dar consentimento ou aprovação; permitir, consentir: *Assentiu com um movimento de cabeça; Assentiu no casamento da filha.* **2.** Concordar, anuir, aquiescer: *Costuma assentir aos caprichos da mulher; Instado a ficar, assentiu, embora contrafeito. T. d.* **3.** Dizer, dando o seu assentimento ou a sua anuência: — *Está bem, assentiu, irritado.* [Irreg.: Conjug.: v. *sentir.*]

assento. [Dev. de assentar.] *S. m.* **1.** Objeto ou lugar em que a gente se senta. **2.** Lugar em que alguma coisa está assente; base. **3.** Tampo de cadeira, banco, sofá, etc. **4.** *V. nádegas.* **5.** *P. Ext.* Parte da roupa à altura das nádegas; fundilho: *Foi sentar-se na praia e ficou com o assento todo molhado.* **6.** Residência, habitação, morada. **7.** Anotação, registro, apontamento. **8.** Termo de qualquer ato oficial. **9.** Estabilidade, firmeza. **10.** Bom senso, ponderação, juízo. **11.** Tranqüilidade de espírito, sossego, descanso. **12.** Lugar onde se erige um edifício. **13.** Face de uma pedra de cantaria que se apóia diretamente no chão ou na pedra de baixo. **14.** *Jur.* Categoria de bens, atos ou fatos jurídicos, atividades econômicas ou profissionais, etc., objeto de tributação. **15.** *V. assentado* (6). **16.** *Bras., BA.* Pequena construção retangular levantada fora do terreiro para morada de orixás: pedra dos orixás. [Cf. *acento.*] ♦ **Assento etéreo.** O Céu; o Paraíso: "Se lá no assento etéreo, onde subiste, / memória desta vida se consente, / não te esqueças daquele amor ardente / que já nos olhos meus tão puro viste." (Luís de Camões, *Rimas,* p. 172.) **De assento.** Que tem compostura; bem-comportado: "Isto foi noutro tempo. Ela agora é moça de assento." (Xavier Marques, *Praieiros,* p. 98.)

assenzalado. [De *as-*^{1} + senzala + *-ado*^{1}.] *Adj.* Semelhante a senzala.

assenzalar. [De *as-*^{1} + *senzala* + *-ar*^{2}.] *V. t. d.* Dar aspecto de senzala a.

assépalo. *Adj. Bot.* Destituído de sépalas: *flor assépala.*

assepsia. [De *as-*^{3} + *sepsia.*] *S. f.* Conjunto das medidas adotadas para evitar a chegada de germes a local que não os contenha.

asseptado. *Adj.* Desprovido de septo(s).

asséptico [De *as-*^{3} + *séptico.*] *Adj.* **1.** Relativo à assepsia. **2.** Isento de germes patogênicos. [Cf. *acético* e *ascético.*]

asserção. [Do lat. *assertione.*] *S. f.* **1.** Afirmação, asseveração: "Como já disse alguém, um bom romance é um livro que acaba mal, assim como um bom ensaio é uma obra que deve conter certa dose de amargura. No primeiro caso, ... a asserção é bastante certa." (Eduardo Frieiro, *Torre de Papel,* p. 204.) **2.** Alegação, argumento. **3.** *Lóg.* Afirmação (5).

asserenar. [De *as-*^{2} + *serenar.*] *V. t. d. int.* e *p.* V. *serenar.*

asserir. [Do lat. *asserere.*] *V. t. d. P. us.* Afirmar, asseverar: [Irreg. Conjug.: v. *aderir.*]

assertiva. [Fem. substantivado de *assertivo.*] *S. f.* V. *asserto.*

assertivo. *Adj.* Que contém asserto; afirmativo, assertório.

asserto (ê). [Do lat. *assertu.*] *S. m.* Proposição afirmativa; asserção, assertiva. [Cf. *acerto,* do v. *acertar,* e *acerto* (ê).]

assertoar. *V. t. d. Alfaiat.* Cortar, talhar ou dispor, de modo que uma banda se sobreponha à outra. [Conjug.: v. *coroar.*]

assertórico. *Adj.* ~ *V. juízo* —.

assertório. [Do lat. *assertoriu.*] *S. m.* V. *assertivo.*

assessor (ô) [Do lat. *assessore.*] *S. m.* **1.** Adjunto, auxiliar, assistente, ajudante. **2.** *P. ext.* organismo (5) que fornece assessoramento. [Flex.: *assessora (ô), assessores (ô), assessoras (ô).* Cf. *assessora, assessores,* e *assessoras,* do v. *assessorar.*]

assessoramento. *S. m.* **1.** Ato ou efeito de assessorar; assessoria. **2.** Assessoria (2).

assessorar. *V. t. d.* **1.** Servir de assessor a; assistir. **2.** Auxiliar, tecnicamente, graças a conhecimentos especializados em dado assunto. [Pres. ind.: *assessoro, assessoras, assessora,* etc.; pres. subj.: *assessore, assessores,* etc. Cf. *assessora* (ô), *assessoras* (ô), *assessores* (ô), flex. de *assessor.*]

assessoria. *S. f.* **1.** Assessoramento (1). **2.** Orgão, ou conjunto de pessoas, que assessoram um chefe; assessoramento. **3.** Escritório, ou instituição, especializado na coleta e análise de dados técnicos, estatísticos ou científicos sobre uma matéria.

assessorial. *Adj. 2 g.* **1.** Relativo a assessor. **2.** Que compete ao assessor: *atribuição assessorial.* [Sin. ger.: *assessório.*]

assessório. [Do lat. *assessoriu.*] *Adj.* Assessorial. [Cf. *acessório.*]

assestar. [Do it. *assestare.*] *V. t. d.* **1.** Apontar ou dirigir (arma de fogo) para disparar. **2.** Pôr (qualquer instrumento de óptica) na direção de alguém ou de alguma coisa. *T. d. e i.* **3.** Apontar, dirigir: "Laura, a esposa do Comendador Viana, trouxe-lhe o binóculo, que ele assestou contra o homem do caramanchão." (Artur Azevedo, *Contos fora da Moda,* pp. 197-198.) [Pres. ind.: *assesto,* etc. Cf. *assesto* (ê).]

assesto (ê). [Dev. de *assestar.*] *S. m.* Ato ou efeito de assestar. [Pl.: *assestos* (ê). Cf. *assesto,* do v. *assestar.*]

assetar. [De *as-*^{1} + *seta* + *-ar*^{2}.] *V. t. d.* V. *assetear.* [Pres. ind.: *asseto, assetas, asseta,* etc. Cf. *aceta,* do v. *acetar,* e *asceta.*]

asseteador (ô). *S. m.* Aquele que asseta ou asseteia.

assetear. [De *as-*^{1} + *seta* + *-ear.*] *V. t. d.* **1.** Ferir ou matar com seta. **2.** Mortificar, martirizar, pungir. **3.** Difamar, caluniar. **4.** Vituperar, injuriar. [Sin. ger.: *setear.* F. paral.: *assetar.* Conjug.: v. *frear.*]

assevandijamento. *S. m.* Ato ou efeito de assevandijar (-se).

assevandijar. [De *as-*^{1} + *sevandija* + *-ar*^{2}.] *V. t. d. e p.* Reduzir(-se) a condição de sevandija; rebaixar(-se), aviltar(-se), envilecer(-se).

asseveração. [Do lat. *asseveratione.*] *S. f.* Ato ou efeito de asseverar; afirmação segura.

asseverador (ô). *S. m.* Aquele que assevera.

asseverar. [Do lat. *asseverare.*] *V. t. d.* **1.** Afirmar com certeza, segurança; assegurar: "O mouro Abolaís, ao descrever a mineralogia astronômica dos caldeus, assevera que este povo consagrava uma pedra preciosa a cada mês do ano." (Luís Guimarães, *Samurais e Mandarins,* p. 88); "asseverou que me ama extremosamente desde muito tempo." (Joaquim Manuel de Macedo, *Os Romances da Semana,* p. 25.) **2.** Dar como certo; certificar; atestar, provar: *Quem assevera que o criminoso seja mesmo ele?* T. d. *e i.* **3.** Afirmar com certeza, segurança, assegurar: *Assevera a ele que terá o meu inteiro apoio.*

asseverativo. *Adj.* **1.** Que assevera. **2.** Que contém asseveração; afirmativo.

assexo (cs). [De *as-*^{3} + *sexo.*] *Adj.* V. *assexuado* (1).

assexuado (cs). [De *as-*^{3} + *sexo* + *-u-* + *-ado*^{1}.] *Adj.* **1.** Que não tem os órgãos do sexo; assexo, insexuado: *indivíduo assexuado.* **2.** *Biol. Ger.* V. *agâmico.* **3.** *Fig.* Diz-se do indivíduo que aparentemente não tem vida sexual, ou não é sensual, insexuado: *Tinha o aspecto de mulher eficiente, enérgica e assexuada.*

assexual (cs). [De *a-*^{3} + *sexual.*] *Adj. 2 g. Biol.* Que se efetua sem o concurso de gametas: *reprodução assexual.*

assialia. [De *as-*^{3} + *sial(o)-* + *-ia.*] *S. f. Med.* Ausência de secreção salivar.

assiálico. *Adj.* Relativo à assialia.

assidrado. [De *as-*^{1} + *sidra* + *-ado*^{1}.] *Adj.* Que tem cheiro ou sabor de sidra. [Cf. *acidrado.*]

assidrar. [De *as-*^{1} + *sidra* + *-ar*^{2}.] *V. t. d.* Dar cheiro ou sabor de sidra a. [Cf. *acidrar.*]

assiduidade (u-i). [Do lat. *assiduitate.*] *S. f.* **1.** Qualidade ou caráter de assíduo. **2.** Freqüência, constância: *É grande a sua assiduidade às aulas.*

assíduo. [Do lat. *assiduu.*] *Adj.* **1.** Que está sempre em um lugar: "quando voltou [Eugênio] definitivamente para a casa paterna, Margarida .... já não era tão assídua em casa do fazendeiro." (Bernardo Guimarães, *O Seminarista,* p. 28). **2.** Que comparece com regularidade e exatidão ao lugar onde tem de desempenhar seus deveres ou funções: *aluno assíduo; funcionário assíduo à repartição.* **3.** Que está sempre entregue a seu trabalho, que a ele se dedica sem interrupção; aplicado, diligente: *lavrador assíduo; médico assíduo;* "Mostrava-se Antônio Vieira assíduo e fervoroso nos estudos" (João Francisco Lisboa, *Obras,* IV, p. 10). **4.** Constante, contínuo, aturado, ininterrupto: *labor assíduo.*

assiense. *Adj. 2 g.* **1.** De, pertencente ou relativo a São Francisco de Assis (RS). ● *S. 2 g.* **2.** Natural ou habitante de São Francisco de Assis. [Cf. *assisense.*]

assifonogamia. [De *as-*^{3} + *sifonogamia.*] *S. f. Bot.* Tipo de fecundação em que os espermatozóides vegetais alcançam a célula-ovo diretamente, nadando na água. [Opõe-se a *sifonogamia.*]

assifonógamo. *Adj. Bot.* Diz-se da planta que apresenta assifonogamia.

assim. [Do lat. *ad* + *sic,* atr. do arc. *assi.*] *Adv.* **1.** Deste ou desse ou daquele modo: *Não proceda assim com* seu amigo: "Nunca morrer assim! Nunca morrer num dia / Assim! de um sol assim!" (Olavo Bilac, *Poesias*, p. 170). **2.** Do mesmo modo; igualmente: *Foram premiados Manuel, Frederico, Roberto, e assim os demais alunos que alcançaram nota superior a oito.* **3.** Indica tamanho, quantidade, etc., exprimindo-se, na fala, o tamanho com um gesto característico da mão espalmada em plano horizontal, e a quantidade com os dedos apinhados: *É uma criancinha assim; A casa estava assim de gente;* "Quando o dia se alevanta, / Virgem Santa! / Fica assim de sabiá..." (Da canção *Casa de Caboclo*, de Heckel Tavares e Luís Peixoto). ● *Conj.* **4.** Deste modo; destarte; portanto; assim sendo: *Curta é a vida — assim, saibamos vivê-la.* ◆ **Assim, assim.** *Bras.* Mais ou menos; nem bem nem mal; sofrivelmente; assim: — *Como tem passado?* / — *Assim, assim.* **Assim como. 1.** Do mesmo modo que; como: *Assim como ele, outros caíram no logro.* **2.** Logo que; assim que: *Assim como cheguei, fui notando novidades.* **Assim como assim.** De qualquer modo que seja; seja como for: *Assim como assim, é o melhor tratado sobre o assunto.* **Assim mesmo.** Ainda assim; todavia. **Assim que.** Logo que, tanto que: "— Carta de seu tio Stefan — disse, assim que me viu" (Lia Luft, *A Asa Esquerda do Anjo*, p. 111). **Assim seja.** Amém.

assimetria. *S. f.* Ausência de simetria; dessimetria, dissimetria.

assimétrico. *Adj.* Que não tem simetria; não simétrico; dessimétrico, dissimétrico. ~ V. *janicéfalo* —.

assimilabilidade. *S. f.* Qualidade de assimilável.

assimilação. [Do lat. *assimilatione.*] *S. f.* **1.** Ato ou efeito de assimilar. **2.** Apropriação (de formas ou idéias). **3.** *Fisiol.* Conjunto de fenômenos bioquímicos que se processam no organismo vivo, destinados a regenerar, a partir de substâncias simples, a matéria viva que se gasta durante a fase catabólica do metabolismo, através das queimas respiratórias intracelulares. É por intermédio destas últimas que o organismo obtém a energia necessária ao seu funcionamento; [Sin.: *anabolismo.*] **4.** *Gram.* Transformação dum fonema em outro, seguinte. Ex. esse (< lat. *ipse*), nosso (< *nosto* < *nostro* < lat. *nostru*), ou precedente: enteado (< lat. *antenatu*). [Antôn. (nesta acepç.): *dissimilação.*] **5.** Confusão ou transformação de palavras parecidas. **6.** *Sociol.* Processo de interpenetração e fusão de culturas (tradições, sentimentos, estilos de vida) em um tipo cultural comum. ◆ **Assimilação clorofiliana.** *Biol. Ger.* V. *fotossíntese.* **Assimilação do carbono.** *Biol. Ger.* V. *fotossíntese.* **Assimilação genética.** *Biol.* Fixação genética por seleção, de um caráter evocado pelo meio.

assimilado. [Part. de *assimilar.*] *Adj.* **1.** Que sofreu assimilação. **2.** Em que ocorreu assimilação (4): enteado *é forma assimilada do antigo* anteado.

assimilador (ô). *Adj.* **1.** Que produz assimilação; assimilativo. ● *S. m.* **2.** Aquele ou aquilo que assimila.

assimilar. [Do lat. *assimilare.*] *V. t. d.* **1.** Tornar semelhante, ou igual; assemelhar. **2.** Apropriar-se, compenetrar-se de (idéia, sentimento, etc.): *assimilar o estilo dum escritor.* **3.** Compenetrar-se de; fixar, apreender, aprender (idéias, ensinamentos): *Este aluno não assimila o que lhe ensinam.* **4.** *Fisiol.* Elaborar a assimilação de; converter em substância própria. **5.** *Gram.* Dar lugar à assimilação [q. v.] de: *Na passagem do lat.* nostru *ao port.* nosso, *o s assimilou o t. T. d. e i.* **6.** Tornar semelhante; assemelhar. **7.** Comparar; cotejar. *P.* **8.** Tornar-se semelhante ou igual; assemelhar-se.

assimilativo. *Adj.* **1.** Assimilador (1). **2.** Referente à assimilação: *processo assimilativo.*

assimilável. *Adj. 2 g.* Que pode ser assimilado.

assimilhar. *V. t. d., t. d. e i.* e *p.* V. *assemelhar.*

assímptota. *S. f. Geom. Anal.* Assíntota [q. v.].

assimptótico. *Adj.* Assintótico [q. v.].

assinação. [Do lat. *assignatione.*] *S. f.* **1.** Ato de assinar; assinatura. **2.** *Jur.* Notificação de um ato prestes a praticar-se; citação, notificação. **3.** *Jur.* Determinação, consignação.

assinado. [Part. de *assinar.*] *Adj.* **1.** Em que há assinatura. **2.** Que tem promessa de pagamento ou quitação. ~ V. *conta* —a. ● *S. m.* **3.** Documento autenticado com assinatura.

assinalação. *S. f.* Assinalamento (1).

assinalado. [Part. de *assinalar.*] *Adj.* **1.** Que tem ou leva sinal; marcado. **2.** Que se assinalou, distinguiu; célebre, notável: *varão assinalado.* **3.** Diz-se do gado marcado com assinalamento.

assinalador (ô). *Adj.* **1.** Que assinala; assinalativo. ● *S. m.* **2.** Aquele que assinala.

assinalamento. *S. m.* **1.** Ato de assinalar(-se); assinalação. **2.** Recorte na orelha de um animal, pelo qual se sabe a que fazenda ele pertence. [Sin., nesta acepç., em Marajó: *bico-de-gavião.*]

assinalar. [De *as-*[1] + *sinal* + *-ar*[2].] *V. t. d.* **1.** Marcar com sinal; pôr sinal em; assinar. **2.** Dar sinal, indício, notícia ou conhecimento de: *Um cruzeiro assinala o local do desastre.* **3.** Distinguir, ilustrar, marcar: *acontecimento que assinala uma época.* **4.** Particularizar, especificar. **5.** Marcar (o gado) por meio de recortes. *Transobj.* **6.** Dar a conhecer; distinguir: *O cabelo muito louro assinalava-o como estrangeiro. P.* **7.** Mostrar-se, surgir, aparecer: *Já o Sol assinalava-se no horizonte.* **8.** Distinguir-se, salientar-se, notabilizar-se, sobressair, assinar-se: *Assinala-se pela sua inteligência;* "Logo o grande Pereira em que se encerra / Todo o valor, primeiro se assinala" (Luís de Camões, *Os Lusíadas*, IV, 30).

assinalativo. *Adj.* Assinalador (1).

assinalável. *Adj. 2 g.* Que se pode ou deve assinalar.

assinante. [Do lat. *assignante.*] *S. 2 g.* Pessoa que assina; subscritor.

assinapse. [De *as-*[3] + *sinapse.*] *S. f. Citol.* Falta de emparelhamento de cromossomos homólogos na meiose; assíndese.

assinar. [Do lat. *assignare.*] *V. t. d.* **1.** Firmar com seu nome ou sinal (carta, documento, obra, etc.); firmar: *assinar uma escritura.* **2.** Firmar em carta, documento, etc. (o nome); assinar-se: "Seu pai [de Isaac Newton], um pequeno proprietário que não sabia sequer assinar o nome, havia morrido três meses antes." (Ronaldo Rogério de Freitas Mourão, *Astronomia e Astronáutica*, p. 16.) **3.** Marcar com sinal; pôr sinal em; assinalar. **4.** Apontar, mostrar, indicar: *Assinaram razões pouco convincentes.* **5.** Aprazar, fixar: *Assinou a data que lhe convinha.* **6.** Demarcar, delimitar: *Assinou o local da construção.* **7.** Tomar uma assinatura de (publicação periódica); ser assinante de. **8.** Imprimir sua marca, desenho ou modelo em: "Cardin assina lençol paulista." (*Jornal do Brasil*, 31.8.1982.) *T. d. e i.* **9.** Destinar, estabelecer, aplicar (rendas). **10.** Atribuir, conferir, conceder: *Assinou-lhe as honrarias a que faz jus.* **11.** Demarcar, delimitar: *Assinaram um prazo aos colaboradores. Int.* **12.** Escrever em documento próprio sinal ou nome. *P.* **13.** Subscrever o próprio sinal ou nome em documento. **14.** V. *assinalar* (8).

assinatura. *S. f.* **1.** Ato ou efeito de assinar. **2.** O nome escrito; firma. **3.** Ajuste pelo qual se adquire, mediante o pagamento de certa quantia, o direito de receber, durante um tempo determinado, um jornal, revista ou outra publicação periódica, uma obra em fascículos ou volumes, ou de assistir a certo número de espetáculos, de viajar de trem ou outro veículo, etc.: subscrição. **4.** O preço desse ajuste. **5.** Emolumentos pagos a magistrado por firmar certos papéis. **6.** Marca, desenho ou modelo próprio de alguém: *Este vestido tem a assinatura de Kenzo.* **7.** *Grav.* Conjunto de indicações gravadas em talho-doce, xilogravura ou litografia, esclarecedoras dos nomes dos respectivos artistas e artesãos, e, no caso do talho-doce, das atribuições de cada um no trabalho de gravar e estampar. **8.** *Bibliog.* Número ou letra, ou o título da obra, que se põe no pé da primeira página de cada um dos cadernos de um livro, para indicar a ordem em que devem ser alçados. [V. *norma.*] ◆ **Assinatura a rogo.** Assinatura aposta por alguém em documento a que é estranho, a pedido de pessoa analfabeta ou fisicamente impossibilitada de fazê-lo. **Tomar assinatura com.** *Bras. Fam.* Caçoar constantemente de, ou implicar com (alguém), não o deixando em paz.

assinável. *Adj. 2 g.* Que pode ser assinado.

assíncrono. *Adj.* ~ V. *transmissão* —a.

assindese. *S. f. Citol.* Assinapse.

assindético. *Adj.* Em que há assíndeto. [Cf. *sindético* e *polissindético.*] ~ V. *coordenação* —a.

assíndeto. [Do gr. *asyndeton*, 'disjunção' pelo lat. *asyndeton;* var. de *assíndeton.*] *S. m.* Ausência de conjunções coordenativas entre frases ou entre partes da mesma frase. Ex.: *Cheguei, vi, venci; É homem rico, simpático, inteligente.* [F. paral.: *assíndeton.* Cf. *polissíndeto* e *síndeto.*]

assíndeton. *S. m.* V. *assíndeto.*

assinergia. [De *as-*[3] + *sinergia.*] *S. f. Med.* Falta de coordenação entre partes do organismo que normalmente funcionam em harmonia.

assinérgico. *Adj.* Relativo à assinergia.

assinótico. *Adj. Mús. Eletrôn.* Diz-se da concepção sonora que se libertou do antigo conceito da série de sons limitada às doze notas da escala cromática.

assintático. [De *as-*[3] + *sintático.*] *Adj.* Oposto à sintaxe; não sintático.

assintomático. [De *as-*[3] + *sintomático.*] *Adj.* Em que não se apresenta(m) sintoma(s); não sintomático.

assíntota. [Do gr. *asymptotas*, 'que não pode coincidir'; var. de *assímptota.*] *S. f. Geom. Anal.* Tangente a uma curva no infinito; reta limite da família de tangentes a uma curva quando o ponto de tangência tende para o infinito.

assintótico. [Var. de *assimptótico.*] *Adj.* Referente à assíntota. ~ V. *cone* —.

assinzinho. *Adv. Bras. Pop.* Exatamente assim; tal qual: "Contei esta história ao Dr. Amadeu, assinzinho como estou contando agora." (Rute Guimarães, *Água Funda*, p. 199.)

assírio. [Do gr. *assyrios*, 'assírio', pelo lat. *assiriu.*] *Adj.* **1.** Da, ou pertencente ou relativo à antiga Assíria (Ásia, no atual Iraque), ou à sua civilização. ● *S. m.* **2.** O natural ou habitante da Assíria. **3.** A língua semítica dos assírios. V. *semítico* (3).

assiriologia. [De *assírio* + *-log(o)-* + *-ia.*] *S. f.* O estudo da civilização assíria.

assiriológico. *Adj.* Referente à assiriologia.

assiriologista. *S. 2 g.* Especialista em assiriologia; assiriólogo.

assiriólogo. *S. m.* Assiriologista.

assisado. [De *as-*[1] + *siso* + *-ado*[1].] *Adj.* Que tem siso; ponderado, prudente, sensato, ajuizado, sisudo.

assis-brasilense. *Adj. 2 g.* **1.** De, ou pertencente ou relativo a Assis Brasil (AC). ● *S. 2 g.* **2.** Natural ou habitante de Assis Brasil. [Pl.: *assis-brasilenses.*]

assisense. *Adj. 2 g.* **1.** De, ou pertencente ou relativo a Assis (Itália e SP). ● *S. 2 g.* **2.** Natural ou habitante de Assis. [Cf. *assiense.*]

assísmico. *Adj. Geol.* Que não apresenta abalos sísmicos, ou os apresenta fracos.

assistemático. [De *as-*[3] + *sistemático.*] *Adj.* Que não tem, ou em que não há sistema; não sistemático: "(Getúlio [Vargas] só tinha velhas leituras, superficiais e assistemáticas)" (Afonso Arinos de Melo Franco, *A Alma do Tempo*, pp. 377-378).

assistência. [Do lat. *adsistentia.*] *S. f.* **1.** Ato ou efeito de assistir. **2.** Presença atual. **3.** Conjunto de assistentes [v. *assistente* (2)]. **4.** Proteção, amparo, arrimo: *Não dá a menor assistência aos filhos.* **5.** Auxílio, ajuda: *Vim ver se a minha assistência é necessária para o fim do trabalho.* **6.** Socorro médico: *Morreu por falta de assistência.* **7.** *Jur.* Intervenção de terceiros em um processo, com o fim de auxiliar uma das partes litigantes, em cujo ganho de causa tenham legítimo interesse. [Cf. *intervenção de terceiro.*] **8.** *Jur.* Intervenção da vítima, ou de seus representantes legais, no processo penal, a fim de auxiliar a acusação pública. **9.** Intervenção de pessoas legalmente autorizadas em certos atos daqueles que têm relativa capacidade civil, para lhes suprir a deficiência. [Cf. *autorização* e *representação.*] **10.** *Bras.* V. *ambulância* (3). **11.** *Bras.* Hospital de pronto-socorro; pronto-socorro. ◆ **Assistência judiciária.** *Jur.* Benefício concedido àqueles que não podem demandar, ou defender-se em juízo, por falta de meios econômicos, e que consiste em não pagar, nem as custas, nem as despesas e honorários do advogado. **Assistência pública.** Serviço especializado para atendimento rápido em casos de perigo, ou para prestação de primeiros socorros. **Assistência social.** Serviço gratuito, de natureza diversa, prestado aos membros da comunidade social, atendendo às necessidades daqueles que não dispõem de recursos suficientes.

assistencial. *Adj. 2 g.* **1.** Relativo a assistência. **2.** Em que há assistência. ~ V. *direito* —.

assistente. [Do lat. *adsistente.*] *Adj. 2 g.* **1.** Que assiste ou dá assistência. ● *S. 2 g.* **2.** Pessoa presente a um ato, cerimônia, etc. **3.** Pessoa que dá assistência a doente ou moribundo. **4.** Adjunto ou auxiliar de professor, médico, etc. **5.** Morador, residente.

assistida. [Fem. de *assistido.*] *Adj. (f). Bras.* Diz-se da mulher acompanhada e auxiliada no parto pela parteira.

assistido. [Part. de *assistir.*] *Adj.* **1.** Socorrido, ajudado. **2.** Diz-se daquele que, não tendo plena capacidade civil, depende de assistência. ● *S. m.* **3.** Indivíduo assistido (2).

assistir. [Do lat. *adsistere.*] *V. t. i.* **1.** Estar presente; comparecer: *Assisti a um bom filme.* **2.** Ver, testemunhar; notar, observar: *Assistiu indiferente à cena;* "E eu assistira, dia e noite, a esta agonia." (Camilo Castelo Branco, *No Bom Jesus do Monte*, p. 14). **3.** Residir, morar; habitar: *Assiste em Brasília;* "um arraial de mais de uma centena de casas, ... onde assistia uma população mesclada" (Afrânio Peixoto,

Maria Bonita, p. 55); "Eu separo o reinol de outro mineiro: / Quem no Brasil assiste é brasileiro" (Domingos Carvalho da Silva, *Liberdade Embora Tarde*, p. 14). [Nesta acepç., é hoje m. us. popularmente.] **4.** Estar, permanecer. **5.** Auxiliar, ajudar; socorrer; favorecer: *Assiste aos pobres com humildade exemplar.* **6.** Acompanhar, principalmente em ato público, na qualidade de ajudante, assistente ou assessor: *Os chefes da Casa Civil e da Casa Militar assistiram ao Presidente da República na inauguração da rodovia.* **7.** Acompanhar (enfermo, moribundo, parturiente, etc.) para prestar-lhe conforto moral ou material. **8.** *P. ext. Bras.* Servir de parteira; partejar. *T. d.* **9.** Acompanhar (enfermo, moribundo, parturiente, etc.) para prestar-lhe conforto moral ou material. *T. d. e i.* **10.** Acompanhar, principalmente em ato público, na qualidade de ajudante, assistente ou assessor: *O secretário assistia brilhantemente ao Ministro na assinatura do acordo internacional. Int.* **11.** Estar presente; comparecer. [Na acepç. de 'estar presente' não admite o pronome *lhe(s)*, mas apenas as f. analíticas, a *ele(s)*, a *ela(s)*: "Lá vão, lá vão os frades celebrar um auto! Não serei eu que assista a ele" (Alexandre Herculano, *Lendas e Narrativas*, I, p. 256); "Não morreu sem ter uma conferência particular com os dous filhos, — tão particular, que nem o marido assistiu a ela." (Machado de Assis, *Esaú e Jacó*, p. 353); "A cerimônia foi celebrada debaixo desta impressão. / Assistiram a ela todos os amigos da casa." (Machado de Assis, *Contos sem Data*, p. 93). [Nota-se no Brasil viva tendência para o emprego do verbo em tal acepç., como transitivo direto: *Assistiu a reunião*; "Mas não mostres a tua decadência / Ao mundo que assistiu teu esplendor!" (Raul de Leoni, *Luz Mediterrânea*, p. 81); "Não assistiremos o filme de Sabu" (Osmã Lins, *Nove, Novena*, p. 54); "ia à Estação, assistia a chegada e a partida dos comboios." (L. Lavenère, *O Padre Cornélio*, p. 43); "Mas foram felizes no resto dos dias e ainda assistiram os meninos ficarem homens" (José Sarney, *Norte das Águas*, p. 46). Imperf. ind.: *assistia*, etc. Cf. *acistia*.]

assistolia. [De *as-*^{3} + *sístole* + *-ia.*] *S. f. Patol.* Sístole imperfeita ou incompleta. [Seria melhor o t. *dissistolia*, que, porém, não é us.]

assistólico. *Adj.* Relativo à assistolia.

assitia. [Do gr. *asitía*.] *S. f.* **1.** Abstinência forçada. **2.** Inapetência.

assoalhado^{1}. [Part. de *assoalhar*^{1}.] *Adj.* Que tem soalho; soalhado.

assoalhado^{2}. [Part. de *assoalhar*^{2}.] *Adj.* **1.** Que esteve exposto ao sol. **2.** *Fig.* Divulgado, propalado.

assoalhador^{1} (ô). [De *assoalhar*^{1}.] *Adj.* e *s. m.* Que, ou aquele que assoalha, que prega as tábuas de soalho.

assoalhador^{2} (ô). [De *assoalhar*^{2}] *S. m.* Aquele que assoalha.

assoalhadura^{1}. *S. f.* Assoalhamento^{1}.

assoalhadura^{2}. *S. f.* Assoalhamento^{2}.

assoalhamento^{1}. *S. m.* Ação ou efeito de assoalhar^{1}; assoalhadura.

assoalhamento^{2}. *S. m.* Ato ou efeito de assoalhar^{2}; assoalhadura.

assoalhar^{1}. [De *as-*^{1} + *soalhar*^{2}.] *V. t. d.* **1.** Unir ou pregar as tábuas do sobrado ou soalho de (pavimento, estrado, etc.); estradar, sobradar. **2.** Cobrir à maneira de soalho. [F. paral.: *soalhar*.]

assoalhar^{2}. [De *as-*^{2} + *soalhar*^{3}.] *V. t. d.* **1.** Expor ao sol; soalhar. **2.** Expor, mostrar. **3.** *Fig.* Tornar público; divulgar, propalar (o que era secreto ou íntimo): *Por mais que fosse prevenido, não tardou a assoalhar a notícia do noivado desfeito.* **4.** Ostentar; alardear: *assoalhar riquezas. P.* **5.** Expor-se ao sol. **6.** Mostrar-se em público; ostentar-se. **7.** Vangloriar-se, jactar-se.

assoalho. [De *as-*^{2} + *soalho*.] *S. m.* Soalho^{1}.

assoante. [Do lat. *assonante.*] *Adj. 2 g.* Assonante. ~ V. *assoantes.*

assoantes. [Pl. de *assoante*.] *S. f. pl. Gram.* Palavras que, tendo embora a mesma vogal da sílaba tônica, diferem pelas consoantes que se lhes seguem. ~ V. *assoante.*

assoar. [De *as-*^{2} + *soar*.] *V. t. d.* **1.** Limpar (o nariz) de mucosidade. *P.* **2.** Limpar-se do muco nasal, fazendo sair o ar com força pelas narinas: "fungou, tossiu, escarrou, assoou-se com estrépito" (José Rodrigues Miguéis, *Onde a Noite Se Acaba*, p. 19). [Conjug.: v. *coroar*. Part.: *assoado*, fem. *assoada*. Cf. *assuada* e *assuar*.]

assoberbado^{1}. [De *as-*^{1} + *soberbo* + *-ado*^{1}.] *Adj.* Que tem modos soberbos; altivo, arrogante.

assoberbado^{2}. [Part. de *assoberbar*^{2}.] *Adj.* **1.** Sobrecarregado de serviço; abarbado. **2.** Cheio; sobrecarregado.

assoberbador (ô). [De *assoberbar*^{2}.] *Adj.* Assoberbante.

assoberbamento. [De *assoberbar*^{2}.] *S. m.* Ato ou efeito de assoberbar(-se).

assoberbante. [De *assoberbar*^{2}.] *Adj. 2 g.* Que assoberba; assoberbador.

assoberbar^{1}. [De *as-*^{1} + *soberba* + *-ar*^{2}.] *V. t. d.* **1.** Tratar com soberba, desprezo ou arrogância; humilhar, vexar. **2.** Estar, ser ou ficar sobranceiro a: *A sua influência assoberbava a do chefe do governo.* **3.** Tornar orgulhoso; ensoberbecer: *O enriquecimento súbito assoberbou-o.* **4.** Dominar, abater, oprimir, vexar: *Aquele peso no coração o assoberbava*; "Uma enorme sede de luzir, de parecer grande, de dominar, o assoberbava ultimamente, fazendo-o esquecer-se de tudo e de todos, para só cuidar do seu nome." (Aluísio Azevedo, *O Coruja*, p. 222). *Int.* **5.** Portar-se com soberba. *P.* **6.** Tornar-se orgulhoso; ensoberbecer-se.

assoberbar^{2}. [De *as-*^{1} + *sobarba* +'*-ar*^{2}, com dissimilação, por infl. de *assoberbar*^{1}.] *V. t. d.* Abarbar, sobrecarregar de serviço.

assobia-cachorro. [De *assobiar* + *cachorro*.] *S. m. Bras., RJ.* V. *japacanim* (2). [Pl.: *assobia-cachorros*. Var.: *assovia-cachorros.*]

assobiada. [Fem. substantivado de *assobiado*.] *S. f.* Vaia ou apupada por meio de assobios. [Var.: *assoviada*.]

assobiadeira^{1}. [Fem. substantivado do adj. *assobiador*.] *S. f. Bras., MT.* V. *irerê*. [Var.: *assoviadeira*.]

assobiadeira^{2}. *S. f. Bras., RJ.* F. red. de *marreca-assobiadeira*. [Var.: *assoviadeira*.]

assobiado. [Part. de *assobiar*.] *Adj.* **1.** Corrido ou vaiado a assobios; apupado. **2.** Imitado ou executado a assobio (1). [Var.: *assoviado*.]

assobiador (ô). *Adj.* **1.** Que assobia; assobiante. ● *S. m.* **2.** Aquele que assobia. **3.** *Bras.* V. *japacanim* (2). **4.** *Bras., RJ.* Ave passeriforme da família dos cotingídeos (*Tijuca atra* Fer.), das matas da Serra do Mar. A coloração do macho é preta, com manchas amarelas nas asas, e o bico alaranjado; a fêmea é toda verde-escura. [Sin.: *chibante, saudade, tiju, tijuca*.] **5.** *Bras., RS.* V. *borralhara*. [Var.: *assoviador*.]

assobiante. *Adj. 2 g.* Assobiador (1). [Var.: *assoviante.*]

assobiar. [Do lat. *assibilare*.] *V. int.* **1.** Dar assobio(s): *Saiu daqui alegre, assobiando.* **2.** Zunir com um som agudo, semelhante ao do assobio; sibilar, silvar: *O vento assobiava na noite tempestuosa*; "Bate, arrebenta, assobia, / Retumba, estrondeia o mar." (Raimundo Correia, *Poesias*, p. 273); "As rajadas assobiavam nas vigas do hotel francês." (Camilo Castelo Branco, *A Mulher Fatal*, p. 33). **3.** Trinar (a ave): "E vê o melro, a assobiar, na eira, / Em cima do seu velho chapéu alto!" (Guerra Junqueiro, *A Velhice do Padre Eterno*, p. 157). *T. d.* **4.** Executar assobiando (música ou trecho de música): *assobiar um samba, uma ária.* **5.** Dar, soltar, desferir, como assobio (1 ou 2): "xexéus assobiando / gargalhadas finas" (Odilo Costa, filho, *Cantiga Incompleta*, p. 14). **6.** Exprimir, emitir, lançar, à maneira de assobio: "Muito tempo um melro nos seguiu, de azinheiro a olmo, assobiando os nossos louvores." (Eça de Queirós, *A Cidade e as Serras*, p. 206). **7.** Apupar a assobios; vaiar: *O público, irritado, assobiou a peça.* [Var.: *assoviar*.]

assobio. [Dev. de *assobiar*.] *S. m.* **1.** Som agudo produzido pelo ar comprimido entre os lábios. **2.** Silvo agudo (de algumas aves, de serpente, do vento); sibilo. **3.** Apito (2). [Var.: *assovio*.]

assobradar. [De *as-*^{1} + *sobrado* + *-ar*^{2}.] *V. t. d.* **1.** Pôr pavimento de sobrado em; ensobradar. *Int.* **2.** Fazer sobrado.

associabilidade. *S. f.* Qualidade de associável.

associação. *S. f.* **1.** Ato ou efeito de associar(-se). **2.** Combinação, união. **3.** V. *sociedade* (7). **4.** Liga, organização: *A Associação de Pais daquele colégio era das mais atuantes.* **5.** *Biol. Ger.* Conjunto das espécies animais ou vegetais que vivem no mesmo hábitat. **6.** *Estat.* Dependência estatística entre dois atributos qualitativos, que pode ser medida ou evidenciada pela observação da presença ou da ausência, simultâneas, dos atributos em um mesmo membro duma população. **7.** *Gen.* Fase da ligação fatorial em que os dois recessivos ou os dois dominantes estão nos cromossomos homólogos. **8.** *Psicol.* Estabelecimento de relações funcionais entre estados e atividades psíquicas, no decurso da experiência individual. ◆ **Associação de estrelas.** *Astr.* Expressão criada pelo astrônomo russo Victor Amazaspovitch Ambarzumian (1908), para designar grupos de estrelas, extensos e de fraca densidade espacial, cujos membros se distinguem por suas características físicas e distribuição em uma região do céu.

associacionismo. *S. m.* **1.** *Filos.* Doutrina segundo a qual os princípios do conhecimento não derivam do espírito em geral, mas se formam na experiência, por associação de idéias. **2.** *Psicol.* Teoria que reduz todas as manifestações da vida mental a um jogo de associações entre os estados psíquicos.

associacionista. *Adj. 2 g.* **1.** Referente ao, ou que é partidário do associacionismo. ● *S. 2 g.* **2.** Partidário dele.

associado. [Part. de *associar*.] *Adj.* **1.** Que se associou. **2.** V. *coligado* (2). ~ V. *números* —s. ● *S. m.* **3.** Sócio (1 a 4). **4.** V. *coligado* (3).

associar. [Do lat. *associare*.] *V. t. d.* **1.** Agregar, unir, ajuntar (duas ou mais coisas ou pessoas). **2.** Reunir em sociedade; unir. **3.** *Mat.* Estabelecer uma correspondência entre (dois conjuntos). **4.** *Mat.* Reunir num só conjunto (dois ou mais membros de um conjunto), segundo uma norma determinada. *T. d. e i.* **5.** Juntar, unir, aliar, agregar: *Associou seu nome ao dos demais assinantes.* **6.** Tomar como sócio. **7.** Fazer partilhar: *Quis associá-lo à sua alegria, convidando-o para a festa. P.* **8.** Reunir-se em sociedade; tornar-se sócio. **9.** Ajuntar-se, unir-se, reunir-se: *Associaram-se aos moradores do lugar, nos festejos populares.* **10.** Compartir, partilhar, compartilhar: *Declarou que se associava à dor do amigo por aquela perda*; "Era uma mulher de uma beleza extrema e de uma graça encantadora que .... vinha todos os dias associar-se a nossos folguedos" (Casimiro de Abreu, *Obras*, p. 407). **11.** Contribuir para; cooperar.

associatividade. [De *associativo* + *-i-* + *-dade*.] *S. f. Mat.* Propriedade de uma operação efetuada entre os elementos de um conjunto, e cujo resultado independe da maneira por que eles se associam.

associativo. *Adj.* **1.** Dado a associação. **2.** Relativo a associação. ~ V. *operação* —*a*.

associável. *Adj. 2 g.* Que pode ser associado.

associonismo. *S. m. Bras.* Influência ou predomínio dos princípios associativos.

assolação. *S. f.* Ato ou efeito de assolar; devastação, destruição, assolamento.

assolador (ô). *Adj.* e *s. m.* Que ou aquele que assola.

assolamento. *S. m.* V. *assolação.*

assolapador (ô). *Adj.* e *s. m.* Que ou aquele que assolapa; solapador.

assolapar. [De *a-*^{2} + *solapa* + *-ar*^{2}.] *V. t. d.* e *p.* V. *solapar.*

assolar. [Do lat. *assolare*.] *V. t. d.* **1.** Arrasar; devastar; talar; destruir, arruinar: *Os árabes assolaram a Península Ibérica no século VIII; A peste assolou a população da região alagada.* **2.** Pôr em grande consternação; afligir, agoniar: *Aquele infortúnio assolou toda a família.* [Cf. *açular*.]

assoldadar. [De *as-*^{1} + *soldada* + *-ar*^{2}.] *V. t. d.* **1.** Ajustar por soldada; alistar a soldo; assalariar. *P.* **2.** Pôr-se a serviço de alguém, mediante soldo ou soldada; assalariar-se, alistar-se.

assoleado. [Part. de *assolear*.] *Adj. Bras.* Diz-se do animal cansado, arquejante, por haver andado ou trabalhado muito ao sol quente. [Tb. se aplica a pessoas.]

assoleamento. *S. m. Bras., S.* Ato ou efeito de assolear(-se).

assolear. [Do esp. plat. *asolearse*.] *V. int.* e *p. Bras., S.* Cansar-se (animal e, p. ext., pessoa) por haver andado muito ao sol. [Conjug.: v. *frear*.]

assomada. *S. f.* **1.** Ato ou efeito de assomar(-se). **2.** Cumeada, cume cabeço: "Já das assomadas raia / O clarão dilucular" (Manuel Bandeira, *Estrela da Vida Inteira*, p. 26). **3.** Auge, apogeu, ápice: *assomada da glória.*

assomadiço. *Adj.* Diz-se do indivíduo que se encoleriza ou irrita facilmente; irascível, arrebatado, assomado: "Pouco dado a cortesanias, acaso de gênio assomadiço, chegou [Camões] a ferir um servidor do Paço" (Aires da Mata Machado Filho, *Camões, Épico*, p. 6).

assomado. [Part. de *assomar*.] *Adj.* **1.** Que se assoma; irritável, colérico: "Que iria fazer Alberto Torres? Sabemos que não é homem impetuoso, nem assomado." (Barbosa Lima Sobrinho, *Presença de Alberto Torres*, p. 145.) **2.** *Bras.* Espantadiço, assustadiço.

assomar. [De *as-*^{1} + lat. *summu*, 'sumo, o mais alto', + *-ar*^{2}.] *V. t. i.* **1.** Subir a lugar elevado ou extremo: *Com a inundação o povo assomou aos montes.* **2.** Aparecer em ponto alto ou extremo: *A multidão, na praça, aguardava que o presidente assomasse à sacada do palácio.* **3.** Mostrar-se, manifestar-se, revelar-se; aparecer: *A grande mágoa lhe assomava à face.* **4.** Vir à mente; ocorrer, surgir. *Int.* **5.** Começar a mostrar-se; aparecer, surgir: "Estava eu .... na minha Repartição,

.... quando vi *assomar* perto da minha mesa de amanuense o vulto simpático do amigo Pizarro." (Artur Azevedo, *Contos Possíveis*, p. 10); *Quando o dia assomava, já o encontrava de pé. T. d.* **6.** Açular, irar, assanhar, enfurecer: *Cuidaram de não assomar os cães. P.* **7.** Deixar-se ver; mostrar-se, aparecer (de um ponto elevado). **8.** Irar-se, irritar-se, enfurecer-se. **9.** Animar-se com a bebida. [Cf. *açumar*, top.]

assombração. [De *assombrar* + *-ção*.] *S. f. Bras.* **1.** Terror proveniente de causa inexplicável. **2.** Pavor motivado pelo encontro ou aparição imaginária de coisas sobrenaturais. **3.** V. *fantasma* (3). [Sin. ger.: *assombramento*.]

assombradiço. *Adj.* Que se assombra com facilidade; assustadiço.

assombrado. [Part. de *assombrar*.] *Adj.* **1.** Coberto de sombra; sombrio: *Um recanto assombrado, muito aprazível em dias de canícula.* **2.** Cheio de assombro; espantado, admirado. **3.** Apavorado; aterrorizado. ● *S. m.* **4.** Lugar onde aparecem assombrações.

assombramento. *S. m.* V. *assombração*.

assombra-pau. [De *assombrar* + *pau*.] *S. m. Bras.* V. *cangaceiro*. [Pl.: *assombra-paus*.]

assombrar. [De *as-*^{1} + *sombra* + *-ar*^{2}.] *V. t. d.* **1.** Fazer sombra a; ensombrar, obumbrar, toldar. **2.** Tornar sombrio, lúgubre, triste: *A tristeza assombrava a face das crianças.* **3.** Encher de assombro, de espanto; assustar, atemorizar, aterrar, espantar. *O pio agourento da coruja assombrava os hóspedes.* **4.** Encher de assombro ou de admiração; maravilhar: *A beleza do lugar assombrava -os.* **5.** Desmerecer em; apoucar, amesquinhar: *Não quis assombrar os méritos do irmão. Int.* **6.** Causar assombro, espanto, admiração; maravilhar: *O seu gênio criador assombra.* **7.** Causar assombro, abalo, susto, terror; atemorizar, estarrecer: *As profundezas abissais assombravam. P.* **8.** Cobrir-se de sombra: *As encostas da colina assombram-se.* **9.** Admirar-se, maravilhar-se. **10.** Assustar-se, espantar-se, sobressaltar-se, aterrar-se.

assombreamento. *S. m.* Ato ou efeito de assombrear; sombreamento.

assombrear. [De *as-*^{1} + *sombra* + *-ear*.] *V. t. d.* V. *sombrear* (1 e 6): "as duas altas figueiras *assombreando* o pátio" (Eça de Queirós, *A Cidade e as Serras*, p. 200). [Conjug.: v. *frear*.]

assombro. [Dev. de *assombrar*?] *S. m.* **1.** Admiração estranha, espanto, maravilha, terror. **2.** Pessoa ou coisa que produz espanto, admiração ou terror, etc.: *Que homem inteligente! é um assombro; A memória de Paulo é um assombro.* **3.** V. fantasma (3).

assombroso (ô). *Adj.* Que produz assombro.

assomo. [Dev. de *assomar*.] *S. m.* **1.** Ato de assomar ou aparecer. **2.** Indício, aparência. **3.** Suspeita, presunção. **4.** Irritação, agastamento, zanga. **5.** *Ter.* Feto monstruoso, de cabeça imperfeita e tronco rudimentar.

assonância. [Do lat. *assonantia*.] *S. f. Fon.* **1.** Conformidade ou aproximação fonética entre as vogais tônicas de palavras diferentes. **2.** Semelhança de sons.

assonante. [Do lat. *assonante*.] *Adj. 2 g.* Em que há assonância; assoante.

assonorentado. *Adj.* Sonolento (1).

assonsado. [De *as-*^{1} + *sonso* + *-ado*^{1}.] *Adj. Bras., SP. Pop.* V. *tolo* (1 a 3).

assonsar. *V. int. Bras., S.* **1.** Abombar um pouco. *P.* **2.** Cansar-se ligeiramente (o cavalo).

assopradela. *S. f.* Ato de soprar ligeiramente.

assoprado. [Part. de *assoprar*.] *Adj.* **1.** Em que se introduziu ar por meio de sopro. **2.** Cheio; inchado. **3.** *Fig.* Enfatuado, vaidoso.

assoprador (ô). *S. m.* **1.** Aquele que assopra. **2.** *Fig.* Instigador, incitador. **3.** *Bras., MT.* V. *peixe-boto*.

assopradura. *S. f.* V. *sopro* (1 a 3).

assopramento. *S. m.* V. *sopro* (1 a 3).

assoprar. [De *as-*^{2} + *soprar*.] *V. t. d., t. d. e i. int.* V. *soprar*: "Chico foi ao fogo arranjado no chão, deitou-lhe uns gravetos, *assoprou* e logo uma chama viva ergueu-se" (Vieira Pires, *Querência*, p. 39); "o brando norte *assopra*" (Tomás Antônio Gonzaga, *Marília de Dirceu*, p. 86). [Pres. ind.: *assopro*, etc. Cf. *assopro* (ô).]

assopro (ô). *S. m.* V. *sopro* (1 a 3). [Pl.: *assopros* (ô). Cf. *assopro*, do v. *assoprar*.]

assoreamento. [De *assorear* + *-mento*.] *S. m.* Obstrução, por areia ou por sedimentos quaisquer, de um rio, canal ou estuário, geralmente em conseqüência de redução da correnteza.

assorear. [De *as-*^{1} + *-so-* + *arear*.] *V. t. d.* **1.** Produzir assoreamento em. *Int. e p.* **2.** Ter ou criar assoreamento. [Conjug.: v. *frear*.]

assossegar. [De *as-*^{1} + *sossego* + *-ar*^{2}.] *V. t. d., int. e p.* V. *sossegar*. [Conjug.: v. *regar*. Pres. ind.: *assossègo*, etc. Cf. *assossego* (ê).]

assossego (ê). [De *as-*^{2} + *sossego*.] *S. m.* Sossego. [Pl.: *assossegos* (ê). Cf. *assossego*, do v. *assossegar*.]

assovelado. [De *as-*^{1} + *sovela* + *-ado*^{1}.] *Adj.* Em forma de sovela.

assovelar. [De *as-*^{1} + *sovela* + *-ar*^{2}.] *V. t. d.* **1.** Dar forma de sovela a. **2.** Picar ou furar com sovela. **3.** *Fig.* Espicaçar, instigar, incitar, estimular. **4.** *Fig.* Irritar, atormentar; impacientar.

assovia-cachorro. [De *assoviar* + *cachorro*.] *S. m. Bras., GO.* Var. de *assobia-cachorro*. [Pl.: *assovia-cachorros*.]

assoviada. *S. f.* Var. de *assobiada*.

assoviadeira. [Fem. de *assoviador*.] *S. f.* Var. de *assobiadeira*. [q. v.].

assoviado. [Part. de *assoviar*.] *Adj.* Var. de *assobiado*.

assoviador (ô). *Adj. e s. m.* Var. de *assobiador* [q. v.].

assoviante. *Adj. 2 g.* Var. de *assobiante*.

assoviar. *V. int. e t. d.* Var. de *assobiar*.

assovinar. [De *a-*^{2} + *sovina* + *-ar*^{2}.] *V. t. d.* **1.** Picar ou furar com sovina. **2.** *Fig.* Espicaçar, estimular, instigar; assovelar. **3.** Irritar, atormentar, impacientar; assovelar. *P.* **4.** Tornar-se sovina.

assovio. *S. m.* V. *assobio*.

assovio-de-cobra. *S. m. Bras. Gír.* V. *cachaça* (1). [Pl.: *assovios-de-cobra*.]

assuã. [De *as-*^{2} + *suã*.] *S. f. Bras., SP.* Suã.

assuada. [Fem. substantivado do part. de *assuar*.] *S. f.* **1.** Reunião de gente armada para promover desordem. **2.** Desordem, motim, arruaça. **3.** Vozerio; balbúrdia. **4.** Vaia, apupo. [Cf. *assoada*, fem. de *assoado*, part. de *assoar*.]

assuanês. *Adj.* **1.** De, ou pertencente ou relativo a Assuã (Egito). ● *S. m.* **2.** O natural ou habitante de Assuã. [Flex.: *assuanesa* (ê), *assuaneses* (ê), *assuanesas* (ê).]

assuar. [Do lat. *ad* + lat. *sub* + lat. *unare*.] *V. t. d.* Insultar com vaia; vaiar, apupar. [Cf. *assoar*.]

assubstantivar. [De *as-*^{1} + *substantivo* + *-ar*^{2}.] *V. t. d. Gram.* V. *substantivar*.

assucador (ô). *S. m. Prov. lus.* Arado de duas aivecas largas de madeira.

assucar. *V. t. d. Prov. lus.* Margear (a terra) com o assucador, formando sulcos. [Conjuga-se como *trancar*. Cf. *açúcar*.]

assumi. *S. m. Bras., BA.* Jejum anual dos malês, que coincide com a festa católica do Espírito Santo, durando toda uma lunação, seguido de 60 dias de descanso e 10 de penitência.

assumido. [Part. de *assumir*.] *Adj.* **1.** Diz-se daquele que assume sua ideologia, atitudes políticas e/ou posturas existenciais: *direitista assumido.* ● *S. m.* **2.** Aquele que assume essas posições.

assumir. [Do lat. *assumere*.] *V. t. d.* **1.** Tomar sobre si ou para si; avocar: *assumir a responsabilidade dos seus atos.* **2.** Chamar a si, assumir a responsabilidade de; ficar como responsável por: *Assumiu o passivo da firma.* **3.** Entrar no exercício de: "A rainha [D. Maria I] enlouqueceu .... . Um filho, o infante D. João .... , *assumiu* o poder" (José Hermano Saraiva, *História Concisa de Portugal*, p. 259). *Assume hoje o cargo de ministro.* **4.** Adotar; tomar; ostentar: *Assumir um ar de chefe.* **5.** Vir a ter; adquirir, atingir, tomar: "as dificuldades agora *assumem* proporções alarmantes" (Rocha Pombo, *No Hospício*, p. 261). **6.** *Filos.* Admitir (5). *Int.* **7.** Dar a conhecer; considerar-se como; revelar; declarar: *assumir a negritude. Int.* **8.** Entrar no exercício de um cargo ou função: *O governador assume hoje. P.* **9.** Pôr-se ereto ou em pé; endireitar-se: "Ao primeiro rumor, Arnaldo *assumiu-se*, vibrando a fronte." (José de Alencar, *O Sertanejo*, p. 110.)

assumptível. *Adj. 2 g.* Assuntível.

assumptivo. [Do lat. *assumptivu*.] *Adj.* Assuntivo.

assunção. [Do lat. *assumptione*; var. de *assumpção*.] *S. f.* **1.** Ato e efeito de assumir. **2.** Elevação a um cargo ou dignidade. **3.** *Lóg.* Proposição ou princípio admitidos em vista das conseqüências que deles podemos tirar, abstraindo-se a sua verdade ou falsidade intrínsecas. **4.** *Rel.* Subida do corpo e alma da Virgem Maria ao Céu. **5.** *P. ext.* A representação desta subida em quadros, estampas, etc. **6.** *Rel.* Festa católica em celebração do recebimento da Virgem no Céu.

assuncionista. *S. m.* Membro de uma congregação religiosa masculina, fundada em 1843 por Manuel d'Alzon, em Nimes (França).

assungar. [De *as-*^{2} + *sungar*.] *V. t. d. Bras.* Sungar (1 e 2). [Conjug.: v. *largar*.]

assuntar. [De *assunto* + *-ar*^{2}.] *Bras. V. t. d.* **1.** Dar ou prestar atenção a; observar: "ia para a loja de seu Bernardino, ficava *assuntando* os fregueses que por ali faziam ponto" (Autran Dourado, *O Risco do Bordado*, p. 14); "De olhos sem luz, imóveis, vagos, cedo / Já me não vês, nem me ouves, nem me *assuntas*." (Da Costa e Silva, *Sangue*, p. 65). *T. i.* **2.** Prestar atenção. **3.** Considerar, meditar: *Ficou calado, assuntando no que ouvia. Int.* **4.** Escutar ou olhar; observar; espreitar: "*Assuntaram* algum tempo, mas ouviram logo outro ruído igual" (Afonso Arinos, *Pelo Sertão*, p. 131); "*Assuntei*. A noite estava turva, o céu sem lua, aqui e ali picado de estrelinhas." (Hugo de Carvalho Ramos, *Tropas e Boiadas*, p. 5). **5.** Meditar, refletir, pensar.

assuntível. [Var. de *assumptível*.] *Adj. 2 g.* Suscetível de ser assumido.

assuntivo. [Var. de *assumptivo*.] *Adj.* Que se assume.

assunto. [Do lat. *assumptu*.] *S. m.* **1.** Matéria ou objeto de que se trata. **2.** Tema versado ou por versar: "Cícero é um *assunto* sempre atual." (Múcio Leão, *Emoção e Harmonia*, p. 35.)

assurdinar-se. [De *as-*^{1} + *surdina* + *-ar*^{2} + *se*^{1}.] *V. p.* Tornar-se (som) suave, abafado, como surdina: "Estrondos *assurdinaram-se* em ruídos inaudíveis." (Gilberto Amado, *Depois da Política*, p. 199.)

assurgente. [Do lat. *assurgente*.] *Adj. 2 g.* **1.** Que surge, desponta. **2.** Que se ergue ou eleva.

assurgir. [Do lat. *assurgere*.] *V. int. e t. i. P. us.* Surgir. [Conjug.: v. *dirigir*.]

assurini. *Bras. S. 2 g.* **1.** Indivíduo dos assurinis, tribo indígena pertencente a família lingüística tupi-guarani. Somam mais de 200 pessoas e estão instalados no posto indígena Trocará, aproximadamente 25 km abaixo da cidade de Tucuruí, no rio Tocantins, no PA. Grupo já aculturado à vida nacional, mas que mantém a própria língua, sem prejuízo de um alto grau de bilingüismo. ● *Adj. 2 g.* **2.** Pertencente ou relativo aos assurinis.

assustadiço. *Adj.* Assombradiço.

assustado. [Part. de *assustar*.] *Adj.* **1.** Que se assustou; sobressaltado, amedrontado, atemorizado. **2.** Medroso, tímido. **3.** Indeciso, hesitante, vacilante. ● *S. m.* **4.** *Bras.* V. *arrasta-pé* (2).

assustador (ô). *Adj.* **1.** Que assusta; assustoso. ● *S. m.* **2.** Aquele que assusta.

assustar. [De *as-*^{1} + *susto* + *-ar*^{2}.] *V. t. d.* **1.** Dar ou meter susto a; amedrontar, atemorizar, intimidar: *a minha súbita aparição assustou-o*; "No pátio, ao pé da casa, a torre alta e vetusta, / Cuja lendária história os ânimos *assusta*" (Conde de Monsaraz, *Musa Alentejana*, p. 58). *Int.* **2.** Dar motivo de susto ou medo; causar susto ou medo: *As tuas ameaças já não assustam. P.* **3.** Ter susto ou medo; aterrar-se, atemorizar-se, intimidar-se, amedrontar-se: "Quando adivinha que vou vê-la, e à escada / Ouve-me a voz e o meu andar conhece, / Fica pálida, *assusta-se*, estremece" (Olavo Bilac, *Poesias*, p. 72); *Não te assustes, ninguém pretende fazer-te mal.*

assustoso (ô). *Adj.* Assustador (1).

astasia. [Do gr. *astasía*.] *S. f. Med.* Incapacidade de manter a postura vertical ou ereta, causada por incoordenação motora.

astático. [Do gr. *ástatos*, 'instável', + *-ico*^{2}.] *Adj.* Sem equilíbrio estável.

astatínio. *S. m. Quím.* Elemento de número atômico 85, artificial, radioativo, ainda não muito conhecido; astato. [Símb.: *At*.]

astato. *S. m. Quím.* Astatínio.

asteca. [Do esp. *azteca*.] *S. 2 g.* **1.** Indivíduo dos astecas, povo que habitava o México antes da conquista espanhola, e que possuía uma civilização em grau muito adiantado. **2.** O dialeto náuatle [q. v.], hoje extinto, falado pelos astecas; náuatle. ● *Adj. 2 g.* **3.** Pertencente ou relativo aos astecas. [Var.: *asteque*.]

asteísmo. [Do gr. *asteismós*, pelo lat. *asteismu*.] *S. m. Ret.* Expressão fina e delicada, levemente irônica, com que se disfarça o louvor sob a aparência de censura.

astenia. [Do gr. *asthéneia*.] *S. f. Med.* Fraqueza orgânica; debilidade, fraqueza: "o Dr. Filomeno historiou-lhe longamente todos os transes da sua doença, em que entravam cefaléias e insônias freqüentes, *astenia* profunda, um fastio quase que absoluto, crises de angústia e depressão" (Gastão Cruls, *Contos Reunidos*, p. 141). [Antôn.: *estenia*.]

astênico. *Adj.* **1.** Relativo à, ou que sofre de astenia. ● *S. m.* **2.** Aquele que sofre desse mal.

▲**asten(o)-.** [Do gr. *asthenés, és, es*.] *El. comp.* = 'fraqueza', 'astenia': *astenopia, astenosfera*.

astenopia. [De *asten(o)-* + *-opsi(o)-* + *-ia*.] *S. f.* **1.** *Patol.* Fraqueza ou cansaço rápido dos órgãos visuais, que se caracteriza por dor nos olhos, cefaléia, turvação da vista. **2.** Incapacidade de aplicar demoradamente a vista em objetos muito próximos.

astenópico. *Adj.* **1.** Relativo à, ou que sofre de astenopia. ● *S. m.* **2.** Aquele que sofre de astenopia.

astenosfera. [De *asten(o)-* + *-sfera.*] *S. f. Geol.* Porção interior, mais plástica, da litosfera.

asteque. *S. 2 g.* e *adj. 2 g.* V. *asteca.*

▲**aster-.** [Do gr. *astér, éros.*] *El. comp.* = 'estrela': *asterside* (< gr. *asteroeidés*). [Equiv.: *astero-* e *asteri-.*]

áster. *S. m.* **1.** *Astr. Obsol.* Estrela (1). **2.** *Citol.* Figura estrelada em volta do centrossomo, na mitose. **3.** *Citol.* Cada raio dessa figura. [Pl.: *ásteres.*]

astereômetro. [De *aster-* + *-o-* + *-metro.*] *S. m. Astr.* Astrofanômetro.

▲**asteri-.** V. *aster-.*

astéria[1]. *S. f.* Variedade de opala que apresenta asterismo.

astéria[2]. [De *aster-* + *-ia.*] *S. f.* Estrela-do-mar.

asterinóide. *Adj. Micol.* Diz-se dos fungos ectoparasitos em que o micélio se desenvolve na superfície do hospedeiro, assumindo disposição radiada.

astérion. *S. f. Astr.* Estrela pequena.

asterisco. [Do gr. *asterískos,* 'estrelinha', pelo lat. *asteriscu.*] *S. m.* Sinal gráfico em forma de estrela (*), empregado para remissão a uma nota no pé da página, ou no fim do capítulo ou do volume (podendo, nestes casos, vir entre parênteses, ou seguido de um arco de parêntese, ou isolado); para substituir um nome que não se quer mencionar (caso em que se usa em grupo de três, dispostos horizontalmente), ex.: *o Marquês* ***; para separação de períodos (podendo então ser usado simples: *, ou em grupos de três: *** ou ***); ou, ainda, como símbolo de uma convenção. [Sin.: *estrelinha.*]

asterismo. [Do gr. *asterismós,* 'constelação', pelo lat. *asterismu.*] *S. m.* **1.** *Astr.* Pequeno grupo de estrelas: *As Plêiades são um* a s t e r i s m o *na constelação do Touro.* **2.** *Geol.* Qualidade peculiar a alguns minerais, de apresentar a imagem semelhante a uma estrela.

asternal. *Adj. (f) Anat.* **1.** Que não se insere no esterno. **2.** Que não tem esterno.

▲**astero-.** V. *aster-.*

asteróide. [Do gr. *asteroidés.*] *Adj. 2 g.* **1.** Semelhante a, ou que tem forma de estrela; estrelário. **2.** Pertencente ou relativo aos asteróides [q. v.]. ● *S. m.* **3.** *Astr.* Pequeno corpo celeste que gravita em torno do Sol. A maioria dos asteróides tem órbitas entre as de Marte e Júpiter. De cerca de 2.000 conhecidos, somente um, Vesta, é visível a olho desarmado. Alguns asteróides são grupados em famílias, segundo as suas órbitas. [Sin. (nesta acepç.): *planetóide* e *pequeno planeta.*] **4.** *Geom.* V. *astróide.* **5.** Espécime dos asteróides.

asteróides. *S. m. pl. Zool.* Animais equinodermos, da classe *Asteroidea,* cujo corpo, estrelário ou pentagonal, tem de 5 até 50 braços ou raios, não separados nitidamente do disco central. Sulcos ambulacrários com duas ou quatro fileiras de tubos pediosos; ânus, quando presente, situado na face dorsal.

astigmático. *Adj.* **1.** Referente ao astigmatismo. **2.** Que tem astigmatismo. ~ V. *sistema* —. ● *S. m.* **3.** Aquele que tem astigmatismo.

astigmatismo. [De *a-*[3] + gr. *stígma, atos,* 'ponto', + *-ismo.*] *S. m. Ópt.* **1.** Aberração de um sistema óptico astigmático. **2.** Deformação na superfície da curvatura do globo ocular, de que resulta diferença no grau de refração dos diferentes meridianos e conseqüente desvio nos raios luminosos. [Pode-se formar no cristalino ou na curvatura da córnea, e corrige-se por meio de lentes cilíndricas.]

astilbe. [De *a-*[3] + gr. *stilbós,* 'esplendente'.] *S. m.* Planta ornamental, da família das saxifragáceas (*Astilbe davidii).*

astilha. *S. f.* Lasca, estilhaço, estilha. [Cf. *hastilha.*]

astolfo-dutrense. *Adj. 2 g.* **1.** De, ou pertencente ou relativo a Astolfo Dutra (MG). ● *S. 2 g.* **2.** Natural ou habitante de Astolfo Dutra. [Pl.: *astolfo-dutrenses.*]

ástomo. *Adj. Bot.* Diz-se dos musgos sem perístoma, cuja cápsula se abre irregularmente.

astorguense. *Adj. 2 g.* **1.** De, ou pertencente ou relativo a Astorga (PR). ● *S. 2 g.* **2.** Natural ou habitante de Astorga.

astracã. [Do top. *Astracã,* cidade da Rússia, atr. do fr. *astrakan.*] *S. m.* Pele preta, cinza ou marrom de cordeiro caracul [q. v.] morto imediatamente depois de nascer, e que é empregada em agasalho e enfeites: "Os menores atos de sua vida, a gola de a s t r a c ã do seu casaco, o seu modo de enrolar o cigarro, ... tudo foi miudamente e clamorosamente contado ao mundo" (Eça de Queirós, *Ecos de Paris.* p. 188). [Cf. *caracul.*]

astracanita. *Adj. 2 g.* **1.** De, ou pertencente ou relativo a Astracã (União Soviética). ● *S. 2 g.* **2.** Natural ou habitante dessa cidade.

astragália. *S. f. Arquit.* Perfil de cornija, ou de qualquer moldura, terminado em astrágalo.

astrágalo. [Do gr. *astrágalos,* pelo lat. *astragalu.*] *S. m.* **1.** *Anat.* O osso do tarso, de forma quase cúbica. [Em virtude da sua forma, era usado por soldados gregos e romanos no jogo de dados.] **2.** *Arquit.* Moldura ou filete arredondado, que contorna a parte superior do fuste de uma coluna, servindo de base ao capitel. **3.** *Arquit.* Qualquer filete ou moldura de arremate. **4.** Planta da família das leguminosas, subfamília papilionácea, mais ou menos espinhosa, produtora da goma adraganta. É originária da Ásia.

astral. [Do lat. *astrale.*] *Adj. 2 g.* **1.** Relativo aos astros; sideral, sidéreo, ástreo. ~ V. *perturbação* —. [Cf. *austral.*] ● *S. m.* **2.** *Teos.* Plano intermediário entre o físico e o espiritual. **3.** Estado de espírito como que determinado pelos astros. [V. *alto-astral* e *baixo-astral.*]

astralão. [De *astralon,* nome comercial.] *S. m. Art. Gráf.* Base de material plástico translúcido para montagem, na ordem e posição adequados, dos fotolitos que serão gravados numa mesma chapa pré-sensibilizada.

astrapéia. *S. f.* Árvore da família das esterculiáceas (*Dombeya wallichii*).

Astréia. [Do lat. *Astraea.*] *S. f.* **1.** Antigo nome da constelação zodiacal da Virgem. **2.** Polipeiro pétreo de superfície estrelada. [Com minúscula, nesta acepç.] **3.** *Fig.* A Justiça. **4.** *Fig.* A Paz.

ástreo. *Adj.* **1.** V. *astral* (1). **2.** Cheio de astros; ástrico.

ástrico. [Do lat. *astricu.*] *Adj.* Ástreo (2).

astrígero. [Do lat. *astrigeru.*] *Adj.* Que traz astros.

astriônica. *S. f. Astron.* Ciência e técnica de aplicação da eletrônica aos vôos espaciais.

astro. [Do lat. *astru.*] *S. m.* **1.** *Astr.* Designação comum a todos os objetos celestes. **2.** *Fig.* V. *luminar* (2). **3.** Mulher formosa. **4.** *Teat, Cin.* e *Telev.* Ator (2) principal de um espetáculo. **5.** *Teat., Cin.* e *Telev.* Ator (2) que atingiu celebridade. [Fem., nas acepç. 4 e 5: *estrela.*] ◆ **Astro acrônico.** *Astr.* Astro que nasce quando o Sol se põe, ou que se põe quando o Sol nasce. **Astro fictício.** *Astr.* Planeta fictício, com um período idêntico ao de um planeta real, mas que descreve o seu movimento a uma velocidade constante, imaginado pelos astrônomos para se estudar o movimento orbital dos planeta. **Astro fixo.** *Astr.* Astro cuja posição na esfera celeste varia muito lentamente. [Todos os astros externos ao sistema solar, as estrelas, as nebulosas, os cúmulos e as galáxias, são astros fixos.] **Astro móvel.** *Astr.* Astro cuja posição na esfera celeste varia rapidamente. [Os astros móveis são os componentes do sistema solar (q.v.).] **O astro da noite.** *Poét.* A Lua. **O astro do dia.** *Poét.* O Sol: "Quando o a s t r o d o d i a desmaia / Só brilhando com pálido lume" (Casimiro de Abreu, *Obras,* p. 99).

▲**astro-.** [Do gr. *ástron, ou.*] *El. comp.* = 'astro', 'corpo celeste': *astrofobia, astrólatra, astrofísica.*

▲**-astro.** *Suf. nom.* = 'depreciação': *medicastro, poetastro.*

astroantena. [De *astro-* + *antena.*] *S. f. Astr.* Radiotelescópio.

astroarqueologia. [De *astro-* + *arqueologia.*] *S. f. Astr.* Arqueoastronomia.

astroarqueológico. *Adj.* Referente à astroarqueologia; arqueoastronômico.

astrobiologia. [De *astro-* + *biologia.*] *S. f.* O estudo das condições favoráveis à vida noutros planetas ou satélites.

astrobiológico. *Adj.* Referente à astrobiologia.

astroblema. *S. m. Astr.* Cicatriz produzida na crosta terrestre pela queda de um meteorito gigante; cicatriz estelar.

astrobotânica. [De *astro-* + *botânica.*] *S. f. Astr.* Ramo da astrobiologia que estuda a probabilidade de vida vegetal própria e a possibilidade da vida dos vegetais terrestres em outros astros.

astrobotânico. *Adj.* Relativo à astrobotânica.

astrocinologia. *S. f. Astr.* Tratado dos dias caniculares.

astrocinológico. *Adj.* Relativo à astrocinologia.

astroclima. *S. m. Astr.* O conjunto das condições climáticas de um dado local capazes de caracterizar a qualidade das imagens observadas nos instrumentos astronômicos.

astrodinâmica. [De *astro-* + *dinâmica.*] *S. f. Astron.* Ciência e técnica de aplicação da mecânica celeste a várias atividades, principalmente a astronáutica e a geofísica.

astrodinâmico. *Adj.* Concernente à astrodinâmica.

astroesclereide. *S. f. Bot.* Esclerócio ramificado à maneira de estrela, e que tem várias pontas, comuns no mesofilo de muitas folhas.

astrofanômetro. *S. m. Astr. Ant.* Instrumento destinado a calcular o nascer e o pôr dos astros; astereômetro.

astrofísica. [De *astro-* + *física.*] *S. f.* Estudo da constituição física e química dos astros, baseado na análise espetroscópica.

astrofísico. *Adj.* **1.** Pertencente ou relativo à astrofísica. **2.** Que é especialista em astrofísica. *S. m.* **3.** Especialista em astrofísica.

astrofobia. [De *astro-* + *-fob(o)-* + *-ia.*] *S. f.* **1.** Medo mórbido de trovões e relâmpagos. **2.** Medo de astros, do espaço celeste.

astrofóbico. *Adj.* Relativo à astrofobia.

astrófobo. [De *astro-* + *-fobo.*] *S. m.* Aquele que sofre de astrofobia.

astrofotografia. *S. f. Astr.* Aplicação da técnica fotográfica à astronomia; fotografia celeste.

astrofotográfico. *Adj.* Referente à astrofotografia.

astrofotometria. *S. f. Astr.* Parte da astronomia que tem por fim a medição da intensidade luminosa de um astro.

astrofotométrico. *Adj.* Relativo à astrofotometria, ou ao astrofotômetro.

astrofotômetro. *S. m. Astr.* Fotômetro que serve para medir a luminosidade de um astro.

astrogastro. *S. m. Desus.* **1.** Espécime dos astrogastros. ● *Adj.* **2.** Pertencente ou relativo a eles.

astrogastros. *S. m. pl. Zool. Desus.* Designação dos animais artrópodes aracnídeos cujos segmentos abdominais são anelados. No grupo se incluem todos os aracnídeos, com exceção das aranhas e dos acarinos.

astrogenia. *S. f. Astr.* Teoria da criação ou evolução dos corpos celestes; cosmogonia estelar; astrogonia.

astrogênico. *Adj.* Referente à astrogenia.

astrogeologia. *S. f. Astr.* Ciência de aplicação da geologia ao estudo do solo dos astros, e particularmente da Lua.

astrogeológico. *Adj.* Respeitante à astrogeologia.

astrognosia. [De *astro-* + *-gnos(e)-* + *-ia.*] *S. f. Astr.* Estudo dos astros.

astrogonia. [De astro- + -gono- + -ia.] *S. f. Astr.* V. *astrogenia.*

astrogônico. *Adj.* Relativo à astrogonia.

astrografia. [De *astro* + *-grafo-* + *-ia.*] *S. f. Astr. P. us.* V. *astrometria.*

astrográfico. *Adj. P. us.* Relativo à astrografia.

astrógrafo. *S. m. Astr.* Instrumento astronômico destinado a determinar a posição dos astros pela fotografia.

astróide. *S. f. Geom.* Hipociclóide em que o raio da circunferência móvel é quatro vezes menor que o da fixa; asteróide, tetracúspide.

astrolábio. [Do gr. *astrolábion,* pelo lat. medieval *astrolabiu.*] *S. m. Astr.* Instrumento astronômico inventado por Hiparco, astrônomo e matemático grego (séc. II. a. C.), para medir as alturas de um astro acima do horizonte. Modernamente foi aperfeiçoado, e é um dos instrumentos fundamentais da astrometria. ◆ **Astrolábio de prisma.** *Astr.* Instrumento astronômico capaz de determinar simultaneamente a latitude e a hora pela observação do instante em que várias estrelas atingem determinada altura fixa acima do horizonte, antes ou depois da passagem meridiana, dependendo do prisma utilizado (de 45º ou de 90º). **Astrolábio impessoal.** *Astr.* Astrolábio de prisma dotado de aperfeiçoamentos que diminuem consideravelmente o efeito dos erros acidentais de observação, e inventado pelo astrônomo francês André Danjon (1890-1967).

astrólatra. [De *astro-* + *-latr(a).*] *S. 2 g.* Adorador dos astros.

astrolatria. [De *astro-* + *-latria.*] *S. f.* Adoração dos astros.

astrolátrico. *Adj.* Relativo à astrolatria.

astrólito. [De *astro-* + *-lito.*] *S. m. Astr.* V. *meteorito* (1).

astrologia. [Do gr. *astrología,* pelo lat. *astrologia.*] *S. f.* Estudo e/ou conhecimento da influência dos astros, especialmente de signos, no destino e no comportamento dos homens; uranoscopia.

astrológico. [Do gr. *astrologikós.*] *Adj.* Relativo à astrologia; uranoscópico.

astrólogo. [Do gr. *astrólogos,* pelo lat. *astrologu.*] *S. m.* Aquele que pratica a astrologia.

astromancia (cí). [Do gr. *astromanteía.*] *S. f.* Arte de adivinhar por meio dos astros.

astromante. [Do gr. *astrómantis.*] *S. 2 g.* Pessoa que pratica a astromancia.

astromântico. *Adj.* Relativo à astromancia, ou a astromante.

astrômetra. *S. 2 g.* Especialista em astrometria; astrometrista.

astrometria. [De *astro-* + *-metro-* + *-ia.*] *S. f.* Ramo da astronomia, que trata da medida, da posição, dimensões e movimentos dos corpos celestes: astronomia métrica, astronomia de posição, astrografia.

astrométrico. *Adj.* Relativo à astrometria. ~ V. *companheiro* —.

astrometrista. *S. 2 g.* Astrômetra.

astronauta. [De *astro* + *-nauta*.] *S. 2 g.* Pessoa que voa ou navega através do espaço, acima da aeropausa; cosmonauta.

astronáutica. [De *astro* + *-náutica*.] *S. f.* Ciência e técnica do vôo no espaço cósmico; cosmonáutica. [Considerada até há poucos anos como ficção científica, transformou-se em possibilidade com o lançamento dos primeiros satélites artificiais em 1957, e concretizou-se como realidade com os primeiros satélites tripulados. A chegada do homem à Lua, em 1969, foi o primeiro passo concreto da astronáutica.]

astronáutico. *Adj.* Relativo à astronáutica.

astronave. [De *astro* + *nave*.] *S. f.* V. *nave espacial*.

astronavegação. [De *astro* + *navegação*.] *S. f. Astron.* Técnica da orientação e dirigibilidade, dum veículo espacial, em particular, ou um veículo terrestre, em geral.

astronímia. *S. f.* Conhecimento ou uso de astrônimos; nomenclatura dos astros.

astrônimo. [De *astro-* + *-ônimo*.]. *S. m.* Nome próprio de astros em geral (estrelas, planetas, constelações, etc.). Ex.: *Vênus, Terra, Lua.*

astronomia. [Do gr. *astronomía*, pelo lat. *astronomia*.] *S. f.* Ciência que trata da constituição, da posição relativa e dos movimentos dos astros. ♦ **Astronomia cometária.** *Astr. P. us.* Cometografia. **Astronomia de campo.** Ramo da astronomia que trata da determinação precisa das coordenadas geográficas de um ponto sobre a superfície da Terra. **Astronomia de posição.** V. *astrometria*. **Astronomia descritiva.** Ramo da astronomia que cuida da descrição do Universo; cosmografia. **Astronomia elementar.** *Astr.* Denominação correta do estudo da astronomia em nível inicial. [As denominações geografia astronômica e geografia matemática são inaceitáveis.] **Astronomia estelar.** Ramo da astronomia que estuda as estrelas. **Astronomia fundamental.** Astronomia geral. **Astronomia geral.** Ramo da astronomia que estuda os aspectos básicos desta ciência; astronomia fundamental. **Astronomia instrumental.** *Astr.* Astronomia prática. **Astronomia meteórica.** *P. us.* Meteorografia. **Astronomia métrica.** *Astr.* V. *Astrometria*. **Astronomia prática.** Ramo da astronomia que trata dos instrumentos e de sua utilização; astronomia instrumental.

astronômico. [Do gr. *astronomikós*, pelo lat. *astronomicu*.] *Adj.* **1.** Relativo à astronomia. **2.** *Fig.* Muito elevado; altíssimo; *preço astronômico.* ~ V. *almanaque* —, *ângulo horário* —, *constante* —*a*, *coordenada* —*a*, *crepúsculo* —, *fenômeno* —, *geografia* —*a*, *guiamento* —, *horizonte* —, *luneta* —*a*, *navegação* —*a*, *pêndula* —*a*, *refração* —*a*, *relógio* —, *telescópio* —, *tempo* —, *triângulo* — e *unidade* —*a*.

astrônomo. [Do gr. *astrónomos*, pelo lat. *astronomu*.] *S. m.* Aquele que professa a astronomia; especialista nessa matéria. [Sin. (p. us.): *uranógrafo* e *uranologista*.]

astroscopia. [Do gr. *astroskopía*.] *S. f.* Estudo dos astros por meio de instrumentos.

astroscópico. *Adj.* Relativo à astroscopia.

astroscópio. [De *astro-* + *-scop-* + *-io*¹.] *S. m. Ant.* Instrumento inventado, no fim do séc. XVII, pelo astrônomo alemão Schukhard, para facilitar a pesquisa dos astros, composto de dois cones sobre cuja superfície as constelações com as estrelas são delineadas. [Foi inicialmente utilizado para substituir o globo celeste.]

astrosfera. *S. f. Citol.* Conjunto formado pelo centrossomo e pelos ásteres; centrosfera.

astroso (ô). [Do lat. *astrosu*.] *Adj. Ant.* **1.** Que nasceu sob a suposta influência de mau astro. **2.** Infeliz, desgraçado, desventurado. **3.** Fúnebre, funéreo, lúgubre.

astrosofia. *S. f.* Estudo e conhecimento dos astros.

astrostática. [De *astro-* + *estática*.] *S. f.* Parte da astronomia que estuda o volume dos astros e das respectivas distâncias.

astrostático. *Adj.* Relativo à astrostática.

astrostatística. [De *astro-* + *estatística*.] *S. f.* Aplicação da estatística no estudo dos astros.

astrostatístico. *Adj.* Referente à astrostatística.

astroteologia. *S. f. Astr.* Teologia natural fundada na observação dos corpos celestes.

astroteológico. *Adj.* Relativo à astroteologia.

astrotesia. *S. f. Astr. Ant.* Constelação (2).

astrozoologia. *S. f. Astr.* Ramo da astrobiologia que estuda a probabilidade de vida animal própria e a possibilidade de vida dos animais terrestres nos outros astros.

astrozoológico. *Adj.* Referente à astrozoologia.

astúcia. [Do lat. *astutia*.] *S. f.* **1.** Habilidade em enganar; manha, artimanha, ardil. **2.** Finura, malícia, sagacidade. [Cf. *astucia*, do v. *astuciar*.]

astuciar. *V. t. d.* **1.** Planear ou inventar com astúcia. *Int.* **2.** Usar de astúcia; servir-se de estratagema. [Pres. ind.: *astucio, astucias, astucia*, etc. Cf. *astúcia*.]

astucioso (ô). *Adj.* Que tem ou revela astúcia; astuto.

asturiano. *Adj.* **1.** Das, ou pertencente ou relativo às Astúrias (Espanha). ● *S. m.* **2.** O natural ou habitante das Astúrias.

astuto. [Do lat. *astutu*.] *Adj.* Astucioso.

■ **at.** *Fís.* **1.** Símb. de *atmosfera técnica*. **2.** V. *atmosfera física*.

■ **At.** *Quím.* Símb. de *astatínio*.

ata¹. [Do lat. *acta*, 'coisas feitas'.] *S. f.* **1.** Registro escrito no qual se relata o que se passou numa sessão, convenção, congresso, etc. *Após a reunião dos condôminos, o secretário lavrou a ata; ata da convenção dos advogados.* **2.** Registro escrito de uma obrigação contraída por alguém: *O escrivão leu a ata da venda do apartamento.* **3.** *Fig.* Relato, crônica. ~ V. *atas*.

ata². *S. f. Bras., N.* e *CE.* **1.** O fruto da ateira [v. fruta-de-conde (1)]. **2.** V. *coração-de-boi*. **3.** *Zool.* Gênero de formigas a que pertence a saúva.

atá. *El. s. m.* Us. na loc. adv. *andar ao atá*. ♦ **Andar ao atá.** [*Ao atá* < tupi *oatá*, 'ele anda'.] **1.** Andar à toa, a esmo, sem rumo: "*andamos ao atá*, apanhando aqui e ali umas pedrinhas luzidias, uns seixos rolados, umas florinhas de beira de estrada" (Paulino Santiago, *Temas e Processos do Cancioneiro de Alagoas*, p. 61). [Aplica-se aos caranguejos, que andam desorientados no tempo da desova.] **2.** *Bras., CE. Pop.* Estar sem dinheiro.

atabacado. [De *a-*² + *tabaco* + *-ado*¹.] *Adj.* De cor tirante à do tabaco, ou da cor do tabaco.

atabafado. [Part. de *atabafar*.] *Adj.* **1.** Abafado, agasalhado. **2.** *Fig.* Oculto, secreto. **3.** *Fam.* Roubado, abafado.

atabafador (ô). *Adj.* e *s. m.* Que ou aquele que atabafa; abafador.

atabafar. [De *abafar*², certamente.] *V. t. d.* **1.** Abafar, agasalhar: "Correu a casa examinando portas e janelas e, apanhando a criança, *atabafou-a*, apagou o lampião e a candeia, fechou a porta por fora e foi-se." (Coelho Neto, *Rei Negro*, p. 194.) **2.** Abafar, sufocar: *O ar viciado da sala atabafava a sua respiração.* **3.** Ocultar, esconder, encobrir; dissimular. **4.** Furtar (1): *Atabafaram-lhe as jóias na viagem. Int.* **5.** Respirar com dificuldade. *P.* **6.** Abafar-se, agasalhar-se: "Os pés escaldados em água quente Ana Rosa tomou a malga de erva-cidreira adoçada a mel de abelhas e *atabafou-se* suando copiosamente" (Coelho Neto, *Sertão*, p. 173); *Levantou a gola do sobretudo, atabafando-se ainda mais.*

atabal. [Do ár. *aT-Tabl*, 'tambor'.] *S. m.* **1.** Timbale (1) [q. v.]. **2.** No séc. XVIII, castanholas de cabo. **3.** V. *atabaque* (2). [Var.: *atabale*.]

atabalaque. *S. m.* V. *atabaque*.

atabale. *S. m.* V. *atabal*.

atabaleiro. *S. m.* Aquele que tangia atabales; timbaleiro.

atabalhoado. [Part. de *atabalhoar*.] *Adj.* **1.** Feito às pressas; apressado: "Só agora caio em mim e me apercebo de que me deram quinze minutos para esta palestra *atabalhoada* e desconexa." (Leonardo Mota, *Violeiros do Norte*, p. 30.) **2.** Atrapalhado, aturdido.

atabalhoamento. *S. m.* Ato ou efeito de atabalhoar(-se).

atabalhoar. [De *atabal*, decerto.] *V. t. d.* **1.** Fazer ou dizer (qualquer coisa) sem ordem nem propósito. **2.** Fazer mal e às pressas. **3.** Aturdir; embaraçar; atrapalhar. *Int.* **4.** Proceder, agir precipitadamente. *P.* **5.** Ficar perplexo; atrapalhar-se, confundir-se. [Conjug.: v. *coroar*.]

atabaque. [Do ár. *aT-Tabaq*, 'prato'.] *S. m.* **1.** *Ant.* Tambor pequeno de uma só pele; atabal, atabale, timbale (1) [q. v.]. **2.** Tambor primário, feito com pele de animal distendida sobre um pau oco e percutida com as mãos, e que se usa para marcar o ritmo das danças religiosas e populares de origem africana ou influenciada por esta; atabal, atabalaque, atabale, tabaque, tambaque, carimbó, curimbó. **3.** Na África e na Ásia, espécie de tambor afunilado, com couro de um lado só, percutido com as mãos e usado na guerra: "cruzam-se no espaço os sons dos *atabaques* e as moças começam a dançar, nuas, só com o sexo tapado por um pedacito de pele, fazendo tilintar as pulseiras e as nilhas de cobre reluzente que lhes cingem os tornozelos." (Castro Soromenho, *Rajada e Outras Histórias*, p. 116).

atabaqueiro. *S. m.* Tocador de atabaque.

atabernado. [De *a-*² + *taberna* + *-ado*¹.] *Adj.* **1.** Que tem aspecto de taberna. **2.** Próprio de taberna. [Var.: *atavernado*.]

atabernar. [De *a-*² + *taberna* + *-ar*².] *V. t. d.* **1.** Vender em taberna. **2.** Vender a retalho. **3.** Transformar em taberna. **4.** Tornar rude, grosseiro. *P.* **5.** Tornar-se semelhante a taberna. [Var.: *atavernar*.]

atabular. *V. t. d. Bras.* **1.** Apressar, estugar (o passo). *Int.* **2.** Discutir em voz alta; altercar. **3.** *Falar à toa; tagarelar, alanzoar.* **4.** Dar-se pressa; apressar-se.

ataca. [Dev. de *atacar*².] *S. f.* **1.** Correia, cordão, nastro, fita, etc., com que se aperta ou prende, unindo, duas partes de uma peça, em especial de vestuário; atacador. **2.** V. *cadarço* (3).

ataca-de-mão. [De *ataca* + *de* + *mão*.] *S. f. Bras., PE. Folcl.* Plumagem presa ao pulso no traje de índio, no auto dos caboclinhos. [Pl.: *atacas-de-mão*. Cf. *ataca-de-pé*.]

ataca-de-pé. [De *ataca* + *de* + *pé*.] *S. f. Bras., PE. Folcl.* Plumagem presa ao tornozelo no traje do índio, no auto dos caboclinhos. [Pl.: *atacas-de-pé*. Cf. *ataca-de-mão*.]

atacadista. *Adj. 2 g.* **1.** Diz-se do comércio por atacado. **2.** Que explora esse tipo de comércio: *negociante atacadista; firma atacadista.* ● *S. 2 g.* **3.** Negociante atacadista (2). [Antôn.: *retalhista, varejista*.]

atacado¹. [Part. de *atacar*¹.] *Adj.* **1.** Que sofreu ataque. **2.** *Bras. Gír.* De mau humor; invocado: *Não há quem o suporte; amanheceu atacado.* ● *S. m.* **3.** Aquele que sofreu ataque: "Não ataca ninguém .... pois pode haver um tetraneto do *atacado* entre os assistentes." (Agripino Grieco, *Recordações de um Mundo Perdido*, p. 29.) **4.** O conjunto do comércio grossista. ♦ **Por atacado.** **1.** Em grosso, por grosso: *vendas por atacado.* **2.** De uma vez.

atacado². [Part. de *atacar*².] *Adj.* **1.** Apertado por meio de ataca ou atacador. **2.** *P. ext.* Apertado, ajustado. **3.** *P. ext.* Abotoado (1): "Inspetores cruzavam-se, chapéu caído sobre a orelha, o volume do revólver sob o paletó *atacado*." (Moreira Campos, *Os Doze Parafusos*, p. 103.)

atacador (ô). [De *atacar*² + *dor*.] *S. m.* **1.** Ataca (1). **2.** V. *cadarço* (3). **3.** *P. ext.* Qualquer cordão, corda ou correia para atacar ou atar; atilho. **4.** Instrumento de calcar pólvora no cartucho ou na arma de fogo.

atacadura. *S. f.* Ato ou efeito de atacar².

atacamenho. *Adj.* **1.** De, ou pertencente ou relativo ao deserto de Atacama, no Chile. ● *S. m.* **2.** O natural ou habitante do Atacama.

atacamita. [Do top. *Atacama* (v. *atacamenho*) + *-ita*³.] *S. f. Min.* Mineral ortorrômbico, esverdeado, cloreto básico de cobre.

atacante. [De *atacar*¹ + *-ante*.] *Adj. 2 g.* **1.** Que ataca; agressor, assaltante. **2.** Injurioso, ofensivo. ● *S. 2 g.* **3.** Pessoa que ataca. **4.** *Bras. Fut.* Jogador da linha de ataque; dianteiro.

atacar¹. [Do it. *attaccare*.] *V. t. d.* **1.** Acometer com ímpeto; acometer; investir, assaltar. **2.** Agredir, hostilizar, acusar: *Escreveu um artigo atacando a oposição.* **3.** Ofender, injuriar: *Como ousa atacar um amigo de maneira tão vil?* **4.** Reprovar com energia; censurar, verberar: *atacar os vícios, os maus costumes.* **5.** Manifestar-se repentinamente (doença, desejo, sono, etc.) em; acometer. **6.** Manifestar-se de súbito (dúvida, receio, preocupação, etc.) em, perturbando, inquietando; apoderar-se de; acometer, assaltar: *Atacaram-no dúvidas sobre a honestidade do amigo.* **7.** Estragar, danificar; desgastar, carcomer, corroer: *A ferrugem atacou o metal.* **8.** Dar começo a, iniciar (peça musical, empreendimento, tarefa, assunto), em geral com ímpeto ou forte disposição: "E o coro *atacou* o *Intróito*." (Eça de Queirós, *O Crime do Padre Amaro*, p. 240); *Só amanhã atacará a tarefa; Hesitou, mas terminou atacando o tema.* **9.** *Bras. Pop.* Começar a comer com disposição, com apetite: *Mal serviram a feijoada, ele atacou-a;* "O Sr. Porfírio *atacou* .... um prato seu predileto, a maniçoba, preparado com mocotós de paca e grelos de mandioca" (José Veríssimo, *Cenas da Vida Amazônica*, p. 2). *T. d.* e *i.* **10.** *Pop.* Jogar, arremessar, atirar, arrojar: *As crianças atacavam pedras nos frutos.* **11.** *Pop.* Fazer chegar (a mão, o braço, o pé), com um movimento mais ou menos impetuoso de quem arremessa, batendo, espancando; mandar, meter, jogar, virar: *Atacou a mão na cara do agressor; Surpreendido pelo assaltante, atacou-lhe o pé.* **12.** *Pop.* Atear (fogo). **13.** *Pop.* dar, disparar: *Atacou um tiro no assaltante.* [Var. (pop.), nas acepç. 10 a 13: *tacar*.] **14.** *Bras.* Comprar ou vender por atacado (uma partida de qualquer mercadoria). *Int.* **15.** Efetuar um ataque (1): *Os comandos atacam de* madrugada. **16.** Empenhar-se vivamente para a obtenção de algo: *Atacou junto ao editor para a publicação de sua obra.* **17.** Exercer atividade: *F. está atacando na televisão.* **18.** *Esport.* Efetuar ataque (7): "Futebol é simples: quem tem a bola, ataca. Que não tem, se defende." (Ivan Cavalcanti Proença, *Futebol e Palavra*, p. 86.) *P.* **19.** Investir reciprocamente: *Os contendores atacaram-se com redobrada fúria.* [Conjug.: v. *trancar.*]

atacar[2]. *V. t. d.* **1.** Prender com ataca ou atacador: *Atacou os colchetes do vestido.* **2.** *Bras., N.E.* Abotoar: "Veste o paletó, ataca os quatro botões, formaliza-se" (Mauro Mota, *O Pátio Vermelho*, p.62). *T. d. e i.* **3.** Encher demasiado; abarrotar. *P.* **4.** Encher-se em demasia; fartar-se, abarrotar-se. [Conjug.: v. *trancar.*]

atacável. [De *atacar*[2] + *-ável.*] *Adj. 2 g.* Que pode ou deve ser atacado.

atacoar. [De *a-*[2] + *tacão* + *-ar*[2].] *V. t. d.* **1.** Pôr tacão em (calçado). **2.** Consertar atabalhoadamente; atamancar. [Conjug.: v. *coroar.*]

atáctico. *Adj. Quím.* ~ V. *polímero* —.

atactostelia. *S. f. Bot.* Disposição dos feixes condutores no atactostelo.

atactostélico. *Adj. Bot.* Referente ao atactostelo: *caule atactostélico.*

atactostelo. *S. m. Bot.* Estelo em que os feixes vasculares não guardam ordem de qualquer espécie.

atada. [F. substantivada de *atado.*] *S. f.* Feixe ou molho que se atou; atado.

atado. [Part. de *atar*[2].] *Adj.* **1.** Ligado, preso, unido. **2.** Embargado, contido: *voz atada.* **3.** Sem desembaraço; desajeitado: *A nova empregada era atada por demais.* **4.** Embaraçado, confuso, perplexo: *A presença da moça deixou-o meio atado.* ● *S. m.* **5.** Indivíduo atado (3 e 4). **6.** Embrulho, trouxa. **7.** Atada.

atador (ô). *S. m.* Aquele que ata.

atadura. *S. f.* **1.** Ação de atar; atamento. **2.** Atilho, faixa, ligadura. **3.** Faixa ou tira de gaze própria para envolver, prender e proteger partes lesadas, ou, ainda, manter curativos no lugar.

atafal. [Do ár. *aT-Tafar.*] *S. m.* V. *rabicho* (2).

atafona. [Do ár. *aT-Tahunâ.*] *S. f.* **1.** Moinho manual ou movido por cavalgaduras. **2.** Azenha [Var. (bras., RS): *tafona.*]

atafoneiro. *S. m.* Aquele que tem ou dirige atafona. [Var. (bras., RS): *tafoneiro.*]

atafular-se. [De *a-*[2] + *taful* + *-ar*[2] + *se*[1].] *V. p.* Tornar-se taful, casquilho, janota; ajanotar-se.

atafulhado. [Part. de *atafulhar.*] *Adj.* Cheio em demasia, atochado.

atafulhamento. *S. m.* Ato ou efeito de atafulhar(-se).

atafulhar. *V. t. d.* **1.** Encher em demasia; abarrotar. **2.** Carregar muito (o estômago). **3.** Meter, introduzir, desordenadamente ou à força. *P.* **4.** Comer até não poder mais; empanturrar-se, empanzinar-se [Var.: *tafulhar.*]

ataganhar. *V. t. d.* Asfixiar, apertando a garganta; estrangular, esganar.

atalaia. [Do ár. *aT-Talai'a.*] *S. f. e m.* **1.** Vigia, guarda, sentinela: "Dia e noite, os atalaias se renovavam na vigia." (João Felício dos Santos, *João Abade*, p. 231.) ● *S. f.* **2.** Ponto alto de onde se vigia. **3.** Torre de vigia. **4.** *Bras., MA.* O morro mais alto de uma serra. ♦ **De atalaia.** De sobreaviso; à espera, à espreita: *estar ou ficar de atalaia.*

atalaiar. *V. t. d.* **1.** Espiar, vigiar, observar. **2.** Defender, guardar. *Int.* **3.** Ficar de atalaia, de sobreaviso, vigiar. *P.* **4.** Pôr-se de sobreaviso; acautelar-se, precaver-se, precatar-se.

atalaiense[1]. *Adj. 2 g.* **1.** De, ou pertencente ou relativo a Atalaia (AL e PR). ● *S. 2 g.* **2.** Natural ou habitante de Atalaia.

atalaiense[2]. *Adj. 2 g.* **1.** De, ou pertencente ou relativo a Atalaia do Norte (AM). ● *S. 2 g.* **2.** Natural ou habitante de Atalaia do Norte.

ataleense (êên). *Adj. 2 g.* **1.** De, ou pertencente ou relativo a Ataléia (MG). ● *S. 2 g.* **2.** Natural ou habitante de Ataléia.

ataléia. *S. f. Bras.* Gênero (*Attalea*) de plantas palmáceas com cerca de 40 espécies, das quais 12 brasileiras, como, p. ex.: a piaçaba.

atalhada. [Fem. substantivado de *atalhado.*] *S. f.* Aceiro[1] (1).

atalhado. [Part. de *atalhar.*] *Adj.* **1.** Que se atalhou; cortado, sustado. **2.** Diz-se de caminho encurtado por atalho. **3.** *Bras.* Diz-se da cangalha com cavidade, para não agravar pisaduras no animal.

atalhador (ô). *Adj. e s. m.* Que ou o que atalha.

atalhamento. *S. m.* Ato ou efeito de atalhar(-se); atalho.

atalhar[1]. [De *a-*[1] + *talho* + *-ar*[2]?] *V. t. d.* **1.** Impedir de correr, de andar, de crescer, de continuar, de propagar-se, etc.; interromper, deter, sustar, cortar; *atalhar o sangue, o incêndio, a febre.* **2.** Embaraçar o caminho a; cortar o passo de: *A sentinela atalhou o passante, pedindo-lhe os documentos.* **3.** Obstruir, atravancar, impedir: *Atalhou a entrada principal durante as obras.* **4.** Encurtar, abreviar, resumir: *atalhar uma conversa.* **5.** Dizer, enunciar, interrompendo: *— Basta! atalhou severamente o pai.* **6.** Encurtar (caminho), seguindo por atalho: *O caminho era longo e resolvi atalhá-lo pelo bosque.* *T. d. e i.* **7.** Embaraçar, estorvar, obstar: *O desabamento atalhou a passagem aos transeuntes.* *Int.* **8.** Encurtar caminho, passando por atalho: *Chegando à beira do rio, atalhou.* **9.** *Bras.* Fazer uma cavidade por dentro da cangalha do animal, no lugar correspondente a uma pisadura. *P.* **10.** Ficar perplexo, indeciso, envergonhado, atado.

atalhar[2]. [De *a-*[4] + *talhar.*] *V. int. e p.* Talhar(-se) (o leite).

atalho. [Dev. de *atalhar.*] *S. m.* **1.** Atalhamento. **2.** Caminho fora da estrada comum, para encurtar distâncias, o tempo do percurso; corte, vereda. **3.** Estorvo, embaraço, empecilho. **4.** Remate, fim.

atamancar. [De *a-*[2] + *tamanco* + *-ar*[2].] *V. t. d.* **1.** Consertar ou remendar toscamente. **2.** Fazer (algo) com precipitação e mal: *atamancar um trabalho.* *Int.* **3.** Agir precipitadamente, sem ordem nem método. [Conjug.: v. *trancar.*]

atamancum. *Bras. S. 2 g.* **1.** Indivíduo dos atamancuns, tribo indígena que habita as margens superiores do rio Javari. ● *Adj. 2 g.* **2.** Pertencente ou relativo a essa tribo.

atamarado. [De *a-*[2] + *tâmara* + *-ado*[1].] *Adj.* Da cor da tâmara; datilado.

atambeirado. [De *a-*[2] + *tambeiro* + *-ado*[1].] *Adj. Bras., S.* Diz-se do novilho manso, que lembra o tambeiro (3).

atambia. *S. f. Hist. Filos.* **1.** Ausência de medo. **2.** Nos vocabulários epicurista e estóico, estado da alma que se relaciona à ataraxia (1) [q. v.] e à apatia (3) [q. v.]. [Cf. eutimia.]

atambor[1] (ô). [De *a-*[4] + *tambor.*] *S. m.* Var. de *tambor* (1 a 3).

atambor[2] (ô). [Do ár. *aT-Tambul.*] *S. m.* Bétele.

atamento. [De *atar* + *-mento.*] *S. m.* **1.** Atadura (1). **2.** *Fam.* Falta de expediente, de desembaraço; acanhamento, embaraço, timidez.

ataná. [De or. indígena, talvez.] *S. f. Bras.* Planta da família das leguminosas, subfamília cesalpinácea (*Dimorphandra macrostachya*).

atanado. [Part. de *atanar*, substantivado nas acepç. 1 e 2.] *S. m.* **1.** Casca de angico ou doutras plantas taninosas, empregada para curtir couros. **2.** O couro curtido com essa casca. ● *Adj.* **3.** Diz-se desse couro: "avançava tropeçando, rilhando os dentes, a ferragem de seus grosseiros borzeguins de couro atanado tirando faúlhas nas pedras da calçada." (Silva Guimarães, *Os Borrachos*, p. 25).

atanar. [De *a-*[2] + *tan(ino)* + *-ar*[2].] *V. t. d.* Curtir com atanado.

atanazar. *V. t. d.* V. *atenazar* (2 e 3).

atangará. [De *a-*[4] + *tangará*, var. de *tangará.*] *S. m. Bras.* V. *tangará.*

atangaratinga (garà). [De *atangará* + *-tinga.*] *S. m. Bras.* V. *rendeira*[2] (2).

ataperado[1]. [De *a-*[2] + *tapera* + *-ado*[1].] *Adj.* Que tem, ou em que há taperas.

ataperado[2]. [Part. de *ataperar.*] *Adj. Bras.* Reduzido a tapera ou ruína.

ataperar. [De *a-*[2] + *tapera* + *-ar*[2].] *V. t. d. Bras.* Reduzir a tapera ou ruína.

atapetado. [Part. de *atapetar.*] *Adj.* **1.** Coberto ou forrado de tapetes: *Aluga-se apartamento atapetado.* **2.** Coberto como por tapete: "foi encostar o queixo à teia de pinho, pintada de branco, junto ao caminho atapetado, que a cantora devia seguir do camarim para o palco." (D. João da Câmara, *Contos*, p. 79).

atapetamento. *S. m.* Ato ou efeito de atapetar.

atapetar. [De *a-*[2] + *tapete* + *-ar*[2].] *V. t. d.* **1.** Cobrir com tapete(s); tapetar, alfombrar, alcatifar. *P.* **2.** Cobrir-se, revestir-se, como que de um tapete: "O chão de urzes e pedras, em que piso, / De musgo e lírios se atapeta e enflora." (Alberto de Oliveira, *Poesias*, 4ª série, p. 242). [Sin. ger.: *tapeçar, tapetar, tapizar, entapetar, entapizar.*]

atapu. [De *uatapu*, por aférese.] *S. m. Bras., N.E.* V. *búzio* (1): "Quando o som do atapu atroa correm todos à praia" (Alberto Rangel, *Papéis Pintados*, p. 250). [A concha deste molusco serve de trombeta aos jangadeiros para chamar os companheiros ou fregueses. Var., na BA: *itapu.*]

atapulhar. [De *a-*[2] + *tapulho* + *-ar*[2].] *V. t. d.* **1.** Meter tapulho em; tapar, arrolhar, rolhar. **2.** Tapar à força. **3.** Encher demasiado; atafulhar.

ataque. [Dev. de *atacar.*] *S. m.* **1.** Ato ou efeito de atacar; acometimento, assalto, investida. **2.** Agressão, ofensa, injúria. **3.** Discussão, disputa. **4.** Acesso repentino (de doença). **5.** *Mús.* Ato de começar a emissão de um som com a voz, com um instrumento musical tradicional, ou com outro qualquer instrumento musical mecânico. **6.** *Mús.* Pequena frase de algumas notas, estranha ao tema e, com maior freqüência, à resposta da fuga, servindo-lhes unicamente de entrada. **7.** *Esport.* Ofensiva realizada por um ou mais jogadores de uma equipe no empenho de vencer o adversário. **8.** *Bras.* Bucha das minas de pedreira. ♦ **De ataque.** *Bras., AM.* Afrontando a força das águas (ao descer uma cachoeira ou corredeira). **Dar um ataque.** *Bras. Gír.* Ter um ataque. **Ter um ataque. 1.** *Bras. Pop.* Sofrer crise nervosa ou convulsiva, muitas vezes com perda de consciência. **2.** *Bras. Gír.* Perder a calma e exceder-se em palavras violentas ou grosseiras contra alguém. [Sin. ger.: *dar um ataque.*]

atar[1]. *S. m.* Perfume indiano à base de óleo de pétalas de flores, principalmente rosas.

atar[2]. [Do lat. *aptare.*] *V. t. d.* **1.** Prender, cingir ou apertar com laçada ou nó; amarrar. **2.** Unir, ligar, vincular: *Com esta medida, pensa em atar as suas atividades várias.* **3.** Prender; conter, refrear: *Situação embaraçosa que lhe atava a língua.* **4.** Sujeitar, submeter, subjugar: *A promessa feita ao moribundo atava-o.* **5.** Enlaçar, pear, ilaquear. **6.** Expor ou redigir com nexo: *Ata bem as palavras.* **7.** *Bras., RS.* Contratar, ajustar: *atar um negócio.* *T. d. e i.* **8.** Prender, cingir ou ligar com laçada ou nó; amarrar. **9.** Submeter, subordinar: *Atou os prisioneiros à sua vontade férrea.* **10.** Atrelar, jungir: *Mandou atar os cavalos à carruagem.* **11.** Formar, estabelecer: *Atou relações com os novos vizinhos.* *P.* **12.** Prender-se, ligar-se. **13.** Sujeitar-se, submeter-se. **14.** Cingir-se, restringir-se, limitar-se. **15.** Embaraçar-se, enlear-se. **16.** Tornar-se mais estreito ou apertado; estreitar-se, apertar-se: "meu pai, a fim de que mais se atassem os vínculos de duas extremadas gerações, formou o terceiro enlace" (Camilo Castelo Branco, *O Santo da Montanha*, p. 12). [Pres. subj.: *ate, ates, ate, atemos, ateis, atem.* Cf. *atém-se* e *atêm-se*, do v. *ater-se.*] ♦ **Não atar nem desatar.** Não decidir, não resolver; mostrar-se irresoluto; não beber nem desocupar o copo.

atarantação. *S. f.* **1.** Ato ou efeito de atarantar(-se). **2.** Atrapalhação, perturbação; confusão.

atarantado. [Part. de *atarantar.*] *Adj.* Aturdido, atrapalhado, estonteado: "Maria Ida, despertando, levantou-se atarantada, sem saber o que fazer." Pelópidas Soares, *Cordão dos Bichos*, p. 14.)

atarantar. [De *a-*[2] + *tarant(ul)a* + *-ar*[2].] *V. t. d. e p.* Estontear(-se), confundir(-se), atrapalhar(-se), perturbar (-se), desatinar(-se).

atarú. [Do tupi *a'tá*, 'fogo', + *ra'u*, 'à toa'.] *S. m. Bras.* **1.** Fúria, exaltação. **2.** Mau humor; calundu.

ataraxia (cs). [Do gr. *ataraxía.*] *S. f.* **1.** *Hist. Filos.* Nos vocabulários céptico e estóico, estado em que a alma, pelo equilíbrio e moderação na escolha dos prazeres sensíveis e espirituais, atinge o ideal supremo da felicidade: a imperturbabilidade. [Cf. *apatia* (3), *atambia* e *eutimia.*] **2.** Tranqüilidade, serenidade. **3.** Apatia, indiferença: "Se tinha [Fernando Pessoa] horas de intensa euforia, ... a maior parte do tempo passava-o prostrado, numa ataraxia búdica" (João Gaspar Simões, *Vida e Obra de Fernando Pessoa*, p. 650).

ataráxico (cs). *Adj.* **1.** Relativo à ataraxia. **2.** Diz-se do medicamento que a provoca. ● *S. m.* **3.** Medicamento que a provoca.

atardar. [De *a-*[2] + *tarde* + *-ar*[2].] *V. t. d. e p.* Demorar (-se), atrasar(-se), retardar(-se): "Algum sumido apeadeiro, onde o trem se atardava, esfalfado, resfolgando" (Eça de Queirós, *A Cidade e as Serras*, p. 191).

atarê. [Do nagô.] *S. f. Bras., BA.* Pimenta-da-costa.

atarefado. [Part. de *atarefar.*] *Adj.* Muito ocupado; sobrecarregado, azafamado.

atarefamento. *S. m.* Ato ou efeito de atarefar(-se).

atarefar. [De *a-*[2] + *tarefa* + *-ar*[2].] *V. t. d.* **1.** Encarregar de tarefa. **2.** Sobrecarregar de trabalho; abarbar. *P.* **3.** Aplicar-se, entregar-se muito ao trabalho; azafamar-se.

ataroucado. [Part. de *ataroucar.*] *Adj.* Apalermado, atoleimado, idiotizado.

ataroucar. [De *a-*[2] + *tarouca* + *-ar*[2].] *V. t. d. e p.* Tornar(-se) tarouco ou idiota; imbecilizar(-se), aparvalhar(-se), atoleimar(-se). [Conjug.: v. *trancar.*]

atarracado. [Part. de *atarracar.*] *Adj.* **1.** Muito apertado; atarraxado, arrochado. **2.** *Fig.* Diz-se de pessoa baixa e gorda; achaparrado. **3.** *P. ext.* Diz-se de animal ou coisa sem elegância, pesada: *Era feia a mesa, baixa demais,* atarracada. [Sin. bras. (nas acepç. 2 e 3): *retaco.*]

atarracador (ô). *S. m.* Aquele que atarraca.

atarracar. [De *a-*^{2} + ár. *Tarraqâ*, 'prega de couro', 'chapa redonda de ferro', + *-ar*^{2}.] *V. t. d.* **1.** Preparar (a ferradura e o cravo), para acomodar o casco da cavalgadura. **2.** Preparar (o cravo) para pregar a ferradura. **3.** Apertar com corda ou cunha; atochar. **4.** Apertar muito; arrochar, atarraxar. **5.** Confundir, enlear, perturbar, embaraçar. [Conjug.: v. *trancar.*]

atarraxar. [De *a-*^{2} + *tarraxa* + *-ar*^{2}.] *V. t. d.* **1.** Apertar com tarraxa; parafusar, entarraxar. **2.** Prender, unir, ligar fortemente. [F. paral.: *tarraxar.*]

atartarugado. [De *a-*^{2} + *tartaruga* + *-ado*^{1}] *Adj.* **1.** Que tem a cor do casco da tartaruga. **2.** Semelhante à tartaruga.

atarubaqui. [Do tupi.] *S. m. Bras.* Designação dada pelos índios a uma qualidade de mandioca.

atas. [Pl. de *ata.*] *S. f. pl. Jur.* Registro escrito de um processo jurídico, de um julgamento, etc.: *O relator leu as* atas *do processo.* ~ V. *ata.*

atascadeiro. *S. m.* Atoleiro, lamaçal, atascal, atasqueiro.

atascado. [Part. de *atascar.*] *Adj.* Atolado^{1}.

atascal. *S. m. Bras.* V. *atascadeiro.*

atascar. [De *a-*^{2} + *tasco* + *-ar*^{2}.] *V. t. d. e i.* **1.** Meter (em atascadeiro): "O moço arrancou do seio puro o coração, esvaziou-o das lágrimas, atascou-o nas orgias e encheu-o de lama." (Camilo Castelo Branco, *A Enjeitada*, p. 234.) *P.* **2.** Meter-se em atoleiro; enlamear-se. **3.** Degradar-se no vício. [Conjug.: v. *trancar.*]

atasqueiro. *S. m.* V. *atascadeiro.*

atassalhador (ô). *S. m.* Aquele que atassalha.

atassalhadura. *S. f.* Ato ou efeito de atassalhar.

atassalhar. [De *a-*^{2} + *tassalho* + *-ar*^{2}.] *V. t. d.* **1.** Fazer em tassalhos ou em pedaços; lacerar, dilacerar, retalhar, rasgar, despedaçar, espedaçar. **2.** Destroçar, desbaratar, derrotar: Atassalhou *o inimigo.* **3.** Difamar, caluniar, desacreditar: *Despeitado,* atassalhou *a exnoiva. T. i.* **4.** Abocanhar, abocar; morder: Atassalhou no adversário. P. **5.** Morder-se, abocanhar-se reciprocamente.

ataúba. [De possível or. tupi.] *S. f. Bras.* Árvore da família das meliáceas (*Guarea tuberculata*), de flores pequenas, brancas, e fruto verrucoso, a qual fornece madeira para marcenaria e carpintaria; tendo a casca propriedades anti-sifilíticas depurativas; jitó, utuaúba, camboatá.

ataúde. [Do ár. *at-tàbût*, 'arca'.] *S. m.* **1.** V. *caixão* (2): "vejo-a no seu ataúde morta" (Júlio Belo, *Memórias de um Senhor de Engenho*, p. 21). **2.** *Fig.* Sepulcro, sepultura. [Sin. ger.: *tumba.*]

atauxiar. [De *a-*^{4} + *tauxiar.*] *V. t. d.* V. *tauxiar.*

atavanado. [De *a-*^{2} + *tavão* + *-ado*^{1}.] *Adj.* Preto ou castanho com malhas brancas nos ilhais ou nas espáduas (eqüídeo).

atavernado. [Part. de *atavernar.*] *Adj.* Var. de *atabernado.*

atavernar. *V. t. d.* e *p.* Var. de *atabernar.*

ataviado. [Part. de *ataviar.*] *Adj.* Ornado, adornado; enfeitado.

ataviador (ô). *S. m.* Aquele que atavia.

ataviamento. *S. m.* Ato ou efeito de ataviar(-se).

ataviar. *V. t. d.* **1.** Ornar, adornar; enfeitar, adereçar, aformosear: "e como por castigo do Céu ficou a ilha quase toda maninha, com os cimos pelados, sem a verdura que atavia suas irmãs do arquipélago" (Xavier Marques, *Jana e Joel*, p. 5). *P.* **2.** Enfeitar-se, ornar-se, adornar-se; adereçar-se, aformosear-se: "Aos seus feitiços Dom'Ana, / Como cúmplices, alia / O leque com que se abana, / A flor com que se atavia..." (Raimundo Correia, *Poesias*, p. 258.) **3.** Vestir-se.

atávico. [Do lat. *atavu*, 'quarto avô', + *-ico*^{2}.] *Adj.* Adquirido ou transmitido por atavismo.

atavio. [Dev. de *ataviar.*] *S. m.* Adorno, ornamento, enfeite.

atavismo. [Do lat. *atavu*, 'quarto avô', + *-ismo.*] *S. m. Biol. Ger.* Reaparecimento, em um descendente, de um caráter não presente em seus ascendentes imediatos, mas sim em remotos: "Quanto mais homens conhecceres, mais diferentes almas sentirás em ti. Folias com os alegres; sonhas com os poetas; os aristocratas, criados entre artifícios, amam em ti, pelo atavismo de seus apetites grosseiros, teus instintos rudes, e tu amas neles suas fidalgas maneiras" (Antero de Figueiredo, *Cômicos*, pp. 168-169). [Cf. *hereditariedade* (2).]

ataxia (cs). [Do gr. *ataxía.*] *S. f. Patol.* Incapacidade de coordenação dos movimentos musculares voluntários e que pode fazer parte do quadro clínico de numerosas doenças do sistema nervoso. ◆ **Ataxia locomotora progressiva.** *Patol.* V. *tabe.*

atáxico (cs). *Adj.* **1.** Em que há ataxia. **2.** Que sofre de ataxia. ~ V. *afasia* —a.

atazanar. *V. t. d. Pop.* V. *atenazar* (2 e 3): "José passou a atazanar Tidu, rodeando-lhe a almofada e pedindo a história do cacetinho mágico." (Reginaldo Guimarães, *Uma Blusa no Cais*, p. 51.)

até. [Do lat. *ad tenus.*] *Prep.* **1.** Indica um limite de tempo, no espaço, ou nas ações: "galgou ligeiramente as escadas até o segundo andar." (Artur Azevedo, *Contos fora da Moda*, p. 38); *Trabalhou* até *ficar exausto; D. Pedro II reinou de 1840* até *1889.* ● *Adv.* **2.** Ainda, também, mesmo; *Fala bem de todos,* até *dos inimigos.* ◆ **Até a.** Até (1): *Chegou* até ao *cume.*

ateador (ô). *Adj.* e *s. m.* Que ou aquele que ateia.

atear. [De *a-*^{2} + *teia*^{2} + *-ar*^{2}.] *V. t. d.* **1.** Soprar, avivar, fazer lavrar (o fogo). **2.** Excitar, provocar, fomentar (a discórdia, a guerra, as paixões, etc.). **3.** Estimular; avivar. *T. d.* e *i.* **4.** Lançar, pôr, atacar, tocar (fogo). *O suicida* ateou *fogo às vestes. Int.* **5.** Avivar-se, desenvolver-se, alastrar-se, grassar, atear-se (o fogo): *O fogo* ateou, *queimando parte da reserva florestal. P.* **6.** Avivar-se, desenvolver-se; alastrar-se, grassar (o fogo). **7.** Aumentar, crescer; tornar-se mais intenso: Ateou-se *a sua paixão com o afastamento da mulher amada.* [Conjug.: v. *frear.* Pres. ind.: *ateio, ateias, ateia, ateamos, ateais, ateiam.* Cf. *atéia* e *atéias*, flex. de *ateu.*]

atecnia^{1}. [Do gr. *atechnía.*] *S. f.* Falta de técnica, de arte.

atecnia^{2}. [Do gr. *ateknía.*] *S. f. Med. Esterilidade.*

ateco. *S. m.* **1.** Espécime dos atecos. ● *Adj.* **2.** Pertencente ou relativo aos atecos.

atecos. *S. m. pl. Zool.* Animais cordados, reptis, quelônios, da subordem *Atheca*, aparentemente sem escudo protetor, cujo corpo é revestido de pele grossa, lisa, coriácea, com placas poligonais, e que têm vértebras e costelas separadas da carapaça, pernas em forma de remos, sendo as anteriores delgadas, quase tão longas quanto o corpo. São as *tartarugas-de-couro.*

atecuri (atè). [De *até* + tupi *ku'ri*, 'logo'.] *Adv. Bras.* Até logo.

atediar. [De *a-*^{2} + *tédio* + *-ar*^{2}.] *V. t. d.* e *p. P. us.* V. *entediar.*

atéia. *Adj. f.* e *s. f.* Fem. de *ateu.* [Cf. *ateia.* do v. *atear.*]

ateimar. *V. t. i., t. d.* e *int.* var. de *teimar;* "calou-se, fez um gesto de enfado, ... de fadiga; ateimei, ela disseme que..." (Machado de Assis, *Memórias Póstumas de Brás Cubas*, p. 232).

ateira. [De *ata*^{2} + *-eira.*] *S. f. Bras.* V. *pinheira.*

ateiró. [De *a-*^{4} + *teiró.*] *S. m.* Teiró (1).

ateísmo. [De *ateu* + *-ismo.*] *S. m.* **1.** Doutrina dos ateus. **2.** Falta de crença em Deus. **3.** *Filos.* Atitude ou doutrina que dispensa a idéia ou a intuição da divindade, quer do ângulo teórico (não recorrendo à divindade para se justificar ou fundamentar), quer do ângulo prático (negando que a existência divina tenha qualquer influência na conduta humana). [Cf. *teísmo*^{1} e *panteísmo.*]

ateísta. [De *ateu* + *-ista.*] *Adj. 2 g.* **1.** Ateístico. ● *S. 2 g.* **2.** Pessoa que segue o ateísmo, que acredita que não há Deus.

ateístico. *Adj.* Relativo ao ateísmo; ateísta.

ateização (e-i). *S. m.* Ato ou efeito de ateizar: "Papa pede união da Igreja contra ateização do mundo" (*Jornal do Brasil*, 2.6.1985).

ateizar (e-i). *V. t. d.* e *p.* Reduzir(-se) a ou transformar (-se) em ateu: *A cidade sempre tão religiosa* ateizava-se *pelo carnaval.*

atelana. [Do lat. *atellana*, i. e., *fabula atellana.*] *S. f. Teat.* V. *comédia atelana:* "Quanto à atelana, curta peça no gênero da farsa, sabemos que, embora escrita, deixava larga margem à atualidade política, que era aliás a sua especialidade." (Ruggero Jacobbi, *A Expressão Dramática*, p. 17.)

atelano. [Do lat. *atellanu.*] *Adj.* De, ou pertencente ou relativo à antiga cidade de Atela (Itália). ~ V. *comédia* —a e *fábula* —a.

atelectasia. [De *atel(o)* + *-ectas-* + *-ia.*] *S. f. Med.* **1.** Falta de dilatação. **2.** Distensão incompleta dos pulmões, provocada por obstruções brônquicas, pressão pleural, etc.

atelépode. [De *atel(o)-* + *-pode.*] *Adj. 2 g. Zool.* A que falta qualquer dedo.

atelhamento. *S. m. Bras., N.* Ato ou efeito de atelhar.

atelhar. [De *a-*^{4} + *telhar.*] *V. t. d. Bras. N.* Telhar. [Conjug.: v. *aparelhar.*]

ateliê. [Do fr. *atelier.*] *S. m.* **1.** Oficina onde trabalham em comum certos artesãos ou operários: ateliê *de costura.* **2.** Local de trabalho de pintor, escultor, fotógrafo, etc.; estúdio. **3.** O conjunto dos artistas que trabalham sob a direção de um mestre: *Um quadro proveniente do* ateliê *de Rubens.*

➧**atelier.** [Fr.] *S. m.* V. *ateliê.*

▲**atel(o)-.** [Do gr. *atelés, és, és.*] *El. comp.* = 'ausência', 'desenvolvimento incompleto': *atelocardia, atelopodia; atelectasia.*

atelocardia. [De *atel(o)-* + *-cardia.*] *S. f. Patol.* Desenvolvimento incompleto do coração.

atelocardíaco. *Adj.* Relativo à atelocardia.

ateloglossia. [De *atel(o)-* + *-gloss(o)-* + *-ia.*] *S. f. Ter.* Desenvolvimento incompleto da língua.

ateloglóssico. *Adj.* Relativo à ateloglossia.

atelomielia. [De *atel(o)-* + *-miel(o)-* + *-ia.*] *S. f. Ter.* Desenvolvimento incompleto da medula espinhal.

atelomiélico. *Adj* Relativo à atelomielia.

atelopodia. [De *atel(o)-* + *-pod(e)-* + *-ia.*] *S. f. Ter.* Desenvolvimento incompleto do pé.

atelopódico. *Adj.* Relativo à atelopodia.

atemorização. *S. f.* Ato ou efeito de atemorizar.

atemorizador (ô). *Adj.* **1.** Que atemoriza; assustador, atemorizante. ● *S. m.* **2.** Aquele que atemoriza.

atemorizante. *Adj. 2 g.* V. *atemorizador* (1).

atemorizar. [De *a-*^{2} + *temor* + *-izar.*] *V. t. d.* **1.** Causar temor ou susto a; amedrontar, assustar, intimidar; espavorir, aterrar. *P.* **2.** Sentir medo ou temor; assustar-se, amedrontar-se, intimidar-se.

atempado. [De *a-*^{2} + *tempo* + *-ado*^{1}.] *Adj. Bras., RS.* Adoentado, achacado: "Andava sempre atempado: / Volta e meia ... / Pontadas pelo vazio, / Dor de barriga, enxaqueca" (Amaro Juvenal, *Antônio Ximango*, p. 18).

atempar. [De *a-*^{2} + *tempo* + *-ar*^{2}.] *V. t. d.* Marcar tempo determinado ou prazo a; aprazar, atermar.

➧**a tempo.** [It., 'em tempo'.] *Mús.* Usado como indicação de que se deve voltar ao movimento normal depois de um trecho acelerado ou afrouxado.

atenazamento. *S. m.* Ato ou efeito de atenazar.

atenazar. [De *a-*^{2} + *tenaz* + *-ar*^{2}.] *V. t. d.* **1.** Apertar com tenaz. **2.** *Fig.* Torturar; mortificar: "Encolhia-me, escondia o rosto no travesseiro, e a visão continuava a atenazar-me." (Graciliano Ramos, *Infância*, p. 89.) **3.** Aborrecer, importunar [v. *apoquentar*]: "tão despejadas mentiras pregou ao irmão, tanto o atenazou, tais artes teve de lhe converter as setas em grelhas, que as bichas pegaram, e Barnabé deu o sim" (Alexandre Herculano, *Lendas e Narrativas*, II, p. 236). [Var. (nas acepç. 2 e 3): *atanazar* (com assimilação) e *atazanar* (da f. anterior com metátese).]

atença. *S. f.* Ato ou efeito de ater-se.

atenção. [Do lat. *attentione.*] *S. f.* **1.** Aplicação cuidadosa da mente a alguma coisa; concentração, reflexão, aplicação: *Dedica* atenção *a tudo quanto faz.* **2.** Reparo, caso, tento: *Não dê* atenção *demasiada à criança.* **3.** Ato ou palavra(s) que demonstra(m) consideração, amabilidade, urbanidade, cortesia oú devoção a ou para com alguém: *É todo* atenção *para com os amigos.* [M. us. no pl., nesta acepç.] ● *Interj.* **4.** Serve para advertir, recomendar cuidado, impor silêncio, etc.; pare, cuidado, olhe: Atenção! *Não atravesse a linha, que o trem se aproxima.* **6.** *Mil.* Voz de advertência [q.v.] que põe o soldado de sobreaviso para a ordem que virá depois. ◆ **Em atenção a.** Por consideração a.

atencioso (ô). *Adj.* **1.** Que presta atenção. **2.** Polido, cortês, obsequioso: "Seu Manuel tinha todas as qualidades da sua boa gente lusitana: trabalhador, sério, atencioso." (Povina Cavalcanti, *Volta à Infância*, p. 29.) **3.** Feito com atenção.

atendente. [Do lat. *attendente.*] *S. 2 g. Bras.* Pessoa que, nos hospitais e consultórios, desempenha serviços auxiliares de enfermagem.

atender. [Do lat. *attendere.*] *V. t. i.* **1.** Dar ou prestar atenção: *Não* atendeu *à observação que lhe fizeram.* **2.** Tomar em consideração; levar em conta; ter em vista; considerar: *Não* atende *a súplicas;* "fui hoje ver o pequeno Abdias. Demos-lhe este nome atendendo a desejo manifestado por Carlota" (Ciro dos Anjos, *Abdias*, p. 188); "Para atender a injunções paternas, Alberto Torres se inclinou para o estudo da medicina." (Barbosa Lima Sobrinho, *Presença de Alberto Torres*, p. 17). **3.** Atentar, observar, notar: Atendia, *de longe, aos acontecimentos. T. d.* **4.** Acolher, receber com atenção ou cortesia: *Sempre* atende *aqueles que o procuram.* **5.** Dar ou prestar atenção a. **6.** Tomar em consideração; considerar: Atende *antes de tudo as* *suas conveniências.* **7.** Dar atenção a; seguir, acatar: *Não costuma atender os meus conselhos.* **8.** Dar audiência a; receber: *O ministro atendeu os funcionários que o aguardavam.* **9.** Dar despacho favorável a; deferir: *Atenderam as reivindicações da carta. Int.* **10.** Ficar ou estar atento; aguardar, esperar: *Atende, e obterás o que pretendes.* **11.** Escutar atentamente: "Olha cá, palerma; escuta; abre bem essas orelhas e atende." (Camilo Castelo Branco, *O Santo da Montanha,* p. 111.)

atendimento. *S. m.* Ato ou efeito de atender.

atendível. *Adj. 2 g.* Que merece atenção ou ser atendido.

ateneu. [Do gr. *Athénaion*, 'templo de Atene', pelo lat. *Athenaeu.*] *S. m.* **1.** Lugar público onde os literatos, na Grécia antiga, liam as suas obras. **2.** Associação científica ou literária; academia. **3.** Estabelecimento de ensino.

ateniense. [Do lat. *atheniense.*] *Adj. 2 g.* **1.** De, ou pertencente ou relativo a Atenas, capital da Grécia. ● *S. 2 g.* **2.** Natural ou habitante de Atenas.

atenorado[1]. [De *a-*[2] + *tenor* + *-ado*[1].] *Adj.* **1.** Diz-se da voz, especialmente da de barítono, com qualidades de timbre que a aproximam da do tenor. **2.** Diz-se do cantor que tem essa voz.

atenorado[2]. [Part. de *atenorar.*] *Adj.* **1.** Diz-se da voz a que se deu registro de tenor. **2.** Cantado à imitação de tenor.

atenorar. [De *a-*[2] + *tenor* + *-ar*[2].] *V. t. d.* **1.** Dar registro de tenor a (voz). **2.** Cantar à imitação de tenor: *Para imitar Caruso, o cantor resolveu atenorar o trecho.*

atenrar. [De *a-*[2] + *tenro* + *-ar*[2].] *V. t. d.* e *p.* Tornar(-se) tenro.

atentado[1]. [Do lat. *attentatu.*] *S. m.* **1.** Tentativa ou execução de crime: *Houve um atentado contra o governo, de que resultaram numerosas prisões.* **2.** Ofensa às leis ou à moral: "Segundo os cânones, o suicídio é um atentado ao Criador" (Machado de Assis, *A Semana*, II, p. 178); *Seu procedimento é um atentado contra os bons costumes.*

atentado[2]. [Part. de *atentar*[1].] *Adj.* Que tem tento; avisado, atento: *É homem atentado no falar.*

atentado[3]. [Part. de *atentar*[3].] *Adj. Bras. Pop.* Endiabrado, levado, azougado: "— Tu eras um pequeno 'atentado', 'arteiro', como eu nunca vi." (Viriato Correia, *Contos do Sertão,* p. 117.)

atentar[1]. [De *atento* + *-ar*[2].] *V. t. d.* **1.** Ver, olhar, considerar, observar com tento; reparar em. *Lê muito, mas não atenta o estilo.* **2.** Aplicar com atenção: "Baltasar não carecia de atentar a orelha para ouvir, sem perda de palavra, o diálogo." (Camilo Castelo Branco, *O Santo da Montanha,* p. 142.) **3.** Refletir sobre; considerar; ponderar: *Não quis atentar as vantagens da proposta. T. i.* **4.** Prestar atenção; reparar, atender: *Desconfiados, começaram a atentar no que ele fazia;* "de máscara e uniforme, perco-me entre eles, e mal atentam em minha presença." (Geir Campos, *O Vestíbulo,* p. 15). **5.** Dirigir a atenção; olhar, observar atentamente: "Um sujeito chega, atenta .... naqueles desconhecidos" (Graciliano Ramos, *Angústia,* p. 5); *Por mais que atentassem para a saída do teatro, não conseguiram ver o ator.* **6.** Cuidar de; preocupar-se com: *Deves atentar mais por teu filho.* **7.** Tomar em consideração; ter em conta; considerar, ponderar, atender: "Toda arte conscienciosa .... comporta exercícios processuais de independência, os quais não atentam em geral a regrinhas, a abusões e a ressalvas de alfaiates da correção para os figurinos mais em voga da estilística sob medida." (Alberto Rangel, *Quando o Brasil Amanhecia,* p. XV.) *Int.* **8.** Tomar alguma coisa em consideração; dar atenção, atender a alguma coisa, considerar, ponderar: *Longe do mundo, não via, não vivia, não atentava.*

atentar[2]. [Do lat. *attentare.*] *V. t. d.* **1.** Empreender, cometer. *T. i.* e *int.* **2.** Perpetrar atentado: "A Prefeitura resolveu multar quem quer que atente contra a estética da cidade." (Nélson Vaz, *Por Amor ao Idioma,* p. 63.)

atentar[3]. [De *a-*[4] + *tentar.*] *V. t. d.* **1.** *Pop.* Tentar: "Deus me perdoe se a pequena não parecia instrumento do mafarrico para me atentar." (José Cardoso Pires, *Jogos de Azar,* p. 133.) **2.** *Bras. Pop.* Importunar, provocar, aborrecer, irritar. *Int.* **3.** Importunar, aborrecer, irritar: "Era o que desse o dia, briquitando na roça com as calças grossas, pesadas, cheias de picão, ... mosquitos e formigas sempre atentando, o diabo!" (Bariani Ortêncio, *Vão dos Angicos,* p. 92.)

atentatório. *Adj.* Em que há, ou que constitui atentado: "Receá-las [as gargalhadas], ... como atentatórias das instituições civis ou religiosas, seria dar-lhes a honra de ridicularizarem quem as teme." (Camilo Castelo Branco, *A Mulher Fatal,* p. 9); *procedimento atentatório contra a moral.*

atentivo. *Adj.* V. *atento* (3): *meditação atentiva.*

atento. [Do lat. *attentu.*] *Adj.* **1.** Que atende, que presta atenção; cuidadoso, atencioso: "Que ânsia de amar! E tudo a amar me ensina; / A fecunda lição decoro atento." (Alberto de Oliveira, *Poesias,* 2ª série, p. 273.) **2.** Estudioso, aplicado. **3.** Em que há atenção ou ponderação; cuidadoso, ponderado, atentivo: *Fez um exame atento da situação.* **4.** Levado em conta; considerado, ponderado: "V. Exª reconhecerá sem dúvida que, mesmo errando, devo ser absolvido, atenta a pureza das intenções que levo no meu enunciado." (Machado de Assis, *Poesia e Prosa,* p. 110). **5.** Reverente, deferente, respeitoso.

atenuação. [Do lat. *attenuatione.*] *S. f.* **1.** Ato ou efeito de atenuar(-se). **2.** Diminuição, abrandamento, enfraquecimento. **3.** *Fís.* Diminuição efetiva da intensidade de uma onda ou de um feixe de partículas que atravessa um meio material.

atenuado. [Part. de *atenuar.*] *Adj.* **1.** Diminuído, enfraquecido. **2.** Abrandado, minorado. ~ *V. folha* —*a.*

atenuador (ô). *Adj.* Que atenua; atenuante.

atenuante. [Do lat. *attenuante.*] *Adj. 2 g.* **1.** Que atenua; atenuador. **2.** Que diminui a gravidade. **3.** *Jur.* Diz-se de circunstância acidental do crime, legalmente prevista, e que acarreta, obrigatoriamente, diminuição da pena, a critério do juiz, respeitado, porém, o limite mínimo da cominação. ● *S. f.* **4.** *Jur.* Circunstância atenuante (3).

atenuar. [Do lat. *attenuare.*] *V. t. d.* **1.** Tornar tênue, delgado; fazer menos espesso; adelgaçar: *medicamentos prescritos para atenuar o sangue.* **2.** Emagrecer, emagrentar, adelgaçar: *atenuar o corpo com dietas.* **3.** Reduzir a menos; diminuir, abater: "A cana se estendendo pelos claros abertos a fogo e a machado no mato virgem atenuou o mal da devastação." (Gilberto Freire, *Nordeste,* pp. 109-110.) **4.** Tornar menos violento, ou menos grave, ou menos inconveniente; suavizar, amenizar, abrandar: *Quis atenuar a verdade, contando apenas parte do que sabia.* **5.** Reduzir a gravidade de (alguma infração ou crime). *P.* **6.** Tornar-se menos violento, ou menos grave, ou menos inconveniente; suavizar, amenizar, abrandar: "O amor é uma forma de loucura e, como a loucura, tem suas alternativas; agrava-se subitamente, hoje, amanhã se atenua sem sabermos por quê." (Ciro dos Anjos, *Abdias,* p. 65.) **7.** Tornar-se mais tênue; adelgaçar-se.

ater. [Do lat. *attinere.*] *V. t. d.* **1.** Fazer parar; deter, reter: "Aquele braço nu e aquela espuma / Da fofa manga atêm-me em mudo exame" (Alberto de Oliveira, *Poesias,* 2ª série, p. 294). *P.* **2.** Encostar-se; arrimar-se; estribar-se: *Ateve-se ao ombro da amiga, ao tropeçar.* **3.** Fixar-se, prender-se, atar-se: *Costuma ater-se a ninharias, em vez de cuidar de coisas importantes.* **4.** Fiar-se, confiar-se: *Sabe a quem se pode ater.* **5.** Cingir-se, circunscrever-se, limitar-se: *Desprezou outras atividades, atendo-se às letras.* [É muito p. us. como transitivo direto. Pres. ind. *atenho-me, aténs-te, atém-se, atemo-nos, atendes-vos, atêm-se.* Cf. *atem*, do v. *atar.*]

ateréua. [Do tupi *ate'rewa.*] *S. f. Bras.* Árvore da família das lecitidáceas *(Eschweilera).* [Var.: *atiriba.*]

aterinídeo. *S. m.* **1.** Espécime dos aterinídeos. ● *Adj.* **2.** Pertencente ou relativo a eles.

aterinídeos. *S. m. pl. Zool.* Família de peixes teleósteos, percomorfos, que habita as costa e os estuários dos rios. Pequenos, com 7 a 8 cm, ventre roliço e esbranquiçado, com faixa lateral prateada e dorso esverdeado. Ex.: o mamarreis.

atérmano. [De *a-*[3] + *therman*, raiz de *thermaíno*, 'aquecer'.] *Adj.* Diz-se de qualquer corpo em que não pode penetrar o calor; atérmico.

atermar. [De *a-*[2] + *termo* (ê) + *-ar*[2].] *V. t. d.* **1.** Pôr termo a; limitar. **2.** V. *atempar. P.* **3.** Tomar certo prazo para fazer ou resolver alguma coisa.

atermasia. [De *a-*[1] + gr. *thermasía*, 'aquecimento'.] *S. f.* Grande calor.

atermia. [De *a-*[3] + *-term(o)-* + *-ia.*] *S. f.* Ausência de calor.

atérmico. [Do gr. *áthermos*, 'sem calor', + *-ico*[2]] *Adj.* **1.** Relativo à atermia. **2.** Atérmano.

ateroma. [Do gr. *athéroma*, pelo lat. *atheroma.*] *S. m. Med.* Alteração degenerativa da camada íntima de artérias. [Em artérias de maior calibre, apresenta-se como placas salientes, brancas ou amarelas, ou como placas irregulares, podendo muitas vezes estar calcificadas.]

aterosclerose. [De *atero(ma)* + *esclerose.*] *S. f. Patol.* Arteriosclerose causada por ateromas.

aterosclerótico. *Adj.* Relativo à aterosclerose.

aterrado. [Part. de *aterrar.*] *Adj.* **1.** Que se aterrou. **2.** *Eletr.* Diz-se de circuito ligado à terra. ● *S. m.* **3.** Terreno resultante de aterro; aterro. **4.** *Bras., MT.* Terreno firme e enxuto, no meio de alagadiço. **5.** *Bras., MA.* Terreno de aluvião situado às margens de um curso de água.

aterrador (ô). *Adj.* V. *aterrorizador.*

aterragem. *S. f.* Ato de aterrar[2] (4). [Sin., bras.: *aterrissagem.*]

aterraplanar. *V. t. d.* V. *terraplenar.*

aterraplenar. *V. t. d.* V. *terraplenar.*

aterrar[1]. [De *a-*[4] + lat. *terrere.*] *V. t. d., int.* e *p.* V. *aterrorizar:* "Aterrava-a a idéia de um encontro com o filho" (Coelho Neto, *Turbilhão,* p. 156); "O que mais aterrava o espírito patriótico de Eduardo Prado era o espetáculo da intolerância política que encheu os primeiros anos da República." (Olavo Bilac, *Crítica e Fantasia,* p. 416); "Em ronco que aterra, / Berra o sapo-boi" (Manuel Bandeira, *Estrela da Vida Inteira,* p. 51). [Pres. ind.: *aterro*, etc. Cf. *aterro* (ê).]

aterrar[2]. [De *a-*[2] + *terra* + *-ar*[2].] *V. t. d.* **1.** Encher de terra. **2.** Cobrir com terra. **3.** Altear (um terreno), acumulando terra ou entulho. **4.** *Eletr.* Ligar (um circuito) à terra. *Int.* **5.** Pousar em terra (aeronave); aterrizar, aterrissar. **6.** *Mar.* Investir (o navegante que vem do alto-mar) para reconhecimento de determinado trecho do litoral; aproximar-se do litoral, vindo do alto-mar. [Cf. *amarrar.*] *P.* **7.** Cair por terra; subverter-se, soçobrar. **8.** Esconder-se (um animal) debaixo da terra, em toca; entocar-se. [Pres. ind.: *aterro*, etc. Cf. *aterro* (ê).]

aterrissagem. [Do fr. *atterrissage.*] *S. f. Bras. Gal.* V. *aterragem.*

aterrissar. [Do fr. *atterrisser.*] *V. int. Bras. Gal.* V. *aterrar*[2] (4).

aterrizar. [De *a-*[2] + *terra* + *-izar.*] *V. int. Bras.* V. *aterrar*[2] (4).

aterro (ê). [Dev. de *aterrar*[2].] *S. m.* **1.** Ato ou efeito de aterrar[2]. **2.** Porção de terra ou de entulho com que se nivela ou alteia um terreno. **3.** *Bras.* Aterrado (2). [Pl.: *aterros* (ê). Cf. *aterro*, do v. *aterrar.*] ♦ **Aterro hidráulico.** *Constr.* Aterro cujo material é trazido ao local por meio de uma corrente de água, em tubos ou calhas.

aterroada. *S. f. Bras., Amaz.* **1.** Depressões que as patas dos animais deixam nos terrenos baixos ou alagadiços. **2.** Pequenas elevações no terreno, produzidas por minhocas, cupins, formigas.

aterro-barragem. *S. m. Constr.* Maciço artificial de terras que tanto serve para dar passagem a uma estrada como para represar águas. [Pl.: *aterros-barragens.*]

aterrorar. *V. t. d., int.* e *p.* V. *aterrorizar.*

aterrorizado. [Part. de *aterrorizar.*] *Adj.* Dominado pelo terror; apavorado.

aterrorizador (ô). *Adj.* Que aterroriza; pavoroso, aterrador, aterrorizante.

aterrorizante. *Adj. 2 g.* V. *aterrorizador.*

aterrorizar. [De *a-*[2] + *terror* + *-izar.*] *V. t. d.* **1.** Encher de terror; causar terror a; aterrar, terrorizar, aterrorar, terrorar: "Patkull, meu amigo, por que te deixas levar destas idéias, que me aterrorizam?" (Gonçalves Dias, *Teatro,* p. 288.) *Int.* **2.** Provocar terror; fazer medo; aterrar, aterrorar, terrorar: *Sua crueldade aterroriza. P.* **3.** Encher-se de terror; aterrar-se, aterrorar-se, terrorar-se.

atesar. [De *a-*[2] + *teso* + *-ar*[2].] *V. t. d.* e *int.* Tornar(-se) ou fazer(-se) teso; entesar(-se): "Se a besta refugava atesando as orelhas, Tomé Saíra, tiritando, persignava-se" (Coelho Neto, *Sertão,* p. 289).

atestação. [Do lat. *attestatione.*] *S. f.* **1.** Ato ou efeito de atestar[1]. **2.** Declaração escrita e assinada sobre a verdade de um fato, para servir a outrem de documento; atestado[1], testemunho. [Cf. *certidão* (1).]

atestado[1]. [Part. substantivado de *atestar*[1].] *S. m.* **1.** Documento que contém atestação (2); certidão. **2.** *Fam.* Prova, demonstração: *Tal afirmação de sua parte é um atestado de culpa.*

atestado[2]. [Part. de *atestar*[2].] *Adj.* Muito cheio; abarrotado.

atestador (ô). [Do lat. *attestatore.*] *Adj.* e *s. m.* Que ou aquele que atesta; atestante.

atestante. [Do lat. *attestante.*] *Adj. 2 g.* e *s. 2 g.* Atestador.

atestar[1]. [Do lat. *attestare, por *attestari.*] *V. t. d.* **1.** Afirmar ou provar em caráter oficial. **2.** Passar atestado de; certificar por escrito: *O delegado atestou os bons antecedentes do rapaz.* **3.** Dar testemunho de: testemunhar, testificar: *Trabalhamos juntos anos a fio, de modo que posso atestar a sua idoneidade.* **4.** Provar, demonstrar: "Embora as pedras do túmulo atestem que estás morta, / e repouses como repousam os cadáveres, / o teu espírito sobrevive." (Jorge de Lima, *Obra Completa*, I, p. 438.) *T. d. e i.* **5.** Provar, demonstrar: *Posso atestar-lhe a verdade do que afirmo. T. i.* **6.** Dar atestado; depor; testemunhar, testificar. *Int.* **7.** Dar atestado ou testemunho. [Pres. ind.: *atesto*, etc. Cf. *atesto* (ê).]

atestar^2. [De *a-*^{2} + *testo* + *-ar*^{2}.] *V. t. d. e t. d. e i.* **1.** Encher até ao testo ou borda; abarrotar. **2.** Encher em excesso; abarrotar: "Os rolos de tabaco, tecidos de seda, chapéus-de-sol de veludo, aguardente do Reino e do Brasil, os búzios, *atestavam* as sumacas, corvetas e navios maiores." (Luís da Câmara Cascudo, *Prelúdio da Cachaça*, p. 31.) *P.* **3.** Comer ou beber em excesso; abarrotar-se, empanturrar-se, entulhar-se. [Pres. ind.: *atesto*, etc. Cf. *atesto* (ê).]

atestatório. *Adj.* Que serve ou é próprio para atestar^1 ou provar: *documento atestatório da honestidade do requerente.*

atesto (ê). [Dev. de *atestar*^{2}.] *S. m.* Operação que consiste em encher o vazio, produzido pela evaporação, dos cascos que contêm vinho. [Pl.: *atestos* (ê). Cf. *atesto*, do v. *atestar*.]

ateu. [Do gr. *átheos*, pelo lat. *atheu*.] *Adj.* **1.** Diz-se daquele que não crê em Deus ou nos deuses; ímpio. **2.** Próprio de ateu: "visão dos tempos de Deus, / Vem, corre, transforma, alimpa / Meus pensamentos *ateus*." (Junqueira Freire, *Obras Póstumas*, II, p. 64). ● *S. m.* **3.** Indivíduo ateu; ímpio. [Fem.: *atéia*, Cf. *ateia*, do v. *atear*.]

ati. [Do tupi.] *S. m. Bras.* V. *gaivota* (1).

atiadeu. *Bras. S. 2 g.* **1.** Indivíduo dos atiadeus, tribo indígena, guaicuru de MT. ● *Adj. 2 g.* **2.** Pertencente ou relativo a essa tribo.

atiati. [Do tupi.] *S. f. Bras.* V. *gaivota* (1).

atibaiano. *Adj.* **1.** De, ou pertencente ou relativo a Atibaia (SP). ● *S. m.* **2.** O natural ou habitante de Atibaia. [Sin. ger.: *atibaiense*.]

atibaiense. *Adj. 2 g. e s. 2 g.* Atibaiano.

atiçador (ô). *Adj.* **1.** Que atiça; provocador: *Foi ele, sim, o elemento atiçador da discórdia.* ● *S. m.* **2.** Aquele que atiça: *O atiçador da briga desculpou-se com os contendores.* **3.** Instrumento para avivar o fogo; espevitador.

atiçamento. *S. m.* Ato ou efeito de atiçar(-se).

aticar. *V. t. d. Bras., SC. Pop.* Encontrar, achar. [Conjug.: v. *trancar*. Pres. ind.: *atico*, etc. Cf. *ático*, *adj.* e *s. m.*, e o antr. *Ático*.]

atiçar. [Do lat. *attitiare*.] *V. t. d.* **1.** Espertar, avivar, atear (o fogo): "Abaixou-se, *atiçou* o fogo, apanhou uma brasa com a colher" (Graciliano Ramos, *Vidas Secas*, p. 50). **2.** Instigar, promover, fomentar: *atiçar rixas, rivalidades, dissensões.* **3.** Excitar, estimular: "não *atice* a coitada com essas ilusões, quanto mais ela se instruir mais infeliz será." (Lígia Fagundes Teles, *O Jardim Selvagem*, p. 39); "Mas o ar forte demais, / com brevidade, *atiça* / os pecados mortais / da gula e da preguiça." (Alberto de Serpa, *Almanaque de Lembranças Luso-Brasileiro*, p. 51). **4.** Irritar, estimular (o ânimo, a atividade). **5.** Despertar, avivar (fome, sede, sensações): *O encontro com o inimigo atiçou-lhe a cólera. P.* **6.** Irritar-se, irar-se, exasperar-se: *Atiçou-se com os comentários irônicos a seu respeito.* [Conjug.: v. *laçar*.]

aticismo. [Do gr. *attikismós*, pelo lat. *atticismu*.] *S. m.* Elegância, pureza e sobriedade de linguagem, de estilo.

ático. [Do gr. *attikós*, pelo lat. *atticu*.] *Adj.* **1.** Da, ou pertencente ou relativo à Ática (Grécia antiga). **2.** Diz-se do dialeto eminentemente literário falado na região da Ática, e que foi a base da língua grega. **3.** Relativo ao, ou que revela aticismo; elegante, puro, sóbrio (estilo). ~ V. *ordem* —*a* e *sal* —. ● *S. m.* **4.** O natural ou habitante da Ática. **5.** O dialeto ático (2). **6.** *Arquit.* Parte superior de uma fachada, acima do último pavimento do edifício, imitando andar de pequena altura, ou simplesmente ornada de pilastras, e que serve para ocultar ou dissimular o telhado. **7.** *Arquit.* Pavimento de menor altura e mais recuado que os demais, no topo dos edifícios, para abrigar máquinas, reservatórios, depósitos e, eventualmente, alojamentos. [Cf. *atico*, do v. *aticar*.]

atiço. *S. m. Bras., PE.* Extremidade incombusta dos paus que ficam nas covas de carvão.

atiçoar. [De *a-*^{2} + *tição* + *-ar*^{2}.] *V. t. d.* Queimar com tição. [Conjug.: v. *coroar*.]

atiçu. [Da língua dos nhambiquaras.] *S. m. Bras., MT.* Cesta usada pelos nhambiquaras.

aticum. *Bras. S. 2 g.* **1.** Indivíduo dos aticuns, tribo indígena da serra do Umã, município de Floresta (PE). ● *Adj. 2 g.* Pertencente ou relativo a essa tribo. [Sin.: ger.: *uamói*, *umã*, *umão* e *urumã*.]

atigrado. [De *a-*^{2} + *tigre* + *-ado*^{1}.] *Adj.* **1.** Semelhante ao tigre. **2.** Mosqueado como a pele desse animal; tigrado.

atiídeo. *S. m.* **1.** Espécime dos atiídeos. ● *Adj.* **2.** Pertencente ou relativo a eles.

atiídeos. *S. m. pl. Zool.* Família de crustáceos decápodes, macruros, que habitam as corredeiras e águas doces. O seu desenvolvimento é muitíssimo curioso, pelas particularidades do crescimento.

atijolado.^{1} [De *a-*^{2} + *tijolo* + *-ado.*^{1}] *Adj.* Tirante à cor do tijolo.

atijolado.^{2} [Part. de *atijolar*.] *Adj. Bras.* Pavimentado com tijolos.

atijolar. [De *a-*^{2} + *tijolo* + *-ar*^{2}.] *V. t. d. Bras.* Pavimentar com tijolos.

atilado. [Part. de *atilar*.] *Adj.* **1.** Escrupuloso, correto. **2.** Discreto prudente, ajuizado, atinado. **3.** Sagaz, esperto, fino. **4.** Elegante, apurado.

atilamento. *S. m.* **1.** Pontualidade, exatidão. **2.** Prudência, juízo, tino. **3.** Esmero, elegância, apuro.

atilar. *V. t. d.* **1.** Executar com cuidado e atenção. **2.** Dar a última demão em; aperfeiçoar. **3.** Tornar fino, esperto. *P.* **4.** Tornar-se fino, esperto, hábil. [Pres. ind.: *atilo, atilas, atila*, etc. Cf. *Átila*, antr.]

atilho. [De *atar.*^{2}] *S. m.* **1.** Aquilo com que se ata ou amarra: fita, fio, cordel, cordão, corda, etc.; atacador. **2.** *Bras.* Feixe de espigas de milho: "Aproveitem o milho, enquanto há ..... Aqui, vendo-o baratinho. Um *atilho* por um cobre" (Visconde de Taunay, *Inocência*, p. 45). [Em nota de rodapé, Taunay diz que um atilho se compõe de quatro espigas amarradas.]

atim. [Do ioruba.] *S. m. Bras., BA.* Folhas e ervas especiais dedicadas a um orixá.

atimia^1. [Do gr. *athymía*.] *S. f.* **1.** Desânimo, abatimento, prostração. **2.** Melancolia, acabrunhamento.

atimia^2. [De *a-*^{3} + *timo*^{1} + *-ia*.] *S. f. Terat.* Ausência congênita do timo^1.

átimo. [De *átomo*, por dissimilação.] *S. m. Bras.* Instante; momento. ◆ **Num átimo.** *Bras.* Em curto espaço de tempo; num abrir e fechar de olhos.

atinado. [Part. de *atinar*.] *Adj.* **1.** Prudente, ajuizado, discreto; atilado. **2.** Inteligente, astuto.

atinar. [De *a-*^{2} + *tino* + *-ar*^{2}.] *V. t. d.* **1.** Descobrir pelo tino, pelo raciocínio, por conjetura ou por indício; acertar com; dar com; achar: *Atinou desde cedo a vocação do filho.* **2.** Dar tino de; notar, compreender: *Pelo comportamento da moça atinou que ela o amava. T. i.* **3.** Descobrir pelo tino, pelo raciocínio, por conjetura ou por indício; acertar, encontrar: "Cismou algum tempo no caso; mas, como não *atinava* a deduzir daí uma ilação razoável, não pensou mais nisso." (Alexandre Herculano, *O Monge de Cister*, II, p. 141.) **4.** Dirigir-se, encaminhar-se, seguindo algum indício ou conjetura. **5.** Lembrar-se de, acertar (com uma coisa que escapara da memória): "Como eu invejo os que não esqueceram a cor das primeiras calças que vestiram! Eu não *atino* com a das que enfiei ontem." (Machado de Assis, *Dom Casmurro*, p. 476.) **6.** Encontrar, acertar, dar: *Não atinou com a entrada. Int.* **7.** Dar com o que se procura; acertar.

atincal. [De *a-*^{4} + *tincal*.] *S. m. Min.* Var. de *tincal*.

atinência. [Do lat. *attinentia*.] *S. f.* Qualidade de atinente.

atinente. [Do lat. *attinente*.] *Adj. 2 g.* Referente, relativo, respeitante: *os problemas atinentes a seu cargo*; "qualquer coisa de trágico, afinal, em que o pensamento já não era pensamento, mas sorte de mistificação formal das faculdades espirituais *atinentes* a cada homem." (João da Silva Correia, *Os Outros*, p. 196).

atinga. [Do tupi *a'tĩga*.] *S. f. Bras.* Espécie de peixe.

atingaçu. [Var. de *atinguaçu* (q. v.).] *S. m. Bras.* V. *chincoã*.

atingaú. [De *atinga* + tupi *u*, 'negro'.] *S. f. Bras., Amaz.* V. *chincoã*.

atingir. [Do lat. *attingere*.] *V. t. d.* **1.** Alcançar, tocar: *Não consegue atingir a última prateleira*; "Levantava os braços e *atingia* as estrelas." (Elias José, *Inquieta Viagem do Fundo do Poço*, p. 25). **2.** Conseguir, obter; alcançar: *atingir uma graça.* **3.** Chegar a: *Os excursionistas atingiram o cume da montanha*; "Em Capitu, há um fundo vertiginoso de amoralidade que *atinge* as raias da inocência animal." (Augusto Meyer, *Machado de Assis*, p. 148). **4.** Elevar-se a; subir: "Eleva-se acima da condição humana; / *Atinge* os confins da divindade." (Manuel Bandeira, *Estrela da Vida Inteira*, p. 224); *atingir um alto cargo.* **5.** Dizer respeito a: *Tais ironias não me atingem.* **6.** Compreender, perceber: *Sabe atingir os defeitos do amigo.* **7.** Abranger, incluir: *As medidas de repressão atingiram todo o país. T. i.* **8.** *P. us.* Alcançar, atinar, perceber: "O monarca podia *atingir* ao que significava aquele gesto." (Alexandre Herculano, *O Monge de Cister*, II, p. 25.) *Int.* **9.** Alcançar intelectualmente; apreender, compreender: *Por mais que lhe explicassem, não atingia.* [Conjug.: v. *dirigir*.]

atingível. *Adj. 2 g.* Que pode ser atingido.

atinguaçu. [De *tinguaçu*, por prótese.] *S. m. Bras.* V. *chincoã*.

atino. [Part. de *atinar*.] *S. m.* **1.** Ato de atinar. **2.** Juízo, raciocínio, tino.

atintamento. *S. m. Art. Gráf.* V. *entintamento*.

atintar. *V. t. d. Tip.* V. *entintar*.

atipicidade. *S. f.* **1.** Qualidade de atípico. **2.** *Jur.* Caráter dos fatos que, por não enquadrarem todos os elementos da definição legal de um direito, são indiferentes ao direito penal.

atípico. [Do gr. *átypos*, '*irregular*', + *-ico*^{2}.] *Adj.* Que se afasta do normal, do típico. [Cf. *anômalo*.] ~ V. *febre* —*a*.

atiplar. [De *a-*^{2} + *tiple* + *-ar*^{2}.] *V. t. d.* Dar voz de tiple a.

atirada. [De *atirar* + *-ada*^{1}.] *S. f.* Ato ou efeito de atirar ou disparar.

atiradeira. [Fem. de *atirador*] *S. f. Bras.* Forquilha de madeira ou de metal, munida de elástico, com que se atiram pequenas pedras, e usada geralmente por crianças para matar passarinhos. [Sin. (em vários pontos do Brasil): *baladeira, baleeira, beca, bodoque, badoque* ou *badogue, estilingue, funda, peteca, seta, setra*.]

atiradiço. [De *atirado* + *-iço*.] *Adj. Fam.* **1.** Petulante, ousado, atrevido. **2.** Dado a aventuras, em especial aventuras galantes. [Sin. (bras.): *atirado*.]

atirado. [Part. de *atirar*.] *Adj. Bras.* Atiradiço.

atirador (ô) *Adj.* **1.** Que atira. ● *S. m.* **2.** Aquele que atira. **3.** Disparador de arma de fogo.

atiramento. *S. m.* Ato ou efeito de atirar(-se).

atirar. [De *a-*^{4} + *tirar*.] *V. t. d. e i.* **1.** Arrojar, arremessar, lançar: *Atirou a lança contra o inimigo.* **2.** Disparar (projetil): "A ela, primeiro que a ninguém, *atiro* a bala." (Antônio Feliciano de Castilho, *Misantropo*, p. 68.) **3.** Lançar, proferir, de súbito e com violência: *atirava injúrias aos presentes. T. i.* **4.** Arrojar, arremessar, lançar, com força, ímpeto, violência: *Despiu-se exasperado, atirando com as roupas e sapatos.* **5.** Disparar arma de fogo ou de arremesso; alvejar: *atirar às aves.* **6.** Ter tendência ou propensão; tender, propender; inclinar-se: *Desde criança atirava para aquela carreira.* **7.** *Bras., CE.* Nas danças-de-roda, convidar (o dançarino solista) uma pessoa para com ele dançar, sapateando na direção dela: "Dançando, puxa a *fieira*, / A vista corre na roda: Numa cabocla da moda, / Muito cortês *atirou*." (Rodolfo Teófilo, *Lira Rústica*, pp. 89-90.) *T. d.* **8.** Arrojar, arremessar, lançar, jogar. **9.** Estirar, estender: *Sentou-se e atirou as pernas.* **10.** *Bras.* Convidar para dançar; tirar, *Int.* **11.** Disparar arma de fogo ou de arremesso; fazer fogo; dar tiro(s): *Ao ser agredido, atirou*; "no meio da folhagem distingue um camaleão. *Atira* e o bicho cai." (Hélio Galvão, *Cartas da Praia*, pp. 56-57). **12.** *Bras., CE.* Atirar (7). *P.* **13.** Arrojar-se, arremessar-se, lançar-se, jogar-se: "*Atira-se* às águas" (Gonçalves Dias, *Obras Poéticas*, II, p. 55); "saiu de casa uma noite, e foi *atirar-se* ao mar" (Artur Azevedo, *Contos Possíveis*, p. 51); "Tertuliano, mal que o viu, *atirou-se* -lhe nos braços" (Id., *Contos fora da Moda*, pp. 12-13); "Irmãos se *atiram* contra irmãos." (Henriqueta Lisboa, *Madrinha Lua*, p. 57). **14.** Abalançar-se; arrojar-se: *Atirar-se a negócios.* **15.** Entregar-se, abandonar-se: *Atirou-se à boêmia.* **16.** Dirigir-se, encaminhar-se, com resolução: "não querendo saber de mais nada, *atirei-me* para casa a galope." (Joaquim Manuel de Macedo; *Os Romances da Semana*, p. 32). **17.** Dirigir galanteios; arrastar a asa: *Atirou-se à moça, mas esta não lhe deu atenção.*

atiriba. [De possível or. tupi.] *S. f. Bras.* Var. de *ateréua*.

atitar. [De *atito* + *-ar*^{2}] *V. int.* **1.** Soltar (a ave) grito agudo, quando assustada ou enfurecida: "Mas não é para ouvir como em teu seio, / Mangueira amiga, vêm, seteando a altura, / *Atitar* azulões e gaturamos, / Saís e encontros, que eu ali passeio" (Alberto de Oliveira, *Poesias*, 2ª série, pp. 285-286). **2.** Soltar grito agudo; silvar.

atito. [Voc. onom.] *S. m.* **1.** Pio agudo de aves assustadas ou enfurecidas. **2.** Assobio agudo e forte; silvo.

atitude. [Do lat. *attitudine*, atr. do fr. *attitude*.] *S. f.* **1.** Posição do corpo; porte, jeito, postura: *Mantém-se erecta, em atitude elegante.* **2.** Modo de proceder ou agir; comportamento, procedimento: *Qual foi sua atitude em face do desafio?* **3.** *P. ext.* Afetação de comportamento ou procedimento: *Sua cordialidade é pura atitude.* **4.** Propósito, ou maneira de se manifestar esse propósito: *A atitude das nações aliadas na II Guerra Mundial foi de hostilidade ao nazismo.* **5.** Reação ou maneira de ser, em relação a determinada(s) pessoa(s), objeto(s), situações, etc.: *Sua atitude negativa revela-lhe o desequilíbrio psíquico.* **6.** *Astr.* Posição de um foguete, míssil ou satélite artificial, determinada pela direção de seu eixo principal em relação a um dado sistema de coordenadas. **7.** *Mar. G. Bras.* Orientação do eixo longitudinal do projetil, ou de um dos três eixos do míssil guiado, em relação a uma referência preestabelecida.

atiuaçu (i-u). [Do tupi *atiwa'su.*] *S. f. Bras. Amaz.* V. *chincoã.*

ativa. [Fem. substantivado do adj. *ativo.*] *S. f.* **1.** A parte principal exercida em qualquer ato. **2.** Serviço ativo [q. v.]. **3.** Exercício efetivo de um serviço, de uma atividade: *É funcionário da ativa, ainda não se aposentou.* **3.** *Gram.* A voz ativa dos verbos.

ativação. *S. f.* **1.** Ação ou efeito de ativar(-se). **2.** *Eletrôn.* Processo ou série de processos empregados na manufatura de tubos eletrônicos, por meio dos quais o catodo adquire suas propriedades emissivas. **3.** *Fís. Nucl.* Formação de um isótopo radioativo artificial por meio de uma reação nuclear. **4.** *Fís.-Quím.* Aumento do poder de adsorção de um adsorvente por meio de tratamento físico ou químico.

ativado[1]. *Adj.* Que sofreu ativação.

ativado[2]. [Part. de *ativar.*] *Adj.* Tornado ativo ou mais ativo: *O projeto foi novamente ativado.*

ativador (ô). *Adj.* **1.** Ativante (1). • *S. m.* **2.** Ativante (2). **3.** *Embr.* Substância que estimula o desenvolvimento de um tecido ou órgão embrionário. **4.** *Quím.* Substância que determina ou protege a ação enzimática.

ativante. *Adj. 2 g.* **1.** Que ativa; ativador. • *S. 2 g.* **2.** Aquilo que ativa; ativador. • *S. m.* **3.** *Constr.* Aditivo destinado a aumentar a adesividade de um aglomerante.

ativar. *V. t. d.* **1.** Dar atividade a. **2.** Tornar ativo ou mais ativo; impulsionar: *ativar as funções orgânicas.* **3.** Tornar mais ativo, mais intenso: *ativar o fogo; ativar uma paixão. P.* **4.** Tornar-se ativo, intenso; intensificar-se.

atividade. [Do lat. *activitate.*] *S. f.* **1.** Qualidade ou estado de ativo; ação: *Encontrei-o às seis da manhã já em plena atividade.* **2.** Diligência, afã: *Para que toda essa atividade?* **3.** Qualquer ação ou trabalho específico: *atividades agrícolas; A Câmara reiniciará suas atividades em março.* **4.** Modo de vida; ocupação, profissão, indústria: *Sua principal atividade é ensinar.* **5.** Energia, força, vigor, vivacidade. **6.** *Eletrôn.* Nos cristais piezelétricos, a magnitude da oscilação relativa à tensão de excitação, não havendo processo padrão para sua medida direta. **7.** *Filos.* Ação (15). **8.** *Filos.* Qualidade ou estado do agente. **9.** *Filos.* Qualidade ou estado de ser em ato. **10.** *Fís. Nucl.* Número de partículas emitidas por uma amostra, por unidade de tempo; atividade nuclear. **11.** *Fís.-Quím.* Variável termodinâmica intensiva que substitui a concentração na expressão do potencial de um componente em um sistema não ideal. A atividade de um componente em uma solução não ideal é uma medida da concentração que o componente considerado deveria ter para que a solução fosse ideal em relação a ele. **12.** *Fisiol.* Função normal do corpo, de determinado órgão, do cérebro, etc.: *Só tem um dos rins em atividade.* ♦ **Atividade geomagnética.** *Geofís.* Conjunto de fenômenos capazes de caracterizar, num determinado instante, os efeitos e o valor do magnetismo terrestre. **Atividade nuclear.** *Fís. Nucl.* Atividade (10). **Atividade óptica.** *Fís.* Propriedade de certas substâncias ou soluções de causarem uma rotação no plano de polarização dum feixe de luz polarizada que as atravessa. **Atividade solar.** *Astr.* Conjunto de fenômenos físicos localizados no Sol, e que caracterizam o estado desse astro. **Em atividade. 1.** No exercício efetivo de funções ou emprego. [Diz-se de funcionários civis, de militares, de empregados, etc. Cf., nesta acepç., *inatividade* (2).] **2.** Sem estar em repouso; em efervescência.

ativismo. [De *ativo* + *-ismo.*] *S. m.* **1.** *Filos.* Doutrina que admite algum tipo de oposição entre a ação [q. v.] e os domínios diversos do conhecimento, e que dá primazia à ação, primazia que comporta diferentes graus e definições. [Cf. *naturalismo* (4), *humanismo* (1) e *pragmatismo.*] **2.** *Liter.* Estilo impressionista em que se empregam os gêneros literários para propaganda de idéias políticas. **3.** Militância política.

ativista. [De *ativo* + *-ista.*] *Adj. 2 g.* **1.** Relativo ao, ou que é partidário do ativismo. • *S. 2 g.* **2.** Partidário do ativismo. **3.** Militante político.

ativo. [Do lat. *activu.*] *Adj.* **1.** Que exerce ação; que age, funciona, trabalha, se move, etc.: *Aos oitenta anos ainda é ativo.* **2.** Apto a agir, funcionar, etc., com rapidez, prontidão: *Seu espírito muito ativo capta de pronto o assunto de que se trata.* **3.** Que se caracteriza principalmente pela ação, pelo movimento, pela diligência; vivo, ágil, enérgico, rápido (em oposição a lento, lerdo): *Insistiu para que no futuro fosse mais ativo, mais interessado nas tarefas a seu cargo.* **4.** Que tem participação ou influência; participante, atuante: *Os positivistas exerceram papel ativo na difusão das idéias republicanas no Brasil.* **5.** Muito forte; intenso, vivo: *cheiro ativo.* **6.** Diz-se de vulcão que está ou poderá entrar em erupção. [Opõe-se a *extinto* (5).] **7.** *Eletr.* Diz-se de um componente em um circuito elétrico ou eletrônico que está carregado eletricamente. **8.** *Filos.* Que é, ou pode ser, agente. **9.** *Filos.* Que está em ato. [Cf. *em ato.*] **10.** *Fís. Nucl.* Diz-se de um núcleo capaz de sofrer fissão. ~ V. *algolagnia —a, área —a, centro —, corrente —a, dívida —a, exército —, guiamento de atração —, intelecto —, potência —a, resíduos —s, satélite —, serviço —, substância —a, verbo — e voz —a.* • *S. m.* **11.** A totalidade dos bens de uma empresa, ou pessoa, inclusive os direitos suscetíveis de avaliação. [Opõe-se a *passivo* (3).] **12.** *Fís. Nucl.* Radioativo. ♦ **Ativo circulante. 1.** *Cont.* O numerário existente em caixa, ou depositado em bancos, créditos vencíveis dentro do exercício corrente e valores liquidáveis dentro desse prazo; ativo corrente. **2.** V. *capital de giro.* **Ativo corrente.** *Cont.* Ativo circulante. **Ativo fixo.** *Econ.* Soma dos valores dos bens cuja forma não se altera durante o processo de produção. **Ativo líquido.** *Cont.* Saldo resultante do ativo após a dedução do passivo. **Ativo real.** *Cont.* Parte do ativo facilmente conversível em dinheiro; ativo realizável. **Ativo realizável.** *Cont.* Ativo real.

■ **at.l.** *Fís.* Símb. de *atmosfera litro.*

atlante. [Do gr. *Atlas, ántos,* nome dum titã que carregava aos ombros a abóbada celeste, pelo lat. *Atlante*] *Adj. 2 g.* **1.** Da, ou pertencente ou relativo à Atlântida, ilha ou continente que se acreditava ter existido e submergido em local do Oceano Atlântico, a O. de Gibraltar. **2.** *Fig.* Diz-se de homem muito forte, agigantado, hercúleo. • *S. m.* **3.** Natural ou habitante da Atlântida. **4.** *Fig.* Homem forte, atleta. **5.** *Fig.* Sustentáculo, arrimo. **6.** *Arquit.* Telamão. **7.** *Zool.* Gênero de moluscos de concha esférica.

atlântico. [Do gr. *atlantikós,* pelo lat. *atlanticu.*] *Adj.* **1.** Relativo ou pertencente às montanhas africanas do Atlas ou ao Oceano Atlântico. **2.** Diz-se do oceano que banha o oeste dos continentes africano e europeu, e o leste do americano. **3.** Que vive no Oceano Atlântico, ou está situado perto dele, ou sobre ele, ou nele. **4.** *Restr.* Diz-se das nações ou regiões banhadas pelo Oceano Atlântico. **5.** Hercúleo, agigantado, atlante. **6.** *Bot.* Diz-se do domínio florístico que compreende toda a cadeia montanhosa justamarítima brasileira. Constitui a floresta atlântica o principal tipo de vegetação aí observado, o qual apresenta intrusões para o interior, em forma de capões e florestas em galeria. • *S. m.* **7.** O Oceano Atlântico.

▲**atlanto-.** [Do gr. *atlas, atlántos.*] *El. comp.* = 'Atlântico': *atlanto-mediterrâneo.*

atlanto-mediterrâneo. [De *atlanto-* + *mediterrâneo.*] *Adj.* **1.** Relativo ou pertencente ao Oceano Atlântico e ao mar Mediterrâneo. • *S. m.* **2.** O natural ou habitante da região banhada por esse oceano e esse mar. [Pl.: *atlanto-mediterrâneos.*]

atlas. [Do gr. *Átlas,* pelo lat. *atlas* (v. *atlante*).] *S. m. 2 n.* **1.** Coleção de mapas ou cartas geográficas em volume. **2.** Volume que contém um conjunto coerente e completo de estampas, gráficos, quadros, etc., acompanhado de textos elucidativos: *atlas anatômico.* [Cf. *álbum* (4).] **3.** *Anat.* A primeira vértebra cervical, que sustenta a cabeça. ♦ **Atlas celeste.** *Astr.* Coleção de mapas que indicam as posições das estrelas na esfera celeste, através de projeções planas.

atlasiano. *Adj.* Relativo à cadeia do Atlas (África do Norte) ou à região em que ela se encontra; atlásico, atlântico.

atlásico. *Adj.* V. *atlasiano.*

atled. *S. m. Cálc. Vect.* V. *nabla.*

atleta. [Do gr. *athletés,* pelo lat. *athleta.*] *S. 2 g.* **1.** Na antiguidade greco-romana, pessoa que se exercitava na luta para entrar em combate nos jogos solenes; lutador. **2.** Pessoa forte, musculosa. **3.** Pessoa que pratica esportes. **4.** *Fig.* Defensor valoroso de uma causa ou de um partido; campeão. • *S. m.* **5.** *Turfe. Gír.* Cavalo de corridas.

atlética. [Fem. substantivado de *atlético.*] *S. f.* Arte ou profissão de atleta.

atleticano[1]. *Bras. Adj.* **1.** Pertencente ou relativo ao Clube Atlético Mineiro (MG). **2.** Que é jogador ou torcedor dessa agremiação. • *S. m.* **3.** Jogador ou torcedor dela. [Sin. ger.: *alvinegro, galo, galo carijó, atlético.*]

atleticano[2]. *Bras. Adj.* **1.** Pertencente ou relativo ao Clube Atlético Ferroviário (PR). **2.** Que é jogador ou torcedor dessa agremiação. • *S. m.* **3.** Jogador ou torcedor dela. [Sin. ger.: *atlético.*]

atlético[1]. [Do gr. *athletikós,* pelo lat. *athleticu.*] *Adj.* **1.** Respeitante a, ou próprio de atleta. **2.** Vigoroso, musculoso, forte.

atlético[2]. *Adj.* e *s. m.* V. *atleticano[1].*

atlético[3]. *Adj.* e *s. m.* Atleticano[2].

atletismo. *S. m.* **1.** Designação comum às atividades desportivas em geral, de caráter competitivo, realizadas individualmente ou entre equipes (corrida, lançamento, salto, etc.). **2.** A prática de esportes atléticos.

▲**-atlo.** [Do gr. *Átlas, ántos.*] *El. comp.* = 'exercício físico', 'robustez', 'força física': *decatlo.*

■ **atm.** *Fís.* Símb. de *atmosfera física.*

atmã. [Do sânscr.] *S. m. Filos.* No hinduísmo, o eu ou a alma individual, querendo significar ou a totalidade das funções do organismo, ou uma entidade supracorporal que só pode ser atingida quando superada a realidade corpórea do indivíduo concreto, confundindo-se este com Brama.

▲**atmido-.** [Do gr. *atmís, idos.*] *El. comp.* = 'vapor': *atmidômetro.*

atmidômetro. [De *atmido-* + *-metro[2].*] *S. m.* Atmômetro.

■ **atm.l.** *Fís.* Símb. de *atmosfera litro.*

▲**atm(o)-.** [Do gr. *atmós, oû.*] *El. comp.* = 'gás', 'vapor': *atmosfera.*

atmoclástico. [De *atm(o)-* + *-clast(o)-* + *-ico[2].*] *Adj. Geol.* Relativo à ação erosiva da atmosfera.

atmógrafo. [De *atm(o)-* + *-grafo.*] *S. m. Met.* Instrumento para registrar a evaporação através de uma superfície porosa.

atmólise. [De *atm(o)-* + *-lise.*] *S. f. Quím.* Separação de dois gases mediante efusão.

atmológico. [De *atm(o)-* + *-log(o)-* + *-ico[2].*] *Adj. Met.* Concernente aos fenômenos atmosféricos ou aos meteoros.

atmometamorfismo. [De *atm(o)-* + *metamorfismo.*] *S. m. Geol.* Conjunto de transformações por que passam as rochas quando em contato com vapores minerais.

atmometria. [De *atm(o)-* + *-metr(o)-[2]* + *-ia.*] *S. f. Ecol.* Medida da intensidade da evaporação.

atmométrico. *Adj.* Relativo à atmometria.

atmômetro. [De *atm(o)-* + *-metro[2].*] *S. m.* Instrumento com que se mede a evaporação que se processa numa superfície porosa; atmidômetro.

atmosfera. [De *atm(o)-* + *-sfera.*] *S. f.* **1.** Envoltório gasoso dos astros em geral. **2.** *Met.* Camada de ar que envolve a Terra. **3.** *P. ext.* O estado atmosférico; o tempo; o céu: *com a chuva, a atmosfera clareou.* **4.** *Fís.* V. *atmosfera física.* **5.** *Fís.* Atmosfera técnica. **6.** *Fig.* Ambiente moral: *Vive numa atmosfera de intrigas.* ♦ **Atmosfera física.** *Fís.* Unidade de medida de pressão, igual a 101.325 pascals. É equivalente à pressão exercida por uma coluna de mercúrio de 760mm de altura e de massa volumétrica igual a 13,5951g cm^3, sujeita à aceleração normal da gravidade (980,665cm/s^2); atmosfera normal. [Tb. se diz apenas *atmosfera.* Símb.: *atm.* Tb. se usa, apesar de não recomendado, *at.*] **Atmosfera livre.** *Met.* Parte da atmosfera onde o movimento do ar não sofre praticamente influência da fricção com a superfície da Terra. **Atmosfera litro.** *Fís.* Unidade de medida de energia: trabalho de expansão de um gás que se expande contra uma pressão constante de uma atmosfera, e cujo volume aumenta de um litro. Uma atmosfera (física) litro é igual a 101,3278 J; uma atmosfera (técnica) litro é igual a 98,0692 J. [Símb.: *atm.1* ou *at.1* ou *1.at.*] **Atmosfera normal.** *Fís.* V. *atmosfera física.* **Atmosfera técnica.** *Fís.* Unidade de medida de pressão, igual à de um quilograma-força por centímetro quadrado. Vale 9,80665 X $\times 10^4$ Pa. [Tb. se diz apenas *atmosfera.* Símb.: *at.*]

atmosfera territorial. *Jur.* Espaço aéreo situado acima do território dum Estado e respectivas águas territoriais.

atmosférico. *Adj.* Relativo à atmosfera. ~ V. *emissão —a, janela —a, maré —a, precipitação —a* e *pressão —a.*

atmosferologia. [De *atmosfera* + *-log(o)-* + *-ia.*] *S. f.*

Ramo da ciência que se dedica ao estudo da atmosfera.
atmosferológico. *Adj.* Relativo à atmosferologia.
ato. [Do lat. *actu.*] *S. m.* **1.** Aquilo que se fez; feito: *Todos os seus atos foram devidamente julgados.* **2.** O que se está fazendo; ação: *Foi visto no ato de fugir.* **3.** Modo de proceder; procedimento, conduta: *Isto é ato de quem não tem compostura.* **4.** Cerimônia, solenidade: *Fez de sua posse na Academia Brasileira um ato dos mais solenes.* **5.** Documento redigido segundo determinada fórmula e susceptível de produzir conseqüências jurídicas. **6.** *Ét.* Acontecimento que decorre de um ser dotado de vontade, que por ele se responsabiliza livre e conscientemente. **7.** *Filos.* Estado do ser presente e durável, com grau definido de realidade e de perfeição. **8.** *Filos.* Processo de criação ou de modificação dum ser. **9.** *Jur.* Documento público em que se exprime decisão de uma autoridade: *ato administrativo; ato institucional.* **10.** *Teat.* Cada uma das partes em que se divide a peça, e cujo número pode variar, na maioria dos textos, de um a cinco. ♦ **Ato adicional.** *Jur.* Ato político pelo qual se altera a constituição de um país, e que passa a fazer parte integrante dela. **Ato atributivo.** *Jur.* O que tem por fim transferir um direito em benefício de alguém. **Ato autêntico.** *Jur.* O que é passado perante autoridade, ou dela emanado, ou que se apresenta munido de fé pública. **Ato contínuo. 1.** Imediatamente: "Talvez a lágrima subisse do coração à pupila, mas a ardência absorvia-a ato contínuo como a areia adusta do deserto bebe sôfrega e ávida a gota do orvalho frio." (Coelho Neto, *Sertão*, p. 133.) **2.** Continuamente, sem interrupção. [Tb. se diz *em ato contínuo.*] **Ato de libidinagem.** *Jur.* A conjunção carnal ou qualquer de seus equivalentes no desafogo da libido. **Ato de variedades.** *Teat.* V. *ato variado: "deu ali dois espetáculos: .... o segundo, com O Gaiato de Lisboa,* peça em dois atos, seguida de um ato de variedades." (Brito Broca, *Memórias*, p. 85). **Ato falhado.** *Psican.* Ato falho. **Ato falho.** *Psican.* Interferência, num ato intencional, de um outro acidental e aparentemente sem propósito, produzido pelos mecanismos de um desejo inconsciente, cuja intenção primária é levar a cabo esta realização acidental; ato falhado. **Ato formal.** *Jur.* Ato para cuja validade a lei exige que se revista de forma ou solenidade especial, considerados como parte da substância dele; ato solene. **Ato gratuito.** *Jur.* O proveniente de liberalidade, ou que não obriga a encargo ou a contraprestação. **Ato institucional.** *Jur.* Declaração solene, estatuto ou regulamento baixado pelo governo. **Ato jurídico.** *Jur.* Qualquer ato lícito cujo objetivo imediato é adquirir, transferir, resguardar, modificar ou extinguir direitos. **Ato oneroso.** *Jur.* Aquele de que resulta encargo ou contraprestação. **Ato público.** Reunião em praça pública ou em recinto fechado para tratar de assuntos de natureza política e/ou social: *ato público pelas eleições diretas; ato público em favor da ecologia.* [Cf. *comício* (1).] **Ato resolúvel.** *Jur.* Ato ou contrato que no próprio título de sua constituição menciona o prazo de seu vencimento ou a condição futura que, quando verificada, o resolve de pronto; contrato resolúvel. **Ato solene.** *Jur.* Ato formal. **Ato variado.** *Teat.* Representação curta, com diálogos, cenas cômicas, música, dança, etc., geralmente nos intervalos da peça principal; ato de variedades, esquete. **Em ato.** *Filos.* **1.** Em processo de realização ou de transformação. **2.** Que apresenta grau determinado de realidade ou perfeição. **Em ato contínuo.** V. *ato contínuo.* **Fazer ato de presença.** Comparecer em determinado lugar, demorando-se pouco.
▲**-ato¹** Equiv. de *-ado²*: *baronato, cardinalato; sensato* (< lat. *sensatu*), *cordato* (< lat. *cordatu*).
▲**-ato².** *Quím. Suf. nom.* = 'sal': *sulfato, bicarbonato.* [Equiv.: *-eto²* e *-ito³*: *cloreto, sulfito.*]
à-toa. [De *à* + *toa.*] *Adj. 2 g.* e *2 n.* **1.** Impensado, irrefletido: *um gesto à-toa.* **2.** Sem préstimo; inútil: *É um indivíduo à-toa.* **3.** Que não exige trabalho ou esforço; fácil: *um servicinho à-toa.* **4.** Desprezível, abjeto, vil: *É incapaz de uma boa ação; é mesmo um sujeito à-toa.* **5.** Sem importância, insignificante; de nada: *um problema à-toa;* "Ribeirãozinho à-toa, corguinho de nada, que mal-estar escorria por causa dos planos sem mudança do chapadão." (Mário Palmério, *Chapadão do Bugre*, p. 291). **6.** Da vida fácil; perdida: *mulher à-toa; uma fêmea à-toa.* [Cf. *à toa*, loc. adv., e *atoa*, do v. *atoar.*]
atoada. [Fem. substantivado do part. de *atoar.*] *S. f.* atoarda [q. v.]. [Cf. *atuada*, fem. de *atuado*, part. de *atuar.*]
atoalhado. [Part. de *atoalhar.*] *Adj.* **1.** Coberto com toalha. **2.** Diz-se do pano tecido como a toalha. ● *S. m.* **3.** Pano tecido como toalha: *Agora está na moda saída-de-praia de atoalhado.* **4.** Pano ou toalha de mesa.
atoalhar. [De *a-²* + *toalha* + *-ar².*] *V. t. d.* **1.** Cobrir com toalha. **2.** Dar o lavor próprio de toalha a; tecer como toalha.
atoamente. *Adv. Bras.* De modo irrefletido; à toa.
atoar. [De *a-²* + *toa* + *-ar².*] *V. t. d.* **1.** Levar à toa, a reboque. *T. d.* e *i.* **2.** Levar à toa. *P.* **3.** Ligar-se com toa ou espia. [Conjug.: v. *coroar.* Pres. ind. *atôo, atoas* (ô), *atoa* (ô), *atoamos, atoais, atoam* (ô). Cf. *à-toa*, adj., *à toa*, loc. adv., e os v. *atuar* e *autuar.*]
atoarda. [Var. de *atoada.*] *S. f.* Notícia vaga; boato, balela: "quando eles, partindo da atoarda .... de que o Mestre sempre fora um pouco amoroso da rainha, repetiam a si, aflitos, tais perguntas, logo se respondiam com esta solução política: / — E se nós casássemos o Mestre com Leonor?" (Antero de Figueiredo, *Leonor Teles*, p. 310).
atobá. [De possível or. indígena.] *S. f. Bras.* Ave pelicaniforme, da família dos sulídeos (*Sula leucogaster* (Bod.)) do Atlântico tropical e subtropical, inclusive as costas e mares brasileiros; cor de café, barriga branca, e garganta e loro nus, encarnados. Os filhotes são inteiramente brancos. Alimenta-se de peixes, que captura mergulhando. [Var.: *toba*; sin.: *mergulhão, mambembo, mumbebo.*]
atocaiar. [De *a-²* + *tocaia* + *-ar².*] *V. t. d. Bras.* Tocaiar.
atochado. [Part. de *atochar.*] *Adj.* **1.** Completamente cheio; atulhado, entulhado. **2.** Entalado em algum lugar, sem poder mover-se; apertado.
atochador (ô). *Adj.* **1.** Que atocha. ● *S. m.* **2.** Aquele ou aquilo que atocha. **3.** Atocho (2).
atochar. [Do esp. *atochar.*] *V. t. d.* **1.** Segurar com atocho ou cunha. **2.** Encher com excesso; atulhar, entulhar, atravancar. *T. d.* e *i.* **3.** Fazer entrar com força; entalar. **4.** Apertar cingindo. [Pres. ind.: *atocho*, etc. Cf. *atocho* (ô).]
atocho (ô). [Dev. de *atochar.*] *S. m.* **1.** Ato de atochar. **2.** Cunha ou pau com que se atocha; atochador. [Pl.: *atochos* (ô). Cf. *atocho*, do v. *atochar.*]
atocia. [Do gr. *atokía.*] *S. f.* Esterilidade da mulher.
atoicinhado. [De *a-²* + *toicinho* + *-ado¹.*] *Adj.* Var. de *atoucinhado.*
atol. [Do maldivense *atolu.*] *S. m. Ocean. Geol.* Coroa de coral erigida sobre um pilar vulcânico, e que aparece à feição de uma ilha muito rasa encerrando uma lagoa; recife de coral. [Pl.: *atóis.*]
atoladiço. [De *atolar¹* + *-(d)iço¹.*] *Adj.* Que forma atoleiro.
atolado¹. [Part. de *atolar¹.*] *Adj.* Metido em atoleiro; atascado.
atolado². [Part. de *atolar².*] *Adj.* V. *tolo* (1 a 3).
atoladoiro. *S. m.* V. *atoladouro.*
atolador (ô). [De *atolar¹* + *-dor.*] *Adj.* **1.** Que atola. ● *S. m.* **2.** *Bras.* V. *atoleiro* (1).
atoladouro. *S. m.* V. *atoleiro* (1). [Var. de *atoladoiro.*]
atolambado. *Adj.* V. *tolo* (1 a 3).
atolambar. *V. t. d.* **1.** Tornar atolambado. **2.** Causar toleima a.
atolar¹. *V. t. d.* **1.** Meter ou enterrar em atoleiro; atascar; envasar. *P.* **2.** Ficar embaraçado, metido em atoleiro, dificuldade ou embaraço; enlear-se em situação difícil: *Está numa situação muito enredada, e cada vez se atola mais.* **3.** Entregar-se com excesso aos prazeres, às más paixões: *Não há como recuperá-lo: atolou-se mesmo no vício.*
atolar². [De *a-²* + *tolo* + *-ar².*] *V. t. d.* e *p.* Tornar(-se) tolo; aparvalhar(-se), apatetar(-se), atoleimar(-se).
atoledo (ê). *S. m. Bras., Amaz.* V. *atoleiro* (1).
atoleimado. [Part. de *atoleimar.*] *Adj.* V. *tolo* (1 a 3).
atoleimar. [De *a-²* + *toleima* + *-ar².*] *V. t. d.* **1.** Pôr ou tornar atoleimado; apatetar, atolar. *P.* **2.** Tornar-se tolo, apatetar-se, aparvalhar-se, atolar-se. **3.** Fazer-se de tolo, de parvo.
atoleiro. *S. m.* **1.** Atolador, atoladoiro, atoladouro, atoledo. V. *pântano.* **2.** Rebaixamento, aviltamento. **3.** Dificuldade, embaraço, apuros ♦ **Sair do atoleiro.** Livrar-se de situação difícil ou perigosa.
atomatar. [De *a-²* + *tomate* + *-ar².*] *V. t. d.* **1.** Tornar vermelho como um tomate. **2.** Envergonhar; confundir. **3.** *Bras.* Esborrachar como a um tomate; abater; pisar.
atombar. [De *a-⁴* + *tombar².*] *V. t. d.* Tombar².
atomicidade. [De *atômico* + *-i-* + *-dade.*] *S. f. Quím.* Número de átomos de uma molécula.
atômico. *Adj.* **1.** Referente ao átomo. **2.** *Fís.* Referente ao núcleo atômico. ~ V. *bomba —a, calor —, combustível —, energia —a, física —a, fissão —a, guerra —a, lixo —, massa —a, núcleo —, número —, nuvem —a, orbital —, partícula —a, peso —, pilha —a, reator —, relógio —, submarino —, unidade unificada de massa —a* e *volume —.*
atomismo. *S. m. Hist. Filos.* Doutrina defendida por Demócrito (Abdera, Trácia, 460 a. C.? -370 a. C.?) e Epicuro [v. *epicurismo*], que sustenta ser a matéria formada de átomos que se agrupam em combinações casuais e por processos mecânicos.
atomista. *Adj. 2 g.* **1.** Relativo ao, ou que é sectário do atomismo. ● *S. 2 g.* **2.** Sectário do atomismo.
atomística. [Fem. substantivado de *atomístico.*] *S. f. Quím.* Teoria da constituição atômica da matéria.
atomístico. *Adj.* Relativo à atomística, ou ao atomismo.
atomização. *S. f. Quím.* Ação de reduzir a gotículas de dimensões muito pequenas.
atomizado. [Part. de *atomizar.*] *Adj.* **1.** Reduzido a átomo, ou a dimensões pequeníssimas. **2.** Reduzido a gotículas. **3.** Borrifado com o atomizador.
atomizador (ô). *S. m.* V. *nebulizador.*
atomizar. *V. t. d.* **1.** Reduzir a átomo, ou a pequeníssimas dimensões. **2.** Reduzir a gotículas. **3.** Borrifar com o atomizador.
átomo. [Do lat. *atomu.*] *S. m.* **1.** *Quím.* Sistema energeticamente estável, formado por um núcleo positivo que contém nêutrons e prótons, e cercado de elétrons; a menor quantidade de uma substância elementar que tem as propriedades químicas de um elemento. Todas as substâncias são formadas de átomos, que se podem agrupar, formando moléculas ou íons. **2.** Coisa pequeníssima, insignificante; partícula mínima: *um átomo de pó.* **3.** Espaço breve de tempo; momento, instante. [Var. (us. nesta acepç.): *átimo.*] ~ V. *átomos.* ♦ **Átomo marcado.** *Fís. Nucl.* Átomo de um isótopo radioativo, cujo comportamento numa reação química ou num fenômeno biológico pode ser observado graças à radiação que emite. **Átomo primordial.** *Astr.* Ovo cósmico.
átomo-grama. *S. m. Quím.* Quantidade de um elemento químico de massa em gramas igual à massa atômica do elemento. [Pl.: *átomos-gramas* e *átomos-grama.*]
átomos. [Pl. de *átomo.*] *S. m. pl. Hist. Filos.* Elementos materiais, invariáveis, invisíveis em virtude da pequenez e homogêneos entre si, distinguindo-se apenas pela forma, posição e movimento. ~ V. *átomo.*
atonal. *Adj. 2 g. Mús.* Que não adota os princípios da tonalidade (2 e 3) [q. v.]. ~ V. *música —.*
atonalidade. *S. f. Mús.* Método moderno de composição que despreza as funções tonais clássicas, utiliza a totalidade dos recursos da escala cromática, dá predominância ao ritmo e emancipa a dissonância; atonalismo. [Cf. *dodecafonismo, harmonia* (12) e *série* (11).]
atonalismo. *S. m. Mús.* Atonalidade [q. v.].
atonelado. [De *a-²* + *tonel* + *-ado¹.*] *Adj.* Que tem forma ou semelhança de tonel.
atonia. [Do gr. *atonía*, pelo lat. *atonia.*] *S. f.* **1.** *Med.* Falta de tono ou força normais; debilidade geral; fraqueza: "A magreza extrema, a atonia e lividez do semblante, estavam indicando uma moléstia grave." (José de Alencar, *Sonhos d'Ouro*, p. 100.) **2.** *P. ext.* Frouxidão, inércia.
atônico¹. *Adj.* Relativo a atonia. ~ V. *úlcera —a.*
atônico². *Adj.* Átono.
atonismo. [De *Áton*, mit., + *-ismo.*] *S. m.* A primeira manifestação do monoteísmo no Egito: unificação e hierarquização das divindades egípcias antigas, feita por Akenáton no século XIV a.C.
atônito. [Do lat. *attonitu.*] *Adj.* **1.** Espantado, pasmado, admirado, assombrado: "O goiano olhava atônito aquele xadrez de divisas, e perguntava: — Tanta cerca, guardando o quê?" (Raquel de Queirós, *A Donzela e a Moura Torta*, p. 25.) **2.** Confuso, perturbado, tonto.
átono. [Do gr. *átonos.*] *Adj.* Sem acento tônico; atônico: *o me, o te, o se, o nos, etc., são pronomes átonos.* ~V. *vogal —a.*
atontar. [De *a-²* + *tonto* + *-ar².*] *V. t. d.* e *int.* V. *entontecer.*
atopetar. [De *a-²* + *topete* + *-ar².*] *V. t. d.* **1.** Chegar ao tope de. **2.** *Mar.* Içar (bandeira, pavilhão, flâmula, etc.) até o tope do mastro ou a beijar o braço da verga; topetar. **3.** *Bras.* Encher muito; abarrotar, atestar.
atopia. [De *a-³* + *-top(o)-* + *-ia.*] *S. f. Med.* Conjunto de afecções alérgicas caracterizadas por influência hereditária, e que inclui asma, eczema, febre-de-feno.
atópico. [De *a-³* + *-top(o)-* + *-ico².*] *Adj.* **1.** Fora do lugar; deslocado. **2.** Relativo à atopia.
ator (ô). [Do lat. *actore.*] *S. m.* **1.** Agente do ato. **2.** *Teat., Cin.* e *Telev.* Aquele que representa em peças teatrais, filmes e outros espetáculos; comediante, intérprete; artista, astro: "quem é mais artista do que o ator? A matéria plástica a que ele imprime a sua concepção, o seu sentimento criador, não é menos digna do que o mármore, por ser o conjunto das expressões humanas."

(Joaquim Nabuco, *Escritos e Discursos Literários*, p. 40). **3.** *Fig.* Homem que sabe fingir. [Fem.: *atriz;* pl.: *atores* (ô). Cf. *atores*, do v. *atorar.*] ♦ **Ator de feira.** *Teat.* **1.** Ator de teatros ambulantes. **2.** *Deprec.* Mau ator.

atora. [De *a-*[4] + *tora.*] *S. f. Bras.* Pedaço de pau cortado em toros; tora, toro.

atorácico. [De *a-*[3] + *-torac(o)-* + *-ico*[2].] *Adj.* Desprovido de tórax.

atoraí. *Bras. S. 2 g.* **1.** Indivíduo dos atoraís, tribo indígena aruaque da Guiana. ● *Adj. 2 g.* **2.** Pertencente ou relativo a essa tribo. [Cf. *atorai*, do v. *atorar.*]

atorar[1]**.** [De *a-*[4] + *torar.*] *V. t. d.* **1.** Cortar em toros (a madeira); torar. **2.** Dividir em dois (qualquer objeto roliço). **3.** *Bras.* Fazer em pedaços; partir, cortar, torar. [Pres. subj.: *atore, atores*, etc., imperat.: *atora, atore, atores, atorai*, etc. Cf. *atores* (ô), pl. de *ator*, e *atoraí.*]

atorar[2]**.** *V. int. Bras. SP.* Ir-se embora; partir, torar[2]. [Pres. subj.: *atore, atores*, etc.; imperat.: *atora, atore, atores, atorai*, etc. Cf. *atores* (ô), pl. de *ator*, e *atoraí.*]

atorçalado. [Part. de *atorçalar.*] *Adj.* Guarnecido ou bordado com torçal.

atorçalar. [De *a-*[2] + *torçal* + *-ar*[2].] *V. t. d.* Guarnecer ou bordar com torçal.

atorçoar. *V. t. d.* V. *atroçoar.* [Conjug.: v. *coroar.*]

atordoado. [Part. de *atordoar.*] *Adj.* **1.** Que quase perdeu os sentidos ou desmaiou por efeito de pancada, queda, grande comoção, estrondo, embriaguez, etc.; tonto, aturdido, estonteado, zonzo: *A moça atordoada, de olhar vazio, parecia vítima de tóxicos.* ● *S. m.* **2.** Indivíduo atordoado.

atordoador (ô). *Adj.* Que atordoa; atordoante, estonteador, estonteante.

atordoamento. *S. m.* Ato ou efeito de atordoar(-se).

atordoante. *Adj. 2 g.* V. *atordoador.*

atordoar. [De *a-*[2] + *tordo* + *-ar*[2].] *V. t. d.* **1.** Perturbar os sentidos de, por efeito de pancada, queda, estrondo, embriaguez, grande comoção, surpresa, etc.; confundir, aturdir; estontear, abalar: *A inesperada amabilidade do chefe atordoou-o;* "O sucesso *atordoara-lhe* a cabeça e secara-lhe os lacrimais" (Camilo Castelo Branco, *O Santo da Montanha*, p. 209). **2.** Amortecer, adormentar, insensibilizar: *Embriagou-se procurando atordoar o sofrimento.* **3.** Molestar os ouvidos de; perturbar, aturdir: *O barulho infernal atordoava-o.* **4.** Causar assombro, admiração, a; maravilhar. *Int.* **5.** Causar abalo ou perturbação dos sentidos: *Era um belo, comovente espetáculo, que atordoava.* **6.** Molestar os ouvidos; causar perturbação, incômodo. *P.* **7.** Ficar tonto; atordoar-se. **8.** Procurar no trabalho, no prazer, na embriaguez, no vício, etc., derivativo ou esquecimento de dores, penas, aborrecimentos: *Não gosta do álcool, bebe para atordoar-se, o infeliz.* [Conjug.: v. *coroar.*]

atormentação. *S. f.* **1.** Ação ou efeito de atormentar(-se). **2.** Sofrimento, aflição, tortura, tormento.

atormentadiço. *Adj.* **1.** Suscetível de ser atormentado. **2.** Que com pouco se aflige.

atormentado. [Part. de *atormentar.*] *Adj.* **1.** Que sofre tormentos ou tortura; torturado. **2.** *Fig.* Afligido, atribulado, amofinado: *Os problemas familiares deixam-no atormentado.* ● *S. m.* **3.** Indivíduo atormentado.

atormentador (ô). *Adj.* e *s. m.* Que ou aquele que atormenta.

atormentar. [De *a-*[2] + *tormento* + *-ar*[2].] *V. t. d.* **1.** Infligir tormento(s) a; torturar, supliciar, flagelar. **2.** Mortificar, angustiar, afligir: *Atormenta a família com sua irresponsabilidade;* "Pobre louca, que o orgulho *atormenta*, / Despe a bronca vaidade que tens" (Gonçalves Dias, *Obras Poéticas*, II, p. 396). **3.** Apoquentar, importunar. **4.** Agitar com violência; açoitar, fustigar: *Ondas furiosas atormentavam o barco. Int.* **5.** Causar tormento, tortura, suplício: *As preocupações excessivas atormentam. P.* **6.** Mortificar-se, torturar-se, afligir-se.

atormentativo. *Adj.* Que causa tormento, que atormenta.

ato-*show*. *S. m.* Ato público no qual participam artistas que se exibem em espetáculo popular. [Pl.: *atos-shows.*]

atossicar. [Do esp. amer. *atoxicar.*] *V. t. d. Bras., RS.* **1.** Instigar (alguém) para o mal. **2.** Dar mau(s) conselho(s) a. [Conjug.: v. *trancar.*]

atotô. [Do ioruba.] *S. m. Bras., BA.* Saudação dos crentes ao orixá Omolu.

atouaou. *S. m. Bras.* V. *camboatá-branca.*

atoucado. [De *a-*[2] + *touca* + *-ado*[1].] *Adj.* **1.** Em forma de, ou semelhante a touca. **2.** Coberto com touca.

atoucinhado. [De *a-*[2] + *toucinho* + *-ado*[1].] *Adj.* **1.** Semelhante ao toucinho. **2.** Que tem muito toucinho; gordo. [Var.: *atoicinhado.*]

atóxico (cs). [De *a-*[3] + *tóxico.*] *Adj.* **1.** Não tóxico. **2.** Que não tem veneno.

atrabile. *S. f.* Atrabilis. [q. v.].

atrabiliário. [De *atra-* + *-bili-* + *-ário.*] *Adj.* **1.** Que tem atrabílis; melancólico. **2.** Colérico, violento, atrabilioso.

atrabilioso (ô). *Adj.* V. *atrabiliário* (2).

atrabílis. [Do lat. *atrabilis*, 'bílis negra'.] *S. f. 2 n.* Humor imaginário ou bílis negra, que se julgava ser a causa da melancolia; atrabile.

atracação. *S. f.* Ato ou efeito de atracar(-se).

atracadela. *S. f.* Ato ou efeito de atracar por pouco tempo.

atracadoiro. *S. m.* Atracadouro [q. v.].

atracador (ô). *S. m.* **1.** Aquele que atraca, ou se encarrega da atracação. **2.** Cabo de atracar.

atracadouro. [Var. de *atracadoiro.*] *S. m.* Lugar onde se amarram embarcações.

atracão. [De *atracar.*] *S. m.* **1.** Encontrão, empuxão. **2.** Ato de acercar-se de alguém para importuná-lo com pedidos.

atração. [Do lat. *attractione.*] *S. f.* **1.** Ato de atrair. [Sin., p. us.: *atraimento.*] **2.** Poder de encantar; simpatia, fascínio. **3.** Inclinação, pendor, propensão. **4.** Algo que se destine a entreter, divertir, distrair; divertimento, distração: *O locutor passou a anunciar a atração que deveria seguir ao seu programa.* **5.** *P. ext.* Pessoa ou coisa que suscita grande interesse, aumentando a afluência a casas de diversões, a audiência a programas de rádio, televisão, etc.: *A cantora americana foi a grande atração da noite.* **6.** *Gram.* Influência que o gênero ou o número de certas palavras exerce, por efeito de colocação próxima, na relação gramatical do verbo com o sujeito, ou na flexão de certos vocábulos, produzindo uma concordância irregular. Ex.: *moça meia doente* (*meia* por *meio*).

atracar. *V. t. d.* **1.** Amarrar à terra (uma embarcação). *T. d. e i.* **2.** *Mar.* Encostar (a embarcação, a cais ou outra embarcação): *O comandante atracou o navio ao cruzador.* **3.** *Mar.* Prender (peça ou objeto) a (outra peça ou objeto). *T. i.* **4.** *Mar.* Encostar-se a (cais, etc.): *O navio atracou ao cais. Int.* **5.** *Mar.* Encostar-se a cais, etc.: *O navio atracou.* **6.** *Mar.* Fechar o contato de um relé: *Quando a voltagem atinge determinado valor, o relé atraca e uma luz acende.* **7.** *Bras.* Aproximar-se o homem da mulher para conversas amorosas. *P.* **8.** Entrar em luta corporal; engalfinhar-se: "— Não falei com você, seu idiota! / Vasco ergueu-se. A cadeira caiu. O outro também se pôs de pé, ágil. *Atracaram-se.*" (Érico Veríssimo, *Um Lugar ao Sol*, p. 127.) **9.** *Fam.* Abraçar-se estreitamente. [Conjug.: v. *trancar.*]

atraente. [Do lat. *attrahente.*] *Adj. 2 g.* **1.** Que exerce atração, sedução, fascinação; encantador, fascinante: *É uma das pessoas mais atraentes que eu conheço.* **2.** Que atrai, que tem a virtude de atrair; acolhedor, convidativo, simpático: *Construiu a casa num recanto atraente.*

atrafegar-se. [De *a-*[2] + *tráfego* + *-ar*[2] + *se*[1].] *V. p.* Meter-se em tráfego (2); fatigar-se, sobrecarregando-se com muito trabalho. [Conjug.: v. *regar.*]

atraiçoado. [Part. de *atraiçoar.*] *Adj.* **1.** Que sofreu traição; traído. **2.** Traiçoeiro; desleal, pérfido, falso.

atraiçoador (ô). *Adj.* e *s. m.* Que, ou aquele que atraiçoa.

atraiçoar. [De *a-*[2] + *traição* + *-ar*[2].] *V. t. d.* **1.** Cometer traição contra; usar de perfídia contra; trair: *O delator Joaquim Silvério dos Reis atraiçoou a causa da Conjuração Mineira.* **2.** Ser infiel a; trair, enganar: "Quando o médico teve certeza de que a mulher o *atraiçoava*, ... resolveu, imediatamente, matá-la." (Lúcio de Mendonça, *Horas do Bom Tempo*, p. 161.) **3.** Denunciar, delatar: *Seu próprio ar amedrontado o atraiçoava.* **4.** Deixar de corresponder à expectativa; falhar, faltar: *Contava apenas com sua presença de espírito, que nunca o atraiçoava. P.* **5.** Acusar ou denunciar involuntariamente a si mesmo. **6.** Cometer traição contra si mesmo; trair-se. [Conjug.: v. *coroar.*]

atraimento (a-i). *S. m. P. us.* Atração (1).

atrair. [Do lat. *attrahere.*] *V. t. d.* **1.** Trazer, puxar ou solicitar para si; exercer atração sobre: *Sua simpatia e bondade atraem todos os que dele se aproximam.* **2.** Exercer atração sobre; seduzir, fascinar, prender: "A loucura o *atraiu* sempre, como tema complexo." (Antônio Carlos Vilaça, *O Desafio da Liberdade*, p. 20); *A vida do mar sempre o atraiu.* **3.** Chamar, incitar a aproximar-se: "Seu choro *atraiu* um guarda-civil, que a conduziu até a delegacia." (Dalton Trevisan, *O Vampiro de Curitiba*, p. 76); *Usou o pio para atrair a ave; Assobiou para atrair a garota que passava.* **4.** Provocar, mover, suscitar (opiniões, sentimentos, etc.) *T. d. e i.* **5.** Fazer aproximar; trazer, puxar: "Abrindo a blusa, despi o porta-seios, *atraí* para mim sua cabeça, com as duas mãos." (Osmã Lins, *Nove, Novena*, p. 66.) **6.** Fazer aderir (a opinião, religião, partido, etc.): *Tudo fizeram para atraí-lo ao catolicismo; Atraí-o para minha tese.* **7.** Provocar; mover; suscitar: *Conseguiu atrair estima e respeito para a sua pessoa Int.* **8.** Exercer atração, sedução, encantamento: "É esbelta como o ideal da formosura de então o sonhava; e tem o raro, o estranho que perturba, *atrai*, conquista." (Antero de Figueiredo, *Leonor Teles*, p. 37.) [Irreg. Conjug.: v. *sair.*]

atramentário. [De *atramento* + *-ário.*] *Adj. Bot.* Que apresenta coloração ou aspecto de tinta preta.

atramento. [Do lat. *atramentu.*] *S. m.* **1.** Espécie de verniz escuro, antigo. **2.** Tinta de escrever usada pelos romanos.

atrancamento. *S. m.* Ato ou efeito de atrancar(-se).

atrancar. [De *a-*[4] + *trancar.*] *V. t. d.* **1.** V. *trancar.* **2.** Embaraçar, impedir; atravancar; atranqueirar: *atrancar uma rua com estacas. P.* **3.** Trancar-se. [Conjug.: v. *trancar.*]

atranqueirado. [De *a-*[2] + *tranqueira* + *-ado*[1].] *Adj.* Que tem tranqueira(s).

atranqueirar. [De *a-*[2] + *tranqueira* + *-ar*[2].] *V. t. d.* Tapar, barrar, impedir (rua, estrada, etc.) com tranqueira, estacas, paliçada, etc.

atrapachar. [Cruz. de *atravancar* com *empachar*?] *V. t. d. Bras.* V. *atravancar.*

atrapalhação. *S. f.* **1.** Ato ou efeito de atrapalhar(-se). **2.** Confusão, desordem. **3.** Embaraço, perturbação, acanhamento.

atrapalhado. [Part. de *atrapalhar.*] *Adj.* **1.** Perplexo, perturbado, embaraçado: *Fiquei todo atrapalhado, incapaz de contornar a situação.* **2.** Em situação embaraçosa; em dificuldades, especialmente financeiras: *Com a doença do menino, este mês fiquei atrapalhado.* **3.** Desconexo, incoerente: *Veio com uma conversa atrapalhada, que não me convenceu.* **4.** Confuso, desordenado, tumultuado: *É preciso pôr em ordem meus papéis, que estão muito atrapalhados.*

atrapalhador (ô). *Adj.* **1.** Que atrapalha. ● *S. m.* **2.** Aquele ou aquilo que atrapalha.

atrapalhar. *V. t. d.* **1.** Confundir, perturbar, embaraçar: *Seus numerosos encargos atrapalham-no.* **2.** Fazer, produzir, engendrar, mal ou inabilmente: *Incumbiu-se da revisão, mas atrapalhou ainda mais a ortografia do livro, em vez de corrigi-la. Int.* **3.** Fazer trapalhices [v. *trapalhice*[2] (2)]. **4.** Causar confusão ou embaraço: "A bolsa *atrapalhava*, jogou-a sobre o sofá." (Edla Van Steen, *Memórias do Medo*, p. 16); *Sua interferência, em vez de trazer qualquer benefício, atrapalhou. P.* **5.** Confundir-se, embaraçar-se, perturbar-se: *Atrapalhou-se todo, quando foi pedir a mão da moça.*

atrapalho. [Dev. de *atrapalhar.*] *S. m. Bras., N.* e *N. E. Pop.* e *Fam.* Estado ou situação de quem se vê atrapalhado (2 e, sobretudo, 4): "Conversa de namoro de moça solteira, de mulher casada, ... de *atrapalhos* financeiros, de maridos mulherengos" (Mauro Mota, *Votos e Ex-Votos*, p. 16).

atrás. [Das prep. *a* + *trás.*] *Adv.* **1.** Na parte posterior; na retaguarda, detrás: *A mulher vinha na frente e ele atrás.* **2.** Depois, após: *Chegaram todos, porém ele deixou para vir atrás.* **3.** Antes, anteriormente, em expressões relativas a tempo anterior, ou época passada (dia, semana, mês, ano, etc.): *Estive com ele dias atrás; Meses atrás, disse-me que pretendia escrever um livro.* ♦ **Atrás de. 1.** Do lado ou lugar posterior a: *A fazenda fica atrás da montanha.* **2.** Em seguimento a; depois de (no espaço): *Caminhou todo o tempo atrás de mim.* **3.** Imediatamente depois de; em seguida a (no tempo): "fumando cigarro *atrás* de cigarro" (Fernanda Botelho, *Lourenço É Nome de Jogral*, p. 12). **4.** No encalço de; em busca de: *A polícia anda atrás do criminoso.* **5.** À procura de; procurando obter ou alcançar: "Por ti corri sedento *atrás* da glória" (Casimiro de Abreu, *Obras*, p. 49); "Agora é tempo de construção do governo, o povo todo está *atrás de* tijolo" (Ilza Espírito Santo Porto, *Contos do Vale de Jacarecica*, p. 13). **6.** Em posição secundária, ou de inferioridade: *Na Copa do Mundo de 1958 a Suécia ficou atrás do Brasil; É bom dançarino, mas eu não lhe fico atrás.* [Antôn.: *adiante.*]

atrasado. [Part. de *atrasar.*] *Adj.* **1.** Antiquado, obsoleto: *idéias atrasadas; costumes atrasados.* **2.** Que está aquém do que se deseja, espera, ou considera normal: *crescimento atrasado.* **3.** Que não foi pago na época devida: *prestações atrasadas; vencimentos atrasados;* "o senhorio reclamava, em termos violentos, não sei quantos meses atrasados do aluguel do prédio nobre." (Artur Azevedo, *Contos Fora da Moda*, p. 33.) **4.** Que não se desenvolveu convenientemente; decadente, subdesenvolvido: *países* atrasados. **5.** Diz-se de data (dia, mês, ano, hora, etc.) imediatamente anterior à passada; retrasado, arretrasado: *No mês* atrasado *choveu muito.* **6.** Que tem idéias obsoletas: *indivíduo* atrasado. **7.** Que não está em dia com o que é novo, em matéria de conhecimentos, de cultura, de informação. **8.** Diz-se do aluno cujo aproveitamento escolar está abaixo da média de sua classe. ● *S. m.* **9.** Indivíduo atrasado.

atrasador (ô). *Adj.* **1.** Que atrasa. ● *S. m.* **2.** Aquele que atrasa. **3.** Peça que serve para atrasar o movimento do relógio.

atrasamento. *S. m. P. us.* V. *atraso.*

atrasar. *V. t. d.* **1.** Pôr para trás; fazer recuar; recuar: *Para ganhar tempo,* atrasou *os ponteiros do relógio.* **2.** Fazer demorar; adiar, retardar, dilatar: Atrasou *a posse para preparar melhor o discurso.* **3.** Demorar em; retardar, protelar: Atrasou *a entrega das provas;* Atrasou *o pagamento.* **4.** Sustar, prejudicar o desenvolvimento de: *A longa enfermidade* atrasou *a sua carreira de pianista.* **5.** Reduzir a tempo anterior; antecipar: *Quis* atrasar *a data de seu nascimento, para poder matricular-se.* **6.** Prejudicar, lesar, embaraçar: atrasar *a vida de alguém. Int.* **7.** Mover-se com menos presteza ou velocidade que a normal ou devida: *O relógio* atrasou. **8.** Não chegar ao destino (um veículo) no horário preestabelecido: *O avião* atrasou, *com o mau tempo;* "Patrão, o trem atrasou, / por isso estou chegando agora" (Do samba *Patrão, o trem atrasou*, de Paquito, Estanislau Silva e Artur Vilarinho). *P.* **9.** Ficar para trás; retrogradar; retroceder: *Em vez de progredir em idéias,* atrasa-se *cada vez mais.* **10.** Deixar de fazer alguma coisa no tempo devido: atrasar-se *no pagamento de uma prestação, na entrega de documentos,* etc. **11.** Fazer algo com menos presteza ou velocidade do que era de esperar: *Chegou tarde porque se* atrasou *no banho.*

atraso. [Dev. de *atrasar.*] *S. m.* **1.** Ação ou efeito de atrasar(-se); demora, retardamento. **2.** Falta ou demora de pagamento: *Está com um* atraso *de dois meses.* **3.** Falta de cultura, civilização; subdesenvolvimento: *o* atraso *dos povos polinésios.* **4.** Decadência, declínio: *o* atraso *dos povos que um dia construíram grandes civilizações.* **5.** Falta, carência, privação: *Depois de anos de separação, viam-se amiúde para compensar o* atraso. [Sin. ger. (p. us.): *atrasamento.*] ♦ **Atraso de fase.** *Fís.* Diferença de fase entre duas ondas ou oscilações. **Atraso de vida.** Aquilo ou aquele que atrapalha, embaraça, ou atrasa, retarda, prejudica. [Em geral vem antecedido de um.]

atratividade. *S. f.* Qualidade do que é ou de quem é atrativo.

atrativo. [Do lat. *attractivu.*] *Adj.* **1.** Que tem o poder de atrair. ● *S. m.* **2.** Coisa que atrai. **3.** Incentivo, estímulo: *O ordenado alto era bom* atrativo *para os pretendentes ao cargo.* ~ V. *atrativos.*

atrativos. [Pl. de *atrativo.*] *S. m. pl.* Graças, encantos. ~ V. *atrativo.*

atravancador (ô). *Adj.* e *s. m.* Que, ou o que atravanca.

atravancamento. *S. m.* Ato ou efeito de atravancar(-se); atravanco.

atravancar. [De *a-*[2] + *travanca* + *-ar*[2].] *V. t. d.* **1.** Impedir com travanca, estorvar, embaraçar, dificultando ou impossibilitando a passagem ou o acesso. **2.** Acumular muitas coisas em (um lugar): Atravancou *o quarto com a enorme bagagem. P.* **3.** Meter-se de permeio; atravessar-se. [Sin. ger. (bras.): *atrapachar.* Conjug.: v. *trancar.*]

atravanco. [Dev. de *atravancar.*] *S. m.* **1.** Atravancamento. **2.** Travanca, estorvo, embaraço.

através. [Das prep. *a* + *través.*] *Adv.* De lado a lado; atravessadamente; transversalmente. ♦ **Através de. 1.** De um para outro lado de: *Para atingir sua meta, deveria passar* através *de rios e montanhas;* "E, através da vidraça, / espia a rua." (Austro-Costa, *Mulheres e Rosas*, p. 28). **2.** Por entre: "Os cabeços das serras .... negrejam através das nuvens cinzentas." (Camilo Castelo Branco, *A Mulher Fatal*, p. 19); *Conserva sempre o bom humor,* através de *todas as vicissitudes da vida.* **3.** No decurso de: "'E, subjugando o olvido, através das idades, / Violador de sertões, plantador de cidades, / Dentro do coração da pátria viverás!'" (Olavo Bilac, *Poesias*, p. 271); *Foi sempre o mesmo homem honesto,* através de *anos e anos.*

atravessadeiro. [De *atravessar* + *-deiro.*] *S. m. Bras., SC.* Atalho em caminhos.

atravessadiço. *Adj.* Que se atravessa, se opõe, estorva ou embaraça.

atravessado. [Part. de *atravessar.*] *Adj.* **1.** De través; oblíquo: *Lançou-lhe um olhar* atravessado. **2.** *Fam.* Em cruz; cruzado: *dois paus* atravessados. **3.** Traspassado, varado: *Recebeu o tiro e caiu, com o peito* atravessado. **4.** Que é o resultado do cruzamento de duas raças ou espécies diversas; mestiço, raçado. **5.** *Fig.* Cheio de irritação, de rancor, de más intenções; mau, perverso: *resposta* atravessada. **6.** Inquieto, irrequieto, travesso. ● *S. m.* **7.** *Bras., GO. Pop.* Cão de fila. ● *Adv.* **8.** De esguelha; de través; atravessadamente: "Pedro Torresmo, quando me encontra na rua, olha-me atravessado e ameaçador." (Jorge Amado, *Os Velhos Marinheiros*, p. 275.)

atravessadoiro. *S. m.* V. *atravessadouro.*

atravessador (ô). *S. m.* **1.** Aquele que atravessa. **2.** Intermediário (4): "— Quem ganha menos é o produtor, prosseguiu o senhor de engenho. O lucro vai todo para os revendedores, para os atravessadores." (Eduardo Frieiro, *O Mameluco Boaventura*, pp. 73-74). **3.** *Bras., Amaz.* Aquele que compra mercadorias por preço baixo para revendê-las com grande lucro.

atravessadouro. [Var. de *atravessadoiro.*] *S. m.* **1.** Caminho através de terreno alheio. **2.** Travessa, atalho.

atravessamento. *S. m. Art. Gráf.* Defeito de impressão, que consiste no traspassamento do papel pela tinta, em geral por excesso de solvente.

atravessar. [De *a-*[2] + *través* + *-ar*[2].] *V. t. d.* **1.** Pôr ao través, ou obliquamente; *A correnteza* atravessava *o pequenino barco.* **2.** Passar para o outro lado de, através ou por cima de; transpor: "Andava, estacava diante de uma loja, atravessava a rua, detinha um conhecido" (Machado de Assis, *Quincas Borba*, p. 228). **3.** Ligar de um extremo ao outro, de lado a lado, de margem a margem; cortar: *Uma ponte* atravessava *a baía.* **4.** Estender-se ou prolongar-se no tempo; durar: *As tradições* atravessam *os séculos.* **5.** Passar, viver (períodos de tempos maus ou bons). **6.** Levantar obstáculo, suscitar empecilho a; interferir em, tentando frustrar ou frustrando: *Vive a* atravessar *os projetos do amigo.* **7.** Comprar (gêneros) por atacado, para revender mais caro. **8.** *Bras.* Vender ou negociar clandestinamente: Atravessava *carne nas épocas de racionamento. T. d. e i.* **9.** Opor, contrapor, interpor: Atravessaram *obstáculos à sua carreira.* **10.** Andar, passar: Atravessou *por desertos e florestas. Int.* **11.** Passar para o outro lado, através ou por cima. **12.** Interromper quem fala; cortar a palavra; atravessar-se. **13.** *Bras. Pop.* Alterar a sincronia do ritmo e/ou da melodia no desempenho de uma escola de samba: "O samba está atravessando e nós ainda nem saímos da quadra." (Luís Fernando Veríssimo, *Veja*, 20.2.1985.) *P.* **14.** Pôr-se ao través, ou obliquamente: Atravessaram-se *sobre a trilha estreita.* **15.** Opor-se, contrapor-se, interpor-se. **16.** Cruzar-se, encontrar-se.

atravincado. [Part. de *atravincar.*] *Adj.* **1.** Fechado com travinca. **2.** *P. ext.* Bem seguro.

atravincar. [De *a-*[2] + *travinca* + *-ar*[2].] *V. t. d.* **1.** Fechar com travinca. **2.** Segurar com força. **3.** *Bras.* Ferrar (o cão) os dentes em. **4.** Comprimir, calcar. [Conjug.: v. *trancar.*]

atreguar. [De *a-*[2] + *trégua* + *-ar*[2].] *V. t. d.* **1.** Dar trégua (1) a. **2.** Dar descanso ou trégua a. *Int.* e *p.* **3.** Ajustar ou celebrar trégua com inimigo. [Conjug.: v. *averiguar.*]

atreito. [Do lat. *attractu.*] *Adj.* **1.** Sujeito; propenso: "Grande angústia é que o homem superior seja também atreito a tentações pequenas." (Fidelino de Figueiredo, *Um Colecionador de Angústias*. p. 159.) **2.** Acostumado, costumado, habituado. [F. paral.: *treito.*]

atrelagem. *S. f.* Ato ou efeito de atrelar(-se).

atrelar. [De *a-*[2] + *trela* + *-ar*[2].] *V. t. d.* **1.** Prender ou levar preso pela trela. **2.** Prender (animal) à viatura; ajoujar: Atrelou *os cavalos e partiu.* **3.** Dominar, sofrear: atrelar *a soberba, o orgulho.* **4.** Ligar ou unir por vínculos fortes. *T. d. e i.* **5.** Prender; ajoujar: "O pai rosnou que sim, estava direito. E se pôs lá fora a atrelar o cavalo à carroça." (Homero Homem, *Menino de Asas*, p. 47.) *P.* **6.** Acostar-se permanentemente a alguém: Atrelou-se *ao governador para conseguir a nomeação.*

atremado. *S. m.* **1.** Espécime dos atremados. ● *Adj.* **2.** Pertencente ou relativo a eles.

atremados. *S. m. pl. Zool.* Animais braquiópodes inarticulados, ordem *Atremata*, providos de pedúnculo longo e contrátil. Vivem entre as linhas de maré, enterrados na lama ou na areia.

atremar. *V. int.* **1.** Proceder com acerto; acertar, atinar. **2.** Ter tino; raciocinar com acerto. *T. i.* **3.** Descobrir pelo tino, por conjetura; atinar.

atrepsia. [De *a-*[3] + gr. *thrépsis*, 'nutrição' + *-ia.*] *S. f.* **1.** *Patol.* Estado progressivo de desnutrição que ocorre, especialmente, em crianças, sem causa discernível; marasmo infantil, pedatrofia. **2.** Segundo o bacteriologista alemão Paul Ehrlich (1854-1915), estado de imunidade à inoculação tumoral produzida por hipotética ausência de material nutritivo especial necessário ao crescimento de um tumor.

atresia. [De *a-*[3] + gr. *trêsis*, 'perfuração', + *-ia.*] *S. f.* **1.** *Ter.* Imperfuração de orifício natural do corpo. **2.** *P. ext. Patol.* Estreitamento ou estenose de órgão oco.

atrever-se. [Do lat. *attribuere.*] *V. P.* **1.** Ter a ousadia, a coragem necessária para fazer ou tentar (alguma coisa); ousar, afoitar-se, abalançar-se: *Queria enfrentar o inimigo, mas não se* atreveu; Atreveu-se *a lutar com o touro.* **2.** Provocar, atacar; atirar-se. **3.** Afrontar, enfrentar, arrostar: *É tão medroso que nem a um gato se* atreve.

atrevidaço. *Adj.* e *s. m.* Grande atrevido; atrevidão.

atrevidão. *Adj.* e *s. m.* Atrevidaço. [Fem.: *atrevidona.*]

atrevidete (ê). *Adj.* e *s. m.* Um tanto atrevido; atrevidote.

atrevido. [Part. de *atrever-se.*] *Adj.* **1.** Que se atreve; ousado, afoito, corajoso, audaz. **2.** Insolente, grosseiro, petulante. ● *S. m.* **3.** Indivíduo atrevido: "— Atrevido, malcriado. Eu com sua idade já sabia obedecer." (Fernando Sabino, *A Companheira de Viagem*, p. 112.) [Aum.: *atrevidão, atrevidaço;* dim. irreg.: *atrevidete, atrevidote.*]

atrevidona. *Adj.* (*f.*) e *s. f.* V. *atrevidão.*

atrevidota. *Adj.* (*f.*) e *s. f.* Fem. de *atrevidote.*

atrevidote. *Adj.* e *s. m.* Atrevidete. [Fem.: *atrevidota.*]

atrevimento. *S. m.* **1.** Ação de atrever-se; ousadia, coragem, arrojo. **2.** Petulância, audácia, insolência.

▲**atri-.** Equiv. de *atro-.*

atribuição (u-i). [Do lat. *attributione.*] *S. f.* **1.** Ato ou efeito de atribuir. **2.** Prerrogativa, apanágio, privilégio. **3.** Faculdade inerente a um cargo. ~ V. *atribuições.*

atribuições (u-i). [Pl. de *atribuição.*] *S. f. pl.* **1.** Direitos, prerrogativas, poderes. **2.** Jurisdição pertencente a uma autoridade. ~ V. *atribuição.*

atribuidor (u-i...ô). *S. m.* Aquele que atribui.

atribuir. [Do lat. *attribuere.*] *V. t. d e i.* **1.** Considerar como autor, como origem ou causa; imputar: "A polícia quis atribuir a Margarida a autoria intelectual do assassinato." (Adalberon Cavalcanti Lins, *Curral Novo*, p. 407); *Só posso* atribuir *este procedimento à sua ignorância.* **2.** Dar, conceder, conferir: Atribuíram *prêmios aos melhores alunos. P.* **3.** Reclamar, reivindicar, tomar a si; arrogar-se. [O *i* da terminação leva acento agudo quando tônico. Pres. ind.: *atribuo, atribuis, atribui, atribuímos, atribuís, atribuem;* imperf.: *atribuía*, etc.; perf.: *atribuí*, etc.; pres. subj.: *atribua, atribuas, atribua*, etc.]

atribuível. *Adj. 2 g.* Que se pode ou deve atribuir.

atribulação. [De *a-*[4] + *tribulação.*] *S. f.* V. *tribulação.*

atribulado. [Part. de *atribular.*] *Adj.* **1.** Que padece atribulação; aflito, angustiado: "Sossega, coração atribulado / De toda a dor se apaga todo o traço" (Augusto Gil, *Luar de Janeiro*, p. 123). **2.** Adverso, infausto, trabalhoso, tormentoso: *vida* atribulada. ● *S. m.* **3.** Indivíduo atribulado: *Eram os infelizes, os* atribulados *que recorriam a ele em suas aflições.*

atribulador (ô). *Adj.* **1.** Que atribula. [Sin.: *atribulativo* (aplicado, normalmente, só em relação a coisas).] ● *S. m.* **2.** Aquele que atribula.

atribular. [De *a-*[4] + *tribular.*] *V. t. d.* **1.** Causar tribulação ou atribulação a; angustiar; inquietar, afligir, mortificar. *Int.* **2.** Causar tribulação ou atribulação; ser molesto; servir de tormento: *Seu triste destino* atribula. *P.* **3.** Sentir tribulações ou atribulações; afligir-se, angustiar-se, mortificar-se. [F. paral.: *tribular.*]

atribulativo. *Adj.* Que atribula, que produz atribulação; atribulador: *situação angustiosa,* atribulativa.

atributivo. *Adj.* **1.** Que atribui. **2.** Que indica ou serve de atributo. ~ V. *ato* — e *verbo* —.

atributo. [Do lat. *attributu.*] *S. m.* **1.** Aquilo que é próprio de um ser: "Ao mesmo tempo linda e graciosa, atributos nem sempre unidos." (Guilherme Figueiredo, *Cobras & Lagartos*, p. 43.) **2.** Emblema distintivo; símbolo. **3.** *Estat.* Característica, qualitativa ou quantitativa, que identifica um membro de um conjunto observado. **4.** *Estat.* Atributo homógrado. **5.** *Filos.* Caráter essencial de uma substância. **6.** *Gram.* A qualidade atribuída ao sujeito. **7.** *Lóg.* Caráter afirmado ou negado de um sujeito; predicado. ♦ **Atributo homógrado.** *Estat.* Aquele que só pode assumir uma de duas alternativas mutuamente exclusivas; atributo

atrição. [Do lat. *attritione.*] *S. f.* **1.** Desgaste provocado por atrito. **2.** Fricção enérgica sobre o corpo, para elevar o calor. **3.** *Teol.* Movimento interior de arrependimento pelos pecados, mas com motivação insuficiente para produzir o perdão divino. [Neste sentido, opõe-se a *contrição.*]

atricaude. [De *atri-* + *-caude.*] *Adj. 2 g. Zool.* Que tem cauda negra. [Opõe-se a *albicaude.*]

atrigado. [De *a-*[2] + *trigo* + *-ado*[1].] *Adj.* **1.** Da cor do trigo; trigueiro. **2.** Diz-se dessa cor; trigueiro: "Os principais contrafortes da serra do Gamarão, de natureza xistóide, têm uma cor atrigada escura" (Abel Botelho, *Mulheres da Beira*, p. 3).

atrigueirado. [De *a-*[2] + *trigueiro* + *-ado*[1].] *Adj.* Tirante a, ou quase trigueiro.

atril. [Do esp. *atril* < ant. esp. *latril*, < b.-lat. *lectorile.*] *S. m.* Espécie de estante em plano inclinado, onde se põe papel ou livro aberto para se ler comodamente; leitoril. [Cf. *facistol.*]

atrimarginado. [Part. de *atrimarginar.*] *Adj.* Diz-se de papel, envelope, etc., tarjado de preto, em sinal de luto; atromarginado. [Cf. *tarja* (3).]

atrimarginar. [De *atri-* + *marginar.*] *V. t. d.* Tarjar de preto (papel, envelope, etc.), em sinal de luto; atromarginar.

átrio. [Do lat. *atriu.*] *S. m.* **1.** O segundo vestíbulo, nas casas romanas. **2.** *Anat.* Câmara que dá entrada a outra estrutura ou órgão. **3.** *Anat.* Cada uma das duas aurículas (direita e esquerda) do coração. **4.** *Arquit.* Grande sala central, de distribuição da circulação, num edifício; vestíbulo. **5.** *Arquit.* Pátio, interno, de acesso a um edifício; vestíbulo. **6.** *Arquit.* Espaço defeso, situado na frente de edifício. **7.** *Arquit.* Adro. **8.** *Geogr.* Depressão em forma de anfiteatro ou de meia coroa, proveniente da destruição parcial de uma cratera vulcânica.

atrioventricular. [De *átrio* + *ventricular.*] *Adj. 2 g. Anat.* Relativo à aurícula e ao ventrículo; auriculoventricular.

atrípede. [De *atri-* + *-pede.*] *Adj. 2 g. Zool.* Que tem pés negros.

atriquia. [De *a-*[3] + *-triqu(i)-* + *-ia.*] *S. f. Patol.* Falta de pêlos ou cabelos.

atristar. [De *a-*[2] + *triste* + *-ar*[2].] *V. t. d., int. e p. p. us.* V. *entristecer:* "Com feijão, farinha e peixe / se paga a tropa, e me atrista / ver São Luís tão pobre e triste." (Stella Leonardos, *Romanceiro do Bequimão*, p. 38.)

atritar. *V. t. d.* **1.** Provocar atrito em. **2.** Magoar, atormentar, mortificar: *As injustiças do mundo atritam-no deveras. P.* **3.** Friccionar-se (um corpo com outro). **4.** Ter atrito ou desinteligência: *Muito amigos, terminaram atritando-se por uma tolice.*

atrito. [Do lat. *attritu.*] *S. m.* **1.** Fricção entre dois corpos. **2.** Desinteligência, desavença, divergência. **3.** *Fís.* Designação comum aos fenômenos em que o movimento relativo entre duas superfícies em contato é freado pelas forças de adesão existentes entre as superfícies. **4.** *Fís.* Força de atrito. **5.** *Teol.* Que tem atrição (3). ◆ **Atrito de escorregamento.** *Fís.* Atrito entre duas superfícies sólidas em contato e que deslizam uma sobre a outra. **Atrito de rolamento.** *Fís.* Atrito entre uma superfície sólida e outra superfície que rola sobre ela. **Atrito interno de um fluido.** *Fís.* Viscosidade (3).

atriz. [Do lat. *actrice*, 'aquela que faz'.] *S. f.* **1.** *Teat.* e *Cin.* Mulher que representa no teatro ou em estúdios cinematográficos, televisão, etc. **2.** *Fig.* Mulher que sabe fingir.

atro. [Do lat. *atru.*] *Adj.* **1.** Negro, escuro. **2.** Tenebroso, lúgubre, medonho: "Atra desilusão crava-me a garra adunca." (Da Costa e Silva, *Sangue*, p. 23.) **3.** *Fig.* Aziago, infausto.

▲**atro-.** [Do lat. *ater, atra, atrum.*] *El. comp.* = 'negro': *atróptero*. Equiv.: *atri-: atricaude, atrípede.*

atroada. [De *atroar* + *-ada*[1].] *S. f.* Grande ruído; estrondo: "debalde os garotos rouquejavam apregoando o hebdomadário, ... o povo passava indiferente, ... sem dar ouvidos à atroada dos pequenos que iam e vinham com os jornais, desanimados." (Coelho Neto, *A Conquista*, p. 307).

atroado. [Part. de *atroar.*] *Adj. Bras.* **1.** Aturdido, atordoado. **2.** Que fala depressa e ruidosamente. **3.** Atoleimado, apatetado. **4.** Diz-se da cavalgadura que sofre de atroamento. **5.** *Bras., SP.* Sabido, sabedor, viajado.

atroador (ô). *Adj.* Que atroa, estronda; atroante, troante: "E quando o búzio atroador soprava, / Três mil guerreiros concorriam prestes / Ao guerreiro festim!" (Gonçalves Dias, *Obras Poéticas*, II, p. 344).

atroamento. [De *atroar* + *-mento.*] *S. m.* **1.** Aturdimento produzido por estrondo ou choque. **2.** Doença nos cascos das cavalgaduras. **3.** *Bras.* Falta de siso ou de critério.

atroante. *Adj. 2 g.* v. *atroador.*

atroar. [De *a-*[2] + *trom* + *-ar*[2].] *V. t. d.* **1.** Fazer estremecer com o estrondo; fazer retumbar: "A chuva em torrentes tombando ruidosa / Nas grotas profundas atroa a montanha" (Bernardo Guimarães, *Poesias Completas*, p. 128). **2.** *Fig.* Aturdir, atordoar. *Int.* **3.** Retumbar; estrondear, estrugir. **4.** Trovejar (1) [Conjug.: v. *coroar.*]

atrocidade. [Do lat. *atrocitate.*] *S. f.* **1.** Qualidade de atroz: *Sua atrocidade não tem limites.* **2.** Ação atroz; crueldade, barbaridade: *Tirar da mãe uma criança tão nova foi verdadeira atrocidade.*

atrocíssimo. [Do lat. *atroce*, 'atroz', + *-íssimo.*] *Adj.* Superl. abs. sint. de *atroz.*

atroçoar. [De *a-*[2] + *troço(ô)* + *-ar*[2].] *V. t. d.* **1.** Dividir em troços ou fragmentos. **2.** Reduzir a pó grosseiro; esmagar, machucar: *atroçoar o milho.* [Sin. ger.: *atroçoar.* Conjug.: v. *coroar.*]

atrofia. [Do gr. *atrophía*, pelo lat. *atrophia.*] *S. f.* **1.** *Med.* Insuficiência de nutrição, que se exterioriza por desgaste ou diminuição de tamanho de célula, tecido, órgão ou estrutura do corpo. **2.** *Fig.* Definhamento, degenerescência, decadência. **3.** Falta de ação ou de energia.

atrofiado. [Part. de *atrofiar.*] *Adj.* **1.** Que apresenta atrofia; atrófico. **2.** Que não se desenvolveu; definhado, enfraquecido, degenerado.

atrofiador (ô). *Adj.* Que atrofia; atrofiante, atrófico.

atrofiamento. *S. m.* Ato ou efeito de atrofiar(-se).

atrofiante. *Adj. 2 g.* V. *atrofiador.*

atrofiar. *V. t. d.* **1.** Causar atrofia (1) a. **2.** Não deixar desenvolver; debilitar; tolher, acanhar: *A guerra atrofiou-lhe os sentimentos humanitários. Int.* **3.** Causar atrofia: "O hábito do infortúnio parece que atrofia." (Camilo Castelo Branco, *A Mulher Fatal*, p. 107.) *P.* **4.** Sofrer atrofia (1). **5.** Definhar-se, enfraquecer-se, debilitar-se.

atrófico. *Adj.* **1.** Atrofiado (1). **2.** V. *atrofiador.*

atromarginado. [Part. de *atromarginar.*] *Adj.* Atrimarginado.

atromarginar. [De *atro-* + *marginar.*] *V. t. d.* Atrimarginar.

atrombetado. [De *a-*[2] + *trombeta* + *-ado*[1].] *Adj.* Semelhante a trombeta.

atrôo. [Dev. de *atroar.*] *S. m.* Ato ou efeito de atroar.

átropa. *S. f. Bot.* Gênero de plantas da família das solanáceas, ao qual pertence a beladona (*Atropa belladona* L.). [Cf. *atropa*, do v. *atropar.*]

atropar. [De *a-*[2] + *tropa* + *-ar*[2].] *V. t. d.* **1.** Guarnecer de tropas. **2.** Incorporar em tropas. *P.* **3.** Reunir-se em tropas. [Pres. ind.: *atropo, atropas, atropa*, etc. Cf. *átropo* e *átropa.*]

atropelação. *S. f.* V. *atropelo* (1).

atropelada. [De *atropelar* + *-ada*[1].] *S. f. Bras. Turfe.* Arrancada do cavalo que se situou, durante o páreo, em posições intermediárias ou finais, e que lhe possibilite a sua colocação entre os primeiros na reta de chegada.

atropelado. [Part. de *atropelar.*] *Adj.* **1.** Que sofreu atropelamento (1). **2.** Confuso, desordenado: "Trons festivais, bandeiras desfraldadas, / Girândolas, clarins, atropeladas / Legiões de povo, bimbalhar de sinos..." (Raimundo Correia, *Poesias*, p. 163); "Baralhavam-lhe o bronco cérebro um aluvião de idéias, atropeladas, confusas e mal distintas, que o traziam raivoso" (Abel Botelho, *Mulheres da Beira*, p. 27). ● *S. m.* **3.** Aquele que sofreu atropelamento (1).

atropelador (ô). *Adj.* **1.** Que atropela; atropelante. ● *S. m.* **2.** Aquele que atropela.

atropelamento. *S. m.* **1.** Ato ou efeito de atropelar (1): *Numerosos pedestres são, todos os dias, vítimas de atropelamento.* **2.** V. *atropelo* (1).

atropelante. *Adj. 2 g.* Atropelador (1).

atropelar. [De *a-*[2] + *tropel* + *-ar*[2].] *V. t. d.* **1.** Fazer cair, derrubar, por impacto, passando ou não por cima e em geral machucando, provocando contusões leves ou graves: *O ônibus desgovernou-se e atropelou o passante.* **2.** Dar, ao passar, encontrão violento em; empurrar, empuxar: *Entrou distraído, atropelando as pessoas.* **3.** Desprezar, preterir, postergar: *Narrou o caso confusamente, atropelando a ordem dos fatos.* **4.** Atormentar, torturar, afligir, mortificar: *Problemas numerosos o atropelam. Int.* **5.** *Turfe.* Arrancar com ímpeto (o cavalo) no final de uma carreira. *P.* **6.** Reunir-se em tropel; encontrar-se confusamente: *As águas volumosas do rio atropelavam-se nas corredeiras.* **7.** Empurrar-se ou esbarrar-se mutuamente; encontrar-se, entrechocar-se, abalroar(-se). **8.** Apinhar-se ou aglomerar-se em desordem: *A multidão atropelava-se, tentando sair do recinto em chamas.* **9.** Apresentar-se desordenadamente; confundir-se, baralhar-se, embaralhar-se: *As idéias eram tantas que se atropelavam em sua mente.* [Pres. ind.: *atropelo*, etc. *Cf. atropelo* (ê).]

atropelo (ê). [Dev. de *atropelar.*] *S. m.* **1.** Ato ou efeito de atropelar; atropelação, atropelamento. **2.** Confusão, baralhada: *Um atropelo de gente vinha descendo escada abaixo.* **3.** *Bras. Fig.* Aflição, tormento: *Que atropelo de vida a desta pobre mulher!* [Pl.: *atropelos* (ê). Cf. *atropelo*, do v. *atropelar.*] ◆ **Aos atropelos.** De maneira atropelada; atropeladamente: "e aos atropelos, trataram de encher o buraco." (Hugo de Carvalho Ramos, *Tropas e Boiadas*, p. 81).

atropilhar. [De *a-*[2] + *tropilha* + *-ar*[2].] *V. t. d.* Reunir (cavalos, muares, etc.) em tropilha.

atropina. [Do lat. bot. *atropa* (v. *beladona*).] *S. f. Quím.* Mistura racêmica de hiosciamina, extraída de várias solanáceas (beladona, p. ex.), na forma de substância cristalina e incolor, venenosa, usada como antiespasmódico, sedativo, midriático e anti-secretório. [Form.: $C_{17}H_{23}O_3N$.]

átropo[1]. [Do gr. *átropos.*] *S. m.* Borboleta noturna. [Cf. *atropo*, do v. *atropar.*]

átropo[2]. [De *a-*[3] + *-tropo.*] *S. m. Bot.* Óvulo reto em que a micrópila está oposta ao funículo. [Cf. *atropo*, do v. *atropar.*]

atróptero. [De *atro-* + *-ptero.*] *Adj. Zool.* Diz-se das aves de asas negras.

atropurpúreo. [De *atro-* + *purpúreo.*] *Adj.* De cor vermelho-escura.

atroz. [Do lat. *atroce.*] *Adj. 2 g.* **1.** Que não tem piedade; desumano, bárbaro, cruel. **2.** Pungente, intolerável: *dor atroz;* "Negra lembrança do passado! lento / Martírio lento e atroz!" (Olavo Bilac, *Poesias*, p. 122). **3.** Espantoso, assombroso: *crime atroz; feiúra atroz.* [Superl. abs. sint.: *atrocíssimo.*]

➧**attaché** (ataxê). [Fr.] *S. m.* Adido (2).

▲**atto-.** *Pref.* que, anteposto ao nome duma unidade de medida, forma o de outra 10^{-18} vezes menor. [Símb.: a.]

atuá. [Do tupi *atu'á.*] *S. m. Bras., Amaz.* V. *cogote.*

atuação. *S. f.* **1.** Ato ou efeito de atuar[1]. **2.** *Filos.* Atualização (2). **3.** *Psicol. P. us.* *Acting out.* [Cf. *autuação.*]

atuado. [Part. de *atuar*[1].] *Adj. Bras. Pop.* **1.** Sujeito à influência de forças ou energias desconhecidas, que levam a atitudes fora do padrão e do comportamento comum. **2.** *P. ext.* Que apresenta desempenho fora do comum: *Jogou muito bem e goleou: estava atuado.* [Fem.: *atuada.* Cf. *atoada, s. f.*]

atuador (ô). [De *atuar*[1] + *-dor.*] *S. m. Automat.* Num servomecanismo, dispositivo que move a carga.

atual. [Do lat. *actuale.*] *Adj. 2 g.* **1.** Que ocorre no momento em que se fala, no presente: *acontecimento atual.* **2.** De sua época; que não é antiquado: *um homem atual;* "É um prédio atual, prosaicamente insulso e atual, onde se hospedam hoje pessoas ilustres" (Graciliano Ramos, *Viagem*, p. 21). **3.** Imediato, efetivo, real: *assuntos de interesse atual.* **4.** *Filos.* Que está em ato. [Opõe-se a *virtual* e *potencial.*] ~ V. *época* —, *graça* — e *infinito* —.

atualidade. *S. f.* **1.** Qualidade ou estado de atual. **2.** Interesse atual: *obra sem atualidade.* **3.** A época presente: *É um problema da atualidade.* **4.** Oportunidade, ensejo. ~ V. *atualidades.*

atualidades. [Pl. de *atualidade.*] *S. f. pl.* Notícias ou informações acerca do momento atual. ~ V. *atualidade.*

atualismo. [De *atual* + *-ismo.*] *S. m. Geol.* Doutrina segundo a qual os fenômenos realizados no presente se teriam realizado de modo análogo nas épocas geológicas passadas.

atualização. *S. f.* **1.** Ato ou efeito de atualizar(-se). **2.** *Filos.* O ato ou fato de tornar atual (4); atuação.

atualizado. [Part. de *atualizar.*] *Adj.* **1.** Que se atualizou: *É um dicionário atualizado na parte científica.* **2.** Diz-se do indivíduo que está a par do que sucede no momento presente: *Embora muito idoso, é bastante atualizado.* ~ V. *edição* —*a*.

atualizador (ô). *Adj.* **1.** Que atualiza: *Fez para a sua velha obra um prefácio atualizador.* ● *S. m.* **2.** Aquele ou aquilo que atualiza.

atualizar. *V. t. d.* e *p.* Tornar(-se) atual; modernizar(-se).

atualmente. *Adv.* No momento presente; hoje, presentemente.

atuante. *Adj. 2 g.* **1.** Que está em ato ou em exercício da sua atividade. **2.** Diz-se de quem atua, de quem age: *Nunca se omitiu: era, pelo contrário, o elemento mais*

atuante de seu grupo.
atuar¹. [Do lat. *actu* + *-ar²*.] *V. int.* **1.** Exercer atividade, ou estar em atividade; agir. *T. i.* **2.** Exercer influência; influir: "A luz lírica da Lua / atua em qualquer ser, em qualquer cousa atua." (Gilca Machado, *Poesias*, p. 194.) **3.** Fazer pressão; pressionar: *Atuou sobre a testemunha para evitar-lhe o depoimento. T. d.* **4.** Dar atividade a; pôr em ação. [Fut. pret.: *atuaria*. etc.; part.: *atuado*, fem. *atuada*. Cf. *atuária, atoada, atoar* e *autuar*.]
atuar². [De *a-²* + *tu* + *-ar²*.] *V. t. d.* e *p.* Tutear. [Fut. pret.: *atuaria*, etc. Part.: *atuado*, fem. *atuada*. Cf. *atuária, autoar, atuar*, e *atoada*.]
atuária. [Fem. de *atuário²*.] *S. f.* Parte da estatística que investiga problemas relacionados com a teoria e o cálculo de seguros numa coletividade. [Cf. *atuaria*, do v. *atuar*, e *atoaria*, do v. *atoar*.]
atuarial. *Adj. 2 g.* Relativo à atuária.
atuário¹. [Do lat. *actuariu*.] *S. m.* Escriba encarregado de redigir as atas das sessões do Senado romano e os documentos que eram destinados ao Álbum.
atuário². [Do ingl. *actuary*.] *S. m.* Especialista em atuária. [Fem.: *atuária*. Cf. *atuaria*, do v. *atuar*.]
atuável. *Adj. 2 g.* Sobre quem se pode atuar¹; facilmente dirigível; dócil, influenciável.
atubibar. [De *a-²* + *tubiba* + *-ar²*.] *V. t. d. Bras., CE.* **1.** *Pop.* Perseguir; acossar. **2.** V. *apoquentar*. *P.* **3.** V. *apoquentar*.
atucanado¹. [De *a-²* + *tucano* + *-ado¹*.] *Adj.* Semelhante ao tucano.
atucanado². [Part. de *atucanar*.] *Adj. Bras., S.* Amolado, aborrecido, apoquentado: *A notícia má deixou-o atucanado.*
atucanar. [De *a-²* + *tucano* + *-ar²*.] *V. t. d.* **1.** *Bras., N.* Dar bicadas em. **2.** *Bras.* V. *apoquentar*. *P.* **3.** *Bras.* V. *apoquentar*.
atueira. *S. f.* Rede com que se pescam atuns.
atufar. [De *a-²* + *tufo¹* + *-ar²*.] *V. t. d.* **1.** Encher, abarrotar, atochar. **2.** Inchar, intumescer; entufar. *T. d.* e *i.* **3.** Encher, abarrotar, atochar. **4.** Meter, introduzir. *P.* **5.** Meter-se, internar-se; adentrar-se; embrenhar-se: "eilo [o sertanejo] em momentos transformado, cravando os acicates de rosetas largas nas ilhargas da montaria e partindo como um dardo, atufando-se velozmente nos dédalos inextricáveis das juremas." (Euclides da Cunha, *Os Sertões*, p. 116). **6.** Mergulhar na água: "Nas ondas se atufara o sol radioso" (Gonçalves Crespo, *Obras Completas*, p. 332) **7.** Atolar-se no lodo.
atulhado. [Part. de *atulhar*.] *Adj.* Atochado (1).
atulhamento. *S. m.* Ato ou efeito de atulhar(-se); atulho.
atulhar. [De *a-²* + *tulha* + *-ar²*.] *V. t. d:* e *p.* V. *entulhar*.
atulho. [Dev. de *atulhar*.] *S. m.* Atulhamento.
atum. [Do gr. *thynnos*, pelo lat. *tunnus* e pelo ár. *attatunn* ou *aT-Tunn*.] *S. m.* Peixe teleósteo percomorfo, da família dos tunídeos (*Thunnus thunys* (L.)), do Atlântico, cujo comprimento chega a 2,40 m, e cujo peso vai até 320 kg. Conhecido desde a remota Antiguidade, nada em cardumes, e tem carne muito apreciada, sendo sua pesca de grande importância econômica. [O nome é dado também a outras espécies do gênero.]
atuma. *Bras. S. 2 g.* **1.** Indivíduo dos atumas, tribo indígena do alto do rio Uatumã e do Jatapu (N. do PA). ● *Adj. 2 g.* **2.** Pertencente ou relativo a essa tribo.
atumultuador (ô). *Adj.* e *s. m.* Que ou aquele que atumultua.
atumultuar. [De *a-⁴* + *tumultuar*.] *V. t. d.* e *int.* Tumultuar [q. v.].
atuneiro. *Adj.* e *s. m.* Diz-se de, ou navio aparelhado para a pesca de atum.
atuosidade. *S. f.* Qualidade de atuoso.
atuoso (ô). [Do lat. *actuosu*.] *Adj.* Que atua; diligente, ativo.
aturá. [Do tupi *atu'rá*.] *S. m. Bras.* Cesto cilíndrico, grande e alto, que os índios levam às costas, suspenso por uma embira passada à volta da cabeça; uruçacanga.
aturado. [Part. de *aturar*.] *Adj.* Constante, persistente, ininterrupto: "Aturado labor de tantos anos." (Gonçalves Dias, *Obras Poéticas*, II, p. 33).
aturador (ô). *Adj.* e *s. m.* Que, ou aquele que atura.
aturar. [Do lat. **atturare*, por **addurare* < *durare*, 'durar'.] *V. t. d.* **1.** Agüentar com resignação; suportar, tolerar: "espero que de hoje em diante não terei que aturar as queixas de nenhum dos dous!" (Aluísio Azevedo, *O Coruja*, p. 210). **2.** Suportar, sofrer; agüentar (coisa ou pessoa desagradável, molesta): *Tem de aturar o mau humor do doente; Já não consegue aturar a criança voluntariosa.* **3.** Conservar, sustentar: *Rogou a Deus que o aturasse. T. i.* **4.** Continuar, persistir, perseverar: *Aturou anos a fio naquele serviço desagradável. Int.* **5.** Subsistir por longo tempo em determinada situação; perdurar: *Contrafeito embora, aturava, esperando que a situação melhorasse.* **6.** Perseverar, continuar: *A febre ainda aturou, depois dos medicamentos.*
aturável. *Adj. 2 g.* Que se pode aturar.
aturdido. [Part. de *aturdir*.] *Adj.* **1.** Estonteado, perturbado, atordoado. **2.** Atônito, assombrado, pasmado.
aturdimento. *S. m.* **1.** Ato de aturdir(-se); atordoamento. **2.** Efeito de aturdir; estado de aturdido; atordoamento. **3.** Perturbação dos sentidos; tonteira, atordoamento. **4.** Imponderação, imprudência, estouvamento.
aturdir. *V. t. d.* **1.** Atordoar, estontear, perturbar, confundir: *A gritaria aturde-o.* **2.** Atroar, estrugir: *Terrível bramido aturdiu os ares.* **3.** Espantar, surpreender, assombrar: *As maravilhas do lugar aturdiram-no.* **4.** Intimidar, amedrontar. *Int.* **5.** Provocar atordoamento ou aturdimento: *Aquele alarido aturdia. P.* **6.** Atordoar-se, perturbar-se, estontear-se: "O escravo devia, forçosamente, ingerir, todos os dias, doses de aguardente, para esquecer, aturdir-se, resistir." (Luís da Câmara Cascudo, *Prelúdio da Cachaça*, p. 26.) **7.** Estontear-se, deslumbrar-se.
aturiá. [Do tupi *aturi'á*.] *S. m.* **1.** *Bras.* Arbusto da família das leguminosas (*Machaerium lunatum*), de ramos longos e tortuosos, que medra no Brasil, principalmente na região amazônica, nas Guianas, na América Central, Antilhas e África tropical. **2.** *Bras., Amaz.* V. *cigana* (2).
aturiapompé (i-à). [De *aturiá* + *pompé*, 'unha': *unha de aturiá*.] *S. m. Bras.* Certa liana do AM.
aturiazal (turià). *S. m. Bras., Amaz.* Lugar onde medram aturiás.
atxim. *S. m.* F. onom. de *espirro*: "Esgotada a escala de vozes bestiais, há ainda bimbalhar de sinos, ranger de caxerenguengas, esternutações e atxins, tintinabulações de fazer ouvidos moucos." (João Ribeiro, *Cartas Devolvidas*, p. 60.)
■ **Au.** *Quím.* Símb. de *ouro*.
aú. [Do afr.?] *S. m. Bras. Cap.* Movimento defensivo-ofensivo, parecido à cambalhota, no qual o capoeirista lança o corpo de lado e gira no ar, descrevendo um semicírculo com as duas pernas, apoiado com as mãos no chão.
auaçu. *S. m. Bras.* V. *babaçu*.
auaduri. *S. m. Bras.* V. *abiurana*.
auaí. *S. m. Bras.* V. *agaí*.
auaí-guaçu. *S. m. Bras.* V. *chapéu-de-napoleão*. [Pl.: *auaís-guaçus*.]
auainamari. *Bras. S. 2 g.* **1.** Indivíduo dos auainamaris, tribo indígena que habita o alto Purus. ● *Adj. 2 g.* **2.** Pertencente ou relativo a essa tribo.
auari. *S. m. Bras., Amaz.* Avari.
auati. [Var. de *abati*.] *S. m. Bras.* V. *milho* (1).
au-au. [Onom. do latido.] *S. m.* Cão, em linguagem infantil.
auçá (a-u). *S. m. Bras., SC.* V. *caranguejo* (1).
aú-cortado. *S. m. Bras. Cap.* Aú que é interrompido no alto, quando em plena execução, para transformar-se em outro golpe. [Pl.: *aús-cortados*.]
audácia. [Do lat. *audacia*.] *S. f.* **1.** Impulso de ânimo que leva a cometer atos arrojados ou difíceis. **2.** Ousadia, coragem, valor. **3.** Atrevimento, insolência, petulância. [Sin. ger. (bras., CE, pop.): *lodaça*.]
audacioso (ô). *Adj.* V. *audaz*.
audacíssimo. [Do lat. *audacissimu*.] *Adj.* Superl. abs. sint. de *audaz*.
audaz. [Do lat. *audace*.] *Adj. 2 g.* **1.** Que tem audácia; ousado, corajoso, temerário: "Na última hora / Teus feitos memora, / Tranqüilo nos gestos, / Impávido, audaz." (Gonçalves Dias, *Poesias*, II, p. 44.) **2.** Em que há audácia, arriscado, temerário: *empreendimento audaz*. [Sin. ger.: *audacioso*. Superl. abs. sint.: *audacíssimo*.]
audibilidade. *S. f.* **1.** Qualidade do que é audível. **2.** *Fís.* Intensidade de um sinal sonoro.
audição. [Do lat. *auditione*.] *S. f.* **1.** O sentido por meio do qual se percebem os sons. **2.** Ato ou processo de ouvir, escutar; audiência. **3.** *Mús.* Concerto musical, geralmente com um único executante. **4.** *Mús.* Audição de alunos. ◆ **Audição de alunos.** *Mús.* Demonstração pública do grau de adiantamento dos alunos de uma classe musical; audição musical. [Tb. se diz apenas *audição*.]
audiência. [Do lat. *audientia*.] *S. f.* **1.** Audição (2). **2.** Atenção dada a quem fala. **3.** V. *público* (9) **4.** *P. ext.* O conjunto das pessoas que sintonizam determinado programa de rádio ou de televisão: *Seu programa é campeão de audiência.* **5.** Recepção de autoridade ou pessoa grada a quem deseja ser ouvido por elas. **6.** Sessão solene por determinação de juízes ou tribunais, para a realização de atos processuais; julgamento.
audiente. [Do lat. *audiente*.] *Adj. 2 g. P. us.* Que ouve; ouvinte.
audimudez (ê). [De *audi(o)-* + *mudez*.] *S. f. Patol.* Mudez, em geral congênita, sem surdez.
áudio. *S. m. Eletrôn.* **1.** O som. **2.** *Telev.* No *script*, indicação da parte descritiva do som.
▲**audi(o)-.** [Do lat. *audire*.] *El. comp.* = 'audição'; *audiovisual, audiograma; audimudez*.
audioamplificador (ô). [De *audi(o)-* + *amplificador*.] *S. m. Eletrôn.* Amplificador de áudio.
audiofreqüência. [De *audi(o)-* + *freqüência*.] *S. f. Fís.* **1.** Freqüência compreendida entre 20 e 20.000 Hz. **2.** Vibrações ou oscilações com freqüências compreendidas entre 20 e 20.000 Hz.
audiograma. [De *audi(o)-* + *-grama*.] *S. m. Fís.* Curva, construída em escala logarítmica, das intensidades limiares dos sons das diferentes freqüências, perceptíveis pelo ouvido, em função da freqüência.
audiometria. [De *audi(o)-* + *-metr(o)-* + *-ia*.] *S. f. Med.* Medição do poder de audição por meio de audiômetro; acumetria, acuometria.
audiômetro. [De *audi(o)-* + *-metro*.] *S. m.* Instrumento para avaliar o poder de audição; acúmetro, acuômetro.
audiotransformador (ô). [De *audi(o)-* + *transformador*.] *S. m. Eletrôn.* Transformador de núcleo de ferro, utilizado para acoplar circuitos de audiofreqüência.
audiovisual¹. [De *audi(o)-* + *visual*.] *Adj.* **1.** Diz-se dos sistemas, meios ou veículos de comunicação que atingem o indivíduo-receptor através dos canais auditivo e visual. **2.** Diz-se da mensagem constituída da combinação de som e imagem. **3.** Diz-se de método pedagógico, empregado sobretudo no ensino de línguas, em que se lança mão, simultaneamente, do som e da imagem, por meio de livros, filmes, discos, televisão, etc. ~ V. *programa* —.
audiovisual². *S. m. F.* reduz. de *programa audiovisual*.
auditagem *S. f.* Auditoria (3).
auditivo. [Do lat. *auditu*, 'ouvido', + *-ivo*.] *Adj.* **1.** Pertencente ou relativo ao ouvido, ou à audição. [Sin. (desus.): *auditório*.] **2.** Que assimila melhor as noções ou conhecimentos pelo ouvido que pela vista; que apreende melhor o que ouve do que o que lê: "Em geral todos os que são mais auditivos do que visuais só em voz alta sentem o que lêem, como era aliás comum entre os antigos, para quem um período era um todo fisiológico, uma respiração articulada." (Olívio Montenegro, *Retratos e Outros Ensaios*, p. 161.) [Cf. *visual* (2).] ~ V. *linguagem* —a. ● *S. m.* **3.** Pessoa auditiva (2). [Cf. *visual* (4).]
auditor (ô). [Do lat. *auditore*.] *S. m.* **1.** Aquele que ouve; ouvidor. **2.** Magistrado com exercício na Justiça militar e que desfruta de prerrogativas honorárias de oficial do exército. **3.** Em alguns países, magistrado do contencioso administrativo, ou com funções consultivas junto a determinadas repartições. **4.** *Bras.* Perito-contador encarregado de auditoria (3). ◆ **Auditor da nunciatura.** Assessor que conhece das causas levadas ao tribunal da nunciatura.
auditoria. *S. f.* **1.** Cargo de auditor. **2.** Lugar ou repartição onde o auditor exerce as suas funções. **3.** *Cont.* Exame analítico e pericial que segue o desenvolvimento das operações contábeis, desde o início até o balanço; auditagem.
auditório. [Do lat. *auditoriu*.] *S. m.* **1.** O conjunto das pessoas que assistem a algum discurso, audiência ou sessão; assistência. **2.** V. *público* (9). **3.** Edifício de tipo especial, de acústica condicionada, com cobertura ou sem ela, onde se reúnem pessoas para ouvir concertos musicais, recitais de canto, declamações, etc. **4.** Sala acusticamente tratada, onde se proferem palestras, conferências, aulas especiais, etc. ● *Adj.* **5.** *Desus.* Auditivo (1).
audível. [Do lat. *audibile*.] *Adj. 2 g.* **1.** Que se ouve. **2.** Que pode ser ouvido.
auê. [Voc. express.] *S. m.* Tumulto, confusão.
aueté. *Bras. S. 2 g.* **1.** Indivíduo dos auetés, tribo indígena tupi que habita as cabeceiras do Xingu. ● *Adj. 2 g.* **2.** Pertencente ou relativo a essa tribo.
aú-fechado. *S. m. Bras. Cap.* Coice aplicado pelos capoeiristas com os pés juntos no ar. [Pl.: *aús-fechados*.]
auferir. [Do lat. **auferere*, por *auferre*.] *V. t. d.* e *t. d.* e *i.* Colher; obter; ter, tirar: *Fez a transação, auferindo boa quantia; Auferiu lucros de seu capital* [Irreg. Conjug.: v. *aderir*. Cf. *aferir*.]
auferível. *Adj. 2 g.* Que pode ser auferido. [Cf. *aferível*.]

➧**Aufklärung.** [Al.] *S. m. Filos.* V. *filosofia das luzes.* [É fem. em al.]
➧**auf Wiedersehen** (auf vidersén). [Al.] Até à vista.
auge. [Do ár. *auj.*] *S. m.* **1.** O ponto mais elevado; culminância. **2.** O grau mais alto; o apogeu: "A guerra é o auge dessas convulsões que sacodem periodicamente a humanidade: as crises." (Oto Maria Carpeaux, *A Cinza do Purgatório,* p. 19.) **3.** V. *paroxismo* (2).
augita. [Do gr. *augítes,* pelo lat. *augites.*] *S. f. Min.* Mineral monoclínico do grupo dos piroxênios, metassilicato de cálcio, magnésio, ferro e alumínio.
➧**au grand complet** (ô grã complê). [Fr.] Na totalidade, integralmente; em peso.
augural. [Do lat. *augurale.*] *Adj. 2 g.* Relativo a áugure: "Um corvo passa e grasna, e deixa esparso no ar / O terror augural de encantos e feitiços." (Manuel Bandeira, *Estrela da Vida Inteira,* p. 14.)
augurar. [Do lat. *augurare.*] *V. t. d.* **1.** Predizer; pressagiar; prognosticar: *Acontecimento auspicioso, que augurava a vitória.* **2.** Deixar entrever; dar indício ou sinal de: *O seu comportamento augurava uma reconciliação;* "Denso, cerrado, sombrio, o seu ambiente todo parece augurar as explosões do vício e do crime." (Lúcia Miguel Pereira, *História da Literatura Brasileira,* p. 169). *T. d. e i.* **3.** Anunciar por agouro; vaticinar; agourar: *O profeta augurou ao país um ano propício.* **4.** Fazer votos; desejar: *Augurou felicidade aos noivos.* [Pres. subj.: *augure,* etc. Cf. *áugure.*]
áugure. [Do lat. *augure.*] *S. m.* **1.** Sacerdote romano que tirava presságios do canto e do vôo das aves; agoureiro. **2.** Adivinho, vaticinador, agoureiro, áuspice. [Cf. *augure,* do v. *augurar.*]
augúrio. [Do lat. *auguriu.*] *S. m.* Prognóstico, presságio, auspício, agouro: "não menos significativo é, no nosso poeta, o vôo das estriges que pairam sinistramente sobre Maqueronte, como um augúrio fatídico" (Onestaldo de Pennafort, *O Festim, a Dança e a Degolação,* p. 58).
augustianismo. *S. m. Hist. Filos.* V. *agostinismo.*
augustiniano. *Adj.* e *s. m. Hist. Filos.* V. *agostinista.*
augustinismo. *S. m. Hist. Filos.* V. *agostinismo.*
augustinista. *Adj. 2 g.* e *s. 2 g. Hist. Filos.* V. *agostinista.*
augusto. [Do lat. *augustu.*] *Adj.* **1.** Respeitável, venerando: "Salve, lindo pendão da esperança. / Salve símbolo augusto da paz!" (Olavo Bilac, "Hino à Bandeira Nacional", em *Poesias Infantis,* p. 137.) **2.** Elevado, sublime. **3.** Magnífico, majestoso.
augusto-severense. *Adj. 2 g.* **1.** De, ou pertencente ou relativo a Augusto Severo (RN). ● *S. 2 g.* **2.** Natural ou habitante de Augusto Severo. [Pl.: *augusto-severenses.*]
auí. [De possível or. tupi.] *Bras. S. m.* **1.** Araçaí. ● *S. 2 g.* **2.** Indivíduo dos auís, tribo indígena da região do rio Turunu (N. do PA). ● *Adj. 2 g.* **3.** Pertencente ou relativo a essa tribo.
auíba. [De possível or. tupi.] *S. f. Bras.* Designação comum a duas plantas da família das flacurtiáceas (*Xylosma benthami* e *Xylosma digynum*).
auiti (u-i). *Bras. S. 2 g.* **1.** Indivíduo dos auitis, tribo indígena que habita as imediações do Xingu. ● *Adj. 2 g.* **2.** Pertencente ou relativo a essa tribo.
aula. [Do lat. *aula.*] *S. f.* **1.** *Ant.* Corte (ô) (1 e 2). **2.** Sala em que se leciona; sala de aula, classe, sala. **3.** Lição ou exercício ministrado pelo professor num determinado espaço de tempo. **4.** Lição (3). **5.** V. *classe* (14). **6.** Explanação proferida por professor ou por autoridade competente perante um grupo de alunos ou um auditório. ◆ **Aula inaugural.** V. *oração de sapiência.* **Aula magna. 1.** V. *oração de sapiência.* **2.** *Lus.* Salão nobre de uma universidade onde se realizam atos solenes.
auleta. *S. m.* V. *aulete.*
aulete. [Do gr. *auletés, pelo lat. aulete.*] *S. m.* Tocador de aulo; flautista. [F. paral.: *auleta.* Var. pros.: *auleta* (ê).]
aulética. [Do gr. *auletiké,* i. e., *téchne auletiké,* 'a arte de tocar o aulo'.] *S. f.* Arte de tocar flauta ou aulo, entre os antigos gregos e romanos.
aulétride. [Do gr. *auletrís, ídos.*] *S. f.* Tocadora de aulo; auletriz.
auletriz. [Do gr. *auletrís.*] *S. f.* Aulétride.
aulicismo. *S. m. Bras.* Qualidade ou procedimento de áulico.
áulico. [Do gr. *aulikós,* pelo lat. *aulicu.*] *Adj.* **1.** Relativo ou pertencente à aula (1). **2.** Próprio de cortesão, de áulico: "E os áulicos salões, onde reinavam / A mentira, a traição, o vício, e o crime" (Junqueira Freire, *Obras Poéticas,* I, p. 68). ● *S. m.* **3.** Cortesão, palaciano: "E Fernão de Magalhães padeceu os opróbrios do rei e dos áulicos" (Latino Coelho, *Fernão de Magalhães,* p. 206).
aulido. [Do esp. *aullido.*] *S. m.* Grito de animais; uivo: "Opondo todo o seu veneno, e brio, / E com aulidos fúnebres gemendo, / Quer estorvar aos pobres peregrinos / Que não prossigam seus santos destinos". (Manuel de Santa Maria Itaparica, *Eustáquidos, em* Sérgio Buarque de Holanda, *Antologia dos Poetas Brasileiros da Fase Colonial,* I, p. 161.)
aulista. *S. 2 g. P. us.* Pessoa que freqüenta aulas; estudante.
aulo. [Do gr. *aulos.*] *S. m.* Entre os antigos gregos, designação comum a diversos tipos de flauta.
aulodia. [Do gr. *aulodía.*] *S. f.* Canto com acompanhamento de aulo.
aulodonte. *S. m.* **1.** Espécime dos aulodontes. ● *Adj. 2 g.* **2.** Pertencente ou relativo a eles.
aulodontes. *S. m. pl. Zool.* Animais equinodermes, equinóides, regulares, ordem *Aulodonta,* de carapaça geralmente rígida, brânquias externas presentes, dentes sulcados e espinhos perfurados.
aulóstomo. *Adj.* De boca ou tromba tubulosa.
aumentação. [Do lat. *augmentatione.*] *S. f.* **1.** *P. us.* V. *aumento.* **2.** *Ret.* Série de proposições que vão crescendo em importância.
aumentador (ô). [Do lat. *augmentatore.*] *Adj.* e *s. m.* Que, ou o que aumenta.
aumentar. [Do lat. *augmentare.*] *V. t. d.* **1.** Fazer maior em extensão, número, matéria, intensidade, etc.; ampliar, amplificar: *Com esforço e trabalho aumentou a fortuna herdada; O nascimento do filho aumentou-lhe as despesas;* "Tua frieza aumenta o meu desejo" (Eugênio de Castro, *Obras Poéticas,* I, p. 53). **2.** Fazer parecer maior: *Estas lentes aumentam muito os objetos.* **3.** Melhorar as condições econômicas e/ou financeiras de; tornar próspero; acrescentar: *Que Deus o aumente!* **4.** Agravar, exacerbar: *A chuva incessante veio aumentar o seu tédio.* **5.** Inventar, acrescentar: *Quem conta um conto, aumenta um ponto.* (prov.). *T. d. e i.* **6.** Adicionar, acrescentar: *Aumentou três páginas ao discurso. T. i.* **7.** Fazer progressos; prosperar, crescer: *aumentar em popularidade, em influência, em glória. Int.* **8.** Tornar-se maior, crescer: *O número de desaparecidos aumentava com as buscas; Com o tempo, o seu amor aumentava.* **9.** Progredir, desenvolver-se. **10.** Agravar-se, exacerbar-se: *A moléstia aumentou. P.* **11.** Tornar-se maior; crescer. **12.** Agravar-se, exacerbar-se.
aumentativar. *V. int.* Abusar de aumentativos.
aumentativo. *Adj.* **1.** Que aumenta. ~ *V. charada* —a e verbo —. ● *S. m.* **2.** Palavra de significação engrandecida em relação àquela de que deriva. Ex.: *casarão,* em relação a casa; *ladravaz,* em relação a *ladrão.*
aumentável. *Adj. 2 g.* Que pode ser aumentado.
aumento. [Do lat. *augmentu.*] *S. m.* **1.** Ato ou efeito de aumentar; acréscimo. [Sin.: *acréscimo* e (p. us.) *aumentação.*] **2.** Melhoria de fortuna, de situação financeira; acréscimo de salário. **3.** *Ópt.* Razão entre o ângulo de que é visto um objeto observado através de um sistema óptico e o ângulo de que é visto, à mesma distância, a olho nu. **4.** *Ópt.* Ampliação (2). ◆ **Ir em aumento.** Fazer progresso, progredir (alguma coisa): *Sua fama vai sempre em aumento.*
aunar (a-u). [Do lat. *adunare.*] *V. t. d.* Ajuntar em um todo (várias coisas); unir, adunar. [Conjug.: v. *saudar.*]
auquenipterídeo. *S. m.* **1.** Espécime dos auquenipterídeos. ● *Adj.* **2.** Pertencente ou relativo a eles.
auquenipterídeos. *S. m. pl. Zool.* Família de peixes teleósteos, siluriformes, de água doce, que têm placas ósseas granulosas na cabeça. Ex.: o anujá.
auquenorrinco. *S. m.* **1.** Espécime dos auquenorrincos. ● *Adj.* **2.** Pertencente ou relativo a eles.
auquenorrincos. *S. m. pl. Zool.* Insetos homópteros, da subordem *Auchenorrhyncha,* cuja tromba ou rosto surge na parte inferior da cabeça; antena curta com uma cerda no ápice.
aura. [Do lat. *aura.*] *S. f.* **1.** Vento brando; brisa, aragem, sopro: "Auras subtis das frescas madrugadas, / Feitas de aroma e quérulo cicio" (Luís Carlos, *Colunas,* p. 113). **2.** *Filos.* Cada um dos princípios sutis ou semimateriais que interferem nos fenômenos vitais. **3.** *Med.* Fenômenos ou sensações que precedem o início de crise paroxística, como o ataque epiléptico. **4.** *Psican.* Ambiente psicológico de um acontecimento exterior. ◆ **Aura epiléptica.** *Med.* Aura (3) que denuncia ataque epiléptico. **Aura popular.** Estima pública. **Aura vital.** Respiração, alento, anélito.
áura-masda. [Do sânscr.] *S. m. Filos.* Segundo Zoroastro [v. *zoroastrismo*], o princípio do bem; ormasde. [Opõe-se a *arimã.* V. *masdeísmo.* Pl.: *áura-masdas.*]
aurana. [Do tupi *a'ï, por a'ïb,* 'chaga', + *-rana.*] *S. f. Bras.* Espécie de morféia cujo sintoma são manchas que se espalham por todo o corpo.
aurantina. [Do lat. *aurantium,* nome específico antigo da laranjeira, + *-ina.*] *S. f.* Princípio amargo da casca das laranjas: aurantínea.
aurantínea. *S. f.* Aurantina [q. v.].
➧**aurea mediocritas** (áurea mediócritaç). [Lat., 'mediocridade dourada'.] Palavra com que Horácio [v. *horaciano*] exalta as vantagens de uma condição média, eqüidistante da opulência e da pobreza.
áureo. [Do lat. *aureu.*] *Adj.* **1.** Da cor do ouro, ou a ele relativo [v. *auricolor*]: "Áureas abelhas pequenas, / Falenas, níveas falenas" (B. Lopes, *Val de Lírios,* p. 97). **2.** Feito de ouro. **3.** Coberto de ouro; dourado. **4.** *Fig.* Brilhante, nobre, magnífico; de grande esplendor. **5.** *Fig.* Muito valioso. ~ V. *lei* —*a, número* — e *razão* —*a.*
auréola. [Do lat. *aureola,* i. e., *corona aureola,* 'coroa de ouro'.] *S. f.* **1.** Círculo dourado e brilhante que, nas imagens sacras, envolve a cabeça de Cristo e dos santos; halo, resplendor, nimbo. **2.** Qualquer círculo luminoso que rodeia um objeto; halo, nimbo. **3.** Brilho ou esplendor moral; prestígio, glória, halo: *auréola da fama.* **4.** Zona que envolve um mineral, formada pela reação deste, em suas bordas, com o magma que lhe deu origem. [Cf. *aureola,* do v. *aureolar,* e *aréola.*] ◆ **Auréola de contato.** *Geol.* Zona de modificação das rochas encaixantes por metamorfismo, provocada por intrusão magmática.
aureolar[1]. *Adj. 2 g.* Em forma de auréola. [Cf. *areolar.*]
aureolar[2]. *V. t. d.* **1.** Cingir com auréola; coroar, nimbar. **2.** Cingir, envolver: *Os cabelos fulvos aureolavam aquela cabeça.* **3.** Glorificar; abrilhantar: *O novo romance aureola sua carreira de escritor. P.* **4.** Cingir a si mesmo com auréola; coroar-se. **5.** Elevar-se, glorificar-se. [Pres. ind.: *aureolo, aureolas, aureola,* etc. Cf. *auréola* e *areolar.*]
➧**au revoir** (ô revuar). [Fr.] Até a vista.
▲**auri-[1].** [Do lat. *auris, is.*] *El. comp.* = 'orelha': *auriforme.*
▲**auri-[2].** *El. comp.* Indica a presença de ouro trivalente num composto.
▲**aur(i)-.** [Do lat. *aurum i.*] *El. comp.* = 'ouro', 'cor de ouro': *áurico, aurívoro, auricórneo.* [Equiv.: *auro-: aurogastro.*]
auriazulado. [De *aur(i)-* + *azulado.*] *Adj.* Que é, ao mesmo tempo, dourado e azul: "A luz do dia auriazulado e lindo / Ri-se pela vidraça, e os vidros desta, / Inda foscos de orvalho, estão-se rindo." (Alberto de Oliveira, *Poesias,* 4ª série, p. 126.)
auribranco. [De *aur(i)-* + *branco.*] *Adj.* Que é, ao mesmo tempo, dourado e branco: "Descendo ao vale da miséria humana, / As asas auribrancas maculaste." (Barão de Paranapiacaba, *Poesias Escolhidas,* p. 84).
auricalco. *S. m.* F. paral. de *oricalco:* "O príncipe encantado era esperado por um rostinho de auricalco semi-risonho e pudibundo" (Francisco Ribeiro Sampaio, *Renembranças,* p. 13).
auricídia. *S. f.* Cobiça, sede de ouro.
áurico. [De *aur(i)-* + *-ico[2].*] *Adj.* Relativo ao ouro.
auricolor (ô). [Do lat. *auricolore.*] *Adj. 2 g.* Da cor do ouro; áureo, auriginoso.
auricomo. [Do lat. *auricomu.*] *Adj.* Que tem cabelos dourados.
auricórneo. [De *aur(i)-* + *-corn(e)-* + *-eo.*] *Adj. Zool.* Que tem antenas da cor do ouro.
auricrinito. [De *aur(i)-* + *crinito.*] *Adj. Poét.* Que tem trança dourada.
aurícula. [Do lat. *auricula.*] *S. f.* **1.** *Anat.* Cada uma das cavidades superiores do coração. **2.** *Anat.* Orelha (1). **3.** *Bot.* Pequeno apêndice na base das folhas reentrantes na parte inferior, como, p. ex., nas folhas sagitadas. **4.** *Bot.* Planta da família das primuláceas (*Primula auricula*), vulgarmente chamada *orelha-de-urso.* **5.** *Zool.* Tufo de penas na cabeça de certas aves. **6.** *Zool.* Certo molusco gastrópode.
auriculado. *Adj.* Que tem aurícula(s); auriculoso. ~ V. *folha* —*a.*
auricular. [Do lat. *auriculare.*] *Adj. 2 g.* **1.** Pertencente ao ouvido: "A publicidade fazia-se de boca em boca, no gozo lareiro, verbal e auricular de indagar do alheio e o recortar." (Alberto Rangel, *Dom Pedro Primeiro e a Marquesa de Santos,* pp. 129-130.) **2.** *Anat.* Relativo ou pertencente às aurículas [v. *aurícula* (1)]. ~ V. *confissão* —, *dedo* —, *fibrilação* — e *testemunha* —.
▲**auricul(i)-.** [Do lat. *auricula, ae.*] *El. comp.* = 'aurícula'; *auriculiforme.* [Equiv.: *auriculo-: auriculo ventricular.*]
auriculiforme. [De *auricul(i)-* + *-forme.*] *Adj. 2 g.* Que tem forma de orelha pequena ou aurícula.

▲auriculo-. Equiv. de *auricul(i)-*.
auriculoso (ô). [Do lat. *auriculosu*.] *Adj.* Auriculado.
auriculoventricular. [De *auriculo-* + *ventricular*.] *Adj. 2 g.* Atrioventricular.
aurífero. [Do lat. *auriferu*.] *Adj.* Que contém ou produz ouro.
aurificação. [De um imaginário verbo **aurificar*, de *aurífico*.] *S. f.* Obturação de dentes cariados a ouro.
aurífice. [Do lat. *aurifice*.] *S. m.* Aquele que trabalha em ouro; ourives.
aurífico. [Do lat. *aurificu*.] *Adj.* **1.** Que tem ouro. **2.** Que tem a cor do ouro. **3.** Que transforma em ouro.
auriflama. [Do lat. *aurea flamma*, 'chama dourada'.] *S. f.* **1.** Antigo estandarte vermelho dos reis de França. **2.** *Poét.* V. *bandeira* (1): "Esvoaça o tênue véu, como auriflama / triunfal, em torno do afogueado rosto" (Carlos Magalhães de Azeredo, *Vida e Sonho*, p. 114). [Var.: *oriflama*.]
auriflamense. *Adj. 2 g.* **1.** De, ou pertencente ou relativo a Auriflama (SP). ● *S. 2 g.* **2.** Natural ou habitante de Auriflama.
auriforme. [Do lat. *auri-*[1] + *-forme*.] *Adj. 2 g.* Diz-se das conchas bivalves em forma de orelha.
aurifulgente. [De *aur(i)-* + *fulgente*.] *Adj. 2 g.* Fulgente como o ouro; aurifúlgido: "abrindo [os beija-flores] as asas formosas, / As asas aurifulgentes" (Alberto de Oliveira, *Poesias*, I, p. 118).
aurifúlgido. [De *aur(i)-* + *fúlgido*.] *Adj.* Aurifulgente.
auriga. [Do lat. *auriga*.] *S. m.* **1.** Entre os gregos e romanos, condutor dos carros de cavalos. **2.** *Poét.* V. *cocheiro* (1). **3.** *Astr.* Constelação boreal a E. de Perseu, vulgarmente chamada *Cocheiro*.
aurigastro. *Adj. Zool.* Aurogástreo.
auriginoso (ô). [Do lat. *auriginosu*.] *Adj.* V. *auricolor*.
aurilandense. *Adj. 2 g.* **1.** De, ou pertencente ou relativo a Aurilândia (GO). ● *S. 2 g.* **2.** Natural ou habitante de Aurilândia.
aurilavrado. [De *aur(i)-* + *lavrado*.] *Adj.* Que é de ouro com lavores: taça *aurilavrada*; "Cintilam como espelhos / As taças de rapé aurilavradas." (Gonçalves Crespo, *Obras Completas*, p. 77).
auriluzir. [De *aur(i)-* + *luzir*.] *V. int.* Luzir como ouro. [Unipess. no sentido próprio. Conjug.: v. *aduzir*.]
aurinevado. [De *aur(i)-* + *nevado*.] *Adj.* Da cor do ouro e da neve; dourado e nevado: "Fogem do vento que ruge / As nuvens aurinevadas" (Gonçalves Dias, *Obras Poéticas*, II, p. 231).
auripurpúreo. [De *aur(i)-* + *purpúreo*.] *Adj.* Cor de ouro e de púrpura.
aurirrosado. [De *aur(i)-* + *rosado*.] *Adj.* Cor de ouro e cor-de-rosa; aurirróseo: "Salve, aurora! — quão donosa surges / Nos azulados topes do oriente / Desfraldando o teu manto aurirrosado!" (Bernardo Guimarães, *Poesias Completas*, p. 19.)
aurirróseo. [De *aur(i)-* + *róseo*.] *Adj.* Aurirrosado: "Da manhã aurirrósea à claridade, / Tumultua em cada árvore florida, / Em cada pedra ou fonte, / Em cada abismo, em cada gruta escura, / Por todo chão, por toda encosta e todo monte / A orgia dionisíaca da Vida." (Alberto de Oliveira, *Poesias*, 4ª série, p. 156.)
➧auri sacra fames (áuri sacra fámeç). [Lat. 'maldita fome do ouro'.] Expressão de Virgílio [v. *virgiliano*.] referente à avidez, e que se tornou proverbial.
auriverde (ê). [De *aur(i)-* + *verde*.] *Adj. 2 g.* Verde-amarelo (1): "Auriverde pendão da minha terra, / Que a brisa do Brasil beija e balança" (Castro Alves, *Obra Completa*, p. 283).
aurívoro. [De *aur(i)-* + *-voro*.] *Adj.* **1.** *Poét.* Que devora ouro. **2.** *Fig.* Dissipador, gastador, perdulário, manirroto.
▲auro-[1]. Equiv. de *aur(i)-*.
▲auro-[2]. *Quím. El. comp.* Indica a presença de ouro monovalente num composto.
aurogástreo. [De *auro-*[1] + *-gastr(o)-* + *-eo*.] *Adj. Zool.* Diz-se dos animais que têm o ventre amarelado; aurigastro.
auroque. [Do al. *Auerochs*, 'boi da planície', atr. do fr. *aurochs*.] *S. m.* Mamífero artiodáctilo ruminante, da família dos bovídeos (*Bison bonasus* L.), antigamente muito espalhado na Europa, hoje quase extinto; bisão-europeu.
aurora. [Do lat. *aurora*.] *S. f.* **1.** *Astr.* Período antes do nascer do Sol, quando este já ilumina a parte da superfície terrestre ainda na sombra. **2.** *Fig.* O início da vida; a infância: "Oh! que saudades que tenho / Da aurora da minha vida, / Da minha infância querida / Que os anos não trazem mais!" (Casimiro de Abreu, *Obras*, p. 93.) **3.** Princípio, origem, começo. **4.** O Oriente. **5.** A cor branca rosada; rosicler. **6.** Árvore ornamental da família das esterculiáceas (*Dombeya mollis*). ◆ **Aurora austral.** *Geofís.* Aurora polar observada em altas latitudes austrais. **Aurora boreal.** *Geofís.* Aurora polar observada em latitudes boreais. **Aurora polar.** *Geofís.* Luz difusa, constituída de faixas e arcos brilhantes e coloridos, que se observa quase exclusivamente em altas latitudes geográficas, e é produzida por corpúsculos emitidos pelo Sol, que agem sobre a atmosfera terrestre sob a influência do campo geomagnético.
auroral. *Adj. 2 g.* **1.** Relativo ou pertencente à aurora; auroreal. **2.** *Geofís.* Relativo às auroras polares. ~ V. *linha* —.
auroreal. *Adj. 2 g.* Auroral (1).
aurorescer. *V. int.* Começar a romper o dia; raiar o dia. [Defect., conjugável só na 3ª pess. sing. Conjug.: v. *crescer*.]
ausculta. [Dev. de *auscultar*.] *S. f.* Auscultação.
auscultação. [Do lat. *auscultatione*.] *S. f.* Ato ou efeito de auscultar; ausculta.
auscultador (ô). [Do lat. *auscultatore*.] *Adj.* **1.** Que ausculta. ● *S. m.* **2.** Aquele que ausculta. **3.** Instrumento de auscultar. **4.** Peça do telefone que quando nos falam por ele, aplicamos ao ouvido.
auscultar. [Do lat. *auscultare*.] *V. t. d.* **1.** Aplicar o ouvido a (o tórax, o abdome, etc.) para conhecer os ruídos que se produzem dentro do organismo. [Sin., pop.: *escutar*.] **2.** Procurar conhecer; inquirir, sondar: *auscultar a opinião de alguém.*
ausência. [Do lat. *absentia*.] *S. f.* **1.** Afastamento, apartamento: *A sua longa ausência deixa-nos pesarosos.* **2.** Falta de comparecimento; falta: *Na reunião comentou-se muito a sua ausência.* **3.** Carência, inexistência, falta: *Sofre com a ausência de carinho.* **4.** *Jur.* Desaparecimento da pessoa do seu domicílio, sem deixar ou dar notícia do seu paradeiro e sem deixar representante para zelar pelos seus interesses. **5.** *Psiq.* Lapso de memória. **6.** Falha do raciocínio. ◆ **Ausência de gravidade.** *Astr.* Fenômeno que ocorre em pontos do espaço suficientemente afastados de massas atrativas, e segundo o qual todos os corpos ficam destituídos de peso. **Fazer boa ausência de.** Dizer bem de (alguém) na sua ausência. **Fazer má ausência de.** Dizer mal de (alguém) na sua ausência.
ausentar-se. [Do lat. *absentare* + *se*[1].] *V. p.* **1.** Deixar um lugar qualquer; ir-se; retirar-se. **2.** Afastar-se, apartar-se: *Ausentou-se daquele convívio, ciente de que não lhe convinha.* **3.** Desaparecer; acabar-se: *Ganhando bem, agora, ausentaram-se-lhe as preocupações materiais.*
ausente. [Do lat. *absente*.] *Adj. 2 g.* **1.** Não presente. **2.** Afastado, distante: "desconfiara bem do que lhe retinha o sobrinho fora de casa, tanto tempo, ausente dos primos" (Herman Lima, *Tijipió*, p. 140). **3.** *Bras., MG.* Separado do cônjuge: *F. está ausente há mais de um mês.* **4.** Distraído, desatento; alheio. **5.** *Psiq.* Diz-se da pessoa que sofre de lapso de memória, que se encontra incapaz de raciocinar; esquecido, distraído: *O choque a deixou ausente.* ● *S. 2 g.* **5.** Pessoa que deixou o seu domicílio e que se encontra em outro lugar. **6.** *Jur.* Pessoa cuja ausência se declara ou reconhece em juízo. ~ V. *ausentes*. ◆ **Ausente de.** Distante de: *Mora em Inhapim, ausente de Caratinga 30 quilômetros.*
ausentes. [Pl. de *ausente*.] *S. 2 g. pl. Jur.* Pessoas que se encontram em lugares diversos e só podem contratar por correspondência ou por intermediário: *curador de órfãos e ausentes.* ~ V. *ausente*.
auso. [Do lat. *ausu*.] *S. m. Ant.* e *Pop.* Ousio; ousadia.
áuspice. [Do lat. *auspice*.] *S. m.* **1.** Arúspice. **2.** V. *áugure* (2).
auspiciar. *V. t. d.* e *t. d. e i.* **1.** Fazer auspício de; augurar, predizer, prenunciar: *Tudo auspiciava bons resultados; Auspiciou-lhes um futuro próspero.* [Pres. ind.: *auspicio*, etc. Cf. *auspício*.]
auspício. [Do lat. *auspiciu*.] *S. m.* **1.** V. *augúrio*. **2.** *Fig.* Promessa, voto. [Cf. *auspicio*, do v. *auspiciar*.] ◆ **Sob os auspícios de.** Sob o patrocínio de.
auspicioso (ô). *Adj.* **1.** De bom augúrio. **2.** Prometedor: *um futuro auspicioso.*
austenita. *S. f. Metal.* Solução sólida de carbono em ferro gama presente em diversos tipos de aço.
austenítico. *Adj.* Da natureza da austenita, ou que a contém. ~ V. *aço* —.
austereza (ê). *S. f. P. us.* V. *austeridade*.
austeridade. [Do lat. *austeritate*.] *S. f.* **1.** Qualidade ou caráter de austero. **2.** Inteireza de caráter; severidade, rigor. [Sin. ger. (p. us.): *austereza*.]
austero (té). [Do lat. *austeru*.] *Adj.* **1.** Rígido de caráter; severo, grave: *magistrado austero.* **2.** Duro, penoso para os sentidos: *hábitos austeros.* **3.** Ríspido, áspero: *Fez ponderações em tom austero.* **4.** Sério, grave, ponderoso: *voz austera.* **5.** Acre, acerbo, adstringente: *iguaria de sabor austero.* **6.** Escuro, sombrio: *Veste-se de cores austeras.*
austral. [Do lat. *australe*.] *Adj. 2 g.* **1.** Que fica do lado do austro ou sul; meridional: "Para o sul, ... as pastagens infindáveis, mordidas pelos ventos austrais, corriam em ondulações meio fulvas, à maneira dum campo de milho." (Virgílio Várzea, *Contos de Amor*, p. 233.) ~ V. *aurora* —, *continente* — e *coroa* —. [Antôn.: *boreal, setentrional*.] ● *S. m.* **2.** Unidade monetária, e moeda, argentina, dividida em 100 centavos, em vigor desde 15 de junho de 1985, quando substituiu o peso (14), valendo, naquela data, cada austral, 1.000 pesos. [Cf. *astral*.]
australásico. *Adj.* Australásio (1).
australásio. *Adj.* **1.** Da, ou pertencente ou relativo à Australásia, região sudoeste da Oceânia; australásico. ● *S. m.* **2.** O natural ou habitante da Australásia.
australiano. *Adj.* **1.** Da, ou pertencente ou relativo à Austrália. ● *S. m.* **2.** O natural ou habitante da Austrália. **3.** Conjunto de uma centena de línguas geograficamente próximas, porém não integradas em um grupo lingüístico, faladas na Austrália.
austríaco. *Adj.* **1.** Da, ou pertencente ou relativo à Áustria (Europa). ~ V. *cadeira* — a. ● *S. m.* **2.** O natural ou habitante da Áustria.
austrífero. [Do lat. *austriferu*.] *Adj. Poét.* Que traz chuva ou vento do sul.
austro. *S. m.* **1.** O sul. **2.** Entre os antigos, o vento do sul. [Antôn., nesta acepç.: *bóreas* e *setentrião*.]
▲austro-[1]. [Do lat. *auster, austri*.] *El. comp.* = 'sul', 'meridional': *austro-africano*.
▲austro-[2]. [Do top. *Áustria*.] *El. comp.* = 'austríaco': *austro-húngaro*.
austro-africano. [De *austro-*[1] + *africano*.] *Adj.* Situado ao S. da África. [Pl.: *austro-africanos*.]
austro-asiático.]De *austro-*[1] + *asiático*.] *Adj.* **1.** Situado ao S. da Ásia. ● *S. m.* **2.** *Ling.* Conjunto de línguas faladas desde os montes anamitas até o planalto central da Índia, e que parecem não estar integradas em um grupo homogêneo. [Pl.: *austro-asiáticos*.]
austro-húngaro. [De *austro-*[2] + *húngaro*.] *Adj.* Diz-se de, ou pertencente ou relativo ao Império Austro-Húngaro (1867-1918), que compreendia a Áustria, a Hungria, a Tcheco-Eslováquia e parte da Polônia, da Romênia, da Iugoslávia e da Itália, e que foi dissolvido pelo Tratado de Versalhes. [Pl.: *austro-húngaros*.]
autarcia. [Do gr. *autárkeia*, 'auto-suficiência'.] *S. f.* **1.** *Econ.* Auto-suficiência econômica de uma nação; auto-suficiência; autarquia. **2.** *P. ext.* Política apoiada no princípio da auto-suficiência econômica. **3.** Tranqüilidade de espírito; calma. **4.** Frugalidade, temperança, sobriedade. **5.** *Hist. Filos.* Autarquia (4). [Cf. *autarquia*.]
autarcoglosso. *S. m.* **1.** Espécime dos autarcoglossos. ● *Adj.* **2.** Pertencente ou relativo a eles.
autarcoglossos. *S. m. pl. Zool.* Animais cordados, reptis, escamados, divisão *Autarchoglossa*, que têm menos de quatro fileiras de escamas ventrais em cada segmento do corpo, as quais, quando imbricadas, deixam estreita margem posterior livre.
autarquia. [Do gr. *autarchía*.] *S. f.* **1.** Poder absoluto. **2.** Governo de um Estado pelos seus cidadãos. **3.** *Econ.* Autarcia (1). **4.** *Hist. Filos.* Nos vocabulários cínico e estóico, condição de auto-suficiência do sábio, a quem basta ser virtuoso para ser feliz; autarcia. **5.** *Jur.* Entidade autônoma, auxiliar e descentralizada da administração pública, sujeita à fiscalização e tutela do Estado, com patrimônio constituído de recursos próprios, e cujo fim é executar serviços de caráter estatal ou interessantes à coletividade, como, entre outros, caixas econômicas e institutos de previdência. [Cf. *autarcia*.]
autárquico. *Adj.* **1.** Relativo ou pertencente a autarquia. ● *S. m.* **2.** Funcionário de autarquia (5).
autazense. *Adj. 2 g.* **1.** De, ou pertencente ou relativo a Autazes (AM). ● *S. 2 g.* **2.** Natural ou habitante de Autazes.
autêntica. [Fem. substantivado do adj. *autêntico*.] *S. f.* Certidão, atestado ou carta que faz fé. [Cf. *autentica*, do v. *autenticar*.]
autenticação. *S. f.* Ato ou efeito de autenticar.
autenticado. [Part. de *autenticar*.] *Adj.* Que se autenticou; legalizado.
autenticar. *V. t. d.* **1.** Tornar autêntico; reconhecer como verdadeiro. **2.** Autorizar ou certificar segundo as fórmulas legais; legalizar. [Conjug.: v. *trancar*. Pres. ind.: *autentico, autenticas, autentica*, etc. Cf. *autêntico*

e *autêntica.*]

autenticidade. *S. f.* Qualidade de autêntico.

autêntico. [Do gr. *authentikós,* pelo lat. *authenticu.*] *Adj.* **1.** Que é do autor a quem se atribui. **2.** A que se pode dar fé; fidedigno: *um fato* autêntico. **3.** Que faz fé: "Das atas em que se lançou este singular juramento transcreveram-se diversos exemplares autênticos" (Alexandre Herculano, *História de Portugal,* III, p. 43). **4.** Legalizado, autenticado. **5.** Verdadeiro, real: *um* autêntico *idiota.* **6. jjGenuzinon legzitimo, lídimo:** *um brasileiro* autêntico; 'UAli haviam demorado por vários séculos alguns monges o$utQen5icosjgp de cuja pobreza os restos do convento — acanhadíssima construção térrea de pedra e barro — perpetuavam o atestado suficiente." (M. Teixeira-Gomes, *Gente Singular,* p. 9.) **7.** *Filos.* Segundo Heidegger [v. *heideggeriano*], diz-se da existência que assume sua situação de ser-para-a-morte. ~ V. *ato —, modo — e testamento —.*

autígeno. [Do gr. *authigenés.*] *Adj.* e *s. m.* **1.** Diz-se de, ou aquilo que se formou no próprio lugar que ocupa. **2.** *Petr.* Diz-se de, ou partícula mineral formada por cristalização no próprio local onde ocorre.

autismo. [De *aut(o)-* + *-ismo.*] *S. m. Psiq.* Fenômeno patológico caracterizado pelo desligamento da realidade exterior e criação mental de um mundo autônomo.

autista. [De *aut(o)-* + *-ista.*] *Adj.* e *s. 2 g.* Que ou quem apresenta autismo.

autístico. *Adj.* Relativo ao autismo.

auto[1]. [Do lat. *actu.*] *S. m.* **1.** Ato público; solenidade. **2.** Registro escrito e autenticado de qualquer ato. **3.** *Teat.* Composição dramática originária da Idade Média, com personagens geralmente alegóricas, como os pecados, as virtudes, etc., e entidades como santos, demônios, etc., e que se caracteriza pela simplicidade da construção, ingenuidade da linguagem, caracterizações exacerbadas e intenção moralizante, podendo, contudo, comportar também elementos cômicos e jocosos: "Tais autos [de Gil Vicente] são na essência o mesmo que os mistérios franceses, como eles cheios de indecências, porém ao mesmo tempo ricos de sal e chistes." (Alexandre Herculano, *Opúsculos,* IX, p. 80.) ~ V. *autos.* ♦ **Auto sacramental.** *Teat.* **1.** No antigo teatro espanhol (sécs. XVI ao XVIII), peça religiosa que tem como tema a Eucaristia. **2.** Auto de caráter puramente religioso. **Não estar pelos autos.** Não estar de acordo, não concordar: "O Marcos, contudo, não estava pelos autos, apesar da promessa do Luz de presenteá-lo com um par novo, caso não fosse encontrado o pé que faltava." (Cardoso de Oliveira, *Dois Metros e Cinco,* p. 296.) [Tb. se usa na f. afirmativa.]

auto[2]. *S. m.* F. red. de *automóvel:* "O auto rompeu outra vez na estrada." (Herman Lima, *Garimpos,* p. 16.). ♦ **Auto de praça.** Automóvel de aluguel.

auto[3]. [De *átomo;* cf. *átimo.*] *S. m. Bras.* Momento, instante; átimo.

▲**aut(o)-.** [Do gr. *autós, é, ó,* gen. *autoû, ês, oû.*] *El. comp.* = 'por si próprio', 'de si mesmo': *autismo, autocrítica, automóvel, autobiografia.*

▲**auto-.** [De *automóvel.*] *El. comp.* = 'automóvel': *autódromo, auto-estrada.*

auto-acusação. [De *aut(o)-* + *acusação.*] *S. f.* **1.** *Jur.* Ação de imputar a si mesmo, perante a autoridade competente, a autoria de um fato delituoso. **2.** *P. ext.* Manifestação daquele que, por escrúpulo ou estado mórbido, se acusa de culpa ou de incapacidade. [Pl.: *auto-acusações.*]

auto-adesivo. [De *aut(o)-* + *adesivo.*] *Adj.* e *s. m.* Diz-se de, ou etiqueta, papel ou impresso com um dos lados recobertos de substância adesiva para permitir colagem instantânea. [Sin.: *autocolante* e *colante.* Pl.: *auto-adesivos.*]

auto-admiração. [De *aut(o)-* + *admiração.*] *S. f.* V. *narcisismo.* [Pl.: *auto-admirações.*]

auto-afirmação. [De *aut(o)-* + *afirmação.*] *S. f. Psicol.* Necessidade íntima do indivíduo de impor-se à aceitação do meio; afirmação. [Pl.: *auto-afirmações.*]

auto-agressão. [De *aut(o)-* + *agressão.*] *S. f. Psicol.* Consumação de atos destrutivos que tem por objeto o próprio agressor. [Pl.: *auto-agressões.* Cf. *heteroagressão.*]

auto-analisar-se. [De *aut(o)-* + *analisar* + *se[1].*] *V. p.* Fazer a auto-análise.

auto-análise. [De *aut(o)-* + *análise.*] *S. f. Psican.* Investigação sistemática de si mesmo, mediante certos processos do método psicanalítico. [Pl.: *auto-análises.*]

auto-aspirante. *Adj. 2 g.* ~ V. *bomba —.* [Pl.: *auto-aspirantes.*]

autobasídio. *S. m.* e *adj. Micol.* Holobasídio.

autobiografar-se. [De *aut(o)-* + *biografar* + *se[1].*] *V. p.* Escrever autobiografia. [Pres. ind.: *autobiografo-me,* etc. Cf. *autobiógrafo.*]

autobiografia. [De *aut(o)-* + *biografia.*] *S. f.* Vida de um indivíduo escrita por ele mesmo.

autobiográfico. *Adj.* Relativo ou pertencente a autobiografia.

autobiógrafo. [De *aut(o)-* + *biógrafo.*] *S. m.* Autor de autobiografia. [Cf. *autobiografo-me,* do v. *autobiografar-se.*]

autocapa. [De *auto-* + *capa.*] *S. f.* Capa usada para revestir automóveis.

autocarga. [De *auto-* + *carga.*] *S. m. Bras.* Caminhão de carga: "O caminhão ganha em tamanho, ficando 'jamanta', nome do autocarga com extensa carroceria separada da cabina." (Marcos Vinícius Vilaça, *Em torno da Sociologia do Caminhão,* p. 18.)

autocarro. [De *aut(o)-* + *carro.*] *S. m. Lus.* V. *ônibus[2].*

autocatálise. [De *aut(o)-* + *catálise.*] *S. f. Quím.* Catálise provocada por uma substância que se forma no próprio sistema reacional.

autocéfalo. [De *aut(o)-* + *-céfalo.*] *Adj.* **1.** Governado por si mesmo. ● *S. m.* **2.** Bispo grego não sujeito ao patriarca.

autocídio. [De *aut(o)-* + *-cidio.*] *S. m. P. us.* V. *suicídio.*

autoclave. [De *aut(o)-* + lat. *clave.*] *S. f.* **1.** Aparelho de desinfecção por meio do vapor a alta pressão e temperatura; esterilizador. **2.** *Ind. Pap.* V. *cozinhador* (2).

autoclínica. [De *aut(o)-* + *clínica.*] *S. f.* Estudo de uma doença feito pelo próprio enfermo.

autoclismo. [De *aut(o)-* + gr. *klismós,* 'inundação'.] *S. m. Lus.* Caixa de descarga.

autocolante. [De *aut(o)-* + *colante.*] *S. m.* V. *auto-adesivo.*

autocolimação. [De *aut(o)-* + *colimação.*] *S. f. Ópt.* Propriedade de um sistema óptico em que a imagem de um objeto pode coincidir com o próprio objeto.

autocolimador (ô). [De *aut(o)-* + *colimador.*] *Adj.* ~ V. *sistema —.*

autocomiseração. [De *aut(o)-* + *comiseração.*] *S. f.* Comiseração de si mesmo.

autocomiserativo. *Adj.* Que resulta de autocomiseração: *atitude* autocomiserativa.

autocompatibilidade. [De *aut(o)-* + *compatibilidade.*] *S. f. Biol. Ger.* Possibilidade, nas plantas, de autofecundação.

autoconsciência. *S. f. Filos.* Consciência que adquire capacidade de refletir sobre si mesma, i. e., que se reconhece como o domínio da racionalidade, do pensamento, ou dos chamados *estados interiores;* consciência-de-si.

autoconstrução. *S. f.* Processo de produção de moradias de baixo custo, pela população de baixa renda, mediante o seu próprio trabalho, e que constitui tentativa de resolver o problema habitacional, principalmente nas periferias das grandes cidades.

autocontemplação. [De *aut(o)-* + *contemplação.*] *S. f.* V. *narcisismo.*

autocontrato. [De *aut(o)-* + *contrato.*] *S. m. Jur.* Contrato que alguém realiza consigo mesmo, na condição de mandatário de outrem.

autocontratual. *Adj. 2 g.* Referente a autocontrato.

autocontrole (ô). [De *aut(o)-* + *controle.*] *S. m.* V. *equilíbrio* (6).

autocópia. [De *aut(o)-* + *cópia.*] *S. f.* Reprodução de um escrito ou desenho por meio do autocopista. [Cf. *autocopia,* do v. *autocopiar.*]

autocopiar. [De *autocópia* + *-ar[2].*] *V. t. d.* Copiografar. [Pres. ind.: *autocopio, autocopias, autocopia,* etc. Cf. *autocópia.*]

autocopista. [De *aut(o)-* + *copista.*] *S. m.* V. *copiógrafo.*

autocórico. *Adj. Bot.* Diz-se do vegetal que dissemina as suas sementes por meios próprios, como, p. ex., o beijo-de-frade, que as lança a distância por súbita abertura dos frutos.

autocorologia. *S. f.* Fitogeografia de uma espécie vegetal.

autocorológico. *Adj.* Referente à autocorologia.

autocracia. [Do gr. *autokráteia.*] *S. f.* **1.** Governo de um príncipe, com poderes ilimitados e absolutos. **2.** Cesarismo.

autocrata. [Do gr. *autokratés.*] *Adj. 2 g.* e *s. 2 g.* Diz-se de, ou soberano absoluto e independente. [Var. pros. (p. us.): *autócrata.*]

autócrata. *Adj. 2 g.* e *s. 2 g.* Var. pros. de *autocrata.*

autocrático. *Adj.* Pertencente ou relativo a, ou próprio de autocrata.

autocrítica. [De *aut(o)-* + *crítica.*] *S. f.* **1.** Crítica feita por alguém a si mesmo ou a suas próprias obras. **2.** Capacidade de exercer autocrítica (1): *Medíocre, considera-se um gênio: não tem* autocrítica.

autóctone. [Do gr. *autóchton,* pelo lat. *autochtone.*] *Adj. 2 g.* **1.** Que é oriundo de terra onde se encontra, sem resultar de imigração ou importação: *povo* autóctone; *cerâmica* autóctone; "A anatomia, a fisiologia, o próprio espírito é o autóctone, independente das origens exóticas." (João Ribeiro, *Cartas Devolvidas,* p. 227.) **2.** Aborígine, indígena, nativo. ~ V. *depósito —.* ● *S. 2 g.* **3.** V. *aborígine* (2). [Opõe-se a *alóctone.*]

autoctonia. *S. f.* Autoctonismo.

autoctonismo. *S. m.* Qualidade de autóctone; autoctonia.

auto-de-fé. *S. m.* Cerimônia em que se proclamavam e executavam as sentenças do Tribunal da Inquisição, e na qual os penitenciados ou abjuravam os seus erros, ou eram condenados ao suplício da fogueira. [Pl.: *autos-de-fé.*]

autodefesa (ê). [De *aut(o)-* + *defesa.*] *S. f.* **1.** *Jur.* Defesa de um direito feita pelo seu próprio titular. **2.** Resistência do indivíduo às influências exteriores.

autodenominação. *S. f.* Ato ou efeito de autodenominar-se.

autodenominar-se. [De *aut(o)-* + *denominar* + *se[1].*] *V. p.* Nomear(-se) a si mesmo.

autodepuração. [De *aut(o)-* + *depuração.*] *S. f.* Propriedade que tem um organismo de purificar-se pelos seus próprios meios: "O fato é que a Baía de Guanabara atravessa .... uma fase aguda de degeneração: sua capacidade de autodepuração foi, há muito, ultrapassada" (*Revista de Domingo,* 23.5.1982).

autodestruição (u-i). [De *aut(o)-* + *destruição.*] *S. f.* Destruição, extinção, aniquilamento de si mesmo.

autodeterminação. [De *aut(o)-* + *determinação.*] *S. f.* Princípio segundo o qual um Estado tem o direito de escolher sua própria forma de governo e ideologia.

autodidata. [Do gr. *autodídaktos.*] *Adj. 2 g.* e *s. 2 g.* Que ou quem se instruiu ou se instrui por si, sem auxílio de professores.

autodidatismo. [De *autodidata* + *-ismo.*] *S. m.* Autodidaxia.

autodidaxia (cs). [De *aut(o)-* + gr. *dídaxis,* 'ensino', + *-ia.*] *S. f.* Ação de instruir-se sem professores; autodidatismo.

autodigestão. [De *aut(o)-* + *digestão.*] *S. f. Citol.* V. *autofagia* (2).

autodomínio. [De *aut(o)-* + *domínio.*] *S. m.* V. *equilíbrio* (6).

autódromo. [De *auto-* + *-dromo.*] *S. m.* Conjunto de pistas e edifícios (instalações para administração, arquibancadas, controle, oficinas de reparos, etc.), para corrida de automóveis.

auto-ecologia. [De *aut(o)-* + *ecologia.*] *S. f. Biol. Ger.* Ecologia do indivíduo (animal ou vegetal). [Pl.: *auto-ecologias.*]

auto-ecológico. *Adj.* Relativo à auto-ecologia. [Pl.: *auto-ecológicos.*]

auto-elogio. [De *aut(o)-* + *elogio.*] *S. m.* Elogio feito por alguém a si mesmo. [Pl.: *auto-elogios.*]

auto-erotismo. [De *aut(o)-* + *erotismo.*] *S. m. Psiq.* **1.** Impulso sexual espontâneo, sem qualquer estímulo externo, direto ou indireto, e cuja forma típica é o orgasmo durante o sono. **2.** Masturbação. [Pl.: *auto-erotismos.* Cf. *aloerotismo.*]

auto-escola. [De *auto-* + *escola.*] *S. f.* Escola para habilitação de motoristas. [Pl.: *auto-escolas.*]

auto-escorvante. *Adj. 2 g. Tec.* Diz-se de bomba que principia a atuar sem que seja necessário encher-lhe de fluido o corpo. [Pl.: *auto-escorvantes.*]

auto-estéril. [De *aut(o)-* + *estéril.*] *Adj. 2 g. Bot.* Diz-se da flor que apresenta auto-esterilidade. [Pl.: *auto-estéreis.*]

auto-esterilidade. [De *aut(o)-* + *esterilidade.*] *S. f. Bot.* Impossibilidade de uma flor ser fecundada por seu próprio pólen. [Pl.: *auto-esterilidades.*]

auto-estrada. [De *auto-* + *estrada.*] *S. f.* Estrada para veículos automóveis; rodovia para altas velocidades, com pistas duplas e acessos limitados, sem cruzamentos de nível; autopista. [Pl.: *auto-estradas.*]

auto-extermínio. [De *aut(o)-* + *extermínio.*] *S. m.* Extermínio praticado contra si mesmo. [Pl.: *auto-extermínios.*]

autofagia. [De *aut(o)-* + *-fag(o)-* + *-ia.*] *S. f.* **1.** Nutrição ou sustento de um organismo à custa de sua própria substância: "E, em vez de comerem, eram comidos pela própria fome numa autofagia erosiva." (José Américo de Almeida, *A Bagaceira,* p. 5.) **2.** *Citol.* Autodestruição da célula pelas suas próprias enzimas hidrolisantes; autodigestão, autólise.

autofágico. *Adj.* Relativo à, ou próprio da autofagia:

"Essas fases de mudança de regime costumam ser tempestuosas, contraditórias, desconcertantes, comumente *autofágicas*." (Barbosa Lima Sobrinho, *Presença de Alberto Torres*, p. 89.)

autófago. [Do gr. *autóphagos.*] *Adj.* e *s. m.* Que, ou aquele que revela autofagia.

autofalência. [De *aut(o)-* + *falência.*] *S. f. Jur.* Falência requerida pelo próprio devedor.

autofertilização. [De *aut(o)-* + *fertilização.*] *S. f.* V. *autogamia.*

autofilia. [De *aut(o)-* + *-filia.*] *S. f. Psiq.* Sentimento de amor a si próprio. [Cf. *narcisismo* (2).]

autofílico. *Adj.* Referente à autofilia.

autofinanciamento. [De *aut(o)-* + *financiamento.*] *S. m.* **1.** Prática que consiste em reter e utilizar no negócio os lucros não distribuídos. **2.** Desenvolvimento da produção ou de outros negócios de uma empresa pela aplicação de lucros e capital próprios.

autófono. [De *aut(o)-* + *-fono.*] *Adj.* Idiófono.

autofunção. [De *aut(o)-* + *função.*] *S. f. Anál. Mat.* Numa equação diferencial ou integral que contenha um parâmetro, qualquer solução que só exista para determinados valores desse parâmetro; função própria, função característica, eigenfunção.

autogamia. [De *aut(o)-* + *-gam(o)-* + *-ia.*] *S. f.* **1.** *Biol. Ger.* Fusão de gametas do mesmo indivíduo. **2.** Fusão de dois núcleos haplóides da mesma célula. **3.** *Bot.* Fertilização e fecundação de uma planta por meio de seu próprio pólen. [Cf., nesta acepç., *autopolinização.*] [Sin. ger.: *autofertilização.* Opõe-se a *alogamia.*]

autogâmico. *Adj.* Relativo à, ou em que ocorre autogamia: *espécie autogâmica.*

autógamo. [De *aut(o)-* + *-gamo.*] *Adj. Biol. Ger.* Reproduzido por autogamia: *planta autógama.* [Opõe-se a *alógamo.*]

autogênese. [De *aut(o)-* + *gênese.*] *S. f. Biol. Ger.* Geração espontânea.

autogenético. *Adj.* Referente à autogênese.

autógeno. [Do gr. *autogenés.*] *Adj. Biol. Ger.* Que se gera a si mesmo. ~ V. *solda —a.*

autogestão. [De *aut(o)-* + *gestão.*] *S. f.* Gerência de uma empresa pelos próprios trabalhadores, que se fazem representar por uma direção e por um conselho de gestão.

autogiro. [De *aut(o)-* + *giro.*] *S. m.* Avião com rudimento de asas, cujo plano sustentador é uma hélice horizontal não motriz, e que sobe e desce em direção vertical.

autografar. *V. t. d.* **1.** Apor autógrafo (2) em. **2.** Reproduzir por autografia. [Pres. ind.: *autografo*, etc. Cf. *autógrafo.*]

autografia. *S. f.* **1.** Processo de reprodução litográfica de autógrafos. **2.** Reprodução exata de um escrito. **3.** Técnica litográfica que consiste em desenhar à tinta ou lápis graxos em papel especial, o papel autográfico, de jeito que o trabalho possa ser transportado para a pedra ou para a placa de metal, geralmente com o fim de aí repetir a imagem, para mais rápida multiplicação, em uma só tiragem. **4.** Cada uma das reproduções assim transportadas.

autográfico. *Adj.* Relativo à autografia; autógrafo. ~ V. *papel —.*

autógrafo. [Do gr. *autógraphos*, pelo lat. *autographu.*] *S. m.* **1.** Escrito do próprio autor. **2.** Assinatura ou grafia autêntica do próprio punho, original. [Antôn.: *apógrafo.*] ● *Adj.* **3.** Autográfico. [Cf. *autografo*, do v. *autografar.*]

autografomania. [De *autógrafo* + *-mania.*] *S. f.* Mania de colecionar autógrafos.

autografomaníaco. *Adj* e *s. m.* Que, ou aquele que tem autografomania; autografômano.

autografômano. *Adj.* e *s. m.* Autografomaníaco.

auto-hemoterapia. [De *aut(o)-* + *-(h)em(o)-* + *terapia.*] *S. f. Terap.* Método terapêutico que consiste na injeção de sangue do próprio paciente. [Pl.: *auto-hemoterapias.*]

auto-hemoterápico. *Adj.* Relativo à auto-hemoterapia. [Pl.: *auto-hemoterápicos.*]

auto-imposição. [De *aut(o)-* + *imposição.*] *S. f.* Imposição feita por alguém a si mesmo. [Pl.: *auto-imposições.*]

auto-incompatibilidade. [De *aut(o)-* + *incompatibilidade.*] *S. f. Biol. Ger.* Impossibilidade nas plantas, de autofecundação. [Pl.: *auto-incompatibilidades.*]

auto-indução. [De *aut(o)-* + *indução.*] *S. f. Fís.* **1.** O fenômeno da indução eletromagnética em que o campo magnético indutor é gerado pelo próprio circuito onde se estabelece a força eletromotriz induzida. **2.** V. *auto-indutância.* [Pl.: *auto-induções.*]

auto-indutância. [De *aut(o)-* + *indutância.*] *S. f. Fís.* Quociente da força contra-eletromotriz gerada num condutor pela variação da corrente, na unidade de tempo, que circula no condutor. [Tb. se diz impr., *auto-indução*. Pl.: *auto-indutâncias.*]

auto-instrução. [De *aut(o)-* + *instrução.*] *S. f.* Método de aprendizagem em que o aluno, utilizando material instrucional adequado, estuda sem participação direta de professor e em conformidade com seu próprio ritmo ou sua disponibilidade. [Pl.: *auto-instruções.*]

autólatra. [De *aut(o)-* + *-latra.*] *Adj. 2 g.* e *s. 2 g.* Que ou quem tem autolatria.

autolatria. [De *aut(o)-* + *-latria.*] *S. f.* **1.** Culto de si mesmo. **2.** Amor-próprio excessivo.

autolátrico. *Adj.* Relativo à autolatria.

autólise. [De *aut(o)-* + *-lise.*] *S. f. Citol.* V. *autofagia* (2).

autolocadora (ô). [De *auto-* + o fem. de *locador.*] *S. f.* Estabelecimento em que se alugam veículos automóveis.

autologamia. *S. f. Biol. Ger.* Reprodução por autofecundação e alogamia.

autologâmico. *Adj.* Relativo à autologamia.

autológamo. *Adj.* Produzido por autologamia.

autológico. [De *aut(o)-* + *lógico.*] *Adj. Lóg.* Diz-se de termos ou locuções que se referem a si mesmos, como, p. ex., o termo *predicável*, que é predicável; a locução *conceito abstrato*, que é um conceito abstrato. [Opõe-se a *heterológico.*]

autolotação. [De *auto-* + *lotação.*] *S. m. Bras.* Automóvel, geralmente de praça, usado no transporte coletivo, e que rateia entre os passageiros o preço da corrida. [F. red., e muito m. us.: *lotação.*]

automação. [Do ingl. *automation.*] *S. f. Automat.* Sistema automático pelo qual os mecanismos controlam seu próprio funcionamento, quase sem a interferência do homem. [Seria preferível a f. *automatização* (q.v.).]

automasturbação. [De *aut(o)* + *masturbação.*] *S. f.* Masturbação praticada em si próprio. [Opõe-se a *heteromasturbação.*]

automática. [Fem. substantivado de *automático.*] *S. f.* Pistola automática [q.v.].

automático. *Adj.* **1.** Próprio de autômato. **2.** Que se move, regula ou opera por si mesmo: *máquina automática.* **3.** Que se realiza por meios mecânicos. **4.** *Fig.* Praticado sem a intervenção da vontade ou da inteligência, ou pela força do hábito; inconsciente, involuntário, maquinal: *Alisou com as mãos os cabelos num gesto automático de vaidade.* ~ V. *arma —a, caneta —a, chuveiro—, margeação —a, piloto —, pistola —a* e *sistema de controle —.* ♦ **Automático da morsa.** *Tip.* Dispositivo que interrompe a marcha do mecanismo de fundição da linotipo quando, por defeito qualquer, o primeiro elevador não repousa convenientemente na plataforma.

automatismo. [Do gr. *automatismos.*] *S. m.* **1.** Qualidade ou estado do que é automático. **2.** Movimento inconsciente, involuntário, maquinal. **3.** Falta de vontade própria. **4.** Atividade literária ou artística exercida sob a influência exclusiva do subconsciente. [Cf. *surrealismo.*] **5.** *Psicol.* Prática de atos de tipo não reflexo, sem orientação consciente por parte daquele que os executa.

automatização. [Dev. de *automatizar.*] *S. f.* **1.** Ato ou efeito de automatizar. **2.** V. *automação.*

automatizado. [Part. de *automatizar.*] *Adj.* **1.** Tornado automático. **2.** Em que se operou automatização (2).

automatizar. [Do gr. *automatízo.*] *V. t. d.* Tornar automático.

autômato. [Do gr. *autómatos.* pelo lat. *automatu.*] *S. m.* **1.** Maquinismo que se põe em movimento por meios mecânicos. **2.** Aparelho que imita os movimentos humanos. **3.** *Fig.* Pessoa que age como máquina, sem raciocínio e sem vontade própria. [Cf. *fantoche* (3).] **4.** *Proc. Dados.* Mecanismo teórico desenvolvido para estudo das linguagens de programação e suas gramáticas.

automedicar-se. [De *aut(o)-* + *medicar* + *se*[1].] *V. p.* Medicar a si mesmo: "É preciso não esquecer .... os doentes que *se automedicam*, e que só se satisfazem quando tomam vários remédios" (Carlos Drummond de Andrade, *Jornal do Brasil*, 2.8.1980).

automedonte. [Do mit. *Automedonte*, do cocheiro de Aquiles.] *S. m.* Cocheiro hábil.

autometamorfismo. [De *aut(o)-* + *metamorfismo.*] *S. m. Geol.* Conjunto de processos de que resultam modificações mineralógicas nas rochas eruptivas solidificadas, pela influência de soluções residuais que emanam delas próprias.

automobilismo. [De *aut(o)-* + lat. *mobile*, 'móvel', + *-ismo.*] *S. m.* **1.** Sistema de viação por meio de veículos automóveis. **2.** Esporte que se pratica com automóveis.

automobilista. [De *aut(o)-* + lat. *mobile*, 'móvel', + *-ista.*] *S. 2 g.* Pessoa que se dedica ao automobilismo (2).

automobilístico. *Adj.* Relativo ou pertencente ao automobilismo.

automórfico. *Adj. Geol.* Diz-se da rocha que apresenta automorfismo (2). ~ V. *função —a.*

automorfismo. [Do gr. *autómorphos*, 'que deve a si mesmo a sua forma', + *-ismo.*] *S. m.* **1.** *Álg. Mod.* Isomorfismo de um conjunto sobre si próprio. **2.** *Geol.* Alteração de uma rocha magmática sob influência de líquidos residuais do próprio magma. ♦ **Automorfismo recíproco.** *Álg. Mod.* Antiautomorfismo.

automotivo. *Adj. Tec.* Diz-se de sistemas ou de materiais usados em veículos que têm meios de automovimentação.

automotriz. [De *aut(o)-* + *motriz.*] *S. f.* Carro ferroviário dotado de motor próprio. [Sin., bras.: *litorina.*]

automóvel. [De *aut(o)-* + *móvel.*] *Adj. 2 g.* **1.** Que se locomove por seus próprios meios. **2.** Diz-se de veículo que se move mecanicamente, especialmente a motor de explosão [q. v.]. ● *S. m.* **3.** Veículo automóvel destinado ao transporte de passageiros ou carga. [Sin.: *carro* e (bras., inf.) *bibi*. F. red.: *auto.*] ♦ **Automóvel conversível.** Conversível (4). **Automóvel de praça.** O que fica estacionado ou circulando nas vias públicas, à disposição do freguês; carro de praça.

autônimo. [De *aut(o)-* + *-onimo.*] *Adj.* Diz-se da obra assinada com o nome do seu autor, ou do autor que assinou sua obra com seu verdadeiro nome. [Antôn.: *pseudônimo.* Cf. *antônimo.*]

autonomia. [Do gr. *autonomía.*] *S. f.* **1.** Faculdade de se governar por si mesmo. **2.** Direito ou faculdade de se reger (uma nação) por leis próprias. **3.** Liberdade ou independência moral ou intelectual. **4.** Distância máxima que um veículo, um avião ou um navio pode percorrer sem se reabastecer de combustível. [Cf. *raio de ação* (2). **5.** *Ét.* propriedade pela qual o homem pretende poder escolher as leis que regem sua conduta. [Cf. *heteronomia.*]

autonômico. *Adj. P. us.* Autônomo (1).

autonomista. *Adj. 2 g.* e *s. 2 g.* Partidário da autonomia (2, 3 e 5).

autônomo. [Do gr. *autónomos.*] *Adj.* **1.** Que goza de autonomia. **2.** Diz-se de qualquer ato vital, ou movimento, que se realiza sem intervenção de forças ou agentes externos. ~ V. *guiamento —, sistema nervoso —, trabalhador —* e *veículo —.* ● *S. m.* **3.** Trabalhador autônomo.

auto-ônibus. [De *auto* + lat. *omnibus*, 'para todos'.] *S. m. 2 n.* V. *ônibus.*

auto-oscilação. [De *aut(o)-* + *oscilação.*] *S. f. Eletrôn.* Oscilação parasita incontrolável de um circuito eletrônico, devida a condições fortuitas, não desejadas, de seu funcionamento. [Pl.: *auto-oscilações.*]

autopatrol. *S. f.* Motoniveladora. [Pl.: *autopatróis.*]

autopeça. [De *auto-* + *peça.*] *S. f.* **1.** Peça ou acessório para veículo automóvel. **2.** *P. ext.* Estabelecimento onde se vendem autopeças.

autopesador (ô). [De *aut(o)-* + *pesador.*] *S. m.* Balança que indica o peso automaticamente.

autopista. [De *auto-* + *pista.*] *S. m.* Auto-estrada.

autoplastia. [De *aut(o)-* + *-plast-* + *-ia.*] *S. f. Cir.* Método que consiste em substituir uma parte destruída ou defeituosa retirando do próprio corpo a matéria necessária para esta restauração. [Cf. *anaplasia.*]

autoplástico. *Adj.* Relativo à autoplastia. [Cf. *anaplástico.*]

autopolinização. [De *aut(o)-* + *polinização.*] *S. f. Bot.* Polinização de estigma pelo pólen do mesmo indivíduo. [Cf. *autogamia.*]

autopoliplóide. [De *aut(o)-* + *poliplóide.*] *Adj. 2 g. Biol.* Diz-se da planta poliplóide quando se forma por multiplicação de uma só guarnição cromossômica. [Opõe-se a *alopoliplóide.*]

autopoliploidia. *S. f. Bot.* O fenômeno relativo às plantas autopoliplóides.

autoportante. *Adj. Tec.* Diz-se de peça que tem rigidez mecânica suficiente para sustentar-se com apoio em uma só extremidade.

autopromoção. [De *aut(o)-* + *promoção.*] *S. f.* Ação de autopromover-se.

autopromover-se. [De *aut(o)* + *promover* + *se*[1].] *V. p.* V. *promover*[2] (2).

autopropulsado. [De *aut(o)-* + *propulsar* + *-ado*[1].] *Adj.* Autopropulsionado.

autopropulsão. [De *aut(o)-* + *propulsão.*] *S. f.* Propulsão (1) autônoma.

autopropulsionado. [De *autopropulsão* + *-ado*[1].] *Adj. Astron.* Diz-se do veículo que se locomove com seus próprios meios; autopropulsado.

autopsia. *S. f.* V. *autópsia.*

autópsia. [Do gr. *autopsía.*] *S. f.* **1.** Exame de si mesmo. **2.** *Med. Impr.* Necropsia. [Var. pros.: *autopsia.* Cf. *autopsia,* do v. *autopsiar.*]

autopsiar. *V. t. d.* Fazer a autópsia de. [Pres. ind.: *autopsio, autopsias, autopsia,* etc. Cf. *autópsia.*]

autóptico. *Adj.* Relativo a autópsia.

autopunição. [De *aut(o)-* + *punição.*] *S. f.* Punição que alguém dá a si mesmo.

autopunitivo. [De *aut(o)-* + *punitivo.*] *Adj.* Que tem o caráter de autopunição.

autor (ô). [Do lat. *auctore.*] *S. m.* **1.** A causa principal, a origem de: *o autor do Universo.* **2.** Inventor, descobridor: *o autor do sistema de propulsão a jacto.* **3.** Criador, instituidor, fundador: *o autor do protestantismo.* **4.** Escritor de obra artística, literária ou científica. **5.** O praticante de uma ação; agente. **6.** Aquele que intenta demanda judicial. **7.** *Jur.* Agente de um delito ou contravenção. ♦ **Autor coletivo.** *Bibliogr.* e *Bibliot.* Pessoa jurídica considerada como autor: sociedade, repartição, congresso, etc. **O autor dos seus dias.** O pai (ou a mãe), em relação aos filhos.

auto-radiografia. [De *auto-* + *radiografia.*] *S. f. Fís. Nucl.* Técnica utilizada para determinar a presença e distribuição de substâncias radiativas numa amostra, e que se baseia na sensibilização de uma chapa fotográfica pelas radiações dessa amostra. [Pl.: *auto-radiografias.*]

auto-radiográfico. *Adj.* Relativo à auto-radiografia. [Pl.: *auto-radiográficos.*]

autoral. *Adj. 2 g.* De, ou relativo ou próprio de autor (4). ~ V. *direito* —.

autorama. [De *auto*[2] + *-orama.*] *S. m.* Miniatura de pista automobilística em que carros de brinquedo disputam corridas: "bonecas, carrinhos de pilha, *autoramas* e outros brinquedos" (*Correio da Manhã,* 17.12.1969).

auto-regeneração. [De *aut(o)-* + *regeneração.*] *S. f.* Ação de auto-regenerar-se. [Pl.: *auto-regenerações.*]

auto-regenerar-se. [De *aut(o)-* + *regenerar* + *se*[1].] *V. p.* Formar-se de novo, regenerar-se, vivificar-se: "o programa tem como objetivo criar condições para que a própria Baía [de Guanabara] se *auto-regenere.*" (*Revista de Domingo,* 23.5.1982).

auto-replicação. *Genét.* Capacidade de um elemento genético controlar a sua própria duplicação. [Pl.: *auto-replicações.*]

auto-respeito. [De *aut(o)-* + *respeito.*] *S. m.* Respeito de si próprio. [Pl.: *auto-respeitos.*]

auto-retrato. [De *aut(o)-* + *retrato.*] *S. m.* Retrato de um indivíduo, feito por ele próprio. [Pl.: *auto-retratos.*]

autoria. *S. f.* **1.** Qualidade ou condição de autor. **2.** Presença do autor numa audiência. ♦ **Chamar à autoria.** *Jur.* Invocar a responsabilidade de.

autoridade. [Do lat. *auctoritate.*] *S. f.* **1.** Direito ou poder de se fazer obedecer, de dar ordens, de tomar decisões, de agir, etc. **2.** Aquele que tem tal direito ou poder. **3.** Os órgãos do poder público. **4.** Aquele que tem por encargo fazer respeitar as leis; representante do poder público. **5.** Domínio, jurisdição. **6.** Influência, prestígio; crédito. **7.** Indivíduo de competência indiscutível em determinado assunto: *F. é uma autoridade em física nuclear.* **8.** Permissão, autorização. ♦ **Autoridade marital.** *Jur.* Poderes e direitos conferidos por lei ao marido para, na vigência do casamento, administrar os bens do casal, e para restringir ou suprimir a capacidade da mulher.

autoritário. *Adj.* **1.** Relativo a autoridade. **2.** Que se baseia na autoridade; despótico: *sistema autoritário de governo.* **3.** Que procura impor-se pela autoridade: *É um pai autoritário.* **4.** Altivo, impositivo, dominador, arrogante. **5.** Impetuoso, violento, impulsivo. ~ V. *democracia* —*a.*

autoritarismo. *S. m.* Regime político que postula o princípio da autoridade, aplicada com freqüência em detrimento da liberdade individual; despotismo, ditatorialismo.

autoritarista. *Adj. 2 g.* **1.** Relativo ao, ou sectário do autoritarismo. ● *S. 2 g.* **2.** Pessoa autoritarista.

autorização. *S. f.* **1.** Ato ou efeito de autorizar. **2.** Consentimento expresso; permissão. **3.** *P. ext.* Registro escrito de autorização (2): *Só poderei fazer o pagamento se apresentar a respectiva autorização.*

autorizadamente. [Do fem. de *autorizado* + *-mente.*] *Adv.* **1.** De modo autorizado; com autorização. **2.** Com autoridade.

autorizado. [Part. de *autorizar.*] *Adj.* **1.** Que tem autoridade ou autorização. **2.** Digno de respeito e crédito. ~ V. *edição* —*a.*

autorizador (ô). *Adj.* e *s. m.* Que ou aquele que autoriza.

autorizar. *V. t. d.* **1.** Dar ou conferir autoridade ou poder a: "Esta doutrina sólida .... é o marfim antigo, cuja cor, por antiga, rubicunda, *autoriza,* enobrece .... os nossos Nazarenos" (P[e]. Manuel Bernardes, *Nova Floresta,* V, p. 213). **2.** Dar, conceder autorização, permissão, licença, para; consentir expressamente em; permitir: *Autorizou a publicação de suas obras completas.* **3.** Validar; confirmar, corroborar: *Seu procedimento não autoriza as suspeitas quanto à sua probidade.* **4.** Abonar; fundamentar: *O emprego de neologismo por um bom escritor autoriza o seu uso.* **5.** Dar pretexto para; justificar, abonar. *T. d.* e *i.* **6.** Dar, conferir autorização, permissão: *Autorizei-o a sair. P.* **7.** Justificar-se, abonar-se. **8.** Adquirir ou arrogar a si autoridade, ou apoiar-se nela.

autorizável. *Adj. 2 g.* Que se pode autorizar.

autos. [Pl. de *auto*[1].] *S. m. pl.* Conjunto ordenado das peças de um processo. ~ V. *auto.* ♦ **Estar pelos autos.** Concordar. **Não estar pelos autos.** Não concordar.

auto-serviço. [De *aut(o)-* + *serviço.*] *S. m. Mercad.* **1.** Sistema de comercialização em que, não havendo balconistas nas lojas, os próprios fregueses apanham as mercadorias nas prateleiras, balcões frigoríficos, mostruários, etc.: *O auto-serviço foi introduzido no Brasil com os supermercados, na década de 50.* **2.** Loja que adota o sistema acima descrito. [Pl.: *auto-serviços.*]

autositário. *Adj. Ter.* Relativo ao autosito.

autosito. [Do gr. *autósitos,* 'que se alimenta à sua custa'.] *S. m. Ter.* Monstro simples que pode viver por si fora do ventre materno.

autósporo. [De *aut(o)-* + *-sporo.*] *S. m. Bot.* Esporo assexuado e imóvel que adquire os caracteres da célula vegetativa adulta já antes de sair do esporângio. Ocorre em certas algas verdes.

autosporulação. *S. f. Bot.* Produção de autósporos.

autosporular. *V. int. Bot.* Produzir autósporos.

autossômico. *Adj.* Relativo ao autossomo.

autossomo. [De *aut(o)-* + *-somo.*] *S. m. Genét.* Qualquer cromossomo diferente do cromossomo sexual.

auto-suficiência. [De *aut(o)-* + *suficiência.*] *S. f.* Qualidade de auto-suficiente. [Pl.: *auto-suficiências.*]

auto-suficiente. [De *aut(o)-* + *suficiente.*] *Adj. 2 g.* Que se basta a si mesmo. [Pl.: *auto-suficientes.*]

auto-sugestão. [De *aut(o)-* + *sugestão.*] *S. f.* Sugestão que alguém exerce sobre si próprio. [Pl.: *auto-sugestões.*]

auto-sugestionar-se. [De *aut(o)-* + *sugestionar* + *se*[1].] *V. p.* Sugestionar a si mesmo.

auto-sugestionável. [De *aut(o)-* + *sugestionável.*] *Adj. 2 g.* Diz-se de pessoa sujeita a auto-sugestão. [Pl.: *auto-sugestionáveis.*]

auto-sustentável. [De *aut(o)-* + *sustentável.*] *Adj. 2 g.* Capaz de sustentar-se [v. *sustentar* (16)] por si mesmo. [Pl.: *auto-sustentáveis.*]

autotélico. *Adj. Filos.* Diz-se do que não tem finalidade ou sentido além ou fora de si. Ex.: a arte pela arte.

autoterapia. [De *aut(o)-* + *terapia.*] *S. f. Med.* **1.** Tratamento de si mesmo. **2.** Cura espontânea duma doença.

autoterápico. *Adj.* Relativo à autoterapia.

autotetraplóide. *Adj. 2 g. Bot.* Diz-se do indivíduo poliplóide resultante da duplicação da guarnição cromossômica de um indivíduo não híbrido.

autotetraploidia. *S. f. Bot.* O fenômeno ocorrente com os indivíduos autotetraplóides.

autotipia. [De *aut(o)-* + *-tip(o)-* + *-ia.*] *S. f. Fotograv.* **1.** Processo de fotogravura em relevo no qual, para reprodução de originais em que há meios-tons, como nas fotografias comuns, a imagem é focada através de retícula, que a decompõe em pontos minúsculos, de tamanho variável, segundo a gradação de tons do original. **2.** Placa que se gravou por esse processo; clichê a meio-tom, clichê a meia-tinta, clichê de retícula. **3.** Estampa reproduzida dessa placa. ♦ **Autotipia combinada.** *Fotograv.* A que contém partes fotogravadas a traço; clichê combinado. **Autotipia de alto-contraste.** *Fotograv.* A que contém áreas inteiramente desprovidas de pontos. **Autotipia dúplex.** *Fotograv.* **1.** Processo de impressão com duas autotipias obtidas do mesmo original monocromo, ou com uma autotipia e um chapado, imprimindo-se, em geral, o primeiro elemento em preto e o segundo em cor, para obter uma estampa de efeitos tonais mais ricos do que na tiragem a cor de um só clichê. **2.** Estampa obtida por esse processo. **Autotipia esfumada.** *Fotograv.* Aquela cujo fundo, mediante retoque, se atenua na direção das margens. **Autotipia recortada.** *Fotograv.* Aquela cujo fundo se elimina para fazer a imagem destacar-se no papel, como uma figura recortada: clichê recortado.

autotípico. *Adj.* ~ V. *rotogravura* —*a.*

autotomia. [De *aut(o)-* + *-tom(o)-* + *-ia.*] *S. f. Zool.* Mutilação espontânea que se observa em certos animais (crustáceos, insetos, etc.), como recurso para escaparem ao inimigo que os procura reter.

autotransformação. [De *aut(o)-* + *transformação.*] *S. f.* Transformação de si mesmo.

autotransformador (ô). [De *aut(o)-* + *transformador.*] *S. m. Eng. Eletrôn.* Transformador em que parte do enrolamento é comum aos circuitos primário e secundário.

autotrofia. [De *aut(o)-* + *-trofo-* + *-ia.*] *S. f. Biol. Ger.* Capacidade de sintetizar substâncias orgânicas com base em inorgânicas, como ocorre em vegetais. [Opõe-se a *heterotrofia.*]

autotrófico. *Adj.* Em que se dá autotrofia: *pigmento autotrófico; planta autotrófica.* [Opõe-se a *heterotrófico.*]

autotrófito. [De *autotró(fico)* + *-fito.*] *S. m. Bot.* Vegetal autotrófico. [Opõe-se a *heterotrófito.*]

autotrofismo. *S. m. Bot.* Propriedade dos vegetais autotróficos.

autovalor (ô). [De *aut(o)-* + *valor.*] *S. m.* **1.** *Anál. Mat.* Qualquer dos valores que definem as autofunções de uma equação diferencial ou integral; valor próprio, valor característico, eigenvalor. **2.** *Álg. Mod.* Qualquer raiz da equação característica de uma matriz; valor próprio, valor característico, eigenvalor, raiz característica, raiz latente.

autovia. [De *auto-* + *via.*] *S. f.* V. *rodovia.*

autozigótico. *Adj. Genét.* Relativo ao autozigoto.

autozigoto. [De *aut(o)-* + *zigoto.*] *S. m. Genét.* Indivíduo que possui um par de alelos originário de um mesmo gene, normalmente em decorrência de endocruzamento.

autozincografia. [De *aut(o)-* + *zincografia.*] *S. f.* Zincografia obtida mediante fotografia direta do original sobre a placa recoberta com albumina bicromada.

autozincográfico. *Adj.* Relativo à autozincografia.

autuação. *S. f.* Ação de autuar [Cf. *atuação.*]

autuar. [De *auto*[1] + *-ar*[2].] *V. t. d.* **1.** Lavrar um auto contra (alguém). **2.** Reunir em forma de processo (a petição e documentos apresentados em juízo); processar. [Cf. *atuar* e *atoar.*]

autunal. [Do lat. *autumnale.*] *Adj. 2 g.* Outonal. [q. v.]: "A noite de ébano, cálida / de volúpia tropical, / Dorme indolente, à luz pálida / De um plenilúnio *autunal.*" (Da Costa e Silva, *Poesias Completas,* p. 95.)

autunita. [Do top. *Autun* + *-ita*[3].] *S. f. Min.* V. *uranita.*

autuparana. [De possível or. tupi.] *S. f. Bras.* Árvore da família das rubiáceas *(Bathysa stipulata);* quina-da-serra.

auuva. [Do tupi.] *S. m. Bras.* V. *aijuba.*

auxese (cs). [Do gr. *áuxesis,* pelo lat. *auxese.*] *S. f.* **1.** *Ret.* V. *hipérbole* (1). **2.** *Citol.* Indução química ou física da mitose.

▲**aux(i)-.** [Do gr. *aúxe, es.*] *El. comp.* = 'crescimento', 'aumento': *auxina.* [Equiv.: *auxo-: auxômetro.*]

auxiliador (ss...ô). [Do lat. *auxiliatore.*] *Adj.* e *s. m.* Que ou aquele que auxilia.

auxiliar[1] (ss). [Do lat. *auxiliare.*] *Adj. 2 g.* **1.** Que auxilia; auxiliador, auxiliário. ~ V. *impulsor* —, *navio* — e *verbo* —. ● *S. 2 g.* **2.** Pessoa que auxilia; auxiliador, assistente, ajudante.

auxiliar[2] (ss). [Do lat. *auxiliare.*] *V. t. d.* **1.** Prestar auxílio a; socorrer, ajudar. *P.* **2.** Prestar auxílio mútuo. [Pres. ind.: *auxilio,* etc. Cf. *auxílio.*]

auxiliário (ss). [Do lat. *auxiliariu.*] *Adj.* **1.** V. *auxiliar*[1] (1). ● *S. m.* **2.** *Bras. P. us.* V. *crediário.*

auxílio (ss). [Do lat. *auxiliu.*] *S. m.* **1.** Ajuda, assistência: *Foi preciso o seu auxílio na execução do projeto.* **2.** Amparo, proteção, socorro, benefício: *Fundou diversas obras de auxílio à infância.* **3.** *Fam.* Esmola, óbolo: *Nunca negou um auxílio aos pedintes.* [Cf. *auxilio,* do v. *auxiliar.*] ♦ **Auxílio à navegação.** *Náut.* Qualquer referência, natural ou artificial, que figura na carta náutica e serve para ajudar o navegante a determinar sua posição ou a livrar a navegação de perigo.

auxina (cs). [Do gr. *aux.* raiz de *áuxo,* 'crescer, aumentar', + *-ina.*] *S. f. Bot.* Hormônio ou substância natural ou sintética, que promove o crescimento das plantas.

▲**auxo-.** Equiv. de *aux(i)-.*

auxômetro (cs). [De *auxo-* + *-metro.*] *S. m. Ópt.* Instrumento com que se mede o aumento produzido pelas lentes convergentes.

auxósporo (cs). *S. m. Bot.* Produto da auxosporulação.

auxosporulação (cs). *S. f. Bot.* Processo pelo qual, nas diatomáceas, as células readquirem as suas dimensões normais, por diminuírem gradativamente em virtude das divisões vegetativas.

auxotrofia (cs). [De *auxo-* + *-trof(o)-* + *-ia.*] *S. f. Genét.* Dependência nutricional com relação a um determinado nutriente como, por exemplo, vitaminas e aminoácidos.

auxotrófico (cs). *Adj. Genét.* Relativo à auxotrofia.

avá. *Bras. S. 2 g.* e *adj. 2 g.* Canoeiro[2] (2 e 3).

avacado. [De *a-*[2] + *vaca* + *-ado*[1].] *Adj. Bras., RS.* Diz-se do boi que tem conformação de vaca.

avacalhação. *S. f. Bras.* Ato ou efeito de avacalhar(-se); avacalhamento.

avacalhado. [Part. de *avacalhar.*] *Adj. Bras.* **1.** Desmoralizado, ridiculizado, ridicularizado. **2.** Desmazelado, relaxado. **3.** *Pop.* Que revela desmazelo, desleixo: *que trabalho porco, avacalhado.*

avacalhamento. *S. m. Bras.* Avacalhação.

avacalhar. [De *a-*[2] + *vaca* + *-alhar.*] *Bras. V. t. d.* **1.** Pôr em ridículo; desmoralizar. **2.** Executar mal, com desleixo: *Ultimamente, costuma avacalhar as tarefas que lhe confiam. P.* **3.** Desmoralizar-se, degradar-se: "um jovem deputado brasileiro, Maurício Lacerda, querendo anatematizar a Câmara por seus delíquios em face do governo, disse que ela se *avacalhara.*" (Costa Rego, *Águas Passadas,* p. 377). **4** Desdizer-se, retratar-se.

avá-canoeiro. *Bras. S. m.* **1.** Indivíduo dos avá-canoeiros, tribo que, desde o séc. XVIII, desperta a atenção dos indigenistas pela possibilidade de reunir, em seu interior, índios e negros, estes fugitivos das fazendas. Seus remanescentes ocupam até hoje o vale dos rios Araguaia e Tocantins. ● *Adj.* **2.** Pertencente ou relativo a esta tribo. [Pl.: *avás-canoeiros.*]

avaiense (a-i). *Adj. 2 g.* **1.** De, ou pertencente ou relativo a Avaí (SP). ● *S. 2 g.* **2.** Natural ou habitante de Avaí.

aval. [Do fr. *aval.*] *S. m.* **1.** Garantia pessoal, plena e solidária, que se dá de qualquer obrigado ou coobrigado em título cambial. **2.** *Fig.* Apoio moral ou intelectual. [Pl.: *avales* e *avais.*] ♦ **Aval completo.** V. *aval em preto.* **Aval em branco.** O que não traz o nome da pessoa em favor da qual é dado, e que consiste na mera assinatura do avalista. **Aval em preto.** O que traz o nome da pessoa em favor de quem é dado; aval pleno, aval completo. **Aval pleno.** V. *aval em preto.* **Aval sucessivo.** Aquele que se dá subseqüentemente a outro dado em branco, ou que é superposto a outros. **Avales cumulativos.** Avales simultâneos. **Avales simultâneos.** Os que se fazem na mesma ocasião, em preto, em favor de um mesmo obrigado ou coobrigado; avales cumulativos.

avaladar. [De *a-*[2] + *valado* + *-ar*[2].] *V. t. d.* Cercar de valados ou de valas.

avalancha. [Do fr. *avalanche.*] *S. f.* **1.** *Geol.* Massa de neve e gelo que desce, rápida e violenta, pela encosta das altas montanhas, arrastando consigo fragmentos de rochas, florestas, habitações, e tudo que encontra pela frente. **2.** *Geol.* Desmoronamento violento e rápido de uma montanha, conseqüente a erosão; avalancha seca. **3.** *Fís.* Processo ocorrente num gás em que há um campo elétrico, e que consiste na multiplicação do número de íons e elétrons formados num evento ionizante, graças aos choques inelásticos sucessivos dos íons acelerados pelo campo com as moléculas do gás. **4.** *Fig.* Invasão súbita de gente ou de animais. **5.** *Fig.* Queda estrondosa de coisas pesadas. [Sin.: *alude,* f. preconizada pelos puristas, em vez de *avalancha* e *avalanche,* mas de uso restritíssimo. Em geral se diz *avalanche.*] ♦ **Avalancha seca.** *Geol.* Avalancha (2).

avalanche. *S. f. Gal.* V. *avalancha.*

avalentoar-se. [De *a-*[2] + *valentão* + *-ar*[2] + *se*[1].] *V. p. Bras.* **1.** Tornar-se valentão. **2.** Insurgir-se; insubordinar-se, rebelar-se. [Conjug.: v. *coroar.*]

avaliação. *S. f.* **1.** Ato ou efeito de avaliar(-se). **2.** Apreciação, análise. **3.** Valor determinado pelos avaliadores: *A avaliação do quadro foi baixa.* ♦ **Avaliação formativa.** Processo de avaliação realizado no decorrer de um programa instrucional visando aperfeiçoá-lo. **Avaliação somativa.** Processo de avaliação final de um programa instrucional visando julgá-lo.

avaliado. [Part. de *avaliar.*] *Adj.* **1.** Que tem ou a que se deu valor determinado. **2.** Apreciado, estimado.

avaliador (ô). *Adj.* e *s. m.* Que, ou aquele que avalia. [Sin., ant. e pop.: *avaluador.*]

avaliar. [De *a-*[2] + *valia* + *-ar*[2].] *V. t. d.* **1.** Determinar a valia ou o valor de: *Mandou avaliar as terras herdadas.* **2.** Apreciar ou estimar o merecimento de: *avaliar um caráter; avaliar um esforço.* **3.** Calcular, estimar, computar: *É tão opulento que não pode avaliar a extensão de seus bens.* **4.** Fazer idéia de; apreciar, estimar: *Você não pode avaliar a falta que nos fez.* **5.** Reconhecer a grandeza, a intensidade, a força de. *T. d. e i.* **6.** Determinar a valia ou o valor, o preço, o merecimento, etc.; calcular, estimar: *Pode avaliar o trabalho pela leitura de um só item. T. i.* **7.** Fazer a apreciação; ajuizar: *avaliar de causas, de merecimentos:* "Aurélia, com sagacidade admirável em sua idade, *avaliou* da situação difícil em que se achava" (José de Alencar, *Senhora,* p. 96). *P.* **8.** Reputar-se, considerar-se: *Ele avalia-se um deus.* [Sin. ger. (ant. e pop.): *avaluar.*]

avaliatório. *Adj.* Relativo à avaliação; estimatório.

avaliável. *Adj. 2 g.* Que pode ser avaliado.

avalista. [De *aval* + *-ista.*] *S. 2 g.* Pessoa que avaliza.

avalizado. [Part. de *avalizar.*] *Adj.* **1.** Diz-se de cheque ou letra que tem aval. ● *S. m.* **2.** Aquele cuja obrigação cambial é garantida por aval.

avalizar. *V. t. d.* **1.** Obrigar-se por aval em (título, nota promissória, etc.). **2.** *Fig.* Abonar; afiançar.

avalizável. *Adj. 2 g.* Que se pode avalizar.

avaluador (ô). *Adj.* e *s. m. Ant.* e *pop.* Avaliador.

avaluar. *V. t. d. e i. e p. Ant.* e *pop.* Avaliar [q. v.].

avampirar. [De *a-*[2] + *vampiro* + *-ar*[2].] *V. t. d. e p.* Tornar(-se), ou como que tornar(-se), vampiro: "De 'anjo' tornara-se 'demônio'. Os lábios quase retos, bem cerrados, como sempre, os olhos sorrindo com qualquer coisa de fixo; mas faiscava, perturbadora. *Avampirara-se.*" (Gilberto Amado, *Depois da Política,* p. 207.)

avança. [Dev. de *avançar.*] *S. m.* **1.** Ato de avançar e apoderar-se; assalto. **2.** *Bras. Gír.* Assalto ao bufê (2). ● *S. 2 g.* **3.** *Bras. Gír.* Pessoa que vai a festas, a banquetes, sem convite; penetra.

avançada. [De *avançar* + *-ada.*] *S. f.* **1.** Ato de avançar; avanço. **2.** Investida, assalto. **3.** Dianteira, vanguarda. ♦ **Às avançadas.** Pouco a pouco; aos poucos.

avançado. [Part. de *avançar.*] *Adj. 1.* Que representa ou envolve progresso, avanço, em relação ao tempo, ou ao meio em que se vive, às concepções nele vigentes: *idéias avançadas.* **2.** Que revela, no pensar e/ou no proceder, tal adiantamento, progresso ou avanço: *cientista avançado; garota avançada.* **3.** *P. ext.* Exótico, excêntrico, extravagante. ~ V. *guarda*—*a* e *posto*—. ● *S. m.* **4.** Aquele que adota idéias ou costumes avançados.

avançador (ô). *Adj.* **1.** Que avança. ● *S. m.* **2.** *Bras. Pop.* Depositário infiel de dinheiro ou bens; larápio.

avançamento. *S. m.* **1.** Ato de avançar; avançada, avanço. **2.** *Arquit.* Balanço (11). **3.** *Bras., N.E.* Assentamento da superestrutura das vias permanentes nas estradas de ferro.

avançar. [Do provenç. *avansar,* pelo esp. *avanzar.*] *V. t. d.* **1.** Andar para a frente; adiantar-se: *Avançou um passo em direção ao inimigo.* **2.** Fazer ir para diante; fazer adiantar: *Os homens avançavam, com esforço o pesado monumento.* **3.** Superar, exceder: *Os conhecimentos do Mestre avançam, inegavelmente, os teus.* **4.** Expor, aventar (idéia, pensamento), de modo ousado ou temerário. *T. i.* **5.** Investir, atirar-se: *Avançou contra o injuriador.* **6.** Apropriar-se com avidez: *A parentalha avançou na herança.* **7.** Prolongar-se, estender-se: *A varanda avança sobre o quintal* **8.** Alcançar, atingir; montar, subir: *Seus lucros anuais avançam a vários milhões. Int.* **9.** Caminhar para a frente; adiantar-se: *O exército avançou sem esperar pelos reforços;* "os seus passos deslizam sem ruído — caiu-lhe o saco do farnel da ponte abaixo, ela não sente, ela não ouve, *avança! avança!*" (Fialho d'Almeida, *O País das Uvas,* p. 94). **10.** Decorrer, passar (o tempo). *P.* **11.** Caminhar, marchar para a frente. **12.** Dirigir-se; investir. **13.** Penetrar, internar-se: *Os bandeirantes avançaram-se pelos sertões dentro.* [Conjug.: v. *laçar.*]

avance. [Dev. de *avançar.*] *S. m. P. us.* V. *avanço:* "Em todas as povoações o informavam de que o duque passara duas horas antes: era um *avance* de quatro léguas." (Camilo Castelo Branco, *O Livro Negro de Padre Dinis,* p. 218.)

avanço. [Dev. de *avançar.*] *S. m.* **1.** Adiantamento, avançada, avançamento: *Deu ontem um bom avanço no trabalho.* **2.** Melhoria, vantagem: *Seu novo emprego representa um avanço em relação ao último.* **3.** Acrescentamento, aumento. **4.** Impulso ou marcha para a frente: *recuos alternados com avanços; A nova descoberta representa um avanço para a ciência.* [F. paral. (P. us.): *avance.*] ♦ **Avanço do periastro.** *Astr.* Deslocamento da linha das apsides, no plano da órbita. **Avanço do periélio.** *Astr.* Deslocamento, no sentido direto, do periélio dos planetas, em conseqüência da curvatura relativística do espaço, nas vizinhanças das massas materiais; rotação do periélio.

avanhandavense. *Adj. 2 g.* **1.** De, ou pertencente ou relativo a Avanhandava (SP). ● *S. 2 g.* **2.** Natural ou habitante de Avanhandava.

avanheenga. *S. m. Bras.* V. *abanheém.*

avania. [Do fr. *avanie.*] *S. f.* **1.** Vexame ou humilhação que os turcos infligiam aos cristãos. **2.** *P. ext.* Afronta ou humilhação pública.

avantajado. [Part. de *avantajar.*] *Adj.* **1.** Que tem vantagem ou superioridade; que leva vantagem. **2.** Que excede o vulgar; que se salienta ou sobressai. **3.** Corpulento, volumoso: *indivíduo avantajado.*

avantajar. [De *a-*[2] + *vantagem* + *-ar*[2]] *V. t. d.* **1.** Levar vantagem sobre; ser superior a; exceder (em valor, interesse, extensão, etc.): *Nos exercícios atléticos, a ala direita avantajava a esquerda.* **2.** Dar vantagem ou proveito a; favorecer, melhorar: *Não há de querer avantajar a posição do inimigo. T. d. e i.* **3.** Levar vantagem; ser superior; exceder; vencer: *O primo avantaja-o em cultura.* **4.** Dar vantagem; fazer ou tornar superior: *Sua vitória naquela prova avantajou-o a todos os demais competidores. P.* **5.** Levar vantagem; ser superior; salientar-se; sobressair: "Mostrava-se Antônio Vieira assíduo e fervoroso nos estudos, e lidava deveras por *avantajar-se* aos demais seus condiscípulos" (João Francisco Lisboa, *Obras,* IV, p. 10). **6.** Aperfeiçoar-se; progredir, melhorar.

avante. [Do lat. vulg. *abante.*] *Adv.* **1.** Adiante: *Mais avante começava a selva.* **2.** Para diante, para a frente: *Marchemos avante!* ●. *Interj.* **3.** Para a frente. ♦ **Avante de.** À frente de; além de: *Seus conhecimentos da matéria não iam muito avante dos da aluna.* [Cf. *a vante de.*]

avantesma (ê). [Var. de *abantesma.*] *S. f.* e *m.* **1.** V. *fantasma* (3): "Remorsos tardios encaneceram-no quando adiante do espectro da morte lhe saiu a *avantesma* do assassinado, com o peito aberto até as costas por um palmo de aço da choupa de um marmeleiro." (Camilo Castelo Branco, *Sentimentalismo e História.* p. 176.) **2.** *Fig.* Pessoa ou coisa que assusta ou cuja presença é desagradável ou repugnante.

➨**avant la lettre** (avã la létr'). [Fr., 'antes da letra'.] **1.** *Fig.* Antes de o termo existir: *um romântico avant la lettre.* **2.** Diz-se de uma gravura tirada antes de ser impressa a legenda.

➨**avant-première** (avã-premiér'). [Fr.] V. *pré-estréia.*

avaqueirado. [De *a-*[2] + *vaqueiro* + *-ado*[1].] *Adj.* Que tem modos de, ou é semelhante a vaqueiro.

avará. [Do tupi?] *S. m. Bras.* Espécie de palmeira *(Astrocaryum segregatum).*

avarandado. [Part. de *avarandar.*] *Adj. Bras. N.* **1.** Diz-se de prédio que tem varanda. ● *S. m.* **2.** *Bras., N.* Prédio com varanda. **3.** V. *varanda* (6): "o telhado enorme que parece preparado para acolher um mundo, as paredes brancas, *avarandado* fresco, o fumo da cozinha" (Viriato Correia, *Histórias Ásperas,* p. 173).

avarandar. [De *a-*[2] + *varanda* + *-ar*[2].] *V. t. d. Arquit.* **1.** Prover de varanda. **2.** Abrir ou envidraçar (um espaço inteiro), transformando-o em varanda.

avaré. *S. m. Bras.* Var. de *abaré.*

avareense. (èèn). *Adj. 2 g.* **1.** De, ou pertencente ou relativo a Avaré (SP). ● *S. 2 g.* **2.** Natural ou habitante de Avaré.

avaremotemo. *S. m. Bras.* Árvore da família das leguminosas-mimosáceas, subfamília papilionácea (*Pithecollobium auaremotemo*), de casca rugosa e suberosa, adstringente, usada em curtume, folhas bipinadas e flores branco-amareladas ou esverdeadas, sésseis, dispostas em capítulos. Fornece excelente madeira para construção civil. [Sin.: *bordão-de-velho.*]

avarento. *Adj.* e *s. m.* V. *avaro* (1 e 3).

avareza (ê). [Do lat. *avaritia.*] *S. f.* **1.** Excessivo e sórdido apego ao dinheiro; esganação. **2.** Falta de generosidade; mesquinhez. **3.** *Fig.* Ciúme, zelo.

avari. [Do tupi *awa'ri.*] *S. m. Bras., Amaz.* V. *piraba.*

avaria. [Do ár. *'awariyâ,* pelo it. *avaria.*] *S. f.* **1.** *Mar. Merc.* Dano ou prejuízo causado a uma embarcação ou às mercadorias que transporta. **2.** *Mar. Merc.* Qualquer despesa extraordinária, não prevista, que se faça em benefício duma embarcação mercante e/ou da sua carga, durante a exposição marítima. **3.** Estrago de qualquer natureza; dano, deterioração. **4.** *Restr.* Estrago causado aos campos e propriedades por temporal, inundação, etc. **5.** Gêneros avariados, em especial cereais. **6.** *Fig.* Dano físico: "Dos vizinhos não apareceu Badejo dos Santos, por estar de costela derreada, *avaria* que contraiu em queda de cavalo." (José Cândido de Carvalho, *O Coronel e o Lobisomem,* p. 85). ♦ **Avaria comum.** *Mar. Merc.* Avaria grossa. **Avaria grossa.** *Mar. Merc.* Dano ou prejuízo em que incorre deliberadamente o comandante, para evitar maior mal à embarcação, à sua carga e/ou aos demais interessados na expedição marítima; avaria comum. [Cf. *avaria simples.*] **Avaria particular.** *Mar. Merc.* Avaria simples. **Avaria simples.** *Mar Merc.* Dano ou prejuízo devido à fortuna do mar e, pois, alheio à vontade de quem o sofreu, avaria particular. [Cf. *avaria grossa.*]

avariado. [Part. de *avariar.*] *Adj.* **1.** Que sofreu avaria. **2.** Estragado, danificado. **3.** *Fig.* Desnorteado, perturbado, atordoado.

avariar. *V. t. d.* **1.** Causar avaria a. **2.** Danificar, estragar, *Int.* e *p.* **3.** Sofrer avaria; danificar-se; estragar-se: *Os cereais* avariaram *no celeiro; Na longa viagem, os queijos* avariaram-se.
avariose. [Do fr. *avariose.*] *S. f. Patol.* V. *sífilis.*
avaro. [Do lat. *avaru.*] *Adj.* **1.** Que tem avareza, que é sórdida e excessivamente apegado ao dinheiro. [Sin. (muitos deles bras. e/ou pop.): *acanhado, agarrado, arrepanhado, avarento, cainho, canguinho, canhengue, casca, cauíla, cauíra, escasso, esganado, fominha, manicurto, mesquinho, migalheiro, miserável, mitra, miúdo, morrinha, pão-duro, pelintra, pica-fumo, piroca, resmelengo, rezina, ridico, ridículo, seguro, socancra, somítico, sórdido, sorrelfa, sovina, tacanho, tenaz, tranca, unha-de-fome, usurário, usureiro, vilão, zura, zuraco.*] **2.** *Fig.* Ciumento, zeloso. ● *S. m.* **3.** Indivíduo avaro (1). [Sin. (muitos deles bras. e/ou pop.): *avarento, cainho, cajueiro, canguinhas, canguinho, casca, casquinha, catinga, cauíla, cauíra, chifre-de-cabra, esganado, foca, fomenica, fominha, fona, forra-gaitas, forreta, fuinha, futre, gaveteiro, ginja, harpagão, manicurto, mão-de-finado, mão-de-leitão, mãos-atadas, migalheiro, mingolas, mirra, miserável, mitra, morrinha, morto-a-fome, munheca-de-samambaia, muquira, muquirana, olhinho, pão-duro, pica-fumo, pirão-na-unha, resmelengo, rezina, socancra, somítico, sorrelfa, sovina, tamanduá, tranca, unhaca, unha-de-fome, unhas-de-fome, unhas, usurário, usureiro, vilão, vinagre, zura, zuraco.*]
avascular. [De *a-*^{3} + *vascular.*] *Adj. 2 g. Anat.* e *Bot.* Que não tem vasos; não vascular: *criptógamo* avascular.
avassalador (ô). *Adj.* **1.** Que avassala; avassalante: "Dois dias depois os bichos reapareciam, multiplicados, numa impetuosidade avassaladora." (Cordeiro de Andrade, *Anjo Negro*, p. 124.) ● *S. m.* **2.** Aquele que avassala.
avassalamento. *S. m.* Ato ou efeito de avassalar(-se).
avassalante. *Adj. 2 g.* Avassalador. (1): "A alma se nos escapa e vai perder-se abstrata / Na avassalante paz da solidão tranqüila." (Manuel Bandeira, *Estrela da Vida Inteira*, p. 23).
avassalar. [De *a-*^{2} + *vassalo* + *-ar*^{2}.] *V. t. d.* **1.** Tornar vassalo; reduzir à vassalagem: *Expulsaram os invasores que os queriam* avassalar. **2.** Imperar em; dominar: *Sua figura terrível* avassalara *toda a região.* **3.** Oprimir, vexar: *A angústia o* avassalava. **4.** Cativar, seduzir; dominar: Avassalou *o coração da menina tímida. P.* **5.** Tornar-se vassalo.
avatar. [Do sânscr. *avatara*, 'descida' (do Céu à Terra), pelo fr. *avatar.*] *S. m.* **1.** *Filos.* Reencarnação de um deus, e, especialmente, no hinduísmo, reencarnação do deus Vixnu. **2.** Transformação, transfiguração, metamorfose: "Aqui era a laranjeira-cravo junto da qual o vira, como em um avatar, como em uma transfiguração, risonho, franco, comunicativo, sob o aspecto que em um momento a cativara." (Júlio Ribeiro, *A Carne*, p. 91.)
avati. [Var. de *abati.*] *S. m. Bras.* V. *milho* (1).
■**AVC.** Sigla de *acidente vascular cerebral.*
ave^{1}. [Do lat. *ave.*] *S. f.* **1.** *Zool.* Animal cordado, craniota, gnastomado, tetrápode, da classe das *Aves*, de pele revestida de penas, membros anteriores transformados em asas, boca prolongada em bico, pulmões com sacos aéreos; desprovido de dentes (espécies atuais) e bexiga; ovíparo. Ex.: canários, papagaios, beija-flores. [Dim.: *avezinha, avícula.* Cf. *avizinha*, do v. *avizinhar.*] **2.** Pessoa muito esperta e velhaca. **3.** *Bras.* Pessoa astuciosa e ladra. **4.** *Bras., PA.* Mulher que serve e dança nos centros paraenses de pajelança. ♦ **Ave de arribação.** A que chega em determinado tempo a países temperados. **Ave de rapina.** Ave que se distingue pelo bico adunco, garras fortes, etc.
ave^{2}. [Do lat. *ave.*] *Interj.* F. de saudação: salve: "Ave, ó Rio gigante!" (Alberto de Oliveira, *Poesias*, 2ª série, p. 204.)
aveadado. [De *a-*^{2} + *veado* + *-ado*^{1}.] *Adj.* V. *efeminado* (1).
aveado. [De *a-*^{2} + *veia* + *-ado*^{1}.] *Adj. Desus.* Adoidado, amalucado. [Cf. *aviado.*]
aveal. *S. m.* Quantidade mais ou menos considerável de pés de aveia dispostos proximamente entre si.
ave-capuchinha. *S.f. Bras.* V. *maú.* [Pl.: *aves-capuchinhas.*]
ave-do-paraíso. *S. f.* **1.** Designação comum às aves da família dos paradiseídeos, da Nova Guiné, notáveis pela beleza da plumagem e pelo acentuado dimorfismo sexual. [Cf. *apo*^{1}.]. **2.** *Astr.* Constelação do hemisfério austral, próxima ao Pavão. [Pl.: *aves-do-paraíso.*]
aveia. [Do lat. *avena.*] *S. f.* **1.** Gramínea cultivada (*Avena sativa*) que produz sementes ricas em substâncias nutritivas utilizadas na alimentação humana e de animais. **2.** O grão dessa planta.
avejão. [De *avisione*, f. protética do lat. *visione*, 'visão, aparição'.] *S. m.* **1.** V. *fantasma* (3). **2.** Homem muito alto e feio.
▲**-ável.** [Do lat. *-(a)bile-* e *-(i)bile-.*] *Suf. nom.* = 'digno de', 'possibilidade de praticar ou sofrer uma ação': *durável* (< lat. *durabile*), *amável* (< lat. *amabile*), *palpável.* [Equiv.: *-ível: punível, sensível* (< lat. *sensibile*).]
avelã. [Do lat. *abellana*, i. e., *nux abellana*, 'noz de Abela'.] *S. f.* O fruto da aveleira.
avelal. *S. m.* V. *avelanal.*
avelanado. [De *avelã* + *-ado*^{1}.] *Adj.* Da cor da avelã: "Deusa [Leonor Teles], ... de cabelos avelanados e de olhos verdes, a quem, de mãos postas, se elevam cantos em loas dionisíacas e divinas." (Antero de Figueiredo, *Leonor Teles*, p. 40).
avelanal. *S. m.* Quantidade mais ou menos considerável de avelaneiras dispostas proximamente entre si; avelal, avelar, aveleiral.
avelaneira. *S. f.* V. *aveleira.*
avelar^{1}. [De *avelanal*, atr. das f. *avelanar* e *avelãar.*] *S. m.* V. *avelanal.*
avelar^{2} [De *avelã* + *-ar*^{2}, com desnasalação e crase.] *V. int.* **1.** Endurecer como a avelã. **2.** Enrugar-se, engelhar (-se), encarquilhar(-se). **3.** *Fig.* Mostrar vigor na velhice.
avelãzeira. *S. f.* V. *aveleira.*
aveleira. *S. f.* Arbusto ou árvore pequena, da família das betuláceas (*Corylus avelana*), das regiões temperadas do hemisfério norte; avelaneira, avelãzeira.
aveleiral. *S. m.* V. *avelanal.*
avelhacado. [De *a-*^{2} + *velhaco* + *-ado*^{1}.] *Adj.* **1.** Um tanto velhaco. **2.** Próprio de velhaco.
avelhado. [Part. de *avelhar.*] *Adj.* **1.** Tornado velho. **2.** De aspecto envelhecido. [Sin. ger.: *avelhantado, avelhentado, velhentado.*]
avelhantado. [Part. de *avelhantar.*] *Adj.* V. *avelhentado:* "panos e peças encardidas de avelhantados vestuários." (Luís Edmundo, *De um Livro de Memórias*, III, p. 659).
avelhantador (ô). *Adj.* Var. de *avelhentador.*
avelhantar. *V. t. d.* Var. de *avelhentar.*
avelhentado. [Part. de *avelhentar.*] *Adj.* V. *avelhado.* [Var.: *avelhantado.*]
avelhentador (ô). *Adj.* Que avelhenta. [Var.: *avelhantador.*]
avelhentar. [De *a-*^{2} + *velho* + *-entar.*] *V. t. d.* **1.** Tornar velho prematuramente: *O sofrimento* avelhentou-a. **2.** Fazer parecer velho, antiquado. *P.* **3.** Fazer-se velho. **4.** Perder o viço, o vigor, envelhecer prematuramente. [Var.: *avelhantar.*]
avelhuscado. [De *a-*^{2} + *velhusco* + *-ado*^{1}.] *Adj.* Um tanto velhusco; avelhado: "o fazendeiro, avelhuscado por força de sucessivas decepções .... coçava cem vezes ao dia a coroa da cabeça grisalha." (Monteiro Lobato, *Urupês, Outros Contos e Coisas*, pp. 96-97).
avelórios. [Do ár. *ballor*, 'cristal', do gr. *béryllos*, 'berilo'.] *S. m. pl.* **1.** Contas de vidro; miçangas, vidrilhos. **2.** *Fig.* Ninharias, bagatelas. [Var.: *velórios.*]
avelós. [De or. indígena, talvez.] *S. m.* Planta da família das euforbiáceas (*Euphorbia tirucalli*), originária da África, cultivada no Brasil principalmente no N.E. [Pl.: *aveloses.*]
aveludado. [De *a-*^{2} + *veludo* + *-ado*^{1}.] *Adj.* **1.** Macio e lustroso como veludo; veludíneo, veludoso, velutíneo: "Por entre a densa vegetação do mofo nasciam agora, ... almofadando a nossa passagem, enormes cogumelos e fungões, penugentos e aveludados" (Aluísio Azevedo, *Demônios*, p. 59). **2.** *Fig.* Melodioso, suave, brando: *Tinha o contralto uma voz rara,* aveludada; "suavidades cantantes como as duma aveludada voz feminina." (Luís de Magalhães, in Guerra Junqueiro, *Vibrações Líricas*, p. 116.) **3.** *Fig.* Meigo, suave: "os seus olhos negros e aveludados, cheios de ternura" (Inglês de Sousa, *O Missionário*, p. 355). **4.** *Morfol. Veg.* Diz-se do órgão cuja superfície é revestida de pêlos muito curtos e macios ao tato: *folha* aveludada. ~ V. *vinho* —.
aveludar. [De *a-*^{2} + *veludo* + *-ar*^{2}.] *V. t. d.* **1.** Dar o aspecto de veludo a (tecido). **2.** Tornar macio, brando, suave, como o veludo; amaciar: "A sombra já enoitava as moitas. A umidade / Aveludava o musgo." (Manuel Bandeira, *Estrela da Vida Inteira*, p. 43.) *P.* **3.** Tornar-se macio como o veludo; amaciar-se: "E as paredes aveludavam-se de musgos, os quais coexistiam com a hera." (O. G. Rego de Carvalho, *Somos Todos Inocentes*, p. 38.)
ave-maria. [De *ave*^{2} + hier. *Maria.*] *S. f.* **1.** Oração católica em louvor de Nossa Senhora, e que começa com a saudação: Ave, Maria. **2.** *P. ext.* Cada uma das contas de rosário que indicam as vezes que se pronuncia tal oração, e que se alternam, em grupos de dez, com as do padre-nosso [q. v.]. **3.** *Liter. Pop. Bras.* Composição poética do tipo pé-quebrado, na qual cada quadra termina com palavras da oração do mesmo nome. ~ V. *ave-marias.* [Pl.: *ave-marias.*] ♦ **Ave-maria da capoeira.** *Bras. Cap.* Reza da capoeira [q. v.].
ave-marias. [Pl. de *ave-maria.*] *S. f. pl.* **1.** O toque das trindades, ao anoitecer; o ângelus. **2.** O entardecer: "Eram quase ave-marias. A sombra do crepúsculo ia de manso derramando-se pelas devesas silenciosas." (Bernardo Guimarães, *O Seminarista*, p. 12.) ~ V. *ave-maria.* ♦ **Às ave-marias.** Ao entardecer; ao anoitecer; à noitinha: "Saía às ave-marias para voltar na madrugada seguinte." (Machado de Assis, *Contos Fluminenses*, p. 139).
avena. [Do lat. *avena.*] *S. f. Poét.* Antiga flauta pastoril feita, em geral, do talo da aveia. [Cf. *pipia* (1).]
avenaína. [De *aveia* + *-ina.*] *S. f.* Glute da aveia.
avenca. [De *a-*^{5} + lat. *vinca.*] *S. f.* Designação comum a várias plantas criptogâmicas da família das polipodiáceas, principalmente do gênero *Adiantum*, todas muito delicadas, necessitando de ambientes bastante úmidos.
avença. [Do lat. **advenentia.*] *S. f.* **1.** Acordo entre litigantes; ajuste. **2.** Importância paga por serviços durante certo prazo. **3.** Quantia certa que se paga antecipadamente por conta de impostos de consumo, etc.: "estes [os arrematantes dos contratos], por sua vez, cobrem-se contra qualquer eventualidade por meio de avenças com os produtores, ajuste prévio em que são avaliados os possíveis lucros e se fixa antecipadamente o imposto." (Miran de Barros Latif, *As Minas Gerais*, p. 59).
avençado. [Part. de *avençar.*] *Adj.* Que está tratado, ajustado, combinado.
avenca-do-canadá. *S. f.* Capilária-do-canadá. [Pl.: *avencas-do-canadá.*]
avençal. *S. 2 g.* Pessoa que está avençada.
avençar-se. *V. p.* **1.** Fazer avença ou ajuste; acordar-se, combinar. **2.** Entender-se, avir-se. **3.** Obrigar-se por avença. [Conjug.: v. *laçar.*]
avenida. [Do fr. *avenue*, pelo esp. *avenida.*] *S. f.* **1.** Via urbana mais larga do que a rua (1), em geral com diversas pistas para circulação de veículos. **2.** Estrada ou rua orlada de árvores, no acesso a uma casa de campo, em um parque, etc.; alameda. **3.** *Arquit.* Caminho guarnecido de colunas ou figuras esculpidas; avenida processional. **4.** *Bras.* V. *vila*^{1} (3). ♦ **Avenida processional.** *Arquit.* Avenida (3). **Abrir uma avenida em.** *Bras., RJ. Gír.* Dar uma navalhada em (alguém, ou parte do corpo de alguém).
aventador (ô). *S. m. Bras., N. E.* Plataforma de madeira sobre a qual se retiram das fôrmas os pães de açúcar.
avental. [Var. de *avantal* (f. pop. e dialetal) avante + *-al.*] *S. m.* **1.** Peça de pano, couro ou plástico, com que se resguarda a roupa. **2.** *Teat.* V. *outer stage.*
aventar^{1}. [De *a-*^{2} + *vento* + *-ar*^{2}.] *V. t. d.* **1.** Agitar ou mover ao vento; ventilar. **2.** Atirar, arremessar, arrojar: aventar *pedras.* **3.** Lembrar, insinuar, sugerir, aventurar (idéia, proposição, etc.): "O presidente aventou a idéia de dançar-se" (Artur Azevedo, *Contos Efêmeros*, p. 31); "Aventava hipóteses" (Rocha Pombo, *No Hospício*, p. 197). **4.** Expor, enunciar: Aventou *seu plano de ação.* **5.** Perceber ao longe; entrever, pressentir, lobrigar: Aventava *possibilidades de escapar da cela.* **6.** Descobrir pelo faro. *Int.* **7.** Perceber ou sentir pelo olfato. **8.** *Bras.* Retirar o pão de açúcar da fôrma. **9.** *Bras.* Abrir-se longitudinalmente (uma tábua). **10.** *Bras.* Irritar-se, abespinhar-se; aventar-se. *P.* **11.** Ocorrer, lembrar: *Como último expediente,* aventou-se-lhe *a fuga.* **12.** Irritar-se, abespinhar-se; aventar.
aventar^{2}. [De *a-*^{2} + *venta* + *-ar*^{2}.] *V. t. d.* Segurar (animal) apertando-lhe o septo nasal com o polegar e o indicador.
aventura. [Do lat. *adventura*, 'coisas que estão por vir'.] *S. f.* **1.** Empresa, empreendimento, ou experiência arriscada, perigosa, incomum, cujo fim ou decorrências são incertas: *Viajar naquelas circunstâncias é uma* aventura. **2.** Acontecimento imprevisto, surpreendente; peripécia: *A pobre senhora correu uma desagradável* aventura. **3.** Acaso, sorte, fortuna. **4.** Proeza de cavaleiro andante, de cavalaria. **5.** Ligação amorosa, em geral passageira e inconseqüente: *Aquela ligação não passou de uma* aventura.
aventurado. [Part. de *aventurar.*] *Adj.* Que se aventura ou arrisca; ousado.

aventurança. *S. f. Ant.* Ventura, destino.
aventurar. [De *a-*² + *ventura* + *-ar*².] *V. t. d.* **1.** Expor ou arriscar à ventura: *Intrépido, pouco se lhe dá de aventurar sua vida.* **2.** Ousar dizer ou fazer: *Embora mal recebido, aventurou o pedido de voto;* "Depois de alguns minutos, ... aventurei timidamente: / — V. Exª acredita nas paixões súbitas, minha senhora?" (Artur Azevedo, *Contos Possíveis,* p. 6.) **3.** Lembrar, sugerir, aventar (idéia, proposição, etc.). *T. d. e i.* **4.** Arriscar, expor: *Aventurou às ondas a sua frágil pessoa. Int.* **5.** Tentar a sorte; arriscar. *P.* **6.** Expor-se a risco, perigo; arriscar-se, expor-se. **7.** Atrever-se, abalançar-se.
aventureirismo. *S. m.* **1.** Qualidade ou procedimento de aventureiro. **2.** Espírito aventureiro.
aventureiro. *Adj.* **1.** Que vive de aventuras. **2.** Que ama a aventura (1): *Seu espírito aventureiro é que o leva a repetidas viagens.* **3.** Incerto, difícil, precário, arriscado. ● *S. m.* **4.** Indivíduo que ama a aventura; ousado, temerário, audacioso. **5.** Aquele que não tem meios de vida, que vive de expedientes, dos acasos da sorte.
aventurina. [Do it. *avventurina.*] *S. f.* **1.** Variedade de quartzo ou de feldspato com inclusões de finas lamelas de hematita ou de outros minerais, que lhes emprestam reflexos avermelhados, graças à orientação definida das lamelas. **2.** Conta de vidro mesclado com limalha de cobre: "Leva anéis de cobre com aventurinas, / Brincos de sueiras, manto de agnelinas." (Eugênio de Castro, *Obras Poéticas,* I, p. 107.)
aventuroso (ô). *Adj.* **1.** Que se aventura. **2.** Temerário, atrevido, arriscado. **3.** Em que há aventura.
averbação. *S. f.* Averbamento (1).
averbamento. [De *averbar*¹.] *S. m.* **1.** Ato ou efeito de averbar; averbação. **2.** Declaração ou nota em certos documentos. [Cf. *registro* (2).]
averbar¹. [De *a-*² + *verba* + *-ar*².] *V. t. d.* **1.** Escrever em verba, à margem de. **2.** Declarar em nota, à margem de um título ou de um registro. **3.** Registrar; anotar. *Transobj.* **4.** Tachar, apodar, acoimar: *Averbou de incorreto o procedimento do amigo.*
averbar². [De *a-*² + *verbo* + *-ar*².] *V. t. d.* Formar verbo de (outra palavra): *averbar um substantivo.*
avergalhar. [De *a-*² + *vergalho* + *-ar*².] *V. t. d.* Bater com vergalho em; chicotear, azorragar.
avergar. [De *a-*⁴ + *vergar.*] *V. t. d., t. d. e i.* e *int.* Vergar. [Conjug.: v. *largar.*]
avergoado. *Adj.* ~ V. *papel—.*
avergoar. [De *a-*² + *vergão* + *-ar*².] *V. t. d.* **1.** Fazer vergões com látego ou açoite em. **2.** Bater em; espancar, surrar. [Conjug.: v. *coroar.*]
avergonhar. [De *a-*² + *vergonha* + *-ar*².] *V. t. d.* e *p. P. us.* V. *envergonhar(-se).*
averiguação. *S. f.* **1.** Ato ou efeito de averiguar(-se). **2.** Investigação, inquérito.
averiguador (ô). *Adj.* e *s. m.* Que ou aquele que averigua; indagador, investigador.
averiguar. [De *a-*⁴ + lat. *verificare,* 'verificar'.] *V. t. d.* **1.** Indagar, inquirir, investigar: *Mandou averiguar os antecedentes do rapaz.* **2.** Determinar a verdade de; certificar-se de; verificar, apurar: *Não conseguiu averiguar o fato em sua exatidão. T. d. e i.* **3.** Inquirir, investigar, indagar: *Averiguou dos presentes o que desejavam. T. i.* **4.** Indagar, informar-se: *Quis averiguar pessoalmente do desastre. P.* **5.** Certificar-se, convencer-se, persuadir-se. [Pres. ind.: *averiguo* (ú), *averiguas* (ú), *averigua* (ú), *averiguamos,* etc.; 1ª pess. sing. pret. perf. ind.: *averigüei;* pres. subj.: *averigúe, averigúes, averigúe, averigüemos, averigüeis, averigúem.*]
averiguável. *Adj. 2 g.* Que se pode averiguar.
avermelhado. [De *a-*² + *vermelho* + *-ado*¹.] *Adj.* **1.** De tonalidade tirante a vermelho; vermelhusco. **2.** Diz-se dessa tonalidade: *vestes de um tom avermelhado.* ● *S. m.* **3.** Essa tonalidade.
avermelhamento. *S. m.* Ato ou efeito de avermelhar(-se).
avermelhar. [De *a-*² + *vermelho* + *-ar*².] *V. t. d.* e *p.* Tornar(-se) vermelho; envermelhar(-se), envermelhecer(-se), vermelhar, vermelhear, vermelhecer, vermelhejar. [Conjug.: v. *aparelhar.*]
avernal. [Do lat. *avernale.*] *Adj. 2 g.* Respeitante ao averno; infernal; avernoso, averno.
averno. [Do lat. *avernu.*] *S. m.* **1.** Inferno (1). ● *Adj.* **2.** V. *avernal.*
avernoso (ô). [De *averno* + *-oso.*] *Adj.* V. *avernal.*
averroísmo. *S. m. Filos.* Doutrina de Averróis (Ibn-Roschd), médico e filósofo árabe (1126-1198) e de seus seguidores, caracterizada pela tendência materialística e panteística.
aversão. [Do lat. *adversione.*] *S. f.* **1.** Ódio, rancor. **2.** Antipatia, repugnância, repulsa: "Embora deteste que o classifiquem assim, pelo seu horror às fronteiras, pela sua aversão ao patriotismo literário, ... tornou-se [Arturo Farinelli] um magistral cultor dos estudos de literatura comparada" (Agripino Grieco, *Estrangeiros,* p. 290).
aversivo. *Adj.* e *s. m.* Diz-se de, ou medicamento que produz aversão a bebidas, fumo, etc.
averso. [Do lat. *aversu.*] *Adj.* Adverso.
averter. [Do lat. *avertere.*] *V. t. d.* Desviar do seu curso.
avessada. *S. f.* Correia com que se prendia o falcão à vara.
avessado. [Part. de *avessar.*] *Adj.* **1.** Feito ao avesso ou às avessas. **2.** Hostil, contrário, adverso.
avessar. *V. t. d.* **1.** Fazer ao avesso ou às avessas. **2.** Contrariar, contradizer. **3.** Subornar, corromper. [Conjug.: v. *começar.* Pres. ind.: *avesso, avessas, avessa,* etc. Cf. *avesso* (ê) e as flex. *avessa* (ê), *avessas* (ê).]
avessas. [Fem. pl., substantivado, do adj. *avesso.*] *S. f. pl.* Coisas contrárias, opostas. [Cf. *avessas* (ê), flex. do adj. *avesso* (ê).] ◆ **Às avessas.** Em sentido inverso ou oposto; ao contrário.
avessia. *S. f.* Qualidade de avesso.
avesso (ê). [Do lat. *adversu.*] *Adj.* **1.** Contrário, inverso, oposto: *o lado avesso da costura.* **2.** Mau, adverso: *A sorte foi-lhe avessa.* ● *S. m.* **3.** A parte oposta à principal, ao lado direito [v. *direito* (19)]; reverso, envesso: *o avesso do tecido; o avesso do casaco.* **4.** Aquilo que está oculto no caráter ou na índole das pessoas. **5.** O lado mau. **6.** Erro, incorreção, defeito. [Flex.: *avessa* (ê), *avessas* (ê), *avessos* (ê). Cf. *avesso* (é), *avessas* (é) e *avessa* (é), do v. *avessar,* e *avessas* (é), s. f. pl.] ◆ **Virar pelo avesso. 1.** Pôr para fora a parte interna de (algo). **2.** Tratar (assunto, caso) em todos os seus aspectos. **3.** Fazer pesquisa meticulosa em (um local, ou seus recantos mais escondidos): *Virou a casa pelo avesso em busca dos óculos.*
avesta. *S. m. Filos.* Conjunto de textos sagrados primitivos dos povos iranianos, de que se originou o masdeísmo [q. v.]; zendavesta.
avéstico. *S. m.* **1.** *Ling.* V. *indo-iraniano* (3). ● *Adj.* **2.** Pertencente ou relativo ao Avesta ou ao avéstico (1).
avestruz. [Do lat. vulg. *ave-struthiu,* pelo clássico *avis struthio.*] *S. f.* e *m.* **1.** Ave estrutioniforme, gênero *Struthio* L., com seis espécies conhecidas. Tem as asas atrofiadas, apenas dois dedos em cada pé, e é onívora; vive em zonas semidesérticas, na Arábia e na África. Atualmente é a maior das aves, sendo a espécie *S. camelus* L. a mais comum, da África do Norte até a Arábia. **2.** *Bras., RS.* e *Impr.* Ema¹. **3.** *Bras.* No jogo do bicho [q. v.], o primeiro grupo (8), que abrange as dezenas 01, 02, 03, e 04, e correspondente ao número 1. **4.** *Bras.* Pessoa esquisita e de reputação duvidosa. ◆ **Bancar avestruz. 1.** *Bras.* Obstinar-se em não ver ou considerar o lado desagradável das coisas (como se para isso enfiasse a cabeça na areia). **2.** *Bras., PE. Pop.* Ingerir bebidas alcoólicas.
avestruzeiro. *Bras., S. Adj.* e *s. m.* **1.** Que, ou aquele cuja ocupação é aprisionar avestruzes para lhes aproveitar a plumagem. **2.** Diz-se de, ou cavalo ensinado para a caça do avestruz.
avexação. *S. f.* Vexação.
avexado. [Part. de *avexar.*] *Adj.* V. *vexado:* "Adão, o arrependido, e a arrependida / Eva, ei-los avexados, ante o iroso / Bíblico deus" (Raimundo Correia, *Poesias,* p. 21).
avexar. [De *a-*⁴ + *vexar.*] *V. t. d.* e *p.* V. *vexar.* [Conjug.: v. *fechar.*]
avezado. [Part. de *avezar*¹.] *Adj.* Costumado, acostumado, habituado, afeito.
avezar¹. [De *a-*² + *vezar.*] *V. t. d.* e *i.* **1.** Habituar, acostumar, afazer: *A leitura dos filósofos avezou-o à meditação. P.* **2.** Acostumar-se, habituar-se, afazer-se: "E os que conosco a trabalhar se avezam, / E aprendem nossas artes, nossos usos, / Se ufanam de saber mais do que os outros" (Domingos José Gonçalves de Magalhães, *A Confederação dos Tamoios,* p. 272). [F. paral.: *vezar.*]
avezar². [De *a-*² + *vez* + *-ar*², ou de *haver,* por infl. de *avezar*¹?] *V. t. d.* Ter de seu; possuir.
aviação. [Do fr. *aviation.*] *S. f.* **1.** Sistema de navegação aérea por meio de aeródinos. **2.** A técnica da construção ou conservação de aeródinos. **3.** O conjunto dos aviões: *a aviação militar.* ◆ **Aviação embarcada.** *Bras. Mar. G.* Conjunto de aeronaves que operam com base em navios-aeródromos ou em outros navios de guerra. **Aviação naval.** *Mar. G.* Conjunto dos meios aéreos que integram organicamente o poder naval.
aviado. [Part. de *aviar.*] *Adj.* **1.** Que se aviou; apressado. **2.** Desembaraçado, despachado. ● *S. m.* **3.** *Bras., Amaz.* Aquele que negocia por conta de outrem. **4.** Seringueiro que tem certo número de homens trabalhando por sua conta em seringal de outrem. [Cf. *aveado.*]
aviador¹ (ô). [Do fr. *aviateur.*] *S. m.* Piloto de avião.
aviador² (ô). [De *aviar* + *-(d)or.*] *S. m.* **1.** Aquele que avia. **2.** *Bras., Amaz.* Fornecedor e comissário de seringueiros.
aviajado. *Adj.* ~ V. *arco —.*
aviamento. *S. m.* **1.** Ato e efeito de aviar; avio: *O aviamento da receita fora rápido.* **2.** O aparelhamento ou o material necessários à execução ou conclusão de qualquer obra. **3.** O conjunto do material acessório necessário ao acabamento de uma costura ou bordado, como tecido para forro, botões, fechos, colchetes, etc.; preparos: *No preço do feitio da blusa já estão incluídos os aviamentos.* **4.** Elemento essencial do estabelecimento comercial; o conjunto de aparelhamento, freguesia, crédito e reputação. **5.** Ajuda, auxílio. **6.** Andamento, prosseguimento. **7.** *Tip.* Parte do preparo (4) que compreende as operações de alçamento e recorte, realizadas com a fôrma na prensa, e destinadas a corrigir excesso ou insuficiência de pressão. **8.** *Bras.* Engenho rústico para fabricar farinha de mandioca. **9.** *Bras., Amaz.* Mercadoria fornecida pelo aviador ao aviado. ~ V. *aviamentos.*
aviamentos. [Pl. de *aviamento.*] *S. m. pl.* Avios. ~ V. *aviamento.*
avião. [Do fr. *avion.*] *S. m.* **1.** *Av.* Aeródino dotado de meios próprios de locomoção, e cuja sustentação se faz por meio de asas; aeroplano: *O inventor do avião foi o brasileiro Santos Dumont.* **2.** *Bras.* Moça ou rapaz bonito. ◆ **Avião a jacto.** Aquele que se locomove por meio de propulsão a jacto [q. v.]. **Avião anfíbio.** *Ant.* Aquele que tanto pousa em terra como na água. **Avião de bombardeio.** Bombardeiro (3). **Avião de caça.** Avião militar leve dotado de grande mobilidade, e usado para interceptar o trajeto dos bombardeiros ou para servir-lhes de escolta. [Tb. se diz apenas *caça.*] **Avião supersônico.** Aquele que alcança velocidade superior à do som. [Tb. se diz apenas *supersônico.*] **Fazer avião.** *Bras. Gír.* Ser intermediário na compra de tóxicos.
avião-suicida. *S. m.* Camicase (2). [Pl.: *aviões-suicidas.*]
aviar. [De *a-*² + *via* + *-ar*².] *V. t. d.* **1.** Executar, concluir: *aviar uma obra.* **2.** Preparar medicamento prescrito em (receita): "O boticário aviou a receita médica, e o C. A. B. já no dia seguinte amanheceu sem febre" (Gen. José Cândido Murici, *Parada Morta,* p. 41). **3.** Ajustar, concluir (negócio). **4.** Pôr a caminho; expedir: *Aviou um criado com a carta.* **5.** Dar cabo de; matar, assassinar. **6.** *Bras., AM.* Vender a prazo, mercadorias a, em troca de borracha. *Int.* **7.** Aprontar-se ou andar depressa; apressar-se, aviar-se. **8.** *Bras.* Vender mercadorias ao seringueiro; fornecer-lhe o de que precisa. *P.* **9.** Aprontar-se ou andar depressa; apressar-se, aviar. [Pres. ind.: *avio, avias, avia, aviamos, aviais, aviam;* fut. pret.: *aviaria,* etc.; pres. subj.: *avie, avies, avie, aviemos, avieis, aviem;* part.: *aviado.* Cf. *havia, havias, havia, havíamos, havíeis, haviam,* do v. *haver; aviária,* fem. de *aviário*²; e *aveado.*]
aviário¹. [Do lat. *aviariu.*] *S. m.* **1.** Viveiro de aves; passareira. **2.** Estabelecimento onde se vendem aves.
aviário². [Do lat. *aviariu.*] *Adj.* Relativo a aves; avicular, aviculário, avícola. [Fem.: *aviária.* Cf. *aviaria,* do v. *aviar.*]
aviatório. *Adj.* Referente à aviação.
avicenismo. *S. m. Filos.* Doutrina de Avicena (Ibn-Sina), médico e filósofo iraniano (980-1037), e de seus seguidores.
aviceptologia. [De *avi-* + *cept,* alter. de *capt.* do lat. *capere,* 'apreender, capturar', + *-log(o)-* + *-ia.*] *S. f.* Arte de apanhar aves vivas com laços e armadilhas.
aviceptológico. *Adj.* Relativo à aviceptologia.
avícola. [De *avi-* + *-cola.*] *S. 2 g.* **1.** V. *avicultor.* ● *Adj. 2 g.* **2.** V. *aviário*². [Cf. *avícula.*]
avícula. [Do lat. *avicula.*] *S. f.* Ave pequena. [Cf. *avícola.*]
avicular. [De *avícula* + *-ar*¹.] *Adj. 2 g.* V. *aviário*².
aviculária. *S. f.* Aranha de grande porte, da família dos avicularídeos, cuja espécie tipo *Avicularia avicularia* (L) ocorre nas Antilhas e Guianas. No Brasil existem seis espécies, todas com pernas posteriores míticas e sem escápula veludosa na face posterior dos fêmures do último par.
avicularídeo. *S. m.* **1.** Espécime dos avicularídeos. ● *Adj.* **2.** Pertencente ou relativo a eles.
avicularídeos. *S. m. pl. Zool.* Família de aracnídeos araneídeos na qual se classificam as aranhas migalomor-

fas e gêneros próximos. Conhecidas vulgarmente como *caranguejeiras* (gênero *Grammostola).*

aviculário. [Do lat. *aviculariu.*] *S. m.* **1.** V. *avicultor.* **2.** Zoécio modificado dos briozoários, semelhante a um bico de gavião. ● *Adj.* **3.** V. *aviário*[2].

aviculídeo. *S. m.* **1.** Espécime dos aviculídeos. ● *Adj.* **2.** Pertencente ou relativo a eles.

aviculídeos. *S. m. pl. Zool.* Família de moluscos pelecípodes, marinhos, de concha frágil, grilhantemente nacarada. Vivem nos mares quentes, unidos entre si e aos rochedos pelo bisso.

avicultor (ô). [De *avi-* + *cultor.*] *S. m.* Aquele que se dedica à avicultura; avícola, aviculário.

avicultura. [De *avi-* + *cultura.*] *S. f.* Arte ou técnica de criar e multiplicar aves.

avidez (ê). *S. f.* **1.** Desejo ardente, imoderado, veemente, de alguma coisa, **2.** Ansiedade, sofreguidão. **3.** Cobiça, ambição. **4.** Voracidade, sede.

ávido. [Do lat. *avidu.*] *Adj.* **1.** Que deseja ardentemente. **2.** Ansioso, sôfrego: *Vê-se que está* ávida *por partir;* "sensibilidade ao mesmo tempo profunda e errante, ávida de desvendar conexões novas entre o mundo do amor e o mundo natural" (Carlos Drummond de Andrade, *Passeios na Ilha,* p. 212). **3.** Avaro, ambicioso, cobiçoso. **4.** Voraz, esfomeado, esfaimado, famélico. **5.** Sedento, sequioso. **6.** Em que há avidez (1): *Lançou-lhe um olhar* ávido.

avieirado. [De *a-*[2] + *vieira* + *-ado*[1].] *Adj. Heráld.* Diz-se do campo ou de peças que têm vieiras.

avifauna. [De *avi-* + *fauna.*] *S. f. Bras.* O conjunto das aves de uma região; a fauna ornitológica regional.

avigoramento. *S. m.* Ato ou efeito de avigorar(-se).

avigorar. [De *a-*[2] + *vigor* + *-ar*[2].] *V. t. d.* **1.** Dar vigor a; fortalecer, robustecer: *O leite materno* avigora *o recém-nascido.* **2.** Fortalecer; consolidar; firmar: *A solidariedade dos amigos* avigorou *a posição que assumira. P.* **3.** Tornar-se robusto, forte, vigoroso; robustecer-se. **4.** Fortalecer-se, consolidar-se: avigoraram-se *as minhas esperanças.*

ávila. *S. f.* Grande fruto carnudo de cucurbitáceas das Antilhas e do Brasil (*Fevilea trilobata*). [Cf. *avila,* do v. *avilar.*]

avilanado. [De *a-*[2] + *vilão* + *-ado*[1].] *Adj.* **1.** Que tem maneiras ou costumes de vilão. **2.** Grosseiro, rude, rústico.

avilanar-se. [De *a-*[2] + *vilão* + *-ar*[1] + *se*[1].] *V. p.* Tornar-se vilão; degenerar-se, corromper-se; aviltar-se, envilecer-se.

avilar. [De *a-*[2] + *vil* + *-ar*[2]] *V. t. d. e p.* V. *aviltar.* [Pres. ind.: *avilo, avilas, avilamos, avilais, avilam;* pres. subj. *avile, aviles, avile, avilemos, avileis, avilem.* Cf. *ávila, s. f.,* e *Ávila,* top. e antr.]

aviltação. *S. f.* V. *aviltamento.*

aviltado. [Part. de *aviltar.*] *Adj.* **1.** Que se aviltou; desvalorizado, envilecido: *A moeda,* aviltada, *já não compra coisa alguma.* **2.** Humilhado, rebaixado. **3.** Desonrado, desacreditado.

aviltador (ô). *Adj.* **1.** V. *aviltante.* ● *S. m.* Aquele que avilta.

aviltamento. *S. m.* **1.** Envilecimento, desonra, descrédito. **2.** Humilhação, rebaixamento. **3.** Abjeção, vileza. [Sin. ger.: *aviltação.*]

aviltante. *Adj. 2 g.* Que avilta; aviltador, aviltoso.

aviltar. [De *a-*[4] + lat. *vilitare.*] *V. t. d.* **1.** Tornar vil, abjeto, desprezível; envilecer: *Há medidas drásticas que* aviltam *a condição do ser humano.* **2.** Desonrar, humilhar, rebaixar: *injúrias que o* aviltaram. **3.** Baixar o preço de: aviltar *os gêneros alimentícios. P.* **4.** Tornar-se vil, desprezível; envilecer-se: "É dura afronta, mas com essa afronta / Eu não me avilto, nem me desabono" (Laurindo Rabelo, *Poesias Completas,* p. 109). **5.** Humilhar-se, rebaixar-se. [Sin. ger.: *avilar.*]

aviltoso (ô). *Adj.* V. *aviltante.*

avinagrado. [Part. de *avinagrar.*] *Adj.* V. *envinagrado.*

avinagrar. [De. *a-*[2] + *vinagre* + *-ar*[2].] *V. t. d. e p.* V. *envinagrar.*

avincar. *V. t. d.* V. *vincar:* "a dor lhe avinca o duro aspeito..." (Gonçalves Crespo, *Obras Completas,* p. 333). [Conjug.: v. *trancar.*]

avindo. [Part. de *avir.*] *Adj.* Que se aveio; ajustado, combinado.

avindor (ô). *Adj. e s. m.* Que ou aquele que trata de harmonizar litigantes; mediador, medianeiro.

avinhado[1] [De *a-*[2] + *vinho* + *-ado*[1].] *S. m. Bras.* V. *curió.*

avinhado[2]. [Part. de *avinhar.*] *Adj.* **1.** Que tem sabor ou cheiro de vinho. **2.** V. *embriagado* (1). **3.** Próprio de bêbedo: "Palavras que raro te soam em torno são blasfêmias e pragas a vinhada." (Carlos Magalhães de Azeredo, *Ariadne,* p. 15). **4.** *Bras., CE. Pop.* Diz-se do bebedor contumaz que se embriaga facilmente; aquilotado. **5.** Cor tirante ao vinho.

avinhar. [De *a-*[2] + *vinho* + *-ar*[2].] *V. t. d.* **1.** Temperar com vinho. **2.** Dar o cheiro ou o sabor do vinho a. **3.** Acostumar ao vinho. **4.** Embriagar, embebedar. *P.* **5.** Embebedar-se, embriagar-se.

avio. [Dev. de *aviar.*] *S. m. Aviamento (1).* ~ *V. avios.*

aviolado[1]. [De *a-*[2] + *viola*[1] + *-ado*[1].] *Adj.* Cujo feitio ou cujo som lembra o feitio ou som da viola.

aviolado[2]. [De *a-*[2] + *viola*[3] + *-ado*[1]] *Adj.* **1.** Feito com flores de violeta. **2.** Violáceo (1 e 2).

avios. [Pl. de *avio.*] *S. m. pl. Bras., S.* Os apetrechos necessários para determinados fins; aviamentos: avios *de caça;* avios *de fogo;* avios *de mate.* ~ *V.* avio.

◆ **Avios de caça.** Os objetos necessários para fazer uma caçada: espingarda e pertences. **Avios de fogo.** Os objetos necessários para obter fogo: o isqueiro, a pederneira, etc. **Avios de mate.** Os objetos necessários para se preparar ou tomar o mate: cuia, bomba e erva.

avir. [Do lat. *advenire.*] *V. t. d.* **1.** Pôr em concórdia; conciliar, harmonizar: *Não conseguiram* avir *os dois inimigos.* **2.** Combinar, ajustar. *P.* **3.** Sair-se de dificuldade; arranjar-se, haver-se: "— Deixa-os lá. Que se avenham." Fialho d'Almeida, *Contos,* p. 102); "O 'tirador de lenha' só se avém com o que se pode chamar a nata; o plantador com a ralé" (Alberto Rangel, *Sombras n'Água,* p.43). **4.** Pôr-se em concórdia; conciliar-se, harmonizar-se. **5.** Combinar-se, ajustar-se. [Irreg. Conjug.: v. *vir.*]

avirama. *S. f. Bras.* V. *salgueiro-do-rio.*

avisado. [Part. de *avisar.*] *Adj.* **1.** Que recebeu aviso. **2.** Circunspecto, discreto; sensato, sábio: "Muito sabedor e avisado filósofo elucidava-me, limpando os óculos: / — Pois foi no reinado do Imperador Xomu, pelo ano de 724, que o chá entrou na terra japoa." (Luís Guimarães, *Samurais e Mandarins,* p. 74.) **3.** Prudente, cauteloso, cauto.

avisador (ô). *Adj. e s. m.* Que, ou aquele que avisa.

avisamento. *S. m. P. us.* Aviso (1).

avisar. [Do fr. *aviser.*] *V. t. d.* **1.** Dar aviso a; fazer saber; anunciar a: *Não quis partir sem* avisar *os amigos.* **2.** Informar, prevenir: *Embora receoso, não deixou de* avisar *os correligionários.* **3.** Dar aviso ou ciência de; informar ou cientificar de: "Conversávamos alegremente sobre a colheita do ano, quando avisaram a visita do .... juiz municipal." (Inglês de Sousa, *Contos Amazônicos,* p. 112.) *T. d. e i.* **4.** Dar aviso; fazer ciente; dizer em caráter de aviso: Avisei-o *do resultado do exame.* **5.** Prevenir, informar: "duas balas de artilharia, bem apontadas avisaram os turcos do perigo" (Camilo Castelo Branco, *O Santo da Montanha,* p. 293); "— A senhora tem em seu poder um papel, que o meu amigo lhe deu a guardar, recomendando-me que, no caso de acontecer-lhe alguma cousa, lhe avisasse para abri-lo." (José de Alencar, *Senhora,* p. 225). *T. i.* **6.** Dar aviso; fazer ciente; dizer em caráter de aviso: Avisou *de que pretendia vingar-se. P.* **7.** Informar-se, inteirar-se: Avisou-se *em tempo das artimanhas do inimigo.* **8.** Acautelar-se, prevenir-se, precaver-se, precatar-se: *Depois disso, há de se* avisar *de futuras importunações.* **9.** Tomar aviso ou conselho; aconselhar-se.

aviso[1]. [Dev. de *avisar.*] *S. m.* **1.** Ato ou efeito de avisar. [Sin. (p. us.): *avisamento.*] **2.** Notícia, informação, comunicação. **3.** *P. ext.* Documento pelo qual alguém é informado de alguma coisa: *Recebi o* aviso *do banco: o dinheiro chegou; O* aviso *do Correio chegou atrasado;* "Foi então que o Governo Imperial, em aviso de 19 de maio de 1855, proibiu a admissão de noviços aos conventos." (Afonso Arinos de Melo Franco, *Amor a Roma,* p. 33). **4.** Na linguagem burocrática, ofício de um ministro a outro. **5.** Conselho, advertência. **6.** Parecer, opinião. **7.** Discrição, juízo, tino, sabedoria: *É homem de bom* aviso. ◆ **Aviso aos navegantes.** *Náut.* Boletim diário, emitido pela repartição hidrográfica competente, e que informa os navegantes das alterações ocorridas no balizamento ou em instrução ou informação anterior referente à navegação. **Aviso prévio. 1.** Comunicação do empregador ao empregado, ou vice-versa, pela qual um faz saber ao outro a rescisão do respectivo contrato de trabalho dentro de determinado período. **2.** *P. ext.* Quantia que o empregador, quando é ele a rescindir o contrato de trabalho, paga ao empregado.

aviso[2]. [Do esp. *aviso.*] *S. m.* **1.** *Ant.* Navio pequeno e ligeiro, destinado a transmitir ordens e mensagens entre os navios de uma força naval. **2.** *Bras. Mar. G.* Navio auxiliar, de pequeno tamanho e fraco ou nenhum armamento.

➧**avis rara** (áviç rara). [Lat., 'ave rara'.] Parte do ditado latino 'avis rara, avis cara', que é costume citar como referência a visita rara, mas bem-vinda.

avistar. [De *a-*[2] + *vista* + *-ar*[2].] *V. t. d.* **1.** Alcançar com a vista; ver ao longe; entrever: Avistou *o amigo do outro lado da ponte.* **2.** Ver, enxergar: *Ao chegar logo o* avistou. **3.** Pôr à vista. *P.* **4.** Ver-se reciprocamente: "por que diabo fora Mariazinha avistar-se com o solteirão nos fundos da casa, em hora tão erma?" (Ciro dos Anjos, *A Menina do Sobrado,* p. 97). **5.** Encontrar-se casualmente: Avistaram-se *depois de longo tempo.* **6.** Ter entrevista: *Ao chegar,* avistou-se *com os jornalistas.*

avistável. *Adj. 2 g.* Que pode ser avistado.

avitaminose. [De *a-*[3] + *vitamina* + *-ose.*] *S. f. Patol.* Estado mórbido conseqüente à deficiência vitamínica.

avito. [Do lat. *avitu.*] *Adj.* Que procede dos avós ou antepassados.

avitualhamento. *S. m.* Ato ou efeito de avitualhar.

avitualhar. [De *a-*[2] + *vitualha* + *-ar*[2].] *V. t. d.* Prover ou abastecer de víveres ou vitualhas.

aviú. *S. m. Bras., Amaz.* **1.** Animal artrópode, crustáceo, decápode, malacostráceo, macruro, da família dos sergestídeos (*Acetes americanus* Ortm.), de porte diminuto (cerca de 3 cm de comprimento) e corpo muito fino. Ocorre sobretudo na foz do rio Tocantins, principalmente nos meses de julho e agosto. **2.** Designação dada também à espécie *Acetes paraguayensis* Hans. [Ambas as espécies ocorrem em regiões tropicais e subtropicais, no litoral e estuário ou curso dos grandes rios.]

avivador (ô). *Adj.* **1.** Que aviva. ● *S. m.* **2.** Instrumento usado pelos douradores para avivar o ouro.

avivamento. *S. m.* Ato ou efeito de avivar(-se).

avivar. [De *a-*[2] + *vivo* + *-ar*[2].] *V. t. d.* **1.** Tornar mais vivo; excitar, estimular; animar: avivar *os espíritos.* **2.** Tornar mais nítido ou visível; realçar: *O dito picante* avivou*-lhe as rosas das faces.* **3.** Tornar mais ativo; apressar: avivar *os preparativos.* **4.** Tornar mais vivo, mais intenso; exacerbar, agravar: *Aquele encontro* avivou*-lhe o sofrimento.* **5.** Atiçar (o fogo). **6.** Guarnecer de vivos ou debruns. *Int.* **7.** Cobrar ânimo; vigor; reanimar-se: *Com o grogue quente, o ferido* avivou. **8.** Tornar mais vivo, mais intenso, mais forte; aumentar, recrudescer. *P.* **9.** Tornar-se mais vivo; excitar-se, animar-se. **10.** Tornar-se mais nítido ou visível; realçar-se: *As cores do céu* avivaram-se *com a aurora.* **11.** Tornar-se mais vivo, mais intenso, mais forte, etc.; crescer, aumentar: "Algumas das recordações vagas que conservo se avivariam então" (Casimiro de Abreu, *Obras,* p. 406).

aviventação. *S. f.* Ato ou efeito de aviventar(-se).

aviventador (ô). *Adj. e s. m.* Que, ou o que aviventa.

aviventar. [De *a-*[2] + *vivo* + *-entar.*] *V. t. d.* **1.** Fomentar a vida em; vivificar. **2.** Fortalecer; reanimar; alentar: aviventar *uma esperança.* **3.** *Bras., RS.* Abrir novamente (a picada fechada pela vegetação em conseqüência de abandono). *P.* **4.** Ganhar nova vida, novo vigor.

avizinhação. *S. f.* Ato ou efeito de avizinhar(-se); aproximação.

avizinhar. [De *a-*[2] + *vizinho* + *-ar*[2].] *V. t. d.* **1.** Pôr perto; aproximar: *Estavam longe um do outro, procurei* avizinhá*-los.* **2.** Acercar-se, aproximar-se de: Avizinhou*-a na saída para levá-la a casa.* **3.** Estar perto de; confinar com: *A Argentina e o Uruguai são dos vários países que* avizinham *o Brasil. T. d. e i.* **4.** Pôr perto; aproximar: *Procurei* avizinhá*-la do rapaz. T. i.* **5.** Chegar para perto; aproximar-se, chegar-se: Avizinhou *com o menino para dar o recado.* **6.** Estar próximo, contíguo ou junto: *Suas terras* avizinham *com a do compadre. Int.* **7.** Chegar, aproximar-se, abeirar-se: *Pressentiu que a morte avizinhava. P.* **8.** Chegar-se para perto; aproximar-se, abeirar-se."A medida que viajava e ia se avizinhando ao lar paterno, ia-se de novo acendendo o brilho dos seus olhos" (Bernardo Guimarães, *O Seminarista,* p. 80); Avizinhou-se *do desconhecido.* [Pres. ind.: *avizinho, avizinhas, avizinha,* etc. Cf. *avezinha,* dim. de *ave.*]

avo. [Da term. de *oitavo,* entendida como um substantivo que indicasse parte alíquota: *oit'avos.*] *S. m. Mat.* Fração de unidade, quando dividida em mais de dez partes iguais, porém não em número potência de dez. Ex.: 1/12 — um doze avos; 3/12 — três doze avos. [Us. quase só no pl.]

avó. [Do lat. *aviola.] *S. f.* A mãe do pai ou da mãe. [Masc.: *avô.*] ◆ **Amanhecer com a avó atrás do toco.** *Bras., MG. Pop.* Acordar irritado, de mau humor; amanhecer de chinelos trocados.

avô. [Do lat. *aviolu.] *S. m.* **1.** O pai do pai ou da mãe.

[Fem.; *avó.* Pl.: *avós* e *avôs*, este último raramente us. hoje.] **2.** *Bras.* V. *pai-avô.* ~ V. *avós.* ♦ **Avô torto.** O padrasto do pai ou da mãe. **Mais velho que meu avô.** Muitíssimo velho.

avoaçar. *V. int.* V. *esvoaçar:* "Chegou a apanhar uma hipótese, espécie de andorinha, que avoaça entre árvores, abaixo e acima, pousa aqui, pousa ali, arranca de novo um surto e toda se despeja em movimentos." (Machado de Assis, *Esaú e Jacó*, p. 128.) [Conjug.: v. *laçar.* Normalmente é defect., us. só nas 3ªs. pess.]

avoadeira. [De *avoar* + *-deira.*] *S. f. Bras., GO.* Peixe teleósteo, caraciforme, da família dos caracídeos, gênero *Leporinus* Spix., capaz de dar grandes saltos, o que lhe valeu o nome popular, ainda mal correlacionado ao científico.

avoado. [Part. de *avoar.*] *Adj. Bras.* **1.** Que anda com a cabeça no ar; tonto, adoidado: "A moça, que não era avoada, hesitou longos dias se devia ou não responder" (Artur Azevedo, *Contos Cariocas*, p. 249). **2.** Confuso, embrulhão; avoador. [Cf. *arvoado.*]

avoador (ô). [De *avoar* + *-(d)or.*] *Adj. Bras. Gír.* **1.** Velhaco, patife. **2.** Avoado (2).

avoamento. *S. m. Constr.* A altura máxima de um arco, medida entre o intradorso e a corda ou linha do vão; flecha.

avoante. [De *avoar* + *-nte.*] *S. f. Bras.* Ave columbiforme da família dos columbídeos (*Zenaida auriculata virgata* Bert., e outras subespécies), do Paraguai, e do C. e L. do Brasil. Coloração dorsal parda, lado ventral tirante a vinho-claro, alto da cabeça cinzento; duas manchas pretas junto aos olhos, outras pouco abaixo e sobre as asas: "Aprendi .... a cavar fojos à beira das poças de água, para fisgar as avoantes, aves de arribação, que descem das árvores, em chusmas de mil, a beber." (Gustavo Barroso, *O Sertão e o Mundo*, p. 155.) [Reúnem-se anualmente, em março e abril, em certas regiões do N. E., para desovar, quando são abatidas aos milhares.] Sin.: *arribaçã, arribação, bairari, cardigueira, cardinheira, pairari, parari, pomba-de-arribação, pomba-de-bando, pomba-do-sertão, rabação, rebaçã, ribaçã.*]

avoar. [De *a-*^{4} + *voar.*] *V. int. Pop.* Voar. [Conjug.: v. *coroar.*]

avocação. [Do lat. *avocatione.*] *S. f. Jur.* Chamamento de uma causa a juízo superior.

avocar. [Do lat. *avocare.*] *V. t. d.* e *i.* **1.** Chamar; atrair: *Avocaram os foragidos ao seu bando.* **2.** Atribuir-se, arrogar-se: *Avoca a si poderes que não tem.* **3.** Fazer voltar; fazer tornar: *Era como se o avocassem novamente à vida. T. d.* **4.** Fazer voltar, fazer tornar; despertar: *O temor avocou-lhe a razão.* **5.** Chamar (1): "um caboclo .... quebrava o silêncio nostálgico do crepúsculo avocando: / " — Ô de casa!" (Herman Lima, *Tijipió*, p. 114). [Conjug.: v. *trancar.*]

avocatório. *Adj.* **1.** Que serve para avocar. ● *S. m.* **2.** Documento pelo qual o juiz avoca autos ou processos.

avocatura. *S. f.* Ato de avocar.

avocável. *Adj. 2 g.* Que se pode avocar.

avoejar. [De *a-*^{4} + *voejar.*] *V. int.* Voejar [v. *esvoaçar*]: "mil pombas de Messa, / Pasmadas da alvura da sua nudez, / Avoejam-lhe em torno da loura cabeça" (Eugênio de Castro, *Obras Poéticas*, VI, p. 59). [Conjug.: v. *pelejar.* Normalmente é defect., conjugável só nas 3ªs pess.]

avoengo. [Do arc. *avolo*, 'avô', + *-engo.*] *Adj.* **1.** Procedente de avós. **2.** Herdado de avós. **3.** Relativo aos avós. ~ V. *avoengos.*

avoengos. [Pl. substantivo de *avoengo.*] *S. m. pl.* Antepassados, avós: "Orgulhava-se de contar entre os seus avoengos homens que sofreram pela independência da pátria" (Souza Bandeira, *Evocações e Outros Escritos*, p. 51). [Muito raramente us. no sing.] ~ V. *avoengo.*

avoengueiro. *Adj.* **1.** Que vem de avoengos ou avós. **2.** Que tem direito avito.

➡**à vol d'oiseau** (a vól duazô). [Fr.] Por alto; de modo muito geral.

avolumar. [De *a-*^{2} + *volume* + *-ar*^{2}.] *V. t. d.* **1.** Aumentar em volume; volumar: *As vestes pregueadas avolumavam-lhe a silhueta.* **2.** Aumentar em número ou quantidade: *Tais extravagâncias avolumam suas dívidas.* **3.** Encher, obstruir, ocupando grande espaço: *Compra livros que avolumam a sua biblioteca, sem a enriquecer. Int.* **4.** Tornar-se volumoso; crescer em volume, fazer volume, crescer, avolumar-se, volumar-se: "A onda de lama avoluma, / Não tem vazante a maré" (José Severiano de Resende, *Mistérios*, p. 109). **5.** Tomar muito lugar. *P.* **6.** Tornar-se volumoso; crescer em volume; avolumar. **7.** Aumentar em número ou em quantidade: "Mas as dúvidas se avolumaram, a fazenda se despovoou, tombaram as cercas" (Graciliano Ramos, *Infância*, p. 38).

à-vontade. *S. m.* Naturalidade, desembaraço, desteмidez. [Pl.: *à-vontades.* Cf. *à vontade.*]

avós. [Pl. de *avó.*] S. m. pl. Ascendentes, antepassados, avoengos. ~ V. *avô.*

avosar. [De *a-*^{2} + *vós* + *-ar*^{2}.] *V. t. d. Bras.* Dar o tratamento de *vós* a; tratar por vós.

avozear. [De *a-*^{2} + *voz* + *-ear.*] *V. t. d.* Aclamar em altas vozes. [Conjug.: v. *frear.*]

avulsão. [Do lat. *avulsione.*] *S. f.* **1.** V. *evulsão.* **2.** *Jur.* Modo de aquisição da propriedade imóvel pela superposição ou adjunção de uma porção de terra arrancada de seu lugar primitivo por força natural violenta. **3.** *Cir.* Extração de parte de um órgão por arrancamento. [Cf., nesta acepç.: *ablação* (2).]

avulsivo. *Adj.* Relativo a, ou em que há avulsão, extração: "Cirurgiões-dentistas com raízes gregas nas tabuletas avulsivas" (Manuel Bandeira, *Estrela da Vida Inteira*, p. 111).

avulso. [Do lat. *avulsu.*] *Adj.* **1.** Arrancado à força. **2.** Separado, isolado, insulado. **3.** Desligado do corpo ou da coleção de que fazia parte; desirmanado. ~ V. *folha —a.* ● *S. m.* **4.** V. *folha volante.*

avultação. *S. f.* **1.** Ato ou efeito de avultar. **2.** *Pop.* Parecença, semelhança.

avultado. [Part. de *avultar.*] *Adj.* **1.** Representado em vulto. **2.** Intensificado, aumentado. **3.** Grande, volumoso, considerável, avultoso, avultante.

avultante. *Adj. 2 g.* **1.** Que avulta. **2.** V. *avultado* (3).

avultar. [De *a-*^{2} + *vulto* + *-ar*^{2}.] *V. t. d.* **1.** Representar em vulto ou em relevo: *A estátua lhe avulta a vasta cabeleira.* **2.** Aumentar, intensificar, acentuar: *O silêncio da noite avultava os estampidos;* "A distância do equador avulta as diferenças termométricas" (Capistrano de Abreu, *Capítulos de História Colonial*, p. 49). **3.** Aumentar, elevar, majorar: *avultar os preços.* **4.** Engrandecer, enaltecer, exaltar: *Numerosos quadros avultam a memória de Portinari.* **5.** Exagerar, aumentar: *Costuma avultar o que relata. T. i.* **6.** Importar, montar; subir, elevar-se, chegar: *Sua despesa mensal avulta a 5.000 cruzados. Int.* **7.** Crescer, aumentar, em tamanho, número, intensidade, importância, etc.; ganhar vulto: *Com o passar dos anos, sua capacidade intelectual avultava mais e mais.* **8.** Fazer-se notar por seu grande vulto; sobressair, ressaltar: *Sua figura enorme avultava por entre a multidão:* "o amplo, infinito plaino das paisagens ermas e dos chapadões desertos onde só avultavam, aqui e ali, manchas brancas de fazendolas" (Herman Lima, *Garimpos*, p. 13).

avultoso (ô). *Adj.* V. *avultado* (3).

avunculado. [Do lat. *avunculu*, 'tio materno', + *-ado*^{2}.] *S. m. Etnol.* Autoridade que, entre numerosos povos naturais, o irmão da mãe exerce sobre os sobrinhos.

avuncular. [Do lat. *avunculu*, 'tio materno' + *-ar*^{1}.] *Adj. 2 g.* **1.** Pertencente ou relativo ao tio ou à tia materna: "É que o antropólogo da Universidade de Londres chegou à conclusão .... que ali o sentimento contra o pai se tornaria complexo avuncular, isto é, contra o tio materno e não contra o pai." (Gilberto Freire, *Problemas Brasileiros de Antropologia*, p. 106.) **2.** Pertencente ou relativo ao tio ou tia.

axá. [Do ioruba.] *S. m. Bras., BA.* Tabaco-de-cão.

axada. *S. m.* O quarto mês do calendário hindu. [Cf. *achada*, fem. do adj. *achado*, e s. f.]

axadrezado^{1}. [De *a-*^{2} + *xadrez* + *-ado*^{1}.] *Adj.* Semelhante ao tabuleiro do xadrez.

axadrezado^{2}. [Part. de *axadrezar.*] *Adj.* Diz-se de pano, papel, veste, etc. que tem quadrados dispostos como os de um tabuleiro de xadrez, em que se alternam cores diferentes; xadrez.

axadrezar. [De *a-*^{2} + *xadrez* + *-ar*^{2}.] *V. t. d.* V. *enxadrezar.*

axaguá. *Bras. S. 2 g.* **1.** Indivíduo dos axaguás, tribo indígena aruaque das margens do rio Meta, nos limites da Colômbia com a Venezuela. ● *Adj. 2 g.* **2.** Pertencente ou relativo a essa tribo.

axe^{1}. *S. m. Inf.* Pequena ferida ou esfoladura. [Cf. *ache*, do v. *achar* e s. m., e axe (cs).]

axe^{2} (cs). *S. m.* Áxis^{1}. [Cf. *axe*^{1}, s. m., e *ache*, do v. *achar* e s. m.]

axé. *S. m. Bras., N.E. Folcl.* **1.** Cada um dos objetos sagrados do orixá (pedras, ferros, recipientes, etc.) que ficam no peji das casas de candomblé. **2.** Alicerce mágico da casa do candomblé.

axelho (csê). [De *ax(ila)* + *-elho*, moldado, decerto, em *pentelho.*] *S. m. P. us.* Pêlo das axilas: "Com a mesma tesoura tosava os cabelos da cabeça, bigodes, barbas, axelhos e pentelhos." (Pedro Nava, *Beira-Mar*, p. 78.)

axexê. [Do ioruba.] *S. m. Bras.* Cerimônia fúnebre nos candomblés, após o enterro de pai-de-santo, filho-de-santo ou ogã, a qual dura de três a sete dias, conforme a sua importância na comunidade.

axi. [Do tupi *a'xi.*] *Interj. Bras., Amaz.* Exprime espanto, desdém ou zombaria.

▲**ax (i)-.** [Do lat. *axis, is.*] *El. comp.* = 'eixo': *axial, axífero, axípeto.*

axial (cs). [De *ax(i)-* + *-al.*] *Adj. 2 g.* **1.** Relativo ou pertencente a eixo. **2.** V. *axiforme.* **3.** Que serve de eixo. **4.** *Fig.* Fundamental, primordial. ~ V. *raiz* — e *simetria* —.

axicarado^{1}. [De *a-*^{2} + *xícara* + *-ado*^{1}] *Adj.* Que tem, por natureza, forma de xícara.

axicarado^{2}. [Part. de *axicarar.*] *Adj.* A que se deu forma de xícara.

axicarar. [De *a-*^{2} + *xícara* + *-ar*^{2}.] *V. t. d.* Dar a forma de xícara a.

axículo (cs). [Do lat. *axiculu.*] *S. m.* Pequeno eixo.

axífero (cs). [De *ax(i)-* + *-fero.*] *Adj.* Provido de eixo.

axifoidia. [De *a-*^{3} + *xifóide* + *-ia.*] *S. f. Terat.* Ausência do apêndice xifóide.

axiforme (cs). [De *ax(i)-* + *-forme.*] *Adj. 2 g.* Que tem forma de eixo; axial, axóide.

axífugo (cs). [De *ax(i)-* + *-fugo.*] *Adj.* Que tende a sair do eixo. [Antôn.: *axípeto.*]

áxil (cs). [De *ax(i)-* + *-il.*] *Adj. 2 g. Bot.* Referente ao eixo de uma planta. [Pl.: *áxeis.*]

axila (cs). [Do lat. *axilla.*] *S. f.* **1.** Cavidade êxtero-inferior, na junção do braço com o ombro; sovaco, sovaqueira. **2.** *P. ext.* Ponto externo em que os membros de certos animais se unem ao corpo. **3.** *Bot.* Espaço situado entre um órgão e o eixo que o sustenta: *axila foliar.* [Cf. *áxila*, fem. de *áxilo.*]

axilar (cs). *Adj. 2 g.* Relativo ou pertencente à axila.

áxilo (cs). [Do gr. *áxilos* à que falta madeira'.] *Adj. Bot.* Diz-se de planta que não produz madeira. [Fem.: *áxila.* Cf. *axilo*, antr., e *axila.*]

axilose (cs). [De *axila* + *-ose.*] *S. f. Med.* Suor excessivo das axilas, com mau cheiro.

axinita (cs). *S. f. Min.* Mineral triclínico, borossilicato de alumínio e cálcio com quantidades variáveis de ferro e manganês.

axinomancia (cs...cí). [Do gr. *axinomantéia*, pelo lat. *axinomantia.*] *S. f.* Adivinhação por meio de um machado.

axinomante (cs). *S. 2 g.* Pessoa que pratica a axinomancia.

axinomântico (cs). *Adj.* Referente à axinomancia, ou a axinomante.

▲**axi(o)-.** [Do gr. *áxios, a, on.*] *El. comp.* = 'valor', 'dignidade': *axiônimo, axiologia* (< gr. *axiólogos).*

axiologia (cs). [Do gr. *axiólogos*, 'digno de ser dito', + *-ia.*] *S. f. Filos.* **1.** Estudo ou teoria de alguma espécie de valor, particularmente dos valores morais. **2.** Teoria crítica dos conceitos de valor.

axiológico (cs). *Adj. Filos.* **1.** Concernente à, ou que constitui uma axiologia. **2.** Concernente a, ou que constitui um valor.

axioma (cs ou ss). [Do gr. *axioma*, pelo lat. *axioma.*] *S. m.* **1.** *Filos.* Premissa imediatamente evidente que se admite como universalmente verdadeira sem exigência de demonstração. **2.** *P. ext.* Máxima sentença: "É bem vulgar o axioma de que os bens não são desejados, senão quando se perdem." (Correia Garção, *Obras Poéticas e Oratórias*, p. 506.) **3.** *Lóg.* Proposição que se admite como verdadeira porque dela se podem deduzir as proposições de uma teoria ou de um sistema lógico ou matemático.

axiomática (cs ou ss). [Fem. substantivado do adj. *axiomático.*] *S. f. Filos.* **1.** Conjunto de axiomas de que se deduz uma teoria ou um sistema lógico ou matemático. **2.** Estudo crítico dos axiomas.

axiomático (cs ou ss). [Do gr. *axiomatikós.*] *Adj.* **1.** Que tem caráter de axioma; evidente; manifesto, incontestável: *verdade axiomática.* **2.** Relativo a axioma.

axiômetro (cs). [De *axi(o)-* + *-metro.*] *S. m. Constr. Nav.* Aparelho constituído de mostrador graduado e ponteiro, e que, colocado na parte superior de vante da roda do leme, indica ao timoneiro quantos graus está o leme carregado para um bordo ou para outro.

axiônimo (cs). [De *axi(o)-* + *-onimo.*] *S. m.* Designação que se dá a forma cortês de tratamento, ou a expressão de reverência como, p. ex., *Sr., Dr., Ex.*^{mo} *Sr., Vossa Santidade*, etc.

axipaie. *S. 2 g.* e *adj. 2 g. Bras.* Xipaia.

axípeto (cs). [De *ax(i)-* + *-peto*.] *Adj.* Que tende para o eixo. [Antôn.: *axífugo*.]

axirê. [Do ioruba.] *S. m. Bras.* Fim de transe na cerimônia de terreiro.

áxis[1] (cs). [Do lat. *axis*.] *S. m. 2 n. Anat.* A segunda vértebra cervical; axóide. [F. paral.: *axe*.]

áxis[2] (cs). *S. m. 2 n.* Certo ruminante da Ásia, espécie de veado.

axixaense (xá). *Adj. 2 g.* **1.** De, ou pertencente ou relativo a Axixá (MA). ● *S. 2 g.* **2.** Natural ou habitante de Axixá.

axófito (cs). [De *axo(n)(o)-* + *-fito*.] *S. m. Bot.* Haste da planta.

axogum. *S. m. Bras., BA. Folcl.* Sacrificador de animais nos candomblés; agã-de-faca, mão-de-faca.

axóide (cs). [De *axo(n)(o)-* + *-óide*.] *S. m.* **1.** Áxis[1]. ● *Adj. 2 g.* **2.** V. *axiforme*.

axolotle. [Do náuatle *axolotl*.] *S. m.* Animal cordado, anfíbio, urodelo, da família dos ambistomídeos, gênero *Ambystoma* Tschudi, cujas larvas, perenes ou neotênicas, se reproduzem mesmo conservando as brânquias e outras características larvais. Ocorrem dos E.U.A. ao México, sendo conhecidas atualmente cerca de 14 espécies.

axônio (cs). [De *axo(n)(o)-* + *-io*.] *S. m. Anat.* Prolongamento da célula nervosa; cilindro-eixo.

▲**axo(n)(o)-.** [Do gr. *áxon, onos*.] *El comp.* = 'eixo': *axófito, axonometria*.

axonódromo (cs). *Adj. Bot.* Diz-se das nervuras terciárias que se dispõem paralelamente às secundárias, das quais partem.

axonometria (cs). [De *axo(n)(o)-* + *-metr(o)-* + *-ia*.] *S. f.*

axonométrico. *Adj.* Relativo à axonometria.

axonomorfo (cs). *Adj.* ~ V. *raiz* —a.

axorca. [Do ár. *ax-xurkâ*.] *S. f.* Argola usada ainda por alguns povos do Oriente como adorno dos braços ou das pernas. [Var.: *ajorca*.]

axorcado. [Part. de *axorcar*.] *Adj.* Adornado ou enfeitado com axorcas. [Var.: *ajorcado*.]

axorcar. *V. t. d.* Enfeitar ou adornar com axorcas [Var.: *ajorcar*. Conjug.: v. *trancar*.]

axoxô. [De or. afr., decerto.] *S. m. Bras. Cul.* Prato típico da cozinha afro-baiana, feito com feijão-fradinho cozido e servido em salada com carne-seca cozida e desfiada, temperados com cebola em rodelas finas, pimenta-do-reino, cheiro-verde, tomate e pimentão, picados.

axuá. [Do tupi *axu'á*.] *S. m. Bras.* **1.** Árvore da família das miriáceas (*Saccoglottis guianensis*), de madeira aproveitável e casca rica em tanino. **2.** Árvore da família das miriáceas (*Saccoglottis excelsa*), cujos frutos têm polpa comestível quando maduros; cumatê, uaxuá, paruru.

axuaju. [De or. afr.] *S. m. Bras.* Diácono do rito dos malês muçulmanos.

axuarana. [De *axuá* + *-rana*.] *S. f. Bras., Amaz.* Árvore de porte modesto, da família das humiriáceas (*Vantanea cupularis*), de flores e frutos pequenos.

➧**ayahuasca.** [Do peruano.] *S. f.* Bebida alucinógena preparada pela decocção de ramos e folhas do caapi (q. v.) e da espécie *psychotria* Spruce, cuja origem se atribui aos índios peruanos. Esta bebida, utilizada ritualisticamente pelas populações da Amaz., sobretudo pelas populações ribeirinhas dos vales dos rios Purus e Juruá, no AC, recebe o nome de *santo-daime*. Os indígenas do AC dão-lhe o nome de *mariri*.

az. [Do lat. *acie*.] *S. m.* Ala de exército; esquadrão: "Havia vários modos de combater ... . Um era o *az*: formatura em linha extensa a um de fundo" (Oliveira Martins, *A Vida de Nun'Álvares*, p. 156). [Cf. *ás*, e *às* e *as*.]

■**Az.** *S. m. Quím. Desus.* Símb. de *azoto*. [Cf. *ás*, *às* e *as*.]

▲**-az.** *Suf. nom.* = 'aumento': *cartaz*. [Equiv.: *-acaz, -alhaz, -araz* e *-arraz*: *machacaz, facalhaz, montaraz, pratarraz*.]

azabumbado[1]. [De *a-*[2] + *zabumba* + *-ado*[1].] *Adj.* **1.** Que tem forma de zabumba. **2.** Amassado ou batido como o zabumba.

azabumbado[2]. [Part. de *azabumbar*.] *Adj.* Aturdido, pasmado, embatucado.

azabumbar. [De *a-*[2] + *zabumba* + *-ar*[2].] *V. t. d.* **1.** Bater com zabumba em. **2.** Aturdir, pasmar, embatucar.

azado. [De *azo* + *-ado*[1].] *Adj.* Propício, oportuno, próprio. [Cf. *asado*.]

azáfama. [Do ár. *az-sah(a)ma*.] *S. f.* **1.** Muita pressa; urgência. **2.** Grande afã; trabalho muito ativo: "Dentro em pouco havia *azáfama* pela casa, idas e vindas, arcas e cofres abertos, águas de purificação e de perfume, como se preparassem grande festim." (Afrânio Peixoto, *Viagem Sentimental*, p. 119.) **3.** Atrapalhação, agitação. [Cf. *azafama*, do v. *azafamar*.]

azafamado. [Part. de *azafamar*.] *Adj.* **1.** Apressadíssimo. **2.** Sobrecarregado de trabalho; atarefado em excesso.

azafamar. *V. t. d.* **1.** Pôr em azáfama; agitar: *A confusão e a desordem azafamavam-no.* **2.** Sobrecarregar de trabalho, de tarefas. **3.** Dar pressa a; apressar: *Azafamava os empregados para adiantar a obra. P.* **4.** Trabalhar com grande atividade. [Pres. ind.: *azafamo, azafamas, azafama*, etc. Cf. *azáfama*.]

azagaia. [De *a-*[5] + berbere *zagaya*; var. de *zagaia*.] *S. f.* Lança curta de arremesso: "Dá que uma só vez descaia / Do ermo balcão do sola / Como uma ardente *azagaia* / O teu fuzilante olhar." (Manuel Bandeira, *Estrela da Vida Inteira*, p. 26.)

azagaiada. [De *azagaia* + *-ada*[1]; Var. de *azagaiado*.] *S. f.* Golpe de azagaia. [Var.: *zagaiada*.]

azagaiar. [Var. de *zagaiar*.] *V. t. d.* **1.** Ferir ou matar com azagaia. **2.** Arremessar azagaia(s) em.

azálea. [Do gr. *azálea*, 'seca'.] *S. f.* Arbusto da família das ericáceas, do gênero *Rhododendron*, de flores muito ornamentais. [Cf. *rododendro* (1 e 2).]

azaléia. *S. f.* V. *azálea*.

azamboar. [De *a-*[2] + *zambo* + *-ar*[2].] *V. t. d.* **1.** Tornar insípido como a zamboa. **2.** Estontear, atordoar. *Int.* **3.** Ficar atordoado, fatigado ou indisposto. [Conjug.: v. *coroar*.]

azambujal. *S. m.* Quantidade mais ou menos considerável de azambujeiros dispostos proximamente entre si. [Var.: *zambujal*.]

azambujeiro. *S. m.* Espécie de oliveira brava, de madeira rija. [Var.: *zambujeiro*; sin.: *azambujo, zambujo*.]

azambujo. [Do berbere *azambuja*.] *S. m.* V. *azambujeiro*.

azâneni. *S. 2 g.* e *adj. 2 g. Bras.* V. *adiana*.

azangar. [De *a-*[4] + *zangar*.] *V. t. d.* e *p. Bras.* Zangar. [Conjug.: v. *largar*.]

azar[1]. [Do ár. *az-zaHar*.] *S. m.* **1.** Má sorte; fortuna adversa; caiporismo. **2.** Revés, fatalidade, desgraça, infortúnio. **3.** Casualidade, acaso. **4.** *Bras., RJ.* V. *Azarão*. [Cf. *asar*.]

azar[2] [De *azo* + *-ar*[2].] *V. t. d.* **1.** Dar azo, ensejo, pretexto, a; ocasionar, motivar. *P.* **2.** Vir a jeito ou a propósito (ocasião ou acontecimento). **3.** Tornar-se oportuno, apropriado, azado. **4.** Acomodar-se, ajeitar-se. [Pres. ind.: *azo, azas, aza, etc.*; part.: *azado*. Cf. o v. *asar*; *asa*, do v. *asar* e s. f., *asado*, adj. e s. m., e *Aso*, top.]

azarado. [Part. de *azarar*.] *Adj.* e *s. m. Bras.* Que ou aquele que tem azar[1] (1); caipora, infeliz, azarento.

azaranzado. [Part. de *azaranzar*.] *Adj. Bras.* Desorientado, aturdido, atrapalhado.

azaranzar. [De *a-*[2] + *zaranza* + *-ar*[2].] *V. t. d. Bras.* **1.** Atrapalhar, aturdir; amofinar, amolar. *P.* **2.** Atrapalhar-se, aturdir-se. **3.** Ficar tonto, desorientado. [Var.: *assaranzar*.]

azarão. [De *azar*[1].] *S. m. Bras., RJ.* **1.** Cavalo que tendo poucas possibilidades de ganhar não é objeto de muitas apostas; azar. **2.** Zebra (4).

azarar. *V. t. d. Bras.* Dar azar[1] (1) a; transmitir má sorte a; urubuzar.

azarcão. [De *a-*[4] + *zarcão*.] *S. m.* Zarcão.

azarento. *Adj.* **1.** V. *azarado*. **2.** *Bras.* Que dá azar[1] (1).

azé. [Do quimb.] *S. m. Bras., BA. Folcl.* Capuz de palha-da-costa, de Omulu, nos candomblés angolenses.

azebrar. *V. t. d.* Cobrir de azebre (1). [Pres. subj. *azebre, azebres, azebre*, etc. Cf. *azebre* (ê) e pl. *azebres* (ê).]

azebre (ê). [Do ár. *aç-çibar*.] *S. m.* V. *azinhavre*. [Pl.: *azebres* (ê). Cf. *azebre* e *azebres*, do v. *azebrar*.]

azebuado. [De *a-*[2] + *zebu* + *-ado*[1].] *Adj. Bras.* Diz-se do gado mestiço de zebu.

azeda (ê). [Fem. substantivado do adj. *azedo*.] *S. f.* V. *azeda-miúda*. [Pl.: *azedas* (ê). Cf. *azeda* e *azedas*, do v. *azedar*.]

azedado. [Part. de *azedar*.] *Adj.* **1.** Tornado azedo. **2.** Irritado, agastado, exacerbado.

azeda-do-brejo. *S. f. Bras.* V. *caruru-de-sapo*. [Pl.: *azedas-do-brejo*.]

azedador (ô). *Adj.* e *s. m.* Que, ou aquele que azeda, irrita.

azedamento. *S. m.* Ato ou efeito de azedar(-se).

azeda-miúda. *S. f. Bras.* Erva cultivada, originária da Europa e Ásia, da família das poligonáceas (*Rumex acetosella*), de folhas alternas biauriculadas, flores verdes pequenas em cachos frouxos, e cariopses trígonas. Tem folhas comestíveis, que, como o espinafre, encerram ácido oxálico em abundância, e é utilizada no combate ao escorbuto. As sementes fornecem fécula para biscoito e pão. [Sin.: *azeda, azedinha, azedas-de-ovelha, azedinha-aleluia, azedinha-miúda*. Pl.: *azedas-miúdas*.]

azedar. *V. t. d.* **1.** Tornar azedo (1). **2.** Tornar azedo, amargo; comunicar azedume a; amargurar, amargar, acrimoniar: *A espera indefinida azedava-o ainda mais.* **3.** Irritar, exasperar: "As bazófias do assassino de perdigueiros *azedaram-lhe* os brios." (Camilo Castelo Branco, *O Santo da Montanha*, p. 163). **4.** Coalhar (o leite). *Int.* e *p.* **5.** Tornar-se azedo (1). **6.** Irritar-se, exasperar-se, abespinhar-se: "Quando *se azeda* [um ministro], é déspota; quando açucara-se, transige." (Carlos de Laet, *Obras Seletas*, I, p. 34.) [Pres. ind.: *azedo, azedas, azeda*, etc. Cf. *azeda* (ê), fem. de *azedo* (ê) e s. f., pl. *azedas* (ê); *azedo* (ê), adj. e s. m.; e *azedo* (ê), antr.]

azedas-de-ovelha. *S. f. pl. Bras.* V. *azeda-miúda*.

azedete (ê). *Adj. 2 g.* Um tanto azedo; azedote [q.v.].

azedia. *S. f.* V. *azedume*.

azedinha. [Dim. de *azeda*.] *S. f.* **1.** V. *azeda-miúda*. **2.** V. *trevo-azedo*. **3.** V. *caruru-azedo*. **4.** V. *bilimbi*.

azedinha-aleluia. *S. f. Bras.* V. *azeda-miúda*. [Pl.: *azedinhas-aleluias* e *azedinhas-aleluia*.]

azedinha-da-baía. *S. f. Bras.* **1.** Planta da família das begoniáceas (*Begonia bahiensis*), de folhas oblongo-elípticas irregulares, serreadas, flores branco-róseas e fruto capsular alado. Com propriedades medicinais febrífugas, é usada em clisteres. Ocorre em terrenos úmidos ou pantanosos. [Sin.: *azedinha-do-brejo*.] **2.** Erva da família das oxalidáceas (*Oxalis bahiensis*), de folhas superiores fasciculadas, compostas, flores amarelas e fruto capsular, dotada de propriedades medicinais antitérmicas, sendo usada em limonadas e clisteres; é utilizada também contra a angina. [Pl.: *azedinhas-da-baía*.]

azedinha-de-goiás. *S. f. Bras.* Azedinha-grande (1). [Pl.: *azedinhas-de-goiás*.]

azedinha-do-brejo. *S. f. Bras.* V. *azedinha-da-baía* (1) [Pl.: *azedinhas-do-brejo*.]

azedinha-grande. *S. f. Bras.* **1.** Erva da família das oxalidáceas (*Oxalis cordata*), de caule arbustivo, folhas trifolioladas, e flores amarelas, em umbelas. Tem propriedades antitérmicas e emprega-se no combate ao escorbuto e contra as anginas. Ocorre em MG, GO e MT. [Sin.: *azedinha-de-goiás*.] **2.** Arbusto da família das oxalidáceas (*Oxalis physocalis*), de folhas trifoliadas, com pêlos estrelados na face ventral, flores amarelas, em glomérulos, e cápsulas ovóideas. Ocorre em SP e GO. [Pl. *azedinhas-grandes*.]

azedinha-miúda. *S. f. Bras.* V. *azeda-miúda* [Pl.: *azedinhas-miúdas*.]

azedo (ê). [Do lat. *acetu*.] *Adj.* **1.** Que é ácido ao paladar e ao olfato; acre: *A fruta verde tem sabor azedo; Este queixo exala um cheiro azedo.* **2.** Diz-se do alimento que a fermentação estragou; azedado, fermentado: *leite azedo.* **3.** *Fig.* Mal-humorado, agastado, irritado, acerbo, acre: *criatura azeda; comentário azedo.* **4.** *Fig.* Violento, áspero, desabrido, acerbo, acre: *resposta azeda; discussão azeda.* **5.** Mordaz, satírico; azeirado: *gênio azedo; referências azedas.* **6.** *Pop.* Amargo, amargoso: *Café sem açúcar é azedo.* ● *S. m.* **7.** O sabor ácido ou azedo. [Flex.: *azeda* (ê), *azedos* (ê), *azedas* (ê). Cf. *azedo, azedas*, do v. *azedar*.]

azedota. *Adj. (f).* Fem. de *azedote*.

azedote. *Adj.* Azedete. [Fem.: *azedota*.]

azedume. [De *azedo* + *-ume*.] *S. m.* **1.** V. *acidez* (1). **2.** *Fig.* Acrimônia, irritação, exasperação, agastamento, acidez. [Sin. ger.: *azedia, aziúme*.]

azeirado. *Adj.* V. *azedo* (5). [Cf. *azerado*.]

azeitada. [De *azeite* + *-ada*[1].] *S. f.* Grande porção de azeite.

azeitado. *Adj. Bras., N.E. Pop.* Mal-humorado, irritado, zangado, azedo; com os seus azeites: "Eu hoje amanheci *azeitado*! Do jeito que estou, não quero nem que olhem pra mim!" (Ariano Suassuna. *A Pena e a Lei*, pp. 62-63.)

azeitão. *Adj. Bras.* **1.** Diz-se do gado de pelagem preta lustrosa. ● *S. m.* **2.** *Bras.* Azeite de mamona.

azeitar. *V. t. d.* **1.** Temperar com azeite. **2.** Lubrificar com azeite. **3.** Lubrificar, untar. **4.** *Pop.* V. *namorar* (1).

azeite. [Do ár. *az-zait*, 'óleo'.] *S. m.* **1.** Óleo de azeitona. **2.** Óleo extraído de outras frutas, de certas plantas, ou da gordura de certos animais. **3.** *Bras. Pop.* V. *namoro* (1). ◆ **Beber azeite.** Ser muito esperto. **Com os seus azeites.** *Fam.* Aborrecido, irritado; nos seus azeites: *Hoje ele está com os seus azeites; não o provoque.* **Nos seus azeites.** *Fam.* Com os seus azeites; *Amanheci nos meus azeites.* **Ser mais velho que azeite ou vinagre.** Ser velhíssimo. **Vender azeite às**

canadas. Ficar ou estar furioso, irritadíssimo.
azeite-de-cheiro. *S. m. Bras.* V. *dendê* (3). [Pl.: *azeites-de-cheiro.*]
azeite-de-dendê. *S. m. Bras.* V. *dendê* (3). [Pl.: *azeites-de-dendê.*]
azeite-de-luz. *S. m. Bras., BA.* Óleo de rícino, usado em lamparinas. [Pl.: *azeites-de-luz.*]
azeiteira. *S. f.* **1.** Almotolia (1 e 2). **2.** A galheta do azeite. **3.** *Bras. Pop.* V. *namoradeira.* ● *Adj. (f.).* **4.** *Bras. Pop.* V. *namoradeira.*
azeiteiro. *S. m.* **1.** Vendedor ou fabricante de azeite: "Prometo .... escrever a favor do comércio, da indústria, da agricultura, ... dos douradores, dos empalhadores, dos azeiteiros." (Machado de Assis, *Crônicas,* I, pp. 235-236). **2.** *Bras. Pop.* V. *namorador.* ● *Adj.* **3.** Referente ao azeite. **4.** *Bras. Pop.* V. *namorador.*
azeitinho. [Dim. de *azeite.*] *S. m. Bras., MG* e *SP.* Óleo de rícino.
azeitona. [Do ár. *az-zaitūnâ.*] *S. f.* Fruto da oliveira; oliva.
azeitona-da-terra. *S. f. Bras.* Planta da família das litráceas (*Cuphea pseudovaccinium*), de ramos muito glandulosos, folhas opostas, oblongas, escabrosos na face dorsal, flores cor-de-rosa em espiga, e bagas ovóides comestíveis. Ocorre em PE, AL, MG e GO. [Pl.: *azeitonas-da-terra.*]
azeitonado[1]. [De *a-*[2] + *azeitona* + *-ado*[1].] *Adj.* **1.** Tirante à cor da azeitona: "Havia duas ou três mulheres azeitonadas, e uma figura estranha, de lividez fusca." (Graciliano Ramos, *Viagem,* p. 18). ● [Cf. *oliváceo.*] ● *S. m.* **2.** Cor tirante à da azeitona: *O sol dera-lhe à pele um belo azeitonado.*
azeitonado[2]. [Part. de *azeitonar.*] *Adj.* **1.** Que adquiriu a cor da azeitona: *Queimou-se, tem agora a pele azeitonada.* **2.** A que se adicionaram azeitonas: *queijo azeitonado.*
azeitona-do-mato. *S. f. Bot. Bras.* Árvore da família das mirsináceas (*Rapanea ferruginea*), de até 7 m de altura, flores alvas, e drupas carnosas, oleaginosas, comestíveis em conserva; capororocaçu, capororoca-vermelha, pororoca, camará (MG). [Pl.: *azeitonas-do-mato.*]
azeitonar. *V. t. d.* **1.** Dar a cor da azeitona a. **2.** Adicionar azeitona(s) a. *P.* **3.** Adquirir a cor da azeitona.
azeitoneira. *S. f.* Prato ou vaso em que se servem azeitonas; azeitoneiro.
azeitoneiro[1]. *S. m.* Vendedor de azeitonas.
azeitoneiro[2]. *S. m.* Azeitoneira.
azêmela. *S. f. P. us.* V. *azêmola.*
azemeleiro. [De *azêmela* + *-eiro.*] *S. m.* Tratador de azêmola(s).
azêmola. [Do ár. *az-zāmilâ;* var. de *azêmela,* f. esta p. us.] *S. f.* **1.** Besta de carga, que forma récua com outras: "Três dias depois, de noite, a Petronilha, em coche da Casa Real, seguida .... de trinta azêmolas carregadas de pratas e de alfaias, saía da corte com destino desconhecido." (Júlio Dantas, *O Amor em Portugal no Século XVIII,* p. 241.) **2.** Besta velha e cansada. **3.** *Fig.* Pessoa curta de inteligência, ou sem préstimo.
azenha. [Do ár. *az-zānia.*] *S. f.* Moinho de roda, movido a água; atafona.
azeotrópico. *Adj. Fís.-Quím.* Diz-se de um sistema líquido no qual pode haver a formação de um azeótropo. ~ V. *destilação* —a.
azeotropismo. *S. m. Fís.-Quím.* Fenômeno apresentado pelas soluções que formam azeótropos.
azeótropo. *S. m. Fís.-Quím.* Solução de dois ou mais componentes que, sob pressão constante, tem uma temperatura de vaporização isotérmica perfeitamente determinada. ♦ **Azeótropo de máximo.** *Fís.-Quím.* Azeótropo em que a temperatura de vaporização isotérmica é maior que a temperatura de vaporização dos componentes na mesma pressão. **Azeótropo de mínimo.** *Fís.-Quím.* Azeótropo em que a temperatura de vaporização isotérmica é menor que a temperatura de vaporização dos componentes, na mesma pressão. **Azeótropo heterogêneo.** *Fís.-Quím.* Sistema constituído por duas fases líquidas e que ferve, sob pressão constante, a uma temperatura constante. **Azeótropo homogêneo.** *Fís.-Quím.* Solução constituída por uma única fase líquida e que, sob pressão constante e na temperatura de ebulição, fica em equilíbrio com uma fase vapor de composição igual à sua. **Azeótropo ternário.** *Fís.-Quím.* Azeótropo constituído por três componentes.
azerado. [Part. de *azerar.*] *Adj.* Cor de aço. [Cf. *azeirado.*]
azerar. [De *acerar,* por sonorização.] *V. t. d.* **1.** Acerar (1). **2.** Dar cor de aço a (caracteres impressos).
azerbe. *S. m.* Azerve [q. v.].
azerbeidjano. *Adj.* **1.** Da, ou pertencente ou relativo à República Socialista Soviética do Azerbeidjã (Ásia). ● *S. m.* **2.** O natural ou habitante desse país.
azeredo (ê). [De **azereiredo,* por haplologia.] *S. m.* Quantidade mais ou menos considerável de azereiros dispostos proximamente entre si.
azereiro. *S. m.* Arbusto ornamental da Península Ibérica, da família das rosáceas (*Prunus lusitanica*), de folhas ovais e flores em cachos erectos; ginja.
azerola. *S. f.* V. *acerola.*
azerve. [Do ár. *az-zarb;* var. de *azerbe.*] *S. m.* Resguardo ou defesa de ramos contra o vento (nas eiras).
azevedo (ê). [De *azev(inho)* + *-edo.*] *S. m. Lus.* Quantidade mais ou menos considerável de azevinhos, dispostos proximamente entre si.
azevém. *S. m.* Planta originária da Europa e da Ásia, da família das gramíneas (*Lolium perenne*), de folhas lineares e espiguetas múticas em espigas erectas. Fornece excelente forragem para o gado, é usada para relvados de jardins, para fixar terras contra a erosão, e no fabrico de papel, e o suco é coagulante do leite. [Sin.: *erva-castelhana, joio-castelhano, relva.*]
azevém-italiano. *S. m. Bras.* Planta vivaz, originária da Europa, da família das gramíneas (*Lolium multiflorum*), de folhas compridas e espiguetas aristadas. Dá forragem que aumenta a secreção láctea das vacas. Por ser esgotante do solo é cultivada no S. do País, onde a consideram a melhor gramínea de inverno. [Pl.: *azevéns-italianos.*].
azevichado. [De *azeviche* + *-ado*[1].] *Adj.* Da cor do azeviche.
azeviche. [Do ár. *az-zabīj.*] *S. m.* **1.** Variedade compacta de linhito, usada em joalheria; gagata. **2.** *Fig.* Coisa muito negra.
azevieiro. *Adj.* e *s. m.* **1.** Esperto, ladino, finório, **2.** Libertino, devasso, desregrado.
azevim. [De *azevinho,* por apócope.] *S. m.* V. *azevinho.*
azevinheiro. *S. m.* V. *azevinho.*
azevinho. *S. m.* Arbusto ou árvore pequena, originária da Europa, da família das aqüifoliáceas (*Ilex aquifolium*), de folhas onduladas e irregularmente espinhoso-denteadas, flores alvas em cimeiras umbeliformes, e drupas globosas, vermelhas. Fornece madeira para marchetaria, xilografia, bengalas, cabos de ferramentas, chicotes, obras de torno, e usa-se também no fabrico de flechas e amuletos. A raiz e a casca são emolientes, expectorantes e diuréticas; a casca é útil contra febres intermitentes e, macerada, dá cola verde resolutiva de abscessos, e emprega-se como visco para capturar pássaros. As folhas, tônicas, adstringentes, amargas, sudoríficas, febrífugas, antiartríticas, mostram-se eficazes nas doenças do estômago e icterícia. [Var.: *azevim;* sin.: *azevinheiro, pau-azevim, sombra-de-azevim.*]
azia. [De *azedia,* por síncope.] *S. f.* V. *pirose.* [Cf. *asia,* do v. *asir,* e *Ásia,* top.]
aziago (á). [Do lat. **aegyptiacus (dies),* 'dia egipcíaco'.] *Adj.* **1.** De mau agouro; azarento, agourento: "Às sextas-feiras, dias aziagos, as codornas podiam vir mariscar no terreiro" (Coelho Neto, *Sertão,* p. 285). **2.** Infausto, infeliz: "Mais vale a morte que esta vida aziaga!" (João Penha, *Rimas,* p. 53.)
aziar. [Do ár. *az-ziar.*] *S. m.* **1.** Instrumento com que os ferradores apertam os beiços das bestas bravas; alçaprema. **2.** *Fig.* Coisa que aflige, que atormenta.
azida. *S. f. Quím.* Qualquer sal do ácido hidrazóico.
azienda. [Do it. *azienda*] *S. f. Econ.* e *Cont.* Complexo de obrigações, bens materiais e direitos que constituem um patrimônio, representados em valores ou que podem ser objeto de apreciação econômica, considerado juntamente com a pessoa natural ou jurídica que tem sobre ele poderes de administração e disponibilidade; fazenda.
aziendal. *Adj. 2 g.* Relativo a azienda.
ázigo. [Do gr. *ázygos.*] *Adj.* **1.** Que não tem par. **2.** *Anat.* Diz-se de certas veias que estabelecem comunicação entre as veias cavas.
azigósporo. *S. m. Citol.* Esporo que se forma por partenogênese.
azigoto (ô). *S. m. Biol. Ger.* Organismo formado, por partenogênese, de uma célula haplóide.
ázimo. [Do gr. *ázymos,* pelo lat. *azymu.*] *Adj.* ~ V. *pão* —. [Var.: *asmo.*]
azimutal. *Adj. 2 g.* Relativo ao azimute. ~ V. *efeito* —.
azimute (mú). [Do ár. *as-simut.*] *S. m.* **1.** *Astr.* Distância angular, medida sobre o horizonte, a partir de um ponto origem, geralmente o sul, no sentido dos ponteiros do relógio ou no sentido inverso, até o círculo vertical que passa por um dado astro. **2.** *Ópt.* Ângulo entre a perpendicular ao plano de incidência e o plano de vibração de uma radiação eletromagnética planopolarizada. ♦ **Tomar o azimute.** *Náut.* Determiná-lo, medi-lo.
azinha. [De um lat. vulg. **ilicina,* de *ilex, icis.*] *S. f.* Fruto da azinheira. [Sin., pop.: *enzinha.* Cf. *asinha,* adv. e dim. de *asa.*]
azinhaga. [Do ár. *az-zinaiqâ.*] *S. f.* Caminho estreito, fora da povoação, no campo, entre muros, valados altos, ou sebes; congosta: "Tu continuas na azinhaga; ao lado / Verdeja, vicejante, a nossa vinda." (Cesário Verde, *Obra Completa,* p. 117).
azinhal. *S. m.* Quantidade mais ou menos considerável de azinheiras dispostas proximamente entre si.
azinhavrar. *V. t. d.* **1.** Cobrir de azinhavre: *A umidade azinhavra o cobre. Int.* e *p.* **2.** Cobrir-se de azinhavre: *A moeda azinhavrou; Meus objetos de cobre azinhavraram-se.*
azinhavre. [Do ár. *az-zinjar,* por epêntese.] *S. m.* Camada verde de hidrocarbonato de cobre que se forma nos objetos de cobre expostos ao ar e à umidade; azebre, zinabre.
azinheira. *S. f.* Árvore do gênero dos carvalhos, da família das cupulíferas (*Quercus ilex*). [Var.: *azinheiro;* sin. pop.: *enzinheira.*]
azinheiro. *S. m.* Azinheira.
azinhoso (ô). *Adj.* Em que há muitos azinheiros.
▲**-ázio.** V. *-aça.*
aziumado (i-u). [Part. de *aziumar.*] *Adj.* **1.** Cheio de azedume ou aziúme; acre, ácido. **2.** *Fig.* Agastado, irritado.
aziumar (i-u). *V. t. d.* **1.** Causar aziúme ou azedume a; irritar, azedar. *Int.* **2.** Tornar-se azedo (1); azedar-se. [Conjug.: v. *amiudar.*]
aziúme. [De *azedume,* com síncope.] *S. m.* V. *azedume.*
azo. [Do provenç. *aize,* 'comodidade'.] *S. m.* Motivo, ensejo, pretexto, ocasião: *Sua resposta não pode dar azo a dúvidas;* "Há segredos nisto que dão azo a conjecturas vagas" (Camilo Castelo Branco, *A Enjeitada,* p. 142). [Cf. *aso,* do v. *asar,* e *Aso,* top.]
▲**az(o)-.** *Quím. Pref.* Designa o grupamento -NN-: *azônico.* [Equiv.: *-az(o)-: hidrazina.*]
▲**-az(o)-.** Equiv. de *az(o)-.*
azoada. *S. f.* **1.** Barulho, ruído, zoada, que causa aturdimento, atordoamento. **2.** Zanga ligeira; amolação, enfado. [Sin. ger.: *azoamento.*]
azoado. [Part. de *azoar.*] *Adj.* Perturbado, atordoado, tonto.
azoamento. *S. m.* V. *azoada.*
azoar. *V. t. d.* **1.** Atordoar, aturdir, arvoar: "Um formigueiro de homens suados, barulho de guindastes, locomotivas arfando, vozes, gritos, apitos. Uma lida dos diabos, que azoava e atraía Severino." (Ranulfo Prata, *Navios Iluminados,* p. 18.) **2.** Irritar, agastar; aborrecer, amolar, azucrinar: *Vive a azoar os irmãos mais novos. Int.* **3.** Fazer azoada (1). **4.** Irritar-se, agastar-se, aborrecer-se; azoar-se: "— Um dia o velho frenético deu-lhe dois berros; você azoou e respondeu rijo." (José de Alencar, *O Sertanejo,* p. 89.) *P.* **5.** Irritar-se, agastar-se, aborrecer-se; azoar. [Conjug.: v. *coroar.*]
azoeirado. *Adj.* V. *azoratado* (1): "— Ora... vai um cigarro?!... — principiou o Augusto, para dar ares de sereno, mas sem ouvir o que diz, a cabeça azoeirada, onde os miolos dançavam como se os ajoeirassem num crivo." (Pina de Morais, *Sangue Plebeu,* p. 95.)
azóico. [Do gr. *ázoos,* 'sem vida', + *-ico*[2].] *Adj. Quím.* Diz-se de composto que contém o grupamento -NN-. ~ V. *corante* — e *período* —.
azoinado. [Part. de *azoinar.*] *Adj.* Aturdido, atordoado, estonteado, zoina, zonzo.
azoinante. *Adj. 2 g.* Que azoina.
azoinar. [De *a-*[2] + *zoina* + *-ar*[2].] *V. t. d.* **1.** Importunar ou incomodar falando muito; aturdir: "Declaro-te o que sinto, em que hei sentado; / Nem mais teimem comigo, nem me azoinem." (Manuel Odorico Mendes, *Ilíada de Homero,* p. 115). **2.** Perturbar, embaraçar, confundir, desassossegar: "Debalde Brás esforçava-se por fazê-la sair daquele estado, cuja verdadeira causa ignorava, desde que Iolanda nada lhe dissera das dúvidas e escrúpulos que lhe azoinavam o espírito" (Gastão Cruls, *4 Romances,* p. 343). **3.** Incomodar com ruído: "Os mosquitos — zim!... zim!... — .... azoinavam-lhe o ouvido" (Hugo de Carvalho Ramos, *Tropas e Boiadas,* p. 75). *Int.* e *p.* **4.** Zangar-se, agastar-se.
azombado. *Adj. Bras., MG. Pop.* Preocupado, inquieto, apreensivo.
azonal. [De *a-*[3] + *zona* + *-al.*] *Adj. 2 g. Ped.* Diz-se do solo em que não se discernem horizontes distintos.
azonzado. [Part. de *azonzar.*] *Adj.* Um tanto zonzo; meio zonzo: "que, apenas livre, pulou para o cupi-

nudo, ainda meio azonzado do trompaço, manoteou-lhe nas aspas e torceu-lhe a cabeça" (Simões Lopes Neto, *Contos Gauchescos e Lendas do Sul*, p. 233).

azonzar. [De *a-*[2] + *zonzo* + *-ar*[2].] *V. t. d. e p.* Tornar (-se) azonzado.

azoratado. [Part. de *azoratar.*] *Adj.* **1.** Estonteado, aturdido, atordoado; azoeirado. **2.** Um tanto maluco; adoidado, aluado, amalucado. **3.** Estroina, doidivanas. [Var. (bras.): *azoretado.*]

azoratar. [De *a-*[2] + **zorates* (de 'casa dos orates'), + *-ar*[2].] *V. t. d. e p.* **1.** Transtornar(-se), desnortear(-se), atordoar(-se); desorientar-se. **2.** Amalucar(-se), adoidar(-se), endoidar(-se). [Var. bras.: *azoretar.*]

azoretado. [Part. de *azoretar.*] *Adj. Bras.* Var. de *azoratado*: "Quem não ficaria azoretado com semelhante despropósito?" (Graciliano Ramos, *Vidas Secas*, p. 38.)

azoretar. [Var. de *azoratar.*] *V. t. d. e p. Bras.* **1.** Azoratar. **2.** V. *apoquentar.*

azorragada. *S. f.* Golpe de azorrague.

azorragamento. *S. m.* Ato ou efeito de azorragar.

azorragar. *V. t. d.* Bater com azorrague; açoitar, chicotear, fustigar, vergastar. [Conjug.: v. *largar.*]

azorrague. *S. m.* **1.** V. *açoite* (1): "Sacrificadas assim à satisfação de todas as paixões infrenes, as suas carnes palpitavam alternativamente, ou ao contacto de carícias impuras, ou aos golpes do azorrague sangrento" (João Francisco Lisboa, *Obras*, III, pp. 145-146). **2.** V. *chicote* (1). **3.** *Fig.* Flagelo, castigo, suplício.

azorrar. [De *a-*[2] + *zorra* + *-ar*[2].] *V. t. d.* Arrastar pesadamente. [Cf. *azurrar.*]

azotado. [Part. de *azotar.*] *Adj.* Que contém azoto.

azotar. *V. t. d.* Misturar ou combinar com azoto. [Pres. ind.: *azoto*, etc.; pres. subj.: *azote*, etc. Cf. *azoto* (ô).]

azotemia. [De *azoto* + *-(h)em(o)-* + *-ia.*] *S. f.* **1.** *Med.* Presença, no sangue, de uréia ou doutras substâncias nitrogenadas. **2.** *P. ext.* Aumento de tais substâncias no sangue. **3.** Estado mórbido resultante desse aumento.

azotêmico. *Adj.* Relativo à azotemia.

azótico. *Adj.* ~ V. *ácido* —.

azoto (ô). *S. m. Quím. Obsol.* Nitrogênio. [Cf. *azoto*, do v. *azotar.*]

azoturia. *S. f.* V. *azotúria.*

azotúria. [De *azoto* + *-ur(o)-* + *-ia.*] *S. f.* **1.** *Med.* Presença, na urina, de uréia ou de outras substâncias nitrogenadas. **2.** *P. ext.* Excreção excessiva, pela urina, de substâncias azotadas. [Var. pros.: *azoturia.*]

azotúrico. *Adj.* Relativo à azotúria.

azougado. [Part. de *azougar.*] *Adj.* **1.** Muito esperto, vivo, inquieto: *menino azougado*; "Mostraram-me um dia na roça dançando / Mestiça formosa de olhar azougado" (Gonçalves Crespo, *Obras Completas*, p. 176). **2.** Finório, ladino. **3.** *Bras.* Colérico, irritadiço.

azougar. *V. t. d.* **1.** Misturar com azougue (1). **2.** Tornar vivo, esperto; espertar. **3.** Desassossegar; inquietar. *Int.* **4.** Enfraquecer-se, definhar. **5.** *Lus.* Apodrecer (frutos, legumes, etc.). [Conjuga-se como *largar.*]

azougue. [Do ár. *az-zauq.*] *S. m.* **1.** Designação vulgar do mercúrio; argento-vivo. **2.** *Fig.* Pessoa muito viva e esperta. **3.** *Bras.* Planta da família das euforbiáceas, gênero *Mercurialis.* **4.** *Pop.* V. *cachaça* (1).

azougue-do-brasil. *S. m. Bras.* **1.** V. *abobrinha* (2). **2.** V. *abobrinha-do-mato* (2). [Pl.: *azougues-do-brasil.*]

azougue-do-campo. *S. m. Bras.* V. *galinha-choca.* [Pl.: *azougues-do-campo.*]

azougue-dos-pobres. *S. m. Bras.* **1.** V. *abobrinha* (2). **2.** V. *abobrinha-do-mato* (2). **3.** V. *cipó-azougue* (1). [Pl.: *azougues-dos-pobres.*]

azucrim. *S. m.* **1.** *Bras.* Entidade diabólica e molesta. **2.** *Bras.* Pessoa importuna, apoquentadora, amofinadora. **3.** *Bras., AL.* V. *diabo* (2)

azucrinado. [Part. de *azucrinar.*] *Adj.* Apoquentado, aborrecido; embaraçado; importunado.

azucrinante. *Adj. 2 g. Bras.* Que azucrina; importuno, irritante.

azucrinar. [De *azucrin* + *-ar*[2].] *Bras. V. t. d.* **1.** V. *apoquentar. Int.* **2.** Causar embaraço, importunação, aborrecimento. *P.* **3.** V. *apoquentar.*

azucrinol. [De *azucrinar.*] *S. m. Bras. Pop.* V. *lacerdinha.* [Pl.: *azucrinóis.*]

azuela. *S. f. Bras., BA.* Ordem para bater palmas e animar a festa, nos candomblés angolanos.

azul. [Do persa *läzwärd*, atr. do ár. vulg. **lāzurd* e do arc. *azur.*] *Adj. 2 g.* **1.** Da cor do céu sem nuvens com o Sol alto; da cor do mar profundo em dia claro; da cor da safira. **2.** Diz-se dessa cor: *camisa de cor azul.* **3.** Muito assustado; muito atrapalhado. **4.** V. *embriagado* (1). **5.** *Bras.* Diz-se de rês cinzenta. ~ V. *bilhete —, bode —, cópia —, ferragem —, língua —, sangue —* e *vitríolo —.* ● *S. m.* **6.** A cor azul em todas as suas gradações [v. *de cor* (3)]. **7.** O céu, os ares, o firmamento: *Voam pássaros pelo azul em fora.* **8.** No espectro visível [q. v.], cor da radiação eletromagnética de comprimento de onda compreendido, aproximadamente, entre 480 a 510 nanometros. ♦ **Tudo azul.** *Bras.* Tudo excelentemente; no melhor dos mundos.

azuladinha. [Dim. do fem. de *azulado.*] *S. f. Bras., AL. Pop.* V. *cachaça* (1).

azulado. [De *azul* + *-ado*[1].] *Adj.* **1.** De cor tirante a azul; anilado, azulego: *pássaro de penas azuladas.* **2.** Diz-se dessa cor: *A cor azulada do céu passara a cinza.* ~ V. *lente* —*a.* ● *S. m.* **3.** Essa cor: *O azulado de seus cabelos tem um bonito brilho.*

azulador (ô). *Adj.* e *s. m.* Que ou o que azula.

azulão. [Aum. de *azul.*] *S. m. Bras.* **1.** Ave passeriforme, da família dos fringilídeos, dos gêneros *Cyanocompsa* Cab. e *Cyanoloxia* Bon., especialmente *C. cyanea* (L.) e *C. glauco-caerulea* (Laf. & D'Orb.), que ocorre em todo o Brasil. Coloração geral azul; asas e cauda enegrecidas. As fêmeas são pardas. [Sin.: *azulão-bicudo, azulinho, guarundi-azul, gurundi-azul, tiatã.*] **2.** V. *tiê-preto.* **3.** Inseto lepidóptero da família dos morfídeos (*Morpho laertes* (Drury)), cuja lagarta se alimenta do ingazeiro e de menispermáceas. A face superior das asas da borboleta é branco-azulada. O macho e a fêmea são muito parecidos. **4.** Inseto lepidóptero da família dos morfídeos (*Morpho catenarius* (Perty)), cuja lagarta se alimenta de *Acacia longifolia*, cocão, camboatá e, no S. do Brasil, de coronilha; borboleta-da-coronilha, janeira. **5.** Espécie de árvore que dá boa madeira. **6.** Zuarte (2): "Ainda conheci Salvador no engenho, de chapéu de massa na cabeça e um lápis no bolso de cima do paletó de azulão" (José Lins do Rego, *Meus Verdes Anos*, p. 63). **7.** Espécie de siri.

azulão-bicudo. *S. m. Bras.* V. *azulão* (1). [Pl.: *azulões-bicudos.*]

azulão-bóia. [De *azulão* + tupi *mbói*, 'cobra'.] *S. f. Bras.* **1.** Designação comum às espécies de reptis ofídios da família dos colubrídeos, gênero *Leptophis* Wagl., distribuídas em todo o País. A coloração azulada motivou-lhe o nome popular. **2.** Reptil ofídio, da família dos colubrídeos (*Leptophis ahaetulla* (L.)), comum do C.O. para o N., de coloração bronzeada, com cabeça, pescoço e região vertebral verde-brilhantes; carenas das escamas, negras; uma listra negra na cabeça, no meio dos olhos; lábios superiores e ventre, branco-amarelados. Alimenta-se de pererecas, e atinge até 1,5 m de comprimento; tem hábitos arborícolas e terrestres.

azulão-da-serra. *S. m. Bras., SP.* V. *sanhaço-frade.* [Pl.: *azulões-da-serra.*]

azulão-de-cabeça-encarnada. *S. m. Bras.* v. *sanhaço-frade.* [Pl.: *azulões-de-cabeça-encarnada.*]

azulão-do-campo. *S. m. Bras.* V. *sanhaço-frade.* [Pl.: *azulões-do-campo.*]

azular. *V. t. d.* **1.** Dar cor azul a; tingir de azul; azulejar. *Int.* **2.** Apresentar-se em sua cor azul ou azulada: "Além, muito além daquela serra, que ainda azula no horizonte, nasceu Iracema." (José de Alencar, *Iracema*, p. 50.) **3.** V. *fugir* (1 e 2): *Deixaram a porta da gaiola aberta, e o passarinho azulou. P.* **4.** Pôr-se ou fazer-se azul.

azul-celeste. *Adj. 2 g. e 2 n.* **1.** Azul da cor do céu: *vestido azul-celeste*; "fundo branco em geral, nos tectos e caixas dos camarotes, e fundo azul-celeste nas pilastras do arco do proscênio" (João Francisco Lisboa, *Obras*, IV, p. 603). **2.** Diz-se dessa cor: *blusa de cor azul-celeste.* ● *S. m.* **3.** A cor azul-celeste. **4.** Indumentária azul-celeste: "Hoje passou junto a mim ... / Toda de azul-celeste, / Pálida como o marfim ..." (Luís Guimarães [filho], *Pedras Preciosas*, p. 51.) [Sin. ger.: *azul-do-céu, azul-fino* e *azul-pombinho.* [Pl.: *azul-celestes* e *azuis-celestes.*]

azul-claro. *Adj.* **1.** De um tom claro de azul. ● *S. m.* **2.** Essa cor. [Pl.: *azul-claros* e *azuis-claros.*]

azul-de-aço. *Adj. 2. g. e 2 n.* **1.** Azul com tonalidade de aço: "o moço orgulhoso, de olhos azul-de-aço, motejadores e escarninhos" (Raquel de Queirós, *As Três Marias*, p. 11). **2.** Diz-se dessa cor. ● *S. m.* **3.** Essa cor. [Pl. do s. m.: *azuis-de-aço.*]

azul-do-céu. *Adj. 2 g. e 2 n. e s. m.* V. *azul-celeste.* [Pl. do s. m.: *azuis-do-céu.*]

azulear. *V. t. d. e int.* V. *azulejar*[2]. [Conjug.: v. *frear.*]

azulecer. *V. t. d. e int.* V. *azulejar*[2]. [Conjug.: v. *esquecer.*]

azulego (ê). *Adj. Bras., S.* **1.** Diz-se do animal cavalar de pêlo escuro entremeado de pintas miudinhas, brancas e pretas. **2.** V. *azulado* (1).

azulejador (ô). *S. m.* Operário que fabrica ou assenta azulejos; azulejista, ladrilheiro.

azulejar[1]. *V. t. d.* Guarnecer de azulejos. [Conjug.: v. *pelejar.*]

azulejar[2]. *V. t. d.* **1.** Dar tom azul a; azular, azulecer, azulear: "O sol .... oscilava nas montanhas do poente, e azulejava as grimpas dos pinheirais" (Camilo Castelo Branco, *Amor de Salvação*, p. 11). *Int.* **2.** Tornar-se azul; azulecer, azulear. **3.** Mostrar-se em sua cor azul; azular, azulecer, azulear. [Conjug.: v. *pelejar.*]

azulejaria. *S. f.* **1.** Fabricação ou fábrica de azulejos. **2.** Coleção de azulejos.

azulejista. *S. 2 g.* V. *azulejador.*

azulejo (ê). [Do esp. *azulejo*, der. do ár. *az-zuléiğ.*] *S. m.* Ladrilho vidrado, branco ou de cor, com desenhos e relevo, ou sem eles, empregado para revestir paredes e compor painéis decorativos.

azuleno. *S. m. Quím.* Hidrocarboneto bicíclico, sólido cristalino, de intensa coloração azul, extraído do óleo de camomila, usado como antiinflamatório e antialérgico. [Fórm.: $C_{10}H_8$.]

azul-escuro. *Adj.* De um tom escuro de azul. [Pl.: *azul-escuros* e *azuis-escuros.*]

azul-faiança. *Adj. 2 g. e 2 n.* De um tom e brilho que lembram certa faiança azul.

azul-ferrete. *Adj. 2 g. e 2 n.* **1.** Azul muito carregado, tirante a preto: *gravata azul-ferrete.* **2.** Diz-se dessa cor: *meias de cor azul-ferrete.* ● *S. m.* **3.** Essa cor: "os Derby, com as suas rendas de ouro sobre o azul-ferrete de céu tropical" (Eça de Queirós, *Os Maias*, II, p. 143). [Pl. do s. m.: *azuis-ferretes* e *azuis-ferrete.*]

azul-fino. *Adj. 2 g. e 2 n. e s. m.* V. *azul-celeste* [Pl. do s. m.: *azuis-finos.*]

azulíneo. *Adj.* Azulino (1): "Fria, distante, lúcida era a estrela de Lúcifer, e um leve halo azulíneo cingia-lhe a fronte, como diadema." (Augusto Meyer, *A Forma Secreta*, p. 36.)

azulinho. *S. m.* **1.** *Bras.* V. *azulão* (1). **2.** *Bras., MG* e *MT.* Entre os garimpeiros de diamantes, a claprotita e outras pedras coradas.

azulino. *Adj.* **1.** De cor azul, anilada; azulíneo. **2.** Pertencente ou relativo ao C.S.A. (Centro Esportivo Alagoano); alviceleste, marujo. **3.** Que é torcedor ou jogador dessa agremiação; alviceleste, marujo. ● *S. m.* **4.** Espécie de tordo (ave) de Caiena. **5.** Membro, torcedor ou jogador do C.S.A. (Centro Esportivo Alagoano); alviceleste, marujo.

azul-marinho. *Adj. 2 g. e 2 n.* **1.** Azul muito escuro, da cor do mar profundo: "paletó de casimira azul-marinho" (Bariani Ortêncio, *Vão dos Angicos*, p. 19). **2.** Diz-se dessa cor: *gravata de cor azul-marinho.* ● *S. m.* **3.** Essa cor. [F. red.: *marinho.* Pl. do s. m.: *azuis-marinhos.*]

azulóio. *Adj.* e *s. m.* Diz-se da, ou a cor azul-ferrete do hábito dos frades lóios.

azulona. *S. f. Bras., MT.* O macuco cinzento-azulado *Tinamus tao* Tem.

azul-piscina. *Adj. 2 g. e 2 n.* **1.** Azul tirante a verde como o da cor da água clorada de piscina: *vestidos azul-piscina.* **2.** Diz-se dessa cor: *biquíni de cor azul-piscina.* ● *S. m.* **3.** A cor azul-piscina. [Pl. do s. m.: *azuis-piscinas* e *azuis-piscina.* Sin. ger.: *verde-piscina.*]

azul-pombinho. *Adj. 2 g. e 2 n. e s. m.* V. *azul-celeste.* [Pl. do s. m.: *azuis-pombinhos* e *azuis-pombinho.*]

azul-seda. *S. f.* Inseto lepidóptero da família dos papilionídeos (*Morpho anaxibia* Esper.), cujo macho é de coloração azul-clara, sendo a fêmea igual, com as bordas das asas escuras. É uma das espécies preferidas para a indústria de asas de borboleta. [Sin.: *corcovado.* Pl.: *azuis-sedas* e *azuis-seda.*]

azul-turquesa. *Adj. 2 g. e 2 n.* **1.** Azul do tom da turquesa. **2.** Diz-se dessa cor: *vestido de cor azul-turquesa.* ● *S. m.* **3.** Essa cor. [Pl. do s. m.: *azuis-turquesas* e *azuis-turquesa.*]

azulzinha. [De *azul* + *-zinha*; cf. *azuladinha.*] *S. f. Bras., N.E. Pop.* V. *cachaça* (1).

azumara. *Bras. S. 2 g.* **1.** Indivíduo dos azumaras, tribo indígena caraíba que habita as imediações da bacia do rio Branco (RR). ● *Adj. 2 g.* **2.** Pertencente ou relativo a essa tribo.

azumbrado. *Adj.* Um tanto corcovado; corcovado.

azumbrar. *V. int.* Ficar azumbrado.

azumbre. *S. m.* Medida de capacidade para líquidos, na Espanha.

azurado. [Do fr. *azuré.*] *Adj.* **1.** Diz-se do desenho preenchido com raias finas e paralelas, originalmente para representar, em heráldica, o esmalte azul. ● *S. m.* **2.** Fundo constituído de linhas finas, paralelas e eqüidistantes, retas ou onduladas, impresso, para impedir rasuras, em documentos onde se tenham de escrever quantias. [Cf. *grisado, hachura, guilhochê.*]

azurrador (ô). *Adj.* e *s. m.* Que ou aquele que azurra; zurrador.

azurrar. [De a-⁴ + *zurrar.*] V. *int.* V. *zurrar* (1): "O onagro fitou as orelhas e .... começou a a z u r r a r" (Alexandre Herculano, *Lendas e Narrativas*, II, p. 38). [Cf. *azorrar.*]

B

b. *S. m.* **1.** A 2ª letra do nosso alfabeto. [V. *alfabeto fonético internacional.*] **2.** *Mús.* O si natural, na antiga notação alfabética e na atual anglo-saxã. **3.** *Mús.* O si bemol, na atual notação germânica. **4.** *Fís.* Símb. de indução magnética. **5.** *Quím.* Símb. de *boro.* [Com maiúscula, nas acepç. 2 a 5.] ● *Num.* **6.** O segundo, numa série indicada pelas letras do alfabeto: casa *b* (ou *casa B*). **7.** A segunda, num grupo de séries: *série b* (ou *série B*). [Cf. *bê.*]

■**Ba.** *Quím.* Símb. de *bário.*

■**BA.** Sigla do Estado da Bahia.

bá. [F. red. de *babá*[3].] *S. f. Bras.* V. *ama-seca.* [Cf. *bah.*]

baal. [Do hebr. *Bahal,* 'senhor'.] *S. m.* **1.** Título divino, que exprime soberania e domínio. **2.** Na religião cananéia, uma das divindades, oposta ao monoteísmo israelita.

baamense. *Adj. 2 g.* e *s. 2 g.* V. *baamiano.*

baamiano. *Adj.* **1.** De, ou pertencente ou relativo às Baamas, ou Bahamas (arquipélago das Antilhas). ● *S. m.* **2.** O natural ou habitante das Baamas. [Sin. ger.: *baamense.*]

baba[1]. [Do lat. vulg. *baba.] *S. f.* **1.** Saliva que escorre da boca; babugem. **2.** Muco secretado por certos animais. **3.** *Bras. Pop.* Substância viscosa existente em certos vegetais: *a baba do quiabo.* **4.** *Bras. Gír.* Falas melífluas; lábia.

baba[2]. *S. m* Pequeno tambor cônico de Timor.

babá[1]. [Do pol. *baba,* atr. do fr. *baba.*] S. m. Bolo de farinha de trigo, leite, ovos e passas, que depois de assado é embebido em calda (1), à qual se adiciona rum, licor, etc.

babá[2]. *S. f. Bras. Pl.* **1.** Arbusto da família das solanáceas *(Solamum agrarium),* de folhas aculeadas e frutos bacáceos comestíveis; bambão, canapu, melancia-da-praia. **2.** V. *arrebenta-cavalo* (1).

babá[3]. [Palavra expressiva da líng. ingl.] *S. f. Bras.* **1.** *ama-seca.* **2.** *P.* ext. V. *ama-de-leite.*

babá[4]. [Do ioruba *babá,* 'pai'.] *S. m. Bras.* **1.** Pai ou ancestral no culto ioruba. **2.** V. *pai-de-santo.*

bababi. *S. m. Bras., PE* e *AL.* **1.** V. *surra (1).* **2.** V. *rolo*[1] (16).

babaca[1]. [Alter. de *tabaca.*] *S. f. Bras. Chulo.* V. *vulva.*

babaca[2]. [Cf. *boboca*[2].] *Adj. 2 g.* e *s. 2 g. Bras., Gír.* V. *tolo* (1 a 3 e 8).

babaça. [Do quimb.] S. *2 g. Bras.* Irmão gêmeo ou irmã gêmea. [Var.: *babaço, mabaça.*]

babaço. *S. m. Bras.* V. *babaça.*

babaçu. [Do tupi *wawa'su.*[*S. m. Bras.* Planta da família das palmeiras *(Orbygnia martiana),* dotada de frutos drupáceos com sementes oleaginosas e comestíveis, das quais se extrai um óleo empregado sobretudo na alimentação. O coco de babaçu é usado para defumação da borracha e como combustível; das folhas e espatas se fabricam esteiras, cestos, chapéus, etc. [Var. e sin.: *bauaçu, baguaçu, auaçu, aguaçu, guaguaçu, oauaçu, uauaçu, coco-de-macaco, coco-de-palmeira, coco-naiá, coco-pindoba, palha-branca.*]

babaçual. *S. m. Bras.* Quantidade mais ou menos considerável de babaçus dispostos proximamente entre si; babaçuzal, *uauaçuzal.*

babaçuê. *S. m. Bras., Amaz. Folcl.* Espécie de culto popular, em que normas de origem africana se misturam à pajelança amazônica.

babaçulandense. *Adj. 2 g.* **1.** De, ou pertencente ou relativo a Babaçulândia (GO). ● *S. 2 g.* **2.** Natural ou habitante de Babaçulândia.

babaçuzal. *S. m. Bras.* V. *babaçual.*

baba-de-boi. *S. f. Bras.* **1.** V. *jeribazeiro.* **2.** Fio resinoso, longo, semelhante à baba dos bois, produzido por aquele vegetal e pela baba-de-boi-da-campina. [Pl.: *babas-de-boi.*[

baba-de-boi-da-campina. *S. f. Bras.* Planta da família das malváceas *(Acharia babata).* [Sin. (em PE): *coraçãozinho.* Pl.: *babas-de-boi-da-campina.*]

baba-de-moça. *S. f. Bras.* Doce feito com calda de açúcar, leite de coco e gemas de ovos. [Pl.: *babas-de-moça.*]

babadinho. [Dim. de *babado*[2].] *Adj.* **1.** Que deseja muito alguma coisa. **2.** Piegas, ridículo. **3.** Muito afetuoso; extremoso; meigo.

babado[1]. *S. m.* **1.** *Bras.* Folho pregueado, franzido, ou godê, para guarnição de saias, toalhas, etc. **2.** *Bras. Gír.* Intriguelha, mexerico, fuxico, fofoca, fofocagem. **3.** Conversa fiada; palavreado melífluo.

babado[2]. [Part. de *babar.*] *Adj.* **1.** Molhado de baba. **2.** *Fig.* e *fam.* Apaixonado, enrabichado, enamorado: "— Não está vendo, tolo, que estou caída por você, babada, doidinha?" (Jorge Amado, *Dona Flor e Seus Dois Maridos,* p. 391.)

babadoiro. *S. m.* V. *babadouro.*

babador (ô). [Por *babadouro.*] *S. m. Bras.* **1.** V. *babadouro.* **2.** *PE.* Peça metálica que prende as extremidades das pernas da brida dos cavalos.

babadouro. [Var. de *babadoiro.*] *S. m.* Resguardo de pano, ou de qualquer material impermeável que, atado ao pescoço das crianças, evita que a baba ou a comida lhes suje ou umedeça a roupa. [Var.: *babador;* sin.: *babeiro, bibe.*]

babal. *S. m. Bras.* Espécie de tanga usada por certos índios brasileiros.

babalaô. [Do ioruba *babaulá*] *S. m. Bras.* No culto iorubano, o sacerdote dedicado a Ifá, deus da adivinhação; ababaloalô: "Os sacerdotes iorubanos chamam-se babalaôs ou ababaloalôs, como ouvi em nossos dias, na Bahia." (Artur Ramos, *O Negro Brasileiro,* I, p. 59.)

babalorixá. [De *babalaô* + *orixá.*] *S. m. Bras.* V. *pai-de-santo.*

babaloxá. [De *babalorixá,* com síncope.] *S. m. Bras.* V. *pai-de-santo.*

babão. *Adj.* e *s. m.* **1.** Que ou aquele que baba ou se baba com freqüência, que vive a babar(-se); baboso. **2.** Dengoso, amaneirado, melindroso. **3.** V. *tolo* (1 a 3 e 8). **4.** *Bras., N.E.* V. *bajulador* (1 e 2). [Fem.: *babona.*]

baba-ovo. [De *babar* + *ovo* (v. *ovos*).] *S. m.* V. *bajulador* (2). [Pl.: *baba-ovos.*]

babaquara. [Do tupi *mbae'bé,* 'nada', + *kwa'á,* 'saber', + *-ara,* suf. designativo de agente: 'aquele que nada sabe'.] *S. 2 g.* **1.** *Bras.* V. *caipira* (1). **2.** V. *tolo* (8). **3.** *Bras. CE.* Pessoa influente, poderosa, prestigiosa. ● *Adj. 2 g.* **4.** *Bras.* V. *tolo* (1 a 3). **5.** *Bras., CE.* Grande, influente, poderoso.

babaquice. *S. f.* V. *asneira* (1).

babar. *V. t. d.* **1.** Molhar com baba. *A criança baba a camisola;* "Dormiu quanto tempo? Babou o queixo." (Clóvis Ramalhete, *O Anjo Torto,* p. 23). *Int.* **2.** Deitar baba; babar-se: "Na hora do enterro do menino, ... André Louco gritou desesperadamente. .... Babava, os olhos saindo faíscas, de ódio." (Bernardo Élis, *Ermos e Gerais,* p. 158.) *P.* **3.** Babar (2). **4.** Falar com dificuldade; balbuciar. **5.** *Fam.* Gostar muito de; deliciar-se com: *O João baba-se por doce de coco.* **6.** Estar apaixonado; estar enrabichado. [Pres. subj.: *babe, babemos, babeis,* etc. Cf. *babéis,* pl. de *babel.*]

babaré. [Do concani *baba-rê.*] *S. m.* Barulheira, alarido, gritaria. [Var.: *babaréu.*]

babaréu. *S. m.* Var. paragógica de *babaré* [q. v.]: "Pedro foi de novo distraído por uma onda de gente que despejava o beco, fazendo estrepitoso babaréu." (Xavier Marques, *O Sargento Pedro,* p. 300.)

babatar. [Do quimb. *kubabata,* 'bater de leve'.] *V. int. Bras.* Tocar nas coisas com as mãos, ou com bengala, etc., para se orientar; tatear, apalpar: "A chama do rolo apagou-se à lufada e o cuiabano ficou só, babatando na treva." (Afonso Arinos, *Pelo Sertão, p.* 22.)

babau[1]. *S. m. Bras.* Personagem fantástico da farsa popular bumba-meu-boi.

babau[2]. *Interj. Fam.* Acabou-se, foi-se, era uma vez: "Lindoro ficou todo feliz, ... e também aliviado, porque se Dom Bártolo tivesse desconfiado quem ele era... babau, era uma vez todo o esforço que fizera." (Cora Rónai Vieira e Paulo Rónai, *Aventuras de Fígaro,* p. 38.)

babeco. *S. m. Bras., PB.* V. *caipira* (1).

babeiro. *S. m.* V. *babadouro.*

babel. [Do top. *Babel.*] *S. f.* **1.** *Fig.* Confusão de vozes ou de línguas. **2.** Desordem, confusão, tumulto, babilônia. **3.** Algazarra, balbúrdia, vozearia, vozeria, vozerio, vozeada. **4.** Grande altitude ou elevação; ponto muito elevado: "Levar o raciocínio a meandros inextricáveis, babéis de cálculo e cumes de alto pensamento, não é ato que agrade à natureza animal." (Pontes de Miranda, *Obras Literárias,* p. 169.) **5.** *Automat.* Interferência resultante de um grande número de canais de informação. [Pl.: *babéis.* Cf. *babeis,* do v. *babar.*]

babélico. *Adj.* **1.** Relativo a babel (1 a 4). **2.** Que lembra, ou em que há babel (1 a 3); desordenado, confuso, tumultuado.

babésia. *S. f.* Espécie de animal protozoário, esporozoário, telesporídeo, hemosporídeo, do gênero *Babesia* Starcovisi, parasito dos glóbulos vermelhos de vertebrados, com a forma de anel de elipse, e que é transmitido pela picada dos carrapatos, causando a doença chamada *babesíase.*

babesíase. *S. f. Veter.* Infecção causada por protozoários do gênero *Babesia,* ao qual pertence o *B. bovis,* causador de doenças bovinas; babesiose. [Sin. pop.: *tristeza, mal-triste.*]

babesiose. *S. f. Veter.* V. *babesíase.*

babiaque. *S. m.* Nome comercial da casca da árvore-da-goma-arábica.

babilônia. [Do top. *Babilônia,* antiga e importante cidade situada na Mesopotâmia, que foi capital do poderoso império do mesmo nome (c. 2100-c. 539 a.C.) e se fez célebre por seu esplendor e por seus costumes dissolutos, entrando em decadência a partir de 230 a.C.] *S. f.* **1.** Cidade grande com ruas emaranhadas, sem planejamento urbano: "Por b a b i l ô n i a s, entre falsa gente, / Entre tristezas mil e mil perigos, / De tantos vícios ver, vi-me demente!" (Eugênio de Castro, *Obras Poéticas*, V. p. 101.) **2.** V. *babel* (2). **3.** *Bras., N.E.* Casa ou edifício muito amplo.

babilônico. [Do lat. *babylonicu.*] *Adj.* **1.** Babilônio (1). **2.** *Fig.* Em que há grande confusão. **3.** *Fig.* Em que há grande fausto e dissolução de costumes.

babilônio. [Do gr. *babylónius*, pelo lat. *babyloniu.*] *Adj.* **1.** Da, ou pertencente ou relativo à cidade ou ao império da Babilônia; babilônico. **2.** Muito grande; imenso. ● *S. m.* **3.** O natural ou habitante da cidade ou império da Babilônia.

babismo. [Do ár. *Bab*, 'porta da verdade', + *-ismo.*] *S. m. Rel.* Movimento religioso islâmico, fundado na Pérsia, nos fins da primeira metade do séc. XIX, pelo reformador Bab, pretenso descendente de Maomé.

baboca. *S. f. Bras., N.E.* V. *biboca* (2).

babona. *Adj. (f.)* e *s. f.* V. *babão.*

baboré. [De possível or. tupi.] *S. m. Bras., MG.* Arbusto da família das solanáceas (*Solanum papillosum*), cujo caule tem pêlos estrelados e cujas folhas são lanceoladas, acuminadas, ásperas e densamente cobertas de papilas, sendo as flores pequenas, tomentosas e organizadas em corimbo, e o fruto uma baga globosa e sem pêlos. [F. paral.: *bamboré.*]

babosa. [Fem. substantivado do adj. *baboso.*] *S. f.* **1.** *Bras. Pop.* Aloés (1). **2.** *Bras.* V. *amboré.*

babosa-branca. *S. f. Bras.* Árvore da família das boragináceas (*Cordia superba*), ornamental e cultivada, de madeira própria para obras internas e carpintaria, e drupas comestíveis; árvore-de-ranho, grão-de-galo, grão-de-porco, jangada-do-campo, acoaramuru, jaguaramuru, carapiá, tajaçu-carapiá, taiaçucarapiá. [Pl.: *babosas-brancas.*]

babosa-brava. *S. f.* V. *agave* (1). [Pl.: *babosas-bravas.*]

baboseira. *S. f.* **1.** Palavra ou dito de baboso (3); disparate, despropósito, tolice. **2.** Trabalho ou obra malfeita, sem apuro ou sem mérito: *Aquele romance é uma b a b o s e i r a.* **3.** *Bras.* Sujeira própria de baboso (1). [Sin. ger. (bras.): *babugeira.*]

baboso (ô). *Adj.* e *s. m.* **1.** Babão (1). **2.** Apaixonado, enrabichado. **3.** V. *tolo* (1 a 3 e 8).

babu. *S. m.* **1.** Forma de tratamento hindu equivalente a *senhor.* **2.** Hindu inglesado.

babucha. [Do ár. *babujâ.*] *S. f.* Chinela oriental, sem salto, de couro ou de tecido, que deixa descoberto o calcanhar: "os homens com b a b u c h a s vermelhas, turbantes de cores e cabaias brancas, moles de ademanes e sinuosos" (Aquilino Ribeiro, *Luís de Camões*, II. p. 20).

babuge. *S. f.* Var. de *babugem.* [Cf. *babuje*, do v. *babujar.*]

babugeira. [De *babuge(m)* + *-eira.*] *S. f. Bras.* V. *baboseira.*

babugem. *S. f.* **1.** Baba[1] (1). **2.** Espuma produzida pela água agitada. **3.** Restos de comida. **4.** Quaisquer restos. **5.** V. *ninharia.* **6.** *Bras., N.E.* Erva que brota com as primeiras chuvas. [Var.: *babuge.* Cf. *babuge* e *babujem*, do v. *babujar.*]

babuí. *Bras. S. 2 g.* e *adj. 2 g.* V. *uabuí.*

babujar. *V. t. d.* **1.** Sujar com babugem (1). **2.** Lisonjear servilmente, adular, bajular. **3.** Viciar, corromper, conspurcar, aviltar. *Int.* **4.** Chuviscar, borriçar. **5.** *Bras., N.* e *N. E.* Tocar de leve na comida, beliscá-la, em geral por inapetência: lambiscar. *P.* **6.** Sujar-se de baba ou de comida. [Pres. subj.: *babuje, babujes, babuje, babujemos, babujeis, babujem.* Cf. *babuge* e *babugem.*]

babunha. [De possível or. tupi.] *S. f. Bras., Amaz.* Palmeira (*Guilielma ensignis*) que vive na floresta úmida e produz um fruto comestível muito apreciado pela população local, depois de cozido em água; coqueiro-babunha.

➧**baby** (bêibi). [Ingl.] *S. m.* Criança de peito; bebê.

➧**baby-doll** (bêibi dól). [Ingl.] *S. m.* Traje feminino de dormir, espécie de pijama muito curto.

➧**baby-sitter** (bêibi síter). [Ingl.] *S. 2 g.* Pessoa que se contrata para tomar conta de crianças temporariamente, em especial à noite, na ausência dos pais.

bacaa. *S. 2 g.* e *adj. 2 g. Bras.* V. *puxacar.*

bacaba. [Do tupi *wa'kawa.*] *S. f. Bras., AM.* e *MT.* **1** Palmeira solitária (*Oenocarpus circumtextus*), de espique anelado, folhas lanceoladas, lineares, flores de cor branca tirante a ocre, em espádices de espata lenhosa, dupla, e drupas roxas. **2.** Palmeira (*Oenocarpus multicaulis*) de espique anelado, folhas pinatífidas, flores branco-amareladas e drupas avermelhado-escuras, comestíveis, com as quais se fabrica bebida vinosa. O palmito é alimentício, e do lenho se fazem lanças e bengalas. [Sin. (nesta acepç.): *bacabaí, bacabinha, coqueiro-bacaba.*] **3.** Palmeira (*Oenocarpus tarampabo*) de folhas dísticas de folíolos lanceolados, lineares, salpicados de esverdeado, flores em espádice pêndulo, drupas roxas, comestíveis, e cujo palmito é usado na alimentação humana; coqueiro-tarampaba. **4.** *P. ext.* O fruto, oleaginoso ou comestível, das palmeiras do gênero *Oenocarpus.* **5.** Bacabada.

bacabaçu. [De *bacaba* + *-açu.*] *S. f. Bras., AM, GO* e *MT.* Palmeira (*Oenocarpus bacaba*), de polpa alimentícia, da qual se faz o vinho de bacaba, ou iuquicé, de cuja semente se extrai óleo semelhante ao da oliveira, e cujo espique é usado para esteios, lanças, ripas, etc.; bacabão.

bacabada. *S. f. Bras., Amaz.* e *MT.* Refresco feito com a polpa do coco da bacaba; bacaba.

bacaba-de-azeite. *S. f. Bras.* Palmeira ornamental (*Oenocarpus distichus*), de drupas violáceas e semente oleaginosa, e de cujos frutos se faz doce e vinho, além de se extrair óleo ou azeite. Ocorre das Guianas a MT. [Sin.: *iandibacaba.* Pl.: *bacabas-de-azeite.*]

bacabaí. [De *bacaba* + tupi *i*, 'pequeno'.] *S. f. Bras.* **1.** V. *bacabinha* (1). **2.** V. *bacaba* (2).

bacabal. *S. m. Bras. AM* e *MA.* Quantidade mais ou menos considerável de bacabas dispostas proximamente entre si.

bacabalense. *Adj. 2 g.* **1.** De, ou pertencente ou relativo a Bacabal (MA). ● *S. 2 g.* **2** Natural ou habitante de Bacabal.

bacabamirim. [De *bacaba* + *-mirim.*] *S. f.* V. *bacabinha* (1).

bacabão. [Aum. de *bacaba.*] *S. m. Bras.* Bacabaçu.

bacabinha. [Dim. de bacaba.] *S. f.* **1.** *Bras., Amaz.* Palmeira (*Oenocarpus minor*) de drupas comestíveis, das quais se extrai o vinho de bacaba e o óleo de bacaba; bacabamirim, bacabaí. **2.** *Bras., AM.* e *MT.* V. *bacaba* (2)

bacaca. [De possível or. tupi.] *S. f. Bras., Amaz.* V. *anambé-azul.*

bacáceo. [Do lat. *bacca.* 'baga' + *-áceo.*] *Adj.* semelhante à baga.

bacacu. [Do tupi *baka'ku.*] *S. m. Bras., Amaz.* Anambé-roxo.

bacacu-preto. *S. m. Bras., Amaz.* V. *anambé-preto* (1). [Pl.: *bacacus-pretos.*]

bacada. [De *baque* + *-ada*[1].] *S. f. Bras., S.* Baque produzido em veículo por acidente de terreno.

bacafuzada. *S. f. Bras. N.* e *N.E.* Confusão, trapalhada, desordem, balbúrdia.

bacafuzar. *V. t. d. Bras., N.* e *N.E.* Confundir, misturar, atrapalhar, complicar.

bacairi (a-i). *Bras. S. 2 g.* **1.** Indivíduo dos bacairis, tribo indígena caraíbe. Localiza-se no posto indígena Bacairi, às margens do rio Parantinga, e posto indígena Santana, no vale do rio Novo, em MT. ● *Adj. 2 g.* **2.** Pertencente ou relativo a esta tribo.

bacalaureato. *S. m.* V. *bacharelado*[1].

bacalhau. *S. m.* **1.** Peixe teleósteo, anacantino, da família dos gadídeos (*Gadus morrhua* (L.)), dos mares frios, cuja carne, seca e salgada, é muito utilizada na cozinha mundial. **2.** *Impr.* Mangangá-liso. **3.** *Bras.* Pedaço de madeira ou de chapa de ferro, usado como remendo, para tapar um buraco, fresta ou veio de água. **4.** *Bras.* Chicote de couro cru torcido com que se açoitavam escravos: "Sentia uma curiosidade mordente de ver a aplicação do b a c a l h a u, de conhecer de vista esse suplício legendário, aviltante." (Júlio Ribeiro, *A Carne*, p. 44). **5.** *Bras.* Pessoa muito magra; magricela. **6.** *Bras., RS.* Enchimento de emergência no pneumático do automóvel, quando se fura, para preservar a câmara-de-ar. **7.** *Bras., PE. Folcl.* Vareta ou pedaço de arame para percutir o metal do surdo (12), no auto dos caboclinhos; resposta. ● *S. 2 g.* **8.** *Bras. Pej.* V. *vascaíno.* ● *Adj. 2 g.* **9.** *Bras. Pej.* V. *vascaíno.* ◆ **Bacalhau de porta de venda.** *Bras.* Pessoa extraordinariamente magra. **Meter o bacalhau** *em. Bras.* V. *meter o pau em* (2).

bacalhoada. *S. f.* **1.** Grande porção de bacalhau. **2.** Prato típico da cozinha portuguesa, feito de bacalhau guisado no azeite, com batatas e couve. **3.** Prato preparado com bacalhau cozido com batatas, couve, cebolas inteiras, repolho e outros legumes, enfeitado com ovos cozidos e azeitonas, e temperado, ao servir, com vinagre e azeite-doce a gosto. **4.** *Bras.* Surra de bacalhau (4).

bacalhoeiro. *S. m.* **1.** Negociante de bacalhau a varejo. **2.** Embarcação utilizada na pesca ou no transporte de bacalhau. ● *Adj.* **3.** Que gosta de bacalhau. **4.** Que fede a bacalhau. **5.** Desleixado, negligente, lambuzão. **6.** Mal-educado, grosseiro, estúpido.

bacamartada. *S. f.* Tiro de bacamarte.

bacamarte. [Do fr. *braquemart.*] *S. m.* **1.** Arma de fogo, de cano curto e largo, reforçada na coronha. **2.** *Turfe.* Cavalo que habitualmente chega entre os últimos colocados; punga. **3.** *Bras.* Indivíduo inútil, imprestável, pesadão. **4.** *Bras., RJ. Gír.* Coisa velha; traste. [Cf. *bracamarte.*]

bacana. [Do gen. *bacan*, 'amo'.] *Adj. 2 g. Bras. Gír.* **1.** Palavra-ônibus que exprime, encarecendo-as, inúmeras idéias apreciativas, e equivale a bom, excelente, belo, simpático, elegante, luxuoso, bem-educado, muito leal, inteligente, culto, etc., tudo no superlativo, aplicado a pessoas e/ou coisas; formidável, legal, bárbaro, infernal, tranchã, maneiro, massa, esperto. ● *S. 2 g. Bras. Gír.* **2.** V. *grã-fino* (1): "Qual o trabalhador, ou mesmo o b a c a n a, que, chegando a Madureira lá pelas sete ou oito horas da noite, ... terá coragem de voltar ao Centro ou a Copacabana para enfrentar uma peça?" (Zé Carioca, *ap.* Moli Ferreira, *in Correio da Manhã*, 17.2.1970.)

bacanal. [Do lat. *bacchanale.*] *S. f.* **1.** Festa em honra de Baco, deus do vinho. **2.** *P. ext.* Festim licencioso com participação de várias pessoas; orgia. **3.** V. *suruba* (4). ● *Adj. 2 g.* **4.** V. *báquico* (2): "Desde o amor b a c a n a l à mais pura paixão." (Guimarães Passos, *Horas Mortas*, p. 69).

bacano. [V. *bacana.*] *S. m. Bras. Gír.* V. *grã-fino* (1).

bacante. [Do lat. **bacchante*, part. pres. de **bacchare*, por *bacchari*, 'celebrar as festas de Baco'.] *S. f.* **1.** Sacerdotisa de Baco; mênade, tíade. **2.** *Fig.* Mulher dissoluta, devassa, libertina: "Brancas b a c a n t e s bêbedas o beijam." (Augusto dos Anjos, *Eu*, p. 8.) **3.** Espécie de borboleta.

bacântico. *Adj.* **1.** Relativo a bacante. **2.** Orgíaco; dissoluto, devasso, libertino.

bacará. [Do fr. *baccara.*] *S. m.* Jogo carteado, de origem francesa, em que tomam parte um banqueiro e vários jogadores, os quais apostam nas cartas tiradas para a banca (8) ou nas tiradas para o ponto (21), ganhando o grupo que, com duas ou três cartas, perfizer um total de pontos que mais se aproxime de nove.

bacaraí. *S. m. Bras.* Var. de *vacaraí* [q. v.].

bacarija. *S. f.* Ásaro.

bacaxense. *Adj. 2 g.* **1.** De, ou pertencente ou relativo a Bacaxá (RJ). ● *S. 2 g.* **2.** Natural ou habitante de Bacaxá.

baceiro. *Adj.* Pertencente ou relativo ao baço[1].

bacelada. *S. f.* Quantidade mais ou menos considerável de bacelos dispostos proximamente entre si.

bacelaense. *Adj. 2 g.* e *s. 2 g.* V. *bacelarense.*

bacelar. *V. t. d.* e *int.* V. *abacelar.* [Pres. ind.: *bacelo*, etc. Cf. *bacelo* (ê).]

bacelarense. *Adj. 2 g.* **1.** De, ou pertencente ou relativo a Duque Bacelar (MA). ● *S. 2 g.* **2.** Natural ou habitante de Duque Bacelar.

baceleiro. *S. m.* Indivíduo que planta bacelos.

bacelo (ê). [Do lat. *bacillu*, 'varinha'.] *S. m.* **1.** Vara de videira, que, plantada, reproduz a vinha; vide. **2.** Videira brava para enxertar. **3.** Vinha nova. [Pl.: *bacelos* (ê). Cf. *bacelo*, do v. *bacelar.*]

bacento. *Adj.* V. *baço*[2](1): "o focinho [da gata], que há dois meses era marrom, quase preto, parece claro, b a c e n t o." (Maria Julieta Drummond de Andrade, *O Valor da Vida*, p. 79).

bacharel. [Do fr. *bachelier*, atr. das f. ant. *bachaler* e *bachiller.*] *S. m.* **1.** Indivíduo que obteve o primeiro grau de formatura em faculdade de direito. [Cf. *advogado* (1).] **2.** *P. ext.* Indivíduo formado por qualquer faculdade. **3.** *P. us.* Aquele que concluiu o curso de ensino médio. **4.** *Fig.* Tagarela, palrador. [Pl.: *bacharéis.*]

bacharela. [Fem. de *bacharel.*] *S. f.* **1.** Mulher que obteve o bacharelato. **2.** *Fig.* Mulher faladora; tagarela. **3.** Sabichona, sabe-tudo.

bacharelada. *S. f.* Palavreado pretensioso, afetado e fastidioso; bacharelice, bacharelismo, letradice.

bacharelado[1]. [De *bacharel* + *-ado*[2].] *S. m.* **1.** O grau de bacharel. **2.** O curso para a obtenção desse grau. [F. paral.: *bacharelato* sin. ger.: *bacalaureato.*]

bacharelado[2]. [Part. de *bacharelar-se.*] *Adj.* e *s. m.* Que ou aquele que colou grau de bacharel.

bacharelando. *S. m.* Aquele que vai bacharelar-se.

bacharelar. *V. p.* **1.** Colar grau de bacharel. *Int.* **2.** *Lus.* Falar muito e despropositadamente; tagarelar.

bacharelático. *Adj.* Bacharelesco: "Hoje, mais nada tenho que esta / Vida claustral, b a c h a r e l á t i c a, funesta" (Antônio Nobre, *Só*, p. 52).

bacharelato. [De *bacharel* + *-ato*[1].] *S. m.* V. *bacharelado*[1].

bacharelesco (ê). *Adj.* Relativo a, ou próprio de bacha-

rel; bacharelático.
bacharelice. *S. f.* **1.** V. *bacharelada.* **2.** V. *palavreado* (1).
bacharelismo. *S. m.* **1.** V. *bacharelada.* **2.** *Bras.* Predominância do bacharel (1) na vida política e cultural brasileira.
bachiano (qui). *Adj.* **1.** Pertencente ou relativo a Johann Sebastian Bach, compositor alemão (1685-1750), ou próprio dele. ● *S. m.* **2.** Grande admirador e/ou profundo conhecedor da obra de Bach. [Cf. *baqueano.*]
bachinche. *S. m. Bras., S.* V. *bochinche.*
▲**baci-.** [Do lat. *bacca, ae.*] *El comp.* = 'baga': *bacífero, baciforme, bacívoro.*
bacia. [De *bacio.*] *S. f.* **1.** Vaso redondo, de bordas largas, geralmente raso, de louça, metal (puro ou estanhado), plástico, etc., próprio para lavagens. [Dim. irreg.: *bacineta.*] **2.** Caldeira usada nas confeitarias para torrar amêndoas, castanhas-do-pará, etc. **3.** Fogareiro, braseiro. **4.** V. *urinol* (1). **5.** Salva ou bandeja. **6.** Prato de balança. **7.** Peça de metal em cuja concavidade se encontra o puxador de algumas campainhas. **8.** Designação geral das depressões de um terreno. **9.** Depressão de terreno rodeada de montes. **10.** Conjunto de vertentes que margeiam rio ou mar interior. **11.** Pedra na qual o peitoril do púlpito se firma: bacia de púlpito. **12.** *Anat.* Porção inferior do esqueleto do tronco, limitada, anterior e lateralmente, pelos ossos ilíacos, e posteriormente, pelo sacro e pelo cóccix; pelve. **13.** *Ecles.* Nas igrejas, prato onde se depositam esmolas: *a b a c i a das almas.* **14.** *Bras.* Circo onde se realizam brigas de galo. **15.** *Bras., BA.* V. *caldeirão* (6). ◆ **Bacia de afundamento.** *Bras., BA. Geol.* Depressão de origem tectônica. **Bacia de captação.** *Geol.* Bacia de recepção. **Bacia de drenagem.** *Geogr.* V. *bacia fluvial.* **Bacia de janela.** *Arquit.* Pedra que serve de piso, nas janelas ou portas de sacada. **Bacia de púlpito.** *Arquit.* Bacia (11). **Bacia de recepção.** *Geogr.* Depressão do terreno, afunilada, onde as águas de escoamento superficial se acumulam, dando origem às torrentes; bacia de captação. **Bacia de subsidência.** *Geol.* Área de subsidência. **Bacia estrutural.** *Geol.* Depressão do terreno correlacionada com sua estrutura geológica. **Bacia fluvial.** *Geogr.* O conjunto das terras drenadas por um rio e por seus afluentes; bacia de drenagem, bacia hidrográfica. **Bacia hidrográfica.** *Geogr.* V. *bacia fluvial.* **Bacia oceânica.** *Ocean.* Extensa depressão do fundo, que encerra um oceano ou grande porção de oceano. **Bacia sanitária.** Vaso sanitário. **Bacia sedimentar.** *Geol.* Depressão do terreno na qual se acumulam detritos transportados por águas correntes e por enxurradas, ou depositados em período de lento rebaixamento. **Bacia submarina.** *Ocean.* Depressão no fundo do oceano. **Bacia tectônica.** *Geol.* Depressão do terreno causada por um diastrofismo, na qual se acumulam detritos provenientes das regiões vizinhas. **Bacia terminal.** *Geogr.* Depressão do terreno tomada pelo gelo e circundada por colinas morênicas. **Na bacia das almas.** *Bras. Pop. Fig.* Demasiadamente barato. [v. *bacia* (13)]: *Comprou a casa n a b a c i a d a s a l m a s ; Estando mal de vida, vendeu tudo n a b a c i a d a s a l m a s .*
baciada. *S. f.* O conteúdo que enche ou quase enche um bacio ou bacia.
bacial. *Adj. 2 g. Desus.* De, ou relativo a bacio.
bacífero. [De *baci-* + *-fero.*] *Adj. Bot.* Provido de baga (1).
baciforme. [De *baci-* + *-forme.*] *Adj. 2 g.* Que tem forma de baga (1).
bacilar. *Adj. 2 g.* **1.** Relativo a bacilo. **2.** Longo, delgado e cilíndrico como uma varinha. ~ V. *disenteria —.*
bacilariácea. *S. f.* V. *diatomácea.*
bacilariáceas. *S. f. pl. Bot.* V. *diatomáceas.*
bacilariáceo. *Adj.* V. *diatomáceo.*
bacilariofícea. *S. f.* V. *diatomácea.*
bacilariofíceas. *S. f. pl. Bot.* V. *diatomáceas.*
bacilariofíceo. *Adj.* V. *diatomáceo.*
bacilariófito. *S. m.* **1.** V. *diatomácea.* ● *Adj.* **2.** V. *diatomáceo.*
bacilariófitos. *S. m. pl. Bot.* V. *diatomáceas.*
bacilemia. [De *bacilo-* + *-(h)em(o)-* + *-ia.*] *S. f. Patol.* Presença de bacilos no sangue.
bacilêmico. *Adj.* Relativo à bacilemia.
baciliforme. *Adj. 2 g.* Em forma de bacilo ou bastonete: *esporo b a c i l i f o r m e .*
bacilo. [Do lat. *bacilu,* 'bastonete'.] *S. m.* **1.** Bactéria em forma de bastonete reto. **2.** *Restr.* Bactéria em forma de bastonete, cujas extremidades se apresentam cortadas em ângulo reto. ◆ **Bacilo de Ducrey.** *Bacteriol.* Bacilo causador do cancro mole (*Haemophilus ducreyi*). **Bacilo de Eberth.** *Bacteriol.* Agente etiológico da febre tifóide. **Bacilo de Koch.** [Do antr. *Koch,* de *Robert Koch* (1893-1910), bacteriologista alemão.] *Bacteriol.* Agente causador da tuberculose humana.
bacilose. [De *bacilo* + *-ose.*] *S. f. Med.* **1.** *Impr.* Acometimento pelo germe da tuberculose, especialmente o pulmonar. **2.** Infecção provocada por bacilos.
bacineta (ê). [Cf. *bassinet.*] *S. f.* Pequena bacia. [Cf. *bacinete.*]
bacinete (ê). [Do fr. *bassinet,* com infl. de bacia.] *S. m.* **1.** *Anat.* Parte superior do ureter, dilatada em forma de funil, e que recebe a urina proveniente dos cálices renais; pelve renal. **2.** *Ant.* Capacete de couro ou de ferro que cobria a cabeça à feição de elmo. [Cf. *bacineta.*]
bacio. [Do cat. *bací.*] *S. m.* V. *urinol* (1).
bacívoro. [De *baci-* + *-voro.*] *Adj.* Que se alimenta de bagas.
➡**background** (bék-gráund). [Ingl.] *S. m.* **1.** Aquilo que constitui o fundo de uma cena (8) (vozes, músicas, ruídos, etc.). **2.** Os elementos ou fatos que constituem a base, os antecedentes, de um acontecimento, de uma situação, etc. **3.** O conjunto dos conhecimentos, experiência, etc., que compõem a base intelectual, técnica, etc., de alguém.
➡**backup** (becáp). [Ingl.] *Adj. e s. m. Proc. Dados.* **1.** Diz-se de, ou procedimento, método ou unidade empregados em caso de falha do procedimento, do método ou da unidade do computador original ou principal. **2.** Diz-se de, ou cópia que contém a reprodução ou duplicação de um arquivo e que é guardada como reserva em caso de destruição ou inutilização do arquivo original.
baco[1]. *S. m. Bras.* Caixão instalado à margem dos rios para lavagem do diamante.
baco[2]. *Adj. Bras.* Diz-se de bovino de pêlo vermelho-amarelado.
baço[1]. *S. m. Anat.* Víscera glandular situada no hipocôndrio esquerdo e que tem várias funções, entre as quais sobressai a de destruir glóbulos vermelhos.
baço[2]. [Do lat. *badiu.*] *Adj.* **1.** Sem brilho; embaciado, bacento: "Nós cantamos a finura, a transparência, a macieza da pele, e a pele do sapo é grossa, *b a ç a* e enrugada." (Patrícia Joyce, *Anúncio de Casamento,* p. 141.) **2.** Moreno, trigueiro.
bacoani. *Bras. S. 2 g.* **1.** Indivíduo dos bacoanis, tribo indígena que habitava entre os rios Turvo e Preto, nos contrafortes meridionais da serra da Mantiqueira. ● *Adj. 2 g.* **2.** Pertencente ou relativo a essa tribo.
baco-baco. [Voc. onom.] *S. m. Bras., N.* Tropel cadenciado de cavalos em marcha. [Pl.: *baco-bacos.*]
➡**bacon** (beic'n). [Ingl.] *S. m.* Toicinho defumado.
bacondê. *S. m. Bras., AL.* V. *esconde-esconde:* "Menino de engenho, criado a ouvir histórias de Trancoso, a brincar de *b a c o n d ê* ...., arrepiado com as façanhas do papa-figo, do lobisomem e da caipora .... , não é de estranhar que cedo me afeiçoasse ao Folclore" (José Maria de Melo, *Enigmas Populares,* p. 13).
baconiano (bei). *Adj.* **1.** Pertencente ou relativo a Francis Bacon, filósofo inglês (1561-1626), ou próprio dele. **2.** Que é partidário desse filósofo; baconista. ~ V. *indução —a.* ● *S. m.* **3.** Partidário desse filósofo; baconista.
baconista (bei). *Adj. 2 g. e s. 2 g.* Baconiano (2 e 3).
bacopá. [De possível or. tupi.] *S. m. Bras.* Erva da família das escrofulariáceas (*Bacopa aquatica*), de flores axilares, rasteira, carnosa, de folhas opostas, amplexicaules, frutos capsulares, dotada de propriedades medicinais contra queimaduras, frieiras e feridas. Ocorre das Guianas à BA.
bacoparé. *S. m. Bras.* Bacupari-miúdo (2).
bácora. *S. f.* Fem. de *bácoro;* leitoa.
bacorá. *S. f. Bras.* V. *boicorá* (1).
bacoral. *S. f. Bras.* V. *boicorá* (1).
bacorejar. *V. t. d.* **1.** Adivinhar, prever, pressentir, pressagiar: *Se b a c o r e j a s s e esta possibilidade, não teria viajado.* **2.** Ficar à espera de; esperar, aguardar. **3.** Sugerir, propor, insinuar: *Quis b a c o r e j a r uma solução, mas não o fez. T. i.* **4.** Parecer, afigurar-se, figurar-se: *B a c o r e j o u - lhe que a encontraria ali. Int.* **5.** Grunhir (o leitão). **6.** Ficar à espera de alguma novidade. [Conjug.: v. *pelejar.*]
bacorejo (ê). [Dev. de *bacorejar.*] *S. m. Fam.* **1.** Presságio de um evento; palpite.
bacorim. *S. m. Bras.* Var. de *bacorinho* [q. v.].
baçorina. *S. f.* V. *bassorina.*
bacorinha. *S. f. Bras.* **1.** Chapéu alto, de feltro duro. **2.** *Bras., N.E.* Embrulho ou malote que forma a bagagem do cassaco (2).
bacorinho. [Dim. de *bácoro.*] *S. m.* **1.** *Bras.* V. *leitão* (1). **2.** *Bras. Pop.* Filho pequeno; criança, bebê. [Var.: *bacorim.*]
bácoro. *S. m.* V. *leitão* (1).
bacorote. *S. m.* Bácoro crescido.
bacteremia. *S. f. Patol.* V. *bacteriemia.*
bactéria. [Do gr. *baktería,* 'bastão'.] *S. f.* Parasito vegetal unicelular que constitui a classe dos esquizomicetos, e cujos tipos morfológicos fundamentais são os cocos, bacilos e espirilos. [Cf. *micróbio.* F. paral. (desus.): *bactério.*]
bacteriano. *Adj.* Pertencente ou relativo à(s) bactéria(s): *produto b a c t e r i a n o .* ~ V. *flora —.*
bactericida. [De *bacteri(o)-* + *-cida.*] *Adj. 2 g.* Que destrói as bactérias.
bacteriemia. [De *bacteri(o)-* + *-(h)em(o)-* + *-ia.*] *S. f. Patol.* Processo infeccioso generalizado, em que germes são veiculados pelo sangue sem, contudo, neste se multiplicarem. [Cf. *septicemia.*]
bactério. *S. m. Desus.* Bactéria.
▲**bacteri(o)-.** [De *bactéria.*] *El. comp.* = 'bactéria': *bacteriologia, bacteriófogo.*
bacteriofagia. *S. f. Biol. Ger.* Condição ou ato de bacteriófago. [Cf. *bacteriólise.*]
bacteriofágico. *Adj.* Relativo à bacteriofagia.
bacteriófago. [De *bacteri(o)-* + *-fago.*] *S. m. Genét.* Vírus que infecta bactérias. [Tb. se diz apenas *fago.*]
bacteriólise. *S. f. Biol. Ger.* Destruição bacteriana dentro ou fora de organismo vivo.
bacteriolisina. *S. f. Biol. Ger.* Anticorpo contra bactérias, que as destrói.
bacteriolítico. *Adj.* Relativo à bacteriólise.
bacteriologia. [De *bacteri(o)-* + *-log(o)-* + *-ia.*] *S. f.* Ciência que trata das bactérias. [Cf. *microbiologia.*]
bacteriológico. *Adj.* Referente à bacteriologia. ~ V. *guerra —a.*
bacteriologista. *S. 2 g.* Especialista em bacteriologia; bacteriólogo.
bacteriólogo. *S. m.* Bacteriologista.
bacteriopurpurina. *S. f. Biol. Ger.* Pigmento violáceo produzido por certas bactérias.
bacteriose. *S. f. Patol.* Doença provocada por bactéria.
bacteriostase. *S. f. Biol. Ger.* Inibição da multiplicação bacteriana.
bacteriostático. *Adj.* Que evita a multiplicação bacteriana.
bacterioterapia. [De *bacteri(o)-* + *-terapia.*] *S. f. Terap.* Emprego de culturas de bactérias, vivas ou mortas, no tratamento de infecções.
bacterioterápico. *Adj.* Relativo à bacterioterapia.
bacteróide. *Adj. 2 g.* Semelhante a bactéria.
bacu. [Do tupi *ba'ku.*] *S. m. Bras.* **1.** Peixe teleósteo, siluriforme, de corpo revestido de fortes placas ósseas, em forma de armadura, especialmente o *Lithodoras dorsalis* (Val.) e outros do gênero *Acanthodoras* (Bleek). São peixes de fundo, perigosos de manipular em virtude das placas e raios cortantes esparsos pelo corpo. [Var.: *vacu.*] **2.** *Bras., Amaz. Pop.* Indivíduo barrigudo; barrigudo.
bacubixá. *S. m. Bras.* V. *bacumixá.*
bacucu. [De possível or. tupi.] *S. m. Bras.* **1.** Molusco bivalve, família dos mitilídeos (*Modiolus brasiliensis* (Chemn)), da costa brasileira. Concha grande, comprida, aproximadamente triangular, curvada para baixo, mais larga e preta na parte posterior, pardo-escura na anterior; interior azul ou verde-brilhante. Tem 7 1/2 cm de comprimento. **2.** Molusco da família dos mitilídeos (*Modiolus tulipa* (Lam.)), freqüente em praias batidas pelo mar forte.
bacuçu. *S. m. Bras., BA.* Canoa de um pau só, ampliada por uma borda-falsa.
bacuda. *S. F. Bras.* V. *barracuda.*
bacu-de-pedra. *S. m. Bras.* Peixe teleósteo, siluriforme, da família dos doradídeos (*Acanthodoras cataphractus* (L.)), da Amaz., de coloração branco-amarelada, e cujo corpo é revestido por numerosas placas ósseas irregulares. Tem os primeiros raios ou acúleos das nadadeiras muito desenvolvidos e fortemente serrilhados, o comprimento chega a 60 cm, e fornece boa carne. [Sin.: *bacupedra, daqueiro.* Pl.: *bacus-de-pedra.*]
bacuejo (ê). *S. m. Bras., BA.* Banho de asseio incompleto.
bacuém. *Bras. S. 2 g.* **1.** Indivíduos dos bacuéns, tribo indígena botocuda da margem esquerda do rio Mucuri. ● *Adj. 2 g.* **2.** Pertencente ou relativo a essa tribo.
▲**baculi-.** [Do lat. *baculus, i.*] *El. comp.* = 'bastão', 'caule': *baculiforme, baculífero.* [Equiv.: *baculo-.*]
baculífero. [De *baculi-* + *-fero.*] *Adj. Bot.* Diz-se de planta cuja haste pode servir de bastão ou de bengala.
baculiforme. [De *baculi-* + *-forme.*] *Adj. 2 g.* Que tem

forma de báculo ou de bastão.

baculino. *Adj.* — V. *argumento* —.

báculo. [Do lat. *baculu.*] *S. m.* **1.** Bastão com a extremidade superior arqueada, usado pelos bispos: "O metropolita, segundo os costumes daquela época, tinha deposto o báculo de pastor para cingir a espada de guerreiro." (Alexandre Herculano, *Eurico, o Presbítero*, pp. 79-80.) **2.** *P. ext.* V. *bordão*[1] (1). **3.** *Fig.* Arrimo, amparo.

▲**baculo-.** Equiv. de *baculi-*: *baculômetro.*

baculômetro. [De *baculo-* + *-metro.*] *S. m.* Vara graduada com que se medem terrenos declivosos ou de acesso difícil ou impossível.

bacumini. *Bras. S. 2 g.* **1.** Indivíduo dos bacuminis, tribo indígena que habitava o vale do Paraíba. ● *Adj. 2 g.* **2.** Pertencente ou relativo a essa tribo.

bacumixá. [Do tupi *wakumi'xá.*] *S. f. Bras.* Árvore da família das sapotáceas (*Sideroxylon vastum*), cuja madeira se emprega em obras internas e cuja casca é adstringente e febrífuga. [Var.: *bacubixá, bacupixá.*]

bacumixá-branca. *S. f. Bras.* Arbusto da família das mirtáceas (*Eugenia eurisepala*) de flores alvas e folhas oblongas. [Pl.: *bacumixás-brancas.*]

bacupari. [Do tupi.] *S. m. Bras.* Designação comum às seguintes espécies de plantas: **1.** Arbusto da família das eritroxiláceas *(Erythroxylum exaltatum)*, de folhas elíptico-lanceoladas, cuspidadas, com estípulas, e flores alvas. **2.** Arbusto da família das gutíferas *(Garcinia cochinchinensis)*, originário do Vietnã, de ramos quadrangulares, folhas oval-oblongas, flores alvas laterais e bagas amarelo-avermelhadas. São comestíveis as folhas e os frutos, e estes também diuréticos; o lenho é usado como combustível. [Sin. (nesta acepç.): *mangustão-amarelo* e *sacopari.*] **3.** Arbusto da família das hipocrateáceas (*Salacia cognata*), de folhas serradas, opostas ou subopostas, e flores claras. Ocorre do AM a SP. **4.** Arbusto da família das hipocrateáceas *(Salacia elliptica)*, de folhas elípticas e flores de pétalas serradas em fascículos axilares. **5.** Arbusto da família das hipocrateáceas *(Salacia laxiflora)*, de folhas opostas, flores pálidas, em cimeiras, e bagas amarelas. Ocorre do PA a SP. **6.** Arbusto da família das hipocrateáceas *(Salacia paniculata)*, de folhas ovais, flores em panículas e drupas subglobosas.

bacupariaçu. [De *bacupari* + *-açu.*] *S. m. Bras.* Árvore da família das rubiáceas *(Gardenia suaveolens)*, de flores brancas aromáticas e bagas amarelas, tendo a casca da raiz propriedades tônicas; bacupari-grande, jasmim-do-mato, limão-do-mato.

bacupari-cipó. *S. m. Bras.* Trepadeira da família das hipocrateáceas *(Salacia silvestris)*, de drupas rugosas pretas e polpa comestível, e cujas folhas, na medicina caseira, são aplicadas em inflamações; cipó-de-copacabana, saputá, tapicuru. [Pl.: *bacuparis-cipós* e *bacuparis-cipó.*]

bacupari-da-baía. *S. m. Bras., BA.* Arbusto da família das hipocrateáceas *(Salacia glomerata)*, cujas flores têm pétalas arredondadas em glomérulos. [Pl.: *bacuparis-da-baía.*]

bacupari-de-capoeira. *S. m. Bras.* **1.** Pequena árvore da família das hipocrateáceas *(Salacia crassifolia)*, de flores alvas e drupas amarelas, e polpa comestível; saputá. **2.** V. *açucena-do-mato.* [Pl.: *bacuparis-de-capoeira.*]

bacupari-do-amazonas. *S. m. Bras. AM.* Árvore da família das hipocrateáceas (*Salacia corymbosa*), de ramos flexuosos e flores amarelas. [Pl.: *bacuparis-do-amazonas.*]

bacupari-do-campo. *S. m. Bras., GO, MT* e *BA* até *SP.* Arbusto da família das hipocrateáceas *(Salacia campestris)*, habitante dos cerrados centrais, de folhas serreadas, coriáceas, flores esverdeadas, drupas amarelo-laranja e polpa comestível; capicuru, japicuru, laranjinha-do-campo, saputá, tapicuru, tapicuri, uvacupari, vacapari, vacaparilha. [Pl.: *bacuparis-do-campo.*]

bacupari-grande. *S. m. Bras.* V. *bacupariaçu.* [Pl.: *bacuparis-grandes.*]

bacupari-miúdo. *S. m. Bras.* **1.** Árvore da família das rubiáceas (*Posoqueria acutifolia)*, cuja madeira é usada para marcenaria e torno; fruta-de-macaco. **2.** Árvore cultivada, da família das gutíferas *(Rheedia cardneriana)*, cuja casca exsuda resina medicinal, sendo a madeira útil para carpintaria e marcenaria; bacoparé. [Pl.: *bacuparis-miúdos.*]

bacu-pedra. *S. m. Bras.* V. *bacu-de-pedra.* [Pl.: *bacus-pedras* e *bacus-pedra.*]

bacupixá. *S. f. Bras.* V. *bacumixá.*

bacupua. [De possível or. tupi.] *S. m. Bras.* Peixe teleósteo, siluriforme, da família dos taquissurídeos (*Netuma barba* (Lacép.)), que ocorre em todos os rios do Brasil.

bacurau. [Do tupi *wakura'wa.*] *S. m.* **1.** *Bras.* Designação comum a várias aves caprimulgiformes, da família dos caprimulgídeos, gêneros *Chordeiles* Sw., Podager Wagn., *Hydropsalis* Wagl., *Nyctidromus* Gould e outros. São noturnas, de plumagem mole, e se alimentam de toda sorte de insetos. [Var. e sin.: *acurau, acuraua, guiraquereá, ibijaú, joão-corta-pau, joão-mede-léguas, noitibó, pinta-cega.* Cf. *curiango* (1).] **2.** *Bras. pop.* Indivíduo que só costuma sair à noite. **3.** *Bras., PE.* Cova de carvão vegetal formada pelos atiços da anterior. **4.** *Bras., RJ.* V. *crioulo* (10). **5.** *Bras., RJ.* Ônibus que trafega entre uma e seis horas da manhã; sereno.

bacurau-branco. *S. m. Bras., N.O.* Espécie de bacurau (*Chordeiles rupestris* (Spix.)), de coloração pardo-cinzenta clara, finamente pintado de preto, rêmiges pardo-escuras listradas de branco, retrizes laterais pela maior parte brancas; bacurau-de-bando, bacurau-da-praia. [Pl.: *bacuraus-brancos.*]

bacurau-da-praia. *S. m. Bras.* V. *bacurau-branco.* [Pl.: *bacuraus-da-praia.*]

bacurau-de-bando. *S. m. Bras.* V. *bacurau-branco.* [Pl.: *bacuraus-de-bando.*]

bacurau-tesoura. *S. m. Bras.* V. *curiango-tesoura* (1 e 2). [Pl.: *bacuraus-tesouras* e *bacuraus-tesoura.*]

bacuri[1]. [Do tupi *waku'ri.*] *S. m. Bras., Amaz.* **1.** Árvore da família das gutiferáceas (*Platonia insignis*), de fruto grande e carnoso, com polpa amarela, muito apreciado como alimento, sobretudo no PA; bacurizeiro, ibacurupari. **2.** O fruto dessa árvore.

bacuri[2]. *S. m. Bras., PB.* Espécie de manga[3] (1).

bacuri[3]. *Bras. S. 2 g.* **1.** Indivíduo dos bacuris, tribo indígena das nascentes do rio Arinos (MT). ● *Adj. 2 g.* **2.** Pertencente ou relativo a essa tribo.

bacuripari. [Do tupi *Wakuripa'ri.*] *S. m. Bras.* Árvore de 15 a 20m, da família das gutiferáceas (*Rheedia macrophylla*), de folhas coriáceas, brilhantes, agudas, com nervuras numerosas e aproximadas, e que chegam a 30cm, pequenas flores dispostas em fascículos, e cujo fruto é uma baga ovóide, unilocular, de 6x4 cm e sabor ácido agradável; bacuripati.

bacuripati. *S. m. Bras.* Var. de *bacuripari.*

bacurizeiro. *S. m. Bras.* V. *bacuri*[1] (1).

bacurubu. *S. m. Bras.* V. *baquerubu.*

badalação. *S. f. Bras. Pop.* Ação ou efeito de badalar (4, 7 a 9).

badalada. *S. f.* Som produzido pela pancada do badalo no sino, campainha, chocalho, etc: "Da mesma igreja alvadia / Evolam-se as badaladas / E a reza da Ave-Maria." (Vicente de Carvalho, *Poemas e Canções*, p. 213.)

badaladal. *S. m.* Série ou sucessão de badaladas.

badalado. [Part. de *badalar.*] *Adj. Bras. Pop.* Muito falado; comentadíssimo.

badalador (ô). *Adj. Bras.* **1.** Que badala; badalativo. ● *S. m.* **2.** Aquele que badala os sinos.

badalão. [Aum. de *badalo.*] *S. m.* Homem desassisado e tagarela.

badalar. *V. int.* **1.** Dar badaladas; badalejar: "Badalam sinos." (Antônio Boto, *As Canções*, p. 131); "A sineta do portão badalara, jogada por mão impaciente e familiar" (Carlos Malheiro Dias, *Os Teles de Albergaria*, p. 210). **2.** Divulgar mexericos; fofocar: *Nem sabia ao certo o que sucedera, e já badalava por aí.* **3.** Dizer ou proclamar com entusiasmo ou ênfase: "Da elegia .... era Vadinho herói indiscutível, 'jamais outro virá tão íntimo das estrelas, dos dados e das putas, mágico jogral', badalavam os versos, numa louvação sem tamanho." (Jorge Amado, *Dona Flor e Seus Dois Maridos*, p. 46.) **4.** *Bras. Pop.* Comparecer a reuniões sociais, a festas, etc., de maneira mais ou menos ostentatória; exibir-se; mostrar-se; badalar-se: *Vive a badalar nas boates de Copacabana. T. d.* **5.** Dar badaladas em; tocar: "Comecei a inventar um sonho bonito, próprio para o vigário, cheio de anjos badalando sino, notei que ele não estava gostando" (Manuel Lobato, *Contos de agora*, p. 18). **6.** Dar, fazer soar, por meio de badaladas: "Atravessando sozinho alguma ponte, depois dos sinos de Santo Antônio badalarem nove horas, arriscava-se a ser levado para o fundo das águas" (Gilberto Freire, *Assombrações do Recife Velho*, p. 29). **7.** *Pop.* Revelar indiscretamente; espalhar, divulgar: *Saiu badalando tudo o que vira e ouvira.* **8.** *Bras. Pop.* Propalar ou divulgar (alguma coisa), exaltando-lhe as virtudes ou criando virtudes que não tenha: *Não pára de badalar o último livro do amigo. P.* **9.** *Bras. Pop.* V. *promover*[2] (2): *Devia ter mais autocrítica e não se badalar tanto.* **10.** *Bras. Pop.* Badalar (4): *Não perde um acontecimento social: vive a badalar-se.*

badalativo. *Adj. Bras.* Que badala, que é muito dado a badalar (4, 7 a 9); badalador.

badalejar. *V. int.* **1.** Badalar (1). **2.** Tiritar (1). [Conjug.: v. *pelejar.*]

badalo. [Do lat. **battuaculu*, de *battuere*, 'bater'.] *S. m.* Peça de metal, com a extremidade grossa ou em bola, pendurada no interior do sino, chocalho, etc., para fazê-los soar. ◆ **Correr o badalo.** Falar demais, tagarelar, taramelar; dar à língua, dar de língua, dar o badalo. **Dar o badalo.** V. *correr o badalo.*

badame. [Var. de *bedame*, com assimilação.] *S. m.* **1.** Instrumento de aço, chato e cortante numa das extremidades, utilizado por canteiros e escultores. **2.** Entre carpinteiros, o formão.

badameco. [Do lat. *vade mecum*, 'vai comigo'.] *S. m.* **1.** *Ant.* Pasta em que os estudantes transportavam papéis e livros. **2.** *Fig.* Rapazola, adolescente. **3.** Casquilho, bonifrate. **4.** V. *joão-ninguém.* [Cf. *bandaneco.*]

badana. [Do ár. *bitānā.*] *S. f.* **1.** Ovelha magra, velha e estéril. **2.** Carne de ovelha velha. **3.** Pelanca mole e pendente. **4.** *Pop.* Barbatana (1). **5.** *Bras., S.* Pele macia e lavrada que se coloca sobre o coxinilho. ● *S. m.* **6.** *Fam.* V. *joão-ninguém.* **7.** V. *tolo* (8).

badanal. *S. m. Pop.* **1.** Balbúrdia, algazarra, confusão, desordem, vozearia. **2.** Grande afã; azáfama, lufa-lufa. **3.** Embrulhada, trapalhada.

badé. *S. m. Bras., BA. Folcl.* Xangô (1).

badejete (ê). [Dim. irreg. de *badejo.*] *S. m. Bras. Pop.* Badejo novo, do gênero *Mycteroperca* Gill, que vive em fundo pedregoso ou de vegetação alta, onde se esconde.

badejo (é ou ê). [Var. de *abadejo.*] *S. m. Bras.* **1.** Designação comum a peixes de várias espécies dos serranídeos, que vivem em pequenos cardumes e são muito apreciados na caça submarina, especialmente o gênero *Mycteroperca* Gill, com seis espécies na costa brasileira; abadejo. ● *Adj. Bras. Pop.* **2.** Grande, enorme, baita. **3.** Incrível, extraordinário. **4.** Belo, vistoso.

badejo-bicudo. *S. m. Bras.* V. *badejo-branco.* [Pl.: *badejos-bicudos.*]

badejo-branco. *S. m.* Peixe teleósteo, percomorfo, da família dos serranídeos (*Mycteroperca microlepis* (God. & Bean)), da costa atlântica, de coloração pérola com manchas escuras e verde-claras; badejo-bicudo, badejo-saltão, badejo-sapateiro. [Pl.: *badejos-brancos.*]

badejo-ferro. *S. m. Bras.* Peixe teleósteo, percomorfo, da família dos serranídeos (*Mycteroperca bonaci* (Poey)). Tem manchas redondas, bronzeadas, atinge até 1 m, vive em lugares pedregosos e sua carne se deteriora facilmente. [Sin.: *badejo-preto, cerigado-preto.* Pl.: *badejos-ferros* e *badejos-ferro.*]

badejo-mira. [De *badejo* + *mira*[3], el. cuja or. é obscura.] *S. m. Bras.* Peixe teleósteo, percomorfo, da família dos serranídeos (*Mycteroperca rubra* (Bloch)), do Mediterrâneo e do Atlântico, de coloração esverdeada, com largas estrias, e até 60 cm de comprimento. [F. red.: *mira.* Pl.: *badejos-miras* e *badejos-mira.*]

badejo-preto. *S. m. Bras.* V. *badejo-ferro.* [Pl.: *badejos-pretos.*]

badejo-sabão. *S. m. Bras.* Peixe teleósteo, percomorfo, da família dos serranídeos (*Rypticus saponaceus* (Schn.)), da costa leste do Brasil, de corpo cor de chocolate (3), revestido de forte mucosidade, que lhe valeu o nome popular; cerigado-sabão. [Pl.: *badejos-sabões* e *badejos-sabão.*]

badejo-saltão. *S. m. Bras.* V. *badejo-branco.* [Pl.: *badejos-saltões.*]

badejo-sapateiro. *S. m. Bras.* V. *badejo-branco.* [Pl.: *badejos-sapateiros.*]

badeleíta. [Do antr. *baddeley* + *-ita*[3].] *S. f. Min.* Mineral monoclínico, óxido de zircônio; fava de zircônio.

badelsita. *S. f. Min.* Brasilita.

badém. *S. m.* Var. de *bedém.*

baderna[1]. [Do it. *baderna* ou do fr. *baderne.*] *S. f. Marinh.* Botão provisório que se faz no tirador de uma talha, no colhedor de uma enxárcia, em um brandal ou em qualquer cabo de laborar, a fim de que o tirador, colhedor, brandal ou cabo não corra no gorne em que labora. [Var.: *abaderna.*]

baderna[2]. [Do antr. *Baderna*, de uma dançarina que esteve no Rio em 1851.] *S. f. Bras.* **1.** Grupo de rapazes. **2.** Súcia, corja, matula[1]. **3.** Pândega, patuscada, estroinice: "Muitas vezes a madrugada ia encontrá-lo na baderna, de onde saía bêbedo para casa" (Pelópidas Soares, *Cordão dos Bichos*, p. 11). **4.** Desordem, confusão, bagunça, bagunçada. **5.** V. *rolo*[1] (16).

badernar. *V. t. d.* **1.** Transformar em baderna[2], em confusão; anarquizar. *Int.* **2.** *Bras.* Fazer baderna[2];

pandegar, bagunçar, baguncear.
baderneiro. *Adj.* e *s. m. Bras.* V. *badernista.*
badernista. *Adj. 2 g.* e *s. 2 g. Bras.* Que ou quem é dado a baderna² (3 e 4); bagunceiro, baderneiro.
badiana. [Do persa *bādiān*, 'anis'.] *S. f.* V. *anis-estrelado.*
badiana-de-cheiro. *S. f.* V. *anis-estrelado.* [Pl.: *badianas-de-cheiro.*]
badico. *S. m. Bras., RJ. Pop. Desus.* Gratificação (quando não se considera possível nem delicado pagar os serviços de alguém).
➡**bad-lands.** [Ingl.] *S. f. pl.* Terras impróprias para a lavoura por causa da erosão pluvial e por apresentarem muitos sulcos de profundidade variada.
badó. *Adj. 2 g.* e *s. 2 g. Bras.* V. *tolo* (1 a 3 e 8).
badofe. [De possível or. afr.] *S. m.* **1.** *Bras., BA.* Prato da cozinha afro-baiana, com base na língua-de-vaca ou na taioba. **2.** Comida ruim.
badogue. [Var. de *bodoque.*] *S. m. Bras., BA.* V. *atiradeira.*
badoque. [Var. de *bodoque.*] *S. m. Bras., AL.* V. *atiradeira.*
badorar. *V. t. d. Bras., BA. Pop.* Comer avidamente; devorar.
badulaque. *S. m.* **1.** Guisado de fígado e bofes; chanfana, bazulaque. **2.** Penduricalho; berloque; bazulaque. ~ V. *badulaques.*
badulaques. [Pl. de *badulaque.*] *S. m. pl.* **1.** Coisas de pouco valor, que cada um guarda ou traz consigo; caramiguás, xurumbambos, bazulaques. **2.** *Bras., BA. Pop.* Móveis ordinários. ~ V. *badulaque.*
baé¹. [De *bacco*, por apócope.] *Adj. 2 g.* e *s. 2 g. Bras., N.E.* **1.** Diz-se de, ou uma espécie de suínos muito baixos e gordos; batoré, baeco: "Abandonara as plantas, as encomendas de costura, o porquinho *b a é.*" (Gilvã Lemos, *Jutaí Menino*, p. 107.) **2.** *Fig.* Diz-se de, ou pessoa baixa e reforçada, atarracada; batoré, baeco.
baé². *S. f. Luso-asiat.* Tratamento afetuoso dado a mulheres jovens, casadas ou solteiras.
baeco. *Adj.* e *s. m. Bras., N.E.* V. *baé¹.*
baependiense. *Adj. 2 g.* **1.** De, ou pertencente ou relativo a Baependi (MG). ●*S. 2 g.* **2.** Natural ou habitante de Baependi.
baeta (ê). [Do fr. picardo *bavette.*] *S. f.* **1.** Tecido felpudo de lã. **2.** Baetilha (2). ●*S. m.* **3.** Denominação que se dava na região litoral ao habitante de MG. **4.** *Bras., RJ.* Adepto ou admirador da sociedade carnavalesca Tenentes do Diabo. ♦ **Romper as baetas.** *Bras., PE.* **1.** Revoltar-se, indignar-se, explodir. **2.** Inimizar-se, malquistar-se, indispor-se.
baetal. *Adj. 2 g.* De, ou próprio de baeta (1).
baetão (a-ê). [Aum. de *baeta.*] *S. m.* **1.** Baeta (1) grossa, própria para agasalhos. **2.** *Bras.* Cobertor de lã.
baetilha (a-ê). [Dim. irreg. de *baeta.*] *S. f.* **1.** Baeta (1) delgada e leve. **2.** Tecido felpudo de algodão; baeta.
baetóideo. *S. m.* **1.** Espécime dos baetóideos. ●*Adj.* **2.** Pertencente ou relativo a eles.
baetóideos. *S. m. pl. Zool.* Insetos da ordem dos efemerópteros, subordem *Baetoidea*, cujo tarso posterior tem quatro artículos livres e móveis, sendo o quinto artículo, quando presente, inteiramente soldado à tíbia.
baeúna (a-e). *Bras. S. 2 g.* **1.** Indivíduo dos baeúnas, tribo indígena amazonense da qual descende a população do Saracá. ●*Adj. 2 g.* **2.** Pertencente ou relativo a essa tribo.
bafa. [De *bafafá*, com apócope.] *S. m. Bras., RS. Gír.* V. *bafafá.*
bafafá. *S. m. Bras. Fam.* **1.** V. *rolo¹* (16). **2.** Tumulto, confusão. [F. red.: *bafa.*]
bafagem. *S. f.* **1.** *Mar.* Vento de muito fraca intensidade, menos que aragem: bafejo, bafuge. **2.** *Fig.* Expiração, bafo. **3.** *Fig.* Inspiração, alento.
bafari. *S. m. Ant.* Falcão vermelho, muito empregado na altanaria.
bafejador (ô). *Adj.* e *s. m.* Que ou aquele que bafeja.
bafejar. *V. t. d.* **1.** Aquecer com o bafo: *B a f e j a v a as mãos roxas de frio.* **2.** Acalentar, acariciar: *b a f e j a r sonhos impossíveis.* **3.** Estimular, incitar, incentivar; encorajar, animar: *Com palavras incensadoras b a f e j a v a a vaidade do amigo.* **4.** Favorecer, ajudar, proteger: *Esperava que a fortuna o b a f e j a s s e. T. d. e i.* **5.** Transmitir; inspirar: *B a f e j a v a sentimentos baixos aos que o cercavam. Int.* **6.** Exalar bafo. **7.** *Bras., N.* e *N.E.* Cheirar mal, tresandar (geralmente, cadáver): "Era meio-dia, e já o cadáver estava '*b a f e j a n d o*', quando Sinhazinha Lelé soube do acontecido." (Viriato Correia, *Histórias Ásperas*, p. 182.) **8.** Soprar brandamente: *Uma leve aragem b a f e j a v a.* [Conjug.: v. *pelejar.*]
bafejo (ê). [Dev. de *bafejar.*] *S. m.* **1.** Sopro, alento, expiração. **2.** *Fig.* Aura de sorte; favor, proteção, fortuna, bafo. **3.** *Mar.* V. *bafagem* (1).
bafio. [De *bafo* + *-io²*.] *S. m.* Cheiro característico da umidade e ausência de renovação do ar; mofo, relento, bolor: "Vai remexer no que estava sepultado há dois mil anos, no bolor e no *b a f i o*, nas paredes compactas da Sé, nos santos imóveis nos seus nichos, na inutilidade e no hábito." (Raul Brandão, *Húmus*, p. 57.)
bafo. [Da onom. *bafo*, expressiva de um sopro.] *S. m.* **1.** Ar exalado dos pulmões; hálito. **2.** *Fig.* V. *bafejo* (2). **3.** Abrigo, conchego, aconchego. **4.** Inspiração, alento. **5.** *Bras. Gír.* Conversa fiada; bazófia, gabolice, prosa; bafo de boca: "Quando eles fizeram aí essa revolução e falaram tudo aquilo, que iam salvar o País, que iam prender tudo que era safado, que isso, que aquilo, eu cheguei a ter uma esperançazinha. Palavra de honra! Mas logo depois eu vi que era tudo *b a f o.*" (Stanislaw Ponte Preta, *Febeapá 2*, p. 105.) ♦ **Bafo de boca.** V. *bafo* (5). **Bafo de onça.** *Bras. Gír.* Hálito fétido; halitose; bafo de tigre. **Bafo de tigre.** *Bras. Gír.* V. *bafo de onça.*
bafô. *S. m. Bras., MG.* Na região são-franciscana, briga, desordem.
bafômetro. [De *bafo* + *-metro.*] *S. m. Pop.* Aparelho destinado a detectar e determinar o grau de concentração de bebida alcoólica no organismo de quem dirige veículo automotor.
baforada. *S. f.* **1.** Golfada de fumaça de cigarro, charuto, ou cachimbo. **2.** Expiração de mau hálito. **3.** Bafo (1) prolongado e forte. **4.** *Fig.* Bravata, vantagem, fanfarronada.
baforar. *V. t. d.* **1.** Expelir (o bafo). **2.** Lançar fora; lançar de si; expelir: "Fez sensação na assembléia tirar Calisto de uma charuteira de prata um charuto, e *b a f o r a r* colunas de fumo" (Camilo Castelo Branco, *A Queda dum Anjo*, p. 158). **3.** Arrotar (2). **4.** Dizer, proferir: *Irritado, b a f o r a v a imprecações. Int.* **5.** Vangloriar-se, jactar-se; bravatear.
baforeira. [Do lat. vulg. **biferaria*, i. e., *ficus biferaria*, 'figueira bífera'.] *S. f.* Figueira-brava (1).
baforeiro. *Adj.* Pertencente ou relativo à baforeira.
bafuge. [De *bafugem.*] *S. f. Bras., BA. Pop.* V. *bafagem* (1).
bafugem. *S. f. Ant.* Bafagem. [Cf. *bafuge.*]
bafuntar. *V. int. Bras., BA.* Na região são-franciscana, v. *morrer* (1).
baga. [Do lat. **baca*, por *bacca.*] *S. f.* **1.** *Morfol. Veg.* Fruto carnoso, indeiscente, como, p. ex., o tomate. **2.** Gota (3). **3.** *Bras.* Semente de mamona.
bagaçada. *S. f. Bras.* **1.** Grande porção de bagaço. **2.** Monte de lenha miúda. **3.** V. *palavreado* (1). **4.** Coisa sem valor ou préstimo.
bagaceira. *S. f.* **1.** Lugar ou tulha onde se junta o bagaço da uva. **2.** Aguardente do bagaço da uva. **3.** Conjunto de coisas imprestáveis. **4.** Resto, resíduo, restolho. **5.** *Bras.* Local próximo ao engenho de açúcar onde se junta o bagaço de cana; bagaceiro. **6.** *Bras.* V. *cachaça* (1). **7.** *Bras. Fig.* O ambiente dos engenhos de cana-de-açúcar. **8.** *Bras.* Pilha de lenha, arrumada de maneira que a lenha miúda e a graúda não se misturem. **9.** *Bras.* Palavreado sem sentido, oco. **10.** *Bras.* V. *ralé* (1). **11.** *Bras.* Moreira. **12.** *Bras.* V. *tatajuba* (1).
bagaceiro. *Adj.* **1.** Diz-se de animal que come bem o bagaço. **2.** *Bras., S.* Diz-se daquele que vive com a bagaceira ou ralé. ● *S. m.* **3.** *Bras.* Bagaceira (5). **4.** *Bras.* Removedor de bagaço de cana.
bagaceiro-seco. *S. m. Bras.* Indivíduo que, nos engenhos, leva bagaço seco para as fornalhas. [Pl.: *bagaceiros-secos.*]
bagaceiro-verde. *S. m. Bras.* Indivíduo que, nos engenhos, leva bagaço verde para as fornalhas. [Pl.: *bagaceiros-verdes.*]
bagaço. [De *baga* + *-aço.*] *S. m.* **1.** Resíduo de frutos ou de outras substâncias depois de extraído o suco. **2.** *P. ext.* Coisa usada demais, velha, surrada. **3.** Folguedo, folia, dança. **4.** V. *couro* (7). **5.** *Bras.* Conjunto de indivíduos desordeiros. **6.** *Bras.* V. *rolo¹* (16). **7.** *Bras.* As cartas do baralho que se vão juntando sobre a mesa, nos jogos em que os parceiros compram uma carta e jogam fora outra. ♦ **Um bagaço.** Pessoa com mau aspecto, envelhecida, acabada, ou excessivamente abatida, cansada, etc.: *Ficou um b a g a ç o com a morte do amigo.*
bagada. *S. f.* **1.** Grande porção de bagas. **2.** *Fig.* Lágrima grossa.
baga-da-praia. *S. f. Bras.* V. *abutua-grande* (1). [Pl.: *bagas-da-praia.*]
bagageira. *S. f.* **1.** Subsídio abonado para transporte de bagagens. **2.** *Bras.* Seixo rolado, cinzento-azulado, satélite (7) do diamante. **3.** *Bras. Gír.* V. *meretriz.*
bagageiro. *S. m.* **1.** V. *carregador* (2). **2.** Carro de bagagens. **3.** Parelheiro que nas carreiras chega em último lugar. **4.** Soldado que serve de ordenança. **5.** *Autom.* Estrutura metálica, no teto de carros de passeio ou caminhonetes, para o transporte de volumes: porta-bagagem, bagagito. **6.** *Min. Bras.* Epídoto. **7.** *Bras. PA.* Ave passeriforme da família dos tiranídeos (*Phaeomyias murina* (Tacz.)), da Amaz., parda, pescoço cinza-claro, peito e abdome cinza-amarelados, barriga amarelo-clara. **8.** *Bras., S.* Aquele que é dado a viver com bagagem (3). ● *Adj.* **9.** Que transporta bagagem: *bonde b a g a g e i r o.* **10.** *Bras., S.* Que é dado a viver com bagagem (3).
bagagem. [Do fr. *bagage.*] *S. f.* **1.** Conjunto de objetos de uso pessoal que os viajantes conduzem em malas, caixas, sacos, pacotes; equipagem. **2.** *Fig.* O conjunto das obras ou realizações de um artista, um escritor, um cientista, etc. **3.** Bras. *S.* V. *ralé* (1). ♦ **Bagagem literária.** Bagagem (2) de um escritor.
bagagito. *S. m. Autom.* V. *bagageiro* (5).
bagajudo. *Adj.* e *s. m. Bras., BA.* Diz-se de, ou cascalho grosso.
bagalhão. *S. m.* Bago grande.
bagalhoça. [Aum. jocoso de *bago* (6).] *S. f. Pop.* V. *dinheiro* (3).
bagana. *S. f. Bras.* **1.** V. *guimba.* **2.** *P. ext.* Cigarro. **3.** Alimento de má qualidade. **4.** V. *ninharia.* **5.** *Bras., AL.* Bolo de tabuleiro.
baganeiro. *Adj.* e *s. m. Bras., BA.* Diz-se de, ou vendedor de coisas velhas.
baganha. [De *baga.*] *S. f.* Película que recobre a semente. [Cf. *epiderme* (2).]
bagarote. [De *bago* (6).] *S. m.* **1.** *Ant. Bras. Gír.* Nota ou moeda de mil-réis; bago. **2.** V. *dinheiro* (3). [M. us. no pl.]
bagata. [Do hindustani *bhagata.*] *S. f. Pop.* V. *bruxaria* (1 e 2).
bagatela. [Do it. *bagattella.*] *S. f.* V. *ninharia.*
bagateleiro. *S. m.* Aquele que se ocupa de bagatelas.
bagauri. *S. m. Bras.* V. *baguari.*
bagaxa. *S. f.* Mulher que se prostitui [v. *meretriz*]: "Lavrava por toda a parte a barregania; e *b a g a x a s* houve, tão ufanas das graças do seu corpo belo e do valor das suas manhas, que mandaram abrir, na própria campa, epitáfios proclamando as loucuras de amor que os reis fizeram por elas." (Antero de Figueiredo, *Leonor Teles*, p. XXVI.)
bagdali. *Adj. 2 g.* **1.** De, ou pertencente ou relativo a Bagdá, capital do Iraque. ● *S. 2 g.* **2.** Natural ou habitante de Bagdá.
bagear. *V. int.* Bajar. [Conjug.: v. *frear. Defect.* só conjugável nas 3ªˢ pess.]
bagem. *S. f.* V. *vagem.*
bago. [De *baga.*] *S. m.* **1.** Cada fruto do cacho de uvas. **2.** Fruto ou grão que lembre a uva. **3.** Grão miúdo de chumbo. **4.** Conta de rosário. **5.** Bagarote (1). **6.** V. *dinheiro* (3). **7.** *Gír.* V. *testículo.* [Aum.: *bagalhão.*]
bagoado. [De *bago* + *-ado¹.*] *Adj.* Que tem forma de bago.
bagralhão. [Aum. de *bagre.*] *S. m. Bras.* Certo peixe fluvial do MA.
bagre. *S. m.* **1.** *Pop.* Designação comum a várias espécies de peixes teleósteos, siluriformes, da família dos taquissurídeos e pimelodídeos, em geral de corpo mole, pele totalmente nua, barbilhões desenvolvidos. Marinhos e de água doce, vivem no fundo e se alimentam de toda espécie de substâncias. [Sin.: *jundiá.*] **2.** *Bras. Gír.* Pessoa feia. **3.** *Bras., PA. Folcl.* Espécie de quadrilha (3), que se dança na marujada, na festa de São Benedito, em Bragança (PA).
bagre-amarelo. *S. m. Bras.* **1.** Peixe teleósteo, siluriforme, da família dos taquissurídeos (*Tachysurus Spixii* (Agass.)), muito comum na costa brasileira. Tem dorso azul-prateado e abdome amarelo, e mede de 25 a 30 cm. **2.** O pimelodídeo *Pimelodus clarias* Lac., largamente distribuído em toda a América cisandina. **3.** V. *guarijuba.* [Sin. ger.: *bagre-de-areia, iriceca, irideca.* Pl.: *bagres-amarelos.*]
bagre-bandeira. *S. m. Bras.* Designação de dois peixes teleósteos, siluriforme, da família dos taquissurídeos (*Felichtys bagre* (L.) e *F. Marinus* Mitch.), da costa brasileira, de coloração azulada metálica, com laivos esverdeados, flancos prateados e abdome branco-amarelado. O primeiro raio da nadadeira dorsal é muito longo, ultrapassando a anal, e os barbilhões maxilares também ultrapassam o início da anal; comprimento de até 50 cm, e peso de até 4 kg. A espécie *F. Marinus* Mitch. diferencia-se pelo fato de o primeiro raio da nadadeira dorsal não ultrapassar a anal e os barbilhões maxilares não a atingirem. [Sin.: *bagre-de-penacho,*

bagre-fita, bagre-mandim, bagre-sari, bandim, bandeirado, pirá-bandeira, sargento, sarassará. Pl.: *bagres-bandeiras* e *bagres-bandeira.*]

bagre-branco. *S. m. Bras.* **1.** Peixe teleósteo, siluriforme, da família dos taquissurídeos (*Tachysurus grandicassis* (Val.)), da costa L. e N. do Brasil, da BA para o N. Dorso pardo, lado ventral mais claro, com manchas esparsas, dentes palatinos viliformes. Mede em geral 40 cm, mas pode atingir até um metro. [Sin.: *bagre-beiçudo, bagre-urutu, boca-lisa, iritinga.*] **2.** Peixe da família dos pimelodídeos (*Pimelodus albicans* Val.), dos rios Paraná e Paraguai. [Pl.: *bagres-brancos.*]

bagre-beiçudo. *S. m. Bras.* V. *bagre-branco* (1). [Pl.: *bagres-beiçudos.*]

bagre-caiacoco. *S. m. Bras., PE.* e *PA.* V. *guarijuba.* [Pl.: *bagres-caiacocos* e *bagres-caiacoco.*]

bagre-cambeja. [De *bagre* + *cambeja*, el. de or. obscura.] *S. m. Bras.* V. *cambeva* (1). [Pl.: *bagres-cambejas* e *bagres-cambeja.*]

bagre-cangatá. *S. m. Bras.* V. *guarijuba.* [Pl.: *bagrescangatás* e *bagres-cangatá.*]

bagre-cego. *S. m. Bras.* Peixe teleósteo, siluriforme, da família dos pimelodídeos *(Typhlobagrus Kornei* M. Rib.), das grutas de SC. e de SP. Corpo despigmentado em alguns exemplares, e amarelado nos flancos em outros; mede 15 cm de comprimento. [Sin.: ceguinho, bagre-ceguinho. Pl.: *bagres-cegos.*]

bagre-ceguinho. *S. m. Bras.* V. *bagre-cego* [Pl.: *bagres-ceguinhos.*]

bagre-de-areia. *S. m. Bras.* **1.** V. *bagre-amarelo.* **2.** V. *guarijuba. [Pl.: bagres-de-areia.]*

bagre-de-lagoa. *S. m. Bras.* Mandi-chorão (2). [Pl.: *bagres-de-lagoa.*]

bagre-de-penacho. *S. m. Bras.* V. *bagre-bandeira.* [Pl.: *bagres-de-penacho.*]

bagre-fita. *S. m. Bras.* V. *bagre-bandeira.* [Pl.: *bagres-fitas* e *bagres-fita.*]

bagre-guri. *S. m. Bras.* V. *guarijuba.* [Pl.: *bagres-guris.*]

bagre-mandim. *S. m. Bras. N.E.* V. *bagre-bandeira.* [Pl.: *bagres-mandins* e *bagres-mandim.*]

bagre-mole. *S. m. Bras.* **1.** V. *cambeva* (1). **2.** Bagrinho-da-serra. [Pl.: *bagres-moles.*]

bagre-morcego. *S. m. Bras.* Peixe teleósteo, siluriforme, da família dos pimelodídeos (*Rhamdia pubescens* Mir. Rib.), do rio Paraguai, de corpo salpicado de pontos escuros, e coloração geral cinérea, amarelada na abdome. [Pl.: *bagres-morcegos* e *bagres-morcego.*]

bagre-pintado. *S. m. Bras.* V. *mandi-pintado* (1). [Pl.: *bagres-pintados.*]

bagre-rajado. *S. m. Bras.* V. *surubim-rajado.* [Pl.: *bagres-rajados.*]

bagre-sapo. *S. m.* **1.** *Bras.* Designação comum às espécies do gênero *Zungaro* Bleek, distribuídas por todo o Brasil. **2.** *Bras.* Designação comum a dois peixes teleósteos, siluriformes, da família dos pimelodídeos, de coloração que vai do pardo-escuro ao negro, e cuja cabeça, chata e larga, lhes confere aspecto de sapo: *Pseudopimelodus raminus* (Val.), da Amaz., e *Rhamdia sapo* (Val.), da região meridional. [Sin. (nesta acepç., no RS): *bagre-sapo-das-pedras.*] **3.** *Bras., BA. região do São Francisco.* V. *pacamão* (1) [q. v.]. **4.** *Bras., SP.* Peixe teleósteo, siluriforme, da família dos pimelodídeos (*P. roosevelti* Borod.), de coloração pardo-acinzentada, manchinhas escuras dispersas pelo corpo e 32 cm de comprimento; brecambucu, brecumbucu, manguriú, maguruiú, pacamão, piacururu, piracururu. [Pl.: *bagres-sapos* e *bagres-sapo.*]

bagre-sapo-das-pedras. *S. m. Bras., RS.* Bagre-sapo (2). [Pl.: *bagres-sapos-das-pedras* e *bagres-sapo-das-pedras.*]

bagre-sari. *S. m. Bras.* V. *bagre-bandeira.* [Pl.: *bagres-saris* e *bagres-sari.*]

bagre-urutu. *S. m.* **1.** *Bras.,* V. *bagre-branco* (1). **2.** *Bras., GO, MG, RJ, SP* e *RS.* Peixe teleósteo, siluriforme, da família dos taquisurídeos (*Genidens genidens* (Val.)), que não possui dentes vomerinos e mede 30 cm. [Pl.: *bagres-urutus* e *bagres-urutu.*]

bagrinho. [Dim. de *bagre.*] *S. m.* **1.** *Bras. Mar. Merc. Gír.* Substituto eventual do estivador, não sindicalizado e que não goza, pois, das garantias legais. **2.** *Bras. Gír.* Profissional subempregado que substitui o titular em cargo ou função, mediante remuneração inferior à que é percebida por este. **3.** *Bras. Gír.* Subempregado que trabalha sem ter anotada a carteira profissional.

bagrinho-da-serra. *S. m. Bras.* Peixe teleósteo, siluriforme, da família dos tricomicterídeos (*Trichomycterus brasiliensis* Reinh.), da parte meridional do Brasil. Coloração cinza-clara, com pontinhos pretos esparsos sobre o corpo. [Sin.: *bagre-mole.* Pl.: *bagrinhos-da-serra.*]

baguá[1]. [Do tupi *'ipa gwá'*, 'morador em brejo'.] *S. m.* **1.** *Bras. GO.* Designação comum a certos cães mestiços. **2.** V. *japim.*

baguá[2]. *S. m.* e *adj. Bras., S.* V. *bagual.*

baguaçu. *S. f. Bras.* V. *babaçu.*

bagual. [Do esp. plat. *bagual.*] *Adj. Bras., S.* **1.** Diz-se de potro arisco. **2.** Diz-se de potro recém-domado. **3.** Diz-se de cavalo que se tornou selvagem. **4.** *Fig.* Espantadiço, assustadiço. **5.** Pouco sociável; intratável. **6.** *Fig.* Muito grande; desmedido; fora do comum. [Fem.: *bagual* e (mais raro) *baguala* (q. v.). Us. tb. como s. m.]

baguala. *Adj. (f.).* Fem. de *bagual* [q. v., especialmente *bagual* (6)]: "uma alegria solta, b a g u a l a, nascendo espontânea de todos" (Ciro Martins, *Paz nos Campos,* p. 13).

bagualada. [Do esp. plat. *bagualada.*] *S. f. Bras., S.* **1.** Manada de baguais. **2.** Grosseria, estupidez, indelicadeza.

bagualão. [Do esp. plat. *bagualón.*] *Adj.* e *s. m. Bras., S.* Diz-se de, cavalo ou potro recém-domado, em que ainda não se pode confiar.

baguari. [Do tupi *mbagwa'ri.*] *S. m.* **1.** *Bras.* V. *maguari.* ● *Adj. 2 g.* **2.** Vagaroso, pesadão, corpulento. [Var.: *baguari.*]

baguear. *V. int. Bras.* Segurar os bagos ou testículos de um animal, para castrá-lo. [Conjug.: v. *frear.*]

baguete. [Do fr. *baguette*, 'bastão pequeno e fino'.] *S. f.* **1.** Ornato vertical que guarnece a meia à altura do tornozelo. **2.** Diamante com a face superior retangular, lapidado com 25 facetas. **3.** Pão francês fino e longo.

baguió. *S. m.* Nas Filipinas, ciclone tropical.

bagulhado. [De *bagulho* + *-ado*[1].] *Adj.* Cheio de bagulho (6); bagulhento, bagulhoso.

bagulheiro. *S. m. Bras. Gír.* Receptador de bagulho (7).

bagulhento. *Adj.* V. *bagulhado.*

bagulho. [De *bago.*] *S. m.* **1.** Semente de uva e de outros frutos, contida no bago; grainha. **2.** V. *vasculhador.* **3.** Pessoa muito feia: *Aquela pequena é um b a g u l h o.* **4.** Pessoa envelhecida, acabada, gasta. **5.** V. *cacaréus.* **6.** *Bras.* Objeto sem valor. **7.** *Bras. Gír.* Objeto furtado ou roubado. **8.** *Bras.* V. *maconha.*

bagulhoso (ô). *Adj.* V. *bagulhado.*

bagunça. *S. f.* **1.** *Bras.* Máquina para remover aterro. **2.** *Gír.* Desordem, confusão, baderna, bagunçada. **3.** *Gír.* Pândega ruidosa; bagunçada.

bagunçada. *S. f. Bras. Gír.* V. *bagunça* (2 e 3).

bagunçado. [Part. de *bagunçar.*] *Adj. Bras. Pop.* **1.** Desordenado, confuso, anarquizado: *papéis b a g u n ç a d o s; anotações b a g u n ç a d a s.* **2.** Diz-se de pessoa malvestida, desalinhada, descuidada. [Sin. ger.: *abagunçado.*]

bagunçar. *V. t. d. Bras. Pop.* **1.** Promover bagunça ou desordem em. *Int.* **2.** Promover bagunça ou desordem. [F. paral.: *abagunçar, baguncear.* Conjug.: v. *laçar.*]

baguncear. *V. t. d.* e *int. Bras. Pop.* V. *bagunçar.* [Conjug.: v. *frear.*]

bagunceiro. *Adj.* e *s. m. Bras. Gír.* Diz-se de, ou indivíduo dado à bagunça; desordeiro, baderneiro.

bah. [Do esp. plat. *bah.*] *Interj. Bras.* Barbaridade (2): *B a h! que mulherzinha antipática!;* "Vai ver que ela amanhã resolve recomeçar as aulas e manda chamar Dom Basílio correndo. Mulheres! B a h!" (Cora Rónai Vieira e Paulo Rónai, *Aventuras de Fígaro,* p. 36). [Cf. *bá.*]

bahamense. *Adj. 2 g.* e *s. 2 g.* V. *baamiano.*

bahamiano. *Adj.* e *s. m.* V. *baamiano.*

baht. [Do tailandês *thai bäht.*] *S. m.* Unidade monetária, e moeda, da Tailândia.

baia. [Do quimb. *baia*, abrev. de *ribaia*, 'tábua'.] *S. f.* Compartimento ou espaço ao qual se recolhe o animal, nas cavalariças e estábulos; boxe: "Relincham em minha b a i a / Hacanéias de invejar." (Manuel Bandeira, *Estrela da Vida Inteira,* p. 26.) [Cf. *baía* e o top. *Bahia.*]

baía. [Do pré-romano, atr. do lat. de baixa época *baia.*] *S. f.* **1.** Pequeno golfo, de boca estreita, que se alarga para o interior. **2.** *Bras.* Lagoa comunicante com um rio. **3.** Canal para escoamento de pântanos. [Cf. *baia* e o top. *Bahia.*]

baiá. *Bras. S. 2 g.* **1.** Indivíduo dos baiás, tribo indígena que habitava em MT. ● *Adj. 2 g.* **2.** Pertencente ou relativo a essa tribo.

baiacu. [Do tupi *baya'ku.*] *S. m. Bras.* **1.** Designação popular de espécies de peixes teleósteos, plectógnatos, que têm corpo revestido de escamas, espinhos ósseos ou placas ósseas, e vivem no mar ou em água doce. Podem inflar a barriga quando fora da água, ou para boiar e fugir à perseguição dos inimigos: alimentam-se de moluscos, crustáceos e algas, e sua carne é considerada venenosa. [Sin.: *sapo-do-mar.*] **2.** V. *pirupiru.* **3.** Espécie de maçarico (*Haematopus palliatus* Tem.). **4.** Indivíduo gordo e baixo. [Var.: *baiagu.*]

baiacuará (u-a). [De *baiacu* + *ará.*] *S. m. Bras.* V. *baiacuarara.*

baiacuarara. *S. m. Bras.* Peixe teleósteo, plectógnato, da família dos tetradontídeos (*Lagocephalus laevigatus* (L.)), do Atlântico, distribuído desde a Flórida até Montevidéu, de dorso azul, flancos prateados, abdome branco. Tem até 60 cm de comprimento; a pele, aparentemente lisa, é áspera como lixa. [Var. de *baiacua; sin.: baiacu-dondom, baiacu-guaiama, baiacuguaíma, baiacuguima.*]

baiacu-de-água-doce. *S. m. Bras.* Mamaiacu. [Pl.: *baiacus-de-água-doce.*]

baiacu-de-espinho. *S. m. Bras.* Designação comum aos peixes teleósteos, plectógnatos, da família dos diodontídeos, cujo corpo é revestido de espinhos ósseos, sendo os dentes unidos em duas placas. [Pl.: *baiacus-de-espinho.*]

baiacu-dondom. *S. m. Bras.* V. *baiacuarara.* [Pl.: *baiacus-dondons* e *baiacus-dondom.*]

baiacu-guaiama. *S. m.* V. *baiacuarara.* [Pl.: *baiacus-guaiamas* e *baiacus-guaiama.*]

baiacuguaíma. *S. m. Bras.* V. *baiacuarara.*

baiacuguima. *S. m.* V. *baiacuarara.*

baiacumirim. *S. m.* Peixe teleósteo, plectógnato, de reduzidas dimensões, atingindo, em média, 10 a 12 cm. e com barbas orais longas. Muito freqüente em águas rasas e calmas dos rios.

baiacuru. [De possível or. indígena.] *S. m. Bras., RS.* Planta herbácea cujo bulbo é empregado contra a hidropisia.

baiagu. [De possível or. indígena.] *S. m. Bras.* V. *pirupiru.* [Var. de *baiacu.*]

baiana[1] (a-i). [Fem. substantivado do adj. *baiano.*] *S. f.* **1.** Negra ou mestiça da BA, em especial a vendedora de quitandas, cuja indumentária consta de saia rodada, bata de renda, turbante, pano-da-costa, colares e balangandãs: "O cortejo das mulheres é acompanhado pelo dos meninos vendedores de balas e doces .... Eles formam, com as b a i a n a s, a guarda de honra do Senhor do Bonfim." (Jorge Amado e Alain Draeger, *Terra Mágica da Bahia,* p. 79.) **2.** Fantasia (6) inspirada na indumentária da baiana (1): *As b a i a n a s de Carmen Miranda eram estilizadas ao gosto de Hollywood.* **3.** Figura tradicional dos desfiles de escolas de samba que usa obrigatoriamente essa fantasia: *a ala das b a i a n a s.* **4.** *Bras.* Capa de couro usada sobre a sela para transportar roupa; carona. **5.** *Bras., RJ.* Bertalha.

baiana[2] (a-i). *S. 2 g.* e *adj. 2 g. Bras.* V. *pauxiana.*

baianada (a-i). *S. f.* **1.** *Bras.* Fanfarrice, impostura de baiano (4). **2.** *Bras., S.* Grupo de baianos [v. *baiano* (6)]. **3.** *Cap.* Queda no adversário, que se aplica puxando-lhe a bainha das calças. **4.** *Bras., S.* Inabilidade em montar a cavalo ou em manejar o laço e as boleadeiras. **5.** *Bras., S.* Ação desleal, suja; sujeira, patifaria: *Fez uma b a i a n a d a comigo.*

baianal. *S. m. Bras., AL.* V. *samba-de-matuto.*

baianas. *S. f. pl. Bras., AL.* V. *samba-de-matuto.*

baianca. *S. f. Bras.* Quebrada entre valados.

baianidade (a-i). *S. f.* Baianismo.

baianismo (a-i). *S. m.* **1.** Maneiras, atitudes, sentimento, próprios de baiano. **2.** Amor intenso à Bahia, à sua gente, aos seus costumes. [Sin. ger.: *baianidade.*]

baiano (a-i). *Adj.* **1.** De, ou pertencente ou relativo à BA. [Sin. (p. us.): *baiense.*] **2.** *Bras., S.* Nortista (2). **—** V. *recôncavo* **—**. ● *S. m.* **3.** O natural ou habitante da BA. [Sin. (nesta acepç.): *baiense* (p. us.) e *maleiro* (joc.).] **4.** *Bras. Pej.* Indivíduo fanfarrão, pachola, dado a contar vantagens. **5.** *Bras., N.* V. *baião* (1). **6.** *Bras., S.* Indivíduo que não sabe montar a cavalo. **7.** *Bras., S.* Soldado de infantaria. **8.** *Bras., MA.* Sertanejo vindo da BA, do PI ou de GO, trazendo gado. **9.** *Bras., MA.* Gado que chega do sertão. **10.** *Bras., Pl.* V. *caipira* (1). **11.** Nortista (3). **12.** *Bras., N.E. Folcl.* Antiga dança de pares, espécie regional do lundu, em que os parceiros eram convidados às vezes com umbigadas, às vezes com acenos de mão ou de lenços, ou ao som de castanholas.

baião. [Var. de *baiano.*] *S. m.* **1.** *Bras., N.E. Folcl.* Dança e canto popular, ao som da viola e doutros instrumentos, derivada do baiano (11); baiano, chorado, choradinho. **2.** *Bras., N.E.* Pequeno trecho instrumental que os contendores executam nos desafios para dar tempo ao adversário de preparar a sua resposta. [Cf. *rojão*[1] (10).] **3.** *Bras. N.E.* Pequeno trecho de música que acompanha o canto, nos desafios e cantorias, e que, desenvolvido independentemente da cantoria, originou um gênero musical sertanejo de canto e dança.

baião-de-dois. *S. m. Bras., CE. Pop.* Prato de feijão e arroz cozinhados juntamente. [Sin., N.E.: *rubacão.* Pl.: *baiões-de-dois.*]

baiar. [De *bailar,* por síncope.] *V. int. Bras. P. us.* Dançar (1).

baiardo. *S. m. Mar. Ant.* Espécie de defensa, constituída de toros ou pranchas colocadas vertical ou horizontalmente em cais ou costado de embarcação, para amortecer os choques de um contra o outro. ♦ **Baiardo de barcaça.** *Mar. Ant.* Pequena antena fixa no ovém da enxárcia para proteger a mesa das bigotas quando a barcaça se chega ao navio que vira de querena. **Baiardo de cais.** *Mar.* O que é preso no cais. **Baiardo de faxina.** *Mar. Ant.* O que é constituído de um feixe de canas ou varas de madeira. **Baiardo de navio.** *Mar.* O que é preso a bordo. **Baiardo flutuante.** *Mar.* O que é amarrado folgadamente ao cais, de modo que fique flutuando.

baibiri. *Bras. S. 2 g.* **1.** Indivíduo dos baibiris, tribo indígena das imediações do rio Juruá (AM). ● *Adj. 2 g.* **2.** Pertencente ou relativo a essa tribo.

baiburuá. *Bras. S. 2 g.* **1.** Indivíduo dos baiburuás, tribo indígena das imediações do rio Juruá (AM). ● *Adj. 2g.* **2.** Pertencente ou relativo a essa tribo.

baiense (a-i). *Adj. 2 g.* e *s. 2 g. P. us.* Baiano (1 e 3).

baila[1]. [Dev. de *bailar.*] *S. f.* Baile, bailado. [Var.: *balha.*] ♦ **Andar na baila.** Ser chamado ou citado freqüentemente; estar na baila: "consumado / Nas hípicas façanhas, era [Vasco] o nome / Que mais na baila andava." (Machado de Assis, *Poesias Completas,* p. 354). **Chamar à baila.** Fazer que se manifeste; provocar. **Estar na baila.** Andar na baila. **Vir à baila.** Vir a propósito; fazer-se lembrado oportunamente.

baila[2]. *S. f.* **1.** Teia (6) de torneio. **2.** V. *estacada* (2).

bailada. *S. f.* **1.** *Desus.* Ato de bailar (1). **2.** *Desus.* Bailarico. **3.** *Ant.* Certa dança do povo e de jograis. **4.** Espécie de poesia lírica da escola trovadoresca que, musicada, servia para essa dança; bailia.

bailadeira. [Fem. de *bailador.*] *S. f.* Mulher que baila; bailarina, dançarina: "As bailadeiras começaram as suas danças." (Mário de Sá-Carneiro, *A Confissão de Lúcio,* p. 38.)

bailado. [Part. de *bailar.*] *Adj.* **1.** Em que se dança. — V. *fandango* —. ● *S. m.* **2.** Dança (1) geralmente destinada a ser apresentada em espetáculos, cerimônias rituais, etc., e da qual participam um ou mais intérpretes. **3.** Ação e coreografia do bailado (1), normalmente acompanhado de música, e que podem constituir um espetáculo independente ou inserir-se no contexto de uma ópera, de um filme, de um *show;* baile, balé: *O bailado da* Traviata *foi montado com uma nova coreografia.* **4.** V. *baile* (2). **5.** Coreografia (2). **6.** *Fig.* V. *baile* (4).

bailador (ô). *Adj.* e *s. m.* Que ou aquele que baila.

bailão. *S. m.* **1.** Aquele que gosta muito de bailar. **2.** Fadista (2). [Fem.: *bailona.*]

bailar. [Do gr. *pállo,* 'saltar', atr. do lat. *ballare.*] *Int.* **1.** Dançar (1). **2.** Oscilar, vacilar; tremer: *A chama da lamparina bailava;* "pelos campos, / Por sobre as águas mortas da lagoa, / Tremeluzem, bailando, os pirilampos." (Ricardo Gonçalves, *Ipês,* p. 38). *T. d.* **3.** Executar dançando: *Bailaram sambas;* "E bailavam [os Faunos e os Centauros] / Uma dança fantástica e funesta" (Campos de Figueiredo, *Imagem do Dia,* p. 20). **4.** Agitar-se, mover-se, descrevendo curvas: "Bailando no ar, gemia inquieto vaga-lume" (Machado de Assis, *Poesias Completas,* p. 292).

bailareco. *S. m.* V. *bailarico:* "os bailarecos à fantasia que se realizavam aqui e ali ... não eram lá coisa que valesse a pena." (Atos Damasceno, *O Carnaval Porto-Alegrense no Século XIX,* p. 17).

bailarico. *S. m.* **1.** Baile de cunho popular. **2.** V. *arrasta-pé* (2). [Sin. ger., bras.: *bailareco.*]

bailarim. *S. m.* V. *bailarino* (1 a 3).

bailarina. *S. f.* Fem. de *bailarino* (1 e 2): "Também vi dançar a Pavlova, bailarina russa extraordinária" (Laura Oliveira Rodrigo Otávio, *Elos de uma Corrente,* p. 171).

bailarino. *S. m.* **1.** Aquele que, por profissão, se dedica à arte do bailado. **2.** *P. ext.* Indivíduo que dança bem; dançarino. **3.** *Gír.* Em carteado, pessoa que joga de modo aventureiro, contando com a sorte. [F. paral.: *bailarim.*] **4.** *Ind. Pap.* Cilindro oco e leve, recoberto externamente por uma tela metálica fina, e que serve para, girando sobre a mesa de fabricação da máquina contínua, entre duas caixas aspirantes, melhorar a estrutura do papel.

bailariqueiro. *S. m.* Freqüentador assíduo de bailaricos.

baile. [Dev. de *bailar.*] *S. m.* **1.** Reunião dançante de caráter festivo e não raro formal. **2.** Dança alegre e festiva; bailado. **3.** Bailado (3). **4.** *Fig.* Reunião ou movimentação (de pessoas) em torno de um assunto comum; dança, bailado: *o baile dos candidatos à Academia.* **5.** *Bras., AL. Folcl.* V. *guerreiros.* ♦ **Dar um baile.** *Bras.* Dar um *show* (1): *Na defesa, Garrincha deu um baile.* **Dar um baile em.** *Bras.* **1.** Mexer com; troçar de. **2.** Chamar a atenção de; repreender, recriminar, censurar. **3.** Exercer domínio absoluto sobre (o adversário): *O Flamengo deu um baile no Fluminense.* **4.** Dar um *show.*

baileco. [Dim. irreg. de *baile.*] *S. m. Bras., S.* V. *arrasta-pé* (2).

bailéu. [Do malaio *balai.*] *S. m.* **1.** Andaime suspenso por cordas ou por cabos de aço, que se pode mover para cima e para baixo por meio de moitões ou roldanas: "Ali passava os dias, sobre os andaimes altos e bailéus bamboantes." (Euclides da Cunha, *Os Sertões,* p. 197.) **2.** Designação geral de obras e peças em balanço, como, p. ex., sacada, aba de telhado, prateleira suspensa na parede. **3.** Palanque, tribuna. **4.** Prateleira em casernas para roupas e outros objetos. **5.** *Constr. Nav.* Pavimento parcial, abaixo do último pavimento contínuo, onde se instalam paióis e outros compartimentos semelhantes. **6.** *Bras. Mar. Guer. Gír.* Prisão celular; solitária; cadeia [q. v.]. **7.** *Bras., N.* Piso da popa e da proa dos barcos que não têm convés corrido.

bailia[1]. *S. f. Ant.* **1.** Comenda de bailio. **2.** Esposa de bailio.

bailia[2]. *S. f. Ant.* Bailada (4).

bailio. [Do fr. *bailli.*] *S. m.* **1.** Nas antigas ordens militares, comendador. **2.** Antigo magistrado provincial. [Var.: *balio.*]

bailomania. [De *baile* + *-o-* + *-mania.*] *S. f.* Paixão por bailes, por danças.

bailona. *S. f.* Fem. de *bailão* [q. v.].

bainha (a-í). [Do lat. *vagina.*] *S. f.* **1.** Estojo onde se introduz a lâmina de arma branca. **2.** Dobra cosida na barra de um tecido a fim de que não se desfie. **3.** *Anat.* Qualquer formação que circunda órgão ou parte deste: *bainha muscular; bainha nervosa.* **4.** *Morfol. Veg.* Base da folha, alargada, e que abraça, parcial ou totalmente, o ramo ou o caule. **4.** *Morfol. Veg.* Em muitas algas, sobretudo cianofíceas, camada de mucilagem que envolve os filamentos. [Dim. irreg.: *vagínula.*]

bainha-de-espada. *S. f. Bras.* Soroca (1). [Pl.: *bainhas-de-espada.*]

bainhar (a-i). *V. t. d.* V. *abainhar* (2).

bainheiro[1] (a-i). *S. m.* Fabricante de bainhas de espadas.

bainheiro[2] (a-i). *S. m.* Árvore da família das anacardiáceas.

bainilha. *S. f. Ant.* Baunilha [q. v.].

baio. [Do lat. *badiu.*] *Adj.* **1.** Que tem a cor do ouro desmaiado. **2.** Diz-se do eqüídeo castanho ou amarelo-torrado: "Correndo vinha no cavalo baio" (Machado de Assis, *Poesias Completas,* p. 306). **3.** Amulatado. **4.** Moreno. ● *S. m.* **5.** Cavalo baio: "O sôfrego baio mastigava o freio e espumava" (José de Alencar, *O Sertanejo,* p. 30). **6.** *Bras., RS.* Cigarro de palha, feito com fumo crioulo.

baionense. *Adj. 2 g.* **1.** De, ou pertencente ou relativo a Baião (PA). ● *S. 2 g.* **2.** Natural ou habitante de Baião.

baionesa (ê). [Do top. *Baiona* + *-esa.*] *Adj. (f.)* e *s. f.* Diz-se de, ou certa casta de maçã, parda e de aroma agradável. [Var.: *baonesa.*]

baioneta (ê). [Do fr. *baionette.*] *S. f.* V. *sabre-baioneta.* ♦ **Baioneta calada.** A que está armada na boca do fuzil, mosquetão, etc.

baionetada. *S. f.* Golpe de baioneta.

baioneta-espanhola. *S. f.* Erva da família das liliáceas (*Yucca baccata*), cultivada como ornamental. Tem larga abundância de folhas, duríssimas e pontudas, e floresce apenas uma vez, emitindo grande inflorescência multiflora, após o quê morre. [Pl.: *baionetas-espanholas.*]

baipiri. *Bras. S. 2 g.* **1.** Indivíduo dos baipiris, tribo indígena do AM. ● *Adj. 2 g.* **2.** Pertencente ou relativo a essa tribo.

baiquara. *S. 2 g. Bras. RS.* V. *caipira* (1).

bairã. [Do turco *bairam.*] *S. m.* Dupla festividade muçulmana: o pequeno bairã e o grande bairã, que ocorrem, respectivamente depois do ramadã [q. v.] e no fim do ano muçulmano.

bairão. *S. m.* Bairã.

bairari. [De possível or. indígena.] *S. m. Bras., S.* V. *avoante.*

bairrismo. *S. m.* Qualidade ou ação de bairrista.

bairrista. *Adj. 2 g.* e *s. 2 g.* **1.** Que ou quem freqüenta ou habita um bairro. **2.** Defensor dos interesses do bairro ou da sua terra. **3.** *Bras.* Diz-se de, ou pessoa que, levada por uma visão estreita do patriotismo, só considera como sua pátria o estado natal e hostiliza ou menospreza tudo quanto se refere aos demais.

bairro. [Do ár. vulg. *bárri.*] *S. m.* **1.** Cada uma das partes em que se costuma dividir uma cidade ou vila, para mais precisa orientação das pessoas e mais fácil controle administrativo dos serviços públicos. **2.** *Bras., MG.* Pequeno povoado ou arraial.

baita. *Adj. 2 g. Bras.* **1.** Grande, enorme, imenso: "desembainhou uma baita faca aparelhada, de dois palmos de lâmina." (Bernardo Elis, *Ermos e Gerais,* p. 87). **2.** Crescido, desenvolvido. [P. us., pelo menos em boa parte do País.]

baitaca. [Do tupi *mba'é taka,* 'coisa ruidosa, bulhenta'.] *S. f. Bras.* V. *maitaca.*

baitarra. [Aum. irreg. de *baita.*] *S. m.* **1.** *Bras., N.* Homem muito alto e forte; homenzarrão. **2.** *Bras., SP.* Tratante, velhaco, trapaceiro, caloteiro.

baitatá. [Do tupi *mba'é,* 'coisa', + *ta'tá,* 'fogo'.] *S. f. Bras. Pop.* V. *boitatá.*

baitola (ô). *S. m. Bras., N.E. Chulo.* Pederasta passivo; baitolo.

baitolo (ô). *S. m. Bras., N.E. Chulo.* Baitola.

baiúca. [Da gír. esp. *bayuca.*] *S. f.* **1.** V. *biboca* (3). **2.** V. *taberna* (1).

baiuqueiro (ai-u). *S. m.* **1.** Freqüentador de baiúcas. **2.** Taberneiro (1). ● *Adj.* **3.** Relativo a baiúca.

baixa. [Fem. substantivado do adj. *baixo.*] *S. f.* **1.** Depressão de terreno; baixos. **2.** Lugar baixo. **3.** Parte pouco funda, de mar ou de rio. **4.** Campo alagado. **5.** Diminuição de altura ou de valor. **6.** Abaixamento. **7.** Redução de preço. **8.** O ato de dar (algo) como visto ou como encerrado. **9.** Dispensa de serviço. **10.** Isenção judicial da nota de culpa. **11.** Perda que um efetivo militar sofre, por morte, ferimento ou aprisionamento dos seus integrantes: *As tropas de assalto tiveram 20 baixas.* **12.** Pessoa morta ou gravemente ferida em conseqüência de ataque militar, de arruaça, motim, atos de violência ou de catástrofe. **13.** Queda, nas bolsas, na cotação das ações, mercadorias e outros valores negociáveis. **14.** *Fig.* Circunstância desfavorável; enfraquecimento; decadência. **15.** *Met.* Isóbare que liga as localidades onde ocorreram quedas de pressão atmosférica. **16.** *Met.* V. *ciclone* (1). **17.** *Ant. Mús.* Tipo de dança que se executava com passos arrastados, sem pulos nem saltos. **18.** *Bras., PA.* Parte do campo que fica submersa durante o inverno. [V. *alta*[1].] ♦ **Baixa de capim.** *Bras., PE.* Baixada de capim. **Dar baixa. 1.** Ser dispensado do serviço militar; ter baixa. **2.** *Mar. G.* Ser posto de lado por já não ter condições para operar; ter baixa. **Dar baixa em. 1.** Tornar sem efeito; cancelar. **2.** Considerar como visto ou como encerrado. **3.** Dispensar do serviço militar. **Ter baixa.** Dar baixa (1 e 2).

baixada. [Fem. substantivado de *baixado,* part. de *baixar.*] *S. f. Bras.* **1.** Planície entre montanhas. **2.** Depressão de terreno, próxima de uma lomba. [Cf. *canhada.*] ♦ **Baixada de capim.** Terreno úmido em que se cultiva capim-de-planta; baixa de capim.

baixadão. *S. m. Bras.* Baixada grande; baixão.

baixa-falésia. *S. f. Geol.* Grupo de blocos acumulados no sopé de uma falésia, que a protegem da abrasão ou erosão marinha. [Pl.: *baixas-falésias.*]

baixa-grandense. *Adj. 2 g.* **1.** De, ou pertencente ou relativo a Baixa Grande (BA). ● *S. 2 g.* **2.** Natural ou habitante de Baixa Grande. [Pl.: *baixa-grandenses.*]

baixa-mar. [De *baixa,* fem. do adj. *baixo,* + *mar;* outrora, mar era do gên. fem.] *S. f.* Nível mínimo da curva da maré; maré baixa; maré vazia. [Pl.: *baixa-mares.* Antôn.: *preamar.*]

baixão. *S. m.* **1.** *Mús.* Instrumento de grandes dimensões e palheta dupla, da família das charamelas de madeira, que se usou do séc. XV ao XVII como baixo natural dos instrumentos de sopro. **2.** *Bras., MA, PI* e *BA.* Baixadão.

baixar. [Do lat. vulg. *bassiare.] *V. t. d.* **1.** Abaixar (1 a 5). **2.** Expedir (aviso, ordem, instrução, portaria, lei, etc.). **3.** *Mús.* Passar (trecho, peça, etc.) para tom (13) mais grave, transportando-os [v. *transportar* (4)]; abaixar, descer: *A pedido do cantor, o pianista baixou o acompanhamento; o arranjador baixou a canção que estava originalmente escrita num tom mais agudo. T. d.* e *i.* **4.** Abaixar (7): "Baixas à terra o olhar e a terra, em outras eras, / Plena de gozo e amor, ora é de horrores plena." (Emílio de Meneses, *Últimas rimas,* p. 149.) **5.** Expedir, despachar (ato, ordem de serviço, etc.), segundo a hierarquia: *O Ministro baixou uma instrução para todas as seções do Ministério.* **6.** Ser expedido a uma autoridade ou repartição inferior: *Baixou um ofício do Ministério da Educação ao Instituto Nacional do Livro. T. c.* **7.** Descer, abaixar: *A vereda baixava ao vale.* **8.**

Internar-se (em enfermaria, hospital, etc.), para tratamento, o doente: *O doente* baixou *à enfermaria.* **9.** *Bras.* Incorporar (9): *O orixá* baixou *no filho-de-santo. Int.* e *p.* **10.** Abaixar (9 a 14). [Pres. subj.: *baixe, baixemos, baixeis,* etc. Cf. *baixéis,* pl. de *baixel.*]

baixate. *S. m.* Ferramenta usada por tanoeiros.

baixa-verdense. *Adj. 2 g.* **1.** De, ou pertencente ou relativo a Baixa Verde, atual João Câmara (RN). ● *S. 2 g.* **2.** Natural ou habitante de Baixa Verde. [Pl.: *baixa-verdenses.*]

baixeira. [De *baixa?*] *S. f. Bras.* A primeira colheita do algodão. [Cf. *meeira* e *ponteira* (6).]

baixeiro. *Adj.* **1.** Que se põe por baixo. **2.** *Bras.* Diz-se da xerga ou manta que se põe por baixo da carona (1). **3.** *Bras., N.* e *N.E.* Diz-se do cavalo ensinado a andar no baixo (25). ● *S. m.* **4.** *Bras.* Manta que se coloca no lombo do cavalo por baixo da sela. **5.** *Bras., SP.* Galhos internos da copa das laranjeiras, ou toda a parte da copa que fica por sob os outros galhos.

baixel. [Do cat. *vaixel,* atr. do esp. *bajel.*] *S. m. Ant.* Barco ou navio: "Já esses baixéis fermosos, que a tantas ondas e perigos contrastaram, dobrado enfim o cabo da Boa Esperança, avistam as espaçosas e alegres praias do Reino de Deus, e aportam ao Oriente da vida." (Pe. Manuel Bernardes, *Exercícios Espirituais,* II, p. 370.) [Pl.: *baixéis.* Cf. *baixeis,* do v. *baixar.*]

baixela. [Do lat. *vascella,* nominativo e acusativo pl. de *vasculu,* 'vasinho', tomado como fem. sing. da 1ª declinação, atr. do fr. *vaisselle* ou do cat. *vaixella.*] *S. f.* **1.** O conjunto dos utensílios necessários ao serviço de mesa, em especial os de metal nobre: "E, naquele tempo, Sr. Presidente, Portugal ainda se banqueteava com a baixela d'oiro do Pegu" (Camilo Castelo Branco, *A Queda dum Anjo,* p. 62). [Cf. *serviço* (12).] **2.** Coleção de objetos litúrgicos de valor usados numa igreja.

baixete (ê). [Dim. irreg. substantivado do adj. *baixo.*] *S. m.* **1.** Banco chanfrado onde repousam os barris na tanoaria. **2.** Ferramenta de tanoeiro. **3.** Canteiro². [Cf. *baxete* (ê).]

baixeza (ê). *S. f.* **1.** Qualidade do que é baixo ou do que está embaixo; inferioridade. **2.** Humilhação, rebaixamento, abatimento. **3.** Indignidade, vileza, torpeza, baixura.

baixia. *S. f.* Baixio (1).

baixinho. [Dim. de *baixo.*] *Adv.* **1.** Em voz muito baixa: "— Que cantoria que fazem! dizia baixinho o Ricardo." (Fialho d'Almeida, *Contos,* p. 152.) **2.** Em segredo; reservadamente. ● *S. m.* **3.** *Bras. Fam.* Pessoa baixa.

baixio. [De *baixo* + *-io*².] *S. m.* **1.** Banco de areia, sobre o qual a água do mar ou rio atinge pouca altura; baixia. **2.** *Bras., Amaz.* Enseada que, na época da vazante, os rios formam nos terrenos marginais, e onde a água se deposita. **3.** *Bras., N.E.* Depressão rodeada de serros, na qual há depósitos de águas subterrâneas. ◆ **Baixio costeiro.** *Geogr.* Baixio (1) que se estende ao longo da costa.

baixíssimo. *Adj.* Superl. abs. sint. de *baixo;* ínfimo.

baixista. *Adj. 2 g.* **1.** Diz-se de corretor especulador que, nas bolsa de valores, de mercadorias, etc., manobra a fim de provocar a baixa das cotações. **2.** Diz-se de bolsista que joga na baixa. ● *S. 2 g.* **3.** Indivíduo baixista. *S. 2 g.* **4.** *Mús.* Pessoa que toca qualquer instrumento classificado de baixo ou contrabaixo.

baixo. [Do lat. vulg. *bassu,* com infl. de *baixar,* donde o *i.*] *Adj.* **1.** De pequena estatura: *homem* baixo. **2.** Que tem pouca extensão vertical: *uma porta* baixa. **3.** A pouca altura do chão: *os ramos* baixos *da árvore.* **4.** Voltado para o chão: *Manteve-se de olhos* baixos. **5.** Inclinado para o chão: *Trazia a cabeça* baixa. **6.** Que está inferior ao seu nível ordinário: *O rio está* baixo; *A temperatura conserva-se* baixa. **7.** De baixo poder aquisitivo; humilde, quanto à posição social: *a classe* baixa; *cargo* baixo. **8.** Vil, ignóbil, grosseiro, desprezível: baixos instintos. **9.** Reles, chulo: *Falava em* baixo *calão.* **10.** Que mal se ouve: *voz* baixa. **11.** Moderado: *custo* baixo. **12.** De poucos quilates: *ouro* baixo. **13.** Situado em nível ou altitude inferior à de outro: *bairro* baixo. **14.** Que está situado ao sul: *o* baixo *Alentejo.* **15.** Que está situado mais próximo da foz: *o* baixo *Amazonas.* **16.** *Bras., CE.* Incapaz: *Você é* baixo *para fazer o que ameaça.* [Superl. abs. sint.: *baixíssimo* e *ínfimo;* dim.: *baixinho, baixote.*] ~ V. *caixa —a, — calão, câmara —a, centro —, cidade —a, — comédia, direita —a, esquerda —a, estatura —a, — explosivo, —a freqüência, maré —a, missa —a, nuvem —a, planta —a* e *vogal —a.* ● *S. m.* **17.** *Mús.* A mais grave das vozes masculinas. **18.** *Mús.* O cantor que tem essa voz; baixista. **19.** *Mús.* O instrumento de diapasão mais grave de cada família de instrumentos: *O clarone é o* baixo *da família dos clarinetes.* **20.** *Mús.* A parte mais grave das realizações harmônicas e contrapontísticas, em relação às partes superiores do conjunto e não a uma voz ou instrumento de diapasão grave. **21.** A parte inferior. **22.** *Bras.* Gesto ou dito inoportuno, deselegante; rata, gafe. **23.** *Ocean.* Designação genérica de banco, parcel, recife, restinga, etc. **24.** *Bras., Amaz.* Coroa de lama ou de areia que, na baixa-mar, fica descoberta ou quase ao nível das águas. **25.** *Bras., N.* e *N.E.* Andadura de cavalo de sela, muito cômoda, especialmente para viagem, e da qual há diversos tipos, como o baixo legítimo, o picado, o passado, etc. ● *Adv.* **26.** Em ponto pouco elevado. **27.** Em voz baixa: "E o velho, baixo falando, / Tristemente assim dizia" (Gonçalves Dias, *Obras Póeticas,* II, p. 103). ~ V. *baixos.* ◆ **Baixo cifrado.** *Mús.* Em harmonia, parte de baixo a que se sobrepõem algarismos representativos do acorde ou acordes que lhe correspondem verticalmente. O executante realiza o baixo, dispondo à sua vontade as notas do acorde. **Baixo contínuo.** *Mús.* Simples parte de baixo que se adiciona a qualquer composição para dar às vozes apoio instrumental ininterrupto; contínuo. **Baixo da serra.** *Bras., MT (Pantanal).* Terrenos mais altos da planície, situados ao pé e nos arredores de serras ou chapadas. **Baixo legítimo.** *Bras., N.* e *N.E.* V. *baixo* (25). **Por baixo.** Em situação má, inferior; sem prestígio; em dificuldades: *Anda tão* por baixo *que, se cair, é capaz de não se levantar.*

baixo-alemão. *S. m. Líng.* V. *alemão* (3). [Pl.: *baixos-alemães.*]

baixo-astral. *Adj. 2 g.* e *s. 2 g.* **1.** Diz-se de, ou indivíduo que está ou vive mal-humorado, infeliz, queixoso, como que sob má influência astral. ● *S. m.* **2.** Situação ou circunstância adversa, atribuída a suposta má influência dos astros: *Coitado, está num* baixo-astral *incrível.* [Pl.: *baixo-astrais* e *baixos-astrais.* V. *astral* (3). Antôn.: *alto-astral.*]

baixo-império. *S. m. Hist.* **1.** O Império Romano na sua fase de decadência, em geral considerada a principiar de Constantino (entre 270 e 337). **2.** O Império Romano do Oriente após Teodósio (347-395). [Pl.: *baixos-impérios.*]

baixo-latim. *S. m.* O latim, mais ou menos artificial, usado pelos monges da Idade Média, pautado na tradição gramatical do latim literário. [Pl.: *baixos latins.*]

baixo-relevo. *S. m.* Escultura em que as figuras sobrelevam muito pouco o plano que lhes serve de fundo: "aquilo não era para cemitério, estava a pedir uma praça vasta, pedestal de granito e baixos-relevos alusivos." (Coelho Neto, *Treva,* p. 19). [Pl.: *baixos-relevos.* Cf. *alto-relevo.*]

baixos. [Pl. de *baixo.*] *S. m. pl.* **1.** Baixa (1). **2.** As abas ou faldas de um monte. ~ V. *baixo.*

baixota. *Adj. (f.)* e *s. f.* Fem. de *baixote.*

baixote. *Adj.* e *s. m.* Diz-se de, ou indivíduo um tanto baixo: "Era um negro baixote e ventrudo, cheio de trejeitos" (Silva Guimarães, *Os Borrachos,* p. 5). [Fem.: *baixota.*]

baixo-ventre. *S. m. Anat.* Designação antiga da região hipogástrica e da cavidade pelviana, em conjunto: "— Creio que havia uns oito, dez ou mais pontaços de faca no corpo da infeliz, principalmente nos seios e no baixo-ventre." (Érico Veríssimo, *Noite,* p. 129.) [Pl.: *baixos-ventres.*]

baixura. *S. f.* **1.** Lugar baixo e inferior ao nível do mar. **2.** *P. us.* Baixeza (3).

bajar. *V. int.* Produzir ou criar bagens ou vagens; bagear.

bajeense (èen). *Adj. 2 g.* **1.** De, ou pertencente ou relativo a Bajé (RS). ● *S. 2 g.* **2.** Natural ou habitante de Bajé.

bajerê. *S. m. Bras., MT.* Informação (10) de diamantes.

bajesto. *S. m. Bras.* Coisa sem valor, insignificante.

bajiru. *S. m. Bras.* Certa árvore da Amazônia.

bajogar. [De *jogar,* provavelmente.] *V. t. d. Bras., MA.* Lançar ou jogar fora; arremessar. [Conjug.: v. *largar.*]

bajoujar. [Do lat. *baioliare,* por *baiolare.*] *V. t. d.* **1.** Adular, lisonjear. **2.** Amimar, acariciar.

bajoujice. *S. f.* Ato ou modos de bajoujo.

bajoujo. *Adj.* e *s. m.* **1.** Que ou aquele que lisonjeia ridiculamente. **2.** Apaixonado, baboso; lamecha. **3.** V. *tolo* (1 a 3 e 8).

bajulação. [Do lat. *bajulatione.*] *S. f.* Ato ou efeito de bajular; adulação, lisonja, sabujice, bajulice, bajulismo. [Cf. *banha* (3).]

bajulador (ô). [Do lat. *bajulatore.*] *Adj.* **1.** Que bajula; adulador, adulão, aduloso, babão, cafofa, chaleira, chaleirista, incensador, lambeta, lambeteiro, louvaminheiro, puxa-saco ou puxa-sacos, sabujo, xereta. ● *S. m.* **2.** Aquele que bajula; adulador, adulão, aduloso, babão, baba-ovo, banhista, cafofa, chaleira, chaleirista, cheira-cheira, chupa-caldo, corta-jaca, engrossador, enxuga-gelo, escova-botas, incensador, lambedor, lambe-botas, lambe-cu, lambe-esporas, lambeta, lambeteiro, louvaminheiro, puxa-saco ou puxa-sacos, sabujo, xeleléu, xereta.

bajular. [Do lat. *bajulare, baiolare,* 'carregar às costas'.] *V. t. d.* Lisonjear, adular servilmente; sorrabar, sabujar: "Não haveria partido que me atacasse, que me espiasse, que me caluniasse, nem partido que me bajulasse, que me beijasse os pés" (Machado de Assis, *A Semana,* II, p. 53).

bajulatório. *Adj.* Que encerra ou envolve bajulação.

bajulice. *S. f.* V. *bajulação.*

bajulismo. [De *bajular* + *-ismo.*] *S. m.* V. *bajulação:* "Seu Amílcar, bedel, gordo e vermelho, ficou célebre pelo bajulismo ao diretor" (Marques Rebelo, *A Mudança,* p. 69).

bala. [Do ant. alto-al. *balla,* atr. do lombardo *palla* e do it. *palla,* 'pelota' e do fr. *balle.*] *S. f.* **1.** Projetil metálico, arredondado ou ogival, encaixado na cápsula do cartucho (3). [Aum. irreg.: *balaço, balázio;* dim. irreg.: *balim, balote.* Sin. (bras., GO, pop.): *ameixa.*] **2.** *P. ext.* O cartucho e a bala juntos. **3.** Fardo, pacote, carga. **4.** *Ind. Pap.* Fardo equivalente a 10 resmas, ou 5.000 folhas. **5.** *Bras.* Pequena guloseima de consistência firme, feita com calda de açúcar aromatizada e acrescida de corantes, ou de ingredientes com sabores diversos: bala *de limão;* bala *de mel.* **6.** Caramelo, drope, rebuçado: *chupar* bala. [Sin., bras., BA: *queimado.*] ~ V. *balas.* ◆ **Bala de festim.** *Bras. Ant.* Bala inofensiva, usada em exercício de instrução militar, feita de papel comprimido ou de madeira rija, e que tem um canal interior, com um orifício voltado para a parte posterior, o que lhe provoca a destruição logo ao sair do cano. **Bala dum-dum.** Bala adotada pelos ingleses depois de proibido o uso de balas explosivas para armas de pequeno calibre. [A denominação *dum-dum* provém de ter sido experimentada no campo de tiro de Dum-Dum, em Calcutá, na Índia.] **Bala explosiva.** Bala cujo núcleo contém uma carga que explode ao impacto do projetil. **Estar cuspindo bala.** *Bras., N.E. Pop.* Estar embriagado. **Uma bala.** *Bras. Gír.* Em estado de grande irritação, de fúria: *Está* uma bala *com a reprovação; Perdeu a eleição, e ficou* uma bala.

balabrega. *S. m.* Impostor, embusteiro, charlatão.

balaço. *S. m.* **1.** Grande bala. **2.** Tiro de bala: "Benedito mudou o casaco e aproveitou a ocasião para mostrar-me quatro ou cinco sinais de facadas e de balaços no corpo seco e musculoso." (João do Rio, *Vida Vertiginosa,* p. 150.) [Sin. ger.: *balázio.*]

balacobaco. *El. s. m.* Us. na loc. adj. *do balacobaco.* ◆ **Do balacobaco.** Excelente, ótimo (coisa ou pessoa): *A festa foi* do balacobaco; *Que sujeito* do balacobaco!

balacubau. [T. onom.] *S. m. Bras., Amaz.* O salto do pirarucu na água; bolocobó.

balada¹. [Do prov. *balada;* de *balar,* 'dançar'.] *S. f.* Canção para dançar, de estrutura variável.

balada². [Do fr. *ballade.*] *S. f.* **1.** Poema de origem francesa, do séc. XIII, formado de três oitavas ou três décimas, que têm as mesmas rimas e terminam pelo mesmo verso, seguidas de uma meia-estrofe (quadra ou quintilha), dita *oferta* ou *ofertório,* na qual se repetem as rimas e o último verso das oitavas ou das décimas. **2.** Poema narrativo de assunto lendário ou fantástico e de caráter simples e melancólico, típico dos povos do Norte da Europa na época do pré-romantismo, e que tem sido livremente adotado em períodos posteriores: *as* baladas *de Schiller; a "*Balada *das Duas Mocinhas de Botafogo", de Vinícius de Morais.* **3.** *Mús.* Peça vocal, com acompanhamento de piano, cujo texto ainda conserva o caráter narrativo, e que foi gênero favorito de compositores românticos de Lieder [v. *Lied*]: *as* baladas *de Schubert, de Loewe, de Brahms.* **4.** *Mús.* Em fins do séc. XIX, composição para solista, coro e orquestra, inspirado no ambiente sombrio e misterioso da balada (2). **5.** *Mús.* Peça puramente instrumental, de forma livre, cultivada sobretudo pelos compositores românticos: baladas *de Chopin, Liszt, Brahms, Grieg, Fauré.*

balada³. [De *bala* + *-ada*¹?] *S. f. Expl.* Cada bala colorida que o bastão ou a pistola expelem.

baladeira. [De *bala.*] *S. f. Bras., AC* a *PE.* V. *atiradeira.*

balado. [De *balar.*] *S. m. P. us.* V. *balido:* "O rio, a árida riba, os coles, vão feridos / coos balados da grei"

(Antônio Feliciano de Castilho, *As Geórgicas de Virgílio*, p. 219).
balador (ô). *Adj.* Que bala.
balafo. *S. m.* Marimba (1) usada pelos indígenas de certas regiões da África ocidental.
balaiada. [De *balaio*[2] + *-ada*[1].] *S. f. Bras.* A revolta dos balaios, guerra civil no MA, que durou de 1838 a 1841.
balaieiro[1]. *S. m. Bras.* **1.** Fabricante de balaio[1] (1). **2.** Vendedor ambulante de hortaliças, frutas, etc., que as conduz em balaio[1]. **3.** *Bras.* Nas feiras livres, aquele que leva na cabeça balaio[1] com compra dos fregueses.
balaieiro[2]. *S. m. Bras.* Arpoador de baleias. [Cf. *baleeiro* (1).]
balainha (a-í). *S. f. Bras., PR* e *SC. Folcl.* Dança em que os pares carregam arcos floridos, com que formam um simulacro de balaio ou cabaz de flores; arco-de-flores, jardineira.
balaio[1]. *S. m.* **1.** Cesto de palha, de talas de palmeira, ou de cipó, com tampa ou sem ela, geralmente com o formato de alguidar; patuá. **2.** *Bras.* Merenda, farnel. **3.** *Bras., RS.* Antiga dança, espécie de fandango, introduzida nesse estado pelos açorianos. **4.** *Bras. Chulo.* Nádegas, cadeiras, quadris.
balaio[2]. *S. m. Bras.* Partidário ou sequaz do Balaio, alcunha de Manuel dos Anjos Ferreira, um dos chefes da balaiada [q. v.].
balaio-de-gatos. *S. m. Bras.* V. *rolo*[1] (16). [Pl.: *balaios-de-gatos.*]
balalaica. [Do tártaro *balalaika*, atr. do russo *balalayka* e do fr. *balalaïka.*] *S. f.* Instrumento musical de três cordas e forma triangular, muito usado pelos russos na execução de sua música popular.
balalão. *S. m. Bras.* Certo brinquedo infantil; joão-balão.
balame. *S. m.* Grande porção de balas.
balamento. *S. m. Bras., AL.* Tipo de poesia popular, já em desuso, cantada ao som do coco[2] (ô) (1), e que se refere a acontecimentos relevantes na vida da região onde foi composta.
balança. [Do esp. *balanza.*] *S. f.* **1.** Instrumento com que se determina ou a massa ou o peso dos corpos. **2.** *Fig.* Equilíbrio, prudência, ponderação. **3.** *Fig.* Confronto, comparação. **4.** *Astr.* Libra (8). **5.** *Bras., AM.* Instrumento de pesca formado por uma vara espetada a prumo na margem e que sustenta outra que se projeta sobre a água. **6.** V. *balança comercial.* ♦ **Balança analítica.** *Fís.* Instrumento de laboratório destinado a efetuar pesadas com uma precisão de, no mínimo, um décimo de miligrama, e constituído, em geral, por uma alavanca interfixa de braços iguais que sustenta dois pratos onde se colocam os pesos calibrados e a massa que vai ser medida. **Balança comercial.** Comparação entre as exportações e as importações de um país ou de uma praça comercial, para determinar-lhes o saldo num certo período de tempo: "O maior superávit do ano foi obtido em junho, pela balança comercial brasileira" (*Jornal do Brasil*, 5.7.1985). [Tb. se diz apenas *balança.*] **Balança de Arquimedes.** *Fís.* Instrumento para demonstração do princípio de Arquimedes. **Balança de Coulomb.** *Eletr.* Balança de torção com que se mede a força entre duas cargas elétricas. **Balança de Jolly.** *Fís.* Balança de mola com que se mede a massa específica dos corpos, comparando seu peso no ar com o seu peso aparente quando mergulhados em um líquido. **Balança de mola.** *Fís.* Aquela em que se medem as massas por intermédio da comparação entre a força de restituição duma mola elástica e a força exercida sobre esta pelo peso do corpo de massa desconhecida. **Balança de torção.** *Fís.* Instrumento para medir forças não muito grandes ou muito pequenas, por intermédio da comparação do momento destas com o conjugado de torção de um fio elástico. **Balança de Westphal.** *Fís.* Instrumento para determinar a massa específica ou a densidade relativa de líquidos. **Balança hidrostática.** *Fís.* Designação genérica de balanças que podem medir o empuxo que um sólido sofre quando imerso em um fluido, especialmente um líquido. **Balança magnética.** *Fís.* **1.** Balança com dispositivo de amortecimento magnético. **2.** Balança para medir a força de interação de dois corpos magnetizados. **Balança semi-automática.** *Fís.* Balança analítica que dispõe de um conjunto de pesos fracionários que se podem colocar em um de seus pratos por meio de um dispositivo mecânico acionável pelo operador.
balançante. *Adj. 2 g.* Que balança ou balouça; balangante: *andar balançante.*
balançar. [De *balança* + *-ar*[2].] *V. t. d.* **1.** Fazer oscilar; balangar, balouçar: "Auriverde pendão da minha terra, / Que a brisa do Brasil beija e balança" (Castro Alves, *Poesias Escolhidas*, p. 335). **2.** Equilibrar, contrapesar, compensar; contrabalançar: *O seu senso de justiça balançava a excessiva autoridade.* **3.** Examinar, comparando; pesar: *Vamos balançar os prós e os contras, antes de resolver.* **4.** Dar balanço (5) em; abalançar. Int. **5.** Mover-se de um para outro lado; oscilar, balangar, balouçar: "A água é tão tranqüila! / E o barco balança." (Alberto de Serpa, *Rua*, p. 77.) *P.* **6.** Mover-se, oscilar; balangar(-se), balouçar(-se): "Balançando-se na cadeira do terraço, Flávio afaga o pêlo de Pierrô" (Permínio Asfora, *Vento Nordeste*, p. 245); "Um pica-pau num galho se balança." (Ricardo Gonçalves, *Ipês*, p. 31). **7.** Embalar o corpo de um para outro lado, brincar em balanço (8) ou de outra maneira; balangar, embalar-se. **8.** Equilibrar-se, compensar-se; contrabalançar-se: *Felizmente as opiniões se balançam.* [F. paral.: *balancear.* Conjug.: v. *laçar.*]
balancê. [Do fr. *balancer*, 'balançar'.] *S. m.* **1.** *Mús.* Passo de quadrilha, que consiste em movimentos balançados do corpo sem deslocamento dos pés. **2.** Balancim (3 e 5).
balanceado. [Part. de *balancear.*] *Adj. Bras., S.* **1.** Que não é certo do juízo; meio doido; gira. **2.** Diz-se do negociante prestes a falir. **3.** Que balança; que ginga; oscilante: "A fazenda de Tinhô Caetano era tida como um centro de atividade, porque o seu compasso se regulava pela correria e berreiro do porco e não pela marcha lerda e balanceada do boi." (Amadeu de Queirós, *João*, p. 23.) **4.** Diz-se de alimentação, ração, etc., cujos componentes são equilibrados nas quantidades e qualidades adequadas. ~ V. *dieta* —a.
balanceador (ô). *S. m.* **1.** Balancista (1). **2.** *Eletrôn.* V. *circuito push-pull.*
balanceamento. *S. m.* **1.** Ato de balancear(-se). [Sin. (bras., S.): *balanceio.*] **2.** *Autom.* O ato de equilibrar as rodas de um veículo para lhe dar direção e estabilidade seguras; balanceamento de rodas. ♦ **Balanceamento de escada.** *Arquit.* Operação pela qual se fixam as larguras dos degraus, na linha de piso, em escadas com lanços curvos. **Balanceamento de rodas.** *Autom.* Balanceamento (2).
balancear. *V. t. d.* **1.** Balançar (1 a 4). **2.** *Autom.* Fazer o balanceamento (2) de. **3.** *Eletrôn.* Tornar (um sinal) eletricamente idêntico e simétrico em relação à terra. *Int.* e *p.* **4.** Balançar. [Conjug.: v. *frear.*]
balanceio. [Dev. de *balancear.*] *S. m.* **1.** *Bras., S.* Balanceamento (1). **2.** *Bras., N.E. Folcl.* Dança originada da adaptação do balanço rítmico da dança dos conjuntos de baião, pífano e triângulo.
balanceiro[1]. [De *balanço* + *-eiro.*] *S. m.* Peça que em certas máquinas têm movimento oscilatório e serve para regular o funcionamento de outras peças; balancim.
balanceiro[2]. [De *balança* + *-eiro.*] *S. m. Bras.* **1.** Indivíduo encarregado de pesar mercadorias em armazém. **2.** Indivíduo encarregado de pesar canas nas usinas.
balancete (ê). *S. m.* **1.** Balanço parcial de uma escrituração comercial. **2.** *Fig.* Cálculo, avaliação.
balancia. *S. f. Bras. Pop.* Var. de *melancia.*
balancim. [De *balanço* + *-im.*] *S. m.* **1.** Balanceiro[1]. **2.** Peça de madeira ou de ferro, com um gancho em cada ponta, usada na atrelagem de animais às carroças e máquinas agrícolas. **3.** Antiga prensa de moedeiro, que atuava por meio de choque, sobre o metal, do cunho e do contracunho, mediante rápido encontro entre a mesa fixa e a peça que descia movida por volante ou por barra horizontal com esferas nas extremidades; balancê. **4.** Aparelho análogo empregado nos processos de timbragem e relevografia. **5.** Máquina semelhante usada para cortar papelão, couro, metal, etc., por meio de molde de bordas afiadas que recebe o choque e recorta o material na forma requerida; balancê. **6.** Calcador (4). **7.** *Bras., RS.* Porteira rústica formada de travessas de madeira ordenadas verticalmente e presas por fios de arame na direção horizontal. ♦ **Balancim do seletor.** *Tip.* Peça que aciona a palheta de seleção, na caixa seletora da linotipo.
balancista. *S. 2 g. Bras.* **1.** Pessoa empregada na aferição de balanças; balanceador. **2.** Nos matadouros e frigoríficos, pessoa empregada na pesagem dos suínos antes de eles entrarem nas pocilgas.
balanco. *S. m.* Erva nociva que medra entre as searas.
balanço. [Do it. ant. *balancio*, atualmente *bilancio.*] *S. m.* **1.** Ato ou efeito de balancar; balouço. **2.** Movimento oscilatório; abalo, balouço. **3.** Alteração, agitação. **4.** *Fig.* Levantamento de uma situação; exame: *O técnico fez um balanço da atuação do time.* **5.** Verificação ou resumo de contas comerciais. **6.** Verificação da receita e da despesa. **7.** Registro contábil resumido do valor do ativo, do passivo e do capital ou patrimônio líquido de uma pessoa ou entidade jurídica. **8.** Designação genérica dos aparelhos ou brinquedos que servem para as crianças se balançarem; balouço. **9.** Aparelho que consiste num assento composto de travessa, tábua e cadeirinha, suspenso pelas extremidades por cordas ou correntes, onde as pessoas se sentam para se balançarem; balouço **10.** *P. ext.* V. *retouça.* **11.** *Arquit.* Saliência ou corpo avançado do edifício, em relação às prumadas das colunas, pilastras, paredes, etc., de sustentação; avançamento. **12.** *Astron.* Movimento de um veículo espacial em torno de seu eixo longitudinal. **13.** *Constr. Nav.* Projeção ou prolongamento de uma estrutura pesada, além da sua base de sustentação. **14.** *Mar.* Movimento pendular da embarcação, causado pela agitação ou ondulação das águas em que flutua. **15.** *Tec.* Ato ou efeito de equilibrar adequadamente a intensidade dos canais de som numa gravação, transmissão ou reprodução sonora. ♦ **Balanço de massa.** *Eng. Quím.* Balanço material. **Balanço de popa.** *Constr. Nav.* Parte da popa que se prolonga por ante-a-ré da quilha. **Balanço de proa.** *Constr. Nav.* Parte da proa que se prolonga por ante-a-vante da quilha. **Balanço longitudinal.** *Mar.* Balanço no sentido da popa e proa, ou vice-versa. **Balanço massa-energia.** *Fís. Nucl.* Numa reação nuclear, verificação da igualdade entre o somatório das massas e energias das partículas reagentes e o somatório das massas e energias das partículas produtos. **Balanço material.** *Eng. Quím.* Processo pelo qual se verifica a igualdade entre o somatório das massas das substâncias que entram num reator e o somatório das massas das substâncias que dele saem e nele se acumulam; balanço de massa. **Balanço transversal.** *Mar.* Balanço (14) de um bordo ao outro; jogo. **Dar o balanço.** *Teat. Gír.* Verificar, mediante ensaio corrido, se os atores já dominam perfeitamente os seus papéis.
balanço-d'água. *S. m. Bot.* Relação entre a quantidade de água que uma planta absorve e a que elimina pela transpiração; equilíbrio hídrico. [Pl.: *balanços-d'água.*]
balandra. [Do fr. *bélandre.*] S. f. **1.** Antiga embarcação, por vezes monóxila, de fundo chato, com coberta, aparelhada com um mastro, e destinada ao transporte de mercadorias ou ao corso. **2.** Veleiro de um mastro que enverga vela latina triangular ou vela de espicha, usado no Mediterrâneo.
balandrão. [Do esp. plat. *balandrón.*] *S. m. Bras.* V. *fanfarrão* (2).
balandrau. [Do lat. medieval *balandrana.*] *S. m.* **1.** Opa usada por algumas irmandades em cerimônias religiosas. **2.** Capa ou casaco largo e comprido. **3.** Antiga vestimenta de capuz e mangas largas. **4.** Roupa ampla e comprida, sem cinto. **5.** *Fig.* Pessoa ou coisa grande e desajeitada. **6.** *Bras. Gír.* V. *sobretudo* (1). **7.** *Bras., N.E.* V. *sobrecasaca.* **8.** *Bras., RS. Desus.*, Pala[2].
balandronada. [Do esp. plat. *balandronada.*] *S. f. Bras., RS.* V. *fanfarrice* (2).
balangandã. [T. onom., expressivo dos ruídos feitos por objetos pendentes.] *S. m. Bras.* **1.** Ornamento ou amuleto, ordinariamente de metal, em forma de figas, medalhas, chaves, etc., usado pelas baianas em dias de festa. [Var.: *barangandã, berenguendém.* M. us. no pl.] **2.** *P. ext.* V. *penduricalho* (1).
balangante. *Adj. 2 g.* Balançante: "Era .... desidiosa da compostura dos andrajos que abotoava ao desdém, deixando às vezes à mostra, no peito afundado em arco, o dó e a repugnância das muxibas balangantes ...." (Francisco Ribeiro Sampaio, *Renembranças*, p. 1.)
balangar. *V. t. d., int.* e *p.* V. *balançar* (1, 5, 6 e 7). [Conjug.: v. *largar.*]
balanídeo. *S. m.* **1.** Espécime dos balanídeos. [Sin. vulg.: *bálano, caraca, craca* e *craca das pedras.*] ● *Adj.* **2.** Pertencente ou relativo a eles.
balanídeos. *S. m. pl. Zool.* Família de crustáceos da ordem dos cirrípedes, que se caracterizam por apresentarem os escudos e os tergos livres e móveis; vivem nas praias rochosas entre o fluxo e o refluxo das marés. São os *bálanos, caracas, cracas* e *cracas das pedras.*
balanífero. [De *balan(o)-* + *-i-* + *-fero.*] *Adj. Bot.* Provido de glande ou bolota como o carvalho europeu.
balanite. [De *balan(o)-* + *-ite*[1].] *S. f. Patol.* Inflamação da glande (3). [A balanite acompanha com freqüência a fimose.]
bálano. [Do gr. *bálanon*, pelo lat. *balanu.*] *S. m.* **1.** *Anat.* Glande (3). **2.** *Bras.* V. *craca* (2).
▲**balan(o)-.** [Do gr. *balanos, ou.*] El. comp. = 'bolota'; 'glande'; 'fruto'; 'tâmara': *balanite, balanopostite; balanóide* (< gr. *balanoeidés*), *balanoforo.*
balanoforácea. *S. f.* Espécime das balanoforáceas.
balanoforáceas. *S. f. pl. Bot.* Família de plantas superio-

res parasitas, sem clorofila, que vivem sobre raízes de outras plantas e para fora destas emitem apenas as grossas e secas inflorescências. Há cerca de 110 espécies nos países quentes, muitas delas brasileiras, como, p. ex., o fel-da-terra.

balanoforáceo. *Adj.* Pertencente ou relativo às balanoforáceas.

balanoforale. *S. m.* Espécime dos balanoforales.

balanoforales. *S. m. pl. Bot.* Ordem a que pertence a família das balanoforáceas.

balanóforo. *S. m.* Animal que apresenta estrutura balanóide.

balanoglosso. *S. m. Zool.* Animal cordado, protocordado, enteropneusto, do gênero *Balanoglossus* Chiale, o qual vive enterrado na lama do mar, sendo facilmente denunciado pelas fezes. No litoral de SP encontra-se o *B. gigas* Spengel, que ocorre a cerca de 1,5 m de profundidade. Tem o corpo muito mole e quebradiço, secreta grande porção de muco, e suas dejeções, que lembram o excremento humano, podem atingir a grossura de 2 cm. Há outras espécies na costa brasileira.

balanóide. [Do gr. *balanoeidés.*] *Adj. 2 g.* Semelhante à glande (1) ou bolota.

balanopostite. [De *balan(o)-* + *post(e)-* + *-ite*^{1}.] *S. f. Patol.* Inflamação da glande (3) e do prepúcio.

balanopsidácea. *S. f.* Espécime das balanopsidáceas.

balanopsidáceas. *S. f. pl. Bot.* Família de plantas que tem só um gênero e consta de sete espécies, apenas, que medram na Nova Caledônia. Leva flores em espiga.

balanopsidáceo. *Adj.* Pertencente ou relativo às balanopsidáceas.

balanopsidale. *S. f.* Espécime das balanopsidales.

balanopsidales. *S. f. pl. Bot.* Ordem a que pertence a família das balanopsidáceas.

balanorréia. [De *balan(o)-* + *-réia.*] *S. f. Patol.* Corrimento mucoso pela glande (3).

balanorréico. *Adj.* Referente à balanorréia.

balanquear. [Do esp. plat. *balanquear.*] *V. int. Bras., RS. Pop.* Blasonar, bazofiar, fanfarronar, fanfarrear. [Conjug.: v. *frear.*]

balante. [Do esp. *balante.*] *Adj. 2 g.* Que bala.

balantídeo. *S. m. Zool.* Espécie de animal protozoário, ciliado, euciliado, espirotríquio, do gênero *Balantidium* Clap. & Lac., parasito do intestino de diversos vertebrados. Corpo recoberto de cílios em linhas longitudinais, bordo esquerdo do peristônio com cílios adorais longos. A espécie *B. coli* (Malmsten) é cosmopolita, e causa a balantidiose do intestino grosso do homem, do macaco e dos porcos.

balantidiose. [De *balantídeo* + *-ose.*] *S. f. Patol.* Infecção com parasitos do gênero *Balantidium coli.*

balão. [Do fr. *ballon.*] *S. m.* **1.** Aeróstato (1) cheio de um gás mais leve do que o ar, e que não precisa de aparelho de propulsão para se elevar na atmosfera. [Cf. *dirigível.*] **2.** Artefato de papel fino, colado de maneira que imite formas variadas, em geral de fabricação caseira, o qual se lança ao ar durante as festas juninas, e que sobe por força do ar quente produzido em seu interior por buchas amarradas a uma ou mais bocas de arame. **3.** Esfera de borracha ou de plástico, de paredes muito finas, cheia de ar ou de gás mais leve do que este. **4.** Globo, bola. **5.** *Pop.* Mentira, balela, peta. **6.** Notícia exagerada. **7.** Em lutas corporais, golpe com que o lutador lança o adversário por cima do próprio corpo. **8.** *Marinh.* Defensa de forma esférica ou oval, constituída de um envoltório feito de cabo trançado, cheio com cabos velhos, e usada pendente de um cabo de comprimento variável. **9.** *Quím.* Frasco esférico, de colo mais ou menos longo, usado para a realização de várias operações químicas. **10.** *Bras.* Morro arredondado. **11.** *Bras.* Forno primitivo de fazer carvão situado geralmente no próprio local de onde se corta, ou onde se encontra a madeira; carvoeira, caieira. **12.** *Bras.* Nas histórias em quadrinhos, âmbito de forma irregular que parte dos personagens e onde o desenhista põe as falas deles. **13.** *Bras.* Nas ruas, estrada, etc., lugar onde os veículos fazem manobra de retorno. **14.** *Bras. Fut.* Jogada que consiste em lançar a bola em trajetória curva bem acentuada por cima do adversário. ♦ **Balão cativo. 1.** Balão (1) que fica preso à terra por um cabo e é usado para observações militares e defesa contra aeronaves. **2.** Balão (3) usado para fins de propaganda, e que é dotado de dispositivo análogo para que fique suspenso no ar. **Balão de anestesia.** *Anest.* Bolsa-reservatório de gases. **Balão de oxigênio.** *Pop.* Conjunto formado por cilindro de aço-carbono que contém oxigênio para uso medicinal, válvula redutora, fluxômetro e máscara facial. **Balão japonês.** Balão (2) de tamanho reduzido, produzido industrialmente, e equipado com bucha de cera, que se apaga antes da queda. **Balão volumétrico.** *Quím.* Balão (9) com um traço de referência no colo, destinado à medição rigorosa de volumes de líquidos.

balão-de-ensaio. *S. m.* **1.** Pequeno balão (1) que se solta para verificar a direção dos ventos. **2.** Tentativa, experiência, ensaio. **3.** *Fig.* Boato que se faz circular para verificar as tendências da opinião pública. [Pl.: *balões-de-ensaio.*]

balão-sonda. *S. m. Met.* Balão (1) que conduz aparelhos meteorológicos para observações nas altas camadas da atmosfera. [Pl.: *balões-sondas* e *balões-sonda.*]

balãozinho. [Dim. de *balão.*] *S. m.* V. *ensacadinha.*

balar. [Do lat. *balare.*] *V. int.* **1.** Dar balidos (a ovelha ou o cordeiro); balir: "E no aprisco fechado o pobre armento / Pelo triste Pastor em vão *balava*." (Domingos dos Reis Quinta, *Obras,* I, p. 144.) [Defect., normalmente só se emprega nas 3as pess. Fut. do pret.: *balaria,* etc. Cf. *balária.*] ● *S. m.* **2.** Ação de balar: "O som das flautas pastoris unia-se / Ao *balar* infantil dos cordeirinhos..." (Eugênio de Castro, *Obras Poéticas,* V, p. 49.)

balária. *S. f.* Candelária (2). [Cf. *balaria,* do v. *balar.*]

balas. [Pl. de *bala.*] *S. f. pl. Tip. Ant.* Espécie de almofadas [v. *almofada* (6)] com que se entintava a fôrma, nos prelos manuais. ~ V. *bala.*

balastraca. *S. f.* **1.** *Bras.* Cada um dos pedaços irregulares, cortados de moedas de prata (na maioria bolivianas e peruanas), carimbadas com valor inferior ao da moeda original e que circulavam durante a Guerra do Paraguai. **2.** *Bras., S.* O patacão argentino ou uruguaio.

balastragem. *S. f. Lus.* Ação de balastrar.

balastrar. *V. t. d. Lus.* Cobrir de balastro.

balastro. [Do ingl. *ballast.*] *S. m. Lus.* Lastro^{2}.

balata. [Do caribe insular *bálata.*] *S. f.* **1.** Designação de duas árvores de terra firme, da família das sapotáceas (*Mimusopis amazonica* Mart. e *M. bidentada* DC.), que fornecem madeira útil de cor quase roxa, usada na construção civil e naval, e cujo látex é utilizado no preparo da balata (2); balateira. **2.** *Quím.* Plástico natural comparável à guta-percha, e proveniente da secagem da seiva de certas sapotáceas.

balatal. *S. m.* Quantidade mais ou menos considerável de balatas [v. *balata* (1)] dispostas proximamente entre si.

balata-rosada. *S. f. Bras.* Designação de duas árvores da família das sapotáceas (*Sideroxulon cyrtobaryum* Miq. e *S. resiniferum*), das florestas úmidas da Amazônia, cujo látex é pouco abundante e fornece balata (2) de qualidade inferior. [Pl.: *balatas-rosadas.*]

balateira. *S. f.* Balata (1).

balateiro. *S. m. Bras., Amaz.* Aquele que se ocupa da extração do látex da balata.

balaústa. *S. f. Bot.* Tipo de fruto próprio da romãzeira, cujo interior é subdividido em numerosas cavidades repletas de pequenas sementes sucosas.

balaustrada (a-u). *S. f.* **1.** Série de balaústres. **2.** Parapeito, corrimão ou grade de apoio, proteção ou vedação, com balaústres ou sem eles: "Depois entramos no terraço em frente da casa, com a sua *balaustrada* de pedra" (Eça de Queirós, *A Cidade e as Serras,* p. 352).

balaustrado (a-u). [Part. de *balaustrar.*] *Adj.* Cercado ou guarnecido de balaústres; gradeado.

balaustrar (a-u). *V. t. d.* Cercar ou guarnecer de balaústre(s). [Conjug.: v. *saudar.*]

balaústre. [Do it. *balaustro.*] *S. m.* **1.** *Arquit.* Colunelo de madeira, pedra ou metal, que sustenta, junto com outros iguais, regularmente distribuídos, uma travessa, corrimão ou peitoril. **2.** *Arquit.* Parte lateral da voluta do capitel jônico. **3.** Haste vertical de madeira ou de metal, presa no chão e no teto junto às portas ou outros pontos de acesso de veículos coletivos, para auxiliar o passageiro no embarque e desembarque. **4.** Cada uma das peças torneadas que formam o espaldar de cadeira ou a cabeceira de cama.

balázio. *S. m.* V. *balaço.*

balbo. [Do lat. *balbu.*] *Adj.* Gago (1).

balboa (ô). [Do antr. *Balboa,* de Vasco Núñez de Balboa (1475-1517), conquistador espanhol que descobriu o Oceano Pacífico em 1513.] *S. m.* Unidade monetária, e moeda, do Panamá, que se divide em 100 centésimos.

balbuciação. *S. f.* Ato de balbuciar; balbucio.

balbuciante. *Adj. 2 g.* Que balbucia.

balbuciar. [Do lat. vulg. **balbutiare.*] *V. t. d.* **1.** Articular imperfeitamente e com hesitação: *Balbuciava sons ininteligíveis; Balbuciou agradecimentos;* "Procuro banir esta idéia ruim do pensamento, enquanto *balbucio* uma oração qualquer." (Cordeiro de Andrade, *Anjo Negro,* p. 135). **2.** Exprimir-se a respeito de (assunto, tema) de modo confuso, ou sem domínio suficiente: *Apenas balbucia noções da matéria. Int.* **3.** Gaguejar, tartamudear: "Temendo a cada momento / Ofendê-la, desgostá-la, / Quer ler em seu pensamento / E *balbucia,* não fala..." (Manuel Bandeira, *Estrela da Vida Inteira,* p. 18.) **4.** Exprimir-se confusamente e sem domínio da matéria: *Nada dizia de concreto, apenas balbuciava.* [Pres. subj.: *balbucie,* etc. Cf. *balbúcie.*]

balbúcie. *S. f.* Dificuldade de pronunciar; balbuciência. [Cf. *balbucie,* do v. *balbuciar,* e *balbucio.*]

balbuciência. [Do lat. *balbutientia.*] *S. f.* Balbúcie.

balbucio. [Dev. de *balbuciar.*] *S. m.* **1.** Balbuciação. **2.** *Fig.* Tentativa, ensaio, experiência. [Cf. *balbúcie.*]

balbúrdia. *S. f.* **1.** Vozearia, vozeria, vozerio, algazarra. **2.** Confusão, desordem, tumulto. [Cf. *balburdia,* do v. *balburdiar.*]

balburdiar. *V. t. d.* **1.** Estabelecer balbúrdia em; tornar confuso; transtornar, confundir: *Balburdiaram todos os itens do assunto.* **2.** Misturar, confundir, baralhar: *São matérias diferentes, e, se balburdiares, não chegarás a uma conclusão.* [Pres. ind.: *balburdio, balburdias, balburdia,* etc. Cf. *balbúrdia.*]

balça. [Do lat. *baltea,* pl. de *balteu;* v. *bouça.*] *S. f.* **1.** Mata espessa; balcedo. **2.** Cerca viva de canteiro ou jardim; sebe. [Cf. *balsa.*]

balcânico. *Adj.* Relativo ou pertencente aos Bálcãs, península ao S.E. da Europa.

balcão. [Do germ. **balko,* atr. do it. *balcone.*] *S. m.* **1.** *Arquit.* Varanda ou sacada, guarnecida, em geral, de grade e peitoril, e apoiada em mísulas e cachorros, à qual se assoma por uma ou mais portas de pavimentos acima do térreo, típica da arquitetura domiciliar italiana, espanhola e portuguesa, e de largo emprego na América Latina: "travou-me no braço com veemência, e levou-me para o *balcão* de uma janela" (Camilo Castelo Branco, *A Mulher Fatal,* p. 106). **2.** Móvel, da altura de uma mesa ou pouco mais alto, empregado em lojas, repartições ou outros estabelecimentos, para atendimento do público ou da clientela, e que eventualmente serve para expor mercadorias. **3.** *Teat.* Localidade da platéia situada entre os camarotes e as galerias. ♦ **Balcão nobre.** O balcão (3) acima dos camarotes. **Balcão simples.** Aquele que fica entre o balcão nobre e as galerias.

balção. *S. m. Ant.* Insígnia ou bandeira (1): "Tinham um grande pendão com S. Jorge, e outros *balções* à mistura, livremente" (Oliveira Martins, *A Vida de Nun'Álvares,* p. 262).

balcão-frigorífico. *S. m.* Balcão (2) usado em mercearias, supermercados, açougues, etc., que dispõe de aparelhagem de refrigeração e serve para conservar gêneros perecíveis. [Pl.: *balcões-frigoríficos.*]

balcedo (ê). *S. m.* Balça (1) [q. v.]. [Cf. *balsedo.*]

balcedoso (ô). [De *balcedo* (q. v.), + *-oso.*] *Adj. Bras., PA.* Paludoso, pantanoso, alagadiço.

balceiro. *Adj.* **1.** Relativo a balça [q. v.]. **2.** Silvestre, bravio, sáfaro. [Cf. *balseiro* e *barceiro.*]

balconista. *S. 2 g. Bras.* Empregado de balcão (2); caixeiro: "Nas lojas, só consentia em ser atendida por *balconistas* que falassem o seu idioma." (Lia Luft, *A Asa Esquerda do Anjo,* p. 25.)

balda. *S. f.* **1.** Defeito habitual; mania, veneta: "pelo conjunto total das suas prendas e das suas *baldas,* é por excelência .... o que na familiaridade da linguagem se chama — o bom rapaz." (Ramalho Ortigão, *John Bull,* p. 12.) **2.** Carta inútil para a vaza^{1}.

baldada. [De *balde* + *-ada*^{1}.] *S. f.* Porção de líquido contida num balde: "passando debaixo das janelas de Etelvina, recebeu uma *baldada* de água pela cabeça" (Camilo Castelo Branco, *Noites de Lamego,* p. 18).

baldado. [Part. de *baldar.*] *Adj.* Frustrado, malogrado, inútil, vão, baldo: "Fez todo o possível para casar com ele, mas foram *baldados* os seus esforços" (Aluísio Azevedo, *O Mulato,* p. 16).

baldão. [Do frâncico *bann,* atr. do fr. ant. *bandon* e do esp. *baldón.*] *S. m.* **1.** Má sorte, azar, desventura, contrariedade: "a sua alma nunca se envenenou de malevolência contra a pátria intolerante, antes a foi servindo como pôde, através dos *baldões* do seu destino e da sua longa vida" (Fidelino de Figueiredo, *Aristarcos,* p. 89). **2.** Trabalho inútil, vão. **3.** Impropério, ofensa, injúria, desacato. **4.** Onda grande e larga. ♦ **De baldão.** V. *de roldão.* **Fazer do baldão glória.** Fazer do sambenito gala.

baldaquim. *S. m.* Var. de *baldaquino* [q. v.]: "É um severo desenho a dominar todo o primeiro plano; no segundo surge a porta principal, de escuros caixilhos e degraus de mármore, como a encolher-se numa solidão, sob o *baldaquim* de cantoneiras em arco." (Herberto

Sales, *Dados Biográficos do Finado Marcelino*, p. 32.)

baldaquinado. [De *baldaquino* + *-ado*^{1}.] *Adj.* Semelhante a baldaquim.

baldaquino. [Do it. *baldacchino*.] *S. m.* **1.** Espécie de dossel sustentado por culunas, que serve de cúpula ou coroa de um altar, trono, sólio ou leito. **2.** *Constr.* Cobertura leve por cima da porta externa, para protegê-la da chuva. [Var.: *baldaquim*.]

baldar. [De *baldo*^{2} + *-ar*^{2}.] *V. t. d.* **1.** Tornar baldo^2 (2), inútil; frustrar, inutilizar: *B a l d o u a vitória tão penosamente alcançada.* **2.** Empregar com mau resultado: *B a l d o u esforços para ser promovido: nada conseguiu. P.* **3.** Tornar-se baldo^2 (2); ser ineficaz. **4.** No carteado, livrar-se de cartas inúteis. [Cf. *bardar*.]

balde. *S. f.* **1.** Vaso de metal, de plástico ou de madeira, com o feitio de tronco de cone, para tirar água de poços, receber despejos, etc. **2.** Recipiente com essa forma. **3.** *Bras., N. E.* Paredão de açude. **4.** *Bras., N. E.* Certo tipo de papagaio (5).

baldeação. *S. f.* **1.** Ato ou efeito de baldear. **2.** Faixa de terreno à volta das salinas, de onde se tira terra para reparo nestas.

baldear. *V. t. d.* **1.** Tirar com balde: *b a l d e a r a água de um poço.* **2.** Passar (líquidos) de um vaso para outro. **3.** Passar (mercadorias) de um para outro navio. **4.** Passar (bagagens ou passageiros) de um veículo para outro. **5.** *P. ext.* Passar de um lugar para outro; transferir: *Havia poucos cômodos, e resolveram b a l d e a r os hóspedes.* **6.** Agitar ou sacudir de um lado para outro; balançar. **7.** Molhar ou aguar com balde. **8.** *Bras. Pop.* V. *vomitar* (1). *T. d. e i.* **9.** Atirar, arremessar. *Int.* **10.** *Bras. Pop.* V. *vomitar* (11). *P.* **11.** Passar para outro lado. [Conjug.: v. *frear*.]

baldinense. *Adj. 2 g.* **1.** De, ou pertencente ou relativo a Baldim (MG). ● *S. 2 g.* **2.** Natural ou habitante de Baldim.

baldio. [De *baldo*^{2} + *-io*^{2}.] *Adj.* **1.** Sem proveito; inútil. **2.** Inculto, agreste: "as casas iam rareando, modestas casas espalhadas sem simetria e ilhadas em vastos terrenos b a l d i o s." (Lígia Fagundes Teles, *Histórias do Desencontro*, p. 83.) ● *S. m.* **3.** Terreno por cultivar; terréu.

baldo^1. *S. m. Geogr.* Barragem ou parede para represar as águas de um açude.

baldo^2. [Do ár. *bâTil*, 'inútil'.] *Adj.* **1.** Falto, falho, carecido, carente. **2.** V. *baldado*. **3.** Que, no carteado, não tem determinado naipe.

baldoar. *V. t. d.* **1.** Insultar com baldões [v. *baldão* (3)]; injuriar; afrontar. *Int.* **2.** Falar aos gritos; vociferar, berrar, bradar. [Conjug.: v. *coroar*.]

baldoeiro. *S. m. Constr.* Agulheiro (4).

baldosa. [Do esp. *baldosa*.] *S. f. Arquit.* Tijolo grande e quadrado.

baldosinha. *S. f.* Tijolo quadrado, menor que a baldosa, empregado como ladrilho.

baldoso^1 (ô). *Adj.* Que procede ou age debalde; que se empenha em vão.

baldoso^2 (ô). *Adj. Bras.* **1.** Diz-se do cavalo manhoso, que tem balda (1). **2.** *P. ext.* Diz-se de pessoa que tem baldas, manias, venetas.

baldrame. *S. m. Constr.* **1.** Viga de concreto armado que corre sobre fundações de qualquer tipo. **2.** Peça de madeira, deitada ao longo de alicerces de alvenaria, para apoiar o barroteamento do soalho. **3.** Viga de madeira, encaixada nos esteios, para apoiar uma parede de pau-a-pique ou sustentar o barroteamento do soalho. **4.** Designação genérica dos alicerces de alvenaria.

baldréu. [Do fr. ant. *baldré*.] *S. m.* Pelica para luvas.

baldroca. [Voc. express.] *S. f.* **1.** *Pop.* Trapaça, logro, fraude, burla, ludíbrio. **2.** *Bras., BA.* Na região são-franciscana, v. *troca* (2).

baldrocar. *V. t. d. Pop.* **1.** Fazer baldrocas a; enganar, ludibriar. *Int.* **2.** Dar-se a baldrocas. [Conjug.: v. *trancar*.]

balduína. [Do antrop. *Baldwin*.] *S. f. Bras. Pop.* Locomotiva (1).

balé. [Do fr. *ballet*.] *S. m.* **1.** Bailado (1) executado por diversos dançarinos. **2.** Bailado (2). **3.** *Restr.* Representação dramática em que se combinam a dança, a música e a pantomima, e que comporta um enredo suscetível de ser expressado claramente através dos gestos e movimentos da dança; bailado. **4.** O conjunto dos bailarinos que interpretam um balé. **5.** Companhia de balé. **6.** Música de balé.

baleado. [Part. de *balear*.] *Adj.* **1.** Ferido ou morto à bala. **2.** *Bras. Turfe.* Diz-se do cavalo que não é são; doído.

balear^1. *Adj. 2 g.* Próprio para dar impulso ou para se arremessar: "Nos ares, onde as asas equilibra, / Arde, qual arde o chumbo arremessado / Por funda b a l e a r, que,voa, silva, / Na carreira se abrasa, e vai nas nuvens / Súbito fogo achar, que em si não teve." (Antônio Feliciano de Castilho, *As Metamorfoses de Ovídio*, p. 104).

balear^2. *V. t. d. Bras.* Ferir ou matar a bala: *Fugiu depois de b a l e a r um policial.* [Conjug.: V. *frear*.]

baleárico. *Adj.* **1.** Das, ou pertencente ou relativo às ilhas Baleares, possessão da Espanha, no Mediterrâneo ocidental. ● *S. m.* **2.** O natural ou habitante dessas ilhas.

baleato. [Dim. irreg. de *baleia*.] *S. m.* Seguilhote.

baleeira. *S. f.* **1.** *Ant.* Embarcação a remo, de grande tosamento, veloz, usada na pesca de baleias, de proa e popa finas iguais. **2.** Embarcação miúda, a remo ou a vela, com as características da baleeira (1), usada na pesca, no serviço dos navios, etc.: "Íamos cedo, com o sol ainda débil .... , os pescadores ainda nas suas b a l e e i r a s estendendo a rede do arrastão" (Marques Rebelo, *O Trapicheiro*, p. 231). [Cf. *baleeiro* (2).] **3.** *Bras., PB.* V. *atiradeira.* ◆ **Baleeira salva-vidas.** Baleeira destinada a prover a segurança do pessoal embarcado, em caso de abandono do navio, e dotada de qualidades excepcionais de flutuabilidade, estabilidade e manobra.

baleeiro. *S. m.* **1.** Pescador de baleias. [Cf. *balaieiro*^{2}.] **2.** *Mar.* Navio próprio para a pesca da baleia, de popa baixa e proa elevada e lançada, com castelo armado de um canhão arremessador de arpão. [Cf. *baleeira*.] ● *Adj.* **3.** Relativo a baleias.

baleia. [Do gr. *phálaina*, pelo lat. *ballaena*.] *S. f.* **1.** Designação comum às espécies de mamíferos cetáceos, marinhos, da família dos balenopterídeos, gêneros *Sibbaldus* Gray., *Balaenoptera* Lac., *Megaptera* Gray., e dos balenídeos, gênero *Eubalaena* Gray.; e *Neobalaena* Gray. Não possuem extremidades posteriores externas, e as anteriores apresentam-se transformadas em nadadeiras. Tem boca imensa onde numerosas barbatanas (mais de 600 no maxilar superior) substituem os dentes; olhos pequenos, situados nas comissuras labiais, e narina no vértice da cabeça. São os maiores animais hoje existentes. [Sin.: *rorqual*.] **2.** *P. us.* Barbatana (4). **3.** *Astr.* Constelação de vasta área, área austral na maior parte, situada a O. de Erídano, a E. de Aquário, e ao S. de Áries e de Peixes. **4.** *Pej.* V. *gordo* (11). **5.** *Bras. Pop.* Objeto de grandes dimensões.

baleia-anã. *S. f. Bras.* Baleote. [Pl.: *baleias-anãs*.]

baleia-azul. *S. f.* Mamífero cetáceo, da família dos balenopterídeos (*Sibbaldus musculus* (L)), dos oceanos Atlântico e Pacífico. É a maior das espécies, podendo alcançar até 30 m de comprimento. Tem na garganta e no ventre cerca de 60 a 100 sulcos longitudinais; cor azulada, mais escura no dorso, e porção ventral clara. [Sin.: *rorqual-gigante*. Pl.: *baleias-azuis*.]

baleia-verdadeira. *S. f.* V. *balenídeos*. [Pl.: *baleias-verdadeiras*.]

baleiro. *S. m. Bras.* Vendedor de balas ou rebuçados, em tabuleiros ou caixas portáteis.

balela. *S. f.* Notícia ou dito sem fundamento; boato: "Pessoas vindas dos morros próximos contaram que não houvera batalha alguma; desmenti esse princípio de b a l e l a, referindo tudo o que vira, que foi muito, longo e áspero." (Machado de Assis, *A Semana*, II, p. 61.)

balema. *S. f. Marinh. Ant.* Cada um dos cabos que fixam os chicotes das ostagas de gáveas às vergas respectivas.

balênida. *S. m.* e *adj. 2 g.* Balenídeo.

balênidas. *S. m. pl. Zool.* Balenídeos.

balenídeo. *S. m.* **1.** Espécime dos balenídeos. ● *Adj.* **2.** Pertencente ou relativo a eles.

balenídeos. *S. m. pl. Zool.* Designação comum aos mamíferos cetáceos da família *Balaenidae*. A boca, vista de lado, apresenta forte curvatura; garganta e abdome lisos; barbatanas muito longas; nadadeira dorsal ausente, exceto no gênero *Neobalaena* Gray. São as baleias-verdadeiras.

▲**balen(o)-.** [Do lat. *balaena, ae*.] *El. comp.* = 'baleia': *balenídeo, balenóptero.*

balenopterídeo. *S. m.* **1.** Espécime dos balenopterídeos. ● *Adj.* **2.** Pertencente ou relativo a eles.

balenopterídeos. *S. m. pl. Zool.* Designação comum aos mamíferos cetáceos da família *Balaenopteridae*. São misticetos, com a garganta sulcada por pregas numerosas e profundas, pequena nadadeira dorsal, barbatanas curtas e largas. São as baleias de nadadeira dorsal.

baleote. [Dim. irreg. de *baleia*.] *S. m.* Mamífero cetáceo, da família dos *Balaenoptera acutorostrata* Lac., do Oceano Atlântico, de dorso escuro, ventre claro, uma faixa branca em cada nadadeira peitoral, barbatanas curvas, com cerca de 325 lâminas de 25 cm de comprido, e cujo comprimento não ultrapassa 10 metros. [Sin.: *baleia-anã*.]

balestilha. [Do esp. *ballestilla*.] *S. f.* **1.** *Náut.* Instrumento, constituído de duas hastes cruzadas [o virote (3) e a soalha (2)], usado pelos antigos navegadores para observar a altura dos astros: "Com a b a l e s t i l h a e o oitante achava [Bocage] ao meio-dia a latitude" (Vitorino Nemésio, *in* Bocage, *Sonetos*, p. 13). [Var.: *balhestilha*.] **2.** *Vet.* Instrumento com várias pontas de lancetas para sangrar animais; bestilha.

balestra. [Do lat. tardio *ballistra*, atr. do it. *balestra*.] *S. f. Ant.* **1.** Trabuco (1). **2.** Besta (é).

balestreiro. *S. m.* Pequena abertura na bacia de uma sacada ou no grosso de uma cornija elevada, nas fortificações medievais, para permitir que se atire com besta e se lancem projéteis diversos, assim como matérias inflamáveis, sobre os sitiantes.

balha. *S. f.* Var. de *baila*^{1}.

balhestilha. *S. f. Náut.* Var. de *balestilha* (1).

báli. [Do ioruba.] *S. m. Bras.* V. *cemitério* (1). [Cf. *bale*, do v. *balir*.]

balido. [De *balir*.] *S. m.* **1.** Grito de ovelha ou de cordeiro: "Nem um b a l i d o de ovelha em todo o rebanho" (Trindade Coelho, *Os Meus Amores*, p. 50). **2.** *Fig.* Queixa dos paroquianos contra o seu pároco. [Sin. ger. (p. us.): *balado*.]

balim. [Dim. irreg. de *bala*.] *S. m.* **1.** Balote (1). **2.** *Bras.* Grão de chumbo de grande diâmetro.

balinês. *Adj.* **1.** De, ou pertencente ou relativo a Bali (Ásia): "O traje usado por todos é a *kanga*, sandália baixa, *topless* na praia (usado também pelas b a l i n e s a s de mais de 40 anos)." (*Jornal do Brasil*, 6.1.1982.) ● *S. m.* **2.** O natural ou habitante de Bali. [Flex.: *balinesa* (ê), *balinesas* (ê), *balineses* (ê).]

balio. *S. m.* Var. de *bailio*: "Irei eu, que em mim nada se perde e em vós perde-se o lugar-tenente do b a l i o de Leça." (Arnaldo Gama, *O Balio de Leça*, p. 69.)

balípodo. [Do gr. *bállein*, 'arremessar', 'lançar', + *-podo*.] *S. m. Bras. Desus.* Termo proposto para substituir *futebol*.

balir. *v. int.* **1.** Balar: "Um carneiro b a l e." (Manuel Bandeira, *Estrela da Vida Inteira*, p. 9.) [Defect. Em geral só se conjuga nas 3as pess., mas, por exceção, pode-se conjugar na íntegra, exceto nas f. em que ao *l* da raiz se seguiria *o* ou *a*, i. e., na 1ª pess. sing. do pres. ind. e em todas as pess. do pres. subj. Pres. ind.: *bale*, etc. [Cf. *báli*, s. m.] ● *S. m.* **2.** Balido (1).

balista. [Do gr. *ballístra*, atr. do lat. *ballista* ou *balista*.] *S. f.* Máquina romana de guerra com que se arremessavam flechas, pedras, etc.

balística. [De *balista* + *-ica*^{2}.] *S. f.* **1.** Ciência que estuda o movimento dos projetis, particularmente os disparados por armas de fogo. **2.** *Astron.* Ciência e técnica dos mísseis e projetis.

balístico. *Adj. Fís.* **1.** Referente à balística, ou aos projetis. **2.** *Fís.* Diz-se do instrumento que mede o efeito de um impulso de energia. ~ V. *convés —, covolume —, galvanômetro —, pêndulo —* e *projetil —*. ● *S. m.* **3.** *Astron.* Míssil que é propelido apenas durante os estágios iniciais do vôo. **4.** Projetil balístico.

balistídeo. *S. m.* **1.** Espécime dos balistídeos. ● *Adj.* **2.** Pertencente ou relativo a eles.

balistídeos. *S. m. pl. Zool.* Família de peixes da ordem dos plectógnatos, de pele áspera como uma couraça, formada por peças rômbicas. De forma oblonga, comprimido e boca pequena. Ex.: cangulo e cangulo-rei.

baliza. [Do lat. *palitia*.] *S. f.* **1.** Estaca ou objeto qualquer que marca um limite. [Cf. *marco*^{1} (1).] **2.** V. *limite* (2): "B a l i z a natural ao Norte avulta / O das águas gigante caudaloso [o rio Amazonas]" (Domingos José Gonçalves de Magalhães, *A Confederação dos Tamoios*, p. 5). **3.** Marca, sinal. **4.** Bóia, estaca, etc., que serve de referência à navegação. **5.** Sinal ou marco indicativo de certas normas de trânsito, em determinado local. **6.** Meta ou marco que indica o termo da carreira em regatas, corridas de cavalo, etc. **7.** Em determinados esportes, inclusive o futebol [v. *gol*.], meta, linha ou quadro a ser atingido com a bola. **8.** *Constr. Nav.* Cada uma das peças curvas de madeira ou de metal perfilado cujo extremo inferior se prende transversalmente à quilha, e que formam a ossada do navio. [Cada baliza se constitui de caverna, braços e aposturas.] **9.** *Tip.* Cada uma das peças a que se encosta o papel, na margeação à fôrma; esquadro, guia. **10.** *Bras.* Pequeno furo que se faz nos cascos das canoas em construção para, cavando, se lhes regular a espessura. **11.** *Bras.* Na derrubada das matas, árvore nova mantida de pé para garantir a formação de novas reservas florestais. **12.** *Bras.* Haste de madeira ou metal, em faixas alternadas geralmente bicolor, usada nas operações topográficas para assinalar pontos do terreno. **13.** *Bras.* Rolete de estopa que os calafates deixam saliente para marcar o trabalho que está sendo feito. **14.** *Bras., BA.* Nas lavras diamantinas, rocha de tamanho incomum. **15.** *Bras., C.O.* Elevação ou morrote de granito. ● *S. m.* **16.** Soldado que vai à frente da tropa, agitando uma arma ou vara, com a qual indica os movimentos que devem ser efetuados em conjunto. **17.** *Bras.* Indivíduo que faz evoluções à frente dos blocos carnavalescos. **18.** *Bras.* Nos desfiles esportivos e outros, pessoa que vem, em geral, à frente de banda de música, faz evoluções acrobáticas e/ou maneja um bastão, ao qual imprime movimentos rítmicos.

balizador (ô). *S. m.* **1.** Aquele que baliza. **2.** Aquilo que serve de baliza.

balizagem. *S. f.* V. *balizamento.*

balizamento. *S. m.* Ato de pôr balizas; marcação, balizagem.

balizar. *V. t. d.* **1.** Marcar com balizas; demarcar, delimitar, abalizar. **2.** Determinar a grandeza de; orçar. **3.** Verificar por meio de furo a cavação de (as canoas). **4.** Limitar, restringir. *T. d. e i.* **5.** Separar; distinguir.

balizense. *Adj. 2 g.* **1.** De, ou pertencente ou relativo a Baliza (GO). ● *S. 2 g.* **2.** Natural ou habitante de Baliza.

balmaz. *S. m.* V. *balmázio.*

balmázio. *S. m.* Pequeno prego, geralmente de latão, e de cabeça convexa, empregado em diversas indústrias; balmaz, belmaz.

balneação. [De *balnear*[2] + *-ção.*] *S. f.* Ato de balnear: "não há o que se chama nas praias estrangeiras o *estabelecimento dos banhos.* A b a l n e a ç ã o faz-se de um modo inteiramente primitivo." (Ramalho Ortigão, *As Farpas,* I, p. 264).

balnear[1]. [Do lat. *balneare.*] *Adj. 2 g.* Relativo a, ou próprio para banhos: "Em torneios de natação, no Tâmisa, em Brigthon, e em outras graciosas e aristocráticas cidades b a l n e a r e s de Gales, da Escócia ou da Irlanda e, enfim, em toda a parte das costas britânicas, era sempre o grande vencedor" (Virgílio Várzea, *Nas Ondas,* p. 277).

balnear[2]. [De *balne(o)-* + *-ar*[2].] *V. t. d.* **1.** Dar banho em. *Int. e p.* **2.** Tomar banhos. [Conjug.: v. *frear.*]

balneário. [Do lat. *balneariu.*] *Adj.* **1.** Relativo a banho. ● *S. m.* **2.** Recinto público destinado a banhos [v. *banho*[1] (1)]. **3.** Estabelecimento ou edifício especialmente organizado e equipado para banhos; banhos, termas. **4.** Estância balnear de águas medicinais; banhos.

balneatório. [Do lat. *balneatoriu.*] *Adj.* Relativo a balneário (2 a 4).

balneável. [De *balnear*[2] + *-vel.*] *Adj. 2 g.* Próprio para banhos.

▲**balne(o)-.** [Do lat. *balneum, i.*] *El. comp.* = 'banho': *balneável, balneologia, balneoterapia.*

balneologia. [De *balne(o)-* + *-log(o)-* + *-ia.*] *S. f.* Ramo da medicina que estuda o uso terapêutico dos banhos.

balneológico. *Adj.* Referente à balneologia.

balneoterapia. [De *balne(o)-* + *-terapia.*] *S. f. Med.* Tratamento por meio de banhos.

balneoterápico. *Adj.* Referente à balneoterapia.

baloeiro. *S. m.* **1.** Fabricante de balões. **2.** Indivíduo que solta balões sistematicamente, como esporte e diversão. **3.** *Pop.* V. *mentiroso* (4).

balofice. *S. f.* **1.** Caráter ou qualidade de balofo. **2.** Impostura, embuste, logro.

balofo (ô). *Adj.* **1.** Que tem volume desmedido em relação ao peso. **2.** Sem consistência; fofo. **3.** Muito grande; volumoso. **4.** Que só tem aparência e nenhum conteúdo; vão, aparente. **5.** Gordo, gorduroso, adiposo.

baloiçar. *V. t. d., int. e p.* V. *balançar.* [Conjug.: v. *laçar.*]

baloiço. *S. m.* V. *balouço.*

balona. *S. f. Ant.* **1.** Espécie de morteiro[1] (2) festivo. **2.** Colarinho de camisa, caído sobre os ombros. ~ V. *balonas.*

balonas. *S. f. pl. Ant.* Calções com folhos largos e franzidos presos por baixo do joelho. ~ V. *balona.*

balonismo. [Do fr. *ballon,* 'balão', + *-ismo.*] *S. m.* Hábito ou mania de soltar balões.

balordo (ô). [Do it. *balordo.*] *Adj.* **1.** Sujo, imundo: "E a pança bamboleando [o porco], imbecil e b a l o r d o , / Fungando arrasta farto a obesidade bronca." (José Severiano de Resende, *Mistérios,* p. 85). **2.** Bronco, obtuso, estúpido: *tipo inculto, b a l o r d o ;* "O júri absolveu o incriminado por unanimidade e um voto de abstenção. No dia seguinte estalava na imprensa forte celeuma e aranzel: uns que aplaudiam a obra da justiça, outros que verberavam as alicantinas do causídico e a sentimentalidade b a l o r d a do júri." (Aquilino Ribeiro, *Mônica,* p. 253.) ● *S. m.* **3.** Indivíduo balordo.

balote. *S. m.* **1.** Bala pequena; balim. **2.** Fardo de algodão.

balótica. *S. f.* Lus. V. *abrótea.*

balouçar. [Do lat. **ballocciare.*] *V. t. d., int. e p.* V. *balançar* (1, 5 e 6): "andam a bambolear, b a l o u ç a n d o como um barco" (João do Rio, *As Religiões do Rio,* p. 206); "E eram ainda as redes dos pescadoes de Sorrento e Capri e os barcos ousados que b a l o u ç a v a m sobre ondas prateadas, no mar das sereias, que Virgílio amou." (Caio de Melo Franco, *O Inconfidente Cláudio Manuel da Costa,* p. 16.) [F. paral.: *baloiçar.* Conjug.: v. *laçar.]*

balouço. *S. m.* **1.** Balanço (1, 2, 8, 9). **2.** Balancê (1). **3.** V. *retouça.* [F. paral.: *baloiço.*]

balroa (ô). *S. f. Ant. Mar.* Conjunto de arpéu e cabo ou corrente nele talingado, que se lançava no navio inimigo para o atrasar e manter acostado durante o combate corpo a corpo.

balroar. *V. t. d., int. e t. i. P. us.* V. *abalroar.* [Conjug.: v. *coroar.*]

balsa. [De provável or. pré-romana.] *S. f.* **1.** Engaço de uva que fermenta com o mosto. **2.** Dorna para pisar uvas ou facilitar a fermentação delas; balseira, balseiro. **3.** Talha onde se guardam carnes curadas. **4.** Espécie de jangada grande, usada para transportar cargas pesadas, geralmente em pequenas distâncias. **5.** *Bras.* Aglomerado de troncos, toros ou tábuas de madeira, reunidos à feição de jangada, que desce o rio e, chegado ao destino, é desmanchado, sendo a madeira vendida. **6.** *Bras., Amaz.* Aglomerado de peles de borracha unidas entre si por meio de arame, que desce dos seringais rio abaixo, empurrado por condutores munidos de varejão, quando a estiagem restringe o tráfego das embarcações. **7.** Flutuante constituído de dois tubulões estanques, com um estrado preso em cima, usado para transporte de carga e passageiros através da arrebentação no mar. **8.** Madeira mais leve que a cortiça, usada na construção de balsas e jangadas. **9.** *Bras., RS.* Porção de carne já salgada, para fazer charque. ◆ **Balsa de fogo.** *Ant.* Brulote (1). **Balsa salva-vidas.** *Mar.* Flutuador especial para salvamento no mar, constituído de um tubulão elíptico, de cobre ou de alumínio, forrado de lona, com um estrado suspenso por meio de uma rede.

balsamadina. [De *bálsamo?*] *S. f.* Certo vegetal que segrega óleo aromático.

balsamar. *V. t. d.* **1.** Destilar bálsamo em. **2.** Perfumar, aromatizar. **3.** Amenizar, suavizar, aliviar, confortar. [Sin. ger.: *balsamizar.* Pres. ind.: *balsamo,* etc. Cf. *bálsamo.*]

balsame. *S. m. Bras.* Carne de conserva.

balsamense. *Adj. 2 g.* **1.** De, ou pertencente ou relativo a Bálsamo (SP). ● *S. 2 g.* **2.** Natural ou habitante de Bálsamo.

balsâmico. *Adj.* **1.** Da natureza do bálsamo: "Um aroma b a l s â m i c o respiro" (Álvares de Azevedo, *Obras Completas,* I, p. 197). **2.** Aromático, odorífico, perfumado. **3.** Que balsama, suaviza, ameniza, conforta.

balsamífero. [De *bálsamo* + *-i-* + *-fero.*] *Adj.* Diz-se do vegetal que produz bálsamo.

balsâmina. [Do lat. *balsamina.*] *S. f.* Erva da família das balsamináceas (*Impatiens balsamina*), muito cultivada em jardins brasileiros, de caule sucoso e mole, flores belas, coloração variada, e não raro dobradas, e cujos frutos são bagas carnosas que se abrem explosivamente, lançando as sementes a distância. [Pronuncia-se correntemente *balsamina.*]

balsaminácea. *S. f.* Espécime das balsamináceas.

balsamináceas. *S. f. pl. Bot.* Família de plantas herbáceas, dotadas de belas flores coloridas e ornamentais, que têm cinco pétalas e cálice calcarado, e cujos frutos são cápsulas. No Brasil só existem algumas espécies cultivadas em jardins, das quais a mais conhecida é o *beijo-de-frade.*

balsamináceo. *Adj.* Pertencente ou relativo às balsamináceas.

balsâmina-de-purga. *S. f.* Trepadeira herbácea, da família das cucurbitáceas (*Momordica bansamina*), que difere do melão-de-são-caetano pelas folhas glabras com lobos pouco profundos e pelas brácteas denteadas da inflorescência masculina. [Pl.: *balsâminas-de-purga.* V. nota em *balsâmina.*]

balsamita. *S. f.* Certa planta, tb. chamada *hortelã-romana.*

balsamizar. *V. t. d.* V. *balsamar.*

bálsamo. [Do lat. *balsamu.*] *S. m.* **1.** *Bot.* Líquido aromático e espesso que flui de muitas plantas, quer espontaneamente, quer por ferimento intencional. [Vários bálsamos encontram emprego em perfumaria.] **2.** Infusão de plantas narcóticas em azeite, que se usa em fricções, na medicina caseira. **3.** Medicamento que tem qualidades balsâmicas. **4.** Perfume, aroma, fragrância. **5.** *Fig.* Conforto, consolação, lenitivo. **6.** *Bras.* V. *cabriúva-do-campo.* **7.** *Bras., MG.* Óleo-vermelho. [Pl.: *bálsamos.* Cf. *balsamo,* do v. *balsamar,* e *balsamos,* do v. *balsar.*]

bálsamo-de-tolu. *S. m.* Substância que se extrai de uma árvore da família das leguminosas, subfamília papilionácea (*Toluifera balsamum*), e largamente usada contra as bronquites. [F. red.: *tolu.* Pl.: *bálsamos-de-tolu.*]

bálsamo-do-canadá. *S. m.* Resina de pinheiro (*Abies balsamea*), líquida, amarelada e viscosa. [Pl.: *bálsamos-do-canadá.*]

bálsamo-do-peru. *S. m.* Resina medicinal extraída do óleo-vermelho. [Pl.: *bálsamos-do-peru.*]

bálsamo-tranqüilo. *S. m.* Infusão de plantas narcóticas em azeite doce, usada em fricções. [Pl.: *bálsamos-tranqüilos.*]

balsar. *V. int.* V. ladrar (1). [Pres. ind.: *balso, balsamos,* etc. Cf. *bálsamos,* pl. de *bálsamo.*]

balsedo (ê). [De *balsa* (q. v.), provavelmente, + *-edo.*] *S. m.* Balseiro (3) [q. v.]. [Cf. *balcedo.*]

balseira. *S. f.* **1.** V. *balsa* (2). **2.** *Bras., PE.* Cana de qualidade inferior.

balseiro. *S. m.* **1.** Aquele que arma ou dirige a jangada ou balsa [q. v.]. **2.** V. *balsa* (2). **3.** *Bras., Amaz.* Ilhota flutuante formada por um emaranhado de plantas; balsedo. [V. *camalote* e *matupá*[2]; cf. *balceiro* e *barceiro.*]

balsense. *Adj. 2 g.* **1.** De, ou pertencente ou relativo a Balsas (MA). ● *S. 2 g.* **2.** Natural ou habitante de Balsas.

balso. [Do cat. *balç.*] *S. m. Marinh.* Alça especial que se dá no chicote ou no seio de um cabo para içar uma pessoa ou um objeto.

baltar. *Adj.* (*f.*) Diz-se duma espécie de videira brava e estéril.

baltasariano. *Adj.* **1.** De, ou pertencente ou relativo a Baltasar (RJ). ● *S. m.* **2.** O natural ou habitante de Baltasar.

báltico. *Adj.* **1.** Relativo ou pertencente ao mar Báltico (Europa). **2.** Relativo ou pertencente ao Báltico (3). ● *S. m.* **3.** Grupo lingüístico indo-europeu, formado por uma língua extinta, o prussiano antigo, pelo letão ou lético, língua falada na atual República Socialista Soviética da Letônia, e pelo lituano, falado na atual República Socialista Soviética da Lituânia.

baluarte. [Do ant. neerl. *bolwerc,* atr. do fr. *ant. boloart, balouart,* hoje *boulevard.*] *S. m.* **1.** Bastião[1]. **2.** Fortaleza inexpugnável. **3.** Lugar seguro. **4.** *Fig.* Suporte, apoio, sustentáculo: *Foi um b a l u a r t e da candidatura de X à Academia.*

baluda. [De *bala* + *-uda.*] *S. f. Bras., SP.* Espingarda de grosso calibre; bocuda.

baludo. [De *bala* (3)?] *Adj. Bras., N.E. Pop.* Rico, endinheirado, dinheiroso.

balugas. *S. f. pl. Ant.* Espécie de calçado: "os pés calçam b a l u g a s pontiagudas, ornadas e armadas de acicates lanceolares." (Júlio Dantas, *Abelhas Doiradas,* p. 210).

baluma. [Do esp. *baluma.*] *S. f. Ant. Mar.* Var. de valuma.

balurdo. *S. m.* Parafuso grande que suporta a pedra nos lagares de azeite.

balustrino. *S. m.* Compasso de desenho com que se traçam pequenos círculos.

balzaca. *Adj.* (*f.*) e *s. f. Bras. Fam.* Der. regress. de *balzaquiana.*

balzaquiana. [Fem. de *balzaquiano;* alusão ao romance *A Mulher de Trinta Anos,* de Balzac (*v. balzaquiano*).] *Adj.* (*f.*) e *s. f. Bras. Fam.* Diz-se de, ou mulher de 30 anos, ou mais ou menos essa idade. [Der. regress.: *balzaca.*]

balzaquiano. *Adj.* **1.** Relativo ou pertencente ao escritor francês Honoré de Balzac (1799-1850), ou próprio dele. ● *S. m.* **2.** Grande admirador e/ou profundo conhecedor da obra de Balzac.

bamba[1]. *S. f. Bras.* Der. regress. de *bambúrrio.*

bamba[2]. [Do quimb. *mbamba.*] *Adj. 2 g.* **1.** *Bras. Gír.* V. *valentão* (1). **2.** *Fig.* Diz-se de autoridade em determinado assunto. ● *S. 2 g.* **3.** V. *valentão* (3). **4.** Pessoa que é autoridade em determinado assunto. [Sin. nas acepç. 3 e 4: *bambambã.*]

bambá. [De quimb.?] *S. m. Bras.* **1.** Sedimento do azeite-de-cheiro. **2.** Dança de negros, dentro de um círculo de homens e mulheres que cantam um estribilho ao som de palmas. **3.** Certo jogo de cartas. **4.** V. *rolo*[1] (16). **5.** Qualquer dança que termina em desordem. **6.** *Bras., S.* Certo jogo, comum entre os campeiros, em que se usam quatro metades de caroços de pêssego. **7.** *Bras., RS.* Jogo com duas rodelas de laranja lançadas ao ar e que, segundo a face apresentada, amarela ou branca, dá a vitória a um dos jogadores.

bambaê. *S. m. Bras., MA.* Dança ou batuque de caixa.

bambaleadura. *S. f.* V. *bamboleamento.*

bambaleamento. *S. m.* V. *bamboleamento.*

bambaleante. *Adj. 2 g.* Var. de *bamboleante.*

bambalear. *V. t. d., int.* e *p.* V. *bambolear:* "Avaí sorriu gingando, bambaleando o corpo" (Coelho Neto, *Treva*, p. 363); "O homem teve um riso alegre, sempre a bambalear-se" (Id., *ib.*, p. 27). [Conjug.: v. *frear.*]

bambaleio. [Dev. de *bambalear.*] *S. m.* V. *bamboleamento:* "o maxixe brasileiríssimo, com seus longos e lúbricos e lentos bambaleios, com a sua terminologia de capadoçagem" (Martins Fontes, *A Dança*, p. 96).

bambalhão. *Adj.* **1.** Muito bambo. **2.** *Fig.* Indolente, preguiçoso, moleirão. [Fem.: *bambalhona.*]

bambalhona. *Adj.* (f.) V. *bambalhão.*

bambambã. [F. apocopada do quimb. *mbambambamba.*] *S. m. Bras.* V. *bamba*^{2} (3 e 4): "Não sabia que Telina andava, ali, de derriço com um bambambã da zona" (Manuel Bandeira, *Poesia e Prosa*, II, p. 470).

bambão. *S. m.* **1.** *Bras.* V. *babá*^{2} (1). **2.** *Bras.* O pedúnculo interno da jaca. [Sin. (na BA): *manguxo.*] **3.** V. *retouça.* **4.** Corda bamba. ◆ *A bambão. Bras., AL. Pop.* **1.** Em grande quantidade; à larga: *Tem livros a bambão.* **2.** De modo excepcional; extraordinariamente: *Choveu a bambão.*

bambaquerê. *S. m.* **1.** *Bras.* A dança do bambá (2). **2.** *Bras.* Dança ou função que termina em desordem. **3.** *Bras.* V. *rolo*^{1}. (16). **4.** *Bras., S.* Baile campestre; fandango.

bambar. *V. t. d.* e *int.* V. *bambear.*

bambara. *S. m.* Grupo tribal mandinga, de cultura guineano-sudanesa islamizada.

bambaré. [Do quimb.] *S. m. Bras.* **1.** Confusão de vozes; vozearia, vozeria, vozerio, algazarra. **2.** Desordem ruidosa.

bambê. [Do quimb. *mbambê.*] *S. m. Bras.* Renque de mato que forma linha divisória entre duas roças.

bambeado. [Part. de *bambear.*] *Adj.* Que se bambeou; tornado bambo; esbambeado.

bambear. *V. t. d.* **1.** Tornar bambo; afrouxar: *Bambeou a corda, em vez de segurá-la firme. Int.* **2.** Tornar-se frouxo, bambo: "Quis andar mas oscilou, bambearam-lhe as pernas." (Coelho Neto, *Banzo*, p. 94.) **3.** Ficar bambo (2); vacilar, hesitar, trastejar: *Na hora da decisão, bambeou.* [F. paral: *bambar;* sin. ger.: *esbambear.* Conjug.: v. *frear.*]

bambelô. [Do quimb.] *S. m. Bras., RN. Folcl.* Variedade de samba [q. v.]; coco-de-praia, coco-de-zambê.

bambeza (ê). *S. f.* **1.** Qualidade ou estado de bambo. **2.** Moleza, lassidão.

bambiá. *S. m. Bras., N.E.* Panelada (4).

bambinar. [De *bambo* + *-inar.*] *V. int. Bras.* Agitar-se com a aragem ou com o movimento do andar; esvoaçar, adejar.

bambinela. [Do it. *bandinella*, com infl. de *bambo.*] *S. f.* Cortina, dividida em duas partes, cada uma apanhada para um lado, que se usa para adornar janelas e portas: "A luz brava do Sul, que as cortinas de cassa e as bambinelas mal conseguiam atenuar, chamejava no estúdio como numa eira." (Aquilino Ribeiro, *Mônica*, p. 116.)

bambo. [De um tema *bamb*, 'tremer'.] *Adj.* **1.** Frouxo, lasso, relaxado. **2.** Indeciso, vacilante, hesitante.

bamboante. *Adj. 2 g.* Var. de *bamboleante.*

bamboar. [De *bambo* + *-ar*^{2}.] *V. t. d., int.* e *p.* V. *bambolear.* [Conjug.: v. *coroar.*]

bambochar. *V. int. Bras.* Fazer bambochata (2) ou patuscada; patuscar, pandegar.

bambochata. [Do it. *bambocciata.*] *S. f.* **1.** Pintura que representa cenas populares ou burlescas. **2.** Patuscada, orgia, pândega. **3.** Extravagância, estroinice.

bambolê. [Der. regress. de *bambolear.*] *S. m. Bras.* Aro de plástico ou de metal, de cerca de 1 m de diâmetro, usado como brinquedo por adolescentes e crianças, que o fazem girar, com o movimento do corpo, em torno da cintura, ou na perna, ou em um braço.

bamboleadura. *S. f.* V. *bamboleamento.* [Var.: *bambaleadura.*]

bamboleamento. *S. m.* Ato de bambolear; bamboleadura, bamboleio. [Var.: *bambaleadura, bambaleamento, bambaleio.*]

bamboleante. *Adj. 2 g.* Que bamboleia. [Var.: *bambaleante, bamboante.*]

bambolear. [De *bambo.*] *V. t. d.* **1.** Balancear, menear: *Estava sentado, de pernas cruzadas, bamboleando o pé;* "Eu as vejo passar todas as tardes na estrada, bamboleando os quadris." (José Vieira, *Sol de Portugal*, p. 24.) *Int.* e *p.* **2.** Menear-se com balanço do corpo; gingar; saracotear-se: "andam a bambolear, balançando como um barco" (João do Rio, *As Religiões do Rio*, p. 206.) **3.** Não estar firme; balancear, oscilar. [Var.: *bambalear, bamboar;* sin. ger.: *esbamboar.* Conjug.: v. *frear.*]

bamboleio. [Dev. de *bambolear.*] *S. m.* V. *bamboleamento:* "Pelos bambus, em bamboleios lentos, / E na espata e nas palmas dos coqueiros / Remexiam-se os ventos..." (Raimundo Correia, *Poesias*, p. 49.)

bambolim. [De *bambo?*] *S. m.* **1.** Sanefa sobreposta a cortinado de porta ou de janela: "uma larga pala branca, enfeitada de bambolins" (Hugo de Carvalho Ramos, *Tropas e Boiadas*, p. 5.) **2.** *Bras., C.O.* Acabamento ou adorno de certas obras de costura.

bambolina. [De *bambo.*] *S. f. Teat.* Faixa de pano que, seguida de uma série de outras situadas no urdimento do palco italiano, se une aos bastidores ou reguladores para completar o contorno do espaço cênico, freqüentemente fingindo teto, céu, folhagens, etc.; bambolineta.

bambolineta (ê). *S. f. Teat.* Bambolina.

bamboré. [De possível or. tupi.] *S. m. Bras.* baboré.

bambu. [Talvez de or. malaia.] *S. m.* **1.** Gramínea *(Bambusa vulgaris* e *B. arundinacea)* caracterizada pela altura excepcional do colmo, que alcança muitos metros. Comumente se planta como ornamental ou para produzir sombra, e raro floresce, aos 30 anos, ao que se diz, morrendo em seguida. [Sin.: *bambueira.*] **2.** Bastão ou bengala feita da haste dessa planta. **3.** Vara usada pelos acrobatas de circo em suas exibições.

bambuada. *S. f.* Pancada com bambu (2 e 3); bambucada.

bambual. *S. m.* Quantidade mais ou menos considerável de bambus dispostos proximamente entre si; bambuzal, bamburral: "Vegetação bravia. A floresta é do Norte: / Coqueiros, bambuais, jequitibás frondosos" (Jorge de Lima, *Obra Poética*, I, p. 209).

bambu-balde. *S. m.* Grande bambu, da família das gramíneas *(Dendrocalamus giganteus)*, de colmos tão amplos que, cortados, servem de depósito de água. [Pl.: *bambus-baldes* e *bambus-balde.*]

bambucada. *S. f.* Bambuada.

bambueira. *S. f.* **1.** Bambu (1). **2.** Rebento de bambu (1).

bambuiense (u-i). *Adj. 2 g.* **1.** De, ou pertencente ou relativo a Bambuí (MG). ● *S. 2 g.* **2.** Natural ou habitante de Bambuí.

bambu-imperial. *S. m.* Elegante bambu, da família das gramíneas *(Phyllostachys castillonis)*, de colmos amarelos e com listas verde-claras. [Pl.: *bambus-imperiais.*]

bambu-japonês. *S. m.* Bambuzinho. [Pl.: *bambus-japoneses.*]

bambu-maciço. *S. m.* Enorme bambu, da família das gramíneas *(Dendrocalamus strictus)*, semelhante ao bambu-balde. [Pl.: *bambus-maciços.*]

bambuim. *S. m. Bras., PE. Folcl.* Jogo infantil em que se atira uma moeda e os brincantes, em competição, tentam apanhá-la.

bamburrado. [Part. de *bauburrar.*] *Adj.* e *s. m. Amaz.* Diz-se de, ou aquele que encontrou grande quantidade de ouro ou pedras preciosas, que ficou milionário.

bamburral, *S. m.* **1.** V. *bambual.* **2.** *Bras.* Planta da família das labiadas *(Hyptis umbrosa* Salzm.). **3.** *Bras., CE.* Vegetação arbustiva imprópria para a alimentação do gado. **4.** *Bras., BA.* V. *pântano.* **5.** *Bras. RS.* Vegetação arbustiva própria de locais úmidos ou roças abandonadas. **6.** *Bras., PA.* e *MT.* Vegetação arbustiva que nasce à margem dos rios e só a custo pode ser atravessada, por causa do emaranhado dos cipós. **7.** *Bras., MG* e *C.O.* Alagadiço coberto de vegetação inútil, densa e emaranhada.

bamburrar. [De *bambúrrio* ou *bamburro* + *-ar*^{2}.] *V. int.* **1.** *Bras., BA.* Nas Lavras Diamantinas, fazer fortuna inesperadamente, ou encontrar diamante muito valioso. **2.** *Bras., Amaz.* Encontrar ouro ou pedras preciosas em grande quantidade, ficando milionário.

bamburrice. *S. f.* Ato de fazer bambúrrio (1).

bambúrrio. *S. m. Fam.* **1.** Fortuna inesperada. **2.** Acaso, sorte. **3.** Sorte no jogo; chiripa. [Var.: *bamburro;* sin. ger.: *bamba*^{1}.]

bamburrista. *S. 2 g.* **1.** Pessoa que faz bambúrrio (1), que bamburra. **2.** Pessoa favorecida em tudo pela sorte.

bamburro^{1}. *S. m. Bras., MT.* **1.** Vegetação arbustiva que, de tão densa, lembra um charravascal. **2.** Mato emaranhado.

bamburro^{2}. *S. m. Bras.* V. *bambúrrio.*

bambuto. *S. m.* **1.** Indivíduo dos bambutos, povo negróide pigmeu da região do lago Alberto, na África Equatorial. **2.** A língua dos bambutos. ● *Adj.* **3.** Pertencente ou relativo a esse povo.

bambu-trepador. *S. m. Bras.* V. *criciúma.* [Pl.: *bambus-trepadores.*]

bambuzal. *S. m. Bras.* V. *bambual.*

bambuzinho. [Dim. de *bambu.*] *S. m. Bras., BA.* Planta pequena, da família das gramíneas *(Olyra polypodioides)*, parecida com a avenca. Colmos cespitosos; folhas pequenas, com 2 a 3 cm e densamente arrumadas; inflorescências numerosas, curtas e racemosas. [Sin.: *bambu-japonês.*]

banal. [Do fr. *banal.*] *Adj. 2 g.* **1.** Dizia-se da coisa pertencente a senhores feudais, e de que os vassalos se serviam pagando um foro. **2.** Vulgar, trivial, corrente, corriqueiro: "Os versos de amor que Mário [Mário Pederneiras] escreveu, ... são simples sem serem banais, e originais, sem serem escandalosos" (Rodrigo Otávio [filho], *Velhos Amigos*, p. 238.)

banalidade. *S. f.* **1.** Uso, pelo vassalo, de coisas pertencentes ao senhor feudal. **2.** Qualidade ou caráter de banal (2); trivialidade, vulgaridade.

banalização. *S. f.* Ato de banalizar(-se).

banalizar. *V. t. d.* e *p.* Tornar(-se) banal, vulgar, comum, trivial; vulgarizar(-se).

banana. *S. f.* **1.** O fruto da bananeira (cápsula que se desenvolveu sob cultura no sentido de formar um mesocarpo carnoso e perder as sementes, sendo, pois, um tipo carpológico anômalo); pacoba, pacova. **2.** *Bras.* Cartucho de dinamite. **3.** *Bras. Chulo.* O pênis. **4.** *Bras. Chulo.* V. *manguito*^{2}. ● *S. 2 g.* **5.** Pessoa frouxa, palerma, sem energia; banazola, bananzola.

banana-anã. *S. f. Bras., N.* e *N.E.* Variedade de banana. [Sin. (no S.): *banana-nanica, banana-d'água.* Pl.: *bananas-anãs.*]

banana-branca. *S. f. Bras.* Variedade de banana; banana-prata. [Pl.: *bananas-brancas.*]

banana-comprida. *S. f. Bras., N.* e *N.E.* Banana-da-terra. [Pl.: *bananas-compridas.*]

bananada. *S. f. Bras.* Doce feito da polpa da banana.

banana-d'água. *S. f. Bras.* V. *banana-anã.* [Pl.: *bananas-d'água.*]

banana-da-terra. *S. f. Bras., S.* Variedade de banana de grande tamanho. [Sin. (no N.E.): *banana-comprida.* Pl.: *bananas-da-terra.*]

banana-de-macaco. *S. f.* V. *aningaúba.* [Pl.: *bananas-de-macaco.*]

banana-de-papagaio. *S. f.* Angélica-da-mata. [Pl.: *bananas-de-papagaio.*]

banana-do-brejo. *S. f.* Trepadeira da família das aráceas *(Monstera deliciosa)*, bastante cultivada como ornamental, cujas folhas, grandes, apresentam várias perfurações, transformando-se a espiga numa infrutescência carnosa, que pode ser ingerida. [Pl.: *bananas-do-brejo.*]

banana-figo. *S. f. Bras.* Banana-roxa. [Pl.: *bananas-figos* e *bananas-figo.*]

banana-inajá. *S. f. Bras.* V. *banana-ouro.* [Pl.: *bananas-inajás* e *bananas-inajá.*]

bananal. *S. m.* Quantidade mais ou menos considerável de bananeiras dispostas proximamente entre si; bananeiral, pacobal ou pacoval.

bananalense. *Adj. 2 g.* **1.** De, ou pertencente ou relativo a Bananal (SP). ● *S. 2 g.* **2.** Natural ou habitante de Bananal.

banana-maçã. *S. f. Bras.* Variedade de banana. [Pl.: *bananas-maçãs* e *bananas-maçã.*]

banana-mãe. *S. f.* A *Musa rosacea* Jacq. [Pl.: *bananas-mães.*]

banana-nanica. *S. f. Bras.* V. *banana-anã.* [Pl.: *bananas-nanicas.*]

banana-najá. *S. f. Bras.* V. *banana-ouro.* [Pl.: *bananas-najás* e *bananas-najá.*]

banana-ouro. *S. f. Bras.* Variedade de banana pequena; banana-inajá, banana-najá. [Pl.: *bananas-ouros* e *bananas-ouro.*]

banana-prata. *S. f. Bras.* Banana-branca. [Pl.: *bananas-pratas* e *bananas-prata.*]

banana-real. *S. m. Bras.* Banana partida ao meio, coberta de sorvete de creme, creme *chantilly*, nozes ou castanhas de caju picadas, calda de chocolate ou morango, etc., banana-*split*. [Pl.: *bananas-reais.*]

banana-roxa. *S. f.* Certa variedade de banana; banana-figo. [Pl.: *bananas-roxas.*]

banana-*split* *S. m.* Banana-real. [Pl.: *bananas-*split.]

bananeira. *S. f.* **1.** Grande erva da família das musáceas *(Musa paradisiaca)*, cujas folhas, amplas, têm bainhas que se enrolam umas nas outras, formando um pseudotronco; e cujo verdadeiro caule é um rizoma subterrâneo, que dá origem a novas bananeiras. As flores, e depois os frutos, dispõem-se em cachos; os frutos, saborosos, e de grande poder alimentício, são bagas, cujas sementes já não existem. [Sin.: *pacobeira* ou *pacoveira*.] **2.** *Bras., BA. Folcl.* Um dos golpes da capoeira: figura acrobática em que o atacante apóia as mãos no chão e ergue o corpo, verticalmente, de cabeça para baixo. ♦ **Bananeira que já deu cacho.** *Bras. Fam.* Pessoa que está em decadência, decrépita. **Plantar bananeira.** Ficar de cabeça para baixo, com o corpo apoiado nas mãos e as pernas para cima: "Roláveis pelo tapete, fazendo micagens, p l a n t a n d o b a n a n e i r a s" (José Geraldo Vieira, *Carta a Minha Filha em Prantos*, p. 27).

bananeira-de-corda. *S. f.* V. *cânhamo-de-manilha*. [Pl.: *bananeiras-de-corda*.]

bananeira-do-campo. *S. f.* V. *moliana* (2). [Pl.: *bananeiras-do-campo*.]

bananeiral. *S. m.* V. *bananal*.

bananeirense. *Adj. 2 g.* **1.** De, ou pertencente ou relativo a Bananeiras (PB). ● *S. 2 g.* **2.** Natural ou habitante de Bananeiras.

bananeirinha. [Dim. de *bananeira*.] *S. f.* Designação comum a diversas plantas da família das canáceas.

bananeirinha-do-mato. *S. f. Bras.* V. *arumarana*. [Pl.: *bananeirinhas-do-mato*.]

bananeiro. *S. m. Bras.* **1.** Aquele que cultiva bananas e/ou com elas negocia. **2.** *Bras.* Vendedor ambulante de bananas. **3.** *Mar. Merc.* Navio especialmente construído para transportar banana; navio bananeiro. ● *Adj.* **4.** Que transporta banana. ~ V. *navio* —.

bananicultor (ô) *S. m. Bras.* Agricultor que cultiva a banana, que se dedica à bananicultura.

bananicultura. *S. f. Bras.* Plantação de bananeiras com vista à exploração comercial.

bananinha. [Dim. de *banana*.] *S. f. Bras.* **1.** Pequeno bolo de farinha de trigo, em forma de banana. **2.** V. *trevo-azedo*.

bananosa. *S. f. Bras. Gír.* Embananamento. [Cf. *bananose*.]

bananose. *S. f. Bras.* Farinha de banana. [Cf. *bananosa*.]

bananzola. *S. 2 g.* V. *banana* (5).

banazola. *S. 2 g.* V. *banana* (5).

banca. [Do it. *banca*.] *S. f.* **1.** Mesa de qualidade inferior. **2.** Mesa de trabalho; carteira. **3.** Escritório de advocacia. **4.** Profissão ou carreira de advogado. **5.** Banca examinadora. **6.** Certo jogo de azar. **7.** Em certos jogos de azar, fundo de apostas manipulado pelo responsável pelo jogo, para pagar aos jogadores. **8.** *Restr.* Aquele que está bancando [v. *bancar* (1)]. **9.** *Bras.* Mesa de trabalho ou de apoio com tampo de mármore, fórmica, aço inoxidável, etc., que tem, não raro, pia embutida, e é usada nas cozinhas e nos banheiros; bancada. **10.** *Bras., MA.* Mesa de jantar. **11.** *Bras., RJ.* Varal (4). ♦ **Banca de jornal.** *Bras.* Local onde se vendem publicações periódicas. **Banca examinadora.** Grupo de pessoas encarregadas de organizar e realizar um exame. [Tb. se diz apenas *banca*.] **Abafar a banca.** *Bras. Gír.* **1.** Ganhar, ao jogo, o dinheiro do banqueiro; levar a banca à glória. **2.** Colocar-se acima de todos; vencer totalmente; abafar. **Botar banca.** *Bras. Gír.* Vangloriar-se de uma qualidade ou posse pessoal; pôr banca. **Levar a banca à glória.** Abafar a banca (1). **Pôr banca.** *Bras. Gír.* Botar banca.

bancada. *S. f.* **1.** Banco comprido em que se sentam várias pessoas. **2.** Conjunto de bancos dispostos em ordem. **3.** O grupo de pessoas que ocupam a bancada (1, 2, 5 e 6). **4.** *Marinh.* Prancha de madeira, disposta de um a outro bordo de embarcação miúda, para assento dos remadores e travamento do casco; banco. **5.** *Bras.* Representação de um estado (9) na Câmara dos Deputados ou no Senado Federal. **6.** *P. ext.* A representação, numa agremiação qualquer, de um estado, partido, facção: *A b a n c a d a mineira absteve-se de votar; Em 1975, as b a n c a d a s carioca, mineira e baiana eram as maiores da Academia Brasileira; Os votos da b a n c a d a da Aliança Democrática foram decisivos para a eleição de Tancredo Neves em 15 de janeiro de 1985*. **7.** *Bras.* Banca (9).

bancal. *S. m.* **1.** Pano para cobrir banco. **2.** Pano que se coloca na mesa, por baixo da toalha. **3.** *Lus.* Nos lagares de azeite, ferro chumbado.

bancar. *V. int. Bras.* **1.** Ser o banqueiro, o responsável por uma banca (7). **2.** *Bras., RS.* Bancar na rédea [q. v.]. *T. d.* **3.** Fazer o papel de; fazer-se de; fingir(-se) de: *Na reunião, b a n c o u o importante para impressionar a namorada*. **4.** Fingir, simular: "Seu Firmino é espírita. Um dia chegou lá um sabido, meteu-se no quarto com seu Firmino, b a n c o u que estava atuado com um espírito." (Permínio Asfora, *Vento Nordeste*, p. 197.) **5.** V. *financiar*. [Conjug.: v. *trancar*. Fut. do pret.: *bancaria*, etc. Cf. *bancária*, fem. de *bancário*.]

bancaria. *S. f.* **1.** Grande quantidade de bancos. **2.** Intervenção dos banqueiros romanos na negociação de bulas pontifícias. [Cf. *bancária*, fem. de *bancário*.]

bancário. *Adj.* **1.** Referente a bancos. ~ V. *antecipação —a, casa —a, conta —a*, e *efeitos —s*. ● *S. m.* **2.** Funcionário de banco ou de casa bancária. [Fem.: *bancária*. Cf. *bancaria*, do v. *bancar*, e s. f.]

bancarrota (ô). [Do it. *bancarrota*, 'banco quebrado'.] *S. f.* **1.** Falência de negociante(s), ou do Estado. **2.** Suspensão de pagamento por parte do(s) falido(s). **3.** Falência fraudulenta. **4.** *Fig.* Ruína, desmoronamento, decadência.

bancarrotear. *V. int. Bras.* Abrir bancarrota (1); falir. [Conjug.: v. *frear*.]

bancarroteiro. *S. m.* Aquele que faz bancarrota; falido.

banco. [Do germ. **banki*, que passou ao lat. vulg.] *S. m.* **1.** Assento, com ou sem encosto, de formas variadas, rústico ou não, feito de madeira, ferro, pedra, concreto, plástico, etc., usado, sobretudo, em salas de espera, estações de embarques, igrejas, praças, parques, jardins, etc. **2.** Escabelo (1). **3.** Mocho (3). **4.** Mesa estreita e oblonga, geralmente de tampo espesso, sobre a qual trabalham artífices. **5.** Balcão de comércio. **6.** Camada de pedra em pedreira. **7.** Estabelecimento, particular ou estatal, cuja atividade consiste na guarda e empréstimo de dinheiro, transações com títulos de crédito, etc. **8.** V. *latrina* (1). **9.** V. *urinol* (1). **10.** *Mar.* Elevação do fundo do mar, que aflora ou quase chega à superfície, e que se pode constituir de areia, coral, lama, etc. **11.** *Marinh.* Bancada (4). **12.** *Mar.* Qualquer perigo conseqüente de elevação existente no fundo do mar e que esteja à flor da água ou a pequena profundidade. **13.** *Bras.* Ilhota de aluvião. **14.** *Bras., BA.* V. *sambaqui*. **15.** *Lus.* Ambulatório (3). ● *S. 2 g.* **16.** *Bras. Esport.* V. *reserva* (14). ♦ **Banco de assentar.** *Bras., N.E.* Banco situado no centro das jangadas de pesca. **Banco de bruma.** *Mar.* Formação de nuvens muito densas, que se dispõem próximo à superfície do mar. **Banco de dados.** *Proc. Dados.* Coleção abrangente, organizada e inter-relacionada de dados armazenados em um meio físico, com o objetivo de evitar ou minimizar duplicidade de informação, otimizar a eficácia de seu tratamento, permitindo o acesso, através de diversas formas, a uma grande variedade de informações. **Banco de gelo.** V. *banquisa*. **Banco de governo.** *Bras., N.E.* Banco à ré das jangadas de pesca. **Banco de leite.** Departamento hospitalar onde se conserva leite humano para uso de crianças carentes dele. **Banco de peixe.** Grande cardume à flor da água. **Banco de pinchar.** *Ant.* **1.** *Mil.* Máquina de guerra da feição de um banco, usada como aríete. **2.** *Heráld.* Figura de um banco sem costas, representada no escudo de armas dos infantes: "trazia bordado no seu escapulário de estamenha um b a n c o d e p i n c h a r de oiro de três pendentes!" (Júlio Dantas, *O Amor em Portugal no Século XVIII*, p. 181). **Banco de sangue.** Departamento hospitalar onde se conserva sangue, plasma e papa de hemácias humanos, para serem empregados em transfusões. **Banco fotométrico.** *Fís.* Dispositivo sobre o qual se podem armar, com solidez e precisão, os componentes de diversos tipos de fotômetros. **Banco óptico.** *Ópt.* Dispositivo sobre o qual se põem, de maneira reprodutível e estável, os componentes de uma montagem óptica. **Alisar os bancos da academia.** Ser formado por escola superior ou academia (3): "Ele pode ter a l i s a d o bastante o s b a n c o s d a a c a d e m i a, mas não é um *home* natural, como nós." (Jaime d'Altavila, *Lógica de um Burro*, p. 15.) **Estar no banco dos réus.** Estar sendo muito criticado, muito atacado. **Não aquentar o banco.** *Bras., S.* V. *não esquentar o lugar*. **Não esquentar o banco.** V. *não esquentar o lugar*: "Mas Dona Clara n ã o e s q u e n t a v a o b a n c o: andava à caça dos leilões." (Augusto Meyer, *No Tempo da Flor*, p. 29.)

banco-d'água. *S. m. Bras., Amaz.* Pequena queda-d'água. [Pl.: *bancos-d'água*.]

bancroftíase. [Do antr. *Bancroft*, Joseph Bancroft (— - 1984), médico inglês, + *-íase*.] *S. f. Patol.* Infecção pela filária *Wucheria bancrofti*; bancroftose.

bancroftose. [Do antr. *Bancroft* + *-ose*.] *S. f. Patol.* Bancroftíase.

banda[1]. [Do gót. * *bandwa*, 'sinal'.] *S. f.* **1.** Parte lateral; lado: *Caminhava pela b a n d a da estrada*. **2.** Barra (4). **3.** Cinta dos oficiais do exército. **4.** Faixa ou listra larga. **5.** *Heráld.* Listão diagonal no brasão, traçado do alto, da esquerda para a direita. **6.** *Mar.* Inclinação mais ou menos duradoura que a embarcação toma para um dos bordos, por má distribuição de pesos ou pela força centrífuga conseqüente a uma guinada; adernamento. **7.** *Fís.* Banda de energia. **8.** *Bras.* Traseira, retaguarda. ~ V. *bandas*. ♦ **Banda de absorção.** *Fís.* Num espectro de absorção, intervalo de freqüências, ou comprimentos de onda, no qual existe elevada absorção. **Banda de artilharia.** Bordada de artilharia. **Banda de condução.** *Fís.* Banda de energia parcialmente preenchida, sobretudo em semicondutores, e na qual os elétrons se podem mover sem empecilhos, permitindo a passagem de uma corrente elétrica pelo material; banda de condutividade. **Banda de condutividade.** *Fís.* Banda de condução. **Banda de emissão.** *Fís.* Num espectro de emissão, conjunto de freqüências situado dentro de um intervalo em que existe emissão de energia. **Banda de energia.** *Fís.* Conjunto de níveis de energia, muito pouco diferentes entre si, que os elétrons podem ocupar num cristal. [Tb. se diz apenas *banda*.] **Banda de ressonância.** *Fís.* Num espectro de emissão ou de absorção, conjunto de freqüências distribuídas num intervalo limitado e agrupadas em torno de uma freqüência de ressonância. **Banda de rodagem.** *Autom.* A face do pneu que se atrita diretamente com o solo. **Banda de valência.** *Fís.* Em um diagrama de energia dum cristal, a banda de energia ocupada pelos elétrons de valência. **Banda fundamental.** *Fís.* Banda espectral devida às transições entre o estado de menor energia de vibração de uma molécula e o primeiro estado excitado. **Banda magnética.** *Cin.* Filme magnético utilizado para registro de som. **Banda normal.** *Fís.* Num cristal, banda de energia que corresponde ao estado normal do sistema. **Banda ocupada.** *Fís.* Banda de energia em que cada nível está ocupado por dois elétrons de spins opostos. **Banda P.** *Eletrôn.* Banda de freqüência de uma onda portadora de sinais de radar com comprimento de onda central igual a um metro. **Banda passante.** *Eletrôn.* Intervalo de freqüências que passa através de um circuito filtro. **Banda permitida.** *Fís.* Banda de energia que os elétrons podem ocupar num cristal. **Banda proibida.** *Fís.* Em um diagrama de energia de um cristal, faixa de energia, situada entre as bandas permitidas, que não pode ser ocupada pelos elétrons. **À banda.** Descaído para um lado: *chapéu à b a n d a*; "Aquela, cujo amor me causa alguma pena, / Põe o chapéu ao lado, abre o cabelo à b a n d a" (Cesário Verde, *Obra Completa*, p. 86). **Comer da banda podre.** *Pop.* **1.** V. *cortar volta*. **2.** Sofrer desapontamentos, obrigado pelas circunstâncias. **3.** Passar privações, dificuldades. [Sin. ger.: *comer da banda ruim, comer fogo, comer insosso e beber salgado, comer jerumba, comer o pão que o diabo amassou, comer o que o diabo enjeitou, comer ruim, comer safado, comer tampado, passar o que o diabo enjeitou, passar um mau pedaço*.] **Comer da banda ruim.** *Pop.* V. *comer da banda podre*. **Pôr de banda.** Abandonar, rejeitar, desprezar. **Sair de banda.** *Bras.* Escapulir-se furtivamente.

banda[2]. [De *bando*[1].] *S. f.* **1.** Grupo, facção. **2.** Bando[1] (1). **3.** Conjunto de músicos pertencente a uma mesma instituição, formado por instrumentos de sopro e percussão; banda de música [v. *fanfarra*]. **4.** No teatro, grupo de instrumentos de sopro que tocam no palco. ~ V. *bandas*. ♦ **Banda cabaçal.** *Bras. N.E. Folcl.* V. *terno*[1] *de zabumba*. **Banda de cavalaria.** V. *fanfarra* (3). **Banda de música.** **1.** Banda[2] (3). **2.** *Pol.* Grupo de deputados federais da UDN [v. *udenismo* (1)] que lideravam uma oposição rigorosa e sistemática contra o Governo Federal, na década de 50, até a revolução de 1964. **Banda marcial.** Banda (3) em que se tocam apenas clarins e tambores.

banda[3]. *S. f.* Tecido indígena da Guiné portuguesa.

bandada. *S. f.* **1.** Bando de aves. **2.** Bando muito numeroso.

banda-de-couro. *S. f. Bras., N.E. Folcl.* V. *terno*[1] *de zabumba*: "A b a n d a - d e - c o u r o constituída da zabumba, das cinco caixas ...., executava seus toques monótonos." (Bernardo Élis, *Veranico de Janeiro*, p. 31.) [Pl.: *bandas-de-couro*.]

banda-de-esteira. *S. m. Bras., N.E.* V. *concubina*. [Pl.: *bandas-de-esteira*.]

banda-forra. [De *banda*[1] + *forra*, fem. de *forro*[2].] *S. m. Bras.* Filho de branco com negra escrava. [Pl.: *bandas-forras*.]

bandagem[1]. *S. f.* Ato de bandar[2].

bandagem[2]. [Do fr. *bandage*? Cf. *banda*[1] (2 a 5).] *S. f.* Faixa, atadura, ligadura.

bandalheira. *S. f.* **1.** Ação ou atitude própria de bandalho; bandalhice. **2.** *Fig.* Pouca-vergonha, patifaria, indecência.

bandalhice. *S. f.* Bandalheira (1).

bandalho. [De *bando* + *-alho*.] *S. m.* **1.** Homem esfarrapado, esmolambado; maltrapilho. **2.** Indivíduo sem dignidade nem brio, vil, desprezível; patife.

bandaneco. [Alter. de *badameco* (q. v.).] *S. m. Bras., CE.* Saquitel que se usa a tiracolo.

bandão. *S. m. Bras.* **1.** Grande bando; multidão, bandada (2). **2.** Grande quantidade: "com um b a n d ã o de desculpas aumentativamente grandes, Sá Januária mudara de cama" (Valdomiro Silveira, *Os Caboclos*, p. 75).

bandar[1]. *S. m.* Título de príncipe ou filho de nobre, no antigo Ceilão (atual Sri Lanka).

bandar[2]. *V. t. d.* **1.** Prover (vestimenta, etc.) de banda[1] (2, 4); embandar. **2.** Prover (o escudo) de banda[1] (5). [Pres. subj.: *bande*, ... *bandeis*, *bandem*. Cf. *bandéis*, pl. de *bandel*.]

bandar[3]. *V. t. d.* Pôr bandagem[2] em (contusão, fratura, etc.). [Pres. subj.: *bande*, ... *bandeis*, *bandem*. Cf. *bandéis*, pl. de *bandel*.]

bandarilha. [Do esp. *banderilla*.] *S. f.* Farpa enfeitada que se crava no cachaço dos touros por ocasião das touradas.

bandarilhar. *V. t. d.* **1.** Fincar bandarilhas em: *b a n d a r i l h a r um touro.* **2.** *Fig.* Criticar, satirizar: "Uma alusão eriçada .... de pontas ambíguas vale, não raro, muito e muito, para farpear ou b a n d a r i l h a r os cornacas da fama, os diretores espirituais da burguesia letrada." (Agripino Grieco, *Caçadores de Símbolos*, p. 276.) [Cf. *farpear*.]

bandarilheiro. [Do esp. *banderillero*.] *S. m.* Toureiro que bandarilha touros.

bandarra. [De *bando*[1]?] *S. m.* **1.** Vadio, mandrião, vagabundo. ● *S. f.* **2.** Reunião festiva ou ruidosa.

bandarrear. *V. int.* Levar vida de bandarra; vadiar, mandriar. [Conjug.: v. *frear*.]

bandas. [Pl. de *banda*[1].] *S. f. pl.* **1.** Direção, rumo, lado(s): *Ouviu-se um disparo vindo das b a n d a s da usina.* **2.** Lugar, sítio, localidade: *F. foi para outras b a n d a s .* ~ V. *banda*.

bandeamento. *S. m.* Ato de bandear(-se).

bandear[1]. *V. t. d.* **1.** Inclinar para o lado, para a banda[1] (1). **2.** Agitar para uma e outra banda. **3.** Hesitar entre duas bandas, partidos, facções, opiniões, etc.: *B a n d e a v a entre o nosso grupo e o dos nossos opositores.* *Int.* e *p.* **4.** Passar para o lado contrário, mudando de opinião ou de partido. [Conjug.: v. *frear*.]

bandear[2]. *V. t. d.* e *p.* Reunir(-se) em bando; coligar (-se), abandar(-se), abandear(-se). [Conjug.: v. *frear*.]

bandeira. [Do gót. **bandwa*, 'sinal, estandarte', + *-eira*.] *S. f.* **1.** Pedaço de pano, com uma ou mais cores, às vezes com legendas, que se hasteia num pau, e é distintivo de nação, corporação, partido, etc.; balção, estandarte, pavilhão, pendão, lábaro; e (poét.) auriflama: "Existe um povo que a b a n d e i r a empresta / Pra cobrir tanta infâmia e covardia!..." (Castro Alves, *Poesias Escolhidas*, p. 335.) **2.** *Fig.* Idéia, divisa ou lema que serve de guia a grupo, partido, etc. **3.** Refletor de candeeiro. **4.** Folha ou caixilho, em geral envidraçado, fixo ou basculante, colocado no alto de portas e janelas para melhorar a iluminação e/ou a ventilação de um espaço interno. **5.** A panícula do milho. **6.** Cata-vento metálico instalado no alto de torres, telhados, etc. **7.** Chapa metálica do taxímetro, cujo abaixamento inicia a contagem da quantia correspondente ao percurso. **8.** *Ant.* Na legislação militar portuguesa consolidada por D. Sebastião (1554-1578), unidade militar comandada por um capitão e correspondente a companhia (9). **9.** *Tip.* Peça de cartolina que se prende a uma das varetas das minervas, na tiragem das fôrmas em que há grandes claros, para evitar que estes manchem o papel; pestana. [Cf. *máscara* (21).] **10.** *Tip.* Pedaço de papel colado ao original ou à prova para permitir acréscimos; papagaio. **11.** *Tip.* Lâmina que, colocada entre o resvaladouro da linotipo e os magazines, impede a mudança destes quando há matrizes salientes na boca. **12.** *Tip.* Limpador de facas. **13.** *Bras.* Expedição armada que partindo, em geral, da capitania de São Vicente (depois, de São Paulo), desbravava os sertões (fins do séc. XVI a começos do séc. XVIII) a fim de cativar o gentio ou descobrir minas: "Ah! quem te vira assim, entre as selvas sonhando, / Quando a b a n d e i r a entrou pelo teu seio, quando / Fernão Dias Pais Leme invadiu o sertão!" (Olavo Bilac, *Poesias*, pp. 261-262.) [Cf. *entrada* (22).] **14.** *Lus.* Animal molusco gastrópode, da família dos quenopodídeos (*Chenopus pespelecani* (L.)), do Atlântico e Mediterrâneo, de cor amarelada, concha turriculada, cônica e espessa, e que tem cerca de 5 cm de comprimento; chave. **15.** *Bras., N. E.* Inflorescência da cana-de-açúcar; flecha. **16.** *Bras., N. E.* Parte terminal do caule desta planta, quase sem sacarose, e usadíssima como semente. **17.** *Bras., N.* Grupo de trabalhadores rurais contratados por um só dia. **18.** *Bras., PB* e *PE.* Procissão religiosa, à noite, em honra de um santo, e que inclui um banho de rio ou de lagoa. **19.** *Bras.* Agremiação ou confraria de negros e mulatos libertos e escravos em grupos escolhidos segundo seus ofícios, com um santo católico por patrono. **20.** *Bras., PB.* V. *mutirão* (1). **21.** *Bras., PE.* Promessa falsa para obter o que se deseja. **22.** *Bras., BA.* Frutos de cacau reunidos em montículo, à medida que são derribados, e que depois se ajuntam em ruma, num determinado ponto, para facilitar os trabalhos de quebra e colheita. **23.** *Bras., BA.* Grupos de canoas vindas do mesmo local, no interior, e que trazem o cacau das fazendas para o porto de embarque. **24.** *Lus. Folcl.* Pano enfeitado com fitas e laços, a modo de bandeira, que o rancho leva, à frente dos pandeireiros, para festejar o término da ceifa. ● *S. m.* **25.** *Bras.* Sinaleiro de estrada de ferro; bandeirista. **26.** *Bras., RJ. Obsol.* Sinaleiro de encruzilhadas de bonde. ◆ **Bandeira a meio pau.** Bandeira em funeral. **Bandeira branca.** Pano branco que uma das partes combatentes mostra à outra como sinal de que deseja a cessação da luta. **Bandeira da proa.** *Bras. Mar. G.* Bandeira especial que os navios de guerra içam em pequeno mastro no bico de proa, quando estão fundeados, amarrados à bóia ou atracados; bandeira do Cruzeiro; jeque. **Bandeira de conveniência.** *Mar. Merc.* A do país em que um navio mercante estrangeiro se registra, dadas as vantagens que lhe concede quanto à quase completa isenção de impostos e outros privilégios que concede aos armadores. [Os principais países que permitem tais registros são o Panamá, a Libéria, Chipre, Cingapura e Somália.] **Bandeira de guerra.** *Mar.* Bandeira nacional de navio de guerra, a qual em alguns países é diferente da bandeira mercante. **Bandeira do Cruzeiro.** V. *bandeira da proa*. [É assim chamada por apresentar 21 estrelas dispostas em cruz.] **Bandeira dois.** *Bras.* Peça móvel, nos taxímetros, onde está inscrito o número 2, e que, quando levantada, indica majoração de tarifa (3). **Bandeira em funeral.** A içada a meio mastro, em sinal de luto; bandeira a meio pau. **Bandeira mercante.** Bandeira nacional usada nos navios mercantes e nas embarcações de recreio, por algumas nações que têm uma bandeira própria dos navios de guerra. **Bandeira nacional.** Pedaço de pano, ordinariamente retangular, de uma ou de diversas cores, às vezes com um emblema e até uma legenda, e que serve de distintivo da nacionalidade ou de indicativo da sua soberania. **Dar bandeira.** *Bras. Gír.* **1.** Deixar transparecer (o toxicômano) que está sob o efeito de droga (3). **2.** *P. ext.* Deixar transparecer alguma coisa que deveria ficar oculta. **Dar uma bandeira.** *Bras. Gír.* Dar um fora. **Enrolar bandeira.** **1.** *Bras. Gír.* Desistir de uma campanha, uma tarefa, etc. **2.** *Bras. Chulo.* Suspender a atividade sexual, voluntariamente ou não. **Levar uma bandeira.** *Bras. Gír.* Levar um fora. **Não ter bandeira.** *Bras. Gír.* Fazer as coisas segundo os próprios ditames, não respeitando os princípios dos outros: *Não aceitava desculpa de ninguém: com ele n ã o t i n h a b a n d e i r a .* **Virar bandeira.** V. *virar a casaca*.

bandeira-alemã. *S. f. Bras.* Ulrei. [Pl.: *bandeiras-alemãs*.]

bandeirada. *S. f.* Quantia fixa previamente marcada pelo taxímetro dos automóveis de praça, e que constitui o preço mínimo que o passageiro deverá pagar.

bandeirado. [De *bandeira* + *-ado*[1]] *S. m. Bras.* V. *bagre-bandeira*.

bandeira-espanhola. *S. f. Bras.* Inseto lepidóptero, da família dos itomiídeos (*Placidula euryanassa* C. & R. Felder). Voa vagarosamente e próximo ao solo, e as lagartas se alimentam da trombeteira. [Pl.: *bandeiras-espanholas*.]

bandeirante. *Bras. S. m.* **1.** Indivíduo petencente a uma bandeira (13); bandeireiro, bandeirista. ● *S. f.* **2.** Menina ou moça que, integrando a Federação de Bandeirantes do Brasil, praticam o bandeirantismo. [Nesta acepç., é criação de Jônatas Serrano, historiador e professor brasileiro (1885-1944).] ● *S. 2 g.* **3.** Paulista[1] (4). **4.** *Fig.* Pioneiro, precursor. ● *Adj. 2 g.* **4.** Paulista[1] (1). **5.** Pertencente ou relativo ao bandeirantismo, ou próprio de bandeirante (1): "Esse paulista de velha cepa [Alcântara Machado] tinha a vocação b a n d e i r a n t e de conhecer e descobrir" (Cândido Mota Filho, *Contagem Regressiva*, p. 198).

bandeirantense. *Adj. 2 g.* **1.** De, ou pertencente ou relativo a Bandeirantes (PR). ● *S. 2 g.* **2.** Natural ou habitante de Bandeirantes.

bandeirantismo. *S. m. Bras.* **1.** Bandeirismo. **2.** Sistema baseado no método idealizado por Baden Powell [v. *escotismo*], e que visa a desenvolver, entre meninas e moças, o espírito comunitário, a liberdade responsável, o esforço de progresso e as atitudes moldadas em valores éticos. [Cf. *bandeirante* (2) e *escotismo*.]

bandeira-paulista. *S. f. Bras.* Peixe teleósteo, cipriniforme, da família dos ciprinídeos (*Brachydanio rerio*), da Índia, muito apreciado para aquários. Coloração prateada, com cinco estrias azul-escuras longitudinais; 4 a 5 cm de comprimento; nadadeiras anal e caudal com as mesmas linhas. [Sin.: *peixe-zebra*. Pl.: *bandeiras-paulistas*.]

bandeirar. *V. int. Bras.* **1.** Ser bandeirante (1). **2.** Organizar bandeira (13). **3.** Caçar índios.

bandeireiro. *S. m.* **1.** Fabricante e/ou vendedor de bandeiras [v. *bandeira* (1)]. **2.** *Bras.* V. *bandeirante* (1).

bandeirinha. [Dim. de *bandeira*.] *Bras. S. m.* **1.** *Fut.* Auxiliar do juiz, encarregado de acenar com uma pequena bandeira ao observar uma infração; juiz de linha. ● *S. 2 g.* **2.** Pessoa muito volúvel, especialmente em política.

bandeirismo. *S. m. Bras.* Conjunto de fatos respeitantes à época das bandeiras [v. *bandeira* (13)]; bandeirantismo.

bandeirista. *S. m.* **1.** *Bras.* V. *bandeirante* (1). **2.** *Bras., N.* *Bandeira* (25).

bandeirístico. *Adj. Bras.* Referente às bandeiras [v. *bandeira* (13)] ou ao bandeirismo.

bandeiro. *Adj.* **1.** Que é sectário de um partido ou bando. **2.** Volúvel, inconstante, voltário, bandoleiro.

bandeirola. *S. f.* **1.** Pequena bandeira; bandeirinha. **2.** Pequena bandeira empregada em trabalhos de engenharia para assinalar o ponto de um alinhamento, traçado, etc. **3.** Pequena bandeira das trombetas da cavalaria. **4.** Bandeira de seda com franjas.

bandeirologia. [De *bandeira* + *-log(o)-* + *-ia*.] *S. f. Bras.* Tratado, estudo ou conjunto de conhecimentos acerca das bandeiras [v. *bandeira* (11)].

bandeirológico. *Adj.* Concernente à bandeirologia.

bandeja (ê) [Dev. de *bandejar*.] *S. f.* **1.** Tabuleiro de feitio variado, para serviço de mesa. **2.** *P. ext.* Tabuleiro (1). **3.** Grande abano de palha com que se limpa o trigo e outros cereais. **4.** Prato grande em que os marinheiros comem. **5.** *Basq.* Jogada que consiste em o jogador se aproximar mais ou menos livremente da cesta para lançar a bola quando salta, antes de andar [v. *andar* (11)]. **6.** *Mar. Merc.* Estrado de madeira ou de metal, com dimensões padronizadas, sobre o qual se arrumam os volumes de carga geral, para ser movimentada pela empilhadeira; bandeja de carga. ◆ **Bandeja de borbulhamento.** *Eng. Ind.* Prato de borbulhamento. **Bandeja de carga.** *Mar. Merc.* Bandeja (6). **Dar de bandeja.** *Bras. Gír.* Dar (alguma coisa) sem exigir remuneração ou recompensa; dar na bandeja, dar numa bandeja. **Dar na bandeja.** *Bras. Gír.* V. *dar de bandeja*. **Dar numa bandeja.** *Bras. Gír.* V. *dar de bandeja*.

bandeja-d'água. *S. f.* V. *nenúfar*. [Pl.: *bandejas-d'água*.]

bandejão. [Aum. de *bandeja*.] *S. f. Bras.* Refeição servida em bandeja, geralmente em fábricas, escolas, certos restaurantes, etc.

bandejar. *V. t. d.* Aventar (1) (o trigo) com bandeja (3). [Conjug.: v. *pelejar*.]

bandel. *S. m. Ant.* Bairro em que os estrangeiros podiam habitar, à semelhança das antigas mourarias e judiarias, e dos modernos guetos. [Pl.: *bandéis*. Cf. *bandeis*, do v. *bandar*.]

bandeta (ê). *S. f.* Chapa estreita de metal.

bandida. [Fem. de *bandido*.] *S. f. Bras. Gír. P. us.* V. *piranha* (3).

bandidaço. *S. m. Bras., S.* Aum. irreg. de *bandido*.

bandidismo. *S. m. P. us.* Banditismo.

bandido. [Do it. *bandito*.] *S. m.* **1.** Salteador, malfeitor, facínora, bandoleiro. **2.** *P. ext.* Pessoa sem caráter, de maus sentimentos. ◆ **Trabalhar de bandido contra.** *Bras. Gír.* Agir ou tramar contra (pessoa, empreendimento, etc.).

bandim. *S. m. Bras., N.E.* V. *bagre-bandeira*.

banditismo. [Do it. *banditismo*.] *S. m.* **1.** Ação de bandido. **2.** Vida de bandido. [F. paral. (p. us.): *bandidismo*.]

bando[1]. [De *banda*[1].] *S. m.* **1.** Grupo de pessoas ou animais; multidão: *Um b a n d o de estudantes tomara parte no ato público;* "chalrava agora um bando de pássaros-pretos" (Hugo de Carvalho Ramos, *Tropas e Boiadas*, p. 68). **2.** As pessoas de um partido ou facção. **3.** Quadrilha de malfeitores. **4.** *Etnol.* Conjunto de famílias, permanentemente associadas, que vive em determinada região, com cultura e tradições comuns.

bando[2]. [Do frâncico *ban*, atr. do fr. *ban* e com infl. do it. *bando*.] *S. m. P. us.* Pregão público; proclamação.

bandó. [Do fr. *bandeau*.] *S. m.* Cada parte do cabelo que, em certo penteado feminino, assenta de cada lado da testa: "ó seu rosto aparecia-me emoldurado por dois b a n d ó s muito lisos e negros, lembrando uma dessas imagens litográficas de madona popular, de uma tocante banalidade." (Cornélio Pena, *Fronteira*, p. 51.)

bandô. [Do fr. *bandeau.*] *S. m.* Faixa decorativa de tecido, madeira, etc., que arremata a parte superior de portas e janelas em geral com o fim de ocultar o trilho das cortinas.

bandola[1]. [De *banda*[1] + *-ola.*] *S. f.* Cinto de suspender o polvorinho.

bandola[2]. [Do it. *mandola*, com infl. de *bandolim.*] *S. f. Mús.* Instrumento tenor ou barítono da família dos bandolins.

bandoleira. [Do esp. *bandolera.*] *S. f.* Correia usada a tiracolo, à qual se prende a arma.

bandoleirismo. *S. m.* **1.** Ação de bandoleiro. **2.** Vida de bandoleiro.

bandoleiro. [Do esp. *bandolero.*] *S. m.* **1.** V. *bandido* (1). **2.** V. *cangaceiro.* **3.** *Pop.* V. *mentiroso* (4). **4.** *Bras.* Cão que segue a todos. ● *Adj.* **5.** *Bras.* V. *bandeiro* (2). **6.** *Bras.* Que não tem parada; errante, andejo. **7.** *Bras.* Ocioso, vadio, vagabundo. **8.** *Bras., N.* Diz-se da rês que se afasta do rebanho e se extravia.

bandoleta (ê). *S. f.* O alto[1] da família dos bandolins.

bandolim. [Do it. *mandolino.*] *S. m.* Espécie de alaúde com quatro cordas duplas em uníssono e afinação igual à do violino, e que se toca com palheta ou ponteiro. [Var. (ant.): *mandolim.*]

bandolina. [Do fr. *bandoline.*] *S. f.* Espécie de brilhantina, já em desuso, para lustrar ou assentar o cabelo.

bandolinista. *S. 2 g.* Tocador de bandolim.

bandônio. *S. m.* Var. de *bandônion.*

bandônion. [Do esp. amer. *bandoneón.*] *S. m.* Espécie de acordeão quadrado, com mecanismo e teclado semelhantes aos da concertina. [Var.: *bandônio.*]

bandulho. *S. m. Pop.* Barriga, pança; intestinos. [Var. bras.: *pandulho.*]

bandurra. [Do gr. *pandoúra*, pelo lat. tardio *panduriu.*] *S. f.* Espécie de guitarra de braço curto, cordas de tripa e bordões: "as *bandurras* malaguenhas repenicam com frenesi" (Martins Fontes, *Fantástica*, p. 147).

bandurrear. *V. int.* **1.** Tocar bandurra. **2.** *Fig.* Viver ociosamente; vadiar, foliar. [Conjug.: v. *frear.*]

bandurrilha. *S. f.* **1.** Bandurra pequena. ● *S. m.* **2.** *Fig.* Vadio, meliante, malandro. ● *S. 2 g.* **3.** Bandurrista.

bandurrista. *S. 2 g.* Pessoa que toca bandurra; bandurrilha.

banga[1]. *S. f. Bras. SC.* Casa ou abrigo mal construído.

banga[2]. *Interj. Bras. Fam.* Exprime zombaria, escárnio: *A pequena deu-lhe o fora, banga!*

bangalafumenga (bân). *S. m. Bras., N.E. Pop.* V. *joão-ninguém.* [Cf. *fumega.*]

bangalô. [Do concani *bangló*, atr. do ingl. *bungalow.*] *S. m.* **1.** Na Índia, casa baixa, de um andar só, geralmente com grande varanda coberta. **2.** Casa residencial cuja arquitetura lembra a do bangalô indiano.

bango. *S. m.* Var. de *bangue.*

bangolar. *V. int. Bras., N.* e *N.E.* V. *vaguear*[1] (1).

bangu. *S. 2 g. Bras.* V. *bangüense* (3). ♦ **À bangu.** *Bras., RJ. Pop.* **1.** À valentona, na bruta: *Ele faz tudo à bangu, sem levar nada em consideração.* **2.** Sem interesse de fazer bem feito; grosseiramente.

bangue. [Do sânscr. *bhanga.*] *S. m.* Espécie de cânhamo de que é feito o haxixe; bango.

bangüê. [De or. afr.] *S. m.* **1.** *Bras.* Padiola em que se conduziam cadáveres de pretos escravos. **2.** Padiola de cipós trançados na qual se leva à bagaceira (5) o bagaço verde da moenda. **3.** Canal ladrilhado por onde escorre a espuma das tachas de açúcar. **4.** O conjunto da fornalha e as três tachas sobre ela assentadas, nos engenhos de açúcar. **5.** Padiola empregada nas construções para levar materiais ao canteiro de obras. **6.** *Bras., N.E. P. ext.* A propriedade agrícola com canaviais e engenho de bangüê (engenho de açúcar primitivo, anterior à usina). **7.** *Bras., S.* Certa liteira com teto e cortinados de couro. **8.** *Bras., MG, GO* e *MT.* Cocho[1] de couro para curtume e decoada.

bangue-bangue. [Do ingl. *bang-bang.*] *S. m.* **1.** Filme que retrata cenas da conquista do Oeste norte-americano, em geral com muitos tiroteios, lutas, etc. [Sin.: *filme de bangue-bangue, faroeste, filme de mocinho e filme de faroeste*, e (ingl.) *western.*] **2.** *P. ext.* Qualquer película que retrate especialmente cenas de tiroteio e violência; faroeste, filme de bangue-bangue, filme de faroeste, filme de mocinho, *western.* **3.** Luta, briga, com pancadaria ou tiroteio; faroeste. [Pl.: *bangue-bangues.*]

bangueiro. *S. m. Luso-asiát.* Homem que se embriaga com o bangue. [Cf. *bangüeiro.*]

bangüeiro. [De *bangüê* + *-eiro.*] *S. m. Bras.* **1.** Indivíduo que prepara a garapa de cana no fabrico de rapaduras. **2.** Indivíduo encarregado da limpeza do caldo de cana contido nos tachos. [Cf. *bangueiro.*]

banguela. [Do top. *Benguela.*] *Adj. 2 g. Bras.* **1.** Diz-se de pessoa cuja arcada dentária é falha na frente; desdentado; canhanha. ● *S. 2 g.* **2.** Pessoa banguela (1); caxinxa; canhanha. **3.** Pessoa que fala incorretamente ou ao modo de banguela (2). [F. preferível a *banguelo* e *benguela.*] ♦ **Na banguela.** *Bras. Pop.* Com a marcha de veículo automóvel desengatada; em ponto morto: *Desceu a ladeira na banguela.*

banguelê. [De possível or. afr.] *S. m. Bras., MG.* V. *rolo*[1] (16).

banguelo. *Adj.* e *s. m. Bras.* V. *banguela.*

banguense (gu-ên). *Bras. Adj. 2 g.* **1.** Pertencente ou relativo ao Bangu Atlético Clube (RJ); alvirrubro. **2.** Que é torcedor ou jogador dessa agremiação; alvirrubro ● *S. 2 g.* **3.** Membro, torcedor ou jogador dela; alvirrubro, bangu.

bangüezeiro (güê). *S. m. Bras.* Proprietário de engenho bangüê; bangüezista.

bangüezista (güê). *S. 2 g. Bras.* Bangüezeiro.

banguina. *S. f. Bras., Triângulo Mineiro.* V. *égua* (1).

bangula. *S. m. Bras.* Certo barco de pesca.

bangular. [Alter. de *bangolar.*] *V. int. Bras., N.* e *N.E.* V. *vaguear*[1] (1).

bangulê. [Do quimb.] *S. m.* **1.** *Bras., RJ. Folcl.* Dança negra, ao som da cuíca, com palmas, sapateados e cantigas obscenas. **2.** V. *rolo*[1] (16).

banha. *S. f.* **1.** Gordura animal, especialmente do porco. **2.** *P. ext.* A adiposidade no homem. **3.** Pomada para o cabelo, preparada com substâncias aromáticas. **4.** *Bras., AL. Gír.* Elogio interesseiro ou servil; bajulação, adulação: *Elogia muito o governador, mas aquilo é banha.* ♦ **Ficar na banha.** *Bras.* Ficar na miséria. ♦ **Passar banha em.** *Bras., AL. Pop.* Elogiar servil ou interesseiramente; adular, bajular.

banhadal. *S. m. Bras.* **1.** Banhado muito extenso. **2.** Terreno alagadiço, pântano, charco. **3.** Série de banhados próximos uns dos outros.

banhado. [Do esp. plat. *bañado.*] *S. m. Bras., S.* **1.** Pântano coberto de vegetação. **2.** V. *pântano.*

banhar. *V. t. d.* **1.** Meter em banho[1]; dar banho a; lavar: *banhar a criança.* **2.** Passar água ou outro líquido em; molhar: *banhar o rosto.* **3.** Correr por, passar em, ou junto de; regar; lavar: *O rio São Francisco banha Minas Gerais, Bahia, Sergipe, Alagoas e Pernambuco.* **4.** Estender a sua claridade através ou ao longo de: "A lua banha a solitária estrada..." (Raimundo Correia, *Poesias*, p. 111.) *T. d.* e *c.* **5.** Introduzir em água ou noutro líquido; mergulhar: *Para retirar a ferrugem banhou as peças em óleo.* **6.** Umedecer; regar: *abraçou o filho, banhando-o de lágrimas. P.* **7.** Tomar banho; lavar-se: "Banhei-me na água de risonhos lagos" (Augusto dos Anjos, *Eu*, p. 105). **8.** Tomar banho de asseio. **9.** Envolver-se: *A paisagem banhava-se nos últimos raios de luz.* **10.** *Bras., N.E.* Aproveitar-se, locupletar-se: *Como secretário do governo ele banhou-se.* **11.** *Bras., N.E. Chulo.* Lavar as partes sexuais depois da cópula.

banheira. *S. f.* **1.** Mulher que prepara banhos. **2.** Aparelho sanitário, de ferro esmaltado, louça, mármore, alvenaria comum revestida de outro material, para banho de imersão. [Cf. *banheiro*[1] (1).] **3.** *Bras. Fut. Pop.* V. *impedimento* (4).

banheiro. *S. m.* **1.** *Bras.* Aposento com todo o aparelhamento de banho. [Cf. *banheira*[2] (1).] **2.** *Bras.* Aposento com vaso sanitário. [Sin.: *sanitário* e (ingl.) *water closet, w.c.*] **3.** *Bras.* V. *latrina* (1). **4.** *Lus.* Indivíduo que prepara os banhos e ajuda a tomá-los. **5.** *Lus.* V. *salva-vidas* (2). **6.** *Lus.* Proprietário ou administrador de estabelecimento balnear.

banhista[1]. [De *banho*[1] + *-ista.*] *S. 2 g.* **1.** Pessoa que se banha em mar, rio, piscina, etc. **2.** Pessoa que se submete a banhos medicinais. **3.** Pessoa que dá banho em outra. **4.** *Bras., S.* V. *salva-vidas* (2).

banhista[2]. [De *banha* (3) + *-ista.*] *S. 2 g. Bras., AL. Gír.* V. *bajulador* (2).

banho[1]. [Do gr. *balneîon*, pelo lat. *balneu* e pelo lat. vulg. *baneu.*] *S. m.* **1.** Imersão total ou parcial do corpo em líquido, especialmente água, para fins higiênicos, terapêuticos ou lúdicos: *banho de chuveiro; banho de mar; traje de banho.* **2.** O líquido destinado ao banho. **3.** Exposição a raios solares, luminosos, etc.: *banho de sol; banho de raios ultravioleta.* **4.** Exposição a gases, vapores, etc. **5.** Líquido onde se mergulham substâncias para tingir. **6.** *Eng. Quím.* Qualquer solução em que se imergem peças, ou a que se adicionam substâncias, com o fim de efetuar uma reação ou realizar um determinado processo. **7.** *Bras. Fam.* V. *surra* (3). **8.** *Bras. Fig.* Aquilo com que, pela abundância, alguém se beneficia, ou se enfara: *tomar um banho de civilização; um banho de entusiasmo; receber um banho de chateação.* **9.** *Bras., PA. Folcl.* Golpe de saias com que as damas cobrem os parceiros, que se agacham e negaceiam diante delas, na dança do carimbó ou curimbó. ~ V. *banhos.* ♦ **Banho de asseio.** *Bras.* V. *semicúpio* (1). **Banho de assento.** V. *semicúpio* (1). **Banho de chuva.** Banho de chuveiro; ducha. **Banho de facão.** *Bras., N.E. Pop.* Surra de sabre. **Banho de loja.** *Bras. Fam.* O ato de abastecer-se largamente de artigos de moda, cosméticos, etc.: *A garota é linda, mas precisa de um banho de loja.* **Banho de poeira.** Trambolhão (1). **Banho de sangue.** Mortandade, carnificina. **Banho eletrolítico.** *Eng. Quím.* Solução em que se realiza a eletrólise, numa operação de galvanoplastia. **Banho finlandês.** Sauna. (1). **Banho salgado.** *Bras., N.E.* Banho de mar: "Tomamos 'banho salgado' (em Sergipe não se diz banho de mar)." (Gilberto Amado, *História da Minha Infância*, p. 64); "Na Bahia banho salgado é o mesmo que banho de mar." (Hermano Requião, *Itapagipe*, p. 37). **Banho turco.** O que se toma em uma estufa na qual a temperatura é muito elevada, ficando-se exposto por algum tempo à ação do vapor de água, e mergulhando-se depois em água fria.

banho[2]. [Do frâncico *ban*, pelo fr. *ban*, no lat. tardio *bannu.*] *S. m.* Proclama de casamento. [M. us. no pl., pelo menos no Brasil.] ~ V. *banhos.*

banho[3]. [Do it. *bagno.*] *S. m.* **1.** Local onde antigamente eram cumpridas as penas de trabalhos forçados. **2.** *P. ext.* Presídio, prisão. ~ V. *banhos.*

banho-cheiroso (ô). *S. m. Bras.* Banho-de-cheiro. [Pl.: *banhos-cheirosos.*]

banho-de-cheiro. *S. m. Bras., Amaz.* Banho[1] (2) em que se cozinharam ou puseram de molho, ervas, folhas, cascas, resinas e flores aromáticas, etc., com o fito de conservar ou readquirir a felicidade, afastar o caiporismo, etc. [Pl.: *banhos-de-cheiro.*]

banho-de-igreja. *S. m. Bras. Fam.* V. *casamento* (1 e 2). [Pl.: *banhos-de-igreja.*]

banho-maria. *S. m.* Processo de aquecer ou cozinhar lentamente qualquer substância mergulhando em água fervente o vaso que a contém. [Pl.: *banhos-marias* e *banhos-maria.*]

banhos[1]. *S. m. pl.* V. *balneário* (3 e 4). ~ V. *banho.*

banhos[2]. *S. m. pl.* V. *banho*[2]. ~ V. *banho.*

baniba. *S. 2 g.* e *adj. 2 g. Bras.* V. *baniva.*

banido. [Part. de *banir.*] *Adj.* **1.** Expatriado por sentença; proscrito, exilado, desterrado. **2.** Posto para fora; expulso. **3.** *Bras., CE. Pop.* Alquebrado, moído. ● *S. m.* **4.** Indivíduo banido (1 e 2).

banimento. *S. m.* Ato ou efeito de banir.

banir. [Do frâncico *bannjan*, atr. do lat. tardio *banire.*] *V. t. d.* **1.** Expulsar da pátria; expatriar, desterrar. **2.** Expulsar ou excluir de uma sociedade. **3.** Afastar, afugentar: *banir uma idéia.* **4.** Eliminar, proscrever, abolir: *Aspirava a uma situação que banisse os falsos valores. T. d.* e *i.* **5.** Expulsar, excluir: *baniram-no da conspiração.* **6.** Eliminar, proscrever, abolir. [Defect. Faltam-lhe as f. em que ao *n* se seguiria *o* ou *a*: a 1ª pess. do sing. do pres. ind. e todas as do pres. subj.]

baniua. *S. 2 g.* e *adj. 2 g. Bras.* V. *baniva.*

baniva. *Bras. S. 2 g.* **1.** Indivíduo dos banivas, família lingüística aruaque, que compreende vários grupos, sendo os principais os carútanas, hoódenes, coripacos e cadaupuritanas, na região do rio Içana, fronteira do Brasil com a Colômbia. ● *Adj. 2 g.* **2.** Pertencente ou relativo aos banivas. [Var.: *baniba* e *baniua.*]

banível. *Adj. 2 g.* Que pode ou deve ser banido.

banja. *S. f.* Trapaça no jogo.

banjista. *Adj. 2 g.* e *s. 2 g.* Que ou quem faz banja. [Cf. *banjoísta.*]

banjo. [Do ingl. *bandore.*] *S. m.* **1.** Instrumento musical de quatro, cinco ou seis cordas, de origem norte-americana, com caixa de tambor e braço comprido e estreito. **2.** Banjoísta.

banjoísta. *S. 2 g.* Tocador de banjo; banjo. [Cf. *banjista.*]

banqueiro. *S. m.* **1.** Aquele que realiza operações bancárias. **2.** Diretor de banco (7). **3.** Proprietário de banco (7) ou de casa bancária. **4.** Aquele que no jogo de banca tira as cartas e paga aos parceiros. **5.** Aquele que tem banca para jogo de roleta ou jogo do bicho. **6.** *Fig.* Homem rico; capitalista. **7.** *Bras.* Nos engenhos de açúcar, o encarregado da casa das caldeiras durante a noite. **8.** Nos açougues, banco ou mesa do cortador da carne.

banqueta (ê) *S. f.* **1.** Pequena banca ou mesa. **2.** Degrau acima do altar, onde se põem castiçais. **3.** Degrau atrás do parapeito de muralhas, onde sobem os soldados para atirar. **4.** *Bras.* Cata (3) pequena, aberta ao lado de uma grande. ◆ **Banqueta continental.** *Ocean.* V. *plataforma continental.*

banquete (ê). [Do it. *banquetto,* 'banquinho', pelo fr. *banquet.*] *S. m.* **1.** Refeição formal e solene, em que participam muitos convidados. **2.** Refeição lauta e festiva; festim, repasto. [Sin. ger., desus.: *convívio.*] ◆ **Banquete sagrado.** V. *eucaristia* (1).

banqueteador (ô). *S. m.* Aquele que (se) banqueteia.

banquetear. *V. t. d.* **1.** Dar banquete(s) a, ou em honra de. *P.* **2.** Participar de banquete. **3.** Gastar muito em comida ou em festas. **4.** Comer lautamente. [Conjug.: v. *frear.*]

banqueteiro. *S. m.* Aquele que prepara banquetes ou refeições de culinária esmerada.

banquetense. *Adj. 2 g.* **1.** De, ou pertencente ou relativo a Banquete (RJ). ● *S. 2 g.* **2.** Natural ou habitante de Banquete.

banquisa. [Do escandinavo *bank-is,* 'campo de gelo', atr. do fr. *banquise.*] *S. f.* Camada de gelo formada à superfície dos oceanos quando a temperatura desce a -2º ou -3ºC, proveniente do congelamento da água do mar, e cujas bordas podem elevar-se 50, 60 m acima do nível do mar; banco de gelo, campo de gelo. [Sin. (ingl.): *icefield.* Cf. *iceberg.*]

banto. [Do cafre *ba-ntu,* 'homens, pessoas'.] *S. m.* **1.** Indivíduo dos bantos, raça negra sul-africana à qual pertenciam, entre outros, os negros escravos chamados no Brasil *angolas, cabindas, benguelas, congos, moçambiques.* ● *Adj.* **2.** Pertencente ou relativo aos bantos.

banza[1]. [Do quimb. *mbanza.*] *S. f.* Residência de soba, na África.

banza[2]. [Do quimb. *mbanza.*] *S. f.* **1.** Grosseira guitarra africana de quatro cordas. **2.** *Pop.* Viola, guitarra.

banzar. [Do quimb. *kubanza.*] *V. t. d.* **1.** Espantar, pasmar; surpreender. *T. i.* e *int.* **2.** Pensar detidamente; meditar, cismar, matutar: "Um ou outro insone, vigia, com os olhos arregalados, a banzar na vida, ouvindo os grilos e os vagos rumores do ermo." (Afonso Arinos, *Histórias e Paisagens,* p. 125.)

banzativo. *Adj. Bras.* Que está a banzar, meditar, cismar; pensativo, meditativo, cismativo.

banzé. [De provável or. afr.] *S. m. Pop.* **1.** V. *rolo*[1] (16). **2.** Festa popular.

banzear. *V. t. d.* **1.** Agitar, mover, balouçar. *Int.* **2.** Estar banzeiro. [Conjug.: v. *frear.*]

banzé-de-cuia. *S. m. Bras. Pop.* V. *rolo*[1] (16). [Pl.: *banzés-de-cuia.*]

banzeiro. *Adj.* **1.** Diz-se do mar que se agita vagarosamente e em pequenas ondas. **2.** Diz-se do jogo que se prolonga sem que os resultados se modifiquem sensivelmente para os jogadores. **3.** *Bras.* Triste, melancólico; nostálgico: "cantando com desentôo na voz apagada e rouca as modinhas banzeiras da senzala." (Francisco Ribeiro Sampaio, *Renembranças,* p. 1.) **4.** *Bras., N.* Um pouco bêbedo. **5.** *Bras., N.* Sem firmeza, cambaleante. ● *S. m.* **6.** *Bras., Amaz.* Sucessão de ondas provocadas pela passagem da pororoca ou de uma embarcação a vapor no rio, as quais se quebram na praia com grande violência. **7.** *Bras., N.* Vento forte. **8.** *Bras., N.E.* V. *rolo*[1] (16).

banzo[1]. [Dev. de *banzar.*] *S. m.* **1.** Nostalgia mortal dos negros da África: "Uma moléstia estranha, que é a saudade da pátria, uma espécie de loucura nostálgica ou suicídio forçado, o banzo, dizima-os pela inanição e fastio, ou os torna apáticos e idiotas." (João Ribeiro, *História do Brasil,* p. 207.) ● *Adj.* **2.** *Bras.* Triste, abatido; pensativo. **3.** *Bras., N.* Surpreendido, pasmado. **4.** *Bras., MG.* Sem jeito, sem graça; encafifado: *Meteu-se a galanteador, e saiu banzo.*

banzo[2]. *S. m.* **1.** Cada uma das peças ou vigas laterais das escadas fixas e de mão, onde se apóiam os degraus. **2.** Braço do andor, do esquife. ◆ **Banzo da bomba.** Banzo externo. **Banzo externo.** Aquele que, nas escadas fixas e encostadas a uma parede, se encontra do lado oposto a esta, ou do lado da bomba; banzo da bomba. **Banzo interno.** Aquele que, nas escadas fixas, se encontra junto a uma parede.

baobá. [Do senegalês *baobab,* atr. do fr. *baobab.*] *S. m.* Gigantesca árvore da família das bombacáceas (*Adansonia digitata*), muito disseminada nas savanas africanas, de tronco excessivamente espesso, rico em reservas de água, e considerado o mais grosso tronco do mundo, folhas digitadas e frutos capsulares; embondeiro.

baonesa (ê). *Adj.* (*f.*) e *s. f.* Var. de *baionesa.*

bapianá. *Bras. S. 2 g.* **1.** Indivíduo dos bapianás, tribo indígena do Acará. ● *Adj. 2 g.* **2.** Pertencente ou relativo a essa tribo.

bapo. *S. m.* V. *maracá* (1).

bapuana. [De possível or. tupi.] *S. f. Bras., Amaz.* Certa árvore frutífera.

baquara. [Do tupi *mbae'kwara,* 'sabedor de coisas'.] *Adj. 2 g.* e *s. 2 g. Bras.* Esperto, sabido, vivo.

baque. [Voc. onom.] *S. m.* **1.** Ruído de um corpo ao cair ou ao embater em outro. **2.** Queda, tombo. **3.** *Fig.* Desastre súbito; revés, contratempo. **4.** *Fig.* Receio íntimo; desconfiança. **5.** *Bras.* Momento, instante.

baqueano. [Do esp. plat. *baqueano.*] *S. m. Bras., N.* e *N.E.* V. *tapejara* (1). [Cf. *bachiano* (qui).]

baquear. *V. int.* **1.** Cair com baque, com barulho, repentinamente: "Mas o herói b a q u e o u : golpe certo e profundo / Prostrara-o num momento!" (Eugênio de Castro, *Obras Poéticas,* V, p. 156); "Fendidas pelo raio, b a q u e a v a m árvores que pareciam eternas." (Xavier Marques, *A Cidade Encantada,* p. 179). **2.** *Fig.* Ficar sem recursos; arruinar-se, falir. **3.** *Pop.* Concordar com alguma coisa, deixando-se convencer dela. **4.** Perder o ânimo; deixar-se vencer: *Não b a q u e o u apesar dos golpes sofridos. T. d.* **5.** Convencer (alguém) com argumentação irrespondível. *P.* **6.** Lançar-se por terra; prostrar-se, cair. [Conjug.: v. *frear.*]

baquelita. [Do fr. *bakélite.*] *S. f. Quím.* Resina sintética obtida pela condensação de fenóis com aldeído fórmico.

baquerubu. [Do tupi *wakuru'bu;* var. de *bacurubu.*] *S. m. Bras.* Árvore da família das leguminosas (*Schizolobium parahybum*), largamente cultivada pela beleza e elegância, de tronco retilíneo liso, e ramificado apenas no ápice, flores amarelas e pouco visíveis, ao contrário das grandes folhas penadas, e cujo fruto é uma vagem obovada, com grandes sementes duríssimas. A madeira, branca, leve e mole, serve para caixotes e para polpa celulótica. [Var.: *guapurubu, guapuruvu, guapiruvu;* sin.: *ficheiro, pau-vintém.*]

baqueta (ê). [Do it. *bachetta.*] *S. f.* **1.** Pequena vara de madeira com que se percutem os tambores: "Um coxo, em mangas de camisa, com o seu tamborzinho amarrado à barriga, passa e repassa, apressado, vibrando as b a q u e t a s estrepitosamente." (José Vieira, *Sol de Portugal,* p. 156.) [Cf. *bilro* (3).] **2.** Vareta de guarda-sol; vaqueta. [Pl.: *baquetas* (ê). Cf. *baqueta* e *baquetas,* do v. *baquetar.*]

baquetar. *V. int.* Tocar tambor com baquetas; baquetear. [Pres. ind.: *baqueto, baquetas, baqueta,* etc. Cf. *baqueta* (ê), e pl. *baquetas* (ê).]

baquetear. *V. int.* Baquetar. [Conjug.: v. *frear.*]

báquico. [Do gr. *bacchikós,* pelo lat. *bacchicu.*] *Adj.* **1.** Relativo ao deus grego Baco ou Dioniso [v. *dionisíaco*]. **2.** Relativo ao vinho. [Sin., nessas acepç.: *bacanal, dionisíaco.*] **3.** Orgíaco, bacanal: "O vinho desencadeou o entusiasmo b á q u i c o nessas naturezas primitivas e fortes." (José Vieira, *Sol de Portugal,* p. 156.)

baquio. [Do gr. *báccheios,* pelo lat. *bacchiu.*] *S. m.* Pé de verso grego ou latino, constituído por uma sílaba breve e duas longas. [Cf. *antibaquio.*]

baquiqui. [De provável or. tupi.] *S. m. Bras.* Molusco bivalve, da família dos aloidídeos (*Erodona mactroides* Daud.), do S. do País, que vive em água salobra ou enterrado no lodo.

baquista. [Do mit. *Baco,* 'deus do vinho', + *-ista.*] *Adj. 2 g.* e *s. 2 g.* Que ou quem é dado ao vinho, à embriaguez, ou gosta de orgias.

baquité. [De provável or. tupi.] *S. m. Bras.* Espécie de samburá.

bar[1]. [Do ingl. *bar.*] *S. m.* **1.** Balcão diante do qual as pessoas, de pé ou sentadas em bancos altos, consomem bebidas e iguarias leves. **2.** Sala com tal balcão e com pequenas mesas: *o b a r do clube; o b a r do aeroporto.* **3.** V. *botequim.* **4.** Armário ou outro móvel onde se guardam garrafas de bebidas alcoólicas em uso. [Pl.: *bares.*]

bar[2]. [Do ár. *bahar.*] *S. m.* Peso indiano, que varia, segundo as regiões, entre 141 e 330 quilos. [Pl.: *bares.*]

bar[3]. [Do gr. *barys,* 'pesado'.] *S. m. Fís.* Unidade de medida de pressão, igual a 10^5 pascals. Corresponde aproximadamente a uma pressão da água do mar a 10 m de profundidade. [Pl.: *bars.* Cf. *bária.*]

bará[1]. *Bras. S. 2 g.* **1.** Indivíduo dos barás, tribo indígena da região cachoeira do Amacá, alto rio Tiquié (AM). ● *Adj. 2 g.* **2.** Pertencente ou relativo a essa tribo.

bará[2]. [Do ioruba.] *S. m. Bras., RS.* Exu (1).

barabatana. *Bras. S. 2 g.* **1.** Indivíduo dos barabatanas, tribo indígena das margens do rio Apoporis. ● *Adj. 2 g.* **2.** Pertencente ou relativo a essa tribo.

baraço. [Do ár. *maraçâ,* atr. do ant. *baraça.*] *S. m.* **1.** Corda, cordel. **2.** Corda ou laço para estrangular.

barafunda. *S. f.* **1.** Mistura desordenada de pessoas ou coisas. **2.** Confusão, balbúrdia, baderna. **3.** Algazarra, barulho, vozearia, vozerio. **4.** *Bord.* V. *crivo* (7).

barafustar. *V. t. i.* **1.** Entrar ou meter-se com violência; embarafustar-se: B a r a f u s t o u *pela casa adentro, dando encontrões. Int.* **2.** Mover-se ou agitar-se desordenadamente; bracejar, espernear, estrebuchar, debater-se. **3.** Meditar, discutir ou agir desordenadamente.

baragnose. [De *bar(i)-* + gr. *agnós,* 'ignorante', + *-ose.*] *S. f. Patol.* Incapacidade de sentir o peso dos objetos, de compará-lo com o de outros.

barajuba. [Do tupi.] *S. f. Bras.* Muirajuba.

baralha[1]. [Dev. de *baralhar*[1].] *S. f.* **1.** O que fica do baralho depois de se distribuírem as cartas. **2.** Confusão, desordem. **3.** Intriga, enredo, mexerico.

baralha[2]. [De *bralha,* com suarabácti.] *S. f.* V. *bralha*[2].

baralhada. *S. f.* Desordem, confusão, balbúrdia, barafunda.

baralhador[1] (ô). [*De baralhar*[1] + *-(d)or.*] *Adj.* Que ou aquele que baralha.

baralhador[2] (ô). [*De baralhar*[2] + *-(d)or.*] *Adj.* e *s. m.* Diz-se de, ou eqüídeo que sabe o passo chamado *baralha.*

baralhamento. [*De baralhar*[1] + *-mento.*] *S. m.* Ato ou efeito de baralhar(-se).

baralhar[1]. *V. t. d.* **1.** Misturar (as cartas do baralho); embaralhar. **2.** Misturar, confundir; desordenar; embaralhar: *A situação confusa b a r a l h a v a as idéias do rapaz.* [Sin., desus., nessas acepç.: *esbaralhar*]. *P.* **3.** Misturar-se, confundir-se: "De regresso ao hotel, sentia-me zonzo. Os acontecimentos b a r a l h a v a m - s e : não me seria possível guardá-los se continuasse na impossibilidade infeliz de tomar notas." (Graciliano Ramos, *Viagem,* p. 35.)

baralhar[2]. [De *bralhar,* com suarabácti.] *V. int.* V. *bralhar.*

baralho. [Dev. de *baralhar*] *S. m.* **1.** Coleção formada por 52 cartas de jogar, divididas em quatro naipes, subdivididos em séries de ás a rei, com peças intermediárias numeradas até dez, e mais as figuras do valete e da dama. [Há mais uma carta, o curinga, que só é utilizada em determinados jogos.] **2.** *P. ext.* V. *tarô.*

barambaz. *S. m. Fam.* **1.** Coisa que está pendente, pendurada, como, p. ex., bambolina, sanefa, etc. **2.** Certa guarnição de vestidos.

barandar. *S. m.* Aparelho que serve para equilibrar pequenas embarcações quando há mar grosso.

baranga. *Adj. 2 g. Bras. Gír.* De má qualidade; de pouco ou nenhum valor.

barangandã. *S. m. Bras.* V. *balangandã.*

barão. [Do frâncico **baro*] *S. m.* **1.** Na hierarquia nobiliárquica, título imediatamente inferior ao de *visconde.* [Acima deste último vêm os de *conde, marquês, duque* e *arquiduque.*] **2.** Pessoa poderosa e notável pelo valor, pela posição e/ou pela riqueza: "As armas e os b a r õ e s assinalados" (Luís de Camões, *Os Lusíadas,* I, 1); *Os b a r õ e s do café.* **3.** Variedade de algodoeiro. **4.** *Bras. Pop.* Cédula de mil cruzeiros: "Venham consumir seus b a r õ e s e seus florianos" (Carlos Drummond de Andrade, *Jornal do Brasil,* 10.11.1979). **5.** *Bras. SC. Folcl.* Figura fantástica do boi-de-mamão; arcabouço de madeira, de corpo comprido e fauces articuladas, que "engole" as crianças presentes à apresentação do folguedo. **6.** *Ant.* Homem esforçado, valoroso; varão. **7.** *Ant.* Senhor feudal. [Fem.: *baronesa.*]

bararuá. *S. m. Bras., Amaz.* V. *acará-bararuá.*

barata[1]. [Do lat. *blatta.*] *S. f.* **1.** Ortóptero onívoro, da ordem dos blatários, de corpo achatado e oval, que põe ovos em ootecas. Pode ser silvestre ou doméstico, e tem hábitos noturnos. **2.** Mulher velha; carocha. **3.** *Desus.* Antigo automóvel conversível de duas portas, cuja parte traseira se abria para dar acesso a um banco; baratinha: "A b a r a t a vence o caminhão na carreira." (Viana Moog, *Um Rio Imita o Reno,* p. 125.) **4.** *Gír.* Irmã de caridade. **5.** *Gír.* A vulva. ◆ **Barata descascada.** **1.** A barata que está mudando de pele; barata-noiva. **2.** V. *albino* (2). **3.** Pessoa muito pálida e desbotada. **Barata tonta.** Pessoa atônita, desarvorada. **Entregue às baratas.** *Fam.* Sem receber os devidos cuidados; abandonado: *Vive sem ordem, bebendo, e n t r e g u e à s b a r a t a s ; O projeto está e n t r e g u e à s b a r a t a s.*

barata[2]. [Do fr. *barette.*] *S. f.* Batedeira de manteiga.

barata-cascuda. *S. f. Bras.* Inseto blatário, blatídeo, da subfamília dos pancloríneos (*Leucophaea maderae* (Fabr.)), cosmopolita, de comprimento de até 45mm, asas grandes, ultrapassando o abdome, e que ataca frutas e cereais. [Pl.: *baratas-cascudas.*]

barata-d'água. *S. f. Bras.* Inseto hemíptero, da família dos belostomídeos, de hábitos predadores, tamanho médio ou grande, aspecto semelhante ao da barata, tíbias achatadas, próprias para a natação, pernas anteriores raptoras. Vive na água. [Pl.: *baratas-d'água.*]

barata-da-praia. *S. f. Bras.* Animal artrópode, crustáceo, isópode, da família dos ligídeos, gênero *Ligia* Weber, o qual vive nas pedras à beira-mar, acompanhando o movimento das marés, e se alimenta de detritos orgânicos. A espécie mais comum no Brasil é *Ligia exotica* Roux. [Pl.: *baratas-da-praia.*]

barata-das-palmeiras. *S. f. Bras.* V. *barata-do-coqueiro.* [Pl.: *baratas-das-palmeiras.*]

barata-de-igreja. *S. f. Bras.* V. *carola*[1] (3). [Pl.: *baratas-de-igreja.*]

barata-de-sacristia. *S. f. Bras.* V. *carola*[1] (3). [Aplica-se especialmente às velhas. Pl.: *baratas-de-sacristia.*]

barata-do-coqueiro. *S. f. Bras.* Designação comum às larvas dos insetos coleópteros da família dos crisomelídeos, subfamília dos hispíneos (*Mecistomela marginata* (Thumb.) e *M. quadrimaculata* (Guér.)), que vivem entre as folhas novas dos coqueiros; lesma-do-coqueiro, barata-das-palmeiras. [Pl.: *baratas-do-coqueiro.*]

barata-do-fígado. *S. f. Bras.* Fascíola (1). [Pl.: *baratas-do-fígado.*]

barata-do-mato. *S. f. Bras.* Designação comum às espécies de baratas que vivem entre as folhas secas, sob pedras, sob troncos, ou mesmo sobre as plantas. [Pl.: *baratas-do-mato.*]

barata-germânica. *S. f. Bras.* Baratinha (3). [Pl.: *baratas-germânicas.*]

barata-noiva. *S. f. Bras., PE.* Barata descascada (1). [Pl.: *baratas-noivas.*]

barata-nua. *S. f. Bras.* Barata-oriental. [Pl.: *baratas-nuas.*]

barata-oriental. *S. f. Bras.* Inseto blatário, blatídeo, da subfamília dos blatíneos (*Blatta orientalis* L.), cosmopolita, de coloração geral negra ou parda muito escura, pronoto de cor uniforme. As asas do macho são curtas, cobrindo quase a metade do abdome, e as da fêmea são atrofiadas; o comprimento é de 18 a 25 mm. [Sin.: *barata-nua.* Pl.: *baratas-orientais.*]

baratar. *V. t. d., t. d. e. i., int.* e *p. P. us.* V. *baratear.*

barataria. [Do it. *baratteria.*] *S. f.* **1.** Ação de dar tendo uma retribuição em vista. **2.** Negócio especulativo. **3.** Permutação, troca, escambo. **4.** Troca dolosa de fazendas a bordo. **5.** *Jur.* Todo ato de caráter criminoso praticado pelo capitão de um navio mercante e/ou pela sua tripulação e que acarrete grave prejuízo ao navio ou à carga; ribaldia, ribaldaria.

barateamento. *S. m.* Ato ou efeito de baratear; barateio.

baratear. *V. t. d.* **1.** Vender por preço mais baixo do que aquele que vigorava anteriormente; baixar o preço de: *Obedecendo a determinações do governo, os comerciantes baratearam os gêneros alimentícios.* **2.** Dar pouco valor a; menosprezar: *Costuma baratear o trabalho dos colegas.* **3.** Questionar ou discutir o preço de; regatear. *T. d. e i.* **4.** Conceder com certa facilidade: *Surpreendeu-se quando lhe baratearam honrarias inesperadas. Int.* **5.** Abater de preço: *As roupas de inverno barateiam no verão.* **6.** Diminuir de valor. *P.* **7.** Tornar-se de fácil aquisição: *Os produtos de fibra sintética têm se barateado ultimamente.* **8.** Dar a si mesmo pouco valor: *Barateou-se quando propôs a reconciliação.* [Var. (p. us.): *baratar.* Conjug.: v. *frear.*]

barateio. [Dev. de *baratear.*] *S. m.* Barateamento.

barateiro. *Adj.* **1.** Que vende barato. ● *S. m.* **2.** Nas casas de jogo, aquele que cobra o barato (6). **3.** *Bras., RJ.* Vendedor ambulante de objetos de armarinho.

barateza (ê). *S. f.* **1.** Qualidade do que é barato. **2.** Modicidade de preços.

baratinado. [Part. de *baratinar.*] *Adj. Bras. Gír.* Mentalmente perturbado; transtornado, desorientado, aloprado, abilolado.

baratinar. [De *barata*[1].] *V. t. d. Bras. Gír.* **1.** Perturbar mentalmente; transtornar. *Int.* e *p.* **2.** Perturbar-se mentalmente; transtornar-se.

baratinha. [Dim. de *barata*[1].] *S. f.* **1.** *Bras., Amaz.* Arvoreta da família das leguminosas (*Cassia fastuosa*), de folhas com 10 a 25 folíolos, oblongos e agudos, flores vistosas, amarelas e racemosas, e legumes estreitos, tomentosos, com cerca de 1 cm de largura; tatuzinho. **2.** *Bras.* Inseto blatário, da família dos blatídeos, subfamília dos pseudomopíneos (*Blatella germanica* (L.)) cujo pronoto apresenta duas faixas longitudinais pardo-escuras, sendo castanho o restante do corpo, com patas um pouco mais claras. Tem o último esternito inteiro em ambos os sexos, mede cerca de 1,5 cm, e é a menor das espécies domésticas. [Sin. (nesta acepç.): *barata-germânica.*] **3.** *Bras. Desus.* Barata (3): "E ficava ouvindo, satisfeito, o choro das três, misturado com as buzinas das baratinhas." (Nélio Reis, *Subúrbio,* p. 21.)

baratinha-d'água. *S. f. Bras.* Animal artrópode, crustáceo, isópode, da família dos oniscídeos, especialmente os do gênero *Porcellio* Latreille, o qual vive em lugares úmidos, não se enrola como os tatuzinhos, e se alimenta de matéria vegetal. [Pl.: *baratinhas-d'água.*]

barato. [Dev. de *baratar.*] *Adj.* **1.** Que custa um preço baixo, módico: *Só compra coisas baratas.* [Evite dizer *preço barato.*] **2.** Que cobra, ou onde se cobra preço baixo, módico: *Preciso de um carpinteiro barato; Só freqüenta diversões baratas.* **3.** Que não exige grandes despesas: *vida barata.* **4.** Comum, vulgar, banal: *ironia barata; piada barata;* "tudo que há de mais barato, de mais basbaque e de mais cretino na multidão dos homens." (Rubem Braga, *O Homem Rouco,* p. 137). **5.** Que se barateia, se dá pouco valor; sem correção, sem distinção, sem linha, sem classe: *homem barato.* ● *S. m.* **6.** Percentagem da(s) aposta(s) ou da(s) parada(s) retirada pela pessoa ou pelo clube que fornece aos jogadores local, material de jogo, etc. [Sin. (nessa acepç., em PE): *bozó.*] **7.** Favor, benefício. **8.** Permissão, concessão. **9.** Bom grado; facilidade. **10.** *Bras. Gír.* V. *curtição* (2 a 4): "Com um chapéu desses, a gente protege os olhos e areja a cuca, um barato." (Carlos Drummond de Andrade, *Jornal do Brasil,* 16.11.72); "o Conde começou a enjoar da vida doméstica, e a namorar a torto e a direito, viajando aos menores pretextos, bebendo, fazendo farras, num barato de encucar." (Cora Rónai Vieira e Paulo Rónai, *Aventuras de Fígaro,* p. 59). ● *Adv.* **11.** Por preço módico (no sentido material ou no moral): *Comprei esta casa muito barato.* **12.** Modicamente, moderadamente (quanto ao preço material ou moral): *Cobra barato as aulas de francês.* ~ V. *custar* —.

baratômetro. [De *barata*[2] + *-o-* + *-metro*[2].] *S. m.* Termômetro graduado especialmente para medir a temperatura do leite e da nata, no fabrico da manteiga.

barátrico. *Adj.* Relativo a, ou próprio de báratro.

báratro. [Do gr. *bárathron,* pelo lat. *barathru.*] *S. m.* **1.** Abismo, precipício, voragem. **2.** O Inferno.

baraú. *Bras. S. 2 g.* **1.** Indivíduo dos baraús, tribo indígena que habita as cabeceiras do rio Xingu. ● *Adj. 2 g.* **2.** Pertencente ou relativo a essa tribo.

barauana. *Bras. S. 2. g.* **1.** Indivíduo dos barauanas, tribo indígena do alto rio Padauiri, afluente da margem esquerda do rio Negro (AM). ● *Adj. 2 g.* **2.** Pertencente ou relativo a essa tribo.

baraúna. [Do tupi *ibi'rá una.*] *S. f.* **1.** *Bras., L.* a *S.* Árvore da família das leguminosas (*Melanoxylon braunia*) que vive em floresta pluvial, de folhas com muitos folíolos, flores amarelas, vistosas, reunidas em inflorescências racemosas, e cujos frutos são legumes largos com o endocarpo revestindo as sementes ao jeito de asas. A madeira, quase negra, extremamente dura, é usada em obras externas e hidráulicas. [Sin.: *maria-preta.*] **2.** *Bras., N.E.* Árvore da família das anacardiáceas (*Schinopsis brasiliensis*), muito comum na caatinga, onde atinge até 12 m de altura. Folhas aromáticas, ramos espinhosos, flores alvas, muito pequenas; o fruto é alado, e a madeira, duríssima, serve para dormentes. **3.** V. *canela-baraúna.* [Var.: *braúna.*]

barba. [Do lat. *barba.*] *S. f.* **1.** Cabelos do rosto do homem; barbas. **2.** Parte inferior do rosto, abaixo dos lábios; queixo: "Como ela trazia a cabeça constantemente baixa, a parte inferior do rosto ficava na sombra. A barba fugia-lhe pelo pescoço fino e longo." (José de Alencar, *Diva,* p. 195.) **3.** Pêlos do focinho ou do bico de certos animais. **4.** *Morfol. Veg.* Labíolo. **5.** *Morfol. Veg.* Pêlos ásperos e curtos, muitas vezes agrupados em pequenas mechas. **6.** *Ind. Pap.* Rama[1](5). **7.** *Encad.* Desigualdade apresentada pelo corte do livro não aparado. **8.** *Tip.* Partícula de metal que adere ao tipo ou à linha-bloco, nas máquinas compositoras, e produz borrão na impressão; carrapato. ~ V. *barbas.* ◆ **Barba a barba.** V. *face a face.* **À barba.** À vista. **Fazer barba, cabelo e bigode.** *Bras. Fut.* Vencer uma série de três jogos contra o mesmo adversário em categorias diferentes — juvenil, reserva e time principal — no mesmo dia. **Ver-se à barba.** Ver-se assoberbado de dificuldades e/ou trabalhos; achar-se abarbado.

barba-azul. [Do antr. *Barba-Azul,* personagem dum conto de Perrault que assassinava as esposas.] *S. m.* **1.** Homem que enviuvou diversas vezes. **2.** Homem que conquista, ou que tem várias mulheres. [Pl.: *barbas-azuis.*]

barbacã. [Possivelmente de or. ár., atr. do lat. vulg. *barbacana.*] *S. f.* **1.** Muro avançado, construído diante de muralhas, e mais baixo do que elas; antemuro: "as barbacãs de velhíssimos castelos, onde houvessem embatido, outrora, assaltos sobre assaltos que os desmantelaram e aluíram" (Euclides da Cunha, *Os Sertões,* p. 268). **2.** Fresta ou seteira em muralhas, muros ou paredes de fortificações, para vigias e atiradores. **3.** *Constr.* Fresta ou orifício aberto num muro de arrimo ou de revestimento para permitir o escoamento da água de infiltração das terras que lhe ficam atrás.

barbaças. *S. m. 2 n.* Indivíduo que tem barbas grandes; barbacena, barbarrão.

barbacena. *S. m.* V. *barbaças.*

barbacenense. *Adj. 2 g.* **1.** De, ou pertencente ou relativo a Barbacena (MG). ● *S. 2 g.* **2.** Natural ou habitante de Barbacena.

barbaçudo. *Adj.* Que tem barba cerrada: "Compreendia o Camargo, que estas minudências, inocentes para um velho barbaçudo como ele, deviam arrepiar os escrúpulos da corte." (José de Alencar, *Senhora,* p. 222.)

barbada. [De *barba* + *-ada*[1].] *S. f.* **1.** O beiço inferior do cavalo. **2.** *Bras. Gír. Turfe.* Cavalo que em determinado páreo, por absoluta superioridade em relação aos seus competidores, normalmente não pode perder; carne-assada. **3.** *Bras. Gír. P. ext.* Em jogos esportivos, competição que se julga fácil de vencer. **4.** *Bras. Gír. P. ext.* Qualquer competição em que a vitória é considerada fácil: *Para o candidato X a eleição é uma barbada.*

barba-de-barata. *S. f.* Arbusto ornamental, da família das leguminosas *(Caesalpina pulcherrima),* de flores vermelhas ou amarelas dispostas em cachos paniculados e eretos. É muito cultivada em jardins. [Sin.: *asa-de-barata.* Pl.: *barbas-de-barata.*]

barba-de-bode. *S. m.* **1.** *Bras. Fam.* Indivíduo que usa barba longa e pontuda no queixo. ● *S. f.* **2.** Designação comum a várias plantas das famílias das gramíneas, ciperáceas e compostas, gêneros *Aristida, Ctenium, Cyperus, Eragrostis, Panicum* e *Tragopogon,* e especialmente a *Aristida pallens,* de sementes comestíveis, e cujas inflorescências, quando secas, lembram a barba dos bodes. **3.** V. *ulmária.* [Pl.: *barbas-de-bode.*]

barba-de-cabra. *S. f.* **1.** Planta exótica, ornamental, da família das rosáceas (*Aruncus americanus*), de flores alvas, em panículas, utilizada na medicina popular. [Pl.: *barbas-de-cabra.*]

barba-de-pau. *S. f. Bras.* Designação comum a liquens do gênero *Usnea,* especialmente *U. barbata.* [Pl.: *barbas-de-pau.*]

barba-de-são-pedro. *S. f. Bras.* Planta da família das poligaláceas (*Polygala paniculata*), de folhas e flores pequeninas, estas últimas alvas e racemosas, e cuja raiz, esmagada, recende a salicilato de metila. [Pl.: *barbas-de-são-pedro.*]

barba-de-timão. *S. f. Bras.* V. *barbatimão-verdadeiro.* [Pl.: *barbas-de-timão.*]

barba-de-velho. *S. f. Bras.* **1.** Bromeliácea herbácea e epífita (*Tillandsia usneoidis*), de pequenas folhas lanceoladas e flores violáceas. Não tem raízes, alimenta-se dos detritos que o ar sedimenta sobre ela, e retira umidade da atmosfera; barbino. **2.** V. *úsnea* (1). **3.** V. *cipó-do-reino.* **4.** V. *capim-membeca.* [Pl.: *barbas-de-velho.*]

barbadiano. *Adj.* **1.** Da, ou pertencente ou relativo à ilha de Barbados (Antilhas). ● *S. m.* **2.** O natural ou habitante dessa ilha.

barbadinho. [Dim. de *barbado*[1].] *S. m.* **1.** V. *capuchinho* (2). **2.** Designação comum a várias espécies de peixes teleósteos, siluriformes, da família dos loricarídeos, gênero *Ancistrus* Kner., que abrange pequenos cascudos com o focinho e franja bucal repletos de filamentos, lembrando uma barba. A espécie mais largamente distribuída é *A. cirrhosus* Val. **3.** Erva da família das leguminosas (*Desmodium barbatum*), de pequeno porte, cujos legumes, produzidos na maturidade, se fragmentam em peças que aderem aos pêlos dos animais e à roupa. ● *Adj.* **4.** Capuchinho (4).

barbado[1]**.** [Part. de *barbar.*] *Adj.* **1.** Que tem barba: *homem barbado.* **2.** Que apresenta a barba crescida. ● *S. m.* **3.** Indivíduo que tem barba, ou que usa barba crescida. **4.** *Fam.* Adulto, marmanjo; homem: "Chegou a hora da ceia. Sentei-me na primeira mesa com os barbados. Amaro escondeu-se, e lá se foi com as moças para a segunda mesa" (Mário Brandão, *Almas do Outro Mundo,* p. 77). **5.** Bacelo com radículas ou barbalhos, para plantar. **6.** *Bras.* Peixe teleósteo, siluriforme, da família dos pimelodídeos (*Pinirampus pirinampu* (Spix)), da bacia amazônica e do Paraguai, de coloração tendente para o azulado, e de longos barbilhões; piranambu, pirampu, piranampu, piraniampu, mantopaque, peixe-moela. **7.** Peixe percomorfo, da família dos polinemídeos (*Polydactilus virginicus* (L)), do Atlântico, de cor prateada, extremo das nadadeiras negro, e nadadeira peitoral com raios inferiores dissociados em filamentos. **8.** *Bras.* V. *guariba* (1).

barbado[2]. *Bras. S. m.* **1.** Indivíduo dos barbados, tribo indígena do rio Mearim (MA). ● *Adj.* **2.** Pertencente ou relativo a essa tribo.

barbado[3]. *Bras. S. m.* e *adj.* V. *umotina.*

barbalhada. *S. f. Bras., S.* Barba cerrada.

barbalhense. *Adj. 2 g.* **1.** De, ou pertencente ou relativo a Barbalha (CE). ● *S. 2 g.* **2.** Natural ou habitante de Barbalha.

barbalho. [De *barba* + *-alho.*] *S. m. Bot.* Raiz filamentosa, ou radícula, das plantas.

barbalhoste. *Adj.* **1.** Que tem barba escassa. **2.** *Pop.* Sem préstimo. **3.** Covarde, fracalhão.

barbante. [Do top. *Brabante,* com metátese.] *S. m.* Cordel delgado; guita. ◆ **Barbante alcatroado.** *Expl.* Material empregado em equipamentos de destruição para ligar a espoleta ao cordel detonante ou à escorva, para fixar cargas em seus lugares e para amarrar petardos de modo que formem um pacote.

barbaquá. [Talvez de or. amer.] *S. m. Bras., S.* **1.** Carijó. ●*Adj. 2 g.* **2.** Diz-se da erva-mate preparada nessa armação.

barbaquim. *S. m.* **1.** Berbequim. **2.** Arco de pua.

barbar. *V. int.* **1.** Começar a ter barba; embarbecer. **2.** Adquirir barbalho ou radículas (a planta). [M.-q.-perf. ind.: *barbara,* etc. Cf. *bárbara,* fem. de *bárbaro* e s. f., e o antr. *Bárbara.*]

bárbara[1]. *S. f.* Câmara onde se guarda a pólvora. [Cf. *barbara,* do v. *barbar.*]

bárbara[2]. *S. f. Lóg.* Tipo de silogismo da primeira figura aristotélica. [Cf. *barbara,* do v. *barbar.*]

barbará. *S. m. Bras.* Cano de escoamento para as águas usadas na cozinha.

barbarense. *Adj. 2 g.* **1.** De, ou pertencente ou relativo a Santa Barbara d'Oeste (SP). ● *S. 2 g.* **2.** Natural ou habitante de Santa Bárbara d'Oeste.

barbaresco (ê). [Do it. *barbaresco.*] *Adj.* Próprio dos bárbaros. [Var.: *barbarisco.*]

barbaria. *S. f.* **1.** Ato próprio de bárbaros; barbaridade. **2.** Selvageria, crueldade, atrocidade, barbaridade, barbarismo. **3.** Multidão de bárbaros.

barbaridade. *S. f.* **1.** V. *barbaria* (1 e 2). ● *Interj.* **2.** *Bras., S.* Exprime espanto, surpresa, estupefação; bah.

barbárie. [Do lat. *barbarie.*] *S. f.* Estado ou condição de bárbaro; barbarismo.

barbarisco. *Adj.* Var. de *barbaresco.*

barbarismo. [Do gr. *barbarismós,* pelo lat. *barbarismu.*] *S. m.* **1.** Estado ou condição da gente bárbara; barbárie. **2.** Barbaridade, barbaria. **3.** *Gram.* Vício de linguagem que consiste em erro na pronúncia, na grafia, na forma gramatical ou na significação: *pégada,* em vez de *pegada; expontâneo,* em vez de *espontâneo; a telefonema,* em vez de *o telefonema; lutulento,* na acepç. de 'fúnebre, lutuoso'.

barbarizar. [Do gr. *barbarízo.*] *V. t. d.* **1.** Tornar bárbaro; embrutecer: *A convivência que vem tendo com malandros barbarizou-o.* **2.** Introduzir barbarismo (3) em. *Int.* **3.** Cometer barbarismo (3).

barbarizo. [De *bárbaro.*] *S. m. Ant.* Burburinho: "Que samba é este que eles dançam loucamente, rindo e cantando no silêncio do sertão, enchendo os bosques das paragens brasileiras de burburinhos, barbarizos, burundangas de horrissonâncias africanas?" (Martins Fontes, *A Dança,* p. 90.)

bárbaro. [Do gr. *bárbaros,* pelo lat. *barbaru.*] *Adj.* **1.** Entre os gregos e romanos, dizia-se daquele que era estrangeiro. **2.** Sem civilização; selvagem, grosseiro, rude, inculto. **3.** Cruel, desumano, sanguinário. **4.** V. *bacana* (1). ● *S. m.* **5.** Aquele que tem essas qualidades. **6.** Indivíduo dos bárbaros, povos do norte, invasores do Império Romano do Ocidente. ● *Interj.* **7.** Exprime espanto ou admiração.

barbarolexia (cs). [Do gr. *bárbaros,* 'bárbaro', + *-lex-* + *-ia.*] *S. f. Ret.* **1.** Junção de palavra estrangeira a outra vernácula. **2.** Pronúncia errônea de vocábulo estrangeiro.

barbarrão. *S. m. Fam.* V. *barbaças.*

barba-ruiva. *S. m. Bras., Pl.* Certo duende. [Pl.: *barbas-ruivas.*]

barbas. [Pl. de *barba.*] *S. f. pl.* **1.** Os cabelos do rosto do homem; barba. **2.** Lâminas extraídas da boca da baleia. **3.** Os filamentos localizados de um e de outro lado da raque das penas; rama. ~ V. *barba.* ◆ **Barbas de baleia.** *Mar. Ant.* Vergas da cevadeira. **Às barbas de.** Nas barbas de. **Nas barbas de.** Na presença de, e sem considerar essa presença; às barbas de: *Os ladrões assaltaram o banco nas barbas da polícia;* "Heliodora / Pôs tolice da boca para fora / Ao lado do marido nessa aziaga / Festa, mesmo nas barbas do Gonzaga." (Domingos Carvalho da Silva, *Liberdade embora tarde,* p. 15.) **Pôr as barbas de molho.** Precaver-se contra alguma coisa. **Ter barbas.** Ser muito antigo (caso, história, anedota): "Há .... o caso de um outro — esse muito antigo — que semeava bastardos entre a criadagem e que a cada amante oferecia um lenço vermelho. Tem barbas, a história." (José Cardoso Pires, *O Delfim,* p. 160.)

barbasco. [De *verbasco.*] *S. m.* **1.** Designação comum a diversas plantas das famílias das compostas e das escrofulariáceas, gêneros *Pterocaulon* e *Verbascum.* **2.** *Bras., MG.* V. *verbasco.*

barbata. [De *barba* (1).] *S. f.* Assento do freio na parte sem dentes da boca do cavalo.

barbatana. [De *barba.*] *S. f.* **1.** Dobra da pele dos peixes, sustida por esqueleto ósseo ou cartilaginoso. [Sin. pop.: *badana.*] **2.** Dobra cutânea dos cetáceos e sirenídeos. **3.** Lâmina córnea superior da mucosa bucal dos cetáceos. **4.** Pequena haste flexível usada para a armação de algumas peças do vestuário.

barbatão. *S. m. Bras.* Rês que, criada nos matos, se fez bravia.

barbatimão. [De possível or. tupi.] *S. m. Bras.* **1.** V. *barbatimão-verdadeiro.* **2.** V. *caroba.*

barbatimão-de-folha-miúda. *S. m. Bras.* V. *farinha* (3). [Pl.: *barbatimões-de-folha-miúda.*]

barbatimão-falso. *S. m.* V. *farinha* (3). [Pl.: *barbatimões-falsos.*]

barbatimão-verdadeiro. *S. m. Bras., PA* a *MG,* e *SP.* Arbusto da família das leguminosas-mimosóideas (*Stryplinodendron barbatimão*), cuja madeira é própria para obras expostas, marcenaria e torno, e de cuja casca, com propriedades adstringentes, se extrai matéria tintorial vermelha, tida por medicinal; barbatimão, barbade-timão, ibatimô, uabatimô. [Pl.: *barbatimões-verdadeiros.*]

barbato. [Do lat. *barbatu.*] *S. m.* **1.** Leigo ou frade que usava barba comprida. ● *Adj.* 2. Que tem coma[1].

barbeação. *S. f.* Ato ou efeito de barbear(-se).

barbeado. [Part. de *barbear.*] *Adj.* Com a barba feita: "Mr. Bauer é um homem baixo, pálido, ... asseado, barbeado, perfumado, delicado, e com uma voz assombrosa." (Eça de Queirós, *Notas Contemporâneas,* p. 8.)

barbeador (ô). *S. m.* **1.** Aparelho de barbear. **2.** *Bras.* Barbeiro (5).

barbear. *V. t. d.* **1.** Fazer a barba a. *P.* **2.** Fazer a própria barba: "Foi o diabo eu não ter tido tempo de me barbear. Os fios brancos costumam vir precocemente em minha família." (Ciro dos Anjos, *Abdias,* p. 183). [Conjug.: v. *frear.*]

barbearia. *S. f.* **1.** Sala do convento na qual os frades faziam a barba. **2.** Loja de barbeiro; barbeiro. **3.** Profissão de barbeiro.

barbechar. *V. t. d.* Dar o barbecho a; alqueivar. [Conjug.: v. *fechar.*]

barbecho (ê). [Do esp. *barbecho;* cf. *barbeito.*] *S. m.* A primeira lavra dada a um terreno; barbeito.

barbeiragem. *S. f. Bras.* **1.** Imperícia ou falta cometida por barbeiro (8 e 9): *Faz tantas barbeiragens que é perigoso andar em carro dirigido por ele; O eletricista fez uma barbeiragem e, quando acendeu a luz, os fusíveis se queimaram.* **2.** Qualidade de barbeiro (8 e 9): *Diz que dirige bem, mas é notória a sua barbeiragem.*

barbeiro. *S. m.* **1.** Homem que tem por profissão rapar ou aparar barbas e cortar cabelos. [Deprec.: *barbeirola, rapa-queixos,* e (fam.) *fígaro.*] **2.** Barbearia (2): *F. foi ao barbeiro.* **3.** *Fig.* Vento frio que parece cortar as partes do corpo expostas a ele. **4.** Certo jogo popular. **5.** *Bras.* Indivíduo que depila os suínos abatidos; barbeador. **6.** *Bras.* Inseto hemíptero, da família dos reduviídeos, subfamília dos triatomíneos, caracterizado por ter o rostro reto e sem impressão transversa ou constrição atrás dos olhos. São conhecidas, no Brasil, acima de 30 espécies, transmissoras da doença de Chagas. Hematófagos, têm hábitos noturnos. [Sin. (nesta acepç.): *bicho-barbeiro, bicho-de-frade, bicho-de-parede, bicudo, cascudo, chupança, chupão, chupa-pinto, fincão, furão, gaudério, percevejão, percevejo-do-sertão, percevejo-gaudério, procotó, rondão, vunvum.*] **7.** *Bras.* Peixe teleósteo, percomorfo, da família dos teutídeos, gênero *Teuthis* L., do Atlântico, desde a América do Norte até a BA, do qual se conhecem três espécies: *T. hepatus* (L.), vináceo, verdoengo e com 12 faixas transversais escuras; *T. bahianus* (Cast.), pardo uniforme, cauda violácea, com oito estrias paralelas sobre a nadadeira dorsal; e *T. coeruleus.* (Schn.), azul, com margem da cauda negra. São herbívoros e vivem no fundo, entre polipeiros e rochedos; a carne é tida por venenosa. O nome comum provém de possuírem um espinho móvel sobre o pedúnculo, na linha lateral, imitando lâmina de navalha, e que, eriçado, constitui arma perigosa. **8.** Mau condutor de veículos automóveis. [Sin., bras., nessa acepç.: *munheca-de-pau, trevelô.*] **9.** *Bras.* Indivíduo inábil no seu ofício. **10.** *Bras. Cineg.* Caçador que regressa sem caça; sapateiro. **11.** *Bras., SP.* Picadeiro que se situa no segundo lugar na picada. ● *Adj.* **12.** Diz-se do mau condutor de veículos, especialmente automóveis. **13.** Diz-se de profissional inábil no seu ofício.

barbeirola. *S. m. Bras.* Barbeiro pouco hábil.

barbeito. [Do lat. *vervactu;* cf. *barbecho.*] *S. m.* **1.** Cômoro ou vale que separa uma propriedade de outra. **2.** Barbecho.

barbela. [Do lat. **barbella.*] *S. f.* **1.** Pele pendente do pescoço do boi: "Palpou os bois desde os cornos até o rabo. Afagou-lhe a beiça e a barbela." (João de Araújo Correia, *A Cinza do Lar,* p. 21.) [Cf. *perigalho* (1).] **2.** Dobra adiposa por baixo do queixo. [Cf. *papada.*] **3.** A barba ou o queixo das pessoas. **4.** Cadeia de ferro que guarnece por baixo a barbada do cavalo. **5.** Ponta farpada da agulha de meia ou de renda, e das flechas. **6.** *Bras.* Farpa ou fisga do anzol. **7.** *Bras., SP.* V. *barbicacho* (3).

barbelões. [Do fr. *barbillons.*] *S. m. pl.* Bolhas ou tumores que se formam sob a língua do cavalo ou do boi.

barbeta (ê). [Do fr. *barbette.*] *S. f.* **1.** Plataforma de terra, bastante elevada, para que os canhões, nela colocados, possam atirar por cima do parapeito. **2.** *Mar. Ant.* Parapeito circular de couraça fixa, que protegia um reparo de boca-de-fogo, a bordo de navio de combate.

▲**barb(i)-.** [Do lat. *barba, ae.*] *El. comp.* = 'barba', 'pêlo': *barbicacho, barbialçado, barbirruivo, barbirrostro.*

barbialçado. [De *barb(i)-* + *alçado.*] *Adj.* **1.** De barba levantada. **2.** De fronte erguida.

barbiana. *S. f. Bras.* Concubina (1) de ladrões.

barbica. *S. f.* Barbicha (2): "quando, na ópera de Gounod, Mefistófeles, no palco, ... açoitando o ar com a ponta da barbica de capro e com a pluma vermelha do gorro, entoa a ária triunfal do *Deus do Ouro,* — a ficção toma corpo" (Olavo Bilac, *Conferências Literárias,* p. 243). ~ V. *barbicas.*

barbicacho. [De *barb(i)-* + *-ico-*[1] + *-acho.*] *S. m.* **1.** Cabeçada (8) de corda para cavalgaduras. **2.** *Fig.* Estorvo, empecilho, empeço, óbice, obstáculo. **3.** Cordão entrançado que passa por sob o queixo, segurando o chapéu. [Sin. (nesta acepç.): em SP, *barbela,* no PR, *queixinho.*] **4.** *Bras. Fig.* Sujeição, submissão. **5.** *Bras. Fig.* Condição da qual depende a realização de um negócio. ◆ **Pôr barbicacho em.** *Bras.* Prender, manter constrangido (alguém).

barbicas. *S. m. 2 n. Fam.* Homem com barba escassa e aspecto insignificante; barbichas. ~ V. *barbica.*

barbicha. *S. f.* **1.** Barba pequena e rala. **2.** Barba pequena, de ordinário em ponta; barbica. **3.** A barba do bode, estreita e comprida. ~ V. *barbichas.*

barbichas. *S. m. 2 n. Fam.* Barbicas [q. v.]. ~ V. *barbicha.*

barbífero. [De *barb(i)-* + *-fero.*] *Adj.* Provido de barba.

barbiforme. [De *barb(i)-* + *-forme.*] *Adj. 2 g.* Que tem forma de barba.

barbilhão. [Do fr. *barbillon.*] *S. m.* Apêndice carnoso que sobressai por baixo do bico de algumas aves ou da boca de certos peixes; barbilho.

barbilho. *S. m.* **1.** Rede ou saco de esparto que se põe no focinho de alguns animais para que não comam ou não mamem. **2.** Cordão de anafaia; cadilhos. **3.** *Fig.* Estorvo, embaraço, obstáculo, empecilho. **4.** Barbilhão.

barbiloiro. [De *barb(i)-* + *loiro.*] *Adj.* Barbilouro.

barbilongo. [De *barb(i)-* + *longo.*] *Adj.* Que tem barbas compridas.

barbilouro. [De *barb(i)-* + *louro.*] *Adj.* Que tem barba loura. [F. paral.: *barbiloiro.*]

barbinegro (ê). [De *barb(i)-* + *negro.*] *Adj.* Que tem barba preta.

barbino. *S. m. Bras.* Barba-de-velho (1).

barbípede. [De *barb(i)-* + *-pede.*] *Adj. 2 g.* Que tem os pés guarnecidos de pêlos.

barbirrostro. [De *barb(i)-* + *-rostro.*] *Adj. Zool.* Que tem pêlos no bico.

barbirruivo. [De *barb(i)-* + *ruivo.*] *Adj.* Que tem as barbas ou as penas ruivas.

barbital. *S. m. Quím.* Derivado da uréia, sólido, cristalino, branco, utilizado em medicina. [Fórm.: $(C_2H_5)_2C(CONH)_2CO$.]

barbiteso (ê). [De *barb(i)-* + *teso* (ê).] *Adj.* **1.** Que tem a barba rija, tesa. **2.** *Fig.* Forte, resistente, enérgico.

barbiturato. *S. m. Quím.* Sal originado do ácido barbitúrico.

barbitúrico. [De *Usnea barbata* + *úrico.*] *S. m.* **1.** *Quím.* Qualquer derivado do ácido barbitúrico pela substituição de um hidrogênio por um radical alquila ou arila. **2.** *P. ext.* Medicamento com base em barbitúrico. ● *Adj.* **3.** ~ V. *ácido* —.

barbiturismo. *S. m. Patol.* Conjunto de sintomas produzidos pela intoxicação por derivados do ácido barbitúrico, e em cujo quadro clínico estão presentes calafrio, cefaléia, febre e erupções cutâneas.

barbono. [De *barba.*] *S. m.* V. *capuchinho* (2).

barbotina. [Do fr. *barbotine.*] *S. f.* **1.** Semente do absinto. **2.** Mistura fluida de pasta cerâmica.

barbudinho. [Dim. de *barbudo.*] **1.** *Bras., SP.* Ave passeriforme, da família dos piprídeos (*Manacusm m. gutturosus* (Desm.)), da região este-meridional do Brasil, de coloração branca, alto da cabeça, dorso inferior, asas e cauda pretos, uropígio, flancos e crisso cinzentos; rendeira, rendeiro, monge. **2.** *Bras.* V. *lacerdinha.*

barbudo. *Adj.* **1.** Que tem muita barba. ● *S. m.* **2.** Indivíduo que tem muita barba. **3.** *Bras.* Certo peixe do mar.

bárbula. [Do lat. *barbula.*] *S. f.* Cada um dos pequenos filamentos laterais das barbas das penas.

bárbus. *S. m. 2 n. Bras.* Designação comum aos peixes teleósteos, cipriniformes, da família dos ciprinídeos, gênero *Barbus* Cuv., comuns nos aquários do mundo inteiro, com cerca de 30 espécies. Reproduzem-se bem, e costumam devorar ovos e crias, razão por que machos devem ser separados logo após a desova.

bárbus-de-cinco-listras. *S. m. 2 n. Bras.* Peixe teleósteo, cipriniforme, da família dos ciprinídeos (*Barbus partipentazona* Fowl.), da Tailândia e da Malásia, comum nos aquários. Coloração prateada, com listras negras transversais, uma sobre a nuca até o olho, outra na base da nadadeira dorsal, e três sobre o corpo. As nadadeiras são vermelhas; a dorsal tem mancha triangular negra. Comprimento: 4 a 5 cm.

barca. [De or. egípcia, atr. do gr. *bâris* e do lat. *baris*, donde o dim. *barica*, no lat. vulg. *barca.*] *S. f.* **1.** Antigo navio à vela, de mastreação constituída por gurupés e três mastros latinos; brigue-barca. **2.** Embarcação de grande boca e pouco calado, usada para transporte local de passageiros e carga em baías e enseadas. [Aum.: *barcaça*. Dim.: *barquinha, barqueta.*] **3.** Designação genérica aplicada a grande variedade de embarcações marítimas ou fluviais. **4.** Canção de barqueiros. **5.** *Bras., N.E.* V. *fandango* (10). **6.** *Bras., SP. Gír.* V. *meretriz.* ♦ **Barca de S. Pedro.** A Igreja Católica.

barça. [Alter. de *balça.*] *S. f.* Capa de vime ou de palha com que se resguardam vidros.

barcaça. *S. f. Mar.* **1.** Grande e sólida embarcação de madeira, semelhante à alvarenga [q. v.] e à chata [q. v.], e usada para carga e descarga de navios no porto. **2.** *Bras., N.E.* Embarcação usada para transportar mercadorias, e cujo casco tem quase a forma de um caixão, de fundo chato, sem quilha, com os costados quase verticais. **3.** *Bras., BA.* Tabuleiro de forma semelhante à de uma embarcação, onde são postos a secar os caroços de cacau logo após retirados do coco: "Os trabalhadores partiam .... para as roças, a colher cacau, outros pisavam cacau mole nos cochos ou dançavam sobre o cacau seco nas b a r c a ç a s" (Jorge Amado, *Terras do Sem-Fim*, p. 233). ♦ **Barcaça de desembarque.** *Bras. Mar. Guer.* Embarcação de desembarque.

barcacinha. [Dim. de *barcaça.*] *S. f. Bras., PE* e *AL.* Barcaça pequena, de dois mastros.

barcada. [De *barca* + *-ada*[1].] *S. f.* Carga de barco ou barca; barcagem.

barca-d'água. *S. f. Bras.* **1.** Embarcação auxiliar destinada a transportar água doce para abastecimento de navios. **2.** *Mar. Gír.* Pessoa desanimada. **3.** *Mar. Gír.* Pessoa desleixada no vestir. [Pl.: *barcas-d'água.*]

barca-farol. *S. f. Mar.* Embarcação permanentemente fundeada em determinada posição, dotada de aparelho luminoso idêntico ao de um farol, e destinada a assinalar um perigo à navegação em local onde não seja possível a construção de uma instalação fixa. [Pl.: *barcas-faróis* e *barcas-farol.*]

barcagem. *S. f.* **1.** Barcada. **2.** Frete pago pela passagem de rio em barco ou barca.

barcana. *S. f. Geog.* Duna em forma de crescente lunar, cuja parte convexa, situada na direção de onde sopra o vento, é suave, enquanto o outro lado é côncavo e cortado.

barca-nova. *S. f. Bras., ES. Folcl.* Folguedo infantil, em cantiga de roda, originado do romance (2) do mesmo nome. [Pl.: *barcas-novas.*]

barcarenense. *Adj. 2 g.* **1.** De, ou pertencente ou relativo a Barcarena (PA). ● *S. 2 g.* **2.** Natural ou habitante de Barcarena.

barcarola. [Do it. *barcarola.*] *S. f.* **1.** Canção romântica dos gondoleiros de Veneza: "os remadores cantavam, e eu ouvia como a copla de uma b a r c a r o l a nostálgica." (João do Rio, *As Religiões no Rio*, p. 212). **2.** Peça vocal ou instrumental, em andamento moderado, e cujo ritmo ternário (6/8 ou 12/8) sugere o balançar de uma barca sobre as águas. **3.** Tipo de cantiga trovadoresca de influência italiana, que se referia a assuntos marítimos.

barcarolar. *V. int.* Cantar e/ou tocar barcarola: "Eram motivos de uma barcarola, / B a r c a r o l a n d o em flautas, e flautins, e violas" (Alphonsus de Guimaraens, *Obra Completa*, p. 218).

barceiro. *S. m.* Fabricante ou vendedor de barças. [Cf. *balceiro* e *balseiro.*]

barcelense. *Adj. 2 g.* **1.** De, ou pertencente ou relativo a Barcelos (AM). ● *S. 2 g.* **2.** Natural ou habitante de Barcelos.

barcelonense. *Adj. 2 g.* e *s. 2 g.* Barcelonês.

barcelonês. *Adj.* **1.** De, ou pertencente ou relativo a Barcelona (Espanha). ● *S. m.* **2.** O natural ou habitante de Barcelona. [Sin. ger.: *barcelonense.* Flex.: *barcelonesa* (ê), *barceloneses* (ê), *barcelonesas* (ê).]

barco. [De *barca*]. *S. m.* **1.** Embarcação pequena, sem coberta. **2.** *P. ext.* Qualquer embarcação. ♦ **Ancorar o barco.** Fixar-se; parar. **Deixar o barco correr.** Deixar que as coisas sigam seu caminho normal; não interferir. **Tocar o barco para a frente.** Ir enfrentando a vida, tratando de seus negócios, de seus problemas, em meio a vicissitudes e dificuldades: "Mas 'o pobre nasceu para sofrer' e 'o que não tem remédio remediado está'. Acompanhando esses preceitos da ignorante sabedoria popular, *seu* Augusto, no dia seguinte, t o c a v a o b a r c o p a r a a f r e n t e, ia vivendo." (Miroel Silveira, *Bonecos de Engonço*, pp. 102-103.)

barco-das-iaôs. *S. m. Bras., BA.* Grupo de iniciandas de cada ano de um terreiro. [Pl.: *barcos-das-iaôs.*]

barcola. [De *barco?*] *S. f.* Borda em que se encaixam os quartéis de fechar as escotilhas.

barda[1]**.** [Do ár., atr. do it. *barda.*] *S. f.* Armadura de ferro para proteger o peito do cavalo.

barda[2]**.** [Talvez pré-romano.] *S. f.* **1.** Sebe de silvas, espinheiros, ou ramos entrelaçados; bardo. **2.** Pranchão para cobrir casas rústicas e proteger a parte de cima dos muros. **3.** Montão, camada. ♦ **Em barda.** Em grande quantidade; em abundância: "Aníbal recorrera às invenções mais recentes de sítio, como mantas, fundas baleares, balistas, a tal torre móvel, que foi um dos engenhos decisivos, e catapultas e m b a r d a." (Aquilino Ribeiro, *Os Avós dos Nossos Avós*, p. 117.)

bardana. [Do lat. tardio *bardana.*] *S. f.* Planta da família das compostas (*Lappa tomentosa*), originária da Europa, de folhas alternadas, grandes, moles e alvacentas na página inferior, flores pequenas e róseas e frutos capsulares revestidos de setas em forma de ganchos; pegamassa.

bardana-maior. *S. f. Bras.* Erva européia da família das compostas (*Arctium lappa*), cuja raiz, semente e folhas têm propriedades diaforéticas e diuréticas. [Pl.: *bardanas-maiores.*]

bardar. *V. t. d.* Cercar de, ou cobrir com bardas. [Cf. *baldar.*]

bárdico. [De *bardo*[1] (1).] *Adj.* Pertencente ou relativo à poesia dos bardos, ou a sua época.

bardo[1]**.** [Do celta, atr. do lat. *bardu.*] *S. m.* **1.** Poeta heróico, entre os celtas e gálios. **2.** Trovador; vate, poeta: "Leva-to [o teu nome] além das passadouras eras / Do b a r d o misterioso o eterno canto" (Almeida Garrett, *Camões*, p. 113).

bardo[2]**.** [Var. de *barda*[2].] *S. m.* Cerca de silvado; barda.

▲-bare. Equiv. de *bar(o)(s)-.*

baré. *Bras. S. 2 g.* **1.** Indivíduo dos barés, tribo indígena aruaque do rio Cassiquiare. **2.** Amazonense (2). ● *Adj. 2 g.* **3.** Pertencente ou relativo a essa tribo. **4.** Amazonense (1).

baregina. [Do top. *Barèges* + *-ina.*] *S. f.* Substância orgânica semelhante ao muco animal, encontrada nas águas minerais sulfurosas quentes, em especial nas de Barèges (França).

bareinita. *Adj. 2 g.* **1.** De, ou pertencente ou relativo ao Estado de Bareine (arquipélago do Golfo Pérsico). ● *S. 2 g.* **2.** Natural ou habitante do Estado de Bareine.

barém. *Bras. S. 2 g.* **1.** Indivíduo dos baréns, tribo indígena botocuda, que habitava na parte oriental de MG. ● *Adj. 2 g.* **2.** Pertencente ou relativo a essa tribo.

barema. [Do fr. *barême.*] *S. m.* Repertório de quadros ou tabelas numéricas que dão o resultado de certos cálculos.

barestesia. [De *bar(o)(s)-* + *estesia.*] *S. f. Med.* Sensibilidade a peso ou pressão.

bareta (ê). *S. f.* Moldura estreita, em obras de arquitetura; meio-redondo.

barga. *S. f.* Espécie de rede de emalhar.

bargado[1]**.** *Adj.* **1.** *Bras.* Que não se deixa enganar; sabido, esperto, vivo. **2.** *Bras., CE.* Diz-se do gado matreiro, que não se deixa pegar. **3.** *Bras., BA.* Que compra e não paga; caloteiro.

bargado[2]**.** *Adj. Bras., N. Pop.* Var. metatética de *bragado.*

barganha. [Dev. de *barganhar.*] *S. f. Fam.* **1.** V. *troca* (2). **2.** Transação fraudulenta; trapaça. [Var.: *berganha.*]

barganhar. [Do it. *bargagnare.*] *V. t. d.* **1.** *Fam.* Trocar, negociar. **2.** Vender com fraude. [Var.: *berganhar.*]

barganhista. *S. 2 g. Bras.* Pessoa que faz barganha (1); negociante. [Var.: *berganhista.*]

bargantaria. *S. f.* Vida, caráter ou procedimento de bargante. [F. paral.: *barganteria.*]

bargante. [Do esp. *bergante.*] *S. m.* Indivíduo de maus costumes; velhaco, patife, devasso, libertino, dissoluto. [Var.: *bragante.*].

bargantear. *V. int.* Levar vida de bargante; vadiar, vagabundear. [Var.: *bragantear.* Conjug.: v. *frear.*]

barganteria. *S. f.* Bargantaria [q. v.]: "a carta de Lopo de Gamboa é uma refinada e suja b a r g a n t e r i a." (Camilo Castelo Branco, *A Queda dum Anjo*, p. 265.)

barguilha. [De *braguilha*, com metátese.] *S. f.* V. *braguilha.*

▲bar(i)-. [Do gr. *barýs, eîa, ý.*] *El. comp.* = 'peso'; 'pesado', 'grave', 'difícil': *barisfera; bário.*

bária. [De *bar(i)-* + *-ia.*] *S. f. Fís.* e *Met.* Unidade cgs de pressão, equivalente a um décimo de pascal; microbar. [Cf. *bar*[3].]

baricentro. [De *bar(i)-* + *centro.*] *S. m. Fís.* Centro de gravidade.

bárico. *Adj.* Relativo ao bário.

baridade. [De *bar(i)-* + *-dade.*] *S. f.* Massa específica [q. v.].

barifonia. [Do gr. *baryphonía.*] *S. f. Patol.* Dificuldade na emissão da voz. [Cf. *rouquidão* (1).]

barifônico. *Adj.* Relativo à barifonia.

barígui. [Var. de *birigui.*] *S. m. Bras.* V. *flebótomo* (1).

barilalia. [De *bar(i)-* + *-lal(o)-* + *-ia.*] *S. f.* Expressão dificultosa ou pesada.

barimbé. [De possível or. tupi.] *S. m. Bras.* Arbusto de cujo suco se faz uma bebida alcoólica.

barimetria. [De *bar(i)-* + *-metr(o)*[2]*-* + *-ia.*] *S. f. Fís.* Medição do peso ou da gravidade.

barimétrico. *Adj.* Referente à barimetria.

barinel. *S. m. Ant.* Embarcação de vela e remo, provavelmente de pano redondo, anterior à caravela. [Pl.: *barinéis.*]

bário. [De *bar(i)-* + *-io.*] *S. m. Quím.* Metal alcalino-terroso, de número atômico 56, branco-prateado, maleável, que forma numerosos sais e tem poucas aplicações sob forma pura. [Símb.: *Ba*. Cf. *bárion.*]

bariolagem. [Do fr. *bariolage.*] *S. f. Mús.* Modo especial de executar determinadas peças no violino, utilizando cordas soltas.

bárion. *S. m. Fís. Nucl.* Designação genérica das partículas elementares pesadas, i. e., nucleons e híperons. [Cf. *bário.*]

bariônico. *Adj.* ~ V. *número* —.

bariri[1]**.** [Do tupi *mba' é ri'ri*, 'coisa agitada'.] *S. m. Bras., SP.* Corrente veloz e precipitada das águas dos rios em trechos acentuadamente declivosos.

bariri[2]**.** *Bras. Adj. 2 g.* **1.** Pertencente ou relativo ao Olaria Atlético Clube (RJ). **2.** Que é torcedor ou jogador dessa agremiação. ● *S. 2 g.* **3.** Membro, torcedor ou jogador dela; olaria.

baririçó. [Do tupi *mba' é riri'só*, 'o laxante'.] *S. m. Bras., L.* e *S.* Erva bolbosa da família das iridáceas (*Trimezia juncifolia*), cujo bolbo é laxativo brando; baririçó-amarelo, maririçó, batata-de-purga, batatinha-do-campo, lírio-roxo-do-campo, ruibarbo-do-brejo, ruibarbo-do-campo, ruibarbo-dos-charcos. [Var.: *maririçó.*]

baririçó-amarelo. *S. m. Bras., L.* e *S.* V. *baririçó.* [Pl.: *baririçós-amarelos.*]

baririense. *Adj. 2 g.* **1.** De, ou pertencente ou relativo a Bariri (SP). ● *S. 2 g.* **2.** Natural ou habitante de Bariri.

barisfera. [De *bar(i)-* + *-sfera.*] *S. F. Geofís.* V. *nife.*

▲barit(i)-. *El. comp.* = 'barita': *baritina.*

barita. *S. f. Min.* V. *baritina.*

baritífero. [De *barit(o)-* + *-fero.*] *Adj. Min.* Diz-se de mineral que contém bário.

baritina. [De *barit(i)-* + *-ina*[1].] *S. f. Min.* Mineral ortorrômbico, sulfato de bário; barita, espatopesado.

▲barit(o)-. *El. comp.* = 'bário': *baritífero.*

barítono. [Do gr. *barytonos*, 'de voz grave', pelo lat. *barytonu*.] *S. m. Mús.* **1.** Tom de voz entre o tenor e o baixo. **2.** Cantor que tem essa voz. **3.** O saxorne barítono. **4.** O tocador desse instrumento.

barjuleta (ê). *S. f.* Mochila de couro ou de linhagem (2).

barlaventeador (ô). *Adj.* Que barlaventeia.

barlaventear. *V. int.* **1.** Avançar (o navio) para o lado de onde o vento sopra; seguir para barlavento. *P.* **2.** Pôr-se a barlavento de outro navio ou de alguma ilha. [Antôn.: *sotaventear, sulaventear.* Conjug.: v. *frear.*]

barlavento. *S. m. Mar.* **1.** Direção de onde sopra o vento. **2.** Bordo da embarcação voltado para a direção de onde o vento sopra. [Antôn.: *sotavento.*]

➧**barman** (bárman). [Ing.] *S. m.* Homem que serve bebidas em bar[1] (1).

barn. [Do ingl. *barn*, 'celeiro'.] *S. m. Fís. Nucl.* Unidade de área empregada para exprimir a seção de choque de um núcleo atômico, e igual a 10^{-24} cm^2. [Pl.: *barns.*]

barnabé. [De *Barnabé*, nome imaginário de modesto funcionário público, ao qual se refere um samba de 1947, de Haroldo Barbosa e Antônio Almeida.] *S. M. Bras. Pop.* Funcionário público, em geral o de categoria modesta.

barnabita. [Do it. *barnabita.*] *S. m.* **1.** Religioso da Ordem dos Clérigos Regulares de São Paulo, fundada em Milão em 1530. ● *Adj. 2 g.* **2.** Pertencente ou relativo aos barnabitas.

▲**bar(o)(s)-.** [Do gr. *báros, eos-ous.*] *El. comp.* = 'pressão', 'pressão atmosférica': *barestesia, barômetro.* [Equiv.: *-bare: isóbare.*]

baroco (ô). *S. m. Lóg.* Tipo de silogismo da segunda figura aristotélica. [Cf. *barroco.*]

barocoria. *S. f. Bot.* Queda dos frutos e sementes em conseqüência do próprio peso, produzindo disseminação a curtas distâncias.

barocórico. *Adj. Bot.* Relativo à barocoria: *plantas barocóricas.*

barógrafo. [De *bar(o)(s)-* + *-grafo.*] *S. m. Fís.* Instrumento que registra continuamente, em um papel, a pressão atmosférica; altígrafo; barometrógrafo.

barologia. [De *bar(o)(s)-* + *-log(o)-* + *-ia.*] *S. f.* Parte da física que estuda o peso.

barológico. *Adj.* Relativo à barologia.

barométrico. *Adj.* **1.** Referente ao barômetro. **2.** Medido pelo barômetro: *pressão barométrica.* ~V. *altura*—a e *coluna* —a.

barômetro. [De *bar(o)(s)-* + *-metro.*] *S. m. Fís.* Instrumento destinado à medição da pressão atmosférica. ◆ **Barômetro aneróide.** *Fís.* Instrumento em que a medida da pressão atmosférica se baseia na deformação de um diafragma que cobre um recipiente hermético de metal. **Barômetro de Fortin.** *Fís.* Barômetro de mercúrio com dispositivo de ajuste do nível na cuba barométrica, e que permite leituras da pressão atmosférica com precisão bastante boa. **Barômetro de mercúrio.** *Fís.* Aquele em que a pressão atmosférica é equilibrada pela pressão de uma coluna de mercúrio. **Barômetro metálico.** Barômetro aneróide.

barometrografia. [De *barômetro* + *-graf(o)-* + *-ia.*] *S. f.* **1.** Descrição dos barômetros. **2.** Prática de observações barométricas.

barometrográfico. *Adj.* Referente à barometrografia.

barometrógrafo. [De *barômetro* + *-grafo.*] *S. m.* V. *barógrafo.*

baronato. [De *barão* + *-ato*[1].] *S. m.* Título ou dignidade de barão; baronia.

baronense. *Adj. 2 g.* **1.** De, ou pertencente ou relativo a Barão de Grajaú (MA). ● *S. 2 g.* **2.** Natural ou habitante de Barão de Grajaú.

baronesa (ê). [Do it. *baronessa.*] *S. f.* **1.** Mulher com a dignidade de barão, ou casada com um barão. **2.** *Bras.* Dama-do-lago: "No rio lerdo as *baronesas* movem-se lentas. / Tão lentas que até parecem paradas!" (Ascenso Ferreira, *Catimbó e Outros Poemas*, p. 64.) **3.** *Bras. Pop.* V. *cachaça* (1) ~ V. *baronesas.*

baronesas (ê). [Pl. de *baronesa.*] *S. f. pl.* Brincos de ouro em forma de lira. ~ V. *baronesa.*

baronete (ê). [Do ingl. *baronet.*] *S. m.* Na Inglaterra, título de nobreza superior ao de cavaleiro e inferior ao de barão.

baronia. *S. f.* **1.** Baronato. **2.** Senhorio ou terra que dava ao possuidor o título de barão. **3.** Feudo outrora dependente da coroa francesa.

baronial. *Adj. 2 g.* Relativo a barão, ou a barão.

baronista. *S. m.* Partidário do Barão da Boa Vista (Francisco do Rego Barros, 1802-1870), em PE.

barosânemo. [De *bar(o)(s)-* + *-anemo.*] *S. m.* Instrumento para fazer conhecer a força do vento.

baroscópio. [De *bar(o)(s)-* + *-scop-* + *-io*[2].] *S. m.* Instrumento com que se demonstra a pressão do ar e o princípio de Arquimedes aplicado aos fluidos elásticos.

barostato. [De *bar(o)(s)-* + *-stato.*] *S. m. Fís.* Regulador de pressão. [Var. pros.: *baróstato.*]

baróstato. *S. m. Fís.* Var. pros. de *barostato.*

barqueira[1]. *S. f.* Aparelho de pesca de muitos anzóis.

barqueira[2]. *S. f.* Fem. de *barqueiro.*

barqueiro. *S. m.* Indivíduo que governa um barco.

barquejar. *V. int.* **1.** Dirigir barco. **2.** Passear ou viajar em barco. [Conjug.: v. *pelejar.*]

barqueta (ê). *S. f.* Barca pequena; barquinha, barcazinha.

barquiço. *S. m. Bras., BA.* Santuário dos candomblés de caboclo.

barquinha. [Dim. de *barca.*] *S. f.* **1.** Barqueta. **2.** Espécie de cesto pendente do aeróstato, e onde viajava o aeronauta. **3.** Pequeno esquife (1) em forma de berço, para crianças. **4.** *Ant. Náut.* Dispositivo com que, na época dos descobrimentos marítimos do séc. XV, se determinava a velocidade do navio.

barra. [Do lat. vulg. **barra?*] *S. f.* **1.** Bloco de metal fundido, em geral de secção retangular, ainda por ser trabalhado. **2.** Peça longa, estreita e rígida, de madeira, metal ou outro material. **3.** Bloco de certos artigos de consumo que constitui uma unidade comercial: *barra de sabão, de chocolate.* **4.** Tira de fazenda ou doutro material que, numa roupa, serve de acabamento ou ornamento; banda. **5.** *P. ext.* Qualquer ornato ou acabamento que circunda ou guarnece alguma coisa: *as barras de um tapete; a barra de ladrilhos da parede.* **6.** Leito tosco e sem cabeceiras. **7.** Goleta[1]. **8.** Nos tribunais, grade de madeira que separa os magistrados do público. **9.** *Tip.* Traço oblíquo, usado para, entre outros fins, separar números, versos de um poema quando transcritos sem solução de continuidade, o número de um edifício do de um apartamento dele, etc., e para abreviaturas em taquigrafia, ou fora dela (p. ex., antiga/, por *antigamente;* p/ = *por* ou *para*, para separar abreviaturas, p/c = *por conta).* [V. *alfabeto fonético.*] **10.** *Geog.* Acúmulo de material aluviônico, paralelo à costa, no ponto onde há o equilíbrio entre a corrente marítima e a fluvial. **11.** *Geog.* Entrada estreita de um porto, em geral obstruída. **12.** *Ocean. Fís.* Linha de arrebentações, permanentes ou muito freqüentes, de ondas junto à costa. **13.** *Ginást.* Barra fixa. **14.** Haltere. **15.** *Coreogr.* Corrimão de madeira de secção circular preso horizontalmente à parede e destinado a certos exercícios. **16.** *Heráld.* Listão diagonal do brasão, traçado do alto à direita para a esquerda. **17.** *Mat.* Símbolo que, colocado sobre os símbolos dos elementos de um conjunto, indica uma operação de associação desses elementos. **18.** *Estat.* Símbolo que, colocado sobre o símbolo de uma variável, indica uma estimativa da sua média aritmética. **19.** *Bras.* Banco ou coroa de areia ou de outros sedimentos trazidos pelos rios e depositados nas suas bocas e nas dos estuários. **20.** *Bras.* Foz do rio ou de riacho. **21.** *Bras., PB.* Nuvem carregada que surge no horizonte ao cair do Sol. **22.** *Bras., SP.* Orla inferior da copa da laranjeira, quase ao nível do chão. **23.** *Bras. Gír.* Estado de coisas; situação: *Resolveu sair de casa pouco depois de chegar, porque viu que a barra não estava nada boa.* **24.** *Jog. Inf.* Jogo infantil, de pegar, em que cada jogador corre a desafiar determinado adversário, em cuja mão bate três vezes, fugindo depois rumo ao próprio campo, perseguido pelo adversário. Tão logo nele se abriga, um dos companheiros parte no encalço do oponente que estava a persegui-lo. ● *S. m.* **25.** Homem possante: "queria saber até onde chega meu pulso. Talvez não seja lá dos mais fracos e ninguém está mais no caso de julgar do que o *barra* deste sertão." (José de Alencar, *O Sertanejo*, p. 82.) ~ V. *barras.* ◆ **Barra da caixa seletora.** *Tip.* Prisma da caixa seletora da linotipo, por onde as matrizes alcançam a barra de distribuição; prisma da caixa seletora. **Barra de combustível.** *Eng. Nucl.* **1.** Conjunto constituído por um ou vários cartuchos de um combustível nuclear, empilhados e revestidos. **2.** Cartucho de grandes dimensões contido, em geral, num revestimento. **Barra de compasso.** *Mús.* Travessão[1] (4). **Barra de controle.** *Eng. Nucl.* Barra para controlar as reações que se produzem no reator nuclear, e capaz de absorver os nêutrons que normalmente fissionariam os núcleos do combustível. **Barra de direção.** *Autom.* Peça conectada ao volante a qual transmite seu movimento à caixa de direção. **Barra de distribuição.** *Tip.* Parte do distribuidor da linotipo constituída de barra prismática onde correm as matrizes, impulsionadas pelos fusos, na sua volta ao magazine. **Barra de sucção.** *Art. Gráf.* Aquela que, no margeador de sucção, comporta os sugadores que apanham as folhas e as levam às pinças. **Barra de transferência.** *Tip.* Barra prismática sem ranhuras, que faz parte da caixa de transferência da linotipo. **Barra dupla.** *Tip.* Paralelas (2). **Barra fixa.** *Ginást.* Aparelho que consta de uma barra roliça horizontal, de metal ou madeira, fixada nas extremidades em dois esteios verticais, a uma altura de cerca de 2,50m do solo, e que serve para o ginasta realizar movimentos de impulso e balanço, sem interrupção. [Tb. se diz apenas *barra.*] **Barra ônibus.** *Eng. Elétr.* Barra metálica usada para transportar uma grande corrente ou para fazer uma conexão comum entre vários circuitos. **Barras paralelas.** *Ginást.* Aparelho que consta de duas barras de madeira, roliças, fixadas sobre suportes a 1,70m do solo nas quais o ginasta executa movimentos combinados de impulsos e giros, com o auxílio das mãos. [Tb. se diz apenas *paralelas.*] **Agüentar a barra.** Segurar a barra. **Forçar a barra.** V. *forçar a nota.* **Segurar a barra.** *Bras. Gír.* Fazer face a situação má, difícil, adversa; agüentar a barra. **Uma barra.** *Bras. Gír.* Pessoa, coisa ou situação difícil, complicada.

barra-alegrense. *Adj. 2 g.* **1.** De, ou pertencente ou relativo a Barra Alegre (RJ). ● *S. 2 g.* **2.** Natural ou habitante de Barra Alegre. [Pl.: *barra-alegrenses.*]

barra-bandeira. [De *barra* + *bandeira.*] *S. f. Bras., PE.* Brincadeira infantil em que se divide um campo em duas partes, tendo em cada uma delas uma bandeira fincada no chão da qual tentam se apoderar os adversários.

barra-bonitense. *Adj. 2 g.* **1.** De, ou pertencente ou relativo a Barra Bonita (SP). ● *S. 2 g.* **2.** Natural ou habitante de Barra Bonita. [Pl.: *barra-bonitenses.*]

barraca. [Do it. meridional *barraca* (setentrional *baraca*).] *S. f.* **1.** Abrigo de lona, náilon, etc., usado por soldados em campanha, por excursionistas, etc.; tenda. **2.** Construção ligeira, de remoção fácil, comumente feita de madeira e lona, e usada em feiras. **3.** Construção leve, de lona ou de madeira, onde os banhistas mudam de roupa, nas praias. **4.** Guarda-sol amplo que, fincado na areia, protege os banhistas nas praias. **5.** Barracão (2). **6.** V. *Cabana.* **7.** *Fam.* V. *guarda-chuva.* **8.** *Bras., S.* Estabelecimento especializado no comércio de couros, de lãs, cabelos e outros produtos da indústria pastoril. [Dim. irreg.: *barraquim.*]

barracamento. *S. m. Bras., RS.* V. *abarracamento.*

barracão. [Aum. de *barraca.*] *S. m.* **1.** Grande barraca. **2.** Abrigo ou telheiro, ou casa provisória, geralmente de madeira, para guardar utensílios ou depositar materiais de construção, num canteiro de obras; barraca. **3.** *Bras.* Estabelecimento comercial no campo ou em lugares pouco habitados, ou em engenhos e usinas. **4.** *Bras., Amaz:* Casa de moradia do dono do seringal ou de seu administrador, e que é, ao mesmo tempo, habitação, depósito de gêneros de primeira necessidade, da borracha colhida nos centros, e loja para venda de gêneros, roupas, ferramentas e utensílios. **5.** *Bras., BA.* Recinto onde se efetuam as cerimônias públicas do candomblé. **6.** *Bras., SP.* Casa onde se selecionam e acondicionam as laranjas destinadas à exportação. **7.** *Bras., GO.* Pequeno quarto ou depósito junto ao mercado, nos quais se armazenam gêneros do País. **8.** *Bras., RJ.* Barraco: "E, hoje, quando do Sol a claridade / Forra meu *barracão*, sinto saudade / Da mulher — pombarola que voou..." (Orestes Barbosa, *Chão de Estrelas*, p. 274.)

barracento. *Adj.* V. *barrento.*

barraco. [De *barraca.*] *S. m. Bras., RJ.* Habitação tosca, improvisada, construída geralmente nos morros, com materiais de origem diversa e adaptados, coberta com palha, zinco ou telha, onde vivem os favelados; barracão: "A porta do *barraco* era sem trinco. / Mas a lua, furando o nosso zinco, / Salpicava de estrelas nosso chão..." (Orestes Barbosa, *Chão de Estrelas*, p. 275.)

barraconense. *Adj. 2 g.* **1.** De, ou pertencente ou relativo a Barracão (PR). ● *S. 2 g.* **2.** Natural ou habitante de Barracão.

barraconista. *S. 2 g. Bras., AM* e *GO.* Proprietário de barracão (4 e 7).

barra-cordense. *Adj. 2 g.* **1.** De, ou pertencente ou relativo a Barra do Corda (MA). ● *S. 2 g.* **2.** Natural ou habitante de Barra do Corda. [Pl.: *barra-cordenses.*]

barracuda. *S. f. Bras.* Peixe teleósteo, percomorfo, da família dos esfirenídeos (*Sphyraena barracuda* (Walb.)), das águas quentes e temperadas da costa atlântica. Corpo com manchas e listras negras laterais; escamas grandes; o ápice da nadadeira peitoral alcança a linha vertical. Comprimento: até 2 m. Agressivo e voraz, nutre-se de outros peixes; a carne é considerada tóxica. [Sin.: *bicuda-de-corso, bacuda.*]

barradela. *S. f.* Ato ou efeito de barrar[1].

barrado[1]. [Part. de *barrar*[1].] *Adj.* **1.** Coberto ou revestido de barro. **2.** *P. ext.* Revestido de substância mole como o barro.

barrado[2]. [Part. de *barrar*[2].] *Adj.* **1.** Que tem barra. ~V. *espiral* —a. ● *S. m.* **2.** *Heráld.* Campo coberto de barras [v. *barra* (16)].

barra-estivense. *Adj. 2 g.* **1.** De, ou pertencente ou relativo a Barra da Estiva (BA). ● *S. 2 g.* **2.** Natural ou habitante de Barra da Estiva. [Pl.: *barra-estivenses.*]

barra-fogo. [Eufemismo, por *caga-fogo?*] *S. m. Bras.* V. *tataíra.* [Pl.: *barra-fogos.*]

barra-garcense. *Adj. 2 g.* **1.** De, ou pertencente ou relativo a Barra do Garças (MT). ● *S. 2 g.* **2.** Natural ou habitante de Barra do Garças. [Sin. ger.: *garcense.* Pl.: *barra-garcenses.*]

barrageiro. [De *barragem* + *-eiro.*] *S. m. Bras.* **1.** Aquele que trabalha na construção de barragens. **2.** Técnico que defende a construção de barragens como fontes de energia hidrelétrica.

barragem. [De *barra* + *-agem.*] *S. f.* **1.** Paliçada feita com troncos e ramos de árvore entrelaçados, e que se arma atravessada nos rios para deter os peixes. **2.** Estrutura construída num vale e que o fecha tranversalmente, proporcionando um represamento de água; represa. **3.** Obstrução, impedimento, obstáculo. **4.** *Exérc.* Série contínua de obstáculos antepostos a um conjunto de construções ou elementos defensivos de madeira que não possam ser contornados. ♦ **Barragem de acumulação.** *Constr.* A que se destina a represar água para utilização no abastecimento de cidades, em irrigação ou em produção de energia. **Barragem de artilharia.** *Mil.* Bombardeio prolongado e sistemático de determinada faixa de terreno, do mar e do ar, para impedir ou dificultar que o inimigo avance por ela. **Barragem de derivação.** *Constr.* A que se destina a desviar um curso de água. **Barragem de regularização.** *Constr.* A que se destina a evitar grandes variações do nível de um curso de água, para controle de inundações ou para melhoria das condições de navegabilidade.

barral. *S. m.* V. *barreira*[1] (1).

barra-limpa. *Adj. 2 g.* e *s. 2 g. Bras. Gír.* Diz-se de, ou boa pessoa, pessoa camarada, muito amiga; boa-praça. [Pl.: *barra-limpas.*]

barra-longuense. *Adj. 2 g.* **1.** De, ou pertencente ou relativo a Barra Longa (MG). ● *S. 2 g.* **2.** Natural ou habitante de Barra Longa. [Pl.: *barra-longuenses.*]

barra-mansense. *Adj. 2 g.* **1.** De, ou pertencente ou relativo a Barra Mansa (RJ). ● *S. 2 g.* **2.** Natural ou habitante de Barra Mansa. [Pl.: *barra-mansenses.*]

barra-manteiga. [De *barra* + *manteiga.*] *S. f. Bras.* Certo jogo ou brinquedo infantil de competição. [Pl.: *barra-manteigas.*]

barra-mina. [De *barrar*[2] + *mina.*] *S. f.* Haste de aço redonda ou hexagonal, com extremidades em bisel, usada para perfurar manualmente minas em rochas brandas. [Pl.: *barra-minas.*]

barranca. [De *barranco.*] *S. f. Bras.* Barranco (5).

barranceira. *S. f.* Ribanceira [q. v.].

barranco. [De or. pré-romana.] *S. m.* **1.** Escavação provocada pelos agentes naturais, ou pelo homem. [Cf. *buraco* (8).] **2.** Escavação natural. **3.** Precipício, abismo, despenhadeiro. **4.** Embaraço, obstáculo, estorvo. **5.** *Bras.* Ribanceira de um rio cuja margem é alta ou íngreme; barranca. **6.** *Bras., PA.* Ilha flutuante de capim, que desce os rios nas correntezas do inverno.

barrancoso (ô). *Adj.* Abundante em barrancos.

barrancudo. [De *barranco* ou *barranca* + *-udo*, decerto.] *Adj. Bras.* Valente, corajoso.

barranqueira. *S. f. Bras.* **1.** Barranceira, ribanceira. **2.** Grande despenhadeiro ou desbarrancado; abismo, precipício.

barranqueiro. *S. m. Bras., MG.* Habitante ribeirinho do rio São Francisco. [Sin. (m. us. na BA): *beiradeiro.*]

barrão. [Var. de *varrão.*] *S. m.* Porco novo e não castrado, que serve de reprodutor; varrasco, varrão.

barra-pesada. *S. 2 g. Bras.* **1.** Pessoa que infunde admiração, confiança, respeito, quer pela firmeza do seu comportamento, ou pela sua competência, etc., quer por sua tendência para atitudes violentas ou escandalosas: *Pode ir, que o piloto é barra-pesada; Cuidado, que esse cara é barra-pesada.* **2.** Aquilo que é difícil de resolver, de superar: *A prova de matemática foi barra-pesada.* [Pl.: *barras-pesadas.*]

barraqueiro. *S. m.* Dono de barraca: *Aquela mulher é barraqueira do Mercado Municipal.*

barraquim. *S. m.* Barraca pequena.

barraquista. *S. 2 g. Bras., N. E.* Proprietário de maniçobais, que os explora por intermédio dos maniçobeiros.

barrar[1]. *V. t. d.* **1.** Revestir de barro; rebocar. **2.** Tapar, encher ou cobrir de barro; abetumar. *T. d.* e *i.* **3.** Cobrir de qualquer substância mole: *Barrou o pão de manteiga.* [F. paral.: *barrear.*]

barrar[2]. *V. t. d.* **1.** Atravessar com barras. **2.** Guarnecer com barras. **3.** Fundir em barras: *barrar metais.* **4.** *Bras.* Impedir a realização de; impedir: *Barraram sua matrícula por falta de um documento; Barrou a entrada do menor no teatro.* **5.** *Bras.* Ludibriar, enganar; frustrar. **6.** *Bras.* Pôr na reserva (jogador).

barras. [Pl. de *barra.*] *S. f. pl.* A primeira claridade do dia, ou a cor avermelhada do céu, ao pôr-do-sol. ~ V. *barra.*

barrasco. [Var. de *varrasco.*] *S. m.* Porco que já não é leitão e ainda não é barrão.

barravento. *S. m.* **1.** *Bras.* Toque (3) predileto de Xangô, nos candomblés bantos. **2.** *Bras., BA.* Ansiedade que domina a filha-de-santo antes da chegada do orixá.

barreado. [Part. de *barrear.*] *Adj.* **1.** Revestido de barro. **2.** Cujas paredes são revestidas de barro: *casa barreada.* ● *S. m.* **3.** *Bras., PR. Pop.* Prato típico: carne cozida em fogo brando, durante muitas horas, em panela de barro tampada e fechada.

barrear[1]. *V. t. d.* e *t. d.* e *i.* V. *barrar*[1]: "saiu à procura do companheiro e ambos tocaram a escolher o sítio, a desnudar árvores, a carpintejar, a barrear" (Almiro Caldeira, *Maré Alta,* p. 13).

barrear[2]. *V. int. Bras.* Na região são-franciscana, clarear o dia, amanhecer. [Defect. Conjug.: v. *frear.*]

barrear[3]. *V. int. Bras. Gír.* V. *defecar* (5). [Conjug.: v. *frear.*]

barregã. *S. f.* V. *concubina* (1).

barregana. [Do ár. *barrakān.*] *S. f.* Tecido de lã muito durável.

barregão. *S. m.* Homem amancebado, abarregado; barregueiro. [Fem.: *barregã.*]

barregar. *Pop. V. int.* **1.** Berrar, gritar; berregar. *T. d.* **2.** Dizer aos berros. [Conjug.: v. *entregar.* Pres. ind.: *barrego*, etc. Cf. *barrego (ê).*]

barrego (ê). [Dev. de *barregar.*] *S. m.* Ato de barregar. [Pl.: *barregos* (ê). Cf. *barrego*, do v. *barregar.*]

barregueiro. *S. m.* Barregão.

barreguice. *S. f.* Situação daquele que vive com barregã. [V. *concubinato.*]

barreio. *S. m. Bras.* Pastagem nos barreiros salgados.

barreira[1]. *S. f.* **1.** Local donde se extrai barro; argileira, barreiro, barral. **2.** Terreno argiloso.

barreira[2]. [De *barra* + *-eira.*] *S. f.* **1.** Parapeito ou trincheira construída de paus muito próximos e alinhados; estacada. **2.** *Fig.* V. *obstáculo* (1). **3.** Alvo, ponto. **4.** Lugar escarpado e sem mato, na margem de rio ou de estrada. **5.** Posto fiscal, nos acessos de povoação ou de cidade, para controle de trânsito ou para cobrança de taxas de entrada de mercadorias, gêneros, etc. **6.** *Bras., N.* e *N.E.* Corte produzido pelas ondas, correntes e marés no sopé das colinas que margeiam o Atlântico. **7.** *Bras., BA.* Toca ou loca, cavada no barranco, sobretudo pelas águas, e que serve de morada aos peixes. **8.** *Bras., MG.* Fonte perene de águas minerais. **9.** *Atlet.* Nas corridas, cada um dos obstáculos padronizados dispostos a intervalos regulares numa pista, e que os atletas têm de saltar. **10.** *Fut.* Na cobrança de um tiro livre, grupo de jogadores que se colocam em linha, a distância regulamentar aproximada de nove passos da bola, encobrindo o seu gol. ♦ **Barreira de potencial.** *Fís.* Num campo potencial, região em que o potencial se eleva abruptamente e tem valores mais altos do que nas circunvizinhanças. **Barreira do som.** *Fís.* O conjunto de fenômenos que ocorrem quando um corpo sólido se desloca no ar com velocidade próxima ou igual à do som nesse fluido, e que compreende: o aumento da resistência, a diminuição da sustentação, a formação de uma onda de choque localizada e a produção do estrondo sônico. **Barreira social.** *Sociol.* Qualquer forma de obstáculo com que a sociedade dificulta o acesso a grupos ou a instituições e impede a mobilidade social [q. v.]. **Barreira térmica.** *Astron.* Limite da velocidade em que o calor desenvolvido pelo atrito com a atmosfera inutiliza um veículo espacial, ou um foguete.

barreirar. *V. t. d.* Cercar de barreira[2] (1); entrincheirar.

barreirense[1]. *Adj. 2 g.* **1.** De, ou pertencente ou relativo a Barreiras (BA). ● *S. 2 g.* **2.** Natural ou habitante de Barreiras.

barreirense[2]. *Adj. 2 g.* **1.** De, ou pertencente ou relativo a Barreiros (PE). ● *S. 2 g.* **2.** Natural ou habitante de Barreiros.

barreirense[3]. *Adj. 2 g.* **1.** De, ou pertencente ou relativo a São José do Barreiro (SP). ● *S. 2 g.* **2.** Natural ou habitante de São José do Barreiro.

barreirinhense[1]. *Adj. 2 g.* **1.** De, ou pertencente ou relativo a Barreirinha (AM). ● *S. 2 g.* **2.** Natural ou habitante de Barreirinha.

barreirinhense[2]. *Adj. 2 g.* **1.** De, ou pertencente ou relativo a Barreirinhas (MA). ● *S. 2 g.* **2.** Natural ou habitante de Barreirinhas.

barreiro. *S. m.* **1.** V. *barreira*[1] (1). **2.** *Bras.* Lugar donde se extrai barro para a fabricação de tijolos e telhas. **3.** *Bras.* Eflorescência (3) salino-salitrosa dos terrenos baixos do vale do rio São Francisco, muito procurada pelo gado, por antas, veados e outros animais, que vão lamber a terra por causa do sal. **4.** *P. ext. Bras.* Lugar onde se tocaiam antas. **5.** *Bras., N.* Local onde se amassa o barro para tapagem de casas de taipa. **6.** *Bras., PE* e *AL.* Fosso cavado em terreno argiloso para conservar por algum tempo as águas pluviais. **7.** *Bras. AM* e *MT.* Terra salgada, na mata, onde os animais escavam e refocilam. **8.** *Bras.* V. *joão-de-barro.*

barrela. *S. f.* Água onde se ferve cinza e que é usada para branquear roupa; cenrada, coada, decoada, lixívia; água de barrela. ♦ **Cair na barrela.** Ficar com a reputação enodoada, maculada; desonrar-se.

barreleiro. *S. m.* **1.** Cinza utilizada na barrela. **2.** Pano que cobre a roupa na barrela.

barrense[1]. *Adj. 2 g.* **1.** De, ou pertencente ou relativo a Barra (BA). ● *S. 2 g.* **2.** Natural ou habitante da Barra.

barrense[2]. *Adj. 2 g.* **1.** De, ou pertencente ou relativo a Barra de São João (RJ). ● *S. 2 g.* **2.** Natural ou habitante de Barra de São João.

barrense[3]. *Adj. 2 g.* **1.** De, ou pertencente ou relativo à Barra de São Miguel (AL). ● *S. 2 g.* **2.** Natural ou habitante de Barra de São Miguel.

barrense[4]. *Adj. 2 g.* **1.** De, ou pertencente ou relativo a Barra do Bugres (MT). ● *S. 2 g.* **2.** Natural ou habitante de Barra do Bugres.

barrense[5]. *Adj. 2 g.* **1.** De, ou pertencente ou relativo a Barra do Piraí (RJ). ● *S. 2 g.* **2.** Natural ou habitante de Barra do Piraí.

barrense[6]. *Adj. 2 g.* **1.** De, ou pertencente ou relativo a Barras (PI). ● *S. 2 g.* **2.** Natural ou habitante de Barras.

barrense[7]. *Adj. 2 g.* **1.** De, ou pertencente ou relativo a Conceição da Barra (ES). ● *S. 2 g.* **2.** Natural ou habitante de Conceição da Barra.

barrento. *Adj.* **1.** Que contém barro (1); barroso. **2.** Da cor do barro. [Sin. ger.: *barracento.*]

barrer. *V. t. d., t. d.* e *i.* e *int. Ant.* e *pop.* Varrer.

barreta (ê). *S. f.* Barra pequena.

barretada. *S. f.* **1.** Saudação que consiste em tirar da cabeça o barrete ou o chapéu. **2.** Mesura exagerada; salamaleque: "Olha. Os saloios vivos, corpulentos, / Como nos fazem grandes barretadas!" (Cesário Verde, *Obra Completa,* p. 117.)

barrete (ê). [Do it. *berretta.*] *S. m.* **1.** Cobertura que se ajusta à cabeça, e que ordinariamente é feita de tecido mole e flexível; gorro, gorra. [Cf. *carapuça* e *solidéu* (2).] **2.** Pequeno chapéu quadrangular usado por clérigos. **3.** Barrete (2) vermelho usado por cardeais. **4.** Obra de fortificação composta de três ângulos salientes e dois reentrantes. **5.** *Arquit.* Abóbada de barrete de clérigo. **6.** Planta da família das celastráceas. **7.** V. *retículo*[1] (2). ♦ **Barrete frígio.** Barrete vermelho usado na França ao tempo da primeira república, e semelhante ao que usavam os frígios.

barretear. [De *barreta* + *-ear.*] *V. t. d. Bras. Ant.* Fundir (o ouro) em barras. [Conjug.: v. *frear.*]

barreteiro. *S. m.* Aquele que faz e/ou vende barretes.

barretense. *Adj. 2 g.* **1.** De, ou pertencente ou relativo a Barretos (SP). ● *S. 2 g.* **2.** Natural ou habitante de Barretos.

barretina. *S. f.* **1.** Antigo barrete militar, alto, cilindriforme, de feltro ou de peles. **2.** Antigo chapéu de senhora.

barrica. *S. f.* **1.** Vasilha de tanoaria em forma de pipa. **2.** *Fig. Fam.* Pessoa gorda e baixa.

barricada. [Do fr. *barricade.*] *S. f.* Entrincheiramento provisório erguido com barricas, carros, estacas, etc., em geral para defender a entrada de uma rua, porta, ou qualquer passagem; tapigo.

barricão. *S. m.* Aum. de *barrica.* ♦ **Ficar no barricão.** *Bras., N.E. Pop.* e *fam.* V. *ficar para tia.* **Ir para o barricão.** *Bras., N.E. Pop.* e *Fam.* V. *ficar para tia.*

barricar. *V. t. d.* Entrincheirar com barricadas. [Conjug.: v. *trancar.*]

barrido. [Do lat. *barritu.*] *S. m.* Barrito.

barriga. [De *barrica.*] *S. f.* **1.** V. *abdome.* **2.** Bojo, saliência, protuberância. **3.** Ventre (3). **4.** *Fig.* Qualquer saliência. **5.** *Bras.* Informação falsa divulgada por um jornal. **6.** *Tip.* Defeito que torna a composição mais alta no centro. **7.** *Bras., RS.* A lã que se retira da barriga do ovino. ♦ **Barriga da perna.** A parte posterior, carnuda, da perna, formada pelos músculos gêmeos; batata da perna, panturrilha, sura: "E o mais até .... onde, perfeita e clara, / A b a r r i g a d a p e r n a se arredonda..." (Raimundo Correia, *Poesias*, p. 30.) **Carregar uma barriga.** *Bras., MA.* Estar grávida. **Chorar na barriga da mãe.** Ver tudo correr à medida dos seus desejos; ser muito feliz. **Empurrar com a barriga.** *Bras.* Não dar a (um caso, questão, problema, etc.) solução devida; adiar a solução de (caso, questão, problema, etc.). **Encher barriga de corvo.** *Bras., RS.* Morrer (animal): "Já e n c h e u b a r r i g a d e c o r v o / O meu cavalo de lei..." (Vargas Neto, *Tropilha Crioula* e *Gado Xucro*, p. 37.) **Estar com a barriga no espinhaço. 1.** Estar muito magro. **2.** Estar esfomeado. **De barriga.** Em estado de gravidez; grávida: *estar, ficar* d e b a r r i g a; "O falaço continuou até que a mulher apareceu d e b a r r i g a. Não havia dúvida que era filho de Antônio Patrício." (José Lins do Rego, *Meus Verdes Anos*, p. 180.) **Falar de barriga cheia.** Chorar de barriga cheia. **Levar barriga.** *Bras. Gír. de jornal.* Divulgar (um jornal) notícia falsa. **Pegar barriga.** Ficar grávida ou prenhe; engravidar, gravidar. **Tirar a barriga da miséria.** Gozar largamente de alguma coisa de que até então se privara: *Enriqueceu, e está* t i r a n d o a b a r r i g a d a m i s é r i a : *só faz gastar.*

barriga-branca. *S. m. Bras., CE. Fam.* Calça-curta. [Pl.: *barrigas-brancas.*]

barrigada. *S. f.* **1.** Pancada na, ou com a barriga; pançada. **2.** Fartadela, fartote (de comida e/ou bebida): "Os beirões despedem-se dos dias belos, entram nas chuvaradas de dezembro festejando o céu limpo .... com b a r r i g a d a s de castanha, vinho verde e o fado." (José Vieira, *Sol de Portugal*, p. 163.) **3.** Enchimento de barriga. **4.** Vísceras de animais abatidos. **5.** *Bras.* Conjunto dos filhotes nascidos de um parto do animal. **6.** *Bras. Pop.* Gravidez.

barriga-d'água. *S. f.* **1.** *Pop.* Ascite: "Manuel Fogueteiro morreu de b a r r i g a - d' á g u a; estômago, fígado e intestinos duros que nem couro curtido de anta." (Nélson de Faria, *Cabeça-Torta*, p. 57.) **2.** *Bras., BA.* Grande árvore da família das titiliáceas *(Hydrogaster trinerve)*, própria da floresta pluvial, de tronco enorme, muito grosso, e em cujo interior existe armazenada grande quantidade de água, que sai, sob pressão, quando se perfura o tronco. **3.** V. *cinzeiro* (6). [Pl.: *barrigas-d'água.*]

barriga-de-samburá. *S. m. Bras., N.E.* Indivíduo sambudo. [Pl.: *barrigas-de-samburá.*]

barrigal. *Adj. 2 g.* Relativo ou pertencente à barriga (1).

barrigão. *S. m.* Barriga grande; pança.

barrigatintim. *S. m. Bras.* V. *barrigudinho* (1).

barriga-verde. *S. 2 g. Bras.* **1.** V. *catarinense.* ● *S. m.* **2.** V. *pirangueiro*[2] (2). ● *Adj. 2 g.* **3.** V. *catarinense:* "Em todos eles [os contos de Virgílio Várzea] vive e palpita a beleza simples e a graça espontânea da vida nessas pequenas populações do litoral b a r r i g a - v e r d e." (Nereu Correia, *O Canto do Cisne Negro e Outros Estudos*, p. 127.) [Pl.: *barrigas-verdes.*]

barriguda. [Fem. de *barrigudo.*] *Adj. (f.)* **1.** Diz-se de mulher grávida, prenhe. ● *S. f.* **2.** Mulher grávida, prenhe. **3.** *Bras.* V. *paineira.* **4.** *Bras., N.* e *N.E.* Árvore da família das bombacáceas *(Cavanillesia arborea)*, de tronco muito grosso, com grande reserva de água, e flores vermelhas, sendo o fruto uma grande cápsula alada; embaré, árvore-da-lã, castanha-do-ceará.

barriguda-de-espinho. *S. f. Bras.* Árvore semelhante à barriguda [q. v.], mas com o tronco densamente recoberto de grossos acúleos *(Ceiba pubiflora)*, da família das bombacáceas, que habita sítios pedregosos nas caatingas. [Pl.: *barrigudas-de-espinho.*]

barrigudinho. [Dim. de *barrigudo.*] *S. m. Bras.* **1.** Designação comum a várias espécies de peixes teleósteos, ciprinodontes, das famílias dos ciprinodontídeos e dos rivulídeos. Os machos têm a nadadeira anal transformada em gonopódio; as fêmeas, o ventre muito volumoso, donde lhes veio o nome. Vivem com muito pouco oxigênio; são ovovíparos, e, em geral, iliófagos e larvófagos. As espécies dos gêneros *Lebistes* Fil. e *Cambusia*, e a espécie *L. reticulatus* (Peters), são utilizadas pela Saúde Pública para destruir larvas de mosquitos, tendo sido as duas últimas importadas para o Brasil com esse fim. [Sin.: *barrigatintim, gargaú, guaru, guaruguaru, bobó.*] **2.** *Bras. Fam.* Menino novo; criança: "— Compadre, s'eu morrer algum dia, por comparação, vancê 'tando vivo, cuida dos b a r r i g u d i n h o s da gente?" (Bariani Ortêncio, *Vão dos Angicos*, p. 69.)

barrigudo. *Adj.* **1.** Que tem barriga volumosa, ventrudo, pançudo. ● *S. m.* **2.** Indivíduo barrigudo. **3.** *Bras.* Nome comum às espécies de primatas da família dos cebídeos, gênero *Lagothrix* E. Geof., da Amaz., de pelagem macia e espessa, barriga desenvolvida, membros longos e fortes, cauda preênsil, com ponta nua, dedo polegar bem desenvolvido. Em cativeiro são os mais dóceis dos macacos do Brasil. [Sin., nesta acepç.: *caparro, caparu.*]

barrigudo-cinzento. *S. m. Bras.* Espécie de primata, da família dos cebídeos *(Lagothrix lagotricha* (Humb.)), do N.O. do AM e países limítrofes. Coloração cinza-amarelada, castanha na parte superior da cauda e escuro-avermelhada nas extremidades, sendo a cabeça nitidamente mais escura que o dorso; região peitoral e ventral com pilosidade longa e negra. [Pl.: *barrigudos-cinzentos.*]

barrigudo-pardo. *S. m. Bras.* Espécie de primata, da família dos cebídeos *(Lagothrix infumata* (Spix)), do AM (região do rio Juruá) ao sul. Coloração pardacenta, mais escura que a do barrigudo-cinzento: cabeça de coloração igual ou quase igual à do dorso. [Pl.: *barrigudos-pardos.*]

barrigueira. *S. f.* **1.** *Bras.* Peça do arreio que passa em volta da barriga do cavalo; cincha: "O mascate estava apertando a b a r r i g u e i r a da sela para continuar viagem" (José J. Veiga, *A Máquina Extraviada*, p. 11). **2.** *Bras., S.* Couro da região da barriga do animal. **3.** *Bras., S.* A carne da barriga de uma rês.

barril. *S. m.* **1.** Tonel de madeira, bojudo, feito de aduelas, geralmente para conservar ou transportar líquidos. [Dim. irreg.: *barrilete, barrilote.*] **2.** *Tec.* Medida de capacidade de líquidos, usada na indústria de petróleo e correspondente a 42 galões ou 158,9873 litros. ◆ **Barril de pólvora.** Situação delicada, tensa, de perigo latente, que está a ponto de explodir, com conseqüências imprevisíveis.

barrilada. *S. f.* **1.** Conteúdo de um barril. **2.** *Pop.* Desordem.

barrileira. [Por *barrilheira*, de *barrilha.*] *S. f.* Vasilha na qual se faz a barrela. [Cf. *barrilheira.*]

barrilete (ê). *S. m.* **1.** Pequeno barril; barrilote. **2.** Instrumento de ferro com que marceneiros e entalhadores prendem ao banco a madeira que lavram. **3.** Parte do aparelho de destilação da hulha em que se juntam os gases.

barrilha. [Do esp. *barrilla.*] *S. f.* **1.** Haste ou cinza da barrilheira. **2.** Designação comercial dos carbonatos de sódio e de potássio.

barrilheira. [De *barrilha* + *-eira.*] *S. f.* Planta herbácea *(Salsola tragus)*, rica em soda, e de cujas cinzas se faz lixívia. [Cf. *barrileira.*]

barrilote. *S. m. Bras.* Barrilete (1).

barrinhense. *Adj. 2 g.* **1.** De, ou pertencente ou relativo a Barrinha (SP). ● *S. 2 g.* **2.** Natural ou habitante de Barrinha.

barriqueiro. *S. m. Bras.* Fabricante e/ou vendedor de barricas.

barriquinha. [Dim. de *barrica.*] *S. f. Bras., N.E.* Cacimba[1] (3) revestida de uma barrica de madeira, sem tampa nem fundo.

barrir. [Do lat. *barrire.*] *V. int.* Soltar barritos: *O elefante* b a r r i u *demoradamente.* [Defect. Normalmente só se conjuga na 3ª pess., e por exceção nas outras, menos quando ao segundo *r* do radical se seguiria *o* ou *a.*]

barrista[1]. [De *barro* + *-ista.*] *S. 2 g.* Pessoa que trabalha ou modela em barro.

barrista[2]. [De *barra* + *-ista.*] *S. 2 g.* Ginasta que faz acrobacias em barras fixas.

barrito. [Do lat. *barritu.*] *S. m.* A voz do elefante e de alguns outros animais: "Ou será simplesmente o clangor sincopado de um *klaxon? o* b a r r i t o de algum elefante?" (Alberto Rangel, *Papéis Pintados*, p. 86.) [F. paral.: *barrido.*]

barro. [De or. pré-romana; talvez do lat. vulg. * *barru.*] *S. m.* **1.** Argila (2 e 3). **2.** *Constr.* Substância utilizada no assentamento da alvenaria de tijolo em obras provisórias, obtida pela mistura de argila com água. **3.** A argila como é encontrada no barreiro, própria para fabricação de tijolos e telhas. **4.** *Pop.* Objeto ou escultura de barro. **5.** Coisa sem valor ~ V. *barros.* ◆ **Barro branco.** V. *caulim.* **Barro forte.** V. *caulim.* **Ir ao barro.** *Bras. N. E. Pop.* Cair (1): "Com uma pancada certa do chapéu de couro, aquele tico de gente i a a o b a r r o." (Graciliano Ramos, *Vidas Secas*, p. 36.)

barroada[1]. *S. f.* Os dois ou três ganidos que solta o cão quando encontra rastro firme de veado ou depara esse animal em sua cama (8).

barroada[2]. *S. f. Bras.* V. *batida* (6).

barroar. *V. t. d. Bras.* **1.** Voltar (o cão) a encontrar o rasto de (a caça) após havê-lo perdido: "trazem cachorros grandes, cachorro onceiro. .... Cachorro dobra de latir, b a r r o a ..." (João Guimarães Rosa, *Estas Estórias*, p. 131). *Int.* **2.** Soltar (o cão) alguns latidos ao descobrir o rastro do veado ou o seu esconderijo. [Normalmente é defectivo, conjugável só na 3ª pess. do sing. e do pl. Conjug.: v. *coroar.*]

barroca. *S. f.* **1.** Monte de barro ou de piçarra; barroco. **2.** *Bras.* Cova feita por enxurradas; barranco, barroco. **3.** Despenhadeiro, grota, precipício. [Pl.: *barrocas*, Cf. *barroca* (ô) e *barrocas* (ô), flex. do adj. *barroco.*]

barrocada. *S. f. Bras.* Barrocal (1).

barrocal. *S. m.* **1.** Local cheio de barrocas; barrocada. **2.** *Bras., RS.* Terreno desmoronado pela ação erosiva das águas.

barrocão. *S. m. Bras.* Grande barroca.

barroco[1] (ô). [De *barroca.*] *S. m.* **1.** Barroca (1 e 2). **2.** Penedo irregular e pequeno. [Pl.: *barrocos* (ô). Cf. *baroco.*]

barroco[2] (ô). [De or. pré-romana, provavelmente.] *S. m.* Pérola de superfície irregular. [Pl.: *barrocos* (ô). Cf. *baroco.*]

barroco[3] (ô). [Talvez do it. *barroco* < port. *barroco*[2].] *Adj.* **1.** Relativo ou pertencente ao, ou característico do estilo barroco [q. v.]: *arte* b a r r o c a ; *escritores* b a r r o c o s ; *escultura* b a r r o c a ; *música* b a r r o c a. **2.** Muito ornamentado; sobrecarregado, exuberante: *oratória* b a r r o c a ; *decoração* b a r r o c a *e pretensiosa.* [Nesta acepç. é us., não raro, depreciativamente.] **3.** *Fig.* Irregular, extravagante, estrambótico. ● *S. m.* **4.** O estilo barroco [q. v.]: *o* b a r r o c o *na literatura espanhola; o* b a r r o c o *na música brasileira.* **5.** O período em que floresceu o estilo barroco [q. v.] (aproximadamente dos fins do séc. XVI aos meados do séc. XVIII), caracterizado por uma atmosfera artística e cultural carregada de conflitos entre o espiritual e o temporal, entre o místico e o terreno. **6.** Tendência do espírito, que se manifesta nas atividades culturais e/ou artísticas, tendo como constantes os traços característicos desse período. **7.** Barroquismo (1). [Pl.: *barrocos* (ô); fem. do adj.: *barroca* (ô). Cf. *barroca* e *baroco.*] ◆ **Barroco brasileiro.** Estilo próprio das produções artísticas e literárias do Brasil nos sécs. XVII, XVIII e princípios do séc. XIX, e cuja expressão principal é a arquitetura e escultura sacra, de que foi intérprete máximo Antônio Francisco Lisboa, dito o Aleijadinho (c. 1730-1814).

barroqueira. *S. f. Bras.* Garganta funda, em geral no meio de um vale.

barroquismo. *S. m.* **1.** Qualidade de barroco[3]; barroco (4, 5, 6). **2.** Modo de fazer, ou comportamento barroco[3] (1 a 3).

barros. [Pl. de *barro.*] *S. m. pl.* Borbulhas da cara. ~ V. *barro.*

barrosense. *Adj. 2 g.* **1.** De, ou pertencente ou relativo a Barroso (MG). ● *S. 2 g.* **2.** Natural ou habitante de Barroso.

barroso (ô). *Adj.* **1.** Da natureza do barro. **2.** Barrento (1). **3.** Que tem borbulhas ou espinhas no rosto; espinhento. **4.** *Bras.* Diz-se do bovino de pêlo branco-amarelado e do eqüino com pêlo da cor do barro escuro. ● *S. m.* **5.** Cação-lixa (1 e 2).

barrotar. *V. t. d.* **1.** Prender com barrotes; barrotear. **2.** Colocar barrotes em; barrotear. [F. paral.: *barrotear.*]

barrote. *S. m.* Peça de madeira, com cerca de 17 x 7 cm de seção, maior que o caibro e menor que a vigota, na qual se pregam as tábuas dos assoalhos e tetos, usada também em armações de sobrelojas, coberturas, etc.: "Dos b a r r o t e s do soalho pendem teias d'aranha velados de poeira em que as moscas mortas oscilam." (José Vieira, *Sol de Portugal*, p. 162.) [Dim. irreg.: *barrotim.*]

barroteamento. *S. m.* Conjunto de barrotes assentados numa armação.

barrotear. *V. t. d.* Barrotar. [Conjug.: v. *frear.*]

barrotim. *S. m.* Barrote pequeno, curto.

barrufada. *S. f. Bras.* V. *tapa*[2] (4).

barrufar. *V. t. d., int.* e *p. Bras., N.* e *N.E.* e *prov. lus.* e *ant. Pop.* Var. de *borrifar.*

barrufo[1]. [Dev. de *barrufar.*] *S. m.* **1.** *Ant. Bras., N.* e *N.E.*, e *prov. lus. Pop.* Borrifo. **2.** *Bras., Amaz.* Chuva rala e breve, que cai em janeiro e fevereiro, e mesmo em dezembro, no baixo Amazonas.

barrufo[2]. *S. m. Bras.* V. *tapa*[2] (4).

barruma. *S. f. Pop.* Var. de *verruma.*

bartedouro. [De *vertedouro*, com dissimilação.] *S. m.* Vertedouro [q. v.].

bartholinite. [Do antr. *Bartholin*, de Caspar Thomeson Bartholin, Jr. (1655-1738), anatomista dinamarquês, + *-ite*[1].] *S. f. Patol.* Inflamação das glândulas vulvovaginais denominadas *glândulas de Bartholin.*

bartônia. *S. f. Bras.* Planta cultivada, da família das loasáceas (*Mentzelia lindleyi*), originária da Califórnia, dotada de flores amarelas.

baru. *S. m. Bras.* Árvore da família das leguminosas (*Dipteryx pterata*), muito difundida nos cerrados, de frutos drupáceos, providos de mesocarpo carnoso, e nutritivos por sua riqueza em proteínas, os quais servem de alimento para o gado.

barueriense. *Adj. 2 g.* **1.** De, ou pertencente ou relativo a Barueri (SP). ● *S. 2 g.* **2.** Natural ou habitante de Barueri.

barulhada. *S. f.* Barulheira: "a barulhada dos meus passos espantou o papagaio". (Alberto Rangel, *Lume e Cinza*, p. 172).

barulhar. [De *embarulhar* (f. epentética de *embrulhar*), com aférese.] *V. t. d.* **1.** Fazer barulho, ruído com; estrondar: "Nove igrejas, nove barulhavam sinos, / da *Misericórdia*, por defuntos ricos, / do *Rosário*, pobre, por um preto irmão." (Adelmar Tavares, *Poesias Completas*, p. 200.) **2.** Pôr em barulho, em desordem; amotinar. **3.** Misturar desordenadamente; confundir. *Int.* **4.** Fazer barulho. *P.* **5.** Misturar-se tumultuosamente; confundir-se.

barulheira. *S. f.* Grande barulho (1 e 2); barulhada.

barulheiro. *Adj.* Que promove barulho; desordeiro, baderneiro, barulhento.

barulhento. *Adj.* **1.** V. *barulheiro.* **2.** Agitado, rumoroso, barulhoso. **3.** Que faz barulho, ruído: *criança barulhenta; máquina barulhenta.*

barulho. [Dev. de *barulhar.*] *S. m.* **1.** Ruído, rumor. **2.** Tumulto, desordem, alvoroço. **3.** Motim, revolta. **4.** Mistura desordenada de objetos. **5.** Alarde, ostentação. ♦ **Do barulho.** *Bras. Gír.* Extraordinário, excepcional: *O seu novo automóvel é do barulho;* "Esse escritor [Machado de Assis] tem uma personagem do barulho, uma mulher por nome Capitu, que tinha olhos de ressaca." (João Alphonsus, *Pesca da Baleia.* p. 54).

barulhoso (ô). *Adj.* Agitado, rumoroso, barulhento.

baruria. *S. f. Patol.* Var. pros. de *barúria.*

barúria. [De *bar(i)-* + *-uria.*] *S. f. Patol.* Eliminação de urina de alta gravidade específica. [Var. pros.: *baruria.*]

barururu. *Bras. S. 2 g.* **1.** Indivíduo dos barururus, tribo indígena das margens do rio Barururu, afluente do Amazonas. ● *Adj. 2 g.* **2.** Pertencente ou relativo a essa tribo.

basal. *Adj. 2 g.* Relativo a base. ~ V. *metabolismo* —.

basáltico. *Adj.* Formado de basalto.

basaltícola. [De *basalto* + *-i-* + *-cola.*] *Adj. 2 g.* Diz-se da planta que vegeta em basalto.

basaltiforme. [De *basalto* + *-i-* + *-forme.*] *Adj. 2 g.* Semelhante ao basalto.

basaltito. [De *basalto* + *-ito*[2].] *S. m. Geol.* e *Min.* Variedade de basalto, formado de plagioclásio e piroxênio de grão fino.

basalto. [Do lat. *basalte.*] *S. m. Pet.* Rocha vulcânica, em geral porfírica ou vítrea, constituída essencialmente de plagioclásio básico e augita com ou sem olivina. [Há extensões e espessos derrames de basalto no S. do Brasil. Sin., vulg.: *pedra-ferro.*]

basbaque. *Adj. 2 g.* **1.** Que fica pasmado diante de tudo. **2.** V. *tolo* (1 a 3). ● *S. 2 g.* **3.** Pessoa basbaque. **4.** V. *tolo* (8). ● *S. m.* **5.** *Bras.* Pescador que espreita o cardume ao pé das armações para lançar-lhe a rede.

basbaquice. *S. f.* Qualidade, modos ou procedimento de basbaque.

➡**bas-bleu** (bá-blê). [Fr., trad. do ingl. *blue stocking.* 'meia azul'.] *S. f.* Literata pretensiosa e pedante.

basco. [Do esp. *vasco.*] *Adj.* **1.** De, ou pertencente ou relativo ao País Basco, denominação que inclui as duas vertentes dos Pireneus Ocidentais, do lado da França e da Espanha, e na Navarra. ~ V. *flauta* —*a*, *pelota* —*a* e *tambor* —. ● *S. m.* **2.** O natural ou habitante do País Basco. **3.** O idioma vernáculo do País Basco, não indo-europeu, e que é língua aglutinante de particularíssima estrutura gramatical; vasconço. [Segundo certos lingüistas atuais, o basco, em sua íntima estrutura e em caracteres verdadeiramente típicos, assemelha-se às línguas caucásicas. F. paral.: *vasco.*]

▲**basco-.** [Do esp. *vasco.*] *El. comp.* = 'vasconço', 'basco': *bascófono.* [Equiv.: *vasco-.*]

báscula. [Do fr. *bascule.*] *S. f.* **1.** Balança decimal. **2.** Movimento análogo ao do básculo.

basculador (ô). [V. *basculante.*] *S. m. Eletrôn.* V. *circuito flip-flop.*

basculante. [De um suposto verbo **bascular* > fr. *basculer.*] *Adj. 2 g.* **1.** Que funciona com um movimento de básculo. ● *S. m.* **2.** Janela basculante. ~ V. *janela* — e *porta* —.

basculhadeira. *S. f.* Vasculhadeira.

basculhadela. *S. f.* Vasculhadela.

basculhador (ô). *S. m.* V. *vasculhador.*

basculhar. *V. t. d.* V. *vasculhar.*

basculho. [Dev. de *basculhar.*] *S. m.* **1.** V. *vasculhador.* **2.** V. *vassouro.*

básculo. [Do fr. *bascule.*] *S. m.* **1.** Ponte levadiça, com contrapeso. **2.** Peça de ferro, móvel, apoiada num pino, para abrir e fechar ferrolho de porta, janela, etc.

base. [Do gr. *básis.* 'planta do pé', pelo lat. *base.*] *S. f.* **1.** Tudo quanto serve de fundamento, apoio ou sustentáculo: *Durante as escavações, descobriram a base de um templo pagão; Para dar resposta, o prefeito teve de consultar as bases.* **2.** Parte inferior onde alguma coisa repousa ou se apóia: *a base de um copo.* **3.** O local de inserção por meio do qual uma coisa se liga à estrutura a que pertence: *a base da unha; a base da folha.* **4.** Camada que recobre uma superfície, e sobre a qual se assenta outra destinada a embelezar ou a dar acabamento: *uma base para o esmalte de unhas; Na douração, usa-se como base e mordente o gesso.* **5.** Peça situada na parte inferior de coluna, pilastra, etc., e que constitui seu sustentáculo. **6.** *Fig.* Origem, princípio, fundamento: "A economia é a base da prosperidade" (prov.). **7.** Preparo intelectual: *Os alunos mostraram muita base nos exames.* **8.** Ingrediente ou substância principal de uma mistura: *A massa da porcelana tem como base o caulim; Preparou um patê com base em fígado de galinha.* **9.** *Álg.* Num sistema de logaritmos, o número constante que, elevado ao logaritmo de outro, reproduz este outro. **10.** *Eletrôn.* Parte duma válvula eletrônica em que se encontram os terminais que permitem fazer as conexões elétricas com os eletrodos e, ao mesmo tempo, fixá-la numa posição determinada. **11.** *Eletrôn.* Num transistor, eletrodo cuja função é análoga à do catodo de uma válvula eletrônica. **12.** *Estat.* Valor de uma grandeza pertencente a uma série histórica num instante, ou num intervalo de tempo, tomado como a origem da série. **13.** *Geom.* Numa calota esférica, a face plana que a limita. **14.** *Geom.* Num cilindro, qualquer das suas faces planas. **15.** *Geom.* Num cone, a face plana. **16.** *Geom.* Num prisma, qualquer das faces contidas em um dos planos paralelos que definem o sólido. **17.** *Geom.* Num trapézio, qualquer dos seus lados paralelos. **18.** *Geom.* Num triângulo, o lado que se acha na horizontal. **19.** *Geom.* Num triângulo isósceles, o lado adjacente aos dois ângulos iguais. **20.** *Geom.* Numa pirâmide, a face horizontal oposta ao vértice. **21.** *Geom.* Numa zona esférica, qualquer das circunferências que a limitam. **22.** *Mat.* Num sistema de numeração, razão entre a unidade de uma ordem e a unidade de ordem imediatamente inferior. **23.** *Mil.* Conjunto de construções, instalações e facilidades postas sob a autoridade de um comandante único, e destinadas a prestar apoio logístico às unidades que estão sediadas ou que operam em determinada área; base militar. **24.** *Mús.* Nota tônica. **25.** *Pet.* Massa intersticial, amorfa ou finamente cristalizada, que envolve os fenocristais das rochas porfiríticas; pasta; massa fundamental. **26.** *Topog.* Distância, medida no terreno com a maior precisão e rigor, a partir da qual se efetua uma triangulação topográfica ou geodésica. **27.** *Quím.* Substância que reage com um ácido para dar um sal; substância que tem tendência a receber um próton. **28.** *Tip.* V. *bloco de gaveta.* **29.** *Constr.* V. *alicerce* (1). ♦ **Base aérea.** *Mil.* Base (23) da Aeronáutica. **Base avançada.** *Mil.* Base (23) temporária, localizada em área avançada do teatro das operações, e cuja missão principal consiste em apoiar unidades engajadas nas operações em curso. **Base conjugada.** *Quím.* A que se forma na interação de um ácido com um solvente, e que é capaz de interagir com este e regenerar o ácido primitivo. [A base e o ácido formam um sistema ácido-base conjugados.] **Base da folha.** *Bot.* Porção inferior do limbo foliar, onde se insere o pecíolo, quando este existe. **Base de lançamento.** *Mil.* Instalação ou conjunto de instalações de onde se faz o lançamento de mísseis e/ou foguetes espaciais. [Conforme o tipo de engenho, as bases têm plataformas, rampas e/ou torres de lançamento.] **Base de operações.** Área na qual uma força militar enceta suas operações ofensivas, para a qual recua em caso de insucesso, e onde estão organizados os seus depósitos de suprimentos. **Base de tempo.** *Eletrôn.* **1.** Circuito cuja voltagem de saída é um pulso com forma de dente de serra. **2.** Pulso com forma de dente de serra. **Base de triangulação.** *Geod.* Linha traçada sobre o terreno, e que serve de base à construção dum sistema de triângulos de que resulta um levantamento topográfico. **Base loctal.** *Eletrôn.* Base duma válvula eletrônica que tem um pino central para prendê-la firmemente ao soquete. **Base militar.** Base (23). **Base naval.** *Mar. G.* Conjunto de estabelecimentos, instalações e serviços reunidos em determinada posição geográfica com a finalidade de prover de apoio logístico forças navais. **Base noval.** *Eletrôn.* Base duma válvula eletrônica que tem nove pinos. **Base octal.** *Eletrôn.* Base de uma válvula eletrônica que tem oito pinos. **Base orbital.** *Astron.* Satélite artificial de grandes dimensões, destinado a servir de base de apoio à navegação no espaço. **Base ortogonal.** *Álg. Mod.* Base dum espaço vectorial em que os vectores são ortogonais entre si. **Base ortonormal.** *Cálc. Vect.* Base vectorial cujos vectores são ortonormais. **Base vectorial.** *Cálc. Vect.* Num espaço vectorial, conjunto de vectores linearmente independentes que, mediante combinações lineares apropriadas, podem reproduzir qualquer vector do espaço. **Tremer nas bases.** *Bras.* Sentir-se profundamente ameaçado; ter muito medo ou receio; amedrontar-se, apavorar-se.

baseado[1]. *S. m. Bras. Gír.* Cigarro de maconha; charo, coisa, jererê, mingote, boró, soró.

baseado[2]. [Part. de *basear.*] *Adj.* **1.** Firme, fundamentado, abalizado. **2.** Seguro do próprio valor ou habilidade. **3.** Astuto, astucioso, sagaz, perspicaz. **4.** *Bras.*, *S.* Experimentado, experiente. **5.** *Bras.*, *N.E.* Bem-feito, bem-acabado; bom.

baseamento. [De *basear* + *-mento.*] *S. m.* Sapata (7): "Efetuou-se no dia 1º o lançamento da pedra fundamental no baseamento da estátua do primeiro imperador." (Machado de Assis, *Crônicas*, I, p. 112.)

basear. *V. t. d.* **1.** Servir de base a; ser a base de; fundamentar: *A arqueologia baseia o estudo da História.* *T. d. e i.* **2.** Estabelecer as bases; firmar: *Baseia em importantes fatos a sua argumentação.* *P.* **3.** Fundar-se, firmar-se, apoiar-se: *Prestou declarações baseando-se em falsos testemunhos.* [Conjug.: v. *frear.*]

baselácea. *S. f.* Espécime das baseláceas.

baseláceas. *S. f. pl. Bot.* Família de plantas trepadeiras, muitas vezes carnosas e providas de tubérculos, de flores e frutos insignificantes. Há cerca de 20 espécies, em sua maioria americanas, como p. ex., a bertalha.

baseláceo. *Adj.* Pertencente ou relativo às baseláceas.

➡**bas-fonds** (bá-fõ). [Fr.] *S. m. pl.* **1.** Escória social; ralé. **2.** Zona licenciosa de uma cidade.

▲**basi-.** [Do lat. *basis, is.*] *El. comp.* = 'base': *basifixo, basificação.*

▲**bas(I)-.** [Do gr. *básis, eos.*] *El. comp.* = 'marcha', 'órgão de marcha', 'pé', 'base': *basípeto, basite.* [Equiv.: *basio-* e *baso-*: *basioglosso, basiofobia, basofilia.*]

basicidade. *S. f.* **1.** Qualidade de básico. **2.** *Quím.* Número de aniontes oxidrilo libertado por molécula de base.

básico. *Adj.* **1.** Que serve de base; basilar: *aprendizado básico.* **2.** Que entra na base. **3.** Fundamental, principal, essencial. **4.** *Quím.* Que tem caráter alcalino. ~V. *ácido* —, *aço* —, *catálise* —*a*, *ciclo* —, *clivagem* —*a*, *corante* —, *escória* —*a*, *inglês* —, *lei* —*a*, *metabolismo* —, *óxido* —, *rocha* —*a* e *sal* —. ● *S. m.* **5.** *Bras.* V. *ciclo básico.*

basidade. *S. f. Quím.* Número de prótons que um ácido pode ceder em solução.

basídio. [Do gr. **basidion.* dim. erudito do *básis*, 'base'.] *S. m. Micol.* Órgão com dentículos onde se inserem os esporos de certos fungos.

▲**basidio-.** [Do gr. **basidion.*] *El. comp.* = 'basídio' *basidiomiceto.*

basidiocárpico. *Adj.* Referente ao basidiocarpo.

basidiocarpo. *S. m. Micol.* Aparelho esporífero dos fungos basidiomicetos, produtor de basídios.

basidiolíquen. *S. m. Bot.* Líquen constituído pela associação de uma alga verde ou azul com um cogumelo basidiomiceto. São pouco numerosos, vivem sobre a terra, e o seu talo é foliáceo. [Sin.: *himenolíquen.* Pl.: *basidioliquens.*]

basidiomiceto. [De *basídio* + *-miceto.*] *S. m. Micol.* Espécime dos basidiomicetos.

basidiomicetos. *S. m. pl. Micol.* Fungos caracterizados pela presença de basidiósporos. O micélio pode ser saprofítico ou parasitário. Muitos são volumosos, emitindo aparelhos esporígenos ditos *orelha-de-pau.* Reproduzem-se assexualmente por conídeos, e sexualmente. Encontram-se muito espalhados, possuindo milhares de espécies.

basidiospórico. *Adj.* Relativo aos basidiósporos.

basidiósporo. *S. m. Micol.* Esporo, de origem exógena, que se desenvolve num basídio. De sua germinação resulta o micélio.

basificação. [De *basi-* + *-ficar* + *-ção.*] *S. f.* Ato de tornar básico.

basifixo (cs). [De *bas(i)-* + *fixo.*] *Adj.* Inserido pela base: *antera basifixa.* [Opõe-se a *apicifixo.*]
basífugo. [De *bas(i)-* + *-fugo.*] *Adj. Bot.* Acrópeto.
basilar. [Do fr. *basilaire.*] *Adj. 2 g.* **1.** Básico (1). **2.** Essencial, fundamental, básico. **3.** Que nasce ou está situado na base. ~ V. *placa* —.
basiliano. *Adj.* e *s. m. Rel.* Diz-se de, ou religioso que segue a regra de São Basílio.
basílica. [Do lat. *basilica*, i. e., *domus basilica.*] *S. f.* **1.** Igreja que tem certas prerrogativas honoríficas e privilégios sobre as outras, com exceção das catedrais; igreja principal. **2.** Igreja, em geral da época do cristianismo primitivo, adaptada a basílica romana, ou construída segundo o plano desta. **3.** Insígnia da igreja patriarcal em forma de pavilhão. **4.** Umbela (3) forrada de seda que acompanha o cabido nas procissões. **5.** *Ant.* Palácio real. **6.** Entre os romanos, edifício público onde funcionavam os tribunais e se reuniam mercadores, banqueiros, etc., para tratar de negócios.
basilical. *Adj. 2 g.* Relativo a, ou que tem o estilo de basílica.
basilicão. [Do gr. *basilikón*, i. e., *emplastron basilikón*, 'ungüento real'.] *S. m.* Ungüento supurativo composto de cera, azeite, pez e resina.
basilisco. [Do gr. *basiliskós.*] *S. m.* **1.** Réptil fantástico, de oito pernas, segundo alguns em forma de serpente, capaz de matar pelo bafo, pelo contato ou apenas pela vista, e segundo outros em forma de serpente ápode com um só olho na fronte: "no encalço da ventura, / O basilisco fabuloso, a arcana / Pedra filosofal busca, procura" (Raimundo Correia, *Poesias*, p. 271). **2.** Antigo canhão de bronze que atirava pesadas balas de ferro: "Com este artifício chegaram os mouros a senhorear a cava da fortaleza, onde assentaram dezoito basiliscos, com que tiraram quinze dias contínuos" (Jacinto Freire de Andrade, *Vida de D. João de Castro*, pp. 107-108). **3.** Réptil sáurio, da família dos iguanídeos (*Basiliscus americanus* L.), ocorrente do México até a Colômbia, de coloração geral verde, com manchas amarelas, e que tem uma gola no pescoço, crista serrada no dorso e cauda muito comprida.
básio. *S. m. Anat.* Ponto craniométrico localizado no meio da borda anterior do buraco occipital.
▲**basio-.** V. *bas(i)-*.
basiocestro. [De *basio-* + gr. *késtros*, 'instrumento pontiagudo'.] *S. m. Cir.* Basiótribo.
basiofobia. [De *basio-* + *-fob(o)-* + *-ia.*] *S. m.* Medo mórbido de cair, ao andar.
basiofóbico. *Adj.* Relativo à basiofobia.
basiótribo. [De *basio-* + *tribo.*] *S. m. Cir.* Instrumento com que se esmaga a cabeça do feto no útero; basiocestro.
basite. [De *bas(i)-* + *-ite*[1].] *S. f. Patol.* Processo inflamatório banal na base do pulmão.
▲**baso-.** V. *bas(i)-*.
basofilia. [De *baso-* + *-fil(o)-* + *-ia.*] *S. f. Citol.* Propriedade dos componentes celulares de fixar somente os corantes básicos, como o carmim e a hematoxilina.
basófilo. [De *baso-* + *filo*[2].] *Adj. Histol.* Que fixa os corantes básicos.
basomatóforo. *S. m.* **1.** Espécime dos basomatóforos. ● *Adj.* **2.** Pertencente ou relativo a eles.
basomatóforos. *S. m. pl.* Animais metazoários, moluscos gastrópodes, pulmonados, de água doce, providos de apenas dois tentáculos, na base dos quais se encontram os olhos.
basônimo. [De *baso-* + *-ônimo.*] *S. m. Bot.* Nome específico, conferido pela primeira vez, na nomenclatura botânica.
basquete. *S. m.* **1.** *V. basquetebol.* **2.** *Bras.* V. *tênis* (2).
basquetebol. [Do ingl. *basket ball.*] *S. m.* Esporte disputado por equipes de cinco pessoas, e cujo objetivo é, num encontro de 40 minutos, divididos em dois tempos, somar o maior número de pontos fazendo com que uma bola de couro entre na cesta (4). [F. red.: *basquete*; sin.: *bola-ao-cesto.* Pl.: *basquetebóis.*]
basquetebolista. *S. 2 g. Bras.* **1.** Jogador de basquetebol. **2.** Perito em coisas de basquetebol. **3.** Apaixonado desse jogo.
basquetebolístico. *Adj. Bras.* Referente ao, ou próprio do basquetebol.
basquete-de-bolso. *S. m. Bras.* V. *porrinha.* [Pl.: basquetes-de-bolso.]
basqueteira. *S. f. Bras.* Sapato de couro flexível e sola de borracha, para jogar basquetebol.
bassê. [Do fr. *basset.*] *S. m.* Cachorro de certa raça cujos espécimes têm pernas curtas, pêlo curto e orelhas grandes e pendentes. [Sin., bras., fam.: *salsicha.*]

bassorina. [Do top. *Baçorá* + *-ina.*] *S. f.* Princípio imediato vegetal extraído de algumas gomas-resinas. [A grafia correta seria *baçorina.*]
bassoura. *S. f. Ant.* e *pop.* V. *vassoura.*
basta[1]. [Do germ. **bastjan*, 'pespontar', 'cerzir'.] *S. f.* **1.** Cada um dos pontos grossos com que se atravessa o colchão, coxim ou almofada para prender o enchimento. **2.** O remate desses pontos. **3.** Barra de vestido.
basta[2]. [De *bastar.*] *Interj.* **1.** Não mais; cessar: *Basta! não é preciso dizer mais nada;* "Já me não amas? Basta!" (Olavo Bilac, *Poesias*, p. 182). ● *S. m.* **2.** Us. na loc. *dar o basta.* ◆ **Dar o basta.** Pôr termo.
bastante. *Adj. 2 g.* **1.** Que basta; que satisfaz; suficiente: *Em sua tese há provas bastantes de seus conhecimentos; Tem dinheiro bastante para a viagem.* ● *Pron. indef.* **2.** Muito, numeroso, copioso; basto: *Conversamos bastantes vezes a esse respeito; É riquíssimo: tem bastantes prédios alugados.* ● *Adv.* **3.** Em quantidade suficiente: *Está mais descansado: hoje dormiu bastante.*
bastão[1]. [Do lat. tardio **bastone*, calcado em *bastu.*] *S. m.* **1.** Pedaço de madeira longo, de forma aproximadamente cilíndrica, que se pode segurar com a mão, e que tem diferentes usos. **2.** V. *bordão* (1). **3.** Bastão (1) utilizado como arma ou insígnia de comando. **3.** Vara onde se enfiam as meadas para tingir. **4.** Forma dada a inúmeros produtos industriais, como, p. ex., o lacre. **5.** *Tip.* V. *lineal* (3). ◆ **Bastão de Molière.** *Teat.* Estaca de madeira que se utiliza para as *pancadas de Molière* [q. v.].
bastão[2]. *S. m.* Medida das Maldivas, equivalente a 25 alqueires.
bastão[3]. *Adj.* Muito basto; denso, espesso.
bastão-de-são-josé. *S. m.* V. *palma-de-são-josé.* [Pl.: *bastões-de-são-josé.*]
bastão-de-velho. *S. m. Bras., AM.* Trepadeira da família das leguminosas-mimosóideas *(Mimosa spruceana)*, de folhas compostas e vagens articuladas. [Pl.: *bastões-de-velho.*]
bastão-do-imperador. *S. m.* Planta da família das zingiberáceas *(Phaemeria magnifica).* [Pl.: *bastões-do-imperador.*]
bastar. [Do germ. *batázo*, 'sustentar (um peso)', pelo lat. vulgar **bastare.*] *V. int.* **1.** Ser bastante, suficiente: *Não basta o prejuízo: há, ainda por cima, o sofrimento;* "Basta saberes que és feliz, e então / Já o serás na verdade muito menos" (Raul de Leoni, *Luz Mediterrânea*, p. 71). *T. i.* **2.** Ser bastante, suficiente: *Pouco lhe bastará para esta viagem: tem hábitos módicos.* **3.** Satisfazer (11). *P.* **4.** Ser suficiente; ter suficiência própria: *Crêem que se bastarão para toda a vida.*
bastarda. [Fem. de *bastardo.*] *Adj. (f.)* **1.** Diz-se de, ou lima[1] (1) que tem a picagem média, mais grossa que a da murça e mais fina que a da grosa. ● *S. f.* **2.** Essa lima. **3.** *Caligr.* V. *letra chancelaresca.* ◆ **Bastarda grossa.** Lima[1] (1) que tem a picagem quase tão grossa quanto a da grosa.
bastardear. *V. t. d.* e *p.* Abastardar. [Conjug.: v. *frear.*]
bastardia. *S. f.* **1.** Qualidade ou condição de bastardo (1 e 2). **2.** Ramo bastardo de uma família. **3.** Degeneração, abastardamento.
bastardinha. [Dim. de *bastarda.*] *Adj. (f.)* e *s. f.* Diz-se de, ou lima[1] (1) cuja picagem é mais fina que a da bastarda, porém mais grossa que a da murça.
bastardinho. [Dim. de *bastardo.*] *S. m. Caligr.* e *Tip.* Espécie de bastardo de módulo menor e traçado mais corrente: "Na capa do maço estavam escritas em bastardinho estas palavras" (José de Alencar, *Senhora*, p. 221).
bastardo. [Do fr. ant. *bastart.*] *Adj.* **1.** Que nasceu fora do matrimônio. **2.** Degenerado da espécie a que pertence. **3.** *Genét.* Diz-se dos híbridos ou mestiços, formas resultantes do cruzamento de duas espécies bem definidas ou, mesmo, de variedades. **4.** *Tip.* Diz-se do tipo, espaço, etc., que não obedecem aos sistemas tipométricos usuais. **5.** *Tip.* Diz-se do tipo fundido sobre matriz discordante do corpo, como o de 10 pontos fundido sobre oito. ~ V. *filho* —, *letra* —*a*, *trombeta* —*a*, *vagão-tanque* —, *vela* —*a* e *viola* —*a.* ● *S. m.* **6.** Filho ilegítimo. **7.** Espécie de uva de bagos duros muito unidos e doces. **8.** *Caligr.* e *Tip.* Letra de talhe meio inclinado, com ligaturas, e cujo desenho participa do rondo [q. v.] e da letra inglesa [q. v.]. [Cf. *letra bastarda.*] **9.** *Marinh.* Cada um dos cabos de que se compõem os enxertários das vergas de gávea. **10.** *Marinh.* Pequeno cabo munido de caçoilos e destinado a agüentar a boca-de-lobo da carangueja ou retranca de encontro ao mastro. **11.** *Mar.* V. *vela de bastardo.*
bastear. [De *basta*[1] + *-ear.*] *V. t. d.* Pôr bastas[1] em. [Conjug.: v. *frear.*]

bastecer. [De *basto*[2] + *-ecer.*] *V. t. d., t. d. e i.* e *p.* V. *abastecer.* [Conjug.: v. *aquecer.*]
basteira. *S. f. Bras., S.* Basteiras [q. v.].
basteirado. [De *basteira(s)* + *-ado*[1].] *Adj. Bras., S.* Diz-se de animal com sinal de basteiras no lombo.
basteirar. [Do esp. plat. *basterear.*] *V. t. d. Bras., S.* Provocar (o lombilho) sinais de basteiras (3) em (o lombo do cavalo).
basteiras. [De *bastos* + *-eiras*, pl. de *-eira.*] *S. f. pl. Bras., S.* **1.** V. bastos (1). **2.** Parte do lombo do cavalo (de cada lado da espinha) em que assentam os bastos do lombilho. **3.** Manchas de pêlo branco ou escoriações oriundas do atrito do lombilho com a pele. [Tb. us. no sing.]
bastense. *Adj. 2 g.* **1.** De, ou pertencente a Bastos (SP). ● *S. 2 g.* **2.** Natural ou habitante de Bastos.
bastiães. *S. m. pl. Ant.* Trabalhos em relevo, de ouro e prata, que em geral representam animais. ~ V. *bastião.*
bastião[1]. [Do it. *bastione.*] *S. m.* Parte da fortificação que avança e forma ângulo saliente, permitindo vigiar a face externa da muralha e atirar contra os assaltantes que tentam escalá-la; baluarte. [Pl.: *bastiães* e *bastiões.*] ~ V. *bastiães.*
bastião[2]. [De antr. *Sebastião*, por aférese.] *S. m.* **1.** Antiga moeda de prata, do valor de 300 réis, cunhada em Goa, com a efígie de D. Sebastião, rei de Portugal (1554-1578). **2.** *Bras., N.E.* Personagem do auto popular bumba-meu-boi, companheiro inseparável do Mateus [q. v.]. [Pl.: *bastiões.*] ~ V. *bastiães.*
bastião[3]. *S. m. Bras., BA.* V. *vivió.* [Pl.: *bastiões.*] ~ V. *bastiães.*
bastida. [Do ant. *bastir* < *germ.* **bastjan*, 'tecer, trançar'.] *S. f.* **1.** Trincheira de paus muito unidos; paliçada. **2.** Ripado (1). **3.** Bastidão (2). **4.** *Ant.* Antiga torre sobre rodas, usada para assaltos a fortalezas.
bastidão. *S. f.* **1.** Qualidade do que é basto[2]; espessura. **2.** Conjunto de pessoas ou de objetos bem unidos; bastida. [Sin. ger., p. us.: *bastura.*]
bastidor (ô). [Do ant. *bastir* < *germ.* **bastjan*, 'tecer, trançar'.] *S. m.* **1.** Espécie de caixilho de madeira que segura o tecido para se bordar. **2.** *Bras. Mar. Guer.* Armação, em geral metálica, que serve de suporte para unidades de equipamento elétrico ou eletrônico. **3.** *Teat.* Armação de cenário, feita de madeira e pano, por vezes representando um detalhe do ambiente, e que se coloca nas partes laterais do palco para estabelecer, em conjugação com as bambolinas, o âmbito que se quer dar ao espaço cênico; corrediça, regulador. ~ V. *bastidores.*
bastidores (ô). [Pl. de *bastidor.*] *S. m. pl. Teat.* **1.** Os espaços intermediários entre um bastidor e outro, da série disposta no palco. **2.** Os corredores que contornam a cena, no palco do teatro; caixa do palco, coxias. **3.** *Fig.* O lado encoberto, oculto, que age no interior de certas organizações, e que, como no teatro, não se acha ao alcance do público: *os bastidores da política, dos negócios.* ~ V. *bastidor.*
bastilha. [Do fr. *bastille.*] *S. m. Ant.* Fortaleza (4).
bastimento. *S. m. P. us.* Abastecimento.
basto[1]. [Do esp. *basto.*] *S. m.* No jogo do voltarete, o ás de paus. ~ V. *bastos.*
basto[2]. [De *bastar.*] *Adj.* **1.** Espesso, denso, compacto, cerrado: "Vejo-a, e cuido uma dríada estar vendo, / Por entre os claros de uma selva basta, / Aparecendo e desaparecendo..." (Raimundo Correia, *Poesias*, p. 130); "Leonardo Palhares, alto, enxuto de carnes, de bastos bigodes, formara o espírito na escola liberal dos ingleses." (Daniel de Carvalho, *De Outros Tempos*, p. 13.) **2.** Numeroso, copioso: *Estivemos juntos bastas vezes.* ~ V. *bastos.*
bastonada. *S. f.* Bordoada com bastão.
bastonete (ê). *S. m.* **1.** Pequeno bastão; varinha. **2.** Bacilo alongado, articulado, miceliforme.
bastos. [Do esp. plat. *bastos.*] *S. m. pl. Bras., S.* **1.** As partes acolchoadas do lombilho que assentam no lombo da cavalgadura; basteiras, suadeira. **2.** O lombilho. ~ V. *basto.*
bastura. *S. f. P. us.* V. *bastidão.*
bata[1]. [De or. talvez germ.] *S. f.* **1.** Vestido de mulher, solto e largo, abotoado na frente desde o decote até à bainha. **2.** Blusa de mulher, larga, geralmente usada por cima da saia: "os olhos dele sondavam-na .... com solicitudes antigas, numa satisfação de a verem galante, com sua bata de renda cingida à cintura fina." (Fialho d'Almeida, *A Cidade do Vício*, p. 202). **3.** Blusa folgada e solta usada por fora da saia ou da calça. **4.** *Ant.* Chambre de homem. **5.** *Bras.* Veste, em geral de tecido branco e leve, usada por médicos, dentistas, professo-

res, etc., no exercício de suas funções; blusa. **6.** *Bras.* Partes acolchoadas e paralelas do lombilho.

bata[2]. [Do hindustani *bhata.*] *S. f.* **1.** Ração de comida. **2.** Gratificação, propina.

bata[3]. [De origem indiana?] *S. f. Gír. P. us.* Mão (1).

bata[4]. [Do quimb.] *S. f.* Habitação.

batá. [De or. afr.] *S. m. Bras., BA.* Pequeno tambor de madeira.

▲**-bata.** [Do gr. *-batos.*] *Suf.* = 'que anda': *acrobata* (fr. *acrobate* < gr. *akróbatos*), *nefelibata.*

batacaço. [Do esp. plat. *batacazo.*] *S. m. Bras., RS.* Nas corridas, cavalo que paga uma grande pule.

batacotô. *S. m. Bras., BA.* Tambor de guerra, afro-brasileiro, grande, muito usado nos levantes de escravos da BA.

bataguaçuense. *Adj. 2 g.* **1.** De, ou pertencente ou relativo a Bataguaçu (MS). ● *S. 2 g.* **2.** Natural ou habitante de Bataguaçu.

batalha. [Do lat. tardio *battualia,* 'esgrima', **battalia,* atr. do it. *battaglia* ou do fr. *bataille.*] *S. f.* **1.** Ato essencial da guerra, constituído por um conjunto de combates simultâneos ou sucessivos travados pelas diversas armas, e em que toma parte a totalidade ou a maioria das forças que atuam num teatro de operações. **2.** Qualquer combate. **3.** *Fig.* Luta, peleja. **4.** Esforço, empenho. **5.** Discussão violenta; controvérsia. **6.** Certo jogo de cartas para duas pessoas. **7.** *Bras.* Árvore da família das lauráceas (*Nectandra robusta*), das florestas úmidas, cuja madeira, a canela, é amarelada e, embora de qualidade inferior, se usa em marcenaria. ◆ **Batalha campal.** A que se trava e desenvolve em campo aberto.

batalhação. [De *batalha* + *-ção.*] *S. f. Fam.* Persistência de esforços; porfia, teima.

batalhador (ô). *Adj.* e *s. m.* **1.** Que ou aquele que batalha. [Sin. do adj.: *batalhante.*] **2.** Lidador, lutador. **3.** Defensor fervoroso de qualquer idéia, princípio, partido, etc.

batalha-naval. *S. f.* Jogo (1) em que dois parceiros simulam uma batalha naval fixando, cada qual, num papel quadriculado, a posição das respectivas esquadras que o adversário desconhece e procura destruir mediante salvas de três tiros. [Pl.: *batalhas-navais.*]

batalhante. *Adj. 2 g.* **1.** Que batalha; batalhador. **2.** *Heráld.* Diz-se de animal figurado em ação de brigar ou lutar com outro: "Entre castelos serpes batalhantes, / E águias de negro, desfraldando as asas, / Que realça de oiro um colar de besantes!" (Camilo Pessanha, *Clepsidra e Outros Poemas,* p. 186.)

batalhão. [Do it. *battaglione.*] *S. m.* **1.** Unidade tática de infantaria ou de cavalaria que faz parte dum regimento e se subdivide em companhias. **2.** *Fam.* Grande número de pessoas; magote, quantidade: "A velha aceitou e lá foi, arrastando os seus cinqüenta e tantos anos, alojar-se em casa do genro, com um batalhão de moleques, suas crias" (Aluísio Azevedo, *O Mulato,* p. 14). **3.** *Bras., BA* e *SE.* V. *mutirão* (1).

batalhar. *V. int.* **1.** Dar batalha; entrar em batalha; combater, pelejar: *Batalharam até o fim, sem se entregarem. T. i.* **2.** Fazer diligências; esforçar-se: *Batalhou para que lhe dessem o emprego.* **3.** Discutir, argumentar, disputar. *T. d.* **4.** Travar (batalha): "'batalham cristãos e mouros / batalha de grã temer." (Antônio Feliciano de Castilho, *O Outono,* p. 249). **5.** *Bras.* Tentar conseguir, esforçar-se por: *batalhar um emprego.*

batalheira. [De *batalha* + *-eira.*] *S. f.* **1.** Grande batalha; luta, peleja. **2.** *Bras., SP.* Terra seca, pouco fértil, onde abundam as batalhas [v. *batalha* (7)].

batalhense. *Adj. 2 g.* **1.** De, ou pertencente ou relativo a Batalha (AL e PI). ● *S. 2 g.* **2.** Natural ou habitante de Batalha.

batará. [Do tupi *mbata'rá.*] *S. m.* **1.** *Bras.* V. *choca*[4]. ● *Adj.* **2.** *Bras., S.* Diz-se do galo com penas claras salpicadas de preto, amarelo ou vermelho.

bataria. [Var. de *bateria.*] *S. f.* **1.** Ruído, barulho. **2.** Tagarelagem, tagarelice, parolagem. **3.** *Lus.* V. *bateria* (7).

batata[1]. [Do taino *batata.*] *S. f.* **1.** O tubérculo comestível da batata-inglesa. **2.** *P. ext.* Qualquer tubérculo, comestível ou não. **3.** Erro de pronúncia; solecismo; asnice. **4.** Bíceps muito desenvolvido. **5.** Nariz muito grosso e chato. **6.** *Bras.* Inchação provocada pelo bicho-de-pé. **7.** *Bras.* Peixe teleósteo, percomorfo, da família dos branquiostegídeos (*Lopholatilus villarii* (Mir. Rib.)), da costa atlântica, de coloração parda, quase violácea no dorso e brancacenta no abdome, flancos pardo-violáceos com manchas amarelas pouco maiores que as escamas, e uma tarja amarela no dorso até o pedúnculo. A cabeça chega a atingir um terço do comprimento do animal, que é de cerca de 1m. **8.** *Bras., RJ.* F. red. de *batata-da-pedra.* ◆ **Batata da perna.** V. *barriga da perna:* Uma [bala] pegou na Batata da perna" (Fran Martins, *Dois de Ouros,* p. 14). **Batata quente.** *Bras. Fam.* Lance difícil, de solução trabalhosa e/ou complicada. **Ir plantar batatas.** V. *ir às favas.* **Morder a batata.** *Bras., CE. Pop.* Ingerir bebida alcoólica; mudar a camisa, mudar o colarinho. **Na batata.** *Bras. Gír.* **1.** Com plena certeza. **2.** Pontualmente. **Ser batata.** *Bras. Gír.* Não falhar; não deixar de dar-se.

batata[2]. *S. f. Bras.* F. red. de *batata-inglesa* [q. v.].

batata[3]. *S. f. Bras. RJ* F. red. de *batata-da-pedra.*

batata-baroa. *S. f.* Planta da família das umbelíferas *(Arracacia xanthorrhiza),* originária dos Andes e largamente cultivada em toda a América do Sul. É erva robusta, com grandes raízes amarelas, utilizada na alimentação do homem e como forragem. [Sin. (bras.): *batata-cenoura, arracachá, mandioca-baroa, mandioquinha.* Pl.: *batatas-baroas.*]

batata-brava. *S. f.* **1.** *Bras.* V. *abutua-grande* (1). **2.** *Bras., L.* e *S.* Trepadeira da família das menispermáceas (*Cissampelos fasciulata),* cujos frutos, preto-avermelhados, são comestíveis, e cuja raiz tem propriedades adstringentes e febrífugas; batata-da-uva-do-mato, batatinha-caapeba, abutua-de-batata, butua, erva mãe-boa. [Pl.: *batatas-bravas.*]

batata-cenoura. *S. f. Bras., MG.* V. *batata-baroa.* [Pl.: *batatas-cenouras* e *batatas-cenoura.*]

batatada. *S. f.* **1.** *Grande quantidade de batatas.* **2.** Doce de batata. **3.** *Bras.* Seqüência de batatas [v. *batata*[1] (3)].

batata-da-ilha. *S. f.* V. *batata-doce.* [Pl.: *batatas-da-ilha.*]

batata-da-pedra. *S. f. Bras.* Peixe teleósteo, percomorfo, da família dos branquiostegídeos (*Caulolatilus crysops* Cuv. & Val.), da costa atlântica, semelhante à batata[1] (7) por ter abaixo dos olhos mancha alongada, amarelo-enxofre, e outra, da mesma cor, na axila das peitorais. [F. red. (us. no RJ): *batata.* Pl.: *batatas-da-pedra.*]

batata-da-terra. *S. f.* V. *batata-doce.* [Pl.: *batatas-da-terra.*]

batata-da-uva-do-mato. *S. f.* V. *batata-brava* (2). [Pl.: *batatas-da-uva-do-mato.*]

batata-de-caboclo. *S. f. Bras., AM, MG* e *RJ* ao *RS.* Trepadeira da família das bignoniáceas (*Bignonia exoleta),* cujas raízes têm tubérculos comestíveis dos quais se pode extrair matéria tintorial para aquarela; batata-miúda, jeticarana, unha-de-morcego. [Pl.: *batatas-de-caboclo.*]

batata-de-purga. *S. f.* **1.** *Bras.* Designação comum a duas trepadeiras da família das convolvuláceas (*Ipomoea altissima* e *Ip. operculata),* cujas raízes têm propriedades purgativas e depurativas. **2.** Jalapão (1). **3.** V. *bariricó.* [Pl.: *batatas-de-purga.*]

batata-do-campo. *S. f. Bras. MG* a *RS.* Erva da família das gesneriáceas (*Gesneria allagophylla),* de raiz tuberosa e venenosíssima; batatinha-do-campo. [Pl.: *batatas-do-campo.*]

batata-doce. *S. f. Bras.* Planta herbácea, originária da América, da família das convolvuláceas *(Ipomoea batatas),* de raízes tuberosas, largamente usadas na alimentação, frutos capsulares e folhas medicinais; batata-da-terra, batata-da-ilha, jatica, jetica. [Pl.: *batatas-doces.*]

batata-do-inferno. *S. f. Bras.* Arbusto cultivado, da família das euforbiáceas (*Jatropha podagrica),* de flores vermelhas ou purpúreas, originário da Colômbia e da América Central. [Pl.: *batatas-do-inferno.*]

batata-do-rio. *S. f. Bras., Rj* a *RS.* Trepadeira da família das malpighiáceas *(Stigmaphyllon littorale),* de flores amarelas e raiz de tubérculos fortes. [Pl.: *batatas-do-rio.*]

batataiense. *Adj. 2 g.* **1.** De, ou pertencente ou relativo a Batatais (SP). ● *S 2 g.* **2.** Natural ou habitante de Batatais.

batata-inglesa. *S. f. Bras.* Planta herbácea, originária da América do Sul, da família das solanáceas (*Solanum tuberosum),* cujos tubérculos subterrâneos são mundialmente usados na alimentação humana, e da qual se extrai fécula, também de largo emprego na alimentação. [Sin. (bras., us. em certos pontos do Brasil): *batatinha* (bras., GO), *escorva* e (bras., RS) *papa.* Pl.: *batatas-inglesas.* Cf. *batata*[1] (1).]

batatal. *S. m.* Quantidade mais ou menos considerável de batateiras dispostas proximamente entre si; batateiral.

batata-miúda. *S. f. Bras.* V. *batata-de-caboclo.* [Pl.: *batatas-miúdas.*]

batatão[1]. *S. m. Bras.* V. *boitatá:* "A Mata de Sinhá Mariquinha, povoada de bichos e fantasmas, de batatões e de uma galinha cuja ninhada nunca crescia..." (Hélio Galvão, *Cartas da Praia,* p. 18.)

batatão[2]. *S. m. Bras.* F. red. de *batatão-amarelo.*

batatão-amarelo. *S. m. Bras., AM* e *GO.* Trepadeira da família das convolvuláceas (*Ipomoea pterodes*), de flores amarelas e frutos capsulares globosos. [F. red.: *batatao* Pl.: *batatões-amarelos.*]

batatarana. [De *batata* + *-rana.*] *S. f. Bras., N.* a *SP.* Trepadeira da família das leguminosas-papilionáceas (*Vigni repens*), de flores amarelas e vagens quase cilíndricas, da qual se colhe forragem para cavalos; feijão-da-praia.

batata-silvestre. *S. f. Bras., RS.* Planta herbácea, da família das solanáceas (*Solanum commersonii*), de flores alvas e bagas globosas, tubérculos subterrâneos e também aéreos, empregados na alimentação. [Pl.: *batatas-silvestres.*]

batateira. *S. f.* Pé de batata; batateiro.

batateiral. *S. m.* Batatal.

batateiro. *S. m.* **1.** Batateira. **2.** Vendedor de batatas. ● *Adj.* **3.** Que gosta muito de batatas. **4.** *Bras.* Que pronuncia mal ou fala incorretamente; que comete batatas [v.*batata*[1] (3)].

batatinha. [Dim. de *batata.*] *S. f. Bras.* **1.** V. *batata-inglesa.* **2.** Batata[1] (1) muito pequena, usada no preparo de certas iguarias. **3.** V. *cipó mil-homens* (1).

batatinha-amarela. *S. f.* V. *açafrão-da-terra.* [Pl.: *batatinhas-amarelas.*]

batatinha-caapeba. *S. f. Bras.* V. *batata-brava* (2). [Pl.: *batatinhas-caapebas.*]

batatinha-d'água. *S. f. Bras.* Erva aquática da família das isoetáceas (*Isoetes martii*), de folhas filiformes e esporângios indeiscentes na face ventral da bainha da folha dilatada. [Pl.: *batatinhas-d'água.*]

batatinha-do-campo. *S. f. Bras.* **1.** Erva da família das amarilidáceas (*Cypella herbeii*), ornamental e cultivada, cujas flores são amarelo-alaranjadas e cujo bulbo é laxativo brando; batatinha-purgativa, vareta, ruibarbo-do-campo. **2.** Batata-do-campo. **3.** V. *bariricó.* [Pl.: *batatinhas-do-campo.*]

batatinha-frita. *S. f. Bras.* Jogo infantil em que um dos participantes tapa os olhos e conta até três enquanto os outros, situados a certa distância, procuram aproximar-se sem ser vistos. [Pl.: *batatinhas-fritas.*]

batatinha-purgativa. *S. f. Bras.* V. *batatinha-do-campo* (1). [Pl.: *batatinhas-purgativas.*]

batatuda. *Adj.* (*f.*) Diz-se da perna cuja panturrilha é por demais proeminente.

batauá. *S. m. Bras.* V. *patauá.*

batávico. *Adj.* V. *batavo* (1).

batavo (tá). *Adj.* **1.** Da, ou pertencente ou relativo à Batávia, nome antigo da Holanda; holandês, batávico. **2.** Dos, ou pertencente ou relativo aos batavos. ● *S. m.* **3.** O natural ou habitante da Batávia; holandês. **4.** Indivíduo dos batavos, antigos habitantes dos Países Baixos.

➡**batch** (bétch). [Ingl.] *S. m. Proc. Dados.* Conjunto de registros, documentos e programas que, para efeito de processamento no computador, se considera como uma só unidade.

bateada. *S. f.* O conteúdo de uma bateia.

bateador (ô). *S. m.* Aquele que bateia; bateeiro.

batear. *V. t. d.* Lavar na bateia. [Conjug.: v. *frear.*]

bate-barba. [De *bater* + *barba.*] *S. m.* V. *bate-boca* (2): "só vejo que houve muita rezinga e altercação, acabando o bate-barba .... com o triunfo completo da trunfa" (José de Alencar, *Guerra dos Mascates,* p. 39). [Pl.: *bate-barbas.*]

bate-bate. [Da 3ª pess. do sing. de *bater,* repetida.] *S. m. Bras.* **1.** Movimento constante de dois objetos que se chocam: "Batuque. Bate-bate de latas." (Arnon de Melo, *África,* p. 357.) **2.** V. *surra* (1). **3.** *Bras., AL.* Espécie de batida (8). [Pl.: *bates-bates* e *bate-bates.*]

bate-baú. [De *bater* + *baú.*] *S. m. Bras.* Modalidade de samba baiano. [Pl.: *bate-baús.*] [Cf. *corrido* (9).]

bate-boca. [De *bater* + *boca* (ô).] *S. m. Bras.* Vozerio de briga. **2.** Discussão, contenda, altercação, bate-barba, batibarba. **3.** Conversa simples, despretensiosa; bate-papo, papo: "Gostávamos de ficar conversando sobre cousa nenhuma, neste ingênuo bate-boca de menino." (José Lins do Rego, *Ficção Completa,* I, p. 150.) [Pl.: *bate-bocas.*]

bate-bola. [De *bater* + *bola.*] *S. m.* **1.** Jogo informal, geralmente com os times incompletos: "o chão estava macio, a terra fria, ideal para um bate-bola." (Gilvã Lemos, *Jutaí Menino,* p. 100). **2.** *Fut.* Troca de passes antes do jogo, para aquecimento. **3.** *Fut.* Troca de passes em que os jogadores procuram fazer malabarismos com a bola, como simples passatempo. **4.** *Bras., SP.* Manobras protelatórias de um negócio ou de uma demanda. [Pl.: *bate-bolas.*]

bate-chinela. [De *bater* + *chinela.*] *S. m. Bras., N.* e *N.E. Pop.* V. *arrasta-pé* (1). [Pl.: *bate-chinelas.*]

bate-coxa. [De *bater* + *coxa.*] *S. m.* **1.** *Bras., RJ, MG* e *ES. Gír.* V. *arrasta-pé.* (1). **2.** Baile, dança. **3.** *Bras., BA (região do São Francisco). Cap.* V. *pernada.* (7). **4.** *Bras.* O ato sexual; cópula, coito. [Pl.: *bate-coxas.*]

bate-cu. [De *bater* + *cu.*] *S. m.* **1.** Pancada que se dá com as nádegas, ao cair. **2.** Pancada com as mãos nas nádegas. **3.** *Bras., RJ* V. *tuim.* [Pl.: *bate-cus.* Cf. *baticum.*]

batedeira. *S. f.* **1.** Aparelho que bate o leite para fazer manteiga. **2.** Aparelho para bater o melado, nos engenhos de açúcar. **3.** Aparelho, manual ou elétrico, para bater misturas, massas, ovos, etc. **4.** *Bras.* Doença febril infecciosa que ataca os suínos. **5.** *Bras.* V. *malária.*

batedela. *S. f.* Ação de bater de leve, ou rapidamente, ou uma vez.

batedoiro. *S. m.* Batedouro. [q. v.].

batedor (ô). *S. m.* **1.** Aquele ou aquilo que bate. **2.** Cunhador (de moeda). **3.** Explorador (do campo). **4.** Aquele que bate o terreno para levantar a caça. **5.** Cada um dos policiais ou soldados encarregados da guarda pessoal de autoridades, ou de pessoas importantes, e que, em automóveis ou motocicletas, precede, ladeia e segue os autos oficiais. **6.** Instrumento para esmiuçar e lavar o grão da fécula. **7.** *Fig.* Precursor (5). **8.** *Ant. Tip.* Operário que, no prelo manual, entintava a fôrma com balas [q. v.]. **9.** *Tip.* Tipógrafo expedito. **10.** *Bras.* Instrumento para debulhar milho. **11.** *Bras.* Aquele que bate as palmas da carnaubeira para lhes extrair a cera. **12.** *Bras., N.* Local em que se reúne o gado perseguido pela mosca. **13.** *Bras., BA.* Campo onde o gado pasta constantemente, e que é, por isso, de forragem escassa. **14.** *Bras., GO.* Sítio de passagem habitual do gado, a caminho da aguada. ● *Adj.* **15.** Que bate. ~ V. *rolo* —.

batedora (ô). *S. f. Bras., RS.* Colher de retirar água do barco.

batedouro. [Var. de *batedoiro.*] *S. m.* **1.** Pedra que as lavadeiras usam para bater a roupa. **2.** Local onde se batem ou sacodem tapetes, etc.

batedura. *S. f.* Ato ou efeito de bater.

bateeiro. *S. m. Bras.* Nas lavras auríferas e diamantíferas, trabalhador que maneja a bateia; bateador.

bate-enxuga. [De *bater* + *enxugar.*] *S. m. 2 n. Bras. Fam.* **1.** Roupa única, ou pela qual se tem especial predileção, e que, portanto, se usa constantemente. [Cf. *bate-não-quara.*] **2.** Objeto de uso constante.

bate-estaca. [De *bater* + *estaca.*] *S. m.* Aparelho destinado a cravar, por percussão, estacas no solo. [Pl.: *bate-estacas.*]

bate-folha. [De *bater* + *folha.*] *S. m.* **1.** Artífice que reduz metais dúcteis e maleáveis a folhas tenuíssimas. **2.** V. *funileiro* (2). [Pl.: *bate-folhas.*]

bátega. *S. f.* **1.** Espécie de bacia metálica, antiga: "Esses tipos principais [de vasilhas portuguesas] são a talha, o pote, o cântaro, o caneco, o tenor, a tarefa, a púcara, o gomil, a escudela, a tigela, a infusa, ... a bátega, a pichorra, a botija, a cabaça, a malga, etc." (Ramalho Ortigão, *O Culto da Arte em Portugal*, p. 148.) **2.** Porção de líquido que essa bacia continha. **3.** Pancada (de chuva): "E as bátegas vieram, furiosas, em cordas-d'água a prumo, como devia ser no chuveiro bíblico do dilúvio universal." (Monteiro Lobato, *Urupês, Outros Contos e Coisas*, p. 292.) **4.** Aguaceiro forte e grosso. ~ V. *bátegas.*

bátegas. [Pl. de *bátega.*] *S. f. pl. Mús.* Espécie de pratos. ~ V. *bátega.*

bateia. [Do ár. *batiya*, ou do taino, pelo esp.] *S. f.* Gamela de madeira que se usa na lavagem das areias auríferas ou do cascalho diamantífero: "Não verás separar ao hábil negro / do pesado esmeril a grossa areia, / e já brilharem os granetes de oiro / no fundo da bateia." (Tomás Antônio Gonzaga, *Marília de Dirceu*, p. 167.)

bateira. *S. f.* **1.** *Lus.* Pequena embarcação de pesca fluvial, de fundo chato, propelida a vela e/ou a remo: "Disseminadas ao longe, as velas das bateiras e botes de pesca .... diminuíam pouco a pouco" (Policarpo Feitosa, *Gisinha*, p. 74). ● *Adj. (f.)* **2.** Diz-se da água que apenas cobre os canteiros do arrozal.

batel. [Do fr. ant. *batel*, atual *bateau.*] *S. m.* **1.** Pequeno barco: "Num rio, que ali sai ao mar aberto, / Batéis de vela entravam e saíam" (Luís de Camões, *Os Lusíadas*, V, 75); "Sobre as ondas oscila o batel docemente..." (Olavo Bilac, *Poesias*, p. 79). **2.** *Náut.* Setor de madeira chumbado na parte curva da barquinha (4) para poder flutuar na vertical. **3.** *Lus.* Embarcação de pesca. **4.** *Lus. Ant.* Embarcação miúda, usada nas naus e galeões. [Pl.: *batéis.* Cf. *bateis*, do v. *bater.*]

batelada. *S. f.* **1.** Carregamento de um batel. **2.** V. *quantidade* (3): *uma batelada de livros.*

batelão. [Aum. de *batel.*] *S. m.* **1.** *Mar. Guer.* Embarcação robusta, de ferro ou de madeira, fundo chato, com propulsão própria ou sem ela, usada para desembarque ou transbordo de carga. [Cf. *alvarenga.*] **2.** *Bras., Amaz.* Barcaça impelida a remo ou rebocada ao costado das lanchas, e usada no comércio do regatão ou no transporte de gado. **3.** *Bras., MT.* Canoa pequena.

bateleiro. *S. m.* **1.** Aquele que governa batel. **2.** Proprietário de batel.

bate-não-quara. [De *bater* + *não* + *quarar.*] *S. f. 2 n. Bras.* Roupa de uso diário. [Cf. *bate-enxuga* (1).]

batente. [De *bater* + *-nte.*] *S. m.* **1.** Rebaixo ou ombreira onde porta ou janela se encaixa ao fechar. **2.** A própria ombreira de porta ou de janela de folhas. **3.** A folha que fecha primeiro, nas portas e janelas de duas folhas. **4.** A régua que se fixa nessa folha, formando o rebaixo para a outra. **5.** Aldrava (3). **6.** Lugar onde a maré bate e se quebra. **7.** *Tip.* Haste de aço que, percutida pelo martelo, aciona os escapes da linotipo. **8.** *Bras. Gír.* Trabalho efetivo, com o qual se ganha a vida: "Na minha terra, ... muita gente boa assim distribui a existência: durante o dia, no batente, no trabalho ....; de noite, na doce despreocupação, entre amigos e prazeres" (Aires da Mata Machado Filho, *Dias e Noites em Diamantina*, p. 7). ● *Adj. 2 g.* **9.** Que bate. ◆ **Batente de titulares.** *Tip.* Projeção do molde de titulares da linotipo, que impede o seu avanço e faz parar a máquina quando a linha é despachada sem virar a borboleta.

bate-orelha. [De *bater* + *orelha.*] *S. m. Fam.* **1.** Burro, asno. **2.** Homem curto de inteligência, estúpido, burro. [Pl.: *bate-orelhas.*]

batepandé. *S. m. Bras., SE.* Cabra-cega (1).

bate-papo. [De *bater* + *papo.*] *S. m. Bras. Fam.* Conversação amigável, simples e despretensiosa; cavaco, cavaqueira, papo. [Pl.: *bate-papos.*]

bate-pau. [De *bater* + *pau.*] *S. m.* **1.** *Bras., GO.* Indivíduo armado e posto a serviço da polícia rural: "Joana, sempre aziaga, já contava que o Louco estava armado com as carabinas dos bate-paus e vinha fuzilando gato e cachorro." (Bernardo Élis, *Ermos e Gerais*, p. 144.) **2.** *Bras., GO.* Aquele que presta serviços policiais em regiões onde não existe ou é deficiente a força pública. **3.** *Bras., Amaz.* Informante da polícia; alcagüete: "A camionete do *Bracinho* — bate-pau da polícia, segundo o povo de Ribeirão Bonito — chegara um pouco antes" (Edilson Martins, *Nós, do Araguaia*, p. 172). **4.** *Bras., GO. Folc.* Dança de pares em que os dançarinos, munidos de cacetes, os chocam ritmadamente com os dos pares à frente e dos lados. [Pl.: *bate-paus.*]

bate-pé. [De *bater* + *pé.*] *S. m. Bras.* **1.** V. *sapateado* (3). **2.** V. *arrasta-pé* (1). [Pl.: *bate-pés.*]

bate-prego. [De *bater* + *prego.*] *S. m. Bras.* Sinal que marca, por meio de marteladas, o início ou a suspensão dos trabalhos para os operários de obras [v. *obra* (4)]. [Pl.: *bate-pregos.*]

bater. [Do lat. *battuere*, **battere.*] *V. t. d.* **1.** Dar sucessivas pancadas ou golpes em: *Os penitentes batiam os peitos e gemiam.* **2.** Dar choque(s) ou pancada(s) com: *Para chamar atenção, bateu o pé, irritado.* **3.** Dar pancadas para lavar, limpar, etc.: "Junto de um ipê florido, / Bate roupa a lavadeira." (Ricardo Gonçalves, *Ipês*, p. 19); *Batia o tapete com a vara.* **4.** Fechar, empurrando ou puxando com força: *Saiu irritado, batendo a porta.* **5.** Premer com o dedo botão de (campainha), tecla de (máquina), etc. **6.** Bater à máquina; dactilografar: "Eu estava bem intencionadíssima, quando me sentei para bater esta crônica." (Malu Ouro Preto, *Siri na Noite sem Lua*, p. 119.) **7.** Sovar, socar: *O padeiro bate a massa.* **8.** Marcar o tempo de (compasso). **9.** Percorrer (terreno, mato, caminho, etc.) em observação, exploração, passeio, etc.: *Bateu a serra toda à procura do novilho perdido.* **10.** Agitar ou mover (dentes, queixo, etc.) por frio, medo, raiva, etc.: *Encontrei-o exposto ao frio, batendo os dentes; Batia o queixo e tremia, de fúria.* **11.** Cunhar (moeda) ou malhar (o ferro): "Era direito real bater moeda, criar capitães na terra e no mar, fazer oficiais de justiça, do ínfimo ao pino da carreira" (Capistrano de Abreu, *Capítulos de História Colonial*, p. 61). **12.** Agitar (as asas). **13.** Agitar fortemente; remexer: *bater ovos.* **14.** Vencer, derrotar: *Em 1945 os aliados bateram os países do Eixo.* **15.** Percutir; ferir: *bater o tambor; bater um prego.* **16.** Atacar ou alcançar com tiros de artilharia (praça, fortificação, etc.) **17.** Superar, sobrepujar: "há no centro da cidade e fora dele mesmo construções que têm dez, doze e quinze andares, de forma que S. Paulo continuando assim é capaz de bater a própria Nova Iorque." (Antônio de Alcântara Machado, *Cavaquinho e Saxofone*, p. 4). **18.** Diminuir o volume de; calcar, comprimir: *O alfaiate bateu as costuras com o ferro.* **19.** Tirar (15): *bater uma foto.* **20.** Soar, indicando (as horas): "O relógio de parede da sala de jantar batia as nove horas." (José Condé, *Como uma Tarde em Dezembro*, p. 209.) **21.** *Bras.* Comer; devorar, traçar: *Num instante o pequeno bateu o prato de comida.* **22.** Usar diariamente, no trivial: *Bateu o terno azul durante todo o ano.* **23.** *Bras. Gír.* Furtar, surripiar, surrupiar: *bater uma carteira.* **24.** *Bras.* Tecer (uma rede). *T. d.* e *i.* **25.** Superar, sobrepujar: "Em duas coisas São Bento batia as outras cidades do interior: na banda de música e no sino da igreja matriz." (Gilvã Lemos, *Jutaí Menino*, p. 114.) *T. i.* **26.** Dar pancada(s); surrar: *Bate nas crianças sem dó nem piedade;* "Não lhe batia, porque nunca tocava nele, como se tivesse nojo" (Mário Donato, *A Parábola das 4 Cruzes*, p. 95). **27.** Ir de encontro; chocar-se. **28.** Dirigir-se apressadamente: *Mal soube do que acontecera, bateu para São Paulo.* **29.** Bater (1) (em porta ou janela) com os nós dos dedos, ou fazer qualquer outro sinal, para que a abram: *Bateu à porta demoradamente, e ninguém abriu;* "A cem portas bati por noite agreste" (Eugênio de Castro, *Obras Poéticas*, V, p. 180). **30.** *Bras.* Chegar, parar, depois de caminhada longa, incerta ou difícil: *Andando, andando, foi bater num lugar desconhecido.* **31.** Ir parar em; ser arrastado a: *Tantas fez que foi bater na cadeia.* **32.** V. *cair* (20): "Principiando estas minhas notas pessoalíssimas sobre Álvares de Azevedo, cujo centenário de nascimento bate no mês que vem, creio que vou determinar especialmente o mal-estar que me causa pensar nele." (Mário de Andrade, *Táxi e Crônicas no Diário Nacional*, p. 417); *O carnaval deste ano bate no dia 1º de março.* *Int.* **33.** Dar pancada(s): "As janelas batem e rangem, abrindo-se e mostrando-me, a espaços, o seu interior cheio de miséria e de sombras fugidias." (Cornélio Pena, *Fronteira*, p. 8); "Bate, arrebenta, assobia, / Retumba, estrondeia o mar." (Raimundo Correia, *Poesias*, p. 273). **34.** Dar pancada(s) em alguém; surrar, espancar: *É perverso, gosta de bater.* **35.** Palpitar, pulsar: *Com o susto, o meu coração bateu violentamente;* "Sofra o coração, embora! / Sofra! Mas viva! Mas bata / Cheio, ao menos, da alegria / De viver, de viver!" (Raimundo Correia, *Poesias*, p. 7). **36.** Dar sinal ou fazer barulho, para que abram a porta: "Sem bater, entrou" (Antônio Patrício, *Serão Inquieto*, p. 115); "Entrou sem bater" (Dalcídio Jurandir, *Ponte do Galo*, p. 8). **37.** Tanger, tocar, vibrar: "Batiam os sinos" (Cecília Meireles, *Obra Poética*, p. 817). **38.** Em carteado, ganhar uma parada: *Bateu três vezes durante a partida.* **39.** Soar, dar (horas): "Batiam três horas da tarde." (Machado de Assis, *Histórias sem Data*, p. 167); "Bateram nove horas no sino da Igreja." (Ribeiro Couto, *Poesias Reunidas*, p. 214.) *P.* **40.** Lutar, combater, pelejar: *Batia-se não só pela pátria, mas também por um ideal.* **41.** Sustentar polêmicas ou discussões: *Bate-se desde jovem, pela reforma do ensino.* **42.** Pôr-se de viagem; mandar-se, botar-se: "Heloísa bateu-se de São Paulo, veio passar dois meses comigo" (Laura Rodrigo Otávio, *Elos de uma Corrente*, p. 164). [Pres. ind.: *bato, ... batemos, bateis, batem.* Cf. *batéis*, pl. de *batel.*] ◆ **Não bater bem.** *Bras.* Não regular (10); ser ruim da bola.

bateria. [Do fr. *batterie.*] *S. f.* **1.** Fortificação com peças assestadas. **2.** Conjunto dos utensílios de cozinha. **3.** *Eletr.* Conjunto de acumuladores ou de pilhas elétricos associados em série ou em paralelo, com o fim de produzir uma diferença de potencial maior, no primeiro caso, ou maior durabilidade, no segundo; acumulador. **4.** *Eletr.* Pilha eletroquímica. **5.** *Eletr.* Qualquer conjunto de componentes elétricos iguais, associados para a obtenção de um efeito aditivo de suas propriedades; *bateria de condensadores.* **6.** *Mil.* Unidade tática elementar de um corpo de artilharia. **7.** *Bras. Mar. G.* Conjunto de canhões de características idênticas (bateria de grosso calibre, bateria de médio calibre, etc.) ou de idêntica finalidade (bateria antiaérea), instalados a bordo de um navio de guerra. [Var. (lus.): *bataria.*]. **8.** *Mús.* O conjunto dos instrumentos de percussão de uma orquestra, de uma banda, etc. **9.** *P. ext.* Conjunto articulado de bombo, pratos, caixa e vassourinha, etc., tocados por um só músico. **10.** *Bras.* Ritmo (8). **11.** *Bras.* O conjunto dos músicos executantes de cada um dos instrumentos da bateria (10): *A bateria da escola de* *samba desfilou, impecavelmente.* **12.** *Bras.* Rosário de bombas que se queima em festas de igreja. **13.** *Bras. N.* Processo empregado pelos seringueiros para extrair o látex, utilizando uma ordem dupla de tigelas. ◆ **Bateria primária.** *Fís.-Quím.* Aquela em que a produção de energia elétrica resulta de reações químicas irreversíveis, e que não pode ser carregada de eletricidade como um acumulador. **Bateria secundária.** *Fís.-Quím.* Acumulador (3). **Romper as baterias.** *Fig.* Dar começo a uma campanha, a uma polêmica, a manifestações de hostilidade: *Perdeu a calma, e r o m p e u a s b a t e r i a s contra os seus detratores.*

baterista. *S. 2 g. Bras.* **1.** Pessoa que toca bateria (8 e 9); ritmista. **2.** Ritmista (2).

bate-saco. [De *bater* + *saco* (13).] *S. m. Bras. Chulo.* O ato sexual; cópula, coito. [Pl.: *bate-sacos.*]

batetê. [Talvez do ioruba.] *S. m. Bras., BA.* Inhame cru com azeite e sal.

bate-testa. [De *bater* + *testa.*] *S. m. Bras.* Timbó-do-rio-de-janeiro. [Pl.: *bate-testas.*]

bate-virilha. [De *bater* + *virilha.*] *S. m. Bras., SP. Chulo:* Contato sexual; coito. [Pl.: *bate-virilhas.*]

▲**bati-.** [Do gr. *bathys, eîa, ý.*] *El. comp.* = 'profundo': *batiplancto, batisfera.*

batial. [Do gr. *bati-* + *-al.*] *Adj. (f) Geol.* Diz-se da zona marinha compreendida entre 200 e 2.000 m de profundidade.

batianestesia. [De *bat-* + *anestesia.*] *S. f. Med.* Perda da sensibilidade profunda.

batianestésico. *Adj.* Relativo à batianestesia.

batibarba. [De *bater* + *barba.*] *S. m.* **1.** Pancada com a mão por baixo da barba. **2.** V. *bate-boca.* (2). **3.** *Fig.* Repreensão grosseira.

batição. *S. f. Bras., N.* V. *moponga.*

baticardia. [De *bati-* + *-cardia.*] *S. f. Med.* Localização demasiado baixa do coração, decorrente de condições anatômicas, e não patológicas.

baticárdico. *Adj.* Relativo à baticardia.

baticola. *Bras. S. 2 g.* **1.** Indivíduo dos baticolas, tribo indígena cainguá do S. ● *Adj. 2 g.* **2.** Pertencente ou relativo a essa tribo.

baticum. [De *bater.*]. *S. m.* **1.** *Bras.* Ruído de sapateados e palmas, como nos batuques. **2.** *P. ext.* Sucessão de marteladas. **3.** *Bras. Pop.* Pulsação forte do coração e das artérias. **4.** *Bras. AM.* Barulho provocado pela queda de um corpo pesado na água. **5.** *Bras. N.E.* Discussão acalorada; altercação. **6.** *Bras., N.E.* Falatório, falario. [Cf. *bate-cu.*]

batida. *S. f.* **1.** Ato ou efeito de bater; batido, batimento. **2.** V. *repreensão* (1). **3.** V. *montaria*[1] (2). **4.** Exploração do campo, do terreno. **5.** *Teat.* No desenrolar da intriga de uma peça, cada uma das marcações que antecedem imediatamente o desencadear de um processo contínuo de intensificação ou de declínio das ações e intenções dos atores. **6.** *Bras.* Colisão de veículo(s). **7.** *Bras.* Diligência policial feita em locais considerados suspeitos. **8.** *Bras.* Bebida preparada com cachaça, açúcar e outro ingrediente, em geral suco de fruta, misturados como coquetel. **9.** *Bras.* Gemada. **10.** *Bras.* Ato de bater (37). **11.** *Bras. N.E.* Trilha aberta na mata. **12.** *Bras., N.* e *N.E.* Rastro, pista. **13.** *Bras., N.* e *N.E.* Rapadura esbranquiçada, perfumada com erva-doce ou cravo-da-índia. **14.** *Bras., RS.* Briga de galos, durante o seu treinamento, realizada para se aquilatar o valor de um deles, ou de ambos. ◆ **De batida.** Às pressas, à pressa; apressadamente.

batidácea. *S. f.* Espécime das batidáceas.

batidáceas. *S. f. pl. Bot.* Pequena família de plantas marítimas englobadas numa única espécie, *Batis maritima*, que é um arbusto dióico com folhas opostas e flores em espiga, o qual habita o litoral dos países tropicais americanos.

batidáceo. *Adj.* Pertencente ou relativo às batidáceas.

batidale. *S. f.* Espécime das batidales.

batidales. *S. f. pl. Bot.* Ordem a que pertence a família das batidáceas.

batido. [Part. de *bater.*] *Adj.* **1.** Espancado, sovado, socado. **2.** Comprimido, calcado: *terra b a t i d a.* **3.** Envelhecido, gasto. **4.** Que foi amoedado ou cunhado: *moeda b a t i d a.* **5.** Derrotado, vencido. **6.** Vulgar, cediço. **7.** Usado em demasia: *um vestido b a t i d o.* **8.** Diz-se de mulher cujo busto tem pouco relevo. ~ V. *fandango* — e *ferro* —. ● *S. m.* **9.** V. *batida* (1): "Ouvia mentalmente o longo b a t i d o das porteiras, ecoando na Serra do Ouro ou se alongando pelas várzeas." (A. J. de Mendonça Júnior, *O Anel de Brilhante, e Outras Estórias*, p. 38.) **10.** *Bras. MA.* Tecido para redes. **11.** *Bras., BA.* Ato de bater o cascalho para tirar-lhe a areia, no serviço de leito de rio.

batimento. *S. m.* **1.** V. *batida* (1). **2.** Choque impetuoso; embate. **3.** *Med.* Pulsação (2). **4.** *Fís.* Superposição de duas ondas em que se produz uma variação periódica da amplitude com uma freqüência igual à diferença entre as freqüências das ondas iniciais. ◆ **Batimento de arrebentação.** *Ocean. Fís.* Flutuação de longo período (vários minutos) da arrebentação na praia, produzida pela chegada de grupos de onda.

batimetria. [De *bati* + *-metr(o)-* + *-ia.*] *S. f.* **1.** *Ocean. Fís.* Determinação do relevo do fundo de uma área oceânica, ou lacustre, fluvial, etc. **2.** Representação gráfica desse relevo.

batimétrico. *Adj.* Relativo à batimetria, ou ao batímetro.

batímetro. [De *bati-* + *-metro*[2].] *S. m.* Instrumento com que se efetua a batimetria (1).

batina. [De *abatina* (q. v.), por aférese.] *S. f.* **1.** Veste talar dos abades, padres e estudantes de algumas escolas; loba. **2.** *Pop.* A vida religiosa. ● *S. m.* **3.** *Bras. Pop.* Padre.

batinga. [Do tupi *ïwá*, 'fruto' + *tïga*, 'branco'.] *S. f. Bras.* Arbusto da família das mirtáceas (*Eugenia durissima*), cuja madeira é usada em construções.

batinguacá. [Do tupi *ïwá*, 'fruto', + *-tinga* + *kaá*, 'erva'.] *S. f. Bras.* Certa árvore.

batiplancto. [De *bati-* + *plancto.*] *S. m.* Plancto de origem animal encontrado em águas oceânicas médias e profundas; batiplâncton.

batiplâncton. *S. m.* Batiplancto.

batiputá. [Var. de *jabutapitá*, do tupi *ïbotï.* 'flor', + *apï'tá*, 'feixe', 'amarrado'.] *S. m. Bras., CE* a *SP.* Arbusto da família das ocnáceas (*Ouratea parviflora*), de flores amarelas, frutos drupáceos, folhas estomáquicas, amargas e tônicas, e de cujas sementes se extrai a manteiga de batiputá, óleo empregado na medicina popular; jabutapitá.

batique. [Do malaio *batik.*] *S. m.* **1.** Processo manual de impressão de tecido, oriundo da Indonésia. **2.** O tecido estampado por esse processo.

batiscafo. *S. m. Ocean. Fís.* Pequeno submarino capaz de imergir a grandes profundidades (mais de 500 m e até 12.000 m), e destinado a levar cientistas para observações científicas. [É sustentado pela flutuabilidade de um líquido mais leve que a água do mar, e afundado por lastro sólido, e tem, normalmente, pequena capacidade de movimento horizontal.]

batisfera. [De *bati-* + *-sfera.*] *S. f.* Esfera de 1,45m de diâmetro, presa a um cabo, dentro da qual pode o homem ir a grandes profundidades na exploração do fundo do mar.

batisférico. *Adj.* Relativo à batisfera.

batismal. *Adj. 2 g.* Relativo a batismo. ~ V. *pia*—.

batismo. [Do gr. *baptismós*, 'mergulho', pelo lat. *baptismu.*] *S. m.* **1.** *Rel.* Sacramento da Igreja Católica Apostólica Romana, no qual a ablução, a imersão ou a simples aspersão com água significa um renascer espiritual, com purificação de todas as culpas e pecados. **2.** Administração desse sacramento. [Sin., nesta acepç.: *batizado* e, p. us., *batizamento.*] **3.** Iniciação religiosa. **4.** Admissão solene a uma seita religiosa. **5.** Ato de dar nome a uma pessoa ou coisa. **6.** Ablução; imersão. **7.** Adulteração do vinho ou do leite pela adição de água. **8.** Cerimônia de lançamento de navio, avião, etc., em que são benzidos solenemente, após o quê, em geral, se quebra de encontro a eles uma garrafa de champanha. **9.** *Bras. Cap.* Cerimônia de iniciação dos que aprenderam os principais movimentos da capoeira, realizada publicamente, e na qual os alunos atacam os mestres ou capoeiristas antigos, fazendo a demonstração dos golpes. ◆ **Batismo de fogo. 1.** A primeira campanha em que um militar toma parte: *Os pracinhas da F.E.B. tiveram o seu b a t i s m o d e f o g o n a Itália.* **2.** O primeiro ferimento de guerra. **Batismo de linha.** *Mar.* Cerimônia tradicional que consiste em fazer mergulhar numa piscina, ou num tanque improvisado a bordo, os que cruzam pela primeira vez o equador; batismo de mar. **Batismo de mar.** *Mar.* Batismo de linha. **Batismo de sangue.** Martírio dos catecúmenos.

batissela. [De *bater* + *sela.*] *S. m.* Mau cavaleiro.

batista[1]**.** [Do gr. *baptistés*, pelo lat. *baptista.*] *S. m.* **1.** Aquele que batiza. **2.** *Restr.* Antonomásia de S. João, que batizou Cristo. ● *S. 2 g.* **3.** Indivíduo da seita dos batistas, na qual o batismo só é ministrado aos adultos. ● *Adj. 2 g.* **4.** Relativo aos batistas.

batista[2]**.** [Do fr. *batiste.*] *S. f.* Certo tecido de cambraia: "Era um lenço novo, de fina b a t i s t a, ainda engomado." (José Rodrigues Miguéis, *Léah e Outras Histórias*, p. 234.)

batistério. [Do gr. *baptistérion*, pelo lat. *baptisteriu.*] *S. m.* **1.** Lugar onde se acha a pia batismal. **2.** *Bras. Pop.* Certidão de batismo.

batité. [Do tupi *aba'ti*, 'milho', + *e'tê*, 'verdadeiro'.] *S. m. Bras.* V. *catete.*

batizado. [Part. de *batizar.*] *Adj.* **1.** A quem se administrou o batismo: *criança b a t i z a d a.* **2.** *Fig.* Diz-se de certos líquidos, especialmente o leite, adulterados pela adição de água ou de outro líquido. ● *S. m.* **3.** V. *batismo* (2). **4.** Festa com que se celebra o batismo.

batizamento. *S. m. P. us.* V. *batismo* (2).

batizando. *S. m.* Aquele que vai ser batizado.

batizante. *Adj. 2 g.* Que batiza.

batizar. [Do gr. *baptízo*, pelo lat. *baptizare.*] *V. t. d.* **1.** Administrar o batismo a. **2.** Pôr nome, alcunha ou epíteto a. **3.** Adulterar (certos líquidos) adicionando-lhes água ou outro líquido: *b a t i z a r o leite.* **4.** Oferecer o primeiro lanço no leilão de. **5.** Benzer solenemente (algum objeto de uso profano). **6.** Proceder ao batismo (8) de: *b a t i z a r um navio, um avião.*] *T. d. e i.* **7.** Nomear, denominar: *B a t i z a r a m a escola poética com o nome de parnasianismo. Transobj.* **8.** Apelidar, alcunhar: *Por ser dentista de profissão, b a t i z a r a m-no Tiradentes.*

bato. [Da 1ª pess. sing. do pres. ind. de *bater.*] *S. m.* Jogo infantil em que se manejam cinco pedrinhas.

▲**bato-**[1]**.** [Do gr. *báthos, eos-ous.*] *El. comp.* = 'profundidade': *batografia, batólito, batômetro.*

▲**bato-**[2]**.** [Do gr. *batto-.*] *El. comp.* = 'repetição de palavras': *batologia.*

batoca. *S. f. Lus.* Casta de uva.

batocaço. *S. m. Bras., S.* Golpe desferido pelo galo com os batoques.

batocada. [De *batoque* + *-ada*[1].] *S. f. Bras., N.E.* **1.** Prejuízo vultoso. **2.** Despesa grande e inesperada. [Cf. *batucada.*]

batocar. *V. t. d.* **1.** Pôr batoque (1) em. **2.** Fechar com batoque (2). [Conjug.: v. *trancar.* Cf. *batucar.*]

batocromo. [De *bato-*[1] + *-cromo.*] *S. m. Quím.* Grupamento de átomos que, introduzido numa molécula portadora de um grupo cromóforo, provoca um deslocamento das bandas de absorção para regiões de maior comprimento de onda.

batografia. [De *bato-*[1] + *-graf(o)-* + *-ia.*] *S. f. Geogr.* Estudo descritivo do relevo submarino.

batográfico. *Adj.* Relativo à batografia.

batóideo. *S. m.* e *adj.* V. *hipotremado.*

batóideos. *S. m. pl. Zool.* V. *hipotremados.*

batólito. [De *bato-*[1] + *-lito.*] *S. m. Geol.* Grandes corpos de rochas plutônicas contínuas na profundidade, e portanto sem embasamento, em geral com mais de 100 km^2 de extensão.

batologia. [De *bato-*[2] + *-log(o)-* + *-ia.*] *S. f.* Repetição inútil de uma palavra, frase ou pensamento.

batológico. *Adj.* Relativo à batologia.

batom. [Do fr. *bâton.*] *S. m.* **1.** Cosmético em forma de pequeno bastão, geralmente em diversos tons de vermelho, que serve para colorir os lábios. **2.** *Bras., RJ.* Pênis de tamanho reduzido.

batometria. [De *bato-*[1] + *-metr(o)-*[2] + *-ia.*] *S. f. Desus.* Batimetria.

batométrico. *Adj. Desus.* Batimétrico.

batômetro. [De *bato-*[1] + *-metro.*] *S. m. Desus.* Batímetro.

batoque. *S. m.* **1.** Boca ou buraco no bojo de pipas, tonéis, etc.; gargaleira. **2.** A rolha que a veda. **3.** *Fam.* Homem atarracado. **4.** Sinal circular na orelha das reses. **5.** *Bras.* Botoque. [q. v.] **6.** Indivíduo de baixa estatura. **7.** *Bras., S.* Esporões do galo, quando ainda não desenvolvidos ou quando rombudos. **8.** *Bras., S.* Aparelho de proteção que se põe nos galos para lhes proteger os esporões ou batoques. **9.** Pequeno carretel em torno do qual se enrola um filme cinematográfico.

batoqueira. [De *batoque* + *-eira.*] *S. f. Bras., N.E.* Trilha na caatinga.

batoré. [De or. indígena.] *Adj. 2 g.* e *s. 2 g. Bras., N.E.* V. *baé*[1].

batota[1]**.** *S. f.* **1.** Trapaça no jogo. **2.** Casa de jogo. **3.** Certo jogo de azar. **4.** V. *logro* (2).

batota[2]**.** *S. f. Bras.* Certo peixe marítimo.

batotar. *V. int.* **1.** Fazer batota[1] (1). **2.** Jogar batota[1] (3). [F. paral.: *batotear.*]

batotear. *V. int.* Batotar. [Conjug.: v. *frear.*]

batoteiro. *Adj.* e *s. m.* **1.** Que ou aquele que faz batota[1] (1); patoteiro. **2.** Que ou aquele que freqüenta assiduamente os jogos de azar.

batrácio. *S. m.* V. *batráquio.*

▲**batrac(o)-.** [Do gr. *bátrachos, ou.*] *El. comp.* = 'rã', 'batráquio': *batracóide, batracofobia.*

batracóide. [De *batrac(o)-* + *-óide.*] *Adj. 2 g.* Relativo ou semelhante à rã.

batracoidídeo. *S. m.* **1.** Espécime dos batracoidídeos. ● *Adj.* **2.** Pertencente ou relativo a eles.

batracoidídeos. *S. m. pl. Zool.* Família de peixes teleósteos de pequeno porte, pele viscosa, que vivem em grandes profundidades, nos mares quentes. A espécie tipo (*Batrachus greeniens*), do mar das Antilhas, é conhecida pelo ruído que faz movimentando os opérculos.

batráquio. [De *batrac(o)-* + *-io*] *S. m.* e *adj.* V. *anuro.*

batráquios. *S. m. pl. Zool.* V. *anuros.*

batucada. [De *batucar.*] *S. f. Bras.* **1.** Ato ou efeito de batucar; batuque. **2.** Ritmo ou canção do batuque. **2.** Reunião popular, geralmente nas ruas, onde se toca o samba em instrumentos de percussão, com acompanhamento vocal ou sem ele. **4.** Batuque (2). [Cf. *batocada.*]

batucador (ô). [De *batucar* (4) + *-(d)or.*] *S. m. Bras.* Mau tocador de piano.

batucajé. [De or. afr.; talvez de *batuque.*] *S. m. Bras., BA.* **1.** Dança profana ao som de tambores. **2.** O ruído produzido pelo toque dos atabaques.

batucar. [De *batuque* + *-ar*^{2}.] *V. int.* **1.** Dançar e cantar o batuque (1). **2.** Fazer barulho ritmado com pancadas. **3.** Bater repetidamente com força; martelar **4.** *Bras.* Tocar piano mal. *T. d.* **5.** *Bras.* Dar o ritmo de, percutindo: *Batucava um samba na caixa de fósforos;* "começou a *batucar* um ritmo estranho com os dedos, na ponta da mesa." (Marisa Raja Gabaglia, *Milho pra Galinha, Mariquinha*, p. 11). **6.** Tocar (música popular ritmada) ao piano: *O pianista da boate batucava um maxixe.* [Conjug.: v. *trancar.* Cf. *batocar.*]

batueira. *S. f. Bras.* V. *batuera.*

batuera (ê). [Do tupi *aba'ti*, 'milho', + *mera*, 'que foi'.] *S. f. Bras.* Sabugo de milho; tamboera, tamboeira. [Var.: *batueira.*]

batuíra. [Do tupi *mba'é*, 'coisa', + *tu'ira*, 'parda'.] *S. f. Bras. Pop.* **1.** V. *agachada* (9). **2.** V. *maçarico (4).* **3.** V. *maçarico-de-coleira.*

batuíra-do-campo. *S. f. Bras.* **1.** Ave caradriiforme, da família dos caradriídeos (*pluvialis dominica* (Mül.)), que procria nas terras árticas da América setentrional, de onde anualmente emigra para o S. até a Argentina, com ocorrência nos campos e margens de rios do interior do Brasil. Coloração pardo-enegrecida pintada de amarelo, cauda e rêmiges da mão pardas, e parte inferior parda misturada de branco. No verão o meio do abdome fica preto. **2.** Ave caradriiforme, da família dos escolopacídeos (*Bartramia longicauda* (Bech.)), de coloração preta, cabeça com estria amarela no meio, garganta branca, peito amarelo-avermelhado pintado de preto. [Sin. ger.: *batuiruçu.* Cf. *maçarico* (4). Pl.: *batuíras-do-campo.*]

batuíra-do-mar-grosso. *S. f. Bras.* V. *pirupiru.* [Pl.: *batuíras-do-mar-grosso.*]

batuirão (u-i). [Aum. de *batuíra.*] *S. m. Bras.* V. *narcejão.*

batuirinha (u-i). [Dim. de *batuíra.*] *S. f. Bras.* **1.** Maçarico-pequeno. **2.** Ave caradriiforme, da família dos escolopacídeos (*Actilis macularia* (L.)), de coloração pardo-esverdeada clara, coberteiras das asas listradas de escuro, rêmiges da mão pardo-escuras, e parte inferior branca.

batuiruçu (u-i). [De *batuíra* + *açu.*] *S. f. Bras., SP. V. batuíra-do-campo.*

batuituí (u-ituí). *S. m. Bras.* V. *maçarico-de-coleira.*

batum. *Bras. S. 2 g.* e *adj. 2 g.* Batuno.

batumado. [Var. de *betumado.*] *Adj. Bras.* V. *encarapinhado.*

batume. [Var. de *betume.*] *S. m. Bras.* Parede de cera feita pelas abelhas.

batuno. *Bras. S. m.* **1.** Indivíduo dos batunos, tribo indígena extinta, de MG. ● *Adj.* **2.** Pertencente ou relativo a essa tribo. [F. paral.: *batum.*]

batuque. [De *bater.*] *S. m.* **1.** Designação comum a certas danças afro-brasileiras acompanhadas de cantigas e de instrumentos de percussão: "Entrou na roda do *batuque* e bailou e cantou toda a noite." (Castro Soromenho, *Rajada e Outras Histórias*, p. 92.) **2.** Baile popular ao som de instrumentos de percussão; batucada. **3.** Batucada (1). **4.** O ato de bater repetidamente, de martelar, de fazer barulho. **5.** *Bras., BA. Cap.* V. *pernada* (7). **6.** *Bras. RS.* Pará.

batuque-boi. *S. m. Bras. Cap.* V. *pernada* (7). [Pl.: *batuques-bois* e *batuques-boi.*]

batuqueiro. *S. m. Bras.* **1.** Freqüentador de batuques. **2.** Aquele que dança batuques. **3.** *Bras.* Ave passeriforme da família dos fringilídeos (*Saltador atricollis* Vieil.), do C.O. e N.E. do Brasil, de coloração verde-azeitonada no dorso, mais clara na parte inferior, e com algumas estrias pretas que ornam a cabeça. Diferencia-se das outras espécies por ter o pescoço anterior preto e bico muito forte. **4.** *Bras., BA. Cap.* Aquele que pratica batuque (3).

batuquira. [Do tupi amazonense, decerto.] *S. m. Bras., Amaz.* V. *japacanim* (2).

baturiteense. (èên). *Adj. 2 g.* **1.** De, ou pertencente ou relativo a Baturité (CE). ● *S. 2 g.* **2.** Natural ou habitante de Baturité.

batuta. [Do it. *battuta.*] *S. f.* **1.** Bastão delgado e leve, de uns 50 cm de comprimento, com que os maestros regem as orquestras: "O regente olhou para todos os músicos, demorou-se um instante e depois, descrevendo com a *batuta* um quarto de circunferência, fez sinal às rabecas, que logo começaram tocando muito piano, em uníssono." (D. João da Câmara, *Contos*, p. 84.) ● *S. 2 g.* **2.** *Bras.* V. *valentão* (3). ● *Adj. 2 g.* **3.** V. *valentão* (1).

batuté. *Bras. S. 2 g.* **1.** Indivíduo dos batutés, tribo indígena do CE. ● *Adj. 2 g.* **2.** Pertencente ou relativo a essa tribo.

batuvira. [De possível or. tupi.] *S. m. Bras.* V. *anta*^{2} (1).

baú^{1}. [Do ant. fr. *baiul*, atualmente *bahut.*] *S. m.* **1.** Caixa ou mala, de folha ou de madeira (e neste caso, em geral, recoberta de couro), com tampa geralmente convexa. **2.** *Tip.* Arco (13). **3.** *Bras. Gír.* Pessoa riquíssima: *Tem dinheiro que não se acaba — é um baú; Casou-se com o maior baú da cidade.* ◆ **Não ser baú.** *Fam.* Não guardar, ou não sentir-se obrigado a guardar, segredo de ninguém.

baú^{2}. [F. red. de *siri-baú.*] *S. m. Bras.* Espécie de crustáceo decápode, braquiúro, calapídeo (*Hepatus princeps* (Herbst)), de coloração cinzenta com máculas avermelhadas, por vezes confluentes, carapaça oval, pinças achatadas.

bauá. [T. onom.] *S. f. Bras., N.E.* V. *guaxe* (1).

bauaçu. *S. f. Bras.* V. *babaçu.*

bauana (ba-u). *Bras. S. 2 g.* **1.** Indivíduo dos bauanas, tribo indígena aruaque do AM. ● *Adj. 2 g.* **2.** Pertencente ou relativo a essa tribo.

baud (bô). *S. m. Proc. Dados.* Unidade de velocidade de fluxo de informações, igual a uma velocidade de fluxo de um elemento codificado por segundo.

baudelairiano (bô-de-lè). *Adj.* Pertencente ou relativo a, ou próprio de Charles Baudelaire, poeta francês (1821-1867).

bauhaus. [Al., de *der Bau*, 'o edifício', + *das Haus*, 'a casa'.] *Adj. 2 g.* e *2 n.* De, ou pertencente ou relativo ao Bauhaus, escola de arquitetura e artes decorativas fundada na Alemanha em 1919 e extinta em 1932, cujo ensino valorizava o funcionalismo (3) e as pesquisas no campo das diferentes artes, e cuja influência foi marcante entre arquitetos e artistas de vanguarda.

baul (a-ul). *S. m. Ant.* Baú.

bauleiro (a-u). [De *baul* + *-eiro.*] *S. m.* Fabricante ou vendedor de baús.

baúna. [De possível or. tupi.] *Bras. S. f.* **1.** Peixe teleósteo, percomorfo, da família dos lutjanídeos (*Lutjanus jocu* (Sch.)), distribuído das Antilhas ao N. do Brasil, de dorso oliváceo, abdome pálido a vermelho-cobre, nadadeiras amarelas, com tons alaranjados e dourados, nadadeira peitoral vermelho-escura. Freqüenta canais que circundam os mangues em PE. [Sin.: *baúna-de-fogo, baúna-do-alto, baúna-fogo.*] ● *S. 2 g.* **2.** Indivíduo dos baúnas, tribo indígena, das cabeceiras do rio Papuri (AM). ● *Adj. 2 g.* **3.** *Bras.* Pertencente ou relativo a essa tribo.

baúna-de-fogo. *S. f. Bras., PE.* V. *baúna* (1). [Pl.: *baúnas-de-fogo.*]

baúna-do-alto. *S. f. Bras., PE.* V. *baúna* (1). [Pl.: *baúnas-do-alto.*]

baúna-fogo. *S. f. Bras.* V. *baúna* (1). [Pl.: *baúnas-fogo* e *baúnas-fogos.*]

baunilha. [Do ant. *bainilha*, do esp. *vainilla.*] *S. f.* **1.** Planta da família das orquidáceas (*Vanilla planifolia*), muito ornamental, de flores verde-amareladas, e cujo fruto é uma vagem alongada da qual se extrai certa substância usada em confeitaria e perfumaria; baunilheira. **2.** A fava seca dessa planta empregada em confeitaria e pastelaria. **3.** A essência preparada com essa fava, ou produzida sinteticamente: *creme de baunilha.* **4.** *Bras.* Planta da família das orquidáceas (*Vanilla palmarum*), de flores avermelhadas e fruto considerado afrodisíaco. Ocorre no L. e em SP.

baunilha-do-peru. *S. f.* V. *baunilha-dos-jardins.* [Pl.: *baunilhas-do-peru.*]

baunilha-dos-jardins. *S. f. Bras.* Subarbusto da família das boragináceas (*Heliotropium peruvianum*), de flores violáceas, usadas em perfumaria, folhas comestíveis, e que, sucedânea da quinina, se emprega como febrífugo; baunilha-do-peru, flor-de-baunilha. [Pl.: *baunilhas-dos-jardins.*]

baunilha-falsa. *S. f. Bras., SP* e RS. Planta ornamental, da família das orquidáceas (*Maxillaria ricta*), dotada de flores amarelo-creme com manchas roxas. [Pl.: *baunilhas-falsas.*]

baunilhazinha. [Dim. de *baunilha.*] *S. f. Bras., PA.* Planta da família das orquidáceas (*Selenipedium isabelianum*), de folhas lanceoladas e flores amarelo-claras.

baunilheira. *S. f.* Baunilha (1).

baurim. *Bras. S. 2 g.* **1.** Indivíduo dos baurins, tribo indígena mundurucu que habita as margens do rio Tapajós (PA). ● *Adj. 2 g.* **2.** Pertencente ou relativo a essa tribo.

bauruense. *Adj. 2 g.* **1.** De, ou pertencente ou relativo a Bauru (SP). ● *S. 2 g.* **2.** Natural ou habitante de Bauru.

bautismo. *S. m. Ant.* e *pop.* Batismo.

bautizado. *S. m. Ant.* e *pop.* Batizado.

bautizar. *V. t. d., t. d.* e *i.* e *transobj. Ant.* e *pop.* Batizar.

bauxita (cs). [Do top. *Baux* + *-ita*^{3}.] *S. f. Min.* Rocha com a aparência de argila, mas sem plasticidade, constituída essencialmente de hidróxidos de alumínio de mistura com argilas, hidróxidos de ferro, fosfato de alumínio, etc. É o principal minério de alumínio, a matéria-prima para a fabricação de sulfato de alumínio, cimento aluminoso e refratários aluminosos. [É comum a pronúncia *bauxita* (ch).]

bávaro. *Adj.* **1.** Da, ou pertencente ou relativo à Baviera (Alemanha). ● *S. m.* **2.** O natural ou habitante da Baviera. **3.** *Ling.* V. *alemão* (3).

baxá. *S. m.* Paxá: "Este [o Grão-Turco] nomeava e demitia os *baxás*, na qualidade de soberano da cidade e sua província." (Aquilino Ribeiro, *Aventura Maravilhosa*, p. 129.)

baxalato. *S. m.* Paxalato.

baxete (ê). [Dim. de *baxo*, f. ant. e pop. de *baixo.*] *S. m. Bras., N.* e *N.E.* Rapadura pequena. [Cf. *baixete* (ê).]

baxiará. *Bras. S. 2 g.* **1.** Indivíduo dos baxiarás, tribo indígena do rio Juruá (AM). ● *Adj. 2 g.* **2.** Pertencente ou relativo a essa tribo.

bazar. [Do persa *bazar.*] *S. m.* **1.** Nos países do Oriente Médio, mercado ou rua com barracas e lojas. **2.** Loja de comércio de objetos variados, sobretudo quinquilharias, louças, brinquedos. **3.** Loja de comércio de objetos raros, exóticos. **4.** Pavilhão ou barraca, em festas beneficentes, onde se expõem e sorteiam artigos diversos. **5.** Exposição e venda de determinados artigos, especialmente peças artesanais para fins beneficentes. **6.** *Fig.* Cidade ou grande centro comercial; empório.

bazareiro. *S. m.* Mercador de bazar.

bazé. *S. m. Bras.* Fumo de qualidade inferior: "Apanhou o tolete de fumo de rolo, alisou a palha. Nervosamente, picou o *bazé.*" (Nélson de Faria, *Bazé*, p. 110.)

bazófia. [Do it. *bazzoffia.*] *S. f.* **1.** V. *vanglória:* "Não o queria formado em escolas modernas, como o outro, o Vasques, ... e vários outros que saíam dos estudos, dizia, cheios de *bazófia*, com muitas farfalhices modernas, e o doente que lhes caísse nas unhas era defunto." (Camilo Castelo Branco, *Sentimentalismo e História*, p. 189.) **2.** V. *fanfarrice.* **3.** Guisado feito com sobras de comida. [Cf. *bazofia*, do v. *bazofiar.*]

bazofiador (ô). *Adj.* e *s. m.* Que ou aquele que bazofia; fanfarrão.

bazofiar. *V. int.* **1.** Mostrar bazófia; ostentar, fanfarrear, blasonar. *T. i.* **2.** Jactar-se, vangloriar-se; blasonar: *bazofiar de façanhas imaginárias. T. d.* **3.** Alardear, gabar-se de: *Gosta de bazofiar virtudes que não tem.* [Pres. ind.: *bazofio, bazofias, bazofia*, etc. Cf. *bazófio* e *bazófia.*]

bazófio. *Adj.* **1.** Que tem bazófia. V. *fanfarrão* (1). **2.** Em que há, ou que revela bazófia: *atitude bazófia.* ● *S. m.* **3.** Aquele que tem bazófia. V. *fanfarrão* (2). [Fem.: *bazófia.* Cf. *bazofio* e *bazofia*, do v. *bazofiar.*]

bazuca. [Do ingl. *bazooka.*] *S. f.* Arma antitanque, posta em uso na II Guerra Mundial, operada por duas pessoas, e constituída por um tubo em que se provoca o acendimento e orientação do início da trajetória de uma granada-foguete.

bazulaque. *S. m.* **1.** V. *badulaque* (1 e 2). **2.** *P. us.* Cosmético. **3.** Pessoa gorda e baixa. [Cf. (nessa acepç.) *buzarate* (1).] **4.** *Bras.* Doce de coco ralado e mel. ∼ V. *bazulaques.*

bazulaques. [Pl. de *bazulaque.*] *S. m. pl.* V. *badulaques* (1). ∼ V. *bazulaque.*

■ **BB.** *Mar.* Abrev. de *bombordo.*

■ **B.C.G.** *S. m. Med.* Sigla de bacilo de Calmette e Guérin, empregado como vacinação contra a tuberculose e a lepra, e como imunoterapia contra outras condições mórbidas, como tumores malignos.

▲**bdel(a)-.** [Do gr. *bdélla*, *es.*] *El. comp.* = 'sanguessuga'; 'sugar (o sangue)'; 'goma': *bdelóideo.* [Equiv.: *-bdela* e *bdelo-*: *acantobdela; bdelômetro.*]

▲**-bdela.** V. *bdel(a)-.*

bdélio. [Do gr. *bdélion*, pelo lat. *bdeliu.*] *S. m.* **1.** Goma-resina semelhante à mirra, extraída de várias árvores burseráceas do gênero *Commiphora*. **2.** *Quím.* Material ceroso, avermelhado, de cheiro agradável, obtido como exsudação da *Balsomodendron africanum*, usado em perfumaria.

▲**bdelo-.** V. *bdel(a)-*.

bdelóideo. *S. m.* **1.** Espécime dos bdelóideos. ● *Adj.* **2.** Pertencente ou relativo a eles.

bdelóideos. *S. m. pl. Zool.* Animais asquelmintos rotíferos, ordem *Bdelloidea*, providos de até quatro dedos; glândulas do pé numerosas; antenas laterais ausentes; dois ovários; machos desconhecidos. Movem-se como sanguessugas.

bdelômetro. [De *bdelo-* + *-metro.*] *S. m.* Instrumento para sugar o sangue, e que permite calcular a quantidade extraída e regular a emissão.

bdelonemertino. *S. m.* **1.** Espécime dos bdelonemertinos. ● *Adj.* **2.** Pertencente ou relativo a eles. [Sin. ger.: *mesonemertino.*]

bdelonemertinos. *S. m. pl. Zool.* Animais nemertinos enoplos, da ordem *Bdellonemertini*. Probóscida sem estiletes; intestino sinuoso, sem divertículos. Parasitos no manto de moluscos marinhos. [Sin.: *mesonemertinos.*]

■**Be.** *Quím.* Símb. de *berílio*.

■**BE.** *Bras. Mar.* Abrev. de *boreste*.

bê. *S. m.* Nome da letra *b*. [Pl.: *bês* ou *bb*. Cf. *b.*]

bê-á-bá. *S. m.* **1.** Abecedário. **2.** *Fig.* As noções preliminares de algum assunto. [Pl.: *bê-á-bás.*]

bearnês. *Adj.* **1.** Do, ou pertencente ou relativo ao Bearn (França). ● *S. m.* **2.** O natural ou habitante do Bearn. [Flex.: *bearnesa (ê), bearneses (ê), bearnesas (ê).*]

beata[1]. [Do lat. *beata*. fem. de *beatu.*] *S. f.* **1.** Mulher que se dedica em excesso às práticas religiosas; beguina. **2.** Mulher que finge devoção. **3.** Mulher a quem foi concedida a beatificação.

beata[2]. *S. f. Pop.* **1.** V. *guimba*. **2.** *Restr.* Guimba de cigarro de maconha.

beata[3]. *S. f. Lus. Pop.* Moeda de cinco réis.

beatão. *S. m.* **1.** V. *beato[2]* (4). **2.** Hipócrita; santarrão. [Fem.: *beatona.*]

beataria. *S. f.* **1.** Multidão de beatas [v. *beata[1]* (1 e 2)] e/ou beatos [v. *beato[2]* (5)]; beatério. **2.** V. *beatice*.

beateiro. *Adj.* e *s. m.* Que ou aquele que convive com beatos [v. *beato[2]* (4)] e beatas [v. *beata[1]* (1 e 2)].

beatério. *S. m.* **1.** V. *beataria* (1). **2.** Práticas ou devoções de pessoas beatas. **3.** Sistema ou partido que sustenta a posição religiosa, ou a opinião de pessoas excessivamente devotas. V. *beatice*.

beatice. *S. f.* Devoção afetada e fingida; hipocrisia religiosa; beataria, beatério.

beatificação. *S. f.* **1.** Ato ou efeito de beatificar(-se). **2.** Inclusão, pela autoridade pontifícia, de uma pessoa falecida, de reconhecidas virtudes, no rol dos bem-aventurados. **3.** A cerimônia eclesiástica na qual o Papa, assistido do colégio dos cardeais, torna público esse ato. [Cf. *canonização* (2 e 3).]

beatificado. [Part. de *beatificar.*] *Adj.* **1.** V. *bem-aventurado* (1 e 2). **2.** *Teol.* Que recebeu a beatificação (2 e 3).

beatificador (ô). *Adj.* e *s. m.* Que, ou aquele que beatifica.

beatificar. [Do lat. *beatificare.*] *V. t. d.* **1.** Declarar ou conceder (o Papa) que um filho da Igreja seja venerado embora com determinadas restrições: *A Igreja beatificou o Padre José de Anchieta.* [Cf., nesta acepç., *canonização.*] **2.** Tornar ou declarar beato[2] ou bem-aventurado; conduzir à bem-aventurança. **3.** Tornar feliz: *Ao declarar-lhe que o amava, ela o beatificou.* **4.** Louvar com exagero. *Vive a beatificar o filho.* **5.** Fazer passar por santo, por bom. *P.* **6.** Tornar-se feliz, bem-aventurado. [Conjug.: v. *trancar*. Pres. ind.: *beatifico*, etc. Cf. *beatífico.*]

beatífico. [Do lat. *beatificu*] *Adj.* **1.** Que torna bem-aventurado. **2.** Que produz êxtase, ou dele resulta. [Cf. *beatifico*, do v. *beatificar.*]

beatinha. [Dim. de *beata[1]*.] *S. f. Bras., PE. V. mangangá* (1).

beatíssimo. [Do lat. *beatissimu.*] *Adj.* **1.** Superl. de *beato[2]* (1 e 2). **2.** Tratamento dado ao Papa[1] (1).

beatitude. [Do lat. *beatitudine.*] *S. f.* **1.** Felicidade eterna e suprema; bem-aventurança. **2.** Gozo de alma dos que se absorvem em contemplações místicas. **3.** Felicidade tranqüila e serena; bem-estar. ♦ **Vossa Beatitude.** Tratamento honorífico dado ao Papa[1] (1). [V. *majestade.*]

beato[1]. *S. m. Bras.* Fio que se destrama dos tecidos.

beato[2]. [Do lat. *beatu.*] *Adj.* **1.** V. *bem-aventurado* (1 e 2). **2.** Excessivamente devoto; fanático. ● *S. m.* **3.** Aquele que foi beatificado pela Igreja Católica: *o Beato José de Anchieta.* **4.** Homem muito devoto. [Aum. deprec. (nesta acepç.): *beatão* e *beatorro.*]

beatona. *S. f.* Fem. de *beatão*.

beatorro (ô). *S. m.* V. *beato[2]* (4).

beatriz. [Alter. de *beatinha.*] *S. f. Bras.* V. *mangangá* (1).

beba (ê). [Dev. de *beber.*] *S. f. Bras., PE. Pop.* V. *bebedeira* (1).

bebaça. [De *bêbado.*] *S. m. Bras., PE. Pop.* V. *ébrio* (7).

bebaço. [De *bêbado.*] *S. m. Bras. Pop.* V. *ébrio* (7).

bêbado. *Adj.* e *s. m.* V. *bêbedo*: *"O meu amante morreu bêbado, / E meu marido morreu tísico!"* (Manuel Bandeira, *Estrela da Vida Inteira*, p. 55.)

bebé. *S. m.* Var. pros. de *bebê*. V. *nenê*.

bebê. [Do antr. fr. *Bébé*, nome de famoso anão (1739-1764) da corte de Estanislau Leczynski.] *S. m.* V. *nenê*.

♦ **Bebê de proveta.** *Obst.* O que resulta da gravidez decorrente da colheita de óvulo da mãe e fecundação *in vitro*, portanto fora do organismo materno, com sêmen paterno, sendo o ovo resultante introduzido posteriormente, em época adequada, no útero materno.

bebedeira. *S. f.* **1.** Estado de bêbedo, de quem se embriagou; bebedice, beba, borracheira, bruega, cachaceira, camoeca ou camunheca, cardina, carraspana, carapanta, champurrião, chuva, ema, fogo, ganso, gata, jorna, lequéssia, mela, moafa, mona, perua, piela, pifão, pileque, piteira, porco, porre, prego, pua, rasca, rosca, tachada, tiaporanga, tiorga, trabuzana, tronco, truaca, vinhaça, vinho, xumberga, zangurriana, zangurrina. **2.** Ato de embebedar-se, de embriagar-se.

bebedice. *S. f.* **1.** O vício da embriaguez. **2.** V. *bebedeira* (1).

bêbedo. [Do lat. *bibitu.*] *Adj.* **1.** V. *embriagado* (1). **2.** V. *ébrio* (2). **3.** Atordoado, zonzo, tonto: *Estava bêbedo de sono durante a festa; A pancada na cabeça deixou-a completamente bêbeda.* ● *S. m.* **4.** V. *embriagado* (4). **5.** V. *ébrio* (7). [Var.: *bêbado.*]

bebedoiro. *S. m.* V. *bebedouro*.

bebedor (ô). [Do lat. *bibitore.*] *Adj.* **1.** Que bebe: *É o menino mais bebedor de refrigerantes que eu já vi.* **2.** V. *ébrio* (2). ● *S. m.* **3.** Aquele que bebe: *É grande bebedor de cerveja.* **4.** V. *ébrio* (7). **5.** *Bras., CE.* V. *cacimba[1]* (2).

bebedourense. *Adj. 2 g.* **1.** De, ou pertencente ou relativo a Bebedouro (SP). ● *S. 2 g.* **2.** Natural ou habitante de Bebedouro.

bebedouro. [Var. de *bebedoiro.*] *S. m.* **1.** Designação genérica de diferentes tipos de aparelhos ligados à rede hidráulica de edifícios, que fornecem água a temperatura normal ou gelada, e que permitem beber sem necessidade de copo, muito utilizados em escolas, fábricas, escritórios, lojas, etc. **2.** Vasilha ou tanque onde se põe água para os animais beberem. **3.** *Bras., N.* e *N.E.* Bebida (4).

bebe-em-branco. [De *beber* + *em* + *branco.*] *Adj. 2 g.* e *2 n. Bras.* Diz-se do cavalar de focinho branco.

bebeerina. *S. f.* Beberina [q. v.].

bebeeru. *S. m. Bras.* V. *beberu*.

bebe-gás. [De *beber* + *gás.*] *S. m. Bras., PE. Pop.* V. *chupa-gás*. [Pl.: *bebe-gases.*]

beber. [Do lat. *bibere.*] *V. t. d.* **1.** Engolir (líquido); ingerir: "dava a lição, bebia café" (Raquel de Queirós, *A Donzela e a Moura-Torta*, p. 64); "bebeu um gole de água do copo" (Maria Julieta Drummond de Andrade, *Um Buquê de Alcachofras*, p. 17). **2.** Ingerir o conteúdo de: *Bebeu uma garrafa de uísque.* **3.** Despender ou gastar em bebidas: *Bebeu quase toda a herança paterna.* **4.** Impregnar-se de; absorver; sorver: *A esponja bebeu toda a água;* "Vai beber o pleno ar..." (Manuel Bandeira, *Estrela da Vida Inteira*, p. 22); "Oh! eu quero viver, beber perfumes / Na flor silvestre que embalsama os ares" (Castro Alves, *Obra Completa*, p. 96); "o desejo de estar outra vez com ela, beber-lhe o olhar e o sorriso" (Ciro dos Anjos, *Abdias*, p. 65). **5.** Sofrer, suportar, agüentar: *beber desgostos.* **6.** Receber (conhecimentos): *Estudou anos no seminário, onde bebeu o seu latim. Int.* **7.** Engolir líquidos, em especial bebidas alcoólicas: "Meu pai, que a bordo fora sempre sóbrio, bebia agora imenso, embebedava-se." (Antônio Patrício, *Serão Inquieto*, p. 111); "um bom rapaz que tinha apenas um defeito, mas um grande defeito: bebia." (Artur Azevedo, *Contos fora da Moda*, p. 130). **8.** Embriagar-se. **9.** Ser bêbedo. **10.** *Bras. Autom.* Consumir gasolina, ou outro combustível: *O seu automóvel bebe muito.* [M.-q.-perf.: *bebera* (ê), *beberas* (ê), *bebera* (ê), *bebêramos*, *bebêreis*, *beberam* (ê); fut. subj.: *beber*, *beberes* (ê), ... *beberem* (ê). Cf. *bebera*, *beberas*, *beberamos*, *beberam*, *beberes*, *bebêreis* e *beberem*, do v. *beberar*, e *bêbera*, s. f., pl. *bêberas.*]

bêbera. [Do lat. *bifera*. i. e., *ficus bifera*, 'figueira bífera'.] *S. f.* Variedade de figo temporão, grande, preto e alongado. [Pl.: *bêberas*. Cf. *bebera* (ê), *beberas* (ê), do v. *beber*, e *bebera*, *beberas*, do v. *beberar.*]

beberagem. *S. f.* **1.** Cozimento medicinal. [Sin.; na BA: *mixilanga.*] **2.** Bebida desagradável. **3.** Água enfarelada, para animais.

beberar. *V. t. d. int.* e *p.* V. *abeberar* (1 e 4). [Pres. ind.: *bebero*, *beberas*, *bebera*, *beberamos*, *beberais*, *beberam*; pres. subj.: *bebere*, *beberes*, ... *bebereis*, *beberem*. Cf. *bebera* (ê), *beberas* (ê), *bebêramos*, *bebêreis*, *beberam* (ê), *beberes* (ê) e *beberem* (ê), do v. *beber*, o s. m. pl. *beberes* (ê), e *bêbera*, s. f., pl. *bêberas.*]

bebereira. *S. f.* Figueira que dá bêberas.

beberes (ê). *S. m. pl.* V. *bebes*. [Cf. *beberes*, do v. *beberar.*]

beberete (ê). [De *beber.*] *S. m.* Refeição leve, constituída principalmente de licores e vinhos. [Sin., pop.: *lavadente.*]

beberibense. *Adj. 2 g.* **1.** De, ou pertencente ou relativo a Beberibe (CE e PE). ● *S. 2 g.* **2.** Natural ou habitante de Beberibe.

bebericação. *S. f.* Ato de bebericar. [F. paral.: *beberricação.*]

bebericador (ô). *Adj.* e *s. m.* Que ou aquele que é dado a bebericar. [F. paral.: *beberricador.*]

bebericar. *V. t. d.* **1.** Beber a goles, aos poucos: "pôs-se a bebericar uísque puro" (Dalton Trevisan, *Desastres do Amor*, p. 109). *Int.* **2.** Beber pouco, mas freqüentemente. [F. paral.: *beberricar*. *Conjug.*: v. *trancar.*]

beberina. [Var. de *bebeerina.*] *S. f.* Alcalóide que se extrai do córtex do beberu.

beberrão. [De *beber.*] *Adj.* **1.** Que bebe muito. **2.** V. *ébrio* (2). ● *S. m.* **3.** V. *ébrio* (7) [Fem.: *beberrona.*]

beberraz. [De *beber.*] *Adj.* e *s. m.* V. *ébrio* (2 e 7).

beberrica. [Dev. de *beberricar.*] *S. 2 g. Pop.* Pessoa que bebe com freqüência.

beberricação. *S. f.* Bebericação.

beberricador (ô). *Adj.* e *s. m.* Bebericador.

beberricar. *V. t. d.* e *int.* Bebericar: "Amelinha beberricou o seu cálice de licor" (Aluísio Azevedo, *Casa de Pensão*, p. 119); "entrou pelas casas dos velhos conhecidos, a beberricar e a cantar" (Xavier Marques, *Jana e Joel*, p. 50). [Conjug.: v. *trancar.*]

beberrona. *Adj. (f.)* e *s. f.* Fem. de *beberrão* [q. v.].

beberronia. *S. f.* **1.** Qualidade de beberrão. 2. Reunião de beberrões.

beberrote. [De *beber.*] *S. m. Pop.* V. *ébrio (7).*

beberu. [De possível or. indígena; var. de *bebeeru.*] *S. m. Bras., Amaz.* e *Guiana.* Árvore da família das lauráceas (*Ocotea rodioei*), cuja casca, embora considerada venenosa, tem propriedades adstringentes, tônicas e febrífugas, sendo a madeira usada na construção naval e em marcenaria de luxo. [Var. e sin.: *bibiru*, *seperu*, *sipiri*, *sipeira*, *canela-bibiru*, *canela-limão*, *coração-verde.*]

bebes. [Dev. de *beber*, no pl.] *S. m. pl.* Aquilo que se bebe; bebidas, beberes: *Passa boa parte do tempo em comes e bebes.*

bebida. *S. f.* **1.** Qualquer líquido bebível. **2.** Líquido alcoólico para beber: *Havia muita bebida na festa.* **3.** Ato de beber: "As chagas da boca e a inchação dos beiços dificultavam-lhe a comida e a bebida." (Graciliano Ramos, *Vidas Secas*, p. 103.) **4.** *Bras., N* e *N.E.* Depósito natural de águas pluviais, onde bebem animais; bebedouro.

bebido. [Part. de *beber.*] *Adj.* **1.** Que se bebeu: *refresco bebido.* **2.** Que bebeu: *Está bem comido e bem bebido.* **3.** Embriagado, bêbedo ou bêbado, ébrio: *Já tomou uns 10 uísques, está muito bebido.*

bebível. [Do lat. *bibibile.*] *Adj. 2 g.* Que pode ser bebido; potável.

bebum. *Adj. 2 g.* e *s. 2 g. Bras.* V. *ébrio* (2 e 7).

beca[1]. *S. f.* **1.** Veste talar, preta, usada por magistrados, advogados, funcionários judiciais, catedráticos e formandos de grau superior. **2.** *Fig.* A magistratura. **3.** *Bras. Fam.* Roupa, terno. ● *S. m.* **4.** Magistrado ou bacharel em direito: "O que aumenta ainda o meu espanto, é que, sendo apenas um beca, este homem [Francia] capitaneou soldados com o pulso de um rijo cabo-de-guerra, e, para adquirir tamanho ascendente sobre eles, o seu meio não foi a avidez, mas a disciplina." (Rui Barbosa, *Cartas de Inglaterra*, p. 257.)

beca[2]. *S. f. Bras. BA.* V. *atiradeira*.

beça. *El. s. f.* Us. na loc. *à beça*. ♦ **À beça.** *Bras. Fam.* **1.** Em grande quantidade; em quantidade; à farta: "Naquele tempo havia gato à beça nos muros, nos telhados."

(Lígia Fagundes Teles, *A Disciplina do Amor*, p. 13); *Têm livro à beça*. **2.** Ao extremo; muito; extremadamente: *Gostei à beça daquele filme.*

bechamel. [Do fr. *béchamel.*] *S. m.* V. *molho bechamel.* [Pl.: *bechaméis.*]

bécher. [Do al. *Becher.*] *S. m. Quím.* Copo de vidro, cilíndrico, utilizado em laboratórios; copo químico. [Var.: *béquer.* Pl.: *bécheres.*]

bechuano. *Adj.* **1.** De, ou pertencente ou relativo a Botsuana (antiga Bechuanalândia, África austral). ● *S. m.* **2.** O natural ou habitante de Botsuana.

beco (ê). [Talvez do lat. *via*, 'via, caminho, rua', + um suf. dim. *-eco.*] *S. m.* **1.** Rua estreita e curta, geralmente fechada num extremo. **2.** *Bras., CE.* Esquina. ◆ **Beco sem saída. 1.** Dificuldade insuperável. **2.** Situação muito embaraçosa; grande aperto ou apertura. **Desinfetar o beco.** *Pop.* **1.** Sair, afastar-se, retirar-se. **2.** V. *morrer* (1). [Sin. ger.: *desocupar o beco.*] **Desocupar o beco.** *Pop.* V. *desinfetar o beco.*

becquerel. [Do antr. *Becquerel*, de Henri Becquerel (1852-1908), físico francês.] *S. m. Fís.* Unidade de medida de radioatividade definida como a atividade de um material radioativo no qual se produz uma desintegração nuclear por segundo. [Símb. *Bq.* Pl.: *becquerels.*]

bedame. [Do fr. *bédane.*] *S. m.* Badame.

bedear. *V. int. Bras., MG.* Mentir; enganar. [Conjug.: v. *frear.*]

bedegüeba. *S. m.* **1.** *Bras., N.E.* Patrão; chefe. **2.** *Bras., PB* e *PE. Folcl.* O velho do pastoril.

bedel. [Do frâncico **bidal*, pelo fr. ant. *bedel*, atual *bedeau.*] *S. m.* **1.** Chefe de disciplina em escolas. [Sin., bras.: *censor.*] **2.** Empregado subalterno da secretaria das faculdades. [Pl.: *bedéis.*]

bedelhar. *V. int.* **1.** Meter o bedelho; intrometer-se numa conversa. **2.** Conversar familiarmente; cavaquear. [Conjug.: v. *aparelhar.*]

bedelho (ê). *S. m.* **1.** Tranqueta ou ferrolho de porta, que se levanta por meio de aldrava ou de báscula. **2.** No jogo de cartas, trunfo pequeno. **3.** Rapazelho; criançola. [Var., nesta acepç.: *belho.*] ◆ **Meter o bedelho em.** Intrometer-se importunamente em (conversa ou assunto que não lhe diz respeito); meter o nariz em, meter a colher em, meter a sua colherada em.

bedém. [Do ár. *badan.*] *S. m.* **1.** Túnica mourisca, curta e sem mangas. **2.** Capa de junco ou esparto usada como resguardo contra a chuva. [Var.: *badém.*]

beduí. *S. m. Desus.* V. *beduíno.*

beduim (u-ím). *S. m. Desus.* V. *beduíno.*

beduíno. [Do ár. *badui*, com infl. do fr. *bédouin.*] *S. m.* **1.** Árabe do deserto. **2.** *Fig.* Indivíduo selvagem, intratável, brutal. [As f. *beduí* e *beduim*, preferíveis a *beduíno*, são desusadas.]

beethoveniano. *Adj.* **1.** Pertencente ou relativo a Ludwig van Beethoven (1770-1827), compositor alemão, ou próprio dele. ● *S. m.* **2.** Grande admirador e/ou profundo conhecedor da obra de Beethoven.

bege. [Do fr. *beige.*] *Adj. 2 g.* e *2 n.* **1.** De cor amarelada como a da lã em seu estado natural: "encontrei você lá, de terninho bege, esperando tranqüilamente ser atendida." (Maria Julieta Drummond de Andrade, *Um Buquê de Alcachofras*, p. 25); "As meias grossas, beges, protegem as pernas brancas" (Ana Elisa Gregori, *Os Barões de Candeia*, p. 11). ● *S. m.* **2.** Essa cor. [Cf. *beje* (ê), s. m., e *beije*, do v. *beijar.*]

begônia. [Do antr. *Begon*, de Fr. Miguel de Megon, governador de São Domingos e protetor da botânica (séc. XVII), + *-ia.*] *S. f.* Designação comum a várias espécies de plantas da família das begoniáceas, do gênero *begonia*, que têm propriedades antitérmicas e, pela beleza das folhagens e flores, são cultivadas em jardins e estufas.

begoniácea. *S. f.* Espécime das begoniáceas.

begoniáceas. *S. f. pl. Bot.* Família de plantas herbáceas, moles, com folhas grandes e coloridas, muitíssimo ornamentais. Flores unissexuais, comumente alvas ou róseas; frutos capsulares, com muitas sementes pequeninas. Vivem, quase sempre, à sombra e umidade das florestas. Há quase 1 000 espécies, muitas delas brasileiras; o gênero *begonia*, por si só, encerra cerca de 800 representantes.

begoniáceo. *Adj.* Pertencente ou relativo às begoniáceas.

begônia-de-folha-estreita. *S. f. Bras.* Planta da família das begoniáceas (*Begonia salicifolia*), de flores róseas e fruto capsular de sementes trialadas. [Pl.: *begônias-de-folha-estreita.*]

begônia-real. *S. f. Bras.* Planta da família das begoniáceas (*Begonia rex*), originária da Índia, dotada de flores róseas, a mais bela e cultivada do gênero. [Pl.: *begônias-reais.*]

begônia-sangue. *S. f. Bras., RJ* e *SP.* Planta da família das begoniáceas (*Begonia sanguinea*), de flores vermelhas, cultivada, e que tem propriedades diuréticas e antitérmicas; erva-de-sapo-vermelha. [Pl.: *begônias-sangues* e *begônias-sangue.*]

beguaba. [Do tupi *mba'é*, 'coisa', e *wab*, part. de *u*, 'comer'.] *S. f. Bras.* Molusco bivalve, da família dos donacídeos (*Donax halleyanus* Phil.), distribuído do RJ ao PR, e cuja concha, chanfrada em um dos bordos, lhe dá um contorno triangular característico. É procurado como alimento. [Var. e sin.: *beguava, peguaba, apeguava, beguira, peguira.*]

beguava. *S. f. Bras.* V. *beguaba.*

➧**béguin** (begán). [Fr.] *S. m.* **1.** Paixão de amor passageira. **2.** O objeto dessa paixão.

beguina. [Do fr. *béguine.*] *S. f.* **1.** Religiosa dos Países Baixos e da Bélgica, que, sem pronunciar votos, vive em conventos, onde cada uma ocupa o seu aposento à parte. **2.** *P. ext.* Beata[1] (1).

beguinaria. *S. f.* Vida penitente de clausura dos beguinos e beguinas.

beguino. [Do fr. *béguin.*] *S. m.* **1.** Frade mendicante. **2.** Homem de vida penitente.

beguira. *S. m. Bras.* V. *beguaba.*

behaviorismo. [Do ingl. *behaviorism.*] *S. m. Filos.* Restrição da psicologia ao estudo objetivo dos estímulos e reações verificadas no físico, com desprezo total dos fatos anímicos.

behaviorista. *Adj. 2 g.* **1.** Pertencente ou relativo ao behaviorismo. **2.** Que o segue ou com ele simpatiza. ● *S. 2 g.* **3.** Pessoa que é adepta e/ou simpatizante do behaviorismo.

bei. [Do turco *beg*, 'senhor, príncipe'.] S. m. **1.** Título dos oficiais superiores e altos funcionários otomanos. **2.** *Ant.* Título de governadores de província e soberanos vassalos do sultão: "De outra vez, ... o bei de Túnis e o rei de Granada, aliados ao Marroquino, queriam de novo atacar Ceuta." (Oliveira Martins, *A Vida de Nun'Álvares*, p. 426.) [Pl.: *beis.*]

beiça. *S. f. Pop.* **1.** Beiço caído. **2.** O beiço inferior: "Palpou os bois desde os cornos até o rabo. Afagou-lhes a beiça e a barbela." (João de Araújo Correia, *Cinza do Lar*, p. 21.)

beiçada. *S. f.* **1.** Beiços dos animais. **2.** Beiços grossos e pendentes.

beicinho. [Dim. de *beiço.*] *El. s. m.* Us. na loc. *fazer beicinho.* ◆ **Fazer beicinho.** *Fam.* **1.** Dispor-se para chorar; fazer biquinho. **2.** Amuar-se, agastar-se; fazer beiço, fazer biquinho.

beiço. [Do céltico **baikkion?*] *S. m.* **1.** Lábio (1). [Aum. irreg.: *beiçola, beiçoca, beiçorra.*] **2.** Os bordos de uma ferida. [Cf. *lábio* (2).] **3.** Rebordo; ressalto. ◆ **Andar de beiço caído por.** Estar vivamente enamorado de, apaixonado por (alguém). **Dar o beiço.** V. *passar o beiço.* **De beiço.** *Bras. Gír.* De graça; gratuitamente, grátis; no beiço. **Estar pelo beiço.** Estar enamorado, apaixonado. **Fazer beiço.** *Fam.* V. *fazer beicinho* (2). **Lamber os beiços.** *Fam.* Ficar ou mostrar-se contente. **Morder os beiços.** Mostrar-se despeitado, ressentido. **No beiço.** *Bras. Gír.* V. *de beiço.* **Passar o beiço.** Deixar de pagar dívida; calotear; dar o beiço. **Trazer pelo beiço.** V. *embeiçar* (1). **Trazer preso pelo beiço.** V. *embeiçar* (1).

beiçoca. *S. f.* V. *beiçola* (1).

beiço-de-negra. *S. m. Bras. MG* e *SP.* Planta da família das eriocauláceas (*Eriocaulon vaginatum*), de folhas lanceoladas e flores claras. [Pl.: *beiços-de-negra.*]

beiço-de-pau. *Bras. S. 2 g.* **1.** indivíduo dos beiços-de-pau, tribo indígena de MT que tem suas aldeias no divisor de águas dos rios Arinos e Sangue, nas imediações do rio Alegre, e no Arinos até a ilha do Barreiro. [Parece serem os mesmos conhecidos como *tapanhunas.*] ● *Adj. 2 g.* **2.** Pertencente ou relativo a essa tribo. [Pl.: *beiços-de-pau.*]

beiçola. *S. f.* **1.** Beiço grande, grosso e proeminente; beiçoca, beiçorra. *S. 2 g.* **2.** Beiçudo (2).

beiçolada. *S. f. Bras., PE.* Pancada violenta, de mão aberta, sobre os beiços.

beiçorra (ô). *S. f.* V. *beiçola* (1).

beiçudo. *Adj.* **1.** Que tem beiços grossos: "meia dúzia de crianças amarelas e beiçudas" (Graciliano Ramos, *Caetés*, p. 233). ● *S. m.* **2.** Aquele que tem beiços grossos; beiçola. **3.** *Bras. Pop.* V. *diabo* (2).

beija. [Dev. de *beijar.*] *S. m. Bras.* Ato ou cerimônia de beijar estátuas ou imagens sagradas: "Percorridas todas as escalas das ladainhas, todas as contas dos rosários, ... restava ainda a cerimônia final do culto, remate obrigado daquelas. / Era o 'beija' das imagens." (Euclides da Cunha, *Os Sertões*, p. 202.)

beijador (ô). *Adj.* e *s. m.* V. *beijoqueiro.*

beija-flor. [De *beijar* + *flor.*] *S. m.* Designação comum às aves micropodiformes, da família dos troquilídeos, de vôo muito veloz, e que se alimentam de néctar das flores e de insetos minúsculos. [Sin.: *colibri* (m. us. pelos europeus), *chupa-flor, pica-flor, chupa-mel, binga, cuitelo, guanambi, guinumbi, guainumbi, guanumbi.* Pl.: *beija-flores.*]

beija-flor-d'água. *S. m. Bras.* V. *bico-de-agulha.* [Pl.: *beija-flores-d'água.*]

beija-flor-da-mata. *S. m. Bras.* V. *ariramba-da-mata-virgem.* [Pl.: *beija-flores-da-mata.*]

beija-flor-da-mata-virgem. *S. f. Bras.* V. *ariramba-da-mata-virgem.* [Pl.: beija-flores-da-mata-virgem.]

beija-flor-do-mato. *S. m. Bras.* Ave micropodiforme, da família dos troquilídeos (*Rhamphodon naevius* (Dum)), do S.O. do Brasil, de dorso verde-dourado, penas marginadas de amarelo, estria pardo-amarelada acima e por trás dos olhos, prolongando-se no pescoço, mancha preta atrás dos olhos, e o meio da garganta e o abdome negros, orlados de branco. O bico do macho é curvo na ponta. [Sin.: *beija-flor-pardo.* Pl.: *beija-flores-do-mato.*]

beija-flor-do-mato-virgem. *S. m. Bras.* V. *ariramba-da-mata-virgem.* [Pl.: *beija-flores-do-mato-virgem.*]

beija-flor-grande. *S. m. Bras.* **1.** V. *ariramba-da-mata-virgem.* **2.** V. *bico-de-agulha.* [Pl.: *beija-flores-grandes.*]

beija-flor-pardo. *S. m. Bras., CE.* Beija-flor-do-mato. [Pl.: *beija-flores-pardos.*]

beija-flor-vermelho. *S. m. Bras., CE.* Ave micropodiforme, da família dos troquilídeos (*Chrysolampis elatus* (L.)), do N. e L. da América do Sul, de cabeça, cauda e coberteiras inferiores da cauda vermelhas, com brilho vivo, dorso verde-escuro, garganta cor de cobre com tons dourados, e abdome escuro. A fêmea tem colorido menos acentuado. [Pl.: *beija-flores-vermelhos.*]

beija-mão. [De *beijar* + *mão.*] *S. m.* Ato ou cerimônia de beijar a mão. [Pl.: *beija-mãos.*]

beija-pé. [De *beijar* + *pé.*] *S. m.* Ato ou cerimônia de beijar o pé. [Pl.: *beija-pés.*]

beijar. [Do lat. *basiare.*] *V. t. d.* **1.** Dar beijo em; oscular. **2.** Tocar de leve: "Auriverde pendão da minha terra, / Que a brisa do Brasil beija e balança" (Castro Alves, *Obra Completa*, p. 283); *A fímbria de seu vestido beijava o chão.* **3.** Inclinar-se até tocar em: *Vendo ante si o monarca, beijou o chão.* *P.* **4.** Trocar beijos: "Beijemo-nos! que o mar, / Nossos beijos ouvindo, em pasmo a voz levante!" (Olavo Bilac, *Poesias*, p. 117.) [Pres. subj.: *beije*, etc. Cf. *beje* (ê), s. m., e *bege*, adj. 2 g. e 2 n. e s. m.] ◆ **A beijar.** *Mar.* Até encostar; a beijo: *içar a beijar.*

beijinho. [Dim. de *beijo.*] *S. m.* **1.** Beijo leve, terno. **2.** A melhor parte de qualquer coisa; a flor, a nata. **3.** *Bras.* Beijo-de-sinhá.

beijo. [Do lat. *basiu.*] *S. m.* **1.** Ato de tocar com os lábios em alguém ou alguma coisa, fazendo leve sucção; ósculo. **2.** Contato suave: *Sentia, ao andar, o beijo da aragem vespertina.* **3.** Pessoa notável pela doçura e/ou beleza: "Carlota é um beijo. Faz-me todas as vontades." (Antônio Nobre, *Só*, p. 166); "Adoro-te muito e muito / E sei que também me queres, / És o beijo das mulheres, / Mas sofro por ser tão feio!" (Gonçalves Crespo, *Obras Completas.* p. 362). ◆ **A beijo.** *Mar.* A beijar: *estar uma bandeira a beijo no tope.*

beijoca. *S. f. Fam.* e *pop.* Beijo em que os lábios se abrem, fazendo estalido.

beijocador (ô). *Adj.* e *s. m.* V. *beijoqueiro.*

beijocar. *V. t. d.* **1.** Beijar amiúde e com ruído; dar beijocas em. **2.** Dar beijos amorosos em: "Que escrúpulo pode ter uma mulher em beijocar um terceiro entre os lençóis conjugais, se o mundo chama a isso sentimentalmente um romance .... ?" (Eça de Queirós, *Os Maias*, II, p. 64.) *P.* **3.** Trocar beijos ou beijocas: "Era amiga de Juliana, beijocavam-se muito, diziam-se sempre finezas." (Id., *O Primo Basílio*, p. 214.) [Conjug.: *trancar.*]

beijo-de-frade. *S. m. Bras.* Erva muito cultivada como ornamental, da família das balsamináceas (*Impatiens balsamina*), originária da Ásia, de flores vermelhas, róseas, brancas ou variegadas, tendo o suco do seu caule propriedades diuréticas e eméticas. [Sin.: *ciúmes* e (lus.) *melindres* e *papagaios.* Pl.: *beijos-de-frade.*]

beijo-de-freira. *S. m. Bras.* Planta da família das cariofiláceas (*Lychnis coronaria*), originária da Europa, de flores vermelhas e frutos capsulares. [Pl.: *beijos-de-freira.*]

beijo-de-moça. *S. m. Bras.* **1.** Certo doce de ovos que, em geral, se apresenta envolto em papel. **2.** V. *amor-de-moça.* [Pl.: *beijos-de-moça.*]

beijo-de-palmas. *S. m. Bras.* V. *crista-de-galo.* [Pl.: *beijos-de-palmas.*]
beijo-de-sinhá. *S. m. Bras.* Bolinho cuja massa, feita de açúcar e um ingrediente básico (coco, nozes, amendoim), é cozida e moldada e depois levada a fritar; beijinho. [Pl.: *beijos-de-sinhá.*]
beijoeiro. *S. m.* Var. de *benjoeiro.*
beijoim (o-ím). *S. m.* V. *benjoim:* "A alva rede, que Iracema perfumara com a resina do beijoim, guardava-lhe um sono calmo e doce." (José de Alencar, *Iracema*, p. 56.)
beijoqueiro. *Adj.* e *s. m.* Que ou aquele que é dado a beijar ou a beijocar; beijador, beijocador.
beiju. [Do tupi *mbe'yu.*] *S. m. Bras.* Bolo de massa de tapioca ou de mandioca, do qual há numerosas espécies: *beijuaçu* ou *beijuguaçu, beijucica* ou *beijuxica, beijucuruba, beiju-membeca, beiju-moqueca* ou *beiju-poqueca, beijuteica, biroró, malcasado, sarapó, sola* e *tapioca.* [Var.: *biju.*]
beijuaçu. [De *beiju* + *-açu.*] *S. m. Bras.* V. *beiju.*
beijucaba. [De *beiju* + *caba.*] *S. f. Bras.* V. *marimbondo-chapéu.*
beijucica. [De *beiju* + o tupi *sika,* 'pegajoso'; var. *beijuxica.*] *S. m. Bras.* V. *beiju:* "no tabuleiro alegre das vendedeiras, o peixe frito, a maniçoba, o tacacá, a panelada, o beijucica" (Raimundo Morais, *País das Pedras Verdes,* p. 201).
beijucuruba. [De *beiju* + tupi *ku'ruba,* 'gretado'.] *S. m. Bras.* V. *beiju.*
beijueira. *S. f. Bras.* Mulher que faz beijus.
beijuguaçu. [De *beiju* + *-guaçu.*] *S. m. Bras.* V. *beiju.*
beiju-membeca. *S. m. Bras.* V. *beiju.* [Pl.: *beijus-membecas.*]
beiju-moqueca. *S. m. Bras.* V. *beiju.* [Pl.: *beijus-moquecas* e *beijus-moqueca.*]
beijupirá. *S. m. Bras.* Var. de *bijupirá.*
beiju-poqueca. *S. m. Bras.* V. *beiju.* [Pl.: *beijus-poquecas* e *beijus-poqueca.*]
beijuteica. [Do tupi.] *S. m. Bras.* V. *beiju.*
beijuxica. [Var. de *beijucica.*] *S. m. Bras.* V. *beiju.*
beilhó. *S. 2 g.* Filhó de farinha e abóbora.
beira. *S. f.* **1.** Borda, margem, orla: *a beira do rio.* **2.** Proximidade, vizinhança: *Sentia-se à beira da morte.* **3.** Aba de telhado. ♦ **À beira de.** Perto do limite extremo de; à borda de, à margem de. **À beira de um abismo.** Às vésperas de uma catástrofe: *estar, achar-se, encontrar-se à beira de um abismo.*
beirã. *Adj.* (*f.*) e *s. f.* V. *beirão:* "É muito freqüente no falar descuidado, pelo menos na região interamnense e beirã, desaparecer um *r* final diante da consoante inicial da palavra seguinte" (J. Leite de Vasconcelos, *Opúsculos,* II, p. 199); "o hirsuto recolhimento das serranias beirãs." (Vitorino Nemésio, *A Mocidade de Herculano,* II, p. 142); "os vales estreitos dessa terra beirã." (Mário Braga, *Serranos,* p. 50).
beira-campo. *S. m. Bras., SP* e *PR.* Terreno entre o limite de um campo com o mato e o ponto a 600 braças daquele. [Pl.: *beira-campos.*]
beira-corgo. *Bras., SP. Pop. S. 2 g.* **1.** V. *caipira* (1). ● *Adj.* **2.** Diz-se do cavalo comum. [Pl.: *beira-corgos.*]
beirada. *S. f.* **1.** Beira, margem, borda. **2.** V. *beiral.* **3.** *Bras.* Uma parte de um todo; um bocado: *Não quero todo o bife: só uma beirada; Se eu fechar o negócio, você ganha uma beirada.* **4.** *Bras., N.* Arredores, cercanias.
beiradear. *V. t. d.* **1.** *Bras.* Caminhar pela beira ou margem de (um rio). **2.** Perlongar; costear; contornar: "É um sítio bonito mesmo / Beiradeando o trem-deferro" (Mário de Andrade, *Poesias Completas,* p. 141). [F. paral.: *beiradejar.* Conjug.: v. *frear.*]
beiradeiro. [De *beirada* + *-eiro.*] *S. m.* **1.** *Bras., CE.* V. *caipira* (1). **2.** *Bras., PB.* Pessoa rústica que mora na circunvizinhança das vilas sertanejas. **3.** *Bras., PE.* Pequeno comerciante das margens das estradas de ferro. **4.** *Bras., BA.* V. *barranqueiro.*
beiradejar. *V. t. d. Bras.* V. *beiradear.* [Conjug.: v. *pelejar.*]
beirado. [De *beira* + *-ado*[1].] *S. m. Constr.* V. *beiral:* "Gosto de ti, ó chuva, nos beirados, / Dizendo coisas que ninguém entende!" (Florbela Espanca, *Sonetos Completos,* p. 107.)
beira-estrada. [De *beira* + *estrada.*] *S. f.* Beira da estrada. [Pl.: *beira-estradas.*] ♦ **À beira-estrada.** Junto à estrada: "À beira-estrada, / À beira-rio, / Conforme calha, / Sempre no mesmo / Leve descanso / De estar vivendo." (Fernando Pessoa, *Odes de Ricardo Reis,* p. 14.)
beiral. [De *beira* + *-al.*] *S. m. Constr.* Prolongamento do telhado além da prumada das paredes; beirado; beirada: "escutou as andorinhas que, na frescura e silêncio, começavam a cantar sobre o beiral do telhado" (Eça de Queirós, *Contos,* p. 152).
beira-mar. [Abrev. da loc. *beira do mar.*] *S. f.* **1.** A costa marítima; o litoral, a praia. **2.** Cantiga popular amorosa. [Pl.: *beira-mares.*] ♦ **À beira-mar.** Junto ao mar; no litoral; na praia: "Viver numa casita à beira-mar / Feita no gosto inglês, / Casa de um só andar / E sem balcão chinês" (Guerra Junqueiro, *A Musa em Férias,* p. 193).
beirante. *Adj. 2 g.* Que beira.
beirão. *Adj.* **1.** Da, ou pertencente ou relativo à Beira (Portugal). ● *S. m.* **2.** O natural ou habitante da Beira. [Sin. ger.: *beirense.* Fem.: *beiroa* (ô) e (menos us.) *beirã.*]
beirar. *V. t. d.* **1.** Caminhar à beira ou margem de: "Ei-los que vão, beirando precipícios" (Venceslau de Queirós, *Poesias Escolhidas,* p. 85). **2.** Ficar situado à beira ou margem de: *A casa beira o rio;* "De luz o vácuo se inunda! / A estrada, beirando a mata, / Parece agora uma larga, / Imensa faixa de prata." (B. Lopes, *Val de Lírios,* p. 126). **3.** Abeirar-se, aproximar-se de: "Vivia em companhia de sua mãe, velhinha encarquilhada, beirando os noventa." (Moreira Campos, *Portas Fechadas,* p. 23); "O peixe-boi está beirando o seu fim" (Tiago de Melo, *Mormaço na Floresta,* p. 92); "aquela cabecinha alongada e trepidante [das lagartixas], os dedinhos vertiginosos me causavam um desgosto que beirava o horror." (Maria Julieta Drummond de Andrade, *O Valor da Vida,* p. 89). *T. i.* **4.** Confinar, limitar(-se): *A mata beirava com o ranchinho.* **5.** Ter aproximadamente; orçar: *Beira pelos 60 anos.*
beira-rio. [De *beira* + *rio.*] *S. f.* Beira do rio. [Pl.: *beira-rios.*] ♦ **À beira-rio.** Junto ao rio: "À beira-estrada, / À beira-rio, / Conforme calha, / Sempre no mesmo / Leve descanso / De estar vivendo." (Fernando Pessoa, *Odes de Ricardo Reis,* p. 14.)
beira-seveira. *S. f.* V. *sobeira.* [Pl.: *beiras-seveiras.*]
beira-sobeira. *S. f.* V. *sobeira.* [Pl.: *beiras-sobeiras.*]
beirense. *Adj. 2 g.* e *s. 2 g.* V. *beirão.*
beiroa (ô). *Adj.* (*f.*) e *s. f.* V. *beirão.*
beiru. *S. m. Bras.* V. *sagüiru.*
beisebol. [Do ingl. *baseball.*] *S. m.* Jogo de bola muito popular nos E.U.A., derivado do criquete [q. v.], disputado por dois times de nove jogadores cada um, num campo com quatro bases, i. e., quatro posições em que os jogadores se revezam.
beiupirá. *S. m. Bras.* V. *bijupirá.*
bejaqui. *S. m. Bras., RS.* V. *pirupiru.*
beje (ê). [Do ioruba *ibeji.*] *S. m. Bras., BA. Folcl.* V. *ibeji.* [Cf. *bege, adj. 2 g.* e *2 n.* e *s. m.,* e *beije,* do v. *beijar.*]
bejense. *Adj. 2 g.* **1.** De, ou pertencente ou relativo a Beja (Portugal). ● *S. 2 g.* **2.** Natural ou habitante de Beja.
bejuco. [Esp.] *S. m.* **1.** *Bras., Amaz., RJ* e *MT.* Arbusto ou trepadeira da família das bignoniáceas (*Callichlamys latifolia*), de flores amarelas e frutos capsulares. **2.** *Bras., Amaz.* a *SC.* Trepadeira da família das bignoniáceas (*Paragonia pyramidata*), de flores amarelo-enxofre, róseas ou violáceas, e frutos capsulares.
bel. [Do antr. *Bell,* do inventor Alexander Graham Bell, norte-americano (1847-1922).] *S. m. Fís.* Unidade convencional para medir a relação entre grandezas associadas a movimentos periódicos, e que é igual ao logaritmo decimal do cociente das duas grandezas, quando a primeira é dez vezes maior que a segunda. [Pl.: *bels.*]
bela. *S. f.* Mulher bela, e/ou amada: *Decantava em versos a sua bela;* "Lá verás a minha bela / Sentada no seu jardim" (Casimiro de Abreu, *Obras,* p. 102); "E o cavaleiro já de sua bela / À porta se apeava" (Bernardo Guimarães, *Poesias Completas,* p. 136). ~ V. *belas.*
belacíssimo. *Adj.* Extremamente belicoso; muito aguerrido.
beladona. [Do it. *belladonna.*] *S. f. Bras.* Planta ornamental, originária da Europa e da Ásia, da família das solanáceas (*Atropa belladona*), dotada de folhas grandes e bagas globosas, medicinal, com propriedades diaforética e diurética, e cujo alcalóide, a atropina, é de uso perigoso.
bela-emília. *S. f. Bras.* Subarbusto originário do S. da África, da família das plumbagináceas (*Plumbago capensis*), de flores azuis a violáceas, róseas, ou vermelhas, ornamental e muito cultivado; dentelária-do-cabo, jasmim-azul, jasmim-do-cabo. [Pl.: *belas-emílias* e *bela-emílias.*]
bela-margarida. *S. f. Bras.* Erva acaule, ornamental, da família das compostas (*Bellis perennis*), muito cultivada, de flores alvas, róseas, vermelhas ou variegadas, e cujas folhas, tidas como vulnerárias e laxativas, podem ser comidas; bonina, mãe-de-família, margaridinha, margarida-rasteira. [Pl.: *belas-margaridas.*]
belarmino. [Do antr. *Belarmino.*] *S. m. Gír.* V. *tolo* (8).
belas. *S. f. pl. Bras.* V. *cipó-de-são-joão.* ~ V. *bela.*
belas-artes. *S. f. pl.* Designação comum às artes plásticas, especialmente a pintura, a escultura e a arquitetura.
belas-letras. *S. f. pl.* A gramática, a eloqüência, a poesia, a literatura, etc., ensinadas ou estudadas especialmente pelo prazer de ordem estética que possam proporcionar.
belatriz. [Do lat. *bellatrice.*] *Adj.* (*f.*) e *s. f.* Diz-se de, ou mulher belicosa, guerreira.
bela-vistense[1]. *Adj. 2 g.* **1.** De, ou pertencente ou relativo a Bela Vista (MG). ● *S. 2 g.* **2.** Natural ou habitante de Bela Vista. [Pl.: *bela-vistenses.*]
bela-vistense[2]. *Adj. 2 g.* **1.** De, ou pertencente ou relativo a Bela Vista de Goiás (GO). ● *S. 2 g.* **2.** Natural ou habitante de Bela Vista de Goiás. [Pl.: *bela-vistenses.*]
bela-vistense[3]. *Adj. 2 g.* **1.** De, ou pertencente ou relativo a São José da Bela Vista (SP). ● *S. 2 g.* **2.** Natural ou habitante de São José da Bela Vista. [Pl.: *bela-vistenses.*]
belbute. [Do ingl. *velvet.*] *S. m.* Tecido de algodão aveludado: "Trajava gibão de veludo escuro, já muito sovado e pelado; .... calções de belbute, com os fundilhos remendados" (Olavo Bilac, *Crítica e Fantasia,* p. 286).
belbutina. [Do ingl. *velveteen.*] *S. f.* Belbute fino: "Às portas havia grandes reposteiros de belbutina preta, com galões dourados" (Inglês de Sousa, *O Coronel Sangrado,* p. 257).
belchior (xiór). [Do antr. *Belchior,* de alguém que estabeleceu no Rio de Janeiro a primeira casa de compra e venda de roupas e objetos usados.] *S. m. Bras.* **1.** Mercador de objetos velhos e usados; adeleiro, ferro-velho. **2.** Alfarrabista.
beldade. [Do cat. *beltad,* da linguagem trovadoresca.] *S. f.* **1.** Qualidade de belo; beleza. **2.** Mulher bela, formosa.
beldosa. [Do esp. *baldosa.*] *S. f. Bras., RS.* Tijolo vermelho para pavimentação.
beldroega. [Do lat. *portulaca,* atr. da f. arábica *burd(u) lagâ.*] *S. f. Bras.* **1.** Erva da família das urticáceas (*Pilea serpyllifolia*), de flores branco-róseas, ocorrente em lugares úmidos. **2.** Erva da família das portulacáceas (*Portulaca halimoides*), de folhas comestíveis, e que ocorre no litoral. ~ V. *beldroegas.*
beldroega-da-praia. *S. f. Bras., BA* ao *RS.* Planta da família das aizoáceas (*Sesuvium portulacastrum*), de flores róseas, brancacentas ou purpúreas e frutos capsulares, que ocorre nas praias; beldroega-miúda. [Pl.: *beldroegas-da-praia.*]
beldroega-de-cuba. *S. f.* Erva multicaule, originária de Cuba (América Central), da família das portulacáceas (*Claytonia perfoliata*), de flores alvas e folhas comestíveis, mucilaginosas, usadas na medicina popular como emolientes; espinafre-de-cuba. [Pl.: *beldroegas-de-cuba.*]
beldroega-grande. *S. f. Bras., L.* e *S.* Planta da família das portulacáceas (*Talinum racemosum*), de flores amareladas, brancas ou rosadas, fruto capsular, com sementes pretas e folhas comestíveis. [Pl.: *beldroegas-grandes.*]
beldroega-miúda. *S. f. Bras., BA* ao *RS.* Beldroega-da-praia. [Pl.: *beldroegas-miúdas.*]
beldroega-pequena. *S. f. Bras.* Erva da família das portulacáceas (*Portulaca oleracea*), de flores amarelas ou alaranjadas, fruto capsular, com sementes pretas, e cujas folhas novas, bem como os brotos, são usadas na alimentação, sendo os caules, as folhas e as sementes vermífugos e diuréticos; caaponga, ora-pro-nóbis, porcelana, beldroega-verdadeira. [Pl.: *beldroegas-pequenas.*]
beldroegas. [Pl. de *beldroega.*] *S. m. 2 n. Pop.* **1.** V. *tolo* (8). **2.** V. *joão-ninguém.* ~ V. *beldroega.*
beldroega-verdadeira. *S. f. Bras.* V. *beldroega-pequena.* [Pl.: *beldroegas-verdadeiras.*]
beleguim. *S. m.* Agente de polícia; esbirro, galfarro, malsim, mastim, meirinho, quadrilheiro, tira: "Na casa de Gustavo Orlando nem as senhoras foram respeitadas pelos beleguins na madrugada da prisão." (Marques Rebelo, *A Mudança,* p. 520).
beleléu. *El. s. m.* Us. na loc. *ir* [ou *ir-se*] *para o beleléu.* ♦ **Ir para o beleléu.** *Bras. Pop.* **1.** V. *morrer* (1). **2.** Desaparecer, sumir(-se). **3.** *Fig.* Frustrar-se, malograr-se, fracassar. [Tb. se diz *ir-se para o beleléu.*] **Ir-se para o beleléu.** *Bras. Pop.* V. *ir para o beleléu.*
belemita. [Do lat. *bethleemite.*] *Adj. 2 g.* **1.** De, ou pertencente ou relativo a Belém (Jordânia). ● *S. 2 g.* **2.** Natural ou habitante de Belém.

belemnite. [Do gr. *belemnítes, i. e., lithos belemnítes,* 'pedra sagitiforme'.] *S. m.* Molusco cefalópode fóssil.
belendengue. [Do esp. plat. *blandengue.*] *S. m. Bras., RS.* Miliciano de cavalaria que guarda as fronteiras.
belenense[1]. *Adj. 2 g.* **1.** De, ou pertencente ou relativo a Belém (PA). ● *S. 2 g.* **2.** Natural ou habitante de Belém.
belenense[2]. *Adj. 2 g.* **1.** De, ou pertencente ou relativo a Belém de São Francisco (PE). ● *S. 2 g.* **2.** Natural ou habitante de Belém de São Francisco.
belenzada (ẽin). *S. f.* Revolta política ocorrida em Portugal em 4 de novembro de 1836.
beletrista. [Do al. *belletrist.*] *S. 2 g.* Pessoa que cultiva as belas-letras.
beletrística. [Do al. *Belletristika.*] *S. f.* Obras que formam a literatura amena.
beleza (ê). *S. f.* **1.** Qualidade de belo. **2.** Pessoa bela. **3.** Coisa bela, muito agradável, ou muito gostosa: *A festa foi uma beleza; Que beleza, este bolo!* ♦ **Cansar a beleza de.** *Fam.* Amolar; preocupar.
belezaria. [De *beleza* + *-aria.*] *S. f.* Conjunto ou multidão de mulheres belas: "toda aquela belezaria de Espanha, mantilhas, toucados, trançados de fios de seda, cabeleiras frouxas ou apertadas nos torçais" (Gilberto Amado, *Depois da Política,* p. 198).
belezinha. [Dim. de *beleza.*] *S. f.* **1.** Trepadeira lenhosa da família das timeleáceas (*Lophostoma dinizii*), de grandes folhas que se agregam nas pontas dos ramos e flores mínimas, monoclamídeas, reunidas em compridos cachos. **2.** *Bras.* V. *pega-rapaz* (1): "na testa da jovem 'melindrosa', você notaria um 'pega-rapaz', ou antes, uma 'belezinha', feita com uns poucos fios de cabelo." (Vinícius de Morais, *Para Viver um Grande Amor,* p. 177).
belezoca. *S. 2 g. Bras. Fam.* Pessoa bela, bonita; beleza.
belfa. [Do lat. *bellua.*] *S. f.* Excrescência carnosa que certos galináceos têm por baixo da cabeça. ~ V. *belfas.*
belfas. [Pl. de *belfa.*] *S. f. pl.* [V. *bochecha* (1).] ~ V. *belfa.*
belfo. [De *belfa.*] *Adj.* **1.** Que tem o beiço inferior pendente ou muito mais volumoso que o superior; belfudo. **2.** Diz-se do beiço inferior que tem essa característica.
belfudo. *Adj.* **1.** Belfo (1). **2.** Que tem beiços volumosos.
belga. [Do lat. *belga.*] *Adj. 2 g.* **1.** Da, ou pertencente ou relativo à Bélgica (Europa). ● *S. 2 g.* **2.** Natural ou habitante da Bélgica. **3.** *Bras.* Certo candeeiro de grandes dimensões, que se usa suspenso do teto.
belgradino. *Adj.* **1.** De, ou pertencente ou relativo a Belgrado, capital da Iugoslávia. ● *S. m.* **2.** O natural ou habitante de Belgrado.
belho (ê). *S. m. Pop.* F. sincopada de *bedelho* (3).
▲**beli-.** [Do lat. *bellum, i.*] *El. comp.* = 'guerra': *belígero* (< lat. *belligeru*). [Equiv.: *belo-*[1]: *belonave.*]
beliche. *S. m.* **1.** Conjunto de duas ou três camas superpostas, com os lastros apoiados numa armação (2) única; cama-beliche. **2.** *Mar.* Cama estreita e de fixação especial, própria para uso a bordo. **3.** Câmara ou compartimento de camarote, nos navios: "Apenas embarcado no *Caimão,* corria a esconder no beliche a minha dor." (Eça de Queirós, *A Relíquia,* p. 112.)
belicismo. [De *bélico* + *-ismo.*] *S. m.* Tendência para a guerra; espírito belicoso. [Antôn.: *pacifismo.*]
belicista. [De *bélico* + *-ista.*] *Adj. 2 g. e s. 2 g.* Partidário da guerra e/ou do armamentismo. [Antôn.: *pacifista.*]
bélico. [Do lat. *bellicu.*] *Adj.* Relativo ou pertencente à, ou próprio da guerra: *material bélico;* "Ali soou a bélica trombeta" (Luís Murat, *Ondas,* II. p. 208). ~ V. *satélite* —.
belicosidade. *S. f.* Qualidade de belicoso.
belicoso (ô). [Do lat. *bellicosu.*] *Adj.* **1.** Que tem ânimo aguerrido; guerreiro. **2.** Habituado à guerra. **3.** Que incita à guerra: *discurso belicoso.* **4.** Preparado para a guerra. **5.** Revolto, agitado. [Sin. ger.: *belígero.*]
belicuete (ê). *S. m. Bras.* Pequeno espaço edificado, mal ventilado e mal iluminado, útil apenas como depósito pouco visitado.
belida. [Talvez do lat. *velu,* 'véu'.] *S. f.* Névoa ou mancha esbranquiçada na córnea; albugem.
beligerância. [Do lat. *belligerantia.*] *S. f.* Estado, qualidade ou caráter de beligerante.
beligerante. [Do lat. *belligerante.*] *Adj. 2 g.* Que faz guerra, ou está em guerra.
belígero. [Do lat. *belligeru.*] *Adj.* **1.** Que serve na guerra. **2.** V. *belicoso.*
belila. *S. f. Bras.* Trepadeira ornamental cultivada, originária da Ásia e da Oceânia, da família das rubiáceas (*Mussaenda frondosa*), dotada de flores, com propriedades febrífugas, tônicas e diuréticas, e bagas carnosas.
belipotente. [Do lat. *bellipotente.*] *Adj. 2 g.* Que é poderoso na guerra.
belisária. [De *belisário*[1].] *S. f.* Quantia que o jogador de sorte dá ao que perdeu tudo, para que este ainda possa apostar; estia.
belisário[1]. [Do antr. *Belisário,* do brasileiro Belisário de Sousa (1838-1889), ministro da Fazenda de 1886 a 1888.] *S. m. Bras. Ant.* Moeda de níquel de 50 réis, do tempo do Ministro Belisário de Sousa.
belisário[2]. [Do antr. *Belisário,* general de Justiniano, o qual, após brilhantes vitórias, veio a ser destituído de seus postos e, cego, esmolava pelas ruas.] *Adj.* Pobre, desventurado, infortunado.
beliscada. *S. f. Bras., PE. Pop.* Caminhão, coberto ou descoberto, empregado no transporte de passageiros.
beliscado. [Part. de *beliscar.*] *Adj.* **1.** Que recebeu beliscadura. **2.** Um pouco irritado; excitado; estimulado. **3.** Ofendido, injuriado: *dignidade beliscada.*
beliscadura. *S. f.* V. *beliscão.*
beliscão. *S. m.* Ato ou efeito de beliscar (1). [Sin.: *beliscadura, belisco* e (bras.) *morsegão, muçunga, muçungão, muxicão.*]
beliscão-de-frade. *S. m.* Beliscão aplicado com os nós dos dedos indicador e médio. [Pl.: *beliscões-de-frade.*]
beliscar. [Por *peliscar,* de pele?] *V. t. d.* **1.** Apertar a pele de, com as pontas dos dedos polegar e indicador; estorcegar. **2.** Arrancar com as pontas dos dedos uma porção mínima de: *Beliscou o pão.* **3.** Estimular, excitar: *A beleza do espetáculo beliscou a sua veia criadora.* **4.** Ferir de leve; ofender levemente: *Gosta de beliscar a reputação alheia.* **5.** Comer uma porção mínima de; debicar, lambiscar, peliscar: *Nunca engordará: apenas belisca os alimentos. Int.* **6.** Comer pouco; debicar, lambiscar; peniscar: *Não comeu ao jantar, apenas beliscou. P.* **7.** Beliscar-se mutuamente; trocar beliscões: "A expectativa é grande demais, ... e os garotos pulam, se empurram, se beliscam, dão pontapés nas paredes, às gargalhadas." (Maria Julieta Drummond de Andrade, *O Valor da Vida,* p. 47.) [Conjug.: v. *trancar.*]
belisco. [Dev. de *beliscar.*] *S. m.* V. *beliscão.*
beliz. [Do ár. *iblis,* 'diabo'.] *Adj. 2 g.* **1.** Esperto, ladino, endiabrado, sagaz. ● *S. m.* **2.** Pessoa muito viva e sagaz.
belizenho. *Adj.* **1.** De, ou pertencente ou relativo a Belize (antiga Honduras Britânica, América Central). ● *S. m.* **2.** O natural ou habitante de Belize.
➧**belle époque** (bel-êpóque). [Fr.] *Loc. s. f.* **1.** A época relativa aos primeiros anos do séc. XX, considerados como de uma vida agradável e fácil. ● *Adj. 2 g. e 2 n.* **2.** Diz-se dos costumes, das tendências, dos objetos, etc., característicos dessa época.
belmaz. *S. m.* V. *balmázio.*
belmontense[1]. *Adj. 2 g.* **1.** De, ou pertencente ou relativo a Belmonte (BA). ● *S. 2 g.* **2.** Natural ou habitante de Belmonte.
belmontense[2]. *Adj. 2 g.* **1.** De, ou pertencente ou relativo a São José do Belmonte (PE). ● *S. 2 g.* **2.** Natural ou habitante de São José do Belmonte.
▲**belo-**[1]. Equiv. de *beli-.*
▲**belo-**[2]. [Do gr. *bélos, eos-ous.*] *El. comp.* = 'flecha', 'dardo', 'projetil', 'raio', 'forma aguda': *belóstomo, belomancia.*
belo. [De *bellu.*] *Adj.* **1.** Que tem forma perfeita e proporções harmônicas: "Rouba-lhe a idade, pérfida e assassina, / Mais do que a vida, o orgulho de ser bela!" (Olavo Bilac, *Tarde,* p. 54); "Sonho o que jamais pude: / — Belo como Davi, forte como Golias..." (Manuel Bandeira, *Estrela da Vida Inteira,* p. 29). **2.** Que é agradável aos sentidos. **3.** Elevado; sublime: "Pela pátria morrer é nobre, é belo!" (Marquesa de Alorna, *Poesias,* p. 117.) **4.** Majestoso, grandioso, imponente: "Mar, belo mar selvagem / Das nossas praias solitárias!" (Vicente de Carvalho, *Poemas e Canções,* p. 137). **5.** Bom, generoso. **6.** Ameno, aprazível, sereno. **7.** Próspero, feliz. **8.** Considerável pelo número, quantidade ou dimensões: *Tem uma bela criação: mais de 10.000 cabeças.* **9.** Vantajoso, lucrativo: *Trabalhou muito, mas alcançou belo resultado — deram-lhe o emprego.* **10.** De que resulta glória; honroso: *Foi uma bela vitória, a da seleção brasileira!* **11.** Tem, por vezes, um sentido indefinido, próximo ao de certo (9): *Um belo dia aparece de volta.* ~V. *o — sexo.* ● *S. m.* **12.** Caráter ou natureza do que é belo. **13.** *Estét.* Qualidade atribuída a obras humanas — sendo discutível se se aplica também à natureza — que por isso são dotadas de caráter estético. [Esta qualidade se anuncia por meio de fatores subjetivos (emoção estética, sentimento e percepção do belo, e todos os fenômenos psicológicos ligados à sua criação) que levam à busca da definição das demonstrações concretas que os suscitam (a análise das obras de arte, dos conceitos de gosto, harmonia, equilíbrio, perfeição, etc.) Cf. *arte*[1] (3) e *estética* (2).] ● *Interj.* **14.** Muito bem!
belo-horizontino. *Adj.* **1.** De, ou pertencente ou relativo a Belo Horizonte, capital de MG. ● *S. m.* **2.** O natural ou habitante de Belo Horizonte. [Pl.: *belo-horizontinos.*]
belo-jardinense. *Adj. 2 g.* **1.** De, ou pertencente ou relativo a Belo Jardim (PE). ● *S. 2 g.* **2.** Natural ou habitante de Belo Jardim. [Pl.: *belo-jardinenses.*]
belona. [De *bellona,* a deusa romana da guerra.] *S. f. Poét.* A guerra.
belonave. [Do lat. *bellu,* 'guerra', + *-o-* + *nave.*] *S. f. Bras.* Navio de guerra: "desenhava dois navios de guerra, um diante do outro, enchia-os de marinheiros, ... e içava nas duas belonaves as bandeiras da França, da Itália, ou da Alemanha" (Humberto de Campos, *Memórias,* p. 184).
belostômida. *S. 2 g.* e *adj. 2 g.* V. *belostomatídeo.*
belostômidas. *S. m. pl. Zool.* V. *belostomatídeos.*
belostomatídeo. *S. m.* **1.** Espécime dos belostomatídeos. ● *Adj.* **2.** Pertencente ou relativo aos belostomatídeos. [Sin. ger.: *belostomídeo.*]
belostomatídeos. *S. m. pl. Zool.* Família de insetos hemípteros à qual pertencem grandes insetos castanhos, de olhos salientes, terceiro par de patas alargadas e chatas. Vulgarmente chamados *barata-d'água,* alimentam-se de peixinhos, girinos, caramujos e outros insetos. [Sin.: *belostomídeos.*]
belostomídeo. *S. m.* e *adj.* V. *belostomatídeo.*
belostomídeos. *S. m. pl. Zool.* V. *belostomatídeos.*
belo-valense. *Adj. 2 g.* **1.** De, ou pertencente ou relativo a Belo Vale (MT). ● *S. 2 g.* **2.** Natural ou habitante de Belo Vale. [Pl.: *belo-valenses.*]
bel-prazer. [De *bel,* f. apocopada de *belo,* + *prazer.*] *S. m.* **1.** Vontade própria; talante; arbítrio. [Us. em loc. adv., como: *fez tudo a seu bel-prazer.*]
belterrense. *Adj. 2 g.* **1.** De, ou pertencente ou relativo a Belterra (PA). ● *S. 2 g.* **2.** Natural ou habitante de Belterra.
beltrano. [Do antr. *beltrão,* com alter. da desinência para rimar com *fulano* (q. v.).] *S. m.* Certa pessoa indeterminada, que se mensiona depois de outra, designada por fulano. [Tb. se usa *beltrão.*]
beltrão. *S. m.* Beltrano [q. v.].
beluário. [Do lat. *bellua,* 'animal corpulento', + *-ário.*] *S. m. Ant.* Gladiador que combatia com feras no circo romano.
beluchi. *Adj. 2 g.* **1.** Do, ou pertencente ou relativo ao Beluchistão (Ásia). ● *S. 2 g.* **2.** Natural ou habitante do Beluchistão. ● *S. m.* **3.** O idioma falado nesse país.
beluíno. [Do lat. *belluinu.*] *Adj.* **1.** De, ou pertencente ou relativo a feras: "ante seus olhos lumes fátuos fagulhavam, ... e ele tomava-os pela fosforescência iriada das pupilas beluínas." (Coelho Neto, *Banzo,* pp. 129-130). **2.** Selvagem, rude, brutal.
belveder (dê). *S. m.* V. *belvedere.*
belvedere (dê). [Do it. *belvedere.*] *S. m.* **1.** Pequeno mirante de onde se descortina um vasto panorama. **2.** Terraço em local elevado. [Var.: *belveder* e *belver.*]
belver (ê). *S. m.* V. *belvedere.*
belzebu. [Do hebr. *Ba'al zebuh,* 'deus das moscas', i. e., invocação contra elas.] *S. m.* O príncipe dos demônios, segundo o Novo Testamento [v. *diabo* (2)]: "As milícias de Belzebu compõem-se, segundo os mais rigorosos demonologistas, de 6.666 legiões, formada cada uma de 6.666 demônios." (Olavo Bilac, *Conferências Literárias,* p. 156.) [Var.: *berzebu, berzabu, berzabum, brazabum.*]
bem. [Do lat. *bene.*] *S. m.* **1.** *Ét.* Qualidade atribuída a ações e a obras humanas que lhes confere um caráter moral. [Esta qualidade se anuncia através de fatores subjetivos (o sentimento de aprovação, o sentimento de dever) que levam à busca e à definição de um fundamento que os possa explicar. Cf. *ética.*] **2.** Austeridade moral; virtude: *Tem uma disposição inata para o bem.* **3.** Felicidade; ventura: *Aconselhava-o para seu próprio bem;* "Se és feliz e o não sabes, tens na mão / O maior bem entre os mais bens terrenos" (Raul de Leoni, *Luz Mediterrânea,* p. 71). **4.** Favor, benefício: "Faze o bem sem olhar a quem" (prov.). **5.** Utilidade, vantagem, proveito. **6.** Pessoa muito querida, amada: "eu quero a rosa mais linda que houver, / quero a primeira estrela que vier, / para enfeitar a noite de meu bem." (Do samba-canção *A Noite do Meu Bem,* de Dolores Duran). ~ V. *bens.* ● *Adv.* **7.** Muito; bastante: "Marocas despediu todos os seus namorados, e creio que não perdeu pouco; tinha alguns capitalistas bem bons." (Machado de Assis, *Histórias sem Data,* p. 47); *Mesmo devagar, conseguiu ir bem longe.* **8.** Convenientemen-

te: *Portou-se bem.* **9.** Com afeição: *A esposa trata-o bem.* **10.** Com saúde: *Após uma semana de repouso, estava bem.* **11.** Com perfeição; lindamente: *O flautista toca bem.* **12.** Com justiça; acertadamente: *O júri decidiu bem.* **13.** Claramente, nitidamente, distintamente: *Dali se via bem.* **14.** Seguramente, certamente: "Era bem meio-dia quando chegaram." (O. G. Rego de Carvalho, *Somos Todos Inocentes*, p. 103.) **15.** Exatamente, precisamente: *O tiro foi bem no coração;* "Os olhos dela não eram bem negros, mas escuros" (Machado de Assis, *Páginas Recolhidas*, p. 83). ● *Pron. indef.* **16.** Muito; bastante: "E com bem mágoa / Pedi a Deus / Um pingo de água / Dos olhos seus." (João de Deus, *Campo de Flores*, I, p. 16); "Bem vezes revoltava-lhe a alma as indignidades de que era vítima" (José de Alencar, *Senhora*, p. 227); "A mão fina, ideal, calçada em luva clara, ... bem vezes, também, me alvoroça e agita o sangue." (Cruz e Sousa, *Obra Completa*, p. 407). ● *Adj. 2 g.* e *2 n.* **17.** *Bras. Gír.* Pertencente à alta sociedade: *É uma moça bem;* "Ter brasão era ser nobre. Era ser gente bem." (Padre Antônio Vieira, *Sertão Brabo*, p. 16). ◆ **Bem como.** Assim como; da mesma forma que: *Naquele dia, bem como nos seguintes, esteve mal.* **Bem comum.** Conjunto de condições sociais que possibilitam a felicidade coletiva. **Bem cultural.** Bem, material ou não, significativo como produto e testemunho de tradição artística e/ou histórica, ou como manifestação da dinâmica cultural de um povo ou de uma região. [Podem-se considerar como bens culturais obras arquitetônicas, ou plásticas, ou literárias, ou musicais, conjuntos urbanos, sítios arqueológicos, manifestações folclóricas, etc.] **Bem de família.** Prédio destinado por chefes de família para domicílio desta, e que está isento de execução por dívidas (salvo as fiscais e ale referentes) no decorrer da vida dos cônjuges e até a maioridade dos filhos. **Bem feito.** Exprime satisfação por algo de mau ocorrido a outrem por culpa própria: *Bem feito! Todos te avisaram.* [Cf. *bem-feito.*] **Bem integrado.** *Arquit.* e *Art. Plást.* Elemento artístico que, por sua natureza, se integra à obra arquitetônica, não devendo, portanto, ser desmembrado desta (p. ex., a pia batismal de uma igreja; retábulos; pinturas murais e de forro, lápides tumulares ou comemorativas). **Bem natural.** Obra da natureza, de excepcional valor do ponto de vista estético e/ou científico. [Podem-se considerar como bens naturais as formações físicas, ou biológicas, ou geológicas, ou o habitat de espécies animais e/ou vegetais ameaçadas, etc.: p. ex., a Serra do Mar, tombada em SP como tal.] **Bem que.** Ainda que; posto que; se bem que: "tenho visto que a audácia acaba muitas vezes por dar na cabeça, bem que em alguns casos seja uma virtude preciosa." (Machado de Assis, *Crônicas*, I, p. 118). **De bem com.** Em relações amistosas com: *F. está de bem com o Paulo.* **Falar bem de:** Falar favoravelmente de; elogiar. **Nem bem.** Logo que, assim que; mal: "Nem bem as primeiras árvores começaram a ser podadas, levantou-se um agudo protesto popular, que os jornais apoiaram." (Maria Julieta Drummond de Andrade, *O Valor da Vida*, p. 68.) **Querer bem a.** Ter afeição a; gostar de; amar. **Se bem que.** V. *bem que.*

▲bem-. *Pref.* = 'bondade', 'simpatia', 'alto grau': *bem-ditoso, bem-amado, bem-querer, bem-aventurança.* [Equiv.: *ben-*: *benfazejo, benquerença.*]

bem-acabado. *Adj.* Feito com vista à perfeição; bem executado. [Pl.: *bem-acabados.* Antôn.: *mal-acabado.*]

bem-aceito. *Adj.* V. *bem-visto* (2). [Pl.: *bem-aceitos.*]

bem-afamado. *Adj.* Que goza de boa fama, de boa reputação, de bom renome; bem-conceituado. [Pl.: *bem-afamados.* Antôn.: *mal-afamado.*]

bem-afortunado. *Adj.* Feliz, próspero, afortunado. [Pl.: *bem-afortunados.* Antôn.: *mal-afortunado.*]

bem-agradecido. *Adj.* Grato, reconhecido; agradecido. [Pl.: *bem-agradecidos.* Antôn.: *mal-agradecido.*]

bem-ajambrado. *Adj. Bras.* Bem vestido, bem-apresentado, bem-parecido. [Pl.: *bem-ajambrados.* Antôn.: *mal-ajambrado.*]

bem-amado. *Adj.* **1.** Que é objeto de afeto ou amor particular. ● *S. m.* **2.** O querido, o predileto. [Pl.: *bem-amados.* Cf. *mal-amada.*]

bem-apanhado. *Adj. Gír.* Bonito, alinhado, bem-feito: *uma pequena bem-apanhada;* "Aquele sujeito, nas suas barbas, garantiu que um elefante era mais bem-apanhado do que eu." (José Cândido de Carvalho, *Um Ninho de Mafagafes Cheio de Mafagafinhos*, p. 23.) [Pl.: *bem-apanhados.* Antôn.: *mal-apanhado.*]

bem-apessoado. *Adj.* Que tem boa aparência; bem-parecido, apessoado: "Por que você não quis nunca se casar, Cora? Pretendente nunca faltou, você era bem-apessoada e bonita." (Autran Dourado, *As Imaginações Pecaminosas*, p. 89.) [Pl.: *bem-apessoados.* Antôn.: *mal-apessoado.*]

bem-apresentado. *Adj.* Que tem boa apresentação (6); bem-posto. [Pl.: *bem-apresentados.* Antôn.: *mal-apresentado.*]

bem-arranjado. *Adj.* Bem vestido, bem-posto, bem-apresentado, bem-arrumado: "a porta do quarto se abriu e D. Eduviges se apresentou bem-arranjada, o cabelo apanhado e com o vestido melhor" (Moreira Campos, *Portas Fechadas*, p. 215). [Pl.: *bem-arranjados.* Antôn.: *mal-arranjado.*]

bem-arrumado. *Adj.* Bem vestido, bem-posto, bem-arranjado: "Moço vistoso e bem-arrumado, conversando diversos assuntos, apareceu um tal Raimundo" (Bariani Ortêncio, *Vão dos Angicos*, p. 88). [Pl.: *bem-arrumados.* Antôn.: *mal-arrumado.*]

bem-aventurado. *Adj.* **1.** Muito feliz: "Seu Irineu Boaventura não era tão bem-aventurado assim, pois sua saúde não era lá para que se diga." (Stanislaw Ponte Preta, *Febeapá 2*, p. 97.) **2.** Diz-se daquele que, depois da morte, desfruta da felicidade celestial e eterna; santo: *os bem-aventurados Apóstolos.* ● *S. m.* **3.** Pessoa bem-aventurada (1 e 2). [Sin., nas acepç. 2 e 3: *beatificado* e *beato.* Antôn., na acepç. 1: *mal-aventurado.* Pl.: *bem-aventurados.*]

bem-aventurança. *S. f.* **1.** Grande felicidade, a glória, a felicidade perfeita. **2.** *Teol.* A felicidade eterna, que os santos gozam no Céu. [Pl.: *bem-aventuranças.*] ~ V. *bem-aventuranças.*

bem-aventuranças. [Pl.: de *bem-aventurança.*] *S. f. pl.* Us. na expr. *bem-aventuranças evangélicas.* ~ V. *bem-aventurança.* ◆ **Bem-aventuranças evangélicas.** *Rel.* As máximas de vida promulgadas por Jesus Cristo nos Evangelhos, e que significam a vida segundo as finalidades últimas e a sorte final do homem junto de Deus.

bem-aventurar. *V. t. d.* Tornar ditoso; dar a felicidade celeste a.

bem-avindo. *Adj.* Que está em boas relações (com outro); conciliado, amigável. [Pl.: *bem-avindos.* Antôn.: *mal-avindo.*]

bem-avisado. *Adj.* Que procede com acerto e reflexão, com aviso; prudente, sensato, discreto. [Pl.: *bem-avisados.* Antôn.: *mal-avisado.*]

bembé. [De possível or. tupi.] *S. m. Bras., Amaz.* V. *maruim.*

bêmber. *S. m.* Tecido de *rayon* usado em geral para forro em peças de vestuário. [Pl.: *bêmberes.*]

bem-bom. *S. m. Bras.* Comodidade, bel-prazer: "declarou .... que ia morrer e recolheu-se ao leito, onde ficou sendo paparicado pela mulher e pelos quatorze filhos. Esse bem-bom durou vinte anos" (Pedro Nava, *Baú de Ossos*, p. 288). ◆ **Estar no bem-bom.** *Bras.* Estar à vontade.

bem-casados. *S. m. 2 n.* **1.** V. *cavalinho-d'água.* **2.** V. *dois-irmãos* (1).

bem-comportado. *Adj.* Que se comporta ou procede bem; bem-procedido; comportado. [Pl.: *bem-comportados.* Antôn.: *malcomportado.*] ~ V. *função* — *a.*

bem-composto. *Adj.* Bem-posto, bem-apresentado, elegante: "concorreu à partida do desembargador aquele Vasco da Cunha, galanteador de Adelaide, mancebo bem-composto de sua pessoa, sisudo, e muito católico." (Camilo Castelo Branco, *A Queda dum Anjo*, p. 131). [Pl.: *bem-compostos.*]

bem-conceituado. *Adj.* Bem-afamado [q. v.]. [Pl.: *bem-conceituados.* Antôn.: *malconceituado.*]

bem-conformado. *Adj.* De boa conformação; elegante, harmonioso; bem-feito: "alto, ágil, de talhe robusto e bem-conformado, ... seguia de perto a gentil companheira" (José de Alencar, *Til*, p. 17). [Pl.: *bem-conformados.*]

bem-criado. *Adj.* **1.** V. *bem-educado.* [Antôn.: *malcriado* (1)] **2.** Gordo; nédio: *porco bem-criado.* [Pl.: *bem-criados.*]

bem-de-fala. *S. m.* Maneira desafetada de falar; linguagem simples e sincera. [Pl.: *bens-de-fala.*]

bem-disposto (ô). *Adj.* Com boa disposição. [Pl.: *bem-dispostos.* Antôn.: *maldisposto.*]

bem-dormido. *Adj.* **1.** Que dormiu bem; que dormiu bastante e/ou tranqüilamente. **2.** Em que houve um sono reparador: *noites bem-dormidas.* [Pl.: *bem-dormidos.* Antôn.: *maldormido.*]

bem-dotado. *Adj.* Cheio de dotes, prendas, aptidões; prendado. [Pl.: *bem-dotados.* Antôn.: *maldotado.*]

bem-educado. *Adj.* Delicado, polido, cortês; bem-criado, educado. [Pl.: *bem-educados.* Antôn.: *mal-educado.*]

bem-encarado. *Adj.* **1.** Que tem boa cara. **2.** Que revela boa índole. [Pl.: *bem-encarados.* Antôn.: *mal-encarado.*]

bem-estar. *S. m.* Estado de perfeita satisfação física ou moral; conforto. [Pl.: *bem-estares.* Antôn.: *mal-estar.*]

bem-fadado. *Adj.* Feliz, ditoso, afortunado. [Pl.: *bem-fadados.* Antôn.: *malfadado.*]

bem-fadar. *V. t. d.* **1.** Fadar bem. **2.** Vaticinar boa fortuna a. [Antôn.: *malfadar.*]

bem-falante. *Adj. 2 g.* e *s. 2 g.* Que ou quem fala bem; quem é eloqüente: "Condoía-se .... de que um homem como aquele, cheio de vida, inteligente, bem-falante, ... não passasse de um reles impostor." (Josué Montelo, *A Noite sobre Alcântara*, p. 197.) [Pl.: *bem-falantes.* Antôn.: *malfalante.*]

bem-fazer¹. *S. m.* **1.** Caridade; benefício; favor. **2.** Disposição benéfica. [Pl.: *bem-fazeres.*]

bem-fazer². *V. t. d.* **1.** Fazer bem a; beneficiar. *Int.* **2.** Praticar o bem: "Mestre Amaro, ... incansável em bem-fazer, recolheu um recém-nascido numa daquelas manadas humanas." (Lauro Palhano, *O Gororoba*, p. 13.) [Irreg. Conjug.: v. *fazer*, mas é p. us., exceto no inf. pess. e no gerúndio. Antôn.: *malfazer.*]

bem-feito. *Adj.* **1.** Bem-acabado; esmerado. **2.** De belas formas; de proporções perfeitas; bem-lançado: *corpo bem-feito.* **3.** Elegante, gracioso. [Pl.: *bem-feitos.* Antôn.: *malfeito*². Cf. *bem feito.*]

bem-humorado. *Adj.* Que está de, ou tem bom humor (3). [Pl.: *bem-humorados.* Antôn.: *mal-humorado* (2).]

bem-ido. *Adj.* Que vai ou parte bem, tranqüilo, a salvo: "— Bem-ido seja o hóspede, como foi bem-vindo à cabana de Araquém." (José de Alencar, *Iracema*, p. 69.) [Pl.: *bem-idos.*]

bem-intencionado. *Adj.* e *s. m.* Diz-se de, ou indivíduo munido de boas intenções. [Pl.: *bem-intencionados.* Antôn.: *mal-intencionado.*]

bem-lançado. *Adj.* **1.** Oportuno, apropositado: "Abundam em seus escritos [de Tobias Barreto] observações bem-lançadas sobre o mecanismo da vida social." (Hermes Lima, *Tobias Barreto*, p. 138.) **2.** Bem-feito (2): "Sorria diante de mim aquela moça feita, bonitona, bem-lançada, chique". (Genolino Amado, *O Reino Perdido*, p. 28.)

bem-mandado. *Adj.* Que é obediente, submisso; bem-ouvido. [Pl.: *bem-mandados*, Antôn.: *malmandado.*].

bem-me-quer. *S. m.* Erva da família das compostas (*Aspilia foliacea*), de flores amarelas e frutos pilosos; malmequer. [Pl.: *bem-me-queres.*]

bem-nado. *Adj.* V. *bem-nascido.* [Pl.: *bem-nados.*]

bem-nascido. *Adj.* **1.** Que nasceu para o bem, ou sob bons auspícios: "Sou bem-nascido. Menino, / Fui, como os demais, feliz." (Manuel Bandeira, *Estrela da Vida Inteira*, p. 5.) **2.** De boa família, ou de família nobre. [Sin. ger.: *bem-nado.* Pl.: *bem-nascidos*, Antôn.: *malnascido.*]

bemol. [Do it. *bemolle.*] *S. m. Mús.* **1.** Sinal (♭) que indica dever ser abaixada de um semitom a nota que está à sua direita. [Cf. *bequadro.*] ● *Adj. 2 g.* **2.** Que está afetado por bemol (1). [Pl.: *bemóis.* Cf. *sustenido.*]

bem-ordenado. *Adj.* Que se ordenou ou dispôs bem. ~ V. *conjunto* —. [Pl.: *bem-ordenados.*]

bem-ouvido. *Adj.* Que atende às ordens ou aos conselhos recebidos; que os ouve; obediente, dócil; bem-mandado. [Pl.: *bem-ouvidos.* Antôn.: *mal-ouvido.*]

bem-parado. *Adj.* Em situação favorável, propícia: *Seus negócios andam muito bem-parados.* [Pl.: *bem-parados.* Antôn.: *malparado.*]

bem-parecido. *Adj.* De boa aparência; bonito, formoso, elegante. [Pl.: *bem-parecidos.* Antôn.: *malparecido.* V. *parecido.*]

bempostano. *Adj.* **1.** De, ou pertencente ou relativo a Bemposta (RJ). ● *S. m.* **2.** O natural ou habitante de Bemposta.

bem-posto (ô). *Adj.* **1.** Garboso nos movimentos. **2.** Bem vestido, bem-apresentado, elegante: "No claro do terreiro, as raparigas e os rapazes, bem-postos e felizes nos seus trajes festivos, agrupam-se em ranchos" (José Vieira, *Sol de Portugal*, pp. 156-157). [Antôn. (nesta acepç.): *malposto.* Pl.: *bem-postos.*]

bem-procedido. *Adj.* Que tem bom procedimento; bem-comportado: "Depois é que o mundo fala / E se mete com a vida / De quem às vezes se cala / Por ser mais bem-procedida" (João de Deus, *Campo de Flores*, I. p. 277). [Pl.: *bem-procedidos.* Antôn.: *malprocedido.*]

bem-proporcionado. *Adj.* V. *proporcionado.* [Pl.: *bem-proporcionados.* Antôn.: *malproporcionado.*]

bem-querer¹. *S. m.* **1.** Benquerença: "Até que me queria bem demais, mas era um bem-querer calado".

(Odilo Costa, filho, *História de Seu Tomé Meu Pai e Minha Mãe Maria.* pp. 8-10.) **2.** Pessoa a quem se ama; o bem-amado. [Antôn., nesta acepç.: *malquerer* (2).]
bem-querer². *V. t. i.* **1.** Querer bem; dedicar grande estima: *Bem-quer tanto ao avô como ao pai. P.* **2.** Amar-se, estimar-se reciprocamente: *Bem-querem-se desde crianças.* [Irreg. Conjuga-se como *querer.* Part.: *benquerido* e *benquisto.* Antôn.: *malquerer* (1).]
bem-querido. *Adj.* V. *benquisto:* "Vai-lhe morrer, morrer nos próprios braços, / Morrer de fome, o filho *bem-querido*" (Vicente de Carvalho, *Poemas e Canções,* p. 60). [Pl.: *bem-queridos.* Antôn.: *malquerido.*]
bem-soante. *Adj. 2 g.* Bem-sonante. [Pl.: *bem-soantes.* Antôn. *malsoante.*]
bem-sonante. *Adj. 2 g.* Que soa bem; eufônico; bem-soante: "afinadinha, *bem-sonante,* expressiva — nos metais, nas palhetas, na pancadaria — que rica música!" (João da Silva Correia, *Farândola,* p. 70). [Pl.: *bem-sonantes.* Antôn.: *malsonante.*]
bem-sucedido. *Adj.* Que teve bom sucesso, bom êxito [Antôn.: *malsucedido.* Pl.: *bem-sucedidos.*]
bem-te-vi. *S. m. Bras.* **1.** Ave passeriforme da família dos tiranídeos (*Pitangus sulphuratus* (L.)), largamente distribuída no Brasil, e com pelo menos quatro subespécies. Coloração pardo-olivácea, asas e cauda marginadas de vermelho, cabeça preta com uma mancha amarela no vértice, sobrancelhas prolongadas numa fita nucal, garganta branca, peito e abdome amarelos. [Cf. *siriri-ca*¹. (2). Sin.: *pituã, triste-vida.*] **2.** V. *bem-te-vi-de-coroa.* **3.** Partido político formado no MA no período da Regência. **4.** Membro ou sequaz desse partido. [Pl.: *bem-te-vis.*]
bem-te-vi-carrapateiro. *S. m. Bras., BA.* V. *bem-te-vi-do-gado.* [Pl.: *bem-te-vis-carrapateiros.*]
bem-te-vi-cavaleiro. *S. m. Bras., AM.* V. *bem-te-vi-escuro.* [Pl.: *bem-te-vis-cavaleiros.*]
bem-te-vi-de-cabeça-rajada. *S. m. Bras.* V. *bem-te-vi-escuro.* [Pl.: *bem-te-vis-de-cabeça-rajada.*]
bem-te-vi-de-coroa. *S. m.* Ave passeriforme, da família dos tiranídeos (*Pitangus sulphuratus maximiliani* (Cab. & Hein.)), que ocorre do MA para o S. Coloração parda na parte superior, amarela na inferior, vértice amarelo orlado de preto, garganta, cílios e nuca brancos. Seu nome provém da coloração da cabeça. Alimenta-se de insetos e de outros vertebrados de pequeno porte. [Sin.: *pitanguá, bem-te-vi, pitanguá-açu, pitauá.* Pl.: *bem-te-vis-de-coroa.*]
bem-te-vi-de-gamela. *S. m. Bras., CE.* V. *birro*¹. [Pl.: *bem-te-vis-de-gamela.*]
bem-te-vi-de-igreja. *S. m. Bras.* Indivíduo que freqüenta as igrejas para se exibir. [Pl.: *bem-te-vis-de-igreja.*]
bem-te-vi-do-bico-chato. *S. m. Bras.* Ave passeriforme, da família dos tiranídeos (*Megarynchus pitangua* (L.)), comum em todo o Brasil. Coloração pardo-esverdeada, asas e cauda marginadas de vermelho-pálido, uma mancha amarela no vértice, sobrancelhas, garganta e coberteiras inferiores da cauda brancas, peito e abdome amarelos. [Sin.: *bem-te-vi-do-bico-largo, bem-te-vi-do-mato-virgem, neinei, pitangaçu, pitanguá.* Pl.: *bem-te-vis-do-bico-chato.*]
bem-te-vi-do-bico-largo. *S. m. Bras.* V. *bem-te-vi-do-bico-chato.* [Pl.: *bem-te-vis-do-bico-largo.*]
bem-te-vi-do-gado. *S. m. Bras., CE.* Ave passeriforme, da família dos tiranídeos (*Machetornis rixosa* (Vieil.)). Coloração verde-azeitonada no dorso; asas e cauda escuras, amarelas inferiormente. O vértice vermelho-escarlate caracteriza bem a espécie. Gosta de permanecer junto ao gado, donde o nome comum e a concepção errada de que se alimenta de carrapatos. [Sin.: *bem-te-vi-carrapateiro, suiriri-do-campo.* Pl.: *bem-te-vis-do-gado.*]
bem-te-vi-do-mato. *S. m. Bras., PA.* V. *siriritinga.* [Pl.: *bem-te-vis-do-mato.*]
bem-te-vi-do-mato-virgem. *S. m. Bras., Amaz.* V. *bem-te-vi-do-bico-chato.* [Pl.: *bem-te-vis-do-mato-virgem.*]
bem-te-vi-escuro. *S. m.* Ave passeriforme da família dos tiranídeos (*Myiodynastes maculatus* (Mül.)), da Amaz., de coloração pardo-escura, retrizes e coberteiras superiores da cauda vermelhas com uma estreita estria parda no meio, asas marginadas de tons tirantes a branco e a vermelho, e uma mancha amarela no vértice; bem-te-vi-cavaleiro, bem-te-vi-rajado, bem-te-vi-de-cabeça-rajada. [Pl.: *bem-te-vis-escuros.*]
bem-te-vi-gamela. *S. m. Bras., CE.* V. *bem-te-vi-pequeno.* [Pl.: *bem-te-vis-gamelas* e *bem-te-vis-gamela.*]
bem-te-vi-miúdo. *S. m. Bras., Amaz.* **1.** V. *maria-é-dia* (1). **2.** Ave passeriforme da família dos tiranídeos (*Myozetetes sclater*), menor do que os outros representantes da espécie. [Pl.: *bem-te-vis-miúdos.*]
bem-te-vi-pequeno. *S. m. Bras.* **1.** Ave passeriforme, da família dos tiranídeos (*Legatus leucophaius* (Vieil.)), com larga distribuição no Bras. Coloração pardo-esverdeada no dorso; sobrancelha e garganta brancas; peito e abdome amarelo-desmaiados, com pontinhos cinzentos. **2.** Ave passeriforme da família dos tiranídeos (*Myozetetes similis* (Spix)), da Amaz., de coloração parda, dorso oliváceo, rêmiges com margem interior amarelo-esbranquiçada, uma mancha alaranjada no vértice, sobrancelha e garganta brancas, peito e abdome amarelos; bem-te-vizinho. **3.** Ave passeriforme da família dos tiranídeos (*Pitangus lictor* (Lich.)), muito semelhante ao bem-te-vi, porém muito menor, tendo a asa menos de 0,10 m de comprimento; bem-te-vizinho. [Sin. ger.: *bem-te-vi-gamela, filho-de-bem-te-vi.* Pl.: *bem-te-vis-pequenos.*]
bem-te-vi-preto. *S. m. Bras., RS.* V. *siriritinga.* [Pl.: *bem-te-vis-pretos.*]
bem-te-vi-rajado. *S. m. Bras.* V. *bem-te-vi-escuro.* [Pl.: *bem-te-vis-rajados.*]
bem-te-vi-riscado. *S. m. Bras.* V. *siriritinga.* [Pl.: *bem-te-vis-riscados.*]
bem-te-vizinho. *S. m.* **1.** *Bras.* Ave passeriforme da família dos tiranídeos (*Myozetetes cayanensis* (L.)), distribuída da Amaz. ao PR. coloração parda, dorso oliváceo, rêmiges marginadas de vermelho-claro nas barbas interiores, mancha no vértice alaranjada, sobrancelha e garganta brancas, peito e abdome amarelos. **2.** *Bras.* V. *bem-te-vi-pequeno* (2 e 3). **3.** *Bras., RS.* Ave passeriforme, da família dos tiranídeos (*Empidonomus varius* (Vieil.)), de coloração parda, cauda e coberteiras superiores da cauda marginadas de vermelho, mancha no vértice amarela, peito e abdome amarelo-claros pintados de pardo. Ocorre no Brasil central e meridional. [Pl.: *bem-te-vizinhos.*]
bem-vindo. *Adj.* **1.** Que chegou a salvo, que chegou bem. **2.** Bem recebido, bem acolhido à chegada: "*Bem-vindo* sejas, poeta, / A estas praias brasileiras!" (Casimiro de Abreu, *Obras,* p. 290.) [Pl.: *bem-vindos.* Cf. *Benvindo,* antr.]
bem-visto. *Adj.* **1.** Bem-conceituado; considerado. **2.** Benquisto, bem-aceito, aceito: *É muito querido de todos, muito bem-visto.* [Pl.: *bem-vistos.* Antôn.: *malvisto.*]
▲**ben-.** Equiv. de *bem-.*
benção. *S. f. Ant.* e *pop.* Bênção [q. v.]: "Lançou-lhe mil *benções* o devoto Prelado" (Fr. Luís de Sousa, *Vida de D. Fr. Bertolameu dos Mártires,* II, p. 317). [Pl.: *benções.* Benção (oxítono) seria a boa forma, mas hoje é só us. pelo povo.]
bênção. [Do lat. *benedictione,* atr. de várias f. arcaicas e antigas, a última das quais é *benção,* ainda vigente na linguagem pop.; houve recuo da acentuação tônica.] *S. f.* **1.** Ação de benzer, ou de abençoar; bendição. **2.** Graça divina. **3.** Palavras e sentimentos de gratidão. **4.** *Bras. Cap.* Golpe traumatizante em que o capoeirista levanta uma perna e a atira à frente com violência a fim de atingir o adversário no tronco com a sola do pé. [Pl.: *bênçãos.*] ◆ **Tomar a bênção a cachorro.** Achar-se em extrema pobreza ou humilhação; chamar a gato meu tio.
bênção-de-deus. *S. f.* **1.** *Bras., L.* e *S.* Arbusto da família das malváceas (*Abutilon bedfordianum*), de flores róseo-violáceas e frutos capsulares. **2.** *Bras., S.* Arbusto da família das malváceas (*Abutilon atropurpurem*), cujas flores, roxo-avermelhadas, se comem cozidas ou em saladas; campainha. [Pl.: *bênçãos-de-deus.*]
➧**benday** (bendei). [Do ingl. *benday,* de *Ben(jamin) Day* (1838-1916), técnico gráfico americano que desenvolveu este processo.] *S. m. Art. Gráf.* Processo de aplicação de padrões de ponto ou linha na reprodução de arte-final a traço, para se obter tonalidades ou sombreados.
bendengó. *S. m. Bras.* **1.** Aerólito caído no sertão da Bahia, e que se conserva no Museu Nacional do Rio de Janeiro. **2.** *P. ext.* Coisa descomunal. **3.** *Bras., N.E.* Certo penteado.
bendenguê. [De or. afr.] *S. m. Bras., RJ.* V. *caxambu* (1).
bendiapá. *Bras. S. 2 g.* **1.** Indivíduo dos bendiapás, tribo indígena que habitava na margem esquerda do alto Juruá, a montante do rio Gregório (AM). ● *Adj. 2 g.* **2.** Pertencente ou relativo a essa tribo.
bendição. *S. f.* Bênção (1).
bendito (ẽin). [Do lat. *benedictu.*] *Adj.* **1.** Diz-se daquele ou daquilo a quem se abençoou; abençoado: *filhos benditos.* **2.** Bom, bondoso, benfazejo: *criaturas benditas.* **3.** Feliz, ditoso; *Bendita a hora em que a vi!* [Antôn.: *maldito.*] ● *S. m.* **4.** Oração que principia por aquela palavra. **5.** *Bras., MG.* V. *louva-a-deus.* ◆ **Bendito dos penitentes.** *Bras., BA. Folcl.* Em Pilão Arcado, romaria exclusiva de homens que, na sexta-feira santa, saem do cemitério de dorso nu ou enrolado em lençóis, todos com um pano branco na cabeça, e um deles carregando uma cruz, percorrem a cidade até a matriz, entoando benditos de alerta contra pecado e estimulando a penitência.
bendizente (ẽin). *Adj. 2 g.* Que bendiz ou louva. [Antôn.: *maldizente.*]
bendizer (ẽin). *V. t. d.* **1.** Dizer bem de; elogiar, gabar, louvar: *Ela sempre bendiz o bom gênio do marido.* **2.** V. *abençoar* (1): *O capelão da Armada bendisse as terras descobertas.* **3.** V. *abençoar* (2): *Bendigam os fados a nossa pátria.* **4.** Glorificar, louvar, exaltar, abendiçoar: "E eu *bendigo,* envergonhado, / Esse amor, avô do meu..." (Manuel Bandeira, *Estrela da Vida Inteira,* p. 18.) [Antôn.: *maldizer.* Irreg. Conjug.: v. *dizer.*]
➧**benedictus.** [Lat., 'bendito'.] *S. m. 2 n. Lit.* Parte da missa (1) que se inicia com essa palavra de oração de ação de graças, recitada ou cantada. [V. *liturgia da missa.*]
beneditinense. *Adj. 2 g.* **1.** De, ou pertencente ou relativo a Beneditinos (PI). ● *S. 2 g.* **2.** Natural ou habitante de Beneditinos.
beneditino. *S. m.* **1.** Monge da Ordem de São Bento. **2.** *Rel.* Religioso que vive segundo a regra de São Bento. **3.** *P. ext.* Homem erudito. ● *Adj.* **4.** Pertencente ou relativo aos beneditinos. **5.** Referente aos, ou próprio dos beneditinos: *paciência beneditina;* "Foi um trabalho *beneditino,* exaustivo, ao mesmo tempo cheio de surpresas, de deslumbramentos" (José Maria d'Eça de Queirós, *in* Eça de Queirós, *A Capital,* p. IX).
benedito. [Do antr. *Benedito*?] *S. m. Bras.* V. *pica-pau-do-mato-virgem.*
beneficência. *S. f.* **1.** Ato, hábito ou virtude de fazer o bem. **2.** Caridade, filantropia. [Antôn.: *maleficência.*]
beneficente. *Adj. 2 g.* Que beneficia; beneficiador.
beneficentíssimo. *Adj.* Superl. abs. sint. de *benéfico.*
beneficiação. *S. f.* **1.** Ato de beneficiar; beneficiamento. **2.** Benfeitoria ou reparo em propriedade. **3.** Aguardentação de vinho.
beneficiado. [Part. de *beneficiar.*] *Adj.* **1.** V. *beneficiário* (1). **2.** *Bras.* Diz-se do animal castrado, ferrado ou assinalado. **3.** Pessoa que tem benefício eclesiástico. **4.** Pessoa ou instituição para quem reverte a totalidade ou parte do produto de um espetáculo de benefício. ● *S. m.* **5.** V. *beneficiário* (2).
beneficiador (ô). *Adj.* **1.** Beneficente. ● *S. m.* **2.** Aquele que faz benefícios. **3.** *Bras.* Indivíduo que castra, ferra ou assinala reses. **4.** Aquele que beneficia produtos agrícolas.
beneficial. [Do lat. *beneficiale.*] *Adj. 2 g.* Respeitante a benefício eclesiástico.
beneficiamento. *S. m.* **1.** Beneficiação (1). **2.** *Arquit.* Conjunto de intervenções que visam a melhorar ou reparar determinados aspectos de um imóvel.
beneficiar. *V. t. d.* **1.** Fazer benefício a; favorecer: *O recente decreto beneficia os funcionários públicos.* **2.** Melhorar; reparar, consertar: *beneficiar um velho edifício.* **3.** Lavrar, cultivar, amanhar: *beneficiar a terra.* **4.** Submeter (produtos agrícolas) a processos destinados a dar-lhes condições de serem consumidos, como, p. ex., descascar cereais, descaroçar algodão, etc. **5.** Apurar (metais). **6.** Castrar, ferrar ou assinalar (rês ou outro animal). *T. d.* e *i.* **7.** Prover em (benefício eclesiástico). *P.* **8.** Proporcionar benefícios a si mesmo: *Beneficiou-se durante a administração do amigo.* [Pres. ind.: *beneficio,* etc.; fut. pret.: *beneficiaria,* etc. Cf. *benefício* s. m., e *beneficiária,* fem. de *beneficiário.*]
beneficiário. [Do lat. *beneficiariu.*] *Adj.* **1.** Diz-se daquele que recebe ou usufrui benefício ou vantagem; beneficiado, favorecido. ~ V. *herdeiro — e parte — a.* ● *S. m.* **2.** Aquele que recebe ou usufrui um benefício ou vantagem; beneficiado, favorecido. [Fem.: *beneficiária.* Cf. *beneficiaria,* do v. *beneficiar.*]
beneficiável. *Adj. 2 g.* Que pode ser beneficiado.
benefício. [Do lat. *beneficiu.*] *S. m.* **1.** Serviço ou bem que se faz gratuitamente; favor, mercê, graça. **2.** Vantagem, ganho, proveito. [Sin. bras. e ant. (nessas acepç.): *benfeitoria.* Antôn.: *malefício* (1).] **3.** Espetáculo cuja renda reverte em favor de algum artista da companhia, ou de outra pessoa, ou de uma instituição: "Artur Azevedo .... estava sempre solidário com todas as festividades teatrais e '*benefícios*' destinados a angariar fundos para a libertação de escravos." (R. Magalhães Júnior, *Artur Azevedo e Sua Época,* p. 122.) **4.** Melhoramento; benfeitoria. **5.** Direito conferido a

alguém. **6.** Auxílio por força de legislação social. **7.** *Rel.* Cargo eclesiástico, na Igreja Católica Apostólica Romana, ao qual se anexa o uso ou fruição de um bem. [Cf. *benefício*, do v. *beneficiar*.] ◆ **Benefício de desoneração.** *Jur.* Desobrigação do fiador em virtude de moratória ou novação de contrato combinada, à sua revelia, entre o credor e o devedor. **Benefício de divisão.** *Jur.* Cláusula contratual que restringe a responsabilidade dos co-fiadores a uma parte alíquota da dívida afiançada. **Benefício de excussão.** *Jur.* Direito conferido ao fiador para só ser obrigado a pagar ao credor quando todos os bens do devedor principal houverem sido excutidos. **Benefício de inventário.** *Jur.* Faculdade que algumas legislações estrangeiras, bem como o direito brasileiro anterior ao Código Civil (1917), concedem aos herdeiros, de promoverem o inventário antes de aceitarem ou renunciarem a herança. **A benefício de inventário.** *Jur.* Com a concessão deste direito: "Deixou [Castilho] arcas de riquezas filológicas; mas há pouco quem não renuncie a herança a benefício de inventário." (Camilo Castelo Branco, *Serões de S. Miguel de Ceide*, I, p. 75.)

benéfico. [Do lat. *benficu*.] *Adj.* **1.** Que faz bem; benigno, salutar: *clima benéfico.* **2.** Bondoso, generoso: *atitude benéfica.* **3.** Favorável, propiciador, propício: *Ventos benéficos impeliam a galera.* [Superl. abs. sint.: *beneficentíssimo.* Antôn.: *maléfico.* Cf. *venéfico*.]

beneleitense. *Adj. 2 g.* **1.** De, ou pertencente ou relativo a Benedito Leite (MA). ● *S. 2 g.* **2.** Natural ou habitante de Benedito Leite.

benemerência. [Do lat. *benemerentia*.] *S. f.* Qualidade ou ato de benemérito.

benemerente. [Do lat. *benemerente*.] *Adj. 2 g.* Benemérito (1 e 2).

benemérito. [Do lat. *benemeritu*.] *Adj.* **1.** Que merece o bem; benemerente. **2.** Digno de honras, recompensas e aplausos por serviços importantes ou por procedimento notável; benemerente. **3.** Ilustre, distinto, ínclito. ● *S. m.* **4.** Indivíduo benemérito.

beneplácito. [Do lat. *beneplacitu*.] *S. m.* Consentimento, licença, aprovação, aprazimento: "Não há mulher alguma civilizada que se atreva a atar uma gravata, a calçar uma botina, ... a pregar um alfinete no vestido sem que a parisiense lhe tenha dado primeiro o seu conselho ou o seu beneplácito." (Ramalho Ortigão, *Em Paris*, p. 159.)

benesse (né). *S. f. e m.* **1.** Emolumento paroquial; pé-de-altar: "As ventanias, as chuvas, as noitadas através das serras revertiam inteiramente, como a côngrua e os benesses, em benefício, se não do corpo, ao menos da alma do reverendo prior." (Alexandre Herculano, *Lendas e Narrativas*, II, p. 132.) V. *direitos de estola.* **2.** Lucro gratuito; sinecura.

benetnache. *S. f. Astr.* V. *alcaide* (4).

beneventino. *Adj.* **1.** De, ou pertencente ou relativo à antiga cidade de Benevente, atual Anchieta (ES). ● *S. m.* **2.** O natural ou habitante desta cidade.

benevolência. [Do lat. *benevolentia*.] *S. f.* **1.** Boa vontade para com alguém. **2.** Complacência com inferiores. **3.** Afeto, estima. [Antôn.: *malevolência*.]

benevolente. [Do lat. *benevolente*.] *Adj. 2 g.* V. *benévolo.* [Antôn.: *malevolente*.]

benevolentíssimo. [Do lat. *benevolentissimu*.] *Adj.* Superl. abs. sint. de *benévolo.* [Antôn.: *malevolentíssimo*.]

benévolo. [Do lat. *benevolu*.] *Adj.* **1.** Que tende a fazer o bem; bondoso, benfeitor. **2.** Que tem disposições favoráveis; benéfico, benigno. **3.** Complacente, indulgente, benigno. **4.** Benquerente. [Sin. ger.: *benevolente*.] [Superl. abs. sint.: *benevolentíssimo.* Antôn.: *malévolo*.]

benfazejo (ên...ê). *Adj.* **1.** Que faz o bem; caritativo, caridoso: "Há longos anos ele arqueja / Em aflitiva escuridão. / Sê compassiva e benfazeja. / Dá-lhe o melhor que ele deseja: / — Teu grave e meigo coração." (Manuel Bandeira, *Estrela da Vida Inteira*, p. 38.) **2.** Útil, benéfico: "A chuva cai. A chuva aumenta. / Cai, benfazeja, a bom cair! / Contenta as árvores! Contenta / As sementes que vão abrir!" (Id., *ib.*, p. 37); *influência benfazeja.* [Antôn.: *malfazejo*.]

benfeitor (ên...ô). [Do lat. *benefactore*.] *S. m.* **1.** Aquele que faz o bem. **2.** Aquele que faz benfeitorias. ● *Adj.* **3.** V. *benévolo* (1). [Antôn.: *malfeitor*.]

benfeitoria (ên). *S. f.* **1.** Obra útil realizada em propriedade, e que a valoriza. **2.** Obra feita em coisas móveis ou imóveis com o fim de as conservar, melhorar ou embelezar. **3.** *Bras.* e *ant.* Benefício (1 e 2). [Antôn. (nesta acepç.): *malfeitoria*.] ◆ **Benfeitorias necessárias.** As que conservam a coisa ou impedem sua deterioração. **Benfeitorias úteis.** As que aumentam ou facilitam o uso da coisa. **Benfeitorias voluptuárias.** As que não aumentam o uso habitual da coisa, constituindo simples deleite ou recreio.

benfeitorizar (ên). *V. t. d.* Fazer benfeitoria(s) em.

bengala[1]. [Do top. *Bengala*.] *S. f.* Tecido de seda e lã, originariamente trazido de Bengala (Índia).

bengala[2]. [Abrev. de *cana de Bengala*.] *S. f.* Bastão de madeira, cana-da-índia, etc., hoje praticamente em desuso. ◆ **Bengala branca.** Bengala usada por cegos para tatear o caminho e identificar-se como tal. **Bengala de estoque.** Bengala que oculta em seu interior uma espada ou um estoque.

bengalada. *S. f.* Bordoada com bengala[2].

bengaleiro. *S. m.* **1.** Fabricante e/ou vendedor de bengalas [v. *bengala*[2]]. **2.** Empregado que, à entrada dos teatros, guardava as bengalas dos espectadores. **3.** Móvel para guardar bengalas.

bengalês. *Adj.* e *s. m.* V. *bengali* (1 a 4). [Flex.: *bengalesa* (ê), *bengaleses* (ê), *bengalesas* (ê).]

bengali. [Do ár. *bengali*.] *Adj. 2 g.* **1.** De, ou pertencente ou relativo a Bengala (Índia). **2.** De, ou pertencente ou relativo a Bangladesh (antigo Paquistão Oriental, país a leste da Índia). ● *S. 2 g.* **3.** Natural ou habitante de Bengala. **4.** Natural ou habitante de Bangladesh. [Sin. ger., nestas acepç., *bengalês*.] ● *S. m.* **5.** O idioma aí falado. V. *indo-iraniano* (3). **6.** Tentilhão de Bengala.

bengasiano. *Adj.* **1.** De, ou pertencente ou relativo a Bengasi (Líbia). ● *S. m.* **2.** O natural ou habitante de Bengasi.

bengo[1]. [Do top. angolense *Bengo*.] *S. m. Bras. PE.* **1.** Viela estreita e tortuosa; betesga. **2.** Caminho escuso. **3.** Qualquer lugar pouco e/ou mal freqüentado. **4.** Casa comercial de ínfima categoria.

bengo[2]. *S. m. Bras., SE.* Preá (1 e 2).

bengue. *S. m. Bras., RS.* V. *maconha.*

benguela. *S. 2 g.* **1.** V. *banguela.* **2.** V. *banto* (1).

benignidade. [Do lat. *benignitate*.] *S. f.* Qualidade de benigno. [Antôn.: *malignidade*.]

benigno. [Do lat. *benignu*.] *Adj.* **1.** V. *benévolo* (2 e 3). **2.** Suave, brando, agradável. **3.** Não perigoso nem maligno. [Antôn.: *maligno*.]

benim. [Do ioruba.] *S. m.* Grupo tribal de cultura iorubana.

benincasa. *S. f. Bras.* Planta sarmentosa, originária da África e da Ásia, da família das cucurbitáceas (*Benincasa cerifera*), de flores amarelas e baga cilíndrica, a qual exsuda matéria cerífera esbranquiçada, e cujo fruto, a abóbora-branca, é comestível.

beninense. *Adj. 2 g.* **1.** De, ou pertencente ou relativo à República de Benin (África Ocidental). ● *S. 2 g.* **2.** Natural ou habitante de Benin.

beniquê. [Do antr. *Béniqué*, de Pierre-Jules Béniqué, cirurgião francês (1806-1851).] *S. m. Cir.* Sonda metálica usada no cateterismo dilatador da uretra.

benjamim. [Do antr. *Benjamim*, do filho mais novo de Jacó e Raquel.] *S. m.* **1.** O filho preferido (em geral o mais moço). **2.** O membro mais jovem de uma associação. **3.** Extensão dupla ou tripla para tomadas elétricas.

benjamim-constantense. *Adj. 2 g.* **1.** De, ou pertencente ou relativo a Benjamim Constant (AM). ● *S. 2 g.* **2.** Natural ou habitante de Benjamim Constant. [Pl.: *benjamim-constantenses*.]

benjericum. *S. m. Bras.* Fava de origem africana, usada na culinária afro-brasileira.

benjoeiro (o-i). [De *benjoim* + *-eiro*.] *S. m.* **1.** *Bras.* Planta da família das estiracáceas (*Styrax aureum*), de flores alvas, cuja madeira é usada em obras internas e construção civil, e que produz uma resina aromática empregada em farmácia. **2.** *Bras., L.* a *SP.* Arbusto tortuoso da família das estiracáceas (*Styrax ferrugineus*), de flores alvas e frutos drupáceos, e que fornece resina igual à anterior; limoeiro-do-campo, pindaíba, pindaubuna, pindauvuna. [Sin. ger. (bras.): *estoraque.* Var.: *beijoeiro*.]

benjoí. *S. m. Bras.* V. *mandaguari.*

benjoim (o-im). [Do ár. *lubān jāui*, 'resina de Java, incenso'.] *S. m.* **1.** Bálsamo aromático, amarelo, extraído do estoraque (1), utilizado na fabricação de perfumes e em medicina; estoraque. **2.** *Bras.* V. *mandaguari.* [Var.: *beijoim*.]

bennettitácea. *S. f.* Espécime das bennettitáceas.

bennettitáceas. *S. f. pl. Bot.* Família de gimnospermas fósseis que viveram, em abundância, na era mesozóica, e muitas das quais eram de grande porte e integravam os depósitos carboníferos.

bennettitáceo. *Adj.* Pertencente ou relativo às bennettitáceas.

bennettitale. *S. f.* Espécime das bennettitales.

bennettitales. *S. f. pl. Bot.* Classe de gimnospermas inteiramente extintas, que viveram no mesozóico, e conhecidas graças a muitos restos fósseis. Tinham porte muito variado; as folhas eram penadas, e as flores femininas possuíam apenas um óvulo e folhas carpelares reduzidíssimas. Formavam uma família dita bennettitáceas.

▲**beno-.** [Do gr. *baíno*.] *El. comp.* = 'que marcha': *benoterapia, benodáctilo.*

benodáctilo. [De *beno-* + *-da(c)tilo*.] *Adj. Zool.* Diz-se dos animais que caminham sobre os dedos. [Var.: *benodátilo*.]

benodátilo. *Adj. Zool.* V. *benodáctilo.*

benquerença (ên). *S. f.* O querer bem; bem-querer; estima, benevolência. [Antôn.: *malquerença*.]

benquerente (ên). *Adj. 2 g.* Que quer bem a outrem; que consagra a outrem viva aflição; benévolo. [Antôn.: *malquerente*.]

benquistar (ên). *V. t. d. e i.* **1.** Tornar querido, benquisto; conciliar: *Nada pôde benquistar o rei tirano com os seus súditos. P.* **2.** Fazer-se benquisto; granjear amizades. [Antôn.: *malquistar*.]

benquisto (ên). [De *bem* + *quisto*[2].] *Adj.* **1.** Querido, estimado por todos. **2.** Bem-aceito, bem-visto. [Sin. ger.: *bem-querido.* Antôn.: *malquisto*.]

bens. [Pl. de *bem*.] *S. m. pl.* O que é propriedade de alguém; possessão; domínio. ~ V. *bem.* ◆ **Bens alodiais.** *Jur.* Imóveis isentos de encargos, foros, pensões, vínculos ou ônus. **Bens antifernais.** *Jur.* Os doados pelo marido à mulher na escritura antenupcial. **Bens aqüestos.** *Jur.* Os adquiridos na vigência do matrimônio. **Bens colacionáveis.** *Jur.* Os recebidos pelos herdeiros em vida dos pais, a título de liberalidade, e que devem ser repostos no monte para estabelecer igualdade nas partilhas. **Bens castrenses.** *Ant.* Pecúlio adquirido pelo menor em virtude de prestação de serviços militares, que é excluído da administração dos pais. **Bens comuns.** *Jur.* **1.** Os de propriedade e uso geral: o mar, o ar, etc. **2.** Os que pertencem a duas ou mais pessoas, encontrando-se em estado de indivisão. V. *condomínio.* **3.** Os que pertencem ao marido e à mulher, em virtude do regime matrimonial. **Bens de mão-morta.** *Jur.* Bens inalienáveis, como são os das agremiações religiosas, dos hospitais, etc. [Tb. se diz apenas *mão-morta*.] **Bens de raiz.** *Jur.* Os imóveis de qualquer natureza. **Bens divisos.** *Jur.* Aqueles que foram objeto de divisão. **Bens dominicais.** *Jur.* Aqueles que formam o patrimônio da União, dos estados ou dos municípios como objeto de direito real ou pessoal de cada uma dessas entidades. **Bens fungíveis.** *Jur.* Os substituíveis por outros da mesma espécie, qualidade e quantidade. **Bens incomunicáveis.** *Jur.* Os próprios de um dos cônjuges, excluídos do regime da comunhão. **Bens indivisos.** *Jur.* Os que não foram objeto de divisão. **Bens imóveis.** *Jur.* Os que, por natureza ou por destino, não podem ser removidos de um lugar para outro sem perda de sua forma e substância. **Bens litigiosos.** *Jur.* Os que são objeto de demanda. **Bens livres.** *Jur.* Os de que o proprietário pode dispor livremente, visto não se acharem sujeitos a encargos ou ônus de qualquer natureza. **Bens parafernais.** *Jur.* Os que, no regime dotal do casamento, constituem propriedade da mulher, que sobre eles exerce administração, gozo e livre disponibilidade, não podendo, contudo, alienar os imóveis. **Bens profetícios.** *Jur.* Os que fazem parte do dote constituído pelo pai, mãe, ou qualquer ascendente; dotes profetícios. **Bens semoventes.** *Jur.* **1.** Os constituídos por animais selvagens, domesticados ou domésticos. **2.** *Ant.* Os escravos. **Bens vagos.** *Jur.* Os que não têm dono conhecido, ou, se o têm, foram por ele abandonados. **Bens vinculados.** *Jur.* Os que, por lei ou por disposição de alguém, são inalienáveis, impenhoráveis e incomunicáveis, podendo tais restrições apresentar-se em conjunto ou separadamente.

benterere. [Voc. onom.] *S. m. Bras.* V. *joão-teneném.*

bêntico. *Adj.* ~ V. *vida* —*a.*

bentinho. [Dim. de *bento*.] *S. m.* V. *bentinhos.*

bentinhos. [Pl. de *bentinho*.] *S. m. pl.* Objeto de devoção formado por dois pequenos quadrados de pano bento, com orações escritas ou uma relíquia, que os devotos trazem ao pescoço. [No Brasil é us., ou m. us., no sing. Sin.: *breve, escapulário, patuá*.]

bento[1]. *S. m.* Móvel oriental antigo, espécie de contador (6). ~ V. *bentos.*

bento[2]. [Do lat. *benedictu*.] *Adj.* **1.** Benzido. ● *S. m.* **2.** Frade beneditino. ~ V. *bentos.*

bento-abreuense. *Adj. 2 g.* **1.** De, ou pertencente ou relativo a Bento de Abreu (SP). ● *S. 2 g.* **2.** Natural ou habitante de Bento de Abreu. [Pl.: *bento-abreuenses*.]

bentônico. [Do gr. *bénthos*, 'profundidade'.] *Adj.* Diz-se de ser animal ou vegetal que vive no fundo do mar, nas regiões litorâneas ou abissais.

bentoplancto. *S. m. Bot.* Variedade de plancto peculiar aos charcos e brejos; bentoplâncton.

bentoplâncton. *S. m. Bot.* Bentoplancto.

bentos. [Do gr. *bénthos*, 'profundidade'.] *S. m. pl. Biol. Ger.* Conjunto dos seres vivos do fundo do mar ou de lago; fauna e flora de fundo. [Cf. *bento*.]

benzaldeído. *S. m. Quím.* Aldeído benzóico.

benzedeira. *S. f.* **1.** Mulher que pretende curar doenças e anular feitiços por meio de benzeduras. **2.** Bruxa, feiticeira.

benzedeiro. *S. m.* **1.** Homem que exerce a mesma função da benzedeira; benzedor, abendiçoadeiro. **2.** Bruxo, feiticeiro. [Sin. ger.: *benzilhão*.]

benzedor (ô). *S. m.* V. *benzedeiro* (1).

benzedura. *S. f.* Ato de benzer (1), acompanhado de rezas supersticiosas. [Sin. (bras.): *pajelança*.]

benzênico. *Adj. Quím.* Relativo ao, ou próprio do benzeno, ou que o contém.

benzeno. [De *benz*, rad. do lat. mod. *benzoe*, 'benjoim', + *-eno*.] *S. m. Quím.* Líquido incolor, com cheiro característico, volátil, cuja molécula tem uma estrutura cíclica típica, usado como solvente e matéria-prima para obtenção de vários outros compostos [Fórm.: C_6H_6.]

benzer. [Do lat. *benedicere*.] *V. t. d.* **1.** Fazer o sinal-da-cruz sobre (pessoa ou coisa), recitando certas fórmulas litúrgicas, para consagrá-la ao culto divino ou chamar sobre ela o favor do Céu; abençoar. **2.** Tornar próspero; coroar com bom resultado: *Que os Céus* b e n z a m *os teus intentos!* **3.** Fazer benzeduras em. *Int.* **4.** Fazer benzeduras. *P.* **5.** Fazer o sinal-da-cruz, tocando com a ponta dos dedos a testa, o peito, o ombro esquerdo e o direito: "Um sino toca às almas. O arrieiro tira o chapéu. B e n z e - s e. Beija as costas da mão direita." (João de Araújo Correia, *Sem Método*, p. 91.) **6.** Admirar-se; espantar-se. **7.** *Bras. Cap.* Fazer a saudação ao berimbau [q. v.]. [Part.: *benzido* e *bento*.]

benzidina. *S. m. Quím.* Diamina aromática, sólida, amarelo-acinzentada, usada como reagente e na indústria de corantes. [Fórm.: $NH_2(C_6H_4)_2NH_2$.]

benzido. [Part. de *benzer*.] *Adj.* Consagrado pela bênção eclesiástica; bento.

benzil. Elemento de composição química designativo do grupamento $C_6H_5CH_2$-.

benzilhão. *S. m.* V. *benzedeiro*.

benzina. [De *benz*, rad. do lat. mod. *benzoe*, 'benjoim', + *-ina*[2].] *S. f.* **1.** Benzeno impuro, vendido comercialmente como solvente industrial. **2.** Fração de destilação do petróleo, constituída sobretudo por hexano e heptano, com ponto de ebulição inferior a 85ºC.

benzinho-amor. *S. m. Bras.* Bailarico, espécie de fandango. [Pl.: *benzinhos-amores* e *benzinho-amores*.]

▲**benzo-.** *Quím. El. comp.* Indica o radical cíclico monovalente C_6H_5-.

benzoato. *S. m. Quím.* Qualquer sal ou éster derivado do ácido benzóico.

benzóico. *S. m. Quím.* Ácido benzóico.

▲**benzoil-** (o-il). *Quím. El. comp.* Designa o grupamento C_6H_5CO-.

benzol. *S. m. Quím.* Mistura de benzeno, tolueno e xileno, em proporções variáveis, usada como solvente industrial. [Pl.: *benzóis*.]

beócio. [Do gr. *boiótios*, pelo lat. *boeotiu*.] *Adj.* **1.** Da, ou pertencente ou relativo à Beócia, província da Grécia antiga. **2.** *Fig.* Curto de inteligência; ignorante, boçal. **3.** *Fig.* Simplório, ingênuo. ● *S. m.* **4.** O natural ou habitante da Beócia. **5.** O dialeto dessa província. **6.** Indivíduo beócio (2 e 3).

bequadro. [Do it. *bequadro*.] *S. m. Mús.* Sinal ( ) que anula o efeito dos sustenidos e bemóis, e repõe no seu tom natural a nota elevada ou abaixada.

beque[1]. [Do fr. *bec*, us. no fr. ant. em vez de *avant*.] *S. m.* **1.** *Constr. Nav.* Estrutura saliente, em geral inclinada para fora, que forma a parte alta da proa dos navios antigos, a fim de servir de apoio ao gurupés. **2.** *Pop.* V. *narigão* (2).

beque[2]. [Do ingl. *back*.] *S. m. Fut.* Zagueiro.

beque[3]. *S. m. Bras., Amaz.* Arvoreta da família das acantáceas (*Trichantera gigantea*), do interior da floresta pluvial; de flores grandes e vistosas, com a corola urceolada, e cujos frutos são cápsulas com sementes discóides. É a única árvore brasileira desta família, pois as demais espécies são herbáceas. [Sin.: *canela-de-garça*.]

béquer. *S. m. Quím.* V. *bécher*. [Pl.: *béqueres*.]

béquico. [Do gr. *bechikós*.] *Adj.* e *s. m.* Diz-se de, ou medicamento contra tosse; antitussígeno.

bequilha. [Do fr. *béquille*.] *S. f.* Órgão auxiliar do trem de aterragem do avião terrestre, instalado na parte póstero-inferior da fuselagem.

bequimõense. *Adj.* *2 g.* **1.** De, ou pertencente ou relativo a Bequimão (MA). ● *S. 2 g.* **2.** Natural ou habitante de Bequimão.

berba. *S. m. Bras. Chulo.* O ânus.

berbequim. [Do fr. *vilebrequin*.] *S. m.* Instrumento para furar madeira, pedra, louça, etc., que consiste numa haste com ponta de ferro muito aguçada, a qual se faz girar por meio de manivela ou de cordão. [F. paral.: *barbaquim*.]

berbere (bé). *S. 2 g.* **1.** Indivíduo dos berberes, raça que engloba os povos muçulmanos da África setentrional. ● *S. m.* **2.** Língua camítica, aparentada com o antigo líbico, hoje dialetalmente muito fragmentada e com muitos traços de influência árabe, falada sobretudo no Saara meridional. ● *Adj. 2 g.* **3.** Pertencente ou relativo aos berberes.

berberidácea. *S. f.* Espécime das berberidáceas.

berberidáceas. *S. f. pl. Bot.* Família de plantas herbáceas ou lenhosas, não raro espinhosas, que ocorrem, de preferência, nos climas temperados, e levam flores hermafroditas e frutos bacáceos. [Existem cerca de 250 espécies, das quais apenas o gênero *berberis* se encontra no Brasil, nas altas montanhas.]

berberidáceo. *Adj.* Pertencente ou relativo às berberidáceas.

berberina. *S. f. Quím.* Alcalóide cristalino extraído da hidraste ou de certas berberidáceas, usado como febrífugo e tônico estomacal. [Fórm.: $C_{20}H_{19}O_5N$.]

berbigão. *S. m.* **1.** *Lus.* Amêijoa (3). **2.** *Bras.* V. *mijamija*. **3.** Molusco bivalve, da família dos cardídeos (*Amonalocardia brasiliana* Gmel.), da costa atlântica americana; sarro-de-pito. [Cf. *cernambi* (1).]

berbigueira. *S. f. Bras.* V. *sambaqui*.

berçário. *S. m. Bras.* Seção, nas maternidades, onde ficam os berços das crianças recém-nascidas.

➧**berceuse** (bercés'). [Fr.] *S. f.* V. *acalanto*.

berço (ê). [Do fr. ant. *bers*, de que o *berceau* atual é dim.] *S. m.* **1.** Pequeno leito para criança de colo, geralmente armado com dispositivo para embalar. **2.** Lugar de nascimento de alguém; pátria. **3.** A primeira infância: *Conheço-o desde o* b e r ç o. **4.** Lugar onde alguma coisa teve origem, donde procede: *A Grécia é o* b e r ç o *da civilização ocidental.* **5.** Almofada com tinta para carimbos de borracha. **6.** Peça de madeira, metal, etc., à qual se prende o mata-borrão (1), para mais fácil manuseio; buvar: "Vários lápis de cor, as canetas, o tinteirão de cristal, o b e r ç o do mata-borrão" (Pedro Nava, *Beira-Mar*, p. 34). **7.** *Mar. G.* Suporte preso a um convés, estrado, etc., para nele apoiar-se uma peça móvel. **8.** *Mar. G.* Armação de madeira sobre a qual, na carreira de construção, se assenta o navio para lançá-lo ao mar. **9.** *Mar. G.* Armação sobre a qual assenta a embarcação a fim de ser içada para o seco, na carreira de reparação. **10.** *Tip.* Defeito da composição linotípica, que consiste tender ela a encurvar-se por efeito da má regulagem das navalhas que cortam demasiadamente o lado do olho da linha. **11.** *Ant.* Boca-de-fogo pequena e curta, que atirava balas de ferro de três libras. ◆ **Berço da máquina.** *Constr. Nav.* Base metálica, presa à estrutura do casco, sobre a qual assenta determinada máquina. **Berço do canhão.** *Mar. Guer.* Peça de boca-de-fogo que lhe sustenta as parte recuantes. **Nascer em berço de ouro.** Nascer muito rico. **Ter berço.** Ter nascimento.

berçudo. *Adj.* V. *verçudo*.

berdamerda. *S. 2 g. Bras. Chulo.* V. *joão-ninguém*.

bereba. *S. f. Bras.* V. *pereba*.

bereberé. *S. m. Bras. Pop.* V. *joão-ninguém*.

berenguendém. [Var. de *barangandã*.] *S. m. Bras.* V. *balangandã* (1).

bereré. *S. m. Bras.* **1.** Revolta, motim, desordem, barulho. **2.** V. *rolo*[1] (16). [Cf. *bererê*.]

bererê. [De possível or. tupi; t. onom.] *S. m. Bras., SP.* V. *flebótomo* (1). [Cf. *bereré*.]

beréu. *S. m. Bras., PB. Pop.* V. *zona* (10).

bereva. *S. f. Bras.* V. *pereba*.

bergamota. [Do turco *beg armudi*, 'pêra do príncipe', atr. do it. *bergamotta* ou do fr. *bergamotte*.] *S. f.* **1.** Certa pêra sumarenta. **2.** *Bras., SC* e *RS.* V. *tangerina*. [Var.: *vergamota*.]

bergamoteira. [De *bergamota* + *-eira*.] *S. f. Bras., SC* e *RS.* V. *tangerineira*.

berganha. *S. f.* V. *barganha*.

berganhar. *V. t. d.* V. *barganhar*.

berganhista. *S. 2 g. Bras.* V. *barganhista*.

bergantim. [Do it. *brigantino*.] *S. m.* Antiga embarcação à vela e remo, esguia e veloz, com um ou dois mastros de galé e oito a 10 bancos para os remadores, usada no Oriente pelos portugueses. ◆ **Bergantim real.** Bergantim luxuosamente equipado, com toldo à popa, destinado ao serviço exclusivo do monarca.

➧**bergère** (bergér'). [Fr.] *S. f.* Poltrona cujo encosto, alto, se prolonga para os lados numa espécie de orelha.

bergsoniano. *Adj.* **1.** Pertencente ou relativo a, ou próprio de Bergson [v. *bergsonismo*]. **2.** Que é adepto do bergsonismo. ● *S. m.* **3.** Adepto dessa doutrina.

bergsonismo. *S. m. Hist. Filos.* Doutrina de Henri Louis Bergson, filósofo francês (1859-1941), a qual sustenta que o mundo é constituído por um processo de contínuada evolução criadora, e não por forças outras de ordem mecânica, sendo o real produto de uma força vital, e objeto de intuição e não de análise conceitual. Tem o bergsonismo caráter antiintelectualístico, afirmando que a pura razão não é suficiente para abarcar toda a realidade.

beri. [Do tupi.] *S. f. Bras.* V. *biru-manso*.

beribá. [Var. de *biriba*[1].] *S. m. Bras.* Comprador de cavalos. [Var.: *berivá*. Cf. *biribá*.]

beribéri. [Do cing. *beri*, 'eu não posso', tendo a repetição valor aumentativo.] *S. m. Patol.* Doença decorrente da deficiência de vitamina B_1 [v. *tiamina*], e que apresenta polineurite, edema e cardiopatia. [Sin. (em MG): *perneira*.]

beribérico. *Adj.* **1.** Relativo a; ou que é doente de beribéri. ● *S. m.* **2.** Doente de beribéri.

bericomorfo. *S. m.* Espécie dos bericomorfos. ● *Adj.* **2.** Pertencente ou relativo a eles.

bericomorfos. *S. m. pl. Zool.* Ordem de peixes da classe dos actinopterígios, marinhos, com duas famílias significativas: *Berycidae* e *Holocentridae*.

berílio. *S. m. Quím.* Elemento de número atômico 4, cristalino, metálico, levíssimo, utilizado em ligas leves; glucínio. [Símb.: *Be*.]

beriliose. *S. f. Patol.* Intoxicação pelo berílio, que compromete, em geral, pulmões, e, menos freqüentemente, peles, tecidos subcutâneos, fígado, nodos linfáticos, além de outras estruturas anatômicas. Sua principal característica é a formação de granulomas.

berilo [Do gr. *béryllos*, pelo lat. *beryllu*.] *S. m. Min.* Mineral hexagonal, silicato de alumínio e glucínio, pedra semipreciosa.

berimbau. [Do quimb. *mbirimbau*.] *S. m.* **1.** Pequeno instrumento de ferro, semelhante a uma ferradura, no centro do qual há uma lingüeta, e que se toca pondo a parte curva entre os dentes e fazendo vibrar com o indicador a extremidade livre da lingüeta; marimbau. **2.** *Bras.* Instrumento de percussão, de origem africana, com o qual se acompanha a capoeira[2] (4), e que é um arco de madeira retesado por um fio de arame, com uma cabaça presa ao dorso da extremidade inferior. [A corda é percutida com uma varinha, que o tocador segura com a mão direita, enquanto aproxima ou afasta do corpo a abertura da cabaça, para modificar a intensidade do som, e acentua o ritmo com o chocalhar de um caxixi. A mão esquerda aproxima ou afasta da corda uma moeda qualquer, a fim de obter sons diferentes. Sin.: *berimbau-de-barriga, bucumbumba, gobo, gunga, macungo, marimba, marimbau, matungo, mutungo, uricungo, urucungo*.]

berimbau-de-barriga. *S. m. Bras.* V. *berimbau* (2). [Pl.: *berimbaus-de-barriga*.]

berimbau-de-boca. *S. m. Bras., BA.* Tipo de berimbau outrora usado por velhos angoleses, e cuja corda, de cipó-timbó, era dedilhada ou percutida com uma faca ou uma vareta, à medida que o tocador corria os dentes por ela para obter efeitos variados de som. [Pl.: *berimbaus-de-boca*.]

berinjela. [Do persa *badnjan*, pelo ár. *badinjanâ*.] *S. f.* **1.** Planta ornamental, originária da Índia, pertencente à família das solanáceas (*Solanum melongena*), dotada de flores violáceas, e cujo fruto tem largo emprego na alimentação humana. **2.** O fruto desta planta. [Var.: *brinjela*.]

berinjela-branca. *S. f.* Variedade hortícola de berinjela, de frutos brancos, curvos, um tanto esféricos que podem atingir 0,20 m de comprimento; berinjela-comprida-da-china. [Pl.: *berinjelas-brancas*.]

berinjela-brissial. *S. f.* Variedade hortícola de berinjela, de frutos piriformes, variegados, oblongos, ornamentais em jardins. [Pl.: *berinjelas-brissiais*.]

berinjela-comprida-da-china. *S. f.* Berinjela-branca. [Pl.: *berinjelas-compridas-da-china*.]

beripoconês. *Bras. S. m.* **1.** Indivíduo dos beripoconeses, tribo indígena que habitava MT. ● *Adj.* **2.** Pertencente ou relativo a essa tribo. [Flex.: *beripoconesa* (ê), *beripoconeses* (ê), *beripoconesas* (ê).]

beririçó. [Var. de *bariricó* (q. v.).] *S. m. Bras.* Pequena erva da família das iridáceas (*Trimezia lurida*), dotada de bulbo, de folhas lineares e alongadas, flores muito vistosas, com seis peças, e frutos capsulares.

berivá. *S. m. Bras.* Var. de *beribá* [q. v.].

berkelianismo. [Do antr. *Berkeley*, de George Berkeley, filósofo e bispo irlandês (1685-1753).] *S. m. Filos.* Imaterialismo [q. v.].

berlinda. [Do fr. *berline*.] *S. f.* **1.** Pequeno coche de quatro rodas, com quatro a seis lugares, suspenso entre dois varais. **2.** Maquineta para imagens de santos. **3.** Certo jogo infantil em que um dos participantes é alvo de comentários que lhe são transmitidos anonimamente, e dentre os quais escolherá um, fazendo quem o formulou seu substituto na berlinda. ◆ **Estar na berlinda. 1.** Ser alvo de comentários, no jogo da berlinda. **2.** Ser alvo de motejos ou objeto de comentários. **3.** Estar na ordem do dia.

berlinense. *Adj. 2 g.* **1.** De, ou pertencente ou relativo a Berlim (República Democrática Alemã e República Federal da Alemanha). ● *S. 2 g.* **2.** Natural ou habitante de Berlim. [Sin. ger.: *berlinês*.]

berlinês. *Adj.* e *s. m.* Berlinense. [Flex.: *berlinesa* (ê), *berlineses* (ê), *berlinesas* (ê).]

berliques. *El. s. m. pl.* Us. na expr. *berliques e berloques*. ◆ **Berliques e berloques.** Arte ou habilidade misteriosa; escamoteação; artimanha; intrujice.

berloque. [Do fr. *berlique* (séc. XVI), *berluque* (séc. XVII), *berloque* (séc. XVII), hoje *breloque*.] *S. m.* Pequeno enfeite de matéria e forma variadas, que se traz pendente da cadeia do relógio, da pulseira, etc.; pingente, penduricalho.

berma. *S. f.* **1.** Caminho estreito entre um molhe e a borda de um canal. **2.** *Lus.* Acostamento (2). **3.** Caminho estreito, entre a muralha e o fosso; sapata. **4.** *Bras. constr.* Alargamento que se faz nos aterros assentados sobre terrenos lodosos, para impedir o refluxo destes.

bermuda. *S. f. Bras.* Tipo de *short* que vai quase até os joelhos.

bermudense. *Adj. 2 g.* **1.** Das, ou pertencente ou relativo às ilhas Bermudas (situadas no Oceano Atlântico, a L. dos E.U.A.). ● *S. 2 g.* **2.** Natural ou habitante dessas ilhas. [Sin.: *bermudês*.]

bermudês. *adj.* e *s. m.* Bermudense. [Flex.: *bermudesa* (ê), *bermudeses* (ê), *bermudesas* (ê).]

bernarda[1]. [Abrev. de *Maria Bernarda*, denominação que se deu à revolta que ocorreu em Braga, Portugal, em 1862.] *S. f. Fam.* Revolta popular; motim, desordem.

bernarda[2]. *S. f.* Variedade de pêra.

bernardense[1]. *Adj. 2 g.* **1.** De, ou pertencente ou relativo a Presidente Bernardes (SP). ● *S. 2 g.* **2.** Natural ou habitante de Presidente Bernardes.

bernardense[2]. *Adj. 2 g.* **1.** De, ou pertencente ou relativo a São Bernardo (MA). ● *S. 2 g.* **2.** Natural ou habitante de São Bernardo.

bernardice. [De *bernardo* + *-ice*.] *S. f.* **1.** Estupidez, asneira, tolice, dislate. **2.** Discurso tolo e disparatado.

bernardinense. *Adj. 2 g.* **1.** De, ou pertencente ou relativo a Bernardino de Campos (SP). ● *S. 2 g.* **2.** Natural ou habitante de Bernardino de Campos.

bernardo. *Adj.* e *s. m.* **1.** Diz-se de, ou frade da Ordem de Cister, fundada no séc. XII por S. Bernardo de Clairvaux (1090-1153). **2.** *Fig.* Tolo e glutão.

bernardo-eremita. *S. m. Bras.* V. *paguro*. [Pl.: *bernardos-eremitas* e *bernardo-eremitas*.]

berne[1]. *S. m. Bras.* Larva de inseto díptero da família dos oestrídeos (*Dermatobia hominis* (L. Jr.)), mosca da região neotrópica, a qual põe ovos em pleno vôo, em dípteros hematófagos. [Os ovos, depois de maduros, transformam-se em larvas, que abandonam os dípteros e penetram na pele de outros animais, onde permanecem até 45 dias, e penetram, depois, no solo, onde permanecem em estado de pupa até 70 dias, após os quais nasce a mosca. Var.: *berno*; sin.: *ura*, *torcel*.]

berne[2]. [De *bérnio* (q. v.).]. *Adj. 2 g.* **1.** Diz-se de certo pano vermelho, o bérnio [q. v.]. ● *S. m.* **2.** Esse pano; bérnio.

bernense. *Adj. 2 g.* e *s. 2 g.* Bernês.

bernento. *Adj. Bras.* **1.** Atacado, cheio de berne[1]. **2.** Diz-se do local onde proliferam os bernes.

bernês. *Adj.* **1.** De ou pertencente ou relativo a Berna, capital da Suíça. ● *S. m.* **2.** O natural ou habitante de Berna. [Flex.: *bernesa* (ê), *berneses* (ê), *bernesas* (ê). Sin. ger.: *bernense*.]

bernicida. [De *berne*[1] + *-cida*.] *S. m.* Medicamento contra o berne.

bérnio. [De *hibérnio*, por aférese.] *S. m.* Pano vermelho que era importado da Irlanda e se usava em reposteiros e balandraus. [Var.: *berne*.]

berno. *S. m. Bras.* var. de *berne*[1].

bernunça. *S. f. Bras., SC. Folcl.* V. *bernúncia*.

bernúncia. *S. f. Bras., SC. Folcl.* Figura fantástica do boi-de-mamão: armação de madeira, com a forma de um animal comprido, de grandes fauces articuladas, que "come" os meninos presentes. [Var.: *bernunça*, *bernunza*, *brenunça*, *brenunza*, *abrenunza*.]

bernunza. *S. f. Bras. SC. Folcl.* V. *bernúncia*.

berô. *S. m. Bras., MG.* Cobertor ordinário.

beroba. *S. f. Bras.* V. *égua* (1).

beróideo. *S. m.* **1.** Espécime dos beróideos. ●*Adj.* **2.** Pertencente ou relativo a eles.

beróideos. *S. m. pl. Zool.* Animais metazoários, ctenóforos, ordem *Beroida*, desprovidos de tentáculos, corpo em forma de dedal, boca larga, faringe muito desenvolvida.

berôncio. *S. m. Bras., PE. Fam.* Indivíduo retraído, desconfiado.

beronha. *S. f. Bras.* V. *beruanha*.

berquélio. [Do top. *Berkeley*, aportuguesado, + *-io*.] *S. m. Quím.* Elemento de número atômico 97, radioativo, artificial, do qual só se obtiveram quantidades diminutas. [Símb.: *Bk*.]

berra. [Dev. de *berrar*.] *S. f.* Cio dos veados; brama. [Cf. *cio* (1).] ◆ **Andar na berra. 1.** Estar em voga. **2.** Ser muito falado; ser famoso.

berra-boi. [De *berrar* + *boi*.] *S. m. Bras.* V. *zunidor* (2). [Pl.: *berra-bois*.]

berraçada. *S. f. Bras. RS.* V. *berreiro*.

berrador (ô). *Adj.* **1.** Que berra; berrante. ●*S. m.* **2.** Aquele que berra.

berrante. *Adj. 2 g.* **1.** Berrador (1). **2.** Diz-se de cor muito viva, intensa, que ofende a vista; espantado. **3.** Diz-se de vestuário ou peça de vestuário de cor berrante (2); espantado: *camisa berrante*; *gravata berrante*. ●*S. m.* **4.** *Bras. Gír.* V. *revólver*. **5.** *Bras., MG* e *GO.* Buzina de chifre com que os boiadeiros tangem o gado: "a poeira da boiada / e o berrante cortando e dando nó..." (Gilberto Mendonça Teles, *Sociologia Goiana*, p. 34).

berrantemente. [De *berrante* + *-mente*.] *Adv.* De modo berrante; gritantemente.

berrar. [Da onom. *bé*, da voz da cabra.] *V. int.* **1.** Soltar berros (os animais bovinos, os caprinos, etc.): "Cabras berravam, dois bois, uma vaca, apareciam nédios, pastando na vertente da colina" (Coelho Neto, *Sertão*, p. 168). **2.** Falar muito alto; gritar: *Ao telefone, berrava, procurando ser entendido.* **3.** Chorar alto e forte; gritar: *O recém-nascido berrou toda a noite.* **4.** Bramir, rugir: *O vendaval berrava na noite tempestuosa.* *T. i.* **5.** Chamar ou falar aos berros; gritar: *Berrava pela mãe; Berrava com a mulher, sem conseguir sossegá-la.* **6.** Pedir com muita instância: *Os trabalhadores berravam por aumento.* *T. d.* **7.** Dizer berrando, gritando; gritar: "E os homens .... urram de dor. Berram ofensas." (Leo Vítor, *Círculo de Giz*, p. 136); *Berrou que não admitia réplica.* **8.** Soltar (grito, berro): "Os vendedores berram um berro cantado." (Antônio de Alcântara Machado, *Pathé-Baby*, p. 146.) *T. d.* e *i.* **9.** Dizer aos berros: "Pôs-se a berrar do púlpito barbaridades contra a república e o casamento civil" (Godofredo Rangel, *Os Humildes*, p. 111).

berraria. *S. f.* V. *berreiro*.

berregante. *Adj. 2 g.* Que berrega; berrante.

berregar. *V. int.* **1.** Berrar muito e freqüentemente; barregar. **2.** Balar (a ovelha). [Conjug.: v. *regar*. Pres. ind.: *berrego*, etc. Cf. *berrego* (ê).]

berrego (ê). [Dev. de *berregar*.] *S. m.* **1.** Ato de berregar. **2.** Grito, berro. [Pl.: *berregos* (ê). Cf. *berrego*, do v. *berregar*.]

berreiro. *S. m.* **1.** Berros contínuos e altos; gritaria. **2.** Choro muito ruidoso. [Sin. ger.: *berraria* e (no RS) *berraçada*.] ◆ **Abrir no berreiro.** *Bras. Pop.* Chorar muito; abrir o bué.

berro[1]. [Dev. de *berrar*.] *S. m.* **1.** Grito de certos animais; rugido. **2.** Grito rude e alto de uma pessoa. **3.** Brado, exclamação. **4.** *Bras. Gír.* V. *revólver*.

berro[2]. *S. m. Bras.* Planta comestível, da família das escrofulariáceas (*Mimulus luteus*), de flores amarelas e fruto capsular.

berruga. *S. f. Bras. Pop.* Var. de *verruga*.

berrugoso (ô). [Var. de *verrugoso*.] *Adj. Bras. Pop.* V. *verrugoso*.

berruguento. *Adj. Bras. Pop.* V. *verruguento*.

berrumeira. *S. m. Bras., ES.* V. *narceja*.

berta. [Do antr. *Bertha*, de Bertha Krupp von Bohlen und Halbach (1886-1957), proprietária das indústrias Krupp, de base e de armamentos, fabricantes deste tipo de canhão.] *S. m.* Canhão de grosso calibre (42 cm) e longuíssimo alcance (mais de 100 km), usado pelos alemães na I Guerra Mundial para bombardear Paris.

bertalha. *S. f.* Trepadeira da família das baseláceas (*Basella alba*), muito cultivada como hortaliça, de flores esverdeadas, e cujos frutos são bagas negras. A planta é toda suculenta, mole e rica em água, e utilizam-se as pontas de ramo. [Sin., bras., RJ: *baiana*.]

bertangil. *S. m.* Bretangil [q. v.].

bertholito. *S. m. Quím.* Qualquer substância cuja composição química, embora não seja constante, pode oscilar entre determinados limites.

bertoldice. [Do antr. *Bertoldo*, tipo simplório de uma história de cordel, + *-ice*.] *S. f. Bras.* Asneira, calinada, bernardice, besteira, parvoíce.

bertolinense. *Adj. 2 g.* **1.** De, ou pertencente ou relativo a Bertolínia (PI). ● *S. 2 g.* **2.** Natural ou habitante de Bertolínia.

beruanha. [Do tupi *mbe'ru*, 'mosca', + *ãi*, 'aguçada', 'com ferrão'.] *S. f. Bras., N.* V. *mosca-dos-estábulos*. [Var.: *beronha*, *bironha*, *meruanha*, *muruanha*.]

berzabu. *S. m.* V. *belzebu*.

berzabum. [De *Belzebu*?] *S. m. Bras., S.* **1.** Confusão, balbúrdia, baderna. **2.** V. *rolo*[1] (16). **3.** V. *belzebu*.

berzebu. *S. m.* V. *belzebu*.

besantar. *V. t. d.* Abesantar.

besante. [Do gr. bizantino *byzántion*, 'moeda de Bizâncio', *besant* no fr. ant.] *S. m.* **1.** *Numism.* Antiga moeda bizantina, de ouro ou prata. **2.** *Heráld.* Discóide semelhante a moeda, liso, que se coloca no escudo de armas: "Entre castelos serpes batalhantes, / E águias de negro, desfraldando as asas, / Que realça de oiro um colar de besantes!" (Camilo Pessanha, *Clepsidra e Outros Poemas*, p. 186.)

besigue. [Do fr. *bésigue*.] *S. m.* Certo jogo de cartas.

besoiragem. *S. f.* V. *besouragem*.

besoiral. *Adj. 2 g.* V. *besoural*.

besoiro. *S. m.* V. *besouro*.

besouragem. *S. f.* Intriga, trica, enredo [Var.: *besoiragem*]

besoural. *Adj. 2 g.* Próprio de, ou semelhante a besouro. [Var.: *besoiral*.]

besouro. *S. m.* **1.** *Bras.* Designação comum aos insetos coleópteros, holometabólicos, cujas asas anteriores são córneas. O aparelho bucal é mastigador. [Sin.: *cascudo*.] **2.** *Bras., PE.* Estilhaço de rebarbas das brocas, escopros, etc., originadas da percussão dos malhos ou martelos. **3.** *Bras., RS.* O grão da mamona. **4.** *Bras.* V. *busca-pé*. [Var.: *besoiro*.]

besouro-da-figueira. *S. m. Bras.* V. *arlequim* (6). [Pl.: *besouros-da-figueira*.]

besouro-saltador. *S. m. Bras.* Inseto coleóptero, da família dos alticídeos (*Exartematopus coccineus* Clark), cujos adultos atacam espécies de *Anthurium*, e que tem o fêmur posterior muito dilatado, podendo saltar facilmente. [Pl.: *besouros-saltadores*.]

besouro-verde. *S. m. Bras.* Inseto coleóptero da família dos eumolpídeos (*Iphimeis dives* (Germar)), de coloração verde, e cujos adultos atacam a jabuticabeira. [Pl.: *besouros-verdes*.]

bespa (ê). *S. f. Pop.* Var. de *vespa* [q. v.].

bessarábio. *Adj.* **1.** Da, ou pertencente ou relativo à Bessarábia (União Soviética). ● *S. m.* **2.** O natural ou habitante da Bessarábia.

besta. [Do lat. *balista*.] *S. f.* Arma antiga, formada de arco, cabo e corda, com que se disparavam pelouros ou setas; balestra. [Pl.: *bestas*. Cf. *besta* (ê) e pl. *bestas* (ê).]

besta (ê). [Do lat. *bestia*, no lat. tardio *besta*.] *S. f.* **1.** Quadrúpede, principalmente de grande porte. **2.** Animal de carga. **3.** V. *mulo*. **4.** *Fig.* Pessoa muito curta de inteligência. **5.** *Bras., N.* V. *égua* (1). ● *S. 2 g.* **6.** Indivíduo tolo, simplório. **7.** Indivíduo pretensioso, pedante, presunçoso. ● *Adj. 2 g.* **8.** Tolo, simplório. **9.** Pretensioso, pedante, presunçoso. **10.** *Fam.* Insignificante; sem importância, à-toa: *Uma febrezinha besta, mas que não passa.* [Pl.: *bestas* (ê). Cf. *besta*, s. f., pl. *bestas*, e *besta*, *bestas*, do v. *bestar*.] ◆ **Besta de carga.** Animal empregado no transporte de fardos ou de outras cargas; cargueiro.

besta-fera. [De *besta* (ê) + *fera*.] *S. 2 g.* **1.** Animal feroz. **2.** *Fig.* Pessoa cruel ou selvagem. [Pl.: *bestas-feras*.]

bestagem. *S. f. Bras.* Besteira, bestice. [V. *asneira* (1).]

bestalhão. [Aum. de *besta* (ê) (4, 6 e 8).] *Adj.* e *s. m.* **1.** *Bras.* Paspalhão, toleirão, parvo, pateta. **2.** Ignorante, inculto, rústico. [Fem.: *bestalhona*.]

bestalhona. *Adj. (f.)* e *s. f.* V. *bestalhão*.

bestar. [De *besta* (ê) + *-ar*[2].] *V. int. Bras.* **1.** Dizer asneira(s). **2.** Praticar inconveniências. **3.** V. *vaguear* (1 e 2): *Saiu rua fora, bestando*. [Pres. ind.: *besto, bestas, besta*, etc. fut. ind.: *bestarei, bestarás, bestará, bestaremos, bestareis, bestarão*. Cf. *besta* (ê), pl. *bestas* (ê), e *bestaréis*, pl. de *bestarel*.]

bestarel. [Cruz. de *besta* (ê) com *bacharel*.] *S. m. Bras. Gír. Deprec.* Bacharel (1). [Pl.: *bestaréis*. Cf. *bestareis*, do v. *bestar*.]

besteira. *S. f.* **1.** *Bras.* V. *asneira* (1). **2.** *Bras.* Coisa ou quantia insignificante; besteirinha: *Pagou uma besteira pela casa — ótimo negócio!* **3.** *Bras., MG.* V. *grampo* (3).

besteirinha. [Dim. de *besteira*.] *S. f. Bras.* Besteira (2).

besteiro (ès). *S. m.* **1.** Soldado armado de besta. **2.** Aquele que fazia bestas.

béstia. *S. f. Bras. Fam.* F. red. de *bestialógico* (2).

bestiaga. *S. f.* **1.** Besta de pouca estimação. **2.** *Fig.* Indivíduo bronco, estúpido, burro. [Sin. ger.: *bestiola*.]

bestiagem. [De *besta* (ê) + *-i-* + *-agem*.] *S. f.* Conjunto de bestas (ê).

bestial. [Do lat. *bestiale*.] *Adj. 2 g.* **1.** Próprio de besta (ê). **2.** Grosseiro, brutal; boçal. **3.** Feio, repugnante.

bestialidade. *S. f.* **1.** Qualidade ou ação bestial; bestidade. **2.** Prática de atos libidinosos com animais; bestialismo. [Cf. (nesta acepç.) *zooerastia*.]

bestialismo. [De *bestial* + *-ismo*.] *S. m.* Bestialidade (2).

bestialização. *S. f.* Ato ou efeito de bestializar.

bestializar. *V. t. d.* V. *bestificar* (1 e 2).

bestialogia. *S. f.* Faculdade de proferir bestialógicos.

bestialógico. [Do lat. *bestia*, 'besta' + *-log(o)-* + *-ico*.] *Adj.* **1.** *Bras. Fam.* Asneirento, disparatado, despropositado, bombástico. ● *S. m.* **2.** *Bras.* Discurso despropositado. [F. red., nesta acepç.: *béstia*.]

bestiário[1]. [Do lat. *bestiariu*.] *S. m.* **1.** *Ant.* Gladiador que lutava no circo com as feras. **2.** Livro em que, na Idade Média, se reuniam descrições e histórias de animais, reais ou imaginários, geralmente com ilustrações. "Que muito! se todos os selvagens, quase todos tinham o seu totem, se reputavam descendentes de um bicho; se os brasões dos seus avós se confundiam com o bestiário das suas paisagens nativas!" (João Ribeiro, *O Folclore*, p. 16.)

bestiário[2]. [De *besta* (ê) + *-ário*.] *Adj.* Relativo a bestas (ê).

bestice. *S. f.* V. *asneira* (1).

bestidade. *S. f.* **1.** Bestialidade (1). **2.** Dito estúpido, disparatado. **3.** *Bras., N.* e *N.E.* V. *asneira* (1).

bestificação. *S. f.* Ato ou efeito de bestificar.

bestificante. *Adj. 2 g.* Que bestifica.

bestificar. *V. t. d.* **1.** Tornar como besta (ê); bestializar. **2.** Tornar estúpido; bestializar. **3.** Causar pasmo a; embasbacar: *Suas proezas bestificaram os amigos.* **4.** Aparvalhar, imbecilizar. [Conjug.: v. *trancar*.]

bestilha. *S. f.* Balestilha (2).

bestiola. *S. f.* V. *bestiaga*.

➧**best-seller** (béçt-sélâr). [Ingl.] *S. m.* **1.** O livro que se vende melhor. **2.** Obra que é grande êxito de livraria.

bestunto. [De *besta* (ê).] *S. m. Fam.* **1.** V. *cachimônia* (1). **2.** Cabeça de curto alcance, ou estúpida.

besuntadela. *S. f.* **1.** Ato ou efeito de besuntar. **2.** V. *lambuzada* (3).

besuntão. *S. m.* **1.** Indivíduo que se deixa besuntar, que anda com a roupa cheia de nódoas de gordura. **2.** Indivíduo muito sujo; porcalhão, lambão. [Fem.: *besuntona*.]

besuntar. [De *bis-* + *untar*.] *V. t. d.* **1.** Untar muito. **2.** Sujar, lambuzar: *Besuntou as mãos, besuntou-as de graxa.*

besuntona. *S. f.* V. *besuntão*.

beta. [Do gr. *bêta*, de or. semítica, pelo lat. *beta*.] *S. f.* **1.** A segunda letra do alfabeto grego (β , β). **2.** *Fís. Nucl.* Partícula beta. ● *Adj. 2 g.* **3.** *Fís. Nucl.* Diz-se de qualquer processo ou dispositivo que tenha relação com as partículas beta. [Pl.: *betas*. Cf. *beta* (ê) e pl. *betas* (ê).]

▲**beta-.** *Quím. Pref.* que indica a posição relativa de dois radicais numa molécula de que participam.

beta (ê). [Do lat. *vitta*, atr. do cat. *veta* e do esp. *veta*, *beta*.] *S. f.* **1.** Em tecido, penas de aves ou pêlo de animal, lista em fundo de cor diferente. **2.** Veio ou filão, em geral de origem hidrotérmica, que contém minerais metálicos. **3.** Mancha comprida. **4.** Pequeno feixe de fios. **5.** *Marinh.* Qualquer cabo, de qualquer bitola, usado a bordo. **6.** *Marinh.* Qualquer cabo de laborar: *beta da talha*. **7.** *Bras. MG.* Escavação profunda feita nas rochas de onde se extrai ouro. [Pl.: *betas*. (ê). Cf. *beta* e *betas*, do v. *betar*, e *beta*, s. f., pl. *betas*.] ♦ **Ver-se em betas.** *Bras., S.* Encontrar-se em apuros, em situação difícil.

betaemissor (ô). *S. m. Fís. Nucl.* Nuclídeo que se desintegra emitindo uma partícula beta. [Var.: *betemissor*.]

betão. *S. m. Lus.* V. *concreto* (9).

betar. *V. t. d.* **1.** Fazer betas em; listrar de cor diferentes. *T. d. e i.* **2.** Listrar; matizar. *T. i.* **3.** Ajustar-se, combinar-se, condizer, harmonizar-se: *A fina educação da moça betava com a sua beleza.* [Pres. ind.: *beto, betas, beta*, etc. Pres. subj.: *bete, betes*, etc. Cf. *beta* (ê) e pl. *betas* (ê), e *bétis*.]

betara. *S. f. Bras.* V. *papa-terra* (3).

betaru-amarelo. *S. m. Bras.* V. *espinho-de-vintém*. [Pl.: *betarus-amarelos*.]

betatópicos. *Adj. pl. Quím.* Diz-se de dois elementos cujos números atômicos diferem de uma unidade.

betatrão. *S. m. Fís. Nucl. Lus.* V. *betatron*.

betatron. [De *beta*.] *S. m. Fís. Nucl.* Acelerador a indução de elétrons, no qual as partículas se movem em órbitas de raio constante e são aceleradas pela variação rápida do campo magnético; bétatron, betatrão. [A f. *betatron*, embora menos boa, é a de maior uso.]

bétatron. [De *beta* + *(elé)tron*.] *S. m. Fís. Nucl.* V. *betatron*.

bete. [Do ingl. *bat*, 'maça de arremesso'.] *S. m. Bras., PR.* Certo jogo infantil, calcado no beisebol.

beteco. *S. m. Guiné.* Pilão para descascar arroz.

bétel. *S. m.* Var. de *bétele*. [Pl.: *bételes*.]

bétele. [Do malaiala *vettila*.] *S. m.* **1.** Planta sarmentosa e aromática, da família das piperáceas (*Piper chavica betel*), originária da Índia, cujas folhas são utilizadas para mascar, e cuja noz, por produzir cor vermelha, é empregada em tinturaria. **2.** Mistura em que entram as folhas dessa planta, tabaco e o fruto da areca, e que é usada para mastigar em algumas regiões tropicais. [Var.: *bétel*.]

betemissor (ô). *S. m. Fís. Nucl.* Var. de *betaemissor*.

beterraba. [Do fr. *betterave*.] *S. f.* **1.** Erva da família das quenopodiáceas (*Beta vulgaris*), oriunda do Antigo Continente, dotada de grossa raiz tuberosa utilizada na alimentação, e da qual, nas terras temperadas, se extrai açúcar semelhante ao da cana. **2.** A raiz, comestível, dessa planta.

beterrabal. *S. m.* Quantidade mais ou menos considerável de pés de beterraba, dispostos proximamente entre si.

beterrabeiro. [De *beterraba* + *-eiro*.] *S. m.* **1.** Aquele que cultiva ou vende beterrabas. **2.** Indivíduo que gosta muito de beterrabas.

betesga (ê). *S. f.* **1.** Rua estreita: "Vai passar no Cais das Naus e nas sombrias betesgas da encosta de Alcáçova o fúnebre cortejo de um rei moribundo, com a alma em farrapos!" (Antero de Figueiredo, *Leonor Teles*, p. 251.) **2.** Beco sem saída. **3.** Corredor escuro. [Var.: *bitesga*.]

betilho. *S. m.* Cabresto que prende a boca do boi, impedindo-o de comer o grão na eira; bocal.

betilídeo. *S. m.* **1.** Espécime dos betilídeos. ● *Adj.* **2.** Pertencente ou relativo a eles.

betilídeos. *S. m. pl. Zool.* Família de insetos da ordem dos himenópteros, que compreende vespas pequenas de coloração escura, e cujas fêmeas são destituídas de asas e parecem formigas. Atacam mariposas e besouros.

betinense. *Adj. 2 g.* **1.** De, ou pertencente ou relativo a Betim (MG). ● *S. 2 g.* **2.** Natural ou habitante de Betim.

bétis. *S. f. 2 n. Bras.* Planta da família das piperáceas (*Piper aucalyptifolium*), originárias das Guianas e da Amaz., cujas folhas são analgésicas; alfavaca-de-cobra, jaborandi. [Var.: *betre* e *bétris*. Cf. *betes*, do v. *betar*.]

betóia. *S. 2 g.* e *adj. 2 g.* Tucano[2] [q. v.].

betonada. *S. f.* Quantidade de concreto ou betão misturado de uma só vez na betoneira.

betonar. *V. t. d.* Construir, revestir ou encher com betão.

betoneira. [Do fr. *bétonnière*.] *S. f.* Máquina destinada ao preparo do concreto, pela adequada mistura dos materiais, previamente dosados, que entram na sua composição; misturador.

betônica. [Do lat. *betonica*.] *S. f. Bras., C.O.* Arbusto tomentoso da família das labiadas (*Hyptis multiflora*), de folhas arredondadas, crenadas, rígidas, tomentosas e um tanto aromáticas, e flores alvas e pequenas, reunidas em glomérulos dispostos em amplas panículas; cestro.

betre. *S. f. Bras.* V. *bétis*.

bétris. *S. f. 2 n. Bras.* V. *bétis*.

➧**betting** (bétin). [Ingl.] *S. m. Turfe.* Modalidade de jogo dos concursos [v. *concurso* (7)], cujas apostas só podem ser feitas nos parelheiros dos três últimos páreos de cada reunião, combinando os vencedores e os segundos colocados de cada um deles.

betu. [De possível or. tupi.] *S. m. Bras.* V. *linguarudo* (3). [Cf. *bitu*.]

bétula. [Do lat. *betula*.] *S. f.* Designação genérica de várias árvores ou arbustos da família das betuláceas, particularmente a espécie *Betula alba*, comum na Europa, cuja madeira, branca, se emprega como lenha, e cuja seiva fornece açúcar e uma bebida alcoólica; vidoeiro.

betulácea. *S. f.* Espécime das betuláceas.

betuláceas. *S. f. pl. Bot.* Família de arbustos e árvores das regiões frias do hemisfério norte, que conta perto de 70 espécies, de flores insignificantes, ordenadas em amentos ou espigas pêndulas, compridas, unissexuais, cujo pólen é conduzido pelo vento. Os frutos são secos e indeiscentes.

betuláceo. *Adj.* Pertencente ou relativo às betuláceas.

betulíneo. *Adj.* Relativo à bétula.

betumado. *Adj.* ~ V. *papel* —.

betumar. [Do lat. *bitumare*.] *V. t. d.* Tapar ou pegar com betume. [Var.: *batumar*.]

betume. [Do lat. *bitumen*.] *S. m.* **1.** *Quím.* Mistura líquida, sólida ou semi-sólida de hidrocarbonetos, solúvel em solventes orgânicos, natural ou obtida em processo de destilação; pez mineral. **2.** Massa para pegar vidros aos caixilhos. **3.** Massa para tapar junturas nas pedras. [Var.: *batume*.] ♦ **Betume asfáltico.** *Quím.* Betume, natural ou artificial, que contém hidrocarbonetos pouco voláteis e grande proporção de seus derivados oxigenados e/ou sulfurados, em geral viscoso e sempre solúvel em sulfeto de carbono. **Betume da Judéia.** Substância sólida, negra, com fratura concoidal, originada possivelmente de transformação do petróleo, e usada na indústria de tintas e vernizes. **Betume de petróleo.** *Quím.* Asfalto proveniente de destilação de petróleo. **Betume natural.** *Quím.* Asfalto obtido por processo natural.

betuminado. *Adj.* ~ V. *papel* —.

betuminoso (ô). [Do lat. *bituminosu*.] *Adj.* Que contém betume, ou é da natureza dele. ~ V. *concreto*– e *ligante*–.

■**BeV.** *S. m. Fís. Nucl.* GeV

bexiga. [Do lat. **vessica*, por *vesica*.] *S. f.* **1.** Reservatório musculomembranoso situado na parte inferior do abdome e que recebe a urina vinda dos ureteres, lançando-a na uretra. **2.** Este reservatório (de boi ou de porco), seco e cheio de ar, é usado em brincadeiras infantis, nos festejos carnavalescos. **3.** Tubo de tinta a óleo para pintura. **4.** Vesícula natatória de muitos peixes. **5.** *Pop.* Varíola. **6.** Os sinais deixados por esta doença. [Nas duas últimas acepç. tb. se usa no pl.] ♦ **Da bexiga.** *Bras., N.E. Pop.* Em grande intensidade; muito, deveras: *É um sujeito bom da bexiga.* **Pedir bexiga.** *Bras. Gír.* V. *pedir penico*.

bexigada. *S. f.* **1.** Pancada dada com uma bexiga (2) **2.** *Teat. Bras. Gír.* caco (8).

bexiga-do-cacau. *S. f. Bras., BA.* Mal que ataca os frutos do cacaueiro, produzindo-lhes lesões; cancro, mal-de-chupança. [Pl.: bexigas-do-cacau.]

bexigar. *V. int.* Caçoar, escarnecer, zombar, chalacear. [Conjug.: v. *largar*.]

bexigoso (ô). *Adj.* e *s. m.* Que ou aquele que tem bexiga (5 e 6); bexiguento.

bexiguento. *Adj.* e *s. m.* Bexigoso: "Casa de bexiguento era queimada e às vezes carregavam o doente para o meio do mato, deixando-o morrer à míngua." (José Lins do Rego, *Meus Verdes Anos*, p. 331.)

bezerra (ê). [Fem. de *bezerro*.] *S. f.* Vitela, novilha.

bezerrada. *S. f.* Quantidade ou conjunto de bezerros.

bezerrão. [Aum. de *bezerro*.] *S. m. Bras.* Menino grande e gordo.

bezerreiro. *S. m. Bras., CE.* Aquele que cuida de bezerros ou os cria.

bezerrense. *Adj. 2 g.* **1.** De, ou pertencente ou relativo a Bezerros (PE). ● *S. 2 g.* **2.** Natural ou habitante de Bezerros.

bezerro (ê). *S. m.* **1.** Vitelo, novilho. **2.** A pele curtida deste animal. **3.** *Bras., Amaz.* Filhote de peixe-boi. ♦ **Botar bezerro.** *Bras., AL. Pop.* V. *vomitar* (11). **Chorar como bezerro desmamado.** *Bras.* Chorar com grande alarido. **O bezerro de ouro.** O dinheiro: "o milagre dessa riqueza colossal .... enchia de admiração não só os neófitos no culto do bezerro de ouro, como os mesmos negociantes já possuidores de algumas centenas de contos." (José de Alencar, *Sonhos d'Ouro*, p. 124).

bezoar. [Do persa *pādzāhr*, 'antídoto', pelo ár. *bādzahr*, *bāzahr*.] *S. m.* Concreção que pode ser encontrada no estômago ou nos intestinos do homem ou de outros animais. Pode constituir-se de cabelo (*tricobezoar*), vegetais (*fitobezoar*), cabelo e vegetais (*tricofitobezoar*), ou fragmentos de goma-laca.

bi. *S. m. Bras., Fam.* Um bilhão de cruzados.

■**Bi.** *Quím.* Símb. de *bismuto*.

▲bi-. Equiv. de *bis-*.

bia. [Do ingl. *beer*.] *S. f. Bras., N.* e *N.E.* V. *cerveja*.

biaba. *S. f. Bras. Pop.* **1.** V. *bordoada*. **2.** V. *surra* (1).

biaculeado. [De *bi-* + *aculeado*.] *Adj. Bot.* Que tem dois acúleos.

biafrense. *Adj. 2 g.* **1.** De, ou pertencente ou relativo a Biafra (África). ● *S. 2 g.* **2.** Natural ou habitante de Biafra.

bialado. [De *bi-* + *alado*.] *Adj.* Que tem duas asas.

biango. *S. m. Bras.* V. *casinhola*.

biangulado. [De *bi-* + *ângulo* + *-ado*[1].] *Adj.* Que tem ou forma dois ângulos.

biangular. [De *bi-* + *angular*.] *Adj. 2 g.* Que contém dois ângulos.

bianual. [De *bi-* + *anual*.] *Adj. 2 g.* V. *bienal* (1 a 3).

biaribi. [Do tupi; parece conter o el. *i'bi*, 'terra'.] *S. m. Bras.* Processo peculiar aos indígenas de cozinhar a caça ou o peixe em covas na terra: "Outras [velhas] cavam o chão, e nos buracos / Lançam a carne ou peixe envolto em folhas, / Depois de terra os cobrem, sobre a terra / Fogo acendem; destarte as carnes torram, / E a isto dão de b i a r i b i o nome." (Domingos José Gonçalves de Magalhães, *A Confederação dos Tamoios*, p. 68.) [Var.: *biaribu*.]

biaribu. *S. m. Bras.* Var. de *biaribi*.

biaristado. [De *bi-* + *aristado*.] *Adj.* Que tem duas arestas ou praganas.

biarmônico. [De *bi-* + *harmônico*.] *Adj.* ~V. *operador*.

biarticulado. [De *bi-* + *articulado*.] *Adj.* Que tem duas articulações; articulado em dois pontos; biarticular.

biarticular. [De *bi-* + *articular*[1].] *Adj. 2 g.* Biarticulado.

bias. [Do ingl. *bias*.] *S. m. 2 n.* **1.** *Eletrôn.* Tensão aplicada a um elétrodo de uma válvula eletrônica, e que determina as condições de funcionamento da válvula. **2.** Em pesquisa sociológica e antropológica, distorção dos fatos, por causas inconscientes, no levantamento de um fenômeno. **3.** Parcialidade; preconceito.

bias-fortense. *Adj. 2 g.* **1.** De, ou pertencente ou relativo a Bias Fortes (MG). ● *S. 2 g.* **2.** Natural ou habitante de Bias Fortes. [Pl.: *bias-fortenses*.]

biatatá. *S. m. Bras. Pop.* V. *boitatá*.

biatômico. [De *bi-* + *atômico*.] *Adj. Quím.* Diz-se do elemento cujo peso molecular é o dobro do peso atômico.

biatorino. *Adj. Bot.* Diz-se dos apotécios liquênicos de consistência mole e coloração viva.

biauriculado. [De *bi-* + *auriculado*.] *Adj.* Que tem duas aurículas.

biaxial (cs). [De *bi-* + *axial*.] *Adj. 2 g.* Dotado de dois eixos. ~ V. *cristal* —.

biaxífero (cs). [De *bi-* + *axífero*.] *Adj. Bot.* Diz-se da inflorescência e de outros órgãos, de alguns vegetais, que têm dois eixos.

biazomorfose. *S. f. Bot.* Modificação na forma das plantas, determinada por condições mesológicas desfavoráveis. P. ex.: as árvores submetidas a um vento forte constante sofrem biazomorfose.

bibarrense. *Adj. 2 g.* **1.** De, ou pertencente ou relativo a Duas Barras (RJ). ● *S. 2 g.* **2.** Natural ou habitante de Duas Barras.

bibe. [Do ingl. *baby*.] *S. m.* **1.** Espécie de avental para crianças, com mangas: "Essa rocha, em que eu me sentei em criança, com .... o meu b i b e cheirando ao algodão novo azul e branco da fábrica do Bolhão" (Ramalho Ortigão, *As Farpas*, I, p. 262). **2.** V. *babadouro*.

bibelô. [Do fr. *bibelot*.] *S. m.* **1.** Pequeno objeto de adorno que se põe sobre a mesa, aparador, etc. **2.** Objeto ordinário e de pouco valor.

bibelotista (ô). [Do fr. *bibelot*, 'bibelô', + *-ista*.] *S. 2 g.* Artista que trabalha em bugigangas.

biberão. [Do fr. *biberon*.] *S. m.* Mamadeira (2).

bibi[1]. [De possível or. indígena.] *S. f. Bras.* Erva de pequeno porte, da família das iridáceas (*Cypella plumbea*), de flores grandes, frutos capsulares, e provida de bolbo, do qual nascem as folhas e o escapo floral.

bibi[2]. *S. f.* Princesa ou grande senhora muçulmana, no oriente.

bibi[3]. [Voc. onom.] *S. m. Bras. Inf.* V. *automóvel* (3).

bibiano. [Do antr. *Bibiano*.] *S. m. Bras., N.E.* V. *periquito*[1] (6).

bibico. [De *bi-* + *bico*[1].] *Bras. S. m.* **1.** Chapéu cuja aba forma dois bicos ou pontas. **2.** Gorro de soldado, de costura única, e reta em cima, fazendo dois bicos, um à frente e outro atrás: "Sargento Josimar, na portaria, b i b i c o escondendo a testa estreita, bateu continência." (Marques Rebelo, *O Simples Coronel Madureira*, p. 51.) ● *Adj.* **3.** Diz-se desse chapéu ou desse gorro.

bibiru. *S. m. Bras. Amaz.* e *Guiana*. V. *beberu*.

bíblia. *S. f.* **1.** O conjunto dos livros sagrados do Antigo e e do Novo Testamento; Escritura, Sagrada Escritura, Escrituras. **2.** Livro em que se reúne esse conjunto. **3.** Exemplar de bíblia (2): "estive .... três anos, nove meses e quinze dias na cadeia, onde aprendi leitura com o Joaquim sapateiro, que tinha uma b í b l i a miúda, dos protestantes." (Graciliano Ramos, *S. Bernardo*, p. 14). **4.** *Fig.* Livro de importância capital e/ou ao qual se tem predileção incomum: "Ele próprio [Coelho Neto] dizia que a sua b í b l i a era o Elucidário de Viterbo." (Josué Montelo, *Estante Giratória*, p. 54); "Eu andava então pelos meus dezessete anos. Nesse tempo era minha b í b l i a o secular *Rubayiáti*" (Joel Silveira, *Onda Raivosa*, p. 76). ● *S. 2 g.* **5.** *Bras. Pop.* V. *protestante* (6).

biblíaco. [De *bibli(o)-* + *-aco*.] *Adj.* Relativo a livros. [Cf. *livreiro* (1).]

bibliátrica. [De *bibli(o)-* + *iátrica*.] *S. f.* Arte de restauração e conservação de livros: "A arte de restaurar velhos livros, chamada b i b l i á t r i c a, é uma arte delicada e difícil" (Eduardo Frieiro, *Os Livros Nossos Amigos*, p. 128).

bibliátrico. *Adj.* Relativo à bibliátrica.

biblicismo. [De *bíblico* + *-ismo*.] *S. m.* Teorias ou doutrinas da Bíblia; biblismo.

biblicista. *S. 2 g.* Especialista em assuntos bíblicos; biblista: "O b i b l i c i s t a Joviniano me ensinou os capítulos e versículos do Velho e do Novo Testamento." (Fernando Ramos, *Os Enforcados*, p. 193.)

bíblico. *Adj.* Relativo ou pertencente à, ou próprio da Bíblia.

biblidácea. *S. f.* Espécime das biblidáceas.

biblidáceas. *S. f. pl.* Família vegetal formada pelo gênero Byblis, do qual existem apenas duas espécies, australianas. Têm folhas estreitas, cilíndricas, e pêlos glandulíferos.

biblidáceos. *Adj.* Pertencente ou relativo às biblidáceas.

▲bibli(o)-. [Do gr. *biblíon, ou*.] *El. comp.* = 'livro': *biblioteca* (< lat. *bibliotheca* < gr. *bibliothéke*), *bibliófilo*.

bibliocanto. [De *bibli(o)-* + *canto*[1].] *S. m.* Chapa de metal dobrada em ângulo reto, com a qual se amparam os livros em prateleiras não inteiramente ocupadas, sobre uma mesa, etc.

biblioclasta. [De *bibli(o)-* + *-clasta*.] *S. 2 g.* Adversário e destruidor de livros.

biblioclepta. [De *bibli(o)-* + *-clepto*.] *S. 2 g.* Pessoa que rouba livros: "O colecionador de livros raros, preciosos ou singulares, esse .... costuma ser um bibliopirata, quando não é um b i b l i o c l e p t a, que satisfaz o seu vício onde pode e como pode." (Eduardo Frieiro, *Os Livros Nossos Amigos*, p. 64.)

bibliocleptomania. [De *bibli(o)-* + *cleptomania*.] *S. f.* Mania de furtar livros.

bibliocriso. [De *bibli(o)-* + *-criso*.] *S. m.* Livro estampado e decorado a ouro.

bibliofagia. [De *bibli(o)-* + *-fag(o)-* + *-ia*.] *S. f.* Qualidade de bibliófago.

bibliofágico. *Adj.* Referente à bibliofagia.

bibliófago. [De *bibli(o)-* + *-fago*.] *Adj.* e *s. m.* Diz-se de, ou inseto que se alimenta de livros.

bibliofilaxia (cs). [De *bibli(o)-* + *-filax-* + *-ia*.] *S. f.* Cuidados com os livros.

bibliofilia. [De *bibli(o)-* + *-filia*.] *S. f.* **1.** Amor aos livros. **2.** Arte de colecionar livros tendo em vista circunstâncias especiais ligadas à publicação deles. [Antôn.: *bibliofobia*.]

bibliofílico. *Adj.* Relativo à bibliofilia. [Antôn.: *bibliofóbico*.]

bibliofilme. [De *bibli(o)-* + *filme*.] *S. m. P. us.* Microfilme de livro.

bibliófilo. [De *bibli(o)-* + *-filo*[2].] *S. m.* **1.** Aquele que tem grande amor aos livros, em especial àqueles belos e/ou raros. **2.** Colecionador de livros. [Antôn.: *bibliófobo*.]

bibliofobia. [De *bibli(o)-* + *-fob(o)-* + *-ia*.] *S. f.* Aversão aos livros. [Antôn.: *bibliofilia*.]

bibliofóbico. *Adj.* Relativo à bibliofobia. [Antôn.: *bibliofílico*.]

bibliófobo. [De *bibli(o)-* + *-fobo*.] *Adj.* e *s. m.* Que, ou aquele que tem bibliofobia. [Antôn.: *bibliófilo*.]

bibliogênese. [De *bibli(o)-* + *-gênese*.] *S. f.* Origem, criação ou formação do livro ou de um livro.

bibliognosia. [De *bibli(o)-* + *-gnos(i)(o)-* + *-ia*.] *S. f.* Ciência dos livros.

bibliognosta. [De *bibli(o)-* + gr. *gnóstes*, ou, 'conhecedor'.] *S. 2 g.* Pessoa que conhece a fundo a história dos livros, seus títulos, datas e lugares de edições, etc.: "Nada! Esta só palavra em si resume tudo: / Ciência difusa em mil papiros e alfarrábios; / Obras de que é a traça o b i b l i o g n o s t a mudo, / E onde se expande à larga a estupidez dos sábios..." (Raimundo Correia, *Poesias*, p. 292.)

bibliografia. [De *bibli(o)-* + *-graf(o)-* + *-ia*.] *S. f.* **1.** Estudo dos textos impressos, com vista à elaboração de repertórios gerais ou especializados, e que compreende as fases de pesquisa, transcrição, descrição e classificação. **2.** O repertório assim elaborado. **3.** Designação freqüentemente dada às referências bibliográficas constantes de um livro, representativas das obras consultadas pelo seu autor. **4.** *Jorn.* Seção destinada ao registro das publicações recebidas. [Cf. *bibliologia*.]

bibliográfico. *Adj.* Relativo à bibliografia, ou a livros. [Cf. *livreiro* (1).] ~ V. *nota* —*a* e *notas* —*as*.

bibliógrafo. *S. m.* **1.** Aquele que é versado em bibliografia. **2.** Compilador de repertório bibliográfico.

bibliólatra. [De *bibli(o)-* + *-latra*.] *Adj. 2 g.* **1.** Respeitante à, ou que tem bibliolatria. ● *S. 2 g.* **2.** Pessoa que a tem.

bibliolatria. [De *bibli(o)-* + *-latr(a)-* + *-ia*.] *S. f.* Gosto apaixonado dos livros, particularmente da Bíblia ou de outro livro sagrado.

bibliolátrico. *Adj.* Concernente à bibliolatria.

bibliologia. [De *bibli(o)-* + *-log(o)-* + *-ia*.] *S. f.* **1.** Conjunto de conhecimentos e técnicas que abrangem a história do livro, a biblioteconomia, a bibliografia, a bibliotecologia e a bibliofilia, e se relacionam com a origem, evolução, produção, publicação, descrição, enumeração, conservação e restauração dos livros, e a organização deles em coleções gerais ou especiais para uso público ou privado. **2.** *Desus.* A história do livro. [Cf. *documentação* (2) e *bibliografia*.]

bibliológico. *Adj.* Relativo à bibliologia.

bibliólogo. [De *bibli(o)-* + *-logo*.] *S. m.* Aquele que é versado em bibliologia.

bibliomancia (cí). [De *bibli(o)-* + *-mancia*.] *S. f.* Adivinhação por meio de um livro, que se abre ao acaso.

bibliomania. [De *bibli(o)-* + *-mania*.]. *S. f.* Mania de acumular livros.

bibliomaníaco. *Adj.* **1.** Diz-se daquele que é dado à bibliomania. ● *S. m.* **2.** Aquele que é dado à bibliomania; bibliômano.

bibliômano. [De *bibli(o)-* + *-mano*.] *S. m.* Bibliomaníaco (2).

bibliomante. [De *bibli(o)-* + *-mante*.] *S. 2 g.* Pessoa que pratica a bibliomancia.

bibliomântico. *Adj.* Referente à bibliomancia, ou a bibliomante.

bibliomapa. [De *bibli(o)-* + *mapa*.] *S. m.* Livro composto de cartas geográficas e textos explicativos.

biblônimo. [De *bibli(o)-* + *-ônimo*.] *S. m.* **1.** Qualquer dos nomes de livros que, pela sua importância universal, devam incluir-se na onomástica geral da língua: *Bíblia, Alcorão, Odisséia, Eneida, Ilíada*. **2.** *P. ext.* Qualquer nome de livro.

bibliopirata. [De *bibli(o)-* + *pirata*.] *S. 2 g.* Pessoa dada à bibliopirataria: "O colecionador de livros raros, preciosos ou singulares, esse .... costuma ser um bibliopirata, quando não é um biblioclepta, que satisfaz o seu vício onde pode e como pode." (Eduardo Frieiro, *Os Livros Nossos Amigos*, p. 64.)

bibliopirataria. [De *bibli(o)-* + *pirataria*.] *S. f.* Produção fraudulenta, falsificação ou apropriação indébita de livros.

bibliopola. [Do gr. *bibliopóles*, pelo lat. *bibliopola*.] *S. 2 g.* Vendedor de livros; livreiro.

biblioπréia. [De *bibli(o)-* + *-réia*.] *S. f. Deprec.* Produção abundante de livros.

bibliossanidade. [De *bibli(o)-* + *sanidade*.] *S. f. Bibliol.* Sanidade dos livros, especialmente no tocante a medidas de proteção contra os insetos.

bibliotáfio. *S. m.* Lugar, numa biblioteca, onde se conservam as obras mais raras e preciosas.

biblioteca. [Do gr. *bibliothéke*, pelo lat. *bibliotheca*.] *S. f.* **1.** Coleção pública ou privada de livros e documentos congêneres, organizada para estudo, leitura e consulta. **2.** Edifício ou recinto onde se instala essa coleção. **3.** Estante ou outro móvel onde se guardam e/ou ordenam os livros. **4.** *Proc. Dados.* Coleção ordenada de modelos ou de rotinas ou sub-rotinas, por meio da qual se podem resolver os problemas e suas partes. ◆ **Biblioteca circulante.** Aquela cujos livros se destinam a empréstimos domiciliares.

bibliotecal. *Adj. 2 g.* Bibliotecário (1).

bibliotecário. [Do lat. *bibliothecariu*.] *Adj.* **1.** Relativo a biblioteca; bibliotecal. ● *S. m.* **2.** Aquele que superintende uma biblioteca.

bibliotecnia. [De *bibli(o)-* + *-tecn(o)-* + *-ia*.] *S. f.* Conjunto de conhecimentos respeitantes à parte mate-

rial do livro e à sua produção, em especial no tocante à escolha de papel, formato, composição, ilustração, processo de impressão, acabamento, etc.
bibliotécnico. *Adj.* **1.** Relativo à bibliotecnia. ● *S. m.* **2.** Especialista em bibliotecnia.
bibliotecologia. [De *biblioteca* + *-o-* + *-log(o)-* + *-ia.*] *S. f.* Estudo ou conhecimento das bibliotecas.
bibliotecológico. *Adj.* Relativo à bibliotecologia.
biblioteconomia. [De *biblioteca* + *-o-* + *-nomo* + *-ia.*] *S. f.* Conjunto de conhecimentos referentes à organização e administração das bibliotecas.
biblioteconômico. *Adj.* Relativo à biblioteconomia.
biblioteconomista. *S. 2 g.* Especialista em biblioteconomia; bibliotecônomo.
bibliotecônomo. [De *biblioteca* + *-o-* + *-nomo.*] *S. m.* Biblioteconomista.
bibliotecosofia. [De *biblioteca* + *-o-* + *-sofia.*] *S. f.* Ciência das bibliotecas.
biblioterapêutica. [De *bibli(o)-* + *terapêutica.*] *S. f. Bibliol.* Tratamento dos livros danificados por insetos ou por outros agentes; biblioterapia.
biblioterapêutico. *Adj.* Relativo à biblioterapêutica.
biblioterapia. [De *bibli(o)-* + *terapia.*] *S. f.* Biblioterapêutica.
biblioterápico. *Adj.* Referente à biblioterapia.
biblismo. [De *Bíblia* + *-ismo.*] *S. m.* Biblicismo.
biblista. *S. 2 g.* Biblicista.
biboca. [Do tupi *ïbi*, 'terra' + *boka*, ger. de *bog*, 'fender-se'.] *S. f. Bras.* **1.** Escavação ou fenda de terreno, em geral produzida por enxurrada; cova. **2.** Vale profundo e de acesso difícil; baboca, boboca, buraco, grota. **3.** Habitação pequena, pobre, modesta; baiúca, buraco, toca: "Em torno de mim, as velhas taperas, as medonhas *bibocas* do morro, fechadas, silenciosas, fúnebres, desfaziam-se em miasmas." (Olavo Bilac, *Crítica e Fantasia*, pp. 289-290.) **4.** *Bras., N.E.* e *SP.* Casa humilde, com cobertura de palha. **5.** *Bras., BA.* Pequena venda ou taverna; bodega. **6.** *Bras., ES.* Habitação afastada, remota.
bibocal. [De *biboca* (1) + *al*[2].] *S. m. Bras.* Lugar cheio de bibocas; biboqueira.
bibocão. *S. m. Bras.* Grande biboca.
biboqueira. *S. f. Bras.* Bibocal.
bibra. *S. f. Bras.* V. *víbora* (2, 3 e 4).
bibracteado. [De *bi-* + *bracteado.*] *Adj. Bot.* Que tem duas brácteas.
bíbulo. [Do lat. *bibulu.*] *Adj.* **1.** Que bebe; que absorve líquidos. **2.** Passento.
bica. [De *bico*[1].] *S. f.* **1.** Tubo, meia-cana, pequeno canal ou telha por onde corre e cai água. **2.** *P. ext.* Qualquer orifício por onde escorre um líquido. **3.** *Bras. Fig.* Qualquer coisa de que se tiveram bons proveitos. **4.** *Bras. Gír.* Grande número de aprovações, merecidas ou não, em exames. [Cf. *jaca*[1] (3).] ♦ **Estar na bica.** Estar prestes a ser, a acontecer, etc.: *Estava na bica para ministro, quando veio a guerra; O noivado estava na bica quando brigaram.* **Suar em bica.** Transpirar copiosamente. [Tb. se diz *suar em bicas.*] **Suar em bicas.** V. *suar em bica*: "Quando o homenzinho, afogueado, suando em bicas, deu por finda a arenga, o secretário respondeu" (Coelho Neto, *A Conquista*, p. 435).
bicaço. *S. m. Bras., RS.* V. *bicada*[1] (1).
bicada[1]**.** *S. f.* **1.** Picada com o bico; bicorada, bicaço. **2.** Aquilo que uma ave leva de uma vez ao bico. **3.** Entrada de um bosque. **4.** A extremidade longitudinal de uma serra. **5.** *Bras. Pop.* Porção de aguardente que se ingere duma só vez; bicula, chamada, cipoada, gornope, ripada. ~ V. *bicadas.*
bicada[2]**.** *S. f. Bras.* Grande bica ou calha. ~ V. *bicadas.*
bicadas. [Pl. de *bicada.*] *S. f. pl.* As ramas das árvores. ~ V. *bicada.*
bicado[1]**.** *Adj. Heráld.* Diz-se de ave que, nos brasões, tem o bico de esmalte diferente do corpo.
bicado[2]**.** [Part. de *bicar.*] *Adj. Bras.* V. *alegre*[2] (4).
bical. *Adj. 2 g.* Bicudo (1).
bicama. [De *bi-* + *cama.*] *S. f.* Móvel constituído por uma cama, de altura comum, e outra mais baixa, que se encaixa sob a primeira, a qual é afastada quando alguém se quer deitar; sofá-bicama.
bicame. [De *bica* + *-ame.*] *S. m.* **1.** *Bras.* Conjunto de condutores das águas pluviais que escorrem pelo telhado das casas: "todas as águas perenes, todas as torrentes pluviais estão dirigidas, encanadas, por calhas de pedras, de tijolos de juntas tomadas, por *bicames* de madeira." (Júlio Ribeiro, *A Carne*, p. 136). **2.** *Bras., MG.* Álveo de madeira para passagem de rio ou de riacho.
bicameral. [De *bi-* + *câmera* + *-al.*] *Adj. 2 g.* Diz-se do, ou relativo ao sistema político em que o poder legislativo se divide em duas câmaras, o bicameralismo; bicameralista.
bicameralismo. *S. m.* O sistema político bicameral.
bicameralista. *Adj. 2 g.* **1.** Bicameral. **2.** Que é partidário do bicameralismo. ● *S. 2 g.* **3.** Partidário dele.
bicampeã. *S. f.* e *adj. (f.)* Fem. de *bicampeão.*
bicampeão. [De *bi-* + *campeão.*] *S. m.* Indivíduo, clube, etc., que é duas vezes campeão. [Tb. us. como adj. Fem.: *bicampeã.*]
bicampeonato. [De *bi-* + *campeonato.*] *S. m.* Campeonato alcançado pela segunda vez.
bicanca. [De *bico*[1].] *S. f.* **1.** V. *narigão* (2). **2.** *Bras. Fut.* Chute dado com o bico da chuteira. [Sin.: *bicarra, biqueirada* e (no MA) *bicudo.*]
bicão. [De *bicar* + *-ão.*] *S. m.* **1.** Indivíduo intrometido, bisbilhoteiro; furão. **2.** V. *penetra* (2). **3.** *Bras. Gír.* Indivíduo aproveitador, que é dado a viver à custa de outrem.
bicapsulado. [De *bi-* + *cápsula* + *-ado*[1].] *Adj. Bot.* *Bicapsular.*
bicapsular. [De *bi-* + *capsular.*] *Adj. 2 g. Bot.* Que tem duas cápsulas; bicapsulado.
bicar. *V. t. d.* **1.** Dar bicadas [V. *bicada*[1] (1)] em; picar com o bico. **2.** Beber aos golinhos; bebericar: *Bicava o seu conhaque calmamente. Int.* **3.** Dar bicadas. **4.** *Bras.* Ficar um pouco ébrio, bicado; bicar-se. *P.* **5.** *Bras.* Bicar (4). [Conjug.: v. *trancar.*]
bicarbonado. [De *bi-* + *carbonado.*] *Adj. Quím.* Que contém dois átomos de carbono.
bicarbonato. [De *bi-* + *carbonato.*] *S. m. Quím.* Qualquer sal ácido do ácido carbônico.
bicarenado. [De *bi-* + *carenado.*] *Adj. Bot.* Provido de duas quilhas ou linhas salientes que percorrem longitudinalmente o órgão.
bicaria. [De *bico*[1] + *-aria?*] *S. f. Bras. Gír.* Exibição, fita, ostentação.
bicaró. *S. m.* Bico ou ponta de renda.
bicarra. [De *bico* + *-arra.*] *S. f.* Grande bico; bicanca.
bicaudado. [De *bi-* + *caudado.*] *Adj.* Que tem duas caudas ou dois apêndices caudais.
bicéfalo. [De *bi-* + *céfalo.*] *Adj.* **1.** Que tem duas cabeças; dicéfalo. **2.** *Bot.* Que traz dois capítulos, o que sucede com plantas da família das compostas; bicípete.
bicelular. [De *bi-* + *celular.*] *Adj. 2 g.* Que tem duas células.
bicentenário. [De *bi-* + *centenário.*] *Adj.* **1.** Que tem dois séculos; que tem duzentos anos. ● S. m. **2.** O segundo centenário (4): *Em 1989 será comemorado o bicentenário da Revolução Francesa.*
bíceps. [Do lat. *biceps.*] *S. m. 2 n.* **1.** *Anat.* Designação comum a alguns músculos que têm dois ligamentos ou cabeças na parte superior: "era um minhoto atarracado, de largos ombros *bíceps* de atleta, tórax saliente" (Luís de Magalhães, *O Brasileiro Soares*, p. 2). **2.** *Restr.* Bíceps braquial. [F. paral., nessas acepç.: *bicípite.*] **3.** *Fig. Gír.* Força muscular.
bicerácea. *S. f.* Espécime das biceráceas.
biceráceas. *S. f. pl. Bot.* Família de flagelados que se compõe de células incluídas em delicadas carapaças, possuindo um flagelo e uma sorte de apêndice em forma de tromba. São fixos e formam colônias nas águas doce e marinha.
biceráceo. *Adj.* Pertencente ou relativo às biceráceas.
bicha. [Do lat. *bestia*, 'animal', atr. do ant. *bescha.*] *S. f.* **1.** *Bras.* V. *lombriga.* **2.** *Bras.* V. *sanguessuga.* (1). **3.** Dança na qual todos os pares se enfileiram, dando-se as mãos. **4.** *Lus.* V. *fila*[1] (2): "Na exposição do corpo [de Sidônio Pais] na Câmara Municipal, uma *bicha* enorme, uma *bicha* a quatro de largo, prolongava-se pela Rua dos Capelistas, ascendendo até ao catafalco." (Raul Brandão, *Vale de Josafá*, p. 99.) **5.** *Ant.* Escaler da alfândega usado na fiscalização. **6.** Galão ou divisa na manga de um uniforme ou farda. **7.** Brinquedo de crianças, que imita um lagarto ou uma cobra. **8.** *Bras.* Diabinho-maluco. **9.** *Bras., RJ.* Serpentina de alambique, nos engenhos de açúcar. **10.** *Bras. N. E. Gír.* V. *cachaça* (1). **11.** *Bras. Gír. chulo.* V. *efeminado* (6). **12.** *Fam.* Mulher muito irritadiça. **13.** *Gír.* Febre amarela. ~ V. *bichas.* ♦ **Bicha de rabear.** *Bras.* Fogo de artifício que descreve rápidas voltas pelo chão; mosquito. **Fazer bichas.** *Bras.* Praticar travessuras.
bicha-cadela. *S. f. Lus.* V. *lacrainha.* [Pl.: *bichas-cadelas.*]
bicha-de-sete-cabeças. *S. f.* **1.** *Mit.* A hidra de lerna. **2.** Bicho-de-sete-cabeças [q. v.]. [Pl.: *bichas-de-sete-cabeças.*]
bichado. [Part. de *bichar.*] *Adj.* Que foi atacado pelo bicho (14): *feijão bichado*; "de vez em quando um pomo *bichado* tombava com um baque surdo na terra fofa." (José Rodrigues Miguéis, *Léah*, p. 302). [Sin.: *bichoso* e (no RS) *bichoco.*]
bichador (ô). *S. m. Bras., S.* Pauzinho semelhante espátula, com o qual se tiram os vermes das bicheiras das reses.
bicha-louca. *S. f. Bras. Chulo.* Efeminado (6) em excesso. [Pl.: *bichas-loucas.*]
bicha-louquice. *S. f. Bras. Chulo.* Ação ou modos de bicha-louca. [Pl.: *bichas-louquices.*]
bichanada. [De *bichano* + *-ada*[1].] *S. f.* Muitos gatos.
bichanar. [Voc. onom.] *V. int.* **1.** Falar em voz baixa, ciciando as palavras. *T. d. e t. d. e i.* **2.** Dizer em segredo, em voz baixa; segredar: *Vive a bichanar novidades; Bichanou ao patrão intimidades da vida do vizinho.*
bichancrice. *S. f.* Ato de fazer bichancros.
bichancros. *S. m. pl.* Modos ou ademanes ridículos.
bichano. [De *bicho.*] *S. m.* Gato (1), especialmente novo.
bichão. [Aum. de *bicho.*] *S. m. Bras.* **1.** V. *valentão* (3). **2.** Indivíduo experiente. **3.** Homem forte, corpulento. **4.** V. *bicho* (13).
bichar. *V. int.* **1.** Criar bicho (14) (madeiras, livros, cereais, frutas, etc.). **2.** *Bras., MT. Pop.* Ganhar dinheiro.
bichará. *S. m. Bras., RS.* **1.** Tecido de lã grossa. **2.** Poncho ou cobertor dessa lã.
bicharada. *S. f.* **1.** Grande número de bichos. [Sin.: *bicharia* e (bras., S.) *bicharedo.*] **2.** *Bras. Chulo.* Bicharia (3).
bicharedo (ê). *S. m. Bras., S.* **1.** V. *bicharada* (1). **2.** Praga de vermes, insetos, etc.
bicharia. *S. f.* **1.** V. *bicharada* (1). **2.** *Burl.* Ajuntamento de pessoas. **3.** *Bras. Chulo.* Porção de bichas [v. *bicha* (11)]; bicharada.
bicharoca. [De *bicha* (11), com infl. de *bicharoco.*] *S. f. Bras. Chulo.* V. *efeminado* (6): "No velho Teatro Santa Isabel, único da capital pernambucana, iria se exibir um time de *bicharocas*" (Stanislaw Ponte Preta, *Febeapá 2*, p. 12).
bicharoco (ô). *S. m.* Bicho grande e/ou repugnante.
bichas. [Pl. de *bicha.*] *S. f. pl.* Brincos que se usam sobre o lobo da orelha, e ornados por um só brilhante. ~ V. *bicha.*
bicheira. *S. f. Bras.* **1.** Ferida nos animais, cheia de bichos, de vermes. **2.** Designação comum às larvas vermiformes, acéfalas e ápodes dos insetos dípteros, especialmente dos miodários cuterebrídeos, caliptera-dos, das famílias dos cocliomídeos e dos sarcofagídeos, que depositam os ovos nas bicheiras, nas carnes em putrefação, no charque, nos couros, etc.; morotó, tapicuru, tapuru, coró, bicho-de-vareja.
bicheiro[1]**.** *S. m.* Frasco onde se guardavam bichas ou sanguessugas.
bicheiro[2]**.** *Adj.* **1.** Que se alimenta de bichos. **2.** *Fig.* Que procura muito. **3.** Que é muito minucioso; que se ocupa de ninharias. **4.** Muito versado, muito entendido (em alguma coisa): *É bicheiro em cardiologia.* ● *S. m.* **5.** Vara ou arame com anzol ou gancho na ponta, para pescar (especialmente polvo). **6.** *Bras.* Vendedor de talões de jogo do bicho. **7.** *Bras.* Aquele que banca, nesse jogo.
bichento. *Adj. Bras.* **1.** V. *cambado* (3). **2.** *Bras.* V. *cambaio* (1).
bichice. [De *bicha* (11) + *-ice.*] *S. f. Bras. Gír. Chulo.* Ação ou modos de efeminado (6). ~ V. *bichices.*
bichices. [De *bicho* + *-ice.*] *S. f. pl. Fam.* Afagos, carinhos, meiguices. ~ V. *bichice.*
bichinha. [Dim. de *bicha.*] *S. f.* **1.** Bolo de farinha, açúcar e ovos. **2.** *Bras.* Mulher nova; mocinha.
bichinho. [Dim. de *bicho.*] *El. s. m.* Us. na loc. s. m. *meu bichinho.* ♦ **Meu bichinho.** *Bras.* V. *meu negro.*
bicho. [Do lat. vulg. *bestiu.*] *S. m.* **1.** Qualquer dos animais terrestres. **2.** Pessoa muito feia. **3.** Pessoa intratável, grosseira. **4.** Indivíduo que sabe; sabedor. **5.** Pessoa de grande valor ou habilidade. **6.** *Bibliol.* Qualquer inseto bibliófago. **7.** *Fut.* Gratificação distribuída aos jogadores e ao técnico em virtude de um resultado favorável. **8.** *Fam.* Piolho (1). **9.** *Pop.* Cancro, câncer. **10.** *Chulo.* O pênis. **11.** *Bras.* Indivíduo valente, enérgico, corajoso. **12.** *Bras. Gír.* Calouro (1). **13.** *Bras. Gír.* Tratamento cordial, dado, geralmente, a pessoas íntimas; meu amigo, meu chapa; amigo, bichão: *Como vai, bicho?* [Us. apenas no vocativo.] **14.** *Bras. Pop.* Designação comum a alguns tipos de insetos, como o cupim, a traça e outros, que, introduzindo-se na madeira, nos tecidos, no papel, nas frutas, nos cereais, etc., neles abrem buracos que os deformam, inutilizam ou destroem: *O bicho atacou as vigas do casarão; Não coma essa maçã, que tem bicho.* **15.** *Bras. Pop.* V. *bicho-do-pé.* **16.** *Bras.* O jogo do bicho. **17.** *Bras.* V.

diabo (2). ◆ **Bicho da cozinha.** Serviçal da cozinha. **Matar o bicho.** *Bras. Gír.* Ingerir aguardente ou qualquer outra bebida alcoólica. **Ver que bicho dá.** *Bras. Gír.* Esperar pelo resultado, pelas conseqüências dum ato, dum procedimento. **Virar bicho.** *Bras. Gír.* Zangar-se, enfurecer-se, encolerizar-se; mostrar-se agressivo: "Nas imediações do Café Pátria .... um cabo do Exército, polvilhado e esguichado por um magote de foliões afoitos, v i r a b i c h o." (Atos Damasceno, *O Carnaval Porto-alegrense no Século XIX*, p. 108.)

bicho-barbeiro. *S. m.* V. *barbeiro* (6). [Pl.: *bichos-barbeiros* e *bichos-barbeiro.*]

bicho-bola. *S. m. Bras. RJ* e *SP.* V. *embuá.* [Pl.: *bichos-bolas* e *bichos-bola.*]

bicho-bolo. *S. m. Bras.* V. *escaravelho* (1). [Pl.: *bichos-bolos* e *bichos-bolo.*]

bichoca. [De *bicho* + a term. *minhoca.*] *S. f.* **1.** *Bras. Pop.* V. *minhoca* (1). **2.** Furúnculo pequeno. **3.** *Fam.* Pênis de criança. **4.** *Bras. Pop.* V. *efeminado* (6).

bicho-cabeludo. *S. m. Bras.* V. *tatarana.* [Pl.: *bichos-cabeludos.*]

bichocar. [De *bichoca* + *-ar*[2].] *V. int.* Tornar-se bichoso; criar bichocas. [Conjug.: v. *trancar.*]

bicho-careta. *S. m.* V. *joão-ninguém:* "Essa menina .... namora a torto e a direito, dá corda a quanto b i c h o - c a r e t a lhe arreganha os dentes!" (Artur Azevedo, *Contos Cariocas*, p. 67.) [Pl.: *bichos-caretas* e *bichos-careta.*]

bicho-carpinteiro. *S. m.* V. *escaravelho* (1). [Pl.: *bichos-carpinteiros.*] ◆ **Ter bicho-carpinteiro.** Não poder estar quieto; não parar em lugar nenhum.

bichoco (ô). [Do esp. plat. *bichoco.*] *Adj. Bras., S.* **1.** Diz-se do cavalo inutilizado pela gordura, ou de mãos inchadas por falta de exercício. **2.** *Bras., RS.* V. *bichado.*

bicho-colorado. *S. m. Bras., RS.* V. *micuim* (1). [Pl.: *bichos-colorados.*]

bicho-da-consciência. *S. m.* V. *remorso.* [Pl.: *bichos-da-consciência.*]

bicho-da-seda. *S. m.* Designação comum ao *Bombyx mori* L., inseto lepidóptero da família dos bombicídeos, e a outros da região paleártica e da região oriental, incluídos no mesmo gênero. A criação da espécie referida acima constitui um ramo da zootecnia, a sericicultura. As larvas crisalidam dentro de um casulo de seda fina, utilizada industrialmente no mundo inteiro, em especial no Oriente. [Sin.: *bômbix.* Pl.: *bichos-da-seda.*]

bicho-das-frutas. *S. m. Bras.* Mosca-das-frutas. [Pl.: *bichos-das-frutas.*]

bicho-da-terra. *S. m. Bras.* V. *grilo-toupeira* (1). [Pl.: *bichos-da-terra.*]

bicho-da-toca. *S. m. Fam.* Pessoa acanhada, bisonha, que gosta de viver só. [Pl.: *bichos-da-toca.*]

bicho-de-buraco. *S. m. Fig.* V. *bicho-do-mato* (2). [Pl.: *bichos-de-buraco.*]

bicho-de-cesto. *S. m. Bras., RS.* Designação comum às larvas do inseto lepidóptero da família dos psiquídeos (*Oiketicus Kirbyi* (Lnads.-Guild)), cuja lagarta é polífaga. As lagartas e as fêmeas vivem em saquinhos alongados, de tecido especial, lembrando um pequeno cesto. No RS e na Argentina são muito prejudiciais às fruteiras e árvores ornamentais. [Pl.: *bichos-de-cesto.*]

bicho-de-coco. *S. m.* **1.** *Bras.* Bicho-do-coco. **2.** *Bras., Amaz.* Indivíduo prudente, cauteloso, de poucas palavras. [Pl.: *bichos-de-coco.*]

bicho-de-concha. *S. m. Fig.* V. *bicho-do-mato* (2). [Pl.: *bichos-de-concha.*]

bicho-de-conta. *S. m. Lus.* V. *tatuzinho* (1). [Pl.: *bichos-de-conta.*]

bicho-de-frade. *S. m. Bras., SC.* V. *barbeiro* (6). [Pl.: *bichos-de-frade.*]

bicho-de-ouvido. *S. m. Bras.* V. *embuá.* [Pl.: *bichos-de-ouvido.*]

bicho-de-parede. *S. m. Bras., N.E.* V. *barbeiro* (6). [Pl.: *bichos-de-parede.*]

bicho-de-pau. *S. m. Bras.* V. *bicho-pau* (1). [Pl.: *bichos-de-pau.*]

bicho-de-pé. *S. m. Bras.* V. *bicho-do-pé.* [Pl.: *bichos-de-pé.*]

bicho-de-porco. *S. m. Bras.* V. *bicho-do-pé.* [Pl.: *bichos-de-porco.*]

bicho-de-sete-cabeças. *S. m. Bras.* Coisa muito difícil, muito complicada. [Pl.: *bichos-de-sete-cabeças.* Var., p. us.: *bicha-de-sete-cabeças.*]

bicho-de-taquara. *S. m. Bras.* A larva da borboleta (*Myelobia smerintha* Hubn.), que se cria no oco dos bambus. Serve de alimento aos quatipurus, e os índios brasileiros também a procuravam para o mesmo fim. [Pl.: *bichos-de-taquara.*]

bicho-de-toca. *S. m. Fig.* V. *bicho-do-mato* (2). [Pl.: *bichos-de-toca.*]

bicho-de-vareja. *S. m. Bras.* V. *bicheira* (2). [Pl.: *bichos-de-vareja.*]

bicho-do-coco. *S. m. Bras.* Inseto coleóptero, da família dos bruquídeos (*Pachymerus necleorum* (Fabr.)), de pernas posteriores grossas e tíbias recurvadas, o qual é caruncho das sementes da carnaúba, do babaçu, do coco-da-baía, da piaçava e de outros coqueiros; bicho-de-coco. [Pl.: *bichos-do-coco.*]

bicho-do-mato. *S. m. Bras.* **1.** Fera (1). **2.** *Fig.* Indivíduo solitário, esquivo; esquisitão; urso, bicho-de-buraco, bicho-de-concha, bicho-de-toca. [Pl.: *bichos-do-mato.*]

bicho-do-pé. *S. m. Bras.* Inseto sifonáptero, da família dos hectopsilídeos (*Tunga penetrans* (L.)), da região neotrópica, cuja fêmea, fecundada, penetra na pele do porco ou do homem, onde se transforma em saquinho de ovos. A cabeça e o tórax são visíveis quando examinados de perfil. A espécie encontra-se também na África. [Sin.: *bicho, bicho-de-pé, bicho-de-porco ou bicho-do-porco, espinho-de-bananeira, jatecuba, nígua, pulga-da-areia, sico, taçura, taçuru, tunga, xiquexique, zunge, zunga, zunja.* Pl.: *bichos-do-pé.*]

bicho-do-porco. *S. m. Bras.* V. *bicho-do-pé.* [Pl.: *bichos-do-porco.*]

bicho-gordo. *S. m.* V. *pão-de-galinha.* [Pl.: *bichos-gordos.*]

bicho-homem. *S. m.* O homem enquanto animal (1): "Já ninguém anda pelos caminhos a pé e desarmado. O b i c h o - h o m e m motorizou-se" (Aquilino Ribeiro, *O Homem da Nave*, p. 87). [Pl.: *bichos-homens* e *bichos-homem.*]

bicho-mouro. *S. m. Bras., RS.* Carrapato-do-chão (2). [Pl.: *bichos-mouros.*]

bichona. *S. f. Bras. Chulo.* V. *efeminado* (6).

bicho-papão. *S. m.* V. *papão* (1). [Pl.: *bichos-papões.*]

bicho-pau. *S. m. Bras.* **1.** Designação comum a vários insetos das famílias dos fasmídeos e filídeos, de corpo semelhante a gravetos, cabeça curta e antenas longas. Vivem em plantas e árvores, onde permanecem imóveis por longo tempo, e alimentam-se de folhas e brotos, mas sem causar danos às plantações. [Sin.: *bicho-de-pau, cipó-seco, chico-magro, joão-magro, mané-magro, manuel-magro, maria-seca, taquarinha.*] **2.** Designação comum aos insetos ortópteros, da família dos proscopídeos, de cabeça muito longa, antenas curtas e fêmures apropriados para o salto. Vivem pousados nas extremidades dos galhos e quase não se defendem quando apanhados. [Sin.: *maria-seca, maria-mole, gafanhoto-de-jurema, gafanhoto-de-marmeleiro.*]

bicho-preto. *S. m. Bras., N.E.* V. *diabo* (2). [Pl.: *bichos-pretos.*]

bichoso (ô). *Adj.* V. *bichado.*

bicho-verde. *S. m. Turfe.* Totalizador (3). [Pl.: *bichos-verdes.*]

bicicleta (é). [Do. fr. *bicyclette.*] *S. f.* **1.** Veículo constituído por um quadro (15), montado em duas rodas, ordinariamente grandes, alinhadas uma atrás da outra e com raios metálicos, e que é dotado de selim e manobrado por guidom e pedais. [Sin.: *gangorra* (PE) e *camelo* (RJ). **2.** *Fut.* Jogada em que o jogador salta e chuta no ar, para trás, por cima da própria cabeça, como se estivesse pedalando uma bicicleta.

bicicletista. *S. 2 g.* Pessoa que anda de bicicleta; ciclista.

bicíclico. *Adj. Quím.* Diz-se de composto que tem dois anéis na sua estrutura.

biciclo. [Do ingl. *bicycle.*] *S. m.* Velocípede, em desuso, de duas rodas desiguais.

bicipital. *Adj. 2 g.* Relativo ao bíceps ou bicípite (3).

bicípite. [Do lat. *bicipite.*] *Adj. 2 g.* **1.** *Bot.* Bicéfalo (2). **2.** *Poét.* Que tem dois cumes, duas cabeças; dicéfalo. ● *S. m.* **3.** *Anat.* Bíceps (1 e 2).

bicloreto (ê). [De *bi-* + *cloreto.*] *S. m. Quím.* Designação eventual de alguns cloretos que contêm dois cloros, como, p. ex., o cloreto mercúrico; dicloreto.

bico[1]. [Do gaul., atr. do lat. *beccu.*] *S. m.* **1.** Proeminência córnea da boca das aves e doutros animais. **2.** *P. ext.* Ave doméstica. **3.** Extremidade aguçada ou delgada de inúmeros objetos; ponta: *o b i c o do sapato; o b i c o da faca; chapéu de três b i c o s.* **4.** Ângulo ou curva pronunciada que se delineia numa superfície ou nela se recorta; ponta: *galão com b i c o s.* **5.** Pena de escrever. **6.** *Fam.* A boca humana (particularmente o órgão da fala): *B i c o calado, nada de novidades!* **7.** Embriaguez, ebriez. **8.** Renda que de um dos lados termina em pontas ou bicos. **9.** Tip. V. *obra-de-bico.* **10.** *Bras.* V. *Chupeta* (2). **11.** *Bras. Fam.* Obsol. Mil-réis; bico-de-coruja: *O terno custou-me 200 b i c o s.* **12.** No jogo do truque, carta de menor valor (o dois e o três). **13.** *Fam.* Pequenos ganhos avulsos e/ou tarefa ocasional que os possibilita; biscate, gancho, galho, viração. **14.** *Fam.* Emprego subsidiário, pouco rendoso; gancho. **15.** *Gír.* V. *cachaça* (1). ● *Interj.* **16.** *Bras.* Caluda, psiu. ~ V. *bicos.* ◆ **Bico de diamante.** *Arquit.* Ornato semelhante ao talhe do diamante lapidado, característico da arquitetura românica; ponta de diamante, diamante. **Bico de gás.** Tubo por onde sai o gás de iluminação que se destina a ser queimado. **Bico de mocho.** *Arquit.* Pequeno filete saliente na parte inferior da cornija, para impedir que as águas pluviais corram pela parede; pingadeira. **Bico de proa.** *Constr. Nav.* Extremo superior da proa da embarcação. [Cf. *bico-de-proa.*] **Bico do peito.** Mamilo (1). **Abrir o bico.** *Bras. Gír.* **1.** Falar, dizer. **2.** Delatar, denunciar. **3.** Dar (o atleta) mostras de cansaço. **Baixar o bico.** *Bras.* Comer ou beber em excesso. **Molhar o bico.** *Bras. Pop.* V. *embriagar* (4). Não ser para o bico de. *Bras. Fam.* Não ser para o gozo, a fruição de. **Pegar no bico da chaleira.** *Bras.* Adular, lisonjear, bajular.

bico[2]. *S. m.* Monge budista que vive de esmolas. ~ V. *bicos.*

bicó. [De *rabicó*, com aférese.] *Adj. 2 g. Bras., N.E.* V. *suru* (1).

bico-aberto. *S. m. Zool.* Designação popular de certa ave anastomatínea [V. *anastomatíneos*] da família dos ciconídeos. [Pl.: *bicos-abertos.*]

bico-blanco. *Adj.* e *s. m. Bras., S.* Bico-branco. [Pl.: *bicos-blancos.*]

bico-branco. *Adj.* e *s. m. Bras., S.* Diz-se de, ou cavalo que tem a ponta do focinho branca. [F. paral.: *bico-blanco.* Pl.: *bicos-brancos.*]

bico-de-agulha. *S. m. Bras.* Ave piciforme, da família dos galbulídeos (*Galbula rufoviridis* Cab.) que ocorre nas matas virgens de quase todo o País. Coloração verde-metálica; garganta branca no macho e vermelha na fêmea; abdome ferrugíneo. Diferencia-se das outras do gênero por ter as retrizes laterais vermelhas, marginadas de verde. [Sin.: *beija-flor-d'água, beija-flor-grande* e *jacamacira.* Pl.: *bicos-de-agulha.*]

bico-de-brasa. *S. m. Bras.* **1.** Ave piciforme, da família dos buconídeos (*Monasa morphoeus* (Hahn. & Kust.)), distribuída por quase todo o Brasil, de cor cinzento-escura, rêmiges e cauda pretas, fronte e parte anterior da garganta branco-amareladas, e bico vermelho. **2.** Outra ave da mesma família (*Morphus nigrifrons* (Spix)), que difere da anterior apenas por ter a fronte preta e a parte inferior cinzento-escura. [Sin. ger.: *bico-de-fogo, bico-de-cravo, juiz-do-mato, sauni, tamburipará ou tamburupará, tamuripará, tungurupará,* e (na Amaz.) *tangurupará.* Pl.: *bicos-de-brasa.*]

bico-de-candeeiro. *S. m. Bras., BA.* V. *fimose.* [Pl.: *bicos-de-candeeiro.*]

bico-de-clarinete. *S. m.* Corte oblíquo num ramo, especialmente num garfo de enxertia. [Pl.: *bicos-de-clarinete.*]

bico-de-coruja. *S. m. Bras., N. E. Fam.* Bico[1] (11). [Pl.: *bicos-de-coruja.*]

bico-de-corvo. *S. m. Bras.* V. *fedegoso.* [Pl.: *bicos-de-corvo.*]

bico-de-cravo. *S. m. Bras.* V. *bico-de-brasa.* [Pl.: *bicos-de-cravo.*]

bico-de-ferro. *S. m. Bras.* V. *pixarro.* [Pl.: *bicos-de-ferro.*]

bico-de-fogo. *S. m.* **1.** *Bras.* V. *bico-de-brasa.* **2.** *Bras., AL. Pop.* Lábios excessivamente pintados. [Pl.: *bicos-de-fogo.*]

bico-de-furo. *S. m. Bras.* V. *curió.* [Pl.: *bicos-de-furo.*]

bico-de-gavião. *S. m. Bras., Marajó.* Assinalamento (2). [Pl.: *bicos-de-gavião.*]

bico-de-jaca. *S. m.* **1.** Tipo de lapidação de cristal de que resultam pequenas pirâmides justapostas, as quais, no conjunto, lembram a casca áspera da jaca. **2.** Objeto de cristal assim lapidado. **3.** Cristal ou vidro moldado à imitação do bico-de-jaca (1). [Pl.: *bicos-de-jaca.*]

bico-de-lacre. *S. m. Bras.* Ave passeriforme da família dos ploceídeos (*Estrilda cinerea* (Vieil.)), originária da África, de coloração parda, um pouco mais clara no ventre, apenas marginadas de escuro, dando ao conjunto da plumagem um aspecto ondulado, e bico vermelho-coral. Alimenta-se de sementes de capins, e é mais comum no S. E. do País, tendo sido introduzida também noutros países tropicais. [Pl.: *bicos-de-lacre.*]

bico-de-lamparina. *S. m. Bras., MG.* V. *fimose.* [Pl.: *bicos-de-lamparina.*]

bico-de-obra. *S. m.* Mão-de-obra (4): "Convencer o mestre-de-obras é .... um b i c o - d e - o b r a." (Aquilino Ribeiro, *Mônica*, p. 155). (Bras.): *mão-de-obra.* [Pl.:

bicos-de-obra.]

bico-de-papagaio. *S. m.* **1.** Nariz adunco. **2.** Planta ornamental da família das cactáceas (*Rhipsalis salicornioides*), da América do Sul, muito ramificada, de flores terminais, campanuladas, vermelhas, alaranjadas ou amarelas, e cujo fruto é uma baga branca com ápice avermelhado. **3.** V. *folha-de-sangue.* **4.** Osteófito na coluna vertebral, responsável por dores e fenômenos reflexos. [Pl.: *bicos-de-papagaio.*]

bico-de-pato. *S. m. Bras.* **1.** Árvore da família das leguminosas (*Machaerium angustifolium*), da floresta úmida, de flores insignificantes, e cujos frutos são grandes sâmaras com asas coriáceas, tendo a madeira, pardo-arroxeada, muito forte e resistente, emprego regional. **2.** Arado de relha achatada e simétrica. **3.** *Cost.* Certo remate de bainha usado geralmente em *lingerie* ou em roupa de bebê. [Pl.: *bicos-de-pato.*]

bico-de-pena. *S. m.* **1.** Técnica de desenhar a traços numerosos e destacados, feitos com pena de bico muito fino, usando tinta de escrever, especialmente nanquim. **2.** A obra assim executada: "Jorge Lacerda me presenteia com um b i c o - d e - p e n a de Clóvis Graciano." (Ascendino Leite, *Passado Indefinido,* p. 100.) [Pl.: *bicos-de-pena.*]

bico-de-pimenta. *S. m. Bras.* Ave passeriforme da família dos fringilídeos (*Pitylus fuliginosus* (Daud.)), do S.E. do País, de cor parda, garganta e peito pretos, bico alaranjado ou encarnado. [É costume dar tb. esse nome a outros pássaros de bico avermelhado. Sin.: *bico-pimenta, pimentão, guaranicinga, puxicaraim.* Pl.: *bicos-de-pimenta.*]

bico-de-prata. *S. m. Bras., Amaz.* V. *pipira* (1). [Pl.: *bicos-de-prata.*]

bico-de-proa. *S. m. Bras.* Cada uma das extremidades das jangadas de pesca. [Pl.: *bicos-de-proa.* Cf. *bico de proa.*]

bico-de-veludo. *S. m. Bras.* Ave passeriforme, da família dos traupídeos (*Schistochlamys ruficapillus* (Vieil.)), do S. do País, cinzenta, tendendo ao chumbo na região dorsal e ferruginosa na inferior, alto da cabeça branco, e negras a fronte e a região anterior aos olhos. Costuma freqüentar palmáceas, motivo por que é confundido com o sanhaço-de-coqueiro. [Sin.: *sanhaço-do-campo, sanhaço-pardo.* Pl.: *bicos-de-veludo.*]

bico-de-viúva. *S. m. Bras.* Forma particular do nascimento do cabelo, o qual se apresenta como um bico avançando no meio da testa. [Pl.: *bicos-de-viúva.*]

bico-doce. *S. m.* **1.** *Bras.* Arte de seduzir ou convencer; astúcia, manha. **2.** *Bras., MA. Pop.* Pessoa dada às bebidas alcoólicas, sobretudo à cachaça. **3.** *Bras.* V. *ameiva.* **4.** V. *gralha-do-campo.* [Pl.: *bicos-doces.*]

bico-encarnado. *S. m. Bras., Amaz.* Ave passeriforme, da família dos tanagrídeos (*Pitylus erythromelas* (Gmel.)), de coloração encarnado-clara, cabeça preta; fêmea verde-oliva no dorso, lado inferior amarelo tendendo ao alaranjado, cabeça preta. [Pl.: *bicos-encarnados.*]

bicolateral. *Adj. 2 g. Bot.* Diz-se dos feixes vasculares das plantas superiores nos quais o lenho está associado a dois grupos de líber, um externo e outro interno, como sucede na família das cucurbitáceas.

bicolor (ô). [Do lat. *bicolore.*] *Adj. 2 g.* **1.** Que tem duas cores: *sapato b i c o l o r.* **2.** *Art. Gráf.* Diz-se da prensa que imprime simultaneamente em duas cores. [Cf. *monocolor.*]

bicolorido. [De *bi-* + *colorido.*] *Adj.* Colorido duas vezes.

bico-miúdo. *S. m. Bras.* Ave caradriiforme, da família dos rostraulídeos (*Nyctycriphes semicollaris* (Vieil.)), parda, bico verdoengo e curvo, abdome branco, grande mancha branca nos lados do peito, sobrancelhas e uma faixa na base da asa tirante ao ocre. Vive em terrenos alagadiços e alimenta-se de animais aquáticos. [Pl.: *bicos-miúdos.*]

bicomposto. [De *bi-* + *composto.*] *Adj. Gram.* Denominação do vocábulo que é composto de composto. [Ex.: *desenfrear,* em cuja composição entram o prefixo *des-* e o verbo *enfrear,* já composto, por sua vez, de *en-* + *frear.*]

bicôncavo. [De *bi-* + *côncavo.*] *Adj.* Côncavo pelos dois lados; que tem duas concavidades. ~ V. *lente* —*a.*

bicônico. [De *bi-* + *cônico.*] *Adj.* Que tem dois cones opostos.

bicontinentalidade. [De *bi-* + *continentalidade.*] *S. f.* Caráter daquilo que tem ou ocupa dois continentes.

bicontínuo. [De *bi-* + *contínuo.*] *Adj. Mat.* Diz-se de injeção que é contínua nos dois sentidos.

biconvexo (cs). [De *bi-* + *convexo.*] *Adj.* Convexo pelos dois lados. ~ V. *lente* —*a.*

bico-pimenta. *S. m. Bras.* V. *bico-de-pimenta.* [Pl.: *bicos-pimentas* e *bicos-pimenta.*]

bicorada. *S. f. Bras.* V. *bicada*[1] (1).

bicorar. *V. t. d. Bras.* **1.** Dar bicadas ou bicoradas em; bicar: "— Arara, papagaio, periquito, tucano estão b i c o r a n d o os cachos" (Nunes Pereira, *Moronguetá,* I, p. 65). **2.** Comer, ingerir: "Às vezes, sem nada a b i c o r a r o estômago vazio, ardiam-me os olhos no calor da insônia que eu forçava." (Gilberto Amado, *Minha Formação no Recife,* p. 49.)

bico-rasteiro. *S. m. Bras.* **1.** V. *narceja.* **2.** V. *talha-mar* (4). [Pl.: *bicos-rasteiros.*]

bicorcovado. [De *bi-* + *corcovado.*] *Adj.* Que tem duas corcovas.

bico-revolto. *S. m. Bras.* Pernilongo (2). [Pl.: *bicos-revoltos.*]

bicorne. [Do lat. *bicorne.*] *Adj. 2 g.* **1.** Que tem dois cornos. **2.** Que termina em duas pontas. [Sin., nessas acepç.: *bicornuto.*] ● *S. m.* **3.** *Geom. Anal.* Curva quadrática cuja forma lembra a do perfil de um chapéu de dois bicos.

bicornuto. [De *bi-* + *cornuto.*] *Adj.* Bicorne (1 e 2).

bicos. *S. m. pl. Bras.* **1.** Restos de alguma coisa. **2.** Quantia insignificante. ~ V. *bico.*

bicos-de-alfaiate. *S. m. pl. Pint.* Bolhas de ar ou de vapor do dissolvente que aparecem, temporária ou permanentemente, na película de uma tinta ou verniz.

bicota. [Dim. (afetivo e jocoso) de *bico.*] *S. f. Bras.* Beijo com estalo.

bicotar. *V. t. d. Bras.* Dar bicota em; beijocar.

bico-vermelho. *S. m. Bras.* Ave passeriforme, da família dos fringilídeos (*Sporophila leucoptera cinereola* (Tem.)), do N.E. do Brasil, de coloração cinzenta, asa e cauda mais escuras, um espelho branco na asa, a parte inferior mais clara. [Pl.: *bicos-vermelhos.*]

bicromado. *Adj. Fotogr.* Feito por bicromia.

bicromato. [De *bi-* + *cromato.*] *S. m. Quím.* Dicromato.

bicromia. [De *bi-* + *-crom(a)-* + *-ia.*] *S. f. Fotogr.* **1.** Processo de reprodução em que se superpõem dois clichês de autotipia sucessivamente impressos com tintas diferentes, em geral verde (ou azul) e laranja. **2.** Estampa obtida por esse processo. [V. *autotipia dúplex* (1) e *tinta de doble-tom.* Cf. *tricromia* (1).] **3.** *Art. Gráf.* Impressão em meio-tom, a duas cores, feita a partir de uma imagem preto-e-branco; *doublé.*

bicuda. [Fem. substantivado do adj. *bicudo.*] *S. f.* **1.** *Bras.* Designação genérica de várias espécies de ofídios de focinho afilado, como as do gênero *Oxibelis,* em particular a *Oxibelis Fulgidus* (Daud.) [Cf. *paranabóia*], *O. acuminatus* (Weid.), comuns nas zonas equatoriais e tropicais do Brasil, e às espécies *Uromacerina ricardini* (Per.), de SP, de dorso pardacento, com duas séries de manchas longitudinais, irregulares e negras, dispostas alternadamente dos lados, abdome creme pontilhado de negro, e a *Rhinostoma Guianense* (Trosch), da região subequatorial do Brasil. **2.** *Bras.* Peixe teleósteo, percomorfo, da família dos esfirenídeos (*Sphyraena picudilla* Poey.), da costa atlântica tropical. Tem escamas de tamanho médio, e a nadadeira peitoral não alcança a perpendicular que parte da origem da primeira dorsal. Mede cerca de 35 a 45cm. **3.** *Bras. PA.* V. *mosquito* (1). **4.** *Bras. Pop.* V. *lambedeira* (3).

bicuda-de-corso. *S. f. Bras.* V. *barracuda.* [Pl.: *bicudas-de-corso.*]

bicuda-guaraná. *S. f. Bras.* Bicudinha. [Pl.: *bicudas-guaranás* e *bicudas-guaraná.*]

bicuda-mangalô. *S. f. Bras.* Peixe teleósteo, percomorfo, da família dos esfirenídeos, pertencente a uma espécie de gênero *Sphyraena* Walb, e cuja correlação com o nome científico verdadeiro ainda não se fez com segurança. [Pl.: *bicudas-mangalô.*]

bicudez (ê). *S. f.* Qualidade do que é bicudo (3 e 4).

bicudinha. *S. f. Bras.* Peixe teleósteo, percomorfo, da família dos esfirenídeos (*Sphyraena branneri* Mir. Rib.), distribuído desde a costa do Brasil até a Flórida. Chega a 50 cm de comprimento e alimenta-se de outros peixes. [Sin.: *bicuda-guaraná.*]

bicudo. *Adj.* **1.** Que tem bico; bical. **2.** Pontiagudo, aguçado. **3.** Difícil, complicado, árduo: *questão b i c u d a.* **4.** Difícil, duro, apertado, desfavorável. *Os tempos andam b i c u d o s.* **5.** *Bras. Fam.* Zangado, amuado, trombudo. **6.** *Bras., MG. Fam.* V. *embriagado* (1). ● *S. m.* **7.** Peixe teleósteo, caraciforme, da família dos caracídeos, do gênero *Boulengerella* Eig., das bacias do Amazonas e do Paraná, cuja boca se prolonga em forma de rostro, e que se alimenta de outros peixes. [Cf. *pirapucu.*] **8.** *Bras.* V. *agulhão-bandeira.* **9.** *Bras.,* N.E. V. *barbeiro* (6). **10.** *Bras.* Ave passeriforme da família dos fringilídeos (*Oryzoborus crassirostris* (Gmel.)), largamente distribuída no País. O macho é preto, com um espelho branco na asa; a fêmea, parda, com a parte inferior pardo-avermelhada e o pescoço mais claro. Alimenta-se de sementes de capim, e é muito apreciada como ave de gaiola. [Sin.: *bicudo-do-norte, bicudo-maquiné, maquiné, cuitelão.*] **11.** *Bras., MA.* V. *bicanca* (2) **12.** *Bras., MT.* Alcunha dada aos portugueses no tempo da Independência. V. *galego* (4).

bicudo-do-norte. *S. m. Bras., SP.* V. *bicudo* (10). [Pl.: *bicudos-do-norte.*]

bicudo-encarnado. *S. m. Bras.* Ave passeriforme, da família dos fringilídeos (*Periporphyrus erythromelas* (Gmelin)), da Amaz., de dorso vermelho-escuro, abdome vermelho-claro, cabeça negra, tendo a fêmea dorso oliváceo, abdome amarelo e cabeça negra, como a do macho. Alimenta-se de sementes de capim. [Pl.: *bicudos-encarnados.*]

bicudo-maquiné. *S. m. Bras., CE.* V. *bicudo* (10). [Pl.: *bicudos-maquinés* e *bicudos-maquiné.*]

bicudo-preto. *S. m.* Ave passeriforme, da família dos fringilídeos (*Oryzoborus crassirostris maximiliani* Cab.), do Brasil central e oriental. O macho é preto com uma malha branca na asa; a fêmea, parda, de bico escuro; os jovens, pardos. [Pl.: *bicudos-pretos.*]

bicuíba. [Do tupi *mboku'i,* 'fazer pó', + *íwa,* 'árvore'.] *S. f. Bras.* **1.** V. *bicuíba-de-folha-miúda.* **2.** V. *urucuba.* [Var.: *ibicuíba.*]

bicuíba-branca. *S. f. Bras., L.* Árvore da família das miristicáceas (*Myristica gardneri*), cuja madeira é usada em obras internas e construção civil; bicuibaçu. [Pl.: *bicuíbas-brancas.*]

bicuibaçu (u-i). [De *bicuíba* + *-açu.*] *S. f. Bras.* **1.** Bicuíba-branca. **2.** V. *bicuíba-redonda.*

bicuíba-de-folha-miúda. *S. f. Bras., L.* e *S.* Árvore da família das miristicáceas (*Myristica bicuhyba*), de flores apétalas e bagas verde-alaranjadas, cuja madeira se usa para vigas, marcenaria e ripas, sendo a seiva do caule e a casca empregadas na medicina popular; bicuíba, bicuíba-vermelha, bocuba, bocuuvaçu, bocuiabá, bucuuva. [Pl.: *bicuíbas-de-folha-miúda.*]

bicuíba-redonda. *S. f. Bras., L.* e *S.* Árvore da família das miristicáceas (*Myristica officinalis*), dotada de flores apétalas e de drupas, cuja madeira é própria para marcenaria e carpintaria, e de cuja semente se extrai um óleo empregado na medicina e na fabricação de velas; bicuibaçu, moscadeira-do-brasil, noz-moscada-do-brasil. [Pl.: *bicuíbas-redondas.*]

bicuíba-vermelha. *S. f. Bras.* **1.** V. *bicuíba-de-folha-miúda.* **2.** V. *urucuba.* [Pl.: *bicuíbas-vermelhas.*]

bicula. [De *bicada,* por afetividade.] *S. f. Bras., PE. Pop.* V. *bicada*[1] (5).

bicuspidado. [De *bi-* + *cuspidado.*] *Adj. Bot.* Dotado de duas pontas alongadas.

bicúspide. [De *bi-* + *cúspide.*] *Adj. 2 g.* Que tem duas pontas ou termina em duas partes divergentes. ~ V. *válvula* —.

bidê. *S. m.* V. *bidê.*

bidê. [Do fr. *bidet.*] *S. m.* **1.** Aparelho sanitário, com feitio de bacia oblonga, para lavagem das partes inferiores do tronco. **2.** Pequeno móvel com bacia, para o mesmo fim. **3.** *Bras. N.E.* e *RS.* V. *mesa-de-cabeceira* (1). [Var. pros.: *bidé.*]

bidentado. *Adj.* Que possui dois dentes.

bidestilado. *Adj.* ~ V. *água* —*a.*

bidigitado. [De *bi* + *digit(i)-* + *-ado*[1].]. *Adj.* Que tem dois dedos.

bidimensional. [De *bi-* + *dimensão* + *-al.*] *Adj. 2 g.* Que tem duas dimensões.

bidirecional. [De *bi-* + *direção* + *-al.*] *Adj. 2 g.* Referente a, ou que funciona em duas direções, de ordinário opostas.

bidó. *S. m. Bras., Amaz.* Bolo de macaxeira.

bidogue. *S. m. Bras. BA.* V. *caldeirão* (6).

bíduo. [Do lat. *biduu.*] *S. m.* O espaço de dois dias.

biebdomadário. [De *bi-* + *hebdomadário.*] *Adj.* Que aparece ou se efetua duas vezes por semana.

biela. [Do fr. *bielle.*] *S. f.* Peça de máquina que faz a ligação do pistão com o eixo de manivelas, e cuja função é transformar o movimento retilíneo alternado do pistão em movimento circular contínuo do eixo motor.

bielídio. *S. m. Astr.* Andromedídio.

bielo-russo. *Adj.* **1.** Da, ou pertencente ou relativo à Bielo-Rússia ou Rússia Branca (U.R.S.S.) ● *S. m.* **2.** O natural ou habitante da Bielo-Rússia. [Sin. ger.: *russo-branco.* Pl.: *bielo-russos.*]

bienal. [Do lat. *biennale.*] *Adj. 2 g.* **1.** Relativo a um biênio. **2.** Que dura dois anos; bisanual. **3.** *Bot.* Diz-se

da planta monocárpica que completa o ciclo vegetativo em dois anos. [No primeiro ano desenvolve-se a parte vegetativa, e no segundo floresce e frutifica. Sin., nessas acepç.: *bianual*.] • *S. f.* **4.** Exposição (em geral de arte) que se realiza de dois em dois anos.
biênico. *Adj. Biol.* Diz-se do organismo (planta) que vive dois anos e morre; bimo.
biênio. [Do lat. *bienniu.*] *S. m.* Período de dois anos seguidos.
biestável. [De *bi* + *estável.*] *Adj. 2 g. Eletrôn.* Diz-se de sistema que tem dois pontos de equilzibrio ou de funcionamento estável. ~ V. *multivibrador* —.
biestipulado. [De *bi-* + *estipulado*[2].] *Adj. Bot.* Que tem duas estípulas.
bifacial. *Adj. 2 g.* Que apresenta duas faces ou lados; ambilátero.
bifada[1]. *S. f. Fam.* Porção de bifes.
bifada[2]. *S. f. Bras. Pop.* Mau hálito; bafo mau.
bifar. *V. t. d.* **1.** Tirar dissimuladamente; furtar; surripiar. **2.** *Bras.* Tirar um bife (5 a 7) de.
bifário. *Adj. Biol. Ger. P. us.* Dístico (5).
bifásico. [De *bi-* + *fase* + *-ico*[2].] *Adj.* Que tem duas fases; difásico. ~ V. *chave* —*a*.
bife. [Do ingl. *beef.*] *S. m.* **1.** Fatia, em geral arredondada, de carne bovina, cortada, por via de regra, do filé (1), da alcatra ou de outro peso macio, que é frita, salteada ou grelhada, e servida individualmente, com o molho da própria carne, ou com outro; bifesteque, filé. [Cf. *chatobriã, medalhão, turnedô, escalope* e *rosbife*.] **2.** *P. ext.* Pedaço de vitela, porco, fígado, etc., preparado de forma semelhante. **3.** *P. ext.* Qualquer preparação culinária feita de carne cortada como bife (1), mas tratada de modo diferente. **4.** *Desus. Deprec.* Indivíduo de nacionalidade inglesa. **5.** *Bras. Gír.* Partícula de pele que é cortada inadvertidamente quando alguém se barbeia, faz as unhas, etc. **6.** *Bras. Gír.* O corte praticado em tais circunstâncias. **7.** *Bras. Gír.* Corte que o estudante de medicina faz, por imperícia, em lugar indevido, ao dissecar um cadáver. **8.** *Bras., RJ. Gír.* Comissão dada ao motorista de coletivo sobre a féria do dia. **9.** *Bras. Teat. Gír.* Fala muito longa de um só personagem. • *Adj. 2 g.* **10.** *Desus. Deprec.* Inglesado. ♦ **Bife a cavalo.** Bife (1) com ovo(s) frito(s): "Com qualquer nota de vinte ou com um b i f e a c a v a l o e uma cerveja se arranja o negócio." (Érico Veríssimo, *Noite*, p. 35.) **Bife à Camões.** *Bras. SP.* Bife (1) com um só ovo frito. **Bife à milanesa.** Fatia de carne passada no ovo e na farinha de rosca, e frita. **Bife a pé.** *Bras., RS.* Bife (1) com ovos e batatas fritas. **Bife de chapa.** Bife (1) preparado ao calor de chapa de metal, ou de frigideira, com pouquíssima gordura. **Bife de panela.** Preparação culinária que consta de fatias de carne refogadas e cozidas em molho. **Bife de carne moída.** V. *hambúrguer.* **Bife enrolado.** *Cul.* Bife (3) cortado fino, enrolado com toucinho, cenoura, etc., e ensopado; bife rolê; rolê. **Bife rolê.** V. *bife enrolado.*
bifeira. *S. f.* Utensílio de preparar bife (1).
bifendido. [De *bi-* + *fendido.*] *Adj.* **1.** Aberto ao meio. **2.** *Bot.* Bífido, porém podendo alcançar a base: *corola b i f e n d i d a.* [Cf. *bífido* (2).]
bífero. [Do lat. *biferu.*] *Adj.* **1.** Que frutifica duas vezes ao ano. **2.** *Mús.* Que dá dois tons simultaneamente.
bifesteque. [Do ing. *beef-steak.*] *S. m.* V. *bife* (1).
bífido. [Do lat. *bifidu.*] *Adj.* **1.** *Poét.* Bifendido, bipartido. **2.** *Bot.* Fendido em duas partes, em geral na porção superior ou, no máximo, até a metade: *estigma b í f i d o*; "Os bamburrais .... e os marmeleiros de florinhas b í f i d a s e rubras como línguas de víboras, derramavam por tudo um forte olor selvagem" (Antônio Sales, *Aves de Arribação*, p. 193). [Cf. *bifendido* (2).] ~ V. *espinha* —*a*.
biflexo (cs). [Do lat. *biflexu.*] *Adj.* Dobrado para dois lados.
bifloro. [De *bi-* + *-floro.*] *Adj. Bot.* Provido de duas flores ou grupos de duas flores.
bifocal. [De *bi-* + *foco* + *-al.*] *Adj. 2 g.* **1.** Que tem dois focos. **2.** Diz-se de lente, ou de óculos, que possui duas distâncias focais diferentes: a parte superior serve para visão à distância, e a inferior, para visão próxima. ~ V. *lente* —. • *S. m.* **3.** Óculos bifocais.
bifoliado. [De *bi-* + *foliado.*] *Adj. Bot.* Que tem duas folhas; bifólio.
bifolículo. [De *bi-* + *folículo.*] *S. m. Bot.* Folículo duplo, proveniente de uma flor cujo ovário leva dois carpelos independentes, embora unidos. [Tipo de fruto próprio das famílias das asclepiadáceas e apocináceas.]
bifólio. [De *bi-* + *fólio.*] *Adj. Bot.* **1.** Bifoliado. • *S. m.* **2.** *Geom. Anal.* Podário da tricúspide em relação a um vértice; fólio duplo.
bifoliolado. [De *bi-* + *foliolado.*] *Adj. Morfol. Veg.* Que tem dois folíolos.
bífore. [Do lat. *bifore.*] *Adj.* Diz-se do portal com duas portas ou dois batentes.
biforme. [Do lat. *biforme.*] *Adj. 2. g.* **1.** Que tem duas formas. **2.** *Fig.* Que pensa de duas maneiras diferentes ao mesmo tempo; que tem duas opiniões. ~ V. *charada* —. [Cf. *dimorfo.*]
bifosfato. [De *bi-* + *fosfato.*] *S. m. Quím.* Qualquer sal do ácido fosfórico em que dois hidrogênios foram substituídos.
bifronte. [Do lat. *bifronte.*] *Adj. 2 g.* **1.** Que tem duas caras. **2.** *Fig.* Falso, traiçoeiro, volúvel. ~ V. *charada* —.
bifuncional. [De *bi-* + *funcional.*] *Adj. Quím.* Diz-se de composto que tem duas funções químicas na sua estrutura.
bifurcação. *S. f.* **1.** Ato de bifurcar. **2.** Ponto em que alguma coisa se divide em dois ramos, ao modo de uma forquilha: *Encontrava-se na b i f u r c a ç ã o do caminho.* [Sin. ger.: *forqueadura*.]
bifurcado. [Part. de *bifurcar.*] *Adj.* Que se bifurca: *estigma b i f u r c a d o.*
bifurcar. [Do lat. *bifurcu.* 'bifurcado', + *-ar*[2].] *V. t. d.* **1.** Separar, abrir em dois ramos. *P.* **2.** Dividir-se em dois ramos. **3.** Montar abrindo as pernas. [Sin. ger.: *forquear.* Conjug.: v. *trancar.*]
➧**big.** [Ingl.] *Adj. 2 g.* e *2 n.* **1.** Grande (1). **2.** *Fig.* Notável, extraordinário.
biga. [Do lat. *biga.*] *S. f.* Carro romano de duas ou quatro rodas, puxado por dois cavalos.
bigamia. *S. f.* Estado ou crime de bígamo.
bigamizar. *V. int.* Cometer bigamia.
bígamo. [De *bi-* + *-gamo.*] *S. m.* Aquele que tem dois cônjuges simultaneamente. [Tb. us. (menos) como adj.]
➧**big-bang.** [Ingl.] V. *teoria do bigue-bangue.*
bigêmeo. [De *bi-* + *gêmeo.*] *Adj. Bot.* Diz-se do órgão vegetal que cresce com outro sobre um pecíolo ou pedúnculo comum.
bigeminado. [De *bi-* + *geminado*] *Adj. Bot.* Com quatro folíolos dispostos dois a dois, i. e., duplamente geminado.
bigênere. [De *bi-* + *gênero.*] *Adj. 2 g. Genét.* Diz-se dos híbridos resultantes do cruzamento de espécies de gêneros diferentes, eventualidade raramente observada.
bigênito. [De *bi-* + *-gênito.*] *Adj.* Gerado duas vezes. [Diz-se de Baco (v. *báquico*).]
bigla. [De *bi-* + a term. de *sigla.*] *S. f.* Vocábulo composto com as duas primeiras letras de cada palavra fundamental de uma denominação dada. [Cf. *trigla* e *sigla*.]
biglanduloso (ô). [De *bi-* + *glanduloso.*] *Adj. Anat.* Que tem duas glândulas.
bigle. [Do ingl. *beagle.*] *S. m.* Pequeno galgo.
bignônia. *S. f. Bras.* Planta ornamental, cultivada, da família das bignoniáceas (*Bignonia velutina*), de folhas opostas e flores em racemos.
bignoniácea. *S. f.* Espécime das bignoniáceas.
bignoniáceas. *S. f. pl. Bot.* Grande família de plantas, principalmente tropical, que engloba árvores e trepadeiras de flores grandes, coloridas, com corola gamopétala, quatro estames acompanhados de um estaminódio, e frutos capsulares. Há mais de 500 espécies, sendo numerosas as brasileiras; os ipês são representantes típicos.
bignoniáceo. *Adj.* Pertencente ou relativo às bignoniáceas.
bigode. *S. m.* **1.** Barba que nasce sobre o lábio superior. **2.** Certo jogo de cartas. **3.** *Fam.* V. *descompostura* (2). **4.** *Tip.* V. *filete inglês.* **5.** *Bras.* V. *bigodinho.* **6.** *Bras.* Friso de água e espuma aberto pela proa da embarcação em movimento nas águas. **7.** Friso de espuma no copo de cerveja, chope, etc. ♦ **Bigode de sopa.** Bigode basto caído sobre os cantos da boca e, em geral, quase sobre os lábios. **Dar um bigode. 1.** Matar a caça em que outrem não acertou. **2.** Pregar uma partida. **Emendar os bigodes.** *Bras., N.E.* Pôr-se em luta corporal. **Encostar os bigodes.** Igualar-se (duas pessoas) em habilidade, inteligência, mérito qualquer.
bigodear. *V. t. d.* **1.** Iludir, enganar, lograr, embair. **2.** Fazer pouco de; escarnecer. [Conjug.: v. *frear.*]
bigode-de-arame. *S. m. Pop.* Indivíduo de bigodes retorcidos e em ponta. [Pl.: *bigodes-de-arame.*]
bigode-de-gato. *S. m. Eletrôn.* Fio pequeno e pontiagudo, usado para fazer contato sobre um ponto da superfície dum semicondutor. [Pl.: *bigodes-de-gato.*]
bigodeira. *S. f.* Bigode (1) farto.
bigodeiro. *S. m. Bras.* V. *bigodinho.*
bigodete (ê). *S. m. Bras., PB. Pop.* Rapazola (1).
bigodinho. [Dim. de *bigode.*] *S. m. Bras.* Ave passeriforme, da família dos fringilídeos (*Sporophila lineola* (L.)), do N. e C. do Brasil. O macho é preto, com estrias no meio da cabeça, fita transversal no dorso baixo, e espelho, peito e abdome brancos; a fêmea, verde-olivácea, clara na parte inferior. [Sin.: *bigode* e *bigodeiro.* Cf. *coleira*[2].]
bigodudo. *Adj.* e *s. m.* Diz-se de, ou indivíduo de bigodes bastos.
bigorna. [Do lat. *bicornia.*] *S. f.* **1.** Peça de ferro, com o corpo central quadrangular e as extremidades em ponta cilíndrica, cônica ou piramidal, sobre a qual se malham e amoldam metais; incude: "uma velha oficina de ferreiro com o fole esburacado e a b i g o r n a ainda em pé." (Afonso Arinos, *Pelo Sertão*, p. 18). **2.** *Anat.* Ossículo do ouvido. ♦ **Entre a bigorna e o martelo.** Entre duas grandes dificuldades, dois perigos, sem saber como evitá-los.
bigorrilha. *S. m.* **1.** Indivíduo reles, vil, desprezível; bigorrilhas. **2.** *Bras., RS.* Sujeito fraco metido a valentão.
bigorrilhas. *S. m. 2 n.* Bigorrilha (1): "Ela cá virá, quando o b i g o r r i l h a s do amante der cabo dos contos que apanhou a infeliz irmã." (Camilo Castelo Branco, *História e Sentimentalismo*, p. 268.)
bigota. *S. f. Marinh. Ant.* Poleame surdo, de madeira, de forma lenticular biconvexa, com uma goivadura na orla para receber uma alça de fixação, e três furos de face a face, usado aos pares, com um colhedor ligando-os, empregado para tesar ovéns, brandais, estais, etc.
bigotismo. [Do fr. *bigotisme.*] *S. m.* Falsa devoção.
bigu. *S. m. Bras., N.E.* Viagem clandestina ou de favor em qualquer viatura. V. *carona* (2).
biguá. [Do tupi *mbi gwa*, 'pé redondo'.] *S. m. Bras.* Ave passeriforme da família dos falacrocoracídeos (*Phalacrocorax olivaceus* (Humb.)), que ocorre nos grandes rios e costas marítimas da América central e meridional, de coloração preta, dorso alto e parte das rêmiges do braço cinzento-escuros, penas marginadas de preto. Na época da incubação tem dois penachos na cabeça e algumas penas brancas na sobrancelha e na nuca. [Sin.: *corvo-marinho* e *pata-d'água*.]
biguaçuano. *Adj.* **1.** De, ou pertencente ou relativo a Biguaçu (SC). • *S. m.* **2.** O natural ou habitante de Biguaçu.
biguana. *S. f. Bras.* V. *faca*[1] (1).
biguancha. *S. f. Bras., S.* V. *piguancha.*
biguane. [Do ingl. *big one.*] *Adj. 2 g. Bras., N.* e *N.E. Pop.* Grande, vasto, enorme. [Var.: *biguano.*]
biguano. *Adj. Bras., N.* e *N.E. Pop.* Var. de *biguane* [q. v.]
biguar. [De *biguá* + *-ar*[2].] *V. int. Bras., MT.* Procurar diamantes nas areias do leito dos rios, mergulhando. [Conjug.: v. *averiguar.*]
biguatinga. [De *biguá* + *-tinga.*] *S. f. Bras.* V. *carará*[1].
bigue-bangue. [Do ingl. *big-bang.*] *S. m. Cosm.* V. *teoria do bigue-bangue.*
bigume. [De *bi-* + *gume.*] *Adj. 2 g.* Bigúmeo.
bigúmeo. [De *bi-* + *gume* + *-eo.*] *Adj.* Que tem dois gumes; bigume: "Era uma lâmina curta e b i g ú m e a, encravada em chifre preto." (Vieira Pires, *Querência*, p. 71.)
bijanilo. *S. m. Bras., PA.* Planta ornamental, da família das marantáceas (*Calanthea contamanensis*), de flores amarelado-ocráceas, em panículas.
bijeção. *S. f. Mat.* Correspondência biunívoca de um conjunto sobre outro; função bijetora.
bijetor (ô). *Adj.* ~ V. *função* —*a*.
biju. [Var. de *beiju.*] *S. m.* **1.** *Bras.* V. *beiju.* **2.** *Bras., RJ.* V. *flor-de-noiva.*
bijugado. [De *bi-* + *jugo* + *-ado*[1].] *Adj. Bot.* Diz-se das folhas compostas que levam dois pares de folíolos.
bíjugo. [Do lat. *bijugu.*] *Adj.* Puxado por dois cavalos.
bijuí. *S. f. Bras.* V. *mandaguari.*
bijungarias. *S. f. pl. Bras., S.* V. *iguaria.*
bijupirá. [Do tupi *mbe'yu pi'rá.*] *S. m. Bras.* Peixe teleósteo, percomorfo, de profundidade, da família dos raquicentrídeos (*Rachycentron canadus* (L)), do Atlântico, desde Nova Jérsei [E.U.A.] até SC, marrom-claro, com ventre alvadio, uma linha mediana mais escura do focinho à cauda, seguida de outra mais fina, mais abaixo, na mesma direção. Comprimento: até 2 m; peso: 40 kg. São peixes de primeira qualidade, e alimentam-se de outros peixes e de crustáceos. A pesca é feita com linha de mão ou de fundo e espinhel. [Var.: *beijupirá, beiupirá*; sin.: *canado, cação-de-escamas, chancarona, peixe-rei, pirabiju, parabiju, parambiju.*]
bijuteria. [Do fr. *bijouterie.*] *S. f.* **1.** Pequeno objeto feito em geral com primor e delicadeza, próprio para enfeite e ornato, como p. ex., alfinetes, brincos, berloques. **2.** Ramo da ourivesaria que trabalha com obras baratas, de

metal sem valor.

bil. [Do ingl. *bill.*] *S. m.* **1.** Na Inglaterra, o projeto de lei apresentado ao Parlamento. **2.** A lei promulgada.

bilabiado. [De *bi-* + *labiado.*] *Adj.* Que tem dois lábios: *cálice bilabiado.*

bilabial. [De *bi-* + *labial.*] *Adj. 2 g.* e *s. f.* **1.** ~ V. *consoante* —. ● *S. f.* **2.** Consoante bilabial.

bilaminado. [De *bi-* + *laminado.*] *Adj.* Que tem duas lâminas.

bilaquense. *Adj. 2 g.* **1.** De, ou pertencente ou relativo a Bilac (SP). ● *S. 2 g.* **2.** Natural ou habitante de Bilac.

bilaquiano. *Adj. Bras.* **1.** Relativo ou pertencente ao poeta e prosador brasileiro Olavo Bilac (1865-1918), ou próprio dele. **2.** Que é seu admirador e/ou conhecedor profundo de sua obra. ● *S. m.* **3.** Admirador desse poeta e/ou conhecedor profundo de sua obra.

bilateral. *Adj. 2 g.* **1.** Que tem dois lados. **2.** Referente a lados opostos. **3.** *Bot.* Que se dispõe em duas séries ou fileiras. [Cf. *biliteral.*] ~ V. *contrato* —, *paralisia* — e *simetria* —.

bilatério. *S. m.* **1.** Espécime dos bilatérios. ● *Adj.* **2.** Pertencente ou relativo a eles.

bilatérios. *S. m. pl. Zool.* Animais enterozoários, divisão *Bilateria*, com simetria bilateral pelo menos em uma fase da vida. Possuem celoma, são triploblásticos, e têm, geralmente, tubo digestivo completo, com ânus.

bilbaíno. [Do esp. *bilbaíno.*] *Adj.* **1.** De, ou pertencente ou relativo a Bilbau (Espanha). ● *S. m.* **2.** O natural ou habitante de Bilbau.

bilbode. [Do fr. *billebaude.*] *S. m.* ~ V. *fogo de* —.

bilboquê. [Do fr. *bilboquet.*] *S. m.* Brinquedo que consiste numa bola de madeira com um furo, amarrada por um cordel a um bastonete pontudo, no qual deve ela encaixar, quando impulsionada.

bile. *S. f.* Bílis.

bilha. *S. f.* **1.** Pequena vasilha bojuda e de gargalo estreito, de barro ou de folha-de-flandres, própria para conter líquidos potáveis. **2.** *Bras., MA.* V. *moringa* (1).

bilhão. [De *bi-* + a term. de *milhão*, ou do fr. *billion.*] *Num.* e *s. m.* **1.** Mil milhões ou 10^9 (Brasil, França, E.U.A. e outros países). **2.** Um milhão de milhões ou 10^{12} (Portugal, Grã-Bretanha, Alemanha e outros países). [F. paral.: *bilião.*]

bilhar. [Do fr. *billard.*] *S. m.* **1.** Jogo, originalmente com três bolas de marfim (uma vermelha e duas brancas), impelidas com um taco de madeira sobre uma mesa revestida de feltro verde, com tabelas e sem caçapas, e no qual marca um ponto, e joga de novo, o jogador que fizer uma carambola[1] (2); bilhar francês. **2.** Mesa retangular, com tabelas ou rebordos de borracha, salientes e estofados, forrada de feltro verde, para jogar bilhar. **3.** Casa ou sala onde se joga o bilhar. ◆ **Bilhar francês.** Bilhar (1). **Bilhar inglês.** Sinuca (1).

bilharda. [Do fr. *billard.*] *S. f.* Jogo infantil em que se emprega um pequeno pau, que se faz pular para dentro de um círculo traçado no chão, por meio de outro pau mais comprido.

bilhardar[1]. *V. int.* No jogo de bilhar, dar duas vezes na bola com o taco, ou jogar duas bolas simultaneamente.

bilhardar[2]. *V. int.* **1.** Jogar a bilharda. **2.** *Pop.* Vadiar, mandriar.

bilhardeiro. *S. m.* **1.** Jogador de bilharda. **2.** *Pop.* Vadio, mandrião.

bilharista. *S. 2 g.* Jogador de bilhar.

bilharziose. *S. f. Patol.* V. *esquistossomose.*

bilheta (ê). [Do fr. *billette.*] *S. f. Arquit.* Ornato composto de pequenos cilindros ou rolos aderidos a uma superfície ou nela esculpidos, dispostos alternadamente em duas ou três fiadas.

bilhetaria. *S. f.* V. *bilheteria.*

bilhete (ê). [Do fr. *billet.*] *S. m.* **1.** Carta breve e simples. **2.** Pequena mensagem escrita. **3.** Senha de admissão em espetáculos, reuniões, etc. **4.** Cartão impresso que dá direito a fazer determinado percurso em veículo coletivo; passagem. **5.** Cédula numerada, de habilitação em jogos de rifa e loteria. **6.** *Jur.* Título de obrigação, nominal ou ao portador. ◆ **Bilhete azul.** Dispensa do emprego. **Bilhete branco.** Bilhete (5) que não foi premiado. **Bilhete de bagagem.** Conhecimento de bagagem, ou nota de bagagem. **Bilhete de banco.** Documento ao portador, emitido por banco devidamente autorizado pelo governo, com promessa de reembolso em espécie metálica (moeda). **Bilhete de depósito.** Documento comprobativo do recebimento de mercadorias; conhecimento de depósito. **Bilhete de loteria.** Impresso dividido em vinte frações, o qual contém um número que, sendo sorteado no dia preestabelecido, dá ao portador direito ao prêmio estipulado ou à fração dele correspondente ao número de vigésimos que o portador possui. **Bilhete de visita.** V. *cartão de visita.*

bilheteira. *S. f.* **1.** Prato ou salva para cartões de visita. **2.** Fem. de *bilheteiro.* **3.** *Lus.* V. *bilheteria.*

bilheteiro. *S. m.* **1.** Aquele que vende ingressos nos teatros, cinemas, etc. **2.** Vendedor de bilhetes de loteria.

bilhete-postal. *S. m.* V. *cartão-postal.* [Pl.: *bilhetes-postais.*]

bilheteria. *S. f. Bras.* Espaço, boxe ou guichê onde se vendem bilhetes para entrada em espetáculos públicos, passagens, etc. [F. paral. (p. us.): *bilhetaria;* sin. (lus): *bilheteira.*]

bilhostre. *S. m.* **1.** *Deprec.* Pessoa estrangeira. **2.** Biltre, patife.

bilião. *Num.* e *s. m.* V. *bilhão.*

biliar. *Adj. 2 g.* V. *biliário.* ~ V. *litíase* — e *vesícula* —.

biliardário. *Adj.* e *s. m.* V. *bilionário.*

biliário. *Adj.* Relativo à bílis; biliar, bilioso.

biligulado. [De *bi-* + *ligulado.*] *Adj.* Que tem duas lígulas. [v. *lígula* (2)].

bilimbi. [Do malaio *balimbing.*] *S. m.* Árvore cultivada, da família das oxalidáceas *(Averrhoa bilimbi)* de flores vermelho-claras, bagas verdes ou amareladas, frutos comestíveis, e madeira útil na marcenaria. [Var.: *bilimbim, bilimbino.* Sin.: *caramboleira-amarela, limão-de-caiena, groselheira, azedinha.*]

bilimbim. *S. m. Bras.* V. *bilimbi.*

bilimbino. *S. m. Bras.* V. *bilimbi.*

bilina. *S. f. Teat.* Entre os russos, representação popular, originária da Idade Média, com diálogos em verso, e inspirada em feitos heróicos de personagens históricas.

bilinear. [De *bi-* + lat. *linea*, 'linha', + *-ar*[1].] *Adj. 2 g. Etnol.* Referente à sucessão por linha do pai e por linha da mãe dentro da mesma tribo. ~ V. *equação*—.

bilíngüe. [Do lat. *bilingue.*] *Adj. 2 g.* **1.** Que tem duas línguas. **2.** Que fala duas línguas. **3.** Escrito em duas línguas. **4.** Que fala com fingimento ou ambigüidade.

bilionário. *Adj.* e *s. m. Bras.* **1.** Diz-se de, ou aquele que é duas vezes milionário. **2.** Multimilionário.[Sin. ger.: *biliardário* e *miliardário.*]

bilionésimo. *S. m. Mat.* Fração ordinária cujo numerador é a unidade e denominador um bilhão.

bilioso (ô). [Do lat. *biliosu.*] *Adj.* **1.** Que tem muita bílis. **2.** V. *biliário.* **3.** Provocado pela bílis. **4.** Da cor da bílis: *palidez biliosa.* **5.** *Fig.* De mau gênio; irascível, colérico.

biliro. *S. m. Bras., PE.* Espécie de grampo para cabelo.

bilirrubina. [De *bili(s)-* + *-rub.* do lat. *ruber*, 'vermelho', + *-ina.*] *S. f. Bioquím.* Pigmento vermelho, presente na bílis e nas fezes, de estrutura complicada. [Fórm.: $C_{33}H_{36}O_6N_4$.]

bilirrubinemia. [De *bilirrubina* + *-(h)em(o)-* + *-ia.*] *S. f. Patol.* Presença de bilirrubina no sangue.

bilirrubinuria. *S. f. Patol.* V. *bilirrubinúria.*

bilirrubinúria. [De *bilirrubina* + *-ur(o)-* + *ia.*] *S. f. Patol.* Presença de bilirrubina na urina. [Var. pros.: *bilirrubinuria.*]

bilirrubinúrico. *Adj.* Relativo à bilirrubinúria.

bílis. [Do lat. *bilis.*] *S. f. 2 n.* **1.** Líquido esverdeado, amargo e viscoso, segregado pelo fígado e que, por meio de sistema próprio de canais, é levado ao duodeno, participando, de modo importante, da digestão. **2.** *Fig.* Mau humor, irascibilidade, hipocondria. [F. paral.: *bile;* sin. ger. (pop.): *fel.*]

▲**bili(s)-.** [Do lat. *bilis, is.*] *El. comp.* = 'bílis': *bilirrubina, bilidigestivo.*

biliteral. [De *bi-* + lat. *littera*, 'letra', + *-al.*] *Adj. 2 g.* Que tem duas letras; bilítero. [Cf. *bilateral.*]

bilítero. [De *bi-* + lat. *littera*, 'letra'.] *Adj.* Biliteral [q. v.]

biliverdina. [De *bili(s)-* + *verde* + *-ina.*] *S. f. Bioquím.* Pigmento verde, derivado da bilirrubina, de que difere pela presença de uma dupla ligação. [Fórm.: $C_{33}H_{34}O_6N_4$.]

bilobado. [De *bi-* + *lobado.*] *Adj.* Que tem dois lobos ou lóbulos; bilobulado.

bilo-bilo. [Voc. onom.] *S. m. Bras.* Bilu-bilu. [Pl.: *bilo-bilos.*]

bilobulado. [De *bi-* + *lobulado.*] *Adj.* Bilobado.

biloca. *S. f. Bras., GO.* Jogo em que os contendores, usando o polegar e o indicador, procuram, como num piparote, atirar botões num pequeno buraco.

bilocular. [De *bi-* + *locular.*] *Adj. 2 g. Bot.* Provido de duas lojas ou lóculos: *antera bilocular; ovário bilocular.*

bilola (ô). *S. f. Bras., Al. Fam.* V. *bimba*[2] (1).

bilontra[1]. *S. f. Bras., RJ.* A madeira do tamanco, antes de se lhe prender o couro ou pano.

bilontra[2]. *Adj. 2 g.* e *s. m.* **1.** Velhaco, patife, espertalhão: "afirmava que o vizinho era um bilontra, que se encondia ali para escapar aos credores." (Artur Azevedo, *Contos Cariocas*, p. 248). **2.** *Bras.* Diz-se de, ou indivíduo dado a conquistas amorosas: "Da mesma maneira, aquela senhora já cinqüentona, que nada sentiria se não se consumisse ralada de ciúmes pelo marido, um tipo ainda sacudido e elegante, que tudo fazia prever fosse um bilontra de marca" (Gastão Cruls, *4 Romances*, p. 470). **3.** *Bras.* Freqüentador de prostíbulos.

bilontragem. *S. f.* **1.** Ato ou procedimento de bilontra[2]. **2.** Grupo de bilontras. [v. *bilontra*[2]].

bilontrar. *V. int.* Proceder como bilontra[2].

bilosca. *S. f. Bras., MG.* V. *gude.*

biloto (ô). *S. m.* **1.** Excrescência, saliência. **2.** *Bras.* Tipo de verruga.

biloura. *S. f. Bras., PB. Pop.* V. *síncope* (1).

bilrar. *V. int.* Trabalhar com bilros. [v. *bilro* (1)].

bilreira. [De *bilro* + *-eira.*] *S. f. Bras.* V. *rendeira*[2] (2).

bilreiro. [De *bilro* + *-eiro.*] *S. m.* V. *carrapeta* (2).

bilro. *S. m.* **1.** Peça de madeira ou de metal, semelhante ao fuso, usada para fazer rendas de almofada: "Era o branco da linha, e a renda que lhe dá / graça e forma, ao crescer sob os bilros cantantes." (Valdemar Lopes, *Elegia para Joaquim Cardoso*, p. 9.) **2.** *Fig.* Homem pequenino e janota. **3.** *Mús.* Baqueta delgada e flexível com que se percutem os tímpanos. **4.** *Bras.* V. *birro*[1].

biltra. [Fem. de *biltre.*] *S. f.* **1.** Mulher desprezível. **2.** Mulher de má condição.

biltre. [Do fr. *bélître, blitre.*] *S. m.* Homem vil, abjeto, infame: "tenho amigos que me intrigam, uns ganhadores, que querem ver se o partido me repele e se me tomam o lugar... Uns biltres!" (Machado de Assis, *Quincas Borba*, p. 186).

bilu-bilu. [Voc. onom.] *S. m. Bras.* Brinquedo que consiste em mover com os dedos os lábios de uma criança, provocando um som parecido com essa palavra: "Enquanto os outros da sua idade já procuravam engatinhar e brincavam de bilu-bilu, ele continuava a rolar tristemente no colchão, gemendo baixo, com cólica." (Raquel de Queirós, *100 Crônicas Escolhidas*, p. 43.) [F. paral.: *bilo-bilo.* Pl.: *bilus-bilus* e *bilu-bilus.*]

bilunga. *S. f. Bras., AL.* V. *bimba*[2] (1).

bimaculado. [De *bi-* + *maculado.*] *Adj.* Que tem duas malhas ou manchas.

bímano. [Do fr. *bimane.*] *Adj.* Que tem duas mãos. ~ V. *bímanos.*

bímanos. [Pl. de *bímano.*] *S. m. pl.* A espécie humana; os homens. ~ V. *bímano.*

bímare. [Do lat. *bimare.*] *Adj. 2 g.* Situado entre dois mares; banhado por dois mares.

bimarginado. [De *bi-* + *marginado.*] *Adj.* Que tem duas margens.

bimba[1]. *S. f. Chulo.* Coxa.

bimba[2]. *S. f. Bras., N.E.* **1.** Pênis de criança; pimbinha, bilola, bilunga. **2.** Pênis pouco desenvolvido. **3.** Pênis. [Sin. (na BA), nesta acepç.: *bimbinha, pimba.*]

bimbada. [De *bimba*[2] + *-ada*[1].] *S. f. Bras. Chulo.* Contato carnal; coito, trepada.

bimbalhada. [De *bimbalhar* + *-ada*[1].] *S. f.* Toque simultâneo de muitos sinos.

bimbalhar. [T. onom.] *V. int.* **1.** Repicar, soar [o(s) sino(s)]: "Vivamente outros sinos .... bimbalharam em festivo repique" (Coelho Neto, *Turbilhão*, p. 59). ● *S. m.* **2.** Ato de bimbalhar: *ouvia-se o bimbalhar dos sinos.*

bimba-n'água. [De *bimba* + *na* + *água.*] *S. f. Bras., AL. Pop.* Pesca que se realiza na lagoa do Norte, e na qual os pescadores arrastam a rede mergulhados até a cintura. [Pl.: *bimbas-n'água.*]

bimbar. *V. t. d.* e *i.* **1.** Entrechocar as coxas. **2.** Bater uma coisa contra outra. *Int.* **3.** *Bras. Chulo.* Copular (2).

bimbarra. *S. f.* **1.** Grande alavanca de madeira; cabrilha. **2.** Espécie de engenho constituído de um pau comprido e um balde para tirar água dos poços. **3.** *Bras., MG.* Pipa grande para conduzir cachaça: "Só então há de ser vazada [a cachaça] em bimbarras de cedro vermelho e só bebida daí a dois anos..." (Agripa Vasconcelos, *Fome em Canaã*, p. 63.) [Dim. irreg.: *bimbarreta.*]

bimbarreta (ê). *S. f.* Dim. irreg. de *bimbarra.*

bimbinha. *S. f. Bras., BA.* V. *bimba*[2] (3).

bimbo. *S. m. Gír.* **1.** Provinciano ingênuo. **2.** V. *recruta* (1).

bimembre. [Do lat. *bimembre.*] *Adj. 2 g.* Que tem dois membros.

bimensal. [Do lat. *bimense*, 'bimestre', + *-al.*] *Adj. 2 g.* Que aparece ou se efetua duas vezes por mês; quinzenal: *publicação bimensal; sessões bimensais.* [Cf. *bimestral.*]

bimestral. *Adj. 2 g.* **1.** Que dura dois meses; bimestre. **2.**

Que aparece ou se realiza de dois em dois meses. [Cf. *bimensal*.]

bimestre. [Do lat. *bimestre*.] *Adj. 2 g.* **1.** Bimestral (1). ● *S. m.* **2.** O período de dois meses.

bimetálico. [De *bi-* + *metálico*.] *Adj.* **1.** Relativo ao bimetalismo. **2.** Diz-se de peça constituída por dois metais soldados ou justapostos. ~ V. *chapa —a* e *lâmina —a*.

bimetalismo. *S. m.* Sistema monetário de estalão duplo, em que os dois metais preciosos, ouro e prata, devem, simultaneamente, ter valor legal e ser cunhados em moeda.

bimetalista. *Adj. 2 g.* **1.** Referente ao bimetalismo. **2.** Que é partidário do bimetalismo. ● *S. 2 g.* **3.** Partidário dele.

bimilenar. *Adj. 2 g.* Bimilenário (1).

bimilenário. [De *bi-* + *milenário*.] *Adj.* **1.** Duas vezes milenário; bimilenar. ● *S. m.* **2.** Transcurso e/ou comemoração do segundo milênio ou milenário.

bimo. [Do lat. *bimu*.] *Adj. Biol.* Biênico.

bimolecular. [De *bi-* + *molecular*.] *Adj. 2 g. Quím.* Diz-se de reação elementar que envolve duas moléculas.

bimotor (ô). *Adj. e s. m.* Diz-se de, ou veículo de dois motores.

binacional. [De *bi-* + *nacional*.] *Adj. 2 g.* **1.** Pertencente ou relativo a duas nações. **2.** Que se efetua entre duas nações: *acordo* b i n a c i o n a l. ● *S. f.* **3.** Empresa binacional.

binado. *Adj.* ~ V. *folha —a*.

binagem. [De *binar* + *-agem*.] *S. f.* Operação de binar (1).

binar. *V. t. d.* **1.** Em sericicultura, juntar dois fios a (o fio já torcido do casulo). **2.** *Agric.* Dar segundo amanho a (um terreno). *Int.* **3.** Celebrar (o sacerdote) duas missas no mesmo dia, com permissão superior. [Fut. pret.: *binaria*, etc. Cf. *binária*, fem. de *binário* e s. f.]

binária. [Fem. de *binário*.] *S. f. Astr.* V. *estrela binária*. [Cf. *binaria*, do v. *binar*.]

binário. [Do lat. *binariu*.] *Adj.* **1.** Que tem duas unidades, dois elementos. [Fem.: *binária*. Cf. *binaria*, do v. *binar*.] ~ V. *código —*, *V. compasso —*, *dígito —*, *estrela —a*, *letra —a*, *logaritmo —*, *número —*, *numeração —a*, *nomenclatura —a*, *operação —a* e *sistema —*. ● *S. m.* **2.** *Fís.* V. *conjugado* (7).

binascido. [De *bi-* + *nascido*.] *Adj.* Nascido duas vezes; biparido. [Designação aplicada ao deus Baco.]

binervado. [De *bi-* + *nervo* + *-ado*[1].] *Adj. Bot.* V. *binérveo*.

binerval. [De *bi-* + *nervo* + *-al*.] *Adj. 2 g. Bot.* V. *binérveo*.

binérveo. [De *bi-* + *nervo* + *-eo*.] *Adj. Bot.* Diz-se da folha que leva duas nervuras e de alguns órgãos foliáceos menos importantes; binervado, binerval.

binga. [Do quimb. *mbinga*.] *S. f. e m. Bras.* **1.** V. *corno* (1). **2.** Tabaqueiro de chifre. **3.** Espécie de piçarra ou cascalho. **4.** V. *beija-flor*. **5.** Lampião de querosene: "Escutava-se o relho a estalar ao longe, e a voz pigarrosa do caipira, batendo fogo, assoprando o chumaço da b i n g a" (Hugo de Carvalho Ramos, *Tropas e Boiadas*, p. 23). **6.** Isqueiro tosco, usado no interior. ● *S. f.* **7.** *Bras., BA.* O pênis. **8.** *Bras., PB.* Bosta (1 a 3).

bingo. [Do ingl. *bingo*.] *S. m.* Jogo semelhante ao loto, no qual, além dos números, aparecem letras nos cartões e pedras.

▲**bin(i)-.** [Do lat. *bini, ae, a*.] *El. comp.* = 'par', 'dois': *binário* (< lat. *binariu*), *binifloro*.

biniú. *S. m.* Pequena gaita de foles da Bretanha.

binoculado. [De *bin(i)-* + lat. *oculu*, 'olho', + *-ado*[1].] *Adj.* Que tem dois olhos.

binocular[1]**.** [De *bin(i)-* + lat. *oculu*, 'olho', + *-ar*[1].] *Adj. 2. g.* **1.** Que serve aos dois olhos. **2.** Relativo a ambos os olhos. **3.** *Ópt.* Diz-se dum instrumento óptico que dispõe de duas oculares e permite observação simultânea com os dois olhos do observador.

binocular[2]**.** *V. t. d., t. i.* e *int. Bras.* Binoculizar. [Pres. ind.: *binoculo*, etc. Cf. *binóculo*.]

binoculizar. *V. t. d., t. i.* e *int.* **1.** Olhar com o binóculo. **2.** Ver pelo binóculo. [Sin. ger.: *binocular*.]

binóculo. [Do mod. lat. científico *binoculu*, criado, em 1645, pelo modelo de *monoculu*.] *S. m. Ópt.* Instrumento óptico composto de duas lunetas focalizáveis simultaneamente e dotadas de dois sistemas de prismas inversores que, além de permitirem a formação de uma imagem completa, diminuem o afastamento da objetiva e da ocular. [Cf. *binoculo*, do v. *binocular*.]

binodal. *Adj. 2 g.* ~ V. *curva —*.

binomial. *Adj. 2 g.* ~ V. *série —*.

binômico. *Adj.* Relativo a binômio.

binômino. [Do lat. *binomine*, com mudança de classe.] *Adj.* Que tem dois nomes.

binômio. [Do lat. científico *binomium*. 'de dois nomes'.] *S. m.* **1.** Nome científico (aplicado às plantas e animais) composto de dois nomes: um substantivo que designa o gênero e um adjetivo que designa a espécie. P. ex. (em Bot.): *Phaseolus vulgaris* — o feijoeiro. **2.** *Mat.* Polinômio constituído por dois termos. ● *Adj.* **3.** ~V. *equação —a*. ◆ **Binômio de Newton.** *Mat.* Potência inteira positiva de um binômio, desenvolvida segundo o teorema do binômio de Newton.

binormal. [De *bi-* + *normal*.] *S. f. Geom. Anal.* **1.** Numa curva reversa, reta perpendicular ao plano osculador, a qual forma, juntamente com a tangente e a normal, um triedro ortonormal direto; vector binormal. ● *Adj. 2 g.* **2.** ~ V. *vector —*

bínubo. [Do lat. *binubu*.] *Adj.* Casado em segundas núpcias.

▲**bio-.** [Do gr. *bíos, ou*.] *El. comp.* = 'vida': *biografia*. [Equiv.: *-bio*: *aeróbio*.]

▲**-bio.** Equiv. de *bio-*.

bioastronáutica. [De *bio-* + *astronáutica*.] *S. f. Astron.* Ciência de aplicação da biologia aos vôos espaciais; bioastronomia.

bioastronáutico. *Adj.* Relativo à bioastronáutica; bioastronômico.

bioastronomia. [De *bio-* + *astronomia*.] *S. f. Astron.* Bioastronáutica.

bioastronômico. *Adj.* Relativo à bioastronomia; bioastronáutico.

biobibliografia. [De *bio-* + *bibliografia*.] *S. f.* Biografia de uma pessoa, acompanhada da relação de suas obras.

biobibliográfico. *Adj.* Referente à biobibliografia.

biobjetivo. [De *bi-* + *objetivo*.] *Adj.* ~ V. *verbo —*.

biocenose. [De *bio-* + *-cen(o)-*[2] + *-ose*.] *S. f. Biol. Ger.* **1.** Conjunto de animais e plantas de uma comunidade. **2.** A associação dos seres vivos em certa área, especialmente a alimentar.

biocenótico. *Adj.* Concernente à biocenose.

biociclo. [De *bio-* + *ciclo*.] *S. m.* **1.** *Ecol.* e *Biogeogr.* A superfície da litosfera, onde se encontram os seres vivos; biosfera. **2.** Conjunto de etapas por que passa um determinado ser vivo, normalmente: o nascimento, a infância, a adolescência, a idade adulta, a senilidade e a morte. [Sin., nesta acepç.: *ciclo vital*.]

biocida. [De *bio-* + *-cida*.] *S. m. Quím.* Designação genérica de substância que inibe o crescimento de microrganismos, ou que os extermina.

biociência. [De *bio-* + *ciência*.] *S. f.* Designação genérica da investigação científica dos seres vivos, nos seus diversos aspectos interdisciplinares.

biócito. [De *bio-* + *-cito*.] *S. m. Biol. Ger.* A célula viva.

bioclima. [De *bio-* + *clima*.] *S. m. Biol. Ger.* Tipo de clima definido em relação ao desenvolvimento dos seres vivos em uma dada localidade.

bioclimatologia. [De *bio-* + *climatologia*.] *S. f. Biol. Ger.* Estudo das relações dos seres vivos com o clima.

bioclimatológico. *Adj.* Relativo à bioclimatologia.

bioco (ô). *S. m.* **1.** Mantilha para envolver o rosto: "atravessou o mercado, muito hirta, corpo a gotejar um suor frio, b i o c o descido quase até à ponta do nariz" (Adelaide Félix, *Cada qual com Seu Milagre...*, p. 177). **2.** V. *capuz* (1): "Alguém lhe tirara o capote de cima dos ombros, e da cabeça o b i o c o de burel que a encapuchava." (Fialho d'Almeida, *Aves Migradoras*, pp. 84-85.) **3.** *Fig.* Simulação de modéstia ou de virtude: "Os solteiros aceitam, sem b i o c o s de honra, as mulheres infamadas que lhes estimulam o cio ou o interesse." (Camilo Castelo Branco, *Maria da Fonte*, p. 70.) [Pl.: *biocos* (ô).]

biocolóide. [De *bio-* + *colóide*.] *S. m. Bioquím.* Colóide aquoso presente nos organismos vivos, como, p. ex., o sangue e o leite.

biócoro. *S. m. Biol. Ger.* Meio geográfico básico, caracterizado por certa vegetação adaptada a determinadas condições; características físicas de um biociclo. O biociclo terrestre engloba quatro biócoros: o deserto, a pradaria, a savana e a mata.

biocromatologia. [De *bio-* + *-cromat(o)-* + *-log(o)-* + *-ia*.] *S. f. Biol.* Estudo das cores dos seres vivos.

biocromatológico. *Adj.* Referente à biocromatologia.

biocromatologista. *S. 2 g.* Especialista em biocromatologia.

biodegradabilidade. *S. f.* Condição de biodegradável.

biodegradável. [Do ingl. *biodegradable* (*substance*).] *Adj. 2 g. Quím.* Diz-se de substância suscetível de decomposição por microrganismos.

biodigestor. (ô). *S. m. Quím.* Equipamento onde se realiza, controladamente, a fermentação anaeróbica de biomassa, a fim de obter biogás.

biodinâmica. [De *bio-* + *dinâmica*.] *S. f.* Fisiologia dos processos vitais do organismo.

biodinâmico. *Adj.* Referente à biodinâmica.

bioenergética. [De *bio-* + *energética*.] *S. f.* **1.** Ramo da biologia que estuda as transformações da energia e de suas leis nos seres vivos (produção de movimento, luz, calor, eletricidade). **2.** Teoria criada por Alexander Lowen (1920-) a qual considera a personalidade em termos do corpo e seus processos energéticos (produção da energia através da respiração e do metabolismo e descarga de energia pelo movimento). **3.** Método terapêutico baseado nessa teoria e que combina o trabalho com o corpo e com a mente, para ajudar a resolver problemas emocionais.

bioenergético. *Adj.* Relativo à bioenergética, ou próprio dela: *estudos* b i o e n e r g é t i c o s; *análise* b i o e n e r g é t i c a.

bioengenharia. [De *bio-* + *engenharia*.] *S. f.* **1.** Designação genérica de técnicas que visam a realçar certos traços genéticos de seres vivos com o objetivo de desenvolver espécies mais úteis para certas finalidades (cultivo agrícola, p. ex.) ou mais resistentes aos ataques de pragas ou à hostilidade do meio. **2.** Aplicação da engenharia à adaptação de equipamentos às necessidades dos organismos vivos (em geral, humanos), e que visa, p. ex., a criar sistemas de proteção à vida para missões submarinas e espaciais, aparelhagem para substituir ou complementar, temporária ou permanentemente, a função de um órgão, instrumental para monitorizar funções biológicas várias, como circulação e respiração, etc.

bioestatística. [De *bio-* + *estatística*.] *S. f.* Parte da estatística que investiga os atributos quantitativos biológicos das populações humanas a fim de estabelecer relações gerais válidas para determinados agrupamentos.

bioestatístico. *Adj.* Referente à bioestatística.

biófago. [De *bio-* + *-fago*.] *Adj. Biol. Ger.* Que se nutre à custa de um organismo vivo.

biofilia. [De *bio-* + *-filia*.] *S. f.* Instinto de conservação; amor à vida.

biofílico. *Adj.* Referente à biofilia.

biofísica. [De *bio-* + *física*.] *S. f.* Estudo dos fenômenos biológicos pelos métodos e teorias da física.

biofísico. *Adj.* **1.** Relativo à biofísica. **2.** Diz-se dos processos físicos ocorrentes nos organismos vivos. ● *S. m.* **3.** Especialista em biofísica.

biófito. [De *bio-* + *-fito*.] *S. m. Bot.* Planta biófaga.

biofobia. [De *bio-* + *-fobia*.] *S. f.* Horror mórbido à vida.

biofóbico. *Adj.* Respeitante à biofobia.

biofotogênese. [De *bio-* + *fotogênese*.] *S. f. Biol. Ger.* Bioluminescência.

biogás. [De *bio-* + *gás*.] *S. m. Quím.* Metano gerado pela fermentação anaeróbica de material orgânico de origem animal ou vegetal, como, p. ex., esterco, dejetos, restos de vegetais, lixo orgânico, capaz de atender a necessidades domésticas de calefação.

biogênese. [De *bio-* + *gênese*.] *S. f. Biol. Ger.* Princípio segundo o qual todo ser vivo provém de outro ser vivo.

biogenético. *Adj.* Relativo à biogênese.

biogenia. [De *bio-* + *-geno-* + *-ia*.] *S. f. Biol. Ger.* Estudo da evolução dos seres vivos.

biogênico. *Adj.* Relativo à biogenia.

biogeografia. [De *bio-* + *geografia*.] *S. f.* Estudo da distribuição geográfica dos seres vivos, o qual se divide em zoogeografia e fitogeografia, conforme tenha esse estudo por objeto os animais ou os vegetais.

biogeográfico. *Adj.* Relativo à biogeografia.

biogeógrafo. [De *bio-* + *geógrafo*.] *S. m.* Especialista em biogeografia.

biognose. [De *bio-* + *gnose*.] *S. f.* Estudo ou ciência da vida.

biognosia. [De *bio-* + *gnosia*.] *S. f.* Conhecimento da vida.

biografado. [Part. de *biografar*.] *Adj. e s. m.* Diz-se de, ou aquele de quem se fez a biografia.

biografagem. [De *biografar* + *-agem*[2].] *S. m.* **1.** Ação de biografar. **2.** Arte ou modo de fazer biografias.

biografar. *V. t. d.* **1.** Fazer a biografia de. *P.* **2.** Escrever a própria biografia: *Em* Minha Formação *Joaquim Nabuco* b i o g r a f a - s e. [Pres. ind.: *biografo*, etc. Cf. *biógrafo*.]

biografia. [De *bio-* + *-graf(o)-* + *-ia*.] *S. f.* **1.** Descrição ou história da vida de uma pessoa. **2.** Livro que constitui uma biografia (1).

biográfico. *Adj.* **1.** Relativo à biografia. **2.** Que contém biografias: *dicionário* b i o g r á f i c o.

biografismo. *S. m.* Tendência abusiva para a biografia.

biografista. *S. 2 g.* Biógrafo.

biógrafo. *S. m.* Autor de biografias; biografista. [Cf. *biografo*, do v. *biografar.*]

biólise. [De *bio-* + *-lise.*] *S. f. Biol. Ger.* Desagregação ou destruição da matéria viva.

biolítico. *Adj.* Relativo à biólise.

biólito. [De *bio-* + *-lito.*] *S. m. Petr.* Rocha sedimentar constituída de restos de organismos, animais ou vegetais.

biologia. [De *bio-* + *-log(o)-* + *-ia.*] *S. f.* Estudo dos seres vivos e das leis da vida. ♦ **Biologia diferencial.** V. *biotipologia.* **Biologia geral.** Estudo dos seres vivos como um todo, sem particularização animal ou vegetal; estudos das leis gerais da vida; estudo das características gerais dos seres vivos.

biológico. *Adj.* Relativo à biologia. ~ V. *arma —a, buraco —, ciências —as corrosão —a, forma —a, guerra —a, oceanografia —a, química —a, saída —a* e *satélite —.*

biologista. *S. 2 g.* Biólogo.

biólogo. [De *bio-* + *-logo.*] *S. m.* Especialista em biologia; biologista.

bioluminescência. [De *bio-* + *luminescência.*] *S. f. Biol. Ger.* Produção de luz pelos seres vivos, como os vaga-lumes, certas algas marinhas, etc.; biofotogênese.

bioma. *S. m. Biol.* O conjunto dos seres vivos de uma área.

biomassa. *S. f.* Qualquer matéria de origem vegetal, utilizada como fonte de energia. [Diversamente das fontes fósseis de energia (como, p. ex., o petróleo, o carvão de pedra, etc.), as biomassas oferecem a vantagem de serem renováveis em intervalos relativamente curtos de tempo.]

biombo. [Do jap. *bióbu*, atr. da f. *biobo*, que depois se nasalou.] *S. m.* **1.** Anteparo, tapume ou tabique móvel, feito de caixilhos ou de folhas de madeira fina, articuladas por dobradiças e revestidas com papel ou pano, empregado para, num cômodo, dividir um espaço ou criar um recanto resguardado. **2.** Compartimento de peças de madeira ou de pano, fácil de armar e desarmar.

biomecânica. [De *bio-* + *mecânica* (4).] *S. f.* O estudo dos fundamentos mecânicos das atividades biológicas, em especial as musculares.

biomecânico. *Adj.* **1.** Relativo à biomecânica. ● *S. m.* **2.** Especialista nessa matéria.

biomedicina. [De *bio(ciência)* + *medicina.*] *S. f.* A biociência relacionada à medicina.

biomédico. *Adj.* De, ou pertencente ou relativo à biomedicina.

biômetra. *S. 2 g.* Especialista em biometria.

biometria. [De *bio-* + *-metr(o)-* + *-ia.*] *S. f.* **1.** Ramo da ciência que estuda a mensuração dos seres vivos **2.** Cálculo da duração provável da vida. **3.** Biometria estatística. ♦ **Biometria estatística.** Parte da estatística que investiga atributos biológicos quantitativos pertinentes a uma população de seres vivos. [Tb. se diz apenas *biometria.*]

biométrico. *Adj.* Referente à biometria.

biomorfose. [De *bio-* + *-morf(o)-* + *-ose.*] *S. f. Biol. Ger.* Transformação de um órgão pela ação de um ser vivo.

biomorfótico. *Adj.* Respeitante à biomorfose.

biongo. *S. m. Bras.* **1.** Pequena venda ou botequim. **2.** Casa de palha; choça.

biônica. [Do ingl. *bionics*, < *bi(o)-* + *(eletr)onics.*] *S.f.* O estudo das funções, características e fenômenos observados nos seres vivos, a fim de aplicar tais conhecimentos na idealização de novas técnicas e construção de novos aparelhos e máquinas, em especial no campo da eletrônica.

biônico. *Adj.* **1.** Pertencente ou relativo à biônica, ou obtido por processo biônico. **2.** *Bras. Joc.* Diz-se de senador não eleito, mas sim nomeado segundo disposição do pacote de abril [q. v.]. ● *S. m.* **3.** *Bras. Joc.* Senador biônico (2). **4.** *Bras. Joc.* Pessoa nomeada para cargo por sua natureza eletivo.

biônimo. [De *bio-* + *-ônimo.*] *S. m.* Nome de um ser vivo.

bionte. *S. m. Biol. Ger.* Ser vivo, uno e independente.

▲**-bionte.** [Do gr. *bíon, ontos.*] *El. comp.* = 'que vive': *aerobionte.*

biôntico. *Adj.* Relativo ao bionte.

biopse. [De *bio-* + *-opse.*] *S. f. Med.* V. *biopsia.*

biopsia. [De *bio-* + *-ops(e)-* + *-ia.*] *S. f. Med.* Retirada de um fragmento de tecido do organismo vivo para o exame da natureza das alterações nele existentes; biopse. [A pronúncia corrente é *biópsia.*]

biópsia. *S. f. Med.* Var. pros. de *biopsia.* [q. v.].

biopsiar. *V. t. d. Patol.* Efetuar biópsia em.

bioquice. [De *bioco* + *-ice.*] *S. f.* Afetação de pudor ou modéstia; hipocrisia.

bioquímica. [De *bio-* + *química.*] *S. f.* Ramo da química que trata das reações passadas nos organismos vivos; química biológica. química fisiológica.

bioquímico. *Adj.* **1.** Relativo à bioquímica. ● *S. m.* **2.** Especialista em bioquímica.

biorana. *S. f. Bras.* V. *abiurana.*

biorrítmico. *Adj.* Relativo a biorritmo.

biorritmo. *S. m. Biol.* Ritmo de qualquer processo biológico, de um indivíduo ou duma espécie.

biosfera. [De *bio-* + *-sfera.*] *S. f.* Biociclo (1).

biossatélite. [De *bio-* + *satélite.*] *S. m. Astron.* Satélite artificial que contém seres vivos, e destinado ao estudo da influência dos vôos espaciais sobre eles; satélite biológico.

biossocial. [De *bio-* + *social.*] *Adj. 2 g.* Relativo à interação ou combinação de fatores biológicos e sociais, ou que a acarreta: *seleção biossocial.*

biossociologia. [De *bio-* + *sociologia.*] *S. f. Biol. Ger.* Estudo das comunidades vivas, como sistemas integrados.

biossociológico. *Adj.* Concernente à biossociologia.

biota. [Do gr. *bióo*, 'viver'.] *S. f. Biol.* O conjunto dos seres animais e vegetais de uma região.

biotáctico. *Adj.* Relativo à biotaxia. [Var.: *biotático.*]

biotático. *Adj.* Var. de *biotáctico.*

biotaxia (cs). [De *bio-* + *-tax(o)-* + *-ia*] *S. f. Biol. Ger.* Biotaxionomia.

biotáxico (cs). *Adj.* V. *biotáctico.*

biotaxionomia (cs).[De *bio-* + *taxionomia.*] *S. f. Biol. Ger.* Classificação taxionômica dos seres vivos; biotaxia.

biotaxonomia (cs) *S. f. Biol. Ger.* V. *biotaxionomia.*

biotecnia. [De *bio-* + *-tecn(o)-* + *-ia.*] *S. f.* **1.** A arte e a técnica de adaptar os organismos vivos às necessidades do homem. **2.** Aplicação da biotecnia (1) à engenharia e ao *design.*

biotério. [De *bio-* + *-tério*[2].] *S. m. Bras.* Viveiro de cobaias e outros animais empregados em experiências de laboratório, produção de soros, vacinas, etc.

biótico. *Adj.* Relativo ao bioma.

biótipo. [De *bio-* + *tipo.*] *S. m.* **1.** *Biol. Ger.* Grupo de indivíduos geneticamente iguais. **2.** *Med.* Tipo constitucional. [A pronúncia corrente no Brasil é *biotipo.*]

biotipologia. [De *bio-* + *tipologia.*] *S. f.* Ciência das constituições, temperamentos e caracteres; biologia diferencial; tipologia.

biotipológico. *Adj.* Referente à biotipologia; tipológico.

biotita. [Do antr. *Biot*, de Jean Baptiste Biot, sábio francês (1774-1862), + *-ita*[3].] *S. f. Min.* Mineral monoclínico do grupo das micas, silicato de ferro, magnésio, alumínio e potássio, de cor preta.

biotomia. [De *bio-* + *-tom(o)-* + *-ia.*] *S. f. Med.* Dissecção ou corte em um ser vivo.

biotômico. *Adj.* Relativo à biotomia.

biotoponímia. [De *bio-* + *toponímia.*] *S. f.* Toponímia que tira a sua origem de nomes de seres vivos animais ou vegetais.

biotoponímico. *Adj.* Relativo à biotoponímia.

biotopônimo. [De *bio-* + *topônimo.*] *S. m.* Topônimo originário do nome de um ser vivo.

biotropismo. [De *bio-* + *tropismo.*] *S. m. Med.* **1.** Diminuição da resistência orgânica, que permite a ativação de infecção latente. **2.** Afinidade pelos seres vivos. **3.** A facilidade de exercer-se a atividade reprodutora de agentes microbianos no organismo, por efeito nocivo de outro agente.

biovulado. *Adj. Biol.* Provido de dois óvulos: *ovário biovulado.*

biovular. [De *bi-* + *ovular.*] *Adj. 2 g.* Que deriva de dois óvulos.

bióxido (cs). [De *bi-* + *óxido.*] *S. m. Quím.* Óxido de cuja molécula participam dois oxigênios; dióxido.

biparido. [De *bi-* + *parido.*] *Adj.* Binascido.

bíparo. [De *bi-* + *-paro.*] *Adj. Bot.* Diz-se das inflorescências que apresentam ramificações bipartidas.

bipartição. *S. f.* **1.** Ato ou efeito de bipartir(-se); divisão em duas partes. **2.** *Fís.-Quím.* Repartição de um soluto entre dois solventes imiscíveis e postos em contato.

bipartidário. [De *bi-* + *partida* + *-ário.*] *Adj.* Referente ao bipartidarismo.

bipartidarismo. [De *bipartidário* + *-ismo.*] *S. m.* Situação política de um Estado onde só existem ou só têm importância dois partidos políticos.

bipartidarista. *Adj. 2 g.* e *s. 2 g.* Diz-se de, ou pessoa partidária do bipartidarismo.

bipartido. [Part. de *bipartir.*] *Adj.* **1.** Partido ou dividido em duas partes. **2.** Dividido ao meio.

bipartir. [Do lat. *bipartire.*] *V. t. d.* **1.** Dividir em duas partes. **2.** Dividir ao meio. *P.* **3.** Dividir-se em duas partes; bifurcar-se.

bipatente. [Do lat. *bipatente.*] *Adj. 2 g.* Aberto de dois lados, ou para dois lados.

bipedal[1]. [Do lat. *bipedale.*] *Adj. 2 g.* Que tem dois pés de largura, comprimento ou espessura.

bipedal[2]. *Adj. 2 g.* Relativo aos bípedes.

bípede. [Do lat. *bipede.*] *Adj. 2 g.* **1.** Que tem ou anda em dois pés; dípode. ● *S. m.* **2.** Animal que anda sobre dois pés.

bipeltado. [De *bi-* + *pelta* + *-ado*[1].] *Adj.* Que tem duas couraças ou escudos.

bipenado. [De *bi-* + *penado*[1].] *Adj. Morfol. Veg.* Diz-se da folha cujo eixo é duplamente subdividido, ou seja, na qual cada divisão primária torna a subdividir-se à maneira das penas das aves. Ex.: o flamboaiã.

bipene. [Do lat. *bipenne.*] *S. f.* **1.** Machadinha com dois gumes. ● *Adj. 2 g.* **2.** Biplume.

biperfurado. [De *bi-* + *perfurado.*] *Adj.* Com dois furos; duas vezes perfurado.

bipetalado. [De *bi-* + *petalado.*] *Adj. Morfol. Veg.* V. *bipétalo.*

bipetalar. [De *bi-* + *pétala* + *-ar*[1].] *Adj. 2 g. Morfol. Veg.* V. *bipétalo.*

bipétalo. [De *bi-* + *-pétalo.*] *Adj. Morfol. Veg.* Que tem duas pétalas; bipetalado, bipetalar.

bipirâmide. [De *bi-* + *pirâmide.*] *S. f. Geom.* Sólido formado por duas pirâmides justapostas pela base.

biplano. [De *bi-* + *plano.*] *S. m.* Aeroplano cujas asas de sustentação são formadas por dois planos paralelos.

biplume. [De *bi-* + *-plume.*] *Adj. 2 g.* Que tem duas asas; bipene.

bipolar. [De *bi-* + *polar.*] *Adj. 2 g.* **1.** Que tem dois pólos. **2.** *Eletr.* Que tem ou que requer o uso de um bipolo. **3.** *Bot.* Diz-se do fuso que, durante a cariocinese, apresenta dois pólos. ~ V. *chave —*, e *transistor —.*

bipolaridade. [De *bipolar* + *-i-* + *-dade.*] *S. f. Fís.* Existência de dois pólos contrários num corpo.

bipolarização. *S. f. Eletr.* Ato ou efeito de tornar bipolar.

bipolo. [De *bi-* + *pólo.*] *S. m. Eletr.* Dispositivo elétrico com dois terminais diretamente acessíveis.

biporoso (ô). [De *bi-* + *poroso.*] *Adj.* Provido de dois poros ou aberturas: *antera biporosa.*

bipotencial. [De *bi-* + *potencial.*] *Adj. 2 g.* Que tem ação ou potência em dois sentidos opostos.

bipotencialidade. [De *bipotencial* + *-i-* + *-dade.*] *S. f.* Qualidade de bipotencial.

biprisma. [De *bi-* + *prisma.*] *S. m.* **1.** *Fís.* Prisma de vidro, com ângulo próximo de 180º, idealizado por Fresnel, físico francês (1788-1827), e usado no estudo da interferência luminosa, para produzir duas imagens de uma fonte. **2.** *Geom.* Sólido formado por dois prismas justapostos pela base.

bipropelente. [De *bi-* + *propelente.*] *S. m. Astron.* Propelente composto de duas substâncias, geralmente líquidas, que no princípio estão separadas.

biquadrada. [Fem. substantivado de *biquadrado.*] *S. f. Álg.* Equação biquadrada.

biquadrado. [De *bi-* + *quadrado.*] *Adj.* Duas vezes quadrado. ~ V. *equação —a.*

biquara. [De *abiquara*, por aférese.] *S. f. Bras., N.* e *N. E.* V. *corcoroca* (1 e 2).

biquartzo. [De *bi-* + *quartzo.*] *S. m. Ópt.* Placa de quartzo constituída por duas metades, uma levogira e a outra dextrogira, com os eixos ópticos perpendiculares ao seu plano, e utilizada em polarimetria; placa de Soleil.

biqueira. [De *bico*[1] + *-eira.*] *S. f.* **1.** Remate que se ajusta à ponta de alguma coisa; ponteira. **2.** Calha ou tubo que sobressai à fachada de um edifício e serve para despejar longe da parede as águas pluviais recolhidas do telhado. **3.** Peça metálica colocada na ponta da sola do sapato, para reforço: "na bota, flores vermelhas e folhas verdes, em relevo no couro; *biqueira* de prata, com três tachinhas de ouro" (Carlos Drummond de Andrade, *A Bolsa & a Vida*, p. 143). **4.** *Bras., S.* V. *boquilha* (1). **5.** *Bras., S.* Embornal que se põe no focinho dos animais a fim de não pastarem; trompa.

biqueirada. [De *biqueira* + *-ada*[1].] *S. f. Bras. Fut.* V. *bicanca* (2).

biqueiro. [De *bico*[1] + *-eiro.*] *Adj.* **1.** *Bras. Fam.* Que come pouco, ou que é difícil de agradar no comer; que tem má boca. **2.** *Bras., BA, RJ.* Que bebe pouco. ● *S. m.* **3.** *Bras. Gír.* V. *arrasta-pé* (1).

biquense. *Adj. 2 g.* **1.** De, ou pertencente ou relativo a Bicas (MG). ● *S. 2 g.* **2.** Natural ou habitante de Bicas.

biquinho. *S. m.* Dim. de *bico*[1]. ♦ **Fazer biquinho.** *Fam.* V. *fazer beicinho.*

biquíni. [Do top. *Bikini*, ilha do Oceano Pacífico onde em 1946 se realizaram experiências com bombas atômicas, que a tornaram conhecida.] *S. m.* **1.** Maiô [q. v.] de duas peças de dimensões bastante reduzidas. **2.** Calcinha que parte dos quadris.

biquotidiano. [De *bi-* + *quotidiano.*] *Adj.* Que ocorre duas vezes por dia.

bira. *S. m. Bras.* Buraco cavado pelas crianças para o jogo do pião.

biraia. *S. f. Bras.* **1.** Megera (1). **2.** V. *meretriz.*

birapaçapara. *Bras. S. 2 g.* **1.** Indivíduo dos birapaçaparas, tribo indígena que habitava a bacia do rio Juruena (MT). ● *Adj. 2 g.* **2.** Pertencente ou relativo a essa tribo.

biraró. [De provável or. indígena.] *S. m. Bras.* Certa árvore silvestre.

birbante. [Do it. *birbante.*] *S. m.* Patife, biltre, bigorrilha, tratante, velhaco, maroto.

biri¹. [De possível or. tupi.] *S. m. Bras.* **1.** Designação comum a diversas espécies silvestres do gênero *Canna;* cana-da-índia. [V. *cana*¹ (4).] **2.** A semente de qualquer delas.

biri². *S. m. Bras. Folcl.* Escravo de Oxumarê, representado pela treva.

biriba¹. [Do tupi *mbi'ribi,* 'pequeno, pouco'.] *S. 2 g.* **1.** *Bras.* Habitante da região serrana do RS. **2.** *Bras.* Natural de SP. **3.** *Bras., S.* V. *caipira* (1). **4.** *Bras., RS.* Tropeiro de mula. **5.** *Bras.* Égua pequena, porém já apta para o trabalho. ● *Adj. 2 g.* **6.** *Bras.* V. *caipira* (3 e 4). **7.** *Bras.* Cheio de melindres; desconfiado. [Var.: *biriva.*]

biriba². [De *biribá?*] *S. f. Bras.* V. *cacete* (1).

biriba³. *S. m. Bras.* **1.** Jogo carteado, originário da canastra² (1), no qual se distribuem, além das 11 cartas a cada jogador, mais duas mãos completas, que ficam à parte e constituem o biriba propriamente dito. [O objetivo do jogo é bater com rapidez a fim de pegar o biriba e descartá-lo inteiramente antes que os parceiros o façam.] **2.** Cada uma das duas mãos completas distribuídas além das dos parceiros no jogo do biriba; morto.

biribá. [Do tupi *mbiri'bá.*] *S. m. Bras.* **1.** Biribazeiro. **2.** O fruto dessa árvore. [Cf. *beribá.*]

biribada. [De *biriba*¹ + *-ada*¹.] *S. f.* **1.** Porção de biribas. **2.** Ação própria de biriba.

biribá-de-pernambuco. *S. m. Bras., N.E., L.* e *C.* V. *biribá-verdadeiro.* [Pl.: *biribás-de-pernambuco.*]

biribarana. [De *biribá* + *-rana.*] *S. f. Bras., AM.* Arvoreta da família das anonáceas (*Duguetia spixiana*), de folhas lanceoladas, cuspidadas e pilosas inferiormente, flores vistosas e solitárias, e cujo fruto, que alcança o tamanho de uma cabeça de criança, tem muitas sementes e é comestível. A madeira, leve, serve para caixas, bóias e forros.

biribá-verdadeiro. *S. m. Bras., N. E., L.* e *C.* Árvore da família das anonáceas (*Duguetia marcgraviana*), dotada de fruto amarelo, e de polpa comestível, de uso medicinal, tal como as sementes. É usada para fazer vinho, e sua madeira é útil para obras internas e para estopa. [Sin.: *biribá-de-pernambuco, jaca-de-pobre.* Pl.: *biribás-verdadeiros.*]

biribazeiro (bà). [De *beribá* + *-z-* + *-eiro.*] *S. m. Bras.* Árvore frutífera, da família das anonáceas (*Annona lanceolata*), originária da América Central e cultivada no Brasil, de folhas lanceoladas e pilosas, flores trímeras e grandes, e cujo fruto, baga múltipla, rica em polpa saborosa e doce, contém numerosas sementes; biribá.

biribiri. [De possível or. tupi.] *S. m. Bras.* Peixe teleósteo, caraciforme, da família dos caracídeos (*Leporinus nigru-taeniatus* (Schom.)), da Amaz. e Guianas, de coloração cinza-prateada com faixas escuras.

biricera. *S. f. Bras.* Coisa pequena, de pouco valor, insignificante.

birigui. [Do tupi *mberu'wi,* 'mosca pequena'.] *S. m. Bras.* V. *flebótomo* (1). [Var.: *barigui.* Cf. *Birigüi,* top.]

birigüiense. *Adj. 2 g.* **1.** De, ou pertencente ou relativo a Birigüi (SP). ● *S. 2 g.* **2.** Natural ou habitante de Birigüi.

birinaite. [De *biri(ta)* + ingl. *night,* 'noite'.] *S. m. Bras.* Qualquer bebida alcoólica.

birita. *S. f. Bras., RJ. Pop.* **1.** V. *cachaça* (1). **2.** *P. ext.* Qualquer bebida alcoólica.

biritado. [Part. de *biritar.*] *Adj.* V. *embriagado* (1).

biritar. *V. int. Bras. Pop.* Beber birita.

biriteiro. [De *birita* +*-eiro.*] *Adj.* e *s. m. Bras., RJ.* V. *ébrio* (2 e 8).

biriva. *S. 2 g.* e *Adj. 2 g. Bras., S.* V. *biriba*¹.

birmã. *Adj. 2 g.* e *s. 2 g.* V. *birmanês.*

birmane. *Adj. 2 g.* e *s. 2 g.* V. *birmanês.*

birmanês. *Adj.* **1.** Da, ou pertencente ou relativo à Birmânia (Ásia). ● *S. m.* **2.** O natural ou habitante da Birmânia. **3.** Língua falada na Birmânia. V. *sinotibetano* (2). [Sin. ger.: *birmane* e *birmã.* Flex.: *birmanesa* (ê), *birmaneses* (ê), *birmanesas* (ê).]

biró. [Do concani *vidó.*] *S. m. Bras.* V. *bocado* (1).

birola. *S. f. Bras.* Certo pano de algodão.

bironha. [Var. de *beruanha.*] *S. f. Bras.* V. *mosca-dos-estábulos.*

biroró. [De possível or. tupi.] *S. m. Bras., RJ.* V. *beiju.*

birosca. *S. f.* **1.** *Bras., MG.* V. *gude.* **2.** *Bras., RJ.* Estabelecimento comercial modesto, instalado em favelas, e no qual se vendem gêneros de primeira necessidade e bebidas alcoólicas.

birosqueiro. *S. m. Bras., RJ.* Dono de birosca (2).

birote. *S. m. Bras.* V. *cocó:* "Mesmo no escuro se vê o cabelo branco. Enrodilhado no alto da nuca. Prendendo o b i r o t e o pente de tartaruga." (Ana Elisa Gregori, *Os Barões da Candeia,* p. 11.)

birra¹. [Do leonês dialetal *birria.*] *S. f.* **1.** Teima, teimosia, obstinação. **2.** Amuo, arrufo; zanga. **3.** Vício de cavalgaduras, que consiste em ferrarem os dentes nalguma coisa.

birra². [Do it. *birra.*] *S. f.* V. *cerveja.*

birra³. *S. f. Bras., Amaz.* V. *maconha.*

birrada. *S. f. Bras., N.* Pancada com birro²; cacetada, bordoada.

birrar. *V. int.* **1.** Fazer birra¹ (1); mostrar-se birrento; teimar com impertinência. **2.** Revelar birra¹ (3): *A égua b i r r o u.*

birrefração. [De *bi-* + *refração;* var. de *birrefracção.*] *S. f. Ópt.* V. *birrefringência.*

birrefracção. *S. f. Ópt.* V. *birrefração.*

birrefringência. [De *bi-* + *refringência.*] *S. f. Ópt.* Propriedade de cristais anisotrópicos que transmitem luz com velocidades de propagação que dependem da direção de propagação; propriedade de cristais que, para certos ângulos de incidência, dividem o raio refratado em dois, com diferentes direções e diferentes estados de polarização; birrefração ou birrefracção; dupla refração. ◆ **Birrefringência circular.** *Ópt.* Propriedade das substâncias opticamente ativas de transmitirem, com diferentes velocidades, luz circularmente polarizada, dextrogira ou levogira. **Birrefringência elétrica.** *Ópt.* A que é provocada pela ação de um campo elétrico sobre um dielétrico, e se observa no efeito Kerr. **Birrefringência magnética.** *Ópt.* A provocada pela ação de um campo magnético sobre uma substância.

birrefringente. *Adj. 2 g.* Que dá lugar à birrefringência.

birrelativo. [De *bi-* + *relativo.*] *Adj.* ~ V. *verbo* —.

birreme. [Do lat. *bireme.*] *S. f.* **1.** Embarcação grega da Antiguidade, impelida a remos armados em duas ordens e por uma vela redonda. ● *Adj. 2. g.* **2.** Diz-se de apêndices dos crustáceos quando terminados por dois braços ou ramos.

birrento. *Adj.* Que tem birra¹; embirrento.

birrepetente. [De *bi-* + *repetente.*] *Adj. 2 g.* **1.** Que repete algo duas vezes. **2.** Diz-se do aluno que perde o ano duas vezes. ● *S. 2 g.* **3.** Aluno birrepetente.

birretângulo. [De *bi-* + *retângulo.*] *Adj.* ~V. *triângulo*—.

birro¹. *S. m. Bras., C.O.* e *L.* Ave passeriforme, da família dos tiranídeos (*Hirundinea bellicosa* (Vieil.)), do Brasil oriental e central, de cor escura, mais clara no uropígio e na cauda, tendo esta pontas pretas. Freqüenta as habitações humanas e se alimenta de insetos. [F. paral.: *bilro;* sin.: *gibão-de-couro, bem-te-vi-de-gamela.*]

birro². *S. m. Bras., N.* **1.** Bengala pesada e grossa. **2.** V. *cacete* (1). **3.** *Bras., MA. Chulo.* Pênis.

birro-branco. *S. m. Bras.* Ave piciforme, da família dos picídeos (*Leuconerpes candidus* (Otto)), de grande parte do Brasil, de cor branca, dorso, asas e estria nos lados do pescoço pretos, meio da barriga amarelo, fita nucal (no macho) amarela. [Sin.: *pica-pau-branco.* Pl.: *birros-brancos.*]

birrostrado. [De *bi-* + *rostrado.*] *Adj. Zool.* Que tem dois esporões.

birrudo. [De *birro*².] *Adj. Bras. Chulo.* Que tem pênis grande.

biru¹. [De *boiru* (q. v.).] *S. f. Bras.* Réptil ofídio, da família dos colubrídeos (*Eudryas bifossatus triseriatus* (Amaral)).

biru². [Do tupi *mbe'ru,* 'mosca'.] *S. f.* **1.** *Bras., SP.* Entre os caipiras, a mosca varejeira. **2.** *Bras.* V. *sagüiru.*

biruba. *S. m. Bras.* V. *sagüiru.*

biru-manso. *S. m. Bras.* Planta ornamental cultivada, da família das canáceas *(Canna edulis),* de flores vermelho-violáceas e fruto capsular carnoso, e de cujos rizomas se extrai fécula comestível; beri, embiri, meru, araruta-bastarda, araruta-de-porco. [Pl.: *birus-mansos.*]

biruta¹. [Do esp. plat. *viruta.*] *S. f. Bras., RS.* Aparas de madeira; maravalhas.

biruta². *S. f.* **1.** Aparelho que indica a direção dos ventos de superfície, empregado nos aeródromos para orientação das manobras dos aviões, e que tem a forma de uma sacola cônica, instalada perpendicularmente à extremidade dum mastro. ● *S. 2 g.* **2.** *Bras. Gír.* Pessoa irrequieta, amalucada. ● *Adj. 2 g.* **3.** *Bras. Gír.* V. *amalucado.*

birutice. *S. f. Bras. Gír.* Ação de biruta² (2); maluquice.

bis. [Do lat. *bis.*] *S. m.* **1.** Repetição: "Assim que a música parou, foi um barulho ensurdecedor. Todos queriam b i s." (Viana Moog, *Um Rio Imita o Reno,* p. 153.) ● *Adv.* **2.** Duas vezes. ● *Interj.* **3.** Outra vez.

▲**bis-.** [Do lat. *bis.*] *El. comp.* = 'repetição', 'duas vezes': *bisneto, bisavô.* [Equiv.: *bi-: bimestre* (< lat. *bimestre*), *bilíngüe* (< lat. *bilingue*).]

bisaco. *S. m. Bras., N.E.* Bornal; mochila: "O caçador meteu-se na estrada, ... e assim que o sol nasceu abriu o b i s a c o e o encontrou cheio de pedras preciosas e moedas de ouro." (Luís da Câmara Cascudo, *Contos Tradicionais do Brasil,* p. 32);"botaram a tiracolo os velhos b i s a c o s de caça" (Luís Jardim, *Maria Perigosa,* p. 19); "começou a guardar as pedras no b i s a c o" (Hermilo Borba Filho, *Sol das Almas,* p. 69); "Havia até cédulas de mil no b i s a c o." (Osmã Lins, *Nove, Novena,* p. 153). Poderiam citar-se outros exemplos: mais dois de Câmara Cascudo, *ib.* (que, aliás, grafa a palavra com *z*); mais um de Osmã Lins, *ib.,* p. 169; quatro de Newton Navarro, *in* Nei Leandro de Castro, *Contistas Norte-Rio-Grandenses,* pp. 69, 70, 73 (duas vezes); e (transcritos da poesia popular) de Rodrigues de Carvalho, *Cancioneiro do Norte,* pp. 77 (com *z*) e 148, e Leonardo Mota, *Sertão Alegre,* p. 102 (com *z*). Veja-se o que a respeito da f. *bisaco* afirma (*Notas de Português de Filinto* e *Odorico,* p. 62) Martins de Aguiar: "*Bisaco* .... é vivacíssimo no Ceará e provavelmente noutras partes do Brasil, se não em todo ele. .... *Bissaco* não existe senão como correção indevida, com apoio no francês."

bisado. [Part. de *bisar.*] *Adj.* De que se pediu a repetição.

bisagra. [Do esp. *bisagra.*] *S. f.* V. *dobradiça* (1).

bisalho. *S. m. Ant.* Bolsinha para jóias ou relíquias. ~ V. *bisalhos.*

bisalhos. *S. m. pl.* Adornos femininos de pouco valor; vidrilhos. ~ *V. bisalhos.*

bisanual. [De *bis-* + *anual.*] *Adj. 2 g.* **1.** Bienal (2). **2.** Que ocorre de dois em dois anos.

bisão. [Do gr. *bíson,* 'boi selvagem', pelo lat. *bisone.*] *S. m.* Mamífero ruminante, da família dos bovídeos, de cor parda com tons acinzentados, e pescoço, cabeça e elevação da parte anterior do dorso cobertos de longos pêlos. [Há duas espécies: o *Bison bicon,* bisão-americano, e o *Bison bonasus* ou auroque, bisão-europeu.]

bisão-americano. *S. m.* V. *bisão.* [Pl.: *bisões-americanos.*]

bisão-europeu. *S. m.* Auroque. [Cf. *bisão.* Pl.: *bisões-europeus.*]

bisar. *V. t. d.* **1.** Pedir a repetição de (cena de uma peça, trecho de música, número qualquer de um espetáculo, ou recitativo, etc.), gritando bis: *Emocionado, o público b i s o u a cena final do primeiro ato do drama.* **2.** Repetir (cena de uma peça, etc.), atendendo ao pedido de bis: *A artista b i s o u a ária.* **3.** Dizer, repetindo:"— Por que o negócio? / — São animais decadentes. / — Decadentes!.... — b i s o u com ar sardônico." (Humberto Crispim Borges, *Cacho de Tucum,* p. 149.) **4.** *P. ext.* Repetir, tornar a praticar (uma vitória, uma façanha, etc.): *É de esperar que Pelé b i s e no próximo jogo a proeza do anterior.* [Pres. subj.: *bise,* .... *biseis, bisem.* Cf. *biséis,* pl. de *bisel.*]

bisarma. [Do fr. ant. *wisarme, guisarme.*] *S. f.* **1.** *Ant.* Espécie de alabarda. **2.** *Fig.* Pessoa ou coisa de tamanho acima do normal.

bisarrona. *S. f. Bras. Pop.* Var. de *bujarrona.*

bisavó. [De *bis-* + *avó.*] *S. f. Mãe do avô ou da avó.*

bisavô. [De *bis-* + *avô.*] *S. m.* Pai do avô ou da avó. [Fem.: *bisavó;* pl *bisavôs* e *bisavós.*]

bisbilhante. *Adj. 2 g.* Que bisbilha; murmurante.

bisbilhar. *V. int. Bras.* Murmurar, sussurrar: "B i s b i l h a r é uma bela onomatopéia que o autor [Heli Menegale] emprega duas vezes: 'a fonte que b i s b i l h a'. e 'regato que b i s b i l h a'. (Aires da Mata Machado Filho, *Crítica de Estilos,* p. 97).

bisbilho. [T. onom.] *S. m. Bras.* Ato de bisbilhar; murmúrio, sussurro: "Bebe [a girafa] a luz de mais perto, o ar tênue absorve, estranha / Ao b i s b i l h o da moita, o ouvido entanto atento / Ao rumor da floresta e aos ecos da montanha." (José Severiano de Resende, *Mistérios,* p. 81.)

bisbilhotar. [De *bisbilhoteiro.*] V. *int.* **1.** Andar em mexericos e intrigas; mexericar, intrigar, coscuvilhar. **2.** Investigar com curiosidade: Bisbilhotou tanto que acabou sabendo o que desejava. **3.** Falar em segredo. *T. d.* **4.** Investigar com curiosidade; examinar, esquadrinhar: *Vive a* bisbilhotar *todos os papéis que encontra.* [Var. (bras.,pop.): *esbilhotar.*]

bisbilhoteiro. [Do it. *bisbigliatore.*] *Adj.* **1.** Mexeriqueiro, intrigante, coscuvilheiro. **2.** Curioso, metediço, intrometido. ● *S. m.* **3.** Indivíduo bisbilhoteiro.

bisbilhoteria. *S. f.* Bisbilhotice.

bisbilhotice. *S. f.* **1.** Ato de bisbilhotar. **2.** Qualidade de bisbilhoteiro. **3.** Mexerico, enredo, intriga, coscuvilhice. [Sin. ger.: *bisbilhoteria.*]

bisbórria. [De *bis-* + *borra.*] *S. m.* Indivíduo ridículo, desprezível, sem importância.

bisca. [Do it. *bisca.*] *S. f.* **1.** Denominação de vários jogos de cartas. **2.** *Fam.* Alusão mordaz; remoque, picuinha. **3.** Pessoa de mau caráter e dissimulada; canalha, patife. [Us. de ordinário, nesta acepç., precedido de *boa*: *F. é uma boa* bisca.] **4.** V. *meretriz.* **5.** *Bras.* Golpe com a mão espalmada, em geral na cabeça.

biscaia. *S. f. Bras., N.E.* **1.** V. *égua* (1). **2.** Mulher libertina, impudica. **3.** V. *meretriz.*

biscainho (a-í). [Do esp. *vizcaíno.*] *Adj.* **1.** Da, ou pertencente ou relativo à Biscaia (Espanha). ● *S. m.* **2.** O natural ou habitante da Biscaia.

biscaio. *S. m. Bras., RS.* Facão grande, usado pelos mateiros no Alto Uruguai.

biscate. *S. m.* **1.** Trabalho de pouca monta. **2.** *Bras.* V. *bico*[1] (13): "Desistira dos estudos e, como não tinha profissão, não conseguira emprego fixo: vivia de biscates." (Maria Julieta Drummond de Andrade, *Um Buquê de Alcachofras*, p. 27). **3.** *Bras., SP. Gír.* V. *meretriz.* [Cf. *biscato.*]

biscateador (ô). *S. m. Bras.* Biscateiro.

biscatear. *V. int.* **1.** Fazer biscates. **2.** Viver de biscates. [Conjug.: v. *frear.*]

biscateiro. *S. m. Bras.* Aquele que faz biscates ou vive deles; biscateador.

biscato. *S. m.* O que as aves levam no bico para os filhos comerem. [Cf. *biscate.*] ~ V. *biscatos.*

biscatos. [Pl. de *biscato.*] *S. m. pl.* Pequenos restos; fragmentos. ~ V. *biscato.*

biscoitada. *S. f.* **1.** Porção de biscoitos. **2.** Iguaria feita com biscoitos. [F. paral.: *biscoutada.*]

biscoitar. *V. t. d.* V. *abiscoitar.* [F. paral.: *biscoutar.*]

biscoiteira. *S. f.* Vaso onde se guardam biscoitos. [F. paral.: *biscouteira.*]

biscoiteiro. *S. m.* Fabricante ou vendedor de biscoitos. [F. paral.: *biscouteiro.*]

biscoito. [Do lat. *biscoctu.*] *S. m.* **1.** Bolinho de farinha de trigo, ou aveia, ou maisena, ou queijo, etc., com açúcar ou sem ele, ovos, etc., bem cozido no forno, em geral com o feitio de pequenos quadrados, retângulos, discos, etc. **2.** *Fam.* Bofetada, bolacha. **3.** *Bras.* Nos pneus, as partes salientes entre as ranhuras, localizadas na quina que a face de rodagem faz com a face lateral. [F. paral.: *biscouto.*]

biscoutada. *S. f.* V. *biscoitada.*

biscoutar. *V. t. d.* Biscoitar [q. v.]

biscouteira. *S. f.* V. *biscoiteira.*

biscouteiro. *S. m.* V. *biscoiteiro.*

biscouto. *S. m.* V. *biscoito.*

➨**biscuit** (biçcuí). [Fr.] *S. m.* Porcelana fina, duas vezes cozida, que na cor e no aspecto imita o mármore branco.

➨**biseauté** (bizôtê). [Fr.] *Adj.* Cortado obliquamente (vidro de espelho).

bisegre. [Do fr. *bisaigle.*] *S. m.* Utensílio usado pelos sapateiros para brunir os saltos e rebordos da sola do calçado.

biseiro. [De *bis* + *-eiro.*] *Adj.* Diz-se de pessoa ou coisa que efetua duas vezes a mesma operação.

bisel. [Do fr. ant. *bisel*, atualmente *biseau.*] *S. m.* **1.** Borda de peça de madeira, pedra ou outro material, cortada obliquamente, isto é, sem aresta ou quina viva. [Cf. *chanfradura* (2).] **2.** Engaste de pedra de anel. **3.** *Grav.* Chanfradura feita nas bordas da placa de metal, para evitar que na ocasião da tiragem as arestas rompam o papel. **4.** *Grav.* Marca deixada no papel por essa chanfradura; testemunha, vinco. **5.** *Tip.* Chanfradura que se faz nas bordas do clichê para permitir que ele se fixe ao bloco; faceta. [Pl.: *biséis.* Cf. *biseis*, do v. *bisar.*]

biselador (ô). *Adj.* e *s. m.* Que ou aquele que bisela.

biseladora (ô). *S. f.* Aparelho para biselar clichês.

biselamento. *S. m.* Ato ou efeito de biselar.

biselar. *V. t. d.* Dar o corte de bisel a; chanfrar.

biselho (ê). *S. m. Tip.* Cada uma das quatro contrachavetas que prendem a armação da morsa ao fuste do primeiro elevador da linotipo.

bisesdrúxulo. [De *bis-* + *esdrúxulo.*] *Adj. Gram.* Diz-se de conjunto fonético em que o acento tônico recai na pré-antepenúltima sílaba; sobresdrúxulo, sobredáctilo. Ex.: tomávamo-lo, erguia-se-lhe.

bismela. [Do ár. *biçm alah.*] *S. f.* Cerimônia árabe: invocação de Alá antes de empreender-se algum ato ou de se matar um animal para comer.

bismutado. [De *bismuto* + *-ado*[1].] *Adj.* Que contém bismuto; bismutífero.

bismutífero. [De *bismuto* + *-i-* + *-fero.*] *Adj.* Bismutado.

bismutinita. *S. f. Min.* Mineral ortorrômbico, sulfeto de bismuto.

bismuto. [Do al. *wismut.*] *S. m. Quím.* Elemento de número atômico 83, metálico, cristalino, com brilho branco-avermelhado, utilizado como medicamento sob a forma de compostos. [Símb.: *Bi.*] ◆ **Bismuto amarelo.** *Quím.* O trióxido de bismuto.

bisnaga. [Do lat. *pastinaca*, atr. do moçárabe *bistinâqa, bisnâga.*] *S. f.* **1.** Tubo de plástico ou de chumbo empregado na embalagem de tinta a óleo, pasta dentifrícia, cosméticos em creme, vaselina, etc. **2.** Pequeno esguicho com água aromatizada, usado nas antigas folias carnavalescas; seringa. **3.** Tipo de pão comprido e cilíndrico, afinado nas pontas.

bisnagada. *S. f.* Ato de bisnagar.

bisnagar. *V. t. d.* Aplicar o conteúdo de bisnaga (2) em. [Conjug.: v. *largar.*]

bisnau. *Adj.* ~ V. *pássaro* —.

bisneto. [De *bis-* + *neto.*] *S. m.* Filho de neto ou de neta.

bisonharia. *S. f.* Bisonhice.

bisonhice. *S. f.* Qualidade, maneiras ou procedimento de quem é bisonho; bisonharia.

bisonho. [Do it. *bisogno.*] *Adj.* **1.** Pouco adestrado em qualquer mister; inexperiente, inexperto; inábil: "O recrutamento do reino produzira apenas 9 000 soldados bisonhos, bando de gente miserável e perdida" (Oliveira Martins, *História de Portugal*, II, p. 60). **2.** Novato, principiante; inábil. **3.** Acanhado, tímido: "Eu contava apenas dezasseis a dezassete anos, era um rapaz bisonho e sem nenhum uso do mundo" (Ramalho Ortigão, *Banhos de Caldas e Águas Minerais*, p. 86). ● *S. m.* **4.** Recruta inexperiente.

bispada. *S. f. Bras., RJ.* Bispado[2].

bispado[1]. *S. m.* **1.** Território da jurisdição espiritual de um bispo; diocese. **2.** Duração da jurisdição de um bispo. **3.** Dignidade episcopal. [Sin. ger.: *episcopado.*]

bispado[2]. *S. m. Bras., RJ.* Lance de rede malogrado, do qual não vem peixe; bispada.

bispal. [De *bispo* + *-al.*] *Adj. 2 g. P. us.* Episcopal (1).

bispar. [De *bispo* + *-ar*[2].] *V. t. d.* **1.** Avistar ao longe; entrever; lobrigar. **2.** Observar ou espiar atentamente: "Um dia apareceu no engenho um caboclo espadaúdo, cheio de valentia. Bispou a menina." (A. J. de Figueiredo, *Conceição, Minha Namorada*, p. 17.) **3.** *Bras., PE*, e *prov. lus.* Furtar, surripiar. **4.** *Bras., N.E.* Iludir a vigilância de; enganar. *Int.* **5.** Exercer a dignidade de bispo: "Veloso cônego e pregador, Soares com uma grande vigararia, Vasconcelos a caminho de bispar" (Machado de Assis, *Histórias sem Data*, pp. 185-186). **6.** *Bras., MG.* Esturrar, queimar-se (o feijão).

bispar-se. *V. p.* Var. de *vispar-se.*

bispicida. [De *bispo* + *-i-* + *-cida.*] *S. 2 g.* Pessoa que mata bispo(s).

bispicídio. [De *bispo* + *-i-* + *-cídio.*] *S. m.* Assassínio de bispo.

bispiralado. *Adj.* Duplamente espiralado.

bispo. [Do lat. *episcopu.*] *S. m.* **1.** *Rel.* Padre que recebeu a plenitude do sacramento da ordem, na Igreja Católica Apostólica Romana. **2.** Prelado que exerce o governo espiritual de uma diocese. **3.** V. *presbítero* (2). **4.** Uropígio, mitriforme, dalgumas aves. **5.** Esturro (na comida). **6.** Peça do jogo de xadrez somente movimentada em diagonal, representada por uma figura feita de madeira, osso ou qualquer outro material; delfim. ◆ **Deixar entrar o bispo.** Deixar queimar-se um alimento.

bispotada. [De *bispote* + *-ada*[1].] *S. f.* Aquilo que o bispote contém; penicada.

bispote. *S. m.* V. *urinol* (1).

bissaco. *S. m.* V. *bisaco*: "— Para pôr vocês no meu bissaco, preciso lá de ninguém!" (José Vieira, *Vida e Aventura de Pedro Malasarte*, p. 181.)

bisseção. [De *bis-* + *seção*; var. de *bissecção.*] *S. f.* Divisão em duas partes iguais.

bissecção. *S. f.* V. *bisseção.*

bissecto. [De *bis-* + *secto.*] *Adj. Morfol. Veg.* Dividido profundamente em dois segmentos. [Var.: *bisseto.*]

bissector (ô). *Adj.* V. *bissetor.*

bissectriz. *S. f. Geom.* V. *bissetriz.*

bissecular. [De *bi-* + *secular.*] *Adj. 2 g.* Que tem dois séculos.

bissegmentação. *S. f.* Ato ou efeito de bissegmentar.

bissegmentado. [Part. de *bissegmentar.*] *Adj.* Dividido em dois segmentos.

bissegmentar. [De *bi-* + *segmentar.*] *V. t. d.* Dividir em dois segmentos.

bissemanal. [De *bi-* + *semanal.*] *Adj. 2 g.* Que se publica ou realiza duas vezes por semana.

bisseriado. [De *bi-* + *seriado.*] *Adj.* **1.** *Morfol. Veg.* Disposto em duas séries ou fileiras: *catáfilos* bisseriados. **2.** *Zool.* Diz-se de estruturas ou apêndices de animais quando dispostos em duas camadas sucessivas ou em duas linhas.

bisseto. *Adj. Morfol. Veg.* V. *bissecto.*

bissetor (ô). [De *bi-* + *setor*; var. de *bissector.*] *Adj. Geom.* Diz-se do plano que passa pela interseção de outros dois, formando, com estes, ângulos diedros iguais.

bissetriz. [Fem. de *bissetor*; var. de *bissectriz.*] *S. f. Geom.* **1.** Reta que divide um ângulo ao meio. **2.** Segmento de reta que liga um vértice de um polígono a um lado e divide ao meio o ângulo do vértice.

bissexo (cs). [De *bis-* + *sexo.*] *Adj.* V. *bissexual* (1 a 3).

bissêxtil (ês). [Do lat. *bisextile.*] *Adj. 2 g.* ~V. *ano* —. [Pl.: *bissêxteis.*]

bissexto (ês). [Do lat. *bisextu.*] *Adj.* **1.** ~ V. *ano* —. **2.** *Bras. Neol.* Diz-se daquele, e em especial do poeta, que se dedica excepcionalmente à literatura, produzindo pouco e lembrando, por essa escassez, os anos bissextos: *Existe uma ótima* Antologia dos Poetas Brasileiros Bissextos Contemporâneos, *organizada por Manuel Bandeira.* ● *S. m.* **3.** O dia que de quatro em quatro anos se acrescenta ao mês de fevereiro. **4.** *Bras. Neol.* Poeta ou prosador bissexto.

bissexuado (cs). [De *bi-* + *sexuado.*] *Adj.* Que tem ou apresenta caracteres dos dois sexos.

bissexual (cs). [De *bis-* + *sexo* + *-al.*] *Adj. 2 g.* **1.** *Zool.* Que reúne os dois sexos; hermafrodito, andrógino. **2.** Relativo ao comportamento sexual com indivíduos de ambos os sexos. **3.** Que tem esse comportamento. ● *S. 2 g.* **4.** Animal que apresenta simultaneamente órgãos femininos e masculinos; hermafrodita, andrógino ou ginandro. **5.** Pessoa que tem comportamento bissexual.

bissexualidade (cs). *S. f.* Caráter ou qualidade de bissexual; bissexualismo.

bissexualismo (cs). *S. m.* **1.** Prática do comportamento bissexual. **2.** Bissexualidade.

bissílabo. [Do lat. *bissyllabu.*] *Adj.* V. *dissílabo* (1).

bissimétrico. [De *bi-* + *simétrico.*] *Adj.* Que tem simetria bilateral.

bisso. [Do lat. *byssu.*] *S. m.* **1.** Tecido de linho ralo, usado sobretudo para toalhas de mesa e guardanapos bordados. **2.** Secreção filamentosa pela qual os mexilhões se fixam.

bissociação. [Do ingl. *bisociation.*] *S. f.* Associação mental simultânea de uma idéia ou objeto com dois campos que normalmente não se consideram como relacionados. Ex.: o trocadilho.

bissociativo. [Do ingl. *bisociative.*] *Adj.* Relativo à bissociação, ou próprio dela.

bissóide. [De *bisso* +. *-óide.*] *Adj. 2 g.* Diz-se da estrutura semelhante ao bisso (1), como é o micélio de determinados fungos.

bissulfato. [De *bis-* + *sulfato.*] *S. m. Quím.* Sulfato com apenas um hidrogênio substituído.

bissulfeto (ê). [De *bis-* + *sulfeto.*] *S. m. Quím.* Sulfeto com apenas um hidrogênio substituído.

bissulfito. [De *bis-* + *sulfito.*] *S. m. Quím.* Sulfito com apenas um hidrogênio substituído.

bistorta. [Do it. *bistorta.*] *S. f.* Planta da família das poligonáceas (*Polygonum bistorta*), habitante de montanhas pouco elevadas, e cuja raiz é duas vezes retorcida sobre si mesma, donde o nome.

bistrado. [De *bistre* + *-ado*[1].] *Adj.* **1.** Que contém bistre. **2.** Da cor de bistre; trigueiro.

bistre. [Do fr. *bistre.*] *S. m.* **1.** Mistura de fuligem e goma, empregada em pintura. **2.** O roxo das olheiras.

bistrô. [Do fr. *bistrot.*] *S. m. Bras.* Restaurante pequeno e simples, mas aconchegante.

➡bistrot (bistrô). [Fr.] *S. m.* V. *bistrô.*
bisturi. [Do fr. *bistouri.*] *S. m.* Instrumento cirúrgico de corte, do qual há vários modelos, de diferentes tamanhos. ♦ **Bisturi elétrico.** Bisturi que simultaneamente corta tecidos e coagula o sangue.
bisturi-do-mato. *S. m. Bras.* V. *sumaré.* [Pl.: *bisturis-do-mato.*]
bisultor (ô). [Do lat. *bisultore.*] *S. m.* Aquele que é duas vezes ultor [q. v.] ou vingador.
➡bit. [Do ingl. *bi(nary) (dig)it* 'dígito binário'.] *S. m. Automat.* Unidade de medida de informação, igual à menor quantidade de informação que pode ser transmitida por um sistema. [Tb. se usa a adaptação *bite;* sin.: *dígito binário.*]
bita. [Do ingl. *beater.*] *S. f. Bras., PE.* Utensílio com que se soca o balastro sob os dormentes das estradas de ferro.
bitaca. *S. f. Bras., MG.* V. *vendola.*
bitácula. [Do lat. *habitaculu.*] *S. f.* **1.** *Marinh.* Caixa com cobertura de vidro e capacete metálico de resguardo, colocada em pedestal fixo no passadiço, e que encerra a bússola e os corretores dos desvios desta. **2.** *Gír.* Nariz (1). **3.** *Bras., MG.* Pequena venda; botequim: "os viandantes, que não deixavam de apear-se à porta da b i t á c u l a da tia Umbelina, a fim de tomarem alguns refrescos ou provarem de suas excelentes quitandas." (Bernardo Guimarães, *O Seminarista,* p. 16). ♦ **Levar nas bitáculas.** *Pop.* Levar bofetadas.
bitalha. *S. f.* Mantimento, munições, vitualha.
bitartarato. *S. m. Quím.* Qualquer sal ácido derivado do ácido tartárico.
bitatá. *S. m. Bras., S. Pop.* V. *boitatá.*
bite. *S. m.* Aportug. de *bit* [q. v.].
bitegumentado. [De *bi-* + *tegumentado.*] *Adj.* Portador de dois tegumentos: *óvulo b i t e g u m e n t a d o.*
biteiro. *S. m. Bras., PE.* Aquele que trabalha com a bita.
bitemático. *Adj.* ~ V. *sonata* —a.
biternado. [De *bi-* + *ternado.*] *Adj. Morfol. Veg.* Duplamente ternado. [A folha biternada tem nove folíolos dispostos três a três em pecíolos inseridos no pecíolo comum.]
bitesga (ê). *S. f.* Var. de *betesga.*
bito. *S. m.* Tipo de queijo italiano feito de leite de vaca a que se adicionou leite de cabra.
bitola. *S. f.* **1.** Medida reguladora; padrão, estalão, modelo, norma, craveira. **2.** Distância que separa os trilhos de uma via férrea; via. **3.** Espessura ou diâmetro de um perfil metálico ou de um vergalhão de construção. **4.** *Cost.* Pedaço de cartolina no qual se faz um corte profundo, em *V,* para marcar a largura exata de bainhas, pregas, pespontos, etc. **5.** *Marinh.* Grossura de um cabo. **6.** *Cin.* Medida padronizada da largura de um filme cinematográfico, como 8 mm, 16 mm, 35 mm, etc. ♦ **Bitola estreita. 1.** Bitola métrica. **2.** *P. ext.* Bitola ferroviária igual ou inferior à bitola métrica. **Bitola larga.** Bitola ferroviária de largura superior à bitola métrica. [No Brasil, esta é de 1,60 m.] **Bitola métrica.** Bitola ferroviária de 1 m; bitola estreita. **Bitola normal.** Bitola ferroviária de 1,435 m.
bitolado. [Part. de *bitolar.*] *Adj.* Que tem visão ou compreensão muito limitada; estreito.
bitolar. *V. t. d.* **1.** Medir com bitola (1); abitolar. **2.** Estabelecer em bitola. **3.** Avaliar, julgar, medir. *P.* **4.** Tornar-se bitolado.
bitransitivo (zi). [De *bi-* + *transitivo.*] *Adj.* ~ V. *verbo — e verbo — indireto.*
bitre. *S. m. Bras.* V. *capeba-cheirosa.*
bitributação. [De *bi-* + *tributação.*] *S. f.* Dupla incidência de um mesmo imposto sobre o mesmo contribuinte.
bitributar. [De *bi-* + *tributar.*] *V. t. d.* Impor a bitributação a.
bitu¹. [De *sabitu,* por aférese.] *S. m.* Designação comum aos insetos himenópteros, da família dos formicídeos, gênero *Atta* Fabr., do sexo masculino, alados, bem menores que as tanajuras, os quais morrem após o vôo nupcial. [Var. e sin.: *vitu, cabitu, savitu, içabitu, sabitu, escumana.* Cf. *betu.*]
bitu². *S. m.* **1.** *Bras.* Cantiga popular. **2.** *Bras., MG.* Cobertor de algodão. **3.** *Bras.* V. *papão* (1). [Cf. *betu.*]
biturunense. *Adj. 2 g.* **1.** De, ou pertencente ou relativo a Bituruna (PR). ● *S. 2 g.* **2.** Natural ou habitante de Bituruna.
bituva. [De possível, or. tupi.] *S. m. Bras., SP.* Peixe teleósteo, siluriforme, da família dos loricarídeos (*Hartia kronei* Mir. Rib.), de coloração preta, corpo afilado para a cauda, focinho grande e arredondado. [Cf. *cascudo-preto.*]
biú. *S. m. Bras.* Farinha de mandioca, entre os puris.
biuncinado (i-un). [De *bi-* + *uncinado.*] *Adj. Bot.* Que termina por dois ganchinhos.
biunívoco (i-u). [De *bi-* + *unívoco.*] *Adj.* Diz-se da relação entre dois conjuntos em que a cada elemento do primeiro conjunto corresponde apenas um elemento do segundo, e vice-versa. ~ V. *função* —a.
biurá (i-u). [De possível or. tupi.] *S. m. Bras.* Capim da família das gramíneas (*Coix lacrima*), muito difundido, de cujos frutos, grandes, duríssimos e cinzentos, se fazem rosários e colares, lágrima-de-nossa-senhora, lágrima-de-santa-maria, rosário.
biurana. *S. f. Bras.* V. *abiurana.*
biva. *S. f.* Espécie de alaúde japonês.
bivacar. *V. int.* Estacionar uma tropa em bivaque. [Conjug.: v. *trancar.*]
bivalvar. [De *bi-* + *valva* + *-ar¹.*] *Adj. 2 g.* Que tem, ou que se abre em duas valvas: *antera b i v a l v a r.*
bivalve. [De *bi-* + *valve.*] *Adj. 2 g.* **1.** Que tem duas valvas (fruto, concha). **2.** V. *pelecípode.* ● *S. m.* **3.** V. *pelecípode.*
bivalves. [Pl.: de *bivalve.*] *S. m. pl. Zool.* V. *pelecípodes.*
bivaque. [Do al. *Beiwache,* atr. do suíço *biwatch* e do fr. *bivouac.*] *S. m. Exérc.* **1.** Área ou modalidade de estacionamento em que a tropa só dispõe de abrigos naturais, especialmente árvores. [Cf. *acampamento* (6) e *acantonamento* (2).] **2.** Tropa que está bivacando.
biviário. *Adj.* Situado em um bívio (1).
bívio. [Do lat. *biviu.*] *S. m.* **1.** Lugar onde se unem dois caminhos. **2.** Caminho que, bifurcando-se, vai ter a pontos diferentes.
bixácea (cs). *S. f.* Espécime das bixáceas.
bixáceas (cs). *S. f. pl. Bot.* Família de plantas arbóreas, próprias da América tropical, formada pelo gênero *Bixa,* do qual a principal espécie é o urucu (*Bixa orellana*), cujas sementes fornecem matéria corante vermelha, já utilizada pelos indígenas, e cujos frutos são cápsulas providas de longas pontas.
bixáceo (cs). *Adj.* Pertencente ou relativo às bixáceas.
bizantinice. *S. f.* **1.** Bizantinismo (2). **2.** Asneira, tolice, bobagem.
bizantinismo. *S. m.* **1.** Estudo da história e da civilização bizantina. **2.** *Fig.* Interesse por discussões frívolas ou insignificantes, sem resultado prático, como as questões tratadas pelos teólogos bizantinos; bizantinice.
bizantino. [Do lat. *byzantinu.*] *Adj.* **1.** De, ou pertencente ou relativo a Bizâncio, cidade européia situada às margens do Bósforo, fundada pelos gregos no séc. VII a. C., que se tornou a capital do Império Romano do Oriente, ou Império Bizantino (330 a 1453), tomando o nome de Constantinopla, atual Istambul: *as instituições b i z a n t i n a s; um dignitário b i z a n t i n o; O último imperador b i z a n t i n o foi Constantino XI Paleólogo.* **2.** Diz-se das manifestações da civilização, da cultura e das artes que floresceram e se desenvolveram no Império Bizantino e que, por sua continuidade, transmitiram ao Ocidente a herança da Antiguidade enriquecida pelo contato com o Oriente e pela prática do cristianismo: *o direito b i z a n t i n o; os filósofos b i z a n t i n o s; os mosaicos b i z a n t i n o s.* **3.** *Fig.* Que tem características de bizantinismo (2). **4.** *Deprec.* Diz-se da atitude ou ponto de vista que denota bizantinismo (2); acadêmico. **5.** Pretensioso, tolo. ~ V. *arco* —. ● *S. m.* **6.** O natural ou habitante da cidade de Bizâncio ou do império bizantino. **7.** Estilo bizantino.
bizarraço. *Adj.* Muito bizarro, muito garboso.
bizarrear. *V. int.* **1.** Proceder com bizarria. **2.** Jactar-se; vangloriar-se. *T. d.* **3.** Narrar com jactância; bravatear. [Conjug.: v. *frear.*]
bizarria. *S. f.* **1.** Qualidade, modos ou ação de bizarro. **2.** V. *fanfarrice* (1 e 2). **3.** Ostentação, aparato, pompa.
bizarrice. *S. f.* V. *fanfarrice* (1 e 2).
bizarrismo. *S. m.* Bizarria (1).
bizarro. [Do vasc. *bizarra,* 'barba cerrada', pelo esp.?] *Adj.* **1.** Gentil, nobre, generoso. **2.** Bem-apessoado, bem-parecido; garboso. **3.** Vestido com elegância; bem vestido. **4.** Fanfarrão, jactancioso. **5.** Extravagante, esquisito.
bizogue. *S. m. Bras., N.* V. *sauá.*
■Bk. *Quím.* Símb. de *berquélio.*
blablablá. [Voc. onom.] *S. m. Bras. Gír.* Conversa oca, sem conteúdo; conversa fiada.
➡black hole (blék roul). [Ingl.] *Astr.* V. *buraco negro.*
➡black-out (blékaut). [Ingl.] *S. m.* V. *blecaute.*
➡black-tie (blek-tai). [Ingl.] *S. m. Smoking* [q. v.].
blague. [Do fr. *blague.*] *S. m.* Dito espirituoso; pilhéria, brincadeira.
blandícia. [Do lat. *blanditia.*] *S. f.* **1.** Meiguice, brandura. **2.** Afago, mimo, carícia. **3.** *P. ext.* Palavra afetuosa, carinhosa: "A linda e airosa moça sorria feliz e pagava, com excessos de ternura, os carinhos do seu donzel, trazendo-o sempre aconchegado ao colo farto, a dizer-lhe b l a n d í c i a s" (Coelho Neto, *Treva,* p. 15). [F. paral.: *blandície.*]
blandície. [Do lat. *blanditie.*] *S. f.* Blandícia.
blandicioso (ô). *Adj.* Que tem ou faz blandícia; que afaga; meigo, carícioso, carinhoso.
blandífluo. [Do lat. *blandu,* 'brando', + *-i-* + *-fluo.*] *Adj.* Que flui ou corre brandamente, suavemente.
blandiloqüentíssimo. *Adj.* Superl. abs. sint. de *blandíloquo.*
blandíloquo (co). [Do lat. *blandu, 'brando',* + *-i-* + *-loquo.*] *Adj.* **1.** Que fala com brandura. **2.** Que tem voz suave. [Superl. abs. sint.: *blandiloqüentíssimo.*]
➡blank-verse. [Ingl.] *S. m.* O verso da tragédia e da epopéia inglesas, de cinco pés, sem rima.
➡blasé (blazê). [Fr.] *Adj.* e *s. m.* Diz-se de, ou homem entediado de tudo, ou na realidade ou por afetação. [Fem.: *blasée.*]
blasfemador (ô). *Adj.* e *s. m.* Blasfemo (1 e 3).
blasfemar. [Do gr. *blaspheméo,* pelo lat. *blasphemare.*] *V. int.* **1.** Dizer blasfêmias: *Velho e nervoso, só faz resmungar e b l a s f e m a r.* *T. i.* **2.** Proferir palavras blasfemas e ultrajantes: *B l a s f e m a v a contra a má sorte que o pusera naquele estado.* *T. d.* **3.** Ultrajar com blasfêmias: *B l a s f e m a v a o nome de todos os santos.*
blasfematório. *Adj.* **1.** Que encerra ou constitui blasfêmia; blasfemo: *palavras b l a s f e m a t ó r i a s; escrito b l a s f e m a t ó r i o.* **2.** Próprio de quem blasfema: *falar em tom b l a s f e m a t ó r i o.*
blasfêmia. [Do gr. *blasphemía,* pelo lat. *blasphemia.*] *S. f.* **1.** Palavras que ultrajam a divindade ou a religião. **2.** Ultraje dirigido contra pessoa ou coisa respeitável.
blasfemo (fê). [Do gr. *blásphemos,* pelo lat. *blasphemu.*] *Adj.* **1.** Que blasfema, blasfemador. **2.** Blasfematório (1). ● *S. m.* **3.** Aquele que blasfema, blasfemador.
blasonador (ô). *Adj.* e *s. m.* **1.** Que ou aquele que blasona. **2.** V. *fanfarrão.*
blasonar. [Do esp. *blasonar.*] *V. t. d.* **1.** Mostrar com alarde; ostentar, alardear: *B l a s o n a a alta posição que conseguiu à custa de amigos influentes.* **2.** Brasonar (1). **3.** Descrever o escudo ou brasão de. *Transobj.* **4.** Apregoar, proclamar. *Int.* **5.** Jactar-se, fanfarronar-se, vangloriar-se, brasonar, bravatear. *T. i.* **6.** Jactar-se; vangloriar-se: *B l a s o n a v a de sua intimidade com o ministro.*
blasonaria. *S. f.* Ato ou caráter de blasonador.
blasônico. [De *blasão,* f. ant. de *brasão,* + *-ico².*] *Adj.* Relativo a brasão.
blastema. [Do gr. *blástema,* 'broto'.] *S. m. Biol.* Primórdio de células não diferenciadas, do qual se origina um órgão.
blasto. [Do gr. *blastós,* 'broto'.] *S. m. Bot.* **1.** Parte do embrião que se desenvolve por efeito da germinação. **2.** Plúmula e radícula do embrião vegetal.
▲blast(o)-. [Do gr. *blastós, oû.*] *El. comp.* = 'germinação', 'germe': *blástula, blastocardia.* [Equiv.: *-blasto* e *-blasto: odontoblasto; idioblasto.*]
▲-blasto. V. *blast(o)-.*
blastobasídeo. *S. m.* **1.** Espécime de blastobasídeos. ● *Adj.* **2.** Pertencente ou relativo a eles.
blastobasídeos. *S. m. pl. Zool.* Família de insetos da ordem dos lepidópteros. São pequenas mariposas de asas posteriores lanceoladas, e cujas larvas parasitam plantas, causando prejuízos graves, como, p. ex., no fruto seco do cafeeiro.
blastocárpico. [De *blast(o)-* + *-carp(o)* + *-ico².*] *Adj. Bot.* Diz-se das sementes que germinam no interior do fruto, como as do mangue, que, ao cair, já trazem o embrião em desenvolvimento.
blastocarpo. [De *blast(o)-* + *-carpo.*] *Adj. Bot.* Diz-se do fruto cuja semente germina antes de sair do pericarpo.
blastocele. *S. m. Biol.* Cavidade central da blástula.
blastocinese. [De *blasto-* + *-cinese.*] *S. f. Biol.* Movimento do embrião, em especial o dos insetos, dentro do ovo.
blastócito. [De *blasto-* + *-cito.*] *S. m. Biol.* Célula embrionária não diferenciada.
blastocolina. *S. f. Bot.* Substância contida nos zigotos de algas verdes do gênero *Chlamydomonas,* dotada da faculdade de inibir a germinação delas. [A blastocolina deve desaparecer previamente por difusão na água em que se desenvolve a planta.]
blastoderma. [De *blasto-* + *derma.*] *S. m. Bot.* Membrana germinativa que dá origem aos órgãos do embrião. [Var.: *blastoderme.*]
blastoderme. *S. m. Bot.* V. *blastoderma.*
blastoma. [De *blast(o)-* + *-oma.*] *S. m. Patol.* Tumor formado por células embrionárias oriundas do blastema de um órgão ou tecido.

blastomania. [De *blast(o)-* + *-mania* | *S. f. Bot.* Desenvolvimento excessivo, e produção anormalmente elevada, de gemas vegetativas.

blastômero. [De *blast(o)-* + *-mero.*| *S. m. Biol.* Célula não diferenciada originária da segmentação do ovo.

blastomicose. *S. f. Patol.* **1.** Infecção produzida por organismo do gênero *Blastomyces.* **2.** Designação comum às micoses produzidas por microrganismos que se reproduzem por gemação, como certos fungos inferiores (leveduras, etc.).

▲-blastos. V. *blast(o)-.*

blastósporos. [De *blast(o)-* + *-sporo.*] *S. m. Micol.* Tipo de esporo que multiplica a planta por gemação, tal como sucede nas leveduras.

blastostilo. [De *blast(o)-* + *-stilo.*] *S. m. Zool.* Zoóide coluniforme dos hidrozoários, que suporta os gonóforos.

blástula. [De *blast(o)-* + *-ula.*] *S. f.* Forma inicial embrionária, resultante da segmentação do ovo, e que apresenta blastômeros dispostos regularmente em uma única camada em torno do blastocele.

blatário. *S. m.* **1.** Espécime dos blatários. ● *Adj.* **2.** Pertencente ou relativo a eles. [Sin. ger.: *blatóide, cursário, ootecário.*]

blatários. *S. m. pl. Zool.* Animais artrópodes, da classe dos insetos, ortópteros, da subordem ou ordem *Blattariae.* Têm o corpo achatado, a cabeça pequena, parcialmente escondida sob o protórax, e antenas longas; as fêmeas são desprovidas de ovopositor, e põem os ovos em ootecas; são onívoros. Há espécies domésticas, conhecidas pelo nome popular de barata. [Sin.: *blatóideos, cursários, ootecários.*]

blateração. *S. f.* **1.** Ato ou efeito de blaterar. **2.** Voz confusa ou mal articulada. **3.** Ruído semelhante à voz do camelo.

blaterar. [Do lat. *blaterare.*] *V. t. d.* **1.** Falar muito; tagarelar, parolar. **2.** Falar ou clamar com violência contra pessoas ou coisas; deblaterar. **3.** *Bras.* Xingar, descompor. *Int.* **4.** Soltar a voz (o camelo). **5.** Falar ou clamar com violência contra pessoas ou coisas, vociferar; deblaterar: "Vencido, o anjo revel, b l a t e r a e se constrange / Ante os resíduos maus das extintas cidades..." (Goulart de Andrade, *Poesias,* p. 102.)

blatídeo. *S. m.* **1.** Espécime dos blatídeos. ● *Adj.* **2.** Pertencente ou relativo a eles.

blatídeos. *S. m. pl. Zool.* Família de insetos ortópteros, da ordem dos blatários, corredores, cujos representantes comuns são as baratas.

blatóide. *S. m. Zool.* Designação comum aos insetos da ordem *Blattariae,* com cerca de 3.000 espécies, e na qual se incluem as baratas caseiras da família dos blatídeos. São mastigadores, de corpo achatado, e as formas jovens desprovidas de asas.

blatóideo. *S. m.* e *adj.* V. *blatário.*

blatóideos. *S. m. pl. Zool.* V. *blatários.*

blau. [Do frâncico *blao,* pelo fr. ant. *blau,* atualmente *bleu.*] *Adj. 2 g. Heráld.* **1.** Que tem a cor azul dos brasões. **2.** Diz-se dessa cor. ● *S. m.* **3.** Essa cor.

➧blazer (blêizer). [Ingl.] *S. m.* Japona[1] (2) [q. v.].

blecaute. [Do ingl. *black-out.*] *S. m.* **1.** Escurecimento completo. **2.** Expediente de deixar tudo às escuras, como precaução contra bombardeios aéreos, usado na guerra moderna.

blefado. [Part. de *blefar.*] *Adj. Bras.* Diz-se daquele que perdeu tudo no garimpo; arruinado, falido.

blefaia. *S. f. Bras., BA* e *MG.* V. *gorjeta* (2).

blefar. [De *blefe* + *-ar*[2].] *V. int.* **1.** Iludir no jogo, apostando e/ou agindo como se tivesse boas cartas. **2.** Esconder uma situação precária: *Não está nada bem de finanças, mas continua* b l e f a n d o *em casa. T. d.* **3.** Enganar, lograr: B l e f o u *a vigilância do hospital e saiu sem ter alta.*

blefarite. [De *blefar(o)-* + *-ite*[1].] *S. f. Patol.* Inflamação das pálpebras. [Sin.: *palpebrite, tarsite,* e, bras., pop., *sapiranga.*]

▲blefar(o)-. [Do gr. *blépharon, ou.*] *El. comp.* = 'pálpebra': *blefarite, blefaroplegia, blefaróforo.* [Equiv.: *-blefaro: semibléfaro.*]

▲-blefaro. Equiv. de *blefar(o)-.*

blefaroblasto. *S. m. Zool.* Núcleo de onde nasce um flagelo livre nos protozoários da família dos tripanossomídeos; cinetoplasto.

blefaroplastia. [De *blefar(o)-* + *-plast-* + *-ia.*] *S. f. Cir.* Intervenção cirúrgica plástica em pálpebra.

blefaroplástico. *Adj.* **1.** Relativo ao blefaroplasto. **2.** Relativo à blefaroplastia.

blefaroplasto. *S. m. Bot.* **1.** Corpúsculo cromatinóide situado por fora do núcleo e ligado à base dos flagelos, em certas algas unicelulares. **2.** Faixa helicoidal sobre a qual se inserem os cílios nos espermatozóides das zamiáceas e ginkgoáceas.

blefaroplegia. [De *blefar(o)-* + *-pleg-* + *-ia.*] *S. f. Patol.* Paralisia das pálpebras.

blefaroplégico. *Adj.* Relativo à blefaroplegia.

blefe (é). [Do ing. *bluff.*] *S. m.* Ato ou efeito de blefar.

blefista. *Adj. 2 g.* e *s. 2 g. Bras.* Que ou quem blefa, dá blefes.

bleforé. *S. m. Bras., BA.* Festa e dança de baixa classe, freqüentada por boêmios.

blemômetro. [Do gr. *blêma,* 'jacto', + *-o-* + *metro.* | *S. m.* Instrumento para medir a intensidade da explosão nas armas de fogo.

blenda. [Do al. *blende.*] *S. f. Min.* Mineral isonométrico, sulfeto natural de zinco, em cristais negros ou castanhos; esfalerita.

blenenterite. [De *blen(o)-* + *enterite.*] *S. f. Patol.* Diarréia mucosa.

▲bleni-. Equiv. de *blen(o)-.*

▲blen(o)-. [Do gr. *blénnos, eos- ous.*] *El. comp.* = 'muco', 'catarro': *blenógeno, blenorragia.* [Equiv. *bleni-.*]

blenógeno. [De *blen(o)-* + *-geno*[1].] *Adj. Med.* Que produz muco.

blenorragia. [De *blen(o)-* + *-ragia.*] *S. f. Patol.* **1.** Eliminação excessiva de muco. **2.** V. *gonorréia.*

blenorrágico. *Adj.* Referente à, ou da natureza da blenorragia; gonorréico.

blenorréia. [De *blen(o)-* + *-réia.*] *S. f. Patol.* Eliminação de matéria proveniente de membranas mucosas, em especial a eliminação gonorréica uretral ou vaginal.

▲-bleps. [Do gr. *blépsis, eos.*] *El. comp.* = 'visão': *monoblepsia.*

blesidade. [De *bleso* + *-i-* + *-dade.*] *S. f.* Vício de pronúncia que consiste em substituir uma consoante forte por outra fraca.

bleso. [Do gr. *blaisós,* pelo lat. *blaesu.*] *Adj.* **1.** Que tem o vício da blesidade. **2.** Que gagueja ou fala de modo confuso.

blindado. [Part. de *blindar.*] *Adj.* **1.** Revestido de chapa de aço; couraçado: *carro* b l i n d a d o. **2.** *Fig.* Protegido, defendido, imunizado. ● *S. m.* **3.** Carro blindado: "trezentos soldados com o apoio de b l i n d a d o s invadiram o território libanês" (*Correio da Manhã,* Rio, 26.10.1969).

blindagem. *S. f.* **1.** Ato ou efeito de blindar. **2.** *Eletr.* Condutor metálico, geralmente ligado à terra, que envolve o componente de um circuito ou um circuito inteiro, com o fim de isolá-lo da influência de campos elétricos externos. **3.** *Fís. Nucl.* Proteção colocada em torno de uma fonte de radiação para proteger contra os efeitos desta observadores e instrumentos. ♦ **Blindagem de calor.** *Astron.* Dispositivo que protege contra o calor um veículo espacial, seja por dissipação, reflexão ou ablação. **Blindagem magnética.** *Fís.* Anteparo ou envoltório feito de material de alta permeabilidade magnética, e que se usa para proteger de campos magnéticos indesejáveis um circuito ou um aparelho.

blindar. [Do al. *blenden,* 'cegar', 'ofuscar', atr. do fr. *blinder.*] *V. t. d.* **1.** Revestir de chapas de aço; couraçar. **2.** Pôr ao abrigo (edifício, passagem, etc.). **3.** *Fís.* Proteger (um circuito) da ação de campos elétricos ou magnéticos. *T. d.* e *i.* **4.** Proteger, resguardar: b l i n d a r *um organismo contra os perigos da contaminação.* **5.** Revestir; cobrir.

blitácea. *S. f.* Espécime das blitáceas.

blitáceas. *S. f. pl. Bot.* Família de plantas formada pelo gênero *Blitum,* considerada como pertencente às quenopodiáceas.

blitáceo. *Adj.* Pertencente ou relativo às blitáceas.

➧Blitz (blíts). [Do al. *Blitzkrieg.*] *S. f.* **1.** *Blitzkrieg.* **2.** Batida policial de improviso e que utiliza grande aparato bélico. [Pl.: *Blitze.*]

➧Blitzkrieg (blítskrig). [Al.] *S. m.* Guerra relâmpago. [Tb. us. abreviadamente: *Blitz.*]

blocagem. *S. f. Art. Gráf.* **1.** Ato ou efeito de blocar. **2.** Num estabelecimento gráfico, seção onde se fazem blocos de papel.

blocar. *V. int. Art. Gráf.* Fazer blocos de papel. [Conjug.: v. *trancar.* Cf. *talonar.*]

blocausse. [Do al. *Blockhaus.*] *S. m.* **1.** Primitivamente, fortaleza improvisada com troncos de árvores esquadriados, barras de ferro, etc., formando uma espécie de cabana protegida de paliçada. **2.** Hoje construção blindada, feita de cimento armado, para defesa de um ponto particular.

bloco. [Do neerl. médio *bloc,* atr. do fr. *bloc* e do ingl. *block.*] *S. m.* **1.** Massa volumosa e sólida de uma substância: b l o c o *de gelo.* **2.** Reunião de folhas de papel presas por um dos lados e destacáveis. **3.** Cada um dos edifícios [v. *edifício* (2)] que formam um conjunto de prédios. **4.** *Constr.* Fundação isolada, de concreto simples ou ciclópico, de grande altura em relação à base. **5.** *Constr.* Estrutura em que não há predominância duma dimensão sobre as outras. **6.** *Tip.* Chapa de metal ou de madeira onde se fixam os clichês para ficarem em tipo-altura na composição. **7.** *Estat.* Numa experiência de caráter estatístico que envolve diversos fatores, cada uma das unidades experimentais em que é dividido o sujeito em estudo com o objetivo de controlar estatisticamente a influência de cada fator. **8.** *Fig.* Reunião de vários elementos políticos em torno de um objetivo comum. **9.** *Bras.* Sociedade carnavalesca. **10.** *Bras.* Grupo de carnavalescos. ♦ **Bloco amortecedor.** *Autom.* Bloco (1) de borracha que amortece os golpes do eixo no chassi quando as molas são forçadas em demasia. **Bloco continental.** *Geogr.* Grande extensão de terras emersas e imersas, que abrange um continente e sua plataforma continental [q. v.]. **Bloco de cilindros.** *Autom.* A parte mais volumosa do motor, na qual estão as perfurações dos cilindros em que se movem os pistões. **Bloco de decomposição.** *Geol.* Grande pedra solta, ainda não inteiramente decomposta, formada pela decomposição da rocha. **Bloco de facas.** *Tip.* V. *bloco de navalhas.* **Bloco de gaveta.** *Tip.* Peça de aço com ranhura onde se encaixa a matriz-gaveta, destinada a fundir fios e orlas, na linotipo: bloco-matriz, base. **Bloco de justificação.** *Tip.* **1.** Talão de justificação. **2.** Martelo justificador. **Bloco de navalhas.** *Tip.* Conjunto de duas lâminas ajustáveis ao corpo desejado, entre as quais se aparam as costelas da linha-bloco, ao sair do molde da linotipo para o galeão; bloco de facas, caixa de navalhas. **Bloco de ranhuras.** *Tip.* Bloco metálico com ranhuras diagonais onde correm unhas que prendem os clichês em qualquer posição, para imprimir. **Bloco errático.** *Geol.* Bloco transportado, geralmente pelos gelos, a grande distância do ponto de origem. **Bloco oscilante.** *Geogr.* Matacão ou fragmento de rocha de grandes proporções, que se encontra numa encosta, em equilíbrio instável; bloco suspenso. **Bloco sistemático.** *Tip.* Bloco (7) formado pela reunião de peças metálicas ciceradas, a fim de se adaptar a diferentes tamanhos de clichês. **Bloco suspenso.** *Geogr.* Bloco oscilante. **Bloco vulcânico.** *Geol.* Grande massa rochosa de forma irregular, projetada por um vulcão. **Botar o bloco na rua.** *Bras. Pop.* **1.** V. *morrer* (1). **2.** Agir com franqueza, com objetividade; tomar providências decisivas. **Em bloco.** Em conjunto: por grosso; sem minucioso exame: *Considerou a questão em* b l o c o.

bloco-diagrama. *S. m.* Representação gráfica do relevo de uma região, em relação com a sua estrutura. [Pl.: *blocos-diagramas* e *blocos-diagrama.*]

bloco-matriz. *S. m. Tip.* V. *bloco de gaveta.* [Pl.: *blocos-matrizes* e *blocos-matriz.*]

blondeliano. *Adj. Filos.* **1.** Pertencente ou relativo a Maurice Blondel, filósofo francês (1861-1949), ou próprio dele. **2.** Que é partidário do blondelismo. ● *S. m.* **3.** Partidário dele.

blondelismo. *S. m. Hist. Filos.* Sistema de Maurice Blondel [v. *blondeliano*], que se constrói pela reflexão em torno do conceito de ação, visando expressamente à determinação das relações entre o pensamento e a ação, e ao estudo das relações entre a ciência e a fé.

bloqueado. [Part. de *bloquear.*] *Adj.* **1.** Fechado com bloqueio. **2.** *Psiq.* Que sofre de bloqueio (5).

bloqueador (ô). *Adj.* **1.** Que bloqueia; bloqueante. ● *S. m.* **2.** Aquele que bloqueia.

bloqueante. *Adj. 2 g.* Bloqueador (1).

bloquear. [Do fr. *bloquer.*] *V. t. d.* **1.** Pôr bloqueio a; cercar, sitiar. **2.** Impedir o movimento ou a circulação de. **3.** Obstar, dificultar, impedir: *Árvores caídas* b l o q u e a v a m *a passagem.* **4.** *Med.* e *Psiq.* Causar bloqueio (4 e 5) a. [Conjug.: v. *frear.*]

bloqueio. [Dev. de *bloquear.*] *S. m.* **1.** Cerco ou operação militar com que se procura cortar a uma praça ou a um porto as comunicações com o exterior. **2.** Interrupção no desenvolvimento de algo. **3.** *Eletrôn.* Numa válvula de vácuo, corte da corrente de placa por uma polarização negativa conveniente da grade. **4.** *Med.* Interrupção da condutibilidade de uma via nervosa. **5.** *Psiq.* Parada súbita na execução de um ato ou de um gesto, ou na emissão de uma palavra, ou detenção súbita e transitória do curso do pensamento, sem comprometimento intelectual ou sensorial, sintoma freqüente em certas doenças mentais, especialmente na esquizofrenia. **6.** *Esport.* No voleibol: parede de mãos erguidas pelos jogadores para tentar neutralizar o ataque adversário. **7.** *Bras., CE. Fig.* Cota pecuniária para qualquer festividade. **8.** *Bras., CE. P. Ext.* Cota de

pagamento do baralho, em jogo de cartas.
bloquista. *S. 2 g. Art. Gráf.* Gráfico que se ocupa na confecção de blocos e talões de papel; taloneiro.
➡**blow up** (blôu ap). [Ingl.] Ampliação de fotografia.
➡**blue chip** (blu tchip). [Ingl.] *Fin.* Ação de firma confiável, de rentabilidade segura.
➡**blues** (bluç). [Ingl.] *S. m.* **1.** Canção popular dos negros norte-americanos, em tom menor, e de caráter melancólico e andamento lento. **2.** Modalidade de foxtrote [q. v.] de andamento lento, surgida no fim da década de 20; *fox-blue.*
blumenauense. *Adj. 2 g.* **1.** De, ou pertencente ou relativo a Blumenau (SC). ● *S. 2 g.* **2.** Natural ou habitante de Blumenau.
blusa. [Do fr. *blouse*] *S. f.* **1.** Veste larga, com ou sem mangas ou gola, usada por operários, colegiais, médicos, artistas, etc.; bata, avental. **2.** Espécie de camisa de feitios diversos, usada por baixo ou por cima da saia, calça, *shorts,* etc. **3.** Parte superior da indumentária feminina que vai dos ombros até a cintura. **4.** Jaqueta de seda, de cores vivas, usada pelos jóqueis nas corridas.
blusão. [Aum. de *blusa.*] *S. m.* Camisa esporte folgada, usada em geral por fora da calça ou da saia.
boa[1] (ô). *S. f.* **1.** Designação pela qual eram outrora conhecidas as espécies de jibóia, todas incluídas no gênero *Boa* Linnaeus: "Um tigre a dormitar, com a língua rubra o pêlo / De veludo lustrando, ou, em calma, um novelo / De b o a s, digerindo o touro devorado..." (Olavo Bilac, *Poesias,* p. 104); "Vezes algumas, / sinto, meu belo ausente, os teus abraços, / como b o a s de plumas, / contornarem-me o busto atando-me em seus laços." (Gilca Machado, *Mulher Nua,* p. 38). [Esta designação continua sendo usada genericamente no estrangeiro.] **2.** *Bras.* V. *ararambóia.* **3.** *Bras.* Cobra-de-veado (2).
boa[2] (ô). [Do lat. *bona.*] *Adj. (f.)* **1.** Fem. de bom. **2.** *Gír.* Diz-se de mulher de físico provocante; boazuda. ● *S. f.* **3.** *Fam. Irôn.* Situação embaraçosa, complicada, confusa, arriscada: *Meteu o amigo em* b o a; *Vai-se meter em* b o a; *Envolveu-se em* b o a; *Livrou-se de* b o a. **4.** Mulher boa (2); boazuda. **5.** *Irôn.* Situação difícil, complicada ou penosa. **6.** *Bras., RJ. Pop.* V. *cachaça* (1). **7.** *Bras., SP* a *RS.* Na víspora, a partida final, que se joga como última esperança para quem perdeu. ~ V. *boas.* ◆ **Escapar de boa.** Fugir de situação difícil. **Fazer uma boa. 1.** Pregar uma peça. **2.** Fazer algo que prejudique ou desagrade (a outrem). **Numa boa.** *Bras. Pop.* e *fam.* Numa situação em que se experimenta grande prazer; em situação vantajosa deste ou daquele ponto de vista, particularmente feliz.
boá. [Do fr. *boa.*] *S. m.* Estola (2) de plumas, estreita e comprida, usada pelas mulheres em volta do pescoço.
boaba. [De *emboada,* com aférese.] *Adj. 2 g.* e *s. 2 g. Bras., SP, PR* e *RS.* Boava [q. v.].
boaço. [De *bom.*] *Adj. Prov. port.* Diz-se do tempo agradável.
boa-esperancense. *Adj. 2 g.* **1.** De, ou pertencente ou relativo a Boa Esperança do Sul (SP). ● *S. 2 g.* **2.** Natural ou habitante de Boa Esperança do Sul. [Pl.: *boa-esperancenses.*]
boa-fé. [De *boa*[2] + *fé.*] *S. f.* **1.** Certeza de agir com o amparo da lei, ou sem ofensa a ela. **2.** Ausência de intenção dolosa. **3.** Sinceridade, lisura: "A vida tem necessidades que você desconhece, na sua b o a - f é de rapaz" (Luís de Magalhães, *O Brasileiro Soares,* p. 15). [Var., ant.: *bofé.*] [Pl.: *boas-fés.*] ◆ **À boa-fé.** Com toda a franqueza; em verdade; certamente.
boana. *S. f.* **1.** Tábua delgada; casquinha. **2.** Cardume de peixes miúdos.
boanari. *Bras. S. 2 g.* **1.** Indivíduo dos boanaris, tribo indígena do rio Urupês (AM). ● *Adj. 2 g.* **2.** Pertencente ou relativo a essa tribo.
boança. *S. f. Ant.* Bonança.
boane. *Bras. S. 2 g.* **1.** Indivíduo dos boanes, tribo indígena da região do PR e do rio da Prata. ● *Adj. 2 g.* **2.** Pertencente ou relativo a essa tribo.
boa-noite. *S. m.* **1.** Cumprimento que se dirige a alguém de noite. [Tb. se usa no pl.] ● *S. f.* **2.** *Bras.* Trepadeira ornamental da família das convolvuláceas (*Ipomea bonanox*), de flores alvas, de cálices comestíveis e frutos capsulares com sementes pretas; cipó-café, coirana, flor-do-norte. **3.** Trepadeira ruderal e ornamental da família das convolvuláceas (*Calonyction bona-nox*), de folhas amplas e cordiformes, e flores enormes, muito brancas e perfumadas, que se abrem apenas ao anoitecer, fechando-se ao clarear do dia. ~ V. *boas-noites.* [F. paral.: *boa-noute.* Pl.: *boas-noites.*]
boa-noute. *S. m.* e *f.* V. *boa-noite.* [Pl.: *boas-noutes.*]
boa-novense. *Adj. 2 g.* **1.** De, ou pertencente ou relativo a Boa Nova (BA). ● *S. 2 g.* **2.** Natural ou habitante de Boa Nova.
boa-peça. *Adj. 2 g.* e *s. 2 g.* Diz-se de, ou pessoa que tem maus costumes; vicioso, tratante. [Pl.: *boas-peças.*]
boa-pinta. *Adj. 2 g.* e *s. 2 g. Bras. Pop.* Diz-se de, ou pessoa elegante, bem-posta, que causa boa impressão: "um italiano alegre e b o a - p i n t a" (Antônio Celso Alves Pereira, *Rua do Quenta-Sol,* p. 45). [Pl.: *boas-pintas.*]
boa-praça. *Adj. 2 g.* e *s. 2 g. Bras. Fam.* e *pop.* **1.** Diz-se de, ou pessoa boa, agradável, simpática, comunicativa: "As famílias européias fecharam-se em copas, ante o convite: ou não lhes agrada o noivo fotógrafo, aliás b o a - p r a ç a, ou qualquer coisa nos Windsor não lhes apraz." (Carlos Drummond de Andrade, *A Bolsa & a Vida,* p. 170.) **2.** Barra-limpa. [Pl.: *boas-praças.*]
boar. *V. int. Arc.* Voar. [Conjug.: v. *coroar.*]
boas (ô). [Pl. substantivado de *boa*[2] (1).] *El. s. f. pl.* Us. na loc. adv. *às boas.* ~V. *boa.* ◆ **Às boas.** Amigavelmente, pacificamente. **Às boas com.** Em relações amistosas com; de bem com. **Vir às boas.** Falar em tom amistoso para resolver questão pendente, depois de haver apelado para a violência.
boas-entradas. *S. f. pl.* Cumprimentos e felicitações por ocasião do princípio do ano.
boas-festas. *S. f. pl.* Cumprimentos e felicitações por ocasião do Natal ou do ano-bom.
boas-noites. *S. m. pl.* **1.** Boa-noite (1). ● *S. f. pl.* **2.** Erva ruderal e ornamental da família das apocináceas (*Lochnera rosea*), muito dispersa no Brasil, de folhas oblongas, moles e pilosas, flores vistosas, alvas ou róseas, com folículos compridos e finos. Encerra vários alcalóides e é muito tóxica. [F. paral.: *boas-noutes;* sin.: *vinca.*]
boas-noutes. *S. m.* e *f. pl.* V. *boas-noites.*
boas-vindas. *S. f. pl.* Expressão de contentamento ou felicitação pela chegada de alguém.
boatar. *V. int.* Lançar ou propalar boatos.
boa-tarde. *S. f.* **1.** Círio-do-norte. **2.** V. *flor-de-cardeal.* ● *S. m.* **3.** Cumprimento que se dirige a alguém, de tarde: *Dei-lhe um* b o a - t a r d e *muito cordial.* [Tb. us. no Pl.: *boas-tardes.*]
boataria. *S. f.* Grande porção, ou difusão, de boatos: "Na cidade, a b o a t a r i a atingia o máximo. No Vesúvio, de quando em quando surgia alguém a contar mais uma novidade" (Jorge Amado, *Gabriela, Cravo e Canela,* p. 344).
boate. [Do fr. *boîte.*] *S. f.* Estabelecimento comercial, que funciona de noite e, em geral, consta de bar, restaurante, pista de dança e palco para apresentação de atrações artísticas; casa noturna: "Jantaram e resolveram ir dançar. Mendonça não foi até a b o a t e." (Osvaldo França Júnior, *Um Dia no Rio,* p. 45.)
boateiro. *Adj.* e *s. m.* Diz-se de, ou aquele que veicula boatos.
boatice. *S. f.* **1.** Mania dos boatos. **2.** V. *boato.*
boato. [Do lat. *boatu,* 'mugido ou berro de boi'.] *S. m.* Notícia anônima que corre publicamente sem confirmação; boatice, atoarda, balela, falaço, ruído, rumor, voz, zunzum, zunzunzum.
boava. [Var. de *boaba* (q. v.).] *Adj. 2 g.* e *s. 2 g.* **1.** *Bras., SP, PR* e *SC.* Diz-se de, ou qualquer indivíduo estrangeiro, especialmente o português. ● *S. m.* **2.** *Bras., SP.* Indivíduo português. V. *galego* (4). [Cf. *emboaba.*]
boa-ventura. *S. f. Desus.* V. *bem-aventurança.* [Pl.: *boas-venturanças.*]
boa-viagense. *Adj. 2 g.* **1.** De, ou pertencente ou relativo a Boa Viagem (CE). ● *S. 2 g.* **2.** Natural ou habitante de Boa Viagem. [Pl.: *boa-viagenses.*]
boa-vida. *S. 2 g. Bras.* Pessoa que, pouco afeita ao trabalho, procura viver do modo mais agradável com o mínimo de esforço: "— É um b o a - v i d a. — Um folgado." (César Coelho, *"Stripteàse" da Cidade,* p. 19.) [Pl.: *boas-vidas.*]
boa-vistense[1]. *Adj. 2 g.* **1.** De, ou pertencente ou relativo a Boa Vista (RR). ● *S. 2 g.* **2.** Natural ou habitante de Boa Vista. [Pl.: *boa-vistenses.*]
boa-vistense[2]. *Adj. 2 g.* **1.** De, ou pertencente ou relativo a São João da Boa Vista (SP). ● *S. 2 g.* **2.** Natural ou habitante de São João da Boa Vista. [Pl.: *boa-vistenses.*]
boa-vistense[3]. *Adj. 2 g.* **1.** De, ou pertencente ou relativo a Santa Maria da Boa Vista (PE). ● *S. 2 g.* **2.** Natural ou habitante de Santa Maria da Boa Vista. [Pl.: *boa-vistenses.*]
boa-vistense[4]. *Adj. 2 g.* **1.** De, ou pertencente ou relativo a São Sebastião da Boa Vista (PA). ● *S. 2 g.* **2.** Natural ou habitante de São Sebastião da Boa Vista. [Pl.: *boa-vistenses.*]
boazuda. *Adj. (f.)* e *s. f. Bras. Gír.* Boa[2] (2 e 4).
➡**bob.** [Ingl.] *S. m. Bras.* V. *rolo*[1] (11).
boba (ô). [Fem. de *bobo* (q. v.).] *S. f.* Mulher idiota ou aparvalhada. [Pl.: *bobas* (ô). Cf. *boba* e *bobas,* do v. *bobar,* e *bouba,* pl. *boubas.*]
bobagem. *S. f.* **1.** V. *bobice* (1 e 3). **2.** *Bras.* V. *asneira* (1). **3.** *Bras.* Fato ou palavra inconveniente. ◆ **De bobagem.** Sem importância; insignificante: "Anjo errado, mal caído, satãzinho à-toa. Luciferzinho de b o b a g e m!" (Gilberto Amado, *Depois da Política,* p. 209.)
bobajada. *S. f. Bras. Fam.* **1.** Chorrilho de bobagens ou bobices. **2.** Grande bobagem.
bobalhão. *S. m. Bras.* Indivíduo muito bobo, muito ridículo, ou palerma. [Fem.: *bobalhona.*]
bobalhona. *S. f. Bras.* Fem. de *bobalhão.*
bobar. *V. int. Bras., N.* e *N.E.* V. *bobear.* [Pres. ind.: *bobo, bobas, boba,* etc. Cf. *bobo* (ô) e *boba* (ô), pl. *bobas* (ô), e *bouba,* pl. *boubas.*]
bobeada. [De *bobear* + *-ada*[1].] *S. f. Bras. Fam.* Descuido, cochilo, vacilada. ◆ **Dar uma bobeada.** *Bras. Pop.* V. *dormir de touca.*
bobear. *V. int.* **1.** Fazer ou dizer bobices; portar-se como bobo. **2.** *Bras.* V. *dormir de touca.* [F. paral. (no N. e N.E.): *bobar.* Conjug.: v. *frear.* Pres. ind. *bobeio, bobeias, bobeia, bobeamos, bobeais, bobeiam.* Cf. *bobéia* e pl. *bobéias.*]
bobéia. *S. f.* **1.** Tolice, palhaçada, bobice. **2.** V. *migalha* (1 e 2). [Pl.: *bobéias.* Cf. *bobeia* e *bobeias,* do v. *bobear.*]
bobeira. [De *bobo* (ô) + *-eira.*] *S. f. Bras. Pop.* V. *asneira* (1): "Sempre esqueço o nome dos conhecidos e troco o dos amigos mais íntimos num fenômeno .... que só a loucura mesma explicaria ou então a b o b e i r a nata que Deus me deu." (Millor Fernandes, *Lições de um Ignorante,* p. 14.) ◆ **Marcar bobeira.** *Bras. Gír.* V. *dormir de touca.*
bobes. *S. m. pl. Bras., MG.* Lucro vindo de uma barganha.
bobice. [De *bobo* (ô) + *-ice.*] *S. f.* **1.** Gracejo de bobo; truanice, bobagem. **2.** V. *asneira* (1). **3.** Coisa sem importância ou supérflua; bobagem: "— Gelo... manteiga... Quanta b o b i c e inútil e dispendiosa..." (Dionélio Machado, *Os Ratos,* p. 3.)
bobiciada. *S. f. Bras.* Chorrilho de bobices.
bobina. [Do fr. *bobine.*] *S. f.* **1.** Carrinho de madeira ou de metal para enrolar fio. **2.** *Fís.* Agrupamento de espiras de um condutor elétrico, enroladas em torno de um suporte ou de um núcleo de material ferromagnético, e que, num circuito, funciona como indutor. **3.** *Art. Gráf.* Grande rolo de papel contínuo, usado nas prensas rotativas. ◆ **Bobina de campo.** *Eletr.* A que se emprega para produzir o campo magnético em motores elétricos, geradores, alto-falantes eletrodinâmicos, etc. **Bobina de convergência.** *Eletrôn.* Num tubo de televisão de três cores, cada um dos eletromagnetos que asseguram a focalização precisa do feixe eletrônico sobre os pontos sensíveis da tela. **Bobina de fi.** *Eletrôn.* Num circuito super-heteródino, transformador que é utilizado na freqüência intermediária. **Bobina de indução.** *Eletr.* Instrumento constituído, essencialmente, por dois enrolamentos sobre um núcleo de ferro e por um sistema destinado a interromper, periodicamente, a passagem da corrente em um deles, o que induz uma voltagem muito elevada no outro. **Bobina de reatância.** *Eletrôn.* Indutor inserido num circuito a fim de apresentar uma impedância relativamente alta para corrente alternada.
bobinadeira. *S. f. Ind. Pap.* V. *rebobinadeira.*
bobinado. [De *bobina* + *-ado*[1].] *S. m. Eng. Elétr.* Conjunto de condutores que formam um mesmo circuito elétrico num aparelho ou numa máquina elétrica; enrolamento.
bobinador (ô). *S. m. Ind. Pap.* Operário que bobina, que trabalha a bobinadeira.
bobinagem. *S. f. Ind. Pap.* Ato ou efeito de bobinar.
bobinão. [Aum. de *bobina.*] *S. m. Ind. Pap.* Rolo de papel bruto formado na enroladeira.
bobinar. *V. t. d. Ind. Pap.* Enrolar em bobinas (o papel), passando-o na bobinadeira.
bobinete (ê). [Do fr. *bobinette.*] *S. m.* V. *filó.*
bobinosa. *S. f. Ind. Pap.* V. *rebobinadeira.*
bobo (ô). [Do lat. *balbu,* 'gago'.] *S. m.* **1.** Aquele que, na Idade Média, divertia os reis e grandes senhores com as suas chalaças e momices; truão, maninelo. **2.** V. *tolo* (8). **3.** Arvoreta da família das compostas (*Tessaria integrifolia*), de seis a oito m, folhas lanceoladas e agudas, e cujos capítulos, cimosos, se ordenam em panículos, com uma flor hermafrodita e 30 outras femininas. **4.** *Bras., RS.* Ave procelariforme, da família do procelarídeos (*Puffinus puffinus* (Brün.)), que ocorre

no Atlântico, desde o mar Ártico até as costas meridionais do Brasil, de coloração que vai do preto ao plúmbeo-acinzentado na parte superior, e branca na região ventral. Alimenta-se de peixes. **5.** *Bras., RJ. Gír.* Relógio (1). ● *Adj.* **6.** V. *tolo* 1 a 3) **7.** *Bras.* Sem importância; insignificante: *É apenas uma operaçãozinha boba.* **8.** *Bras., S.* Diz-se do cavalo há pouco domado, que ainda não obedece bem aos freios. [Flex.: *boba* (ô), *bobos* (ô), *bobas* (ô). Cf. *bobo, boba* e *bobas,* do v. *bobar,* e *bouba,* s. f., pl. *boubas.*]

bobó¹. [Do fongbê *bovô.*] *S. m.* **1.** *Bras.* Comida africana feita com feijão mulatinho e azeite-de-dendê, servida com inhame ou aipim. **2.** *Bras.* V. *arrebenta-cavalo.* **3.** *Bras., AM.* O bofe do gado posto à venda. **4.** *Bras., MA.* Vinagreira batida com quiabo. **5.** *Bras., BA.* Começo de gravidez. ◆ **Bobó de camarão.** *Bras. Cul.* Camarão refogado ao qual se adiciona leite de coco, azeite-de-dendê e um creme feito de aipim refogado.

bobó². [De *bobo* (ô).] *S. m.* **1.** *Bras., BA.* V. *barrigudinho* (1). **2.** *Bras., S.* V. *tolo* (8).

boboca¹. *Adj. 2 g.* e *s. 2 g. Bras.* Diz-se de, ou pessoa muito boba, muito tola. V. *tolo* (1 a 3 e 8).

boboca². [De *bobo,* com suf. pejorativo.] *S. f. Bras., N.* V. *biboca* (2).

boburé. *Bras. S. 2 g.* **1.** Indivíduo dos boburés, tribo indígena das cachoeiras do rio Tapajós. ● *Adj. 2 g.* **2.** Pertencente ou relativo a essa tribo.

boca (ó). [De *bocar.*] *Interj.* Voz com que se chamam cães para que apanhem qualquer objeto com a boca¹ (ô) (1). [Cf. *boca* (ô).]

boca¹ (ô). [Do lat. *bucca.*] *S. f.* **1.** Cavidade na parte inferior da face (ou da cabeça), entrada do tubo digestivo, pela qual os homens e outros animais ingerem os alimentos, e que se comunica com a orofaringe. **2.** A parte exterior desta cavidade, constituída pelos lábios: *Deu-lhe um beijo na boca.* **3.** Qualquer abertura ou corte que dê idéia de boca (1). **4.** Extremidade inferior da calça, por onde passam as pernas. **5.** Abertura no tampo do fogão, por onde a panela ou outro recipiente fica em contato com o fogo. **6.** Abertura de garrafa, frasco, etc.; bocal. **7.** Abertura do saco. **8.** Recorte numa aresta; mossa. **9.** Entrada; princípio: *boca do túnel.* **10.** Entrada de rua. **11.** Barra (de rio ou de baía); foz, embocadura: "Para a defesa do Amazonas, quer nas suas *bocas*, quer no seu curso, não é de fortalezas que mais carecemos" (Tavares Bastos, *O Vale do Amazonas,* p. 49). **12.** Garganta que dá acesso a um planalto. **13.** *Fam.* Pessoa que come: *Tinha em casa cinco bocas para alimentar.* **14.** Abertura do tubo ou do cano da arma de fogo por onde sai a bala. **15.** *Const. Nav.* A maior largura de casco (da embarcação). **16.** *Const. Nav.* A largura (de qualquer seção transversal) do casco da embarcação. **17.** *Tip.* Chapa que fecha o cachimbo do crisol da linotipo e através de cujos furos o chumbo se projeta no molde. **18.** *Tip.* Abertura do cilindro das prensas planocilíndricas, onde se prende o revestimento e funcionam as pinças. **19.** *Bras., N.E.* V. *calote.* [Pl.: *bocas* (ô). Aum.: *bocaça, bocarra, boqueirão.*] ● *Interj.* **20.** Silêncio. [Cf. *boca,* interj., e *boca, bocas,* do v. *bocar.*] ◆ **Boca da noite.** O princípio da noite, o anoitecer; à boca da noite, à boquinha da noite. **Boca da serra.** *Bras., S.* Desfiladeiro ou garganta que dá acesso ao planalto. **Boca de cena.** A parte anterior do palco de um teatro, próxima da platéia. **Boca de sertão.** *Bras., SP.* Cidade, ou simples povoado, que antecede uma região não desbravada. **Boca do estômago.** *Pop.* Parte externa e anterior do corpo, correspondente à cárdia. **À boca da noite.** V. *boca da noite.* **À boca fechada.** *Mús.* Suprimindo a pronúncia de palavras e emitindo os sons através dos lábios fechados, para imitar instrumentos. **À boca miúda.** V. *à boca pequena:* "Como se de repente .... descobrisse que era reparado atentamente na cidade e que se comentava e se maldava *à boca miúda* e às escâncaras o seu comportamento, Emílio Amorim caiu das nuvens" (Autran Dourado, *As Imaginações Pecaminosas,* p. 51). **À boca pequena.** Em voz baixa, às caladas, em surdina, em segredo; à boca miúda: "Fora, no salão mais próximo, D. Pulquéria Dias, levada pelo arrastamento da festa, dava grandes risadas, ouvindo de uma dama bisbilhoteira anedotas e aventuras picarescas de certa senhora, de quem já se falava *à boca pequena.*" (Afonso Arinos, *Pelo Sertão,* p. 149.) **Abrir a boca.** Falar (1), dizer: *Expliquei-lhe a razão da minha insistência, mas ele não abriu a boca.* **Bater boca.** *Bras.* Discutir, altercar. **Botar a boca no mundo.** Dar gritos; gritar, bradar; pôr a boca no mundo: "Um hóspede do quarto contíguo *botara a boca no mundo* a berrar loucamente: 'Socorro! .... O homem matou a mulher!'" (Mário Brandão, *Almas do Outro Mundo* p. 26.) **Botar a boca no trombone.** *Bras. Pop.* **1.** Denunciar, delatar: *Botou a boca no trombone sobre a negociata.* **2.** Reclamar, protestar. **Com a boca na botija.** Em flagrante na prática de ato ilícito: *pegar, apanhar, surpreender com a boca na botija.* **De boca.** Sem comprovação por escrito; oralmente: *Tratou de boca a nova secretária.* **De boca aberta.** Muito surpreendido; espantado, pasmado: *O desquite do amigo deixou-o de boca aberta.* **De boca suja.** Dado a usar palavrões; desbocado: "O banqueiro Celestino dissera cada uma de arrepiar, eta português *de boca suja*" (Jorge Amado, *Dona Flor e Seus Dois Maridos,* p. 327). **Duro de boca.** *Bras.* Diz-se do eqüídeo que não obedece bem ao freio, obrigando o cavaleiro a usar de força; duro de queixo. **Fazer boca de pito.** Beber ou comer algo antes de fumar como que para aumentar o desejo de fazê-lo. **Pôr a boca no mundo.** Botar a boca no mundo: "eu tentava conter as crianças. Eliana se agarrava às pernas da mesa e os dois bebês, despejados do berço, *punham a boca no mundo*, rolando de cá para lá." (Fernando Sabino, *O Gato Sou Eu,* p. 9). **Quebrado da boca.** **1.** *Bras., N.E.* V. *quebrado* (6). **2.** *Bras., RS.* Diz-se do cavalo que, por muito sensível de boca, à menor pressão do freio ergue desordenadamente a cabeça, perturbando-se no andar. **Ser de boa boca.** *Bras.* Ter boa boca. **Tapar a boca.** Calar-se. **Ter boa boca.** Gostar de qualquer alimento, de tudo; ser de boa boca. **Ter má boca.** Ser biqueiro.

boca² (ô). *S. f. Bras. Gír.* F. red. de *boca-de-fumo.* [Pl.: *bocas* (ô). Cf. *boca,* interj., e *boca, bocas,* do v. *bocar.*]

boca³ (ô). *S. 2 g. Bras.* **1.** Indivíduo dos bocas, tribo indígena do PA. ● *Adj. 2 g.* **2.** Pertencente ou relativo a essa tribo. [Pl.: *bocas* (ô). Cf. *boca,* interj., e *boca, bocas,* do v. *bocar.*]

boça. [Do fr. ant. *boce,* modernamente *bosse.*] *S. f. Marinh.* **1.** Designação genérica de cabo ou corrente destinados a prender ou segurar certos objetos a bordo, ou outros cabos, amarras, etc. **2.** Cabo destinado a amarrar embarcação miúda no pau de surriola, em bóia ou em outro lugar. [Cf. *bossa* e *bouça.*]

boca-aberta. [De *boca*¹ (ô) + o fem. de *aberto.*] *S. 2 g.* **1.** Pessoa que se surpreende com tudo; palerma. **2.** Pessoa indolente e sem cuidados. [Pl.: *bocas-abertas.*]

boca-acriano. *Adj.* **1.** De, ou pertencente ou relativo a Boca do Acre (AM). ● *S. m.* **2.** O natural ou habitante de Boca do Acre. [Pl.: *boca-acrianos.*]

bocaça. [Aum. de *boca.*] *S. f.* V. *bocarra* (1).

bocada. *S. f.* **1.** Boca de saco, nos aparelhos de pesca de arrastar para a terra. **2.** *Bras.* Mordedura, mordedela, mordidela. **3.** V. *bocado* (1).

boca-d'água. *S. m. Bras., PA.* V. *sauá.* [Pl.: *bocas-d'água.*]

boca-de-barro. *S. m. Bras.* Inseto himenóptero, apoídeo, da família dos meliponídeos (*Melipona pallida* Linnaeus), que costuma nidificar em cupins abandonados e em ocos de árvores, sendo a boca do ninho construída com barro; tibuna, tubuna. [Pl.: *bocas-de-barro.* Cf. *abelha-de-cupim.*]

boca-de-cano. *S. f. Bras., PE* e *AL. Pop.* Negócio vantajoso; pechincha. [Pl.: *bocas-de-cano.*]

boca-de-dragão. *S. f.* Designação comum a diversas plantas orquidáceas do gênero *Epidendrum.* [Pl.: *bocas-de-dragão.*]

boca-de-favas. *S. 2 g. Lus.* Língua-de-trapos. [Pl.: *bocas-de-favas.*]

boca-de-fogo. *S. m.* **1.** Peça de artilharia. **2.** *Bras.* V. *corcoroca* (1 e 2). **3.** *Bras.* Peixe teleósteo, da família dos ciclídeos (*Acaropsis nassa* Haeckel). [Pl.: *bocas-de-fogo.*]

boca-de-forno. *S. f. Bras.* Certo brinquedo infantil. [Pl.: *bocas-de-forno.*]

boca-de-fumo. *S. f. Bras. Gír.* Ponto de venda de maconha: "Em disputa de uma *boca-de-fumo* no Morro do Castro, dois grupos armados trocaram tiros durante vários minutos" (*Jornal do Brasil,* 23.10.1981). [F. red.: *boca.* Pl.: *bocas-de-fumo.*]

boca-de-lagarto. *S. f. Bras., ilha de Marajó.* Certo sinal na orelha do gado. [Pl.: *bocas-de-lagarto.*]

boca-de-leão. *S. f. Bras.* Trepadeira ornamental, muito cultivada, da família das escrofulariáceas (*Anthirrhinum majus*), cujas flores têm larga corola carnosa, amarelada ou esverdeada e provida de dois lábios, dos quais o inferior apresenta uma abóbada que fecha no interior da corda, recordando a abóbada palatina da garganta; boca-de-lobo. [Pl.: *bocas-de-leão.*]

boca-de-lobo. *S. f.* **1.** *Marinh.* Volta empregada para encurtar um estropo ou um cabo, ou para amarrar um cabo pelo seio ou pelo chicote a um gato fixo. **2.** *Marinh.* Semicírculo ou meia braçadeira por meio da qual o pé da carangueja ou da retranca se apóia ao mastro. **3.** *Marinh.* Cavado semicircular feito na parte média da telha de uma verga, e pelo qual ela se apóia ao mastro. **4.** *Bras.* Boca-de-leão. **5.** *Bras., MA* e *SP.* Bueiro (3). **6.** A tampa grelhada dos bueiros. [Pl.: *bocas-de-lobo.*]

boca-de-moela. *Bras. Pop. S. f.* **1.** Boca desdentada. ● *S. 2 g.* **2.** Pessoa que a tem. [Pl.: *bocas-de-moela.*]

boca-de-sapo. *S. f. Bras.* **1.** Erva da família das gencianáceas (*Dejanira erubescens*), que vive nos cerrados, de folhas decussadas, arredondadas e perfolhadas flores especiosas, tubulosas, róseas ordenadas em fascículos axilares, e cujos frutos são cápsulas pequenas. **2.** Cupira. **3.** V. *jararaca-pintada.* [Pl.: *bocas-de-sapo.*]

boca-de-sino. *Adj. 2 g.* e *2 n.* **1.** Diz-se das calças ou da manga que se vão alargando para as extremidades, num formato que lembra o do sino. ● *S. f.* **2.** Manga ou calça boca-de-sino. **3.** *Bras., N.* e *N.E. Ant.* Bacamarte de boca larga. [Pl. do s. f.: *bocas-de-sino.*]

boca-de-siri. *S. f. Bras. Fam.* **1.** Silêncio; discrição; reserva: *Contou a novidade, mas recomendou boca-de-siri.* [Pl.: *bocas-de-siri.*] ● *Interj.* **2.** Serve para pedir silêncio, discrição. ◆ **Fazer boca-de-siri.** *Bras. Fam.* Calar-se, silenciar-se, sobre determinado assunto.

boca-de-velha. *S. f.* **1.** *Bras., N.* Árvore da família das hipocrateáceas (*Salacia grandiflora*), de frutos drupáceos, globosos, amarelos, comestíveis e flores em fascículos; uaimirijuru, uaimiury, saputá. **2.** *Bras., ES.* V. *corcoroca* (1 e 2). [Pl.: *bocas-de-velha.*]

bocadinho. [Dim. de *bocado.*] *S. m.* **1.** Breve espaço de tempo; pouco tempo: *Ele chega daqui a bocadinho; Saiu há bocadinho.* **2.** Pequeno pedaço ou porção. [Var. (bras., pop.): *poucadinho* (q. v.).] ◆ **Um bocadinho de.** Um pouquinho, um poucochinho de: *Sabe um bocadinho de grego.*

bocado. *S. m.* **1.** Porção de alimento que se leva de uma vez à boca. [Sin. (bras.): *bocada, biró.*] **2.** Pedaço, porção. **3.** Pequena quantidade de qualquer coisa. **4.** Intervalo de tempo. **5.** Parte do freio que fica dentro da boca da cavalgadura; bocal. **6.** Passadio, sustento.

boca-do-lixo. *S. f. Bras.* Zona onde, numa cidade, se aglomeram marginais, prostitutas, viciados e traficantes de entorpecentes. [Pl.: *bocas-do-lixo.*]

bocagem. *S. f.* **1.** *Pop.* V. *palavreado* (1 e 2). **2.** *Bras.* Palavra imoral; palavrão.

bocagiano. *Adj.* **1.** Pertencente ou relativo a Manuel Maria Barbosa du Bocage, poeta português (1765-1805), ou próprio dele. ● *S. m.* **2.** Grande admirador e/ou profundo conhecedor da obra de Bocage.

bocaina. *S. f.* **1.** *Bras.* Depressão numa serra. **2.** Vale ou canhada entre duas elevações do terreno. **3.** *Bras., S.* Entrada de canal ou de rio. **4.** *Bras., AM.* Braço de água ou furo que liga um lago a um igarapé. **5.** *Bras., MA.* Baía ampla e profunda.

bocainense¹. *Adj. 2 g.* **1.** De, ou pertencente ou relativo a Bocaina (SP). ● *S. 2 g.* **2.** Natural ou habitante de Bocaina.

bocainense². *Adj. 2 g.* **1.** De, ou pertencente ou relativo a Bocaina de Minas (MG). ● *S. 2 g.* **2.** Natural ou habitante de Bocaina de Minas.

bocaiú. *Bras. S. 2 g.* **1.** Indivíduo dos bocaiús, primitivos habitantes de Pomba (MG). ● *Adj. 2 g.* **2.** Pertencente ou relativo a eles.

bocaiúva. [Do tupi.] *S. f. Bras.* **1.** Palmeira (*Acrocomia mokayayba*) encontrada em MT, dotada de frutos drupáceos globosos, comestíveis, e espique de até 7 m de altura; mocajaíba. **2.** Palmeira (*Acrocomia odorata*), encontrada em MT, de frutos drupáceos doces, e caule liso e fino; bocaiúva-de-são-lourenço, bocaiúva-dos-pantanais. **3.** V. *coco-de-catarro.*

bocaiúva-de-são-lourenço. *S. f. Bras.* V. *bocaiúva* (2). [Pl.: *bocaiúvas-de-são-lourenço.*]

bocaiúva-dos-pantanais. *S. f. Bras.* V. *bocaiúva* (2). [Pl.: *bocaiúvas-dos-pantanais.*]

bocaiuvense¹. *Adj. 2 g.* **1.** De, ou pertencente ou relativo a Bocaiúva (MG). ● *S. 2 g.* **2.** Natural ou habitante de Bocaiúva.

bocaiuvense². *Adj. 2 g.* **1.** De, ou pertencente ou relativo a Bocaiúva do Sul (PR). ● *S. 2 g.* **2.** Natural ou habitante de Bocaiúva do Sul.

bocal. [De *boca*¹ (ô) + *-al.*] *S. m.* **1.** Abertura de vaso, candeeiro, frasco, castiçal, etc. **2.** Betilho. **3.** Bocado (5). **4.** Punho de casaco ou casaca. **5.** *Arquit.* Muro ou mureta que serve de parapeito à volta de poços e cisternas. **6.** *Mús.* Peça móvel, em forma de pequeno funil, ordinariamente de metal, que serve de embocadura a certos instrumentos de sopro (corneta, trompete, trompa, trombone, tuba, etc.). **7.** *Mús.* Parte inferior dos tubos do órgão, onde se produz o som. **8.** *Bras., RS.*

Peça oca, de metal ou de couro, na qual se introduz o loro do estribo. **9.** Tubo curto que se adapta a orifício feito em um reservatório, e destinado a regularizar um jacto de água.

boçal. [Do lat. vulg. *bucceu, der. de *bucca*, 'bochecha', + *-al*.] *Adj. 2 g.* **1.** Estúpido, rude, grosseiro; ignorante. **2.** *Bras.* Dizia-se do escravo negro ainda não ladino [q. v.], recém-chegado da África e desconhecedor da língua do país; caramutanje. ● *S. m.* **3.** Escravo boçal; negro-novo, caramutanje. [Cf. *buçal*.]

boçalidade. *S. f.* **1.** Qualidade de boçal (1). **2.** Procedimento ou dito de indivíduo boçal (1).

boca-lisa. *S. f. Bras.* V. *bagre-branco* (1). [Pl.: *bocas-lisas*.]

boca-livre. [De *boca*[1] (ô) + *livre*.] *S. 2 g. Bras. Pop.* **1.** Reunião de entrada livre e na qual se servem comidas e bebidas. **2.** *P. ext.* Utilização fraudulenta ou abusiva dos serviços públicos, ou de benefícios outros. [Pl.: *bocas-livres*.]

boca-mole. *S. m. Bras.* V. *gorete*. [Pl.: *bocas-moles*.]

boca-negra. *Bras. S. 2 g.* **1.** Indivíduo dos bocas-negras, tribo indígena da bacia do Madeira. ● *Adj. 2 g.* **2.** Pertencente ou relativo a essa tribo. [Pl.: *bocas-negras*.]

boca-preta. *S. m.* **1.** *Bras.* V. *macaco-de-cheiro*. **2.** *Bras., MA.* V. *feijão-fradinho*. [Pl.: *bocas-pretas*.]

bocar. *V. t. d.* Abocar (1 a 3). [Conjug.: v. *trancar*. Pres. ind.: *boco, bocas, boca*, etc. Cf. *boca* (ô), pl. *bocas* (ô), e *boco* (ô).]

boçarda. *S. f. Constr. Nav.* Cada uma das peças cravadas horizontalmente, pela parte interna do costado, junto à roda de proa, ao cadaste ou ao painel de proa, a fim de reforçar nessas partes a estrutura do casco da embarcação.

bocardo. *S. m. Lóg.* Tipo de silogismo da terceira figura aristotélica.

boca-rica. [De *boca*[1] (ô) + o fem. de *rico*.] *S. 2 g. Bras. Pop.* Pessoa que tem muito dinheiro. [Pl.: *bocas-ricas*.]

boca-rota. [De *boca*[1] (ô) + o fem. de *roto* (ô).] *Adj. 2 g.* e *s. 2 g.* Boquirroto. [Pl.: *bocas-rotas*.]

bocarra. *S. f.* **1.** Boca muito grande ou muito aberta; bocaça, boqueirão: "Tigres e leões de b o c a r r a s escancaradas mostram as presas agudas, rosnando." (Leo Vítor, *Círculo de Giz*, p. 136.) **2.** *Bras.* V. *saicanga* (1).

boca-torta. *S. f. Bras.* **1.** V. *gorete*. **2.** *Bras., BA.* V. *oveva*. [Pl.: *bocas-tortas*.]

bocaxim. [Do turco *bogasy*, 'entretela', por via árabe.] *S. m.* Tela engomada, para entretela; tarlatana.

bocejador (ô). *Adj.* e *s. m.* Que ou aquele que boceja.

bocejar. [De *boca* (ô) + *-ejar*.] *V. int.* **1.** Dar bocejos, oscitar, boquejar. **2.** Abrir a boca em sinal de aborrecimento ou de tédio; oscitar, boquejar: *Todos os presentes b o c e j a v a m, ao final das duas horas de conferência. T. d.* **3.** Proferir por entre bocejos, ou com aborrecimento: *b o c e j o u que não pretendia sair àquela hora.* [Conjug.: v. *pelejar*.]

bocejo (ê). [Dev. de *bocejar*.] *S. m.* Abrimento espasmódico da boca, com aspiração seguida de expiração prolongada do ar; oscitação.

bocel. [Do fr. ant. *bosel*.] *S. m. Arquit.* **1.** Moldura estreita, em meia-cana, de diversas aplicações, entre elas o envolvimento da parte inferior de fustes de colunas. **2.** Parte do piso de um degrau que se projeta cerca de três centímetros além da face do espelho. [Pl.: *bocéis*.]

bocelão. [Aum. de *bocel*.] *S. m.* Moldura larga, com a mesma forma ou o mesmo perfil do bocel.

bocelar. *V. t. d.* **1.** Ornar com bocéis. **2.** Dar forma de bocel a.

bocelim. [Dim. de *bocel*.] *S. m. Arquit.* V. *bocelino*.

bocelinho. [Dim. de *bocel*.] *S. m. Arquit.* V. *bocelino*.

bocelino. [Dim. de *bocel*.] *S. m. Arquit.* **1.** A parte mais delgada da coluna, na transição entre o fuste e o capitel. **2.** Moldura de pequena seção, que separa o fuste do capitel de uma coluna. [Var: *bocelim, bocelinho*.]

boceta (ê). [Do provenç. *boiseta*.] *S. f.* **1.** Caixinha redonda, oval ou oblonga: "B o c e t a s atochadas de pastilhas e docinhos perfumados." (Fialho d'Almeida, *Lisboa Galante*, p. 85.) **2.** Caixa de rapé: "tirou a b o c e t a de rapé, demorou-se com ela na mão, levando, um pouco trêmulo, dois dedos da areia-preta às ventas." (Agripa Vasconcelos, *Fome em Canaã*, p. 96). **3.** *Bras.* Certo aparelho de pesca. **4.** *Bras. Chulo.* V. *vulva*. ♦ **Boceta de Pandora.** *Fig.* A origem de todos os males.

boceta-de-mula. *S. f. Bras.* Árvore da família das esterculiáceas (*Sterculia pruriens*), da floresta pluvial, de folhas muito grandes, flores pequenas, e cujo fruto é um grande folículo lenhoso e arredondado, com três a cinco sementes negras, que encerram 16% de um óleo amarelo e se acham recobertas de pêlos ruivos muito irritantes para a pele; tacacazeiro. [Pl.: *bocetas-de-mula*.]

bocete (ê). [Do fr. *bossette*.] *S. m.* **1.** Peça de metal com o feitio de cabeça de prego. **2.** Ornato feito nas interseções das nervuras dos tetos artesoados; florão.

boceteira. *S. f. Bras., PE. Ant.* Vendedora ambulante de miudezas e rendas, acomodadas em bocetas [v. *boceta* (1)].

bocetinha. [Dim. de *boceta*.] *S. f. Bras., PE, AL, SE* e *BA. Deprec.* V. *piranha* (4).

bocha. [Do esp. plat. *bocha*.] *S. m. Bras., S.* **1.** Jogo em que cada parceiro, com três bolas de madeira, as atira a certa distância, tentando aproximá-las tanto quanto possível de outra, pequena, denominada *chico* ou *bolim*. **2.** A bola usada nesse jogo.

boche[1]. [Do fr. *boche*.] *Adj.* e *s. m. Deprec.* V. *alemão* (1 e 2). [Cf. *boxe*.]

boche[2]. *El. s. m.* Us. na loc. adv. *a boche*. [Cf. *boxe*.] ♦ **A boche.** *Bras., RS.* Em grande quantidade, ou intensidade; à beça.

bochecha (ê). *S. f.* **1.** A parte mais saliente de cada uma das faces. **2.** *Mar.* Parte curva do costado na proa, desde a linha-d'água até o convés principal; amura. **3.** *Bras., CE. Pop.* Logro, burla, intrujice. ♦ **Entrar de bochecha.** *Bras. CE. Pop.* Entrar sem pagar ingresso, de carona. **Nas bochechas de.** Na presença de (alguém); na cara de; nas barbas de, nas ventas de.

bochechada. *S. f.* **1.** Bochecho (1). **2** Bochechão.

bochecha-de-velho. *S. f. Bras. AM.* Cipó da família das hipocrateáceas (*Salacia polyanthomaniaca*), de flores insignificantes e dispostas em cimeiras axilares, e cujos frutos são bagas amarelas, triloculares, que contêm uma polpa branca e sem gosto. [Pl.: *bochechas-de-velho*.]

bochechão. *S. m.* Palmada na face ou na bochecha; bochechada.

bochechar. *V. t. d.* **1.** Agitar (líquido com ação medicamentosa, ou sem ela) na boca, movimentando as bochechas: "B o c h e c h o u a água e borrifou-a em volta, com gosto." (Moreira Campos, *Portas Fechadas*, p. 13.) *V. Int.* **2.** Agitar na boca, movimentando as bochechas, líquido com ação medicamentosa, ou sem ela: "apanhou o vidro de água-de-colônia, derramou algumas gotas num copo com água, b o c h e c h o u, gargarejou" (Diná Silveira de Queirós, *As Noites do Morro do Encanto*. p. 197). [Conjug.: v. *fechar*.]

bochecho (ê). *S. m.* **1.** Ato de bochechar; bochechada. **2.** Porção de líquido com ação medicamentosa, ou sem ela, para bochecho (1).

bochechudo. *Adj.* e *s. m.* Que ou aquele que tem bochechas [v. *bochecha* (1)] grandes.

bochinchada. *S. f. Bras., S.* Ato de promover bochinche ou conflito.

bochinche. [Do esp. plat. *bochinche*.] *S. m. Bras. S.* **1.** V. *arrasta-pé* (1). **2.** Divertimento próprio das camadas inferiores da sociedade. **3.** V. *rolo*[1] (16). [Var.: *bochincho* e *bachinche*.]

bochincheiro. [Do esp. plat. *bochinchero*.] *Adj.* e *s. m. Bras., S.* **1.** Freqüentador de bochinches [v. *bochinche* (1)]. **2.** Diz-se de, ou aquele que promove bochinches ou conflitos; desordeiro, arruaceiro.

bochincho. *S. m. Bras., S.* V. *bochinche*.

bochornal. [De *bochorno* + *-al*.] *Adj. 2 g.* **1.** Quente, calorento. **2.** Abafadiço, sufocante. [Sin. ger.: *bochornoso*.]

bochorno (ô). [Do esp. *bochorno*.] *S. m.* **1.** Ar abafadiço, sufocante. **2.** Vento quente.

bochornoso (ô). *Adj.* V. *bochornal*.

bócio. *S. m. Med.* Hipertrofia da glândula tireóide. [Sin.: *estruma* e (pop.), *papo, papeira*.]

boco (ô). [De *boca* (ô).] *S. m. Bras., RS.* Imba. [Pl.: *bocos* (ô). Cf. *boco*, do v. *bocar*.]

bocó[1]. [Alter. de *mocó*.] *S. m. Bras.* Alforje ou mala pequena de couro não curtido, ainda com o pêlo do animal, usado para guardar fumo, palha de cigarro, canivete, etc.

bocó[2]. [De *boca*[1] (ô).] *Adj. 2 g. Bras.* **1.** Acriançado, infantil. **2.** V. *tolo* (1 a 3). ● *S. 2 g.* **3.** V. *tolo* (8).

bocório[1]. [De *boca*[1] (ô) + *-ório*.] *S. m. Bras., RS.* Bate-boca, discussão forte; altercação.

bocório[2]. *Adj.* e *s. m. Bras.* Diz-se de, ou indivíduo reles, desprezível; patife.

boçoroca. [Do tupi *mboso'roka*, ger. de *mboso'roz* 'romper'.] *S. f. Bras.* Fenda cavada pelas enxurradas. [Cf. *voçoroca*.]

boçu. *S. f.* V. *buiuçu*.

bocuba. *S. f. Bras.* V. *bicuíba-de-folha-miúda*.

bocuda. [De *boca* (ô) + *-uda*.] *S. f. Bras.* Baluda.

bocué. *Bras. S. 2 g.* **1.** Indivíduo dos bocués, tribo indígena que habitou nas matas do Jequitinhonha, em MG, até fins do séc. XIX. ● *Adj. 2 g.* **2.** Pertencente ou relativo a essa tribo.

bocuiabá. *S. f. Bras.* V. *bicuíba-de-folha-miúda*.

bocuuvaçu. *S. f. Bras.* V. *bicuíba-de-folha-miúda*.

boda (ó). [Fem. de *bode*[1].]. *S. f. Bras., RS.* Mulata, mestiça. [Pl.: *bodas* (ó). Cf. *boda* (ô) e *bodas* (ô).]

boda (ô). [Do lat. *vota*, pl. de *votu*, 'promessa, voto'.] *S.f.* **1.** Celebração de casamento. **2.** Festa com que se celebra casamento. **3.** *P. ext.* Banquete, festim. [Pelo menos no Brasil, é m. us. no pl. Cf. *boda* (ó), s. f., e *boda*, do v. *bodar*.]

bodar. [De *bode* (16) + *-ar*[2].] *V. int. Bras. Gír.* Ficar em estado de bode. [Pres. ind.: *bodo, bodas, boda*, etc. Cf. *boda* (ô) e *bodas* (ô).]

bodas (ô). [Pl. de *boda* (ô).] *S. f. pl.* V. *boda*. [Cf. *bodas*, do v. bodar, *bodas*, pl. de *boda*, e *jubileu*.] ♦ **Bodas de brilhante.** **1.** O 75º aniversário de casamento. **2.** Festa comemorativa desse aniversário. **Bodas de coral.** **1.** O 35º aniversário de casamento. **2.** Festa comemorativa desse aniversário. **Bodas de cristal.** **1.** O 15º aniversário de casamento. **2.** Festa comemorativa desse aniversário. **Bodas de diamante.** **1.** O 60º aniversário de casamento. **2.** Festa comemorativa desse aniversário. **Bodas de esmeralda.** **1.** O 40º aniversário de casamento. **2.** Festa comemorativa desse aniversário. **Bodas de estanho.** **1.** O 10º aniversário de casamento. **2.** Festa comemorativa desse aniversário. **Bodas de ferro.** **1.** O 65º aniversário de casamento. **2.** Festa comemorativa desse aniversário. **Bodas de madeira.** **1.** O 5º aniversário de casamento. **2.** Festa comemorativa desse aniversário. **Bodas de ouro.** **1.** O 50º aniversário de casamento. **2.** Festa comemorativa desse aniversário. **Bodas de pérola.** **1.** O 30º aniversário de casamento. **2.** Festa comemorativa desse aniversário. **Bodas de porcelana.** **1.** O 20º aniversário de casamento. **2.** Festa comemorativa desse aniversário. **Bodas de prata.** **1.** O 25º aniversário de casamento. **2.** Festa comemorativa desse aniversário. **Bodas de rubi.** **1.** O 45º aniversário de casamento. **2.** Festa comemorativa desse aniversário.

bode. *S. m.* **1.** O macho da cabra; cabrão. **2.** Caprino em geral. **3.** V. *mestiço* (3). **4.** Caixinha envernizada, em geral para guardar dinheiro. **5.** Matula, farnel. **6.** Confusão, complicação, encrenca **7.** V. *rolo*[1] (16). **8.** *Bras. Mar. G. Gír.* Segredo, mistério, de que os elementos de uma especialidade profissional procuram cercar os seus atos: *Lá vem você com b o d e, deixe disso e fale claro.* **9.** *Bras. Mar. G. Gír.* Designação comum a quatro especialidades profissionais, que se distinguem uma das outras pelo emprego de adjetivos relativos a cores: *b o d e azul, b o d e preto, b o d e verde* e *b o d e vermelho* [q. v.]. **10.** *Fig.* Homem muito feio. **11.** *Bras.* Mulato, crioulo. **12.** *Bras.* Indivíduo libidinoso; sátiro. **13.** *Bras., N.E. Pop.* V. *protestante* (6). **14.** *Pop.* Cada uma das figuras do baralho, em especial o valete. **15.** *Gír. Ant.* Mil-réis. **16.** *Bras. Gír.* Estado de sonolência provocado por droga (3), ou não. **17.** *Bras. Gír.* Situação embaraçosa, difícil, complicada ou deprimente. **18.** *Bras.* Papagaio (4) grande. ♦ **Bode azul.** *Bras. Mar. G. Gír.* Especialista em comunicações. [V. *bode* (9).] **Bode expiatório.** Pessoa sobre quem se fazem recair as culpas alheias ou a quem são imputados todos os reveses. **Bode preto.** *Bras. Mar. G. Gír.* Especialista em máquinas. [V. *bode* (9).] **Bode verde.** *Bras. Mar. G. Gír.* Especialista em hidrografia. [V. *bode* (9).] **Bode vermelho.** *Bras. Mar. G. Gír.* Especialista em armamento. [V. *bode* (9).] **Amarrar o bode.** *Bras. Fam.* **1.** Ficar de cara amarrada; ficar sério. **2.** Ficar irritado, mal-humorado. **Amarrar um bode.** *Bras. Gír.* Deprimir-se sob efeito de droga (3); entrar em fossa. **De bode amarrado.** *Bras. Fam.* Amuado, mal-humorado: *estar, andar, ficar d e b o d e a m a r r a d o.* **Fazer bode.** *Bras. Mar. G. Gír.* Fazer mistério a respeito de um assunto; esconder o jogo. **Ser do bode.** *Bras. Mar. G. Gír.* Ser da mesma especialidade. [V. *bode* (9).]

bodeco. [Dim. de *bode*.] *S. m. Bras., Amaz.* V. *pirarucu*.

bodega. [Do gr. *apothéké*, 'depósito', pelo lat. *apotheca*, com sonorização do *p*, do *t* e do *c*, e deglutinação.] *S. f.* **1.** V. *taberna* (1). **2.** *Bras.* Pequeno armazém de secos e molhados. [Sin. (no RS): *boliche*.] **3.** *Fam.* Comida grosseira e malfeita. **4.** Coisa suja; porcaria, imundície. **5.** *Bras. Gír.* Coisa insignificante, reles ou imprestável. ● *Interj.* **6.** Exprime descontentamento, irritação.

bodegão. *S. m.* Bodegueiro.

bodegueiro. *S. m.* **1.** Aquele que tem bodega (1). **2.** Aquele que freqüenta bodega. **3.** *Fig.* Indivíduo sujo, imundo, porcalhão. **4.** *Fig.* Indivíduo que não se apura no que faz. [Sing. ger.: *bodegão*.]

bodeguice. *S. f.* Bodega (3).
bodeguim. *S. m. Bras.* Bode (1) bravo.
bodejar. *V. int. Bras.* **1.** Emitir a voz (o bode). **2.** Gaguejar. **3.** Dirigir galanteios libidinosos. [Conjug.: v. *pelejar*.]
bodejo (ê). [Dev. de *bodejar*.] *S. m. Bras.* **1.** Ato de bodejar. **2.** A voz do bode.
bode-preto. *S. m. Bras.* **1.** *Pop.* V. *diabo* (2). **2.** V. *maçom* (2). [Pl.: *bodes-pretos*.]
bodiano. *S. m.* Var. de *bodião*[1].
bodião[1]. *S. m. Bras.* Designação comum aos peixes teleósteos, faringógnatos, da família dos escarídeos, especialmente os dos gêneros *Scarus* Gron, e *cryptotomus* Cope, de escamas grandes e redondas, colorido vivo e variegado, dentes fundidos uns nos outros, formando dentadura inteiriça e muito forte. Vivem junto às pedras e recifes, e alimentam-se de algas e moluscos; a carne é considerada venenosa. [Var.: *bodiano, budião, gudião*.]
bodião[2]. [Do pros. *Bodião de Escama*, de um tipo de rua, popularíssimo, que existiu no Recife na 2ª metade do séc. XIX.] *S. m. Bras., PE.* Orador empolado e asneirento.
bodião-papagaio. *S. m. Bras.* V. *bodião-vermelho*. [Pl.: *bodiões-papagaios* e *bodiões-papagaio*.]
bodião-sabonete. *S. m. Bras.* V. *bodião-vermelho*. [Pl.: *bodiões-sabonetes* e *bodiões-sabonete*.]
bodião-tucano. *S. m. Bras.* V. *bodião-vermelho*. [Pl.: *bodiões-tucanos* e *bodiões-tucano*.]
bodião-vermelho. *S. m. Bras.* Peixe teleósteo faringógnato da família dos escarídeos (*Sparisoma abilgaardi* (Bloch)), do Atlântico, de coloração variegada de vermelho e verde. Carne considerada venenosa. Alimenta-se de algas e pólipos. [Sin.: *bodião-papagaio, bodião-sabonete, bodião-tucano*. Pl.: *bodiões-vermelhos*.]
bodinho. [Dim. de *bode*.] *S. m. Bras.* V. *sebastião* (1).
bodionice. [De *bodião*[2] + *-ice*.] *S. f. Bras., PE.* **1.** Tropo bombástico. **2.** Frase disparatada, sem nexo.
bodiônico. [De *bodião*[2] + *-ico*[2].] *Adj. Bras. PE.* Bombástico, empolado, despropositado, disparatado.
bodo (ô). [Do lat. *votu*.] *S. m.* **1.** Distribuição de alimentos, roupas e dinheiro aos pobres em dia festivo. **2.** Iguaria, comida. **3.** Refeição lauta; banquete. [Pl.: *bodos* (ô).]
bodó. [Alter. de *bozó*?] *S. m. Bras., CE.* Bozó.
bodocada. *S. f. Bras.* **1.** Tiro de bodoque. **2.** *Fig.* Insinuação indireta; indireta.
bodocoense (cò). *Adj. 2 g.* **1.** De, ou pertencente ou relativo a Bodocó (PE). ● *S. 2 g.* **2.** Natural ou habitante de Bodocó.
bodoniano. *Adj.* Pertencente ou relativo a Giambattista Bodoni, impressor italiano (1740-1813), ou próprio dele.
bodoque. [Do gr. *pontikón*, i. e., *pontikón káryon*, 'noz do Ponto, avelã', atr. do ár. *bunduq*, 'avelã'.] *S. m.* **1.** *Bras.* Arco para atirar bolas de barro endurecidas ao fogo, pedrinhas, etc. **2.** Qualquer dessas bolas. **3.** *Bras.* V. *atiradeira*.
bodoqueiro. *S. m. Bras.* Atirador de bodoque.
bodoso (ô). [De *bode* + *-oso*.] *Adj. Bras.* Sujo, imundo, fedorento.
bodum. *S. m.* **1.** Exalação fétida de bode não castrado. **2.** Transpiração malcheirosa de outros animais, e também humana; catinga, xexéu, xexéu-do-mangue, inhaca, iaca. [Cf. *hircismo*.] **3.** V. *fartum* (3). **4.** V. *opilião*.
boemia. [De *boêmio* + *-ia*.] *S. f. Bras.* V. *boêmia*. [Cf. *abstemia*.]
boêmia. [Do top. *Boêmia*.] *S. f.* **1.** Vida alegre e despreocupada; vida airada. **2.** Vadiagem, pândega, estúrdia, estroinice. [F. paral.: *boemia*.]
boêmio. *Adj.* **1.** Da, ou pertencente ou relativo à Boêmia (Tcheco-Eslováquia). **2.** Que leva vida desregrada; vadio, pândego, estúrdio, estróina. **3.** Alegre e despreocupado do futuro; desambicioso: *É um artista boêmio*; **4.** Próprio de boêmio (2 e 3); *temperamento boêmio; Leva uma vida boêmia.* ● *S. m.* **5.** O natural ou habitante da Boêmia. **6.** V. *cigano* (1). **7.** Indivíduo boêmio (2 e 3). [Fem.: *boêmia*. Cf. *boemia*.]
bôer. [Do hol. *boer*.] *Adj. 2 g.* e *s. 2 g.* Diz-se de, ou sul-africano, descendente dos colonizadores holandeses da República Sul-Africana. [Pl.: *bôeres*. Cf. *africânder*.]
bofada. *S. f. Bras. N.* V. *bofetada* (1).
bofar. *V. t. d.* **1.** Lançar do bofe; golfar. **2.** Arrotar (3). **3.** Arrotar (4). *Int.* **4.** Sair às golfadas. [Cf. *bufar*.]
bofe. [Dev. de *bofar*.] *S. m. Pop.* **1.** Pulmão (1). **2.** *Bras.* Pessoa feia, sem atrativos. [Sin. (burl.): *bofélia*.] **3.** *Bras.* Meretriz de baixa classe; boi. [Cf. *meretriz*.] **4.** *Bras. Gír.* Homem (4). ~ V. *bofes*.
bofé. *Interj. Ant.* V. *à boa-fé*.
bofélia. [Cruz. de *bofe* com o antr. *Ofélia*.] *S. f. Bras. Burl.* Bofe (2).
bofes. [Pl. de *bofe*.] *S. m. pl.* **1.** A fressura dos animais. **2.** *Fig.* Gênio, caráter, índole: *pessoa de maus bofes.* **3.** *Fig. Ant.* Renda ou tira de pano franzido, pregueado ou tufado, usada como enfeite na indumentária, sobretudo em punhos e peitilhos de camisa. ~ V. *bofe*. ◆ **De maus bofes.** De maus fígados. **Ter maus bofes.** Ter maus fígados.
bofetada. [De *bofete* + *-ada*[1].] *S. f.* **1.** Tapa com a mão espalmada no rosto; tapa, lampana, panázio, peteleca. [Sin.: *caqueirada, latada* e *bofada* (bras.), *lapa* e *lapada* (lus.).] **2.** *Fig.* Insulto, injúria, afronta. ◆ **Bofetada com luvas de pelica.** Revide com fina ironia. **Bofetada sem mão.** Insulto verbal; desfeita.
bofetão. *S. m.* **1.** Grande bofetada (1). **2.** *Bras.* Furto, roubo.
bofete (é). [De *bofar* (1).] *S. m. Pop.* Bofetada leve; tabefe. [Var. pros.: *bofete* (ê). A pronúncia brasileira (ao menos a mais corrente) é *bofete* com *é* aberto. Cf. *bufete*.]
bofete (ê). *S. m. Pop.* V. *bofete* (é).
bofetear. *V. t. d.* V. *esbofetear*. [Conjug.: v. *frear*.]
bofetense. *Adj. 2 g.* **1.** De, ou pertencente ou relativo a Bofete (SP). ● *S. 2 g.* **2.** Natural ou habitante de Bofete.
boga. *S. f.* **1.** *Bras.* V. *piapara* (1). **2.** *Bras., MA* e *PI.* Canário que não serve para briga. **3.** *Bras., MA* e *PI.* Pássaro que não canta. **4.** *Bras., N.E. Pop.* V. *ânus*.
boga-lisa. *S. f. Bras.* Ferreirinha. [Pl.: *bogas-lisas*.]
bogari. [Do sânscr. *Mugdara*, atr. do concani *mogri*.] *S. m. Bras.* Arbusto trepador, da família das oleáceas (*Jasminum sambac*), cultivado em jardins pelo seu valor ornamental, e que apresenta flores compostas, caule flexuoso, e muitas flores alvas, de perfume notavelmente penetrante: "Já solta o bogari mais doce aroma" (Gonçalves Dias, *Obras Poéticas*, p. 17). [Var.: *bogarim*; sin.: *mosqueta*.]
bogarim. *S. m. Bras.* V. *bogari*: "A rosa e o bogarim, o cravo e o malmequer" (José Veríssimo, *Cenas da Vida Amazônica*, p. 343).
bogó. *S. m.* **1.** *Bras., BA.* Vaso de couro com que se tira água de cacimba. **2.** *Bras., BA* e *MG.* Copo de couro usado no jogo de dados.
bogotano. *Adj.* **1.** De, ou pertencente ou relativo a Bogotá, capital da Colômbia (América do Sul). ● *S. m.* **2.** O natural ou habitante de Bogotá.
bogue. *S. m. Bras., N.E.* V. *murro*.
boi. [Do lat. *bove*.] *S. m.* **1.** Animal mamífero, artiodáctilo, ruminante, da família dos bovídeos, pertencente ao gênero *Bos* Linnaeus. Os chifres são em par, ocos, não ramificados, permanentes. Incluem-se no gênero as raças domésticas, largamente utilizadas pelo homem. [Cf. *touro* e *vaca*.] **2.** O touro castrado usado no trabalho de carga e na alimentação. **3.** *Bras., N.E.* V. *bumba-meu-boi*. (1). **4.** *Bras.* A principal personagem animal do bumba-meu-boi [q. v.]. **5.** *Bras.* Instrumento musical feito com couro. **6.** *Bras.* Tenda rústica feita pelos barranqueiros nas coroas do rio São Francisco. **7.** *Bras.* Cobertura de canoas. **8.** *Bras.* Croque usado pelos barqueiros do rio Tocantins. **9.** *Bras. Marinh.* Lanchão. **10.** *Bras. Gír.* V. *meretriz*. **11.** *Bras., N.E..* V. *menstruação* (1). **12.** *Bras. Pop.* e *deprec.* V. *gordo* (10). **13.** *Bras., MA.* Maricas (3). [Cf. *bói*.] ◆ **Boi carreiro.** Qualquer dos bois que puxam o carro. **Boi da guia.** Animal que, em um carro de bois, faz parte da dupla dianteira. **Boi de ano.** Bovino ainda novo, porém castrado. **Boi de cambão.** Boi (1) acostumado a puxar o carro. **Boi de corte.** Boi (1) destinado ao matadouro. **Boi de lote.** *Bras.* O touro. **Boi de piranha.** *Bras.* **1.** Boi (1) que o vaqueiro faz atravessar o rio antes da boiada para saber se há ou não piranhas. **2.** *P. ext.* Pessoa que é submetida ou se submete a um sacrifício de um grupo. **Boi de quarta.** *Bras., S.* Cada um daqueles que, nos carros puxados por mais de duas juntas, vão entre os da ponta e os do coice. **Boi de sela.** *Bras., PA, BA* e *MT.* Bovino utilizado como animal de montaria; boi-cavalo. **Boi de tronco.** Boi do coice. **Boi do coice.** Animal que, num carro de bois, faz parte da dupla que se acha diretamente ligada ao veículo; boi de tronco. **Boi em pé.** Boi de corte, ainda nas invernadas. **Boi marrequeiro.** *Bras.* Boi (1) atrás do qual se esconde o caçador, para se aproximar de caça miúda (marrecos, jaçanã, etc.). **Amolar o boi.** *Bras. Fam.* Amolar (4) outra pessoa que não a que fala. **Apanhar como boi ladrão.** *Bras.* Apanhar muito. **Estar de boi.** *Bras., N.E* Estar menstruada. **Haver boi na linha.** *Fam.* Haver complicação, estranheza, problema(s); haver areia no jogo: *Este negócio não vai dar certo: há boi na linha.* [Us. correntemente com *ter* em lugar de *haver*.] **Ter boi na linha.** *Fam.* V. *haver boi na linha*. **Pegar o boi pelos chifres.** *Bras.* Enfrentar situação difícil com disposição.
bói[1]. [Do ingl. *boy*.] *S. m. Mar.* Mancebo (6). [Cf. *boi*.]
bói[2]. [F. red. de *office-boy*.] *S. m. Bras.* Contínuo (2). [Cf. *boi*.]
bóia. [Do frâncico **baukan*, 'sinal', atr. de uma var. antiga, ou dialetal, do fr. *bouée*.] *S. f.* **1.** *Mar.* Flutuador cilíndrico, esférico, cônico, etc., usado para vários fins, tais como balizamento, amarração de navios, e outros, e agüentado no seu lugar fundeado ou amarrado. **2.** Peça de material flutuante (cortiça, isopor, etc.) adaptada às redes de pesca para que não afundem. **3.** Cortiça ou outro material flutuante ligada à corda em que se apóiam aqueles que aprendem a nadar. **4.** *P. ext.* Qualquer objeto flutuante sobre a água e que auxilie a natação. **5.** Peça flutuante existente nas caixas-d'água, que serve para vedar a entrada do líquido quando o reservatório se enche. **6.** *Bras.* Etapa (1) de soldados. **7.** Comida, refeição, rancho. **8.** Grão de café chocho que sobrenada nos lavadouros. **9.** Sobra de mercadoria que não foi vendida. **10.** *Bras.* V. *xixá*. ◆ **Bóia cega.** *Náut.* Bóia empregada em balizamento e que não tem aparelho iluminativo. **Bóia luminosa.** *Náut.* Bóia empregada em balizamento e que mostra um sinal luminoso, em geral montado no topo de uma torre ou armação metálica. **Bóia salva-vidas.** *Marinh.* Objeto feito de cortiça ou de outro material de grande flutuabilidade, ou constituído de uma câmara de borracha inflável com ar ou com outro gás, e destinado a sustentar alguém à tona da água. **Bóia sonora.** *Náut.* Bóia empregada em balizamento, em local de freqüentes nevoeiros, e munida de dispositivo (apito, sino, etc.) que produz um sinal sonoro.
boiaca. *S. f.* Calda (4).
boiaçu. *S. f.* **1.** *Bras.* V. *mãe-d'água* (1). **2.** *Bras.* V. *buiuçu*. **3.** *Bras., AM.* V. *sucuri* (1).
boiada. *S. f.* Manada de bois; boiama.
boiadão. *S. m. Bras.* Boiada grande.
boiadeiro[1]. *S. m.* **1.** Tocador de boiada. **2.** Capataz de gado. **3.** *Bras.* Comprador de gado para revenda. **4.** Marchante (1). **5.** *Bras.* V. *chupim* (1).
boiadeiro[2]. [De *boiar*.] *S. m. Bras., AM.* V. *boiadouro*.
boiador (ô). *S. m. Bras., AM.* V. *boiadouro*.
boiadoiro. *S. m. Bras., AM.* V. *boiadouro*.
boiadouro. [Var. de *boiadoiro*.] *S. m. Bras., AM.* Trecho de rio, em geral remansoso, onde emergem e bóiam as tartarugas. [Var.: *boiador*; sin.: *boiadeiro*.]
bóia-fria. *S. 2 g. Bras.* **1.** Trabalhador rural sem vínculo empregatício, que presta serviços temporários e come no local de trabalho a comida, fria, que leva. **2.** *P. ext.* Pessoa que come no local de trabalho a comida que leva de casa. [Pl.: *bóias-frias*.]
boiama. *S. f.* Boiada.
boiante. *Adj. 2 g.* Que bóia; flutuante: "Embaixo, ... vê-se uma jangada de quatro paus boiantes." (Euclides da Cunha, *À margem da História*, p. 91.)
boião[1]. [Do mal. *buyong*?] *S. m.* **1.** Vaso bojudo, de barro, vidro, etc., de boca larga, usado para guardar doces, conservas, etc. **2.** *Bras.* Fogão para defumar a borracha.
boião[2]. [Aum. de *boi*.] *Adj.* (m.) e *s. m. Bras. Pop.* Diz-se de, ou indivíduo fraco, sem resistência.
boiar. *V. t. d.* **1.** Pôr a flutuar, prendendo a bóia: *Boiou as redes para tentar a sorte, e nada de peixe. Int.* **2.** Flutuar, sobrenadar: "Como ao rijo soprar das ventanias / Os mortos bóiam sobre as águas frias!" (Fagundes Varela, *Poesias Completas*, I, p. 145.) **3.** Balançar, oscilar: *Penduradas, as roupas boiavam ao vento.* **4.** Estar irresoluto; hesitar. **5.** Sobrar, restar (mercadoria que não se conseguiu vender). **6.** *Bras. Gír.* Não entender; ficar na mesma: *Explicou-me de que se tratava, mas continuei boiando.* **7.** *Bras.* Tomar a bóia (6 e 7); comer. [Conjug.: v. *apoiar*.]
boiardo. [Do russo *boiare*, pl. de *boiarin*, 'grande senhor', 'nobre', atr. do fr. *boyard* e do al. *Bojar*.] *S. m.* **1.** Designação dada aos membros da aristocracia russa que se seguiam, na hierarquia nobiliárquica, aos príncipes reinantes, e que tinham vários privilégios até que Ivã IV, o Terrível (1530-1584), os reduziu drasticamente. **2.** Antiga denominação de membros de uma classe privilegiada de proprietários rurais, na Romênia.
boi-barroso (ô). *S. m. Bras., RS. Folcl.* Toada gaúcha muito popular, ligada aos romances de gado. [Pl.: *bois-barrosos*.]
boi-bento. *S. m. Lus. Folcl.* Boi (1) que toma parte nos festejos de São João, levado pelos fiéis. [Pl.: *bois-bentos*.]
boi-bumbá. *S. m. Bras., N.* V. *bumba-meu-boi* (1). [Pl.: *bois-bumbás* e *bois-bumbá*.]

boiça. *S. f.* V. *bouça.*

boicaá. [Do tupi *mboika'a*, 'erva de cobra'.] *S. f. Bras.* V. *hortelã-do-brasil.*

boi-calemba. *S. m. Bras., N.E.* V. *bumba-meu-boi* (1). [Pl.: *bois-calembas* e *bois-calemba.*]

boi-calumba. *S. m. Bras., RN.* V. *bumba-meu-boi* (1). [Pl.: *bois-calumbas* e *bois-calumba.*]

boiçar. *V. t. d.* Var. de *bouçar.* [Conjug.: v. *laçar.*]

boi-cavalo. *S. m. Bras., PA, MA, BA* e *MT.* Boi de sela. [Pl.: *bois-cavalos.*]

boiceira. *S. f.* **1.** A primeira estopa que se tira do linho. **2.** V. *tasco*[2] (1). [Var.: *bouceira.*]

boicininga. [Do tupi *mbói*, 'cobra', + *tini'ni, txin'ni, xini'ni, sim'ni*, onom. de coisa que tine.] *S. f. Bras.* V. *cascavel* (3).

boicipó. *S. f. Bras.* V. *cobra-cipó.*

boicoatiara. *S. f. Bras.* V. *cotiara* (1).

boi-com-folhagens. *S. m. Bras., RJ. Pop.* Bife com alface. [Pl.: *bois-com-folhagens.*]

boicorá. [Do tupi *mbói*, 'cobra', + *corá*, f. pop. de *coral.*] *S. f. Bras.* **1.** Designação comum a duas espécies de reptis ofídios, da família dos colubrídeos (*Pseudoboa rhombifera* (Dum. & Bid.) e *P. trigemina* (Dum. & Bid.)), comuníssimos em todo o País A primeira tem coloração amarela, com manchas escuras azuladas no dorso, as quais se estendem, em ponta, para o lado, formando triângulos de cor vermelho-coral, e lado inferior brancacento ou amarelado; a segunda é avermelhada, com anéis ou faixas azuladas ou negras, e entre estas uma de cor amarela; focinho amarelado. Comprimento de ambas: até 1m; têm hábitos arborícolas. [Sin.: *bacorá, bacoral, boicoral.*] **2.** V. *cobra-coral.*

boicoral. *S. f. Bras.* V. *boicorá* (1).

boicotagem. *S. f.* Ato ou efeito de boicotar; boicote.

boicotar. [Do antr. *Boycott* + *-ar*[2].] *V. t. d.* **1.** Punir, constranger (pessoa, classe, estabelecimento, país), geralmente em represália, recusando sistematicamente relações sociais ou comerciais. **2.** Criar embaraços aos negócios ou interesses de. [F. paral.: *boicotear.*]

boicote. [Do ingl. *boycott*, do antr. *Boycott.*] *S. m.* Boicotagem.

boicotear. [Do antr. *Boycott* + *-ear.*] *V. t. d.* Boicotar. [Conjug.: v. *frear.*]

boicotiara. [Do tupi.] *S. f. Bras., SP.* e *PR.* V. *cotiara* (1).

boiçu. [Do tupi.] *S. f. Bras., AM.* V. *sucuri* (1).

boiçununga. *S. f. Bras.* V. *cascavel* (3).

boi-de-cova. *S. m. Bras., BA.* V. *mutirão* (1). [Pl.: *bois-de-cova.*]

boi-de-guará. *S. m. Bras., MA.* V. *cascudo*[2] (2). [Pl.: *bois-de-guará.*]

boi-de-mamão. *S. m. Bras., PR* e *SC.* V. *bumba-meu-boi.* (1). [Pl.: *bois-de-mamão.*]

boi-de-matraca. *S. m. Bras., MA. Folcl.* Boi-de-orquestra. [Pl.: *bois-de-matraca.*]

boi-de-melão. *S. m. Bras., SC.* V. *bumba-meu-boi* (1). [Pl.: *bois-de-melão*]

boi-de-orquestra. *S. m. Bras., MA. Folcl.* Bumba-meu-boi (1) mais recente e de música faceira, cabriolante; boi-de-matraca. [Pl.: *bois-de-orquestra.*]

boi-de-reis. *S. m. Bras., N.E.* V. *bumba-meu-boi* (1). [Pl.: *bois-de-reis.*]

boi-de-zabumba. *S. m. Bras., MA. Folcl.* Bumba-meu-boi (1) de ritmo mais lento, apoiando-se em grandes tambores enfiados em varas que dois homens carregam, e o músico caminha ao lado, batendo-lhe com um macete. [Pl.: *bois-de-zabumba.*]

boieira. *S. f. Lus.* **1.** Mulher que cuida dos bois ou os guia. **2.** *Lus.* V. *lavandeira* (3). **3.** *Pop.* A estrela-d'alva.

boieiro. *S. m.* Guardador ou condutor de bois.

boi-espácio. *S. m. Bras., N.E.* e *MG.* Var. de *boi-espaço* [q. v.]. [Pl.: *bois-espácios* e *bois-espácio.*]

boi-espaço. *S. m. Bras., N.E* e *MG.* Boi de chifres muito abertos, entre os quais, portanto, há um espaço incomum. [Var.: *boi-espácio.* Pl.: *bois-espaços* e *bois-espaço.* Cf. *espácio.*]

boi-gordo. *S. m. Bras., L.* Arbusto ornamental da família das leguminosas-cesalpinóideas (*Cassia rugosa*), de flores amarelas, grandes, dotadas de propriedades medicinais purgativas. [Sing.: *amendoeirana, alcaçuz-bravo, mendubi, raiz-de-corvo, volácio, cabo-verde* (MG), *paratudo, raiz-preta* (SP), *infalível* (MT). Pl.: *bois-gordos.*]

boiguaçu. [De *boi.*] *S. f. Bras., AM.* V. *sucuri* (1).

➧**boiler** (bóilar). [Ingl.] *S. m.* Caixa d'água dotada de mecanismo termelétrico, a qual se destina a fornecer água quente.

boi-melão. *S. m. Bras.* V. *bumba-meu-boi* (1). [Pl.: *bois-melões.*]

boina. [Do vasconço.] *S. f.* Espécie de boné cha o, sem costura e sem pala, comumente de lã. [Var. pros.: *bóina.*]

bóina. *S. f.* Var. pros. de *boina.*

boi-na-vara. *S. m. Bras., SC. Folcl.* Brincadeira que consiste em enfurecer um boi amarrado a uma vara resistente, mas flexível, que lhe permite certa liberdade de arremeter contra os seus perseguidores, os quais, ao verem-no completamente esgotado, o matam e o repartem entre si. [Pl.: *bois-na-vara.*]

boina-verde. *S. m.* Membro das Forças Especiais do Exército dos E.U.A. [Pl.: *boinas-verdes.*]

boiobi. *S. f. Bras.* V. *cobra-cipó.*

boioçu. [Do tupi *mbói*, 'cobra', + *wa'su*, 'grande'.] *S. m. Bras.* V. *sucuri* (1).

boioçubóia. [De *boioçu* + tupi *mbói*, 'cobra'.] *S. m. Bras., AM.* Espécie de serpente.

boiota[1]. [De *boi*, certamente.] *S. f. Bras.* Testículos muito desenvolvidos, ou com hidrocele.

boiota[2]. *S. 2 g.* **1.** *Bras., BA.* V. *bolha* (3). **2.** *Bras., GO.* Alienado, mentecapto, idiota.

boiote. *S. m. Bras., N.* **1.** Boi novo; garrote, novilho. **2.** Bezerro castrado.

boipeba. *S. f. Bras.* **1.** V. *boipeva.* **2.** V. *jabutibóia.*

boipeva. [Do tupi *mbói'pewa*, 'cobra chata'; var. de *boipeba.*] *S. f. Bras.* Designação comum a algumas espécies de reptis ofídios, da família dos colubrídeos, gênero *Xenodon* Gunt., especialmente *X. merre mii* (Wagl.), muito comum em todo o Brasil, de coloração escura, com escamas amarelas formando desenhos geométricos indistintos, e cujo comprimento vai até 2 m. Quando irritada, a boipeva achata o corpo, sobretudo o pescoço. [Sin.: *capitão-do-campo, capitão-do-mato, cobra-chata, cabeça-chata, chata, jararacambeva, jararacuçu-tipiti, pepéua, pepeva.*]

boipevaçu. [De *boipeva* + *-açu.*] *S. f. Bras.* Reptil ofídio, da família dos colubrídeos (*Cyclagras gigas* (Dum & Bid.)), do MT, N.E. de SP, até PA e AM, de dorso amarelado ou castanho, com faixas transversais escuras, um traço negro de cada lado da cabeça, e a porção ventral anterior com manchas longitudinais pardo-escuras. Tem o comprimento de até 2 m, hábitos aquáticos, e se alimenta sobretudo de anuros. [Sin.: *surucucu-do-pantanal.*]

boi-pintadinho. *S. m. Bras., RJ.* V. *bumba-meu-boi* (1). [Pl.: *bois-pintadinhos.*]

boipiranga. *S. f. Bras.* V. *cobra-coral.*

boiquatiara. [Do tupi *mbói*, 'cobra', + *kwati'ara*, 'pintada'.] *S. f. Bras.* V. *cotiara* (1).

boiquira. [Do tupi?] *S. f. Bras.* V. *cascavel* (3).

boirel. *S. m.* Pequena bóia de cortiça. [Pl.: *boiréis.*]

boiru. [Do tupi *mbói*, 'cobra', + *ru*, 'comer'.] *S. f. Bras., SE.* V. *muçurana* (1).

boi-surubi. *S. m. Bras., N.E.* V. *bumba-meu-boi* (1). [Pl.: *bois-surubis.* Var.: *boi-surubim.*]

boi-surubim. *S. m.* Boi-surubi [q. v.]. [Pl.: *bois-surubins.*]

boitatá. [Do tupi *mba'ê*, 'coisa', + *ta'ta*, 'fogo', com infl. de *mbói*, 'cobra'; var. de *boitatá.*] *S. m. Bras. Pop.* **1.** V. *fogo-fátuo* (1). **2.** *Folcl.* Gênio que protege os campos contra os incêndios; cobra-de-fogo. **3.** Touro furioso que lança fogo pelas ventas e queima tudo. **4.** V. *papão* (1). [Var.: *biatatá, baitatá, bitatá, batatão.*]

boitiabóia. *S. f. Bras., N.E.* V. *acutimbóia.*

boitiapóia. *S. f. Bras., N. E.* V. *sucuri* (1).

boituvense. *Adj. 2 g.* **1.** De, ou pertencente ou relativo a Boituva (SP). ● *S. 2 g.* **2.** Natural ou habitante de Boituva.

boiubu. *S. f. Bras.* V. *cobra-cipó.*

boiuçu. *S. m. Bras.* **1.** *buiuçu.* **2.** *Bras., AM.* V. *sucuri* (1).

boiúna. [Do tupi *mbói*, 'cobra', + *una*, 'negra'.] *S. f. Bras., Amaz.* **1.** Figura mitológica indígena, temida por sua maldade, e que toma a forma de cobra, que faz virar as embarcações, ou a da própria embarcação, levando os náufragos para o fundo do rio. [Sin.: *cobra-grande, mãe-do-rio, senhora-das-águas.*] **2.** V. *sucuri* (1).

boiúno. *Adj.* Bovino (1).

boi-vivo. *S. m. Bras.* Guisado com os testículos do boi. [Pl.: *bois-vivos.*]

boiz (o-i). *S. f.* Armadilha para pássaros. [Pl.: *boízes.*]

boizinho. [Dim. de *boi.*] *S. m. Bras., RS.* V. *bumba-meu-boi.* (1).

boizinho-de-são-marcos. *S. m. Lus. Folcl.* Boi que os irmãos da Irmandade de São Marcos, na festa de seu padroeiro, levam até o altar-mor, tangido por uma varinha e com cantigas profanas. [Pl.: *boizinhos-de-são-marcos.*]

bojador (ô). *Adj* e *s. m.* Que ou aquele que boja.

bojamento. *S. m.* **1.** Ato ou efeito de bojar. **2.** *Eng. Ind.* Protuberância abaulada, que ocorre nas superfícies de tubos ou vasos de pressão em conseqüência de deformação plástica do metal, pela ação de agentes mecânicos ou da pressão de gás: abaulamento.

bojante. *Adj. 2 g.* Que boja, que faz bojo.

bojar. [Do esp. *bojar.*] *V. t. d.* **1.** Tornar bojudo; enfunar. **2.** Fazer sobressair, formando bojo; salientar: *Os ornatos de pedra b o j a v a m o portal. Int.* **3.** Apresentar bojo ou saliência arredondada; bolhar: "vi .... um papagaio de papel, alto e largo, preso de uma corda imensa, que b o j a v a no ar" (Machado de Assis, *Várias Histórias*, p. 214). [Pres. ind.: *bojo.*, etc. Cf. *bojo* (ô).]

bojarda. *S. f.* Variedade de pêra sumarenta e doce.

bojo (ô). [Dev. de *bojar.*] *S. m.* **1.** Saliência arredondada; barriga: *O couro mal esticado ficou formando um b o j o bem nas costas do sofá.* **2.** Capacidade; envergadura: *Falta-lhe b o j o para executar a tarefa que se propôs.* **3.** A parte mais íntima de uma coisa; âmago, cerne: *O relatório apresentado traz no b o j o a solução do problema.* **4.** *Constr. Nav.* A parte mais arredondada e convexa da carena, formada pelo contorno de transição entre sua parte quase horizontal e sua parte quase vertical. [Pl.: *bojos* (ô). Cf. *bojo*, do v. *bojar.*]

bojobi. [Do tupi *mbói*, 'cobra', + *o'bi*, 'verde'.] *S. f. Bras.* V. *cobra-cipó.*

bojudo. *Adj.* Que tem bojo (1 e 2); arredondado.

bojuí. [Var. de *bijiú.*] *S. f. Bras.* V. *mandaguari.*

bola. [Do lat. *bulla*, atr. do provenç. ant. *bola.*] *S. f.* **1.** Qualquer corpo esférico. **2.** *P. ext.* Qualquer coisa a que se dá feitio ou forma de bola (1). *Fez uma b o l a com a carta e jogou-a fora* **3.** Artefato esférico de borracha ou de outro material, freqüentemente envolto em couro, feltro, etc., que, em geral, salta por efeito da elasticidade, e é usado em diversos esportes: *b o l a de futebol, de tênis, de golfe, de pingue-pongue.* **4.** *Bras.* Jogada em esportes com bola (3): *A b o l a de Pelé propiciou o gol.* **5.** *Bras.* O futebol. **6.** *Fam.* Cabeça. **7.** Juízo, siso. **8.** Pessoa baixa e gorda. **9.** *Bras.* Dito espirituoso; piada. **10.** *Bras.* Pessoa engraçada: *F. é uma b o l a.* **11.** *Bras.* Comida envenenada para matar cães. **12.** *Bras., N.E.* e *S.* Bala, rebuçado. **13.** *Bras., RS.* V. *boliche* (1). ~ V. **bolas.** ◆ **Bola da vez.** Em certas modalidades de sinuca, a bola de menor valor, ainda sobre a mesa, e que deve ser encaçapada em primeiro lugar. **Bola de fogo primordial.** *Cosm.* O quente, denso e primeiro estágio do universo, previsto pela teoria do bigue-bangue [q. v.], que existiu quando o universo era predominantemente cheio de radiação muitíssimo energética, a qual subseqüentemente se expandiu e esfriou. Um resíduo dessa radiação é registrado como radiação de fundo cósmico. **Bater bola.** *Bras.* Praticar bate-bola (2). **Boa bola.** *Bras.* Piada feliz, espirituosa. **Bom da bola.** *Bras.* Que tem bom juízo, tino, discernimento, certo da bola. **Certo da bola.** *Bras.* Bom da bola. **Comer a bola.** *Bras. Fut.* Jogar futebol muito bem, primorosamente; estar com a bola redonda. [Cf. *comer bola.*] **Comer bola.** *Bras.* Levar bola. [Cf. *comer a bola.*] **Como bola sem manicla.** *Bras., RS.* Sem rumo, a esmo, às tontas. **Dar bola a.** *Bras. Gír.* **1.** Dar confiança a; dar entrada a, para namoro. [Aplica-se, em geral, às moças.] **2.** Dar atenção a; ligar importância a. **3.** Peitar, subornar. **Engolir a bola.** *Bras.* Fazer excelente exibição; ter boa *performance.* **Entrar com bola e tudo.** *Bras. Fut.* Driblar (o jogador) defensores adversários, inclusive o goleiro, entrando com a bola no gol. **Ensebar a bola.** Dourar a pílula. **Estar com a bola cheia.** Ter muito prestígio ou cartaz: "Quem e s t á c o m a b o l a c h e i a é Roberto Carlos, que está seguindo hoje para a Europa onde o espera uma intensa programação." (*Jornal do Brasil 15.5.1982.*) **Estar com a bola redonda.** *Bras. Fut.* Comer a bola. **Estar pela bola sete.** *Bras. Pop.* Estar pendente de alguma coisa, ou esperando por ela. **Levar bola.** *Bras. Gír.* Deixar-se peitar; ser subornado; comer bola. **Pisar na bola.** *Bras.* Cometer um engano; dar um fora, uma mancada. **Ruim da bola.** *Bras. Fam.* Amalucado, adoidado, pancada; virado da bola. **Sofrer da bola.** *Bras.* Ser ruim da bola (7). **Trocar as bolas.** Dizer ou fazer alguma coisa em lugar de outra (à maneira do jogador de bilhar que, por engano, joga com a bola do parceiro); cair em erro; enganar-se. [Tb. se usa, neste sentido, e talvez mais, *bolar as trocas.*] **Virado da bola.** *Bras. Fam.* V. *ruim da bola.*

bola-ao-alto. *S. f. Basq.* Alçamento da bola entre dois jogadores adversários, no centro da quadra, no princípio de cada tempo, ou na cabeça do garrafão ou no centro da quadra quando a bola é reposta em jogo no decorrer da partida. [Pl.: *bolas-ao-alto.*]

bola-ao-cesto. [Trad. do ingl. *basket-ball.*] *S. f.* V. *basquetebol.* [Pl.: *bolas-ao-cesto.*]

bolação. *S. f. Bras.* Ato ou efeito de bolar[2] (4).

bolacha. [De *bolo* (ô).] *S. f.* **1.** Bolo achatado de farinha, geralmente em forma retangular ou de disco, às vezes com açúcar. **2.** *Fam.* e *pop.* Bofetada, bolachada: "Ninguém é capaz de me tirar da cabeça que a minha vida ainda se endireitava a tempo, se eu tenho ferrado uma *bolacha* nas ventas de Alzira" (Fialho d'Almeida, *Lisboa Galante*, p. 136). **3.** *Bras.* Lâmina fina de borracha. **4.** *Bras., BA.* Corrupio (4). **5.** *Bras., RS.* V. *repreensão* (1). **6.** *Bras.* Descanso (7) para copos e garrafas. **7.** *Bras.* Papelão em forma de disco ou quadrangular usado nos bares ou restaurantes para contar os chopes bebidos; rodelinha.

bolachada. *S. f. Fam.* e *pop.* V. *bolacha* (2).

bolacha-d'água. *S. f.* Bolacha (1) salgada e sem gordura; bolacha-d'água-e-sal. [Pl.: *bolachas-d'água.*]

bolacha-d'água-e-sal. *S. f.* Bolacha-d'água. [Pl.: *bolachas-d'água-e-sal.*]

bolacha-quebrada. *S. f. Bras., BA* e *MG. Pop.* V. *ninharia.* [Pl.: *bolachas-quebradas.*]

bolacheiro. *S. m.* **1.** Fabricante e/ou vendedor de bolachas. ● *Adj.* **2.** *Fam.* Bolachudo.

bolachudo. [De *bolacha* (1) + *-udo.*] *Adj. Fam.* Que tem faces gordas ou rechonchudas; bolacheiro.

bolaço[1]. *S. m.* **1.** *Bras., S.* Pancada ou golpe dado com as bolas ou boleadeiras. **2.** *Fut.* Jogada ou passe (5) bem realizado; bolão. ♦ **Jogar um bolaço.** *Bras. Fut.* Jogar muito bem, excelentemente: *Garrincha jogou um bolaço.*

bolaço[2]. *S. m.* V. *bolada[2].*

bolada[1]. *S. f.* **1.** Pancada com bola (1). **2.** A parte do canhão entre a boca e os munhões. **3.** *Bras., S.* Vez, ocasião: *Desta bolada ele vai vencer.*

bolada[2]. *S. f.* **1.** Monte de dinheiro ou bolo (7), no jogo. **2.** Grande soma de dinheiro. **3.** Desfalque. [Sin. ger.: *bolaço.*]

bola-de-milho. *S. f. Bras., N. E.* V. *peteca* (1). [Pl.: *bolas-de-milho.*]

bola-de-neve. *S. f.* Coisa que vai crescendo, ou situação que se agrava paulatinamente, à semelhança de uma bola de neve, que, rolando, aumenta, pela incorporação de novas camadas. [Pl.: *bolas-de-neve.*]

bolaina. *S. f. Bras., Amaz.* Árvore da família das esterculiáceas (*Guazuma rosea*), de folhas ovadas, acuminadas, serreadas e pilosas, e flores róseas, pequenas, com estames monadelfos, e dispostas em panículas frouxas.

bolandas. [Do esp. *volandas.*] *S. f. pl.* Us. na expr. *em bolandas.* ♦ **Em bolandas. 1.** A toda pressa. **2.** Aos tombos; aos baldões; aos trancos e barrancos.

bolandeira. [Do esp. *volandera.*] *S. f.* **1.** *Bras.* Grande roda dentada do engenho de açúcar; volandeira. **2.** *Bras. Tip.* Placa de metal, geralmente de zinco, que constitui o fundo móvel da galé de bolandeira; moldandeira. **3.** *Bras. Tip. P. ext.* Galé (2). **4.** *Bras., N.* e *N. E.* Máquina de descaroçar algodão. **5.** *Bras., N.* e *N. E.* Grande roda, puxada por animais, que move o rodete de ralar mandioca.

bolão. *S. m.* **1.** Grande bola (1). **2.** *Bras.* Bolaço[1] (2). **3.** *Bras.* O prêmio da Loteria Esportiva. **4.** *Bras., RS.* V. *boliche* (1). **5.** *Bras., RS.* Boliche (3).

bolapé. [Do esp. plat. *vuelo a pic.*] *S. m. Bras., S.* Vau, quando o rio apenas dá passagem aos cavalos.

bola-presa. *S. f. Basq.* Infração cometida por dois jogadores adversários que seguram a bola ao mesmo tempo. [Pl.: *bolas-presas.*]

bolar[1]. *Adj. 2 g.* Que pode ser reduzido a bola ou bolo: *terra bolar.* [Cf. *bular.*]

bolar[2]. *V. t. d.* **1.** Tocar com a bola (1); acertar com a bola (1). **2.** *Bras. Pop.* Arquitetar, conceber; mentar: "Devia ser [a alegria de Mário de Andrade] porque *bolara* um balé baseado na cosmogonia indígena, coisa mais linda para o Mignone musicar." (Mário da Silva Brito, *Ângulo e Horizonte*, p. 121.) *T. i.* **3.** No candomblé e na macumba, estar possuído do santo: *bolar com Ogum. Int.* **4.** *Bras.* Formular uma idéia; conceber, arquitetar um trabalho: *Passou a tarde inteira no quarto, bolando, e não conseguiu escrever a carta.* **5.** Estar possuído do santo; receber o santo e agir como ele. [Pres. ind.: *bolo, bolas, bola,* etc. Cf. *bolo* (ô) e *bular.*]

bolas. [Pl. de *bola.*] *S. f. pl.* **1.** Rodelas de carvão amassadas com barro, para conservar o calor nos fogareiros. **2.** *Bras., RS.* V. *boleadeiras.* ● *S. 2 g.* e *2 n.* **3.** Indivíduo imprestável, por covarde ou estúpido. ● *Interj.* **4.** Designa enfado ou reprovação. [Sin.: *ora bolas; ora pipocas; pipocas.*] ~ V. *bola.* ♦ **Ora bolas.** V. *bolas* (4).

bolbáceo. *Adj.* Bulbáceo.

▲**bolbi-.** [Do gr. *bolbós*, 'cebola', pelo lat. *bulbu.*] *El. comp.* = bolbo, tubérculo: *bolbífero, bolbiforme.*

bolbífero. [De *bolbi-* + *-fero.*] *Adj. Bot.* Bulbífero.

bolbiforme. [De *bolbi-* + *-forme.*] *Adj. 2 g. Bot.* Bulbiforme.

bolbígero. [De *bolbi-* + *-gero.*] *Adj. Bot.* Bulbígero.

bolbilho. *S. m. Bot.* V. *bulbilho.*

bolbilífero. [De *bolbilho* + *-i-* + *-fero.*] *Adj. Bot.* V. *bulvilífero.*

bolbo (ô). [Do lat. *bulbu.*] *S. m. Bot.* V. *bulbo.*

bolbóide. [De *bolbo* + *-óide.*] *Adj. 2 g. Bot.* V. *bulbóide.*

bolbomania. [De *bolbo* + *-mania.*] *S. f. Bot.* V. *bulbomania.*

bolboso (ô). *Adj.* V. *bulboso.*

bolçar. [Do lat. **vomitiare.*] *V. t. d.* **1.** Lançar fora, arrojar. **2.** V. *vomitar* (1): "abaixando-se, *bolçou* para o chão grosso jacto de sangue, que o deixou pouco menos de asfixiado." (Valdomiro Silveira, *Mixuangos*, p. 84). [Sin.: *abolçar Cf. bolsar.*]

bolchevique. [Do russo *bolchevik*, 'maior', 'maioria'.] *Adj. 2 g.* **1.** Diz-se da ala majoritária do Partido Operário Social Democrata da Rússia que, com Lenin [v. *leninismo*], lidera a revolução de 1917, e por fim passou a constituir-se no Partido Comunista da União Soviética. **2.** Relativo aos bolcheviques. ● *S. 2 g.* **3.** Membro da ala bolchevique, ou adepto do bolchevismo. [Sin. ger.: *bolchevista* e *maximalista.* Cf. *menchevique.*]

bolchevismo. *S. m.* **1.** Sistema político dos bolcheviques; maximalismo. **2.** *P. ext.* Comunismo. [Cf. *mencheviquismo.*]

bolchevista. *Adj. 2 g.* **1.** V. *bolchevique.* **2.** *P. ext.* Comunista (2). ● *S. 2 g.* **3.** V. *bolchevique.* **4.** *P. ext.* Comunista (3). [Cf. *menchevista.*]

bolchevizar. *V. t. d.* **1.** Implantar o bolchevismo ou sovietismo em; sovietizar. **2.** *P. ext.* Implantar o socialismo em; socializar, sovietizar. *P.* **3.** Tornar-se bolchevique.

boldo (ô). [Do mapuche *boldu.*] *S. m.* Planta da família das monimiáceas (*Pneumus boldus*), de propriedades colagogas. [Pl.: *boldos* (ô).]

boldrié. [Do fr. *baudrier.*] *S. m.* **1.** Correia a tiracolo, à qual se prende a espada ou outra arma; talim, talabarte, tiracolo: "Fica-lhe bem [a Camões] o veludo negro da coura e do calção de corte; e a longa espada fina, de bainha preta e copos de aço polido, pendente do *boldrié* chapeado de prata, condiz harmonicamente com a linha altiva do seu porte dominativo" (Ramalho Ortigão, *Figuras e Questões Literárias*, I, p. 160). **2.** Cinturão.

boleadeiras. [Adapt. do esp. plat. *boleadoras.*] *S. f. pl. Bras., RS. Obsol.* Aparelho empregado pelos campeiros para laçar animais, ou como arma de guerra, constituído por três bolas (de ferro, pedra ou marfim) envolvidas num couro espesso (*retovo*) e ligadas entre si por cordas de couro, duas das quais são de igual tamanho, sendo a terceira, menor, a manicla ou manica, a que o boleador empunha para manejar o conjunto; bolas, pedras, três-marias.

boleado. [De *bola* + *-eado.*] *Adj.* **1.** Que tem superfície arredondada; bombeado: "desconfio .... que o meu hóspede e amigo desconhece a história daquela rapariga de cabelos de ouro e ancas *boleadas*" (Camilo Castelo Branco, *Noites de Insônia*, II, p. 20). **2.** *Bras., RS.* Que não é muito certo da bola, do juízo. V. *amalucado.*

boleador (ô). [Do esp. plat. *boleador.*] *S. m. Bras., RS.* Indivíduo que maneja as boleadeiras.

boleamento. *S. m.* Ato ou efeito de bolear[1]; boleio.

bolear[1]. [Do esp. plat. *bolear.*] *V. t. d.* **1.** Dar a forma de bola a; arredondar, tornear. **2.** Retorcer em meneios; bambolear, rebolar: *bolear os quadris.* **3.** Polir, aprimorar: *bolear uma frase, um período.* **4.** *Fig.* Cativar com boas maneiras; fascinar, conquistar, captar. **5.** *Bras., S.* Arremessar as bolas (2) e envencilhar (o animal). *Int.* **6.** Rebolar(-se), bambolear(-se), bolear-se. *P.* **7.** Rebolar(-se), bambolear(-se); bolear. **8.** *Bras., S.* Atirar-se (o cavalo com o cavaleiro). [Conjug.: v. *frear.*] Pres. ind.: *boleio, boleias, boleia, boleamos, boleais, boleiam.* Cf. *boléia,* s. f., pl. *boléias,* e *boléia, boléias,* do v. *bolear[2].*]

bolear[2]. *V. t. d.* Conduzir à boléia (2 a 4). [Conjug.: v. *idear.*] Pres. ind.: *boléio, boléias, boléia,* etc. Cf. *boleia* e *boleias* do v. *bolear[1]*, e *boleio.*]

bole-bole. [Da 3ª pess. sing. do pres. ind. de *bulir*, repetido.] *S. f. Bras. Pop.* Requebro, rebolado, remelexo. [Pl.: *boles-boles* e *bole-boles.*]

boleeiro. *S. m.* **1.** V. *cocheiro* (1). **2.** Aquele que dirige à boléia, montando a besta da sela.

boléia. *S. f.* **1.** Peça de pau fixa na lança da carruagem, e à qual se prendem os tirantes. **2.** Assento do cocheiro. **3.** A parte fronteira superior de uma diligência. **4.** A cabina do motorista, no caminhão. [Pl.: *boléias,* Cf. *boleia* e *boleias,* do v. *bolear[1].*]

boleima. *S. f.* **1.** Bolo grosseiro. ● *S. 2 g.* **2.** *Fig.* Pessoa idiota, palerma, atoleimada.

boleio. [Dev. de *bolear[1].*] *S. m.* Boleamento. [Cf. *boléio*, do v. *bolear[2].*]

boleiro. [De *bolo* (ô) + *-eiro.*] *Bras. Pop. Adj.* e *s. m.* Que ou aquele que dá o bolo [v. *dar o bolo.*].

bolero (é). [Do esp. *bolero.*] *S. m.* **1.** Dança espanhola, ao som de castanholas e guitarras. **2.** Música que acompanha essa dança, em compasso ternário. **3.** Canção e dança cubanas, de ritmo binário e docemente sincopado. **4.** Espécie de casaco curto, com mangas ou sem elas, usado por cima de blusa ou camisa: "Num estrado alto .... as pastoras cantam, ... laços nos cabelos, pandeiros rodeados de flores artificiais, *boleros* vermelhos ou azuis, com medalhinhas de ouro e bordados de vidrilhos." (Osmã Lins, *Nove, Novena*, p. 51). ● *Adj.* **5.** Diz-se de um dos tipos da seguidilha (1) [q. v.].

boleta (ê). *S. f.* Var. de *bolota* (3). [Pl.: *boletas* (ê). Cf. *boleta* e *boletas*, do v. *boletar.*]

boletar. [De *boleto[1]* + *-ar[2].*] *V. t. d.* e *p.* V. *aboletar.* [Pres. ind.: *boleto, boletas, boleta,* etc. Cf. *boleto* (ê), *boleta* (ê) e pl. *boletas* (ê).]

boletim. [Do it. *bollettino.*] *S. m.* **1.** Publicação periódica, que em geral constitui órgão de divulgação de entidade oficial ou privada. **2.** Pequeno escrito noticioso, as mais das vezes contido em simples folha manuscrita ou dactilografada, para circulação interna ou comunicação pública, e que pode também aparecer inserto num periódico: *boletim metereológico.* **3.** Resenha noticiosa de operações militares. **4.** V. *folha volante.* **5.** Caderneta escolar onde se registram as notas mensais e finais, e certas ocorrências disciplinares. **6.** Comunicação telegráfica. ♦ **Boletim individual.** *Jur.* Peça do processo criminal que contém todos os dados relativos à pessoa processada e aos crimes e contravenções por ela cometidos.

boletineiro. *S. m.* Indivíduo cuja função é ser portador de boletins, especialmente telegramas.

boleto[1] (ê). [Do it. ant. *bolletta*, atr. do esp. *boleta*, com mudança de gênero.] *S. m.* Ordem escrita ou requisição para que alguém dê alojamento a um ou mais militares. [Pl.: *boletos* (ê). Cf. *boleto*, do v. *boletar.*]

boleto[2] (ê). [Do lat. *boletu.*]. *S. m.* Gênero (*Boletus*) de cogumelos de inúmeras espécies, comestíveis ou venenosas. Nos comestíveis a polpa, branca, não se altera em contato com o ar, enquanto que nos venenosos ela passa a uma coloração azul muito viva. [Pl.: *boletos* (ê). Cf. *boleto*, do v. *boletar.*]

boleto[3] (ê). [Do fr. *boulet.*] *S. m.* **1.** A parte superior de um trilho ferroviário, sobre a qual se apóiam e deslocam as rodas dos veículos. **2.** Articulação arredondada da perna do cavalo, acima do pé, entre a cauda e a quartela. [Pl.: *boletos* (ê). Cf. *boleto*, do v. *boletar.*]

boléu. [Do esp. *voleo.*] *S. m.* **1.** Queda, baque, trambolhão. **2.** *Bras.* Tombo que se dá no animal laçado. ♦ **Aos boléus.** Aos trambolhões; aos encontrões.

bolha (ô). *S. f.* **1.** Vesícula ou empola na pele. **2.** Glóbulo de ar, vapor ou gás que se forma nos líquidos quando agitados em ebulição ou em estado de fermentação. ● *S. 2 g.* **3.** *Bras. Gír.* Pessoa amolante, enfadonha; boiota, bolhudo. ● *Adj. 2 g.* **4.** *Bras. Gír.* Diz-se de pessoa bolha; bolhudo. [Pl.: *bolhas* (ô). Cf. *bolha* e *bolhas*, do v. *bolhar.*]

bolhante. *Adj. 2 g.* Que forma bolhas, que bolha.

bolhão. [Aum. de *bolha.*] *S. m.* Borbotão de água ou outro líquido; borbulhão. [Pl.: *bolhões.* Cf. *bulhão*, s. m., pl. *bulhões*, e *Bulhões*, antr.]

bolhar. *V. int.* **1.** Apresentar ou formar bolhas; borbulhar. **2.** Bojar (3). [Pres. ind.: *bolho, bolhas, bolha*, etc. Cf. *bolha* (ô), pl. *bolhas* (ô), e o v. *bulhar.*]

bolhelho (ê). *S. m.* **1.** Porção de sujeira que se forma nas mãos quando as esfrega quem as têm sujas e úmidas. **2.** *Cul.* Bolo de açúcar, ovos, leite e farinha de trigo.

bolhoso (ô). *Adj.* Que tem ou está cheio de bolhas.

bolhudo. *Adj.* e *s. m. Bras. Gír.* V. *bolha* (3 e 4).

bolichar. *V. int. Bras., RS.* Bolichear.

boliche. [Do esp. plat. *boliche.*] *S. m.* **1.** *Bras.* Jogo que consiste em atirar uma bola de madeira ou de outro material pesado por uma pista estreita, visando a derrubar um conjunto de balizas de madeira com o feitio de garrafas. [Sin. (no RS): *bola, bolão.* Cf. *jogo-da-bola.*] **2.** *Bras.* A bola de madeira usada neste jogo. **3.** *Bras.* Estabelecimento em que se joga boliche (1). [Sin. (no RS): *bolão.*] **4.** *Bras., RS.* Bodega (2).

bolichear. [Do esp. plat. *bolichear.*] *V. int.* **1.** *Bras., RS.* Exercer a profissão de bolicheiro. **2.** Vender a pequeno varejo; mascatear. [F. paral.: *bolichar. Conjug.:* v. *frear.*]

bolicheiro. [Do esp. plat. *bolichero.*] *S. m. Bras., RS.* **1.** Proprietário de boliche [v. *boliche* (3 e 4)]. **2.** Freqüentador de boliches.

bólide. [Do gr. *bolís, ídos*, pelo lat. *bolide.*] *S. f. Astr.* Meteorito de volume acima do comum que, ao penetrar na atmosfera terrestre, produz ruído e se torna muito brilhante, podendo deixar um rastro luminoso. [F. paral.: *bólido.* Cf. *meteorito.*]

bólido. *S. m.* V. *bólide.*

bolim. *S. m.* A bola menor, no jogo da bocha (1) [q. v.].

bolina. [Do ingl. *bowline*, atr. do fr. *bouline.*] *S. f.* **1.** *Mar. Ant.* Cada um dos cabos que puxavam para vante a testa de barlavento das velas de papafigo, gávea e joanete, a fim de que o vento fosse mais bem aproveitado na navegação à bolina e não incidisse por ante-avante da vela. **2.** *Mar.* Ato ou efeito de bolinar (1). **3.** *Constr. Nav.* Chapa plana e resistente, colocada verticalmente por baixo da quilha, nas embarcações de vela, para reduzir a inclinação e o abatimento da embarcação quando navegando à vela. **4.** *Bras., N.E.* Prancha que se mergulha na água para sustentar a embarcação quando se bordeja; espadela. **5.** *Bras. Chulo.* V. *bolinagem.* ● *S. m.* **6.** *Bras. Chulo.* Indivíduo que bolina [v. *bolinar* (2)]; bolinador. ♦ **Meter à bolina.** *Mar.* Abolinar. **Navegar à bolina.** *Mar.* Navegar (a embarcação de vela) com a proa bem cingida à linha do vento; bolinar.

bolinação. *S. f. Bras. Chulo.* V. *bolinagem.*

bolinador (ô). [De *bolinar* + *-dor.*] *S. m. Bras. Chulo.* Bolina (6).

bolinagem. *S. f. Bras. Chulo.* Ato de bolinar (2); bolina, bolinação, esfregação, fuxicação, sarro, xumbregação.

bolinar. *V. int.* **1.** *Mar.* Navegar à bolina. **2.** *Bras. Chulo.* Procurar contatos voluptuosos, sobretudo em aglomeração de pessoas, em veículo, cinema, etc., tirar um sarro; sarrar, xumbregar, amassar, passarinhar. *T. d.* **3.** *Bras.* Enganar, lograr, burlar. **4.** *Bras. Chulo.* Procurar estabelecer contatos voluptuosos com (alguém), sobretudo em aglomeração de pessoas, em veículo, cinema, etc.: sarrar, xumbregar, amassar, passarinhar: "à noite, num quarto de pensão familiar, na Rua Aurora, escrevia poemas que ardiam de paixão, enquanto os meus colegas .... b o l i n a v a m mocinhas no Cinema Politeama" (Rocha Filho, *ap.* Romeu de Avelar, *Antologia de Contos Alagoanos.* p. 150).

bolineiro. *Adj.* e *s. m. Mar.* Diz-se de, ou embarcação que navega bem à bolina.

bolinete (ê). [De *molinete?*] *S. m.* **1.** *Constr. Nav.* Molinete (8). **2.** Vaso de madeira para lavagem das areias auríferas. [Cf. *bulinete.*]

bolinha. [Dim. de *bola.*] *S. f.* **1.** *Bras. Gír.* Medicamento excitante, em pílulas, ingerido com objetivo não terapêutico. **2.** *Bras.* Jogo com bola de gude.

bolinho. [Dim. de *bolo* (ô).] *S. m.* Pequena porção de massa de forma arredondada, preparada com qualquer ingrediente culinário, e geralmente frita: *b o l i n h o de bacalhau; b o l i n h o de arroz.*

bolita. [Do esp. plat. *bolita.*] *S. f. Bras., RS.* V. *gude.*

bolívar. [Do antr. *bolívar* (v. *bolivariano*). *S. m.* Unidade monetária, e moeda, da Venezuela, que se divide em 100 cêntimos. [Pl.: *bolívares.*]

bolivariano. *Adj.* Pertencente ou relativo a Simón Bolívar (1783-1830), cognominado o *Libertador*, militar e homem de Estado que liderou as guerras pela independência de larga parte da América Espanhola.

boliviano. *Adj.* **1.** Da, ou pertencente ou relativo à Bolívia (América do Sul). ● *S. m.* **2.** O natural ou habitante da Bolívia. **3.** Unidade monetária desse país, a qual se divide em 100 centavos. [V. *peso* (14).] **4.** *Bras., S.* Moeda boliviana, de prata, que circulou no RS. **5.** *Bras., RS.* Cavalo teatino.

bolo[1]. [De *bolo* (ô).] *S. m.* Jogo do solo em que o feito[1] (4) deve fazer todas as vazas. [Pl.: *bolos.* Cf. *bolo* (ô) e pl. *bolos* (ô).]

bolo[2] (ô). [De *bola*, por causa do feitio arredondado de numerosos bolos (ô).] *S. m.* **1.** Bola (2): *O menino fez um b o l o com toda a massa de modelagem colorida.* **2.** Tipo de pastelaria, de formas variadas, geralmente feita de farinha, ovos, açúcar e gorduras. **3.** Ajuntamento confuso de gente. **4.** Confusão, desordem. **5.** *Fam.* Palmatoada. **6.** *Bras.* Peso de barro cozido das redes de pesca. **7.** Quantia formada por entradas, apostas, multas e perdas dos parceiros no jogo. **8.** *Bras. Pop.* Logro, burla, engano. **9.** *Turfe.* Modalidade de aposta incluída entre os concursos [v. *concurso* (7)]. [Pl.: *bolos* (ô). Cf. *bolo*, do v. *bolar*, e s. m., e pl. *bolos.*] ♦ **Bolo histérico.** *Med.* Sensação de opressão, nó na garganta, que ocorrem em caso de histeria ou de outras perturbações psicológicas. [Sin., lat.: *bolus hystericus.*] **Dar bolo em.** *Bras.* Saber mais do que, ser mais competente que (alguém). **Dar o bolo.** *Bras.* Faltar a uma entrevista, a um encontro marcado, a um compromisso. **Dar um bolo.** *Bras.* Dar um desfalque. [Pl.: *bolos* (ô), Cf. *bolo*, do v. *bolar*, e *bolo*, s. m., pl. *bolos.*]

bolocobó. *S. m. Bras., Amaz.* V. *balacubau.*

bolo-armênio. [Do fr. *bol d'Arménie.*] *S. m.* Mordente (3) que é uma espécie de argila utilizada para aparelhar as superfícies que devem ser douradas. [Pl.: *bolos-armênios.*]

bolo-de-rolo. *S. m. Bras.* V. *rocambole* (1). [Cf. *colchão-de-noiva.*]

bolodório. *S. m. Bras., BA.* **1.** Palavreado, palavrório, palanfrório: "Tampouco a satisfizeram as brilhantes análises científicas de Dona Gisa, com a boca cheia de nomes ininteligíveis, b o l o d ó r i o para doutor de Faculdade: complexos, libido, subconsciente, recalques, tabu" (Jorge Amado, *Dona Flor e Seus Dois Maridos*, p. 288). **2.** Conversa, papo, bate-papo: "na janela em prosa com os vizinhos, ouvindo ralhos de Dona Norma, em longos b o l o d ó r i o s com Dona Gisa, enchendo de movimento e alegria o lar e a rua." (*Id., ib.*, p. 140).

bológrafo. [Do gr. *bolé*, 'ação de arremessar', + *-o-* + *-grafo.*] *S. m. Fís.* **1.** Bolômetro registrador. **2.** Registro fotográfico produzido por ele.

bololô. [De *bolo* (ô) (4).] *S. m. Bras.* **1.** V. *rolo*[1] (16). **2.** Coisa confusa, intrincada, complicada.

bolômetro. [Do gr. *bolé*, 'ação de arremessar', + *-metro.*] *S. m. Fís.* Instrumento muito sensível, para medir calor radiante, e que se baseia na comparação da resistência de um elemento de platina enegrecida que recebe a radiação com a de outro elemento que é mantido em condições padronizadas.

bolonhês. *Adj.* **1.** Da, ou pertencente ou relativo à cidade de Bolonha (Itália). ● *S. m.* **2.** O natural ou habitante dessa cidade. [Flex.: *bolonhesa* (ê), *bolonheses* (ê), *bolonhesas* (ê).]

bolônio. [Do top. *Bolonha.*] *Adj.* e *s. m. Pop.* V. *tolo* (1 a 3 e 8).

bolo-podre. *S. m. Bras.* Bolo de tapioca, farinha de trigo ou de mandioca, ovos, etc. [Pl.: *bolos-podres.*]

bolor (ô). [Do lat. *pallore*, 'palor, palidez', atr. da f. *balor*, ainda existente em Portugal, na Beira Baixa.] *S. m.* **1.** Denominação vulgar de fungos que vivem de matérias orgânicas por eles decompostas; mofo: "Grandes manchas de umidade e b o l o r crescem no teto." (Almeida Fischer, *10 Contos Escolhidos*, p. 60.) **2.** *Fig* Velhice, decrepitude, decadência. **3.** V. *bafio.*

bolorência. *S. f.* Estado ou qualidade de bolorento.

bolorento. *Adj.* **1.** Coberto de bolor. **2.** *Fig.* Velho, antiquado, decadente. **3.** Que tem bafio.

bolota. [Do ár. *bollotâ.*] *S. f.* **1.** V. *glande* (1). **2.** Borla[1] (1). **3.** Qualquer penduricalho. [Var. (nesta acepç.): *boleta.*]

bolotada. *S. f.* Grande porção de bolotas.

bolotado. [De *bolota* + *-ado*[1].] *Adj.* Cevado com bolotas [v. *bolota* (1)].

bolotal. *S. m.* Quantidade mais ou menos considerável de pés de bolota dispostos proximamente entre si.

boloteca. [De *bal(a)* + *loteca*, com dissimilação.] *S. f. Bras., RJ. Gír. de favela.* Tiroteio em que as balas, atiradas a esmo, podem atingir qualquer um.

bolsa (ô). [Do gr. *byrsa*, 'couro', pelo lat. *bursa.*] *S. f.* **1.** Saquinho de couro, pano, etc., para portar dinheiro em moedas. **2.** O dinheiro nele contido. **3.** Qualquer outro saco pequeno. **4.** Qualquer dos vários tipos de sacola com alça, ou de carteira, usados para guardar dinheiro, documentos, lenço, objeto de toalete, etc., e que podem ser feitos de couro, tecido, metal, plástico, etc. **5.** Pensão gratuita concedida a estudantes ou pesquisadores para estudos ou viagem cultural; bolsa de estudo. **6.** Instituição, pública em alguns países, privada em outros, destinada a operar em fundos públicos, ações e obrigações de companhias, e outros títulos de crédito, e bem assim em mercadorias; bolsa de valores. **7.** Local onde se reúnem os corretores para essas operações financeiras. **8.** *Anat.* e *Patol.* Cavidade saciforme. **9.** *Bibliol.* Bolso (3). **10.** *Geol.* Grande cavidade de rocha cheia de substâncias minerais: "Os operadores andavam alerta, fazendo um trabalho caprichado, vagaroso, certos de encontrar b o l s a s de águas-marinhas." (Nélson de Faria, *Cabeça-Torta*, p. 137.) ● *S. 2 g.* **11.** Tesoureiro ou caixa de uma corporação. [Pl.: *bolsas* (ô). Cf. *bolsa* e *bolsas*, do v. *bolsar.*] ~ V. *bolsas.* ♦ **Bolsa de estudo.** Bolsa (5). **Bolsa de Valores.** Bolsa (6). **Bater bolsa.** *Bras. Gír.* Exercer a prostituição.

bolsa-de-pastor. *S. f.* **1.** V. *braço-de-preguiça.* **2.** V. *chapéu-de-frade* (3). **3.** V. *bucho-de-boi.* [Pl.: *bolsas-de-pastor.*]

bolsão. [Aum. de *bolsa* (ô).] *S. m.* **1.** Bolsa (4) grande: "Saiu da janela, tirou do b o l s ã o um canivete, uma lanterna, ... e o único livro que trouxera" (Maria Julieta Drummond de Andrade, *O Valor da Vida*, p. 144). **2.** Bolso grande. **3.** Aquilo que, por determinadas circunstâncias, se encontra isolado do todo a que pertence e envolvido por elementos estranhos ou hostis: *Um b o l s ã o de tropas foi aprisionado pelo inimigo; O b o l s ã o de pobreza se ampliou depois das enchentes.*

bolsar. *V. int.* **1.** Fazer bolsos ou papos (o vestido). *T. d.* **2.** V. *entufar* (1). [Pres. ind.: *bolso, bolsas, bolsa*, etc. Cf. *bolso* (ô), *bolsa* (ô), e pl. *bolsas* (ô) e o v. *bolçar.*]

bolsa-reservatório-de-gases. *S. f. Anest.* Equipamento de borracha e/ou látex (condutores de eletricidade ou não), destinado a acumular gases a serem inspirados e/ou expirados pelo paciente; balão de anestesia. [Pl.: *bolsas-reservatório de gases.*]

bolsas (ô). [Pl. de *bolsa.*] *S. f. pl.* Alforjes [v. *alforje*]. ~ V. *bolsa.*

bolseiro. *S. m.* **1.** Aquele que faz bolsas e/ou negocia com elas. **2.** *Lus.* Bolsista (3).

bolselho (ê). *S. m. Mar.* Cada um dos pequenos bolsos que se formam no pano carregado mas não ferrado.

bolsinho. [Dim. de *bolso.*] *S. m.* Quantia destinada a pequenos gastos pessoais.

bolsista. *Adj. 2 g.* **1.** Relativo às atividades mercantis desenvolvidas na bolsa (6 e 7). ● *S. 2 g.* **2.** Pessoa que habitualmente faz especulações na bolsa (6 e 7). **3.** *Bras.* Pessoa que recebeu uma bolsa de estudos ou de viagem. [Sin., lus., nesta acepç.: *bolseiro.*]

bolso (ô). [De *bolsa.*] *S. m.* **1.** Pequeno saco de pano cosido interna ou externamente à roupa, e que serve para guardar objetos pessoais ou como enfeite: algibeira. **2.** *Bras.* V. *papo* (3). **3.** *Bibliol.* Espécie de envelope que se põe na contracapa de um livro para conter mapas, diagramas, amostras, etc.; bolsa. **4.** *Marinh.* Pequena superfície de pano que fica sujeita à ação do vento depois de carregada, mas não ferrada, a vela. **5.** *Marinh.* Balão ou seio que a vela forma quando cheia e esticada pelo vento. [Pl.: *bolsos* (ô). Cf. *bolso*, do v. *bolsar.*] ♦ **Botar no bolso.** *Bras. Pop.* **1.** Enganar, burlar, lograr. **2.** Ser superior a; avantajar-se a: *B o t o u n o b o l s o todos os adversários.* **De bolso.** De pequenas dimensões; pequeno: *livro d e b o l s o; teatro d e b o l s o.* **Do bolso do colete.** *Fam.* **1.** Solução tomada de súbito, sem hesitação. **2.** Resposta pronta que serve para tudo.

➡**bolus hystericus** (bóluç içtéricuç). [Lat.] *S. m. Med.* V. *bolo histérico.*

bom. [Do lat. *bonu.*] *Adj.* **1.** Que tem todas as qualidades adequadas à sua natureza ou função: *b o m carro; b o a vaca.* **2.** Benévolo, bondoso, benigno: *Tem b o m coração.* **3.** Misericordioso, caritativo. **4.** Rigoroso no cumprimento de suas obrigações: *b o m pai de família.* **5.** Que alcançou alto grau de proficiência; eficiente, competente, hábil: *b o m médico; b o m pintor.* **6.** Digno de crédito; seguro, garantido: *b o m investimento.* **7.** Que funciona bem (órgão ou aparelho). **8.** Próprio, adequado: *água b o a para beber.* **9.** Favorável, lucrativo, proveitoso: *b o m negócio.* **10.** Perfeito, completo: *Fez um b o m negócio.* **11.** Grande, amplo. **12.** Agradável, aprazível: *Passamos um b o m fim de semana.* **13.** Afável, cortês: *Tem b o m gênio.* **14.** Gostoso, saboroso: *Comeu-se uma b o a peixada.* **15.** Válido, legal: *O cheque não é falso: é b o m.* **16.** *Bras. Pop.* Muito disposto; corajoso, valente, bravo: *cabra b o m.* **17.** Em palavras ou expressões relativas a tempo, pode ser usado como intensivo, reforçando a idéia nelas contida: *Fiquei um b o m quarto de hora à sua espera;* "Este maior conhecimento, e esta maior intimidade datam, com efeito, de b o n s quarenta anos" (Afonso Pena Júnior, *Saudação a Teófilo Ribeiro*, p. 4); "Eu trazia b o a s horas de marcha, num burrico trotão, pelos tortuosos caminhos mineiros" (Rodrigo Otávio, *Contos de ontem e de hoje*, p. 19). **18.** Antecedido da prep. *a* e seguido de verbo no infinitivo (com valor de substantivo), dá idéia da intensidade com que se realiza o fato indicado pelo verbo: "A chuva cai. A chuva aumenta. / Cai, benfazeja, a b o m cair!" (Manuel Bandeira, *Estrela da Vida Inteira*, p. 37); "A Delmira ria a b o m rir" (Irene Lisboa, *Voltar atrás para quê?*, p. 115); "Andou a b o m andar por largo tempo" (Manuel Antônio de Almeida, *Memórias de um Sargento de Milícias*, p. 237); *Dorme a b o m d o r m i r.* [Fem.: *boa;* superl. abs. sint.: *boníssimo, ótimo;* comp. de super.: *melhor.*] ~ V. *boa bola, boa changa, boa espada,* — *senso, cabelo* — e *mato* —. ● *S. m.* **19.** *Bras.* Homem honrado, virtuoso: *O s b o n s serão recompensados.* ● *Interj.* **20.** Exprime admiração, aprovação, surpresa, incredulidade, etc. ♦ **Do bom.** Do bom e do melhor. **Do bom e do melhor.** Daquilo que é da mais alta qualidade no gênero; do que existe de melhor na categoria: *Come, sempre, do bom e do melhor; Em sua biblioteca, é tudo do bom e do melhor.* [Tb. se diz apenas *do bom*.] **Ser bom de.** *Bras.* Ser muito apto, muito capaz, muito hábil, em (alguma coisa): *É bom de briga; É bom de bola:* "Ia .... levar homens para o quarto. Como era boa de cama, pagar-lhe-iam muito bem." (Clarice Lispector, *A Via-Crúcis do Corpo*, p. 24). **Ser bom em.** *Bras.* Ser muito competente, ser profundo, em (determinado ramo de conhecimento): *O homem é bom em português.*

bomba[1]. [Do it. *bomba*.] *S. f.* **1.** Projetil que provoca destruição e/ou danos por detonação de uma carga explosiva e arremesso de fragmentos, por dispersão de uma mistura incendiária. **2.** Artefato explosivo que provoca danos ou destruição. **3.** *Fig.* Acontecimento inesperado, escandaloso, que suscita grandes falatórios: *A renúncia do Presidente foi uma bomba.* **4.** *Bras. Fam.* Coisa ruim, de má qualidade: *O filme em cartaz é uma bomba.* **5.** *Bras. Fam.* Indivíduo desagradável, enfadonho, incômodo. **6.** *Bras.* Reprovação em exame; pau: *O aluno levou bomba em matemática.* **7.** *Bras.* Certo doce de forma cilíndrica ou esférica, feito de massa cozida e glaçado na parte superior; ecler. **8.** *Bras.* Trabalho mal-acabado. **9.** *Bras., PB* e *PE.* Bueiro de estrada de ferro. **10.** *Bras., AL. Pop.* V. *dinheiro* (3). **11.** *Bras.* Dispositivo pirotécnico constituído por uma carga de pólvora negra e um estopim, num invólucro redondo, oval ou cilíndrico; bomba de São João. **12.** *Bras. Fut.* Chute forte. ♦ **Bomba A.** *Fís.* Bomba atômica. **Bomba atômica.** *Fís. Nucl.* Engenho explosivo de emprego bélico, cuja liberação violenta de energia resulta da desintegração de átomos pesados, como, p. ex., do urânio; bomba A. **Bomba de fogo.** *Mil.* Artifício usado à noite nas praças de guerra para alumiar as muralhas. **Bomba de fumaça.** Bomba que dispersa uma nuvem de fumaça para tolher a visão do inimigo ou esconder os movimentos dos que a lançam. **Bomba de gás.** Bomba (1) que dispersa gases nocivos. **Bomba de hidrogênio.** Bomba termonuclear [q. v.] que emprega o hidrogênio como substância explosiva; bomba H. **Bomba de parede.** *Bras., SP.* Bomba transvaliana. **Bomba de profundidade.** *Mar. G.* Bomba (1) anti-submarina largamente usada nas duas guerras mundiais, e que era largada pela popa da embarcação anti-submarina, ou arremessada pelos bordos por meio de morteiros, e explodia ao atingir determinada profundidade. **Bomba de São João.** *Expl.* Bomba (11). **Bomba enfeitada.** *Bras.* Aprovação em exame com ínfima nota. **Bomba H.** Bomba de hidrogênio. **Bomba incendiária.** Bomba (1) que, ao detonar, liberta matérias incendiárias (fósforo branco, gasolina gelatinosa, etc.). **Bomba nuclear.** Designação comum às bombas atômicas e às termonucleares. **Bomba real.** *Bras.* Foguete de grande estampido. **Bomba submarina** *Bras. Mar. G.* Designação genérica das bomba de profundidade, bomba-foguete e bomba-granada. **Bomba termonuclear.** Engenho explosivo de emprego bélico, cuja liberação violenta de energia resulta de uma fração nuclear de átomos leves, como, p. ex., do hidrogênio, do hélio, etc. **Bomba transvaliana.** *Bras., N.E.* Espécie de bomba, usada nos festejos de S. João, que explode ao chocar-se com alguma coisa. [Sin. (em SP): *bomba de parede*. Tb. se diz apenas *transvaliana*.] **Bomba vulcânica.** Fragmento de lava, mais ou menos do tamanho de um punho, e cuja forma é arredondada, em virtude do movimento de rotação quando expelido.

bomba[2]. [De provável or. it.] *S. f.* **1.** Máquina utilizada para movimentar fluidos — gases ou líquidos —, geralmente ao longo de tubulações. **2.** Aparelho de vidro para extrair leite do seio das mulheres. **3.** Aparelho com que se esgota a água dos navios. **4.** Aparelho com que se enchem câmaras-de-ar. **5.** Pára-choques dos carros das linhas férreas. **6.** *Bras., S.* Canudo de metal ou de madeira para se tomar o mate, e em cuja extremidade inferior há uma espécie de ralo, destinado a evitar a passagem do pó da erva; bombilha. **7.** Espaço vazio ao lado de escada que, pelo outro lado, se engasta numa parede. **8.** Espaço vazio compreendido entre dois lanços de sentidos opostos, numa escada. **9.** *Arquit.* Caixa de escada. **10.** *Mús.* Pequeno tubo móvel que aumenta o comprimento dos instrumentos de metal, baixando, assim, o diapasão. **11.** *Mús.* Tubo de metal que se introduz na parte superior da flauta, com o mesmo fim. [Cf. *trombone* (1).] **12.** *Desus.* Posto (7). ♦ **Bomba a jato.** *Tec. Mec.* Aquela em que o elemento é um jato de fluido que, em circunstâncias apropriadas, arrasta o fluido que deve ser bombeado. **Bomba alternativa.** *Tec. Mec.* Aquela em que o elemento impulsor efetua um movimento alternado, impelindo o fluido numa metade ou nas duas metades do ciclo. **Bomba aspirante.** *Tec. Mec.* Bomba que cria um vácuo na entrada de modo a permitir a impulsão do fluido pela pressão atmosférica. Pode ser rotativa ou alternativa. **Bomba aspirante-premente.** *Tec. Mec.* A que impulsiona o fluido não só pela ação positiva do elemento motriz (rotor ou pistão), mas também pela criação, na entrada, de um vácuo que possibilita o deslocamento do fluido em virtude da pressão atmosférica. **Bomba auto-aspirante.** *Tec. Mec.* A que é capaz de criar um vácuo na entrada, de modo que aspire espontaneamente o fluido a impelir. **Bomba calorimétrica.** *Fís. Quím.* Calorímetro em que se medem calores de combustão. **Bomba centrífuga.** *Tec. Mec.* Bomba em que a impulsão do fluido se faz em virtude do movimento de um rotor que o impele do orifício central de entrada para o orifício periférico de saída. São desse tipo as bombas que impelem a água nas instalações hidráulicas domésticas. **Bomba de ação dupla.** *Tec. Mec.* Aquela em que o elemento alternativo impele o fluido nas duas metades do ciclo. **Bomba de ação simples.** *Tec. Mec.* Bomba alternativa em que a impulsão do fluido só se dá numa metade do ciclo. **Bomba de aceleração.** *Autom.* Dispositivo automático destinado a fornecer aos cilindros uma mistura mais rica, para proporcionar acelerações rápidas e potentes; bomba injetora. [Cf. *bomba de gasolina*.] **Bomba de condensação.** *Fís.* Bomba de difusão. **Bomba de diafragma.** *Tec. Mec.* Aquela em que a impulsão do fluido é proporcionada pelo movimento alternativo de uma membrana elástica. São desse tipo certas bombas para produtos químicos, pois nelas o fluido não entra em contato com o sistema motriz do diafragma. **Bomba de difusão.** *Fís.* Bomba de vácuo na qual um jacto de vapor de mercúrio, ou de óleo, extrai as moléculas do gás do recipiente por evacuar, comunicando-lhes uma velocidade para fora do recipiente; bomba de condensação. **Bomba de engrenagem.** *Tec. Mec.* Bomba em que a impulsão do fluido se faz pela rotação de engrenagens cujos dentes recolhem, sucessivamente, frações da massa fluida, lançando-as para a frente na canalização. **Bomba de esgoto.** *Tec. Mec.* Pequena bomba do tipo centrífuga, que opera na vertical, usada para drenar reservatórios rasos e esgotos. **Bomba de fusos.** *Tec. Mec.* Aquela em que os elementos motores do fluido são fusos helicoidais que giram com as ranhuras acopladas, de forma a empurrar o líquido num certo sentido. Usam-se estas bombas para operar líquidos muito viscosos. **Bomba de gasolina.** *Autom.* Em motores a gasolina, bomba aspirante-premente, do tipo de diafragma, que aspira a gasolina do tanque, enviando-a ao carburador. **Bomba de incêndio.** Bomba aspirante-premente [q. v.], guarnecida de mangueira, para lançar água sobre focos de incêndio. **Bomba de óleo.** *Autom.* A que faz que o óleo lubrificante circule em um motor, atingindo todos os pontos que requerem lubrificação, com pressão suficiente e a qualquer momento. **Bomba de vácuo.** *Fís.* Máquina, rotativa ou não, empregada para evacuar o interior de um recipiente ou de um sistema. **Bomba eletromagnética.** *Fís.* Equipamento para bombear metais fundidos, no qual uma corrente elétrica passa através do metal num encanamento situado entre os pólos de um eletroímã, provocando assim uma força que impele o metal. **Bomba hidráulica.** *Tec. Mec.* A que é projetada para impelir água. **Bomba injetora.** *Autom.* Bomba de aceleração. **Bomba parafuso.** *Tec. Mec.* Bomba elevatória em que o elemento motriz é um parafuso de Arquimedes. Utiliza-se para operar suspensão (2) e esgoto. **Bomba premente.** *Tec. Mec.* A que impele o fluido pela ação impulsionadora de um elemento motriz (rotor ou pistão). **Bomba química.** *Tec. Mec.* A que é projetada para impelir fluidos de processos químicos e fabricada em material resistente à corrosão e ao ataque químico. **Bomba rotativa.** *Tec. Mec.* Aquela em que o elemento impulsor efetua um movimento de rotação. **Bomba submersível.** *Tec. Mec.* A que opera imersa na massa fluida de onde aspira a corrente que impele. **Bomba turbina.** *Tec. Mec.* Bomba rotativa em que o rotor tem a forma de um rotor de turbina, e que impele o fluido por uma ação centrífuga e também axial.

bombacácea. *S. f.* Espécime das bombacáceas.

bombacáceas. *S. f. pl. Bot.* Família tropical de árvores, dotadas de flores muito grandes, e amplíssimas folhas compostas digitadas, e cujos frutos, ditos *paina*, são enormes cápsulas repletas de sementes e de pêlos longos. No Brasil, muitas das 140 espécies são cultivadas nas ruas e jardins como ornamentais, como, p. ex., a *Pachyra aquatica*.

bombacáceo. *Adj.* Pertencente ou relativo às bombacáceas.

bombachas. [Do esp. plat. *bombachas*.] *S. f. pl.* **1.** *Ant.* Calções largos que se atavam por sob os joelhos. **2.** *Bras., S.* Calças muito largas em toda a perna, salvo no tornozelo, onde são presas por botões, típicas, sobretudo, do vestuário regional gaúcho.

bombacho. *S. m.* Bomba[2] (1) pequena para tirar ou elevar água.

bombada. *S. f.* **1.** Cada movimento completo da bomba[2] (1) ao movimentar fluídos [v. *fluido* (7)], etc. **2.** Quantidade de líquido, ar, etc., que a bomba[2] (1) lança de cada vez. **3.** *Fig. Bras.* Prejuízo, perda: *levar uma bombada.*

bomba-d'água[1]. *S. f. Bras.* Precipitação volumosa e repentina de água em chuvas de trovoada; aguaceiro forte. [Pl.: *bombas-d'água*. Cf. *tromba-d'água*.]

bomba-d'água[2]. *S. f. Autom.* Unidade impulsionadora da água, no sistema de refrigeração dos motores arrefecidos a água. [Pl.: *bombas-d'água*.]

bomba-foguete. *S. f. Mar. G. Bras.* Arma anti-submarina, largamente usada na II Guerra Mundial, constituída de um recipiente carregado com explosivo, lançado pela proa da embarcação anti-submarina por meio de foguete, e que explodia ao chocar-se contra uma superfície resistente. [Pl.: *bombas-foguetes*.]

bomba-granada. *S. f. Mar. G. Bras.* Bomba anti-submarina, usadíssima na II Guerra Mundial, e constituída de um recipiente carregado com explosivo, lançado pela proa da embarcação anti-submarina mediante dispositivo que emprega uma carga explosiva de arremesso. [Pl.: *bombas-granadas*.]

bombarda. [Do fr. *bombarde*.] *S. f.* **1.** Antiga máquina de guerra com que se arremessavam grandes blocos de pedra. **2.** Antiga peça de artilharia, de cano curto e grosso calibre, que atirava grandes bolas de ferro ou de pedra: "As bombardas horríssonas bramavam" (Luís de Camões, *Os Lusíadas*, II, p. 100). **3.** *Mús.* Antigo instrumento de palheta dupla, semelhante a um oboé rústico. **4.** *Mús.* Tubo de órgão (5) de palheta. **5.** *Ant. Lus.* Navio de dois mastros, com vela bastarda no de vante e vela latina quadrangular no de ré, e que servia para transportar artilharia.

bombardada. *S. f. Ant.* Tiro de bombarda.

bombardão. [Do it. *bombardone*.] *S. m. Mús.* **1.** *Ant.* Baixo de bombarda (3). **2.** *Bras.* Bombardino (1). **3.** *Bras.* V. *tuba*[1] (2).

bombardeado. [Part. de *bombardear*.] *Adj.* **1.** Que foi alvo de bombardeio. **2.** *Fam.* Muito cansado, exausto. **3.** *Fam.* Mal de saúde; adoentado.

bombardeador (ô). *Adj.* e *s. m.* Que, ou aquele que bombardeia.

bombardeamento. *S. m.* Bombardeio. ♦ **Bombardeamento de área.** *Mil.* O que bate indiscriminadamente toda uma área de dimensões relativamente grandes [Cf. *bombardeio de precisão*.]

bombardear. *V. t. d.* **1.** Arremessar bombas ou projetis de artilharia contra; bombear: *Os aviões alemães bombardearam Londres maciçamente, quando da II Guerra Mundial.* **2.** Combater com perguntas e argumentos; condenar com razões; argüir: *A oposição bombardeou o Ministro no Congresso.* **3.** Prejudicar, boicotar: *Este ferido veio bombardear os meus planos!* **4.** *Fís. Nucl.* Expor (um alvo) a um feixe de partículas aceleradas, com o fim de obter reações nucleares. [Conjug.: v. *frear*.]

bombardeio. [Dev. de *bombardear*.] *S. m.* **1.** Ato ou efeito de bombardear. **2.** *Fís. Nucl.* Ato ou efeito de atingir um alvo por um fluxo de partículas ou de fótons. [Sin.: *bombardeamento*.] ♦ **Bombardeio de precisão.** *Mil.* O que é dirigido para um ponto ou para um alvo de dimensões relativamente pequenas. [Cf. *bombardeamento de área*.] **Bombardeio de saturação.** *Mil.* Bombardeio denso, concentrado contra uma área limitada que se deseja arrasar.

bombardeira. *S. f. Fort.* Troneira.

bombardeiro. *S. m.* **1.** *Ant.* Artilheiro de bombarda (1). **2.** *Ant.* Marinheiro que guiava a bombarda (2). **3.** Avião de grande porte empregado nas ações de bombardeio; avião de bombardeio. • *Adj.* **4.** Referente a bombarda.

bombardino. [Do it. *bombardino*.] *S. m.* **1.** O saxorne baixo; bombardão. **2.** Trombone de pistões. **3.** O executante desses instrumentos: *João é um mau bombardino.*

bomba-relógio. *S. f.* Bomba[1] com um dispositivo que provoca sua detonação após um tempo prefixado. [Pl.: *bombas-relógios* e *bombas-relógio*.]

bombástico. [Do antr. *Bombast*, de um eremita da Suábia (1493-1541), que tinha estilo empolado, +

-*ico*[2].| *Adj.* **1.** Estrondoso, altissonante. **2.** *Fig.* Empolado, extravagante, pretensioso: *estilo bombástico; discurso bombástico; orador bombástico.*

bombazina. [Do b.-lat. *bombacina*, por *bombycina*, 'de seda': é, aliás, de algodão.] *S. f.* Tecido de algodão, em riscas, imitante a veludo: "vestiu logo pela manhã as suas calças e jaqueta de *bombazina* .... e o seu colete vermelho" (Alexandre Herculano, *Lendas e Narrativas*, II, p. 226).

bombeação. [De *bombear*[1] (3).] *S. f. Bras.* Ato de bombear[1] (3).

bombeado. [Part. de *bombear*[1].] *Adj.* **1.** Boleado (1). **2.** *Bras.* Reprovado em exames.

bombeador[1] (ô). [De *bombear*[1] + *-(d)or.*] *Adj.* e *s. m.* Diz-se de, ou professor que gosta de bombear[1] (3).

bombeador[2] (ô). [Do esp. plat. *bombeador.*] *S. m. Bras.* Aquele que age ou se comporta como bombeiro[4].

bombeamento[1]. *S. m.* **1.** Ato de bombear[1]. **2.** *Geol.* Arqueamento.

bombeamento[2]. *S. m.* Ato de bombear[2].

bombear[1]. [De *bomba*[1] + *-ear.*] *V. t. d.* **1.** Bombardear (1). **2.** Dar forma redonda a; bolear. **3.** Reprovar em exames. [Conjug.: v. *frear.*]

bombear[2]. [De *bomba*[2] + *-ear.*] *V. int.* **1.** Manobrar bomba[2] (1 a 4). *T. d.* **2.** *Bras.* Extrair (fluidos) com bomba[2] (1 a 4). [Conjug.: v. *frear.*]

bombear[3]. [Do esp. plat. *bombear.*] *V. t. d.* **1.** *Bras.* Espionar (o campo inimigo). **2.** *Bras., PE.* Seguir disfarçadamente (alguém), buscando ocasião para lhe falar ou pedir obséquio. **3.** *Bras., RS.* Observar com atenção; espreitar. [Conjug.: v. *frear.*]

bombeiro[1]. [De *bomba*[1] + *-eiro.*] *S. m. Ant.* Soldado que atirava bombas.

bombeiro[2]. [De *bomba*[2] + *-eiro.*] *S. m.* **1.** Indivíduo que pertence a uma instituição de assistência pública encarregada de combater incêndios, fazer salvamentos e socorrer acidentados em outros tipos de sinistros. **2.** *Bras. Fam.* Criança que sofre de enurese. **3.** *Bras., RJ.* V. *encanador.* **4.** *Bras., RJ.* Vendedor ambulante. **5.** *Bras., BA* e *MG.* O prático em trilhas e encruzilhadas dos gerais.

bombeiro[3]. [De *bombo* + *-eiro.*] *S. m. Bras.* Tocador de bombo (1); bombo.

bombeiro[4]. [Do esp. plat. *bombero.*] *S. m. Bras., RS.* **1.** Espião ou explorador de campo inimigo. **2.** Indivíduo que observa os atos de outrem.

bômbice. [Do gr. *bómbyx*, 'inseto zumbidor', pelo lat. *bombyce.*] *S. m.* Bômbix.

bombicídeo. *S. m.* **1.** Espécime dos bombicídeos. ● *Adj.* **2.** Pertencente ou relativo a eles.

bombicídeos. *S. m. pl. Zool.* Família de insetos da ordem dos lepidópteros, noturnos, a qual contém uma única espécie (*Bombix mori* L.), o bicho-da-seda. A mariposa adulta é branco-cremosa.

bombicino. [De *bômbice* + *-ino.*] *Adj. Bot.* Diz-se dos órgãos e partes vegetais que apresentam pêlos em forma de filamentos de seda.

bombídeo. *S. m.* **1.** Espécime dos bombídeos. ● *Adj.* **2.** Pertencente ou relativo a eles.

bombídeos. *S. m. pl. Zool.* Insetos da subfamília dos apinos, família dos apídeos. São as abelhas.

bombilha. [Do esp. plat. *bombilla.*] *S. f. Bras.* Bomba[2] (6).

bômbix (cs). [Do gr. *bómbyx*, 'inseto zumbidor', pelo lat. *bombyx.*] *S. m.* Bicho-da-seda. [F. paral.: *bômbice.* Pl.: *bômbices.*]

bombo. [Do it. *bombo.*] *S. m.* **1.** *Mús.* Tambor (2) de grandes dimensões e sonoridade grave, percutido com macetas, tocado com as peles em posição vertical, e usado em bandas militares e orquestras, bem como para marcar o ritmo na música popular. [Var.: *bumbo.* Sin.: *zabumba* ou *zambumba, zé-pereira, caixa grande; bumba* (CE), *zambê* (RN).] **2.** Bombeiro[3]. **3.** *Tip.* Tambor (12).

bom-bocado. *S. m.* Doce feito de açúcar, gemas de ovo, leite de coco ou amêndoas pisadas, etc.: "A despeito do amor .... do Barão [Barão do Rio Branco] aos *bons-bocados* à portuguesa e às boas peixadas à baiana, as informações que possuo são de um seu sobrinho" (Gilberto Freire, *Pessoas, Coisas e Animais*, p. 137). [Pl.: *bons-bocados.*]

bombom. [Do fr. *bonbon.*] *S. m.* Guloseima de confeitaria, em geral de chocolate, contendo, às vezes, recheio de frutas, licores, etc.

bombona. *S. f.* Reservatório metálico, geralmente de ferro, de paredes espessas, destinado a armazenar gases comprimidos; torpedo.

bombonaça. *S. f. Bras., L.* e *S.* Erva da família das ciclantáceas (*Carludovica palmata*), que tem o porte e aspecto de uma palmeira em forma de leque. As flores dispõem-se em espigas, bem como os frutos; as folhas, grandes, coriáceas e bífidas, servem para fabricar os chamados chapéus-do-chile. [Sin.: *jipijapá.*]

bomboneira. [De *bombom.*] *S. f.* Recipiente com tampa para se guardarem bombons.

bombóptero. *S. m.* e *adj.* V. *calastrogastro.*

bombópteros. *S. m. pl. Zool.* V. *calastrogastros.*

bombordo. [Do neerl. *bak boord*, 'bordo das costas, do dorso' (do timoneiro), pelo fr. *babord*, talvez com infl. de *bom.*] *S. m. Mar.* O lado esquerdo da embarcação, considerando-se a proa como a sua frente. [Cf. *estibordo* e *boreste.*]

bom-conselhense. *Adj. 2 g.* **1.** De, ou pertencente ou relativo a Bom Conselho (PE). ● *S. 2 g.* **2.** Natural ou habitante de Bom Conselho. [Pl.: *bom-conselhenses.*]

bom-despachense. *Adj. 2 g.* **1.** De, ou pertencente ou relativo a Bom Despacho (MG). ● *S. 2 g.* **2.** Natural ou habitante de Bom Despacho. [Pl.: *bom-despachenses.*]

bom-dia. *S. m.* Saudação que se dirige a alguém na primeira metade do dia, na parte da manhã; bons-dias: *Deu-me um bom-dia afetuoso.* [Pl.: *bons-dias.*]

bom-dia-seu-chico. *S. m. 2 n. Bras., SP* V. *trinca-ferro.*

bom-é. *S. m. Bras., CE* V. *japim.* [Pl.: *bom-és.*]

bom-jardinense[1]. *Adj. 2 g.* **1.** De, ou pertencente ou relativo a Bom Jardim (RJ). ● *S. 2 g.* **2.** Natural ou habitante de Bom Jardim. [Pl.: *bom-jardinenses.*]

bom-jardinense[2]. *Adj. 2 g.* **1.** De, ou pertencente ou relativo a Bom Jardim de Goiás (GO). ● *S. 2 g.* **2.** Natural ou habitante de Bom Jardim de Goiás. [Pl.: *bom-jardinenses.*]

bom-jardinense[3]. *Adj. 2 g.* **1.** De, ou pertencente ou relativo a Bom Jardim de Minas (MG). ● *S. 2 g.* **2.** Natural ou habitante de Bom Jardim de Minas. [Pl.: *bom-jardinenses.*]

bom-jardinense[4]. *Adj. 2 g.* **1.** De, ou pertencente ou relativo a Barão de Bom Jardim (BA). ● *S. 2 g.* **2.** Natural ou habitante de Barão de Bom Jardim. [Pl.: *bom-jardinenses.*]

bom-jesuense[1]. *Adj. 2 g.* **1.** De, ou pertencente ou relativo a Bom Jesus (PI, RN, PB e RS). ● *S. 2 g.* **2.** Natural ou habitante de Bom Jesus. [Pl.: *bom-jesuenses.*]

bom-jesuense[2]. *Adj. 2 g.* **1.** De, ou pertencente ou relativo a Bom Jesus do Amparo (MG). ● *S. 2 g.* **2.** Natural ou habitante de Bom Jesus do Amparo. [Pl.: *bom-jesuenses.*]

bom-jesuense[3]. *Adj. 2 g.* **1.** De, ou pertencente ou relativo a Bom Jesus do Galho (MG). ● *S. 2 g.* **2.** Natural ou habitante de Bom Jesus do Galho. [Pl.: *bom-jesuenses.*]

bom-jesuense[4]. *Adj. 2 g.* **1.** De, ou pertencente ou relativo a Bom Jesus do Itabapuana (RJ). ● *S. 2 g.* **2.** Natural ou habitante de Bom Jesus do Itabapuana. [Pl.: *bom-jesuenses.*]

bom-mocismo. *S. m. Irôn.* Qualidade, modos ou atos de bom-moço: "E é nessa simpatia, ... nesse nosso *bom-mocismo* (que torna o convívio com o brasileiro individualmente tão agradável), que reside nossa desgraça como nação!" (Érico Veríssimo, *O Senhor Embaixador*, p. 386.) [Pl.: *bons-mocismos.*]

bom-moço. *S. m. Irôn.* Indivíduo hipócrita, fingido. [Pl.: *bons-moços.*]

bom-nome. *S. m.* **1.** *Bras.* Certo peixe do mar. **2.** *Bras., N.E.* Arvoreta da família das ramnáceas (*Maytenus rigida*), típica da caatinga. O pequeno tronco é muito duro; as folhas, minutas e arredondadas. Há longos espinhos nos ramos; as flores são inconspícuas. [Sin.: *pau-de-colher.* Pl.: *bons-nomes.*]

bomôncia. *S. f.* Grande trepadeira, da família das apocináceas (*Beaumontia grandiflora*), originária da África, e cultivada como ornamental. Folhas opostas e coriáceas; flores grandes, alvas, perfumadas, congregadas em cimeiras; os frutos são folículos.

bom-repousense. *Adj. 2 g.* **1.** De, ou pertencente ou relativo a Bom Repouso (MG). ● *S. 2 g.* **2.** Natural ou habitante de Bom Repouso. [Pl.: *bom-repousenses.*]

bom-sucessense. *Adj. 2 g.* **1.** De, ou pertencente ou relativo a Bom Sucesso (PB, MG e PR). ● *S. 2 g.* **2.** Natural ou habitante de Bom Sucesso. [Pl.: *bom-sucessenses.*]

bom-tom. *S. m.* Trato distinto, delicado, fino, próprio da classe alta. [Pl.: *bons-tons.*] ♦ **De bom-tom.** Conforme ao gosto e comportamento da classe alta: *Usar perfume francês é de bom-tom;* "porque não era de *bom-tom* ir de chapéu a velório." (Guilherme Figueiredo, *A Pluma e o Vento*, p. 174.)

bonachão. [De *bom* + *-acho* + *-ão.*] *Adj.* e *s. m.* Que, ou aquele que tem bondade natural e é simples, ingênuo e paciente; bonacheirão: "E Arminda furiosamente agarrou-lhe ambas as orelhas ao passo que ele abria um riso desconforme, *bonacheirão*, mostrando a alma afetiva à flor do rosto." (Godofredo Rangel, *Os Humildes*, p. 54.) [Fem.: *bonacheirona.*]

bonacheirão. *Adj.* e *s. m.* Bonachão. [Fem.: *bonacheirona.*]

bonacheirice. *S. f.* Qualidade ou caráter de bonacheirão.

bonacheirona. *Adj.* (*f.*) e *s. f.* Fem. de *bonacheirão* [q. v.].

bona-chira. *S. f.* V. *bona-xira.* [Pl.: *bona-chiras.*]

bonachona. *Adj.* (*f.*) e *s. f.* Fem. de *bonachão* [q. v.].

bonaerense. *Adj. 2 g.* e *s. 2 g.* V. *portenho.*

➧**bona fide.** [Lat.] De boa-fé.

bonança. [Do gr. *malakía*, 'moleza, calmaria', pelo lat. *malacia*, que se alterou para **bonacia* por se haver julgado existir naquela palavra o el. *malus.*] *S. f.* **1.** Bom tempo no mar; tempo favorável à navegação. **2.** *Fig.* Sossego, tranqüilidade, serenidade. ● *Adj. 2 g.* e *2 n.* **3.** V. *bonançoso; calmo: mar bonança; tempo bonança.*

bonançar. *V. int.* Estar em bonança. [Conjug.: v. *laçar.* Normalmente é defect.]

bonançoso (ô). *Adj.* Que está em bonança; tranqüilo, sereno, calmo, sossegado; bonança.

bonapartismo. [Do antr. *Bonaparte* + *-ismo.*] *S. m.* Doutrina, ou opinião daqueles que eram pelo governo imperial francês, fundado por Napoleão I, e pela dinastia napoleônica.

bonapartista. *Adj. 2 g.* **1.** Relativo a Napoleão Bonaparte (1769-1821), ou ao bonapartismo. ● *S. 2 g.* **2.** Partidário de Napoleão Bonaparte ou do bonapartismo.

bonari. *Bras. S. 2 g.* **1.** Indivíduo dos bonaris, tribo indígena das imediações do rio Atumá, na margem esquerda do Amazonas. ● *Adj. 2 g.* **2.** Pertencente ou relativo a essa tribo. [Sin. ger.: *burenari.*]

bona-xira. [Do fr. *bonne chère.*] *S. f.* Mesa farta; bom passadio. [Pl.: *bona-xiras.*]

➧**bonbonnière** ('bomboniér'). [Fr.] *S. f.* Loja onde se vendem bombons.

bondade. [Do lat. *bonitate.*] *S. f.* **1.** Qualidade ou caráter de bom. **2.** Boa ação. **3.** Benevolência, indulgência, benignidade, clemência: *A bondade do pároco era reconhecida por todos.* [Antôn., nessas acepç.: *maldade.*] **4.** Brandura, doçura. **5.** *Bras., N.* e *N.E. Pop.* Orgulho, soberba: *Gosto do Dr. Paulo, é um rico sem bondade.*

bondadoso (ô). *Adj. P. us.* V. *bondoso* (1).

bonde. [Do ingl. *bond.*] *S. m.* **1.** *Bras.* Veículo elétrico de transporte urbano, para passageiros ou carga, que se move sobre trilhos e pode ser fechado ou aberto, com estribo corrido e bem perpendicular a este; elétrico. **2.** *Bras. Gír.* Mau negócio; logro. **3.** *Bras. Gír.* Mulher feia, sem atrativos; bofe, bagulho. **4.** *Bras. Fut.* Jogador ruim. ♦ **Comprar bonde.** *Bras. Gír.* **1.** Cair em conto-do-vigário. **2.** Fazer mau negócio. **Tomar o bonde errado.** *Bras. Gír.* Enganar-se quanto ao resultado de negócio ou de aventura em cujo bom êxito se confiava muito; malograr-se, frustrar-se; errar de porta.

bondeco. [De *bonde* (1) + *-eco*[1].] *S. m.* Bondinho: "tratou de comprar um anelão de ouro com grosso brilhante, que ostentava nos *bondecos* de burros" (Agripino Grieco, *Recordações de um Mundo Perdido*, p. 212).

bondinho. [Dim. de *bonde* (1).] *S. m.* Pequeno bonde, bondeco.

bondoso (ô). [De *bondadoso*, por haplologia.] *Adj.* **1.** Que tem bondade; benévolo. [F. paral. (p. us.): *bondadoso.*] **2.** Em que há bondade. **3.** *Bras., N. Pop.* Soberbo, orgulhoso.

bonduque. [Do fr. *bonduc.*] *S. m.* Olho-de-gato (1).

boné. [De fr. *bonnet.*] *S. m.* Peça de vestuário para a cabeça, de copa redonda, com uma pala sobre os olhos. [No Brasil, o t. é us. na Marinha; no Exército e na Aeronáutica, usa-se *quepe.*] ♦ **Apanhar boné.** *Turfe.* Terminar (o cavalo) um páreo entre os últimos colocados. **Botar boné em.** *Bras., N.* e *N.E. Pop.* Ser infiel a, trair (a mulher, com relação ao marido ou ao amante).

boneca. *S. f.* **1.** Figura de trapo, louça, madeira, plástico, etc., que imita uma forma feminina e serve como brinquedo de criança ou enfeite. [Sin. (fam.): *nena.*] **2.** *Fig.* Mulher excessivamente enfeitada e/ou de corpo pequeno e bem-feito. **3.** Mulher charmosa e bonita. **4.** Pequeno chumaço de algodão envolvido em pano, usado para envernizar, passar óleo no couro das encadernações antes da douração, entintar gravura para tiragem a cores pelo sistema de placa única, etc. [Cf.

tampão (7).] **5.** Peça de ferro, vertical, na boléia dos carros. **6.** Peça de madeira para resguardar internamente o cano das espingardas. **7.** *Bras.* A espiga de milho ainda em formação. **8.** *Bras.* Chapuz que se prega nas escoras dos cimbres dos arcos. **9.** *Bras. Art. Gráf.* Boneco (5). **10.** *Bras.* Pequena trouxa ou saquinho de pano, para uso doméstico, dentro do qual se coloca o anil, ou especiarias, ou temperos, ou cinza, etc., de acordo com o fim a que se destina, como, p. ex., clarear a roupa lavada, adicionar gosto a uma iguaria, retirar a cica do doce de caju, etc., sem deixar resíduos naquilo em que foi usado. **11.** *Bras. Pop.* V. *o degas* (1). **12.** *Bras.* V. *efeminado* (6). **13.** *Bras. Fam.* Palavra que se diz a quem dá notícia já sobejamente conhecida, e às vezes acompanhada do gesto de arrepanhar alguma parte da roupa e mostrá-la ao interlocutor. **14.** *Constr.* Saliência de alvenaria, nas paredes internas, onde são fixados os marcos das portas. ~ V. *bonecas*.

bonecada. *S. f.* Porção de bonecas.

bonecar. *V. int. Bras.* Produzir bonecas ou espigas (o milho); embonecar. [Conjug.: v. *trancar.* Normalmente é defect.]

bonecas. [Pl. de *boneca.*] *S. f. pl. Bras.* **1.** Peças do torno, entre as quais se coloca a madeira ou o metal para serem trabalhados. **2.** *Geol.* Concreções, em geral de sílex, de forma arredondada, semelhante à de uma boneca. ~ V. *boneca*.

boneco. [De *boneca.*] *S. m.* **1.** Figura de trapo, louça, madeira, plástico, etc., que imita uma forma masculina e serve como brinquedo de criança ou enfeite. **2.** *Inf.* Desenho ou estampa que representa homens ou animais. **3.** *Fig.* Peralvilho, peralta, janota. **4.** *Fig.* V. *fantoche* (3). **5.** *Art. Gráf.* Projeto gráfico de um livro constituído por volume da mesma espessura e formato do que se deseja imprimir, com capa para mostrar a qualidade e a cor do material escolhido e outras características; boneca. **6.** *Gír.* Entre repórteres, retrato de protagonista de fatos policiais. **7.** *Bras. Gír.* Homem charmoso, bonito. ◆ **Boneco de engonço. 1.** Boneco (1) com articulações, que se move ao ser puxado por um cordel, ou quando se lhe dá corda. **2.** V. *fantoche* (2).

boné-de-bispo. *S. m.* Árvore grande, da família das lecitidáceas (*Barringtonia speciosa*), procedente do litoral da Índia, de flores vistosas, com pétalas alvas e estames purpúreos, e reunidas em racemos, folhas obovadas, sésseis, nítidas, e agregadas na ponta dos ramos. É cultivada como ornamental. [Sin.: *boné-quadrado.* Pl.: *bonés-de-bispo.*]

bonense. *Adj. 2 g.* **1.** De, ou pertencente ou relativo a Bonn, capital da República Federal Alemã (Alemanha Ocidental). ● *S. 2 g.* **2.** Natural ou habitante de Bonn.

boné-quadrado. *S. m.* Boné-de-bispo. [Pl.: *bonés-quadrados.*]

bonete. *S. m. Ant.* Boné. [Pl.: *bonetes.*]

bonfinense[1]. *Adj. 2 g.* **1.** De, ou pertencente ou relativo a Bonfim (MG). ● *S. 2 g.* **2.** Natural ou habitante de Bonfim.

bonfinense[2]. *Adj. 2 g.* **1.** De, ou pertencente ou relativo ao Senhor do Bonfim (BA). ● *S. 2 g.* **2.** Natural ou habitante do Senhor do Bonfim.

bongar. [Do quinb. *kubonga*, 'buscar'.] *V. t. d. Bras., RJ.* **1.** Apanhar catando, procurando cuidadosamente, de grão em grão. **2.** Procurar, buscar. [Conjug.: v. *largar.*]

bongô. [Do afr.] *S. m.* Instrumento de percussão, de origem africana, constituído de dois pequenos tambores geminados, de afinações diferentes, e tocados com os dedos.

bonicos. *S. m. pl. Pop.* Excremento miúdo de animais.

bonificação. [De *bonificar* + *-ção.*] *S. f.* **1.** Concessão de bônus. **2.** Vantagem oferecida em ações e títulos de empresas comerciais. **3.** Concessão que o vendedor faz ao comprador, diminuindo o preço da coisa vendida ou entregando quantidade maior do que a estipulada.

bonificar. [Do lat. *bonu*, 'bom', + *-i-* + *-ficar.*] *V. t. d.* **1.** Dar bonificação a. **2.** Gratificar, premiar. **3.** *Ant.* Beneficiar, melhorar. [Conjug.: v. *trancar.*]

bonifrate. [Do lat. *boni fratres*, 'bons irmãos'?] *S. m.* **1.** V. *fantoche* (2): "A decadência do teatro espanhol e o custo proibitivo da ópera italiana para uma parte do público dos antigos *pátios* fomentou ainda outro tipo novo de espetáculo: o teatro de bonecos articulados, ou *bonifrates*" (Antônio José Saraiva e Oscar Lopes, *História da Literatura Portuguesa*, p. 493). **2.** *Fig.* V. *fantoche* (3).

➧**boni mores** (bóni móres). [Lat.] Bons costumes.

bonina. [Do esp. *bonina.*] *S. f.* **1.** V. *bela-margarida*. **2.** V. *maravilha* (5).

boninal. *S. m.* Quantidade mais ou menos considerável de boninas dispostas proximamente entre si.

boníssimo. *Adj.* Superl. abs. sint. de *bom*.

bonita. [Fem. substantivado do adj. *bonito?*] *S. f. Cul. Bras.* V. *doce-de-pimenta*.

bonitaço. *Adj. Bras.*, *S.* Bonitão (1).

bonitão. *Adj.* **1.** Muito bonito. [Sin. (no S. do Brasil): *bonitaço.*] ● *S. m.* **2.** Indivíduo muito bonito. [Fem.: *bonitona* (q. v.).]

bonitense[1]. *Adj. 2 g.* **1.** De, ou pertencente ou relativo a Bonito (PE e MS).] ● *S. 2 g.* **2.** Natural ou habitante de Bonito.

bonitense[2]. *Adj. 2 g.* **1.** De, ou pertencente ou relativo a Bonito de Santa Fé (PB). ● *S. 2 g.* **2.** Natural ou habitante de Bonito de Santa Fé.

bonitete (ê). *Adj.* Bonitote.

boniteza (ê). *S. f.* Qualidade de bonito[4].

bonitinha. [F. substantivado de *bonitinho*, dim. do adj. *bonito.*] *S. f. Bras., MG. Fam.* Conjuntivite infecciosa.

bonito[1]. *S. m.* Bacia de barba.

bonito[2]. *S. m. Bras.* F. red. de *bonito-pintado* [q. v.].

bonito[3]. *Bras. S. m.* **1.** Indivíduo dos bonitos, indígenas pertencentes ao aldeamento da Imaculada Conceição do Rio Doce (MG). ● *Adj.* **2.** Pertencente ou relativo a esses indígenas.

bonito[4]. [Dim. irreg. de *bom.*] *Adj.* **1.** Que é agradável aos sentidos ou ao espírito, sem ser propriamente belo: *casa bonita; recanto bonito; música bonita*. **2.** Formoso, belo: *rosto bonito*. **3.** Bom, vantajoso: *Fechou um bonito negócio*. **4.** Que revela nobreza; nobre, generoso: *um bonito gesto*. **5.** Brilhante, magnífico, excelente: *O aluno fez um bonito papel*. **6.** Diz-se de dia claro, de sol. **7.** *Irôn.* Censurável, lamentável: *Que bonito papel fez você!* ● *S. m.* **8.** Aquilo que é bonito. **9.** Ação brilhante, nobre, bonita. **10.** *P. us.* Brinquedo (1): "o tenro e suave bambino do presépio, cercado de amores, de cânticos, de festas, de dádivas, de *bonitos*" (Ramalho Ortigão, *As Farpas*, I, p. 88). **11.** *Bras.* V. *gurinhatã*. ● *Interj.* **12.** Indica aprovação, ou censura. ● *Adv.* **13.** *Pop.* De modo bonito; bem: *O orador falou bonito*.

bonito-cachorro. *S. m. Bras.* Peixe teleósteo, percomorfo, da família dos escombrídeos (*Auxis thazard* (Lac.)), do Atlântico, de dorso azul, com manchas sinuosas azul-escuras ocupando a região livre do corselete, abdome prateado, e flancos azul-claros. Comprimento: 35 cm. [Tb. se diz apenas *cachorro*. *Sin.*: *serra*. Pl.: *bonitos-cachorros.*]

bonito-do-campo. *S. m. Bras.* Ave passeriforme, da família dos traupídeos (*Chlorophonia cyane* (Thunb); do S.E. do País, de coloração verde-clara, parte inferior amarela, e uropígio azul, sendo da mesma cor o anel que circunda os olhos. [Cf. *gaturamo*. Sin.: *gaturamo-verde*. Pl.: *bonitos-do-campo.*]

bonitona. *Adj.* (*f.*) e *s. f.* Fem. de bonitão. [P. us. como s. f.]

bonito-pintado. *S. m. Bras.* Peixe teleósteo, percomorfo, da família dos tunídeos (*Euthynus alleteratus* (Raf)), dos mares tropicais e subtropicais; coloração azul no dorso, prateada no abdome, com cinco a sete manchas escuras, que lhe valeram o nome popular; o comprimento médio é de 50 a 60cm; o peso, de 3 a 6kg. [Tb. se diz apenas *bonito*. Sin.: *curuatá-pinima*. Pl.: *bonitos-pintados.*]

bonitota. *Adj.* (*f.*) Fem. de *bonitote* [q. v.]

bonitote. *Adj.* Um tanto bonito ou formoso; bonitete. [Fem.: *bonitota.*]

➧**bon mot** (bõ mô). [Fr.] Dito espirituoso.

bonomia. [Do fr. *bonhomie.*] *S. f.* Qualidade de quem é bom, simples, crédulo, ou pachorrento, fleumático.

bonotom. [De *bom-tom?*] *S. m. Bras., AM.* Resina do jutaí, aromatizada pelos indígenas.

bons-dias. *S. m. 2 n.* **1.** *Bom-dia* [q. v.]. ● *S. m. pl.* **2.** Designação comum a várias plantas da família das convolvuláceas (gêneros *Calystegia* e *Ipomoea*).

bonsuça. *Adj. 2 g.* e *s. 2 g. Bras. Pop.* Bonsucesso.

bonsucesso. *Bras. Adj. 2 g.* **1.** Pertencente ou relativo ao Bonsucesso Futebol Clube (RJ). **2.** Que é torcedor ou jogador dessa agremiação. ● *S. 2 g.* **3.** Membro, torcedor ou jogador dela. [Sin. ger. e pop.: *bonsuça.*]

bônus. [Do lat. *bonus*, 'bom', atr. do fr. *bonus.*] *S. m. 2 n.* **1.** Prêmio ou vantagem que se concede aos portadores de determinados títulos, cupons, etc., algumas vezes por meio de sorteio. **2.** *Bras. Fin.* Título da dívida pública, ao portador, emitido em séries, com vencimentos em época certa, e que, por via de regra, o adquirente pode aplicar no pagamento de débitos fiscais. [Cf., nesta acepç.: *apólice* e *debênture.*]

➧**bon vivant** (bõ vivã). [Fr.] Homem de disposição alegre, que sabe gozar a vida.

bonza. [Fem. de *bonzo.*] *S. f.* Monja budista.

bonzão. *Adj. Bras. Pop.* Muito bom; ótimo: *sujeito bonzão, amigo excelente; cabra bonzão* (indivíduo muito valente). [Geralmente us. com relação a pessoas.]

bonzo. [Do jap. dialetal *bónzu.*] *S. m.* **1.** Sacerdote budista; saí: "É natural que absorvesse, intactas, todas as tendências do homem extraordinário do qual a aparência protéica — de santo exilado na Terra, de fetiche de carne e osso e de *bonzo* claudicante — estava adrede talhada para reviver os estigmas degenerativos de três raças." (Euclides da Cunha, *Os Sertões*, p. 190.) **2.** *Bras. Pej.* Dissimulado, sonso.

bonzó. *S. m. Bras.* Cautela de rifa. [Var. pros.: *bonzô.*]

bonzô *S. m. Bras.* Var. pros. de *bonzó*.

➧**book** (buk). [F. red de *bookmaker* (q. v.)] *S. m.* V. *bookmaker*.

➧**bookmaker** (bukmêikar). [Ingl.] *S. m. Turfe.* Pessoa que aceita apostas clandestinas em corrida de cavalos. [F. red.: *book*. Sin.: *clandestino.*]

➧**boom** (bum). [Ingl.] *S. m.* **1.** Rápida expansão de atividade(s) econômica(s), caracterizada por expectativas otimistas. **2.** O período durante o qual ocorre tal expansão.

boosco (ô). *S. m. Arc.* Bosque, mata.

boqueada. *S. f.* Ato ou efeito de boquear.

boquear. *V. int.* **1.** Abrir a boca, respirando a custo. **2.** Boquejar, murmurar. **3.** V. *agonizar* (1). [Conjug.: v. *frear.*]

boqueira. [De *boca* (ô) + *-eira.*] *S. f. Pop.* Quilite comissural; boquejro, canto-de-passarinho, canto-de-sabiá, sabiá.

boqueirão. *S. m.* **1.** V. *bocarra* (1). **2.** Abertura em costa marítima, rio ou canal. **3.** Covão (1). **4.** Rua ou viela que dá sobre um rio ou praia. **5.** Quebrada de serra. **6.** Foz de um rio. **7.** *Bras. N.E.* Abertura ou garganta na serra, onde corre um rio. **8.** *Bras., MA.* Braço de mar entre uma ilhota e a costa esbarrancada. **9.** *Bras., BA.* Terreno úmido e fértil, bom para a cultura de cacau. **10.** *Bras., S.* V. *brechão*. **11.** *Bras., RS.* Saída larga para um campo, após uma estrada estreita ou um desfiladeiro.

boqueirense. *Adj. 2 g.* **1.** De, ou pertencente ou relativo a Boqueirão (PB). ● *S. 2 g.* **2.** Natural ou habitante de Boqueirão.

boqueiro. *S. m. Pop.* **1.** V. *boqueira*. **2.** V. *maconheiro* (2).

boquejadura. *S. f.* Boquejo.

boquejar. [De *boca* (ô) + *-ejar.*] *V. t. d.* **1.** Proferir entre dentes; murmurar: *Chamou-me a um canto e boquejou umas poucas palavras. T. d. e i.* **2.** Dizer, falar, contar: *Boquejou para o amigo tudo quanto eu lhe havia contado. T. i.* **3.** Dizer, falar, contar. **4.** Falar mal: *Ao que dizem, costuma boquejar dos amigos*; "E a boquejar em Don'Ana, / Ninguém despertar temia / Do Otelo a cólera insana..." (Raimundo Correia, *Poesias*, p. 258). *Int.* **5.** V. *bocejar* (1 e 2). **6.** Falar baixo; murmurar, boquear. [Conjug.: v. *pelejar.*]

boquejo (ê). [Dev. de *boquejar.*] *S. m.* Ato ou efeito de boquejar; boquejadura.

boquelho (ê). *S. m.* Pequena abertura junto à boca do forno.

boquete (ê). [De *boca* (ô) + *-ete.*] *S. m.* **1.** *Bras.* Início de uma zona apertada entre terrenos altos. **2.** Entrada ou abertura estreita.

▲**boqu(i)-.** [De *boca.*] *El. comp.* = 'boca': *boquiaberto, boquirroto*.

boquiaberto. [De *boqu(i)-* + *aberto.*] *Adj.* **1.** De boca aberta. **2.** Muito admirado; pasmado, tolo (3).

boquiabrir. [De *boqu(i)-* + *abrir.*] *V. t. d.* **1.** Causar grande admiração, pasmo, a: "récuas e récuas de palavras antigas, postas de propósito para *boquiabrir*... o pobre-diabo." (Fialho d'Almeida, *Os Gatos*, VI, p. 118). *P.* **2.** Ficar pasmado, boquiaberto. [Part., irreg.: *boquiaberto.*]

boquifendido. [De *boqu(i)-* + *fendido.*] *Adj.* Cuja boca é largamente fendida; boquirrasgado.

boquilargo. [De *boqu(i)-* + *largo.*] *Adj.* Que tem a boca larga.

boquilha. [Do esp. *boquilla.*] *S. f.* **1.** Tubo de gesso, ou marfim, ou plástico, etc., por onde se fuma o cigarro ou o charuto. [No Brasil, em geral, *piteira*, e no S., *biqueira.*] **2.** Parte do cachimbo que fica entre os dentes. **3.** Encaixe para unir caixilhos de portas e janelas. **4.** *Mús.* Peça de madeira que serve de embocadura ao clarinete, ao saxofone e a instrumentos congêneres, e sobre a qual se fixa a palheta por meio da braçadeira. **5.** *Tip.* Nariz (6).

boquilheiro. [De *boquilha* + *-eiro.*] *S. m. Lus.* Estojo para boquilha (1).

boquim. [De *boca* (ô) + *-im.*] *S. m.* Bocal de instrumentos de sopro.

boquinegro (ê). [De *boqu(i)- + negro.*] *Adj.* **1.** Cuja boca é preta. **2.** *Fig.* Que pinta as coisas com cores negras.

boquinha. [Dim. de *boca* (ô).] *S. f.* **1.** *Bras. Fam.* Beijo: "dê-lhe um abraço por mim, um beliscão e uma b o q u i n h a." (Franklin Távora, *O Cabeleira*, p. 249); "eu machucada e chorosa, ... ele passando meizinha nas feridas, arrependido, me dando b o q u i n h a s no meu cangote" (Nélson de Faria, *Tiziu e Outras Estórias*, p. 22). **2.** *Bras.* Pequeno peixe róseo. **3.** *Bras., PE.* Refeição ligeira. **4.** *Bras., AM.* Som de beijo. **5.** *Bras., AM.* V. *chupa* (2). ♦ **À boquinha da noite.** À boca da noite: "à b o q u i n h a d a n o i t e, as badaladas das Ave-Marias" (Antero de Figueiredo, *Jornadas em Portugal*, pp. 103-104). **Fazer boquinha.** Franzir os lábios em sinal de contrariedade. **Fazer uma boquinha.** *Bras.* Fazer uma refeição leve; comer um pouco.

boquirrasgado. [De *boqu(i)- + rasgado.*] *Adj.* Boquifendido.

boquirroto. (ô). [De *boqu(i)- + roto* (ô).] *Adj. e s. m. Bras.* Que ou aquele que fala muito, que é muito indiscreto, incapaz de guardar segredo; boca-rota.

boquissumido. [De *boqu(i)- + sumido.*] *Adj.* De boca sumida, pouco aparente, metida para dentro, tal como aqueles a quem faltam os dentes dianteiros.

borá[1]. *S. m.* Medida de capacidade para secos, na Índia.

borá[2]. [Do tupi *heborá*, 'o que há de ter' (mel).] *S. m. Bras.* **1.** V. *aramá.* **2.** V. *saburá.*

borá[3]. *S. m. Bras.* Som produzido pelo sopro entre os polegares das mãos unidas e fechadas em concha.

borá-boi. *S. m. Bras., MT.* V. *aramá.* [Pl.: *borás-bois* e *borás-boi.*]

borá-cavalo. *S. m. Bras., MT.* V. *aramá.* [Pl.: *borás-cavalos* e *borás-cavalo.*]

borace. *S. m.* V. *bórax.*

boracita. [De *borace + -ita*[3].] *S. f. Min.* Mineral ortorrômbico, pseudocúbico, cloroborato de magnésio.

boraginácea. *S. f.* Espécime das boragináceas. [Var.: *borraginácea.*]

boragináceas. *S. f. pl. Bot.* Família de plantas herbáceas, arbustivas e, às vezes, arbóreas, espalhadas por todo o mundo e representando umas 1 600 espécies. Tem folhas alternas, flores actinomorfas e pentâmeras, e frutos drupáceos, geralmente divididos em quatro cocas. Algumas são ornamentais, como a nossa *Cordia superba*, com grandes flores alvas. [Var.: *borragináceа.*] ~ V. *boraginácea.*

boragináceo. *Adj.* Pertencente ou relativo às boragináceas. [Var.: *borragináceo.*]

borajuba. [De possível or. tupi.] *S. f. Bras., Amaz.* Certa madeira de lei.

boral. *S. m. Eng. Nucl.* Material constituído por uma dispersão de carbureto de boro em alumínio que, tendo uma seção de choque de absorção de nêutrons térmicos muito elevada, é utilizado em blindagens.

borano. *S. m. Quím.* Composto de boro e hidrogênio, análogo a um hidrocarboneto.

borato. *S. m. Quím.* Qualquer sal do ácido bórico.

bórax (cs). [Do persa *boûrah*, atr. do ár. *buraq.* pelo lat. medieval *borax.*] *S. m. 2 n. Quím.* O borato de sódio decaidratado, cristalino, usado como antisséptico. [Var.: *borace.*]

borbense. *Adj. 2 g.* **1.** De, ou pertencente ou relativo a Borba (AM). ● *S. 2 g.* **2.** Natural ou habitante de Borba.

borboleta (ê). [De **belbellita*, calcado em *belo.*] *S. f.* **1.** Designação comum aos insetos lepidópteros diurnos, cujas antenas são clavadas. [As larvas das borboletas não tecem casulos, passando o período ninfal sob forma de crisálidas. Sin.: *panapaná, panapanã.* Cf. *mariposa* (1).] **2.** Designação comum aos peixes teleósteos, percomorfos, da família dos caetodontídeos (*Chaetodon striatum* L.), do Atlântico, de coloração amarela, com cinco faixas mais escuras. Freqüentam recifes e polipeiros, alimentando-se de vegetais e pequenos animais, e são espécie muito ornamental, própria para aquários. **3.** V. *raia-manteiga* (1). **4.** Designação comum a duas ervas ornamentais, da família das solanáceas (*Schizanthus pinnatus*), originárias do Chile. Folhas membranáceas e bipenatecectas; as flores, violáceas e mais ou menos maculadas, têm a corola bilabiada e laciniada; as cápsulas, membranáceas, encerram muitas sementes. **5.** Ferragem com feitio de borboleta, fixada nas ombreiras, para manter suspensas as folhas das janelas de guilhotina. **6.** *Tip.* Alça de grifo. **7.** *Tip.* Baliza feita com tira de cartolina dobrada, que se cola ao padrão das minervas; mosca. **8.** *Constr. Nav.* Cada uma das peças de metal com dois pernos ou com uma alça que gira em um perno roscado, usadas para atracar tampa de gaiúta, porta estanque, vigia, etc. **9.** *Fig.* Pessoa inconstante, volúvel. **10.** *Bras.* Molinete (2) usado sobretudo nas entradas das estações de estrada de ferro e nos ônibus para contagem de passageiros, e em cinemas, teatros, estádios, etc., para contagem dos espectadores; catraca, roleta, rodízio, torniquete. **11.** *Bras.* No jogo do bicho, [q. v.], o 4º grupo (8), que abrange as dezenas 13, 14, 15 e 16, e corresponde ao número quatro.

borboleta-branca. *S. f. Bras.* Peixe-borboleta (2). [Pl.: *borboletas-brancas.*]

borboleta-coruja. *S. f. Bras.* Inseto lepidóptero, da família dos brassolídeos (*Caligo beltrão* Ill), assim chamado porque, visto de baixo com as asas estendidas, se assemelha a uma coruja. [F. red.: *coruja.* Pl.: *borboletas-corujas* e *borboletas-coruja.*]

borboleta-da-coronilha. *S. f. Bras.* V. *azulão* (4). [Pl.: *borboletas-da-coronilha.*]

borboleta-transparente. *S. f. Bras.* Designação comum às espécies de lepidópteros da família dos satirídeos, e especialmente as do gênero *Cithaerias* Hubn, *Hetaera* Fabr. e *Callitaera* But., que têm asas transparentes, as posteriores com ocelos coloridos. Voam nas matas, a pequena altura. [Pl.: *borboletas-transparentes.*]

borboleteador (ô). *Adj. e s. m.* Que ou aquele que borboleteia; borboleteante.

borboleteamento. *S. m.* Ato ou efeito de borboletear; borboleteio.

borboleteante. *Adj. 2 g. e s. 2 g.* Borboleteador.

borboletear. *V. int.* **1.** Adejar como as borboletas: "Como podia fazer dessa ave corpulenta uma abelha que b o r b o l e t e a s s e entre as florinhas de um jardim?" (José de Alencar, *Sonhos d'Ouro*, p. 130.) **2.** Vagar, vaguear, divagar: *Durante toda a festa,* b o r b o l e t e a v a *alegre pelos salões.* **3.** *Fig.* Devanear, fantasiar: *Incapaz de fixar a atenção, passava horas a* b o r b o l e t e a r. [Conjug.: v. *frear.*]

borboleteio. [Dev. de *borboletear.*] *S. m.* Ação de borboletear; borboleteamento: "A 'forma livre' de um Sterne ou de um Xavier de Maistre, como escreve [Machado de Assis] pela pena de Brás Cubas, serviu de modelo e sugestão ao seu b o r b o l e t e i o em torno de si mesmo" (Augusto Meyer, *Machado de Assis*, pp. 25-26).

borboletice. *S. f.* Capricho, fantasia; modos de borboleta: "Veio [a borboleta] por ali fora, modesta e negra, espairecendo as suas b o r b o l e t i c e s" (Machado de Assis, *Memórias Póstumas de Brás Cubas*, p. 100).

borborema. *S. f. Bras., N.E.* Lugar despovoado, estéril.

borboremense. *Adj. 2 g.* **1.** De, ou pertencente ou relativo a Borborema (PB e SP). ● *S. 2 g.* **2.** Natural ou habitante de Borborema.

borborigmo. [Do gr. *borborigmós.*] *S. m. Med.* Ruído de maior ou menor intensidade produzido, no abdome, pelo deslocamento de gases em meio de líquidos do tubo gastrintestinal: "a tília para os chás das velhas que impam e arrotam com grandes b o r b o r i g m o s de gases" (Camilo Castelo Branco, *Sentimentalismo e História*, p. 164). [Var.: *borborismo.*]

borborismo. *S. m.* V. *borborigmo.*

borboró. *Adj. 2 g. e s. 2 g. Bras., N. Pop.* V. *gago.*

borbotado. [Part. de *borbotar.*] *Adj.* Arremessado em borbotões.

borbotão. [T. onom.; cf. *borbotar.*] *S. m.* Jacto impetuoso; jorro, golfada, cachão, borbulhão: "Com a convulsa mão súbito arranca / A lâmina fulgente da bainha, / E sobre o duro ferro penetrante / Arroja o tenro cristalino peito: / E em b o r b o t õ e s de espuma murmurando / O quente sangue da ferida salta" (Correia Garção, *Obras Poéticas e Oratórias*, p. 383). ♦ **Aos borbotões.** Aos jactos; às golfadas; aos jorros: "Vê que inda, negro, da ferida / A o s b o r b o t õ e s o sangue cai..." (Olavo Bilac, *Poesias*, p. 208.)

borbotar. [Cruz. de *borbulhar* com *brotar.*] *V. t. d.* **1.** Lançar em borbotões: "Ao luzir das espadas baqueavam / No chão as virgens, b o r b o t a n d o sangue / Pelos seios de neve." (Manuel de Araújo Porto Alegre, *Colombo*, p. 266.) **2.** Dizer ou fazer em profusão: *Saiu furioso,* b o r b o t a n d o *ameaças. Int.* **3.** Sair em borbotões; jorrar com ímpeto: *A água* b o r b o t a v a *da pedra, formando uma pequena cachoeira.* **4.** Formar botões (a planta); abotoar, borbulhar. [F. paral.: *borbotoar.*]

borbotoante. *Adj. 2 g.* Que borbotoa ou jorra; jorrante.

borbotoar. *V. t. d. e int.* V. *borbotar:* "arrebatadamente, em voz ríspida, silvante disse aos arrancos, com lágrimas b o r b o t o a n d o: / '— Gente, ocês tão vendo?'" (Coelho Neto, *Banzo*, pp. 97-98). [Conjug.: v. *coroar.*]

borbulha. [Dev. de *borbulhar?*] *S. f.* **1.** Bolha de fluido. **2.** V. *broto* (3). **3.** Gema (2) para enxerto de plantas. **4.** Vesícula na epiderme, de conteúdo aquoso ou purulento. [Sin . (bras., pop.), nesta acepç.: *pipoca, papoca, curuba.*] **5.** Mácula, defeito.

borbulhagem. *S. f.* Grande porção de borbulhas. [V. *borbulha* (4)].

borbulhante. *Adj. 2 g.* **1.** Que borbulha. ● *S. f.* **2.** *Bras., SE. Pop.* V. *cachaça* (1).

borbulhão. *S. m.* **1.** V. *borbotão.* **2.** Bolhão.

borbulhar. [Do esp. *borbollar.*] *V. int.* **1.** Sair em borbulhas, bolhas ou gotas freqüentes: "gotas de suor b o r b u l h a v a m na raiz de seus belos cabelos negros." (José de Alencar, *Senhora*, p. 232). **2.** Formar borbulhas ou gêmulas (a planta); borbotar. **3.** Sair em magotes, com ímpeto: *Ao toque de incêndio a multidão* b o r b u l h o u *pelas saídas. T. d.* **4.** Fazer germinar. **5.** Soltar, proferir aos borbotões: B o r b u l h a v a *quantas pragas lhe vinham à mente.*

borbulhento. *Adj.* Que tem borbulhas; borbulhoso.

borbulhoso (ô). *Adj.* **1.** Borbulhento. **2.** Que sai em bolhas, ou que as forma.

borcar. [Do lat. **volvicare*, de *volvere*, 'virar'.] *V. t. d. Lus.* **1.** V. *emborcar* (1). *Int.* **2.** Vomitar, lançar. [Pres. ind.: *borco*, etc. Cf. *borco* (ô).]

borco (ô). [Dev. de *borcar.*] *El. s. m.* Us. na loc. adv. de *borco.* [Cf. *borco*, do v. *borcar.*] ♦ **De borco.** De barriga para baixo.

borda. [Do germ. *bord*, 'margem'.] *S. f.* **1.** A extremidade de uma superfície; beira, margem, orla, fímbria: b o r d a *da mesa;* b o r d a s *de um lençol.* **2.** Margem, praia: b o r d a *do rio.* **3.** *Constr. Nav.* Numa embarcação, a parte mais alta do costado, em toda a sua periferia. ♦ **À borda de.** V. *à beira de:* "À b o r d a d o mar ficava o mosteiro" (Fialho d'Almeida, *Contos*, p. 339). **Dar à borda.** *Mar.* Inclinar-se demasiado, e com risco, para um dos bordos, por efeito de vento ou mar súbito.

bordada. *S. f.* **1.** Ato ou efeito de bordejar. **2.** Banda, borda, beira. **3.** Espécie de vela de navio. **4.** *Mar.* Cada uma das pernadas da rota de uma embarcação que bordeja; bordejo. ♦ **Despejar a bordada.** *Mar.* Terminar a bordada à vela em que a embarcação seguira, a fim de iniciar outra. **Bordada de artilharia.** *Mar. G.* Salva disparada com todos os canhões de uma mesma bateria e de um mesmo bordo; banda de artilharia.

bordadeira. [Fem. de *bordador.*] *S. f.* Mulher que borda.

bordado. [Part. de *bordar.*] *Adj.* **1.** Que é ornado de bordadura, orla ou bordado: *a praia* b o r d a d a *de espuma; um vestido* b o r d a d o. ● *S. m.* **2.** Lavor feito em relevo, sobre estofo ou pano, à linha, fio de lã, prata, ouro, etc. ♦ **Bordado de Penélope.** V. *teia de Penélope.*

borda-do-campo. *S. f. Bras.* Limite do campo com a mata. [Pl.: *bordas-do-campo.*]

bordador (ô). *S. m.* Homem que borda.

bordadura. *S. f.* **1.** Efeito de bordar. **2.** Cercadura, orla, bordamento. **3.** Borda-falsa das canoas. **4.** *Arquit.* Ornato, moldura, que limita uma superfície de piso, de teto ou de parede, num baixo-relevo, numa almofada, etc. **5.** Cercadura vegetal, nas divisões ou canteiros de um jardim. **6.** *Mús.* Ornamento, ornato, floreio. **7.** *Mús.* Nota de ornato, a um intervalo de segunda, maior ou menor, superior ou inferior, da nota real, e que, em vez de prosseguir, volta a essa nota.

borda-falsa. *S. f. Constr. Nav.* Parapeito que se eleva acima do castelo, tombadilho ou convés superior de certas embarcações, e tem por fim proteger do mar o pessoal e o material. [Pl.: *bordas-falsas.*]

bordaleiro. *Adj. e s. m.* Diz-se de ou certo carneiro de lã crespa. [Pl.: Cf. *bordeleiro.*]

bordalengo. *Adj.* **1.** Tosco, grosseiro. **2.** Ignorante, estúpido, imbecil. [Cf. *bordelengo.*]

bordalês. *Adj.* **1.** V. *bordelês* ~V. *calda*—a. ● *S. m.* **2.** V. *bordelês.* [Flex.: *bordalesa* (ê), *bordaleses* (ê), *bordalesas* (ê).]

bordalesa (ê). [Var. de *bordelesa*, fem. de *bordalês.*] *S. f. Bras.* Barril para vinhos de Bordéus.

bordalete (ê). *S. m.* Cutidura.

borda-livre. *S. f. Mar. Merc.* Faixa do costado situada entre a linha de flutuação e o convés da borda-livre; bordo-livre. [Pl.: *bordas-livres.*]

bordalo. *S. m.* V. *robalinho.*

bordamar. [De *borda + mar.*] *S. f. Desus.* Beira-mar.

borda-matense. *Adj. 2 g.* **1.** De, ou pertencente ou relativo a Borda da Mata (MG). ● *S. 2 g.* **2.** Natural ou habitante de Borda da Mata. [Pl.: *borda-matenses.*]

bordamento. *S. m.* V. *bordadura* (2).

bordana. *S. f. Prov. port.* Parede de torrões e pedra em torno de um poço.

bordão[1]. [Do lat. vulg. *burdone*, 'mula'.] *S. m.* **1.** Pau grosso, de arrimo; cajado, báculo, bastão, vara, varapau. **2.** V. *cacete* (1). **3.** *Fig.* Proteção, amparo, arrimo.

4. Palavra ou frase que se repete a cada passo na conversa ou na escrita. ♦ **Fazer bordão.** *Bras., PE.* Sustentar com as rédeas a andadura do eqüídeo.

bordão[2]. [Do fr. *bourdon*, onom. do zumbido do besouro ou do zangão.] *S. m. Mús.* **1.** Nota grave, prolongada e invariável, que caracteriza certos instrumentos (gaita de foles, sanfona, etc.) **2.** Corda de tripa ou de aço, coberta com fio metálico, que lhe aumenta a grossura e permite maior tensão. **3.** Corda dupla estendida sobre a pele inferior de alguns tambores. **4.** Cada uma das notas mais graves de qualquer instrumento. **5.** Cada um dos tubos tapados do órgão. **6.** Registro de órgão, de diapasão grave, geralmente de 16 ou 32 pés, e que se atribui à pedaleira. **7.** O sino mais grave de qualquer igreja ou capela.

bordão-de-velho. *S. m. Bras.* **1.** V. *feijão-cru.* **2.** Avaremotemo. [Pl.: *bordões-de-velho.*]

bordar[1]. [Do germ. **bruzdôn, *brosdar, *brodare.*] *V. t. d.* **1.** Fazer bordado (2) em; bordar uma toalha. **2.** Fazer bordadura (2) em; ornar, guarnecer: *Um belo jardim borda as margens do lago.* **3.** Criar na fantasia, fantasiar agrupando (idéias, comentários, etc.), por escrito ou oralmente; tecer: "A sociedade .... não lhe conhecia .... uma aventura sobre a qual pudesse bordar o mais minúsculo e o menos ferino dos comentários." (Benjamim Costallat, *Modernos ...*, pp. 14-15.) *Int.* **4.** Fazer bordado (2): "A menina .... sabia coser, bordar" (Bernardo Guimarães, *O Seminarista*, p. 28). **5.** Saber bordar. [Pres. ind.: *bordo*, etc.; pres. subj.: *borde, ... bordemos, bordeis, bordem.* Cf. *bordo* (ô), s. m. e *bordéis*, pl. de *bordel.*]

bordar[2]. [Do ingl. *board.*] *V. int. Açor.* Receber hóspedes. [Pres. ind.: *bordo*, etc.; pres. subj.: *borde, ... bordemos, bordeis, bordem.* Cf. *bordo* (ô), s. m., e *bordéis*, pl. de *bordel.*]

bordear. *V. int.* e *t. d. P. us.* Bordejar. [Conjug.: v. *frear.*]

bordejar. [De *bordo* + *-ejar* ou do it. *bordeggiare.*] *V. int.* **1.** *Marinh.* Navegar em ziguezague, à vela, recebendo o vento ora por um bordo, ora por outro; voltear: "Aos solavancos, o veleiro bordejava, cortando as ondas em ziguezagues medidos" (Reginaldo Guimarães, *Uma Blusa no Cais*, p. 27). **2.** *Bras. Mar. g. Gír.* Andar à cata de aventuras amorosas. **3.** Ir de um lado para outro. **4.** V. *cambalear. T. d.* **5.** Andar ao redor de. [Sin. ger., p. us.: *bordear.* Conjug.: v. *pelejar.*]

bordejo (ê). [Dev. de *bordejar.*] *S. m. Mar.* **1.** Ato ou efeito de bordejar. **2.** *Bras. Gír.* Passeio à cata de aventuras amorosas.

bordel. [Do fr. *bordel*, 'casinha', 'cabana'; a princípio os bordéis se localizavam em cabanas isoladas.] *S. m.* V. *prostíbulo.* [Pl.: *bordéis.* Cf. *bordeis*, do v. *bordar.*]

bordeleiro. *Adj.* **1.** Relativo a bordel. ● *S. m.* **2.** Freqüentador de bordéis. [Sin. bras. (nesta acepç.): *bordelengo.* Cf. *bordaleiro.*]

bordelengo. *S. m. Bras.* Bordeleiro (2). [Cf. *bordalengo.*]

bordelense. *Adj. 2 g.* e *s. 2 g.* V. *bordelês.*

bordelês. [Do fr. *bordelais.*] *Adj.* **1.** De, ou pertencente ou relativo a Bordéus (França). ● *S. m.* **2.** O natural ou habitante de Bordéus. [Var.: *bordalês.* Sin.: *bordelense, burdegalense.* Flex.: *bordelesa* (ê), *bordeleses* (ê), *bordelesas* (ê).]

borderô. [Do fr. *bordereau.*] *S. m. Com.* Nota discriminativa de quaisquer mercadorias ou valores entregues, sob a forma de extrato recapitulativo do débito e do crédito de uma conta, ou dos movimentos de uma operação comercial ou bancária.

bordo. [Do germ. *bord.*] *S. m.* **1.** Ato ou efeito de bordejar. **2.** *Fig.* Disposição de espírito. **3.** Morfol. Veg. Margem (8): *bordo foliar.* **4.** *Constr. Nav.* Cada uma das duas partes simétricas em que o casco da embarcação é dividido pelo seu plano longitudinal. **5.** *Marinh.* Cada uma das duas zonas em que o espaço em torno da embarcação é dividido pelo plano longitudinal dela: *Em que bordo está o alvo?* **6.** *Bras., N. E.* Na jangada (4), cada um dos dois paus roliços, mais grossos, presos por fora das mimburas. **7.** *Bras. Fam.* Passeio, volta, giro. [Pl.: *bordos* (ó). Cf. *bordo* (ô) e pl. *bordos* (ô).] ~ V. *bordos.* ♦ **Bordo claro.** *Astr.* Bordo iluminado. **Bordo escuro.** *Astr.* Limite externo do disco de um planeta ou de um satélite, na sua região não iluminada; bordo não-iluminado. **Bordo iluminado.** *Astr.* Limite externo do disco de um planeta ou satélite, na sua região iluminada; bordo claro. **Bordo não-iluminado.** *Astr.* Bordo escuro. **A bordo.** *Mar.* Na embarcação; dentro da embarcação: *estar a bordo.* **Aos bordos.** Fazendo ziguezagues; ziguezagueando: *Ia aos bordos, de tão bêbado.* **De alto bordo.** **1.** De alta categoria; excelente: *Trata-se de pessoa de alto bordo.* **2.** *Mar.* Diz-se de navio de grande porte, de borda alta, próprio para navegar no alto-mar. **Virar de bordo.** **1.** *Mar.* Manobrar a embarcação à vela de modo que receba o vento pelo bordo contrário àquele em que o recebia. **2.** *Fig.* Voltar-se para o lado oposto.

bordo (ô). [De *bordo*, com mudança de timbre?] *S. m.* Árvore da família das aceráceas (*Acer saccharinum*), nativa na América do Norte. Uma vez ferida, dela escorre uma seiva rica em açúcar, que pode ser extraída; a madeira é de largo emprego em marcenaria. [Cf. *bordo*, do v. *bordar* e s. m., e pl. *bordos.*]

bordô. [Do fr. *bordeaux.*] *Adj. 2 g.* e *2 n.* **1.** Que tem a cor do vinho tinto: *vestido bordô.* **2.** Diz-se dessa cor: *fazenda de cor bordô.* ● *S. m.* **3.** Vinho da região de Bordéus (França). **4.** A cor desse vinho: *O bordô voltou a ser usado em complementos femininos.* **5.** Roupa bordô: *A jovem gosta de usar bordô.* [Cf. nas acepç. 1 e 4: *vinho* (3 e 7) e *grená.*]

bordoa (ô). [Dim. de *bordão.*] *S. f.* Bordão pequeno.

bordoada. *S. f.* Pancada com bordão; cacetada, paulada. [Sin., bras., pop.: *biaba.*]

bordoeira. [De *bordão*[1] + *-eira.*] *S. f. Bras.* V. *surra* (1).

bordo-livre. *S. m. Mar. Merc.* Borda-livre. [Pl.: *bordos-livres.*]

bordos. [Pl. de *bordo.*] *S. m. pl. Bras., N.E.* Paus de jangada [q. v.] colocados entre os dois extremos e o do centro. ~ V. *bordo.*

borduna. [De *bordão*[1]?] *S. f. Bras.* Entre os sertanejos drio Araguaia, o cacete (1) indígena.

bordunada. *S. f.* Pancada com borduna.

boré. [Do tupi *bo'ré.*] *S. m. Bras.* **1.** Toré (1): "Se as matas estrujo / Coos sons do boré, / Mil arcos se encurvam, / Mil setas lá voam, / Mil gritos reboam" (Gonçalves Dias, *Obras Poéticas*, I, p. 25). **2.** O mastro da jangada. [Cf. *buré.*]

boreal. [Do lat. tardio *boreale.*] *Adj. 2 g.* **1.** Do lado do norte; situado ao norte; setentrional: "Cruzando os oceanos polares durante o verão, quer nas regiões boreais, quer nas austrais, esse gigante das vagas, desde que casara, ... encetara o comando de navios baleeiros" (Virgílio Várzea, *Contos de Amor, p. 73).* **2.** *Bot.* Diz-se das plantas próprias do hemisfério norte. ~ V. *aurora* —. [Antôn.: *austral, meridional.*]

bóreas. [De *Bóreas*, o deus que personifica este vento.] *S. m. Poét.* Entre os antigos, o vento norte. [Antôn.: *austro* e *noto.*]

boreliano. *Adj.* ~ V. *tribo* —*a.*

boresca. *S. f. Bras. Pop.* V. *cachaça* (1).

boreste. [De *estibordo*, com supressão da sílaba final e transposição da penúltima para o começo.] *S. m. Bras. Mar.* Lado direito da embarcação para quem, da popa, olha para a proa. [A Marinha de Guerra do Brasil adotou, em 1884, este termo em vez de estibordo, para, nas vozes de manobra, evitar confusão com *bombordo.*]

borgo. *S. m. Ant.* Véu com que os muçulmanos se mostravam em público.

borgonha. *S. m.* Vinho da Borgonha (França).

borgonhês. *Adj.* **1.** Da ou pertencente ou relativo à Borgonha (França). ● *S. m.* **2.** O natural ou habitante da Borgonha. [Sin. ger.: *borguinhão.* Flex.: *borgonhesa* (ê), *borgonheses* (ê), *borgonhesas* (ê).]

borguinhão. [Do fr. *bourguignon.*] *Adj.* e *s. m.* Borgonhês. [Fem.: *borguinhona.*]

borguinhona. *Adj. (f.)* e *s. f.* Fem. de *borguinhão.*

bori. [Do ioruba.] *S. m. Bras.* Cerimônia propiciatória de purificação e renovação das forças espirituais, nos candomblés.

boricado. [De *bórico* + *-ado*[1].] *Adj.* Que contém ácido bórico em dissolução. ~ V. *água* —*a.*

bórico. *Adj.* ~ V. *ácido* —.

borjaca. *S. f.* V. *burjaca.*

borla[1]. [Do lat. **burrula*, 'floco de lã.'] *S. f.* **1.** Obra de passamanaria formada por um suporte em forma de campânula, do qual pendem inúmeros fios; bolota: "Rubião suspirou, cruzou as pernas, e bateu com as borlas do chambre sobre os joelhos." (Machado de Assis, *Quincas Borba*, pp. 3-4.) **2.** Barrete doutoral. **3.** Rodela ou disco ornamental no topo dos mastros ou de paus de bandeira. **4.** Árvore da família das esterculiáceas (*Dombeya tiliacea*), de origem africana e bastante cultivada, dado o seu alto valor ornamental. É de pequeno porte e tem madeira mole; as folhas são grandes, lobadas, pilosas e membranáceas; as flores, róseas, rosadas ou alvas, agregam-se em compactas inflorescências globosas, de grande tamanho e de efeito ornamental. [Dim. irreg.: *borleta.*]

borla[2]. [De *burla.*] *S. f.* **1.** V. *logro* (2). **2.** *Lus.* V. *molagem.*

borlanda. *S. f. Bras.* Bagaço que resta da destilação do milho[2].

borleta (ê). *S. f.* Pequena borla[1]. [Cf. *burleta.*]

borlunga. *S. f. Moç.* Bebida que se obtém pela fermentação do milho[2].

bornal. *S. m.* **1.** Saco de pano, couro, etc., em geral utilizado a tiracolo, para transportar provisões ferramentas, etc.: "O bornal de couro curtido, com ornatos, dividia-se em compartimentos." (Ciro dos Anjos, *A Menina do Sobrado*, p. 118). [Sin., bras., SP.: *mucuta.*] **2.** Saco que se pendura ao focinho de cavalgaduras para que nele comam; mochila. [Sin. ger.: *embornal.*]

borne[1]. [Do fr. *born.*] *S. m.* Peça metálica que se liga ao quadro de eletricidade, e em cuja parte superior há um parafuso destinado a fixar o fio que a atravessa.

borne[2]. *S. m. Anat. Veg. Pop.* Alburno.

bornear. *V. t. d.* **1.** Alinhar com a vista; verificar se está no nível. **2.** Pôr (peça antiga de artilharia) em linha de pontaria. **3.** Mover em derredor. [Conjug.: v. *frear.*]

borneio. [Dev. de *bornear.*] *S. m.* **1.** Movimento circular horizontal para acertar a pontaria (de canhão). **2.** Lança antiga, usada em justas.

borneira. *S. f.* **1.** Pedra negra usada para fazer mó. **2.** Mó feita dessa pedra. [Cf. *burneira.*]

borneiro. *Adj.* Moído na borneira (o trigo).

borneol. *S. m. Quím.* Álcool bicíclico, sólido, branco, translúcido, com cheiro parecido ao da cânfora, solúvel em etanol e éter, e usado em perfumaria. [Fórm.: $C_{10}H_{18}O$. Pl.: *borneóis.*]

bornita. [Do antr. *Born*, de *von Born*, mineralogista austríaco (1742-1791), + *-ita*[3].] *S. f. Min.* Mineral monométrico, sulfeto de cobre e ferro, minério de cobre.

bornu. *S. m. Bras.* Negro guineense-sudanês de cultura eslamizada.

boro. [Der. regress. de *bórax.*] *S. m. Quím.* Elemento de número atômico 5, não metálico, sólido, aparentemente amorfo, pouco reativo. [Símb.: *B.*]

boró[1]. *S. m. Bras.* Peixe elasmobrânquio, hipotremado, da família dos paratrigonídeos *(Paratrygon motoro* (Mül. & Henl)), dos rios Amazonas e Paraguai, de coloração pardacenta, com numerosos círculos negros, com centros amarelos, irregularmente dispersos no corpo. [Var. pros.: *borô;* sin.: *raia-grande, arraia-grande, motoro.*]

boró[2]. *S. m. Bras.* **1.** Ficha (1). **2.** *Bras.* Moeda divisionária emitida por municipalidades ou por particulares. **3.** *Bras., CE.* Muamba; contrabando. **4.** *Bras., PA.* Bilhete de bonde que circulava como dinheiro. **5.** *Bras., N.E.* Fumo de qualidade inferior. **6.** *Bras., N.E. Gír.* V. *baseado*[1]. ~ V. *borós.*

borô. *S. m. Bras.* V. *boró*[1].

boroa (ô). [Do ant. *borona.*] *S. f.* Broa [q. v.].

borocotó. [Do tupi *mbo'rô*, pref. causativo, + *ko'tog*, 'vacilar'.] *S. m. Bras.* **1.** Terreno escabroso, com muitos altos e baixos, escavado ou obstruído de pedras. **2.** Sulco irregular aberto por águas pluviais em ruas sem calçamento. [Var.: *brocotó.*]

borocoxô. *Adj. 2 g.* e *s. 2 g. Bras. Gír.* Diz-se de, ou pessoa sem coragem, mole, fraca ou envelhecida.

boroeiro. *Adj.* **1.** Que se alimenta de broa (1) ou boroa. **2.** *Fig.* Grosseiro, rude.

borogodó. *S. m. Bras. Pop.* Atrativo físico muito peculiar, especialíssimo.

bororé. [De possível or. tupi.] *S. m. Bras.* Veneno com que os indígenas brasileiros empeçonhavam as flechas.

bororo (ôro). *Bras. S. 2 g.* **1.** Indivíduo dos bororos, tribo indígena de MT, uma das maiores do Brasil Central, hoje reduzida a menos de 1 000 indivíduos, que habitam nas margens do rio São Lourenço, em MT. ● *Adj. 2 g.* **2.** Pertencente ou relativo a essa tribo. [Sin. ger.: *otuque;* var. pros.: *bororó.*]

bororó[1]. [De or. indígena.] *S. m.* **1.** *Bras.* V. *veado-roxo.* **2.** *Bras., BA.* V. *roncador* (3).

bororó[2]. *S. 2 g.* e *adj. 2 g. Bras.* V. *bororo:* "quem foi que viu uma índia por aí? / Não é bororó, tupiniquim nem guarani" (Da marcha *Pele-Vermelha*, de Ari Barroso).

borós. *S. m. pl. Bras., N. Gír.* V. *dinheiro* (3). ~ V. *boró.*

borotungstato. *S. m. Quím.* Qualquer sal oxigenado que contenha boro e tungstênio

borquilho. *Bras., RS. Adj.* e *S. m.* Diz-se de, ou aquele que tem as pernas tortas, que é cambaio.

borra. [Dev. de *borrar.*] *S. f. Chulo.* V. *diarréia.* [Pl.: *borras.* Cf. *borra* (ô) e pl. *borras* (ô).]

borra (ô). [Do lat. *burra.*] *S. f.* **1.** Substância sólida que, depois de haver estado em suspensão num líquido, se depositou; sedimento, lia, fezes. **2.** Resíduo de seda que não se aproveita durante a fiação, e de que se fazem tecidos mais grosseiros. **3.** V. *ralé* (1). **4.** *Pop.* V. *ninharia.* [Pl.: *borras* (ô). Cf. *borra*, *s. f.*, pl. *borras*, e *borra, borras*, do v. *borrar.*] ♦ **De borra.** *Chulo.* Reles,

ordinário; de merda: *É um doutor de borra.*
borra-botas. [De *borrar* + *bota.*] *S. m. 2 n.* **1.** Mau engraxate, **2.** *Fig.* V. *joão-ninguém.* **3.** Indivíduo reles, desprezível; biltre.
borraçal. *S. m.* Terreno pantanoso com pastagem; lameiro.
borraceiro. [De *borra,* provavelmente.] *Adj.* **1.** Diz-se do tempo ligeiramente chuvoso; borriceiro. **2.** Que tem muita borra (ô); pouco limpo. ● *S. m.* **3.** V. *chuvisco* (1).
borracha^{1}. [Do esp. *borracha,* 'odre para vinho'; passou à acepç. nº 2, por se fazerem borrachas com o látex.] *S. f.* **1.** Odre de couro bojudo, com bocal, para conter líquido: "os rapazes, fazendo-se sisudos, vêm desarrolhar as borrachas. E o vinho novo jorra a espumar nas canecas de loiça." (José Vieira, *Sol de Portugal,* p. 163.) **2.** Substância elástica feita do látex coagulado de várias plantas, principalmente a seringueira, a goma-elástica, o caucho, etc., ou por processos químico-industriais. **3.** Esse látex beneficiado, para a indústria. **4.** Pedaço de borracha (3) apropriado para apagar traços do desenho e da escrita. **5.** Reservatório oco, piriforme, dessa matéria, com bico, que se enche de líquido por injetar, como seringa. **6.** *Bras.* V. *mangueira^{1}.* **7.** *Bras.* Cassetete. ♦ **Entrar na borracha.** *Bras. Pop.* Ser surrado com cassetete. **Passar uma borracha em.** Passar uma esponja em; esquecer, perdoar.
borracha^{2}. *S. f. Bras., S.* Borragem.
borrachada. *S. f. Bras.* **1.** Clister aplicado com seringa de borracha^{1}. **2.** Pancada com borracha^{1} (7).
borrachão^{1}. [Aum. de *borracha.*] *S. m. Bras.* Chifre com fundo tapado, e aberto na ponta, para conduzir líquidos.
borrachão^{2}. [Aum. de *borracho^{2}.*] *S. m.* V. *ébrio* (8). [Fem.: *borrachona.*]
borracheira. [De *borracho^{2}* + *-eira.*] *S. f.* **1.** V. *bebedeira* (1). **2.** Palavras ou comportamento de bêbedo. **3.** Grosseria, indelicadeza. **4.** Despropósito, disparate. **5.** Obra malfeita. [Sin. ger.: *borrachice.*]
borracheiro. [De *borracha^{1}* + *-eiro.*] *S. m.* **1.** *Autom.* Indivíduo que se dedica à venda e/ou conserto de pneumáticos. **2.** *Bras., MG.* Indivíduo que extrai o leite da mangabeira.
borrachento. *Adj.* Que lembra a consistência ou a textura da borracha.
borrachice. [De *borracho^{2}* + *-ice.*] *S. f.* V. *borracheira.*
borrachífero. [De *borracha^{1}* + *-i-* + *-fero.*] *Adj.* Que produz borracha^{1}.
borracho^{1}. [Do lat. *burru,* 'ruço-avermelhado', + *-acho.*] *S. m.* **1.** Pombo implume, ou que ainda não voa: "Eu derrubei o pombal, matei os borrachos." (Coelho Neto, *Treva,* p. 160.) **2.** *Bras., MA.* Menina-moça bonita e atraente.
borracho^{2}. [De *borracha^{1}* (1).] *Adj.* e *s. m.* V. *ébrio* (2 e 8): "Bebendo esse licor, fiquei borracho / E depois doido." (Eugênio de Castro, *Obras Poéticas,* III, p. 125.)
borrachona. *S. f.* Fem. de *borrachão^{2}.*
borrachudo. *Adj.* **1.** Inchado como borracha^{1} (1) cheia. ~ V. *cheque* —. ● *S. m.* **2.** *Bras.* Designação comum aos insetos dípteros da família dos simulídeos. Nematóceros, de pequeno porte (até 6 mm de comprimento); os olhos são contíguos no macho, sem ocelos; a nervura costal ou costa não contorna a asa; o primeiro artículo tarsal é mais longo que os seguintes; as larvas e pupas são aquáticas, preferindo cachoeiras e corredeiras. Só as fêmeas são hematófagas e diurnas. Transmitem a oncocercose ao homem. [Sin. (nesta acepç.): *pium, promotor.*]
borrada. *S. f.* **1.** Ato ou efeito de borrar. **2.** Derramamento de borra (ô) (1). **3.** Porcaria, imundície, sujeira. **4.** Ação indecorosa, indigna. [Cf. *burrada.*]
borradela. *S. f.* **1.** Camada de tinta aplicada grosseiramente. **2.** V. *borrão* (1).
borrador (ô). *S. m.* **1.** Livro onde os comerciantes anotam, dia a dia, as suas operações, e que serve de base para a escrituração regular; costaneira, borrão. **2.** Caderno de rascunho. **3.** V. *borra-tintas* (1). **4.** Mau escritor; escrevinhador.
borradura. *S. f.* Ato ou efeito de borrar.
borragem. [Do lat. *borragine.*] *S. f.* Erva da família das sudoríficas (*Barrago officinalis*), introduzida na zona temperada, e subespontânea no Brasil. Em certas regiões se usa como verdura, visto que o paladar se assemelha ao do pepino; em outras é considerada eficiente como remédio. Tem flores e frutos insignificantes. [Sin. (no S. do Brasil): *borracha.*]
borraginácea. *S. f.* Var. de *boraginácea.*
borragináceas. *S. f. pl. Bot.* Var. de *boragináceas.*
borragináceo. *Adj.* Var. de *boragináceo.*
borraina. [De *borra* (ô)?] *S. f.* **1.** Almofada interior dos arções das selas: "Basta dizer que a água me chegou quase às borrainas da sela e, do outro lado, cavalo, cavaleiro e defunto — tudo pingava!" (Afonso Arinos, *Histórias e Paisagens,* p. 16.) **2.** *Arquit.* Dobra ou pestana feita nas bordas das placas de chumbo, empregada no revestimento de terraço ou numa laje de cobertura, quando se quer unir as placas sem o uso de solda.
borralha. [De *borra* (ô) + *-alha.*] *S. f.* **1.** V. *borralho^{1}* (1 a 3). **2.** V. *cinza* (1).
borralhão. [De *borralho* + *-ão.*] *S. m. Prov. port.* Monte de mato, mais ou menos arredondado, que se cobre de terra e queima para fertilizar as terras.
borralhara. [De *borralha* ou *borralho*?] *S. f. Bras. S.* Ave passeriforme da família dos formicarídeos (*Mackenziaena leachii* (Such)). O macho é negro, com manchas brancas arredondadas nas penas do dorso, no abdome estrias da mesma cor, cauda larga longa; a fêmea, bruna, com manchas e estrias amareladas. [Sin.: *brujarara, brurajara, brijara, papa-ovo, papa-pinto, assobiador, chororó, mbatará.* Cf. *choca^{4}.*]
borralhara-pintada. *S. f. Bras.* Chocão. [Pl.: *borralharas-pintadas.*]
borralheira. *S. f.* Lugar onde se acumula a cinza ou borralha; borralheiro.
borralheiro^{1}. *S. m.* Borralheira.
borralheiro^{2}. *Adj.* **1.** Que gosta de ficar junto ao borralho, na cozinha. **2.** Que sai pouco de casa. ~ V. *gata* —*a.*
borralhento. *S. m.* Que tem a cor da borralha (2); cinzento.
borralho. [De *borra* (ô) + *-alho.*] *S. m.* **1.** Brasido coberto de cinzas. **2.** Brasido quase apagado. **3.** Cinzas quentes, rescaldo. [F. paral., nessas acepç.: *borralha.*] **4.** *Fig.* Lar, lareira. ● *Adj.* **5.** Diz-se do touro de pêlo cinzento.
borrão. [De *borra* (ô) + *-ão.*] *S. m.* **1.** Mancha de tinta; borratão, borradela. **2.** Rascunho, minuta. **3.** V. *borrador* (1). **4.** Esboço, debuxo. **5.** *Fig.* Ação indecorosa; deslustre, desdouro. **6.** *Bras. Pop.* Indivíduo medroso. [Cf. *burrão.*]
borra-papéis. [De *borrar* + o pl. de *papel.*] *S. 2 g.* e *2 n.* Mau escritor; escrevinhador.
borra-portas. [De *borrar* + o pl. de *porta.*] *S. m. 2 n. Pop.* V. *caiador.*
borrar. [De *borra* (ô) + *-ar^{2}.*] *V. t. d.* **1.** Deitar borrões em; sujar; enodoar. **2.** Riscar (o escrito) para torná-lo ininteligível; rabiscar. **3.** Pintar grosseiramente. **4.** Sujar com fezes; defecar em. *Int.* **5.** V. *defecar* (5). *P.* **6.** V. *defecar* (6). [Pres. ind.: *borro, borras, borra,* etc. Cf. *borro* (ô), *borra* (ô) e pl. *borras* (ô).]
borrasca. [Do gr. ático *borrhâs,* var. de *boréas,* 'bóreas', talvez pelo lat. *burrasca.*] *S. f.* **1.** Vento forte e súbito acompanhado de chuva. **2.** Tempestade no mar. **3.** *Fig.* Ocorrência súbita de contrariedade, inquietação, desgosto. **4.** Acesso de fúria com palavras e gestos descomedidos.
borrascoso (ô). *Adj.* **1.** Que traz ou promete borrasca. **2.** Em que há borrasca.
borratão. *S. m.* **1.** V. *borrão* (1). **2.** Tinta alastrada.
borra-tintas. [De *borrar* + *tinta.*] *S. m. 2 n. Bras., S.* **1.** Mau pintor; borrador, troca-tintas. **2.** *P. ext.* Mau profissional; oficial imperito; sarrafaçal.
borrazopolitano. *Adj.* **1.** De, ou pertencente ou relativo a Borrazópolis (PR). ● *S. m.* **2.** O natural ou habitante de Borrazópolis.
borrega (ê). [Fem. de *borrego.*] *S. f.* Ovelha com menos de um ano. [Pl.: *borregas* (ê). Cf. *borrega* e *borregas,* do v. *borregar.*]
borregã. *S. f. Bras.* Lã tirada de borrego (1).
borregada. *S. f.* Rebanho ou porção de borregos. [Sin. (bras.): *borregagem.*]
borregagem. *S. f. Bras.* Borregada.
borregar. *V. int.* Emitir som semelhante ao emitido pelo borrego. [Conjug.: v. *regar.* Pres. ind.: *borrego, borregas, borrega,* etc. Cf. *borrega* (ê), pl. *borregas* (ê), *borrego* (ê) e *burrego* (ê), pl. *burregos* (ê).]
borrego (ê). [De *borra* (ô) + *-ego^{2}.*] *S. m.* **1.** Cordeiro com menos de um ano. **2.** *Fam.* Indivíduo sossegado, manso, pacífico. [Pl.: *borregos* (ê). Cf. *borrego,* do v. *borregar,* e *burrego.*]
borregueiro. *S. m.* Pastor de borregos.
borreguice. [De *borrego* + *-ice.*] *S. f.* **1.** Indolência, preguiça. **2.** Estultícia, parvoíce, tolice.
borrelho (ê). *S. m. Lus.* Molusco gastrópode, da família dos litoriníneos (*Littorina littorea* (L.)), do Mediterrâneo e do Atlântico, castanho-esverdeado, com linhas transversais esbranquiçadas e negras, e abertura esbranquiçada.
borrento. *Adj.* Que tem borra (ô).
borriçar. [De *borriço* + *-ar^{2}.*] *V. int.* V. *chuviscar.* [Conjug.: v. *laçar.* Defect., unipess. Pres. subj.: *borrice.* Cf. *burrice.*]
borriceiro. [De *borriço* + *-eiro,* ou var. de *borraceiro.*] *Adj.* Borraceiro (1).
borriço. [De *borra* (ô) + *-iço.*] *S. m.* V. *chuvisco* (1).
borrifador (ô). *Adj.* **1.** Que borrifa. ● *S. m.* **2.** Aquilo ou aquele que borrifa. **3.** Regador (3).
borrifar. [De *borra* (ô)?] *V. t. d.* **1.** Molhar com borrifos; esborrifar. **2.** Orvalhar, rociar, esborrifar: "As gotas esparsas borrifavam-lhe o rosto como punhados de alfinetes." (José Américo de Almeida, *A Bagaceira,* p. 179.) **3.** Molhar com pequeninas gotas, à maneira de borrifos; salpicar: *O padre tomou do aspersório e borrifou os fiéis.* **4.** Espalhar, esparzir, à maneira de borrifos: "Bochechou a água e borrifou-a em volta, com gosto." (Moreira Campos, *Portas Fechadas,* p. 13.) Int. **5.** V. *chuviscar. P.* **6.** Molhar-se com borrifos: "Antes de subir, joga água em si mesma, apressadamente, borrifando-se no rosto, no vestido, como mulher que se perfume." (Aníbal M. Machado, *Histórias Reunidas,* p. 251.)
borrifo. [Dev. de *borrifar*?] *S. m.* **1.** Difusão de gotas; esborrifo. **2.** Pequenas gotas de chuva ou de orvalho. **3.** Conjunto de pequenos fios de água que passam pelo crivo do regador. **4.** Pequenos pontos semelhantes a gotas.
borriscar. [Cruz: de *borrão* (2) com *rabiscar.*] *V. t. d. Bras. Pop.* Rabiscar (2). [Conjug.: v. *trancar.*]
borriscos. [De *burriscar.*] *S. m. pl. Bras. Pop.* V. *rabiscos.*
borro (ô). [Do lat. *burru,* 'ruço'.] *S. m.* Carneiro de entre um e dois anos. [Pl.: *borros* (ô). Cf. *borro,* do v. *borrar.*]
borrusquê. [Do antr. *Barrus,* negociante francês que no séc. XIX introduziu em Diamantina (MG) o vale deste nome.] *S. m. Bras., MG.* Vale que era emitido por negociantes, industriais, instituições beneficentes, para suprir a falta de troco, e circulava como dinheiro: "Vovó, todos os sábados, manda um de meus irmãos ao Palácio, que é perto da Chácara, trocar uma nota em borrusquês do Bispo." (Helena Morley, *Minha Vida de Menina,* p. 12.)
bort. [Do hol. *boort.*] *S. m.* Variedade fibrorradiada de diamante, de estrutura pouco conhecida.
bortalá. *S. m. Bras.* Capuz para fazer medo às crianças.
borzeguim. [Do neerl. *broseken,* 'sapatinho', atr. do fr. ant. *brosequin.*] *S. m.* Botina cujo cano é fechado com cordões: "E avançava tropeçando, rilhando os dentes, a ferragem de seus grosseiros borzeguins de couro atanado tirando faúlhas nas pedras da calçada." (Silva Guimarães, *Os Borrachos,* p. 25.) ♦ **Entrar de borzeguins.** *Bras. Pop.* Entrar de sola (2).
bosboque. [Do lat. *bos,* 'boi', + al. *Bock,* 'bode'.] *S. m. Ant.* Bisão.
boscagem. *S. f.* Mata, floresta, bosque.
boscarejo (ê). *Adj.* **1.** Relativo a bosque. **2.** Que vive nos bosques.
bosniano. *Adj.* **1.** Da, ou pertencente ou relativo à Bósnia (Iugoslávia). ● *S. m.* **2.** O natural ou habitante da Bósnia. [Sin. ger.: *bósnio.*]
bósnio. *Adj.* e *s. m.* Bosniano.
bóson. *S. m. Fís. Nucl.* Qualquer partícula elementar de spin inteiro, a qual não obedece ao princípio de exclusão de Pauli, e cujo comportamento é descrito pela estatística Bose-Einstein. Ex.: mésons e fótons.
bosque. [Do germ. ocidental **bosk,* atr. do provenç. ou do cat. *box.*] *S. m.* **1.** Quantidade mais ou menos considerável de árvores dispostas proximamente entre si. **2.** Mata, selva, floresta. **3.** Aglomeração de objetos (mastros, armas, etc.) semelhantes a árvores. [Dim. irreg.: *bosquete.*]
bosquejar. [Do cat. *bosquejar,* atr. do esp. *bosquejar.*] *V. t. d.* **1.** Fazer bosquejo de; delinear; esboçar: *Bosquejou o quadro antes de pintá-lo.* **2.** Descrever a traços largos, sem desenvolver; resumir: *bosquejar uma cena.* [Conjug.: v. *pelejar.*]
bosquejo (ê). [Dev. de *bosquejar.*] *S. m.* **1.** Primeiros traços, imprecisos ainda, que antecedem o plano geral de uma obra, e iniciais no processo de criação. **2.** Esboço, rascunho. **3.** Descrição sumária; resumo, síntese, compêndio: "São vários os princípios da moral positivista; seria impossível em pequeno bosquejo condensar toda a obra harmônica de conceito de Augusto Comte." (A. Austregésilo, *Obras Completas,* V, p. 200.)
bosquete (ê). *S. m.* Pequeno bosque; bosquezinho: "desces, com lentos passos, ao caro jardim, ao bosquete / de louros e camélias, à predileta vinha."

(Carlos Magalhães de Azeredo, *Odes e Elegias*, p. 51); "o bosquete de casuarinas do cemitério." (Raul Pompéia, *Crônicas 4*, p. 14).

bosquímano. *S. m.* **1.** Indivíduo dos bosquímanos, povo sul-africano. ● *Adj.* **2.** Pertencente ou relativo a esse povo. [F. paral.: *boximane*.]

bossa. [Do fr. *bosse*.] *S. f.* **1.** Inchação resultante de contusão; inchaço, galo. **2.** Protuberância arredondada na superfície óssea do crânio. **3.** Protuberância boleada de alguns ossos; corcunda [q. v.], corcova. **4.** Protuberância natural no dorso de certos animais, como, p. ex., o camelo; corcova, giba, geba. **5.** Pequena elevação de uma superfície. **6.** Aptidão, queda, pendor, vocação: *Tem bossa para música.* **7.** Formação esférica na matéria vitrificada. **8.** *Bras. Gír.* Atributo ou qualidade peculiar a pessoa ou coisa, que faz que elas agradem, chamem a atenção, se distingam de uma ou de outra: *Este vestido é caro, mas tem muita bossa; A loura que o acompanhava, além de bonita, tinha bossa.* **9.** *Obst.* Derrame serossangüíneo decorrente de atrito da cabeça fetal com o trajeto materno, no decurso do trabalho fetal. [Cf. *boça* e *bouça*.] ◆ **Bossa nova.** *Bras. Pop.* **1.** Movimento da música popular brasileira, criado no final da década de 1950, e caracterizado pela renovação rítmica, melódica e harmônica, por uma forma de samba suave e pausado diferente do tradicional e pela valorização das letras: *João Gilberto, Vinicius de Morais e Tom Jobim foram os iniciadores da bossa nova.* **2.** Maneira recente e diferente de fazer alguma coisa; nova moda. [Cf. *bossa-nova*.]

bossagem. [Do fr. *bossage*.] *S. f. Arquit.* **1.** Saliência, com feitio de almofada, praticada na superfície de uma parede. **2.** Pedra, tijolo ou bloco de madeira que ressai da parede; relega. [Sin. ger.: *abossadura*.]

bossa-nova. *Adj. 2 g. e 2 n. Bras. Pop.* Relativo ou pertencente à, ou próprio da, ou criado pela bossa nova (1 e 2): *música bossa-nova; teatro bossa-nova; concepções bossa-nova.* [Cf. *bossa nova*.]

bossa-novista. *Adj. 2 g. e s. 2 g. Bras. Pop.* Partidário ou admirador da bossa nova. [Pl.: *bossa-novistas*.]

bosta. [Der. regress. do lat. *bostar*, 'curral de bois'.] *S. f.* **1.** Excremento do gado bovino. **2.** Excremento de qualquer animal. **3.** Merda (1). [Sin. (bras., PB), pop., nessas acepç.: *binga*.] **4.** Coisa malfeita, de má qualidade, ou reles; titica. *S. m.* **5.** *Fig.* Indivíduo reles, insignificante ou desprezível; titica. ● *Interj.* **6.** Indica desagrado, contrariedade.

bosta-de-barata. *S. f. Bras.* V. *informação* (11). [Pl.: *bostas-de-barata*.]

bosta-de-cabra. *S. f. Bras.* Variedade de cascalho diamantífero. [Pl.: *bostas-de-cabra*.]

bosta-de-rola. *Adj. 2 g. e 2 n. Bras.* V. *encarapinhado*.

bosta-de-rolinha *Adj. 2 g. e 2 n. Bras., PB.* V. *encarapinhado*.

bostar. [De *bosta* + *-ar^{2}*.] *V. t. d.* **1.** Sujar com bosta. **2.** *P. ext.* Emporcalhar, sujar, lambuzar, enlambuzar. [Sin. ger.: *embostar, embostear*.]

bostejar. *V. int. Bras., MA. Chulo.* Dizer tolices. [Conjug.: v. *pelejar*.]

bostela. [Do lat. *pustella*, por *pustula*.] *S. f.* Pequena ferida com crosta; pústula.

bostelento. *Adj.* Que tem bostela(s) ou pústula(s).

bostífero. *Adj. Bras., MA. Chulo.* Reles, ordinário, desprezível.

bóston. [Do top. *Boston*.] *S. m.* **1.** Modalidade de carteado para quatro parceiros. **2.** Certo tipo de valsa. [Pl.: *bóstons*.]

bostoniano. *Adj.* **1.** De, ou pertencente ou relativo a Boston (E.U.A.). ● *S. m.* **2.** O natural ou hábitante de Boston.

bostricóide. *Adj. 2 g. Bot.* Semelhante ao bóstrix.

bostriquídeo. *S. m.* **1.** Espécime dos bostriquídeos. ● *Adj.* **2.** Pertencente ou relativo a eles.

bostriquídeos. *S. m. pl. Zool.* Família da ordem dos coleópteros, à qual pertencem insetos pequenos, de cabeça arredondada, alongados, espalhados por toda a América. Sob forma larvar destroem madeiras secas ou caules.

bóstrix (cs). [Do gr. *bóstryx*, 'caracol'.] *S. m. 2 n. Bot.* Inflorescência cimosa unípara em que as flores sucessivas se desenvolvem sempre do mesmo lado, mas em planos diferentes.

bota^{1}. [Do fr. *botte*.] *S. f.* **1.** Calçado de couro ou borracha que envolve o pé, a perna e, às vezes, a coxa. **2.** Espécie de tonel com capacidade de três quartos de pipa. **3.** Saco de couro. **4.** Vasilha para vinho. **5.** *Bras.* Composição ruim de gravador, pintor, etc. **6.** *Bras.* Obra malfeita. **7.** *Bras., S.* Jogo infantil, de pegar, em que uma enorme bota, riscada no chão, serve de pique (4). [Pl.: *botas*. Cf. *bota* (ô) e *botas* (ô), flex. de *boto^{3}* (ô).] ◆ **Bater a bota.** *Pop.* V. *morrer* (1). **Bater as botas.** *Pop.* V. *morrer* (1). **Descalçar uma bota.** *Bras.* Sair-se de uma dificuldade; superar um obstáculo: *Vamos ver como ele descalça aquela bota.* **Lamber as botas de.** Lisonjear servilmente; adular, bajular; limpar as botas de. **Limpar as botas de.** V. *lamber as botas de*. **Meter as botas em.** Falar mal de; criticar acrimoniosamente.

bota^{2}. *S. f.* V. *carapeta* (3). [Pl.: *botas*. Cf. *bota* (ô) e *botas* (ô), flex. de *boto^{3}* (ô).]

botada^{1}. *S. f.* Golpe com o pé calçado de bota^{1} (1).

botada^{2}. *S. f.* **1.** Ato ou efeito de botar^{1}. **2.** Investida, agressão. **3.** *Bras.* Ocasião, vez: *Daquela botada não hesitou: agiu como devia.* **4.** *Bras.* O início da moagem dos engenhos e usinas de açúcar: "De setembro para outubro era a botada do engenho, o início da moagem." (Carlos de Gusmão, *Boca de Grota*, p. 416.) [Antôn. (nesta acepç.): *peja*.] **5.** *Bras. S.* Cotejo entre dois parelheiros ou dois galos de briga.

botado. [Part. de *botar^{2}* (2).] *Adj.* ~ V. *vinho* —.

botafogo (ô). *Adj. 2 g. e s. 2 g. Bras.* V. *botafoguense^{2}*. [Cf. *bota-fogo*.]

bota-fogo. [De *botar^{1}* + *fogo*.] *S. m. Expl.* **1.** Pau ou bastão em cuja ponta se põe a mecha para iniciar, a distância, a ignição dos fogos de artifício. **2.** O homem que executa a ignição do fogo de artifício. **3.** *Expl. Mil. Ant.* Pau com morrão com que se deitava fogo às peças de artilharia. **4.** *Expl. Mil. Ant.* O artilheiro que deitava fogo às peças. **5.** *Fig.* Indivíduo que provoca desordens. [Pl.: *bota-fogos*. Cf. *botafogo* e *Botafogo*, antr. e top.]

botafoguense^{1}. *Adj. 2 g.* **1.** De, ou pertencente ou relativo a Botafogo, bairro do Rio de Janeiro (RJ). ● *S. 2 g.* **2.** Natural ou habitante desse bairro.

botafoguense^{2}. *Bras. Adj. 2 g.* **1.** Pertencente ou relativo ao Botafogo de Futebol e Regatas (RJ). **2.** Que é torcedor ou jogador dessa agremiação. ● *S. 2 g.* **3.** Membro, torcedor ou jogador dela. [Sin. ger.: *alvinegro, botafogo*.]

bota-fora. [De *botar^{1}* + *fora*.] *S. m.* **1.** Ato ou festa com que se despede uma ou mais pessoas, acompanhando-a(s) até à partida: "As viagens de um viajante comercial não comportam bota-foras, despedidas, adeuses, salvo de um ou outro freguês que está atrasado com a Casa e quer nos agradar." (João Alphonsus, *Pesca da Baleia*, p. 50.) [Note-se o pl., menos comum.] **2.** Lançamento de um navio à água. **3.** *Constr.* Material excedente em serviços de terraplenagem, escavado em cortes e não aproveitado em aterros, o qual é depositado fora do local das obras. [Pl.: *bota-foras*.]

botaló. [De *bota a ló*, 'bota para barlavento'.] *S. m. Mar.* **1.** *Ant.* Pontalete com que os navios afastavam os inimigos que tentassem abordá-los. **2.** Pau que sai pela popa de embarcação de vela que usa catita, para caçá-la.

bota-mesa. [De *botar^{1}* + *mesa*.] *S. m. Bras., Amaz.* Designação comum a alguns insetos aquáticos. [Pl.: *bota-mesas*.]

botânica. [Fem. substantivado do adj. *botânico*.] *S. f.* Parte da biologia que estuda as plantas; estudo da morfologia e da fisiologia dos vegetais. A botânica moderna teve início com Karl von Linné, botânico sueco (1707-1778). Os muitos ramos em que se divide esta ciência podem-se agrupar em dois fundamentais: *botânica pura* [q. v.] e *botânica aplicada* [q. v.]. Há mais de 30 ramos especializados, que é costume distribuir em dois grupos: a *botânica descritiva* [q. v.] e a *botânica experimental* [q. v.], baseados sobretudo, respectivamente, na observação e na experimentação. [Sin., desus.: *fitologia*.] ◆ **Botânica agrícola.** V. *botânica aplicada*. **Botânica aplicada.** Grande divisão da botânica, que estuda as plantas sob o aspecto das relações que elas demonstram ter com a vida humana, como, p. ex., botânica agrícola, ligada às atividades da agricultura; botânica farmacêutica, relacionada aos usos em medicina e em farmácia; fitopatologia, que abrange pesquisas acerca das moléstias causadas nas plantas úteis ao homem. **Botânica descritiva.** O conjunto dos ramos da botânica que usam a observação como o principal método de pesquisa. [As numerosas disciplinas da morfologia constituem ramos descritivos, bem como as da botânica sistemática.] **Botânica especial.** Grande subdivisão da botânica, relativa aos aspectos particulares do estudo dos vegetais: classificação (*botânica sistemática*), distribuição (*fitogeografia*) e anomalias (*teratologia*), e que, por sua vez, podem subdividir-se em ramos mais restritos e especializados. **Botânica experimental.** O conjunto dos ramos da botânica que empregam a experimentação como o principal método de pesquisa. [A *fisiologia*, com suas numerosas subdivisões, constitui o grupo de disciplinas botânicas experimentais mais importante.] **Botânica farmacêutica.** V. *botânica aplicada*. **Botânica geral.** Grande subdivisão da botânica, que se ocupa dos aspectos gerais do estudo das plantas: forma (*morfologia*), função (*fisiologia*) e desenvolvimento desde a fecundação (*embriologia*). [Cada uma destas partes, contudo, compreende múltiplos ramos de âmbito menor e especializados: a palinologia, p. ex., interessa-se pelos grãos de pólen, vindo a ser, portanto, um ramo ou disciplina da morfologia.] **Botânica pura.** Grande subdivisão da botânica, que estuda as plantas do ângulo puramente científico, sem qualquer intuito de aplicação, e engloba as disciplinas referentes aos aspectos gerais dos organismos vegetais (*botânica geral*) e aos aspectos particulares (*botânica especial*). **Botânica sistemática.** Parte da botânica que trata da classificação dos vegetais, ordenando-os segundo as famílias, gêneros e espécies, num esquema geral do reino vegetal, dito *sistema*; taxionomia.

botânico. [Do gr. *botanikós*, 'referente às ervas'.] *Adj.* **1.** Relativo à botânica. ~ V. *jardim* —. ● *S. m.* **2.** Especialista em botânica.

▲**botano-.** [Do gr. *botáne*, es.] *El. comp.* = 'planta', 'vegetal': *botanomante*.

botanomancia (cí). [Do gr. *botanomantéia*.] *S. f.* Arte de adivinhar por meio de plantas.

botanomante. [De *botano-* + *-mante*.] *S. 2 g.* Pessoa que se dedica à botanomancia.

botanomântico. *Adj.* Referente à botanomancia, ou a botanomante.

botão. [Do fr. ant. *boton*, hoje *bouton*.] *S. m.* **1.** Pequena saliência que, nos vegetais, dá origem a novos ramos, folhas ou flores; broto. [Cf. *rebento* (1).] **2.** A flor antes de desabrochar. **3.** *Fig.* Aquilo que ainda não se desenvolveu de todo: *Está no botão da mocidade.* **4.** Pequena peça, quase sempre arredondada, que se usa para fechar o vestuário, fazendo-a entrar numa casa ou presilha, e também como ornato. **5.** Parte da fechadura de porta, janela ou gaveta, onde se pega para abri-las ou fechá-las; maçaneta. **6.** Nas campainhas, pequena peça que se comprime para fazê-las soar. **7.** Pequena bola de ferro incandescente para cauterizar. **8.** Bola de madeira ou de couro que se coloca na ponta do florete para que a estocada não fira. **9.** Peça fixa ou móvel presa a um objeto, um instrumento ou um mecanismo, e que serve para segurar ou premer: *o botão da tampa de panela; os botões do elevador.* **10.** Jogo em que se utilizam botões de vestuário ou outros semelhantes, especialmente fabricados para este fim, e que simula uma partida de futebol. **11.** Brinco de orelha, sem pingente. **12.** *Caligr.* Espessamento ovalado da extremidade da haste de certas letras. **13.** *Marinh.* Série de voltas redondas, dadas com arrebém, linha, merlim ou fio de vela, em torno de duas seções de cabo ou de duas antenas ou hastes, a fim de as unir permanentemente. **14.** *Patol.* Pequeno tumor arredondado, purulento ou não; verruga, bostela, pústula. **15.** *Radiotec.* Peça redonda presa ao extremo de um eixo, usada para o controle do volume e da sintonia, nos receptores de rádio; manete. **16.** *Bras., MT.* Designação comum a concreções de sílica com óxido de ferro, que acusam a presença do diamante. [Cf. *Butão*, top.] ◆ **Aos seus botões.** V. *Com os seus botões*: "o Eduardo dizia aos seus botões: — Fiz mal em não acompanhá-la, em não procurar saber onde ela mora." (Artur Azevedo, *Contos Possíveis*, p. 83.) **Com os seus botões.** Consigo mesmo; de si para si; entre si; aos seus botões: "Quando acho que censurar na nossa terra, digo com os meus botões: Há de haver males nas terras alheias" (Machado de Assis, *A Semana*, II, p. 370).

botão-de-farda. *S. m.* Planta da família das amarantáceas (*Alternanthera puberula*). [Pl.: *botões-de-farda*.]

botão-de-oiro. *S. m.* Var. de *botão-de-ouro*. [Pl.: *botões-de-oiro*.]

botão-de-ouro. *S. m.* **1.** Erva graminiforme, da família das xiridáceas (*Xyris laxifolium*), dos campos mais úmidos. Folhas lineares, muito estreitas; as flores, pequenas, inserem-se em espigas muito compactas, cujas brácteas são imbricadas e de cor amarela. **2.** *Bras.* Anfíbio anuro, da família dos braquicefalídeos (*Brachycephalus ephipium* (Spix)), distribuído desde as Guianas até o RJ, de coloração dourada uniforme, e cujo comprimento é de 1 cm, sendo, assim, um dos menores vertebrados. Vive na mata, entre folhas secas e bromélias epífitas. [Pl.: *botões-de-ouro*. Var.: *botão-de-oiro*.]

botar^{1}. [Do frâncico **botan*, 'impelir', atr. do fr. ant. *boter* e do provenç. *botar*.] *V. t. d.* **1.** Deitar, atirar, lançar fora; expelir: *A fonte botava água continuamente; O doente botou muito sangue.* **2.** Vestir, calçar, pôr: *Botou o paletó e as luvas, e saiu.* **3.** Preparar, arranjar; pôr: *Botamos a mesa e jantamos.* **4.** Estabelecer, montar; pôr: *Botou uma loja de eletrodomésticos.* **5.** Pôr, colocar: *Onde botou o livro?* **6.** Pôr sobre si como trajo ou adorno; usar como enfeite ou atavio: pôr, usar: *Botou um belo traje de noite;* "Vestia sempre muita fita e renda, / Botava sempre rosas no cabelo..." (Paulo Setúbal, *Alma Cabocla*, p. 96). **7.** Deitar, estender: *Botou a toalha sobre a relva.* **8.** Guardar, depositar; pôr: *Botou as economias no banco.* **9.** Fazer entrar; introduzir, enfiar: *A criança quis botar o dedo no buraco da fechadura. T. d. e i.* **10.** Fazer ficar; deixar: *O amigo botou-o em má situação.* **11.** Pôr; expor: *Sabe como botar seus quadros à venda.* **12.** Declarar ou proclamar a existência de (defeito, falta, falha): *Costuma botar defeito em todas as pessoas.* **13.** Pôr; trasladar: *Botou a obra em verso.* **14.** Traduzir, trasladar: *Com rapidez espantosa botou a inscrição em francês.* **15.** *Bras., N.* Deitar à conta de; atribuir, imputar: *Boto o crime para aquele tipo mal-encarado.* **16.** Oferecer como preço para compra, à maneira de lanço (3): "Padilha botou sete contos na casa e quarenta e três em S. Bernardo." (Graciliano Ramos, *S. Bernardo*, p. 25.) **17.** Aplicar, investir: *Já botou 2 milhões na construção da casa e ainda está longe de terminá-la. Int.* **18.** Formar saliência; estender-se: *A longa faixa de terra bota pelo mar adentro.* **19.** *Bras.* Principiar a moer (o engenho ou a usina de açúcar): "E a [usina] Bom Jesus botou, cresceu, o açúcar dera dinheiro como nunca." (José Lins do Rego, *Usina*, p. 46.) [Antôn. (nesta acepç.): *pejar.*] **20.** Frutificar, florescer (tratando-se de vegetais que não dão frutos). **21.** Pôr ovos. *P.* **22.** Lançar-se, arremessar-se, atirar-se. **23.** Atrever-se, arrojar-se: *Botou-se à perigosa empresa.* **24.** Pôr-se de viagem; mandar-se: "Nunca fez uma viagem ..... Só se botava à Paraíba para vender açúcar, comprar enxadas." (José Lins do Rego, *Bangüê*, p. 11); "Tomava água no pote e botava-se para a rua." (Humberto Crispim Borges, *Cacho de Tucum*, p. 186). [Pres. ind.: *boto, botas, bota*, etc. Cf. *boto* (ô), flex. *bota* (ô), *botas* (ô), e *Boto* (ô), antr.] ◆ **Botar fora. 1.** Pôr fora; gastar, desperdiçar: *Bota fora tudo quanto ganha.* **2.** Afastar; rejeitar. "Esta observação, porém, que valeria alguma coisa em outro espírito, depressa a botei fora" (Machado de Assis, *Páginas Recolhidas*, p. 80). **3.** Abortar voluntariamente: *Botou fora o filho sem nenhum medo ou escrúpulo.* **Botar para quebrar. 1.** Tomar a frente de um empreendimento com pulso firme, fazendo que as coisas se decidam. **2.** Introduzir formas radicais; revolucionar. **3.** Agir com violência e radicalmente. **Botar-se a tudo.** Atirar-se a um empreendimento com disposição de tudo arriscar; empenhar-se com todas as forças numa ação.

botar². [De *boto*³ + *-ar*².] *V. t. d.* **1.** *Desus.* Embotar. *P.* **2.** Azedar (o vinho). [Pres. ind.: *boto, botas, bota*, etc. Cf. *boto* (ô), flex. *bota* (ô), *botas* (ô) e *Boto* (ô), antr.].

botar³. *V. t. d. e int. Desus.* F. aferética de *desbotar.* [Pres. ind.: *boto, botas, bota*, etc. Cf. *boto* (ô), flex. *bota* (ô), *botas* (ô), e *Boto* (ô), antr.]

botara. [Do tupi *bo*, 'mão', + *tar*, 'colher, apanhar'.] *S. f. Bras.* Armadilha para caça graúda ou para animais bravios.

botaréu. [Do esp. *botarel.*] *S. m. Arquit.* Obra maciça de alvenaria, para reforçar paredes sujeitas a grandes empuxos laterais; contraforte, pilastra, pegão, escora: "Com a pouca espessura relativa das paredes .... e a ausência .... de botaréus, escoras ou quaisquer obras de reforço, internas ou externas, a manutenção da gigantesca igreja em pé, parece assombro" (Fialho d'Almeida, *Estâncias d'Arte e de Saudade*, p. 188). [Cf. *repuxo* (4).]

bota-sela. [De *botar*¹ + *sela.*] *S. m.* Voz de comando ou toque de corneta para os militares selarem e arrearem os cavalos. [Pl.: *bota-selas.*]

bote¹. Do ingl. médio *bot*, atualmente *boat*, talvez pelo fr. ant. *bot.*] *S. m.* **1.** Escaler pequeno, de formas cheias, destinado a trabalhos leves no porto, ou a pequenos serviços de navios no porto. **2.** *Bras., PE.* Jangadinha que, na pesca de agulhas, os pescadores levam dentro da jangada grande.

bote². [Do provenç. *bot.* ou dev. de *botar*¹.] *S. m.* **1.** Golpe com arma branca; cutilada, estocada. **2.** *P. ext.* Ataque, investida. **3.** *Bras.* Salto do animal sobre a presa. ◆ **Errar o bote.** Falhar em tentativa malintencionada.

boteco¹. *S. m. Bras. Pop.* O globo ocular.

boteco². [Der. regress. de *botequim.*] *S. m.* **1.** *Bras.* e *S. Fam.* e/ou *deprec.* Botequim. **2.** *Bras., BA.* Barraca que se arma em volta dos barracões das feiras.

boteiro. *S. m.* **1.** Fabricante de botes [v. *bote*¹.] **2.** *Bras., S.* Aquele que guia bote. [Cf. *buteiro.*]

botelha (ê). [Do fr. *bouteille.*] *S. f.* **1.** Garrafa, frasco: "Meu coração agradece a Deus esta hora plena, / E o meu espírito repousa, como o vinho nas velhas botelhas." (Augusto Frederico Schmidt, *Poesias Completas*, p. 345); "Leva a candeia e vê se os alumia / E traze uma botelha de aguardente." (Domingos Carvalho da Silva, *Liberdade embora tarde*, p. 34). **2.** Porção de líquido contido numa garrafa.

botelharia. *S. f.* Frasqueira (2).

botelheiro. [De *botelha* + *-eiro.*] *S. m.* Aquele que cuida dos vinhos engarrafados.

botelhense. *Adj. 2 g.* **1.** De, ou pertencente ou relativo a Botelhos (MG). ● *S. 2 g.* **2.** Natural ou habitante de Botelhos.

botequim. [Por *botiquim*, dim. de *botica* quando esta palavra ainda significava 'loja em geral', em vez de 'farmácia'.] *S. m.* Estabelecimento comercial onde se servem bebidas em geral (bebidas alcoólicas, refrigerantes, café, etc.) e pequenos lanches; bar. [Sin., bras.: *boteco.* Cf. *café* (4).]

botequineiro. *S. m.* Dono ou administrador de botequim.

botica. [Do gr. *apothéke*, 'depósito'.] *S. f.* Estabelecimento onde se preparam e vendem medicamentos; farmácia.

boticada. *S. f.* Medicamento preparado em botica.

boticão. *S. m.* Tenaz para arrancar dentes; saca-molas. [Cf. *rizagra.*]

boticária. *S. f.* **1.** Dona de botica. **2.** Mulher de boticário.

boticário. *S. m.* **1.** Dono de botica. **2.** Preparador e vendedor de medicamentos na botica; farmacêutico.

botija. [Do esp. *botija.*] *S. f.* **1.** Vaso cilíndrico, de grés, de boca estreita, gargalo curto e uma pequena asa. **2.** *Marinh.* Entrançado feito com linha, merlim, cordão branco, etc., para revestir um cabo ou outro objeto; embotijo. **3.** *Fig.* Pessoa gorda. **4.** *Bras.* Tesouro enterrado.

botijão. *S. m. Bras.* V. *bujão* (5 e 6).

botim. *S. m.* Bota¹ de cano curto, o qual termina logo após o tornozelo. [Cf. *butim.*]

botina¹. [Do fr. *bottine.*] *S. f.* **1.** *Bras.* Bota¹ de cano curto ordinariamente para homem. **2.** *Lus.* Botinha [q. v.].

botina². *S. f.* Mulher de boto¹ (ô).

botinha. [Dim. de *bota.*] *S. f. Bras.* Bota¹ de cano curto, para senhora ou crianças. [Sin. (lus.): *botina.*]

botirão. *S. m.* Rede de vime para a pesca da lampreia.

boto¹. (ô). *S. m. Luso-asiát.* Sacerdote do hinduísmo. [Fem.: *botina.* Pl.: *botos* (ô). Cf. *boto*, do v. *botar.*]

boto². (ô). *S. m.* **1.** V. *peixe-boto.* **2.** *Bras. Gír.* Coisa volumosa. [Pl.: *botos* (ô). Cf. *boto, do v. botar.*]

boto³. (ô). [Do esp. *boto.*] *Adj.* De gume embotado; rombo. [Flex.: *bota* (ô), *botos* (ô), *botas* (ô). Cf. *boto*, do v. *botar*, e *bota, botas*, do mesmo v. e s. f.]

botoado. *S. m. Bras.* F. aferética de *abotoado* (5) [q. v.].

botoaria. *S. f.* Fábrica ou indústria de botões. [v. *botão* (4)].

boto-branco. *S. m. Bras., Amaz.* Mamífero cetáceo, da família dos platanistídeos (*Inia geoffroyensis* (Bla.)), do Alto Orenoco e da Bacia Amazônica, a parte superior cinza, o ventre branco tendendo ao avermelhado. Atinge de 2 a 3 m de comprimento, podendo pesar até 130 quilos. Alimenta-se exclusivamente de peixes. [Sin. *uiara.* Pl.: *botos-brancos.*]

botocar. *V. int. Bras.* Saltar para fora; sair. [Cf. *butucar.* Conjug.: v. *trancar.*]

botocudismo. *S. m. Bras.* Procedimento de botocudo; rudeza, selvageria.

botocudo. *Bras. S. m.* **1.** Indivíduo dos botocudos, designação de várias tribos, lingüisticamente distintas, que usavam botoque, e que no séc. XVI habitavam territórios hoje pertencentes à BA, algumas das quais sobreviveram até o séc. XX em parte da BA, MG e ES. [Cf. *aimoré*².] **2.** V. *caipira* (1). **3.** Indivíduo rude, selvagem. ● *Adj.* **4.** Pertencente ou relativo a botocudo (1).

botoeira. *S. f.* **1.** Casa (12). **2.** *P. ext.* Casa (12) no alto da lapela, que não se destina a um botão (4), mas para nela se fixar condecoração, distintivo, flor ou ramo de flor, etc. **3.** Mulher que fabrica ou faz botões.

botoeiro. *S. m.* Aquele que fabrica botões [v. *botão* (4)].

boto-preto. *S. m. Bras., Amaz.* V. *tucuxi.* [Pl.: *botos-pretos.*]

botoque. [De *batoque*, por infl. de *bodoque.*] *S. m.* **1.** Rodela grande, de uso entre os botocudos e outros indígenas brasileiros, para ser introduzida em furos artificiais feitos nos lóbulos da orelha, narinas e beiço inferior. **2.** *P. ext.* Qualquer adorno semelhante ao botoque (1) ainda que de feitio diverso, usado por outros povos. [Var.: *batoque.* Cf. *tembetá.*]

botori. *S. m.* Pequeno maracá (1).

botriado. *S. m.* **1.** Espécime dos botriados. ● *Adj.* **2.** Pertencente ou relativo a eles.

botriados. *S. m. pl. Zool.* Animais metazoários, platelmintos, cestóides, providos de duas ventosas alongadas.

botrião. [Do gr. *bóthrion*, 'fosseta'.] *S. m. Patol.* Pequena úlcera, rasa e arredondada, da córnea.

▲**botri(o)-.** [Do gr. *bótrys, yos.*] *El. comp.* = 'cacho de uvas': *botrióide.* [Equiv.: *-bótrio: acantobótrio.*]

▲**-bótrio.** Equiv. de *botri(o)-.*

bótrio. *S. m. Zool.* Ventosa alongada de certos cestóides.

botrióide. [De *botri(o)-* + *-óide.*] *Adj. 2 g.* **1.** Que tem forma de cacho. **2.** *Min.* Diz-se da concreção pedregosa que tem grosseiramente o aspecto de cacho de uvas.

botriomorfo. [De *botri(o)-* + *-morfo.*] *Adj. Morfol. Veg.* Em forma de cacho; racemiforme.

botrítico. *Adj. Morfol. Veg.* **1.** Racemoso. **2.** Diz-se da inflorescência caracterizada pela presença de ramos laterais em número indefinido, e cujo eixo principal não termina em flor.

botruco. *S. m. Bras., SC.* Cachaça misturada com outra qualquer bebida.

botucatuense. *Adj. 2 g.* **1.** De, ou pertencente ou relativo a Botucatu (SP). ● *S. 2 g.* **2.** Natural ou habitante de Botucatu.

▲**botul(i)-.** [Do lat. *botulus, i.*] *El comp.* = 'chouriço', 'salsicha': *botuliforme, botulismo.*

botuliforme. [De *botul(i)-* + *-forme.*] *Adj. 2 g.* Que apresenta forma cilíndrica e levemente arqueada; alantóide: *bactéria botuliforme.*

botulismo. [De *botul*, de *botulinus*, do nome específico do *Bacillus botulinus.*] *S. m. Patol.* Envenenamento alimentar produzido por alimentos inadequadamente enlatados ou conservados, e que se deve a uma neurotoxina produzida pelo *Clostridium botulinum;* alantíase.

bouba. [De **buba*, der. regress. de *bubão.*] *S. f.* **1.** *Patol.* Doença infecciosa causada pelo *Treponemo pertenue*, e que determina alterações semelhantes às da sífilis; framboesia. **2.** Epitelioma contagioso dos galináceos. [Pl.: *boubas.* Cf. *boba* (ô) e pl. *bobas* (ô), *e boba, bobas*, do v. *bobar.*]

boubento. *Adj.* e *s. m.* Doente de bouba.

bouça. [Do lat. *baltea*, pl. neutro de *balteus, a, um*, 'que cinge'.] *S. f.* Terreno inculto e montanhoso: "Somente a flor amarela dos matos quebrava nas bouças a melancolia da paisagem." (Bernardo Pinheiro, Pindela, *Azulejos*, p. 85.) [Var.: *boiça.* Cf. *boça* e *bossa.*]

bouçar. *V. t. d.* Roçar e queimar (mato) para lavoura. [Var.: *boiçar.* Conjug.: v. *laçar.*]

bouceira. *S. f.* Boiceira [q. v.]

➧**boudoir** (buduár). [Fr.] *S. m.* Pequeno quarto de senhora, decorado com elegância.

bouri. *S. m. Bras., BA. Folcl.* Cerimônia de preparação de quem vai receber o santo, nos candomblés, vestido de branco, pondo-se-lhe na cabeça sangue de animal votivo, acompanhado de palmas e cânticos do orixá invocado.

bournonita. [Do antr. *bournon*, do Conde J. L. Bournon, mineralogista francês (— -1825), + *-ita*³.] *S. f. Min.* Mineral ortorrômbico, sulfeto de chumbo, cobre e antimônio.

➧**boutade** (butád). [Fr.] *S. f.* Dito espirituoso.

➧**boutique** (butiq'). [Fr.] *S. f.* V. *butique.*

bovarismo. [Do antr. *bovary*, de Emma Bovary, heroína do romance *Madame Bovary*, de Gustave Flaubert (v. *flaubertiano*), + *-ismo.*] *S. m.* **1.** Tendência de certos espíritos romanescos para emprestarem a si mesmos uma personalidade e/ou condição fictícia e desempenharem um papel que não combina com a realidade. **2.** *P. ext.* Ilusões que alimentam a respeito de si mesmos os homens e os povos.

bovarista. *Adj. 2 g.* **1.** Relativo ao bovarismo, ou que mostra tendências para ele. ● *S. 2 g.* **2.** Pessoa que mostra essa tendência.

bóvidas. *S. m. pl. Zool.* Família de mamíferos ruminantes à qual pertence, entre outros animais, o boi.

bovídeo. *S. m.* **1.** Espécime dos bovídeos. ● *Adj.* **2.** Pertencente ou relativo a eles.

bovídeos. *S. m. pl. Zool.* Família de mamíferos da ordem dos artiodáctilos, ruminantes, dedos protegidos por cascos, e providos de chifres. Estritamente herbívoros, de grande importância econômica na indústria de couros, alimentos, farinha de ossos, ou adubos, etc.

bovino. [Do lat. *bovinu.*] *Adj.* **1.** Relativo ou pertencente ao, ou próprio do boi: boiúno: *lentidão bovina; olhar bovino.* **2.** Constituído por bois. ~ V. *coração* — e *varíola* —a. ● *S. m.* **3.** Animal bovino; bovídeo.

bovinocultor (ô). *S. m.* Aquele que se dedica à bovinocultura.

bovinocultura. *S. f.* Criação de animais bovinos, de gado vacum.

bovinotecnia. [De *bovino* + *-tecn(o)-* + *-ia.*] *S. f.* Parte da zootecnia que trata dos bovinos.

bovinotécnico. *Adj.* Concernente à bovinotecnia.

boxar (cs). *V. int.* e *p.* V. *boxear:* "bêbedos cambaleiam e *boxam-se*" (Eça de Queirós, *Notas Contemporâneas,* p. 54).

boxador (cs...ô). *S. m. Bras.* V. *boxeador.*

boxe (cs). [Do ingl. *box.*] *S. m.* **1.** Jogo de murro, à inglesa, em que dois contendores, usando luvas especiais, se defrontam; pugilismo. **2.** Armadura metálica que se enfia nos dedos e serve para dar socos; soqueira. **3.** Cada um dos compartimentos de uma cavalariça; baia. **4.** *P. ext.* Cada um de uma série de compartimentos separados entre si por divisões de madeira ou de outro material, em mercado, garagem, etc. **5.** *Bras.* Compartimento do banheiro destinado ao banho de chuveiro. **6.** *Jorn.* Divisão, em página de um periódico, onde se destaca um anúncio ou texto redacional. [Cf. *boche.*]

boxeador (cs...ô). *S. m.* Lutador de boxe; boxador. boxista, pugilista.

boxear (cs). *V. int.* **1.** Jogar o boxe. **2.** Ser boxeador. *P.* **3.** Esmurrar-se duas ou mais pessoas entre si, à maneira de boxe (1). [Conjug.: v. *frear.*]

bóxer (cs). [Do ingl. *boxer.*] *S. m.* Cão de estatura variável (entre 52 cm e 63 cm), maxilar inferior recurvado e maior que o superior, focinho largo e negro, orelhas eretas e pontudas, pescoço maciço e musculoso. É brincalhão, e serve de guardião, defensor e guia.

boximane. *S. 2 g.* e *adj. 2 g.* Bosquímano.

boxista (cs). *S. m. Bras.* V. *boxeador.*

➧**boy** (ói). [Ingl., de *office boy.*] *S. m.* V. *bói.*

bozerra (ê). *S. f. Bras.* **1.** Monte de excremento, de bosta. **2.** *Fig.* Indivíduo mole, preguiçoso, indolente.

bozó. [De or. afr.] *S. m.* **1.** Jogo de dados em que se atiram os cubos dentro de um cilindro de folhas-de-flandres ou de um copo de couro, só se descobrindo o lance depois de feitas as apostas. **2.** Esse cilindro, nesse jogo ou em jogos análogos: "Alguém derrubou o tabuleiro de gamão: *bozó,* pedras e dados por baixo das cadeiras." (Moreira Campos, *Portas Fechadas,* p. 159.) **3.** *Bras.* Determinada quantia que dois ou mais parceiros combinam deixar de lado cada vez que um deles ganha, e que, findo o jogo, será dividida entre os participantes da combinação. **4.** *Bras. Gír.* V. *nádegas.* **5.** *Bras., PE.* Barato (6). **6.** *Bras., BA. Pop.* V. *bruxaria* (1 e 2).

bozum. [Do *fanti-axanti.*] *S. m.* Certa divindade.

▪**Bq.** *Fís.* Símb. de *becquerel.*

▪**Br.** *Quím.* Símb. de *bromo.*

brabanção. [Do fr. *brabançon.*] *Adj.* **1.** Do, ou pertencente ou relativo ao Brabante (Bélgica). ● *S. m.* **2.** O natural ou habitante do Brabante. [Sin. ger.: *brabantês.* Fem.: *brabançona.*]

brabançona. *Adj. (f.)* e *s. f.* Fem. de *brabanção* [q. v.].

brabantês. *Adj.* e *s. m.* Brabanção [q. v.]. [Flex.: *brabantesa* (ê), *brabanteses* (ê), *brabantesas* (ê).]

brabeza (ê). *S. f. Bras.* **1.** V. *braveza.* ● *Adj. 2 g.* e *2 n.* **2.** Feroz, selvagem: "—Pois é: o menino saiu com o copinho dele para o pai encher de leite, e tinha um marruco *brabeza* do sertão que ninguém num lembrava." (Bernardo Élis, *Veranico de Janeiro,* p. 22.)

brabo. [De *bravo.*] *Adj.* **1.** *Ant. Bras.* e *açor.* V. *bravo*[1] (1, 2 e 3): "Os cavalos *brabos,* crinas sem cortes, enchiam os currais." (Adonias Filho, *Léguas da Promissão,* p. 35.) **2.** V. *valentão* (1). **3.** Sem educação, treino ou preparo adequado; bisonho e/ou incompetente: *O frango não está bom: a cozinheira é meio braba.* **4.** *P. ext.* De má qualidade; feito sem apuro; malfeito, ruim: *A comida hoje está braba.* **5.** Muito forte; intenso: *calor brabo; uma gripe das brabas.* **6.** Nocivo, danoso, daninho: *erva braba.* "Na passagem do século um cometa *brabo* percorreria o céu e extinguiria a criação: homens, bichos, plantas." (Graciliano Ramos, *Infância,* p. 69). **7.** Violento, impetuoso, exaltado, arrebatado, genioso: *Que homem brabo!* **8.** Espesso, compacto, denso: *matagal brabo.* ~ V. *ferida* —a. ● *S. m.* **9.** *Bras.* Caibro que se amarra aos dois extremos da mesa do carro de bois. **10.** *Bras., Amaz.* Trabalhador recém-chegado aos seringais.

brabura. *S. f. Bras., RJ.* V. *braveza.*

braça. [Do lat. *brachia,* pl. de *brachin,* 'braço'.] *S. f.* **1.** Antiga unidade de medida de comprimento equivalente a dez palmos [v. *palmo* (2)], ou seja, 2,2 m. **2.** Unidade de comprimento do sistema inglês, equivalente a cerca de 1,8 m. ◆ **Braça quadrada.** *Bras.* Medida agrária que se usa em MT e MS, igual à tarefa (4), de AL e SE: 3,052 m^2.

braçada. *S. f.* **1.** Aquilo que se pode abranger com os braços; braçado: *uma braçada de flores.* **2.** Movimento dos braços, em natação. ◆ **Braçada de peito.** *Esport.* Nado de peito. **Às braçadas.** Em grande quantidade; em quantidade.

braçadeira. *S. f.* **1.** Correia ou argola fixada atrás do escudo e por onde se enfia o braço; embraçadura. **2.** Presilha que segura o apanhado lateral de cortina, reposteiro, etc.; embraçadura. **3.** Distintivo, geralmente em forma de faixa, que se usa no braço, sobre a manga; embrace. **4.** Tira de couro ou de outro material, no interior de automóvel, para o passageiro manter o equilíbrio do corpo. **5.** Argola metálica que liga o cano da espingarda à coronha; embraçadura. **6.** Ferragem para reforçar peças ensambladas; embraçadura. **7.** Qualquer anilho ou chapa metálica que abraça duas ou mais peças de uma armação, conservando-as unidas; embraçadura. **8.** V. *cipó-violeta.* **9.** *Arquit.* Peça metálica que serve para ligar as pernas da tesoura da cobertura à linha ou tirante. **10.** *Mús.* Anel duplo e aberto, de metal, com dois parafusos, que prende a palheta à boquilha de certos instrumentos de sopro (clarinete, saxofone, etc.). **11.** *Ant. Mús.* Espécie de bainha de couro que, nos tambores e bombos, cinge as cordas, duas a duas, para se comprimir o arquilho sobre a pele. **12.** *Bras.* Correia ou faixa elástica, com que os atletas ou pessoas que carregam peso cingem o pulso; embraçadeira.

braçado. [De *braço* + *-ado*[1].] *S. m.* Braçada (1).

braçagem. *S. f.* **1.** Trabalho braçal; braceagem. **2.** *Bras.* Força de braço. **3.** *Bras.* Barra de ferro horizontal que une todas as manivelas das locomotivas.

bracaiá. [Do tupi *mbaraka'yá.*] *S. m. Bras.* V. *jaguatirica.*

bracajá. *S. m. Bras.* V. *tracajá.*

braçal. [Do lat. *brachiale,* ou de *braço* + *-al.*] *Adj. 2 g.* **1.** Pertencente ou relativo ao(s) braço(s); braquial. **2.** Diz-se da ocupação material, em que se utiliza a força muscular, em especial a dos braços ou a das mãos: *trabalho, serviço, tarefa braçal.* [Opõe-se a ocupação *intelectual.*] **3.** *P. ext.* Diz-se daquele que executa trabalhos braçais: braceiro. ~ V. *serra* — e *trabalho* —. ● *S. m.* **4.** Na armadura, a parte que defendia o braço; braceleira. **5.** *Fig.* Indivíduo forçudo.

braçalote. *S. m.* V. *brinco* (8).

bracamarte. [Do fr. *braquemarte.*] *S. m.* Espadagão antigo, que era brandido com ambas as mãos. [Cf. *bacamarte.*]

bracarense. [Do lat. *bracarense.*] *Adj. 2 g.* **1.** De, ou pertencente ou relativo a Braga (Portugal). ● *S. 2 g.* **2.** Natural ou habitante de Braga. [Sin. ger.: *brácaro* e *braguês.*]

braçaria. *S. f.* Arte de arremessar projetis com o braço.

brácaro. *Adj.* e *s. m.* V. *bracarense.*

bracatinga. [De possível or. tupi.] *S. f.* **1.** *Bras., S.* Árvore da família das leguminosas (*Mimosa escrabella*), que se agrupa tão densamente que chega a formar quase verdadeiras matas. É de pequeno porte e, como cresce muito depressa, é importante para a produção de lenha para carvão. **2.** *Bras., SC.* Mata aberta, quase sem vegetação arbustiva ou subarbustiva.

bracatingal. *S. m. Bras.* Quantidade mais ou menos considerável de bracatingas dispostas proximamente entre si.

braceador (ô). [De *bracear* (2) + *-dor.*] *Adj. Bras., RS.* Diz-se do cavalo que braceia. [V. *bracejar* (6).]

braceagem. *S. f.* **1.** Ato ou efeito de bracear. **2.** Braçagem (1). **3.** V. *moedagem.*

bracear. *V. t. d.* **1.** *Marinh.* Fazer girar (a verga) no plano horizontal, alando pelos braços [v. *braço* (20)], para que a vela fique convenientemente disposta em relação ao vento. *Int.* **2.** V. *bracejar* (5 e 6): "Mas explicai-vos ou primeiro ouvi-me, / Que a um tempo assim *braceando,* assim gritando, / Assim chorando, não nos entendemos." (Alberto de Oliveira, *Poesias,* 3ª série, p. 94.) [Conjug.: v. *frear.*]

braceiro. *Adj.* **1.** Que tem força nos braços. **2.** Braçal (3). **3.** *Bras., MG.* Diz-se do cavalo que levanta muito as patas dianteiras. ● *S. m.* **4.** Aquele que dá o braço a uma senhora. **5.** Indivíduo que executa trabalhos braçais. **6.** *Bras., MG.* Cavalo braceiro (3).

bracejador (ô). *Adj.* Que braceja.

bracejamento. *S. m.* Ato ou efeito de bracejar; bracejo.

bracejar. *V. t. d.* **1.** Estender para um e outro lado, como se fossem braços; agitar, balançar: *Os garbosos soldados bracejavam suas flâmulas.* **2.** Estender, expandir; difundir, propagar (braços ou ramos): *A enchente bracejou os rios; a terra fértil bracejava as árvores.* *T. i.* **3.** Brotar, romper, surgir: *Desses troncos bracejam tênues ramos.* *Int.* **4.** Estender os braços, ramos ou apêndices. **5.** Mover ou agitar os braços; gesticular; bracear: *Bracejava do cais, tentando chamar a atenção do passageiro.* **6.** Agitar (o cavalo) as patas dianteiras; bracear: *Meu cavalo braceja como nenhum outro.* **7.** Agitar-se, mover-se, como braços: "Contra os muros esverdeados de musgo *bracejam* os limoeiros doces e azedos." (Ramalho Ortigão, *As Farpas,* I, p. 117.) **8.** Expandir-se, estender-se, como braços: *O oceano bracejava pelas angras e enseadas.* **9.** Deitar braços ou ramos; germinar, vicejar. [Sin. ger.: *esbracejar.* Conjug.: v. *pelejar.*]

bracejo (ê). [Dev. de *bracejar.*] *S. m.* Bracejamento.

braceleira. *S. f.* Braçal (4).

bracelete (ê). [Do fr. *bracelet.*] *S. m.* **1.** Argola de adorno que as mulheres usam no braço junto ao pulso; pulseira. **2.** Algema, cadeia; grilheta.

bracelote. [De *braço,* provavelmente.] *S. m. Marinh.* V. *brinco* (8). [Cf. *braçalote.*]

braco. [Do germ. *brakko,* 'cão de caça', atr. do provenç. ant. *brac.*] *S. m.* Certa raça de cães perdigueiros.

▲**-braco.** Equiv. de *braqui-.*

braço. [Do gr. *bracchíon,* pelo lat. *brachiu.*] *S. m.* **1.** *Anat.* Segmento do membro superior que se estende da espádua ao cotovelo. **2.** Cada um dos membros dianteiros dos quadrúpedes. **3.** Cada um dos tentáculos dos cefalópodes e dos celenterados. **4.** Ramo de árvore. **5.** Cada uma das partes horizontais da cruz. **6.** Cada uma das partes da alavanca, entre o ponto de apoio e o de resistência, e entre o ponto de apoio e o de potência. **7.** Cada uma das duas partes do travessão da balança, desde o fulcro até o ponto de suspensão. **8.** Cada uma das peças laterais da poltrona, sofá, etc., onde se apóiam os braços. **9.** Cada uma das varas a que se prendem as velas dos moinhos. **10.** Barra ou haste afixada a qualquer objeto, para sustentação ou manuseio. **11.** Ramificação de montanha. **12.** O homem, como trabalhador braçal: *Faltavam braços para a lavoura.* **13.** Trabalho, energia, força. **14.** Coragem, bravura, intrepidez. **15.** Poder, autoridade, jurisdição. **16.** A parte superior, mais ou menos alongada, dos instrumentos de corda. **17.** Cada uma das partes do paletó, do casaco ou da camisa que corresponde a um braço (1). **18.** V. *esteiro*[1]: "entreviram .... a pastora, sentada à borda de um regato, que devia ser um *braço* da ribeira das várzeas" (Camilo Castelo Branco, *Noites de Lamego,* p. 89). **19.** *Astr.* Cada ramo das espirais de uma galáxia. **20.** *Marinh.* Cada um dos cabos singelos ou dobrados que, presos aos laises das vergas redondas, se destinam a dar-lhes movimento no sentido horizontal e a agüentá-las para ré. ~ V. *braço.* ◆ **Braço da âncora.** *Marinh.* Cada uma das duas partes recurvadas da âncora, no extremo inferior da haste, que formam a cruz e terminam pelas patas. **Braço da verga.** *Marinh.* Cada um dos cabos ou teques presos às extremidades da verga e que servem para fazê-la girar no plano horizontal. [Cf. *amantilho* (2).] **Braço de alavanca.** *Fís.* A menor distância orientada de um ponto à reta suporte do vetor representativo duma força. **Braço direito.** Pessoa que se põe a serviço de outrem com a máxima dedicação. **Braço oscilante.** *Art. Gráf.* Faca oscilante. **A braços com.** Em luta ou porfia com: "*A braços com* os seus maiores sofrimentos, Hermes era sempre um homem atento às suas amizades." (Povina Cavalcanti, *Hermes Fontes,* p. 197.) **Abrir os braços a. 1.** Receber bem; chamar a si; acolher. **2.** Assistir, auxiliar. **Cruzar os braços.** Furtar-se ao trabalho; ficar inativo. **Dar o braço.** Arqueá-lo ou dobrá-lo para que outrem nele se apóie: "*Dei-lhe o braço,* entramos na sege" (Camilo Castelo Branco, *A Mulher Fatal,* p. 195). **Dar o braço a torcer.** *Bras.* Mudar de opinião, ante a evidência do erro; confessar-se vencido, derrotado. **De braço dado.** Apoiando-se nos braços mutuamente (duas ou mais pessoas): "Cantam, *de braço dado,* uns tristes bebedores." (Cesário Verde, *Obra Completa,* p. 110). **De braços abertos.** Com alegria, afeição e interesse. **De braços cruzados.** Sem manifestar interesse ou vontade de ação; sem atividade; inerte: *ficar, estar, continuar de braços cruzados.* **Descer o braço em.** *Bras.* Meter o braço em. **Empinar o braço.** *Bras., RS.* Dar-se à embriaguez. **Meter o braço em.** *Bras.* Dar pancada, bater, em (alguém); descer o braço em. **Não dar o braço**

a torcer. Insistir na opinião que tem; não se confessar vencido. **Um braço.** Disposto ao trabalho; forte.

braço-de-ferro. *S. m.* Homem enérgico e que faz valer a sua autoridade. [Pl.: *braços-de-ferro.*]

braço-de-mono. *S. m. Bras.* Erva de grande porte, da família das solanáceas (*Solanum martii*), de folhas herbáceas, grandes e muito moles, flores pequenas e alvas, de estames amarelos, e cujos frutos são bagas sucosas, que contêm grandes sementes. [Pl.: *braços-de-mono.*]

braço-de-preguiça. *S. m. Bras., L.* e *S.* Arbusto arborescente da família das solanáceas (*Solanum cernuum*), dotado de flores brancas ou pardas e bagas amarelas, e cuja raiz tem propriedades depurativas e diuréticas, sendo as folhas usadas para chá; bolsa-de-pastor, caapuera-branca, panacéia, velame-do-mato. [Pl.: *braços-de-preguiça.*]

braçola. *S. f. Constr. Nav.* **1.** Pranchão de madeira, ou chapa metálica, dispostos verticalmente e no sentido de proa a popa, na borda de uma escotilha, a fim de impedir a entrada de água para o compartimento inferior. [Cf. *contrabraçola.*] **2.** Designação comum à braçola e à contrabraçola.

braçolada. *S. f. Bras., RS.* Pequeno pedaço de linha do espinhel, em cuja extremidade se prende o anzol.

braconídeo. *S. m.* **1.** Espécime dos braconídeos. ● *Adj.* **2.** Pertencente ou relativo a eles.

braconídeos. *S. m. pl. Zool.* Família de insetos da ordem dos himenópteros, pequenas vespas que normalmente parasitam larvas de borboletas. As fêmeas põem os ovos nas lagartas, cada uma das quais serve de nutrição a cerca de 100 novos indivíduos.

braços. [Pl. de *braço.*] *S. m. pl. Constr. Nav.* As partes das balizas que ficam entre as cavernas e as aposturas. ~ V. *braço.*

bráctea. [Do lat. *bractea.*] *S. f. Morfol. Veg.* Folha da inflorescência quase sempre de forma modificada, dimensões reduzidas e coloração viva, embora também as haja verdes. [Dim. irreg.: *bractéola.*]

bracteado. [De *bráctea* + *-ado*[1].] *Adj. Morfol. Veg.* Que tem brácteas.

bracteífero. [De *bráctea* + *-i-* + *-fero.*] *Adj. Morfol. Veg.* Portador de brácteas: *cacho bracteífero.*

bracteóide. [De *bráctea* + *-óide.*] *Adj. 2 g. Morfol. Veg.* Semelhante a uma bráctea: *sépala bracteóide.*

bractéola. [Dim. irreg. de *bráctea.*] *S. f. Morfol. Veg.* Pequena bráctea que se acha inserida junto ao pedicelo floral ou sobre ele. [Cf. *prófilo.*]

bracteolado. *Adj. Bot.* Que tem bractéola.

bracteolar. *Adj. 2 g. Bot.* Relativo à bractéola.

bracteolóide. *Adj. 2 g.* **1.** Semelhante a bractéola. ● *S. m.* **2.** *Morfol. Veg.* Pequenino órgão foliáceo que, nos carófitos, se situa em torno dos órgãos femininos.

bracteoso (ô). *Adj.* Que possui muitas brácteas: *cacho bracteoso.*

braçudo. *Adj.* Que tem braços robustos.

bracuí. [Do tupi *ï' bira*, 'madeira', + *ku'i*, 'pó'.] *S. m.* **1.** *Bras.* Certa árvore da flora paulista. **2.** *Bras., AM.* Pó de madeira.

bradado. [Part. de *bradar.*] *Adj.* **1.** Dito ou divulgado em alta voz; exclamado, gritado. ● *S. m.* **2.** Brado, grito, clamor. **3.** *Mús.* Canto litúrgico do ofício da Paixão, que reproduz as palavras de Pilatos no texto evangélico.

bradador (ô). *Adj.* e *s. m.* Que ou aquele que brada; bradante.

bradante. *Adj. 2 g.* e *s. 2 g.* Bradador.

bradar. [Do lat. *blateare.*] *V. t. d.* **1.** Dizer em brados; exclamar, gritar: *A multidão bradava o nome do vencedor;* "Com grandes golpes bato à porta e brado: / Eu sou o Vagabundo, o Deserdado..." (Antero de Quental, *Sonetos*, p. 133). **2.** Divulgar em alta voz; apregoar, pregoar: *O arauto bradou o edito real.* **3.** Pedir, reclamar, em altas vozes: *Os presos bradavam que lhes dessem o que comer. T. d. e i.* **4.** Pedir, rogar, em altos brados: *Bradava ao rei que lhe poupasse a vida.* **5.** Dar ou transmitir bradando: "bradava ordens ao pessoal; ralhava" (João da Silva Correia, *Farândola*, p. 49). *T. i.* **6.** Gritar, clamar: *Os náufragos bradavam por socorro.* **7.** Pedir, reclamar: *Bradam os presos por justiça.* **8.** Protestar, levantar-se, insurgir-se: *A multidão bradava contra os assassinos. Int.* **9.** Soltar brados; gritar, bradejar. **10.** Rugir, bramir: "Bramindo, o negro mar de longe brada / Como se desse em vão nalgum rochedo" (Luís de Camões, *Os Lusíadas*, V, p. 38).

bradejar. *V. int.* V. *bradar* (9). [Conjug.: v. *pelejar.*]

▲**bradi-.** [Do gr. *bradýs, eîa, ý.*] *El. comp.* = 'lento', 'pesado', 'vagaroso': *bradiacusia, bradifasia.*

bradiacusia. [De *bradi-* + gr. *ákousis*, 'audição', + *-ia.*] *S. f. Patol.* Embotamento da audição.

bradicardia. [De *bradi-* + *-cardia.*] *S. f. Med.* Redução dos batimentos cardíacos para 60 ou menos por minuto.

bradicardíaco. *Adj.* Relativo à bradicardia.

bradicinesia. [Do gr. *bradykinesía.*] *S. f.* Lentidão anormal dos movimentos.

bradicinina. *S. f.* **1.** Polipeptídio que aparece no sangue de animal que recebeu veneno de *Bothrops jararaca*, e que aumenta o tono da musculatura lisa. **2.** *Bioquím.* Polipeptídio com diversos restos de aminoácidos, que tem papel importante na regeneração de um tecido lesado.

bradifasia. [De *bradi-* + *-fasia.*] *S. f. Med.* Lentidão na pronunciação das palavras.

bradipepsia. [Do gr. *bradypepsía.*] *S. f. Patol.* Digestão lenta e difícil.

bradipódida. *S. m.* e *adj.* V. *bradipopídeo.*

bradipódidas. *S. m. pl. Zool.* V. *bradipodídeos.*

bradipodídeo. *S. m.* **1.** Espécime dos bradipodídeos. ● *Adj.* **2.** Pertencente ou relativo a eles. [Sin. ger.: *bradipódida.*]

bradipodídeos. *S. m. pl. Zool.* Animais mamíferos desdentados da família dos *Bradypodidae*, arborícolas, de corpo recoberto de pelagem muito espessa, membros muito longos, com unhas fortes e pontudas. Possuem cinco molares superiores e quatro inferiores. São fitófagos, conhecidos pelo nome popular de *preguiça.*

bradisseísmo. [De *bradi-* + *-seísmo.*] *S. m. Geol. Bradissismo.*

bradissismo. [De *bradi-* + *-sismo.*] *S. m. Geol.* Movimento lento da crosta terrestre; bradisseísmo.

brado. [Dev. de *bradar.*] *S. m.* **1.** V. *clamor* (2). **2.** Grito (1). ◆ **Dar brado.** Adquirir grande fama; tornar-se muito falado; notabilizar-se: "Nas matas de Sila tinha sido cometido um assassínio que deu brado, pelo mistério que revestiu" (Aquilino Ribeiro, *Os Avós dos Nossos Avós*, p. 312).

brafoneira. [Do esp. ant. *brafonera.*] *S. f.* Parte das armaduras antigas que protegia a região superior do braço e os ombros.

braga. [Do lat. *braca.*] *S. f.* **1.** Calção, geralmente curto e largo, que se usava outrora. [M. us. no pl.] **2.** *Marinh.* Gato de escape ou manilha, com que se prende o chicote da amarra à paixão [q. v.], no paiol da amarra. **3.** *Mús.* V. *cavaquinho* (1). ~ V. *bragas.*

bragada. *S. f.* **1.** Parte da perna coberta pela braga. **2.** parte interna da coxa dos animais. ~ V. *bragadas.*

bragadas. [Pl. de *bragada.*] *S. f. pl.* Veias da perna do cavalo onde este é sangrado ~ V. *bragada.*

bragado. [Do lat. *bracatu.*] *Adj.* **1.** Diz-se do animal cujas pernas têm cor diferente da do resto do corpo. **2.** *Bras.* Que tem malhas ou manchas brancas atravessadas na barriga [aplica-se especialmente a bois e cavalos]: "juntas de dez bois, formada cada junta, a capricho, de animais de pêlo igual: ou todo pretos, ou alvações, laranjos, malhados, bragados, caraças." (Xavier Marques, *As Voltas da Estrada*, p. 16). ~ V. *malacara* — e *picaço* —. [Var.: *bargado.*]

bragadura. *S. f.* Malha de animal bragado.

bragal. [De *braga* (1).] *S. m.* **1.** A roupa branca de uma casa. **2.** Pano grosso com que se faziam bragas.

bragança. *Adj. (f.)* e *s. f.* Fem. de *bragançāo* [q. v.].

bragançano. *Adj.* e *s. m.* V. *bragantino*[1] (1 e 4).

bragançāo. *Adj.* e *s. m.* V. *bragantino*[1] (1 e 4). [Fem.: *bragançã* e *bragançona.*]

bragancês. *Adj.* e *s. m.* V. *bragantino*[1] (1 e 4). [Flex.: *bragancesa* (ê), *braganceses* (ê), *bragancesas* (ê).]

bragançona. *Adj. (f.)* e *s. f.* Fem. de *bragançāo* [q. v.].

bragante. *S. m.* V. *bargante.*

bragantear. *V. int.* V. *bargantear.* [Conjug.: v. *frear.*]

bragantino[1]. *Adj.* **1.** De, ou pertencente ou relativo a Bragança (Portugal); bragançāo, braganςano, bragancês; brigantino. **2.** De, ou pertencente ou relativo a Bragança (PA). **3.** Relativo à dinastia portuguesa dos Braganças. ● *S. m.* **4.** O natural ou habitante de Bragança (Portugal); bragançāo, braganςano, bragancês; brigantino. **5.** O natural ou habitante de Bragança (PA). **6.** Membro da dinastia portuguesa dos Braganças.

bragantino[2]. *Adj.* **1.** De, ou pertencente ou relativo a Bragança Paulista (SP). ● *S. m.* **2.** O natural ou habitante de Bragança Paulista.

bragas. [Do lat. *bracas.*] *S. f. pl.* Braga (1). ~ V. *braga.*

bragueiro. [De *braga* + *-eiro.*] *S. m.* **1.** Cinta ou funda para hérnias e rupturas. **2.** Cueiro, fralda.

braguês. *Adj.* **1.** V. *bracarense* (1). ~ V. *viola* —*a.* ● *S. m.* **2.** V. *bracarense* (2). [Flex.: *braguesa* (ê), *bragueses* (ê), *braguesas* (ê).]

bragueta (ê). *S. f. Arquit.* Moldura convexa, cujo perfil é determinado por dois arcos de círculo com raios e centros distintos.

braguilha. [Dim. de *braga.*] *S. f.* **1.** *Ant.* Abertura dianteira das bragas; portinhola. **2.** *P. ext.* Abertura dianteira de qualquer calça, calção, ceroula, etc. [Sin., nesta acepç., no PR: *vista.*]

braguinha. *S. m. Ilha da Madeira.* V. *cavaquinho* (1).

braile. [Do antr. *Braille.*] *S. m.* Anagliptografia.

brala. *S. f.* Var. de *bralha*[1].

bralha[1]. *S. f.* Templo budista; pagode. [Var.: *brala.*]

bralha[2]. *S. f. Bras.* Marcha ligeira e macia dos animais de montada. [Var.: *baralha.*]

bralhar. *V. int. Bras.* Andar a passo de bralha[2]. [Var.: *baralhar.*]

brama[1]. [Dev. de *bramar.*] *S. f.* **1.** V. *berra.* **2.** V. *cio* (1).

brama[2]. [De *Brahma*, nome comercial registrado.] *S. f. Bras. Pop.* Qualquer cerveja.

bramadeiro. *S. m.* Lugar onde se juntam os veados que estão na brama[1] (1).

bramador (ô). *Adj.* e *s. m.* Que ou aquele que dá bramidos; bramante.

bramanas. *S. m. pl. Filos.* Tratados em prosa que explicam e codificam os ritos sacrificiais extraídos dos Veda.

brâmane. [Do sânscr. *brahmana.*] *S. m. Filos.* **1.** Sacerdote que oficiava os sacrifícios do Veda: o que supervisionava a correta execução dos ritos. **2.** Membro da mais alta das castas hindus, a dos homens livres, os nobres arianos. Cf. *xátria, vaixá, sudra* e *pária* (1). Var.: *brâmine.*]

bramanismo. *S. m. Filos.* Organização religiosa, política e social dos brâmanes, votada à utilização litúrgica do Veda.

bramanista. *Adj. 2 g.* **1.** Pertencente ou relativo ao bramanismo. **2.** Que é adepto dele. ● *S. 2 g.* **3.** Adepto do bramanismo.

bramante[1]. [De *brabante.*] *S. m. Bras., N.E.* Cretone.

bramante[2]. *Adj. 2 g.* e *s. 2 g.* Bramador.

bramar. [Do gót. **bramôn.*] *V. int.* **1.** Dar bramidos (o veado, o tigre, o boi, etc.); berrar, bramir, rugir. **2.** Estar no cio (o veado e, p. ext., outros animais). **3.** Soltar bramidos; berrar, gritar, bradar. **4.** Zangar-se, irritar-se, enfurecer-se: *O juiz bramou ante as violências.* **5.** *Bras.* Protestar com veemência, aos gritos; bradar: *O réu, inocente, bramava sem parar.* **6.** Fazer grande ruído; bramir, estrondear: *O trovão brama;* "Embaixo as águas refervendo bramam ..." (Raimundo Correia, *Poesias*, p. 18). *T. i.* **7.** Acusar com violência; vituperar: *O lesado bramava contra o ladrão.* **8.** Rogar, suplicar em altas vozes: "Por ele a ti rogando choro e bramo" (Luís de Camões, *Os Lusíadas*, II, p. 40).

bramido. [Part. substantivado de *bramir.*] *S. m.* **1.** Rugido de feras. **2.** Grito muito forte; clamor, berro, brado. **3.** Grande ruído ou som muito forte; estrondo.

bramidor (ô). *Adj.* e *s. m.* Que ou o que brame.

brâmine. *Adj. 2 g.* e *s. 2 g.* Var. de *brâmane.*

bramir. [Var. de *bramar.*] *V. int.* **1.** Dar bramidos (a fera); rugir, bramar. **2.** Soltar bramidos; clamar, berrar, bradar: *As vítimas bramiam de dor; Os guerreiros bramiam furiosos.* **3.** Fazer grande estrondo; estrondear, retumbar, ribombar: "Bramindo o negro mar, de longe brada / Como se desse em vão nalgum rochedo" (Luís de Camões, *Os Lusíadas*, V, p. 38); "Inverno. O temporal, colérico e bravio, / Brame sinistramente" (Mateus de Albuquerque, *Visionário*, p. 71). *T. d.* **4.** Dizer em altos brados; exclamar, bradar: *A multidão bramia impropérios.* [Defect. Não se conjuga nas f. em que ao *m* da raiz se seguiria o *o* ou *a*: a 1ª pess. sing. do pres. ind. e as do pres. subj.]

bramoso (ô). *Adj.* **1.** Que brama; bramador, bramante. **2.** Raivoso, enfurecido.

bramota. [De *brama*[2] + *-ota.*] *S. f. Bras., BA. Pop.* Brama[2]: "xingamentos e tabefes às mesas dos bares, onde, em torno de geladas bramotas, reuniam-se noite adentro os incompreendidos talentos jovens" (Jorge Amado, *Dona Flor e Seus Dois Maridos*, p. 45).

branca[1]. [Fem. substantivado do adj. *branco.*] *S. f.* **1.** Cabelo branco; cã: "Seus cabelos já começavam a rarear apesar de não terem brancas" (Pedro Nava, *Beira-Mar*, p. 45). [M. us. no pl.] **2.** *Bras. Pop.* V. *cachaça* (1): "entregue o boi à multidão, os laçadores subiram até à casa do Vidal, a tomar uma pinga da branca." (Virgílio Várzea, *Histórias Rústicas*, p. 162). ~ V. *brancas.*

branca[2]. *S. f.* V. *grilheta* (1). ~ V. *brancas.*

brancacento. *Adj.* Quase branco; alvacento, branquicento.

brancagem. *S. f.* Antigo imposto sobre o pão e a carne vendidos a retalho.

brancão. *S. m. Bras., PB. Pop.* Homem branco de mau procedimento.

brancarana. [De *branca*, fem. de *branco*, + *-rana*.] *S. f. Bras.* Mulata clara.

brancarão. [De *brancarana*.] *Adj.* e *s. m. Bras.* Diz-se de, ou indivíduo um tanto mulato; mulato claro. [Var.: *brancarrão*, com infl. do sufixo de aumentativo. Fem.: *brancarona*.]

brancaria. *S. f.* Branquearia.

brancarona. *Adj. (f.)* e *s. f. Bras.* Fem. de *brancarão* [q. v.]. [Var.: *brancarrona*.]

brancarrão. *Adj.* e *s. m. Bras.* V. *brancarão*. [Fem.: *brancarrona*.]

brancarrona. *Adj. (f.)* e *s. f. Bras.* Fem. de *brancarrão* [q. v.].

brancas. [Pl. de *branca*[1] (1).] *S. f. pl.* V. *branca*[1] (1). V. ~ *branca*.

branca-ursina. [Do b.-lat. *branca ursina*, 'pata de urso'.] *S. f. Bras.* V. *canabrás*. [Pl.: *branca-ursinas*.]

branco. [Do germ. *blank*, 'luzidio, brilhante', acepç. que sobrevive na expr. *arma branca*.] *Adj.* **1.** Diz-se da impressão produzida no órgão visual pelos raios da luz não decomposta. **2.** Da cor da neve, do leite, da cal; alvo, cândido. **3.** Diz-se das coisas que, não sendo brancas, têm cor mais clara do que outras da mesma espécie: *pão* b r a n c o; *madeira* b r a n c a. **4.** Claro, transparente, translúcido. **5.** Pálido, descorado: *Ficou* b r a n c o *de susto*. **6.** Prateado, argentado, argênteo: *metal* b r a n c o. **7.** Que tem cãs; encanecido: *Sua cabeça está* b r a n c a. **8.** Diz-se do indivíduo de raça branca. **9.** *Fig.* Sem mácula; inocente, puro, cândido, ingênuo: *alma* b r a n c a. **10.** Que não surtiu o efeito desejado ou esperado. ~ V. *aguaceiro* —, *anã* —*a*, *arma* —*a*, *bandeira* —*a*, *barro* —, *bengala* —*a*, *bilhete* —, *cabidela* —*a*, *calceta* —*a*, *carta* —*a*, *casamento* —, *cimento* —, *coroa* —*a*, *elefante* —, *escravatura* —*a*, *geada* —*a*, *greve* —*a*, *linha* —*a*, *magia* —*a*, *mancha* —*a*, *material* —, *molho* —, *ouro* —, *página* —*a*, *ponte* —*a*, *raio X* —, *terror* —, *tumor* —, *verniz* —, *versos* —*s*, *vinho* — e *viúva* —*a*. ● *S. m.* **11.** A cor branca. **12.** Substância com que se tinge de branco. **13.** Homem de raça branca. **14.** Espaço entre linhas escritas ou impressas. **15.** Incapacidade de raciocinar ou de recordar-se de algo; claro, vazio: *Deu um* b r a n c o *na cabeça do aluno, e ele nada respondeu*. **16.** Antiga moeda de prata. **17.** *Gír.* Homem tolo, ingênuo, papalvo. **18.** *Anat. Veg.* Alburno, entrecasca. **19.** *Teat.* Buraco (20). **20.** *Tip.* Claro (28) maior que o deixado nos impressos pelo espacejamento ou pelo entrelinhamento comuns. **21.** *Tip.* Qualquer peça de material branco. **22.** *Tip.* O lado do papel que se imprime em primeiro lugar. [V. *retiração* (4).] **23.** *Tip.* Fôrma de branco. **24.** *Encad.* Mordente preparado com gesso, para dourar seda, veludo ou material semelhante. **25.** No jogo de dominó, a parte da pedra sem pontos marcados. **26.** *Bras.* Senhor, patrão. ♦ **Branco do olho.** V. *esclerótica*. **Branco do ovo.** A clara. **Branco fixo.** *Quím.* Pigmento branco constituído por sulfato de bário. **Em branco. 1.** Não escrito. **2.** Em jejum. **3.** Sem haver estudado nada. **4.** Sem haver dormido; em claro. **Tirar de branco.** *Tip.* Imprimir o primeiro lado da folha de papel. [Cf. *retirar*. (13).]

branco-da-baía. *S. m. Bras., N. Irôn.* Mulato (1). [Pl.: *brancos-da-baía*.]

branco-de-giz. *Adj.* Branco da cor da cal. [Pl.: *brancos-de-giz*.]

brancoso (ô). *Adj. Bras.* Diz-se de indivíduo muito branco ou muito pálido.

branco-sujo. *Adj.* Abaçanado (1). [Pl.: *brancos-sujos*.]

brancura. *S. f.* Qualidade de branco; branquidade, branquidão, alvura.

brandal. [Do cat. *brandal?*] *S. m. Marinh.* **1.** Cada um dos cabos que agüentam os mastaréus, para um e outro bordo e um pouco para ré. **2.** Cada um dos cabos que agüentam os mastros de embarcação miúda para um e outro bordo e um pouco para ré. [Cf. *estai*.]

brandalhão. *Adj.* **1.** Muito brando. **2.** *Fig.* Indolente, preguiçoso. [Fem.: *brandalhona*.]

brandalhona. *Adj. (f.).* Fem. de *brandalhão* [q. v.].

brandamente. [Do fem. de *brando* + *-mente*.] *Adv.* De maneira branda; com brandura; suavemente: "Os ventos b r a n d a m e n t e respiravam" (Luís de Camões, *Os Lusíadas*, I, p. 19).

brandão. [Do frâncico **brand*, 'tição', atr. do cat. *brandó*.] *S. m.* Grande vela de cera; círio, tocha: "milhares de b r a n d õ e s de cera .... para serem empunhados, acesos, ao longo dos caminhos; à passagem do féretro" (Antero de Figueiredo, *D. Pedro e D. Inês*, p. 216).

brande. [Do ingl. *brandy*, 'aguardente de vinho'.] *S. m. Bras.* Aguardente, cachaça.

brandear. *V. t. d.* **1.** Tornar brando; abrandar. **2.** *Marinh.* Folgar (um cabo, uma espia, uma amarra, etc.). [Antôn.: *tesar* (1).] **3.** *Marinh.* Dar seio (13) a (um cabo, uma corrente, etc., distendidos). [Antôn.: *rondar* (4). Cf. *solecar*. Conj.: v. *frear*.]

brandemburguês. *Adj.* **1.** Do, ou pertencente ou relativo ao Brandemburgo (Alemanha). ● *S. m.* **2.** O natural ou habitante do Brandemburgo. [Flex.: *brandemburguesa* (ê), *brandemburgueses* (ê), *brandemburguesas* (ê).]

brandiloqüentíssimo. *Adj.* Superl. abs. sint. de *brandíloquo*.

brandíloquo (co). [De *brando* + *-i-* + *-loquo*.] *Adj.* Que fala brandamente; de voz branda, suave. [Superl. abs. sint.: *brandiloqüentíssimo*.]

brandimento. *S. m.* Ação de brandir.

brandir. [Do fr. *brandir*.] *V. t. d.* **1.** Erguer (a arma) antes da arremetida ou disparo: b r a n d i r *a espada*; "Quando a lança b r a n d i s heroicamente / No flórido verdor da gentileza, / Vos prognosticam todos na destreza / De general o cargo preminente" (Manuel Botelho de Oliveira, *Música do Parnasso*, I, p. 109). **2.** Agitar (a mão, o pulso): B r a n d i u *os pulsos para lutar*. **3.** Acenar com; menear: B r a n d i u *a bengala, no seu último adeus*. *Int.* **4.** Agitar-se; vibrar, oscilar: *Os ramos das árvores* b r a n d i a m *com o vento*. [Defect. Não se conjuga nas f. em que ao *d* se seguiria *o* ou *a*: 1ª pess. sing. do pres. ind. e todo o pres. subj.]

brando. [Do lat. *blandu*.] *Adj.* **1.** Que cede facilmente à pressão; mole, tenro, macio; flexível. **2.** Meigo, manso, afável: *os* b r a n d o s *olhos da menina*. **3.** Suave, doce, agradável, ameno: *vento* b r a n d o. **4.** Que não tem, ou em que não há energia; frouxo: *um senhor muito* b r a n d o; *atitudes* b r a n d a s. **5.** Lento, vagaroso, frouxo: *Anda a passos* b r a n d o s. ~ V. *verniz* —. ● *S. m.* **6.** *Marinh.* Cabo em seio, sem pressão para trabalho. ♦ **Colher o brando de.** *Marinh.* Alar ou rondar (um cabo, amarra, etc.) até que fique esticado, mas sem tensão; rondar o brando de. **Rondar o brando de.** *Marinh.* Colher o brando de.

brandura. *S. f.* **1.** Qualidade ou caráter de brando; maleabilidade. **2.** Suavidade, maciez. **3.** Mansidão, afabilidade, doçura. **4.** Pouca energia; fraqueza. **5.** Lentidão, vagar. ~ V. *branduras*.

branduras. [Pl. de *brandura*.] *S. f. pl.* **1.** Palavras meigas, afáveis, carinhosas. **2.** Afagos, carícias. ~ V. *brandura*.

branqueação. *S. f.* V. *branqueamento*.

branqueado. [Part. de *branquear*.] *Adj.* Que se tornou branco; de cor aproximadamente branca: "Uma cabeça b r a n q u e a d a surgia agora da terra, ao pé do morto" (Hugo de Carvalho Ramos, *Tropas e Boiadas*, p. 66). [Cf. *branquiado*.]

branqueador (ô). *Adj.* **1.** Que branqueia ● *S. m.* **2.** Aquele ou aquilo que branqueia. **3.** Limpador das carnes para os talhos, os açougues; esfolador.

branqueadura. *S. f.* V. *branqueamento*.

branqueamento. *S. m.* Ação ou efeito de branquear(-se); branqueação, branqueadura.

branquear. *V. t. d.* **1.** Tornar branco ou mais branco; alvejar: "Depois... a Lua b r a n q u e a v a o píncaro / Das serranias." (Alberto de Oliveira, *Poesias 1ª série*, p. 298). **2.** Cobrir com substância branca; pintar de branco. **3.** Limpar, assear. **4.** *Bras., RS.* Caiar. *Int.* **5.** Tornar-se branco; branquejar, alvejar: *Os campos* b r a n q u e a r a m *com a neve*. **6.** Mostrar-se em sua cor branca; alvejar, branquejar: B r a n q u e i a *a casinha na colina*. **7.** Criar cãs; encanecer: B r a n q u e o u *cedo; negócios malsucedidos foram a causa*. *P.* **8.** Tornar-se branco. **9.** Limpar-se, purificar-se. [Conjug.: v. *frear*. Pres. ind.: *branqueio, branqueias, ... branqueais, branqueiam*. Cf. *branquiais*, pl. de *branquial*.]

branquearia. *S. f.* Lugar onde se procede ao branqueamento de vários materiais, como tecidos, fibras, papel, etc.; brancaria.

branquejante. [De *branquejar* + *-ante*.] *Adj. 2 g.* V. *alvejante*.

branquejar. *V. int.* **1.** Alvejar, branquear: "O suor pingava da sua face pálida, o pó b r a n q u e j a v a as pregas do seu brial" (Eça de Queirós, *Últimas Páginas*, p. 421). **2.** Mostrar-se em sua cor branca; branquear, alvejar: B r a n q u e j a m *as velas dos barcos*; "Ela quis saber o nome de uma povoação que b r a n q u e j a v a ao longe" (Id., *Os Maias*, *II*, pp. 144-145). [Defect.; normalmente só se conjuga nas 3ªs pess. Conjug.: v. *pelejar*.]

branqueta (ê). [De *branco* + *-eta*.] *S. f. Tip. Ant.* Pano de lã que, preso pelo timpanilho ao tímpano do prelo manual, serve para abrandar a pressão da platina contra a fôrma; frisa. [Cf. *almofada* (6).]

brânquia. [Do gr. *brágchia*, pelo lat. *branchia*.] *S. f. Zool.* Órgão respiratório dos animais aquáticos; guelra.

branquiado. [De *brânquia* + *-ado*[1].] *Adj. Zool.* Que tem brânquias ou guelras. [Cf. *branqueado*.]

branquial. *Adj. 2 g. Zool.* Relativo ou pertencente às brânquias. [Pl.: *branquiais*. Cf. *branqueais*, do v. *branquear*.]

branquicento. *Adj.* V. *brancacento*.

branquidade. *S. f. Bras.* **1.** V. *brancura*. **2.** Preocupação de dizer-se branco, de ostentar pureza de sangue, ou fidalguia.

branquidão. *S. f.* V. *brancura*.

branquilho. [Dim. de *branco*, talvez.] *S. m. Bras. L.* a *S.* Arbusto alto, da família das euforbiáceas (*Sebastiania klotzchiana*), cujos ramos são providos de espinhos. As folhas, insignificantes, dispõem-se em curtas espigas, delgadas, paucifloras e que medem 3 cm; os frutos são cápsulas trivalvares.

branquinha. [Dim. de *branca*, fem. do adj. *branco*.] *S. f.* **1.** *Bras.* Peixe teleósteo, caraciforme, da família dos caracídeos (*Anoduslatior* Spix), da Amaz. e Paraguai, de coloração prateada, uniforme. **2.** *Bras.* Peixe teleósteo, caraciforme, da família dos caracídeos (*Charax gibbosus* (L)), da Amaz., Guianas e Paraguai, de coloração prateada com mácula negra atrás do opérculo e acima da linha lateral; dorso fortemente arqueado, nadadeira anal ocupando a maior parte do abdome. **3.** *Bras.* Designação dada a várias espécies de curimatíneos do gênero *Curimata* Walb., com cerca de 50 espécies no Brasil. **4.** *Bras., N.* Ardil, fraude. **5.** *Bras. Pop.* V. *cachaça* (1). **6.** *Bras., SP.* V. *geada branca*.

▲branqui(o)-. [Do gr. *brágchion*, *ou*.] *El. comp.* = 'brânquias': *branquiópode*. [Equiv.: *-branquio*: *adelobrânquio*.]

▲-branquio. Equiv. de *branqui(o)-*.

branquiópode. *S. m.* **1.** Espécime dos branquiópodes. ● *Adj.* **2.** Pertencente ou relativo a eles. [Sing. ger.: *filópode*.]

branquiópodes. *S. m. pl. Zool.* Animais metazoários, artrópodes, crustáceos, subclasse *Branchiopoda*, geralmente de água doce, com os apêndices do tronco de estrutura uniforme, geralmente foliáceos; filópodes.

branquiostegial. *Adj. 2 g.* **1.** Diz-se da membrana que recobre as brânquias nos peixes. **2.** Diz-se da parte lateral da carapaça dos crustáceos que recobre a câmara branquial.

branquiostegídeo. *S. m.* **1.** Espécime dos branquiostegídeos. ● *Adj.* **2.** Pertencente ou relativo a eles.

branquiostegídeos. *S. m. pl. Zool.* Família de peixes teleósteos, percomorfos, de cabeça muito grande, brânquias recobertas por membranas, cor pardo-olivácea, com manchas amarelas, e que chegam a 1 m de comprimento. Nomes vulgares: *batata* e *batata-da-pedra*.

branquir. *V. t. d.* Branquear (metais, especialmente a prata e o ouro).

▲braqui-. [Do gr. *brachýs, eîa, ý*.] *El. comp.* = 'breve', 'curto': *braquicéfalo* (< gr. *brachyképhalos*), *braquícero*. [Equiv.: *-braco*: *anfíbraco* (< lat. *amphibracu* < gr. *amphíbrachys*).]

braquia. [Do gr. *bracheîa*, 'breve'.] *S. f.* Sinal em forma de arco de parêntese [◡] colocado horizontalmente sobre uma vogal para indicar que é breve. [Cf. *macro* e *ápice* (4).]

braquial. [Do lat. *brachiale*.] *Adj. 2 g.* Braçal (1).

braquianticlinal. [De *braqui-* + *anticlinal*.] *S. f. Geol.* V. *domo* (3).

braquiblasto. [De *braqui-* + *blasto*.] *S. m. Morfol. Veg.* Ramo curto especial que sustenta um molho de folhas, característico das coníferas.

braquicefalia. *S. f.* Caráter ou estado de braquicéfalo.

braquicefalídeo. *S. m.* **1.** Espécime dos braquicefalídeos. ● *Adj.* **2.** Pertencente ou relativo a eles.

braquicefalídeos. *S. m. pl. Zool.* Anfíbios da subclasse dos anuros, bufoniformes, de cor amarelo-pálida ou laranja. São sapos do N. do Brasil e da Guiana.

braquicéfalo. [Do gr. *brachyképhalos*.] *Adj.* e *s. m.* Diz-se de, ou indivíduo cujo crânio, observado de cima, apresenta a forma de um ovo, porém mais curto e arredondado posteriormente. [O índice cefálico vai de 84 a 85,9. Cf. *dolicocéfalo* e *mesatocéfalo*.]

braquicêntrico. *Adj.* Que tem acículos ou acúleos curtos.

braquícero. [De *braqui-* + *-cero*.] *Adj.* **1.** Que tem antenas ou chifres curtos. **2.** Pertencente ou relativo aos braquíceros. ● *S. m.* **3.** Espécime dos braquíceros.

braquíceros. *S. m. pl. Zool.* Insetos da ordem dos dípteros, subordem *Brachycera*, cujas antenas são mais curtas que o tórax, em geral com três segmentos, a terceira junta, às vezes complexa, com anéis mais ou menos distintos.

braquícito. *S. m. Morfol. Veg.* Célula notavelmente curta da epiderme das folhas das gramíneas.

braquíclado. *Adj. Morfol. Veg.* De ramos curtos ou pouco desenvolvidos.

braquidactilia. *S. f.* Caráter ou qualidade de braquidáctilo. [Var.: *braquidatilia.*]

braquidáctilo. [Do gr. *brachydáktylos.*] *Adj.* Que tem dedos curtos. [Var.: *braquidátilo.*]

braquidatilia. *S. f.* Var. de *braquidactilia.*

braquidátilo. *Adj.* Var. de *braquidáctilo.*

braquídeo. *Adj.* Em forma de braço.

braquiélitro. [De *braqui-* + *élitro.*] *Adj. Zool.* Que tem élitros curtos.

braquiesclereide. *S. f. Anat. Veg.* V. *esclereide.*

braquilogia. [De *braqui-* + *-log(o)-* + *-ia.*] *S. f. Gram.* Redução de uma palavra, expressão ou giro fraseológico, sem prejuízo do sentido da forma plena: *moto* por *motocicleta; molar* por *dente molar; Fizemos o que urgia,* por *Fizemos o que urgia que fizéssemos.*

braquilógico. *Adj.* Referente à braquilogia.

▲braqu(i)(o)-. [Do gr. *brachíon, onos.*] *El. comp.* = 'braço': *braquiotomia.* [Equiv.: *-braquio*[1]: *acefalobráquio.*]

▲-braquio. Equiv. de *braqu(i)(o)-.*

braquiópode. [De *braqu(i)(o)-* + *-pode.*] *S. m.* **1.** Espécime dos braquiópodes. ● *Adj. 2 g.* **2.** Pertencente ou relativo a eles.

braquiópodes. *S. m. pl.* Animais moluscóides, marinhos, providos de concha bivalve, dois braços bucais espiralados e aparelho circulatório complexo.

braquióptero. [De *braqui-* + *-o-* + *-ptero.*] *Adj. Zool.* **1.** Que tem asas curtas; brevipene. ● *S. m.* **2.** Ave de asas muito curtas.

braquiotomia. [De *braqu(i)(o)-*[1] + *-tom(o)-* + *-ia.*] *S. f. Cir. Obsol.* Seção ou amputação do braço.

braquiotômico. *Adj.* Referente à braquiotomia.

braquipétalo. [De *braqui-* + *-pétalo.*] *Adj. Morfol. Veg.* Que apresenta pétalas curtas.

braquipnéia. [De *braqui-* + *-pnéia.*] *S. f. Patol.* Respiração curta, na qual o volume de ar inspirado e expirado é pequeno, abaixo do normal.

braquíptero. [De *braqui-* + *-ptero.*] *Adj. Zool.* Diz-se dos insetos que possuem élitros muito curtos, como ocorre no gênero *Brachypterus,* da ordem dos coleópteros, ou entre as fêmeas dos tricópteros.

braquissinclinal. [De *braqui-* + *sinclinal.*] *S. f. Geol.* Dobra do terreno na qual o comprimento e a largura da concavidade são idênticos.

braquistilia. [De *braquistilo* + *-ia.*] *S. f. Morfol. Veg.* Ocorrência de estilete curto nas flores.

braquistilo. [De *braqui-* + *-stilo.*] *Adj. Bot.* Que apresenta braquistilia.

braquistócrona. [Do gr. *bráchystos,* 'brevíssimo', + *-crono.*] *S. f. Geom. Anal.* Trajetória de uma partícula que, sob a ação de uma determinada força, passa de um ponto inicial a um final num intervalo de tempo mínimo.

braquiúro. [De *braqui-* + *-uro.*] *Adj.* **1.** Que tem a cauda curta. **2.** Pertencente ou relativo aos braquiúros. ● *S. m.* **3.** Espécime dos braquiúros.

braquiúros. *S. m. pl. Zool.* Animais metazoários, artrópodes, crustáceos, malacostráceos, decápodes, cujo abdome é atrofiado, curto, e oculto sob o tórax. São os siris e caranguejos.

brasa. *S. f.* **1.** Carvão incandescente. **2.** Qualidade ou estado de incandescente; incandescência. **3.** Ardência, queimor; afogueamento. **4.** Ardor, paixão; entusiasmo, excitação. **5.** Inquietação, ansiedade, aflição. **6.** Cólera, ira. **7.** *Bras., AM.* Trepadeira ornamental, lactescente, da família das convolvuláceas *(Maripa scandens),* que habita as matas pantanosas do estuário do rio Amazonas. Folhas grandes, cordadas e moles; flores vistosas, campanuladas, róseas e dispostas em grandes panículas; os frutos são cápsulas finas e secas. **8.** *Bras. Gír.* V. *cachaça* (1). **9.** *Bras. Gír.* Pessoa atraente, sedutora, brilhante, viva. **10.** *Bras., PB.* V. *tapa*[2] (4). ◆ **Bater a brasa.** *Bras., MG.* Disparar arma de fogo. **Chegar a brasa à sua sardinha.** Puxar a brasa para a sua sardinha. **Estar em brasa.** Estar furioso e/ou ansioso e/ou excitado. **Mandar brasa.** *Bras. Gír.* **1.** Agir com disposição firme, ou com veemência, agressividade, etc.; tacar ficha, meter ficha: "metade do que se faz aqui é bobagem! Mas como temos mesmo que fazer, vamos mandar brasa!" (Marques Rebelo, *O Simples Coronel Madureira,* p. 87); "puxo da faca, do fuzil, da garrucha, do que achar, e mando brasa." (Fernando Ramos, *Os Enforcados,* p. 169). **2.** Praticar ato libidinoso. **Pisar em brasa.** Viver uma situação extremamente difícil, embaraçosa, etc. **Puxar a brasa para a sua sardinha.** Procurar as suas conveniências; chegar a brasa à sua sardinha.

brasa-escondida. *S. f. Bras., S.* Pessoa dissimulada. [Pl.: *brasas-escondidas.*]

brasagem. [De *brasa* + *-agem*[2].] *S. f. Metal.* Tipo de solda, com base em liga de cobre e zinco, usada para fixação de peças pouco espessas de cobre, de ferro ou de aço.

brasão. [Do fr. *blason.*] *S. m.* **1.** Insígnia ou distintivo de pessoa ou família nobre, conferidos, em regra, por merecimento; escudo de armas. **2.** *P. ext.* Divisa, emblema. **3.** *Fig.* Honra, glória: "Sê duro guerreiro, / Robusto, fragueiro, / Brasão dos tamoios / Na guerra e na paz." (Gonçalves Dias, *Obras Poéticas,* II, p. 43.) **4.** *Heráld.* Conjunto de peças, figuras e ornatos dispostos no campo do escudo ou fora dele, e que representam as armas de uma nação, de um soberano, de uma família, de corporação, cidade, etc.

brasa-viva. *S. f. Bras.* Arbusto de 3 a 4 m, da família das mirtáceas *(Calyptranthes grandifolia),* de casca lisa e descamante, folhas oblongas, acuminadas, discolores e coriáceas; flores pequenas e reunidas em cimeiras, que se dispõem em panículas. Os frutos são bagas globosas, violáceo-escuras, pubescentes, aromáticas e de sabor ácido. [Pl.: *brasas-vivas.*]

braseira. *S. f.* V. *braseiro.*

braseiro. *S. m.* **1.** Vaso de metal ou de louça, para brasas. **2.** Fogareiro, bacia. **3.** Fogo brando de brasas. **4.** Grande porção de brasas ou de objetos incendiados; brasido: "Fazia o toucinho chiar no braseiro" (Chico Anísio, *Teje Preso,* p. 166). [F. paral.: *braseira.*]

brasense. *Adj. 2 g.* **1.** De, ou pertencente ou relativo a Venceslau Brás (PR). ● *S. 2 g.* **2.** Natural ou habitante de Venceslau Brás.

brasido. *S. m.* **1.** Braseiro (4): "teriam à tarde a alegria de um brasido coruscante nos fogões pobres" (Alcides Maia, *Tapera,* pp. 58-59). **2.** Calor forte do lume.

brasil. [Do fr. *brésil,* que é alter. do it. *verzino.*] *S. m.* **1.** *Bras. P. us.* Pau-brasil. **2.** *Bras. Ant.* A cor do pau-brasil; encarnado, vermelho. **3.** *Bras. Ant.* Tintura fabricada com a madeira do pau-brasil, usada em tinturaria e pintura, e também para dar o vermelho das miniaturas e iluminuras dos manuscritos. ● *S. 2 g.* **4.** Indígena do Brasil. [M. us. no pl.] **5.** Natural ou habitante do Brasil. [M. us. no pl.] ~V. *brasis.*

brasilaçu. [De *brasil* + *-açu.*] *S. m. Bras.* Planta da família das leguminosas, subfamília cesalpiniácea *(Caesalpinia brasiliensis);* brasilete ou brasileto; brasil-rosado.

brasileense (èè). *Adj. 2 g.* **1.** De, ou pertencente ou relativo a Brasiléia (AC). ● *S. 2 g.* **2.** Natural ou habitante de Brasiléia. [Cf. *brasiliense.*]

brasileira. [Fem. de *brasileiro.*] *S. f. Bras.* V. *cachaça* (1).

brasileirice. *S. f.* **1.** Coisa própria de brasileiro (2). **2.** Ação ou modos próprios de brasileiro. **3.** Expressão abrasileirada.

brasileirismo. *S. m.* **1.** Palavra ou locução própria de brasileiro (2). **2.** Modismo próprio da linguagem dos brasileiros. **3.** *Bras.* Caráter distintivo do brasileiro e/ou do Brasil. **4.** *Bras.* Sentimento de amor ao Brasil; brasilidade.

brasileiro. *Adj.* **1.** De, ou pertencente ou relativo ao Brasil. ~ V. *colonial —, complexo —, fila —, inversão —* a e *norma —* ● *S. m.* **2.** O natural ou habitante do Brasil. [Sin. (nestas acepç.): *brasiliano, brasiliense, brasilense, brasílico, brasílio.*] **3.** Alcunha com que os portugueses designam os seus compatriotas que voltam ricos do Brasil.

brasilense. *Adj. 2 g.* e *s. 2 g.* V. *brasileiro* (1 e 2).

brasilete (ê). *S. m. Bras.* V. *brasilaçu.*

brasileto (ê). *S. m. Bras.* V. *brasilaçu.*

brasiliana. [Fem. de *brasiliano.*] *S. f.* Coleção de livros, publicações, estudos, acerca do Brasil.

brasilianista. [Do ingl. *brazilianist.*] *S. 2 g.* Estrangeiro especialista em, ou estudioso de assuntos brasileiros.

brasiliano. *Adj.* e *s. m.* V. *brasileiro* (1 e 2).

brasílico. *Adj.* **1.** Diz-se de gente e coisas indígenas do Brasil. **2.** V. *brasileiro* (1). ● *S. m.* **3.** V. *brasileiro* (2).

brasilidade. *S. f. Bras.* **1.** Propriedade distintiva do brasileiro e do Brasil. **2.** Brasileirismo (4).

brasiliense[1]. *Adj. 2 g.* e *s. 2 g.* V. *brasileiro* (1 e 2). [Cf. *brasileense.*]

brasiliense[2]. *Adj. 2 g.* **1.** De, ou pertencente ou relativo a Brasília, capital do Brasil, ou à cidade e município do mesmo nome (MG). ● *S. 2 g.* **2.** Natural ou habitante de Brasília (DF e MG). [Cf. *brasileense.*]

brasilina. *S. f. Quím.* Substância corante do pau-brasil. [Fórm.: $C_{16}H_{14}O_6$.]

brasilíndio. [Do top. *Brasil* + *índio.*] *S. m. Bras.* Nome recém-criado, e aceito por poucos autores, para designar o indígena brasileiro.

brasílio. *Adj.* **1.** V. *brasileiro* (1): "Cantos de sabiá, brasílio rouxinol" (Luís Delfino, *A Angústia do Infinito,* p. 114). ● *S. m.* **2.** V. *brasileiro* (2). **3.** *Bras.* Certo metal descoberto no ES.

brasilita. [Do top. *Brasil* + *-ita.*] *S. f. Min.* Mineral monoclínico, óxido de zircônio; badelsita.

brasilografia. [Do top. *Brasil* + *-o-* + *-graf(o)-* + *-ia.*] *S. f.* Ciência que trata do Brasil; brasilologia.

brasilográfico. *Adj.* Relativo à brasilografia; brasilológico.

brasilógrafo. *S. m.* Especialista em brasilografia; brasilólogo.

brasilologia. [Do top. *Brasil* + *-o-* + *-log(o)-* + *-ia.*] *S. f.* Brasilografia.

brasilológico. *S. m.* Brasilógrafo.

brasilólogo. *S. m.* Brasilógrafo.

brasil-rosado. *S. m. Bras.* V. *brasilaçu.* [Pl.: *brasis-rosados.*]

brasino. *Adj. Bras., S.* **1.** Da cor da brasa. **2.** Diz-se dos cães ou do gado cujo pêlo é avermelhado com listas pretas ou muito escuras: "esqueci de dizer-lhe que andava comigo um cachorrinho brasino" (Simões Lopes Neto, *Contos Gauchescos e Lendas do Sul,* p. 125).

brasis. [Do top. *Brasil.*] *S. m. pl.* **1.** As terras do Brasil: *Viajamos muitos meses por esses brasis.* ● *S. 2 g.* **2.** V. *brasil* (4 e 5). ~ V. *brasil.*

brasonado. [Part. de *brasonar.*] *Adj.* Que tem brasão; ornado com brasão. ~ V. *encadernação —a.*

brasonar. *V. t. d.* **1.** Ornar com brasão; blasonar: *Seus antepassados brasonavam todos os vestíbulos. Int.* **2.** V. *blasonar* (5): *Brasonam longe do perigo e fogem quando têm de enfrentá-lo.*

brasopolense. *Adj. 2 g.* **1.** De, ou pertencente ou relativo a Brasópolis (MG). ● *S. 2 g.* **2.** Natural ou habitante de Brasópolis.

brás-pirense. *Adj. 2 g.* **1.** De, ou pertencente ou relativo a Brás Pires (MG). ● *S. 2 g.* **2.** Natural ou habitante de Brás Pires. [Pl.: *brás-pirenses.*]

➡brasserie (braç'rí). [Fr.] *S. f.* Cervejaria.

brassolídeo. *S. m.* **1.** Espécime dos brassolídeos. ● *Adj.* **2.** Pertencente ou relativo a eles.

brassolídeos. *S. m. pl. Zool.* Família da ordem dos lepidópteros, borboletas neotrópicas de tamanho médio e grande que voam no crepúsculo, e das quais a mais comum é a borboleta-coruja.

brasume. [De *brasa* + *-ume.*] *S. m.* **1.** Ardência, ardor, queimor. **2.** Paixão, entusiasmo, ardor: *Que brasume é aquele que o faz abraçá-la tão afoito?* **3.** *Bras.* A cor viva da brasa.

braulino. *Adj.* e *s. m. Bras., MG.* Diz-se de, ou feijão cozido sem gordura.

braúna. *S. f. Bras.* V. *baraúna.*

braúnea. [Do lat. botânico *brownea grandiceps.*] *S. f. Bras.* V. *rosa-da-montanha.*

braunense (a-u). *Adj. 2 g.* **1.** De, ou pertencente ou relativo a Braúnas (MG). ● *S. 2 g.* **2.** Natural ou habitante de Braúnas.

bravata. [Do it. *bravata.*] *S. f.* **1.** Intimidação ou ameaça arrogante. **2.** V. *fanfarrice* (2).

bravateador (ô). *Adj.* e *s. m.* Que ou aquele que bravateia; bravateiro.

bravatear. *V. int.* **1.** Dizer bravatas; jactar-se de valente; fanfarronar, blasonar. *T. d.* **2.** Dizer com arrogância; ameaçar: *Bravateava que, se não cumprissem suas ordens, os puniria severamente.* **3.** Dizer, dirigir (ameaças). [Conjug.: v. *frear.*]

bravateiro. *Adj.* e *s. m.* V. *bravateador.*

bravejar. *V. int., t. i.* e *t. d.* V. *esbravejar*[1]. [Conjug.: v. *pelejar.*]

braveza (ê). *S. f.* **1.** Fereza, ferocidade, selvajaria, sanha. **2.** Bravura, intrepidez, coragem. **3.** Impetuosidade, arrebatamento. [Var.: *brabeza; sin., bras.: brabura.*]

bravio. *Adj.* **1.** Bruto, selvagem; bravo: *animal bravio.* **2.** Feroz, sanhudo, bravo: *um homem bravio, de má catadura.* **3.** Agreste, silvestre, bravo: *selva bravia.* **4.** Rude, rústico, alarve: *povo bravio.* **5.** Áspero, árduo, íngreme: *terrenos bravios.* **6.** V. *bravo*[1] (5): "Verdes mares bravios da minha terra natal" (José de Alencar, *Iracema,* p. 49). ● *S. m.* **7.** Terreno inculto, apenas coberto de rasteira vegetação.

bravo[1]. [Do lat. *barbaru,* 'selvagem'.] *Adj.* **1.** Corajoso, valente, intrépido, valoroso, brabo: *O bravo soldado morreu lutando.* **2.** Irritadiço, colérico, iracundo, brabo. **3.** Furioso, irado; brabo: *Por que ficou tão bravo com* a moça? **4.** V. *bravio* (1 a 3). **5.** Muito agitado; tumultuoso, tempestuoso; bravio: *mar bravo.* **6.** Extraordinário, admirável. **7.** *Bot.* Diz-se da planta espontânea, em oposição à cultivada. ~ V. *almoço* —. ● *S. m.* **8.** Homem bravo (1).

bravo². [Do it. *bravo.*] *Interj.* Indica aplauso, admiração; muito bem. [Us. tb. como s. m.: "um bravo pronto nos órgãos berradores e as mãos estendidas para uma descarga de palmas." (Camilo Castelo Branco, *Dispersos*, I, p. 469).]

bravoneira. S. f. V. *brafoneira.*

bravura. *S. f.* **1.** Qualidade ou caráter de bravo. **2.** Ação de bravo¹ (1).

bravum. *S. m. Bras., BA. Folcl.* Toque especial de Oxalá, nos terreiros jeje-nagôs.

brazabum. *S. m.* V. *belzebu.*

breado. [Part. de *brear.*] *Adj.* **1.** Coberto ou revestido de breu; alcatroado. **2.** *Bras., N.E.* Sujo, emporcalhado, labreado. **3.** *Bras., AL.* Bêbado, embriagado.

breadura. *S. f.* **1.** Ato ou efeito de brear. **2.** Revestimento com uma camada de breu (1). [Sin. ger.: *embreadura.*]

brear. *V. t. d.* **1.** Cobrir ou revestir de breu (1); embrear. **2.** *Bras., N.E.* e *MG. Pop.* V. *sujar* (1). [Conjug.: v. *frear.*]

breca. *S. f.* **1.** V. *cãibra.* **2.** *Ant.* Sanha, furor, ira. ◆ **Com a breca.** Exprime admiração, descontentamento ou espanto; com os diabos. **Ir-se com a breca.** Perder-se para sempre. **Levado da breca.** Muito levado, muito travesso; levado da carepa, levado da casqueira, levado do diabo, levado dos diabos. **Levar a breca.** Morrer; desaparecer: *Se não fosse a injeção, ele teria levado a breca.*

brecada. *S. f. Bras.* Ação ou efeito de brecar.

brecambucu. [Do tupi *pi'rá*, 'peixe de pele', *a'kã*, 'cabeça', + *bu'ku*, por *pu'ku*, 'comprida'.] *S. m. Bras.* V. *bagre-sapo* (4).

brecar. [De *breque*² + *-ar*².] *Bras. V. t. d.* **1.** Frear (2). **2.** Conter, reprimir, refrear: *Brecaram-lhe as pretensões. Int.* **3.** Frear (3 e 4). [Conjug.: v. *trancar.*]

brecha. [Do frâncico *breka*, atr. do fr. *brèche.*] *S. f.* **1.** Fenda ou abertura em alguma coisa. **2.** Espaço vazio; lacuna. **3.** Ferida ou corte largo e profundo. **4.** Depressão profunda e estreita entre rochedos ou montanhas; quebrada. **5.** *Fig.* Dano, perda, prejuízo. **6.** *Geol.* Fragmento anguloso, consolidado por cimento, e que pode resultar do quebramento de uma rocha por processos tectônicos, ou de fragmentos de blocos vulcânicos, ou de cascalhos angulosos sedimentados. ◆ **Brecha calcária.** *Geol.* Conglomerado de seixos ou cascalhos arredondados, soldados e angulosos, de algum valor ornamental. **Brecha de atrito.** *Geol.* V. *brecha de falha.* **Brecha de declive.** *Geol.* Brecha de talude. **Brecha de falha.** *Geol.* Material rochoso, de forma irregular, que se acumula ao longo de uma linha de falhas; brecha de atrito, brecha de fricção. **Brecha de fricção.** *Geol.* V. *brecha de falha.* **Brecha de talude.** *Geol.* Material rochoso que se acumula no sopé das vertentes ou encostas; brecha de declive. **Brecha meteórica.** *Geol.* Material rochoso fragmentado que se acumula no próprio local onde ocorreu sua desagregação. **Estar na brecha. 1.** Estar sempre pronto para a luta. **2.** Estar em via: *estava na brecha para ser nomeado.*

brechado. [Part. de *brechar.*] *Adj.* Que se brechou.

brechão. [Aum. de *brecha.*] *S. m. Bras., SP* e *PR.* Parte do curso de um rio apertada entre montanhas e que corre em uma garganta ou canhão. [Sin. (em outros pontos do Brasil): *apertado, boqueirão, fundão, grotão, rasgão.*]

brechar. *V. t. d.* **1.** Abrir brecha em: *O aríete brechou a muralha. Int.* **2.** *Bras., N.E. Gír.* Espiar, espionar, espreitar: "as comadres postaram-se desavergonhadas no passeio do argentino, brechando a sala de visitas da Escola de Culinária." (Jorge Amado, *Dona Flor e Seus Dois Maridos*, p. 316). **3.** *Lus. Gír.* Pagar a patente. [Conjug.: v. *flechar.*]

brechtiano. *Adj.* **1.** Pertencente ou relativo ao poeta e dramaturgo alemão Bertolt Brecht (1898-1956), ou a sua obra, ou próprio dele. ● *S. m.* **2.** Grande admirador e/ou profundo conhecedor da obra de Bertolt Brecht.

brecumbucu. *S. m. Bras., MT.* V. *bagre-sapo* (4).

bredo (ê). [Do gr. *blíton*, pelo lat. *blitu.*] *S. m.* **1.** Erva da família das amarantáceas (*Amarantus virides*), muito difundida como planta ruderal e às vezes cultivada como alimentícia, pois as folhas, ovadas e tenras, são usadas como verdura. Flores insignificantes, verdes, reunidas em espigas densas. [Sin.: *caruru, bredo-verdadeiro.*] **2.** *Bras., N.* e *N.E.* Mato, brenha. **3.** *Bras., PE* e *BA.* V. *namoro* (1). ◆ **Cair no bredo.** *Bras., N.* e *N.E.* V. *fugir* (1 e 2). **Ganhar o bredo.** *Bras., N.* e *N.E.* Tomar rumo ignorado; desaparecer, sumir.

bredo-de-espinho. *S. m.* Erva da família das amarantáceas (*Amarantus spinosus*), semelhante ao bredo, porém dotada de espinhos e não utilizada na alimentação. [Pl.: *bredos-de-espinho.*]

bredo-de-namoro. *S. m.* V. *crista-de-galo.* [Pl.: *bredos-de-namoro.*]

bredo-fedorento. *S. m.* Erva alta, da família das caparidáceas (*Cleome polygama*), que, triturada, exala cheiro desagradável. As folhas têm folíolos lanceolados e herbáceos; as flores são vistosas, alvas ou rosadas, com longos estames. [Pl.: *bredos-fedorentos.*]

bredo-verdadeiro. *S. m.* V. *bredo* (1). [Pl.: *bredos-verdadeiros.*]

bredo-vermelho. *S. m.* V. *crista-de-galo.* [Pl.: *bredos-vermelhos.*]

brega. *S. f.* **1.** *Bras., N.E. Pop.* V. *zona* (10). **2.** *Bras.* Cafona, acaipirado, deselegante.

bregma. [Do gr. *brégma*, pelo lat. *bregma.*] *S. m. Anat.* Local, na superfície do crânio, em que se juntam as suturas sagital e coronal.

breguesse. *Adj. 2 g.* e *s. 2 g. Bras., BA* e *MG.* Diz-se de, ou pessoa impertinente.

breguesso. *S. m. Bras.* Traste sem importância; bagatela.

brejado. [De *brejo* + *-ado*¹.] *Adj.* ~ V. *caatinga* —*a*, *capoeira* —*a* e *casa* —*a.*

brejal. *S. m. Bras.* **1.** Brejo grande; brejão. **2.** Ave passeriforme da família dos fringilídeos (*Sporophila albogularis* (Spix.)), distribuída da BA ao RJ. Muito parecida à coleira-do-brejo, tem faixa curva ou colar no peito, de coloração negra, face e nuca da mesma cor, e garganta, lados do pescoço e abdome branco-acinzentados. É ave canora apreciadíssima. [Sin.: *coleira-do-brejo.*]

brejão. *S. m. Bras.* Brejal (1).

brejaúba. *S. f. Bras.* V. *airi.*

brejaúva. *S. f. Bras.* V. *airi.*

brejeira. [Fem. substantivado do adj. *brejeiro.*] *S. f.* **1.** *Bras., N.* Masca de fumo. **2.** *Bras., N.* e *N.E.* V. *ferida* (1). **3.** *Bras., PB.* Cachaça [q. v.] originária da região do Brejo.

brejeirada. *S. f.* **1.** V. *brejeirice.* **2.** Grupo de brejeiros.

brejeiral. *Adj. 2 g.* Próprio de brejeiro (7 a 10).

brejeirar. *V. int.* Praticar ações de brejeiro; garotar, tunar, vadiar.

brejeirice. *S. f.* Ação ou palavra de brejeiro; garotice, brejeirada.

brejeiro. *Adj.* **1.** Vagabundo, vadio, tunante. **2.** Travesso, garoto, patusco, brincalhão. **3.** Malicioso, impudico, lúbrico. **4.** Patife, tratante. ● *Adj.* **5.** Relativo ou pertencente a brejo: *terreno brejeiro.* **6.** *Bras., PB.* De, ou pertencente ou relativo à região do Brejo (N.E.). ● *S. m.* **7.** Vagabundo, vadio, tunante. **8.** Indivíduo travesso, patusco, brincalhão. **9.** Indivíduo malicioso, impudico, lúbrico. **10.** Patife, tratante. **11.** *Bras., PB.* O natural ou habitante da região do Brejo (N.E.). **12.** *Bras. N.,* e *ant.* Brejo, pântano.

brejense¹. *Adj. 2 g.* **1.** De, ou pertencente ou relativo a Brejo (MA). ● *S. 2 g.* **2.** Natural ou habitante de Brejo.

brejense². *Adj. 2 g.* **1.** De, ou pertencente ou relativo a Brejo da Madre de Deus (PE). ● *S. 2 g.* **2.** Natural ou habitante de Brejo da Madre de Deus.

brejento. *Adj.* Brejoso (1).

brejereba. [De possível or. tupi.] *S. f. Bras.* V. *prejereba.*

brejinhense. *Adj. 2 g.* **1.** De, ou pertencente ou relativo a Oliveira dos Brejinhos (BA). ● *S. 2 g.* **2.** Natural ou habitante de Oliveira dos Brejinhos.

brejo. *S. m.* **1.** V. *pântano.* **2.** Terreno sáfaro, agreste, que só dá urzes; urzal. **3.** *P. ext.* Lugar úmido, frio e ventoso. **4.** *Bras., N.E.* Terreno onde os rios se conservam mais ou menos permanentes, e em geral fértil em virtude dos transbordamentos anuais, por ocasião das chuvas. **5.** *Bras., MA.* Qualquer lugar baixo onde há nascentes, olhos-d'água, cacimbas. **6.** *Bras., BA.* Plantação de arroz. ◆ **Ir para o brejo.** *Bras.* Ser malsucedido; falhar, fracassar: *Apesar do esforço comum, a fábrica foi para o brejo.*

brejo-cruzense. *Adj. 2 g.* **1.** De, ou pertencente ou relativo a Brejo do Cruz (PB). ● *S. 2 g.* **2.** Natural ou habitante de Brejo do Cruz. [Pl.: *brejo-cruzenses.*]

brejo-grandense. *Adj. 2 g.* **1.** De, ou pertencente ou relativo a Brejo Grande (SE). ● *S. 2 g.* **2.** Natural ou habitante de Brejo Grande. [Pl.: *brejo-grandenses.*]

brejo-santense. *Adj. 2 g.* **1.** De, ou pertencente ou relativo a Brejo Santo (SE). ● *S. 2 g.* **2.** Natural ou habitante de Brejo Santo. [Pl.: *brejo-santenses.*]

brejoso (ô). *Adj.* **1.** Cheio de brejos; brejento. **2.** Semelhante ao brejo.

➧**bremsstrahlung.** [Al.] *S. m. Fís.* Radiação emitida quando uma partícula carregada eletricamente se desacelera; radiação de frenamento, radiação de frenagem.

brenha. [Pré-romano, talvez.] *S. f.* **1.** Mata espessa e emaranhada; matagal. **2.** *Fig.* Confusão, complicação, enredamento. **3.** *Fig.* Segredo, arcano, recesso: *Não podiam prosseguir: estacaram ante as brenhas do futuro.*

brenhoso (ô). *Adj.* Cheio de brenhas.

brenunça. *S. f. Bras., SC. Folcl.* V. *bernúncia.*

brenunza. *S. f. Bras., SC. Folcl.* V. *bernúncia.*

breque¹. [Do ingl. *break.*] *S. m.* Carruagem de quatro rodas, que tinha à frente um assento alto, e atrás, de ordinário, dois bancos longitudinais, fronteiros um ao outro.

breque². [Do ingl. *brake.*] *S. m. Bras.* V. *freio* (2).

breque³. *S. m. Bras.* V. *samba de breque.*

brequefeste. [Do ingl. *breakfast*, 'desjejum'.] *S. m.* V. *desjejum.*

brequista. [De *breque*² + *-ista.*] *S. 2 g.* Empregado ferroviário encarregado dos freios; guarda-freios.

bressanense. *Adj. 2 g.* **1.** De, ou pertencente ou relativo a Oscar Bressane (SP). ● *S. 2 g.* **2.** Natural ou habitante de Oscar Bressane.

bretã. *Adj.* (*f.*) e *s. f.* Fem. de *bretão* [q. v.].

bretangil. [Var. de *bertangil.*] *S. m.* Tecido de algodão fabricado pelos cafres.

bretanha. [Do top. *Bretanha*, província francesa donde vinha o tecido.] *S. f.* Tecido fino, de linho ou de algodão.

bretão. [Do lat. *britannu.*] *Adj.* **1.** De, ou pertencente ou relativo à Bretanha (França). ● *S. m.* **2.** O natural ou habitante da Bretanha. **3.** O idioma desta província francesa. V. *celta* (2). [Fem. (salvo, é claro, na acepç. 3): *bretã.*]

brete (é). [Do gót. **brid*, 'tábua', pelo provenç. *bret.*] *S. m.* **1.** Armadilha, feita com dois paus, para pássaros. **2.** Logro, engano. [Pl.: *bretes.* Cf. *brete* (ê) e pl. *bretes* (ê).]

brete (ê). [Do esp. plat. *brete.*] *S. m. Bras. S.* **1.** Pequeno curral onde se recolhem ovelhas, etc., para a tosquia. **2.** Corredor estreito, num curral, que liga a mangueira à balança e/ou ao banheiro, e onde se segura a rês para curativo, vacina, marcação, etc. **3.** Nas charqueadas e matadouros, corredor estreito onde se abate a rês. [Pl.: *bretes* (ê). Cf. *brete* e pl. *bretes.*]

bretschneiderácea. *S. f.* Espécime das bretschneideráceas.

bretschneideráceas. *S. f. pl. Bot.* Família de plantas superiores, que contém uma única espécie, chinesa. É árvore com folhas imparipenadas e vistosas flores róseas.

bretschneideráceo. *Adj.* Pertencente ou relativo às bretschneideráceas.

breu. [Do gual. **braca*, atr. do fr. *brai.*] *S. m.* **1.** Substância semelhante ao pez negro, obtida pela evaporação parcial ou destilação da hulha ou doutras matérias orgânicas. [Cf. *pez.*] **2.** *Bras., RJ.* Espécie de bote que atraca aos vapores mercantes para vender fruta. **3.** O tripulante desse bote. ◆ **Escuro como breu.** Muitíssimo escuro: "Chegava .... a enfiar os calções, mas recaía na cama, ao ver ou, antes, ao não ver que era escuro como breu." (Alexandre Herculano, *Lendas e Narrativas*, II, p. 171.)

breu-branco. *S. m. Bras.* Árvore da família das burseráceas, pertencente a várias espécies dos gêneros *Protium* e *Crepidospermum.* [Pl.: *breus-brancos.*]

breu-jauaricica. [De *breu* + tupi *yawarisīka*, 'resina de onça'.] *S. m. Bras.* Árvore da família das burseráceas (*Protium icicariba*), que vive na floresta pluvial. Flores pequeninas, alvacentas, reunidas em amplas inflorescências; folhas penadas, com folíolos oblongos, e acuminados; os frutos são pequenas cápsulas bicudas. A madeira, branca, pode servir para preparar pasta celulótica; o tronco cede uma resina branca ou amarelada e aromática, conhecida por *almécega.* [Sin.: *breu-preto.* Pl.: *breus-jauaricicas* e *breus-jauaricica.*]

breu-preto. *S. m. Bras.* Breu-jauaricica. [Pl.: *breus-pretos.*]

breve. [Do lat. *breve.*] *Adj. 2 g.* **1.** De pouca duração; rápido, transitório: "Afirmam que a vida é breve, / Engano, — a vida é comprida" (Antônio Boto, *As Canções*, p. 81). **2.** De pouca extensão ou tamanho; pequeno, curto: *espaço breve; nariz breve.* **3.** Leve, ligeiro: *refeição breve; passo breve.* **4.** Conciso, lacônico, resumido: *breve discurso.* **5.** *Gram.* Diz-se da vogal ou sílaba que se pronuncia rapidamente. ~ V. *sílaba* —. ● *S. m.* **6.** Rescrito papalino que contém uma decisão de caráter particular. **7.** *Bras.* Escapulário que contém uma oração. **8.** *Bras.* V. *bentinhos.* **9.** *Mús.* Figura equivalente a duas semibreves. ● *Adv.* **10.** Em pouco tempo; cedo, brevemente: *Breve partirei daqui.* ◆**Breve contra a luxúria.** Mulher feiíssima; bagulho, bofe. **Em breve.** Dentro de pouco tempo; dentro em pouco; daqui a pouco ou daí a pouco: *O jantar será servido em breve.* **Ser breve.** Expressar-se, falando ou escrevendo, em poucas palavras.

brevê. [Do fr. *brevet.*] *S. m.* Diploma conferido aos que terminam o curso de aviação.

brevense. *Adj. 2 g.* **1.** Da, ou pertencente ou relativo a Breves (PA). ● *S. 2 g.* **2.** Natural ou habitante de Breves.

brevetado. [Part. de *brevetar.*] *Adj.* Diplomado em curso de aviação; que recebeu o brevê.

brevetar. [Do fr. *breveter.*] *V. t. d. e p.* Diplomar(-se) em curso de aviação.

▲**brevi-.** [Do lat. *brevis, e.*] *El. comp.* = 'curto', 'breve': *brevicaule, brevilíneo.*

breviador (ô). *S. m.* Brevista.

breviário. [Do lat. *breviariu.*] *S. m.* **1.** *Rel.* Forma breve do ofício divino, ou prece da Igreja, para uso dos clérigos. **2.** Livro das rezas cotidianas dos clérigos: "e o bom abade de S. José, com os dedos entre o breviário fechado, movia os lábios, numa lenta, murmurosa reza" (Eça de Queirós, *A Cidade e as Serras*, p. 257). **3.** *Fig.* Livro predileto. **4.** Sinopse, resumo. ◆ **Ler pelo mesmo breviário.** Ter as mesmas idéias e inclinações que outrem; rezar pelo mesmo breviário. **Rezar pelo mesmo breviário.** Ler pelo mesmo breviário.

brevicaule. [De *brevi-* + *caule.*] *Adj. 2 g. Morfol. Veg.* Dotado de caule curto.

brevidade. [Do lat. *brevitate.*] *S. f.* **1.** Qualidade do que é breve. **2.** *Bras., BA* a *SP,* e *MT.* Bolinho de polvilho, açúcar, ovos, etc., assado ao forno: "— Então pague [o presente] com uma xícara de café bem quentinho... olhe, as brevidades estão no forno..." (Afrânio Peixoto, *Bugrinha*, p. 87.)

brevifloro. [De *brevi-* + *-floro.*] *Adj. Morfol. Veg.* Que tem flores curtas.

brevifoliado. [De *brevi-* + *-foli-* + *-ado*[1].] *Adj. Morfol. Veg.* Que tem folhas curtas.

brevilíneo. [De *brevi-* + lat. *linea.*] *Adj.* **1.** De linhas breves, pouco alongadas. **2.** Diz-se do tipo morfológico humano ou animal caracterizado por linhas relativamente curtas. ● *S. m.* **3.** Pessoa ou animal brevilíneo. [Antôn.: *longilíneo.*]

brevilíngüe. [De *brevi-* + *língua.*] *S. m.* **1.** Espécime dos brevilíngües. ● *Adj.* **2.** Pertencente ou relativo a eles.

brevilíngües. *S. m. pl. Zool.* Animais metazoários, cordados, répteis, escamados, sáurios, cuja língua é curta e sulcada na extremidade. No grupo se incluem os sáurios de patas rudimentares.

breviloqüente. [Do lat. *breviloquente.*] *Adj. 2 g.* Conciso, lacônico.

➡**brevi manu** (brévi mánu). [Lat.] Sem formalidades; sumariamente.

brevipeciolado. [De *brevi-* + *pecíolo* + *-ado*[1].] *Adj. Morfol. Veg.* Que tem pecíolo curto.

brevípede. [De *brevi-* + *-pede.*] *Adj. 2 g. Zool.* Que tem pés curtos. [Antôn.: *longípede, mecópode.*]

brevipedicelado. [De *brevi-* + *pedicelo* + *-ado*[1].] *Adj.* Que tem o pedicelo curto.

brevipene. [De *brevi-* + *-pene.*] *Adj. 2 g. Zool.* Que tem asas curtas; braquióptero. [Antôn.: *longipene* (1).]

brevirrostro. [De *brevi-* + *-rostro.*] *Adj. Zool.* Que tem bico curto. [Antôn.: *longirrostro.*]

brevista. *S. m.* O encarregado dos breves pontifícios; breviador.

brevistilo. [De *breve* + *-stilo.*] *Adj.* Que tem estilete curto: *flor brevistila.*

brial. [Do provenç. ant. *blial.*] *S. m.* **1.** Túnica feminina, presa na cintura. **2.** Espécie de camisola que usavam os antigos cavaleiros: "Pelo passadiço .... não tardou a entrar uma turba de cavaleiros vestidos simplesmente de briais, espécie de túnicas cingidas por uma faixa de lã" (Alexandre Herculano, *O Bobo*, p. 308).

briba. *S. f.* **1.** *Bras. Pop.* Víbora. **2.** *Bras., PB. Pop.* V. *lagartixa* (1).

brica. *S. f. Heráld.* Pequeno espaço quadrado, de esmalte diferente do do campo do escudo, localizado junto ao canto direito do chefe, e que serve para diferençar as linhagens dos filhos segundos das dos primogênitos.

bricabraque. [Do fr. *bric-à-brac.*] *S. m. Bras.* **1.** Conjunto de diversos e velhos objetos de arte ou artesanato, antiguidades, móveis, vestuários, bijuterias, etc. **2.** Estabelecimento comercial que compra e vende tais objetos; brique: "A luz do candeeiro dava um ar esfumado à sala, ao espelho chinês — aquele espelho que o pai descobrira num bricabraque" (José-Augusto França, *Despedida Breve*, p. 170).

bricabraquista. *S. 2 g.* Negociante de bricabraque. [Cf. *adeleiro.*]

briche. *S. m.* Tecido de lã, castanho, felpudo, e mais fino que a saragoça, com a qual se parecia: "Calisto Elói vestia de briche da Golegã, e dos alfaiates de Miranda." (Camilo Castelo Branco, *A Queda dum Anjo*. p. 53.)

bricolagem. [Do fr. *bricolage.*] *S. f.* Trabalho ou conjunto de trabalhos manuais ou de artesanato doméstico.

brida. [Do ant. médio-al. *bridel*, atr. do fr. *bride.*] *S. f.* Rédea (1). ◆ **A toda a brida.** À desfilada; à disparada, em disparada: "cessara a chuva, e apenas umas nuvens brancas, com grandes manchas duma cor mais carregada, formavam castelos fantásticos, entre os quais corria a Luz a toda a brida." (D. João da Câmara, *Contos*, p. 95).

bridão. *S. m.* **1.** Brida grande. **2.** Espécie de freio (1) mais brando que o freio [q. v.] propriamente dito. **3.** Jóquei que usa esse regime [q. v.].

bridar. [De *brida* + *-ar*[2].] *V. t. d.* **1.** Embridar (1). **2.** *Fig.* Refrear, reprimir, coibir.

bridge. [Do ingl.] *S. m.* Jogo de cartas em que se distribui um baralho completo de 52 cartas entre quatro jogadores, que, dois a dois como parceiros, depois de haver sido determinado se a jogada é com trunfo ou sem ele, tentarão fazer o número de vazas que se propuseram. (Elevado à categoria de esporte em 1960, não é considerado jogo de azar, e vários colégios o adotam como matéria para estímulo à memória e ao raciocínio.)

bridgista. *S. 2 g.* Jogador de bridge: "Cento e quatro bridgistas brasileiros prestigiaram a iniciativa do Hotel do Frade, que realizou seu primeiro torneio de bridge em agosto último." (Lizzie Murtinho, *Jornal do Brasil*, "Domingo", 5.10.1980.)

➡**briefing** (brífin'). [Ingl.] *Jorn.* e *Prop.* Conjunto de informações básicas, instruções, diretrizes, etc., elaborado para a execução de um determinado trabalho de criação ou de uma cobertura jornalística.

briga. [Dev. de *brigar.*] *S. f.* **1.** Luta, combate, peleja, confronto. **2.** Disputa, rixa, contenda. **3.** Quebra de boas relações, dissensão, desavença. ◆ **Briga de foice.** *Bras.* Briga ou questão muito renhida.

brigada. [Do it. *brigata*, atr. do fr. *brigade.*] *S. f.* **1.** Corpo militar, ordinariamente composto de dois regimentos. **2.** Conjunto de duas ou três baterias de campanha.

brigadeirista. *Adj. 2 g.* e *s. 2 g.* Partidário do Brigadeiro Eduardo Gomes (1896-1981), ex-candidato à presidência da República do Brasil, em 1945 e 1950.

brigadeiro. [De *brigada* + *-eiro.*] *S. m.* **1.** V. *hierarquia militar.* **2.** Oficial que detém o posto de brigadeiro. **3.** *Bras.* Denominação comum a *tenente-brigadeiro, major-brigadeiro* e *brigadeiro-do-ar.* **4.** *Bras.* Docinho redondo, feito com leite condensado cozido ao qual se adiciona chocolate.

brigadeiro-do-ar. *S. m.* **1.** V. *hierarquia militar.* **2.** Oficial que detém o posto de brigadeiro-do-ar. [Tb. se diz, no Brasil, apenas *brigadeiro* (v. *brigadeiro* (3)).

brigadista. [De *brigada* + *-ista.*] *S. m.* Soldado de brigadas.

brigador (ô). *Adj.* **1.** Que briga; brigante. ● *S. m.* **2.** Aquele que briga. **3.** Galo de briga.

brigalhada. *S. f. Bras.* Briga longa ou generalizada.

brigalhão. *Adj.* e *s. m. Bras.* V. *brigão.* [Fem.: *brigalhona.*]

brigalhona. *Adj. (f.)* e *s. f.* Fem. de *brigalhão* [q. v.].

brigante. *Adj. 2 g.* **1.** Brigador (1). **2.** Dado a brigas; brigão.

brigantino. [Do lat. **brigantinu.*] *Adj.* e *s. m.* V. *bragantino*[1] (1 e 4).

brigão. *Adj.* e *s. m.* Que ou aquele que é dado a brigas; rixoso, bulhento, brigalhão. [Fem.: *brigona.*]

brigar. [Do gót. *brikan*, 'romper'.] *V. int.* **1.** Lutar, combater, braço a braço. **2.** Não se harmonizar; discordar, divergir, destoar: *Em política, suas opiniões brigam sob muitos aspectos. T. i.* **3.** Disputar, contender: *Brigou comigo e perdeu.* **4.** Não se harmonizar; discordar, destoar: *A cor da parede briga com a dos móveis. T. d.* **5.** Disputar, pleitear: "E um ano inteiro sem cessar lutaram, / Cheios de bizarria, / Como dois crocodilos que brigassem / Dum rio a primazia!" (Gonçalves Dias, *Obras Poéticas*, I, p. 17.) [Conjug.: v. *largar.*]

brigona. *Adj. (f.)* e *s. f.* Fem. de *brigão* [q. v.].

brigue. [Do ingl. *brig.*] *S. m.* Antigo navio à vela, de mastreação constituída de gurupés e dois mastros de brigue, o de ré envergando também vela latina quadrangular, e com velas de entremastros [v. *vela de entremastro*]: "É à sinfonia disparatada e louca da tormenta infrene, o brigue rolara, dia e noite, aos boléus, sobre as vagas rugidoras." (Virgílio Várzea, *Contos de Amor*, p. 180.)

brigue-barca. *S. m. Bras. Ant.* Barca (1). [Pl.: *briguesbarcas.*]

brigue-escuna. *S. m.* Antigo navio à vela, de mastreação constituída de gurupés e dois mastros: o de vante, mastro de brigue; o de ré, mastro de escuna. [Pl.: *brigues-escunas* e *brigues-escuna.*]

brigueira. *S. f. Mad.* Rede de pescar.

briguela. [De *briga?*] *S. m. Teat.* **1.** Personagem cômica da *commedia dell'arte* [q. v.]. **2.** *Bras.* V. *fantoche* (2).

briguento. *Adj.* Dado a brigas; brigão.

brijara. *S. f. Bras.* V. *borralhara.*

brilhância. *S. f. Fotom.* Razão entre a intensidade do fluxo luminoso emitido por uma superfície em uma dada direção e a área da superfície emissora projetada sobre um plano perpendicular à direção considerada; luminância; brilhância fotométrica. ◆ **Brilhância fotométrica.** *Fotom.* V. *brilhância.*

brilhante. *Adj. 2 g.* **1.** Que brilha; luzidio, reluzente, cintilante. [Sin., bras.: *brilhoso.*] **2.** Que se salienta e distingue; ilustre, notável; famoso, célebre: *político brilhante.* **3.** Magnífico, pomposo, suntuoso; imponente, majestoso: *brilhantes festividades.* **4.** Envolvente, cativante; fascinante: *orador brilhante.* **5.** Inteligente, talentoso: *espírito brilhante.* **6.** Feliz, ditoso, próspero: *futuro brilhante.* ● *S. m.* **7.** Diamante lapidado.

brilhantina. [De *brilhante* + *-ina.*] *S. f.* **1.** Pó com que se dá brilho. **2.** Cosmético para tornar lustrosos o cabelo e a barba. **3.** *Bras.* Erva originária da Europa, da família das crassuláceas (*Sedum rhodiola*), de flores alvas, amareladas ou purpúreas, e folhas comestíveis; ervapinheira-de-rosa, mil-grãos.

brilhantina-brasileira. *S. f. Bras.* Planta da família das urticáceas (*Pilea hyalina*). [Pl.: *brilhantinas-brasileiras.*]

brilhantismo. *S. m.* **1.** Qualidade do que é brilhante; resplandecência, cintilação, brilho. **2.** V. *brilho* (4, 6 e 7).

brilhantura. *S. f.* **1.** Ato ou efeito de brilhar. **2.** V. *brilhareto* (1).

brilhar. [Do it. *brillare*, pelo esp. *brillar.*] *V. int.* **1.** Ter brilho; ser ou mostrar-se brilhante; luzir, reluzir, resplandecer, fulgurar, cintilar: *As estrelas brilhavam no céu escuro; Seus olhos brilharam de alegria.* **2.** Distinguir-se, salientar-se, sobressair; notabilizar-se, celebrizar-se; luzir: *Sófocles brilhou no teatro.* **3.** Revelar-se, manifestar-se; transparecer, transluzir: *Um grande amor brilhava em seu olhar. T. c.* **4.** Dar-se a conhecer; revelar-se, manifestar se: *O ódio brilhava nos seus olhos. T. d.* **5.** Ostentar, estadear, pompear: "A qual [moça] ia mui acompanhada de servos, sentada em um jumentinho ricamente adereçado, toda brilhando telas, e exalando âmbares" (P[e]. Manuel Bernardes, *Nova Floresta*, I, p. 168).

brilhareco (ê). *S. m. Irôn.* V. *brilhareto.*

brilharete (ê). *S. m. Bras.* V. *brilhareto.*

brilhareto (ê ou é). *S. m.* **1.** Ação brilhante; êxito, sucesso, brilhantura, brilhatura: *Seu exame foi um brilhareto.* **2.** *Deprec.* Ostentação, alarde; brilhareco: *Vive fazendo brilhareto com sua falsa cultura.* [F. paral.: *brilharete.*]

brilhatura. [De *brilhante* + *-ura.*] *S. f. P. us.* V. *brilhareto* (1).

brilho. [Dev. de *brilhar.*] *S. m.* **1.** Luz viva; cintilação, resplandecência, brilhantismo: *O brilho das estrelas, do fogo.* **2.** Luz refletida de um corpo que é natural ou artificialmente brilhante: *O brilho do olhar, dos metais, da madeira envernizada.* **3.** Viveza, claridade, limpidez: *o brilho de uma cor.* **4.** *Fig.* Vivacidade, expressividade, distinção; brilhantismo: *brilho de linguagem.* **5.** *Fig.* Engenho, habilidade, talento: *Há brilho em sua argumentação.* **6.** *Fig.* Esplendor, suntuosidade, magnificência, pompa; brilhantismo: *O brilho da corte de Luís XIV.* **7.** *Fig.* Celebridade, glória, fama, lustre; brilhantismo: *O filho deu brilho à família.* **8.** *Fotom.* Sensação subjetiva associada à brilhância de uma superfície, e que permite distinguir se esta superfície reflete luz especularmente ou a difunde. **9.** *Bras. Gír.* V. *pó* (3). ◆ **Brilho especular.** Brilho semelhante ao do espelho. **Brilho litóide.** O brilho característico das pedras. **Brilho metálico.** O brilho característico de uma superfície metálica polida, provocado pelas propriedades eletromagnéticas do metal, especialmente pela elevada condutividade elétrica.

brilhoso (ô). *Adj. Bras.* **1.** V. *brilhante* (1). **2.** Lustroso, reluzente: "o roupão brilhoso, as ramagens coloridas" (Autran Dourado, *O Risco do Bordado*, p. 20).

brim. [Do fr. *brin.*] *S. m.* Tecido forte de linho, algodão, fibra sintética, etc.: "Fabiano, apertado na roupa de brim branco .... , procurava erguer o espinhaço, o que ordinariamente não fazia." (Graciliano Ramos, *Vidas Secas*, p. 87).

brincadeira. *S. f.* **1.** Ato ou efeito de brincar; brinco. **2.** Divertimento, sobretudo entre crianças; brinquedo, jogo. **3.** Passatempo, entretimento, entretenimento, divertimento: *Passaram a noite em alegres brincadeiras.* **4.** Gracejo, pilhéria. **5.** Caçoada, galhofa, zombaria. **6.** Coisa que se faz irrefletidamente, ou por ostentação, e que custa mais do que se esperava. **7.** Folguedo, festa, festança. **8.** *Bras.* Diversão carnavalesca; folia: *Entrou na brincadeira no sábado e só voltou na quarta-feira.* **9.** *Bras. Fam.* Coisa de pouca importância: *Não se preocupe: a operação vai ser uma brincadeira.* **10.** *Bras. Fam.* Festa informal ou improvisada. ♦ **Brincadeira de mau gosto.** *Fig.* Ato que causa dano, desagrado ou mal-estar.

brincado. [Part. de *brincar.*] *Adj.* **1.** Cheio de ornatos; enfeitado. ● *S. m.* **2.** Ornato ou lavor caprichoso, enfeitado, rendilhado.

brincador (ô). *Adj.* e *s. m.* Que ou aquele que sempre está disposto a brincar; brincalhão.

brincalhão. *Adj.* e *s. m.* Que ou aquele dado a brincar, a fazer brincadeira (2 a 4). [Fem.: *brincalhona.*]

brincalhona. *Adj. (f.)* e *s. f.* Fem. de *brincalhão* [q. v.].

brincante. [De *brincar* + *-nte.*] *S. 2 g. Bras. Folcl.* Participante de folguedo popular.

brincar. [De *brinco* + *-ar*[2].] *V. int.* **1.** Divertir-se infantilmente; entreter-se em jogos de crianças. **2.** Divertir-se, recrear-se, entreter-se, distrair-se, folgar: *Em qualquer circunstância está sempre bem-humorado, brincando.* **3.** Agitar-se alegremente; foliar, saltar, pular, dançar: *Corriam pelo mato e brincavam como animais;* "O cabrito montês brinca nos cimos mais altos." (Manuel Bandeira, *Estrela da Vida Inteira*, p. 225). **4.** Dizer ou fazer algo por brincadeira; zombar, gracejar: *Não me leve a sério; estou brincando.* **5.** Divertir-se pelo carnaval, tomando parte nos folguedos carnavalescos: "Com dinheiro ou sem dinheiro, meu amor, eu brinco" (Da marcha carnavalesca *Eu Brinco*, de Pedro Caetano e Claudionor Cruz). **6.** Tremer, oscilar, agitar-se: *Seus cabelos brincavam ao vento T. i.* **7.** Gracejar, zombar, mexer: *Se brincares com ele, te sairás mal.* **8.** Entreter-se, distrair-se, ocupar-se: *O gatinho brincava com a bola de papel. T. d.* **9.** Tomar parte em (folguedos carnavalescos): *brinquei o carnaval no Rio.* **10.** Enfeitar, ataviar, ornamentar, adornar, em excesso. [Conjug.: v. *trancar.*] ♦ **Brincando, brincando.** Sem maior esforço; como quem não quer. **Brincar de esconder.** Brincar de esconde-esconde [q. v.]. **Brincar de pegar.** Brincar de pique [q. v.].

brincas. [Fem. pl. do s. m. *brinco.*] *S. f. pl.* Calosidades externas do ânus (1).

brinco. [Do lat. *vinculu.*] *S. m.* **1.** Adorno ou jóia que se usa presa ao lobo da orelha ou pendente dela. [Cf. *arrecada, pingente* (2) e *bichas.*] **2.** *P. ext.* Pessoa ou coisa delicada, fina, elegante, muito bonita. **3.** Coisa feita, arrumada, etc., com muito apuro; primor, perfeição: *Depois de arrumada, a casa ficou um brinco.* **4.** Brincadeira (1). **5.** *P. us.* Brinquedo (1 e 2). **6.** Gracejo, zombaria, brincadeira. **7.** *Marinh.* Porção de amarra que forma seio num ferro encepado ou entoucado. **8.** *Marinh.* Cabo que prende ao lais da verga o moitão do braço da verga, deixando-o suficientemente afastado do lais para que opere convenientemente; braçalote, bracelote. **9.** *Marinh.* Pedaço de cabo de aço ou de amarreta fixado por um dos chicotes a um cabeço, olhal ou outra peça bem firme, e que tem no outro chicote um gato de escape para engatar em um cabo de reboque. **10.** *Bras., S.* Sinal que se faz nas orelhas do gado vacum dando-lhes golpes de que resulta ficarem pendentes retalhos de couro semelhantes aos pingentes usados pelas mulheres. **11.** *Bras., S.* Apêndice gorduroso do maxilar dos porcos e do pescoço de ovinos e caprinos.

brinco-de-princesa. *S. f.* Designação comum a várias espécies de arbustos mais ou menos escandescentes do gênero *Fuchsia*, da família das enoteráceas, muito apreciados como plantas ornamentais para jardins, graças às flores vistosas e vivamente coloridas de vermelho e violáceo; fúcsia. [Pl.: *brincos-de-princesa.*]

brinco-de-sagüi. *S. m. Bras.* V. *favela-branca.* [Pl.: *brincos-de-sagüi.*]

brindar. *V. t. d.* **1.** Dirigir um brinde (1) a; beber à saúde de, ou pelo bom êxito de: *Os convivas brindaram o homenageado; Brindaram o empreendimento.* **2.** Dar ou oferecer brinde (3) a; presentear, mimosear: *A empresa anualmente brinda seus clientes. T. d. e i.* **3.** Dar brinde (3); mimosear: *Brindaram-na com uma salva de prata.* **4.** Conceder ou fazer algo a alguém como por favor: *O crítico brindou-o com alguns elogios.* **5.** *Irôn.* Castigar, punir: *Brindou o mau aluno com três dias de suspensão. T. i.* **6.** Erguer brindes: *Brindaram várias vezes à democracia. P.* **7.** Trocar brindes: *Levantaram as taças e brindaram-se.*

brinde. [Do al. *bring dir's*, 'ofereço-a [esta libação] a ti', atr. do fr. *brinde.*] *S. m.* **1.** Palavras de saudação a alguém no ato de beber. **2.** *P. ext.* Qualquer discurso de saudação. **3.** Objeto que se oferece como dádiva ou oferta; presente.

brinjela. *S. f.* Var. de *berinjela* [q. v.]

brinquedo (ê). *S. m.* **1.** Objeto que serve para as crianças brincarem: *brinquedo mecânico; loja de brinquedos.* **2.** Jogo (1) de crianças; brincadeira: *brinquedo de amarelinha; brinquedo de pegar.* [Sin., p. us., nessas acepç.: *brinco.*] **3.** Divertimento, passatempo, brincadeira: *Os jovens distraíam-se com brinquedos de adivinhação e mímica.* **4.** Festa, folia, folguedo, brincadeira: *Entrou no brinquedo com muita animação.*

brinquete (ê). *S. m. Bras., CE.* Brinqueto.

brinqueto (ê). *S. m. Bras., PE.* Pequena viga colocada verticalmente ao arrocho (4) para transmitir à masseira a pressão da vara. [F. paral. (us. no CE): *brinquete.*]

brinquinharia. [De *brinquinho* + *-aria.*] *S. f. Desus. no Brasil.* Fábrica ou oficina de brinquedos para crianças.

brinquinheiro. [De *brinquinho* + *-eiro.*] *S. m. Desus. no Brasil.* Fabricante de brinquedos para crianças.

brinquinho. [Dim. de *brinco.*] *S. m. P. us. no Brasil.* Brinquedo (1).

brio. [Do celta **brigos*, 'força, vivacidade'.] *S. m.* **1.** Sentimento da própria dignidade; pundonor. **2.** Ânimo, coragem, valentia. **3.** Galhardia, garbo. **4.** Vibração, entusiasmo, ânimo, fogo: *Tocou a sonata com muito brio.* ♦ **Meter em brios.** Estimular (alguém) a agir da melhor maneira possível.

▲**brio-.** [Do gr. *bryon.*] *El. comp.* = 'musgo': *briófito, briologia.*

brió. *S. m. Bras., SE.* V. *chupim* (1).

brioche. [Do fr. *brioche.*] *S. m.* Pãozinho muito fofo, feito de farinha de trigo, fermento, manteiga, sal e ovos.

briofilo. [De *brio-* + *-filo.*] *S. m. Bot. P. us.* Folha de musgo.

briófilo. [De *brio-* + *-filo.*] *Adj. Bot.* Diz-se dos organismos que se desenvolvem sobre os musgos: *líquen briófilo.*

briófita. [Do gr. *brio-* + *-fita.*] *S. f. Bot.* Var. de *briófito.*

briófito. [De *brio-* + *-fito.*] *S. m. Bot.* Planta clorofilada, sem vasos, e que exibe alternância de gerações, reproduzindo-se por esporos e por células sexuais, como, p. ex., o musgos e as hepáticas. [Var.: *briófita.*]

briol. [Do fr. ant. *braieu*, atual *breuil.*] *S. m.* **1.** *Marinh.* Cada um dos cabos fixos nas esteiras das velas redondas destinados a carregar o pano de encontro às vergas respectivas. **2.** *Pop. Desus. no Brasil.* Vinho (1). [Pl.: *brióis.*]

briologia. [De *brio-* + *-log(o)-* + *-ia.*] *S. f.* Parte da botânica que estuda as briófitas.

briológico. *Adj.* Relativo à briologia.

briologista. *S. 2 g.* Especialista em briologia; briólogo.

briólogo. [De *brio-* + *-logo.*] *S. m.* Briologista.

briônia. [Do gr. *bryonía*, 'serpentária', pelo lat. *bryonia.*] *S. f.* Planta herbácea, da família das cucurbitáceas (*Bryonia dioica*), nativa na Europa e tida classicamente como planta medicinal. Tem grossa raiz perene, que anualmente, na primavera, refaz a parte aérea; as flores são unissexuadas e pequenas; os frutos são bagas. [Sin.: *colubrina.*]

briosa. [Fem. substantivado de *brioso.*] *S. f.* **1.** *Bras.* Apelido da antiga Guarda Nacional: "ele passava o dia distribuindo objetos, jogando fora roupas velhas, suas fardas da briosa, suas espadas ferrugentas" (Pedro Nava, *Beira-Mar*, p. 13). **2.** *Bras., MA.* Apelido da Polícia Militar. **3.** *Bras. Mar. G.* Banda de música; fanfarra. **4.** *Mar. G.* Taifa em conjunto.

brioso (ô). *Adj.* **1.** Que tem brio (1); pundonoroso. **2.** Valente, corajoso, denodado. **3.** Liberal, generoso. **4.** Altivo, orgulhoso; garboso. **5.** Fogoso, garboso (o cavalo).

brioteca. [De *brio-* + *-teca.*] *S. f. Bot.* Coleção de musgos, devidamente classificados.

briozoário. [De *brio-* + *-zoário.*] *S. m.* **1.** Espécime dos briozoários. ● *Adj.* **2.** Pertencente ou relativo a eles. [Sin. ger.: *ectoprocto, polizoário.*]

briozoários. *S. m. pl. Zool.* Animais enterozoários, de simetria bilateral, ramo *Bryozoa*. São coloniais, e apresentam-se em forma de incrustações nas rochas, ou de massas gelatinosas, ou de plantas. Cada indivíduo da colônia se acha isolado dentro de um zoécio, com tentáculos ciliados em torno da boca, tubo digestivo completo em forma de U, ânus fora do círculo de tentáculos. São hermafroditos, de vida livre, marinhos ou de água doce. [Sin.: *ectoproctos* e *polizoários.*]

brique[1]. *S. m. Bras., RS.* F. red. de *bricabraque* (2).

brique[2]. [Do fr. *brique.*] *Adj. 2 g.* **1.** Da cor vermelha do tijolo; testáceo, tijolo. ● *S. m.* **2.** Essa cor.

briquetagem. *S. f.* Ato ou efeito de briquetar.

briquetar. *V. int.* Fazer briquetes. [Pres. subj.: *briquete, briquetes*, etc. Cf. *briquete* (ê), pl. *briquetes* (ê), e o v. *briquitar.*]

briquete (ê). [Do fr. *briquette.*] *S. m.* Massa ou tijolo composto de carvão em pó e de um aglutinante (piche, breu, alcatrão), usada como combustível. [Pl.: *briquetes* (ê). Cf. *briquete* e *briquetes*, do v. *briquetar.*]

briquitar. *V. int. Bras., C.O., MG* e *SP.* **1.** Mourejar, pelejar, trabalhar, lidar: *Ali estão os lavradores briquitando sem parar.* **2.** Mourejar em coisas miúdas; penar com ninharias: *A velha resmungona briquitava na cozinha.* **3.** Matar o tempo; entreter-se. **4.** Cismar, ruminar: *Acocorado num canto, o matuto briquitava.* **5.** Brigar, contender. [Cf. *briquetar.*]

brisa. [Do fr. *brise.*] *S. f.* **1.** Vento brando e fresco; viração; aragem, aura. **2.** *Geogr.* Vento periódico, típico das regiões marítimas ou até onde vai a influência do mar. **3.** *Bras. N.E. Gír.* Falta de dinheiro; quebradeira, prontidão, pindaíba. ~ V. *brisas.* ♦ **Brisa da pororoca.** *Bras.* Vento brando ocasionado pela pororoca. **Brisa marinha.** *Geogr.* Brisa marítima. **Brisa marítima.** *Geogr.* A que sopra do mar para o continente, em virtude do mais rápido aquecimento das terras; brisa marinha. **Brisa terrestre.** *Geogr.* A que sopra do continente para o mar, quando este se acha mais aquecido que aquele. **Uma brisa.** *Bras.* Uma ova. **Viver de brisa.** Não dispor de recursos para a sobrevivência.

brisança. *S. f. Expl.* Brisância.

brisância. [Do ingl. *brisance.*] *S. f. Expl.* O poder de quebrar, de reduzir massas a fragmentos, que um explosivo tem; brisança.

brisante. [Do ingl. *brisant?*] *Adj. 2 g.* ~V. *explosivo* —.

brisas. [Pl. de *brisa.*] *Pron. indef. Bras. Gír.* Coisa nenhuma; nada, bulhufas, bulufas. ~ V. *brisa.*

➧**brise-bise.** (briz'bíz). [Fr.] *S. m.* Cortina para tapar a parte inferior de uma janela.

➧**brise-soleil** (briz' solèi). [Fr.] *S. m. Arquit.* Conjunto de chapas de material fosco que se põe nas fachadas expostas ao sol para evitar o aquecimento excessivo dos ambientes sem prejudicar a ventilação e a iluminação.

brístol. [Do top. *Bristol.*] *S. m.* **1.** Espécie de pano de lã grosseiro, originalmente fabricado na cidade do mesmo nome (Inglaterra). **2.** Papel forte, geralmente branco, usado para desenho, diversos tipos de cartão, embalagens, etc [Pl.: *brístoles.*] ● *Adj. 2 n.* **3.** ~ V. *cartão* —.

brita. [Dev. de *britar.*] *S. f. Eng. Civ.* e *Constr.* Material resultante do britamento de pedra, com diâmetros máximos compreendidos entre 4,8 mm e 100 mm e que tem inúmeras aplicações; pedra britada: "A passo lento, pés descalços na brita cortante, atravessou a vereda" (João da Silva Correia, *Farândola*, p. 56). ♦ **Brita corrida.** *Constr.* Brita não classificada por peneiramento.

britadeira. [Fem. de *britador.*] *S. f.* **1.** Mulher que brita pedra. **2.** Britador (2).

britado. [Part. de *britar.*] *Adj.* Reduzido a fragmentos; quebrado, partido. ~ V. *pedra* —*a.*

britador (ô). *S. m.* **1.** Aquele que brita. [Fem.: *britadeira.*] **2.** Máquina usada nas pedreiras para produzir pedra britada; britadeira. ♦ **Britador de mandíbulas.** *Tec.* Tipo de equipamento de britagem em que mandíbulas pivotantes esmagam o material contra uma bigorna fixa. **Britador giratório.** *Tec.* Equipamento de britagem constituído por um pilão cônico que gira excentricamente, preso por uma extremidade, dentro de uma cuba também cônica, esmagando o material por pressão e cisalhamento.

britagem. *S. f.* Britamento.

britamento. *S. m.* Ação de britar; britagem.

britânico. [Do lat. *britannicu.*] *Adj.* **1.** Da, ou pertencente ou relativo à Grã-Bretanha (Europa) ou à Comunidade de Nações (antigo Império Britânico); inglês. **2.** Diz-se de certos traços de temperamento ou de gosto ligados às idéias de calma ou discrição que se admitem, em geral, como típicas dos ingleses: *serenidade britânica; elegância britânica.* ● *S. m.* **3.** O natural ou habitante da Grã-Bretanha; inglês.

britanismo. *S. m.* Qualidade ou feitio de britânico (3).

britar. [Do anglo-saxão *brittian.*] *V. t. d.* **1.** Partir, quebrar, despedaçar; fragmentar, triturar: *britar nozes;* "estrepitam, britando e esfarelando as pedras, torrentes de cascos pelos tombadores" (Euclides da Cunha, *Os Sertões*, p. 128). **2.** Quebrar (pedra), por processo mecânico ou não, produzindo fragmentos de dimensões especificadas. **3.** Esmagar, moer, macerar; contundir, machucar: *Britou-lhe o corpo com a surra.* **4.** *Fig.* Reduzir a nada; destruir, anular, invalidar: *britar os princípios; britar a lei.* **5.** Romper, arrombar, derribar: *Os assaltantes britaram todas as portas.*

britônico. *S. m. Ling.* V. *celta* (2).

brivana. *S. f. Bras., CE. Pop.* V. *égua* (1).

brizomancia (cí). [Do gr. *brízo*, 'estar vencido pelo sono', + *-mancia*.] *S. f.* Oniromancia.

brizomante. [Do gr. *brizomántis*.] *S. 2 g.* Pessoa que se dedica à brizomancia; oniromante.

brizomântico. *Adj.* Relativo à brizomancia, ou a brizomante; oniromântico.

bró. *S. m. Bras.* Comida própria de regiões sertanejas, feita com os tubérculos do umbuzeiro e de outros vegetais.

broa (ô). [De or. incerta, talvez pré-romana; ant. *borona* < **borõa*, e depois *boroa*.] *S. f.* **1.** Pão arredondado, feito de fubá de milho ou de arroz, de cará, de polvilho, etc. **2.** *Fam.* Mulher gorducha. [Var.: *boroa*.]

➧**broadcast** (bròdcást). [Ingl.] *S. m. Rád.* e *Tv.* **1.** O conjunto das atividades radiofônicas. **2.** Equipe de uma radiodifusora (produtores, diretores de programa, artistas, etc). **3.** O programa. [F. paral.: *broadcasting*.]

➧**broadcasting** (bròdcásting). [Ingl.] *S. m. Broadcast.*

➧**broadside** (bròdsaide). [Ingl.] *S. m.* Folheto de lançamento de um produto, ou de explicações acerca de campanhas de venda.

broca. *S. f.* **1.** Instrumento que, com movimento de rotação, abre orifícios circulares; verruma, pua. **2.** Instrumento munido de barra de aço ou de verruma com que se abrem buracos nas pedreiras ou se perfura o solo. **3.** O furo feito pela broca nas pedras, no qual se introduz a dinamite. **4.** Furo, buraco; orifício. **5.** Eixo da fechadura em que penetra a chave. **6.** Falha na alma de uma boca-de-fogo. **7.** *Odont.* Pequeno instrumento rotatório e cortante, acionado por motor para perfurar, limpar e regularizar cavidades cariadas. [V. *motor* (6).] **8.** *Tip.* Janela (7). **9.** Designação comum a todos os insetos, adultos ou suas larvas e lagartas, que corroem ou perfuram a madeira e outras coisas. Vários deles atacam produtos armazenados, sobretudo sementes, inflorescências, raízes e outras partes das plantas, cavando galerias ou pequenos buracos. [Cf. *caruncho* (1).] **10.** *Bras.* Moléstia que afeta o casco dos eqüinos e asininos. **11.** *Bras.* Moléstia que dá na parte interior dos chifres dos bovinos. **12.** *Bras.* Espécie de joeira com que se limpa o café em grão. **13.** *Bras.* Mato rasteiro entre árvores corpulentas. **14.** *Bras.* V. *mentira* (1). **15.** *Bras., N.* Ato de cortar arbustos ou mato preparando terreno para a roça; roçada. [Sin., no N.E.: *brocagem*.] **16.** *Bras., S.* Vontade de comer; fome. [Pl.: *brocas*. Cf. *broca* (ô) e *brocas* (ô), flex. de *broco* (ô). ◆ **Broca de mineiro.** *Expl.* Ferramenta para perfuração de minas em terreno argiloso, e que consiste numa haste que tem numa das extremidades uma broca em espiral e na outra uma barra transversal para fazê-la girar.

broca-da-cereja-do-café. *S. f. Bras.* V. *broca-do-café*. [Pl.: *brocas-da-cereja-do-café*.]

brocadilho. *S. m. Ant.* Brocado[1] (1) simples, leve, e de qualidade inferior.

brocado[1]. [Do it. *broccato*.] *S. m.* **1.** Rico tecido de seda com desenhos em relevo realçados por fios de ouro ou de prata. **2.** *P. ext.* Qualquer tecido que, por seu lavor, se assemelha ao brocado (1), ou o faz lembrar.

brocado[2]. [Part. de *brocar*.] *Adj.* **1.** Furado com broca. **2.** Atacado por broca (9): *café brocado.* **3.** Cortado com foice; roçado. **4.** Carcomido, corroído; destruído. [Sin. ger.: *broqueado*.]

broca-do-café. *S. f. Bras.* Inseto coleóptero, da família dos curculionídeos, subfamília dos ipíneos (*Hypothenemus hampei* Ferrari), originário da África e introduzido em outros países, inclusive o Brasil, depois de 1910. Adulto, preto, de porte diminuto, tem o bordo apical do protórax com quatro ou mais dentes, cerdas dos élitros filiformes, e pontoação relativamente larga e profunda. Completa o seu ciclo evolutivo médio em 28 dias, e durante o ano podem aparecer até sete gerações completas. [Sin.: *broca-paulista, broca-da-cereja-do-café, caruncho-do-café, caruncho-da-cereja-do-café.* Pl.: *brocas-do-café*.]

brocador (ô). *S. m. Bras., N.* Aquele que corta ou derruba mato.

brocagem. *S. f. Bras. N.E.* V. *broca* (15).

broca-paulista. *S. f. Bras.* V. *broca-do-café*. [Pl.: *brocas-paulistas*.]

brocar. *V. t. d.* **1.** Furar com broca: *brocar uma rocha.* **2.** Fazer broca (4), ou brocas, em; furar, esburacar: *As larvas brocaram os troncos das árvores.* **3.** *Bras.* Limpar, joeirar (o café). **4.** *Bras.* Cortar (mato miúdo) com foice; roçar. *Int.* **5.** *Bras.* Mentir, lorotar. [F. paral.: *broquear*. Conjug.: v. *trancar*. Pres. Ind.: *broco, brocas, broca*, etc.; pres. subj.: *broque*, ... *broqueis, broquem*. Cf. *broco* (ô) e as flex. *broca* (ô), *brocas* (ô), e *broquéis*, pl. de *broquel*.]

brocardo. [Do lat. medieval *brocardu*.] *S. m.* **1.** Axioma jurídico. **2.** Axioma, aforismo, máxima, sentença, provérbio: "Tens uma árvore e um livro: falta um filho / — clama a sábia exigência do *brocardo*." (Hermes Fontes, *Ciclo da Perfeição*, p. 63).

brocatel. [Do it. *broccatello*, atr. do cat. *brocatell*.] *S. m.* **1.** Tecido imitante ao brocado[1] (1), porém de menor valor. **2.** Tecido adamascado. [Pl.: *brocatéis*.]

brocatelo. [Do it. *broccatello*.] *S. m.* Mármore de granulação fina, semelhante a brecha (6).

brocha. [Do fr. *broche*.] *S. f.* **1.** Prego curto, de cabeça larga e chata; tacha. **2.** Cunha ou chaveta de madeira ou de ferro, que se põe nas extremidades dos eixos dos carros a fim de segurar as rodas. **3.** Correia de couro que cinge o pescoço do boi pela parte inferior da canga. **4.** Corda que liga os fueiros do carro para segurar a carga. **5.** Correia com que se ajustam sandálias, alparcatas, etc. **6.** *Ant.* Broche (5). **7.** *Bras., AL. Pop.* Estado de quem se acha apertado, abarbado, muito atarefado. [Cf. *broxa*.]

brochadeira. [Fem. de *brochador*.] *S. f.* Mulher que brocha livros.

brochado. [Part. de *brochar*[2].] *Adj.* ~V. *livro*—. [Cf. *livro cartonado, livro encadernado, e broxado*.]

brochador (ô). *S. m.* Aquele que brocha livros, que faz brochuras. [Fem.: *brochadeira*.]

brochagem. [Do fr. *brochage*.] *S. f.* Operação de brochar livros; brochura.

brochar[1]. [De *brocha* + *-ar*[2].] *V. t. d.* **1.** Cravar brochas em; fixar, pregar: *O sapateiro brocha as solas com firmeza.* **2.** *Ant.* Prender ou fechar com brocha ou broche; fechar, abotoar, abrochar: *brochar o manto; brochar o estojo.* **3.** *Bras., RS.* Cingir a brocha (3) ao pescoço do boi, atrelando-o à canga. **4.** *Bras., Amaz.* e *RJ.* V. *surrar* (2). [Cf. *broxar*.]

brochar[2]. [Do fr. *brocher*.] *V. t. d. Art. Gráf.* Prender as folhas ou cadernos de (livro) mediante costura, grampeamento, etc., formando um bloco, que se cobre com uma capa de papel ou cartolina colada ao dorso. [Cf. *encadernar* (2), *cartonar* e *broxar*.]

broche[1]. [Do fr. *broche*.] *S. m.* **1.** Adorno de metal e/ou pedraria, provido de alfinete e fecho, que as mulheres usam como jóia, geralmente ao peito, ou para prender peças de vestuário: "Glória usava no peito um *broche* com um medalhão de duas faces." (Raquel de Queirós, *As Três Marias*, p. 9.) **2.** Espécie de colchete com que se fecham livros ou pastas. **3.** Colchete para guarnecer cintos, ligas, etc. **4.** *Ant.* Peça de armadura com que se afivelam as demais. **5.** *Ant.* Fecho (2); brocha. [Cf. *broxe*, do v. *broxar*.]

brochete. [Do fr. *brochette*.] *S. f.* **1.** Preparação culinária: pedaços de carne, ou de miúdos, de camarões, etc., enfiados em espetinhos, alternadamente com *bacon*, cebola, etc., para fritar, ou cozer na grelha ou no forno. **2.** *P. ext.* Cada um dos espetos usados nessa preparação.

brochote. *S. m. Bras., CE.* **1.** V. *joão-ninguém*. **2.** Rapazola, atrevido.

brochura. [Do fr. *brochure*.] *S. f.* **1.** Ação ou efeito de brochar livros; brochagem. **2.** Livro brochado [q. v.]: "fui encontrar o infeliz amigo estirado no sofá, junto à mesa coberta de papéis, *brochuras*, pedaços e de lacre" (Graciliano Ramos, *Infância*, p. 229). **3.** Folheto ou opúsculo brochado. [Cf. *broxura*.]

broco (ô). [De *broca*?] *Adj.* **1.** *Bras., N.* e *N.E.* Diz-se de rês que tem um dos chifres pequeno e rugoso, ou ambos. **2.** *Bras.* Amalucado ou abobalhado em razão da idade e/ou de doença. [Flex.: *broca* (ô), *brocos* (ô), *brocas* (ô). Cf. *broco, brocas, broca*, do v. *brocar; broca*, s. f., pl. *brocas; Broca*, antr.; e *brocos*, var. de *brócolos*.]

brocoió. *S. m.* **1.** *Bras.* V. *caipira* (1). **2.** *Bras., N.E.* Casa onde se vende exclusivamente caldo de cana.

brócolis. *S. m. pl.* V. *brócolos*.

brócolos. [Do it. *broccoli*.] *S. m. pl.* Erva da família das crucíferas (*Brassica oleracea*), amplamente cultivada como verdura, e cuja parte característica se constitui das inflorescências novas, verdes e muito compactas, conquanto se utilize a planta inteira. [F. paral. (m. us. no Brasil): *brócolis*; var.: *brocos*.]

brocos. *S. m. pl.* V. *brócolos*. [Cf. *brocos* (ô), pl. de *broco* (ô).]

brocotó. [Do tupi *mbo'rô* + *ko'tog*, 'vacilar'.] *S. m. Bras. Var.* de *borocotó*.

bródio. [Do it. *brodo*.] *S. m.* **1.** Refeição alegre; comezaina: "calvário no claustro, para os fiéis, e *bródio* de amêndoas e vinho para os irmãos, na sacristia" (Fialho d'Almeida, *Pasquinadas*, p. 129). **2.** Pândega, bagunça, barulho. **3.** *Ant.* Caldo que se dava aos pobres à porta dos conventos. **4.** *Bras. AM.* Interior carcomido das árvores.

brodista. *S. 2 g.* **1.** Freqüentador de bródios. **2.** Galhofeiro, pândego, folião.

brodosquiano. *Adj.* **1.** De, ou pertencente ou relativo a Brodósqui (SP). ● *S. m.* **2.** O natural ou habitante de Brodósqui.

broeiro. *Adj.* **1.** Que gosta e/ou se alimenta de broas. **2.** Rude, rústico, grosseiro. ● *S. m.* **3.** Aquele que gosta e/ou se alimenta de broas; pica-milho. **4.** Aquele que faz e/ou vende broas.

brogúncias. *S. f. pl. Bras., N. Pop.* **1.** Coisas ou negócios miúdos; miudezas, bugigangas, ninharias, quinquilharias. **2.** V. *cacaréus*.

broma[1]. *S. f.* **1.** Inseto ou verme que rói a madeira. ● *S. 2 g.* **2.** Pessoa estúpida, grosseira. ● *Adj. 2 g.* **3.** De qualidade inferior; ordinário, grosseiro. **4.** Grosseiro, malcriado.

broma[2]. [Do esp. plat. *broma*.] *S. f. Bras., RS.* Gracejo, brincadeira, chalaça, troça.

bromado[1]. *Adj. Quím.* Diz-se de substâncias que contêm bromo.

bromado[2]. *S. m. Bras., SP.* Var. de *brumado* (2).

bromar. *V. t. d.* **1.** Roer (a madeira), ação praticada pela broma[1] (1). **2.** Corroer como a broma; brocar, carcomer: *As traças bromaram o livro.* **3.** Deitar a perder; estragar. **4.** *Quím.* Tratar (uma substância) pelo bromo, ou por um de seus derivados, visando a obter derivado bromado. **5.** *Bras.* Estragar (o açúcar, nos engenhos), tornando-o broma ou ordinário. *Int.* **6.** Estragar-se, desvalorizar-se. **7.** *Bras.* Dar para trás; não ser bem-sucedido; falhar, gorar, malograr-se: *Se não bromar, pode chegar a ser alguém.* **8.** *Bras.* Degenerar-se, corromper-se, perder-se.

bromato. *S. m. Quím.* Qualquer sal do ácido brômico.

▲**bromato-.** [Do gr. *brôma, atos*.] *El. comp.* = 'alimento': *bromatologia*.

bromatologia. [De *bromato-* + *-log(o)-* + *-ia*.] *S. f.* Ciência que estuda os alimentos; química bromatológica.

bromatológico. *Adj.* Relativo à bromatologia. ~ V. *química* —*a*.

bromatologista. *S. 2 g.* Bromatólogo.

bromatólogo. *S. m.* Especialista em bromatologia; bromatologista.

bromeliácea. *S. f.* Espécime das bromeliáceas.

bromeliáceas. *S. f. pl. Bot.* Família de plantas superiores, monocotiledôneas, constituída de ervas rosuladas, de folhas rígidas, flores actinomorfas, coloridas, com cálice e corola distintos, seis estames, fruto bacáceo ou cápsulas, que vivem sobre pedras ou árvores. Há cerca de 1.000 espécies tropicais, muitas delas apreciadas como plantas ornamentais. O Brasil é rico em representantes dessa família, da qual é o abacaxi o espécime mais importante.

bromeliáceo. *Adj.* Pertencente ou relativo às bromeliáceas.

bromelina. *S. f. Bioquím.* Enzima extraída do suco fresco do abacaxi, usada como vermífugo.

brometo (ê). *S. m. Quím.* Qualquer sal do ácido bromídrico.

brômico. *Adj.* Relativo ao bromo. ~ V. *ácido* —.

bromidrato. [De *brom(o)-* + *-hidrato*.] *S. m. Quím.* Qualquer sal ácido do ácido bromídrico.

bromídrico. [De *brom(o)-* + *hidro(gênio)* + *-ico*[2].] *Adj.* ~ V. *ácido* —.

bromidrose. [De *brom(o)-* + *hidrose*.] *S. f. Patol.* Secreção de suor fétido.

bromismo. *S. m. Patol.* Intoxicação crônica pelo bromo e seus compostos.

bromo. [Do gr. *brômos*, 'mau cheiro'.] *S. m. Quím.* Elemento de número atômico 35, pertencente à família dos halogênios, líquido vermelho-escuro, com vapores vermelhos irritantes, muito reativo e venenoso. [Simb.: *Br*.]

▲**brom(o)-.** [Do gr. *brômos, ou*.] *El. comp.* = 'mau cheiro': *bromidrose*.

bromofórmio. [De *brom(o)-* + *form.* abrev. de *fórmico* (ácido) + *-io*.] *S. m. Quím.* Tribromometano líquido com propriedades anestésicas. [Fórm.: Br_3CH.]

bronca. *S. f. Bras. Gír.* **1.** Repreensão, censura, reprimenda, carão: *O pai deu uma bronca tremenda no garoto;* "— Tem dia que chega gente aqui, eu informo que não tem elevador e levo a maior bronca." (Stanislaw Ponte Preta, *Febeapá 2*, p. 105). **2.** Protesto. reclamação: *O professor deu as notas e disse que não admitia* bronca **3.** Confusão, trapalhada, resultante de bronca (1 e 2).

bronco. [Do lat. vulg. **bruncu.*] *Adj.* **1.** Tosco, áspero, agreste: *rochas* broncas. **2.** Rude, rústico, inculto; ignorante, ignaro: *camponês* bronco. **3.** V. *burro* (12).

▲bronc(o)-. [Do gr. *brógchos, ou.*] *El. comp.* = 'garganta', 'brônquio': *broncoscopia, broncopneumonia.* [Equiv.: *bronqu(i)(o)-*: *bronquite, bronquiocele.*]

broncocele. [Do gr. *brogchokéle.*] *S. f. Patol.* Dilatação circunscrita de um brônquio.

broncografia. [De *bronc(o)-* + *-graf(o)-* + *-ia.*] *S. f.* Radiografia dos brônquios, feita após instilação endotraqueal de substância de contraste.

broncográfico. *Adj.* Referente à broncografia.

broncopneumonia. [De *bronc(o)-* + *pneumonia.*] *S. f. Patol.* Inflamação pulmonar que se inicia, geralmente, nos bronquíolos terminais. É uma complicação de doenças várias, como infecções das vias aéreas superiores, ou de afecções que debilitam acentuadamente o estado geral.

broncoscopia. [De *bronc(o)-* + *-scop-* + *-ia.*] *S. f. Med.* Exame realizado com o broncoscópio.

broncoscópio. [De *bronc(o)-* + *-scop-* + *-io.*] *S. f.* Instrumento com que se examina o interior de brônquio.

broncotomia. [De *bronc(o)-* + *-tom(o)-* + *-ia.*] *S. f. Cir.* Incisão do brônquio.

broncotômico. *Adj.* Relativo à broncotomia.

broncótomo. [De *bronc(o)-* + *-tomo.*] *S. m.* Instrumento com que se faz a broncotomia.

brongo. *S. m. Bras., BA.* Grota profunda, de encostas com a forma de funil.

bronha. *S. f. Bras. Chulo.* Automasturbação.

bronquear. *V. t. i.* e *int. Bras. Gír.* Dar bronca: *Bronqueou com o empregado por causa do serviço malfeito;* "— Espere aí, espere aí — atalhou D. Eufrosina. — Você já está querendo bronquear de novo, Raul?" (Herberto Sales, *Histórias Ordinárias*, p. 73.) [Conjug.: v. *frear.*]

bronquial. *Adj. 2 g.* Relativo ou pertencente aos brônquios; brônquico.

bronquice. *S. f.* Qualidade ou caráter de quem é bronco; ignorância, estupidez, obtusidade.

brônquico. *Adj.* Bronquial.

bronquiectasia. [De *bronqu(i)(o)-* + *-ectas-* + *-ia.*] *S. f. Patol.* Dilatação de brônquio ou de bronquíolo.

brônquio. [Do gr. *grógchia* (plur.).] *S. m. Anat.* Cada um dos dois canais em que se bifurca a traquéia, e que se ramificam nos pulmões.

▲bronqu(i)(o)-. Equiv. de *bronc(o)-.*

bronquíolo. [Dim. de *brônquio.*] *S. m. Anat.* Cada uma das subdivisões mais finas da ramificação da árvore brônquica.

bronquite. [De *bronqu(i)(o)-* + *-ite.*] *S. f. Patol.* Inflamação dos brônquios. [Sin. (bras., pop.): *carregação do peito.*]

bronteu. *S. m. Teat.* No antigo teatro grego, grande vaso de bronze ao qual se atiravam pedras e pedaços de ferro para se obter o som do trovão.

▲bront(o)-. [Do gr. *bronté, ês.*] *El. comp.* = 'trovão', 'trovoada': *brontofobia.*

brontofobia. [De *bront(o)-* + *fobia.*] *S. f.* Medo mórbido ao trovão.

brontofóbico. *Adj.* Relativo à brontofobia.

bronzagem. *S. f.* Operação pela qual se dá a cor do bronze a objetos de metal, gesso, madeira, etc.; bronzeamento.

bronze. [Do it. *bronzo.*] *S. m.* **1.** *Quím.* Liga metálica de cobre e estanho. **2.** Escultura em bronze (1). **3.** Peça, ou as peças, da artilharia. **4.** Sino[1] (1): "Deram agora seis horas / Nos bronzes / Da enorme catedral" (Antônio Boto, *As Canções*, p. 33). **5.** Moeda ou medalha de bronze (1). **6.** *Pop.* V. *dinheiro* (3). **7.** *Fig.* Dureza; insensibilidade. **8.** *Bras.* Peça de bronze sobre a qual trabalha a manga dos eixos [v. *eixo*[1] (6)] para lhes evitar o rápido desgaste e atenuar o aquecimento. **9.** *Bras.* V. *violão* (1). ◆ **Bronze de alumínio.** *Quím.* Liga metálica de alumínio e cobre.

bronzeado[1]. [De *bronze* + *-ado*[1]] *Adj.* **1.** Da cor do bronze (1); brônzeo: *uma pequena de pele bronzeada.* **2.** Naturalmente moreno; trigueiro: *pele bronzeada.* ● *S. m.* **3.** Cor semelhante à do bronze. **4.** *Bras.* Cor da pele queimada pelo sol: *Pegou um lindo bronzeado no verão.*

bronzeado[2]. [Part. de *bronzear.*] *Adj.* **1.** A que se deu a cor do bronze: *escultura bronzeada.* **2.** Que foi guarnecido ou coberto de bronze. **3.** Que adquiriu tom de bronze. **4.** Tostado escurecido: *Como leva muito sol, tem a cútis bronzeada: É uma garota bronzeada.*

bronzeador (ô). *S. m.* **1.** Aquele que bronzeia objetos de arte, armas, etc. **2.** Substância própria para bronzear. ● *Adj.* **3.** Que bronzeia: *óleo bronzeador.*

bronzeamento. *S. m.* **1.** Ato ou efeito de bronzear(-se). **2.** Bronzagem. **3.** *Eng. Ind.* Processo de recobrimento superficial em metais que dá ao acabamento o aspecto de bronze.

bronzear. *V. t. d.* **1.** Dar cor de bronze a; tornar semelhante ao bronze na cor; abronzar: *O artífice bronzeia as esculturas de gesso: O sol bronzeia a pele.* **2.** Guarnecer ou cobrir de bronze. *O soldado bronzeou o escudo. Int.* **3.** Escurecer mediante a ação do sol: *Este óleo bronzeia bem.* **4.** Tomar tons de bronze. **5.** Tostar-se, escurecer-se: *Seu belo corpo dourado foi-se bronzeando ao sol.* [F. paral.: *abronzear.* conjug.: v. *frear.*]

brônzeo. *Adj.* **1.** Respeitante ao bronze. **2.** Feito de bronze: *brônzeos canhões.* **3.** Da cor do bronze; bronzeado: *A bandeja é de um metal brônzeo.* **4.** Da natureza do bronze, ou próprio dele: *consistência brônzea; brônzeos sons.* **5.** *Fig.* Duro, rijo, inflexível: *caráter brônzeo.*

bronzista. *S. 2 g.* Artífice que executa trabalhos em bronze.

brookita. *S. f. Min.* Mineral ortorrômbico, óxido de titânio.

broque. *S. m.* Nos fornos de fundição, tubo de tiragem de ar.

broqueado. [Part. de *broquear.*] *Adj.* **1.** V. *brocado*[2]. **2.** *Fig.* Chagado, ulcerado, fistuloso; broquento.

broquear. *V. t. d.* e *int.* V. *brocar.* [Conjug.: v. *frear.*]

broquel. [Do fr. ant. *bocher*, atualmente *bouclier.*] *S. m.* **1.** Escudo antigo, redondo e pequeno: "Conquistadores chegam na planura: / Passa um penacho de elmo e a cor de um brial! / Ora um fulgor de esplêndida armadura, / Ora um broquel de ouro polido!" (Goulart de Andrade, *Poesias*, p. 158.) **2.** V. *desempenadeira* (1). **3.** *Fig.* Proteção, defesa, amparo, escudo. [Pl.: *broquéis.* Cf. *broqueis*, do v. *brocar.*]

broquelar. *V. t. d., t. d. e i.* e *p.* V. *abroquelar.*

broqueleiro. *S. m.* **1.** Fabricante de broquéis. **2.** Aquele que se armava de broquel.

broquento. *Adj.* V. *broqueado* (2).

broquidódromo. *Adj. Morfol. Veg.* Diz-se das nervuras secundárias que se curvam e anastomosam antes de atingirem o bordo da folha.

brosladura. *S. f. Ant.* Ato ou efeito de broslar; bordado.

broslar. [Do germ. **bruzdôn.*] *V. t. d. Ant.* e *p. us.* Bordar, guarnecer, ornar.

brossa [Do fr. *brosse.*] *S. f.* **1.** *Tip.* Escova com que o impressor limpa a fôrma. **2.** Escova de limpar animais. [Var., nessa acepç.: *brussa.*]

brossador (ô). *S. m. Tip.* Gráfico encarregado de brossar as fôrmas.

brossar. *V. t. d. Tip.* Limpar com brossa.

brota[1]. [De *abrótea*, com apócope e aférese.] *S. f.* V. *abrótea.*

brota[2]. [Dev. de *brotar.*] *S. f. Bras.* Lugar onde a água brota; nascente, fonte, olho-d'água.

brotação. *S. f. Bras.* **1.** V. *brotamento* (1). **2.** V. *broto* (3).

brotadura. *S. f.* **1.** V. *brotamento* (1). **2.** V. *broto* (3).

brotamento. *S. m.* **1.** Ação ou efeito de brotar; brotação, brotadura. **2.** V. *broto* (3).

brotar. [Do gót. *briutan*, atr. do provenç. *brotar.*] *V. t. d.* **1.** Lançar, produzir, o vegetal (rebentos, ramos, folhas, flores): *A árvore brotou novos ramos; A planta brotou uma bela flor.* **2.** Lançar de si; dar saída a; expelir, segregar: *Seus olhos sofridos já não brotam lágrimas.* **3.** Proferir, pronunciar, soltar: De sua boca brotaram pesadas injúrias. *T. i.* **4.** Jorrar, manar, borbotar: *O sangue brotava das feridas.* **5.** Proceder, derivar, resultar: *Da longa reflexão brotou -lhe a engenhosa idéia.* **6.** Romper, irromper: *brotar em prantos. Int.* **7.** Desabrochar, abrolhar, germinar, rebentar (o vegetal). **8.** Nascer, surgir, aparecer, desabrochar: *Novas idéias estão brotando.* **9.** Jorrar, manar, borbotar: *As águas das fontes brotam ininterruptamente.* **10.** *Bras., N.E.* Gabar-se de valentia; bazofiar, fanfarrear, fanfarronar, blasonar: *Brota, brota, mas na hora H se encolhe. [Pres. ind.: broto*, etc. Cf. *broto (ô).*]

brote. [Do hol. *brood*, 'pão', introduzido na época do domínio holandês no N.E. do Brasil (1630-1654).] *S. m. Bras., N.E.* Biscoito ou bolacha pequena, torrada, feita de farinha de trigo. [Cf. *proto*[1].]

brotense[1]. *Adj. 2 g.* **1.** De, ou pertencente ou relativo a Brotas (SP). ● *S. 2 g.* **2.** Natural ou habitante de Brotas.

brotense[2]. *Adj. 2 g* **1.** De, ou pertencente ou relativo a Brotas de Macaúbas (BA). ● *S. 2 g.* **2.** Natural ou habitante de Brotas de Macaúbas.

brotense[3]. *Adj. 2 g.* **1.** De, ou pertencente ou relativo a Santo Amaro das Brotas (SE). ● *S. 2 g.* **2.** Natural ou habitante de Santo Amaro das Brotas

brotinho. [Dim. de *broto.*] *S. m. Bras. Gír.* **1.** Moça ou rapaz no começo da adolescência (mais ou menos dos 14 aos 18 anos); broto: "os velhos procuram nas Lolitas, nos brotinhos, o rejuvenescimento por indução: amar o que é novo remoça-nos." (José Rodrigues Miguéis, *Gente da Terceira Classe*, p. 235). [Cf. *cabrita* (5).] **2.** Brotoeja[2].

broto (ô). [Dev. de *brotar.*] *S. m.* **1.** Órgão que brota nos vegetais e é capaz de se desenvolver em ramificações folhosas e/ou floridas; botão. [Cf. *rebento* (1).] **2.** Grelo (2). **3.** Gema (2) dos vegetais; botão, brotação, brotadura, brotamento, borbulha, olho, renovo. **4.** *Bras. Pop.* V. *brotinho.* **5.** *Bras. Gír.* Namorado ou namorada. [Pl.: *brotos* (ô). Cf. *broto*, do v. *brotar.*]

brotoeja[1] (ê). [De *brotar.*] *S. f.* Erupção cutânea formada por pequenas vesículas e acompanhada de prurido.

brotoeja[2] (ê). [De *broto* (3).] *S. f. Bras. Gír. Joc.* Menina entre 12 e 15 anos; brotinho.

➧brousse (bruç). [Fr.] *S. f. Geog.* Formação estépica da África, caracterizada pela presença de vegetação rasteira de gramíneas misturada com algumas árvores e arbustos. [Sin. (ingl.): *bush.*]

browniano. (brau). *Adj.* ~ V. *movimento* —.

broxa. [Do fr. *brosse.*] *S. f.* **1.** Pincel grande, de pêlos ordinários, empregado em caiação e noutros tipos de pintura pouco apurada. ● *S. m.* **2.** *Bras. Chulo.* Indivíduo sem potência sexual. ● *Adj. 2 g.* **3.** *Bras. Chulo.* Diz-se de indivíduo broxa. [Cf. *brocha.*]

broxado. [Part. de *broxar.*] *Adj.* Pintado com broxa (1). [Cf. *brochado.*]

broxante. [De *broxa* + *-nte.*] *S. m.* **1.** Aprendiz de pintor, encarregado de preparar as tintas, transportá-las e dar as primeiras demãos. ● *Adj. 2 g.* **2.** *Bras. Chulo.* Que torna broxa (2). **3.** *Bras.* Cansativo, enfastiante.

broxar. *V. t. d.* **1.** Pincelar, pintar com broxa. *Int.* **2.** *Bras. Chulo.* Perder, ocasional ou definitivamente, a potência sexual: tornar-se broxa (2). [Pres. subj.: *broxe*, etc. Cf. *broche*, s. m., e o v. *brochar.*]

broxura. *S. f. Bras. Chulo.* Estado de broxa (2); impotência sexual. [Cf. *brochura.*]

bruaá. [Do fr. *brouhaha.*] *S. m.* Ruído confuso que se eleva na multidão: "Passa a turba em farândola envolvente, / Num doido bruaá febricitante..." (Olegário Mariano, *Toda uma Vida de Poesia*, I, p. 36.)

bruaca. [De *burjaca*, atr. de **brujaca.*] *S. f. Bras.* **1.** Saco ou mala de couro cru, para transporte de objetos e mercadorias sobre bestas. [Var., MG: *buraca.*] **2.** Bolsa de couro. [Cf. (nestas acepç.): *priaca.*] **3.** V. *bruxa* (2). **4.** V. *meretriz.* ◆ **Bater bruacas.** *Bras., S.* Sair a viajar, a andar à toa.

bruaqueiro. *Adj.* **1.** *Bras.* Diz-se do animal de carga que transporta bruacas. ● *S. m.* **2.** Animal que transporta bruacas. **3.** *Bras.* Roceiro que conduz víveres das fazendas para os mercados das povoações. **4.** *Bras.* Tropeiro, arrieiro. **5.** V. *caipira* (1). **6.** *Bras., BA.* Garimpeiro inábil.

brucelose. *S. f. Patol.* Moléstia infecciosa causada por bactérias do gênero *Brucella*, comum aos bovinos, caprinos e suínos, por eles transmitida ao homem, e que provoca febre, anemia, nevralgias, dores articulares e suores; frebre de Malta, febre do Mediterrâneo, febre ondulante.

brucina. *S. f. Quím.* Alcalóide existente na noz-vômica, cristalino, branco, muito amargo, venenoso, usado em medicina. [Fórm.: $C_{23}H_{26}O_4H_2H_2O$.]

brucita. [Do antr. *Bruce*, de *A. Bruce*, mineralogista e médico norte-americano (1777-1818), + *-ita*[3].] *S. f. Min.* Mineral trigonal, hidróxido de magnésio.

bruco. *S. m. Bras.* V. *caruncho* (1).

bruços. *El. s. m. pl.* Us. na loc. adv. *de bruços.* ◆ **De bruços.** Com o ventre e o rosto voltados para baixo, em posição horizontal.

brucutu. *S. m. Bras.* Veículo blindado usado pela polícia para dispersar manifestantes, em comícios, passeatas, etc.

bruega. *S. f.* **1.** *P. us.* Chuva miúda e passageira. **2.** *Pop.* V. *bebedeira* (1). **3.** *Bras.* V. *rolo*[1] (16). ● *S. m.* **4.** *Pop.* V. *ébrio* (8).

brugalhau. *S. m. Bras.* **1.** Var. de *burgalhau.* **2.** V. *seixo rolado.*

brugalheira. *S. f. Bras., SP.* Terra difícil de cultivar porque contém muitos brugalhaus.

brúgia. [Do top. *Bruges* + *-ia.*] *S. f.* Estamenha, tecido

grosseiro de lã.
bruguéia. *S. f. Bras., PB.* **1.** Cova nas serras e nos outeiros. **2.** Lugar de acesso difícil.
bruguelo. *S. m. Bras., N.E.* Menino muito novo.
brujarara. [De or. tupi, ou alter. de *borralhara*.] *S. f. Bras.* V. *borralhara*.
brulho. *S. m.* Bagaço de azeitonas.
brulote. [Do fr. *brûlot*.] *S. m.* **1.** *Ant.* Embarcação carregada de matérias inflamáveis e explosivas, e destinada a levar fogo aos navios inimigos; balsa de fogo. **2.** Banca de pouco dinheiro (no jogo do monte). **3.** *Fig.* Pessoa de opiniões exaltadas.
bruma. [Do lat. *bruma*.] *S. f.* **1.** Nevoeiro, neblina, cerração. **2.** Cerração, pouco densa (especialmente no mar). **3.** Turvação da transparência atmosférica, causada pela poeira, fumaça, poluição, etc.; névoa seca. **4.** *Fig.* Falta de nitidez, de clareza: *Suas lembranças perdem-se na bruma do passado.*
brumaça. [De *bruma* + *-aça*.] *S. f.* Bruma espessa.
brumaceiro. *Adj.* V. *brumoso* (1).
brumadense. *Adj. 2 g.* **1.** De, ou pertencente ou relativo a Brumado (BA). ● *S. 2 g.* **2.** Natural ou habitante de Brumado.
brumado. *Adj.* **1.** Brumoso, nevoento. ● *S. m.* **2.** *Bras., SP.* Moita cerrada e baixa. [Var. (nesta acepç.): *bromado*.]
brumal. *Adj. 2 g.* **1.** Relativo ou pertencente a bruma. **2.** *Fig.* Triste, sombrio, melancólico.
brumário. [Do fr. *brumaire*.] *S. m. Cronol.* V. *calendário republicano*.
brumbrum. *Adj. 2 g. Bras.* Que fala de maneira atrapalhada e ininteligível por não saber a língua.
brumoso (ô). *Adj.* **1.** Em que há bruma; nevoento, brumaceiro: "as manhãs um pouco brumosas e os dias de chuva" (Carlos de Gusmão, *Boca da Grota*, p. 10). **2.** Mal delineado; vago, incerto: *os primeiros e brumosos passos de filosofia grega.*
bruneano. *Adj.* **1.** De, ou pertencente ou relativo a Brunei, sultanato ao norte de Bornéu. ● *S. m.* **2.** O natural ou habitante de Brunei.
brunete (ê). [De *bruno* + *-ete*.] *Adj. 2 g.* Um tanto acastanhado, tirante a escuro.
bruneliácea. *S. f.* Espécime das bruneliáceas.
bruneliáceas. *S. f. pl. Bot.* Família da ordem das rosales, constituída por plantas lenhosas, de folhas opostas ou verticiladas e flores inconspícuas, que encerra só 18 espécies de um único gênero, e não ocorre no Brasil.
bruneliáceo. *Adj.* Pertencente ou relativo às bruneliáceas.
brunhir. *V. t. d. P. us.* V. *Brunir*.
bruniácea. *S. f.* Espécime das bruniáceas.
bruniáceas. *S. f. pl. Bot.* Família de plantas superiores, da ordem das rosales, composta de subarbustos providos de flores pequeninas dispostas em inflorescências capituliformes. Tem 75 espécies, não ocorrentes no Brasil.
bruniáceo. *Adj.* Pertencente ou relativo às bruniáceas.
brunido. [Part. de *brunir*.] *Adj.* **1.** Polido, lustrado: brilhante, luzidio: *unhas brunidas.* **2.** Diz-se de roupa ou tecido engomado, lustroso. **3.** *P. ext.* Bem-acabado, acabado, esmerado, aprimorado. **4.** *Fig.* Pedantesco, afetado, engomado: *frase brunida.*
brunidor (ô). *Adj.* **1.** Que brune. ● *S. m.* **2.** Aquele que brune. **3.** Utensílio ou instrumento próprio para brunir; polidor. **4.** *Grav.* Instrumento de aço, encabado e mais ou menos longo usado pelos gravadores para anular no metal os traços defeituosos, ou formar meios-tons nas placas gravadas à maneira-negra. **5.** *Encad.* Peça lisa de aço, de feitios variados, e encabada, que se usa para lustrar o couro das encadernações. **6.** *Encad.* V. *brunidor de ágata.* ◆ **Brunidor de ágata.** *Encad.* Instrumento constituído por um cabo ao qual se fixa uma ponta de ágata, às vezes recurva, e usado para lustrar o corte dos livros após a douração. [Tb. se diz apenas *brunidor*; sin.: *pedra de brunir, ágata, dente-de-lobo*.] **Brunidor de polé.** *Tip.* Roldana com escovas, para a limpeza mecânica das matrizes linotípicas.
brunidura. *S. f.* **1.** Ato ou efeito de brunir. **2.** O brilho obtido com o brunidor.
brunir. [Do frâncico **brûnjan*, atr. do provenç. ant. *brunir*.] *V. t. d.* **1.** Tornar brilhante, luzidio; polir, lustrar: *brunir a espada;* "Outra gema era um esplêndido ônix, representando Minerva, distraída, tendo nos braços Amor, que esfregava e brunia a couraça da deusa para mirar-se como num espelho." (João Ribeiro, *Crepúsculo dos Deuses*, pp. 55-56). **2.** Dar lustre a (roupa engomada). **3.** Aprimorar, esmerar, aperfeiçoar; apurar: *brunir o estilo.* [Defect. Não se conjuga na 1ª pess. sing. do pres. ind., nem no pres. subj., derivado daquela pessoa. Var.: *brunhir* (p. us.), com palatalização, e *burnir*, com metátese.]
bruno. [Do frâncico *brûn*, atr. do provenç. *bruno*.] *Adj.* **1.** *P. us.* Escuro, sombrio. **2.** *Fig.* Sombrio, tristonho.
brunoniácea. *S. f.* Espécime das brunoniáceas.
brunoniáceas. *S. f. pl. Bot.* Família de plantas superiores, da ordem das campanulales, formada por uma espécie australiana do gênero *Brunonia*. É erva perene, com folhas rosuladas e flores em capítulo terminal.
brunoniáceo. *Adj.* Pertencente ou relativo às brunoniáceas.
bruquídeo. *S. m.* **1.** Espécime dos bruquídeos. ● *Adj.* **2.** Pertencente ou relativo a eles.
bruquídeos. *S. m. pl. Zool.* Família de insetos da ordem dos coleópteros, à qual pertencem pequenos insetos de corpo curto e forte, cabeça prolongada anteriormente, com os últimos cinco a sete segmentos antenais alargados. As larvas vivem nas sementes de leguminosas; são brocas do feijão e da ervilha.
brurajara. *S. f. Bras.* V. *borralhara*.
brusca. [Do lat. *ruscu*, cruzado com o lat. tardio *brucu*.] *S. f. Bras.* Arbusto lenhoso, da família das ramnáceas (*Discaria longispina*), muito ramoso e espinhoso, quase desprovido de folhas, com flores insignificantes, inseridas em fascículos, e frutos capsulares.
brusco. [Do it: *brusco*, 'áspero, rude', atr. do fr. *brusque*, com alter. de sentido.] *Adj.* **1.** Áspero, severo, ríspido, desabrido: *Homem brusco; observação brusca.* **2.** Precipitado, inconsiderado, arrebatado: *gesto brusco; palavras bruscas.* **3.** *P.* ext. Repentino, imprevisto, inesperado, súbito: *mudança brusca; vento brusco.* **4.** Desagradável, incerto (tempo). **5.** Áspero, violento, rude: *ruído brusco; mar brusco.*
brusquense. *Adj. 2 g.* **1.** De, ou pertencente ou relativo a Brusque (SC). ● *S. 2 g.* **2.** Natural ou habitante de Brusque.
brusquidão. *S. f.* Qualidade de brusco; brusquidez.
brusquidez (ê). *S. f.* Brusquidão: "Esta renúncia é uma prova, entre muitas, da brusquidez do temperamento de Feijó." (Oliveira Viana, *Pequenos Estudos de Psicologia Social*, p. 194.)
brussa. *S. f.* Var. de *brossa* (2).
bruta. [Fem. substantivado do adj. *bruto*.] *El. s. f.* Us. na loc. adv. *à bruta.* ◆ **À bruta.** Com brutalidade; violentamente, desabridamente; brutalmente: "uma vez que Mirandão quis agarrar uma negrinha à bruta, no areal do União, eu não deixei..." (Jorge Amado, *Dona Flor e Seus Dois Maridos*, p. 433).
brutal. *Adj. 2 g.* **1.** Próprio de bruto (13); da natureza do bruto; animal, bestial: *instinto brutal; paixão brutal.* **2.** Cruel, desumano, perverso, bárbaro: *carcereiro brutal; crime brutal.* **3.** Impetuoso, bravio, violento, rude, irrefreável: *temperamento brutal* **4.** Furioso, violento; medonho, terrível: *Uma tempestade brutal assolou a região.* **5.** Grosseiro, rude, chocante: *franqueza brutal; realismo brutal.* **6.** Bruto (9): *coragem brutal; inteligência brutal; choque brutal.*
brutalidade. *S. f.* **1.** Qualidade de brutal. **2.** Ação brutal; selvageria, violência. **3.** Grosseria, incivilidade, insolência : *Não diga brutalidades.* [Sin. ger.: *brutidade, bruteza, brutidão*.]
brutalizar. *V. t. d.* **1.** Tornar bruto; embrutecer, brutificar, estupidificar: *A falta de estudos e as más companhias brutalizaram-no.* **2.** Tratar com brutalidade; maltratar, seviciar: *Não castigava os filhos: brutalizava-os. P.* **3.** Tornar-se bruto; embrutecer-se, brutificar-se.
brutamonte. *S. m.* Var. de *brutamontes* [q. v.].
brutamontes. [De *bruto*.] *S. m. 2 n.* **1.** Homem muito alto, corpulento, monstruoso. **2.** Indivíduo asselvajado, muito bruto. [Var.: *brutamonte*.]
brutelo. [De *bruto*?] *S. m. Bras., GO.* V. *surubimpintado*.
brutesco (ê). *Adj.* **1.** Feito canhestramente, grosseiro, tosco: *desenho brutesco.* **2.** Bruto, selvagem, agreste. **3.** Ridículo, grotesco: *os ademanes brutescos do novo-rico.* ● *S. m.* **4.** *Ant.* Representação artística de coisas brutas ou agrestes, como animais, plantas, rochas, etc.
bruteza (ê). *S. f.* V. *brutalidade*.
brutidade. *S. f.* V. *brutalidade*.
brutidão. *S. f.* V. *brutalidade*.
brutificador (ô). *Adj.* Que brutifica.
brutificar. *V. t. d. e p.* **1.** Tornar(-se) bruto; embrutecer (-se), brutalizar(-se). **2.** Bestificar(-se), estupidificar(-se), aparvalhar(-se), pasmar(-se). [Conjug.: v. *trancar*.]
bruto. [Do lat. *brutu*.] *Adj.* **1.** Tal como é encontrado na natureza: *matéria bruta; mineral bruto.* **2.** Não trabalhado ou modificado ou manufaturado; em bruto: *madeira bruta; granito bruto; lã bruta.* **3.** Não lapidado ou polido: *diamante bruto; mármore bruto.* **4.** Grosseiro, tosco, rude, abrutalhado: *feições brutas; móvel bruto* **5.** Agreste, inculto, selvagem, bravio: *terreno bruto.* **6.** Rude, rústico, selvagem, bárbaro: *povo bruto.* **7.** Sem educação; grosseiro, rude, incivil, grosso: *sujeito bruto.* **8.** Violento, brutal, bárbaro: *crime bruto; capanga bruto.* **9.** Desmedido, excessivo, brutal: *Teve um bruto choque ao ler a notícia.* **10.** Sem decréscimo ou abatimento; inteiro, completo, total, integral: *peso bruto; renda bruta.* [Cf. (nesta acepç.): *líquido* (2).] **11.** Fora do comum; extraordinário: "abre a janela, / olha o curral: / — um bruto sossego no curral!" (Jorge de Lima, *Obra Completa*, I. p. 300.) **12.** Repugnante, asqueroso, repelente: "Apodrecia c'um fétido e bruto / cheiro, que o ar vizinho inficionava." (Luís de Camões, *Os Lusíadas*, V, 82). ~ V. *dado —, diamante —, força —a, fórmula —a, lucro —, produto nacional —, seda —a sertão — e tonelagem —a.* ● *S. m.* **13.** O animal irracional (por oposição ao homem). **14.** Indivíduo bruto (7 e 8). ◆ **Em bruto. 1.** Não trabalhado; bruto: *algodão em bruto.* **2.** Não cultivado ou desenvolvido: *inteligência em bruto.*
bruxa. [De uma base pré-romana **brouxa*.] *S. f.* **1.** Mulher que faz bruxarias; feiticeira, maga, mágica: *As bruxas eram perseguidas e castigadas pela Inquisição.* **2.** *P.* ext. Mulher feia e/ou rabugenta; brùaca, canhão, carcaça, coruja, cuca, jabiraca, medusa, megera, muxiba, seresma, serpe, serpente, urucaca, xaveco. **3.** *Bras.* Boneca de pano. **4.** Pavio de lamparina. **5.** *Bras.* V. *mariposa* (1). **6.** *Bras., BA. Pop.* Tipo de borboleta preta. **7.** *Bras., GO. Folcl.* A última das sete filhas de um mesmo casal que não foi batizada pela irmã mais velha, e que se transforma em coruja, que, à noite, entra pelo telhado e pelas janelas para chupar o sangue de crianças, bebe cachaça e pia forte, voando e soltando gargalhadas.
bruxaria. *S. f.* **1.** Ação maléfica atribuída a bruxos ou magos; magia negra. **2.** Acontecimento que, à falta de explicação, se atribui supersticiosamente a artes diabólicas ou a espíritos sobrenaturais. [Sin. (bras. na maioria), nestas acepç.: *bagata, bozó, bruxedo, caborje, carochas, coisa-feita, despacho, feitiçaria, feitiço, fungu, macumba, malfeito, mandinga, mandraca, mandraquice, mocó* ou *mocó, mundrunga, pajelança, sacaca, salgação, sortilégio, trabalho*.] **3.** *P. ext.* V. *magia* (1).
bruxear. *V. int.* Fazer bruxarias. [Conjug.: v. *frear*.]
bruxedo (ê). *S. m.* V. *bruxaria* (1 e 2).
bruxelense. *Adj. 2 g.* **1.** De, ou pertencente ou relativo a Bruxelas, capital da Bélgica. ● *S. 2 g.* **2** Natural ou habitante de Bruxelas. [Sin. ger.: *bruxelês*.]
bruxelês. *Adj.* e *s. m.* Bruxelense. [Flex.: *bruxelesa* (ê), *bruxeleses* (ê), *bruxelesas* (ê).]
bruxismo. [De *bruxo* + *-ismo*.] *S. m. Med.* Ação de ranger os dentes durante o sono.
bruxo. *S. m.* **1.** Aquele que faz bruxarias. **2.** V. *mago* (3). **3.** *Bras.* Boneco de pano usado para trabalhos maléficos de bruxaria. ◆ **Bruxo do Inferno.** V. *diabo* (2).
bruxomania. *S. f. Med.* Sintoma de neurose que se caracteriza pelo excessivo ranger de dentes.
bruxuleante. *Adj. 2 g.* Que bruxuleia.
bruxulear. [Do esp. *brujulear*.] *V. int.* **1.** Oscilar frouxamente (chama ou luz): *A lamparina bruxuleava noite adentro.* **2.** Brilhar fracamente; lançar trêmulas cintilações; tremeluzir: *Bruxuleiam as longínquas estrelas;* "Os caminhos de Elêusis eram vários, pois bruxuleava, agora, em cada coração, a luz de um amor independente" (Ronald de Carvalho, *Pequena História da Literatura Brasileira*, p. 211). **3.** Ir-se extinguindo (chama ou luz): *A última das velas bruxuleava.* **4.** *Fig.* Produzir os últimos estertores; agonizar: *A antiga paixão bruxuleava. T. d.* **5.** Fazer oscilar frouxamente (a chama ou a luz): "São lamparinas de azeite, que bruxuleiam uma luz morta" (Maurício de Medeiros, *Homens Notáveis*, p. 127). [Conjug.: v. *frear*.]
bruxuleio. [Dev. de *bruxulear*.] *S. m.* Ato ou efeito de bruxulear.
bruzundanga. *S. f. Bras.* Var. de *burundanga*.
btu. *S. m. Fís.* Unidade de medida de energia, igual à necessária, sob forma térmica, para elevar a temperatura de uma libra de água de 39°F a 40°F, e que corresponde a 1060,4 J.
bu. *Bras. S. 2 g.* **1.** Indivíduo dos bus, tribo indígena extinta do MA. ● *Adj. 2 g.* **2.** Pertencente ou relativo a essa tribo.
▲**bu-.** [Do gr. *boús*.] *El. comp.* = 'boi': *bucentauro, buftalmia.*

buágana. *Bras. S. 2 g.* **1.** Indivíduo dos buáganas, tribo das imediações do alto rio Tiquié e do rio Piraparaná, afluente do Apaporis, os quais falam uma língua tucano. ● *Adj. 2 g.* **2.** Pertencente ou relativo a essa tribo.
buara. [De possível or. tupi.] *S. f. Bras., BA.* Espécie de peixe.
búbalo. [Do gr. *boúbalos*, pelo lat. *bubalo.*] *S. m.* Espécie de antílope africano que tem os cornos em forma de *U* ou de lira e mede 1,30 m. [Cf. *búfalo* (1).]
bubão. [Do gr. *boubôn.*] *S. m. Patol.* **1.** Íngua. **2.** Adenite. [Sin. ger.: *bubo* e *encórdio.*]
bubo. *S. m.* V. *bubão.*
▲**bubon(o)-.** [Do gr. *boubón, ônos.*] *El. comp.* = 'virilha': *bubonalgia.*
bubônica. [Fem. substantivado de *bubônico.*] *S. f.* Peste bubônica.
bubônico. *Adj.* Pertencente ou relativo a bubão. ~ V. *peste —a.*
bubônida. *S. m.* e *adj. 2 g.* V. *estrigídeo.*
bubônidas. *S. m. pl.* V. *estrigídeos.*
bubonídeo. *S. m.* e *adj.* V. *estrigídeo.*
bubonídeos. *S. m. pl. Zool.* V. *estrigídeos.*
bubonocele. [Do gr. *boubonekéle.*] *S. f. Patol.* Hérnia inguinal.
bubu[1]. *S. m.* Túnica (3) longa, semelhante ao traje típico do mesmo nome usado por certos negros africanos.
bubu[2]. *S. m. Bras. Inf.* V. *bunda*[1] (1 e 2).
bubuia. [Do tupi *be'bui*, 'leve', e, pois, 'flutuante'.] *S. f. Bras., Amaz.* **1.** Ação de bubuiar. **2.** Coisa leve e flutuante. ◆ **De bubuia.** *Bras., Amaz.* Boiando ao sabor da corrente; flutuando, sobrenadando: "Carregam [as águas], d e b u b u i a , a colheita flutuante, para espalhá-la, erraticamente, em outros lugares, numa tarefa inconsciente de reflorestamento." (Raul Bopp, *Putirum*, p. 204.)
bubuiar. [De *bubuia* + *-ar*[2].] *V. int. Bras., Amaz.* Boiar no sentido da correnteza das águas; flutuar, sobrenadar.
bubuituba. [De *bubuia* + tupi *tiba*, 'muito'.] *S. f. Bras., Amaz.* Bóia, flutuador.
bucã. *Bras. S. 2 g.* **1.** Indivíduo dos bucãs, tribo indígena que habitava em MG. ● *Adj. 2 g.* **2.** Pertencente ou relativo a essa tribo.
buçá. *S. m. Bras., MG.* Cabresto de couro cru, usado no adestramento dos eqüinos.
bucal. [Do lat. *bucca*, 'boca', + *-al.*] *Adj. 2 g.* Relativo ou pertencente à boca; oral [q. v.]. [Cf. *bocal.*] ~ V. *cinta — e maçarico —.*
buçal. [Do esp. plat. *bozal.*] *S. m.* **1.** *Bras., S.* Arreio da cabeça e pescoço do cavalo, o qual se compõe de *focinheira, cabeçada, fiador* e cedeira. **2.** *Bras., SP.* Cabresto simples. **3.** *Bras., MG.* Saquinho em que se dá milho a animais, e com que se pegam animais soltos no potreiro. [Neste último caso, leva-se no buçal um pouco de milho, que se vai sacudindo para que o animal não se afaste. Dim. irreg.: *buçalete.* Cf. *boçal.*]
buçalar. *V. t. d. Bras., S.* Pôr o buçal em; embuçalar.
buçalete (ê). *S. m. Bras; S.* **1.** Pequeno buçal. **2.** Cabresto aperfeiçoado.
bucaneiro. [Do fr. *boucanier* < tupi *moka'e*, 'carne defumada'.] *S. m.* **1.** Pirata, dos que infestavam as Antilhas nos sécs. XVI e XVII. **2.** Caçador de bois selvagens. **3.** Espingarda usada por uns e outros.
bucaré. *S. m. Bras.* V. *açacurana.*
bucarestense. *Adj. 2 g.* e *s. 2 g.* Bucarestino.
bucarestino. *Adj. 2 g.* **1.** De, ou pertencente ou relativo a Bucareste, capital da Romênia (Europa). ● *S. m.* **2.** O natural ou habitante de Bucareste. [Sin. ger.: *bucarestense.*]
búcaro. *S. m.* Púcaro.
bucéfalo. [De *Bucéfalo*, famoso cavalo de Alexandre Magno (v. *alexandrino*[2]).] *S. m.* **1.** Corcel de batalha. **2.** Cavalo fogoso. **3.** *Pop.* Cavalo ordinário; sendeiro, pileca. **4.** *Fig.* Indivíduo estúpido, grosseiro, grosso; cavalo.
bucelário[1]. [Do lat. *bucellariu.*] *S. m. Ant.* Homem livre adjunto a uma família poderosa que o patrocinava e até mesmo o sustentava, a troco de certos serviços, principalmente militares: "No império godo os b u c e l á r i o s vinham a ser o mesmo que os clientes dos romanos, homens livres adictos às famílias poderosas" (Alexandre Herculano, *Eurico, o Presbítero*, p. 305).
bucelário[2]. [Do lat. *buccella*, 'boquinha'.] *Adj.* Que tem forma de pequena boca.
bucentauro. [De *bu-* + *centauro.*] *S. m.* **1.** *Mit.* Centauro com corpo de boi. **2.** Galeão suntuoso, com essa figura esculpida à proa, e em que embarcava o doge de Veneza por ocasião das suas núpcias simbólicas com o mar.
bucha. [Do fr. ant. *bouche.*] *S. f.* **1.** Pedaço de madeira ou de outro material, que serve para tapar rombos, orifícios, fendas, etc.; tampão. **2.** Chumaceira (1). **3.** Qualquer luva de metal de baixa fricção destinada a apoiar uma peça em rotação. **4.** Pau roliço com que se brunem as solas dos calçados. **5.** Bocado de pão ou de outra comida. **6.** Comida que empanturra e de pouco valor alimentício. **7.** Pessoa ou coisa muito incômoda, desagradável, importuna, ou sem valor. **8.** Engano, logro, burla. **9.** *Eng. Elét.* Isolador singelo ou múltiplo geralmente de forma alongada, com um ou mais furos longitudinais através dos quais passa um ou mais condutores, e que isola ou protege na travessia de obstáculos como paredes, tanques de transformadores, etc. **10.** *Ind. Pap.* Estanga (2). **11.** *Bras.* Planta trepadeira ou prostrada, da família das cucurbitáceas (*Luffa cylindrica*), cultivada e subespontânea, de origem africana. O fruto é uma baga muito comprida que, na maturidade, apresenta no interior uma rede lenhosa, a qual extraída e lavada fornece esponja para banho; os frutos verdes ainda não têm tal rede, e são comestíveis como legume, assim como os brotos. [Sin., nessa acepç.: *bucha-dos-paulistas, bucha-dos-pescadores, fruta-dos-paulistas, quigombô-grande, esfregão.*] **12.** *Bras.* Material fibroso oriundo do fruto seco dessa planta, usado na fabricação de bolsas, tapetes, chinelos e outras peças de artesanato. **13.** *Bras.* Espécie de esfregão feito com esse material. **14.** *Bras.* Pedaço de madeira, plástico, etc., que se embute numa parede ou noutra superfície, para nela se introduzirem pregos ou parafusos destinados a sustentar ou prender algo pesado; chapuz. **15.** *Bras.* Círculo de couro, borracha, plástico. etc., empregado na obturação do conduto de registros ou torneiras. **16.** *Bras.* Pedaço de pano, estopa ou outro material, que se põe na parte inferior, e aberta, dos balões [v. *balão* (2)], para se lhe atear fogo e, pelo aquecimento do ar interior, fazê-los subir. ◆ **Em cima da bucha.** *Bras. Fam.* V. *na bucha.* **Na bucha.** *Bras. Fam.* No mesmo momento; sem demora; em cima da bucha, em cima da sovela, em cima do lance, na fumaça da pólvora.
buchada[1]. *S. f.* **1.** Grande bucha. **2.** Grande maçada; estopada. **3.** Grande prejuízo. **4.** *Bras., BA.* Grupo ou reunião de mulheres feias e sem atrativos.
buchada[2]. *S. f.* **1.** Bucho e entranhas de animais. **2.** *Fig.* Grande quantidade; fartadela. **3.** *Bras., N.* e *N.E.* Panelada das vísceras e intestinos do carneiro (ou do bode) cuidadosamente preparados.
bucha-dos-caçadores. *S. f. Bras., PE.* V. *buchinha.* [Pl.: *buchas-dos-caçadores.*]
bucha-dos-paulistas. *S. f. Bras.* **1.** Planta da família das cucurbitáceas (*Gurania paulista*), de flores alaranjadas e fruto com propriedades purgativas. **2.** V. *bucha* (11). **3.** V. *buchinha.* [Pl.: *buchas-dos-paulistas.*]
bucha-dos-pescadores. *S. f. Bras.* V. *bucha* (11). [Pl.: *buchas-dos-pescadores.*]
bucheiro[1]. [De *bucha* (8) + *-eiro.*] *S. m. Pop.* Indivíduo que tem por hábito comer qualquer coisa como pretexto para beber. [Cf. *buxeiro.*]
bucheiro[2]. [De *bucho* + *-eiro.*] *S. m.* V. *tripeiro* (1). [Cf. *buxeiro.*]
buchela. [Do fr. *bouchelle?*] *S. f.* Pequena tenaz ou alicate de que se utilizam os ourives, joalheiros, esmaltadores, etc.
buchinha. [Dim. de *bucha.*] *S. f. Bras.* Trepadeira da família das cucurbitáceas (*Luffa operculata*), de flores amarelo-claras e fruto drástico. [Sin.: *abobrinha-do-norte, purga-dos-paulistas, bucha-dos-paulistas* e *bucha-dos-caçadores* (PE), *purga-de-joão-pais* (AM e CE), *cabacinho, cabacinha* (SP).]
bucho. *S. m.* **1.** Estômago dos mamíferos e dos peixes. **2.** *Pop.* O estômago do homem. **3.** *Bras. Pop.* Ventre, barriga. **4.** *Bras. Gír.* Mulher muito feia e/ou velha. **5.** V. *chapéu-de-frade* (3). **6.** *Bras., AM. Pop.* Prostituta reles. **7.** *Bras., RS. Pop.* V. *meretriz.* [Cf. buxo.] ◆ **De bucho.** Em estado de gravidez.
bucho-de-boi. *S. m. Bras., L.* Árvore da família das bignoniáceas (*Zeyheria tuberculosa*), de flores amarelas manchadas de púrpura, fruto capsular e madeira usada para construção civil. [Sin.: *bolsa-de-pastor, mandioquinha, marfim* e (MG) *velame-do-mato.* Pl.: *buchos-de-boi.*]
bucho-de-piaba. *S. f. Bras. Fam.* Pessoa indiscreta, que não guarda segredos; bucho-furado. [Pl.: *buchos-de-piaba.*]
bucho-furado. *S. m. Bras. Fam.* Bucho-de-piaba. [Pl.: *buchos-furados.*]
buchudo. *Adj. Bras. Pop.* **1.** Que tem ventre ou bucho proeminente; barrigudo. **2.** Diz-se de mulher ou qualquer fêmea prenhe.
bucim. *S. m. Mar.* Peça em forma de anel chanfrado, colocada no fundo de algumas caixas de gaxeta para forçar a gaxeta contra a haste ou eixo que ela abraça, impedindo que por aí vaze vapor, água, óleo, etc.
bucinador (ô). [Do lat. *buccinatore*, 'tocador de corneta'.] *Adj.* e *s. m.* ~ V. *músculo —.*
bucle. [Do fr. *boucle.*] *S. m.* **1.** Anel que formam os cabelos frisados. **2.** Pequena mecha de cabelo enrolada em forma de caracol, que se usa em certos tipos de *mise-en-plis* [q. v.]. [Var.: *bucre.*]
buco. *S. m.* Designação comum da duas plantas medicinais da família das rutáceas: *Parapetalifera betulina* e *P. serratifolia.*
▲**buco-.** [Do lat. *bucca, ae.*] *El. comp.* = 'boca': *bucofaríngeo.*
buço. [Do lat. *bucceu*, der. de *bucca*, 'boca'.] *S. m.* **1.** Penugem no lábio superior do homem e de algumas mulheres; lanugem, penugem. **2.** Pêlos do focinho de vários animais.
bucobu. *Bras. S. 2 g.* **1.** Indivíduo dos bucobus, tribo indígena do Tocantins. ● *Adj. 2 g.* **2.** Pertencente ou relativo a essa tribo.
bucofaringe. [De *buco-* + *faringe.*] *S. f. Anat.* A parte da faringe que está em contato com a boca.
bucofaríngeo. [De *buco-* + *faríngeo.*] *Adj.* Relativo à bucofaringe.
bucolabial. [De *buco-* + *labial.*] *Adj.* Referente à boca e aos lábios.
bucólica. [Fem. substantivado do adj. *bucólico.*] *S. f.* V. *écloga.*
bucólico. [Do gr. *boukolikós*, pelo lat. *bucolicu.*] *Adj.* **1.** Pertencente ou relativo à vida e costumes do campo e dos pastores; campestre, pastoril. **2.** *P. ext.* Da, pertencente ou relativo à natureza ou à vida natural; campestre: *paisagem* b u c ó l i c a. **3.** Que gosta do campo ou da natureza. **4.** Que canta ou exalta as belezas do campo, da vida campestre, da natureza; pastoril: "Cabras andam à cata de poetas b u c ó l i c o s que as celebrem." (Agripino Grieco, *São Francisco de Assis* e a *Poesia Cristã*, p. 8.) **5.** Simples, singelo; puro, ingênuo. ● *S. m.* **6.** Indivíduo bucólico; bucolista.
bucolismo. *S. m.* **1.** Qualidade de bucólico. **2.** Poesia bucólica [v. *bucólico* (4)]. **3.** Caráter bucólico, pastoril, de certas obras artísticas ou literárias.
bucolista. [Do lat. *bucolista.*] *S. 2 g.* **1.** Poeta ou poetisa que escreve bucólicas. **2.** Bucólico (6).
bucolizar. *V. int.* Fazer bucólicas ou bucolismo.
bucônida. *S. m.* e *Adj. 2 g.* V. *buconídeo.*
bucônidas. *S. m. pl. Zool.* V. *buconídeos.*
buconídeo. *S. m.* **1.** Espécime dos buconídeos. ● *Adj.* **2.** Pertencente ou relativo a eles.
buconídeos. *S. m. pl. Zool.* Aves piciformes, insetívoras, da família *Buconidae*, de bico mais ou menos grosso, maxila curvada na extremidade, e plumagem sem cores brilhantes. Vivem isoladas ou aos bandos, nas matas, clareiras ou descampados. São, entre outras, o macuru, o joão-bobo, o bico-de-brasa, o urubuzinho.
bucrânio. [Do gr. *boukránios*, pelo lat. *bucraniu.*] *S. m.* Ornamento arquitetônico greco-romano inspirado numa cabeça descarnada de boi.
bucre. *S. m.* Var. de *bucle*: "Ela: — graciosa e gárrula, no seu vestido de anquinhas, rococó; .... coroada por b u c r e s encaracolados e nevados" (Martins Fontes, *A Dança*, p. 51).
bucu. [De possível or. tupi.] *S. m. Bras., N.E.* Tubérculo radicular de plantas como o imbuzeiro, a maniçoba e outras.
buçu. [Do tupi *bu'su.*] *S. f. Bras., AM.* Palmeira (*Manicaria saccifera*) cujo estipe alcança 3 a 5 m de altura e 3 cm de espessura. As folhas atingem 5 a 7 m, e suas bainhas secas persistem sobre o caule; o espádice é grande e ramificado, indo de 1 a 1,5 m; o fruto é uma drupa esférica e suberosa por fora, e contém de 1 a 3 sementes. [Var.: *ubuçu.*]
bucumbumba. *S. m. Bras.* V. *berimbau* (2).
bucuuva. *S. f. Bras.* V. *bicuíba-de-folha-miúda.*
bucuva. *Adj. 2 g.* e *s. 2 g. Bras.* Simplório, parvo, pateta, sandeu.
budapestense. *Adj. 2 g.* **1.** De, ou pertencente ou relativo a Budapeste, capital da Hungria (Europa). ● *S. 2 g.* **2.** Natural ou habitante de Budapeste. [Sin. ger.: *budapestino.*]
budapestino. *Adj.* e *s. m.* Budapestense.
➡**budget** (budgé). [Fr., de or. ingl.] *S. m.* Cálculo das receitas e despesas de um Estado ou de uma comunidade de qualquer (em geral), e, p. ext., de um particular; orçamento.
budião. *S. m. Bras.* V. *bodião*[1].
búdico. *Adj.* Budístico.
budismo. *S. m. Filos.* Sistema ético, religioso e filosófico

fundado por Siddharta Gautama, o Buda (Ásia Central, 563-483 a. C.), difundido por todo o L. asiático, e que consiste fundamentalmente no ensinamento de como, pela conquista do mais alto conhecimento, se escapa da roda dos nascimentos e se chega ao nirvana. Por volta do séc. III separaram-se dois ramos diferentes do budismo: o budismo hinaiana e o budismo maaiana. [Cf. *darsana*.] ♦ **Budismo hinaiana.** *Filos.* Ramo ortodoxo do budismo, também chamado *pequeno veículo*, e que se espalhou pelo S. da Ásia. [Tb. se diz apenas *hinaiana*.] **Budismo maaiana.** *Filos.* Ramo do budismo, também chamado *grande veículo*, difundido principalmente por todo o N. da Ásia, e que se opõe ao budismo primitivo por considerar que, muito embora a aspiração final deva ser o nirvana, deva este, por compaixão, ser adiado, a fim de que o sábio possa dedicar-se a ensinar aos outros o caminho da salvação. [Tb. se diz apenas *maaiana*.] **Budismo zen.** *Filos.* V. *zen*.

budista. *Adj. 2 g.* **1.** Pertencente ou relativo ao budismo. **2.** Que é adepto do budismo. ● *S. 2 g.* **3.** Adepto desse sistema.

budístico. *Adj.* Relativo a, ou próprio do budismo; búdico.

budléia. *S. f.* Arbusto ornamental, cultivado, da família das loganiáceas (*Buddleia japonica*), originário do Japão e dotado de flores lilases.

buduna. [Alter. de *borduna*.] *S. f. Bras., PE. Pop.* **1.** V. *cacete* (1). **2.** V. *surra* (1).

bué. [Voc. onomatopéico de choro de criança.] *S. m. Bras. Pop.* Berreiro de criança; choradeira. ♦ **Abrir o bué.** *Bras. Pop.* Abrir no berreiro: "Margarida abriu o bué, perdendo-se, em seguida, em convulsões de tosse." (Humberto Crispim Borges, *Chico Melancolia*, p. 43.)

bueira. [De *bueiro*.] *S. f.* **1.** Abertura no telhado para dar saída à fumaça. **2.** *Constr. Nav.* Orifício circular feito no fundo da embarcação miúda, junto à quilha, na altura da seção mestra, e que se fecha com o bujão, para que as águas aí acumuladas possam escoar-se ao ser a embarcação içada ou posta em seco. [Cf. *bueiro* (6).]

bueiro. [De *bua*, 'água', pal. inf., do lat. *bua*, + *-eiro*.] *S. m.* **1.** Abertura, natural ou construída, por onde escoam águas. **2.** Tubulação que atravessa os muros ou paredões de sustentação (de terrenos, ruas ou estradas) e serve para dar escoamento às águas subterrâneas, pluviais, ou de rios e riachos. **3.** Conjunto de caixa e tampa de ferro gralhada, localizado nas sarjetas, e pelo qual entram as águas pluviais das ruas que escorrem para os coletores subterrâneos. [Sin. (nesta acepç.) no MA e SP: *boca-de-lobo*.] **4.** Tubulação de esgoto. **5.** Respiradouro de fornalha. **6** *Constr. Nav.* orifício feito nas hastilhas, de um ou de outro lado da sobrequilha, ou nas longarinas, a fim de permitir o escoamento das águas para a rede de esgoto, no fundo do navio. [Cf. *bueira*.] **7.** *Bras., N.E.* Chaminé de engenho, usina ou fábrica; catimplora: "O engenho de Seu Lula mostrava o seu bueiro pequeno, com um pedaço caído." (José Lins do Rego, *Ficção Completa*, I, p. 287.)

buenacho. [Var. de *buenaço*.] *Adj. Bras., RS.* **1.** Muito bom; excelente. **2.** Afável, amável. **3.** Bondoso, generoso. [F. paral.: *buenaço*.]

buenaço. [Do esp. plat. *buenazo*.] *Adj. Bras., RS.* Buenacho.

buena-dicha. [Do esp. *buena dicha*, 'boa sorte'.] *S. f.* Sorte, sina. [Pl.: *buenas-dichas*.] ♦ **Ler a buena-dicha de.** V. *ler a sorte de*.

buenairense. *Adj. 2 g.* e *s. 2 g.* V. *portenho*.

bueno-brandense. *Adj. 2 g.* **1.** De, ou pertencente ou relativo a Bueno Brandão (MG). ● *S. 2 g.* **2.** Natural ou habitante de Bueno Brandão. [Pl.: *bueno-brandenses*.]

buenopolense. *Adj. 2 g.* **1.** De, ou pertencente ou relativo a Buenópolis (MG). ● *S. 2 g.* **2.** Natural ou habitante de Buenópolis.

bufa. [Dev. de *bufar*.] *S. f. Pleb.* Ventosidade que se escapa pelo ânus sem ruído.

bufã. [Do fr. *bouffant*, 'bufante'.] *Adj.* ~ V. *papel* —.

bufador (ô). *Adj.* **1.** Que bufa. **2.** *Bras.* V. *fanfarrão* (1). ● *S. m.* **3.** Aquele que bufa. **4.** *Bras.* V. *fanfarrão* (2). **5.** *Bras. BA.* Respiradouro da baleia.

bufalino. *Adj.* Relativo ou pertencente a búfalo.

búfalo. [Do gr. *boúbalos*, pelo lat. cláss *bubalu* e tardio *bufalu*.] *S. m.* **1.** Mamífero ruminante, espécime dos cavicórneos, boi selvagem, de pêlo fulvo e ralo, cauda curta, crânio rijo, e chifres achatados e acabanados. [Cf. *búbalo*.] **2.** O couro curtido desse animal: *bolsa de búfalo.* **3.** O chifre desse animal, de que se fazem vários objetos.

bufante. [Do fr. *bouffant(e)*.] *Adj. 2 g. Gal.* Diz-se da vestimenta ou de parte dela, franzida e inflada, que fica folgada e afastada do corpo: *blusa bufante, mangas bufantes.*

bufão. [Do it. *buffone*.] *S. m.* **1.** *Teat.* V. *bufo*³ (1). **2.** V. *fanfarrão* (2).

bufar. [Da onom. *buf*, correspondente a 'sopro', + *-ar*.]. *V. int.* **1.** Expelir fortemente o ar pela boca e/ou pelo nariz: *O leão, acuado, bufava; Sentou-se exausto, bufando.* **2.** Expelir fumaça ou vapores; fumegar: *A locomotiva bufa, assobia e parte.* **3.** Enfurecer-se, encolerizar-se. **4.** Mostrar-se soberbo ou valente; impor, fanfarronar, fanfarrear, blasonar. **5.** *Bras.* Dar bufas. *T. d.* **6.** Soprar com força; expelir pela boca e/ou nariz: *O dragão bufava chamas.* **7.** Expelir (fumaça ou outra emanação): *A chaminé bufava rolos de fumo; O sol bufa intenso calor.* **8.** Alardear, ostentar, arrotar: *bufar façanhas. T. i.* **9.** Vangloriar-se, jactar-se; bazofiar: *bufar de valente.* [Var., bras., S.: *bufir*. Cf. *bofar*.]

bufarinhas. [Da onom. *buf*, do sopro, atr. da forma **bufaria*.] *S. f. pl.* Objetos pouco valiosos, vendidos pelos negociantes ambulantes; quinquilharias, bugigangas.

bufarinheiro. *S. m.* **1.** Vendedor ambulante de bufarinhas: "uma caixa de pinho chata e quadrada, em que os bufarinheiros trazem as agulhas, as linhas, as rendas, os lenços finos de cambraia e a coleção dos sabonetes." (Ramalho Ortigão, *Banhos de Caldas e Águas Minerais*, p. 63). **2.** V. *adeleiro*.

bufê. [Do fr. *buffet*.] *S. m. Bras.* **1.** V. *aparador* (3). **2.** Mesa para servir iguarias, bebidas, etc., em casamentos, bailes, coquetéis e outras reuniões. **3.** *P. ext.* O serviço de iguarias, bebidas, etc., quer fixo, quer volante, em tais reuniões: *Encomendou-se o bufê a um dos melhores hotéis da cidade.* **4.** *P. ext.* O conjunto das iguarias servidas nessas reuniões: *o bufê estava muito variado.* **5.** Compartimento onde se servem comidas e bebidas, em estações de viagem, teatros, cinemas, etc.; bar. [F. paral.: *bufete*.] ♦ **Bufê frio.** Aquele do qual só constam iguarias preparadas com antecedência e servidas frias.

bufete (ê). [Do fr. *buffet*.] *S. m.* V. *bufê*. [Cf. bofete.]

➧**buffer** (báfar). [Ingl.] *S. m. Proc. Dados.* Dispositivo de armazenamento de caráter transitório utilizado durante uma operação de transferência ou transmissão de dados entre unidades de armazenamento ou de processamento que operam com tempo de acesso, velocidades ou formatos distintos.

bufido. *S. m. Bras., S.* Bufo¹ (2).

bufir. *V. int., t. d.* e *t. i. Bras., S.* Var. de *bufar*.

bufo¹. [Dev. de *bufar*.] *S. m.* **1.** Ação de bufar. **2.** Som que se produz bufando; bufido.

bufo². [Do lat. *bubo* (clássico), *bufo* (vulg.).] *S. m.* **1.** Ave noturna, da família das estrigídas; corujão. **2.** *Fig.* Homem avarento, usurário. **3.** *Fig.* Indivíduo misantropo.

bufo³. [Do it. *buffo*.] *S. m. teat.* **1.** Ator ou personagem de comédia ou farsa encarregado de fazer rir o público com mímicas, esgares, etc.; bufão, truão, saltimbanco, mimo, momo, gracioso. ● *Adj.* **2.** Cômico, burlesco, fescenino, farsesco: "Aqui, uma sucessão de aventuras, de lances bufos, de episódios burlescos findava em drama, sangue, pranto, gritos e estertores de agonia" (Nunes Pereira, *Moronguetá*, I, p. 7).

bufonada. *S. f.* bufonaria.

bufonaria. *S. f.* **1.** Dito ou ação de bufo³ (1) ou bufão. **2.** Palhaçada, chocarrice. [Sin. ger.: *bufonada*.]

bufonear. *V. int.* **1.** Representar o papel de bufo³ (1) ou bufão: *Os farsistas da Idade Média bufoneavam de cidade em cidade.* **2.** Agir como bufo ou bufão; dizer ou fazer bufonarias; truanear, chocarrear. *T. d.* **3.** Representar burlescamente: *Os momos romanos bufoneavam as comédias de Terêncio.* [Conjug.: v. *frear*.]

bufonídeo. *S. m.* **1.** Espécime dos bufonídeos. ● *Adj.* **2.** Pertencente ou relativo a eles.

bufonídeos. *S. m. pl. Zool.* Família de anfíbios da subclasse dos anuros, faneroglossos, que têm órgãos auditivos completamente desenvolvidos, pupilas verticais, boca desprovida de dentes, pele áspera coberta de verrugas glanulares, as quais produzem um líquido acre. Ex.: sapo-cururu, sapo-boi ou sapo-gigante.

buftalmia. [De *bu-* + *-oftalm(o)-* + *-ia*.] *S. f. Med.* Aspecto que assume o globo ocular distendido no glaucoma congênito, e que se assemelha ao do globo ocular bovino.

buftálmico. *Adj.* Relativo à buftalmia.

buftalmo. *S. m.* Planta ornamental, cultivada em jardins, da família das compostas *(Buphtalmum salicifolium)*, de origem européia, e cujas flores são amarelas.

bugalho. *S. m.* **1.** Galha arredondada ou coroada de tubérculos que se forma nos carvalhos. **2.** Noz-de-galha. **3.** Qualquer objeto de forma aproximadamente esférica. **4.** *P. ext. Pop.* O globo ocular: "a infeliz se torcia gemendo, os bugalhos doloridos fixos nas crianças" (Graciliano Ramos, *Infância*, p. 127).

bugalhudo. *Adj.* **1.** Que tem forma de bugalho. **2.** Arregalado, esbugalhado: *olhos bugalhudos.*

buganvília. [Do lat. científico *Bougainvillea*, do antr. *Bougainville*, de Louis Antonine de Bougainville, navegador francês (1729-1811).] *S. f.* V. *sempre-lustrosa*.

buge. *Bras. S. 2 g.* **1.** Indivíduo dos buges, tribo indígena do N., das margens do rio Juruá. ● *Adj. 2 g.* **2.** Pertencente ou relativo a essa tribo.

bugia¹. [Do top. *Bugia*, cidade da Argélia donde vinham estas velas.] *S. f.* **1.** Pequena vela de cera. **2.** Castiçal pequeno. **3.** *Cir.* Sonda para a uretra.

bugia². *S. f.* A fêmea do bugio.

bugiado. [De *bugio* + *-ado*¹.] *Adj.* Diz-se do eqüídeo cuja cor lembra a do bugio.

bugiar. *V. int.* **1.** Fazer bugiarias. **2.** Fazer estacas com o bugio (5). ~ V. *ir* — e *mandar* —.

bugiaria. *S. f.* **1.** Gestos ou trejeitos que lembram os do bugio; momice, macaquice. **2.** V. *bugiganga* (1 e 2).

bugiganga. [Do esp. ant. *boxiganga*.] *S. f.* **1.** Objeto de pouco ou nenhum valor ou utilidade; quinquilharia, bugiaria. **2.** V. *ninharia*. **3.** Espécie de rede de pescar; cerco. **4.** *Teat.* Pequena companhia volante de farsantes, no teatro espanhol do século XVI. **5.** *Teat. Ant.* Mogiganga (1).

bugio. [Do top. *Bugia*, cidade da Argélia donde vinha o animal.] *S. m.* **1.** *Bras.* V. *guariba* (1). **2.** *P. ext.* V. *macaco* (1). **3.** *Fig.* Indivíduo que imita os outros; macaqueador. **4.** Macaco (4). **5.** *Bras.* Indivíduo feio e engraçado. **6.** *Bras., SP.* Engenhoca primitiva de fabricação de açúcar. ● *Adj.* **7.** *Bras.* Feio e engraçado.

bugio-preto. *S. m. Bras.* V. *guariba-preto*. [Pl.: *bugios-pretos*.]

bugle. *S. m. Bras.* Cada um dos dois tipos mais agudos (*sopranino* em mi bemol e *soprano* em si bemol) da família dos saxornes.

buglossa. [Do gr. *bouglossa*, 'língua de boi'.] *S. f.* Língua-de-vaca (1).

bugra. *S. f. Bras.* Fem. de *bugre*.

bugrada. *S. f.* **1.** *Bras., S.* Grupo de índios ou bugres; bugraria. **2.** *Bras., PR.* Ação de bugre, ou própria de bugre.

bugraria. *S. f.* **1.** *Bras.* Bugrada (1). **2.** *Bras., SP.* Região habitada por bugres.

bugre. [Do fr. *bougre*.] *Bras. S. 2 g.* **1.** Indivíduo dos bugres, tribo indígena do S., da região entre os rios Iguaçu e Piquiri e as cabeceiras do Uruguai. **2.** Designação genérica dada ao índio, especialmente o bravio e/ou aguerrido. **3.** Indivíduo desconfiado, arredio. **4.** *Fig.* Indivíduo inculto, grosseiro, rude. ● *Adj. 2 g.* **5.** Pertencente ou relativo a bugre (1). [Fem.: *bugra*.]

bugreiro. *S. m. Bras., S.* Caçador de bugres [v. *bugre* (1 e 2)].

bugrinho. [Dim. de *bugre*.] *S. m. Bras.* V. *chá-de-bugre*.

bugrismo. *S. m. Bras.* **1.** Ascendência índia. **2.** Interesse pelos bugres; indianismo. **3.** Ação de bugre (4); grosseiria, rudeza.

búgula. [Do lat. tardio *bugula*.] *S. f.* Planta européia da família das labiadas (*Ajuga reptans*), encontrável em lameiros e em bosques úmidos, à qual se atribuem virtudes farmacêuticas; ajugaíba, erva-de-são-lourenço, erva-férrea, língua-de-boi.

buído. [Part. de *buir*.] *Adj.* Puído, polido.

buinho (u-í). *S. m. Bras.* Vime (1).

buiquense (u-i). *Adj. 2 g.* **1.** De, ou pertencente ou relativo a Buíque (PE). ● *S. 2 g.* **2.** Natural ou habitante de Buíque.

buir. [Var. de *puir*.] *V. t. d.* Puir; polir: *buir a lâmina da espada;* "Já o trigo aloirava pela seara e as ceifeiras buíam na pedra as suas setoiras recurvas, quando, uma tarde, ... se notou que ele [o rouxinol] partira." (José Vieira, *Sol de Portugal*, p. 40); "Em cima da rocha / Me assento ferino / Com gesto assassino / Buindo um punhal." (Junqueira Freire, *Obras Poéticas*, I, p. 94).

buítra. *S. f.* Peça dos antigos prelos, que servia para dar firmeza à árvore da prensa.

buiuçu. [Do tupi.] *S. m. Bras., PA.* Árvore da família das leguminosas papilionáceas (*Ormosia coutinhoi*), de folhas compostas e flores roxas; boiaçu, boiuçu, boçu.

bujamé. [De or. afr.] *S. m.* **1.** Instrumento de sopro, usado por indígenas angolanos. **2.** *Bras., CE.* Mulato claro, do tipo sarará. **3.** *Bras.* Moleque de cozinha. ● *Adj. 2 g.* **4.** *Bras.* Diz-se de gado bovino, ou de bovídeo, de certa pelagem escura.

bujão. [Do fr. *bouchon*.] *S. m.* **1.** Bucha com que se tapam buracos. **2.** Cunha pequena para apertar cavilhas. **3.** *Tip.* Cada um dos pinos que, na unidade fundidora da monotipo, trancam as queixadas e dispõem a caixa de matrizes na posição desejada. **4.** *Bras.* Tampa de atarraxar, metálica ou de outro material, usada para vedação de orifícios em tonéis, tanques, veículos automóveis, etc. **5.** *Bras.* Recipiente metálico ou de outro material, usado para armazenar produtos voláteis; botijão: *bujão de gasolina.* **6.** *Bras.* Recipiente metálico, usado para entrega de gás a domicílio; botijão.

bujarrona. *S. f.* **1.** *Marinh.* Vela triangular içada entre o mastro de vante e o gurupés ou a proa da embarcação à vela: "A toalha de espuma, rasgada para um lado e para outro, tufou, ferveu, subiu, alcançou parte do convés, molhou a bujarrona" (Josué Montello, *Cais da Sagração,* p. 159). [Cf. *vela de estai* e *giba* (2).] **2.** *Fig.* Insulto; afronta. **3.** *Bras.* Papagaio de papel, em forma de polígono regular. **4.** *Bras. Mar. G. Gír.* Colarinho de ponta virada, que se usa com casaca. [Var. (pop., bras.): *bisarrona.*]

bujaruense. *Adj. 2 g.* **1.** De, ou pertencente ou relativo a Bujaru (PA). ● *S. 2 g.* **2.** Natural ou habitante de Bujaru.

bujé[1]. *S. m. Bras.* V. *folha-redonda.*

bujé[2]. *Bras. S. 2 g.* **1.** Indivíduo dos bujés, tribo indígena do AM, habitante das margens dos rios Juruá e Jutaí, afluentes do Solimões. ● *Adj. 2 g.* **2.** Pertencente ou relativo a essa tribo.

buji. [Do cariri.] *S. m.* **1.** *Bras., SP.* Erva tenra que brota com as primeiras chuvas. **2.** *Bras., CE.* Capinzal.

bujiguara. [De *buji* + o tupi *u'har,* 'o que come'.] *S. m. Bras., SP.* Espécie de sapinhos (1).

bula. [Do lat. *bulla,* 'bola'.] *S. f.* **1.** Antigo selo de ouro, prata ou chumbo, pendente de documentos emitidos por papas e outros soberanos, e que resultava da compressão do metal entre dois cunhos. **2.** *Rel.* Na Igreja Católica Apostólica Romana, carta pontifícia de caráter especialmente solene. **3.** Impresso que acompanha um medicamento e contém informações acerca de sua composição e posologia; prospecto. ~ V. *bulas.* ◆ **Bula da cruzada. 1.** Outrora, bula papal que concedia indulgências a quem contribuía com armas ou dinheiro para combater os infiéis. **2.** Concessão de indulgência a quem contribui materialmente para a fundação de seminários, reparação de edifícios eclesiásticos, etc.

bular. *V. t. d. ant.* Selar com *bula* (1). [Cf. *bolar.*]

bulário. *S. m.* **1.** Coleção de bulas pontifícias. **2.** Antigo funcionário eclesiástico encarregado da compilação e registro das bulas; bulista.

bulas. [Pl. de *bula.*] *S. f. pl.* Habilitações, qualificações; títulos, direitos: *Com que bulas pretende ele ser nomeado embaixador?* ~ V. *bula.*

bulático. *Adj.* **1.** Relativo a bula. **2.** Diz-se da forma de letra em que foram escritas as bulas papais até 1878.

bulbáceo. *Adj. Morfol. Veg.* Semelhante a bulbo (1 e 2). [Var.: *bolbáceo.*]

bulbar. *Adj. 2 g.* **1.** Do, ou relativo ao bulbo (3): *paralisia bulbar.* **2.** V. *bulboso.* ~ V. *oliva* —.

▲**bulbi-.** [Do lat. *bulbus, i.*] *El. comp.* = 'tubérculo': *bulbífero.*

bulbífero. [De *bulbi-* + *-fero.*] *Adj. Morfol. Veg.* Portador de bulbo (1 e 2): *planta bulbífera.* [Var.: *bolbífero.*]

bulbiforme. [De *bulbi-* + *-forme.*] *Adj. 2 g. Bot.* Em forma de bulbo (1 e 2). [Var.: *bolbiforme.*]

bulbígero. [De *bulbi-* + *-gero.*] *Adj. Bot.* Que forma bulbo (1 e 2): *espécie bulbígera.* [Var.: *bolbígero*]

bulbilho. *S. m. Bot.* Gema aérea transformada em órgão de multiplicação vegetativa, do qual resulta um vegetal que pode crescer e formar nova planta adulta. Surgem também na axila de folhas normais, como em inflorescências (*Agave,* p. ex.). [Var.: *bolbilho.*]

bulbilífero. [De *bulbilho* + *i* de ligação + *-fero.*] *Adj. Bot.* Que produz bulbilho: *escapo bulbilífero.* [Var.: *bolbilífero.*]

bulbilogema. *S. f. Bot.* Gema axilar em forma de bulbilho. [Var.: *bolbilogema.*]

bulbo. [Do lat. *bulbu.*] *S. m.* **1.** *Morfol. Veg.* Tipo de caule, subterrâneo ou aéreo, dominado por grande gema terminal suculenta colocada sobre um eixo encurtado basal. Ocorre, p. ex., na cebola. **2.** *Morfol. Veg.* Dilatação globosa existente na base do talo de certas algas feofíceas. [Var., nessas acepç.: *bolbo.*] **3.** *Anat.* V. *bulbo raquiano.* **4.** *Anat.* Qualquer parte orgânica globulosa: *bulbo ocular.* **5.** *Eletrôn.* Envoltório metálico ou de vidro, de uma válvula eletrônica. [Dim. irreg.: *bulbilho.*] ◆ **Bulbo raquiano.** *Anat.* Segmento do sistema nervoso central que, em direção ascendente, continua a medula espinhal e, por sua vez, se comunica com a ponte, estando situado adiante do cérebro; bulbo raquidiano, bulbo. **Bulbo raquidiano.** *Anat.* V. *bulbo raquiano.*

bulbóide. [De *bulbo* + *-óide.*] *Adj. 2 g. Morfol. Veg.* Em forma de bulbo. [Var.: *bolbóide.*]

bulbomania. [De *bulbo* + *-mania.*] *S. f. Bot.* Produção anormalmente elevada de bulbos. [Var.: *bolbomania.*]

bulboso (ô). [Do lat. *bulbosu.*] *Adj.* Que tem bulbo; bulbar. [Var.: *bolboso.*]

bulbul. *S. m.* Certa ave canora da Índia: "os bandos doudejantes / De pardais e bulbuis cantam nas faias" (Luís Delfino, *Algas e Musgos,* p. 153). [Pl.: *bulbuis.*]

bulcão. [Var. de *vulcão.*] *S. m.* **1.** Nevoeiro espesso que precede a borrasca: "Os bulcões conglobados corriam um para o outro e multiplicavam-se, vomitando novos castelos de nuvens, que se difundiam, flutuando enoveladas com formas incertas." (Alexandre Herculano, *Eurico, o Presbítero,* p. 52.) **2.** Redemoinho de vapores, líquidos ou partículas sólidas em suspensão: *O vulcão agitava densos bulcões.* **3.** Nuvem de fumaça: "Chaminés enormes .... atiram aos ares bulcões de fumo, enovelados, densos." (Júlio Ribeiro, *A Carne,* p. 136.) **4.** Trevas, escuridão.

buldogue. [Do ingl. *bull-dog.*] *S. m.* Cão originário da Grã-Bretanha, musculoso, de altura em torno de 34 cm, cabeça volumosa e maciça, focinho curto e achatado, pescoço arqueado e com barbela, orelhas pequenas e pêlo curto de cor fulva e branca ou branca e mosqueada.

buldôzer. [Do ingl. *bulldozer.*] *S. m.* Equipamento de terraplenagem que consiste numa lâmina de aço adaptável a um trator, e destinado a escavar e deslocar, a pequenas distâncias, terras e outros materiais. [Pl.: *buldôzeres.*]

bule. [Do malaio *búli,* 'frasquinho de louça da Índia, de gargalo estreito'.] *S. m.* Recipiente com tampa, asa e bico, em que se serve chá, café, chocolate, etc.

bule-bule. *S. m. Jog. Inf.* Jogo de roda, iniciado por uma criança, que se volta para o vizinho da direita e, repetindo algum gesto com as mãos (como agitá-las, p. ex.), pergunta-lhe: "— Quer comprar um bule-bule?" — ao quê a outra indaga: "— Que bule-bule?" —, tendo como resposta: "— Aquele que bole, bole." Põe-se, então, a segunda a imitar o gesto da primeira (que continua a fazê-lo), dirigindo-se à terceira da roda para com ela travar o mesmo diálogo, e assim por diante, até que todas fiquem gesticulando igualmente, cabendo à primeira recomeçar a brincadeira com um novo movimento. [Pl.: *bules-bules* e *bule-bules.*]

buleiro. *S. m.* Antigo funcionário eclesiástico que distribuía a bula da cruzada [q. v.].

bulevar. [Do fr. *boulevard.*] *S. m.* Rua larga, arborizada; avenida.

bulevardismo. [Do fr. *boulevard,* 'bulevar', + *-ismo.*] *S. m.* Caráter, espírito, ambiente, criatividade própria dos bulevares (especialmente os de Paris): "Este homem, que há vinte anos trilha o Bulevar, não tem (louvado ele seja, e por tal louvor louve ele a Deus!) um traço mínimo de bulevardismo." (Eça de Queirós, *Notas Contemporâneas.* p. 554).

bulgariana. *S. f. Bras.* Tecido ordinário, comumente em padronagem de xadrez, usado em blusões e vestidos: "ela despe o vestido de bulgariana, caminha para as ondas" (James Amado, *Chamado do Mar,* p. 16).

búlgaro. *Adj.* **1.** Da, ou pertencente ou relativo a Bulgária (Europa). ● *S. m.* **2.** O natural ou habitante desse país. **3.** A língua dos búlgaros. [V. *eslavo* (1).]

bulha. [Do esp. *bulla.*] *S. f.* **1.** Confusão de sons; barulho, ruído: "uma bulha de passos apagando-se, mais e mais, a cada volta da escada" (D. João da Câmara, *Contos,* p. 131). **2.** Gritaria confusa; vozearia: "Assim a transporto comigo, na bulha dum comboio aceso, repleto de gente" (Aquilino Ribeiro, *Filhas de Babilônia,* p. 18). **3.** Altercação, discussão, briga, rixa; desordem. ◆ **Bulha cardíaca.** *Med.* O ruído normal do coração.

bulhão. *Adj.* e *s. m.* V. *bulhento* (1 e 3). [Fem.: *bulhona.* Cf. *bolhão.*]

bulhar. V. *int.* **1.** Fazer bulha, motim, desordem: *Os boêmios bulharam durante a noite inteira.* **2.** Discutir, brigar, altercar. *T. i.* **3.** Ter bulhas; brigar, rixar: *bulhar com o desafeto.* [Cf. *bolhar.*]

bulharaça. *S. f. Pop.* Grande bulha; barulheira, barulhada; inferneira.

bulhento. *Adj.* **1.** Que faz bulha, que é dado a bulhas; desordeiro, arruaceiro, bulhão. **2.** Ruidoso, barulhento: *As ruas do meu bairro são agitadas e bulhentas.* ● *S. m.* **3.** Aquele que faz ou é dado a bulhas; desordeiro; arruaceiro, bulhão.

bulhona. *Adj.* (*f.*) e *S. f.* Fem. de *bulhão* [q. v.].

bulhufas. [Por *bolhufas,* de *bolhas*?] *Pron. indef. Bras. Gír.* Coisa nenhuma; nada, brisas: "— Para lhe ser franco, não estou entendendo bulhufas do que você está dizendo." (Adovaldo Fernandes Sampaio, *O Sol na Rede,* p. 13.) [Var. *bulufas* (q. v.).]

bulício. [De *bulir.*] *S. m.* **1.** Rumor contínuo e indefinido de coisas ou de vozes; burburinho: *o bulício das feiras; o bulício da platéia.* **2.** Sussurro ou murmúrio contínuo: *o bulício das folhagens, do riacho.* **3.** Ausência de tranqüilidade; agitação, movimentação de coisas e pessoas; burburinho: "Ficamos em Nice, num hotel sossegado rodeado de árvores, longe do bulício das avenidas do litoral." (Gilberto Amado, *Depois da Política,* p. 53.) **4.** Tumulto, agitação; desordem, motim.

buliçoso (ô). [Por *bulicioso,* de *bulício* + *-oso.*] *Adj.* **1.** Que bole ou se move sem parar; agitado, movediço: *ramos buliçosos; ondas buliçosas.* **2.** Desenvolto, ativo, vivo, esperto: *espírito buliçoso.* **3.** Turbulento, irrequieto, travesso: *crianças buliçosas.*

bulideiro. *Adj.* Que bole, que se agita.

buliforme. *Adj. 2 g.* Que tem forma de ampola.

bulimia. [Do gr. *boulimía,* 'fome de boi'.] *S. f. Patol.* Apetite insaciável. [Sin.: *abarcia, acoria, aplestia, cinorexia, licorexia* e (pop.) *fome canina.* Cf. *hiperorexia.*]

bulimo. *S. m. Bras.* Designação comum aos moluscos gastrópodes da família dos estrofoqueilídeos, particularmente as espécies do gênero *Strophocheilus* Spix. Vivem geralmente nas matas e terrenos alagadiços, podendo algumas espécies atingir até 15 cm de comprimento. Põem ovos brancos, de casca dura, facilmente confundíveis com ovos de pombos, e que medem até 4 cm. [Sin.: *aruá-do-mato, caramujo-do-mato.*]

bulinete (ê). [Var. de *bolinete.*] *S. m. Bras.* Bicame onde se deita o cascalho diamantino para o lavrar. [Cf. *bolinete.*]

bulir. [Do lat. *bullire,* 'ferver'.] *V. t. i.* **1.** Mover, agitar, balançar de leve: *Anda bulindo com os quadris.* **2.** Tocar, mexer, mover de leve: *Acordou mal o bandido buliu no ferrolho da janela.* **3.** Pôr as mãos; tocar: *Antes de sair, recomendou que não bulissem nos livros.* **4.** Mover, movimentar: "Quem com muitas pedras bole, uma na cabeça lhe cai." (prov.). **5.** Falar, tocar: *Não bula nesse assunto.* **6.** Caçoar, mexer: "o ancião aparecia possesso, gaguejando, sem saber o que falar. Já sabíamos por quê — os meninos da rua haviam bulido com ele" (Reginaldo Guimarães, *Uma Blusa no Cais,* p. 50). **7.** *Bras.* Seduzir, deflorar: *Buliu com a moça; T. d.* **8.** Mover, agitar de leve: *A brisa bulia as folhas das palmeiras. Int.* e *p.* **9.** Mexer-se, agitar-se de leve; mudar de posição: *Tinha tal medo de cair de cima da escada que mal ousava bulir; Aterrorizado, nem se bulia.* [Conjug.: v. *acudir.* Irreg. Muda o *u* da raiz em o na 2ª e 3ª pess. sing. e 3ª pl. do pres. ind., e na 2ª sing do imperat.: *boles, bole, bolem; bole.*]

bulista. *S. m.* Bulário (2).

bulufas. *Pron. indef. Bras. Gír.* Var. de *bulhufas:* "— Mas, Susana, não estou entendendo bulufas. — Deus me livre, que cara mais tapado!" (Cora Rónai Vieira e Paulo Rónai, *Aventuras de Fígaro,* p. 61.)

bululu[1]. [Voc. onom.] *S. m. Bras., Amaz.* Bolhas de ar produzidas pelos haustos da respiração dos peixes grandes e da tartaruga.

bululu[2]. *S. m. Teat.* Ator ambulante do teatro espanhol do séc. XVI, que representava sozinho, de cidade em cidade, comédias, entremezes, ou loas.

bum[1]. [Do ingl. *boom.*] *S. m. Telev.* Braço de extensão móvel para o microfone ou câmara de TV usada em estúdio.

bum[2]. *Interj.* Imitativa de estrondo, estampido, queda, pancada, etc.

bumba[1]. [Var. de *bombo.*] *S. m. Bras., CE. Pop.* V. *bombo* (1).

bumba[2]. [Voc. onom.] *Interj.* **1.** Imitativa de pancada, estouro, queda, etc. **2.** Zás. ● *S. m.* **3.** *Bras., PB* e *PE.* V. *bumba-meu-boi* (1).

bumba-boi. [De *bumbar* + *boi.*] *S. m. Bras., MA.* V. *bumba-meu-boi (1).*

bumba-meu-boi. [De *bumbar* + *meu* + *boi.*] *S. m.* **1.** *Bras.* Bailado popular cômico-dramático, organizado em cortejo, com personagens humanos (Pai Francisco, Mateus, Bastião, Arlequim, Catirina, Capitão Boca-Mole, etc.), animais (o Boi, a Ema, a Cobra, o Cavalo-Marinho, etc.) e fantásticos (a Caipora, o Diabo, o Morto-Carregando-o-Vivo, o Babau, o Jaraguá, etc.), cujas peripécias giram em torno da morte e ressurreição do boi. [Sin.: *boi, boi-bumbá, boi-calemba, boi-calumba, boi-de-mamão, boi-de-melão, boi-melão, boi-de-reis, boi-pintadinho, boi-surubi(m), boizinho, bum-*

ba, bumba-boi, cavalo-marinho, rei-de-boi, reis-de-boi, reisado cearense.] **2.** Bras., PA. Grande panela em que se prepara comida para muita gente. [Pl. bumbas-meu-boi.]
bumbar. [De bumba² + -ar.] V. t. d. Bras., N. Surrar, espancar, esbordoar.
bumbo. S. m. V. bombo (1).
bumbum¹. [Voc. onom.] S. m. **1.** Estrondo contínuo, repetido. **2.** Som de zabumba.
bumbum². S. m. Bras. Fam. V. bunda¹ (1 e 2).
bumerangue. [De wo-mur-rang, voc. de um dialeto australiano, atr. do ingl. boomerang.] S. m. **1.** Arma de arremesso usada pelos indígenas australianos, feita de madeira escavada e arqueada, e que, após descrever curvas, volta a um ponto próximo daquele de onde foi atirada. ● Adj. **2.** ~ V. cheque —.
bunda¹. [Do quimb. mbunda.] S. f. **1.** As nádegas [q. v.] e o ânus. [Sin.: cu, traseiro, e (bras., AL) jaca.] **2.** A parte carnosa do corpo formada pelas nádegas. S. 2 g. **3.** Bras. Chulo. Indivíduo reles, ordinário; bunda-suja. **4.** Bras. Chulo. V. joão-ninguém. [P. us. em Portugal.] ● Adj. 2 g. **5.** Reles, ordinário, sem valor. ◆ **Bunda de tanajura.** Bras. Chulo. Bunda grande e/ou muito protuberante: "Era uma bunda e tanto, das de tanajurà." (Jorge Amado, Dona Flor e Seus Dois Maridos, p. 391.) **Nascer com a bunda para a Lua.** Bras. Pop. Ter muita sorte; nascer empelicado.
bunda². Adj. 2 g. e s. 2 g. V. bundo.
bundá. [De possível or. afr.] S. m. Bras. V. cacaréus.
bundaça. [De bunda¹ + -aça.] S. f. Bras. V. bundona.
bunda-de-mulata. S. f. Bras. V. amarelinha¹ (1). [Pl.: bundas-de-mulata.]
bunda-mole. [De bunda + mole².] S. 2. g. Pessoa moleirona, sem coragem, pusilânime; pé-de-chinelo. [Pl.: bundas-moles.]
bundana. [De bunda¹ + -ana.] S. f. Bras. V. bundona.
bundão. [De bunda¹ + -ão.] S. m. Bras. V. bundona. ~ V. bundões.
bunda-suja. [De bunda + o fem. do adj. sujo.] S. 2 g. Bras. Chulo. **1.** V. bunda¹ (3). **2.** V. joão-ninguém. [Pl.: bundas-sujas.]
bundear. [De bunda + -ear, com infl. de vagabundear.] V. int. Bras. pop. Andar ao léu, vagabundear [q.v.]. [Conjug.: v. frear.]
bundo. [Do quimb. mbundu, 'negros'.] S. m. **1.** Indivíduo dos bundos, indígenas bantos de Angola; ambundo, quimbundo. **2.** A língua dos bundos; ambundo, quimbundo. **3.** P. ext. Qualquer língua de negros; bunda. **4.** Maneira incorreta de exprimir-se; linguagem estropiada. ● Adj. **5.** Pertencente ou relativo aos bundos; bunda, ambundo, quimbundo. **6.** Diz-se da língua bunda; bunda, ambundo, quimbundo. **7.** Diz-se da maneira estropiada ou incorreta de exprimir-se [F. paral.: bunda.]
▲**-bundo.** [Do lat. -bundu.] Suf. = 'que pratica a ação': meditabundo (< lat. meditabundu), pensabundo.
bundões. S. m. pl. Bras., BA e GO. Grupo de garimpeiros, jagunços e criminosos do sertão baiano que, filiados a uma facção política, cometiam as maiores violências. ~ V. bundão.
bundona. S. f. Bras. Bunda¹ (2) grande; bundaça, bundana, bundão.
bundudo. Adj. Que tem bundona; ancudo, quartudo: "as meninas do Manuel do Carmo, Chico Lisboa e Maneta, umas roxas peitudas e bundudas" (Bernardo Élis, Veranico de Janeiro, p. 24).
buneva. S. m. Bras. V. anduiá (1).
bungar. V. int. Bras., N.E. V. tibungar. [Conjug.: v. largar.]
bunho. S. m. Lus. V. tabua.
bunodonte. S. m. **1.** Espécime dos bunodontes. ● Adj. 2 g. **2.** Pertencente ou relativo a eles. [Sin. ger: suíno.]
bunodontes. S. m. pl., Zool. Animais metazoários, cordados, vertebrados, mamíferos, artiodáctilos, subordem Bunodontia. Têm de 38 a 44 dentes, sendo os caninos bem desenvolvidos e os molares providos de cúspides cônicas e baixas, e são desprovidos de chifres ou apêndices cefálicos. [Sin.: suínos.]
buprestídeo. Adj. **1.** Pertencente ou relativo aos buprestídeos. ● S. m. **2.** Espécime dos buprestídeos.
buprestídeos. S. m. pl. Zool. Família de insetos coleópteros, muitos deles notáveis por suas cores cambiantes.
buque. [Do frâncico bûk, atr. do cat. buc.] S. m. **1.** Embarcação empregada especialmente como auxiliar de galeão de pesca: "Um pequenino barco .... cruza com o Cap. Polônio. Correrias pelo tombadilho para ver o buque passar." (Jaime Adour da Câmara, Oropa, França e Bahia, p. 29.) **2.** Lus. Grande lancha, mais rasa que o galeão, sem coberta e com uma vela bastarda, empregada na pesca com cerco¹ (11). **3.** Bras. Gír. V. cadeia (3).
buquê. [Do fr. bouquet.] S. m. **1.** V. ramalhete (1). **2.** Reunião de pequenas coisas que formam como que um ramalhete. **3.** Perfume agradável de um bom vinho de mesa, resultante da combinação de aromas das essências preexistentes na própria uva e da evolução desses aromas no correr do processo de vinificação.
buquê-de-noiva. S. m. Bras. V. flor-de-noiva [Pl.: buquês-de-noiva.]
buquinar. [Do fr. bouquiner.] V. int. Gal. Procurar livro(s) em sebo: "Buquinemos, amiga, neste sebo." (Carlos Drummond de Andrade, Viola de Bolso, p. 27.)
buquinense. Adj. 2 g. **1.** De, ou pertencente ou relativo a Buquim (SE). ● S. 2 g. **2.** Natural ou habitante de Buquim.
buraba. S. f. Bras., S. V. burara.
buraca¹. S. f. Grande buraco. [Cf. búraca.]
buraca². [De bruaca com metátese.] S. f. Bras., MG. Pequeno saco de couro usado pelos tropeiros. [Cf. búraca.]
búraca. S. f. Bras. RJ. V. gude. [Cf. buraca.]
buracada. S. f. Bras. V. buraqueira¹ (1).
buracama. S. f. Bras., S. V. buraqueira¹ (1): "Que disparada! Por tacuruzais e buracama de tuco-tuco, ... por lançantes de coxilhas e moles de canhadas" (Simões Lopes Neto, Contos Gauchescos e Lendas do Sul, p. 227).
buraçanga. [Do tupi ibïrá, 'pau' + sang, 'estendido'.] S. f. Bras. **1.** Pedaço cilíndrico de madeira com que se bate roupa, quando esta é lavada. **2.** Cacete com que o jangadeiro mata o peixe. **3.** Pau de bater algodão.
buracão. [Aum. de buraco.] S. m. Bras., SP. Voçoroca [q.v.].
buraco. S. m. **1.** Depressão natural ou artificial da superfície externa de um corpo; cavidade: Os buracos da estrada quebraram a mola do carro; Seu rosto é cheio de buracos, porque teve varíola. **2.** Abertura de certa extensão feita numa superfície; escavação: A Prefeitura abriu buracos na rua para instalação de esgotos. **3.** Abertura natural ou artificial que traspassa uma superfície ou um corpo sólido: o buraco da agulha; o buraco da fechadura. **4.** Pequena abertura artificial, ordinariamente de forma arredondada; furo: um buraco de golfe; O cigarro fez um buraco no tecido. **5.** Qualquer orifício: o buraco de um dente; um buraco no teto. **6.** Espaço oco na parte interna de um corpo, e que pode atingir ou não o exterior: Ainda não instalaram os trilhos no buraco do metrô. **7.** Racha, fenda, frincha, greta: Espreitava o vizinho pelo buraco da parede. **8.** Depressão mais ou menos considerável de um terreno: Ao começar o terremoto, viu abrir-se um buraco à sua frente. [Cf. barranco (1).] **9.** Cova (3): O rato escondeu-se no buraco. **10.** V. biboca (2 e 3). **11.** Abrigo, refúgio: O velho sábio descobriu um buraco inacessível aos importunos. **12.** Vazio, vácuo: Vou almoçar, pois sinto um buraco no estômago. **13.** Jogo carteado semelhante à canastra² (1), porém mais simplificado, pois nem sempre exige que se faça a canastra² (2) para bater. **14.** Fig. Falha de memória; lacuna. **15.** Chulo. O ânus. **16.** Bras. Fig. Coisa difícil, complicada; complicação: Esta vida é um buraco. **17.** Bras. Gír. V. fossa (5). **18.** Buraqueira¹ (2). **19.** Anat. Orifício ou comunicação entre cavidades. **20.** Teat. Quebra de continuidade ou de ritmo, pelos atores, na representação de uma peça; branco. **21.** Teat. Situação ou diálogo supérfluo, sem relação com a intriga. **22.** Fís. Num semicondutor, vacância móvel na banda de valência, que funciona como uma carga positiva com massa positiva e equivale a um pósiton. ◆ **Buraco biológico.** Eng. Nucl. Num reator nuclear, cavidade que permite a colocação de animais ou plantas próximos da região ativa, para experiência sobre os efeitos da radiação ou bombardeio de nêutrons; saída biológica. **Buraco do feixe.** Eng. Nucl. Buraco na blindagem e, às vezes, no refletor de um reator, por onde escapa, para fins experimentais, o felxe de radiação, particularmente o de nêutrons rápidos. **Buraco negro.** Cosm. **1.** Região do espaço-tempo intensamente curva, que consiste numa singularidade [q.v.] cercada por um horizonte de eventos [q.v.]. **2.** Estado que a matéria atinge ao sofrer um colapso gravitacional no qual nem a luz, a matéria ou qualquer outro tipo de sinal podem escapar. Forma-se um buraco negro quando o campo gravitacional se torna tão imenso que a velocidade de escape do corpo se aproxima da velocidade da luz. [Corresponde ao ing. black hole.] **Buraco óptico.** Anat. Cada uma de duas aberturas no osso esfenóide, uma de cada lado, pelas quais transita o nervo óptico do mesmo lado. **Buraco parietal.** Anat. Abertura existente na parte posterior da porção superior de cada osso parietal, e que dá passagem a uma veia e uma arteríola. **Tapar buraco.** **1.** Pagar dívida (1). **2.** Remediar uma situação difícil. [Sin. ger: tapar um buraco.] **Tapar um buraco.** Tapar buraco.
buraco-soturno. S. m. Bras., MT. Gruta, lapa, furna. [Pl.: buracos-soturnos.]
buranhém. [Do tupi ïbïrá, 'madeira', + e'ë, 'doce'; 'é doce a casca'.] S. m. Bras. **1.** Árvore da família das sapotáceas (Pradosia lactescens), de bagas carnosas, comestíveis, cuja madeira se usa em carpintaria e marcenaria, e cuja casca é adstringente e fornece substância corante; guranhém, guaranhém, guraém, embiraém, emiraém, ivuranhê, pau-de-remo, pau-doce. **2.** V. monésia. **3.** Bras., N.E. Cabo de relho. **4.** Bras. N.E. O relho [q. v.].
buraquara. [Do tupi, decerto.] S. f. Bras., Amaz. Pesca fluvial de peixes e moluscos (como os acaris, anajás e chaves) que se acoitam nos leitos, burgalhões ou troncos submersos.
buraqueira¹. S. f. **1.** Bras. Terreno muito alcantilado e cheio de depressões; terreno esburacado; buracada, buracama, buraqueiro. **2.** Bras. Lugar ermo, distante das cidades e povoações; buraco. **3.** Bras., SP. Pop. Aperto, apertura, quebradeira.
buraqueira². S. f. Bras. V. codorna-buraqueira.
buraqueiro. S. m. V. buraqueira¹ (1).
burara. [Do tupi ïbïrá, 'madeira', + ra, 'soltar, desatar'.] S. f. Bras., BA. **1.** Emaranhado produzido pelos ramos caídos no meio da mata, ou árvore tombada que dificulta o trânsito. **2.** Pequena fazenda ou roça de cacaueiros. **3.** Lamaçal no interior das plantações de cacau. **4.** Fazendola sem benfeitorias. [Var.: buraba.]
burareiro. [De burara + -eiro.] S. m. Dono de burara ou fazendolas, que mantém a propriedade somente com a ajuda das pessoas de casa, ou seja, sem administrador ou qualquer encarregado.
burarema. [Do tupi ïbïrá, 'madeira', + rem, 'fétida'.] S. f. Bras. Árvore cuja madeira serve para construção.
buratéua. [De possível or. indígena.] S. f. Bras., PR. Trecho de um braço de mar ou de um manguezal onde se amontoam certos vegetais halófilos, que formam um emaranhado de galhos e raízes.
burbom. [Do tóp. Bourbon, a ilha chamada hoje da Reunião, produtora de um café especial.] S. m. Bras. Variedade de cafeeiro.
burburejar. [Voc. onom.] V. int. Rumorejar como a água em cachão. [Conjug.: v. pelejar. Defect., conjugável só nas 3ªs pess.]
burburinhar. V. int. Fazer burburinho; rumorejar: "As ruas da Capital estão movimentadas, os restaurantes repletos, os cafés burburinham." (Atos Damasceno, O Carnaval Porto-Alegrense no século XIX, p. 125.)
burburinho. [Voc. onom.] S. m. **1.** Som confuso e prolongado de muitas vozes; rumorejo, bulício: "Do lugar em que nascera, pouca coisa ficara em sua memória infantil: a vida calma na fazenda Boa Vista; o burburinho das ruas do Ipu, em dia de feira ou em noite de festa" (Tadeu Rocha, Delmiro Gouveia, p. 35). **2.** Murmúrio, murmulho: "O silêncio é um burburinho confuso, um sopro monótono." (Graciliano Ramos, Insônia, p. 15.) **3.** V. bulício (3).
burdegalense. [Do lat. burdegalense.] Adj. 2 g. e s. 2 g. V. bordelês.
burdo. [Do esp. burdo, talvez.] Adj. de má qualidade; grosseiro.
buré. [Talvez, alter. de purê.] S. m. Bras. Mingau de milho verde. [Cf. boré.]
➡**bureau** (birô). [Fr.] S. m. **1.** Escrivaninha com gavetas. **2.** Repartição, agência.
burel. [Do fr. ant. burel, atual bureau, atr. do esp. burel.] S. m. **1.** Tecido grosseiro de lã: "Dizem que o Religioso bom, não o fazem os hábitos de pano, ou de burel, senão os das virtudes." (Pe Manuel Bernardes, Os Últimos Fins do Homem, p. 151.) **2.** Hábito de frade ou de freira: "Os filhos, ... ou fugiam renunciando a todos os direitos na casa paterna, se eram homens, ou se amortalhavam para sempre, se eram mulheres, num hábito humilde de capucha ou num burel branco de carmelita calçada." (Júlio Dantas, O Amor em Portugal no Século XVIII, p. 190.) **3.** Ant. Burel (1) usado como luto. **4.** Fig. Luto, tristeza, pesar. [Pl.: buréis.]
burela. [Do fr. burèle.] S. f. Heráld. Faixa estreita e repetida, no campo do escudo.
burelado. [De burel + -ado¹] Adj. Heráld. Diz-se do escudo cujas burelas são da mesma largura que o espaço que as separa.

burelina. *S. f.* Tecido ordinário de lã, mais fino que o burel (1).
burenari. *Bras. S. 2 g.* e *adj. 2 g.* Bonari.
bureta (ê). [Do fr. *burette.*] *S. f.* Aparelho (empregado especialmente em química) de medição de volume, quer de soluções, quer de gases, constituído por um tubo cilíndrico de seção uniforme, graduado em mililitros ou em centímetros cúbicos, com uma torneira por onde escoa o fluido.
bureva. [De or. indígena.] *S. f. Bras.* V. *anduiá* (1).
burgalês. *Adj.* **1.** De, ou pertencente ou relativo a Burgos (Espanha). ● *S. m.* **2.** O natural ou habitante de Burgos. [Flex.: *burgalesa* (ê), *burgaleses* (ê), *burgalesas* (ê).]
burgalhão. [Aum. de **burgalho*, por *burgau.*] *S. m.* Banco de conchas, seixos, cascalho, areia, etc., no fundo do mar ou dos rios; burgalhau.
burgalhau. [De *burgalhão*, por desnasalação.] *S. m. Bras.* **1.** V. *burgau* (4). **2.** Burgalhão. [Var.: *brugalhau.*]
burgau. [Do fr. *burgau.*] *S. m.* **1.** Molusco da família dos gastrópodes, de concha univalve, da qual se extrai um nácar; burrié. **2.** A concha desse molusco. **3.** Burgaudina. **4.** Cascalho ou pedra miúda que geralmente vem misturada com a areia grossa; burgalhau, burgo, burgó.
burgaudina. [Do fr. *burgaudine.*] *S. f.* Nácar que se extrai do burgau (2); burgau.
burgo[1]. [Do germ. *burgs*, 'pequena cidade', pelo lat. *burgu*, 'fortaleza'.] *S. m.* **1.** *Ant.* Em Roma, local fortificado. **2.** Na Idade Média, castelo, ou casa nobre, ou mosteiro, etc., e suas cercanias, rodeados por muralha de defesa, muitos dos quais vieram a transformar-se em cidades. **3.** *P. ext.* Arrabalde de cidade, vila ou aldeia. **4.** Povoação menor que cidade ou vila, especialmente a que se caracteriza por sua tranqüilidade ou pouca importância. **5.** Na Inglaterra, cidade ou vila que tem direito a eleger um ou mais representantes no Parlamento. ♦ **Burgo podre. 1.** Na Inglaterra, até 1832, burgo cujos eleitores vendiam facilmente os seus votos ao candidato do Parlamento. **2.** *P. ext.* Reduto de um partido político onde este exerce domínio discricionário.
burgo[2]. *S. m.* V. *burgau* (4).
burgó. *S. m.* V. *burgau* (4).
burgomestre. [Do al. *Bürgermeister.*] *S. m.* O magistrado principal, nalguns municípios da Bélgica, Alemanha, Suíça, Holanda, etc.
burgravado. [De *burgrave* + *-ado*[2].] *S. m.* Dignidade ou jurisdição de burgrave.
burgrave. [Do al. *Burggraff.*] *S. m.* Antigo título de hierarquia feudal, na Alemanha.
burguês. *S. m.* **1.** Indivíduo que se estabeleceu nos burgos [v. *burgo*[1] (2)], e posteriormente nas cidades medievais em que estes se transformaram, e que se caracterizava pelas suas atividades lucrativas e por não exercer trabalho braçal ou artesanal. **2.** Membro da burguesia (1): *Chama-se* O B u r g u ê s Fidalgo *uma célebre comédia de Molière.* **3.** *Deprec.* Indivíduo sem elevação ou largueza de idéias, apegado a valores materiais, a hábitos e tradições convencionais: *Artista de vanguarda na juventude, com a idade se transformou num b u r g u ê s empedernido.* ● *Adj.* **4.** Pertencente ou relativo a burgo[1]; burguês (1), ou à burguesia (1 e 2). **5.** Próprio da burguesia (1 e 2), ou de burguês (1 e 2). **6.** *Deprec.* De gosto duvidoso, ou de mau gosto; vulgar, com pretensão a requintado: "Um gatinho faz pipi./ .... / Encobre cuidadosamente a mijadinha. / Sai vibrando com elegância a patinha direita: / — É a única criatura fina na pensãozinha b u r g u e s a." (Manuel Bandeira, *Estrela da Vida Inteira*, p. 105.)
burguesada. [De *burguês* + *-ada*[1].] *S. f.* **1.** *Pej.* Ato ou procedimento de burguês; burguesice. **2.** Conjunto de burgueses. **3.** Os burgueses.
burguesia. *S. f.* **1.** Classe social que surge na Europa em fins da Idade Média, com o desenvolvimento econômico e o aparecimento das cidades, e que vai, gradativamente, infiltrando-se na aristocracia, e passa a dominar a vida política, social e econômica a partir da Revolução Francesa, firmando-se no correr do séc. XIX. [Com o tempo veio a diversificar-se em *alta burguesia*, detentora dos meios de produção, e *média* e *pequena burguesia* (no séc. XX designadas como *classe média*), que engloba os que exercem profissões liberais e todos aqueles cujos interesses ou atividades estão ligados, de uma forma ou de outra, às altas esferas econômicas e às classes dirigentes.] **2.** *Ant.* Na Europa, a classe social constituída pelos burgueses [v. *burguês* (1)]. **3.** Qualidade ou condição de burguês. ♦ **Alta burguesia.** V. *burguesia* (1). **Média burguesia.** V. *burguesia* (1). **Pequena burguesia.** V. *burguesia* (1).
burguesice. *S. f. Pej.* Burguesada (1).
buri. [Do tupi *bu'ri.*] *S. m. Bras., N.E.* e *L.* Palmeira *(Polyandrococos caldescens)* que vive de preferência na faixa litorânea. O estipe alcança de 4 a 7 m de altura e de 0,20 m a 0,30 m de diâmetro, as folhas medem de 3 a 4 m, o espádice chega a 1 m de comprimento, e os frutos, drupáceos, medem cerca de 0,5 m de diâmetro.
búrica. *S. f. Bras., RJ.* V. *gude.*
buri-da-praia. *S. m. Bras.* Coqueiro anão, ornamental, cultivado *(Allagoptera arenaria)*, de frutos amarelo-laranja, e cujas folhas são utilizadas para cestos e balaios; coqueiro-da-praia, coqueiro-guriri, guriri, guri, imburi, pissandó, coqueiro-anão. [Pl.: *buris-da-praia.*]
buri-do-campo. *S. m. Bras.* V. *ariri* (1). [Pl.: *buris-do-campo.*]
buriel. *S. m.* Bóia de cortiça, nas redes de pesca.
buriense. *Adj. 2 g.* **1.** De, ou pertencente ou relativo a Buri (SP). ● *S. 2 g.* **2.** Natural ou habitante de Buri.
buril. [Do it. ant. *burino*, atr. do arc. *burim.*] *S. m.* **1.** Instrumento de gravador, usado na execução de gravuras em metal e em madeira de topo, constituído de barra de aço especialmente temperado, de seção quadrada, triangular ou romboidal, com uma extremidade biselada, losângica, e a outra metida em cabo achatado. **2.** Instrumento semelhante para lavrar pedra. **3.** Gravura a buril (1). **4.** *Fig.* Modo ou arte de gravar a buril (1). **5.** *Fig.* Estilo (7) acerado, cortante. ♦ **Buril lentiforme.** *Grav.* Onglete. **Buril raiado.** *Grav.* Buril terminado em várias pontas, usado para produzir talhos paralelos na gravura em madeira de topo [q. v.].
burilada. *S. f.* Golpe ou traço de buril.
burilador (ô). *Adj.* e *s. m.* Que ou aquele que burila. [Cf. *burilista.*]
burilar. *V. t. d.* **1.** Gravar, lavrar ou abrir com buril. **2.** Apurar, retocar, esmerar; aprimorar, aperfeiçoar: *b u r i l a r um poema; b u r i l a r a linguagem. T. d. e i.* **3.** Gravar, fixar, imprimir, infundir, incutir: *Aplicava-se em b u r i l a r naquelas mentes os princípios da doutrina.*
buril-escopro. *S. m. Grav.* Buril acanelado à maneira de goiva, que serve para produzir talhos mais largos na gravura em madeira de topo [q.v.]; língua-de-gato. [Pl.: *buris-escopros.*]
burilista. *S. 2 g.* Artista que grava a buril. [Cf. *burilador.*]
burindangas. *S. f. pl. Bras., S.* V. *burundangas.*
buriniídeo. *S. m.* **1.** Espécime dos buriniídeos. ● *Adj.* **2.** Pertencente ou relativo a eles. [Sin. ger.: *oecdinemídeo.*]
buriniídeos. *S. m. pl. Zool.* Aves caradriiformes, da família *Burhinidae*, caracterizadas pelas narinas largas, arredondadas, do tipo holorrino. [Sin.: *oecdinemídeos.*]
buriqui. [Var. de *muriqui* < tupi *muri'ki.*] *S. m. Bras.* Macaco da família dos cebídeos *(Eriodes arachnoides)*. É o maior dos macacos da América, medindo 0,70 m de corpo e igual extensão de cauda. Tem polegar reduzido a um simples coto sem unha; pêlo amarelo desbotado e vive em bandos nas matas de SP e ES. [Var.: *buriquim.* Sin.: *mariquinha, mariquinhas, mariquina, muriquina, muriquinha.* Cf. *mono* (1).]
buriquim. *S. m. Bras.* V. *buriqui.*
buriti. [Do tupi *mburi'ti.*] *S. m. Bras., PA* e *SP.* **1.** Palmeira *(Mauritia vinifera)* dotada de fruto amarelo, do qual se extrai óleo e broto terminal comestível, e com o espique e espádices se fabrica o vinho de buriti; coqueiro-buriti, buritizeiro, muriti, muritim, muruti, palmeira-dos-brejos, carandá-guaçu, carandaí-guaçu. **2.** O fruto dessa palmeira.
buriti-alegrense. *Adj. 2 g.* **1.** De, ou pertencente ou relativo a Buriti Alegre (GO). ● *S. 2 g.* **2.** Natural ou habitante de Buriti Alegre. [Pl.: *buriti-alegrenses.*]
buriti-bravense. *Adj. 2 g.* **1.** De, ou pertencente ou relativo a Buriti Bravo (MA). ● *S. 2 g.* **2.** Natural ou habitante de Buriti Bravo. [Pl.: *buriti-bravenses.*]
buriti-bravo. *S. m. Bras.; PA* e *CE* ao *L.* Palmeira *(Mauritia armata)* de flores grandes e bagas globosas comestíveis, das quais se extrai bebida vinosa; buritimirim, buritinana, buritirana, caraná. [Pl.: *buritis-bravos.*]
buriti-do-brejo. *S. m. Bras., Amaz.* e *Guianas.* Palmeira *(Mauritia flexuosa)* de flores amarelo-avermelhadas e bagas escamosas, de cuja medula se obtém féculas do tipo do sagu, chamada *ipurana*, servindo as fibras das folhas para obras trançadas, esteiras e chapéus; muriti, muritizeiro. [Pl.: *buritis-do-brejo.*]
buritiense[1]. *Adj. 2 g.* **1.** De, ou pertencente ou relativo a Buriti (MA). ● *S. 2 g.* **2.** Natural ou habitante de Buriti.
buritiense[2]. *Adj. 2 g.* **1.** De, ou pertencente ou relativo a Buriti dos Lopes (PI). ● *S. 2 g.* **2.** Natural ou habitante de Buriti dos Lopes. [Sin. ger.: *buriti-lopense.*]
buritiguara. *Bras. S. 2 g.* **1.** Indivíduo dos buritiguaras, tribo indígena que habitava a bacia do rio Araguaia. ● *Adj. 2 g.* **2.** Pertencente ou relativo a essa tribo.
buriti-lopense. *Adj. 2 g.* e *s. 2 g.* Buritiense[2]. [Pl.: *buriti-lopenses.*]
buritimirim. [De *buriti* + *mirim.*] *S. m.* **1.** *Bras., Amaz.* Palmeira *(Mauritia pumila)*, de fruto comestível, cuja polpa dissolvida na água é refrigerante; caranaí-mirim. **2.** V. *buriti-bravo.*
buritinana. *S. m. Bras.* V. *buriti-bravo.*
buriti-palito. *S. m. Bras.* Palmeira *(Trithrinax acanthocoma)*, com espique até 2 m de altura, em cujo ápice há uma coroa de filamentos, os quais se usam como palito (1). [Pl.: *buritis-palitos* e *buritis-palito.*]
buritirana. [De *buriti* + *-rana.*] *S. f.* **1.** *Bras., Amaz.* Palmeira ornamental, cultivada *(Mauritia aculeata)*, cujas folhas se empregam em trabalhos trançados, esteiras, redes e chapéus; caraná, caranaí, carandaí, cauaiá, uliiá. **2.** *Bras.* V. *buriti-bravo.*
buritizada. *S. f. Bras.* Doce feito com a polpa do buriti (2).
buritizal. *S. m. Bras.* Quantidade mais ou menos considerável de buritizeiros dispostos proximamente entre si: "Súbito, no fundo da estrada, junto à nascente que os b u r i t i z a i s assombreavam, adensou uma nuvem de pó" (Hugo de Carvalho Ramos, *Tropas e Boiadas*, p. 79). [Var.: *muritizal* e *muritinzal.*]
buritizeiro. *S. m. Bras.* V. *buriti* (1).
buritizinho. [Dim. de *buriti.*] *S. m. Bras.* Palmeira *(Mauritia martiana)* de frutos ovóides, cujas folhas se usam para cobrir choupanas e cujas fibras são têxteis; caraná, caranaí, carandaizinho, cariná, ripa.
burizal. *S. m. Bras.* Quantidade mais ou menos considerável de buris dispostos proximamente entre si.
burjaca. [Do provenç. *boljas*, pelo esp. *burjaca.*] *S. f.* **1.** Antigo saco de couro usado pelos caldeireiros ambulantes. **2.** *Pop.* Jaquetão largo e comprido. [Var.: *borjaca.*]
burla. *S. f.* **1.** V. *logro* (2). **2.** Zombaria, escárnio, motejo. [Sin. ger.: *burlaria.*]
burlado. [Part. de *burlar.*] *Adj.* Que é ou foi vítima de burla.
burlador (ô). *Adj.* e *s. m.* V. *burlão.*
burlante. *Adj. 2 g.* e *s. 2 g.* V. *burlão.*
burlantim. [De *volantim*, por infl. de *burla.*] *S. m. Bras., S.* **1.** V. *funâmbulo* (1). **2.** Circo de cavalinhos.
burlão. *Adj.* **1.** Que pratica burla; burloso. ● *S. m.* **2.** Aquele que pratica burla; trapaceiro, trampolineiro. [Sin. ger.: *burlador, burlante, burlista, burloso.* Fem.: *burlona.*]
burlar. *V. t. d.* **1.** Praticar burla contra; fraudar, defraudar, lesar: *O espertalhão b u r l a v a o povo descaradamente.* **2.** Lograr, enganar, ludibriar: *Falsos amigos b u r l a r a m -no em seus planos.* **3.** *Ant.* Motejar, escarnecer, zombar de.
burlaria. *S. f.* V. *burla.*
burlequeador (ô). *Adj.* e *s. m. Bras., S.* Que ou aquele que burlequeia; vadio, vagabundo.
burlequear. *V. int. Bras., S.* V. *vaguear*[1] (1 e 2). [Conjug.: v. *frear.*]
burlesco (ê). [Do it. *burlesco.*] *Adj.* **1.** Cômico (1). **2.** Que provoca riso; cômico. **3.** Ridiculamente cômico; grotesco, caricato: "Tão enfático e pedantesco é o esdrúxulo que ainda hoje é largamente explorado nas composições cômicas e nos versos b u r l e s c o s." (João Ribeiro, *A Língua Nacional*, p. 13.) **4.** Satírico, escarnecedor, chocarreiro, zombeteiro. ● *S. m.* **5.** Aquilo que provoca riso; cômico. **6.** O modo ou o estilo burlesco.
burlesquear. *V. int.* **1.** Proceder ou falar de modo burlesco; chocarrear, truanear: *Aquele doidivanas está sempre b u r l e s q u e a n d o. T. d.* **2.** Representar burlescamente; bufonear: *O comediante b u r l e s q u e a v a a cena com rara vivacidade.* [Conjug.: V. *frear.*]
burleta (ê). [Do it. *burletta.*] *S. f. Teat.* Comédia ligeira, originária do teatro italiano do séc. XVI, menos caricatural que a farsa, e geralmente musicada: "deixou [o compositor carioca Custódio de Mesquita] centenas de composições, além de b u r l e t a s, revistas e operetas" (Nestor de Holanda, *Memórias do Café Nice*, p. 195). [Cf. *borleta.*]
burlista. *Adj. 2 g.* e *s. 2 g.* V. *burlão.*
burlona. *Adj. (f.)* e *s. f.* Fem. de *burlão* [q. v.].
burloso (ô). *Adj.* **1.** Que encerra burla: *contrato b u r l o s o.* **2.** V. *burlão* (1).
burmaniácea. *S. f.* Espécime das burmaniáceas.
burmaniáceas. *S. f. pl. Bot.* Família de plantas floríferas, monocotiledôneas, formada de pequenas ervas saprofíticas do chão florestal, que levam flores vistosas, com perianto gamofilo e seis estames, e frutos capsulares. Congrega cerca de 60 espécies nas regiões tropicais, possuindo o Brasil algumas delas.
burmaniáceo. *Adj.* Pertencente ou relativo às burmaniá-

ceas.

burneira. *Adj. (f.)* Diz-se da uva que tem muito viço. [Cf. *borneira.*]

burnir. *V. t. d.* V. *brunir.*

burnu. [Var. afrancesada de *burnus.*] *S. m.* V. *albornoz.*

burnus. [Do ár. *burnus.*] *S. m.* V. *albornoz.*

burocracia. [Do fr. *bureaucratie.*] *S. f.* **1.** Administração da coisa pública por funcionário (de ministério, secretarias, repartições, etc.) sujeito a hierarquia e regulamento rígidos, e a uma rotina inflexível: *os trâmites da burocracia.* **2.** *P. ext.* Complicação ou morosidade no desempenho do serviço administrativo: *Os computadores têm simplificado muitos problemas de burocracia.* **3.** Grande influência ou prestígio de uma estrutura complexa de departamentos na administração da coisa pública: *A burocracia no mundo moderno vai cedendo lugar à tecnocracia.* **4.** A classe dos burocratas.

burocracial. *Adj. 2 g.* Burocrático.

burocracismo. [De *burocracia* + *-ismo.*] *S. m.* Burocratismo.

burocrata. [Do fr. *bureaucrate.*] *S. 2 g.* **1.** Funcionário que faz parte da burocracia, em especial aquele que segue mecanicamente as normas impostas pelo regulamento da administração. **2.** Funcionário ou empregado administrativo que, imbuído da importância do cargo que ocupa, abusa de sua posição nos contatos com o público. **3.** *Deprec.* Qualquer funcionário ou empregado administrativo que se conduz como burocrata (1 e 2).

burocrático. *Adj.* Relativo a, ou próprio da burocracia; burocracial.

burocratismo. [De *burocrata* + *-ismo.*] *S. m.* Influência abusiva da burocracia; burocracismo.

burocratização. *S. f.* Ação ou efeito de burocratizar (-se).

burocratizado. [Part. de *burocratizar.*] *Adj.* **1.** A que se deu aspecto burocrático. **2.** Em que impera a burocracia.

burocratizar. *V. t. d.* **1.** Dar caráter ou feição burocrática a. *P.* **2.** Adquirir hábitos de burocrata; tornar-se burocrata.

burquinabê. *Adj. 2 g.* e *s. 2 g.* Burquinense.

burquinense. *Adj. 2 g.* **1.** De, ou pertencente ou relativo a Burquina (ex-Alto Volta, África Ocidental). ● *S. 2 g.* **2.** Natural ou habitante de Burquina. [Sin. ger.: *burquinabê.*]

burra. *S. f.* **1.** A fêmea do burro (1), jumenta, asna. [Sin. (no RS): *guexa.*] **2.** V. *cofre* (1): "Vai muitas vezes à *burra*, que está na alcova de dormir, com o único fim de fartar os olhos nos rolos de ouro e maços de títulos." (Machado de Assis, *Histórias sem Data,* p. 132.) **3.** Escadinha que dá acesso a uma adega. **4.** Burro (4). **5.** *Bras., BA.* Nas lavras diamantinas, grande bloco rochoso. **Lavar a burra.** *Bras.* V. *lavar a égua* (3).

burrada. *S. f.* **1.** Ajuntamento de burros; burrama, burricada, jericada. **2.** V. *asneira* (1). [Cf. *borrada,* fem. de *borrado,* e s. f.]

burra-de-leite. *S. f. Bras.* Burra-leiteira (1). [Pl.: *burras-de-leite.*]

burra-de-padre. *S. f. Bras.* V. *mula-sem-cabeça.* [Pl.: *burras-de-padre.*]

burragem. *S. f. Bras.* V. *asneira.* (1).

burra-leiteira. *S. f. Bras.* **1.** Arbusto da família das euforbiáceas *(Sapium sceleratum),* dotado de folhas de pecíolos purpúreos, e que exsuda látex, o qual produz fortes queimaduras; burra-de-leite. **2.** Leiteira (4). [Pl.: *burras-leiteiras.*]

burrama. *S. f. Bras.* V. *burrada* (1): "De espaço em espaço, ... as linhas dos pingalins zimbravam o ar por cima da *burrama* carregada." (Xavier Marques, *As Voltas da Estrada,* p. 47.)

burrão. *S. m.* **1.** Burro (1) grande. **2.** *Fig.* Grande burro (8); asneirão, toleirão. [Fem. (nesta acepç.): *burrona.*] **3.** *Fig.* Agastamento, amuo, casmurrice; emburramento; burrice. **4.** *Bras., PA* ao *RS.* Erva forrageira, da família das gramíneas *(Chloris bahiensis),* de nós vermelhos-escuros e inflorescência em espigas; capim-burrão, grama-de-jacobina, graminha-de-jacobinha. ● *Adj.* **5.** Muito burro (12): *É burrão, mas é pessoa de confiança.* [Fem. (nesta acepç.): *burrona. Cf. borrão.*]

burrego (ê). *Bras. S. m.* **1.** V. *burrico* (1). **2.** Burro fraco ou ordinário **3.** V. *burro* (8). ● *Adj.* **4.** V. *burro* (12). [Pl.: *burregos* (ê). Cf. *borrego* (ê), pl. *borregos* (ê); e *borrego,* do v. *borregar.*]

burreza (ê). *S. f.* V. *burrice* (1).

burrica. *S. f.* **1.** Dim. de *burra* (1). **2.** *Bras., PE.* V. *gangorra*[1] (1).

burricada. [De *burrico* + *-ada.*] *S. f.* **1.** V. *burrada* (1). **2.** V. *asneira* (1).

burrical. [De *burrico* + *-al.*] *Adj. 2 g.* Referente a burro (1 e 8).

burricar. [De *burrico* + *-ar*[2].] *V. t. d.* e *p.* V. *burrificar (-se).* [Conjug.: v. *trancar.*]

burrice. *S. f.* **1.** Qualidade de burro (8); falta de inteligência: parvoíce, asnice, estupidez, burreza, burriquice. **2.** Ação própria de burro (8); burriquice [V. *asneira* (1)]: *Foi burrice casar tão cedo.* **3.** V. *burrão* (3). [Cf. *borrice,* do v. *borriçar.*]

burrico. [Do lat. *buricu* ou *burricu* ou **burriccu,* 'cavalo pequeno'.] *S. m.* **1.** Burro pequeno; burrinho, burrego. **2.** *Bras.* V. *jumento* (1). **3.** *Bras., MT.* V. *potó*[2].

burrié. *S. m.* Burgau (1).

burrificar. *V. t. d.* e *p.* Tornar(-se) burro; burricar(-se), bestificar(-se), embrutecer(-se), estupidificar(-se). [Conjug.: v. *trancar.*]

burrinha. [Dim. de *burra.*] *S. f. Bras., CE.* **1.** Iangada de uma vela só. ● *S. m.* **2.** *Bras. Folcl.* Figura do bumba-meu-boi: armação de madeira, semelhante a uma alimária, que o brincante põe em volta da cintura, de modo que parece montado nela.

burrinho. [Dim. de *burro.*] *S. m.* **1.** V. *burrico* (1). **2.** Bomba para aspirar líquidos. **3.** *Bras.* Bomba do freio hidráulico (dos automóveis). **4.** *Bras.* Vaquinha (2).

burriqueiro. [De *burrico* + *-eiro.*] *Adj.* **1.** Que aluga burros, jumentos, ou negocia com eles. **2.** Diz-se de condutor de burros. ● *S. m.* **3.** Indivíduo burriqueiro; asneiro.

burriquete (ê). [Dim. irreg. de *burrico.*] *S. m.* **1.** *Bras. Ant.* Vela triangular de ré da garoupeira, **2.** *Bras.* Exemplar jovem da piraúna (1).

burriquice. [De *burrico* + *-ice.*] *S. f.* V. *burrice* (1 e 2).

burro. [Der. regress. de *burrico* (q. v.).] *S. m.* **1.** V. *jumento* (1). **2.** Mulo. **3.** Pontalete que mantém a posição horizontal de um carro. **4.** Triângulo ou cavalete de pau que sustém a madeira que se vai serrar; burra. **5.** Versão literal de autor clássico, para uso de estudantes de línguas antigas. **6.** Certo jogo de cartas, de regras muito simples. **7.** O perdedor nesse jogo. **8.** Indivíduo bronco, curto de inteligência; asno, estúpido, imbecil, jerico, jegue, orelhudo, burrego. **9.** *Bras.* No jogo do bicho [q. v.], o 3º grupo (8), que abrange as dezenas 09, 10, 11 e 12, e que corresponde ao número três. **10.** *Bras.* Aparelho para torcer fumo em corda. **11.** *Bras., SP.* Certa prensa de mandioca. ● *Adj.* **12.** Curto de inteligência; bronco, estúpido, imbecil, burrego, asinino: "Homem feio tem esta vantagem: mulher *burra* não o persegue." (Gilberto Amado, *Depois da Política,* p. 254.) **13.** *Bras. Pop.* Grande, extraordinário. [Aplicado geralmente a coisas, nesta acepç.] ♦ **Burro da retranca.** *Marinh.* Cada uma das pequenas talhas engatadas no lais da retranca e nas alhetas do navio, uma por bordo, e destinadas a agüentá-la quando a vela estiver caçada. **Burro de carga. 1.** Animal asinino ou muar utilizado como cargueiro. **2.** *Fig.* Pessoa que recebe tarefa excessiva, que a outrem deveria caber. **Dar com os burros na água.** *Bras.* **1.** Perder um negócio. **2.** Não se conter; perder o autodomínio. **3.** Fazer tolice, asneira. [V. *levar na cabeça.*] **Pra burro.** *Gír.* Em grande quantidade ou intensidade; muito; pra cachorro. *Tem dinheiro pra burro; Trabalha pra burro; É inteligente pra burro;* "uma russa idosa, baronesa, feia *pra burro*" (Gilberto Amado, *Depois da Política,* p. 30).

burro-burreiro. *S. m. Bras., RS.* Burro inteiro que serve de padreador em lotes de burras. [Cf. *burro-choro.* Pl.: *burros-burreiros.*]

burro-choro. [De *burro* + *choro,* alter. de *hechor,* por erro de audição.] *S. m. Bras., RS.* Hechor. [Cf. *burro-burreiro.* Pl.: *burros-choros* e *burros-choro.*]

burrocracia. [De *burro* + *-cracia.*] *S. f. Irôn.* e *deprec.* Burocracia pouco esclarecida, em especial quando se consideram os seus desvios e aspectos socialmente negativos e nefastos: uso excessivo de papelada, excesso de formalidades, perda de contato com as realidades da vida, etc.

burróide. [De *burro* + *-óide.*] *S. m. Bras.* Zebróide (3).

burrona. *S. f.* e *adj. (f.)* Fem. de *burrão* (2 e 5).

burro-sem-rabo. *S. m. Bras., RJ. Pop.* **1.** Carreta de transporte de coisas, provida de dois varais e movida por um homem. **2.** O homem que a move: "Boteco em que entrei, perto da esquina, um *burro-sem-rabo* estava tomando uma cerveja" (Ledo Ivo, *A Morte do Brasil,* p. 63). [Pl.: *burros-sem-rabo.*]

burserácea. *S. f.* Espécime das burseráceas.

burseráceas. *S. f. pl. Bot.* Família de plantas superiores, constituída de árvores florestais dotadas de folhas compostas, frutos capsulares, flores insignificantes, e canais produtores de resinas e bálsamos olorosos utilizados na indústria. Existem cerca de 600 espécies, próprias das regiões tropicais, sendo o Brasil rico em representantes.

burseráceo. *Adj.* Pertencente ou relativo às burseráceas.

bursícula. [Do lat. *bursa,* 'bolsa', + *-cula.*] *S. f. Morfol. Veg.* Pequena bolsa membranácea, na flor das orquídeas, existente no rostelo e no interior da qual se encontra o retináculo.

bursicular. *Adj. 2 g.* **1.** Relativo ou pertencente à bursícula. **2.** Semelhante a uma pequena bolsa; *cápsula bursicular.*

bursite. [Do lat. *bursa,* 'bolsa', + *-ite*[1].] *S. f. Patol.* Processo inflamatório de bolsa (8), geralmente sinovial.

buruçanga. [Var. de *buraçanga,* por assimilação.] *S. f. Bras.* Araçanga.

burué. *Bras. S. 2 g.* **1.** Indivíduo dos burués, tribo indígena da Amaz., das margens dos rios Jutaí e Biá. ● *Adj. 2 g.* **2.** Pertencente ou relativo a essa tribo.

burundanga. [Do esp. *burundanga.*] *S. f.* **1.** Palavreado confuso; algaravia. **2.** Mistura de coisas imprestáveis; mixórdia. **3.** Confusão, embrulhada, trapalhada. **4.** Cozinhado malfeito, ou sujo e repugnante. **5.** *Bras., Amaz.* Mezinhas empregadas na feitiçaria. [Var. (bras.): *bruzundanga.*] ~ V. *burundangas.*

burundangas. [Pl. de *burundanga.*] *S. f. pl.* V. *ninharia.* ~ V. *burundanga.* [Var. (bras., S.): *burindangas.*]

burundinês. *Adj.* **1.** De, ou pertencente ou relativo a Burundi (África Central). ● *S. m.* **2.** O natural ou habitante de Burundi. [Flex.: *burundinesa* (ê), *burundineses* (ê), *burundinesas* (ê).]

burundum. *Bras. S. m.* **1.** Rumor surdo: *o burundum dos tambores.* **2.** Indivíduo que é grande entusiasta da caça.

bururu. *Bras. S. 2 g.* **1.** Indivíduo dos bururus, tribo indígena da margem esquerda do Amazonas. ● *Adj. 2 g.* **2.** Pertencente ou relativo a essa tribo.

buruso. [Do esp. *burujo.*] *S. m.* Resíduo de frutos espremidos; bagaço, burusso.

burusso. *S. m.* V. *buruso.*

bus. *S. m.* **1.** *P. us.* Coisa nenhuma; nada ● *Pron. indef.* **2.** *P. us.* Nada (1). [V. *chus.*]

busano[1]. *S. m.* Mármore de terrenos cretáceos médios, muito usado em edificações.

busano[2]. [De *gusano.*] *S. m. Bras.* V. *teredo.*

busca. [Dev. de *buscar.*] *S. f.* **1.** Ato ou efeito de buscar. **2.** Procura com o fim de encontrar alguma coisa; procura: *a busca do ouro; a busca de objetos arqueológicos.* **3.** Investigação cuidadosa; pesquisa, exame: *A busca de documentos originais para elaboração de um ensaio.* **4.** Procura minuciosa; revista, exame: *Preciso fazer uma busca nos armários para encontrar a jóia perdida.* **5.** Movimento íntimo para alcançar um fim: *a busca da felicidade, da paz interior.* **6.** Pessoa ou cão que procura e levanta a caça; buscante. ● *Interj.* **7.** *Bras.* Exclamação com que se instiga o cachorro a perseguir a caça. ♦ **Dar busca.** Percorrer um local à procura de determinada pessoa ou objeto.

buscado. [Part. de *buscar.*] *Adj.* **1.** Que é objeto de busca ou procura; procurado: *livros muito buscados.* **2.** V. *rebuscado* (2).

buscador (ô). *Adj.* e *s. m.* Que ou aquele que busca.

busca-fundo. [De *buscar* + *fundo.*] *S. m. Ocean. Geol.* Aparelho que é descido ao fundo do mar para colher uma amostra do material do fundo. [Pl.: *busca-fundos.*]

buscante. *Adj. 2 g.* **1.** Que busca; buscador. ● *S. m.* **2.** *Ant.* O encarregado de levantar a caça; busca.

busca-pé [De *buscar* + *pé.*] *S. m. Expl.* Dispositivo pirotécnico, preso a uma pequena haste de madeira, que sai ziguezagueando rente ao chão e termina, geralmente, em um estouro; besouro, cu-de-breu. [Pl.: *busca-pés.* Cf. *diabinho-maluco.*]

buscar. *V. t. d.* **1.** Tratar de descobrir, de encontrar; procurar: *No escuro, em vão buscava a saída.* **2.** Tratar de trazer ou levar: *Diga a seu pai que o mande buscar no sábado.* **3.** Ir ter a, dirigir-se para (alguma parte): *Os rios buscam os oceanos:* "Onde vai [a jangada] como branca alcíone *buscando* o rochedo pátrio nas solidões do oceano?" (José de Alencar, *Iracema,* p. 49). **4.** Tratar de conhecer; investigar, pesquisar, perquirir: *O filósofo buscava os fundamentos daquele conceito.* **5.** Tratar de obter, de adquirir, de conquistar: *Esforça-se, e medita, e busca a sabedoria.* **6.** Esforçar-se por; empenhar-se em: *Busca-va atrair para a causa todos os amigos.* **7.** Esforçar-se por; tentar, procurar: *Buscou esquecê-la, mas em vão.* **8.** Engendrar, imaginar, idear, planear: *Sua fantasia busca mil novidades.* **9.** Recorrer a: *Vai buscar o auxílio do amigo. P.* **10.** Recorrer a si mesmo: *Procure buscar-se: verá como é grande a sua reserva de energia.* [Conjug.: v. *trancar.*]

busca-vida. [De *buscar* + *vida.*] *S. m. Marinh.* Fateixa sem patas, cujos braços terminam em ponta, usada para rocegar objetos que se perdem no fundo do mar; garatéia. [Pl.: *busca-vidas.*]

➧**bush** (bux). [Ingl.] *S. m. Geog. Brousse.*

➧**bush-negroes** (bux nígrous). [Ingl.] *S. m. pl.* Negros de cultura fanti-axanti que se interiorizaram pelas florestas das Guianas, fugindo à escravidão e conservando a sua cultura.

busilhão. *S. m.* **1.** *Pop.* Monte de roupa suja. **2.** V. *monturo* (2). **3.** Pessoa que anda suja e mal trajada.

busílis. *S. m. 2 n.* O ponto principal da dificuldade em resolver uma coisa; o xis da questão: *Aí que está o* b u s í l i s; "Aqui está o b u s í l i s. Alinhar palavras é fácil; mais difícil é alinhar idéias." (João Gaspar Simões, *Crítica*, I, p. 315.)

busquipani. *Bras. S. 2 g.* **1.** Indivíduo dos busquipanis, um dos grupos dos capanabás. ● *Adj. 2 g.* **2.** Pertencente ou relativo a esse grupo.

bussarda. *S. f. Bras., RS.* A parte mais larga da canoa de pesca.

bússola. [Do it. *bussola.*] *S. f.* **1.** Agulha magnética móvel em torno de um eixo que passa pelo seu centro de gravidade, montada, geralmente, em caixa com limbo graduado, e usada para orientação; agulha magnética, agulha. **2.** A caixa que contém essa agulha. **3.** *Astr.* Constelação austral, a O. da Antlia, a E. da Popa, ao N. da Vela e ao S. da Hidra, e cuja denominação científica é *Pyxis*. **4.** *Fig.* Tudo que serve de guia ou norte. [Cf. *bussola*, do v. *bussolar.*] ◆ **Bússola de declinação.** A que, montada com eixo vertical, permite determinar a declinação magnética no local onde se encontra. **Bússola de inclinação.** A que tem o eixo horizontal e permite determinar a inclinação magnética.

bussolar. [De *bússola* + *-ar*[2].] *V. int.* Guiar, nortear, orientar. [Pres. ind.: *bussolo, bussolas, bussola*, etc. Cf. *bússola*, s. f., e *Bússola*, astr.]

bustiê. [Do fr. *bustier.*] *S. m.* Corpete (1) sem alças.

busto. [Do lat. *bustu.*] *S. m.* **1.** A parte superior do tronco humano, que vai da cintura ao pescoço; torso. **2.** Escultura ou pintura que representa a parte da figura humana que consta da cabeça, do pescoço e de uma parte do peito. **3.** Os seios da mulher.

bustuário[1]. *S. m.* Artista que faz bustos.

bustuário[2]. [Do lat. *bustuariu.*] *S. m. Ant.* Gladiador que combatia em redor das fogueiras onde se queimavam os mortos.

butanês. *Adj.* **1.** De, ou pertencente ou relativo ao Butão (Ásia). ● *S. m.* **2.** O natural ou habitante do Butão. **3.** O dialeto tibetano falado no Butão. [Flex.: *butanesa* (ê), *butaneses* (ê), *butanesas* (ê).]

butano. *S. m. Quím.* Hidrocarboneto saturado, gasoso, incolor, com leve odor, utilizado como combustível. [Fórm.: C_4H_{10}.]

butargas. [Do it. *buttagra.*] *S. f. pl.* Ovas salgadas de peixe, em conserva.

bute. [Do ingl. *boot.*] *S. f. Bras., N.E. Pop.* V. *diabo* (2).

buteiro. *S. m. Bras.* Alfaiate de consertos; remendão. [Cf. *boteiro.*]

butelo. *S. m. Bras., N.* e *C.O.* **1.** V. *galalau.* **2.** Objeto grande.

buteno. *S. m. Quím.* Hidrocarboneto não-saturado, gasoso, com odor desagradável. [Fórm.: C_4H_8.]

butereiro. *S. m. Guianas a SP.* Trepadeira da família das buttneriáceas, de flores pálidas pequenas, e frutos capsulares, com sementes vermelhas.

butiá. [Do tupi *mbuti'á.*] *S. m.* **1.** V. *aricuri.* **2.** *Bras., PR* e *RS.* Palmeira *(Cocos jatahy)* dotada de drupas comestíveis, de amêndoa oleaginosa, de folhas que se prestam a trabalhos trançados e de frutos cuja polpa fornece, pela fermentação, álcool potável; coqueiro-jataí. **3.** *Bras., SC* e *RS.* Palmeira *(Cocos odorata)*, cultivada, de drupas subglobosas e endocarpo comestível.

butiá-açu. *S. m. Bras., SC* e *RS.* Palmeira *(Cocos pulposa)* dotada de flores em espádice e frutos drupáceos alaranjados, comestíveis. [Pl.: *butiás-açus.*]

butiá-azedo. *S. m. Bras.* V. *butiá-de-vinagre.* [Pl.: *butiás-azedos.*]

butiá-de-vinagre. *S. m. Bras., MG, GO* e do *PR* ao *RS.* Palmeira (*Butia capitata*) de frutos drupáceos, cujo suco serve como vinagre, e cuja amêndoa é alimentícia e oleaginosa; butiá-azedo, butiazeiro, cabeçudo, coqueiro-azedo, coqueiro-cabeçudo, guariroba-do-campo. [Pl.: *butiás-de-vinagre.*]

butiatuba (i-à). [Do tupi *mbubia'tiba.*] *S. f. Bras.* Butiazal.

butiá-verdadeiro. *S. m. Bras.* Palmeira (*Cocos eriospatha*), de frutos drupáceos, com o qual se pode fazer bebida vinosa, e de flores em espádice; butiazeiro, jataí, iataí. [Pl.: *butiás-verdadeiros.*]

butiazal (i-à). *S. m. Bras.* Quantidade mais ou menos considerável de butiás, dispostos proximamente entre si; butiatuba.

butiazeiro (i-à). *S. m. Bras.* **1.** V. *aricuri.* **2.** V. *butiá-de-vinagre.* **3.** V. *butiá-verdadeiro.*

butico. *S. m. Bras., PB. Pop.* V. *ânus.*

▲**butil-.** *Quím. El. comp.* Designa o grupamento C_4H_9-.

butila. *S. f. Quím.* O radical monovalente C_4H_9-.

butim. [Do frâncico, atr. do fr. *butin.*] *S. m.* **1.** Despojo do inimigo, de que o vencedor se apropria; saque, pilhagem. **2.** O produto de um saque, de um roubo. **3.** Produto de caçada. **4.** *Pop.* Proveito, lucro. [Cf. *botim.*]

butinha. *S. m. Bras.* V. *abutua* (1).

bútio. *S. m.* **1.** Tubo que, nas minas, comunica o ar aos foles. **2.** Tubo de água, nas fábricas de papel.

butique. [Do fr. *boutique.*] *S. f.* Loja pequena, onde se vendem sobretudo artigos de vestuário e bijuterias: *Ana se veste nas melhores* b u t i q u e s *da cidade;* "Já vestira a filha.... . O filho também, na roupa melhor comprada na b u t i q u e." (Moreira Campos, *Os Doze Parafusos*, p. 76).

▲**butir(o)-.** [Do gr. *boutýron, ou.*] *El. comp.* = 'manteiga': *butírico, butirômetro.*

butiráceo. [De *butir(o)-* + *-áceo.*] *Adj.* Relativo à, ou que tem as propriedades da manteiga; butiroso.

butirada. [De *butir(o)-* + *-ada*[1].] *S. f.* Bola ou bolo de manteiga.

butírico. [De *butir(o)-* + *-ico*[2].] *Adj. Quím.* Próprio ou derivado do ácido butírico [q. v.].

butirometria. [De *butir(o)-* + *-metr(o)-*[2] + *-ia.*] *S. f.* Emprego do butirômetro; a arte de empregá-lo.

butirométrico. *Adj.* Relativo à butirometria.

butirômetro. [De *butir(o)-* + *-metro*] *S. m.* Instrumento com que se avalia a quantidade de manteiga existente no leite.

butiroso (ô). [De *butir(o)-* + *-oso.*] *Adj.* Butiráceo.

butomácea. *S. f.* Espécime das butomáceas.

butomáceas. *S. f. pl. Bot.* Família de plantas monocotiledôneas, composta de ervas aquáticas de folhas amplas e flores grandes coloridas, cujo androceu e gineceu têm número apreciável de partes, e frutos foliculares e polispermos. São relativamente poucas as espécies, algumas brasileiras.

butomáceo. *Adj.* Pertencente ou relativo às butomáceas.

bútomo. [Do gr. *boútomos*, 'junco'.] *S. m.* Planta ornamental, da família das butomáceas (*Butomus umbellatus*), de folhas amplas e coriáceas, flores alvas ou violáceas, com estames amarelos, dispostas em umbelas pedunculadas; junco-florido.

butre. *S. m. Desus.* Abutre.

butua. *S. f. Bras.* **1.** V. *abutua* (1). **2.** V. *batata-brava* (2).

butuá-catinguenta. *S. f. Bras., Amaz.* Arbusto da família das menispermáceas (*Cocculus imene*), de frutos drupáceos, raiz venenosa com propriedades eméticas, e cujos frutos, seiva e sementes contêm coculina, tóxico que pode ser mortífero; imene. [Pl.: *butuás-catinguentas.*]

butuá-de-corvo. *S. m. Bras., L.* e *C.O.* Arbusto ornamental, da família das coclospermáceas (*Cochlospermum insigne*), de flores fulvas ou amarelas, fruto capsular e raiz medicinal; algodão-cravo, algodão-do-mato, algodoeiro-do-campo, pacoté, periqueiteira-do-campo, ruibarbo-do-campo, sumaúma-do-igapó. [Pl.: *butuás-de-corvo.*]

butuca. [Do tupi *mbu'tuka. ger.* de *mbu'tug*, 'furar'.] *S. Bras. S. f.* **1.** Mutuca (1). **2.** Espora (1).

butucada. *S. f. Bras.* **1.** Ferroada de butuca ou mutuca. **2.** Esporada (1).

butucar. *V. t. d. Bras.* Esporear (1). [Cf. *botocar.* [Conjug.: v. *trancar.*]

butucari. *Bras. S. 2 g.* **1.** Indivíduo dos butucaris, tribo indígena das imediações do rio Jacuí (RS). ● *Adj. 2 g.* **2.** Pertencente ou relativo a essa tribo.

butucum. [De possível or. indígena.] *S. m. Bras., SP.* Saco que se conduz a tiracolo.

butuinha (í). [Dim. de *butua.*] *S. f. Bras.* **1.** V. *abutua* (1). **2.** V. *cipó-de-cobra* (1).

buva. *S. f. Bras., L.* e *SP.* Erva da família das compostas (*Baccharis erigeroides*), de folhas lineares e flores dispostas em capítulos.

buvar. [Do fr. *buvard.*] *S. m. Bras.* Berço (6).

buvuari. [De possível or. tupi.] *S. m. Bras.* V. *acará-bandeira.*

buxácea. *S. f.* Espécime das buxáceas.

buxáceas. *S. f. pl. Bot.* Família de plantas floríferas, composta de espécies lenhosas, com folhas inteiras, flores inconspícuas, solitárias ou agregadas em racemos, e fruto bacáceo ou drupáceo. Há quase 30 espécies dos países temperados, nenhuma delas no Brasil.

buxáceo. *Adj.* Pertencente ou relativo às buxáceas.

buxal. *S. m.* Quantidade mais ou menos considerável de buxos dispostos proximamente entre si.

buxeiro. *S. m.* Buxo. [Cf. *bucheiro.*]

buxina. *S. f. Quím.* Alcalóide pulverulento, branco, extraído das folhas e ramos do *Buxus sempervirens.* [Fórm.: $C_{19}H_{21}NO_3$.]

buxiqui. [Do tupi *mbusi'ki.*] *S. m. Bras.* V. *noctiluca.*

buxo. [Do gr. *pyxos*, pelo lat. *buxu.*] *S. m.* Arbusto ou pequena árvore, originária da Europa e da Ásia, da família das buxáceas (*Buxus sempervirens*), dotada de flores pequenas e alvas, frutos capsulares, e de madeira útil para marchetaria, torno, instrumentos musicais de sopro e instrumentos de desenho; buxeiro. [Cf. *bucho.*]

buxuari. [De possível or. tupi.] *S. m. Bras., Amaz.* V. *acará-bandeira.*

buzanfã. *S. m. Bras., RJ. Gír.* Nádegas, bunda.

buzarate. [Do provenç. *buzara*, 'barriga'.] *Adj.* e *s. m.* **1.** Diz-se de, ou homem corpulento, barrigudo. [Cf. *buzulaque* (3).] **2.** *Ant.* e *pop.* Fátuo, fanfarrão, gabarola.

buzegar. *V. int.* Ventar com salpicos de chuva: *Estava* b u z e g a n d o *quando acordei.* [Conjug.: v. *regar.* Defect., impess.]

buzeno. *S. m.* Antiga medida portuguesa, equivalente a quatro alqueires.

buzina. [Do lat. *bucina*, em vez de *bucina.* *S. f.* **1.** Designação comum a diversos tipos de trombeta de corno ou metal retorcido que produzem um único som, forte; corno, trompa. **2.** Grande búzio, de que se tira um som semelhante ao dessas trombetas. **3.** Corneta de caça; trompa de caça; corno. **4.** Porta-voz metálico, em forma de corneta usado a bordo para se falar a distância. **5.** Corneta metálica provida de uma esfera de borracha que se comprime com a mão para dar saída ao ar, produzindo forte ruído. [Era usada como meio de advertência nos primitivos automóveis, e ainda hoje se usa em bicicletas e outros veículos não acionados a motor.] **6.** *P. ext.* Aparelho elétrico sonoro, munido de placa vibratória, de que são dotados os automóveis e veículos congêneres para dar sinais de advertência. **7.** Qualquer aparelho sonoro que produz som estridente. **8.** *Pop.* Ursa Menor [v. *Ursa* (2)]. **9.** *Bras. Constr. Nav.* Conduto de ferro, fixo no convés, por onde passa a amarra dos navios. **10.** *Bras., RS.* Orifício no centro da roda do carro, onde se embebe o eixo. **11.** *Bras., ES.* A flor da bananeira, quando ainda em botão, antes de se lhe verem os dedos [v. *dedo* (6)]. **12.** *Bras., N.* Zoada, gritaria. ● *S. 2 g.* **13.** *Bras., RS.* Pessoa raivosa, irascível, irritadiça. **14.** *Bras.* Pessoa atrevida, petulante, insolente. **15.** *Bras.* Valentão, fanfarrão, gabarola. ● *Adj. 2 g.* **16.** *Bras., RS.* Raivoso, irascível, irritadiço, zangadiço. **17.** *Bras.* Atrevido, petulante, insolente. **18.** *Bras.* Valentão, fanfarrão, gabarola. ◆ **Ficar buzina.** *Bras., RS.* Irritar-se, irar-se, abespinhar-se, encolerizar-se.

buzinação. *S. f.* Ato ou efeito de buzinar.

buzinada. *S. f.* Toque de buzina.

buzinar. *V. int.* **1.** Tocar ou fazer soar a buzina: "Os automóveis b u z i n a v a m pedindo caminho." (Ciro Martins, *Paz nos Campos*, p. 15.) **2.** Soprar com força, emitindo sons como o da buzina: *O menino* b u z i n a v a, *imitando o vento.* **3.** Mostrar-se colérico; zangar-se, irritar-se; enfurecer-se, encolerizar-se: *Ao ouvir o desaforo, saiu* b u z i n a n d o. [Nesta acepç., é us., em geral, no gerúndio, precedido de verbo em modo finito.] *T. d.* **4.** Fazer soar a buzina de: b u z i n a r *o carro;* b u z i n a r *os cornos.* **5.** *Bras.* Alardear, apregoar, trombetear: "Por mais que tente impedir, iremos todos b u z i n a r .... as qualidades humanas de Dona Helena." (Carlos Drummond de Andrade, *in Jornal do Brasil*, 23.3.72). *T. d. e. i.* **6.** Dizer com insistência: repetir muitas vezes; reiterar: *Inutilmente a professora* b u z i n a v a *aos ouvidos a lição do dia.* **7.** Gritar, berrar: *O comandante* b u z i n a v a *as suas ordens aos soldados. T. i.* **8.** Dizer com insistência ou impertinência; repetir muitas vezes: *Para que aprendesse, era preciso* b u z i n a r *aos seus ouvidos.* [F. paral.: *abuzinar.*]

buzinote. [Dim. de *buzina.*] *S. m.* Pequeno cano ou calha que dá saída à água que cai ou é lançada em balcão ou terraço, vertendo-a no solo, para evitar a umidade na parede.

buzinuda. *Adj. (f.) Bras., RS.* **1.** Diz-se da roda que tem grandes buzinas [v. *buzina* (10)]. **2.** Diz-se da carreta que rechina muito por se acharem folgadas as suas buzinas.

búzio. [Do lat. *bucina*, 'trombeta'.] *S. m.* **1.** Designação comum às conchas de moluscos gastrópodes, nas quais sopram os pescadores e jangadeiros para anunciar sua chegada ao porto ou transmitir notícias no mar. A espécie mais utilizada é a *Cassis tuberos* (L), distribuída desde a América do Norte até SP. Concha piramidal, com linhas longitudinais e transversais, e três fiadas de nódulos na parte superior da espiral do corpo. Comprimento: até 18 cm. A concha é usada para camafeus artísticos. [Var.: *buzo;* sin.: *atapu, guatapi, itapu, uatapu, vapuaçu, vatapu.*] **2.** *Lus.* Designação comum a duas espécies da família dos muricídeos: *Murex brandaris* L., de coloração amarelo-clara, com o bordo do labro e o interior da abertura alaranjados, e M. *trunculus* L., de cor castanho-avermelhada, atravessado por faixas castanho-anegradas visíveis no interior da abertura. Servem ambos de alimento. **3.** Designação comum aos tritonídeos, especialmente ao *Triton nodiferus* Lamarck, de coloração branca, com grandes manchas acastanhadas. Concha vultosa, sólida, oval alongada, provida de nódulos. Vive bem em aquários, e é utilizado como alimento. **4.** Buzina, corneta, trombeta. **5.** Mergulhador que debaixo da água apanha conchas, pérolas, peixes, ou executa qualquer trabalho. **6.** *Bras. Pop.* Zimbro, concha do mar, outrora usado como moeda na África Ocidental, durante a escravidão. ~ V. *búzios.*

búzios. *S. m. pl. Gír.* Os ouvidos. ~ V. *búzio.*

buzo. [De possível or. afr.] *S. m. Bras.* **1.** Jogo popular com rodelas de casca de laranja, grãos de milho, etc. **2.** *Bras., RS.* V. *violão* (1). **3.** *Bras., N.E.* V. *búzio* (1).

buzo-fêmea. *S. m. Bras., BA.* Molusco gastrópode, da família dos cipreídeos (*Pustularia spurca* (L.)), da costa brasileira, utilizado em práticas de macumba. [Sin.: *cauri.* Pl.: *buzos-fêmeas.*]

buzo-macho. *S. m. Bras., BA.* Molusco gastrópode da família dos cipreídeos (*Pustularia cinerea* (Gmelin.)), da costa brasileira, utilizado em práticas de macumba. [Sin.: *cauri.* Pl.: *buzos-machos.*]

buzugo. *S. m. Bras.* Coisa malfeita, mal-acabada.

➧**bye-bye** (baibai). [Ingl.] *Interj.* Adeus.

➧**by-pass** (baipáss). [Ingl.] *S. m.* **1.** Desvio, circuito, contorno. **2.** *Med.* Curto-circuito (2).

byroniano (bai). *Adj.* **1.** Relativo ou pertencente a Lord Byron, poeta inglês (1788-1824), ou próprio dele. **2.** À maneira de Byron. [Sin. ger.: *byrônico.*]

byrônico (bai). *Adj.* Byroniano.

➧**byte** (baite). [Do ingl. *b(inar)y te(rm)*, 'termo binário'.] *S. m. Proc. Dados.* Seqüência constituída de um número fixo de *bits* adjacentes, considerada como a unidade básica de informação, e cujo comprimento geralmente é constituído de 8 *bits.*

bytownita (baitau). *S. f. Min.* Mineral triclínico do grupo dos feldspatos (plagioclásio), mistura isomorfa de albita e anortita, variando esta entre 70 e 90%.

C

c. *S. m.* **1.** A 3ª letra do nosso alfabeto. [V. *alfabeto fonético internacional*.] **2.** *Mús.* A nota dó, na antiga notação alfabética, ainda hoje usada nos países germânicos e anglo-saxões. **3.** *Mús.* Sinal de *compasso quaternário*. **4.** *Mús.* Quando maiúsculo e cortado [₵], sinal de *compasso binário*. **5.** *Fís.* Símb. de *coulomb*. **6.** *Quím.* Símb. de *carbono*. **7.** Símb. de *centi-*[2]. ● *Num.* **8.** No sistema romano de numeração, símb. do número 100. **9.** O terceiro, numa série indicada pelas letras do alfabeto: *parágrafo C* (ou *parágrafo c*). **10.** A terceira, num grupo de séries: *série C* (ou *série c*). [Cf. cê. Com maiúscula, nas acepç. 2, 3, 5, 6 e 8.]

■ **ºC.** *Fís.* Símb. de *grau Celsius*.

ca. *Conj. Arc.* Que, porque, pois. [Cf. *cá*.]

■ **Ca.** *Quím.* Símb. de *cálcio*.

■ **CA.** *Eletr.* Sigla de *corrente alternada*; AC.

cá[1]. [Do lat. vulg. *eccum. hac: eccum*, 'eis aqui', us. como partícula enfática, e *hac*, 'por aqui'.] *Adj.* **1.** Lugar próximo ou junto ao em que se está; nesse ou para este lugar; aqui: *Mandou-o vir c á*; "Vinde c á, meu tão certo secretário / dos queixumes que sempre ando fazendo" (Luís de Camões, *Rimas*, p. 241). **2.** Neste país; nesta terra: "Minha terra tem primores, / Que tais não encontro eu c á" (Gonçalves Dias, *Obras Poéticas*, I, p. 21). **3.** No interior de; dentro: *O que eu c á pensei, não o transmiti*. **4.** Esta época, este tempo; agora: "Desde então para c á fiquei sombrio!" (Augusto dos Anjos, *Eu*, p. 105.) **5.** Partícula de realce ou reforço que, posposta ao pron. oblíquo referente à 1ª pess., imprime idéia de afirmação; aqui: "Minha amiga, c á vou no meu sossego. / Tu tens um belo emprego! / Tu sustentaste a fava, e eu a troços! Tu lá serves el-rei, e eu um moleiro!" (João de Deus, *Campos de Flores*, I, p. 372); *Repete-me c á o que disseste*. [Com os pron. oblíquos referentes à 2ª e à 3ª pess., aplicam-se os advérbios *lá* e *acolá*: *Tu l á entendes disso?*; *Eles a c o l á decidiram tudo na surdina*.] ◆ **De cá para lá.** De um lado para o outro.

cá[2]. *S. m.* **1.** Nome da letra *k*. **2.** Capa[2]. [Pl.: *cás* ou *kk*. Cf. Ca.]

cã[1]. *S. f.* Cabelo branco. [M. us. no pl.] ~ V. *cãs*.

cã[2]. [Do mongol, atr. do turco *khan*.] *S. m.* **1.** Título de alguns chefes ou soberanos orientais. **2.** Título do imperador da China, na Idade Média. [Sin. ger., ant. e lus.: cão.]

▲**ca'-.** V. *caá-*.

caá. [Do tupi.] *Bras. S. f.* **1.** Entre os indígenas, qualquer erva ou planta, especialmente a erva-mate [q. v.], e uma variedade de tabaco [q. v.]. **2.** Chá ou infusão de congonha. ● *S. m.* **3.** Capa do prepúcio ou estojo peniano, feita de certas folhas, usada pelos índios parintintins.

▲**caá-.** [Do tupi.] *El. comp.* = 'erva', 'planta', 'mato': *caatinga*, *caami*. [Equiv.: *ca'-* e *-caá*: *catinga* (= caatinga); *mucuracaá*.]

▲**-caá.** V. *caá-*.

caã. *Bras. S. 2. g.* **1.** Indivíduo dos caãs, tribo indígena da região dos rios Igatimi, Escopil e Miamaia. ● *Adj. 2 g.* **2.** Pertencente ou relativo a essa tribo.

caá-açu. *S. m. Bras.* Caaguaçu.

caaba. [Do ár. *kaaba*, 'cubo', dada a forma da edificação.] *S. f.* **1.** Templo muçulmano, em Meca, particularmente venerado pelos maometanos. **2.** A pedra sagrada que se encontra nesse templo.

caabopoxi. [Do tupi *ka'abo*, 'folhas de mato', + *po'xi*, 'sujo'.] *S. f. Bras., SP* e *MT*. Trepadeira da família das convolvuláceas (*Ipomoea malvaeoides*), de folhas partidas e flores roxas.

caacambuí. [De *caá-* + *kã'bĩ*, 'leite', + *i*, 'pequeno'.] *S. m. Bras., PA* ao *RJ*. Erva da família das euforbiáceas (*Euphorbia serpens*), de caule filiforme e frutos capsulares; erva-de-cobra.

caachica (caà). *S. f. Bras.* V. *anileira-verdadeira*.

caaeé. *S. m. Bras., MG, SP* e *MT*. Subarbusto da família das compostas (*Stevia collina*), de flores dispostas em capítulos, e que contém glicirrizina e é tido como edulcorante.

caaetê. [De *caá-* + *e'tê*, 'verdadeiro'.] *S. m. Bras.* Na mata amazônica, região que só se inunda quando das grandes enchentes. [Cf. *caetê*, *caeté* e *caité*.]

caaguaçu (caà). [De *caá-* + *wa'su*, 'grande'.] *S. m. Bras., MG, SP, PR* e *GO*. Planta ornamental, cultivada, da família das eriocauláceas (*Eriocaulon sellowianum*), com folhas lanceoladas e flores brancacentas em capítulos globosos; caá-açu.

caaigapó (a-i). [De *caá-* + *iga'pó*, 'lago'.] *S. m. Bras., Amaz.* **1.** Trecho inundável da floresta. **2.** Mata inundada permanentemente.

caaingá (a-in). [De *caá-* + *ĩgá*, 'ingá'.] *S. m. Bras., SP* e *PR*. Árvore da família das leguminosas-mimosóideas (*Pithecelobuim sanguineum*), de flores roxas ou róseas, e madeira útil para construção civil e carroçaria.

caajacara. *S. f. Bras.* V. *tamearama*.

caajuçara. [De *caá-* + *yu'sara*, 'comichão'.] *S. m. Bras., Amaz.* Arbusto da família das rubiáceas (*Duroia saccifera*), dotado de flores em cimeiras e bagas grandes; folha-de-comichão.

caamanha. *S. f. Bras.* Ente fantástico habitante da mata, e que se admite ser o próprio curupira [q. v.].

caamembeca. [Do tupi *kaamẽ'beca*, 'folha mole'.] *S. m. Bras., PA.* Arbusto da família das poligaláceas (*Polygala spectabilis*), de folhas ovais ou oblongas e flores grandes.

caami. [Do tupi. *caamiri*.] *S. m. Bras.* **1.** Arbusto da família das aqüifoliáceas (*Ilex nigro-punctata*), de folhas com glândulas negras. **2.** Arbusto da família das aqüifoliáceas (*Ilex amara*), de folhas lanceoladas, com pêlos rígidos; caaxi, erva-mate-amarga-de-mato-grosso, mate-bastardo, mate-espúrio.

caaobi. [De *caá-* + *o'bi*, 'verde'.] *S. m. Bras.* **1.** *Amaz.* A mata virgem. **2.** V. *anileira-verdadeira*.

caapeba. [De *caá-* + *pewa*, 'chata'.] *S. f. Bras.* V. *abutua* (1).

caapená. *S. f. Bras.* **1.** V. *capeba-do-norte*. **2.** V. *capeba-do-campo*.

caapi. [Do tupi *kaá'pi*.] *S. m. Bras.* Cipó da família das malpighiáceas (*Banisteria caapi*), cultivado por várias tribos indígenas, de ramos longos, com folhas opostas e oblongas, das quais se extrai um alcalóide, a harmina, e flores róseas e racemosas. É tido como estupefaciente e empregado pelos pajés em atividades de fundo religioso.

caapiá. [De *caá-* + tupi *pi'á*, 'coração'; as folhas são cordiformes.] *S. m. Bras.* Designação comum a várias espécies do gênero *Dorstenia*, da família das moráceas: ervas tenras, leitosas, providas de uma espécie de rizoma e de flores insignificantes, que se inserem num amplo receptáculo discóide. [Var.: *caiapiá*, *capiá*. Cf. *carapiá*.]

caapiá-açu. [De *caapiá* + *-açu*.] *S. m. Bras.* Erva da família das moráceas (*Dorstenia multiformis*), encontrada no interior da floresta atlântica, de tamanho avantajado, e cujas folhas, grandes, sagitadas e membranáceas, têm pecíolo muito longo; caapiá-do-grande, caapiá-preto. [Pl.: *caapiás-açus*.]

caapiá-do-grande. *S. m. Bras.* V. *caapiá-açu*. [Pl.: *caapiás-do-grande*.]

caapiá-mirim. *S. m. Bras.* Erva da família das moráceas (*Dorstenia opífera*), comum no interior das florestas, de tamanho muito reduzido, folhas elípticas, e cujo rizoma, dessecado e moído, é perfumado e serve para aromatizar tabaco. [Pl.: *caapiás-mirins*.]

caapiá-preto. *S. m. Bras.* V. *caapiá-açu*. [Pl.: *caapiás-pretos*.]

caapitiú. [Do tupi *kaapiti'u*, 'erva fedorenta'.] *S. m. Bras.* Arvoreta rofa e tomentosa, da família das monimiáceas (*Siparuna guyanensis*), de folhas amplas, oblongas, acuminadas e pubérulas, flores mínimas, apétalas, unissexuais, e pequenos frutos drupáceos. Exala odor que lembra o do limão.

caapitiú-fedorento. *S. m. Bras.* Planta da família das monimiáceas (*Siparuna foetida*), muito semelhante ao caapitiú. [Pl.: *caapitiús-fedorentos*.]

caapomonga. [De *caá-* + tupi *po-mõng*, 'visgo'.] *S. f. Bras.* Trepadeira ornamental da família das plumbagináceas (*Plumbago scandens*), de flores azuis, dispostas em racemos condensados.

caaponga. *S. f. Bras.* V. *beldroega-pequena*.

caapor (ó). *Bras. S. 2 g.* e *adj. 2 g.* V. *urubu*[2].

caapora. [Do tupi *kaa'pora*, 'o que há no mato'.] *S. 2 g.* **1.** *Bras., Amaz.* Entre os índios, o homem do mato roceiro. V. *caipira* (1). **2.** *Bras.* Caipora (1).

caapuã. [De *caá-* + tupi *po'ã*, 'redonda'.] *Bras. S. m.* **1.** Árvore da família das simplocáceas (*Symplocos celastrinea*), de flores alvas e frutos drupáceos. **2.** V. *capão*[2].

caapuera-branca. *S. f. Bras.* V. *braço-de-preguiça*. [Pl.: *caapueras-brancas*.]

caarina. *S. f. Bras.* Designação indígena da raiz da mandioca.

caatiguá. [Do tupi.] *S. m. Bras.* Planta da família das miliáceas (*Trichilia caatigoa*), que ocorre na caatinga e formações adjacentes, de folhas penadas, com folíolos oblongos e de ápice agudo, pequeninas flores dispostas em panículas, e fruto capsular.

caatinga. [De *caá-* + *-tinga*.] *S. f. Bras.* **1.** Tipo de vegetação característico do Nordeste brasileiro, mas que alcança o N. de MG e o MA, formado por pequenas árvores, comumente espinhosas, que perdem as folhas no curso da longa estação seca [entre elas ocorrem numerosas plantas suculentas, sobretudo cactáceas]: "Andou como renegado no mato, furando as c a a t i n g a s, farejando grotas" (José Lins do Rego, *Usina*, p. 21). **2.** Zona cuja vegetação é de caatinga. **3.** *Bras.*,

Amaz. Formação vegetal rarefeita, constituída por árvores de porte reduzido. **4.** V. *cana-de-macaco* (2). **5.** *Bras.* Arvoreta da família das bignoniáceas (*Tabebuia caatinga*), de folhas com cinco folíolos digitados, oblongos, acuminados, com pêlos e escamas nas duas faces, flores vistosas, amarelas, de 3,5 a 5cm, e congregadas em umbelas multifloras, e cujo fruto é cápsula delgada, de sementes aladas. [Var.: *catinga*[2]. Cf. *catinga*[1].] ◆ **Caatinga brejada.** *Bras., PB.* O trecho mais úmido e fértil da caatinga (2), onde é praticável a agricultura. **Caatinga do igapó.** *Bras., Amaz.* Terreno alagadiço com vegetação escassa. **Caatinga do rio Negro.** *Bras.* Tipo de vegetação própria de certas áreas da floresta amazônica, caracterizado por pequenas árvores perenifólias que possuem folhas rígidas. Vivem sobre areia rica em água.

caatininga. [Do tupi *kaati'nĩ*, 'folha seca'.] *S. f. Bras. Amaz.* Certa árvore medicinal.

caaueti. *S. f. Bras.* V. *açoita-cavalo* (1).

caavurana. [Do tupi.] *S. f. Bras., N.E. e L.* Arbusto da família das solanáceas *(Solanum caavurana)*, de flores alvas e bagas violáceas ou avermelhadas, do qual se extrai anil.

caavurana-de-cunhã. *S. f. Bras.* V. *anil-trepador.* [Pl.: *caavuranas-de-cunhã.*]

caaxarama. [Do tupi.] *S. f. Bras. Amaz.* Palmeira *(Bactris chloracantha)* provida de frutos violáceos, e de cujo lenho se fazem bengalas. [Var.: *caxarama* e *caxirama.*]

caaxi. [Do tupi.] *S. f. Bras.* V. *caami* (2).

caaxió. [Do tupi.] *S. f. Bras., PA.* Árvore da família das lauráceas *(Cryptocarya guyanensis)*, de flores pequenas e frutos excitantes e carminativos, e cuja madeira é útil para carpintaria e marcenaria.

caaxira. [Do tupi.] *S. f. Bras.* Planta guianense, da família das rubiáceas *(Oldenlandia corymbosa)*, de flores alvas e frutos capsulares, de propriedades febrífugas e vermífugas, e de cuja raiz se extrai matéria corante.

caba. [Do tupi *kawa.*] *S. f. Bras., Amaz.* Designação dada aos insetos himenópteros da família dos vespídeos [v. *maribondo* (1)]: "A igreja fora bem varrida, haviam-se queimado muitos ninhos de *caba* e espanado os altares" (Inglês de Sousa, *O Missionário*, p. 102).

cabaça[1]. [Pré-romano, talvez.] *S. f.* **1.** V. *cabaceiro-amargoso.* **2.** V. *porongo*[1] (1 e 2): "Uma *cabaça* foi posta contra os seus lábios, e bebeu dela, avidamente." (Eça de Queirós, *Últimas Páginas*, p. 317.) **3.** V. *cabaço*[1]. **4.** *Bras., BA. Folcl.* Cabaço[1] coberto de um rendilhado de contas-de-santa-maria, usado como instrumento musical nos candomblés; agüê, piano-de-cuia. [F. paral.: cabaço.]

cabaça[2]. [Do quimb. *kabasa.*] *S. m. Bras.* **1.** Criança gêmea que nasce em segundo lugar. **2.** Palerma, idiota. V. *tolo* (8) [Cf. *babaça.*]

cabaça-amargosa. *S. f. Bras.* V. *cabaceiro-amargoso.* [Pl.: *cabaças-amargosas.*]

caba-caçadeira. *S. f. Bras.* V. *marimbondo-caçador.* [Tb. se diz apenas *caçadeira.* Pl.: *cabas-caçadeiras.*]

cabaçada. *S. f.* Porção que uma cabaça[1] (3) ou um cabaço[1] pode conter.

cabaça-de-trombeta. *S. f. Bras.* V. *cabaceiro-amargoso.* [Pl.: *cabaças-de-trombeta.*]

cabaçal. [De *cabaça* + *-al.*] *S. m. Bras., N.E. Folcl.* V. *terno de zabumba.* ● *Adj.* ~ V. *banda* —.

cabaça-purunga. *S. f. Bras.* V. *cabaceiro-amargoso.* [Pl.: *cabaças-purungas.*]

caba-cega. *S. f. Bras., Amaz.* V. *marimbondo-chapéu.* [Pl.: *cabas-cegas.*]

cabaceira. *S. f. Bras.* V. *cuieira* (1).

cabaceirense. *Adj. 2 g.* **1.** De, ou pertencente ou relativo a Cabaceiras (PB). ● *S. 2 g.* **2.** Natural ou habitante de Cabaceiras.

cabaceiro. [De *cabaça*[1] + *-eiro.*] *S. m. Bras.* Árvore da família das compostas (*Stifftia parviflora*), de flores alvas ou amareladas e madeira útil para caixotaria e fabrico de papel.

cabaceiro-amargoso. *S. m. Bras.* Erva da família das cucurbitáceas (*Lagenaria vulgaris*), originária da Índia e da Abissínia, de flores alvas e fruto cuja polpa, amarga, é purgativa e drástica; cabaça, cabaça-amargosa, cabaça-de-trombeta, cabaça-purunga, cabaço-amargoso, calabaça, cuietezeira ou cuietezeiro, taquera, colombro, cocombro. [Pl.: *cabaceiros-amargosos.*]

cabacinha. [Dim. de *cabaça*[1].] *S. f.* **1.** V. *abobrinha-do-mato* (2). **2.** V. *buchinha.* **3.** Estefânia. **4.** *Bras.* Bola de cera cheia de água, que se usava como projetil nas brincadeiras de entrudo.

cabacinha-do-campo. *S. f. Bras., MG.* Arbusto da família das mirtáceas (*Eugenia klotzchiana*), de flores alvas e bagas pardo-amareladas, comestíveis; pereira-do-campo. [Pl.: *cabacinhas-do-campo.*]

cabacinha-do-mato. *S. f. Bras., MG.* Arbusto da família das mirtáceas (*Eugenia theodorus*), de flores com muitos estames e bagas esféricas. [Pl.: *cabacinhas-do-mato.*]

cabacinha-riscada. *S. f. Bras.* V. *abobrinha-do-mato* (2). [Pl.: *cabacinhas-riscadas.*]

cabacinha-verrugosa. *S. f. Bras.* V. *abobrinha-do-mato* (2). [Pl.: *cabacinhas-verrugosas.*]

cabacinho. [Dim. de *cabaço*[1].] *S. m. Bras.* V. *buchinha.*

cabacinho-do-pará. *S. m. Bras.* Planta da família das cucurbitáceas (*Coclocysillus paraensis*). [Pl.: *cabacinhos-do-pará.*]

cabaço[1]. [De *cabaça*[1].] *S. m.* **1.** O fruto da cabaceira. **2.** Vaso feito desse fruto seco, despojado do miolo. [Sin. ger.: *cuia.* F. paral.: *cabaça.*]

cabaço[2]. [Do quimb. *kabasu.*] *S. m. Chulo.* **1.** O hímen. **2.** A virgindade da mulher. **3.** A mulher virgem. **4.** *P. ext.* Homem casto. ◆ **Tirar o cabaço de.** *Chulo.* Desvirginar, descabaçar.

cabaço-amargoso. *S. m. Bras.* V. *cabaceiro-amargoso.* [Pl.: *cabaços-amargosos.*]

cabaçu. [Do tupi *kawa'su*, 'caba grande'.] *S. f. Bras.* V. *tatu-de-rabo-mole.* [Var.: *cabuçu.*]

cabaçuano. *Adj.* **1.** De, ou pertencente ou relativo a Cabaçu (RJ). ● *S. m.* **2.** O natural ou habitante de Cabaçu.

cabaçuda. *Adj. (f.)* e *s. f. Bras. Chulo.* Diz-se de, ou mulher que é virgem, que tem cabaço[2] (2).

cabaçudo. [De *cabaçuda* (q. v.).] *Adj.* e *s. m. Bras. Chulo.* Diz-se de, ou homem simples e ingênuo, que lembra a mulher virgem inexperiente.

caba-de-igreja. *S. f. Bras.* V. *marimbondo-caboclo.* [Pl.: *cabas-de-igreja.*]

caba-de-ladrão. *S. f. Bras.* V. *marimbondo-chapéu.* [Pl.: *cabas-de-ladrão.*]

cabaia. [Do ár. *kabaiâ.*] *S. f.* **1.** Tecido de seda muito leve. **2.** Túnica desse tecido, aberta dos lados, de mangas largas, usada por alguns povos asiáticos: "uma holandesa pálida, anêmica, ... olha indiferente e nostálgica para a água do canal, em que um diligente letrado chinês, de *cabaia* e óculos, navega em piroga" (Ramalho Ortigão, *A Holanda*, p. 290).

cabaíba. *Bras. S. 2 g.* **1.** Indivíduo dos cabaíbas, tribo indígena de MT. ● *Adj. 2 g.* **2.** Pertencente ou relativo a essa tribo.

cabal. [De *cabo*[2] + *-al.*] *Adj. 2 g.* **1.** Completo, pleno, inteiro, perfeito: "É que a entonação .... reconstitui a ingênita simplicidade, na *cabal* inteligência da frase." (Aires da Mata Machado Filho, *Crítica de Estilos*, p. 221.) **2.** Rigoroso, severo.

cabala. [Do hebr. rabínico *kabbā ān.*] *S. f.* **1.** *Filos.* Tratado filosófico-religioso hebraico, que pretende resumir uma religião secreta que se supõe haver coexistido com a religião popular dos hebreus. **2.** O conteúdo desse tratado, particularmente a decifração de um sentido secreto da Bíblia e uma teoria e um simbolismo dos números e das letras. **3.** Designação comum a movimentos místicos e esotéricos europeus do século XII em diante. **4.** Conluio secreto entre indivíduos ou facções que trabalham para um mesmo fim; maquinação, trama, conspiração. **5.** Nos meios editoriais e teatrais, maquinação de um grupo para forjar um sucesso ou um fracasso.

cabalar. *V. int.* **1.** Fazer cabala (4); intrigar, conspirar, enredar. **2.** Aliciar eleitores. *T. d.* **3.** Conseguir (votos em uma eleição) com pedidos ou ardis.

cabaleta (ê). [Do it. *cabaletta.*] *S. f. Mús.* **1.** Pequena ária de ritmo simples, com repetições. **2.** No séc. XIX, a última seção, de caráter brilhante e andamento animado, de uma grande ária ou de um dueto. [V. *cavatina.*]

cabalino. [Do lat. *cabalinu.*] *Adj. Poét.* Referente a Pégaso, cavalo alado mitológico que feriu a terra com o casco, fazendo brotar a fonte de Hipocrene.

cabalista. *S. 2 g.* **1.** Pessoa versada na cabala (1 e 2) ou noutra ciência oculta. **2.** *Bras.* Pessoa que cabala, que faz cabala (4) ou conluio.

cabalístico. *Adj.* **1.** Relativo à cabala (1 e 2): *interpretação cabalística.* **2.** Relativo às ciências ocultas: *número cabalístico.* **3.** *Fig.* Secreto, misterioso, obscuro: "Sinal de sua passagem .... só um cofrezinho .... fechado com cadeado de segredo *cabalístico*" (Visconde de Taunay, *Ao Entardecer*, pp. 38-39).

cabamirim. *S. f. Bras.* V. *enxuí.*

cabamoatim. *S. m. Bras.* V. *enxu-da-beira-do-telhado.*

cabana. [Do lat. tardio *capanna.*] *S. f.* Habitação precária e rústica. [Sin. (bras. na maioria): *casebre, choça, choupana, colmado, tugúrio, arribana, barraca, capuaba, caluje, copé, ipuada, mocambo, mocambinho, moquiço, quimbembe, tapiri.* Cf. *palhoça* (2).]

cabanada. *S. f. Bras.* Revolta que irrompeu em PE em 1832 e se alastrou por AL, onde tomou o nome de *revolta de panelas.*

cabanagem. *S. f. Bras., N.* **1.** Ato de cabano[2]; selvageria, atrocidade. **2.** Revolta que ocorreu na província do Grão-Pará de 1835 a 1836.

cabaneiro[1]. [De *cabana* + *-eiro.*] *S. m.* **1.** Indivíduo que mora em cabana. **2.** Homem pobre e rústico.

cabaneiro[2]. [De *cabano* + *-eiro.*] *S. m.* Grande cesto de vime; cabano.

cabanha. [Do esp. *cabaña.*] *S. f. Bras., RS.* Estabelecimento dedicado em particular à pecuária, com métodos aperfeiçoados de criação, pasto para cada espécie, galpão confortável. [Algumas cabanhas se especializaram na criação de reprodutores ovinos e bovinos que alcançam no mercado boas cotações.]

cabano[1]. [De *cabana*, talvez.] *S. m.* Cabaneiro[2].

cabano[2]. [De *cabana.*] *S. m. Bras.* Membro de facções políticas que houve, durante a Regência, em PE, AL, PA e MA. [Na última dessas províncias os adversários dos cabanos eram os bem-te-vis.]

cabano[3]. *Adj.* **1.** Diz-se do bovino de chifres levemente inclinados para baixo, ou horizontais, e do eqüino de orelhas derrubadas. **2.** Diz-se da cavalgadura vagarosa e sonolenta, mas de grande resistência. **3.** *Bras., RS.* Diz-se da cavalgadura que tem uma das orelhas caída. **4.** Diz-se de chapéu de palha de abas largas e caídas: "chapéu *cabano* d'abas abatidas" (Coelho Neto, *Banzo*, p. 66). ● *S. m.* **5.** Esse chapéu. **6.** *Bras., MG.* Caiana[1].

cabapiranga. [De *caba* + tupi *pi'rãga*, 'vermelho'.] *S. f. Bras.* V. *marimbondo-caboclo.*

cabapitã. [Do tupi.] *S. m. Bras.* V. *marimbondo-caboclo.*

cabaré. [Do fr. *cabaret.*] *S. m.* Casa de diversões onde se bebe e dança e, em geral, se assiste a espetáculos de variedades.

cabareteiro. [Do fr. *cabaretier.*] *S. m.* Dono ou empregado de cabaré: "cidadãos internacionais, que vacilam entre o pirata levantino e o *cabareteiro* de Budapeste." (Agripino Grieco, *Amigos e Inimigos do Brasil*, p. 143).

➡**cabaretier** (cabarretiê). [Fr.] *S. m.* Indivíduo que, num espetáculo de variedades, anuncia os números.

cabarradas. *S. m. pl. Lus. Folcl.* Jogo onde se atira de mão em mão às pessoas em círculo um cântaro ou uma panela de barro, perdendo aquele que a deixar cair e que pagará prêmio dantes combinado.

cabatã. [Do tupi *kawa a'tã*, 'caba dura, valente'.] *S. m. Bras.* V. *marimbondo-caboclo.*

cabatatu. [De *caba* + *tatu.*] *S. m. Bras., Amaz.* V. *marimbondo-tatu.*

cabaú. [Do tupi *kawa'u*, 'comida de caba'.] *S. m. Bras., PE* e *SE.* V. *mel cabaú.*

cabaz. [Do fr. *cabas* ou do provenç. *cabas.*] *S. m.* **1.** Cesto de verga, junco, vime, etc., de variadas formas, geralmente com tampa e asa. **2.** Caixa cilíndrica de lata, para transporte de alimentos. **3.** Bebida preparada com vinho, café, açúcar e canela.

cabazada. *S. f.* **1.** Porção que o cabaz pode conter. **2.** *Fig.* V. *quantidade* (3).

cabazeiro. *S. m.* Fabricante e/ou vendedor de cabazes.

cabe. *S. m. Bras., MG.* Paletó (1).

cabear. [De *cabo* + *-ear.*] *V. int.* Mover (o cavalo) o cabo[2] (2), quando o picam. [Conjug.: v. *frear.* Normalmente é defect., conjugável só nas 3as pess. [Conjug.: v. *frear.*]

cabeça (ê). [Do lat. *capita.*] *S. f.* **1.** A parte superior do corpo dos animais bípedes e a anterior dos outros animais, onde se situam normalmente o encéfalo e os órgãos dos sentidos da visão, audição, olfação e gustação. [Aum.: *cabeçorra, cabeção.* Sin. (pop.): coco (ô), *cuca, cuia, grimpa, idéia, quengo, sinagoga.*] **2.** A parte da cabeça (1) normalmente coberta pelo couro cabeludo. **3.** Crânio (1): *A pancada quebrou-lhe a cabeça.* **4.** Juízo, prudência, tino: *Não fará loucuras: tem cabeça.* **5.** Inteligência; talento: *Tem cabeça para matemática.* **6.** Lembrança, memória: *Não me sai da cabeça o desastre de ontem.* **7.** Raciocínio, elucubração, imaginação: *Tal idéia só poderia sair da cabeça de um gênio.* **8.** Pessoa muito inteligente e/ou culta: *É uma das maiores cabeças do Brasil.* **9.** Pessoa ou animal, considerados como unidade: *A despesa saiu a tanto por cabeça; São 200 cabeças de gado.* **10.** A extremidade mais dilatada de um objeto: *a cabeça do prego.* **11.** A frente de um cortejo. **12.** Primeiras linhas de folha impressa ou escrita; cabeceira: *Seu nome está na cabeça da lista.* **13.** Face plana de uma pedra irregular. **14.** Cidade principal de um país ou de uma região; capital. **15.** *Pop.* A glande do pênis. **16.** *Arquit.* Pedra maior e mais resistente, que se coloca em pontos submetidos a maiores esforços, nos maciços de alvenaria. **17.** *Bibliol.* A parte superior do livro, de sua encadernação ou de sua lombada, de uma página ou de uma tabela. **18.** *Mar.* Proa (1). **19.** *Tip.* Peça que compõe o espaçador da linotipo e onde desliza o cursor. **20.** *Turfe.* Diferença, correspondente ao tamanho aproximado de uma cabeça, que distancia um cavalo de outro, no final de um páreo: *O primeiro páreo foi ganho por* c a b e ç a. **21.** *Bras.* A parte superior da queda-d'água, quando separada da inferior, denominada *rabo da cachoeira* [q. v.], por um trecho mais ou menos longo não encachoeirado. **22.** *Bras., BA.* Coroa (18) submersa formada de pedras calcárias. **23.** *Bras.* V. *gorjeta* (2). **24.** *Téc.* Dispositivo que, num gravador, transforma os sinais elétricos em magnéticos, e vice-versa. ● *S. 2 g.* **25.** O chefe; o dirigente; o líder: *o* c a b e ç a *da revolta;* "O alfaiate, cercado de outros c a b e ç a s do tumulto da véspera, encaminhou-se para a alpendrada de S. Domingos" (Alexandre Herculano, *Lendas e Narrativas,* I, p. 103). ♦ **Cabeça a cabeça.** *Turfe.* Na mesma linha; emparelhadamente: *Três dos cavalos chegaram* c a b e ç a *a* c a b e ç a. **Cabeça de bater sola.** *Bras., CE. Pop.* Cabeça chata. **Cabeça de distrito.** Vila ou povoação sede de um distrito. **Cabeça de página.** *Tip.* Cabeço (8). **Cabeça de proa.** *Bras. Folcl.* Carranca (6). **Cabeça forte.** *Fig.* Talento, engenho, grande inteligência. **Cabeça fria.** Calma de espírito; tranqüilidade, serenidade: *É preciso* c a b e ç a *f r i a para encontrar a solução.* **Cabeça magnética.** *Proc. Dados.* Num computador eletrônico, dispositivo destinado a ler, escrever ou apagar informações em registros automáticos. **Andar com a cabeça ao léu.** Andar sem chapéu. **Assentar a cabeça.** Assentar (18). **Com a cabeça no ar.** Alheado, desatento, distraído; no ar. **Cortar a cabeça de.** Demitir de posto ou função, por motivos políticos. **De cabeça. 1.** Sem o auxílio de cálculo escrito ou mecânico; mentalmente: *Só faz contas* d e c a b e ç a. **2.** *Fam.* De memória, de cor. **3.** *Fut.* Movimentando a bola apenas com a cabeça: *Fez um gol de* c a b e ç a. **De cabeça alta.** Com altivez; sobranceiramente; de cabeça erguida. **De cabeça baixa.** Com submissão; humildemente. **De cabeça erguida.** V. *de cabeça alta.* **De cabeça inchada.** *Bras. Gír.* Em esportes, acabrunhado, triste, por ter o seu time perdido. **Duro de cabeça.** Teimoso, casmurro, cabeçudo. **Enterrar a cabeça do boi.** *Bras., N.E.* Prolongar os festejos natalinos até o primeiro domingo seguinte a eles. **Esquentar a cabeça.** *Fam.* Preocupar-se, inquietar-se, afligir-se. [Tb. se diz apenas *esquentar.*] **Fazer a cabeça.** *Bras.* **1.** Desenvolver (10) e cruzar (8) (o médium) em terreiro de umbanda, tendo um guia como chefe espiritual. **2.** *Fam.* Embriagar(-se) e/ou drogar(-se). **Fazer a cabeça de.** *Bras. Fam.* Alterar ou modificar o procedimento ou convicções de (outrem). **Fazer cabeça.** *Mar.* Desviar (a embarcação) a proa para um ou outro bordo, ao arrancar o ferro, ou largar da bóia. **Levantar a cabeça.** Reconquistar posição; recuperar-se moral e/ou financeiramente. **Levar na cabeça.** Sair-se mal numa empresa; tomar na cabeça. [V. *dar com os burros n'água.*] **Meter de cabeça.** *Bras., N.E.* Corcovear, corcovar, curvetear. **Meter na cabeça.** Aprender de cor; decorar. **Meter na cabeça de. 1.** insinuar, sugerir. **2.** Despertar o desejo de: *Por que* m e t e s t e *na* c a b e ç a d o *rapaz essas idéias?; Quem* m e t e u *na* c a b e ç a d o *homem ser governador?* **Quebrar a cabeça.** Pensar demoradamente; refletir, ruminar. **Querer a cabeça de.** Exigir a exoneração de (alguém) de posto ou função, por motivos políticos. **Saber onde tem a cabeça.** Ter juízo; ser maduro; ter a cabeça no lugar. **Subir à cabeça.** Fazer sentir-se engrandecido, poderoso; experimentar sensação de poderio, de glória: *O cargo* s u b i u - *lhe* à c a b e ç a. **Ter a cabeça no lugar.** Saber onde tem a cabeça. **Tomar na cabeça.** V. *levar na cabeça.* **Usar a cabeça.** Agir ou proceder com inteligência, com reflexão. **Virar a cabeça.** Apresentar mudança para pior no seu procedimento; tornar-se insensato. **Virar a cabeça de.** Fazer que alguém vire a cabeça [q. v.].

cabeça-amarga. *S. f. Bras., RS.* V. *joaninha* (2). [Pl.: *cabeças-amargas.*]

cabeça-baixa. *S. 2 g. Bras., CE. Pop.* Porco ou porca; suíno: "nenhum matuto chama ao porco senão 'c a b e - ç a - b a i x a', por pensar que a palavra porco é suja, e não deve ser dita." (Gustavo Barroso, *O Sertão e o Mundo,* p. 294.) [Pl.: *cabeças-baixas.*]

cabeça-branca. *S. f. Bras.* F. red. de *uirapuru-de-cabeça-branca.* [Pl.: *cabeças-brancas.*]

cabeça-chata. *S. 2 g.* **1.** *Bras., S.* Alcunha dada aos cearenses e, p. ext., aos nortistas: "—Você já viu algum carioca imitar tão bem o sotaque desses c a b e ç a s - c h a t a s que infestam o Rio?" (Herberto Sales, *Histórias Ordinárias,* p. 151.) **2.** *Bras.* V. *boipeva.* [Pl.: *cabeças-chatas.*]

cabeçada. *S. f.* **1.** Pancada com a cabeça. **2.** Tolice, asneira, desatino, disparate: *Aquele casamento foi uma* c a b e ç a d a. **3.** *Encad.* Certo debrum colorido que o encadernador cola na cabeça e no pé do bloco de cadernos costurados, como acabamento e reforço dessas partes do livro. [Sin.: *cabeçado, cabeceado, cabeceira, requife, sobrecabeceado* e (p. us.) *trancafio, tranchefilas, trincafio.*] **4.** *Fut.* Ato de atirar ou rebater a bola com a cabeça. **5.** *Bras. Cap.* Golpe traumatizante em que o capoeirista se lança de cabeça contra o adversário, tal como um aríete. **6.** *Mar.* Pancada da proa do navio no mar. **7.** *Mar.* Ação de baixar a proa, à qual se segue a subida. **8.** *Bras.* Cabresto ou focinheira, adornado com fitas ou tiras de chita, e provido de campainhas, que leva o animal que vai na frente amadrinhando a tropa. **9.** *Bras.* Conjunto de couro e metal que, ajustado à cabeça do cavalo, serve para melhor sustentar a embocadura: "No quartel, os cavalos estavam encilhados nas baias, selas com equipamento de campanha, as c a b e ç a d a s de freio penduradas ali." (M. Cavalcanti Proença, *Manuscrito Holandês,* p. 97.) [Nesta acepç., v. *buçal* (1).] ♦ **Dar cabeçadas.** *Mar.* Dar pancadas com a proa no mar, em virtude do balanço de popa a proa; cabecear. **Dar uma cabeçada. 1.** Fazer mau negócio. **2.** Fazer asneira; dar uma topada. **3.** Dar um mau passo.

cabeça-d'água. *S. f.* **1.** *Bras., N.E.* Enxurrada produzida pelas grandes chuvas da entrada do inverno no alto sertão, e que desce pelo leito dos rios, estendendo-se de uma a outra margem com a altura média de 1 a 2 m. **2.** *Bras., BA.* Crescimento súbito do nível das águas dos rios estando esses já correntes ou cheios. **3.** A maré grande de março e setembro, correspondente aos equinócios do outono e da primavera. **4.** *Pop.* Hidrocefalia. [Pl.: *cabeças-d'água.*]

cabeça-de-área. *S. m. Fut.* Médio (6) que atua na frente dos zagueiros protegendo a entrada da área. [Sin., ant.: *center-half.* Pl.: *cabeças-de-área.*]

cabeça-de-arroz. *S. 2 g. Bras.* Pessoa fútil, frívola, leviana. [Pl.: *cabeças-de-arroz.*]

cabeça-de-bagre. *S. m. Bras. Fut. Pop.* Jogador de futebol medíocre. [Pl.: *cabeças-de-bagre.*]

cabeça-de-boi. *S. f.* **1.** *Bras., Amaz.* a *SP.* Planta ornamental cultivada, da família das orquidáceas (*Stanhopea insignis*), com flores amarelas de labelo branco, em cachos pêndulos. **2.** Flor-de-vaca. [Pl.: *cabeças-de-boi.*]

cabeça-de-camarão. *S. 2 g. Bras.* Cabeça-dura. [Pl.: *cabeças-de-camarão.*]

cabeça-de-campo. *S. m. Bras., N.E.* O vaqueiro que dirige a vaquejada. [Pl.: *cabeças-de-campo.*]

cabeça-de-carneiro. *S. m. Bras., BA.* Calcário extraído de bancos submersos e usado no fabrico de cal. [Pl.: *cabeças-de-carneiro.*]

cabeça-de-casal. *S. m.* O chefe da sociedade conjugal. [Pl.: *cabeças-de-casal.*]

cabeça-de-cavalo. *S. f. Bras., N.E.* Cano de madeira que conduz a água aos cubos das rodas dos engenhos copeiros. [Pl.: *cabeças-de-cavalo.*]

cabeça-de-chave. *S. 2 g. Bras. Turfe.* Cavalo ou égua cujo número no páreo é o primeiro da chave [q. v.] que lhe corresponde, e que tem, geralmente, mais chance do que os colocados abaixo na mesma chave: "Rhone, o melhor cavalo nacional do momento, é o c a b e ç a - d e - c h a v e do GP Dezesseis de Julho" (*Jornal do Brasil,* Rio, 12.7.1972). [Pl.: *cabeças-de-chave.*]

cabeça-de-coco (côco). *S. 2 g.* **1.** *Bras.* Pessoa desmiolada, ou muito distraída. [Pl.: *cabeças-de-coco.*]

cabeça-de-cuia. *S. m. Bras.* Segundo a crendice popular, ente fantástico que vive nas águas do rio Parnaíba e de sete em sete anos devora uma moça chamada Maria. [Pl.: *cabeças-de-cuia.*]

cabeça-de-ferro. *S. m. Bras.* **1.** Cangati. **2.** V. *anujá.* [Pl.: *cabeças-de-ferro.*]

cabeça-de-fogo. *S. m. Bras.* **1.** Pássaro canoro de MG e SP, da família dos fringílidas (*Coryphospingus cucullatus* (Mull.)). **2.** V. *canário-da-terra.* [Pl.: *cabeças-de-fogo.*]

cabeça-de-frade. *S. f. Bras.* **1.** Planta da família das compostas (*Pithecoseris pacourinoides*) de folhas sésseis e flores dispostas em capítulos. **2.** Cardo-melão. [Pl.: *cabeças-de-frade.*]

cabeça-de-galo. *S. f. e m. Bras., N.E.* Papa[2] (1) de farinha de mandioca, água e temperos, na qual se diluem ovos. [Pl.: *cabeças-de-galo.*]

cabeça-de-jacaré. *S. m. Bras., AM* e *PA.* V. *jacaré* (11). [Pl.: *cabeças-de-jacaré.*]

cabeça-de-leão. *S. m. Bras.* Designação comum aos peixes teleósteos, cipriniformes, da família dos ciprinídeos (*Carassius auratus* (L.)), cuja cabeça apresenta ampliações cefálicas ou verrugas; cabeça-de-tomate. [Pl.: *cabeças-de-leão.* Cf. *peixe-vermelho.*]

cabeça-de-lobo. *S. f. Pop.* Osso da parte dianteira dos animais. [Pl.: *cabeças-de-lobo.*]

cabeça-de-medusa. *S. f. Patol.* Aspecto peculiar que se pode observar na parede anterior do abdome, por efeito da dilatação, causada por estase, em veias subcutâneas que parece irradiarem-se da área umbilical. [Sin., lat.: *caput medusae.* Pl.: *cabeças-de-medusa.*]

cabeça-de-monge. *S. f. Bras., AM.* Planta ornamental, da família das litráceas (*Lafoensia acuminata*), de flores em racemos e frutos capsulares globosos. [Pl.: *cabeças-de-monge.*]

cabeça-de-negro. *S. f.* **1.** *Bras., L., SP* e *MT.* Arbusto da família das anonáceas (*Anona coriacea*), de flores amarelas, carnosas, e bagas compostas, e cujas sementes são tidas por antidiarréicas; araticum-do-campo, araticum-dos-lisos, marolinho. **2.** *Expl.* Bomba[1] junina de alto poder de detonação. [Pl.: *cabeças-de-negro.*]

cabeça-de-nós-todos. *S. f.* **1.** *Bras., N.E. Fam.* Cabeça enorme. ● *S. 2 g.* **2.** *Bras., N.E. Fam.* Pessoa de cabeça muito grande. [Pl.: *cabeças-de-nós-todos.*]

cabeça-de-pedra. *S. f. Bras.* V. *jaburu-moleque.* [Pl.: *cabeças-de-pedra.*]

cabeça-de-ponte. *S. f. Mil.* Posição que um escalão de vanguarda de uma tropa atacante ocupa em terreno inimigo, no lado oposto ao de algum obstáculo natural (geralmente rio ou desfiladeiro), ou numa praia, para assegurar o espaço necessário ao prosseguimento das operações. [Pl.: *cabeças-de-ponte.* Cf. *cabeça-de-praia.*]

cabeça-de-porco. *S. f. Bras., RJ, Pop.* V. *cortiço* (2): "no alto do morro desvendou-se a triste casa de José, que .... era um corredor de c a b e ç a - d e - p o r c o" (Carlos Drummond de Andrade, *Fala, Amendoeira,* p. 180). [Pl.: *cabeças-de-porco.*]

cabeça-de-praia. *S. f. Mil.* Área que determinada força ocupa em litoral inimigo, para garantir o desembarque contínuo de tropa e material e assegurar o espaço necessário ao prosseguimento das operações. [Pl.: *cabeças-de-praia.* Cf. *cabeça-de-ponte.*]

cabeça-de-prata. *S. f. Bras.* V. *rendeira*[2] (2). [Pl.: *cabeças-de-prata.*]

cabeça-de-prego. *S. f. Bras.* **1.** Em certas regiões, larva de mosquitos. **2.** Pequeno abscesso cutâneo. [Pl. *cabeças-de-prego.*]

cabeça-de-preguiça. *S. f. Bras., PA* e *MA.* Árvore da família das tiliáceas (*Apeiba albiflora*), de flores alvas e frutos capsulares; uácima, uaicima. [Pl.: *cabeças-de-preguiça.*]

cabeça-de-tomate. *S. m. Bras.* Cabeça-de-leão. [Pl. *cabeças-de-tomate.* Cf. *peixe-vermelho.*]

cabeça-de-urubu. *S. f. Bras.* Árvore da família das esterculiáceas (*Theobroma obavatum* Bern.). [Pl.: *cabeças-de-urubu.*]

cabeça-de-vento. *S. 2 g.* Pessoa leviana, imprudente, estouvada; doidivanas: "tratou de comer, debaixo de uma trovoada de nomes, malandro, c a b e ç a - d e - v e n t o, estúpido, maluco." (Machado de Assis, *Várias Histórias,* p. 41). [Pl.: *cabeças-de-vento.*]

cabeçado. *S. m. Encad.* V. *cabeçada* (3).

cabeça-do-prazo. *S. m.* O principal quinhoeiro duma propriedade indivisa. [Sin. (ant.): *cabecel.* Pl.: *cabeças-do-prazo.*]

cabeça-dura. *S. 2 g.* **1.** Pessoa rude, estúpida, curta de inteligência. **2.** Pessoa teimosa, relutante, obstinada, que não se rende a argumentos, ponderações ou conselhos. [Sin. ger.: *cabeça-de-camarão.* Pl.: *cabeças-duras.*]

cabeça-dura-focinho-de-rato. *S. f. Bras., ES.* V. *canguá* (1). [Pl.: *cabeças-duras-focinhos-de-rato.*]

cabeça-dura-prego. *S. f. Bras., ES.* V. *canguá* (1) [Pl.: *cabeças-duras-pregos.*]

cabeça-encarnada. *S. m. Bras., AM.* F. red. de *uirapuru-de-cabeça-encarnada.* [Pl.: *cabeças-encarnadas.*]

cabeça-inchada. *S. f. Bras., N.E.* e *MG.* **1.** Grande paixão amorosa. **2.** Adversidades no amor. **3.** V. *dor-de-cotovelo.* **4.** Despeito de quem foi vencido, de quem perdeu. [Pl. *cabeças-inchadas.*]

cabeçal. *S. m.* **1.** Lugar para recostar a cabeça; almofada: "chorou lágrimas sinceras, abafando os soluços no c a b e ç a l de linho branco do seu humilde catre de convento" (Antero de Figueiredo, *Leonor Teles*, p. 353). **2.** Chumaço em torno de uma ferida, sob a ligadura. **3.** Compressa medicamentosa, que se aplica na cabeça.

cabeçalho. [De *cabeça* + *-alho.*] *S. m.* **1.** Timão do carro, do qual pende a canga. **2.** Título de jornal ou de outra publicação periódica, que compreende data, número, periodicidade, etc.; cabeço. **3.** Título destacado de artigo, notícia, etc. **4.** Título de capítulo. **5.** Dizeres que encimam as colunas e casas de uma tabela, as páginas de um livro em branco, ou certos formulários e fichas. [Cf. *entrada* (21).] ◆ **Cabeçalho de assunto.** *Bibliol.* Cabeçalho convencionalmente estabelecido para indicar a matéria de que trata o documento catalogado. **Cabeçalho de autor.** *Bibliol.* O que é representado pelo nome do autor da publicação, tendo como palavra de ordem o sobrenome; entrada de autor.

cabeção. *S. m.* **1.** Cabeça grande; cabeçorra. **2.** Gola de capa, casaco, camisa ou vestido, larga e geralmente branca: "travou-lhe do cabeção do vestido e, de relance, ergueu o montante" (Alexandre Herculano, *Lendas e Narrativas*, II, p. 73); "— Dá-me; dá-me! pedia Marieta, soerguendo o busto, mal guardado pelo cabeção rendado da camisa" (Valentim Magalhães, *Vinte Contos*, p. 59). **3.** Gola dos eclesiásticos, à qual se prende o colarinho: "caminhou para casa a passo leve, ... a despir o cabeção de seminarista que o asfixiava." (Aquilino Ribeiro, *Estrada de Santiago*, p. 58). [Cf., nesta acepç.: *pescocinho.*] **4.** *Bras., BA.* A parte superior da camisa do traje de baiana; cotoco. **5.** Cabresto com duas rédeas e um arco de ferro, para governar o cavalo sem lhe ferir a boca. **6.** *Tip.* V. *cabecel* (2).

cabeça-rapada. *S. m. Bras. Deprec.* V. *padre* (1): "Fora o padre! até os cabeças-rapadas nos querem disputar o terreno! Fora o coroa!" (João Ribeiro, *Crepúsculo dos Deuses*, p. 30.) [Pl.: *cabeças-rapadas.*]

cabeçaria. [De *cabeça* + *-aria.*] *S. f.* Conjunto de pedras grosseiramente aparelhadas, empregadas na construção de alicerces de paredes de alvenaria.

cabeça-seca. *S. f.* **1.** *Bras.* V. *jaburu-moleque.* ● *S. m.* **2.** *Bras., SP.* V. *mata-cachorro* (2) **3.** *Ant. Bras., PE.* Alcunha depreciativa dos negros escravos. [Pl.: *cabeças-secas.*]

cabeça-tonta. *S. 2 g.* Pessoa estouvada, desmiolada ou leviana. [Pl.: *cabeças-tontas.*]

cabeça-vermelha. *S. f. Bras.* V. *cardeal* (3). [Pl.: *cabeças-vermelhas.*]

cabeceado. *S. m. Encad.* V. *cabeçada* (3).

cabeceador (ô). *Adj.* e *s. m.* Que ou aquele que cabeceia.

cabecear. *V. int.* **1.** Menear a cabeça: *Adquiriu o estranho tique de cabecear todo o tempo.* **2.** Deixar prender a cabeça por efeito de sono; escabecear: "A mamãe cochila. / O papai cabeceia. / O relógio badala." (Jorge de Lima, *Obra Completa*, I, p. 226.) **3.** Mudar de direção; desviar-se; escabecear: *A manada de porcos cabeceou para a estrada.* **4.** *Fut.* Atirar ou rebater a bola com a cabeça: *É quem melhor cabeceia na Seleção.* **5.** *Marinh.* Levantar e baixar a proa e a popa alternadamente no balanço de popa a proa, quer surto, quer navegando; dar cabeçadas. **6.** *Marinh.* Inclinar a proa ora a um, ora a outro bordo, quando fundeado e portando pela amarra. *T. d.* **7.** Fazer (gesto ou sinal) com a cabeça: *Cabeceou um cumprimento.* **8.** *Encad.* Fazer ou colar cabeçada; encabeçar, sobrecabecear. **9.** *Fut.* Bater em (a bola) com a cabeça. [Conjug.: v. *frear.*]

cabeceio. [Dev. de *cabecear.*] *S. m.* Ato ou efeito de cabecear.

cabeceira. *S. f.* **1.** A parte da cama onde se deita a cabeça. **2.** Almofada ou travesseiro para descansar a cabeça. **3.** Em mesa retangular ou oval, cada uma das extremidades. **4.** Lugar ocupado pelo anfitrião e/ou convidado(s) de honra, num banquete ou refeição formal. **5.** Pedra que se coloca a prumo sobre uma sepultura, do lado da cabeça do cadáver, e na qual se escrevem dados sobre o morto e o epitáfio. **6.** Nas igrejas, o espaço onde está situado o altar-mor. **7.** O lado da cabeça; frente, dianteira. **8.** Cabeça (12). **9.** *Encad.* V. *cabeçada* (3). **10.** *Bras.* Lugar onde nasce um rio ou riacho; nascente (3). [M. us. no pl., nesta acepç.] **11.** *Bras., MT.* Lugar coberto de buritis, em que há uma nascente (3). **12.** *Bras., Marajó.* Parte do campo onde pasta o gado, distante do corpo da fazenda. **13.** *Bras., MA. Folcl.* Toada ou cantiga tirada pelo amo (4), no bumba-meu-boi. ● *S. m.* **14.** *Bras.* O vaqueiro que vai à frente da boiada, logo após o guia (21). **15.** *Ant.* Chefe, caudilho, cabeça. ◆ **Despontar cabeceiras. 1.** *Bras., C.O.* e *S.* Contornar as nascentes dos rios, procurando sempre terreno enxuto. **2.** *Bras., GO.* Contornar mata onde não há passagem pelo centro.

cabeceiro. *S. m. Bras.* Nos matadouros, aquele que descarna as cabeças dos animais, rachando-as e tirando-lhes os miolos.

cabecel. [De *cabeça* + *-el.*] *S. m.* **1.** *Ant.* Cabeça-do-prazo. **2.** *Tip.* Ornato formado por uma ou mais vinhetas, por gravura, clichê, etc., ocupando o alto de uma página de começo; cabeção, encabeçamento. [Pl. *cabecéis.*]

cabecilha. [Do esp. *cabecilla.*] *S. m.* Chefe de um bando; caudilho: "um jacobino que, como ele mesmo confessa, passou a sua mocidade a fazer revoltas contra o antigo Cristiano, e a ser preso como cabecilha irreconciliável." (Eça de Queirós, *Ecos de Paris.* p. 163).

cabecinha. [Dim. de *cabeça.*] *S. f.* Pedra aparelhada, para cobrir o topo de um muro de pedra irregular.

cabecinha-castanha. *S. f. Bras., RS.* Pioró. [Pl.: *cabecinhas-castanhas.*]

cabeço (ê). [De *cabeça.*] *S. m.* **1.** Cume arredondado de monte: "O trabalho retoma o curso quotidiano, / Enquanto doura o sol o cabeço dos cerros / Longínquos" (Barreto Cardoso, *ap.* Ad. Marroquim, *Terra das Alagoas*, p. 283). **2.** Monte pequeno e arredondado; outeiro. **3.** *Mar.* Coluna de ferro, de altura reduzida, encravada à beira de um cais ou junto à borda de uma embarcação, para nela se dar volta à espia de amarração. **4.** *Mar.* Pequeno banco de areia, ou pedra, ou outro acidente, de forma arrendondada. **5.** *Tip.* Dizeres impressos ao alto de envelope, papel de carta, fatura, etc., e que contêm o endereço e a indicação da atividade do usuário. [Cf. *timbre* (15).] **6.** *Tip.* Título de tabela ou de outra composição tipográfica. **7.** Cabeçalho (2). **8.** *Tip.* Linha que se põe no alto das páginas de livro ou de periódico, com o título corrente [q. v.], nome do autor e fólio; cabeça de página.

cabeçorra (ô). *S. f.* **1.** *Pop.* Cabeça grande; cabeção. **2.** *Bras., MG* e *SP. Folcl.* Tipo de máscara de papelão, de grandes proporções, que os brincantes acomodam sobre os ombros para acompanhar os gigantões.

cabeçorro (ô). *S. m.* Grande cabeço (2); morro.

cabeçote. [De *cabeça* + *-ote.*] *S. m.* **1.** Cada uma das testeiras do banco sobre o qual trabalham marceneiros e carpinteiros. **2.** Cada uma das duas peças de ferro que fixam o objeto que se torneia. **3.** V. *girino.* **4.** *Autom.* Parte superior do motor, de ferro ou de liga de alumínio, onde se encontram as câmaras de compressão ou de combustão, que são prolongamentos dos cilindros. **5.** *Tip.* Placa da cabeça do guindaste da linotipo, onde fica presa a barra do prisma. **6.** Cabeça magnética (de reprodução, gravação e apagamento) dum gravador magnético. **7.** *Bras.* Parte saliente e vertical de cada uma das duas forquilhas que formam a cangalha, e que tem na extremidade uma orla saliente, destinada a evitar se escapem as aselhas dos cambitos ou caçuás: "Trazia o velho tão caída a cabeça para diante, que quase chegava com o queixo recurvado ao cabeçote da cangalha." (Franklin Távora, *O Cabeleira*, p. 264.) **8.** *Bras.* Cepilho da sela. **9.** *Bras., N.E.* Em certas regiões, o cupim, caçote.

cabeçuda. [Fem. substantivado do adj. *cabeçudo.*] *S. f.* **1.** *Bras., Amaz.* Designação comum a algumas espécies de reptis da ordem dos quelônios, família dos pelomedusídeos, gênero *Podocnemis* Wagl., especialmente *P. dumeriliana* Schw., da Amazônia, de coloração pardo-escura no dorso, amarelada inferiormente; tem apenas uma bárbula, carapaça oval, abobadada, quilha presente pelo menos na parte posterior. O nome provém do grande desenvolvimento da cabeça, podendo esses animais, embora desprovidos de dentes, dar mordidas de conseqüências sérias. [Sin.: *iuraracangaçu.*] **2.** *Bras.* V. *saúva.* **3.** *Bras., SP.* Certo pássaro.

cabeçudo. *Adj.* **1.** Que tem cabeça grande. **2.** *Fig.* Teimoso, obstinado; pertinaz. ● *S. m.* **3.** Aquele que tem cabeça grande. **4.** *Fig.* Indivíduo obstinado, caturra; cabeça-dura. **5.** *Bras., BA.* V. *xaréu-branco.* **6.** V. *mandipinima.* **7.** V. *butiá-de-vinagre.*

cabedais. *S. m. pl.* Réguas de aresta viva que os carpinteiros usam para verificar o aplainamento das tábuas. ~ V. *cabedal.*

cabedal. [Do lat. *capitale.*] *S. m.* **1.** O conjunto dos bens que formam o patrimônio de alguém; riqueza, acervo. **2.** Patrimônio constituído em dinheiro; capital. **3.** *Fig.* O conjunto dos bens intelectuais ou morais. **4.** Estimativa que se faz de coisas ou pessoas. **5.** O que é objeto de algum comércio. **6.** Poder, força. **7.** *Lus.* Couro manufaturado para calçados; sola. ~ V. *cabedais.* ◆ **Fazer cabedal de.** Ligar importância a; ligar a: "Pardalo ria-se de rios; pontes fazia tanto cabedal delas como de um retraço de palha." (Alexandre Herculano, *Lendas e Narrativas*, II, p. 49.)

cabedelense. *Adj. 2 g.* **1.** De, ou pertencente ou relativo a Cabedelo (PB). ● *S. 2 g.* **2.** Natural ou habitante de Cabedelo.

cabedelo (ê). [Do lat. *capitellu*, por *capitulu.*] *S. m.* **1.** Pequeno cabo[1] (5). **2.** Pequeno monte de areia que se forma junto à foz dos rios.

cabeio. [Dev. de *cabear* (q.v.).] *S. m. Bras.* Movimento violento e rápido da cauda do cavalo.

cabeira. *S. f. Carp.* **1.** Moldura de arremate, nos tetos de madeira. **2.** Moldura de madeira incorporada ao rodapé; encabeira.

cabeiro[1]. *S. m.* Aquele que faz cabos de madeira.

cabeiro[2]. *Adj.* Que está ou vem no cabo[1] (4); último, derradeiro.

cabeladura. *S. f.* V. *cabeleira*[1] (1).

cabelama. *S. f.* **1.** *Bras.* Grande porção de cabelos; cabeleira. **2.** *Bras., S.* Pêlos compridos e hirsutos. **3.** *Bras., RS.* Conjunto de cabelos e pêlos de animal ou de homem.

cabelame. *S. m. Pop.* V. *cabeleira*[1] (1).

cabeleira[1]. *S. f.* **1.** O conjunto dos cabelos da cabeça, quando compridos; cabeladura, cabelame, encabeladura. **2.** Conjunto de cabelos postiços dispostos como os naturais; chinó, peruca, acrescente. **3.** Crina (1). **4.** *Astr.* Coma[1] (5). **5.** *Bot.* O conjunto das raízes fibrosas das plantas em que não há raiz axial. ● *S. m.* **6.** Indivíduo que usa cabelos muito compridos. **7.** Homem muito apegado a idéias antigas.

cabeleira[2]. [Do pros. *cabeleira*, famoso bandido nordestino, personagem-título de um romance de Franklin Távora.] *S. m. Bras., N.E.* **1.** Indivíduo perverso. **2.** Criminoso, salteador.

cabeleira-de-vênus. *S. f.* Inclusões aciculares e douradas de rutílio no quartzo. [Pl. *cabeleiras-de-vênus.*]

cabeleireiro. *S. m.* **1.** Aquele que faz e/ou conserta cabeleiras. **2.** Aquele que, profissionalmente, corta ou penteia o cabelo dos outros (muito especialmente, de senhoras, no Brasil); penteador. **3.** Estabelecimento comercial onde profissionais se dedicam, em especial, ao trato e penteado dos cabelos, e secundariamente a outros cuidados de beleza. [Cf. *salão de beleza.*] **4.** *Bras., SP.* Crustáceo decápode comum nas praias arenosas; graucá.

cabelo (ê). [Do lat. *capillu.*] *S. m.* **1.** Conjunto de pêlos da cabeça (2) humana. **2.** *P. ext.* Pêlos que nascem em qualquer parte do corpo humano. **3.** Pêlos de alguns animais. **4.** Cada pêlo da cabeça ou de outra parte do corpo. **5.** Mola de aço delgada que regula o movimento dos relógios pequenos e lhe assegura o isocronismo. **6.** *Eletr.* Pequena mola espiral que fornece o par mecânico de restituição num galvanômetro de ponteiro. ◆ **Cabelo agastado.** *Fam.* V. *carapinha* (1). **Cabelo bom.** *Bras. Pop.* Cabelo liso. **Cabelo cocô-de-rola.** *Bras., BA.* Cabelo crespo, curto e enrolado, comum em certos mestiços afro-brasileiros. [Tb. se diz apenas *cocô-de-rola.*] **Cabelo de cupim.** *Bras., N. E. Pop.* V. *carapinha* (1). **Cabelo de espeta-caju.** *Bras., N. E. Pop.* Cabelo muito eriçado. **Cabelo de fuá.** *Bras., N. E. Pop.* Pixaim assanhado. **Cabelo ruim.** *Bras. Pop.* V. *carapinha* (1). **Assentar o cabelo.** *Bras., N. E. Gír.* V. *morrer* (1). **Assentar o cabelo de.** *Bras., N. E. Gír.* V. v. *atar* (1). **De arrepiar o cabelo.** V. *de arrepiar.* **De arrepiar os cabelos.** V. *de arrepiar.* **De cabelo na venta. 1.** Enérgico, vigoroso. **2.** Bravo, valente, **3.** Brigão, rixento, rixoso. **Em cabelo.** Com a cabeça descoberta: "Às portas, em cabelo, enfadam-se os lojistas!" (Cesário Verde, *Obra Completa*, p. 104). **Não fazer bom cabelo. 1.** Não convir; não servir. **2.** Não combinar bem; não se harmonizar: *Cão e gato não fazem bom cabelo.* **Pelos cabelos. 1.** De má vontade; a contragosto. **2.** Com sacrifício. **3.** Com muita pressa. **4.** Em estado de irritação; zangado: *Ficou pelos cabelos ao saber daquela sujeira.* **5.** *Mar.* Posição da âncora fora da água e agüentada pela amarra. **Ter cabelo na palma da mão.** *Bras., N.E.,* e *MG. Pop.* Ser dado à automasturbação. **Ter cabelo no céu da boca.** *Bras. Pop.* V. *ter cabelo no coração* (3). **Ter cabelo no coração.** *Bras. Pop.* **1.** Ter coragem extraordinária. **2.** Ter disposição para qualquer empresa perigosa. **3.** Ser insensível, inexorável, cruel; ter cabelo no céu da boca, ter cabelos no céu da boca; ter cabelos no coração, ter coração de pedra. **Ter cabelos no céu da boca.** *Bras. Pop.* V. *ter cabelo no coração* (3). **Ter cabelos no coração.** *Bras. Pop.* V. *ter cabelo no coração* (3).

cabelo-de-anjo. *S. m. Bras., MG, RJ* e *SP.* V. *aletria* (1). [Pl.: *cabelos-de-anjo.*]

cabelo-de-negro. *S. m. Bras., L., SP* e *MT.* **1.** Arbusto da família das eritroxiláceas (*Erythroxylon campestre*), de flores pequenas e frutos drupáceos vermelhos de propriedades purgativas, e cuja madeira é útil para construção civil, carpintaria e marcenaria; coca-do-paraguai, fruta-de-tucano. **2.** V. *galinha-choca.*

cabeloiro. *S. m. Bras.* V. *cabelouro.*

cabelo-loiro. *S. m. Bras.* V. *cabelo-louro.*

cabelo-louro. [De *cabelo* + *louro.*] *S. m. Bras.* V. *cabelouro.* [Var.: *cabelo-loiro.* Pl.: *cabelos-louros.*]

cabelos-de-vênus. *S. m. pl.* Dama-entre-verdes.

cabelouro. [De *cabelo-louro,* com haplologia e aglutinação.] *S. m. Bras.* Tendão ou ligamento que vai da cabeça à extremidade vertebral do boi ou de outros animais: "Matar boi a sangue-frio era covarde. No saladeiro um sujeito lhes cravava a choupa no cabelouro e o animal caía no mesmo lugar." (M. Cavalcanti Proença, *Manuscrito Holandês,* p. 91.) [Var.: *cabeloiro.* F. paral.: *cabelo-louro.*]

cabelo-vivo. *S. m. Bras.* V. *nematomorfos* (1). [Pl.: *cabelos-vivos.*]

cabeluda. [Fem. substantivado do adj. *cabeludo.*] *S. f.* **1.** *Bras.* Arbusto ornamental cultivado, da família das mirtáceas (*Eugenia tomentosa*), de flores alvas, bagas amarelas, folhas e sementes adstringentes; cabeludeira. **2.** *Bras.* Árvore ou arbusto cultivado, da família das mirtáceas (*Eugenia caballudo*), de flores alvas e bagas amarelas; cabeludo. **3.** *Bras.* O fruto de qualquer dessas árvores. **4.** *Bras., PA.* Preguiça (5).

cabeludeira. *S. f. Bras.* Cabeluda (1).

cabeludo. *Adj.* **1.** Que tem muito cabelo: *peito cabeludo.* **2.** *Bras.* Intricado, complicado, difícil: caso *cabeludo.* **3.** Obsceno, imoral; forte: *expressão cabeluda; anedota cabeluda.* ~V. *couro*—.● *S. m.* **4.** Indivíduo que tem muito cabelo ou que os tem longos. **5.** Cabeluda (2). **6.** *Bras.* Certo macaco (*Pithecia hirsuta*). **7.** *Bras.* Membro do partido dos Cabeludos [q. v.]. ~ V. *couro* —.

cabeludos. [Pl. de *cabeludo.*] *S. m. pl. Bras.* Partido governista de Alagoas, formado logo após a maioridade de D. Pedro II (1840). ~ V. *cabeludo.* [Cf. lisos.]

cabense. *Adj. 2 g.* **1.** Do, ou pertencente ou relativo ao Cabo (PE). *S. 2 g.* **2.** Natural ou habitante do Cabo.

caber. [Do lat. *capere.*] *V. t. c.* **1.** Poder ser contido; poder estar dentro: *Estes objetos não caberão na sacola;* "Há numa vida humana cem mil vidas, / Cabem num coração cem mil pecados!" (Olavo Bilac, *Poesias,* p. 174). **2.** Poder entrar: *Não creio que caiba por aquela porta.* **3.** Poder realizar-se, exprimir-se, suceder, dentro de um certo tempo: *Esta conferência não caberá em apenas uma hora.* **4.** Ser compatível: *Suas idéias não cabiam na sua época.* **5.** Competir, pertencer: *Cabe a você esperar pelo melhor;* "Coube ao cristianismo operar a primeira revolução na essência e na existência do amor" (San Tiago Dantas, *D. Quixote,* p. 55). **6.** Pertencer ou tocar, ser privilégio: "Cabe a Ortega y Gasset ter dito a palavra que encaminha a explicação da comicidade do Quixote." (San Tiago Dantas, *D. Quixote,* p. 22). **7.** Pertencer como partilha ou quinhão: *Por que haverá de caber-lhe a maior parte dos bens? Int.* **8.** Vir a propósito; ter cabimento: "Tantas horas passamos lado a lado. Cabe perguntar se alguma vez estivemos realmente juntos." (Mário da Silva Brito, *O Fantasma sem Castelo,* p. 121.) **9.** Ser admissível ou oportuno; ter cabimento: *Tua dúvida cabe perfeitamente; A esta altura, cabe uma observação.* [Irreg. Muda o a do radical em *ai,* na 1ª pess. sing. do pres. ind. *(caibo)* e, portanto, em todo o pres. subj.: *caiba, caibas, caiba,* etc.; pret. perf. ind.: *coube, coubeste,* etc.; m.-q.-perf.: *coubera, couberas,* etc.; imperf. subj.: *coubesse, coubesses,* etc.; fut.: *couber, couberes,* etc. Por sua significação, não tem imperativo.]

cabeua. *S. m. Bras.* V. *aperema.*

cabiçulinha. *S. f. Bras., CE.* Certo brinquedo infantil.

cabide. [Do ár. *qibāD,* atr. de uma f. **qībīD.*] *S. m.* **1.** Móvel com pequenos braços, onde se penduram roupas, chapéus, etc. [Sin. (bras.): *estaqueira, cambito,* e, no N.E., *ombreira.*] **2.** Espécie de gancho ou pequeno braço de madeira, ou de outro material, que se fixa à parede e serve para pendurar roupas, toalhas, arreios, armas, etc. **3.** Peça alongada de madeira, ou de outro material, aproximadamente da largura das espáduas, com uma parte arqueada à maneira destas, onde se pendura o paletó, e, por vezes, outra parte horizontal, onde se penduram as calças. [Sin. (bras., N. e N.E.): *cruzeta.*] **4.** *Constr. Nav.* Armação fixa ou portátil, com orifícios ou braços nos quais se introduzem ou penduram instrumentos, armas e outros objetos de bordo. **5.** *Bras., S.* Cavalo magríssimo, com ossos à mostra. ♦ **Cabide ambulante.** *Bras., RS. Pop.* Pessoa muito magra. **Cabide de empregos.** *Bras.* Pessoa que acumula muitos empregos.

cabidela. *S. f.* **1.** Os miúdos [q. v.] da ave. **2.** Guisado que se faz com esses miúdos e o sangue da ave. **3.** *Bras., N.E.,* e *lus.* Galinha refogada, cujo molho leva o sangue da própria ave dissolvido com vinagre; galinha ao molho pardo. ♦ **Cabidela branca.** Cabidela (2) sem o sangue.

cabido¹. [Do lat. *capitulu.*] *S. m.* **1.** Conjunto ou corporação dos cônegos de uma catedral: "veio o bispo de Coimbra, solenemente, ... acolitado pelo seu cabido" (Antero de Figueiredo, *D. Pedro e D. Inês,* p. 16). **2.** Qualquer outra corporação ou assembléia.

cabido². [Part. de *caber.*] *Adj.* Que tem cabimento; compatível, oportuno.

cabila. [Do ár. *gabilâ,* 'tribo, geração'.] *Adj. 2 g.* **1.** Da, ou pertencente ou relativo à Cabília (Argélia). ● *S. 2 g.* **2.** Natural ou habitante da Cabília.

cabilda. [Var. de *cabila.*] *S. f.* **1.** Designação comum a diversas tribos nômades da África setentrional. **2.** *P. ext.* Tribo. **3.** Bando, malta, súcia, cáfila.

cabimento. *S. m.* **1.** Aceitação, valimento, recebimento. **2.** Oportunidade, conveniência, propriedade: *Essa proposta não tem cabimento.*

cabina. [Do ingl. *cabin,* atr. do fr. *cabine.*] *S. f.* **1.** V. *camarote* (3). **2.** Nos trens, compartimento com ou sem camas destinado aos passageiros. **3.** Nos aviões, compartimento onde se acham os instrumentos de controle e de navegação aérea, e onde ficam piloto e co-piloto; carlinga. **4.** Compartimento, boxe ou guarita, nas centrais telefônicas, em lojas, repartições, etc., ou mesmo na via pública, para se falar ao telefone. **5.** Boxe, à prova de som, em lojas de discos, discotecas, etc., onde se pode ouvir a música escolhida, sem perturbar outros clientes. **6.** Pequeno compartimento; cubículo. **7.** *Bras.* Posto, abrigo, guarita, para vigia ou sinaleiro, nas estradas de ferro.

cabinda. [Do top. *Cabinda.*] *S. 2 g.* **1.** Indivíduo dos cabindas, povo banto [q. v.] da região de Cabinda (Angola). ● *S. m.* **2.** A língua dos cabindas. ● *S. f.* **3.** *Bras., PE. Folcl.* Dança mímica popular afro-brasileira, parte de certos maracatus [v. *maracatu*], em que os participantes cantam pulando de cócoras à maneira de sapos. [Cf. *cambindas.*] ● *Adj. 2. g.* **4.** Pertencente ou relativo aos cabindas. [Var.: *cambinda.*]

cabine. [Fr.] *S. f.* V. *cabina.*

cabineiro. *Bras. S. m.* **1.** Indivíduo que dirige uma cabina (7). **2.** Guarda ou vigia de cabina (2). **3.** Ascensorista.

▲**cabis-.** [Do lat. *caput, itis.*] *El. comp.* = 'cabeça': *cabisbaixo.*

cabisbaixo. [De *cabis-* + *baixo.*] *Adj.* **1.** De cabeça baixa, curvada. **2.** *Fig.* Abatido, envergonhado, humilhado, vexado.

cabitu. *S. f. Bras.* V. *bitu¹.*

cabiú. [De possível or. tupi.] *S. m. Bras.* Sumo espesso da mandioca.

cabiúna. [Do tupi *kawi'una,* 'mato verde-escuro'.] *S. f.* **1.** *Bras., L.* e *MT.* Árvore da família das leguminosas-papilionáceas (*Machaerium incorruptibile*), de flores em racemos e madeira útil para obras hidráulicas, construção naval e civil, marcenaria e carpintaria; jacarandá-cabiúna, jacarandá-preto. ● *S. 2 g.* **2.** *Bras.* O negro desembarcado clandestinamente no litoral brasileiro, após a lei de repressão ao tráfico. ● *Adj. 2 g.* **3.** *Bras.* Cor de cabiúna; escuro, preto. [Var.: *caviúna.*]

cabiúna-do-campo. *S. f. Bras., PI* a *SP.* Árvore da família das leguminosas-papilionáceas (*Dalbergia microlobium*), dotada de flores roxas e madeira útil; jacarandá-cabiúna, pau-preto, uraúna, emiraúna. [Pl.: *cabiúnas-do-campo.*]

cabiunense (i-u). *Adj. 2 g.* **1.** De, ou pertencente ou relativo a Cabiúnas (RJ). ● *S. 2 g.* **2.** Natural ou habitante de Cabiúnas.

cabível. *Adj. 2 g.* Que cabe, que tem cabimento.

cabixi. [Do tupi *kawi'xi.*] *S. m.* **1.** *Bras., Amaz.* V. *cauxi.* ● *S. 2 g.* **2.** *Bras., MT.* Indivíduo dos cabixis, subtribo indígena pareci. ● *Adj. 2 g.* **2.** Pertencente ou relativo aos cabixis.

cablar. [Do fr. *câbler.*] V. *int. Bras.* Telegrafar pelo cabo submarino.

cabo¹. [Do lat. *capu(m),* por *caput,* 'cabeça'.] *S. m.* **1.** V. *hierarquia militar.* **2.** Militar que detém a posição hierárquica de cabo. **3.** Comandante, chefe, cabeça. **4.** Término, fim, limite. **5.** Ponta de terra que entra pelo mar; promontório, ponta. **6.** *Bras., PE.* Administrador de propriedade canavieira. ♦ **Cabo eleitoral.** Indivíduo que cabala para um candidato em troca de dinheiro ou de favores. **A cabo de.** Ao cabo de: "O redemoinho capilar do Moreira, a cabo de coçadelas, sugeriu-lhe um engenhoso plano mistificatório" (Monteiro Lobato, *Urupês, Outros Contos e Coisas,* p. 97). **Ao cabo de.** No final; no fim de; a cabo de. **Ao cabo de contas.** V. *no frigir dos ovos.* **Dar cabo de. 1.** V. *matar* (1). **2.** Extinguir, destruir, acabar. **3.** V. *levar a cabo.* **Dar cabo do canastro de.** *Pop.* V. *matar* (1). **De cabo a cabo.** De uma extremidade a outra; de cabo a rabo. **De cabo a rabo. 1.** Do princípio ao fim. **2.** De cabo a cabo. **Dobrar o cabo.** Ultrapassar uma idade já madura, em geral os 50 anos; dobrar o cabo da Boa Esperança. **Dobrar o cabo da Boa Esperança.** Dobrar o cabo. **Levar a cabo.** Completar, concluir, arrematar, finalizar; dar cabo de.

cabo². [Do lat. *capulu.*] *S. m.* **1.** Extremidade pela qual se segura um objeto ou instrumento: *o cabo da panela; o cabo da faca.* **2.** Rabo, cauda. **3.** Feixe de fios metálicos. **4.** *Constr.* Ornato com feitio de estrias em espiral, semelhante aos cabos ou cordas empregadas nos navios; calabre. **5.** *Eng. Elétr.* Condutor formado por um feixe de fios, ou por um conjunto de grupos de fios, não isolados entre si; cabo elétrico. **6.** *Marinh.* Qualquer corda utilizada a bordo, exceto a corda do sino, que é chamada *corda* mesmo. **7.** *Bras. Pop.* Ventre, barriga, intestino. **8.** *Bras., Pop.* O ânus. ♦ **Cabo calabroteado.** *Marinh.* Cabo formado por três ou mais cabos de massa convenientemente cochados entre si. **Cabo coaxial.** *Téc. Eletrôn.* Cabo elétrico, constituído por dois condutores concêntricos, separados por um dietétrico. **Cabo de laborar.** *Marinh.* Cabo que trabalha em poleame com roldana. [Cf. *cabo fixo.*] **Cabo de manilha.** *Bras. Marinh.* Cabo feito de fibra de abacá ou, p. ext., de qualquer fibra vegetal. **Cabo de massa.** *Marinh.* Cabo de fibra constituído por uma torcida de três ou quatro cordões. **Cabo elétrico.** *Eng. Elétr.* Cabo (5). **Cabo fixo.** *Marinh.* Qualquer cabo empregado em segurar a mastreação ou outra peça de embarcação, e que permanece no seu lugar, preso permanentemente pelos chicotes. [Cf. *cabo de laborar.*] **Cabo solteiro.** *Marinh.* Cabo sem aplicação específica, que fica à mão para ser utilizado em qualquer eventualidade. **Cabo submarino.** Cabo telegráfico estendido abaixo do nível do mar. **Dar cabo a machado.** *Bras., CE. Pop.* Expor-se a contrariedades desnecessariamente.

cabo³. [Dev. de *caber.*] *S. m.* Lugar onde uma pessoa ou coisa cabe ou está.

caboatã. [Do tupi?] *S. f. Bras.* Árvore da família das sapindáceas (*Cupania vernalis*), da floresta atlântica, de folhas penadas, com folíolos coriáceos, pequenas flores alvas e fruto pequeno, capsular. A madeira, amarelada, dura e resistente, é usada sobretudo no fabrico de cabos de ferramenta.

cabochão. [Do fr. *cabochon.*] *S. m.* Pedra preciosa ou não, talhada, comumente arredondada, polida, mas não facetada: "Segue-o o cardeal de Toledo, de refulgente mitra, onde brilham cabochões de esmeraldas e balaios de pedras citrinas" (Antero, de Figueiredo, *Toledo,* p. 165). [Cf. *cabuchão.*]

cabocla (ô). [Fem. de *caboclo.*] *S. f. Bras.* Erva de flores ornamentais, da família das compostas (*Zinnia multiflora*), semelhante à zínia [q. v.].

caboclada. *S. f. Bras.* **1.** Chusma ou bando de caboclos. **2.** Ação própria de caboclo. **3.** Desconfiança, suspeita. **4.** Perfídia, traição, deslealdade.

caboclinha. [Dim. de *cabocla,* fem. de *caboclo.*] *S. f.* V. *chininha.*

caboclinho. [Dim. de *caboclo.*] *S. m. Bras.* Ave passeriforme, da família dos fringilídeos (*Sporophila bouvreuil* (P. L. S. Mul.)), do Brasil setentrional e oriental. O macho é vermelho-claro, com o alto da cabeça preto, asas, cauda e coberteiras superiores da cauda pretas, em parte marginadas de pardo-claro; a fêmea, pardo-olivácea, a parte inferior mais clara, com tons de ocre. [Sin.: *caboclinho-do-norte* e *caboclinho-da-baía.* Var.: *cabocolinho.*] ~ V. *caboclinhos.*

caboclinho-da-baía. *S. m. Bras.* V. *caboclinho.* [Pl.: *caboclinhos-da-baía.*]

caboclinho-do-norte. *S. m. Bras.* V. *caboclinho.* [Pl.: *caboclinhos-do-norte.*]

caboclinhos. [Pl. de *caboclinho,* dim. de *caboclo.*] *S. m. pl. Bras., N.E. Folcl.* V. *cabocolinhos.* ~V. *caboclinho.*

caboclismo. *S. m. Bras.* Ação, dito, modos ou sentimento de caboclo¹.

caboclo¹ (ô). [Do tupi *kari'boka,* 'procedente do branco'.] *S. m. Bras.* **1.** Mestiço de branco com índio; cariboca, carijó. **2.** Antiga denominação do indígena. **3.** Caboclo (1) de cor acobreada e cabelos lisos; caburé, tapuio. **4.** V. *caipira* (1). **5.** *Fig.* Pessoa desconfiada ou traiçoeira. **6.** Entre os garimpeiros, qualquer seixo tinto por óxido de ferro. **7.** *Bras. Folcl.* Personificação e divinização de tribos indígenas segundo o modelo dos cultos populares de origem africana, paramentada, porém, com os trajes cerimoniais dos antigos tupis. [Sin. (nesta acepç.): *encantado* (BA, RJ) e *guia* (RJ). Cf. *orixá.* ● *Adj.* **8.** Cor de caboclo; acobreado. **9.** Pertencente ou relativo a caboclo. **10.** Próprio de caboclo. ~ V. *vala*—a. ♦ **Caboclo velho.** *Bras., N.* e *N.E. Fam.* F. de tratamento empregada como vocativo: *Como vai, caboclo velho?* [Cf. *caboclo-velho.*]

caboclo^2 (ô). *S. m. Bras.* F. red. de *marimbondo-caboclo.*

caboclo-d'água. *S. m. Bras., BA. Folcl.* Ente fantástico que à noite vira canoas e assombra barranqueiros, no rio São Francisco; moleque-d'água. [Pl.: *caboclos-d'água.*]

caboclo-lustroso. *S. m. Bras.* V. *limonito.* [Pl.: *caboclos-lustrosos.*]

caboclo-retorcido. *S. m. Bras.* O seixo rolado de jaspe ferruginoso estratificado. [Pl.: *caboclos-retorcidos.*]

caboclote. *S. m. Bras.* Caboclo pequeno; caboclinho.

caboclo-velho. *S. m. Bras., AM.* Ave piciforme, da família dos capitonídeos (*Capito auratus hypochondriacus* Chap.), da região entre o Solimões e o Rio Negro, de dorso preto, mesclado de alaranjado, fronte amarela com tons escarlates, e peito amarelo e alaranjado. [Pl.: *caboclos-velhos.* Cf. *caboclo velho.*]

caboclo-vermelho. *S. m. Bras.* Nas lavras diamantinas, a hematita. [Pl.: *caboclos-vermelhos.*]

cabocó. *S. m. Bras.* **1.** Pequeno canal, calha ou levada, por onde corre a água que sai dos cubos das rodas hidráulicas, em engenho de cana; cobocó, covocó, cavouco. **2.** Variedade de queijo, tipo prato, de feitio aproximadamente esférico.

cabocolinho. *S. m. Bras.* Var. de *caboclinho.* ~ V. *cabocolinhos.*

cabocolinhos. [Var. de *caboclinhos.*] *S. m. pl. Bras., N. E. Folcl.* Folguedo originário dos cucumbis: desfile carnavalesco, uma ou outra vez com representação, de brincantes paramentados segundo o modelo indígena popularizado pela literatura indianista: "O reisado vai dançar na casa-grande. A chegança. O maracatu. O fandango. Os cabocolinhos. Os quilombos." (Carlos de Gusmão, *Boca da Grota,* p. 5.) [Sin. (em MG e SP): *caiapós.* Cf. *cucumbi.*] ~ V. *cabocolinho.*

cabodá. *S. m. Bras.* Orifício, nas paredes de taipa de pilão, originado pela retirada das agulhas. [V. *agulha* (19)].

cabo-de-esquadra. [De *cabo*^{1} + *de* + *esquadra.*] *S. m.* **1.** V. *hierarquia militar.* **2.** Militar que detém a posição hierárquica de cabo-de-esquadra. [Pl.: *cabos-de-esquadra.*]

cabo-de-guerra. [De *cabo*^{1} + *de* + *guerra.*] *S. m.* **1.** Antigo oficial superior do exército: "Cabrera .... era incontestavelmente um cabo-de-guerra de mérito superior e de bravura leonina." (Bulhão Pato, *Memórias,* I, p. 21.) **2.** *Bras.* Jogo ou competição em que duas equipes puxam em direções opostas as pontas de uma corda grossa, vencendo a que conseguir arrastar a outra. [Pl.: *cabos-de-guerra.*]

cabo-de-lança. [De *cabo*^{2} + *de* + *lança.*] *S. m. Bras., MT.* Árvore da família das fitoláceas (*Achatocarpus bicornutos*), cuja madeira é útil para as obras internas e se emprega como lenha e carvão. [Pl.: *cabos-de-lança.*]

cabo-de-tropa. *S. m. Bras.* O chefe de uma bandeira (12), nos tempos coloniais. [Pl.: *cabos-de-tropa.*]

cabodifusão. [De *cabo*^{2} + *difusão.*] *S. m.* Transmissão de notícia por meio de cabo submarino.

cabo-friense. *Adj. 2 g.* **1.** De, ou pertencente ou relativo a Cabo Frio (RJ). ● *S. 2 g.* **2.** Natural ou habitante de Cabo Frio. [Pl.: *cabo-frienses.*]

cabograma. [Do ingl. *cablegram.*] *S. m.* Telegrama expedido por cabo submarino: "batem na porta. .... Era um mensageiro, com um cabograma do marido." (Nélson Rodrigues, *100 Contos Escolhidos. A Vida como Ela É,* II, p. 21).

cabo-guia. *S. m. Marinh.* **1.** Cabo de pequena bitola, que é amarrado ao chicote de uma amarra ou de um virador para que se torne mais fácil levá-lo até o arganéu de uma bóia. **2.** Cabo fino, de aço, que se prende ao homem que entra em compartimento onde lavre incêndio, ou cheio de fumaça, e destinado a prestar-lhe socorro em caso de necessidade. [Pl.: *cabos-guias* e *cabos-guia.*]

caboila. *S. f. Bras.* Erva cultivada, da família das compostas (*Zinnia multiflora*), originária da Europa, de flores amarelas ou vermelhas, em capítulos.

caboje (ó). *S. m. Bras.* Parte dos gomos extremos do rebolo da cana-de-açucar que se inutiliza para apressar a germinação dos brotos; vigário: "Chupar cana no picadeiro do engenho e chupar caboje no plantio da safra nova." (Carlos de Gusmão, *Boca da Grota,* p. 4.) [Cf. *caborje.*]

caboré. *S. m. Bras.* V. *caburé.*

caborje. [De or. afr., decerto.] *S. m. Bras* **1.** V. *bruxaria* (1 e 2). **2.** Espécie de bentinho [q. v.]. [Cf. *caboje.*]

caborjeiro. [De *caborje* + *-eiro.*] *S. m. Bras.* Feiticeiro, mandingueiro, bruxo.

caborjudo. *Adj. Bras. SP. Pop.* **1.** Que tem o corpo fechado graças a feitiço ou caborje (1). **2.** V. *valentão* (1).

caboroca. [De *ca'*- + *poro'rog,* 'rebentar', com haplologia.] *S. f. Bras., ES.* Corte dos arbustos e cipós de uma mata para o plantio do cacau.

caborocar. *V. t. d. Bras., ES.* Praticar a caboroca em (a mata). [Conjug.: v. *trancar.*]

cabortar. *V. int. Bras., S.* V. *cabortear.*

cabortear. *V. int. Bras., S.* **1.** Proceder como caborteiro (1); mentir, lograr. **2.** Comportar-se (o cavalo) como caborteiro (2). [F. paral.: *cabortar.*] [Conjug.: v. *frear.*]

caborteirice. *S. f. Bras., S.* Ação de indivíduo ou animal caborteiro; cabortice.

caborteiro. *Adj.* e *s. m. Bras., S.* **1.** Diz-se de, ou indivíduo velhaco, manhoso, mentiroso, que vive de expedientes. **2.** Diz-se de, ou cavalo arisco, falso, velhaqueador, cheio de manhas. [F. paral.: *cavorteiro.*]

cabortice. *S. f. Bras., S.* Caborteirice.

cabos-brancos. *Adj. 2 g.* e *2 n.* e *s. 2 g.* e *2 n. Bras. Hip.* Diz-se de, ou eqüídeo que tem as quatro patas brancas.

cabos-negros. *Adj. 2 g.* e *2 n.* e *s. 2 g.* e *2 n. Bras. Hip.* Diz-se de, ou eqüídeo que tem as quatro patas negras.

cabotagem. [Do fr. *cabotage.*] *S. f. Mar. Merc.* Navegação de cabotagem. ♦ **Grande cabotagem.** *Mar. Merc.* Navegação mercante entre portos de um mesmo país. **Pequena cabotagem.** *Mar. Merc.* Navegação mercante entre pontos afastados no máximo 250 milhas, e dentro de 15 milhas da costa.

cabotar. *V. int.* Fazer navegação de cabotagem. [Pres, ind.: *caboto,* etc. Cf. *caboto* (ô), s. m., e *Caboto* (ô), antr.]

cabotinagem. *S. f.* V. *cabotinismo:* "Bilac [Olavo Bilac], na sua juventude, foi um dos 'boêmios' mais completos que a vida de jornal, de literatura, de botequim e de cabotinagem tem engendrado, no Brasil." (Amadeu Amaral, *O Elogio da Mediocridade,* p. 90.)

cabotinice. *S. f.* V. *cabotinismo.*

cabotinismo. *S. m.* Ação, modos, costumes ou vida de cabotino; cabotinagem, cabotinice.

cabotino. [Do fr. *cabotin.*] *S. m.* **1.** Cômico ambulante. **2.** Mau comediante. **3.** *Fig.* Indivíduo presumido, de maneiras afetadas, que procura chamar a atenção, ostentando qualidades reais ou fictícias. ● *Adj.* **4.** *Fig.* Que procede como cabotino (3).

caboto (ô) *S. m. Bras., BA.* Braço de mar que, na vazante pode ficar seco. [Pl.: *cabotos* (ô) Cf. *caboto* do v. *cabotar.*]

caboucador (ô). *S. m.* Var. de *cavoucador.*

caboucar. *V. t. d.* Var. de *cavoucar.* [Conjug.: v. *trancar.*]

cabouco. *S. m.* V. *cavouco.*

cabouqueiro. *S. m.* V. *cavouqueiro.*

cabo-verde. *S. 2 g.* **1.** Cabo-verdiano (2). **2.** *Bras.* Mestiço de negro e índio; cafuzo: "vencendo o rumor, a voz tonitruante de um alentado cabo-verde apregoava." (Coelho Neto, *A Conquista,* p. 445). ● *S. m.* **3.** *Bras.* Certo díptero da família dos tabânidas (*Lepidoselaga lepidota* Wied.). **4.** *Bras., L* a *S.* Arvoreta da família das leguminosas (*Cassia speciosa*), cujas folhas têm quatro folíolos subsésseis, oblongos ou lanceolados, obtusos e grandes, e cujas flores, amarelas, com pétalas de até 4 cm, são dispostas em amplas panículas, sendo o fruto um legume cilíndrico, negro, brilhante, que vai até 30 cm. **5.** V. *boi-gordo.* [Pl.: *cabos-verdes.*]

cabo-verdense. *Adj. 2 g.* **1.** De, ou pertencente ou relativo a Cabo Verde (MG). ● *S. 2 g.* **2.** Natural ou habitante de Cabo Verde. [Pl.: *cabo-verdenses.*]

cabo-verdiano. *Adj.* **1.** Do, ou pertencente ou relativo ao arquipélago de Cabo Verde (África). ● *S. m.* **2.** O natural ou habitante desse arquipélago; cabo-verde. [Pl.: *cabo-verdianos.*]

cabra. [Do lat. *capra.*] *S. f.* **1.** Mamífero ruminante, a fêmea do bode. **2.** Cábrea. **3.** *Pop.* Mulher devassa. **4.** *Fig.* Mulher de mau gênio, irritadiça, escandalosa. **5.** *Astr. P. us.* Capricórnio (1). ● *S. m.* **6.** *Bras.* Mestiço de mulato e negro. **7.** V. *capanga* (3). **8.** V. *cangaceiro.* **9.** Morador de propriedade rural. **10.** Indivíduo, sujeito: *João é um cabra inteligente; Que cabra disposto!* **11.** *Bras.* No jogo do bicho [q. v.], o 6º grupo (8), que abrange as dezenas 21, 22, 23 e 24, e corresponde ao número seis. ♦ **Cabra da peste.** *Bras., N.E.* Indivíduo valente, disposto, ou digno de admiração por outro motivo. **Cabra da rede rasgada.** *Bras., N.E. Pop.* Indivíduo desabusado, atrevido, insolente. **Amarrar a cabra.** *Bras., PE. Pop.* V. *embriagar* (4).

cabra-cabriola. *S. f. Bras., N.* e *N.E. Folcl.* Figura fantástica dos contos populares que penetra nas casas para devorar as crianças travessas. [Pl.: *cabras-cabriolas.*]

cabra-cega. *S. f.* **1.** Brincadeira em que uma criança, vendada, tenta agarrar outra, para ser por esta substituída. [Sin. (em SE): *batependé.*] **2.** *Bras., PA.* Certa libélula. [Pl.: *cabras-cegas.*]

cabrada. *S. f.* Rebanho de cabras.

cabra-de-chifre. *S. m. Bras., AC.* V. *cangaceiro.* [Pl.: *cabras-de-chifre.*]

cabra-de-peia. *S. m. Bras.* **1.** Indivíduo desclassificado. **2.** *Bras., N.E.* V. *valentão* (3). **3.** *Bras., AL.* V. *capanga* (3). [Pl.: *cabras-de-peia.*]

cabrado. [Part. de *cabrar.*] *Adj.* **1.** Diz-se do vôo em que o nariz do avião se inclina para cima. **2.** Diz-se do avião em tal situação. [Cf. *picado* (6 e 7).]

cabra-feio. *S. m. Bras.* V. *valentão* (3). [Pl.: *cabras-feios.*]

cabralhada. *S. f. Bras., N.* V. *cabroeira.*

cabraliense. *Adj. 2 g.* **1.** De, ou pertencente ou relativo a Cabrália Paulista (SP). ● *S. 2 g.* **2.** Natural ou habitante de Cabrália Paulista.

cabra-macho. *S. m. Bras.* V. *valentão* (3). [Pl.: *cabras-machos.*]

cabramo. [Do lat. *capulamine.*] *S. m.* **1.** Peia com que se amarra o pé de animal bovino, caprino, etc., a um dos chifres, para que não fuja. **2.** *P. ext.* Peia com que se amarra animal bovino, caprino, etc., pelos cornos, a uma estaca, etc.

cabrão. [De *cabra* + *-ão.*] *S. m.* **1.** Bode (1). **2.** *Pop.* V. *corno* (8). **3.** Criança que berra muito.

cabra-onça. *S. m. Bras. Pop.* V. *valentão* (3). [Pl.: *cabras-onças* e *cabras-onça.*]

cabrar. *V. int.* Elevar (o avião) o nariz em vôo. [Cf. *picar* (28).]

cabra-sarado. *S. m. Bras. Pop.* Indivíduo esperto, vivo, astuto. [Pl.: *cabras-sarados.*]

cabra-seco. *S. m. Bras., SP.* V. *valentão* (3). [Pl.: *cabras-secos.*]

cabra-selvagem. *S. f.* Animal mamífero, da ordem dos artiodáctilos, subordem dos ruminantes, gênero *Capra.* Têm hábitat montanhoso, e são maiores e mais fortes que a espécie doméstica.

cabra-topetudo. *S. m. Bras. Pop.* V. *valentão* (3). [Pl.: *cabras-topetudos.*]

cabre. *S. m. Ant. Marinh.* Calabre (2).

cábrea. [Do lat. *caprea,* 'cabra montês'.] *S. f.* Espécie de guindaste, com duas ou três pernas convergentes no topo, onde há uma roldana para apoiar o cabo, e que serve para levantar materiais, nas construções; cabra. ♦ **Cábrea flutuante.** Embarcação, jangada ou caixão flutuante sobre o qual se instala uma cábrea, para embarcar ou desembarcar grandes pesos de navios e doutras embarcações.

cabreiro. [Do lat. *caprariu.*] *S. m.* **1.** Pastor que guarda cabras. **2.** Indivíduo ativo, diligente. ● *Adj.* **3.** Que guarda cabras. **4.** Esperto, vivo, atilado. **5.** Diz-se de uma espécie de queijo picante português, da região do Ribatejo, feito de leite de cabra. **6.** *Bras. Pop.* Manhoso, astuto, sonso. **7.** Desconfiado.

cabrema. *S. f.* **1.** *Bras.* Corda com uma forquilha ou gancho de madeira, empregada para amarrar a parte dianteira das cargas de cana transportadas em muares. **2.** *Bras., RN.* Corda com que se prende a mão do boi ladrão ao chifre para lhe reduzir os movimentos.

cabrestante. *S. m. Constr. Nav.* Máquina destinada a içar a amarra da âncora, e que consiste num tambor que gira à volta de um pião ou eixo vertical. [Cf. *molinete* (8) e *guincho* (1).]

cabrestão. *S. m.* Cabestro (1) reforçado.

cabresteador (ô). [Do esp. plat. *cabresteador.*] *Adj. Bras., S.* V. *cabresteiro* (2 e 3).

cabrestear. [Do esp. plat. *cabrestear.*] *V. int. Bras., S.* **1.** Caminhar (o cavalo) pelo cabresto, sem que seja preciso espantá-lo. **2.** Obedecer docilmente à tração do laço. **3.** *Fig.* Deixar-se guiar ou conduzir por outrem em qualquer assunto. [Conjug.: v. *frear.*]

cabresteira. [De *cabresto* + *-eira.*] *S. f. Marinh.* Pedaço de amarra que, em uma amarração fixa, tem um dos chicotes manilhado ao anilho da amarração, e outro ao arganéu inferior da bóia.

cabresteiro. *S. m.* **1.** Fabricante e/ou vendedor de cabrestos. ● *Adj.* **2.** Que se deixa levar pelo cabresto (1); cabresteador. **3.** Que se deixa conduzir docilmente; submisso, dócil, cabresteador.

cabrestilho. *S. m.* **1.** Cabresto pequeno. **2.** *Bras., S.* Correia de couro, estreita, ou corrente de metal, que segura a espora ao pé.

cabresto (ê). [Do lat. *capistru*, com metátese do *r.*] *S. m.* **1.** Espécie de buçal (1) mais grosso, com todos os componentes da cabeçada (8), exceto a embocadura. **2.** Boi manso que serve de guia aos touros. **3.** *Pop.* Freio (4). **4.** *Constr. Nav.* Cada uma das correntes de ferro que agüentam o gurupés para a roda de proa. **5.** *Bras.* Reforço de linha, ou de arame fino, aplicado na extremidade da vara ou caniço de pesca. **6.** *Bras., N.E.* Ligamento de cordas que prendem os bancos à jangada. ♦ **Sentar no cabresto.** *Bras., RS. Hip.* **1.** Tentar (o cavalo) arrebentar o cabresto, atirando-se para trás com violência. **2.** *Fig.* Recusar-se obstinadamente a alguma coisa.

cabreúva. *S. f. Bras.* V. *cabriúva* (1).

cabrião. [De *Cabrion*, personagem de *Os Mistérios de Paris*, romance de Eugène Sue.] *S. m.* **1.** Indivíduo que importuna ou molesta sem cessar. **2.** *Bras., RS.* V. *anfineuro* (1).

cabril[1]. [Do lat. *caprile.*] *S. m.* Curral de cabras.

cabril[2]. [De *cabra* + *-il.*] *Adj. 2 g.* Áspero, agreste.

cabrilha. [De *cabra* + *-ilha.*] *S. f.* **1.** *Marinh.* Aparelho de força, composto de duas vigas que se cruzam em tesoura, mantido em pé por meio de guardins [v. *guardim* (2)], e munido de um aparelho de içar pesos (teque, estralheira, etc.) preso na junção das vigas. **2.** Bimbarra (1).

cabrim. *S. m.* Pele curtida, de cabra ou de cabrito.

cabrinete (ê). [De *cabra.*] *S. m. Bras.* Indivíduo que usa cavanhaque.

cabrinha. [Dim. de *cabra.*] *S. f. Bras.* **1.** Peixe teleósteo escleropáreo, família dos triglídeos (*Prionotus capella* Mir. Rib.), do Atlântico, de dorso esverdeado, abdome branco, corpo pontoado de ferrugíneo. Nadadeira dorsal grande, alta, a peitoral com os três acúleos servindo como pernas para a locomoção no fundo. O nome é dado a outras espécies do gênero e, no RS, à espécie do gênero *Peristedion* Lac., da família dos peristerídeos, cuja nadadeira peitoral é usada da mesma forma que as das cabrinhas verdadeiras. **2.** Variedade de manga da BA.

cabriola. [Do it. *capriola.*] *S. f.* **1.** Salto de cabra. **2.** V. *cambalhota* (1): "atirava as mãos para o chão, dava uma c a b r i o l a, repulava sobre os pés" (Eça de Queirós, *A Capital*, p. 507). **3.** *Fig.* Mudança repentina de opinião ou de partido.

cabriolante. *Adj. 2 g.* Que cabriola.

cabriolar. *V. int.* **1.** Dar cabriolas: "Uma seca ventania de procela sublevava as águas — e o *Leivádia*, o grande iate do imperador da Rússia, c a b r i o l a v a no cimo alto das ondas" (Virgílio Várzea, *Nas Ondas*, p. 93). **2.** Dar voltas; voltear, ondular, serpear.

cabriolé. [Do fr. *cabriolet.*] *S. m.* **1.** Carruagem leve, de duas rodas, com capota móvel, puxada por um cavalo. **2.** Tipo de carroceria de automóvel conversível, de dois ou três lugares.

cabrita. [Fem. de *cabrito.*] *S. f.* **1.** Cabra pequena. **2.** *Ant.* Máquina de guerra com que se arremessavam pedras. **3.** Empunhadura da serra braçal. **4.** *Bras.* Mestiça ainda nova. **5.** *Bras. Gír.* Mulher no começo da adolescência. [Cf. *brotinho* (1).]

cabritada. *S. f. Bras.* Bando ou grupo de cabritos, de pequenos bodes.

cabritar. *V. int.* Saltar ou andar saltando como os cabritos; pular: "vinha mal-humorado daquelas cinco léguas de fordinho c a b r i t a n d o na estrada péssima." (Mário de Andrade, *Contos Novos* p. 71). [F. paral. (bras.): *cabritear.*]

cabritear. *V. int. Bras.* V. *cabritar.* [Conjug.: v. *frear.*]

cabriteiro[1]. [De *cabrito* + *-eiro.*] *S. m.* Aquele que cuida de cabritos.

cabriteiro[2]. [De *cabrita* (6) + *-eiro.*] *S. m. Ant.* Aquele que fazia as cabritas [v. *cabrita* (2).]

cabritilha. [Do esp. plat. *cabretilla.*] *S. f. Bras. RS.* Couro curtido de cabrito, próprio para calçados.

cabritinho. [Dim. de *cabrito.*] *S. m. Bras., S.* Indivíduo muito moreno ou mulato.

cabritino. *Adj.* Relativo a cabrito (1).

cabritismo. *S. m. Bras.* Sensualidade, lascívia, lubricidade, libidinagem.

cabrito. [Do lat. tardio *capritu.*] *S. m.* **1.** Pequeno bode (1). **2.** Iguaria feita com cabrito. **3.** Moreno, mulato. **4.** *Fam.* Menino.

cabriúva. [Do tupi *kabu'ré iwa*, 'árvore do caburé'.] *S. f. Bras.* **1.** Árvore da família das leguminosas (*Myrocarpus frondosus*), da floresta atlântica, de folhas com cinco a nove folíolos oblongos, acuminados e muito finos, flores verde-amareladas, actinomorfas, dispostas em racemos, e cujos frutos são sâmaras elípticas e monospermas. A madeira, pardo-escura com tons avermelhados, aromática, pesada e resistente, é utilizada em construções em geral, móveis e canoas. [Sin.: *cabreúva, cabriúva-parda, cabrué, cabureíba, óleo-cabureíba, óleo-pardo, pau-bálsamo.*] **2.** Certa bebida feita com açúcar, gengibre e aguardente. **3.** Fritada de ovos preparada com aguardente.

cabriúva-do-campo. *S. f. Bras., PA* a *SP*, e *MT*. Árvore da família das leguminosas-papilionáceas (*Myrocarpus fastigiatus*), de flores alvas e folhas compostas, cuja madeira é útil para construção civil e naval, obras hidráulicas e marcenaria, e da qual se obtém essência oleosa; cabriuvinha-do-campo, bálsamo, cabriúva-preta, cabriúva-vermelha, cabureíba, óleo-de-macaco, óleo-pardo. [Pl.: *cabriúvas-do-campo.*]

cabriuvano (i-u). *Adj.* **1.** De, ou pertencente ou relativo a Cabriúva (SP). ● *S. m.* **2.** O natural ou habitante de Cabriúva.

cabriúva-parda. *S. f. Bras.* V. *cabriúva* (1). [Pl.: *cabriúvas-pardas.*]

cabriúva-preta. *S. f. Bras.* V. *cabriúva-do-campo.* [Pl.: *cabriúvas-pretas.*]

cabriúva-vermelha. *S. f. Bras.* V. *cabriúva-do-campo.* [Pl.: *cabriúvas-vermelhas.*]

cabriuvinha-do-campo (i-u). *S. m. Bras.* V. *cabriúva-do-campo.* [Pl.: *cabriuvinhas-do-campo.*]

cabro. [Do lat. *capru.*] *S. f. P. us.* Bode (1).

cabroada. *S. f.* Chusma de cabrões.

cabrobó. *S. m. Bras., BA.* Indivíduo muito pobre, de pés no chão.

cabroboense (bó). *Adj. 2 g.* **1.** De, ou pertencente ou relativo a Cabrobó (PE). ● *S. 2 g.* **2.** Natural ou habitante de Cabrobó.

cabroca. [Dev. de *cabrocar.*] *S. f. Bras., BA.* Ato ou efeito de cabrocar. [Var.: *cabruca.*]

cabrocado. [Part. de *cabrocar*, substantivado.] *S. m. Bras., BA.* V. *roça* (4). [Var.: *cabrucado.*]

cabrocar. *V. t. d.* **1.** *Bras.* Roçar, cortar (o mato, a capoeira). **2.** *Bras., BA.* Cortar (certo número de árvores), para plantio do cacaueiro. [Var.: *cabrucar.* Conjug.: v. *trancar.*]

cabrocha. [De *cabra* (6).] *S. 2. g.* **1.** V. *mulato* (1). **2.** *P. ext.* Qualquer mestiço escuro, de lábios grossos e cabelo pixaim; cabroche. **3.** *Bras., AM.* Mestiço de índio e mulato. ● *S. f.* **4.** Mulata jovem.

cabrochão. [Aum. de *cabrocha* (1).] *S. m. Bras.* Mulato corpulento.

cabroche. *S. m. Bras.* Cabrocha (2): "um tal João Cacheado, c a b r o c h e pernóstico e contador de histórias antigas" (Valdomiro Silveira, *Os Caboclos*, p. 150).

cabroeira. [De *cabra* (7 e 8).] *S. f. Bras.* Chusma de cabras; cabralhada. [Sin. (no CE): *cabroeiro.*]

cabroeiro. *S. m. Bras., CE.* V. *cabroeira.*

cabronaz. *S. m.* Grande cabrão.

cabruá. *Bras. S. 2 g.* **1.** Indivíduo dos cabruás, tribo indígena mundurucu do rio Tapajós. ● *Adj. 2 g.* **2.** Pertencente ou relativo aos cabruás.

cabruca. [Dev. de *cabrucar.*] *S. f. Bras.* Var. de *cabroca.*

cabrucado. *S. m. Bras.* Var. de *cabrocado.*

cabrucar. *V. t. d. Bras.* Var. de *cabrocar.* [Conjug.: v. *trancar.*]

cabrué. *S. m. Bras., S.* V. *cabriúva* (1).

cabrum. [Do lat. tardio *caprunu.*] *Adj. 2 g.* **1.** V. *caprino* (2): "O gado ovelhum e c a b r u m é de 145 cabeças" (Afonso Arinos, *Histórias e Paisagens*, p. 177). **2.** *Bras.* V. *corno* (8).

cabu. *Adj.* e *s. m. Bras.* Entre galistas, diz-se de, ou galo cinzento.

cabucetá. [Do quimb.] *S. m.* Forma conguesa de Oxalá.

cabuchão. [Aum. de *cabucho.*] *S. m. Bras.* Aquilo que tem forma cônica. [Cf. *cabochão.*]

cabucho. *S. m.* **1.** Ponta cônica dos pães de açúcar. **2.** Tipo de lapidação com essa forma. **3.** *Bras., N.E.* Açúcar de cristalização imperfeita, e que precisa voltar ao cozimento.

cabuçu. [Var. de *cabaçu.*] *S. m.* **1.** *Bras.* V. *tatu-de-rabo-mole.* **2.** *Bras., PA* a *SP*, e *GO*. Arbusto da família das poligonáceas (*Coccoloba martii*), de flores brancacentas, e cujos frutos têm propriedades refrigerantes e adstringentes; guajabara, guajuvira. **3.** *Bras., Amaz.* a *SP, GO* e *MT.* Arbusto da família das poligonáceas (*Coccoloba paniculata*), de flores brancacentas e bagas drupáceas.

cabuçuano. *Adj.* **1.** De, ou pertencente ou relativo a Cabuçu (RJ). ● *S. m.* **2.** O natural ou habitante de Cabuçu.

cabueta (ê). *S. 2 g. Bras., N.E. Pop.* V. *alcagüete* (3 e 4).

cabuetagem. *S. f. Bras., N.E. Pop.* V. *alcagüetagem.*

cabuetar. *V. t. d. e i. Bras., N.E. Pop.* V. *alcagüetar.*

cabuim (u-ím). *S. m. Bras.* V. *mundaú.*

cábula. *S. m.* **1.** Estudante pouco assíduo; gazeteiro. ● *S. f.* **2.** Falta às aulas. **3.** *Bras.* V. *caiporismo.* **4.** Ardil para esquivar-se a obrigações. ● *S. 2 g.* **5.** Indivíduo astuto, manhoso. [Cf. *cabula*, do v. *cabular.*]

cabular. *V. int.* **1.** Ser cábula (1). **2.** Usar de cábula (4). [Pres. ind.: *cabulo, cabulas, cabula*, etc. Cf. *cábula.*]

cabuleté. *S. m. Bras.* Indivíduo reles, desprezível, vagabundo.

cabulice. *S. f.* **1.** Ação de cábula (1 e 5). **2.** Mandriice nos deveres escolares.

cabuloso (ô). *Adj. Bras.* **1.** Que tem ou dá cábula (3) ou azar; azarento. **2.** Aborrecido, aborrecível, importuno.

cabumbo-de-azeite. *S. m. Bras., AM.* Árvore medicinal, oleaginosa, da família das burseráceas (*Protium insigne*), dotada de flores em racemos e frutos drupáceos, globosos. [Pl.: *cabumbos-de-azeite.*]

cabundá. [Do tupi.] *S. m. Bras. Ant.* Escravo fujão e dado ao roubo.

cabungo. [Do quimb. *kibungu.*] *S. m. Bras.* **1.** Recipiente de matérias fecais, feito de madeira: "*Antônio Ximango* evoca um Porto Alegre quase fabuloso, com sarjetas de água verde, c a b u n g o s e pipas de água" (Augusto Meyer, *Prosa dos Pagos*, p. 210). **2.** V. *urinol* (1). **3.** Indivíduo pouco asseado e/ou a quem não se liga nenhuma importância; cabungueiro.

cabungueiro. *S. m. Bras.* **1.** Indivíduo que limpa ou carrega o cabungo (1). **2.** Cabungo (3). **3.** Aquele que só serve para ofício baixo.

cabúqui. [Do jap. *kabuki.*] *S. m. Teat.* Gênero dramático japonês, de origem popular, que floresceu no séc. XVII, e que, ao contrário do nô [q. v.], se caracteriza pelo maior realismo dos argumentos e diálogos (cuja estrutura se aproxima da do teatro ocidental), pelo uso mais amplo da música, do canto, de danças (de origem folclórica) e de indumentárias de gosto popular, apresentando, porém, um traço comum ao nô; a atuação exclusiva de homens, inclusive nos papéis femininos; teatro cabúqui.

caburaíba. *S. f. Bras.* V. *cabureíba.*

caburé. [Do tupi *kabu'ré.*] *S. m. Bras.* **1.** Cafuzo (1). **2.** V. *caboclo*[1] (3). **3.** V. *caipira* (1). **4.** Pequeno vaso de barro vidrado, bojudo no centro e estreito na base: "Em volta de um fogareiro, sobre brasas a miúdo ateadas, fumava num c a b u r é meio dágua espessa chamada de cera fundida." (Melo Morais Filho, *Festas e Tradições Populares do Brasil*, pp. 124-125.) **5.** Vaso utilizado na prática do feitiço (4). **6.** *Bras., BA. Folcl.* Vaso de barro, ligeiramente comprido, usado para coar o café. **7.** Indivíduo atarracado, achaparrado. **8.** Pessoa que só sai de noite. **9.** Pessoa feia e de ar tristonho. **10.** Bolo de mandioca e trigo. **11.** *Bras.* Designação comum às pequenas espécies de corujas com tufo na cabeça, especialmente ao *Glaucidium brasilianum* (Gmel.), da América do Sul, de dorso pardo, cabeça e coberteiras das asas pintadas de branco, rêmiges e cauda listradas de pardo-amarelado, e a parte inferior branca raiada de pardo; caburé-do-sol: "Noites de junho. O c a b u r é com frio, / Ao luar, sobre o arvoredo, piando, piando" (Da Costa e Silva, *Sangue*, p. 41).

caburé-de-orelha. *S. m. Bras.* **1.** Corujinha-do-mato. **2.** Ave estrigiforme, da família dos estrigídeos (*Otus Watsonii* (Cass.)), da Amaz., de dorso pardo pintado de preto, algumas penas pintadas de branco, fronte e sobrancelhas cinzentas, pouco distintas, e lado inferior cinzento-amarelado, pintado de preto. [Pl.: *caburés-de-orelha.*]

caburé-do-campo. *S. m. Bras.* V. *coruja-do-campo.* [Pl.: *caburés-do-campo.*]

caburé-do-sol. *S. m. Bras.* Caburé (11). [Pl.: *caburés-do-sol.*]

cabureíba. *S. f. Bras.* **1.** V. *cabriúva* (1). **2.** V. *cabriúva-do-campo.* [Var.: caburaíba.]

caburicena. *Bras. S. 2 g.* **1.** Indivíduo dos caburicenas, tribo indígena do AM. ● *Adj. 2 g.* **2.** Pertencente ou relativo a essa tribo.

caca. *S. f. Fam.* **1.** Excremento, fezes. **2.** Imundície, porcaria. [F. paral. (bras.): *cacá.*]

cacá. *S. f. Bras. Fam.* V. caca. ♦ **Fazer cacá.** *Bras. Fam.* V. *defecar* (5).

caça. [Dev. de *caçar.*] *S. f.* **1.** Ato de caçar; caçada: *A c a ç a era muito difundida entre os nobres.* **2.** Animais caçados: *Durante muito tempo o homem viveu da c a ç a.* **3.** Os animais que podem ser caçados: *A c a ç a estava praticamente extinta naquela região.* **4.** Caça (3) comestível. **5.** Busca, perseguição, acossamento: *A c a ç a ao criminoso teve lances horríveis.* **6.** Procura, busca, investigação. ● *S. m.* **7.** Avião de caça. [Cf. *cassa*, do v. *cassar*, e s. f.] ♦ **Caça submarina.** Esporte que consiste em apanhar o peixe no seu próprio elemento, mediante mergulho e com o uso de arpão (1); pesca submarina.

caça-bombardeiro. [De *caça* (6) + *bombardeiro*.] *S. m.* Avião de bombardeio leve, que transporta bombas pequenas e é dotado de grande mobilidade. [Pl.: *caças-bombardeiros*.]

cacaborrada. [De *caca* + o fem. de *borrado*.] *S. f. Pop.* **1.** Grande asneira; despropósito. **2.** Coisa malfeita, malacabada. [Var.: *cancaborrada*.]

cacada[1]. *S. f. Pop.* Porção de caca (1).

cacada[2]. *S. f.* Cacaria[1] (1).

caçada. *S. f.* Ato ou efeito de caçar; caça.

caçadeira[1]. *S. f.* **1.** Espingarda de caça: "pôs-se a cavalo do muro, com um cacho de malvasia nos dentes e a c a ç a d e i r a atravessada nas coxas." (José Rodrigues Miguéis, *Onde a Noite Se Acaba*, p. 43). **2.** Jaquetão de caçador.

caçadeira[2]. *S. f. Bras.* F. red. de *caba-caçadeira*.

caçadeiro. *Adj.* **1.** Próprio para caçar ou transportar a caça. **2.** Que gosta de caça.

caçado. [Part. de *caçar*.] *Adj.* Aprisionado ou morto na caça. [Cf. *cassado*.]

caçador (ô). *Adj.* **1.** Que caça. ● *S. m.* **2.** Aquele que caça, que exercita a caça (1). **3.** *Mil.* Soldado de cavalaria ligeira. **4.** *Mil.* Soldado de infantaria. **5.** Na região do São Francisco, aparelho de pesca constituído de bóia, anzol e poita. **6.** *Ant. Astr.* Órion. ~ V. *caçadores*.

caçador-de-aranha. *S. m. Bras.* V. *marimbondo-caçador*. [Pl.: *caçadores-de-aranha*.]

caçadorense. *Adj. 2 g.* **1.** De, ou pertencente ou relativo a Caçador (SC). ● *S. 2 g.* **2.** Natural ou habitante de Caçador.

caçadores (ô). [Pl. de *caçador*.] *S. m. pl. Bras.* Toletes encavilhados numa travessa de madeira fixa nos paus da jangada, na popa, e que são inclinados para fora, servindo para amarrar a escota da vela. ~ V. *caçador*.

caça-dotes. [De *caçar* + *dote*.] *S. m. 2 n. Bras.* Indivíduo pobre que procura enriquecer casando com moça rica.

caça-fecho. [De *caçar* + *fecho*?] *S. m. Bras., SP. Pop.* V. *vagabundo* (7). [Pl.: *caça-fechos*.]

cacaieiro. *Adj.* e *s. m. Bras., BA* e *MG.* Que ou aquele que conduz cacaio.

cacaio. [Do quimb.?] *S. m. Bras., BA* e *MG.* Alforje ou saco de viagem que se traz preso por baixo dos braços e pendurado às costas.

cacajau. *S. m. Bras., Amaz.* Designação comum às espécies de mamíferos primatas da família dos cebídeos (*Cacajao* Less.), todos do N.O. da Amazônia. São os únicos macacos sul-americanos de cauda curta, não chegando sua extensão à da metade do corpo. Vivem em pequenos bandos, e dificilmente se adaptam ao cativeiro. [Sin.: *acari, guacari, uacari, macaco-inglês*.]

cacália-amarga. *S. f.* V. *carqueja-amargosa*. [Pl.: *cacálias-amargas*.]

caçamba. [Do quimb. *kisambu*.] *S. f. Bras.* **1.** Alcatruz (1). **2.** Balde preso a uma corda para tirar água dos poços. **3.** *P. ext.* Qualquer balde. **4.** Estribo fechado, em forma de chinela: "Passam, a cavalo, homens do campo, de botas enlameadas, pés nos estribos ou em c a ç a m b a s que, apesar do pó que as cobre, brilham como prata, se o sol incide no metal lavrado." (Thiers Martins Moreira, *Os Seres*, pp. 93-94.) **5.** Carrocinha. **6.** *Constr.* Lata ou balde em que os serventes transportam a argamassa para os pedreiros. ♦ **Arear caçamba.** *Bras., MG, SP* e *MT. Pop.* **1.** Vadiar, vagabundear. **2.** Agradar para obter vantagens; adular, bajular.

caçambada. [De *caçamba* + *-ada*[1].] *S. f. Bras.* Bordoada, cacetada.

caçambar. [De *caçamba* + *-ar*[2].] *V. t. d. Bras., SP. Pop.* Delatar, denunciar.

caçambeiro. [De *caçamba* + *-eiro*.] *Bras. Adj.* **1.** Adulador, bajulador, puxa-saco. [Por alusão àquele que pega na caçamba (4) para outro montar.] ● *S. m.* **2.** Indivíduo caçambeiro. **3.** Operário que conduz as caçambas. **4.** Indivíduo que se emprega como companheiro de viagem.

caça-minas. [De *caçar* + *mina* (5).] *S. m. 2 n.* **1.** *Bras. Mar. G.* Tipo de navio de guerra destinado a localizar a posição de minas submarinas lançadas pelo inimigo, a fim de as destruir por meio de homens-rãs ou de engenhos submarinos especiais. [Cf. *navio-varredor*.] **2.** *Exérc.* Rolo compressor colocado à frente de um carro de combate com o fim de destruir, fazendo-as explodir, as minas anticarro postas no caminho pelo inimigo.

caçanar. *S. m.* Sacerdote de cristãos siríacos do Malabar.

caça-níqueis. [De *caçar* + o pl. de *níquel*.] *S. m. 2 n. Bras.* Máquina que funciona introduzindo-se-lhe uma moeda, e que pode ou não proporcionar um prêmio a quem a introduziu, como num jogo de azar; caça-níquel.

caça-níquel. *S. m. Bras.* Caça-níqueis. [Pl.: *caça-níqueis*.]

caçanje. [Do top. *Cassanje*.] *S. m.* **1.** Dialeto crioulo do português, falado em Angola. **2.** *P. ext.* Português mal falado ou mal escrito.

caçanjista. *S. m. Bras., MG. Pej.* Designação dada pelos boiadeiros ao seus colegas paulistas que compram gado na região serrana de MT.

caçante. *Adj. 2 g.* **1.** Que caça. **2.** *Heráld.* Diz-se do animal que nos brasões se apresenta em posição de caçar.

cação[1]. [De *caçar* + *-ão*.] *S. m.* **1.** Designação comum a todos os peixes elasmobrânquios com fendas branquiais laterais e corpo de forma alongada, de tamanho médio ou pequeno, e cuja carne, embora de má qualidade, é consumida pelo povo. [Cf. *tubarão* (1).] **2.** *Bras., Pop.* V. *meretriz*.

cação[2]. *S. m. Bras., AM, PA* e *MA.* Chibé em que se põe sal, em vez de açúcar, além de pimenta.

cação-alegrim. *S. m. Bras.* V. *cação-frango*. [Pl.: *cações-alegrins* e *cações-alegrim*.]

cação-anequim. *S. m. Bras.* Anequim. [Pl.: *cações-anequins* e *cações-anequim*.]

cação-angolista. *S. m. Bras.* V. *sebastião* (1). [Pl.: *cações-angolistas*.].

cação-anjo. *S. m. Bras.* **1.** Peixe elasmobrânquio pleurotremado, da família dos esquatinídeos (*Squatina squatina* (L)), cosmopolita, de dorso pardo-oliváceo, parte inferior clara; e corpo achatado. As nadadeiras peitorais são muito grandes, a caudal é pequena e a anal, ausente. Mede até 1,5 m de comprimento. **2.** Designação comum aos peixes elasmobrânquios pleurotremados, família dos esquatinídeos (*Squalus* L.). [Pl.: *cações-anjos*. Cf. [na acepç. (2)] *cação-bagre*.]

cação-bagre. *S. m. Bras.* Peixe elasmobrânquio, pleurotremado, da família dos esqualídeos (*Squalus fernandinus* Mol.), do Atlântico, Pacífico e Mediterrâneo. Dorso pardo, abdome brancacento, nadadeiras dorsais providas de acúleo escuro; é desprovido de nadadeira anal; seu comprimento não ultrapassa 50 cm. Alimenta-se de peixinhos que vivem na superfície do mar, e não oferece nenhum perigo. [Sin.: *cação-de-espinho, cação-prego*. Pl.: *cações-bagres* e *cações-bagre*. Cf. *cação-anjo* (2).]

cação-da-areia. *S. m. Bras.* V. *mangonga*. [Pl.: *cações-da-areia*.]

cação-de-bico-doce. *S. m. Bras., RS.* **1.** V. *sebastião* (1). **2.** V. *cação-frango*. [Pl.: *cações-de-bico-doce*.]

cação-de-escamas. *S. m. Bras.* V. *bijupirá*. [Pl.: *cações-de-escamas*.]

cação-de-espinho. *S. m. Bras.* V. *cação-bagre*. [Pl.: *cações-de-espinho*.]

cação-de-fundo. *S. m. Bras.* V. *cação-garoupa*. [Pl.: *cações-de-fundo*.]

cação-de-rio. *S. m. Bras.* Marraxo. [Pl.: *cações-de-rio*.]

cação-fiúzo. *S. m. Bras., RS.* V. *sebastião* (1). [Pl.: *cações-fiúzos*.]

cação-frango. *S. m.* Peixe seláquio da família dos galeorrinídeos (*Scoliodon Terrae-Novae*), de coloração cinza-claro. Ocorre em todo o Atlântico. Mede cerca de 1 m. [Sin. (bras.): *cação-alegrim, cucuri, frango*. Pl.: *cações-frangos* e *cações-frango*.]

cação-galhudo. *S. m. Bras.* Peixe elasmobrânquio, pleurotremado da família dos carcharídeos (*Carcharhinus milberti* Müll. & Hen.), antropófago, com até 2 m de comprimento. [Pl.: *cações-galhudos*.]

cação-garoupa. *S. m. Bras.* Peixe elasmobrânquio, pleurotremado, da família dos galeorrinídeos (*Eulamia limbata* (Müll. & Hen.)), do Atlântico ocidental, de coloração cinza-esverdeada, escura no dorso e branca na parte ventral, comprimento de até 3 m, e conhecido pelos pescadores como ladrão de iscas nos espinhéis; cação-peru, cação-de-fundo, cação-sicuri, sicuri-de-galha-preta, serra-garoupa, corta-garoupa. [Pl.: *cações-garoupas* e *cações-garoupa*.]

cação-lixa. *S. m. Bras.* **1.** Peixe elasmobrânquio, pleurotremado, da família dos orectolobídeos (*Nebrius cirratum* (Bonn.)), do Atlântico, de coloração parda, e os jovens com pintas, as duas últimas aberturas branquiais mais juntas que as outras. Pele grossa e muito áspera, donde o nome; comprimento de 2 a 3 m; barroso. **2.** Designação comum aos peixes elasmobrânquios pleurotremados, da família dos orectolobídeos (*Gynglimostoma* Dum.); barroso. [Pl.: *cações-lixas* e *cações-lixa*.]

cação-martelo. *S. m. Bras.* V. *peixe-martelo*. [Pl.: *cações-martelos* e *cações-martelo*.]

cação-panã. *S. m. Bras.* V. *pata*[1] (2). [Pl.: *cações-panãs* e *cações-panã*.]

cação-peru. *S. m.* V. *cação-garoupa*. [Pl.: *cações-perus* e *cações-peru*.]

cação-prego. *S. m. Bras.* V. *cação-bagre*. [Pl.: *cações-pregos* e *cações-prego*.]

cação-rodela. *S. m. Bras.* V. *pata*[1] (2). [Pl.: *cações-rodelas* e *cações-rodela*.]

cação-sicuri. *S. m. Bras.* V. *cação-garoupa*. [Pl.: *cações-sicuris* e *cações-sicuri*.]

cação-torrador. *S. m. Bras., ES.* V. *sebastião* (1). [Pl.: *cações-torradores*.]

caçapa. *S. f.* Cada um dos seis buracos da mesa de sinuca, com as bolsas de couro ou de malha que recolhem as bolas.

caçapavano[1]. *Adj.* e *s. m.* Caçapavense.

caçapavano[2]. *Adj.* **1.** De, ou pertencente ou relativo a Caçapava do Sul (RS). ● *S. m.* **2.** O natural ou habitante de Caçapava do Sul.

caçapavense. *Adj. 2 g.* **1.** De, ou pertencente ou relativo a Caçapava (SP). ● *S. 2 g.* **2.** Natural ou habitante de Caçapava. [Sin. ger.: *caçapavano*.]

caçapo. [De *caça*.] *S. m.* **1.** Coelho novo; láparo. **2.** *Fig.* Homem baixo e gordo; acaçapado.

caçapó. [De *caçar* + *pó*?] *S. f. Bras.* V. *saúva*.

caçar. [Do lat. *captiare*, por *captare*, 'apossar-se, apoderar-se'.] *V. t. d.* **1.** Perseguir (animais silvestres) a tiro, a laço, a rede, etc., para os aprisionar ou matar: *c a ç a r veados, elefantes*. **2.** *Marinh.* Alar a(s) escota(s) de (uma vela), para que fique com a superfície exposta ao vento. **3.** *Bras.* Procurar, buscar: *C a ç o u os papéis por toda a parte, e não os encontrou*; "O café pegava preço, o açúcar também, e todo ano eram novas levas de colonos a vir c a ç a r serviço na fazenda." (Mário Palmério, *Chapadão do Bugre*, p. 25.) **4.** *Bras. Pop.* Perseguir como se faz às feras: *A polícia c a ç o u o criminoso*. *Int.* **5.** Andar à caça (1): *Perdeu-se no mato quando c a ç a v a*. **6.** Afastar-se do rumo; garrar. [Conjug.: v. *laçar*. Pres. ind.: *caço, caças, caça*, etc. Cf. *cassar*, v. *cassa*, s. f. e *casso, cassado*, adj.]

cacará. [Der. regress. de *cacaracá*.] *S. m. Bras.* Indivíduo reles, desprezível.

cacaracá. [T. onom.] *El. s. m.* Us. na loc. adj. *de cacaracá*. ♦ **De cacaracá.** De pouca monta; insignificante.

cacareco. *S. m. Bras.* **1.** Traste velho e/ou muito usado. **2.** Coisa de pouco valor. ~ V. *cacarecos*.

cacarecos. [De *cacaréus*.] *S. m. pl. Bras.* V. *cacaréus*. ~ V. *cacareco*.

cacarejador (ô). *Adj.* Cacarejante (1).

cacarejante. *Adj. 2 g.* **1.** Que cacareja; cacarejador. **2.** *Fig.* Chocalheiro, mexeriqueiro, bisbilhoteiro.

cacarejar. [T. onom.] *V. int.* **1.** Cantar (a galinha e outras aves de canto semelhante): "Uma galinha c a c a r e j a, anunciando o ovo." (Mauro Mota, *O Pátio Vermelho*, p. 174.) **2.** Palrar monotonamente; tagarelar, enfadando. *T. d.* **3.** Fazer alarde de (coisa de pouca importância): *C a c a r e j a qualquer novidadezinha que ouve*. **4.** Dar, soltar (risada, gargalhada). [Var.: *caquerejar*. Conjug.: v. *pelejar*. Normalmente não se usa nas 1as. pess.]

cacarejo (ê). [Dev. de *cacarejar*.] *S. m.* **1.** Ato de cacarejar. **2.** O canto da galinha. **3.** *Fig.* Tagarelice, garrulice.

caçarema. [De *caçar*?] *S. f. Bras.* Formiga-asteca.

caçareta (ê). [De *caçar* + *-eta*.] *S. f.* Caçarete.

caçarete (ê). [De *caçar* + *-ete*.] *S. f.* Espécie de rede de arrasto; caçareta.

cacaréus. [Aum. irreg. de *caco*.] *S. m. pl.* Trastes e utensílios velhos: "A velha .... lá foi, ... alojar-se em casa do genro, com um batalhão de moleques, suas crias, e com os c a c a r é u s ainda do tempo do defunto marido." (Aluísio Azevedo, *O Mulato*, p. 14.) [Sin. (bras. na grande maioria): *afavecos, cacarecos, cacaria, bagulho, brogúncias, bundá, candimbá, caraminguás, muafos, mucufos, mucumbagem, mucumbu, quimbembes, tralha, tralhada, xurumbambo*.]

cacaria[1]. [De *caco* + *-aria*.] *S. f.* **1.** Monte de cacos; cacada. **2.** V. *cacaréus*.

cacaria[2]. [Do antr. *Caco* (v. *cova de Caco*) + *-aria*.] *S. f. Bras.* **1.** Corja de ladrões. **2.** Antro de ladrões.

caçaroba. [Do tupi *pikasu'roba*, 'pomba amargosa'.] *S. f. Bras.* V. *pomba-legítima*.

caçarola. [Do fr. *casserole*.] *S. f.* Panela de metal com bordas altas, cabo e tampa: "Põe feijão na c a ç a r o l a / Para o almoço do marido." (Ricardo Gonçalves, *Ipês*, p. 11.)

caçarova. *S. f. Bras.* V. *pomba-legítima.*
caça-submarino. [De *caçar* + *submarino.*] *S. m. Bras. Mar. G.* Navio de combate, pequeno (menos de 300 t), de grande mobilidade, para operações de patrulha anti-submarino, escolta de comboios ou defesa costeira. [Pl.: *caça-submarinos.*]
caça-torpedeiro. [De *caçar* + *torpedeiro.*] *S. m. Bras. Mar. G. Desus.* V. *contratorpedeiro.* [Pl.: *caça-torpedeiros.*]
cacatua. [Do malaio *kakatûwa.*] *S. f.* Designação comum a diversos papagaios de porte vultoso, da família dos psitacídeos, cuja plumagem, segundo as espécies, é branca ou cinzenta, vermelha ou negra. Têm o bico volumoso, a cauda curta, e um penacho grande e erétil. [Var.: *catatua.*]
cacau. [Do rad. náuatle *kakáwa*, de *kokowatl*, 'caroço de cacau'.] *S. m.* **1.** O fruto do cacaueiro. **2.** A semente desse fruto. **3.** Pó solúvel feito com essa semente, usado na alimentação, e que é a matéria-prima para a fabricação do chocolate. **4.** *P. ext.* Cacaueiro.
caçaú. [De possível or. tupi.] *S. m. Bras.* Designação comum a duas trepadeiras medicinais da família das aristoloquiáceas (*Aristolochia brasiliense* M. et Zucc. e *Aristolochia cymbifera* M. et Zucc.).
cacaual. *S. m.* Quantidade mais ou menos considerável de cacaueiros, dispostos proximamente entre si. [Var.: *cacoal.*]
cacau-azul. *S. m. Bras., PA.* Arvoreta da família das esterculiáceas (*Theobroma spruceanum*), que vive no interior da floresta úmida, de flores pequenas pardo-avermelhadas, claras, inseridas sobre os ramos menores, e frutos verde-azulados, ainda quando maduros, de polpa comestível, doce, não aromática. [pl.: *cacaus-azuis.*]
cacau-branco. *S. m. Bras., AM.* Árvore da família das flacurtiáceas (*Carpotroche longifolia*), de flores caulinares e frutos capsulares. [Pl.: *cacaus-brancos.*]
cacau-da-nova-granada. *S. m.* V. *cacau-do-peru.* [Pl.: *cacaus-da-nova-granada.*]
cacau-de-caracas. *S. m. Bras., AM.* Árvore da família das esterculiáceas. (*Theobroma glaucum*), de frutos capsulares e sementes com sabor de cacau; cacau verde-da-colômbia. [pl.: *cacaus-de-caracas.*]
cacau-do-mato. *S. m. Bras., AM.* Arvoreta da família das esterculiáceas (*Theobroma sylvestris*), que vive no interior da floresta densa, e cujas folhas são largamente ovadas, desiguais na base, trinérveas, acuminadas, onduladas, e rufas e tomentosas na face interior. Não fornece chocolate. [pl.: *cacaus-do-mato.*]
cacau-do-mico. *S. m. Bras. AM.* Arvoreta da família das esterculiáceas (*Theobroma angustifolium*), habitante da floresta pluvial, de folhas grandes, oblongas ou obovadas, cuminadas, e cujas flores pequeninas se inserem isoladamente ou aos grupos de duas a três. Não fornece chocolate. [pl.: *cacaus-do-mico.*]
cacau-do-peru. *S. m.* Arvoreta da família das esterculiáceas (*Theobroma bicolor*), peculiar à floresta tropical, de folhas largas, cordiformes e membranáceas, flores pequenas, violáceas, presas ao tronco, e cujo fruto é grande, com casca grossa, lenhosa e reticulada, contendo uma polpa doce, aromática, podendo as sementes substituir o cacau verdadeiro na fabricação de chocolate; cacau-da-nova-granada, cupuaçu, macambo. [pl.: *cacaus-do-peru.*]
cacaué. [De possível or. tupi.] *S. m. Bras., PA.* V. quijuba.
cacaueiro. *S. m. Bras.* Arvoreta da família das esterculiáceas (*Theoborma cacao*), muito cultivada na Amaz. e na BA, dentro da floresta rarefeita, de folhas grandes, oblongas e membranáceas, e cujas pequenas flores se inserem sobre o tronco, onde também surgem os frutos, grandes, alongados, que medem de 10 a 25cm, podem pesar até 1kg, e contêm uma polpa doce, acidulada e de sabor agradável; as sementes, em número de 15 a 56, encerram 45 a 55% de uma gordura dita *manteiga de cacau* e servem, depois de torradas, para preparar o chocolate. [Sin.: *cacauzeiro* e *cacoeiro.*]
cacauí. [De *cacau* + *tupi i*, 'pequeno'.] *S. m. Bras.* Arvoreta da família das esterculiáceas (*Theobroma speciosum*), que vive na floresta úmida, de flores vermelho-escuras, que desprendem odor de limão e se organizam em cachos inseridos no tronco, e cujo fruto é pequeno, até uns 10cm, elipsóide, amarelo e revestido de pêlos, com polpa doce, comestível e inodora; as sementes fornecem chocolate de boa qualidade.
cacauicultor (au-i...ô). *S. m. Bras.* Lavrador que se ocupa da cacauicultura; plantador de cacau; cacaulista.
cacauicultura (au-i). *S. f. Bras.* Plantação ou cultura de cacau.
cacau-jacaré. *S. m. Bras.* Arbusto da família das esterculiáceas, do gênero *Theobroma.* [Pl.: *cacaus-jacarés* e *cacaus-jacaré.*]
cacaulista. *S. 2 g. Bras.* **1.** Cacauicultor. **2.** Negociante de cacau.
cacaurana. [De *cacau* + *-rana.*] *S. f. Bras.* Arvoreta da família das esterculiáceas (*Theobroma microcarpum*), da floresta pluvial, de pequenos frutos, aproximadamente redondos, cobertos de pêlos e escamas, sulcados longitudinalmente, reticulados, polpa doce e comestível, e cujas sementes fornecem chocolate de qualidade superior; macacaacá, macacacacau.
cacau-selvagem. *S. m. Bras.* V. *castanheiro-do-maranhão.* [Pl.: *cacaus-selvagens.*].
cacau-verde-da-colômbia. *S. m.* Cacau-de-caracas. [Pl.: *cacaus-verdes-da-colômbia.*]
cacauzeiro. *S. m.* V. *cacaueiro.*
caçava. [Do taino *caçabi*, atr. do esp. *cazabe;* var. de *caçave.*] *S. f. Bras.* Farinha de mandioca. [Cf. *cassava*, do v. *cassar.*]
caçave. *S. m. Bras.* Caçava [q. v.].
cácea. [Dev. de *cacear?*] *S. f.* Caceia[2]. [Cf. *cássia*, s. f., e *Cássia*, antr. f. e top.]
cacear. [De *caça* + *-ear.*] *V. int. Mar. Ant.* Garrar, descair (a embarcação). [Conjug.: v. *frear.*]
caceia[1]. [De *caça?*] *S. f.* O conjunto das redes que, amarradas entre si, os barcos de pesca lançam no alto-mar. ◆ **À caceia.** *Mar. Ant.* À garra.
caceia[2]. [Dev. de *cacear.*] *S. f.* Ato de cacear; cácea.
cacequiense. *Adj. 2 g.* **1.** De, ou pertencente ou relativo a Cacequi (RS). ● *S. 2 g.* **2.** Natural ou habitante de Cacequi.
cacerenga. *S. f. Bras., AL* e *SE.* V. *caxirenguengue:* "tirou da bolsinha de coiro um naco de fumo escuro, ... picou-o com uma c a c e r e n g a" (Jaime d'Altavila, *Lógica de um Burro*, p. 11).
cacerense. *Adj. 2 g.* **1.** De, ou pertencente ou relativo a Cáceres (MT). ● *S. 2 g.* **2.** Natural ou habitante de Cáceres.
caceta[1] (ê). [Do cat. *casseta*, atr. do esp. *caceta.*] *S. f.* Espécie de vaso com um ralo no fundo, usado nas farmácias. [Pl.: *cacetas* (ê). Cf. *caceta* e *cacetas*, do v. *cacetar.*]
caceta[2] (ê). [De *cacete.*] *S. f. Bras., N.E. Chulo.* O pênis; cacete. [Pl.: *cacetas* (ê). Cf. *caceta* e *cacetas*, do v. *cacetar.*]
cacetada. *S. f.* **1.** Pancada com cacete; bordoada, paulada, porrada. **2.** *Bras.* V. *amolação* (3): "Dizia de um modo trágico que me amava, quase a fazer o favor de amar-me. Uma c a c e t a d a , enfim." (Geraldo França de Lima, *Branca Bela*, p. 100.) **3.** *Bras. Fut.* Chute muito forte; pedrada. ◆ **E cacetada.** *Bras. Gír.* V. *e lá vai fumaça.*
cacetar. *V. t. d.* Espancar, bater em, com cacete; cacetear. [Pres. ind.: *caceto, cacetas, caceta*, etc., pres. subj.: *cacete, cacetes*, etc. Cf. *caceta* (ê), pl. *cacetas* (ê), e *cacete* (ê), pl. *cacetes* (ê).]
cacete (ê). [Do fr. *cass-tête*, com haplologia e hiperbibasmo.] *S. m.* **1.** Pedaço de pau com uma das pontas mais grossa que a outra; biriba, birro, bordão, buduna, cachamorra, cacheira, maça, manguara, moca, porrete, quiti. ● *S. 2 g.* **2.** V. *maçante* (2). **3.** *Bras. Pop.* O pênis; caceta. ● *Adj. 2 g.* **4.** V. *maçante* (1): "Demorada, c a c e t e , a tal reunião do diretório." (Mário Palmério, *Vila dos Confins*, p. 28.) **5.** Diz-se do cavalar sem qualquer sinal no pêlo nem nas partes encobertas. [Pl.: *cacetes* (ê). Cf. *cacete* e *cacetes*, do v. *cacetar.*] ● *Interj.* **6.** *Chulo.* Exprime espanto, impaciência, desagrado, etc.
caceteação. *S. f. Bras.* V. *amolação* (3).
cacetear. *V. t. d.* **1.** Cacetar (1). **2.** *Bras.* Maçar, importunar, chatear: "Vim passar convosco uma hora alegre, e não c a c e t e a r - vos, enfeixando fotos e datas .... que .... se encontram em todas as enciclopédias" (Martins Fontes, *A Dança*, p. 19). *P.* **3.** Maçar-se, importunar-se, chatear-se. [Conjug.: v. *frear.*]
caceteiro. [De *cacete* + *-eiro.*] *S. m.* **1.** V. *maçante* (2). **2.** *Bras.* V. *porreta* (2 e 3).
cacetinho. [Dim. de cacete.] *S. m. Bras., AL.* Biscoito que tem mais ou menos o tamanho e feitio de um dedo.
cacha. [Dev. de *cachar.*] *S. f. Ant.* Manha, estratagema, ardil. [Cf. *caxa* e *caixa.*] ◆ **Fazer cacha.** Envidar (1) sem ter jogo para ganhar; blefar.
cachaça. *S. f. Bras.* **1.** Aguardente que se obtém mediante a fermentação e destilação do mel (2), ou borras do melaço. [Sin. (pop. ou de gír., e bras. na maioria, muitos deles regionais): *abre, abrideira, aca, aço, a-do-ó, água-benta, água-bruta, água-de-briga, água-de-cana, água-que-gato-não-bebe, água-que-passarinho-não-bebe, aguardente, aguardente de cana, aguarrás, águas-de-setembro, alpista, aninha, arrebenta-peito, assovio-de-cobra, azougue, azuladinha, azulzinha, bagaceira, baronesa, bicha, bico, birita, boas, borgulhante, boresca, branca, branquinha, brasa, brasileira, caiana, calibrina, cambraia, cana, cândida, canguara, canha, caninha, canjebrina, canjica, capote-de-pobre, catuta, caxaramba, caxiri, caxirim, cobreira, corta-bainha, cotréia, cumbe, cumulaia, danada, delas-frias, dengosa, desmancha-samba, dindinha, dona-branca, ela, elixir, engasga-gato, espírito, esquenta-por-dentro, filha-de-senhor-de-engenho, fruta, gás, girgolina, goró, gororoba, gramática, guampa, homeopatia, imaculada, já-começa, januária, jeribita ou jurubita, jinjibirra, junça, jura, legume, limpa, lindinha, lisa, maçangana, malunga, malvada, mamãe-de-aluana ou mamãe-de-aruana, mamãe-de-luana, mamãe-de-luanda, mamãe-sacode, mandureba ou mundureba, marafo, maria-branca, mata-bicho, meu-consolo, minduba, miscorete, moça-branca, monjopina, montuava, morrão, morretiana, óleo, orontanje, otim, panete, parati, patrícia, perigosa, pevide, pilóia, pinga, piribita, porongo, prego, pura, purinha, quebra-goela, quebra-munheca, rama, remédio, restilo, retrós, roxo-forte, samba, sete-virtudes, sinhaninha, sinhazinha, sipia, siúba, sumo-da-cana, suor-de-alambique, supupara, tafiá, teimosa, terebintina, tira-teima, tiúba, tome-juízo, três-martelos, não-sei-quê, uca, veneno, xinapre, zuninga.* **2.** *P. ext. Pop.* Qualquer bebida alcoólica. [M. us. no pl.] **3.** Dose (3) de cachaça. **4.** Espuma grossa que, na primeira fervura, se tira do suco da cana na caldeira. **5.** *Fig.* Paixão, inclinação, gosto (por pessoa ou coisa): *Tem uma c a c h a ç a pela pequena!; O cinema é a sua c a c h a ç a.* **6.** *Fig.* Vocação, inclinação. ● *S. m.* **7.** V. *ébrio* (8). ◆ **Cachaça da cabeça.** *Bras.* Aguardente da cabeça.
cachação. [De *cachaço* + *-ão*[3].] *S. m.* Pancada ou empurrão no cachaço (1).
cachaceira[1]. [De *cachaço* + *-eira.*] *S. f.* **1.** Grande cachaço (1). **2.** Tirante de couro da cabeçada (8) do cavalo, que lhe envolve a nuca.
cachaceira[2]. [De *cachaça* + *-eira.*] *S. f.* **1.** *Bras.* Lugar onde se apara e junta a cachaça (4) tirada das caldeiras de açúcar. **2.** V. *bebedeira* (1).
cachaceiro[1]. [De *cachaça* + *-eiro.*] *Bras. S. m.* **1.** Arvoreta rara da família das rutáceas (*Hortia excelsa*), que habita a floresta pluvial. Tem belo aspecto, e as folhas chegam a 1m de comprimento; a casca, no momento em que é retirada, desprende odor de cachaça; a madeira é branco-amarelada e sem préstimo. **2.** Aquele que é dado ao uso excessivo da cachaça ou de outra bebida alcoólica; canista, biriteiro. [V. *ébrio* (8).] ● *Adj.* **3.** Que é dado ao uso exagerado da cachaça ou de outra bebida alcoólica; biriteiro. [V. *ébrio* (2).]
cachaceiro[2]. [De *cachaço* + *-eiro.*] *Adj.* V. *cachaçudo* (2).
cachaço. [De *cacho*, na ant. acepç. de 'pescoço', + *-aço.*] *S. m.* **1.** A parte posterior do pescoço: "Tinha um c a c h a ç o alentado, vermelhusco, com um não-sei-quê de bovino na lombada e na inclinação." (Maria Archer, *Fauno Sovina*, p. 7.) [Sin. (desus.): *cacho.*] **2.** *Bras.* Reprodutor suíno. V. *barrão.*
cachaçudo. *Adj.* **1.** Que tem cachaço grande e grosso. **2.** orgulhoso, soberbo, arrogante; cachaceiro.
cachada. *S. f.* Queimada de mato.
cachado. [Part. de *cachar*[2].] *Adj. Bras., N.E.* Cacheado.
cachalote. [De *cacholote* < *cachola*, por assimilação.] *S. m.* Mamífero cetáceo, da família dos fiseterídeos (*Phiseter catadon* L.), cosmopolita, de grande porte, cabeça com um terço do comprimento do corpo, dentes grossos, cônicos, com 10cm de comprimento, presentes apenas no maxilar inferior. Atinge até 20m de comprido; da cabeça se extrai o espermacete, e do corpo se obtém azeite tão bom como o da baleia. Alimenta-se especialmente de polvos. [Sin. (na BA): *cacharréu.*]
cachamorra (ô). *S. f.* V. *cacete* (1). [Var. (pop): *cachaporra.*]
cachamorrada. *S. f.* Pancada com cachamorra; cacetada, paulada. [Var. (pop): *cachaporrada.*]
cachamorreiro. *S. m.* Aquele que usa cachamorra. [Var. (pop.): *cachaporreiro.*]
cachão[1]. [Do lat. *coctione*, 'cocção'.] *S. m.* **1.** V. *borbotão:* "Da água os turvos c a c h õ e s mugem pela devesa." (Carlos D. Fernandes, *Canção de Vesta*, p. 7.) **2.** *Bras., MG.* Cachoeira alta e volumosa; tombo. [Cf. *caixão.*]
cachão[2]. *S. m.* Vento que sopra entre o Ceilão e a Índia. [Cf. *caixão.*]
cachaporra (ô). *S. f. Pop.* V. *cachamorra.*
cachaporrada. *S. f. Pop.* V. *cachamorrada.*

cachaporra-do-gentio. *S. f. Bras., C.O.* Designação comum a duas arvoretas da família das combretáceas (*Terminalia argentea* e *T. fagifolia*), amplamente dispersas no cerrado, de folhas membranáceas e agregadas na ponta dos ramos, flores pequeninas, amareladas e racemosas, e cujas drupas, duríssimas, são providas de grossas asas coriáceas. [Pl.: *cachaporras-do-gentio*.]

cachaporreiro. *S. m. Pop.* V. *cachamorreiro.*

cachar[1]. [Do fr. *cacher.*] *V. t. d. Desus.* **1.** Esconder, disfarçar, ocultar, tapar. **2.** *Int.* Armar ciladas; atraiçoar. **3.** Praticar um ato às ocultas. [Pres. ind.: *cacho, cachas, cacha*, etc. Cf. *caxo* e *caxa*.]

cachar[2]. [De *cacho* + *-ar*[2].] *V. int. Bras., N.E.* Cachear (3). [Pres. ind.: *cacho, cachas, cacha*, etc. Cf. *caxo* e *caxa*.]

cacharolete (ê). *S. m.* Mistura de várias bebidas alcoólicas.

cacharréu. *S. m. Bras. BA.* Cachalote.

cachê. [Do fr. *cachet.*] *S. m.* **1.** Ordenado de qualquer integrante de companhia teatral, cinematográfica, de televisão, etc.: "— Bom-dia. Eu sou o cantor Vitor Bacelar. Venho oferecer minha última gravação. / Fez freguesia certa. Ganhava o c a c h ê de cantor e a comissão de vendedor." (Nestor de Holanda, *Memórias do Café Nice*, p. 130.) **2.** Pagamento feito a qualquer pessoa que se apresente em espetáculo público.

cacheada. *S. f. Bras., BA.* Espécie de reisado.

cacheado. [Part. de *cachear.*] *Adj. Bras.* Diz-se do cabelo ondeado e anelado, formando cachos; cachado: "metido numa sobrecasaca cor de rapé, cabelo negro, longo e c a c h e a d o" (Machado de Assis, *Várias Histórias*, p. 62).

cachear. *V. int.* **1.** Cobrir-se de cachos; produzir cachos. [Aplica-se, em geral, com relação aos vegetais quando começam a abotoar inflorescência em racemos ou cachos.] **2.** Espigar (o arroz). **3.** *Bras.* Tornar-se cacheado (o cabelo); cachar. [Conjug.: v. *frear*. Defect.]

cachecol. [Do fr. *cache-col.*] *S. m.* Manta longa e estreita para agasalhar o pescoço: "A tosse de um velho embrulhado num c a c h e c o l até às orelhas" (Manuel da Fonseca, *Aldeia Nova*, p. 77). [Sin. (no RS): *manta*. Pl.: *cachecóis*.]

cacheira. *S. f.* **1.** V. *cacete* (1). **2.** Pau tosco. Cf. *caixeira*, fem. de *caixeiro*.]

cacheirada. *S. f.* Pancada com cacheira; cacetada, paulada. [Cf. *caixeirada*.]

cacheiro[1]. *S. m.* Cacheira. [Cf. *caxeiro*.]

cacheiro[2]. *Adj.* Que se cacha ou esconde. [Cf. *ouriço-cacheiro* e *caixeiro*.]

cachenê. [Do fr. *cache-nez.*] *S. m.* Manta comprida e estreita para agasalhar o rosto até o nariz.

cachepô. [Do fr. *cachepot.*] *S. m.* Recipiente de metal, cerâmica, madeira, fibra, etc., dentro do qual se colocam vasos de plantas.

cachés. *S. m. pl. Bras., SC.* Cascas secas de pinheiro.

➧**cache-sexe** (cax'-secs'). [Fr.] *S. m.* Pequena peça de vestuário que apenas cobre os órgãos sexuais.

cacheta (ê). [De *cacha* + *-eta*.] *S. f. Bras.* **1.** No jogo de sete-e-meio, o ficar em ponto baixo, calculadamente. **2.** Jogo carteado semelhante ao pife-pafe [q. v.] jogado, porém, com oito cartas e um curinga imaginário [q. v.]. [Pl.: *cachetas* (ê). Cf. *cacheta, cachetas*, do v. *cachetar*; *caxeta* (ê). pl. *caxetas* (ê); e *caixeta*, pl. *caixetas*.]

cachetar. *V. t. i. Bras.* Caçoar, zombar, brincar. [Pres. ind. *cacheto, cachetas, cacheta*, etc. Cf. *cacheta* (ê), pl. *cachetas* (ê); *caxeta* (ê), pl. *caxetas* (ê); *caixeta* (ê), pl. caixetas (ê), e *caixeta* (ê), antr., pl. *caixetas* (ê).]

cachia. *S. f.* Flor da esponjeira; esponja. [Pl.: *cachias*. Cf. *caxias*, s. 2 g. e 2 n., e Caxias, top. e antr.]

cachichola. *S. f. Bras., CE.* V. *cochicholo.*

cachimana. [De *cachimanha*, com despalatalização.] *S. f.* Ardil, artimanha, astúcia; cachimanha.

cachimanha. [De *cachar*[1] + *manha*.] *S. f.* V. *cachimana.*

cachimbada. *S. f.* **1.** Porção de tabaco que se põe no cachimbo. **2.** Ato de aspirar a fumaça do cachimbo: *dar uma c a c h i m b a d a*. **3.** Fumaça de cachimbo. ◆ **Tomar uma cachimbada.** *Bras.* Beber um trago de cachimbo (12).

cachimbador (ô). *Adj.* e *s. m.* Que ou aquele que cachimba.

cachimbar. *V. int.* **1.** Fumar cachimbo (1): "Imagens do avô, do avô vivo e forte c a c h i m b a n d o ao canto do fogão" (Eça de Queirós, *Os Maias*, II, p. 495). **2.** Lançar ou exalar vapores; vaporar; fumegar: "Os paus-d'arco, floridos, salpicavam a mata de pontos amarelos; de manhã a serra c a c h i m b a v a" (Graciliano Ramos, *S. Bernardo*, p. 95). *T. d.* **3.** *Fig.* Votar ao desprezo: não fazer caso de. **4.** *Bras.* Meditar, ponderar.

cachimbo. [Do quimb. *kixima*.] *S. m.* **1.** Aparelho para fumar, composto de um fornilho, onde se põe o tabaco, e de um tubo, por onde se aspira o fumo. [Sin. (bras.): *pito*.] **2.** Buraco do castiçal onde se encaixa a vela. **3.** Peça fêmea da dobradiça, em que entra o gonzo ou o espigão do leme, da porta ou da janela. **4.** Grande porção de terra, de forma prismática, separada de uma barranca vertical por dois fundos talhos laterais, e que, nos desaterros, se faz cair, solapando-a. **5.** Aparelho de contenção para cavalos e bezerros, em geral para impedir que mamem. **6.** *Constr. Nav.* Peça em forma de olhal, fixada em mastro, costado, amurada ou braçola de escotilha, para receber o perno de fixação de um pé de retranca, pau de surriola, pau de carga, etc. **7.** *Constr. Nav.* Castanha inferior de sustentação do turco (4). **8.** *Constr. Nav.* Tubo em forma de cachimbo (1), que se instala atravessando um convés, a fim de enviar ar fresco para ventilação das cobertas. **9.** *Tip.* Canal do crisol da linotipo, por onde a liga em fusão atinge o molde. **10.** *Bras.* Designação comum a diversas plantas da família das gesneriáceas, gêneros *Gesnera, Gloxinia* e *Siningia*. **11.** *Bras., N.E.* V. *mata-cachorro* (2). **12.** *Bras., N.E.* Bebida preparada com cachaça e mel de abelha:"E bebia c a c h i m b o, mistura de aguardente e mel de abelha dos cortiços pendurados no beiral do alpendre." (Graciliano Ramos, *Infância*, p. 124.) **13.** *Bras., PB.* Reunião em geral regada a cachimbo (12), em que se festeja o nascimento de uma criança. **14.** *Bras. N.E.* Guarda à paisana que se incorpora a uma diligência policial.

cachimbó. [De possível or. indígena.] *S. m. Bras.* Ave passeriforme, da família dos furnarídeos (*Phleocryptes melanops* (Vieil.)), do S. E. do País, de dorso pardo, com manchas pretas nas costas e no vértice, asas e cauda escuras, com manchas cor de canela, e lado inferior esbranquiçado. Freqüenta lugares alagadiços. [Sin.: *tico tico-do-biri, tico-tico-do-piri*.]

cachimbo-de-jabuti. *S. m. Bras., Amaz.* Árvore da família das voquisiáceas (*Erisma calcaratum*), comuníssima nas várzeas e igapós, ornamental, em vista de suas belas e abundantes flores azuis que se dispõem em panículas de grande tamanho. O fruto lembra um cachimbo, e contém uma amêndoa com 50% de gordura branca e aproveitável; a madeira, branca e leve, só se usa na fabricação de polpa para papel. [Pl.: *cachimbos-de-jabuti*.]

cachimbo-de-turco. *S. m. Bras.* V. *serpentária*. [Pl.: *cachimbos-de-turco*.]

cachimônia. [Do rad. de *cachola*.] *S. f. Pop.* **1.** Cabeça, bestunto, juízo, cachola. **2.** Paciência, calma: *Não me faça perder a c a c h i m ô n i a*.

cachinada. [De *cachinar* + *-ada*[1].] *S. f.* Gargalhada zombeteira: "Explodiram risinhos e c a c h i n a d a s, ditos zombeteiros" (Coelho Neto, *Miragem*, p. 113).

cachinador (ô). *Adj.* e *s. m.* Que ou aquele que cachina.

cachinar. [Do lat. *cachinnare*.] V. *int.* Rir às gargalhadas, por escárnio.

cacho[1]. [Do lat. *capulu*, 'punhado', 'mancheia'.] *S. m.* **1.** Inflorescência formada de uma haste de crescimento indefinido, e que tem, aos lados, pedúnculos florais dispostos alternadamente. **2.** Conjunto de flores ou frutos pedunculados e dispostos num eixo comum. **3.** Conjunto de coisas dispostas em forma de cacho (1 e 2). **4.** Anel ou canudo de cabelo. **5.** *Bras., RS.* A cauda (do cavalo). **6.** *Bras.* V. *caso* (6). ◆ **Bêbedo como um cacho.** Muito bêbedo.

cacho[2]. *S. m. Desus.* Cachaço (1).

cachoante. *Adj. 2 g.* Que cachoa.

cachoar. *V. int.* Formar cachão[1] ou cachoeira; borbotar. [Conjug.: v. *coroar*. Normalmente é defect., só conjugável nas 3as. pess.]

cacho-de-mosquito. [De *cacho*[1] + *de* + *mosquito*.] *S. m. Bras.* Pequena erva, da família das orquidáceas (*Cirrhae dependens*), constituída de ramos pêndulos sobre árvores da floresta atlântica. As folhas, mínimas, inserem-se muito apertadamente, e as flores são pouco perceptíveis. [Pl.: *cachos-de-mosquitos*.]

cachoeira. [De *cachão*[1] + *-eira*.] *S. f.* **1.** V. *queda-d'água*. **2.** *Bras., MA.* V. *corredeira* (1). [Var. (bras., ES): *cachoeiro*.]

cachoeira-altense. *Adj. 2 g.* **1.** De, ou pertencente ou relativo a Cachoeira Alta (GO). ● *S. 2 g.* **2.** Natural ou habitante de Cachoeira Alta. [Pl.: *cachoeira-altenses*.]

cachoeirano[1]. *Adj.* **1.** De, ou pertencente ou relativo a Cachoeira (BA). ● *S. m.* **2.** O natural ou habitante de Cachoeira.

cachoeirano[2]. *Adj.* **1.** De, ou pertencente ou relativo a Cachoeiras (RJ). ● *S. m.* **2.** O natural ou habitante de Cachoeiras.

cachoeirano[3]. *Adj.* e *s. m.* Leopoldinense[3].

cachoeirense[1]. *Adj. 2 g.* **1.** De, ou pertencente ou relativo a Cachoeira do Arari (PA). ● *S. 2 g.* **2.** Natural ou habitante de Cachoeira do Arari.

cachoeirense[2]. *Adj. 2 g.* **1.** De, ou pertencente ou relativo a Cachoeiro do Itapemirim (ES). ● *S. 2 g.* **2.** Natural ou habitante de Cachoeiro do Itapemirim.

cachoeirense[3]. *Adj. 2 g.* **1.** De, ou pertencente ou relativo a Cachoeira de Minas (MG). ● *S. 2 g.* **2.** Natural ou habitante de Cachoeira de Minas.

cachoeirense[4]. *Adj. 2 g.* **1.** De, ou pertencente ou relativo a Cachoeira Paulista (SP). ● *S. 2 g.* **2.** Natural ou habitante de Cachoeira Paulista.

cachoeirense[5]. *Adj. 2 g.* **1.** De, ou pertencente ou relativo a Cachoeira do Sul (RS). ● *S. 2 g.* **2.** Natural ou habitante de Cachoeira do Sul.

cachoeirense[6]. *Adj. 2 g.* **1.** De, ou pertencente ou relativo a Cachoeira de Goiás (GO). ● *S. 2 g.* **2.** Natural ou habitante de Cachoeira de Goiás.

cachoeirista. *S. m. Bras., Amaz.* Indivíduo que tem prática de viajar nos rios cheios de corredeiras, encachoeirados.

cachoeiro. [De *cachoeira*.] *S. m. Bras., ES.* V. *queda-d'água*.

cachola. [De *cacho*[2]?] *S. f. Pop.* Cabeça, bestunto, cachimônia: "A impressão entrou-lhe impetuosa pela c a c h o l a" (Cardoso de Oliveira, *Dois Metros e Cinco*, p. 13). [Cf. *caixola*.]

cacholeta (ê). [Dim. de *cachola*?] *S. f.* **1.** Pancada (com as mãos cruzadas) na cabeça: "Deixa estar que lhe ia pregar uma! E foi, pé ante pé, devagarinho, para lhe dar uma c a c h o l e t a." (Viriato Correia, *Contos do Sertão*, p. 244.) **2.** V. *repreensão* (1).

cachopa[1] (ô). [Fem. de *cachopo*[1].] *S. f. Lus.* Moça, rapariga: "um rapagão valente e decidido que costumava namorar as c a c h o p a s de cravo vermelho na boca" (João da Silva Correia, *Farândola*, p. 104).

cachopa[2] (ô). [De *cacho*[1], decerto.] *S. f. Bras., RS*, e *ilha da Madeira*. Cacho[1] (1) na extremidade de um ramo.

cachopice. *S. f.* **1.** Ação ou atitude de cachopo[1]. **2.** Qualidade de cachopo[1].

cachopo[1] (ô). *S. m. Lus.* Rapaz. [Pl.: *cachopos* (ô).]

cachopo[2] (ô). [Do ár. *hascâf*.] *S. m.* **1.** Escolho, recife: "Minúsculos c a c h o p o s salientes erguiam-se dum aro d'espumas, com os interstícios de pedras tomados de vegetação em tufos de renda verde." (Virgílio Várzea, *O Brigue Flibusteiro*, p. 75.) **2.** Obstáculo perigoso. [Pl.: *cachopos* (ô).]

cachorra (ô). [Fem. de *cachorro*[1].] *S. f.* **1.** Cadela ainda nova. **2.** *Bras.* V. *peixe-cachorro* (1). **3.** *Fig.* Mulher de mau gênio. **4.** Mulher desavergonhada, cínica, devassa. **5.** *Bras.* Qualquer cadela. **6.** *Bras., S. Gír.* V. *dor-de-cotovelo*. ◆ **Cachorra aferente.** *Arquit.* Peça de madeira ou cachorro de beirada, que se apóia numa cimalha da alvenaria, para obter maior balanço. **Com a cachorra.** *Bras. Gír.* De péssimo humor; furioso; danado; "— Os japoneses estão c o m a c a c h o r r a ! Manilha está virando pó." (Marques Rebelo, *A Mudança*, p. 583); *ficar c o m a c a c h o r r a*.

cachorrada. *S. f.* **1.** Bando de cachorros. **2.** Conjunto de cachorros [v. *cachorro*[1] (6)] de uma beirada, sacada ou outra parte de edifício. **3.** Malta, súcia, caterva. **4.** V. *cachorrismo*.

cachorra-da-palmeira. *S. f. Bras., AL. Folcl.* Personagem lendário, representado por uma jovem que disse não acreditar no Padre Cícero, blasfemando contra ele, e que se transforma em cachorra. [Pl.: *cachorras-da-palmeira*.]

cachorrado. [De *cachorro*[1] + *-ado*[1].] *Adj. Arquit.* Diz-se do beiral ou balcão sustentado por cachorros [v. *cachorro*[1] (6).]

cachorrão. *S. m.* V. *cachorro*[1] (5).

cachorreiro. [De *cachorro*[1] + *-eiro*.] *S. m. Bras.* **1.** Criador ou tratador de cães de caça. **2.** Indivíduo que dirige os cães durante a caçada e levanta o rastro da caça.

cachorrice. *S. f. Bras.* V. *cachorrismo*.

cachorrinho. [Dim. de *cachorro*.] *S. m. Bras.* **1.** V. *anujá*. **2.** Tipo de nado que lembra o do cachorro, e no qual o nadador movimenta só as mãos.

cachorrinho-da-areia. *S. m. Bras., CE.* V. *grilo-toupeira* (1). [Pl.: *cachorrinhos-da-areia*.]

cachorrinho-d'água. *S. m. Bras.* **1.** V. *grilo-toupeira* (1). **2.** *Folcl.* Animal encantado, do rio São Francisco, de cabelos brancos e estrela na testa, e que dá sorte e riqueza a quem o vê. [Pl.: *cachorrinhos-d'água*.]

cachorrinho-do-mato. *S. m. Bras.* Furão (1). [Pl.: ca-

chorrinhos-do-mato.]

cachorrinho-do-padre. *S. m. Bras.* V. *anujá.* [Pl.: *cachorrinhos-do-padre.*]

cachorrismo. *S. m. Bras.* Ação má; canalhice, canalhismo, indignidade, cachorrada, cachorrice.

cachorro[1] (ô). [Do lat. vulg. *cattulu, 'filhote de cão', donde veio um *cacho*, ainda subsistente em derivações, + -orro.] *S. m.* **1.** Cão novo e pequeno. **2.** *Bras.* Qualquer cão. **3.** Cria de lobo, hiena, onça, leão, etc.: "a dedicação do Coruja pelo amigo parecia crescer de instante para instante. Uma leoa não defenderia os seus cachorros com mais amor e mais zelos." (Aluísio Azevedo, *O Coruja,* p. 48); "E alguém se afouta a penetrar no abrigo, / Onde esconde a pantera os seus cachorros" (Santa Rita Durão, *Caramuru,* p. 55). **4.** Indivíduo indigno; canalha, cafajeste. **5.** Menino travesso, turbulento, levado; cachorrão. **6.** *Arquit.* Peça em balanço, de madeira ou de pedra, que sustenta ou aparenta sustentar beirais de telhados e pisos de sacadas ou balcões, etc.: "Eis que surge-lhe pela beirada do telhado a cabeça do estouvado rapaz, trepado na pinheira, donde conseguira alcançar com a mão as travessas ou cachorros, como lhes chamam os carpinteiros." (José de Alencar, *Guerra dos Mascates,* p. 51.) **7.** *Mar. G. Ant.* Cada um dos canhões que podiam ser empregados quando o navio atirava em caça (*cachorros da proa*) ou em retirada (*cachorros da popa*). **8.** *Bras.* No jogo do bicho [q. v.], o 5º grupo (8) que abrange as dezenas 17, 18, 19 e 20, e corresponde ao número cinco. **9.** *Bras. Gír. Desus.* Cédula de cinco cruzados. **10.** *Bras., PE.* Balsa de buriti, descoberta, usada no transporte de carga no rio Parnaíba. ◆ **Cachorro da popa.** *Mar. G. Ant.* V. *cachorro*[1] (7). **Cachorro da proa.** *Mar. G. Ant.* V. *cachorro*[1] (7). **Cachorro espritado.** *Bras., N.E. Pop.* Cão hidrófobo. **Matar cachorro a grito.** *Bras. Gír.* Encontrar-se numa situação aflita e/ou desesperadora. **Mentiroso que só cachorro de preá.** *Bras. Pop.* Muito mentiroso. **Pra cachorro.** *Bras. Gír.* V. *pra burro.* **Soltar os cachorros.** Mostrar-se hostil, agressivo. **Soltar os cachorros em cima de.** *Bras. Pop.* **1.** Insultar, apostrofar: *Soltou os cachorros em cima do açougueiro que lhe vendera carne estragada.* **2.** Discutir acaloradamente com; altercar com.

cachorro[2] (ô). *S. m.* F. red. de *bonito-cachorro.*

cachorro[3] (ô). *S. m.* F. red. de *cachorro-quente.*

cachorro-d'água. *S. m. Bras.* V. *lontra.* [Pl.: *cachorros-d'água.*]

cachorro-de-padre. *S. m. Bras.* V. *anujá.* [Pl.: *cachorros-de-padre.*]

cachorro-do-mato. *S. m. Bras.* Mamífero carnívoro, da família dos canídeos (*Dusicyon* (C.) *thous* (L.), com três subespécies brasileiras. De coloração pardo-cinzenta, tem o dorso, cauda, focinho e garganta negros. Mede 70 cm de comprimento e 30 cm de cauda, e alimenta-se de pequenos mamíferos, aves, frutos, e até de insetos, sobretudo coleópteros. [Sin. *aguaraxaim, graxaim, guaraxaim.* Pl.: *cachorros-do-mato.*]

cachorro-do-mato-vinagre. *S. m. Bras.* Mamífero carnívoro, raro, de cor pardacenta, da família dos canídeos (*Speothos venaticus* Lund), distribuído das Guianas até o Paraguai. Difere dos demais do gênero *Canis* L., por ter um único molar superior e dois inferiores, num total de apenas 38 dentes. Mede até 70 cm de comprimento; cauda grossa, com apenas 15 cm; alimenta-se de pequenos mamíferos e aves. [Sin.: *acambé, jaguacambé, jaguacininga, janauíra, januaá.* Pl.: *cachorros-do-mato-vinagre.*]

cachorro-quente. [Trad. do ingl. amer. *hot-dog.*] *S. m. Bras.* Sanduíche feito com um pão pequeno e salsicha quente. [Tb. se diz apenas *cachorro.* Pl.: *cachorros-quentes.*]

cacho-vermelho. *S. m. Bras. AM.* Arvoreta da família das verbenáceas (*Amazonia punicea*), que vive na floresta pluvial. É de alto valor ornamental para jardins, em virtude da beleza de suas flores amarelas e brácteas vermelho-sangüíneas. [Pl.: *cachos-vermelhos.*]

cachucha. [Do esp. *cachucha.*] *S. f.* Dança popular andaluza, ligeira e acompanhada de castanholas, de coreografia igual à do fandango e do bolero.

cachucho. [Do esp. *cachucho.*] *S. m.* **1.** Medula das penas. **2.** Papelote para o cabelo. **3.** *Lus.* Anel grosso ou anel com brilhante.

cachudo. [De *cacho*[1] + *-udo.*] *Adj.* Que dá cachos grandes.

caciana. *Bras. S. 2 g.* **1.** Indivíduo dos cacianas, tribo indígena caraíba do rio Cachorro, afluente do Trombetas. ● *Adj. 2 g.* **2.** Pertencente ou relativo a essa tribo. [Cf. *Cassiana, antr.* f.]

cacica. [De *caá-* + tupi *i,* 'água', + tupi *sika,* gerúndio de *sig,* 'aproximar-se, chegar-se'.] *S. f. Bras.* Cairi.

cacical. *Adj. 2 g. Bras.* Relativo a, ou próprio de cacique.

cacicar. *V. int. Bras.* Praticar atos de cacique. [Conjug.: *trancar.* Pres. ind.: *cacico,* etc.; pres. subj.: *cacique,* etc. Cf. *cassico.*]

cacifar. *V. int. Bras.* Recolher, no jogo, o cacife.

cacife. [Do ár. *gafiz.*] *S. m. Bras.* Quantia correspondente, no jogo, à entrada de cada jogador. [Cf. *cacifo.*]

cacifeiro. *S. m. Bras.* Indivíduo que recolhe os cacifes.

cacifo. [Do ár. *gafiz.*] *S. m.* **1.** Pequeno cofre; caixa **2.** *Desus.* Gaveta. **3.** Buraco onde entra a bola, em certos jogos. **4.** Pequeno armário aberto em parede. **5.** Quarto ou recanto pequeno e escuro, numa casa. **6.** *Med.* Depressão produzida na pele pela pressão de dedo do examinador e que, cessada a pressão, permanece. **7.** *Bras., PE. Tip.* Caixotim (1). [Var.: *cacifro.* Cf. *cacife.*]

cacifro. *S. m.* Var. de *cacifo:* "Vinte anos a dormir em cacifros, ... a comer os restos, a vestir trapos velhos" (Eça de Queirós, *O Primo Basílio,* p. 101).

cacilda. [De *cacete* (3), com eufemismo.] *Interj. Pop.* Indica admiração, espanto, etc.: "Olhou distraidamente para o relógio e deu um pulo na cadeira: Ih, cacilda, quatro e meia da manhã!" (Fernando Sabino, *O Gato Sou Eu,* p. 45.)

cacim. [De *caço* + *-im.*] *S. m.* Pequeno vaso, usado por tintureiros.

cacimba[1]**.** [Do quimb. *kixima.*] *S. f.* **1.** Cova que recolhe a água dos terrenos pantanosos. **2.** *Bras.* Poço cavado até um lençol de água. [Sin. (no CE), nesta acepç.: *bebedor.*] **3.** *Bras., N.E.* Escavação em baixadas úmidas ou no leito de um rio, na qual a água se acumula como num poço. **4.** *Bras., S.* Olho-d'água, fonte. [Sin. (no CE), nesta acepç.: *cacimbão.*]

cacimba[2]**.** *S. f.* Nevoeiro úmido característico de algumas regiões africanas.

cacimbado. [Part. de *cacimbar.*] *Adj. Bras.* **1.** Diz-se do terreno onde há cacimbas ou poços. **2.** Diz-se do terreno encharcado nuns pontos e em outros não. **3.** Diz-se do terreno que tem barro próprio para olaria.

cacimbão. *S. m. Bras.* **1.** Grande cacimba[1] (2). **2.** *Bras., CE.* Cacimba[1] (4).

cacimbar. *V. int. Bras.* **1.** Encher-se (um terreno) de poços ou cacimbas. **2.** Formar-se (a cacimba [1]).

cacimbeiro. [De *cacimba* (2 e 3) + *-eiro.*] *S. m.* Aquele que faz cacimbas.

cacinheiro. [De um imaginário *cacinhar, dim. de *caçar,* + *-eiro.*] *Adj. Bras.* Diz-se do cão de caça que corre várias caças.

cacique. [Do taíno, atr. do esp. *cacique.*] *S. m.* **1.** V. *morubixaba* (1). **2.** *Fig.* e *Pej.* V. *mandachuva.*

caciquismo. *S. m.* **1.** Arbitrariedade própria de cacique (2). **2.** Regime de predomínio dos caciques [v. *cacique* (2)].

cacite. [De *caço.*] *S. m. Bras.* Vaso especial para a decoada.

caciz. [Do ár. *kasis,* 'sacerdote'.] *S. m.* Sacerdote, entre os mouros.

caco. *S. m.* **1.** Fragmento de louça, vidro, etc. **2.** Objeto ordinário, estragado, sem valor; caqueiro. **3.** *Fam.* Cabeça, juízo, entendimento. **4.** Pessoa envelhecida, doente, encarquilhada: *Tem apenas 60 anos, e já está um caco.* **5.** Pó a que se reduz o fumo depois de torrado e moído em um caco de louça; tabaco-de-caco. **6.** *Arquit.* Fragmento de cerâmica, ladrilho, mármore, etc., empregado em pavimentação. **7.** *Arquit. P. ext.* A pavimentação ou o tipo de pavimentação feita com esses fragmentos. **8.** *Teat. Gír.* Palavra ou frase que o ator, geralmente de improviso, introduz em qualquer de suas falas, para substituir outra do texto original e/ou produzir efeito cômico; bexigada. **9.** *Bras.* Dente profundamente cariado. **10.** *Bras.* Pessoa sem encantos, ou que os perdeu: "Mesmo Filipa, hoje um caco, ainda conserva um vislumbre de galhardia" (Jorge Amado, *Teresa Batista Cansada de Guerra,* p. 70). **11.** *Bras., S.* Arreio de montaria; espécie de lombilho (1). ◆ **Cuspir fora do caco.** *Bras. Chulo.* Mijar fora do caco. **Mijar fora do caco.** *Bras. Chulo.* **1.** Faltar ao cumprimento das obrigações. **2.** Não andar na linha. [Sin. ger.: *cuspir fora do caco.*]

▲**cac(o)-**[1]**.** [Do gr. *kakós, é, on.*] *El. comp.* = 'mau' 'irregular', 'disforme': *cacografia.*

▲**cac(o)-**[2]**.** [Do gr. *kakké, es.*] *El. comp.* = 'excrementos', 'fezes': *cacófago.*

caço. *S. m. P. us.* **1.** Frigideira de barro com cabo; caçarola. **2.** Concha (7). [Cf. *casso,* do v. *cassar* e adj.]

caçoada. *S. f.* **1.** V. *zombaria.* **2.** V. *graça* (6).

caçoador (ô). *Adj.* **1.** Que caçoa, que gosta de caçoar; caçoante, caçoísta, trocista. ● *S. m.* **2.** Aquele que caçoa, que é dado a caçoar; caçoísta, trocista.

cacoal. *S. m. Bras.* Var. de *cacaual:* "Pelos lados e por detrás da casa estendia-se o cacoal sombrio" (José Veríssimo, *Cenas da Vida Amazônica,* p. 12).

caçoante. *Adj. 2 g.* V. *caçoador* (1).

caçoar. *V. t. i.* **1.** Fazer caçoada; zombar, troçar, escarnecer: *Caçoavam do pobre idiota. T. d.* **2.** Pôr em ridículo; fazer de (alguém) objeto de riso; fazer caçoada de; zombar de: "Estes, caçôo-os e depenoos." (Manuel Bandeira, *Estrela da Vida Inteira,* p. 56.) *Int.* **3.** Fazer caçoada; gracejar: *Tinha a mania de caçoar.* [Conjug.: v. *coroar.*]

caco-de-telha. *S. m. Bras.* Lâmina de itabirito. [Pl.: *cacos-de-telha.*]

cacodilo. *S. m. Quím.* Composto de arsênio, líquido, incolor, com odor nauseante. [Fórm.: $C_4H_{12}As_2$.]

caçoeira. [De *cação* + *-eira.*] *S. f. Bras.* **1.** Rede de arrasto usada na pesca em mar alto. **2.** Jangada utilizada na pesca com essa rede.

cacoeiro. *S. m.* V. *cacaueiro:* "Era uma excelente propriedade de dois mil pés de cacoeiros e campos de criação nos fundos." (José Veríssimo, *Cenas da Vida Amazônica.* p. 11.)

cacoépia. [Do gr. *kakoépeia.*] *S. f.* Pronúncia contrária às regras da ortofonia. [Antôn.: *ortoépia.*]

cacoépico. *Adj.* Relativo à cacoépia.

cacoete (ê). [Do gr. *kakóethes,* pelo lat. *cacoethe.*] *S. m.* **1.** Movimento ou contrações repetidas e involuntárias dos músculos do corpo; tique: "encontrou o homem amarelo, ... aquele que tanto a intrigava com o seu cacoete de olhos piscos." (Xavier Marques, *Jana e Joel,* p. 96). **2.** Hábito próprio de uma pessoa ou de um grupo; sestro, mania: "adotando cacoetes postos em moda de 1922 a 1930" (Graciliano Ramos, *Linhas Tortas,* p. 151).

cacoeteiro. *Adj.* e *s. m.* Que ou aquele que tem cacoete (1).

cacofagia. [De *cac(o)-*[2] + *-fag(o)-* + *-ia.*] *S. f.* Estado mórbido em que o indivíduo é levado a ingerir matérias fecais ou outras imundícies.

cacofágico. *Adj.* Referente à cacofagia.

cacófago. [De *cac(o)-*[2] + *-fago-.*] *Adj.* e *s. m.* Que, ou aquele que se dá à prática da cacofagia.

cacófato. [Do gr. *kakóphaton,* pelo lat. *cacophaton.*] *S. m. Gram.* Som desagradável, ou palavra obscena, proveniente da união das sílabas finais de uma palavra com as iniciais da seguinte; cacofonia, cacófaton.

cacófaton. *S. m. Gram.* V. *cacófato.*

cacofonia. [Do gr. *kakophonía.*] *S. f. Gram.* V. *cacófato:* "um tipo histórico-cultural ou, para evitar a cacofonia e usar a terminologia mais corrente, uma civilização com seu tipo morfológico, específico e essencial." (Fidelino de Figueiredo, *Entre Dois Universos,* p. 123).

cacofoniar. *V. int. Bras.* Cometer cacofonia(s); cacofonizar.

cacofônico. *Adj.* Em que há cacofonia: *verso cacofônico; A frase participei da reunião é cacofônica.*

cacofonista. *S. 2 g. Bras.* Pessoa que cacofoniza.

cacofonizar. *V. int. Bras.* Cacofoniar.

cacofonofobia. [De *cac(o)-*[1] + *-fon(o)-* + *-fob(o)-* + *-ia.*] *S. f. Bras.* Aversão às cacofonias.

cacofonofóbico. *Adj. Bras.* Relativo à cacofonofobia.

cacografar. *V. t. d. Bras.* Escrever cometendo cacografia(s): *Cacografou empecilho e cetim, escrevendo-os com i e s iniciais.*

cacografia. [De *cac(o)-*[1] + *-graf(o)-* + *-ia.*] *S. f.* Grafia errada; cacografismo.

cacográfico. *Adj.* **1.** Relativo a, ou em que há cacografia(s).

cacografismo. *S. m. Bras.* **1.** Prática da cacografia. **2.** Cacografia.

caçoila. *S. f.* V. *caçoula.*

caçoilo. *S. m. Marinh.* Pequena peça de madeira, cilíndrica, com um rebaixo em meia-cana para ajustar-se a uma enxárcia ou estai.

caçoísta. *Adj. 2 g.* e *s. 2 g.* V. *caçoador.*

caçoleta (ê). [Por *caçouleta, de *caçoula* + *-eta.*] *S. f.* **1.** Pequena caçoula. **2.** Fuzil (4) de espingarda de pederneira. **3.** Cápsula de matéria fulminante, nas armas de percussão. **4.** Cadinho de ourives. **5.** Pequena frigideira. **6.** *Bras.* Medalha que se usa ao pescoço ou como berloque na corrente de relógio. **7.** *Arquit.* Peça ornamental com feitio de vaso terminado em chama, colocado sobre frontão ou na terminação de ornatos jônicos e coríntios. ◆ **Bater a caçoleta.** *Bras., N.E. Pop.* V. *morrer* (1): "ficou com a barriga que nem tábua de pirulito: mais de meia dúzia de furos. Entretanto, não bateu a caçoleta." (Manuel Lobato, *Garrucha 44,*

p. 79).

cacologia. [Do gr. *kakología.*] *S. f.* Erro de sintaxe ou construção gramatical; solecismo.

cacológico. [Do gr. *kakologikós.*] *Adj.* Em que há cacologia.

cacólogo. [Do gr. *kakológos.*] *S. m.* Aquele que comete cacologia(s).

cacondense. *Adj. 2 g.* **1.** De, ou pertencente ou relativo a Caconde (SP). ● *S. 2 g.* **2.** Natural ou habitante de Caconde.

cacongo. *S. m.* Espécie de salmão africano.

cacopatia. [De *cac(o)-*[1] + *-pat-* + *-ia.*] *S. f. Med.* Doença cujo prognóstico é ruim.

cacopático. *Adj.* Relativo à cacopatia.

cacório. [De *caco* (3) + *-ório.*] *Adj. Bras. Pop.* Astuto, vivo, esperto.

cacosmia. [De *cac(o)-*[1] + *-osm(o)-* + *-ia.*] *S. f. Med.* **1.** Perversão que leva o indivíduo a apreciar cheiros desagradáveis. **2.** Alucinação que induz a perceber habitualmente um cheiro mau.

cacósmico. *Adj.* Referente à cacosmia.

cacóstomo. [Do gr. *kakóstomos.*] *Adj.* **1.** *Med.* Que tem halitose. **2.** Que tem vícios de pronunciação.

cacotanásia. [Do gr. *kakothanasía.*] *S. f. Med.* Morte com dor e angústia.

caçote[1]. [Do quimb. *risote*, com troca do pref. por *ka*, 'rãzinha'.] *S. m.* **1.** *Bras., N. E.* Designação popular para os anuros (sapos e pererecas) de pequeno porte. **2.** *Bras., GO.* Rã (3).

caçote[2]. *S. m. Bras.* Cabeçote (9).

cacotecnia. [Do gr. *kakotechnía.*] *S. f.* Ausência de arte.

cacotécnico. *Adj.* Referente à cacotecnia.

cacotimia. [Do gr. *kakothymía.*] *S. f.* **1.** *Patol.* Perturbação das faculdades morais. **2.** Condição mórbida produzida por alteração do timo.

cacotímico. *Adj.* **1.** Relativo à, ou que tem cacotimia. ● *S. m.* **2.** Aquele que a tem.

cacotipia. [De *cac(o)-*[1] + *-tip(o)-* + *-ia.*] *S. f. Tip.* Defeito de composição tipográfica.

cacotrofia. [De *cac(o)-*[1] + *-trof(o)-* + *-ia.*] *S. f.* **1.** *Med.* Má alimentação. **2.** *Patol.* Distúrbio nas funções de nutrição. [Cf. *distrofia.*]

cacotrófico. *Adj.* Relativo à cacotrofia.

caçoula. [Do esp. *cazuela?*] *S. f.* **1.** Vaso cilíndrico de barro ou de metal para cozinha; caçarola. **2.** Vaso de porcelana onde se queimam resinas ou plantas aromáticas. [Var.: *caçoila.*]

cactácea. *S. f.* Espécime das cactáceas.

cactáceas. *S. f. pl. Bot.* Família de plantas peculiarmente destituídas de folhas, mas que têm caule muito engrossado, em virtude das amplas reservas de água. Quase sempre conduzem espinhos; flores grandíssimas, ornamentais, dotadas de numerosas pétalas e estames; frutos bacáceos, por vezes comestíveis. Há pelo menos 1.500 espécies americanas, inúmeras delas no Brasil.

cactáceo. *Adj.* Pertencente ou relativo às cactáceas.

cactale. *S. f.* Opunciale.

cactales. *S. f. Bot.* Opunciales.

cactiforme. *Adj. 2 g. Bot.* Diz-se de planta cujo aspecto lembra o das cactáceas; cactóide: *euforbiácea cactiforme.*

cacto. [Do gr. *káktos*, pelo lat. *cactos.*] *S. m.* Designação comum a diferentes plantas de caule esférico ou anguloso, ou de peças articuladas, que dão flores, algumas grandes de cores vivas, e cujos gêneros botânicos mais conhecidos são: *Cereus* (mandacaru), *Cephalocereus, Echinocactus, Echinopsis, Epiphyllum, Mamillaria, Melocactus, Opuntia* (figo-da-índia), *Pelreskia, Rhipsalis* e *Zygocactus.* [Var.: *cáctus.*]

cactóide. *Adj. 2 g. Bot.* Cactiforme.

cáctus. *S. m.* Var. de *cacto* [q. v.].

caçuá. *S. m. Bras.* Cesto grande e oblongo, feito de cipós rijos, vime ou fasquias de bambu, com aselhas, pelas quais se prende às cangalhas, e usado no transporte de gêneros em alimárias.

caçuense. *Adj. 2 g.* **1.** De, ou pertencente ou relativo a Caçu (GO). ● *S. 2 g.* **2.** Natural ou habitante de Caçu.

Cacuia. [Por alusão ao *cemitério da Cacuia*, situado na Ilha do Governador (RJ).] *El. s. f.* Us. na loc. *ir para a Cacuia.* ♦ **Ir para a Cacuia.** V. *morrer* (1).

caçuiroba (u-i). *S. f. Bras.* V. *pomba-amargosa.*

caçuirova (u-i). *S. f. Bras.* V. *pomba-amargosa.*

caçula[1]. [Do quimb. *kusula.*] *S. f. Bras.* **1.** Movimento alternado que fazem duas pessoas ao pilão, quando socam o milho, café, etc. [Var., bras., N.: *sula.*] **2.** A faina da caçula[1] (1): "A quantidade de milho quebrado que se via dentro do alguidar, e o suor que aljofrava o rosto e as espáduas das mulheres ...., revelavam que a *caçula* .... estava perto de acabar." (Franklin Távora, *Lourenço*, p. 104.)

caçula[2]. [Do quimb. *kasule.*] *S. 2 g. Bras.* **1.** O mais moço dos filhos, ou dos irmãos: "A tosse-de-guariba, que matou uns quatro meninos, incluído o *caçula* de Siá Maricota, não causou ao enjeitado dano maior que o aumento da salvação." (Nélson de Faria, *Tiziu e Outras Estórias*, p. 178); *A mãe faz todas as vontades da caçula; Dos quatro irmãos, ele é o caçula.* [Var.: *caçulo* e (p. us.): *caçulê.*] ● *Adj. 2 g.* **2.** Diz-se do mais moço dos filhos ou dos irmãos.

caçulê. *S. m. P. us.* V. *caçula*[2] (1).

caculeense (lèên). *Adj. 2 g.* **1.** De, ou pertencente ou relativo a Caculé (BA). ● *S. 2 g.* **2.** Natural ou habitante de Caculé.

caculo[1]. *S. m.* Certa ave africana *(Scops capensis).*

caculo[2]. *S. m. Bras. Pop.* V. *cogulo.*

caçulo. *S. m. Bras.* V. *caçula*[2] (1).

caculucaje. *S. m. Bras., MG.* V. *quitoco.*

cacumbi. [De possível or. tupi.] *S. m. Bras.* Cesto afunilado, muito oblongo, feito de varas finas e flexíveis. [Cf. *nassa* e *cucumbi.*]

cacumbu. [Do quimb. *ka*, 'pequeno', + *kimbu*, 'machado'.] *S. m. Bras., S.* e *MT.* **1.** V. *caxirenguengue.* **2.** Machado ou enxada já gasta e imprestável. **3.** Metade do dia santo, ou da quinta à sexta-feira da semana santa.

cacunda. [Do quimb. *kakunda.*] *S. f. Bras.* **1.** Dorso, costas. [Sin. (bras.): *canastra.*] **2.** V. *corcunda* (1). ● *S. 2 g.* **3.** V. *corcunda* (2). **4.** *Fig.* Protetor, acoitador.

cacundê. [De *caá-* + o tupi *kũ'dá*, 'entrelaçado, entretecido'.] *S. m. Bras.* Bordado de fitas ou de tiras de chita aplicadas em tecido, cobrindo um desenho em forma de folhagem. [Sin., no RJ.: *picado.*]

cacundeiro. *S. m. Bras.* **1.** Carregador que transporta a carga na cacunda (1). **2.** Animal que, na tropa, costuma andar atrás dos outros. **3.** Homem de classe social baixíssima. **4.** V. *capanga* (3).

cacundo. *S. m.* **1.** *Bras. Pop.* V. *corcunda* (2). **2.** *Bras.* V. *carapicuaçu.*

caçununga. [Do tupi *kawa*, 'caba', + *sĩ'nũga*, ger. de *sĩ'nu*, 'ressoar, rumorejar'.] *S. f.* e *m. Bras.* Espécie de vespa social, da família dos véspidas (*Polybia vicina* Saus.).

caçununguçu. [De *caçununga* + *-uçu.*] *S. m. Bras.* V. *marimbondo-caçador.*

cacuri. [Do tupi *kaku'ri.*] *S. m. Bras., N.* **1.** Jequi (1). **2.** Tapagem ou curral de peixe.

cacuruto. *S. m. Bras., MG* e *BA.* Var. de *cocuruto* (1).

cacutu. *S. m. Bras., PA.* V. *mandachuva.*

cada. [Do gr. *katá*, 'conforme, segundo', pelo lat. tardio *cata.*] *Pron. indef. 2 g.* **1.** Palavra com que se designa uma unidade num grupo de pessoas, animais ou coisas de que é parte, ou um conjunto, constituído de duas ou mais partes, desse grupo: "Prova. Olha. Toca. Cheira. Escuta. / *Cada* sentido é um dom divino" (Manuel Bandeira, *Estrela da Vida Inteira*, p. 20); "Receitou xarope, uma colher *cada* duas horas." (Dalton Trevisan, *Novelas nada Exemplares*, p. 10.) *Em cada 10 alunos, um revelava inteligência acima do normal.* **2.** Também é us. com valor intensivo: "Estou contente com a minha [roseira]; / *Cada* botão! *cada* rosa!" (Alberto de Oliveira, *Poesias*, 3ª série, p. 36); Na praia se vê *cada* pequena! ♦ **Cada qual.** Cada um (1) **Cada um.** **1.** Todo homem; cada qual: *Cada um puxa a brasa para sua sardinha.* **2.** Uma unidade, num conjunto: *Comprou os livros a 10 cruzados cada um.*

cadafalso. [Do provenç. *cadalfac*, sendo o *s* oriundo da f. do *pl.*] *S. m.* **1.** Tablado ou estrado erguido em lugar público, para sobre ele se executarem condenados; patíbulo: "O *cadafalso*, construído durante a noite, estava úmido. As rodas e as aspas dos tormentos gotejavam sobre o pavimento de [illegible]inho." (Camilo Caste[illegible] Branco, *Perfil do Marquês d[illegible] [illegible]mbal*, p. 15.) **2.** V. *forca* (1). **3.** V. *andaime.* **4.** [illegible]nque, tablado, estrado. [Cf. *catafalco.*]

cadanarapuritana. *S. 2 g.* e *adj. 2 g. Bras.* V. *catapolítani.*

cadarço. [Do gr. *kathartéon*, i. e., *serikón kathartéon*, 'seda que se deve limpar', atr. de um **catharteu.*] *S. m.* **1.** Cordão ou tecido de anafaia; barbilho. **2.** Nastro: "O cetim distendeu-se pelos lados, pregado pelos *cadarços* e galões bordados a fios de prata." (Nélson de Faria, *Tiziu e Outras Estórias*, p. 137.) **3.** Cordão com que se ajusta o sapato aos pés: "E os laços dos *cadarços* de suas botinas tinham uma expressão muito peculiar." (Cecília Meireles, *Obra Poética*, p. 1.033.) [Sin., nesta acepç.: *ataca, atacador, cordão* e (bras.) *enfia, enfiador.*] ~ V. *cadarços.*

cadarços. [Pl. de *cadarço.*] *S. m. pl. Art. Gráf.* Conjunto das fitas que, nas prensas, mantêm o papel aderente ao cilindro, enquanto é impresso, e o transportam à mesa receptora, ou, nas dobradoras, o conduz ao mecanismo de dobragem; fitas, nastros. [V. *cordões.*] ~ V. *cadarço.*

cadaste. [Do lat. *catasta.*] *S. m. Constr. Nav.* Peça semelhante à roda de proa, e que fecha na popa o esqueleto da embarcação.

cadastragem. *S. f.* Organização de cadastro(s); cadastramento.

cadastral. *Adj. 2 g.* Relativo a cadastro.

cadastramento. *S. f.* Cadastragem.

cadastrar. *V. t. d.* Fazer o cadastro de.

cadastro. [Do fr. *cadastre.*] *S. m.* **1.** Registro público dos bens imóveis de determinado território. **2.** Registro que bancos ou casas comerciais mantêm de seus clientes, da probidade mercantil e situação patrimonial deles, etc. **3.** Registro policial de criminosos ou contraventores. **4.** Conjunto das operações pelas quais se estabelece este registro. **5.** Censo, recenseamento.

cadaupuritana. *S. 2 g.* e *adj. 2 g. Bras.* V. *catapolítani.* [Cf. *baniva.*]

cadáver. [Do lat. *cadavere.*] *S. m.* **1.** O corpo sem vida de homem ou de animal; defunto. **2.** Pessoa muito doente e/ou de mau aspecto físico: *Não o reconheceria nunca: está um cadáver.* **3.** *Bras. Gír.* Credor (2): *Como não paga as dívidas, vive perseguido pelos cadáveres.* [Pl.: *cadáveres.*]

cadavérico. *Adj.* **1.** De, ou próprio de cadáver; mortuoso, cadaveroso: *lividez cadavérica* [q. v.]; *rigidez cadavérica.* **2.** Que se faz ou realiza em cadáver: *exame cadavérico.* ~ V. *lividez* —a.

cadaverina. [De *cadáver* + *-ina.*] *S. f. Quím.* Diamina encontrada nos tecidos animais putrefatos. [Fórm.: $H_2H(CH_2)_5NH_2$.]

cadaverização. *S. f.* Ato ou efeito de cadaverizar.

cadaverizar. *V. t. d.* **1.** Reduzir a cadáver. **2.** Extinguir a ação vital de (um órgão, etc.).

cadaveroso (ô). [Do lat. *cadaverosu.*] *Adj.* V. *cadavérico* (1): *odor cadaveroso.*

cadê. *Bras. Fam.* e *pop.* Var. de quede[1]: "Ó Fulô? Ó Fulô? / *Cadê* meu lenço de rendas, / *cadê* meu cinto, meu broche, / *cadê* meu terço de ouro / que teu Sinhô me mandou?" (Jorge de Lima, *Obra Completa*, I, p. 293); "Foi dali à pia... e *cadê* água?" (Moreira Campos, *Portas Fechadas*, p. 203).

cadeado. [Do lat. *catenatu.*] *S. m.* **1.** Fechadura portátil, cujo aro, móvel, se introduz em duas argolas fixas às peças que se quer unir ou fechar. **2.** Cadeia (1), composta de elos ou anéis, para prender qualquer objeto. **3.** Brinco sem pingente. **4.** *Fig.* Obstáculo, estorvo, impedimento, empecilho.

cadeia. [Do lat. *catena.*] *S. f.* **1.** Corrente de anéis ou de elos de metal; grilhagem, grilhão. **2.** V. *grilhão* (3). **3.** Casa de detenção. [Sin. (alguns pop. ou de gír.): *buque, calabouço, cana, cárcere, catita, cubículo, dita, gaiola, grades, jejé, presídio, pote, prisão, xadrez, xilindró.*] **4.** Cativeiro, escravidão, sujeição. **5.** Conjunto de fatos ou fenômenos que ocorrem sucessivamente: *uma cadeia de explosões.* **6.** Série ininterrupta de objetos semelhantes. **7.** Conjunto de lojas ou estabelecimentos pertencentes a uma mesma firma: *cadeia de supermercados.* **8.** Rede de emissoras de rádio e/ou televisão que difundem o mesmo programa. **9.** *Álg. Mod.* Conjunto linearmente ordenado. **10.** *Arquit.* Pilastra para reforçar paredes, empregada, em geral, na sustentação das vigas dos sobrados. **11.** *Arquit.* Sistema de cruzamento de vigas em sobrados, que deixa espaço livre para uma escada ou para a passagem de uma chaminé. **12.** *Fís.* Sucessão de fenômenos de caracteres análogos, em que cada um cria os elementos necessários ao desenvolvimento do seguinte. **13.** *Geog.* Série ininterrupta de montanhas. **14.** *Quím.* Série de átomos ininterruptamente ligados entre si, em geral numa molécula orgânica. [Dim. irreg.: *catênula.*] ♦ **Cadeia colateral.** *Fís. Nucl.* Série colateral. **Cadeia de remate.** *Encad.* Parte da costura que passa nas serrotagens de remate, onde se dão os nós que prendem os cadernos entre si. **Cadeia evolutiva.** *Gram.* Seqüência histórica das formas lingüísticas que uma palavra assumiu desde o étimo até sua forma atual. **Cadeia polinucleotídica.** *Genét.* Polímero formado pela ligação de nucleotídeos. **Cadeia polipeptídica.** *Genét.* Polímero formado pela ligação de aminoácidos.

cadeião. [Aum. de *cadeia.*] *S. m. Bras.* Peça transversal das mesas dos carros de bois, que une as chedas.

cadeira. [Do gr. *káthedra*, pelo lat. *cathedra.*] *S. f.* **1.** Peça de mobiliário que consiste num assento com costas, e, às vezes, com braços, dobrável ou não, para uma pessoa. **2.** Disciplina ministrada em estabelecimento escolar; matéria, cátedra: *Sua c a d e i r a é literatura.* **3.** Funções de professor: *Fez concurso para a c a d e i r a de matemática;* "Se eu pudesse conseguir a c a d e i r a de história no externato Meireles..." (Coelho Neto, *Turbilhão,* p. 199). **4.** Dignidade eclesiástica. **5.** Lugar ocupado por membro de corporação política, científica ou literária: *c a d e i r a de senador; c a d e i r a de acadêmico.* **6.** Cada um dos lugares individuais de determinada parte de uma casa de espetáculos, estádio, ginásio, etc., normalmente mais bem situados e mais confortáveis que os demais. **7.** Bilhete de ingresso próprio para esse lugar: *Comprou uma c a d e i r a no Maracanã para o jogo Flamengo x Fluminense.* ● *Adj. 2 g.* **8.** *Bras., SP. Pop.* De pernas bambas; descadeirado. ~ V. *cadeiras.* ◆ **Cadeira austríaca.** Cadeira de linhas características, recurvadas, com a estrutura de madeira roliça e vergada, e assento e encosto de palhinha, um dos primeiros exemplos de móvel produzido em série. **Cadeira cativa.** Cadeira (6) a que alguém tem direito exclusivo, por oferta ou por compra: "Tinha c a d e i r a c a t i v a na igreja, controle total das quermesses no Largo do Jardim" (Lígia Fagundes Teles, *A Disciplina do Amor,* p. 111). **Cadeira curul.** Cadeira de marfim onde se sentavam os altos magistrados, na Roma antiga. [Tb. se diz apenas *curul.*] **Cadeira de arruar.** Liteira que se usava para transporte de pessoas distintas nas ruas da cidade; cadeirinha. **Cadeira de balanço.** Cadeira, geralmente de braços, apoiada em armação curva, e que se faz oscilar ou balançar com apenas um leve movimento do corpo; cadeira de embalo. **Cadeira de braços.** Aquela que tem peças laterais para apoiar os braços. **Cadeira de campanha.** *Bras. Ant.* Certo assento baixo, de couro: "Quem passasse por aí em qualquer dia útil dessa abençoada época veria sentado em assentos baixos, então usados, de couro, e que se denominavam — c a d e i r a s d e c a m p a n h a — um grupo mais ou menos numeroso dessa nobre gente" (Manuel Antônio de Almeida, *Memórias de um Sargento de Milícias,* pp. 108-109). **Cadeira de embalo.** Cadeira de balanço. **Cadeira de São Pedro. 1.** O trono ou sólio pontifício. **2.** A sede do governo da Igreja Católica Romana; cadeira pontifícia. **Cadeira elétrica.** Cadeira ligada a uma corrente elétrica de alta voltagem, e que serve para a eletrocussão de condenados nos E.U.A. **Cadeira episcopal.** Espécie de trono com dossel, que fica ao lado do evangelho, junto ao primeiro degrau do altar-mor, e que nas sés episcopais serve para o bispo sentar-se. **Cadeira gestatória.** Espécie de andor no qual se conduz o Papa nas solenidades pontificais. **Cadeira pontifícia.** Cadeira de São Pedro (2). **Cadeira preguiçosa.** *Bras.* V. *espreguiçadeira* (2): "Um armário, uma c a d e i r a p r e g u i ç o s a e várias cadeiras simples completavam o trastejamento." (Júlio Ribeiro, *A Carne,* p. 83.) [Tb. se diz apenas *preguiçosa.*] **De cadeira. 1.** Em posição privilegiada. **2.** Com autoridade: "Eu, nessa história de beijos, / Posso falar d e c a d e i r a" (Guimarães Passos, *Horas Mortas,* p. 23).

cadeirada. *S. f.* Pancada ou golpe com cadeira: "A Câmara Municipal de Maracanã .... foi invadida .... por um grupo de manifestantes, resultando do incidente .... c a d e i r a d a s e exibição de armas" (*Jornal do Brasil,* 31.10.1981).

cadeirado. [De *cadeira* + *-ado*[1].] *S. m.* **1.** Série de cadeiras ligadas entre si, geralmente encostadas a uma parede, usada em coros de igrejas, conventos, etc. ● *Adj.* **2.** *Bras.* cadeirudo.

cadeiras. [Pl. de *cadeira.*] *S. f. pl.* Os quadris [v. *quadril* (1)]: "Rubião admirou-lhe ainda uma vez .... o busto bem talhado, estreito embaixo, largo em cima, emergindo das c a d e i r a s amplas, como uma grande braçada de folhas sai de dentro de um vaso." (Machado de Assis, *Quincas Borba,* p. 61.) ~ V. *cadeira.*

cadeireiro. *S. m.* **1.** Fabricante e/ou vendedor de cadeiras. **2.** *Bras.* Cada um daqueles que conduziam uma cadeirinha (1).

cadeirinha. [Dim. de *cadeira.*] *S. f.* **1.** Espécie de liteira antiga conduzida por homens: "com os varões pousados nos ombros fortes dos negros, lá iam as c a d e i r i n h a s navegando no ar, sem conceder nunca, na sua mobilidade, o favor de um repouso aos olhos que espreitavam..." (Caio de Melo Franco, *O Inconfidente Cláudio Manuel da Costa,* p. 27). **2.** Andilhas. **3.** Brincadeira em que duas pessoas somam forças para carregar uma terceira, dobrando o braço direito e apoiando-o sobre o esquerdo estendido, o qual, por sua vez, se apóia no braço dobrado do parceiro; maria-cadeira. **4.** Cruzeta formada pelas mãos de duas pessoas, para que outra se sente.

cadeirudo. *Adj. Bras.* Diz-se de pessoa de cadeiras largas; cadeirado: "aquela morena c a d e i r u d a que está descendo a ladeira" (Nélson de Faria, *Tiziu e Outras Estórias,* p. 46).

cadeixo. [Cruz. de *cadarço* com *madeixa.*] *S. m.* **1.** Negalho de linha ou retrós. **2.** Madeixa de cabelo.

cadela. [Do lat. *catella,* 'cadelinha'.] *S. f.* **1.** A fêmea do cão. [Sin., p. us.: *perra.*] **2.** *Fam.* Mulher de procedimento censurável, desavergonhada. **3.** V. *meretriz.*

cadelinha. [Dim. de *cadela.*] *S. f. Lus.* Molusco bivalve, da família dos donacídeos (*Donax trunculus* L.), do Atlântico, de coloração branca manchada de violáceo, com raios da mesma cor. Internamente é branco, manchado de violáceo junto ao bordo anterior, ou todo violeta, salvo os bordos das valvas, que são brancos. Comprimento: até 3,6 cm.

cadena. [Do esp. plat. *cadena.*] *S. f. Bras.* **1.** Meio empregado para tirar dos chifres do touro, sem perigo, o laço que o prende. **2.** Entrelaçamento dos pares no fandango (1).

cadência[1]. [Do lat. *cadentia.*] *S. f.* **1.** Compasso e harmonia na disposição das palavras. **2.** Regularidade de movimentos ou de sons; compasso, ritmo. **3.** Suavidade de estilo. **4.** Vocação, tendência; talento: *O rapaz tem c a d ê n c i a para as matemáticas.* [Cf. *cadencia,* do v. *cadenciar.*]

cadência[2]. [Do it. *cadenza.*] *S. f. Mús.* **1.** Sucessão de harmonias com caráter de repouso provisório ou de conclusão de uma frase musical, de um período, ou de uma composição. **2.** Num concerto, trecho de virtuosidade intercalado, numa cadência harmônica, antes da conclusão de um movimento, e executado pelo solista sem acompanhamento orquestral. **3.** *P. ext.* Trecho virtuosístico com essas características, porém situado em qualquer ponto da composição. **4.** Conclusão dos longos trinados que caracterizam certas composições, sobretudo na música francesa do séc. XVII. [Cf. *cadencia,* do v. *cadenciar.*]

cadenciado. [Part. de *cadenciar.*] *Adj.* **1.** Que tem cadência; cadencioso, ritmado. **2.** Pausado (2): "Abalou em passo c a d e n c i a d o e bamboleante". (Almiro Caldeira, *Maré Alta,* p. 17).

cadenciar. *V. t. d.* Dar cadência ou ritmo a; ritmar. [Pres. ind.: *cadencio, cadencias, cadencia,* etc. Cf. *cadência.*]

cadencioso (ô). *Adj.* V. *cadenciado* (1): "o ritmo c a d e n c i o s o da marcha a cavalo" (Afonso Arinos, *Pelo Sertão,* p. 90).

cadente. [Do lat. *cadente.*] *Adj. 2 g.* **1.** Que vai caindo. **2.** Que tem cadência[1] (2); cadenciado, ritmado: "O patear c a d e n t e dos cavalos fazia um ruído cavo na terra empapada pela chuva." (Camilo Castelo Branco, *Perfil do Marquês de Pombal,* p. 15.) [Cf. *candente.*] ~ V. *estrela* —.

caderna. [Do lat. *quaterna,* 'de quatro a quatro'.] *S. f. Heráld.* Reunião de quatro peças semelhantes, num escudo.

cadernal. [Do lat. *quaternu,* 'de quatro em quatro', + *-al.*] *S. m. Marinh.* Poleame de laborar constituído de uma caixa achatada de madeira ou de metal, com duas ou mais fendas no sentido do comprimento, em cada uma das quais há uma roldana, móvel em torno de um eixo comum. [Cf. *moitão*[1] (2). F. paral.: *quadernal.*]

caderneta (ê). *S. f.* **1.** Caderno ou livrete de apontamentos ou lembranças; canhenho. **2.** Livrete onde se registram o serviço e o procedimento dos militares. **3.** Registro, para uso do professor, das notas de freqüência e comportamento de alunos. **4.** Livrete em que se escritura o movimento das contas de depósitos em estabelecimentos de crédito. **5.** Pequeno caderno onde se anotam as compras feitas a crédito em armazéns. **6.** V. *papeleta* (3). **7.** *Bibliol. Lus.* Fascículo (4). ◆ **Caderneta de poupança.** *Bras.* Tipo especial de depósito bancário, em que o dinheiro mediante, sua não movimentação por determinado período de tempo, é acrescido periodicamente de rendimentos e juros. [Sin., pop.: *poupança.*]

caderno. [Do lat. *quaternu.*] *S. m.* **1.** Qualquer conjunto de folhas de papel cortadas, coladas ou cosidas, formando livro de anotações, de exercícios escolares, etc. **2.** Conjunto de cinco folhas de papel em branco, ou pautado, ou quadriculado, dobradas e metidas uma na outra. **3.** No comércio de papel, unidade de venda composta de cinco, seis ou 12 folhas. **4.** Publicação periódica ou seriada. **5.** Parte de jornal constituída por folhas encasadas: *c a d e r n o feminino; c a d e r n o literário.* **6.** *Art. Gráf.* A folha de impressão depois de dobrada no acabamento (5); um caderno contém usualmente 8, 16 ou 32 páginas impressas, dependendo dos formatos da folha e do livro. ◆ **Caderno de encargos.** Descrição minuciosa dos serviços que se devem executar na construção de uma obra, e dos materiais, tipos de acabamento, aparelhos elétricos e sanitários, etc., que se devem empregar, tudo em condições de informar corretamente os contratos com construtores e fornecedores, e de orientar os trabalhos no canteiro. **Caderno de espiral.** Livrete ou livro em branco, pautado, etc., cujas folhas são presas por espiral de arame; livro de espiral.

cadete[1] (ê). [Do gascão *capdet,* 'chefe, oficial', pelo fr. *cadet.*] *S. m.* **1.** Aluno de escola militar superior do Exército e da Aeronáutica; aspirante a oficial. **2.** Soldado de família nobre, que passava a oficial sem seguir os postos inferiores. **3.** Filho segundo de casa ilustre. ● *S. 2 g.* **4.** *Bras.* V. *são-cristovense*[2] (3). ● *Adj. 2 g.* **5.** *Bras. São-cristovense*[2] (1 e 2).

cadete[2] (ê). [Do esp. plat.*cadete.*] *S. m. Bras. RS.* Pessoa amiga do estancieiro e familiar da estância, que presta serviços por ocasião dos rodeios.

cádi. [Do ár. *qaDi.*] *S. m.* Juiz, entre os muçulmanos.

cadilho. [Do esp. *cadilho.*] *S. m. Bras.* Tigelinha com que se recolhe a seiva da seringueira. ~ V. *cadilhos.*

cadilhos. [Pl. de *cadilho.*] *S. m. pl.* **1.** Os primeiros e os últimos fios do urdume, sem trama, e que formam uma espécie de franja. **2.** Franja de toalhas, tapetes, etc. ~ V. *cadilho.*

cadimo. [Do ár. *qadimu,* 'antigo, velho'.] *Adj.* **1.** Destro; hábil, ágil. **2.** Ardiloso, manhoso, esperto. **3.** *Ant.* Usual, habitual.

cadinhar. *V. t. d.* Fundir em cadinho.

cadinho. [Do lat. *catinu.*] *S. m. Quím.* **1.** Vaso metálico ou de material refratário, utilizado em operações químicas a temperaturas elevadas; crisol: "A arte não é invenção pura; o artista é como que um c a d i n h o em que se realiza a mistura dos ingredientes que são o pó da experiência." (Adolfo Casais Monteiro, *De Pés Fincados na Terra,* p. 132.) **2.** *Fig.* Lugar onde as coisas se misturam, se fundem.

cadiueu. *Bras. S. 2 g.* **1.** Indivíduo dos cadiueus, tribo indígena guaicuru do S. de MS. ● *Adj. 2 g.* **2.** Pertencente ou relativo aos cadiueus.

cadivo. [Do lat. *cadivu.*] *Adj. P. us.* **1.** Muito maduro; caduco. **2.** *Fig.* Senil.

cadixe. *S. m.* Cavalo árabe, de raça especial.

cadmia. [Do lat. *cadmia.*] *S. f.* Óxido de zinco que se deposita nas chaminés dos fornos durante a fusão desse metal.

cadmiagem. *S. f. Quím.* Operação de cadmiar.

cadmiar. *V. t. d. Quím.* Recobrir (uma superfície) com uma película de cádmio, em geral por processo eletrolítico. [Pres. ind.: *cadmio,* etc. Cf. *cádmio.*]

cádmio. [De *cadmia.*] *S. m. Quím.* El. de número atômico 48, metálico, azul-acinzentado, utilizado em ligas. [Var.: *cádmium.* Cf. *cadmio,* do v. *cadmiar.* Símb.: *Cd.*]

cádmium. *S. m.* V. *cádmio.*

cado. [Do hebr. *Kad,* 'balde', pelo gr. *kádos* e pelo lat. *cadu.*] *S. m. Ant.* Vaso de barro para guardar vinho, azeite e outras bebidas.

cadorna. *S. f. Bras.* F. dissimilada de *codorna.*

cadoz (ó). [Do ár. *qadûs.*] *S. m.* **1.** No jogo da péla, buraco onde a caída da bola acarreta a desclassificação do jogador. **2.** Covil, toca, esconderijo. **3.** Lugar donde não se pode sair. **4.** Depósito de lixo; monturo.

caduca. *S. f.* Brinco usado por bailarinas hindus.

caducante. *Adj. 2 g.* **1.** Que caduca. **2.** Decadente, declinante.

caducar. [De *caduco* + *-ar*[2].] *V. int.* **1.** Perder a força, decair, declinar; tornar-se caduco; prescrever: *Não se convence de que os ideais de sua geração c a d u c a r a m.* **2.** Cair em desuso; prescrever; desaparecer: "Entramos numa era socializante, em que vão c a d u c a n d o as distinções de castas" (Ciro dos Anjos, *Abdias,* p. 2). **3.** *Bras.* Perder parcialmente a razão, o tino, por senilidade. **4.** *Jur.* Tornar-se nulo, invalidar-se, prescrever (contrato, legado, direito, etc.), por haver findado o prazo de validade ou não se terem cumprido as condições. [Conjug.: v. *trancar.* Fut. pret.: *caducaria,* etc. Cf. *caducária,* fem. de *caducário.*]

caducário. [Do lat. *caducariu.*] *Adj.* **1.** Relativo a coisas ou direitos caducos. **2.** Respeitante a bens que deixaram de ter dono. [Fem.: *caducária.* Cf. *caducaria,* do v. *caducar.*]

caduceu. [Do lat. *caduceu.*] *S. m.* **1.** Bastão com duas serpentes enroscadas e com duas asas na extremidade superior. [Insígnia do deus Mercúrio (mensageiro dos deuses), de arautos e de antigos parlamentários]: "Na destra o c a d u c e u, nos pés as plumas, / O Deus remonta ao ar" (Antônio Feliciano de Castilho, *As*

Metamorfoses, p. 103). **2.** Esta insígnia que, a partir do séc. XVI, foi adotada como símbolo da Medicina.
▲caduci-. [Do lat. *caducus, a, um.*] *El. comp.* = 'que cai', 'caduco': *caducifólio.*
caducidade. *S. f.* **1.** Qualidade ou estado de caduco; velhice, caduquez, caduquice. **2.** Estado de decadência.
caducifloro. [De *caduci-* + *-floro.*] *Adj. Bot.* Diz-se das plantas cujas flores caem depois de abertas.
caducifólio. [De *caduci-* + *-fólio.*] *Adj. Bot.* Diz-se das plantas ou vegetações que não se mantêm verdes durante o ano todo, perdendo as folhas na estação seca ou no inverno. [Opõe-se a *perenifólio.*]
caduco. [Do lat. *caducu,* 'que está a cair'.] *Adj.* **1.** Que cai; que está prestes a cair. [Sin.: *caidiço, caideiro.*] **2.** Que perdeu as forças, ou o viço ou a capacidade mental; decrépito: *velho caduco.* **3.** Que se anulou. **4.** Transitório, passageiro. **5.** *Bras.* Que perdeu em parte a razão, o tino, em conseqüência de idade avançada e/ou por outra razão. **6.** *Bot.* Diz-se do órgão cuja duração é limitada: *cálice caduco;* "Tudo bonito! — as aroeiras, ipês, faveiras, braúnas, todos os arbustos e árvores de folhas caducas recobrindo-se de roupagens novas." (Nélson de Faria, *Cabeça-Torta,* p. 63).
caduquez (ê). *S. f.* V. *caducidade* (1).
caduquice. *S. f.* **1.** V. *caducidade.* **2.** *Bras.* Estado ou ação de caduco (4).
caetano. *S. m.* **1.** Frade da ordem fundada em 1524 por São Caetano (1480-1547), com o auxílio do Arcebispo de Teati (atual Chieti), Itália. V. *teatino.* ● *Adj.* **2.** Relativo ou pertencente a essa ordem.
caetanopolitano. *Adj.* **1.** De, ou pertencente ou relativo a Caetanópolis (MG). ● *S. m.* **2.** O natural ou habitante de Caetanópolis.
caeté. *Bras. 2 g.* **1.** Indivíduo dos caetés, tribo indígena da antiga capitania de Pernambuco. ● *Adj. 2 g.* **2.** Pertencente ou relativo aos caetés. [Cf. *caaetê, caetê* e *caité.*]
caetê. [De *caá-* + tupi *e'tê,* 'verdadeiro'.] *S. m. Bras.* Mata virgem. [Cf. *caaetê, caeté* e *caité.*]
caeteense (êen). *Adj. 2 g.* **1.** De, ou pertencente ou relativo a Caeté (MG). ● *S. 2 g.* **2.** Natural ou habitante de Caeté.
■c.a.f. [Fr., sigla de *coût assurance fret,* 'custo, seguro, frete'.] V. *cláusula c.a.f.*
cafajestada. *S. f. Bras.* **1.** Procedimento de cafajeste; cafajestagem, cafajestismo. **2.** Grupo de cafajestes. **3.** Os cafajestes: "Passava horas nos botequins da cafajestada, onde se excedia nas libações" (Godofredo Rangel, *Andorinhas,* p. 88).
cafajestagem. *S. f. Bras.* V. *cafajestada* (1).
cafajeste. *S. m. Bras.* **1.** Indivíduo de baixa condição. **2.** Indivíduo sem maneiras, vulgar. **3.** Indivíduo infame, desprezível; biltre, canalha. ● *Adj. 2 g.* **4.** Que procede como cafajeste. **5.** Que tem ou denota cafajestada (1).
cafajestismo. *S. m. Bras. Pop.* V. *cafajestada* (1).
cafanga. [Talvez de or. afr.] *S. f. Bras:* **1.** Melindre, susceptibilidade. **2.** Recusa falsa ou simulada. **3.** *Bras., CE* e *MG.* V. *defeito* (1). ◆ **Botar cafanga.** *Bras., CE. Pop.* Inventar defeitos.
cafangada. *S. f. Bras., CE.* V. *defeito* (1).
cafangar. *V. t. d.* **1.** *Bras.* Notar defeito em quem não os tem; falar mal de. **2.** Ameaçar, gabando-se de proezas. **3.** Zombar, escarnecer de. [Conjug.: v. *largar.*]
cafangoso (ô). *Adj. Bras., CE* e *MG.* Cheio de cafangas, de defeitos: "um sujeitinho gago e cafangoso." (Nélson de Faria, *Tiziu e Outras Estórias.* p. 52).
cafarnaú. *S. m. Bras., N.E.* V. *cafarnaum.*
cafarnaum (na-úm). [Do top. *Cafarnaum,* cidade tumultuosa da Galiléia antiga.] *S. m. Bras.* **1.** Depósito de coisas velhas. **2.** Lugar de tumulto ou de desordem. **3.** Confusão, miscelânea, mistifório: "a lufa-lufa das gentes que entravam e saíam, nacionais, estrangeiros, estes de vária casta, franceses, ingleses, alemães, argentinos, italianos, uma confusão de línguas, um cafarnaum de chapéus, de malas, cordoalhas, sofás, binóculos a tiracolo" (Machado de Assis, *Quincas Borba,* pp. 244-245). **4.** V. *cafundó* (3). [Var.: *cafarnaú.*]
café. [Do ár. *qaHua,* 'vinho', pelo turco *qahvé,* pelo it. *caffè* e do fr. *café.*] *S. m.* **1.** O fruto do cafeeiro; drupa elipsóide ou globosa, vermelha, com escassa polpa adocicada e duas grandes sementes, as quais constituem a matéria-prima para o preparo da bebida. [Estas sementes, secas e torradas, tomam a cor marrom-escura.] **2.** Infusão desse fruto, depois de torrado e moído, a que, em geral, se adiciona um adoçante; moca[1]. **3.** *P. ext.* A porção de café (2) que se serve em xícara, caneca, etc.: *Tomei três cafés antes do almoço.* **4.** Estabelecimento comercial dotado de balcão e/ou de pequenas mesas onde se toma café e outras bebidas. [Cf., nesta acepç., *botequim.*] **5.** V. *cafeeiro.* **6.** A cor do café torrado. **7.** *Bras.* Infusão de certas plantas, que pela cor lembra o café: "Note-se que a *cassia occidentalis,* da família das leguminosas, à qual se dá no Brasil setentrional o nome de *manjerioba,* é o mesmo fedegoso, com que também se prepara um café medicinal (carminativo), na Bahia, em Minas e no Rio de Janeiro." (Basílio de Magalhães, *O Café na História, no Folclore e nas Belas-Artes,* p. 206.) ● *Adj. 2 g.* e *2 n.* **8.** Que tem a cor do café torrado. **9.** Diz-se dessa cor. ◆ **Café comprido.** *Bras., S.* Café ralo. **Café da manhã.** V. *desjejum.* **Café pequeno.** *Bras.* **1.** Cafezinho (1). **2.** *Fig.* Coisa fácil de se realizar, coisa simples. **3.** Coisa ou pessoa de pouca ou nenhuma importância: "O tipo louro / vale um tesouro, / mas perto do moreno / é café pequeno" (da marcha carnavalesca *Tipo Sete,* de Antônio Nássara e Alberto Ribeiro). **Café preto.** Café (2) sem leite: "Levantam-se às cinco horas, tomam um gole de café preto e vão para o roçado." (Raquel de Queirós, *O Caçador de Tatu,* p. 58.)
cafearense. *Adj. 2 g.* **1.** De, ou pertencente ou relativo a Cafeara (PR). ● *S. 2 g.* **2.** Natural ou habitante de Cafeara.
café-beirão. *S. m. Bras.* Café-do-pará. [Pl.: *cafés-beirões.*]
café-bravo. *S. m. Bras.* V. *pequiá-café.* [Pl.: *cafés-bravos.*]
café-caneca. *S. m. Bras. Pop.* Botequim de baixa categoria. [Pl.: *cafés-canecas* e *cafés-caneca.*]
café-cantante. [Do fr. *café-chantant.*] *S. m.* Café-concerto. [Pl. *cafés-cantantes.*]
café-com-isca. *S. m. Bras., CE.* V. *café-com-mistura.* [Pl.: *cafés-com-isca.*]
café-com-leite. *Adj. 2 g.* e *2 n. Bras., Pop.* **1.** Que tem a cor tirante a bege, característica da mistura do café com leite: "chama-se vulgarmente 'café-com-leite' tanto a mulata, quanto o casal de preto e branca" (Basílio de Magalhães, *O Café na História, no Folclore e nas Belas-Artes,* p. 187); "seu pêlo café-com-leite está menos lustroso, e o focinho, que há dois meses era marrom, ... parece claro, bacento." (Maria Julieta Drummond de Andrade, *O Valor da Vida,* p. 79). ● *S. m.* **2.** Essa cor. **3.** *Bras.* Política de alternância de poder na chefia do governo federal, estabelecida mediante acordo tácito, nas três primeiras décadas deste século, pelos Estados de São Paulo (cuja economia se baseava na cultura de café e exportação de café) e Minas Gerais (também grande produtor de café, e de laticínios): "Outra tentativa de luta contra os grandes Estados — sem resultados positivos — é a de formar coligação dos Estados do Nordeste, para contrabalançar a preponderância da política do café-com-leite." (Edgard Carone, *A República Velha,* I, p. 313); "Venceslau Brás serviu no Brasil por quatro anos o suculento café-com-leite que fortaleceu a República Velha" (Wilson Figueiredo, *Jornal do Brasil,* 17.7.1983).
café-com-mistura. *S. m. Bras.* Café acompanhado de iguarias; café-com-isca, café-conosco, café-de-duas-mãos, café-gordo, café-mastigado. [Pl.: *cafés-com-mistura.*]
café-concerto. [Do fr. *café-concert.*] *S. m.* Casa de diversões onde o público bebe ouvindo canções, sainetes, etc.; café-cantante: "Consistia este [divertimento] no café-concerto, onde houvesse anafadas mulheres estrangeiras e saracoteios de raparigas no palco." (Lima Barreto, *Vida e Morte de M. J. Gonzaga de Sá,* p. 226.) [Pl.: *cafés-concertos* e *cafés-concerto.*]
café-conosco. *S. m. Bras., S.* V. *café-com-mistura.* [Pl.: *cafés-conosco.*]
café-de-duas-mãos. *S. m. Bras., S.* V. *café-com-mistura.* [Pl.: *cafés-de-duas-mãos.*]
café-do-diabo. *S. m. Bras., AM.* Arvoreta da família das flacurtiáceas (*Casearia guianensis*), da floresta amazônica, de folhas pequenas, membranáceas, serreadas, com pontos e traços translúcidos, flores pequenas, alvacentas, ordenadas em densos fascículos axilares, e fruto capsular, sendo a casca do tronco adstringente; fruta-de-saíra. [Pl.: *cafés-do-diabo.*]
café-do-mato. *S. m. Bras.* Designação comum a várias plantas das famílias das apocináceas (*Tabernaemontana laeta* M.), borragináceas (*Cordia coffeoides* Warm e *Cordia salicifolia* Cham.), e meliáceas (*Trichilia laminensis* Rodr.). [Pl.: *cafés-do-mato.*]
café-do-pará. *S. m. Bras.* Cipó da família das leguminosas (*Mucuna pluricostata*), existente nas matas das margens de rios e nas capoeiras. As folhas têm três folíolos grandes e membranáceos; as flores, avermelhadas, são grandes e vistosas; os frutos são legumes que contêm sementes grandes e duras. [Sin.: *café-beirão.* Pl.: *cafés-do-pará.*]
cafedório. *S. m. Pop.* Café aguado e sem sabor: "O viajante ficava com a boca doce, esperando refrescar-se com o cafedório do João Pinheiro." (Inglês de Souza, *O Missionário,* p. 91.)
cafeeiral. *S. m.* Cafezal (2).
cafeeiro. *S. m.* **1.** Arbusto da família das rubiáceas (*Coffea arabica*), originário da Arábia e muito cultivado no S. do Brasil para obtenção das sementes que fornecem o pó aromático chamado *café.* Folhas opostas, elípticas, membranáceas e glabras; flores pequenas, alvas, perfumadas e reunidas em glomérulos; frutos drupáceos, vermelhos, com 1 a 1,5cm de diâmetro, os quais encerram duas sementes esverdeadas que, depois de secas, são torradas e moídas, fornecendo o pó, que é produto comercial. [F. paral.: *cafezeiro;* sin.: *café.*] ● *Adj.* **2.** Pertencente ou relativo ao café (1), à indústria ou ao comércio do café.
café-gordo. *S. m. Bras., CE.* V. *café-com-mistura.* [Pl.: *cafés-gordos.*]
▲cafei-. [De *café.*] *Pref.* = 'café': *cafeicultor, cafeicultura.* [Equiv.: *cafeo-: cafeocracia.*]
cafeicultor (e-i...ô). [De *cafei-* + *cultor.*] *S. m. Bras.* Plantador de café; cafezista.
cafeicultura (e-i). [De *cafei-* + *cultura.*] *S. f. Bras.* Lavoura de café.
cafeína. *S. f. Quím.* Alcalóide encontrado no café, no chá e no guaraná, cristalino, branco, amargo. [Fórm. $C_8H_{10}O_2N_4$.]
cafeinado (e-i). *Adj.* A que se adicionou cafeína.
cafeinar (e-i). [De *cafeína* + *-ar*[2].] *V. t. d.* Adicionar cafeína a.
cafeinismo (e-i). [De *cafeína* + *-ismo.*] *S. m.* Intoxicação crônica pelo café ou por outros produtos de origem vegetal que contêm cafeína.
cafelana (è). *S. f. Bras.* Cafezal extenso.
cafelandense. *Adj. 2 g.* **1.** De, ou pertencente ou relativo a Cafelândia (SP). ● *S. 2 g.* **2.** Natural ou habitante de Cafelândia.
cafelar. *V. t. d.* Rebocar com cafelo.
cafelista. *S. 2 g. Bras.* Cafezista: "Otacílio estava fora, em São Paulo, participando de reunião de cafelistas." (Francisco Marins, *...e a Porteira Bateu!,* p. 164.)
cafelo (ê). *S. m.* Argamassa empregada no emboçamento de parede, teto ou outro elemento de construção; massa grossa.
café-mastigado. *S. m. Bras.* V. *café-com-mistura.* [Pl.: *cafés-mastigados.*]
▲cafeo-. Equiv. de *cafei-.*
cafeocracia (è-o). [De *cafeo-* + *-cracia.*] *S. f. Bras.* Predomínio político dos grandes cafeicultores.
caferana (fè). [De *café* + *-rana.*] *S. f. Bras.* **1.** Arvoreta da família das simarolbáceas (*Picrolemma pseudoffea*), das matas úmidas. Folhas compostas, com muitos folíolos coriáceos; flores insignificantes e pouco aparentes; os frutos são drupas vermelho-vivas; as raízes, castanho-amarelas, são muito amargas. A infusão de qualquer parte da planta é considerada febrífuga. [Sin.: *tupurapo.*] **2.** V. *raiz-de-jacaré-açu.*
cafetã. [Do persa *Khaftân,* 'camisola', atr. do turco *qaftân* e do fr. *cafetan.*] *S. m.* **1.** Veste talar usada sobretudo pelos povos árabes e turcos; espécie de túnica larga, ricamente bordada, podendo ser forrada de ricas peles. **2.** Túnica longa, sem cinto, geralmente bordada em torno do decote e nas barras, inspirada no cafetã (1). [Cf. *cáften.*]
cafetão. *S. m. Bras. Gír.* V. *cáften.*
cafeteira. [Do fr. *cafetière.*] *S. f.* **1.** Recipiente em que se faz o café (2). **2.** Vaso semelhante onde se ferve água ou outro líquido.
cafeteiro. *S. m. Bras.* Proprietário de café (4).
cafetina. *S. f. Bras. Gír.* Var. de *caftina.*
cafezal (fè). *S. m.* **1.** Quantidade mais ou menos considerável de cafeeiros dispostos proximamente entre si. **2.** Plantação de cafeeiros; cafeeiral.
cafezeiro (fè). [De *café* + *-z-* + *-eiro*] *S. m.* **1.** V. *cafeeiro.* **2.** *Bras.* Lavrador ou fazendeiro de café.
cafezinho (fè). [Dim. de *café.*] *S. m.* **1.** Café (2) servido em pequenas xícaras; café pequeno. **2.** *Bras., MT.* V. *jaçanã* (1): **3.** *Bras.* Designação comum a diversas espécies vegetais, como, p. ex., *Maytenus alaternoides, mouriria chamissouana, Ralvolfia* sp., etc.
cafezista (fè). *S. 2 g.* **1.** Pessoa que gosta muito de café. **2.** *Bras.* Cafeicultor. **3.** *Bras.* Proprietário de plantações de café. [F. paral.: *cafelista.*]
cafifa[1]. [De *cafife.*] *S. 2 g. Bras. Pop.* **1.** Pessoa de má sorte no jogo. **2.** Pessoa a quem o jogador atribui a sua má sorte. **3.** V. *caiporismo.* **4.** Importunação, imperti-

nência. **5.** V. *papagaio.* (5). [Var.: *cafinfa* e *canfinfa.*]

cafifa[2]. *S. m. Bras., RJ. Gír.* V. *cáften.*

cafifar. *V. t. d. Bras.* **1.** Dar má sorte ou cafifa[1] (3) a, azarar (o jogador). **2.** Fazer infeliz. [Sin. ger.: *encafifar.*]

cafife. [Do quimb. *kafife.*] *S. m. Bras.* **1.** Série de contrariedades. **2.** Contínua falta de êxito. **3.** Falta de ânimo; mal-estar.

cafifento. *Adj. Bras.* **1.** Diz-se daquele que facilmente se encafifa. ● *S. m.* **2.** Aquele que tem má sorte no jogo.

cafifice. *S. f. Bras.* Estado de quem tem cafife (2); cafifismo.

cafifismo. *S. m. Bras.* Cafifice.

cáfila. [Do ár. *qafilâ.*] *S. f.* **1.** Grande quantidade de camelos que transportam mercadorias. **2.** Caravana de mercadores na Ásia e África. **3.** *Fig.* Corja, súcia; bando: "Vejam a c á f i l a de vates sem miolo e sem leitura, sonâmbulos e pálidos" (Fialho d'Almeida, *Figuras de Destaque*, p. 121).

cafinfa. *S. 2 g. Bras. Pop.* V. *cafifa[1].*

cafiote. *S. m. Bras., CE.* Mala ou baú velho.

cafioto (ô). [De or. afr.] *S. m. Bras.* Adepto ou freqüentador da macumba.

cafiroto (ô). *El. s. m.* Us. na loc. adv. *de cafiroto aceso.* ♦ **De cafiroto aceso.** *Bras.* De candeia às avessas.

cafofa. *S. m.* **1.** *Bras., CE.* Iguaria preparada com carne-seca frita e farinha de mandioca. **2.** *Bras., RN.* V. *bajulador* (2). ● *Adj. 2 g.* **3.** *Bras., RN.* V. *bajulador* (1).

cafofo (ô). *S. m.* **1.** *Bras., MG.* Terreno pantanoso onde a decomposição de matérias orgânicas ocasiona exalações características das águas apodrecidas em charcos: "As águas minguaram tanto que os c a f o f o s recendiam a bicho morto, em decomposição." (Nélson de Faria, *Tiziu e Outras Estórias*, p. 58.) **2.** *Bras.* V. *sepultura* (1).

cafona. *Bras. Gír. Adj. 2 g.* **1.** Diz-se da pessoa que, com aparência ou pretensão de elegância ou riqueza, é ridícula e de mau gosto; fajuto, farjuto, miquelino, jeca. **2.** V. *caipira* (5). ● *S. 2 g.* **3.** Pessoa cafona.

cafonice. *S. f. Bras. Pop.* **1.** Qualidade de cafona: *Não agüentei a c a f o n i c e dele.* **2.** Ato ou atitude de cafona: *O desfile em carro aberto foi uma c a f o n i c e.* **3.** Aquilo que é cafona: *Voltou da Europa carregado de c a f o n i c e s.*

cafoto (ô). [Do quimb. *kafoto.*] *S. m. Bras.* **1.** V. *latrina* (1). **2.** Água apertada entre pedras. **3.** Pequena entrada entre pedras.

cafraria. *S. f.* **1.** A região dos cafres. **2.** Multidão de cafres.

cafre. *Adj. 2 g.* **1.** Da, ou pertencente ou relativo à Cafraria (antigo nome dado à parte da África habitada por não muçulmanos, e que hoje designa duas regiões da África do Sul). ● *S. 2 g.* **2.** Natural ou habitante da Cafraria. **3.** Pessoa rude, bárbara, ignorante.

cafrice. *S. f.* **1.** Procedimento de cafre (3). **2.** Crueldade, selvageria, barbaridade.

cafta. [Do árabe.] *S. f.* Prato preparado com carne moída, pimenta síria, sal, cominho, cebolinha e hortelã picadas, e cebola branca bem batida.

cáften. [Do lunfardo *cáften.*] *S. m. Bras.* **1.** Aquele que vive à custa de meretrizes; rufião. **2.** Empresário de prostíbulos que faz comércio explorando a prostituição; alcoviteiro, proxeneta. [Sin. ger.: *cafetão* e *cafifa*. Fem.: *caftina*. Pl.: *caftens*. Cf. *cafetã.*]

caftina. *S. f. Bras.* Mulher que explora o comércio de meretrizes. [Var.: *cafetina.*]

caftinagem. *S. f. Bras.* Atividade de cáften ou de caftina; caftinismo, caftismo. V. *lenocínio.*

caftinar. *V. int. Bras.* Exercer a caftinagem.

caftinismo. *S. m. Bras.* V. *caftinagem.*

caftismo. *S. m. Bras.* V. *caftinagem.*

cafua. [De or. afr. talvez.] *S. f.* **1.** Antro, cova, caverna, esconderijo. **2.** Habitação miserável. **3.** *Bras.* Quarto escuro onde se prendiam os alunos castigados; cafundó. [Sin. ger.: *cafurna.*]

cafubá. *Adj. 2 g. Bras. S.* Diz-se de vacum que tem certa cor (cinza-escuro na BA).

cafubira. *S. f. Bras., MG. Pop.* V. *prurido* (1).

cafuca. *S. f. Bras.* Cova onde se queima a lenha para carvão.

cafuçu. *S. m.* **1.** *Bras., N.E. Pop.* V. *diabo* (2). **2.** *Bras., N.E.* Indivíduo grosseiro, inábil. **3.** *Bras., GO.* Roceiro asselvajado.

cafuleta (ê). *S. f.* **1.** Cofre de madeira com tampa de couro, usado nas jangadas. **2.** Recipiente de madeira com que se mede a ração de farinha nas baleeiras.

cafuleteiro. *S. m. Bras.* Tripulante da baleeira encarregado da cafuleta (2).

cafumango. *S. m.* **1.** *Bras.* Preto cozinheiro. **2.** *Bras.* Sujeito desclassificado: "Histórias! mauezas de c a f u m a n g o s que não têm preceito e falam dos dentes pra fora." (Valdomiro Silveira, *Os Caboclos*, p. 154.) **3.** *Bras.* V. *vagabundo* (7). **4.** *Bras., SP. Pop.* V. *caipira* (1).

cafunar. [De *cafuné* + *-ar[2]*.] *V. t. d. Bras.* Impelir (a castanha de caju) com um piparote, em certo jogo infantil.

cafundó. [De possível or. afr.] *S. m. Bras.* **1.** V. *cafua* (3). **2.** Baixada estreita, entre lombadas sensivelmente altas e íngremes. **3.** Lugar ermo e afastado, de acesso difícil, normalmente entre montanhas. [Sin. (vários deles bras.): *cafundoca, cafundório, cafarnaú ou cafarnaum, cafundó-de-judas, cafundó-do-judas, caixa-pregos, calcanhar-de-judas, cornimboque do Diabo, cornimboque do Judas, cu-de-judas, cu-do-conde, cu-do-mundo, deus-me-livre, fim de mundo ou fim do mundo, fundo, meio de mundo ou meio do mundo, tifa.*]

cafundoca. *S. m. Bras., MA.* V. *cafundó* (3).

cafundó-de-judas. *S. m. Bras.* V. *cafundó* (3). [Pl.: *cafundós-de-judas.*]

cafundó-do-judas. *S. m. Bras.* V. *cafundó* (3): "era uma pequena cidade, quase inexistente, metida nos c a f u n d ó s - d o - j u d a s." (Nélson Rodrigues, *100 Contos Escolhidos. A Vida como Ela É*, II, p. 23.) [Pl.: *cafundós-do-judas.*]

cafundório. *S. m. Bras.* V. *cafundó* (3).

cafuné. [Do quimb. *kifunate*, 'entorse, torcedura'.] *S. m. Bras.* Ato de coçar levemente a cabeça de alguém para fazê-lo adormecer.

cafungar. [De possível or. afr.] *Bras. V. t. d.* **1.** Procurar minuciosamente; esmiuçar, catar. **2.** *Gír.* Fungar (1). **3.** Aspirar pelo nariz, cheirar (cocaína). *Int.* **4.** Cafungar (1). **5.** *Gír.* Fungar (3). **6.** Aspirar pelo nariz, cheirar cocaína. [Conjug.: v. *largar.*]

cafunje. [De possível or. afr.] *S. m. Bras.* Moleque travesso e larápio.

cafuringa. *S. m. Bras., BA. Pop.* Coisa miúda, insignificante.

cafurna. [Cruz. de *cafua* com *furna.*] *S. f.* V. *cafua.*

cafus. [De *(lus)co fus(co)?*] *El. s. m. pl.* Us. na loc. adv. *pelos cafus.* ♦ **Pelos cafus.** *Bras., AL. Pop.* Ao cair da tarde; ao anoitecer; ao lusco-fusco. [Cf. *cafuz.*]

cafute. *S. m. Bras. Pop.* V. *diabo* (2).

cafuz. *S. 2 g.* e *adj. 2 g. Bras.* V. *cafuzo* (1, 2 e 4). [Cf. *cafus.*]

cafuzo. [F. sincopada de *carafuzo.*] *S. m. Bras.* **1.** Mestiço de negro e índio; caburé: "Território habitado por uma nação de caboclos e pardos, c a f u z o s, gente de pouca pabulagem e de muito agir" (Jorge Amado, *Teresa Batista Cansada de Guerra*, Introdução). **2.** Mestiço de cor preta ou quase preta, cabelo corrido e grosso. **3.** *Bras., Amaz.* Erva da família das ciperáceas (*Cyperus junciformis*), que habita os terrenos altos e arenosos. Alcança uns 30 a 50 cm de altura e tem um pendão florífero de cerca de 1 m de comprimento, sendo as flores mínimas e paleáceas. É considerada uma forragem ordinária. ● *Adj. Bras.* **4.** Pertencente ou relativo a cafuzo. [Sin. (nas acepç. 1, 2 e 4): *cafuz, carafuz, carafuzo.*]

caga. [Dev. de *cagar.*] *S. m. Chulo.* **1.** Indivíduo lamecha. **2.** Indivíduo que se irrita com um motejo. **3.** Indivíduo displicente, desleixado.

caga-baixinho. [De *cagar* + *baixinho*, dim. do adv. *baixo.*] *S. m. 2 n. Bras., CE. Chulo.* V. *catatau* (8).

cagaço. [De *cagar* + *-aço.*] *S. m. Chulo.* Medo, susto: "Está com essa de valentia agora! Lá, parece que estou vendo o c a g a ç o que deu!" (Ariano Suassuna, *A Pena e a Lei*, p. 192.)

cagada. *S. f. Bras. Chulo.* **1.** Ato ou efeito de cagar. **2.** Coisa malfeita, porcaria. **3.** Grande sorte; ocorrência muito feliz.

cagado. [Part. de *cagar.*] *Adj. Bras. Chulo.* **1.** Que se cagou; sujo de fezes. **2.** V. *sortudo* (1). [Cf. *cágado.*]

cágado. *S. m.* **1.** *Bras.* Designação de várias espécies de reptis da ordem dos quelônios, família dos quelídeos, especialmente as dos gêneros *Hydraslis* Bel., *Platemys* Spix e *Hydro medusa* Wagl., que vivem em lagoas rasas e terrenos pantanosos, e de pescoço tão longo quanto a coluna vertebral. Alimentam-se de vermes, moluscos, pequenos peixes, e vegetais. [Sin.: *acangapara, cágado-d'água-doce, sapo-concho*, e, na BA, *ajapá.*] **2.** Chapuz para os cabos do leme. **3.** Indivíduo lerdo, vagaroso, moleirão. [Cf. *cagado*, part. de *cagar* e adj.]

cágado-d'água-doce. *S. m. Bras.* V. *cágado* (1). [Pl.: *cágados-d'água-doce.*]

caga-fogo. [De *cagar* + *fogo.*] *S. m. Bras. Pop.* **1.** V. *pirilampo.* **2.** Qualquer arma de fogo. **3.** V. *tataíra.* [Pl.: *caga-fogos.*]

cagafum. *S. m. Bras., BA. Pop.* Festa popular de baixa categoria.

cagaiteira. [De *cagar.*] *S. f. Bras., C.O.* Árvore da família das mirtáceas (Eugenia dysenterica), abundante nos cerrados, de folhas oblongas e coriáceas, flores pequenas, alvas e dispostas em curtas inflorescências cimosas, e cujos frutos são bagas amarelas, muito sucosas, agradáveis de comer, mas que, comidas em excesso, produzem disenteria.

cagalhão. *S. m. Pleb.* Matéria fecal sólida; tolete. [Sin. (bras. N.E.): *troçulho.*]

caga-lume. [De *cagar* + *lume.*] *S. m. Bras.* V. *pirilampo.* [Pl.: *caga-lumes.*]

caga-na-telha. [De *cagar* + *na[1]* + *telha.*] *S. 2 g.* e *2 n. Bras., BA. Pop.* Pessoa insignificante, reles, pífia; caga-no-caquinho.

caganeira. *S. f. Pop.* V. *diarréia.*

caganifância. [Cruz. de *cagar* com *insignificância.*] *S. f.* **1.** Coisa insignificante; bagatela. **2.** Fricote, impertinência.

caga-no-caquinho. [De *cagar* + *no[1]* + o dim. de *caco.*] *S. 2 g.* e *2 n. Pop.* Caga-na-telha.

cagão. [De *cagar.*] *Adj.* e *s.m. Pop.* **1.** Que ou aquele que tem muito medo, que é tímido em excesso. **2.** Que ou aquele que tem muita sorte. [Fem.: *cagona.*]

cagar. [Do lat. *cacare.*] *V. int. Chulo.* **1.** V. defecar (5). **2.** Dar sorte. *T. d.* **3.** *Fam.* e *pop.* Dizer; soltar, com fanfarrice, pacholice ou leviandade: *cagar regras; c a g a r lorotas;* "e Justiniano bravateando na calçada, c a g a n d o goma." (Fran Martins, *Dois de Ouros*, p. 15). *T. i.* **4.** *Fam.* e *pop.* Não dar atenção; não ligar importância: *O rapaz c a g a para os conselhos do amigo. P.* **5.** Sujar-se com as próprias fezes; borrar-se: "berrava, c a g a n d o - s e de medo e raiva." (Adalberon Cavalcanti Lins, *Curral Novo*, p. 30). **6.** Sentir cagaço [Conjug.: v. *largar*. Part.: *cagado*. Cf. *cágado.*]

caga-raiva. [De *cagar* + *raiva.*] *S. m. Bras., CE. Chulo.* Indivíduo de mau gênio, irascível. [Pl.: *caga-raivas.*]

caga-regras. [De *cagar* + *regra.*] *S. 2 g.* e *2 n. Bras. Chulo.* Pessoa que se julga sabichã, a dona da verdade. [Cf. *cagar regras.*]

cagarolas. [De *cagar.*] *S. m. 2 n. Pleb.* Indivíduo covarde, medroso.

caga-sebinho. [Dim. de *caga-sebo.*] *S. m. Bras.* **1.** V. *alegrinho.* **2.** Ave passeriforme, da família dos tiranídeos (*Phyllomyias fasciatus* (Thumb.)), do Brasil este-setentrional. Coloração verde-azeitonada em cima e amarela embaixo; garganta esbranquiçada. [Sin. ger. (bras., PE e AL): *caga-sebite*. Pl.: *caga-sebinhos.*]

caga-sebista. [De *cagar* + *sebo* (3) + *-ista.*] *S. 2 g. Bras.* Dono de sebo (3); alfarrabista. [Pl.: *caga-sebistas.*]

caga-sebite. [De *cagar* + *sebo[1]*.] *S. m.* **1.** *Bras., PE* e *AL.* V. *caga-sebinho* (2). **2.** *Bras.* V. *alegrinho.* [Pl.: *caga-sebites.*]

caga-sebito. [De *cagar* + *sebo[1]*] *S. m. Bras., PE* e *AL.* V. *alegrinho.* [Pl.: *caga-sebitos.*]

caga-sebo. [De *cagar* + *sebo.*] *S. m.* **1.** *Bras.* Ave passeriforme, da família dos tiranídeos (*Todirostrum poliocephalum* (Wied)), do Brasil este-meridional. Coloração verde-azeitonada no dorso, vértice escuro com mancha amarela de cada lado da fronte e bico achatado. [Sin.: *joão-de-cristo, teque-teque* e *sebinho.*] **2.** *Bras., PE.* Sebo (3). [Pl.: *caga-sebos.*]

cagatório. [De *cagar* + *-tório.*] *S. m. Pop.* V. *latrina* (1).

cagoã. *Bras. S. 2 g.* **1.** Indivíduo dos cagoãs, tribo indígena que habitava SP. ● *Adj. 2 g.* **2.** Pertencente ou relativo a essa tribo.

cagona. *S. f.* **1.** Fem. de *cagão* [q. v.]. **2.** *Bras., BA.* Moça ou mulher cheia de luxo [q. v.].

cagosanga. *S. f. Bras.* V. *ipecacuanha.*

cagotilho. [Por *cogotilho* (q. v.), com dissimilação.] *S. m. Bras.* Epizootia que ataca os muares. [Var.: *cangotilho.*]

cagüetagem. *S. f. Bras. Gír.* Var. aferética de *alcagüetagem.*

cagüetar. *V. t. d.* e *t. d. e i. Bras. Gír.* Var. aferética de *alcagüetar.* [Pres. subj.: *cagüete*, etc. Cf. *cagüete* (ê).]

cagüete (ê). *S. m. Bras. Gír.* Var. aferética de *alcagüete* (2 a 4): "— Ah, é assim? Gigolô de vagabunda, c a g ü e t e sem-vergonha!" (Dalton Trevisan, *Desastres do Amor*, p. 11.) [Cf. *cagüete*, do v. *cagüetar.*]

caguincha. [De *cagar.*] *Adj. 2 g.* **1.** Medroso, covarde. **2.** Fraco, anêmico. **3.** De corpo pequeno. ● *S. 2 g.* **4.** Pessoa que tem essas características: "O que deixa a gente dessossegado é ver uma prenda dessas dada a um c a g u i n c h a daqueles, sujeitinho sem talento para agüentar o rojão." (Nélson de Faria, *Bazé*, p. 102.) ● *S. m.* **5.** O dois de paus nos baralhos. [Tb. se diz (bras.) *caguincho.*]

caguincho. *S. m. Bras.* V. *caguincha.*

caguira. [De *cagar.*] *S. f. Bras.* **1.** Azar no jogo. **2.** V. *caiporismo.* **3.** Medo, receio. ● *S. m.* **4.** Indivíduo imprestável.

caiabana. [De possível or. indígena.] *S. f. Bras.* Variedade de mandioca.
caiabi. *Bras. S. 2 g.* **1.** Indivíduo dos caiabis, tribo indígena tupi-guarani. Habita até hoje a região da foz do rio dos Peixes, mas na década de 60 parte da tribo foi transferida para o Parque Indígena do Xingu, em MT. População de 250 indígenas. O grupo do Xingu é mais aculturado, enquanto o do rio dos Peixes tem contacto intermitente com poucos elementos da sociedade nacional.
caiabuense. *Adj. 2 g.* **1.** De, ou pertencente ou relativo a Caiabu (SP). ● *S. 2 g.* **2.** Natural ou habitante de Caiabu.
caiação. *S. f.* Ato ou efeito de caiar; caiadura, caio.
caiaco. *S. m. Bras., SP.* Homem decaído de sua posição social, ou empobrecido: "O carreiro vivia murcho, fazendo negócios de trama, sem rompante nenhum: era um caiaco sossegado..." (Valdomiro Silveira, *Os Caboclos*, p. 88.)
caiadela. *S. f.* Ato ou efeito de caiar ligeiramente.
caiado. [Part. de *caiar*.] *Adj.* **1.** Revestido de cal. **2.** Alvejado com cosméticos.
caiador (ô). *S. m.* Indivíduo que faz caiações; caieiro.
caiadura. *S. f.* **1.** V. *caiação*. **2.** Mão[1] (12) de cal; caio.
caiagadjana. *Bras. s. 2 g.* **1.** Indivíduo dos caiagadjanas, subgrupo indígena xaruma da região do rio Turunu (N. do PA). ● *Adj. 2 g.* **2.** Pertencente ou relativo a essa tribo.
caiala. *S. f. Bras., BA.* Iemanjá, nos candomblés congueses.
caiana[1]. [De possível or. indígena.] *S. m. Bras.* Grande morcego do São Francisco *(Plecoctus andira)*; cabano.
caiana[2]. *Adj. (f.)* **1.** Diz-se de uma espécie de cana-de-açúcar, originária de Caiena. ● *S. f.* **2.** Essa cana-de-açúcar. **3.** *Bras., Pop.* V. *cachaça* (1).
caiapiá. [Var. de *caapiá*.] *S. m. Bras.* **1.** Certa raiz medicinal. **2.** V. *caapiá*.
caiapó[1]. *S. m. Bras.* **1.** Designação vulgar da formiga *Atta sexdens*. V. *tanajura* (1). **2.** V. *taiuiá* (1).
caiapó[2]. *Bras. S. 2 g.* **1.** Indivíduo dos caiapós, tribo indígena da família lingüística jê. [Os caiapós do sul viviam no sertão, entre as cabeceiras do rio Araguaia e a bacia superior do rio Paraná, e os do norte vivem na região situada entre o rio Araguaia e o rio Xingu, ao norte do rio Tapirapé.] ● *Adj. 2 g.* **2.** Pertencente ou relativo a essa tribo. ~ V. *caiapós*.
caiaponiense. *Adj. 2 g.* **1.** De, ou pertencente ou relativo a Caiapônia (GO). ● *S. 2 g.* **2.** Natural ou habitante de Caiapônia.
caiapós. *S. m. pl. Bras., MG* e *SP. Folcl.* Cabocolinhos. ~ V. *caiapó*.
caiaque. [Do esquimó groenlandês *qajak*, atr. de uma língua nórdica e do francês.] *S. m.* Pequena embarcação feita de peles de foca, costuradas sobre uma armação de ossos de baleia, envolvendo toda a embarcação, inclusive por cima, e que é amarrada na cintura do remador. [Cf. *caíque*.]
caiar. *V. t. d.* **1.** Pintar com tinta feita de cal, água e cola: "Ladrilharam, rebocaram e caiaram o prédio" (Graciliano Ramos, *Infância*, p. 224). **2.** Dar cor branca a: "As guitarras soluçosas tornam a noite sonora, como se o luar cantasse, caiando as searas, caleando os pinheirais..." (Martins Fontes, *A Dança*, p. 72.) **3.** Encobrir; disfarçar, mascarar. [Sin., p. us., nas acepçs. 2 e 3: *calear*.] **4.** *Bras.* Maquilar (o rosto) com pó-de-arroz ou outro cosmético: *Caiou a cara de tal forma que mal a conheci.*
caiarara. [Do tupi *kaia'rara*.] *S. m. Bras., Amaz.* Designação comum a algumas espécies do gênero *Cebus* Erxl. (os micos), especialmente a *Cebus nigrivittatus* Wagn., do N. do rio Amazonas, das Guianas e da Venezuela. Mede cerca de 0,45 m de comprimento, com outro tanto de cauda; cor pardo-escura, quase preta na ponta da cauda, mãos e pés; tem na cabeça uma negra mancha piriforme, cujo ápice avança pela testa até quase a base do nariz; sairara, macaco-inglês: "Entre os símios repontavam as guaribas .... ; o caiarara, louro, focinho vermelho, crismado de macaco-inglês" (Raimundo Morais, *País das Pedras Verdes*, p. 58). [Cf. *mico, macaco-prego*.]
caiarara-branco. *S. m. Bras.* Primata da família dos cebídeos (*Cebus albifrons unicolor* Spix.), do S. do rio Amazonas. Colorido acinzentado, extremidades amarelo-esbranquiçadas; mancha na cabeça, prolongando-se em estreita fita até a base do nariz; porção ventral mais clara. [Sin.: *saitauá*. Pl.: *caiararas-brancos*.]
caiaué (ai-au). [Do tupi *kaiau'é*.] *S. m. Bras., AM.* Palmeira (*Elaeis malanococca*), muito disseminada nas margens do rio Amazonas, de estipe freqüentemente recurvado, e raízes adventícias. Da polpa de seus frutos se extrai um óleo dourado-avermelhado, espesso, utilizável em culinária e semelhante ao azeite-de-dendê [q. v.] e da amêndoa uma gordura igualmente comestível. [Sin.: *coqueiro-caiaué*.]
caíba. [Do tupi *ca'- + 'ib*, 'ruim'.] *S. f. Bras., SC.* Caíva. [q. v.].
cãibra. [Do gót. **kramp*, 'gancho', atr. do fr. *crampe*.] *S. f. Med.* Contração espasmódica e dolorosa de músculos [Sin., pop.: *breca*.] [Var.: *câimbra*.] ◆ **Cãibra de dedo.** *Med.* Dactilospasmo. **Cãibra de escrivão.** *Med.* Contração espasmódica dos músculos da mão (inclusive quirodáctilos) e do antebraço, acompanhada de neuralgia nesses locais, e que sobrevém durante a tentativa de escrever.
caibral. *Adj. 2 g.* Relativo a caibro. ~ V. *prego* —.
caibramento. *S. m.* Conjunto dos caibros de uma armação de telhado, soalho, teto, etc.
caibrar. *V. t. d.* **1.** Assentar ou pôr caibros em. **2.** Fixar com caibros.
caibro. [Do lat. *vulg.* **capreu*, *caprea*, 'cabra montês'.] *S. m.* Peça de madeira de seção retangular, com cerca de 5x7 cm, empregada em armações de telhados, soalhos, forros, etc.
cãibro. *S. m.* Par de coisas unidas, em especial duas espigas de milho presas por uma só palha. [Var.: *câimbro*.]
caiçaca. [De possível or. tupi.] *S. f. Bras.* Reptil ofídio, da família dos crotalídeos (*Bothrops atrox* (L.)), distribuída de SP para o N. do País. Dorso róseo-pardacento, com estreitas manchas laterais angulares, ligadas de leve a duas pintas negras paraventrais; mede até 1,40 m de comprimento.
caicaco. *S. m. Bras., S.* Homem decaído da posição social, ou empobrecido: "O carreiro vivia murcho, fazendo negócios de trama, sem rompante nenhum: era um caicaco sossegado..." (Valdomiro Silveira, *Os Caboclos*, p. 88.)
caicai[1]. *Bras. S. 2 g.* **1.** Indivíduo dos caicais, tribo indígena que habitava a margem esquerda do rio Itapicuru, no MA. ● *Adj. 2 g.* **2.** Pertencente ou relativo a essa tribo.
caicai[2]. [De *cai*, do v. *cair*, repetido?] *S. m. Bras.* Rede para pesca do camarão.
caicanha. [De possível or. tupi.] *S. f. Bras.* Peixe teleósteo, percomorfo, da família dos pomadasídeos (*Genyatremus luteus* (Bloch.)), do Atlântico, desde as Antilhas até SP. Coloração azulada no dorso, argênteo-amarelada no abdome; nadadeira dorsal espinhosa, escura, com acúleos prateados, sendo as outras amareladas, com manchas escuras no centro das escamas, formando estrias longitudinais; carne de baixa qualidade. [Sin.: *carcanha, sanhoá, saguá, choupa*.]
caiçara. [Do tupi *kai'sara*.] *S. f. Bras.* **1.** Estacada de proteção, à volta das tabas ou aldeias indígenas. **2.** Cerca feita de varas ou galhos. **3.** Ramos de árvores, postos dentro da água como armadilha de peixe; curral. **4.** Galhos de árvores abatidas no corte de madeira. **5.** Cercado de madeira, à margem de um rio ou igarapé navegável, para embarque de gado. **6.** Palhoça, junto à praia, para abrigar as embarcações ou apetrechos dos pescadores. **7.** Cerca tosca de troncos e galhos, em torno de uma roça, para impedir a entrada do gado. **8.** Recesso onde o caçador se embosca. ● *S. m. Bras.* **9.** Malandro, vagabundo. **10.** V. *sardinha-laje*. ● *S. 2 g.* **11.** *Bras., RJ* e *SP.* V. *caipira* (1). **12.** *Bras., SP.* V. *praiano* (1). **13.** Natural ou habitante de Cananéia (SP). ● *Adj 2 g.* **14.** De, ou pertencente ou relativo a Cananéia (SP).
caiçarada. [De *caiçara* (10 a 12) + *-ada*[1].] *S. f. Bras.* **1.** Conjunto de caiçaras. **2.** Dito ou ato de caiçara.
caiçarense. *Adj. 2 g.* **1.** De, ou pertencente ou relativo a Caiçara (PB). ● *S. 2 g.* **2.** Natural ou habitante de Caiçara.
caicau. [De possível or. tupi.] *S. m. Bras., AM.* Árvore da floresta amazônica, da família das moráceas, cujo látex fornece uma espécie de borracha, podendo a madeira servir para marcenaria.
caicó. [De possível or. tupi.] *S. m. Bras., N.E.* V. *mulato-velho*.
caicoense (ò). *Adj. 2 g.* **1.** De, ou pertencente ou relativo a Caicó (RN). ● *S. 2 g.* **2.** Natural ou habitante de Caicó.
caicuidjana. *Bras. S. 2 g.* **1.** Indivíduo dos caicuidjanas, subgrupo indígena xaruma que habita nas terras do rio Turunu até o rio Cachorro, afluente do Trombetas (N. do PA). ● *Adj. 2 g.* **2.** Pertencente ou relativo a essa tribo.
caiçuma. [De possível or. tupi.] *S. f.* **1.** *Bras.,* Bebida fermentada, de frutos ou de milho cozido, fabricada por alguns indígenas. **2.** *Bras., PA.* Molho de tucupi, engrossado com goma de mandioca, fécula de batata, etc.
caicumana. [De possível or. tupi.] *S. m. Bras.* Murumuru.
caicurá. [De possível or. tupi.] *S. f. Bras.* Fogueira grande.
caída. [Fem. substantivado do adj. *caído*.] *S. f.* **1.** Queda[1] (1). **2.** Decadência, declínio. **3.** *Med.* Ptose, prolapso. **4.** *Bras.* V. *vertente* (3).
caideiro (a-i). *Adj. Pop.* V. *caduco* (1).
caidiço (a-i). *Adj.* V. *caduco* (1).
caído. [Part. de *cair*.] *Adj.* **1.** Lançado por terra, derrubado. **2.** Abatido, prostrado, enfraquecido. **3.** Triste, deprimido, desanimado. **4.** Que é devido, ou cujo pagamento se atrasou. **5.** *Bras.* Rendido, vencido, subjugado. **6.** *Bras.* Enamorado, apaixonado. ~ V. *caídos, espinhela —a e terra —a*.
caidor (a-i...ô). *Adj.* **1.** Que cai. ● *S. m.* **2.** *Bras., S.* Lugar onde o gado entra ou cai no rio para atravessá-lo a vau.
caídos. [Pl. substantivado de *caído*.] *S. m. pl.* **1.** Rendimentos vencidos e não pagos. **2.** Desperdícios, restos. **3.** *Bras.* Inclinação sentimental; afeição, caimentos: "gênio violento, ... altivo e arrebatado, de par com muitos caídos .... com quem lhe caía no goto" (Visconde de Taunay, *Ao Entardecer*, p. 34). ~ V. *caído*.
caieira. *S. f.* **1.** Fábrica de cal. **2.** Forno onde se calcina o calcário para a fabricação da cal. **3.** *Bras.* Forno de olaria construído com os próprios tijolos que se vão cozer. **4.** *Bras.* V. *sambaqui*. **5.** *Bras., SP.* V. *carvoeira* (1). **6.** *Bras.* V. *balão* (11).
caieiro. *S. m.* **1.** Caiador. **2.** Servente de pedreiro.
caiena[1]. *S. f. Bras.* Espécie de banana.
caiena[2]. *S. 2 g.* **1.** Indivíduo dos caienas, tribo indígena da América do Norte. ● *Adj. 2 g.* **2.** Pertencente ou relativo a essa tribo.
caienense. *Adj. 2 g.* **1.** De, ou pertencente ou relativo a Caiena (Guiana Francesa). ● *S. 2 g.* **2.** Natural ou habitante de Caiena.
caiense (a-i). *Adj. 2 g.* **1.** De, ou pertencente ou relativo a Caí (RS). ● *S. 2 g.* **2.** Natural ou habitante de Caí.
caiguá. [Do guar. *Kai'gwá*.] *Adj. 2 g. Bras., RS.* Silvestre, selvático, bravio.
caim[1] (a-ím). [Do atr. *Caim*, filho de Adão e Eva, que assassinou seu irmão Abel.] *S. m.* **1.** Fratricida (1 e 2). **2.** *Fig.* Homem mau, perverso.
caim[2] (a-ím). [T. onom.] *S. m.* O latido de dor do cão.
caimacão. *S. m.* Lugar-tenente do grão-vizir, na antiga Turquia.
caimão. [Do taino *Kaiman*, atr. do esp. *caimán*.] *S. m.* Espécie de jacaré americano.
caimbá (a-i). *S. m. Bras.* Designação que os índios pataxós dão ao dinheiro, designação esta já usada pela população não indígena da região.
caimbé (a-im). [Do tupi *kaĩ'be*, 'erva rasteira'.] *S. m. Bras.* V. *sambaíba-de-minas-gerais*.
caimberana (bè). [De *caimbé* + *-rana*.] *S. m. Bras.* V. *aitá*.
caimbezal (a-im-bè). *S. m. Bras., Amaz.* Quantidade mais ou menos considerável de caimbés dispostos proximamente entre si.
câimbra. *S. f.* Var. de *cãibra*: "permanecia no mesmo lugar, sentindo um começo de câimbra no braço esquerdo" (Josué Montelo, *Janelas Fechadas*, p. 226).
câimbro. *S. m.* Var. de *cãibro*.
caimento (a-i). [De *cair* + *-mento*.] *S. m.* **1.** Inclinação, declive, queda: *caimento de telhado; caimento de piso.* **2.** *Fig.* Prostração, languidez, abatimento. **3.** *Mar.* Andamento lateral da embarcação por efeito do vento ou da corrente. **4.** *Mar.* Inclinação maior ou menor do mastro para ré. **5.** *Bras.* Forte inclinação amorosa; paixão. **6.** *Bras.* Grau maior ou menor de flexibilidade ou consistência que o tecido, ou a peça confeccionada ou parte dela, apresenta, e que o faz cair com elegância no sentido vertical; queda: *Esta seda tem bom caimento; As pregas da saia não ficaram com bom caimento; O caimento da cortina está perfeito.* ~ V. *caimentos*.
caimentos (a-i). [Pl. de *caimento*.] *S. m. pl. Bras.* V. *caídos* (3). ~ V. *caimento*.
caimito. [Do aruaque haitiano *caimito*.] *S. m. Bras.* **1.** Abiu-do-pará. **2.** V. *abieiro*.
caimito-do-monte. *S. m. Bras.* Arvoreta da família das poligaláceas *(Moutabea aculeata)*, muito frondosa e coberta de espinhos, que vive na floresta pluvial, e cujo fruto, do tamanho de uma maçã, tem polpa amarela, comestível. [Pl.: *caimitos-do-monte*.]
cainamé. *S. m. Bras., AM. Folcl.* Duende maléfico dos índios macuxis-pauxianas, do alto Uraricuera.
cainana. *S. f. Bras.* V. *caninana* (1).
cai-não-cai. *S. m. 2 n. Bras., N.E.* Rede muito pensa.
cainca (a-ín). [Do esp. amer. *caínca*.] *S. f. Bras.* Arbusto

escandente da família das rubiáceas *(chiococca brachiata)*, bastante comum da Amazônia ao Sul, de folhas opostas e estipuladas, flores pequeninas, alvas e congregadas em racemos, e cujo fruto é uma baga branca e pequena. A casca da raiz fornece uma infusão muito amarga, considerada tóxica. [Sin.: *raiz-de-frade.*]

caínça (a-ín). [De um lat. **canitia*, de *cane*, 'cão'.] *S. f.* V. *canzoada* (1).

cainçada (a-in). *S. f.* **1.** V. *canzoada* (1). **2.** *Bras.* Latidos, ladridos.

cainçalha (a-in). [De *cainça* + *-alha.*] *S. f.* V. *canzoada* (1).

caindo-das-molas. *S. m. 2 n. Bras., PE. Folcl.* Passo do frevo que serve de ligação entre o dançarino de pé e os agachados, com total flexão das pernas, abaixando o corpo apoiado alternativamente nos calcanhares e nas pontas dos pés.

caingangue (a-in). *Bras. S. 2 g.* **1.** Indivíduo dos caingangues, grupo indígena de SP, PR, SC e RS, já integrado na sociedade nacional, cuja língua era outrora considerada como jê, e que hoje representa uma família própria. [São chamados, também, em parte, *coroados, camés* e *xoclengues.*] ● *Adj. 2 g.* **2.** Pertencente ou relativo aos caingangues.

cainguá (a-ín). *S. 2 g.* e *adj. 2 g. Bras.* Caiuá.

cainhar[1] (a-i). [De *caim*[2] + *-ar*[2].] *V. int.* Latir dolorosamente (o cão): "Um cachorro continuava latindo .... . Depois deu um ganido e fugiu *cainhando.*" (Bernardo Élis, *O Tronco*, p. 109.)

cainhar[2] (a-i). [De *cainho*[2] + *-ar*[2].] *V. int. Bras.* **1.** Fazer mesquinharias. **2.** Recusar-se a ceder a outrem qualquer coisa de pouca ou nenhuma importância.

cainheza (a-i...ê). [De *cainho*[2] + *-eza.*] *S. f.* Qualidade ou procedimento de cainho[2]; avareza, mesquinharia, somiticaria.

cainho[1] (a-í). [Do lat. *canino.*] *Adj.* Próprio de cão.

cainho[2] (a-í). *Adj.* e *s. m.* V. *avaro* (1 e 3).

caio. [Dev. de *caiar.*] *S. m.* **1.** V. *caiação.* **2.** Caiadura: "la fora a garoa matinal esgarçando-se e acentuando os contornos do casario, que principiava a debuxar-se dentre o *caio* alvacento das fachadas" (Hugo de Carvalho Ramos, *Tropas e Boiadas*, p. 68).

caiongo. *Adj. Bras.* **1.** Avelhentado. **2.** Enfraquecido, debilitado: "Estava *caiongo*, inútil, aleijado" (Nélson de Faria, *Tiziu e Outras Estórias*, p. 150).

caiová. *Bras. s. 2 g.* **1.** Indivíduo dos caiovás, subgrupo indígena guarani cujos remanescentes vivem no litoral de SP, ao S. de Santos, no PR e em SC. ● *Adj. 2 g.* **2.** Pertencente ou relativo a esses índios.

caipira. [Do tupi *kai'pira.*] *S. 2 g.* **1.** *Bras., S.* Habitante do campo ou da roça, particularmente os de pouca instrução e de convívio e modos rústicos e canhestros. [Sin., sendo alguns regionais: *araruama,* **babaquara, babeco, baiano, baiquara, beira-corgo, beiradeiro, biriba* ou *biriva, botocudo, brocoió, bruaqueiro, caapora, caboclo, caburé, cafumango, caiçara, cambembe, camisão, canguaí, canguçu, capa-bode, capiau, capicongo, capuava, capurreiro, cariazal, casaca, casacudo, casca-grossa, catatuá, catimbó, catrumano, chapadeiro, curau, curumba, groteiro, guasca, jeca, macaqueiro, mambira, mandi* ou *mandim, mandioqueiro, mano-juca, maratimba, mateiro, matuto, mixanga, mixuango* ou *muxuango, mocorongo, moqueta, mucufo, pé-duro, pé-no-chão, pioca, piraguara, piraquara, queijeiro, restingueiro, roceiro, saquarema, sertanejo, sitiano, tabaréu, tapiocano, urumbeba* ou *urumbeva.*] ● *S. m.* **2.** *Bras., N. E.* Jogo de parada, com um dado apenas, ou roleta, entre gente de condição humilde. ● *Adj. 2 g.* **3.** *Bras.* Diz-se do caipira (1); biriba ou biriva, matuto, sertanejo. **4.** *Bras.* Pertencente ou relativo a, ou próprio de caipira (1); biriba ou biriva, jeca, matuto, roceiro, sertanejo. **5.** *Bras.* Diz-se do indivíduo sem traquejo social; cafona, casca-grossa. **6.** *Bras.* Diz-se das festas juninas e do traje típico usado nessas festas. [Cf. (nas acepç. 1, 3, 4 e 5) *provinciano.*]

caipirada. *S. f. Bras.* **1.** Grupo ou ajuntamento de caipiras. **2.** Ação, atitude, modos, costumes, próprios de caipira (1); caipirice, caipirismo, caipiragem.

caipiragem. *S. f. Bras.* V. *caipirada* (2).

caipirice. *S. f. Bras.* V. *caipirada* (2).

caipirinha. [Dim. de *caipira.*] *S. f.* **1.** *Bras.* Bebida feita com limão em rodelas ou macerado, açúcar e gelo, batidos com uma aguardente (cachaça, ou vodca, ou rum, etc.). **2.** *Bras., RJ.* Pequeno botequim, sem mesas, onde se servem bebidas e salgadinhos no balcão.

caipirismo. *S. m. Bras.* V. *caipirada* (2).

caipora. [Do tupi *kaa'pora*, 'morador do mato'.] *Bras. S. m.* e *f.* **1.** Ente fantástico oriundo da mitologia tupi, representado, segundo as regiões, ou com a forma de uma mulher unípede que anda aos saltos, ou como uma criança de cabeça grandíssima, ou como um caboclinho encantado, ou como um homem agigantado, montado num porco-do-mato, ou com um pé só, redondo, seguido do cachorro papa-mel, etc.; caapora: "Ouvia muitas vezes dizerem que se aplacava a ira dos *caiporas*, deixando-lhes nas encruzilhadas fumo de corda." (Povina Cavalcanti, *Volta à Infância*, p. 88); "Menino de engenho, criado a ouvir histórias de Trancoso, ... arrepiado com as façanhas do papa-figo, do lobisomem e da *caipora* ...., não é de estranhar que cedo me afeiçoasse ao Folclore" (José Maria de Melo, *Enigmas Populares*. p. 13). ● *S. 2 g.* **2.** Indivíduo que pela simples presença provoca infelicidade, azar. **3.** Indivíduo azarado, infeliz. ● *S. f.* **4.** V. *caiporismo.* ● *Adj. 2 g.* **5.** Diz-se do indivíduo sem sorte e/ou que dá azar; azarado.

caiporice. *S. f. Bras.* V. *caiporismo.*

caiporismo. *S. m. Bras.* Má sorte ou infelicidade constante em acontecimentos fortuitos ou em tudo que se intenta; caipora, caiporice, azar, cábula, cafifa, canfinfa, cagüira, galinhaço, inhaca, jetatura, macaca, mofina, pé, pé-frio, peso, tanglomanglo ou tangolomango, urucubaca.

caíque. [Do turco *qaíq*, atr. do caico e do fr. *caïque.*] *S. m.* **1.** *Lus.* Embarcação de pesca ou de carga, com dois mastros que envergam velas bastardas quadrangulares, de proa elevada, popa de painel, e convés corrido, e usualmente com quatro escotilhas. **2.** Embarcação miúda, comprida e estreita, de proa e popa elevadas. **3.** *Bras.* Pequena embarcação para transporte a curtas distâncias, para recreio, etc. **4.** *Bras., RS.* Pequena embarcação de dois mastros. [Cf. *caiaque.*]

cair. [Do lat. *cadere.*] *V. int.* **1.** Ir ao chão, em virtude do próprio peso, por desequilíbrio, etc.: *Tanto se debruçou na janela, que caiu.* **2.** Descer sobre a terra: *Caíam chuvas torrenciais;* "A chuva *cai.*" (Manuel Bandeira, *Estrela da Vida Inteira*, p. 36). **3.** Descer, abaixar, arriar: *O pano cai ao fim de cada ato.* **4.** Sucumbir, morrer [q. v.]: *Ergueu-se um monumento aos soldados que caíram durante a batalha.* **5.** Perder a força ou intensidade; fraquejar, decair: *No início do terceiro ato, sua voz caíra sensivelmente;* "Lembrou-se da vez em que ela estivera doente, muito mal, quase morrera, emagrecera muito, ia *caindo* cada vez mais" (Antônio Olinto, *Copacabana*, p. 25). **6.** Desvalorizar-se (moeda, título, etc.). **7.** Ser apeado do poder: *O governador caiu; Espera-se que o Ministério caia dentro de poucas horas.* **8.** Ser vítima de logro: *Armaram-lhe uma cilada e ele caiu; Caiu como um patinho.* **9.** Abrandar, serenar, amainar: *O vento caiu.* **10.** Ceder em detrimento do dever ou da virtude, ou da honra. **11.** Entregar-se à prostituição: *Quantas mulheres caem, arrastadas pela miséria!* **12.** Esmorecer, afrouxar(-se): *Depois do almoço, a conversa caiu.* **13.** Cair de moda [q. v.]: *A maxissaia caiu em pouco tempo.* **14.** Não ter bom êxito, desagradar (peça teatral): " — Cousas do teatro, disse Evaristo ao autor, para consolá-lo. Há peças que *caem*. Há outras que ficam no repertório." (Machado de Assis, *Várias Histórias*, p. 207.) *T. i.* **15.** Tocar; caber; recair: *A escolha final caiu no candidato melhor dotado.* **16.** Incorrer, incidir: *cair em falta;* "E Jesus? O poeta Schmidt [Augusto Frederico Schmidt] recusa estudá-lo para não *cair* em heresia" (Osório Borba, *A Comédia Literária*, p. 110). **17.** Atacar inesperadamente: *Ao raiar da madrugada, as forças inimigas caíram sobre as aliadas.* **18.** Chegar, sobrevir, inesperadamente. **19.** Condizer, combinar; harmonizar-se; ir; *Esta gravata cai muito bem com o terno. T. c.* **20.** Ocorrer, dar-se (em determinada época); bater: *O Natal do ano passado caiu numa quarta-feira; O carnaval daquele ano caíra em fevereiro.* **21.** Vir, chegar, descendo: *Seus cabelos caíam até a cintura.* **22.** Cair (1): "Eram três, e agora quatro, / Laranjas *caindo* ao chão." (Audálio Alves, *Antologia Poética*, p. 86). *Int.* **23.** Ter caimento (2): *Esta cortina cai bem; Este tecido cai mal para calças.* [Irreg. Pres. ind.: *caio, cais, cai, caímos, caís, caem;* pret. imp.: *caía,* etc.; perf.: *caí, caíste, caiu,* etc.; pres. subj.: *caia,* etc. Cf. a 2ª pess. pl. do fut. do pres., *caireis*, com *cairéis*, pl. de *cairel*, e *cais*, s. m. 2. n.] ◆ **Cair bem.** Ser bem aceito; agradar; soar bem. **Cair de quatro. 1.** Cair de joelhos e com as mãos de encontro ao chão, a sustentarem o corpo. **2.** *Fig.* Ter uma surpresa muito grande; espantar-se, surpreender-se ao extremo: *Ao ler no jornal o nome do filho entre os dos contraventores, caiu de quatro.* **Cair doente.** Adoecer, enfermar: "*Cair doente* e passar a vida inteira / Com a boca junto de uma escarradeira, / Pintando o chão de coágulos sangüíneos" (Augusto dos Anjos, *Eu*, p. 53). **Cair em si. 1.** Reconhecer o seu erro. **2.** Voltar à realidade; deixar de estar abstraído, distraído, ausente: *Só depois de José sair foi que Zuzu caiu em si e procurou enfrentar a nova situação.* **Cair fora.** V. *fugir* (2). **Cair mal.** Não ser bem aceito; desagradar; soar mal: *O discurso do ministro caiu mal.* **Cair redondamente. 1.** Estatelar-se, esparramar-se. **2.** Ser logrado, enganado; cair em esparrela. **O cair das flores.** *Poét.* V. *outono* (1): "Para a Espanha, em outubro, na partida / Da primavera, *no cair das flores*, / Segui..." (Raimundo Correia, *Poesias*, p. 113.) **O cair das folhas.** *Poét.* V. *outono* (1): "Ouvi estes carmes que eu compus no exílio, // Ouvi-os vós todos, meus bons portugueses! / Pelo *cair das folhas*, o melhor dos meses" (Antônio Nobre, *Só*, p. 10).

cairara. [De possível or. tupi.] *Adj. 2 g. Bras.* Muito grande; enorme.

cairé. *S. m. Bras.* V. *sanhaço-frade.*

cairel. [Do provenç. ant. *cairel.*] *S. m.* **1.** Fita ou galão estreito para debruar; debrum. **2.** Borda, beira: "O lavrador, já no *cairel* do abismo, vendidas as melhores propriedades, quis reagir." (Camilo Castelo Branco, *Novelas do Minho*, III, pp. 49-50.) [Pl.: *cairéis.* Cf. *caireis*, do v. *cair.*]

cairelar. *V. t. d.* V. *acairelar.*

cairi. [De possível or. afr.] *S. m. Bras.* Galinha refogada com azeite-de-dendê, pimenta e pevide de abóbora; cacica.

cairina. *S. f. Bras.* V. *pato-do-mato.*

cairiri. [Var. de *quiriri.*] *Bras. S. 2 g.* **1.** Indivíduo dos cairiris, grupo indígena que habitou no N.E. **2.** Indivíduo de vários remanescentes indígenas que vivem na PB, em PE, AL, SE e BA. ● *Adj. 2 g.* **3.** Pertencente ou relativo a essa tribo; cariri, quiriri.

cairota. *Adj. 2 g.* **1.** Do, ou pertencente ou relativo ao Cairo, capital do Egito. ● *S. 2 g.* **2.** Natural ou habitante do Cairo.

cairuçu. [Do tupi *kairu-su*, 'a queimada grande'.] *S. m. Bras.* Designação comum às várias espécies do gênero *Hydrocotyle*, ervas rasteiras providas de folhas arredondadas e pequenas flores alvas.

cairuense. *Adj. 2 g.* **1.** De, ou pertencente ou relativo a Cairu (BA). ● *S. 2 g.* **2.** Natural ou habitante de Cairu.

cais. [Do céltico, atr. do fr. ant. *quai.*] *S. m. 2 n.* **1.** Parte de um porto [q. v.], na qual se efetua o embarque e desembarque de passageiros e carga. **2.** *P. ext.* Plataforma para embarque e desembarque, nas estações ferroviárias. [Cf. *caís*, do v. *cair.*] ◆ **Cais acostável.** Cais onde as embarcações podem acostar, geralmente a uma muralha que arrima um terrapleno. **Cais de saneamento.** Muralha de contenção de um aterro lançado sobre terreno pantanoso ou sujeito a enchentes ou marés.

cáiser. [Do al. *kaiser.*] *S. m.* Designação do imperador na Alemanha, depois de sua unificação, no séc. XIX, até a instituição da república, pelo fim da I Guerra Mundial. [Pl.: *cáiseres.*]

caitatu. *S. m. Bras.* V. *caititu* (1).

caité. [Var. de *caeté.*] *S. m.* V. *arumarana.* [Cf. *caeté, caaeté* e *caeté.*]

caitité. [De possível or. indígena.] *S. m. Bras., BA.* V. *caxinguelê.*

caititu. [Do tupi *kaiti'tu.*] *S. m. Bras.* **1.** Mamífero da ordem dos artiodáctilos, família dos taiaçuídeos (*Tayassu tajacu* (L)), da região cisandina da América do Sul. Pelagem anelada de branco, ou amarelo e negro, ou castanho-claro, resultando numa coloração rosada; linha de longos pêlos no pescoço, e patas pretas, com faixa característica em forma de colar branco cingindo o pescoço até os ombros. [Var.: *caitatu, taititu.* Sin.: *cateto, tateto, pecari*, e (impr.) *porco-do-mato.*] **2.** Peça principal do aparelho de ralar mandioca: um cilindro de madeira ao longo do qual se adaptam serrilhas metálicas, com uma das extremidades conformada em roldana de gorne para a passagem da correia ou corda que imprime a rotação; rodete. **3.** *Bras. Pop.* Pessoa que, por meio de visitas, insistência verbal, distribuição gratuita de discos e partituras, e até pelo suborno, busca promover, em lojas de discos, estações de rádio, estações de televisão, festas de clubes, etc., a execução de composições musicais (populares) suas ou de outrem.

caitituada. *S. f. Bras. Pop.* **1.** Esforço levado a cabo pelo caititu (3). **2.** O resultado desse esforço.

caitituagem. *S. f. Bras. Pop.* Ato ou efeito de caitituar.

caitituar. *V. int. Bras. Pop.* Agir como caititu (3).

caiuá. *Bras. S. 2 g.* **1.** Indivíduo dos caiuás, tribo indígena guarani do S.E. de MT, do vale do Paranapanema e do L. da República do Paraguai. ● *Adj. 2 g.* **2.** Pertencente ou relativo a essa tribo. [Var.: *cainguá.*]

caiuense (ai-u). *Adj. 2 g.* **1.** De, ou pertencente ou relativo a Caiuá (SP). ● *S. 2 g.* **2.** Natural ou habitante de Caiuá.

caíva. [Var. de *caíba*.] *S. f. Bras., S.* **1.** Mato carrasquento. **2.** *P. ext.* Terreno pobre, impróprio à cultura.

caixa. [Do gr. *kápsa*, atr. do lat. *capsa* e do cat. *caixa*.] *S. f.* **1.** Recipiente ou receptáculo de madeira, papelão, metal, ou outro material, com tampa ou sem ela, com faces geralmente retangulares ou quadradas, como uma arca, um cofre, um estojo, etc. [Aum.: *caixão;* dim. irreg.: *caixeta, caixote, caixola*.] **2.** O conteúdo de uma caixa: *Tomou uma caixa de injeções.* **3.** Peça ou objeto que resguarda ou contém outra peça ou objeto: *caixa de marchas; caixa de engrenagens.* **4.** Seção de bancos, casas comerciais, repartições públicas, etc., destinada a efetuar pagamentos ou recebimentos de dinheiro, cheques, valores, etc. **5.** *P. ext.* Local onde trabalha o encarregado destas operações, o caixa. **6.** Estabelecimento que recebe fundos ou quantias que são administrados e/ou guardados para oportuna utilização: *caixa de pensões; caixa de aposentadoria; Caixa Econômica.* **7.** *Eng.* Parte da estrada onde se lança a brita. **8.** *Jur.* e *Com.* Armador-gerente. **9.** *Mús.* Designação comum a vários instrumentos de percussão do gênero tambor [q. v.]: *O menino tocava caixa na banda do colégio.* **10.** *Teat.* V. *palco* (3). **11.** *Tip.* Cada uma das gavetas do cavalete, divididas horizontalmente em duas seções (caixa alta e caixa baixa), subdividindo-se estas em vários caixotins, onde se distribuem os tipos, separados por sortes. **12.** V. *caixote* (3). ● *S. m.* **13.** Livro comercial auxiliar onde se registram entradas e saídas de dinheiro. ● *S. 2 g.* **14.** Pessoa que tem a seu cargo a caixa (4). [Cf. *cacha*, do v. *cachar* e s. f., e *caxa*.] ◆ **Caixa alta.** *Tip.* Seção superior da caixa tipográfica, em cujos caixotins se distribuem as letras maiúsculas. [Cf. *caixa-alta*.] **Caixa aspirante.** *Ind. Pap.* Cada um dos aparelhos colocados por baixo da tela da máquina de papel, para apressar, por meio de sucção, a secagem da folha; caixa de sucção, caixa-bomba. **Caixa baixa.** *Tip.* Seção inferior da caixa tipográfica, em cujos caixotins se distribuem as letras minúsculas. [Cf. *caixa-baixa*.] **Caixa cega.** *Tip.* A que não tem subdivisões, usada para guardar clichês ou tipos de grande corpo. **Caixa chata.** V. *tarol.* **Caixa clara.** *Mús.* Tambor (3) de fuste médio, com bordões na membrana inferior, o que lhe confere uma sonoridade vibrante, e cujo registro (contralto ou soprano) depende das dimensões do instrumento; caixa de guerra, tambor de guerra. [Cf. *tarol*.] **Caixa craniana.** *Anat.* Porção óssea da cabeça que contém o encéfalo. **Caixa das almas.** Pequeno cofre, nas igrejas ou noutros locais, onde se depositam esmolas. **Caixa de amortização.** Departamento centralizador dos serviços relativos aos empréstimos internos feitos pelo governo, incumbido de emitir títulos a eles referentes, fazer troco, amortizar papel-moeda, etc. **Caixa de ar.** Espaço ventilado que fica entre o solo e o soalho de um edifício; porão. **Caixa de brancos.** *Tip.* Caixa tipográfica para guardar espaçaria; caixa de espaços. **Caixa de cambas.** *Tip.* Parte da linotipo onde fica o conjunto das cambas que acionam o mecanismo de escape. **Caixa de câmbio.** *Mec.* V. *caixa de marchas.* **Caixa de cena.** *Teat.* V. *palco* (3). **Caixa de depósitos.** Repartição pública onde se recebem fundos e juros. **Caixa de descarga.** Pequeno depósito, embutido ou simplesmente fixado na parede, ou apoiado no aparelho sanitário, e destinado à retenção da água da lavagem das bacias de privadas. **Caixa de distribuição.** *Tip.* Caixa seletora [q. v.]. **Caixa de emendas.** *Tip.* Pequena caixa tipográfica onde se transporta o material necessário a emendas de máquina; caixotim de correção. **Caixa de entrada.** *Ind. Pap.* Recipiente que, constituindo o primeiro elemento da máquina de papel, recebe a massa saída do depurador e a despeja, de modo regular e contínuo, sobre a mesa de fabricação, onde começa a formar-se a folha. **Caixa de escada.** *Arquit.* Espaço ocupado por uma escada, desde o pavimento inferior até o último pavimento; bomba. **Caixa de espaços.** *Tip.* Caixa de brancos. **Caixa de grão.** Câmara de madeira usada no processo de gravura a água-tinta, e dentro da qual se faz circular resina em pó, que depois se deixa lentamente pousar sobre a placa, em camada mais ou menos rarefeita, para obtenção do meio-tom. **Caixa de guerra. 1.** V. *caixa clara.* **2.** V. *caixa de rufo.* **Caixa de marchas.** *Mec.* Conjunto de engrenagens que permitem a variação adequada das marchas de um veículo; caixa de mudanças, caixa de câmbio, caixa de velocidades: "Então o 'Hudson' volveu a dar prejuízo, ... rebentava diariamente as câmaras-de-ar, ... a caixa de marchas estava desarranjada..." (Jorge de Lima, *Salomão e as Mulheres*, p. 115.) **Caixa de matrizes.** *Tip.* Caixilho móvel de metal que encerra as matrizes da monotipo. **Caixa de mudanças.** *Mec.* V. *caixa de marchas.* **Caixa de música.** Instrumento mecânico, geralmente de pequenas dimensões, que posto em movimento, executa uma ou mais melodias. **Caixa de navalhas.** *Tip.* V. *bloco de navalhas.* **Caixa de pesos.** *Fís.* Conjunto de pesos aferidos, destinados a servir de padrões de comparação nas pesadas, e que de ordinário são calibrados em massa. **Caixa de reserva.** *Tip.* V. *caixa de sobras.* **Caixa de ressonância. 1.** Nos teatros e salas de concerto, espaço vazio, em geral debaixo da orquestra, deixado pelos arquitetos para reforço dos sons. **2.** *Mús.* O corpo principal da maior parte dos instrumentos de corda. **Caixa de rufo.** Tambor surdo de tipo médio e fuste mais alto que a caixa clara; caixa de guerra, tambor militar. **Caixa de sobras.** *Tip.* Grande caixa tipográfica, que serve de depósito para reabastecimento das caixas comuns; caixa de sortes, caixa de reserva. **Caixa de sorte.** *Tip.* V. *caixa de sobras.* **Caixa de sucção.** *Ind. Pap.* V. *caixa aspirante.* **Caixa de teatro.** *Teat.* V. *palco* (3). **Caixa de transferência.** *Tip.* Parte da linotipo onde a linha de matrizes passa do primeiro para o segundo elevador. [V. *caixa seletora*.] **Caixa de velocidades.** *Mec.* V. *caixa de marchas.* **Caixa do catarro.** *Bras. Pop.* Os pulmões. **Caixa do expulsor.** *Tip.* Parte da linotipo onde se movem as lâminas que transferem ao galeão as linhas fundidas. **Caixa dois.** *Com.* e *Indúst.* Controle de recursos desviados da escrituração legal, com o objetivo de sonegá-los à tributação fiscal. [Cf. *economia invisível* e *contabilidade paralela*.] **Caixa do molde.** *Tip.* Abertura do molde das máquinas compositoras, onde se fundem os tipos ou as linhas-blocos. **Caixa do palco.** *Teat.* V. *bastidores* (2). **Caixa dos espaçadores.** *Tip.* Conjunto de peças da linotipo que recebem os espaçadores, coletados pela pinça (8), e os transferem ao componedor. **Caixa do teatro.** *Teat.* V. *palco* (3). **Caixa do tímpano.** *Anat.* Parte do ouvido situada entre a membrana timpânica e a parede externa do labirinto. **Caixa do tinteiro.** *Art. Gráf.* A parte principal do tinteiro das prensas: espécie de calha metálica dentro da qual gira um cilindro de aço que distribui a tinta ao rolo tomador. **Caixa econômica. 1.** Entidade mantida pelo Estado e cujo fim é receber depósitos provenientes de poupança individual e investi-los sob garantia hipotecária. **2.** *Turfe. Gír.* Cavalo que chega seguidamente entre os primeiros colocados, levantando para seu proprietário boa soma de dinheiro em prêmios. **Caixa eletrônico.** Designação popular do equipamento que, conectado a um sistema de computador, presta serviços bancários a usuários através de comunicação interativa. [Geralmente fornece o saldo e dinheiro vivo e atualiza conta bancária.] **Caixa grande.** *Mús.* V. *bombo* (1). **Caixa pequena.** *Bras.* O total da moeda manual de uma firma, que é utilizado em emergências ou para gastos e compras de pequeno vulto. **Caixa postal.** Pequena caixa ou nicho, com porta e chave, nas agências postais, onde se deposita a correspondência destinada a pessoa, instituição ou empresa locatária da caixa. **Caixa registradora.** V. *máquina registradora.* **Caixas de ressonância.** *Fon.* V. *ressonância* (7). **Caixa seletora.** *Tip.* No distribuidor da linotipo, a parte onde se processa a passagem das matrizes do segundo elevador para os fusos distribuidores; caixa de distribuição. [V. *caixa de transferência*.] **Caixa surda.** *Mús.* V. *tambor surdo.* **Bater caixa.** *Bras.* **1.** Anunciar fato auspicioso. **2.** Contar vantagens. **De caixa alta.** *Bras. Gír.* Com muito dinheiro: *Hoje pago tudo: estou de caixa alta.* **De caixa baixa.** *Bras. Gír.* Com pouco dinheiro: *Agora ando de caixa baixa.*

caixa-alta. *S. f.* **1.** *Tip.* V. *letra de caixa-alta.* ● *S. 2 g.* **2.** *Bras. Gír.* Pessoa riquíssima. ● *Adj. 2 g.* **3.** *Bras. Gír.* Diz-se de pessoa muito rica. [Pl.: *caixa-altas*. Cf. *caixa alta*.]

caixa-baixa. *S. f. Tip.* Letra de *caixa-baixa*. [Pl.: *caixas-baixas*. Cf. *caixa baixa*.]

caixa-bomba. *S. f. Ind. Pap.* V. *caixa aspirante.* [Pl.: *caixas-bombas*.]

caixa-d'água. *S. f.* **1.** Reservatório de água, quer para abastecimento de uma cidade ou bairro, quer de um edifício. ● *S. m.* **2.** *Bras.* V. *ébrio* (8). [Pl.: *caixas-d'água*.]

caixa-de-catarro. *S. f. Bras. Pop.* O nariz; pau-de-catarro. [Pl.: *caixas-de-catarro*.]

caixa-de-fósforos. *S. m.* **1.** *Bras.* Bonde pequeno. **2.** *Bras.* Recinto muito pequeno: *Mora numa caixa-de-fósforos.* **3.** *Bras., SP.* V. *favela* (1). [Pl.: *caixas-de-fósforos*.]

caixa-de-óculos. *S. 2 g.* Pessoa que usa óculos; caixa-d'óculos. [Pl.: *caixas-de-óculos*.]

caixa-d'óculos. *S. 2 g.* Caixa-de-óculos. [Pl.: *caixas-d'óculos*.]

caixa-de-rua. *S. f. Urb.* Parte dos logradouros [V. *logradouro* (2).] destinada ao rolamento de veículos. [Pl.: *caixas-de-rua*.]

caixa-forte. *S. f.* Dependência de banco, estabelecimento comercial, repartição pública, etc., à prova de fogo e de roubo, destinada à guarda de dinheiro, documentos e/ou outros valores; cofre-forte. [Pl.: *caixas-fortes*.]

caixão. [Aum. de *caixa*.] *S. m.* **1.** Caixa grande. **2.** Caixa comprida, geralmente de tampa abaulada, para depositar o corpo dos mortos e conduzi-los à sepultura; caixão de defunto, féretro, ataúde, esquife, urna funerária. **3.** Caixa onde o servente deposita a argamassa que o pedreiro aplica. **4.** Artesão[2] de teto, de abóbada, etc. **5.** Mesa de trabalho do ourives. **6.** *Bras.* V. *caixote* (3). **7.** *Bras., AM* e *PA.* O fundo do rio. [Quando o rio está muito seco, diz-se que *está no caixão*.] [Cf. *cachão*.] ◆ **Caixão de defunto.** V. *caixão* (2). [Cf. *caixão-de-defunto*.] **Caixão do reator.** *Eng. Nucl.* Recipiente principal que envolve o núcleo de um reator nuclear; recipiente do reator, vaso do reator. **Estar no caixão.** *Bras., N.* e *N.E.* V. *caixão* (7): "Era perigoso avançar: podíamos encalhar. O rio estava no caixão." (Peregrino Júnior, *A Mata Submersa*, p. 302.)

caixão-de-defunto. *S. m. Bras.* Inseto lepidóptero, da família dos papilionídeos (*Papilio thoas brasiliensis* Rothsq. & Jord.), cuja coloração preta e amarelada lhe valeu o nome. As lagartas têm o corpo liso, com tubérculos ou apêndices carnosos, e no segmento anterior à cabeça um osmetério, pelo qual exalam cheiro desagradável quando são irritadas. [Pl.: *caixões-de-defunto*. Cf. *caixão de defunto*.]

caixa-pregos. *S. m. 2 n. Bras.* V. *cafundó* (3): *Mora lá em caixa-pregos.*

caixa-preta. *S. f. Eletrôn. Gír.* Qualquer parte complexa de um circuito eletrônico que pode ser tratada como unidade autônoma completa. [Pl.: *caixas-pretas*.]

caixaria[1]. *S. f.* **1.** Grande porção de caixas. **2.** *Bras.* Lugar de depósito do açúcar em caixas (e depois em sacos), nos engenhos.

caixaria[2]. *S. f.* Profissão de caixeiro.

caixeirada. *S. f. 2 n. Deprec.* **1.** A classe dos caixeiros, dos balconistas. **2.** Conjunto de caixeiros. [Cf. *cacheirada*.]

caixeiragem. *S. f. Bras., PE.* A profissão de caixeiro (1).

caixeiral. *Adj. 2 g.* **1.** Relativo a, ou próprio de caixeiro (1). **2.** *Bras., RS.* Comercial (1).

caixeirar. *V. int. Bras.* Exercer a profissão de caixeiro (1).

caixeiro. [De *caixa* + *-eiro*.] *S. m.* **1.** Empregado em casa de comércio que vende ao balcão; balconista: "Teria um namorado, decerto o caixeiro da venda" (Ribeiro Couto, *Cabocla*, p. 25). **2.** Aquele que entrega a domicílio as mercadorias compradas; entregador. **3.** Operário que faz caixas. **4.** *Bras., PB* a *AL. Pop.* Pequena toalha para asseio depois das relações sexuais. [Fem.: *caixeira*. Cf. *cacheiro* e *cacheira*.]

caixeiro-viajante. *S. m.* Empregado que promove a venda dos produtos de um estabelecimento comercial em localidades não compreendidas na praça desse estabelecimento. [Tb. se diz apenas *viajante;* sin., bras.: *cometa* e *alabama*. Pl.: *caixeiros-viajantes*.]

caixeta (ê). [Dim. irreg. de *caixa*.] *S. f.* **1.** Caixa pequena [v. *caixa* (1)]. **2.** V. *caxeta*. **3.** Bras. Pequena fôrma de papel, de contorno pregueado, para acondicionar e servir docinhos em unidades individuais. [Pl.: *caixetas* (ê). Cf. *caxeta* (ê) e pl. *caxetas* (ê); *cacheta* (ê) e pl. *cachetas* (ê); e *cacheta, cachetas*, do v. *cachetar*.] ◆ **Caixeta de recepção.** *Art. Gráf.* Parte da rotativa onde se vão acumulando os exemplares impressos.

caixeta-amarela. *S. f. Bras.* V. *aguaizeiro.* [Pl.: *caixetas-amarelas*.]

caixilharia. *S. f.* Conjunto de caixilhos: "uma grande janela de sacada .... com a sua caixilharia feita à máquina" (Ramalho Ortigão, *As Farpas*, I, p. 49).

caixilho. [Dim. de *caixa*.] *S. m.* **1.** A parte de uma esquadria onde se fixam os vidros. **2.** Moldura (1).

caixinheira. [Do dim. de *caixa* + *-eira*.] *S. f. Bras., BA.* Vendedora de rendas e bicos de almofadas e outras miudezas, a qual carregava a sua mercadoria num pequeno baú de folha-de-flandres.

caixista. [De *caixa* + *-ista*.] *S. 2 g. Tip.* V. *compositor de cheio.*

caixola. [Dim. irreg. de *caixa*.] *S. f.* Caixa pequena [v. *caixa* (1)]. [Cf. *cachola*.]

caixotão. *S. m. Arquit.* Vão, geralmente quadrado e artesoado, entre o madeiramento de sustentação de tetos, ou entre as nervuras de lajes de teto.

caixotaria. *S. f.* **1.** Casa onde se fazem e/ou vendem caixotes. **2.** Fabricação de caixotes. **3.** Grande quantida-

de de caixotes.
caixote. [Dim. irreg. de *caixa*.] *S. m.* **1.** Caixa pequena [v. *caixa* (1)]. **2.** Caixa pequena e tosca. **3.** *Bras.* Caixa de madeira destinada a embalagem; caixa, caixão.
caixoteiro. *S. m.* Carpinteiro de caixas e caixotes.
caixotim. [Dim. de *caixote*.] *S. m. Tip.* **1.** Cada um dos compartimentos da caixa tipográfica: "Os compositores .... precipitavam os dedos nos c a i x o t i n s, enchendo os componedores com um trepidar metálico de gotas d'água em zinco." (Coelho Neto, *Turbilhão*, p. 9.) [Sin. (em PE): *cacifo*.] **2.** Caixeta onde ficam dispostas as matrizes manuais da linotipo e similares. ◆ **Caixotim de correção.** *Tip.* Caixa de emendas. **Caixotim do pastel.** *Tip.* Aquele onde o tipógrafo vai pondo os tipos danificados ou empastelados, para posterior destinação.
cajá. [Do tupi *aka'yá*.] *S. m. Bras.* **1.** O fruto da cajazeira; cajá-mirim, cajazinha, taperebá, tapiriba. **2.** V. *cajazeira*. **3.** V. *cajá-manga* (1 e 2).
cajá-açu. *S. m. Bras., RJ.* **1.** Árvore da família das anacardiáceas *(Spondias macrocarpa)*, própria da floresta atlântica, de folhas penadas, com 18 a 22 folíolos subsésseis, oblongo-lanceolados, crenados e pilosos, flores pequeninas, esbranquiçadas e dispostas em panículas densas, e cujos frutos, drupas ovóides, não são utilizados. **2.** O fruto dessa árvore. [Sin. ger.: *taperebá-açu*. Pl.: *cajás-açus*.]
cajadada. *S. f.* Pancada com cajado.
cajado. [Do lat. vulg. hispânico **cajatu*, der. de *caja*, 'pau, bordão'.] *S. m.* **1.** Bordão de pastor, com a extremidade superior arqueada. **2.** *P. ext.* V. *bordão*[1] (1).
cajaléu. *S. m. Bras.* V. *voador*[1] (5).
cajá-manga. *S. m. Bras.* **1.** Árvore da família das anacardiáceas *(Spondias dulcis)*, originária das ilhas da Sociedade (Oceânia), e muito cultivada graças aos frutos comestíveis. Folhas constituídas de muitos folíolos; as flores muito pequenas, organizadas em panículas; os frutos são grandes drupas amarelas, de polpa saborosa, e cujo caroço apresenta numerosas pontas duras. **2.** O fruto dessa árvore. [Sin. ger.: *cajá, cajarana, taperebá-do-sertão*. Pl.: *cajás-mangas* e *cajás-manga*.]
cajá-mirim. *S. m. Bras.* **1.** V. *cajazeira*. **2.** V. *cajá* (1). [Pl.: *cajás-mirins*.]
cajapioense (ò). *Adj. 2. g.* **1.** De, ou pertencente ou relativo a Cajapió (MA). ● *S.* 2 *g.* **2.** Natural ou habitante de Cajapió.
cajarana (já). [De *cajá* + *-rana*.] *S. f. Bras.* V. *cajá-manga*.
cajariense. *Adj. 2. g.* **1.** De, ou pertencente ou relativo a Cajari (MA). ● *S. 2 g.* **2.** Natural ou habitante de Cajari.
cajaro. *S. m. Bras.* V. *pirarara*.
cajati. [De possível or. tupi.] *S. m.* Bras. Árvore da família das lauráceas *(Cryptocarya mandiocana)*, que habita a floresta atlântica, de folhas coriáceas e oblongas, flores muito pequenas e arranjadas em curtas inflorescências e frutos muito aromáticos. A madeira é amarela e de odor agradável.
cajazeira (jà). *S. f. Bras.* Árvore da família das anacardiáceas (*Spondias lutea*), muito freqüente nas várzeas e nas matas de terra firme argilosa do Amazonas, folhas compostas de muitos folíolos oblongos, flores insignificantes e agregadas em inflorescências racemosas, e cujo fruto é uma drupa elipsóide amarela, aromática, muito sucosa e fortemente azeda, própria para refrescos e sorvetes. [F. paral.: *cajazeiro;* sin.: *cajá, cajá-mirim, cajazinha* e *taperebá*.]
cajazeirense (jà). *Adj. 2 g.* **1.** De, ou pertencente ou relativo a Cajazeiras (PB). ● *S. 2 g.* **2.** Natural ou habitante de Cajazeiras.
cajazeiro (jà). *S. m. Bras.* V. *cajazeira*.
cajazinha. *S. f. Bras., Pl.* **1.** V. *cajá* (1). **2.** V. *cajazeira*.
cajetilha. [Do esp. plat. *cajetilla*.] *S. m. Bras., RS.* Rapaz da cidade, vestido no rigor da moda e um tanto presumido. [O *j* pronuncia-se com som velar, tal como no espanhol.]
cajila. *S. f. Bras., AM.* Ser ou coisa que traz boa sorte, que dá felicidade.
cajobiense. *Adj. 2 g.* **1.** De, ou pertencente ou relativo a Cajobi (SP). ● *S. 2 g.* **2.** Natural ou habitante de Cajobi.
caju[1]. [Do tupi *aka'yu*.] *S. m. Bras.* **1.** Pedicelo tuberizado, comestível, do fruto do cajueiro [q. v.]. **2.** Ano de existência: *Tem os seus c a j u s.* ◆ **De caju em caju.** *Bras.* De ano a ano.
caju[2]. [Do top. *Ponta do Caju*.] *S. m. Bras., RJ.* Vento forte de N.O., prenunciador de mudança de tempo, que sopra eventualmente na Baía de Guanabara (RJ).
cajuaçu. [De *caju* + *-açu*.] *S. m. Bras.* **1.** Árvore da família das anacardiáceas (*Anacardium giganteum*), de folhas amplas e obovadas, e flores muito pequenas e inaparentes. Os frutos, de tamanho menor que o usual dos cajus, são vermelho-escuros, suavemente perfumados, de sabor ácido, servem para preparar um refresco vermelho e agradável, e sua casca encerra tanino. Ocorre na floresta pluvial em toda a Amazônia. **2.** O fruto dessa árvore. [Sin. ger.: *caju-do-mato*.]
cajuada. *S. f. Bras.* **1.** Refresco feito com o suco do caju (1). **2.** Doce de caju (1). **3.** *Fig.* Confusão, tumulto, balbúrdia.
cajual. *S. m. Bras.* Quantidade mais ou menos considerável de cajueiros dispostos proximamente entre si; cajueiral.
caju-amigo. *S. m. Bras. Pop.* **1.** Uma dose de cachaça e outra de suco de caju[1] (1) tomadas alternadamente. **2.** A bebida assim tomada. **3.** *P. ext.* Reunião em que se serve, principalmente, o caju-amigo. [Pl.: *cajus-amigos*.]
cajubi. [Do tupi *kauy'bi*, 'folha verde' (azul).] *S. m. Bras., Amaz.* V. *cujubim*. [Cf. *Cajobi*, top.]
cajubim. *S. m. Bras., Amaz.* V. *cujubim*.
cajuçara. [Do tupi *ka'á*, 'folha', + *yu'sara*, 'comichão'.] *S. m. Bras., PA.* Arbusto da família das euforbiáceas (*Croton cajuçara*), que atinge 6m de altura, de folhas lanceoladas, agudamente acuminadas, membranáceas, com dúas glândulas no pecíolo e pêlos estrelados esparsos, flores minutas unissexuais, e arrumadas em racemos pubescentes e terminais, e frutos tricocos.
caju-do-mato. *S. m. Bras.* Cajuaçu. [Cf. *cajueiro-do-mato*. Pl.: *cajus-do-mato*.]
cajueiral. *S. m. Bras.* Cajual.
cajueiro. *S. m.* **1.** *Bras.* Árvore da família das anacardiáceas (*Anacardium occidentalis*), de folhas grandes, coriáceas, obovadas ou oblongas, flores minutas, reunidas em amplas inflorescências bastante frouxas, e muito cultivada para obtenção do fruto, chamado vulgarmente *castanha*, uma noz que contém um óleo muito cáustico e uma amêndoa que, torrada, é apreciadíssima por seu sabor. A parte comestível, erroneamente considerada como fruto, é o caju, com o qual se preparam doces e bebidas. [Var.: *cajuzeiro*.] **2.** *Bras., MA. Folcl.* A última parte do lelê[3], já dançado ao amanhecer, quando os brincantes saúdam os músicos, o dono da casa e as pessoas presentes, desenvolvendo uma coreografia variada, com evoluções denominadas *juntar as castanhas* e *entregar o caju*. **3.** *Bras., CE. Pop.* V. *avaro* (3).
cajueiro-bravo. *S. m.* **1.** *Bras., Guianas a MG, MT* e *GO.* V. *sambaíba-de-minas-gerais*. **2.** *Bras.* V. *cauaçu* (3). [Pl.: *cajueiros-bravos*.]
cajueiro-bravo-do-campo. *S. m. Bras.* V. *sambaíba-de-minas-gerais*. [Pl.: *cajueiros-bravos-do-campo*.]
cajueiro-do-campo. *S. m. Bras., C.O.* Designação comum a duas espécies de subarbustos da família das anacardiáceas (*Anacardium pumilum* e *A. nanum*), muito espalhadas pelos cerrados, de folhas e flores semelhantes às do cajueiro comum, porém de frutos bem menores e mais ácidos. [Pl.: *cajueiros-do-campo*.]
cajueiro-do-mato. *S. m. Bras.* V. *sambaíba-de-minas-gerais*. [Cf. *caju-do-mato*. Pl.: *cajueiros-do-mato*.]
cajueiro-japonês. *S. m. Bras.* Árvore da família das ramnáceas (*Hovenia dulcis*), originária da Ásia, que às vezes é cultivada como frutífera e se caracteriza pela tuberização dos pedúnculos florais, cheios de um suco verde. [Pl.: *cajueiros-japoneses*.]
cajuí. [Do tupi *akayu'i*, 'caju pequeno'.] *S. m. Bras.* Planta da família das anacardiáceas (*Anacardium microcarpum* Ducke).
cajuína. *S. f. Bras.* Vinho feito de caju.
cajurana. [Do tupi *akayu'rana*, 'semelhante ao caju' (nas folhas).] *S. f. Bras., AM.* Arvoreta da família das simarubáceas (*Simaba guianensis*), de folhas com muitos folíolos coriáceos, flores insignificantes e inaparentes, madeira amarelo-clara, leve, macia e fácil de trabalhar, usada em marcenaria e para fazer polpa celulótica. Habita as matas das margens dos lagos.
cajuru. *S. m. Bras., SP. Folcl.* A última volta, e a mais importante, na dança da festa de S. Gonçalo Violeiro.
cajuruense[1]. *Adj. 2 g.* **1.** De, ou pertencente ou relativo a Cajuru (SP). ● *S. 2 g.* **2.** Natural ou habitante de Cajuru.
cajuruense[2]. *Adj. 2 g.* **1.** De, ou pertencente ou relativo a Carmo do Cajuru (MG). ● *S. 2 g.* **2.** Natural ou habitante de Carmo do Cajuru.
cajuzeiro. *S. m. Bras.* V. *cajueiro* (1).
cal[1]. *S. f.* **1.** Substância branca, grosseiramente granulada, obtida pela calcinação do carbonato de cálcio e usada em argamassas, na indústria cerâmica e farmacêutica, na clarificação e desodorização de óleos. [É o óxido de cálcio com maior ou menor teor de impurezas. Fórm.: CaO.] **2.** Nome vulgar do hidróxido de cálcio, resultante da ação da água sobre o óxido de cálcio. [Fórm.: $Ca(OH)_2$. Pl.: *cales* e *cais*.] ◆ **Cal aérea.** V. *cal extinta*. **Cal apagada.** V. *cal extinta*. **Cal extinta.** A cal virgem que foi submetida à ação da água com a conseqüente transformação do óxido de cálcio em hidróxido; cal aérea, cal apagada. **Cal gorda.** Cal com elevado teor de óxido de cálcio, que reage rápida e energicamente com a água, dando massa muito ligante. [Cf. *cal magra*.] **Cal hidráulica.** Mistura de cal, sílica, alumínio e óxido de ferro, que dá pega mais ou menos rápida com a água. **Cal magra.** Cal com elevado teor de matéria impurificante (em geral mais do que 4%), resultante da calcinação de calcários magnesianos ou impuros, que reage lentamente com a água, dando massa pouco ligante. [Cf. *cal gorda*.] **Cal misturada.** V. *cal terçada*. **Cal sodada.** Mistura de cal com hidróxido de sódio, usada em diversos procedimentos químicos. **Cal terçada.** Mistura de uma parte de cal com três de areia, para formar argamassa; cal misturada, cal traçada. **Cal traçada.** V. *cal terçada*. **Cal virgem.** A que não sofreu a ação da água; cal viva. **Cal viva.** Cal virgem.
■ **Cal**[2]. *Fís.* Símb. de *caloria*.
cala[1]. [Pré-romano, decerto.] *S. f.* **1.** Pequena enseada entre rochedos. **2.** Abertura em fruto, queijo, etc., para prova; calado.
cala[2]. *S. f.* Erva da família das aráceas (*Calla aethiopica*), originária da África e muito cultivada pelo alto valor ornamental. Tem folhas grandes, largas, oblongas e herbáceas, e flores muito pequenas e unissexuais, reunidas numa espiga cilíndrica que se acha envolvida por grande bráctea nívea de excepcional beleza. [Sin.: *copo-de-leite*.]
cala[3]. [Dev. de *calar*[2] (1).] *S. f.* Corda de esparto para alar ou arrastar certas redes de pesca fixadas no calão[2].
cala[4]. [Dev. de *calar*[1] (1).] *S. f.* **1.** O fato de estar calado. **2.** Silêncio, calada.
cala[5]. *S. 2 g.* Pessoa velhaca, astuta.
calaariano. *Adj.* De, ou pertencente ou relativo ao deserto de Calaári (África do Sul).
calabaça[1]. [Do esp. *calabazo*.] *S. f.* **1.** V. *cabaceiro-amargoso*. **2.** V. *porongo*[1] (1 e 2).
calabaça[2]. *Bras. S. 2 g.* **1.** Indivíduo dos calabaças, tribo indígena que habitava as margens do rio Salgado, no CE. ● *Adj. 2 g.* **2.** Pertencente ou relativo a essa tribo.
calaboca (ô). [De *calar*[1] + *boca* (ô).] *S. m. Bras., MG. Pop.* Cacete grosso e curto.
calaboiço. *S. m.* V. de *calabouço*.
calabouço. [Do esp. *calabozo*.] *S. m.* **1.** Prisão subterrânea; cárcere: "Metiam-me em c a l a b o u ç o s, atavam-me correntes aos pés" (Luís Jardim, *As Confissões do Meu Tio Gonzaga*, p. 233). **2.** V. *cadeia* (3). **3.** *Fig.* Lugar úmido, sombrio. [Var.: *calaboiço*.]
calabre. [Do ant. norm. *caable*.] *S. m.* **1.** Corda grossa: "Diz Cristo que é mais fácil entrar um c a l a b r e pelo fundo de ũa agulha, que entrar um avarento no Reino do Céu" (Pe. Antônio Vieira, *Sermões*, II, p. 259). **2.** Amarra de cabo; cabre.
calabreada. *S. f.* Ato ou operação de calabrear.
calabrear. *V. t. d.* **1.** *Desus.* Adubar (vinhos), em geral adulterando-os. **2.** *P. ext.* Temperar, adubar. **3.** Confundir; misturar. **4.** Mudar para pior; perverter. *T. d.* e *i.* **5.** Mudar, transformar. [Conjug.: v. *frear*.]
calabrês. *Adj.* **1.** Da, ou pertencente ou relativo à Calábria (Itália). ● *S. m.* **2.** O natural ou habitante da Calábria. [Flex.: *calabresa* (ê), *calabreses* (ê), *calabresas* (ê).]
calabrote. [Dim. de *calabre*.] *S. m.* **1.** Corda de pequena grossura. **2.** *Marinh.* Cabo[2] (6) de pequena bitola: "Atrás dos soldados chegaram marujos a .... brandir c a l a b r o t e s e chuços" (Xavier Marques, *O Sargento Pedro*, p. 135).
calabroteado. [Part. de *calabrotear*.] *Adj. Marinh.* ~ V. *cabo* —.
calabrotear. *V. Int. Marinh.* Formar um cabo[2] (6) cochando entre si três cabos de massa. [Conjug.: v. *frear*.]
calabura. *S. f. Bras., AM.* Árvore da família das tiliáceas *(Muntingia calabura)*, que habita as várzeas e os terrenos argilosos do Amazonas, e notável pelo fato de, quando se lhe rompe com violência um pedaço da casca, as fibras tomarem o aspecto de uma renda de seda. Os frutos são bagas vermelhas, doces e comestíveis, e a madeira é leve e serve para fazer tonéis. [Sin.: *pau-de-seda*.]
calaçaria. *S. f.* **1.** Ociosidade, indolência, mandriice, preguiça: "A narrativa o arrancara de chofre àquela c a l a ç a r i a monótona em que jazia, bem nutrido, dormindo noites sem cuidado, passando dias sem trabalho nem preocupações" (Inglês de Sousa, *O Missionário*, p. 362). **2.** *Bras., S.* Grupo de calaceiros.

calacear. *V. int.* Viver na ociosidade, na calaçaria, ou à custa de outrem; mandriar, preguiçar. [Conjug.: v. *frear.*]

calaceirice. *S. f.* Qualidade ou procedimento de calaceiro.

calaceiro. *S. m.* Mandrião, preguiçoso, vadio.

calacre. *S. m. Prov. port.* **1.** Dívida não paga; calote; **2.** Apuros em matéria de dinheiro.

calada. [Fem. substantivado de *calado*[3].] *S. f.* **1.** Cessação de ruído; silêncio total; cala: *Na calada da noite os ladrões assaltaram a joalheria;* "só o eco / De sua voz lhe responde / Na calada / Da alta noite" (Manuel Bandeira, *Estrela da Vida Inteira*, p. 254). **2.** *Bras., BA.* Na região ribeirinha do São Francisco, calmaria que indica temporal próximo. ♦ **Pelas caladas. 1.** Às escondidas, às ocultas, a ocultas. **2.** Sem ruído; em silêncio.

caladão. *Adj.* e *s. m.* Diz-se de, ou indivíduo muito calado, de pouca conversa; quietarrão. [Fem.: *caladona*. Cf. *calado*[3].]

calado[1]. *S. m. Constr. Nav.* **1.** Distância vertical entre a superfície da água em que a embarcação flutua e a face inferior da sua quilha. **2.** Profundidade mínima de água necessária para a embarcação flutuar; calado-d'água.

calado[2]. [Part. substantivado de *calar*[2] (1).] *S. m.* Cala[1] (2).

calado[3]. [Part. de *calar*[1].] *Adj.* **1.** Diz-se do indivíduo que não fala, ou que fala pouco; silencioso. ~ V. *missa —a.* ● *S. m.* **2.** Indivíduo calado. **3.** Silêncio (1).[Cf. *caladão.*] ♦ **Dar o calado como resposta.** *Bras.* Nada responder.

calado[4]. [Part. de *calar*[3] (3).] *Adj.* ~ V. *baioneta —a.*

calado-d'água. *S. m. Constr. Nav.* Calado[1] (2). [Pl.: *calados-d'água.*]

caladona. *Adj. (f.)* e *s. f.* Fem. de *caladão.*

caladura. *S. f.* Ato ou efeito de calar[2].

calafanje. *S. m. Bras.* Homem ordinário, reles, desprezível.

calafate. [Do gr. tardio *kalapháte*s ou, talvez, dev. de *calafatar*, ant. f. de *calafetar.*] *S. m.* **1.** Indivíduo cujo ofício é calafetar. **2.** Pássaro indiano fringilídeo. **3.** Planta berberidácea (*Berberis ruscifolia* Lam.); calafate-da-patagônia. **4.** Certo peixe da costa de Angola. **5.** *Bras., RJ.* Vento leste que às vezes sopra nas costas do estado.

calafate-da-patagônia. *S. m.* Calafate (3). [Pl. *calafates-da-patagônia.*]

calafetação. *S. f.* V. *calafetagem* (1).

calafetado. [Part. de *calafetado.*] *Adj.* Que se calafetou; em que se fez calafetagem.

calafetador (ô). *S. m.* **1.** Instrumento que se usa para calafetar. **2.** Abetumador.

calafetagem. *S. f.* **1.** Ato ou efeito de calafetar; calafetação, calafetamento. **2.** Estopa ou outra substância com que se calafeta; calafeto.

calafetamento. *S. m.* V. *calafetagem* (1).

calafetar. [Do cat. *calafatar*, pelo esp. ant. *calafetar.*] *V. t. d.* **1.** Vedar com estopa alcatroada (as junturas, buracos ou fendas de uma embarcação). **2.** Tapar, vedar com pano, papel, massa, etc. (fenda ou buraco de tonéis, assoalhos, tabiques, etc.). **3.** Tapar ou vedar as fendas ou buracos de: *Calafetou as janelas para que não passasse o ar frio.* [Pres. ind.: *calafeto*, etc. Cf. *calafeto* (ê).]

calafeto (ê). [Dev. de *calafetar.*] *S. m.* Calafetagem (2). [Pl.: *calafetos* (ê). Cf. *calafeto*, do v. *calafetar.*]

calafriado. [De *calafrio* + *-ado*[1].] *Adj. Bras.* Que sente calafrio.

calafrio. [Var., por assimilação, da f. ant. e pop. *calefrio*, composta de dois elementos de sentidos opostos (à maneira de *vaivém*), o primeiro proveniente da raiz de *calere*, 'esquentar'; e o segundo de *frigidu*, 'frio'; ou seja *quente* e *frio.*] *S. m.* **1.** *Med.* Contração involuntária dos músculos voluntários, acompanhada de palidez cutânea e sensação de frio: "Reconheceu logo o filho mais velho do seu primitivo senhor, e um calafrio percorreu-lhe o corpo." (Aluísio Azevedo, *O Cortiço*, p. 353.) [Sin., pop.: *arrepio.*] **2.** Tremor e bater de dentes, com frio, antes de um acesso febril. [Var. (ant. e pop.): *escalafrio.*]

calagem[1]. *S. f.* Operação de adubar ou corrigir o solo com cal.

calagem[2]. *S. f. Astr.* Ato de colocar um instrumento em posição conveniente para a observação de um astro.

calaim (a-ím). *S. m.* Calim[1].

calamar. [Do it. dialetal *calamaro* (calamaio).] *S. m.* Lula.

calamariácea. *S. f.* V. *calamitácea.*

calamariáceas. *S. f. pl. Paleob.* V. *calamitáceas.*

calamariáceo. *Adj.* V. *calamitáceo.*

calambauense. *Adj. 2 g.* **1.** De, ou pertencente ou relativo a Calambau (MG). ● *S. 2 g.* **2.** Natural ou habitante de Calambau.

▲calam(i)-. [Do lat. *calamus, i.*] *El. comp.* = 'colmo'; 'pena': *calamiforme; calamídeo.*

calamidade. [Do lat. *calamitate.*] *S. f.* **1.** Desgraça pública; catástrofe, flagelo: "É a Guerra aquela calamidade composta de todas as calamidades, em que não há mal algum, que ou se não padeça, ou se não tema" (P.[e] Antônio Vieira, *Sermões*, XIV, p. 9). **2.** Grande desgraça; infelicidade, infortúnio: *A morte do pai foi para ela uma calamidade.* **3.** *Fam.* Coisa ou pessoa caracterizada por defeito(s) ou inconveniente(s): *O tráfego no Rio é uma calamidade; Rubião, com aquela verborragia, é uma calamidade.*

calamídeo. [De *calam(i)-* + *-ídeo.*] *Adj.* Que tem a forma de pena.

calamífero. [De *calam(i)-* + *-fero.*] *Adj. Bot.* Que tem colmo.

calamiforme. [De *calam(i)-* + *-forme.*] *Adj. 2 g. Bot.* Diz-se dos caules ou ramos que se parecem ao colmo das gramíneas.

calamina. [Do b.-lat. *calamina*, alter. de *cadmia.*] *S. f.* Mineral ortorrômbico, silicato básico de zinco; hemimorfita.

calamistrado. [Do lat. *calamistratu.*] *Adj.* Que tem o cabelo crespo, frisado.

calamistrar. [De *calamistro* + *-ar*[2].] *V. t. d.* Tornar crespo, frisar (o cabelo); encalamistrar.

calamistro. [Do lat. *calamistru.*] *S. m. Desus.* Ferro de frisar o cabelo.

calamita. [Do lat. *calamita.*] *S. f. Farm.* Espécie de estoraque (4). [Cf. *calamite.*]

calamitácea. *S. f.* Espécime das calamitáceas; calamariácea, calamodendrácea.

calamitáceas. *S. f. pl. Paleob.* Família de vegetais extintos, que assumiram grande desenvolvimento no período devoniano e tinham aspecto semelhante a uma cavalinha gigantesca. [Sin.: *calamariáceas, calamodendráceas.*]

calamitáceo. *Adj.* Pertencente ou relativo às calamitáceas; calamariáceo, calamodendráceo.

calamite. *S. f.* Planta fóssil dos terrenos carboníferos. [Cf. *calamita.*]

calamitoso (ô). [Do lat. *calamitosu.*] *Adj.* Que traz, ou em que há calamidade; infeliz, funesto, catastrófico.

cálamo. [Do gr. *kálamos*, pelo lat. *calamu.*] *S. m.* **1.** Caule das gramíneas e doutras plantas. **2.** Pedaço de cana ou caniço talhado em ponta, apincelado ou rachada, outrora usado como instrumento de escrita em papiro, pergaminho, etc. **3.** *Fig.* Estilo (2) escrito; pena. **4.** *Fig.* e *poét.* Flauta (1). **5.** V. *ácoro.* [Pl.: *cálamos.* Cf. *calamos*, do v. *calar.*]

cálamo-aromático. *S. m.* V. *ácoro.* [Pl.: *cálamos aromáticos.*]

calamocada. *S. f.* **1.** *Pleb.* Pancada na cabeça. **2.** *Fig.* Dano, prejuízo.

calamocar. *V. t. d. Pleb.* Bater na cabeça de; ferir. [Conjug.: v. *trancar.*]

calamodendrácea. *S. f.* V. *calamitácea.*

calamodendráceas. *S. f. pl. Paleob.* V. *calamitáceas.*

calamodendráceo. *Adj.* V. *calamitáceo.*

calamofitácea. *S. f.* Espécime das calamofitáceas.

calamofitáceas. *S. f. pl. Paleob.* Família de fetos articulados fósseis, providos de caule repetidamente bifurcado e de folhas cuneiformes, bífidas.

calamofitáceo. *Adj.* Pertencente ou relativo às calamofitáceas.

calândar. *S. m.* Calênder. [Pl.: *calândares.*]

calandra[1]. [Do provenç. *calandra.*] *S. f.* **1.** *Ind. Pap.* Conjunto vertical de cilindros de aço (usualmente cinco), situado no fim da parte seca da máquina contínua, e destinado a fechar os poros e alisar o papel, que entre eles passa em tira sem fim; calandra lisa, lisa, acetinadeira. [V. *supercalandra.*] **2.** Máquina para lustrar tecidos, etc. **3.** Máquina para curvar e desempenar chapas. ♦ **Calandra lisa.** *Ind. Pap.* V. *calandra* (1).

calandra[2]. *S. f.* V. *calhandra.*

calandrado. [Part. de *calandrar.*] *Adj.* ~ V. *papel —.*

calandragem. *S. f.* Ato, operação ou efeito de calandrar.

calandrar. *V. t. d.* **1.** *Ind. Pap.* Acetinar na calandra; cilindrar, **2.** *Tip.* Matizar na calandra. [Cf. *acetinar* (2).]

calandreiro. *S. m. Ind. Pap.* Acetinador que trabalha na calandra; calandrista. [Cf. *acetinador.*]

calandrini. [Do antr. *Calandrini*, de um botânico suíço (1703-1758).] *S. f. Bras.* Erva da família das gramíneas (*Dactyloctenium oegyptium*), que vive em terrenos arenosos à volta das habitações. É um capim baixo, rasteiro, que serve de forragem para cavalos e de grama para jardins.

calandrínia. *S. f.* Erva da família das portulacáceas (*Calandrinia umbellata*), originária do Peru, de folhas lineares e pilosas, flores violáceas, brilhantes, dispostas em corimbos, e frutos capsulares. Medra em lugares ensolarados, é cultivada para fins ornamentais, e alcança de 10 a 15cm de altura.

calandrista. *S. 2 g.* **1.** *Tip.* Estereotipista que matriza em calandra. **2.** *Ind. Pap.* Calandreiro.]

calango. [Do quimb. *kalanga.*] *S. m.* **1.** *Bras.* Designação comum a vários reptis lacertílios da família dos teídeos, principalmente os de pequeno porte, *Cnemidophorus* Wagl., *Arthroseps* Boul., *Colobosaura* Boul. e outros, que vivem geralmente no solo, na terra ou em pedreiras, alimentando-se de pequenos artrópodes ou vermes. **2.** *Bras.* Designação comum a alguns iguanídeos pequenos. **3** *Bras. Pop.* O bíceps. **4.** *Bras.* Membro de um grupo de salteadores que invadiram o CE entre 1873 e 1880. **5.** *Bras., PA. Pop.* V. *mata-cachorro* (2). **6.** *Bras., N.E.* V. *peixe-lagarto.* **7.** *Bras., SP. Pop.* Bezerro novo, pequeno, [Var. (não us. na 5ª acepç.): *calangro.*] **8.** *Bras.* Versão mineira do coco de embolada, originário de AL.

calangro. *S. m. Bras.* Var. de *calango* [q. v.].

calanguear. [De *calango* + *-ear.*] *V. int. Bras., MG.* Cantar no estilo do calango (8). [Conjug.: v. *frear.*]

calangueiro. *S. m. Bras., MG.* Aquele que canta ou tira calango (8).

calão[1]. [Do cigano *caló*, atr. do esp. *caló.*] *S. m.* Gíria (1) caracterizada pelo uso de termos baixos e grosseiros. ♦ **Baixo calão.** Palavra ou expressão grosseira ou obscena.

calão[2]. *S. m.* **1.** Embarcação comprida e larga, usada especialmente na pesca do atum. **2.** Telha grande, usada para revestir o fundo de regos de água. **3.** *Bras.* Pedaço de pau roliço, nas extremidades do qual se suspendem os objetos que se devem transportar ao ombro. **4.** *Bras.* Vara curta que se amarra de cada lado da rede de pesca. **5.** *Bras.* Rede de pesca com três lados retos e um curvo, e munida de pesos.

calapalo. *Bras. S. 2 g.* **1.** Indivíduo dos calapalos, tribo indígena caraíba da região dos formadores do Xingu. ● *Adj. 2 g.* **2** Pertencente ou relativo a essa tribo.

calapídeo. *S. m.* **1.** Espécime dos calapídeos. ● *Adj.* **2.** Pertencente ou relativo a eles.

calapídeos. *S. m. pl. Zool.* Família de crustáceos com a carapaça arredondada na parte anterior, pinças grandes, e que habitam os mares quentes e temperados.

calar[1]. [Do gr. *chalâ*, 'fazer baixar', pelo lat. vulg. **callare*, 'baixar'.] *V. int.* **1.** Estar em silêncio; não falar: "Ouve, vê e cala, viverás vida folgada" (prov.). **2.** Cessar de falar; emudecer; calar-se: "Calei-me. / Quem cala consente." (Artur Azevedo, *Contos Possíveis*, p. 5.) **3.** Não divulgar o que sabe; emudecer: *Embora torturados, os prisioneiros calaram.* **4.** Não ter voz ativa: *É digno de pena: cala de todo, perante a mulher.* **5.** Deixar de fazer som ou ruído; calar-se: *O violão calou e nada mais se ouviu no silêncio da noite. T. i.* **6.** Penetrar fundo; gravar: "O conceito do biógrafo de Manuel Jacinto Nogueira da Gama, Marquês de Baependi, e que tanto calou no espírito de Rio Branco, pode aplicar-se ao próprio Justiniano José da Rocha" (Elmano Cardim, *Justiniano José da Rocha*, p. 5). *P.* **7.** Cessar de falar; emudecer; calar: "— Ah! já sei: estás apaixonado! / Calei-me." (Artur Azevedo, *Contos Possíveis*, pp. 4-5.) **8.** Deixar de fazer som ou ruído; calar: "Quando ela fala, parece / Que a voz da brisa se cala" (Machado de Assis, *Poesias Completas*, p. 57). **9.** Cessar de manifestar-se: *Ao rever o amigo, sentiu calar-se a sua mágoa. T. d.* **10.** Impor silêncio a; fazer calar: *Debalde quiseram calar os manifestantes.* **11.** Não dizer; ocultar: *Embora provocado, calou a sua raiva.* **12.** Impedir a manifestação de; abafar: *Só a muito custo calou os seus escrúpulos.* [Pres. ind.: *calo, calas, cala, calamos*, etc.; pres. subj.: *cale, cales*, etc. Cf. *cálamos*, pl. de *cálamo; cáli*, s. m., pl. *cális;* e *cálix*, s. m.]

calar[2]. [Do gr. *chalân*, 'soltar, baixar', pelo lat. *chalare* e pelo esp. *calar.*] *V. t. d. Ant.* **1.** Abaixar, abater, arriar: *calar os mastros; Calou a viseira.* **2.** Tirar dos reparos, apear (a artilharia). [Pres. ind: *calo, calas, calamos*, etc.; pres. subj.: *cale, cales*, etc. Cf. *cálamos*, pl. de *cálamo; cáli*, s. m., pl. *cális;* e *cálix*, s. m.]

calar[3]. [Do esp. *calar.*] *V. t. d.* **1.** Abrir cala[1] (2) em (frutos). **2.** Encaixar (a baioneta) no fuzil. **3.** *Mar.* Colocar (o leme) no seu lugar. [Pres. ind.: *calo, calas, cala, calamos*, etc.; pres. subj.: *cale, cales*, etc. Cf. *cálamos*, pl. de *cálamo; cáli*, s. m. pl. *cális;* e *cálix*, s. m.]

▲calas-. [Do gr. *chálasis, eos.*] *El. comp.* = 'relaxamento': *calasia*.

calasia. [Do gr. *chálasis*, 'relaxamento', + *-ia*.] *S. f. Patol.* **1.** Ato de separar a córnea da esclerótica. **2.** Relaxamento de um esfíncter corporal, como, p. ex., a cárdia.

calastrogastro. *S. m.* **1.** Espécie dos calastrogastros. ● *Adj.* **2.** Pertencente ou relativo a eles. [Sin. ger.: *sinfito, sessiliventre, fitófago, bombóptero*.]

calastrogastros. *S. m. pl. Zool.* Inseto da ordem dos himenópteros, subordem *Chalastrogastra*. Abdome ligado ao tórax sem afilamento ou pecíolo; larva em forma de lagarta, provida de pernas, alimentando-se de plantas. [Sin.: *sinfitos, sessiliventres, fitófagos, bombópteros*.]

calátide. [Do gr. *kalathidos*, 'cestinho'.] *S. f. Morfol. Veg.* V. *capítulo* (5).

calaveira. [Do esp. plat. *calavera*.] *S. m. Bras., S.* V. *vagabundo* (7).

calaveirada. [Do esp. plat. *calaverada*.] *S. f. Bras., S.* **1.** Procedimento de calaveira; velhacada, calote. **2.** Vagabundagem, vadiagem.

calaza. [Do gr. *chaláza*, 'granizo'.] *S. f.* **1.** *Bot.* Base da nucela do óvulo, onde termina o feixe vascular que veio através do funículo. **2.** *Zool.* Membrana albuminosa espessa que, no ovo das aves, liga a gema a cada um dos dois pólos do ovo.

calazal. *Adj. 2 g.* Relativo a calaza.

calazar. *S. m. Patol.* Moléstia tropical provocada pela *Leishmania donovani*, e existente, sobretudo nas costas do Mediterrâneo, África Ocidental, na Mesopotâmia, Índia, norte da China, e no Brasil; leishmaniose visceral.

calázio. [Do gr. *chalázion*, pelo lat. *chalazion*.] *S. m. Patol.* Pequeno tumor no bordo livre das pálpebras.

▲**calazo-.** [Do gr. *chaláza*, *es*.] *El. comp.* = 'calaza': *calazogamia*.

calazogamia. [De *calazo-* + *-gam(o)-* + *-ia*.] *S. f. Bot.* Penetração do tubo polínico no óvulo através da calaza. [Opõe-se a *porogamia*.]

calazogâmico. *Adj.* Relativo à calazogamia.

calazógamo. [De *calazo-* + *-gamo*.] *Adj. Bot.* Diz-se do vegetal em que a fecundação se processa por calazogamia.

calca. [Dev. de *calcar*.] *S. f.* V. *calcadura*.

calça. [Do lat. **calcea*.] *S. f.* **1.** Ant. Meia ou malha que cobria as pernas. **2.** Peça externa do vestuário tanto masculino quanto feminino, que parte da cintura, ou de logo abaixo dela, e, contornando o corpo, se fecha no centro junto às virilhas, dividindo-se em duas partes, que irão contornar e cobrir separadamente as pernas, descendo, por via de regra, até os tornozelos. **3.** Peça interna do vestuário feminino semelhante à anterior, mas que parte da cintura ou dos quadris, indo apenas até às virilhas ou às coxas; calcinha, calcinhas. [Sin. (no N.E.), nesta acepç.: *calçolas*. M. us. no pl. nas acepç. 2 e 3. Cf. *biquíni* (2).] **4.** Atilho que se põe nas pernas das galinhas e doutros pequenos animais domésticos para distingui-los dos alheios. ~ V. *calças*. ◆ **Calça meia-coronha.** *Bras., N.E. Pop.* V. *calça pesca-siri*. [Tb. se diz apenas *meia-coronha*.] **Calça pega-frango.** *Bras., MG. Pop.* V. *calça pesca-siri*. [Tb. se diz apenas *pega-frango*.] **Calça pega-marreco.** *Bras., N.* e *N.E. Pop.* V. *calça pega-siri*. [Tb. se diz apenas *pega-marreco*.] **Calça pesca-siri.** *Bras. Pop.* Calça (2) muito curta; calça meia-coronha, calça pega-frango, calça pega-marreco. [Tb. se diz apenas *pesca-siri*.] **Usar calças.** *Bras. Pop. e fam.* Ser másculo e valente: *Não me insulte, que eu uso calças*.

calça-curta. *S. m. Bras. Pop.* Marido dominado pela mulher. [Sin., no CE: *barriga-branca*. Pl.: *calças-curtas*.]

calçada. [Do provenç. *calsada*.] *S. f.* **1.** Caminho ou rua revestida de pedras. **2.** *Bras.* Caminho pavimentado para pedestres, quase sempre mais alto que a parte da rua destinada aos veículos, e geralmente limitado pelo meio-fio; passeio. **3.** *Bras.* Faixa pavimentada em torno de edifícios, junto às paredes, para evitar a penetração de umidade nos alicerces ou no subsolo.

calçadão. [Aum. de *calçada*.] *S. m. Bras.* Calçada ou passeio extenso e excepcionalmente largo, de belo efeito urbanístico: *os calçadões da Avenida Atlântica [Rio de Janeiro, RJ]*.

calcadeira. *S. f.* Pau com que os moleiros calcam a farinha nos sacos.

calçadeira. *S. f.* Utensílio com que se facilita calçar os sapatos, etc.; descalçadeira, descalçador.

calçadense. *Adj. 2 g.* **1.** De, ou pertencente ou relativo a São José do Calçado (ES). ● *S. 2 g.* **2.** Natural ou habitante de São José do Calçado.

calçadista. *S. 2 g. Bras.* Fabricante de calçados: "segundo o industrial, 'o preço do couro se tornou proibitivo e está estrangulando os calçadistas e curtumeiros ....'" (*Jornal do Brasil*, 19.2.1979).

calcado. [Part. de *calcar*.] *Adj.* **1.** Que se calcou; comprimido. **2.** Acalcanhado (1).

calçado. [Part. de *calçar*.] *Adj.* **1.** Diz-se de terreno, rua, etc., que se calçou ou pavimentou. **2.** Diz-se dos animais que têm as patas de cor diferente da do resto do corpo. ● *S. m.* **3.** Toda peça de vestuário, feita, em geral, de couro, que serve para cobrir e proteger exteriormente os pés. [Sin. (bras., pop.), nesta acepç.: *calcante*.]

calcadoiro. *S. m.* Calcadouro [q. v.].

calcador (ô). *Adj.* **1.** Que calca. ● *S. m.* **2.** Aquele que calca. **3.** Peça das máquinas de costura com a qual se segura o tecido que se cose. **4.** *Art. Gráf.* Peça que prende o papel ou papelão durante o corte, na guilhotina ou no tesourão; balancim.

calcadouro. [Var. de *calcadoiro*.] *S. m.* **1.** Lugar onde se calca. **2.** Eira para debulha de cereais. **3.** Cereais que estão na eira por debulhar. **4.** Ato de calcar repetidamente.

calcadura. *S. f.* Ato ou efeito de calcar; calcamento, calca.

calça-fecho (fê). [De *calçar* + *fecho*?] *S. m. Bras., S. Pop.* V. *vagabundo* (7). [Pl.: *calça-fechos*.]

calça-foice. [De *calçar* + *foice*?] *S. m. Bras., S. Pop.* V. *vagabundo* (7). [Pl.: *calça-foices*.]

calcamento. *S. m.* V. *calcadura*.

calçamento. *S. m.* **1.** Ato ou efeito de calçar. **2.** Pavimentação de terrenos, ruas, etc., com pedras, asfalto, concreto, etc.

calcâneo. [Do lat. *calcaneu*.] *Adj.* **1.** Relativo ao calcanhar. ~ V. *osso* —. ● *S. m.* **2.** *Anat.* Osso calcâneo.

calcanha. *S. f. Bras.* Mulher que varre os engenhos de açúcar.

calcanhar. *S. m.* **1.** A parte posterior do pé, cuja estrutura óssea é formada pelo calcâneo; coice. **2.** Parte do calçado correspondente a essa parte do pé; tacão. **3.** *Constr. Nav.* Saliência para ré, que alguns navios apresentam na junção do cadaste com a quilha. ◆ **Dar aos calcanhares.** *Pop.* V. *fugir* (1 e 2).

calcanhar-de-aquiles. *S. m.* Lado ou aspecto, seja físico, moral ou intelectual, por onde alguém é vulnerável; ponto fraco: *A matemática é o seu calcanhar-de-aquiles; Inteligentíssimo, o caráter é o seu calcanhar-de-aquiles; É linda, mas as pernas finas são o seu calcanhar-de-aquiles*. [Pl.: *calcanhares-de-aquiles*.]

calcanhar-de-judas. *S. m. Bras.* V. *cafundó* (3). [Pl.: *calcanhares-de-judas*.]

calcanheira. [De *calcanh(ar)* + *-eira*.] *S. f. Bras., BA. Folcl.* Golpe de capoeira, em que se atinge o corpo do adversário com o calcanhar.

calcante. [Do lat. *calcante*.] *Adj. 2 g.* **1.** Que calca. ● *S. m.* **2.** *Pop.* O pé. **3.** *Bras. Pop.* Calçado (3). [Tb. us. no pl.] ◆ **No calcante.** *Bras. Gír.* A pé.

calcantes. [Pl. de *calcante*.] *Adj. 2 g.* e *s. m.* Calcante.

calção. [Aum. de *calça*.] *S. m.* **1.** *Ant.* Calça (2) curta e entufada que ia da cintura às virilhas, depois até o meio da coxa, por fim até o joelho. **2.** Calça (2) curta, um tanto larga, em geral com as bocas e a cintura ajustadas por um elástico. **3.** Calça (2 de bocas um tanto largas, que não ultrapassa o meio da coxa. [Sin.: *shorts* (ingl.).] ◆ **Calção de banho.** Calça (2) para uso masculino, de fazenda ou de malha, em geral ajustado ao corpo, e que ultrapassa um pouco as virilhas.

calção-de-coiro. *S. m. Bras.* Calção-de-couro. [Pl.: *calções-de-coiro*.]

calção-de-couro. [Var. de *calção-de-coiro*.] *S. m. Bras.* Indivíduo valente e pertinaz. [Pl.: *calções-de-couro*.]

calção-de-velho. *S. m. Bras., SP.* V. *verbasco* (2). [Pl.: *calções-de-velho*.]

calcar[1]. *S. m. Bot.* Espora que se encontra no cálice ou na corola, e constituída por uma sépala ou pétala.

calcar[2]. [Do lat. *calcare*.] *V. t. d.* **1.** Pisar com os pés: *Calcou o lugar que havia escavado, procurando não deixar vestígios.* **2.** Machucar com força; comprimir: *Calcou o braço do amigo para chamar-lhe a atenção.* **3.** *Fig.* Oprimir; humilhar, vexar: *Suas palavras ásperas calcaram o coração do pai.* **4.** Reprimir, conter: *Sabe calcar os maus impulsos.* **5.** Não dar importância a; desprezar: *calcar as leis.* **6.** Decalcar (1). *T. d. e i.* **7.** Machucar com força; comprimir: *Passou cola no cartaz e calcou-o contra a parede. T. d. e c.* **8.** *V. vazar* (16). [Conjug.: v. *trancar*. Fut. pret.: *calcaria*, etc. Cf. *calcária*, fem. de *calcário*.]

calçar. [Do lat. *calceare*.] *V. t. d.* **1.** Revestir os pés de (botas, sapatos, chinelos, meias, etc.): "*calcei* as meias de fio d'Escócia e os sapatos de verniz" (Artur Azevedo, *Contos Possíveis*, p. 12); "— Não vá molhar os pés. *Calce* os tamancos." (José Carlos Cavalcanti Borges, *O Assassino*, p. 16). **2.** Revestir as pernas de (calças ou calções, etc.). **3.** Revestir as mãos de (luvas): "*Calçou* as luvas sem impaciência" (Machado de Assis, *Contos sem Data*, p. 132). **4.** Fornecer calçado a: *É o avô que a veste e calça.* **5.** Empedrar (rua, calçada, etc.); calcetar: "De cócoras, em linha, os calceteiros, / Com lentidão, terrosos e grosseiros, / *Calçam* de lado a lado a longa rua." (Cesário Verde, *Obra Completa*, p. 98.) **6.** Formar o calçamento de; pavimentar: *Grandes lajes que calçam o pátio.* **7.** Revestir de aço (a ferramenta). **8.** Pôr calço ou cunha em: *Calçou a roda do carro com uma pedra. Int.* **9.** Ajustar-se bem (aquilo que se calça): *Este sapato calça bem. P.* **10.** Revestir os pés de calçado, as pernas de meias, ceroulas, etc., as mãos de luvas. **11.** Abastecer-se normalmente de calçado: *Calça-se no melhor sapateiro da cidade.* [Conjug.: v. *laçar*.]

calcarado. [De *calcar*[1] + *-ado*[1].] *Adj. Morfol. Veg.* Diz-se dos órgãos ou partes vegetais semelhantes a calcar[1]: *antera calcarada*.

calcariforme. *Adj. 2 g. Bot.* Que tem forma de calcar[1]: *sépala calcariforme*.

calcário. [Do lat. *calcariu*.] *Adj.* **1.** Que contém cálcio; cálcico: *águas calcárias*. **2.** Da natureza da cal. **3.** Pertencente ou relativo aos calcários; calcispôngia. [Fem.: *calcária*. Cf. *calcaria*, do v. *calcar*.] ~ V. *brecha* —a. ● *S. m.* **4.** Designação comum às rochas constituídas essencialmente de carbonato de cálcio; pedra calcária. **5.** Espécime dos calcários; calcispôngia. ◆ **Calcário litográfico.** V. *pedra litográfica*.

calcários. *S. m. pl. Zool.* Animais poríferos, da classe *Calcarea*, que têm espículas calcárias com um, três ou quatro raios, e a superfície do corpo quebradiça. São marinhos, e vivem geralmente em águas rasas. [Sin.: *calcispôngias*.]

calças. *S. f. pl.* V. *calça* (2 e 3). ~ V. *calça*.

calcedônia. [Do gr. *chalkedónios*, i. e., *líthos chalkedónios*, 'pedra de Calcedônia'.] *S. f. Min.* Variedade de sílica microcristalina, transparente ou translúcida.

calcedônio. [Do lat. *chalcedonia*.] *Adj.* Semelhante à calcedônia.

▲**calcei-.** [Do lat. *calceus*, *i*.] *El. comp.* = 'sapato': *calceiforme*.

calceiforme. [De *calcei-* + *-forme*.] *Adj. 2 g.* Que tem forma de sapato: *labelo calceiforme*.

calceiro. *S. m.* Aquele que fabrica ou faz calças.

calcemia. [De *calc(i)(o)-* + *(h)em(o)-* + *-ia*.] *S. f. Med.* Presença de cálcio no sangue.

calcêmico. *Adj.* Relativo à calcemia.

calceolária. *S. f.* Subarbusto ornamental, da família das escrofulariáceas (*Calceolaria integrifolia*), originário do Chile, de folhas ovado-lanceoladas, glabras, crespas, denteadas e membranáceas, flores amarelas, vistosas, reunidas em grupos terminais, ramificados e frouxos, e cujo fruto é uma cápsula provida de muitas sementes.

calcês. [Do gr. *karchesion*, pelo lat. *carchesiu*, no lat. vulg. **calcese*, atr. do it. *calcese*.] *S. m. Marinh.* Parte de seção retangular, no extremo superior de um mastro ou masteréu, logo acima da romã. [Pl.: *calceses* (ê).]

calceta (ê). [Do esp. *calceta*.] *S. f. Ant.* **1.** Argola de ferro fixada no tornozelo do prisioneiro, ligada à cintura dele, ou ao pé de outro prisioneiro, por uma corrente de ferro. [Cf. *grilheta*.] **2.** *P. ext.* A pena de trabalhos forçados. ● *S. 2 g.* **3.** Indivíduo condenado à calceta (2); forçado, grilheta: "O Código Criminal, quanto à natureza da questão, era omisso, mesmo porque não podia cogitar de como aplicar a pena ao prelado [D. Vital], nem os trabalhos forçados que lhe devia exigir reduzindo-o à condição de *calceta*." (Jorge de Lima, *Obra Completa*, I, p. 1131.) [Pl.: *calcetas* (ê). Cf. *calceta* e *calcetas*, do v. *calcetar*.] ◆ **Calceta branca.** Grilheta (1).

calcetar. *V. t. d.* Calçar ou revestir com pedras justapostas; empedrar, calçar. [Pres. ind.: *calceto, calcetas, calceta*, etc. Cf. *calceta* (ê) e pl. *calcetas* (ê).]

calcetaria. *S. f.* Profissão de calceteiro.

calceteiro. [Do esp. *calcetero*.] *S. m.* Operário que calça as ruas com pedras justapostas; empedrador: "De cócoras, em linha, os *calceteiros*, / Com lentidão, terrosos e grosseiros, / Calçam de lado a lado a longa rua." (Cesário Verde, *Obra Completa*, p. 98.)

cálcico. *Adj.* Calcário (1).

calcícola. [De *calc(i)(o)-* + *-cola*.] *Adj. 2 g. Bot.* Diz-se do vegetal que vive, facultativa ou obrigatoriamente, em solo calcário; calcífilo, calcípeta.

calcidídeo. *S. m.* **1.** Espécime dos calcidídeos. ● *Adj.* **2.** Pertencente ou relativo a eles.

calcidídeos. *S. m. pl. Zool.* Família de insetos da ordem dos himenópteros, de ovopositor curto, asas não dobradas longitudinalmente quando em repouso e com 2 a 7mm de comprimento. Parasitam outros himenópteros, e dípteros, coleópteros e lepidópteros.

calcificação. *S. f.* **1.** Depósito de sais de cálcio no esqueleto durante o processo de ossificação. **2.** *Patol.* Deposição de cálcio em qualquer parte do organismo. **3.** *Anat. Veg.* Deposição de carbonato de cálcio nas paredes celulares, que se tornam rígidas.

calcificado. [Part. de *calcificar.*] *Adj.* Que sofreu calcificação.

calcificar. [De *calc(i)(o)-* + *-ficar.*] *V. t. d.* **1.** Dar consistência de cal a. *P.* **2.** Sofrer um processo de calcificação. [Conjug.: v. *trancar.*]

calcífilo. [De *calc(i)(o)-* + *-filo.*] *Adj. Bot.* V. *calcícola.*

calcífugo. [De *calc(i)(o)-* + *-fugo.*] *Adj. Bot.* Diz-se dos vegetais que não toleram solos ricos em cálcio.

calcinação. *S. f.* **1.** Ato ou efeito de calcinar. **2.** *Quím.* Aquecimento de um composto em que se lhe provoca a decomposição sem oxidação.

calcinado. [Part. de *calcinar.*] *Adj.* **1.** Reduzido a cal. **2.** Reduzido a cinzas ou carvão. **3.** Muito seco; estorricado.

calcinar. [Do fr. *calciner.*] *V. t. d.* **1.** Transformar (o carbonato de cálcio), a uma temperatura elevada, em óxido de cálcio, para obter a cal. **2.** *P. ext.* Submeter a temperatura muito elevada; aquecer em altíssimo grau; abrasar. **3.** Reduzir a cinzas ou carvão. **4.** *Fig.* Inflamar; excitar. *Int.* **5.** Aquecer em altíssimo grau; abrasar.

calcinatório. *Adj.* Que serve para calcinação.

calcinável. *Adj. 2 g.* Que pode ser calcinado.

calcinha. [Dim. de *calça.*] *S. f.* V. *calça* (3). ~ V. *calcinhas.*

calcinhas. [Pl. de *calcinha.*] *S. f. pl.* V. *calça* (3): "de *c a l c i n h a s* e corpinho, toda faceira, Zilda Rabo-Quente escondia o rosto entre as mãos em concha." (José Condé, *Como uma Tarde em Dezembro*, p. 7). ~ V. *calcinha.*

▲**calc(i)(o)-.** *El. comp.* = 'cálcio', 'cal': *calcita, calciúria, calcioterapia.*

cálcio. [Do lat. científico *calcium*, de *calx, cis*, 'pedra calcária', + *-ium.*] *S. m. Quím.* Elemento de número atômico 20, prateado, mole, leve e maleável, pertencente aos metais alcalino-terrosos. [Símb.: *Ca.*]

calcioterapia. [De *cálcio* + *terapia.*] *S. f. Terap.* Tratamento de doenças por meio de aplicações intensivas de cálcio.

calcioterápico. *Adj.* Relativo à calcioterapia.

calciotermia. [De *calc(i)(o)-* + *-term(o)-* + *-ia.*] *S. f.* Procedimento de obtenção do urânio pela redução do hexafluoreto em presença de cálcio.

calciotérmico. *Adj.* Relativo à calciotermia.

calcípeta. [De *calc(i)(o)-* + *-peta*, fem. de *-peto.*] *Adj. 2 g. Bot.* V. *calcícola.*

calcispôngia. *S. f.* e *adj. 2 g.* V. *calcário* (3 e 5).

calcispôngias. *S. f. pl. Zool.* V. *calcários.*

calcita. [De *calc(i)(o)-* + *-ita*[3].] *S. f. Min.* Mineral trigonal, carbonato de cálcio; espato-de-islândia.

calcitrar. [Do lat. *calcitrare.*] *V. int., t. i.* e *t. d.* Recalcitrar.

calciuria (i-u). *S. f. Med.* Var. pros. de *calciúria.*

calciúria. [De *calc(i)(o)-* + *-ur(o)-* + *-ia.*] *S. f. Med.* Presença de cálcio na urina. [Var. pros.: *calciuria.*]

▲**calc(o)-.** [Do gr. *chalkós, oû.*] *El. comp.* = 'cobre': *calcografia, calcopirita.*

calço. [Dev. de *calcar.*] *S. m.* **1.** Cunha, pedra, pedaço de madeira, etc., que se coloca debaixo de um objeto para o firmar, elevar ou nivelar, ou junto às rodas de um veículo estacionado em ladeira para impedir que saia do lugar. **2.** *Tip.* Alça[1] (8). **3.** *Tip.* Reforço que se põe sob clichê ou tipo que não tem a altura dos demais elementos da fôrma. **4.** *Bras.* Movimento ardiloso de quem, com o pé ou a perna, intercepta a passagem de outrem, provocando-lhe a queda. **5.** *Bras.* V. *rasteira* (1).

calçoenense. *Adj. 2 g.* **1.** De, ou pertencente ou relativo a Calçoene (AP). ● *S. 2 g.* **2.** Natural ou habitante de Calçoene.

calcografar. [De *calc(o)-* + *graf(o)-* + *-ar*[2].] *V. t. d. P. us.* Gravar em cobre ou em qualquer metal. [Pres. ind.: *calcografo*, etc. Cf. *calcógrafo.*]

calcografia. [De *calc(o)-* + *-graf(o)-* + *-ia.*] *S. f. P. us.* Arte de gravar em cobre ou em qualquer metal. [V. *gravura a entalhe.*]

calcográfico. *Adj. P. us.* Relativo à calcografia. ~ V. *gravura —a e impressão —a.*

calcógrafo. [De *calc(o)-* + *-grafo.*] *S. m. P. us.* Gravador em metal. [Cf. *calcografo*, do v. *calcografar.*]

calçolas. *S. f. pl. Bras., N.E.* V. *calça* (3).

calcolítico. [De *calc(o)-* + *-lit(o)-* + *-ico*[2].] *Adj.* ~ V. período —.

calcopirita. [De *calc(o)-* + *pirita.*] *S. f. Min.* Mineral tetragonal, sulfeto de cobre e ferro, o mais importante dos minérios de cobre. [Fórm.: $CuFeS_2$.]

calcorrear. [Do esp. *calcorrear*, 'correr'.] *V. int. Pop.* **1.** Andar a pé. **2.** Caminhar muito. *T. d.* **3.** Percorrer a pé: "pus-me a procurar no dicionário da memória uma palavra onde pudesse caber a serra do Roboredo, que *c a l c o r r e e i* o dia inteiro." (Miguel Torga, *Diário*, X, p. 168.) [Conjug.: v. *frear.*]

calcosina. [De *calc(o)-* + *-ina*[1].] *S. f. Min.* Calcosita.

calcosita. [De *calc(o)-* + *-ita*[3].] *S. f. Min.* Sulfeto de cobre, de cristais ortorrômbicos, que é um importante minério desse metal; calcosina.

calçudo. *Adj.* **1.** Que tem calças compridas, ou compridas em excesso. **2.** Diz-se de ave cujas pernas são cobertas de penas.

calculado. [Part. de *calcular.*] *Adj.* **1.** Determinado por meio de cálculo. **2.** Computado, contado. **3.** Avaliado, estimado. **4.** Imaginado, presumido, suposto.

calculador (ô). [Do lat. *calculatore.*] *Adj.* **1.** Que calcula ou faz cálculos; calculante. ● *S. m.* **2.** Aquele que calcula. **3.** *Fig.* Indivíduo previdente, interesseiro. [Sin. (nas 3 acepç.): *calculista.*] **4.** *Proc. Dados.* Máquina de calcular cujos dispositivos fundamentais são mecânicos, e que não dispõe de elementos armazenadores de dados; calculadora.

calculadora (ô). [Fem. substantivado do adj. *calculador.*] *S. f. Proc. Dados.* Calculador (4).

calculante. [Do fr. *calculante.*] *Adj. 2 g.* V. *calculador* (1).

calcular. [Do lat. *calculare.*] *V. t. d.* **1.** Determinar por meio de cálculo (1): *c a l c u l o u rapidamente a duração do vôo.* **2.** Computar, contar: *Fez as contas, c a l c u l a n d o a importância que lhe restava receber.* **3.** Avaliar, estimar: *C a l c u l a n d o a distância, disparou a arma.* **4.** Fazer idéia de; imaginar, avaliar: *C a l c u l e só a minha decepção.* **5.** Conjeturar, presumir, supor; prever: *Não podia c a l c u l a r que fosse dar motivo a tanta mágoa.* **6.** Preparar; aprontar: *Enroscando se, a serpente c a l c u l a v a o bote. T. d. e i.* **7.** Avaliar, estimar: *C a l c u l o u em trinta o número de feridos. T. i.* **8.** Ter em conta; contar: *Não c a l c u l a r a com a timidez da noiva. Int.* **9.** *Fazer cálculo (1): Costuma c a l c u l a r bem, e de cabeça.* [Pres. ind.: *calculo*, etc. Cf. *cálculo.*]

calculável. *Adj. 2 g.* Que pode ser calculado.

calculista. *Adj. 2 g.* e *s. 2 g.* V. *calculador* (1, 2 e 3).

cálculo. [Do lat. *calculu*, 'pedrinha'.] *S. m.* **1.** Realização de uma operação ou uma combinação de operações sobre números ou símbolos algébricos; cômputo. **2.** Avaliação, conjetura. **3.** *Fig.* Sentimento de cobiça; interesse. **4.** *Patol.* Concreção que se forma nos reservatórios musculomembranosos (bacinete, vesícula biliar, bexiga, etc.) e nos canais excretores das glândulas. **5.** *Mat.* V. *cálculo diferencial e integral.* [Cf. *calculo*, do v. *calcular.*] ♦ **Cálculo das probabilidades.** *Mat.* V. *cálculo de probabilidade.* **Cálculo das variações.** Parte da análise matemática que investiga os máximos e os mínimos de integrais em que o argumento envolve variáveis independentes e dependentes, assim como suas derivadas, e procura determinar a dependência funcional que deve existir entre estas variáveis para que a integral assuma um valor extremo; cálculo variacional. **Cálculo de diferenças.** *Mat.* Cálculo de diferenças finitas. **Cálculo de diferenças finitas.** Parte da matemática na qual se investigam as propriedades das diferenças finitas de funções, os processos de interpolação, de extrapolação e de somação baseados nessas diferenças, e a resolução de equações em que elas figurem; cálculo de diferenças. **Cálculo de probabilidade.** Parte da matemática em que se investigam os processos e fenômenos aleatórios e se procura descobrir as regularidades e leis que os caracterizam; cálculo de probabilidades, cálculo das probabilidades. **Cálculo de probabilidades.** *Mat.* V. *cálculo de probabilidade.* **Cálculo diferencial e integral.** Parte fundamental da análise matemática, sobre a qual se apóiam outros domínios desta ciência, e em que se investigam as propriedades das derivadas e diferenciais, os processos de obtê-las, e a operação de integração, suas propriedades e metódos de obtenção de primitivas. [Tb. se diz apenas *cálculo.* Sin.: *cálculo infinitesimal.*] **Cálculo infinitesimal.** *Mat.* V. *cálculo diferencial e integral.* **Cálculo matricial.** Parte da álgebra moderna que trata das matrizes, suas operações, transformações, etc. **Cálculo motorial.** *Cálc. Vect.* Parte do cálculo vectorial em que se operam motores. [Compreende a álgebra motorial e a análise motorial.] **Cálculo operacional.** *Mat.* Resolução de equações diferenciais mediante a tranformada de Laplace. **Cálculo tensorial.** Parte da matemática que investiga as relações funcionais que se mantêm invariantes nas transformações dos sistemas de coordenadas. [Compreende a álgebra tensorial e a análise tensorial.] **Cálculo variacional.** *Mat.* Cálculo das variações. **Cálculo vectorial.** Parte da matemática que investiga as propriedades dos vectores, as operações que com eles se realizam e as suas transformações. [Compreende a álgebra vectorial e a análise vectorial.]

calculose. [De *cálculo* + *-ose.*] *S. f. Patol.* Estado mórbido caracterizado pela presença de cálculos.

calcutaense (tà). *Adj. 2 g.* **1.** De, ou pertencente ou relativo a Calcutá (Índia). ● *S. 2 g.* **2.** Natural ou habitante de Calcutá.

calda. [Do lat. *calda*, 'quente'; cf. *cálido.*] *S. f.* **1.** Solução de açúcar e água fervidos conjuntamente; xarope. **2.** Sumo de qualquer fruta fervido com açúcar. **3.** Incandescência do ferro. **4.** *Constr.* Argamassa fluida que, por gravidade, preenche os orifícios, frestas, etc., inacessíveis à argamassa comum; boiaca. **5.** *Bras., N.E.* Resíduos industriais das usinas de açúcar. V. *caldas.* ♦ **Calda bordalesa.** *Quím.* Mistura de sulfato de cobre e cal, diluída em água, usada como fungicida.

caldário. [Do lat. *caldariu.*] *Adj.* Referente a águas termais.

caldas. [Pl. de *calda.*] *S. f. pl.* **1.** Águas termais. **2.** Resíduo da destilação do álcool ou da aguardente. ~ V. *calda.*

caldas-novense. *Adj. 2 g.* **1.** De, ou pertencente ou relativo a Caldas Novas (GO). ● *S. 2 g.* **2.** Natural ou habitante de Caldas Novas. [Pl.: *caldas-novenses.*]

caldeação. *S. f.* Caldeamento (1).

caldeador (ô). *Adj.* Que caldeia, que amalgama.

caldeamento. *S. m.* **1.** Ato ou efeito de caldear[1]; caldeação. **2.** V. *miscigenação.*

caldear[1]. [De *calda* + *-ear.*] *V. t. d.* **1.** Tornar incandescente, pôr em brasa (o ferro, o vidro, etc.). **2.** Soldar, ligar (metais em brasa), reforçando-os. **3.** Converter em calda ou massa. **4.** *Fig.* Mestiçar: *c a l d e a r raças. T. d. e i.* **5.** Amalgamar; misturar: *c a l d e a r o puro com o impuro.* [Conjug.: v. *frear.* Pres. ind.: *caldeio, caldeias, caldeia*, etc. Cf. *caldéia*, f. de *caldeu*, e *Caldéia*, top.]

caldear[2]. [De *caldo* + *-ear.*] *V. int. Bras. RS.* Tomar caldo (2). [Conjug.: v. *frear.* Pres. ind.: *caldeio, caldeias, caldeia*, etc. Cf. *caldéia*, f. de *caldeu*, e *Caldéia*, top.]

caldéia. *Adj. (f.)* e *s. f.* Fem. de *caldeu.* [Cf. *caldeia*, do v. *caldear.*]

caldeira. [Do lat. *caldaria*, 'estufa'.] *S. f.* **1.** Grande tanque ou recipiente de metal para aquecer água ou outro líquido, produzir vapor, etc.: *c a l d e i r a do engenho; c a l d e i r a da locomotiva.* **2.** Depressão de terreno no fundo de lagoa, cisterna, tanque, etc. **3.** Depressão em volta do pé das árvores para depósito de adubo ou água das chuvas ou das regas. **4.** *Geol.* Grande cratera formada pelo colapso da parte central dum edifício vulcânico. **5.** *Tip.* Crisol (4) [q. v.]. [Cf. *caldeirão* (3).]

caldeirada. *S. f.* **1.** O líquido que uma caldeira contém; chapeirada. **2.** Porção de líquido que se despeja num recipiente. **3.** Guisado de peixe, feito, em geral, com diversas espécies deles, e em caldeirão, típico dos pescadores; tigelada.

caldeirão. [Aum. de *caldeira.*] *S. m.* **1.** Espécie de panela (1) grande, mais alta que larga, comumente dotada de alças. **2.** Escavação nas rochas, feita pelas águas, na qual se encontra ouro e diamante. **3.** *Geol.* Cova lisa e redonda formada pelos remoinhos, no leito do rio. [Cf. *caldeira.*] **4.** *Bras. Mús. Ant.* Sinal de suspensão em forma de ponto com um semicírculo por cima. **5.** *Bras., AM.* Lugar de um rio onde se forma turbilhão ou remoinho. **6.** *Bras., BA.* Concavidade nos lajedos, da qual se retira o cascalho, nestes casos quase sempre rico. [O caldeirão diz-se *bidogue* ou *casco-deburro* quando pequenino, e *bacia* quando raso.]. **7.** *Bras., BA* e *GO.* Tanque natural nos lajedos, onde se reúne a água da chuva. **8.** *Bras., MG.* Grande cárie no dente molar. **9.** *Bras., S.* Cavidade aberta nas estradas pelas enxurradas ou pelo pisar dos animais.

caldeiraria. *S. f.* Oficina de caldeireiro.

caldeireiro. *S. m.* **1.** Artífice que faz caldeiras e outros utensílios de cobre ou de outro metal. **2.** *Pop.* Aquele que anuncia chuva. **3.** *Bras.* Aquele que trabalha nas caldeiras dos engenhos de açúcar.

caldeireta (ê). [Dim. irreg. de *caldeira.*] *S. f.* Copo com o duplo da capacidade dos comuns, geralmente usado para servir chope.

caldeirinha. [Dim. de *caldeira.*] *S. f.* **1.** Vaso para água benta. **2.** *Bras.* Copo de viagem que se traz a tira-colo.
caldeiro. *S. m.* **1.** Vaso para tirar água dos poços. **2.** Caldeirão (1) de cobre.
caldense[1]. *Adj. 2 g.* **1.** De, ou pertencente ou relativo a Caldas (MG). ● *S. 2 g.* **2.** Natural ou habitante de Caldas.
caldense[2]. *Adj. 2 g.* **1.** De, ou pertencente ou relativo a Caldas Novas (GO). ● *S. 2 g.* **2.** Natural ou habitante de Caldas Novas.
caldense[3]. *Adj. 2 g.* **1.** De, ou pertencente ou relativo a Poços de Caldas (MG). ● *S. 2 g.* **2.** Natural ou habitante de Poços de Caldas.
caldeu. [Do gr. *chaldaîos*, pelo lat. *chaldaeu.*] *Adj.* **1.** De, ou pertencente ou relativo à Caldéia (antiga região da Ásia). ● *S. m.* **2.** O natural ou habitante da Caldéia. [Fem.: *caldéia.* Cf. *caldeia*, do v. *caldear.*]
caldo. [Do lat. *calidu.*] *S. m.* **1.** Alimento líquido à base de água, na qual são cozidos carne, peixe, ou outra substância alimentícia, geralmente com temperos. **2.** *Bras.* Suco extraído, por compressão, da polpa dos frutos ou de outras partes de certas plantas: *c a l d o de abacaxi; c a l d o de cana.* **3.** *Bras.* Mergulho forçado que se dá em quem está nadando. ♦ **Caldo verde.** *Cul.* Caldo (ou sopa engrossada com batata) feito de folhas de couves picadas e temperado com sal e azeite. **Entornar o caldo.** V. *descer o morro.*
caldo-de-cana. *S. m. Bras.* Botequim onde se vende caldo de cana [v. *caldo* (2).] [Pl.: *caldos-de-cana.*]
caldo-de-feijão. *S. m. Bras.* V. *rola-cabocla.* [Pl.: *caldos-de-feijão.*]
caldoso (ô). *Adj.* Que tem muito caldo: *fruto c a l d o s o.*
cale. [Do lat. *canale.*] *S. m.* Rego ou calha de madeira por onde corre água. [Pl.: *cales.* Cf. *cáli*, pl. *cális*, e *cálix.*]
calear. [De *cal* + *-ear.*] *V. t. d. P. us.* Caiar (2 e 3): "As guitarras soluçosas tornam a noite sonora, como se o luar cantasse, caiando as searas, c a l e a n d o os pinheirais..." (Martins Fontes, *A Dança*, p. 72.) [Conjug.: v. *frear.*]
caleça. [Do tcheque *kolesa*, atr. do it. *calesse.*] *S. f. Bras.* Caleche: "A velha c a l e ç a de praça, em que pela primeira vez passeaste com a mulher amada, fechadinhos ambos, vale o carro de Apolo." (Machado de Assis, *Várias Histórias*, p. 8.)
caleceiro. *S. m.* Cocheiro de caleça.
caleche. [Do tcheque *kolesa*, atr. do al. *Kalesche* e do fr. *calèche.*] *S. f.* e *m.* Carruagem de quatro rodas e dois assentos, puxada por uma parelha de cavalos: "Com as chicotadas rijas do cocheiro, os animais levavam a c a l e c h e aos trancos." (Coelho Neto, *Treva*, p. 31.) [Sin. (bras.): *caleça.*]
caledoniano. *Adj.* **1.** Caledônio (1). ● *S. m.* **2.** *Geol.* Orogenia do fim do período siluriano.
caledônio. *Adj.* **1.** Da, ou pertencente ou relativo à Caledônia (Escócia); caledoniano. ● *S. m.* **2.** O natural ou habitante da Caledônia.
calefação. [Do lat. *calefactione.*] *S. f.* **1.** *Fís.* Fenômeno consistente na formação duma camada de vapor entre uma superfície aquecida e um líquido. **2.** Sistema de aquecimento de espaços internos para neutralizar a ação do frio. ♦ **Calefação central.** Aquecimento central (2).
calefaciente. [Do lat. *calefaciente.*] *Adj. 2 g.* Que faz aquecer.
calefator (ô). [Do lat. *calefactu*, part. de *calefacere*, 'aquecer', + *-or.*] *S. m.* Aparelho de aquecimento.
calefrio. *S. m. Ant.* e *pop.* Calafrio [q. v.]: "Corre-lhe à flor da pele um c a l e f r i o" (Olavo Bilac, *Poesias*, p. 96).
caleidoscópio. *S. m.* V. *calidoscópio.*
caleira[1]. [De *cale* + *-eira.*] *S. f.* **1.** V. *calha* (1). **2.** Canal descoberto em terrenos ou construções, aberto para escoamento de águas.
caleira[2]. [De *cal* + *-eira.*] *S. f. Bras.* V. *sambaqui.*
calejado. [Part. de *calejar.*] *Adj.* **1.** Que tem calos ou calosidades; caloso: *mãos c a l e j a d a s.* **2.** *Fig.* Experiente, experimentado, prático: *profissional c a l e j a d o.* **3.** *Fig.* Endurecido, empedernido (o coração, a alma).
calejar. *V. t. d.* **1.** Produzir calos em; tornar caloso: *C a l e j o u as mãos no trabalho de enxada.* **2.** Tornar insensível; endurecer, empedernir: *O sofrimento c a l e j o u - l h e a alma.* *Int.* e *p.* **3.** Criar calo(s). **4.** Tornar-se insensível; endurecer, empedernir-se: *Participou em tantos peculatos que a sua consciência c a l e j o u; Habituou-se à crueldade, seu coração c a l e j o u - s e.* [Conjug.: v. *pelejar.*]
calembur. [Do fr. *calembour.*] *S. m.* V. *trocadilho* (1).
calemburar. *V. int.* Fazer calembur(es).
calemburgo. [Var. de *calembur*, com infl. de *burgo.*] *S. m.* V. *trocadilho* (1).
calemburista. *S. 2 g.* Pessoa que faz calembures; trocadilhista.
calendar. *Adj. 2 g.* Relativo às calendas.
calendário. [Do lat. *calendariu.*] *S. m.* **1.** Folha impressa ou folheto onde se indicam os dias, semanas e meses do ano, as fases da Lua, as festas religiosas e os feriados nacionais. [Cf. *agenda, almanaque* e *folhinha* (1).] **2.** *P. ext.* Datas prefixadas para a realização de determinados eventos: "Secretaria de Educação divulga o c a l e n d á r i o do supletivo." (*Jornal do Brasil*, 26.4.1973.) **3.** *Cronol.* Sistema de divisão do tempo em que se aplica um conjunto de regras baseadas na astronomia e em convenções próprias, capazes de fixar a duração do ano civil e de suas diferentes datas: "O c a l e n d á r i o maia consiste em três sistemas simultâneos de contagem de dias: um, de interesse civil, com um período de 365 dias; outro, religioso, de 260 dias; e um terceiro de longo curso." (Ronaldo Rogério de Freitas Mourão, *Astronomia e Astronáutica*, p. 57.) ♦ **Calendário civil.** *Cronol.* Aquele em que se considera o ano como formado de um número inteiro de dias e meses, segundo as regras próprias de cada povo ou nação. **Calendário eclesiástico.** *Cronol.* O baseado nas festas móveis das igrejas cristãs. **Calendário egípcio.** *Cronol.* Calendário usado no antigo Egito, formado por anos de 365 dias grupados em 12 meses de 30 dias e cinco dias epagômenos que o completavam. **Calendário grego.** *Cronol.* Calendário usado na Grécia antiga, originário de Atenas, com um ano do tipo lunissolar. Era formado de 12 meses de 29 e 30 dias, alternados, começando próximo do solstício do verão, e mais curto cerca de 11 dias que o ano solar. Esta diferença se acumulava de modo que em oito anos havia um excesso de 87 dias, que eram compensados com o aparecimento de três anos de 13 meses em cada oito anos, os denominados *anos embolísmicos* de 383 dias. **Calendário gregoriano.** *Cronol.* O resultante da reforma do calendário juliano introduzida pelo Papa Gregório XIII (1502-1585), e no qual em cada quatro anos há um ano bissexto, com exceção dos anos seculares, em que o número formado pelos algarismos das centenas e dos milhares não é divisível por 4. **Calendário israelita.** *Cronol.* Calendário lunar constituído de 12 meses de 29 e 30 dias, que principiam sempre na lua nova. [O ano civil israelita tem 354 dias, e para fazê-lo coincidir com o ano solar se introduzem sete anos embolísmicos de 13 meses em cada grupo de 19 anos.] **Calendário juliano.** *Cronol.* O resultante da reforma do calendário romano introduzida por Júlio César (102?-44 a.C.) no ano de 45 a.C., no qual em cada quatro anos há um ano bissexto, de 366 dias. **Calendário lunar.** *Cronol.* Calendário organizado com base específica na revolução lunar. **Calendário lunissolar.** *Cronol.* Calendário que leva em conta simultaneamente as revoluções da Lua em torno da Terra, e desta em torno do Sol. **Calendário muçulmano.** *Cronol.* Calendário lunar constituído de 12 meses de 30 e 29 dias, que principiam sempre na lua nova. [O ano civil muçulmano tem 354 ou 355 dias, e o início do ano retrograda de 10 a 11 dias em relação ao ano do calendário gregoriano.] **Calendário perpétuo.** *Cronol.* Calendário formado de jeito que as datas do ano são fixas em relação aos dias da semana. [Proposto várias vezes, sob diversas formas, ainda não foi adotado, em razão das dificuldades que uma reforma mundial teria de enfrentar.] **Calendário republicano.** *Cronol.* Calendário instituído na França pela Convenção, na Revolução Francesa, a 24.10.1793, sendo tendo novamente substituído pelo calendário gregoriano a 1.1.1806, e no qual o ano tinha 12 meses de 30 dias cada um, acrescidos de cinco dias complementares, dedicados às festas republicanas, e começava no equinócio do outono do hemisfério norte (22 de setembro). Eis, por ordem, os nomes dos meses: *vendemiário, brumário, frimário, nivoso, pluvioso, ventoso, germinal, floreal, prairial, messidor, termidor* e *frutidor.* [Convencionou-se que o ano I da República teria começo em 22 de setembro de 1792.] **Calendário romano.** *Cronol.* Calendário utilizado na antiga Roma antes da criação do calendário juliano [q. v.], e que não obedecia a regras fixas, tendo 10 meses de 20 ou de 55 dias, variando de acordo com os trabalhos da agricultura e as idéias políticas e religiosas dominantes. **Calendário solar.** *Cronol.* Calendário organizado com vista especificamente à revolução da Terra em torno do Sol.
calendarista. *S. 2 g.* Pessoa que compõe calendários.
calendas. [Do lat. *calendas.*] *S. f. pl.* O primeiro dia de cada mês romano, na Antiguidade. ♦ **Calendas gregas.** V. *dia de São Nunca.* **Para as calendas.** Para tempo que nunca há de vir; para as calendas gregas. **Para as calendas gregas.** *Irôn.* Para as calendas (porque os gregos não tinham calendas): "Quando se fizer a lei de responsabilidade ministerial, p a r a a s c a l e n d a s g r e g a s, eu hei de propor que cada ministro seja obrigado a viajar por este seu reino de Portugal ao menos uma vez cada ano, como a desobriga." (Almeida Garrett, *Viagens na Minha Terra*, pp. 20-21.)
calênder. [Do persa *kalander.*] *S. m.* Daroês mendigo; calândar. [Pl.: *calênderes.*]
calêndula. [Do lat. *calendula.*] *S. f.* **1.** Planta ornamental da família das calenduláceas (*Calendula officinalis*), de flores amarelas e brancas. **2.** A flor dessa planta.
calentura. [Do esp. *calentura.*] *S. f. Patol.* V. *intermação.*
calepino. [Do antr. *Calepino*, de um monge italiano que passou a vida a redigir um dicionário poliglótico tido como resumo da ciência mundial da época (1502).] *S. m. P. us.* **1.** Vocabulário, léxico. **2.** Caderno de anotações.
calete. *S. 2 g.* e *adj. 2 g.* Var. de *caleto.* [Pl.: *caletes.* Cf. *calete* (ê) e pl. *caletes* (ê).]
calete (ê). *S. m. P. us.* **1.** Gênero, qualidade, categoria: "Danam-se comigo porque eu sou franco, mas se é do meu c a l e t e ? ! " (Jaime d'Altavila, *Lógica de um Burro*, p. 15.) **2.** *Bras., N.E.* e *ant.* Constituição física; compleição: *É homem de bom c a l e t e.* [Pl.: *caletes* (ê). Cf. *calete* e pl. *caletes.*]
caleto (lé). *S. m.* **1.** Indivíduo dos caletos, antigo povo da Gália. ● *Adj.* **2.** Pertencente ou relativo a esse povo. [Var.: *calete.*]
calha. *S. f.* **1.** Cano de zinco, de cobre, ou de outro material, aberto na parte de cima, lembrando um sulco, e que recebe as águas pluviais, especialmente as dos telhados; caleira, goteira. **2.** *P. ext.* Rego ou sulco para facilitar o curso de substância líquida ou granulada. **3.** *Teat.* Abertura móvel e estreita, feita no palco para permitir a descida de elementos cenográficos ao porão. **4.** *Tip.* V. *trilho*[1] (3 e 4).
calhamaço. [Por *canhamaço*, de *canhamo* + *-aço.*] *S. m. Pop.* **1.** Livro ou caderno volumoso e antigo ou velho. [Cf. *alfarrábio.*] **2.** *Pej.* Mulher feia e gorducha.
calhambeque. *S. m.* **1.** Barco velho e que não inspira confiança, xaveco. **2.** *Fig.* Automóvel velho; galipão, lata, caranguejola. **3.** Traste velho e sem valor.
calhambola. *S. m. Bras.* V. *quilombola.*
calhambora. *S. m. Bras.* V. *quilombola.*
calhança. [De *calhar* + *-ança.*] *S. f. Tip.* Qualquer ocorrência que, na composição, beneficia o caixista ou o linotipista de jornal, ou, p. ext., qualquer tarefeiro.
calhandra. [Do gr. *kalandra*, pelo lat. *calandra*, pelo esp. *calandria;* var. de *calandra.*] *S. f.* **1.** Espécie de cotovia. **2.** *Bras.* V. *sabiá-do-campo.*
calhandro. *S. m.* **1.** Vaso grande onde se juntam águas sujas e outras imundícies para vazá-las em lugar próprio. **2.** Vaso ou bacia de privada.
calhar. [De *calha* + *-ar*[2].] *V. int.* **1.** Entrar, caber ou penetrar em calha ou cavidade; encaixar-se, ajustar-se. **2.** Vir a tempo; ser oportuno; convir: *Aquele empréstimo c a l h o u : sua firma estava em via de abrir falência.* **3.** Suceder, acontecer, acertar: *C a l h o u que, nesse dia, eu nada tinha para fazer.* **4.** Acontecer; coincidir: *Nada combinamos, mas c a l h o u sairmos juntos do trabalho.* *T. i.* **5.** Cair bem; adaptar-se: *A nova moda c a l h a à sua silhueta esbelta.*
calhau. [De or. céltica?] *S. m.* **1.** Fragmento de rocha dura; pedra solta; seixo: "deslizar como água corrente e pura por entre c a l h a u s e pedras ásperas." (Leonardo Arroio, *Absalão e o Rei*, p. 40). **2.** Tip. Branco com que se completa a medida, em páginas curtas. **3.** *Jorn.* Anúncio gracioso, ou aceito a preço reduzido, para publicação quando sobra espaço no jornal. **4.** *Bras. Gír. de jorn.* Pequeno texto, clichê, etc., aproveitado para preencher claros na paginação de jornal ou de revista.
calhe. [Do lat. *calle.*] *S. f. Ant.* Rua estreita; vereda, carreiro.
calheta (ê). [Do esp. *caleta*, com infl. de *calha.*] *S. f.* Angra: "Foi por manhã de pardacenta bruma / Na c a l h e t a bravia, onde, investindo / Com as altas fragas, rola o oceano e ruge, / Que entre umas pedras o encontraram morto." (Alberto de Oliveira, *Poesias*, 3ª. série, p. 205.)
calhorda. *Adj. 2 g.* e *s. 2 g. Bras.* Diz-se de, ou pessoa desprezível, impudente, ordinária.
▲cali-. [Do lat. *callum, i.*] *El. comp.* = 'calo', 'calosidade': *calicida* (esp. plat. *callicida*).
▲cal(i)-. [Do gr. *kállos, eos-ous.*] *El. comp.* = 'belo': *calidoscópio, caligrafia* (gr. *kalligraphía.*). [Equiv.: *calo-: calóptero.*]

cáli. *S. m.* Carbonato de potássio proveniente das cinzas de madeira. [Pl.: *cális.* Cf. *cale* e *cales,* do v. *calar* e *s. m.,* e *cálix,* s. m.]

caliandra. *S. f.* **1.** Designação comum a várias espécies do gênero *Calliandra,* da família das leguminosas. São arbustos ornamentais, caracterizados por flores congregadas em glomérulos e providas de estames muito compridos. **2.** A flor de qualquer dessas plantas. [Sin. ger. (pop.): *esponjinha.*]

calibração. *S. f.* **1.** Ato ou efeito de calibrar. **2.** *Fís.* Operação em que se estabelece uma correspondência entre as leituras de um instrumento e valores de uma grandeza física que é medida diretamente, ou indiretamente, pelo instrumento.

calibrado. [Part. de *calibrar.*] *Adj.* **1.** A que se deu o calibre conveniente. **2.** Cujo calibre foi medido. **3.** *Bras.* Diz-se de câmara-de-ar, pneu, etc., a que se deu a conveniente pressão de ar. **4.** *Bras.* Um tanto embriagado; tocado.

calibrador (ô). *S. m.* Instrumento para calibrar; calibre.

calibragem. *S. f. Bras.* Ato ou efeito de calibrar.

calibrar. *V. t. d.* **1.** Dar o conveniente calibre a. **2.** Medir o calibre de. **3.** *Tec.* Comparar as indicações de (um instrumento padrão), a fim de corrigir-lhe os erros de graduação. **4.** *Bras.* Dar a conveniente pressão de ar a (câmara-de-ar, pneu, etc.).

calibre. *S. m.* **1.** Diâmetro interior do cano de arma de fogo, ou de qualquer cilindro oco. **2.** Diâmetro exterior de um projetil. **3.** Capacidade de um recipiente. **4.** Calibrador. **5.** Aparelho de madeira ou de metal, empregado na moldagem de perfis e de outras peças de gesso, estuque, etc. **6.** *Fig.* Dimensão, volume, tamanho. **7.** *P. ext.* Valor, importância: *Os conferencistas são ambos do mesmo calibre.* **8.** *Ant. Mil.* O peso do projetil de uma boca-de-fogo.

calibrina. [De *calibrar,* talvez.] *S. f. Bras. Gír.* **1.** V. *cachaça* (1). **2.** *P. ext.* Qualquer bebida alcoólica.

calibroso (ô). [De *calibre* + *-oso.*] *Adj. Med.* Referente aos condutos em geral (especialmente os vasos sangüíneos) que se apresentam com o calibre dilatado.

caliça. [De um adj. *caliço, de cal, substantivado.] *S. f.* Pó ou fragmentos de argamassa ressequida, que sobram de uma construção ou resultam da demolição de obra de alvenaria.

cálice[1]. [Do lat. *calyce.*] *S. m.* **1.** Vaso empregado na missa para a consagração do vinho. [F. paral.: *cálix.*] **2.** Copo com pé, de pequena dimensão, para vinhos finos, licores e/ou outras bebidas. **3.** *P. ext.* O conteúdo ou a capacidade deste: *A torta leva um cálice de conhaque.* **4.** *Fig.* Lance doloroso; dor, pena. **5.** *Zool.* Dilatação em forma de copo, em torno dos pólipos de certos hidróides. ♦ **Cálice renal.** *Anat.* Cada uma das pequenas formações cilíndricas, em forma de cálice, para onde se dirige a urina ao sair das papilas renais, e que se reúnem para formar o bacinete. **Pelo cálice e a hóstia.** *Interj.* pronunciada em juramento no qual se invoca como testemunha o que há de mais puro, de mais sagrado.

cálice[2]. [Do gr. *kályx,* 'botão de flor', pelo lat. *calyce.*] *S. m. Bot.* Verticilo floral externo, formado por pequenas peças, geralmente verdes, as sépalas: "Ela [a aurora] faz entreabrir o cálice das rosas." (Guerra Junqueiro, *A Morte de D. João,* p. 10.) [F. paral.: *cálix.* Dim. irreg.: *calículo.*] ♦ **Cálice acrescente.** *Morfol. Veg.* Cálice que continua a desenvolver-se após a fecundação, em vez de cair. **Cálice aderente.** *Morfol. Veg. Desus.* Cálice da flor ínfero-ovariada. **Cálice livre.** *Morfol. Veg. Desus.* Cálice de flor súpero-ovariada. **Cálice persistente.** *Morfol. Veg.* Cálice que subsiste após murcharem a carola e o estame.

▲**-calice.** Equiv. de *calic(i)-.*

calicerácea. *S. f.* Espécime das caliceráceas.

caliceráceas. *S. f. pl. Bot.* Família de pequenas plantas superiores, de folhas alternas, com flores pequeninas reunidas em capítulos, e estames soldados pelos filetes. Há umas 25 espécies raras fora dos Andes; nas praias brasileiras existe uma comuníssima, provida com acúleos pungentes nos capítulos.

caliceráceo. *Adj.* Pertencente ou relativo às caliceráceas.

▲**calic(i)-.** [Do lat. *calyx; ycis.*] *El. comp.* = 'cálice de flores': *caliciforme.* [Equiv.: *-calice.*]

caliciado. [De *calic(i)-* + *-ado*[1].] *Adj. Bot.* Calicino.

calicida. [Do esp. plat. *callicida.*] *S. m.* Medicamento que destrói calos.

caliciforme. [De *calic(i)-* + *-forme.*] *Adj. 2 g.* Semelhante ao cálice[2]: *bráctea caliciforme; glândula caliciforme.*

calicinal. *Adj. 2 g. Bot.* Relativo ao cálice[2].

calicino. *Adj. Bot.* Relativo ao, ou que tem cálice[2]; caliciado: *lacínia calicina.*

▲**calic(o)-.** [Do gr. *chálix, ikos.*] *El. comp.* = 'pedra', 'cascalho': *calicose.*

calicose. [De *calic(o)-* + *-ose.*] *S. f. Patol.* Tipo de pneumoconiose que se deve à inalação de pó de sílica; silicose.

calicromo. [De *cal(i)-* + *-cromo.*] *Adj.* Que tem cores belas.

calictídeo. *S. m.* **1.** Espécime dos calictídeos. • *Adj.* **2.** Pertencente ou relativo a eles.

calictídeos. *S. m. pl. Zool.* Família de peixes teleósteos, siluriformes, de pequeno porte, que habitam as águas doces das regiões quentes, sobretudo na América do Sul.

caliculado. [De *calículo* + *-ado*[1].] *Adj. Bot.* Provido de calículo.

calicular. *Adj. 2 g. Bot.* Relativo ou pertencente ao calículo.

calículo. *S. m. Bot.* Conjunto de bractéolas ou apêndices verdes localizado logo abaixo do cálice[2] e semelhante a este, como ocorre nas malváceas.

calidez (ê). *S. f.* Qualidade ou estado de cálido (1).

cálido[1]. [Do lat. *calidu.*] *Adj.* **1.** Quente (2 e 3). **2.** *Fig.* Ardente, apaixonado.

cálido[2]. [Do lat. *callidu.*] *Adj.* Sagaz, astuto, fino.

calidoscópio. [De *cal(i)-* + *-ido-* + *-scop-* + *-io*[2].] *S. m.* **1.** Pequeno instrumento cilíndrico, em cujo fundo há fragmentos móveis de vidro colorido, os quais, ao refletirem-se sobre um jogo de espelhos angulares dispostos longitudinalmente, produzem um número infinito de combinações de imagens de cores variegadas. **2.** *Fig.* Sucessão rápida e cambiante (de impressões, de sensações): *A nossa viagem foi um calidoscópio.* [É m. us. a f. *caleidoscópio.*]

caliemia. *S. f. Med.* Teor de potássio no sangue.

califa. [Do ár. *khalīfâ,* 'vigário, lugar-tenente; sucessor'.] *S. m.* Título de soberano muçulmano.

califado. *S. m.* **1.** Tempo durante o qual um califa governa. **2.** Dignidade ou jurisdição de califa. **3.** Território governado por califa.

califasia. [De *cal(i)-* + *-fasia.*] *S. f.* A arte da dicção expressiva para se interpretar um trecho falado ou cantado.

califom. *S. m. Bras., N.* e *N.E.* V. *sutiã:* "Acho uma menina grande demais para estar andando de califom pela casa." (João Ubaldo Ribeiro, *Sargento Getúlio,* p. 42.)

califorídeo. *S. m.* **1.** Espécime dos califorídeos. • *Adj.* **2.** Pertencente ou relativo a eles.

califorídeos. *S. m. pl. Zool.* Família de insetos da ordem dos dípteros, que compreende moscas grandes, azuladas, e que regurgitam líquido, que ativa a decomposição da carne. Suas larvas desenvolvem-se em carnes apodrecidas. Ex.: *mosca-varejeira.*

califórnia[1]. [Do top. *Califórnia,* por alusão ao *rush* de 1848 na busca do ouro.] *S. f.* **1.** *Bras.* Fonte de riqueza. **2.** *Bras. P. ext.* Riqueza, fortuna.

califórnia[2]. [Do esp. amer. *california.*] *S. f.* **1.** *Bras.* Qualquer das incursões guerreiras efetuadas, de 1849 a 1850, em terras do Uruguai, por brasileiros, sob a chefia de Francisco Pedro de Abreu (1802-1892). **2.** *Bras. S.* Corrida de cavalos em que entram mais de dois.

californiano. *Adj.* **1.** Da, ou pertencente ou relativo a Califórnia (E.U.A. e PR). • *S. m.* **2.** O natural ou habitante da Califórnia.

califórnio. [Do top. *califórnia.*] *S. m. Quím.* Elemento transurânico de número atômico 98, artificial, radioativo. [Simb.: *Cf.*]

caligem. [Do lat. *caligine.*] *S. f.* **1.** Nevoeiro espesso: "o arco-íris coloria a celagem como um arco de triunfo armado pelo Sol despeitado com a caligem que o obumbrava" (José Américo de Almeida, *A Bagaceira,* p. 183). **2.** Escuridão, trevas: "Esfuziavam relâmpagos, fosforeando na caligem das nuvens" (Alphonsus de Guimaraens, *Obra Completa,* p. 411). **3.** Obscurecimento da visão (2).

caliginoso (ô). [Do lat. *caliginosu.*] *Adj.* Muito escuro e denso; tenebroso.

caligrafia. [Do gr. *kalligraphía.*] *S. f.* **1.** Arte de escrever à mão segundo determinadas regras e modelos. **2.** *P. ext.* Maneira própria de cada pessoa no uso dessa arte; letra: *Sua caligrafia é quase ininteligível.* **3.** Forma de letra manuscrita.

caligráfico. [Do gr. *kalligraphikós.*] *Adj.* Respeitante à caligrafia.

calígrafo. [Do gr. *kalligráphos.*] *S. m.* Especialista em caligrafia (1).

caligrama. [Do fr. *calligramme,* do título *Calligrammes,* de um livro de versos de Apollinaire, poeta francês (1880-1918).] *S. m.* Representação figurativa do conteúdo de um texto (quase sempre um poema) mediante arranjo dos próprios caracteres tipográficos com que é composto.

calim[1]. *S. m. Ant.* **1.** Estanho do Oriente. **2.** *P. ext.* Moeda feita com esse estanho. [Sin. ger.: *calaim.*]

calim[2]. [Do cigano *cali.*] *S. f. Bras.* Mulher de calom, de cigano (1); cigana: "— Bom dia, calim / mulher do calom. / Lês sorte nas cartas" (Stella Leonardos, *Romanceiro do Bequimão,* p. 101).

calimbé. [De or. afr.?] *S. m.* Espécie de tanga dos nativos da Guiana.

calimico. *S. m. Bras.* Macaco da família dos cebídeos, subfamília dos calimiconíneos (*Callimico goeldi* (Thom.)), da região sudeste do AC. Essa subfamília, composta de espécie única, caracteriza-se por ter as unhas compridas e curvas, em forma de garras, como nos sagüis; coloração pardo-escura, com as extremidades e o ventre negros, mancha branca em frente das orelhas e outra de cada lado da parte posterior do lombo e cauda preta com 3 anéis brancos no terço superior. Mede 0,20 m de corpo e 0,35 m de cauda.

calimiconíneo. *S. m.* **1.** Espécime dos calimiconíneos. • *Adj.* **2.** Pertencente ou relativo a eles.

calimiconíneos. *S. m. pl. Zool.* Subfamília de mamíferos primatas pertencente à família dos cebídeos. [V. *calimico.*]

calina. *Bras. S. 2 g.* **1.** Indivíduo dos calinas, tribo indígena do N. do PA, habitante do baixo rio Tapanami, do Arimina, e do Aritani, afluente do Itani. • *Adj. 2 g.* **2.** Pertencente ou relativo a essa tribo. [Var.: *carina.*]

calinada. *S. f.* Dito ou ação de calino; bobagem, tolice, dislate, disparate.

calínico. [Do gr. *kallínikos.*] *S. m.* Entre os antigos gregos, certo bailado que se dança ao som de flauta.

calino. [De *Calino,* negociante de quadros parisiense que, pelos meados do séc. XIX, se fez personagem de *vaudevilles,* desempenhando papéis de bobo.] *Adj.* e *s. m.* **1.** Que ou aquele que diz disparates. **2.** V. *tolo* (1 a 3 e 8).

▲**calino-.** [Do gr. *khalinos.*] *El. comp.* = 'freio': *calinotomia.*

calinotomia. [De *calino-* + *-tom(o)-* + *-ia.*] *S. f. Cir. P. us.* Frenotomia.

calinotômico. *Adj. P. us.* Relativo à calinotomia.

calipal. *S. m. Bras., SP. Pop.* Alter. de *eucaliptal.*

calipígio. [Do gr. *kallipygos* + *-io.*] *Adj.* Que tem belas nádegas: *Vênus Calipígia.*

calipso. [Do ingl. *Calypso.*] *S. m.* Gênero de música popular improvisada e cantada pelos naturais de Trinidad (Caribe).

calipterado. *Adj. Zool.* Diz-se de insetos da ordem dos dípteros providos de concavidades que cobrem os balancins. Ex.: as moscas em geral.

caliptoblástico. *S. m.* e *adj.* V. *leptomedusa.*

caliptoblásticos. *S. m. pl. Zool.* V. *leptomedusas.*

caliptoblasto. *S. m.* e *adj.* V. *leptomedusa.*

caliptoblastos. *S. m. pl. Zool.* V. *leptomedusas.*

caliptra. *S. f. Bot.* **1.** Coifa (5). **2.** Corola soldada em peça única em forma de capuz, como ocorre nos eucaliptos.

caliptrado. [De *caliptra* + *-ado*[1].] *Adj. Bot.* Provido de caliptra.

caliptriforme. *Adj. 2 g. Bot.* Em forma de caliptra: *corola caliptriforme.*

caliptrógeno. [De *caliptra* + *-o-* + *-geno.*] *S. m. Bot.* Camada celular inicial da caliptra, que recobre a ponta da raiz em numerosas monocotiledôneas.

caliptróide. [De *caliptra* + *-óide.*] *Adj. 2 g. Bot.* Semelhante à caliptra.

calista. *S. 2 g.* Profissional que trata dos pés, especialmente dos calos; pedicuro.

calistenia. [De *cal(i)-* + *-sten(o)-* + *-ia.*] *S. f. Med.* Exercício ginástico para beleza e vigor físicos.

calistênico. *Adj.* Referente à calistenia.

calistismo. *S. m.* Azar ou caiporismo dado pelo calisto[1].

calisto[1]. [Do antr. *Calisto.*] *S. m.* **1.** *Fam.* Homem de mau agouro, a cuja presença o jogador atribui o seu azar; pé-frio. **2.** *Astr.* O quarto satélite de Júpiter, descoberto por Galileu [v. *galileano*] em 1610. [Com maiúscula, nesta acepç.]

calisto[2]. [Alter. de *cálix.*] *S. m. Bras., N. Joc.* Pequeno copo ou cálice.

calitricácea. *S. f.* Espécime das calitricáceas.

calitricáceas. *S. f. pl. Bot.* Família de ervas aquáticas, providas de folhas opostas e de flores unissexuais masculinas insignificantes, destituídas de perianto e com um só estame. Existem cerca de 25 espécies, espalhadas por todo o mundo.

calitricáceo. *Adj.* Pertencente ou relativo às calitricáceas.

calitriquídeo. *S. m.* **1.** Espécime dos calitriquídeos. • *Adj.* **2.** Pertencente ou relativo a eles. [Sin. ger.: *hapalídeo.*]

calitriquídeos. *S. m. pl. Zool.* Animais mamíferos primatas, da família *Callithrichidae.* São macacos de pequeno porte, de cauda longa, não preênsil. O polegar da mão é curto e não oponível, e todos os dedos são providos de unhas em forma de garras. O primeiro dedo do pé é oponível aos demais e com uma unha chata. Dentes pré-molares em número de dois, com três molares verdadeiros. [Sin.: *hapalídeos.*]
caliuria (i-u). *S. f. Med.* Var. pros. de *caliúria.*
caliúria. [Do lat. *kalium,* 'potássio', + *-ur(o)-* + *-ia.*] *S. f. Med.* Teor de potássio na urina. [Var. pros.: *caliuria.*]
cálix[1] (x = s). [Do lat. *calyx.*] *S. m.* Cálice[1] (1): "Quereis que esgote o cálix da amargura?" (Casimiro de Abreu, *Obras,* p. 20.) [Pl.: *cálices.* Cf. *cális,* pl. de *cáli,* e *cales,* do v. *calar.*]
cálix[2] (x = s). [Do gr. *kályx,* 'botão de flor'.] *S. m.* V. *cálice[2]*: *"E a flor, que expande o cálix orvalhado / As estremes primícias te consagra / De seu brando perfume..." (Bernardo Guimarães, Poesias Completas,* p. 20). [Pl.: *cálices.* Cf. *cális,* pl. de *cáli,* e *cales,* do v. *calar.*]
caliz. *S. m. Bras.* Calha de madeira usada nos engenhos de açúcar para conduzir água às caldeiras.
➧**call girl** (cól guêrl). [Ingl.] *S. f.* Prostituta que atende por telefone.
calma. [Do gr. *kauma,* pelo lat. tardio *cauma.*] *S. f.* **1.** Grande calor atmosférico, em geral sem vento; calmaria: "O rio defronte descia, preguiçoso e como adormentado sob a calma já pesada de maio" (Eça de Queirós, *A Cidade e as Serras,* p. 203). **2.** *P. ext.* O período mais quente do dia. **3.** V. *calmaria* (1). **4.** Serenidade de ânimo; sossego, tranqüilidade; calmaria, malacia. **5.** Apatia, inércia, indiferença, desânimo: "Se eu fosse amado!... / Se um rosto virgem / Doce vertigem / Me desse n'alma / Turbando a calma / Que me / enlanguesce!..." (Casimiro de Abreu, *Obras,* p. 193.)
calmante. *Adj. 2 g.* **1.** Que calma, acalma, abranda ● *S. m.* **2.** *Pop.* Medicamento que acalma certos distúrbios como, por ex., excitação (3), tosse; sedativo. **3.** Medicamento destinado a acalmar (1).
calmar. *V. t. d., int.* e *p.* V. *acalmar:* "Preciso calmar a minha febre e começar pelo começo." (Antônio Patrício, *Serão Inquieto.* P. 123)].
calmaria. [De *calma* + *-aria.*] *S. f.* **1.** Ausência de ventos e/ou do movimento das ondas; calma. **2.** Grande calor sem vento. **3.** *Fig.* V. *calma* (4).
calmeiro. [De *calma* (3) + *-eiro.*] *Adj. Bras.* Diz-se da embarcação sensível a toda aragem, capaz de navegar quase em calmaria.
calmo. [De *calma.*] *Adj.* **1.** V. *calmoso.* **2.** Sereno, sossegado, tranqüilo: *pessoa calma.* **3.** Em calmaria: *mar calmo.*
calmonense. *Adj. 2 g.* **1.** De, ou pertencente ou relativo a Miguel Calmon (BA). ● *S. 2 g.* **2.** Natural ou habitante de Miguel Calmon.
calmoso (ô). *Adj.* Em que há calma (1); quente, calmo, caloroso: "No calmoso verão as plantas secam." (Tomás Antônio Gonzaga, *Marília de Dirceu,* p. 84); "No ar parado e calmoso tanajuras voejavam no rumo do sol poente" (Bernardo Élis, *Veranico de Janeiro.* p. 10).
calmuco. *S. m.* **1.** Indivíduo dos calmucos, povo mongólico que vivia no S. da Rússia, entre o Dom e o Volga, e na Sibéria. ● *Adj.* **2.** Pertencente ou relativo a esse povo.
calo[1]. [Do lat. *callu.*] *S. m.* **1.** Endurecimento da pele formado em determinado ponto por compressão ou fricção contínua; calosidade, tiloma. **2.** *Fig.* Insensibilidade. **3.** *Bot.* Produção mais ou menos dura, ou excrescência, originada dos tecidos vegetais, sobretudo em seguida a ferimentos. **4.** *Patol.* Calo ósseo. ♦ **Calo ósseo.** *Patol.* Conjunto de elementos celulares que surge ao nível de um foco de fratura e assegura a continuidade das duas extremidades ósseas. [Tb. se diz apenas *calo.*]
calo[2]. *S. m. Bras., PE. Fam.* V. *calote.*
▲**calo-.** Equiv. de *cal(i)-.*
calô. *S. m. Bras. Gír. ladra.* O calão [q. v.] dos ladrões, malandros e prostitutas.
calofilo. [De *calo-* + *-filo[1].*] *Adj. Bot.* Que tem folhas muito belas.
caloirice. *S. f.* V. *calourice.*
caloiro. *S. m.* V. *calouro.*
caloji. [De or. afr.?] *S. m. Bras., PA* e *PE.* V. *cortiço* (2).
calom. *S. m. Bras.* V. *cigano* (1): "— Bom dia, calim / mulher do calom." (Stella Leonardos, *Romanceiro do Bequimão,* p. 101.) [Fem.: *calim.*]
calombento. *Adj. Bras.* Em que há calombos [v. *calombo* (1)]; cheio de calombos.
calombo. [De provável or. afr.] *S. m.* **1.** *Bras.* Tumefação cutânea; inchaço. **2.** *Bras. Pop.* V. *lobinho[2].* **3.** *Bras., P. ext.* Qualquer montículo. **4.** *Bras.* Raça de gado que tem no pescoço uma protuberância. **5.** *Bras., N.E.* Ondulação das águas.
calomelano. [De *calo-* + *-melano.*] *S. m.* **1.** *Farmac.* Protocloreto de mercúrio, de propriedades purgativas; calomelanos. **2.** *Quím.* Cloreto mercuroso.
calomelanos. *S. m. pl. Farmac.* Calomelano (1).
calopsita. *S. f.* Certa ave: "informa-se que calopsita é um pequeno pássaro, de cor cinza, que exibe uma espécie de crista no alto da cabeça. I A Srª Fernanda Colagrossi, cuja calopsita de estimação fugiu pela janela, está prometendo uma outra calopsita a quem achar a sua." (*Jornal do Brasil,* "Zózimo", 24.10.1980.)
calóptero. [De *calo-* + *-ptero.*] *Adj. Zool.* Que tem lindas asas.
calor (ô). [Do lat. *calore.*] *S. m.* **1.** Sensação que se experimenta, em ambiente aquecido (pelo sol ou artificialmente), ou junto de um objeto quente e/ou que aquece: *Ao entrar na sala, sentiu calor; O calor do agasalho provocava-lhe abundante transpiração.* **2.** Calma (1). **3.** Qualidade ou estado de quente; quentura: *o calor do Sol; o calor da febre.* **4.** *Fig.* Animação, vivacidade. **5.** *Fig.* Afabilidade, cordialidade. **6.** *Fig.* Sentimento de estima e/ou solidariedade: "Sentem os atores necessidade do calor da platéia para a completa realização artística." (Sábato Magaldi, *Panorama do Teatro Brasileiro,* p. 262.) [Cf. *calor humano.*] **7.** *Fís.* Forma de energia que se transfere de um sistema para outro em virtude duma diferença de temperatura existente entre os dois, e que se distingue das outras formas de energia porque, como o trabalho, só se manifesta num processo de transformação. **8.** *Bras., S.* Brio, coragem **9.** *Bras., MG.* V. *cio* (1). ♦ **Calor atômico.** *Fís.* Capacidade calorífica de um átomo-grama de um elemento. **Calor de fusão.** *Fís.-Quím.* A quantidade de calor necessária para fundir, sob pressão constante, uma substância; entalpia de fusão. [Tb. se diz *calor latente de fusão.*] **Calor de fusão específico.** *Fís.-Quím.* O calor de fusão da unidade de massa de uma substância. **Calor de sublimação.** *Fís.-Quím.* Quantidade de calor necessária para sublimar, sob pressão constante, uma substância pura; entalpia de sublimação. [Tb. se diz *calor latente de sublimação.*] **Calor de vaporização.** *Fís.-Quím.* A quantidade de calor necessária para vaporizar um líquido puro, sob pressão constante; entalpia de vaporização. [Tb. se diz *calor latente de vaporização.*] **Calor de vaporização específica.** *Fís.-Quím.* O calor de vaporização da unidade de massa de uma substância. **Calor específico.** *Fís.-Quím.* **1.** Calor específico médio. **2.** Cociente da quantidade infinitesimal de calor fornecida à unidade de massa de uma substância pela variação infinitesimal de temperatura resultante desse aquecimento. **Calor específico médio.** *Fís.-Quím.* Cociente da quantidade de calor fornecida a uma quantidade de massa da substância pela elevação de temperatura resultante desse aquecimento. [Tb. se diz apenas *calor específico.*] **Calor humano.** Sentimento mais vivo do que o calor (6), e que se caracteriza por ser, mais do que este, um traço de temperamento. **Calor latente.** *Fís.-Quím.* Quantidade de calor absorvida por uma substância numa transição isotérmica de um estado condensado para um estado menos condensado; calor absorvido quando uma substância muda de estado. **Calor latente de fusão.** *Fís.-Quím.* V. *calor de fusão.* **Calor latente de sublimação.** *Fís.-Quím.* V. *calor de sublimação.* **Calor latente de vaporização.** *Fís.-Quím.* V. *calor de vaporização.* **Calor radiante.** *Fís.* V. *radiação infravermelha.* **Calor sensível.** *Fís.* Aquele que, fornecido a um sistema, provoca a elevação de temperatura.
calorama. [De *calor* + *-ama.*] *S. f.* Calorão: "aquecidas [as cabinas] desde Nova Iorque onde era inverno rigoroso, ainda assim continuavam no Rio de dezembro, a calorama queimando." (Gilberto Amado, *Depois da Política,* p. 216).
calorão. *S. m. Bras.* Calor forte, excessivo; calorama.
calorento. *Adj.* **1.** Que tem calor (1). **2.** Onde há calor (3). **3.** *Bras.* Diz-se do indivíduo sensível ao calor (3).
calorescência. *S. f. Fís.* Absorção, por uma superfície, de radiação eletromagnética visível, seguida pela conversão desta em calor e reemissão da energia absorvida sob forma de radiação infravermelha.
▲**calori-.** [Do lat. *calor, oris.*] *El. comp.* = 'calor': *calorífero, calorífugo.*
caloria. *S. f. Fís.* **1.** Quantidade de calor necessária para elevar de 14,5ºC a 15,5ºC a temperatura de um grama de água, e que é igual a 4,1855 joules. **2.** Um centésimo da quantidade de calor necessária para elevar de 0º a 100ºC, sob pressão de uma atmosfera, a temperatura de um grama de água, e que é igual a 4,1897 joules; caloria média. **3.** Unidade de medida de energia, igual, por definição, a 4,18684 joules; caloria internacional. **4.** Unidade de medida de energia, igual por definição a 4,183399 joules; caloria termoquímica. [Símb.: *Cal.*] ♦ **Caloria internacional.** *Fís.* Caloria (3). **Caloria média.** *Fís.* Caloria (2). **Caloria termoquímica.** *Fís.* Caloria (4).
calórico. *Adj.* **1.** Relativo a calor ou a caloria. ● *S. m.* **2.** *Fís.* Fluido hipotético que, segundo a teoria do calor no séc. XIX, seria o responsável pelos fenômenos térmicos.
calorífero. [De *calori-* + *-fero.*] *Adj.* **1.** Que tem ou produz calor (3); calorígero. [Antôn.: *calorífugo.*] ● *S. m.* **2.** Aparelho para aquecimento de casas, veículos, etc.
calorificação. *S. f.* Desenvolvimento de calor (3) nos corpos vivos.
calorífico. [Do lat. *calorificu.*] *Adj.* **1.** Que pode trocar energia sob forma de calor (3). ~ V. *capacidade —a, energia —a* e *poder —.* ● *S. m.* **2.** Aparelho para produzir calor.
calorífugo. [De *calori-* + *-fugo[2].*] *Adj.* Que evita o calor. [Antôn: *calorífero, calorígero.*]
calorígero. [De *calori-* + *-gero[1].*] *Adj.* Que produz calor; calorífero. [Antôn.: *calorífugo.*]
calorim. *S. m. Bras.* V. *linguarudo* (3).
calorimetria. [De *calori-* + *-metr(o)-* + *-ia.*] *S. f. Fís.* Conjunto de métodos experimentais que objetivam medir a quantidade de calor recebida ou desprendida por um sistema quando este sofre uma transformação física ou química.
calorimétrico. *Adj.* Referente à calorimetria. ~ V. *bomba —a.*
calorímetro. [De *calori-* + *-metro.*] *S. m. Fís.* Aparelho com que se efetuam medidas em calorimetria.
calorização. *S. f. Quím.* Difusão de alumínio em ferro ou em aço, fenômeno utilizado industrialmente para recobrir peças ou folhas de ferro ou de aço de camada superficial que contenha alumínio.
calor-nos-olhos. *S. m. Bras. Pop.* Oftalmia. [Pl.: *calores-nos-olhos.*]
caloroso (ô). *Adj.* **1.** V. *calmoso.* **2.** Enérgico, veemente, vivo: *protesto caloroso.* **3.** Cordial, entusiástico: *acolhimento caloroso.*
calorrinquídeo. *S. m.* **1.** Espécime dos calorrinquídeos. ● *Adj.* **2.** Pertencente ou relativo a eles.
calorrinquídeos. *S. m. pl. Zool.* Família de peixes da classe dos elasmobrânquios (seláquios), com poucas espécies, entre as quais se encontram as quimeras.
calose. [De *calo-* + *-ose.*] *S. f. Bot.* Substância de natureza polissacarídica que impregna certas paredes celulares nas plantas, constituindo o calo dos tubos crivados, e se dissolve ao recomeçar a circulação da seiva.
calósico. *Adj. Bot.* Relativo à calose.
calosidade. [Do lat. *callositate.*] *S. f.* **1.** Dureza calosa. **2.** V. *calo[1]* (1). **3.** Qualidade do que tem calos [v. *calo[1]* (1)].
caloso (ô). [Do lat. *callosu.*] *Adj.* Que tem calos; calejado: "O desconhecido estendeu-me a larga mão calosa." (Ribeiro Couto, *Cabocla,* p. 117). ~ V. *corpo —.*
calota. [Do fr. *calotte,* cujo sentido próprio é 'solidéu'.] *S. f.* **1.** *Geom.* Calota esférica. **2.** Peça de metal abaulada que se adapta externamente às rodas dos automóveis para proteger as extremidades dos eixos e as porcas com que se fixam as rodas. **3.** *Arquit.* Porção de abóbada esférica construída para dar maior altura ao teto. ♦ **Calota craniana.** *Anat.* Porção superior da caixa craniana. **Calota esférica.** *Geom.* Parte de uma superfície esférica limitada por um plano; zona em que um dos planos é tangente à superfície esférica. [Tb. se diz apenas *calota.*] **Calota polar.** *Astr.* Calota esférica de gelo, existente em planetas, e observável na Terra e em Marte.
calote. *S. m. Fam.* Dívida não paga, e/ou contraída sem intenção de pagamento. [F. red. (bras., PE): *calo.* Sin. (bras., N.E.): *boca.*]
calotear. *V. t. d.* **1.** Não pagar o que deve a; passar calote(s) em. *Int.* **2.** Contrair dívida(s) sem intenção ou possibilidade de a(s) pagar. [Conjug.: v. *frear.*]
caloteiro. *Adj.* e *s. m.* Que, ou aquele que caloteia; fintador. V. *canganchairo.*
calotismo. *S. m.* Hábito de caloteiro, de passar calote.
calourice. [Var. de *caloirice.*] *S. f.* Qualidade ou caráter de calouro; inexperiência.
calouro. [Do gr. bizantino *calógenos,* 'bom velho'; var.

de *caloiro*.] *S. m.* **1.** Estudante novato. [Sin. (bras.): *bicho;* antôn.: *veterano* (5).] **2.** Indivíduo inexperiente em qualquer ramo. **3.** Indivíduo tímido, acanhado. ♦ **Calouro enfeitado.** *Bras. Desus.* Aluno do segundo ano do curso superior.

caluda. [De *calar*[1].] *Interj.* Serve para impor silêncio; psiu.

caluje. [Var. de *caloji*.] *S. m. Bras. Pop.* **1.** V. *cabana*. **2.** V. *palhoça* (2).

calumba. [De or. afr.] *S. f. Bras.* Subarbusto da família das menispermáceas (*Jateorhiza palmata*), de folhas profundamente cordadas e subdivididas em lobos largos e arredondados, flores unissexuais e minutíssimas, ordenadas em racemos alongados, e cujos frutos são drupas ovóides, setosas e agregadas em grupos.

calumbá. *S. f. Bras.* **1.** Caldo de cana. **2.** *P. ext.* O cocho por onde o calumbá escorre.

calumbé. [Var. de *carumbé*.] *S. m. Bras.* Vasilha ou gamela cônica, na qual se conduz o cascalho que vai ser lavado nas catas de ouro ou diamante.

calundu. [Do quimb. *kilundu*, ente sobrenatural que dirige os destinos humanos e, entrando no corpo de uma pessoa, a torna triste, nostálgica, mal-humorada.] *S. m Bras.* V. *amuo* (1): "o tédio, a amargura, os choros sem motivo, os c a l u n d u s , os chiliques" (Jorge Amado, *Teresa Batista Cansada de Guerra*, p. 156).

calunga. *S. f.* **1.** *Bras.* Divindade secundária do culto banto. **2.** *Bras. P. ext.* O fetiche dessa divindade. **3.** *Bras.* Coisa qualquer de tamanho reduzido. **4.** *Bras., BA* e *MG.* Arbusto da família das simarubáceas (*Simaruba ferruginea*), de folhas penadas que têm de quatro a oito folíolos coriáceos, pilosos, ferrugíneos e obovados, flores muito pequenas, rufas e agregadas em amplas panículas terminais, e frutos constituídos de quatro a cinco carpídeos drupáceos. Ocorre no cerrado e na caatinga. **5.** *Bras.* Uma espécie de libélula. ● *S. m.* **6.** *Bras.* Boneco (1) pequeno. **7.** *Bras.* Figuras humanas, nos desenhos infantis. **8.** *Bras.* O ratinho doméstico; camundongo. [Var. (nesta acepç.): *calungo*.] **9.** *Bras.* Pessoa de pouca estatura. **10.** *Bras.* Desenho sumário, representação da figura humana, que os arquitetos fazem para dar a idéia de escala ou dimensão da obra que projetam. **11.** *Bras., RJ.* Pargo. **12.** *Bras., SC* e *GO.* Indivíduo preto. **13.** *Bras., PE* e *AL.* Ajudante de caminhão de carga; calunga de caminhão. **14.** *Bras., PE. Folcl.* Nos maracatus, cada uma das duas bonecas (Don Henrique e Dona Clara) que vão nas mãos dançantes das negras, e que recebem as espórtulas dos admiradores. ♦ **Calunga de caminhão.** *Bras., PE* e *AL.* Calunga (13).

calungagem. *S. f. Bras. Pop.* **1.** Trejeitos, requebros. **2.** Atos, gestos ou ditos engraçados; macaquices. **3.** Coisa insignificante, ridícula. **4.** *Bras., PB.* V. *vadiação*.

calungo. *S. m. Bras., BA.* Var. de *calunga* (8).

calungueira. [De *calunga* (11) + *-eira*?] *S. f. Bras., RJ.* Embarcação de pesca, semelhante à garoupeira; bangula.

calungueiro. [De *calunga* (11) + *-eiro*.] *S. m. Bras., RJ.* Pescador de pargo.

calúnia. [Do lat. *calumnia*.] *S. f.* **1.** Ato ou efeito de caluniar. **2.** *Jur.* Falsa imputação (a alguém) de um fato definido como crime. **3.** *Bras. Fam. Joc.* Mentira, falsidade, invenção. [Cf. *calunia*. do v. *caluniar*. Sin. (nas acepç. 1 e 2): *difamação*.]

caluniado. [Part. de *caluniar*.] *Adj.* e *s. m.* Que ou aquele que é objeto de calúnia.

caluniador (ô). [Do lat. *calumniatore*.] *Adj.* e *s. m.* Que ou aquele que calunia.

caluniar. [Do lat. *calumniare*.] *V. t. d.* **1.** Difamar, fazendo acusações falsas. **2.** *Jur.* Atribuir falsamente a (alguém) fato definido como crime. [Cf. *difamar* (2).] *Int.* **3.** Proferir calúnias(s): *C a l u n i a sem cessar, para justificar-se.* [Pres. ind.: *calunio, calunias, calunia*, etc. Cf. *calúnia*.]

caluniável. *Adj. 2 g.* Que pode ser objeto de calúnia.

calunioso (ô). [Do lat. *calumniosu*.] *Adj.* **1.** Que encerra calúnia. **2.** Que serve para caluniar.

calva. [Do lat. *calva*, 'crânio'.] *S. f.* Parte da cabeça de onde caiu o cabelo; careca.

calvar. *V. t. d.* e *int. P. us.* Calvejar.

calvária. [Do lat. *calvaria*, 'caveira'.] *S. f. Anat.* Parte superior do crânio, abobadada, formada pelas porções superiores dos ossos frontal, occipital e parietais.

calvário. [Do top. *Calvário*, colina próxima a Jerusalém, onde Jesus Cristo foi crucificado.] *S. m.* **1.** Elevação, monte. **2.** Peanha de crucifixo, **3.** *Fig.* Martírio, tormento, sofrimento; via-crúcis: *Sua vida foi um eterno c a l v á r i o .*

calvejar. *V. t. d.* e *p.* Tornar(-se) calvo [Sin., p. us.: *calvar*. Conjug.: v. *pelejar*.]

calvície. [Do lat. *calvitie*.] *S. f.* **1.** Estado de quem ou do que é calvo: *A c a l v í c i e do rapaz manifestou-se muito cedo; A c a l v í c i e dos antigos cafezais revelava a decadência da região.* **2.** Acomia.

calvinismo. *S. m.* **1.** Sistema teológico da Reforma protestante, exposto e defendido por Calvino (1509-1564). **2.** *P. ext.* As Igrejas que professam o calvinismo.

calvinista. *Adj. 2 g.* **1.** Relativo ao calvinismo; calvinístico. **2.** Que é sectário dele. **3.** Relativo a huguenote (3). ● *S. 2 g.* **4.** Sectário do calvinismo. **5.** V. *huguenote* (3).

calvinístico. *Adj.* Calvinista (1).

calvo. [Do lat. *calvu*.] *Adj.* **1.** Que não tem cabelo na cabeça ou em parte dela. **2.** *Fig.* Sem vegetação; árido, escalvado: *outeiro c a l v o* . **3.** Diz-se de mentira evidente. ● *S. m.* **4.** Indivíduo calvo (1); careca.

cama. [Do lat. hispânico, de or. pré-romana, *cama*, 'leito no solo'.] *S. f.* **1.** Qualquer lugar onde pessoas ou animais possam deitar-se e/ou dormir: *Fiz uma c a m a para você aqui no chão do quarto;* "que nunca mates fera em c a m a e com cria, seja urso, javali ou veado." (Alexandre Herculano, *Lendas e Narrativas*, II, p. 21). **2.** Móvel em que se dorme ou repousa, composto de estrado com pés ou sem eles, sobre o qual se coloca, em geral, um colchão revestido de cobertas, e que varia de forma segundo a época, estilo ou lugar onde foi feito; leito: *uma c a m a de jacarandá; c a m a de casal.* **3.** *P. ext. Fig.* Intercurso sexual: *Só quer mulher para a c a m a* . **4.** Camada (2) de material fofo ou macio: *uma c a m a de folhas secas; Fez uma c a m a com a palha e foi arrumando os caquis.* **5.** Depressão e diferença de cor que se observam na casca dos frutos de certas plantas rasteiras, como, p. ex., a abóbora e o melão, na parte em que ficam de encontro à terra. **6.** *Tip.* Camada de pano ou de papel que constitui a parte inferior da almofada, nos cilindros das prensas. **7.** *Tip. P. ext.* V. *almofada* (6) **8.** *Bras.* Lugar que os animais escolhem e ajeitam para se recolherem e dormirem. **9.** *Bras.* Lugar, no campo, onde o animal, deitando-se, deixa a marca do corpo, no capim ou no mato. **10.** *Bras.* Fundo de rio, lago, etc.; leito. ♦ **Bater a cama nas costas.** *Bras. Pop.* Ferrar no sono [q. v.]. **De cama.** Sem dela se levantar, por doença; *estar, ficar, continuar d e c a m a* . **Fazer a cama.** Arrumar em boa ordem os lençóis e cobertas, travesseiros, etc., da cama (2), para nela alguém deitar-se. **Fazer a cama de.** Dar más informações acerca de (alguém); acusá-lo, denunciá-lo. **Fazer a cama para.** *Fig.* Trabalhar em proveito alheio. [Sin. (Bras., RS): *aquentar água para o mate de*.]

camaá. [Do tupi *kama'á*.] *S. m.* **1.** *Bras., Amaz.* Arbusto da família das verbenáceas *(Aegiphila villosa)*, de ramos quadrangulares, pequeninas flores esverdeadas e frutos drupáceos avermelhados, todo revestido de pêlos brancos, de excelente aspecto ornamental. Habita terrenos bastante secos. **2.** *Bras. Amaz.* O fruto desse arbusto. **3.** *Bras.* V. *fruta-de-anel*. [Cf. *camará*.]

cama-beliche. *S. f.* Beliche (1). [Pl.: *camas-beliches*.]

camacã[1]. *Bras. S. 2 g.* **1.** Indivíduo dos camacãs, uma das tribos indígenas da família lingüística homônima, da BA. ● *Adj. 2 g.* **2.** Pertencente ou relativo a essa tribo.

camacã[2]. *S. f. Bras.* V. *cambacã*.

camaçada. *S. f. Bras. Pop.* **1.** V. *surra* (1). **2.** Acúmulo de doenças venéreas.

camaçariense. *Adj. 2 g.* **1.** De, ou pertencente ou relativo a Camaçari (BA). ● *S. 2 g.* **2.** Natural ou habitante de Camaçari.

camacho. *Adj.* e *s. m. Bras.* Diz-se de, ou indivíduo coxo.

camacilra. *S. f. Bras.* V. *cambaxirra*.

camada. [De *cama* + *-ada*[1].] *S. f.* **1.** Quantidade de matéria, natural ou artificial, estendida, sem solução de continuidade, sobre uma superfície: *uma c a m a d a de algodão; uma c a m a d a de saibro.* **2.** *P. ext.* Porção de qualquer substância que forma um todo, sobreposta a outra(s); andar: *um bolo de c a m a d a s* . **3.** Categoria, classe. **4.** *Bot.* Conjunto de células que formam estrato. **5.** *Geol.* Unidade de uma rocha sedimentar estratificada. ♦ **Camada de depleção.** *Fís.* Zona de transição. **Camada de elétrons.** *Fís.* Em um átomo, conjunto de elétrons que têm o mesmo número quântico principal; camada eletrônica. **Camada de Heavside.** *Geofís.* Camada condutora descoberta pelo físico inglês Oliver Heavside (1850-1925), situada na região da ionosfera que vai, aproximadamente, de 90 a 140 km de altitude, e capaz de refletir ondas eletromagnéticas até 3 000 kc, provenientes do solo; região de Heavside, região E. **Camada de inversão.** Camada de ar frio que aparece sob uma camada de ar quente. **Camada eletrônica.** *Fís.* Camada de elétrons. **Camada humífera.** V. *manta* (6). **Camada inversora.** *Astr.* Camada da atmosfera solar, externa à fotosfera e interna à cromosfera.

cama-de-gato. *S. f. Bras.* **1.** Brinquedo infantil com um barbante a que se ataram as duas pontas e que duas pessoas vão tirando uma dos dedos da outra, alternadamente, dando ao cordel disposição variada e simétrica. **2.** Queda provocada por pessoa que, agachada e sem ser vista, se põe por trás de outra, enquanto uma terceira a empurra. **3.** *Esport. P. ext.* Queda provocada no jogador que está pulando por outro jogador que, sem dar pulo, o desloca no ar. [Pl.: *camas-de-gato*.]

cama-de-varas. *S. m. Bras.* **1.** Trabalhador rural. **2.** *P. ext.* Camponês pobre. [Pl.: *camas-de-varas*.]

cama-de-vento. *S. f. Bras.* Cama portátil, geralmente de dobrar e de lona. [Pl.: *camas-de-vento*.]

camafeu. [Do fr. ant. *camaheu*.] *S. m.* **1.** Pedra semipreciosa, com duas camadas de cores diferentes, numa das quais se talha uma figura em relevo: "Impressionou-me .... uma senhora, ... trajada simplesmente, porém com um gracioso c a m a f e u a lhe enfeitar a blusa." (Genolino Amado, *O Reino Perdido*, p. 123.) **2.** *Pop.* Mulher de feições delicadas. **3.** *Joc.* Mulher feia; estafermo.

camafonje. [De possível or. afr.] *S. m.* **1.** *Bras., RN* a *PE.* Moleque travesso. **2.** *Bras., PE* e *AL.* Ladrão, gatuno. **3.** *Bras., PE* e *AL.* Indivíduo desprezível.

➡**camaïeu.** [Fr.] *S. m. Pint.* Gênero de pintura em que se utiliza apenas uma cor, nos seus diversos tons. [Cf. *grisalha*.]

camaísma. *S. f. Bras.* Árvore de que os índios fazem flechas.

camaiurá (ai-u). *Bras. S. 2 g.* **1.** Indivíduo dos camaiurás, tribo indígena tupi que vive na região dos formadores do Xingu, entre a lagoa Ipavu e o rio Culuene (MT). ● *Adj. 2 g.* **2.** Pertencente ou relativo a essa tribo.

camajari. *Bras. S. 2 g.* **1.** Indivíduo dos camarajaris, tribo indígena que habita no alto curso do rio Roosevelt (RO). ● *Adj. 2 g.* **2.** Pertencente ou relativo a essa tribo.

camajondura. *S. f. Bras.* V. *xixá*.

camal. [Do provenç. *capmalh*.] *S. m.* Peça da armadura (1) que cobria o elmo e descia sobre os ombros; camalho.

camáldulas. [Do top. Camaldoli (Itália), onde existe um convento de religiosos que inventaram as camáldulas.] *S. f. pl.* Camândulas.

camáldulo. *S. m.* Religioso da ordem fundada por S. Romualdo em Camaldoli (Itália), no séc. XI.

camaleão[1]. [De *cameleão*, por assimilação.] *S. m.* **1.** Reptil lacertílio, da família dos camaleontídeos, especialmente os do gênero *Chamaleo* L.; da Europa meridional e de certas regiões africanas e asiáticas, arborícola e dotado da faculdade de mudar de cor. Tem cauda preênsil, dedos opostos, língua protrátil, capaz de ser projetada a grande distância. **2.** *Bras.* Designação comum dos reptis lacertílios da família dos iguanídeos, com cerca de 30 representantes, a maioria dos quais tem uma prega mento-faríngea capaz de se encher de vento, crista serrilhada no dorso, língua curta, grossa e não protrátil; são também arborícolas e também mudam de cor. A espécie mais conhecida no N. e N.E. é a *Iguana iguana* (L.). [Var., nestas acepç.: *cambaleão* e *cameleão;* sin.: papa-vento, senembi, senembu, sinimbu, sinumbu, tijibu. Cf. (na acepç. 2): *iguana*.] **3.** *Fig.* Indivíduo que assume o caráter conveniente aos seus interesses. **4.** Indivíduo que adapta sua opinião ao interesse do momento.

camaleão[2]. [Var. de *camalhão*.] *S. m.* **1.** Bras., PE a *BA.* Elevação deixada entre os sulcos feitos, em terreno molhado, pelas rodas dos veículos ou pelas patas dos animais. **2.** *Bras., BA.* Pequenas lombas em meio a terras planas.

camaleão[3]. *S. m. Bras., RN.* Certa dança rural, de vários pares.

camaleão-de-pedreira. *S. m. Bras. RJ.* V. *taraguira*. [Pl.: *camaleões-de-pedreira*.]

camaleão-ferro. *S. m. Bras., RJ.* V. *ameiva*. [Pl.: *camaleões-ferros* e camaleões-ferro.]

camaleônico. *Adj.* Próprio de, ou semelhante a camaleão. [Var. de *cameleônico*.]

camaleontídeo. *S. m.* **1.** Espécime dos camaleontídeos. ● *Adj.* **2.** Pertencente ou relativo a eles.

camaleontídeos. *S. m. pl. Zool.* Família de reptis lacertílios na qual se incluem os camaleões, conhecidos pela sua capacidade de mudar de cor.

camalha. [De *camalho*.] *S. f.* Capuz de lã caído sobre os ombros.

camalhão. [De *cama*?] *S. m.* Porção de terra de lavoura entre dois regos; camaleão.

camalho. *S. m.* Camal.

camalote. [Do esp. plat. *camalote*.] *S. m. Bras., S.* e

C.O. Ilha flutuante que desce os rios, formada de plantas aquáticas. [Sin. (na Amaz.): *periantã*.]
camamu. [Do tupi *kama-m-un*, 'peito negro'.] *Bras. S. 2 g.* **1.** Indivíduo dos camamus, tribo indígena tapuia que habitava a região do rio Acaru (CE). ● *Adj. 2 g.* **2.** Pertencente ou relativo a essa tribo.
camamuense. *Adj. 2 g.* **1.** De, ou pertencente ou relativo a Camamu (BA). ● *S. 2 g.* **2.** Natural ou habitante de Camamu.
camamuri. [Do tupi *kamamu'ri*.] *S. m. Bras., AM.* Certa fruta silvestre.
camanduá. *S. m. Bras., BA.* Feixe de folhas de fumo que pesa de oito a 10 quilos.
camanducaiense. *Adj. 2 g.* **1.** De, ou pertencente ou relativo a Camanducaia (MG). ● *S. 2 g.* **2.** Natural ou habitante de Camanducaia.
camândulas. [Var. de *camáldulas*.] *S. f. pl.* Contas grossas de rosário.
camanguá. *S. f. Bras.* V. *oveva.*
camapu. [Do tupi *kama'pu*.] *S. m.* **1.** *Bras., AM.* Designação comum a duas espécies do gênero *Physalis*, pequenas árvores cujos frutos, depois de cozidos, se tornam comestíveis e podem substituir o tomate, servindo, também, para fazer conserva em vinagre. [Sin.: *juapoca*.] **2.** *Bras., Marajó.* Bolhas de água produzidas pela respiração do pirarucu.
camapuano. *Adj.* **1.** De, ou pertencente ou relativo a Camapuã (MS). ● *S. m.* **2.** O natural ou habitante de Camapuã. [Sin. ger.: *camapuense*.]
camapuense. *Adj. 2 g.* e *s. 2 g.* Camapuano.
camaqüense. *Adj. 2 g.* **1.** De, ou pertencente ou relativo a Camaquã (RS). ● *S. 2 g.* **2.** Natural ou habitante de Camaquã.
câmara. [Do gr. *kamára*, 'abóbada', pelo lat. vulg. *camara*.] *S. f.* **1.** Compartimento ou aposento de uma casa e, em especial, o quarto de dormir. **2.** Assembléia deliberativa constituída em corpo legislativo: *a Câmara dos Deputados; Fui à Câmara de Vereadores.* **3.** O local onde se reúne tal assembléia. **4.** *P. ext.* Qualquer assembléia deliberativa. **5.** Divisão de um tribunal para julgar questões de determinada natureza. **6.** Repartição de despacho eclesiástico. **7.** Designação comum a certos aparelhos ópticos. **8.** *Anat.* Parte do olho situada entre a córnea e a íris (câmara anterior), e entre a íris e o cristalino (câmara posterior). **9.** Qualquer recinto ou compartimento fechado: *câmara frigorífica; câmara de gás.* **10.** *Bot.* Espaço entre as células, em vários vegetais, como, p. ex., no caule das plantas aquáticas. **11.** *Cin.* Aparelho para fotografar as sucessivas imagens de um filme; máquina de filmar. **12.** *Fot.* Parte opaca que forma o corpo da máquina fotográfica, tendo de um lado a objetiva (3), por onde penetra a imagem, e do outro a superfície sensível. **13.** *Fot. P. ext.* V. *máquina fotográfica.* **14.** *Mar. G.* Conjunto de compartimentos para uso pessoal do comandante de navio ou de força naval. **15.** *TV.* Aparelho que capta e transmite as imagens de televisão [q. v.]. Var., nas acepç. 11 a 13, e 15: *câmera* ● *S. 2 g.* **16.** Pessoa que opera a câmara de cinema ou televisão ~ V. *câmaras.* ♦ **Câmara alta.** O Senado. **Câmara anterior.** *Anat.* V. *câmara* (8). **Câmara baixa.** A Câmara dos Deputados. **Câmara clara.** *Ópt.* Câmara lúcida. **Câmara de Baker.** *Astr.* Instrumento astronômico fotográfico, do tipo catadióptrico, que fornece um campo extenso, quase isento de coma e aberração esférica. **Câmara de bolha.** *Fís. Nucl.* Câmara de traço em que o elemento detector é um líquido superaquecido que se vaporiza ao longo da trajetória das partículas ionizantes que o atravessam. **Câmara de centelha.** *Fís. Nucl.* Instrumento para tornar visíveis as trajetórias de partículas ionizantes, e em que estas provocam uma seqüência de centelhas elétricas entre eletrodos colocados em potenciais elétricos diferentes. **Câmara de comércio.** Assembléia de comerciantes cuja missão é defender e representar junto ao governo os interesses comerciais e industriais de determinada região. **Câmara de compensação.** Reunião diária de banqueiros ou de membros das bolsas de valores a fim de acertarem suas contas por compensação das cambiais e efeitos de comércio recebidos e pagos, sem mobilização de dinheiro em espécie. **Câmara de condensação.** *Fís. Nucl.* Câmara de traço em que os íons produzidos por uma radiação ionizante provocam a condensação de um vapor súper-resfriado. **Câmara de escape.** *Astron.* Compartimento estanque, com duas portas capazes de permitir o acesso a um veículo, no espaço vazio. **Câmara de névoa.** *Fís. Nucl.* V. *câmara de Wilson.* **Câmara de nuvem.** *Fís. Nucl.* V. *câmara de Wilson.* **Câmara de pontoação.** *Anat. Veg.* Espaço compreendido entre a membrana de pontoação e a parte da parede que constitui a aréola. **Câmara de sangue.** *Med.* Evacuação intestinal com sangue. **Câmara de traço.** *Fís. Nucl.* Câmara em que, mediante dispositivos apropriados, se torna visível a trajetória de uma partícula ionizante. **Câmara de Wilson.** *Fís. Nucl.* Câmara de condensação em que a supersaturação do vapor é provocada por uma rápida expansão do fluido; câmara de névoa, câmara de nuvem. **Câmara escura.** *Fot.* Recinto vedado à luz exterior, fracamente iluminado com luz vermelha, verde ou ambarina, e no qual se realiza o processo de revelação fotográfica. **Câmara fotográfica.** *Fot.* V. *máquina fotográfica.* [Tb. se diz apenas *câmara* ou *câmera*.] **Câmara frigorífica.** Compartimento de temperatura mantida artificialmente baixa, para armazenamento e conservação de gêneros perecíveis. **Câmara lenta.** *Cin.* Recurso usado em cinema para conferir aos movimentos naturais uma lentidão característica. **Câmara lúcida.** *Ópt.* Instrumento constituído por prismas de reflexão total ou espelhos convenientes, mediante o qual um observador pode observar simultaneamente um objeto e a sua imagem projetada sobre uma folha de papel, para desenhá-la; câmara clara. **Câmara municipal.** Órgão deliberativo da administração municipal, eletivo e autônomo em tudo quanto se refere ao interesse comunal, à decretação de impostos de sua atribuição e à organização de serviços públicos de caráter local; vereação, edilidade. **Câmara posterior.** *Anat.* V. *câmara* (8). **Câmara sindical.** Órgão administrativo das bolsas ao qual incumbe encerrar ou reabrir o pregão de quaisquer títulos, ampliar ou diminuir o quadro de títulos negociáveis, etc. **Em câmara lenta.** Em ritmo vagaroso; lentamente: "A ação, nos seus contos e novelas [de Virgílio Várzea], se desenvolve em *câmara lenta*, no ritmo sincopado de uma arte que se nutre apenas do visual e do plástico." (Nereu Correia, *O Canto do Cisne Negro e Outros Estudos*, p. 118.)
camará. [Do tupi *kama'rá*.] *S. m. Bras.* **1.** Arbusto ornamental, da família das verbenáceas *(Lantana camara)*, amplamente disseminado no território nacional, de folhas grossas, pilosas e aromáticas, flores pequeninas, tubulosas, violáceas ou vermelhas e muito numerosas. [Cf. *camaá*. Var.: *cambará*; sin.: *camará-de-cheiro, camará-de-espinho, cambará-de-cheiro cambará-de-chumbo, cambará-de-espinho, cambará-miúdo, cambará-verdadeiro, cambará-vermelho*.] **2.** *Bras., MG.* V. *azeitona-do-mato.*
câmara-ardente. *S. f.* Sala onde se velam defuntos, em residência particular ou em capela, cemitério, hospital, etc. [Pl.: *câmaras-ardentes*.]
camará-branco. *S. m. Bras.* **1.** Arbusto da família das verbenáceas *(Lantana nivea)*, semelhante ao camará (1), porém com flores alvas. **2.** V. *camaratinga.* [Pl.: *camarás-brancos*.]
camará-bravo. *S. m. Bras.* **1.** V. *cega-olho.* **2.** V. *oficial-de-sala.* [Pl.: *camarás-bravos*.]
câmara-caixão. *S. f.* Câmara fotográfica simples, de uso popular, cuja objetiva tem pequena abertura e grande distância focal, e cujo corpo é, geralmente, constituído por uma caixa rígida em forma de paralelepípedo; máquina-caixão. [Atualmente é substituída por tipos com as mesmas características de funcionamento, mas de formato diverso. Pl.: *câmaras-caixões*.]
camarada. [De *câmara* + *-ada*[1].] *S. 2 g.* **1.** Pessoa que convive com outra; companheiro. **2.** *P. ext.* Amigo fraternal e cordial. **3.** Condiscípulo, colega. **4.** Cada um dos indivíduos que exercem a mesma profissão. **5.** *Bras., N.* Pessoa amancebada; amásio, amigo, companheiro. **6.** *Bras.* V. *concubina* (1): *alugou casa para a camarada e passou a morar lá, com ela.* ● *S. m.* **7.** *Bras. Pop.* Soldado (3). **8.** *Bras.* Indivíduo empregado em serviços avulsos, nas fazendas. **9.** *Bras.* Garimpeiro assalariado. **10.** *Bras.* Sujeito, indivíduo: *Esse camarada está sempre contando vantagem.* ● *Adj. 2 g.* **11.** *Bras.* Simpático, acessível, amigo; camaradesco: *É um sujeito camarada.* **12.** Agradável, bom, propício: *Soprava um ventinho camarada.* **13.** Acessível: *um preço camarada.* **14.** Que denota camaradagem, simpatia, amizade: *O professor deu-lhe uma nota camarada.* ♦ **Camaradas do corpo.** *Bras., CE. Pop.* Madre, útero.
camaradagem. *S. f.* **1.** Convivência de camaradas. **2.** Convivência íntima e agradável. **3.** Procedimento ou atitude própria de amigo ou camarada: *Foi de uma camaradagem a toda prova durante a viagem; Só o deixei assistir à aula por camaradagem.* **4.** *Bras.* Grupo de camaradas [v. *camarada* (7 a 10)].
câmara-de-ar. *S. f.* **1.** Tubo circular de borracha, que se coloca no interior dos pneumáticos dos automóveis, e que é munido de válvula para regular a calibragem do ar nele introduzido. **2.** *P. ext.* Qualquer peça análoga usada para diferentes fins: *a câmara-de-ar de uma bola de futebol.* [Pl.: *câmaras-de-ar*.]
camará-de-cheiro. *S. m. Bras., Amaz.* **1.** Árvore da família das lauráceas (*Acrodiclidium camara)*, que habita a floresta pluvial, de flores amarelas, muito pequenas, e cujo fruto é uma baga elipsóide, aromática e dotada de propriedades excitantes. **2.** V. *camará* (1). [Pl.: *camarás-de-cheiro*.]
camará-de-espinho. *S. m. Bras.* **1.** V. *camarajuba.* **2.** V. *camará* (1). [Pl.: *camarás-de-espinho*.]
camaradeiro. *Adj. Bras.* Que gosta de acamaradar-se, de fazer relações; comunicativo; obsequioso.
camaradesco (ê). *Adj.* **1.** Relativo a camarada. **2.** Próprio de amigo ou camarada; camarada.
camaradinha. [Dim. de *camarada*.] *S. f. Bras.* V. *juru-juba.*
camaragibano. *Adj.* **1.** De, ou pertencente ou relativo ao Passo de Camaragibe (AL). ● *S. m.* **2.** O natural ou habitante do Passo de Camaragibe.
camarajuba. [De *camará* + tupi *yuba*, 'amarelo'.] *S. f.* **1.** *Bras., RJ.* Subarbusto da família das enoteráceas (*Lantana aculeata*), próprio das capoeiras e sebes, hirsuto, de folhas ovadas, serreadas, acuminadas, cordadas, grossas e muito pilosas, flores alvas e congregadas em um capítulo que se insere no ápice de longo pedúnculo, e cujo fruto é drupáceo e pequenino; camará-de-espinho, cambará-de-espinho. **2.** V. *cambará-de-espinho* (2). [Var.: *cambarajuba*.]
camarambaia. [De *camará* + tupi *mbai*, 'mau', 'ruim'.] *S. f. Bras.* Planta da família das verbenáceas (*Jussiaea octonervia*).
camaranchão. *S. m. Desus.* Caramanchão [q. v.].
camarão. [Do gr. *kámmaros*, pelo lat. *cammaru*.] *S. m.* **1.** Animal artrópode, crustáceo, decápode, da família dos peneídeos, macruro, com 10 patas. Sua evolução consta de cinco fases. Várias espécies são conhecidas, todas de importância comercial, consumindo-se anualmente, para fins culinários, milhares de toneladas de camarões frescos, enlatados ou secos. [Sin. (bras. desus.) *poti*.] **2.** Prato preparado com ele. **3.** Antigo vaso de louça. **4.** Gancho com que se suspendem do teto lustres, etc. **5.** *Art. Gráf.* Barrãozinho. **6.** *Bras., SP. Pop.* Bonde (1) fechado que, na cidade de São Paulo, era pintado de vermelho. ♦ **Um camarão.** V. *um pimentão.*
camarão-braço-forte. *S. m. Bras., RJ.* V. *camarão-castanho.* [Pl.: *camarões-braços-fortes*.]
camarão-branco. *S. m. Bras.* V. *camarão-verdadeiro.* [Pl.: *camarões-brancos*.]
camarão-castanho. *S. m. Bras., RJ.* Espécie de decápode, macruro, da família dos palaemonídeos (*Macrobrachium acanthurus* (Wiegm.)), de coloração geral pardo-bronzeada, com desenhos irregulares na carapaça. Os dois primeiros pares de patas são grossos, munidos de quelas bem desenvolvidas, sobretudo no segundo par. Mede 6 a 10 cm de comprimento, e é comum na Lagoa de Saquarema. [Sin.: *zabumba* ou *zumbumba, camarão-lagosta, pitu, camarão-braço-forte.* Pl.: *camarões-castanhos*.]
camarão-d'água-doce. *S. m. Bras.* Pitu (1). [Pl.: *camarões-d'água-doce*.]
camarão-lagosta. *S. m. Bras., RJ.* V. *camarão-castanho.* [Pl.: *camarões-lagostas* e *camarões-lagosta*.]
camarão-legítimo. *S. m. Bras.* V. *camarão-verdadeiro.* [Pl.: *camarões-legítimos*.]
camarão-lixo. *S. m. Bras.* V. *camarão-verdadeiro.* [Pl.: *camarões-lixos* e *camarões-lixo*.]
camarão-rosa. *S. m. Bras.* **1.** Designação comum às espécies de crustáceos decápodes, macruros, da família dos peneídeos, cujo cefalotórax tem sulcos longitudinais laterais, crista pós-rostral e o sexto segmento abdominal provido de sulcos dorsolaterais. São três as espécies conhecidas: *Penaeus brasiliensis* Latreille, de cor vermelha, com os sulcos laterais do sexto segmento abdominal alargados e profundos, e a crista pós-rostral sulcada superiormente; *P. aztecus* Ives, castanho, extremidade das patas abdominais azuladas; e *P. duorarum* Burk., vermelho, com sulcos dorsolaterais estreitos e pouco profundos. [Sin.: *vilafranca*.] **2.** Crustáceo decápode, macruro, da família dos palemonídeos (*Leander potitinga* Faria & Mag.), de água doce, com até 6 cm de comprimento, rostro com nove dentes em cima e seis embaixo. [Sin. ger.: *potitinga, potimirim.* Pl.: *camarões-rosas*.]
camarão-sossego. *S. m. Bras.* Camarão de água doce, economicamente importante, de origem amazônica, e atualmente criado com bom êxito nos açudes nordestinos. [Pl.: *camarões-sossegos* e *camarões-sossego*.]
camarão-verdadeiro. *S. m. Bras.* Animal crustáceo,

decápode, macruro, da família dos peneídeos (*Penaeus schimitti* Burk.), braço com a extremidade livre do rostro de comprimento mediano, cefalotórax sem sulcos longitudinais, a crista pós-rostral e o sexto segmento abdominal sem sulcos dorsolaterais; camarão-branco, camarão-legítimo, camarão-lixo, pitigaia, piticaia. [Pl.: *camarões-verdadeiros*.]

camarãozinho. [Dim. de *camarão*.] *S. f. Bras.* Animal artrópode, crustáceo, antípode (*Gammarus neglectus* Sars.), parecido a um camarão. Vive em água doce, córregos e valas de agrião; é coprófago, e pode ser hospedeiro intermediário dalguns helmintos.

camararé. *Bras. S. 2 g.* **1.** Indivíduo dos camararés, tribo indígena que habitava a região do rio Madeira. ● *Adj. 2 g.* **2.** Pertencente ou relativo a essa tribo.

camararia. *S. f.* Cargo de camareiro. [Cf. *camarária*, fem. do adj. *camarário*.]

camarário. *Adj.* **1.** Relativo a câmara. [Fem.: *camarária*. Cf. *camararia*.] ● *S. m. 2.* Antiga dignidade eclesiástica.

câmaras. [Pl. de *câmara*.] *S. f. pl.* V. *diarréia*. ~ V. *câmara*.

camarata. [Do it. *camerata*.] *S. f.* Grande quarto de dormir, com diversas camas, em colégios, hospitais, quartéis, etc.; dormitório coletivo.

camaratinga. [Do tupi *camará* + *-tinga*.] *S. f. Bras., S.* e *C.O.* Arbusto campestre, silvestre e ruderal, da família das verbenáceas (*Lantana brasiliensis*), de ramos tetrágonos, com pêlos duros, folhas coriáceas, ovadas, elípticas ou mesmo lanceoladas, acuminadas e parcialmente serradas, flores alvas e congregadas em inflorescências capituliformes, multibracteadas e elegantes, e cujo fruto é uma pequena drupa elipsóide; camará-branco, cambará-branco.

camarazal. *S. m. Bras.* Quantidade mais ou menos considerável de camarás dispostos proximamente entre si.

camarção. *S. m.* Terra arenosa, que só produz plantas rasteiras ou arbúsculos.

camarço. *S. m. Pop.* **1.** Desgraça, infelicidade, caiporismo. **2.** Perturbação da saúde; doença.

camareiana. *Bras. S. 2 g.* **1.** Indivíduo dos camareianas, tribo indígena do N. do PA que habitava entre o Nhamundá (cachoeira do Paraíso) e o Acari. ● *Adj. 2 g.* **2.** Pertencente ou relativo a essa tribo.

camareira. *S. f.* **1.** Mulher que servia na câmara de rainha, princesa, etc. **2.** Arrumadeira de quartos em hotéis, navios de passageiros, etc.

camareiro[1]. *S. m.* **1.** Camarista (2). **2.** *Bras.* Empregado que atende ao serviço dos quartos e os arruma (em hotéis, navios de passageiros, etc.). **3.** *Bras.* Camaroteiro (2).

camareiro[2]. *S. m.* V. *camaroeiro* (1).

camarense. *Adj. 2 g.* **1.** De, ou pertencente ou relativo a General Câmara (RS). ● *S. 2 g.* **2.** Natural ou habitante de General Câmara.

camargo. [Possivelmente do antr. *Camargo*.] *S. m. Bras., SC.* Café com leite recém-tirado.

camarilha. [Do esp. *camarilla*.] *S. f.* Pessoas que cercam o chefe de Estado ou chefe de serviço, procurando influir indiretamente nas suas decisões.

camarim. [Do it. *camerino*.] *S. m.* **1.** *Teat.* Recinto da caixa dos teatros onde os atores se vestem e se pintam. **2.** Vão por cima do altar-mor, onde se arma o trono para a exposição do Santíssimo. **3.** *Bras. Mar.* Pequeno compartimento a bordo dos navios, onde se guardam ou instalam equipamentos ou aparelhos delicados: *camarim de cartas; camarim de cronômetros.* ◆ **Camarim de governo.** *Constr. Nav.* Compartimento do navio situado na sua superestrutura, com visão livre para a região à proa da embarcação, do qual se manobram o leme e se transmitem as ordens de marcha para o compartimento de máquinas; casa do leme.

camarinha. [Dim. de *câmara*.] *S. f.* **1.** *Ant.* Alcova (1) construída, geralmente, na parte central da casa, e que por vezes se eleva acima do telhado, à maneira de mirante ou torreão. **2.** *Bras. N.E.* e *Ant.* Quarto de dormir; quarto, câmara: "além do alpendre largo de três metros .... , tem a sala ladrilhada .... ; a *camarinha* com o baú e a outra rede" (Raquel de Queirós, *100 Crônicas Escolhidas*, p. 47). [Parece ter sido, outrora, comum a todo ou quase todo o Brasil.] **3.** Gotículas redondas: *camarinhas de suor.* [Nesta acepç., m. us. no pl.] **4.** *Bras.* Abertura ou espaço vazio nos canaviais, proveniente do corte e furto de canas. **5.** *Bras., PE.* Esconderijo de malfeitores, no mato, e de onde só à noite saíam, para atacar os passantes. **6.** *Bras., N.E.* Quarto muito reservado de um candomblé, onde permanecem as iaôs no período de iniciação.

camarista. [De *câmara* + *-ista*.] *S. 2 g.* **1.** Vereador municipal. **2.** Fidalgo ou fidalga ao serviço de pessoas reais; camareiro.

camarlengo. *S. m.* Camerlengo.

camarodonte. *S. m.* **1.** Espécime dos camarodontes. ● *Adj. 2 g.* **2.** Pertencente ou relativo a eles.

camarodontes. *S. m. pl. Zool.* Animais equinodermes, equinóides, regulares, da ordem *Camarodonta*. Carapaça rígida; brânquias externas presentes; dentes carenados; epífises da lanterna-de-aristóteles unidas acima das pirâmides. No grupo se inclui a maioria das espécies de ouriços-do-mar conhecidas atualmente.

camaroeiro. *S. m.* **1.** Rede para a pesca de camarões; camareiro. **2.** Camaroneiro (2). **3.** Sinal com que se indica, içando-o, a proximidade de temporais.

camaroneiro. *Adj.* **1.** Relativo a camarão. ● *S. m.* **2.** Barco usado na pesca de camarões; camaroeiro. **3.** Vendedor de camarões.

camaronês. *Adj.* **1.** De, ou pertencente ou relativo à República dos Camarões (África). ● *S. m.* **2.** O natural ou habitante da República dos Camarões. [Flex.: *camaronesa* (ê), *camaroneses* (ê), *camaronesas* (ê).]

camarote. [De *câmara* + *-ote*.] *S. m.* **1.** *Teat.* Cada um dos compartimentos especiais das salas de espetáculos, destinados aos espectadores, e geralmente divididos em andares ou ordens. **2.** *Mar. G.* Compartimento com um ou dois beliches, destinado à dormida de oficiais. **3.** *Mar. Merc.* Compartimento com um ou mais beliches, para a dormida de passageiros; cabina.

camarote-do-torres. *S. m. Bras., RJ. Gír.* V. *torrinha*. [Pl.: *camarotes-do-torres*.]

camaroteiro. *S. m.* **1.** Vendedor de bilhetes para entrada nos camarotes e em outros lugares do teatro. **2.** *Bras.* Criado que nos navios tem a seu cargo a limpeza e/ou o atendimento de determinados camarotes; camareiro.

camartelada. *S. f.* Pancada de camartelo.

camartelo. [De *martelo*.] *S. m.* **1.** Martelo de canteiro ou de pedreiro, agudo ou com gume de um lado e redondo ou quadrado do outro, e que se emprega para desbastar pedras, quebrar e assentar tijolos, etc. **2.** *Fig.* Tudo aquilo que serve para demolir.

camaru. [De possível or. tupi.] *S. m. Bras.* Árvore sertaneja de grande porte, cuja madeira é usada em construção e marcenaria.

camarupi. *S. m. Bras.* V. *camurupim*.

camarupim. *S. m. Bras.* V. *camurupim*.

camatanga. [F. aferética de *acamatanga*.] *S. f. Bras.* V. *chauá*.

camaxilra. *S. f. Bras.* V. *cambaxirra*.

camaxirra. *S. f. Bras.* V. *cambaxirra*.

camba[1]. [Do céltico **kambos*, 'curvo'.] *S. f.* **1.** Cada uma das peças curvas das rodas de um veículo, onde se prendem os raios. [Cf. *pina* (1).] **2.** Peça curva à qual se prende o dente do arado. **3.** Barra do freio à qual se prendem as rédeas. **4.** Pedaço de tecido que se adiciona à saia, capa, etc., para lhes dar maior roda. **5.** *Arquit.* Peça curva de uma cambota[1] (1). **6.** *Tip.* Excêntrico que movimenta o mecanismo de escape da matriz da linotipo, quando acionado pela tecla respectiva.

camba[2]. [F. aferética de *mucamba*.] *S. f.* **1.** *Bras.* V. *mucama*. ● *S. 2 g.* **2.** *Bras.* Índio sem préstimo, inútil.

cambá. [Do guarani *kã'bá*, 'negro'.] *S. m. Bras.* Designação comum aos negros brasileiros durante a guerra do Paraguai (1865-1870).

cambacã. [Do guar. *kã'bá*, 'negro', + *a'kã*, 'cabeça'.] *S. f. Bras.* Planta da família das esterculiáceas (*Guazuma ulmifolia* Lam.). [F. paral.: *camacã*.]

cambacica. [Possivelmente do tupi.] *S. f. Bras., SP.* V. *sebinho* (1).

cambada. [De *camba*[1] + *-ada*[1].] *S. f.* **1.** Porção de objetos enfiados ou pendurados em alguma coisa. **2.** *P. ext.* Porção de coisas; cambulha, cambulhada, encambulhada. **3.** Molho de chaves; cambulha. **4.** V. *cambo*[1]. **5.** *Fig.* Súcia, corja: *cambada de ladrões.*

cambadela. *S. f.* **1.** Ato de cambar ou entortar-se; entortadela. **2.** Cambalhota, reviravolta.

cambado. [Part. de *cambar*[1].] *Adj.* **1.** Torto de um lado; cambaio; *mesa cambada.* **2.** V. *cambaio* (1). **3.** *Bras.* Diz-se do indivíduo atacado pelo bicho-de-pé; bichento, cambaio.

cambaí. [Do guar. *kã'bá*, 'negro', + *-i*.] *S. m. Bras., S.* **1.** Arbusto da família das leguminosas (*Sesbania marginata*), de caule anguloso, folhas com 24 a 40 folíolos oblongos e obtusos, flores amarelas, vistosas, com 0,25m de comprimento e ordenadas em longos racemos multifloros, e cujo fruto, de 5 a 7 cm, é um legume acuminado, indeiscente, com seis a oito sementes. Habita os campos arenosos. **2.** O fruto desse arbusto. [Cf. *cambai*, do v. *cambar*.]

cambaiar. *V. t. d. Bras., S.* Tornar cambaio.

cambaico. *Adj.* **1.** De, ou pertencente ou relativo a Cambaia (Índia). ● *S. m.* **2.** O natural ou habitante de Cambaia.

cambaio. [De *cambar*[1].] *Adj.* **1.** De pernas tortas. [Sin.: *acambetado, cambado, cambembe, cambeta, cambo, cambota, cambuta*, e (bras.) *bichento, zambeta, zambo, zâibo, zâimbo, zambro*.] **2.** De pernas fracas; trôpego. **3.** Cambado (1): "Farda suja, punhos remendados, sapatos *cambaios*." (Permínio Asfora, *Vento Nordeste*, p. 159.) **4.** V. *cambado* (3). ● *S. m.* **5.** Indivíduo cambaio. [Sin., nesta acepç. (bras., pop.): *cambota, cambuta, perna-de-xis*.]

cambal. [De *camba*[1] + *-al*.] *S. m.* Resguardo da mó, para que não se espalhe a farinha que se vai moendo.

cambalacheiro. *Adj.* e *s. m.* Que ou aquele que faz cambalacho.

cambalacho. [De *cambar*[2].] *S. m.* **1.** Transação ardilosa e com intenção de dolo; barganha. **2.** Tramóia; conluio.

cambaleante. *Adj. 2 g.* Que cambaleia.

cambaleão. *S. m. Bras.* Var. de *camaleão*[1] (1 e 2).

cambalear. [De *cambar*[2].] *V. int.* **1.** Oscilar para os lados, por não se poder agüentar nas pernas; bordejar: "*Cambaleia*, e por fim cai no lajedo" (Eugênio de Castro, *Obras Poéticas*, V, p. 58); *Atingido pelo tiro, cambaleou e caiu.* **2.** Andar sem firmeza; cambar; bordejar: *Tonto de sono, cambaleou até o quarto.* [Conjug.: v. *frear*.]

cambaleio. [Dev. de *cambalear*.] *S. m.* Ato de cambalear.

cambalhota. [De *cambalear*.] *S. f.* **1.** Movimento que se faz girando o corpo sobre a cabeça e voltando à posição normal; cabriola, catrâmbias. **2.** *P. ext.* Salto acrobático. **3.** Reviravolta, viravolta: *Depois da batida o carro deu uma cambalhota no ar.* **4.** Queda desastrada; trambolhão. [Sin. ger.: *cambota*.]

cambalhotar. *V. int.* Dar cambalhotas.

cambanje. *S. m. Bras., PE. Chulo.* O pênis.

cambão. *S. m.* **1.** Peça de pau que se junta ao cabeçalho do carro puxado por mais de uma junta. **2.** Pau a que se prendem as bestas que fazem andar a nora. **3.** *Bras.* Pedaço de pau que se dependura ao pescoço da rês bravia para impedi-la de correr. **4.** Junta de bois. **5.** V. *cambo*[1].

cambapé. [De *cambar*[2] + *pé*.] *S. m.* **1.** V. *rasteira* (1). **2.** Armadilha, cilada. [Sin. ger.: *sancadilha*.]

cambar[1] [Da raiz céltica **kamb*, que traz a idéia de 'curvo'.] *V. int.* **1.** Entortar as pernas ao andar. **2.** Andar cambaio ou trôpego; cambalear. **3.** Pender, inclinar-se. [Imperat.: *camba, cambai*, etc. Cf. *cambaí*.]

cambar[2] [De *cambiar*.] *Desus. V. int.* **1.** Mudar de rumo. **2.** Passar de um lado para outro. *T. d.* **3.** Trocar, mudar, permutar, cambiar. **4.** *Marinh.* Mudar a disposição de (as velas de uma embarcação), de sorte que roube o vento pelo outro bordo. [Imperat.: *camba, cambai*, etc. Cf. *cambaí*.]

cambará. [Var. de *camará* (q. v.).] *S. m.* **1.** V. *camará* (1). **2.** Pequena árvore da família das compostas (*Moquinia polymorpha*), muito dispersa em lugares abertos, de flores agregadas em pequenos capítulos, e cuja madeira, conquanto de pequena espessura, é resistente ao contato com a água, sendo utilizada em rodas de moinho de água.

cambará-branco. *S. m. Bras.* V. *camaratinga*. [Pl.: *cambarás-brancos*.]

cambará-de-cheiro. *S. m. Bras.* **1.** V. *camará* (1). **2.** V. *cambará-de-espinho*. [Pl.: *cambarás-de-cheiro*.]

cambará-de-chumbo. *S. m. Bras.* **1.** V. *camará* (1). **2.** V. *cambará-de-espinho*. [Pl. *cambarás-de-chumbo*.]

cambará-de-espinho. *S. m.* **1.** *Bras.* V. *camará* (1). **2.** *Bras., CE* ao *RS.* Planta ornamental, da família das verbenáceas (*Lantana camara*), melífera, tônica, febrífuga, que fornece óleo para essências, e cujas flores podem ser amarelas, alaranjadas, róseas ou vermelhas; cambará-de-cheiro, cambará-de-chumbo, cambarajuba ou camarajuba, cambará-miúdo, cambará-verdadeiro, cambará-vermelho. **3.** V. *cambarajuba*. [Pl.: *cambarás-de-espinho*.]

cambará-de-folha-grande. *S. m. Bras.* Arbusto da família das verbenáceas (*Lantana macrophylla*), que se distingue do camará (1) pelas folhas muito maiores. [Pl.: *cambarás-de-folha-grande*.]

cambará-de-folha-miúda. *S. m. Bras.* Arbusto da família das compostas (*Moquinia paniculata*), que se distingue do cambará (1) pelas dimensões menores das diversas partes. [Pl.: *cambarás-de-folha-miúda*.]

cambará-do-campo. *S. m. Bras.* Designação comum a duas arvoretas das famílias das compostas aparentes (*Moquinia gardneri*) e das voquisiáceas aparentes (*Vochysia sessilifolia*), que se distribuem pelos cerrados e campos do Planalto Central. [Pl. *cambarás-do-campo*.]

cambaraense. *Adj. 2 g.* **1.** De, ou pertencente ou

relativo a Cambará (PR). ● *S. 2 g.* **2.** Natural ou habitante de Cambará.

cambará-guaçu. *S. m. Bras.* Arbusto da família das compostas *(Vernonia polyanthes)*, de folhas oblongas, amplas e membranáceas, e pequeninas flores violáceo-pálidas, reunidas em densos capítulos muito numerosos; assa-peixe. [Pl.: *cambarás-guaçus.*]

cambaraí. [De possível or. tupi.] *S. m. Bras., PR.* Varal que circunda o barbaquá.

cambarajuba (barà). *S. m. Bras.* **1.** V. *camarajuba.* **2.** V. *cambará-de-espinho.*

cambará-miúdo. *S. m. Bras.* **1.** V. *camará* (1). **2.** V. *cambará-de-espinho.* [Pl. *cambarás-miúdos.*]

cambará-preto. *S. m. Bras.* Arbusto ou arvoreta da família das compostas *(Piptocarpha macropoda)*, que vive na floresta atlântica, de folhas oblongolanceoladas e membranáceas, flores inconspícuas agregadas em capítulos, e cuja madeira é dura, mas sem valor. [Pl.: *cambarás-pretos.*]

cambará-roxo. *S. m. Bras.* Arbusto da família das verbenáceas *(Lantana lilacina)*, que se distingue do camará (1) pelas flores violáceo-pálidas e pelas folhas menores. [Pl.: *cambarás-roxos.*]

cambará-verdadeiro. *S. m. Bras.* **1.** V. *camará* (1). **2.** V. *cambará-de-espinho.* [Pl.: *cambarás-verdadeiros.*]

cambará-vermelho. *S. m. Bras.* **1.** V. *camará* (1). **2.** V. *cambará-de-espinho.* [Pl.: *cambarás-vermelhos.*]

cambarazinho. *S. m. Bras.* Tamanqueira (2).

cambarba. *S. m. Bras.* V. *sambaíba-de-minas-gerais.*

cambariçu. [Da língua dos miranhas, índios do alto Amazonas.] *S. m. Bras.* Meio de comunicação acústico primitivo, usado pelos índios miranhas, do alto Amazonas, entre suas malocas, e constituído por um cilindro de coqueiro posto no meio de uma cova de cerca de 1 m de profundidade, com a parte superior, de couro ou de borracha, esticada, de modo que, percutindo-se uma delas com pesado martelo, a mensagem é transmitida e respondida por meio de pancadas convencionais.

cambau. *S. m. Bras.* Peça triangular de madeira que se põe no pescoço das cabras para impedi-las de atravessar cercas.

cambaxilra. *S. f. Bras.* V. *cambaxirra.*

cambaxirra. [Var., por assimilação, de *cambaxilra*, do tupi *kã'bá*, 'negro' (com referência a seres vivos), + *xi'i, xi'i*, nome onomatopéico da andorinha, com infl. do port. *chilrar.*] *S. f.* **1.** *Bras. RJ.* V. *garriça.* **2.** *Bras., Amaz.* Cutipuruí. [Var.: *camacilra, camaxilra, camaxirra* e *cambaxilra.*]

cambaxirra-grande. *S. f. Bras.* V. *corruiruçu.* [Pl.: *cambaxirras-grandes.*]

cambeba. *S. f. Bras.* **1.** V. *cambeva* (1). **2.** V. *peixe-martelo.*

cambembe. *Adj. 2 g. Bras.* **1.** V. *cambaio* (1). **2.** Desajeitado, desazado, desastrado. **3.** Sem importância. ● *S. m.* **4.** *Bras., PE.* Trabalhador livre, que se juntava aos escravos no serviço da lavoura. ● *S. 2 g.* **5.** *Bras., AL.* Pessoa humilde que mora no campo: "Ninguém tinha culpa do meu desalinho, daqueles modos horríveis de c a m b e m b e." (Graciliano Ramos, *Infância*, p. 132). V. caipira (1).

camberrano. *Adj.* **1.** De, ou pertencente ou relativo a Camberra (Austrália). ● *S. m.* **2.** O natural ou habitante de Camberra.

cambeta. *Bras. S. 2 g.* **1.** Indivíduo dos cambetas, tribo indígena que habitava o PA. ● *Adj. 2 g.* **2.** Pertencente ou relativo a essa tribo. [Pl.: *cambetas.* Cf. *cambeta* (ê) e pl. *cambetas* (ê).]

cambeta (ê). [De *cambaio.*] *Adj. 2 g.* e *s. 2 g.* V. *cambaio* (1). [Pl.: *cambetas* (ê). Cf. *cambeta* e pl. *cambetas.*]

cambetear. *V. int.* Andar como cambeta (ê). V. *coxear.* [Conjug.: v. *frear.*]

cambéua. [Do tupi *a'kãg*, 'cabeça', + *pewa*, *'chata'.*] *S. f. Bras. PA.* V. *aperema.*

cambeúva. [Do tupi, decerto.] *Adj. 2 g. Bras., Amaz.* Diz-se de bovino de cornos retorcidos ou virados para a testa.

cambeva. [Do tupi *a'kãg*, 'cabeça', + *pewa*, 'chata'.] *S. m. Bras.* **1.** Designação comum a várias espécies de peixes teleósteos, siluriformes, da família dos tricomicterídeos, especialmente do gênero *Trichomycterus* Val., que têm formas pequenas, corpo mole e, geralmente, coberto de pontoações escuras. Vive no fundo das águas, onde se alimenta de vermes, lodo e resíduos em geral. Atinge até 20 cm de comprimento. [Var.: *cambeba;* sin.: *acangapeva, campeva, bagre-mole, bagre-cambeja.*] **2.** V. *peixe-martelo.*

cambiador (ô). *S. m. Eng. Ind.* V. *cambiador de calor.* ♦ **Cambiador de calor.** *Eng. Ind.* Equipamento destinado a efetuar trocas térmicas em um processo de aquecimento ou de resfriamento. [Sin.: *trocador de calor.* Tb. se diz apenas *cambiador.*]

cambial. *Adj. 2 g.* **1.** Relativo a câmbio[1]. **2.** Referente à letra de câmbio e a outros títulos endossáveis de efeitos jurídicos semelhantes, como o cheque, a nota promissória, etc. ● *S. f.* **3.** Papel (7) representativo de valor em moeda estrangeira.

cambialidade. *S. f.* Qualidade própria dos títulos cambiais.

cambiante. *Adj. 2 g.* **1.** Que cambia. **2.** Furta-cor, irisado, iriado. **3.** De cor indistinta ou indecisa. ● *S. m.* **4.** V. *nuança* (1): *A sala era decorada com vários c a m b i a n t e s de verde;* "A relva tem c a m b i a n t e s de ametista" (Ricardo Gonçalves, *Ipês*, p. 30). **5.** Cor indistinta ou indecisa. **6.** *Fig.* Gradação (1).

cambiar. [Do céltico, atr. do lat. tardio *cambiare*, 'trocar', 'cambiar'.] *V. t. d. e i.* **1.** Fazer operações de câmbio[1] (2); trocar (moeda ou letra de um país pelas de outro). **2.** Transformar, alterar, mudar: *Os últimos fatos vieram c a m b i a r em desesperança a sua ilusão. T. d.* **3.** Trocar, mudar, permutar; cambar. *T. i.* **4.** Trocar, mudar: *c a m b i a r de idéia. Int.* **5.** Mudar gradualmente de cor(es). **6.** Mudar de opinião, sistema, partido, etc. [Pres. ind.: *cambio*, etc.; fut. pret.: *cambiaria*, etc. Cf. *câmbio*, s. m., e *cambiária*, fem. de *cambiário.*]

cambiário. *Adj.* Relativo aos títulos cambiais e sua disciplinação jurídica. [Fem.: *cambiária.* Cf. *cambiaria*, do v. *cambiar.*] ~ V. *direito* —.

cambiável. *Adj. 2 g.* Que se pode cambiar.

cambica. [Do tupi *kã'bĩ*, 'leite'.] *S. f. Bras., N.* Iguaria ou refresco de murici com açúcar e, às vezes, com farinha de mandioca.

cambiforme. [De *cambi(o)* + *-forme.*] *Adj. 2 g. Bot.* Semelhante ao câmbio[2].

cambinda. [De *cabinda*, por nasalização.] *Adj. 2 g. Bras.* V. *cabinda.* ~ V. *cambindas.*

cambindas. [De *cabindas*, pl. de *cabinda.*] *S. f. pl. Bras. Folcl.* Dança na qual os dançadores, de cócoras, se movem ao som da música. [Cf. *cabinda* (3).] ~ V. *cambinda.*

câmbio[1]. [Dev. de *cambiar.*] *S. m.* **1.** Troca, permuta, escambo. **2.** Operação de conversão de valores (especialmente mercantis) expressos em moeda de um país pelo equivalente em moeda de outro. **3.** Relação de valores entre moedas de vários países, regulada pela taxa de câmbio [q. v.]. **4.** Mudança, transformação. **5.** *Mec.* V. *alavanca de mudanças.* [Cf. *cambio*, do v. *cambiar.*] ♦ **Câmbio flutuante.** Taxa de câmbio que flutua livremente segundo a maior ou menor procura de moeda estrangeira. **Câmbio manual.** Transação de dinheiro em espécie, na qual uma das moedas é estrangeira. **Câmbio marítimo.** *Jur.* Contrato de empréstimo de dinheiro ou valores sob garantia de um navio, sua carga, fretes ou pertences, subordinado ao não perecimento do navio; dinheiro a risco. **Câmbio negro.** Comércio ilegal de moeda estrangeira; câmbio paralelo. [Cf. *mercado negro.*] **Câmbio oficial.** Taxa de conversão fixada pelo governo entre a moeda nacional e a de outros países. **Câmbio paralelo.** Câmbio negro. **Fazer câmbio.** Realizar o câmbio[1] (2); trocar dinheiro.

câmbio[2]. [Do lat. científico *cambium*, do lat. tardio *cambiare*, 'trocar'.] *S. m. Bot.* Camada geratriz constituída por células meristemáticas que aparecem entre o lenho e o líber, nas plantas superiores, e que ocorre tipicamente nas gimnospermas e nas dicotiledôneas, grupos caracterizados pelo porte arbóreo. [Cf. *cambio*, do v. *cambiar.*]

cambira. *S. f. Bras.* V. *tainha* (1).

cambiroto (ô). *S. m. Bras., Amaz.* Monte de argila.

cambista. *S. 2 g.* **1.** Pessoa que negocia em câmbio[1] (2). **2.** *Bras.* Pessoa que vende ingressos com ágio, fora das bilheterias dos teatros, estádios, etc.

cambitar. *V. t. d. Bras., N.E.* Carregar em cambitos [v. *cambito* (4)] nas costas de animais (cana-de-açúcar, lenha, etc.): "No Água Comprida cometeram atrocidades contra o preto velho Manuel Ciríaco que ali se arranchara ... , c a m b i t a n d o cana dos partidos para os engenhos." (Raul Lima, *O Fio do Tempo*, p. 52.)

cambiteira. [De *cambito* (4) + *-eira.*] *S. f. Bras., N.E.* Locomotiva de estrada de ferro geral, que conduzia trens de canas-de-açúcar para as usinas particulares.

cambiteiro. [De *cambito* (4) + *-eiro.*] *S. m. Bras., N.E.* Indivíduo empregado para transportar, em costas de animais, lenha, cana-de-açúcar, capim, etc., em cambitos.

cambito. [T. expressivo, baseado no it. *gambetta*, dim. de *gamba* 'perna'.] *S. m. Bras.* **1.** Pernil de porco. **2.** *Joc.* Perna fina; gambito. **3.** *P. us.* Cabide (1). **4.** Gancho de madeira duplo que, posto sobre a cangalha dos animais, serve para transportar ou cambitar lenha, capim, cana-de-açúcar, etc. **5.** Aparelho com que se colhe o tabaco (1). **6.** Pau para torcer as correias sobre a carga de um animal, fixando-as. **7.** *Bras., N.E.* V. *libélula.* ♦ **Esticar o cambito.** *Bras. Pop.* V. *morrer* (1).

cambo[1]. [Da raiz de *camba*[1].] *S. m.* Vara com um gancho na extremidade para apanhar fruta; cambão, cambada, garavato. [Cf. *ladra* (3).]

cambo[2]. *Adj.* V. *cambaio* (1).

camboa (ô). *S. f.* **1.** Pequena depressão artificial, junto ao mar, onde, na maré baixa, fica retido o peixe miúdo que ali penetra na preamar. **2.** *Bras., N.E.* Esteiro que enche com o fluxo do mar e fica em seco com o refluxo. [Var.: *gamboa.*] **3.** *Bras., MA.* Processo de pesca em que diversos pescadores, armados com a tarrafa, cercam com as suas canoas o cardume de peixes. [Cf. (nesta acepç.) *maçada* (3).]

camboatá. [Do tupi *kãbua'tá.*] *S. m.* **1.** Bras. V. *carrapeta* (2). **2.** *Bras., PR.* V. *ataúba.* **3.** *Bras.* V. *tambuatá* (1 e 2).

camboatã. [Do tupi; o *atã* final talvez corresponda a *a'tã*, 'duro'.] *S. m. Bras.* Designação comum a várias espécies da família das sapindáceas (*Cupania* e *Matayba*) e da família das meliáceas (*Trichilia*), pequenas árvores dotadas de madeira apropriada à confecção de cabos de ferramentas.

camboatã-branca. *S. f. Bras., Guianas ao PR, GO* e *MT.* Arbusto da família das sapindáceas (*Matayba Guyanensis*), de flores alvas e frutos pretos capsulares; atouaou, touaou, camboatã-brava, jatuaúba, mama-de-porca, paricá, pau-de-espeto. [Pl.: *camboatãs-brancas.*]

camboatã-brava. *S. f.* V. *camboatã-branca.* [Pl.: *camboatãs-bravas.*]

camboatã-de-folha-grande. *S. m. Bras., MG* e de *SP* a *RS.* Arbusto ou árvore melífera da família das sapindáceas (*Cupania vernalis*), de frutos capsulares, e de madeira usada em carpintaria e marcenaria, ou como lenha e carvão, sendo sua casca utilizada para curtume; gragoatã, guavatã, iaguarataí, pau-de-cantil. [Pl.: *camboatãs-de-folha-grande.*]

camboatã-mosquiteiro. *S. m. Bras.* Árvore da família das leguminosas (*Machaerim angustifolium*), de folhas constituídas de muitos folíolos pequeninos, flores violáceas e minutas, organizadas em panículas axilares, e cujo fruto é uma sâmara com asa coriácea; fornece madeira aproveitável, porém sem importância. [Pl.: *camboatãs-mosquiteiros* e *camboatãs-mosquiteiro.*]

camboatã-pequena. *S. f. Bras.* V. *carobinha.* [Pl.: *camboatãs-pequenas.*]

cambojano. *Adj.* e *s. m.* V. *campucheano.* [F. paral.: *cambojiano.*]

cambojiano. *Adj.* e *s. m.* V. *campucheano.*

cambona. [De *cambar.*] *S. f.* **1.** Mudança rápida na direção das velas ou do rumo das embarcações. **2.** *P. ext.* Viravolta, reviravolta, cambalhota. **3.** *Bras.* Ajudante do pai-de-santo. **4.** *Bras., RJ.* Carro de bois.

cambonde. *S. m. Bras., RJ. Folcl.* V. *cambone.*

cambondo. [De or. afr.] *S. m. Bras., BA.* Amásio, amante, amigo.

cambone. *S. m. Bras., RJ. Folcl.* Auxiliar de umbanda na invocação dos espíritos e na direção das cerimônias de macumba.

cambonja. [De or. afr.] *S. f.* Ave pernalta da África, da família dos ralídeos.

cambonje. [Var. de *cambonja.*] *S. f. Bras., BA.* Designação comum às espécies menores da família dos ralídeos. [V. *frango-d'água* (1).]

camboriuense (i-u). *Adj. 2 g.* **1.** De, ou pertencente ou relativo a Camboriú (SC). ● *S. 2 g.* **2.** Natural ou habitante de Camboriú.

cambota[1]. [Da raiz de *camba*[1].] *S. f.* **1.** *Arquit.* V. *cimbre.* **2.** Parte circular da roda dos carros, onde se fixam os raios e na qual é fixado o aro.

cambota[2]. *S. f. Bras. Fam.* V. *cambalhota.*

cambota[3]. *Adj 2 g.* e *s. 2 g. Bras., MA* e *RS.* V. *cambaio* (1 e 5).

cambota-brava. *S. f. Bras.* Arbusto da família das celastráceas *(Maytenus aquifolium)*, de folhas rígidas e aculeadas, flores insignificantes, e cujos frutos são cápsulas que encerram uma semente envolta num arilo branco. [Pl.: *cambotas-bravas.*]

cambraia. [Do top. *Cambrai.*] *S. f.* **1.** Tecido de algodão ou de linho, muito fino. [Cf. *batista.*] **2.** *Bras., S.* Sedinha: "o povo .... chama de c a m b r a i a ou sedinha uma planta da família das ciperáceas cujas flores, em blocos brancos, são de um aroma algo adocicado" (*Correio do Povo*, Porto Alegre, 16.1.1980). **3.** *Bras. Pop.* V. *cachaça* (1). ● *Adj. 2 g.* e *2 n.* **4.** *Bras.* Diz-se do animal, particularmente cavalo, boi ou carneiro, de pêlo inteiramente branco.

cambraieta (ê). [De *cambraia* + *-eta*.] *S. f.* **1.** Tecido semelhante à cambraia, porém menos fino: "Na cabeça, penteada em bandós de grossas madeixas alouradas, alvejava um lenço de cambraieta" (Camilo Castelo Branco, *Sentimentalismo e História*, p. 213). **2.** Cambraia ordinária.

cambras. *S. f. pl. Pop.* V. *diarréia.*

cambriano. *Adj.* **1.** Da, ou pertencente ou relativo à Câmbria, antigo nome do País de Gales. ~ V. *período* —. ● *S. m.* **2.** O natural ou o habitante do País de Gales. **3.** *Geol.* Período cambriano. [Sin. ger.: *câmbrico*.]

câmbrico. *Adj.* e *s. m.* Cambriano.

cambrone. [Do antr. *Cambronne*, de Charles Louis Cambronne, engenheiro francês que instalou sistema de esgotos no Recife.] *S. m. Bras., PE.* V. *latrina* (1).

cambuba. [De possível or. tupi.] *S. m. Bras.* V. *corcoroca* (1 e 2).

cambucá. [Do tupi *kãbu'ká*.] *S. m. Bras.* **1.** Árvore da família das mirtáceas (*Marlierea edulis*), de folhas e flores semelhantes às da cambucarana, e cujos frutos são bagas esféricas de 6 a 9 cm de diâmetro, com epicarpo amarelo e consistente, sendo a polpa amarelo-avermelhada, espessa, gelatinosa e agridoce, própria para ser comida crua sob a forma de doces e compotas. **2.** O fruto dessa árvore. **3.** O fruto do cambucazeiro.

cambucarana. [De *cambucá* + *-rana*.] *S. f. Bras.* Arbusto da família das mirtáceas (*Eugenia cambucarana*), de folhas coriáceas, ricas em glândulas translúcidas, flores pequenas, alvas e com muitos estames, e cujo fruto é uma baga comestível.

cambucazeiro (cà). *S. m. Bras., RJ.* Árvore ferrugíneo-hirsuta, da família das mirtáceas (*Myrciaria plicatocostata*), de folhas lanceoladas ou linear-lanceoladas, subcoriáceas, longamente acuminadas e pubescente na face inferior, e cujo fruto é uma baga globosa, séssil, pubescente, vermelho-escura, adstringente e doce, que contém uma a quatro sementes.

cambuci. [Do tupi *kãbu'si*.] *S. m. Bras.* **1.** Árvore da família das mirtáceas (*Paivaea langsdorffii*), de fruto semelhante ao cambucá [q. v.]. **2.** O fruto dessa árvore.

cambuciense. *Adj. 2 g.* **1.** De, ou pertencente ou relativo a Cambuci (RJ). ● *S. 2 g.* **2.** Natural ou habitante de Cambuci.

cambucu. [De *piracambu*.] *S. m. Bras.* V. *surubim-rajado.*

cambueiras. [De *camboa* + *-eiro*.] *S. f. pl. Bras.* Chuvas grossas que caem, de ordinário, no mês de setembro, enchendo córregos e transbordando açudes; chuva-dos-imbus. [Cf. *cambueiro*.]

cambueiro. [De *cambueiras*.] *S. m.* **1.** *Bras.* Vento tempestuoso que sopra do sul. **2.** *Bras., BA.* Aguaceiro que cai antes das primeiras trovoadas do ano. [Cf. *cambueiras*.]

cambuí. [Do tupi *kãbu'i*.] *S. m. Bras.* **1.** Árvore da família das mirtáceas (*Myrcia sphaerocarpa*), de folhas grossas, coriáceas, oblongas, providas de glândulas translúcidas, flores muito pequenas, alvas, reunidas em inflorescências cimosas, e cujos frutos são pequenas bagas esféricas. [Sin.: *cambuizeiro*.] **2.** O fruto dessa árvore.

cambuiense (u-i). *Adj. 2 g.* **1.** De, ou pertencente ou relativo a Cambuí (MG). ● *S. 2 g.* **2.** Natural ou habitante de Cambuí.

cambuizal (u-i). *S. m.* Quantidade mais ou menos considerável de cambuís dispostos proximamente entre si.

cambuizeiro (u-i). *S. m. Bras.* Cambuí (1).

cambulha. [De *camba* + *-ulha*.] *S. f. Bras., MG* e *S.* **1.** V. *cambada* (2). **2.** Cambada (3).

cambulhada. [De *cambulha* + *-ada*[1].] *S. f.* **1.** V. *cambada* (2). ♦ **De cambulhada.** Em confusão; desordenadamente; de mistura.

cambulho. [De *cambulha*.] *S. m.* Rodela de barro com um orifício no centro, usada para fundear as redes de pesca.

cambuquira. [Do tupi *kãbu'kira*, 'grelo de erva'.] *S. f. Bras., S.* **1.** Grelo de aboboreira. **2.** *Cul.* Guisado desses grelos que se serve como acompanhamento de carne assada.

cambuquirense. *Adj. 2 g.* **1.** De, ou pertencente ou relativo a Cambuquira (MG). ● *S. 2 g.* **2.** Natural ou habitante de Cambuquira.

camburão. *S. m. Bras.* **1.** V. *tintureiro* (6). **2.** Vaso onde os presos, na faxina, transportavam matérias fecais. [Cf. nesta acepç. *tigre* (6).]

camburiapeva. *S. m. Bras.* V. *camurupeba.*

cambuta. [Do quimb. *kambuta*.] *Adj. 2 g.* e *s. 2 g. Bras.* **1.** Diz-se de, ou pessoa enfezada, raquítica. **2.** V. *cambaio* (1 e 5).

came. *S. f. Tec. Mec.* Peça giratória, de contorno adequado a permitir um movimento alternativo especial a outra peça, chamada *seguidor*.

camé. *Bras. S. 2 g.* **1.** Indivíduos dos camés, denominação antiga de várias subtribos caingangues. ● *Adj. 2 g.* **2.** Pertencente ou relativo a essas subtribos.

camelão. [De *camelo* + *-ão*.] *S. m.* Tecido grosseiro de pêlo de cabra.

cameleão. [Do gr. *chamailéon*, 'leão rasteiro'.] *S. m.* V. *camaleão*[1] (1 e 2).

cameleira. *S. f.* Camélia (1): "largava a correr para o lado dos cerrados de milho e das hortas, onde as cameleiras redondas .... abriam o seu véu de flores brancas ou a nódoa de sangue das camélias vermelhas e geladas." (Vitorino Nemésio, *Mau Tempo no Canal*, p. 376).

cameleiro. *S. m.* Condutor de camelos.

camélia *S. f.* **1.** Arbusto ornamental da família das teáceas (*Camelia japonica*), originário da Ásia, de folhas verde-escuras, pequenas, grossas e serreadas, e belas flores grandes, alvas ou rosadas, com muitas pétalas e sem perfume; alcança de 3 a 5m de altura; cameleira. **2.** A flor dessa planta.

camelice. [De *camelo* + *-ice*.] *S. f. Pop.* Burrice, idiotice, estupidez.

camélida. *S. m.* e *adj.* V. *camelídeo.*

camélidas. *S. m. pl. Zool.* V. *camelídeos.*

camelídeo. *S. m.* **1.** Espécime dos camelídeos. ● *Adj.* **2.** Pertencente ou relativo a eles.

camelídeos. *S. m. pl. Zool.* Família de quadrúpedes ruminantes que inclui o camelo.

cameliforme. [Do lat. *camellu-* + *-i-* + *-forme*.] *Adj. 2 g.* Semelhante ao camelo.

camelino. *Adj.* Relativo ou pertencente ao, ou próprio do camelo.

camelo (ê). [Do lat. *camellu*.] *S. m.* **1.** Mamífero da ordem dos artiodáctilos, subordem dos tilópodes, com duas corcovas, ruminante. Mais precisamente denominado *camelo da Bactriana*, difere do dromedário, que só tem uma corcova. **2.** Antiga peça de artilharia. **3.** *Fig.* Homem sem inteligência; burro, estúpido, idiota, camelório. **4.** *Bras.* No jogo do bicho [q. v.], o 8º grupo (8), que abrange as dezenas 29, 30, 31 e 32, e corresponde ao número oito. **5.** V. *carimboto.* **6.** *Bras., RJ, Pop.* V. *bicicleta* (4).

camelô. [Do fr. *camelot*.] *S. m.* Mercador que vende nas ruas, em geral nas calçadas, bugigangas ou outros artigos, apregoando-os de modo típico.

camelório. *S. m. Fam.* V. *camelo* (3).

➧**camelots du roi** (cam'lô dû ruá). [Fr., 'jornaleiros do rei'.] Na França, um grupo de partidários da monarquia, de um reacionarismo agressivo.

camenas. [Do lat. *camenas*.] *S. f. pl. Poét.* As musas.

câmera. *S. f.* Var. de *câmara* (11 a 13 e 15).

camerlengado. *S. m.* **1.** Funções de camerlengo. **2.** Tempo do exercício dessas funções.

camerlengo. [Var. de *camarlengo*, *gr. kamerlinc*, pelo it. *camarlingo*.] *S. m.* Cardeal que governa interinamente a Igreja, entre a morte de um papa e a eleição do seguinte: "Apenas se concluíra o escrutínio e o camerlengo anunciara o resultado da votação (para preenchimento da vaga do Papa Gregório XIII, cujo sucessor foi Sisto V), viu-se uma cena inaudita, que, no entanto, nada tinha de miraculosa" (Alphonsus de Guimaraens, *Obra Completa*, p. 433).

cametaense. *Adj. 2 g.* **1.** De, ou pertencente ou relativo a Cametá (PA). ● *S. 2 g.* **2.** Natural ou habitante de Cametá.

cametaú. [Do tupi *kame'tau*.] *S. m. Bras.* V. *anhuma.*

camião. *S. m.* V. *caminhão*[2].

camicase. [Do jap. *kami*, 'deus' + *kaze*, 'vento'.] *S. m.* **1.** Piloto japonês, membro de um corpo de voluntários que no fim da II Guerra Mundial era treinado para desfechar um ataque suicida contra objetivos inimigos, especialmente navios. **2.** O avião, carregado de explosivos, pilotado por esses aviadores.

camilha. [Dim. de *cama*.] *S. f.* Canapé ou encosto para se repousar ou dormir a sesta.

camiliana. [Fem. substantivado do adj. *camiliano*.] *S. f.* **1.** Coleção das obras de Camilo Castelo Branco [v. *camiliano* (1)]. **2.** Coleção de escritos relativos a esse autor ou à sua obra.

camilianista. *S. 2 g.* V. *camiliano* (2).

camiliano. *Adj.* **1.** Pertencente ou relativo ao escritor português Camilo Castelo Branco (1825-1890), ou próprio dele. ● *S. m.* **2.** Grande admirador e/ou profundo conhecedor da obra de Camilo; camilianista, camilista.

camilista. *S. 2 g.* V. *camiliano* (2).

camina. [De possível or. tupi] *S. f. Bras., Amaz.* Vara flexível em cuja ponta se prende um cesto com isca, o qual se mergulha na água para pescar.

caminaú. [De possível or. tupi.] *S. m. Bras.* Lago formado nas margens pela enchente de um rio.

caminhada. *S. f.* **1.** Ação de caminhar. **2.** Passeio a pé; passeio. **3.** Grande extensão de caminho percorrido ou por percorrer: *De Niterói até Cabo Frio temos uma boa caminhada.* **4.** *Bras.* Passeata (2).

caminhador (ô). *Adj.* e *s. m.* V. *caminhante* (1 e 2).

caminhamento. *S. m. Bras. Topog.* Percurso medido e orientado de um levantamento topográfico.

caminhante. *Adj. 2 g.* **1.** Que caminha; caminhador, caminheiro. ~ V. *onda* —. ● *S. 2 g.* **2.** Pessoa que caminha; caminhador. **3.** V. *caminheiro* (3).

caminhão[1]. *S. m.* Goma ou resina de benjoim.

caminhão[2]. [Do fr. *camion*, com infl. de *caminho*.] *S. m. Bras.* Veículo automóvel, com quatro ou mais rodas, para transporte de carga; camião.

caminhar. *V. int.* **1.** Percorrer caminho a pé; andar: *caminha diariamente 12 km;* "Caminha" [Jorge Luis Borges] ereto, com a cabeça para o alto, o olhar vazio e essa espécie de sorriso ingênuo e permanente que tem." (Maria Julieta Drummond de Andrade, *Um Buquê de Alcachofras*, p. 14). **2.** Pôr-se em movimento; avançar; seguir, dirigir-se, encaminhar-se: *Caminhou em direção ao palácio.* **3.** Navegar, velejar. **4.** Percorrer (o navio) uma distância. **5.** *Fig.* Ir para a frente; progredir; avançar; adiantar-se: *Desanimado como você anda, seu livro não caminhará; O seu processo não caminhará se você não procurar acompanhá-lo.*

caminheiro. *Adj.* **1.** V. *caminhante* (1). **2.** Que anda bem e depressa. ● *S. m.* **3.** Aquele que percorre um caminho, ou por ele passa; caminhante, passante, viandante: "Caminheiro que passas pela estrada, / Seguindo pelo rumo do sertão" (Castro Alves, *Poesias Escolhidas*, p. 347). **4.** Indivíduo caminheiro (2); andarilho. **5.** *Bras.* Ave passeriforme, da família dos motacilídeos (*Anthus lutescens* Puch.). Tem coloração parda, a parte inferior cinzento-amarelada-pálida, peito com pintas pretas. O nome é usado para todas as espécies do gênero, em número de cinco (inclusive *Anthus nattereri* Scl.), distribuídas por todo o Brasil. [Sin.: *peruinho-do-campo, peruzinho-do-campo, corredeira, sombrio*.]

caminho. [Do celta, pelo lat. vulg. *cammini*.] *S. m.* **1.** Faixa de terreno destinada ao trânsito de um para outro ponto; estrada, vereda, via, trilho: *A casa ficava à beira do caminho.* **2.** Direção, rumo, destino: *Venha comigo: vamos ao mesmo caminho; Que caminhos terá sua alma percorrido para chegar à descrença total?* **3.** Espaço percorrido ou por percorrer, andando: *Ainda temos muito caminho à nossa frente antes de chegarmos lá.* **4.** *Fig.* V. *meio*[1] (9). **5.** *Fig.* V. *meio*[1] (10). **6.** *Fig.* Direção, tendência: *A moda este ano enveredou por um caminho louco.* **7.** *Tip.* V. *trilho*[2] (3). **8.** V. *conduto* (1). ♦ **Caminho da Cruz.** *Rel.* Via-sacra (1). **Caminho da roça.** *Bras.* Marcha de pessoas uma após outra em trilho estreito, como são os caminhos da roça. **Caminho de cabras.** Trilho acidentado, íngreme e estreito. **Caminho de ferro.** V. *ferrovia.* **Caminho de São Tiago.** *Astr. Pop.* V. *Via Láctea* (1). **Caminho de serviço.** Estrada provisória aberta para dar acesso a uma obra em construção. **Caminho óptico.** *Ópt.* Comprimento da trajetória de um raio luminoso em um meio, multiplicado pelo índice de refração desse meio. **Arrepiar caminho.** **1.** Voltar atrás; desandar, retroceder: "Pestana parou alguns instantes, pênsou em arrepiar caminho, mas dispôs-se a andar" (Machado de Assis, *Várias Histórias*, p. 63). **2** Negar o que se tinha dito; desdizer-se. [Sin. ger.: *arrepiar carreira*.] **Cortar caminho.** Utilizar atalho ou outro meio que encurte o espaço a percorrer: *Só conseguiu chegar a tempo porque cortou caminho.* **De caminho.** Seguidamente, logo; ao mesmo tempo. **Ir pelo mesmo caminho.** Comportar-se de maneira semelhante ou idêntica; ter a mesma orientação de vida. [Us., em geral, pejorativamente.] **Meio caminho andado.** Dificuldade, trabalhos, questão, etc., parcialmente vencidos ou superados. **Pôr-se a caminho.** Iniciar movimento no espaço.

caminho-de-mesa. *S. m. Bras.* Tira de pano, geralmente bordada, retangular ou ovalada, para decoração do centro da mesa de jantar. [Pl.: *caminhos-de-mesa*.]

caminho-de-rato. *S. m.* Os altos e baixos de um cabelo mal cortado. [Pl.: *caminhos-de-rato*.]

caminhoneiro. *S. m. Bras.* Motorista que dirige caminhão[2] ou cegonha (3).

caminhonete. [Do fr. *camionnette*.] *S. f. Bras.* Veículo automóvel de passageiros e pequena carga, de quatro

ou seis rodas. [Var.: *camioneta* ou *camionete*. Sin. (bras.): *perua*.]
camioneta (ê). *S. f.* V. *caminhonete*.
camionete. *S. f.* V. *caminhonete*.
camiranga. [Do tupi *kami'rãga*.] *S. m. Bras., CE.* V. *urubu-de-cabeça-vermelha*.
camisa. [Do celta, pelo lat. *camisia*.] *S. f.* **1.** Peça do vestuário masculino usada por cima da pele ou de camiseta, e que vai do pescoço até as coxas. **2.** Peça do vestuário feminino decotada e sem mangas, geralmente de tecido fino, que as mulheres usavam junto à pele ou debaixo de outra roupa. [Cf. *combinação* (7).] **3.** Envoltório de certos objetos ou mecanismos. **4.** Invólucro incandescente de certas luzes ou lanternas. **5.** Invólucro da maçaroca do milho. **6.** Membrana embrionária do trigo. **7.** *Constr.* Reboco aplicado a uma parede, a um teto, ou a outra peça construída. **8.** *Constr.* Tábua interna, nos tetos. **9.** *Bras., RS.* Câmara-de-ar para bolas de futebol. ♦ **Camisa da chaminé.** *Arquit.* Parede que separa as chaminés de vários andares de um edifício. **Camisa de dormir.** *Bras.* Camisola (1). **Camisa de goma.** *Bras.* Camisa (1) que leva goma antes de ser passada a ferro. **Camisa de onze varas. 1.** A alva dos padecentes, nos autos-de-fé. **2.** *Fig.* Dificuldade extrema em que alguém se mete e da qual é difícil ou impossível sair. **Camisa de pagão.** *Bras.* Vestimenta de recém-nascido, que lhe cobre o torso, dos ombros à cintura, feita, em geral, de tecido muito fino e/ou macio, e com mangas ou sem elas. **Camisa esporte.** Camisa de colarinho ou gola mole, bainha reta, mais curta que a camisa (1), e que se usa sem gravata. [Cf. *camisa social* e *blusão*.] **Camisa pólo.** Camisa esporte [q. v.], geralmente de malha, de manga curta e aberta apenas até a altura do peito. **Camisa social.** Camisa masculina, abotoada na frente, em geral de manga comprida e colarinho entretelado, usada por dentro das calças, e comumente com gravata. [Cf. *camisa esporte*.] **Em camisa.** Sem outra veste senão a camisa: "A menina boceja, ergue os braços ao ar, / Treme ao ver-se e m c a m i s a" (Eugênio de Castro, *Obras Poéticas*, V. p. 161). [Cf. *em mangas de camisa*.] **Mudar a camisa.** *Bras., SE. Gír.* V. *morder a batata*.
camisa-de-força. *S. f.* Espécie de colete de lona, com mangas fechadas, em cujas extremidades há cordões com que outrora se apertavam atrás do tórax os braços cruzados dos loucos agitados. É, atualmente, us. apenas em casos excepcionais. Sin.: *camisola-de-força*. [Pl.: *camisas-de-força*.]
camisa-de-meia. *S. f.* **1.** V. *camiseta* (2). **2.** *Bras.* V. *querê-querê*. [Pl.: *camisas-de-meia*.]
camisa-de-vênus. *S. f.* Envoltório fino, de borracha, resistente, para recobrir o pênis por ocasião da cópula, impedindo, pela retenção do esperma, a fecundação da mulher, e protegendo o homem de possíveis infecções sifilíticas ou gonocócicas; preservativo, preventivo, camisinha. [Pl.: *camisas-de-vênus*.]
camisão. [Aum. de *camisa*.] *S. m.* **1.** Camisolão. **2.** Antigo vestuário semelhante às alvas dos padres. **3.** *Bras., PB.* V. *caipira* (1).
camisaria. *S. f.* Estabelecimento onde se fabricam e/ou vendem camisas.
camisa-verde. *S. 2 g. Bras.* V. *integralista* (3). [Pl.: *camisas-verdes*.]
camiseira. *S. f.* **1.** Mulher que fabrica e/ou vende camisas. **2.** *Bras.* Camiseiro (3).
camiseiro. *S. m.* **1.** Fabricante de camisas sociais ou esporte, ou de roupas *chemisier*. **2.** Vendedor de camisas masculinas ou blusas femininas de igual confecção. **3.** *Bras.* Móvel onde se guardam camisas e outras roupas brancas; camiseira. [Cf. *cômoda*.] ● *Adj.* **4.** Próprio para camisas em geral.
camiseta (ê). [Dim. irreg. de *camisa*.] *S. f.* **1.** Blusa feminina, mais ou menos transparente, que se usava sobre outra blusa. **2.** *Bras.* Espécie de camisa (1) curta, sem gola, com mangas curtas ou sem mangas, em geral de tecido de malha, que se usa diretamente sobre a pele para protegê-la contra o frio ou absorver o suor, evitando que passe à outra camisa. [Sin. (nesta acepç.): *camisa-de-meia* e (lus.) *camisola*.] **3.** *Bras.* V. *querê-querê*.
camisinha. [Dim. de *camisa*.] *S. f. Pop.* V. *camisa-de-vênus*.
camisola. *S. f.* **1.** Vestimenta feminina para dormir, semelhante a um vestido, com mangas ou sem elas, e cujo comprimento varia de acordo com a moda (2); camisa de dormir. **2.** *Bras.* Vestido amplo, sem corte na cintura, geralmente com pala. **3.** *Lus.* V. *camiseta* (2). **4.** *Lus.* Suéter.
camisola-de-força. *S. f.* Camisa-de-força. [Pl.: *camisolas-de-força*.]
camisolão. [Aum. de *camisola*.] *S. m.* Camisola (1), semelhante a uma túnica larga e comprida, e de eventual uso masculino; camisão.
camisote. [De *camisa* + *-ote*.] *S. m. Ant.* Cota de malha que cobria todo o corpo.
camisu. [De *camisa*.] *S. m. Bras., BA.* **1.** Camisa sem fralda e sem colarinho, usada por pescadores. **2.** Abadá.
camita. [Do antr. *Cã* + *-ita*².] *S. 2 g.* **1.** Indivíduo dos camitas, populações do N. da África (etíopes, líbios, egípcios) supostamente descendentes de Cã, filho de Noé. ● *Adj. 2 g.* **2.** Pertencente ou relativo a camita (1); camítico. [Sin. ger.: *hamita*.]
camítico. *Adj.* **1.** Camita (2). **2.** Pertencente ou relativo ao camítico (3). ● *S. m.* **3.** *Ling.* Grupo de línguas da família camito-semítica, que compreende o egípcio, o líbico, o berbere e o cuxita. [Sin. ger.: *hamítico*.]
camito-semítico. *Adj.* **1.** Pertencente ou relativo aos camitas e aos semitas. **2.** Pertencente ou relativo ao camito-semítico (3). ● *S. m.* **3.** *Ling.* Família de línguas que reúne os grupos camítico e semítico, e cujo domínio se estende pela Arábia e países vizinhos do N. e por quase toda a África setentrional. V. *camítico* (3) e *semítico* (3).
camixi. [Do galibi.] *S. m. Zool. Bras.* Ave tropical, da família dos anhimídeos.
camoati. [Do tupi; v. *camoatim*.] *S. m. Bras.* V. *enxu-da-beira-do-telhado*.
camoatim. [Do tupi.] *S. m. Bras.* V. *enxu-da-beira-do-telhado*. ♦ **Tirar camoatim sem poncho.** *Bras., RS.* **1.** Enfrentar trabalhos duros. **2.** Sofrer privações.
camocica. [De provável or. tupi.] *S. m. Bras.* V. *veado-roxo*.
camoeca. *S. f. Pop.* **1.** V. *bebedeira* (1). **2.** Doença ligeira; achaque, macacoa. **3.** *Bras.* Entorpecimento, torpor, sonolência. [Cf. *camunheca*.]
camoês. *Adj.* Diz-se de uma variedade de peras e maçãs. [Flex.: *camoesa* (ê), *camoeses* (ê), *camoesas* (ê).]
camões. [Do antr. *Camões* (v. *camoniano*).] *S. m. 2 n. Pop.* **1.** Cego de um olho. **2.** Caolho, zarolho.
camoiurá. *Bras. S. 2 g.* **1.** Indivíduo dos camoiurás, indígenas do alto Xingu. ● *Adj. 2 g.* **2.** Pertencente ou relativo aos camoiurás.
camomila. [Do gr. mod. *chamaimelon*, 'macieira rasteira', pelo b.-lat. *camomilla*.] *S. f.* Designação comum a diversas plantas da família das compostas, das quais as mais importantes, por seu emprego na farmacopéia universal, são a camomila-romana (*Anthemis nobilis*) e a camomila-dos-alemães ou matricária (*Matricaria chamomilla*). [Var.: *camomilha*.]
camomila-dos-alemães. *S. f.* V. *camomila*. [Pl.: *camomilas-dos-alemães*.]
camomila-romana. *S. f.* V. *camomila*. [Pl.: *camomilas-romanas*.]
camomilha. *S. f.* V. *camomila*.
camondongo. *S. m.* V. *camundongo*.
camoniana. [Fem. substantivado do adj. *camoniano*.] *S. f.* **1.** Coleção das obras de Camões [v. *camoniano*]. **2.** Coleção de escritos relativos a Camões ou à sua obra.
camoniano. *Adj.* **1.** Pertencente ou relativo a Luís de Camões, o maior poeta português (c. 1525-1580), ou próprio dele. ● *S. m.* **2.** Grande admirador e/ou profundo conhecedor da obra e/ou da vida de Camões; camonista, camonólogo.
camonista. *S. 2 g.* V. *camoniano* (2).
camonólogo. *S. m.* V. *camoniano* (2).
camorra (ô). [Do esp. *camorra*.] *S. f.* **1.** Associação de malfeitores do antigo reino de Nápoles. **2.** *P. ext.* Qualquer associação de malfeitores. **3.** *Bras., S.* Rixa, briga, contenda.
camote. [Do náuatle *camotlí*, 'batata-doce', atr. do esp. amer. *camota*.] *S. m. Bras., RS. Pop.* **1.** V. *namoro* (1). **2.** V. *namorado* (4).
camotim. [Var. de *camucim* (q. v.).] *S. m. Bras.* Grande pote de barro que servia de urna funerária a certos indígenas; igaçaba. [Cf. *camucim*.]
campa¹. *S. f.* **1.** Pedra que cobre a sepultura; lousa de sepulcro. **2.** V. *sepultura* (1).
campa². [Do lat. vulg. *campana*.] *S. f.* **1.** Sino pequeno para sinais de aviso. **2.** *Bras.* Campainha maior, de que se faz uso nas missas solenes e quando sai o viático. **3.** *Bras.* Adjá.
campação. *S. f.* Ação de campar.
campador (ô). *S. m.* Aquele que sai à noite em busca de aventuras amorosas.
campainha (a-í). [Dim. de *campãa, provável f. arc. de *campa*.] *S. f.* **1.** Sineta pequena e manual. **2.** Pequeno dispositivo (elétrico ou mecânico) instalado em portas de habitação, telefones, relógios despertadores, etc., e que, premido ou impulsionado, emite um som ou toque característico. [Cf. *cigarra* (7).] **3.** *Fig.* Pessoa que divulga tudo quanto ouve. **4.** *Anat.* Úvula palatina. **5.** *Arquit.* Ornato de forma semelhante à da sineta, empregado principalmente na ordem dórica. **6.** *Bot.* Bênção-de-deus (2). **7.** *Bot.* Nome popular de diversas plantas das famílias das campanuláceas, das convolvuláceas e das rubiáceas; campânula.
campainha-amarela. *S. f.* V. *flor-de-pau*. [Pl.: *campainhas-amarelas*.]
campainhada (a-i). *S. f.* **1.** Puxão ou toque em campainha (1 e 2). **2.** Som de campainha (1 e 2) agitada, premida ou impulsionada.
campainhar (a-i). *V. int.* Fazer soar campainha.
campal. *Adj. 2 g.* **1.** Pertencente ou relativo ao campo. **2.** Diz-se da batalha travada em campo raso. — V. *missa* —. ● *S. m.* **3.** *Bras., MT.* Trecho de campo situado no meio do mato.
campana. [Do lat. tardio *campana*.] *S. f.* **1.** Sino, campainha. **2.** Luva (5) de manilha. **3.** *Arquit.* Corpo do capitel coríntio ou compósito, que tem o formato de um sino invertido. **4.** *Bras., RJ. Gír.* Ato de campanar.
campanado. [De *campana* + *-ado*¹.] *Adj.* V. *Campanuláceo* (1).
campanar. *V. t. d. Bras., RJ. Gír.* V. *acampanar*.
campanário. [Do lat. medieval *campanariu*.] *S. m.* **1.** Parte aberta da torre de igreja, onde estão os sinos. **2.** Torre de sinos. **3.** *P. ext.* A freguesia, a aldeia dotada de igreja com campanário.
campanha. [Do lat. tardio *campania*.] *S. f.* **1.** Campo (2) extenso; planície. **2.** *Mil.* Série de operações militares que visam à consecução de um objetivo definido, em determinada época, numa mesma área geográfica. **3.** *Mil.* Conjunto de operações militares que constituem uma fase distinta de determinada guerra. **4.** *P. ext.* Conjunto de ações, de esforços, para se atingir um fim determinado: *c a m p a n h a eleitoral; c a m p a n h a de vendas*. **5.** *Propag.* Campanha de propaganda. **6.** *Bras., RS.* Região ondulada em coxilhas, coberta por vegetação herbácea, onde predomina a pecuária, as estâncias de gado. **7.** *Bras. P. ext.* A região geográfica do RS formada pela campanha (6).
campanhense. *Adj. 2 g.* **1.** De, ou pertencente ou relativo a Campanha (MG). ● *S. 2 g.* **2.** Natural ou habitante de Campanha.
▲**campan(i)-.** [Do lat. *campana, ae*.] *El. comp.* = 'campa²', 'sino': *campanil, campaniforme*. [Equiv.: *campano-*.]
campaniforme. [De *campan(i)-* + *-forme*.] *Adj. 2 g.* V. *campanuláceo* (1).
campanil. [De *campana* + *-il*.] *S. m.* Liga metálica própria para sinos.
▲**campano-.** Equiv. de *campan(i)-*.
campanólogo. [De *campana* + *-o-* + *-logo*.] *S. m.* Aquele que toca peças de música em sinos, campainhas ou copos afinados.
campanomania. [De *campano-* + *-mania*.] *S. f.* Mania de tocar sinos ou campanas: "Gabriel estava tomado de c a m p a n o m a n i a; mãos, pés, dentes, tudo repicava." (Alexandre Herculano, *Lendas e Narrativas*, II, p. 231.)
campanudo. [De *campana* + *-udo*.] *Adj.* **1.** Que tem forma de campa. **2.** *Fig.* Pomposo, enfático, bombástico.
campânula. [De *campana* + *-ula*.] *S. f.* **1.** Qualquer objeto em forma de sino. **2.** Espécie de redoma usada para isolar objetos do ar, da poeira, etc.: *Cobria o queijo uma c a m p â n u l a de cristal*. **3.** Flor das campanuláceas; campainha. [Cf. *campanula*, do v. *campanular*.]
campanulácea. *S. f.* Espécime das campanuláceas.
campanuláceas. *S. f. pl. Bot.* Família de plantas superiores, quase sempre herbáceas ou subarbustivas, providas de belas flores actinomorfas e hermafroditas que levam estames com anteras conniventes e fruto capsular. Englobam umas 1.200 espécies, comumente latescentes, e que vivem de preferência nos países temperados, possuindo o Brasil algumas delas.
campanuláceo. *Adj.* **1.** Que tem forma de campânula ou de sino; campanular, campanulado, campanado, campaniforme, campanuliforme. **2.** Pertencente ou relativo às campanuláceas.
campanulada. *S. f.* Espécime das campanuladas.
campanuladas. *S. f. pl. Bot.* Ordem de vegetais dicotiledôneos caracterizados pelas flores pentâmeras e gamopétalas, com estames conniventes e ovário ínfero. Abarca as famílias das campanuláceas, goodeniáceas, bruniáceas, estilidáceas, caliceráceas e compostas.
campanulado. [De *campânula* + *-ado*¹.] *Adj.* V. *cam*

panuláceo (1).
campanular[1]. [De *campânula* + *-ar*[1].] *Adj. 2 g.* V. *campanuláceo* (1).
campanular[2]. [De *campânula* + *-ar*[2].] *V. int.* Soar como campainha. [Pres. ind.: *campanula*, etc. Cf. *campânula*.]
campanulário. *S. m. e adj.* V. *leptomedusa.*
campanulários. *S. m. pl. Zool.* V. *leptomedusas.*
campanuliforme. *Adj. 2 g.* V. *campanuláceo* (1).
campão[1]. [Do top. *Campon* (França).] *S. m.* Mármore de cores variegadas, dos Pireneus.
campão[2]. *S. m. Bras., MT.* Campo muito extenso.
campar. [De *campo* + *-ar*[2].] *V. t. d. e int.* **1.** Acampar. *T. i.* **2.** Ufanar-se, vangloriar-se, jactar-se, gabar-se: *Campa de títulos que não possui. Int.* **3.** Sair-se bem; gozar, fruir; desfrutar: *Nós nos esforçamos, e foi ele quem campou.* **4.** *Bras. S.* V. *fugir* (1 e 2). **5.** *Bras.* Sair de noite à cata de aventuras amorosas.
campeã. *S. f.* Fem. de *campeão* [q. v.].
campeação. *S. f. Bras.* Ato de campear (1 e 12). [Sin.: *campeio.*]
campeador (ô). *Adj. e s. m.* Que ou aquele que campeia. [Cf. *campeiro*[2] (2 e 3).]
campeão. [Do germ. ocidental **Kampjo*, pelo lat. medieval *campione.*] *S. m.* **1.** *Ant.* Cavaleiro que combatia em campo fechado, em honra ou defesa de uma causa. **2.** Defensor, paladino: *José do Patrocínio foi o campeão do abolicionismo.* **3.** Desportista, equipe ou clube que venceu todos os adversários em campeonato, ou em competições. [Tb. us., nesta acepç., como adj.] **4.** *P. ext.* Desportista ou atleta de grande valor: *Pelé figura entre os campeões do futebol mundial.* **5.** O vencedor em qualquer prova ou certame. **6.** *Bras., CE.* Cavalo em que se campeia. [Fem.: *campeã.*]
campear. *V. t. d.* **1.** Andar pelo campo, pelo mato, à procura de (o gado). **2.** Procurar, buscar: *Campeou em vão outra idéia, e nada lhe ocorreu.* **3.** Ostentar, alardear: *Costuma campear suas glórias.* **4.** V. *cavalgar* (1): *O cavaleiro campeava um ginete suado. T. i.* **5.** Levar vantagem; sobressair: *Em sua especialidade, campeia sobre os demais colegas. Int.* **6.** Andar a cavalo no campo ou no mato, em procura do gado, ou para prestar-lhe assistência. **7.** Servir em campanha; batalhar. **8.** Instalar acampamento, acampar. **9.** Estar ou viver no campo. **10.** Mostrar-se em lugar elevado; elevar-se: *Por trás dos muros campeavam as torres do castelo.* **11.** Prevalecer; dominar; imperar: *Finda a guerra, a miséria campeava por todo o país.* **12.** *Bras.* Bater ou explorar o campo em todos os recantos. [Conjug.: v. *frear.*]
campeche (é). [Do top. *Campeche.*] *S. m.* Árvore da família das leguminosas (*Haematoxylon campechianum*), cujo tronco, espinhoso, fornece um cerne vermelho-escuro de que se extrai um corante, a hematoxilina, que, oxidando-se, passa a emateína, e é usado em tinturaria e nos laboratórios para corar preparações histológicas; pau-campeche, hematóxilo.
campeio. [Dev. de *campear.*] *S. m. Bras.* Campeação.
campeira. [Fem. substantivado do adj. *campeiro*[1]?] *S. f. Bras.* Espécie de mandioca.
campeiraço. *S. m. Bras., RS.* Campeiro muito hábil e experimentado.
campeirada. *S. f. Bras., RS.* Aglomeração de campeiros.
campeiragem. *S. f. Bras., RS.* **1.** Ato de fazer serviços no campo. **2.** A vida do campeiro.
campeiro[1]. *S. m.* Tocador de campa[2].
campeiro[2]. *Adj.* **1.** V. *campestre* (1). **2.** *Bras.* Que trabalha no campo (2 e 3). ● *S. m.* **3.** *Bras.* Indivíduo campeiro. **4.** *Bras.* Empregado a quem incumbe o trato do gado, e que vive habitualmente nos campos gerais, ou na campanha (6). **5.** *Bras., N.E.* V. *vaqueiro* (1). [Cf. *campeador.*] **6.** *Bras.* Veado que vive nos campos.
campelo (ê). *S. m. Bras.* Aparelho de pesca.
campenomia. [Do gr. *kampé*, 'curvatura, flexão' + *-nom(o)-* + *-ia.*] *S. f. Desus.* Parte da gramática que trata da flexão das palavras. [Sin. (preferido por alguns gramáticos): *ptoseonomia.*]
campense. *Adj. 2 g.* **1.** De, ou pertencente ou relativo a Campo do Coelho (RJ). ● *S. 2 g.* **2.** Natural ou habitante de Campo do Coelho.
campeonato. *S. m.* Certame em que o vencedor recebe o título de campeão.
campesinho. *Adj.* V. *campestre* (1).
campesino. *Adj.* V. *campestre* (1). [F. paral.: *campesinho.*]
campestre. [Do lat. *campestre.*] *Adj. 2 g.* **1.** Pertencente ou relativo ao, ou próprio do campo; rural, rústico, campeiro, campesino, campesinho, campino, camponês, agreste. **2.** *Bot.* Diz-se da planta que habita lugares abertos: *espécie campestre.* **3.** *Bot.* Diz-se da vegetação baixa, subarbustiva e arbustiva, em geral esclerófila, que cobre os campos: *formação campestre.* ● *S. m.* **4.** *Bras.* Pequeno campo alto, de área diminuta no meio da mata. **5.** *Bras., RS* e *Amaz.* Clareira (1). **6.** *Bras., BA.* Formação herbácea ou arbustiva, rica em vegetais xerófilos. **7.** *Bras., SC.* Campo arenoso.
campestrense[1]. *Adj. 2 g.* **1.** De, ou pertencente ou relativo a Campestre (MG). ● *S. 2 g.* **2.** Natural ou habitante de Campestre.
campestrense[2]. *Adj. 2 g.* **1.** De, ou pertencente ou relativo a São José do Campestre (RN). ● *S. 2 g.* **2.** Natural ou habitante de São José do Campestre.
campeva. *S. m. Bras.* V. *cambeva* (1).
campi. [Lat.] *S. m. pl.* V. *campus.*
campilídio. *S. m. Bot.* Frutificação secundária de certos liquens. Na realidade é a frutificação de um fungo parasitário.
▲**campilo-.** [Do gr. *kampýlos, e, on.*] *El. comp.* = 'curvo', *campilotrópico.*
campilódromo. [De *campilo-* + *-dromo.*] *Adj. Bot.* Diz-se das nervuras que se curvam para os lados da folha e guardam certo paralelismo com a margem desta.
campiloneuro. [De *campilo-* + *-neuro.*] *Adj. Bot.* Que tem nervuras curvas.
campilospermo. [De *campilo-* + *-spermo.*] *Adj. Bot.* Diz-se das umbelíferas e dos seus frutos quando o endosperma apresenta um sulco mais ou menos profundo na face comissural.
campilotropia. [De *campilo-* + *-trop(o)-* + *-ia.*] *S. f. Bot.* Ocorrência de óvulos campilótropos.
campilotrópico. *Adj. Bot.* Campilótropo.
campilótropo. [De *campilo-* + *-tropo.*] *Adj. Bot.* Diz-se do óvulo que apresenta uma curvatura, de sorte que a calaza e a micrópila ficam no mesmo plano e aproximadas, como sucede, p. ex., nas leguminosas; campilotrópico.
campina[1]. [De *campo* + *-ina.*] *S. f.* **1.** Campo extenso, pouco acidentado e sem árvores, geralmente coberto de ervas; prado. **2.** V. *planície.* **3.** V. *campo limpo.* **4.** *Bras. Pop.* Certa raça de galinha.
campina[2]. [F. red. de *galo-da-campina.*] *S. m.* V. *cardeal* (3): "dava de comer aos passarinhos, principalmente o campina" (Chico Anísio, *Teje Preso*, p. 166).
campinarana. [De *campina* + *-rana.*] *S. f. Bras., AM.* Campina em que, pela melhor qualidade do terreno, há maior número de árvores.
campina-verdense. *Adj. 2 g.* **1.** De, ou pertencente ou relativo a Campina Verde (MG). ● *S. 2 g.* **2.** Natural ou habitante de Campina Verde. [Pl.: *campina-verdenses.*]
campineiro[1]. *Adj.* **1.** De, ou pertencente ou relativo a Campinas (SP). ● *S. m.* **2.** O natural ou habitante de Campinas.
campineiro[2]. *Adj.* **1.** De, ou pertencente ou relativo a Campina Grande do Sul (PR). ● *S. m.* **2.** Natural ou habitante de Campina Grande do Sul. [Sin. ger.: *campinense.*]
campinense[1]. *Adj. 2 g.* **1.** De, ou pertencente ou relativo a Campina Grande (PB). ● *S. 2 g.* **2.** Natural ou habitante de Campina Grande.
campinense[2]. *Adj. 2 g.* e *s. 2 g.* Campineiro[2].
➧**camping** (câmpin). [Ingl.] Atividade coletiva, turística ou esportiva, que consiste em viajar e acampar ao ar livre, geralmente em lugar apropriado, com o equipamento necessário. [Sin. (p. us.): *acampamento.*]
campino. *Adj.* **1.** *P. us.* V. *campestre* (1). ● *S. m.* **2.** V. *camponês* (1).
campir. [Do it. *campire.*] *V. t. d.* Fazer em (um quadro) a perspectiva do horizonte.
campista[1]. *S. m.* Indivíduo que campeia a cavalo, procurando o gado ou prestando-lhe assistência.
campista[2]. *Adj. 2 g.* **1.** De, ou pertencente ou relativo a Campos (RJ). ● *S. 2 g.* **2.** Natural ou habitante de Campos. *S. m.* **3.** Certo jogo de cartas.
campista[3]. *S. 2 g. Bras.* Pessoa dada à prática do *camping* [q. v.].
campo. [Do lat. *campu.*] *S. m.* **1.** Extensão de terra sem mata e que tem ou não árvores esparsas. **2.** Terreno extenso e mais ou menos plano que tanto se pode destinar às pastagens do gado como ao cultivo agrícola: *Os campos da fazenda estendiam-se até às margens do rio.* **3.** Grande terreno plantado; plantação: *um campo de tulipas; campo de trigo.* **4.** Zona fora do perímetro urbano ou suburbano das grandes cidades, na qual geralmente predominam as atividades agrícolas, ou zona onde se situam pequenas cidades de vilegiatura que não as de praia: *A mudança para o campo foi-lhe útil; Sua casa de campo é confortável.* **5.** *Ant.* Lugar amplo, sem edificações, dentro de cidade ou povoação: *A atual Praça da República, da cidade do Rio de Janeiro, é o antigo Campo de Santana.* **6.** Liça, arena. **7.** Facção, partido: *Os irmãos lutavam em campos opostos.* **8.** Área, espaço: *Dentro dos limites urbanos não havia campos para a construção da cidade universitária.* **9.** Matéria, assunto: *A poesia é campo para largas discussões.* **10.** Domínio, esfera, âmbito; campo de ação: *As pesquisas ainda estão no campo das experiências.* **11.** Ocasião, ensejo, azo: *No congresso não encontrou campo para expor suas novas teorias.* **12.** Fundo liso de uma superfície pintada, estampada, em relevo, etc.: *Os desenhos do tecido realçavam no campo preto.* **13.** Local especialmente preparado e demarcado para a prática de certos esportes: *campo de futebol, de tênis, de golfe; Os jogadores entraram em campo ostentando as cores do Brasil.* **14.** *Álg. Mod.* V. *corpo* (23). **15.** *Estat.* Num cartão para perfuração, conjunto de colunas necessário para conter todas as perfurações que identificam, de forma completa, a totalidade do domínio de um atributo. **16.** *Fís.* Conjunto de valores de uma grandeza física que, numa região do espaço, dependem só das coordenadas dos pontos pertencentes a esta região e, talvez, do tempo. **17.** *Heráld.* Fundo do escudo em que se colocam as peças do brasão. **18.** *Ópt.* Parte do espaço-objeto que se pode observar através de um instrumento óptico; campo de vista. **19.** *Proc. Dados.* Caracteres ou grupo de caracteres que constituem uma unidade de informação, como, p. ex., os bites. ♦ **Campo carrasquento.** *Bras.* Variedade de campo que se caracteriza pela presença de vegetais espinhosos. **Campo central.** *Fís.* Campo de força em que as retas suportes destas forças pertencem a um mesmo feixe. **Campo cerrado.** *Bras.* V. *cerrado* (11). **Campo coberto.** **1.** *Bras., Amaz.* Formação vegetal correspondente à transição entre o campo e a mata. **2.** *Bras., MA.* Pantanal extenso. **Campo conservativo.** *Fís.* O que não tem forças dissipativas. **Campo coulombiano.** *Eletr.* Campo eletrostático em que a distribuição de forças é idêntica à produzida por uma carga elétrica pontual, e onde, pois, as forças decrescem com o inverso do quadrado das distâncias. **Campo de ação.** *Fig.* V. *campo* (10). **Campo de aviação.** Aeroporto. **Campo de baixada.** *Bras., MA.* Campo entremeado de lagoas. **Campo de batalha.** *Mil.* Área geográfica onde se trava uma batalha. [Cf. *teatro de operações.*] **Campo de definição.** *Anál. Mat.* Numa função, o conjunto de valores das variáveis dependentes ou independentes. [Cf. *domínio* (7) e *contradomínio.*] **Campo de força.** *Fís.* Aquele em que a grandeza física é uma força. **Campo de gelo.** V. *banquisa.* **Campo de lei.** *Bras.* Pastagem de excelente qualidade. **Campo de onda.** *Fís.* O campo eletromagnético de uma onda eletromagnética. **Campo de pouso.** Pequeno aeroporto, geralmente rudimentar. **Campo de provas.** *Mil.* Polígono de tiro. **Campo de radiação.** *Fís.* No campo eletromagnético produzido por uma carga elétrica acelerada, parte que é responsável pela emissão de energia da carga, para o espaço sob a forma de um campo eletromagnético não estacionário. **Campo de serra.** Campo localizado no sopé ou nas cumeadas de uma serra; pelada. **Campo de teso.** *Bras., MA.* Campo que não é atingido pela inundação. **Campo de tiro.** *Mil.* **1.** Lugar onde se fazem exercícios com bocas-de-fogo. **2.** Área batida pelo fogo de determinada arma, ou pelo conjunto das armas de determinada unidade operativa. **Campo de vista.** *Ópt.* V. *campo* (18). **Campo dissipativo.** *Fís.* Aquele em que pode haver dissipação de energia. **Campo do barracão.** *Bras., Amaz.* Clareira aberta na floresta, onde se localiza o barracão (5). **Campo do méson.** *Fís. Nucl.* Campo de força associado a um méson, e que em um núcleo atômico seria responsável pela sua estabilidade. **Campo elétrico.** *Fís.* Aquele em que sobre uma carga elétrica age uma força independente da velocidade da carga. **Campo eletromagnético.** *Fís.* O resultante da superposição de um campo elétrico e de um campo magnético. **Campo eletrostático.** *Fís.* Campo elétrico estacionário. **Campo encoxilhado.** *Bras., RS.* Aquele que é cheio de coxilhas. **Campo escalar.** *Fís.* Aquele em que a grandeza física associada a cada ponto é uma grandeza escalar, como, p. ex., o campo de temperaturas. **Campo escuro.** *Ópt.* Em microscopia, técnica de iluminação em que o objeto é iluminado por feixes luminosos fortemente inclinados em relação ao eixo óptico do microscópio, aparecendo, ao observador, brilhante em um campo escuro. **Campo estacionário.** *Fís.* Aquele em que a grandeza física é invariável com o tempo. **Campo geomagnético.** *Geofís.* Região do espaço na qual é sensível o magnetismo terrestre; campo magnético terrestre. **Campo gravífico.** *Fís.* Campo gravitacional. **Cam-**

po gravitacional. *Fís.* Campo de forças atrativas produzido por uma massa no espaço; campo gravífico. **Campo irrotacional.** *Fís.* Campo vectorial em que o rotacional é nulo em todos os pontos. **Campo ligado.** *Fís.* No campo eletromagnético de uma carga elétrica acelerada, parte que é constituída por um campo estacionário superposto a um quase estacionário. **Campo limpo.** *Bras. Bot.* Campo constituído principalmente de subarbustos, arbustos baixos e gramíneas, que reveste sobretudo as serras arenosas do Planalto Central, perde as folhas durante a estação seca e apresenta grande cópia de belíssimas floresN campinam **Campo livre.** *Fís.* Aquele em que o efeito das fronteiras é desprezível. **Campo magnético.** *Fís.* Aquele em que sobre uma carga elétrica age uma força dependente da velocidade da carga, e que é nula quando esta se acha em repouso. **Campo magnético terrestre.** *Geofís.* Campo geomagnético. **Campo magnetostático.** *Fís.* Campo magnético que não varia com o tempo. **Campo minado.** *Mar. G.* Área marítima onde se se lançaram minas submarinas para destruir ou danificar seriamente o navio que tente atravessá-la. **Campo operatório.** *Cir.* Área onde se pratica um ato cirúrgico. **Campo potreiro.** *Bras., RS.* Campo gramado. **Campo rapado.** Rapadouro. **Campos elísios.** V. *elísio* (1). **Campo solenoidal.** *Fís.* Campo vectorial com divergência nula em todos os pontos. **Campo tensorial.** *Cálc. Vect.* Região do espaço a cada ponto da qual se associa um tensor. **Campo variável.** *Fís.* Campo em que a grandeza física é também função do tempo. **Campo vectorial. 1.** *Fís.* Campo cuja grandeza física é de natureza vectorial, como, p. ex., o campo gravitacional da Terra. **2.** *Cálc. Vect.* Região do espaço a cada ponto da qual se associa um vector. **Campos gerais.** *Bras.* Extensas campinas entre certos planaltos. **De campo.** Que se realiza por observação direta, no local do objeto de estudo, não se restringindo, pois, a informações teóricas: *pesquisas de campo.* **Queimar campo.** *Bras., SP a RS.* V. *mentir* (1).

campo-alegrense[1]. *Adj. 2 g.* **1.** De, ou pertencente ou relativo a Campo Alegre de Goiás (GO). ● *S. 2 g.* **2.** Natural ou habitante de Campo Alegre de Goiás. [Pl.: *campo-alegrenses.*]

campo-alegrense[2]. *Adj. 2 g.* **1.** De, ou pertencente ou relativo a Campo Alegre (SC). ● *S. 2 g.* **2.** Natural ou habitante de Campo Alegre. [Pl.: *campo-alegrenses.*]

campo-belense. *Adj. 2 g.* **1.** De, ou pertencente ou relativo a Campo Belo (MG). ● *S. 2 g.* **2.** Natural ou habitante de Campo Belo. [Pl.: *campo-belenses.*]

campo-britense. *Adj. 2 g.* **1.** De, ou pertencente ou relativo a Campo do Brito (SE). ● *S. 2 g.* **2.** Natural ou habitante de Campo do Brito. [Pl.: *campo-britenses.*]

campodeiforme. *Adj. 2 g.* e *s. 2 g. Zool.* Diz-se de, ou larva de inseto provida de três longos pares de patas, antenas, relativamente longas, e cujo abdome termina por dois filamentos sagitiformes. Muitas larvas de coleópteros e neurópteros são campodeiformes.

campodeóideo. *S. m.* e *adj.* V. *dipluro.*

campodeóideos. *S. m. pl. Zool.* V. *dipluros.*

campo-dobrado. *S. m. Bras.* Campo que se estende por terreno acidentado, de muitas e freqüentes lombas. [Pl.: *campos-dobrados.*]

campo-floridense. *Adj. 2 g.* **1.** De, ou pertencente ou relativo a Campo Florido (MG). ● *S. 2 g.* **2.** Natural ou habitante de Campo Florido. [Pl.: *campo-floridenses.*]

campo-formosense. *Adj. 2 g.* **1.** De, ou pertencente ou relativo a Campo Formoso (BA). ● *S. 2 g.* **2.** Natural ou habitante de Campo Formoso. [Pl.: *campo-formosenses.*]

campo-grandense. *Adj. 2 g.* **1.** De, ou pertencente ou relativo a Campo Grande (MS). ● *S. 2 g.* **2.** Natural ou habitante de Campo Grande. [Pl.: *campo-grandenses.*]

campo-imagem. *S. m. Ópt.* Região do espaço na qual se pode formar a imagem de um objeto observado através de um sistema óptico. [Pl.: *campos-imagens* e *campos-imagem.*]

campo-larguense. *Adj. 2 g.* **1.** De, ou pertencente ou relativo a Campo Largo (PR). ● *S. 2 g.* **2.** Natural ou habitante de Campo Largo. [Pl.: *campo-larguenses.*]

campolina. [Do antr. *Campolina*, de Cassiano Campolina.] *S. 2 g.* Indivíduo de uma famosa raça de cavalos marchadores, do mesmo nome, originária de MG e criada sobretudo no RJ e na BA.

campo-maiorense. *Adj. 2 g.* **1.** De, ou pertencente ou relativo a Campo Maior (PI). ● *S. 2 g.* **2.** Natural ou habitante de Campo Maior. [Pl.: *campo-maiorenses.*]

campo-meense. *Adj. 2 g.* **1.** De, ou pertencente ou relativo a Campo do Meio (MG). ● *S. 2 g.* **2.** Natural ou habitante de Campo do Meio. [Pl.: *campo-meenses.*]

campo-mourense. *Adj. 2 g.* **1.** De, ou pertencente ou relativo a Campo Mourão (PR). ● *S. 2 g.* **2.** Natural ou habitante de Campo Mourão. [Pl.: *campo-mourenses.*]

campo-nativo. *S. m. Bras.* Campo de pastagem nativa. [Pl.: *campos-nativos.*]

camponês. *S. m.* **1.** Aquele que habita e/ou trabalha no campo; campino, campônio. ● *Adj.* **2.** V. *campestre* (1). [Flex.: *camponesa* (ê), *camponeses* (ê), *camponesas* (ê).]

campônio. *S. m.* V. *camponês* (1). [Us. às vezes como deprec.]

campo-objeto. *S. m. Ópt.* Região do espaço na qual deve estar um objeto para ser visível através de um sistema óptico. [Pl.: *campos-objetos* e *campos-objeto.*]

campo-parelho. *S. m. Bras., S.* Terreno plano ou com ligeiras elevações. [Pl.: *campos-parelhos.*]

campos-altense. *Adj. 2 g.* **1.** De, ou pertencente ou relativo a Campos Altos (MG). ● *S. 2 g.* **2.** Natural ou habitante de Campos Altos. [Pl.: *campos-altenses.*]

campo-santo. *S. m.* V. *cemitério* (1): "Tinha-se nesse momento, à esquerda, o mais miserando dos campos-santos, centenares de cruzes — dous paus roliços amarrados com cipós — fincadas sobre sepulturas rasas." (Euclides da Cunha, *Os Sertões*, p. 587.) [Pl.: *campos-santos.*]

campos-geraiense. *Adj. 2 g.* **1.** De, ou pertencente ou relativo a Campos Gerais (MG). ● *S. 2 g.* **2.** Natural ou habitante de Campos Gerais. [Pl.: *campos-geraienses.*]

campos-novense[1]. *Adj. 2 g.* **1.** De, ou pertencente ou relativo a Campos Novos (SC). ● *S. 2 g.* **2.** Natural ou habitante de Campos Novos. [Pl.: *campos-novenses.*]

campos-novense[2]. *Adj. 2 g.* **1.** De, ou pertencente ou relativo a Campos Novos Paulista (SP). ● *S. 2 g.* **2.** Natural ou habitante de Campos Novos Paulista. [Pl.: *campos-novenses.*]

campo-sujo. *S. m.* Formação vegetal em que as gramíneas aparecem de mistura com arbustos e árvores esparsas. [Pl.: *campos-sujos.*]

camptocormia. *S. f. Patol.* Deformidade que consiste na flexão do tronco para diante.

camptódromo. *Adj. Bot.* Diz-se da nervação cujas nervuras partem da principal formando um arco que não chega à margem da folha.

campucheano. *Adj.* **1.** De, ou pertencente ou relativo à Campuchéia (antigo Camboja, sudeste asiático). ● *S. m.* **2.** O natural ou habitante de Campuchéia. [Sin. ger.: *cambojano, cambojiano.*]

campus (câmpuç). [Lat., pelo ingl. amer.] *S. m.* O conjunto de edifícios e terrenos de uma universidade. [Pl.: *campi.*]

camuá. [De possível or. tupi.] *S. f. Bras.* Palmeira (*Desmoncus numerosus*) provida de acúleos, e cujo caule é escandente e usado na confecção de cestos, em lugar do vime.

camucim. [Do tupi *kamu'ti* ou *kamu'xi.*] *S. m. Bras.* **1.** Pote de barro preto: "O camucim com água pra se beber." (João Guimarães Rosa, *Corpo de Baile*, I, p. 294.) **2.** Grande talha de barro em que os indígenas inumavam os cadáveres: "O camucim, que recebeu o corpo de Iracema, embebido de resinas odoríferas, foi enterrado ao pé do coqueiro, à borda do rio." (José de Alencar, *Iracema*, p. 136.) [Cf. *camotim.*]

camucinense[1]. *Adj. 2 g.* **1.** De, ou pertencente ou relativo a Camucim (CE). ● *S. 2 g.* **2.** Natural ou habitante de Camucim.

camucinense[2]. *Adj. 2 g.* **1.** De, ou pertencente ou relativo a Camucim de São Félix (PE). ● *S. 2 g.* **2.** Natural ou habitante de Camucim de São Félix.

camuengo. *S. m. Bras.* Abelha da família dos melipônidas (*Melipona schultzei* Friese).

camuflado. [Part. de *camuflar.*] *Adj. Gal.* **1.** Escondido, oculto. **2.** Disfarçado, dissimulado.

camuflagem. [Do fr. *camouflage.*] *S. f. Gal.* **1.** Ato ou efeito de camuflar. **2.** Aquilo que serve para camuflar ou disfarçar: *A camuflagem dos pára-quedistas revelou-se perfeita.*

camuflar. [Do fr. *camoufler.*] *Gal. V. t. d.* **1.** Na guerra, dissimular (carros de combate, casco de navio, etc.) com pintura, ou (baterias, metralhadoras, etc.) com galhos de árvores. **2.** *Fig.* Disfarçar (alguma intenção ou obra) sob falsas aparências: *Se pretendia bisbilhotar nossa conversa, camuflou bem a intenção.*

camumbembe. [Talvez de or. afr.] *S. m. Bras., PB* e *PE. Pop.* **1.** Vadio, vagabundo. **2.** Mendigo. **3.** Indivíduo pobre. **4.** Agregado (7) de engenho.

camundongo. [Do quimb. *kamundong.*] *S. m.* Mamífero roedor, da família dos murídeos (*Mus musculus brevirostris* (Wat.)), comum em todas as regiões habitadas do Brasil. Coloração bruno-cinzento-amarelada; superfície ventral pouco mais clara que a dorsal; mede 90 mm de corpo e 90 mm de cauda. São essencialmente caseiros, e parem quatro a cinco vezes por ano, quatro a 10 filhotes de cada vez. [Sin.: *catito, murganho, rato-calunga, rato-catita.*]

camundongo-do-mato. *S. m. Bras.* Rato-do-bambu. [Pl.: *camundongos-do-mato.*]

camunheca. *S. f.* V. *bebedeiras* (1). [Cf. *camoeca.*]

camunhengue. [Talvez de or. afr.] *Adj. 2 g.* e *s. 2 g. Bras., S.* V. *leproso* (1 e 5): "você, quando veio aqui, não sabia já que 'tava camunhengue?" (Valdomiro Silveira, *Os Caboclos*, p. 72); "Sem compreender o que se passava, um abantesma, embrulhado em trapos imundos, perfilou no ombro a vara da pedincha e espantado voltava para todos os lados a face roxa e tumefacta, em que a macutena roera as cartilagens das narinas... O camunhengue, esquecendo a sua miséria física, resolveu seguir a turbamulta." (Alberto Rangel, *Fura-Mundo!*, p. 60.)

camurça. [Do pré-romano alpino, atr. do lat. tardio *camox, camocis.*] *S. f.* **1.** Espécie de cabra montês (*Rupicarpa rupicarpa* Lin.). **2.** A pele desse animal, curtida, que se usa para fabricar luvas, calçado, etc. **3.** *P. ext.* Qualquer pele curtida como a da camurça (1). ● *Adj. 2 g.* **4.** *Bras.* Diz-se de muar de certa cor pardo-avermelhada.

camurçado. [De *camurça* + *-ado*[1].] *Adj.* Acamurçado.

camuri. [Do tupi *kamu'ri.*] *S. m.* **1.** V. *camurupeba.* **2.** V. *robalo.* **3.** *Bras., Amaz.* Pequeno flutuador usado na pesca. [Cf. *camurim.*]

camurim. [Var. nasalada de *camuri.*] *S. m. Bras.* **1.** V. *robalo.* **2.** Peixe teleósteo, percomorfo, da família dos centropomídeos (*Centropomus pectinatus* Poey), da costa atlântica do Brasil. **3.** V. *camurupeba.* [Cf. *camuri.*] ◆ **Puxar camurim.** *Bras., AL. Fam.* V. *pegar traíra.*

camurim-açu. *S. m. Bras.* V. *robalo.* [Pl.: *camurins-açus.*]

camurim-sovela. *S. m. Bras.* V. *robalete.* [Pl.: *camurins-sovelas* e *camurins-sovela.*]

camuripeba. [De *camuri* + tupi *pewa*, 'chato'.] *S. f. Bras.* V. *robalete.*

camuripema. [De *camuri.*] *S. m. Bras., BA.* V. *camurupim.*

camuripim. *S. m. Bras.* V. *camurupim.*

camurupeba. *S. f. Bras.* Peixe teleósteo, percomorfo, da família dos centropomídeos (*Centropomus pallelus* Poey), conhecido da costa atlântica, do PA a SP. [Sin.: *cangurupeba, camurim, camuri, camburiapeva.*]

camurupi. *S. m. Bras.* V. *camurupim.*

camurupim. [Do tupi *camuru'pi*, por nasalação.] *S. m. Bras.* Peixe teleósteo, isospôndilo, da família dos elopídeos (*Tarpon atlanticus* (Val.)), da costa norte do Brasil. Coloração prateada; as escamas grandes, brilhantes e com um segmento prateado. Chega a 2 m de comprimento e costuma penetrar no estuário dos grandes rios, seguindo as marés. [Var.: *camarupi, camarupim, camuripema, camuripim, cangurupi, canjurupi, canjurupim;* sin.: *pirapema, pema.*]

camutanga. [De *acamutanga*, por aférese.] *S. f. Bras.* V. *chauã.*

cana[1]. [Do lat. *canna.*] *S. f.* **1.** Caule de várias plantas da família das gramíneas, tais como a taquara, o bambu, a cana-de-açúcar, etc. **2.** Caule das canáceas. **3.** *Anat.* Osso mais ou menos alongado de certas partes do corpo humano. **4.** *Bot.* Gênero (*Canna*) de plantas da família das canáceas. **5.** *Gír.* V. *Cadeia* (3). **6.** *Bras. Gír.* V. *cachaça* (1). *S. m.* **7.** *Bras.* Soldado, policial. V. *canas.* ◆ **Cana do braço.** *Bras., N.* e *N. E.* Cada um dos ossos, rádio e cúbito, que formam o antebraço. **Cana do leme.** *Constr. Nav.* Haste ou barra de madeira ou de ferro, que encaixa na cabeça do leme, e por meio da qual se carrega o leme para um ou outro bordo, e que hoje só é usada em embarcações miúdas. **Em cana.** *Bras. Gír.* Preso; encarcerado: *estar em cana; ir em cana; meter em cana.*

cana[2]. *S. f. Bras.* F. red. de *cana-de-açúcar.*

cana[3]. [De *encanar*[1].] *S. f. Bras. Gír.* Situação difícil: *João enfrenta uma cana dura em casa.*

canaanesco (ê). [Do top. *Canaã* + *-esco.*] *Adj.* Pertencente ou relativo a, ou próprio de Canaã: "a canoa repleta da mole dos frutos canaanescos não se demorou em sumir por trás de uma volta do barranco íngreme, em cuja fímbria se balouçavam canaranas vulgares." (Alberto Rangel, *Sombras n'Água*, p. 48).

canabi. *S. m. Bras.* V. *conabi.*

cana-branca. *S. f. Bras.* V. *cana-de-macaco* (2). [Pl.: *canas-brancas.*]

canabrás. *S. f.* Erva alta da família das umbelíferas (*Heraclium sphondylium*), nativa na Europa, de folhas multipartidas, flores pequenas, ordenadas em amplas umbelas esbranquiçadas e frutos pequenos, orbiculares, que contêm dutos oleosos. [Sin.: *branca-ursina.*]

cana-brava. *S. f. Bras.* **1.** Urubá-de-caboclo. **2.** V. *ubá*[2] (2). **3.** V. *cardamomo-da-terra.* [Pl.: *canas-bravas.*]

canaca. *S. 2 g.* Natural ou habitante das ilhas Sanduíche (Oceânia), possessão dos E. U. A.

canácea. *S. f.* Espécime das canáceas.

canáceas. *S. f. pl. Bot.* Família das plantas superiores, formada de ervas extremamente apreciadas, por serem dotadas de grandes flores vivamente coloridas, e folhas também grandes, ornamentais. Têm um único estame petalóide, e o fruto é uma cápsula. Existem cerca de 50 espécies nas regiões tropicais americanas, raras no Brasil em estado espontâneo.

canáceo. *Adj.* Pertencente ou relativo às canáceas.

canada[1]**.** [De *cana*[1].] *S. f.* Pancada com cana.

canada[2]**.** *S. f.* Antiga unidade de medida de capacidade para líquidos, equivalente a quatro quartilhos, ou seja, 2.622 litros.

cana-da-índia. *S. f.* V. *biri*[1] (1). [Pl.: *canas-da-índia.*]

cana-de-açúcar. *S. f. Bras.* Planta da família das gramíneas (*Saccharum officinarum*), que pode atingir vários metros de altura. É originária da Ásia Meridional, sendo cultivada em todo o Brasil para obtenção de açúcar e fabricação de aguardente. Os colmos são espessos e repletos de suco açucarado, e as flores, mínimas, congregam-se em enormes pendões terminais, de coloração cinzento-prateada. [F. red.: *cana.* Pl.: *canas-de-açúcar.*]

cana-de-braço. *S. f. Bras., MA.* V. *queda-de-braço.* [Pl.: *canas-de-braço.*]

cana-de-jacaré. *S. f. Bras., L.* e *S.* Planta da família das eqüissetáceas (*Equisetum martii*), que vive em terrenos alagadiços. Apresenta um rizoma donde partem ramos aéreos que atingem vários metros de altura. Não tem folhas, e as ramificações menores dispõem-se em verticilos. Emite pequenas espigas portadoras de esporos. [Sin.: *cavalinha.* Pl.: *canas-de-jacaré.*]

cana-de-macaco. *S. f.* **1.** *Bras., Amaz.* a *PE.* Erva cultivada, ornamental, da família das zingiberáceas (*Costus spicatus*), com propriedades diuréticas e febrífugas; cana-do-brejo, cana-do-mato, cana-roxa, jacuacanga, paco-catinga, periná, ubacaiá. **2.** *Bras., PA* a *SP.* Erva cultivada, ornamental, da família das zingiberáceas (*Costus spiralis*), de flores róseas, roxas, amarelas ou vermelhas, e com as mesmas propriedades medicinais da anterior; cana-branca, cana-do-brejo, cana-do-mato, jacuanga, jacuacanga, caatinga, paco-catinga, pacová, periná, ubacaiá. [Pl.: *canas-de-macaco.*]

canadense. *Adj. 2 g.* **1.** Do, ou pertencente ou relativo ao Canadá (América do Norte). ~ V. *pôquer* —. ● *S. 2 g.* **2.** Natural ou habitante do Canadá. [Sin. ger.: *canadiano.*]

cana-de-são-paulo. *S. f. Bras.* Palmeira da família das palmáceas (*Chamaedorea lindeniana*), elegante, dióica, de estipe baixo e folhas muito grandes. Os frutos são bagas elipsóides, violeta de tom escuro, com endocarpo tênue que contém uma semente. [Pl.: *canas-de-são-paulo.*]

cana-de-vassoira. *S. f.* Cana-de-vassoura. [Pl.: *canas-de-vassoira.*]

cana-de-vassoura. [Var. de *cana-de-vassoira.*] *S. f.* Erva da família das gramíneas (*Phragmites communis*), originária da Ásia e cultivada para cobrir áreas alagadiças e beira de lagoas. Os colmos chegam a 3 m de altura; as folhas têm de 25 a 50 mm de largura, e as inflorescências, pendentes e plumosas, são consideradas ornamentais. [Pl.: *canas-de-vassoura.*]

canadiano. *Adj.* e *s. m.* Canadense.

canado[1]**.** *S. m.* **1.** Tempo durante o qual um cã[2] governa. **2.** Dignidade ou jurisdição de cã[2]. **3.** Território governado por um cã[2].

canado[2]**.** *S. m. Bras.* V. *bijupirá.*

cana-do-brejo. *S. f. Bras.* **1.** Erva alta, de origem asiática, da família das zingiberáceas (*Amomum cardamon*), que atinge até 2,5 m de altura. Folhas grossas, sucosas e lanceoladas; flores pardacentas, dispostas em espigas compostas; sementes aromáticas. **2.** V. *cana-de-macaco* (1 e 2). [Pl.: *canas-do-brejo.*]

cana-do-mato. *S. f. Bras.* **1.** V. *cana-de-macaco* (1 e 2). **2.** V. *cardamomo-da-terra.* [Pl.: *canas-do-mato.*]

cana-do-reino. *S. f.* Planta da família das gramíneas (*Arundo donax*), cujo aspecto lembra o da cana-de-açúcar. É originária da Europa e cultivada como planta ornamental. [Pl.: *canas-do-reino.*]

canafístula. [De *cana*[1] + lat. *fistula,* 'tubo'.] *S. f.* **1.** Designação de várias espécies ornamentais e cultivadas do gênero *Cassia,* da família das leguminosas. São árvores providas de belas flores amarelas ou róseas e ordenadas em grandes cachos. [Sin.: *tapirá-caiena.*] **2.** V. *faveira-do-mato.*

canafístula-da-mata. *S. f. Bras.* V. *fedegoso-de-folha-torta.* [Pl.: *canafístulas-da-mata.*]

canal. [Do lat. *canale.*] *S. m.* **1.** Escavação, sulco, rego, fosso, etc., por onde corre ou circula água. **2.** Obra de engenharia para comunicação de mares, rios, lagos, etc., com vista a servir a navegação. **3.** Estreito (14). **4.** Leito de rio. **5.** Cavidade ou tubo que dá passagem a gases ou líquidos, nos corpos organizados; conduto. **6.** *Fig.* Meio, via: *Deve tratar o negócio pelo canal competente.* [Nesta acepç. é m. us. no pl.] **7.** *Arquit.* Ornato ou moldura em forma de canal (1). **8.** *Arquit.* Telha-canal. **9.** *Automat.* Qualquer caminho pelo qual se pode transmitir uma informação. **10.** *Encad.* Concavidade formada pelo corte da frente dos livros que têm o dorso arredondado; canelura, goteira. **11.** *Eng. Nucl.* Num reator nuclear, conduto através do qual se tem acesso ao seu interior ou pode passar um feixe de radiações. **12.** *Telecom.* Canal de freqüência. **13.** *Tip.* Sulco aberto com plaina no pé do tipo; goteira. **14.** *Tip.* Claro (27) entre duas colunas de texto, quando não separadas pelo fio de coluna [q. v.]. **15.** *Tip.* Defeito de composição: riscas brancas irregulares formadas pelos espaços coincidentes de várias linhas contíguas; rua. **16.** *Anat.* Canal pulpar. **17.** *Teor. Com.* Suporte material ou sensorial através do qual se faz a comunicação; meio utilizado para enviar o sinal de um emissor a um receptor. [Dim. irreg.: *canalete, canalículo.*] ♦ **Canais semicirculares.** *Anat.* Cada um de três longos canais do labirinto ósseo de cada ouvido, um lateral, um anterior e outro posterior. **Canal artificial.** *Teor. Com.* Aquele em que um mecanismo é o receptor imediato da transmissão (o telégrafo, v. g.); canal técnico. **Canal cístico.** *Anat.* O que se reúne ao canal hepático comum, formando o canal colédoco, e permite a entrada e saída de bílis na vesícula biliar. **Canal colédoco.** *Anat.* O que resulta da junção dos canais hepático comum e cístico, e vai ter ao duodeno. **Canal da linha.** *Tip.* Parte da unidade fundidora da monotipo onde se juntam as letras, levadas pelo transportador. **Canal de comunicações.** *Bras. Mar. G.* Via física destinada a prover comunicações entre dois ou mais pontos; p. ex.: dois sinaleiros trocando sinais de semáforo. **Canal de derivação.** *Geogr.* Canal que regulariza a quantidade de água dos rios, ribeiros e canais, em épocas de enchente, e que também serve para conduzir as águas de um ribeiro até uma fábrica, ou receber água de um açude através de uma comporta. **Canal de distribuição.** *Teor. Com.* Percurso estabelecido para distribuição de bens desde a empresa até o cliente. **Canal de entrada.** *Proc. Dados.* V. *input* (3). **Canal deferente.** *Anat.* Ducto excretor do esperma. **Canal de freqüência.** *Telecom.* Faixa de freqüência reservada para as emissões de uma estação radioemissora. [Tb. se diz apenas *canal.*] **Canal de irrigação.** *Geogr.* Canal que distribui as águas coletadas através dos campos. **Canal de saída.** *Proc. Dados.* V. *output* (3). **Canal de televisão.** *Telecom.* Faixa de freqüência de 6 MHz de largura, na faixa de radiodifusão de televisão. **Canal ejaculatório.** *Anat.* Cada um dos dois canais formados pela união do canal deferente e do canal excretor de cada vesícula seminal. **Canal espacial.** *Teor. Com.* Aquele que acompanha a mensagem através do espaço (a audição, v. g.). **Canal fisiológico.** *Teor. Com.* Canal natural. **Canal hepático.** *Anat.* Designação comum aos canais hepáticos direito e esquerdo, os quais provenientes do fígado, se reúnem formando o canal hepático comum, o qual, por sua vez, se reúne ao canal cístico, formando o canal colédoco. **Canal hepático comum.** *Anat.* V. *canal hepático.* **Canal hepático direito.** *Anat.* V. *canal hepático.* **Canal hepático esquerdo.** *Anat.* V. *canal hepático.* **Canal natural.** *Teor. Com.* Aquele em que o homem é o receptor imediato da transmissão (a visão, v. g.); canal fisiológico. **Canal pulpar.** *Anat.* Aquele que percorre o interior da raiz dentária, e que termina, no ápice dela, em abertura estreitada. [Tb. se diz apenas *canal.*] **Canal técnico.** *Teor. Com.* Canal artificial. **Canal temporal.** *Teor. Com.* Aquele que acompanha a mensagem através do tempo (a fotografia, v.g.). **Canal vertebral.** *Anat.* Canal formado pela superposição dos forames vertebrais, bem como pelos discos e ligamentos que unem esses ossos. No interior estão a medula espinhal e suas meninges.

canalar. [De *canal* + *-ar*[1].] *Adj. 2 g.* Relativo a canal.

canalete (ê). *S. m.* Pequeno canal.

canalha. [Do it. *canaglia.*] *S. f.* **1.** Gente vil, reles, infame; ralé. ● *S. 2 g.* **2.** Pessoa vil, infame, reles; velhaco. ● *Adj. 2 g.* **3.** Relativo ou pertencente a, ou próprio de canalha. **4.** Vil, infame, reles; velhaco.

canalhada. *S. f.* **1.** V. *canalhice.* **2.** Grupo de canalhas.

canalhice. *S. f.* Ação, modos ou palavras próprias de canalha (2); canalhismo, canalhada.

canalhismo. *S. m.* V. *canalhice.*

canalhocracia. [De *canalha* + *-o-* + *-cracia.*] *S. f.* Sistema ou preponderância da canalha (1).

canalhocrata. [De *canalha* + *-o-* + *-crata.*] *S. 2 g.* **1.** Adepto ou defensor da canalhocracia. ● *Adj. 2 g.* **2.** Pertencente ou relativo a ela.

canalhocrático. *Adj.* Canalhocrata (2).

canaliculado. [Do lat. *canaliculatu.*] *Adj.* Provido de canalículo: *pecíolo canaliculado.*

canalículo. [Do lat. *canaliculu.*] *S. m.* Pequeno canal: *canalículo aerífero.*

canaliforme. [Do lat. *canale,* 'canal' + *-i-* + *-forme.*] *Adj. 2 g.* Que tem a forma de canal, ou de telha canal.

canalização. *S. f.* **1.** Ato ou efeito de canalizar. **2.** Conjunto de canos ou canais.

canalizador (ô). *S. m.* Aquele que trabalha em canalizações.

canalizar. *V. t. d.* **1.** Dirigir ou encaminhar, por meio de canais, valas ou canos: *canalizar um rio.* **2.** Pôr canos de esgoto em: *canalizar uma cidade.* **3.** Abrir canais em: *canalizar um campo. T. d.* e *i.* **4.** Dirigir, encaminhar: *canalizou toda a sua energia para uma obra de alto sentido cultural; canalizou a cólera contra o irmão.*

canalizável. *Adj. 2 g.* Que pode ser canalizado.

canamari. *Bras. S. 2 g.* **1.** Indivíduo dos canamaris, tribo indígena extinta que habitava as imediações do rio Juruá e do alto rio Imauini, afluente do Purus. **2.** V. *canamiri* (1). ● *Adj. 2 g.* **3.** Pertencente ou relativo a essa tribo. **4.** V. *canamiri* (2).

canamiri. *Bras. S. 2 g.* **1.** Indivíduo dos canamiris, tribo indígena integrada na sociedade nacional, e que habitava entre as cabeceiras dos rios Acre e Iaco. ● *Adj. 2 g.* **2.** Pertencente ou relativo a essa tribo. [Var.: *canamari, anamari, anamiri.*]

canana. [Do ár. *kinâna.*] *S. f.* Cartucheira de couro usada a tiracolo pelos militares.

cananéia. *Adj.* (*f.*) e *s. f.* Fem. de *cananeu* (1 e 2).

cananeu. *Adj.* **1.** De, ou pertencente ou relativo à Terra de Canaã (Palestina). ● *S. m.* **2.** O natural ou habitante de Canaã. [Fem., nessas acepçs.: *cananéia.*] **3.** *Ling.* Grupo de línguas semíticas das quais são as mais importantes o hebraico e o fenício. V. *semítico* (3). **4.** *Restr.* A língua da Terra de Canaã antes da conquista israelita, e cuja evolução originou a língua hebraica.

cananga. [Do mal. *kananga.*] *S. f. Bras., Amaz.* Árvore da família das miristicáceas (*Virola macrofilla*), que habita a floresta densa e úmida. Folhas magnas e elípticas, agudas e coriáceas; flores mínimas, unissexuais, dispostas em cachos axilares; as cápsulas, lenhosas, globosas, com 12mm de diâmetro, contêm uma grande semente gordurosa.

cananga-do-japão. *S. f.* Erva alta, ornamental, da família das zingiberáceas (*Kaempferia galanga*), originária da Ásia, de folhas muito grandes, oblongas e agregadas na base, flores muito especiosas, tubulosas, alvas e ordenadas em densos grupos, tendo um estame e vários estaminódios petalóides. O fruto é capsular. [Pl.: *canangas-do-japão.*]

canapé. [Do gr. *konopeion,* 'mosquiteiro', pelo lat. *conopeu,* depois *canapeu,* e pelo fr. *canapé.*] *S. m.* Espécie de sofá com costas e braços: "Os *canapés* arqueados, com figuras de anjinhos talhadas na madeira do recosto e garras de dragão nos pés, estalaram ao peso das damas que se sentavam" (Afonso Arinos, *Pelo Sertão,* p. 145). [Cf. *canapê.*]

canapê. [Do fr. *canapé.*] *S. m. Cul.* Pequena fatia de pão, servida, em geral, como aperitivo, sobre a qual se põem diferentes pastas alimentícias condimentadas, ou pedaços de ovo cozido, fatias de salmão defumado, de presunto, tomate ou outros ingredientes, prestando-se, assim, a grande número de variações. [Cf. *canapé.*]

canapu. [De possível or. tupi.] *S. m.* **1.** *Bras.* V. *babá*[2] (1). **2.** *Bras., BA.* V. *mero*[1] (1).

canapuguaçu. [De *canapu* + *-guaçu.*] *S. m. Bras.* V. *mero*[1] (1).

canarana. [De *cana* + *-rana.*] *S. f. Bras.* Designação comum a diversas gramíneas dos gêneros *Paspalum* e *Panicum* (*Panicum spectabile* Nees.).

cana-reinense. *Adj. 2 g.* **1.** De, ou pertencente ou relativo a Cana do Reino (MG). ● *S. 2 g.* **2.** Natural ou habitante de Cana do Reino. [Pl.: *cana-reinenses.*]

canarês. [Do top. *Canará* + *-ês.*] *Adj.* e *s. m.* V. *canarino.* [Flex.: *canaresa* (ê), *canareses* (ê), *canaresas* (ê).]

canaria. *S. f.* **1.** Conjunto de tubos do órgão (5). **2.**

Conjunto de canos ou tubos; canalização. [Cf. *canária*.]

canária[1]. *S. f.* A fêmea do canário. [Cf. *canaria*.]

canária[2]. [Do mal. *kanāri*.] *S. f. Bras. Amaz.* Erva lenhosa ou arbusto da família das leguminosas (*Crotalaria maypurensis*), que vive nos campos altos e arenosos, e nas capoeiras próximas das habitações. Folhas trifolioladas e estipuladas; flores amarelas, vistosas, papilionadas e organizadas em racemos subterminais. [Cf. *canaria*.]

canaricultor (ô). [De *canário*[2] (2) + *cultor*.] *S. m.* Criador de canários.

canaricultura. [De *canário*[2] (2) + *cultura*.] *S. f.* Criação de canários.

canarim[1]. *Bras. S. 2 g.* **1.** Indivíduo dos canarins, tribo indígena descendente dos aimorés. ● *Adj. 2 g.* **2.** Pertencente ou relativo a essa tribo.

canarim[2]. [Do top. *Canará* (v. *canarês*) + *-im*; os portugueses deram este nome erroneamente aos goeses.] *Adj. 2 g.* **1.** *Luso-asiát.* De, ou pertencente ou relativo a Goa (Índia). ● *S. 2 g.* **2.** *Luso-asiát.* Natural ou habitante de Goa. ● *S. m.* **3.** *Bras., N.* Homem de pernas compridas.

canarinho. [Dim. de *canário*[1].] *S. m. Bras.* V. *canário-da-terra*.

canarinho-do-mato. *S. m.* Pequeno pássaro mateiro da família dos parulídeos (*Basileuterus flaveolus* Baird). [Pl.: *canarinhos-do-mato*.]

canarino. *Adj.* **1.** De, ou pertencente ou relativo ao arquipélago das Canárias (África Espanhola). ● *S. m.* **2.** O natural ou habitante desse arquipélago. [Sin. ger.: *canarês* e *canário*.]

canário[1]. *S. m.* Certa dança antiga.

canário[2]. [De *canário*, i. e., 'pássaro canário das ilhas Canárias'.] *Adj.* **1.** V. *canarino*. ● *S. m.* **2.** Ave passeriforme, família dos fringilídeos (*Serinus canarius* L.), originária das ilhas Canárias, da Madeira e dos Açores, de onde foi introduzida em outros países, sendo domesticada na Itália no séc. XVI e propagando-se rapidamente pela Europa. Coloração predominante amarela, desde o alaranjado até o branco. [Sin., bras.: *canário-do-reino*.] **3.** *Fig.* Pessoa que canta bem. **4.** V. *canarino*. ♦ **Canário cabeça-de-fogo.** *Bras., MG.* e *SP.* V. *canário-da-terra*. **Canário de uma muda só.** *Bras. Pop.* Pessoa que anda sempre com a mesma roupa; canário sem muda. **Canário sem muda.** *Bras. Pop.* Canário de uma muda só.

canário-baeta. *S. m. Bras.* V. *sangue-de-boi*. [Pl.: *canários-baetas* e *canários-baeta*.]

canário-da-horta. *S. m. Bras.* V. *canário-da-terra*. [Pl.: *canários-da-horta*.]

canário-da-terra. *S. m. Bras.* Designação comum a duas aves passeriformes, da família dos fringilídeos (*Sicalis flaveola brasiliensis* (Gmel.), e *S. f. pelzelni* (Scl.)), a primeira do Brasil este-setentrional e a segunda do Brasil meridional e ocidental. Coloração amarelo-esverdeada, fronte e vértice alaranjados, rêmiges e cauda mais escuros, com as barbas externas amarelo-esverdeadas, a garganta, peito, abdome e uropígio de vivo amarelo. Na segunda subespécie o lado ventral é riscado de preto e o píleo muito manchado de pardo-escuro, apenas atingindo o limite frontal. São aves de gaiola e viveiro muito apreciadas, populares no interior. [O nome *canário-da-terra* foi dado em oposição ao de *canário-do-reino*, trazido de Portugal. Sin.: *canário-da-horta, canário-do-ceará, canário cabeça-de-fogo, canarinho, chapim*. Pl.: *canários-da-terra*.]

canário-do-brejo. *S. m. Bras.* V. *pia-cobra*. [Pl.: *canários-do-brejo*.]

canário-do-campo. *S. m. Bras.* Ave passeriforme, da família dos fringilídeos (*Emberizoides herbicola* (Vieil.)), do Brasil este-meridional e centro-ocidental. Coloração variável, pardo-cinzenta no dorso, com numerosas estrias longitudinais pretas, orladas de verde, e abdome mais claro. [Pl.: *canários-do-campo*.]

canário-do-ceará. *S. m. Bras.* V. *canário-da-terra*. [Pl.: *canários-do-ceará*.]

canário-do-mato. *S. m. Bras.* **1.** Ave passeriforme, da família dos fringilídeos (*Caryothraustes canadensis brasiliensis* (Cab.)), do Brasil médio-oriental. Coloração geral verde-olivácea no dorso, amarela inferiormente; cara, olhos e garganta negros. É uma subespécie do furiel (3) do Brasil amazônico. **2.** V. *sanhaço-de-fogo*. [Pl.: *canários-do-mato*.]

canário-do-reino. *S. m. Bras.* V. *canário*[2] (2). [Pl.: *canários-do-reino*.]

canário-do-sapé. *S. m. Bras.* V. *pia-cobra*. [Pl.: *canários-do-sapé*.]

canário-pardinho. *S. m. Bras., RJ.* A fêmea do canário-da-terra, a qual é verde-oliva com uma faixa amarelo-clara no peito. [Pl.: *canários-pardinhos*.]

canário-pardo. *S. m. Bras.* V. *tico-tico-do-campo*. [Pl.: *canários-pardos*.]

cana-roxa. *S. f.* V. *cana-de-macaco* (1). [Pl.: *canas-roxas*.]

canas. *S. f. pl.* **1.** Tiras de guasca das rédeas. **2.** Antigo jogo militar, espécie de torneio, em que os jogadores, a cavalo, se acometiam com canas à maneira de lanças. **3.** *Bras., S.* Cabelos brancos; cãs. ~ V. *cana*.

canastra[1]. [Der. regress. do ant. *canistel* < lat. *canistellu*, dim. de *canisteu*, por infl. de *-astro*.] *S. f.* **1.** Cesta larga e pouco alta, tecida de fasquias de madeira flexível, ou de verga: "Foi um devassar de móveis: armários abertos, c a n a s t r a s revolvidas à procura de roupa; camisas, saias, um vestido decente." (Coelho Neto, *Turbilhão*, p. 328.) [Sin., bras.: panacu.] **2.** *Bras.* Caixa revestida de couro, na qual se guardam roupas brancas e outros objetos. **3.** *Bras.* As costas; cacunda. **4.** *Bras. Gír.* V. *canoa* (8). ● *S. 2 g.* **5.** *Bras. Teat. Gír.* Canastrão (3). ♦ **Bater a canastra.** *Bras. Gír.* V. *morrer* (1).

canastra[2]. [Do esp. amer. *canasta*, com epêntese.] *S. f.* **1.** Jogo de cartas de origem argentina, usualmente jogado por quatro pessoas, em duas parcerias, ou com dois baralhos de 52 cartas mais quatro curingões, das quais recebe 11 cada pessoa, e cujo objetivo é marcar pontos e livrar-se das cartas da mão, arriando-as na mesa em trincas e seqüências, as quais, em combinação com as do parceiro, deverão resultar em pelo menos uma canastra (2), sem a qual não se poderá bater. **2.** Nos jogos de biriba, buraco, canastra, etc., seqüência de sete cartas do mesmo naipe ou conjunto de sete cartas do mesmo valor, podendo qualquer dos dois ser completado com um ou mais curingas. ♦ **Canastra real.** Canastra (2) sem curinga.

canastra[3]. *S. m. Bras.* F. red. de *tatu-canastra* [q. v.].

canastrada. *S. f.* **1.** Conteúdo de uma canastra[1] (1 e 2). **2.** Porção de canastras. **3.** Golpe com canastra.

canastrão. *S. m.* **1.** Canastra[1] grande. **2.** *Bras.* Certa raça de porcos. **3.** *Bras. Teat. Gír.* Ator medíocre; mau ator; canastra.

canastreiro. *Adj.* **1.** Diz-se do cesto com forma de canastra[1] (1). **2.** Diz-se do muar que carrega canastra[1] (1). ● *S. m.* **3.** Fabricante ou vendedor de canastras [v. *canastra*[1] (1 e 2)]. **4.** *Bras. Ant.* Mascate que vendia mercadorias acomodadas em canastra[1] (2).

canastrel. *S. m.* Canastra[1] (1) pequena, de asa cruzada por cima da boca: "os mais delicados dons de Pomona, que em c a n a s t r é i s de vimes de prata lhe vinham pôr diante virgens" (Antônio Feliciano de Castilho, *Amor e Melancolia*, p. 249). [Var.: *canistrel*. Pl.: *canastréis*.]

canastro. *S. m.* **1.** Espécie de canastra[1] (1) de bordos altos: "a mãe saindo de madrugada, envolvida no xaile, com um c a n a s t r o à cabeça." (José Vieira, *Sol de Portugal*, p. 25). **2.** *Gír.* O corpo humano, especialmente o tronco.

canastrona. *S. f. Bras. Teat.* Fem. de *canastrão* (3).

cana-tapuia. *Bras. S. 2 g.* e *adj. 2 g.* Maulieni.

canavari. *Bras. S. 2 g.* **1.** Indivíduo dos canavaris, tribo indígena pertencente à família lingüística pano, que habita as imediações do rio Cumaraá (AC). ● *Adj. 2 g.* **2.** Pertencente ou relativo a essa tribo.

cânave. [Do gr. *kánnabis*, pelo lat. *kannabe*.] *S. m.* V. *cânhamo* (1).

canaveira. [De *cânave* + *-eira*.] *S. f.* Canhameiral.

cana-verde. *S. f.* **1.** *Bras., PR.* Certa modalidade do fandango. **2.** *Bras., RJ.* Certa dança de roda. **3.** Caninha-verde. [Pl.: *canas-verdes*.]

canavial. [Do ant. *canavea* (do lat. *canna*, 'junco', + *avena*, 'talo de palha de aveia'), + *-al*.] *S. m.* **1.** Quantidade mais ou menos considerável de canas [v. *cana*[1] (1)] dispostas proximamente entre si; caniçal. **2.** *Bras.* Plantação de cana-de-açúcar.

canavieirense. *Adj. 2 g.* **1.** De, ou pertencente ou relativo a Canavieiras (BA). ● *S. 2 g.* **2.** Natural ou habitante de Canavieiras.

canavieiro. [De *canavial*.] *Bras. Adj.* **1.** Relativo à cana-de-açúcar: *lavoura c a n a v i e i r a*. ● *S. m.* **2.** Plantador de cana-de-açúcar.

canaz. [Do arc. *can*, 'cão', + *-az*.] *S. m.* V. *cão*[1] (1).

cancã[1]. [Do fr. *cancan*.] *S. m.* Espécie de quadrilha tradicional dos cabarés de Paris, desde c. 1830, ruidosa e de movimentos muito rápidos, e dançada em geral só por mulheres.

cancã[2]. [T. onom.] *S. m.* **1.** *Bras.* Ave passeriforme, da família dos corvídeos (*Cyanocorax cyanopogon* (Wied.)), do Brasil este-setentrional e centro-oriental, de coloração azul-escura. Distingue-se das outras gralhas pela mancha azul-marinho acima e abaixo dos olhos, e pelas penas azuis na raiz da mandíbula. É a espécie mais comum nas caatingas do N.E. [Sin.: *cancão, quenquém, piom-piom, gralhão*. Cf. *gralha* (1).] **2.** Ave falconiforme, da família dos falconídeos (*Daptrius americanus* (Bod.)), distribuídas por quase todo o País, de coloração preta, abdome, coxas e coberteiras inferiores da cauda brancos, pele nua da cabeça avermelhada. [Sin.: *caracará-preto, uracaçu, gralhão*.] **3.** Ave falconiforme, da família dos falconídeos (*Hypomorphus urubutinga* (Gmel.)), comum em todo o País, de coloração preta e coberteiras superiores, base e ponta da cauda brancas. Quando jovem, é preta pintada de amarelo. [Sin.: *gavião-caipira, gavião-preto, caureí, japucanim-pium*.]

cancaborrada. *S. f.* V. *cacaborrada*.

cancanista. *Adj. 2 g.* **1.** Referente ou semelhante ao cancã[1]. ● *S. 2 g.* **2.** Pessoa que dança *cancã*[1].

cancão. *S. m. Bras., N.E.* V. *cancã*[2] (1).

canção. [Do lat. *cantione*.] *S. f.* **1.** Designação comum a diversos tipos de composição musical popular ou erudita para ser cantada. **2.** *Mús.* Composição escrita para musicar um poema ou trecho literário em prosa, destinada ao canto[2] (2), com acompanhamento ou sem ele. **3.** *Mús.* Composição instrumental nos moldes da canção (1 e 2). **4.** Canto[2] (3). **5.** V. *cantiga* (2). [Cf. *cansão*.] ♦ **Canção de gesta.** Nos sécs. XI e XII, poema épico, cantado. **Canção polifônica.** Composição a várias vozes sobre um texto profano.

câncaro. [De *cancro*, com suarabácti.] *S. m. Bras.* Peça da ferragem das portas.

cancela. [De *cancelo* (ê).] *S. f.* **1.** Porta gradeada, em geral de madeira e de pequena altura; porteira. **2.** Armação metálica que abre e fecha ao trânsito a passagem de nível.

cancelado[1]. [Part. de *cancelar*.] *Adj.* **1.** Riscado, inutilizado, com traços em cruz ou doutra maneira. **2.** Supresso, eliminado.

cancelado[2]. [De *cancela* + *-ado*[1].] *Adj. Bot.* Provido de pequenas perfurações ou aberturas, como grade ou cancela. [Diz-se, p. ex., da densa ramificação de determinadas plantas que deixam, apenas, pertuitos mais ou menos reduzidos.]

canceladura. *S. f.* V. *cancelamento*.

cancelamento. *S. m.* Ação ou efeito de cancelar; canceladura; obliteração.

cancelar. [Do lat. *cancellare*.] *V. t. d.* **1.** Riscar, inutilizar (o que está escrito), com traços em cruz ou de outra maneira. **2.** Declarar ou dar como nulo, ou sem efeito: *Não quiseram c a n c e l a r a sua passagem*. **3.** Não levar a efeito (o que havia pensado ou planejado); desistir de: *À última hora c a n c e l o u a viagem; C a n c e l o u a exposição*. **4.** Concluir, fechar (um processo). **5.** Excluir, suprimir, eliminar: *O rei c a n c e l o u várias regalias dos representantes do povo*. **6.** *Mat.* Eliminar (fatores comuns aos dois membros de uma equação ou aos termos de uma expressão fracionária), mediante multiplicação ou divisões apropriadas; cortar. [Pres. ind.: *cancelo*, etc. Cf. *cancelo* (ê).]

cancelário. [Do lat. *cancellariu*.] *S. m.* Antigo dignitário de universidade: "O seu prior subia uma vez por ano à Universidade a abrir como C a n c e l á r i o a sala dos exames privados" (Antônio Feliciano de Castilho, *Amor e Melancolia*. p. 316).

cancelo (ê). [Do lat. *cancellu*.] *S. m.* **1.** Grade nobre nas salas de audiência dos juízos, tribunais, capelas, etc. **2.** Porta gradeada. **3.** Curral provisório nos campos, para que o gado esterque o terreno. [Pl.: *cancelos* (ê). Cf. *cancelo*, do v. *cancelar*.]

câncer. [Do lat. *cancer*, 'caranguejo'.] *S. m.* **1.** *Astr.* A quarta constelação do zodíaco, situada no hemisfério norte, a 8,25 h de ascensão reta e 20° da declinação norte. [Sin., p. us.: *Caranguejo*.] **2.** *Astrol.* O quarto signo do zodíaco, relativo aos que nascem entre 21 de junho e 22 de julho. [Com maiúsculas, nestas acepç.] **3.** *Bot.* Tumor que pode surgir em quaisquer partes de um vegetal, em virtude de uma proliferação de células meristemáticas, e causado, não raro, por infecção bacteriana. **4.** *Patol.* Designação genérica de qualquer tumor maligno [q. v.]; blastoma maligno, neoplasma maligno. [Sin. lus.: *cancro*. Pl.: *cânceres*. Cf. *canceres*, do v. *cancerar*.]

cancerar. *V. int.* e *p.* **1.** Tornar-se em câncer: "A orelha c a n c e r a r a e caíra, deixando um orifício hediondo e pustuloso." (Camilo Castelo Branco, *O Bem e o Mal*, p. 163.) **2.** Tornar-se canceroso. **3.** Apodrecer(-se), corromper-se. [Pres. ind.: *cancere, canceres*, etc. Cf. *cânceres*, pl. de *câncer*.]

▲cancer(i)-. [Do lat. *cancer, cancri* e *canceris*.] *El. comp.* = 'câncer', 'tumor maligno': *cancerizar, cancerígeno*. [Equiv.: *cancero-*: *cancerologia*; *cancri-*: *cancriforme*; e *cancr(o)-*: *cancróide*.]

canceriano. *S. m.* **1.** Indivíduo nascido sob o signo de Câncer. ● *Adj.* **2.** Diz-se de, ou pertencente ou relativo a canceriano (1).

canceriforme. [De *canceri-* + *-forme.*] *Adj. 2 g.* Que tem forma de câncer.

cancerígeno. [De *cancer(i)-* + *-geno.*] *Adj. Med.* Capaz de produzir câncer.

cancerização. *S. f.* Ação ou efeito de cancerizar(-se).

cancerizar. *V. t. d.* e *p.* Converter(-se) em câncer.

▲**cancero-.** V. *cancer(i)-*.

cancerologia. [De *cancero-* + *-log(o)-* + *-ia.*] *S. f.* Parte da medicina que estuda o câncer; carcinologia, oncologia.

cancerológico. *Adj.* Relativo à cancerologia; oncológico.

cancerologista. *S. 2 g.* Especialista em cancerologia; oncologista.

canceroso (ô). [Do lat. tardio *cancerosu.*] *Adj.* **1.** Da natureza do câncer. ● *S. n.* **2.** Indivíduo que tem câncer; carcinomatoso.

cancha. [Do quíchua *cancha*, 'pátio cercado de paredes de barro', pelo esp. plat. *cancha.*] *S. f.* **1.** *Bras.* Pista preparada em terreno plano, para carreiras ou corridas de cavalos; raia. **2.** *Bras.* Terreno especialmente preparado para certos jogos, tais como o bocha, a tava ou jogo do osso, a péla, o tênis, o futebol, o basquete, etc. **3.** *Bras.* Pouso ou parada habitual (de pessoas ou animais). **4.** *Bras.* Espaço, lugar. **5.** *Bras. Fig.* Situação cômoda, agradável. **6.** *Bras.* Experiência, tirocínio, conhecimento. **7.** *Bras., RS.* Nas olarias, espaço onde os tijolos ficam secando, antes da queima. **8.** *Bras., PR* e *RS.* Lugar onde se bate ou cancheia a erva-mate, antes de levá-la ao moinho. **9.** *Bras., N.E.* V. *pose* (2). ◆ **Cancha de charqueada.** *Bras., RS.* Lugar por onde se arrasta o boi que vai ser morto e esfolado. **Cancha reta.** *Bras., RS. Turfe.* Pequena raia de terra, improvisada, onde cavalos sem raça correm aos domingos, havendo apostas das quais em geral pouca gente participa além de seus proprietários; raia reta. **Abrir cancha.** *Bras., S.* Dar passagem; dar lugar.

canchal. *S. m. Lus.* V. *quantidade* (3).

cancheadista. *S. m. Bras., PR.* Indivíduo favorável à exportação da erva-mate cancheada.

cancheado. [Part. de *canchear.*] *Adj. Bras., S.* Que se cancheou (mate).

cancheador (ô). *S. m.* **1.** *Bras., S.* Instrumento para canchear o mate. **2.** *Bras., PR.* Indivíduo que exporta erva-mate cancheada.

canchear. *V. t. d. Bras., S.* Cortar ou picar (o mate) reduzindo-o a pequenos pedaços. [Conjug.: v. *frear.*]

cancheiro. *Adj.* **1.** *Bras., S.* Diz-se do cavalo habituado a correr em cancha (1). ● *S. m.* **2.** Cavalo de corrida. **3.** Empregado da cancha (2).

canchudo. *Adj.* e *s. m. Bras., N.E.* Posudo.

cancioneiro. *S. m.* **1.** Coleção de canções. **2.** Conjunto de coleções de antigas poesias líricas, portuguesas ou espanholas: "Os mais antigos textos literários em língua portuguesa são composições em versos coligidas em cancioneiros de fins do século XIII e do século XIV, algumas das quais remontarão a fins do século XII." (Antônio José Saraiva e Óscar Lopes, *História da Literatura Portuguesa*, pp. 41-42.) **3.** Romanceiro (3). [Cf. *cancionista.*]

cancionista. *S. 2 g.* Pessoa que faz canções. [Cf. *cancioneiro.*]

cançoneta (ê). [Do it. *canzonetta.*] *S. f. Mús.* Pequena canção sobre tema leve, espirituoso ou satírico.

cançonetista. *Adj. 2 g.* **1.** Relativo a cançoneta. ● *S. 2 g.* **2.** Compositor de cançonetas. **3.** Pessoa que as canta em teatros, festas, etc.

cancra. *S. f. Bras., SP.* Bátega violenta.

cancrejo (ê). *S. m. Ant.* Caranguejo.

▲**cancri-.** V. *cancer(i)-*.

câncrida. *S. m.* e *adj.* V. *cancrídeo.*

câncridas. *S. m. pl. Zool.* V. *cancrídeos.*

cancrídeo. *S. m.* **1.** Espécime dos cancrídeos. ● *Adj.* **2.** Pertencente ou relativo a eles.

cancrídeos. *S. m pl. Zool.* Família de crustáceos marinhos, da ordem dos decápodes, na qual se incluem os grandes caranguejos marinhos.

cancrinita. [Do antr. *Cancrin*, do Conde Cancrin, ministro das finanças da Rússia, + *-ita*[3].] *S. f. Min.* Mineral hexagonal, carbonato silicato ácido de sódio, cálcio e alumínio.

▲**cancr(o)-.** V. *cancer(i)-*.

cancro. [Do lat. *cancru.*] *S. m.* **1.** *Lus.* V. *câncer* (4). **2.** *Fig.* Mal que aos poucos vai minando um organismo. **3.** Peças de ferro para segurar em pedra qualquer trabalho de carpinteiro. **4.** Utensílio de ferro com que os carpinteiros seguram no banco a madeira em que trabalham. **5.** *Bras., BA.* V. *bexiga-do-cacau.* ◆ **Cancro duro.** *Patol.* Lesão inicial da sífilis. **Cancro mole.** *Patol.* Doença venérea produzida pelo estreptobacilo de Ducrey.

cancróide. [De *cancr(o)-* + *-óide.*] *Adj. 2 g.* Semelhante ao cancro.

cancrose. [De *cancr(o)-* + *-ose.*] *S. f. Bot.* Moléstia de plantas do gênero *Citrus*, produzida pela ação de bactérias *Pseudomonas citri.*

candado. [Do esp. *candado.*] *S. m.* Parte do casco da besta entre as ranilhas e o mais delgado da tapa; cando.

candango. [Do quimb. *kangundu*, dim. de *kingundu*, 'ruim', 'ordinário', 'vilão', com metátese e assimilação.] *S. m. Bras.* **1.** Designação que os africanos davam aos portugueses. V. *galego* (4). **2.** *Desus.* Indivíduo ruim, ordinário. **3.** Pessoa que tem mau gosto. **4.** Designação dada aos operários das grandes obras da construção de Brasília (DF), de ordinário vindos do N.E.: "o candango vai ao cerrado, colhe os ramos verdes e os coloca na última laje, como se estivesse enfeitando a cumeeira de sua própria casa." (Clemente Luz, *Invenção da Cidade*, p. 96). **5.** *P. ext.* Qualquer dos primeiros habitantes de Brasília (DF).

cande. [Do ár. *qandi.*] *Adj.* V. *açúcar-cande.*

candeada. *S. f.* Porção de óleo que uma candeia ou um candeeiro comporta; candeeirada.

candeeirada. *S. f.* Candeada.

candeeiro. [De *candeia* + *-eiro.*] *S. m.* **1.** Aparelho de iluminação, alimentado por óleo ou gás inflamável, com mecha ou camisa incandescente; lampião, leocádio: "Acendia, tão logo anoitecia, um candeeiro de querosene" (Povina Cavalcanti, *Volta à Infância*, p. 18). **2.** Parapeito que nas minas abriga os operários. **3.** *Bras. Ant.* Chapéu de três bicos; tricórnio. **4.** *Bras., S., ES* e *MG.* Carreiro (1): "Era o caso que faltava um candeeiro para guia dos seus bois." (Nélson de Faria, *Tiziu e Outras Estórias*, p. 102.) **5.** *Bras., RS.* Modalidade do fandango. **6.** *Bras., RS.* Cantiga de roda infantil.

candeia[1]. [Do lat. *candela*, 'vela de sebo ou de cera'.] *S. f.* **1.** Pequeno aparelho de iluminação, que se suspende por um prego, com recipiente de folha-de-flandres, barro ou outro material, abastecido com óleo, no qual se embebe uma torcida, e de uso em casas pobres; candela, candil: "Leva a candeia e vê se os alumia." (Domingos Carvalho da Silva, *Liberdade embora tarde*, p. 34). [Cf. *lamparina* (2).] **2.** *Ant.* Vela de cera. **3.** Designação comum a várias plantas da família das compostas, gêneros *Lychnophora*, *Piptocarpha*, *Vanillosmopsis* e *Vernonia*. ~ V. *candeias.* ◆ **De candeia às avessas com.** Em desarmonia com; zangado com (alguém); de cafiroto aceso: "o nome dum ilustre escritor e meu querido amigo, ... com quem Fialho [Fialho d'Almeida] andava, nesse tempo, de candeia às avessas, mas com quem depois se reconciliou" (Eugênio de Castro, in *Fialho d'Almeida, In Memoriam*, p. 120).

candeia[2]. *Adj. 2 g. Bras.* Elegante, casquilho.

candeias. [Pl. de *candeia*[1].] *S. f. pl.* Us. na loc. *festa das candeias.* V. *candelária.* ~ V. *candeia.*

candeio. [De *candeia*[1].] *S. m.* Facho ou luzeiro que se emprega na caça ou pesca noturna.

candela. [Do lat. *candela.*] *S. f.* **1.** V. *candeia*[1] (1). **2.** *Fotom.* Unidade de medida de intensidade luminosa no Sistema Internacional, igual a 1/60 da intensidade luminosa de um centímetro quadrado da superfície de um radiador perfeito na temperatura de solidificação da platina. [Símb.: *cd.*] ◆ **Candela por metro quadrado.** *Fotom.* Unidade de medida de luminância no Sistema Internacional, igual à luminância, numa direção determinada, de uma fonte com área emissiva de um metro quadrado, e cuja intensidade luminosa, naquela direção, é igual a uma candela. [Sin.: *nit.* Símb.: cd/m^2.]

candelabro. [Do lat. *candelabru.*] *S. m.* **1.** Grande castiçal com ramificações, a cada uma das quais corresponde um foco de luz; serpentina: "a toalha bordada, os altos candelabros de prata de esguias velas de cera" (Vanda Fabian, *Zé Canarinho*, p. 29). **2.** V. *lampadário* (1). **3.** Planta da família das poligaláceas (*Polygala hygrophila*).

candelária. *S. f.* **1.** Festa da Purificação da Virgem Maria, a 2 de fevereiro; festa das candeias [v. *candeia*[1]]. **2.** Planta solanácea (*Verbascum lychnitis*); balária.

candelariense. *Adj. 2 g.* **1.** De, ou pertencente ou relativo a Candelária (RS). ● *S. 2 g.* **2.** Natural ou habitante de Candelária.

candeliça. [Do esp. *candaliza.*] *S. f. Mar.* **1.** Sistema usado para içar pequenos pesos, formado por um moitão alceado e um cabo nele gornido. **2.** Adriça singela usada para içar toldos, peças de lona, etc.

candelinha. [Dim. de *candela* (1).] *S. f.* **1.** Vela[3] (3) pequena. **2.** *Desus.* Algália[1].

candembe. *S. m. Bras.* Certo aparelho de pesca.

candência. [Do lat. *candentia.*] *S. f.* Qualidade ou estado de candente. [Cf. *cadência.*]

candente. [Do lat. *candente.*] *Adj. 2 g.* **1.** Que está em brasa; rubro-claro: *ferro candente*; "Lançai o olhar em torno; / Arde a Terra abrasada / Debaixo da candente abóbada dum forno." (Guerra Junqueiro, *A Musa em Férias*, p. 167). **2.** *Fig.* Ardoroso, arrebatado. [Cf. *cadente.*]

cândi. *Adj.* V. *cande.*

candial. [De **candidal* (cândido, por síncope.] *Adj.* Diz-se de uma espécie de trigo que produz farinha muito alva; candil.

candiar. *V. t. d. Bras.* Guiar (um carro de bois) como candeeiro (4).

cândida. [Fem. substantivado de *cândido.*] *S. f. Bras., SE. Pop.* V. *cachaça* (1).

candidatar-se. *V. p.* Declarar-se candidato; apresentar-se como candidato.

candidato. [Do lat. *candidatu.*] *S. m.* **1.** Aspirante a emprego, cargo, honraria ou dignidade. **2.** Aquele que pede votos que o elejam para um cargo.

candidatura. *S. f.* **1.** Condição ou estado de candidato. **2.** Pretensão ou proposta de candidato. **3.** Apresentação de candidato ao sufrágio.

candidez (ê). [Var. de *candideza.*] *S. f.* V. *candura:* "para a moça, na candidez dos dezesseis anos, o espetáculo fora profundamente perturbador." (Gastão Cruls, *De Pai a Filho*, p. 30).

candideza (ê). *S. f.* V. *candura:* "Mostram, nas frágeis formas franzinas, / A candideza das açucenas." (Martins Fontes, *Verão*, p. 106).

candidizar. *V. t. d.* Tornar puro, cândido.

cândido. [Do lat. *candidu.*] *Adj.* **1.** Alvo, imaculado: "O lírio é menos cândido, a neve é menos pura / Que uma criança loira no berço adormecida" (Fagundes Varela, *Poesias Completas*, I, p. 238). **2.** *Fig.* Puro, ingênuo, inocente: "A festa do Natal, com os presépios, os cordões de pastorinhas, a nota cândida e bíblica da paisagem que o nascimento de Jesus evoca ... , é uma das mais ingênuas e belas." (Raimundo Morais, *País das Pedras Verdes*, p. 209).

cândido-mendense. *Adj. 2 g.* **1.** De, ou pertencente ou relativo a Cândido Mendes (MA). ● *S. 2 g.* **2.** Natural ou habitante de Cândido Mendes. [Pl.: *cândido-mendenses.*]

cândido-motense. *Adj. 2 g.* **1.** De, ou pertencente ou relativo a Cândido Mota (SP). ● *S. 2 g.* **2.** Natural ou habitante de Cândido Mota. [Pl.: *cândido-motenses.*]

candil[1]. [Do lat. *candela*, 'vela', pelo gr. medieval *kandéle* e pelo ár. *quindīl.*] *S. m.* **1.** V. *candeia*[1] (1): "De noite, com o candil pendurado junto do leito, e um fólio no travesseiro, lia ainda" (Eça de Queirós, *Últimas Páginas*, p. 267). **2.** Fosforescência das águas.

candil[2]. *S. m.* **1.** Antiga moeda asiática. **2.** *Luso-asiat.* Medida de capacidade, que equivale a 160 litros.

candil[3]. *Adj.* Candial.

candilar. *V. t. d.* **1.** Cobrir de açúcar-cande. **2.** Tornar cristalizado.

candimba. [Do quimb. *kandemba.*] *S. m.* **1.** *Bras., MG. Pop.* Dificuldades, apertos, apuros. [Sin. (bras., S.): *tipiti.*] **2.** *Bras.* V. *tapiti.*

candimbá. *S. m. Bras., GO.* V. *cacaréus.*

candiota. [Do it. *candiota.*] *Adj. 2 g.* **1.** De, ou pertencente ou relativo a Cândia, cidade e porto as S. de Creta (Grécia). **2.** *P. ext.* Cretense (1). ● *S. 2 g.* **3.** Natural ou habitante de Cândia. **4.** *P. ext.* Cretense (2).

candiru. [Do tupi *kādi'ru.*] *S. m. Bras.* Designação comum a várias espécies de peixes teleósteos, siluriformes, da família dos tricomicterídeos, subfamília dos estegofilíneos, especialmente *Stegophilus* Reinh., e *Vandellia* Val., de 0,03 a 0,05 m de comprimento, corpo cilíndrico, nadadeiras dorsal, anal e ventrais situadas muito atrás, e opérculo com pequenos espinhos do lado externo. Uma das espécies mais conhecidas é *V. cirrhosa* Val., da Amaz., de coloração rósea e com pequenos barbilhões na boca. É crença popular, não comprovada cientificamente, que o candiru penetra na uretra das pessoas que se estão banhando nos rios. Morde muitas vezes pessoas e animais para sugar-lhes o sangue.

candiru-branco. *S. m. Bras.* Peixe teleósteo, siluriforme, da família dos cetopsídeos (*Cetopsis coecutiens* (Linch.)), da Amaz., de coloração esbranquiçada, tendendo ao róseo no abdome. [Pl.: *candirus-brancos.*]

candiubá. [De possível or. tupi.] *S. f. Bras.*, V. *ubá*[2] (2).

cando. *S. m.* Candado.

candombe. [De or. afr.] *S. m. Bras.* **1.** Rede de pescar camarões. **2.** *Mús.* Batuque dos negros do rio da Prata.

candombeiro. *S. m. Bras.* Dançador de candombe.

candomblé. [De or. afr.] *S. m. Bras.* **1.** A religião dos negros iorubas na Bahia; canzuá. **2.** Qualquer das grandes festas dos orixás: "histórias de saveiros e travessias, ... acontecidos de cais, de c a n d o m b l é s, com mestres de saveiro e capoeiristas, mães-de-santo e orixás." (Jorge Amado, *Teresa Batista Cansada de Guerra*, p. 31). **3.** *P. ext.* Santuário onde se celebram tais festas. [Cf. *macumba* (1 e 2).] ♦ **Candomblé de caboclo.** *Bras. Folcl.* Candomblé baiano em que há predomínio de influências indígenas e mestiças.

candonga[1]. *S. f.* **1.** Lisonja, afagos, mimos; candonguice, candongagem: "Tinha um corpo com jeito de água corrente, virando curva em remanso sereno, ou de cobra que se balanceia para dar o bote. E tinha c a n d o n g a na fala." (Rute Guimarães, *Água Funda*, p. 71.) **2** Carinho fingido; adulação; candonguice, candongagem. **3.** Intriga, mexerico; candonguice, candongagem. **4.** *Bras.* Bem-querer, benzinho, amor: *Ela é a minha c a n d o n g a.*

candonga[2] *S. f.* Contrabando de gêneros alimentícios.

candongagem. *S. f.* V. *candonga*[1] (1 a 3).

candongar[1]. *V. t. d.* **1.** Fazer candonga[1]; lisonjear, adular. *Int.* **2.** Fazer intrigas; mexericar. [Conjug.: v. *largar.*]

candongar[2]. *V. t. d.* Fazer candonga[2]. [Conjug.: v. *largar.*]

candongueiro[1]. *S. m.* Aquele que faz candonga[2]; contrabandista de gêneros alimentícios. [Cf. *muambeiro.*]

candongueiro[2]. *S. m.* **1.** Aquele que faz candonga[1] (1 a 3). ● *Adj.* **2.** Diz-se daquele que faz candonga (1 a 3). **3.** *Bras., RS.* Diz-se do animal manhoso que foge com a cabeça quando se lhe quer pôr o freio ou o buçal.

candongueiro[3]. *S. m. Bras., S. Folcl.* Pequeno tambor angola-conguês, usado no jogo, e cujo couro de percussão é pregado na extremidade superior do instrumento.

candonguice. *S. f.* V. *candonga*[1] (1 a 3).

candor (ô). [Do lat. *candore.*] *S. m.* V. *candura.*

candoroso (ô). *Adj. Poét.* Cheio de candor.

candunga. *S. f. Bras.* V. *amboré.*

candura. *S. f.* Qualidade de cândido; candidez, candideza, candor.

caneado. [De *cana*[1] + *-eado.*] *Adj. Bras., N.E. Pop.* V. *embriagado* (1).

caneca. [De *cano*[1] + *-eca.*] *S. f.* Vaso pequeno, com asa, para líquidos: "Trouxe duas c a n e c a s de chá fumegante." (Lígia Fagundes Teles, *A Disciplina do Amor*, p. 57.)

canecada. *S. f.* Porção de líquido que uma caneca comporta; caneca cheia.

caneco[1]. *S. m.* **1.** Caneca [q. v.] mais longa que o comum. **2.** *Pop.* V. *nádegas.*

caneco[2]. [Do ár. *can, cão*[1] [v. *cão*[1] (6)], + *-eco.*] *S. m. Bras. Pop.* V. *diabo* (2). ♦ **Pintar o caneco.** *Bras. Fam.* V. *pintar o sete.* **Pintar os canecos.** *Bras. Fam.* V. *pintar o sete*: "seduziu uma cozinheira, ... escalou muros de pomares, quebrou vasos de porcelana, p i n t o u o s c a n e c o s" (Gustavo Barroso, *O Sertão e o Mundo*, p. 127).

canéfora. [Do gr. *kanephóros*, pelo lat. *canephora*, 'que carrega cestos'.] *S. f. Arquit.* Figura esculpida de mulher com uma cesta à cabeça, usada não raro como cariátide: "Nos casamentos, mantém-se um ritual minucioso, e as amigas da noiva imitam as c a n é f o r a s atenienses, surgindo com cestas cheias de flores, frutos e cereais simbólicos" (Agripino Grieco, *Estrangeiros*, p. 80).

caneiro. [De *cano*[1] + *-eiro.*] *S. m.* **1.** Pequeno canal. **2.** Estacada para pesca no leito de um rio. **3.** A parte mais funda e navegável de um rio. **4.** Braço de mar entre rochedos: "O barco, remado por dezesseis homens, estaca como um cetáceo com as barbatanas hirtas fora da água, em frente do c a n e i r o de desembarque; oscila aí um momento, esperando mar" (Ramalho Ortigão, *As Farpas*, I, p. 262).

caneja (ê). [De *canejo?*] *S. f.* Variedade de cação.

canejo (ê). *Adj.* Relativo ou semelhante a cão.

canela[1]. [Do it. *cannella*, pelo fr. ant. *canele.*] *S. f.* **1.** Árvore da família das lauráceas, originária de Sri Lanka *(Cinnamomum zeylanicum)*, cuja casca, odorífera, se usa como especiaria; caneleira, caneleiro, pau-canela. **2.** A casca dessa árvore. **3.** A cor semelhante à da canela (2). **4.** *P. ext.* Pó obtido com a trituração da casca dessa árvore. **5.** *Bras.* Louro[1] (1). ● *Adj. 2 g. e 2 n.* **6.** Diz-se da cor da canela (2). ♦ **Canela capitão-mor.** Árvore da família das lauráceas *(Nectandra myriantha).*

canela[2]. [Do lat. **cannella*, por *cannulla*, 'pequena cana'.] *S. f.* **1.** A parte da perna entre o joelho e o pé: "Quando os dous entraram, ele foi logo fechando a porta, discretamente, enquanto o outro se esparralhava na cadeira, com um suspiro de cansaço, levantando até ao meio da c a n e l a a sua batina lustrosa e de bom talho." (Aluísio Azevedo, *O Mulato*, pp. 28-29.) **2.** *Bras., SP. Pop.* V. *dor-de-cotovelo.* ♦ **Canelas de maçarico.** *Bras.* Pernas longas e finas; pernas de maçarico. **Dar à canela.** Andar depressa; correr. V. *fugir* (1 e 2). **Ensebar as canelas.** *Bras. Pop.* V. *fugir* (1 e 2). **Espichar a canela.** *Bras. Pop.* V. *morrer* (1). **Esticar a canela.** *Bras. Pop.* V. *morrer* (1): "e s t i c a r a c a n e l a ali perto o Bentinho Baiano, ... baleado por dois tiraços de rifle" (Hugo de Carvalho Ramos, *Tropas e Boiadas*, p. 5). **Ter canela de cachorro.** Ter capacidade de andar muito.

canela[3]. *S. f.* Pequeno canudo ou bobina em que se enrola o fio para a tecelagem.

canela[4]. [Do fr. *cannelle.*] *Bras. S. 2 g.* e *adj. 2 g.* Rancocamecra.

canela-amarela. *S. f. Bras.* V. *canela-rajada.* [Pl.: *canelas-amarelas.*]

canela-amargosa. *S. f. Bras., RJ.* Pequeno arbusto da família das lauráceas (*Ocotea squarrosa*), dotada de flores alvas e bagas sobre cúpulas planas. [Pl.: *canelas-amargosas.*]

canela-babosa. *S. f. Bras.* V. *canela-guaicá* (1). [Pl.: *canelas-babosas.*]

canela-baraúna. *S. f. Bras., MG* ao *S.* Árvore das lauráceas (*Ocotea diospyrifolia*), de flores amareladas ou alvas e bagas globosas; aiuiú, louro-preto, canela-mescla, canela-preta, baraúna. [Pl.: *canelas-baraúnas* e *canelas-baraúna.*]

canela-batalha. [De *canela*[1] + *batalha.*] *S. f.* Cavalo-de-batalha. [Pl.: *canelas-batalhas* e *canelas-batalha.*]

canela-batata. [De *canela*[1] + *batata.*] *S. f. Bras.,N.E.* ao *S.* Árvore da família das borragináceas (*Cordia trichotoma*). Folhas oblongas, acuminadas, com pêlos estrelados na face superior; flores alvas, reunidas em panículas terminais; o cálice e a corola persistem no fruto, que é uma pequena drupa; a madeira, pardo-clara, algo odorífera, leve e resistente, serve para marcenaria, mobiliário, envergadura e hélices de aviões. [Pl.: *canelas-batatas* e *canelas-batata.*]

canela-bibiru. *S. f. Bras.* V. *beberu.* [Pl.: *canelas-bibirus* e *canelas-bibiru.*]

canela-branca. *S. f. Bras.* V. *canela-rajada.* [Pl.: *canelas-brancas.*]

canela-brava. *S. f. Bras.* V. *craveiro-da-terra.* [Pl.: *canelas-bravas.*]

canela-caixeta. [De *canela*[1] + *caixeta.*] *S. f. Bras.* Árvore da família das lauráceas (*Acrodiclidium cannella*). [Pl.: *canelas-caixetas* e *canelas-caixeta.*]

canela-cheirosa. *S. f.* V. *casca-preciosa* (1). [Pl.: *canelas-cheirosas.*]

canelácea. *S. f.* Espécime das caneláceas.

caneláceas. *S. f. pl. Bot.* Família de árvores ricas em princípios aromáticos na casca, com folhas alternas e flores inconspícuas, estames numerosos e soldados em tubo; o fruto é bacáceo. Há umas 10 espécies tropicais, algumas brasileiras.

caneláceo. *Adj.* Pertencente ou relativo às caneláceas.

canelada. [De *canela*[2] (1) + *-ada*[1].] *S. f.* Pancada na canela da perna.

canela-de-ema. [De *canela*[2] + *de* + *ema.*] *S. f. Bras.* Designação comum a muitas espécies da família das velosiáceas, de grandes flores muito ornamentais, e que ocorrem nos campos do Brasil Central. [Pl.: *canelas-de-ema.*]

canela-de-garça. [De *canela*[2] (1) + *de* + *garça.*] *S. f. Bras.* Beque[3]. [Pl.: *canelas-de-garça.*]

canela-de-porco. *S. f.* V. *canela-rajada.* [Pl.: *canelas-de-porco.*]

canela-de-veado. [De *canela*[2] (1) + *de* + *veado.*] *S. f.* **1.** *Bras., MG.* Rosquinha de araruta e ovos, de superfície lisa e brilhante; envernizado. **2.** V. *canela-preta-verdadeira.* [Pl.: *canelas-de-veado.*]

canela-de-velha. [De *canela*[2] (1) + *de* + *velha.*] *S. f. Bras., Amaz.* **1.** Designação comum a várias espécies do gênero *Miconia*, da família das melastomatáceas, de grandes folhas com algumas nervuras curvas e magnas flores violáceas, e cuja madeira se pode usar em construção. **2.** V. *zínia.* [Pl.: *canelas-de-velha.*]

canelado[1]. [De *canela*[3] + *-ado*[1].] *S. m.* Conjunto de caneluras.

canelado[2]. [Part. de *canelar.*] *Adj.* Que tem caneluras.

canela-do-brejo. [De *canela*[1] + *do* + *brejo.*] *S. f. Bras., MG* a *RS.* Canelinha (1). [Pl.: *canelas-do-brejo.*]

caneladura. *S. f.* V. *canelura.*

canela-funcho. [De *canela*[1] + *funcho.*] *S. f. Bras.* V. *canela-sassafrás.* [Pl.: *canelas-funchos* e *canelas-funcho.*]

canelagem. [De *canela*[2] (1) + *-agem.*] *S. f. Bras., MG* e *SP. Pop.* V. *dor-de-cotovelo*: "Num acesso de 'c a n e l a g e m' pica de faca um caboclo, que deitara vistas cúpidas à mulata." (Godofredo Rangel, *Vida Ociosa*, p. 171.)

canela-goiaba. *S. f. Bras., RJ.* Árvore da família das lauráceas (*Ocotea organensis*), de uns 17 m de altura, com flores em panículas, e bagas pequenas; canela-parda. [Pl.: *canelas-goiabas* e *canelas-goiaba.*]

canela-goiacá. *S. f. Bras.* **1.** V. *canela-guiacá* (1). **2.** V. *canela-rajada.* [Pl.: *canelas-goiacás* e *canelas-goiacá.*]

canela-gosma. *S. f. Bras.* **1.** V. *canela-preta-verdadeira.* **2.** V. *canela-tatu.* [Pl.: *canelas-gosmas* e *canelas-gosma.*]

canela-gosmenta. [De *canela*[1] + o fem. de *gosmento.*] *S. f. Bras.* Pau-de-quiabo. [Pl.: *canelas-gosmentas.*]

canela-guacá. *S. f. Bras.* V. *canela-rajada.* [Pl.: *canelas-guacás* e *canelas-guacá.*]

canela-guaicá. *S. f.* **1.** *Bras., L.* e *S.* Arbusto ou pequena árvore da família das lauráceas (*Ocotea puberula*, tb. conhecida como *Ocotea arechavaleta*), de flores alvas e bagas subglobosas; canela-pimenta, canela-babosa, canela-parda, canela-goiacá, guaicá, louro-abacate. **2.** V. *canela-rajada.* [Pl.: *canelas-guaicás* e *canelas-guaicá.*]

canela-imbuia. *S. f. Bras.* V. *canela-rajada.*

canela-inhaíba. *S. f. Bras.* Árvore da família das lauráceas (*Nectandra globosa*), com 10 a 20 m de altura, flores alvas, em panículas; canela-massapê, canela-preta, cedro-preto, louro-vermelho, surinéia. [Pl.: *canelas-inhaíbas* e *canelas-inhaíba.*]

canela-jacu. *S. f. Bras.* V. *canela-preta-verdadeira.* [Pl.: *canelas-jacus* e *canelas-jacu.*]

canela-limão. *S. f. Bras.* V. *beberu.* [Pl.: *canelas-limões* e *canelas-limão.*]

canela-limbosa. *S. f. Bras.* V. *canela-tatu.* [Pl.: *canelas-limbosas.*]

canela-massapê. *S. f. Bras.* **1.** V. *canela-inhaíba.* **2.** V. *canela-preta-verdadeira.* [Pl.: *canelas-massapês* e *canelas-massapê.*]

canela-mescla. *S. f. Bras.* V. *canela-baraúna.* [Pl.: *canelas-mesclas* e *canelas-mescla.*]

canelão[1]. [Aum. de *canela*[2] (1).] *S. m.* Grande canelada.

canelão[2]. [Aum. de *canela*[3].] *S. m.* Fio da teia mais grosso que os outros.

canelão[3]. [Aum. de *canela*[1]?] *S. m.* Designação comum a duas árvores da família das lauráceas (*Ocotea spixiana*) e da família das mirsináceas (*Repanea laetevirens*), cuja madeira é de pouquíssima importância.

canelão[4]. *S. m.* Confeito de cidrão recoberto de açúcar.

canela-parda. *S. f. Bras.* **1.** V. *canela-goiaba.* **2.** V. *canela-guaicá* (1). [Pl.: *canelas-pardas.*]

canela-pimenta. *S. f. Bras.* V. *canela-guaicá* (1). [Pl.: *canelas-pimentas* e *canelas-pimenta.*]

canela-prego. *S. f. Bras.* V. *canela-preta-verdadeira.* [Pl.: *canelas-pregos* e *canelas-prego.*]

canela-preta[1]. [De *canela*[1] + o fem. de *preto.*] *S. f. Bras.* **1.** V. *canela-baraúna.* **2.** V. *canela-inhaíba.* **3.** V. *canela-rajada.* [Pl.: *canelas-pretas.*]

canela-preta[2]. [De *canela*[2] (1) + o fem. de *preto.*] *S. m. Bras. Gír.* Militar do exército (do tempo em que usavam perneiras pretas no uniforme). [Pl.: *canelas-pretas.*]

canela-preta-verdadeira. *S. f. Bras., L.* e *S.* Árvore da família das lauráceas (*Nectandra reticulata*), de até 40 m de altura, flores alvas e bagas elipsóideas; canela-massapê, canela-prego, canela-de-veado, canela-gosma, canela-jacu, louro-de-casca-preta. [Pl. *canelas-pretas-verdadeiras.*]

canelar. [De *canela*[3] + *-ar*[2].] *V. t. d.* **1.** Lavrar caneluras em. *Int.* **2.** Encher as canelas de tecer. [Pres. ind.: *canelo*, etc. Cf. *canelo* (ê).]

canela-rajada. *S. f. Bras., S.* Árvore de cerca de 8 a 13 m de altura, da família das lauráceas (*Nectandra magapotamica*, tb. conhecida como *Nectandra saligna* e *Nectandra tweediei*), dotada de flores alvas; canela-amarela, canela-branca, canela-preta, canela-de-porco, canela-imbuia, canela-goiacá, canela-guiacá, canela-guacá, guaicá, canelinha, canelinha-rajada, aiuimoroti. [Pl.: *canelas-rajadas.*]

canela-ruiva. [De *canela*[2] (1) + o fem. de *ruivo.*] *S. m. Bras.* V. *queixada* (3): "Que frio, que frio! Meu queixo pegou a bater feito uma vara de c a n e l a s - r u i v a s." (Afonso Arinos, *Histórias e Paisagens*, p. 20.) [Pl.: *canelas-ruivas.*]

canela-sassafrás. [De *canela*[1] + *sassafrás.*] *S. f. Bras., S.* Árvore da família das lauráceas (*Ocotea pretiosa*), da floresta atlântica, de folhas obovadas ou oblongo-lanceoladas, acuminadas, oliváceas ou castanhas, pequenas flores alvas, perfumadas, ordenadas em racemos curtos, e cujo fruto é uma baga elipsóide. A madeira, parda e utilizável como canela, fornece, ainda, por destilação, um óleo riquíssimo em safrol, que é convertido em produtos valiosos para perfumaria; canela-funcho, sassafrás, pau-de-sassafrás. [Pl.: *canelas-sassafrás* e *canelas-sassafrases*.]

canela-tapinhoã. *S. f. Bras.* Tapinhoã. [Pl.: *canelas-tapinhoãs* e *canelas-tapinhoã*.]

canela-tatu. *S. f. Bras., BA* a *RJ.* Árvore ou arbusto da família das lauráceas (*Ocotea brachybotrya*), dotada de flores em panículas e bagas globosas; canela-gosma, canela-limbosa. [Pl.: *canelas-tatus* e *canelas-tatu*.]

caneleira[1]. [De *canela*[1] + *-eira*.] *S. f.* **1.** V. *canela*[1] (1). **2.** *Bras.* Caneleiro[1] (2).

caneleira[2]. [De *canela*[2] (1) + *-eira*.] *S. f.* Peça para defesa das pernas, nas antigas armaduras.

caneleira[3]. *S. f.* Fem. de *caneleiro*[2].

caneleira-do-mato. [De *caneleira*[1] + *do* + *mato*.] *S. f. Bras.* Mucutaia. [Pl.: *caneleiras-do-mato*.]

caneleirinho. [Dim. de *caneleiro*[1] (2).] *S. m. Bras., RJ.* Ave passeriforme, da família dos cotingídeos (*Pachyramphus polychopterus* (Vieil.)), distribuída por todo o País, com quatro subespécies. Coloração preta, asas e cauda pintadas de branco, alto da cabeça com brilho metálico. A fêmea é olivácea, com as asas e a cauda pintadas de um tom de ocre claro, a parte inferior amarelo-esverdeada clara. [Sin., no RS: *caneleirinho-preto*.]

caneleirinho-preto. *S. m. Bras., RS.* Caneleirinho. [Pl.: *caneleirinhos-pretos*.]

caneleiro[1]. [De *canela*[1] + *-eira*.] *S. m.* **1.** V. *canela*[1] (1). **2.** *Bras.* Ave passeriforme, da família dos cotingídeos (*Platypsaris rufus* (Vieil.)), do Brasil Central e Oriental, de coloração cinza-escura, cabeça preta, dorso mais escuro, garganta, peito e abdome cor de canela. A fêmea é ferruginosa no dorso, tem o abdome também cor de canela. Dessa cor provém o nome da ave. [Sin.: nesta acepç.: *caneleira*.]

caneleiro[2]. [De *canela*[3] + *-eiro*.] *S. m.* **1.** Operário que enche as canelas, nas fábricas de fiação e tecelagem. **2.** Utensílio de tecelagem no qual se prende a canela para se enrolar o fio.

canelense. *Adj. 2 g.* **1.** De, ou pertencente ou relativo a Canela (RS). ● *S. 2 g.* **2.** Natural ou habitante de Canela.

canelinha. [Dim. de *canela*[1].] *S. f.* **1.** *Bras., MG.* a *RS.* Arbusto ou pequena árvore da família das lauráceas (*Ocotea pulchella*), de folhas pequenas, flores verde-amareladas e baga pequena, dipsóidea; canela-do-brejo. **2.** V. *canela-rajada*.

canelinha-amarela. *S. f. Bras.* V. *catinga-branca*. [Pl.: *canelinhas-amarelas*.]

canelinha-rajada. *S. f. Bras.* V. *canela-rajada*. [Pl.: *canelinhas-rajadas*.]

canelo (ê). *S. m.* **1.** A canela da perna. **2.** Ferradura curta, própria para bois. **3.** Ferradura parcialmente gasta. [Pl.: *canelos* (ê). Cf. *canelo*. do v. *canelar*.]

canelone. [Do it. *canellone*.] *S. m.* Massa (7) enrolada em cilindro, recheada, e levada ao forno para gratinar.

caneludo. [De *canela*[2] (1) + *-udo*.] *Adj.* **1.** *Bras.* Que tem as canelas longas e/ou grossas. **2.** *Pop.* Ciumento: "Como foi rondador de casas alheias e fazedor de grongas para as moças que por bem o não queriam, era c a n e l u d o em excesso" (Valdomiro Silveira, *Os Caboclos*, p. 62). ● *S. m.* **3.** *Bras. Deprec.* Alcunha dada aos mascates [v. *mascate* (3)], pelo partido pernambucano, no movimento revolucionário de 1710. V. *galego* (4).

canelura. *S. f.* **1.** *Arquit.* Cada uma das ranhuras, estrias ou sulcos semelhantes a diminutos canaletes, abertos para ornamentar fustes de colunas, pilastras ou outras peças edificadas. **2.** *Bot.* Estria nos caules. **3.** Sulco ou estria que dirige o gume da parte cortante de certos instrumentos cirúrgicos. **4.** *Encad.* V. *canal* (10). [Sin. ger.: *caneladura, acanaladura*.]

canescente. *Adj. 2 g. Bot.* Diz-se das plantas, órgãos e partes revestidos de pêlos brancos e curtos.

caneta[1] (ê). [Dim. de *cana*[1] (1 e 2).] *S. f.* **1.** Pequeno tubo em que se encaixa a pena ou a ponta com que se escreve à tinta. **2.** Cabo com que os cirurgiões seguram o cautério. ♦ **Caneta automática.** *Bras., N.E.* V. *caneta-tinteiro*.

caneta[2] (ê). [Do arc. *can*, 'cão', + *-eta*, cf. *canheta*.] *S. m. Açores.* V. *diabo* (2).

caneta-fonte. *S. f.* V. *caneta-tinteiro*. [Pl.: *canetas-fontes* e *canetas-fonte*.]

caneta-tinteiro. *S. f.* Caneta[1] (1) com depósito para tinta; caneta automática, caneta-fonte, estilógrafo. [Pl.: *canetas-tinteiros* e *canetas-tinteiro*.]

➧**canevas** (canevá). [Fr.] *S. m.* Bosquejo, esboço.

canfeno. *S. m. Quím.* Terpeno bicíclico encontrado em vários óleos essenciais. [Fórm.: $C_{10}H_{16}$.]

canfinfa. *S. f. Bras., AL. Pop.* V. *cafifa*[1].

cânfora. [Do sânscr. *Karpura*, pelo ár. *Kâfuz* e pelo lat. medieval *camphora*.] *S. f.* **1.** *Quím.* Substância cristalina, com odor característico de largo emprego industrial e medicinal, extraída de vários vegetais, e também obtida por via sintética. [Fórm.: $C_{10}H_{16}O$. Sin.: *alcanfor, alcânfora*]. **2.** V. *canforeira*. [Cf. *canfora*, do v. *canforar*.]

canforado. [Part. de *canforar*.] *Adj.* Que tem, ou que é preparado com cânfora (1): *álcool c a n f o r a d o*. ~ V. *óleo* —.

canforar. *V. t. d.* **1.** Dissolver cânfora em. **2.** Misturar cânfora a. **3.** Cobrir de cânfora. [Sin. ger.: *alcanforar*. Pres. ind.: *canforo, canforas, canfora*, etc. Cf. *cânfora*.]

canforeira. *S. f.* Árvore da família das lauráceas (*Cinnamomum camphora*), originária da Ásia, semelhante à canela, e que fornece o produto denominado *cânfora*, o qual se extrai no Japão, sendo, no entanto, obtida por meios artificiais quase toda a cânfora naturalmente usada; alcanforeira, alcanforeira-do-japão, canforeiro, cânfora.

canforeiro. *S. m.* V. *canforeira*.

canga[1]. [Do celta **cambica*, 'madeira curva'?] *S. f.* **1.** Peça de madeira que prende os bois pelo pescoço e os liga ao carro, ou ao arado; jugo: "um boi magro .... esticava o pescoço esfolado pela c a n g a e mugia" (Coelho Neto, *Sertão*, p. 79). **2.** Pau que carregadores põem aos ombros para suspender fardos. **3.** *Fig.* Opressão, sujeição, jugo.

canga[2]. *S. f.* Antigo instrumento de suplício usado em parte da Ásia, formado por uma tábua com furos onde se prendia a cabeça e as mãos dos condenados; ganga.

canga[3]. [F. red. de *tapanhoacanga* (q. v.).] *S. f. Bras., MG.* Concentração de hidróxidos de ferro na superfície do solo sob a forma de concreções, e que às vezes constitui bom minério de ferro. [Outras var.: *tapunhunacanga, tapiocanga, itapanhoacanga*. Cf. *ganga*[4].]

canga[4]. *S. f.* **1.** Certo tecido de algodão. **2.** Retângulo de tecido de algodão, usado em geral como saída-de-praia: " uma c a n g a franjada custa Cr$ 8 mil e não está cara demais, porque é um tecido bonito, que pode ser usado para a praia, ou para a noite, transformado em muitas roupas diferentes, amarradas com perícia" (Iesa Rodrigues, *Jornal do Brasil*, 6.1.1982). [No texto se lê kanga, com k.]

cangá. *S. m. Bras., BA.* Espécie de alforje.

cangaçais. [De *cangaço* (3) + *-ais*, pl. de *al*.] *S. m. pl. Bras. Burl.* Mobília de pobre; trastes, cacarecos, tarecos.

cangaceirada. *S. f. Bras.* Bando de cangaceiros.

cangaceirismo. *S. m. Bras.* Cangaço (3).

cangaceiro. [De *cangaço* + *-eiro*.] *S. m. Bras.* Bandido do sertão nordestino, que anda sempre fortemente armado; assombra-pau, bandoleiro, cabra, cabra-de-chifre, capixaba, capuava.

cangaço. *S. m.* **1.** Engaço de uvas depois de pisadas e de extraído o vinho. **2.** *Bras.* O conjunto das armas dos cangaceiros. **3.** O gênero de vida dos cangaceiros; cangaceirismo. **4.** Objetos de uso de casa pobre. **5.** Pendúnculo e espata do coqueiro, que se desprendem da árvore quando secos. [Sin. em AL, nesta acepç.: *cangaraço, tibaca*.]

cangalha. [De *canga*[1] (1) + *-alha*.] *S. f.* **1.** Cangalhas (1 e 2). **2.** *Bras., S.* Peça de três paus, unidos em triângulo, que se enfia no pescoço dos porcos para não destruírem hortas cultivadas. ● *S. 2 g.* **3.** *Bras., N.E.* Pessoa de pernas arqueadas. ~ V. *cangalhas*.

cangalhada. *S. f.* Agrupamento ou montão de cangalhos [v. *cangalho*[1] (2)].

cangalhão. *S. m.* **1.** Cangalho[1] (2). **2.** *Fig.* Homem envelhecido antes do tempo.

cangalhas. [Pl. de *cangalha*.] *S. f. pl.* **1.** Armação de madeira ou de ferro em que se sustenta e equilibra a carga das bestas, metade para um lado delas, metade para o outro; cangalha. **2.** Peças em que descansa a moega das atafonas; cangalha. **3.** *Pop.* e *fam.* Óculos. ~ V. *cangalha*. ♦ **De cangalhas.** De pernas para o ar.

cangalheiro. *S. m.* **1.** Indivíduo que conduz bestas com cangalhas; almocreve, recoveiro. **2.** Aquele que prepara ou aluga os apetrestos de enterro. **3.** *Bras., L.* a *S.* Árvore da família das cunoniáceas (*Belangera tomentosa*), própria da floresta atlântica, de folhas penadas, com grandes folíolos serreados, flores muito pequenas, alvacentas, e dispostas em racemos, e madeira avermelhada, macia, que serve para fazer lápis. ● *Adj.* **4.** Relativo a cangalha ou cangalhas.

cangalheta (ê). [Dim. de *cangalha*.] *S. f. Bras.* Espécie de sela rústica.

cangalho[1]. [De *canga*[1] (1) + *-alho*.] *S. m.* **1.** V. *canzil* (1). **2.** *Fam.* Pessoa ou coisa inútil, ou velha; cangalhão.

cangalho[2]. *S. m.* Barco indiano com peso exterior que o equilibra.

cangambá. [Do tupi *a'kãga am'bá*, 'cabeça oca', 'estonteado'.] *S. m. Bras.* V. *jaritataca*.

cangancha. *S. f. Bras.* Trapaça no jogo ou em negócios. [Cf. *cangoncha*.]

cangancheiro. *S. m. Bras.* Aquele que faz cangachas; caloteiro, jirigote, estradeiro, trapaceiro, vedóia. [Cf. *cangoncheiro*.]

canganguá. [De possível or. tupi.] *S. m. Bras.* V. *canguá* (1).

canganho. [De **canicaneu* **canicus*, 'próprio para cães'.] *S. m.* Engaço sem uvas; esqueleto de cacho de uvas.

cangapara. [Do tupi *a'kãg*, 'cabeça', + *a'para*, 'vergada'.] *S. f. Bras., MA.* Espécie de tartaruga.

cangapé. [De *cambapé*, certamente com infl. de *canga*.] *S. m.* **1.** *Bras.* Pontapé dado súbita e perfidamente na barriga da perna de outrem. **2.** *Bras. MA* a *AL.* Pontapé que, por brincadeira, alguém dá dentro da água, ao mergulhar, em companheiro que lhe está próximo. [Sin. (em AL), na acepç. 2: *sapatada*.]

cangar. *V. t. d.* **1.** Jungir à canga[1]. **2.** *Fig.* Subjugar, sujeitar, oprimir, dominar. [Conjug.: v. *largar*.]

cangaraço. [De *cangaço*.] *S. m.* **1.** *Bras.* Restos ou destroços de coisas velhas ou quebradas. **2.** Ossada de animal. **3.** V. *cangaço* (5).

cangarilhada. *S. f.* Logro, trapaça, tramóia.

cangatá. [Do tupi *a'kãg a'tara*.] *Bras. S. m.* **1.** Cordão feito de penas. [Cf. *canitar*.] **2.** V. *guarijuba*.

cangati. [Do tupi *a'kãg*, 'cabeça', + *ti*, abrev. de *tĩga*, 'branco'.] *S. m. Bras.* Peixe teleósteo, siluriforme, da família dos auquenipterídeos (*Trachycorystes striatulus* (Steind.)), largamente distribuído na América cisandina. Pardo-amarelado, com traços negros; nadadeira anal muito desenvolvida; comprimento: até 0,25 m. Esta espécie é congênere dos anujás. [Sin.: *cabeça-de-ferro*.]

cangoá. [Do tupi, talvez.] *S. f. Bras.* V. *canguá* (1).

cangoeira. [Do tupi *kãg'wer*, 'osso sem carne'.] *S. f.* **1.** *Bras.* Flauta indígena feita de ossos de guerreiros mortos. **2.** *Bras., GO.* Leitoa magra. [Var.: *cangüeira*. Cf. *cangueira*.]

cangolé. *S. m. Bras., BA* e *MG.* V. *síncope* (1).

cangoncha. *S. f. Bras., CE.* Imagem de santo mal-acabada, de madeira. [Cf. *cangancha*.]

cangoncheiro. *S. m. Bras., CE.* Fazedor de cangonchas. [Cf. *cangancheiro*.]

cangongo. *S. m. Bras., BA.* Designação dada pelo sertanejo ao habitante do litoral.

cangorça. *S. f. Bras., BA.* Gurita[2].

cangosta (ô). *S. f.* V. *congosta*.

cangote. *S. m.* Var. de *cogote*, com infl. de *canga*[1] (1): "Não havia outro cão como aquele, para dar com uma ovelha tresmalhada e trazê-la, se fosse preciso, suspensa da boca, pelo c a n g o t e, sem lhe fazer mal." (Domingos Monteiro, *Enfermaria, Prisão e Casa Mortuária*, p. 63.) ♦ **Estar de cangote duro.** *Bras., S.* Estar de cangote grosso. **Estar de cangote grosso.** *Bras., S.* Estar gordo (o animal); estar de cangote duro.

cangotilho[1]. *S. m. Bras.* Cagotilho.

cangotilho[2]. *S. m. Bras., S.* Var. de *cogotilho*, com infl. de *cangote*.

cangotinho. [Dim. de *cangote*.] *S. m. Bras., BA.* Entre os baleeiros, certa região da baleia onde a arpoadela é mortal.

cangotudo. *Adj. Bras.* Var. de *cogotudo*.

canguá. [Do tupi, talvez.] *S. f. Bras.* **1.** Peixe teleósteo, percomorfo, da família dos cianídeos (*Stellifer rastrifer* Jord. & Eig.), do Atlântico, desde o MA até o PA. Coloração cinza-prateada uniforme; comprimento de até 0,30 m. Carne de qualidade inferior. [Sin.: *cabeça-dura-focinho-de-rato, cabeça-dura-prego, cangangoá, canganguá, cangoá, roncador*.] **2.** V. *roncador* (3).

canguaí. *S. m. Bras.* V. *caipira* (1).

canguara. *S. f. Bras., S. Pop.* V. *cachaça* (1): "O velho Mané Lucídio metia as suas c a n g u a r a s , sentava na beira da calçada e falava feito reza de igreja" (M. Cavalcanti Proença, *Manuscrito Holandês*, p. 92).

canguaretamense. *Adj. 2 g.* **1.** De, ou pertencente ou relativo a Canguaretama (RN). ● *S. 2 g.* **2.** Natural ou habitante de Canguaretama.

canguari. *S. m. Bras. Pop.* V. *ancilostomíase.*
canguaxi. *S. m. Bras.* V. *enxu-da-beira-do-telhado.*
canguçu. [Do tupi *akãgu'su,* 'cabeça grande'.] *S. m. e f. Bras.* **1.** V. *jaguar:* "— Até os caçadores mais espertos se arrepiam quando a c a n g u ç u dá aquele rugido ao ser baleada." (O. G. Rego de Carvalho, *Somos Todos Inocentes,* p. 137.) **2.** *Bras., SP.* V. *caipira* (1).
canguçuense. *Adj. 2 g.* **1.** De, ou pertencente ou relativo a Canguçu (RS). ● *S. 2 g.* **2.** Natural ou habitante de Canguçu.
cangueira. *S. f. Bras.* Calosidade produzida pela canga no pescoço de animais. [Cf. *cangoeira* e *cangüeira.*]
cangüeira. *S. f.* Var. de *cangoeira:* "ouvem-se chios de chinelos e de caixas, cascavelhadas de chocalhos rechuchados, ringidos e remugidos, rouquidos e zangarreios, grulhos, grugrulhos de c a n g ü e i r a s e de canzás" (Martins Fontes, *A Dança,* p. 91). [Cf. *cangueira.*]
cangueiro. *Adj.* **1.** Que usa ou pode suportar canga. **2.** *Bras.* Que remancha no trabalho; preguiçoso, remanchador. **3.** Curvado a um peso. **4.** *Fig.* Submisso, obediente. **5.** *Bras., PE.* Enfraquecido, abatido, adoentado. ● *S. m.* **6.** *Bras.* Indivíduo submisso ou subjugado.
canguiço. *S. m. Bras. Pop.* Indivíduo muito magro.
canguinhar. *V. int. Fam.* **1.** Ser canguinhas. **2.** Demorar-se em tomar uma decisão; permanecer irresoluto.
canguinhas. *S. m. 2 n.* **1.** Homem apoucado, ou fisicamente pouco desenvolvido. **2.** Homem sem energia. ● *S. 2 g. e 2 n.* **3.** V. *avaro* (3).
canguinhez (ê). [De *canguinho* + *-ez.*] *S. f. Bras.* Qualidade de canguinho; avareza, mesquinharia: "Para resistir à sua lábia era preciso mais do que avareza ..... Como o italiano Guilherme Ricci, ... de lendária c a n g u i n h e z." (Jorge Amado, *Dona Flor e Seus Dois Maridos,* p. 141.)
canguinho. *Adj. e s. m. Bras.* V. *avaro* (1 e 3).
canguleiro. [De *cangulo* + *-eiro,* decerto.] *S. m. Bras., RN. Pop.* Natural ou habitante de Ribeira (cidade baixa), em Natal. [Os da cidade alta são chamados *xarias.*]
cangulo. *S. m. Bras.* **1.** Peixe teleósteo, plectógnato, marinho, da família dos balistídeos (*Balistes carolinensis* L.), do Atlântico tropical e mediterrâneo. Mede de 0,30 m a 0,50 m, tem coloração geral cinza-esverdeada, com manchas de outras cores, e é tido por venenoso em certos períodos do ano; a pele é provida de escamas rômbicas com pequenos tubérculos espinhosos. [Sin.: *acará-mocó, acaramuçu, acarapicu, acarapucu, fantasma, maracuguara, piraaca.* Var.: *cangurro.*] **2.** *Fig.* Pessoa que tem os dentes superiores salientes.
cangurral. *S. m. Bras., S.* Vegetação arbustiva prejudicial ao desenvolvimento das pastagens; canzurral.
cangurro. *S. m. Bras.* V. *cangulo* (1).
canguru. [De uma língua australiana, na qual significa 'não sei', atr. do ant. ingl. *kangooroo,* atual *kangaroo,* e do fr. *kangourou.*] *S. m.* Mamífero marsupial, de que há mais de uma espécie, da Austrália, Tasmânia, etc., e cujas pernas traseiras são fortemente desenvolvidas, o que lhe permite dar grandes saltos.
cangurupeba. *S. f. Bras.* V. *camurupeba.*
cangurupi. *S. m. Bras., PA.* V. *camurupim.*
canha[1]. [Fem. substantivado de *canho*[1].] *S. f. Pop.* A mão esquerda. ◆ **Às canhas. 1.** Como canhoto (1); da esquerda para a direita. **2.** Ao contrário do que é costume; às avessas. **3.** Desajeitadamente: "O Estêvão mal teve jeito de acompanhá-la com o ponto, p o r é m à s c a n h a s: apertou o gatilho, a espoleta partiu-se, mas a pólvora chiou um instante no ouvido e no princípio da bomba, até que o tiro rompeu quando a perdiz se ia encobrindo numa flor-de-quaresma." (Valdomiro Silveira, *Nas Serras e nas Furnas,* p. 104.)
canha[2]. [Do esp. plat. *caña.*] *S. f. Bras., RS.* V. *cachaça* (1): "A meia-noite estava cerrado o jogo. A c a n h a e o porto avivavam os jogadores." (Ciro Martins, *Paz nos Campos,* p. 10.)
canhada. [Do esp. plat. *cañada.*] *S. f. Bras., S.* **1.** A parte baixa entre colinas ou coxilhas. **2.** Vala profunda aberta por chuvas fortes em ladeiras muito íngremes. [Cf. *baixada.*]
canhadão. [Do esp. plat. *cañadón.*] *S. m. Bras., S.* Canhada funda e extensa. ◆ **Atirar-se por um canhadão abaixo.** *Bras., S. Fig.* Agir temerariamente e com precipitação, saindo-se mal; despenhar-se por um canhadão abaixo. **Despenhar-se por um canhadão abaixo.** *Bras., S. Fig.* Atirar-se por um canhadão abaixo.
canhamaço. *S. m.* Estopa de cânhamo.
canhambola. *S. m. Bras.* V. *quilombola.*
canhambora. *S. m. Bras.* V. *quilombola.*
canhameira. [De *cânhamo* + *-eira?*] *S. f.* Planta malvácea (*Althoea cannabina*).
canhameiral. *S. m.* Quantidade mais ou menos considerável de pés de cânhamo dispostos proximamente entre si; canaveira.
canhamiço. *Adj.* Relativo ou pertencente ao cânhamo.
cânhamo. [Do esp. *cáñamo.*] *S. m.* **1.** Erva alta, da família das moráceas (Cannabis sativa), originária da Ásia e amplamente cultivada em muitas partes do mundo. As folhas são finamente recortadas em segmentos lineares; as flores, unissexuais e inconspícuas, têm pêlos glanulosos que, nas femininas, segregam uma resina; o caule possui fibras industrialmente importantes, conhecidas como *cânhamo;* e a resina tem propriedades estupefacientes, razão por que as plantas femininas são dessecadas e trituradas, fornecendo o produto conhecido por *maconha.* [Sin.: *cânave* e *cânhamo-da-índia.*] **2.** Fibra, fio ou tecido de cânhamo. **3.** Designação comum a várias plantas têxteis. **4.** V. *maconha.*
cânhamo-brasileiro. *S. m. Bras.* Arbusto ornamental, da família das malváceas (*Hibiscus cannabinus* L.), cujas fibras podem substituir as do cânhamo comum; papoula-do-são-francisco, umbaru. [Pl.: *cânhamos-brasileiros.*]
cânhamo-da-índia. *S. m.* V. *cânhamo* (1). [Pl.: *cânhamos-da-índia.*]
cânhamo-de-manilha. *S. m.* Planta de intenso cultivo desde a Índia às Filipinas, do mesmo grupo da bananeira, da família das musáceas (Musa textilis), cujos frutos não são comestíveis, mas fornecem importante fibra usada em cordoaria e em tecelagem; bananeira-de-corda, abacá, alvacá. [Pl.: *cânhamos-de-manilha.*]
canhanha. [De possível or. tupi.] *Adj. 2 g. e s. 2 g.* **1.** *Bras., RJ.* V. *banguela* (1 e 2). ● *S. f.* **2.** *Bras.* Peixe teleósteo, percomorfo, da família dos esparídeos (*Archosargus unimaculatus* (Bloch)), do Atlântico, de coloração esverdeada tirante ao plúmbeo no dorso e prateada no abdome, várias estrias no dorso, e uma placa circular negra na região escapular. Comprimento: até 0,33 m. Alimenta-se de outros peixes. [Sin.: *frade, guatucupajuba, mercador, salema, sambuio, sambulho, sargo.*]
canhanho. *S. m.* V. *canhenho.*
canhão. [Do esp. *cañón* ou do it. *cannone.*] *S. m.* **1.** Peça de artilharia de calibre superior a 0,030 m, cano longo, grande velocidade inicial, campo de tiro vertical limitado (salvo no caso dos canhões antiaéreos, que podem atirar até para o zênite). **2.** Peça metálica que forma a entrada de certas fechaduras. **3.** Garganta sinuosa e profunda cavada por um curso de água. [É m. us., nesta acepç., a f. *cañón* (esp.); sin.: *cânion.*] **4.** A parte mais grossa da haste das penas das asas das aves. **5.** Extremidade, revirada ou não, de manga de veste, de bota, de luva, etc.: "E sujava os olhos com o c a n h ã o da jaqueta de saragoça" (Camilo Castelo Branco, *Sentimentalismo e História,* p. 176). **6** *Bras. Pop.* V. *bruxa* (2). ◆ **Canhão eletrônico.** *Eletrôn.* Em uma válvula eletrônica, conjunto de eletrodos destinado a formar um feixe de elétrons, controlar-lhe a intensidade e focalizá-lo. **Canhão iônico.** *Eletrôn.* Dispositivo destinado a formar um feixe de íons, controlar-lhe a intensidade e focalizá-lo.
canhão-azul. *S. m. Eletrôn.* Num tubo de imagem de três canhões eletrônicos para televisão a cores, o canhão usado para excitar o fósforo azul. [Pl.: *canhões-azuis.*]
canhão-verde. *S. m. Eletrôn.* Num tubo de imagem de três canhões eletrônicos para televisão a cores, o canhão usado para excitar o fósforo verde. [Pl.: *canhões-verdes.*]
canharana. [Do esp. *caña* + *-rana?*] *S. f. Bras.* Certa árvore de SC.
canhembora. [Do tupi *kanhimbor,* 'fujão'.] *S. 2 g. Bras.* V. *quilombola.*
canhengue. [Do quimb. *kinjenje,* 'avarento'.] *Adj. 2 g. Bras., N.* V. *avaro* (1).
canhenho. *S. m.* **1.** Caderneta (1): "Os júris de Tamboril e Ipueiras forneceram inestimável subsídio aos meus c a n h e n h o s de notas sertanejas." (Leonardo Mota, *Cantadores,* p. 315.) **2.** Registro de lembranças. **3.** *Fig.* Memória (1). [F. paral.: *canhanho.*]
canhestro (ê). [De *canho*[2] + *-estro.*] *Adj. Pop.* **1.** Feito às canhas, às avessas, desajeitadamente: *Seu estilo é imitação c a n h e s t r a do de Vieira.* **2.** Desajeitado, desengonçado: "meras garatujas de aprendizes c a n h e s t r o s da arte de escrever." (Valdemar Cavalcanti, *Jornal Literário,* p.37). **3.** Acanhado, tímido: "Eu freqüentava, ainda tímido e c a n h e s t r o, as rodas literárias da Rua do Ouvidor." (Vivaldo Coaraci, *Todos Contam Sua Vida,* p. 213.)
canheta (ê). [Do arc. *can,* 'cão', + *-eta,* com palatalização.] *S. m. Bras. CE. Pop.* V. *diabo* (2).
canhim. [De **cãoinho,* dim. de cão.] *S. m. Bras., Pop.* V. *diabo* (2).
canho[1]. *S. m. Pop.* Lucro desonesto, ilícito.
canho[2]. *Adj.* V. *canhoto* (1).
canhobense. *Adj. 2 g.* **1.** De, ou pertencente ou relativo a Canhoba (SE). ● *S. 2 g.* **2.** Natural ou habitante de Canhoba.
canhonaço. *S. m.* Tiro de canhão
canhonada. *S. f.* Descarga de canhões; canhoneio.
canhonar. *V. t. d.* Guarnecer com canhões.
canhonear. *V. t. d.* **1.** Atacar com tiros de canhão. *Transobj.* **2.** Atacar, argüir, censurar: *Os monarquistas c a n h o n e a r a m a República como um movimento de fracos.* [Conjug.: v. *frear.*]
canhoneio. [Dev. de *canhonear.*] *S. m.* Canhonada.
canhoneira. [De *canhão* + *-eira.*] *S. f. Mar. G.* Navio de combate, de pequeno tamanho e pouca borda-livre, empregado em operação de defesa costeira e fluvial.
canhoneiro. [De *canhão* (1) + *-eiro.*] *Adj.* Que tem canhões; guarnecido de canhões.
canhota. [Fem. substantivado do adj. *canhoto.*] *S. f. Pop.* A mão esquerda. [Pl.: *canhotas.* Cf. *canhota* (ô) e pl. *canhotas* (ô).]
canhota ô). *Adj. (f.) e s. f.* Fem. de *canhoto.* [Pl.: *canhotas* (ô). Cf. *canhota* e pl. *canhotas.*]
canhoteiro. *Adj. Bras.* V. *canhoto* (1).
canhotinhense. *Adj. 2 g.* **1.** De, ou pertencente ou relativo a Canhotinho (PE). ● *S. 2 g.* **2.** Natural ou habitante de Canhotinho.
canhotismo. [De *canhoto* + *-ismo.*] *S. m.* V. *mancinismo.*
canhoto (ô). [De *canho*[2].] *Adj.* **1.** Que é mais hábil com a mão esquerda que com a direita; esquerdo, canho, canhoteiro. [Opõe-se a *manidestro.*] **2.** Inábil, desajeitado, desastrado. ● *S. m.* **3.** Indivíduo canhoto. [Flex.: *canhota* (ô), *canhotos* (ô), *canhotas* (ô). Cf. *canhota* e pl. *canhotas.*] **4.** *Bras.* V. *talão*[1] (4). **5.** *Tip.* Peça do molde da linotipo, que serve, em conjunto com o alinhador, para estabelecer a medida da linha-bloco. **6.** *Bras.* V. *diabo* (2). **7.** *Bras., S.* Peça de madeira ou de ferro usada nos engenhos de serrar madeira, e que, adaptada ao mancal de uma polia, transmite o movimento desta, transformando-o em movimento de ascensão da serra.
▲**cani-.** [Do lat. *canis, is.*] *El comp.* = 'cão': *canicultura.*
▲**can(i)-.** [De *cana.*] *El. comp.* = 'cana': *caniço.*
canibal. [Do esp. *caribal, de caribe,* com infl. de *can,* 'cão', em virtude da antropofagia de tais selvagens, atr. do fr. *cannibal.*] *S. 2 g.* **1.** Antropófago. **2.** *P. ext.* Animal que come outros da mesma espécie. ● *S. m.* **3.** *Fig* Homem cruel, bárbaro, feroz. ● *Adj. 2 g.* **4.** Canibalesco: "Há dores que melhor ralam / Que provas d'água ou de fogo, / Que ver apinhado o povo / Num banquete c a n i b a l" (Gonçalves Dias, *Obras Poéticas,* II, pp. 175-176).
canibalesco (ê). *Adj.* Relativo a, ou próprio de canibal; canibal (4).
canibalismo. *S. m.* **1.** Ferocidade de canibal. **2.** Antropofagia, androfagia. **3.** Ato de um animal devorar outro da mesma espécie ou da mesma família.
canibalização. [Do ingl. *cannibalization.*] *S. f.* Ato ou efeito de canibalizar.
canibalizar. [Do ingl. *cannibalize.*] *V. t. d.* Retirar as peças de (uma máquina ou aparelho) para utilizá-las como sobressalentes de outras da mesma espécie.
caniçada. *S. f.* Latada ou sebe feita de canas ou caniços; caniçalha: "Vinha da c a n i ç a d a o aroma amolecente dos jasmins." (Manuel Bandeira, *Estrela da Vida Inteira,* p. 93.)
caniçal. *S. m.* Canavial (1).
caniçalha. [De *cainçalha,* com metátese.] *S. f.* Caniçada.
canicho. *S. m.* V. *cão*[1] (1).
canície. [Do lat. *canitie.*] *S. f.* **1.** Estado dos cabelos que embranqueceram. **2.** *Fig.* A idade do aparecimento das cãs; velhice.
caniço. *S. m.* **1.** Cana delgada. **2.** Cana comprida e flexível, da qual pende um fio com anzol, para pescar. **3.** *Fig.* Magricela, magrelo. **4.** Perna fina; canícula. **5.** *Bras.* Trançado de caniços ou canas delgadas com que se fecha a parte traseira dos carros de boi, com que se fixam nos carros a carga leve e miúda, etc.
canícula[1]. [Do lat. *Canicula,* 'cadelinha'.] *S. f. Astr.* **1.** V. *Sírio*[1]. [Com maiúscula, nesta acepç.] **2.** Época do ano em que Sírio está em conjunção com o Sol. **3.** Grande calor atmosférico: "É o momento infernal dos maiores calores. / C a n í c u l a. Opressão. A atmosfera asfixia." (Martins Fontes, *Verão,* p. 33.)
canícula[2]. *S. f.* **1.** Pequena cana. **2.** *Pop.* Caniço (4).
canicular. *Adj. 2 g.* **1.** Relativo a Canicula[1] (1). **2.** Relativo ao tempo da canícula[1] (3); quente, calmoso.

canicultor (ô). [De *cani-* + *-cultor.*] *S. m.* Criador de cães: "Canicultores e os milhões de brasileiros que têm seu cachorrinho de estimação ou seu cão de guarda estão irritados com a taxação de comida para cães" (*Jornal do Brasil*, 31.12.1981).

canicultura. [De *cani-* + *cultura.*] *S. f.* Criação de cães.

canicurá. *S. m. Bras.* Índio civilizado.

cânida. *S. m.* e *adj.* Canídeo.

cânidas. *S. m. pl. Zool.* Canídeos.

canídeo. *S. m.* **1.** Espécime dos canídeos. ● *Adj.* **2.** Pertencente ou relativo a eles.

canídeos. *S. m. pl. Zool.* Animais mamíferos, carnívoros, digitígrados, da família *Canidae.* Os pés anteriores têm cinco dedos, e os posteriores quatro providos de garras; cauda longa, com glândula cutânea coberta de pêlos. São as raposas, os lobos e os cachorros-do-mato.

canifraz. *S. m.* Homem magro, escanzelado.

canil^1. [Do arc. *can,* 'cão', + *-il.*] *S. m.* Lugar onde se abrigam ou criam cães.

canil^2. [De *cana^1* + *-il.*] *S. m.* Canela da perna de cavalgaduras.

canil^3. *S. m.* V. *canzil* (1).

caninana. [Do tupi *ñakani'nã,* 'cabeça em pé'.] *S. f. Bras.* **1.** Reptil ofídio, da família dos colubrídeos (Spilotes p. pullatus (L.)), comum em todo o Brasil, exceto no litoral meridional. Coloração parda, de tom amarelo com desenhos azuis. Comprimento até 3 m. Alimenta-se de rãs, pererecas, lagartos, ratos e ovos de animais, e vive geralmente em matas, podendo subir nas árvores. [Sin.: *iacaninã, arabóia, cainana.*] **2.** *Fig.* Pessoa de mau gênio; víbora.

canindé. [Do tupi *kanĩé.*] *S. m. Bras.* **1.** V. *arara-canindé.* **2.** Faca longa e pontiaguda usada pelos sertanejos cearenses.

canindeense (èên). *Adj. 2 g.* **1.** De, ou pertencente ou relativo a Canindé (CE). ● *S. 2 g.* **2.** Natural ou habitante de Canindé.

caninha. [Dim. de *cana^1.*] *S. f. Bras. Pop.* V. *cachaça* (1).

caninha-verde. *S. f.* Canção e dança popular no Minho (Portugal); cana-verde. [Pl.: *caninhas-verdes.*]

canino. [Do lat. *caninu.*] *Adj.* **1.** Referente a, ou próprio de cão^1 (1). — V. *dente — e fome —a.* ● *S. m.* **2.** V. *dente* (1): "— Como é, doutor, não reconhece? — perguntou o José da Estação com dois caninos risonhos na gengiva vermelha." (Ribeiro Couto, *Cabocla,* p. 16.)

cânion. [Do ingl. *canyon.*] *S. m.* V. *canhão* (3).

canipreto (ê). [De *cana^1* + *preto.*] *Adj.* De canelas pretas.

canista. *S. 2 g. Bras., N.E.* Bebedor de cana^1 (6); cachaceiro.

canistrel. [Do lat. *canistellu,* com um   proveniente da infl. de *-astro.*] *S. m.* Var. de *canastrel.* [Pl.: *canistréis.*]

canitar. [Do tupi *akãga'tar.*] *S. m. Bras.* Adorno de penas que os índios usavam na cabeça, em solenidades: "Brilhante enduape no corpo lhe cingem, / Sombreia-lhe a fronte gentil canitar." (Gonçalves Dias, *Obras Poéticas,* II, p. 19). [Var. de *acangatar;* outra var.: *acangatara.* Cf. *cangatá.*]

canivão. *S. m. Bras., BA* e *MG.* Na região do médio São Francisco, faixa de terra entre duas lagoas.

canivetaço. *S. m. Bras.* Canivetada.

canivetada. *S. f.* Golpe (4) de canivete. [Sin. (bras.): *canivetaço.*]

canivete (é). [Do frâncico *knîf,* 'faca', atr. do ant. provenç., ou do ant. cat. *canivet.*] *S. m.* **1.** Pequena faca de lâmina movediça e que fecha sobre o cabo, para diversos fins. **2.** *Pop.* Bisturi, lanceta. **3.** *Bras.* Designação comum aos peixes teleósteos, caraciformes, da família dos caracídeos, gênero *Apareidon* Eig., especialmente *A. affinis* (Steind.), do L. do Brasil, Paraguai e Uruguai. Corpo com uma faixa escura longitudinal mediana e cerca de seis manchas escuras na parte superior; comprimento: 0,10 m. [Sin., nesta acepç.: *tanchim, tanchina.*] **4.** *Bras.* Peixe teleósteo, caraciforme, da família dos caracídeos (*Leporinus striatus* Kner), dos rios Amazonas e Paraná. Corpo com uma estria negra ao longo da linha lateral e outra mais apagada ao longo do dorso. [Sin.: *tiririca.*] **5.** *Bras.* Peixe teleósteo, caraciforme, da família dos caracídeos (*Astianax bimaculatus* (L.)), da América do Sul cisandina, com duas manchas negras, uma atrás de cada opérculo. [A designação é imprópria para esta espécie. Sin.: *matupiri, lambari-pintado.*] **6.** Arvoreta da família das leguminosas (Erythrina speciosa), comuníssima na região litorânea dos estados do L. A casca do caule descama-se em lâminas castanhas, os ramos e o pecíolo são aculeados, e as folhas têm três grandes folíolos ovados e membranáceos. Flores muito belas, pela forma exótica e coloração sanguínea; os frutos são vagens coriáceas. **7.** *Bras.* Cavalo pequeno, magro e feio. ◆ **Nem que chovam canivetes.** Aconteça o que acontecer; haja o que houver: *Cumprirei a tarefa, nem que chovam canivetes.*

canivetear. *V. t. d.* Ferir ou golpear com canivete. [Conjug.: v. *frear.*]

canja. [Do malaiala *k a nji,* 'arroz com água'.] *S. f.* Caldo de galinha com arroz. ◆ **Dar uma canja.** *Bras. Pop.* Dar uma sopa. **Ser canja.** *Bras. Fam.* V. *ser pinto* (1).

canjarana. *S. f. Bras.* Var. de *canjerana.*

canjebrina. *S. f. Bras., SP. Pop.* V. *cachaça* (1).

canjerana. [Alter. de *canjarana.*] *S. f. Bras.* **1.** Designação comum a várias espécies do gênero *Cabralea,* da família das meliáceas, de madeira vermelha, aromática e fácil de trabalhar. **2.** Pau-de-santo. [Var.: *canjarana.*]

canjerê. [De provável or. afr.] *S. m. Bras.* **1.** Reunião de pessoas, geralmente de negros, para a prática de feitiçarias. **2.** Feitiço, mandinga. **3.** *Bras., MG.* Cerimônias religiosas africanas. **4.** *Bras., MG.* Dança profana dos negros.

canjica. [Do quimb. *kanjika.*] *S. f.* **1.** *Bras.* Papa de consistência cremosa, feita com milho verde ralado, a que se acrescenta açúcar, leite de vaca ou de coco, e polvilha com canela; jimbelê. [Sin.: em SP, MT e GO, *curau;* em MG e RJ, *coral* e *papa de milho;* no Rio, *canjiquinha.*] **2.** *Bras., S.* e *C.O.* V. *munguzá.* **3.** *Bras.* Espécie de tabaco em pó, feito com fumo da ilha de São Sebastião (SP). **4.** *Bras.* Espécie de saibro grosso, claro, misturado com pedra miúda, abundante no leito de alguns rios. [Sin., em MG: *piruruca, pururuca.*] **5.** *Bras.* Qualquer dos quistos formados por vermes na carne dos suínos. [Cf. *canjiquinha* (1).] **6.** *Bras.* V. *araponguinha* (2). **7.** *Bras.* V. *cisticerco.* **8.** *Bras.* V. *cachaça* (1). ◆ **Com as canjicas de fora.** *Bras., RS.* A rir; rindo: *estar, viver, andar com as canjicas de fora.*

canjicada. *S. f. Bras.* Festejos juninos acompanhados de ceia em que o prato principal é a canjica.

canjica-lustrosa. *S. f. Bras.* Limonito em forma de seixos pardacentos, cor de café. [Pl.: *canjicas-lustrosas.*]

canjiqueira. *S. f. Bras.* Máquina para fabricar ou preparar o milho para canjica (1 e 2).

canjiquinha. [Dim. de *canjica.*] *S. f.* **1.** *Bras.* A forma larvar da tênia, que se encontra na carne do porco. [Cf. *canjica* (5).] **2.** *Bras.* Pequena tumefação. **3.** *Bras., RJ.* V. *canjica* (1). **4.** *Bras.* V. *cisticerco.*

canjira. *S. m. Bras.* Filho varão: "De pai magro e desbarrigado e de mãe gorda e papuda, com a ajuda de Deus, saiu um canjira esperto e sadio." (Amadeu de Queirós, *Os casos do Carimbamba,* pp. 47-48.)

canjirão. *S. m.* **1.** Jarro de boca larga, em geral para vinho: "Ordenou que lhe servissem a cerveja em canjirões de meio litro" (Eduardo Frieiro, *O Cabo das Tormentas,* p. 171). **2.** *Fig.* Pessoa ou coisa grande e desajeitada. ◆ **Agüentar o canjirão.** *Bras.* Oferecer resistência, resistir.

canjurupi. *S. m. Bras.* V. *camurupim.*

canjurupim. *S. m. Bras.* V. *camurupim.*

cano^1. [De *cana^1.*] *S. m.* **1.** Designação genérica de toda espécie de tubo que permita escoamento de líquidos ou gases. **2.** Construção, geralmente subterrânea, para condução de água, gás ou dejetos. **3.** Tubo de armas de fogo, por onde sai o projetil. **4.** Parte tubular de bota ou da luva. **5.** *Caligr.* A parte oca da raque da pena. **6.** *Bras. Gír.* Coisa ou situação difícil: *A briga com a sogra foi um cano.* **7.** *Bras. Gír.* Mau negócio: *As ações daquela companhia foram o maior cano.* ◆ **Cano real.** *Arquit.* O de maior capacidade, no qual os outros vão desaguar, ou que distribui líquido ou gás para os outros. **Entrar pelo cano.** *Bras. Gír.* Sair-se mal (em qualquer intento); entrar pela tubulação; trumbicar-se.

cano^2. [Do lat. *canu.*] *Adj. P. us.* Branco.

canoa (ô). [Do aruaque, atr. do esp. *canoa.*] *S. f.* **1.** Embarcação sem quilha, formada de um casco, grande ou pequeno, com ou sem borda-falsa, aberto ou coberto. **2.** *P. ext.* Qualquer objeto ou utensílio cujo feitio lembre o da canoa. **3.** Antigo pente de ornato para senhoras. **4.** *Encad.* Peça de madeira com calhas de vários diâmetros, para dar a curvatura aos papelões da lombada dos livros em branco. **5.** *Bras., RJ.* Pão francês pequeno a que se retira o miolo e no qual se passa manteiga, levando-o em seguida para torrar. **6.** *Bras., RJ.* Embarcação monóxila, comprida, impelida a remos, ou por uma vela de pendão, ou por motor de popa, usada pelos pescadores. **7.** *Bras., BA.* Conduto aberto e inclinado nos trabalhos da mineração do ouro. **8.** *Bras.* Batida policial para prender criminosos ou malandros; canastra. **9.** *Bras., RJ. Folcl.* Dança de andamento e ritmo variáveis, semelhante às marchinhas de salão e muito comum nas cirandas fluminenses. ◆ **Canoa de embono.** *Bras.* Pequena barcaça com duas velas triangulares e que em ambos os lados dos costados tem paus de jangada ou de outra madeira leve (embonos), para agüentar melhor o mar. **Em canoa.** *Art. Gráf.* Sistema de grampação ou acabamento de revistas, livros finos, panfletos, etc., em que os grampos são enfiados no dorso do impresso; a cavalo. **Não embarcar em canoa furada.** *Bras.* Não se meter em negócios arriscados; não se deixar lograr.

canoagem. [De *canoa* + *-agem^2.*] *S. f.* **1.** Arte de navegar uma canoa. **2.** Esporte de corrida de canoa, geralmente em rio encachoeirado.

canódromo. [De *cani-* + *-o-* + *-dromo.*] *S. m. Bras., S.* Pista para corrida de cães: "Curiosamente nenhum dos nossos dicionários registra a palavra canódromo. .... Talvez seja porque não existem canódromos no País." (Carlos Reverbel, *Correio do Povo,* Porto Alegre, 1.5.1982.)

canoeiro^1. *S. m.* **1.** Aquele que dirige uma canoa. [Sin. (bras., Amaz.): *igariteiro.*] **2.** Fabricante de canoas.

canoeiro^2. *Bras. S. m.* **1.** Indivíduo dos canoeiros, denominação dada pelos seringueiros a uma tribo indígena de grupo lingüístico desconhecido, e que habita no noroeste de MT. **2.** Indivíduo dos canoeiros, denominação vulgar de um grupo indígena arredio, de língua tupi, conhecido como avá, e habitante das margens do Araguaia (GO). ● *Adj.* **3.** Pertencente ou relativo a essas tribos; avá.

canoense. *Adj. 2 g.* **1.** De, ou pertencente ou relativo a Canoas (RS). ● *S. 2 g.* **2.** Natural ou habitante de Canoas.

canoinhense (o-i). *Adj. 2 g.* **1.** De, ou pertencente ou relativo a Canoinhas (SC). ● *S. 2 g.* **2.** Natural ou habitante de Canoinhas.

canoira. *S. f.* V. *canoura.*

canoísta. [De *canoa* + *-ista.*] *S. 2 g.* Pessoa que se interessa pela canoagem, que a pratica.

cânon. [Do gr. *kánon,* 'regra', pelo lat. *canon.*] *S. m.* **1.** Regra geral de onde se inferem regras especiais. **2.** Relação, catálogo, tabela. **3.** Padrão, modelo, norma, regra: *Criatura exótica, age sempre fora dos cânones habituais.* **4.** *Arquit.* Qualquer das regras da composição (como a simetria, p. ex.), ou dos modelos plásticos que os acadêmicos queriam impor como fontes exclusivas, suficientes e definitivas, de beleza arquitetônica e valor artístico. **5.** *Lit.* Parte central da missa católica. **6.** *Mús.* Cânone (2). **7.** *Rel.* Preceito de direito eclesiástico: "Segundo os cânones, o suicídio é um atentado ao Criador." (Machado de Assis, *A Semana,* II, p. 178). **8.** *Rel.* Decisão de concílio. **9.** *Rel.* Lista de santos canonizados pela Igreja. **10.** *Rel.* Fórmula de orações. **11.** *Rel.* Lista autêntica dos livros considerados como inspirados por israelitas, católicos e protestantes. [Na acepç. 11, opõe-se a *livros apócrifos* (v. *apócrifo* [2]). Var.: *cânone;* pl. *cânones.*]

◆**cañón.** [Esp.] *S. m.* V. *canhão* (3).

cânone. [Var. de *cânon.*] *S. m.* **1.** V. *Cânon.* **2.** *Mús.* Forma de composição, muito difundida pelos compositores do séc. XVI, e cujo tema, iniciado por uma voz — o antecedente —, é rigorosa e continuamente imitado por outra(s) voz(es) — o(s) conseqüente(s) —, a distância de um ou mais compassos, até o fim. O cânone pode ser: *em uníssono,* quando as vozes repetem exatamente as mesmas notas; *à oitava,* quando o(s) conseqüente(s) são transpostos à oitava, e *circular* ou *rota,* quando as imitações percorrem todos os tons.

canonical. [De *canônico* + *-al.*] *Adj. 2 g.* Relativo a cônego [q. v.].

canonicato. [Do lat. *canonicatu.*] *S. m.* Dignidade de cônego; conezia.

canonicidade. *S. f.* Qualidade de canônico.

canônico. [Do gr. *kanonikós,* pelo lat. *canonicu.*] *Adj.* **1.** Relativo a cânones. **2.** Conforme os cânones. — V. *absolvição —a, direito —, forma —a, horas —as* e *instituição —a.*

canonisa. *S. f.* Mulher com dignidade correspondente à de cônego [q. v.] [Cf. *canoniza,* do v. *canonizar.*].

canonista. *S. 2 g.* Pessoa versada nos cânones [v. *cânon* (8 a 11)].

canonização. *S. f.* **1.** Ato de canonizar. **2** Decisão papal que inscreve, solenemente, um membro do corpo da Igreja, de excepcionais virtudes cristãs e que praticou reconhecidos milagres, no número dos santos honrados pelo culto público. **3.** Cerimônia de grande pompa que acompanha essa decisão. **4.** *P. ext.* Glorificação (2). [Cf., nas acepç. 2 e 3: *beatificação.*]

canonizador (ô). *Adj.* e *s. m.* **1.** Que ou aquele que canoniza. **2.** *Fig.* Adulador, lisonjeiro, bajulador.
canonizar. [Do gr. *kanonízo*, pelo lat. *canonizare.*] *V. t. d.* **1.** Inscrever no cânon ou rol dos santos; declarar santo; proceder à canonização (2 e 3) de: "Leão XIII, cedendo às exigências do episcopado,.... canonizou a donzela de Orleães [Joana d'Arc.]." (Eça de Queirós, *Cartas Familiares e Bilhetes de Paris*, p. 22.) **2.** *Fig.* Louvar, enaltecer, exaltar excessivamente: *É impossível canonizar tão mau governo.* **3.** Consagrar, autorizar: *A moda acabou canonizando o emprego de certas gírias. Transobj.* **4.** Considerar ou declarar santo: *Em menos de um século a Igreja canonizava-o por mártir.* [Pres. ind.: *canonizo, canonizas, canoniza, etc.* Cf. *canonisa.*]
canonizável. *Adj. 2 g.* Digno de canonização.
canopla. *S. f. Bras., SP.* Peça de metal usada para acabamento de serviços hidráulicos, exteriormente abaixo da torneira ou do chuveiro encostado à parede. É hemisférica e tem um orifício central por onde deve passar a peça que vai ser fixada.
canopo (ô) [De *Canopo*, pretenso deus egípcio.] *S. m.* Vaso em que os egípcios encerravam as entranhas das múmias.
canoro (nó). *Adj.* **1.** Que canta harmoniosamente: "levado .... pelo encanto dos numerosos pássaros canoros que ele tinha" (Virgílio Várzea, *Histórias Rústicas*, p. 93). **2.** Harmonioso, suave: "Ó divino Virgílio, escuto ainda / Cantar a tua voz canora e linda" (Martins Fontes, *Verão*, p. 58).
Canossa. *El. s. f.* Us. na loc. *ir a Canossa.* ♦ **Ir a Canossa.** Humilhar-se ante alguém depois de haver resistido.
canoura. [De *cano*[1]?] *S. f.* Peça de madeira em forma de tronco de cone invertido, colocada por cima da mó do moinho, e de onde cai o grão que vai ser moído; moega, tegão, tremonha. [Var.: *canoira.*]
➧**canovaccio** (canovátxio). [It.] *S. m. pl. Teat.* Na *commedia dell'arte* [q. v.], argumento ou esquema de ação cênica, com base nos quais os atores improvisavam: "vivendo [a *commedia dell'arte*] de entrechos rudimentares e toscos, que se enfeixavam em canovacci e lazzi, e não em peças completas" (Sábato Magaldi, *Temas da História do Teatro*, p. 139). [Pl.: *canovacci.*]
cansacento. *Adj. Bras.* Doente de cansaço.
cansaço. [De *cansar.*] *S. m.* Falta de forças causada por exercício demasiado ou por doença; fadiga, canseira.
cansado. [Part. de *cansar.*] *Adj.* **1.** Fatigado, afadigado: *Vive cansado, de tanto trabalhar.* **2.** Aborrecido, enfastiado: *Certas conferências deixam-nos cansados.* **3.** *Encad.* Diz-se da encadernação um tanto gasta pelo uso. **4.** Diz-se da terra pouco produtiva por já haver suportado muitas culturas. ~ V. *vista* —*a* e *dor* —*a.*
cansanção. *S. m. Bras.* **1.** Designação comum a várias espécies das famílias das euforbiáceas (*Jatropha urens*), loasáceas (*Loasa parviflora*) e urticáceas (*Urera baccifera*), caracterizadas por pêlos urticantes e vesicantes, que agridem a pele humana ao primeiro contato. **2.** *Bras., BA.* V. *água-viva* (2).
cansanção-de-leite. *S. m. Bras.* V. *urtiga-de-mamão.* [Pl.: *cansanções-de-leite.*]
cansão. *Adj. Bras., RS.* Diz-se do cavalo que cansa com facilidade. [Cf. *canção.*]
cansar. [Do gr. *kámpto*, atr. do lat. *campsare.*] *V. t. d.* **1.** Causar cansaço, fadiga, a: *A longa caminhada cansou-o*; "O trabalho, as preocupações cansaram depressa a lutadora." (Barbosa Lima Sobrinho, *Presença de Alberto Torres*, p. 14). **2.** Molestar, importunar; enfastiar, aborrecer: *Essas eternas discussões o cansam. Int.* **3.** Sentir cansaço; sentir-se cansado; fatigar-se, cansar-se: *Já cansou? Ainda temos 10 quilômetros pela frente.* **4.** Produzir cansaço: *É um grande conferencista: suas palestras não cansam*; "Ora, como tudo cansa, esta monotonia acabou por exaurir-me também." (Machado de Assis, *Dom Casmurro*, p. 5). *T. i.* **5.** Cessar, parar, deixar: *A má sorte cansou de persegui-lo.* **6.** Fazer falta; faltar: *Não lhe cansa crédito na praça. P.* **7.** Sentir fadiga ou cansaço: *As pessoas de muita idade cansam-se facilmente.* **8.** Aborrecer-se, enfastiar-se, entediar-se: *Grande cultor da música, não se cansa ao ouvir as mais longas sinfonias.* **9.** Cessar, parar, deixar: *Não se cansa de reclamar contra o ocorrido.* **10.** Esforçar-se; forcejar: *Cansava-se por convencê-lo da conveniência de ficar.*
cansarina. *S. f. Bras.* V. *sempre-lustrosa.*
cansativo. *Adj.* **1.** Que cansa; fatigante. **2.** Aborrecido, entediante, enfastiante, enfadonho.
canseira. *S. f.* **1.** V. *cansaço.* **2.** Esforço aturado para conseguir qualquer coisa.
canseiroso (ô). *Adj.* Em que há, ou de que resulta canseira: "viagem canseirosa, tormentosa, que lhe pusera .... o corpo moído" (Antero de Figueiredo, *Toledo*, p. 98). [Cf. *canceroso.*]
cansim. *S. m.* Vento sul, quente e seco, que na época das cheias no Nilo sopra no Egito.
canso. *Bras., N.E. Pop.* Part. irreg. de *cansar*: *Estou canso de esperar.*
cantã. *S. f.* Erva da família das marantáceas (*Monotagma contractum*), que vive na floresta úmida. Tem grandes folhas ornamentais e pequenas flores alvas dispostas em espigas cerradas, e fixa-se ao solo por meio de um rizoma.
➧**cantabile** (cantábile). [It.] *S. m. Mús.* Melodia que predomina sobre as outras partes do conjunto e deve ser salientada.
cantábrico. [Do lat. *cantabricu.*] *Adj.* V. *cântabro* (1).
cantábrio. *Adj.* V. *cântabro* (1).
cântabro. [Do lat. *cantabru.*] *Adj.* **1.** De, ou pertencente ou relativo à Cantábria, região do N. da Espanha; cantábrico, cantábrio. ● *S. m.* **2.** Indivíduo dos cântabros, povo da antiga Espanha que habitava as Astúrias, Guipúscoa e a Biscaia. **3.** O natural ou habitante da Cantábria.
cantada. [De *cantar* + *-ada*[1].] *S. f. Bras.* **1.** Canto[2] (1): "— A cruviana não se vê, se sente. Tarde da noite, pela segunda cantada dos galos, ela vai chegando" (José Vieira, *Vida e Aventura de Pedro Malasarte*, p. 48). **2.** Conversa cheia de lábia com que se tenta seduzir alguém, visando objetivos libidinosos ou ilícitos; cantata. ♦ **Dar uma cantada em.** Tentar seduzir, valendo-se de palavras hábeis; passar uma cantada em; cantar (6). **Passar uma cantada em.** Dar uma cantada em.
cantadeira. *Adj.* (*f.*) **1.** Que canta: "Era a cigarra de maior talento, / Mais cantadeira desta freguesia." (Olegário Mariano, *Toda uma Vida de Poesia*, I, p. 196.) ● *S. f.* **2.** Mulher que canta.
cantadela. *S. f. Pop.* **1.** Ação de cantar. **2.** V. *cantiga* (2).
cantado. [Part. de *cantar.*] *Adj.* **1.** Expresso ou celebrado por meio do canto[2] (1). **2.** Executado (um trecho musical) com a voz. **3.** Enunciado à maneira de canto[2] (1), de quem canta: *voz cantada; lição cantada.* ~ V. *ponto* —.
cantador (ô). [Do lat. *cantatore.*] *Adj.* **1.** Que canta. ● *S. m.* **2.** Cantor popular. **3.** Poeta de literatura de cordel. **4.** *Liter. Pop. Bras.* Poeta capaz de improvisar versos ao som da viola ou da rabeca. [Distingue-se do poeta autor de romances escritos, mas incapaz de improvisar.]: "Viola é verdadeiramente o grande instrumento da cantoria. Violeiro é sinônimo de cantador. / O outro instrumento clássico na cantoria nordestina é a rabeca." (Luís da Câmara Cascudo, *Vaqueiros e Cantadores*, p. 136.) **5.** *Tip.* Conferente que lê o original em voz alta. [V. *conferente* (4).] ♦ **Cantador de ciência.** *Liter. Pop. Bras.* Cantador especializado na cantoria de ciência. **Cantador de folheto.** *Bras., N.E.* Folheteiro que canta os versos nas feiras e mercados, para promover a vendagem, às vezes utilizando pequeno alto-falante.
cantagalense. *Adj. 2 g.* **1.** De, ou pertencente, ou relativo a Cantagalo (RJ). ● *S. 2 g.* **2.** Natural ou habitante de Cantagalo.
canta-galo. [De *cantar* + *galo*[1].] *El. s. m. Bras., RS.* Us. na loc. adv. *a canta-galo.* [Cf. *Cantagalo*, top.] ♦ **A canta-galo.** *Bras., RS.* Muito em cima, bem no alto. [Aplica-se ao modo de atar a cauda (ou cola) do cavalo com um nó gracioso, deixando-a bem elevada, e pendente uma ponta de cada lado: *atar a cauda (ou a cola) a canta-galo.*]
cantalupo. [Do it. *cantalupo.*] *S. m.* Melão pequeno, redondo, rugoso, de polpa alaranjada.
cantanhedense. *Adj. 2 g.* **1.** De, ou pertencente ou relativo a Cantanhede (MA). ● *S. 2 g.* **2.** Natural ou habitante de Cantanhede.
cantante. [Do lat. *cantante.*] *Adj. 2 g.* **1.** Que canta: "Nós temos o mesmo fado, / Ó fonte de água cantante: / Quem te quer, pára um bocado, / Quem não quer passa adiante..." (Augusto Gil, *Luar de Janeiro*, p. 131.) **2.** Próprio para se cantar. ● *S. m.* **3.** *Bras. Gír.* Vigarista (1). **4.** Um indivíduo qualquer; sujeito.
cantão. [Do fr. *canton.*] *S. m.* **1.** Divisão territorial, em vários países. **2.** Seção de estrada de ferro ou de rodagem cuja guarda e conservação estão a cargo de um cantoneiro.
cantar. [Do lat. *cantare.*] *V. t. d.* **1.** Dizer ou exprimir por meio do canto[2] (1): *Cantava baladas para adormecer o filho*; "De braço dado, as meninas passavam por nós aos grupos, cantando em coro valsas tristes, modinhas de serenatas." (Raquel de Queirós, *As Três Marias*, p. 6). **2.** Celebrar em poesia: "Todos cantam sua terra, / Também vou cantar a minha." (Casimiro de Abreu, *Obras*, p. 60.) **3.** Executar com a voz (um trecho musical); executar. **4.** Dizer com certa entonação e cadência de voz: *Um dos alunos cantava as respostas certas para os colegas escreverem*; *Durante a guinada o comandante mandou que o timoneiro cantasse os rumos.* **5.** *Mús.* Na execução instrumental de um trecho musical, dar maior relevo à melodia. **6.** *Bras. Pop.* Seduzir ou tentar seduzir valendo-se de palavras ou maneiras hábeis; dar uma cantada em: *Mulherengo incorrigível, vive cantando a secretária. T. d. e i.* **7.** Dirigir, cantando: *cantar as loas ao Senhor. Int.* **8.** Emitir com a voz sons ritmados e musicais: "Nas sebes orvalhadas, / Entre folhas luzentes como espadas, / Cantavam rouxinóis." (Guerra Junqueiro, *A Velhice do Padre Eterno*, p. 168.) **9.** Produzir sons melodiosos ou cadenciados: *De tempos em tempos, cantava o sino*; "Ao lado, o ribeiro cantava alegremente nas pedras." (Conde de Ficalho, *Uma Eleição Perdida*, p. 153). [M.-q.-perf. ind.: *cantara*, etc. Cf. *cântara.*] ● *S. m.* **10.** V. *cantiga* (2). ♦ **O cantar do galo.** O amanhecer.
cântara. *S. f.* Cântaro muito bojudo e de boca larga: "assentam, em carros de bois, as pipas de vinho espichadas de fresco, com as torneiras pingando nas cântaras vidradas." (José Vieira, *Sol de Portugal*, p. 153) [Cf. *cantara*, do v. *cantar.*]
cantareira. *S. f.* **1.** Prateleira ou poial de pedra que se usa nas cozinhas para depositar cântaros com água. **2.** *Bras.* Osso articulado ao úmero e ao esterno; clavícula.
cantarejar. *V. t. d.* e *int. Pop. P. us.* V. *cantarolar*: "A muito linda Conceição cantarejava — e eu, em acompanhamento, acendia estrelinhas, soltava rojões." (Martins Fontes, *Terras da Fantasia*, p. 20.) [Conjug.: v. *pelejar.*]
cantarejo (ê). [Dev. de *cantarejar.*] *S. m.* V. *cantarola.*
cantaria. [De *canto*[3] + *-aria.*] *S. f. Arquit.* Pedra para construção, esquadrejada segundo as normas de estereotomia; pedra de cantaria, alistão: "os prédios novos, de cantaria lavrada, azulejos frescos e claros" (Luís de Magalhães, *O Brasileiro Soares*, p. 32).
cantaríase. [Do gr. *kantháris*, inseto que ataca o trigo e a vinha, em especial a cantárida, + *-íase.*] *S. f. Med.* Infestação por larvas de coleópteros.
cantárida. [Do gr. *kantharís*, pelo lat. *cantaride.*] *S. f.* Inseto coleóptero da família dos meloídeos (*Lytta vesicatoria* (L.)), da Europa, de coloração verde-dourada com reflexos avermelhados, muito usado na medicina antiga, triturado, como vesicatório, em beberagens para fins diuréticos ou afrodisíacos; cantáride.
cantáride. *S. f.* Cantárida.
cantaridina. *S. f. Quím.* Princípio ativo das moscas espanholas *(Cantharis vesicatoria)*, com ação fisiológica marcada. [Fórm.: $C_{10}H_{12}O_4$.]
cantarilho. *S. m.* Entre os antigos trovadores portugueses, designação comum a certas canções de amor.
cantarina. [De *cantar* + *-ina.*] *S. f. Desus.* Cantorina (1): "O fato é que o mesmo juízo feito pelos críticos eminentes à célebre cantarina [a Pasta] podem ser aplicados a Teresa Parodi" (Machado de Assis, *Crônicas*, I, p. 72).
cântaro. [Do gr. *kántharos*, pelo lat. *cantharu.*] *S. m.* Vaso grande e bojudo, com uma ou duas asas, de barro ou de folha, para líquidos. ♦ **A cântaros.** Torrencialmente; copiosamente, a potes: "Chovia a cântaros." (Ilza Espírito Santo Porto, *Contos do Vale de Jacarecica*, p. 21); "A água que caía a cântaros não cessara um minuto durante a noite." (Orlando Gonçalves, *Este Mundo dos Homens*, p. 14). [A expr. *chover a cântaros* tem o sin. *chover a potes.*]
cantarola. *S. f.* **1.** Canto desentoado ou a meia-voz. **2.** V. *cantoria*: *Menina, pára com essa cantarola!* [Sing. ger.: *cantarejo.*]
cantarolar. *V. t. d.* e *int.* **1.** Cantar a meia voz; trautear. **2.** Cantar desafinadamente. [Sin. ger. (p. us.): *cantarejar.*]
cantarolante. *Adj. 2 g.* Que cantarola ou é dado a cantarolar: "Em Aix-en-Provence, ao passar por entre as fontes cantarolantes da praça, ... resolvi parar." (Gilberto Amado, *Depois da Política*, p. 129.)
cantata. [Do it. *cantata.*] *S. f.* **1.** Composição poética para ser cantada. **2.** Antiga forma de poema lírico. **3.** *Mús.* Composição de inspiração profana ou religiosa, para uma ou mais vozes, com acompanhamento instrumental, às vezes também com coro, e cuja letra, em vez de ser historiada, descrevendo um fato dramático qualquer, é lírica, descrevendo uma situação psicológica. **4.** *Pop.* Lábia, astúcia. **5.** *Bras. Pop.* Cantada (2).
cantatriz. [Do lat. *cantatrice.*] *S. f.* Cantora profissional; cantora.

cantável. [Do lat. *cantabile.*] *Adj. 2 g.* Que se pode cantar.

cantear. *V. t. d. Art. Gráf.* Cortar, arredondando, os cantos de (folhas de papel, cartão, etc.). [Conjug.: v. *frear.*]

canteira. [De *canto*[3] + *-eira.*] *S. f.* Pedreira de onde se corta pedra de cantaria.

canteiro[1]. [De *canto*[3] + *-eiro.*] *S. m.* **1.** Operário que lavra a pedra de cantaria. **2.** Escultor de pedra. **3.** Porção de terreno delimitado cultivado de plantas, sobretudo de flores ou hortaliças. **4.** Espaço à volta ou ao lado de uma construção, onde se realizam serviços auxiliares, tais como a preparação de argamassas, dobragem de ferro, confecção de fôrmas, etc.; canteiro de obras, canteiro de serviços. ◆ **Canteiro de obras.** V. *canteiro*[1] (4). **Canteiro de serviços.** V. *canteiro*[1] (4).

canteiro[2]. *S. m.* Poial para tonéis e pipas, nas adegas; baixete.

cânter. [Do ingl. *canter.*] *S. m. Bras. Turfe.* Galope ligeiro, de apresentação dos cavalos ao público, antes do páreo; galope de apresentação. [Pl.: *cânteres.*]

cântico. [Do lat. *canticu.*] *S. m.* **1.** Canto em honra da divindade; hino. **2.** Ode, poema.

cantiga. [De *cantar.*] *S. f.* **1.** Poesia cantada, em redondilha ou versos mais pequenos, dividida em estrofes iguais. **2.** Quadra(s) para cantar; canção, cantar, cantadela. **3.** *Pop.* Conversa cheia de lábia ou astúcia; conversa: *Veio com uma* c a n t i g a *que logo a convenceu.* ◆ **Cantiga de amor.** Gênero poético trovadoresco em que o amante se dirige à amada. **Cantiga de amigo.** Gênero poético trovadoresco em que a amada dirige ternos queixumes ao amigo. **Cantiga de escárnio e maldizer.** Gênero poético trovadoresco de feição satírica. **Cantiga de licença.** *Bras., N.E.* Cântico com que o orixá, nos candomblés congueses e angolanos, pede licença para dançar, manifestado na filha-de-santo.

cantil. [De *canto*[3] + *-il.*] *S. m.* **1.** Instrumento de carpinteiro para abrir meio-fio nas tábuas, e por onde elas se ajustarão. **2.** Instrumento de escultor para alisar pedras. **3.** Pequeno recipiente de metal, madeira, etc., em geral forrado de pano grosso, feltro ou couro, para transporte de líquidos em viagem.

cantilena. [Do lat. *cantilena.*] *S. f.* **1.** Cantiga suave: "Do Espanhol as c a n t i l e n a s / Requebradas de langor, / Lembram as moças morenas, / As andaluzas em flor." (Castro Alves, *Obras Escolhidas*, p. 328.) [Sin. (bras., S.): *cantorina.*] **2.** Cantiga monótona; melopéia. **3.** *Fam.* Conversação fastidiosa; arenga, ladainha.

cantimplora. *S. f.* Catimplora [q. v.].

cantina. [Do it. *cantina.*] *S. f.* **1.** Espécie de café ou taberna, em quartéis, escolas, estações ferroviárias, etc.: "Outros [trabalhadores] iam almoçar .... a uma espécie de c a n t i n a" (Branquinho da Fonseca, *Rio Turvo e Outros Contos*, p. 35). **2.** Restaurante rústico; casa de pasto. **3.** *Mar. G.* Local onde se vendem artigos de uso pessoal para marinheiros. **4.** *Bras., S.* Restaurante especializado em cozinha italiana e vinhos. **5.** *Bras., RS.* Fábrica de vinhos. **6.** *Bras., RS.* Loja onde se vende vinho.

cantineiro. *S. m.* Aquele que vende em cantina.

cantinho. [Dim. de *canto.*] *S. m.* **1.** V. *canto*[1] (3). **2.** Pequeno pedaço; bocadinho.

canto[1]. [Do gr. *kanthós*, pelo lat. *canthu.*] *S. m.* **1.** Ponto ou área em que linhas e superfícies se encontram e formam ângulo (2): *O escanteio foi cobrado no* c a n t o *esquerdo; Rubricou o* c a n t o *da página.* **2.** V. *aresta* (1). **3.** Lugar retirado, afastado; recanto, cantinho. **4.** Lugar onde se mora, trabalha ou vai habitualmente. **5.** Extremidade de abertura natural (de boca, olhos, etc.). **6.** Junta ou aresta de uma tábua. **7.** *Anat.* O ângulo existente em cada extremidade da fenda palpebral. [Há dois de cada lado: externo, ou temporal, e interno, ou nasal.] **8.** *Encad.* Cantoneira (3). **9.** *Bras., BA. Folcl.* Ponto onde se reuniam os ganhadores [v. *ganhador* (4)] de um bairro.

canto[2]. [Do lat. *cantu.*] *S. m.* **1.** Som musical produzido pela voz do homem ou de outro animal. [Sin., m. us. em relação à voz dos pássaros: *cantada.*] **2.** Música vocal. **3.** Poesia lírica; canção. **4.** Grande divisão de longos poemas: Os Lusíadas, *de Camões, têm 10* c a n t o s. **5.** *Mús.* Melodia principal de uma composição, e que se situa geralmente no registro agudo. **6.** *Mús.* Título geral dado a composições (vocais ou instrumentais) sem forma determinada. **7.** *Mús.* A arte e a técnica do canto[2] (2): *estudar* c a n t o. ◆ **Canto de estante.** *Mús.* Descanto (2). **Canto de farinhada.** *Bras. Folcl.* Toada que se canta nas casas de farinha da região são-franciscana, ajudando a movimentação da roda grande e o giro do rodete[1] (2), tornando a tarefa menos cansativa. **Canto de sereia.** Palavras ou atos de atrativo com que alguém procura conquistar amizade, confiança, favores, etc., de outrem. **Canto firme.** V. *melodia-tenor.* **Canto gregoriano.** *Mús.* Cantochão [q.v.], assim chamado por haver sido coordenado, completado e fixado por São Gregório I, o Grande, no séc. VI; canto eclesiástico. **Canto liso.** *Mús.* V. *cantochão.* **Canto real.** Antiga composição poética, formada de cinco estrofes de 11 versos e mais uma oferenda, e que é uma forma desenvolvida de balada. **O canto do cisne. 1.** Gorjeio harmonioso que, segundo os antigos, o cisne entoa na hora da morte. **2.** *P. ext.* Obra notável produzida pelo fim da vida do autor. **Trazer de canto chorado.** *Bras.* Não dar folga a (alguém): "—Ela não engorda é de ruindade. Me t r a z d e c a n t o c h o r a d o, com as suas ciumadas..." (Ciro dos Anjos, *Montanha*, p. 350.)

canto[3]. [De or. incerta, talvez pré-romana.] *S. m.* **1.** Pedra grande; pedregulho. **2.** *Constr.* Pedra aparelhada para formar o ângulo de uma construção; esquadria de pedra.

canto-buritiense. *Adj. 2 g.* **1.** De, ou pertencente ou relativo a Canto do Buriti (PI). ● *S. 2 g.* **2.** Natural ou habitante de Canto do Buriti. [Pl.: *canto-buritienses.*]

cantochanista. *S. 2 g.* Cantor de cantochão.

cantochão. [De *canto*[2] (1) + *chão*, na acepç. de 'plano, igual'.] *S. m. Mús.* Canto litúrgico da Igreja Católica do Ocidente, essencialmente monódico, e cujo ritmo ou ausência de ritmo se baseia apenas na acentuação e nas divisões do fraseado; canto gregoriano, canto liso: "Soou o c a n t o c h ã o. Chegou-me o incenso." (Machado de Assis. *A Semana*. II, p. 65.]

canto-de-passarinho. *S. m. Bras., BA.* V. *boqueira.* [Pl.: *cantos-de-passarinho.*]

canto-de-sabiá. *S. m. Bras.* V. *boqueira.* [Pl.: *cantos-de-sabiá.*]

cantoeira. *S. f.* **1.** Ferragem para segurar ou reforçar sambladuras de madeira. **2.** Ferragem para firmar pedras de cantaria nos edifícios.

cantonado. *Adj. Heráld.* Diz-se do escudo quando apresenta alguma peça nos cantos.

catonal. *Adj. 2 g.* Relativo a cantão.

cantoneira. *S. f.* **1.** Armário ou prateleira adaptada a um canto de parede. **2.** Peça ou perfil metálico em forma de L, para reforçar quinas ou ajustar cantos de móveis e peças construídas. **3.** *Encad.* Peça de metal, couro, pano, etc., comumente triangular, usada como reforço e adorno nos cantos externos das pastas dos livros; canto. **4.** *Encad.* Triângulo de papel para fixar fotografias, pelos cantos, em álbuns.

cantoneiro. *S. m.* Trabalhador encarregado da conservação e limpeza de um cantão (2).

cantonense. *Adj. 2 g.* **1.** De, ou pertencente ou relativo à cidade de Cantão (China). ● *S. 2 g.* **2.** Natural ou habitante de Cantão.

cantor (ô). [Do lat. *cantore.*] *S. m.* **1.** Aquele que canta por profissão. [Fem.: *cantora* (ô) e *cantatriz.*] **2.** Aquele que canta. [Fem.: *cantora* (ô).] **3.** Poeta que celebra um grande feito ou um herói. **4.** *Mús.* Chantre. **5.** *Mús.* Na Alemanha, mestre-de-capela. **6.** *Mús.* Diretor de um colégio de música sacra. ◆ **Cantor de banheiro.** *Joc.* Tenor de banheiro.

cantoria. *S. f.* **1.** Ação de cantar; canto, cantarola. **2.** Conjunto de vozes que cantam. **3.** *Bras., N.E.* Desafio de cantadores.

cantorina. *S. f.* **1.** *Desus.* Cantora de profissão; cantarina. **2.** *Bras., S.* Cantilena (1).

cantorrafia. [De *canto*[1] + *-raf(i)-* + *-ia.*] *S. f. Cir.* Sutura dos cantos da fenda palpebral.

cantotomia. [De *canto*[1] + *-tom(o)-* + *-ia.*] *S. f. Cir.* Secção de um ou ambos os cantos do olho.

cantotômico. *Adj.* Relativo à cantotomia.

canudo. [Do lat. vulg. **cannutu*, 'cana', 'junco'.] *S. m.* **1.** Tubo geralmente longo. **2.** Prega feita com ferro especial nos folhos da roupa engomada. **3.** Cachos longos de cabelo, em forma de dedos. **4.** *Pop.* Contratempo, prejuízo, logro. **5.** Caixa tubiforme, na qual se guarda diploma ou certos documentos. **6.** *P. ext.* O diploma de fim de curso superior. **7.** *Bras.* Planta da família das convolvuláceas *(Ipomoea fistulosa).* **8.** V. *iraxim.* **9.** *Ind. Pap.* V. *sabugo* (8). **10.** *Bras.* Tubo de palha, plástico, etc., através do qual se sorvem bebidas frias. **11.** *Bras., S. Encad.* Reforço de fole [q. v.].

canudo-de-pito. *S. m. Bras.* **1.** Planta da família das flacurtiáceas *(Carpotroche brasiliensis)*; pau-de-cachimbo, sapucainha. **2.** Planta da família das leguminosas, subfamília cesalpináceа *(Cassia laevigata).* **3.** Planta da família das euforbiáceas *(Mabea angustifolia).* [Pl.: *canudos-de-pito.*]

cânula. [Do lat. *cannula.*] *S. f.* Tubo de plástico, borracha ou metal, de calibre variável, aberto em ambas as extremidades, para introduzir-se no corpo, ou nos canais, com ou sem mandril.

canure. *S. 2 g. Bras.* Negro de economia pastorícia e cultura islamizada, vindo das montanhas do norte da Nigéria com o tráfico.

canutamense. *Adj. 2 g.* **1.** De, ou pertencente ou relativo a Canutama (AM). ● *S. 2 g.* **2.** Natural ou habitante de Canutama.

canutilho. [Do esp. *canutillo.*] *S. m.* **1.** Fio de ouro, prata ou latão enrolado em hélice. **2.** Miçanga (1) longa para enfeites e guarnições de vestuário de senhoras.

canzá. [Do quimb. *kanzá.*] *S. m. Bras.* V. *reco-reco* (1): "E os tamborins, os c a n z á s, os pandeiros, os adufes, os chocalhos e os *agogôs* rodam no ar como uma salva" (Melo Morais Filho, *Festas e Tradições Populares do Brasil*, p. 161).

canzarrão. *S. m.* V. cão[1](1): O c a n z a r r ã o .... rosnou, ... e, abrindo a boca, mostrou os dentes anavalhados." (Alexandre Herculano, *Lendas e Narrativas*, II, p. 13.)

canzil. *S. m.* **1.** Cada um dos dois paus da canga, entre os quais o boi mete o pescoço; cangalho, canil: "ninguém boi tem culpa de tanta má-sorte, e lá vai ele .... pesando de quina contra as mossas e os dentes dos c a n z i s biselados" (João Guimarães Rosa, *Sagarana*. p. 296). **2.** *Bras.* Marca nas orelhas da rês; canzo. **3.** *Bras.* V. *libélula.*

canzo. *S. m. Bras.* Canzil (2).

canzoada. *S. f.* **1.** Ajuntamento de cães; cainçada, cainçalha, cainça, canzoeira. **2.** *Fig.* Grupo de indivíduos velhacos.

canzoal. *Adj. 2 g.* **1.** Relativo a cães. **2.** *Fig.* Baixo, vil, velhaco.

canzoeira. *S. f.* V. *canzoada* (1).

canzuá. *S. m. Bras., BA.* Candomblé (1).

canzuá-de-quimbe. *S. m. Bras., BA.* Cemitério, casa dos mortos. [Pl.: *canzuás-de-quimbe.*]

canzurral. *S. m. Bras.* Cangurral.

cão[1]. [Do lat. *cane.*] *S. m.* **1.** Mamífero da ordem dos carnívoros, tipo da família dos cânidas *(Canis familiaris* Lin.). [Fem.: *cadela*; pl.: *cães*; aum.: *canaz, canzarrão*; dim.: *cãozinho, cãozito, canicho.* Sin., p. us.: *perro.*] **2.** Peça da espingarda que percute a cápsula. **3.** Peça de madeira que pende da calha de tremonha e assenta sobre a mó. **4.** Armação metálica para apoiar a lenha que arde na lareira e evitar que ela role para fora. **5.** Antiga peça de artilharia. **6.** Fam. Pessoa má, infame, vil. **7.** *Bras. Pop.* V. *diabo* (2). ◆ **Cão de fila.** O que pela sua braveza é utilizado como guarda de prédios. [Cf. *filar* (2).] **Cão Maior.** *Astr.* Constelação austral, a S.E. de Órion, cuja estrela mais brilhante é Sírio. **Cão Menor.** *Astr.* Constelação boreal a E. de Órion, cuja estrela mais brilhante é Prócion. **Cão policial.** V. *pastor alemão.*

cão[2]. *S. m.* **1.** Mercado público, no Oriente Médio. **2.** Espécie de estalagem para repouso das caravanas, no Oriente. [Cf. *caravançará.*]

cão[3]. [Do lat. *canu.*] *S. m. Ant.* e *lus.* V. *cã*[2].

cão[4]. *Adj. Ant.* Que tem cãs; encanecido.

▲-ção. V. *-ão*[3].

caoba. [Do taíno dominicano *caoba.*] *S. f.* V. *mogno.*

caol. [De *Kaol*, marca registrada.] *S. m.* **1.** Líquido para limpar metais amarelos. **2.** *Bras. Mar. G. Gír.* Coquetel feito de creme de leite, licor de cacau e outros ingredientes, e que tem o aspecto do caol (1). [Pl.: *caóis.*]

caolho (ô). [Do quimb. *ka*, 'pequeno', + *olho* (ô).] *Adj.* e *s. m. Bras.* **1.** V. *estrábico* (2 e 4). **2.** V. *zarolho* (1 e 4).

cão-miúdo. *S. m Bras. Pop.* V. diabo (2). [Pl.: *cães-miúdos.*]

caos (á-u). [Do gr. *cháos*, atr. do lat. *chaos.*] *S. m.* **1.** *Hist. Filos.* Nas mitologias e cosmogonias pré-filosóficas, vazio obscuro e ilimitado que precede e propicia a geração do mundo; abismo: "Assim, o Deus poderoso, ardente de vida, faz surgir do c a o s o homem, a mulher, os astros" (Graça Aranha, *A Estética da Vida*, pp. 51-52). **2.** Grande confusão ou desordem. ◆ **Caos primordial.** *Cosm.* Concepção de que ao princípio o Universo pode ter sido altamente irregular e heterogêneo.

caótico. *Adj.* Que está em caos (2); confuso, desordenado.

cão-tinhoso. *S. m. Pop.* V. *diabo* (2). [Pl.: *cães-tinhosos.*]

caotização. *S. f. Bras.* Ato ou efeito de caotizar.

caotizar. *V. t. d. Bras.* Tornar caótico, confuso, desordenado; desorganizar: *Por vezes a pressa* c a o t i z a *a execução dos trabalhos; A doença* c a o t i z o u *a minha programação semestral.*

cãozinho. *S. m.* V. *cão*[1] (1).

cãozito. *S. m.* V. *cão*[1] (1).

capa[1]. [Do lat. tardio *cappa.*] *S. f.* **1.** Peça de vestuário usada sobre toda a outra roupa a fim de protegê-la, ou proteger quem a veste, contra a chuva. **2.** Aquilo que serve para cobrir; cobertura: *Mandei fazer uma c a p a de lonita para o meu novo sofá.* **3.** *Fig.* Acolhimento, proteção. **4.** *Fig.* Aparência, exterioridade: *Aquela c a p a de sangue-frio parece ocultar um grande medo.* **5.** Pedaço de estofo, de cor viva, com que os bandarilheiros chamam os touros. **6.** *Encad.* Cobertura de papel ou de outro material, flexível ou rígida, que enfeixa ou protege mais ou menos solidamente um livro, um folheto, etc., segundo constitua brochura, cartonagem ou encardenação. [V. *pasta* (10 e 11).] **7.** *Bibliogr.* O conjunto dos dizeres e imagens impressos na cobertura de um livro, de um folheto, etc. **8.** *Eng. Elét.* Invólucro protetor aplicado sobre o isolamento dos fios ou cabos, e que pode ser de chumbo, borracha, tecido, etc. **9.** *Mar.* A vela grande dos navios. [Aum. irreg.: *capeirão.*] **10.** *Ant. Mar.* Condição em que se põe um navio à vela para enfrentar uma borrasca, de jeito que possa ser mantido com a proa bem chegada, ao vento e ao mar, e com o menor número possível de velas que permita governá-lo. **11.** *Bras.* A parte superior de qualquer camada rochosa ou de mina em exploração. [Opõe-se a lapa[1] (4) (q. v.).] **12.** *Bras. BA.* Envoltório externo de um charuto; capote. **13.** *Bras., RS.* Parte da sela que protege as pernas do cavaleiro do contato dos cavalos. ♦ **Capa almofadada.** *Encad.* A que tem camada de algodão entre o papelão e o couro, para ficar alteada e macia que nem uma almofada; capa estofada. **Capa articulada.** *Encad.* Capa flexível, internamente formada por tiras de cartão coladas, a pequenos intervalos, sobre papel, paralelamente à lombada. **Capa colada.** *Encad.* A que é presa por colagem, e não por costura ou grampeamento, à lombada de um livro, folheto, etc. **Capa de asperges.** Capa comprida, sem pregas e acolchetada na frente, que os sacerdotes usam em certas cerimônias eclesiásticas; capa-magna, pluvial: "um coro de sacerdotes pálidos, muito sérios debaixo das veneráveis c a p a s d e a s p e r g e s dos pluviais solenes, oficia liturgicamente" (Alphonsus de Guimaraens. *Obra Completa*, p. 406). **Capa dura. 1.** *Edit.* Tipo de encadernação em que se produz um livro cartonado ou encadernado, em oposição ao livro brochado. **2.** *Edit.* A capa de um livro cartonado ou encadernado. **3.** *Edit.* O livro cartonado ou encadernado. [Cf. *brochura.*] **Capa estofada.** *Encad.* Capa almofadada.**Capas encouradas.** *Bras. N.E.* Hipocrisia; dissimulação. **Segunda capa.** *Encad.* V. *contracapa.* **Terceira capa.** *Encad.* V. *contracapa.*

capa[2]. [Do gr. *kappa.*] *S. m.* A 10ª letra do alfabeto grego (*K*, κ), correspondente ao K do latino; cá.

capa[3]. [Dev. de *capar.*] *S. f. Bras., RS.* V. *capação* (1).

capa-bode. [De *capar* + *bode.*] *S. 2 g. Bras., N.E.* V. *caipira* (1). [Pl.: *capa-bodes.*]

capação. *S. f.* **1.** Ato de castrar os animais; castração, capadura. [Sin. (no RS): *capa.*] **2.** *P. ext. Bras.* Época em que se procede a essa operação nas fazendas de criação. **3.** Ação de capar ou de cortar os rebentos de uma planta: poda, podadura.

capacete (ê). [Do cat. *cabasset.*] *S. m.* **1.** Armadura de copa oval, para a cabeça. **2.** Peça côncava de metal que cobre a caldeira do alambique; capitel. **3.** Teto do moinho de vento, que suporta as velas e gira segundo as mudanças de direção do vento. **4.** *Eletrôn.* Terminal de uma válvula eletrônica, geralmente ligado a um anodo de alta tensão, e que se localiza numa região oposta à base da válvula. ♦ **Capacete de gelo.** Camada de gelo que, em certos casos, é aplicada na cabeça dos doentes.

capachismo. *S. m.* Qualidade, ação ou atitude própria de capacho (2); servilismo.

capacho. [Dum lat. vulg. **capaceu.*] *S. m.* **1.** Espécie de tapete de fibras grossas e ásperas, de borracha dura, ou de arame ou lâminas metálicas, colocado às portas, para limpeza das solas dos calçados. **2.** *Fig.* Indivíduo servil; pelego.

capacidade. [Do lat. *capacitate.*] *S. f.* **1.** Volume interior de um recipiente. **2.** Número de pessoas ou unidades outras que podem ser acomodadas num recinto, num recipiente, num veículo, etc. **3.** Qualidade que uma pessoa ou coisa tem de possuir para um determinado fim; habilidade, aptidão. **4.** Pessoa de grande ilustração ou aptidão; talento, sumidade. **5.** *Eletr.* A quantidade de carga elétrica ou de energia que uma bateria elétrica pode fornecer sem que se lhe altere irreversivelmente a constituição química, e medida, comumente, pelo número de ampères-hora que a bateria pode fornecer, ou pelo número de watts-hora que ela pode debitar. **6** *Fís.* Capacitância (1). **7.** *Jur.* Aptidão legal para adquirir e exercer direitos e contrair obrigações. [V. *assistência* (9) e *representação* (14).] ♦ **Capacidade calorífica.** *Fís.* Quociente da quantidade de calor fornecida a um sistema pela elevação de temperatura daí resultante. **Capacidade de armazenamento.** *Proc. Dados.* Capacidade de memória. **Capacidade de canal.** *Telecom.* Número de sinais que, na unidade de tempo, podem ser transmitidos por um canal. **Capacidade de memória.** *Proc. Dados.* Quantidade de dados que podem ser retidos na memória de um computador, freqüentemente expressa em o número de palavras ou caracteres que podem ser retidos; capacidade de armazenamento. **Capacidade elétrica.** *Eletr.* Capacitância (1). **Ter a capacidade de.** *Bras. Pop. Irôn.* Ir ao ponto de; ousar.

capacímetro. *S. m. Eletrôn.* Instrumento usado para medir capacitância.

capacíssimo. *Adj.* Superl. abs. sint. de *capaz.*

capacitação. *S. f.* Ato ou efeito de capacitar(-se).

capacitância. *S. f. Eletr.* **1.** Propriedade que têm alguns sistemas de armazenar energia elétrica sob a forma de um campo eletrostático; capacidade elétrica. **2.** O quociente da carga elétrica de um capacitor pela tensão elétrica existente entre as suas armaduras.

capacitar. *V. t. d. e i.* **1.** Tornar capaz; habilitar: *Os longos anos de estudo c a p a c i t a r a m -no para as recentes descobertas.* **2.** Convencer, persuadir: "Não foi .... sem dificuldade que o Coruja logrou c a p a c i t a r a velha de que não devia fugir a semelhante obséquio" (Aluísio Azevedo, *O Coruja*, p. 194). *P.* **3.** Convencer-se, persuadir-se.

capacitivo. *Adj. Eletr.* Num circuito elétrico, diz-se de um componente que tem capacitância. ~ V. *acoplamento* —.

capacitor (ô). [Do ingl. *capacitor.*] *S. m. Eletr.* Conjunto de dois ou mais condutores elétricos separados entre si por isoladores. [É um sistema que, pela sua forma geométrica e por suas características elétricas, pode ter grande capacitância.]

capada. [Do fr. *capade.*] *S. f.* Camada de pêlo ou de lã, nos chapéus de feltro.

capadaria. [De *capado* (2 e 3).] *S. f. Bras.* Conjunto de capados: "Os ladrões .... já tinham carneado muita rês boa da fazenda e acabado com a c a p a d a r i a do chiqueiro." (Afonso Arinos, *Pelo Sertão*, p. 166.)

capadeira. *S. f.* **1.** Navalha ou faca própria para capar. **2.** Navalha pequena.

capadeiro. *S. m.* V. *capador.*

capadete (ê). *S. m. Bras., S.* Porco capado (1) mas ainda não cevado.

capadinho. [Dim. substantivado do adj. *capado.*] *S. m. Bras. Pej.* Livro de pequeno volume; livrinho.

capado. [Part. de *capar.*] *Adj.* **1.** Que se capou; castrado. ● *S. m.* **2.** Carneiro ou bode castrado. **3.** *Bras.* Porco castrado que se destina a engorda.

capadoçada. [De *capadócio* + *-ada*[1].] *S. f. Bras.* **1.** Ajuntamento de capadócios [v. *capadócio* (5)]. **2.** Capadoçagem.

capadoçagem *S. f. Bras.* Ação de capadócio (5); capadoçada.

capadoçal. *Adj. 2 g.* Relativo a, ou próprio de capadócio (5).

capadoce. *S. 2 g.* Natural ou habitante da Capadócia (Ásia Menor); capadócio.

capadócio. [Do gr. *kappadókios*, atr. do lat. *cappadociu.*] *Adj.* **1.** De, ou pertencente ou relativo à Capadócia (Ásia Menor). **2.** Que tem maneiras acanalhadas. **3.** Impostor, trapaceiro, parlapatão. ● *S. m.* **4.** Capádoce. **5.** Indivíduo capadócio (2 e 3).

capador (ô). *S. m.* **1.** Indivíduo que capa. **2.** Aquele que tem a profissão de castrador. [Sin. ger.: *capadeiro, castrador.*]

capadura. *S. f.* V. *capação* (1).

capa-garrote. [De *capar* + *garrote.*] *S. m. Bras., MA.* Espiga (7). [Pl.: *capa-garrotes.*]

capa-homem. [De *capar* + *homem.*] *S. m. Bras.* **1.** Cipó da família das apocináceas (*Peltates peltata*), amplamente distribuído pelo L. e S., de ramos muito lactescentes, folhas amplas e quase redondas, flores vistosas, afuniladas, amareladas e dispostas em cimeiras, e cujos frutos são grandes folículos providos de uma espécie de paina. **2.** Designação comum a várias espécies do gênero *Aristolochea*, da família das aristoloquiáceas, que são grande cipós providos de enormes flores de coloração variada. Os frutos são cápsulas. **3.** V. *cipó-caboclo.* **4.** V. *cipó-capador.* [Pl.: *capa-homens.*]

capa-magna. [De *capa*[1] + o fem. de *magno.*] *S. f.* V. *capa de asperges:* "E Padre Antônio, embrulhado na c a p a - m a g n a , apertando o Viático contra o peito, ... caminhava lentamente sob o pálio" (Inglês de Sousa, *O Missionário*, p. 96). [Pl.: *capas-magnas.*]

capa-mais. *S. m. Fís. Nucl.* Méson de massa igual a 0,533 unidades de massa atômica, spin nulo, paridade negativa, e carga elétrica positiva igual à do próton. [Pl.: *capas-mais.*]

capanaua. *S. 2 g.* **1.** *Bras.* Indivíduo dos capanauas, tribo indígena integrada na sociedade nacional, que vive no alto rio Juruá (AC), fronteira com o Peru, e pertencente à família lingüística pano. ● *Adj. 2 g.* **2.** Pertencente ou relativo a essa tribo.

capanemense. *Adj. 2 g.* **1.** De, ou pertencente ou relativo a Capanema (PA e PR). ● *S. 2 g.* **2.** Natural ou habitante de Capanema.

capanga. [Do quimb. *kappanga.*] *S. f.* **1.** *Bras.* Espécie de bolsa pequena, que os viajantes usam a tiracolo para conduzir pequenos objetos; bocó. **2.** *Bras. Neol.* Pequena bolsa de mão, usada sobretudo por homens. ● *S. m.* **3.** *Bras.* Valentão (1) que se coloca ao serviço de quem lhe paga. [Sin., nesta acepç.: *cabra, cabra-de-peia, cacundeiro, curimbaba, espoleta, guarda-costas, jagunço, mumbava, peito-largo, pistoleiro, quatro-paus, satélite, sombra.*] **4.** *Bras., BA* e *MT.* O montante das compras de diamantes feitas pelos capangueiros; partida de diamantes. ♦ **Capanga de Oxóssi.** *Bras., BA.* O fetiche de Oxóssi.

capangada. [De *capanga* (3) + *-ada*[1].] *S. f. Bras.* Agrupamento de capangas; capangagem.

capangagem. *S. f. Bras.* **1.** Ação de capanga (3). **2.** Capangada.

capangar. *V. int. Bras.* Comprar diamantes aos garimpeiros; exercer a profissão de capangueiro. [Conjug.: v. *largar.*]

capangueiro. *S. m. Bras., BA, MG, GO* e *MT.* Indivíduo que vive da compra de diamantes e carbonados, feita diretamente aos garimpeiros: "Quando eu ajudava na farmácia de meu pai, ele já era c a p a n g u e i r o , viajava pelas lavras comprando diamantes para o cunhado dele" (Helena Morley, *Minha Vida de Menina*, p. 21).

capão[1]. [Do lat. vulg. **cappone*, por *capone.*] *S. m.* **1.** Frango capado. **2.** Cavalo castrado. **3.** *Bras., RS.* Cordeiro castrado. **4.** *Bras., PR.* Porco castrado. **5.** *Bras.* V. *peixe-galo.*

capão[2]. [Do tupi *ka'a pu'ã*, 'mato redondo'; var. de *caapuã*; outra var.: *capuão.*] *S. m. Bras.* Porção de mato isolado no meio do campo; capuão de mato, caapuã, capuão, ilha de mato: "Tinham chegado à beira do c a p ã o de mato." (Franklin Távora, *O Cabeleira*, p. 104.) [Dim. irreg.: *caponete.*]

capão-bonitense. *Adj. 2 g.* **1.** De, ou pertencente ou relativo a Capão Bonito (SP). ● *S. 2 g.* **2.** Natural ou habitante de Capão Bonito. [Pl.: *capão-bonitenses.*]

capar. [Do lat. vulg. **cappare.*] *V. t. d.* **1.** Extrair ou inutilizar os órgãos da reprodução de (um animal — nos machos os testículos, nas fêmeas os ovários); castrar. **2.** Cortar rebentos ou medranças a (uma planta).

capara. [Do tupi *ka'á apa'rá*, 'folha vergada'.] *S. f. Bras.* Folha larga que, enrolada em funil, é utilizada como copo.

caparão. *S. m.* Carapuça para cobrir a cabeça do falcão e de outras aves empregadas na caça para que fiquem calmas.

caparari. [Do tupi *kapara'ri.*] *S. m. Bras.* V. *surubim-pintado.*

caparidácea. *S. f.* Espécime das caparidáceas.

caparidáceas. *S. f. pl. Bot.* Família de plantas herbáceas ou arbustivas, providas de belas flores ornamentais cujas corolas levam quatro pétalas livres, inserindo-se o ovário no ginóforo. Folhas alternas, simples ou digitadas; fruto capsular. Encerra umas 650 espécies, próprias de regiões quentes, tendo o Brasil uma série de representantes.

caparidáceo. *Adj.* Pertencente ou relativo às caparidáceas.

caparro. *S. m. Bras., Amaz.* V. *barrigudo* (3).

caparrosa. [Do cat. *caparrós.*] *S. f.* **1.** Designação vulgar de vários sulfatos. **2.** Designação comum a diversas espécies das famílias das enoteráceas *(Oenothera molissima)* e das gutíferas *(Vismea acuminata)*, a primeira uma erva de grandes flores amarelas e a segunda um arbusto dotado de pequenas flores.

caparrosa-do-campo. *S. f. Bras., C.O.* Arvoreta da família das nictagináceas (*Neeatheifera oerst*), que se encontra dispersa pelos cerrados, de folhas sésseis, elípticas ou oblongas, arredondadas no ápice, subcoriáceas e glaucas, flores unissexuais, pequeninas e agregadas em panículas terminais e curtas, e fruto elipsóide e monospérmico; erva-caparrosa. [Pl.: *caparrosas-do-campo.*]

caparu. *S. m. Bras.* V. *barrigudo* (3).

capataz. [Do esp. *capataz.*] *S. m.* **1.** Chefe de um grupo de trabalhadores braçais. **2.** *Bras.* Administrador de fazenda ou estância[3] (1).

capatazar. *V. int.* **1.** Exercer as funções de capataz. *T. d.* **2.** Dirigir como capataz. [F. paral., no RS: *capatazear.*]

capatazear. *V. t. d.* e *int. Bras., RS.* Capatazar. [Conjug.: v. *frear.*]

capatazia. *S. f.* **1.** Funções de capataz. **2.** Grupo de indivíduos dirigidos por capataz. **3.** Taxa alfandegária. **4.** *Bras. Mar. Merc.* Resistência (9).

capa-verde. *S. m. Bras., CE. Pop.* V. *diabo* (2). [Pl.: *capas-verdes.*]

capaz. [Do lat. *capace.*] *Adj. 2 g.* **1.** Que tem capacidade (de conter, receber, abrigar em si): *É um cinema capaz de receber 2 000 pessoas.* **2.** Que tem competência ou aptidão; competente, apto: *Sem professores capazes é impossível desenvolver o ensino.* **3.** Que tem capacidade (2) ou que tem possibilidade de: *Urgem medidas capazes de restaurar a tranqüilidade internacional.* **4.** Bom, adequado, apropriado: *Se as instalações não forem capazes, arranjaremos outro local.* **5.** Honrado, sério. [Superl. abs. sint.: *capacíssimo.*] ● *Interj.* **6.** *Bras. Pop.* Indica descrença ou ceticismo em relação a uma declaração de outrem: — *Quebro-lhe a cara!* — *Capaz!* ♦ **Ser capaz.** *Bras.* Ser quase certo; ser provável: — *Você vem amanhã?* / — *É capaz.*

capa-zero. *S. m. Fís. Nucl.* Méson de massa igual a 0,533 unidades de massa atômica, spin nulo, paridade negativa, carga elétrica nula e hipercarga igual a mais um. [Pl.: *capas-zero.*]

capcioso (ô). [Do lat. *captiosu.*] *Adj.* **1.** Manhoso, ardiloso: *sujeito capcioso.* **2.** Insinuante, envolvente: "quando a doçura capciosa do crepúsculo e das mãos femininas nos fazem gostar esquisitamente a hora melancólica." (Tristão da Cunha, *Cousas do Tempo,* p. 221). **3.** Argucioso para iludir; caviloso: *pergunta capciosa.*

capeado. [Part. de *capear.*] *Adj.* **1.** Revestido com capa[1]. **2.** Oculto, disfarçado.

capeador (ô). *S. m.* **1.** Aquele que capeia. **2.** *P. us.* Toureiro, capinha. **3.** *Encad.* Gráfico encarregado do trabalho de capeamento.

capeamento[1]. *S. m.* Ato ou efeito de capear[1].

capeamento[2]. *S. m.* **1.** Ato ou efeito de capear[2]. **2.** *Bras.* Peça, geralmente de pedra, que coroa ou reveste a face superior de balaustradas de alvenaria, ou de muros.

capear[1]. *V. t. d.* **1.** *Encad.* Revestir com capa[1] (livro, folheto, etc.). [Cf. *encapar.*] **2.** Ocultar, encobrir, disfarçar: *É incorreto capear as próprias falhas.* **3.** Enganar, iludir: *Aquela cara de santa capeou-o por muito tempo.* **4.** Provocar (o touro) com capa. **5.** *P. ext.* Provocar (alguém) com capa, lenço, ou algo semelhante, como se faz aos touros. *Int.* **6.** Acenar com capa, lenço, etc. **7.** *Mar.* Manter o navio à capa; navegar à capa. [Conjug.: v. *frear.*]

capear[2]. *V. t. d.* e *int.* Revestir ou arrematar com capeias. [Conjug.: v. *frear.*]

capeba. [Var. de *caapeba.*] *S. f. Bras., L.* Planta da família das piperáceas (*Piper rohrii*) dotada de flores em amentos e bagas glabras; pariparoba.

capeba-cheirosa. *S. f. Bras.* Arbusto da família das piperáceas (*Piper marginatum*), de flores verdes e bagas ovóides, e que é resolutivo, tônico e diurético; bitre, nhandi, nhandu, pimenta-do-mato, pimenta-dos-índios. [Pl.: *capebas-cheirosas.*]

capeba-do-mato. *S. f. Bras.* Grande erva da família das piperáceas (*Piper peltatum*), que vive no interior da floresta atlântica, de folhas herbáceas, grandes, oblongas e acuminadas, flores insignificantes, reunidas em espigas muito compactas, cilíndricas e amareladas, e bagas comestíveis e com propriedades diuréticas; capeba-do-norte, caapená, malvarisco. [Pl.: *capebas-do-campo.*]

capeba-do-norte. *S. f. Bras., Amaz.* **1.** V. *capeba-do-campo.* **2.** Arbusto da família das piperáceas (*Piper peltatum*), de bagas comestíveis e propriedades diuréticas, e cujo suco o povo emprega contra queimaduras; caapená, catajé, malvarisco. [Pl.: *capebas-do-norte.*]

capeia. *S. f.* Pedra grande para fazer o capeamento[2].

capeirão. *S. m.* V. *capa*[1] (9).

capeiro. *S. m.* **1.** Aquele que leva capa de asperges [q. v.] nas procissões. **2.** O encarregado do guarda-roupa. **3.** Cabide ou armário de guardar capas.

capejuba. [Do tupi.] *S. m. Bras., MA.* Espécie de macaco pequeno e alourado.

capela. [Do lat. tardio *cappella.*] *S. f.* **1.** Pequena igreja de um só altar; santuário, ermida. **2.** Divisão de templo, com altar próprio. **3.** Espaço consagrado a culto, em palácios, hospitais, colégios, etc. **4.** Conjunto de cantores ou músicos de uma igreja: *Palestrina (1526-1594) dirigiu a capela do Seminário Romano.* **5.** *P. ext.* O conjunto dos músicos de qualquer instituição: *a capela da corte de Brandemburgo.* **6.** Escola destinada à formação de meninos de coro. **7.** *Desus.* Pálpebra. **8.** Loja de quinquilharias ou miudezas de aplicação vária. **9.** Grinalda (1). **10.** Galeria de aqueduto, abóbada de forno, etc., cujas formas lembram abóbada de capela. **11.** Compartimento fechado e envidraçado, nos laboratórios, serve para realizar as reações químicas que desprendem gases deletérios. **12.** *Bras. Mús.* Grupo de foliões dos festejos populares juninos; rancho. **13.** *Bras.* Povoação, arraial. ♦ **Capela dos olhos.** *Bras.* Na região são-franciscana a pálpebra. **A capela.** *Mús.* Diz-se de polifonia sem acompanhamento instrumental: *coro a capela.*

capelada[1]. [Do esp. *capellada.*] *S. f.* Peça de couro que cobre a boca dos coldres.

capelada[2]. [De *capela* (9) + *-ada*[1].] *S. f.* Porção de capelas.

capela-de-viúva. *S. f. Bras.* V. *coroa-de-viúva.* [Pl.: *capelas-de-viúva.*]

capela-mor. *S. f.* A capela principal de uma igreja, fronteira à porta da frente do edifício; presbitério. [Pl.: *capelas-mores.*]

capelania. *S. f.* Cargo, dignidade ou benefício de capelão.

capela-novense. *Adj. 2 g.* **1.** De, ou pertencente ou relativo a Capela Nova (MG). ● *S. 2 g.* **2.** Natural ou habitante de Capela Nova. [Pl.: *capela-novenses.*]

capelão. [Do ant. provenç. *capelan.*] *S. m.* **1.** Padre encarregado de dizer missa em capela. **2.** Padre encarregado da assistência espiritual a regimentos militares, escolas, hospitais, irmandades. **3.** *Bras.* Macaco velho e esperto, chefe e guia de um bando; padre-mestre. [V. *guariba* (1).] **4.** *Bras., SP.* Tirador de ladainha, terço ou qualquer outra reza. [Pl.: *capelães.*]

capelense. *Adj. 2 g.* **1.** De, ou pertencente ou relativo a Capela (AL e SE). ● *S. 2 g.* **2.** Natural ou habitante de Capela.

capelina. [Do provenç. *capelina.*] *S. f.* **1.** Peça de armadura antiga que resguardava a cabeça. **2.** Chapéu feminino, ou de criança, de abas extremamente largas e flexíveis: "Trazia [a donzela], ainda na mão, uma capelina de soprilho com .... franjas de alvas rendas de Guimarães." (José de Alencar, *O Sertanejo,* p. 100.)

capeline. [Do fr. *capeline.*] *S. f.* V. *capelina* (2).

capelinha. *S. f.* Dim. de *capela.* ♦ **Casar na capelinha verde.** Casar na polícia.

capelinhense *Adj. 2 g.* **1.** De, ou pertencente ou relativo a Capelinha (MG). ● *S. 2 g.* **2.** Natural ou habitante de Capelinha.

capelista. *S. 2 g.* **1.** Pessoa que vende capela (8). **2.** *Bras.* Habitante de capela (13). **3.** *Bras.* Designação antiga dos naturais de Viamão (RS).

capelo[1] (ê). [Do lat. *capellu cappa,* na acepç. de 'capuz'.] *S. m.* **1.** V. *capuz* (1). **2.** Antiga touca ou capuz de viúvas e freiras. **3.** Espécie de murça usada por doutores em certas solenidades: "Estudei pacientemente; despeguei-me de todas as vadiações antigas. Recebi o capelo na véspera da bênção matrimonial" (Machado de Assis, *Páginas Recolhidas,* p. 69). **4.** Dossel, sobrecéu. **5.** *Constr.* Proteção superior de chaminé, para evitar a entrada do vento e da chuva. **6.** *Zool.* Porção do manto do polvo que protege a massa visceral.

capelo[2] (ê). [Do it. *capello.*] *S. m.* **1.** Chapéu cardinalício. **2.** *P. ext.* A dignidade cardinalícia.

capeludo. *Adj.* Que usa capelo.

capenga. *Bras. Adj. 2 g.* **1.** Que capenga ou manqueja; coxo, manco, capengante, pencó ou pengó, perrengue. ● *S. 2 g.* **2.** Indivíduo coxo ou manco; coxo, pencó ou pengó, perneta.

capengante. *Adj. Bras.* V. *capenga* (1).

capengar. *V. int. Bras.* V. *coxear: Feriu-se no joelho, e está capengando;* "Simpático e magricela, capengava de uma perna" (Malu de Ouro Preto, *Siri na Noite sem Lua,* p. 11). [Conjug.: v. *largar.*]

capenguear. *V. int. Bras., RS.* V. *coxear.* [Conjug.: v. *frear.*]

capepena. [Do tupi *kaape'pena,* 'mato quebrado'.] *S. f. Bras., Amaz.* **1.** Sinal que o caçador faz na mata, quebrando ramos e galhos por onde passa, para sua orientação. **2.** Picada feita dessa forma.

caperiçoba. [Do tupi.] *S. f. Bras.* Erva-de-santa-maria.

caperom. *S. m. Bras., PA. Pop.* Camarada, amigo, companheiro.

caperotada. [De *capirote* + *-ada*[1].] *S. f. Ant.* Guisado feito com pedaços de aves previamente assadas.

capeta (ê). *S. m. Fam.* **1.** V. *diabo* (2). **2.** Traquinas, capetinha.

capetagem. *S. f. Bras.* Ação ou procedimento de capeta (2); diabrura, traquinagem, travessura.

capetão. [Talvez alter. de *capitão.*] *S. m. Bras.* V. *capitão* (19).

capete (ê). [Var. de *capeta.*] *S. m. Bras., CE. Fam.* V. *diabo* (2).

capetinga. [Alter. de *capitinga,* 'capim branco'.] *S. f. Bras.* Espécie de gramínea que só medra à sombra das matas. [Cf. *capintinga.*]

capetinguense. *Adj. 2 g.* **1.** De, ou pertencente ou relativo a Capetinga (MG). ● *S. 2 g.* **2.** Natural ou habitante de Capetinga.

capetinha. *S. 2 g. Bras.* V. *capeta* (2).

capiá. *S. m. Bras.* Var. de *caapiá.*

capiangagem. *S. f. Bras.* Ação de capiangar.

capiangar. [De *capiango* + *-ar*[2].] *V. t. d. Bras.* Furtar com destreza; surripiar. [Conjug.: v. *largar.*]

capiango. [De or. afr.] *S. m. Bras.* e *luso-afr.* Gatuno hábil e astuto. [Cf. *capiongo.*]

capiau. [Do guar.] *S. m.* **1.** *Bras., BA* e *MG.* V. *caipira* (1). [Fem.: *capioa.*] **2.** *Bras., Pl.* Comida feita com picadinho de macaxeira e carne-seca.

capicongo. *S. m. Bras., BA.* **1.** Apelido que os naturais de Itabuna dão aos roceiros que não conhecem a cidade. **2.** V. *caipira* (1).

capicua. *S. f.* **1.** Grupo de algarismos que, lidos da esquerda para a direita, ou vice-versa, dão o mesmo número. Ex.: 343. **2.** No dominó (3), a pedra que pode finalizar o jogo de um ou de outro lado.

capicuru. *S. m. Bras.* V. *bacupari-do-campo.*

capilar. [Do lat. *capillare.*] *Adj. 2 g.* **1.** Relativo a cabelo. **2.** Delgado como um cabelo. **3.** Produzido em tubos estreitíssimos. ● *S. m.* **4.** *Fís.* Tubo, comumente de vidro, de diâmetro interno muito pequeno; tubo capilar. ~V. *onda —, pressão —, tubo —* e *vaso —.* ♦ **Capilar sanguíneo.** *Anat.* Vaso sanguíneo, de diâmetro muito reduzido, que interliga as arteríolas e as vênulas.

capilária. [Do lat. *capillu,* 'cabelo', + *-ária.*] *S. f.* Designação comum a algumas avencas.

capilária-do-canadá. *S. f.* Erva modesta, da família dos polipodiáceas (*Adiantum pedatum*), que apresenta na face inferior das folhas uns corpúsculos denominados *sórus,* constituídos de esporângios, e cujas folhas são muito delicadas e finamente subdivididas; avenca-do-canadá. [Pl.: *capilárias-do-canadá.*]

capilaridade. *S. f.* **1.** Qualidade do que é capilar. **2.** *Fís.* Conjunto de fenômenos que se passam quando num capilar se forma uma interface líquido-vapor.

capilé. [Do fr. *capillaire.*] *S. m.* **1.** Calda feita com suco de capilária. **2.** *P. ext.* Bebida feita de água adoçada com esse xarope. **3.** *Bras.* Ficha que um parceiro dá de presente a outro, durante o jogo.

▲capili-. [Do lat. *capillus, i.*] *El. comp.* = 'cabelo': *capilifoliado, capiliforme.* [Equiv.: *capilo-.*]

capilicial. *Adj. 2 g. Bot.* Relativo ou pertencente ao capilício: *filamento capilicial.*

capilício. *S. m. Bot.* Nos mixomicetos, massa filamentosa, entremeada com os esporos, que ocupa o interior dos esporângios.

capiliforme. [De *capili-* + *-forme.*] *Adj. 2 g.* Que tem forma de cabelo.

▲capilo-. Equiv. de *capili-.*

capilossada. *S. f. Bras. N.E. Pop.* Empresa ou aventura arriscada.

capim[1]. [Do tupi *caá pi'i,* 'folha delgada'.] *S. m. Bras.* **1.** Designação comum a várias espécies da família das gramíneas e ciperáceas, quase todas usadas como forragem. **2.** *Bras., PE. Pop.* V. *dinheiro* (3). ♦ **Capim barba-de-bode.** *Bras.* Designação comum a diversas ervas da família das gramíneas (como o *Sporobolus argutus* e o *Sporobolus sprengelli*) e da família das ciperáceas (como o *Cyperus compressus*). **Comer capim pela raiz.** *Bras. Pop.* V. *morrer* (1): "Seu Irineu Boaventura realmente já dava a impressão de que, muito brevemente, iria comer capim pela raiz, isto é, iam plantar ele e botar um jardinzinho por cima." (Stanislaw Ponte Preta, *Febeapá 2,* p. 97).

capim[2]. *S. f.* Reboco áspero e de consistência escassa, preparado com areia e cimento.

capim-açu. *S. m. Bras.* Gramínea de porte maior que o ordinário dos capins forrageiros (*Andropogon minarum*). [Pl.: *capins-açus.*]

capim-agreste. *S. m. Bras.* Erva da família das ciperáceas (*Cyperus diffusus*), que atinge 0,50 m de altura e é forragem de má qualidade. As flores, minutíssimas, reúnem-se em densas espiguetas congregadas no ápice

de um escapo. [Pl.: *capins-agrestes.*]
capim-amarelo. *S. m. Bras.* Erva de até 2 m, da família das gramíneas (*Phalaris arundinacea*), originária da América do Norte e cultivada como ornamental, de folhas lanceoladas, acuminadas, com 0,012 m de largura. A inflorescência é uma panícula formada de espigas densas e alvacentas; é indicada para jardins e parques. [Pl.: *capins-amarelos.*]
capim-amargoso. *S. m. Bras. S.* Erva da família das gramíneas (*Elionorus candidus*), de colmo sespitoso, que alcança 0,50 a 0,70 m de altura, folhas delgadas, com 1/2 mm de diâmetro, filiformes, longamente acuminadas e de margem áspera, e espiguetas sésseis, ordenadas em espigas solitárias. [Pl.: *capins-amargosos.*]
capim-amonjeaba. *S. m. Bras.* Erva da família das gramíneas (*Saciolepis myurus*); amonjeaba. [Pl.: *capins-amonjeabas* e *capins-amonjeaba.*]
capim-azul. *S. m. Bras.* Erva alta e vilosa, da família das ciperáceas (*Lagenocarpus velutinus*), que habita os cerrados do Brasil Central. As folhas, acuminadas, coriáceas e densamente velutíneas, medem uns 0,030 m de comprimento e 0,008 m de largura; as espiguetas, violáceas e globosas, congregam-se em espigas, que se prendem na ponta de escapos trígonos; os frutos são cariopses amarelas e ovóides. [Pl.: *capins-azuis.*]
capim-balça. *S. m. Bras.* Erva da família das gramíneas (*Paspalum riparium*), própria de terrenos alagadiços, que serve como forragem para o gado, e de espículas dispostas em espigas geminadas e achatadas. [Pl.: *capins-balças* e *capins-balça.*]
capim-bambu. *S. m. Bras.* Designação comum a plantas da família das gramíneas (*Olyra floribunda*) caracterizada pelo colmo alto e grosso. [Pl.: *capins-bambus* e *capins-bambu.*]
capimbeba. *S. m. Bras.* Erva da família das gramíneas (*Andropogon bicornis*), de folhas lanceoladas, muito estreitas e flores arrumadas em inflorescências terminais muito densas; capimpuba.
capim-bobó. *S. m. Bras.* Designação comum a duas ervas da família das gramíneas (*Andrapogon perforatus* e *A. saccharoides*), esta muito semelhante ao capimbeba. [Pl.: *capins-bobós* e *capins-bobó.*]
capim-branco. *S. m. Bras.* Erva da família das gramíneas (*Choris polycactyla*), de pequeno porte, muito difundida, e que apresenta as espigas ordenadas de modo digitada no ápice de um escape. [Pl.: *capins-brancos.*]
capim-branquense. *Adj. 2 g.* **1.** De, ou pertencente ou relativo a Capim Branco (MG). ● *S. 2 g.* **2.** Natural ou habitante de Capim Branco. [Pl.: *capim-branquenses.*]
capim-burrão. *S. m. Bras. V. burrão* (4).
capim-canudinho. *S. m. Bras., Amaz.* Erva da família das gramíneas (*Panicum fistulosum*), de colmo erecto, fistuloso e liso, folhas lineares, pilosas, com a margem áspera, e 0,010 m de largura. As espiguetas reúnem-se em panículas multifloras, cujos eixos são ásperos. [Pl.: *capins-canudinhos* e *capins-canudinho.*]
capim-catingueiro. *S. m. Bras.* Erva da família das gramíneas (*Panicum monostachyum*), de colmos cespitosos, que vão a 1 m de altura, e folhas lineares, hirsutas, ciliadas, que medem até 0,15 m de comprimento e 0,004 a 0,006 m de largura. As espiguetas ordenam-se em espigas solitárias unilaterais e subfalcadas. [Pl.: *capins-catingueiros.*]
capim-cheiroso. *S. m. Bras.* Erva da família das ciperáceas (*Kyllinga odorata*), de aroma semelhante ao da erva-cidreira, e que serve para perfumar a roupa lavada, fornecendo, também, pela destilação das folhas frescas, uma essência oleosa muito aromática; capim-santo, capim-cidreira. [Pl.: *capins-cheirosos.*]
capim-cidreira. *S. m. Bras. V. capim-cheiroso.* [Pl.: *capins-cidreiras* e *capins-cheiroso.*]
capim-colonião. *S. m. Bras. V. capim-guiné.* [Pl.: *capins-coloniões* e *capins-colonião.*]
capim-da-cidade. *S. m. Bras. V. capim-de-burro.* [Pl.: *capins-da-cidade.*]
capim-da-colônia. *S. m. Bras.* **1.** V. *capim-do-pará.* **2.** V. *capim-guiné.* [Pl.: *capins-da-colônia.*]
capim-de-angola. *S. m. Bras.* **1.** V. *capim-do-pará.* **2.** V. *capim-guiné.* [Pl.: *capins-de-angola.*]
capim-de-burro. *S. m. Bras.* Erva forrageira, da família das gramíneas (*Cynodon dactylon*), de propriedades laxativas e diuréticas, e de cujo rizoma se pode extrair álcool; capim-da-cidade, capim-seda, grama, grama-comum, grama-das-boticas, grama-de-marajó, grama-de-são-paulo, grama-fina, grama-rasteira, grama-roxa, gramão, graminha, graminha-comum, graminha-da-cidade, graminha-de-raiz, graminha-do-mato, graminha-fina, graminha-seda, erva-das-bermudas, mata-me-embora, pé-de-galinha. [Pl.: *capins-de-burro.*]
capim-de-cavalo. *S. m. Bras.* **1.** V. *capim-do-pará.* **2.** V. *capim-guiné.* [Pl.: *capins-de-cavalo.*]
capim-de-cheiro. *S. m. Bras.* Erva da família das gramíneas (*Andropogon nardus*), cultivada para obtenção da essência oleosa, importante em perfumaria. [Pl.: *capins-de-cheiro*].
capim-de-corte. *S. m. Bras.* **1.** V. *capim-do-pará.* **2.** V. *capim-guiné.* [Pl.: *capins-de-corte.*]
capim-de-feixe. *S. m. Bras.* V. *capim-guiné.* [Pl.: *capins-de-feixe.*]
capim-de-lastro. *S. m. Bras.* V. *capim-do-pará.* [Pl.: *capins-de-lastro.*]
capim-de-mula. *S. m. Bras.* V. *capim-guiné.* [Pl.: *capins-de-mula.*]
capim-de-pernambuco. *S. m. Bras.* V. *capim-do-pará.* [Pl.: *capins-de-pernambuco.*]
capim-de-planta. *S. m. Bras.* **1.** V. *capim-do-pará.* **2.** V. *capim-guiné.* [Pl.: *capins-de-planta.*]
capim-de-soca. *S. m. Bras.* V. *capim-guiné.* [Pl.: *capins-de-soca.*]
capim-de-touceira. *S. m. Bras.* V. *capim-guiné.* [Pl.: *capins-de-touceira.*]
capim-do-pará. *S. m. Bras.* Planta forrageira, da família das gramíneas (*Panicum numidianum*), de folhas lineares, com inflorescências em panículas; capim-da-colônia, capim-de-angola, capim-de-lastro, capim-de-cavalo, capim-de-corte, capim-de-pernambuco, capim-de-planta, capim-fino, erva-do-pará. [Pl.: *capins-do-pará.*]
capim-do-seco. *S. m. Bras.* V. *capim-guiné.* [Pl.: *capins-do-seco.*]
capim-elefante. *S. m. Bras.* Erva da família das gramíneas (*Pennisetum purpureum*), originária da África Tropical e cultivada por ser boa forragem. Atinge grandes dimensões, e as inflorescências, cilíndricas, lembram escovas de lavar vidro. [Pl.: *capins-elefantes* e *capins-elefante.*]
capim-fino. *S. m. Bras.* V. *capim-do-pará.* [Pl.: *capins-finos.*]
capim-flecha. *S. m. Bras.* Erva da família das gramíneas (*Tristachya leiostachya*), própria dos campos do Planalto Central. Tem porte característico, semelhando aveia, inclusive pelas espigas frutíferas e alcança 1 a 2 m de altura. [Pl.: *capins-flechas* e *capins-flecha.*]
capim-gordura. *S. m. Bras.* Erva da família das gramíneas (*Mellinis minutiflora*), extremamente difundida como excelente pastagem. Alcança no máximo 1 m, tem folhas pilosas e estreitas, inflorescências violáceas e plumosas. Toda a planta é viscosa e exala um odor agradável. [Tb. se diz apenas *gordura.* Sin.: *capim-melado.* Pl.: *capins-gorduras.*]
capim-guedes. *S. m. Bras.* V. *capim-guiné.* [Pl.: *capins-guedes.*]
capim-guiné. *S. m. Bras.* Planta da família das gramíneas (*Panicum maximum*), de folhas lanceoladas e inflorescência em panícula terminal; capim-colonião, capim-da-colônia, capim-de-angola, capim-de-cavalo, capim-de-corte, capim-de-feixe, capim-de-mula, capim-de-planta, capim-de-soca, capim-de-touceiras, capim-do-seco, capim-guedes, capim-meladinho, capim-mururu, colonhão, colonião, grama-da-guiné, guiné-legítimo, erva-da-guiné, milhã-do-sertão, milhã-gigante, milhã-verde, mururu, murumbu, navalha, painço-grande, palha-de-guiné. [Pl.: *capins-guinés* e *capins-guiné.*]
capim-jaraguá. *S. m. Bras.* Erva da família das gramíneas (*Hyparrhenia rufa*), de origem africana, muito cultivada por ser excelente pastagem. Atinge grande porte, e apresenta inflorescências pequenas, da cor de ferrugem. [Pl.: *capins-jaraguás* e *capins-jaraguá.*]
capim-limão. *S. m. Bras.* Erva da família das gramíneas (*Andropogon schoenanthus*), de inflorescências terminais muito compactas e que, esmagada, exala cheiro de limão. [Pl.: *capins-limões* e *capins-limão.*]
capim-marmelada. *S. m. Bras.* Erva da família das gramíneas (*Brachiaria plantaginea*), cujo colmo, comprimido, alcança uns 0,60 m de altura. Folhas lanceoladas, glabras, porém ásperas na margem; as espiguetas reúnem-se em espigas, que se ordenam em panículas. [Pl.: *capins-marmeladas* e *capins-marmelada.* Sin.: *papuã.*]
capim-meladinho. *S. m. Bras.* V. *capim-guiné.* [Pl.: *capins-meladinhos.*]
capim-melado. *S. m. Bras.* V. *capim-gordura.* [Pl.: capins-melados.]
capim-membeca. *S. m. Bras.* Designação comum a três ervas da família das gramíneas (*Andropogon virginicus, A. selloanus* e *A. leucostachyus*), caracterizadas pelas inflorescências muito densas e secas. Habitam campos secos e arenosos, e só dão forragem quando novas. [Sin.: barba-de-velho. Pl.: *capins-membecas* e *capins-membeca.*]
capim-mimoso. *S. m. Bras.* Designação comum a várias ervas da família das gramíneas do gênero *Eragrostis*, de pequeno porte, folhagem fina e inflorescência muito delicada. [Tb. se diz apenas *mimoso.* Pl.: *capins-mimosos.*]
capim-mururu. *S. m. Bras.* V. *capim-guiné.* [Pl.: capins-mururus.]
capimpuba. [De *capim* + *puba.*] *S. m. Bras.* Capimbeba.
capim-roseta. *S. m. Bras.* V. *espinho-de-carneiro.* [Pl.: *capins-rosetas* e *capins-roseta.*]
capim-santo. *S. m. Bras.* V. *capim-cheiroso.* [Pl.: *capins-santos.*]
capim-sapé. *S. m. Bras.* Erva da família das gramíneas (*Imperata brasiliensis*), que chega a 1 m de altura e coloniza terras degradadas. O rizoma termina em ponta dura e pungente; as folhas, rígidas, não servem como forragem, mas são apreciadíssimas para cobertura de casebres; inflorescências plumosas e alvas. [Pl.: *capins-sapés.*]
capim-seda. *S. m. Bras.* V. *capim-de-burro.* [Pl.: *capins-sedas* e *capins-seda.*]
capim-trapoeraba. *S. m. Bras., BA.* Erva da família das gramíneas (*Panicum gladiatum*), cujos colmos, ascendentes e ramificados, chegam a 0,60 m de altura. Folhas cordadas, ovado-lanceoladas, acuminadas, de margem áspera; as espiguetas organizam-se em panículas eretas e multifloras.
capim-vetiver. *S. m. Bras.* Erva da família das gramíneas (*Vetiveria zizanioides*), originária da Nova Zelândia, cultivada no Brasil para obtenção de essência oleosa usada em perfumaria. As raízes, secas, são fortemente aromáticas, e põem-se em gavetas para perfumar a roupa; servem, ainda, para fazer escovas e tapetes perfumados. [Pl.: *capins-vetiveres* e *capins-vetiver.*]
capina. [Dev. de *capinar.*] *S. f. Bras.* **1.** Ato ou efeito de capinar; mondadura, sacha; capinação, carpa, carpição. **2.** Mondadura que se realiza no cafezal durante o mês de janeiro. **3.** *Bras., RS. Fam.* V. *repreensão* (1).
capinação. *S. f. Bras.* V. *capina* (1).
capinadeira. *S. f. Bras.* Máquina agrícola para capina mecânica; carpideira.
capinador (ô). *Adj.* e *s. m. Bras.* Que ou aquele que capina; mondadeiro, mondador, sachador, carpidor.
capinal. *S. m. Bras., N.* Terreno coberto de capim alto e cerrado. [Cf. *capinzal.*]
capinar. *V. t. d.* **1.** *Bras.* Limpar (as plantas, uma plantação, um terreno) de capim ou de qualquer erva má que entre elas ou nele cresce; mondar, sachar: "A terra, a água e o sol lá estavam cercando de fecundidade as raízes e os negros auxiliavam a natureza c a p i n a n d o as roças" (Coelho Neto, *Rei Negro*, p. 10). [Sin. (no S.): *carpir, carpar.*] **2.** *Bras., MG.* Fazer mal a (uma pessoa), mediante informações desfavoráveis a respeito dela. *Int.* **3.** *Bras. Gír.* Ir embora; sair: c a p i n o u cedo. **4.** *Bras.* V. *fugir* (1 e 2).
capincho. [Do esp. plat. *capincho.*] *S. m. Bras., RS.* V. *capivara* (1): "tive ganas de me banhar; até para quebrar a lombeira... e fui-me à água que nem c a p i n c h o!" (Simões Lopes Neto, *Contos Gauchescos e Lendas do Sul*, p. 125).
capineira. *S. f. Bras., SE* e *BA.* V. *capinzal.* [F. paral.: *capineiro.*]
capineiro. *S. m.* **1.** *Bras.* Mondador ou segador de capim. [Var. (pop.): *capinheiro.*] **2.** *Bras., MG.* V. *timburetinga.* **3.** *Bras., SE* e *BA.* V. *capinzal.*
capinha. [Dim. de *capa*[1].] *S. f.* **1.** Capa[1] com que o toureiro provoca ou distrai o touro; capote. ● *S. m.* **2.** Toureiro que capeia o touro.
capinheiro. *S. m. Bras. Pop.* Capineiro (1).
capinima. [De provável or. tupi.] *S. f. Bras., MA.* V. *tracajá.*
capininga. [Do tupi, decerto.] *S. f. Bras., MA.* V. *tracajá.*
capinopolino. *Adj.* **1.** De, ou pertencente ou relativo a Capinópolis (MG). ● *S. m.* **2.** O natural ou habitante de Capinópolis.
capintinga. [De *capetinga*, com nasalação?] *S. f. Bras.* Erva da família das gramíneas (Panicum discolor), cujo colmo, pouco ramificado, chega a 2,5 m de altura. Folhas lanceoladas, arredondadas na base, com 0,016 m de largura; as espiguetas ordenam-se em panículas magnas e eretas, cujo eixo anguloso é escabro.
capinzal. *S. m. Bras.* Terreno coberto de capim de qualquer espécie. [Sin., *Bras., SE* e *BA: capineira, capineiro.* Cf. *capinal.*]
capinzalense. *Adj. 2 g.* **1.** De, ou pertencente ou relativo

a Capinzal (SC). ● *S. 2 g.* **2.** Natural ou habitante de Capinzal.

capioa (ô). *S. f. Bras., BA, MG* e *SP.* Fem. de *capiau.*

capiongo. *Adj. Bras.* **1.** Triste, macambúzio, tristonho; piongo: "Voltou da pescaria com as mãos abanando, capiongo, meio leso" (Domingos Olímpio, *Luzia-Homem,* p. 207). **2.** Diz-se do indivíduo que tem defeito em uma das vistas. [Cf. *capiango.*]

capirocho (ô). [De *capiroto,* com palatalização.] *S. m. Bras. Pop.* V. *diabo* (2).

capirote. [Do gascão *capirot.*] *S. m.* Certo capuz antigo.

capiroto (ô). [De *capirote?*] *S. m. Bras. Pop.* V. *diabo* (2).

capiscar. [Do it. *capisco,* 'entendo', do v. *capire* + *-ar*[2].] *V. t. d. Bras.* **1.** Entender pouco ou mal de (língua, ofício, etc.). **2.** Apanhar (o sentido de alguma coisa); entender, compreender. [Irreg. Conjug.: v. *trancar.*]

capista. *S. 2 g.* Artista que desenha e/ou projeta capas para livros.

capistrana. [Do antr. *Capistrano,* do Conselheiro João Capistrano, presidente da província de Minas Gerais.] *S. f. Bras. MG, Diamantina.* Calçada formada de lajes de grandes dimensões, no centro das ruas: "As notícias, ... se ofereciam matéria para as conversas no largo, ao longo da capistrana, não chegavam a influir nos hábitos daquela coletividade presa .... a um passado ainda visível por toda parte." (Juscelino Kubitschek, *Meu Caminho para Brasília,* 1º vol., p. 51.)

capitação. [Do lat. *capitatione.*] *S. f.* Imposto, tributo ou contribuição que se paga por cabeça. [Cf. *captação.*]

capitado. *Adj. Bot.* Que recorda a forma de pequenina cabeça: *estigma capitado.* ~ V. *pêlo —.*

capital. [Do lat. *capitale.*] *Adj. 2 g.* **1.** *P. us.* Relativo à cabeça. **2.** Principal, essencial, fundamental, primário: "depois da catequese das tribos, através de esforços que lembram os primeiros séculos da Igreja, animou-os [aos jesuítas] a preocupação capital de salvá-las da escravidão." (Euclides da Cunha, *Contrastes e Confrontos,* p. 51.) **3.** *Tip.* V. *maiúsculo* (2). ~ V. *crédito —, letra —, navio —, obra —, pecado — e pena —.* ● *S. f.* **4.** Cidade que aloja a alta administração de um país ou de um estado, província, departamento, etc. **5.** Letra capital. **6.** V. *letra capitular.* **7.** V. *letra de caixa alta.* ● *S. m.* **8.** Riqueza ou valores disponíveis. **9.** Qualquer bem econômico suscetível de ser aplicado na produção. **10.** Qualquer riqueza capaz de dar renda e que se emprega para obter nova produção: "Não será esta uma questão capital: saber até que ponto depende o desenvolvimento da presença e influência do capital estrangeiro?" (Barbosa Lima Sobrinho, *Estudos Nacionalistas,* p. 3.) **11.** Fundo de dinheiro ou patrimônio de uma empresa; cabedal. ◆ **Capital aberto.** Capital de uma empresa (3) constituído mediante subscrição popular. **Capital circulante.** *Econ.* Capital flutuante. **Capital constante.** *Econ.* Na economia marxista, o conjunto dos produtos intermediários, e bem assim o desgaste das máquinas, equipamentos e demais bens de produção, necessários a produzir um bem final. **Capital de giro.** Parte ativa do capital de uma empresa (3) destinada a custear as próprias operações mercantis; ativo circulante, capital de trabalho. **Capital de risco.** *Econ.* O que se emprega no investimento direto. **Capital de trabalho.** V. *Capital de giro.* **Capital elegante.** *Paleogr.* Diz-se da, ou a forma menos rígida da escrita ou da letra capital (1), com ligeiros arredondamentos e hastes dotadas de remates. **Capital fechado.** Capital de uma empresa (3) constituído por subscrição entre determinado número de sócios. **Capital flutuante.** *Econ.* Total da moeda necessária a uma firma para a aquisição de matéria-prima e pagamento de mão-de-obra durante o período de produção; capital circulante. **Capital integralizado.** Capital subscrito e pago pelos acionistas da empresa (3) no ato de sua incorporação ou em determinado prazo. **Capital rústica.** *Paleogr.* Diz-se da, ou a forma menos cuidada, assimétrica, da escrita ou da letra capital (1). **Capital social.** Capital inicial de uma empresa (3), corrigido através da incorporação de lucros.

capital-ações. *S. m. pl. Cont.* As ações das sociedades anônimas e em comandita. [Opõe-se a *capital-obrigações* (debêntures).]

capitalismo. *S. m.* Sistema social fundado na influência ou predomínio do capital; regime social em que os meios de produção constituem propriedade privada e pertencem aos capitalistas.

capitalista. *Adj. 2 g.* **1.** Referente a capital ou ao capitalismo; capitalístico. **2.** Diz-se do sócio que fornece capital a uma empresa. ● *S. 2 g.* **3.** Pessoa que vive do rendimento de um capital. **4.** *P. ext.* Pessoa que tem muito dinheiro. **5.** Pessoa que fornece capital a empresas.

capitalístico. *Adj.* Capitalista (1).

capitalização. *S. f.* Ato ou efeito de capitalizar.

capitalizar. *V. t. d.* **1.** Converter em capital. **2.** Adicionar ao capital: *Semestralmente os bancos capitalizam os juros dos depósitos.* **3.** Tirar partido ou proveito de: "a imprensa capitalizava o escândalo, especialmente por ser o acusado pessoa de certa posição social e de idade provecta." (R. Magalhães Jr., *Artur Azevedo e Sua Época,* p. 147). *Int.* **4.** Acumular ou ajuntar dinheiro, com vista à formação de um capital: *Os jovens devem capitalizar para garantir o futuro.*

capitalizável. *Adj. 2 g.* Que se pode capitalizar.

capital-obrigações. *S. m. pl. Cont.* Denominação usual, embora imprópria, das debêntures emitidas por uma sociedade anônima ou em comandita por ações. [Opõe-se a *capital-ações.*]

capitanear. *V. t. d.* **1.** Dirigir como capitão; comandar: *Capitaneou a tropa com a perícia de um general.* **2.** Dirigir, governar: *É tarefa muito árdua capitanear um país. Int.* **3.** Fazer de capitão; mandar como superior: *Líder verdadeiro, nos momentos mais difíceis sabe capitanear.* [Conjug.: v. *frear.*]

capitania. *S. f.* **1.** Qualidade ou dignidade de capitão. **2.** Comando, chefia. **3.** V. *capitania hereditária.* [Cf. *capitânia.*] ◆ **Capitania do porto.** *Mar.* Repartição dependente do Ministério da Marinha, com jurisdição em determinada área marítima ou fluvial do país, e à qual compete o trato de assuntos relacionados com a segurança da navegação e o tráfego marítimo. **Capitania hereditária.** Cada uma das primeiras divisões administrativas do Brasil, das quais se originaram as províncias e os estados de hoje, e cujos chefes tinham o título de capitão-mor. [Tb. se diz apenas *capitania.* Sin.: *donataria.*]

capitânia. *Adj. (f.)* e *s. f. Mar. G.* Diz-se do, ou o navio em que se acha embarcado o comandante *(capitão)* de uma força naval. [Cf. *capitania.*]

capitão. [Do it. *capitano.*] *S. m.* **1.** V. hierarquia militar. **2.** Militar que detém o posto de capitão. [É m. us. capitão, abreviadamente, para designar capitão-aviador.] **3.** Antigo comandante das milícias locais. **4.** *Mar. Merc.* Comandante de navio mercante. [Sin. (ant.), nesta acepç.: *mestre.* Cf. *arrais* (2) e *patrão* (5).] **5.** *Ant. Burl.* Nos navios de guerra, o grumete encarregado das vassouras. **6.** Chefe militar; caudilho; comandante: *Alexandre foi o grande capitão macedônio.* **7.** Dirigente de partido ou facção política; chefe; caudilho: *Os irmãos Gracos foram capitães da plebe romana.* **8.** Chefe, comandante, cabeça: *A polícia caça o capitão do bando.* **9.** Atleta que representa a equipe. **10.** *Teat.* Uma das principais personagens cômicas da *commedia dell'arte* [q. v.], cujo comportamento é ridiculamente autoritário e que representa o poder militar. **11.** *Bras., N.E.* Personagem do bumba-meu-boi [q. v.], com essas mesmas características; capitão-boca-mole. **12.** *Bras., BA. Folcl.* Dirigente de um canto[1] (9) eleito democraticamente pelos ganhadores [v. *ganhador* (4)] do bairro. **13.** *Bras.* Ave passeriforme, da família dos icterídeos (*Amblyramphus holosericeus* (Scop.)), do S.O. e extremo S., de coloração negra carregada, cabeça, pescoço e peito amarelo-avermelhados. Freqüenta lugares próximos da água, e nidifica nos juncais. [Sin.: *soldado.*] **14.** *Bras., RS.* V. *pão-de-galinha.* **15.** *Bras.* V. *escaravelho* (1). **16.** *Bras.* Tombo que se dá nas pedras, em torno de sua menor dimensão, para deslocá-las. **17.** *Bras.* A bóia principal da rede de pesca. **18.** *Bras.* A parte central da laranja cortada verticalmente. **19.** *Bras.* Bocado de comida que tenha molho, amassado com farinha, entre os dedos, à moda de bolo, e levado com a mão até à boca; capetão: "Derrubou farinha de mandioca em cima [do feijão], mexeu e pôs-se a fazer grandes capitães com a mão, com que entrouxava a bocarra." (Bernardo Élis, *Ermos e Gerais,* p. 79.) **20.** *Bras. fam.* V. *urinol.* (1). ◆ **Capitão de bandeira.** *Mar. Bras.* O comandante de navio capitânia de uma força, quando não existe acumulação das funções de comandante do navio e da força. **Capitão de indústria.** Grande industrial; industrial pioneiro, líder. **Capitão dos portos.** Autoridade encarregada da conservação e policiamento dos portos e da fiscalização das águas territoriais.

capitão-aviador. *S. m.* **1.** V. *hierarquia militar.* **2.** Oficial que detém o posto de capitão-aviador. V. *capitão* (2). [Pl.: *capitães-aviadores.*]

capitão-boca-mole. *S. m. Bras., N.E.* Capitão (11). [Pl.: *capitães-bocas-moles.*]

capitão-chico. *S. m. Bras.* Certa raça porcina brasileira. [Pl.: *capitães-chicos.*]

capitão-da-porcaria. *S. m. Bras., RS.* V. *macuquinho.* [Pl.: *capitães-da-porcaria.*]

capitão-das-porcarias. *S. m. Bras., RS.* V. *macuquinho.* [Pl.: *capitães-das-porcarias.*]

capitão-de-assaltos. *S. m. Bras. Ant.* Indivíduo que se encarregava de escravizar o caboclo. [Sin. na BA: *capitão-de-estrada.* Pl.: *capitães-de-assaltos.*]

capitão-de-bigode. *S. m. Bras.* **1.** Ave piciforme, da família dos capitonídeos *(Capito auratus nitidor* Chapm.), do extremo O. setentrional. Coloração dorsal preta e alaranjada no dorso posterior; fronte amarela, lavada de escarlate; peito amarelo, lavado de alaranjado; uma linha branca de cada lado do dorso anterior e nas coberteiras superiores maiores da asa. **2.** V. *joão-do-mato.* [Pl.: *capitães-de-bigode.*]

capitão-de-cabotagem. *S. m. Mar. Merc.* Capitão credenciado a comandar navio mercante empregado em navegação de cabotagem. [Pl.: *capitães-de-cabotagem.*]

capitão-de-corveta. *S. m.* **1.** V. *hierarquia militar.* **2.** Oficial que detém o posto de capitão-de-corveta. [F. red.: *corveta.* Pl.: *capitães-de-corveta.*]

capitão-de-estrada. *S. m. Bras., BA.* Capitão-de-assaltos. [Pl.: *capitães-de-estrada.*]

capitão-de-fragata. *S. m.* **1.** V. *hierarquia militar.* **2.** Oficial que detém o posto de capitão-de-fragata. [F. red.: *fragata.* Pl.: *capitães-de-fragata.*]

capitão-de-longo-curso. *S. m. Mar. Merc.* Capitão credenciado a comandar navio mercante empregado na navegação de longo curso [q.v.]. [Pl.: *capitães-de-longo-curso.*]

capitão-de-mar-e-guerra. *S. m.* **1.** V. *hierarquia militar.* **2.** Oficial que detém o posto de capitão-de-mar-e-guerra. [F. red.: *mar-e-guerra.* Pl.: *capitães-de-mar-e-guerra.*]

capitão-de-mato. *S. m. Bras.* V. *capitão-do-mato* (1): "Antes da abolição, alguns pretos haviam abandonado a casa, sido presos pelo capitão-de-mato, fugido novamente." (Graciliano Ramos, *Infância.* p. 128.) [Pl.: *capitães-de-mato.*]

capitão-de-saíra. *S. m. Bras.* **1.** Ave passeriforme, da família dos cotingídeos *(Attila rufus* (Vieil.)), do Brasil este-meridional. Coloração pardo-bruna no dorso; cauda e abdome castanhos; cabeça, pescoço e garganta cinzentos. [Sin.: *tinguaçu.*] **2.** Catirumbava. [Pl.: *capitães-de-saíra.*]

capitão-de-sala. *S. m. Bras.* V. *oficial-de-sala.* [Pl.: *capitães-de-sala.*]

capitão-do-campo. *S. m. Bras., N.* e *N.E.* **1.** V. *capitão-do-mato* (1). **2.** Feitor dos negros nos trabalhos agrícolas. **3.** Carvão-branco. **4.** *Bras.* V. *boipeva.* [Pl.: *capitães-do-campo.*]

capitão-do-mato. *S. m.* **1.** *Bras.* Indivíduo que se dedicava à captura dos escravos fugidos; capitão-de-mato, capitão-do-campo: "Capitães-do-mato, assim se chamavam os caçadores de negros, aos quais a lei em regulamentos especiais concedia poderes discricionários contra aquelas miseráveis criaturas que fugiam ao jugo da escravidão." (João Ribeiro, *História do Brasil,* p. 268.) **2.** *Bras.* Inseto lepidóptero, da família dos morfídeos (*Morpho achilleana violaceus* Fruhst.), de asas azuis com bordos pretos, as anteriores com duas manchas brancas e as posteriores com manchinhas cor de tijolo. **3.** *Bras.* V. *joão-do-mato.* **4.** *Bras.* V. *surucuá-de-barriga-amarela.* **5.** V. *boipeva.* **6.** *Bras., L.* a *S.* Trepadeira da família das cucurbitáceas *(Cayaponia cabloca),* vilosa e provida de gavinhas, de folhas ovais e orbiculares, mais ou menos recortadas, com lobos denticulados e membranáceos, flores unissexuais, pilosas, amarelas, solitárias, que alcançam 0,02 m de comprimento, e frutos bacáceos pubescentes, purgativos, com 0,02 a 0,03 m de comprimento. [Pl.: *capitães-do-mato.*]

capitão-mor. *S. m.* **1.** Autoridade que, numa cidade ou vila, comandava a milícia chamada ordenanças. **2.** Título que tinham os donatários das capitanias: "O governador-geral era, como os capitães-mores das capitanias, também o comandante das tropas". (João Ribeiro, *História do Brasil,* p. 87.) [V. *capitania hereditária. Pl.: capitães-mores.*]

capitão-tenente. *S. m.* **1.** V. hierarquia militar. **2.** Oficial que detém o posto de capitão-tenente. **3.** V. *tenente* (3) [Pl.: *capitães-tenentes.*]

capitari. [Do tupi *kapita'ri.*] *S. m.* **1.** *Bras., AM.* Árvore da família das bignoniáceas *(Couralia taxophora),* que habita as margens dos rios. Folhas penadas; flores róseas e vistosas; frutos capsulares, cujas sementes, aladas, fornecem um óleo secativo; e madeira castanho-escura e dura, que serve para marcenaria. **2.** *Bras., AM.* O macho da tartaruga-do-amazonas. [Cf. (na acepç. 2) *zé-pregos.*]

capitato. [Do lat. *capitatu*.] *Adj. Morfol. Veg.* **1.** Que tem forma de cabeça. **2.** Que termina em cabeça.

capitel. [Do fr. *chapiteau*.] *S. m.* **1.** *Arquit.* Coroamento do fuste de uma coluna. **2.** *Arquit.* Arremate superior, em geral esculturado, de pilastra, balaústre, etc. **3.** A parte superior do foguete (2). **4.** Capacete (2). **5.** *Ant.* Cobertura para resguardo do ouvido das peças de artilharia. [Pl.: *capitéis*.]

capitelado. *Adj. Morfol. Veg.* Um tanto capitado: *pêlo* capitelado.

capité-minanei. *Bras. S. 2 g.* **1.** Indivíduo dos capités-minaneis, tribo indígena aruaque do rio Içana. ● *Adj. 2 g.* **2.** Pertencente ou relativo a essa tribo. [Pl.: *capités-minaneis*.]

▲**capiti-.** [Do lat. *caput, capitis*.] *El. comp.* = 'cabeça': *capitiforme*.

capitiforme. [De *capiti-* + *-forme*.] *Adj. 2 g.* De forma semelhante à de uma cabecinha: *glândula* capitiforme.

capitilúvio. [Do lat. *capitilaviu*.] *S. m.* Banho apenas na cabeça.

➧**capitis diminutio** (cápitiç diminúcio). [Lat., 'diminuição da capacidade' (no ant. direito romano).] *Jur.* Diminuição ou perda de autoridade, em geral humilhante ou vexatória.

capitiú. *S. m. Bras.* V. *cardamomo-da-terra*.

capitolino[1]. [Do lat. *capitolini*.] *Adj.* Do, ou pertencente ou relativo ao Capitólio: *a estátua de Júpiter* capitolino.

capitolino[2]. *Adj.* **1.** De, ou pertencente ou relativo a Capitólio (MG). ● *S. m.* **2.** O natural ou habitante de Capitólio.

capitólio. [De *Capitólio*, templo dedicado a Júpiter e cidadela da antiga Roma.] *S. m. Fig.* A glória, o esplendor, o triunfo.

capitonê. [Do fr. *capitonné*.] *Adj. 2 g.* **1.** Diz-se do estofamento ou do móvel estofado com o tecido, ou outro material, preso de espaço a espaço (em geral com botões) formando losangos fofos: *poltrona* capitonê. **2.** Diz-se do tecido, do couro, do plástico, etc., usado em estofamento capitonê. ● *S. m.* **3.** Estofamento capitonê. [Cf. *matelassê*.]

capitonídeo. *S. m.* **1.** Espécime dos capitonídeos. ● *Adj.* **2.** Pertencente ou relativo a eles.

capitonídeos. *S. m. pl. Zool.* Aves piciformes, da família *Capitonidae*, caracterizadas por terem o bico de tamanho médio e plumagem de colorido vivo e majestoso. As espécies brasileiras são endêmicas da Amazônia. São os capitães-de-bigode.

capitoso (ô). [Do it. ant. *capitoso*, 'teimoso'.] *Adj.* **1.** Que sobe à cabeça, que entontece, embriaga: "De permeio com as jaculatórias, bebia-se muita jeropiga capitosa" (Camilo Castelo Branco, *Maria da Fonte*, p. 19); "descobriu nela o capitoso encanto com que nos embebedam as cortesãs" (Aluísio Azevedo, *O Cortiço*, p. 17). **2.** *P. us.* Cabeçudo, teimoso.

capítula. [De *capítulo*.] *S. f.* Cada uma das preces do breviário (1). [Cf. *capitula* do v. *capitular*.]

capitulação. [Do lat. medieval *capitulatione*.] *S. f.* **1.** Ato ou efeito de capitular. **2.** Convenção segundo a qual um chefe militar entrega ao inimigo o posto que defende ou as tropas que comanda; rendição. **3.** Sujeição, submissão, renúncia. **4.** Acordo entre litigantes. **5.** Transigência à força das circunstâncias; cessão.

capitulador (ô). *S. m.* Aquele que capitula.

capitulante. *Adj. 2 g.* **1.** Que contrata a capitulação. **2.** Que entrega por capitulação.

capitular[1]. [Do lat. medieval *capitulare*.] *Adj. 2 g.* **1.** Relativo a capítulo (3), ou a cabido[1]. **2.** Maiúsculo; capital: *letra* capitular. ~ V. *letra* —, *página* — e *vigário* —. ● *S. f.* **3.** Letra capitular. ~ V. *capitulares*.

capitular[2]. [Do lat. medieval *capitulare*.] *V. t. d.* **1.** Ajustar mediante certas condições: capitular *uma rendição*. **2.** Descrever, fazendo notar as características; caracterizar metodicamente: *A fim de situar a obra,* capitulou *a vida do autor*. **3.** Reduzir a capítulos [v. *capítulo* (1)]. **4.** Acusar, formulando em capítulos [v. *capítulo* (2)] a acusação. **5.** Enumerar, articular: capitular *falhas*. *Transobj.* **6.** Classificar, qualificar, tachar: Capitulam*-no de infiel*. *Int.* **7.** Render-se, entregar-se, mediante capitulação (2): *Não resistindo ao ataque, as forças inimigas* capitularam. **8.** Transigir, ceder: *Não resistiu às súplicas do amigo:* capitulou. [Pres. ind.: *capitulo, capitulas, capitula*, etc. Cf. *capítulo* e *capítula*.]

capitulares. [Fem. pl. substantivado do adj. *capitular*.] *S. f. pl. Rel.* As leis ou decretos do capítulo (3). ~ V. *capitular*.

capituleiro. *S. m.* Livro que contém as capítulas.

capituliforme. *Adj. 2 g. Bot.* Em forma de capítulo (5): *inflorescência* capituliforme.

capítulo. [Do lat. *capitulu*.] *S. m.* **1.** Divisão de um livro, lei, orçamento, tratado, etc. **2.** Artigo de contrato, acusação, etc. **3.** Assembléia de dignidades eclesiásticas para tratar determinado assunto; assembléia geral de religiosos. **4.** Lugar onde se reúnem essas assembléias; colegiada. **5.** *Morfol. Veg.* Tipo de inflorescência constituído por pequenas flores sésseis inseridas sobre um receptáculo único, característico da família das compostas; antódio, calátide. **6.** *Zool.* Porção cefálica dos carrapatos, e que serve de sustentação às quelíceras e aos palpos. [Cf. *capitulo*, do v. *capitular*.]

capiúna. *S. f. Bras.* V. *corcoroca* (1 e 2).

capivara. [Do tupi *kapi'wara*, 'comedor de capim'.] *S. f. Bras.* **1.** O maior dos roedores atuais, da família dos cavídeos (*Hydrochoerus hydrochoeris* (L.)), distribuído pela região cisandina da América do Sul. Mãos com quatro dedos revestidos de unhas espessas; pés com três dedos providos de membranas. Coloração bruno-arruivada, superfície ventral amarelo-brunácea suja. As capivaras preferem as margens dos rios cobertas de gramíneas, brejos, lagoas, sobretudo na proximidade de matas ou cerrados. Vivem em bandos, saindo geralmente à noite, e são hábeis nadadoras; um exemplar adulto pesa mais de 50 quilos. [Sin.: *capincho, carpincho*.] **2.** Planta da família das aristoloquiáceas (*Aristolochia birostris*).

capivariano. *Adj.* **1.** De, ou pertencente ou relativo a Capivari (SP). ● *S. m.* **2.** O natural ou habitante de Capivari.

capixaba. [Do tupi *kapi'xawa*, 'terra de plantação', 'sítio, roça'.] *Bras. Adj. 2 g.* **1.** Espírito-santense[1] (1). **2.** *Desus.* De, ou pertencente ou relativo a Vitória, capital do ES. ● *S. 2 g.* **3.** Espírito-santense[1] (2). **4.** *Desus.* Antigo apelido dos naturais ou habitantes de Vitória, capital do ES. ● *S. m.* **5.** Pequeno estabelecimento agrícola. **6.** *Bras., CE.* V. *cangaceiro*. ● *S. f.* **7.** *Bras., L. a S.* Arbusto polimorfo, da família das euforbiáceas (*Sebastiana brasiliensis*), de folhas obovadas ou arredondadas, obtusas e mais ou menos coriáceas, flores pequeninas, unissexuais, dispostas em espigas delgadas e compridas, e frutos capsulares, pequenos e trivalvares.

capixim. [De possível or. tupi.] *S. m. Bras.* Arbusto ou arvoreta da família das monimiáceas (*Mollinedia schottiana*), que habita a floresta pluvial, de folhas amplas, ovadas ou oblongo-lanceoladas, acuminadas, algo serruladas e pilósulas. Flores unissexuais, pequenas, cimosas, providas de muitos estames e pistilos; o fruto, drupáceo, é ovado, e chega a 0,015 m de comprimento.

capixingui. [Var. de *tapixingui*, tupi tapitĩ'gui.] *S. m. Bras.* Designação comum a várias plantas da família das euforbiáceas.

▲**capn(o)-.** [Do gr. *kapnós, oû*.] *El. comp.* = 'fumo', 'vapor': *capnóide; capnomancia*. [Equiv.: *-capno: acapno*.]

▲**-capno.** Equiv. de *capn(o)-*.

capnófugo. [De *capn(o)-* + *-fugo*.] *Adj.* Preservativo do fumo.

capnóide. [De *capn(o)-* + *-óide*.] *S. f.* V. *fel-da-terra* (1).

capnomancia (cí). [De *capn(o)-* + *-mancia*.] *S. f.* Adivinhação por meio do fumo.

capnomante. [De *capn(o)-* + *-mante*.] *S. 2 g.* Pessoa que pratica a capnomancia.

capnomântico. *Adj.* Relativo à capnomancia, ou a capnomante.

capô. [Do fr. *capot*.] *S. m.* **1.** *Autom.* Cobertura metálica, móvel, que serve para proteger o motor; capuz: "A água escorria dos pára-lamas, do capô, do carro todo." (Herberto Sales, *Histórias Ordinárias*, p. 74.) **2.** Qualquer tampa (ou parte de tampa) móvel que protege o motor de uma máquina.

capoeira[1]. *S. f.* **1.** Gaiola grande ou casinhola onde se criam e alojam capões e outras aves domésticas. **2.** *P. ext.* O conjunto das aves domésticas. **3.** *P. ext.* O conjunto das aves domésticas de uma criação: *O gambá está-me dizimando a* capoeira. **4.** *Ant. Fort.* Espécie de cesto para resguardo da cabeça dos defensores de uma fortaleza. **5.** *Ant. Fort.* Escavação guarnecida de seteiras.

capoeira[2]. [Do tupi *kapu'era*.] *S. f. Bras.* **1.** Terreno em que o mato foi roçado e/ou queimado para cultivo da terra ou para outro fim: "A capoeira (mata que foi) aparece em todos os distritos agrícolas do país, visto que é um resultado das queimadas." (Raimundo Lopes, *Uma Região Tropical*, p. 99.) **2.** Mato que nasceu nas derrubadas de mata virgem. **3.** V. *uru*[1]. **4.** *Cap.* Jogo atlético, constituído por um sistema de ataque e defesa, de caráter individual e origem folclórica genuinamente brasileira, surgido entre os escravos bantos procedentes de Angola no Brasil colônia, e que, apesar de inicialmente perseguido até as primeiras décadas do séc. XX, sobreviveu à repressão e hoje se amplia e se institucionaliza como prática desportiva regulamentada; capoeiragem. [Cf. *pernada* (7).] ● *S. 2 g.* **5.** *Cap.* Indivíduo que pratica esse jogo; capoeirista. ♦ **Capoeira brejada.** *Bras., PB.* O trecho mais úmido de uma capoeira (1) **Capoeira grossa.** *Bras.* Tipo de capoeira (1) onde crescem árvores altas e grossas; capoeira-de-machado. **Capoeira rala.** *Bras., N.E.* Terreno roçado quase todos os anos, e no qual a vegetação quase não passa de arbustos e ervas.

capoeiraçu. [De *capoeira*[2] (2) + *açu*; var.: *capoeiruçu*.] *S. f. Bras.*, V. *capoeirão*[2].

capoeirada. *S. f. Bras. Cap.* **1.** Conjunto de capoeiristas. **2.** *Obsol.* Designação das maltas de capoeiristas que no séc. XIX e princípio do séc. XX provocavam desordens e promoviam agressões em desfiles, festas, aglomerações, etc.

capoeira-de-machado. *S. f. Bras.* Capoeira grossa [q.v.]. [Pl.: *capoeiras-de-machado*.]

capoeira-de-pau-de-machado. *S. f. Bras., MG.* Capoeira[2] (2) rica em madeiras de lei, que restaram das matas antigas. [Pl.: *capoeiras-de-pau-de-machado*.]

capoeira-furada. *S. f.* Os claros existentes na vegetação lenhosa das capoeiras [v. *capoeira*[2] (2)]. [Pl.: *capoeiras-furadas*.]

capoeiragem. [De *capoeira*[2] + *-agem*.] *S. f. Bras.* **1.** Sistema de luta dos capoeiras [v. *capoeira*[2] (5)]. **2.** Vida de capoeira. **3.** Capoeira[2] (4).

capoeirana. [De *capoeira*[2] (2) + *-ana*.] *S. f. Bras., Amaz.* V. *acapurana*.

capoeirano. *S. m. Bras., BA.* Morador de terras de capoeira[2] (1).

capoeirão[1]. *Adj.* e *s. m. Bras.* Diz-se de, ou homem idoso que, por efeito da idade, é pacato.

capoeirão[2]. *S. m. Bras.* Capoeira[2] (2) muito densa e alta; capoeiraçu, capoeiruçu. [Quando parece mata virgem, dá-se-lhe, no N. e N.E., o nome de *capoeirão-de-machado*.]

capoeirão-de-machado. *S. m. Bras. N.* e *N.E.* V. *capoeirão*[2]. [Pl.: *capoeirões-de-machado*.]

capoeirar. *V. t. d. Bras. Cap.* Praticar a capoeira[2] (4).

capoeirinha. [Dim. de *capoeira*[2].] *S. f. Bras.* Capoeira[2] (1) baixa e rala, com menos de 12 anos de formada.

capoeirista. *S. 2. g.* Jogador de capoeira[2] (4); capoeira.

capoeiro[1]. [De *capoeira*[1] (2).] *S. m.* Ladrão de capoeiras.

capoeiro[2]. *Adj.* **1.** Relativo a capoeira[2] (1), ou a matas roçadas. ● *S. m.* **2.** *Bras.* Pequeno veado sem cornos, de cujo couro se fazem as vestes dos vaqueiros.

capoeiruçu. [Var. de *capoeiraçu*.] *S. m. Bras.* V. *capoeirão*[2].

capona. *S. f. Bras.* Capa grande de mulher: "Ali estavam .... as beatas — êmulas das bruxas das igrejas — revestidas da capona preta lembrando a holandilha fúnebre da Inquisição" (Euclides da Cunha, *Os Sertões*, p. 199).

caponete (ê). *S. m. Bras., RS.* Pequeno capão[2].

caponga. *S. f. Bras.* **1.** Pequeno lago litorâneo de água doce, formado nos areais. **2.** Areal que se alaga com as chuvas, coberto, em geral, por vegetação herbácea, higrófila e baixa. **3.** Linha de pescar, sem anzol e com uma bola: o pescador atrai o peixe e pega-o à mão. ♦ **Bater caponga.** *Bras.* Pescar à mão.

caporal. [Do fr. *caporal*.] *S. m.* **1.** *Ant. Lus.* Cabo-de-esquadra (2). **2.** Certa qualidade de fumo: "Já de há muito me fascinava aquele cachimbo recurvo e maravilhoso exposto, entre pacotes de caporal e piteiras reluzentes, na vitrina da Casa Negra." (Augusto Meyer, *No Tempo da Flor*, p. 34.) ● *Adj.* **3.** Diz-se de certa qualidade de fumo.

capororoca. *S. f. Bras., S.* **1.** Ave anseriforme, da família dos anatídeos (*Coscoroba coscoroba* (Mol.)), do S. da América do Sul. No Brasil aparece no extremo sul. Coloração branca com rêmiges da mão de pontas pretas; nidifica em praias desertas de rios ou lagos. [Sin.: *pato-arminho*.] **2.** Designação comum a várias plantas da família das mirsináceas. **3.** V. *jutaipeba*.

capororocaçu. *S. f. Bras.* V. *azeitona-do-mato*.

capororoca-vermelha. *S. f. Bras.* V. *azeitona-do-mato*. [Pl.: *capororocas-vermelhas*.]

capota. [Do fr. *capote*.] *S. f.* **1.** Antigo toucado; touca: "Quando saiu já D. Júlia, com a sua capota de vidrilhos e o seu vestido de merinó, dava ordens a Felícia." (Coelho Neto, *Turbilhão*, p. 135.) **2.** Coberta de automóveis e outros veículos.

capotagem. *S. f. Bras.* Ato de capotar.

capotar. [Do fr. *capoter*.] *V. int. Bras.* **1.** *Autom.*

Emborcar (o automóvel), ficando de lado, de rodas para cima, ou mesmo voltando a ficar sobre as rodas, depois de girar sobre si. **2.** *P. ext.* Virar de borco, emborcar (o aeroplano).

capote[1]. [De *capa*[1] + *-ote.*] *S. m.* **1.** V. *casacão.* **2.** Casacão militar. **3.** *Fam.* Peça de vestuário, de mangas compridas, que cobre o tronco agasalhando-o contra o frio, feita de tricô, tecido, etc., e se assemelha ao casaco (1). **4.** Capinha (1). [Dim. irreg., nesta acepç.: *capotilho.*] **5.** V. *galinha-d'angola.* **6.** *Fig.* Disfarce, dissimulação. **7.** *Bras., AM.* *Árvore da família das esterculiáceas (Sterculia speciosa),* que vive nas matas inundáveis das várzeas. As folhas são constituídas de grandes folíolos digitados; as flores, pequenas, exalam odor de carne podre; os frutos são folículos grandes e lenhosos, com sementes oleaginosas; a madeira é pardo-clara e muito mole. **8.** *Bras., BA.* Capa[1] (12). **9.** *Bras., PA.* Telha apropriada à cobertura de cumeeiras.

capote[2]. *S. m.* Reconhecimento da vitória de alguém em jogo de aposta. ♦ **Dar um capote.** Vencer, num jogo, pelo duplo ou mais do duplo dos pontos alcançados pelo adversário: "— Você o que quer é um capote; ande, vá buscar o gamão." (Machado de Assis, *Dom Casmurro,* p. 9.) **Não tirar o capote.** Não atingir, num jogo de apostas, nem a metade dos pontos obtidos pelo adversário.

capote-de-pobre. *S. m. Bras. Gír.* V. *cachaça* (1). [Pl.: *capotes-de-pobre.*]

capoteiro. *S. m. Bras.* Indivíduo que fabrica, vende ou conserta capotas de automóvel.

capotilho. *S. m.* Capote[1] curto.

capoxo (ô). *S. m. Bras.* **1.** Indivíduo dos capoxos, tribo indígena que habitava em MG e BA. ● *Adj.* **2.** Pertencente ou relativo a essa tribo.

capreoláceo. *Adj. Bot.* Relativo à gavinha.

▲**capri-.** [Do lat. *caper, pri.*] *El. comp.* = 'bode', 'cabra': *caprípede* (lat. *capripede*).

caprichar. *V. t. i.* **1.** Ter capricho, obstinar-se: *Caprichou em manter sua resolução absurda.* **2.** Esforçar-se; esmerar-se: *A natureza caprichou em dotá-la de mil encantos;* "capricham os estudiosos em fazer ressurgir da apatia física, as populações vergastadas pela miséria" (Fialho d'Almeida, *Pasquinadas,* p. 176). **3.** Timbrar; apurar-se: *Para mantê-lo interessado em sua pessoa, capricha nas demonstrações de atenção e afeto.*

capricho. [Do it. *capriccio.*] *S. m.* **1.** Desejo impulsivo, súbito, sem justificação aparente: *Resolveu ser poeta: é um capricho.* **2.** Mudança imprevisível de conduta, idéias ou sentimentos sem motivação razoável: *Foi despedido por mero capricho do chefe.* **3.** Inconstância, volubilidade: *Esta menina é só capricho.* **4.** Fantasia, extravagância. **5.** Obstinação desarrazoada; teimosia, obstinação: *Não foi à festa só por capricho.* **6.** Aplicação, apuro, esmero: *É de ver o capricho com que faz as menores coisas.* **7.** Brio, dignidade, pundonor. ♦ **A capricho.** Com aplicação, apuro, esmero; a primor; caprichosamente: "Havia poetas prevenidos que já traziam de memória, ou no bolso, pequenas trovas rimadas a capricho, a fim de não serem apanhados de surpresa, por uma dama, senhorita ou cavalheiro." (R. Magalhães Jr., *Artur Azevedo e Sua Época,* p. 147.)

caprichoso (ô). *Adj.* **1.** Que capricha. **2.** Que tem ou denota capricho(s): *É pessoa difícil, caprichosa;* "É ali [nos cárceres de Argamasilla] que, desenganado de fortuna, e desiludido sobre os favores caprichosos da corte, a musa de Cervantes lhe aparece a dardejar-lhe os raios mais intensos da inspiração" (Latino Coelho, *Cervantes,* p. 176). **3.** Feito por capricho, ou a capricho. **4.** Cuja forma, movimento, estrutura, etc., variam livremente: *O desenho estendia-se em arabescos caprichosos.*

cáprico. *Adj.* ~ V. *ácido* —.

capricorniano. *S. m.* **1.** Indivíduo nascido sob o signo de Capricórnio; capricórnio. ● *Adj.* **2.** Diz-se de, ou pertencente ou relativo a capricorniano (1).

capricórnio. [Do lat. *Capricornu.*] *S. m.* **1.** *Astr.* A 10ª constelação do zodíaco, situada no hemisfério sul, a 21h de ascensão reta e 20º de declinação sul. [Sin., p. us., *cabra.*] **2.** *Astrol.* O 10º signo do zodíaco, relativo aos que nascem entre 22 de dezembro e 19 de janeiro. [Com maiúscula, nestas acepç.] **3.** Capricorniano (1). ~ V. *trópico.*

caprídeo. *Adj.* Relativo ou semelhante a cabra. [Cf. *caprino.*]

caprificação. *S. f. Bot.* Ação de caprificar.

caprificar. *V. t. d. Bot.* Colocar figos tirados de figueiras masculinas (sobre frutos das figueiras femininas), de sorte que as moscas do gênero *Blastophaga,* ao saírem dos primeiros conduzindo o pólen, penetrem nos segundos e realizem a fecundação que enseja a produção de figos utilizáveis na alimentação humana. [Conjug.: v. *trancar.*]

caprifigo. *S. m. Bot.* Figueira masculina.

caprifoliácea. *S. f.* Espécie das caprifoliáceas.

caprifoliáceas. *S. f. pl. Bot.* Família de plantas que tem por tipo a madressilva.

caprifoliáceo. *Adj.* Pertencente ou relativo às caprifoliáceas.

caprílico. *Adj.* ~ V. *ácido* —.

caprimulgídeo. *S. m.* **1.** Espécime dos caprimulgídeos. ● *Adj.* **2.** Pertencente ou relativo a eles.

caprimulgídeos. *S. m. pl. Zool.* Aves caraciformes, da família *Caprimulgidae,* de bico largo, curto, com as margens não serradas. Noturnas, de plumagem mole, em geral com asas e cauda longas, alimentam-se exclusivamente de insetos. São os bacuraus.

caprimulgiforme. *S. m.* **1.** Espécime dos caprimulgiformes. ● *Adj.* **2.** Pertencente ou relativo a eles.

caprimulgiformes. *S. m. pl. Zool.* Aves neórnites, neognatas, ordem *Caprimulgiformes,* de bico pequeno e delicado, boca larga, tarsos muito curtos, plumagem mole e frouxa; noturnas. São os bacuraus, curiangos e urutaus.

caprino. [Do lat. *caprinu.*] *S. m.* **1.** Espécime dos caprinos. ● *Adj.* **2.** Semelhante a, ou relativo ou pertencente à cabra ou ao bode, ou próprio de um ou de outro deles; caprum, cabrum: "É o demônio! .... Vi-o vestido de chamas, galhudo, rabudo e com os pés caprinos." (João de Araújo Correia, *Cinza do Lar,* p. 214.) [Cf. *caprídeo.*]

caprinos. *S. m. pl. Zool.* Designação genérica dos mamíferos da ordem dos artiodáctilos, da subfamília *Caprinae,* na qual se reúnem as cabras e ovelhas. Chifres persistentes; herbívoros, de fácil adaptação às regiões montanhosas.

caprípede. [Do lat. *capripede.*] *Adj. 2 g. Poét.* Que tem pés de cabra: "Gênios caprípedes e broncos / Estupram virgens hamadríades." (Manuel Bandeira, *Estrela da Vida Inteira,* p. 64.)

capro. [Do lat. *capru.*] *S. m.* Bode (1).

capróico. *Adj.* ~ V. *ácido* —.

caprolactama. *S. f. Quím.* Sólido, cristalizado em escamas incolores, higroscópico, usado na obtenção das poliamidas. [Fórm.: $C_6H_{11}ON$.]

caprum. *Adj. 2 g.* V. *caprino* (2).

capsa. [Do lat. *capsa.*] *S. f.* Caixa cilíndrica onde se guardavam os rolos de papiro, perfumes, etc.

capsela. [Do lat. *capsella.*] *S. f.* Cápsula pequena.

capsídeo. [Do lat. *capsa,* 'caixa', 'cofre', + *-ídeo.*] *S. m. Genét.* Capa protéica externa que reveste uma partícula viral.

cápsula. [Do lat. *capsula.*] *S. f.* **1.** Vaso de laboratório em forma de calota esférica. **2.** Película gelatinosa, de goma, massa, etc., com que se envolvem certos medicamentos. **3.** *P. ext.* Qualquer desses medicamentos. **4.** *Astron.* Compartimento estanque que, lançado com um foguete espacial, contém os elementos ativos do lançamento — astronautas e/ou instrumentos de medida. **5.** *Bact.* Membrana que envolve certas bactérias. **6.** *Bot.* Designação geral de frutos secos e deiscentes. **7.** *Bot.* Frutificação dos musgos, onde se formam os esporos. [Dim. irreg.: *capsela.* Cf. *capsula,* do v. *capsular.*] ♦ **Cápsulas supra-renais.** *Anat.* Glândulas de secreção interna, situada sobre os rins.

capsular[1]. *Adj. 2 g.* Relativo ou semelhante a cápsula; capsuláceo.

capsular[2]. *V. t. d.* Encerrar em cápsula(s). [Pres. ind.: *capsulo, capsulas, capsula,* etc. Cf. *cápsula.*]

capsuláceo. *Adj. Bot.* Capsular[1].

capsulífero. *Adj. Bot.* Que produz cápsula(s).

capsuliforme. *Adj.* Em forma de cápsula.

captação. [Do lat. *captatione.*] *S. f.* Ato ou efeito de captar. [Cf. *capitação.*]

captador (ô). [Do lat. *captatore.*] *Adj.* e *s. m.* Que ou aquele que capta; captante.

captagem. *S. f.* Ato ou efeito de captar (2).

captante. [Do lat. *captante.*] *Adj. 2 g.* e *s. 2 g.* Captador.

captar. [Do lat. *captare.*] *V. t. d.* **1.** Atrair, granjear, conquistar, empregando meios capciosos: *Com sorrisos e mesuras, captou as boas graças do chefe.* **2.** Atrair, granjear, provocar, suscitar: "A secretária captou as admirações gerais; era de ébano, um primor de talha" (Machado de Assis, *Quincas Borba,* p. 257). **3.** Aproveitar ou colher nas nascentas (água corrente). **4.** Apanhar, colher; apreender, compreender: *Não captou o sentido de minhas palavras.*

captatório. [Do lat. *captatoriu.*] *Adj.* Relativo a captação.

captor (ô). [Do lat. *captore.*] *S. m.* Aquele que captura; capturador. ~ V. *captores.*

captores (ô). [Pl. de *captor.*] *S. m. pl. Bras.* Povos naturais que procuram os meios de subsistência caçando, apanhando e colecionando animais selvagens e vegetais silvestres. ~ V. *captor.*

captura. [Do lat. *captura.*] *S. f.* **1.** Ação ou efeito de capturar. **2.** Escolta destacada para prender condenados foragidos ou indivíduos perigosos sujeitos a medidas de segurança. **3.** *Fís. Nucl.* Processo em que um sistema nuclear, ou atômico, adquire uma partícula adicional. ♦ **Captura fluvial.** *Geog.* Desvio natural das águas de um rio para o leito de outro.

capturador (ô). *S. m.* Captor.

capturar. [De *captura* + *-ar*[2].] *V. t. d.* Prender, deter, aprisionar: *capturar foragidos; capturar uma ave.*

capuaba. [Do tupi.] *S. m.* **1.** *Bras.* Terreno limpo para roças. **2.** *Bras., RN* e *PB.* V. *cabana.* **3.** *Bras., RN* e *PB. P. ext.* Casa mal construída, ou em ruína. **4.** *Bras., BA.* V. *coió* (5).

capuão. *S. m. Bras.* V. *capão*[2]. ♦ **Capuão de mato.** *Bras.* V. *capão*[2].

capuava. [Var. de *capuaba.*] *S. m.* **1.** *Bras., MG,* V. *caipira* (1). **2.** *Bras., MG.* V. *cangaceiro.* **3.** *Bras., MG.* V. *valentão* (3). **4.** *Bras., SP.* Capoeira muito rala, de madeira branca ou só de arbustos.

capucha[1]. *S. f.* Espécie de capuz ou capote de tecido grosseiro, usado por mulheres do campo em províncias portuguesas.

capucha[2]. [De *capucho.*] *S. f.* **1.** Ordem religiosa da regra de São Francisco. **2.** Convento dessa ordem. ♦ **À capucha.** Sem pompa; modestamente: "Fez-se o casamento à capucha e os noivos seguiram para Teresópolis" (Coelho Neto, *Obra Seleta,* I, p. 269).

capuchana. *S. f. Constr. Nav.* Cobertura de lona, de brim ou de metal leve, com que se protege permanentemente uma meia-laranja, escotilha, motor de embarcação miúda, etc.

capuchar. *V. t. d.* **1.** Pôr capuz ou capucha[1] em; cobrir com capuz. **2.** *Fig.* Encobrir, dissimular.

capuchinha. [Dim. de *capucha.*] *S. f.* Erva da família das tropeoláceas *(Tropaeolum majus),* originária do Peru, largamente cultivada no Brasil como ornamental. Caule mais ou menos prostrado; folhas grandes e peltadas; flores grandes, muito vistosas, amarelas ou vermelhas, afuniladas, e com uma longa espora no cálice. [Sin.: *sapatinho-do-diabo, chagas, flor-das-chagas, sete-chagas, chaguetra.*]

capuchinho. [Do it. *cappuccino.*] *S. m.* **1.** Capuz pequeno. **2.** Religioso pertencente a uma divisão da ordem franciscana, na reforma de Mateus Basci (séc. XVI); barbadinho, barbono. **3.** *Fig.* Homem que vive austeramente. ● *Adj.* **4.** *Rel.* Diz-se de capuchinho (2); barbadinho: "volta com um baú carregado de peças d'ouro que lhe rouba um administrador, antigo frade capuchinho" (Eça de Queirós, *A Ilustre Casa de Ramires,* p. 10).

capucho[1]. *S. m. Bras.* Var. de *capulho* (2).

capucho[2]. [Do it. *cappuccio.*] *Adj.* e *s. m.* **1.** *Rel.* V. *franciscano* (1 e 5). **2.** Austero, severo. **3.** Que ou aquele que vive solitário, afastado do trato social; misantropo.

capulho. [Do esp. *capullo.*] *S. m.* **1.** Invólucro da flor. **2.** Cápsula dentro da qual se forma o algodão: "ligeiras malhas tão alvas como o algodão que pendia dos capulhos estalados acima de sua masmorra" (Franklin Távora, *O Cabeleira,* p. 76). [Var. (bras.), nesta acepç.: *capucho.*]

capurreiro. *S. m. Bras. Pop.* V. *caipira* (1).

➧**caput** (cá). [Lat.] *S. m.* **1.** Capítulo; parágrafo. **2.** Resumo, extrato, sumário.

➧**caput medusae** (cáput meduze). [Lat.] *Loc. s. f. Patol.* Cabeça-de-medusa.

caputuna-preta. *S. f. Bras.* Pequena árvore de 5 m, de copa densa, flores em panículas, vermelho-escuras, e frutos lenhosos, deiscentes. [Pl.: *caputunas-pretas.*]

capuxu. *S. m. Bras.* Vespa social *(Chartergus ater* Sauss.).

capuz. [Do b.-lat. *capuciu* ou *caputiu,* atr. do moçárabe *kabbûs, qapûc.* *S. m.* **1.** Cobertura para a cabeça e geralmente presa à capa, ao hábito ou a um casaco; capelo, chapeirão, bioco. **2.** *Autom.* Capô. [Dim. irreg.: *capuchinho.*]

capuz-de-fradinho. *S. m.* Erva da família das aráceas *(Arisarum vulgare),* que chega a cerca de 30 cm de altura, de folhas cordadas, hastadas e longamente pecioladas, espata purpúrea e recurvada no ápice. É muito cultivada como planta ornamental, e ocorre na região mediterrânea. [Pl.: *capuzes-de-fradinho.*]

caqueado. *S. m. Bras. N.E. Chulo.* Cópula (2).
caquear[1]. [De caco (8) + *-ear.*] *V. int. Bras., RJ. Teat. Gír.* Introduzir cacos em uma peça teatral: *Muitos atores têm a mania de* c a q u e a r [Conjug.: v. *frear.*]
caquear[2]. *V. t. d. e int. Bras. Pop.* Procurar às cegas; tatear: "Saltei para uma banda, c a q u e e i pelo chão, e dei com a pedra." (José Vieira, *Vida e Aventura de Pedro Malasarte,* p. 143.) [Conjug.: v. *frear.*]
caqueirada. *S. f.* **1.** Grande porção de caqueiros. **2.** Arremesso de caqueiros ou pancada com eles. **3.** *Bras., Gír.* V. *bofetada.* (1). ◆ **E caqueirada.** *Bras. Gír.* V. *e lá vai fumaça.*
caqueiro. *S. m.* Caco (2).
caquemono. [Do jap. *kakemono.*] *S. m.* Certo gênero de pinturas japonesas que se penduram às paredes como ornamento.
caquera (ê). [Do tupi *kaa'kera,* 'planta que dorme'.] *S. f. Bras.* V. *mata-pasto* (1).
caquerejar. [T. onom.] *V. int.* e *t. d.* V. *cacarejar:* "Por toda essa antiga Europa Riel, se vêem multidões de politiquetes e de políticões enflorados, emplumados, atordoadores, c a q u e r e j a n d o infernalmente, de crista alta." (Eça de Queirós, *Notas Contemporâneas,* p. 161.) [Normalmente não se conjuga nas 1as pess. Conjug.: v. *pelejar.*]
caquético. [Do gr. *kachektikós,* pelo lat. *cachecticu.*] *Adj.* Que sofre de caquexia.
caquexia (cs). [Do gr. *kachexía,* pelo lat. *cachexia.*] *S. f.* Estado de desnutrição profunda, produzido por diversas causas; enfraquecimento geral: "para o exercício da magistratura ou sacerdócio paternal era necessária uma energia incompatível com a c a q u e x i a da senectude." (Oliveira Martins, *Quadro das Instituições Primitivas,* p. 64).
caqui. [Do jap. *kaki.*] *S. m.* O fruto do caquizeiro, constituído por bagas grandes, vermelhas e doces. [Var. pros. (no RS): *cáqui.* Sin., lus. *diósporo.* Cf. *cáqui.*]
cáqui[1]. [Do urdu *kaki,* pelo ingl. *khaki.*] *Adj. 2 g.* e *2 n.* **1.** Cor de barro: "terno de brim c á q u i" (Pedro Nava, *Beira-mar,* p. 26); "Usava farda c á q u i" (Id., *ib., ib.*). ● *S. m.* **2.** Brim dessa cor: "Às dez em ponto chegou o impecável Policarpo Novais, sempre de c á q u i" (Id., *ib.,* p. 31). [Cf. *caqui.*]
cáqui[2]. *S. m. Bras., RS.* Var. pros. de *caqui.*
caquizeiro. *S. m. Bras.* Árvore frutífera, da família das ebenáceas *(Diospyros kaky),* muito cultivada no Brasil, e cujos frutos são bagas grandes, vermelhas e doces.
cara. *S. f.* **1.** A parte anterior da cabeça; rosto. **2.** Semblante, fisionomia. **3.** A parte oposta à coroa, geralmente com uma efígie, em certas moedas. **4.** *Fig.* Aspecto, aparência, ar: *O doente está de boa* c a r a ; *O bife está com boa* c a r a ; *Este bolo tem ótima* c a r a . **5.** Ousadia, coragem: *Não tem* c a r a *de vir até aqui.* ● *S. m. Bras. Gír.* **6.** Pessoa que não se conhece. **7.** Indivíduo, sujeito: "já era de noite e eu estava no posto dois com esse c a r a chamado Fabinho" (Rubem Fonseca, *A Coleira do Cão,* p. 168). ◆ **Cara a cara.** V. *face a face:* "O mundo pertence-me. Pertence-me e olho-o c a r a a c a r a sem desviar o olhar." (Raul Brandão, *Húmus,* p. 83.) **Cara amarrada.** Cara de poucos amigos. **Cara de bolacha doce.** *Bras., CE. Pop.* Cara larga. **Cara de enterro.** Fisionomia triste, compungida, de quem acompanha enterro. **Cara de fuinha.** *Fam.* Cara miúda e enfezada. **Cara de lua cheia.** Cara muito redonda. **Cara de pacamão de enxurrada.** *Bras., PE. Pop.* Cara feia demais. **Cara de poucos amigos.** Aquela que indica má disposição de ânimo; cara amarrada. **Cara de quem comeu e não gostou.** Aquela que indica má vontade, irritação. **Cara de réu.** Fisionomia fechada, carrancuda: "O pai entrou pela porta da cozinha, com uma c a r a d e r é u , de tão feia." (Rute Guimarães, *Água Funda,* p. 171.) **Cara de tacho.** *Bras. Fam.* Fisionomia própria de quem está desapontado, de quem fica sem saber que fazer. **Amarrar a cara.** *Bras. Fam.* Zangar-se, amuar-se, carregando as feições; fechar a cara. **Com a cara no chão.** Em situação penosa, ou vexatória, como a de quem prometeu e não pôde cumprir. **Dar as caras.** Aparecer (pessoa). **Dar de cara com.** Encontrar-se subitamente em presença de alguém ou de alguma coisa; dar de rosto com: "O porteiro .... havia acionado os policiais tão prontamente que, ao chegarem ao teto, os dois ladrões d e r a m d e c a r a c o m a polícia." (Beatriz Schiller, *Jornal do Brasil,* 4.11.1981.) **De cara.** V. *de saída.* **De cara cheia.** *Bras. Pop.* Bêbedo, embriagado: "— Vou refrescar-me um bocado. Compre uma garrafa de pinga e leve para lá. D e c a r a c h e i a o rendimento é outro." (Humberto Crispim Borges, *Cacho de Tucum,* p. 100.) **De meia cara.** *Bras.* Sem pagar. **Desmanchar a cara.** *Bras.* Desfazer o ar carrancudo. **Encher a cara.** *Bras. Pop.* V. *embriagar.* (4). **Encher a cara de.** *Bras. Pop.* Ingerir em grande quantidade (bebida alcoólica): "o secreta e n c h e r a a c a r a d e cachaça." (Jorge Amado, *Dona Flor e Seus Dois Maridos,* p. 394). **Enfiar a cara no mundo.** V. *fugir* (1 e 2). **Entrar com a cara.** *Bras. Fam.* V. *entrar com o corpo.* **Entrar com a cara e a coragem.** *Bras. Fam.* V. *entrar com o corpo.* **Estar na cara.** *Bras. Fam.* Estar claríssimo; ser de toda a evidência: *E s t á n a c a r a que ele é o culpado.* **Fechar a cara.** Amarrar a cara. **Ficar com a cara de pau.** *Bras.* Ficar desapontado. **Ir com a cara de.** V. *não ir com.* **Livrar a cara.** *Bras. Fam.* Conseguir sair-se bem de alguma coisa. **Livrar a cara de.** *Bras. Pop.* Tirar (alguém) de situação embaraçosa; defender: *Ao refutar as acusações do pai,* l i v r o u a c a r a d o *amigo.* **Meter a cara.** *Bras.* Entrar em algum lugar sem hesitação, sem cerimônia. **Meter a cara em.** *Bras. Pop.* Fazer (algo) com grande interesse ou paixão; empenhar-se com afinco em: *M e t e u a c a r a n o s estudos e conseguiu a aprovação.* **Não livrar a cara de.** *Bras. Fam.* Não poupar (3). **Passar na cara.** *Bras. Gír.* Ter contato sexual com: "De um conde italiano a um marinheiro das profundas caldeiras do porão, de um gigolô marselhense a uma múmia egípcia, o que estiver disponível em forma de homem neste navio, a mamãe aqui há de p a s s a r n a c a r a , não tem talvez." (Fernando Sabino, *A Falta Que Ela Me Faz,* p. 124.) **Quebrar a cara.** *Bras. Fam.* **1.** Não alcançar o que esperava, ou, contra a vontade, perder o que tinha; sofrer decepção ou malogro; malograr-se, frustrar-se, falhar, fracassar. **2.** Passar por vergonha ou vexame. **Ser a cara.** Parecer-se muito com (o pai, a mãe, o tio, etc., ou com qualquer outra pessoa); ser outra vez: *O pequeno é a c a r a d o p a i .*
cará. [Do tupi *ka'rá.*] *S. m. Bras.* **1.** V. *acará[1]* (1). **2.** *Bras.* Designação comum a várias espécies da família das dioscoreáceas, providas de tubérculos alimentares, e de que algumas são ornamentais; caranambu, caratinga. **3.** *Bras.* Inhame-da-china. **4.** *Bras., RS.* Modalidade de fandango (7).
carabídeo. *S. m.* **1.** Espécime dos carabídeos. ● *Adj.* **2.** Pertencente ou relativo a eles.
carabídeos. *S. m. pl. Zool.* Família de insetos da ordem dos coleópteros, besouros mais ou menos achatados, de tamanho e cor variáveis, existindo espécies negras e brilhantes. Predadores em geral, são encontrados sob as cascas das árvores, pedras e troncos. Vôos curtos e raros. Os mais conhecidos pelo tamanho (3 cm ou mais) são os do gênero *Calosoma.*
carabina. [Do it. *carabina.*] *S. f.* Espingarda estriada; fuzil. [Var.: *clavina, cravina.* Cf. *carambina.*]
carabinada. *S. f.* Tiro ou sucessão de tiros de carabina.
carabineiro. *S. m.* **1.** Soldado armado de carabina. **2.** Fabricante de carabinas.
caraca[1]. *S. f. Bras.* Secreção nasal ressequida; cataraca.
caraca[2]. *S. f. Bras.* V. *craca* (2).
caracá. *S. m. Bras.* V. *criciúma.*
caraça. *S. f.* **1.** Máscara de papelão; carranca. **2.** *Fig.* Cara larga e cheia: "era um figurão baixo, reboludo, de pancinha soprada, c a r a ç a balofa com manchas vermelhas" (José Gomes Ferreira, *O Mundo dos Outros,* p. 177). **3.** V. *carantonha.* ● *S. m.* **4.** Boi ou cavalo com malha branca no focinho.
caracará. [Do tupi *karaka'rá.*] *S. m. Bras.* V. *carancho.* [Var.: *carcará.*]
caracará-branco. *S. m. Bras.* V. *gavião-carrapateiro.* [Pl.: *caracarás-brancos.*]
caracaraí. [De *caracará.*] *S. m. Bras.* Ave falconiforme da família dos falconídeos (*Daptrius ater* Vieil.), da região setentrional da América do Sul, de coloração preta, parte basal de cauda branca, pele nua da cabeça encarnada; corocoturi, grogoturi.
caracaraiense (a-i). *Adj. 2 g.* **1.** De, ou pertencente ou relativo a Caracaraí (RR). ● *S. 2 g.* **2.** Natural ou habitante de Caracaraí.
caracará-preto. *S. m. Bras.* V. *cancã[2]* (2). [Pl.: *caracarás-pretos.*]
caracatinga. [De *caracará* + *-tinga.*] *S. m. Bras.* V. *gavião-carrapateiro.*
caracaxá. [De or. afr.; voc. onom.] *S. m. Bras., RS.* **1.** V. *reco-reco* (1). **2.** Chocalho com que se distraem criancinhas. [Var.: *cracaxá.*]
cara-chupada. *S. 2 g.* Pessoa de rosto muito magro: "num repente, naquele mar de cabeças, lhe caem os olhos no c a r a - c h u p a d a do estudante de Escariz" (João da Silva Correia, *Farândola,* p. 71). [Pl.: *caras-chupadas.*]
caracídeo. *S. m.* **1.** Espécime dos caracídeos. ● *Adj.* **2.** Pertencente ou relativo a eles.
caracídeos. *S. m. pl. Zool.* Grande família de peixes de água doce, da classe dos actinopterígios. São peixes escamosos e a maioria deles apresenta uma nadadeira adiposa entre as nadadeiras dorsal e caudal. Ex.: aracu, canivete, curimatã, dourado, ferreirinha, jaraqui, traíra, lambari, matupiri, morobá, pacu, piabanha, piaba, piabinha, piau, piracanju, ximburé.
caraciforme. *Adj. 2 g. Zool.* Diz-se dos peixes que têm as características dos caracídeos.
caraco. *S. m. Bras., MG.* Alcunha dos castelhanos e também dos platinos.
caracol. *S. m.* **1.** Designação comum aos moluscos gastrópodes pulmonados terrestres, pequenos, de concha fina; catassol. [Cf. *caramujo* (1).] **2.** Caminho ou rua que sobe morro ou colina em ziguezagues, ou em espiral. **3.** Anel de cabelo enrolado em espiral. **4.** A flor do caracoleiro. **5.** *Anat.* Cóclea (2). **6.** *Geom.* Caracol de Pascal. **7.** *Bras., BA. Folcl.* V. *igbim.* [Pl.: *caracóis.*] ◆ **Caracol de Pascal.** *Geom.* Lugar geométrico plano descrito por um ponto que pertence a uma reta girante em torno de um ponto fixo, e que está a uma distância constante da intersecção da reta com uma circunferência que passa pelo ponto fixo. [Tb. se diz apenas *caracol.*] **Caracol nodal.** *Geom.* Caracol de Pascal cujo ponto gerador é interno à circunferência, dando origem a uma curva com um nó. **Não valer dois caracóis.** Não valer um caracol: "Como atriz não prestava para nada, como cantora n ã o v a l i a d o i s c a r a c ó i s" (Artur Azevedo, *Contos Cariocas,* p. 238). **Não valer um caracol.** Ter muito pouco ou nenhum valor; não valer dois caracóis.
caracolar. [De *caracol* + *-ar[2].*] *V. int.* **1.** Mover-se em hélice ou em espiral. **2.** Curvetear (a cavalgadura). *T. d.* **3.** Fazer (a cavalgadura) curvetear. [F. paral.: *caracolear.*]
caracolear. *V. int.* e *t. d.* Caracolar. [Conjug.: v. *frear.*]
caracoleiro. [De *caracol* + *-eiro.*] *S. f. Bras.* Trepadeira ornamental, de flores variegadas, da família das leguminosas *(Phaseolus caracalla);* tripa-de-galinha.
caracolense. *Adj. 2 g.* **1.** De, ou pertencente ou relativo a Caracol (PI). ● *S. 2 g.* **2.** Natural ou habitante de Caracol.
caractere. *S. m. Proc. Dados.* Qualquer dígito numérico, letra do alfabeto ou um símbolo especial (p. ex.: &, $, %). ~ V. *caracteres.*
caracteres. [Pl. de *caráter.*] *S. m. pl.* **1.** Caráter (1 e 2). **2.** Sinal ou figura empregada na escrita: "A escritura chinesa tem cinqüenta mil c a r a c t e r e s , repartidos por dezessete classes, e muitos mandarins encanecem sem tê-los aprendido todos." (Carlos de Laet, *Obras Seletas,* I, p. 35); *c a r a c t e r e s egípcios.* **3.** Elementos individualizadores de uma pessoa ou coisa. ~ V. *caráter* e *caractere.* ◆ **Caracteres transferíveis.** *Art. Gráf.* Caracteres impressos em folha-suporte de plástico transparente e transportáveis para qualquer superfície lisa segundo o princípio da decalcomania; letraset, letras transferíveis.
característica. [Fem. substantivado do adj. *característico.*] *S. f.* **1.** V. *característico* (2): "A c a r a c t e r í s t i c a marcante da arte moderna é que ela se tornou acessível à compreensão do homem comum." (Euríalo Canabrava, *Estética da Crítica,* p. 88.) **2.** *Mat.* A parte inteira de um logaritmo decimal. [Cf., nesta acepç.: *mantissa.*] **3.** *Eletr.* e *Eletrôn.* Curva característica. [Var.: *caraterística.*]
característico. [Do gr. *charakteristikós.*] *Adj.* **1.** Que caracteriza ou distingue. ~ V. *curva —a, determinante —, função —a, peça —a, raiz —a* e *valor —.* ● *S. m.* **2.** Aquilo que caracteriza; distintivo, particularidade, característica. **3.** *Teat.* Ator que representa papéis típicos. [Var.: *caraterístico.*]
caracterização. *S. f.* **1.** Ato ou efeito de caracterizar(-se). **2.** *Teat.* Arte e técnica que, por meio de recursos materiais (maquilagem, máscaras, indumentária, etc.), conferem ao ator características físicas que completarão o personagem que ele vai representar. [Var.: *caraterização.*]
caracterizado. [Part. de *caracterizar.*] *Adj.* **1.** Assinalado, marcado. **2.** Qualificado; distinto. **3.** *Teat.* Com o rosto pintado ou trajado para representar personagem que se quer figurar. [Var.: *caraterizado.*]
caracterizador (ô). *Adj.* **1.** Que caracteriza ou serve para caracterizar; caracterizante. ● *S. m.* **2.** Aquele que caracteriza. [Var.: *caraterizador.*]
caracterizante. *Adj. 2. g.* Caracterizador (1). [Var.: *caraterizante.*]
caracterizar. [Do gr. *charakterízo.*] *V. t. d.* **1.** Pôr em evidência o caráter de; assinalar, distinguir: *O poder de síntese* c a r a c t e r i z a *sua obra;* "A linguagem é um dos meios de que o romancista dispõe para c a r a c t e -

rizar seus personagens." (Maria Nazaré Lins Soares, *Machado de Assis e a Análise da Expressão*, p. 24.) **2.** Descrever com propriedade, assinalando os caracteres de: *caracterizar uma enfermidade.* **3.** *Teat.* Fazer a caracterização (2) de (o ator). *P.* **4.** Assinalar-se, distinguir-se: "A Idade Média se caracteriza pelo feudalismo, pelas corporações, pelas universidades e pela Igreja, isto é, um extraordinário contexto de instituições independentes e variadas, a dar-nos a primeira civilização institucional da história." (Anísio Teixeira, *A Universidade e a Liberdade Humana*, p. 15.) **5.** Submeter-se (o ator) à caracterização (2). [Var.: *caraterizar.*]

caracterizável. [De *caracterizar* + *-ável.*] *Adj. 2 g.* Que se pode caracterizar; distinguível: "Não se pode dizer, afinal, que não seja caracterizável no romance a diferença entre as duas ordens de conhecimento, o artístico e o científico." (Temístocles Linhares, *Introdução ao Mundo do Romance*, p. 7.) [Var.: *caraterizável.*]

caracterologia. [Do gr. *charaktér*, 'impressão, marca (caráter)', + *-logo* + *-ia.*] *S. f.* Ramo da psicologia que estuda os diferentes tipos dos caracteres humanos e sua formação. [Var.: *caraterologia.*]

caracterológico. *Adj.* Relativo à caracterologia. [Var.: *caraterológico.*]

caracu. [Do guar. *kara'ku*, 'tutano'.] *Adj. 2 g. Bras.* **1.** Diz-se de raça bovina de pêlo curto e de colorido uniforme e arruivado. ● *S. m.* **2.** Espécime dessa raça. **3.** O tutano ou medula dos ossos. **4.** *Bras., RS. Pop.* Coragem, bravura.

caracul. [Do top. *Karakul.*] *S. m.* **1.** Variedade de carneiro da Ásia central, de velo encaracolado desde o nascimento. **2.** A pele macia e ondulada desse animal morto com mais de cinco dias. [Cf. *astracã.*]

cara-de-açúcar. *S. m. Bras. N.E.* Prisma de açúcar branco em rama, com formas mais ou menos artísticas, com que os senhores de engenho presenteiam amigos. [Pl.: *caras-de-açúcar.*]

cará-de-caboclo. *S. m. Bras., N.* ao *L.* Trepadeira ornamental, da família das amarilidáceas (*Bomarea salsilloides*), de flores amarelo-purpúreas. [Pl.: *carás-de-caboclo.*]

cará-de-folha-colorida. *S. m. Bras.* V. *caratinga* (1). [Pl.: *carás-de-folha-colorida.*]

cara-de-gato. *S. m. Bras.* Peixe de mar, da família dos carangídeos (*Carangops amblyrhincus* Cuv. e Val.). [Pl.: *caras-de-gato.*]

cara-de-mamão-macho. *S. 2 g. Bras. Pop.* Pessoa de rosto comprido ou chupado; mamão-macho. [Pl.: *caras-de-mamão-macho.*]

cara-de-pau. *Adj. 2 g.* e *s. 2 g. Bras.* **1.** V. *caradura* (1, 2, 6 e 7). ● *S. m.* **2.** *Bras., BA. Folcl.* V. *carranca* (5). [Pl.: *caras-de-pau.*]

cará-de-pele-branca. *S. m. Bras.* V. *caratinga* (1). [Pl.: *carás-de-pele-branca.*]

caradriida. *S. m.* e *adj. 2 g.* V. *caradriídeo.*

caradriidas. *S. m. pl. Zool.* V. *caradriídeos.*

caradriídeo. *S. m.* **1.** Espécime dos caradriídeos. ● *Adj.* **2.** Pertencente ou relativo a eles.

caradriídeos. *S. m. pl. Zool.* Aves caradriiformes, da família *Charadriidae*, caracterizadas por terem o bico alongado, fino (menos de 0,2 m de largura na base) e unha do dedo posterior alongada. Vivem nas praias cobertas de areia ou de lama, alimentam-se de vermes e artrópodes, e nidificam no solo. São os maçaricos e tetéus.

caradriiforme. *S. m.* **1.** Espécime dos caradriiformes. ● *Adj.* **2.** Pertencente ou relativo a eles [Sin. ger.: *limícola.*]

caradriiformes. *S. m. pl. Zool.* Aves neórnites, neógnatas, da ordem *Charadriiformes*, de asas que parecem bilobadas e hálux pequeno e alto. Há espécimes de patas longas e fracas e dedos livres, e outras de pés palmados e patas curtas. São na maioria aves praianas, marinhas ou de água doce, que buscam alimentação na areia, lama, ou águas rasas; há várias espécies migratórias. São as gaivotas, trinta-réis, narcejas, batuíras e outras. [Sin.: *limícolas.*]

caradura. [De *cara* + o fem. do adj. *duro.*] *S. 2 g. Bras.* **1.** Pessoa cínica, impudente, sem-vergonha; cara-de-pau, cara-lisa, cara-seca. **2.** Indivíduo de modos excessivamente desembaraçados; descarado; cara-de-pau, cara-lisa, cara-seca. ● *S. m.* **3.** *Bras.* Palito pirotécnico cuja cabeça é formada por um produto pirotécnico semelhante ao fogo-de-bengala. **4.** Bonde misto. **5.** O banco que, nos bondes de passageiros, fica de frente para os demais. ● *Adj. 2 g.* **6.** Diz-se de pessoa cínica, sem-vergonha; cara-de-pau, cara-seca. **7.** Diz-se de indivíduo de modos excessivamente desembaraçados; descarado, cara-de-pau, cara-seca.

caradurismo. [De *caradura* + *-ismo.*] *S. m. Bras.* **1.** Falta de vergonha; desfaçatez, cinismo, desvergonha. **2.** Desembaraço excessivo; descaramento.

carafá. *S. m. Bras., RS.* Espécie de taquara fina, muito usada em cercas e capoeiras.

cara-fechada. *S. f. Bras.* Pão de açúcar consistente. [Pl.: *caras-fechadas.* Cf. *cara-quebrada.*]

carafuz. *S. 2 g.* e *adj. 2 g. Bras.* V. *cafuzo* (1, 2 e 4).

carafuzo. [De *cara fusca?*] *S. m.* e *adj. Bras.* V. *cafuzo* (1, 2 e 4).

carago. [De *caraco.*] *S. m. Deprec.* Espanhol da Galiza; galego.

caraguatá. [Do tupi *karawa'tã*, 'croá duro'.] *S. m. Bras.* Designação comum a vários gêneros da família das bromeliáceas, dos quais há espécies ornamentais, que são epífitas e terrestres; caruatá, caruatá-de-pau, coroá, coroá-verdadeiro, craguatá, crauaçu, crauatá, curuatá, curuatá-de-pau, gravatá.

caraguatá-açu. *S. m. Bras.* V. *caraguatá-piteira.* [Pl.: *caraguatás-açus.*]

caraguatal. *S. m. Bras., S.* Quantidade mais ou menos considerável de caraguatás dispostos proximamente entre si; caraguatazal.

caraguatá-piteira. *S. m. Bras.* Planta herbácea, da família das bromeliáceas (*Bromelia karatas*), de cujas folhas, ensiformes, coriáceas, se extrai fibra sedosa, própria para cordoaria, tapetes, capachos e mantas para sela; caraguatá-açu, caruatá-açu, curuatá-açu, gravatá-açu. [Pl.: *caraguatás-piteiras* e *caraguatás-piteira.*]

caraguatazal (tà). *S. m. Bras., S.* Caraguatal.

caraguatatubense. *Adj. 2 g.* **1.** De, ou pertencente ou relativo a Caraguatatuba (SP). ● *S. 2 g.* **2.** Natural ou habitante de Caraguatatuba.

caraí. [Do tupi, decerto.] *S. m. Bras.* V. *macaco-da-noite.*

caraíba[1]. [Do tupi *kara'ib*, 'astuto', 'inteligente, sábio'.] *S. m. Bras.* **1.** Designação que os índios davam ao homem branco, ao europeu. **2.** Coisa sobrenatural.

caraíba[2]. [Do tupi *kara'ib*, 'bento, sagrado'.] *S. m. Bras., L.* e *S.* Árvore típica do cerrado, da família das bignoniáceas (*Tabebuia caraiba*), de casca suberosa e grossa.

caraíba[3]. *S. 2 g.* **1.** Indivíduo dos caraíbas, povo indígena que, à chegada dos colonizadores europeus, habitava as Pequenas Antilhas, a região das Guianas e parte do litoral centro-americano. ● *S. m.* **2.** Grande família lingüística a que pertencem muitas tribos do Brasil. ● *Adj. 2 g.* **3.** Pertencente ou relativo aos caraíbas ou a essa família lingüística. [Var.: *cariba* e *caribe.*]

caraiense (a-i). *Adj. 2 g.* **1.** De, ou pertencente ou relativo a Caraí (MG). ● *S. 2 g.* **2.** Natural ou habitante de Caraí.

cara-inchada. *S. f. Bras.* Epizootia que ataca os eqüídas. [Pl.: *caras-inchadas.*]

carainha (a-í). [De possível or. tupi.] *S. m. Bras., PA.* V. *caranho.*

caraipé (a-i). [Do tupi *karai'pé.*] *S. m. Bras.* Designação comum a várias espécies da família das rosáceas, árvores de casca taninosa, que servem para curtume e fornecem madeira para o comércio.

caraiperana (a-i...è). [De *caraipé* + *-rana.*] *S. f. Bras., AM.* Árvore grande, da família das rosáceas (*Licania micrantha*) de fruto comestível, do qual se faz refresco, folhas amarelo-pálidas na página superior e com nervuras vermelhas na inferior, flores sésseis e pequenas, dispostas em panículas amplas e ramosas, e que fornece madeira e carvão; cariperana, cariperana-de-folha-larga.

carajá[1]. [Do tupi *kara'yá.*] *S. m. Bras., S.* **1.** V. *guariba-preto.* **2.** Certa taquara de rama sempre verde.

carajá[2]. *Bras. S. 2 g.* **1.** Indivíduo dos carajás, tribo indígena que habita a ilha de Bananal e as margens do rio Araguaia (GO). ● *Adj. 2 g.* **2.** Pertencente ou relativo a essa tribo.

carajé. *S. m. Bras.* Drágea para enfeitar doces. [Cf. *acarajé.*]

carajuru. [Do tupi *karayu'ru.*] *S. m. Bras., AM.* **1.** V. *piranga[2]* (3). **2.** Tinta vermelha extraída dessa planta.

caralho. *S. m. Chulo.* **1.** O pênis. ● *Interj.* **2.** Designa irritação, indignação: "Paciência, tenho hora certa pra pegar o batente, viu? E com esse trânsito, caralho!" (Lígia Fagundes Teles, *A Disciplina do Amor*, p. 104.) ◆ **Pra caralho.** *Bras. Chulo.* Em grande quantidade, força ou intensidade; à beça. [Tb. se usam as f. contratas *paca* e *pacas.*]

cara-lisa. [De *cara* + o fem. do adj. *liso.*] *S. 2 g. Bras. Fam.* e *pop.* V. *caradura* (1 e 2). [Pl.: *caras-lisas.*]

cará-liso. *S. m. Bras.* V. *caratinga* (1). [Pl.: *carás-lisos.*]

caramanchão. [De *câmara* + *-acho* + *-ão*, com nasalação do terceiro *a* e metátese.] *S. m.* Construção ligeira, espécie de pavilhão de ripas, canas ou estacas, revestidas de trepadeiras, nos jardins; pavilhão: "Aurélia conduziu o marido a um caramanchão que havia no meio da chácara" (José de Alencar, *Senhora*, p. 261). [Var.: *caramanchel.*]

caramanchel. *S. m.* Var. de *caramanchão:* "Eu vi raios de azul no entrelaçado / Caramanchel de folhas verdejantes" (Alphonsus de Guimaraens, *Obra Completa*, p. 180).

caramba. [Do esp. *caramba.*] *Interj.* Designa admiração, espanto ou ironia: "Que noite fria! / Caramba!" (Vargas Neto, *Tropilha Crioula e Gado Xucro*, p. 113.)

carambina. *S. f.* Caramelo (1): "Palrar, enquanto as carambinas / Vão caindo, ao gear das noites cristalinas!" (Bulhão Pato, *Livro do Monte*, p. 87.) [Cf. *carabina.*]

carambó. *Adj. 2 g. Bras.* Diz-se da rês de chifre torto.

carambola[1]. [Do malaio *karambil.*] *S. f.* **1.** Bola vermelha do bilhar. **2.** Embate de uma bola de bilhar sucessivamente sobre as outras duas. **3.** *Fig.* Embuste, ardil; tramóia, intriga.

carambola[2]. [Do fr. *carambole.*] *S. f.* O fruto da caramboleira.

carambolar. *V. int.* **1.** Fazer carambola[1] (no bilhar). **2.** Intrigar, enredar. **3.** Iludir, enganar.

caramboleira. *S. f. L.* Árvore ornamental, de pequeno porte, da família das oxalidáceas (*Averrhoa carambola*), dotada de fruto alimentar, a carambola; caramboleiro.

caramboleira-amarela. *S. f. Bras., L.* V. *Bilimbi.* [Pl.: *caramboleiras-amarelas.*]

caramboleiro[1]. *S. m.* Caramboleira.

caramboleiro[2]. [De *carambola[1]* (3) + *-eiro.*] *Adj.* e *s. m.* **1.** Embusteiro, trapaceiro, tratante. **2.** Intrigante, enredeiro.

carambolice. [De *carambola[1]* (3) + *-ice.*] *S. f.* Ação de caramboleiro[2].

carambolim. [De *carambola[1].*] *S. m.* Perda simultânea de três paradas no jogo do monte.

caramburu. [De possível or. tupi.] *S. m. Bras.* Bebida refrigerante, feita de milho; aluá [q. v.].

caramelado. [De *caramelo* + *-ado[1].*] *Adj.* e *s. m.* Diz-se de, ou docinho de ovo, ou de nozes, ou de ameixa, etc., que se mergulha numa calda muito quente, a qual, ao esfriar, forma uma película vítrea: "Após cortar o bolo, reforçado com um festival de docinhos caramelados, Fátima Veiga se desfez do buquê." (*Beautiful People*, outubro de 1981).

caramelo [Do lat. *calamellu*, dim. de *calum*, 'cana', com dissimilação.] *S. m.* **1.** Neve congelada, em flocos; carambina. **2.** Calda de açúcar queimado, própria para cobrir pudins ou acompanhar outras sobremesas. **3.** Bala puxa-puxa feita com açúcar derretido em um corpo graxo, e uma qualquer essência aromática: *caramelo de leite ou de chocolate.*

cara-metade. *S. f.* A esposa em relação ao marido; metade. [Pl.: *caras-metades.*]

carametara. *S. f. Bras.* V. *papa-terra* (3).

cará-mimoso. *S. m. Bras.* Planta da família das dioscoreáceas (*Dioscorea trifida*); nambu. [Pl.: *carás-mimosos*]

caraminguá. [Do guar. *karãmë'gwã*, 'cofre, canastra'.] *S. m. Bras. Pop.* V. *dinheiro* (3). ~ V. *caraminguás.*

caraminguás. [Pl. de *caraminguá.*] *S. m. pl. Bras. Pop.* **1.** V. *cacaréus.* **2.** V. *badulaques* (1). **3.** Níqueis ou notas de pouco valor: "andava sempre esmolambado, com uns caraminguás mui tristes" (Simões Lopes Neto, *Contos Gauchescos e Lendas do Sul*, p. 175). ~ V. *caraminguá.*

caraminhola. *S. f. Pop.* **1.** Cabelo em desordem; grenha, trunfa. **2.** *Fig.* Mexerico, enredo, intriga. ~ V. *caraminholas.*

caraminholar. [De *caraminhola* + *-ar[2].*] *V. i.* Formigar, pulular: "Eu sei quanto sofro hoje ao lançar os olhos sobre os anos vazios em que deixei de botar no papel o que me caraminholava na cabeça." (Gilberto Amado, *Depois da Política*, p. 160.)

caraminholas. *S. f. pl.* **1.** Fantasias, imaginações, invenções. **2.** Mentiras, patranhas. ~ V. *caraminhola.*

caramomom. *S. m. Bras.* Trouxa que se adiciona à carga regular de um animal.

caramujeiro. *S. m. Bras.* V. *gavião-caramujeiro.*

caramuji. *S. m. Bras., BA.* V. *embuá.*

caramujo. *S. m.* **1.** Designação comum aos moluscos gastrópodes, aquáticos, pulmonados ou providos de brânquias, marinhos ou da água doce. Têm a concha forte e grossa. [Sin. (lus.): *cornetinha.* Cf. *caracol* (1).] **2.** Doença das salinas, que se manifesta em petrificações de várias cores. **3.** Variedade de couve repolhuda. **4.** *Bras.* Obras de talha com que se rematam os beques ou rodas de proa de alguns navios. **5.** *Bras.* Indivíduo esquisitão, ensimesmado.

caramujo-cascudo. *S. m. Bras., RS.* V. *anfineuro* (1). [Pl.: *caramujos-cascudos.*]

caramujo-do-banhado. *S. m. Bras.* V. *aruá*[1]. [Pl.: *caramujos-do-banhado.*]

caramujo-do-mato. *S. m. Bras.* V. *bulimo.* [Pl.: *caramujos-do-mato.*]

caramunha. [Do lat. *querimonia,* 'queixa'.] *S. f.* **1.** Choradeira de crianças. **2.** Lamúria, queixa. **3.** V. *careta* (1): "Não saia da beira dela, e não se ponha a fazer c a r a m u n h a s, a chorar como há pouco, ouviu?" (Camilo Castelo Branco, *Vulcões de Lama,* p. 217.)

caramunhar. *V. int.* Fazer caramunha(s): "Tadeu olhava a fito, atraído por aquela figura esmolambada, desgrenhada, que c a r a m u n h a v a .... ao sol." (Coelho Neto, *Obra Seleta,* I, p. 198.)

caramunheiro. *Adj.* **1.** Que faz caramunha(s). **2.** Choramingão, chorão.

caramuru. [Do tupi *karamu'ru,* 'moréia'.] *S. m. Bras.* **1.** Designação comum a um peixe teleósteo, ápode, da família dos muraenídeos (*Lycodontis moringua* (Cuv.)), e seis outras espécies do gênero, de dorso azulado ou acinzentado, nadadeira dorsal, que se une à anal, marginada de negro. Comprimento: de 1 a 3 m. Alimentam-se de peixes, moluscos e crustáceos, e são agressivos, podendo causar lesões dolorosas. [Sin.: *enguia, miroró, mororó, tororó.*] **2.** Apelido que os tupinambás da BA puseram no português Diogo Álvares — náufrago que teria atingido as costas baianas em 1510 — e que significa 'filho do trovão' ou 'dragão do mar'. ● *S. 2 g.* **3.** Adepto do partido político chefiado por José Bonifácio de Andrada e Silva (1763-1838), o qual, após a abdicação, pleiteava a restauração de D. Pedro I, e se opunha aos ximangos. [Cf. *ximango* (2). Sin., nesta acepç.: *restaurador.*] **4.** Durante a Regência, partidário do grupo infenso à decretação da maioridade de Pedro II. **5.** V. *carimboto.*

caramutanje. *Adj.* e *s. m. Bras.* V. *boçal* (2 e 3).

caraná. [Do tupi *kara'ná.*] *S. f. Bras., AM.* **1.** Planta da família das palmáceas (*Mauritia carana*), de frutos comestíveis e folhas ornamentais, estipe duro e resistente, e cujas flores exalam aroma intenso; muí, tinamalu. **2.** V. *buriti-bravo.* **3.** V. *buritirana* (1). **4.** V. *buritizinho.* **5.** V. *carandaí* (1).

caraná-branca. *S. f. Bras.* Árvore grande, da família das burseráceas (*Protium altissimum*), de casca escura e madeira útil para construção de canoas, carpintaria e escultura; cedro-branco, pau-rosa-fêmea. [Pl.: *caranás-brancas.*]

caraná-do-rio-negro. *S. f. Bras., AM.* Espique delicado, da família das palmáceas (*Bactris cuspidata*), de pedúnculo flocoso-tomentoso oculto e protegido pela espata, flores femininas e masculinas, e cujo fruto, drupáceo, é pequeno. [Pl.: *caranás-do-rio-negro.*]

caranaí. [Do tupi *karana'i.*] *S. f.* **1.** *Bras., AM.* Espique delicado, flexuoso, da família das palmáceas (*Mauritia limnophila*), armado de fortes acúleos cônicos, e cujas flores estão reunidas em espádice pêndulo, sendo o fruto uma baga oblonga, revestida de escamas, com polpa amarela. **2.** V. *buritirana* (1). **3.** V. *buritizinho.*

caranaí-do-mato. *S. f. Bras., AM.* Espique fino, da família da palmáceas (*Lepidocayum tenue*), dotado de inflorescência em espádice e flores muito aromáticas, sendo o fruto uma baga oblonga, escamosa, de tamanho variável e polpa amarela, e o lenho usado para ripas, bengalas e pontas de flechas. [Pl.: *caranaís-do-mato.*]

caranaí-mirim. *S. f. Bras., AM.* Buritimirim (1). [Pl.: *caranaís-mirins.*]

caranambu. *S. m. Bras., AM.* **1.** Trepadeira ornamental, da família das dioscoreáceas (*Dioscorea trifoliata*), de folhas de vários tamanhos, e raiz tuberosa, aproveitada como alimento; inhame-nambu. **2.** V. *cará* (1).

caranambuuba. *S. m. Bras., AM.* V. *carandá* (1).

carancho. [Do tupi *ka'rãi,* 'arranhar, rasgar com as unhas'.] *S. m. Bras.* Ave falconiforme, da família dos falconídeos (*Polyborus plancus brasiliensis* (Gmel.)), da região cinsandina da América do Sul, de cabeça pardo-escura, dorso pardo, listrado de branco, cauda branca listrada de pardo, com ponta preta, asas pardo-escuras; caracará, carcará.

carandá. [Do tupi *karã'dá.*] *S. f.* **1.** *Bras., MT.* Palmeira da família das palmáceas (*Copernicia alba*), de cujo estipe, resistente e durável, se fazem postes, caibros, pipas e barretes, e cujas folhas dão cera igual à carnaúba; caranambuuba. **2.** V. *carandaí* (1). **3.** V. *carnaubeira.*

carandá-guaçu. [De *carandá* + *-guaçu.*] *S. f. Bras., MT.* V. *buriti* (1). [Pl.: *carandás-guaçus.*]

carandaí. [Do tupi *karãda'i.*] *S. m. Bras., S.* **1.** Palmeira da família das palmáceas (*Trithinax brasiliensis*), de estipe espinescente, ramos floríferos, e de cujas folhas se extraem fibras utilizadas na manufatura de chapéus, servindo o lenho para o fabrico de bengalas; caraná, carandá. **2.** V. *buritirana* (1).

carandaiense (a-i). *Adj. 2 g.* **1.** De, ou pertencente ou relativo a Carandaí (MG). ● *S. 2 g.* **2.** Natural ou habitante de Carandaí.

carandaí-guaçu. *S. m. Bras., S.* V. *buriti* (1). [Pl.: *carandaí-guaçus.*]

carandaizinho (a-i). *S. m. Bras., S.* V. *buritizinho.*

carandazal (dà). *S. m.* **1.** *Bras.* Quantidade mais ou menos considerável de carandás dispostos proximamente entre si. **2.** V. *carnaubal.*

carângida. *S. m.* e *adj. 2 g.* V. *carangídeo.*

carângidas. *S. m. pl. Zool.* V. *carangídeos.*

carangídeo. *S. m.* **1.** Espécime dos carangídeos. ● *Adj.* **2.** Pertencente ou relativo a eles.

carangídeos. *S. m. pl. Zool.* Família de peixes da ordem dos percomorfos, que compreende muitas espécies marinhas, de valor econômico, como a guaivira, o pampo, o peixe-piloto, o olho-de-boi, o olhete, o chicharro, o xaréu, o xarelete, a guarajuba, a aracangüira, o peixe-galo, a palombeta, o galhudo, a cernambiguara, etc.

carango. *S. m. Chulo.* **1.** V. *chato* (5). **2.** *Gír. Mil.* Soldado de infantaria. **3.** *Bras.* Comichão provocada por parasitos. **4.** *Bras. Pop.* Qualquer automóvel. **5.** *Bras., N.* V. *mata-cachorro* (2).

carangolense[1]. *Adj. 2 g.* **1.** De, ou pertencente ou relativo a Santa Luzia do Carangola (MG). ● *S. 2 g.* **2.** Natural ou habitante de Santa Luzia do Carangola.

carangolense[2]. *Adj. 2 g.* e *s. 2 g.* Natividense.

carangonço. [De *caranguejo,* decerto.] *S. m. Bras., MG.* V. *escorpião* (1).

caranguejа (ê). [De *caranguejo.*] *S. f. Constr. Nav.* V. *verga* (6): "As cordas da mastreação começavam a girar, içando a c a r a n g u e j a" (Xavier Marques, *Jana e Joel,* pp. 120-121).

caranguejar. *V. int. Pop.* **1.** Andar como o caranguejo, lentamente e para trás. **2.** *Fig.* Hesitar, vacilar. [Conjug.: v. *pelejar.*]

caranguejeira. [De *caranguejo* + *-eira.*] *S. f. Bras.* **1.** Aranha de grande porte, migalomorfa, que não tece teia, se alimenta de pequenos vertebrados de sangue frio, e cujas picadas, dolorosas embora, não produzem chagas ulcerosas; aranhaçu. **2.** V. *aranha-caranguejeira.*

caranguejeiro. *S. m.* **1.** Indivíduo que apanha caranguejos. **2.** *Bras., SP.* Alcunha dada pelos paulistanos aos santistas.

caranguejo (ê). [Do esp. *cangrejo.*] *S. m.* **1.** Designação comum às espécies de crustáceos decápodes, braquiúros, de pernas terminadas em unhas pontudas. São todos caranguejos, salvo aqueles cujas últimas pernas terminam em nadadeiras [v. *siri*]. Terrestres ou aquáticos, marinhos ou de água doce, vivem, na maioria, em tocas, que eles mesmos escavam, alimentam-se de toda sorte de detritos orgânicos, e são utilizados na alimentação humana. [Sin.: *uaçá, auçá, guaiá.*] **2.** *Astr. P. us.* Câncer (1). [Com maiúscula, nesta acepç.] **3.** *Bras.* Canção e brinquedo de roda infantil. **4.** *Bras., RS.* Modalidade de fandango (6). **5.** *Bras., MG.* Indivíduo moroso, lerdo.

caranguejo-de-água-doce. *S. m. Bras.* V. *caranguejo-do-rio.* [Pl.: *caranguejos-de-água-doce.*]

caranguejo-do-rio. *S. m. Bras.* Animal artrópode, crustáceo, decápode, braquiúro, da família dos tricodatilídeos, gênero *Trichodactylus* Latr., cujos representantes vivem apenas em água doce, e são geralmente de coloração castanha e tamanho médio; caranguejo-de-água-doce, guaiaúna, goiaúna. [Pl.: *caranguejos-do-rio.*]

caranguejola. *S. f.* **1.** Grande crustáceo, semelhante ao caranguejo. **2.** Armação de madeira com pouca solidez. **3.** Coisa ou empresa mal segura. **4.** Acervo de coisas sobrepostas e mal seguras. **5.** V. *calhambeque* (2). **6.** Jangada (3).

caranguejo-mulato-da-terra. *S. m. Bras.* V. *guaiamu.* [Pl.: *caranguejos-mulatos-da-terra.*]

caranguejo-verdadeiro. *S. m. Bras.* V. *uçá.* [Pl.: *caranguejos-verdadeiros.*]

caranha. [Do tupi *ka'raña.*] *S. f. Bras.* **1.** V. *caranho.* **2.** V. *vermelho*[2] (1). **3.** Certa goma ou resina medicinal.

caranha-do-mangue. *S. f. Bras.* V. *caranho.* [Pl.: *caranhas-do-mangue.*]

caranho. [De *caranha.*] *S. m. Bras.* Peixe teleósteo, percomorfo, da família dos lutjanídeos (*Lutjanus griseus* (L.)), do Atlântico, de coloração que vai do róseo escuro ao vermelho, sendo escura a margem das nadadeiras ímpares. Alimenta-se de peixes e crustáceos, e é pescado com linha de fundo. [Esse nome designa, ainda, outras espécies da mesma família. Sin.: *caranha, caranha-do-mangue, carainha, caranhota.* Cf. *cioba* (1).]

caranhota. *S. m. Bras.* V. *caranho.*

caranho-verdadeiro. *S. m. Bras., RJ.* **1.** V. *vermelho-henrique.* **2.** V. *cioba* (1). [Pl.: *caranhos-verdadeiros.*]

caranho-vermelho. *S. m. Bras.* **1.** V. *cioba* (1). **2.** V. *vermelho-henrique.* [Pl.: *caranhos-vermelhos.*]

carantonha. *S. f.* Cara grande e feia; caraça, carão, cariz, carranca, esgar.

carântulas. [Do lat. *character.*] *S. f. pl.* Figuras cabalísticas, caracteres mágicos dos feiticeiros.

carão[1]. [Aum. de *cara.*] *S. m.* **1.** V. *carantonha:* "com o seu largo c a r ã o holandês, e o riso derramado pela boca fora, ... o grande médico veio em pessoa abrir-lhes a porta." (Machado de Assis, *Histórias sem Data,* p. 18). **2.** A epiderme do rosto. **3.** V. *repreensão* (1).

carão[2]. [Voc. onom.; imita o canto da ave.] *S. m. Bras.* Ave gruiforme, da família dos aramídeos (*Aramus s. scolopaceus* (Gmel.)), do N. e N.E. do País, com a subespécie *A. s. carau* Vieil., que ocorre no Sul. Coloração pardo-escura, com brilho esverdeado nas rêmiges e na cauda; cabeça, pescoço e peito pintados de branco, e mento branco.

caraó. *S. 2 g.* e *adj. 2 g. Bras.* V. *craô.*

caraolho (ô). [De *caolho,* com infl. de *cara.*] *Adj.* e *s. m. Bras.* e *prov. lus.* **1.** V. *estrábico* (2 e 4). **2.** V. *zarolho* (1 e 4).

carapaça. [Do fr. *carapace.*] *S. f.* Revestimento quitinoso ou calcário que protege o tronco de vários animais, entre eles os cágados e as tartarugas: "Pelas várzeas combustas, onde a lama rachara ao sol, partindo-se em escamas escuras como a c a r a p a ç a de uma tartaruga monstruosa, branqueavam .... os esqueletos do gado morto de sede e fome." (Humberto de Campos, *O Monstro e Outros Contos,* p. 151.)

carapanã[1]. [Do tupi *karapa'nã.*] *S. m. Bras., AM.* V. *mosquito* (1).

carapanã[2]. *Bras. S. 2 g.* **1.** Indivíduo dos carapanãs, tribo indígena tucana da região situada entre os rios Papuri e Tiquié (AM). ● *Adj. 2 g.* **2.** Pertencente ou relativo a essa tribo.

carapanaíba. [Do tupi *karapana'iba,* 'árvore do carapanã'.] *S. m. Bras., AM.* Árvore grande, da família das apocináceas (*Aspidosperma excelsum*), de flores alvacentas, aveludadas, dispostas em cimeiras corimbosas densas, e fruto folicular, muito rugoso.

carapanã-pinima. [De *carapanã* + tupi *pi'nima,* 'pintado'.] *S. m. Bras.* V. *mosquito* (1). [Pl.: *carapanãs-pinimas* e *carapanãs-pinima.*]

carapanta. *S. f. Pleb.* V. bebedeira (1).

caraparu. [De possível or. tupi.] *S. m. Bras.* Erva aquática, da família das marantáceas (*Thalia geniculata*), de folhas muito grandes e decorativas, que se fixa na água por meio de um rizoma encravado na lama do fundo, tem flores pouco vistosas, e é considerada ornamental para lagos.

carapau. *S. m.* **1.** Peixe teleósteo, percomorfo, da família dos carangídeos (*Decapterus macarellus* (Val.)), do Atlântico. A espécie é muito parecida com o chicharro-pintado [q. v.], mas não tem pontos negros no corpo. Nada em pequenos cardumes. [Sin.: *cavalinha, chicharro, chicharro-calabar, chicharro-cavala.*] **2.** *Bras., BA.* V. *palombeta.* **3.** *Bras. Pop.* O filhote do chicharro, que tem o hábito de se abrigar na umbela das medusas. **4.** *Bras., ES.* V. *guarajuba* (1). **5.** *Bras. Fig.* Pessoa macérrima. [F. paral.: *garapau.*]

carapeba. [De *acará*[1] + *-peba;* var. de *acarapeba,* que por sua vez tem a var. *acarapeva.*] *S. f. Bras.* **1.** Peixe teleósteo, percomorfo, da família dos gerrídeos (*Moharra rhombea*), de corpo ovalado, maxilar rostriforme, boca pequena desprovida de dente, e com apenas dois raios ósseos na nadadeira anal. Comprimento: até 0,30 m. **2.** *Bras., AL. Folcl.* Banda[2] (3) desafinada e sem importância.

carapeba-listada. *S. f. Bras., PE.* V. *caratinga* (3). [Pl.: *carapebas-listadas.*]

carapela. [De *carpela,* com epêntese.] *S. f.* **1.** Folhelho de milho. **2.** Película ou placazinha que se despega de feridas quase saradas.

carapeta (ê). *S. f.* **1.** Piãozinho que se faz girar com os dedos. **2.** Enfeite arredondado que remata certas partes de alguns móveis; maçaneta. **3.** Mentira leve, inofensiva; mentirola, mentiralha, bota, peta. [V. *mentira* (1).] [Pl.: *carapetas* (ê). Var.: *carrapeta* (ê). Cf. *carapeta* e *carapetas,* do v. *carapetar.*]

carapetal. *S. m.* Tipo de alforje usado pelos negros africanos.

carapetão. [Aum. de *carapeta* (3).] *S. m.* Mentira grande; patranha, balão: "O que vi fazerem as focas no *Circo de Inverno*, em Paris, jamais esquecerei. Parece carapetão, exagero, lenda, espanholada." (Martins Fontes, *O Mar*, p. 29.)

carapetar. *V. int.* Dizer carapetões ou carapetas; mentir, petar. [Pres. ind.: *carapeto, carapetas, carapeta*, etc. Cf. *carapeta* (ê) e pl. *carapetas* (ê).]

carapeteiro. *Adj.* **1.** Que diz carapetões ou carapetas; mentiroso, patranheiro. • *S. m.* **2.** Aquele que diz carapetões ou carapetas; mentiroso. **3.** Variedade de pereira brava.

carapiá. [Do tupi *karapi'á*, 'pedaço'.] *S. f.* **1.** *Bras., L.* e *S.* Planta perene, da família das malváceas *(Sida macrodon)*, multicaule, de raízes fortes, e flores róseas e folhas medicinais; malva-do-campo. **2.** *Bras.* V. *babosa-branca.* **3.** *Bras.* V. *peixe-agulha* (1) [Cf. *caapiá*.]

carapiaçaba. [Do tupi, decerto.] *S. f. Bras., BA.* V. *raia-manteiga* (1).

carapicu. [De *acarapicu*, com aférese.] *S. m.* **1.** *Bras., N.* a *S.* Arbusto da família das malváceas *(Urena sinuata)*, dotado de propriedades febrífugas, flores pequenas, róseas, solitárias, em geral axilares, e cujo fruto é cápsula, espinescente, aderente à roupa, que contém sementes arredondadas e lisas. **2.** *Bras.* Peixe teleósteo, percomorfo, da família dos gerrídeos (*Eucinostomus gula* (Cuv.)), do Atlântico, desde a América do Norte à BA, de coloração prateada, dorso esverdeado, comprimento de até 0,14 m e pequeno valor comercial; carapicu-branco, carapicupeba, acarapicu, primituma. [Cf., nesta acepç., *carapicuaçu*.]

carapicuaçu. [De *carapicu* + *-açu*.] *S. m. Bras.* Peixe teleósteo, percomorfo, da família dos gerrídeos (*Eucinostomus californienses* (Gill)), do Atlântico, desde a Flórida até RJ. É espécie comum e apreciada. [Sin.: *escrivão, riscador, cacundo.* Cf. *carapicu* (2).]

carapicu-branco. *S. m. Bras., PE.* V. *carapicu* (2). [Pl.: *carapicus-brancos*.]

carapicupeba. [De *carapicu* + *-peba*.] *S. f. Bras., PE.* V. *carapicu* (2).

carapina. [Do tupi *kara'pina*.] *S. m. Bras.* **1.** V. *carpinteiro* (1). **2.** V. *pica-pau* (1). [Var.: *carpina*.]

carapinha. *S. f.* **1.** O cabelo crespo e lanoso dos negros. [Sin., pop.: *cabelo de cupim, cabelo ruim, carrapicho, lã, picumã, pixaim*.] • *S. m.* **2.** *Bras.* V. *marinheiro* (9).

carapinhada. [De *carapinha* + *-ada*[1].] *S. f.* Bebida congelada, feita de xarope ou sumo de fruta com gelo picado, formando frocos.

carapinhé. [Voc. onom.] *S. m.* **1.** *Bras.* V. *gavião-carrapateiro.* **2.** *Bras., SP.* Brinquedo infantil que consiste em beliscar, com dois dedos de uma das mãos, a pele das costas da outra, puxando-a enquanto se elevam e descem repetidamente os braços, e dizendo: *cará... cará... cará-pinhéééééé...*

carapinheira. *S. f.* Variedade de pereira, de fruto sumarento.

carapinho. *Adj.* V. *encarapinhado.*

carapinhudo. *Adj.* Que tem grande carapinha (1).

carapirá. *S. f. Bras.* V. *alcatraz*[1].

carapitaia. [De possível or. tupi.] *S. f. Bras., PE* até *RS.* Erva ornamental, da família das amarilidáceas *(Amaryllis candida)*, de bulbo pequeno e comestível, flores alvas, levemente esverdeadas ou róseas na base, com espata escariosa; açucena-do-rio.

carapitanga. [Do tupi.] *S. m. Bras.* **1.** V. *mulata* (3). **2.** V. *vermelho*[2] (1).

carapó. *S. m. Bras.* Peixe teleósteo, caraciforme, da família dos gimnotídeos *(Cymnotus carapo* L.), distribuído por todo o País, de coloração pardacenta com faixas escuras. É noctívago, alimenta-se de pequenos vermes, lodo e plâncton, e produz descargas elétricas de pouca intensidade. Em cativeiro, morre facilmente. [Sin.: *sarapó, sarapó-tuvira, tira-faca, ituí-terçado, ituipinima, peixe-espada*.]

carapobeba (ô). [De possível or. tupi.] *S. m. Bras.* Espécie de lagarto venenoso.

carapoti. *S. 2 g.* e *adj. 2 g. Bras.* Carapoto.

carapoto (ô). *Bras. S. 2 g.* **1.** Indivíduo dos carapotos, tribo indígena que habitava na serra de Cuminati (PE). • *Adj. 2 g.* **2.** Pertencente ou relativo a essa tribo. [Sin. ger.: *carapoti*.]

carapuá. *S. f. Bras. MA.* Entre os índios urubus-caapor [q. v.] e os moradores da região, a vagina.

carapuça. *S. f.* **1.** Barrete cônico. **2.** Designação comum a vários objetos semelhantes a esse. **3.** Alusão pérfida; dito crítico; indireta. *Não aceito a carapuça.* **4.** *Bras.* Ferramenta com que os calafates introduzem as cavilhas de madeira para evitar que se rachem. **5.** *Bras. Gír. teat.* Papel feito expressamente para um ator. ◆ **Enfiar a carapuça.** Vestir a carapuça. **Vestir a carapuça.** Tomar a si alusão ou crítica dirigida a outrem; enfiar a carapuça. **Qual carapuça!** Qual nada!, qual história! **Talhar carapuças.** Dizer indiretas.

carapuceiro. *S. m.* Indivíduo que faz e/ou vende carapuça (1).

carapuçu. [De possível or. tupi.] *S. m. Bras.* Cogumelo da família das marasmiáceas *(Lentinus velutinus)*, de chapéu fino-dentado, e dotado de constituição coriácea e flexível.

carapulo. *S. m. Bot.* Invólucro escamoso da bolota do carvalho e de frutos semelhantes; cúpula.

caraputanga. [Do tupi.] *S. m. Bras.* V. *vermelho*[2] (1).

cara-quebrada. *S. f. Bras.* Pão de açúcar inconsistente. [Pl.: *caras-quebradas.* Cf. *cara-fechada*.]

caraquenho. [Do esp. *caraqueño*.] *Adj.* **1.** De, ou pertencente ou relativo à cidade de Caracas, capital da Venezuela. • *S. m.* **2.** O natural ou habitante de Caracas.

carará[1]. [Do tupi *kara'rá*.] *S. m. Bras.* Ave pelicaniforme da família dos anhingídeos *(Anhinga anhinga* (L.)), dos rios e lagoas do S. dos E.U.A. até ao N. do Chile e da Argentina. O macho é preto; a fêmea tem a cabeça, o pescoço e o peito cinza-amarelados, as rêmiges do braço e as coberteiras superiores das asas marginadas de cinzento, ou dessa cor, e a ponta da cauda branca. [Sin.: *arará, anhinga, biguatinga, meuá, miuá, muiá*.]

carará[2]. *Bras. S. 2 g.* **1.** Indivíduo dos cararás, tribo indígena que vive no alto rio Jatapu, nas proximidades do rio Uini (AM). • *Adj. 2 g.* **2.** Pertencente ou relativo a essa tribo.

cara-raiada. *S. m. Bras.* V. *macaco-da-noite.* [Pl.: *caras-raiadas*.]

cararapirá. *S. f. Bras. Amaz.* V. *alcatraz*[1].

cara-seca. *Adj. 2 g.* e *s. 2 g. Bras.* V. *caradura* (1, 2, 6 e 7). [Pl.: *caras-secas*.]

cara-suja. *S. m.* **1.** *Bras.* Ave psitaciforme, da família dos psitacídeos *(Pyrrhura molinae* Mass & Sou.), do Brasil e países limítrofes, de coloração verde, peito amarelo, manchado de negro, cauda verde-amarelada e abdome vermelho. Vive nas matas e alimenta-se de frutas. **2.** *Gír.* Sujeito sem importância; joão-ninguém [q. v.]: "Sociedade mambembe, sem diretoria, sem amor ao pavilhão — cambada de caras-sujas!" (Marques Rebelo, *Marafa*, p. 57.) [Pl.: *caras-sujas*.]

carataí. [Do tupi *karata'i*.] *S. m. Bras.* **1.** Peixe teleósteo, siluriforme, da família dos doracídeos *(Anadoras wedellii* Cast.], da Amaz., de coloração escura, com uma série de placas ósseas ao longo dos flancos e os primeiros raios das nadadeiras fortes e serrilhados. **2.** Denominação comum a dois peixes siluriformes da família dos auquenopterídeos: *Pseudauchenipterus nodosus* (Bloch), largamente distribuído pelo País, e *Centromochulus heckelii* (Fil.), da Amaz. [Var. (de 1 e 2): *garavataí, gravataí, caravataí*.] **3.** Peixe teleósteo, siluriforme, da família dos pimelodídeos *(Platynemayichthys punctulatus* (Kner)), da Amaz., cinzento, com manchas escuras, e cujo comprimento vai a 1,50 m; mestiço.

carateteuense. *Adj. 2 g.* **1.** De, ou pertencente ou relativo a Carateteua (PA). • *S. 2 g.* **2.** Natural ou habitante de Carateteua.

caraté. *S. m. Patol.* Dermatose infecciosa crônica, endêmica, produzida por um espiroqueta, e que se caracteriza por lesões cutâneas papulares discrômicas, as quais, eventualmente, se transformam em manchas desprovidas de pigmentos. [Sin.: *mal-da-pinta, mal-do-pinto.* Cf. *caratê*.]

caratê. *S. m.* Método de ataque e defesa pessoal difundido pelos japoneses, e que se funda na educação da vontade e num apurado treinamento físico. [Segundo alguns, originou-se na China, mas foi em Okinawa, onde havia uma forma de combate semelhante baseada em golpes de mãos e de pés, que se aperfeiçoou.] [Cf. *caraté*.]

carateca. *S. 2 g. Bras.* Lutador de caratê.

caráter. [Do gr. *charaktér*.] *S. m.* **1.** Forma que se dá à letra manuscrita ou ao tipo de imprensa. **2.** *P. ext.* V. *tipo*[1] (10): *O folheto foi editado em caracteres itálicos.* [Nessas acepç., tb. us. no pl.] **3.** Sinal convencional. **4.** Especialidade, especificidade; cunho, marca: *obra de caráter puramente científico.* **5.** Qualidade inerente a uma pessoa, animal ou coisa; o que os distingue de outra pessoa, animal ou coisa: *Substâncias sem estrutura cristalina são de caráter amorfo.* **6.** O conjunto dos traços particulares, o modo de ser de um indivíduo, ou de um grupo; índole, natureza, temperamento: *O seu caráter agressivo dificulta-lhe o relacionamento; O caráter latino difere do caráter germânico.* **7.** O conjunto das qualidades (boas ou más) de um indivíduo, e que lhe determinam a conduta e a concepção moral: *homem de caráter nobre.* **8.** Gênio, humor, temperamento: *Esta criança tem um caráter péssimo: só vive choramingando.* **9.** *Ét.* Firmeza e coerência de atitudes; domínio de si. **10.** Expressão apropriada, ajustada; propriedade. **11.** *Biol.* Aspecto morfológico ou fisiológico usado para distinguir de outro(s) um ser ou grupo de seres. **12.** *Rel.* Qualidade especial produzida pelos sacramentos do batismo, crisma e ordem. **13.** *Bras., N.E. Pop.* Expressão facial; fisionomia. ◆ **Caráter adquirido.** *Biol.* Caráter não hereditário decorrente das condições ambientais como, p. ex., a pigmentação da pele devida ao sol e o nanismo por carência alimentar. **Caráter alfanumérico.** *Proc. Dados.* Qualquer dígito de 0 a 9, qualquer letra de A a Z, ou um caráter dito especial, como, p. ex.: #, +, ?, (, %, etc. **Caráter geomagnético.** *Geofís.* Índice das perturbações dos elementos do campo geomagnético, que é determinado pela pesquisa coordenada dos observatórios magnéticos; índice geomagnético. **Caráter hereditário.** *Biol.* Caráter transmissível segundo as leis da genética. **A caráter.** Conforme a época e ao lugar; rigorosamente segundo a moda; como deve ser: *Homens e mulheres bailaram o minueto vestidos a caráter*; "Orgia romana — cento e cinqüenta figuras, sem contar os músicos a caráter, três carros de guerra, bandeiras, troféus" (Marques Rebelo, *Marafa*, p. 57). **De caráter.** De bom feitio moral; de boas e sólidas convicções; *um homem de caráter.*

caraterística. *S. f.* V. *característica.*

caraterístico. *Adj.* e *s. m.* V. *característico.*

caraterização. *S. f.* V. *caracterização.*

caraterizado. *Adj.* V. *caracterizado.*

caraterizador (ô). *Adj.* e *s. m.* V. *caracterizador.*

caraterizante. *Adj. 2 g.* V. *caracterizante.*

caraterizar. *V. t. d.* e *p.* V. *caracterizar.*

caraterizável. *Adj. 2 g.* V. *caracterizável.*

caraterologia. *S. f.* V. *caracterologia.*

caraterológico. *Adj.* V. *caracterológico.*

caratinga. [Var. de *acaratinga*.] *S. m. Bras.* **1.** Designação comum a várias espécies da família das dioscoreáceas, trepadeiras, ornamentais, de raízes tuberosas comestíveis, e entre as quais há uma espécie com folhas verdes maculadas de vermelho; cará-de-folha-colorida, cará-liso, cará-de-pele-branca, inhame-cará. **2.** V. *cará* (1). **3.** *Bras.* Peixe teleósteo, percomorfo, da família dos gerrídeos (*Eugerres brasilianus* (Curv.)), do Atlântico, desde as Antilhas ao RJ. Coloração prateada, com reflexos esverdeados; uma estria olivácea no corpo; comprimento: até 0,24 m. É espécie comum e de boa carne. [Sin. (nesta acepç.): *acaratinga, carapeba-listada*.] **4.** Sagüi (*Hapale leucocephala* Geoffr.) de cabeça branca; sagüi-caratinga.

caratinguense. *Adj. 2 g.* **1.** De, ou pertencente ou relativo a Caratinga (MG). • *S. 2 g.* **2.** Natural ou habitante de Caratinga.

caratuã. [De possível or. tupi.] *S. m. Bras., AM.* Espécie de sarrabulho preparado à moda indígena, com miúdos de vários animais de caça.

caraú. *S. 2 g.* e *adj. 2 g. Bras.* V. *crao.*

carauá. *S. m. Bras.* V. *caroá.*

carauaçu. [Do tupi, decerto.] *S. m. Bras., MA.* V. *apaiari.*

carauariense. *Adj. 2 g.* **1.** De, ou pertencente ou relativo a Carauari (AM). • *S. 2 g.* **2.** Natural ou habitante de Carauari.

caraúba. [De possível or. tupi.] *S. f. Bras., AM.* Árvore ornamental, da família das bignoniáceas *(Jacaranda copaia)*, de flores violáceas, sendo o fruto uma cápsula com sementes aladas, e tida por medicinal graças às propriedades depurativas e anti-sifilíticas das folhas.

caraúba-do-campo. *S. f. Bras.* Árvore da família das bignoniáceas (*Tecoma caraiba*), do baixo Amazonas até o S. de MT, cuja madeira, pesada, de cerne bege-rosado ou pardo-amarelado, se usa na fabricação de tacos de bilhar e cabos de ferramenta. [Pl.: *caraúbas-do-campo*.]

caraubal (a-u). *S. m. Bras.* Quantidade mais ou menos considerável de caraúbas dispostas proximamente entre si.

caraubense (a-u). *Adj. 2 g.* **1.** De, ou pertencente ou relativo a Caraúbas (RN). • *S. 2 g.* **2.** Natural ou habitante de Caraúbas.

caraúna. *S. f.* **1.** *Bras., Amaz.* V. *tapicuru*[1]. **2.** *Bras., Amaz.* V. *graúna.* **3.** *Bras., N.E.* V. *garoupinha.*

caravana. [Do ár. *qairauān*. atr. do it. ou do fr.] *S. f.* **1.** Multidão de peregrinos, mercadores ou viajantes que se reúnem para atravessar o deserto com segurança. **2.** *P. ext.* Grupo de pessoas que vão juntas a algum lugar.

caravançará. [Do persa *karvanṣarāi*, 'palácio das caravanas'; var. de *caravançarai.*] *S. m.* **1.** Grande abrigo, no Oriente Médio, para hospedagem gratuita de caravanas, e que de ordinário consta de quatro pavilhões em volta de um pátio. [Cf. *cão*² (2).] **2.** *Bras. Fig.* Baralhamento, confusão, mistura, mescla: "Quão delicioso tudo isto ao misturarem-se, neste c a r a v a n ç a r á de raças, gregos, semitas, franceses, catalães, mouros, bizantinos, germânicos!" (Agripino Grieco, *Recordações de um Mundo Perdido.* p. 60.)

caravançarai. *S. m.* Caravançará [q. v.].

caravaneiro. *S. m.* Guia de caravanas.

caravataí. [Do tupi *karawata'í.*] *S. m. Bras., Amaz.* V. *carataí* (1 e 2).

caravela. [Dim. de *cáravo.*] *S. f.* **1.** *Ant.* Navio de casco alteroso à popa e baixo a vante, de boca aberta ou coberta, aparelhado com um a quatro mastros de velas bastardas, e armado com até 18 peças de artilharia. [Algumas tinham velas redondas no mastro de vante. Foram navios, por excelência, dos descobrimentos marítimos portugueses dos sécs. XV e XVI.] **2.** Antiga moeda de prata. **3.** Animal celenterado, hidrozoário, sifonóforo, especialmente o do gênero *Physalia,* de cerca de 0,20 m de comprimento. Vive nos mares quentes, em colônias formadas de, pelo menos, quatro tipos de pólipos: flutuantes, alimentares, defensivos, e reprodutivos. Urticante, pode causar acidentes e envenenamentos. **4.** V. *água-viva* (2). **5.** Vara de mandioca.

caravelão. *S. m. Ant.* Caravela pequena e rudimentar, muito utilizada no litoral brasileiro no início da colonização.

caraveleiro. *S. m.* Tripulante de caravela.

caravelense. *Adj. 2 g.* **1.** De, ou pertencente ou relativo a Caravelas (BA). ● *S. 2 g.* **2.** Natural ou habitante de Caravelas.

caravelha (ê). *S. f.* Var. epentética de *cravelha.*

caravelho (ê). *S. m.* Var. epentética de *cravelho.*

cáravo. [Do lat. *carabu.*] *S. m. Ant.* Barco de velas latinas, de porte variável, muito utilizado pelos mouros, sobretudo no Mediterrâneo.

caraxixu. [De possível or. indígena.] *S. m. Bras.* Pequena erva cosmopolita, da família das solanáceas (*Solanum nigrum*), de pequenas flores alvas e diminutos frutos negros; araxixu, aguaraquiá, erva-de-bicho, erva-moura, maria-preta, maria-pretinha, pimenta-de-galinha.

caraxué. [Do tupi *ka'rá,* alter. de *gui'rá,* 'pássaro', + *xu'é,* 'vagaroso', 'chorão'.] *S. m. Bras., Amaz.* **1.** Designação comum a várias aves da família dos turdídeos ou sabiás, tais como *Turdus phaeopygus* Cab., *T. nudigenis* Laf., *T. fumigatus* Licht. e *T. ignobilis debilis* Hellm., de coloração pardo-oliváceа escura, ou pardo-avermelhada; guiraxué, uiraxué: "o feio c a r a x u é do canto divino garganteia além as melodias mais imprevistas que nunca sonharam maestros" (José Veríssimo, *Cenas da Vida Amazônica,* p. 54). [Cf. *sabiá* (1).] **2.** V. *proxeneta.*

caraxué-da-capoeira. *S. m. Bras., PA.* V. *sabiá-da-mata.* [Pl.: *caraxués-da-capoeira.*]

caraxué-da-mata. *S. m. Bras.* V. *sabiá-da-mata.* [Pl.: *caraxués-da-mata.*]

carazal (carà). *S. m. Bras.* Quantidade mais ou menos considerável de pés de carás dispostos proximamente entre si.

carazinhense (carà). *Adj. 2 g.* **1.** De, ou pertencente ou relativo a Carazinho (RS). ● *S. 2 g.* **2.** Natural ou habitante de Carazinho.

carbamato. *S. m. Quím.* Sal do ácido carbâmico.

carbâmico. *Adj.* ~ V. *ácido* —.

carbamida. *S. f. Quím.* Uréia.

carbeto (ê). *S. m. Quím.* V. *carbureto.*

carbinol. *S. m. Quím.* O álcool metílico.

▲**carb(o)-.** [Do lat. *carbo, inis.*] *El comp.* = 'carvão', 'carbono': carbólico. [Equiv.: *carbon(i)-*: *carbonífero; carbon(o)-*.]

carboidrato (o-i). *S. m. Quím.* V. *glucídio.*

carbólico. [De *carb-* + *-ol,* atr. do lat. *oleum,* 'óleo' + *-ico*².] *Adj.* ~ V. *ácido* —.

carbonado. [De *carbono* + *-ado*¹.] *Adj.* **1.** Que contém carbono. ● *S. m.* **2.** Diamante preto, de extrema dureza e de uso exclusivamente industrial; lavrita.

carbonador (ô). *S. m.* Carburador.

carbonante. *Adj. 2 g.* e *s. m.* Carburante.

carbonário. [Do it. *carbonaro,* 'carvoeiro'.] *S. m.* **1.** Membro de uma sociedade secreta e revolucionária que atuou na Itália, França e Espanha no princípio do séc. XIX. **2.** *P. ext.* Membro de qualquer sociedade secreta e revolucionária.

carbonarismo. *S. m.* Opinião, doutrina ou prática dos carbonários.

carbonatado. [Part. de *carbonatar.*] *Adj.* **1.** Saturado de gás carbônico. **2.** Convertido em carbonato.

carbonatar. *V. t. d.* e *p.* **1.** Saturar(-se) de gás carbônico. **2.** Converter(-se) em carbonato.

carbonato. *S. m. Quím.* Qualquer sal do ácido carbônico.

carboneto (ê). *S. m. Quím.* V. *carbureto.*

▲**carbon(i)-.** V. *carb(o)-.*

carbônico. *Adj. Quím.* Próprio do carbono. ~ V. *ácido* — e *gás* —.

carbonífero. [De *carbon(i)-* + *-fero.*] *Adj.* **1.** Que contém ou produz carvão. ~ V. *período* —. ● *S. m.* **2.** *Geol.* Período carbonífero.

carbonila. [De *carbono* + *-ila.*] *S. f. Quím.* O grupamento = CO.

carbônio. *S. m.* V. *carbono.*

carbonização. *S. f.* Ato ou efeito de carbonizar.

carbonizado. [Part. de *carbonizar.*] *Adj.* Reduzido a carvão.

carbonizador (ô). *Adj.* **1.** Que carboniza. ● *S. m.* **2.** Aquilo que carboniza. **3.** Aparelho que transforma a madeira em carvão.

carbonizar. *V. t. d.* **1.** Reduzir a carvão. **2.** Queimar (tecidos orgânicos) por meio de um metal em brasa ou substância cáustica. *P.* **3.** Reduzir-se a carvão.

carbonizável. *Adj. 2 g.* Que pode ser carbonizado.

carbono. [Do lat. *carbone,* 'carvão'.] *S. m.* **1.** *Quím.* Elemento de número atômico 6, cristalino (grafita ou diamante), capaz de formar extensas cadeias de átomos, e que constitui dezenas de milhares de compostos. [Símb.: C.] **2.** V. *papel-carbono.* ◆ **Carbono primário.** *Quím.* Num composto orgânico, átomo de carbono que está ligado a um outro átomo de carbono. **Carbono secundário.** *Quím.* Num composto orgânico, átomo de carbono que está ligado a dois outros átomos de carbono. **Carbono terciário.** *Quím.* Num composto orgânico, átomo de carbono que está ligado a três outros átomos de carbono.

▲**carbon(o)-.** V. *carb(o)-.*

carboquímica. [De *carb(o)-* + *química.*] *S. f.* **1.** A química dos compostos derivados do carvão, como, p. ex., o alcatrão, e fenóis. ● *Adj.* **2.** Diz-se de composto obtido pela destilação do carvão.

carboxila (cs). [De *carb(ono)* + *ox(igênio)* + *-ila.*] *S. f. Quím.* Grupamento funcional característico dos ácidos orgânicos. [Fórm.: - COOH.]

carboximetilcelulose (cs). *S. f. Quím.* Substância complexa, obtida pela ação do derivado sódico do ácido cloroacético sobre a celulose alcalina, pulverulenta, branca, usada na indústria de tintas, de adesivos, em análise química, como antiácido e laxativo.

carbúnculo. [Do lat. *carbunculu.*] *S. m.* **1.** Antiga designação da granada almandina, lapidada em cabucho; toque. **2.** *Patol.* Carbúnculo hemático. **3.** *Patol.* Infecção necrosante da pele e tecido subcutâneo, habitualmente causada pelo *S. aurens hemolyticus,* e que produz lesão com bordas endurecidas e vários orifícios fistulosos que eliminam secreção purulenta. [Pode ser considerado como um furúnculo com múltiplos focos.] ◆ **Carbúnculo hemático.** Doença infecciosa comum a vários animais (bovinos, ovinos, caprinos e, raramente, eqüinos), causada pelo *B. antharacis,* e que, acidentalmente, incide no homem, causando lesão cutânea (pústula maligna), podendo evoluir para grave septicemia. [Tb. se diz apenas *carbúnculo.*]

carbunculoso (ô). *Adj.* **1.** Da natureza do carbúnculo. **2.** Que produz carbúnculo.

carburação. [Do fr. *carburation.*] *S. f.* **1.** Ato ou efeito de carburar. **2.** *Autom.* Preparação da mistura de ar e combustível destinada à alimentação de um motor de explosão. **3.** *Quím.* Processo pelo que se aumenta o teor de combustível numa mistura destinada à queima ou à explosão num motor de explosão.

carburador (ô). [Do fr. *carburateur.*] *S. m.* Órgão principal da carburação, onde o combustível se mistura, em proporção adequada, com o ar, para garantir o perfeito funcionamento de um motor de explosão, sob as mais diversas solicitações de velocidade e força; carbonador.

carburante. *Adj. 2 g.* **1.** Que produz carburação. ● *S. m.* **2.** Combustível próprio para motor de explosão. [Sin. ger.: *carbonante.*]

carburar. *V. t. d.* **1.** Provocar (num sistema) a elevação do teor de um combustível. **2.** Combinar com o carbono ou com substância rica em carbono.

carbureto (ê). [Do fr. *carbure* + *-eto.*] *S. m. Quím.* Qualquer composto binário de carbono e outro elemento; carbeto, carboneto.

carburização. *S. f. Quím.* Ato ou efeito de carburizar.

carburizar. *V. t. d. Quím.* Aumentar o teor de carbono de (uma mistura).

carcaça. [Do fr. *carcasse.*] *S. f.* **1.** Esqueleto de animal; ossada, ossatura. **2.** Arcabouço, estrutura. **3.** Casco velho de navio. **4.** Navio sem apRESTOS. **5.** Urdidura de navio em construção. **6.** *Deprec.* O corpo humano: *Viajou tanto que acabou deixando a c a r c a ç a pela África.* **7.** *Fig.* V. *bruxa* (2).

carcamano. *S. m.* **1.** *Bras.* Alcunha jocosa que se dá aos italianos em vários estados; latacho, macarrone: "apartamento da Avenida Rui Barbosa decorado pelo tal marquês italiano — vai ver que o c a r c a m a n o não é marquês coisa nenhuma!" (Marques Rebelo, *O Simples Coronel Madureira,* p. 141). **2.** *Bras., MA.* Alcunha que se dá aos árabes em geral. **3.** *Bras., CE.* Vendedor ambulante de fazendas e objetos de armarinho.

carcanel. *S. m. Bras.* Ferro com que os calafates assentam a estopa nas costuras do navio. [Pl.: *carcanéis.*]

carcanha. *S. f. Bras.* V. *caicanha.*

carcará. [De *caracará,* por síncope.] *S. m. Bras.* V. *carancho.*

carcás. [Do persa *tirkash,* 'que atira flechas', que atr. do gr. veio a dar *karkásion,* donde o fr. ant. *carcais.*] *S. m.* V. *aljava*: "Do pejado c a r c á s tira uma seta, / Na corda a ajeita, — o arco entesa e curva, / Atira" (Gonçalves Dias, *Obras Poéticas,* II, p. 317). [Pl.: *carcases.*]

cárcava. *S. f. Ant.* Fosso profundo, para defesa, em volta de uma praça. [Var.: *cárcova.* Cf. *carcava,* do v. *carcavar.*]

carcavar. *V. t. d.* **1.** Rodear com cárcava. **2.** Tornar oco. *Int.* **3.** Abrir cárcava. *P.* **4.** Abrir-se, rasgar-se. [Pres. ind.: *carcavo, carcavas, carcava,* etc. Cf. *cárcava.*]

carcel. [Do fr. *carcel.*] *S. m.* **1.** Candeeiro suspenso, que se movimenta por meio de uma corrente. **2.** *Fotom.* Antiga unidade de medida de intensidade luminosa, igual a 1.118 candelas, e definida, empiricamente, pela intensidade de uma lâmpada especial (*lâmpada Carcel*), que funciona em condições determinadas. [Pl.: *carcéis*]

carcela. *S. f.* **1.** Tira de pano, com casas, que se cose num dos lados do casaco, das calças, etc., para se abotoar sobre a outra banda, onde estão os botões, de modo que estes não fiquem à vista. **2.** *Encad.* Tira estreita de pano ou de papel com que, num livro, se prendem mapas, estampas ou quadros fora do texto, ou com que se aumenta a espessura do lombo em certos trabalhos.

carcelado. [De *carcela* + *-ado*¹.] *Adj. Encad.* Provido de carcela (2). ~ V. *livro* —.

carceragem. *S. f.* **1.** Ato ou efeito de encarcerar. **2.** Despesa com a manutenção dos presos. **3.** Pagamento ou multa a que ficavam sujeitos os presos.

carcerário. [Do lat. *carcerariu.*] *Adj.* Relativo ao cárcere.

cárcere. [Do lat. *carcere.*] *S. m.* **1.** Prisão subterrânea; calabouço. **2.** V. *cadeia* (3). **3.** Cela de cadeia; prisão. **4.** Lugar de onde saíam os cavalos, nos circos da antiga Roma. **5.** *Fig.* Dificuldade, obstáculo. ◆ **Cárcere privado.** Local onde, ilegalmente, alguém conserva outrem preso.

carcereiro. [Do lat. *carcerariu.*] *S. m.* Guarda de cárcere.

carcérula. *S. f. Bot.* Tipo de fruto que, na maturação, se separa em diversos compartimentos monospermos.

carcharídeo. *S. m.* **1.** Espécime dos carcharídeos. ● *Adj.* **2.** Pertencente ou relativo a eles.

carcharídeos. *S. m. pl. Zool.* Família de peixes da ordem dos pleurotremados, classe dos elasmobrânquios (seláquios). Tubarões caracterizados pela presença de cinco pares de fendas branquiais, duas nadadeiras dorsais e uma anal. Habitam os mares quentes. Ex.: cação-magonga, cação-galhudo.

carchear. [Do esp. plat. *carchear.*] *Bras., RS. V. t. d.* **1.** Roubar, despojar (os vencidos ou os mortos). **2.** Apropriar-se indebitamente de (animais ou coisas), a pretexto de necessidade de guerra. [Conjug.: v. *frear.*]

carcheio. [Do esp. plat. *carcheo.*] *S. m. Bras. RS.* Ato ou efeito de carchear.

▲**carcin(i)-.** Equiv. de *carcin(o)-.*

carcinicultor (ô). [De *carcin(i)-* + *cultor.*] *S. m.* Aquele que se consagra à carcinicultura.

carcinicultura. [De *carcin(i)-* + *cultura.*] *S. f.* Cultura dos crustáceos.

▲**carcin(o)-.** [Do gr. *karkínos. ou.*] *El. comp.* = 'crustáceo'; 'câncer', 'tumor maligno': *carcinóide* (gr. *karkinoeidés*), *carcinologia; carcinose.* [Equiv.: *carcin(i)-*: *carcinicultura.*]

carcinógeno. [De *carcin(o)-* + *-geno.*] *S. m.* Substância que provoca ou estimula o desenvolvimento de tumor maligno no organismo.

carcinóide. [Do gr. *karkinoeidés.*] *Adj. 2 g.* **1.** Semelhante ou relativo aos crustáceos. **2.** Diz-se de tumor em geral isolado (único) e tido por benigno, e que, no entanto, deve ser considerado como potencialmente maligno. ● *S. m.* **3.** *Patol.* Carcinoma de evolução relativamente benigna.

carcinologia. [De *carcin(o)-* + *-log(o)-* + *-ia.*] *S. f. Ant.* **1.** Ramo da zoologia que estuda os crustáceos. **2.** V. *cancerologia.*

carcinológico. *Adj.* Concernente à carcinologia.

carcinologista. *S. 2 g. Especialista em carcinologia; carcinólogo.*

carcinólogo. [De *carcin(o)-* + *-logo.*] *S. m.* Carcinologista.

carcinoma. [Do lat. *carcinoma.*] *S. m. Patol.* Tumor maligno constituído por células epiteliais, com tendência a invadir as estruturas próximas e a produzir metástese.

carcinomatose. *S. f. Patol.* Carcinose.

carcinomatoso (ô). *Adj.* Canceroso (1).

carcinose. [De *carcin(o)-* + *-ose.*] *S. f. Patol.* Disseminação de câncer pelo corpo; carcinomatose.

carcoma. [Dev. de *carcomer.*] *S. f.* V. *caruncho* (1 e 2): "A luz projeta no forro cheio de carcoma um astro esburacado e limoso." (Osmã Lins, *Nove, Novena*, p. 146.)

carcomer. *V. t. d.* **1.** Roer (madeira): *Os carunchos carcomeram a estante.* **2.** Desfazer, como o carcoma desfaz a madeira; corroer: *A úlcera carcomeu a parede do estômago.* **3.** *Fig.* Arruinar, destruir: *Há vícios que carcomem uma instituição.*

carcomido. [Part. de *carcomer.*] *Adj.* **1.** Roído pela carcoma; corroído: *O livro tinha a lombada carcomida.* **2.** Gasto, estragado, apodrecido, deteriorado: *rocha carcomida; madeira carcomida.* **3.** *Fig.* Abatido, velho, acabado: *rosto carcomido.* [Sin. (nessas acepç.): *carunchoso, caruncheno.*] **4.** *Fig.* Consumido, atormentado, afligido: *O ciúme torna-lhe a alma carcomida.* **5.** *Fig.* Destruído, arruinado.

cárcova. *S. f. Ant.* **1.** Var. de *cárcava.* **2.** Porta falsa de praça-forte.

carcunda. *S. f., s. 2 g.* e *adj. 2 g.* F. dissimilada de *corcunda.*

carda. [Dev. de *cardar.*] *S. f.* **1.** Ato ou efeito de cardar; cardação, cardagem, cardadura. **2.** Instrumento constituído de um banco ao qual se apóia uma espécie de grande pente com dentes de madeira, compridos e bastante próximos, e que serve para desembaraçar o cânhamo, o linho, a lã, etc. **3.** *Tecnol.* Máquina que desembaraça, destrinça e limpa fibras têxteis, constituída de cilindros giratórios guarnecidos de milhares de agulhas. **4.** Pregadura miúda para o calçado. **5.** Cardina (1 e 2). **6.** *Ant.* Instrumento de tortura para dilacerar as carnes.

cardação. *S. f.* V. *carda* (1).

cardada. *S. f.* Porção de lã que se carda de uma vez.

cardado. [Part. de *cardar.*] *Adj.* Que foi submetido a cardação.

cardador (ô). *Adj.* **1.** Que carda: *máquina cardadora.* ● *S. m.* **2.** Aquele que tem por ofício cardar.

cardadura. *S. f.* **1.** V. *carda* (1). **2.** Filaça cardada.

cardagem. *S. f.* **1.** V. *carda* (1). **2.** Arte ou oficina de cardador.

cardal. *S. m.* Quantidade mais ou menos considerável de cardos dispostos proximamente entre si.

cardamomo. [Do gr. *kardámomon*, pelo lat. *cardamomu.*] *S. m.* Planta da família das zingiberáceas (*Elettearia repens*), do S.E. asiático, cultivada por suas sementes, utilizadas como condimento aromático.

cardamomo-da-terra. *S. m.* Designação comum a várias espécies da família das zingiberáceas, erva perene e robusta, com flores variegadas e sementes aromáticas e medicinais; cana-brava, cana-do-mato, capitiú, cuitéaçu, pacová, paco-seroca.

cardão. *Adj.* **1.** Que tem a cor da flor dos cardos; azul-violeta; cárdeo: "O cavalo cardão, que ele montava, parecia compreendê-lo e auxiliá-lo na empresa." (José de Alencar, *O Sertanejo*, p. 35); "O velho montando uma burra cardã encangalhada." (Magalhães da Costa, *Estação das Manobras*, p. 19). **2.** Diz-se dessa cor; cárdeo. ● *S. m.* **3.** Essa cor. **4.** Eqüídeo dessa cor: "arrancando o cardão em um salto, disparava pela colina abaixo" (José de Alencar, *O Sertanejo*, p. 234).

cardápio. [Do lat. *charta*, 'papel', + lat. *dapum*, gen. de *dapes*, 'iguarias'.] *S. m. Bras.* Lista das iguarias que um restaurante, etc., pode servir, com o preço de cada uma delas: "As pastas alimentícias .... entravam habitualmente nos cardápios de hotéis e restaurantes" (Eduardo Frieiro, *Feijão, Angu e Couve*, p. 270). [Sin.: *lista* (raramente us. no Brasil), (lus.) *ementa* e (gal.) *menu.*]

cardar. *V. t. d.* **1.** Desenredar, destrinçar ou pentear com carda (2 e 3) (lã ou qualquer fibra têxtil). **2.** *Gír.* Extorquir astuciosamente dinheiro de; explorar.

cardeal. [Do lat. *cardinale.*] *Adj. 2 g.* **1.** Principal, fundamental; cardinal: "A razão cardeal de toda a superioridade humana é sem dúvida a vontade." (José de Alencar, *A Pata da Gazela*, p. 195.) ~ V. *número* — e *ponto* —. ● *S. m.* **2.** Prelado do Sacro Colégio pontifício. **3.** *Bras.* Designação comum a várias aves passeriformes, da família dos fringilídeos, especialmente do gênero *Paroaria* Bon., espécies *coronata* (Mill.), *dominicana* (L.), *gularis* (L), espalhadas por todo o Brasil. Geralmente são brancas ou pretas, com a cabeça, mento ou outras partes do corpo encarnadas. [Sin. (nesta acepç.): *acapitã, cabeça-vermelha, campina, galo-da-campina, galo-de-campina, galo-do-mato, guiratirica, paroara, tié-guaçu-paroara.*] **4.** *Bras., L.* e *S.* Designação comum a subarbustos ornamentais da família das labiadas (*Salvia coccinea* e *Salvia splendens*), de flores vermelhas, havendo variedades em que as folhas são matizadas de amarelo, e outras em que as brácteas e o cálice são alvo-amarelados; cardealina, cardinala, pé-de-chumbo, sangue-de-adão. **5.** *Mat.* V. *número cardinal.* [Cf. *cardial.*]

cardeal-amarelo. *S. m. Bras.* Ave passeriforme, da família dos fringilídeos (*Gubernatrix cristata* (Vieil.)), do extremo S. do Brasil e países limítrofes, de coloração olivácea no dorso e amarela embaixo, garganta e vértice pretos, e supercílios e bochechas amarelas no macho e brancas na fêmea; cardeal-de-montevidéu. [Pl.: *cardeais-amarelos.*]

cardeal-de-montevidéu. *S. m. Bras.* Cardeal-amarelo. [Pl.: *cardeais-de-montevidéu.*]

cardealina. *S. f.* V. *cardeal* (4).

cardeiro[1]. [De *cardã* (2) + *-eiro.*] *S. m.* Aquele que faz ou vende cardas.

cardeiro[2]. [De *cardo* + *-eiro.*] *S. m. Bras. P. us.* Designação comum a várias plantas da família das cactáceas: "eu vi a vulva negra a se abrir como uma flor rubra de cardeiro." (José Lins do Rego, *Meus Verdes Anos*, p. 118).

cardenilho. [Do esp. *cardenillo.*] *S. m.* Verdete (2).

cárdeo. [Do lat. *cardinu.*] *Adj.* Cardão (1 e 2): "o tom cárdeo do véu de seda fina .... ligava-se .... ao cobreado dos seus opulentos cabelos ruivos e misteriosos" (Antero de Figueiredo, *Leonor Teles*, p. 241).

▲-cardia. V. *cardi(o)-.*

cárdia. [Do gr. *kardía.*] *S. f. Anat.* Orifício que permite a passagem do conteúdo esofagiano para o estômago.

cardíaco. [Do lat. *cardiacu.*] *Adj.* **1.** Referente ao coração. **2.** *Anat.* V. *cardial.* ~V. *arritmia* —*a*, *bulha* —*a*, *desfalecimento* —, *marcapasso* — *artificial* e *parada* —*a.* ● *S. m.* **3.** Aquele que sofre de afecção cardíaca; cardiopata.

cardial. *Adj. 2 g. Anat.* Relativo ou pertencente à cárdia; cárdico, cardíaco. [Cf. *cardeal.*]

cardialgia. [Do gr. *kardialgía.*] *S. f. Patol.* **1.** Dor aguda no coração. **2.** Dor muito forte no epigástrio.

cardiálgico. *Adj.* Relativo à cardialgia.

cárdice. *S. f.* Camafeu que apresenta um coração em relevo.

cárdico. *Adj. Anat.* V. *cardial.*

cardiço. *S. m.* Pequena carda (2) de chapeleiro, usada para o pêlo do feltro.

cardídeo. *S. m.* **1.** Espécime dos cardídeos. ● *Adj.* **2.** Pertencente ou relativo a eles.

cardídeos. *S. m. pl. Zool.* Família de moluscos da classe dos pelecípodes, encontrados nas águas doces e salgadas. O gênero tipo é o *Cardium.* Ex.: berbigão.

cardiectasia. [De *cardi(o)-* + *-ectas-* + *-ia.*] *S. f. Patol.* Dilatação total ou parcial do coração.

cardife. [Do top. *Cardife.*] *Adj.* Diz-se do carvão-de-pedra proveniente de Cardife (Inglaterra).

cardigã. [Do ingl. *cardigan.*] *S. m.* Casaco de malha aberto na frente, sem gola, e de decote redondo ou em V.

cardigueira. [De *cardo?*] *S. f. Bras.* V. *avoante.*

cardim. *Adj. 2 g.* Diz-se de touro de pêlo branco e preto.

cardina. *S. f.* **1.** Pasta de imundície aderente à lã ou ao pêlo dos animais. **2.** *P. ext.* Sujo aparente, visível na pele das pessoas. [Sin. (nessas acepç.): *carda.*] 3. *Pop.* V. *bebedeira* (1).

cardinal. [Do lat. *cardinale.*] *Adj. 2 g.* **1.** V. *cardeal* (1). ~V. *número* — e *numeral* —. ● *S. m.* **3.** *Mat.* V. *número cardinal.*

cardinala. *S. f.* V. *cardeal* (4).

cardinalado. *S. m.* Cardinalato.

cardinalato. *S. m.* Dignidade de cardeal. [F. paral.: *cardinalado.*]

cardinalesco (ê). *Adj.* cardinalício.

cardinalício. *Adj.* Relativo a cardeal (2); cardinalesco.

cardinalista. [Do lat. *cardinale*, 'cardeal', + *-ista.*] *Adj. 2 g.* e *s. 2 g.* Partidário de cardeal, em especial dos cardeais franceses Richelieu (1585-1642) e Mazarin (1602-1661).

cardinheira. [De *cardo?* V. *cardigueira.*] *S. f. Bras., SE.* V. *avoante.*

▲cardi(o)-. [Do gr. *kardía*, *as.*] *El. comp.* = 'coração': *cardiectasia.* [Equiv.: *-cardia, -cárdio: acardia, taquicardia, miocárdio.*]

▲-cárdio. V. *cardi(o)-.*

cardiocele. [De *cardi(o)-* + *-cele.*] *S. f. Patol.* Hérnia do coração, protrusão cardíaca através de fissura no diafragma ou através de ferida.

cardiocôndila. *S. m. Zool.* Gênero de insetos himenópteros da família dos mirmécidas.

cardiografia. [De *cardi(o)-* + *-graf(o)-* + *-ia.*] *S. f.* Registro, por meio do cardiógrafo, dos movimentos normais ou patológicos do coração.

cardiográfico. *Adj.* Relativo à cardiografia, ou ao cardiógrafo.

cardiógrafo. [De *cardi(o)-* + *-grafo.*] *S. m.* Aparelho destinado a fornecer o registro gráfico dos movimentos cardíacos.

cardiograma [De *cardi(o)-* + *-grama.*] *S. m. Med.* Traçado que se obtém pela aplicação do cardiógrafo.

cardióide. [De *cardi(o)-* + *-óide.*] *S. f. Geom.* Epiciclóide em que os raios das duas circunferências são iguais.

cardiologia. [De *cardi(o)-* + *-log(o)-* + *-ia.*] *S. f. Med.* **1.** Estudo do coração e das funções por ele desempenhadas. **2.** Parte da medicina que se ocupa das afecções do coração e dos grandes vasos.

cardiológico. *Adj.* Referente à cardiologia.

cardiologista. *S. 2 g.* Especialista em cardiologia; cardiólogo.

cardiólogo. [De *cardi(o)-* + *-logo.*] *S. m.* Cardiologista.

cardiopalmia. [De *cardi(o)-* + gr. *palmós*, 'palpitação' + *-ia.*] *S. f. Med.* Palpitação cardíaca.

cardiopálmico. *Adj.* Relativo à cardiopalmia.

cardiopata. [De *cardi(o)-* + *-pata.*] *S. 2 g.* Cardíaco (3): "— Essas crises de taquicardia são de esperar, nas circunstâncias em que ela se acha, mormente sendo uma cardiopata." (Ciro dos Anjos, *Abdias*, p. 110.)

cardiopatia. [De *cardi(o)-* + *-pat-* + *-ia.*] *S. f. Patol.* Designação comum às afecções do coração.

cardiopático. *Adj.* Relativo à cardiopatia.

cardiopétalo. [De *cardi(o)-* + *-pétalo.*] *Adj. Bot.* Provido de pétalas cordiformes.

cardioplegia. [De *cardi(o)-* + *-pleg-* + *-ia.*] *S. f. Patol.* **1.** Paralisia cardíaca. **2.** Parada cardíaca induzida por meios químicos ou físicos.

cardioplégico. *Adj.* Referente à cardioplegia.

cardiorrespiratório. *Adj.* Respeitante ao coração e ao aparelho respiratório.

cardiosclerose. [De *cardi(o)-* + *-esclerose.*] *S. f. Bras. Patol.* Esclerose do coração.

cardiotônico. [De *cardi(o)-* + *tônico.*] *Farmacol.* e *Med. Adj.* e *s. m.* Diz-se de, ou substância que exerce efeito tônico sobre o coração.

cardiovascular. *Adj. 2 g. Anat.* Referente ao coração e aos vasos sangüíneos.

cardite. [De *cardi(o)-* + *-ite*[1].] *S. f. Patol.* Inflamação do coração.

cardítico. *Adj.* Relativo à cardite.

cardo. [Do lat. *cardu.*] *S. m.* Planta da família das compostas *(Centaurea melitensis)*, considerada praga da lavoura, de flores amarelas, folhas com espinho, acinzentadas, e caule ereto, revestido de pêlos.

cardo-bosta. *S. m. Bras., L.* e *S.* Planta ornamental da família das cactáceas *(Cereus macrogonus)*, de flores alvas e aromáticas e caule verde-glauco e ereto. [Pl.: *cardos-bostas* e *cardos-bosta.*]

cardo-melão. *S. m. Bras., N.O.* a *S.* Designação comum a várias plantas da família das cactáceas, de caule globoso e esférico, flores grandes e amarelas; cabeça-de-frade. [Pl.: *cardos-melões* e *cardos-melão.*]

cardosa. *S. f. Bras., SC.* Espécie de peixe.

cardo-santo. *S. m.* Planta de caule herbáceo, da família das papaveráceas *(Argemone mexicana)*, de flores alvas ou amarelas, e largamente usada na medicina, sendo admitida na terapêutica oficial; erva-de-cardo-amarelo, papoula-de-espinho, papoula-do-méxico. [Pl.: *cardos-santos.*]

cardosense. *Adj. 2 g.* **1.** De, ou pertencente ou relativo a Cardoso (SP). ● *S. 2 g.* **2.** Natural ou habitante de

Cardoso.

cardoso-moreirense. *Adj. 2 g.* **1.** De, ou pertencente ou relativo a Cardoso Moreira (RJ). ● *S. 2 g.* **2.** Natural ou habitante de Cardoso Moreira. [Pl.: *cardoso-moreirenses.*]

carduça. *S. f.* Carda (2) grosseira com que se principia a cardadura.

carduçador (ô). *S. m.* Aquele que carduça.

carduçar. *V. t. d.* Passar pela carduça. [Conjug.: v. *laçar.*]

cardume. [De *carda* + *-ume.*] *S. m.* **1.** Bando de peixes. **2.** *Fig.* Bando, multidão, ajuntamento de pessoas. **3.** *Fig.* Grande porção de coisas; aglomeração, montão: "As estrelas em cardumes / silenciosas vão passando" (Antônio Feliciano de Castilho, *Amor e Melancolia*, p. 118).

careação. *S. f.* V. *acareação.*

careaçuense. *Adj. 2 g.* **1.** De, ou pertencente ou relativo a Careaçu (MG). ● *S. 2 g.* **2.** Natural ou habitante de Careaçu.

careador (ô). [De *carear*[1] + *-dor.*] *Adj. e s. m.* Que, ou aquele que careia.

carear[1]. [De *caro* + *-ear?*] *V. t. d.* **1.** Atrair, granjear, ganhar: *carear a estima, a consideração de alguém.* [Conjug.: v. *frear.* Cf. *cariar.*]

carear[2]. [Alter. de *carrear.*] *V. t. d.* Conduzir, levar; carrear. [Conjug.: v. *frear.* Cf. *cariar.*]

carear[3]. [De *cara* + *-ear.*] *V. t. d. e t. d. e i. Ant.* V. *acarear.* [Conjug.: v. *frear.* Cf. *cariar.*]

careca. *S. f.* **1.** Calva (1). **2.** Calvície, acomia. ● *S. 2 g.* **3.** Indivíduo calvo. ● *S. m.* **4.** *Bras. pop.* V. *diabo* (2). ● *Adj. 2 g.* **5.** Diz-se de indivíduo calvo. **6.** *Pop.* Diz-se do pneu liso, com os frisos já inteiramente gastos pelo uso. ◆ **Estar careca de.** *Bras. Fam.* Estar habituadíssimo a; estar cansado de: *Estou careca de falar com ela; Estou careca de ouvir aquela história.*

carecedor (ô). *Adj. e s. m.* Que ou aquele que sofre de carência.

carecente. *Adj. 2 g.* V. *carente: pessoa carecente de bens de fortuna.*

carecer. [Do lat. vulg. *carescere*, incoativo de *carere*, 'ter falta de algo que se deseja'.] *V. t. i.* **1.** Não ter, não possuir: *O caso carece de importância;* "O autor do *Gaúcho* [José de Alencar] carecia das qualidades necessárias à tribuna, mas quis ser orador, e foi orador." (Machado de Assis, *Páginas Recolhidas*, p. 130). **2.** Precisar, necessitar: "A órfã .... tinha uma dessas naturezas que não sabem viver em si e para si, mas carecem de transportar-se para outras" (José de Alencar, *O Sertanejo*, p. 177). *T. d.* **3.** Precisar, necessitar: "Carecerei muita vez recorrer a hipóteses e induções com prejuízo da precisão rigorosa." (Tavares Bastos, *O Vale do Amazonas*, p. 31.) [Conjug.: v. *aquecer.*]

carecimento. *S. m.* V. *carência.*

careio. [Dev. de *carear*[3].] *S. m. Ant.* **1.** Ato de carear; acareação. **2.** Meio empregado para carear.

careirense. *Adj. 2 g.* **1.** De, ou pertencente ou relativo a Careiro (AM). ● *S. 2 g.* **2.** Natural ou habitante de Careiro.

careiro. *Adj.* **1.** Que vende caro. **2.** Que cobra caro: "Costureira nova que descobrira. Careira como o diabo, mas era boa." (Juarez Barroso, *Mundinha Panchico e o Resto do Pessoal*, p. 124); *restaurante careiro.*

carélio. *S. m.* **1.** Indivíduo dos carélios, grupo étnico finês que habita o S.E. da Finlândia. **2.** A língua, ugro-finesa, desse povo. V. *uralo-altaico* (3). ● *Adj.* **3.** Pertencente ou relativo aos carélios.

carena. [Do lat. vulg. **carena*, cláss. *carina.*] *S. f.* **1.** *Constr. Nav.* Obras vivas [q. v.]. [Var.: *crena* e *querena.*] **2.** *Morfol. Veg.* Quilha (3). **3.** *Zool.* Crista em forma de quilha que se observa em certos ossos, como, p. ex., no esterno das aves.

carenada. *S. f.* **1.** Espécime das carenadas. ● *Adj. 2 g.* **2.** Pertencente ou relativo a elas. [Sin. ger.: *carinata.*]

carenadas. *S. f. pl. Zool.* Aves que possuem adaptação estrutural para o vôo, com raras exceções, como os galináceos, que são maus voadores. Apresentam o esterno com uma quilha ou carena. [Sin.: *carinatas.*]

carenado. *Adj.* Que tem saliência em forma de carena (2 e 3): *ramo carenado; esterno carenado.*

carenagem. *S. f. Ant.* Ato ou efeito de carenar.

carenal. *Adj. 2 g. Bot.* **1.** Relativo à carena. **2.** Diz-se da prefloração coclear quando uma das pétalas anteriores é totalmente externa.

carenar. *V. t. d. Ant.* **1.** *Mar.* Limpar e beneficiar a carena de (a embarcação). *Int.* **2.** *Bras., N.* Tombar (a embarcação) para um lado, à ação do vento; crenar.

carência. [Do lat. vulg. *carentia.*] *S. f.* **1.** Falta, ausência, privação: *Durante o cerco a cidade sofreu a carência de víveres.* **2.** Necessidade, precisão: *A criança tem carência de afeto.* [Sin., nessas acepç.: *carecimento.*] **3.** *Econ.* Período entre a concessão de um empréstimo ou financiamento e o princípio de uma amortização: *O pagamento do empréstimo será em 20 prestações mensais após dois anos de carência.*

carencial. *Adj. 2 g.* **1.** Relativo a carência. **2.** Que se deve a carência: *doença carencial.*

carente. [Do lat. *carente.*] *Adj. 2 g.* **1.** Que carece, que não tem: "pouco lhe importava que seus olhos estacassem, carentes de horizonte, num muro que as chuvas iam amarelando." (Ledo Ivo, *A Cidade e os Dias*, p. 10). **2.** Que precisa, necessita; necessitado, falto: *criança carente de afeto.* [Sin. ger.: *carecente.*]

carepa. *S. f.* **1.** V. *caspa.* **2.** Pó que se forma na superfície das frutas secas, sobretudo os figos. **3.** A superfície da madeira desbastada com enxó. ◆ **Levado da carepa.** *Bras., SP. Pop.* V. *levado da breca.*

carepento. *Adj.* Que tem carepa (1); careposo, caspento.

careposo (ô). *Adj.* V. *carepento.*

carestia. [Do it. *carestia.*] *S. f.* **1.** Qualidade do que é caro. **2.** Preço alto, superior ao valor real. **3.** Alta de preço; encarecimento. **4.** Escassez, falta; carência. [Sin. p. us.: *careza.*]

careta (ê). [De *cara* + *-eta.*] *S. f.* **1.** Contração ou trejeito do rosto. [Sin.: *caramunha, esgar, gaifona, gaifonice, grimaça, momice, trejeito, visagem* e (bras., AM) *meuã.*] **2.** Caraça, máscara. **3.** *Bras., Amaz.* Fragmentos de cerâmica indígena encontrados na margem esquerda do rio Amazonas. **4.** *Bras., SP.* A castanha do caju. ● *S. 2 g.* **5.** *Bras. Gír.* Entre toxicômanos, pessoa que não faz uso de droga (3). **6.** *Bras. Gír. P. ext.* Pessoa muito presa aos padrões tradicionais; quadrado. **7.** *Bras., N., N.E.* e *MG.* Animal bovino ou eqüídeo cujo focinho é de cor diferente da do resto do corpo. **8.** *Bras., N.E.* Personagem mascarada dos reisados ou bumbas-meu-boi. **9.** *Bras., BA.* Mascarado (5) carnavalesco. ● *Adj. 2 g.* **10.** *Bras. Gír.* Tradicional, conservador: *Os jovens tacharam o espetáculo de careta.* **11.** *Bras., N., N.E.* e *MG.* Que apresenta as características de careta (7): "Meu cavalo passou rente do dele e eu piquei com o ferrão a anca do castanho careta" (Afonso Arinos, *Pelo Sertão*, p. 176).

caretear. *V. int.* e *t. i.* **1.** Fazer careta(s): "e gargalhavam imbecilmente careteando" (Valentino Magalhães, *Vinte Contos*, p. 97); *Aquele homem estranho careteou -lhe. T. d.* **2.** Fazer como careta: *Careteou uma imitação de zanga.* [Conjug.: v. *frear.*]

careteiro. *Adj. e s. m.* Que ou aquele que faz caretas ou trejeitos.

caretice. *S. f. Bras. Gír.* Qualidade, ação ou dito de careta (5 e 6).

careza (ê). *S. f. P. us.* V. *carestia:* "a gerência de indústrias por pessoal burocrático tende sempre a significar desperdício e careza" (Antônio Sérgio, *Cartas do Terceiro Homem*, p. 97).

carfologia. [Do lat. *carphologia.*] *S. f. Psiq.* Movimento involuntário em que um doente grave faz gesto com que procura apanhar as roupas do leito; crocidismo.

carfológico. *Adj.* Relativo à carfologia.

carga. [Dev. do ant. *cargar*, f. sincopada de *carregar.*] *S. f.* **1.** Aquilo que é ou pode ser transportado ou suportado por alguém ou por alguma coisa. **2.** Aquilo que pesa sobre alguém ou algo; fardo. **3.** O peso que alguém ou alguma coisa pode transportar ou suportar; carregamento, carregação. **4.** Ato ou efeito de carregar; carregação, carregamento: *a carga e a descarga dos caminhões.* **5.** Grande quantidade; carregação: *Recebeu uma carga de livros.* **6.** *Fig.* Responsabilidade, obrigação, cargo, encargo: *Ficara com a carga da educação da menina.* **7.** *Fig.* Opressão, peso: *Ainda traz na consciência a carga daquele crime.* **8.** *Fig.* Embaraço, dificuldade; ônus, gravame: *Esta criança é uma carga muito pesada para os pais.* **9.** V. *surra.* (1): *Levou uma carga de pau.* **10.** Registro protocolar da entrega de documentos a alguém, passado no próprio protocolo. **11.** Investida violenta, impetuosa: *a carga da Brigada Ligeira.* **12.** Pólvora ou projetis que se metem duma vez numa arma de fogo. **13.** *Constr.* O peso suportado por uma estrutura ou um elemento estrutural de um prédio. **14.** *Estrut.* Força exterior devida à ação da gravidade. **15.** *Fís.* Pressão num encanamento onde existe ou escoa um fluido. **16.** *Eletr.* Carga elétrica. **17.** *Eletr.* Elementos ou conjunto de elementos em um circuito elétrico que recebe energia elétrica de outras partes do circuito. **18.** *Ind. Pap.* Qualquer substância adicionada à pasta destinada à fabricação do papel; aditivo. **19.** *Ind. Pap. Restr.* Substância mineral, geralmente caulim, talco, dióxido de titânio ou sulfato de bário, que se adiciona à pasta principalmente para aumentar a opacidade do papel e facilitar-lhe a acetinagem. **20.** *Bras., CE.* Medida equivalente a 100 rapaduras, cada uma das quais pesa cerca de 800 gramas. **21.** *Pint.* Extensor (4). ◆ **Carga a granel.** *Mar. Merc.* A que é constituída de minérios, carvão de pedra, cereais, combustíveis líquidos, etc., a granel. **Carga cerrada. 1.** Descarga simultânea de muitas armas de fogo. **2.** Ataque violento. **Carga de ossos.** Feixe de ossos. **Carga dirigida.** *Expl.* Carga explosiva que tem uma forma conveniente, para dirigir a energia da explosão, numa direção preferencial; carga oca. **Carga do elétron.** *Fís.* A menor quantidade de carga elétrica que pode ser ganha ou perdida por um sistema qualquer; carga elementar. **Carga elementar.** *Fís.* Carga do elétron. **Carga elétrica.** *Fís.* Grandeza física fundamental que mede a quantidade de eletricidade presente num sistema macroscópico ou num sistema atômico ou subatômico [Tb. se diz apenas *carga.*] **Carga elétrica negativa.** *Fís.* Carga elétrica que tem o mesmo sinal que o da carga de um elétron. [Tb. se diz apenas *carga negativa.*] **Carga elétrica positiva.** *Fís.* Carga elétrica de sinal contrário ao da carga de um elétron. [Tb. se diz apenas *carga positiva.*] **Carga especial.** *Mar. Merc.* A que é constituída de produtos venenosos, fertilizantes, etc., que exigem cuidados especiais no seu transporte. **Carga geral.** *Mar. Merc.* Toda aquela não classificável, como carga a granel, ou carga especial. [É constituída de unidades manipuláveis separadamente umas das outras (engradados, sacos, pacotes, fardos, caixotes, malas, vasilhas, etc.).] **Carga horária.** Número de horas de atividade, expresso em legislação ou contrato de trabalho, para ser cumprido por professor, funcionário, operário, etc. **Carga negativa.** *Fís.* Carga elétrica negativa. **Carga oca.** *Expl.* Carga dirigida. **Carga paga.** *Astron.* Carga que um veículo espacial transporta para desempenhar uma determinada tarefa. **Carga positiva.** *Fís.* Carga elétrica positiva. **Carga útil.** *Astron.* Carga total transportada por um veículo espacial, e constituída de tripulação, lubrificante e combustíveis, lastro e equipamento. **Arriar a carga.** *Bras.* Cansar, fatigar-se. **Com carga total.** Agindo com pleno desempenho de qualidades suas dominantes. **Deitar carga ao mar.** *Bras. Gír.* V. *vomitar* (11). **Fazer carga contra. 1.** Fazer pressão moral sobre: *Fez tal carga contra o criminoso que este acabou confessando tudo.* **2.** Acusar; censurar: "Soube que Firmino, naquele tempo, fez carga contra ele na polícia." (Fran Martins, *Dois de Ouros*, p. 19); *Para livrar-se do castigo fez carga contra o colega.* [Sin. ger.: *fazer carga em.*] **Fazer carga em.** Fazer carga contra. **Voltar à carga.** Fazer nova tentativa; insistir: "Bastavam-me um copo de chá e um pedaço de pão, e a abundância da comida quase me afligia. O pessoal do serviço recusa essa frugalidade, buscava deixar-nos um prato, e se não nos convencia, afastava-se, voltava à carga uma, duas, três vezes, até nos resignarmos à oferta." (Graciliano Ramos, *Viagem*, p. 33.)

carga-d'água. *S. f.* Chuva forte; bátega. [Pl.: *cargas-d'água.*] ~ V. *cargas-d'água.*

cargas-d'água. *S. f. pl. Pop.* Razão ignorada; motivo misterioso, oculto: *Não sei por que cargas-d'água veio visitar-me; Por que cargas-d'água terá deixado o emprego?* ~ V. *carga-d'água.*

cargo. [De *carga.*] *S. m.* **1.** Incumbência, carga, encargo. **2.** Responsabilidade, obrigação: *Tem a seu cargo várias crianças em idade escolar.* **3.** Função ou emprego público ou particular.

cargosear. [Do esp. plat. *cargosear*, 'importunar'.] *V. int. Bras., RS.* **1.** Discutir, teimar. **2.** Contar proezas; gabar-se, vangloriar-se, jactar-se. [Conjug.: v. *frear.*]

cargoso (ô). [Do esp. plat. *cargoso.*] *Adj. Bras., RS.* **1.** Obstinado, teimoso. **2.** Importuno, impertinente, maçador. **3.** Jactancioso, blasonador, gabola(s).

cargueiro. *S. m.* **1.** Aquele que guia besta de carga. **2.** Besta de carga. **3.** Navio cargueiro. ● *Adj.* **4.** Que transporta carga. **5.** *Bras. RS.* Que monta mal a cavalo. — V. *navio* —.

carguejar. *V. int.* **1.** Conduzir besta de carga. **2.** Transportar fardos. [Conjug.: v. *pelejar.*]

cari. *S. m. Bras.* V. *cascudo*[2] (2).

▲**cari-.** [De *cara.*] *El. comp.* = 'cara, rosto': *carinegro.*

cariaciquense. *Adj. 2 g.* **1.** De, ou pertencente ou relativo a Cariacica (ES). ● *S. 2 g.* **2.** Natural ou habitante de Cariacica.

cariacu. [Do tupi *karia'ku.*] *S. m. Bras.* Mamífero da ordem dos artiodáctilos, da família dos cervídeos (*Odocoileus virginianus cariacus* (Bod.)), distribuído da margem esquerda do rio Amazonas para o N. Coloração baio-avermelhada, ventre, parte interna dos membros, contorno dos olhos e lábios brancos. A galhada mede cerca de 0,50 m, com as pontas, em número de duas ou três em cada chifre, viradas para a frente, sendo a primeira a maior delas. Vive em regiões descampadas. [Sin.: *suaçuaparara, veado-galheiro, veado-de-virgínia, veado-galheiro-do-norte, veado-do-mangue.*]

cariado. [Part. de *cariar.*] *Adj.* **1.** Que tem cárie (osso, dente); carioso. **2.** *Fig.* Corrompido, pervertido.

cariaí. *Bras. S. 2 g.* **1.** Indivíduo dos cariaís, tribo indígena aruaque do baixo rio Branco e do rio Negro (AM). ● *Adj. 2 g.* **2.** Pertencente ou relativo a essa tribo.

cariamídeo. *S. m.* **1.** Espécime dos cariamídeos. ● *Adj.* **2.** Pertencente ou relativo a eles.

cariamídeos. *S. m. pl. Zool.* Aves gruiformes, da família *Cariamidae*, de grande porte, pernalta, crista erétil na cabeça de pernas filiformes. São predominantemente terrestres, alimentando-se de pequenos animais. Ex.: as siriemas.

cariana. *Bras. S. 2 g.* **1.** Indivíduo dos carianas, tribo indígena do rio Cotonuru (N. do PA). ● *Adj. 2 g.* **2.** Pertencente ou relativo a essa tribo.

cariapemba. *S. m. Bras., BA. Folcl.* Divindade angola-conguesa correspondente ao Exu dos iorubanos.

cariar. *V. t. d.* **1.** Produzir cárie em; corromper: *Alimentos muito doces c a r i a m os dentes. Int.* **2.** Criar cárie. [Pres. subj.: *carie*, etc. Cf. *cárie* e *carear.* Normalmente é defect., sendo conjugado só nas 3ªs pess. do sing. e do pl.]

cariáster. *S. m. Citol.* Agrupamento de cromossomos que formam um conjunto de aspecto estrelado. [Pl.: *cariásteres.*]

cariátide. [Do gr. *karyátides*, pelo lat. *caryatides.*] *S. f.* Figura humana, geralmente feminina, esculpida em fachadas de edifícios da Grécia antiga com a função de suporte de cornija ou arquitrave: "Na platibanda de friso ladrilhado, que duas c a r i á t i d e s de gesso amparavam e guarneciam, um par bisbilhoteiro de janelinhas em guilhotina, levantando o telhado para ver a rua, proporcionava ao mirante uma vista circular sobre a cidade" (Josué Montelo, *A Décima Noite*, p. 1). [Cf. *telamão.*]

cariazal. *S. 2 g. Bras., AC.* V. *caipira* (1).

cariba. *S. 2 g.* e *adj. 2 g. Bras.* V. *caraíba*³.

caribe. [Do taino *caribe*, 'audaz, valente'.] *S. 2 g.* e *adj. 2 g.* V. *caraíba*³.

caribé. [Do tupi *kari'bé.*] *S. m. Bras.* **1.** Alimento preparado com polpa de abacate. **2.** Refresco feito com beiju de tapioca. **3.** Mingau de farinha fina.

caribenho. *Adj.* **1.** De, ou pertencente ou relativo ao Mar do Caribe. ● *S. m.* **2.** O natural ou habitante dos países do Caribe.

cariboca. [Do tupi *kari'bok*, 'originário do branco'.] *S. 2 g. Bras., S.* V. *caboclo*¹ (1). [Var. (no N. e N.E.): *curiboca.*]

caricácea. *S. f.* Espécime das caricáceas.

caricáceas. *S. f. pl. Bot.* Família de árvores de tronco suculento, leitoso, com folhas palmadas e flores unissexuais, levando as masculinas 10 estames. Os frutos são bagas comestíveis; o mamão é a mais importante delas. Conhecem-se perto de 45 espécies das regiões intertropicais, em sua imensa maioria americanas, algumas brasileiras.

caricáceo. *Adj.* Pertencente ou relativo às caricáceas.

caricato. [Do it. *caricato*, 'carregado (nos defeitos)'.] *Adj.* **1.** Ridículo, burlesco, grotesco, caricaturesco. **2.** *Teat.* Diz-se do ator cômico que interpreta caricaturas. ● *S. m.* **3.** Esse ator.

caricatura. [Do it. *caricatura.*] *S. f.* **1.** Desenho que, pelo traço, pela escolha dos detalhes, acentua ou revela certos aspectos caricatos de pessoa ou fato. **2.** *Teat.* Representação burlesca em que se arremedam ou satirizam comicamente pessoas e fatos. **3.** Reprodução deformada de algo: *Só consegue escrever c a r i c a t u r a s de romance.* **4.** Pessoa ridícula pelo aspecto ou pelos modos.

caricaturado. [Part. de *caricaturar.*] *Adj.* De quem se fez caricatura: "É uma publicação perfeitamente inofensiva politicamente. Recomendamo-la sem hesitação aos seus atacados e c a r i c a t u r a d o s." (Fernando Pessoa, *Apreciações Literárias*, p. 186.)

caricatural. *Adj. 2 g.* Que se presta à caricatura; caricaturesco.

caricaturar. *V. t. d.* Representar por meio de caricaturas.

caricaturesco (ê). *Adj.* **1.** Caricatural. **2.** V. *caricato* (1).

caricaturista. *S. 2 g.* Pessoa que faz caricaturas.

carícia. [Do it., na f. meridional *carizia.*] *S. f.* Manifestação física de afeto; afago, meiguice, carinho. [Cf. *caricia*, do v. *cariciar.*]

cariciar. *V. t. d. Ant.* V. *acariciar.* [Pres. ind.: *caricio, caricias, caricia*, etc. Cf. *carícia.*]

cariciável. *Adj. 2 g.* **1.** Digno de ser cariciado. **2.** V. *carícioso* (2): "voltou logo de corrida a dizer palavras muito c a r i c i á v e i s às avezinhas" (Camilo Castelo Branco, *A Mulher Fatal*, p. 107).

caricioso (ô). *Adj.* **1.** Que faz carícias; carinhoso, meigo. **2.** Agradável, suave, cariciável.

caridade. [Do lat. *caritate.*] *S. f.* **1.** *Ét.* No vocabulário cristão, o amor que move a vontade à busca efetiva do bem de outrem e procura identificar-se com o amor de Deus; ágape, amor-caridade. **2.** Benevolência, complacência, compaixão. **3.** Beneficência, benefício; esmola. **4.** Uma das virtudes teologais [v. *virtudes teologais*]. **5.** *Bras., N.* Bolo de farinha de trigo, manteiga, açúcar e ovos. ♦ **Fazer caridade.** **1.** Ser caritativo. **2.** *Bras. Chulo. Irôn.* Dar (91) sem ter vínculos amorosos e sem exercer a prostituição.

carideída. *S. f.* e *adj. 2 g.* V. *cubomedusa.*

carideídas. *S. f. pl. Zool.* V. *cubomedusas.*

caridoso (ô). [De *caridade* + *-oso*, com haplologia.] *Adj.* **1.** Que tem caridade; caritativo, esmoler, esmolento. **2.** Em que há, ou que revela caridade: *gesto c a r i d o s o; ação c a r i d o s a.*

cárie. [Do lat. *carie.*] *S. f.* **1.** *Odont.* Dissolução e desintegração do esmalte e da dentina pela ação de bactérias acidificantes e de seus produtos; cárie dentária. **2.** *Patol.* Destruição de um osso, da qual pode resultar a morte deste, que se torna amolecido, descorado e poroso. **3.** *P. ext.* Enfermidade causada por certos fungos, que ataca o trigo ou certo tipo de árvores. **4.** *Fig.* Destruição progressiva. [Cf. *carie*, do v. *cariar.*] ♦ **Cárie dentária.** V. *cárie* (1).

carii. *Bras. S. 2 g.* **1.** Indivíduo dos cariis, tribo indígena que habitava o local onde se fundou a cidade de Niterói (RJ). ● *Adj. 2 g.* **2.** Pertencente ou relativo a essa tribo.

carijo. [Do caingangue.] *S. m. Bras., S.* Jirau, ou armação de varas, onde se colocam os ramos de erva-mate para crestá-los ao calor do fogo; barbaquá.

carijó¹. [Do tupi *cari'yó*, 'procedente do branco'.] *Bras. Adj. 2 g.* **1.** Diz-se do galo ou da galinha de penas salpicadas de branco e preto; pedrês. ~ V. *galo* —. ● *S. 2 g.* **2.** Galináceo carijó (1). **3.** V. *caboclo*¹ (1). ● *S. m.* **4.** Espécie de cipó. **5.** V. *araribá-rosa.* **6.** V. *espelina.*

carijó². *Bras. S. 2 g.* **1.** Indivíduo dos carijós, antiga denominação da tribo indígena guarani, habitante da região situada entre a lagoa dos Patos e Cananéia. ● *Adj. 2 g.* **2.** Pertencente ou relativo aos carijós. [Var.: *carió, cário.*]

caril. [Do concani *kadhi.*] *S. m.* **1.** Condimento indiano em pó, amarelo, composto de várias especiarias, sobretudo açafrão. **2.** Molho de caril (1): *galinha com c a r i l.*

carimã. [Do tupi *kari'mã.*] *S. f.* e *m. Bras.* **1.** Massa azeda de mandioca, mole, reduzida a bolos secos ao sol. **2.** Bolo de farinha de mandioca. **3.** Farinha seca finíssima. **4.** Praga que ataca o algodão. ● *Adj. 2 g.* **5.** Diz-se do bovino cuja pelagem apresenta pêlos brancos e alaranjados.

carimbador (ô). *Adj.* e *s. m.* Que ou aquele que carimba.

carimbagem. *S. f.* Ato ou efeito de carimbar.

carimbamba. [De possível or. tupi.] *S. m.* **1.** *Bras.* O xaréu-branco [q. v.] quando magro, após a desova. **2.** *Bras.* V. *xaréu-branco.* **3.** *Bras., MG.* V. *curandeiro* (1).

carimbar. *V. t. d.* **1.** Marcar com carimbo. **2.** *Bras.* Marcar (o peixe), nas barbatanas ou no rabo, com um talho de facão, para saber, ao fim da pescaria, qual o jangadeiro que o pescou. *T. c.* **3.** *Fig.* Marcar, assinalar: *C a r i m b o u a sua atitude covarde com uma desculpa pouco convincente.*

carimbo. [Do quimb. *kirimbu*, 'marca'.] *S. m.* **1.** Instrumento de metal, madeira ou borracha, etc., com que se marcam à tinta papéis de uso oficial ou particular; sinete, selo. **2.** Marca ou sinal produzido por esse instrumento. **3.** *Bras., N.* Marca de fogo gravada numa rês, em geral com as iniciais do proprietário. ♦ **Carimbo datador.** Carimbo de números e letras móveis, para registro de datas. **Carimbo numerador.** Carimbo manual com que se numeram livros em branco, talões, etc., capaz de ser regulado para numeração seguida ou repetida, duas, três ou mais vezes

carimbó. [De or. afr.] *S. m. Bras., N.* **1.** V. *atabaque* (2). **2.** Dança de roda do litoral paraense.

carimboto (ô). *S. m. Bras., RS. Deprec.* Alcunha dada pelos farrapos [v. *farrapo* (5)] aos legalistas, i. e., aos membros do partido conservador, no Império; absolutista, camelo, caramuru, corcunda, galego, reformador, restaurador.

carimé. *Bras. S. 2 g.* **1.** Indivíduo dos carimés, tribo indígena xirianá, do rio Caratirimani, afluente do rio Branco. ● *Adj. 2 g.* **2.** Pertencente ou relativo a essa tribo.

carimi. *Bras. S. 2 g.* **1.** Indivíduo dos carimis, tribo da margem direita do rio Catrimani (RR). ● *Adj. 2 g.* **2.** Pertencente ou relativo a essa tribo.

carina¹. *S. 2 g.* e *adj. 2 g. Bras.* Var. de *calina.*

carina². [Do lat. *carina*, 'quilha'.] *S. f. Anat.* Estrutura semelhante a aresta, a crista.

cariná. *S. f. Bras.* V. *buritizinho.*

carinata. [Do lat. *carinata.*] *S. f.* e *adj. 2 g.* Carenada.

carinatas. *S. f. pl. Zool.* Carenadas.

carindiba. [De possível or. tupi.] *S. f. Bras., AM* e *RJ.* Arbusto da família das verbenáceas (*Algiphila arborescens*), de flores alvo-amarelas dispostas em cimeiras axilares, fruto em drupa, superposta ao cálice.

carinegro (ê). [De *cari-* + *negro.*] *Adj.* Que tem cara negra.

carinhanhense. *Adj. 2 g.* **1.** De, ou pertencente ou relativo a Carinhanha (BA). ● *S. 2 g.* **2.** Natural ou habitante de Carinhanha.

carinho. *S. m.* **1.** Afago, meiguice, carinho, carícia. **2.** Cuidado, desvelo.

carinhosa. [Fem. substantivado de *carinhoso.*] *S. f. Bras., MA. Pop.* V. *tintureiro* (6).

carinhoso (ô). *Adj.* **1.** Cheio de carinho: *palavras c a r i n h o s a s.* **2.** Que trata com carinho; afável, meigo, caricioso.

▲cari(o)-. [Do gr. *karýa, as.*] *El. comp.* = 'noz', núcleo: *cariocinese.* [Equi.: *-cari(o)-: eucarioto.*]

▲-cari(o)-. Equiv. de *cari(o)-.*

cário. *S. 2 g.* e *adj. 2 g. Bras.* V. *carijó*².

carió. *S. 2 g.* e *adj. 2 g. Bras.* V. *carijó*².

carioca. [Do tupi *kari'oka*, 'casa do branco'.] *Bras. Adj. 2 g.* **1.** Do, ou pertencente ou relativo à cidade do Rio de Janeiro. **2.** Diz-se do café já preparado, ao qual se adiciona água. **3.** Diz-se de uma raça de porcos domésticos brasileiros. ● *S. 2 g.* **4.** Natural ou habitante da cidade do Rio de Janeiro. ● *S. m.* **5.** *Bras., C.O.* V. *chafariz* (1).

cariocada. *S. f. Bras.* **1.** Grupo de cariocas [v. *carioca* (4)]; os cariocas. **2.** Ação, dito ou modos de carioca (4); carioquismo, carioquice.

cariocarácea. *S. f.* Espécime das cariocaráceas.

cariocaráceas. *S. f. pl. Bot.* Família de árvores dotadas de grandes e belas flores, com estames numerosos, providos de filetes longos, vivamente coloridos, a par de folhas tripartidas. Carpelos igualmente numerosos; o fruto, drupáceo, edule, dá óleo aproveitável. Existem umas 20 espécies americanas, várias delas ocorrentes em nosso país, como, p. ex., o pequizeiro, comuníssimo nos cerrados do Brasil Central.

cariocaráceo. *Adj.* Pertencente ou relativo às cariocaráceas.

cariocinese. [De *cari(o)-* + *-cinese.*] *S. f. Citol.* Mitose.

cariocinético. *Adj.* Relativo à cariocinese.

cariodiérese. *S. f. Citol.* Divisão do núcleo celular.

cariofilácea. *S. f.* Espécime das cariofiláceas.

cariofiláceas. *S. f. pl. Bot.* Família de plantas herbáceas ou subarbustivas, que muitas vezes exibem belas flores coloridas, com 10 estames. Ovário unilocular, com muitos óvulos, podendo, porém, apresentar 2 a 5 lóculos; fruto capsular, raramente baciforme. Há cerca de 2 000 espécies, das regiões temperadas, raras observadas no Brasil, sendo o craveiro uma das mais apreciadas.

cariofiláceo. *Adj.* Pertencente ou relativo às cariofiláceas.

cariogameta. *S. m. Citol.* Núcleo sexual.

cariogamia. *S. f. Citol.* Fusão de cariogametas.

cariogâmico. *Adj.* Relativo à cariogamia.

cariopse. [De *cari(o)-* + *-opse.*] *S. f. Bot.* Fruto seco e indeiscente, de semente única, fundida ao pericarpo, e que é peculiar às gramíneas, como, p. ex., o milho, o trigo.

carioso (ô). *Adj.* **1.** Referente à, ou da natureza da cárie. **2.** Cariado (1).

carioquice. *S. f. Bras.* **1.** V. *cariocada* (2): "Na verdade, ele [Ribeiro Couto] sofre e caçoa, numa admirável transposição culta, dessa c a r i o q u i c e sem comparação no mundo, que está nos sambas, nas modinhas, nas marchas de carnaval." (Mário de Andrade, *O Empalhador de Passarinho*, p. 201.) **2.** Mania das coisas cariocas [v. *carioca* (1)].

carioquismo. *S. m. Bras.* **1.** V. *cariocada* (2). **2.** Sentimento de amor à terra carioca. **3.** Modismo típico do linguajar dessa terra.

cariotina. *S. f. Citol.* Cromatina.

cariótipo. [De *cari(o)-* + *-tipo*².] *S. m. Genét.* **1.**

Conjunto de cromossomos de um indivíduo. **2.** Apresentação ordenada de fotomicrografias de cromossomos de um mesmo indivíduo, utilizada para fins de diagnóstico.

caripé. [Do tupi, possivelmente.] *S. m. Bras.* Arvoreta da família das rosáceas *(Licania scabra)*, de flores pequenas, panículas axilares ou terminais, com sépalas de pêlos alvos.

cariperana (pè). [De *caripé* + *-rana.*] *S. f. Bras.* V. *caraiperana.*

cariperana-de-folha-larga. *S. f. Bras.* V. *caraiperana.* [Pl.: *cariperanas-de-folha-larga.*]

caripetirica (è). [De *caripé* + tupi *ti'rika*, ger. de *ti'ri*, absoluto de *i'ri*, 'fluir, manar'.] *S. f. Bras. Árvore da família das rosáceas (Licania).*

caripuna. *Bras. S. 2 g.* **1.** Indivíduo dos caripunas, tribo indígena da família pano, e que habita o rio Capivari, afluente do Jaci-Paraná (RO). **2.** Indivíduo das tribos homônimas, de língua tupi, do médio Purus e das bacias do Uaçá e do rio Negro. ● *Adj. 2 g.* **3.** Pertencente ou relativo a essas tribos.

carirense. *Adj. 2 g.* **1.** De, ou pertencente ou relativo a Carira (SE). ● *S. 2 g.* **2.** Natural ou habitante de Carira.

cariri[1]. [Var. de *quiriri.*] *S. 2 g.* e *adj. 2 g. Bras.* V. *cairiri.*

cariri[2]. *S. m.* **1.** *Bras., N.* Força; esforço. **2.** *Bras., PB.* Variedade de caatinga com vegetação pouco áspera.

carisma. [Do gr. *chárisma*, 'dom', pelo lat. *charisma.*] *S. m.* **1.** Força divina conferida a uma pessoa, mas em vista da necessidade ou utilidade da comunidade religiosa: "Entorna sobre mim as soberanas / Inspirações que brotam dos Altares, / Ó carisma que tudo irmanas, / Serva de Deus, Esposa dos Cantares." (Alphonsus de Guimaraens, *Obra Completa*, p. 167.) **2.** *Impr.* Epilepsia. [V. *carismático* (2).]. **3.** Atribuição a outrem de qualidades especiais de liderança, derivadas de sanção divina, mágica, diabólica, ou apenas de individualidade excepcional. **4.** O conjunto dessas qualidades especiais de liderança.

carismático. *Adj.* **1.** Relativo a, ou da natureza do carisma. **2.** Epiléptico. [Possivelmente porque, outrora, quando um condenado à morte sofria um ataque epiléptico, recebia o perdão, por acreditar-se ter sido visitado pela graça divina.]

caritativo. [Do lat. *caritate*, 'caridade', + *-ivo.*] *Adj.* V. *caridoso* (1).

caritel. *S. m. Ant.* Grito de socorro. [Pl.: *caritéis.*]

caritiana. *Bras. S. 2 g.* **1.** Indivíduo dos caritianas, a uns 60 km de Porto Velho, em RO, e com a população reduzida a umas 70 pessoas.

caritó. [De or. *indígena.*] *S. m. Bras., N.E.* **1.** V. *casinhola.* **2.** Gaiola onde se prendem caranguejos para engorda. **3.** Pequena prateleira ou nicho escavado nas paredes dos quartos ou salas das casas do sertão, e onde se guardam certos objetos miúdos: "passou por baixo do punho da rede onde Fabiano roncava, tirou do caritó o cachimbo e uma pele de fumo" (Graciliano Ramos, *Vidas Secas*, p. 49). **4.** Quarto onde se amontoam velharias. **5.** *Bras., N.E.* Moça velha, que não casa; solteirona. ♦ **Ficar no caritó.** *Bras. N.E.* V. *ficar para tia.*

cariú[1]. *Bras. S. 2 g.* **1.** Indivíduo dos cariús, índios que habitam os vales do Cariú e Bastiões (CE), e que mantiveram lutas contínuas com os cairiris, seus vizinhos, e depois com os brancos. ● *Adj. 2 g.* **2.** Pertencente ou relativo a esses índios.

cariú[2]. [Do tupi amazonense.] *S. m. Bras.* Entre os tupis, homem branco.

cariúa. [Do tupi.] *S. m. Bras.* **1.** Entre os tupis, homem forte, duro, valente e mau. **2.** *P. ext.* Nome dado ao branco pelo caboclo.

carixo. [De provável or. tupi.] *S. m. Bras., MG.* V. *chupim* (1).

cariz. *S. m.* **1.** Semblante, cara. **2.** Aspecto, aparência. **3.** Aparência da atmosfera, do céu; celagem. **4.** *Pop.* V. *carantonha.* **5.** V. *alcaravia.* **6.** A semente do cariz (5).

carlequim. *S. m.* **1.** *Ant.* Instrumento com que se introduzia a espoleta no ouvido das bombas ou granadas. **2.** V. *macaco* (4).

carlina. [Do fr. *carline.*] *S. f.* Cada uma das travessas que seguram as longarinas, na construção das pontes.

carlindogue. [Do hipocorístico *carlin*, do ator italiano Carlos Bestinazzi (1713-1783), + ingl. *dog*, 'cão'.] *S. m.* Certa raça de cães de pêlo curto e focinho preto e achatado.

carlinga. [Do ant. escandinavo *kerling*, fr. *carlingue.*] *S. f.* **1.** *Ant. Constr. Nav.* Forte peça de madeira, fixa à sobrequilha, e em cuja face superior há um encaixe de seção quadrangular, onde entra a mecha do pé do mastro real. **2.** *Constr. Nav.* Gola metálica fixa no convés (quando o mastro não vai até à quilha) e onde se apóia o pé do mastro: "As meias arrendadas .... foram atiradas à carlinga do mastro." (Xavier Marques, *Jana e Joel*, p. 173.) **3.** *Av.* Cabina (3). **4.** *Bras., N.E.* Tabuleta com furos, embaixo do banco da vela de uma jangada, e na qual se prende o pé do mastro, mudando-se de um furo para o outro, segundo a conveniência da ocasião. [Var.: *carninga.*]

carlito. *S. m. Bras., AL.* V. *carlitos.*

carlitos. [Do hipocorístico *Carlitos* (ou *Carlito*), dado a Charles Spencer Chaplin, produtor, diretor e ator cinematográfico inglês (1889-1977).] *S. m. 2 n. Bras., AL.* V. *casquinha* (4) [Var.: *carlito.*]

carlopolitano. *Adj.* **1.** De, ou pertencente ou relativo a Carlópolis (PR). ● *S. m.* **2.** O natural ou habitante de Carlópolis.

carlos-chaguense. *Adj. 2 g.* **1.** De, ou pertencente ou relativo a Carlos Chagas (MG). ● *S. 2 g.* **2.** Natural ou habitante de Carlos Chagas. [Pl.: *carlos-chaguenses.*]

carlyliano (lai). *Adj.* Pertencente ou relativo a Thomas Carlyle (1795-1881), escritor inglês, ou próprio desse autor: "Como todos os 'heróis' no sentido carlyliano, Herculano não esgotou a própria irradiação com a agonia em Val de Lobos." (Vitorino Nemésio, *A Mocidade de Herculano*, p. XV.)

carma. [Do sânsc. *karmam.*] *S. m. Filos.* Nas filosofias da Índia, o conjunto das ações dos homens e suas conseqüências. [Liga-se o carma às diversas teorias de transmigração, e por meio dele se definem as noções de destino, do desejo como força geradora do destino, e do encadeamento necessário, por força desses dois fatores, entre os diversos momentos da vida dos homens.]

carmanhola. [Do fr. *carmagnole.*] *S. f.* Canção de roda dançada pelos revolucionários franceses em 1793.

carme. [Do lat. *carmen.*] *S. m.* **1.** Versos líricos; poema, canto. **2.** *Mús.* Na polifonia acompanhada dos sécs. XIV e XV, a voz superior que continha o poema.

carmeador (ô). *S. m.* Aquele que carmeia.

carmear. [Do lat. *carminare.*] *V. t. d.* Desenredar, desfazer os nós de (a lã churda, antes de cardada); carpear. [Conjug.: v. *frear.*]

carmelina. [Do esp. *carmelina.*] *S. f.* Lã de vicunha, de qualidade inferior.

carmelita. [Do lat. *carmelite.*] *S. 2 g.* **1.** Frade ou freira da Ordem de N. S. do Monte Carmelo. [São famosos os carmelitas pelo rigor e austeridade.] ● *Adj. 2 g.* **2.** Pertencente ou relativo a essa ordem. [Sin. ger.: *carmelitano.*]

carmelitano[1]. *S. m.* Carmelita.

carmelitano[2]. *Adj.* **1.** De, ou pertencente ou relativo a Carmo do Rio Claro (MG). ● *S. m.* **2.** O natural ou habitante de Carmo do Rio Claro.

carmelitano[3]. *Adj.* **1.** De, ou pertencente ou relativo a Monte Carmelo (MG). ● *S. m.* **2.** Natural ou habitante de Monte Carmelo.

carmelo. *S. m.* Convento dos carmelitas.

carmense[1]. *Adj. 2 g.* **1.** De, ou pertencente ou relativo a Carmópolis (SE). ● *S. 2 g.* **2** Natural ou habitante de Carmópolis.

carmense[2]. *Adj. 2 g.* **1.** De, ou pertencente ou relativo a Carmo (RJ). ● *S. 2 g.* **2.** Natural ou habitante de Carmo.

carmense[3]. *Adj. 2 g.* **1.** De, ou pertencente ou relativo a Carmo da Mata (MG). ● *S. 2 g.* **2.** Natural ou habitante de Carmo da Mata.

carmense[4]. *Adj. 2 g.* **1.** De, ou pertencente ou relativo a Carmo de Minas (MG). ● *S. 2 g.* **2.** Natural ou habitante de Carmo de Minas.

carmense[5]. *Adj. 2 g.* **1.** De, ou pertencente ou relativo a Carmo do Paranaíba (MG). ● *S. 2 g.* **2.** Natural ou habitante de Carmo do Paranaíba.

carmesim. [Do ár. *quirmezī.*] *Adj. 2 g.* e *s. m.* **1.** Diz-se de, ou cor vermelha muito viva: "Essas onze-horas singelas, de colorido carmesim intenso" (Vivaldo Coaraci, *91 Crônicas Escolhidas*, p. 119). **2.** V. *carmim* (2, 4 e 5).

carmim. [Do fr. *carmin.*] *S. m.* **1.** Matéria corante, de um vermelho muito vivo, ligeiramente arroxeado, extraída, originariamente, da cochonilha-do-carmim. **2.** A cor do carmim (1); carmesim. **3.** *Zool.* Cochonilha-do-carmim. ● *Adj. 2 g.* e *2 n.* **4.** Da cor do carmim (1); carmíneo, carminado, carmesim. **5.** Diz-se dessa cor; carmesim. [Sin. nas acepç. 1, 2, 4 e 5: *magenta.*]

carminado[1]. [De *carmim* + *-ado[1]*.] *Adj.* V. *carmim* (4).

carminado[2]. [Part. de *carminar.*] *Adj.* Tingido ou pintado de carmim ou da cor do carmim.

carminar. *V. t. d.* **1.** Tingir de carmim, ou da cor do carmim. *P.* **2.** Ruborizar-se, corar: "Carminou-se o seu rosto cor de pérola." (Augusto Frederico Schmidt, *Poesias Completas*, p. 667.)

carminativo. [Do lat. tardio *carminatu*, part. pass. de *carminare*, 'purificar', + *-ivo.*] *Adj.* **1.** *Med.* Antiflatulento: "Note-se que a *cassia occidentalis*, da família das leguminosas, à qual se dá no Brasil setentrional o nome de *manjerioba*, é o mesmo *fedegoso*, com que também se prepara um café medicinal (carminativo), na Bahia, em Minas e no Rio de Janeiro." (Basílio de Magalhães, *O Café*, p. 206.) ● *S. m.* **2.** Medicamento contra os gases intestinais.

carmíneo. *Adj.* V. *carmim* (4): "fisionomias frescas de moças, uns rostos lindos, alvos e carmíneos (Xavier Marques, *Jana e Joel*, p. 126).

carmínico. *Adj.* ~ V. *ácido* —.

carmona. [Do fr. *crémone.*] *S. f.* Ferrolho que, colocado em toda a altura duma janela ou duma porta, se encaixa, a um tempo, em cima e embaixo.

carmopolitano. *Adj.* **1.** De, ou pertencente ou relativo a Carmópolis de Minas (MG). ● *S. m.* **2.** O natural ou habitante de Carmópolis de Minas.

carnaça. *S. f.* **1.** Excrescência carnosa. **2.** Grande quantidade de carne.

carnação. [Do lat. *carnatione.*] *S. f.* **1.** Representação do corpo humano, desnudo e com a cor natural. **2.** A coloração da carne humana: "A tua carnação, de alva polpa madura, / Há de fulgir, sorrir, como um rosal em flor..." (Martins Fontes, *Verão*, p. 91.)

carnada. [Do esp. plat. *carnada.*] *S. f. Bras., RS.* Isca[1] (1).

carnadura. *S. f.* **1.** Parte carnosa do corpo: "os seus belos braços brancos e roliços, duma carnadura rija" (Inglês de Sousa, *Contos Amazônicos*, p. 143). **2.** Aparência externa do corpo; a qualidade da carne: *Ângela tem uma carnadura rosada.* **3.** Compleição, musculatura: *É de uma carnadura sólida.*

carnagem. *S. f.* **1.** Matança de animais para alimentação do homem: "Os banquetes lucúleos de Ribeirão exigiam farta carnagem e esvaziavam de cada vez uma adega." (Xavier Marques, *As Voltas da Estrada*, p. 23.) **2.** Provisão de carnes de animais; carniça. **3.** V. *carnificina.*

carnaíba. [Var. de *carnaúba.*] *S. f. Bras., BA.* V. *carnaubeira.*

carnaibal (a-i). [De *carnaíba* + *-al.*] *S. m. Bras.* V. *carnaubal.*

carnaibano (a-i). *Adj.* **1.** De, ou pertencente ou relativo a Carnaíba (PE). ● *S. m.* **2.** O natural ou habitante de Carnaíba. [Sin. ger.: *carnaibense.*]

carnaibense (a-i). *Adj. 2 g.* e *s. 2 g.* Carnaibano.

carnal. [Do lat. *carnale.*] *Adj. 2 g.* **1.** De, pertencente ou relativo a carne (1, 2 e 3). **2.** Relativo a carne[1] (4 e 6): *paixões carnais.* **3.** Sensual, lascivo, concupiscente. **4.** Consangüíneo (1): *irmão carnal.* ~ V. *primos carnais.* ● *S. m.* **5.** Tempo em que a Igreja permite comer carne.

carnalidade. [Do lat. *carnalitate.*] *S. f.* Sensualidade, concupiscência: "A carnalidade desenfreada, o cinismo e a perfídia .... : eis aí o que de fato constitui a vida aristocrática da Idade Média." (Oliveira Martins, *História de Portugal*, I, p. 63.)

carnar. *V. t. d.* **1.** Unir por parentesco. **2.** Proceder à carnagem (1) de.

carnaúba. [Do tupi *karana'iwa*, 'árvore do caraná'.] *S. f. Bras.* **1.** V. *carnaubeira.* **2.** A cera extraída das folhas da carnaúba.

carnaubal (a-u). *S. m. Bras.* Quantidade mais ou menos considerável de carnaubeiras dispostas proximamente entre si; carnaibal, carandazal.

carnaubeira (a-u). *S. f. Bras., N., N. E.* e *N. O.* Planta ornamental da família das palmáceas (*Copernicia prunifera*), de estipe ereto, flores amarelas e folhas grandes, a qual produz cera muito usada na indústria de ceras e graxas para sapatos, assoalho, etc.; carandá, carnaúba, carnaíba.

carnaubense (a-u). *Adj. 2 g.* **1.** De, ou pertencente ou relativo a Carnaúba dos Dantas (RN). ● *S. 2 g.* **2.** Natural ou habitante de Carnaúba dos Dantas.

carnaval. [Do it. *carnevale.*] *S. m.* **1.** No mundo cristão medieval, período de festas profanas que se iniciava, geralmente, no dia de Reis (Epifania) e se estendia até a quarta-feira de cinzas, dia em que começavam os jejuns quaresmais. [Consistia em festejos populares e em manifestações sincréticas oriundas de ritos e costumes pagãos como as festas dionisíacas, as saturnais, as lupercais, e se caracterizava pela alegria desabrida, pela eliminação da repressão e da censura, pela liberdade de atitudes críticas e eróticas.] **2.** Os três dias imediatamente anteriores à quarta-feira de cinzas, dedicados a diferentes sortes de diversões, folias e folguedos populares, com disfarces e máscaras; tríduo de momo. [Sin., p. us., nessas acepç., *entrudo.*] **3.** *Bras. Pop.* Confusão, trapalhada, desordem.

carnavalesco (ê). [Do it. *carnevalesco*.] *Adj*. **1.** Pertencente ou relativo ao carnaval, ou próprio dele. **2.** Que participa intensamente dos folguedos carnavalescos. **3.** Ridículo, grotesco. **4.** Carnavalizado: "a narrativa menipéia, ou seja, *cômico-fantástica*, em que os personagens também são alegóricos, representando idéias (é a literatura carnavalesca, descrita por Mikhail Bákhtin, de Luciano a Rabelais e de Swift a Dostoiévski) — mais idéias tratadas *humoristicamente*." (José Guilherme Merquior, in *Edições Críticas de Obras de Machado de Assis, Várias Histórias*, p. 15). ~ V. *rancho* —. ● *S. m*. **5.** *Bras*. Folião de carnaval (2). **6.** *Bras*. Pessoa que planeja e põe em execução os diversos festejos de carnaval (2), tais como desfiles de escola de samba, bailes, etc.

carnavalização. [De *carnavalizar* + -ção.] *S. f*. **1.** Influência e/ou transposição do carnaval (1) para a literatura. [Termo criado pelo russo Mikhail Bákhtin em 1928. V. *carnavalesco* (4).] **2.** Influência do carnaval (1) em diferentes contextos culturais pela inversão dos códigos vigentes, pela ambigüidade das propostas, das imagens e das representações, e pela valorização da força erótica, do riso, do inusitado. [A carnavalização é tema interdisciplinar que, a partir das teorias de Bákhtin, tem sido objeto de estudo no campo da teoria literária, da antropologia, da sociologia, etc.]

carnavalizado. [Part. de *carnavalizar*.] *Adj*. Que se carnavalizou; carnavalesco.

carnavalizador (ô). [De *carnavalizar* + *-(d)or*.] *Adj*. **1.** Que carnavaliza. ● *S. m*. **2.** Aquele que carnavaliza: "No Brasil, convencionou-se que o carioca e o baiano são carnavalizadores." (Afonso Romano de Sant'Ana, *Política e Paixão*, p. 44.)

carnavalizar. *V. t. d*. **1.** Imprimir características de carnaval (1) a. **2.** Proceder à carnavalização de: "Os Beatles na década de 60 foram o ponto de partida disto tudo. Carnavalizaram o Império Britânico." (Afonso Romano de Sant'Ana, *Política e Paixão*, p. 44.) *P*. **3.** Tornar-se carnavalizado.

carnaz. [De *carne* + -*az*.] *S. m*. O lado da pele oposto à cútis [q. v.].

carne[1]. [Do lat. *carne*.] *S. f*. **1.** Tecido muscular, animal ou humano. **2.** A parte vermelha dos músculos. **3.** A carne dos mamíferos e, às vezes, das aves, encarada como alimento: *carne de porco; Não posso comer carne*. [Sin., inf., nesta acepç.: chicha.] **4.** *P. ext*. A parte mole e comestível do corpo de certos animais: *peixe de carne rija*. **5.** O corpo, a matéria, em oposição ao espírito, à alma; a natureza animal ou física do homem, em oposição à natureza moral ou espiritual: *os pecados da carne; A carne é fraca*. **6.** Parentesco, consangüinidade: *São a minha família, a minha carne*. **7.** Sensualismo, concupiscência. **8.** *Fam*. Sarcocárpio. ♦ **Carne de cordão.** A que se tira de entre as nádegas e as coxas do boi. **Carne de fumeiro.** Carne-seca no fumeiro. **Carne verde.** Carne fresca, não salgada. **Em carne e osso.** Em pessoa; na realidade: "Já não receava perigo algum em ver em carne e osso àquela encantadora menina" (Bernardo Guimarães, *O Seminarista*, pp. 80-81). **Em carne viva.** Sem pele; esfolado: *A febre deixou-lhe os lábios em carne viva*. **Ser carne de pescoço.** *Bras. Pop*. Ser duro, irredutível, difícil de dobrar ou persuadir. **Ser de carne e osso.** Ser sujeito às fraquezas do gênero humano, do homem. **Sofrer na própria carne.** Ressentir-se profundamente de alguma coisa; senti-la na pele: "No Rio de Janeiro, onde alcançara grande prestígio, desenvolvendo-se amplamente, o comércio francês começou a sofrer na própria carne." (Artur César Ferreira Reis, *A Amazônia e a Cobiça Internacional*, pp. 106-107.)

carne[2]. *S. m. Bras., RJ. Gír*. Ricaço inculto e mal-educado.

carnê. [Do fr. *carnet*.] *S. m*. **1.** Caderninho de apontamentos, no qual se costuma anotar endereços, obrigações sociais, etc. **2.** Pequeno bloco em cujas folhas se imprimem os dados relativos às prestações de compra feita a prazo, em geral desprendendo-se a respectiva folha a cada prestação paga.

carneação. *S. f. Bras., RS*. Ato de carnear.

carneadeira. [De *carnear* + -*(d)eira*.] *S. f*. Facão usado para carnear o gado.

carneador (ô). [Do esp. plat. *carneador*.] *S. m. Bras., RS*. V. *magarefe* (1).

carnear. [Do esp. plat. *carnear*.] *V. int. Bras., S*. **1.** Abater o gado e preparar as carnes para secar; charquear. *T. d*. **2.** Abater e esquartejar (o boi). [Conjug.: v. *frear*.]

carne-assada. *S. f. Turfe. Gír*. Barbada (2). [Pl.: *carnes-assadas*.]

carne-de-anta. *S. f. Bras., N.E.* e *L.* V. *lenha-branca*. [Pl.: *carnes-de-anta*.]

carne-de-ceará. *S. f. Bras., N.E.* V. *charque*. [Pl.: *carnes-de-ceará*.]

carne-de-sol. *S. f. Bras., N.* e *N.E.* Carne levemente salgada e seca ao sol; carne-de-vento, carne-do-sertão. [Pl.: *carnes-de-sol*.]

carne-de-vaca. *S. f*. **1.** *Bras., BA* a *SC*. Árvore grande, das matas, da família das proteáceas (*Roupala brasiliensis*), de folhas variáveis quanto à forma, indumento, recorte e dimensões, flores dispostas em racimos axilares solitários, e cujo fruto é folículo oblongo-falcado, lenhoso, contendo sementes aladas, de asa membranácea, parda. Fornece madeira de manchas claras, sobre fundo róseo-violáceo e até pardo-vermelho-violáceo, com a qual se fazem móveis. [Sin.: *carvalho-brasileiro, cedro-faia, faia, catucaém, caxicaém*.] **2.** *Bras., N*. Certa terra de arenito vermelho que, ao ser cortada, mostra uma cor sangrenta desmaiada. [Pl.: *carnes-de-vaca*.]

carne-de-vento. *S. f. Bras., S.* e *C.* V. *carne-de-sol*: "Consistiam [as provisões] em carne-de-vento, farinha e queijo do sertão." (José de Alencar, *O Sertanejo*, p. 78.) [Pl.: *carnes-de-vento*.]

carne-do-ceará. *S. f. Bras., N.E.* V. *charque*: "Os meninos .... viviam na carne-do-ceará, feijão e farinha" (José Carlos Cavalcanti Borges, *O Assassino*, p. 37). [Pl.: *carnes-do-ceará*.]

carne-do-sertão. *S. f. Bras*. V. *carne-de-sol*. [Pl.: *carnes-do-sertão*.]

carne-do-sul. *S. f. Bras., CE*. V. *charque*. [Pl.: *carnes-do-sul*.]

carneeiro. *Adj. Bras*. Que serve para matar ou cortar reses, para carneá-las.

carnegão. *S. m. Bras*. V. *carnicão*.

carneira. *S. f*. **1.** Pele de carneiro curtida. **2.** Tira ou faixa de couro que guarnece os chapéus de homem por dentro, ao redor da copa, junto à aba. **3.** *Bras., S*. Ovelha (1).

carneirada. *S. f*. **1.** Rebanho de carneiros. **2.** Conjunto de carneiros (3), que se formam quando há vento rijo. **3.** Febres peculiares à costa da África tropical. **4.** *Fig*. Grupo de pessoas passivas, submissas. **5.** *Bras*. Epidemia de malária. **6.** *Bras*. V. *malária*.

carneireiro. *S. m*. **1.** Aquele que tem carneiros. **2.** Guardador de carneiros.

carneirinho. [Dim. de *carneiro*.] *S. m*. **1.** V. *maria-vai-com-as-outras*. **2.** *Pop*. V. *cúmulo* (3). **3.** *Bras*. V. *caruncho* (1).

carneiro[1]. [Do lat. *carnariu*.] *S. m*. **1.** Mamífero reduzido à domesticidade como gado lanígero. **2.** V. *caruncho* (1). **3.** *Ocean. Fís*. Vaga ou onda de crista espumosa. **4.** V. *maria-vai-com-as-outras*. **5.** *Astr*. Áries (1). **6.** *Astrol*. Áries (2). [Com maiúscula, nas acepç. 5 e 6.] **7.** *Bras*. V. *aríete* (2). **8.** *Bras*. No jogo do bicho [q. v.], o 7º grupo (8), que abrange as dezenas 25, 26, 27 e 28, e corresponde ao número sete. **9.** *Bras., BA*. Terreno que fica descoberto quando, após a enchente, o rio volta ao leito habitual. **10.** *Bras., BA. Pop*. Mioma. ♦ **Carneiro hidráulico.** V. *aríete* (2).

carneiro[2]. [Do lat. vulg. *carnariu*.] *S. m*. **1.** Gaveta ou urna, nos cemitérios, onde se enterram cadáveres. **2.** V. *sepultura* (1). **3.** V. *cemitério* (1).

carneirum. *Adj. 2 g*. Relativo ou pertencente a carneiro[1] (1).

cárneo. [Do lat. *carneu*.] *Adj*. **1.** De carne. **2.** Que tem a cor de carne.

carne-quebrada. *S. f. Bras., GO*. Alquebramento de forças físicas: "É sempre entre as pretas velhas que encontramos boas benzedeiras. Benzem quebranto, vento-virado, ... carne-quebrada, nervo rendido e outros males." (Regina Lacerda, *Papa-Ceia*. p. 17.) [Pl.: *carnes-quebradas*.]

carne-seca. *S. f. Bras*. V. *charque*: "*o Luz já estava enfastiado de feijão e carne-seca*" (Cardoso de Oliveira, *Dois Metros e Cinco*, p. 318). ♦ **Estar por cima da carne-seca.** *Bras*. Achar-se em situação vantajosa; estar por cima. [Pl.: *carnes-secas* (ê).]

carne-velha. *S. f. Bras., CE*. V. *charque*. [Pl.: *carnes-velhas*.]

▲**carni-.** [Do lat. *carno, carnis*.] *El comp*. = 'carne': *carnívoro* (lat. *carnivoru*), *carniforme, carnificar*

carniça. *S. f*. **1.** Animal de que se faz carnagem (1). **2.** Carnagem (2). **3.** V. *carnificina*. **4.** No jogo do pião, pião que serve de alvo para sobre ele se atirarem outros. **5.** Pessoa que é objeto de zombaria. **6.** *Bras*. Carne podre, que atrai os urubus. **7.** *Bras*. V. *eixo-badeixo*. **8.** *Bras. RS*. Lugar onde se carneiam animais. **9.** *Bras., RS*. Gado destinado ao consumo.

carniçal. *Adj. 2 g*. V. *carnívoro* (1).

carnicão. [De *carne*[1].] *S. m*. Zona central, purulenta e endurecida, de furúnculos. [Var.: *carnegão*.]

carniçaria. *S. f*. **1.** V. *carnificina*. **2.** Ato de preparar carne para a venda. **3.** V. *açougue* (1). [Var.: *carniceria*.]

carniceiro. *Adj*. **1.** V. *carnívoro* (1 e 2): "Longe, as feras carniceiras / Uivam nas lapas." (Olavo Bilac, *Poesias*, p. 266.) **2.** Sanguinário, feroz, cruel. ● *S. m*. **3.** V. *magarefe* (1). **4.** *Bras. Fig*. V. *açougueiro* (3). **5.** *Bras., SP*. Vespídeo da região da Ribeira. ~ V. *carniceiros*.

carniceiros. [Pl. de *carniceiro*.] *S. m. pl*. Ordem de mamíferos cujos molares são providos de cúspides aguçadas. ~ V. *carniceiro*.

carniceria. *S. f*. Var. de *carniçaria*.

carnícula. [Do lat. *carnicula*, dim. de *caro*, 'carne'?] *S. f*. Planta da família das leguminosas, subfamília cesalpiniácea (*Caesalpinia bonducella*).

carnificação. *S. f*. Ato ou efeito de carnificar-se.

carnificar-se. [Do lat. *carnificare* + *se*[1].] *V. p*. Alterar-se [o tecido (5)], tomando a aparência e a consistência de carne ou tecido muscular. [Conjug.: v. *trancar*.]

carnífice. [Do lat. *carnifice*.] *S. m*. **1.** *Ant*. Verdugo, carrasco. ● *Adj. 2 g*. **2.** Cruel, sanguinário, carniceiro.

carnificina. [Do lat. *carnificina*.] *S. f*. Mortandade, chacina, extermínio, carnagem, carniça, carniçaria.

carniforme. [De *carni-* + *-forme*.] *Adj. 2 g*. Que tem aparência da carne.

carnijó. *Bras. S. 2 g*. **1.** Indivíduo dos carnijós, tribo indígena de Águas Belas (PE), cuja língua, por eles mesmos denominada iatê, é tida como isolada. ● *Adj. 2 g*. **2.** Pertencente ou relativo a esta tribo. [Sin.: *fulniô, formió*.]

carninga. *S. f. Bras*. V. *carlinga*.

carnita. [De *carne*[1].] *S. f*. Osso do pé do boi.

carnivoraz. [De *carni-* + *voraz*.] *Adj. 2 g*. e *s. 2 g*. V. *carnívoro* (1 a 3 e 5): "Nela [a ribeira] o carnivoraz atalaiado / Tinha como infalível sempre a presa da corça, vaca ou boi" (Bernardo Guimarães, *Poesias Completas*, p. 416).

carnívoro. [Do lat. *carnivoru*.] *Adj*. **1.** Que se alimenta de carne; carniceiro, carniçal, creófago. **2.** Que prefere a carne como alimento; carniceiro. **3.** *Zool*. Pertencente ou relativo aos carnívoros. **4.** *Bot*. Diz-se do vegetal que captura pequenos insetos, por meio de variados dispositivos, e realiza a digestão mediante a emissão de um suco digestivo. Esses vegetais, não obstante, têm raízes e absorvem alimentos do solo. ● *S. m*. **5.** *Zool*. Espécime dos carnívoros.

carnívoros. [Pl. de *carnívoro*.] *S. m. pl. Zool*. Animais mamíferos da ordem *carnivora*, de incisivos pequenos, 3/3, caninos fortemente cortantes, e cônicos, curvos, pontudos, 1/1, o último pré-molar e o primeiro molar transformados em dentes carniceiros, cortantes e dedos ungüiculados. Abrange, entre outros animais, os cães, os ursos e as focas.

carnosidade. *S. f*. **1.** Qualidade ou estado de carnoso. **2.** Excrescência carnosa.

carnoso (ô). [Do lat. *carnosu*.] *Adj*. **1.** Que tem aparência de carne. **2.** Carnudo (1). **3.** Diz-se do fruto que tem o mesocarpo suculento. **4.** *Bot*. Diz-se do órgão ou parte vegetal que apresenta consistência mole, como a carne: *folha carnosa*. **5.** *Fig*. Suculento, sucoso; substancial: "Os escritores dessa literatura gostam dos períodos grandes, carnosos, muitas vezes de valente fibra sob as exterioridades da linguagem, mas com a característica mantida da espessura e da lentidão." (Raul Pompéia, *Crônicas* 4, pp. 94-95.) ~ V. *raiz* —.

carnudo. *Adj*. **1.** Que tem muita carne; carnoso: *lábios carnudos*; "a rebolar os quadris carnudos, ela oferecia ramos de cravos e violetas à porta de um pasteleiro" (Coelho Neto, *Treva*, pp. 15-16). **2.** Musculoso (1). **3.** *Bras*. Que está com boas carnes, nem gordo nem magro. [Diz-se especialmente do animal.]

caro. [Do lat. *caru*.] *Adj*. **1.** Que custa um preço alto, elevado: *Veste-se com roupas caras*. [Evite dizer *preço caro*.] **2.** Que cobra, ou onde se cobra, preço alto, elevado: *É um dentista caro; Só freqüenta lugares caros*. **3.** Que exige grandes despesas; dispendioso: *Londres e Paris são cidades caras*. **4.** Obtido com grandes sacrifícios, ou desgostos, etc., ou que os traz como conseqüência: *A vitória saiu-lhe cara*. **5.** Que é tido em grande valor ou estima; querido, amado. [Pl.: *caros*. Cf. *cárus*.] ● *Adv*. **6.** Por alto preço (no sentido material ou no moral): *Vendeu caro o apartamento; Comprou caro a amizade do ministro*. **7.** Mais do que seria natural ou razoável (quanto ao preço material ou ao moral): *Cobra caro pela consulta; Pagou caro o que fez*. ~ V. *custar* —.

caroá. [Do tupi *kara'wá*, 'talo com espinho'.] *S. m. Bras., N. E.* Planta acaule terrestre, da família das bromeliáceas (*Neoglaziovia variegata*), de poucas folhas, flores variegadas, protegidas por brácteas, e frutos em bagas sucosas, cujas fibras se usam na manufatura de barbante, linhas de pesca e tecidos; gravatá, coroatá, gravá. [Var.: *carauá, caruá, coroá, crauá, croá, croatá.*]

caroatal. *S. m. Bras.* Caroazal.

caroável. [De *caro* (5).] *Adj. 2 g.* **1.** Carinhoso, afetuoso, meigo: "Esses filhos ingratos, que deixavam / A mui c a r o á v e l mãe, que de seu leite / Nunca lhes consentiu terem secura" (Filinto Elísio, *Poesias*, p. 37). **2.** Afeiçoado, amigo: "Igualmente c a r o á v e i s da grandeza, pompa e luxo, desses magnatas, ... a satisfação desse gosto imolam brios e melindres." (José Veríssimo, *História da Literatura Brasileira*, p. 42.) **3.** Criador, produtor: *solo c a r o á v e l de frutos.* **4.** *Ant.* Favorável, propício. **5.** *Bras.* Predisposto, propenso; suscetível.

caroazal. *S. m. Bras.* Quantidade mais ou menos considerável de caroás dispostos proximamente entre si; caroatal.

caroba. [Do tupi *ka'á rob*, 'folha amarga'.] *S. f. Bras., L.* e *S.* Designação comum a várias árvores pequenas, da família das bignoniáceas, gênero jacarandá, de propriedades medicinais, sendo algumas espécies muito ornamentais e outras fornecedoras de madeira própria para marcenaria; barbatimão, jacarandá-preto.

caroba-branca. *S. f. Bras., RJ, MG* e *GO.* Árvore pequena, da família das bignoniáceas (*Sparattosperma vernicosum*), de flores altas, róseas, aromáticas, dispostas em panículas, cujo fruto é cápsula rígida que contém sementes aladas, e cuja casca, amarga, é tida por medicinal. Fornece madeira-alvo-amarelada, leve e firme, própria para construção naval. [Sin.: *caroba-de-flor-branca, cinco-chagas, cinco-folhas, ipê-batata, ipê-bóia, ipê-branco.* Pl.: *carobas-brancas.*]

caroba-brava. *S. f. Bras., MT.* Árvore regular, da família das araliáceas (*Pentapanax angelicifolius*), de flores dispostas em umbelas, e fruto drupáceo, carnoso e de cor preta. É muito usada em cercas vivas, por se desenvolver facilmente e por ser elegante a sua folhagem. [Pl.: *carobas-bravas.*]

caroba-de-flor-branca. *S. f.* V. *caroba-branca.* [Pl.: *carobas-de-flor-branca.*]

caroba-do-campo. *S. f. Bras., C. O., L.* e *S.* V. *carobinha.* [Pl.: *carobas-do-campo.*]

caroba-do-carrasco. *S. f. Bras.* V. *carobinha.* [Pl.: *carobas-do-carrasco.*]

carobaguaçu. [De *caroba* + *-guaçu.*] *S. f. Bras.* Palissandra.

carobeira. *S. f. Bras.* V. *carobinha.*

carobinha. [Dim. de *caroba.*] *S. f. Bras. C. O., L.* e *S.* Designação comum a vários arbustos ornamentais da família das bignoniáceas, gêneros *Jacaranda* e *Memora*, de propriedades medicinais, e cujos frutos são cápsulas com várias sementes; camboatá-pequena, caroba-do-campo, caroba-do-carrasco, jacarandá-caroba, carobeira.

caroca. [Do tupi, possivelmente.] *S. f. Bras.* Volta ou nó no fio de arame dos pescadores. [F. paral.: *coroca.*]

caroçama. *S. f. Bras.* **1.** Grande porção de caroços [v. *caroço* (1 e 2)]. **2.** *Pop.* Muitos caroços ou tumores [v. *caroço* (5)].

carocha. *S. f.* **1.** Mitra dos condenados da Inquisição (2). **2.** Carapuça de papel que se usava para castigo das crianças na escola. **3.** V. *feiticeira* (1). **4.** *Bras.* V. *escaravelho* (1). **5.** *Bras.* Concha de folha-de-flandres com que os calafates introduzem breu nas costuras calafetadas. ~ V. *carochas.*

carochas. *S. f. pl.* **1.** V. *bruxaria* (1 e 2). **2.** Mentiras, petas. ~ V. *carocha.*

carochinha. [Dim. de *carocha.*] *El. s. f.* Us. nas loc. *conto da carochinha* [q. v.] e *história da carochinha* [q. v.].

carocho (ô). *S. m.* **1.** Carocha de menores dimensões. **2.** *Pop.* V. *diabo* (2). ● *Adj.* **3.** Que tem a cor da carocha (4); escuro, trigueiro.

caroço (ô). [De **coroço* lat. cor, 'coração, núcleo', por assimilação.] *S. m.* **1.** *Bot.* O núcleo, lenhoso e muito duro, dos frutos de tipo drupa, que ocorre, p. ex., na manga e no pêssego. **2.** Semente de vários frutos, como, p. ex., o algodão e a uva, caracterizada pela dureza do envoltório. **3.** Cilindro usado na fundição das peças de fogo, para lhes formar a alma. **4.** *Pop.* Glândula enfartada e endurecida; íngua. **5.** *Pop.* tumor ou erupção cutânea. **6.** *Pop.* Pequena porção compacta de farinha não dissolvida que se forma em mingaus, cremes, etc., quando não mexidos adequadamente ao cozinhar. **7.** *Pop.* V. *dinheiro* (3). **8.** *Bras.* V. *engasgo* (2). [Pl.: *caroços* (ó).]

caroçudo. *Adj.* Que tem caroços.

carófito. *S. m.* **1.** Espécime dos carófitos. ● *Adj.* **2.** Pertencente ou relativo aos carófitos.

carófitos. *S. m. pl. Bot.* Divisão que compreende as algas da família das caráceas, cujo aspecto recorda o das cavalinhas (*Equisetum*). Vivem nas águas doces e têm talo filamentoso verticilado, verde.

carola[1]. [Do lat. *carolla*, dim. de *corona*, 'coroa'.] *S. m.* **1.** Indivíduo com coroa (5). ● *S. f.* **2.** *P. ext. Desus.* Cabeça (1). ● *S. 2 g.* **3.** Pessoa muito assídua à igreja, muito beata; barata-de-igreja, barata-de-sacristia, papa-hóstias ou papa-hóstia, papa-missas, papa-santos. ● *Adj. 2 g.* **4.** Muito beato; muito freqüentador de igrejas.

carola[2]. [Do fr. *carole.*] *S. f.* Dança de roda, medieval, difundida na França e na Inglaterra.

carolice. *S. f.* **1.** Qualidade de carola[1] (3). **2.** Ação própria de carola[1] (3).

carolina. *S. f. Bras., S.* Árvore inerme, da família das leguminosas (*Adenanthera pavonina*), de casca e folhas com propriedades medicinais, flores amarelas dispostas em racimos axilares ou paniculados, no ápice dos ramos, e cujos frutos são vagens estreitas com sementes lenticulares, vermelho-escuras. Fornece madeira escura, compacta, com veias onduladas e pequenos poros, usada em marcenaria de luxo.

carolinense[1]. *Adj. 2 g.* **1.** Do, ou pertencente ou relativo ao Estado de Carolina do Norte (E.U.A.). ● *S. 2 g.* **2.** Natural ou habitante desse Estado.

carolinense[2]. *Adj. 2 g.* **1.** Do, ou pertencente ou relativo ao Estado de Carolina do Sul (E.U.A.). ● *S. 2 g.* **2.** Natural ou habitante desse Estado.

carolinense[3]. *Adj. 2 g.* **1.** De, ou pertencente ou relativo a Carolina (MA). ● *S. 2 g.* **2.** Natural ou habitante de Carolina.

carolíngio. [Do antrop. lat. *Carolus*, 'Carlos', + suf. patronímico germ. *-ing(io).*] *Adj.* **1.** Pertencente ou relativo à dinastia de Carlos Magno, rei dos francos e imperador do Ocidente (742-814). ● *S. m.* **2.** Indivíduo dessa dinastia.

carolino. *Adj.* ~ V. *minúscula —a.*

carolismo. *S. m.* Atitude ou procedimento de carola[1] (3).

carolo (ô). [De *carola*[1] (2).] *S. m.* **1.** Pancada na cabeça com vara, ou com o nó dos dedos [Cf. *cascudo*[1]]. **2.** Espiga de milho debulhada. **3.** Milho mal moído. **4.** Fécula grumosa da qual se faz goma para usos toscos.

carombó. [De provável or. indígena.] *Adj. 2 g. Bras., CE.* Diz-se do animal vacum de chifres tortos.

carona. [Do esp. plat. *carona.*] *S. f.* **1.** *Bras.* Peça dos arreios, que é uma manta de couro que se põe por baixo do lombilho. **2.** *Bras.* Condução gratuita em qualquer veículo. V. *bigu.* **3.** *Bras. P. ext.* Pessoa que viaja sem pagar a passagem. **4.** *Bras. P. ext.* Pessoa que penetra às ocultas ou com entrada de favor em locais de ingresso pago. **5.** *Bras., N.* Baiana[1] (1). **6.** *Bras., N.E.* Velhacada, calote. ● *S. m.* **7.** *Bras. Rád.* e *Telev.* Comercial curto, levado ao ar antes ou depois de um programa, do produto que o patrocina ou de outro produto do mesmo anunciante. **8.** *Bras., N.* e *MG.* Indivíduo caloteiro. ♦ **Dar carona.** *Bras.* **1.** Conduzir gratuitamente, ou de favor, em um veículo. **2.** *Mil. Gír.* Preterir na promoção. **Levar carona.** *Bras.* Sofrer calote. **Passar carona.** *Bras.* Pregar calote. **Tomar carona.** *Bras. Mil. Gír.* Ser preterido na promoção.

caronaço. *S. m.* Pancada com a carona (1).

caronada. [Do fr. *caronade.*] *S. f.* Peça curta e de grande calibre, usada antigamente na artilharia naval.

caronear. *V. int.* **1.** *Bras., S.* Bater com a carona (1) no animal. *T. d.* **2.** *Bras., S.* Dar trabalho excessivo a (o cavalo). **3.** Enganar, iludir, burlar. [Conjug.: v. *frear.*]

caroteno. *S. m. Quím.* Um dos corantes das folhas verdes, existente também na manteiga e na gema de ovo. [Fórm.: $C_{10}H_{56}$.]

carotenóide. *S. m. Bot.* Grupo de carotenos ou substâncias corantes amarelas e avermelhadas, encontradas nalgumas plantas junto com a clorofila, e que se dissolvem nas gorduras e solventes voláteis. Algumas são importantes porque se transformam em vitamina A no organismo animal. [A cenoura é uma planta rica em carotenóides.]

carótico. [Do gr. *karotikós.*] *Adj.* Relativo aos cárus.

carótida. [Do gr. *karotides* (pl.).] *S. f. Anat.* V. *artéria carótida externa, artéria carótida interna* e *artéria carótida primitiva.* [F. paral.: *carótide.*]

carótide. *S. f.* Carótida.

carotídeo. *Adj.* Relativo ou pertencente à carótida.

carpa[1]. [Do al. *Karpfen*, atr. do lat. tardio *carpa.*] *S. f.* Peixe teleósteo, cipriniforme, da família dos ciprinídeos (*Cyprinus carpio* L.), da Eurásia e da África, de coloração cinza tirante ao prateado. Boca pequena, sem dentes verdadeiros, rodeada de barbilhões curtos; alimenta-se de vegetais e outras substâncias. Carne de qualidade regular. É espécie muito usada em piscicultura no Velho Mundo, tendo sido introduzida na América do Sul.

carpa[2]. [Dev. de *carpir* (3 e 5).] *S. f.* V. *capina* (1).

carpa[3]. [Do quíchua *carpa*, pelo esp. plat. *carpa.*] *S. f. Bras., RS.* Lugar onde se joga.

carpal. *Adj. 2 g. Anat.* Relativo ou pertencente ao carpo.

carpar. [Talvez de *carpir* (3 e 5).] *V. t. d. Bras., S.* V. *capinar* (1).

carpar-se. *V. p. Bras. Gír.* Picar (33).

carpear. *V. t. d.* Carmear. [Conjug.: v. *frear.*]

carpelar. *Adj. 2 g. Bot.* Relativo ou pertencente ao carpelo: *folha c a r p e l a r.*

carpelo (é). [Do gr. *karpós*, 'fruto', atr. de um dim. lat. *carpellum?*] *S. m. Bot.* Folha transformada que entra na constituição do gineceu. [Quando há só um carpelo, como nas leguminosas, facilmente se lhe reconhece a natureza foliar: nesse caso, a folha dobra-se e se forma por simples sutura das margens, permanecendo manifesta a nervura central do lado oposto.]

cárpeo. *Adj. Bot.* Relativo ao carpo (2); cárpico.

carpeta (ê). [Do esp. plat. *carpeta.*] *S. f. Bras., S.* **1.** Pano que cobre a mesa de jogo. **2.** *P. ext.* Jogo de azar. **3.** *P. us.* Casa de jogo; casa de tavolagem.

carpetado. [Part. de *carpetar.*] *Adj.* Que se carpetou; acarpetado.

carpetar. [De *carpete* + *-ar*[2].] *V. t. d.* Forrar ou revestir com carpete; acarpetar.

carpete. [Do ingl. *carpet.*] *S. m.* Tapete que reveste inteiramente um cômodo, em geral afixado ou colado ao chão.

carpetear. *V. int. Bras., S.* Jogar em carpetas; freqüentá-las [Conjug.: v. *frear.*]

carpição. *S. f. Bras., S.* V. *capina* (1).

cárpico. *Adj. Bot.* Cárpeo.

carpideira. [Fem. de *carpidor.*] *S. f.* **1.** Mulher mercenária que acompanhava os funerais pranteando os mortos. **2.** Mulher que vive a lamentar-se, a lamuriar-se; choramingas. **3.** *Bras., S.* Capinadeira.

carpídio. *S. m. Morfol. Veg.* Cada uma das partes separáveis de um fruto esquizocárpico.

carpido. [Part. de *carpir.*] *Adj.* **1.** Chorado, lamentado, pranteado. **2.** Lamentoso, lamuriante, plangente. ● *S. m.* **3.** Lamento, choro, pranto: "E o triste c a r p i d o / Duma ave a cantar" (Gonçalves Dias, *Obras Poéticas*, II, p. 25).

carpidor (ô). *Adj.* e *s. m.* **1.** Que ou aquele que carpe. **2.** *Bras., S.* V. *capinador.*

carpidura. *S. f.* V. *carpimento.*

carpimento. *S. m.* Ação de se carpir; lamentação, pranto, carpidura.

carpina. [De *carapina*, com síncope.] *S. m. Bras:* V. *carapina.*

carpincho. *S. m. Bras.* V. *capivara* (1).

carpinense. *Adj. 2 g.* **1.** De, ou pertencente ou relativo a Carpina (PE). ● *S. 2 g.* **2.** Natural ou habitante de Carpina.

carpins. [De *escarpins*, por aférese, e com alter. de sentido.] *S. m. pl. Bras., RS,* e *prov. lus.* Meias curtas; peúgas.

carpintaria. *S. f.* **1.** Trabalho, ofício ou oficina de carpinteiro. **2.** *Teat.* Em dramaturgia, a estruturação orgânica da peça teatral; carpintaria teatral. ♦ **Carpintaria teatral.** *Teat.* Carpintaria (2).

carpinteiro. [Do lat. *carpentariu.*] *S. m.* **1.** Artífice que trabalha em obras grosseiras de madeira. [Sin. (bras.): *carpina, carapina.* Cf. *marceneiro.*] **2.** *Ant.* Construtor de carros. **3.** Aquele que prepara e arma os cenários de peças teatrais. **4.** V. *caruncho* (1). **5.** *Bras.* Vento do alto-mar que sopra rijo nas costas do extremo sul do país.

carpinteiro-da-praia. *S. m. Bras., RS.* Vento de sueste que sopra nas costas do RS. [Pl.: *carpinteiros-da-praia.*]

carpintejar. *V. int.* **1.** Exercer o ofício, ou fazer o trabalho, de carpinteiro: "estendendo a mão calosa e tosca, / Afeita a só c a r p i n t e j a r, / Com um gesto pegou na fulgurante mosca" (Machado de Assis, *Poesias Completas*, p. 316). *T. d.* **2.** Aparelhar (a madeira) para obras. [Conjug.: v. *pelejar.*]

carpir. [Do lat. *carpere.*] *V. t. d.* **1.** *Ant.* Arrancar (o cabelo, as barbas) em sinal de dor. **2.** *P. ext.* Tratar de; dizer, contar, exprimir, lamentando-se; queixar-se de; lamentar, chorar: *c a r p i r saudades*; "As tranças desgrenhai, ouvi-me agora / C a r p i r magoados males" (José da Natividade Saldanha, *ap.* Sérgio Buarque de Holanda, *Antologia dos Poetas Brasileiros da Fase Colonial*, II, p. 268). **3.** Arrancar, mondar: *c a r p i r ervas daninhas.* **4.** Murmurar, sussurrar: "Perto, uma fonte, em suave movimento, / Cantigas de água trêmula carpia." (Olegário Mariano, *Toda uma Vida de Poesia*, I, p. 196.) **5.** *Bras., S.* Limpar do mato (uma roça); capinar: "A dona carpia a roça de milho." (Dalton Trevisan, *A Trombeta do Anjo Vingador*, p. 38.) *Int.* **6.** Fazer lamúria; lastimar-se; lamentar-se; prantear, chorar: "os homens corriam pelos campos, a olhar os destroços, enquanto as mulheres, juntas no adro, carpiam como num funeral." (Eça de Queirós, *Últimas Páginas*, p. 87). **7.** Murmurar, sussurrar. *P.* **8.** Lamentar-se; prantear-se: "Pois ela era mulher para chorar, para carpir-se....?" (Júlio Ribeiro, *A Carne*, p. 245.) [Defect. Não se conjuga na 1ª pess. sing. do pres. ind. nem, por conseguinte, em nenhuma das do pres. subj.]

carpo. [Do gr. *karpós*, pelo lat. *carpu*.] *S. m.* **1.** *Anat.* Porção do esqueleto localizada entre o antebraço e a mão, e constituída de oito ossos dispostos em duas fileiras de quatro, como frutos em cacho. **2.** *Morfol. Veg.* Fruto (1).

▲carp(o)-. [Do gr. *karpós, oü*.] *El. comp.* = 'fruto': *carpóide*. [Equiv.: *-carpo: acantocarpo*.]

▲-carpo. Equiv. de *carp(o)-*.

carpófago. [De *carp(o)-* + *-fago*.] *Adj.* e *s. m.* Que ou aquele que se alimenta de frutos.

carpóforo. [De *carp(o)-* + *-foro*.] *S. m. Bot.* **1.** Haste que sustenta determinados frutos, como ocorre nas caparidáceas. **2.** Suporte da frutificação em muitos fungos.

carpogônio. [De *carp(o)-* + *-gon(o)-* + *-io*[2].] *S. m. Bot.* Órgão reprodutivo feminino das rodofíceas, constituído por uma célula coróide que termina em um tricógino. Conduz dois núcleos: um, sexual feminino; o outro, vegetativo.

carpólito. [De *carp(o)-* + *-lito*.] *S. m. Bot.* **1.** Fruto fossilizado, de consistência pétrea. **2.** Grupo de células esclerenquimatosas encontrado no mesocarpo carnoso de vários frutos, como, p. ex., a pêra.

carpologia. [De *carp(o)-* + *-log(o)-* + *-ia*.] *S. f. Bot.* Parte da organografia que trata dos frutos.

carpológico. *Adj.* Relativo à carpologia.

carpomania [De *carp(o)-* + *-mania*.] *S. f. Bot.* Frutificação superabundante.

carpoptose. [De *carp(o)-* + *-ptose*.] *S. f. Patol.* Paralisia dos extensores das mãos e dos dedos.

carpostégio. *S. m. Bot.* Nas plantas da família das labiadas, conjunto de pêlos situados na parte interna e superior do tubo calicino, e que o podem obstruir de todo.

carpoteca. [De *carp(o)-* + *-teca*.] *S. f. Bot.* Coleção de frutos preservados, em geral para fins científicos.

carpozigoto (ô). [De *carp(o)-* + *zigoto*.] *S. m. Bot.* Envoltório de filamentos concrescentes que revestem o zigoto.

carqueja (ê). *S. f.* **1.** *Bras., MG, SP* e *RS.* Designação comum a várias plantas arbustivas, da família das compostas, pertencentes ao gênero *Baccharis*, de flores insignificantes, fruto aquênio, e com propriedades medicinais. **2.** *Bras.* Ave gruiforme, da família dos ralídeos (*Fulica armillata* Vieil.), da parte meridional da América do Sul, de coloração cinzento-escura, cabeça e pescoço pretos, coberteiras inferiores da cauda brancas, pernas verdes, e bico amarelo, com mancha vermelha no meio da maxila superior. É o maior dos frangos-d'água brasileiros. [Sin. (nesta acepç.): *galinha-d'água, mergulhão.* Cf. *frango-d'água*.]

carqueja-amargosa. *S. f. Bras., N.* a *S.* Designação comum a várias espécies da família das compostas, arbustos ou subarbustos, cujas flores variam de cor segundo a espécie, sendo algumas medicinais, de sabor fortemente amargo; cacália-amarga, quina-de-condamine, vassoura. [Pl.: *carquejas-amargosas*.]

carquilha. *S. f.* Ruga, dobra, prega: "Desde os pés espalhados, ele vinha para cima retaco, baixote, poucos fios de barba no queixo, poucas carquilhas nos cantos do rosto" (João Guimarães Rosa, *Corpo de Baile*, I, p. 152).

carraboiçal. *S. m. Bras., RS.* Carrabouçal.

carrabouçal. *S. m. Bras., RS.* Ladeira íngreme, penhascosa; carraboiçal.

carraca. *S. f.* Grande embarcação antiga, para viagens de longo curso.

carraça. *S. f. Lus.* Carrapato (1 e 5).

carrada. *S. f.* **1.** Carga que um carro pode transportar de uma vez. **2.** *Fig.* Grande quantidade [v. *quantidade* (3)]. ◆ **Às carradas.** Em grande quantidade; abundantemente: " — Ganhei dinheiro às carradas / e minha arca está vazia." (Henriqueta Lisboa, *Madrinha Lua*, p. 21.) **Ter carradas de razão. 1.** Ter toda a razão. **2.** Ter todo o direito de proceder como procede.

carral. *Adj. 2 g.* Relativo a carro.

carranca. *S. f.* **1.** Semblante sombrio, fechado, carregado, com aspecto de mau humor. **2.** V. *carantonha.* **3.** Caraça (1). **4.** Cara, geralmente disforme, de pedra, madeira ou metal com que se ornam bicas de chafariz, aldravas ou argolas de porta, etc.: "De madrugada Menino de Asas levantou-se, lavou-se na carranca que esguichava no fundo do quintal, levantou vôo." (Homero Homem, *Menino de Asas*, p. 46.) [Cf. *mascarão*.] **5.** Busto, emblema ou florão que se colocava na proa de navios a vela, por baixo do gurupés, para ornamentação e, supostamente, para afastar os maus espíritos; figura de proa, cara-de-pau, leão-de-barca. **6.** *Bras. Folcl.* Carranca (5) antropomórfica ou zoomórfica que as embarcações do rio São Francisco ostentavam; cabeça de proa: *As carrancas do rio São Francisco fazem parte do patrimônio artístico do Brasil.*

carrança. *Adj. 2 g.* e *s. 2 g.* Diz-se de, ou pessoa apegada ao passado: "O meu mestre era um padre português, velho, ... , e carrança" (Olavo Bilac, *Últimas Conferências e Discursos*, p. 352).

carrancismo. *S. m.* Modo de proceder do carrança.

carrancudo. *Adj.* **1.** Que tem carranca (1); cenhoso. **2.** Que denota mau humor; trombudo, emburrado.

carranquear. *V. int.* **1.** Fazer carranca: *Perguntou, carranqueando, o que desejavam aqueles sujeitos.* **2.** Estar ou ficar carrancudo, sombrio, mal-humorado: *Ao ver-se desatendido, carranqueou. T. d.* **3.** Tornar carrancudo. [Conjug.: v. *frear*.]

carrão. *S. m.* **1.** Carro grande. **2.** Instrumento de pescadores para puxar o barco para terra.

carrapata. [Fem. de *carrapato*.] *S. f.* **1.** Ferida difícil de curar. **2.** *Fig.* Dificuldade, embaraço, obstáculo.

carrapatal. *S. m.* **1.** *Bras., S.* Campo em que abundam carrapatos [v. *carrapato* (1)]. **2.** *Bras., MA.* Quantidade mais ou menos considerável de carrapateiras dispostas proximamente entre si.

carrapatar-se. *V. p. Bras., S.* Agarrar-se com toda a força; grudar(-se).

carrapatear. *V. t. d. Bras.* Imunizar (o animal) com carrapaticida. [Conjug.: v. *frear*.]

carrapateira. *S. f.* V. *mamona* (1).

carrapateira-branca. *S. f. Bras.* V. *caturra* (4). [Pl.: *carrapateiras-brancas*.]

carrapateirense. *Adj. 2 g.* **1.** De, ou pertencente ou relativo a Carrapateira (PB). ● *S. 2 g.* **2.** Natural ou habitante de Carrapateira.

carrapateiro. *S. m. Bras.* V. *gavião-carrapateiro.*

carrapaticida. [De *carrapato* + *-i-* + *-cida*.] *S. m.* **1.** Preparado químico para matar carrapato (1). ● *Adj. 2 g.* **2.** Que serve para matar carrapato: *banho carrapaticida.*

carrapatinha. [Dim. de *carrapata*.] *S. f. Bras., AM.* Feto da família das himenofiláceas (*Trichomanes reptans*), de fronde monomorfa, soros marginais e esporângios sésseis, deprimidos e circulados por um anel; meio-chumbo.

carrapatinho. [Dim. de *carrapato*.] *S. m. Bras.* V. *carrapato-pólvora.*

carrapato. *S. m.* **1.** Animal artrópode, aracnídeo, acarino, da família dos ixodídeos, de abdome unido e confundido com o cefalotórax, aberturas traqueais na parte posterior e ventral do corpo, e hipostômio armado de espinhos. As larvas são hexápodes. Vivem como ectoparasitos de vertebrados. No Brasil as espécies mais numerosas pertencem ao gênero *Amblyomma* Koch, sendo *A. Cajennense* (Fabr.), o carrapato-de-cavalo [q. v.], a espécie mais difundida no País. **2.** V. *mamona* (1). **3.** A semente do carrapato (2). **4.** *Tip.* V. *barba* (8). **5.** *Bras.* Pessoa importuna, que não larga outra, que a acompanha a toda parte. [Sin. (lus.), nas acepç. 1 e 5: *carraça*.]

carrapato-das-galinhas. *S. m. Bras.* Carrapato-de-galinha. [Pl.: *carrapatos-das-galinhas*.]

carrapato-de-boi. *S. m. Bras.* Espécie de acarino ixodídeo (*Boophilus microplus* (Canestrini)), transmissor da tristeza bovina na América do Sul. É provido de escudo, a coxa do primeiro par de patas é bífida e o macho tem um par de placas de cada lado do ânus. É muito importante na pecuária latino-americana. [Pl.: *carrapatos-de-boi*.]

carrapato-de-cavalo. *S. m. Bras.* Espécie de acarino ixodídeo (*Amblyomma cajannense* (Fabricius)), parasito de animais domésticos e selvagens, muito comum na América. É a espécie que mais persegue o homem, nas fases larvar e adulta. [Sin.: *carrapato-estrela micuim.* Pl.: *carrapatos-de-cavalo*.]

carrapato-de-galinha. *S. m. Bras.* Espécie de acarino ixodídeo do gênero *Argas* Latreille, especialmente *A miniatus* (Koch.), desprovido de escudo. As ninfas e os adultos só se fixam nas aves o tempo necessário para sugarem o sangue, o que é geralmente feito à noite. Vivem em frestas, nos galinheiros, transmitem a bouba às galinhas, e às vezes se confundem com o ácaro conhecido pelo nome impróprio de *piolho-de-galinha.* [Sin.: *carrapato-das-galinhas.* Pl.: *carrapatos-de-galinha*.]

carrapato-de-sapo. *S. m. Bras.* Espécie de acarino ixodídeo (*Amblyomma rotundatum* Koch.), ectoparasito de sapos e cobras, principalmente jibóias. Essa espécie, que não se fixa em animais de sangue quente e da qual são raríssimos os exemplares machos, é partenogenética, e constitui verdadeira praga nos jardins zoológicos. [Pl.: *carrapatos-de-sapo*.]

carrapato-do-chão. *S. m. Bras.* **1.** Espécie de acarino ixodídeo, do gênero *Ornithodorus* Koch, desprovido de escudo, e que vive no solo, debaixo de casas, tetos, em pocilgas, etc. **2.** *Bras., RS.* Acarino ixodídeo, do gênero *O. brasiliense* (Aragão), de coloração idêntica à da terra, bicho-mouro. [Pl.: *carrapatos-do-chão*.]

carrapato-do-mato. *S. m. Bras.* V. *mundaú.* [Pl.: *carrapatos-do-mato*.]

carrapato-estrela. *S. m. Bras.* **1.** Designação comum aos acarinos da família dos ixodídeos, providos de escudo dorsal, que nas fêmeas recobre apenas o terço anterior da face dorsal e se denomina *estrela; carrapato-redoleiro, carrapato-rodoleiro, rodolego, redoleiro, coleira, picaço.* **2.** V. *carrapato-de-cavalo.* [Pl.: *carrapatos-estrelas* e *carrapatos-estrela*.]

carrapato-fogo. *S. m. Bras.* V. *carrapato-pólvora.* [Pl.: *carrapatos-fogo*.]

carrapato-pólvora. *S. m. Bras.* Designação comum às formas larvais hexápodes do gênero *Amblyomma* Koch, especialmente *A. cajennense* (Fabr.), cujas picadas deixam forte coceira e prurido intenso. Geralmente permanecem em grandes grupos sobre a vegetação aguardando a passagem de um hospedeiro. [Sin.: *carrapato-fogo, carrapatinho, micuim, micuim-castanho.* Pl.: *carrapatos-pólvoras* e *carrapatos-pólvora*.]

carrapato-redoleiro. *S. m. Bras.* V. *carrapato-estrela* (1). [Pl.: *carrapatos-redoleiros*.]

carrapato-rodoleiro. *S. m. Bras.* V. *carrapato-estrela* (1). [Pl.: *carrapatos-rodoleiros*.]

carrapeta (ê). *S. f.* **1.** *Bras. Pop.* Var. de *carapeta.* **2.** *Bras., MG* e *RJ.* Designação comum às árvores pequenas da família das meliáceas, pertencentes aos gêneros *Guarea* e *Trichilia*, de flores geralmente alvas e frutos capsulares; açafroa, bilreiro, macaqueiro, camboatá, cedrão, jatuaúba, pau-bala.

carrapicho. [De *carrapito*, com mudança de sufixo.] *S. m.* **1.** Cabelo atado no alto ou na parte posterior da cabeça. **2.** *Bras.* V. *carapinha* (1). **3.** *Bras.* Designação comum a numerosíssimos subarbustos das famílias das leguminosas, compostas, gramíneas, malváceas e tiliáceas, cujos pequenos frutos, que são vagens, se dividem em articulações, com pequenos espinhos ou pêlos, os quais aderem facilmente à roupa do homem e ao pêlo dos animais. Algumas espécies produzem fibra têxtil. [Sin., nesta acepç.: *desmanto, pega-pega, sensitiva-mansa* e *amores-do-campo-sujo.* **4.** *Bras.* V. *Feijão-de-boi* (1 e 2). **5.** *Bras.* Marmelada-de-cavalo (1). **6.** *Bras.* Retirante (2).

carrapicho-da-praia. *S. m. Bras., N.* a *S.* Erva prostrada, da família das caliceráceas (*Acicarpha spathulata*), de caule flageliforme, folhas carnosas e espatuladas, flores pequenas e alvas, e cujos frutos têm espinhos longos que aderem à roupa do homem e penetram nos pés descalços; espinho-de-roseta, picão-da-praia. [Pl.: *carrapichos-da-praia*.]

carrapicho-grande. *S. m. Bras.* V. *espinho-de-carneiro.* [Pl.: *carrapichos-grandes*.]

carrapito. *S. m.* Chifre de cabrito.

carrarense. *Adj. 2 g.* **1.** De, ou pertencente ou relativo à região de Carrara (Itália). ● *S. 2 g.* **2.** Natural ou habitante dessa região.

carraria. *S. f. Bras.* Carriagem.

carrascal. *S. m.* V. *carrasco*[2] (3).

carrascão[1]. [Aum. de *carrasco*[1].] *Adj.* e *s. m.* Diz-se de, ou vinho carrascão [q. v.]: "O Renato bebeu um copo de carrascão" (Antunes da Silva, *Gaimirra*, p. 153).

carrascão[2]. *S. m. Bras.* V. *carrasco*[2] (3).

carrasco[1]. [Do antrop. *Carrasco*, de Belchior Nunes Carrasco, que antes do séc. XVIII foi algoz em Lisboa.] *S. m.* **1.** Funcionário executor da pena de morte; verdugo, algoz. **2.** Indivíduo cruel, desumano.

carrasco[2]. [Da raiz pré-romana *karr*.] *S. m. Bras.* **1.** Caminho pedregoso. **2.** Mata anã, de arbustos de caule e ramos duros e esguios. **3.** Formação vegetal nordestina, mais rala, enfezada e áspera do que a caatinga; carrascal, carrascão, carrasqueiro e carrasquenho.

carrascoso (ô). [De *carrasco*[2] (3) + *-oso*.] *Adj.* Diz-se do terreno em que crescem carrascos; carrasquento.

carraspana. *S. f. Pop.* **1.** V. *bebedeira* (1): "O velho dava-se às *carraspanas* e não se continha diante de uma boa aguardente de cana." (José Lins do Rego, *Meus Verdes Anos*, p. 71.) **2.** V. *repreensão* (1).

carrasqueiro. *S. m. Bras.* V. *carrasco*[2] (3).

carrasquenho. *S. m. Bras.* V. *carrasco*[2] (3).

carrasquento. *Adj.* Carrascoso ~ V. *campo* —.

carrê. [Do fr. *carré*, 'o conjunto das costelas de carneiro, porco, etc.'.] *S. m. Cul.* Lombo de porco.

carreação. *S. f.* Ato de carrear.

carreador (ô). [De *carrear* + *-dor*.] *S. m. Bras.* **1.** Caminho de carro, no campo: "Tinham os dous companheiros chegado ao lugar, onde a vereda que seguiam atravessava um *carreador*." (José de Alencar, *Til*, p. 23.) **2.** Trilha, vereda, picada. **3.** Passagem livre deixada nos cafezais. [F. paral.: *carreadouro*.]

carreadouro. [De *carrear* + *-douro*.] *S. m. Bras.* Carreador: "enfiou por um *carreadouro* sombrio, através de um vasto trato de mata virgem." (Júlio Ribeiro, *A Carne*, p. 24.)

carrear. *V. t. d.* **1.** Conduzir em carro; acarretar. **2.** Fazer frete de; acarretar, carregar: *carrear fardos*. **3.** Causar, ocasionar; acarretar: *O descuido carreou lamentáveis ocorrências*. **4.** Levar; arrastar: *A correnteza carreava enormes toros de madeira*. *T. d. e i.* **5.** Ocasionar; acarretar: *A geada carreou-lhe sério prejuízo*. *Int.* **6.** Guiar carros. [F. paral., p. us. *carrejar*. Conjug.: v. *frear*.]

carrega-bestas. [De *carregar* + *besta* (ê).] *S. f. 2 n.* Casta de uva de cachos muito grandes.

carregação. *S. f.* **1.** V. *carga* (3 a 5). **2.** *Bras.* Doença, afecção. **3.** *Bras.* Aparição simultânea de várias doenças venéreas; carregamento, carrego. ♦ **Carregação do peito.** *Bras. Pop.* Bronquite. **Carregação dos dentes.** *Bras. Pop.* Abscesso das gengivas. **Carregação dos olhos.** *Bras. Pop.* Conjuntivite. **De carregação. 1.** De qualidade inferior. **2.** Malfeito, mal-acabado: *móveis de carregação*.

carregadeira. *S. f.* **1.** *Marinh.* Cabo delgado com que se carregam ou colhem as velas. **2.** Mulher que se ocupa em transportar fardos, mercadorias, na cabeça. ● *Adj.* (*f.*) **3.** Que carrega: *As saúvas são cortadeiras e carregadeiras*.

carregado. [Part. de *carregar*.] *Adj.* **1.** Que recebeu carga; cheio; pesado. **2.** Diz-se da atmosfera quando apresenta nuvens espessas e escuras, núncias de tempestade. **3.** V. *pesado* (3 e 8): *ambiente carregado; arquitetura carregada*. **4.** Sombrio, fechado, carrancudo: *semblante carregado*. **5.** Forte, intenso; escuro: *vestido de um amarelo carregado*. **6.** *Bras.* Reimoso (2): *peixe carregado*. **7.** *Bras.* Que tem moléstia venérea.

carregador (ô). *S. m.* **1.** Aquele que conduz ou transporta carga. **2.** Aquele que carrega a bagagem (1). [Sin. (nesta acepç.): *bagageiro* e (bras.) *portador*.] **3.** Aquele que é remetente ou dono de carga transportada. **4.** V. *almocreve*. **5.** Pente de balas, nas armas automáticas: "a única idéia que me consolava era de meter as sete balas do *carregador* no corpo da perjura." (Domingos Monteiro, *Contos do Natal*, p. 110.) ● *Adj.* **6.** Que carrega. ~ V. *rolo* —.

carrega-madeira. [De *carregar* + *madeira*[1].] *S. m. Bras., BA.* João-de-pau (1). [Pl.: *carrega-madeiras*.]

carregamento. *S. m.* **1.** V. *carga* (3 e 4). **2.** O conjunto ou quantidade de coisas que constituem uma carga (3): *Vendeu-se um carregamento de fumo em poucos dias*. **3.** *Bras.* V. *carregação* (3).

carregão. *S. m. Bras.* Puxão que o peixe dá no anzol.

carregar. [Do lat. vulg. *carricare*.] *V. t. d.* **1.** Pôr carga em: *Passaram dois dias naquela cidade, enquanto carregavam o navio*. **2.** Pesar sobre; sobrecarregar: *Fizeram descer as bagagens, para não carregar demais o avião avariado*. **3.** Levar, transportar: *O barco que afundou carregava 50 toneladas de trigo*. **4.** Trazer consigo; levar em si; trazer: "*Carrego* angústias, como se o mundo inteiro se debatesse dentro de mim." (Moacir C. Lopes, *Cais, Saudade em Pedra*, p. 65.); "Cada poeta *carrega* um menino no fundo de si mesmo." (Fernando Sabino, *Medo em Nova Iorque. A Cidade Vazia*, p. 164.) **5.** Saturar, impregnar: *Um forte perfume de flores carregava o ar*. **6.** Meter a pólvora ou os projetis em: *carregar uma arma*. **7.** Acumular eletricidade em: *carregar uma bateria*. **8.** Tornar (um traço) mais espesso. **9.** Atacar com ímpeto; acometer: *Carregou, de surpresa, a tropa inimiga*. **10.** Sobrecarregar de impostos. **11.** Aumentar, exagerar: *carregar o preço da mercadoria*. **12.** Tornar sombrio, severo: *carregar a fisionomia*. **13.** *Fot.* Colocar filme em (a máquina fotográfica). **14.** *Marinh.* Subtrair (a vela) à ação do vento arrepanhando-a junto ao mastro, verga ou estai a que se acha presa. **15.** *Proc. Dados.* Prover de carga. *T. d. e i.* **16.** Oprimir, gravar: *O governante carregara o povo de impostos*. **17.** Atribuir, imputar. *Por mais que negasse, carregaram-lhe o crime*. *T. i.* **18.** Encher-se, pejar-se: *As árvores carregaram de frutos*. **19.** Pôr em demasia: *A cozinheira carregou no sal e na pimenta*. **20.** Exercer pressão; pesar em demasia: *O peso das vigas carregou sobre a parede*. **21.** Aumentar; exagerar: *Carregar no preço da mercadoria; Carregou muito na história que contou*. **22.** Investir impetuosamente; acometer: *Os soldados carregaram sobre o inimigo*. **23.** Encaminhar-se; dirigir-se; avançar. **24.** Insistir, instar: *Tanto carregou na proposta que acabou convencendo o amigo*. **25.** Levar para lugar afastado ou distante: *Carregue com estes trastes daqui! Int.* **26.** Tornar-se mais intenso, mais forte. **27.** Avançar impetuosamente; acometer. **28.** Encher-se de nuvens tempestuosas; escurecer; carregar-se: *A atmosfera carregou e daí a minutos caía pesada chuva*. **29.** Exercer pressão sobre alguma coisa; premer, calcar, oprimir alguma coisa: *Pôs-lhe a mão sobre o ombro, carregando*. *P.* **30.** Fazer-se sombrio, severo: *Ao ler a trágica notícia, sua fisionomia carregou-se*. **31.** Encher-se de nuvens tempestuosas; carregar. [Conjug.: v. *regar*. Pres. ind.: *carrego*, etc. Cf. *carrego* (ê).]

carrego (ê). [Dev. de *carregar*.] *S. m.* **1.** Ato ou efeito de carregar. **2.** Carga ou fardo que se leva na cabeça, aos ombros, etc: "após vender seu *carrego* de milho, de aipim e inhame, os sacos de farinha, vinha puxar conversa" (Jorge Amado, *Teresa Batista Cansada de Guerra*, p. 74). **3.** *Pop.* Remorso, encargo. **4.** *Bras.* Carga de peça de artilharia. **5.** *Bras.* V. *carregação* (3). **6.** *Bras.* Herança de obrigação religiosa de outra pessoa. **7.** *Bras. P. ext.* Nos sincretismos religiosos afro-brasileiros, qualquer obrigação religiosa. **8.** *Bras., N. E. Pop.* Acento agudo: *Cipó leva carrego no o*. [Pl.: *carregos* (ê). Cf. *carrego*, do v. *carregar*.]

carregoso (ô). [De *carrego* (ê) + *-oso*.] *Adj.* **1.** Pesado, carregado. **2.** *Fig.* Incômodo, difícil, árduo.

carreira. [Do lat. vulg. *carraria*, i. e., 'via carraria', 'caminho de carro'.] *S. f.* **1.** Corrida veloz; correria: *Veio numa carreira para chegar a tempo*. **2.** Caminho, estrada. **3.** Carreiro (2). **4.** Rastro, trilha, trilho, carreiro. **5.** Linha (30): *O Santa Maria fazia a carreira Rio-Lisboa*. **6.** Fileira, fila, ala: *uma carreira de casas*; "tomou das mãos da moça o fio e a agulha e teceu com agilidade e destreza uma *carreira* de malhas" (José de Alencar, *Lucíola*, p. 174). **7.** Risca de cabelo. **8.** Modo de vida; profissão: *carreira militar*. **9.** O decurso da existência. **10.** *Constr. Nav.* Rampa de madeira ou de alvenaria, onde se constroem ou montam navios ou embarcações miúdas, ou para onde se içam pequenos navios ou embarcações miúdas para reparos, limpeza de casco, etc. **11.** *Turfe.* Páreo (2). **12.** *Bras., N.E.* Rua que abre espaço regular entre duas fileiras de plantação de milho. **13.** *Bras., BA* e *C.* V. *corredeira* (1). **14.** *Bras., RS.* Carreiramento. ♦ **Carreira de São Tiago.** V. *Via Láctea* (1). **Carreira diplomática.** Ordenação dos postos, em níveis decrescentes, dos funcionários efetivos do Ministério das Relações Exteriores do Brasil, que exercem os seguintes cargos: *ministro de primeira classe* (título: *embaixador*); *ministro de segunda classe* (título: *ministro*; funções: *ministro-conselheiro* e *cônsul-geral*); *conselheiro* (cargo, título e funções: *conselheiro de embaixada e cônsul*); *primeiro-secretário*; *segundo-secretário e terceiro-secretário* (títulos: *secretário* e *cônsul*; funções: *secretário de embaixada, cônsul* e *vice-cônsul*). **Arrepiar carreira. 1.** Arrepiar caminho. **2.** *Bras.* Abandonar (alguém) a carreira a que se vinha dedicando. **Fazer carreira. 1.** Alcançar boa posição social e/ou profissional. **2.** Ser adotado ou aceito por grande número de pessoas: *A minissaia fez carreira*. **Fechar a carreira.** *Bras.* Acelerar a montada.

carreiramento. *S. m. Bras., RS.* Disputa entre animais de corrida em campo raso; carreira.

carreirinha. [Dim. de *carreira*.] *S. f. Bras., MG. Pop.* V. *diarréia*.

carreirismo. *S. m.* Caráter, qualidade ou modo de agir de quem, para vencer, para fazer carreira rápida, lança mão de quaisquer processos.

carreirista. *S. 2 g.* **1.** *Bras.* Pessoa que pratica o carreirismo. **2.** *Bras., RS.* Pessoa que freqüenta ou aprecia corridas de cavalos. ● *Adj. 2 g.* **3.** Que pratica o carreirismo.

carreiro. *S. m.* **1.** Guia de carro de bois; gueiro. **2.** Caminho, estreito; atalho, vereda, carreira: "arrimando-se ao bordão, subiu o *carreiro* íngreme que levava ao castelo." (Gustavo Barroso, *Livro dos Milagres*, p. 102). **3.** Caminho entre fileiras de plantas. **4.** V. *carreira* (4). **5.** Caminho de formigas; fila de formigas. **6.** *Bras.* Passagem ou caminho habitual de caça. **7.** *Bras., S.* Cocheiro, boleeiro. ● *Adj.* **8.** De, ou relativo a carro (1): "velho boi *carreiro* .... mugia, dolentemente" (Afonso Arinos, *Histórias e Paisagens*, p. 40). ~ V. *boi* —. ♦ **Carreiro de São Tiago.** *Pop.* V. *Via Láctea* (1).

carrejar. *V. t. d., t. d. e i.* e *int.* V. *carrear*. [Conjug.: v. *pelejar*.]

carreta (ê). *S. f.* **1.** Carro pequeno, de duas rodas. **2.** Carroça (2). **3.** Carro, geralmente movido a braço, em que se conduz o caixão. **4.** Carretel (1) de linha. **5.** Jogo dianteiro da charrua e doutros implementos agrícolas. **6.** Reparo (7) de artilharia. **7.** *Bras.* Jamanta[2] (4). [Pl.: *carretas* (ê). Cf. *carreta* e *carretas*, do v. *carretar*.]

carretagem. *S. f.* V. *carreto* (1 e 2).

carretama. [De *carreta* (1 e 2) + *-ama*.] *S. f. Bras., S.* Grupo de carretas.

carretão. *S. m.* **1.** *Ant.* Carreteiro (1). **2.** *Bras.* Veículo que percorre uma linha perpendicular a diversas outras e se destina a transportar vagões de uma para outra via. **3.** *Bras.* Máquina primitiva para o beneficiamento do café. **4.** *Bras.* Carro de duas rodas, unidas por um eixo muito resistente, para transporte de toros de madeira.

carretar. *V. t. d. e t. d. e i. P. us.* V. *acarretar*: "O frade .... aduziu razões, *carretou* argumentos, ... e confundiu os adversários." (Albino Forjaz de Sampaio, *Crônicas Imorais*, p. 158.) [Pres. ind.: *carreto, carretas, carreta*, etc.; pres. subj.: *carrete, carretes, ... carreteis, carretem*. Cf. *carreto* (ê), *carreta* (ê) e pl. *carretas* (ê), *carrete* (ê) e pl. *carretes* (ê), e *carretéis*, pl. de *carretel*.]

carrete (ê). [Dim. de *carro*.] *S. m.* **1.** Pequena roda ou peça cilíndrica, em vários maquinismos. **2.** V. *carretel* (1). [Pl.: *carretes* (ê). Cf. *carrete* e *carretes*, do v. *carretar*.]

carreteira. [Do esp. plat. *carretera*.] *S. f. Bras., RS.* Estrada carroçável.

carreteiro. *S. m.* **1.** Condutor de carro ou de carreta. [Sin. (ant.): *carretão*.] **2.** *Bras.* Proprietário de caminhão que efetua transporte de cargas para terceiros; transportador rodoviário de cargas. **3.** *Bras., S.* e *C.O.* Arroz-de-carreteiro. ● *Adj.* **3.** Diz-se do barco empregado na carga e descarga de navios.

carretel. [Dim. de *carrete*.] *S. m.* **1.** Pequeno cilindro de madeira, plástico, papelão, etc., com rebordos, para enrolar fios de linha, de arame, retrós, fita, etc.; carrinho, carrete: "Saiu e voltou em seguida, triunfante, com a agulha e o *carretel* de linha preta." (Lígia Fagundes Teles, *A Disciplina do Amor*, p. 57.) **2.** Molinete de pesca. **3.** *Ant. Marinh.* Armação constituída por dois círculos de madeira ligados por quatro réguas e atravessados por um eixo, na qual se enrolava a linha de barca ou a sondareza. **4.** Aparelho com que se torcia o mialhar [q. v.]. **5.** *Tip.* Polia que aciona, por fricção, os fusos distribuidores da linotipo. **6.** *Tip.* Cilindro metálico de um só rebordo, onde se enrola a bobina de papel da monotipo. [Pl.: *carretéis*. Cf. *carreteis*, do v. *carretar*.]

carreteleira. *S. f. Bras.* Máquina para fabricar carretéis.

carretilha. [Do esp. *carretilla*.] *S. f.* **1.** Pequena roldana. **2.** Peça circular, em forma de roseta, munida de cabo, e que, ao rodar, corta massa de pastéis, biscoitos, etc., sendo usada também para, pela compressão ou com carbono especial, marcar costuras; cortadeira, cortilha, recortilha. **3.** Broca de ferreiro. **4.** *Liter. Pop. Bras.* Décima de redondilhas menores rimadas na mesma disposição da décima clássica; parcela, parcela-de-dez, miudinha. **5.** *Bras., AL. Pop.* V. *estrela cadente*. **6.** *Bras., RS.* Carruagem hipomóvel, de quatro rodas, fechada, outrora de largo emprego para transporte de pessoas.

carreto (ê). [Dev. de *carretar*.] *S. m.* **1.** Ato ou efeito de carretar; frete. **2.** Importância paga pelo carreto. [Sin. (nessas acepç.): *carretagem*.] **3.** *Tip.* Rolete de ferro com abertura onde se mete a chave e com cavidades que engrenam nos enviesados; roseta. [Pl.: *carretos* (ê). Cf. *carreto*, do v. *carretar*.]

carriagem. [Do fr. ant. *charriage*, com infl. de *carro*.] *S. f.* Conjunto de carros. [Sin. bras.: *carraria*.]

carrião. [De *carro*.] *S. m.* Aparelho de pisoador, composto de duas rodas e um eixo.

carriça. [De *carriço*?] *S. f. Bras.* V. *garriça*: "Uma *carriça* .... desde instantes folgava defronte da janela, ... a voar e revoar no mesmo lugar." (José de Alencar, *Guerra dos Mascates*, p. 45.)

carriçada. *S. f. Bras.* Reunião de barcos, pipas, madeiros, etc., amarrados de modo que possam ser facilmente conduzidos.

carriçal. *S. m.* Quantidade mais ou menos considerável de carriços dispostos proximamente entre si.

carricinha. [Dim. de *carriça*.] *S. f. Bras.* V. *garriça*.

carriço. *S. m.* Certa planta da família das ciperáceas.
carrieira. [De *carrear*, provavelmente.] *S. f. Bras.* V. *quenquém* (1).
carril. [Do lat. vulg. *carrile*.] *S. m.* **1.** Sulco deixado pelas rodas do carro; rodeira **2.** V. *trilho* (5).
carrilhador (ô). *S. m.* Tocador de carrilhão.
carrilhão. [Do fr. *carrillon*.] *S. m. Mús.* **1.** Conjunto de sinos, primitivamente quatro, com que se tocam peças de música: "Em várias igrejas .... um carrilhão ressoava uma ária profana" (Coelho Neto, *Turbilhão*, p. 78). **2.** Registro de órgão (5). **3.** V. *celesta*. **4.** Instrumento de percussão, com lâminas de metal graduadas em escala e que se percutem com duas baquetas. **5.** Composição, ou fragmento de composição, que procura imitar sinos ou campainhas. **6.** Relógio de parede que dá horas por música: "O velho carrilhão bate as horas, sonolento" (Edgard Cavalheiro, *Monteiro Lobato*, I, p. 15).
carrinho. [Dim. de *carro*.] *S. m.* **1.** V. *carretel* (1). **2.** Carro para transportar bebês ou crianças pequenas. **3.** *Bras. Fut.* Lance em que o jogador desarma o adversário e atinge a bola, atirando-se ao chão e deslizando como se estivera sentado ou parcialmente deitado. ~ V. *carrinhos*. ♦ **Carrinho de mão.** Carro de mão.
carrinhos. [Pl. de *carrinho*.] *S. m. pl. Bras., S.* Os maxilares. ~ V. *carrinho*.
carriola. [Do it. *carriola*.] *S. f.* Carro ordinário, pequeno, de duas rodas: "Logo à alvorada estava no Mercado, atulhando de provisões .... uma carriola" (Eça de Queirós, *Últimas Páginas*, p. 291).
carro. [Do celta, atr. do lat. *carru*.] *S. m.* **1.** Veículo de rodas para transporte de pessoas ou carga. **2.** V. *automóvel* (3). **3.** Esse veículo, em geral de quatro rodas, quando apresenta as características necessárias para comportar reduzido número de passageiros: *Troca de carro todos os anos*. **4.** Veículo ferroviário destinado ao transporte de passageiros. [Sin., lus.: *carruagem*. Cf. *vagão* (1).] **5.** Veículo sem rodas movido mecanicamente: *o carro do teleférico; o carro do elevador*. **6.** Parte da máquina de escrever onde é introduzida e fixada a folha de papel, e que se movimenta à medida que se produzem as batidas. **7.** *Tip.* Conjunto móvel das prensas planocilíndricas, que inclui o cofre e a mesa de tintagem. **8.** *Bras., N.E. Pop.* Carretel (1) de linha. ♦ **Carro alegórico.** Carro muito enfeitado que em certos dias de festa, particularmente no carnaval, desfila exibindo grandes figuras alegóricas ou simbólicas. **Carro de assalto.** Durante a I Guerra Mundial, tanque². **Carro de mão.** Carro de uma roda só, dianteira, provido de dois varais, empurrados por uma pessoa e usado para remoção de entulho, pedra, etc.; carrinho de mão. **Carro de passeio.** Automóvel de duas ou quatro portas, destinado ao transporte de passageiros, para uso urbano ou para viagens. **Carro de praça.** Táxi. **Carro esporte.** Automóvel de duas portas, de forma aerodinâmica e munido de motor potente para atingir grandes velocidades. **Saltar do carro em movimento.** *Bras. Chulo.* Retirar o pênis da vagina no momento do orgasmo.
carro-bomba. *S. m.* Veículo automotor no qual se instala uma bomba (2) para fins terroristas: "O veículo era um carro-bomba que, ao ser manipulado por peritos, explodiu" (*Jornal do Brasil*, 13.6.1985). [Pl.: *carros-bombas* e *carros-bomba*.]
carroça. [Do it. *carrozza*.] *S. f.* **1.** *Ant.* Coche suntuoso. **2.** Carro grosseiro, ordinariamente de tração animal, para transportar cargas; carreta. [Dim., nessas acepç.: *carrocim*.] **3.** Carrocada. **4.** Pessoa lerda ou vagarosa. **5.** *Bras.* Veículo velho; calhambeque. **6.** *Bras., RJ.* Freguês que salda os débitos com atraso.
carroçada. *S. f.* Carga que uma carroça pode transportar de uma vez; carroça.
carroção. *S. m.* **1.** Grande carro de bois, coberto, antigamente usado para transporte de pessoas. **2.** *Bras.* No jogo do dominó, o seis duplo. **3.** *Bras.* Entre estudantes e professores, problema ou expressão matemática formada de muitos termos.
carroçaria. [Do fr. *carrosserie*.] *S. f.* **1.** Nos carros de passeio e utilitários, a estrutura de chapa metálica onde se alojam os passageiros, e que é também dotada de mala para bagagem, ferramentas e acessórios. **2.** Nos utilitários com boléia independente, e nos caminhões, a parte traseira, geralmente aberta, destinada à carga. [F. paral.: *carroceria*.]
carroçável. *Adj. 2 g.* Apropriado ao tráfego de carros, carroças e outros veículos. ~ V. *estrada* —.
carroceiro. *S. m.* **1.** Condutor de carroça. **2.** Aquele que faz fretes com carroça. **3.** Indivíduo maleducado, grosseiro, ordinário.
carroceria. *S. f.* Carroçaria [q. v.].
carro-chefe. *S. m.* **1.** O principal carro alegórico de um desfile. **2.** *Fig.* Aquilo que num conjunto ressalta de maneira especial; o que se considera o principal, o mais importante, o de maior interesse numa obra, empreendimento, etc.: "O filme principal chamava-se 'Aurora' .... Era dos últimos carros-chefes do cinema mudo" (Pedro Nava, *Galo-das-Trevas*, pp. 213-214). [Pl.: *carros-chefes*.]
carrocim. *S. m.* Carroça (1 e 2) pequena. **2.** Pequeno coche.
carrocinha. [Dim. de *carroça*.] *S. f.* **1.** Carroça de duas rodas usada nos serviços de terraplenagem, puxada por um muar, e cuja caixa se inclina para a descarga; caçamba. **2.** *Bras. Pop.* Veículo para recolhimento de cães vadios; carrocinha de cachorro. **3.** *Bras., MG.* V. *tintureiro* (6). ♦ **Carrocinha de cachorro.** *Bras. Pop.* Carrocinha (2).
carro-de-combate. *S. m.* Tanque². [Pl.: *carros-de-combate*.]
carro-forte. *S. m.* Veículo automóvel (1) blindado, utilizado para o transporte de grandes quantias e/ou valores, e que leva guardas armados para vigilância deles. [Pl.: *carros-fortes*.]
carro-guincho. *S. m.* V. reboque² (4). [Pl.: *carros-guinchos* e *carros-guincho*.]
carro-leito. *S. m.* V. *vagão-leito*. [Pl.: *carros-leitos*.]
carro-pipa. *S. m.* Caminhão² equipado com reservatório fechado para transporte de água. [Pl.: *carros-pipas* e *carros-pipa*.]
carrossel. [Do fr. *carrousel*.] *S. m.* Aparelho de feiras, festas e parques de diversões, constituído de um rodízio que sustém uma viga vertical, à qual se prendem hastes horizontais em cujas extremidades estão presos cavalos de madeira, carrinhos ou outras figuras que giram com o eixo. [Sin. (bras., N. E.): *trivoli* e (bras., RJ) *maxambomba*. Pl.: *carrosséis*.]
carruageiro. *S. m.* Fabricante de carruagens; segeiro.
carruagem¹. [Do cat. *carruatge*.] *S. f.* **1.** Carro de quatro rodas com suspensão de molas, de tração animal, para transportar pessoas. **2.** Diligência². **3.** *Lus.* Carro (4). [Cf. *carruajem*, do v. *carruajar*.]
carruagem². [De *carro* + *-agem*.] *S. f. Bras.* Grande quantidade de carros. [Cf. *carruajem*, do v. *carruajar*.]
carruajar. *V. int.* **1.** Andar de carruagem¹: "eu aproveito a deliciosa frescura da mais bela manhã de estio para me fazer carruajar em todas as direções" (Ramalho Ortigão, *A Holanda*, p. 136). **2.** Ser transportado em carruagem ou diligência: *A mala postal carruajou por muitas estradas*. *T. d.* **3.** Transportar em carruagem. [Pres. subj.: *carruaje, carruajem*, etc. Cf. *carruagem*.]
➧**carrying** (cáriin'). [Ingl.] *S. m. Fut.* **1.** Sobrepasso (1).
carta. [Do gr. *chártes*, pelo lat. *charta*.] *S. f.* Comunicação manuscrita ou impressa devidamente acondicionada e endereçada a uma ou várias pessoas; missiva, epístola. **2.** Diploma (1). **3.** Folha em que se registram os cardápios, nos restaurantes. **4.** V. *carta geográfica*. **5.** Mapa que representa linhas de navegação aérea. **6.** Estatuto, constituição. **7.** Cada uma das peças do jogo de baralho. **8.** Cartão em que se prendem objetos miúdos. **9.** *Bras., SP.* Carteira de motorista. ~ V. *cartas*. ♦ **Carta aberta.** A que se dirige publicamente a alguém nos jornais. **Carta branca. 1.** Carta de baralho que não tem figura. **2.** *Fig.* Autorização plena dada a alguém para agir como achar conveniente; plenos poderes. **Carta celeste.** *Astr.* Representação, numa superfície plana, duma região da esfera celeste, com a indicação dos astros fixos, por meio de um ponto, e, algumas vezes, dos astros móveis, por um traço. **Carta constitucional.** V. *constituição* (3). **Carta de á-bê-cê.** V. *carta do abc*. **Carta de abono.** Documento de garantia da solvabilidade de uma pessoa até certo limite. **Carta de alforria.** O título que conferia liberdade ao escravo. **Carta de aviso.** Comunicação de um comerciante a outro de que emitiu contra ele, e em favor de terceiro, uma ordem de pagamento ou saque. **Carta de consciência.** *Jur.* Certas disposições de última vontade confiadas em segredo ao(s) testamenteiro(s). **Carta de corso.** Autorização dada por nação beligerante para que navios da marinha mercante se armem e pratiquem atos de guerra; carta de marca, licença de corso. **Carta de crédito.** Autorização dada por um banqueiro ou comerciante a seu correspondente para que ponha à disposição de terceiro determinada importância dentro de certo prazo. **Carta de fiança.** Documento (carta) em que alguém se obriga solidariamente pelo pagamento de outrem. **Carta de guia.** *Jur.* Documento assinado pelo juiz encaminhando o réu à prisão, em cumprimento de sentença. **Carta de marca.** V. *carta de corso*. **Carta de marear.** *Ant. Náut.* Carta destinada à navegação marítima, que se caracterizava por mostrar os principais acidentes da costa e levar desenhadas em vários pontos rosas-dos-ventos, de cujos centros partiam retas em todas as direções. [Cf. *portulano* (2).] **Carta de navegação.** *Náut.* Mapa construído especificamente para a navegação marítima; carta náutica. **Carta de prego.** Carta fechada, na qual se determina o que o comandante de um navio deve fazer, e que ele só deve abrir, quando fora da barra. **Carta de reconhecimento.** *Geogr.* Carta feita à base dos reconhecimentos topográficos, com um apoio mínimo e de baixa precisão. **Carta de remessa.** Relação de títulos enviados pelos comerciantes aos bancos para serem cobrados ou descontados; borderô. **Carta de saúde.** Documento que o comandante de um navio recebe da autoridade consular do país aonde se dirige, declarando o estado de sanidade do posto de onde sai. **Carta do abc.** Livrinho para aprender os primeiros rudimentos da leitura; carta de á-bê-cê, cartilha. **Carta fora do baralho.** Pessoa que já não tem prestígio, ou força, que já não conta. **Carta geográfica.** Representação da imagem da terra, mediante convenções cartográficas em uma superfície plana; mapa. [Tb. se diz apenas *carta*.] **Carta hidrográfica.** Carta dos oceanos ou mares, destinada ao traçado de rotas de navegação e à indicação das profundidades, perigos que se devem evitar, relevo litorâneo, faróis, etc. **Carta isófota.** *Astr.* Carta de uma região do céu com o traçado das isófotas. **Carta magna.** V. *constituição* (3). **Carta náutica.** *Bras. Náut.* Carta de navegação. **Carta orobatimétrica.** Carta ou mapa que representa o relevo submarino. **Carta patente. 1.** *Ant.* Documento que encerra obrigações, doações, privilégios públicos, e é dirigido em geral a todos aqueles que o virem **2.** *Mil.* Documento individual em que são definidos, para cada oficial das forças armadas, sua situação hierárquica (posto) e o corpo ou quadro a que pertence, a fim de fazer prova dos direitos e deveres assegurados por lei ao seu possuidor. [Tb. se diz apenas *patente*.] **Carta precatória.** Documento pelo qual um órgão judicial demanda a outro a prática de ato processual que necessite ser realizado nos limites de sua competência territorial. [Tb. se diz apenas *precatória*.] **Carta régia.** Carta dirigida pelo monarca diretamente a uma autoridade, sem passar pela chancelaria. **Carta reversal.** Aquela pela qual se faz uma concessão em troca de outra. **Carta rogatória.** Pedido dos paroquianos de uma diocese para que se sagre certo eclesiástico. [Tb. se diz apenas *rogatória*.] **Carta rumada.** *Ant. Náut.* Carta em que havia, desenhadas, rosas-dos-ventos, de cujos centros irradiavam retas correspondentes às direções das 32 quartas, para facilitar as operações de desfechar o rumo e colocar o ponto estimado na carta. **Cartas dimissórias.** Aquelas pelas quais um prelado autoriza outro a conferir ordens sacras a um diocesano daquele. [Tb. se diz apenas *dimissórias*.] **Carta testamentária.** Instrumento das disposições de última vontade contidas em testamento cerrado, ou particular; cédula testamentária. **Carta testemunhável.** *Jur.* Recurso judicial que visa a fazer subir ao tribunal competente certos recursos cuja interposição ou seguimento foram denegados pelo juiz inferior. **Carta topográfica.** Planta topográfica. **Dar as cartas. 1.** Distribuí-las aos jogadores, nos jogos de baralho. **2.** *Fig.* Estar por cima; comandar, mandar, dominar. **Deitar as cartas.** Dispô-las segundo as regras da cartomancia, para adivinhar. **Magna Carta. 1.** Carta constitucional concedida em 1213 por João I (1167-1216) aos ingleses. **2.** *P. ext.* A constituição de um país. **Mostrar as cartas.** V. *pôr as cartas na mesa* (2). **Não pôr mais na carta.** Nada acrescentar ao que já foi dito. **Pôr as cartas na mesa.** *Fig.* **1.** Esclarecer todos os pontos de uma questão, sem omitir nada. **2.** Declarar suas intenções; agir às claras, abrir o jogo; mostrar as cartas.
carta-bomba. *S. f.* Artefato explosivo dissimulado em carta (1) que explode ao ser aberta. [Pl.: *cartas-bombas* e *cartas-bomba*.]
cartabuxa. *S. f.* Escova de arame com que os ourives e gravadores de letras limpam os punções depois de temperados.
cartáceo. *Adj. Bot.* Diz-se do órgão ou parte vegetal que apresenta consistência idêntica à do papel: *folha cartácea*.
cartada. *S. f.* **1.** Lance no jogo de cartas. **2.** *Fig.* Ação ou empreendimento decisivo ou arriscado: *Saiu-se bem da cartada*. ♦ **Jogar a última cartada.** Queimar o último cartucho.
cartaginês. *Adj.* **1.** De, ou pertencente ou relativo a Cartago (África). ● *S. m.* **2.** O natural ou habitante de Cartago. [Sin. ger.: *púnico*, *pênico* e *peno*. Flex.: *cartaginesa* (ê), *cartagineses* (ê), *cartaginesas* (ê).]

cartalogia. *S. f.* V. *cartologia.*
cartamina. *S. f. Quím.* Substância corante vermelha extraída do cártamo *(Carthamus tinctorius)*; açafrão vermelho.
cártamo. [Do ár. *qurtum*, pelo lat. medieval *carthamu.*] *S. m.* Gênero *(Carthamus)* de plantas da família das compostas. A espécie européia *C. tinctorius* era usada no fabrico de corantes, e suas sementes têm propriedades purgativas.
cartão. [Do it. *cartone.*] *S. m.* **1.** *Ind. Pap.* Folha composta de camadas de papel coladas entre si *(cartão de colagem)* ou fabricada diretamente na máquina cilíndrica, com a polpa *(cartão de moldagem)*, e que, segundo a grossura, se classifica como cartolina ou papelão, neste último caso, usualmente, quando supera o meio milímetro. **2.** Retângulo de cartão (1) utilizado para nele se escrever. **3.** V. *cartão de visita.* **4.** Bilhete, ingresso, senha. **5.** Esboço ou modelo desenhado em cartão. **6.** *Proc. Dados.* Retângulo de cartolina, papelão, etc., dividido em diversas colunas (80 ou 90, em geral), e que pode receber perfurações para representar, simbolicamente, letras ou números, constituindo elemento básico na manipulação automatizada de dados; cartão perfurado; ficha. ♦ **Cartão Bristol.** *Ind. Pap.* Certa espécie de cartão originariamente fabricado em Bristol (Inglaterra), e obtido pela colagem de duas até seis folhas de papel. **Cartão de colagem.** *Ind. Pap.* V. *cartão* (1). **Cartão de crédito.** Documento emitido por instituição financeira, e que autoriza o usuário a ser debitado em compras ou outros serviços prestados, de acordo com cláusulas preestabelecidas. **Cartão de estereotipia.** *Tip.* V. *flã.* **Cartão de moldagem.** *Ind. Pap.* V. *cartão* (1). **Cartão de visita.** Pequeno retângulo de cartolina ou de outro tipo de cartão (1), onde está impresso o nome do seu dono, por vezes trazendo endereço, profissão e telefone, e que alguém entrega em sinal de anúncio de visita ou para indicar a sua residência. [Tb. se diz apenas *cartão.* Sin.: *bilhete de visita.*] **Cartão do lombo.** *Encad.* V. *falso-dorso.* **Cartão dúplex.** Cartão composto de duas ou mais camadas de pasta, unidas durante a fabricação sem auxílio de cola e que apresenta, de ordinário, faces de cores ou texturas diferentes; cartolina dúplex. **Cartão Hollerith.** *Proc. Dados.* Cartão perfurado. **Cartão ondulado.** Papelão ondulado [q. v.]. **Cartão perfurado.** *Proc. Dados.* Cartão com 12 linhas e 80 colunas onde informações são codificadas; cartão Hollerith. **Marcar cartão.** *Bras., AL. Pop.* Aproximar-se muito de uma mulher, por detrás, em geral numa aglomeração ou numa fila, roçando-lhe as nádegas.
cartão-couro. *S. m. Ind. Pap.* Papelão muito duro, resistente e fibroso, de cor semelhante à do couro, e que se obtém de pasta de madeira cozida; cartão-fibra. [Pl.: *cartões-couros* e *cartões-couro.*]
cartão-fibra. *S. m. Ind. Pap.* Cartão-couro, [Pl.: *cartões-fibras* e *cartões-fibra.*]
cartão-palha. *S. m. Ind. Pap.* Papelão amarelado, feito com pasta de palha e usado no fabrico de caixas. [Pl.: *cartões-palhas* e *cartões-palha.*]
cartão-pedra. *S. m.* Mistura de pasta de papel, gesso e adesivos, usada como material de construção e na fabricação de objetos decorativos e utensílios. [Pl.: *cartões-pedras* e *cartões-pedra.*]
cartão-postal. *S. m.* Cartão (2) que tem numa das faces uma ilustração, ficando a outra reservada à correspondência. [Tb. se diz apenas *postal.* Sin. p. us.: *bilhete postal.* Pl.: *cartões-postais.*]
cartapácio. *S. m.* **1.** Carta (1) muito grande. **2.** Livro grande e antigo; alfarrábio, calhamaço: "De cansada, rançosa poesia / Grosso volume na algibeira andava; / Em vendo gente, logo lá corria, / E o fatal c a r t a p á c i o lhe empurrava" (Nicolau Tolentino de Almeida, *Obras Poéticas*, I, p. 111). **3.** Coleção de documentos manuscritos em forma de livro. **4.** Pasta de papéis avulsos. **5.** *Deprec.* Livrório [q. v.].
carta-partida. *S. f. Ant. Mar. Merc.* A carta de fretamento, assim chamada por ser dividida ao meio, ficando cada um dos interessados com uma das metades. [Pl.: *cartas-partidas.*]
carta-piloto. [Do ingl. *pilot-charter.*] *S. f. Náut.* Carta que contém informações meteorológicas, regime de correntes marítimas e ventos nas diversas épocas do ano, e outros dados necessários ao planejamento das melhores derrotas [v. *derrota*[2]]. [Pl.: *cartas-pilotos* e *cartas-piloto.*]
cartas. [Pl. de *carta.*] *S. f. pl.* **1.** Baralho. **2.** Jogo de cartas: *F. adora c a r t a s .* ~ V. *carta.*
cartaz. [Aum. de *carta.*] *S. m.* **1.** Anúncio ou aviso de grande formato, próprio para afixação em ambientes amplos ou ao ar livre, e que traz anúncio comercial ou de exposições, espetáculos, etc., em geral com acentuação do aspecto visual, constituindo, às vezes, legítima peça de arte. **2.** *Bras.* Popularidade, notoriedade, fama, renome. **3.** *Teat.* e *Cin.* Peça ou filme em representação ou exibição. **4.** *Bras.* Sucesso (5 e 6). ♦ **Ter cartaz.** *Bras.* Ter fama, renome ou popularidade.
cartazeiro. [De *cartaz* + *-eiro.*] *S. m.* Operário encarregado de colar cartazes.
cartazista. [De *cartaz* + *-ista.*] *S. 2 g.* Pessoa que desenha ou projeta cartazes.
carteado. [Part. de *cartear.*] *Adj.* e *s. m.* Diz-se de, ou qualquer dos jogos com cartas de baralho.
carteador (ô). *S. m.* Aquele que carteia (2 e 3).
carteamento. *S. m.* Ato de cartear(-se); carteio.
cartear. *V. int.* **1.** Calcular distâncias numa carta (5): *O comandante do navio ensinava aos marinheiros o melhor modo de c a r t e a r .* **2.** Jogar cartas: *Elza gosta de c a r t e a r .* **3.** Dar as cartas num jogo. *T. d.* **4.** *Náut. Ant.* Pôr [o ponto (39)] na carta de marear. **5.** Jogar (cartas): *Recebi boas cartas e c a r t e e i -as muito bem;* "haviam organizado um jogo de prendas, enquanto o Dr. Passos e os parceiros c a r t e a v a m o voltarete" (Coelho Neto, *Treva*, p. 187). *P.* **6.** Corresponder-se por carta: "Separamo-nos em Pernambuco. .... Durante dous anos n o s c a r t e a m o s com uma pontualidade e abundância de coração dignas de namorados." (José de Alencar, *Diva*, p. 194.) [Pres. ind.: *carteio, carteias, carteia*, etc. Cf. *Cartéia*, top. Conjug.: v. *frear.*]
carteio. [Dev. de *cartear.*] *S. m.* Carteamento.
carteira. *S. f.* **1.** Bolsa de couro, lona, etc., com fecho, para guardar cartas, cartões, documentos, dinheiro e pequenos objetos. **2.** Pequena bolsa de formato retangular, dobrável e com divisões internas, para cédulas, cartões e documentos. **3.** Porta-cartas. **4.** Mesa ou banca para escrita, estudo, desenho, etc.; escrivaninha, secretária. **5.** Livrinho de apontamentos; caderneta, canhenho. **6.** Nome de várias seções dos estabelecimentos de crédito (bancos, institutos, caixas econômicas). **7.** Documentos oficiais expedidos em forma de caderneta e que contêm licenças, autorizações ou identificações: *c a r t e i r a de habilitação; c a r t e i r a de identidade.* **8.** Conjunto de títulos comerciáveis ou valores móveis, objeto de negociação por parte de um banqueiro, comerciante ou bolsista. **9.** *Bras.* Maço, invólucro: *c a r t e i r a de cigarros.* ♦ **Carteira de câmbio.** *Fin.* Seção que guarda as reservas de divisas estrangeiras do Tesouro Nacional.
carteiro. *S. m.* **1.** Mensageiro postal distribuidor de cartas e outras correspondências; correio, distribuidor, estafeta. **2.** Fabricante de cartas de baralho.
cartel[1]. [Do it. *cartello.*] *S. m.* **1.** Carta de desafio; provocação, afronta. **2.** Anúncio, dístico, legenda, cartaz. **3.** Acordo entre chefes militares beligerantes, acerca de medidas de interesse comum ou vantagens recíprocas, sobretudo troca de prisioneiros. [Pl.: *cartéis.*] ♦ **Não dar cartel a.** Não poupar; matar (o inimigo, o adversário).
cartel[2]. [Do al. *Kartell.*] *S. m.* Acordo comercial entre empresas produtoras, as quais, embora conservem a autonomia interna, se organizam em sindicato para distribuir entre si cotas de produção e os mercados, e determinar os preços, suprimindo a livre concorrência. [Pl.: *cartéis.* Cf. *coalização* (3).]
cartela. [Do it. *cartella.*] *S. f.* **1.** Superfície lisa, num friso ou num pedestal, destinada, por via de regra, a receber uma inscrição; cártula. **2.** V. *cártula* (1). **3.** Mostruário portátil de tecidos, rendas, fitas, etc. **4.** *Rel.* Sacra.
cartema. [De *cartão* (-postal).] *S. m. Neol. Bras.* Colagem[2] executada com cartões-postais de valores visuais equivalentes e que, colocados lado a lado, dão ao todo uma nova unidade visual. [T. criado por Antônio Houaiss (1915-), em 1974, para essa composição artística de Aloísio Magalhães (1927-1983).]
cartesianismo. *S. m. Hist. Filos.* **1.** Doutrina de René Descartes, filósofo, matemático e físico francês (1596-1650), e de seus seguidores, caracterizada pelo racionalismo, pela consideração do problema do método como garantia da obtenção da verdade, e pelo dualismo metafísico. **2.** Influência de Descartes na filosofia.
cartesiano. *Adj.* **1.** *Hist. Filos.* Pertencente ou relativo a Descartes ou ao cartesianismo [q. v.]. **2.** *Hist. Filos.* Diz-se da maneira de considerar um fenômeno ou um conceito isolando-os da totalidade em que aparecem. **3.** Que é partidário do cartesianismo. ~ V. *análise —a, coordenadas —as, coordenadas —as ortogonais, eixo —* e *sistema —.* ● *S. m.* **4.** Partidário do cartesianismo.
cartilagem. [Do lat. *cartilagine.*] *S. f. Anat.* Tecido conjuntivo fibroso que constitui a maior parte do esqueleto do embrião, participa de modo importante no processo de crescimento do corpo e serve de modelo para o desenvolvimento da maioria dos ossos. Forra as extremidades das superfícies articulares dos ossos, e forma certas partes do esqueleto do animal adulto. Os tipos mais importantes são a hialina, a elástica e a fibrosa. ♦ **Cartilagem ciliar.** *Anat.* V. *társio.* **Cartilagem elástica.** *Anat.* Aquela em que predomina tecido elástico. **Cartilagem epifisária.** *Anat.* Cartilagem situada entre a epífise e diáfise de um osso durante o período de crescimento. [Seu desenvolvimento leva ao crescimento ósseo em extensão.] **Cartilagem fibrosa.** *Anat.* Aquela em que predomina tecido fibroso. **Cartilagem hialina.** *Anat.* Aquela em que predomina tecido hialino. **Cartilagem palpebral.** *Anat.* V. *társio.*
cartilaginoso (ô). [Do lat. *cartilaginosu.*] *Adj.* **1.** Relativo a, ou que tem cartilagem; seláquio. **2.** *Bot.* Diz-se de qualquer órgão ou parte vegetal que exibe consistência semelhante à da cartilagem animal, como sucede freqüentemente com a margem das folhas: *endosperma c a r t i l a g i n o s o .*
cartilha. [Dim. de *carta.*] *S. f.* **1.** Livro para aprender a ler: "Eu era então menino e estudava a c a r t i l h a ." (Ribeiro Couto, *Poesias Reunidas*, p. 34.) **2.** Compêndio elementar ou rudimentos de arte, ciência ou doutrina: *c a r t i l h a de música; c a r t i l h a cristã.* **3.** *Fig.* Maneira de ser e viver; padrão, modelo: *Casou-se, e vive segundo a c a r t i l h a do marido.* ♦ **Ler pela mesma cartilha.** Ter a mesma opinião, doutrina ou teoria.
cartismo. [De *carta* (6) + *-ismo.*] *S. m.* **1.** Movimento político reformista ocorrido na Inglaterra, entre 1837 e 1848, e cujo programa se continha na chamada Carta do Povo. **2.** Movimento político português, entre 1832 e 1850, de defesa da carta constitucional outorgada por D. Pedro IV de Portugal e I do Brasil. [Cf. *kartismo.*]
cartista. *Adj. 2 g.* **1.** Relativo ao, ou que é partidário do cartismo. ● *S. 2 g.* **2.** Partidário do cartismo.
▲**carto-.** [De *carta.*] *El. comp.* = 'carta', 'carta de baralho', 'mapa': *cartografia, cartomancia.*
cartografia. [De *carto-* + *-graf(o)-* + *-ia.*] *S. f.* **1.** Arte ou ciência de compor cartas geográficas. **2.** Tratado sobre mapas.
cartográfico. *Adj.* Relativo à cartografia.
cartógrafo. [De *carto-* + *-grafo.*] *S. m.* Aquele que traça cartas geográficas.
cartograma. [De *carto-* + *-grama.*] *S. m.* Mapa ou quadro em que se representam, por meio de pontos, figuras, linhas, colorido, previamente convencionados, um fenômeno quanto à sua área de ocorrência, importância, movimentação e evolução.
cartola. [De *quartola.*] *S. f.* **1.** Var. de *quartola.* **2.** Chapéu masculino, de copa alta e cilíndrica, e cor preta luzidia, de uso em solenidades. [Sin. bras., nesta acepç.: *catimplora, jaca.*] **3.** Qualquer chapéu duro, grande e ridículo. **4.** *Bras., N.E.* Sobremesa feita de banana frita, aberta ao meio, com uma fatia de queijo assado por cima, e polvilhada de açúcar e canela. [Cf. *mineiro-com-botas.*] ● *S. m.* **5.** *Gír.* Indivíduo de posição elevada, desprezador das opiniões e tendências populares; grã-fino. **6.** *Bras. Gír. Deprec.* Dirigente de clube ou entidade esportiva: "o jogador é um homem à mercê do clube e dos c a r t o l a s ." (*Correio da Manhã*, 5.11.70).
cartolina. [Do it. *cartolina.*] *S. f.* Cartão delgado, intermediário entre o papel encorpado e o papelão. ♦ **Cartolina dúplex.** Cartão dúplex.
cartologia. [De *carto-* + *-log(o)-* + *-ia.*] *S. f.* Coleção de cartas geográficas.
cartomancia (cí). [De *carto-* + *-mancia.*] *S. f.* Adivinhação por meio de cartas de jogar.
cartomante. [De *carto-* + *-mante.*] *S. 2 g.* Pessoa dada ao estudo e prática da cartomancia. [Sin. (bras., S.): *sortista.*]
cartomântico. *Adj.* Referente à cartomancia, ou a cartomante.
cartonado. [Part. de *cartonar.*] *Adj.* Diz-se do livro coberto com capa de cartão, revestido de papel com os nomes da obra, autor e editor impressos. [V. *brochado* e *encadernado.*] ~ V. *livro —.*
cartonador (ô). [De *cartonar* + *-(d)or.*] *S. m.* Operário que trabalha em cartonagem.
cartonageiro. *S. m.* Fabricante ou vendedor de artefatos de cartão.
cartonagem. [Do fr. *cartonnage.*] *S. f.* **1.** Confecção de artefatos de cartão. **2.** Artefato de cartão. **3.** Oficina onde se fazem trabalhos de cartonagem. **4.** *Bibliol.* Espécie de montagem do livro em capa rígida, ligada ao bloco de cadernos, pela colagem, à parte interna das pastas, tanto de tira de entretela presa ao dorso pela costura como de uma das folhas da guarda, e com revestimento externo, todo de papel ou com lombada

de pano, impresso e às vezes ilustrado. **4.** Livro cartonado.

cartonar. [Do fr. *cartonner.*] *V. t. d.* **1.** *Encad.* Revestir (livro) com capa de cartão forrada de papel. **2.** Revestir com cartão ou papelão: *cartonar embalagens.*

cartonista. *S. 2 g.* Artista especializado na execução de modelos em cartão para a confecção de tapetes, mosaicos, etc.

cartorário. [Do lat. vulg. *chartulariu.*] *S. m.* **1.** Escrevente ou arquivista de cartório. **2.** Oficial do registro civil das pessoas naturais. **3.** Livro de registros de documentos públicos ou cartas, títulos, escrituras, certidões, etc. **4.** V. *cartulário.* ● *Adj.* **5.** Respeitante a cartório; cartorial.

cartorial. *Adj. 2 g.* Cartorário (5).

cartório. [Der. regress. de *cartorário.*] *S. m.* **1.** Lugar onde se registram e guardam cartas ou documentos importantes; arquivo: *o cartório de uma empresa.* **2.** Repartição onde funcionam os tabelionatos, os ofícios de notas, as escrivanias da justiça, os registros públicos, e se mantêm os respectivos arquivos. ◆ **Casar no cartório.** Contrair casamento civil; casar no civil: "Casei no padre; a mulher 'tá querendo *casar no cartório* também" (Bariani Ortêncio, *Vão dos Angicos,* p. 80).

cartuchame. *S. m.* Provisão de cartuchos para armas de fogo.

cartucheira. *S. f.* Banda de lona ou de couro provida de orifício para cartuchos, usada, comumente, à cintura ou a tiracolo; patrona, canana [q. v.].

cartucho. [Do it. *cartoccio,* atr. do fr. *cartouche.*] *S. m.* **1.** Invólucro oblongo, de papel ou cartão: *um cartucho de amendoim.* **2.** Invólucro, outrora de papel, depois de cartão e de sarja, e por fim de metal, que contém a carga de projeção da boca-de-fogo. **3.** *Exérc.* Conjunto constituído essencialmente de um estojo cilíndrico metálico (geralmente de latão), no interior do qual estão arrumadas a carga de projeção e a estopilha, e em cujo topo se engasta o projetil de uma arma de fogo. **4.** V. *cártula* (1). **5.** *Anat.* Corneto. **6.** *Art. Gráf.* Caixinha para embalagem de medicamentos, cosméticos, etc., feita de uma só peça de cartão dobrada, vincada e colada. **7.** *Autom.* Elemento filtrante dos filtros de óleo externos, que deve ser substituído após determinado número de quilômetros rodados. **8.** *Cartogr.* Pequeno mapa inserto em mapa maior, do qual amplia detalhe. **9.** *Paleogr.* Moldura oblonga que na escrita hieroglífica egípcia encerra nome de soberano. [Cf. *cartuxo.*] ◆ **Queimar o último cartucho.** Lançar mão do(s) último(s) recurso(s) para conseguir algo; recorrer ao(s) meio(s) extremo(s); jogar a última cartada.

cártula. [Do lat. *chartula.*] *S. f.* **1.** Ornato artístico ou tipográfico que simula folha ou tira de papel com as pontas ou lados enrolados, de ordinário em sentidos divergentes, e com espaço para dístico; cartela, cartucho. **2.** Cartela (1).

cartulário. [Do lat. *chartulariu.*] *S. m.* **1.** Coleção de títulos de propriedade, concessão de privilégios, atos relativos a jurisdições, bulas, etc., conservada nos antigos mosteiros, igrejas, etc. **2.** Aquele que se encarrega desses registros. [Sin. ger.: *cartorário.*]

cartum. [Do ingl. *cartoon.*] *S. m.* Desenho caricatural que apresenta uma situação humorística, utilizando, ou não, legendas. [Cf. *charge.*]

cartunista. [Do ingl. *cartoonist.*] *S. 2 g.* Desenhista de cartum, charge, desenho animado ou tira cômica.

cartusiano. [De *Carthusia,* latinização do top. *Chartreuse,* + *-iano.*] *Adj.* e *s. m.* Cartuxo.

cartuxa. [Fem. substantivado do adj. *cartuxo.*] *S. f.* **1.** Ordem religiosa muito austera, em regime misto de solidão e vida em comum, fundada por S. Bruno, no séc. XI. **2.** Convento de cartuxos [v. *cartuxo* (2)].

cartuxo. [Do lat. *carthusiu.*] *Adj.* **1.** Pertencente ou relativo à cartuxa (1). ● *S. m.* **2.** Religioso da ordem cartuxa. [Sin. ger.: *cartusiano.* Cf. *cartucho.*]

caruá. [De possível or. tupi.] *S. m.* **1.** *Bras.* V. *caroá.* **2.** *Bras., S.* Inflamação sobre a pele.

caruana. [De possível or. tupi.] *S. m. Bras., Amaz.* Gênio benfazejo e serviçal que os indígenas crêem habitar o fundo dos rios e igarapés, e que os pajés invocam para curar doentes ou esconjurar feitiços, fumando e cantando uma toada monótona.

caruara. [Do tupi *karu'ara,* 'corrimento'.] *S. f.* **1.** *Bras., Amaz.* Mal ou enfermidade causada por feitiço; quebranto, mau-olhado. **2.** *Bras., Amaz.* Achaque, doença. **3.** *Bras., Amaz.* Dor reumática. **4.** *Bras., Amaz.* V. *coréia*[1] (3). **5.** *Bras., Amaz.* Certa abelha pequeníssima. **6.** *Bras., N.E.* Paralisia que afeta as articulações dos bezerros e doutros animais recém-nascidos. **7.** *Bras., AL.* Vento que traz chuvas e trovoadas e que sopra em janeiro no litoral.

caruaru. *S. m. Bras., MA.* V. *jacuraru.*

caruaruense. *Adj. 2 g.* **1.** De, ou pertencente ou relativo a Caruaru (PE). ● *S. 2 g.* **2.** Natural ou habitante de Caruaru.

caruatá. *S. m. Bras.* V. *caraguatá.*

caruatá-açu. *S. m. Bras.* V. *caraguatá-piteira.* [Pl.: *caruatás-açus.*]

caruatá-de-pau. *S. m. Bras.* V. *caraguatá.* [Pl.: *caruatás-de-pau.*]

caruca. [Do tupi *ka'ruka.*] *S. f. Bras., Pop.* Noite (1).

caruera (ê). *S. f. Bras.* V. *crueira* (1).

caruma. *S. m.* Folha de pinheiro.

carumbé. [Do tupi *karũ'bé.*] *S. m.* **1.** *Bras.* Calumbé: "Amontoaram-se os cascalhos e os *carumbés* em ação para sua lavagem" (Antônio Versiani, *Viola de Queluz,* p. 102). **2.** *Bras., Amaz.* O macho do jabuti; jabuti-carumbé.

carunchar. *V. int.* Encher-se de caruncho; ser atacado pelo caruncho: *O teto da casa carunchou rapidamente.*

carunchento. *Adj.* **1.** V. *carcomido* (1 a 3). **2.** Carunchoso (2).

caruncho. *S. m.* **1.** *Bras.* Designação comum aos insetos coleópteros que perfuram sobretudo madeira e cereais, e cuja maioria é xilófaga. Incluem-se no grupo os bostriquídeos, os bruquídeos, os curculionídeos, os anobiídeos e outros. [Sin.: *carneiro, carneirinho, gorgulho, bruco, carcoma, carpinteiro.* Cf. *broca* (9).] **2.** O pó que resulta da ação desses insetos; carcoma. **3.** *Fig.* Aquilo que mina, corrói, destrói, lentamente: *Eles são os carunchos da democracia.* **4.** *Fig.* Antigalha, antiqualha, velhice: *Um povo jovem e sadio não pode fazer a apologia do caruncho.* **5.** *Bras.* Certa raça suína.

caruncho-da-cereja-do-café. *S. m. Bras.* V. *broca-do-café.* [Pl.: *carunchos-da-cereja-do-café.*]

caruncho-do-café. *S. m. Bras.* V. *broca-do-café.* [Pl.: *carunchos-do-café.*]

carunchoso (ô). *Adj.* **1.** V. *carcomido* (1 a 3). **2.** Cheio de caruncho (1 e 2); carunchento.

carúncula. [Do lat. *caruncula.*] *S. f.* **1.** *Anat.* Pequena saliência carnosa, avermelhada, oval ou triangular, existente em áreas diversas do corpo. **2.** *Bot.* Excrescência carnosa, da natureza do arilo, encontrada em várias sementes, como, p. ex., a da mamona. **3.** *Zool.* Pequena saliência carnuda da cabeça de certas aves ou de certas lagartas. ◆ **Carúncula mirtiforme.** *Anat.* Umas das numerosas carnosidades que se formam em torno da vagina após a ruptura do hímen.

carunculáceo. *Adj. Bot.* Semelhante à carúncula.

carunculado. [De *carúncula* + *-ado*[1].] *Adj.* Provido de carúncula.

caruncular. *Adj. 2 g. Bot.* Relativo à, ou da natureza da carúncula: *tecido caruncular.*

caruru. [Do afr. *kalalu.*] *S. m.* **1.** *Bras., N.* a *S.* Designação comum a várias plantas alimentares da família das amarantáceas, cujas folhas, verdes, são saborosas e nutritivas, e por isso muito usadas na culinária. **2.** V. *bredo* (1). **3.** Espécie de asparregado de caruru ou quiabos, a que se ajuntam camarões secos, peixe, etc., temperando tudo com azeite-de-dendê e muita pimenta.

caruru-amargo. *S. m. Bras., N.* a *S.* Designação comum a duas plantas da família das compostas (*Erechtites hieracifolia* e *Erechtites valerianaefolia*), que vegetam geralmente em lugares úmidos e cujas folhas são alimentícias. [Pl.: *carurus-amargos.*]

caruru-azedo. *S. m. Bras., PA, CE, BA, MG* e *SP.* Arbusto herbáceo, da família das malváceas (*Hibiscus sabdariffa*), cujas flores, sésseis, axilares, solitárias, róseas ou purpúreas, com máculas escuras e cálice muito carnoso, são usadas no preparo de geléias, doces e xaropes, e cujo fruto é cápsula vermelha; azedinha, quiabo-azedo, quiabo-róseo, quiabo-roxo, rosélia, vinagreira. [Pl.: *carurus-azedos.*]

caruru-branco. *S. m. Bras.* V. *ajabó.* [Pl.: *carurus-brancos.*]

caruru-bravo. *S. m. Bras., PE* a *PR.* **1.** Planta herbácea, perene, da família das fitolacáceas (*Phytolacca thyrsiflora*). **2.** Planta herbácea, perene, da família das compostas (*Senecio crassiflorus*). [Pl.: *carurus-bravos.*]

caruru-de-cosme-e-damião. *S. m. Bras., BA.* Caruru-de-são-cosme. [Pl.: *carurus-de-cosme-e-damião.*]

caruru-de-espinho. *S. m. Bras., RJ* até *SC.* V. *juciri.* [Pl.: *carurus-de-espinho.*]

caruru-de-são-cosme. *S. m. Bras., BA.* Festa dedicada aos ibejis, nos candomblés jeje-nagôs; caruru-de-cosme-e-damião. [Pl.: *carurus-de-são-cosme.*]

caruru-de-sapo. *S. m. Bras., N.* a *S.* Designação comum a duas plantas herbáceas da família das oxalidáceas (*Oxalis martiana* e *Oxalis palustris*), dotadas de flores roxas, dispostas em umbelas, e fruto capsular; azedado-brejo, trevo. [Pl.: *carurus-de-sapo.*]

caruru-do-mato. *S. m. Bras.* V. *crista-de-galo.* [Pl.: *carurus-do-mato.*]

cárus. [Do lat. *carus.*] *S. m. 2 n. Med.* O grau extremo do estado comatoso, caracterizado por um estado letárgico que resiste aos estimulantes mais enérgicos. [Cf. *caros,* pl. de *caro.*]

carusma. *S. f.* Cinzas que se espalham no ar, quando se sopra o lume.

carútana. *Bras. S. 2 g.* **1.** Indígena dos carútanas, tribo aruaque amazônica do rio Içana. ● *Adj. 2 g.* **2.** Pertencente ou relativo a essa tribo. [V. *baniva.*]

carutaperense. *Adj. 2 g.* **1.** De, ou pertencente ou relativo a Carutapera (MA). ● *S. 2 g.* **2.** Natural ou habitante de Carutapera.

carvalhal. *S. m.* Quantidade mais ou menos considerável de carvalhos dispostos proximamente entre si; carvalheira.

carvalheira. *S. f.* **1.** Pequeno carvalho. **2.** Moita de pequenos carvalhos silvestres. **3.** Carvalhal.

carvalheiro. *S. m.* **1.** Carvalho novo. **2.** Cacete de carvalho.

carvalhense. *Adj. 2 g.* **1.** De, ou pertencente ou relativo a Carvalhos (MG). ● *S. 2 g.* **2.** Natural ou habitante de Carvalhos.

carvalhiça. *S. f.* Espécie de carvalho rasteiro (*Quercus fructiosa*).

carvalhinha. *S. f.* Planta da família das labiadas (*Teucrium chamaedrys*), lenhosa na base, vilosa e pubescente; têucrio.

carvalho. [De uma raiz pré-romana *carb* ou *carv,* 'ramagem'.] *S. m.* **1.** Designação comum a várias árvores ornamentais da família das fagáceas, gênero *Quercus,* de rápido crescimento, que preferem lugares frescos, ou margens de rios e lagoas, e fornecem madeira pardacenta, dura, usada na construção em geral. **2.** A madeira de qualquer dessas árvores.

carvalho-brasileiro. *S. m. Bras., BA* até *SC.* V. *carne-de-vaca* (1). [Pl.: *carvalhos-brasileiros.*]

carvalho-corticeiro. *S. m.* V. *sobreiro.* [Pl.: *carvalhos-corticeiros.*]

carvão. [Do lat. *carbone.*] *S. m.* **1.** Substância combustível, sólida, negra, resultante da combustão incompleta de materiais orgânicos; carvão mineral, carvão-de-pedra, hulha. **2.** Carvão vegetal. **3.** Carvão animal. **4.** Brasa extinta; tição. **5.** *Art. Plást.* Lápis de carvão para desenho. **6.** *Art. Plást.* Desenho feito com esse lápis. **7.** *Bras.* Designação comum a várias famílias de fungos, especialmente dos gêneros *Puccina, Tilletia* e *Ustilago,* que compreendem desde as espécies mais nocivas até as gramíneas (aveia, milho e trigo). **8.** *Bras. Gír.* Jornal (2). ◆ **Carvão animal.** O que se obtém pela queima de substâncias animais, especialmente ossos. [Tb. se diz apenas *carvão.*] **Carvão mineral.** V. *carvão* (1). **Carvão vegetal.** O que se obtém pela carbonização de madeiras. [Tb. se diz apenas *carvão.*]

carvão-branco. *S. m. Bras., MG, GO* e *MT.* Árvore da família das voquisiáceas (*Callisthene fasciculata*), existente no cerrado, de flores amarelas, dispostas em fascículos axilares, e cujo fruto, cápsula, fornece boa lenha e ótimo carvão; capitão-do-campo. [Pl.: *carvões-brancos.*]

carvão-de-pedra. *S. m.* V. *carvão* (1): "O trem saía deixando no ar um cheiro de *carvão-de-pedra.*" (José Lins do Rego, *Ficção Completa,* I, p. 287.) [Pl.: *carvões-de-pedra.*]

carvão-vermelho. *S. m. Bras.* Árvore da família das leguminosas (*Diptychandra epunctata*). [Pl.: *carvões-vermelhos.*]

carvoaria. *S. f.* Estabelecimento onde se fabrica e/ou vende carvão; carvoeira.

carvoeira. [Do lat. *carbonaria,* i. e., fossa carbonária.] *S. f.* **1.** Vão ou lugar próprio para guardar carvão. [F. paral.: *carvoeiro;* sin. (SP): *caieira.*] **2.** Carvoaria. **3.** Mulher que faz, vende ou transporta carvão. **4.** Mulher de carvoeiro. **5.** *Bras.* V. *balão* (11).

carvoeiro. [Do lat. *carbonariu.*] *S. m.* **1.** Fabricante ou vendedor de carvão. **2.** Carvoeira (1). **3.** *Bras., L.* e *S.* Designação comum a várias espécies da família das rubiáceas, árvores ornamentais, de pequeno porte, flores alvas e frutos bacáceos lisos, alaranjados. Fornecem madeira, lenha e carvão. **4.** *Bras., MG, RJ* e *SP.* Árvore da família das rubiáceas (*Iaramea campanularis*). **5.** *Bras., MG, RJ* e *SP.* Árvore da família das melastomáceas (*Miconia trianaei*), muito ornamental. ● *Adj.* **6.**

Relativo ao carvão: *indústria carvoeira.*

carvoejar. *V. int.* **1.** Fazer carvão. **2.** Negociar em carvão: *Aquele enriqueceu carvoejando.* [Conjug.: v. *pelejar.*]

carvoento. *Adj.* Que tem o aspecto ou o tom do carvão; acarvoado: *céu carvoento.*

cãs. [Do lat. *canas,* 'brancas'.] *S. f. pl.* Cabelos brancos: "As cãs lhe cobriam a cabeça como uma ligeira pasta de algodão." (José de Alencar, *Tronco do Ipê,* p. 37.) — V. *cã*[1].

casa. [Do lat. *casa.*] *S. f.* **1.** Edifício (2) de um ou poucos andares, destinado, geralmente, a habitação; morada, vivenda, moradia, residência, habitação. [Aum.: *casão, casarão, casaréu;* dim.: *casinha, casita, casucha, casebre, casinhola, casinholo, casinhota, casinhoto,* podendo as cinco últimas formas ter caráter depreciativo.] **2.** Cada uma das divisões de uma habitação; dependência, quarto, sala: *O porão tem três casas.* **3.** Lar; família. **4.** Conjunto dos bens e/ou negócios domésticos: *o governo da casa.* **5.** O conjunto dos membros de uma família; instituição familiar: *a casa dos Andradas; A Ilustre Casa de Ramires* (título de um romance de Eça de Queirós). **6.** Local destinado a reuniões ou até à moradia de certos grupos de pessoas: *Casa do Minho; casa do estudante.* **7.** Estabelecimento, firma, empresa: *casa comercial; casa bancária.* **8.** Repartição pública: a *Casa da Moeda.* **9.** Conjunto de auxiliares adjuntos a um chefe de Estado: *casa civil; casa militar.* **10.** Cada uma das subdivisões duma caixa, prateleira, colmeia, etc. **11.** Espaço separado por linhas nas tabelas, tabuadas, mapas, tabuleiros, formulários, etc.: *as casas do xadrez; a casa dos nove; casa para observações.* **12.** Abertura por onde passa o botão; botoeira. **13.** Grupo de 10 anos, começado por dez ou múltiplo desse número, na idade de uma pessoa: "Camilo escreveu *O Bem e o Mal* .... bem longe da casa dos vinte" (in Mário Casassanta, *O Bem e o Mal,* p. 33). **14.** Vaga nos registros de distribuição de feitos forenses, escrituras, etc. **15.** *Mat.* Casa decimal. **16.** *Mat.* Numa tabela, interseção de uma linha e uma coluna. **17.** *Teat.* e *Cin.* Assistência a um espetáculo: *Os mímicos só tiveram meia casa.* **18.** *Encad. Bras.* V. *entrenervo.* **19.** *Lus. Constr. Nav.* V. *praça* (8). ◆ **Casa bancária.** Estabelecimento autorizado a realizar operações de crédito ou comércio de câmbio. **Casa brejada.** *Bras., CE.* Casa de chão úmido. **Casa civil. 1.** V. *casa* (9). **2.** *Bras. Joc.* A família constituída legalmente; o lar: "com os estipêndios de juiz de direito mal chegando para a família legalmente constituída, para a casa civil, como pensar em amásia, em amante, amiga, casa militar?" (Jorge Amado, *Teresa Batista Cansada de Guerra,* p. 62). [Cf. *casa militar.*] **Casa comercial.** Estabelecimento destinado ao comércio de mercadorias. **Casa da misericórdia.** V. *santa casa.* **Casa da Moeda.** Estabelecimento onde são cunhadas as moedas e impressos os papéis-moedas, por conta do governo ou nação. **Casa de alça.** Aselha (2). **Casa de aviamento.** *Bras., S.* Telheiro, alpendre ou simples puxado, lateral à moradia do pescador, e onde fica o forno, se limpa o peixe e executam outros serviços. **Casa de bagaço.** *Bras., N. E.* Parte do engenho de açúcar onde se guarda, depois de seco ao sol, o bagaço de cana moída, que serve como combustível. **Casa de Câmara e Cadeia.** *Ant.* Sede municipal da administração e da justiça. [No Brasil, termo us. até o advento da República.] **Casa de câmbio.** Estabelecimento bancário que compra, vende e troca moedas estrangeiras; câmbio. **Casa de campo.** Casa fora das cidades, em que se passam férias ou fins de semana. **Casa decimal.** *Mat.* Na expressão decimal de um número, posição de um algarismo à direita da vírgula. [Tb. se diz apenas *casa.*] **Casa de cômodos.** V. *cortiço* (2). **Casa de correção.** Estabelecimento penitenciário onde se recolhem, para serem corrigidos, menores delinqüentes ou desocupados, e marginais. [Tb. se diz apenas *correção.*] **Casa de despejo.** V. *despejo* (4). **Casa de detenção. 1.** Estabelecimento oficial onde ficam detidos os réus que aguardam julgamento. **2.** *P. ext.* Prisão, cárcere. **Casa de escoteiro.** *Bras., MG.* Quarto de fácil acesso destinado a viajantes escoteiros. **Casa de farinha.** *Bras.* Telheiro ou abrigo destinado ao preparo de farinha de mandioca: "A casa de farinha, o pai, os três irmãos, gente que plantava mandioca e vendia farinha feita." (Adonias Filho, *Luanda Beira Bahia,* p. 10.) **Casa de jogador de espada.** Casa desarrumada, desarranjada. **Casa de máquinas.** Espaço situado num dos extremos do poço de elevador, onde se colocam as máquinas ou motores e a aparelhagem que controla o movimento do ascensor. **Casa de obras.** *Tip.* Oficina tipográfica, em contraposição a *casa de jornal.* [V. *obra* (9).] **Casa de orates.** Casa sem ordem; casa onde ninguém se entende. **Casa de pasto.** Restaurante onde se servem refeições a baixo preço. **Casa de penhor.** Estabelecimento onde se empresta dinheiro deixando como garantia jóias e/ou outros objetos. [Sin. (bras.) *prego,* e (bras., BA) *macaco.*] **Casa de purgar.** *Bras.* Dependência do engenho bangüê, onde o açúcar é posto para escorrer o mel e alvejar. **Casa de recurso.** *Bras. N.E.* V. *casa de tolerância.* **Casa de saúde.** Hospital particular ou de economia privada, em que o tratamento e as diárias são pagos pelo cliente, ou, mediante convênio, por entidade privada ou governamental; clínica. **Casa de tavolagem.** Casa de jogo. **Casa de tolerância.** Casa onde se alugam quartos para encontros amorosos: "antiga mulher de amor, gasta e repelida, abriu casa de tolerância, seduziu mulheres honestas" (Lúcio de Mendonça, *Horas do Bom Tempo,* p. 207). [Sin.: *casa de recurso* ou apenas *recurso* (N.E.) e *rendez-vous* (fr.). Cf. *prostíbulo.*] **Casa do alçado.** *Tip.* Dependência da oficina de encadernação onde se contam e dobram as folhas impressas e alçam os cadernos. [Tb. se diz apenas *alçado.*] **Casa do leme.** *Constr. Nav.* Camarim de governo. **Casa dos contos.** *Ant.* A casa de administração do erário. **Casa dos entas.** *Bras.* Casa (13) que principia por um número que termine em enta (dos quarenta aos noventa): *Tem 38 anos: breve estará na casa dos entas.* **Casa dos milagres.** V. *sala dos milagres.* **Casa editora.** Empresa privada ou pública cuja principal atividade é a edição de publicações impressas. [Cf. *editor.*] **Casa funerária.** *Bras.* Estabelecimento comercial que se encarrega de pompas fúnebres. [Tb. se diz apenas *funerária.*] **Casa matriz.** V. *matriz* (17). **Casa militar. 1.** V. *casa* (9). **2.** *Bras. Joc.* A amante, a amásia; a família não legalmente constituída: "com os estipêndios de juiz de direito mal chegando para a família legalmente constituída, para a casa civil, como pensar em amásia, em amante, amiga, casa militar?" (Jorge Amado, *Teresa Batista Cansada de Guerra,* p. 62). [Cf. *casa civil.*] **Casa noturna.** *Bras.* Boate. **Casa popular.** *Bras.* A que é construída por órgão de assistência social, para moradia de famílias de baixo poder aquisitivo. **Casas geminadas.** Casas de paredes-meias, construídas duas a duas, normalmente com as mesmas divisões, porém invertidas. **Fazer casa.** Juntar haveres; amealhar. **Na casa do sem jeito.** *Bras.* Em situação difícil, embaraçosa, e sem remédio. **Ó de casa.** *Bras.* Palavras com que alguém, à porta de uma casa, geralmente batendo palmas, chama quem está ou se espera estar no interior dela; ô de casa: "(Chega à janela). Ó mulher da casa! olá! ó de casa!" (Álvares de Azevedo, *Obras Completas,* II, p. 13.) **Ô de casa.** *Bras.* Ó de casa: "um caboclo .... quebrava o silêncio nostálgico do crepúsculo avocando: / — Ô de casa!" (Herman Lima, *Tijipió,* p. 114). **Santa casa.** Instituição pia para tratamento de enfermos pobres e outras obras de beneficência; casa da misericórdia; misericórdia. **Ser de casa.** Ser familiar; não ser de cerimônia (3). **Ser uma casa cheia.** Ser muito animado, muito conversador, muito alegre.

casabeque. *S. m.* Casaco leve de senhora: "um casabeque de flanela escarlate pelos ombros" (Eça de Queirós, *A Capital,* p. 427). [F. paral.: *casaveque.*]

casablanquense. *Adj. 2 g.* **1.** De, ou pertencente ou relativo à cidade de Casablanca (Marrocos francês). ● *S. 2 g.* **2.** Natural ou habitante de Casablanca.

casa-branquense. *Adj. 2 g.* **1.** De, ou pertencente ou relativo a Casa Branca (SP). ● *S. 2 g.* **2.** Natural ou habitante de Casa Branca. [Pl.: *casa-branquenses.*]

casaca. [Do fr. *casaque.*] *S. f.* **1.** Peça de vestuário de cerimônia masculino, curta na frente, ficando à altura da cintura, e com abas compridas atrás. ● *S. m.* **2.** *Pop.* Casacudo (1). **3.** *Bras.* V. *caipira* (1). **4.** *Bras., PE.* Paisano ou civil, em oposição a militar. **5.** *Bras., ES. Folcl.* Instrumento idiófono, semelhante ao ganzá, em cuja extremidade superior há uma miniatura de cabeça de homem, e muito usado nas bandas de congo. ◆ **Cortar na casaca de.** Falar mal de; tesourar. **Virar a casaca.** Mudar de opinião ou partido; voltar a casaca, virar bandeira. **Voltar casaca.** V. *virar a casaca.*

casaca-de-coiro. *S. m.* e *f. Bras.* Casaca-de-couro. [Pl.: *casacas-de-coiro.*]

casaca-de-couro. [Var. de *casaca-de-coiro.*] *S. m.* e *f.* **1.** *Bras.* V. *gavião-caboclo.* **2.** *Bras.* V. *japacanim* (2). ● *S. m.* **3.** *Bras., PE.* V. *vaqueiro* (1). [Pl.: *casacas-de-couro.*]

casacão. [Aum. de *casaco.*] *S. m.* Casaco longo, cujo comprimento e feitio variam segundo a moda, feito, em geral, de tecido grosso e encorpado, e usado como agasalho contra o frio; casaco, capote, sobretudo, mantô.

casaco. [De *casaca.*] *S. m.* **1.** Peça de vestuário abotoada na frente, e de mangas, que cobre o tronco e faz parte de um terno masculino, ou de certos trajes femininos, podendo, neste caso, ser usado independentemente sobre vestido, blusa, suéter, etc., ou com saia ou calças. V. *paletó.* **2.** V. *casacão.*

casa-comum. *S. f.* V. *latrina* (1). [Pl.: *casas-comuns.*]

casacudo. *S. m.* **1.** *Bras.* Indivíduo rico, importante; casaca. **2.** *Bras., BA.* V. *caipira* (1).

casadeiro. *Adj.* V. *casadouro.*

casa-de-mina. *S. f. Bras., MA.* Terreiro (7) afro-brasileiro; nagô. [Pl.: *casas-de-mina.*]

casa-de-nagô. *S. f. Bras., MA.* Candomblé de origem e cultura nagô. [Pl.: *casas-de-nagô.*]

casadinhos. [Pl. do dim. de *casado.*] *S. m. pl.* Biscoitos pequenos, redondos, que se unem com doce ou geléia.

casado. [Part. de *casar.*] *Adj.* **1.** Que se casou; que está ligado por casamento; esposado. **2.** Ligado, unido. **3.** Combinado, harmonizado. **4.** *Art. Gráf.* Diz-se do conjunto de duas ou mais composições que se juntam para tiragem numa só fôrma e posterior separação do impresso, mediante corte do papel. — V. *casados.*

casadoiro. *Adj.* V. *casadouro.*

casados. [Pl. de *casado.*] *S. m. pl.* Os cônjuges. — V. *casado.*

casa-dos-homens. *S. f.* Entre os povos primitivos, habitação reservada só aos indivíduos do sexo masculino. [Pl.: *casas-dos-homens.* Cf. *tacana.*]

casadouro. *Adj.* **1.** Que está em idade de casar; núbil. **2.** Que pretende casar; que trata de casar-se. [Var.: *casadoiro;* sin.: *casadeiro, casável.*]

casa-forte. *S. f.* Espaço, nas casas bancárias, geralmente no subsolo, com paredes espessas, refratárias a fogo, e portas especiais, de aço, para guarda de valores. [Pl.: *casas-fortes.*]

casa-grande. *S. f.* **1.** *Bras.* No tempo da colônia ou do Império, casa senhorial brasileira, de engenho de açúcar ou de fazenda. **2.** *P. ext.* Casa de proprietário de engenho ou de fazenda. [Sin. (BA), nesta acepç.: *sobrado.* Pl.: *casas-grandes.*]

casal. [Do lat. vulg. *casale.*] *S. m.* **1.** Pequeno povoado; lugarejo de poucas casas. **2.** Pequena propriedade rústica; granja: "Tão rota, tão trôpega, tão triste, até os cães me ladrariam da porta dos casais." (Eça de Queirós, *Contos,* p. 358.) **3.** Par composto de macho e fêmea, ou homem e mulher. **4.** *P. ext.* Par, parelha. **5.** Urdidor (3). ● *Adj.* (*f.*) — V. *charada* —.

casalar. *V. t. d., t. d.* e *i.* e *p.* V. *acasalar.*

casaleiro. *Adj.* **1.** Que habita um casal (1 e 2). **2.** Relativo a, ou que transcorre em casal (1 e 2): *vida campestre e casaleira.* ● *S. m.* **3.** Aquele que habita um casal (1 e 2).

casalejo (ê). *S. m.* **1.** Casal (1) pequeno; lugarejo, aldeola. **2.** Casa rústica e pobre: "Seguiam-na de longe, dos seus casalejos, mulheres e filhas de pescadores" (Xavier Marques, *Jana e Joel,* p. 29).

casalito. [De *casal* (2) + *-ito*[1].] *S. m. Lus.* Pequeno casal: "casalitos brancos com medas de palha à boca das arribanas" (Fialho d'Almeida, *O País das Uvas,* p. 185).

casamata. [Do it. *casamatta.*] *S. f.* **1.** Abrigo subterrâneo abobadado e blindado. **2.** Prisão subterrânea. **3.** *Fort.* Abrigo subterrâneo, de grossas paredes, para instalação de baterias ou proteção de materiais e pessoas. **4.** *Constr. Nav.* Parapeito encouraçado fixo na estrutura do navio, e que serve de proteção a um canhão de pedestal e à guarnição deste.

casamatado[1]. [De *casamata* + *-ado*[1].] *Adj.* Que tem forma de casamata.

casamatado[2]. [Part. de *casamatar.*] *Adj.* Que tem casamata(s); provido de casamata(s).

casamatar. *V. t. d.* **1.** Prover de casamata(s): *casamatar o alojamento.* **2.** Transformar em casamata; fortificar: *casamatar os porões.*

casamentear. *V. t. d. Bras., SP.* Animar ou excitar ao casamento. [Conjug.: v. *frear.*]

casamenteiro. *Adj.* **1.** Que promove ou arranja casamentos. **2.** Que anima e excita ao casamento. **3.** Relativo a casamento; matrimonial, conjugal.

casamento. [Do lat. medieval *casamentu.*] *S. m.* **1.** Ato solene de união entre duas pessoas de sexos diferentes, capazes e habilitadas, com legitimação religiosa e/ou civil. [Sin.: *matrimônio, enlace matrimonial,* (fam.) *banho-de-igreja* e (pop.), *casório.*] **2.** Cerimônia em que é celebrada essa união; núpcias, esponsais, *boda*(s), e (fam.) *banho-de-igreja.* **3.** *Fig.* Aliança, união. **4.** *Fig.* Combinação, harmonia. ◆ **Casamento branco.** Aquele em que não se deu intercurso sexual. **Casamento civil.** Casamento legitimado perante uma autoridade civil, freqüentemente um juiz. [Tb. se diz apenas *civil.*]

Casamento de polaco. *Bras., PR. Folcl.* Festa matrimonial entre colonos poloneses, ou seus descendentes, que dura no mínimo três dias, com muita dança e comida farta, quando os noivos angariam dinheiro por meio de várias brincadeiras. **Casamento nuncupativo.** Casamento celebrado oralmente, sem mais formalidades que a presença de seis testemunhas, por haver motivo que justifique a imediata realização do ato. **Casamento putativo.** Casamento nulo ou anulável, mas contraído de boa-fé por ambos os cônjuges ou por um só deles. **Casamento religioso.** Casamento celebrado na presença de uma autoridade religiosa, e que nalguns países tem efeito jurídico. [Tb. se diz apenas *religioso*.]

casamento-japonês. *S. m. Jog. Inf.* Brincadeira de salão em que rapazes e moças formam fileiras diferentes, adiantando-se depois cada rapaz, em silêncio, até à moça do seu agrado, a qual indicará aceitá-lo ou não como noivo apenas por gestos (dar-lhe o braço ou voltar-lhe as costas). [Pl.: *casamentos-japoneses.*]

casa-mestra. *S. f. Constr. Nav.* A maior seção transversal do esqueleto do navio. [Pl.: *casas-mestras.*]

casanova. [Do antr. *Casanova*, de Giovanni Giacomo Casanova de Seingalt (1725-1798).] *S. m.* Indivíduo mulherengo (2).

casa-novense. *Adj. 2 g.* **1.** De, ou pertencente ou relativo a Casa Nova (BA). ● *S. 2 g.* **2.** Natural ou habitante de Casa Nova. [Pl.: *casa-novenses.*]

casão. *S. m.* V. *casarão.*

casaqueta (ê). *S. f.* Casaquinha: "Saias roçagantes, batas, / *casaquetas* de veludo" (Onestaldo de Pennafort, *Romanceiro*, p. 73).

casaquinha. [Dim. de *casaca.*] *S. f.* Corpete de abas estreitas e curtas, para mulher; casaqueta.

casar. *V. t. d.* **1.** Unir por casamento; matrimoniar: *O padre casou-os numa cerimônia simples.* **2.** Promover o casamento de: "a mulher .... aventou o plano de casar Maria Benedita, e havia de ser com um deputado" (Machado de Assis, *Quincas Borba*, p. 233). **3.** Ver realizar-se o casamento de: "E, agora, tinha muito gado .... e casara bem as duas filhas." (Alberto Rangel, *Sombras n'Água*, p. 144.) **4.** Unir os pares; emparelhar: *casar as cartas do baralho.* **5.** Combinar, harmonizar: *O pintor casou bem as cores.* **6.** *Art. Gráf.* Juntar numa só fôrma (composições diversas), para imprimi-las numa só entrada de máquina. **7.** *Bras.* Depositar (dinheiro, bens, etc.) em jogo ou apostas: "Os apostadores casavam o cobre nas mãos do gerente de honestidade inatacável." (Antônio de Alcântara Machado, *Cavaquinho e Saxofone*, p. 28.) *T. d. e i.* **8.** Unir por casamento: *O sacerdote solicitou licença papal para casá-lo com a sobrinha.* **9.** Unir, ligar, aliar, aliançar: *Ele sabe casar a energia com a delicadeza;* "O que o leitor não sabia .... é que o fidalgo casou os seus setenta e quatro anos aos vinte e cinco de sua prima." (Camilo Castelo Branco, *Anátema*, p. 272); "Como queres que eu vá, triste e sozinho, / Casando a treva e a frio de meu peito / Ao frio e à treva que há pelo caminho?!" (Olavo Bilac, *Poesias*, p. 167). **10.** Combinar, harmonizar: "Nem jamais casarei doces gorjeios / Ao saudoso rugir dos meus palmares" (Gonçalves Dias, *Obras Poéticas*, II, p. 239). *T. i.* **11.** Unir-se por casamento: "era Maria Benedita que casava com Carlos Maria" (Machado de Assis, *Quincas Borba*, p. 219). *Int.* **12.** Unir-se a alguém por matrimônio; matrimoniar-se, casar-se: *Casou já entrada em anos. P.* **13.** Unir-se por casamento; matrimoniar-se; casar: *Casou-se com o antigo namorado.* **14.** Unir-se, aliar-se, ligar-se, juntar-se: *Os sons da música vieram casar-se ao murmúrio da chuva;* "A vergonha casara-se com o despeito, para me atormentar ambos" (Artur Azevedo, *Contos Possíveis*, p. 7). **15.** Estar conforme; combinar-se, condizer: *Seu comportamento e tipo de vida não se casam com o cargo que exerce.* **16.** Combinar-se, aliar-se, harmonizar-se: *O amarelo casa-se muito bem com o azul;* "Casava-se a voz dos ninhos / Às queixas de um realejo." (Gonçalves Crespo, *Obras Completas*, p. 351.)

casarão. *S. m.* **1.** Casa grande. **2.** Casa rica, opulenta, faustosa. [Sin.: *casão, casaréu.*]

casaréu. *S. m.* V. *casarão.*

casaria. *S. f.* Casario: "E as poças de água como em chão vidrento, / Refletem a molhada casaria." (Cesário Verde, *Obra Completa*, p. 99.)

casario. *S. m.* Série, lanço ou aglomeração de casas; casaria.

casável. [De *casar* + *-ável.*] *Adj. 2 g.* V. *casadouro:* "Não deixe que mulher casável (solteira, viúva, desquitada, etc.) lhe seja útil noutros afazeres, principalmente domésticos" (Stanislaw Ponte Preta, *Rosamundo e os Outros*, p. 136).

casaveque. *S. m.* Casabeque.

casbá. [Do ár.] *S. f.* Nas cidades árabes, o palácio fortificado do soberano.

casca. [Dev. de *cascar.*] *S. f.* **1.** Invólucro exterior de vários órgãos vegetais, como tronco, caule, raiz, fruto e semente: *casca de laranja, de coco, de carvalho, de cebola.* **2.** Tegumento endurecido dos crustáceos, moluscos e reptis: *a casca da lagosta, da tartaruga, do caracol.* **3.** *P. ext.* Qualquer revestimento ou invólucro em geral fino e/ou rijo: *casca de ovo, de pão, de parede.* **4.** *Fig.* Exterioridade, aparência, superficialidade: *A casca deste sofisma não alcança a verdade.* **5.** *Fam.* Amuo, arrufo, mau humor. **6.** No voltarete, as cartas que ficam por distribuir, ou jogo com que elas se faz. **7.** *Tip.* Película metálica que, formada por eletrodeposição sobre o molde, vai constituir o galvanótipo. ● *S. 2 g.* **8.** *Bras.* V. *avaro* (3). ● *Adj. 2 g.* **9.** *Bras.* V. *avaro* (1). ◆ **Casca de concreto.** *Arquit.* Cobertura de concreto armado, de pequena espessura, geralmente abobadada. **Casca de noz.** Embarcação muito pequena: "Ímpetos de voltar, fugido, para o mato, / De me fazer ao mar numa casca de noz" (Vicente de Carvalho, *Poemas e Canções*, p. 157). **Cascas de alho.** Frioleiras, bagatelas. **Dar à casca.** *Lus. Gír.* V. *morrer* (1). **Largar a casca.** *Fam.* V. *morrer* (1). **Passado na casca do alho.** *Bras., N.* V. *passado* (13). **Passado na casca do angico.** *Bras., N.* e *N. E.* V. *passado* (13).

cascabulho. *S. m.* **1.** A casca da glande, da castanha e de várias sementes. **2.** Monte de cascas. **3.** *Bras. Desus.* Estudante de preparatórios ou de humanidades. **4.** *Bras., N. E.* Maçaroca de milho.

cascaburrento. *Adj. Bras.* Áspero, rugoso.

casca-de-anta. *S. f. Bras.* Árvore da família das magnoliáceas (*Drimys winteri*). [Pl.: *cascas-de-anta.*]

casca-de-anta-brava. *S. f. Bras.* Puçazeiro. [Pl.: *cascas-de-anta-brava.*]

casca-doce. *S. f. Bras.* V. *monésia.* [Pl.: *cascas-doces.*]

casca-do-maranhão. *S. f. Bras.* V. *casca-preciosa.* [Pl.: *cascas-do-maranhão.*]

casca-grossa. *Adj. 2 g.* e *s. 2 g.* **1.** *Fam.* Diz-se de ou pessoa grosseira, mal-educada, rude, ordinária. **2.** V. *caipira* (1 e 5). ● *S. f.* **3.** Peixe teleósteo, caraciforme, da família dos caracídeos (*Chilodus labyrinthicus* (Kner)), da Amaz. e do L. do Brasil. É um pequeno curimbatá de escamas grandes, que lhe valeram o nome. [Pl.: *cascas-grossas.*]

cascalhada¹. [De *cascalho* + *-ada¹.*] *S. f.* V. *cascalheira.*

cascalhada². [Fem. substantivado do part. de *cascalhar.*] *S. f.* **1.** Gargalhada, cachinada. **2.** *Bras.* Zoada de vento ou ventania. **3.** *Bras., BA.* Vento forte do quadrante leste.

cascalhão. *S. m. Bras., BA.* Grandes massas de cascalho que são trabalhadas com o auxílio das águas trazidas pelas chuvas.

cascalhar. [De *cascalho* + *-ar².*] *V. t. d.* **1.** Dar, soltar (risadas): *A anedota fê-lo cascalhar umas boas risadas. Int.* **2.** Dar risadas.

cascalheira. *S. f.* **1.** Lugar onde há muito cascalho. **2.** Terreno formado por aluvião. **3.** Ruído causado pelo movimento do cascalho ou de muitos objetos miúdos. **4.** Respiração difícil e ruidosa; estertor. [Sin. ger.: *cascalhada.*]

cascalhento. *Adj.* Em que há muito cascalho; cheio de cascalho; cascalhudo, cascalhoso: "só depois de uma jornada de léguas conquistadas a escampados desertos e lombadas cascalhentas, caminhos impérvios, ... é que ia avistar o rebanho" (Silva Guimarães, *Os Borrachos*, p. 12).

cascalho. [Do lat. *quisquilia*, com infl. de *casca.*] *S. m.* **1.** O conjunto das lascas de pedras que saltam quando se lavra a cantaria. **2.** Pedra britada ou lascas de pedra, não raro misturadas com areia grossa e fragmentos de tijolos, utilizados em materiais de construção. **3.** *Geol.* Depósito incoerente de material sedimentado, cujas dimensões variam entre dois e vinte milímetros. **4.** Pequeno calhau redondo ou oval, romboidal, com a superfície lisa. **5.** Escórias de ferro. **6.** *Bras.* Aluviões auríferas ou diamantíferas. [Cf. *burgau* (4).]

cascalhoso (ô). *Adj.* V. *cascalhento.*

cascalhudo. *Adj.* V. *cascalhento.*

cascalvo¹. [De *casco* + *alvo.*] *Adj.* Que tem os cascos brancos (eqüídeo).

cascalvo². [De *casca* + *alvo.*] *Adj.* Diz-se de uma variedade de trigo.

cascão. *S. m.* **1.** Casca grossa. **2.** Crosta endurecida de qualquer massa ou substância pastosa. **3.** Camada pedregosa ainda não petrificada. **4.** Espessamento da pele; calosidade. **5.** Crosta de sujidade na pele do corpo. **6.** Bostela de ferida. **7.** Laje retangular, tosca, mal aparelhada.

casca-para-tudo. *S. f. Bras., BA* a *RJ.* Árvore regular, da família das simarubáceas (*Simaba cuneata*), de flores esverdeadas, dispostas em amplas panículas terminais ou axilares, e cujo fruto é drupa ferrugíneo-pilosa. [Pl.: *cascas-para-tudo.*]

casca-preciosa. *S. f.* **1.** *Bras., L.* e *S.* Designação comum a várias espécies da família das lauráceas; árvores grandes, com casca aromática e medicinal, flores amarelas, cujos frutos são bagas oblongas, e que fornecem madeira de lei; canela-cheirosa, louro-cheiroso, sassafrás. **2.** *Bras., Amaz.* Árvore grande, da família das lauráceas (*Aniba canellila*), cuja casca e folhas, aromáticas, contêm óleo muito usado em perfumaria no fabrico de essências, sendo as flores amareladas e aromáticas, dispostas em panículas, e o fruto uma baga oblonga. Fornece madeira de lei, de cerne castanho-escuro, levemente perfumada, duríssima, de uso em marcenaria de luxo. [Sin.: *pereiorá, casca-do-maranhão.* Pl.: *cascas-preciosas.*]

casca-preta. *S. f. Bras., MG, RJ* e SP. Árvore regular, da família das compostas (*Vernonia diffusa*), de flores alvacentas, reunidas em capítulos unilaterais, solitários, e cujo fruto é aquênio, pequeno, viloso e arredondado; pau-candeia. [Pl.: *cascas-pretas.*]

cascar. [Do lat. vulg. **quassicare*, de *cassare*, 'sacudir'.] *V. t. d.* **1.** Tirar a casca a; descascar: "Tina cascou o queijo e trouxe ele espetado na faca" (Adélia Prado, *Cacos para um Vitral*, p. 9). *T. d. e i.* **2.** Dar, aplicar (pancadas). *T. i.* **3.** Dar pancadas; bater, pespegar: *Tanto lhe cascaram que não ficou de pé.* **4.** Dirigir palavras amargas; invectivar: *Respondeu cascando-lhe e a toda a família.* [Conjug.: v. *trancar.* M.-q.-perf.: *cascara*, etc. Cf. *cáscara.*]

cáscara. [Do esp. *cáscara.*] *S. f.* O cobre em bruto. [Cf. *cascara*, do v. *cascar.*]

cáscara-sagrada. [Do esp. *cáscara sagrada.*] *S. f.* Árvore da família das ramnáceas (*Rhamnus purshiana*), cuja casca, pardo-amarela, um pouco amarga, é considerada purgativa. [Pl.: *cáscaras-sagradas.*]

cascaria. *S. f.* **1.** Conjunto de vasilhas ou cascos para líquidos. **2.** Os cascos dos animais. **3.** *Bras., MG. Pop.* Pessoa imprestável.

cascarilha. [Do esp. *cascarilla.*] *S. f. Bras.* Planta medicinal, da família das euforbiáceas (*Croton eluteria* Benett.)

cascarrão¹. *S. m. Pop.* **1.** Grande casca. **2.** Cavacão.

cascarrão². *S. m. Bras.* Vento que sopra do mar.

cascarria. *S. f. Bras. S.* Excremento seco ou sujidades que se prendem à lã das ovelhas e ao pêlo de outros animais.

cascarrilha¹. [Alter. de *cascarilha.*] *S. f.* Casca de várias euforbiáceas.

cascarrilha². *S. f.* Casca (6), no voltarete.

cascata. [Do it. *cascata.*] *S. f.* **1.** Pequena queda-d'água [q. v.]. **2.** *Pop.* Mulher velha e enrugada. **3.** *Bras. Gír.* Conversa fiada; mentira: *Não venha com essa história: já sei que é cascata.* **4.** *Bras. Gír.* Gabolice, bazófia: *A tua coragem não passa de cascata.* **5.** *Bras. Jorn.* Matéria inconsistente, retórica, sem fatos, e geralmente longa.

cascateante. *Adj. 2 g. Bras.* Que cascateia.

cascatear. *V. int. Bras.* **1.** Formar cascata (1): "Como iriado lençol, de uma violência hedionda, / O rio a cascatear lá do alto se despenha" (Olegário Mariano, *Toda Uma Vida de Poesia*, I, p. 40). **2.** Cair em forma de cascata: *Os folhos da blusa cascateavam até à cintura.* **3.** *Gír.* Escrever ou dizer cascata (3 a 5). [Conjug.: v. *frear.*]

cascateiro. *Adj.* e *s. m. Bras. Gír.* Diz-se de, ou aquele que diz ou escreve cascata (3 a 5).

cascavel. [Do provenç. *cascavel.*] *S. m.* **1.** Guizo. **2.** V. *ninharia.* ● *S. m.* e *f.* **3.** *Bras.* Reptil ofídio, da família dos crotalídeos (*Crotalus terrificus* (Laur.)), comum nas zonas secas, raro no extremo Sul e na Amaz., de coloração pardo-escura, com losangos claros que se alternam com outros laterais, e facilmente reconhecível pela presença de guizo ou chocalho na ponta da cauda. Venenoso, solenoglifo; comprimento de até 1,80 m; alimenta-se, sobretudo, de roedores em geral. [Sin.: *boicininga, boiçununga, boiquira, maracá, maracabóia.* "A queimada! A queimada é uma fornalha! / A irara — pula... O cascavel ... chocalha..." (Castro Alves, *Poesias Escolhidas*, p. 259.) ● *S. f.* **4.** *Fig.* Pessoa, em geral mulher, de mau gênio e/ou faladeira. **5.** Porteira feita de dois troncos verticais, cravados no solo, ou tronqueiras, com furos, pelos quais correm varas horizontalmente. [Pl.: *cascavéis.*]

cascaveleira. [De *cascavel* + *-eira.*] *S. f. Bras.* **1.** V. *agaí.*

2. V. *feijão-de-guizos.*
cascavelense. *Adj. 2 g.* **1.** De, ou pertencente ou relativo a Cascavel (CE e PR). ● *S. 2 g.* **2.** Natural ou habitante de Cascavel.
cascavilhar. *V. t. d., t. i.* e *int. Bras., N.E.* Remexer à procura de alguma coisa. [Cf. *coscuvilhar.*]
casco. [Dev. de *cascar.*] *S. m.* **1.** O couro cabeludo. **2.** O conjunto formado pelos ossos do crânio. **3.** Antiga armadura para a cabeça; capacete. **4.** *Fig.* Inteligência, tino; cabeça: "Nem uma idéia / Me sai do c a s c o !... / Ó miserando, / Triste fiasco!!" (Bernardo Guimarães, *Poesias Completas,* p. 91.) **5.** Armação de chapéu de senhora. **6.** Unha dos paquidermes ou dos mamíferos ungulados, como o cavalo, o boi, etc. **7.** Vasilha formada de aduelas. **8.** *P. ext. Bras.* Garrafa vazia de cerveja, refrigerante, águas minerais, etc.: *A nova embalagem de refrigerante dispensa a devolução dos c a s c o s .* **9.** *Constr. Nav.* Corpo da embarcação, sem mastreação, aparelhos acessórios, chaminés e outros complementos. **10.** *Bras., N.* Pequena canoa monóxila, desprovida de tudo, até de banco, sentando-se o tripulante à popa. ◆ **Bom de cascos.** *Gír.* Em bom estado físico; em forma: "mulata ainda b o a d e c a s - c o s , bem-feita, corpo rijo, agüentava uns trancos." (Jorge Amado, *Dona Flor e Seus Dois Maridos,* p. 282). **Crescer nos cascos.** *Bras.* Exasperar-se, irritar-se; pisar nas tamancas, subir nas tamancas, trepar-se nas tamancas, trepar-se nos tamancos: *Quando ele veio com aquela conversa, c r e s c i n o s c a s c o s e mandei-lhe a mão.* **Dar nos cascos.** *Bras. Gír.* V. *fugir* (1 e 2). **Ficar no casco da situação.** *Bras., CE.* Perder (o fazendeiro), numa seca, todo o gado, restando-lhe só as terras da fazenda: perder ferro e sinal.
casco-de-burro. *S. m. Bras., BA.* V. *caldeirão* (6). [Pl.: *cascos-de-burro.*]
casco-de-peba. *S. m. Bras.* **1.** Chapéu de abas largas e debruns superpostos, de palha de carnaúba. **2.** Chapéu de palha ordinária. [Pl.: *cascos-de-peba.*]
cascoso[1] (ô). *Adj.* **1.** Cascudo[2] (1). **2.** Casquento.
cascoso[2] (ô). *Adj.* **1.** Relativo a casco (6). **2.** Que tem grandes cascos.
cascudinho. [Dim. de *cascudo.*] *S. m. Bras.* **1.** Peixe teleósteo, siluriforme, da família dos loricarídeos (*Pareioraphis duseni* (Mir. Rib.)), de SP e PR, de coloração plúmbea, cabeça fortemente arrendondada na frente e com barbas laterais, e cerca de 0,10 m de comprimento. **2.** Designação comum aos peixes teleósteos, siluriformes, da família dos loricarídeos, de pequeno porte, em geral com menos de 0,10 m de comprimento.
cascudo[1]. [De *casco* (2) + *-udo.*] *S. m.* Pancada na cabeça com o nó dos dedos; castanha, cocorote, coque, croque: "as palmadas e os c a s c u d o s que ela aplicava às nádegas minguadas e à cabeça do menino magro e sonhador, eram muito menos dolorosos do que ela supunha." (Nélson de Faria, *Cabeça-Torta,* p. 12). [Cf. *carolo* (1).]
cascudo[2]. [De *casca* + *-udo.*] *Adj.* **1.** Que tem casca grossa ou pele dura; cascoso. ● *S. m.* **2.** *Bras.* Designação comum aos peixes teleósteos, siluriformes, da família dos loricarídeos, da qual há muitos gêneros e espécies em nosso país. Caracterizam-se pelo corpo delgado, revestido de placas ósseas, e pela cabeça grande; vivem nos fundos dos rios, de ordinário em lugares rochosos; e alimentam-se de lodo, vegetais e restos orgânicos em geral. [Sin.: *acari, cari, uacari, boi-de-guará.*] **3.** *Bras.* Besouro (1). **4.** *Bras., MT.* V. *barbeiro* (6). **5.** *Bras., N., C.* e *L.* Designação de árvores da família das leguminosas (*Cenostigma gardnerianum*), dotadas de flores amarelas, e cujo fruto é uma vagem. **6.** *Bras., N., C.* e *L.* Árvore da mesma família (*Cenostigma macrophyllum*), também de flores amarelas e fruto que é uma vagem. **7.** *Bras., N, C.O.* e *L.* Árvore da família das voquisiáceas (*Chualea dichotoma*), dotada de inflorescência, cilíndrica, com flores alvo-amareladas, e cujo fruto é cápsula. **8.** *Bras.* Alcunha que aos membros do partido conservador, na Monarquia, davam os do partido liberal e os do republicano de Minas.
cascudo-barbado. *S. m. Bras.* V. *acari-lima.* [Pl.: *cascudos-barbados.*]
cascudo-comum. *S. m. Bras.* Peixe teleósteo, siluriforme, da família dos silurídeos (*Plecostomus plecostomus* (L.)), largamente distribuído pelo País, de coloração amarela, mais carregada no ventre, com manchas redondas esparsas sobre o corpo e as nadadeiras, e o comprimento de 0,3 m; acarijuba. [Pl.: *cascudos-comuns.*]
cascudo-espada. *S. m. Bras.* V. *acari-espada* (1). [Pl.: *cascudos-espadas* e *cascudos-espada.*]
cascudo-espinho. *S. m. Bras.* Peixe teleósteo, siluriforme, da família dos loricarídeos (*Hemipsilichthys gobio* (Luetk.)), do S. do País, de coloração escura: nadadeiras salpicadas de pontos negros, corpo revestido de placas ósseas providas de acículas, e maxila com numerosos barbilhões curtos e finos. Mede cerca de 0,14 m de comprimento. [Sin.: *cascudo-piririca, couraçado.* Pl.: *cascudos-espinhos* e *cascudos-espinho.*]
cascudo-lima. *S. m. Bras.* V. *acari-lima.* [Pl.: *cascudos-limas* e *cascudos-lima.*]
cascudo-piririca. *S. m. Bras.* V. *cascudo-espinho* [Pl.: *cascudos-piriricas* e *cascudos-piririca.*]
cascudo-preto. *S. m. Bras.* Peixe teleósteo, siluriforme, da família dos loricarídeos (*Rhinelepis aspera* Agass.), dos rios São Francisco e Paraná, de coloração cinza-escura; leiteiro. [Pl.: *cascudos-pretos.* Cf. *bituva.*]
cascudo-viola. *S. m. Bras.* V. *acari-espada* (1). [Pl.: *cascudos-violas* e *cascudos-viola.*]
caseação[1]. *S. f.* Ato ou efeito de casear; caseado.
caseação[2]. [De um imaginário verbo **casear,* do lat. *caseu,* 'queijo', + *-ção.*] *S. f.* Transformação do leite em queijo.
caseadeira. [Fem. de *caseador.*] *S. f.* Mulher que caseia.
caseado. [Part. de *casear.*] *Adj.* **1.** Que se caseou. ● *S. m.* **2.** Caseação[1]. **3.** O conjunto das casas de uma peça de vestuário ou de calçado. **4.** Ponto executado à maneira de ponto de festonê, mas feito da direita para a esquerda, de jeito que fique bem firme ao abrirem-se casas para botões. **5.** V. *ponto de festonê.* **6.** *Tip.* O conjunto das casas e colunas de uma tabela.
caseador (ô). *S. m. Bras.* **1.** Peça para casear. **2.** Aquele que caseia. [Fem. (da acepç. 2): *caseadeira.*]
casear. *V. t. d.* Abrir e pontear casa(s) para botões em. [Conjug.: v. *frear.*]
casease. [De *case(i)-* + *-ase.*] *S. f.* Fermento que dissolve a albumina e coalha a caseína.
casebre. [Do lat. medieval *casibula.*] *S. m.* **1.** V. *cabana.* **2.** V. *casinhola.*
▲**case(i)-.** [Do lat. *caseus, i.*] *El. comp.* = 'queijo': *caseína, caseificar.*
caseificação (e-i). *S. f.* **1.** Ato ou efeito de caseificar. **2.** *Med.* Tipo de necrose em que o tecido morto se transforma em massa seca e amorfa, que lembra o queijo.
caseificar (e-i). [De *case(i)-* + *-ficar.*] *V. t. d.* Transformar (o leite) em queijo. [Conjug.: v. *trancar.*]
caseiforme (e-i). [De *case(i)-* + *-forme.*] *Adj. 2 g.* Que tem forma ou aspecto de queijo.
caseína. [De *case(i)-* + *-ina*[1].] *S. f. Quím.* Proteína existente no leite, do qual pode ser extraída para fins medicinais ou industriais.
caseira. *S. f.* **1.** Mulher de caseiro (5 e 6). **2.** Mulher arrendatária de uma propriedade campestre. **3.** *Bras., N.* Mulher encarregada do serviço doméstico: "Fidêncio sorveu o café, gole a gole. Depois a c a s e i r a voltou para o seu trabalho" (Inglês de Sousa, *O Missionário,* p. 92). **4.** *Bras., N.* V. *concubina* (1). **5.** V. *prisão de ventre.* **6.** *Bras., CE.* V. *hemorróidas.* **7.** V. *diarréia.*
caseiro. *Adj.* **1.** Relativo a casa. **2.** Usado em casa: *roupas c a s e i r a s .* **3.** Feito em casa (por oposição ao que é produzido industrialmente): "meizinhas e chás c a s e i r o s .... não faziam regredir a moléstia." (Nélson de Faria, *Tiziu e Outras Estórias,* p. 63). **4.** Diz-se de quem gosta mais de ficar em casa que de sair para distrair-se. ● *S. m.* **5.** Inquilino ou arrendatário de propriedade campestre. **6.** Aquele que toma conta da casa de alguém, especialmente casa de campo, mediante ordenado: "Podiam ir .... à quinta dum amigo dele que estava em Londres. Só viviam lá os c a s e i r o s ." (Eça de Queirós, *O Primo Basílio.* p. 181.) [Sin. (bras., CE), nessa acepç.: *morador.*]
casela. [Dim. irreg. de *casa.*] *S. f. Encad.* V. *entrenervo.*
caseoso (ô). [De case(i)- + *-oso.*] *Adj.* Da natureza do queijo; queijoso.
caserna. [Do lat. vulg. **quaderna,* pelo provenç. *cazerna* e pelo fr. *caserne.*] *S. f.* **1.** Habitação de soldados, dentro do quartel ou de uma praça fortificada. **2.** *P. ext.* V. *quartel*[2] (1).
caserneiro. *S. m.* Aquele cujo encargo é tratar da caserna (1).
➧**cashmere** (mir). [Ingl.] *S. m.* **1.** La muito fina e macia, do pêlo da cabra do Himalaia. **2.** Fio dessa lã, empregado só, ou em mistura com o de outras lãs, em suéteres, casacos, pulôveres, etc. **3.** Tecido feito com fio de lã *cashmere* ou com outros naturais ou sintéticos que a imitam. ● *Adj. 2 g.* **4.** Diz-se dessa lã. [Cf. *casimira.*]
casimira. [Do ingl. *cassimere,* atr. do fr. *casimir.*] *S. f.* Tecido encorpado de lã, usado em geral para vestuário masculino. [Cf. *cashmere.*]
casimirense. *Adj. 2 g.* **1.** De, ou pertencente ou relativo a Casimiro de Abreu (RJ). ● *S. 2 g.* **2.** Natural ou habitante de Casimiro de Abreu.
casimiriano. *Adj.* Pertecente ou relativo a Casimiro de Abreu, poeta brasileiro (1839-1860), ou próprio desse poeta: "Poeta incipiente, evidenciou [Machado de Assis] que o seu convívio com Casimiro de Abreu, por ele evocado num conto, fora também convívio intelectual, ao que prova este verbo bem c a s i m i r i a n o : 'nas brandas cordas da lira...'" (Agripino Grieco, *Machado de Assis,* p. 190.)
casinga-cheirosa. *S. f. Bras., Amaz.* Arbusto regular, da família das flacurtiáceas (*Laetia suaveolens*), de flores alvas, de suave aroma, dispostas em panículas axilares, e cujo fruto é cápsula ovóide, com sementes envoltas em suculenta polpa vermelha. [Pl.: *casingas-cheirosas.*]
casinha. [Dim. de *casa.*] *S. f.* **1.** V. *casa* (1). **2.** *Ant* Casa de almotacel. **3.** *Ant.* Cárcere da Inquisição. **4.** *Ant.* Casa onde se despachavam mercês. **5.** *Pop.* Posto fiscal. **6.** *Pop.* V. *latrina* (1).
casinhola. *S. f. Deprec.* Casa pequena e/ou pobre. [Sin.: *casinhota, casinholo, casinhoto, casebre* e (bras.) *biango, caritó,* e *gaiola.* V. *casa* (1).]
casinholo (ô). *S. m. Deprec.* V. *casinhola:* "um arruado trite, c a s i n h o l o s de taipa cobertos de palha" (Herman Lima, *Garimpos,* p. 16). [Pl.: *casinholos* (ó).]
casinhota. *S. f. Deprec.* V. *casinhola.*
casinhoto (ô). *S. m. Deprec.* V. *casinhola:* "alugara por uma ninharia aquele c a s i n h o t o do morro" (João do Rio, *Dentro da Noite,* p. 167).
casino. *S. m.* V. *cassino.*
casita. *S. f.* V. *casa* (1).
casleu. *S. m. Cronol.* O terceiro mês do calendário israelita, com 29 ou 30 dias.
casmófito. *S. m. Ecol.* Vegetal que vive sobre rochas, enraizando nas fissuras e fendas.
casmurral. *Adj. 2 g.* Próprio de casmurro.
casmurrice. *S. f.* Qualidade, dito, ação ou atitude de casmurro.
casmurro. [Do ant. *caçurro?*] *Adj.* e *s. m.* **1.** Que, ou aquele que é teimoso, implicante, cabeçudo. **2.** Ensimesmado, sorumbático, triste: "*C a s m u r r o* não está aqui no sentido que eles lhe dão, mas no que lhe pôs o vulgo de homem calado e metido consigo." (Machado de Assis, *Dom Casmurro,* p. 2.)
caso. [Do lat. *casu.*] *S. m.* **1.** Acontecimento, fato, sucesso, ocorrência. **2.** Eventualidade, conjuntura, hipótese. **3.** Acaso, circunstância, casualidade. **4.** Desavença, desentendimento, dissensão, diferença: *Houve entre eles, tão amigos outrora, um c a s o que os afastou.* **5.** *Gram.* Em algumas línguas, tipo de comportamento assumido por nomes, pronomes e adjetivos, para expressar, por meio de flexão (4), diferentes funções sintáticas. **6.** *Bras.* Relação amorosa principalmente extramatrimonial; arranjo, viração, cacho. **7.** História, conto. ● *Conj.* **8.** No caso em que; dado que: *C a s o você fique, é bom avisar.* ◆ **Caso de consciência.** Dúvida sobre o modo de proceder mais acorde com a moral religiosa. **Caso indireto.** *Gram.* Dativo (3). **Caso instrumental.** *Ling.* Caso indo-europeu que indica o meio ou instrumento com que se executa a ação, e que, no latim, se fundiu com o ablativo. **Botar o caso em si.** *Bras.* Imaginar-se em determinada situação. **Criar casos.** Suscitar dificuldades, complicações, intrigas. **Dar-se o caso.** Acontecer (algo). **De caso pensado.** De propósito; premeditadamente; de estudo. **Em todo caso.** Apesar de tudo; não obstante; em todo o caso. **Em todo o caso.** Em todo caso. **Não estar no caso de.** Não ter condições ou merecimento para; não merecer; não dever: "A razão devia ter-me aconselhado a não arrancar do esquecimento esses escritos sem mérito, que n ã o e s t a v a m n o c a s o d e aparecer à luz da imprensa." (Joaquim Manuel de Macedo, *Os Romances da Semana,* p. VI.) **Fazer caso de.** Dar atenção, apreço, a (pessoa ou coisa); ligar importância a; fazer conta de; levar em conta: *Não f a z c a s o d a família; Saiu, sem f a z e r c a s o d a recomendação médica de repouso absoluto.* [Us., em geral, negativamente.] **Tabaquear o caso.** Comentar pilhericamente o caso. **Vir ao caso.** Vir a propósito; ter procedência, razão de ser.
casório. *S. m. Pop.* V. *casamento* (1).
caspa. *S. f.* Escamas da pele da cabeça ou de qualquer outra parte da epiderme. [Sin.: *carepa* e (bras., N.) *fuá.*]
caspento. *Adj.* Casposo.
caspiano. *Adj.* Relativo ao mar Cáspio.
cáspite (è). [Do it. *caspita.*] *Interj.* Indica admiração, em geral com um pouco de ironia; caramba!: "Eu .... se um filho meu cometesse uma pouca-vergonha, ... arrancava-lhe uma víscera, operava-o! — C á s p i t e ! — exclamou Joaquim." (Carlos Malheiros Dias, *Os Teles de*

Albergaria. p. 143); "Lindoca faz anos hoje. / Cáspite! / Temos então peru de forno!..." (Aluísio Azevedo, *O Mulato*, p. 35).

casposo (ô). *Adj.* Que tem caspa; caspento.

casqueira. [De *casca* + *-eira.*] *S. f.* Costaneira (3). ♦ **Levado da casqueira.** *Bras., S.* V. *levado da breca.*

casqueiro[1]. [De *casca* + *-eiro.*] *S. m.* **1.** Lugar onde se descasca a madeira para serrá-la. **2.** Descascador ou falquejador de madeira. **3.** *Bras., SP* e *SC.* V. *sambaqui.* **4.** *Bras., BA.* Vento forte, em geral do quadrante sul.

casqueiro[2]. *S. m. Bras., S.* Indivíduo que nivela os cascos dos animais para a ferragem.

casquejar. *V. int.* **1.** Criar novo casco. **2.** *P. ext.* Cicatrizar. [Conjug.: v. *pelejar.* Normalmente é defect., us. só nas 3as pess.]

casquense. *Adj. 2 g.* **1.** De, ou pertencente ou relativo a Casca (RS). ● *S. 2 g.* **2.** Natural ou habitante de Casca.

casquento. *Adj.* Que tem muita casca; cascoso.

casqueta (ê). *S. f. Bras., MA. Pop.* V. *calhambeque* (3).

casquete. [Do fr. *casquette.*] *S. m.* **1.** Boné: "Carlos ...., com as mãos enterradas nos bolsos de suas largas bragas de flanela branca, o casquete da mesma flanela posto de lado sobre os belos anéis do cabelo negro — continuava a mirar o Vilaça" (Eça de Queirós, *Os Maias*, I, p. 82). **2.** Peça de vestuário para a cabeça, flexível e sem aba, de couro ou de tecido, etc., e usada, em geral, com uniforme. **3.** Chapéu velho.

casquilha. *S. f.* **1.** Pequena casca. **2.** Pedaço de casca.

casquilhada. *S. f.* Porção de casquilhos.

casquilhar. *V. int.* Andar casquilho; janotear, peralvilhar.

casquilharia. *S. f.* **1.** Traje ou enfeites de casquilho (2). **2.** Modos ou atitude de casquilho; garridice, casquilhice.

casquilhice. *S. f.* V. *casquilharia* (2).

casquilho. [De *casca* + *-ilho.*] *Adj.* **1.** Que veste com apuro exagerado; janota, peralta. ● *S. m.* **2.** Indivíduo casquilho. **3.** Remate cilíndrico e oco da lança dos carros.

casquinada. [De *casquinar* + *-ada*[1].] *S. f.* **1.** Risada de escárnio. **2.** Gargalhada, risada.

casquinar. [De *caquinar.*] *V. t. d.* **1.** Dar, soltar (pequenas risadas sucessivas): *Casquinou uns risinhos irônicos. Int.* **2.** Soltar pequenas risadas sucessivas; gargalhar.

casquinha. [Dim. de *casca.*] *S. f.* **1.** Casca delgada; película. **2.** Folha delgada, de madeira fina, metal precioso, etc., que reveste obra de material comum. **3.** *Bras. Pop.* Vantagem, proveito. **4.** *Bras.* Recipiente em geral de massa de biscoito, para sorvetes vendidos em balcão. [Sin. (em AL): *carlito(s).*] ● *S. 2 g.* **5.** *Bras., S. Fam.* V. *avaro* (3). **6.** *Bras. Gír.* Professor de conhecimentos fracos e/ou de nível não universitário. ♦ **Tirar casquinha.** *Bras.* Ter parte em alguma coisa; tirar vantagem; aproveitar.

casquinho. *Adj.* Diz-se do cavalo que tem os cascos fáceis de encravar.

cassa. [Do malaio *kasa.*] *S. f.* Tecido muito fino, de linho ou de algodão: "Havia .... um grande sofá de fazenda estampada e cortinas de cassa azul nas janelas" (Diná Silveira de Queirós, *As Noites do Morro do Encanto*, p. 117). [Cf. *caça*, do v. *caçar* e s. f.]

cassação[1]. *S. f.* Ato ou efeito de cassar. [Cf. *quassação.*]

cassação[2]. [Do it. *cassazione.*] *S. f.* Espécie de divertimento (5), em moda na segunda metade do séc. XVIII, e no qual predominavam os instrumentos de sopro. [Com indeterminado número de partes, e de forma muito livre, era executada nos concertos noturnos, ao ar livre. Cf. *quassação.*]

cassaco. *S. m. Bras., N.E.* **1.** V. *gambá* (1). **2.** *Bras., N.E.* Trabalhador de construção de estradas; arigó: "Muito importantes eram os cassacos empilhando os dormentes para substituição sob os trilhos da estrada de ferro." (Povina Cavalcanti, *Volta à Infância*, pp. 25-26.) **3.** *Bras., N.E.* Trabalhador de engenhos e usinas de açúcar: "— O cassaco de engenho, / o cassaco de usina: / — O cassaco é um só / com diferente rima. / O cassaco de engenho / bangüê ou fornecedor: / — A condição cassaco / é o denominador." (João Cabral de Melo Neto, *Poesias Completas*, p. 112.) **4.** Servente de padaria.

cassado. [Part. de *cassar.*] *Adj.* **1.** Anulado. **2.** Diz-se do indivíduo a quem se retiraram ou anularam os direitos políticos ou de cidadão. ● *S. m.* **3.** Indivíduo cassado (2). [Cf. *caçado.*]

cassar. [Do lat. *cassare.*] *V. t. d.* **1.** Tornar nulo ou sem efeito (licença, autorização, direitos políticos, etc.). **2.** *P. ext.* Fazer cessar, tornar nulos ou sem efeito, os direitos políticos ou de cidadão de: *A revolução cassou numerosos políticos e profissionais liberais.* **3.** *Ant.* Romper, quebrar. [Pres. ind.: *casso, cassas, cassa*, etc. Cf. *caçar*, v., os s. *caça, caçada* e *caçava*, e o adj. *caçado.*]

cassata. [Do it. *cassata.*] *S. f.* Bolo de sorvete com camadas de diferentes cores e sabores.

cassatório. *Adj.* Que tem força de cassar.

cassete. [Do fr. *cassette* (dim. de *casse*), 'caixinha'.] *S. m.* **1.** Caixa ou estojo equipado com um conjunto de fitas magnéticas, filmes, etc., destinados ao uso de um determinado mecanismo e já prontos para entrar em funcionamento, simplificando a ação do operador. **2.** *P. ext.* Gravador (4) que funciona por meio desse dispositivo. ● *Adj. 2 g.* e *2 n.* **3.** Que está preparado em cassete (1), ou que funciona com o auxílio dele: *gravador cassete; fita cassete; O filme cassete é usado em certo tipo de máquinas fotográficas.*

cassetete (tête). [Do fr. *casse-tête.*] *S. m.* Cacete curto, de madeira ou de borracha, com argola de couro de um lado e castão metálico do outro, usado, em geral, por policiais. [Sin., bras.: *borracha.*]

cássia. [Do gr. *kassía.* alter. de *kasía*, de or. oriental, pelo lat. *casia.*] *S. f.* Designação comum a várias ervas, arbustos e árvores ornamentais, da família das leguminosas, de propriedades medicinais, belas e abundantes flores, e cujos frutos são vagens. [Cf. *cácea.*]

cassidiforme. *Adj. 2 g. Bot.* Em forma de elmo: *sépala cassidiforme.*

cassidulóide. *S. m.* **1.** Espécime dos cassidulóides. ● *Adj. 2 g.* **2.** Pertencente ou relativo a esses animais.

cassidulóides. *S. m. pl. Zool.* Animais equinodermos, equinóides, irregulares, da ordem *Cassiduloida*, sem lanterna-de-aristóteles, e com áreas ambulacrárias semelhantes.

cassiense. *Adj. 2 g.* **1.** De, ou pertencente ou relativo a Cássia (MG). ● *S. 2 g.* **2.** Natural ou habitante de Cássia.

cassilandense. *Adj. 2 g.* **1.** De, ou pertencente ou relativo a Cassilândia (MS). ● *S. 2 g.* **2.** Natural ou habitante de Cassilândia.

cassineta (ê). *S. f.* Tecido fino de lã, para vestuário: "Vestia cassineta esfiapada e ruça" (Graciliano Ramos, *Infância*, p. 38).

cassino. [Do it. *casino.*] *S. m.* **1.** Jogo carteado, para quatro parceiros. **2.** Casa de diversões, com salões para jogos de azar e salões de festas com espaço para danças, representações teatrais, mesas, etc.

cassinóide. *S. f. Geom.* Lugar geométrico dos pontos de um plano cujas distâncias a dois pontos fixos desse plano têm um produto constante.

Cassiopéia. [Do gr. *Kassiópeia*, pelo lat. *Cassiopea.*] *S. f. Astr.* Constelação boreal, de grande área. [Sin. (bras.): *Tamaquaré.*]

cassiterita. [Do gr. *kassíteros*, 'estanho', + *-ita*[3].] *S. f. Min.* Mineral tetragonal, óxido de estanho, minério de estanho.

casso. [Do lat. *cassu.*] *Adj. Desus.* Cassado, anulado. [Cf. *caço*, do v. *caçar* e s. m.]

cassoiro. *S. m.* Rodela de cortiça ou de madeira que se introduz na cana da roca para lhe formar o bojo; cassouro.

cassouro. *S. m.* Cassoiro.

casta. [Fem. do adj. *casto*, subentendendo-se *raça.*] *S. f.* **1.** Camada social hereditária e endógama, cujos membros pertencem à mesma raça, etnia, profissão ou religião. **2.** O conjunto de uma espécie animal ou vegetal, com origem comum e caracteres semelhantes, transmissíveis por hereditariedade. **3.** *Fig.* Raça, linhagem, classe. **4.** Qualidade, espécie, gênero. **5.** Série de coisas com as mesmas qualidades ou características.

castanha. [Do gr. *kástanon*, pelo, lat. *castanea*, i. e., *nux castanea*, 'noz de castanheiro'.] *S. f.* **1.** O fruto do castanheiro. **2.** O fruto do cajueiro. **3.** A polpa da castanha (1 e 2), assada ou cozida. **4.** V. *cascudo*[1]. **5.** Excrescência córnea na face interna do metatarso e antebraço de alguns quadrúpedes. **6.** *Constr. Nav.* Peça de metal fixada no costado, numa antepara ou num convés, com uma abertura circular ou quadrangular destinada a sustentar o pé de uma haste, um pau de toldo, um balaústre, etc. **7.** *Tip.* Cada uma das roldanas de metal montadas nas extremidades dos rolos das minervas para correrem nos trilhos. **8.** *Bras.* Isolador, de porcelana ou de vidro, para as antenas dos rádios. **9.** *Bras.* Peça que reúne as lâminas das molas dos vagões de estradas de ferro. **10.** *Bras.* Peça de articulação da barra de direção dos automóveis. **11.** Excremento de cavalo ou de burro, ou semelhante. **12.** *Bras.* Peixe teleósteo, percomorfo, da família dos cianídeos (*Umbrina coroides* Cuv.), da nossa costa. ♦ **Quebrar a castanha de.** *Bras., N.E.* e *S.* Tirar a fama a (alguém); humilhar, vencer.

castanha-d'água. *S. f.* V. *tríbulo-aquático.* [Pl.: *castanhas-d'água.*]

castanha-de-arara. *S. f. Bras., Amaz.* Árvore grande, da família das euforbiáceas (*Joannesia heveoides*), de flores alvas e aromáticas, e fruto em cápsula, com três sementes ovóides, e cujas amêndoas fornecem óleo aromático, amarelo-esverdeado. [Pl.: *castanhas-de-arara.*]

castanha-de-bugre. *S. f. Bras.* V. *castanha-mineira* (1). [Pl.: *castanhas-de-bugre.*]

castanha-de-cutia. *S. f. Bras.* V. *quinquió.* [Pl.: *castanhas-de-cutia.*]

castanha-de-jatobá. *S. f. Bras.* V. *castanha-mineira* (1). [Pl.: *castanhas-de-jatobá.*]

castanha-de-macaco. *S. f. Bras., AM.* Árvore grande, da família das lecitidáceas (*Couroupita guyanensis*), de flores grandes e abundantes, alvacentas ou róseas, dispostas em racimos simples sobre o tronco e os ramos, e fruto coriáceo, lenhoso, com sementes aladas, envoltas em polpa azul, comestível; abricó-de-macaco, cuia-de-macaco, macacarecuia, maracarecuia, amêndoa-dos-andes, amendoeira-dos-andes. [Pl.: *castanhas-de-macaco.*]

castanha-do-ceará. *S. f. Bras.* V. *barriguda* (4). [Pl.: *castanhas-do-ceará.*]

castanha-do-maranhão. *S. f. Bras.* **1.** Castanha-do-pará. **2.** V. *castanheiro-do-maranhão.* [Pl.: *castanhas-do-maranhão.*]

castanha-do-pará. *S. f.* **1.** *Bras.* Fruto da castanheira-do-pará [q. v.]; castanha-do-maranhão. [Pl.: *castanhas-do-pará.*]

castanhal. *S. m.* Quantidade mais ou menos considerável de castanheiros dispostos proximamente entre si; castanhedo.

castanhalense. *Adj. 2 g.* **1.** De, ou pertencente ou relativo a Castanhal (PA). ● *S. 2 g.* **2.** Natural ou habitante de Castanhal.

castanha-mineira. *S. f.* **1.** *Bras., AM* a *SP.* Trepadeira da família das cucurbitáceas (*Anisosperma passiflora*), de pequenas flores alvas ou esverdeadas, pedunculadas, fruto peponídeo, ovóide, liso ou verrugoso, com várias sementes de alto valor terapêutico; castanha-de-bugre, castanha-de-jatobá, fava-de-santo-inácio, andiroba ou andirova, guapeba, fruto-amargoso. **2.** *Bras., L.* V. *abacate-do-mato.* [Pl.: *castanhas-mineiras.*]

castanhedo (ê). [Do lat. *castanetu.*] *S. m.* Castanhal.

castanheira. *S. f.* **1.** Mulher que assa e/ou vende castanhas. **2.** Castinceira. **3.** *Bras., S.* V. *castanheiro.*

castanheira-do-maranhão. *S. f. Bras., N.* V. *castanheira-do-pará.* [Pl.: *castanheiras-do-maranhão.*]

castanheira-do-pará. *S. f. Bras., N.* Árvore grande, da família das lecitidáceas (*Bertholletia excelsa*), cujo caule, de casca escura, é liso e desprovido de ramos até à fronde, e cujas flores são grandes e alvas, sendo os frutos esféricos, com 12 a 24 sementes, as castanhas-do-pará, altamente nutritivas, e que se comem cruas; castanheira-do-maranhão, tocari, tururi. [Pl.: *castanheiras-do-pará.*]

castanheiro. *S. m.* Árvore grande, da família das fagáceas (*Castanea vesca*), de flores femininas, apétalas, inseridas na base de amentos masculinos, que têm cúpula fechada, esférica, lenhosa, coriácea, com uns três frutos aquênios. É desprovida de albume, constituída inteiramente pelos cotilédones, e leva castanhas saborosas e nutritivas, que se comem cruas ou cozidas. [F. paral.: *castanheira;* sin.: *castanho.*]

castanheiro-da-índia. *S. m.* Árvore elegante e de rápido crescimento, da família das sapindáceas (*Aesculus hippocastanum*), de numerosas flores, alvas ou amarelas, laivadas de rosa ou de vermelho, dispostas em racimos piramidais, e cujo fruto é uma cápsula esverdeada, espessa, eriçada de espinhos curtos, com sementes alvas e carnosas, amargas, venenosas, revestidas de tegumento vermelho-castanho. [Pl.: *castanheiros-da-índia.*]

castanheiro-do-maranhão. *S. m. Bras., PA* e *MA.* Árvore ornamental, da família das bombacáceas (*Bombax affine*), de flores alvacentas, róseas ou amareladas, aromáticas e solitárias, e cujo fruto é uma cápsula aveludada, lenhosa, vermelha, com sementes grandes e de sabor bom semelhante ao do cacau; cacau-selvagem, castanha-do-maranhão, ebiratanha, mamorana. [Pl.: *castanheiros-do-maranhão.*]

castanheta (ê). [Dim. irreg. de *castanha.*] *S. f.* Estalido produzido pela ponta do dedo médio ao roçar rapidamente a do polegar. ~ V. *castanhetas.*

castanhetas (ê). [Pl. de *castanheta.*] *S. f. pl.* Castanholas. ~V. *castanheta.*

castanho. [De *castanha.*] *Adj.* **1.** Que tem a cor da casca da castanha (1): "Os seus olhos c a s t a n h o s .... externavam uma constante expressão de doçura" (Virgílio Várzea *Nas Ondas*, pp. 19-20). **2.** Diz-se dessa cor: *cabelos de cor c a s t a n h a*. ● *S. m.* **3.** Essa cor **4.** Animal vacum de pêlo dessa cor: "Soava ainda o veemente protesto, quando um dos bandoleiros fez menção para pegar no cabresto do *c a s t a n h o*" (Franklin Távora, *Lourenço*, p. 83). **5.** V. *castanheiro*. **6.** A madeira dessa árvore: "Grão Vasco pintara a imagem do santo numa tábua de c a s t a n h o" (José Vieira, *Sol de Portugal*, p. 161).

castanhola *S. f. Bras., CE.* V. *amendoeira-da-praia*. ~ V. *castanholas*.

castanholar. *V. t. d.* **1.** Fazer soar à maneira de castanholas. *Int.* **2.** Tocar castanholas.

castanholas. [Do esp. *castañuelas*.] *S. f. pl.* Instrumento de percussão, de origem oriental, popularíssimo na Espanha: duas peças de madeira ou de marfim, que, ligadas entre si, e aos dedos ou pulsos do tocador, por um cordel, batem uma contra outra; castanhetas. ~ V. *castanhola*.

castanholeira. *S. f. Bras., CE.* Pé de castanhola: "As c a s t a n h o l e i r a s do largo imobilizavam-se pesadas num torpor de árvores de chumbo." (Herman Lima, *Tijipió*, p. 130.)

castanita. [Do lat. *castanea*, 'castanho + *-ita*[3].] *S. f. Min.* Mineral triclínico, sulfato hidratado de ferro, de cor acastanhada.

castão. [Do fr. ant. *chastun* ou it. *castone*.] *S. m.* Remate superior das bengalas.

castear. [De *casta* + *-ear*.] V. *int. Bras.* Reproduzir-se, procriar (o animal). [Conjug.: v. *frear*.]

castelã. *S. f.* **1.** Mulher de castelão[1]. **2.** A senhora ou dona de um castelo.

castelania. *S. f.* Jurisdição de castelão.

castelão[1]. [Do lat. *castellanu*.] *S. m.* **1.** Senhor feudal que vivia em castelo e exercia jurisdição em determinada área. **2.** Governador de castelo; alcaide. **3.** Dono de castelo. [Fem.: *castelã, casteloa, castelona*.]

castelão[2]. [Do antr. *Castelo*, do Marechal Humberto de Alencar Castelo Branco (1900-1967), ex-presidente da República, + *-ão*[1].] *S. m. Bras.* Nota de 5 mil cruzeiros.

casteleira. *S. f. Bras., BA.* Dona ou administradora de castelo (8): "Inácia, mulata de cara picada de bexiga, a mais jovem c a s t e l e i r a da Bahia" (Jorge Amado, *Dona Flor e Seus Dois Maridos*, p. 136).

casteleiro. *Adj.* Relativo ou pertencente a castelo.

castelense[1]. *Adj. 2 g.* **1.** De, ou pertencente ou relativo a Castelo (ES). ● *S. 2 g.* **2.** Natural ou habitante de Castelo.

castelense[2]. *Adj. 2 g.* **1.** De, ou pertencente ou relativo a Castelo do Piauí (PI). ● *S. 2 g.* **2.** Natural ou habitante de Castelo do Piauí.

castelhanaria. [De *castelhano* + *-aria*.] *S. f.* Ação, modos ou ditos de castelhano: "era maravilha que, andando o mano há tão pouco com os castelhanos, já soubesse tantas c a s t e l h a n a r i a s . . . " (Oliveira Martins, *A Vida de Nun'Álvares*, p. 189).

castelhanismo. *S. m.* **1.** Caráter, modo ou costume distintivo do castelhano (3) ou de Castela. **2.** V. *espanholismo* (1, 2 e 3).

castelhano. [Do esp. *castellano*.] *Adj.* **1.** De, ou pertencente ou relativo a Castela (Espanha). **2.** *Bras., S.* Relativo ou pertencente ao Uruguai ou à Argentina. ● *S. m.* **3.** O natural ou habitante de Castela. **4.** Língua falada em Castela, que se estendeu por toda a Espanha e a muitos países americanos. **5.** Antiga moeda espanhola, do valor de 25 reales. **6.** *Bras., S.* O natural ou habitante do Uruguai ou da Argentina.

castelinha. *S. f. Bras., MG.* V. *mandioca* (1 e 2).

castelo. [Do lat. *castellu*.] *S. m.* **1.** Residência senhorial ou real fortificada. **2.** Praça forte, com muralhas, fosso, barbacã, etc.; fortaleza. **3.** Qualquer amontoado de coisas. **4.** *Constr. Nav.* Superestrutura que se eleva acima do convés principal, e cujo forro exterior é continuação da borda: "as guarnições, enlouquecidas, chacinavam-se reciprocamente, sobre os c a s t e l o s e toldas, num tumulto horrível." (Virgílio Várzea, *Nas Ondas*, p. 131). **5.** *Fís. Nucl.* Recipiente, em geral de chumbo e de paredes grossas, para proteger um instrumento detector da ação de radiações. **6.** *Bras., PE* e *AL.* Residência de rapazes solteiros, usada como *garçonnière*. **7.** *Bras., AL.* Planta da família das euforbiáceas (*Phillanthus nobilis*), de flores dióicas e fruto capsular. **8.** *Bras., BA.* V. *prostíbulo*. **9.** *Bras., SP.* Parte coberta de um barco movido a remo situada junto à popa ou à proa, e que se destina à guarda de objetos ou a abrigo provisório. **10.** *Bras., PE. Folcl.* No jogo das castanhas, a maior, que os jogadores procuram atingir com uma menor, lançada aos piparotes. **11.** *Tec.* Parte da carcaça de uma válvula que é desmontável e por onde se pode ter acesso ao interior da peça sem retirá-la da tubulação. ♦ **Castelo central.** *Constr. Nav.* Castelo do meio. **Castelo de cartas.** **1.** Pequeno edifício feito com cartas de baralho. **2.** *Fig.* Coisa sem solidez, que facilmente se desmorona: *Todas as suas promessas e juras foram c a s t e l o s d e c a r t a s*. [Na 2ª acepç. é m. us. no pl.] **Castelo de popa.** *Constr. Nav.* O situado na parte extrema de ré do navio. **Castelo de proa.** **1.** *Constr. Nav.* O situado na parte extrema de vante do navio. **2.** *Marinh.* Tabuado ou cobertura na parte extrema de vante de embarcação miúda, no mesmo nível das bancadas. **Castelo de vento.** Projeto sem fundamento, irrealizável; castelo no ar, castelos no ar. [M. us. no pl.] **Castelo do meio.** *Constr. Nav.* Castelo existente em alguns navios, situado por ante-a-ré do castelo de proa, mas sem chegar até a popa; castelo central. **Castelo no ar.** V. *castelo de vento*: *Velho, deu-se conta de que gastara a vida construindo c a s t e l o s n o a r*. [M. us. no pl.] **Castelos de cartas.** V. *castelo de cartas*. **Castelos de vento.** V *castelo de vento*. **Castelos no ar.** V. *castelo de vento*. **Bater castelo.** *Bras., MG.* Fazer serenata.

casteloa (ô). *S. f.* Fem. de *castelão*[1] [q. v.].

castelona. *S. f.* Fem. de *castelão*[1] [q. v.].

castelório. *S. m.* Pequeno castelo.

castiçal. *S. m.* **1.** Utensílio em cuja parte superior há um bocal, onde se deposita a vela[3] (3). **2.** *Bras., MS* e *MT.* Paxiúba. [Cf. *castinçal*.]

castiçar. [De *castiço* + *-ar*[2].] *V. t. d.* **1.** Juntar (macho e fêmea) para reprodução. **2.** Cobrir (a fêmea). *Int.* **3.** Juntar-se (o macho e a fêmea) para a reprodução. [Conjug.: v. *laçar*.]

casticidade. [De *castiço* + *-i-* + *-dade*.] *S. f.* Casticismo (1).

casticismo. *S. m.* **1.** Qualidade do que é castiço; casticidade. **2.** *Fig.* Pureza ou correção de linguagem; vernaculismo.

castiço. *Adj.* **1.** De boa casta, de boa raça. **2.** Próprio para reproduzir a raça, a casta; *animal c a s t i ç o*. **3.** *Fig.* Vernáculo (2 e 3).

castidade. [Do lat. *castitate*.] *S. f.* **1.** Qualidade de casto. **2.** Abstinência total dos prazeres sensuais: *votos de c a s t i d a d e*.

castificar. [Do lat. *castificare*.] *V. t. d.* Tornar casto; purificar. [Conjug.: v. *trancar*.]

castigado. [Part. de *castigar*.] *Adj.* **1.** Que sofreu castigo; punido. **2.** Molestado, maltratado. **3.** *Fig.* Apurado, aperfeiçoado: *Escreve pouco, mas em linguagem c a s t i g a d a*.

castigador (ô). [Do lat. *castigatore*.] *Adj.* e *s. m.* Que ou aquele que castiga.

castigar. [Do lat. *castigare*.] *V. t. d.* **1.** Infligir castigo a; punir. **2.** Repreender, escarmentar, admoestar; advertir: *C a s t i g o u - o com palavras duras*. **3.** Ferir (1): *O mau cavaleiro c a s t i g a amiúde a cavalgadura ao esporeála*. **4.** Corrigir, emendar: *Esta lição há de c a s t i g á -lo*. **5.** Apurar, aperfeiçoar: *c a s t i g a r o estilo*. *P.* **6.** Aplicar castigo a si mesmo; penitenciar-se. [Conjug.: v. *largar*.]

castigável. *Adj. 2 g.* Que pode, deve ou merece ser castigado.

castigo. [Dev. de *castigar*.] *S. m.* **1.** Pena que se inflige a um culpado; punição. **2.** Escarmento, exemplo, emenda. **3.** Admoestação, repreensão. **4.** Mortificação, consumição.

castilhense[1]. *Adj. 2 g.* **1.** De, ou pertencente ou relativo a Castilho (SP). ● *S. 2 g.* **2.** Natural ou habitante de Castilho.

castilhense[2]. *Adj. 2 g.* **1.** De, ou pertencente ou relativo a Júlio de Castilhos (RS). ● *S. 2 g.* **2.** Natural ou habitante de Júlio de Castilhos.

castilhismo[1]. *S. m.* Corrente literária ou escola de Antônio Feliciano de Castilho [v. *castilhista*[1]].

castilhismo[2]. *S. m. Bras.* **1.** A linha política do partido chefiado pelo estadista gaúcho Júlio Prates de Castilhos (1859-1903). **2.** Corrente ou sentimento favorável a tal política.

castilhista[1]. *S. 2 g.* Admirador de Antônio Feliciano de Castilho, escritor português (1800-1875), e/ou profundo conhecedor de sua obra.

castilhista[2]. *Bras., Adj. 2 g.* **1.** Relativo ao, ou que é partidário ou simpatizante do castilhismo[2]. ● *S. 2 g.* **2.** Partidário ou simpatizante do castilhismo[2].

castina. [Do fr. *castine*.] *S. f.* Pedra calcária que se emprega como fundente em siderurgia.

castinçal. *S. m.* Quantidade mais ou menos considerável de castinceiras dispostas proximamente entre si. [Cf. *castiçal*.]

castinceira. *S. f.* Castanheiro bravo; castanheira. [F. paral.: *castinceiro*.]

castinceiro. *S. m.* Castinceira.

casto. [Do lat. *castu*.] *Adj.* **1.** Que se abstém de quaisquer relações sexuais. **2.** Que se abstém de relações sexuais ilegítimas ou imorais. **3.** Puro, inocente, imaculado. **4.** Sem mescla; puro.

castor (ô). [Do gr. *kastor*, pelo lat. *castore*.] *S. m* **1.** Mamífero roedor. **2.** O pêlo desse animal. **3.** *Astr.* Nome tradicional da estrela alfa dos Gêmeos, cuja denominação científica é *Alpha Geminorum*. [Com maiúscula, nesta acepç.]

castóreo. [Do lat. *castoreu*.] *S. m. Quím.* Sólido pardo, com odor forte e característico, secretado por duas bolsas vizinhas aos órgãos genitais do castor, contendo colesterol, ácido benzóico e ácido salicílico, usado em perfumaria e como estimulante e antiespasmódico.

castorina. [Do fr. *castorine*.] *S. f.* Tecido de lã macio e lustroso, que era entretecido com fios de pêlo de castor.

castração. [Do lat. *castratione*.] *S. f.* Ato ou efeito de castrar (-se).

castrado. [Part. de *castrar*.] *Adj.* **1.** Que por efeito de castração não pode reproduzir; capado. ● *S. m.* **2.** Indivíduo ou animal que foi submetido a castração.

castrador (ô). [Do lat. *castratore*.] *S. m.* **1.** V. *capador*. ● *Adj.* **2.** Que castra [v. *castrar* (2 e 3)].

castrametação. [De *castrametar* + *-ção*.] *S. f.* **1.** Escolha e levantamento de terreno para fortificação ou acampamento. **2.** Escolha de terreno para arraial ou povoação.

castrametar. [Do lat. *castrametari*, 'delimitar um acampamento'.] *V. t. d.* **1.** Acampar em. **2.** Fortificar.

castrar. [Do lat. *castrare*.] *V. t. d.* **1.** Cortar ou destruir os órgãos reprodutores a; capar. **2.** Impedir a proficuidade ou eficiência de: *Uma reforma ortográfica inoportuna c a s t r a r i a o ensino da língua*. **3.** Anular ou restringir fortemente a personalidade de: *O feitio tirânico do pai terminou c a s t r a n d o o filho mais novo*. **4.** *Bot.* Eliminar os estames de (flor hermafrodita), antes que se abram para soltar o pólen, a fim de se proceder ao cruzamento artificial. *P.* **5.** Privar a si próprio dos órgãos reprodutores.

castrense[1]. [Do lat. *castrense*.] *Adj. 2 g.* **1.** Relativo a castro. **2.** *P. ext.* Referente à classe militar. **3.** Pertencente ou relativo a acampamento militar. ~ V. *bens —s*.

castrense[2]. *Adj. 2 g.* **1.** De, ou pertencente ou relativo a Castro (PR). ● *S. 2 g.* **2.** Natural ou habitante de Castro.

castrismo. *S. m.* Teoria e/ou aplicação dos métodos que Fidel Castro Ruiz (1926- —) empregou na tomada do poder em Cuba, ou na condução da política interna e/ou externa após a revolução, de tendência nitidamente esquerdista; fidelismo. [Cf. *comunismo* (2 a 5).]

castrista. *Adj. 2 g.* **1.** Que pratica o castrismo ou é sectário dele. **2.** Relativo a, ou próprio do castrismo. ● *S. 2 g.* **3.** Indivíduo castrista. [Sin. ger.: *fidelista*.]

castro. [Do lat. *castru*.] *S. m.* Castelo fortificado de origem pré-romana ou romana.

castro-alvense. *Adj. 2 g.* **1.** De, ou pertencente ou relativo a Castro Alves (BA). ● *S. 2 g.* **2.** Natural ou habitante de Castro Alves. [Pl.: *castro-alvenses*.]

castrolomancia (cí). *S. f.* Antiga arte de adivinhar por meio de garrafa ou redoma cheia de água.

castrolomante. *S. 2 g.* Pessoa que praticava a castrolomancia.

castrolomântico. *Adj.* Referente à castrolomancia, ou a castrolomante.

castrorosa. *S. f. Bras.* Certa máquina de indústria de chapelaria.

casual. [Do lat. *casuale*.] *Adj. 2 g.* Que depende do acaso; fortuito, acidental, eventual. [Cf. *causal*.] ~ V. *amostra* — e *amostragem* —.

casualidade. *S. f.* Qualidade de casual; acaso, eventualidade. [Cf. *causalidade*.]

casualismo. [De *casual* + *-ismo*.] *S. m.* Doutrina que atribui ao acaso a sucessão dos fenômenos.

casualista. *Adj. 2 g.* **1.** Relativo ao, ou que é seguidor do casualismo. ● *S. 2 g.* **2.** Seguidor do casualismo.

casualização. *S. f. Estat.* V. *acidentalização*.

casuar. [Do mal. *kasuwari*, atr. do fr. *casoar*.] *S. m.* Ave corredora, australiana, que lembra o avestruz.

casuariforme. *S. 2 g.* **1.** Espécime dos casuariformes. ● *Adj. 2 g.* **2.** Pertencente ou relativo a eles. [Sin. ger.: *megistane*.]

casuariformes. *S. m. pl. Zool.* Aves neórnites, paleógnatas, terrestres, da ordem *Casuariiformes*, de pés com três dedos, asas reduzidas, corpo e pescoço densamente recobertos de pena. São os casuares, da Austrália. [Sin.: *megistanes*.]

casuarina. [De *casuar* + *-ina*[1].] *S. f.* Designação comum a várias árvores ornamentais da família das casuarináceas, originárias da Austrália, introduzidas em nosso país há longo tempo, e caracterizadas pelos numerosos ramos e crescimento rápido.

casuarinácea. *S. f.* Espécime das casuarináceas.

casuarináceas. *S. f. pl. Bot.* Família de árvores que se caracterizam por levar folhas reduzidas a escamas e flores insignificantes, de estrutura extremamente simples. Raminhos verdes, cilíndricos, substituem as folhas. O fruto é seco e indeiscente. Há perto de 25 espécies, australianas e neozelandesas, várias amplamente cultivadas, graças à sua beleza.

casuarináceo. *Adj.* Pertencente ou relativo às casuarináceas.

casucha. *S. f.* V. *casa* (1).

casuísmo. [De *caso* + *-ismo.*] *S. m.* **1.** Aceitação passiva de idéias, doutrinas ou princípios. **2.** Obediência à letra da lei ou apego formalístico à jurisprudência dos tribunais. **3.** Arrazoado e/ou medida de caráter especioso, particularmente no campo do direito e da moral, baseados em casos concretos e não em preceitos gerais.

casuísta. *Adj. 2 g.* **1.** Casuístico. ● *S. 2 g.* **2.** Pessoa que pratica o casuísmo ou a casuística.

casuística. [Fem. substantivado de *casuístico.*] *S. f.* **1.** *Ét.* Estudo dos casos de consciência, i. e., dos problemas concretos que se apresentam à ação moral. **2.** Discussão e/ou análise dos casos feita mediante sutilezas e artifícios. **3.** *Bras.* Registro de casos clínicos ou cirúrgicos.

casuístico. *Adj.* Relativo ao casuísmo ou à casuística; casuísta.

casula. [Do b-lat. *casubla.*] *S. f.* Vestimenta sacerdotal que se põe sobre a alva e a estola; planeta: "levantando a c a s u l a enfiava-a pelo pescoço, continuando a oração com que se procurava tornar digno do mais santo dos Mistérios." (Inglês de Sousa, *O Missionário*, pp. 111-112).

casulo. [Do lat. vug. **casupulu, casuplu.*] *S. m.* **1.** Invólucro filamentoso, construído pela larva do bicho-da-seda ou por outras: "um corpo servido e inútil — abandonado à toa, como um c a s u l o vazio de vespa" (Amadeu de Queirós, *Os Casos do Carimbamba*, p. 171). **2.** Invólucro das sementes de várias plantas; capulho: "os curiangus saíam das moitas demandando a larga planura por onde a Lua solitária no céu liso, como imenso c a s u l o de algodão aberto, estendia a sua claridade triste" (Coelho Neto, *Banzo*, p. 120).

casuloso (ô). *Adj.* **1.** Que tem casulos. **2.** Em forma de casulo.

➧**casus belli** (cázuç béli). [Lat., 'causa de guerra'.] Incidente que deve provocar necessariamente uma guerra.

cata. [Dev. de *catar.*] *S. f.* **1.** Ação ou efeito de catar; busca, procura, catação. **2.** *Bras.* Separação dos grãos enegrecidos e mirrados do café. **3.** Escavação mais ou menos profunda, conforme a natureza do terreno, para mineração. ◆ **À cata de.** À procura de; em busca de: "Fui à c a t a d e rútilas grandezas, / Palácios de ouro, homens leais, moças divinas, / E só achei infâmias e torpezas" (Eugênio de Castro, *Obras Poéticas*, II, p. 35).

▲**cata-.** [Do gr. *katá.*] *-Pref.* = 'em regressão'; 'completamente': *cataplasia; catálise* (gr. *katálysis).*

catabatismo. *S. m.* Doutrina professada pelos catabatistas, membros de uma antiga seita cristã que negava ser o batismo necessário à salvação.

catabatista. [De *cata-* + gr. *baptistés,* 'batista'.] *Adj. 2 g.* **1.** Relativo a, ou que é sectário do catabatismo. ● *S. 2 g.* **2.** Sectário do catabatismo.

catabi. [T. onom.?] *S. m. Bras., N.E.* **1.** Acidente de terreno que origina o solavanco dos veículos: "Caminho de piso ruim, desvios e c a t a b i s." (Chico Anísio, *Teje Preso*, p. 12.) [Sin. (em MG, RJ e S.): *costela-de-vaca, costela.*] **2.** O solavanco ou choque produzido por tais acidentes. [F. paral.: *catabil.*]

catabil. *S. m. Bras., N.E.* V. *catabi.*

catabiose. [Do gr. *katabíosis.*] *S. f. Med.* O conjunto das alterações degenerativas que acompanham o envelhecimento celular.

catabiótico. *Adj.* Relativo à catabiose.

catabolismo. [Do gr. *katabolé,* 'ação de atirar de cima para baixo', + *-ismo.*] *S. m. Med.* Desassimilação.

catacá. *S. m. Bras.* Instrumento indígena de percussão.

catação. *S. f.* Ato ou efeito de catar; cata.

catacáustico. [Do gr. *katakaío,* 'queimar totalmente'.] *Adj.* ~ V. *curva —a* e *superfície —a.*

catacego. *Adj.* **1.** *Pop.* Que tem pouca vista; de vista curta: "a noite caiu assim sem que ninguém desse por fé e quando se percebeu foi porque uma velha c a t a c e g a perguntava por que não haviam ainda acendido a candeia de azeite." (Bernardo Élis, *Veranico de Janeiro*, p. 99). **2.** *Fig.* Que é pouco atilado.

catáclase. *S. f. Geol.* Tipo de metamorfismo que provoca a trituração e fragmentação de rochas preexistentes, originado, em geral, por movimentos tectônicos.

cataclástico. *Adj.* ~ V. *rocha —a.*

cataclísmico. *Adj.* Relativo a cataclismo. ~ V. *estrela —a.*

cataclismo. [Do gr. *kataklysmós*, pelo lat. *cataclysmos.*] *S. m.* **1.** Grande inundação; dilúvio. **2.** *Geol.* Transformação brusca e de grande amplitude da crosta terrestre: "a Terra tremeu toda, o Sol afundou-se e o véu do firmamento partiu-se pondo um estrondo de c a t a c l i s m o no mundo" (João Ribeiro, *Cartas Devolvidas.* p. 15). **3.** *Fig.* Convulsão social; revolta, convulsão. **4.** *Fig.* Grande desastre; derrocada.

catacrese. [Do gr. *katáchresis.*] *S. f. Ret.* Aplicação de um termo figurado por falta de termo próprio; abusão. Ex.: *pernas* da mesa; *mão* de pilão; *embarcar* num trem.

catacumba. *S. f.* V. *sepultura* (1): "Com pouco mais subia-se a ladeira do cemitério. O mato cobria as c a t a c u m b a s" (José Lins do Rego, *Ficção Completa*, I, p. 389). ~ V. *catacumbas.*

catacumbas. [Do lat. tardio *catacumbas.*] *S. f. pl.* Galerias subterrâneas em cujas paredes se faziam tumbas e onde os primeiros cristãos se reuniam secretamente. ~ V. *catacumba.*

catadeira. [Fem. de *catador.*] *S. f. Bras.* Mulher que trabalha na cata (2) do café.

catadióptrica. [De *cata-* + *dióptrica.*] *S. f. Ópt.* Parte da óptica que estuda a relação entre os fenômenos de reflexão e refração da luz.

catadióptrico. [Do gr. *katadióptrikos.*] *Adj.* **1.** Relativo a catadioptrica. ● *S. m.* **2.** Cada um dos dispositivos de reflexão e refração da luz, utilizados na sinalização de vias públicas, e que devem ser instalados na parte traseira dos veículos.

catador (ô). *Adj.* **1.** Que cata. ● *S. m.* **2.** Aquele que cata. **3.** *Bras.* Máquina de beneficiamento de café, com a qual se separam os diversos tipos.

catádromo. [Do gr. *katádromos.*] *Adj.* **1.** Diz-se do peixe de rio que desce para o mar na época da desova. **2.** *Bot.* Diz-se da nervação das pinas dos fetos quando as nervuras ímpares se voltam para o lado inferior ou externo e as nervuras pares surgem para o lado superior ou interno das pinas. [Opõe-se a *anádromo.*]

catadupa. [Do gr. *katadoúpa*, pelo lat. *catadupa.*] *S. f.* **1.** Queda de grande porção de água corrente; queda-d'água; salto. **2.** *P. ext.* Jorro, derramamento: "Falava como todos nós falamos; não era já nem sombra daquela c a t a d u p a de idéias, de imagens, de frases, que mostravam no orador um poeta." (Machado de Assis, *Páginas Recolhidas*, p. 50.) ◆ **Em catadupas.** Em grande quantidade: *Quando zangado, os palavrões saem-lhe e m c a t a d u p a s.*

catadupejar. *V. int.* Cair em catadupa. [Conjug.: v. *pelejar.* Normalmente é defect., só conjugável nas 3as pess. Quanto ao timbre do e, v. *pelejar.*]

catadura. *S. f.* **1.** Semblante, aspecto, aparência, acatadura. **2.** Disposição de ânimo.

catafalco. [Do lat. vulg. * *catafalicu.*] *S. m.* Estrado alto, armado em igreja, casa mortuária, etc., sobre o qual se coloca o féretro; essa: "Na exposição do corpo [de Sidônio Pais] na Câmara Municipal, uma bicha enorme .... prolongava-se pela Rua dos Capelistas, ascendendo até ao c a t a f a l c o." (Raul Brandão, *Vale de Josafá*, p. 99.) [Cf. *cadafalso.*]

catáfase. [De *cata-* + *-fase.*] *S. f. Filos.* Afirmação, proposição afirmativa. [Opõe-se a *apófase.*]

catafático. *Adj.* Relativo à catáfase. [Opõe-se a *apofático.*]

catafilar. *Adj. 2 g. Bot.* Relativo ou semelhante ao catafilo: *bainha c a t a f i l a r.*

catafílico. *Adj.* Próprio do catafilo.

catafilo. *S. m. Bot.* Folha escamiforme.

catáfora. [Do gr. *kataphorá.*] *S. f. Patol.* Letargia entremeada por períodos de despertar incompleto.

cataforese. [De *cata-* + *-forese.*] *S. f. Med.* Introdução terapêutica de substâncias no organismo, através da pele, mediante aplicação de corrente elétrica, sem dissociação molecular.

cataguá[1]. *S. m. Bras.* Planta da família das rutáceas (*Netrodorea pubescens*), de flores alvas, aromáticas, dispostas em panículas compostas, que vegeta nos campos gerais, e cujo fruto é cápsula; laranjeira-do-mato, limoeiro-do-mato.

cataguá[2]. *Bras. S. 2 g.* **1.** Indivído dos cataguás, tribo indígena coroada que habitava as matas de MG. ● *Adj. 2 g.* **2.** Pertencente ou relativo a essa tribo.

cataguasense. *Adj. 2 g.* **1.** De, ou pertencente ou relativo a Cataguases (MG). ● *S. 2 g.* **2.** Natural ou habitante de Cataguases.

catajé. [Do tupi, talvez.] *S. m. Bras.* V. *capeba-do-norte* (2).

catalânico. *Adj.* Relativo aos catalães.

catalano. *Adj.* **1.** De, ou pertencente ou relativo a Catalão (GO). ● *S. m.* **2.** O natural ou habitante de Catalão.

catalão. *Adj.* **1.** Da, ou pertencente ou relativo à Catalunha (Espanha). ● *S. m.* **2.** O natural ou habitante da Catalunha. **3.** Língua românica falada nas províncias espanholas da Catalunha e de Valença, nas ilhas Baleares e em Andorra (Pireneus). [Fem.: *catalã;* pl.: *catalães.*]

cataléctico. [Do gr. *katalektikós*, pelo lat. *catalecticu.*] *Adj.* ~ V. *verso —.* [Var.: *catalético.* Cf. *cataléptico.*]

catalecto. [Do gr. *katalekta,* 'coisas escolhidas', pelo lat. *catalecta.*] *S. m.* Antologia de clássicos antigos.

catalepsia. [Do gr. *katálepsis* + *-ia.*] *S. f.* **1.** *Med.* Estado em que se observa uma rigidez cérea dos músculos, de modo que o paciente permanece na posição em que é colocado. [Observar-se a catalepsia principalmente em casos de demência precoce e de sono hipnótico.] **2.** *Filos.* Compreensão, certeza, afirmação.

cataléptico. [Do gr. *kataleptikós.*] *Adj.* **1.** Relativa a, ou que sofre de catalepsia. ● *S. m.* **2.** Aquele que sofre de catalepsia. [Cf. *cataléctico.*]

catalepticamente. [Do fem. de *cataléptico* + *-mente.*] *Adv.* De modo cataléptico; à maneira de catalepsia ou de cataléptico.

catalético. [Do lat. *catalecticu.*] *Adj.* Var. de *cataléctico.*

catalisação, *S. f.* Ato ou efeito de catalisar.

catalisador (ô). *Adj.* **1.** *Fís.-Quím.* Diz-se de substância que produz catálise. **2.** *Fig.* Estimulante, dinamizador, incentivador: *atividade c a t a l i s a d o r a do processo cultural.* ● *S. m.* **3.** *Fís.-Quím.* Substância catalisadora.

catalisar. *V. t. d.* **1.** *Fís.-Quím.* Produzir catálise em. **2.** *Fig.* Estimular, dinamizar, incentivar. [Pres. subj.: *catalise,* etc. Cf. *catálise.*]

catálise. [Do gr. *katálysis.*] *S. f. Fís.-Quím.* Modificação (em geral aumento) de velocidade de uma reação química pela presença e atuação de uma substância que não se altera no processo. [Cf. *catalise.* do v. *catalisar.*] ◆ **Catálise ácida.** *Fís.-Quím.* A que é provocada por íons hidrogênio ou por íons de natureza ácida. **Catálise ácido-básica.** *Fís.-Quím.* A que é provocada por íons ácidos e também por íons básicos. **Catálise básica.** *Fís.-Quím.* A que é provocada por íons hidroxila ou por íons de natureza básica. **Catálise heterogênea.** *Quím.* A que ocorre em mais de uma fase, em geral entre um sólido e uma solução, ou entre um sólido e um gás. **Catálise homogênea.** *Quím.* A que ocorre em uma só fase.

catalítico. [Do gr. *katalytikós.*] *Adj.* Relativo à catálise.

catalogação. *S. f.* Ato ou efeito de catalogar. ◆ **Catalogação na fonte.** *Edit.* Elaboração prévia da ficha catalográfica de um documento bibliográfico, de forma que ela já venha impressa na obra publicada.

catalogador (ô). *Adj.* e *s. m.* Que, ou aquele que cataloga.

catalogar. *V. t. d.* **1.** Relacionar em catálogo; classificar; inventariar: *c a t a l o g a r uma biblioteca;* "no raio de uma hora, nas imediações de Belém os entomologistas c a t a l o g a r a m 700 variedades de borboletas" (Raimundo Morais, *Na Planície Amazônica* p. 22). *Transobj.* **2.** *Pop.* Classificar; tachar: *Não o julgava capaz de c a t a l o g a r de rematado imbecil o seu melhor amigo.* [Conjug.: v. *largar.* Pres. ind.: *catalogo,* etc. Cf. *catálogo.*]

catálogo. [Do gr. *katálogos*, pelo lat. *catalogu.*] *S. m.* **1.** Relação ou lista sumária, metódica, e geralmente alfabética, de pessoas ou coisas. **2.** *Bibliot.* Lista, volume ou fichário onde estão metodicamente descritos os livros e outros documentos de uma biblioteca. [Cf. *catalogo,* do v. *catalogar.*]

catálogo-dicionário. *S. m. Bibliot.* O que inclui, numa só ordem alfabética, fichas de autor, de título e de assunto. [Pl.: *catálogos-dicionários.*]

catalografia. [De *catálogo* + *-graf(o)-* + *-ia,* com haplologia.] *S. f. Bibliot.* Técnica de organização de catálogos.

catalográfico. *Adj.* Relativo à catalografia, ou a catálogo.

catamarã. *S. m.* **1.** Barco do Ceilão, de pequeno porte, que arma uma vela quadrangular na qual os punhos do gurutil são agüentados nos extremos de duas fortes varas de bambu dispostas em V, e que, para maior estabilidade, leva disparadas duas varas com um pau de contrabalanço, preso na extremidade, paralelamente ao casco. **2.** Embarcação de esporte ou de recreio, constituída de dois cascos esguios presos lado a lado por fortes travessões sobre os quais monta uma plataforma com camarim.

catambá. [De possível or. tupi.] *S. m. Bras., ES.* Espécie

de bailado popular.
catambruera (ê). *S. f. Bras. Catimpuera.*
catambuera (ê). *S. f. Bras.* **1.** Qualquer fruto vegetal atrofiado, catangüera [q. v.]. **2.** V. *gangão*[1]. ● *Adj. 2 g.* **3.** Diz-se de qualquer fruto vegetal atrofiado.
catamenial. *Adj. 2 g.* Relativo ao catamênio.
catamênio. [Do gr. *kataménion*, 'mensal', subentendendo-se *fluxo*.] *S. m.* V. *menstruação* (1).
catamnésia. *S. f. Med.* Acompanhamento da evolução de um paciente desde que recebe alta, hospitalar ou não, e que pode ter duração extremamente variável. [F. paral.: *catamnese*; sin., ingl.: *follow up*. Cf. *anamnésia*.]
catamorfismo. [De *cata-* + *-morf(o)-* + *-ismo*.] *S. m. Geol.* Processo destrutivo que se realiza nas rochas situadas próximo à superfície terrestre. [Opõe-se a *anamorfismo*.]
catana. [Do jap. *katana*.] *S. f.* **1.** *Luso-asiat.* Espécie de alfanje. **2.** Pequena espada curva; catatau. **3.** Faca comprida e larga: "Larga c a t a n a à ilharga, trabuco a tiracolo e adaga à cinta, ... completavam o equipamento destes indivíduos cuja sinistra catadura já de si incutia mais susto do que as próprias armas." (José de Alencar, *O Sertanejo*, p. 28.) **4.** *Bras.* V. *sapopema* (1). **5.** *Bras.* Designação comum às espatas protetoras da inflorescência das palmeiras. **6.** *Bras.* Catau (2). ● *Adj. 2 g.* **7.** *Bras., Marajó.* Diz-se da rês que só tem um chifre, por fratura do outro rente ao crânio. ◆ **Meter a catana em.** Falar mal de; maldizer de; difamar.
catanada. *S. f.* **1.** Golpe ou pancada com catana; espadeirada. **2.** *Fig.* Repreensão [q. v.] severa.
catanduba. [Do tupi *ka'á tãg tiba*, 'muito mato ralo'.] *S. f. Bras.* **1.** *Pl* a *RJ.* Árvore da família das leguminosas (*Piptadenia moniliformis*), de flores amarelas, dispostas em espigas, solitárias ou geminadas, axilares, e cujo fruto é uma vagem plana e coriácea, com várias sementes; angico-surucucu, rama-de-bezerro, paubranco. **2.** Mato rasteiro, áspero e espinhento: "Lund [Peter Wilhelm Lund] considerava os *cerrados* e os *campos limpos* tipos derivados da mata primitiva do planalto, a c a t a n d u b a, existente no tempo da fauna desaparecida." (E. Roquete-Pinto, *Seixos Rolados*, p. 71.) [Sin. (no PR): *mato mau*.] **3.** Tipo de solo caracterizado por ser arenoso e de baixa fertilidade. [Var.: *catanduva* e *catunduva*.]
catanduva. *S. f.* V. *catanduba*: "Dentro da neblina, os soldados de Febrônio não distinguiam de onde vinha tanto estalido de galho seco nas c a t a n d u v a s que se perdiam pela várzea sem fim." (João Felício dos Santos, *João Abade*, p. 103.)
catanduval. [De *catanduva* + *-al*.] *S. m. Bras., RS.* Pinhal, pinheiral.
catanduvense. *Adj. 2 g.* **1.** De, ou pertencente ou relativo a Catanduva (SP). ● *S. 2 g.* **2.** Natural ou habitante de Catanduva.
catanga. *S. f. Tip.* Parte de composição (títulos, componentes de tabelas, etc.) que o distribuidor vai deixando de lado, por pertencer a caixas diversas.
catangüera. [Do tupi.] *S. f. Bras.* Catambuera (1 e 2) [q. v.].
catanguês. *Adj.* De, ou pertencente ou relativo a Catanga, antiga província do Zaire [v. *zairense*], atual região de Shaba, riquíssima em minérios, especialmente cobre, cobalto, urânio, zinco, rádio e diamantes industriais. [Flex.: *catanguesa* (ê), *catanguesas* (ê), *catangueses* (ê).]
catanhão-tesoura. *S. m. Bras., RS.* V. *chama-maré*. [Pl.: *catanhões-tesouras* e *catanhões-tesoura*.]
catano. [De *catana*?] *S. m. Chulo.* O pênis.
catão. [Do antr. *Catão* (v. *catoniano*).] *S. m.* Homem de costumes ou princípios austeros.
catapereiro. *S. m.* Pereira silvestre.
cata-piolho. [De *catar*[2] + *piolho*.] *S. m. Bras. Fam.* V. *dedo polegar* (1). [Pl.: *cata-piolhos*.]
cataplasma. [Do gr. *katáplasma*, pelo lat. *cataplasma*.] *S. f.* **1.** *Farmac.* Papa medicamentosa que se aplica, entre dois panos, a uma parte do corpo dorida ou inflamada: "Se ele tossia durante a noite, lá vinha ela .... com a c a t a p l a s m a de farinha de mandioca .... pronta para a aplicação nos peitos e nas costas." (Nélson de Faria, *Cabeça-Torta*, pp. 26-27.) **2.** Peça dos arreios à qual se prendem as argolas por onde passam as guias das cavalgaduras. **3.** *Fig.* Pessoa fraca, débil. **4.** *Fig.* Pessoa indolente, molenga.
cataplasmado. [Part. de *cataplasmar*.] *Adj.* **1.** Coberto de cataplasma(s). **2.** Adoentado, achacado.
cataplasmar. *V. t. d.* Encataplasmar.
catapléctico. [Do gr. *kataplektikós*.] *Adj.* Relativo à cataplexia. [Var.: *cataplético*.]
cataplético. *Adj.* Var. de *catapléctico*.
cataplexia (cs). [Do gr. *katáplexis*, 'espanto', + *-ia*.] *S. f. Med.* Crise passageira de extrema fraqueza muscular, provocada por estados emocionais.
catapolitana. *Bras. S. 2 g.* e *adj. 2 g.* V. *catapolítani*.
catapolítani. *Bras. S. 2 g.* **1.** Indivíduo dos catopolítanis, tribo indígena aruaque que habita a margem direita do rio Içana (AM), conhecido, como os demais indígenas desta região, pela designação geral de *ajajemi*. ● *Adj. 2 g.* **2.** Pertencente ou relativo a essa tribo. [Var.: *cadaupuritana, cadanarapuritana, catapolitana*; sin. ger.: *acaiaca* e *ajajemi*.]
catapora. [Do tupi *tata'por*, 'fogo que salta'.] *S. f. Bras.* Designação vulgar da varicela; tatapora. [Tb. se usa no pl.]
catapulta. [Do gr. *katapéltes*, pelo lat. *catapulta*.] *S. f.* **1.** *Mil. Ant.* Engenho de guerra usado na Antiguidade para lançar pedras ou dardos de grande tamanho contra tropas e/ou fortificações inimigas: "A maior parte dos edifícios desta espécie eram apenas .... um agregado de grossas vigas, ... formando uma série de torres irregulares, cujas paredes .... mal resistiam .... aos tiros das c a t a p u l t a s" (Alexandre Herculano, *O Bobo*, p. 15). **2.** *Bras. Constr. Nav.* Engenho muito usado a bordo de navios de guerra, sobretudo navios-aeródromos, para auxiliar aviões a levantarem vôo num espaço pequeno, e constituído de um trilho montado numa plataforma especial, sobre o qual desliza em corrediça uma carreta (à qual o avião é preso) impulsionada pela detonação de uma carga explosiva ou por um sistema de ar comprimido ou de vapor de água.
catar[1]. *S. m.* **1.** Cáfila de camelos. **2.** Récua de mulas.
catar[2]. [Do lat. *captare*.] *V. t. d.* **1.** Buscar, procurar; pesquisar: *C a t o u o significado da palavra, indo a numerosos dicionários.* **2.** Recolher um a um, procurando entre outras coisas: *As crianças c a t a v a m conchas na praia.* **3.** Buscar os parasitos capilares a, matando-os; espiolhar: *Sentadas ao sol, as índias c a t a v a m os filhos.* **4.** Examinar com atenção. *T. d. e i.* **5.** Guardar, dedicar; observar: "A verdade histórica obriga-nos .... a repetir as palavras descabeladas da virago recifense, sem que .... deixemos de c a t a r o respeito devido à memória de D. Sebastião." (José de Alencar, *Guerra dos Mascates*, p. 244.) *P.* **5.** Acautelar-se; precatar-se, precaver-se.
cataraca. *S. f. Bras.* Caraca[1].
catarata. [Do gr. *kataráktes*, 'que se lança para baixo', pelo lat. *cataracta*.] *S. f.* **1.** V. *queda-d'água*. **2.** *Patol.* Perda da transparência do cristalino ou da sua cápsula.
catariano. *Adj.* **1.** De, ou pertencente ou relativo ao Estado de Catar (sudeste da Ásia). ● *S. m.* **2.** O natural ou habitante de Catar.
catarina. *S. f. Mar. Merc.* Cadernal todo de ferro, de caixa redonda, muito usado nos paus de carga.
catarinense. *Adj. 2 g.* **1.** De, ou pertencente ou relativo a SC. ● *S. 2 g.* **2.** Natural ou habitante desse Estado. [Sin.: *barriga-verde* (alcunha, jocosa na aparência, mas em verdade honrosa, e p. us. como adj.), e (só como s.), *catarineta, catarinete* ou *caterinete* (alcunha amistosa).]
catarineta (ê). *S. 2 g. Bras., S.* V. *catarinense* (2). [Cf. *barriga-verde*.]
catarinete (ê). *S. 2 g. Bras., S.* V. *catarinense* (2). [Cf. *barriga-verde*.]
cátaro. *Adj.* e *s. m. Rel.* Albigense[1].
catarral. *Adj. 2 g.* **1.** Relativo a catarro. ● *S. m.* e *f.* **2.** *Pop.* Bronquite aguda: "— Está um homem sujeito a apanhar um c a t a r r a l ou um resfriado." (Fernando Namora, *Retalhos da Vida de um Médico*, p. 137.)
catarreira. *S. f. Fam.* Defluxo, constipação.
catarrento. *Adj.* **1.** Que tem catarro; catarroso. **2.** Propenso a encatarrar-se.
catarrino. [De *cata-* + *-rino*.] *S. m.* **1.** Espécime dos catarrinos. ● *Adj.* **2.** Pertencente ou relativo a eles.
catarrinos. *S. m. pl. Zool.* Superfamília da ordem dos primatas, subordem antropóides, caracterizada pelo septo nasal estreito e narinas voltadas para baixo e 32 dentes. São os macacos afro-asiáticos.
catarro. [Do gr. *katárrhoos*, pelo lat. *catarrhum*.] *S. m.* **1.** *Patol.* Secreção, geralmente patológica, das mucosas. **2.** Defluxo, constipação. **3.** A secreção do catarro (1 e 2): "O choro convulso, o c a t a r r o escorrendo das narinas vermelhas." (Anilda Leão, *Riacho Seco*, p. 17.) **4.** *Bras., N.* e *N.E. Pop.* A polpa do coco verde ainda muito branda.
catarroso (ô). *Adj.* Catarrento (1): "como escolta, seguia-nos um beduíno, velho c a t a r r o s o" (Eça de Queirós, *A Relíquia*, p. 124).
catarse (ss). [Do gr. *kátharsis*.] *S. f.* **1.** Purgação, purificação, limpeza. **2.** *Med.* Evacuação, natural ou provocada, por qualquer via. **3.** *Psicol.* Efeito salutar provocado pela conscientização de uma lembranca fortemente emocional e/ou traumatizante, até então reprimida. **4.** *Teat.* O efeito moral e purificador da tragédia clássica, conceituado por Aristóteles [v. *aristotelismo*], cujas situações dramáticas, de extrema intensidade e violência, trazem à tona os sentimentos de terror e piedade dos espectadores, proporcionando-lhes o alívio, ou purgação, desses sentimentos: "tragédia [o *Hamlet*, de Shakespeare] sem c a t a r s e que, ao lento cair do pano, só nos deixa, como objeto de meditação e fruto amargo, uma interminável fila de interrogações..." (Augusto Meyer, *A Chave e a Máscara*, p. 11).
catártico. [Do gr. *kathartikós*.] *Adj.* **1.** Relativo à, ou próprio da catarse. **2.** *Farm.* De qualidades purgativas mais fortes que os laxantes e menos que os drásticos. ● *S. m.* **3.** *Farm.* Medicamento catártico.
catartídeo. *S. m.* **1.** Espécime dos catartídeos. ● *Adj.* **2.** Pertencente ou relativo a eles.
catartídeos. *S. m. pl. Zool.* Aves catartidiformes. da família *Cathartidae*, que possuem todas as características catartidiformes.
catartidiforme. *S. m.* **1.** Espécime dos catartidiformes. ● *Adj. 2 g.* **2.** Pertencente ou relativo a eles.
catartidiformes. *S. m. pl. Zool.* Aves neórnites, neógnatas, consideradas por alguns autores como uma ordem: *Catharthidiformes*. Têm todos os dedos livres, dispostos três para diante e um par para trás, pernas mais ou menos curtas, base do bico coberta de uma cera peculiar, cabeça nua. São os urubus.
catassol. [De *catar* + *sol*.] *S. m.* **1.** A cor cambiante; furta-cor. **2.** Antigo tecido fino e lustroso. **3.** *Bras., BA.* Caracol (1). **4.** *Bras., BA. Folcl.* V. *igbim*. [Pl.: *catassóis*.]
catasta. [Do lat. *catasta*.] *S. f.* **1.** Lugar onde, entre os antigos romanos, se expunham escravos à venda. **2.** Cadafalso em forma de leito, feito de grades, em que se torturavam os mártires. **3.** *P. ext.* Instrumento de tortura, por alusão a um touro de bronze, esculpido pelo escultor ateniense Perilo (c. de 570 a. C.) para Fálaris, tirano de Agrigento, no qual se encerravam vítimas humanas que eram queimadas vivas, pondo-se fogo embaixo do animal: "... só me resta / Desastres e misérias; filhos rotos, / .... Caseiros, arquitetos e criados / Mais duros que as c a t a s t a s de Perilo." (P. A. Correia Garção, *Obras Poéticas e Oratórias*, p.202).
catástase. [Do gr. *katástasis*.] *S. f.* **1.** Constituição, temperamento. **2.** *Teat.* A terceira parte da tragédia clássica, que se segue à prótase e à epítase, e na qual os acontecimentos ou peripécias se adensam, se precipitam e se esclarecem; desenredo, desenlace. [Cf., nesta acepç.: *catástrofe*.] **3.** *Fon.* V. *articulação* (5).
catástrofe. [Do gr. *katastrophé*, 'reviravolta', pelo lat. *catastrophe*.] *S. f.* **1.** Acontecimento súbito de conseqüências trágicas e calamitosas. **2.** *Fig.* Grande desastre ou desgraça; calamidade. **3.** *Teat.* Na tragédia clássica, conclusão ou consumação da ação trágica; acontecimento principal, decisivo e culminante da tragédia, no qual a ação se esclarece inteiramente, e se estabelece o equilíbrio moral. [Cf. *catástase*.] **4.** *Teat. P. ext.* O fim funesto decorrente da ação trágica.
catastrófico. *Adj.* Relativo a, ou que tem o caráter de catástrofe.
catatau. *S. m.* **1.** Castigo físico; pancada. **2.** *Bras.* Zoada, falatório. **3.** Espada velha. **4.** Pequena espada curva; catana. **5.** *Pop.* Coisa grande ou volumosa: *Levou quase dois meses para ler aquele c a t a t a u de 2 000 páginas.* **6.** *Tip. Bras., S. Gír.* Tijolo (5). **7.** *Bras., RJ. Chulo.* O pênis. **8.** *Bras., N.* Indivíduo de pequena estatura. [Sin., nesta acepç., (bras.): *cagabaixinho*, e, em SP, *caticó, toco-de-amarrar-besta, toco-de-amarrar-jegue* e *toco-de-amarrar-onça*. Cf. (nesta acepç.): *fumega* e *ximbute*.]
catatermômetro. [De *cata-* + *termômetro*.] *S. m. Met.* Instrumento provido de dois termômetros, um seco e outro úmido, e usado para medir a quantidade aproximada de calor perdido, durante a unidade de tempo, por uma substância levada à temperatura do corpo humano.
catatimia. [De *cata-* + *-tim(o)-* + *-ia*.] *S. f.* Entidade psiquiátrica que se manifesta paroxisticamente como crises passageiras, ditas catatímicas, e que se caracteriza por intensa alteração do humor, seja no sentido da depressão, da expansão ou da passividade, não levando contudo à melancolia, à mania ou à esquizofrenia.
catatímico. *Adj.* **1.** Relativo à catatimia, ou que a tem. ● *S. m.* **2.** Aquele que a tem.
catatonia. [De *cata-* + *-ton(o)-* + *-ia*.] *S. f. Patol.* Tipo de esquizofrenia caracterizado por períodos de negativismo, excitação e atitudes ou atividades estereotipadas.

catatônico. *Adj.* **1.** Relativo à catatonia, ou que a tem. ● *S. m.* **2.** Aquele que tem catatonia.
catatraz. [Voc. onom.] *Interj.* Som imitativo do estrondo produzido por queda ou pancadaria.
catatua. *S. f.* Var. de cacatua.
catatuá. *S. m. Bras.* V. *caipira* (1).
catau. *S. m.* **1.** *Marinh.* Dobra ou nó que se dá no seio de um cabo para encurtá-lo ou para remediar um ponto fraco. **2.** Na região são-franciscana, rabo de jacaré; catana.
catauari. [Do tupi *katawa'ri.*] *S. m. Bras., Amaz.* Árvore pequena da família das caparidáceas (*Crataeva benthami*), de propriedades medicinais, cujas flores têm pétalas lanceoladas e cujo fruto é uma baga globosa, com sementes de testa dura e lenhosa. [Var.: *catauré;* sin.: *trapiá.*]
catauiana (au-i). *Bras. S. 2 g.* e *adj. 2 g.* V. *cataviana.*
catauixi (au-i). *Bras. S. 2 g.* **1.** Indivíduo dos catauixis, tribo indígena que habita as imediações do baixo curso do Juruá. ● *Adj. 2 g.* **2.** Pertencente ou relativo a essa tribo. [Var.: *catuixi.*]
catauré. *S. m. Bras.* V. *catauari.*
cata-vento. [De *catar* + *vento.*] *S. m.* **1.** *Met.* Aparelho usado para determinar a velocidade e a direção do vento. A direção é indicada pela grimpa [q. v.], e a velocidade por ponteiros projetados de um arco metálico. [Sin.: *veleta, zingamocho.*] **2.** *Fig.* Pessoa versátil, volúvel; ventoinha, veleta. **3.** Aparelho ou mecanismo, ordinariamente montado numa torre metálica, que aproveita a força do vento para puxar água de poços; moinho de vento. **4.** *Ant. Mar.* Local onde, nos navios a vela, ficava o oficial que comandava a manobra. [Pl.: *cata-ventos.*]
cataviana. *Bras. S. 2 g.* **1.** Indivíduo dos catavianas, tribo indígena que habita as margens do rio Anamu, formador do Trombetas (PA), nos limites com a Guiana Holandesa. ● *Adj. 2 g.* **2.** Pertencente ou relativo a essa tribo. [Var.: *catauiana.*]
catazona. [De *cata-* + gr. *zóne,* 'zona'.] *S. f. Petr.* A zona mais profunda do metamorfismo [q. v.]. [Cf. *epizona* e *mesozona.*]
➧**catch** (quétx). [Do ingl. *catch as catch can.*] *S. m.* Variedade, geralmente profissional, de luta livre [q. v.], na qual todos os golpes são permitidos.
cate. *S. m.* Antigo peso asiático, de mais ou menos 600 g.
cateamento. *S. m. Bras., BA.* Ato ou efeito de catear.
catear. *V. int. Bras., BA.* Trabalhar em cata (3). [Conjug.: v. *frear.*]
catecismo. [Do gr. *katechismós,* 'instrução', pelo lat. *catechismu.*] *S. m.* **1.** Livro elementar de instrução religiosa por perguntas e respostas. **2.** Ensino dos dogmas e preceitos da religião. **3.** *P. ext.* Doutrina elementar sobre qualquer ciência ou arte.
catecol. *S. m. Quím.* V. *pirocatecol.* [Pl.: *catecóis.*]
catecolamina. *S. f. Bioquím.* Designação genérica da adrenalina e da noradrenalina, compostos encontrados nas terminações dos nervos simpáticos e nas vesículas da medula supra-renal.
catecumenato. *S. m.* **1.** Estado de catecúmeno. **2.** Tempo de duração desse estado; iniciação.
catecúmeno. [Do gr. *katechoúmenos,* pelo lat. *catechumenu.*] *S. m.* **1.** Aquele que se prepara e instrui para receber o batismo: "Logo que regresse à pátria, ... terá mais que fazer [o marinheiro holandês] do que contar à lareira .... os perigos da viagem, as comoções dramáticas do imprevisto, nas terras longínquas e misteriosas em que não desembarcou como nós para hastear o pavilhão glorioso das quinas, para edificar a igreja em que se haviam de batizar os c a t e c ú m e n o s e para armar a forca em que se haviam de pendurar os heréticos." (Ramalho Ortigão, *A Holanda,* p. 228.) **2.** *Fig.* Aquele que acaba de ser admitido em determinada instituição e está cheio de entusiasmo por esse motivo. [Cf. *neófito.*]
cátedra. [Do gr. *kátedra,* pelo lat. *cathedra.*] *S. f.* **1.** Cadeira pontifícia: "O bispo, sentado em sua alta c á t e d r a esculpida ...., empunhava o grande báculo recurvo e enflorado de relevos." (Gustavo Barroso, *Livro dos Milagres,* p. 46.) **2.** Cadeira professoral. **3.** Cargo ou função de professor de disciplina de nível universitário ocupado por professor titular. **4.** A disciplina ministrada por professor dessa categoria, por professor adjunto, ou por assistente. **5.** *P. ext.* Matéria ou disciplina ensinada por um mestre.
catedral. [De *cátedra* + *-al,* subentendido o voc. *sé.*] *Adj. 2 g.* **1.** Diz-se da, ou relativo à principal igreja dum bispado ou arcebispado. ● *S. f.* **2.** Igreja episcopal de uma diocese. **3.** A igreja principal de um bispado ou arcebispado. [Cf. *sé* (1) e *igreja matriz.*]
catedrático. *S. m.* **1.** V. *professor titular.* **2.** *Bras.* Indivíduo muito entendido em determinado assunto. **3.** *Rel.* Imposto ou taxa anual que as igrejas, benefícios eclesiásticos e confrarias de leigos devem pagar ao bispo, em sinal de submissão. ● *Adj.* **4.** Diz-se de catedrático (1). **5.** Constituído por professores catedráticos: *corpo c a t e d r á t i c o.* **6.** Relativo à cátedra. ~ V. *professor —.*
categorema. [Do gr. *kategorema.*] *S. m. Bot.* Caráter dotado de importância taxionômica. P. ex.: entre as dicotiledôneas, a dialipetalia e a gamopetalia são categoremas.
categoremático. *Adj. Lóg.* Diz-se de vocábulo que tem significação por si mesmo. Ex.: os substantivos e os adjetivos. [Opõe-se a *sincategoremático.*]
categoria. [Do gr. *kategoría,* 'atributo', pelo lat. *categoria.*] *S. f.* **1.** Caráter, espécie, natureza: *É da c a t e g o r i a dos calmos.* **2.** Série, grupo. **3.** Classe, qualidade, ordem: *É pessoa de grande c a t e g o r i a ; Seu trabalho não tem c a t e g o r i a.* **4.** Alta classe ou qualidade: *homem de c a t e g o r i a ; livro de c a t e g o r i a.* **5.** Hierarquia social ou administrativa: *Com o concurso o funcionário subiu de c a t e g o r i a.* **6.** *Gram.* Cada uma das classes em que se distribuem os elementos léxicos de uma língua. **7.** *Gram.* Cada um dos traços associados a essas classes, como pessoa, gênero, tempo, modo. **8.** *Hist. Filos.* Segundo Aristóteles [V. *aristotelismo*], predicado de uma proposição. **9.** Segundo Kant [v. *kantismo*], o conjunto dos conceitos fundamentais do entendimento. **10.** *Mat.* A possança de todos os conjuntos que podem ser postos em correspondência biunívoca com um determinado conjunto.
categórico. [Do gr. *kategorikós,* pelo lat. *categoricu.*] *Adj.* **1.** Relativo a categoria. **2.** Claro, explícito, positivo. — V. *imperativo —, juízo —* e *silogismo —.*
categórico-dedutivo. *Adj.* ~ V. *método —.*
categorização. [De *categorizar* + *-ção.*] *S. f.* Ação ou efeito de categorizar(-se): "uma pretensa ou real alta cultura literária .... orgulhosamente ostensiva, e apresentada como condição 'sine qua non' para a c a t e g o r i z a ç ã o no presépio do triunfo cultural" (Jorge de Sena, *Líricas Portuguesas,* 3ª série, p. 39).
categorizado. [Part. de categorizar.] *Adj.* **1.** Disposto em categorias; classificado. **2.** De categoria (4) importante.
categorizar. *V. t. d.* Dispor em categorias.
categute. [Do ingl. *catgut.*] *S. m.* Fio de origem animal, feito em geral da tripa de carneiro, empregado em cirurgia, para suturas ou ligaduras.
▲**caten-.** [Do lat. *catena, ae.*] *El. comp.* = 'cadeia', 'corrente': *catênula* (lat. *catenula*).
catenária. [Do lat. *catenaria.*] *S. f. Geom. Anal.* Curva plana cuja forma é a que assume um fio homogêneo, de espessura desprezível, perfeitamente flexível e inextensível, quando suspenso por seus dois extremos e sob a ação única do próprio peso; lugar geométrico plano do foco de uma parábola que rola, sem deslizar, ao longo de uma reta do seu plano. [Sin.: *velária.*]
catendense. *Adj. 2 g.* **1.** De, ou pertencente ou relativo a Catende (PE). ● *S. 2 g.* **2.** Natural ou habitante de Catende.
catenga. *S. f. Bras., N.E.* V. *lagartixa* (1).
catenóide. [De *caten-* + *-óide.*] *S. f. Geom. Anal.* Superfície de revolução resultante da rotação de uma catenária em torno da reta ao longo da qual rola a parábola que lhe dá origem.
catênula. [Do lat. *catenula.*] *S. f.* Pequena cadeia.
catenulado. [De *catênula* + *-ado*[1].] *Adj.* Ordenado em cadeia: *esporo c a t e n u l a d o.*
catenuliforme. *Adj. 2 g.* Em forma de catênula: *legume c a t e n u l i f o r m e.*
catequese. [Do gr. *katéchesis,* pelo lat. *catechese.*] *S. f.* **1.** Instrução metódica e oral sobre coisas religiosas: "a viagem que fez então [o P.ᵉ Joseph Crétin] à Europa tinha por fim .... conseguir missionários que o acompanhassem para encarregar-se da c a t e q u e s e das numerosas tribos indígenas que povoavam o seu território." (Vivaldo Coaraci, *Todos Contam Sua Vida,* p. 79). **2.** *P. ext.* Doutrinação.
catequético. [Do gr. *katechetikós,* pelo lat. *catecheticu.*] *Adj.* Relativo a catequese.
catequista. [Do gr. *katechistés,* pelo lat. *catechista.*] *Adj. 2 g.* e *s. 2 g.* Diz-se de, ou pessoa que catequiza; catequizador.
catequização. *S. f.* Ato ou efeito de catequizar.
catequizador (ô). *Adj.* e *s. m.* Catequista.
catequizar. [Do gr. *katechízo,* pelo lat. *catechizare.*] *V. t. d.* **1.** Instruir em matéria religiosa: *O P.ᵉ Manuel da Nóbrega chegou ao Brasil em 1549, chefiando o primeiro grupo de jesuítas que viera c a t e q u i z a r os índios.* **2.** Doutrinar sobre questões sociais. **3.** Procurar convencer; aliciar: *Queria c a t e q u i z a r correligionários naquela cidade. T. d.* e *i.* **4.** Introduzir no conhecimento ou na participação de alguma coisa; iniciar: *Insistiu em c a t e q u i z a r a amiga à sua crença.*
catérese. *S. f.* **1.** Fraqueza ou extenuação provocada por medicamento. **2.** Destruição por agente caterético.
cateretê. [De provável or. afr.] *S. m.* **1.** *Bras., S.* e *GO.* Dança rural, em fileiras opostas e cantada, e cujo nome indica origem tupi, mas que coreograficamente se mostra muito influenciada pelos processos africanos de dançar; catira: "A vista do lago recordava-lhe ... as noites nas festas ruidosas dos lundus e dos c a t e r e t ê s" (Inglês de Sousa, *O Missionário,* p. 275). **2.** *Bras., SP* e *MG.* V. *xiba* (1).
caterético. *Adj.* **1.** De natureza levemente cáustica. **2.** *Med.* Que causa fraqueza ou prostração.
caterina. [Do antr. *Caterina,* alter. de *Catarina.*] *S. f. Bras., SP. Pop.* V. *meretriz.*
caterinete (ê). [Do antr. *Caterina,* alter. de *Catarina* + *-ete.*] *S. m.* V. *catarinense* (2). [Cf. *barriga-verde.*]
➧**catering** (kêiterin'). [Ingl.] *S. m.* Fornecimento de comidas preparadas, de serviços (prataria, louça, copos, roupas de mesa, etc.), assim como de outras provisões requeridas.
caterva (é). [Do lat. *caterva.*] *S. f.* **1.** Multidão de pessoas, animais ou coisas. **2.** *Ant.* Multidão de tropas. **3.** Súcia, malta, corja.
catervagem. *S. f. Bras., N.E. Pop.* V. *quantidade* (3): "— Se aquela mosca-morta prestasse e tivesse juízo, estaria aqui aproveitando esta c a t e r v a g e m de belezas." (Graciliano Ramos, *S. Bernardo,* p. 162.) [Cf. *catrevage.*]
catete (ê). [De possível or. tupi.] *S. m. Bras.* Certa espécie de milho miúdo; batité, cateto.
catetê. *S. m. Luso-asiat.* Tecelão.
cateter (tér). [Do gr. *kathetér,* 'sonda', pelo lat. *catheteré.*] *S. m. Med.* Instrumento tubular, feito de material apropriado a fins diversos, o qual é introduzido no corpo com o objetivo de retirar líquidos, introduzir sangue, soros medicamentos, efetuar investigações diagnósticas (cateterização cardíaca, p. ex.).
cateterismo. *S. m. Med.* Emprego de cateter.
cateterização. *S. f.* Ação de cateterizar.
cateterizado. *Adj.* Que foi submetido a cateterização.
cateterizar. *V. t. d.* Empregar o cateter em.
cateto. [Do gr. *kátetos,* 'vertical, perpendicular', pelo lat. *cathetu.*] *S. m. Geom.* Qualquer dos lados adjacentes ao ângulo reto de um triângulo retângulo. [A pronúncia correta seria *cáteto.* Pl.: *catetos.* Cf. *cateto* (ê) e o pl. *catetos* (ê).]
cateto (ê). *S. m. Bras.* **1.** V. *catete* (1). **2.** *Bras.* V. *caititu* (1). [Pl.: *catetos* (ê). Cf. *cateto* e o pl. *catetos.*]
catetômetro. [Do gr. *káthetos,* 'vertical', + *-metro.*] *S. m. Fís.* Instrumento destinado a medir, com precisão, distâncias verticais.
cati. [De provável or. tupi.] *S. f. Bras., MT.* Erva aromática e acre, da família das ciperáceas (*Kyllinga triceps*), de folhas tão compridas quanto o caule, cujas flores são reunidas em espigas ovóides, protegidas por glumas fortemente nervadas, sendo o fruto aquênio, de cor parda-amarelada.
catião[1]. *S. m. Fís., Quím. P. us.* V. *cátion.*
catião[2]. *S. m. Bras.* V. *flor-das-almas.*
caticó. *S. m. Bras., SP. Pop.* V. *catatau* (8).
caticoco (ô). *S. m. Bras.* V. *caxinguelê.*
catiguá. *S. f. Bras., L.* e *S.* Designação comum a várias espécies da família das meliáceas, que incluem árvores de tamanho regular, cuja casca, amarga, é medicinal e fornece matéria tintorial, e cuja madeira é vermelha, flexível e de pouca duração.
catilinária. [Do lat. *catilinaria,* i. e., *oratio catilinaria,* 'discurso sobre Catilina'.] *S. f.* Acusação violenta e eloqüente por alusão a que Cícero [v. *ciceroniano*] fez a Catilina [Lucius Sergius Catilina, político romano (109-62 a.C.)]: "teria sido oportuno que eu produzisse uma c a t i l i n á r i a patética contra o desaproveitamento desse moço .... que a insensibilidade da Administração deixou ir na enxurrada de um magote de demitidos." (Leonardo Mota, *Violeiros do Norte,* p. 2.)
catimba. *S. f. Bras. Gír.* Manha, astúcia.
catimbar. *V. int. Bras. Gír.* Usar de astúcia ou catimba.
catimbau[1]. *S. m.* **1.** *Bras.* Prática de feitiçaria ou baixo espiritismo. [Var.: *catimbó.*] **2.** *Bras.* Cachimbo usado no catimbau (1). [Sin. ger. (no PA): *catimbaua.*]
catimbau[2]. [Do hispano-americano *catimbao* (Peru e Chile).] *S. m.* Homem ridículo.

catimbaua. *S. m. Bras., PA.* V. *catimbau.*

catimbauzeiro. *S. m. Bras.* Indivíduo dado ao catimbau[1] (1): [Var.: *catimbozeiro.*]

catimbeiro. *S. m. Bras. Gír.* Aquele que catimba; catimbento.

catimbento. *S. m. Bras. Gír.* Catimbeiro.

catimbó. *S. m.* **1.** *Bras.* Var. de *catimbau*[1] (1): "Seria devido aos catimbós de um preto a paixão do marido." (Alberto Rangel, *Dom Pedro Primeiro e a Marquesa de Santos*, p. 165.) **2.** *Bras., N.E.* V. *caipira* (1).

catimbozeiro (ò). *S. m. Bras.* Var. de *catimbauzeiro.*

catimbueira. [Alter. de *catambuera.*] *S. f. Bras.* Espiga de milho que não se desenvolveu inteiramente.

catimplora. [Var. de *cantimplora*, do esp. *cantimplora.*] *S. f.* **1.** Vaso de metal para resfriar água. **2.** Sifão para transvasamento de líquidos. **3.** Almotolia de bico estreito e comprido. **4.** Regador de jardim. **5.** Bueiro (7). **6.** *Bras.* Sorveteira manual de folha-de-flandres. **7.** *Bras.* V. *cartola* (2).

catimpuera. [Do tupi.] *S. f. Bras.* Espécie de bebida fermentada, feita com aipim cozido e amassado, de mistura com água e mel de abelha; catambruera.

catinga[1]. *S. f. Bras.* **1.** Cheiro forte e desagradável que se exala do corpo humano suado ou pouco limpo; bodum; morrinha. **2.** *P. ext.* V. *fartum* (3): "Sentiu uma catinga de coisa podre" (Nélson de Faria, *Tiziu e Outras Estórias*, p. 177). [Var.: *caxinga.* Cf. *caatinga.*] ♦ **Ter catinga de água.** *Bras., SP. Pop.* Ter azar.

catinga[2]. *S. f. Bras.* Var. de *caatinga.*

catinga[3]. [De possível or. tupi.] *Bras. S. 2 g.* **1.** V. *avaro* (3). ● *S. f.* **2.** Avareza, sovinice, somiticaria.

catingá. [De possível or. tupi.] *S. m. Bras.* V. *crejuá.*

catinga-branca. *S. f. Bras., MA a PE.* Árvore da família das lauráceas *(Linharea tinctoria)*, de folhas e casca aromáticas, fornecendo, esta última, matéria tintorial pardacenta; canelinha-amarela, catingueira. [Pl.: *catingas-brancas.*]

catinga-de-barrão. *S. f. Bras.* V. *catinga-de-bode.* [Pl.: *catingas-de-barrão.*]

catinga-de-bode. *S. f. Bras.* Erva aromática e amarga, da família das compostas *(Ageratum conyzoides)*, de flores alvacentas ou lilacíneas, reunidas em pequenos capítulos dispostos em panículas corimbiformes, fruto aquênio, preto, com cílios nos ângulos; catinga-de-barrão, erva-de-são-joão, maria-preta. [Pl.: *catingas-de-bode.*]

catinga-de-formiga. *S. f. Bras. L.* e *S.* Erva com aroma de limão, da família das compostas *(Pectis apodocephala)*, de flores amarelas, dispostas em capítulos sésseis e terminais, fruto aquênio, linear, anguloso e estriado. [Pl.: *catingas-de-formiga.*]

catinga-de-mulata. *S. f.* **1.** *Bras.* Designação de várias plantas ornamentais das famílias das compostas, geraniáceas e labiadas, que podem ser arbustivas, prostradas ou herbáceas, e levam flores aromáticas. **2.** V. *cordão-de-frade.* [Pl.: *catingas-de-mulata.*]

catinga-de-negro. *S. f. Bras.* Arbusto ornamental, da família das caparidáceas *(Cleome giganteum)*, de flores verdes, com sépalas compridas e curvas, cujo fruto é uma cápsula muito longa e fina, com sementes numerosas, e que fornece matéria tintorial vermelha; catinga-de-tatu. [Pl.: *catingas-de-negro.*]

catinga-de-porco. *S. f. Bras.* **1.** Planta da família das euforbiáceas *(Croton adenocalyx)*, de folhas membranosas, flores avermelhadas, masculinas e femininas, e fruto capsular. **2.** Planta da família das celastráceas *(Maytenus gonocladus)*, de flores insignificantes, esverdeadas, cujo fruto é uma cápsula ovóide e carnosa, com várias sementes; coração-de-negro, sapuvão. **3.** V. *catingueira* (1). [Pl.: *catingas-de-porco.*]

catinga-de-tamanduá. *S. f. Bras., L., S.* e *C.* Arbusto da família das leguminosas *(Bauhinia rufa)*, de flores grandes, alvas, dispostas em racimos, sendo o fruto uma vagem chata, e cuja raiz não morre com a queima dos campos; unha-de-boi-do-campo, unha-de-vaca-roxa. [Pl.: *catingas-de-tamanduá.*]

catinga-de-tatu. *S. f. Bras.* Catinga-de-negro. [Pl.: *catingas-de-tatu.*]

catingal. *S. m. Bras.* Larga extensão de catinga[2].

catingante. [De *catingar*[1] + *-nte.*] *Adj. 2 g. Bras.* V. *catingoso.*

catingar[1]. [De *catinga*[1] + *-ar*[2].] *V. int. Bras.* Exalar mau cheiro; feder. [Conjug.: v. *largar.*]

catingar[2]. [De *catinga*[3].] *V. int.* Mostrar-se avarento; regatear miseravelmente. [Conjug.: v. *largar.*]

catingoso (ô). *Adj. Bras.* Que exala catinga[1] ou mau cheiro; catingante, catinguento, catingudo, caxinguento.

catingudo. *Adj. Bras.* V. *catingoso.*

catingueira. [Fem. substantivado do adj. *catingueiro.*] *S. f.* **1.** *Bras., PI* a *BA.* Arbusto da família das leguminosas *(Caesalpinia pyramidalis)*, de flores amarelas, com cinco a nove folíolos ovados ou orbiculares, dispostas em racimos reunidos em panículas piramidais, cujo fruto é vagem séssil e coriácea que vegeta em lugares pedregosos e que, durante a seca, serve de alimento para o gado; catinga-de-porco, pau-de-porco, pau-de-rato. **2.** V. *catinga-branca.*

catingueirense. *Adj. 2 g.* **1.** De, ou pertencente ou relativo a Catingueira (PB). ● *S. 2 g.* **2.** Natural ou habitante de Catingueira.

catingueiro. *Bras. S. m.* **1.** Habitante da catinga[2]. **2.** V. *cigana* (2). **3.** V. *veado-mateiro.* ● *Adj.* **4.** Que habita a catinga[2].

catinguento. *Adj. Bras.* V. *catingoso*: "Parava pitando, uns charutos pequenos, catinguentos" (João Guimarães Rosa, *Primeiras Estórias*, p. 92). [Var.: *caxinguento.*]

catiom. *S. m. Fís.-Quím.* V. *cátion.*

cátion. [Do gr. *káthion*, 'que desce'.] *S. m. Fís.-Quím.* Íon com carga positiva; catiom, cationte, catião. [Cf. *ânion.*]

cationte. *S. m. Fís.-Quím.* V. *cátion.*

catira. [Talvez der. regress. de *cateretê* (pronunciado *catiretê*).] *S. m.* e *f. Bras., MG, S.* e *GO.* Cateretê (1): "Viera depois o 'catira' com os saracoteios voluptuosos das caboclas" (João Lúcio, *Bom-Viver*, p. 96). [Parece que é muito m. us. no masc.]

Catirina. [Alter. de *Catarina.*] *S. f.* A principal personagem feminina do bumba-meu-boi [q. v.], namorada do Mateus [q. v.], alegre, brincalhona, folgazã.

catiripapo. [Voc. *express.*] *S. m. Pop.* Golpe ou empurrão rápido e leve.

catirumbava. *S. f. Bras.* Ave passeriforme da família dos traupídeos *(Orthogonys choloricterus* (Vieil.)), da faixa litorânea do Brasil este-meridional, de dorso oliváceo, e verde-amarela inferiormente. Alimenta-se de bagas e pequenos frutos silvestres. [Sin.: *capitão-de-saíra.*]

catita[1]. *S. f. Marinh.* Pequena vela latina quadrangular que se iça em um mastro curto situado bem à popa de certas embarcações (chalupa, iole, etc.).

catita[2]. *S. f. Bras., N. Pop.* V. *cadeia* (3).

catita[3]. *S. f. Bras.* **1.** Designação comum aos mamíferos marsupiais da família dos didelfídeos, dos gêneros *Monodelphis* Burn, e *Marmosa* Gray., animais muito delicados, de hábitos noturnos, de 0,10 m a 0,12 m de comprimento, orelhas grandes, cauda longa, olhos geralmente orlados de preto, ventas com longos pêlos, e que, arborícolas, se alimentam de frutos e de insetos. [Cf. *cuíca* (1).] ● *Adj. 2 g.* **2.** Enfeitado, garrido, elegante.

catitice. [De *catita*[3] (2) + *-ice.*] *S. f.* Elegância no trajar; catitismo.

catitismo. *S. m.* Catitice.

catito. *S. m.* **1.** *Bras.* V. *camundongo.* **2.** *Bras., MG.* Boneco de celulóide ou de plástico.

cativante. [Do lat. *captivante.*] *Adj. 2 g.* Que cativa; sedutor, atraente.

cativar. [Do lat. *captivare.*] *V. t. d.* **1.** Tornar cativo; capturar: *Os jesuítas opuseram-se a que os portugueses cativassem os indígenas.* **2.** Ganhar a simpatia, a estima de; seduzir: "O que mais cativa e alucina os homens é uma certa beleza diabólica, que ninguém define" (Olavo Bilac, *Crítica e Fantasia*, p. 263). **3.** Atrair, granjear: *Tem um semblante que cativa simpatias. T. d. e i.* **4.** Prender, ligar, sujeitar (física ou moralmente): *cativar o amor à fidelidade. P.* **5.** Tornar-se cativo; perder a liberdade (física ou moral). **6.** Ficar sujeito; penhorar-se, render-se. **7.** Apaixonar-se, enamorar-se.

cativeiro. *S. m.* **1.** Qualidade ou caráter ou estado de cativo. **2.** Escravidão, servidão. **3.** *Fig.* Opressão, tirania, domínio.

cativo. [Do lat. *captivu.*] *Adj.* **1.** Que não goza de liberdade; encarcerado, preso. **2.** Prisioneiro de guerra. **3.** Forçado à escravidão. **4.** Seduzido, atraído, dominado, sujeito. **5.** Diz-se de bens hipotecados ou sobre os quais recai algum imposto. ~ V. *cadeira* —. ● *S. m.* **6.** Indivíduo cativo. **7.** Escravo (6). **8.** *Bras.* V. *martita.*

cativo-de-chumbo. *S. m. Bras.* V. *martita.* [Pl.: *cativos-de-chumbo.*]

cativo-de-ferro. *S. m. Bras.* Magnetita em octaedros. [Pl.: *cativos-de-ferro.*]

catléia. *S. f. Bot.* Gênero de plantas epífitas da família das orquidáceas que abrange cerca de 40 espécies distintas *(Cattleya)*, cultivadas sobretudo em razão do seu colorido e beleza.

catoco (ô). *S. m. Bras., PB. Pop.* Pequeno pedaço de alguma coisa.

catódico. *Adj.* Relativo ao catodo. ~ V. *corrosão —a, osciloscópio de raios —s, proteção —a, raios —s, seguidor —* e *tubo de raios —s.*

catódio. *S. m. Fís.* V. *catodo.*

catodo (ô). [Do gr. *káthodos*, 'descida'.] *S. m. Eletr.* Eletrodo negativo; eletrodo de onde partem elétrons e para onde se dirigem os íons positivos. [A pronúncia correta, *cátodo*, quase não tem uso no Brasil. Var.: *catódio.* Cf. *ânodo.*] ♦ **Catodo fotossensível.** *Eletrôn.* Superfície capaz de emitir elétrons quando iluminada, e constituída de uma base metálica recoberta por uma camada de elemento ou combinação química de baixa função trabalho.

cátodo. *S. m. Fís. P. us.* V. *catodo.*

catolé. *S. m. Bras.* V. *catulé.*

catoleense (eê). *Adj. 2 g.* e *s. 2 g.* V. *catuleense.*

catolicidade. *S. f. Rel.* **1.** V. *universalidade.* **2.** Qualidade da Igreja Católica Apostólica Romana de não se identificar com grupos nacionais, étnicos, sociais, etc. **3.** Qualidade de católico (2 e 3). **4.** A totalidade dos católicos: *O Papa é chefe da catolicidade.*

catolicismo. *S. m.* **1.** Religião dos cristãos que reconhecem o Papa (1) como autoridade máxima, que se confirma e expande por meio dos sacramentos, que venera a Virgem Maria e os santos, que aceita os dogmas como verdades incontestáveis e fundamentais, e que tem como ato litúrgico mais importante a missa. **2.** Atributo que indica a universalidade de uma religião, reivindicado para si pela Igreja Católica. **3.** V. *Igreja Católica.* **4.** Catolicidade (3 e 4).

catolicização. *S. f.* Ação ou efeito de catolicizar.

catolicizar. *V. t. d.* Tornar católico.

católico. [Do gr. *katholikós*, 'universal' pelo lat. *catholicu.*] *Adj.* **1.** Universal (1). **2.** Que pertence ao, ou professa o catolicismo: *país católico.* **3.** *Fig.* Perfeito, certo, exato: *Defendeu-se de forma não muito católica, deixando dúvidas quanto à sua inocência.* **4.** Bem-disposto; bem de saúde: *Há tempo que ele não anda muito católico.* [Us., em geral negativamente.] ~ V. *Igreja —a, Igreja —a Romana, língua —a* e *majestade —a.* ● *S. m.* **5.** Aquele que pertence ao catolicismo (1), ou o professa; católico romano. ♦ **Católico romano.** Católico (5). **Não estar muito católico. 1.** Estar meio embriagado. **2.** Estar meio perturbado do juízo. **Não ser muito católico.** *Bras. Pop.* **1.** Não ser ou não estar de bom humor. **2.** Ter modos ou ademanes de pederasta.

católito. *S. m. Fís.-Quím.* Em uma eletrólise, o eletrólito nas vizinhanças do catodo.

catolização. *S. f.* V. *catolicização.*

catolizar. *V. t. d.* V. *catolicizar.*

catombo. *S. m. Bras., N.* Tumor, inchaço, calombo.

catoniano. [Do lat. *catonianu.*] *Adj.* Do, ou pertencente ou relativo ao censor romano Catão (234-149 a.C.), famoso pela austeridade dos seus princípios, ou próprio dele; catônico.

catônico. *Adj.* Catoniano.

catonismo. *S. m.* Qualidade de catão; austeridade exagerada ou afetada.

catopê. [De *catupé*?] *S. m. Bras., MG. Folcl.* **1.** Cortejo dançante, de origem africana, que lembra as congadas e maracatus, guiado pelo mestre, que usa capacete enfeitado de penas de ema e toca flauta de bambu, e pelo contramestre, ao som de pandeiros, tambores, tamborins e reco-recos percutidos por todos os componentes, que também cantam. **2.** Cada um dos componentes do catopê (1); dançante: "Iam os catopês à frente, cantando e dançando" (Ciro dos Anjos, *A Menina do Sobrado*, p. 102). [O catopê faz parte das festas joaninas ou doutras, nalgumas cidades do estado.]

catópode. [Do gr. *káto*, 'embaixo', + *-pode.*] *Adj. 2 g. Zool.* Que tem barbatanas no ventre.

▲**catoptro-.** [Do gr. *kátoptron, ou.*] *El. comp.* = 'luz', 'espelho': *catoptromancia.*

catoptromancia (cí). [De *catoptro-* + *-mancia.*] *S. f.* Prática de adivinhação por meio de espelhos.

catoptromante. [De *catoptro-* + *-mante.*] *S. 2 g.* Pessoa dada à prática de catoptromancia.

catoptromântico. *Adj.* Referente à catoptromancia, ou a catoptromante.

catorra (ô). [Do esp. *cotorra.*] *S. f. Bras.* Ave psitaciforme, da família dos psitacídeos *(Myiopsitta monachus cotorra* (Vieil.)), do N. da Argentina e Paraguai, e de MS. Coloração verde, fronte e lado ventral pardacentos, rêmiges azuis; nidifica em colônia, sendo grandes os ninhos. [Sin.: *caturrita.*]

catorze (ô). *Num.* V. *quatorze*: "Só agora, dezoito horas e catorze minutos, chegam os jornais da tarde" (José

Cardoso Pires, *O Delfim*, p. 147).
catorzeno. *Num.* V. *quatorzeno.*
catota (ô). *S. f. Bras., N.E. Pop.* Meleca.
catrabucha. [Var. de *cartabuxa.*] *S. f.* **1.** Escova de fios de metal, para limpar e dar lustro. **2.** *Bras.* Qualquer objeto desconhecido.
catraca. [Voc. onom.] *S. f.* **1.** *Constr. Nav.* Dispositivo que permite girar lentamente o eixo propulsor de embarcação de grande porte sem para isto usar a máquina de propulsão. **2.** *Bras.* Dispositivo que possibilita o funcionamento dos arcos de pua nos lugares em que não se pode dar uma volta completa ao braço do instrumento, e que é também adaptável às chaves de fenda. **3.** *Bras.* V. *borboleta* (10).
catrafiar. *V. t. d. Pop.* V. *catrafilar.*
catrafilar. [De *filar.*] *V. t. d. Pop.* Agarrar; prender, encarcerar. [Var.: *catrafiar.*]
catraia. *S. f.* **1.** Pequeno barco tripulado por um homem: "andou embarcado numa c a t r a i a lerda que fazia cabotagem pelas bibocas da costa, de Salvador a Aracaju" (João Felício dos Santos, *João Abade*, p. 55). **2.** Pequena construção; casinhola. **3.** V. *meretriz.* **4.** *Bras.* Meretriz de baixa classe.
catraieiro. *S. m.* Tripulante de uma catraia; barqueiro.
catraio. [De *catraia?*] *S. m. Bras., RS.* V. *linguado* (6).
catrâmbias. *S. f. pl.* **1.** V. *cambalhota* (1). ● *Interj.* **2.** Indica enfado, irritação ou desprezo; ora bolas; bolas. ◆ **De catrâmbias.** De pernas para o ar.
catrapoço (ô). [De *catrapós.*] *S. m. Bras., N.E.* Coisa inútil, imprestável. [Pl.: *catrapoços* (ô).]
catrapós. [T. onom.] *S. m.* e *interj.* V. *catrapus.* [Pl. do s. m.: *catraposes.*]
catrapus. [Var. de *catrapós.*] *S. m.* **1.** O galopar do cavalo. [Pl.: *catrapuses.*] ● *Interj.* **2.** Voz imitativa do galopar. **3.** Voz imitativa de queda repentina e ruidosa. [Sin. da interj.: *trapus.*]
catre. [Do malaiala *kattil.*] *S. m.* **1.** Cama de viagem, dobrável, de lona. **2.** Leito tosco e pobre; grabato: "E dali saiu, ... não para achar no rude c a t r e o sono da hora que ainda restava à noite" (João Ribeiro, *Crepúsculo dos Deuses*, p. 39). **3.** *Bras., S.* Espécie de jangada. **4.** *Bras.* V. *chupim* (1).
catrevage. [Var. de *catervagem* (q. v.).] *S. f. Bras., N.* e *N. E. Pop.* **1.** Restos de materiais de construção ou de utensílios. **2.** Montão de quaisquer objetos.
catrumano. [De *quadrumano*, alter. pros. de *quadrúmano.*] *S. m. Bras., MG.* V. *caipira* (1).
catuá. [Do tupi?] *S. f. Bras., ES.* V. *garoupinha.*
catuaba. [Do tupi *akatu'ab*, 'capaz, idôneo'.] *S. f.* **1.** *Bras.* Planta da família das bignoniáceas (*Anemopaegma glaucum*), arbusto ornamental de flores amarelas campanuladas, de fruto capsular, folhas compostas e sésseis, e que é tida por medicinal, afrodisíaca; catuíba. **2.** *Bras.* Planta da família das bignoniáceas (*Avenco paegma mirandum*), com as mesmas características da catuaba (1); catuíba. **3.** *Bras.* Garrafada feita de catuaba (1 e 2), supostamente afrodisíaca. ● *S. m.* **4.** *Bras.* Homem forte, potente.
catuaba-do-mato. *S. f. Bras., MG* e *RJ.* Arbusto da família das aquifoliáceas (*Ilex conocarpa*), de flores alvas, sésseis, aromáticas, dispostas em espigas axilares, e cujo fruto é drupa ovóide-cônica, pequena. Tem propriedades melíferas e fornece matéria tintorial preta. [Pl.: *catuabas-do-mato.*]
catual. [Do persa *kotual.*] *S. m.* **1.** Entre alguns povos orientais, funcionário público; regedor. **2.** Intendente de negócios com os estrangeiros.
catucação. *S. f. Bras. Pop.* Var. de *cutucação.*
catucada. *S. f. Bras. Pop.* Var. de *cutucada.*
catucaém. [Do tupi *ka'tu*, 'bom', + *ka'em*, 'secar'.] *S. m. Bras., BA* a *SC.* V. *carne-de-vaca* (1).
catucão. *S. m. Bras. Pop.* Var. de *cutucão.*
catucar. *V. t. d. Bras. Pop.* Var. de *cutucar:* "Os Srs. Alarico Silveira e H. Sobral Pinto, também freqüentadores familiares desses temas, muitas vezes o c a t u c a r a m para ver se o surpreendiam em erro, mas ficavam sempre espantados com o infalseável domínio de Luís Schnoor em tudo quanto se prendesse à vida militar de qualquer tempo." (Agripino Grieco, *Gente Nova do Brasil*, p. 177.) [Conjug.: v. *trancar.*]
catueiro. *S. m. Bras., SP.* Anzol encastoado para apanhar peixes grandes.
catuema. *Bras. S. 2 g.* **1.** Indivíduo dos catuemas, tribo indígena do N. do PA que vive nas margens dos rios Mapuera, Acari e Cachorrinho, até o Nhamundá. ● *Adj. 2 g.* **2.** Pertencente ou relativo a essa tribo.
catuense. *Adj. 2 g.* **1.** De, ou pertencente ou relativo a Catu (BA). ● *S. 2 g.* **2.** Natural ou habitante de Catu.
catuíba. *S. f. Bras.* Catuaba (1 e 2).
catuixi (u-i). *Bras. S. 2 g.* e *adj. 2 g.* Catauixi.
catulé. [Do tupi *katu'lé.*] *S. m.* **1.** *Bras.* V. *coco-da-quaresma.* **2.** *Bras., N.O.* Palmeira de espique ereto, da família das palmáceas, gêneros *Cocos, Attalea.* (p. ex., o palmerim) e *Scheelea*, de frutos drupáceos, e cujo mesocarpo e albume fornecem dois óleos, levemente açucarados, que servem para alimentação; anajá. **3.** O fruto dessas palmeiras. ◆ **Quebrar catulé.** *Bras., N. E.* Falhar, não disparar (a arma de fogo portátil); quebrar coco.
catuleense (èên). *Adj. 2 g.* **1.** De, ou pertencente ou relativo a Catulé do Rocha (PB). ● *S. 2 g.* **2.** Natural ou habitante de Catulé do Rocha.
cátulo. [Do lat. *catulu.*] *S. m. Poét.* Cachorro, cão. [Cf. *Catulo*, antr.]
catumbi. [Do tupi *ka'á-t-ũbi*, 'a folha azul'.] *S. m.* **1.** *Bras.* Espécie de dança. **2.** *Bras., SP.* Espécie de jogo de azar.
catunduva. *S. f. Bras.* V. *catanduva.*
catupé. *S. m. Bras.* Antiga dança popular.
catuqui. [Alter. de *tatuquira.*] *S. m. Bras., AM.* V. *maruim.* [Var.: *catuquim.*]
catuquim. *S. m. Bras., AM.* V. *catuqui.*
catuquina. *Bras. S. 2 g.* **1.** Indivíduo dos catuquinas, tribo indígena da região dos rios Javari, Jutaí e Juruá (AM). ● *Adj. 2 g.* **2.** Pertencente ou relativo a essa tribo.
catuquinaru. *Bras. S. 2 g.* **1.** Indivíduo dos catuquinarus, tribo indígena que habita a região situada entre os rios Embira e Embiraçu (bacia do Juruá), famosa por seus aparelhos singulares para dar sinais acústicos à distância de mais de um quilômetro. ● *Adj. 2 g.* **2.** Pertencente ou relativo a essa tribo.
catur. *S. m.* Embarcação indiana, pequena e estreita, movida a remo ou à vela.
caturra. *Adj. 2 g.* **1.** Diz-se de pessoa teimosa, agarrada a velhos hábitos, sempre disposta a achar defeitos, a discutir; pechoso. **2.** Próprio de caturra (3): "A rotina, numa das suas formas mais estúpidas, é a persistência c a t u r r a numa primeira impressão." (Eça de Queirós, *Notas Contemporâneas*, pp. 28-29.) ● *S. 2 g.* **3.** Pessoa caturra. ● *S. f.* **4.** *Bras.* Planta da família das euforbiáceas (*Ricinus communis* L.); carrapateira-branca, mamona. **5.** V. *cuiú-cuiú* (1).
caturrada. *S. f. Mar.* **1.** Ato ou efeito de caturrar (2 e 3). **2.** Movimento descendente da proa da embarcação, no balanço ou jogo longitudinal; caturro. [Cf. (nesta acepç.): *arfagem* (2).]
caturrar. *V. int.* **1.** Mostrar-se caturra. **2.** *Mar.* Dar balanços longitudinais. **3.** *Mar.* Mergulhar a proa, no balanço longitudinal: "Ao romper da manhã seguinte, o *Manaus* c a t u r r a v a e galeava em pleno Lamarão." (Gustavo Barroso, *Mississípi*, p. 98.) [Cf. (nas acepç. 2 e 3): *arfar* (4).] *T. i.* **4.** Questionar com insistência; teimar: *Amanheceu mal-humorado, c a t u r r a n d o com a família.*
caturreira. *S. f.* V. *caturrice* (2).
caturrice. *S. f.* **1.** Ato ou efeito de caturrar. **2.** Teimosia infundada; caturreira, caturrismo.
caturrismo. *S. m.* **1.** Palavras, idéias, atos de caturra. **2.** V. *caturrice* (2).
caturrita. *S. f. Bras.* Catorra.
caturritar. [De *caturrita* + *-ar*[2].] *V. int. Bras., S.* Falar muito; palrar, tagarelar: "A Tudinha pegou logo a c a t u r r i t a r, e a cousa foi passando, como esquecida." (Simões Lopes Neto, *Contos Gauchescos e Lendas do Sul*, p. 133.)
caturro. [Dev. de *caturrar.*] *S. m. Mar.* Caturrada (2).
catuta. *S. f. Bras. Pop.* V. *cachaça* (1).
catuzado. *Adj. Bras.* Estragado, inutilizado (animal).
cauã. *S. f.* e *m. Bras.* V. *acauã:* "A c a u ã piou, além, na estrema do vale." (José de Alencar, *Iracema*, p. 54); "Uma c a u ã anunciava chuva." (Adalberon Cavalcanti Lins, *Curral Novo*, p. 24.)
cauaba. [Do tupi *ka'n*, 'beber vinho', + *hab.*, partícula de lugar.] *S. f. Bras.* Vaso em que os indígenas preparavam o cauim.
cauaçu. [Do tupi *kawa'su.*] *S. m. Bras.* **1.** Planta arbustiva, da família das marantáceas (*Calathea lutea*), de caule herbáceo, grandes flores amarelo-enxofre, e fruto capsular, com uma semente; ariá. **2.** Planta arbustiva, da família das poligonáceas (*Coccoloba latifolia*), de flores amarelas e fruto ovóide. **3.** Planta arbustiva, da família das rubiáceas (*Exostemma australe*), de flores pequenas e alvas, dispostas em panículas, e cujo fruto é uma cápsula achatada. [Sin. nesta acepç.: *cajueiro-bravo, quina-de-santa-catarina, quina-do-paraná.*] ~ V. *cauaçus.*
cauaçus. *S. m. pl. Bras.* Grupo de bandoleiros outrora existente nos sertões baianos. ~ V. *cauaçu.*
cauaiá. *S. m. Bras.* V. *buritirana* (1).
cauaíba. *Bras. S. 2 g.* e *adj. 2 g.* Var. de *cavaíba.*
cauanã. [Do tupi *kawa'nã.*] *S. m. Bras.* Ave ciconiforme, da família dos ciconídeos (*Enxenura galeata* (Mol.)), da América Meridional, branca, rêmiges e cauda preta, pernas avermelhadas; cegonha, tabuiaiá, tabujajá, tapucaiá, tubaiaiá.
cauá-tapuia. *Bras. S. 2 g.* **1.** Indivíduo dos cauás-tapuias, subgrupo indígena baniua que habita no rio Aiari, tributário do Içana (AM). ● *Adj. 2 g.* **2.** Pertencente ou relativo a esse subgrupo. [Pl.: *cauás-tapuias.*]
caúba. *S. f. Bras.* V. *rabo-aberto.*
caubi. [Do tupi *kaao'bi*, 'mato verde'.] *S. m. Bras., Amaz.* Mato verde.
caubói. [Do ingl. *cowboy.*] *S. m.* Guardião de gado; vaqueiro.
caução. [Do lat. *cautione.*] *S. f.* **1.** Cautela, precaução. **2.** Garantia, segurança. **3.** O que serve de penhor a um empréstimo, ou a um adiantamento. **4.** Depósito de valores aceitos para tornar efetiva a responsabilidade dum encargo. ◆ **Caução fidejussória.** *Jur.* Fiança (4). **Caução legal.** *Jur.* A imposta por lei; caução necessária. **Caução necessária.** *Jur.* Caução legal. **Caução promissória.** *Jur.* A que se funda unicamente na promessa do devedor. **Caução real.** *Jur.* A que se funda em direitos reais de garantia, como hipoteca, penhor, anticrese ou depósito em dinheiro, quer em títulos de crédito, quer em títulos da dívida pública.
caucasiano. *Adj.* V. *caucásio* (1).
caucásico. *Adj.* V. *caucásio* (1).
caucásio. [Do lat. *caucasiu.*] *Adj.* **1.** Do, ou pertencente ou relativo ao Cáucaso (U.R.S.S.); caucasiano, caucásico. **2.** Diz-se das línguas não indo-européias faladas no Cáucaso. ● *S. m.* **3.** O natural ou habitante do Cáucaso.
caucasóide. [De *caucás(io)* + *-óide.*] *Antrop. Adj. 2 g.* **1.** Da, ou pertencente a, ou que designa a maior divisão étnica da espécie humana, que tem características distintivas, tais como a cor da pele, que varia da muito clara à morena, e cabelos finos, de lisos a ondulados ou crespos. [Esta divisão inclui grupos de povos nativos da Europa, norte da África, sudoeste da Ásia e subcontinente indiano, ou que habitam essas regiões, e os descendentes deles que habitam outras partes do mundo.] **2.** Do, ou pertencente a, ou característico do caucasóide (1). ● *S. 2 g.* **3.** Indivíduo caucasóide.
cauchal. *Bras. Adj. 2 g.* **1.** Relativo ao caucho. ● *S. m.* **2.** Quantidade mais ou menos considerável de cauchos dispostos proximamente entre si; gomal.
caucheiro. *S. m. Bras., AM.* **1.** Extrator de borracha do caucho. **2.** Proprietário de cauchal.
caucho. [De *kautchuk*, palavra de idioma indígena das margens do alto Amazonas.] *S. m. Bras., PA, MT* e *BA.* Árvore de grande porte, da família das moráceas (*Castilloa ulei*), de estípulas grandes, lanceoladas e espatiformes, receptáculo frutífero solitário, quase séssil, com as sementes envoltas em polpa mole, comestível, e cujo látex dá uma borracha de qualidade inferior. [Cf. *cautchu.*]
caucho-macho. *S. m. Bras.* Árvore da família das moráceas (*Brosimum amplicoma*). [Pl.: *cauchos-machos.*]
cauchorana. [De *caucho* + *-rana.*] *S. f. Bras., PA.* Árvore pequena, da família das moráceas (*Perebea guianensis*), de estípulas amarelas e sedosas, fruto drupáceo, vermelho-coral, sucoso e doce, e que fornece látex em quantidade reduzida.
caucionante. *Adj. 2 g.* e *s. 2 g.* Caucionário (2 e 3).
caucionar. *V. t. d.* **1.** Dar em caução ou garantia. **2.** Assegurar com caução; afiançar. [Fut. pret.: *caucionaria*, etc. Cf. *caucionária*, fem. de *caucionário.*]
caucionário. *Adj.* **1.** Relativo a caução. **2.** Que dá ou presta caução, caucionante. ● *S. m.* **3.** Aquele que dá ou presta caução; caucionante. [Fem.: *caucionária.* Cf. *caucionaria*, do v. *caucionar.*]
➡**caucus** (cócaç). [Ingl.] *S. m. Pol.* Nos E.U.A., reunião particular ou preliminar dos chefes dum partido político a fim de escolher candidatos, adotar medidas, etc.
cauda. [Do lat. *cauda.*] *S. f.* **1.** Prolongamento posterior, mais ou menos comprido, do corpo de alguns animais; rabo. **2.** O conjunto das penas que se inserem no uropígio das aves; rabo. **3.** Rabo (2). **4.** *P. ext.* A parte do vestido ou manto que se arrasta posteriormente: "A esbelta senhora percorreu a sala .... , sempre grave e majestosa na c a u d a roçagante de seu vestido verde-claro" (Afonso Arinos, *Pelo Sertão*, p. 139). **5.** *Fig.* Rastro, pista. **6.** A parte posterior ou o prolongamento de certas coisas: a *c a u d a de um avião.* [Sin. pop. (nesta acepç.): *rabo.*] **7.** *Astr.* Parte de um cometa, com a forma de longa faixa luminosa, que se estende na

direção oposta a do Sol, e que é produzida pela ação da radiação e dos corpúsculos solares sobre os gases rarefeitos que envolvem o núcleo do astro: "Oito mil contos, guardada a distância que vai da terra ao céu, é alguma cousa parecida com a cauda do cometa de 1811." (Machado de Assis, *A Semana*, II, p. 57.) **8.** *Estat.* Parte de uma curva de freqüências ou de probabilidades situada num dos extremos da distribuição, e em que as densidades de freqüências ou de probabilidades são muito menores que as existentes noutras regiões. **9.** *Mús.* Pequena asa ou vírgula posta à direita da haste das figuras de valor inferiores à semínima: colcheia ( ), semicolcheia ( ), fusa ( ) e semifusa ( ). **10.** *Bras.* V. *rabo da cachoeira.* ♦ **Cauda de andorinha.** *Arquit.* Obra saliente, para defesa de uma praça estreita junto a esta, e que se alarga à medida que avança.

cauda-de-raposa *S. f.* **1.** Planta de caule herbáceo, ereto e ornamental, da família das amarantáceas (*Amaranthus caudatus*), de folhas verdes ou vermelhas, flores muito pequenas, vermelhas, densamente aglomeradas em verticilos, formando espigas compridas e pêndulas, e fruto vermelho, com sementes alvas, avermelhadas ou pretas; rabo-de-raposa, veludo-de-penca. **2.** V. *acalifa.* [Pl.: *caudas-de-raposa.*]

cauda-de-véu. *S. m. Bras.* Variedade de peixe ciprinídeo (*Carassius auratus* (L)) cuja nadadeira caudal é muito desenvolvida, lembrando um véu. [Pl.: *caudas-de-véu.* Cf. *peixe-vermelho.*]

caudado. [De *cauda* + *-ado*[1].] *Adj.* **1.** Caudato. **2.** *Bot.* Diz-se do órgão ou parte vegetal que se prolonga como se tivesse cauda: *folha caudada; antera caudada.* **3.** Pertencente ou relativo aos caudados; urodelo. ● *S. m.* **4.** Espécime dos caudados; urodelo.

caudados. *S. m. pl. Zool.* Animais metazoários, cordados, vertebrados, anfíbios, da subclasse *Caudata*. Corpo sem cabeça; tronco e cauda distintos; membros locomotores de tamanho aproximadamente igual; larvas, quando aquáticas, semelhantes, em forma, aos adultos, com dentes em ambas as maxilas. São anfíbios, de cauda persistente. [Sin.: *urodelos.*]

caudal[1]. [Do lat. *capitale.*] *S. m.* e *f.* **1.** Torrente impetuosa; cachoeira. **2.** Rio caudal, caudaloso: "Em face da linha verde rasa que esmorece lá para longe, o caudal amazônico, reaberto à nossa proa, tomou uma cor acobreada" (Vitorino Nemésio, *Caatinga e Terra Caída*, p. 281). **3.** Débito fluvial. **4.** *Fig.* Grande abundância ou fluência; torrente: "Ora eu .... deixo-me ficar à margem dessa caudal de clamores e sustos" (Mário de Alencar, *Contos e Impressões*, p. 197). ● *Adj. 2 g.* **5.** Caudaloso: "É um rio caudal e furioso" (Alexandre Herculano, *Lendas e Narrativas*, II, p. 48). **6.** *Fig.* Abundante, torrencial: *Nada estancará o indômito e caudal progresso de São Paulo.*

caudal[2]. *Adj. 2 g.* Relativo ou pertencente à cauda (1 e 2).

caudaloso (ô). *Adj.* Diz-se do rio que leva água em abundância; caudal, abundante.

caudatário. [Do lat. medieval *caudatariu.*] *S. m.* **1.** Aquele que, nas solenidades, levanta e leva a cauda das vestes das autoridades eclesiásticas ou altos dignitários. **2.** *Fig.* Indivíduo sem opinião própria, sem personalidade, subserviente, servil. ● *Adj.* **3.** Diz-se de indivíduo, agremiação, etc., servil, subserviente, sem opinião ou linha de conduta própria, definida: *político caudatário; partido caudatário.* **4.** *Fig.* Que imita outrem ou outra coisa; sem ou quase sem originalidade: *poeta caudatário; arte caudatária.*

caudato. [Do lat. medieval *caudatu.*] *Adj.* Que tem cauda; caudado: *cometa caudato;* "Vastos vestidos, como os das rainhas, / Caudatos, a varrer o céu com as barras" (Alberto de Oliveira, *Poesias*, 3ª série, p. 76). ~ V. *letra* —a.

▲**-caude.** V. *caudi-.*

caudel. [Do lat. *capitellu.*] *S. m.* Coudel [q. v.]. [Pl.: *caudéis.*]

caudelaria. *S. f.* Coudelaria [q. v.].

cáudex (cs). *S. m. Bot.* **1.** *Desus.* Caule, tronco. **2.** Estipe das palmeiras e dos fetos arborescentes. **3.** Parte subterrânea perene que renova anualmente a parte aérea, nas plantas em que esta desaparece por efeito do frio ou da seca. [Var.: *cáudice.*]

▲**caudi-.** [De *cauda.*] *El. comp.* = 'cauda': *caudífero, caudímano.* [Equiv.: *-caudo: acuticaudo; -caude: crassicaude.*]

cáudice. *S. m. Bot.* Var. de *cáudex.*

caudiculado. *Adj.* Provido de caudículo: *antera caudiculada.*

caudículo. *S. m. Bot.* **1.** Pequenina haste que sustenta a polinia, nas orquídeas. **2.** Apêndice minuto localizado na base da antera, em espécies de compostas.

caudilhamento. *S. m.* Comando exercido por caudilho.

caudilhar. *V. t. d.* e *p.* V. *acaudilhar.*

caudilhete (ê). [De *caudilho* + *-ete.*] *S. m.* Pequeno caudilho; caudilho insignificante: "eu poderia ser um caudilho, ou, ao menos, um caudilhete, se tivesse gosto pela função." (Alcides Maia, *Alma Bárbara*, p. 108.)

caudilhismo. *S. m.* Processos, sistema ou modos de caudilho.

caudilho. [Do esp. *caudillo.*] *S. m.* **1.** Chefe militar; cabo-de-guerra, chefe. **2.** V. *mandachuva.*

caudímano. [De *caudi-* + *-mano.*] *Adj.* Que apreende os objetos com a cauda.

caudino. [Do lat. *caudinu.*] *Adj.* **1.** De, ou pertencente ou relativo a Cáudio, antiga povoação da Itália. ~ V. *forcas* —as. ● *S. m.* **2.** O natural ou habitante de Cáudio.

▲**-caudo.** V. *caudi-.*

cauí. [Do tupi, decerto.] *S. m. Bras., AM.* V. *cauxi.*

cauiana (au-i). *Bras. S. 2 g.* **1.** Indivíduo dos cauianas, tribo indígena que habitava as margens do rio Trombetas. ● *Adj. 2 g.* **2.** Pertencente ou relativo a essa tribo.

cauíla. [Voc. afr.] *Adj.* e *s. 2 g. Bras.* V. *avaro* (1 e 3).

cauim (au-ím). [Do tupi *ka'wi*, 'bebida fermentada'.] *S. m. Bras.* Espécie de bebida preparada com a mandioca cozida e fermentada. [Preparavam-na primitivamente os indígenas com caju ou com outras frutas, ou, ainda, com milho e mandioca mastigados.]

cauintã (au-in). *S. m. Bras.* V. *anhuma.*

cauíra. [Var. de *cauíla.*] *Adj.* e *s. 2 g. Bras.* V. *avaro* (1 e 3).

cauixana (au-i). *Bras. S. 2 g.* **1.** Indivíduo dos cauixanas, tribo aruaque que habitava a região situada entre o baixo Japurá e o Içá. ● *Adj. 2 g.* **2.** Pertencente ou relativo a essa tribo.

cauixi (au-i). [Do tupi *kawi'xi.*] *S. m. Bras., AM.* V. *cauxi.*

caule. [Do gr. *kaulós*, pelo lat. *caule.*] *S. m. Bot.* Parte aérea, provida de apêndices verdes, ou folhas, do eixo das plantas superiores, ligada à parte subterrânea, ou raiz, pelo coleto [q. v.]. [Dim. irreg.: *caulículo.* Cf. *talo* (1).]

cauleoso (ô). *Adj. Bot.* V. *caulescente.*

caulescência. *S. f.* Qualidade de caulescente.

caulescente. [De um suposto verbo **caulescer*, de *caule.*] *Adj. 2 g. Bot.* Diz-se do vegetal que tem caule manifesto; cauleoso, caulífero: *feto caulescente.* [Opõe-se a *acaule.*]

▲**cauli-.** [Do lat. *caulis, is.*] *El. comp.* = 'caule': *caulícola.*

caulícola. [De *cauli-* + *-cola.*] *Adj. 2 g. Bot.* Que vive sobre o caule ou ramo de outra planta: *líquen caulícola.*

caulículo. [Do lat. *cauliculu.*] *S. m. Bot.* **1.** *Desus.* Hipocótilo. **2.** Pequeno caule. ~ V. *caulículos.*

caulículos. [Pl. de *caulículo.*] *S. m. pl. Arquit.* No capitel coríntio, pequenas hastes ou caules que saem de entre as folhas de acanto para formar as volutas. ~ V. *caulículo.*

caulídeo. *S. m. Bot.* Órgão análogo ao caule, que se encontra nos vegetais inferiores ou talófitos, e de estrutura puramente celular, com escassa diferenciação; caulóide.

caulífero. [Do lat. *cauli-* + *-fero.*] *Adj. Bot.* V. *caulescente.*

caulificação. *S. f. Bot.* Formação do caule.

cauliflória. [De *cauli-* + *-flor(o)-* + *-ia.*] *S. f. Bot.* Emissão de flores sobre o tronco e ramos grossos de certas árvores da floresta pluvial tropical, como se observa, p. ex., no cacaueiro.

caulifloro. [De *cauli-* + *-floro.*] *Adj. Bot.* Que apresenta cauliflória: *árvore caulíflora.*

caulim. [Do top. *KaoLing*, 'colina alta', pelo fr. *kaolin.*] *S. m.* Argila pura, de cor branca; caulino, barro branco, barro forte.

caulinar. *Adj. 2 g. Bot.* Relativo ou pertencente ao caule; caulino: *folha caulinar.*

caulínico. *Adj.* Que contém caulim, ou é da natureza dele.

caulinita. [De *caulim* + *-ita*[3].] *S. f. Min.* Mineral monoclínico, silicato de alumínio hidratado, um dos principais minerais de certas argilas.

caulino[1]. *Adj. Bot.* Caulinar.

caulino[2]. *S. m.* V. *caulim.*

caulóide. *S. m. Bot.* Caulídeo.

cauloma. *S. m. Bot.* O conjunto formado pelo caule e seus derivados e modificações, como, p. ex., os rizomas, ramos e folhas.

caúna. [Do tupi *ka'á una*, 'erva negra'.] *S. f. Bras., S.* Designação comum a várias plantas arbustivas da família das aquifoliáceas, gênero *Ilex*, que tem espécies muito ornamentais e fornece erva-mate de má qualidade.

cauô-cabiecilé. [Do ioruba.] *S. m. Bras., BA.* Saudação especial feita a Xangô. [Pl.: *cauôs-cabiecilés.*]

cauré. [Do tupi *kau'ré.*] *S. m. Bras., AM.* V. *temtenzinho.*

caureí. *S. m. Bras.* V. *cancã*[2] (3).

cauri. [Do hindustani *kauri.*] *S. m.* **1.** Molusco gastrópode, da família dos cipreídeos, gênero *Cypraea* L. As espécies *C. moneta* L. e *C. annulus* L. foram usadas no século passado como moedas, do Sudão à China. **2.** Buzo-fêmea. **3.** Buzo-macho. **4.** V. *chave* (23). **5.** *Pop.* Logro, burla, calote. [Var.: *cauril* e *caurim.*]

cauril. *S. m.* V. *cauri.*

caurim. *S. m.* V. *cauri.*

caurinar. *V. t. d. Pop.* Pregar caurim ou logro a; lograr.

caurineiro. *S. m. Pop.* O que prega caurins ou logros; caloteiro.

causa. [Do lat. *causa.*] *S. f.* **1.** Aquilo ou aquele que faz que uma coisa exista: *Não há efeito sem causa.* **2.** Aquilo ou aquele que determina um acontecimento: *Foi ele a causa dos tristes fatos ocorridos ontem.* **3.** Razão, motivo, origem: *Você bem sabe a causa do meu proceder.* **4.** Partido; interesse: *Sempre foi um defensor da causa do povo.* **5.** Pleito judicial; demanda, ação: *causa criminal.* **6.** *Filos.* Termo correlacionado a efeito e que se concebe de maneiras diversas, que se compreendem a partir de dois enfoques fundamentais: **a)** relação entre um ser inteligente e o ato que ele praticou voluntariamente e pelo qual é responsável; **b)** vínculo que correlaciona os próprios fenômenos e que faz com que um ou vários deles apareçam como condição da existência de outros. **7.** *Jur.* O motivo por que alguém se propõe contratar: *causa lícita; causa ilícita.* ♦ **Causa eficiente.** *Filos.* Condição do fenômeno que produz outro fenômeno. **Causa final.** *Filos.* Condição daquilo em vista de que algo se produz. **Causa formal.** *Filos.* Condição daquilo pelo que alguma coisa é tal ser determinado. **Causa material.** *Filos.* Condição daquilo de que uma coisa é feita. **Em causa.** Em questão; de que se trata: *Não é este o assunto em causa.* **Por causa de.** Por motivo de; em conseqüência de; por amor, culpa, etc., de: *Sofre por causa de sua bondade.*

➡**causa debendi** (cauza debêndi). [Lat., 'causa da dívida'.] *Jur.* Origem, fundamento da obrigação.

causação. [Do lat. *causatione.*] *S. f.* Ato de causar; causa.

causador (ô). *Adj.* **1.** Que é causa; causativo. **2.** Que determina um acontecimento; ocasionador. ● *S. m.* **3.** Aquele ou aquilo que é causa. **4.** Aquele ou aquilo que determina um acontecimento; ocasionador.

causal. [Do lat. *causale.*] *Adj. 2 g.* **1.** Relativo a causa; causativo. **2.** Que exprime causa. ~ V. *conjunção* —. ● *S. f.* **3.** Motivo, origem, causa. **4.** *Gram.* Conjunção causal. [Cf. *casual.*]

causalidade. *S. f.* Relação de causa e efeito. [Cf. *casualidade.*]

➡**causa mortis** (cauza mórtiç). [Lat., '(por) causa da morte'.] *Jur.* **1.** Diz-se da causa determinante da morte de alguém. **2.** Diz-se do imposto pago sobre a importância líquida da herança ou legado.

➡**causa petendi** (cauza petêndi). [Lat., 'causa de pedir'.] *Jur.* Ato ou fato que constitui o fundamento jurídico da ação.

causar. [Do lat. **causare*, por *causari.*] *V. t. d* e *t. d. e i.* Ser causa ou motivo de; motivar; originar; produzir: *O mau tempo causou o acidente aéreo;* "Seu nome causará vergonha e asco" (Eugênio de Castro, *Obras Poéticas*, V, p. 70); "Chuvas causam 9 mortes e desabamentos em Osasco" (*Folha de S. Paulo*, 2.11.1981); "Puis de Chavannes causou a Rodin um dos dissabores de sua carreira, quando não gostou de seu busto por ele feito" (Carlos de Gusmão, *Boca da Grota*, p. 35).

causativo. [Do lat. *causativu.*] Adj. **1.** Causal (1). **2.** Causador (1). ~ V. *verbo* —.

➡**causa traditionis** (cauza tradiciôniç). [Lat., 'causa da tradição'.] Razão ou fundamento da transmissão das coisas entre as partes interessadas.

➡**causa turpis** (cauza túrpiç). [Lat., 'causa torpe'.] Causa obrigacional ilícita ou desonesta.

➡**causeur** (côzér). [Fr.] *S. m.* Conversador brilhante.

➡**causerie** (cos'ri). [Fr.] *S. f.* Bate-papo.

➡**causeuse** (cozêz'). [Fr.] *S. f.* Poltrona para duas pessoas.

causídico. [Do lat. *causidicu.*] *S. m.* Defensor de causas; advogado.

causo. *S. m. Bras. Pop.* Conto, história, caso: "—

Ioaninha Vintém conte um c a u s o" (Raul Bopp, *Putirum*, p. 73).
cáustica. *S. f. Geom. Anal.* Curva cáustica. [Cf. *caustica*, do v. *causticar*.] ♦ **Cáustica por refração.** *Geom. Anal.* V. *curva diacáustica*.
causticação. *S. f.* **1.** Ato ou efeito de causticar. **2.** *Fig.* Importunação, consumição, amolação.
causticante. *Adj. 2 g.* **1.** Que caustica; cáustico. **2.** *Fig.* Impertinente, importuno, molesto.
causticar. *V. t. d.* **1.** Aplicar cáusticos a; queimar: *c a u s t i c a r um ferimento*. **2.** Aquecer muito, ressecando: "O sol c a u s t i c a a prumo a rústica devesa; / Exala-se da terra um bafo ardente." (Conde de Monsaraz, *Musa Alentejana*, p. 207). **3.** *Fig.* Importunar, enfadar, molestar, maçar: *C a u s t i c a v a os amigos com freqüentes pedidos de dinheiro*. *Int.* **4.** Aplicar cáustico; queimar: "Pensas que a aragem glacial tão freqüente na Paulicéia, principalmente à tarde, aragem que horripila e c a u s t i c a , esfria-se ao passar por entre os ramos daquelas casuarinas da Consolação." (Raul Pompéia, *Crônicas 4*, p. 14.) [Conjug.: v. *trancar*. Pres. ind.: *caustico, causticas, caustica*, etc. Cf. *cáustico* e *cáustica*.]
causticidade. *S. f.* **1.** Qualidade do que é cáustico. **2.** *Fig.* Mordacidade, maledicência, sátira.
cáustico. [Do gr. *kaustikós*, pelo lat. *causticu*.] *Adj.* **1.** Que queima, cauteriza ou carboniza os tecidos orgânicos: *soda c á u s t i c a*; "queimara a boca com o sumo c á u s t i c o da fruta da bromeliácea." (Júlio Ribeiro, *A Carne*, p. 246). **2.** *Fig.* Que fere: irônico, mordaz, satírico: "Margarida .... , que havia herdado um pouco do espírito c á u s t i c o e zombeteiro de sua mãe .... , tinha acabado de .... desorientar completamente o pobre rapaz." (Bernardo Guimarães, *O Seminarista*, p. 87.) — V. *curva* —*a*, *potassa* —*a*, *soda* —*a* e *superfície* —*a*. ● *S. m.* **3.** Substância química que desorganiza os tecidos e pode até chegar à produção de escara. [Cf. *caustico*, do v. *causticar*.]
caustobiólito. *S. m. Pet.* Rocha sedimentar formada de restos de organismos combustíveis, como o carvão, a turfa, etc.
cautchu. [Do fr. *caoutchouc*.] *S. m.* Substância elástica e resistente, resultante da coagulação do látex de diversas plantas (*Hevea brasiliensis*, etc.). [Cf. *caucho*.]
cautela. [Do lat. *cautela*.] *S. f.* **1.** Cuidado para evitar um mal; precaução, cuidado. **2.** Cautelamento. **3.** Documento, em forma de recibo de depósito, que as casas de penhores passam aos que nelas levantam empréstimo. **4.** Certificados ou títulos provisórios que representam ações ou debêntures. **5.** Recibos trocados reciprocamente entre o carregador (remetente) e o condutor (transportador), comprobatório do contrato de transporte. **6.** *Lus.* A última subdivisão de um bilhete de loteria. ♦ **À cautela.** Como medida de precaução; por cautela: "a Inglaterra já tem em Gibraltar, diante das costas da África, à c a u t e l a , uma grossa esquadra de couraçados." (Eça de Queirós, *Ecos de Paris*, p. 148). **Por cautela.** À cautela.
cautelamento. *S. m.* V. *acautelamento*.
cautelar¹. *Adj. 2 g.* **1.** Que acautela. **2.** Próprio para acautelar; cautelatório, acautelatório: "As medidas c a u t e l a r e s , ou preventivas, podem ser processuais *penais* ou processuais *civis*." (Neemias Gueiros, *A Advocacia e o Seu Estatuto*, p. 122).
cautelar². *V. t. d., t. d. e i., int.* e *p.* V. *acautelar*.
cautelatório. *Adj.* V. *cautelar¹* (2).
cauteleiro. [De *cautela* (7).] *S. m. Lus.* Vendedor ambulante de cautelas ou de bilhetes de loteria: "é no café que o velho c a u t e l e i r o faz praça, com as suas duas tiras de loteria penduradas na gola do casaco." (José Cardoso Pires, *O Delfim*, p. 27).
cauteloso (ô). *Adj.* Que procede com cautela; cuidadoso, prudente.
cautério. [Do gr. *kautérion*, pelo lat. *cauteriu*.] *S. m.* **1.** Meio químico (mediante substâncias cáusticas), ou físico (mediante ferro incandescente, corrente elétrica), de seção ou destruição de tecido. **2.** Cicatriz de queimadura. **3.** *Fig.* Correção enérgica; castigo.
cauterização. *S. f.* Ato ou operação de cauterizar.
cauterizar. *V. t. d.* **1.** Aplicar cautério a: *c a u t e r i z a r um ferimento*. **2.** Destruir, extirpar. **3.** Corrigir, sanear, empregando meios enérgicos. **4.** Afligir ou penalizar ao extremo.
cauto. [Do lat. *cautu*.] *Adj.* V. *acautelado* (1): "Se, carinhoso, c a u t o me movo, / É com receio de te magoar." (B. Lopes, *Val de Lírios*, p. 19.)
cauxi. *S. m. Bras., AM* e *PA*. Designação comum aos animais espongiários monaxônidos da família dos espongilídeos, de água doce, cujo contato produz forte comichão, por causa dos espículos que provocam irritação da pele. Crescem nas várzeas alagadiças ou igapós e se acumulam nas raízes das árvores. Daí são retirados pelos naturais da terra, e reduzidos a cinza, que, misturada ao barro, serve para o fabrico da louça. [Sin.: *esponja-d'água-doce, cabixi, cauí, cauixi, paracutaca*.]
cava. [Do lat. *cava*.] *S. f.* **1.** Operação de cavar. **2.** Lugar cavado; escavação. **3.** Abertura ou corte do vestuário na região axilar, a que se adaptam ou não mangas; cavado: "puxou da c a v a do colete uma faquinha com que ia migar um pouco de fumo" (Gastão Cruls, *De Pai a Filho*, p. 59); *O vestido não tem mangas e a c a v a é bem pronunciada*. **4.** Adega subterrânea. [Tb. se diz (gal., desus. no Brasil) *cave*.] **5.** Pavimento inferior de uma casa, abaixo do nível da rua.
cavaca. [De *cava* + *-aca*.] *S. f.* **1.** Cavaco¹ (1). **2.** Acha de lenha. **3.** *Cul.* Biscoito seco, arredondado, com um dos lados revestido de açúcar de confeiteiro.
cavacão. *S. m. Fam.* Grande cavaco² (2) cascarrão.
cavação. *S. f.* **1.** Ato ou efeito de cavar. **2.** *Bras. Pop.* Negócio ou emprego obtido por proteção. **3.** Negócio ilícito; negociata, arranio.
cavacar. *V. t. d.* **1.** Abrir cava em; escavar, cavar. *Int.* **2.** Cavar (11). [Conjug.: v. *trancar*.]
cavaco¹. *S. m.* **1.** Estilha ou lasca de madeira; cavaca. **2.** *Bras.* V. *guaivira*. **3.** *Bras.* V. *xarelete*. — V. *cavacos*. ♦ **Catar cavaco.** *Bras. Gír. Fut.* Perder (o jogador) o equilíbrio na corrida, seguindo para a frente até uma certa distância com o corpo curvo e as mãos quase tocando o chão.
cavaco². [De *cava* + *-aco*?] *S. m.* **1.** V. *bate-papo*. **2.** Mostras de aborrecimento ou zanga da parte de quem é troçado, pirraçado, ou ridicularizado. **3.** Contrariedade, acanhamento, arrufo. — V. *cavacos*. ♦ **Dar cavaco.** Dar mostras de aborrecimento ou zanga, por ser objeto de troça, de pirraça ou de ridículo; dar o cavaco. **Dar o cavaco.** Dar cavaco.
cavacos. *S. m. pl. Bras., RS.* Pedacinhos que sobram da carne charqueada. — V. *cavaco*.
cavacué. [Do tupi *kawaku'é*.] *S. m. Bras.* Ave psitaciforme, da família dos psitacídeos (*Amazona diadema* (Spix)), do N. O. do AM. Coloração verde, fronte e mento encarnados, vértice violáceo-claro, espelho encarnado, rêmiges pretas ou azuis enegrecidas.
cavadeira. [De *cavado* (adj.) + *-eira*.] *S. f.* **1.** *Bras.* V. *ariramba-da-mata-virgem*. **2.** *Bras., SP.* Peça de ferro, com gume, adaptada à extremidade dum pau, com que se abrem buracos para sementes no chão.
cavadela. *S. f.* **1.** Ato de cavar ligeiramente; cavadura. **2.** Enxadada (2).
cavadiço. *Adj.* **1.** Que se pode cavar: *terreno c a v a d i ç o*. **2.** Que se tira da terra, escavando-a.
cavado. [Part. de *cavar*.] *Adj.* **1.** Aberto, revolvido (o terreno), com instrumento apropriado: *terra c a v a d a*. **2.** Em que se fez buraco; escavado. **3.** Fundo, encovado: *olhos c a v a d o s*; "No seu c a v a d o rosto macilento / Um poema de lágrimas se lia." (Gonçalves Crespo, *Obras Completas*, p. 297). **4.** V. *côncavo* (1). **5.** Diz-se do mar com vagas altas e pouco distanciadas entre si. — V. *parte* —*a*. ● *S. m.* **6.** Lugar que se cavou; buraco, cava. **7.** Cava (3): *o c a v a d o das mangas*.
cavador (ô). *S. m.* **1.** Aquele que cava. **2.** Trabalhador de enxada. [Sin. nessas acepç.: *cavão*.] **3.** *Bras.* Aquele que cava, i. e., arranja colocação, negócios, etc., até por meios ilícitos; furão, furador. ● *Adj.* **4.** *Bras.* Que é trabalhador pertinaz; cavucador; furão, girento.
cavadura. *S. f.* Cavadela (1).
cavaíba. *Bras. S. 2 g.* **1.** Indivíduo dos cavaíbas, tribo tupi que até o século XVII habitava nas imediações dos rios Teles Pires e Juruena quando, desalojados pelos mundurucus, se dividiram em vários subgrupos, dos quais os mais importantes se denominaram *parintintim-cavaíba* [q. v.] e *tupi-cavaíba* [q. v.]. ● *Adj. 2 g.* **2.** Pertencente ou relativo a essa tribo. [Var.: *cauaíba*.]
cavala. [De *cavalo*.] *S. f.* **1.** Peixe escombrídeo, espécie de sarda. **2.** *Bras., N.E.* Cavalo (8). **3.** *Bras., RJ. Folcl.* Ossinho que os pescadores de Angra dos Reis retiram da cabeça da cavala, e que, segundo a crença popular, diz assemelhar-se à imagem de Nossa Senhora.
cavala-africana. *S. f. Bras.* V. *enchova-preta*. [Pl.: *cavalas-africanas*.]
cavala-branca. *S. f. Bras.* Peixe teleósteo, percomorfo, da família dos tunídeos (*Scomberomus regalis* (Bloch)), do Atlântico, desde os E.U.A. até o Brasil. Cabeça azul-escura; dorso, parte superior da cauda, flancos e abdome, brancos; quatro a cinco séries de manchas bronzeadas dos lados, e que se estendem da axila ao pedúnculo caudal. Alimenta-se de outros peixes, e o comprimento médio é de 0,50 a 0,60 m. [Pl.: *cavalas-brancas*.]
cavalada. *S. f.* **1.** Ação ou atitude própria de cavalo (2). **2.** Grande asneira. [Sin. ger.: *cavalice*.]
cavalagem. *S. f.* **1.** Padreação de éguas. **2.** Preço de padreação. **3.** Modo de andar a cavalo.
cavalão. [Aum. de *cavalo*.] *Adj.* **1.** *Fig.* Muito alto ou muito desenvolvido. ● *S. m.* **2.** *Fig.* Indivíduo desenvolto, que anda correndo ou aos pulos. **3.** *Fig.* Indivíduo muito alto. **4.** *Fig.* Indivíduo alto e cheio de corpo, mas curto de inteligência e grosseirão. [Fem. nessas acepç.: *cavalona*.] **5.** *Zool.* Certo peixe escombrídeo.
cavala-pintada. *S. f. Bras.* V. *sororoca* (2). [Pl.: *cavalas-pintadas*.]
cavala-preta. *S. f. Bras.* Cavala-verdadeira. [Pl.: *cavalas-pretas*.]
cavalar¹. *Adj. 2 g.* **1.** Relativo ou pertencente a, ou próprio de cavalo: *os cascos c a v a l a r e s ; resistência c a v a l a r*. **2.** Da raça do cavalo. **3.** Exagerado, excessivo, descomunal: "quase lhe pede desculpas por ter dormido a sono solto, como se houvesse ingerido doses c a v a l a r e s de infusos e barbitúricos." (Jorge Amado, *Dona Flor e Seus Dois Maridos*, p. 399).
cavalar². *V. int. Fam.* Cavaloar: "Na rua o realejo calara-se, por cima do tecto já não c a v a l a v a m as crianças." (Eça de Queirós, *Os Maias*, II, p. 18.)
cavalaria. *S. f.* **1.** Multidão de cavalos. **2.** Multidão de gente a cavalo. **3.** Tropa militar que serve a cavalo. **4.** Equitação. **5.** Ordem de cavalaria. **6.** Proeza ou façanha de cavaleiro andante [q. v.]. ● *S. m.* **7.** *Gír.* Soldado de cavalaria. [F. paral.: *cavaleria*.] ♦ **Cavalaria andante.** **1.** O conjunto dos cavaleiros andantes. **2.** O ofício dos cavaleiros andantes. **À cavalaria.** À maneira dos soldados de cavalaria. **Meter-se em altas cavalarias.** **1.** Envolver-se em aventuras arriscadas. **2.** Pretender fazer o que é superior às suas forças. [Tb. se diz *meter-se em cavalarias altas*.] **Meter-se em cavalarias altas.** Meter-se em altas cavalarias: "— Aproveitar [a noite de liberdade] como? Não sou pândego nem tenho recursos para m e t e r - m e e m c a v a l a r i a s a l t a s .... " (Artur Azevedo, *Contos fora da Moda*, p. 128.)
cavalariano. *S. m.* **1.** *Bras.* Soldado de cavalaria; cavaleiro. **2.** *Bras., N.E.* Indivíduo que viaja a negociar com cavalos.
cavalariça. *S. f.* Casa térrea destinada a habitação de cavalos; cocheira; estrebaria.
cavalariço. *S. m.* Empregado de cavalaria ou de coudelaria; palafreneiro: "No alpendre .... estava um criado almofaçando um alazão irrequieto que procurava morder o c a v a l a r i ç o quando lhe passava o ferro nos ilhais." (Camilo Castelo Branco, *A Filha do Regicida*, p. 95.)
cavala-verdadeira. *S. f. Bras.* Peixe teleósteo, percomorfo, da família dos tunídeos (*Scomberomus cavalla* (Cuv.)), do Atlântico, desde os E.U.A. até Angra dos Reis e as costas da África. Dorso azul-escuro, abdome prateado; nadadeira dorsal com 15 raios e 9 a 15 pínulas, a anal com 16 raios e oito pínulas. Tem cerca de 1,30m de comprimento, e é pescada com linha ou rede. [Sin.: *cavala-preta*. Pl.: *cavalas-verdadeiras*.]
cavalcantense. *Adj. 2 g.* **1.** De, ou pertencente ou relativo a Cavalcanti (GO). ● *S. 2 g.* **2.** Natural ou habitante de Cavalcanti.
cavalear. *V. t. d.* e *int.* V. *cavalgar*. [Conjug.: v. *frear*.]
cavaleiro. *Adj.* **1.** Que anda a cavalo; que cavalga. **2.** Relativo à cavalaria; gentil, brioso. ● *S. m.* **3.** Homem montado a cavalo. **4.** Aquele que sabe andar a cavalo. [Fem. (nesta acepç.): *cavaleira, amazona*.] **5.** Cavalariano (1). **6.** Membro de uma ordem de cavalaria. **7.** Homem nobre; paladino; cavaleiro andante. **8.** Obra de fortificação. **9.** *Fís.* Pequeno peso com que se estimam, numa balança analítica, massas da ordem do miligrama ou do décimo de miligrama. **10.** *Bras.* Crustáceo macruro, da família dos palemonídeos (*Palaemon jamaicensis* Hbst.). [Sin. (em SP): *cutipaca*.] **11.** *Bras.* Onda alta e impetuosa. **12.** *Bras., AM* e *MA*. Designação comum às ondas altas da pororoca. [Cf. *cavalheiro*.] ♦ **Cavaleiro andante.** **1.** Cavaleiro que, na Idade Média, sozinho ou em companhia de seus pares, corria terras em busca de aventuras, a fim de defender os fracos, lutar pela Igreja, pela justiça, desagravar damas e donzelas, etc. **2.** *P. ext.* Aquele que luta por ideais quiméricos, inacessíveis. **Cavaleiro da triste figura.** D. Quixote, o herói de *Dom Quixote de la Mancha*, de Cervantes [v. *cervantesco*]. **A cavaleiro.** Em lugar eminente, sobranceiro; por cima. **A cavaleiro de.** Sobranceiro a; em posição elevada em relação a: "O meu quarto de dormir a c a v a l e i r o d a entrada da barra." (Manuel Bandeira, *Estrela da Vida Inteira*, p. 107.)

cavaleiroso (ô). *Adj.* Próprio de cavaleiro; valoroso: "C a v a l e i r o s a espada relumbrante!" (Guerra Junqueiro, *Pátria*, p. 163). [Cf. *cavalheiroso*.]

cavaleria. *S. f.* Cavalaria [q. v.].

cavalete (ê). [Dim. de *cavalo*.] *S. m.* **1.** Armação móvel, com pé, dotada de suporte, na qual se põe a tela para pintar, o quadro-negro, a prancha de desenho, etc.: "Aí foi Seixas encontrar dous grandes quadros, colocados nos respectivos c a v a l e t e s." (José de Alencar, *Senhora*, p. 307.) **2.** Antigo instrumento de tortura; ecúleo. **3.** Peça que sustenta as xalmas. **4.** Armação ou banqueta para apoiar as peças em que trabalham marceneiros, carpinteiros, mecânicos, etc. **5.** Pequena peça de madeira ou de metal com que se levantam as cordas de alguns instrumentos musicais. **6.** *Grav.* Suporte em que o água-fortista apóia a mão para não danificar o verniz da chapa, quando grava. [Cf. *pousa-mão*.] **7.** *Tip.* Móvel de madeira ou de metal onde se engavetam as caixas de tipos, e em cuja parte superior, inclinada, o compositor põe aquela com que vai trabalhar **8.** *Tip.* Armação de ferro, com cilindro, sobre a qual se retocam os estereótipos curvos. **9.** *Bras., N.* e *N.E.* Toro de madeira que se utiliza para atravessar rios. **10.** *Bras.* Cada um dos tacos de madeira onde assenta o eixo da roda da máquina de ralar mandioca. **11.** *Bras.* Trave em que os vaqueiros penduram selas e outros arreios. ◆ **Cavalete de telhado.** *Arquit.* V. *cumeeira*.

cavalgação. [De *cavalgar* + *-ção*.] *S. f. Bras., AM.* V. *cio* (1).

cavalgada. [De *cavalgar* + *-ada*[1].] *S. f.* **1.** Reunião de pessoas a cavalo. **2.** Marcha de um troço de cavaleiros: "o som longínquo vem se aproximando / Do galopar de estranha c a v a l g a d a." (Raimundo Correia, *Poesias*, p. 110.) **3.** Quantidade de cavalgaduras. [F. paral.: *cavalgata*.]

cavalgadura. *S. f.* **1.** Besta cavalar, muar ou asinina, que se pode cavalgar. **2.** *Fig.* V. *cavalo* (2).

cavalgamento. *S. m.* **1.** Ação ou efeito de cavalgar. **2.** V. *enjambement*. **3.** *Patol.* Sobreposição, lado a lado, dos dois cotos ósseos de uma fratura.

cavalgante. *Adj. 2 g.* e *s. 2 g.* Que ou quem anda a cavalo; cavaleiro [q. v.].

cavalgar. [Do lat. vulg. *caballicare*.] *V. t. d.* **1.** Montar sobre, encavalgar, cavalear, encavalar, campear: *c a v a l g a r um ginete*; "c a v a l g a n d o um fogoso alazão, seguia para Porto Calvo" (Guedes de Miranda, *Eu e o Tempo*, p. 77); *Contava histórias de bruxas que c a v a l g a v a m cabos de vassoura e saíam voando*. **2.** Passar ou saltar por cima de; galgar; encavalgar, cavalear, encavalar. **3.** Pôr a cavaleiro (óculos). *T. c.* **4.** Sentar-se escarranchado; montar. *Int.* **5.** Montar a cavalo; cavalear: "D. Rui colheu as rédeas, c a v a l g o u sofregamente." (Eça de Queirós, *Contos*, p. 259); "C a v a l g o e parto." (Monteiro Lobato, *Urupês, Outros Contos e Coisas*, p. 26). **6.** Andar a cavalo; cavalear: *Antônio c a v a l g a bem*. [Conjug.: v. *largar*.]

cavalgata. *S. f.* Cavalgada.

cavalhada. *S. f. Bras.* **1.** Porção de cavalos. **2** Gado cavalar. — V. *cavalhadas*.

cavalhadas. [Pl.: de *cavalhada*.] *S. f. pl.* Folguedo popular que consta de uma espécie de justa ou torneio. — V. *cavalhada*.

cavalheiramente. [Do fem. de *cavalheiro* + *-mente*.] *Adv.* Cavalheirescamente.

cavalheirescamente. [Do fem. de *cavalheiresco* + *-mente*.] *Adv.* De maneira cavalheiresca; cavalheiramente: "Já era tudo contar com a companhia da minha Dulce, em cujo braço eu pegara c a v a l h e i r e s c a m e n t e, mais de uma vez, para ajudá-la a transpor certos trechos perigosos dos caminhos." (Luís Jardim, *As Confissões do Meu Tio Gonzaga*, p. 177.)

cavalheiresco (ê). *Adj.* Próprio de cavalheiro; brioso, nobre, distinto, cavalheiroso, cavalheiro: "a .... índole sonhadora e c a v a l h e i r e s c a do monarca" (Euclides da Cunha, *À margem da História*, p. 247).

cavalheirismo. *S. m.* **1.** Ação, qualidade ou atitude própria de cavalheiro. **2.** Ato nobre, bizarro. **3.** Nobreza, gentileza, delicadeza, distinção.

cavalheiro. [Do esp. *caballero*.] *S. m.* **1.** Homem de sentimentos e ações nobres. **2.** Homem de boa sociedade, de educação esmerada, cortês. **3.** O homem que dança com uma mulher. [Opõe-se (nesta acepç.) a *dama* (3).] **4.** Tratamento da 3ª pess., equivalente a *senhor*: *O c a v a l h e i r o quer entrar?* ● *Adj.* **5.** V. *cavalheiresco*. [Cf. *cavaleiro*.] ◆ **Cavalheiro de indústria.** Indivíduo que vive de expedientes e de lograr os outros.

cavalheiroso (ô). *Adj.* V. *cavalheiresco*. [Cf. *cavaleiroso*.]

cavalice. *S. f. Bras.* **1.** Cavalada. **2.** Gulodice exagerada.

cavalicoque. *S. m. Pop. Deprec.* Cavalo pequeno e de pouco valor. "Na estação, lá encontrara o Sr. Padre Ribeiro, com dous c a v a l i c o q u e s para o conduzir ao Paço." (Eça de Queirós, *Cartas Inéditas de Fradique Mendes*, p. 97.)

cavalinha. [Dim. de *cavala*.] *S. f.* **1.** Designação comum a várias plantas ornamentais da família das equissetáceas, gênero *Equisetum*, de rizoma e caules fistulosos, esporos apiculados, às vezes escuras; cavalinho, rabo-de-cavalo, cola-de-cavalo, lixa-vegetal. **2.** Cana-de-jacaré. **3.** *Bras.* Peixe teleósteo, percomorfo, da família dos gempilídeos (*Thyrsitops lepidopoides* (Val.)), do Atlântico, de coloração verde-azulada no dorso, grande boca com dentes que faz lembrar a cavala, donde o nome popular; lanceta. **4.** *Bras.* Muzundu. **5.** *Bras.* V. *carapau* (1).

cavalinho. [Dim. de *cavalo*.] *S. m.* **1.** V. *cavalinha* (1). **2.** *Bras. RS.* Couro curtido de cavalo.

cavalinho-d'água. *S. m. Bras., MG* a *SC.* Erva aquática, flutuante, ornamental, da família das haloragáceas (*Myriephyllum brasiliensis*), de flores pequenas, alvas, verticiladas e axilares, tida como depuradora de águas paradas e própria para aquários e lagos de jardins; pinheirinho-d'água, mil-folhas-da-água, bem-casados. [Pl.: *cavalinhos-d'água*.]

cavalinho-de-judeu. *S. m. Bras., N.* e *MG.* V. *libélula*. [Pl.: *cavalinhos-de-judeu*.]

cavalinho-do-diabo. *S. m. Bras.* V. *libélula*. [Pl.: *cavalinhos-do-diabo*.]

cavalinho-do-mar. *S. m. Bras.* V. *cavalo-marinho* (3 e 4). [Pl.: *cavalinhos-do-mar*.]

cavalo. [Do lat. *caballu*.] *S. m.* **1.** *Zool.* Animal mamífero, da ordem dos perissodáctilos, subordem dos hipomorfos, gênero *Equus*. **2.** *Fig.* Indivíduo sem educação, grosseiro, alarve, estúpido; cavalgadura, animal. **3.** Ramo ou tronco em que se faz um enxerto; porta-enxerto. **4.** Unidade dum corpo de cavalaria. **5.** Banca de trabalho de tanoeiro. **6.** Tenaz de fogão. **7.** Peça de jogo de xadrez feita de madeira, osso ou qualquer outro material, que tem, entre outras faculdades, a de saltar sobre outras pedras. **8.** *Pop.* Cancro venéreo; cavala. **9.** *Min.* Corpo da rocha encaixante dentro de um filão. **10.** *Bras.* No jogo do *bicho* [q. v.], o 11º grupo (8), que abrange as dezenas 41, 42, 43 e 44, e corresponde ao número 11. **11.** *Bras.* Indivíduo do candomblé que recebe o capuz de palha que representa o omolu, deus das doenças. **12.** *Bras.* Médium que recebe um guia, nas manifestações da umbanda. [Cf. *aparelho* (9).] **13.** *Tip.* Corpo estranho que fica preso por baixo da fôrma e faz subir uma ou mais letras. **14.** *Bras., PB* a *SE.* Casta de feijão. **15.** V. *cavalo-vapor*. **16.** *Ginást.* Aparelho destinado a dois tipos de ginástica, constituído por uma peça oblonga forrada de couro e sustentada por quatro suportes, e na qual o ginasta executa um exercício de salto com evoluções, nela apoiando as mãos, ou efetua movimentos de impulso firmando-se em alças adrede fixadas. ◆ **Cavalo da sela.** O que vai à esquerda do cocheiro. [Cf. *cavalo de sela*.] **Cavalo de batalha.** **1.** *Desus.* Montaria adestrada para ser cavalgada em dia de batalha. **2.** *Fig.* Complicação, embaraço, dificuldade: *De uma simples visita ao avô doente fez um c a v a l o d e b a t a l h a*. **3.** *Fig.* Razão de ser; bandeira: *A oposição fez da anistia o seu c a v a l o d e b a t a l h a, inclusive em 1980*. [Cf. *cavalo-de-batalha*.] **Cavalo de campo.** *Bras., N.* Cavalo adestrado em que o vaqueiro campeia o gado. **Cavalo de meia jorna.** *Bras.* Cavalo avelhentado. **Cavalo de pobre.** *Bras.* Burro ou macho asneiro. **Cavalo de sela.** *Bras.* Cavalo de boa andadura ou pisada, que não faz outro trabalho senão o transporte de cavaleiros. [Cf. *cavalo da sela*.] **Cavalo de Tróia.** [Alusão ao imenso cavalo de madeira que, visando a tomar Tróia, os gregos ardilosamente construíram, a conselho de Ulisses, enchendo-lhe o bojo de soldados armados e mandando-o de presente aos troianos.] Inimigo encoberto, que se insinua numa instituição ou família para ocasionar-lhe a ruína: "O presbítero, depois da perfídia grega das autoridades bracarenses, genuínos c a v a l o s d e T r ó i a sem obra de carpinteiro, resolveu acampar também com a sua guerrilha no Bom Jesus" (Camilo Castelo Branco, *Maria da Fonte*, p. 121). [Cf. *presente de grego*.] **Cavalo do santo.** *Bras.* O médium possuído pelo orixá. [Cf. *aparelho* (9).] **A cavalo.** **1.** Montado ou escarranchado sobre cavalo ou sobre qualquer coisa: *Foi a c a v a l o até a fazenda*; "minha mãe entrou no povo a c a v a l o na burrinha" (Aquilino Ribeiro, *Estrada de Santiago*, p. 174); "Uma reduzida *troupe* de torcedores brasileiros com a camisa do selecionado improvisou um pequeno carnaval, as moças a c a v a l o nos ombros dos rapazes" (Tárik de Sousa, *Jornal do Brasil*, 12.7.1982). **2.** *Art. Gráf.* Em canoa. **Abrir o cavalo.** *Bras.* Mandar outrem retirar o que disse. **Andar no cavalo dos frades.** Andar a pé. **Cair do cavalo.** Ter forte ou grande surpresa. **Convidar o cavalo nas puas.** *Bras., RS.* Cravar-lhe as esporas. **Passar de cavalo a burro.** Ficar em pior situação; baixar de categoria. **Tirar o cavalo da chuva.** *Bras.* Desistir dum propósito, dum intento.

cavaloar. *V. int. Fam.* **1.** Saltar como os cavalos. **2.** Traquinar muito. [Sin. ger.: *cavalar*. Conjug.: v. *coroar*.]

cavalo-boi. *S. m. Bras.* Cavalo de muita força, próprio para tração. [Pl.: *cavalos-bois* e *cavalos-boi*.]

cavalo-d'água. *S. m. Bras. Folcl.* Ser fabuloso do rio São Francisco. [Pl.: *cavalos-d'água*.]

cavalo-de-batalha. *S. m. Bras., Amaz., ES* e *BA.* Arbusto ou árvore pequena, da família das lauráceas (*Nectandra robusta*), de flores unissexuais, e cujo fruto é baga envolvida parcialmente numa cúpula receptacular; canela-batalha. [Pl.: *cavalos-de-batalha*. Cf. *cavalo de batalha*.]

cavalo-de-cão. *S. m. Bras., N.E.* V. *marimbondo-caçador*. [Pl.: *cavalos-de-cão*. Cf. *cavalo-do-cão*.]

cavalo-de-crista. *S. m. Bras.* Condiloma venéreo. [Pl.: *cavalos-de-crista*.]

cavalo-de-judeu. *S. m. Bras.* V. *libélula*. [Pl.: *cavalos-de-judeu*.]

cavalo-de-pau. *S. m.* **1.** Tronco liso, de madeira, montado sobre quatro pernas, empregado para exercícios de saltos e volteios. **2.** *Bras.* Espécie de armadilha para aves pequenas. **3.** Manobra de emergência que consiste em fazer um veículo inverter o rumo, mediante a aplicação súbita dos freios, e de ordinário com o fim de fazê-lo parar: *Só um piloto com experiência é capaz de manobras como folha-seca, c a v a l o - d e - p a u*, etc. [Sin., bras., N.E.: *rabo-de-arraia*.] **4.** *Pop.* Mulher magra e pouco elegante. [Pl.: *cavalos-de-pau*.]

cavalo-de-santo. *S. m. Bras., BA. Folcl.* Filha-de-terreiro dos candomblés bantos, já feita, cujo orixá se utiliza para suas manifestações, e da qual não pode prescindir. [Pl.: *cavalos-de-santo*.]

cavalo-de-três-pés. *S. m. Bras.* Animal fabuloso que apavora nos caminhos desertos. [Pl.: *cavalos-de-três-pés*.]

cavalo-do-cão. *S. m. Bras. Pop.* Indivíduo afoito. [Pl.: *cavalos-do-cão*. Cf. *cavalo-de-cão*.]

cavalo-frouxó. [T. onom.] *S. m. Bras., SP.* V. *corocoxó*. [Pl.: *cavalos-frouxós*.]

cavalo-judeu. *S. m. Bras., N.* V. *libélula*. [Pl.: *cavalos-judeus*.]

cavalo-marinho. *S. m.* **1.** Designação vulgar do hipopótamo. **2.** Bengala feita da pele desse animal. **3.** *Bras.* Peixe teleósteo, lofobrânquio, da família dos singnatídeos (*Hippocampus guttulatus* (Cuv.)), de coloração que varia entre o pardo-claro e o verde carregado, pintalgado. O corpo, cuja cabeça lembra a de um cavalo em miniatura, é revestido de anéis ósseos. Cauda preênsil, constituindo quase metade do corpo. Nada em posição erecta, e alimenta-se de pequenos crustáceos. Os ovos são incubados numa bolsa abdominal do macho. Muito apreciados pelos aquaristas. **4.** *Bras.* Peixe teleósteo, lofobrânquio, da família dos singnatídeos (*H. punctulatus* Guich.), largamente distribuído no Atlântico tropical. É a espécie mais comum na costa brasileira. [Sin. (nas acepç. 3 e 4): *cavalinho-do-mar, hipocampo*.] **5.** *Bras. Folcl.* V. *bumba-meu-boi* (1). **6.** *Bras.* Personagem meio animal e meio fantástico do bumba-meu-boi [q. v.]. [Pl.: *cavalos-marinhos*.]

cavalo-sem-cabeça. *S. m. Bras., S.* V. *mula-sem-cabeça*. [Pl.: *cavalos-sem-cabeça*.]

cavalo-vapor. *S. m. Fís.* Unidade de medida de potência igual a 735,5W. [Símb.: *cv*. Pl.: *cavalos-vapor*.]

cavanejo (ê). [De *cabo*, i. e., 'cesto cabano', + *-ejo*.] *S. m.* Cesto alto de vime para coar o mosto.

cavanhaque. [Do antr. *Cavaignac*, de Louis Eugène Cavaignac, general francês (1802-1857) que usava a barba assim aparada.] *S. m. Bras.* Barbicha no queixo, aparada em ponta.

cavão. *S. m.* Cavador (1 e 2).

cavapitã. *S. m. Bras.* V. *marimbondo-caboclo*.

cavaqueador (ô). *Adj.* e *s. m. Fam.* Que ou aquele que cavaqueia.

cavaquear. [De *cavaco*[2] + *-ear*.] *V. int.* e *t. i. Fam.* **1.** Conversar singelamente, em intimidade: "passava os dias .... contando anedotas, c a v a q u e a n d o mansamente com os fregueses" (Lia Correia Dutra, *Navio sem Porto*, p. 101). **2.** *Bras., SP.* Irritar-se com alguma brincadeira ou grosseria; dar cavaco, dar o cavaco: "o matuto .... c a v a q u e o u com a pilhéria e gritou zangado" (Aluísio Azevedo, *O Mulato*, p. 160). [Conjug.: v. como *frear*.]

cavaqueira[1]. [De *cavaco*[2] (1) + *-eira*.] *S. f.* V. *bate-papo*: "as tertúlias do Arsenal foram perdendo animação e prestígio literário, acabando em simples c a v a q u e i r a s íntimas" (Melo Nóbrega, *O Soneto de Arvers*, p. 56).

cavaqueira[2]. *S. f.* Mulher que faz e/ou vende cavaca (3).

cavaquinho. [Dim. de *cavaco*.] *S. m.* **1.** *Mús.* Pequena viola, de origem européia, de quatro cordas simples e dedilháveis; braga, braguinha, machete, machete de Braga, machetinho, machim. [Cf. *rajão*.] **2.** Tocador desse instrumento. ♦ **Dar o cavaquinho por.** V. *dar o cavaco por*: "Afinal, era um escândalo, e a mãe de Inês d a v a o c a v a q u i n h o p e l o s escândalos." (Aluísio Azevedo, *O Coruja*, p. 194.)

cavaquista. *Adj. 2 g.* e *s. 2 g.* Diz-se de, ou pessoa irritável, agastadiça, que facilmente dá o cavaco.

cavar. [Do lat. *cavare*.] *V. t. d.* **1.** Revolver ou furar (a terra) com enxada, sacho, sachola, picareta, etc. **2.** *P. ext.* Fazer buraco ou furo em; furar: c *a v a r a parede; c a v a r o teto*. **3.** Fazer que se forme, na terra, revolvendo-a ou furando-a: c *a v a r uma sepultura*. **4.** Fazer escavação em, ou em volta de; escavar: *C a v o u um tronco de árvore, transformando-o em canoa*. **5.** Formar cavidade em; tornar côncavo. **6.** Cavear. **7.** Extrair, fazendo escavações: *c a v a r ouro; c a v a r minérios*. **8.** Tornar cheio de sulcos ou rugas: *O sofrimento c a v o u-lhe as faces*. **9.** Trabalhar, esforçar-se, para adquirir: *Há meses que vem c a v a n d o este emprego*. *T. i.* **10.** Fazer investigações; procurar, indagar a fundo: *c a v a r numa idéia*. *Int.* **11.** Trabalhar, cavando [v. *cavar* (1)]; cavacar: "saiu de casa com a enxada ao ombro. C a v o u toda a manhã" (João de Araújo Correia, *Terra Ingrata*, p. 111). **12.** *Bras.* Lutar duramente pela subsistência; cavucar: *Vem c a v a n d o desde os 15 anos para sustentar a família*. **13.** *Bras.* Obter alguma coisa por meios imorais e ilícitos, ou à força de grandes trabalhos: *Por mais que c a v e, não conseguirá o voto do professor*.

cava-terra. [De *cavar* + *terra*.] *S. m. Bras.* V. *grilo-toupeira* (1). [Pl.: *cava-terras*.]

cavatina. [Do it. *cavatina*.] *S. f. Mús.* **1.** Pequena ária, sem repetição nem segunda parte, ordinariamente intercalada num recitativo. **2.** Pequena ária simples. **3.** *P. ext.* Pequena peça instrumental, cujo caráter lírico e leveza evocam a cavatina (1): "E das perdidas curvas das estradas, / De paragens distantes, / Como fantasmas de serenatas, / Ressonancias sonâmbulas traziam / A longa, a pungentíssima saudade / De c a v a t i n a s e mandolinatas..." (Raul de Leoni, *Luz Mediterrânea*, p. 52). [V. *cabaleta*.]

cave. [Do fr. *cave*.] *S. f. Gal. Desus. no Bras.* V. *cava* (4).

cávea. *S. f. Teat.* Nos antigos teatros romanos, o espaço reservado à platéia.

cavear. *V. t. d.* Abrir ou aprofundar a cava (3) em; cavar.

cavedal. *S. m.* Instrumento de espingardeiro, feito de aço prismático.

caveira. [Do lat. *calvaria*.] *S. f.* **1.** Cabeça descarnada ou esqueleto da cabeça. **2.** *Fig.* Rosto magro e macilento. **3.** *Gír.* Uma pessoa qualquer; indivíduo, tipo. **4.** *Bras. Mar. G. Gír.* Sentinela, guarda. **5.** *Bras. Gír.* Falta de sorte; desgraça: *Só quer ver a minha c a v e i r a*. ♦ **Encher a caveira.** *Bras. Pop.* V. *embriagar* (4). **Fazer a caveira de.** *Bras. Pop.* Indispor (alguém) com outrem; torná-lo malvisto.

caveira-de-burro. *S. f.* Má sorte, azar, infelicidade. [Pl.: *caveiras-de-burro*.]

caveira-de-pau. *S. f. Bras. Gír.* Oficial de serviço. [Pl.: *caveiras-de-pau*.]

caveirado. *Adj.* ~ V. *soalho* —.

caveiroso (ô). *Adj.* Semelhante à caveira; muito magro; escaveirado.

cavense. *Adj. 2 g.* **1.** De, ou pertencente ou relativo a Cava (RJ). ● *S. 2 g.* **2.** Natural ou habitante de Cava.

caverna. [Do lat. *caverna*.] *S. f.* **1.** Grande cavidade no interior da terra, sobretudo em terrenos rochosos. [Cf. *furna* (1).] **2.** *Constr. Nav.* Cada uma das peças curvas fixadas transversalmente na quilha da embarcação, e que constituem a parte mais baixa das balizas [v. *baliza* (8)]. **3.** *Med.* Escavação ulcerosa do pulmão. ♦ **Caverna mestra.** *Constr. Nav.* Caverna situada na seção de maior boca do casco da embarcação.

cavernal. *Adj. 2 g.* Relativo a caverna.

cavername. [De *caverna* + *-ame*.] *S. m.* **1.** *Constr. Nav.* O conjunto das peças que dão forma ao casco da embarcação; quilha, roda-de-proa, cadaste, cavernas, longarinas, escoras, etc., excetuado o tabuado; esqueleto, ossada. **2.** *Fam.* V. *esqueleto* (2).

cavernícola. [Do lat. *caverna* + *-i-* + *-cola*.] *Adj. 2 g.* **1.** Próprio de, ou que vive ou habita em caverna: *plantas c a v e r n í c o l a s*. ● *S. 2 g.* **2.** Habitante de caverna.

cavernite. *S. f. Med.* Inflamação dos corpos cavernosos.

cavernosidade. *S. f.* Qualidade de cavernoso.

cavernoso (ô). [Do lat. *cavernosu*.] *Adj.* **1.** Que tem cavernas. **2.** Semelhante a caverna: "Verdes montanhas o guardam, / cujos seios c a v e r n o s o s / são habitados de noite / por longos ecos saudosos." (Antônio Feliciano de Castilho, *Amor e Melancolia*, p. 73.) **3.** Que tem som cavo, rouco e profundo, como se saísse de uma caverna: *voz c a v e r n o s a*; "O trovão chegou .... , lúgubre, c a v e r n o s o" (Trindade Coelho, *Os Meus Amores*, p. 153). ~ V. *corpo* —.

caveto (ê). [Do it. *cavetto*.] *S. m. Arquit.* **1.** Moldura côncava, cujo perfil é um quarto de círculo. **2.** Nas cornijas, parte reentrante, em quarto de círculos.

▲**cavi-.** [Do lat. *cavus*, *i*.] *El. comp.* = 'oco', 'cavidade': *cavirrostro, cavicórneo*.

caviar. [Do turco *khawyar*, atr. do veneziano *caviaro* e do fr. mod. *caviar*.] *S. m.* **1.** Ovas de esturjão conservadas em sal ou enlatadas. **2.** Iguaria feita com o caviar.

cavicórneo. [De *cavi-* + *-corn(e)-* + *-eo*.] *Adj.* **1.** Relativo aos cavicórneos. ● *S. m.* **2.** Espécime dos cavicórneos.

cavicórneos. *S. m. pl. Zool.* Divisão dos mamíferos ruminantes que compreende os antílopes, os bois, os carneiros, etc.

cávida. *S. m.* e *adj. 2 g.* V. *cavídeo*.

cavidade. [Do lat. *cavitate*, de baixa época.] *S. f.* **1.** Espaço cavado de um corpo sólido. **2.** Espaço oco no interior do corpo ou de um dos órgãos: *c a v i d a d e abdominal*. **3.** Buraco (1). ♦ **Cavidade cotilóide.** Absconso (3). **Cavidade pulpar.** *Anat.* Aquela que se situa, dentro do dente, na parte central.

cávidas. *S. m. pl. Zool.* V. *cavídeos*.

cavídeo. *S. m.* **1.** Espécie dos cavídeos. ● *Adj.* **2.** Pertencente ou relativo a eles.

cavídeos. *S. m. pl. Zool.* Animais roedores, histrocomorfos, de cauda inteiramente atrofiada, mãos com quatro dedos, pés com apenas três, clavícula ausente, unhas fortes e cortantes ou espessas. São os preás e capivaras.

cavilação. [Do lat. *cavillatione*.] *S. f.* **1.** Astúcia, ardil, manha. **2.** Ironia maliciosa. **3.** *Bras., N.E.* Agrado(s) fingido(s); fingimento, cavilagem.

cavilador (ô). [Do lat. *cavillatore*.] *Adj.* e *s. m.* Que ou aquele que usa de cavilação.

cavilagem. *S. f. Bras., N.E.* V. *cavilação* (3).

cavilar. [Do lat. *cavillare*.] *V. int.* Usar de cavilação, maquinar com astúcia.

cavilha. [Do provenç. *cavilha*.] *S. f.* Peça de madeira ou de metal para juntar ou segurar madeiras, chapas, etc., ou tapar um orifício, e que tem cabeça numa das extremidades, e na outra uma fenda que a mantém presa por meio de chaveta.

cavilhação. *S. f.* Ato ou efeito de cavilhar.

cavilhador (ô). *S. m.* Aquele que cavilha [v. *cavilhar* (1)].

cavilhar. *V. t. d.* **1.** Pôr cavilha(s) em. **2.** Segurar com cavilha. [F. paral.: *encavilhar*.]

caviloso (ô). [Do lat. *cavillosu*.] *Adj.* **1.** Em que há cavilação; capcioso, fraudulento: *pergunta c a v i l o s a*. **2.** *Bras., N.E.* Fingido nos agrados; manhoso.

cavintau. *S. m. Bras.* V. *anhuma*.

cavirão. *S. m. Marinh.* **1.** Peça de madeira ou de ferro, alongada, que se usa para ligar a alça dum aparelho a um estropo, para ligar dois cabos pelas mãos em que terminam seus chicotes, etc. **2.** Travessão ou pino de ferro que serve para fechar a manilha.

cavirrostro. [De *cavi-* + *-rostro*.] *Adj. Zool.* Que tem bico oco.

cavitação. [De *cavo*.] *S. f.* **1.** *Fís.* Formação de bolhas de vapor ou de gás em líquido por efeito de forças de natureza mecânica. **2.** *Mar.* Rarefação formada na água que envolve o hélice de uma embarcação, quando a velocidade de rotação do hélice e o deslocamento da embarcação alcançam um valor crítico, do que resulta queda de rendimento da propulsão e fortes vibrações no casco da embarcação.

cavitário. *Adj. Anat.* **1.** Relativo a cavidade (2). **2.** Diz-se de órgão situado em uma cavidade (2).

caviúna. *S. f.*, *s. 2 g.* e *adj. 2 g. Bras.* V. *cabiúna*.

cavo. [Do lat. *cavu*.] *Adj.* **1.** Que tem cavidade; côncavo, fundo: "O rosto, desmesuradamente largo à altura das têmporas, era c a v o nas faces" (Érico Veríssimo, *Noite*, p. 30). **2.** Vazio, oco. **3.** Rouco e profundo; cavernoso: "O último e c a v o / Acorde do cravo / Ficou vibrando exclamativamente..." (Augusto Gil, *Luar de Janeiro*, p. 65). ~ V. *veia* —*a inferior* e *veia* —*a superior*.

cavodá. [Da expr. *cavo dá*.] *S. m. Bras., S.* Orifício que fica nas paredes de taipa depois de retirados os andaimes.

cavorteiro. *Adj. Bras.* V. *caborteiro*.

cavoucador (ô). [De *cavoucar* + *-dor*.] *S. m.* V. *cavouqueiro* (1). [Var.: *caboucador*. Cf. *cavucador*.]

cavoucar. *V. t. d.* **1.** Abrir cavoucos em. *Int.* **2.** Abrir cavoucos. [Var. *caboucar*. Cf. *cavucar*. Conjug.: v. *trancar*.]

cavouco. [De *cavo*.] *S. m.* **1.** Escavação aberta para alicerces de uma construção. **2.** Cova, vala, fosso. **3.** O vão em que gira o rodízio do moinho. **4.** *Bras.* V. *cabocó* (1). [Var.: *cabouco*.]

cavouqueiro. *S. m.* **1.** Aquele que cavouca, que abre cavoucos; cavoucador, cavador. **2.** Aquele que trabalha em minas ou pedreiras. **3.** *Bras., MT.* Indivíduo mentiroso. [Var.: *cabouqueiro*.]

cavu. [De *cavour*, 'espécie de capote', do antr. *Cavour*, do estadista italiano Conde de Cavour (1801-1861).] *S. m. Bras., SP. Pop.* Capa, capote.

cavucador (ô). [De *cavucar* + *-dor*.] *S. m. Bras.* Trabalhador pertinaz; cavador. [Cf *cavoucador*.]

cavucar. [Var. de cavoucar.] V. int. *Bras.* Trabalhar com pertinácia: lutar pela subsistência; cavar. [Cf. cavoucar Conjug.: v. *trancar*.]

➧**cavum** (cá). [Lat.] *S. m Anat.* Cavidade (2). [Quando empregada sem qualificativo, corresponde a *rinofaringe*.]

caxa. *S. f. Luso-asiát.* Antiga moeda asiática, de pequeno valor. [Cf. *cacha* e *caixa*.]

caxambu. [De or. afr.] *S. m.* **1.** *Bras., MG.* Grande tambor, de origem africana, usado na dança do mesmo nome, no bailado moçambique e no jongo; bendenguê. **2.** *Bras., MG.* Variedade de samba, dançado ao som desses tambores e doutros; jongo, corimá: "Ele era o mestre dos jongos, maestro da orquestra de zabumbas e puítas, tocador de atabaques nos c a x a m b u s da Fazenda." (Silva Guimarães, *Os Borrachos*, p. 5.) **3.** *Gír.* No ato de embaralhar, as cartas que ficam frente a frente, i. e., mal baralhadas.

caxambuense. *Adj. 2 g.* **1.** De, ou pertencente ou relativo a Caxambu (MG). ● *S. 2 g.* **2.** Natural ou habitante de Caxambu.

caxangá. [De possível or. tupi.] *S. m. Bras.* V. *siripuã*.

caxango. [De or. indígena, ou afr.] *S. m. Bras., BA.* Boi de corte.

caxarama. *S. f. Bras.* V. *caaxarama*.

caxaramba. *S. f. Bras., MG. Pop.* V. *cachaça* (1).

caxarari. *Bras. S. 2 g.* **1.** Indivíduo dos caxararis, divisão da tribo extinta aruaque ipurinã que habitava as imediações do alto Ituxi e do rio Abuna (AC e AM). ● *Adj. 2 g.* **2.** Pertencente ou relativo a essa tribo.

caxarela. *S. m. Bras.* O macho da baleia quando adulto; caxarelo, caxaréu.

caxarelo. *S. m. Bras.* V. *caxarela*.

caxarenga. *S. f. Bras., AL, SE* e *MG.* V. *caxirenguengue*.

caxaréu. *S. m. Bras.* V. *caxarela*.

caxerenguenga. *S. f. Bras.* V. *caxirenguengue*.

caxerenguengue. [De possível or. afr.] *S. m. Bras.* V. *caxirenguengue*: "— Olhem a faca aí na sala, se vocês não têm algum c a x e r e n g u e n g u e." (Afonso Arinos, *Pelo Sertão*, p.192.)

caxeringuengue. *S. m. Bras.* V. *caxirenguengue*.

caxeta (ê). *S. f. Bras., PE* a *SP.* Arvoreta paludícola, do litoral, da família das bignoniáceas (*Tabebuia cassinoides*), de folhas simples e coriáceas, címulas trifloras, escassas, alvas com a fauce amarela, aromáticas, fruto coriáceo, castanho, estriado, com várias sementes, e que fornece madeira branca, levemente rosada, uniforme, leve, macia e durável, própria para marcenaria fina; caixeta, pau-caixeta, pau-paraíba, pau-de-tamanco, tabebuia, tabebuia-do-brejo, tamancão, tamanqueira, pau-de-viola. [Pl.: *caxetas* (ê). Cf. *cacheta* (ê), pl. *cachetas* (ê); *cacheta, cachetas*, do v. *cachetar; caixeta*, pl. *caixetas;* e *Caixeta* (ê), antr., pl. *Caixetas* (ê).]

caxexa (ê). *Adj. 2 g. Bras.* Diz-se de pessoa ou animal pequeno mirrado, raquítico.

caxias. [Do antr. *Caxias*, do militar e estadista brasileiro Duque de Caxias (Luís Alves de Lima e Silva (1803-1880), patrono do Exército).] *Adj. 2 g.* e *2 n.* e *s. 2 g.* e *2 n. Bras. Pop.* **1.** Diz-se de, ou pessoa extremamente escrupulosa no cumprimento de suas obrigações: "dia e hora coincidiram com as minhas aulas em Diamantina, e eu fazia questão de nunca falhar. Quanto custa ser c a x i a s!" (Aires da Mata Machado Filho, *Dias e Noites em Diamantina*, p. 26). **2.** Diz-se de, ou pessoa que, no exercício de sua função, exige dos subordinados o máximo rendimento no trabalho e extremado respeito às leis e aos regulamentos. [Cf. *cachias*, pl. de *cachia*.]

caxicaém. [Var. de *catucaém*.] *S. m. Bras., BA* a *SC.* V. *carne-de-vaca* (1).

caxiense[1]. *Adj. 2 g.* **1.** De, ou pertencente ou relativo a Caxias (MA). ● *S. 2 g.* **2.** Natural ou habitante de Caxias.

caxiense[2]. *Adj. 2 g.* **1.** De, ou pertencente ou relativo a Duque de Caxias (RJ). ● *S. 2 g.* **2.** Natural ou habitante de Duque de Caxias.

caxiense[3]. *Adj. 2 g.* **1.** De, ou pertencente ou relativo a Caxias do Sul (RS). ● *S. 2 g.* **2.** Natural ou habitante de Caxias do Sul.

caxinaua. *Bras. S. 2 g.* **1.** Indivíduo dos caxinauas, tribo indígena pano integrada na sociedade nacional e que habita a região do alto rio Envira e seus tributários, no paraná do rio Ouro, no alto Muru e nos altos cursos do Tarauacá, Gregório e Liberdade (AC). [Segundo informações mais ou menos recentes, há uma intensa migração do grupo para o Peru.] ● *Adj. 2 g.* **2.** Pertencente ou relativo a essa tribo. [Var. pros.: *caxinauá*.]

caxinauá. *Bras. S. 2 g.* e *adj. 2 g.* Var. pros. de *caxinaua*.

caxinduba. [Do tupi.] *S. f. Bras.* Planta da família das euforbiáceas (*Hippomane spinosa*).

caxinga. *S. f. Bras.* V. *catinga*[1].

caxingar. [Var. de *coxingar, por coxear.] *V. int. Bras., N.* V. *coxear:* "Alecrim arrastava a perna, caxingando, desajeitado e sorna". (Nélson de Faria, *Tiziu e Outras Estórias*, p. 155.) [Conjug.: v. *largar*.]

caxingó. [De *caxingar*.] *Adj. 2 g.* e *s. 2 g. Bras.* V. *coxo* (1 e 4).

caxinguelê. [Do quimb. *kaxinjiang'elê*, 'rato de palmeira'.] *S. m. Bras.* Designação comum a várias espécies de mamíferos roedores da família dos ciurídeos, gênero. *Sciurus. L.*, usada sobretudo no N.E. e L. do País: "O caxinguelê é também chamado de serelepe, acutipuru, quatipuru e esquilo." (Hitoshi Nomura, *O Estado de S. Paulo*, 29.9.1982.) [Sin. (em partes várias): *acutipuru, caxinxe, caxixe, caitité, caticoco, coxicoco, papa-coco, cutia-de-pau, esquilo, quatiaipé, quatipuru* (q. v.), *quatimirim, serelepe*.]

caxinguento. [Var. de *catinguento*.] *Adj.* V. *catingoso*.

caxingui. *S. m. Bras., RS.* V. *ratão-do-banhado*.

caxinxa. [Do quimb. *kaxinji*, 'pequeno toco', 'caco de dente'.] *S. 2 g. Bras.* V. *banguela* (2).

caxinxe. *S. m. Bras., RJ (litoral).* V. *caxinguelê*. [Cf. *caxixe*.]

caxirama. *S. f. Bras.* V. *caaxarama*.

caxirengue. *S. m.* e *f. Bras., MG* a *RJ.* V. *caxirenguengue:* "Arma não carrego .... nem mesmo uma caxirengue na cintura pra alisar a palha do pito" (Manuel Lobato, *Garrucha 44*, p. 67).

caxirenguengue. *S. m. Bras.* Faca velha e imprestável e/ou sem cabo. [F. paral.: *caxerenguengue, caxeringuengue;* sin. (em partes diversas do País); *cacerenga, cacumbu, caxerenga, caxerenguenga, caxirengue, caxiri, caxirim, cicica, quecê, quecé, quicé, xerengue*.]

caxiri. *S. m. Bras.* **1.** V. *caxirenguengue*. **2.** V. *cachaça* (1).

caxirim. [Var. nasalada de *caxiri*.] *S. m. Bras.* **1.** *RJ.* V. *caxirenguengue*. **2.** Refresco feito com beiju desmanchado em água. **3.** Licor de mandioca fermentada. **4.** *SE. Pop.* V. *cachaça* (1).

caxixe[1]. *S. m. Bras., BA.* **1.** V. *caxinguelê*. **2.** Negociata feita em torno de terras produtoras de cacau. **3.** *P. ext.* V. *logro* (2). [Cf. *caxinxe*.]

caxixe[2]. *S. m. Bras.* Chuchu (2). [Cf. *caxinxe*.]

caxixeiro. *S. m. Bras., BA.* Indivíduo que pratica um caxixe[1] (2 e 3).

caxixi. *Adj. (f.)* e *s. f. Bras., N.* **1.** Diz-se da, ou aguardente ordinária de 14 a 18 graus: "João Miguel não se aproveitava de caxixi para misturas." (José Lins do Rego, *Meus Verdes Anos*, p. 41.) ● *S. m.* **2.** *Bras., BA.* Saquinho de palha, provido de alça, que o tocador de berimbau segura juntamente com a vareta com que tange o instrumento; mucaxixi. **3.** Cerâmica popular com a forma de vasos e utensílios, e às vezes de mobília, em tamanho reduzido, para brinquedos de criança.

caxuana. *Bras. S. 2 g.* **1.** Indivíduo dos caxuanas, tribo indígena do rio Maze, afluente do Uatumã (N. do PA). ● *Adj. 2 g.* **2.** Pertencente ou relativo a essa tribo.

caxuiana. *Bras. S. 2 g.* **1.** Indivíduo dos caxuianas, tribo caraíba que habita as imediações do rio Cachorro, afluente do Trombetas (PA), e que mantém contacto intermitente com a população local. ● *Adj. 2 g.* **2.** Pertencente ou relativo a essa tribo.

caxumba. *S. f. Bras., C.O.* e *S. Patol.* V. *parotidite epidêmica*.

cazumbi. *S. m. Bras.* Zumbi (2).

cazuza. [Do hipocorístico *Cazuza*.] *S. m. Bras., PE.* Espécie de vespídeo solitário, temido pela sua terrível ferroada; cazuzinha.

cazuzinha. [Dim. de *cazuza*.] *S. f. Bras., PE.* Cazuza.

■ **cc.** *Eletr.* Sigla de corrente contínua; DC.

■ **cd.** *Fís.* Símb. de *candela*.

■ **Cd.** *Quím.* Símb. de *cádmio*.

■ **Ce.** *Quím.* Símb. de *cério*.

■ **CE.** Sigla do Estado do Ceará.

cê[1]. *S. m.* Nome da letra c. [Cf. *Ce*, símb. de *cério; se*, pron.; e *se*, conj. Pl.: *cês* ou *cc*.] ♦ **Cê cedilhado.** Cê em que se pôs cedilha; cê-cedilha.

cê[2]. *Pron. de tratamento. Bras. Pop.* V. *você:* "O velho .... aproximou-se sorridente: — Cê já pilou bastante milho, Bebé!" (José Inácio Filho, *Capiongo*, p. 43.)

cear. [Do lat. *coenare*.] *V. t. d.* **1.** Comer a ceia: *Ceou um frango assado e um caqui;* "Tendo ceado assim postas cruas dum monstro marinho, nosso Pai venerável sente uma grande sede." (Eça de Queirós, *Contos*, p. 180). *Int.* **2.** Comer a ceia: "Depois de cear, acendi um charuto" (Artur Azevedo, *Contos Possíveis*, p. 18). [Conjug.: v. *frear*. M.-q.-perf. ind.: *ceara*, etc. Cf. *ciar, siar* e *seara*.]

ceará. [F. red. de *carne-do-ceará*.] *S. f. Bras., N.E.* V. *charque:* "Os moleques do pastoreador vinham fazer a mochila para o almoço no campo: farinha, um pedaço de ceará, toucinho cru." (José Lins do Rego, *Meus Verdes Anos*, p. 21.)

ceará-bravo. *S. m. Bras., PA. Antiq.* Cearense recém-chegado para trabalhar nos seringais. [Pl.: *cearás-bravos*.]

ceará-mirinense. *Adj. 2 g.* **1.** De, ou pertencente ou relativo a Ceará-Mirim (RN). ● *S. 2 g.* **2.** Natural ou habitante de Ceará-Mirim. [Pl.: *ceará-mirinenses*. F. paral.: *ceará-mirinhense*.]

ceará-mirinhense. *Adj. 2 g.* e *s. 2 g.* Ceará-mirinense. [Pl.: *ceará-mirinhenses*.]

cearense. *Adj. 2 g.* **1.** Do, ou pertencente ou relativo ao CE. ~ V. *reisado*. ● *S. 2 g.* **2.** Natural ou habitante desse estado. **3.** *Bras., Amaz.* Qualquer nordestino.

ceata. *S. f.* Ceia lauta: "estava sempre a encomendar ceatas e jantares que deixavam bem bom lucro." (Aluísio de Azevedo, *Casa de Pensão*, p. 174).

cebedense. *Adj. 2 g.* Relativo ou pertencente à Confederação Brasileira dos Desportos (C.B.D.).

cébida. *S. m.* e *adj. 2 g.* V. *cebídeo*.

cébidas. *S. m. pl. Zool.* V. *cebídeos*.

cebídeo. *S. m.* **1.** Espécime dos cebídeos. ● *Adj.* **2.** Pertencente ou relativo a eles.

cebídeos. *S. m. pl. Zool.* Animais mamíferos, primatas, da família *Cebidae*, com três pré-molares, três molares verdadeiros de cada lado, tanto nas mandíbulas como nas maxilas, dedos providos de unhas chatas, nunca sob forma de garras, o primeiro dedo do pé e da mão oponível aos demais. São endêmicos da região neotropical.

cebo (é). [Do gr. *kêbos*.] *S. m.* Denominação científica de uma espécie de pequenos quadrúmanos da América. [Cf. *sebo*.]

cebola (ô). [Do lat. *caepulla*.] *S. f.* **1.** Erva bulbosa alimentar, da família das liliáceas (*Allium cepa*), de bulbo grande, solitário, subgloboso, formado de túnicas carnosas, exceto as exteriores, que são membranosas, coloridas ou não, e que tem odor forte e picante, sabor acre e adocicado, sendo usada como condimento; cepa. **2.** O bulbo dessa planta. **3.** *P. ext.* Qualquer bulbo. **4.** *Pop.* V. *cebolão*. **5.** *Fam.* Pessoa fraca, fatigada ou indolente. **6.** *Equit.* Cavalo não árdego, que não é sensível à espora. **7.** *Bras., AL. Pop.* Espécie de celenterado.

cebola-branca. *S. f. Bras.* V. *cebola-brava-do-pará*. [Pl.: *cebolas-brancas*.]

cebola-brava-do-pará. *S. f. Bras.* Erva bulbosa, da família das amarilidáceas (*Pancratium guianense*), de bulbo grande, sabor acre, flores sésseis e alvas, fruto capsular, com sementes achatadas, e que vegeta em terras inundadas; açucena-d'água, cebola-branca. [Pl.: *cebolas-bravas-do-pará*.]

cebola-cecém. *S. f. Bras.* **1.** V. *açucena* (1). **2.** Açucena-d'água (1). [Pl.: *cebolas-cecéns* e *cebolas-cecém*.]

cebolada. *S. f.* **1.** Molho preparado com cebolas guisadas ou fritas. **2.** Iguaria com esse molho.

cebola-de-cheiro. *S. f.* V. *cebolinha* (2). [Pl.: *cebolas-de-cheiro*.]

cebola-grande-da-mata. *S. f. Bras.* Árvore regular, ornamental, da família das gutíferas (*Clusia insignis*), com propriedades medicinais, e de flores grandes e alvas. [Pl.: *cebolas-grandes-da-mata*.]

cebolal. *S. m.* Quantidade mais ou menos considerável de pés de cebola dispostos proximamente entre si.

cebolão. [Aum. de *cebola*.] *S. m.* **1.** Relógio antigo de algibeira ou de pulso, grande, redondo e grosso; patacão. **2.** Relógio grande e ordinário. [Sin. ger.: *cebola*.]

ceboleiro. [De *cebola* + *-eiro*.] *Adj.* Relativo às cebolas, ou apropriado ao cultivo delas: *regiões ceboleiras*.

cebolinha. [Dim. de *cebola*.] *S. f.* **1.** Pequena cebola (2) própria para preparar conservas. **2.** *Bras.* Erva da família das liliáceas (*Allium fistulosum*), de flores alvas e folhas cilíndricas, verde-escuras e aromatizadas, consideradas comestíveis; cebolinha-de-todo-o-ano, cebola-de-cheiro.

cebolinha-de-todo-o-ano. *S. f.* V. *cebolinha* (2). [Pl.: *cebolinhas-de-todo-o-ano*.]

cebolinho. [De *cebolinha*.] *S. m.* **1.** Semente de cebola. **2.** Planta tenra da cebola, antes de o bulbo se ter desenvolvido.

cebolório. [De *cebola*.] *Interj. Pop.* Indica irritação, descontentamento, desprezo.

ceca. [Do ár. hispânico *sekka*.] *El. s.* Us. nas loc. *andar de ceca em meca, andar por ceca e meca, andar por ceca e meca e olivais de Santarém, correr ceca e meca, correr de ceca em ceca, correr ceca e meca e olivais de Santarém*. [Cf. *seca, s. f.*, e *seca* (ê) *s. f.*] ♦ **Andar de ceca em meca.** **1.** Andar por várias terras. **2.** Andar por aqui e por ali em busca de alguma coisa. [Sin. ger.: *andar por ceca e meca, andar por ceca e meca e olivais de Santarém, correr ceca e meca, correr de ceca em meca, correr ceca e meca e olivais de Santarém*.] **Andar por ceca e meca.** V. *andar de ceca em meca:* "Fiz-me andejo. Andei de déu em déu, por ceca e meca, desfazendo cataratas, recompondo nervos óticos" (Monteiro Lobato, *Urupês, Outros Contos e Coisas*, p. 365). **Andar por ceca e meca e olivais de Santarém.** V. *andar de ceca em meca:* "Não sei se já lhes disse que andei por ceca e meca e olivais de Santarém, como outrora se dizia." (Josué Montelo, *Uma tarde, Outra Tarde*, p. 64.) **Correr ceca e meca.** V. *andar de ceca em meca*. **Correr de ceca em meca.** V. *andar de ceca em meca*. **Correr ceca e meca e olivais de Santarém.** V. *andar de ceca em meca*.

cecal. *Adj. 2 g. Anat.* Relativo ou pertencente ao ceco: *apêndice cecal*.

cecé. *S. f. P. us.* V. *tsé-tsé*. [Cf. *cecê*.]

cecê. *Pron. Bras.* V. *você*. [Cf. *cecé*.]

cê-cê. *S. m. Bras.* Cheiro de corpo. [Pl.: *cê-cês*.]

ceceadura. *S. f.* Ceceio.

cecear. [De *cê*, repetido, + *-ar*[2].] *V. int.* **1.** Pronunciar as fricativas alveolares apoiando nos dentes a ponta da língua. *T. d.* **2.** Pronunciar ceceando: *Paulo ceceia o zê*. [Conjug.: v. *frear*. Cf. *ciciar*.]

cê-cedilha. *S. m.* Cê cedilhado. [Pl.: *cês-cedilhas*.]

ceceio. [Dev. de *cecear*.] *S. m.* Ato ou efeito de cecear: ceceadura.

cecém. [Do ár. *susan*, 'lírio', atr. de *çucen, *f. arcaica*.] *S. f. Poét.* V. *açucena* (1): "Quando lesta por mim Natália passa, / Florindo o seio de cecéns singelas" (Alberto de Oliveira, *Poesias*, III, p. 291). [Cf. *cessem*, do v. *cessar*, e *sessem*, do v. *sessar*.]

ceceoso (ô). *Adj.* Que ceceia. [Cf. *cicioso*.]

cecídio. *S. m. Bot.* Neoformação ou hipertrofia dos tecidos vegetais, devida à ação de outra planta, ou de animal, a qual se apresenta sob formas variadas, lembrando muitas vezes uma pequena esfera ou tubérculo. [Sin. (pop.): *galha*.]

cecidiófito. [De *cecídio* + *-fito*.] *S. m. Bot.* Organismo vegetal produtor de cecídio.

cecidiologia. *S. f.* Parte da fitopatologia que se ocupa dos cecídios.

cecidiológico. *Adj.* Relativo à cecidiologia.

cecília. *S. f. Zool.* Espécime dos cecilídeos, família de anfíbios da ordem dos gimnofionos (ápodes). [Cf. *Sicília*, top.]

cecilídeo. *S. m.* **1.** Espécime dos cecilídeos. ● *Adj.* **2.** Pertencente ou relativo a eles.

cecilídeos. *S. m. pl. Zool.* Família da ordem dos gimnofionos (ápodes). De aspecto vermiforme, vivem nos solos humosos, conhecidos como *cecílias, minhocões* ou *cobras-de-duas-cabeças*, ou *cobras-cegas*.

ceco. [Do lat. *caecu*.] *S. m. Anat.* A primeira parte do intestino grosso. [Var.: *cego*. Cf. *seco*, do v. *secar*, e *seco* (ê), adj.]

▲**ceco-.** [Do lat. *caecu*.] *El. comp.* = 'cego': *cecografia*.

cecografia. [De *ceco-* + *-graf(o)-* + *-ia*.] *S. f.* **1.** Sistema de escrita para cegos. **2.** Ato de ensinar os cegos a escrever.

cecográfico. *Adj.* Referente à cecografia.

cecograma. [De *ceco-* + *-grama*.] *S. m.* Papel de correspondência para cegos, em braile.

cécum. [Do lat. *caecum*.] *S. m. Anat.* V. *ceco*.

cê-dê-efe. *S. 2 g. Bras. Gír. Escol.* V. *cu-de-ferro.* [Pl.: *cê-dê-efes.*]

cedeira. *S. f. Bras., S.* Parte do buçal (1) situada por baixo da queixada, e que une o fiador (4) à parte inferior da focinheira.

cedência. [Do lat. *cedentia.*] *S. f.* V. *cessão.*

cedente. [Do lat. *cedente.*] *Adj. 2 g. e s. 2 g.* Que ou quem faz cessão. [Cf. *sedente.*]

ceder. [Do lat. *cedere.*] *V. t. d. e i.* **1.** Transferir (a outrem) direitos, posse ou propriedade de alguma coisa: *Cedeu à mãe a sua parte na herança.* **2.** Pôr (algo) à disposição de alguém; emprestar: *Cedo-lhe por uma semana minha casa de campo. T. i.* **3.** Não resistir; sucumbir; dobrar-se, curvar-se: *Cedeu ao impulso do coração, perdoou-lhe, e voltaram a ser amigos;* "— Governou como a cara dele! atalhou tio Cosme, cedendo a antigos rancores políticos." (Machado de Assis, *Dom Casmurro,* p. 9). **4.** Condescender; anuir: "Cedi ao pedido, confesso que um pouco atordoado." (Id., *Páginas Recolhidas,* p. 69.) **5.** Sujeitar-se; render-se: *Não cede a imposições;* "Não queria [Pio IX] ceder à pressão do soberano de um longínquo Império americano." (Afonso Arinos de Melo Franco, *Amor a Roma,* p. 33). **6.** Renunciar, desistir: *ceder de um direito. Int.* **7.** Dar de si; abalar(-se); mover(-se): *A estante cedeu, e parte dos livros foi ao chão.* **8.** Anuir, condescender, assentir em alguma coisa: *Tanto insistiram que cedeu e renunciou ao cargo.* **9.** Diminuir, abrandar; amainar: *A chuva cedeu.* **10.** Tornar-se frouxo, lasso; afrouxar, relaxar: *O nó, muito apertado, aos poucos cedeu.* **11.** Não resistir; sucumbir.

cedi. *S. m.* Unidade monetária, e moeda, da República de Gana.

cediço. *Adj.* **1.** Corruto, corrompido. **2.** Estagnado, parado. **3.** *Fig.* Muito velho: "Esta questão de classificar em escola clássica, escola romântica, escola realista é um tema cediço, um lugar-comum com que se entretêm os espíritos estéreis" (Labieno, *Vindiciae,* p. 7). **4.** Sabido de todos: *caso cediço.*

cedido. [Part. de *ceder.*] *Adj.* Que foi objeto de cessão.

cedilha. [Do esp. *cedilla.*] *S. f.* Sinal gráfico (,) que, antes de *a, o, u,* se sotopõe ao *c,* para indicar que tem valor de *s* inicial.

cedilhado. [Part. de *cedilhar.*] *Adj.* Em que se pôs cedilha. ~ V. *cê* —.

cedilhar. *V. t. d.* Pôr cedilha em.

cedimento. [De *ceder* + *-mento.*] *S. m.* V. *cessão.* [Cf. *sedimento.*]

cedinho. *Adv.* **1.** Muito cedo. **2.** Logo de manhã.

cedível. *Adj. 2 g.* Que se pode ceder. [Sin.: *cessível.*]

cedo (ê). [Do lat. *citu,* 'depressa'.] *Adv.* **1.** Antes da ocasião própria; prematuramente. **2.** De madrugada. **3.** De pronto; depressa. [Cf. *sedo,* do v. *sedar.*] ♦ **Com cedo. 1.** Prematuramente; cedo: "Aprendestes com cedo a atender e a decorar a graça fácil e a análise inquieta de uns" (Afrânio Peixoto, *Poeira da Estrada,* p. 110). **2.** Em tempo; cedo: "Assim chegaram todos com cedo e alegremente." (Manuel de Oliveira Paiva, *Dona Guidinha do Poço,* p. 161.) **3.** Em breve. **4.** Desde logo.

cedralense. *Adj. 2 g.* **1.** De, ou pertencente ou relativo a Cedral (SP). ● *S. 2 g.* **2.** Natural ou habitante de Cedral.

cedrão. [Aum. de *cedro*] *S. m. Bras.* V. *carrapeta* (2).

cedreiro. Adj. **1.** De, ou pertencente ou relativo a Cedro de São João (SE). ● *S. m.* **2.** O natural ou habitante de Cedro de São João.

cedreno. *S. m. Quím.* Mistura complexa de sesquiterpenos, extraída do óleo de cedro do gênero *Juniperus.*

cedrense. *Adj. 2 g.* **1.** De, ou pertencente ou relativo a Cedro (CE). ● *S. 2 g.* **2.** Natural ou habitante de Cedro.

cedrinho. [Dim. de *cedro.*] *S. m.* Certo tipo de cedro empregado em cercas vivas.

cedro. [De uma língua semítica, atr. do gr. *kédros,* e do lat. *cedru.*] *S. m.* **1.** Árvore de grande porte, sem ramificação, da família das meliáceas (*Cedrela fissilis*), dotada de casca grossa, considerada medicinal, flores grandes e alvas e fruto capsular lenhoso com numerosas sementes. Fornece madeira própria para marcenaria, escultura, certas embarcações pequenas, etc. [Sin.: *cedro-amarelo, cedro-rosa, cedro-branco, cedro-vermelho, cedro-da-várzea, acaju catinga.*] **2.** Essa madeira.

cedro-amarelo. *S. m. Bras.* V. *cedro.* [Pl.: *cedros-amarelos.*]

cedro-branco. *S. m. Bras.* **1.** V. *cedro.* **2.** V. *caranábranca.* [Pl.: *cedros-brancos.*]

cedro-da-várzea. *S. m. Bras.* V. *cedro.* [Pl.: *cedros-da-várzea.*]

cedro-do-líbano. *S. m.* Árvore ornamental, de grande porte, da família das pináceas (*Cedrus libani*), de folhas lineares, verde-escuras, flores unissexuais, e que, graças a suas células resinosas, fornece madeira alva e aromática. [Pl.: *cedros-do-líbano.*]

cedro-faia. *S. m. Bras., BA a SC.* V. *carne-de-vaca* (1). [Pl.: *cedros-faias* e *cedros-faia.*]

cedroí. [De *cedro* + *-i.*] *S. m. Bras.* V. *mogno.*

cedro-japonês. *S. m. Bras. S.* Árvore grande, piramidal e ornamental, da família das pináceas (*Cryptomeria japonica*), de amentos masculinos em espigas e amentos femininos solitários, cone globoso, de aparência espinescente, castanho-avermelhado, e madeira mole, de tecido compacto, durável, com listras claras e escuras, a qual fornece material para a indústria de papel; araucária-do-japão, árvore-de-natal. [Pl.: *cedros-japoneses.*]

cedrol. *S. m. Quím.* Álcool terpênico existente no óleo de cedro. [Pl.: *cedróis.*]

cedro-preto. *S. m. Bras.* V. *canela-inhaíba.* [Pl.: *cedros-pretos.*]

cedrorana. [De *cedro* + *-rana.*] *S. f. Bras., Amaz.* **1.** Árvore muito alta, de casca grossa e rugosa, da família das leguminosas (*Cedrelinga catenaeformis*), de flores verde-amareladas, fruto em vagem, com sementes ovóides, e madeira esponjosa, pardo-acizentada; iacaiacá. **2.** V. *coariúba.*

cedro-rosa. *S. m. Bras.* V. *cedro.* [Pl.: *cedros-rosas.*]

cedro-vermelho. *S. m. Bras.* V. *cedro.* [Pl.: *cedros-vermelhos.*]

cédula. [Do lat. *schedula.*] *S. f.* **1.** Documento escrito; apontamento. **2.** Confissão de dívida, escrita mas não legalizada. **3.** Papel representativo de moeda de curso legal; nota: "distribuíra .... cédulas de cinco e dez mil-réis" (Jorge Amado, *Dona Flor e Seus Dois Maridos,* pp. 424 - 425). [V. *título de crédito.*] **4.** *Bras.* Papel com o nome de candidato a cargo eletivo, e próprio para votação. **5.** Chapa eleitoral; voto. [Cf. *sédula,* fem. de *sédulo.*] ♦ **Cédula de identidade.** Cartão expedido pela Secretaria de Segurança Pública, onde se acham, de um lado, o nome, o número do registro geral, a filiação, a naturalidade, a data do nascimento, e do outro uma fotografia, a assinatura e a impressão digital do polegar direito do portador, e que serve para a sua identificação; carteira de identidade. **Cédula hipotecária.** Título de crédito, nominativo, endossável, garantido por hipoteca. [Cf. *letra hipotecária.*] **Cédula pignoratícia.** Título de crédito pignoratício sobre mercadorias depositadas em armazéns gerais. [Sin. (ingl.).: *warrant.*] **Cédula testamentária.** V. *carta testamentária.*

cefalalgia. [Do gr. *kephalalgía.*] *S. f. Med.* Cefaléia: "O doente dispético com mania de moléstia do coração, que discute medicina com o médico assistente; que chama as dores de cabeça cefalalgias" (França Júnior, *Folhetins,* pp. 525-526).

cefalálgico. [Do gr. *kephalalgikós.*] *Adj.* Relativo a cefalalgia.

cefaléia. [Do gr. *kephalaía.*] *S. f. Patol.* Dor de cabeça; cefalalgia: "A cefaléia, ... ia-se-lhe tornando insuportável: sentia a cabeça como apertada num capacete de ferro" (Coelho Neto, *Turbilhão,* p. 17).

cefalematoma [De *cefal(o)-* + *-(h)emat(o)-* + *-oma.*] *S. f. Obst.* Derrame sanguíneo ocorrido no crânio fetal, em situação subóssea, e decorrente de trauma obstétrico; cefaloematoma.

cefálico. [Do gr. *kephalikós.*] *Adj.* Relativo ou pertencente à cabeça. ~ V. *índice* —.

cefalídio. *S. m. Micol.* Conidióforo constituído por uma célula apical globulosa, da qual partem pequenas cadeias radiadas de conídios. Encontra-se, p. ex., no gênero *Aspergillus.*

cefálio. *S. m. Bot.* **1.** *Desus.* Inflorescência das pandanáceas. **2.** Coxim densamente piloso sobre o qual nascem as flores no caule das cactáceas.

▲cefal(o)-. [Do gr. *kephalé, ês.*] *El. comp.* = 'cabeça': *cefalalgia.* [Equiv.: *-céfalo: dolicocéfalo.*]

▲-céfalo. Equiv. de *cefal(o)-.*

cefalobenido. *S. m.* **1.** Espécime dos cefalobenidos. ● *Adj.* **2.** Pertencente ou relativo a eles.

cefalobenidos. *S. m. pl. Zool.* Artrópodes pentastomídios, da ordem *Cephalobaenida.* Têm ganchos bucais sem fulcro ou ramo basal; abertura genital anterior; desenvolvimento direto, sem hospedeiro intermediário.

cefalocárido. *S. m.* **1.** Espécime dos cefalocáridos. ● *Adj.* **2.** Pertencente ou relativo a eles.

cefalocáridos. *S. m. pl. Zool.* Animais marinhos, metazoários, artrópodes, crustáceos, da subclasse *Cephalocarida,* dotados de um par de segundas maxilas, 19 ou 20 segmentos poscefálicos e 10 apêndices torácicos, birremes e articulados, não foliáceos, e desprovidos de apêndices abdominais.

cefalocordado. *S. m.* **1.** Espécime dos cefalocordados. **2.** Pertencente ou relativo a eles.

cefalocordados. *S. m. pl. Zool.* Animais marinhos, cordados, do subfilo *Cephalochordata,* de corpo pisciforme, com notocórdio ou corda dorsal nervosa em todo o comprimento do corpo, e numerosas fendas branquiais permanentes, situadas dentro de um átrio. [Cf. *anfioxos* e *leptocárdios.*]

cefalocórdio. [De *cefal(o)-* + gr. *chordé,* 'corda (dorsal)', + *-io*[2].] *S. m.* V. *acraniota.*

cefalodiscídio. *S. m.* **1.** Espécime dos cefalodiscídios. ● *Adj.* **2.** Pertencente ou relativo a eles.

cefalodiscídios. *S. m. pl. Zool.* Animais cordados hemicordados, pterobrânquios, ordem *Cephalodiscidea.* Corpo com lotóforos que têm vários ramos; duas fendas branquiais; gônada dupla; são solitários.

cefaloematoma. *S. f. Obst.* Cefalematoma.

cefalóide. [Do gr. *kephalocidés.*] *Adj. 2 g.* Que tem forma de cabeça.

cefalópode. [De *cefal(o)-* + *-pode.*] *Adj. 2 g.* **1.** Que tem pés na cabeça. **2.** Relativo ou pertencente aos cefalópodes. ● *S. m.* **3.** Espécime dos cefalópodes. [Sin. (nas acepç. 2 e 3): *acetabulífero.*]

cefalópodes. *S. m. pl. Zool.* Animais moluscos, marinhos, da classe *Cephalopoda.* Corpo com uma concha externa, ou interna, ou ausente; cabeça grande, com olhos, rodeada de oito, 10 ou mais braços ou tentáculos. São os polvos, lulas, sépias e argonautas. [Sin.: *acetabulíferos.*]

cefalorraquiano. *Adj.* Relativo ao encéfalo e à medula espinhal; cefalorraquidiano. ~ V. *líquido* —.

cefalorraquidiano. *Adj.* V. *cefalorraquiano.*

cefalotórace. *S. m. Zool.* Cefalotórax.

cefalotórax (cs). [De *cefal(o)-* + *-tórax.*] *S. m. 2 n. Zool.* Região anterior do corpo dos crustáceos e aracnídeos, formada pela fusão da cabeça e do tórax; cefalotórace.

cefeida. *S. f. Astr.* Variável cefeida.

Cefeu. [Do gr. *Kephéus,* pelo lat. *Cepheu.*] *S. m. Astr.* Constelação boreal, cuja denominação científica é *Cepheus.*

cegamento. *S. m. P. us.* V. *cegueira.*

cegante. [Do lat. *caecante.*] *Adj. 2 g.* **1.** Que cega. **2.** *Fig.* Ofuscante, deslumbrante: "Com o movimento do ônibus, há .... uma fração de segundo em que o vitral chameja, refletindo o sol, numa palpitação breve e cegante." (Osmã Lins, *Nove, Novena,* p. 198.)

cega-olho. [De *cegar* + *olho* (ô).] *S. m. Bras., N. a S.* **1.** Designação comum a várias espécies da família das asclepiadáceas, ervas de caule ereto e pouco ramificado, flores alvas ou pálido-esverdeadas, e cujo látex é considerado nocivo; camará-bravo, chibante, saudade-da-campina. **2.** V. *arrebenta-boi* (1). [Pl.: *cega-olhos.*]

cegar. [Do lat. *caecare.*] *V. t. d.* **1.** Tirar a vista a; tornar cego. **2.** Privar do sentido da visão: "o clarão dum farol apanhou-o em cheio, cegando-o momentaneamente." (Érico Veríssimo, *Noite,* p. 6). **3.** Deslumbrar, fascinar: *A visão de tamanha riqueza cegava-o.* **4.** Fazer perder a razão; alucinar: *Não atente no que ele diz: a raiva cegou-o de todo.* **5.** Iludir, enganar: *A glória de ocupar função tão alta cegou o pobre homem.* **6.** Apagar; desbotar; desvanecer: *Os anos cegaram a velha inscrição.* **7.** Entupir, entulhar. **8.** Tirar o fio ou o gume de (faca, navalha, tesoura, etc); embotar. *Int.* **9.** Perder a vista; deixar de ver; ficar cego; enceguecer: "Analfabeto, cegou [o cantador Antônio Açudinho] em conseqüência da picada de uma cobra jararaca" (Ulisses Lins de Albuquerque, *Um Sertanejo e o Sertão,* p. 67). **11.** Perturbar a vista; ofuscar: "O sol / cegava, / nos telhados." (Alberto Da Costa e Silva, *As Linhas da Mão,* p. 136.) *P.* **12.** Iludir-se; enganar-se: *Cegou-se com a aparente honestidade da firma.* **13.** Perder a razão; alucinar-se. [Conjug.: v. *carregar.* Cf. *segar.*]

cega-rega. [T. onom.] *S. f.* **1.** Cigarra (1). **2.** *Fig.* Pessoa muito tagarela, de voz desagradável e impertinente. [Pl.: *cega-regas.*]

cegas. *El. s. f. pl.* Us. na loc. adv. *às cegas.* ♦ **Às cegas. 1.** Sem ver; às apalpadelas: *caminhar às cegas.* **2.** Às escuras (3).

cego. [Do lat. *caecu.*] *Adj.* **1.** Privado da vista. **2.** *Fig.* Alucinado, transtornado; obcecado: *A paixão fê-lo cego.* **3.** Que impede a reflexão, o raciocínio; que perturba o julgamento, oblitera a razão: *paixão cega; furor cego;* "Loucura! ai, cega loucura!" (Almeida Garrett, *Folhas Caídas,* p. 85). **4.** Total, absoluto; irrestrito: *confiança cega; obediência cega.* **5.** Diz-se do instrumento cortante que tem o fio gasto ou embotado; reboto. ~ V. *bóia —a, caixa —a, o deus —, nó —, ponto —, vôo —* e *zona — a.* ● *S. m.* **6.** Indivíduo cego (1). **7.** *Anat.* Var. de ceco. [Cf. *sego*, do v. *segar.*]

cegonha. [Do lat. *ciconia.*] *S. f.* **1.** Ave da ordem dos ciconiformes, da família dos ciconídeos, gênero *Ciconia* L., da Europa. A espécie mais comum é *C. ciconia* L., ave migradora, que nidifica na primavera no N. da África e C. da Europa, e passa o inverno no S. da África e na Índia. Constrói ninhos nas chaminés e habitações humanas, e a eles retorna anos a fio. [Há muitas lendas populares em torno da cegonha, segundo uma das quais os recém-nascidos são trazidos por elas.] Existem 16 espécies conhecidas, no gênero. **2.** V. *cauanã.* **3.** *Bras.* Caminhão^{2} especialmente projetado e construído para o transporte de carros das fábricas às revendedoras; cegonheiro.

cegonheiro. *S. m. Bras.* **1.** Cegonha (3). **2.** Motorista de cegonha (3).

cegude. *S. f. Pop.* V. *cicuta.*

cegueira. *S. f.* **1.** Estado de cego (1); tiflose. **2.** Estado de quem tem a razão obscurecida, o discernimento ou o raciocínio perturbado. **3.** *Fig.* Afeição extrema, exagerada, a alguém ou alguma coisa. **4.** Falta de lucidez, ou de inteligência, de bom senso, etc. [Sin. (p. us.): *ceguidade, cegamento.*] ♦ **Cegueira verbal.** *Med.* Alexia.

ceguidade. *S. f. P. us.* V. *cegueira.*

ceguinha. [Fem. do dim. do adj. *cego.*] *S. f. Bras.* Certo vespídeo na região de Iguape.

ceguinho. [Dim. do adj. *cego.*] *S. m. Bras.* V. *bagre-cego.*

ceia. [Do lat. *coena.*] *S. f.* **1.** Refeição da noite. **2.** *Restr.* A Santa Ceia. [Escreve-se de preferência com inicial maiúscula. Cf. *Seia*, top.] ♦ **Ceia do Senhor.** *Rel.* V. *eucaristia* (1). **A Santa Ceia.** *Rel.* A que Cristo fez com os Apóstolos na véspera da paixão (10), e por ocasião da qual instituiu a eucaristia (1); ceia.

ceifa. [Do ár. *çaifâ*, 'verão'.] *S. f.* **1.** Ato de ceifar; sega. **2.** Época de ceifar. **3.** V. *sega* (1). **4.** *Fig.* Grande destruição, desbaste ou mortandade.

ceifar. [De *ceifa* + *-ar*^{2}.] *V. t. d.* **1.** Abater (seara madura) com a foice ou com outro instrumento apropriado. **2.** Cortar, segar: *ceifar espigas.* **3.** Arrebatar, tirar (a vida). **4.** Tirar ou arrebatar a vida a: *A guerra ceifou milhões de jovens.* **5.** Colher, recolher: *ceifar os lauréis da glória.* *Int.* **6.** Cortar as espigas maduras: "Eles .... , em linha à borda do trigo, ... começaram em silêncio a terrível faina de ceifar." (Fialho d'Almeida, *A Esquina*, p. 67.) **7.** Pôr (o cavalo) as mãos para fora, ao andar.

ceifeira. *S. f.* **1.** Mulher que ceifa ou sega; segadora: "Ó ceifeira que segas cantando" (Antônio Nobre, *Só*, p. 27). **2.** Máquina de ceifar.

ceifeiro. *S. m.* **1.** Homem que ceifa; segador. ● *Adj.* **2.** Relativo à ceifa.

ceita. *S. f. Ant.* Tributo de dez-réis por família, que se pagava para se ficar isento de ir servir pessoalmente em Ceuta. [Cf. *seita.*]

ceitil. [Do ár. *cebti.*] *S. m.* **1.** Moeda portuguesa antiga, que valia um sexto de real: "Desde que viera para os Olivais, nunca mais gastara um ceitil das quantias que lhe mandava o Sr. Castro Comes." (Eça de Queirós, *Os Maias*, II, p. 232.) **2.** *Fig.* Insignificância, ninharia.

cela. [Do lat. *cella.*] *S. f.* **1.** Pequena alcova ou quarto de dormir. **2.** Aposento de frades ou de freiras, nos conventos. **3.** Aposento de condenado, em penitenciárias. **4.** *Zool.* Cada uma das cavidades dos favos. [Cf. *sela*, do v. *selar*, e s. f.]

celacantino. *S. m.* **1.** Espécime dos celacantinos. ● *Adj.* **2.** Pertencente ou relativo a eles.

celacantinos. *S. m. pl. Zool.* Animais da classe dos peixes, coanictes, crossopterígios, da ordem *Coelacanthini.* Têm cabeça com muitas cartilagens, dentes apenas na extremidade do pré-maxilar, e cauda com três ramos. Ocorrem na África do Sul.

celação. *S. f.* Ato de esconder algum fenômeno natural, como, p. ex., a gravidez.

celada. [Do esp. *celada.*] *S. f.* Antiga armadura de ferro para a cabeça. [Cf. *selada*, s. f. e forma f. do adj. *selado.*]

celagem. [Do esp. *celaje*, ou do lat. *coelu*, 'céu', + *-agem.*] *S. f.* A cor do céu ao nascer e ao pôr do Sol; cariz: "Como no extremo horizonte / A primeira desmaiada / Celagem da madrugada, / Duas rosas transluziram / Nas faces da Virgem pura" (Manuel Bandeira, *Estrela da Vida Inteira*, p. 235); "Apenas mostras a esta febre o louro / Campo de trigo, múrmuro, às aragens, / E este engano do Poente incendido em celagens / De ouro!" (Goulart de Andrade, *Poesias*, p. 16). [Cf. *selagem* e *silagem.*]

celamim. [Do ár. *thamānī*, 'a oitava parte'.] *S. m.* **1.** Antiga unidade de medida de capacidade para secos, equivalente à 16ª parte de um alqueire (1), ou seja, 2,27 litros. **2.** Unidade de medida de capacidade do sistema inglês, equivalente a cerca de 9 litros. [Var.: *salamim.*]

celastrácea. *S. f.* Espécime das celastráceas.

celastráceas. *S. f. pl. Bot.* Família de plantas floríferas, constituída por umas 450 espécies lenhosas. Flores pequeninas, hermafroditas, com disco bem desenvolvido; folhas simples e estipuladas; o fruto é cápsula ou baga. O Brasil é rico em representantes, aliás comuns na zona temperada.

celastráceo. *Adj.* Pertencente ou relativo às celastráceas.

▲**-cele.** [Do gr. *kéle.*] *El. comp.* = 'tumor', 'tumoração': *escrotocele, variocele.*

celebérrimo. [Do lat. *celeberrimu.*] *Adj.* Superl. abs. sint. de *célebre;* celebríssimo.

celebração. [Do lat. *celebratione.*] *S. f.* Ato ou efeito de celebrar.

celebrado. [Part. de *celebrar.*] *Adj.* **1.** Célebre, afamado. **2.** Louvado, gabado. **3.** Realizado com solenidade.

celebrador (ô). [Do lat. *celebratore.*] *Adj.* **1.** Celebrante (1). ● *S. m.* **2.** Celebrante (2).

celebrante. [Do lat. *celebrante.*] *Adj. 2 g.* **1.** Que celebra; celebrador. ● *S. m.* **2.** Pessoa que celebra; celebrador. **3.** *Restr.* O padre que celebra missa.

celebrar. [Do lat. *celebrare.*] *V. t. d.* **1.** Fazer realizar com solenidade; promover, patrocinar: *celebrar um tratado de paz;* "celebrou reuniões em que falou muito da liberdade de consciência" (Machado de Assis, *Histórias sem Data*, p. 152). **2.** Comemorar, festejar; celebrizar: *celebrar um aniversário.* **3.** Publicar com louvor; exaltar: *Em* Os Lusíadas, *Camões celebra as glórias portuguesas.* **4.** Acolher com festejos, comentários, demonstrações ruidosas, etc.: *O povo celebrou a vitória de seus soldados.* **5.** Concluir (um ato ou contrato). **6.** Dizer, rezar (missa): "O padre de Santana viera celebrar missa na capela de Curral Novo" (Adalberon Cavalcanti Lins, *Curral Novo*, p. 264). *Int.* **7.** Dizer missa: "— Agora é que é ocasião de se ganhar dinheiro, Seu Cornélio, disse o Padre Laje. Não celebro na noite de Natal por menos de cem mil-réis..." (L. Lavenère, *O Padre Cornélio*, p. 175.) [Pres. subj.: *celebre*, etc. Cf. *célebre.*]

celebrável. [Do lat. *celebrabile.*] *Adj. 2 g.* Digno de ser celebrado.

célebre. [Do lat. *celebre.*] *Adj. 2 g.* **1.** Que tem grande fama; afamado, famigerado. **2.** Muito notório; notável. **3.** *Fam.* Extravagante, esquisito, estranho: "— Passei o dia com um amigo, e à noite dirigi-me ao teatro; mas, cousa célebre! o meu sonho não me saía da cabeça" (Joaquim Manuel de Macedo, *Os Romances da Semana*, p. 10); *É célebre, o tipo!* [Superl. abs. sint.: *celebérrimo* e *celebríssimo.* Cf. *celebre*, do v. *celebrar.*]

celebreira. [De *célebre* + *-eira.*] *S. f. Fam.* Extravagância, esquisitice, mania.

celebridade. [Do lat. *celebritate.*] *S. f.* **1.** Qualidade de célebre; fama, notoriedade. **2.** Pessoa célebre: *É íntimo das celebridades nacionais.*

celebríssimo. *Adj.* Celebérrimo.

celebrização. *S. f.* Ato ou efeito de celebrizar(-se).

celebrizar. *V. t. d.* **1.** Tornar célebre, notável; notabilizar. **2.** Comemorar, celebrar. *P.* **3.** Tornar-se célebre, notável; notabilizar-se.

celeireiro. [Do lat. *cellarariu.*] *S. m.* Guarda ou administrador de celeiro.

celeiro. [Do lat. *cellariu.*] *S. m.* **1.** Casa onde se ajuntam e guardam cereais. **2.** Depósito de provisões. [Sin. ger.: *tulha.* Cf. *seleiro.*]

celelminto. *S. m.* **1.** Espécime dos celelmintos. ● *Adj.* **2.** Pertencente ou relativo a eles.

celelmintos. *S. m. pl. Zool.* Animais metazoários, invertebrados, em cujo corpo existe um celoma ou cavidade que é independente tanto da parede do corpo como do tubo digestivo. [A designação foi proposta para o ramo que compreenderia os anelídeos e quetógnatos.]

celenterado. [De *cel(o)-*^{1} + *-enter(o)-* + *-ado*^{3}.] *S. m.* **1.** Espécime dos celenterados. ● *Adj.* **2.** Pertencente ou relativo a eles. [Sin. ger.: *cnidário.*]

celenterados. *S. m. pl. Zool.* Animais enterozoários, radiados, do ramo *Coelenterata*, que têm indivíduos formados por pólipos cilíndricos, sésseis, os quais vivem freqüentemente em colônias, ou medusas campanuladas flutuantes. Têm cápsulas urticantes ou nematocistos, cavidade digestiva saciforme, boca circundada por tentáculos, ânus ausentes. São aquáticos, na grande maioria marinhos, fixos ou livremente flutuantes. São as medusas, pólipos, corais, anêmonas-do-mar e grupos afins. [Sin.: *cnidários.*]

celêntero. *S. m. Zool.* Cavidade do corpo dos celenterados.

celerado. [Do lat. *sceleratu.*] *Adj.* e *s. m.* **1.** Criminoso; facinoroso: "Amedrontava-se com a idéia de que a sua habitação fosse acometida por bandos de celerados famintos" (Manuel de Oliveira Paiva, *Dona Guidinha do Poço*, p. 56). **2.** Perverso, mau.

célere. [Do lat. *celere.*] *Adj. 2 g.* Veloz, ligeiro, rápido: "Enfiava-se por entre aquele povo indo e vindo, caminhava célere, esquecido de si" (João Pacheco, *Negra a caminho da Cidade*, p. 47); "Consumado o crime, o bando revolto veio, em marcha célere, pelo caminho da casa" (Rodrigo Otávio, *Contos de ontem e de hoje*, p. 30). [Superl. abs. sint.: *celérrimo* e *celeríssimo.* Antôn.: *lento, moroso, vagaroso.*]

▲**celeri-.** [Do lat. *celer, eris, ere.*] *El. comp.* = 'rápido', 'ligeiro': *celerígrado, celerímetro.*

celeridade. [Do lat. *celeritate.*] *S. f.* Qualidade de célere; velocidade, ligeireza, rapidez.

celerígrado. [De *celeri-* + *-grado*^{1}.] *Adj. Zool.* Diz-se do animal que corre ou anda com rapidez; celerípede.

celerímetro. [De *celeri-* + *-metro*^{2}.] *S. m. Desus.* V. *hodômetro.*

celerípede. [Do lat. *celeripede.*] *Adj. 2 g.* **1.** Que caminha com celeridade. **2.** *Zool.* Celerígrado.

celeríssimo. *Adj.* Celérrimo.

celérrimo. [Do lat. *celerrimu.*] *Adj.* Superl. abs. sint. de *célere;* celeríssimo.

celescópio. *S. m. Astr.* Conjunto de quatro telescópios, de grande luminosidade, cada um equipado com uma câmara de televisão, a serem lançados, num satélite, em órbita ao redor da Terra, e destinado ao estudo fotométrico, na região do ultravioleta, das estrelas quentes, que são acessíveis somente acima da atmosfera terrestre.

celesta. [Do it. *celesta.*] *S. f.* Instrumento de percussão e teclado de timbre mais puro e suave que o do carrilhão (4) e com a forma de um pequeno piano vertical, cujos martelos percutem lâminas de aço dispostas em escala cromática; tipofone, piano de vidro.

celeste. [Do lat. *celeste.*] *Adj. 2 g.* **1.** Do, ou relativo ao céu. **2.** Que se avista ou está no céu. **3.** Concernente à divindade. **4.** Sobrenatural. **5.** *Fig.* Perfeito, primoroso. [Sin. ger.: *celestial.*] ~ V. *abóbada —, atlas —, carta —, coordenada —, corte* (ô) *—, eixo da esfera —, equador —, esfera —, fotografia —, o império —, latitude —, longitude —, mecânica —, meridiano —, milícia —, morada —, paralelo —, pólo —, pólo — negativo, pólo — positivo* e *projeção — globular.*

celestial. *Adj. 2 g.* V. *celeste.* ~ V. *guiamento —.*

celestina. [Do lat. *caelestina.*] *S. f.* **1.** *Bras., RS.* Planta ornamental, da família das compostas (*Ageratum lasseauxu*), de caule ramoso desde a base, flores azuladas dispostas em corimbos. **2.** *Bras., RS.* Planta ornamental, da família das compostas (*Ageratum mexicanum*), de caule ramoso desde a base e flores róseas dispostas em corimbos. **3.** V. *alcoviteira* (2).

celestino. [Do lat. *coelestinu.*] *Adj. Poét.* De cor azul-celeste.

celestita. *S. f. Min.* Mineral ortorrômbico, sulfato de estrôncio; minério de estrôncio.

celetista. [De CLT, 'Consolidação das Leis Trabalhistas'.] *Adj. 2 g.* e *s. 2 g. Bras.* Diz-se de, ou funcionário cujo vínculo empregatício é regido pela CLT.

celeuma. [Do gr. *kéleuma*, pelo lat. *celeuma.*] *S. f.* **1.** Vozearia de pessoas que trabalham. **2.** Canto ou vozearia de barqueiros: "Aproa à terra, com celeuma alegre, / A nau pujante." (Alexandre Herculano, *Poesias*, p. 116). **3.** Barulho, algazarra, tumulto: "no meio do rebuliço, celeuma e insensatez geral, ninguém fazia caso do poeta" (Aquilino Ribeiro, *Luís de Camões*, II, p. 217).

celga. [De *acelga*, com aférese.] *S. f.* Var. de *acelga.*

celha (ê). *S. f.* Celhas [q. v.]. Cf. *selha.*]

celhas (ê). [Do lat. *cilia*, pl. de *cilium.*] *S. f. pl.* **1.** V. *cílio* (1). **2.** *P. ext.* Sobrancelhas. **3.** *Fig.* Pêlos ou sedas que se criam no fio marginal das folhas de certas plantas. [Tb. us. no sing. Cf. *selhas* (ê), pl. de *selha.*]

celheado. *Adj.* **1.** Que tem celhas. **2.** Diz-se especialmente do cavalo que tem sobrancelhas brancas.

▲**celi-.** [Do lat. *coelum, i.*] *El. comp.* = 'céu': *celícola* (< lat. *coelicola*). [Equiv.: *celo-: celóstato.*]

celíaco. [Do gr. *koliakós*, pelo lat. *coeliacu.*] *Adj.* **1.** Do, ou relativo ao ventre, ao abdome. **2.** *Bot.* Diz-se do órgão ou parte vegetal que é oca: *colônia celíaca.* ~ V. *plexo —.*

celibatário. *S. m.* **1.** Indivíduo que não se casou: "La Bruyère, o imortal autor dos *Caracteres*, receou tanto iludir-se que se conservou celibatário." (Ramalho Ortigão, *Primeiras Prosas*, p. 151.) ● *Adj.* **2.** Solteiro. **3.**

Fig. Estéril, improdutivo: "o tio Francisco com a sua crítica estreita e c e l i b a t á r i a podia escandalizar-se" (Eça de Queirós, *Contos*, p. 13).
celibatarismo. *S. m.* Estado ou caráter de celibatário.
celibato. [Do lat. *caelibatu.*] *S. m.* O estado de uma pessoa que se mantém solteira: "refutando a tradição e o princípio da autoridade, os jejuns, o Purgatório, os votos monásticos, o c e l i b a t o eclesiástico, que era uma amputação, ... Lutero destrói num ímpeto de rebeldia sacrílega todas as crenças que constituíam a alma da Idade Média." (Ramalho Ortigão, *Figuras e Questões Literárias*, I, p. 127). [Sin. bras.: *solteirismo.*]
célico. [Do lat. *caelicu.*] *Adj. Poét.* Celeste, celestial: "E imaginei ouvir ao conversar das aves / As c é l i c a s canções dos anjos teus irmãos." (Cesário Verde, *Obra Completa*, p. 59).
celícola. [Do lat. *caelicola.*] *S. 2 g.* Habitante do céu.
celidônia. [Do gr. *chelidónion*, pelo lat. *chelidonia*, i. e., *herba chelidonia.*] *S. f.* Quelidônia.
celífluo. [Do lat. *caelifluu.*] *Adj.* Que dimana do céu.
celígena. [Do lat. *caeligena.*] *Adj. 2 g.* Procedente do céu.
celinense. *Adj. 2 g.* **1.** De, ou pertencente ou relativo a Celina (ES). ● *S. 2 g.* **2.** Natural ou habitante de Celina.
célio. *Adj.* Celeste, celestial: "Alma dormente, tumultuosa, vária, / Acorde de harpa misteriosa e c é l i a." (Cruz e Sousa, *Últimos Sonetos*, p. 152).
▲**celi(o)-.** Equiv. de *cel(o)-.*
celioscopia. [De *celi(o)-* + *-scop-* + *-ia.*] *S. f. Med.* Exame endoscópico da cavidade abdominal depois de insuflada.
celioscópico. *Adj.* Relativo à celioscopia.
celioscópio. [De *celi(o)-* + *-scop-* + *-io*[2].] *S. m.* Endoscópio com que se realiza a celioscopia.
celiotomia. [De *celi(o)-* + *-tom(o)-* + *-ia.*] *S. f. Cir.* Abertura da cavidade abdominal.
celiotômico. *Adj.* Relativo à celiotomia.
celipotente. [Do lat. *caelipotente.*] *Adj. 2 g.* Poderoso no céu.
celo. *S. m. Mús.* Abrev. de *violoncelo.*
▲**celo-.** Equiv. de *celi —.*
▲**cel(o)-.** [Do gr. *kôilos, e, on.*] *El. comp.* — 'oco', 'cavidade': *celenterado.* [Equiv.: *celi(o)-*: *celiotomia.*]
celobiose. *S. f. Quím.* Holosídeo redutor, constituído por duas oses, em que se decompõe a celulose.
celofane. [De *celo*, abr. de *celulose*, + gr. *phan*, raiz de *phaíno*, 'fazer aparecer'.] *S. m.* Denominação comercial de folhas delgadas e transparentes, obtidas da viscose, e usadas no acondicionamento de mercadorias e para vários outros fins.
celoma. [Do gr. *koíloma.*] *S. m.* **1.** *Biol.* Cavidade que se forma no mesoderma durante a vida embrionária, situada entre a parede do corpo e os órgãos internos. **2.** *Med.* Espécie de úlcera da córnea transparente.
celomado. *S. m.* **1.** Espécime dos celomados. ● *Adj.* **2.** *Zool.* Que tem celoma (1). **3.** Pertencente ou relativo aos celomados.
celomados. *S. m. pl. Zool.* Animais enterozoários, de simetria bilateral pelo menos em uma fase da vida, providos de celoma. São todos os animais, com exclusão dos protozoários, mesozoários, poríferos, celenterados, ctenóforos, platelmintos e nemertinos.
celóstato. [De *celo-* + *-stato.*] *S. m. Astr.* Helióstato. [A pron. corrente é *celostato.*]
celsitude. [Do lat. *celsitudine.*] *S. f.* Qualidade do que é celso: "Atravessou matas espessas, onde a c e l s i t u d e das carnaúbas e dos jequitibás frondentes amortece o brilho da luz" (P.e Júlio de Albuquerque, *Alma das Catedrais*, p. 108).
celso. [Do lat. *celsu.*] *Adj.* **1.** Alto, elevado. **2.** Sublime, excelso.
celta. [Do lat. *celta.*] *S. 2 g.* **1.** Indivíduo dos celtas, povo de raça indo-germânica, que já na Idade do Bronze chegara às Ilhas Britânicas, através dos Balcãs, e à Gália central, e que foi vencido pelos romanos no séc. III a. C. ● *S. m.* **2.** Grupo de línguas indo-européias faladas pelos celtas, que se dividiu em duas seções: a) continental, representada pelo gaulês, língua falada na Gália e já extinta no séc. V. d. C.; **b)** insular, que abrange o gaélico (formado pelo irlandês e pelo escocês), e o britânico (formado pelo galês, pelo extinto córnico e pelo bretão, levado das ilhas britânicas para a península armórica). ● *Adj. 2 g.* **3.** Pertencente ou relativo aos celtas ou a seu grupo de línguas.
celtibero (bé). [Do lat. *celtiberu.*] *Adj.* **1.** De, ou pertencente ou relativo à Celtibéria, nome antigo da parte da Espanha que corresponde hoje ao Aragão e parte de Castela. ● *S. m.* **2.** Natural ou habitante da Celtibéria. [Os celtiberos resultaram da fusão dos celtas com os iberos.]
céltico. [Do lat. *celticu.*] *Adj.* Dos celtas.
▲**celt(o)-.** [Do lat. *celtae, arum.*] *El. comp.* = 'celta': *celtibero* (lat. *celtiberu*).
célula. [Do lat. *cellula.*] *S. f.* **1.** *Biol. Desus.* Cavidade cheia de ar, delimitada por paredes, encontrada no súber. **2.** *Biol.* Unidade estrutural básica dos seres vivos, que se compõe de numerosas partes, sendo as fundamentais a parede ou membrana, o protoplasma e o núcleo. **3.** *Biol.* A menor unidade de matéria viva que pode existir de maneira independente, e ser capaz de reproduzir-se. **4.** *Aer.* Conjunto de asas de um aparelho mais pesado que o ar. **5.** *Fís.* Num espaço de fase, região limitada e definida pelas coordenadas das partículas do sistema que estão no interior de intervalos dados. **6.** *Mús.* Motivo melódico ou rítmico que pode aparecer isolado ou fazer parte de uma contextura temática. **7.** *Mús. Concr.* Conjunto sem repetição nem evolução que não apresenta os caracteres definidos da nota complexa. ♦ **Célula fotelétrica.** *Eletrôn.* Dispositivo capaz de gerar uma corrente ou uma tensão elétrica, quando excitado por luz; fotocélula. **Célula fotemissiva.** *Eletrôn.* Célula fotelétrica em que os elétrons emitidos por uma superfície fotossensível, excitada por uma radiação eletromagnética, são capturados por um anodo. **Célula fotocondutiva.** *Eletrôn.* Dispositivo fotossensível cuja resistência elétrica varia com a luz que recebe, e constituído, em geral, por uma fina camada de um semicondutor colocada entre dois eletrodos. **Célula fotomultiplicadora.** *Eletrôn.* Fotomultiplicadora. **Célula fotovoltaica.** *Eletrôn.* Dispositivo fotossensível em que uma tensão é gerada por um efeito fotelétrico interno.
célula-ovo. *S. f.* A célula sexual feminina dos animais e dos vegetais. [Pl.: *células-ovos* e *células-ovo.* Cf. *óvulo.*]
celular. *Adj. 2 g.* **1.** Que tem células; celulífero, celuloso. **2.** Que é formado de células. **3.** Relativo a cadeias penitenciárias: *sistema c e l u l a r.* **4.** Relativo a célula. ~ V. *conjugação* — e *parede* —.
celulase. *S. f. Quím.* Diástese que transforma a celulose em celobiose.
▲**celul(i)-.** [Do lat. *cellula.*] *El comp.* = 'célula': *celulite.*
celulífero. [De *celul(i)-* + *-fero.*] *Adj.* V. *celular* (1).
celuliforme. [De *celul(i)-* + *-forme.*] *Adj. 2 g.* Que tem forma de célula.
celulite. [De *celul(i)-* + *-ite*[1].] *S. f. Patol.* **1.** Inflamação do tecido celular. **2.** *Restr.* Processo purulento situado em tecido subcutâneo frouxo.
celulóide. [Do ingl. amer. *celluloid.*] *S. m.* Substância fabricada com uma mistura de cânfora e algodão-pólvora. É sólida, transparente, elástica, torna-se maleável pelo aquecimento, e usa-se para fins industriais.
celulose. [De *célula* + *-ose.*] *S. f. Quím.* Polímero natural, encontrado nos vegetais, e constituído pela polimerização da celobiose, substância branca, fibrosa, usada na fabricação de papéis. [Fórm.: $(C_6H_{10}O_5)_n$.]
celulósico. *Adj.* Celulótico.
celulosidade. *S. f.* Estado ou qualidade de celuloso.
celuloso (ô). *Adj.* **1.** Dividido em células. **2.** V. *celular* (1). **3.** Diz-se dos seres que são formados por células.
celulótico. *Adj.* Referente à celulose; celulósico.
cem[1]. [De *cento*, com apócope originária de próclise.] *Num.* **1.** Cardinal dos conjuntos equivalentes a um conjunto de uma centena de membros (em algarismos arábicos, *100;* em algarismos romanos, *C*). **2.** Centésimo. **3.** Numerosos, muitos: *Já o adverti c e m vezes, em vão.* [Cf. *sem*, prep., e *Sem*, antr.] ♦ **Cem por cento.** Por completo; inteiramente, totalmente, cabalmente; cento por cento.
cem[2]. *S. m.* Medida linear indochinesa, equivalente a 400 metros. [Cf. *sem*, prep., e *Sem*, antr.]
cêmbalo. *S. m.* Var. de *címbalo.*
cem-dobrar. [De *cem* + *dobrar.*] *V. t. d. Bras.* Centuplicar. [Pres. ind.: *cem-dobro*, etc. Cf. *cem-dobro* (ô).]
cem-dobro (ô). [De *cem* + *dobro* (ô).] *Bras.* **1.** *S. m.* Cêntuplo (2). ● *Adv.* **2.** Em abundância. [Cf. *cem-dobro*, do v. *cem-dobrar.*]
cementação. *S. f.* Ato ou operação de cementar. [Cf. *cimentação.*]
cementado. [Part. de *cementar.*] *Adj. Metal.* Diz-se do ferro carburado com base na região superficial. [Cf. *cimentado* e *sementado.*]
cementar. [De *cemento* + *-ar*[2].] *V. t. d. Metal.* Provocar a formação de uma liga pelo aquecimento dos constituintes a uma temperatura inferior à temperatura de fusão. [Cf. *sementar* e *cimentar.*]
cementita. *S. f. Metal.* Carbeto de ferro, ortorrômbico, muito duro, presente em certos aços e ferros fundidos. [Fórm.: Fe_3C.]
cemento. [Do lat. *cementu.*] *S. m.* **1.** Substância com que se rodeia um corpo a fim de cementá-lo. **2.** Qualquer substância com poder adesivo. **3.** *Anat.* Camada de tecido ósseo que recobre raiz dentária. **4.** *Odont.* Material, de que há mais de um tipo, com propriedade adesiva, e usado para enchimento de cavidade dentária. [Cf. *semento*, do v. *sementar*, e *cimento.*] ♦ **Cemento intercelular.** *Anat.* Material que conserva a união de células, especialmente de células de tecido epitelial.
cem-folhas. *S. f. 2 n.* Planta da família das rosáceas (*Rosa centifolia*), dotada de acúleos esparsos, e de cujas flores se extrai o óleo de rosas, usado em perfumaria.
cemiterial. *Adj. 2 g.* Pertencente ou relativo a, ou próprio de cemitério: "E o aboio intermitente, cujo eco ia morrer no profundo da mata, era qualquer coisa a um só tempo suave e dorida, a espalhar sobre a roça devastada uma sensação c e m i t e r i a l de paz." (Herberto Sales, *Além dos Marimbus*, p. 103.)
cemitério. [Do gr. *koimetérion*, 'dormitório', pelo lat. *coemeteriu.*] *S. m.* **1.** Recinto onde se enterram e guardam os mortos. [Sin., alguns pop.: *necrópole, carneiro, sepulcrário, campo-santo, cidade dos pés juntos, última morada, báli.*] **2.** *P. ext.* Lugar onde se enterram animais. **3.** *Fig.* Lugar onde se depositam objetos já sem uso ou imprestáveis: *c e m i t é r i o de automóveis.* ♦ **Cemitério radioativo.** *Eng. Nucl.* Lugar destinado à estocagem de objetos radioativos não utilizáveis.
cempasso. *S. m. Bras.* Medida de superfície com 100 passos em quadro.
cena. [Do gr. *skené*, pelo lat. *scena.*] *S. f.* **1.** *Teat.* Nos antigos teatros gregos e romanos, o espaço de representação coberto, situado ao fundo, atrás do proscênio. **2.** *Teat.* O palco. **3.** *Teat.* Nos palcos, o principal espaço de representação. **4.** *Teat.* V. *cenário*[1] (1). **5.** *Teat.* A arte teatral; a arte do espetáculo; o drama. **6.** *Teat.* Qualquer marcação ou diálogo dos atores. **7.** *Teat.* Cada uma das unidades de ação duma peça, cuja divisão se faz segundo as entradas ou saídas dos atores; cena francesa. **8.** Cada uma das situações ou lances no decorrer da evolução da intriga de uma peça, filme, novela, romance, etc.; episódio. **9.** *Cin.* e *Tel.* Parte de um filme que abrange diversos planos [v. *plano* (16)], focalizando uma certa situação em que aparecem as mesmas personagens, no mesmo ambiente. **10.** Acontecimento dramático, ou cômico. **11.** Ato mais ou menos censurável ou escandaloso. **12.** Espetáculo, perspectiva, vista. **13.** Panorama, paisagem. [Cf. *sena.*] ♦ **Cena cômica.** A comédia. **Cena francesa.** Cena (7). **Cena lírica.** A ópera. **Cena muda.** **1.** *Teat.* A que se passa entre duas ou mais pessoas que se expressam por gestos. [Cf. *pantomima* (1 e 2).] **2.** Cinema mudo. **Cena trágica.** A tragédia. **Ir à cena.** *Teat.* Ser levado à representação (qualquer peça dramática). **Pisar a cena.** Ser dado ao teatro; representar.
cenáculo. [Do lat. *coenaculu.*] *S. m.* **1.** *Ant.* Sala em que se comia a ceia ou o jantar. **2.** *P. ext.* Refeitório. **3.** Lugar onde Cristo teve a última ceia com seus discípulos. **4.** Ajuntamento de indivíduos que professam as mesmas idéias ou visam a um mesmo fim. [Cf. *senáculo.*]
cenanto. [Do gr. *schoínanthos*, pelo lat. *schoenanthu.*] *S. m. Morfol. Veg.* Hipantódio.
cenário[1]. [Do it. *scenario.*] *S. m.* **1.** *Teat.* Conjunto dos diversos materiais e efeitos cênicos (telões, bambolinas, bastidores, móveis, luzes, formas e cores), que serve para criar a realidade visual ou a atmosfera dos locais onde decorre a ação dramática. [Sin.: *cena, dispositivo cênico* e (fr.) *décor.*] **2.** *Teat.* V. *Teatro:* "Sarah Bernhardt nos traz assim uma forma desconhecida do belo, ... como traz uma língua que ainda não foi ouvida em nosso c e n á r i o." (Joaquim Nabuco, *Escritos e Discursos Literários*, pp. 39-40.) **3.** Conjunto de vistas apropriadas aos fatos representados. **4.** Lugar onde ocorre algum fato, ou onde decorre a ação, ou parte da ação, de uma peça, romance, filme, etc. **5.** Panorama, paisagem. [Cf. *senário.*]
cenário[2]. *Adj.* Relativo a ceia; cenatório. [Cf. *senário.*]
cenarista. *S. 2 g. Bras. Teat., Cin.* e *Telev.* Cenógrafo.
cenatório. [Do lat. *coenatoriu.*] *Adj.* Cenário[2]. [Cf. *senatório.*]
cendal. [Do b.-lat. *cendalu*, atr. do ár. e do gr. *sindón.*] *S. m.* **1.** Tecido fino e transparente. **2.** Véu para o rosto ou para o corpo inteiro: "C' um delgado c e n d a l as partes cobre / De quem vergonha é natural reparo, / Porém nem tudo esconde, nem descobre / O véu, dos roxos lírios pouco avaro" (Luís de Camões, *Os Lusíadas*, II, 37).
cendrado. [Do esp. *cendrado.*] *Adj.* **1.** Que tem cor de

cinza: "longa figura insinuante, de cabelo cendrado e olhos negros" (Abel Botelho, *Próspero Fortuna*, p. 184); "Cendrada luz enegrecendo o dia, / tão pálida nos longes dos telhados!" (Jorge de Sena, *Versos e Alguma Prosa*, p. 47). **2.** Apurado, acrisolado, acendrado.

cenestesia. [De *cen(o)*[1]- + *-estes(o)-* + *-ia.*] *S. f.* Sentimento difuso resultante dum conjunto de sensações internas ou orgânicas e caracterizado essencialmente por bem-estar ou mal-estar. [Cf. *cinestesia* e *sinestesia.*]

cenestésico. *Adj.* Pertencente ou relativo à cenestesia.

cenho. [Do esp. *ceño.*] *S. m.* **1.** Aspecto ou rosto severo carrancudo. **2.** Rosto, semblante: "quando a porta se fechou e os gritos continuaram, ele viu Maria franzir o cenho, contrariada, até que a porta foi reaberta" (Maria Alice Barroso, *Um Nome para Matar*, p. 305). **3.** Doença entre o casco e o pêlo das cavalgaduras. [Pl.: *cenhos*. Cf. *senhos.*]

cenhoso (ô). [De *cenho* + *-oso.*] *Adj.* Carrancudo (1): "A máscara d'ébano cenhosa enrugou-se no trejeito simiesco de ira." (Alberto Rangel. *Sombras n'Água*, p. 166.)

cênico. [Do gr. *skénikós*, pelo lat. *scenicu.*] *Adj. Teat.* e *Cin.* Relativo à cena. [Fem.: *cênica*. Cf. *sênica.*] ~ V. *convenção —a, jogo —* e *presença —a.*

cenismo. [Do gr. *koinismós.*] *S. m.* Emprego vicioso de vocábulos de vários idiomas na mesma obra ou discurso. [Cf. *cinismo.*]

ceno. [Do lat. *coenu.*] *S. m. Desus.* Lodaçal, atoleiro. [Cf. *seno.*]

▲**cen(o)-**[1]. [Do gr. *kenós, é, ón.*] *El. comp.* = 'vazio', 'vácuo': *cenologia*[2].

▲**cen(o)-**[2]. [Do gr. *koinós, é, ón.*] *El. comp.* = 'comum', 'público': *cenologia, cenobiose.* [Equiv.: *-cen(o)-*: *biocenose.*]

▲**cen(o)-**[3]. [Do gr. *kainós, é, ón.*] *El. comp.* = 'novo', 'moderno': *cenozóico.* [Equiv.: *-ceno*: *oligoceno, haloceno.*]

▲**cen(o)-**[4]. [Do gr. *skené, ês.*] *El. comp.* = 'cena': *cenoplastia, cenotécnico.*

▲**-cen(o)-.** Equiv. de *cen(o)-*[2].

▲**-ceno.** [Equiv. de *cen(o)-*[3].]

cenóbio. [Do gr. *koinóbion*, 'lugar onde se vive em comum', pelo lat. *coenobiu.*] *S. m.* **1.** Habitação de monges [v. *convento* (1)]: "Os princípios da biografia do frade são obscuros. Faz-se franciscano e retira-se ao cenóbio de Castagnar" (Oliveira Martins, *História da Civilização Ibérica*, p. 231). **2.** *Bot.* Nas algas inferiores, grupo de células de origem comum, que apresenta forma constante e determinada para cada espécie. **3.** *Bot. Desus.* Fruto que se separa em partes ao atingir a maturidade, como ocorre nas labiadas e boragináceas. **4.** *Biol. Ger.* Massa de células não diferenciadas; massa de organismos unicelulares.

cenobionte. *Adj. 2 g. Biol. Ger.* Que vive em cenobiose.

cenobiose. [De *cen(o)-*[2] + *-biose.*] *S. f.* **1.** Vida em conjunto, em comum. **2.** *Biol. Ger.* Agrupamento de indivíduos da mesma espécie, mas sem órgão ou substrato comum.

cenobiótico. *Adj.* Pertencente ou relativo a cenóbio.

cenobismo. *S. m.* Vida de cenobita.

cenobita. [Do lat. *coenobita.*] *S. 2 g.* **1.** Monge que leva vida em comum com outros. **2.** *P. ext.* Indivíduo que leva vida retirada, mas em comum com outros que têm seus mesmos interesses, princípios ou prerrogativas. [Cf. *anacoreta.*]

cenobítico. *Adj.* De, ou pertencente ou relativo a cenobitas.

cenobitismo. *S. m.* Estado ou modo de vida de cenobitas.

cenocítico. *Adj. Biol.* Diz-se de células isoladas protegidas em lojas ou tecas.

cenografia. [Do gr. *skenographía*, pelo lat. *scenographia.*] *S. f. Teat.* Arte e técnica de projetar e dirigir a execução de cenários para espetáculos teatrais; cenoplastia. [Cf. *cinografia* e *senografia.*]

cenográfico. [Do gr. *skenographikós.*] *Adj.* Pertencente ou relativo à cenografia; cenoplástico. [Cf. *cinográfico* e *senográfico.*]

cenógrafo. [Do gr. *skenográphos.*] *S. m. Teat.* Especialista em cenografia; cenarista.

cenoira. *S. f.* Var. de *cenoura.*

cenolestídeo. *S. m.* **1.** Espécime dos cenolestídeos. ● *Adj.* **2.** Pertencente ou relativo a eles.

cenolestídeos. *S. m. pl. Zool.* Animais mamíferos, marsupiais, da família *Caenolestidae*, da região andina. Tem cabeça pontiaguda, o primeiro e o quinto dedo muito mais curto que os demais, cauda muito longa, e aspecto geral de um rato. São relativamente raros.

cenologia[1]. [De *cen(o)-*[2] + *-log(o)-* + *-ia.*] *S. f.* Conferência entre médicos. [Cf. *cinologia* e *sinologia.*]

cenologia[2]. [De *cen(o)-*[1] + *-log(o)-* + *-ia.*] *S. f.* Parte da física que trata do vácuo. [Cf. *cinologia* e *sinologia.*]

cenológico. *Adj.* Pertencente ou relativo à cenologia[2]. [Cf. *cinológico* e *sinológico.*]

cenoplastia. [De *cen(o)-*[4] + *-plast-* + *-ia.*] *S. f. Teat.* Cenografia.

cenoplástico. *Adj.* Referente à cenoplastia; cenográfico.

cenosidade. [Do lat. *coenositate.*] *S. f.* **1.** Qualidade ou caráter de cenoso; lodo, imundície. **2.** *Fig.* Obscenidade, imoralidade.

cenoso (ô). [Do lat. *coenosu.*] *Adj.* **1.** Lodoso, imundo. **2.** *Fig.* Obsceno, imoral.

cenotáfio. [Do gr. *kenotáphion*, pelo lat. *cenotaphiu.*] *S. m.* Monumento fúnebre erigido à memória de alguém, mas que não lhe encerra o corpo: "O assombroso .... é a confiança deste povo [o inglês] que vai para a frente, parando, quando muito, para saudar de soslaio o cenotáfio do soldado que o defendeu com a máscara do incógnito." (Alberto Rangel, *Papéis Pintados*, p. 114.)

cenotecário. *Adj. Zool.* Diz-se do animal, geralmente celenterado, que habita os corredores ou tubos furados pelos meios naturais nas rochas calcárias.

cenotécnica. [De *cen(o)-*[4] + *técnica.*] *S. f. Teat.* Técnica de executar e fazer funcionar cenários e demais dispositivos cênicos para espetáculos teatrais.

cenotécnico. *Adj.* **1.** *Teat.* Relativo à cenotécnica. ● *S. m.* **2.** *Teat.* Especialista em cenotécnica.

cenoura. [Do ár. *isfanāriâ*, atr. do vulg. *sānnāriâ.*] *S. f. Bras.* Planta da família das umbelíferas (*Daucus carota*), de raiz aromática, comestível, alongada, e de cor vermelha ou alvacenta, flores alvas ou amarelo-pálidas, sendo uma vermelho-escura e maior que as outras, e fruto ovóide, revestido de pêlos alvos e ásperos. [Var.: *cenoira.*]

cenozóico. [De *cen(o)-*[3] + *-zo(o)-* + *-ico*[2].] *Adj.* e *s. m.* ~ V. *era —a.*

cenrada. [Do lat. **cinerata*, 'feita com cinza'.] *S. f.* V. *barrela.*

cenreira. *S. f. Pop.* **1.** Teimosia, obstinação. **2.** Briga, rixa.

censatário. *Adj.* e *s. m.* Que ou aquele que pagava censo (3); censitário, censionário.

censionário. *Adj.* e *s. m.* V. *censatário.*

censitário. *Adj.* **1.** Censual. **2.** V. *censatário.* ● *S. m.* **3.** V. *censatário.*

censo. [Do lat. *censu.*] *S. m.* **1.** Conjunto dos dados estatísticos dos habitantes de uma cidade, província, estado, nação, etc., com todas as suas características; censo demográfico, recenseamento. **2.** *Ant.* Rendimento que serve de base ao exercício de certos direitos. **3.** Pensão anual que o enfiteuta pagava ao senhorio pela posse de uma terra ou em razão de um contrato. [Cf. *senso.*] ◆ **Censo demográfico.** V. *censo* (1).

censor (ô). [Do lat. *censore.*] *S. m.* **1.** Aquele que censura. **2.** Crítico (7). **3.** Funcionário público encarregado da revisão e censura de obras literárias ou artísticas, ou da censura aos meios de comunicação de massa: jornais, rádio, etc. **4.** Entre os romanos, magistrado que recenseava a população e velava pelos bons costumes. **5.** *Bras.* Bedel (1). **6.** *Psican.* A parte do inconsciente, i. e., o superego, que funciona como guarda, a fim de impedir que o material recalcado surja na consciência. [Cf. *sensor.*]

censório. [Do lat. *censoriu.*] *Adj.* De, ou pertencente ou relativo a censor ou à censura. [Cf. *sensório.*]

censual. [Do lat. *censuale.*] *Adj. 2 g.* Do, ou pertencente ou relativo ao censo; censuário, censitário. [Cf. *sensual.*]

censualista. *S. m.* Recebedor de censos. [Cf. *sensualista.*]

censuário. [Do lat. *censuariu.*] *Adj.* **1.** V. *censual.* ● *S. m.* **2.** Rendeiro[1] (1).

censuente. *S. 2 g. Ant.* Pessoa a quem se pagava o censo, no contrato de constituição de renda.

censura. [Do lat. *censura.*] *S. f.* **1.** Ato ou efeito de censurar. **2.** Cargo ou dignidade de censor. **3.** Exame crítico de obras literárias ou artísticas; crítica. **4.** Exame de qualquer texto de caráter artístico ou informativo, feito por censor (3) a fim de autorizar sua publicação, exibição ou divulgação. **5.** *P. ext.* Corporação encarregada do exame de obras submetidas à censura. **6.** Condenação, reprovação, crítica. **7.** V. *repreensão* (1). **8.** *Rel.* Condenação eclesiástica de certas obras.

censurador (ô). *Adj.* e *s. m.* Que ou aquele que censura.

censurar. *V. t. d.* **1.** Exercer censura (3, 4 e 8) sobre. **2.** Criticar; notar: *Leu a carta censurando os erros de que estava cheia.* **3.** Fazer reparos sobre falha, defeito, omissão, etc. em; condenar, reprovar: *Não lhe importa que censurem o seu comportamento livre.* **4.** Admoestar com energia; repreender. *T. d.* e *i.* **5.** Reprochar, exprobrar: *Censurou ao filho o mau comportamento.*

censurável. *Adj. 2 g.* Que merece censura.

centafolho (ô). *S. m. Pop.* V. *folhoso* (2).

centão[1]. [Do lat. *centone.*] *S. m.* **1.** Manta de retalhos, ou esfarrapada. **2.** Cobertura de peças de artilharia. **3.** Composição poética ou musical formada de versos ou melodias de vários autores [cf. *pot-pourri*], ou de um só autor: "Fazem [os poetas barrocos brasileiros] centões, em geral extraindo e combinando versos dos Lusíadas" (Péricles Eugênio da Silva Ramos, *Do Barroco ao Modernismo*, p. 19). [*O poema "Antologia", de Manuel Bandeira, é um centão feito de versos seus.*]

centão[2]. *S. m. Bras. Gír.* Cédula de cem cruzeiros, ou essa quantia.

centáurea. [Do gr. *kentaureía*, pelo lat. *centaurea.*] *S. f.* Designação comum a várias plantas ornamentais da família das compostas, pertencentes ao gênero *Centaurea*, que se revestem de tomento curto, sedoso e alvo, e têm flores azuis, algumas aromáticas; escovinha, sultana, cinerária.

centáurea-menor. *S. f.* Planta medicinal da família das gencianáceas (*Erythrae centaurium* (L.) Pears.); quebra-febre. [Pl.: *cantáureas-menores.*]

centauro. [Do gr. *kéntauros*, pelo lat. *centauru.*] *S. m.* **1.** Monstro fabuloso, metade homem e metade cavalo. **2.** *Astr.* Constelação austral, cuja estrela mais brilhante é Alfa do Centauro. [Com maiúscula, nesta acepç.] ◆ **Próxima do Centauro.** *Astr.* Estrela do Centauro (2), a segunda mais próxima da Terra. [V. *Sol*[1] (1).]

centavo. [De *cento* + *avo.*] *S. m.* **1.** A centésima parte. **2.** Centésimo. **3.** Moeda divisionária que representa a centésima parte do cruzado (6), do austral (2), do peso (14), do sucre, do quetçal, da lempira, do córdoba, do inti, do colom salvadorenho e do escudo (5) português. [Cf. *centésimo* (5).]

centeal. *S. m.* Seara de centeio.

centeio. [Do lat. *centenu*, i. e., *centenu hordeum.*] *S. m.* **1.** Planta da família das gramíneas (*Secale cereale*), de raiz capilar e colmo ereto, flores hermafroditas dispostas em espigas, que se usa no fabrico de pães e bolos, e substitui a cevada na fabricação da cerveja. ● *Adj.* **2.** Feito de centeio (1): "Ala para a aldeia, por manhãs sonoras, / Mordiscando a côdea do seu pão centeio" (Guerra Junqueiro, *Os Simples*, p. 80).

centeio-espigado. *S. m.* V. *cravagem.* [Pl.: *centeios-espigados.*]

centelha (ê). [Do esp. *centella.*] *S. f.* **1.** Partícula ígnea ou luminosa que se desprende dum corpo incandescente; chispa, fagulha. **2.** Luz viva resultante do choque de dois corpos duros, ou de um corpo eletrizado; chispa, fagulha. **3.** *Fig.* Aquilo que brilha momentaneamente. **4.** Inspiração, lampejo. **5.** *Eletr.* Descarga elétrica diruptiva num dielétrico, acompanhada, em geral, de emissão de luz, e de ondas sonoras.

centelhante. *Adj. 2 g.* Que centelha; cintilante: "Os castelos e os parques saíam maiores da boca dele [José Dias] ...., e a abóbada celeste contava alguns milhares mais de estrelas centelhantes." (Machado de Assis, *Dom Casmurro*, p. 69); "Dª Leonor, cujos olhos centelhantes .... revelavam mais ódio que terror, lançou-lhe um olhar de desprezo" (Alexandre Herculano, *Lendas e Narrativas*, I, pp. 82-83).

centelhar. *V. int.* **1.** Luzir como centelha: "as pupilas centelham de curiosidade e devoção entre o livro santo e o bigode do pecado." (Machado de Assis, *História sem Data*, p. 4). **2.** Luzir rapidamente; cintilar. [Conjug.: v. *aparelhar.*]

centena. [Do lat. *centena.*] *S. f.* **1.** *Mat.* Conjunto de cem quantidades; cento, centúria. **2.** *Mat.* Unidade de terceira ordem, no sistema decimal de numeração. **3.** *Bras.* Na loteria (1), qualquer dos números de três algarismos.

centenariense. *Adj. 2 g.* **1.** De, ou pertencente ou relativo a Centenário do Sul (PR). ● *S. 2 g.* **2.** Natural ou habitante de Centenário do Sul.

centenário. [Do lat. *centenariu.*] *S. m.* **1.** Homem que atingiu cem ou mais anos; macróbio. **2.** Centurião. **3.** Espaço de cem anos; século, centúria. **4.** Transcurso e/ou comemoração do centésimo aniversário de pessoa, instituição ou acontecimento. ● *Adj.* **5.** Que tem cem anos, ou aproximadamente essa idade: *árvore centenária.* **6.** Que encerra o número cem. **7.** Relativo a cem. **8.** Cêntuplo, centuplicado.

centenoso (ô). [Do lat. *centenu*, 'centeio', + *-oso.*] *Adj.* **1.** Que produz centeio. **2.** Semelhante ao centeio.

➧**center-forward.** (cêntăr-fóruard). [Ingl.] *S. m. Fut. Ant.* V. *forward.*

➡**center-half** (cêntâr-ráf). [Ingl.] *S. m. Fut. Ant.* V. *cabeça-de-área.*

▲**-centese.** [Do gr. *kéntesis, eos.*] *El. comp.* = 'perfuração': *raquicentese, toracocentese.*

centesimal. *Adj. 2 g.* **1.** Diz-se da divisão em cem partes iguais. **2.** Relativo a centésimo. ~ V. *escala —, grau —* e *temperatura —.*

centésimo. [Do lat. *centesimu.*] *Num.* **1.** Ordinal e fracionário correspondente a cem. **2.** O último de uma série de cem. **3.** O último de uma série numerosa e indeterminada: *Este é o c e n t é s i m o aviso que te dou.* ● *S. m.* **4.** A centesima parte; centavo. **5.** Moeda divisionária que representa a centésima parte do peso uruguaio, do escudo chileno, do balboa e da lira. [Cf. *centavo* (3).]

▲**centi-**[1]. [Do lat. *centum.*] *El. comp.* = 'cento', 'cem': *centímano* (lat. *centimanu*).

▲**centi-**[2]. Pref. que, anteposto ao nome de uma unidade de medida, forma o nome de uma unidade derivada igual a 100 vezes menor que a primeira: *centímetro, centilitro.* [Símb.: c.]

centiare. *S. m.* Unidade agrária de superfície, equivalente ao metro quadrado; a centésima parte do are.

centifólio. [Do lat. *centifoliu.*] *Adj.* Que tem cem folhas.

centigrado. [De *centi-*[2] + *grado*[2].] *S. m. Geom.* A centésima parte do grado[2] (1). [Cf. *centígrado.*]

centígrado. [De *centi-*[2] + *gradu,* 'grau'.] *S. m. Fís.* Um grau, na escala de temperatura centensimal. [Cf. *centigrado.*] ~ V. *escala —a, grau —* e *temperatura —a.*

centigrama. *S. m.* Unidade de massa, equivalente à centésima parte do grama[2].

centil. *S. m.* **1.** *Estat.* Qualquer das separatrizes duma distribuição de freqüências que dividem a área da distribuição em domínios de área igual a múltiplos inteiros dum centésimo desta área; percentil. ● *Adj. 2 g.* **2.** ~ V. *amplitude —* e *intervalo —.*

centilitro. *S. m.* Unidade de capacidade, equivalente à centésima parte do litro.

centímano [Do lat. *centimanu.*] *Adj* Que tem cem mãos.

centímetro. [De *centi-*[2] + *-metro*[2].] *S. m* **1.** *Fís.* Unidade de medida de comprimento, fundamental no sistema c.g.s. e igual a 0,01 m. [Símb.: *cm.*] **2.** *Eletr.* Unidade de medida de capacitância, igual à capacitância de uma esfera de um centímetro de raio, e equivalente a 10^{-11} farads.

cêntimo. [Do fr. *centime.*] *S. m.* Moeda divisionária, que representa a centésima parte do franco[1] (2), do dólar, da peseta, do bolívar, do guarani, do colom costa-riquenho, da gurde, do leone, do florim holandês, do dinar argelino, da piastra sul-vietnamita, da rupia cingalesa e das Ilhas Malvinas e Maurício, e do xelim da Tanzânia, do Quênia, da Somália e de Uganda.

centípede. [Do lat. *centipede.*] *Adj. 2 g.* Que tem cem pés.

centipoise. *S. m. Fís.* Unidade de medida de viscosidade, igual a um centésimo do poise, e mais utilizada que este. [Símb.: *cP.*]

cento. [Do lat. *centu.*] *Num.* **1.** Grupo de cem objetos. ● *S. m.* **2.** Centena (1): *um c e n t o de bananas;* "*C e n t o s* de virgens o cercam" (Antônio Feliciano de Castilho, *Amor e Melancolia,* p. 101). **3.** O número cem. ◆ **Cento por cento.** V. *cem por cento.* **Por cento.** Em cem; em cada cento ou centena.

centóculo. [Do lat. *centoculu.*] *Adj.* Que tem cem olhos.

centopeia. *S. f.* Var. pros. de *centopéia.*

centopéia. *S. f.* **1.** V. *lacraia.* **2.** *Bras. Fig.* Mulher feia, horrorosa. [Var. pros.: *centopeia.*]

centrado. [Part. de *centrar.*] *Adj.* Localizado no centro. ~ V. *composição —a.*

central. *Adj. 2 g.* **1.** Situado no centro. **2.** Relativo a centro. **3.** *Fig.* Principal, fundamental, essencial: *figura c e n t r a l .* ~V. *ângulo —, aquecimento —, calefação —, campo —, cilindro —, cônica —, cratera —, elipse —, força —, momento —, nervura —, núcleo —, parte —, ponto —, processador —, simetria —, unidade — de controle, unidade — de processamento e vogal —.* ● *S. f.* **4.** Local ou edifício onde se acham centralizadas certas instalações: *c e n t r a l elétrica.*

centralidade. *S. f.* Qualidade do que é central.

centralismo. *S. m.* Sistema caracterizado pela centralização (3).

centralista. *Adj. 2 g. e s. 2 g.* Que ou quem é sectário da centralização dos poderes públicos.

centralização. *S. f.* **1.** Ato de centralizar(-se). **2.** Reunião em um mesmo centro. **3.** Acumulação de atribuições no poder central.

centralizado. [Part. de *centralizar.*] *Adj.* Reunido em um mesmo centro; concentrado.

centralizador (ô). *Adj.* Que centraliza.

centralizar. *V. t. d.* **1.** Tornar central; reunir em um centro. **2.** Fazer convergir a um centro; atrair: *Passou, elegante e bela, c e n t r a l i z a n d o os olhares;* "Naquela ladeira da Floresta, havia uma igreja enorme .... e inacabada, que c e n t r a l i z a v a a vida do bairro." (Maria Julieta Drummond de Andrade, *O Valor da Vida,* p. 38). *P.* **3.** Reunir-se (num centro); concentrar-se: "O domínio holandês, c e n t r a l i z a n d o - s e em Pernambuco, reagia por toda a costa oriental" (Euclides da Cunha, *Os Sertões,* p. 83).

centrar. *V. t. d.* **1.** Localizar no centro: *Afastou o sofá para c e n t r a r mais a mesa.* **2.** Fazer coincidir, para formar um eixo, a série dos centros de. **3.** *Fut.* Chutar (a bola) em passe longo, geralmente da extrema para o centro do campo.

▲**centri-.** [Do lat. *centrum, i.*] *El. comp.* = 'centro': *centrífugo, centrípeto.*

centrífuga. *S. f. Fís.* Aparelho com que se efetuam centrifugações, provido de um rotor capaz de girar com velocidade elevada; centrifugadora. [Cf. *centrifuga,* do v. *centrifugar.*]

centrifugação. *S. f.* Ato de centrifugar.

centrifugador (ô). [De *centrifugar* + *-dor.*] *S. m. Fotograv.* V. *torniquete* (7).

centrifugadora (ô) *S. f. Fís.* Centrífuga [q. v.].

centrifugar. *V. t. d.* **1.** Aplicar a centrífuga a. **2.** Desviar do centro. [Conjug.: v. *largar.* Pres. ind.: *centrifugo, centrifugas, centrifuga,* etc. Cf. *centrífugo* e *centrífuga.*]

centrífugo. [De *centro* + *-i-* + *-fugo*[1].] *Adj.* **1.** Que se afasta ou procura afastar-se do centro. **2.** *Fís.* Diz-se de uma força ou de uma grandeza vectorial cujo suporte é o raio de curvatura da trajetória de um móvel e cujo sentido é o oposto ao deste raio. [Antôn.: *centrípeto.* Cf. *centrifugo,* do v. *centrifugar.*] ~ V. *aceleração —a, bomba —a* e *força —a.*

centrípeto. [De *centro* + *-i-* + *-peto.*] *Adj.* Que se dirige para o centro; que procura aproximar-se do centro. [Antôn.: *centrífugo.*] ~ V. *aceleração —a* e *força —a.*

centrismo. *S. m.* Posição ou tendência daqueles que se colocam politicamente ao centro.

centrista. *Adj. 2 g.* e *s. 2 g.* Que ou quem é sectário da posição política de centro, nem de esquerda, nem de direita.

▲**centr(o)-.** [Do gr. *kentrón, ou.*] *El. comp.* = 'centro', 'aguilhão': *centrosfera, centrodonte.*

centro. [Do gr. *kéntron,* pelo lat. *centru.*] *S. m.* **1.** Ponto interior eqüidistante de todos os pontos da circunferência ou da superfície de uma esfera. **2.** Ponto para onde convergem as coisas, como para uma natural posição de repouso. **3.** Fundo, interior, profundeza. **4.** Parte situada no meio de uma cidade, região, país, etc. **5.** Lugar onde habitualmente se tratam certos negócios ou executam certas atividades: *c e n t r o comercial; c e n t r o telegráfico; c e n t r o de informações.* **6.** A parte mais ativa da cidade, onde estão os setores comercial e financeiro. **7.** Posição de meio num espaço qualquer: *mesa de c e n t r o .* **8.** Ponto de convergência: *O atentado era o c e n t r o das atenções.* **9.** Coisa ou pessoa a que muitas outras se acham ligadas. **10.** V. *sociedade* (7): *c e n t r o recreativo; c e n t r o espírita; C e n t r o Dom Vital.* **11.** Nas câmaras legislativas, a parte da sala de sessões que fica no meio ou centro do plenário. **12.** *P. ext.* Conjunto de deputados ou senadores que ocupam esse lugar, e cujas idéias políticas se situam num ponto intermediário entre o governo e a oposição. **13.** Qualquer posição política situada entre os extremos. **14.** *Fut.* Ato ou efeito de centrar (3): "Passes para os lados e para trás, c e n t r o s bobos sobre a área adversária e muita perda de tempo com a bola nos pés." (*Correio da Manhã,* 5.3.1970.) **15.** *Geom.* V. *centro de simetria.* **16.** *Geom. Anal.* Ponto comum às retas dum feixe de retas. **17.** *Geom. Anal.* Ponto comum aos planos duma estrela de planos. **18.** *Teat.* O espaço central da cena. [Sigla: *C.*] **19.** *Teat.* Personagem-tipo que representa pessoa de idade avançada e com experiência de vida. **20.** *Bras., Amaz.* Interior do seringal (por oposição a *margem*). **21.** *Bras., N.E.* Lugar ou conjunto de lugares afastados de uma povoação principal. ◆ **Centro acadêmico.** Diretório acadêmico (2). **Centro alto.** *Teat.* A parte central e posterior da cena. [Sigla: *CA.*] **Centro ativo.** *Astr.* Região da superfície solar que é a sede de fenômenos físicos de grande intensidade. **Centro baixo.** *Teat.* A parte central e anterior da cena. [Sigla: *CB.*] **Centro de alta.** *Met.* V. *anticiclone.* **Centro de alta pressão.** *Met.* V. *anticiclone.* **Centro de baixa.** *Met.* V. *ciclone.* **Centro de baixa pressão.** *Met.* V. *ciclone.* **Centro de cor.** *Fís.* Defeito da rede de um cristal que é normalmente transparente e incolor, responsável pela existência de bandas de absorção de luz visível. **Centro de curvatura. 1.** *Geom. Anal.* Centro do círculo osculador a uma curva num ponto. **2.** *Ópt.* Num espelho esférico, ou numa lente esférica, o centro da esfera a que pertence a superfície do elemento. **Centro de empuxo.** *Fís.* Centro de gravidade da massa de fluido deslocada por um corpo que nele flutua e que é o ponto de aplicação do empuxo sobre o corpo. **Centro de gravidade.** *Fís.* O ponto de aplicação do vector peso de um corpo sujeito à atração gravitacional da Terra; baricentro. **Centro de homotetia.** *Geom.* Centro de semelhança. **Centro de impacto.** *Fís.* Num corpo rígido, com um eixo de rotação fixo, o ponto de aplicação de uma impulsão instantânea que não produz reações no eixo. **Centro de inércia.** *Fís.* Centro de massa. **Centro de inversão.** *Geom.* Ponto fixo em relação ao qual se definem dois pontos inversos; pólo. **Centro de massa.** *Fís.* Num corpo rígido, ou num sistema de corpos rígidos, ponto que se move como se toda a massa do sistema estivesse concentrada nele e toda a força externa atuante sobre o sistema nele estivesse aplicada; centro de inércia. **Centro de oscilação.** *Fís.* Num pêndulo físico, um ponto tal que, se nele estiver concentrada toda a massa do pêndulo e se o eixo de suspensão for mantido invariável, o pêndulo simples daí resultante oscilará com o mesmo período que o pêndulo físico inicial. **Centro de percussão.** *Fís.* Em um pêndulo físico, o ponto de aplicação de uma impulsão instantânea que não produz reações no eixo do pêndulo. [Neste sistema mecânico o centro de percussão coincide com o centro de oscilação.] **Centro de pressão.** *Fís.* Numa superfície imersa num fluido, ponto de aplicação da resultante das forças devidas à pressão. **Centro de Processamento de Dados.** *Proc. Dados.* Conjunto de máquinas de tratamento da informação residentes em um determinado local, pessoal especializado na operação e utilização de processamento de dados, cuja finalidade é proporcionar serviços de processamento de dados aos usuários que os solicitem. [Tb. se usa a sigla CPD.] **Centro de semelhança.** *Geom.* Ponto fixo por onde passam todas as retas que unem os pontos correspondentes de duas figuras homotéticas; centro de homotetia. **Centro de simetria.** *Geom.* Ponto em relação ao qual uma figura geométrica apresenta simetria. [Tb. se diz apenas *centro;* sin.: *ponto de simetria.*] **Centro externo de semelhança.** *Geom.* Centro de semelhança, quando a razão de semelhança é positiva. **Centro galáctico.** *Astr.* Região do espaço de nossa galáxia, onde há grande densidade de matéria, e constituída de nuvens de estrelas, de gases e de poeira cósmica. **Centro geométrico.** *Geom. Anal.* Centróide. **Centro instantâneo.** *Fís.* Ponto em torno do qual um corpo rígido plano gira, num instante dado, quando se move, com translação e rotação, em seu próprio plano. **Centro interno de semelhança.** *Geom.* Centro de semelhança, quando a razão de semelhança é negativa. **Centro médio da Lua.** *Astr.* Ponto da superfície lunar interceptado pelo raio da Lua dirigido para o centro da Terra, quando o satélite está no nodo ascendente médio e este nodo coincide com o perigeu ou apogeu médio. **Centro óptico.** *Ópt.* Numa lente, ponto sobre o eixo óptico por onde podem passar os raios luminosos sem sofrer desvio angular. **Centro radical.** *Geom.* **1.** Ponto onde se interceptam os eixos radicais de três círculos coplanares tomados dois a dois. **2.** Ponto onde se interceptam os eixos radicais de quatro esferas tomadas duas a duas. **Ser o centro do Universo.** *Pej.* Ser objeto de todas as atenções: *Vaidosa, pensa que é o c e n t r o do U n i v e r s o .*

centro-africano. *Adj.* **1.** De, ou pertencente ou relativo à República Centro-Africana. *S. m.* **2.** O natural ou habitante deste país. [Pl.: *centro-africanos.*]

centro-americano. *Adj.* **1.** De, ou pertencente ou relativo à América Central. ● *S. m.* **2.** O natural ou habitante da América Central. [Pl.: *centro-americanos.*]

centroavante. [De *centro* + *avante.*] *S. m. Fut.* **1.** Jogador que, no sistema clássico de cinco atacantes, ocupa a posição central entre o meia-direita e o meia-esquerda. **2.** Jogador que se desloca pelo centro do seu campo de ataque.

centrodo (ô). *S. m. Fís.* Lugar geométrico dos centros instantâneos de um corpo rígido plano que se move em seu próprio plano.

centrodonte. [De *centr(o)-* + *-odonte.*] *Adj. 2 g. Zool.* Que tem dentes agudos.

centróide. [De *centr(o)-* + *-óide.*] *S. m. Geom. Anal.* Ponto cujas coordenadas são as médias das coordenadas dos pontos de uma figura geométrica; centro geométrico.

centrolepidácea. *S. f.* Espécime da. centrolepidáceas.

centrolepidáceas. *S. f. pl. Bot* Família de pequenas plantas graminiformes, aquáticas ou de habitats úmidos, próprias do hemisfério austral. Há umas 40 espécies, que têm flores aclamídeas ou monoclamídeas e androceu com apenas um ou dois estames. O fruto é capsular ou seco e indeiscente.

centrolepidáceo. *Adj.* Pertencente ou relativo às centrolepidáceas.

centromédio. *S. m. Fut.* V. *médio* (7).

Centro-Oeste. *S. m. Geogr. Bras.* V. *Grande Região.*

centropino. [De *centr(o)-* + *pino.*] *S. m. Tip.* Espécie de pino que desce sobre o furo da base da matriz monotípica para mantê-la centrada na abertura do molde.

centropomídeo. *S. m.* **1.** Espécime dos centropomídeos. ● *Adj.* **2.** Pertencente ou relativo a eles.

centropomídeos. *S. m. pl. Zool.* Família de peixes da ordem dos percomorfos que habitam os mares quentes. Ex.: o robalo.

centrosfera. [De *centr(o)-* + *-sfera.*] *S. f.* **1.** *Geofís.* V. *nife.* **2.** *Citol.* Astrosfera.

centrospermas. *S. f. pl. Bot.* Ordem de plantas floríferas providas de óvulos e de sementes dotadas de placentação axial. Compreende quatro subordens e diversas famílias.

centrospermo. [De *centr(o)-* + *-spermo.*] *Adj. Bot.* Diz-se das plantas que conduzem óvulos ou sementes em posição central ou axial, dentro do ovário ou do fruto.

centrossomático. *Adj.* Relativo ou pertencente ao centrossomo; centrossômico.

centrossômico. *Adj.* Centrossomático.

centrossomo. [De *centr(o)-* + *-somo.*] *S. m. Citol.* Corpúsculo situado no centro polar do fuso durante a cariocinese, observado nos animais e vegetais inferiores.

centunvirado. *S. m.* Centunvirato.

centunviral. [Do lat. *centumvirale.*] *Adj. 2 g.* Relativo aos centúnviros.

centunvirato. *S. m.* Dignidade de centúnviro; centunvirado.

centúnviro. [Do lat. *centumviru.*] *S. m.* Cada um dos 100 magistrados que constituíam um tribunal de Roma.

centuplicado. [Part. de *centuplicar.*] *Adj.* **1.** Multiplicado por cem. **2.** Repetido cem vezes. [Sin. ger.: *cêntuplo* (1).

centuplicar. [Do lat. *centuplicare.*] *V. t. d.* **1.** Tornar cem vezes maior; multiplicar por cem. **2.** *Fig.* Aumentar muito, avolumar: *Depois do longo descanso, conseguiu centuplicar a sua atividade criadora.* [Sin., Bras.: *cem-dobrar.* Conjug.: v. *trancar.*]

cêntuplo. [Do lat. *centuplu.*] *Num.* **1.** Centuplicado: "O cabedal de inteligência e trabalho que nele [o bom livro] se emprega daria, em qualquer outra aplicação, lucro cêntuplo" (José de Alencar, *O Guarani.* I, p. 74). ● *S. m.* **2.** O produto da multiplicação por cem; cem-dobro: *O cêntuplo de 100 é 10 000.*

centúria. [Do lat. *centuria.*] *S. f.* **1.** Centena (1). **2.** Conjunto de cem objetos da mesma espécie. **3.** Centenário (3). **4.** Narração histórica dividida em períodos seculares. **5.** Uma das divisões políticas dos romanos, formada por 100 cidadãos. **6.** Na milícia romana, companhia de 100 soldados.

centurial. [Do lat. *centuriale.*] *Adj. 2 g.* **1.** Relativo a centúria. **2.** De, ou pertencente ou relativo a centurião.

centurião. [Do lat. *centurione.*] *S. m.* Comandante de uma centúria, na milícia romana; centenário.

cenuro. *S. m.* Designação comum às formas larvares dos animais platelmintos cestóides, cuja vesícula é bem constituída, tendo no seu interior numerosos escólex. A espécie mais conhecida é *Taenia multiceps* (Gervais), parasita de carnívoros. Sua larva ou cenuro *(Coenurus cerebralis)* é encontrada no encéfalo e, raramente, na medula espinhal de carneiros, cabras, cavalos, e no homem.

■**CEP.** Sigla de *Código de Endereçamento Postal.*

cepa. [Do lat. *caepa.*] *S. f.* Cebola (1). [Pl.: *cepas.* Cf. *cepa* (ê) e pl. *cepas* (ê).]

cepa (ê). [De *cepo* (ê).] *S. f.* **1.** Tronco de videira. **2.** V. *videira.* **3.** Parte da planta a que se cortou o caule e que permanece viva no solo; touceira. **4.** *P. Ext. Heráld.* Tronco de qualquer linhagem ou família; cipo: "Nós todos, brasileiros da velha cepa, ... não compreendemos a constelação familiar sem a participação constante do que no sertão se chama cunhã" (Milton Dias, *As Cunhãs,* p. 6). **5.** Raça de uma espécie, sobretudo de microrganismos. **6.** *Bot.* Base subterrânea de um tronco de planta perene, ligada diretamente à raiz; cepo. [Pl.: *cepas* (ê). Cf. *cepa* e pl. *cepas.*]

cepáceo. [De *cepa* + *-áceo.*] *Adj.* **1.** Que tem forma de cebola. **2.** Que cheira a cebola.

cepilhar. *V. t. d.* V. *acepilhar.*

cepilho. [Do esp. *cepillo.*] *S. m.* **1.** Pequena plaina para alisar madeira. **2.** Lima fina para polir metais. **3.** V. *maçaneta* (2): "Vinha o ferrador examinar os cascos, a sela especial de cepilho levantado era trazida" (Fernando Sabino, *O Homem Nu,* p. 61). [Cf. *sipilho.*]

cepo (ê). [Do lat. *cippu.*] *S. m.* **1.** Toro ou pedaço de toro cortado transversalmente. **2.** Tronco de madeira onde o condenado deitava a cabeça para ser decapitado. **3.** Peça de madeira em que se fixa o ferro da plaina ou de outro instrumento semelhante, como, p. ex., a garlopa. **4.** Armadilha para caçar aves. **5.** Nas igrejas, coluna oca onde se depositam esmolas. **6.** *Fig.* Pessoa pesada e indolente. **7.** *Bot.* Cepa (ê) (6). **8.** *Bras.* Peça do freio (2) aplicada diretamente contra as rodas; tamanco.

cepticismo. [De *céptico* + *-ismo.*] *S. m.* **1.** *Filos.* Atitude ou doutrina segundo a qual o homem não pode chegar a qualquer conhecimento indubitável, quer nos domínios das verdades de ordem geral, quer no de algum determinado domínio do conhecimento. [Cf. *dogmatismo* (1).] **2.** *Hist. Filos.* Na Antiguidade, designação das doutrinas dos filósofos gregos Pírron [v. *pirronismo*], Carnéades de Cirene (séc. II a. C.), Enesidemo (séc. I a. C.) e Sexto Empírico (séc. III a. C.), caracterizada principalmente pela adoção do princípio da antilogia [q. v.], que, no plano moral, conduzia à ataraxia [q. v.]. **3.** Estado de quem duvida de tudo; descrença: "Essa incredulidade, esse cepticismo apaga a fé" (Joaquim Manuel de Macedo, *Os Romances da Semana,* p. 251). [Var.: *ceticismo.*]

céptico [Do gr. *skeptikós,* pelo lat. *scepticu.*] *Adj.* **1.** Que duvida de tudo; descrente. **2.** *Filos.* Pertencente ou relativo ao cepticismo. **3.** *Filos.* Diz-se do partidário do cepticismo. ● *S. m.* **4.** Indivíduo céptico (1). **5.** *Filos.* Partidário do cepticismo. [Var.: *cético.* Cf. *séptico.*]

cepudo. *Adj.* **1.** Que tem forma de cepo (1). **2.** Tosco, malfeito, informe.

cequim. [Do ár. *sikkii,* com nasalação.] *S. m.* Antiga moeda de ouro.

cera (ê). [Do lat. *cera.*] *S. f.* **1.** Substância amarelada e mole, produzida pelas abelhas, e com que fazem os favos. **2.** Substância vegetal semelhante à cera (1). **3.** Vela dessa substância; tocha, brandão. **4.** Ceroma. **5.** *Fig.* Pessoa ou coisa branda. **6.** *Fig.* Caráter (6) frouxo. **7.** Trabalho negligente e vagaroso. **8.** *Bras. Pop.* V. *namoro* (1). [Pl.: *ceras* (ê). Cf. *cera e ceras,* do v. *cerar; sera,* pl. *seras;* e *seira,* pl. *seiras.* ◆ **Cera amarela.** A que ainda não está curada. **Cera do ouvido.** *Bras.* V. *cerume.* **Cera em rama.** Cera bruta, tal qual se extrai do favo. **Cera virgem.** A que é curada ao sol. **Fazer cera.** *Bras.* **1.** *Desus.* V. *namorar* (9). **2.** Trabalhar vagarosamente; remanchar: "até os ricos ociosos, que iam ali para encher o dia, e os caixeiros, que 'faziam cera' ...., aparentavam diligência e prontidão." (Aluísio Azevedo, *O mulato,* p. 12). **3.** Fingir que trabalha. **4.** *Bras.* No futebol, basquete e jogos em que é importante o decorrer do tempo, retardar o andamento do jogo.

ceráceo. *Adj.* Semelhante a cera, ou que tem a consistência dela.

cerambícida. *S. m.* e *adj. 2 g.* V. *cerambicídeo.*

cerambícidas. *S. m. pl. Zool.* V. *cerambicídeos.*

cerambicídeo. *S. m.* **1.** Espécime dos cerambicídeos. ● *Adj.* **2.** Pertencente ou relativo a eles. [Sin. ger.: *longicórneo.*]

cerambicídeos. *S. m. pl. Zool.* Família de insetos da ordem dos coleópteros, uma das maiores que se conhecem, com mais de 5.000 espécies na região neotrópica. São besouros fitófagos, que cortam circularmente os galhos, e conhecidos como *serradores* e *serra-paus.* Corpo alongado, cilíndrico, e de colorido vistoso, antenas muito longas. Na fase larvar são brocas, causando danos em árvores recém-abatidas e nos pomares. Ex.: o arlequim. [Sin.: *longicórneos.*]

cerame. *S. m.* Choupana africana e asiática, cujo sobrado assenta sobre quatro troncos e cujo teto é formado de ramos de palmeira.

cerâmica. [Fem. substantivado de *cerâmico.*] *S. f.* **1.** Arte de fabricação de artefatos de argila cozida, tais como louças, tijolos, telhas, vasos, manilhas: "A cerâmica de Marajó entusiasmou ao americano Frederico Hart, que chega a compará-la à dos oleiros da Grécia antiga" (Afrânio Peixoto, *Noções de História da Literatura Brasileira,* p. 36). **2.** Artefato(s) assim fabricado(s): "Dirão .... que os mosaicos, os mármores, as cerâmicas, são geralmente grosseiros tratos d'indústrias imperfeitas" (Fialho D'Almeida, *Estâncias d'Arte e de Saudade,* pp. 193-194); "A mais rica cerâmica da tribo — cântaros de formas caprichosas e igaçabas luxuosamente decoradas, ... — surgiram outra vez aos meus olhos" (Gastão Cruls, *4 Romances,* p. 159). **3.** Fábrica desses artefatos; olaria: *Estabeleceu-se com uma cerâmica.* **4.** A matéria-prima daquela arte: "Havia na casa a madeira dos peitoris, das tábuas, das traves, dos caibros; a cerâmica das telhas e dos tijolos que surgiam por debaixo do reboco nos buracos das paredes; o vidro das bandeiras e das vidraças ou o das clarabóias." (Thiers Martins Moreira, *O Menino e o Palacete.* p. 75.)

cerâmico. [Do gr. *keramikós.*] *Adj.* Pertencente ou relativo à cerâmica; oleiro.

ceramista. *Adj. 2 g.* e *s. 2 g.* Que ou quem trabalha em cerâmica.

cêramo. [Do gr. *kéramos.*] *S. m.* Entre os antigos gregos, vaso de barro cozido usado à mesa. [Pl.: *cêramos,* Cf. *ceramos,* do v. *cerar.*]

ceramografia. *S. f.* Descrição de louças antigas.

ceramográfico. *Adj.* Relativo ou pertencente à ceramografia.

cerar. *V. t. d. Ant.* Fechar com cera; lacrar. [Pres. ind.: *cero, ceras, cera, ceramos,* etc. Cf. *cera* (ê), pl. *ceras* (ê); *sera,* pl. *seras;* e *cêramos,* pl. de *cêramo.*]

▲**cera(s)-.** [Do gr. *kéras, atos.*] *El. comp.* = 'corno', chifre; 'tecido córneo', 'córnea': *cerasina.* [Equiv.: *-cero* e *cerat(o)-*: *braquícero, ceratocone.*]

cerasina[1]. [Do lat. *cerasina,* cujo sentido próprio é 'cor de cereja'.] *S. f.* **1.** *Quím.* Osana encontrada no caroço de cereja, de amêndoa, na goma arábica, de onde se extrai sob a forma de pó branco. **2.** Antiga bebida feita com cerejas.

cerasina[2]. [De *cera(s)-* + *-ina.*] *S. f.* Substância que se extrai das velas de cera.

ceratite. [De *cerat(o)-* + *-ite*[1].] *S. f. Patol.* Inflamação da córnea.

▲**cerat(o)-.** V. *cera(s)-.*

cerato. [Do lat. *ceratu.*] *S. m.* Medicamento em cuja composição entram, sobretudo, a cera e um óleo; ceroto.

ceratocone. [De *cerat(o)-* + *cone.*] *S. m. Med.* Deformidade da córnea, em forma de cone.

ceratodonitídeo. *S. m.* **1.** Espécime dos ceratodonitídeos. ● *Adj.* **2.** Pertencente ou relativo a eles. [Sin. ger.: *monopneumone.*]

ceratodonitídeos. *S. m. pl. Zool.* Peixes osteídeos, coanícites, celacantinos, dipnóicos, da família *Cerato donitidae,* um único pulmão, escamas grandes, ciclóides e imbricadas, e nadadeiras foliáceas. Ocorrem na Austrália. [Sin.: *monopneumones.*]

ceratofilácea. *S. f.* Espécime das ceratofiláceas.

ceratofiláceas. *S. f. pl. Bot.* Família de plantas floríferas, herbáceas, aquáticas, submersas, com folhas muito subdivididas, e flores pequeninas e inconspícuas, dotadas de perianto simples e unissexuais, sendo o fruto uma núcula. Há poucas espécies tropicais, várias brasileiras.

ceratofiláceo. *Adj.* Pertencente ou relativo às ceratofiláceas.

ceratogênico. *Adj.* ~ V. *membrana* —a.

ceratomalacia. [De *cerat(o)-* + *-malacia.*] *S. f. Med* Amolecimento de córnea.

ceratoplastia. [De *cerat(o)-* + *-plast-* + *-ia.*] *S. f. Cir.* **1.** Intervenção cirúrgica de caráter plástico, na córnea. **2.** Enxerto de córnea.

ceratoplástico. *Adj.* Relativo à ceratoplastia.

ceratopogonídeo. *S. m.* **1.** Espécime dos ceratopogonídeos. ● *Adj.* **2.** Pertencente ou relativo a eles. [Sin. ger.: *heleídeo.*]

ceratopogonídeos. *S. m. pl. Zool.* Família de insetos da ordem dos dípteros, subordem dos nematóceros, conhecidos vulgarmente por *maruim* e *mosquito-pólvora.* Embora muito pequenos, suas picadas são dolorosas, pois as fêmeas são hematófagas. Encontram-se à beira-mar ou próximo aos rios e lagos, apresentam larvas aquáticas ou semi-aquáticas, ocorrentes nas areias ou no lodo. [Sin.: *heleídeos.*]

ceratosa. *S. f.* **1.** Espécime das ceratosas. ● *Adj.* **2.** Pertencente ou relativo a elas. [Sin. ger.: *ceratospôngia.*]

ceratosas. *S. f. pl. Zool.* Animais poríferos, demospôngios, ordem *Keratosa,* de grande tamanho, com o corpo desprovido de espículas, esqueleto formado por uma trama de fibras de espongina, e cuja forma é geralmente arredondada. São as esponjas comerciais, de uso doméstico, e formas afins. [Sin.: *ceratospôngias.*]

ceratose. [De *cerat(o)-* + *-ose.*] *S. f. Med.* Formação anormal de substância córnea na epiderme.

ceratospôngia. *S. f.* e *adj.* Ceratosa.

ceratospôngias. *S. f. pl. Zool.* Ceratosas.

ceráunia. [Do gr. *keraunía*, i. e., *líthos keraunía*, pelo lat. *ceraunia*, i. e., *gemma ceraunia*.] *S. f.* Pedra preciosa que se julgava ter caído do céu com o raio.

ceráunio. [Do lat. *cerauniu*.] *S. m. Paleogr.* Sinal em forma de T, ou de X atravessado por barra vertical, e que servia para indicar seqüência de versos apócrifos ou errados, evitando a repetição de óbelos.

Cérbero. [Do gr. *Kérberos*, pelo lat. *Cerberu*.] *S. m.* **1.** Cão monstruoso que, segundo mitologia grega, guarda a porta do Inferno. **2.** *Fig.* Guarda ou porteiro intratável, grosseiro. [Com minúscula, nesta acepç.] **3.** Uma das constelações boreais.

cerca[1] (ê). [Dev. de *cercar*.] *S. f.* **1.** Muro, sebe ou valado com que se circunda e fecha um terreno. **2.** Terreno fechado ou murado, em geral contíguo a uma habitação; cercado. **3.** Filamento caudal dos insetos. [Pl.: *cercas* (ê). Cf. *cerca* e *cercas*, do v. *cercar*.] ♦ **Cerca de pau-a-pique.** *Bras.* Pau-a-pique (2). **Cerca viva.** Sebe viva. **Estar na cerca.** *Bras. Fut.* Não atuar (o jogador) no time principal; estar na reserva; ficar na cerca. **Ficar na cerca.** *Bras. Fut.* V. *estar na cerca*.

cerca[2] (ê). [Do lat. *circa*.] *Adv.* **1.** *Desus.* Perto, próximo, junto. **2.** *P. us.* Pouco mais ou menos; aproximadamente, quase [Cf. *cerca*, do v. *cercar*.] ♦ **Cerca de. 1.** *P. us.* Perto de; junto de; nas proximidades de: "Achava-se aboletado, cerca de Chantilly, em castelo, onde havia um parque ameno" (João Guimarães Rosa, *Ave, Palavra*, p. 5). **2.** Pouco mais ou menos; aproximadamente: "Cerca de três semanas depois recebi um convite dele para uma reunião íntima." (Machado de Assis, *Memórias Póstumas de Brás Cubas*, p. 144); "Rui de Leão contava nesse tempo cerca de quarenta anos." (Id., *Contos Recolhidos*, p. 89).

cercã. *Adj. (f.)* Fem. de *cercão* [q. v.].

cercada. [Fem. substantivado do part. de *cercar*.] *S. f. Bras.* Armadilha de pesca construída nas praias, com três compartimentos adrede dispostos para permitir a entrada do peixe, sua detenção e pesca por meio de rede apropriada. [Cf. *curral-de-peixe*.]

cercado. [Part. de *cercar*.] *Adj.* **1.** Rodeado com muro, sebe, etc. **2.** A que se pôs cerco; sitiado. ● *S. m.* **3.** Terreno rodeado de muro, sebe, estacaria, etc. **4.** *P. ext.* Área delimitada por cerca, para prender animais. **5.** *Bras.* Lugar de pastagem abundante, limitado por tapumes naturais, onde os viajantes guardam à noite seus animais. [Cf. *curral* (1).] **6.** Trato de terra com lavoura, defendido por cercas ou tapumes da invasão de animais. **7.** Móvel, em geral desmontável, limitado por grades, e destinado às crianças de tenra idade, para que fiquem em segurança.

cercadura. *S. f.* **1.** Tudo que guarnece ou orna o contorno de algum objeto; orla: "Na amurada, ... alguém olha a baía imensa e escura, dentro da sua distante cercadura luminosa." (Ribeiro Couto, *A Cidade do Vício e da Graça*, p. 30.) **2.** Guarnição em orla ou bainha. **3.** *Tip.* V. *guarnição* (11).

cercal. [Do rad. lat. **cerquu*, por *quercu*, 'carvalho', + *-al*.] *S. m.* Quantidade mais ou menos considerável de carvalhos cerquinhos dispostos proximamente entre si.

cercania. *S. f.* Cercanias. [q. v.]: "O solo aí, como em toda a cercania, cobre-se de uma crosta de argila roxa" (José de Alencar, *Til*, pp. 32-33). ~ V. *cercanias*.

cercanias. [Do esp. *cercanías*.] *S. f. pl.* Região situada em torno de uma povoação, cidade, etc.; arredores, proximidades, vizinhança, imediações: "A gente das cercanias, ouvindo a descarga alta noite, acorria em lamúrias a Fundões" (João da Silva Correia, *Farândola*, p. 107). [Tb. us., com menor freqüência, no sing.] ~ V. *cercania*.

cercante *Adj. 2 g.* e *s. 2 g.* Que ou quem cerca.

cercão. [Do esp. *cercano*.] *Adj.* Que é das cercanias; vizinho, próximo. [Flex.: *cercã, cercãos, cercãs*.]

cercar. [Do lat. tardio *circare*.] *V. t. d.* **1.** Fazer cerca a: *Uma sebe de ciprestes cerca o terreno.* **2.** Rodear com muro, sebe, etc. **3.** Pôr cerco a; sitiar: *Os rebeldes cercaram o palácio presidencial.* **4.** Rodear, cingir, circundar: *Uma coroa de flores cercava-lhe a fronte.* **5.** Estar ou ficar em volta de: "Nos outeiros e montes que cercam o vale, reluziam as espingardas dos soldados carlistas." (Bulhão Pato, *Memórias*, I, p. 23.) **6.** Assediar: *Os jornalistas cercaram o Ministro à sua chegada.* **7.** Perseguir por todos os lados: *Uma série de infortúnios o vem cercando há meses.* **8.** *Bras.* No jogo do bicho, fazer aposta em (determinado bicho ou número), válida para os cinco ou para os sete números que constarão do resultado: *Cercou o galo pelos sete lados.* **9.** *Tip.* Guarnecer (7). *T. d.* e *i.* **10.** Rodear, cumular; prodigalizar: *Durante a longa doença, cercaram-no de carinhos.* [Conjug.: v. *trancar*. Pres. ind.: *cerco, cercas, cerca*, etc.; fut. pret.: *cercaria*, etc. Cf. *cerco* (ê), s. m., *cerca* (ê), s. f., pl. *cercas* (ê), e *cercária*, s. f.]

cercária. *S. f. Zool.* Forma larvar dos trematódeos. [Cf. *cercaria*. do v. *cercar*.]

cerce. [De *circine*, var. do lat. *circinu*, 'círculo, compasso'.] *Adv.* Pela parte mais baixa; pela raiz; cérceo, rente: "colhia-as [as varas de marmelo] longas e bem retas, cortava cerce os galhos secundários" (Pedro Nava, *Balão Cativo*, p. 4).

cércea. [Fem. substantivado de *cérceo*.] *S. f.* **1.** Chapa que se usava na verificação das bocas-de-fogo. **2.** Aparelho, nas estações de estrada de ferro, que determina o máximo volume que a carga de um trem pode atingir. **3.** Molde para o corte das pedras. **4.** Curva de madeira, para auxiliar o desenho.

cerceador (ô). *Adj.* e *S. m.* Que ou aquele que cerceia.

cerceadura. *S. f.* **1.** V. cerceamento. **2.** Apara[1] (1).

cerceamento. *S. m.* Arte ou efeito de cercear; cerceadura; cerceio.

cercear. [Do lat. tardio *circinare*.] *V. t. d.* **1.** Cortar cerce, rente, pela base ou pela raiz: "a fouce da morte, passando por ali, cerceara a derradeira esperança do império de Theoderik." (Alexandre Herculano, *Eurico, o Presbítero*, p. 119). **2** Cortar ou aparar em roda, ao redor. **3.** Cortar; suprimir, desfazer; destruir: *Os últimos acontecimentos cercearam-lhe toda a esperança*. **4.** Tornar menor; diminuir, restringir; depreciar, destruir. [Conjug.: v. *frear*.]

cerceio. [Dev. de *cercear*.] *S. m.* V. *cerceamento*.

cérceo. [Do lat. *circinu*.] *Adj.* **1.** Cortado pela base, pela raiz; cortado rente. ● *Adv.* **2.** V. *cerce*: "uma serra gigante capaz de dividir cérceo o hemisfério austral do hemisfério boreal." (Alexandre Herculano, *Lendas e Narrativas*, II, p. 48).

cercidifilácea. *S. f.* Espécime das cercidifiláceas.

cercidifiláceas. *S. f. pl. Bot.* Família de plantas superiores, que encerra plantas lenhosas, dióicas, com folhas opostas, estipuladas, flores unissexuais, com muitos estames e óvulos, sendo o fruto um folículo provido de sementes aladas. Suas espécies habitam o Japão e a China.

cercidifiláceo. *Adj.* Pertencente ou relativo às cercidifiláceas.

cercilhado. [Part. de *cercilhar*.] *Adj.* Tonsurado (1).

cercilhar. *V. t. d.* Abrir cercilho (1) em; tonsurar.

cercilho. [Do esp. *cercillo*.] *S. m.* **1.** V. *tonsura* (2): "Tinha então [Fr. Brayner] a cabeça, escondendo-lhe o cercilho, um chapéu branco" (Alberto Rangel, *Quando o Brasil Amanhecia*, p. 347) **2** Aparas ásperas do pergaminho.

cerco[1]. [Dev. de *cercar*.]. *S. m.* **1.** Ato ou efeito de cercar. **2.** Aquilo que circunda; cinto. **3.** Assédio militar; sítio. **4.** Lugar cercado. **5.** Círculo formado por caçadores para pegar a caça. **6.** Aparelho de pesca em que as redes formam círculo para apanhar o peixe. **7.** Tapagem feita num rio com entulho qualquer, para que as águas escorram apenas por um lugar apertado. **8.** *Zool.* Apêndice articulado, em geral delgado e filiforme, da extremidade distal do abdome de muitos artrópodes. **9.** *Fig.* Insistência importuna junto a alguém com atenções, perguntas, pretensões, etc. **10.** *Bras., BA.* Cata aberta no leito do rio corrente. **11.** *Bras., SP.* Armadilha para peixes; cerca de estacas bem juntas, fincadas no leito de rios e riachos, apoiadas em varões que atravessam a corrente de um barranco a outro. [Pl.: *cercos* (ê). Cf. *cerco*, do v. *cercar*.]

cerco[2] (ê). [Do lat. *circu*.] *S. m. Antiq.* Roda, círculo.

cercopídeo. *S. m.* **1.** Espécime dos cercopídeos. ● *Adj.* **2.** Pertencente ou relativo a eles.

cercopídeos. *S. m. pl. Zool.* Família de insetos da ordem dos homópteros, da superfamília dos cicadóides. Pequenos e saltadores, alimentam-se de arbustos e ervas, sendo as ninfas protegidas no interior de espuma viscosa eliminada pelo ânus e por glândulas epidérmicas do sétimo e do oitavo segmentos abdominais. No Brasil são vulgarmente chamados *cigarrinhas*, constituindo pragas da cana-de-açúcar e doutras gramíneas.

cercosporiose. *S. f. Bot.* Moléstia das folhas, produzida por fungos do gênero *Cercospora* e caracterizada por manchas marginadas de escuro.

cerda (ê). [Do lat. vulg. *cirra*.] *S. f.* **1.** Pêlo mais espesso e resistente, de ordinário situado junto às cavidades naturais dos mamíferos: "O pêlo finíssimo, imperceptível quase, ... eriçara-se todo, arrepiando-se como cerdas de caititu." (Afonso Arinos, *Pelo Sertão*, pp. 77-78.) **2.** *Morfol. Veg.* Seta[2] (1).

cerdáceo. *Adj.* Semelhante à cerda: *pêlo cerdáceo*.

cerdear. [Do esp. plat. *cerdear*.] *V. t. d. Bras., RS.* V. *tosquiar* (1 e 2). [Conjug.: v. *frear*.]

cerdo (ê). [De *cerda* (ê).] *S. m.* Porco (1).

cerdoso (ô). *Adj.* **1.** Provido de cerdas. **2.** Áspero como cerdas: "franzia as cerdosas sobrancelhas" (Eduardo Frieiro, *O Mameluco Boaventura*, p. 66).

cereal. [Do lat. *cereale*, 'referente a Ceres', a deusa das sementeiras.] *Adj. 2 g.* **1.** Diz-se das gramíneas e doutras plantas (trigo, cevada, milho, etc.) cujas sementes, transformadas em farinha, servem para a alimentação. **2.** Relativo a pão. ● *S. m.* **3.** Planta cereal (1). **4.** Searas, messes. [Como s. m., é m. us. no pl. Cf. *cirial*.]

cerealífero. [De *cereal* + *-i-* + *-fero*.] *Adj.* **1.** Referente a cereais. **2.** Que produz cereais.

cerealista. *Adj. 2 g.* **1.** Relativo ao comércio de cereais. ● *S. 2 g.* **2.** Comerciante de cereais.

cerebelar. *Adj. 2 g. Anat.* Pertencente ou relativo ao cerebelo; cerebeloso. ~ V. *oliva* —.

cerebelo (bê). [Do lat. *cerebellu*.] *S. m. Anat.* Porção do encéfalo situada póstero-inferiormente ao cérebro e acima da ponte e do quarto ventrículo, e que, do ponto de vista funcional, é da maior importância na coordenação de movimentos. [Sin., desus.: *parencéfalo*.]

cerebeloso (ô). *Adj. Ant.* Cerebelar.

cerebídeo. *S. m.* **1.** Espécime dos cerebídeos. ● *Adj.* **2.** Pertencente ou relativo a eles.

cerebídeos. *S. m. pl. Zool.* Aves passeriformes, da família *Coerebidae*, de tarso tirante a ocre (nas escamas anteriores), tegumento dividido ou não em placas, a primeira das rêmiges da mão igual à segunda, ou mais comprida, bico fino e longo, unha do dedo posterior ordinária. Os machos são ornados de cores brilhantes, verde, azul ou preto e amarelo. Vivem nos campos e capoeiras, e alimentam-se de frutos e insetos. São os saís, tem-tens, caga-sebos e guaratãs.

cerebração. *S. f.* **1.** Constituição de cérebro. **2.** Atividade e/ou capacidade intelectual.

cerebral. *Adj. 2 g.* **1.** Pertencente ou relativo ao cérebro. [Sin. (p. us.): *cerebrino*.] **2.** Que afeta o cérebro: *derrame cerebral*. **3.** Intelectual, intelectivo: *atividade cerebral*. ~V. *acidente vascular* —, *agrafia* —, *crise* —, *lavagem* —. ● *S. 2 g.* **4.** Pessoa que se orienta sobretudo pelo raciocínio.

cerebrastenia. [De *cérebro* + *-astenia*.] *S. f. Patol.* Esgotamento cerebral.

cerebrastênico. *Adj.* Relativo à cerebrastenia.

cerebrino. *Adj.* **1.** *P. us.* Cerebral. **2.** Imaginário, fantástico, extravagante.

cérebro. [Do lat. *cerebru*.] *S. m.* **1.** *Anat.* Porção do encéfalo que ocupa, na caixa craniana, toda a parte superior e anterior. **2.** *Fig.* Inteligência, cabeça, talento. ♦ **Cérebro eletrônico.** *Proc. Dados.* V. *computador* (2).

cérebro-espinhal. *Adj. 2 g. Anat.* V. *cerebrospinal*. [Pl.: *cérebro-espinhais*.]

cerebrospinal. *Adj. 2 g. Anat.* Pertencente ou relativo ao encéfalo e à medula espinhal. ~ V. *líquor* —.

cerefolho (ô). *S. m.* Var. de *cerefólio*. [Pl.: *cerefolhos* (ó).]

cerefólio. [Do gr. *chairéphyllon*, pelo lat. *caerefoliu*.] *S. m.* Planta alimentar, da família das umbelíferas (*Anthriscos cerefolium*), de folhas simples ou crespas, condimentares, flores alvas, pequenas, dispostas em umbelas sésseis, e cujo fruto é diaquênio alongado e liso, que contém sementes das quais se extrai óleo essencial, com aroma característico. [Var.: *cerefolho*.]

cereja (ê). [Do lat. *ceresia*.] *S. f.* **1.** O fruto da cerejeira. **2.** Fruto de outras plantas parecido com ele. **3.** *Bras., SP.* Grão de café com a casca antes de secar. ● *Adj. 2 g.* e *2 n.* **4.** Vermelho da cor da cereja: "os calções estreitos de veludo cereja." (José de Alencar, *Guerra dos Mascates*, p. 59).

cereja-das-antilhas. *S. f.* V. *acerola* (2). [Pl.: *cerejas-das-antilhas*.]

cereja-de-purga. *S. f.* **1.** *Bras., RJ* e *SP.* Trepadeira alta da família das cucurbitáceas (*Cayaponia pedata*), de caule anguloso e áspero, flores femininas e solitárias, dispostas em racimos, e frutos avermelhados ou esverdeados. **2.** V. *abóbora-do-mato*. [Pl.: *cerejas-de-purga*.]

cereja-do-rio-grande. *S. f. Bras., MT* até *RS.* Árvore pequena, da família das mirtáceas (*Myrcianthes edulis*), de flores axilares, usadas na indústria de perfumaria, fruto drupáceo, amarelo, ovóide, e madeira de alburno branco e cerne vermelho, resistente, mas pouco elástica, própria para objetos de luxo; pessegueiro-do-mato. [Pl.: *cerejas-do-rio-grande*.]

cereja-dos-passarinhos. *S. f.* V. *cerejeira* (1). [Pl.: *cerejas-dos-passarinhos*.]

cereja-galega. *S. f.* V. *cerejeira* (1). [Pl.: *cerejas-galegas*.]

cerejal. *S. m.* Quantidade mais ou menos considerável

de cerejeiras dispostas proximamente entre si.

cerejeira. *S. f.* **1.** Designação comum a diversas árvores e arbustos da família das rosáceas, gênero *Prunus*, particularmente as espécies *Prunus avium* e *Prunus cerasus*, a primeira das quais é uma árvore de casca lisa e cinzenta, flores alvas, frutos pequenos, doces e polposos, vermelhos ou quase pretos, e madeira branco-avermelhada, dura e pesada, usada em marcenaria de luxo, instrumentos musicais, objetos de arte, etc. [sin.: *cereja-galega, cereja-dos-passarinhos, cerejeira-da-europa*], e a segunda um arbusto que atinge 8 m de altura, cuja casca e flores têm as mesmas características das da espécie anterior, apresentando o fruto e a madeira, porém, diferença na cor, respectivamente amarelada e avermelhada. [Sin.: *cerejeira-da-europa*.] **2.** V. *gameleira-branca*.

cerejeira-da-europa. *S. f. Bras.* V. *cerejeira* (1). [Pl.: *cerejeiras-da-europa*.]

cerejeira-das-antilhas. *S. f. Bras.* Cerejeira-do-pará. [Pl.: *cerejeiras-das-antilhas*.]

cerejeira-do-pará. *S. f. Bras.* Arbusto ou árvore pequena, da família das malpighiáceas (*Malpighia punicifolia*), de flores róseas, vermelho-pálidas ou violáceas, aromáticas, dispostas em cimeiras sésseis, e cujo fruto, drupáceo, ovóide ou globoso, escarlate, é comestível e aromático; cerejeira-das-antilhas. [Pl.: *cerejeiras-do-pará*.]

céreo. [Do lat. *cereu*.] *Adj. Poét.* **1.** De cera. **2.** Da cor da cera. [Sin. ger.: *ceroso*. Cf. *cério* e *sério*.]

céreo-calcário. [De *céreo* + *calcário*.] *Adj.* Formado de cera e revestido por uma película de carbonato de cálcio. [Pl.: *céreo-calcários*.]

ceres. [Do mit. latino *Ceres*, 'deusa da colheita e da agricultura'.] *S. f.* **1.** O campo. **2.** *Fig.* Os cereais. [Cf. *seres*, pl. de *sere*, e *seres* (ê), do v. *ser* e pl. do s. m. *ser*.]

ceresino. *Adj.* **1.** De, ou pertencente ou relativo a Ceres (GO). ● *S. m.* **2.** O natural ou habitante de Ceres.

cergideira. [De *cergir* + *-d-* + *-eira*.] *S. f. Marinh.* Cada um dos cabos que servem para carregar as velas da gávea pelas testas. [Var.: *cerzideira*.]

cergir. *V. t. d., t. d. e i. e int. Pop.* Var. de *cerzir*. [Irreg. Conjug.: v. *agredir*, quanto ao e, e *dirigir*, quanto ao *g*.]

▲**ceri-.** [Do lat. *cera, ae*.] *El. comp.* = 'cera': *cerífero*.

ceriantário. *S. m.* **1.** Espécime dos ceriantários. ● *Adj.* **2.** Pertencente ou relativo a eles.

ceriantários. *S. m. pl. Zool.* Animais celenterados, zoantários, da ordem *Ceriantharia*, alongados, delgados, em forma de anêmonas-do-mar, com tentáculos numerosos, dispostos em dois círculos, sem disco pedioso e apenas um sifonóglifo. São solitários.

cerianto. *S. m. Zool.* Animal celenterado, antozoário, zoantário, ceriantário, gênero *Cerianthus* Chiaje, de forma alongada, com muitos tentáculos, dispostos em dois círculos. É solitário e vive em tubos verticais com paredes calcárias, no fundo do mar.

cérica. *S. f.* Ungüento de cera e azeite, usado para curar o cieiro. [Cf. *sérica*, fem. de *sérico*.]

cericória. *S. f. Bras. Pop.* V. *octaedrita*.

cerieira. *S. f.* Planta que produz cera vegetal. [Cf. *cirieira*, fem. de *cirieiro*.]

cerieiro. *S. m.* Aquele que trabalha em cera, ou vende cera. [Cf. *cirieiro*.]

cerífero. [De *ceri-* + *-fero*.] *Adj.* Que produz cera.

cerificação. [De *ceri-* + *-ficar* + *-ção*.] *S. f. Bot.* Processo pelo qual as células epidérmicas de folhas e caules formam um revestimento de cera.

cerigado-cherne. *S. m. Bras., N.E.* V. *cherne*. [Pl.: *cerigados-chernes*.]

cerigado-preto. *S. m. Bras.* V. *badejo-ferro*. [Pl.: *cerigados-pretos*.]

cerigado-sabão. *S. m. Bras.* Badejo-sabão. [Pl.: *cerigados-sabões* e *cerigados-sabão*.]

cerigado-tapoã. *S. m. Bras.* V. *cherne*. [Pl.: *cerigados-tapoãs*.]

cerigado-vermelho. *S. m. Bras.* V. *garoupa-gato* [Pl.: *cerigados-vermelhos*.]

cerimônia. [Do lat. *caerimonia*.] *S. f.* **1.** Forma exterior e regular de um culto. **2.** Reunião festiva, ou até fúnebre, de caráter solene, por ocasião de um acontecimento; solenidade: a *c e r i m ô n i a do juramento da bandeira*; a *c e r i m ô n i a do enterro do herói*. **3.** Formalidades e cortesias entre pessoas que não se tratam com familiaridade; etiqueta. **4.** Embaraço ou constrangimento resultante da exigência de portar-se conforme a etiqueta: *Durante o jantar o hóspede mostrava-se cheio de c e r i m ô n i a*. **5.** Acanhamento, timidez. [Cf. *cerimonia*, do v. *cerimoniar*.] ♦ **Fazer cerimônia.** Mostrar-se embaraçado; proceder com cerimônia (4). **Sem cerimônia.** À vontade.

cerimonial. [Do lat. *caerimoniale*, que, aliás, quer dizer 'referente às cerimônias religiosas'.] *Adj. 2 g.* **1.** Referente a cerimônias. ● *S. m.* **2.** Conjunto de formalidades que se devem seguir num ato solene ou festa pública. **3.** Regra que estabelece tais formalidades. **4.** Livro que as contém. **5.** Setor administrativo a que elas estão afetas. **6.** Etiqueta (2). ♦ **Cerimonial marítimo.** *Mar. G.* Conjunto de honras, sinais de respeito, cordialidades, que se foram estabelecendo em todo o mundo através dos séculos, que os navios de guerra se prestam uns aos outros ou às autoridades navais e pessoas gradas.

cerimoniar. *V. t. d. P. us.* **1.** Acompanhar de cerimônia. **2.** Dirigir o cerimonial de. **3.** Tratar com cerimônia, cortesia, polidez. [Pres. ind.: *cerimonio, cerimonias, cerimonia*, etc. Cf. *cerimônia*.]

cerimoniário. *S. m. Rel.* Clérigo que dirige as cerimônias litúrgicas.

cerimoniático. *Adj.* Que observa as cerimônias com rigor extremo.

cerimonioso (ô). [Do lat. *caerimoniosu*, que significa, aliás, 'referente às cerimônias religiosas'.] *Adj.* **1.** Em que há cerimônia: *jantar c e r i m o n i o s o*. **2.** Que se comporta com cerimônia: *pessoa c e r i m o n i o s a*. **3.** Mesureiro, cumprimenteiro.

cério. [De *Ceres*, um planeta, + *-io*[2].] *S. m. Quím.* Elemento de número atômico 58, metálico, pertencente aos lantanídeos, usado em ligas. [Simb.: Ce. Cf. *sério* e *céreo*.]

cerita. [De *cério* + *-ita*[3].] *S. f. Min.* Mineral ortorrômbico ou tetragonal, silicato hidratado de cério.

cermeto. *S. m. Tec.* Material sintetizado, obtido pelo aquecimento de mistura de cerâmica e metais pulverizados.

cernada. *S. f.* Ato de cernar.

cernambi [Do tupi.] *S. m. Bras.* **1.** Designação comum a algumas espécies de moluscos bivalves, especialmente *Anomalocardia brasiliana* (Gmelin.), da costa meridional do Brasil, de coloração variável — branca, castanho-escura, negra ou rajada — e de uso na alimentação. [Tb. se encontram nos sambaquis sulinos. V. *cernambi* (6). Sin.: *cernambitinga, papa-fumo*. Cf. *berbigão* (3).] **2.** *Bras., BA.* V. *amêijoa* (1 e 2). **3.** *Bras.* Molusco bivalve (*Mesodesma mactroides* Desh.), que vive enterrado na areia a 0,20 m de profundidade, comum de Santos para o S., onde é utilizado na alimentação; maçambique, moçambique, samanguaiá, sapinhanguá, simanguaiá, simongoiá **4.** *Bras.* Molusco bivalve (*Erodona mactroides* Daud.), que serviu de alimento aos indígenas no passado e constitui a maior parte dos sambaquis. **5.** *Bras., Amaz.* Borracha de qualidade inferior. **6.** *Bras., PA.* V. *sambaqui*: "Sambaqui, no Pará, é conhecido por c e r n a m b i." (Raimundo Morais, *País das Pedras Verdes*, p. 10.) [Var.: *sarnambi*.]

cernambiguara. *S. f. Bras.* Peixe teleósteo, percomorfo, da família dos carangídeos (*Trachinotus falcatus* (L.)), da costa do Brasil, de dorso azul-prateado, abdome branco-prateado, e até 0,50 m de comprimento. Alimenta-se de peixes, crustáceos, moluscos e vermes. [Sin.: *pampo-gigante, pampo-arabebéu, garabebel, arabebéu, pampo*.]

cernambitinga. *S. f.* **1.** *Bras.* V. *cernambi* (1). **2.** *Bras.* Amêijoa-branca.

cernar. *V. t. d.* **1.** Cortar até ao cerne. **2.** Descobrir o cerne de. **3.** Extrair o cerne de.

cerne. *S. m.* **1.** *Anat. Veg.* Parte do lenho das árvores formada de células mortas e sem substâncias nutritivas de reserva. Fica no centro do tronco, e é quase sempre mais escura. [Sin.: *âmago, durame*.] **2.** *Bras.* A parte intacta da madeira queimada. **3.** *Bras.* A parte que, de um tronco submerso, fica fora da água. **4.** *Bras.* Madeira que não apodrece dentro da água. **5.** A parte mais íntima, essencial; âmago; bojo. **6.** *Fig.* Pessoa velha, que não morre facilmente. **7.** Indivíduo rijo, duro, invencível.

cerneira. *S. f.* **1.** *Morfol. Veg.* A parte lenhosa dos troncos ou dos ramos que, apodrecendo, deixam desprender-se a casca e o alburno. **2.** Tábua do cerne, ou tábua sem alburno.

cerneiro. *Adj. Morfol. Veg.* Que tem cerne (1).

cernelha (ê). [Do lat. vulg. *cernicula*, pl. de *cerniculu*.] *S. f.* **1.** A parte do corpo dalguns animais onde se juntam as espáduas. **2.** Fio do lombo: "O juiz de direito .... ainda se deteve alguns momentos a examinar se a sela não teria porventura pisado a c e r n e l h a do seu cavalo" (Antônio Sales, *Aves de Arribação*, p. 33).

cernideira. [De *cernir* + *-deira*.] *S. f.* Peça de pau sobre a qual se movem as peneiras da farinha, na operação de peneirá-la.

cernir. [Do lat. *cernere*, 'separar'.] *V. t. d.* **1.** *Ant.* Peneirar, joeirar. *Int.* **2.** *Fig.* Saracotear-se, requebrar-se. [Conjug.: v. *aderir*.]

▲**cero-.** [Do gr. *kerós, oû*.] *El. comp.* = 'cera': *ceromancia*.

▲**-cero.** V. *cera(s)-*.

ceró. [De *cera* (do ouvido).] *S. m. Bras.* **1.** Secreção gordurosa. **2.** *Bras. Pop.* V. *cerume*.

ceroferário. [Do lat. *ceroferariu*.] *S. m.* Acólito que, nas procissões, leva tocheira ou círio.

ceróide. [Do gr. *keroeidés*.] *Adj. 2 g.* Que tem aparência de cera.

ceroila. *S. f.* Var. de *ceroula* [q. v.].

ceroilas. *S. f. pl.* Var. de *ceroulas* [q. v.].

cerol. *S. m.* **1.** Massa de cera, pez e sebo, com que os sapateiros untam as linhas de coser sola. **2.** *Bras., MA* e *RJ.* Mistura de cola de madeira e vidro moído que as crianças passam na linha dos papagaios [v. *papagaio* (5)] para cortar as de outrem; cortante, preparo. [Pl.: *ceróis*.]

ceroma. [Do gr. *kéroma*, pelo lat. *ceroma*.] *S. f.* Membrana que reveste a base do bico de certas aves; cera.

ceromancia (cí). [De *cero-* + *-mancia*.] *S. f.* Adivinhação por meio de figuras feitas com cera derretida.

ceromante. [De *cero-* + *-mante*.] *S. 2 g.* Quem pratica a ceromancia.

ceromântico. *Adj.* Relativo à ceromancia ou a ceromante.

cerome. *S. m.* Antiga capa de mulher.

ceromel. [De *cero-* + *mel*.] *S. m.* Ungüento de cera e mel, que era usado na preparação de emplastros. [Pl.: *ceroméis*.]

ceroplastia. [Do gr. *keroplástes*, 'trabalhador em cera', + *-ia*] *S. f.* Arte de modelar figuras em cera; ceroplástica.

ceroplástica. [Do gr. *keroplastiké*, i. e., *téchne keroplastiké*, 'arte de trabalhar em cera'.] *S. f.* Ceroplastia.

ceroplástico. *Adj.* Referente à ceroplastia.

ceroso (ô). [Do lat. *cerosu*.] *Adj.* Céreo: "Via-se entre a carne apodrecida a palidez c e r o s a das gengivas." (Gustavo Barroso, *A Ronda dos Séculos*. p. 40.) [Cf. *seroso*.]

ceroto (ô). [Do gr. *kerotón*, pelo lat. *cerotu*.] *S. m.* **1.** Cerato. **2.** *Bras., N.E.* Sujeira da pele por falta de banho.

ceroula. *S. f.* Ceroulas [q. v.]. [Var.: *ceroila*.]

ceroulas. [Do ár. vulg. *saraul* (pronunciado *sarol*), pl. de *siroal*, 'calça'.] *S. f. pl.* Peça de vestuário que cobre o ventre, as coxas e as pernas, e usada (hoje raramente) pelos homens por baixo das calças. [Tb. us. no sing. Var.: *ceroilas*.]

cerqueirense. *Adj. 2 g.* **1.** De, ou pertencente ou relativo a Cerqueira César (SP). ● *S. 2 g.* **2.** Natural ou habitante de Cerqueira César.

cerqueiro. *Adj.* **1.** Que cerca, envolve ou circunda. **2.** *Bras. Turfe.* Diz-se do cavalo que, durante uma carreira, procura correr sempre junto a uma das cercas. ● *S. m.* **3.** *Bras. Turfe.* Cavalo cerqueiro.

cerquilhense. *Adj. 2 g.* **1.** De, ou pertencente ou relativo a Cerquilho (SP). ● *S. 2 g.* **2.** Natural ou habitante de Cerquilho.

cerração. [De *cerrar* + *-ção*.] *S. f.* **1.** Nevoeiro espesso: "Forte c e r r a ç ã o cobria o vale, condensando-se ao longo do rio." (José de Alencar, *Til*, pp. 87-88.) **2.** Escuridão, treva(s). **3.** *Fig.* Dificuldade de falar por motivo de rouquidão ou de sufocação. [Cf. *serração*.]

cerradal. *S. m. Bras., Marajó.* V. *cerrado* (11).

cerradão. *S. m. Bras.* **1.** V. *cerrado* (11): "Nos c e r r a d õ e s, ou nos matos ...., eu não enxergava .... nem as orelhas do meu queimado." (Afonso Arinos, *Histórias e Paisagens*, pp. 12-13). **2.** Vegetação mais densa e desenvolvida que o cerrado.

cerrado. [Part. de *cerrar*.] *Adj.* **1.** Fechado, vedado: *compartimentos c e r r a d o s*. **2.** Denso, espesso, compacto: "A mata é tropical; basta, quase maciça / De tão c e r r a d a." (Vicente de Carvalho, *Poemas e Canções*, p. 55); *escuridão c e r r a d a*. **3.** Unido, apertado: *Os soldados marchavam em formação c e r r a d a*. **4.** Com pigmentação forte: *vermelho c e r r a d o*. **5.** Todo coberto de nuvens ou névoas: *céu c e r r a d o*. **6.** Diz-se da maneira de falar difícil de entender: *Fala um português c e r r a d o*. **7.** Concluído, liquidado. **8.** Diz-se do cavalo que já mudou os dentes. ~ V. *campo* —, *carga* —*a*, *composição* —*a*, *noite* —*a* e *testamento* —. ● *S. m.* **9.** Terreno cercado ou murado. **10.** *Bras.* Tipo de vegetação caracterizado por árvores baixas, retorcidas, em geral dotadas de casca grossa e suberosa, espaçadas, e que leva por baixo tapete de gramíneas. [Cf. *savana*.] Ocorre no Planalto Central Brasileiro, na Amazônia, em parte do Nordeste, e muito pouco no Sul. **11.** *Bras.* Terreno, ordinariamente plano, com esse tipo de vegetação e longos períodos de seca; campo cerrado, cerradão, cerradal. [Cf. *serrado*, do v. *serrar* e adj., e, na últ. acepç., *savana*.] ◆ **Cerrado fechado.** *Bras.* Campo cerrado cujas árvores se acham mais próximas umas das outras. **Cerrado ralo.** *Bras.* Cerrado em que as árvores mantêm entre si uma distância que facilita o trânsito dos animais.

cerradoiro. *S. m.* Cerradouro.

cerradouro. *S. m.* Cordão para cerrar bolsas, sacos, etc. [Var.: *cerradoiro*.]

cerradura. [De *cerrar* + *-dura*.] *S. f. Ant.* Cerca, muro. [Cf. *serradura*.]

cerra-fila. [De *cerrar* + *fila*.] *S. m.* **1.** *Mil.* Militar que se desloca à retaguarda de uma tropa disposta em colunas, para fiscalizar a disciplina e zelar pela execução das ordens relativas à marcha. **2.** *P. ext.* Qualquer homem em forma na última fileira duma coluna. **3.** O último soldado de uma fileira. **4.** Navio que vai na retaguarda dos outros. [Pl.: *cerra-filas*.]

cerramento. *S. m.* **1.** Ato de cerrar. **2.** Encerramento. [Cf. *serramento*.]

cerrar. [Do lat. *serare*, 'fechar com fechadura', com infl. de *serra*, *serrare*. *V. t. d.* **1.** Fechar (1): *Terminada a cerimônia, cerraram o túmulo.* **2.** Encaixar em seu marco a folha ou as folhas de (porta, janela, etc.), de modo que impeça a passagem de ar e/ou de luz; fechar. **3.** Juntar, unir, as partes separadas ou afastadas de; fechar: "Cansado pela longa vigília, cerrei os olhos e adormeci." (Murilo Rubião, *Os Dragões e Outros Contos*, p. 30); *cerrar os lábios.* **4.** Unir fortemente; apertar: *cerrar os punhos, os dentes.* **5.** Tapar, encobrir: *A construção do edifício veio cerrar a visão da praia.* **6.** Terminar, concluir; encerrar: Cerrou a carta usando expressões muito cerimoniosas. *Int.* **7.** Aglomerar-se; acumular-se: *As nuvens cerraram, escurecendo o horizonte.* **8.** Atingir (uma cavalgadura) a idade em que os dentes estão plenamente desenvolvidos. *P.* **9.** Fechar-se, unir-se, juntar-se (as partes separadas ou afastadas de): "os olhos azuis .... cravaram-se na imagem de Nossa Senhora da Glória, mas cerraram-se logo." (José de Alencar, *Alfarrábios*. p. 193). **10.** Cobrir-se de nuvens: *Cerrou-se o horizonte.* **11.** Escurecer: *No inverno, cerram-se os dias mais cedo.* **12.** Unir-se, apertar-se: *A multidão cerrou-se à porta do palácio.* **13.** Acabar(-se): terminar(-se); concluir(-se): *Cerraram-se ontem os trabalhos;* "Absolvido da primeira culpa, a sua obscura vida pública cerra-se afinal com um novo encarceramento" (Latino Coelho, *Cervantes*, p. 104). **14.** Acabar de falar ou de escrever. [Pres. ind.: *cerro, cerras, cerra*, etc.; fut. pret.: *cerraria, cerrarias*, etc. Cf. *cerro* (ê), *serro* (ê), s. m., top. *Serro* (ê), *serra*. s. f., o antr. *Serra, serraria*, s. f. e o v. *serrar*.]

cerrilha. [De *cerrar*.] *S. f.* Bordo branco dos dentes incisivos das bestas, arrasado depois dos cinco anos. [Cf. *serrilha*.]

cerrito. *S. m. Bras., RS.* Pequeno cerro.

cerro (ê). [Do lat. *cirru*.] *S. m.* **1.** V. *colina*[1] (1). **2.** Colina pequena e penhascosa, geralmente de forma tabular. [Pl.: *cerros* (ê). Cf. *serro* (ê), s. m., *serro* (ê), top., *cerro*, do v. *cerrar*. e *serro*, do v. *serrar*.]

cerro-azulense. *Adj. 2 g.* **1.** De, ou pertencente ou relativo a Cerro Azul (PR). ● *S. 2 g.* **2.** Natural ou habitante de Cerro Azul. [Pl.: *cerro-azulenses*.]

cerro-coraense. *Adj. 2 g.* **1.** De, ou pertencente ou relativo a Cerro-Corá (RN). ● *S. 2 g.* **2.** Natural ou habitante de Cerro-Corá. [Pl.: *cerro-coraenses*.]

cerro-larguense. *Adj. 2 g.* **1.** De, ou pertencente ou relativo a Cerro Largo (RS). ● *S. 2 g.* **2.** Natural ou habitante de Cerro Largo. [Pl.: *cerro-larguenses*.]

certa. [Fem. substantivado do adj. *certo*.] *S. f.* Us. nas loc. adv. *à certa, na certa* e *pela certa*. ◆ **À certa.** V. *na certa.* **Na certa.** Sem dúvida; certamente, decerto; à certa, pela certa. **Pela certa.** V. *na certa*.

certame. [Var. de *certâmen* lat. *certamen*.] *S. m.* **1.** Luta, combate, contenda, briga. **2.** Debate, discussão, **3.** Ato público de certo relevo em que diferentes entidades competem ou concorrem para estabelecer uma graduação de valores: *certame esportivo; A Bienal de São Paulo é um importante certame artístico.*

certâmen. *S. m.* V. *certame*. [Pl.: *certamens* e (p. us. no Brasil) *certâmenes*.]

certão. *Adj. Ant.* Certo. [Fem.: *certã*. Cf. *certão* e *sertã*.]

certar. [Do lat. *certare*.] *V. int.* **1.** Combater, pleitear. **2.** Discutir, debater. **3.** Ir a concurso.

certeiro. *Adj.* **1.** Que acerta bem; certo: *Tem a mão certeira para o tempero de carnes.* **2.** Bem dirigido: *tiro certeiro.* **3.** Acertado, judicioso, sensato: *opinião certeira.*

certeza (ê). *S. f.* **1.** Qualidade do que é certo. **2.** Conhecimento exato: *Não tem certeza de sua origem.* **3.** Persuasão íntima; convicção: *Tem a mais viva certeza de que Deus existe.* **4.** Coisa certa. **5.** Estabilidade, segurança. **6.** Afirmação categórica; intimativa. **7.** *Filos.* Forma de assentimento que se pretende objetiva e subjetivamente suficiente, i. e., que se pretende tenha evidência universal. [Cf. *crença* (6) e *opinião* (6).] ◆ **Com certeza. 1.** Certamente, decerto, evidentemente: "Não conto nestas exclusões os tomadores de apólices do empréstimo mexicano, porque esses, com certeza, não pensam nada" (Machado de Assis, *Crônicas*, II, p. 19). **2.** *Fam.* Talvez, quiçá.

certidão. [Do lat. *certitudine*, com mudança de sufixo.] *S. f.* **1.** Documento passado por funcionário que tem fé pública (escrivão, tabelião, etc.), e no qual se reproduzem peças processuais, escritos constantes de suas notas, ou se certificam atos e fatos que eles conheçam em razão do ofício. [Cf. *atestação* (2).] **2.** Atestado[1] (1). **3.** *Bras., MT.* Alicerce de antigas construções, que ainda se pode ver nas taperas, na região serrana.

certificação. *S. f.* Ato ou efeito de certificar(-se).

certificado. [Part. de *certificar*.] *Adj.* **1.** Contido em certidão. **2.** Tido por certo; asseverado. ~ V. *cheque*. ● *S. m.* **3.** O conteúdo de uma certidão. **4.** Documento em que se certifica alguma coisa. **5.** Documento de garantia, válido por um tempo determinado, contra defeitos de fabricação de alguns produtos mecânicos, elétricos, etc. ◆ **Certificado de reservista.** Documento comprobatório de quitação com o serviço militar.

certificador (ô). *Adj.* **1.** Que certifica; certificante; certificativo. ● *S. m.* **2.** Aquele que certifica; certificante.

certificante. *Adj. 2 g.* e *s. 2 g.* V. *certificador*.

certificar. [Do lat. *certificare*.] *V. t. d.* **1.** Afirmar a certeza de; atestar: *A prova a que a submeteram certificou a segurança de seus conhecimentos.* **2.** Passar a certidão de: *certificar um óbito. T. d. e i.* **3.** Convencer da verdade ou da certeza de algo; tornar ciente: *Certifiquei-o do ocorrido.* **4.** Afirmar; asseverar: "Entrega-me Iguaçu, que ali 'stá dentro / Um prófugo dos teus certificou-me / Que ali a vira entrar com tua filha" (Gonçalves de Magalhães, *A Confederação dos Tamoios*, p. 251). *P.* **5.** Ter a certeza de: *Quis certificar-se do ocorrido antes de enviar o telegrama de pêsames;* "o médico recomendou-lhe que falasse baixo, e foi certificar-se de que ninguém os ouvia do outro compartimento. (Cândido Jucá [filho], *Noite Insone*, p. 21). **6.** Convencer-se, persuadir-se: "O copeiro quis certificar-se da verdade interrogando o preto velho" (Artur Azevedo, *Contos Cariocas*, p. 248). [Conjug.: v. *trancar*.]

certificativo. *Adj.* **1.** V. *certificador* (1). **2.** Próprio para certificar.

certo. [Do lat. *certu*.] *Adj.* **1.** Em que não há erro; exato, correto, verdadeiro: *raciocínio certo; cálculo certo.* **2.** Exato, preciso: *O relógio está certo.* **3.** Que não falha; infalível, seguro: *Para muitos a mudança do tempo é resfriado certo.* **4.** Previamente determinado; fixado de antemão: *Os alunos do grêmio reúnem-se em dia certo.* **5.** Convencido, persuadido, certificado: *Estamos certos de haver cumprido a promessa;* "estou certa que me hás de compreender" (José de Alencar, *Lucíola*, p. 171). [Note-se a elipse da prep. *de*.] **6.** Ajustado, combinado: *Está certo, irei jantar com você amanhã.* **7.** Certeiro (1). **8.** *Bras., SP.* Diz-se do cavalo adestrado, que obedece à rédea. ~ V. *direito líquido e — e dívida —a.* ● *Pron. ind.* **9.** Não determinado; um, algum, qualquer; *certo indivíduo; Certo dia ele apareceu; Seu quadro, olhado de certa distância, é muito bom;* "Euclides da Cunha disse, certa vez, que a Bahia era um pouco a sua terra." (Sílvio Rabelo, *Euclides da Cunha*, p. 9). [*Certo* é pron. indef. quando anteposto a um substantivo, precedido ou não de artigo indefinido. É adjetivo quando posposto ao substantivo com o significado de *exato, verdadeiro, preciso*, etc., ou quando anteposto ao substantivo, mas precedido de palavra que exprima gradação: *Tão certa companheira é Maria quanto Ana*.] ● *S. m.* **10.** Coisa certa: "Ela ajudou-o com movimentos ondulantes aconchegantes, sabia que ele estava fazendo o certo." (José J. Veiga, *A Hora dos Ruminantes*, p. 34.) **11.** Quantia fixa da moeda de um país trocada por um valor variável da moeda de outro. ● *Adv.* **12.** Com certeza; certamente: "Certo, na monotonia da existência, viajar ainda é o único prazer verdadeiro." (Olavo Bilac, *Crítica e Fantasia*, p. 149.) **13.** De maneira exata, correta; com precisão: *O maquinismo desse relógio funciona certo;* "Escrever bem é escrever claro, não necessariamente certo." (Luís Fernando Veríssimo, *O Popular*, p. 12). ◆ **Ao certo.** Com exatidão; com certeza; "desejo saber ao certo que diabo vem a ser o senhor para D. Ernestina." (Aluísio Azevedo, *O Coruja*, p. 86). **Por certo.** Com certeza; decerto, certamente: "Um dia um cisne morrerá, por certo" (Júlio Salusse, *in* Manuel Bandeira, *Antologia dos Poetas Brasileiros da Fase Parnasiana*, p. 275); "Vou ver quem é. Por certo é gente nossa." (Domingos Carvalho da Silva, *Liberdade embora tarde*, p. 44.

cerúleo. [Do lat. *caeruleu*.] *Adj.* Da cor do céu; cérulo: "Troca a cerúlea, constelada esfera, / Pela, em que habito, solitária gruta!" (Raimundo Correia, *Poesias*, p. 209.)

cérulo. [Do lat. *cerulu*.] *Adj.* Cerúleo: "E ele — alvas barbas longas derramadas / No burel negro — o olhar somente ergia / Às cérulas regiões ilimitadas..." (Raimundo Correia, *Poesias*, p. 153).

cerume. [De *cera*.] *S. m. Med.* Secreção cérea, pardacenta, das glândulas ceruminosas do conduto auditivo externo. [Sin. (bras.): *cera do ouvido, ceró*.]

cerúmen. *S. m. Med.* V. *cerume*. [Pl.: *cerumens* e (p. us. no Brasil) *cerúmenes*.]

ceruminoso (ô). *Adj.* Da natureza do, ou relativo ao cerume.

cerusita. *S. f. Min.* Mineral ortorrômbico, carbonato de chumbo, minério de chumbo.

cerva. [Do lat. *cerva*.] *S. f.* A fêmea do cervo. [Cf. *serva*.]

cerval. *Adj. 2 g.* **1.** Pertencente ou relativo ao cervo. **2.** *Fig.* Feroz, ferino.

cervantesco (ê). *Adj.* Pertencente ou relativo ao escritor espanhol Miguel de Cervantes Saavedra (1547-1616), ou próprio dele; cervantino. [Cf. *cervantista*.]

cervantino. *Adj.* Cervantesco: "Geralmente se ignora a obra teatral cervantina" (José Carlos Lisboa, *O Teatro de Cervantes*, p. 10).

cervantista. *S. 2 g.* Grande admirador de Cervantes e/ou profundo conhecedor da sua obra. [V. *cervantesco*.]

cervato. *S. m.* Cervo ainda novo.

cerveja (ê). [Do gaul., atr. do lat. *servisia*.] *S. f.* **1.** Bebida fermentada, feita da cevada, do lúpulo e doutros cereais; birra. **2.** Uma garrafa ou lata de cerveja: *Mandei vir 10 cervejas.* **3.** O conteúdo de uma dessas garrafas: *Tomou três cervejas.* [Sin. ger.: *bia, birra*. Dim.: *cervejinha* e, bras., *cervejota*.]

cervejada. *S. f.* **1.** *Fam.* Copo ou porção considerável de cerveja que se ingere. **2.** *Bras.* Reunião em que se bebe muita cerveja.

cerveja-de-barbante. *S. f. Bras., N. E. Pop.* V. *jinjibirra* (1). [Pl.: *cervejas-de-barbante*.]

cervejar. *V. int.* Beber ou beberica cerveja: "Havia os que cervejavam noite inteira" (Pedro Nava, *Beira-Mar*, p. 10). [Conjug.: v. *pelejar*.]

cervejaria. *S. f.* **1.** Fábrica de cerveja. **2.** Casa onde se vende cerveja. **3.** Estabelecimento onde a tomam.

cervejeiro. *Adj.* **1.** Referente a cerveja: *indústria cervejeira.* ● *S. m.* **2.** Fabricante ou vendedor de cerveja.

cervejota. *S. f. Bras, Joc.* Cerveja [q. v.].

▲**cervi-.** [Do lat. *cervus, i*.] *El. comp.* = 'cervo': *cervicórneo.*

cervical. [De *cervic(i)-* + *-al*.] *Adj. 2 g. Anat.* **1.** Da, ou relativo ou pertencente à cerviz. **2.** Relativo ao colo uterino.

cervicartrose. [De *cervic(i)-* + *artrose*.] *S. f. Patol.* Artrose que compromete uma ou mais articulações entre vértebras cervicais.

cérvice. *S. f. Anat.* A parte estreitada de um órgão: *cérvice uterina.*

▲**cervic(i)-.** [Do lat. *cervix, icis*.] *El. comp.* = 'colo', 'pescoço': *cervicite*.

cervicite. [De *cervic(i)-* + *-ite*[1].] *S. f. Patol.* Inflamação do colo do útero.

cervicórneo. [De *cervi-* + *corno* + *-eo*.] *Adj.* Que tem os chifres ou antenas semelhantes aos cornos do veado.

cerviculado. [Do lat. *cervicula*, 'pescocinho', + *-ado*[1].] *Adj.* Semelhante a um pequeno pescoço.

cervídeo. *S. m.* **1.** Espécime dos cervídeos. ● *Adj.* **2.** Pertencente ou relativo a eles.

cervídeos. *S. m. pl. Zool.* Animais mamíferos, artiodáctilos, da família *Cervidae*, de casco partido em duas unhas, estômago dividido em quatro partes, desprovidos de incisivos superiores, com os caninos inferiores semelhantes aos incisivos, sendo os machos dotados de chifres que caem periodicamente. São os veados.

cervilheira. [Do esp. *cervillera*.] *S. f. Ant.* Espécie de capacete para defender a cabeça e a cerviz: "Os cônegos .... formavam um semicírculo a pouca distância del-rei, em cuja cervilheira de malha de ferro ferviam buliçosos os raios do sol." (Alexandre Herculano, *Lendas e Narrativas*, II, p. 63.)

cervino. [Do lat. *cervinu*.] *Adj.* De, ou pertencente ou relativo a cervo.

cerviz. [Do lat. *cervice.*] *S. f.* **1.** A parte posterior do pescoço; cachaço. **2.** *P. ext.* Pescoço (1). **3.** *P. ext.* Cabeça (1): "Que remorso cruel assim te oprime / E te curva a *c e r v i z* ?" (Castro Alves, *Obra Completa,* p. 231.) ◆ **Dobrar a cerviz.** Submeter-se à autoridade; à escravidão.

cervo. [Do lat. *cervu.*] *S. m.* **1.** Mamífero artiodáctilo, da família dos cervídeos (*Blastocerus dichotomus* (Ill.)), das regiões pantanosas da Bolívia, Brasil meridional, Paraguai e Uruguai. Castanho-claro, pés escuros, anel branco em torno da boca, e garganta e abdome claros; mede 2 m de comprimento e 1,30 m de altura, e a galhada tem 0,50 m de comprido, podendo chegar a quatro ou mais pontas em cada chifre, ramificadas dicotomicamente. Muda de galhada entre agosto e dezembro, e prefere as regiões de banhados e pântanos. [Sin.: *suaçuetê, suaçupucu, veado-galheiro.* **2.** V. *corno* (8). [Dim. irreg.: *cervato.* Cf. *servo.*]

cerzideira. *S. f.* **1.** Mulher que se ocupa de cerzir. **2.** Agulha de cerzir. **3.** *Marinh.* Cergideira.

cerzido. [Part. de *cerzir.*] *Adj.* **1.** Em que se fez cerzidura. ● *S. m.* **2.** V. *cerzidura* (1). **3.** Conserto em pano, feito com pontos miúdos pequenos.

cerzidor (ô). *Adj.* **1.** Que cirze. ● *S. m.* **2.** Aquele que cirze. **3.** *Deprec.* Escritor cujos trabalhos são, na maioria, compilação de trechos de outros.

cerzidura. *S. f.* **1.** Ato ou efeito de cerzir; cerzido, cerzimento. **2.** O que foi cerzido.

cerzimento. *S. m.* V. *cerzidura* (1).

cerzir. *V. t. d.* **1.** Coser (peças de um tecido), de modo que não se notem, ou mal se notem, as costuras: "Papai lia jornal, mamãe *c e r z i a* meias." (Carlos Drummond de Andrade, *Contos de Aprendiz,* p. 12.) **2.** Unir, reunir, juntar: *O antologista apenas c e r z i u alguns poemas. T. d. e i.* **3.** Unir, reunir, juntar: *C e r z i u ao texto numerosos comentários. Int.* **4.** Coser peças de um tecido de modo que não se notem, ou mal se notem, as costuras: "A mulher a olhar a cozinha, pregar botões e *c e r z i r .*" (Geraldo França de Lima, *Branca Bela,* p. 102.) [Var. (pop.): *cergir. Irreg.* Conjug.: v. *agredir.*]

cesalpinácea. *S. f.* Espécime das cesalpináceas.

cesalpináceas. *S. f. pl. Bot.* Família de plantas superiores, constituída pela subfamília das cesalpinoídeas, que, a seu turno, pertence à família das leguminosas.

cesalpináceo. *Adj.* Pertencente ou relativo às cesalpináceas.

cesalpinoídea. *S. f.* Espécime das cesalpinoídeas.

cesalpinoídeas. *S. f. pl. Bot.* Subfamília da família das leguminosas, que se distingue da subfamília mais próxima (*papilionoídeas*) pela prefloração carenal. Engloba numerosos gêneros e muitas centenas de espécies; o Brasil é rico em representantes, como, p. ex., o pau-brasil.

cesalpinoídeo. *Adj.* Pertencente ou relativo às cesalpinoídeas.

césar. [Do lat. *Caesar.*] *S. m.* Título dos imperadores romanos de Augusto (63 a. C.-14) a Adriano (76-138). [Pl.: *césares.*]

cesárea. *S. f.* V. *cesariana.* [Cf. *cesária,* s. f., e *Cesária,* antr.]

cesáreo[1]. *Adj.* **1.** Pertencente ou relativo ao general, estadista e escritor romano Júlio César (102 a 44 a. C.), ou próprio dele; cesariano, júlio. **2.** Do(s) césar(es) [v. *césar*]. **3.** Do soberano. [Cf. *Cesário,* antr.]

cesáreo[2]. *Adj.* Cesariano[2]. ~ V. *parto* —. [Fem.: *cesárea.* Cf. *Cesário,* antr. m., e *Cesária,* antr. fem.]

cesária. *S. f. Lus. Encad.* V. *tesourão* (1). [Cf. *cesárea,* fem. de *cesáreo* e s. f.]

cesariana. *S. f. Cir.* Operação que consiste em abrir o abdome materno para extrair o feto; operação cesariana, parto cesariano, parto cesáreo, cesárea, metrotomia, tomotocia.

cesariano[1]. [Do lat. *caesarianu.*] *Adj.* **1.** Relativo ao cesarismo. **2.** V. *cesáreo*[1] (1).

cesariano[2]. [Do lat. *caesar,* 'criança tirada a ferro do ventre da mãe', + *-iano.*] *Adj.* Relativo a cesariana; cesáreo. ~ V. *operação* —*a* e *parto* —.

cesarismo. [Do antr. *César* (v. *cesáreo*) + *-ismo.*] *S. m.* **1.** Governo despótico; despotismo. **2.** Poder pessoal: [Sin. ger.: *autocracia.*]

cesarista. *Adj. 2 g.* e *s. 2 g.* Diz-se de, ou partidário do cesarismo.

césio. [Do lat. *caesiu,* 'azul'.] *S. m. Quím.* Elemento de número atômico 55, pertencente aos metais alcalinos, sólido, brilhante, prateado. [Símb.: *Cs.*]

céspede. [Do lat. *cespede.*] *S. m.* **1.** Torrão arrancado com ervas. **2.** *Bot.* Conjunto muito denso de musgos e plantas à feição das gramíneas, que reveste completamente o terreno.

cespitoso (ô). *Adj. Bot.* Que cresce formando tufo ou touceira: *palmeira c e s p i t o s a .*

cessação. [Do lat. *cessatione.*] *S. f.* Ato de cessar. [Sin., p. us.: *cessamento.* Cf. *sessação.*]

cessamento. *S. m. P. us.* Cessação. [Cf. *sessamento.*]

cessante. [Do lat. *cessante.*] *Adj. 2 g.* Que cessa. ~ V. *lucro* —.

cessão. [Do lat. *cessione.*] *S. f.* Ato de ceder. [Sin. *cedência* e *cedimento.* Cf. *sessão* e *seção.*]

cessar. [Do lat. *cessare.*] *V. int.* **1.** Não continuar; interromper-se; acabar, parar: *A dor c e s s o u com a medicação. T. i.* **2.** Parar, deixar, desistir: *Tenaz, não c e s s a de lutar pelo seu sonho; Está disfônico, e não c e s s a de falar.* **3.** Verificar-se uma interrupção na produção de um fenômeno atmosférico: *c e s s a r de ventar, de chover. T. d.* **4.** Interromper; suspender: "um bando de ceifeiras, que passavam cantando, *c e s s a r a m* seu canto, e o ficaram a olhar" (Eça de Queirós, *Últimas Páginas,* p. 377). [Pres. ind.: *cesso,* etc.; pres. subj.: *cesse, cesses, cesse, cessemos, cesseis, cessem.* Cf. *sesso,* do v. *sessar; sesso* (ê), s. m.; o pres. subj. do v. *sessar; sésseis,* pl. de *séssil; cecém,* s. f.; e *Séssis,* top; e o v. *sessar.*]

cessar-fogo. [De *cessar* + *fogo.*] *S. m. 2 n.* Cessação de hostilidades bélicas: "Os combates cessaram em Beirute após o *c e s s a r - f o g o* estabelecido na quarta-feira." (*Jornal do Brasil,* 4.6.1981.)

cessibilidade. *S. f.* Qualidade do que é cessível ou cedível.

cessionário. *Adj.* **1.** Que faz cessão. **2.** Que aceita a cessão. ● *S. m.* **3.** Aquele a quem se faz cessão. **4.** Aquele que aceita a cessão.

cessível. [De um lat. *cessibile.] *Adj. 2 g.* Cedível.

cesta (ê). [Do gr. *kíste,* pelo lat. *cista.*] *S. f.* **1.** Receptáculo feito de verga, fibra, etc., entrançada, o qual pode ser ou não provido de asas ou alças, e de tampa, e serve para guardar ou transportar roupa, alimentos, pequenas mercadorias e objetos. **2.** Receptáculo algo semelhante a uma cesta (1), que pode ser de madeira, metal, matéria plástica, etc., sem tampa, e destinado a outros fins. [Sin., nessas acepç.: *cesto* (ê).] **3.** Quantidade de objetos que uma cesta pode conter: *Colheu duas c e s t a s de banana.* **4.** *Basq.* Aro de ferro fixado a cerca de 3 m do solo, e guarnecido de uma rede de malha sem fundo, destinada a retardar a passagem da bola; cesto. **5.** *Basq.* Cada um dos pontos marcados neste jogo pela penetração da bola na cesta. **6.** *Tip.* Espécie de concha que, na torre da unidade fundidora da monotipo, recebe a bobina de papel. [Cf. *sexta* e *sesta.*]

cestada. *S. f.* O conteúdo de uma cesta ou cesto.

cestão. *S. m.* **1.** Cesto grande. **2.** Cesto cheio de terra, empregado em fortificação. **3.** Jangada para passagem de rios. **4.** *Náut.* Parte acessória do mastro da gávea.

cestaria. [De *cesta* ou de *cesto* + *-aria.*] *S. f.* **1.** Ofício de cesteiro; fabricação de cestas ou de cestos. **2.** Grande quantidade de cestas ou de cestos.

cesteiro. [De *cesta* ou de *cesto* (ê) + *-eiro.*] *S. m.* Aquele que faz e/ou vende cestas ou cestos. [Cf. *sesteiro.*]

cestinha. [Dim. de *cesta* (ê).] *S. 2 g. Bras. Basq.* **1.** O jogador que faz o maior número de pontos (numa partida ou num campeonato). **2.** Jogador que faz muitos pontos. [Sin. ger.: *mão.*]

cesto[1]. [Do lat. *caestu.*] *S. m. Ant.* Manopla de couro, guarnecida de ferro, usada por atletas. [Pl.: *cestos.* Cf. *cesto* (ê), s. m., pl. *cestos* (ê); *sexto* (ê), num.; *Sexto* (ê), antr.; e *Sesto,* top.]

cesto[2]. [Do gr. *kesiós,* pelo lat. *cestu.*] *S. m. Ant.* **1.** Cinto. **2.** O cinto de Vênus, o qual, segundo a mitologia, dava a quem o usasse todas as graças, desejos e atrativos: "Que seria se Vênus tomasse / Suas armas à Deusa guerreira? / Se Minerva coo *c e s t o* se ornasse?" (Antônio Feliciano de Castilho, *Os Amores,* I, p. 42.) [Pl.: *cestos,* Cf. *cesto* (ê), *s. m.,* pl. *cestos* (ê); *sexto,* num.; o antr. *Sexto* e o top. *Sesto.*]

cesto (ê). [De *cesta.*] *S. m.* **1.** Cesta (1 e 2) pequena. **2.** Qualquer cesta (1 e 2). **3.** Cabaz fundo. **4.** *Basq.* Cesta (4). [Pl.: *cestos* (ê). Cf. *cesto, s. m.,* pl. *cestos; sexto, num.; Sexto,* antr. e *Sesto, top.*] ◆ **Cesto de gávea.** *Constr. Nav.* Plataforma instalada na altura do calcês, apoiada na romã do mastro, nos navios à vela, para espalhar as enxárcias do mastaréu e sustentar a marinhagem que maneja as velas. [Tb. se diz apenas *gávea.*] **Um cesto e um samburá.** *Bras., N. E. Pop.* V. *quantidade* (3).

cestodário. *S. m.* **1.** Espécime dos cestodários. ● *Adj.* **2.** Pertencente ou relativo a eles. [Sin. ger.: *monozoário.*]

cestodários. *S. m. pl. Zool.* Animais metazoários platelmintos, cestóideos, subclasse *Cestodaria,* desprovidos de escólex, corpo inteiro, sem proglótides, larvas com 10 ganchos; monozoários.

cesto-de-cereja. *S. m. Astron.* Dispositivo de segurança que permite ao astronauta escapar de um veículo espacial tripulado, por ocasião da partida, em caso de pane. [Pl.: *cestos-de-cereja.*]

cestóide. [De *cesto*[2] (1) + *-óide.*] *Adj. 2 g.* **1.** Que tem forma de cinto ou de fita. **2.** Pertencente ou relativo a eles. ● *S. m.* **3.** Espécime dos cestóides.

cestóides. *S. m. pl. Zool.* Animais platelmintos, parasitos, da classe *Cestoidea,* de corpo alongado, em forma de fita, segmentado, e tubo digestivo ausente. Fixam-se por meio de ventosas e ganchos, situados no escólex. São as tênias ou solitárias.

cestro. [Do gr. *késtron.*] *S. m.* Betônica. [Cf. *sestro.*]

cesura. [Do lat. *caesura.*] *S. f.* **1.** Ato ou efeito de cortar; corte: "aprumam-se à margem de seus trilhos .... as seringueiras cortadas em milhares de *c e s u r a s* " (Raimundo de Morais, *Na Planície Amazônica,* p. 58). **2.** Incisão de lanceta; lancetada. **3.** A cicatriz dessa incisão. **4.** A primeira parte do verso hexâmetro. **5.** A última sílaba de uma palavra que inicia ao pé de um verso grego ou latino. **6.** Limite rítmico no interior de um verso. **7.** *Restr.* Pausa na sexta sílaba do verso alexandrino. [Cf. *cissura.*]

cesurar. *V. t. d.* **1.** Abrir cesura (2) em; cortar, golpear. **2.** Fazer cesura (6) em (verso).

cetáceo. [De *cet(o)-* + *-áceo.*] *Adj.* **1.** Relativo ou pertencente aos cetáceos. ● *S. m.* **2.** Qualquer dos grandes mamíferos pisciformes. **3.** Espécime dos cetáceos. [Cf. *setáceo.*]

cetáceos. *S. m. pl. Zool.* Ordem de animais mamíferos adaptados à vida aquática, que têm os membros anteriores transformados em nadadeiras, nadadeira caudal horizontal, grande quantidade de gordura, encontrada até nos ossos, e bolsas arteriais que facilitam a oxigenação do organismo.

cetano. *S. m. Quím.* Hidrocarboneto saturado, sólido, escamado, branco, brilhante. [Fórm.: $C_{16}H_{34}$.]

ceticismo. *S. m.* Var. de *cepticismo* [q. v.].

cético. *Adj.* e *s. m.* Var. de *céptico* [q. v.].

cetílico. *Adj.* ~ V. *álcool* —.

cetim. [Do ár. *zaituni,* atr. das f. *çatim, cetim,* que acusam infl. do fr. *satin* e do it. *setino.*] *S. m.* **1.** Tecido de seda lustroso e macio: "sua roupa de *c e t i m* vermelho e azul estava incompleta" (Maria Julieta Drummond de Andrade, *O Valor da Vida,* p. 18). **2.** *Fig.* Coisa macia, cetinosa: *Que pele! é um c e t i m .*

cetina. [De *cet(o)-* + *-ina*[1].] *S. f.* Espermacete.

cetíneo. *Adj.* V. *cetinoso:* "*C e t í n e o s* mantos de candor suavíssimo, / Saias cujo bordado é flórea espuma" (Alberto de Oliveira, *Poesias,* 3ª série, p. 75).

cetineta (ê). *S. f.* Tecido de algodão e seda, ou só de algodão, que imita o cetim.

cetinoso (ô). *Adj.* Macio ao tato, como o cetim; acetinado, cetíneo: "longos, *c e t i n o s o s* e tépidos cabelos" (Aluísio Azevedo, *Livro de uma Sogra,* p. 76).

▲ceto-. *Quím. El. comp.* Indica a função cetona.

▲cet(o)-. [Do lat. *cetos.*] *El. comp.* = 'cetáceo': cetáceo. [Equiv.: *-ceto: odontoceto.*]

▲-ceto. Equiv. de *cet(o)-.*

cetodontídeo. *S. m.* **1.** Espécime dos cetodontídeos. ● *Adj.* **2.** Pertencente ou relativo a eles.

cetodontídeos. *S. m. pl. Zool.* Subordem de cetáceos que têm dentes e são carnívoros, nutrindo-se de peixes e moluscos. Ex.: cachalote, narval, golfinho, etc.

cetona. *S. f. Quím.* Designação comum aos compostos orgânicos que têm como grupamento característico um oxigênio ligado por duplo enlace a um carbono secundário.

cetonuria. *S. f.* Var. pros. de *cetonúria.*

cetonúria. [De *cetona* + *-ur(o)-* + *-ia.*] *S. f. Med.* Presença, na urina, de corpos cetônicos. [Var. pros.: *cetonuria.*]

cetopsídeo. *S. m.* **1.** Espécime dos cetopsídeos. ● *Adj.* **2.** Pertencente ou relativo a eles.

cetopsídeos. *S. m. pl. Zool.* Família de insetos da ordem dos dípteros.

cetose. [De *ceto-* + *-ose.*] *S. f. Quím.* Cetona que contém diversas hidroxilas, uma das quais vizinha da carbonila.

cetra. [Do lat. *cetra.*] *S. f. Ant.* Escudo revestido de couro. ~ V. *cetras*

cetraria[1]. [Do esp. *cetrería.*] *S. f.* Arte de caçar com açores e falcões. [Cf. *cetrária.*]

cetraria[2]. *S. f.* Ornato caligráfico em forma de cetras, nos manuscritos antigos. [Cf. *cetrária.*]

cetrária. *S. f.* Planta criptogâmica (*Cetraria islandica*), usada em medicina e como agente marmorizador de papéis; líquen-da-islândia. [Cf. *cetraria.*]

cetras. *S. f. pl.* **1.** Sigla representativa do *et coetera,* nos documentos antigos. **2.** Laçaria caligráfica acrescentada a uma assinatura. ~ V. *cetra.*

cetrino. [Do *citrino,* por dissimilação.] *Adj. Poét.* Vermelho (2). [Fem.: *cetrina.* Cf. *citrino* e *citrina.*]

cetro. [Do gr. *skêptron,* pelo lat. *sceptru.*] *S. m.* **1.** Bastão de apoio usado outrora pelos reis e generais: "Ide resplandecer .... nos cetros dos reis e nas chinelas das cortesãs." (Ramalho Ortigão, *A Holanda,* p. 183.) **2.** Insígnia real ou de comando. **3.** Poder real. **4.** Primazia, prioridade, preeminência. **5.** Despotismo, tirania. ♦ **Empunhar o cetro.** Reinar, governar.

céu. [Do lat. *caelu.*] *S. m.* **1.** Espaço ilimitado e indefinido onde se movem os astros. **2.** O espaço acima de nossas cabeças; limitado pelo horizonte; firmamento. **3.** V. *atmosfera* (3). **4.** A parte superior de uma armação; dossel, sobrecéu. **5.** Região para onde, segundo as crenças religiosas, vão as almas dos justos. **6.** Qualquer lugar onde se possa ser feliz; paraíso. **7.** *Fig.* A Providência; Deus. ~ V. *céus.* ♦ **Céu da boca.** A abóbada palatina; palato, paladar. **Céu de brigadeiro.** *Bras.* Céu sereno, que apresenta excelentes condições de vôo (4): "Na aeronáutica, quando as condições de vôo são muito boas usa-se, espirituosamente, a expressão 'céu de brigadeiro', que significa também que tudo vai bem." (Gisálio Cerqueira Filho, *Jornal do Brasil,* 25.3.1978.) **Céu de rosas.** Céu ou tempo sereno, sem nuvens nem ventos. **A céu aberto. 1.** Ao ar livre: "Vem, dá-me a tua mão. Vamos sozinhos / amar-nos nesta noite a céu aberto..." (Augusto de Lima, *Poesias,* p. 248.) **2.** Diz-se de trabalhos de escavação ou de mineração que se realizam inteiramente a descoberto, prescindindo de poços, túneis ou galerias subterrâneas: "Atacaram a terra nas explorações minerais a céu aberto." (Euclides da Cunha, *Contrastes e Confrontos,* p. 203). **3.** *Cir.* Diz-se da operação que se faz com o campo operatório à vista. **Cair dos céus.** Cair das nuvens. **No sétimo céu.** Em estado de plena felicidade; muitíssimo feliz. **Um céu aberto.** Grande ventura.

céus. [Pl. de *céu.*] *Interj.* Designa surpresa ou dor. ~ V. *céu.*

ceutense. *Adj. 2 g.* **1.** De, ou pertencente ou relativo a Ceuta (África). ● *S. 2 g.* **2.** Natural ou habitante de Ceuta.

ceva. [Dev. de *cevar.*] *S. f.* **1.** Ato ou efeito de cevar(-se); cevagem. **2.** Alimento com que se cevam animais. **3.** *Bras.* Grãos ou iscas que se colocam em lugar determinado, para atrair a caça. **4.** O lugar onde se deposita esse engodo. **5.** Em engenho de bangüê, caldo espesso, constituído de água e barro de purgar, que se põe imediatamente sobre o testo, na fabricação do açúcar. [Cf. *seva,* s. f., *seva,* f. de *sevo,* e *seva,* do v. *sevar.*]

cevada. [Fem. substantivado do adj. *cevado.*] *S. f.* **1.** Planta da família das gramíneas (*Hordeum vulgare*), cujas flores são dispostas em espigas, na extremidade do colmo, e de cujos frutos, amarelados e ovóides, se fabrica a cerveja. **2.** O grão desta planta. [Cf. *sevada,* f. do part. de *sevar.*]

cevadal. [De *cevada*[1] + *-al.*] *S. m.* Quantidade mais ou menos considerável de cevadas dispostas regularmente entre si.

cevadeira. *S. f.* **1.** Saco que se adapta ao focinho das cavalgaduras para lhes dar a cevada ou outro alimento; bornal, embornal. **2.** *Marinh. Ant.* Verga de cevadeira. **3.** *Marinh. Ant.* Vela quadrangular que envergava na verga do mesmo nome, por baixo do gurupés. [Cf. *sevadeira.*]

cevadeiro. *S. m.* **1.** Lugar onde os porcos se cevam. **2.** Local onde se prepara a isca para caçar ou pescar. **3.** Cevador (1). **4.** Aquele que cevava falcões para a caça de altanaria. **5.** Aquele que abastecia de cevada as cavalariças reais.

cevadiço. *Adj.* **1.** Que se ceva. **2.** Fácil de cevar. **3.** Diz-se de ave de rapina acostumada a fazer presa nas ralés.

cevadilha. [Do esp. mexicano *cebadilla.*] *S. f.* Planta forrageira, da família das gramíneas (*Bromus unioloides*), comum nos estados do S. do Brasil, na Argentina e no Uruguai, anual, resistente ao frio; cevadinha.

cevadinha. [Dim. de *cevada.*] *S. f.* **1.** Cevada pilada para sopa. **2.** Cevada totalmente descascada. **3.** Cevadilha.

cevado. [Part. de *cevar.*] *Adj.* **1.** Que se cevou; engordado, nutrido. **2.** Farto, cheio. [Fem.: *cevada.* Cf. *sevada,* fem. do part. de *sevar.*] ● *S. m.* **3.** Porco que se cevou. **4.** *Fig.* Homem muito gordo. [Cf. *sevado,* part. de *sevar.*]

cevadoiro. *S. m.* Cevadouro [q. v.]

cevador (ô). *S. m.* **1.** Aquele que ceva os animais; cevadeiro. **2.** *Bras., CE.* Espécie de mesa sobre a qual se prende o ralo da mandioca. **3.** *Bras., RS.* Indivíduo que prepara e distribui o mate entre os que o tomam, numa reunião.

cevadouro. [Var. de *cevadoiro.*] *S. m.* **1.** Lugar onde se cevam animais. **2.** Lugar onde se põe isca para atrair e caçar aves.

cevadura. *S. f.* **1.** Restos de comida em que se cevaram as aves de rapina. **2.** Barro molhado com que se cobre o açúcar de caixa para o purificar. **3.** Carnificina, matança, mortandade. **4.** *Bras., S.* Na preparação do mate, a quantidade de erva suficiente para se preparar um dado número de cuias da bebida.

cevagem. *S. f.* Ceva (1).

cevão. *S. m.* Porco cevado ou em ceva.

cevar. [Do lat. *cibare,* 'alimentar'.] *V. t. d.* **1.** Alimentar, nutrir: *As colheitas foram insuficientes para cevar a população local.* **2.** Tornar gordo; engordar: *Cevaram três leitões para a ceia do Natal.* **3.** Satisfazer, saciar, fartar: *cevar apetite feroz;* "toda a horda soez .... cevou no pobre corpo [da moça] os instintos infames." (Gustavo Barroso, *Terra de Sol,* p. 132). **4.** Fomentar, estimular: *Propôs medidas para cevar a indústria regional.* **5.** Pôr isca em. **6.** Atrair com engodo(s); engodar: *Seus encantos cevaram o coração do jovem.* **7.** *Bras.* Preparar (a mandioca), pondo-a na água por três ou quatro dias, até ficar puba, i. e., em começo de fermentação. **8.** *Bras., RS.* Pôr (o mate em pó) na cuia ou porongo, onde já está a bombilha com um pouco de água fria, o bastante para o empastar, servindo-se então com água fervente. *P.* **9.** Saciar-se, satisfazer-se, fartar-se. **10.** Enriquecer(-se), encher-se, locupletar-se: *Cevou-se enquanto ocupou o alto cargo;* "Muita gente acredita que eu me estou cevando em ouro, produto de minhas obras." (José de Alencar, *O Guarani,* I, p. 74.) [Pres. ind.: *cevo, cevas, ceva,* etc. Cf. *sevo,* do v. *sevar* e adj.; *seva,* do v. *sevar,* fem. de *sevo,* e s. f.; *cevo* (ê), s. m.; e o v. *sevar.*]

cevatício. [Do lat. *cibatu,* 'cevado', + *-ício.*] *Adj.* Que é bom para cevar ou engordar animais.

ceveiro. *S. m. Bras.* **1.** Lugar onde se põe ceva (3) para a caça. **2.** Lugar onde se põe comida para atrair peixes e pescá-los.

ceviana. *S. f. Geom.* **1.** Reta que passa por um vértice e por um ponto do lado oposto de um triângulo. **2.** Segmento de reta que une um vértice ao lado oposto de um triângulo.

cevo (ê). [Do lat. *cibu.*] *S. m.* **1.** Ceva, pasto, alimento, cibo. **2.** isca, engodo. [Pl.: *cevos* (ê). Cf. *cevo,* do v. *cevar,* e *sevo,* adj.]

■**Cf.** *Quím.* Símb. de *califórnio.*

■**Cf.** [Do lat. *confer.*] *Abrev. de confronte, compare, confira.*

■**c.f.** [Sigla de *custo e frete.*] V. *cláusula c.f.*

■**C.G.S.** *Fís.* Sigla de *sistema c. g. s.* [q. v.].

chá. [Do chin. *chá,* da língua dos mandarins e do dialeto de Cantão.] *S. m.* **1.** Árvore regular, ou arbusto, da família das teáceas (*Thea sinensis*), de frutos verdes e carnosos, flores alvas, hermafroditas, e de cujas folhas, coriáceas e lanceoladas, se faz uma infusão largamente usada em todo o mundo; chá-da-índia. **2.** As folhas secas e preparadas dessa planta. **3.** A infusão dessas folhas. **4.** *P. ext.* Infusão medicinal de várias plantas: *chá de erva-doce;* "abeiraram-se do leito, instando com a enferma para que tomasse um chá de erva-cidreira" (Júlio Ribeiro, *A Carne,* p. 12). **5.** Designação comum a diversas plantas de que se faz essa infusão. **6.** Reunião ou refeição à tarde ou à noite, em que se serve chá (3). **7.** *Bras.* Hábito inveterado; mania. [Cf. *xá.*] ♦ **Chá dançante.** Reunião dançante que, principiando à tardinha, à hora do chá, vai até certa hora da noite, sem traje de rigor nem a exigência do jantar, servindo-se apenas bebidas e comidas volantes; chá-paulista. **Chá das cinco.** Refeição leve, servida mais ou menos às 17 horas, com chá (3), torradas e bolos. **Chá preto.** Aquele cujas folhas são torradas após ligeira fermentação. **Não ter tomado chá em pequeno.** Ser mal-educado. **Tomar chá.** *Bras.* Gracejar, pilheriar. **Tomar chá de cadeira.** Não ser (uma moça) convidada para dançar nos bailes. [Sin., bras., N. E., pop.: *fazer renda.*] **Tomar chá de sumiço.** *Bras. Fam.* Deixar de aparecer em lugar que freqüentava regularmente.

chá-biriba. *S. m. Bras.* Chá (6) em que se joga biriba[2] (1). [Pl.: *chás-biribas* e *chás-biriba.*]

chã. [Fem. substantivado do adj. *chão.*] *S. f.* **1.** Terreno plano; planície. **2.** Carne da parte interior da coxa do boi; chã-de-dentro, pojadouro. **3.** *Bras., PB* e *AL.* V. *planalto.*

chabó. [T. onom?] *S. m. Bras., SP.* V. *taperá.*

chabu. [T. onom.] *S. m. Bras., SE* e *BA.* Explosão que fazem, por defeito de fabricação, os busca-pés de limalha e outros fogos de artifício; jebu. ♦ **Dar chabu.** *Bras., SE* e *BA.* Não dar certo; falhar; malograr-se.

chabuco. *S. m. Ant.* V. *chicote* (1).

chaça. [Do fr. *chasse.*] *S. f.* **1.** No jogo da péla, lugar onde a bola pára ou dá o segundo pulo. **2.** Sinal que marca esse lugar. **3.** *Fig.* Abalo moral. **4.** Briga, altercação, contenda. ♦ **Fazer chaça.** Empinar-se (o eqüídeo).

chacal. [Do persa *xagâl,* atr. do turco *xakâl* e do fr. *chacal.*] *S. m.* Mamífero feroz, da família dos canídeos, vizinho do lobo e da raposa, que vive, aos casais, nas estepes da África e da Ásia, e no S. da Europa.

chaçar. [Do fr. *chasser.*] *V. t. i.* Levar vantagem. [Conjug.: v. *laçar.*]

chácara. [Do quíchua *chajra* (em escrita espanhola); var. de *chacra,* com epêntese.] *S. f. Bras.* **1.** Pequena propriedade campestre, em geral perto da cidade, com casa de habitação. **2.** Terreno urbano de grandes dimensões, com casa de moradia, jardim, horta, pomar, etc. **3.** Casa de campo. **4.** Terreno onde se cultivam e vendem hortaliças, legumes e/ou plantas de jardim. [Dim. irreg.: *chacarola.* Cf. *xácara.*]

chacareiro. [Var. de *chacreiro.*] *S. m. Bras.* **1.** Dono ou administrador de chácara (1). **2.** Pequeno criador de gado.

chacarola. *S. f. Bras.* Pequena chácara.

chacim. *S. f. Ant.* Porco (1).

chacina. [Do lat. vulg. **siccina,* i. e., *caro siccina,* 'carne seca'.] *S. f.* **1.** Ato ou efeito de chacinar. **2.** Matança, morticínio, mortandade. **3.** Carne de porco e outros animais salgada e curada para provisão.

chacinador (ô). *S. m.* Aquele que chacina.

chacinar. [De *chacina* + *-ar*[2].] *V. t. d.* **1.** Partir em postas. **2.** Preparar e salgar (postas de carne). **3.** Matar, assassinar. **4.** Analisar minuciosamente.

chaço. *S. m.* **1.** Pedaço de madeira ou metal com que os tanoeiros apertam arcos. **2.** Peça da roda do carro. **3.** Sarrafo de madeira usado para apertar tampos de viola e outras coisas que se colam.

chacoalhar. [Alter. de *chocalhar.*] *Bras. V. t. d.* **1.** V. *chocalhar* (1 e 2). **2.** *Gír.* Importunar, aborrecer, amolar; chatear. *Int.* **3.** V. *chocalhar* (4). **4.** Importunar, aborrecer, amolar, chatear alguém.

chacona. [De uma onom. *chac.*] *S. f. Mús.* **1.** Dança popular cantada, de origem mexicana ou espanhola, andamento animado, compasso ternário e acompanhamento de castanholas. **2.** Peça instrumental, em compasso ternário ou quaternário, de andamento lento, construída sobre um baixo contínuo de quatro a oito compassos, seguido de variações. **3.** Composição do tipo da passacale.

chacota. [De uma onom. *chac?*] *S. f.* **1.** V. *zombaria:* "Em São Paulo .... também existe o costume das cantigas ao desafio, e também consistem essas requestas em trocas de chacotas e de injúrias" (Amadeu Amaral, *Tradições Populares,* p. 105). **2.** Antiga canção popular, alegre e ruidosa. **3.** Trovas satíricas ou burlescas.

chacoteação. *S. f.* **1.** Ato ou efeito de chacotear. **2.** V. *zombaria.*

chacoteador (ô). *S. m.* Aquele que chacoteia; escarnecedor, zombador, zombeteiro.

chacotear. *V. int.* **1.** Fazer chacota ou zombaria. **2.** *Ant.* Fazer chacota (3). *T. i.* **3.** Zombar, escarnecer: *É dado a chacotear dos amigos. T. d.* **4.** Zombar, escarnecer de: *Chacoteou impiedosamente a timidez do irmão.* [Conjug.: v. *frear.*]

chacra. *S. f. Bras., S.* Chácara [q. v.].

chacreiro. *S. m. Bras., S.* Chacareiro [q. v.].

chacrete. [De *chacr*(inha), pseudônimo do ator e animador de programas (q. v.) Abelardo Barbosa + *-ete* fr. *-ette.*] *S. f. Bras.* Cada uma das coristas [v. *corista* (3)] que atuam no programa de televisão do animador Chacrinha.

chacrinha. [Dim. de *chacra.*] *S. f. Bras. Fam.* Reunião informal para grupo íntimo.

chacuru. *S. m. Bras.* V. *joão-bobo.*

chá-da-campanha. *S. m. Bras.* V. *chapéu-de-couro* (1). [Pl.: *chás-da-campanha.*]

chá-da-índia. *S. m.* Chá (1). [Pl.: *chás-da-índia.*]

chá-da-terra. *S. m.* V. *craveiro-da-terra.* [Pl.: *chás-da-terra.*]

chá-de-alecrim. *S. m. Bras., SP. Pop.* Surra (1) de pau. [Pl.: *chás-de-alecrim.*]

chá-de-bico. *S. m. Bras. Pop.* V. *clister.* [Pl.: *chás-de-bico.*]

chá-de-bugre. *S. m. Bras.* Planta glabra, da família das borragináceas (*Cordia salicifolia*), cujas flores têm cálice campanulado, sendo o fruto drupáceo; porangaba, bugrinho. [Pl.: *chás-de-bugre.*]

chá-de-burro. *S. m.* **1.** *Bras., N. E. Pop.* V. *munguzá.* **2.**

Bras., BA. V. *peteleco.* [Pl.: *chás-de-burro.*]
chá-de-casca-de-vaca. *S. m. Bras., CE, MG* e *RS.* **1.** Surra de relho. **2.** V. *surra* (1): "O gurizote .... quis passar-se demais com uma prima...; o tio deu-lhe um c h á - d e - c a s c a - d e - v a c a ." (Simões Lopes Neto, *Contos Gauchescos e Lendas do Sul,* p. 238). [Pl.: *chás-de-casca-de-vaca.*]
chã-de-dentro. *S. f. Bras.* V. *chã* (2). [Pl.: *chãs-de-dentro.*]
chã-de-fora. *S. f. Bras., N. E.* Carne da parte exterior da coxa do boi. [Pl.: *chãs-de-fora.*]
chã-de-garfo. *S. m. Bras., PE.* Troça, brincadeira. [Pl.: *chãs-de-garfo.*]
chá-de-panela. *S. m. Bras.* Reunião oferecida a uma noiva para presenteá-la com objetos de utilidades domésticas: *Maria Helena recebeu ontem para o c h á - d e - p a n e l a de Sônia Peixoto.*
chadiano. *Adj.* **1.** Da, ou pertencente ou relativo à República do Chade (Centro-Norte da África). ● *S. m.* **2.** O natural ou habitante da República do Chade.
chafalhão¹. *S. m.* Chafalho grande.
chafalhão². *Adj.* Brincalhão, galhofeiro.
chafalho. *S. m.* V. *chanfalho.*
chafarica. *S. f. Pop.* **1.** Loja maçônica. **2.** Pequena casa de negócios. **3.** Baiúca, taberna, taverna.
chafariz. [Do ár. vulg. *çaHrij.*] *S. m.* **1.** Construção de alvenaria, com uma ou várias bicas, por onde jorra água, que serve para uso da população, como bebedouro de animais ou, o que é mais comum, como simples ornamento; fonte; carioca. **2.** *Fam.* Pessoa que chora muito e/ou freqüentemente.
chafurda. [Dev. de *chafurdar.*] *S. f.* **1.** Chiqueiro ou lamaçal onde os porcos se atolam; chafurdeiro. **2.** Imundície, sujeira. **3.** Casa imunda.
chafurdar. *V. t. i.* **1.** Revolver-se (em chafurda). **2.** Atolar-se (em vícios); perverter-se. *T. d.* **3.** Macular; enodoar: *C h a f u r d o u a honra da família. P.* **4.** Revolver-se (em chafurda). **5.** Atolar-se(em vícios); perverter-se: "Vi os maiores nomes de França c h a f u r d a r e m - s e na lama dessa alcova." (Bernardo Pinheiro, Pindela, *Azulejos,* pp. 62-63). [Sin. ger.: *enchafurdar.*]
chafurdeiro. *S. m.* **1.** Chafurda (1). **2.** Aquele que chafurda.
chafurdice. *S. f.* Ato ou efeito de chafurdar(-se).
chaga. [Do lat. *plaga.*] *S. f.* **1.** Ferida aberta; úlcera. **2.** A cicatriz deixada por essa ferida. **3.** Incisão na casca das árvores. **4.** *Fig.* Coisa que penaliza. **5.** Aquilo que produz males ou prejuízos: *A opressão é uma c h a g a social.* **6.** Desgraça, infortúnio. ~ V. *chagas.*
chagado. [Part. de *chagar.*] *Adj.* **1.** Coberto de, ou convertido em chaga(s) ou úlcera(s); chaguento. **2.** Martirizado, aflito: "Lá não pode / Ao coração c h a g a - d o e dolorido / Repreender a razão." (Alberto de Oliveira, *Poesias,* 3ª série, p. 198).
chagar. *V. t. d.* **1.** Fazer chaga(s) em; ferir. **2.** *Fig.* Molestar, martirizar, afligir. *P.* **3.** Converter-se em chaga(s); ulcerar-se. [Conjug.: v. *largar.*]
chagas. [Pl. de *chaga.*] *S. f. pl.* **1.** V. *capuchinha.* **2.** A flor dessa planta. ~ V. *chaga.*
chagásico. *Adj.* **1.** Referente à, ou que sofre de doença de Chagas. ● *S. m.* **2.** Aquele que sofre dessa doença.
chalólogo. *Adj.* e *s. m.* Diz-se de, ou aquele que se dedica especialmente ao estudo da doença de Chagas.
chagoma. [De *Chagas* (*doença de Chagas*) + *-oma.*] *S. m. Patol.* Tumefação produzida pela picada do barbeiro (6).
chagrém. [Do turco *çagri,* 'garupa de cavalo', pelo fr. *chagrin.*] *S. m.* Couro de superfície granulada, preparado com pele de eqüinos, asininos ou caprinos, e usado sobretudo em encadernação.
chagueira. [De *chaga* + *-eira.*] *S. f.* V. *capuchinha.*
chaguento. *Adj.* Chagado (1).
chaguer. *S. m.* Vaso de couro curtido para resfriar a água.
chaguismo. *S. m. Bras.* **1.** Ação política de Antônio de Pádua Chagas Freitas (1914) ex-governador do antigo estado da GB, e do RJ. **2.** Adesão ao chaguismo (1), ou simpatia por ele.
chaguista. *Bras. Adj. 2 g.* **1.** Relativo ao, ou próprio do chaguismo (1), ou que é partidário dele. ● *S. 2 g.* **2.** Partidário do chaguismo (1).
chaiá. [Voc. onom.] *S. f. Bras.* V. *tachã.*
chaira. [Do esp. plat. *chaira.*] *S. f. Bras., S.* Peça de aço para afiar facas: "O Ferico acendeu o cigarro e foi assentar o fio da faca na c h a i r a do Antônio" (Darci Azambuja, *Coxilhas,* p. 158).
chairar. [Do esp. plat. *chairar.*] *V. t. d. Bras., S.* **1.** Afiar (a faca) na chaira: "enquanto o peão c h a i r a v a a faca para carnear, um gurizinho .... chegou-se para o boi morto" (Simões Lopes Neto, *Contos Gauchescos e Lendas do Sul,* p. 162). **2.** *Fig.* Aparar bem rente a crina de (o cavalo). [Pres. subj.: *chaire, chaires, ... chaireis,* etc. Cf. *xairéis,* pl. de *xairel.*]
chairel. *S. m.* V. *xairel.*
chajá. [Voc. onom.] *S. f. Bras.* V. *tachã.*
➧**chaise-longue** (xéz' long'). [Fr.] *S. f.* Poltrona apropriada para a pessoa sentar-se de corpo estendido.
chalaça. [Por **charlaça,* de *charlar.*] *S. f.* **1.** Dito zombeteiro. **2.** Gracejo de mau gosto, ou insolente; graçola, chocarrice. **3.** Caçoada, troça, zombaria.
chalaçar. *V. int., t. i.* e *t. d.* Chalacear. [Conjug.: v. *laçar.*]
chalaceador (ô). *Adj.* e *s. m.* Que ou aquele que chalaceia.
chalacear. *V. int.* **1.** Dizer chalaças; gracejar. *T. i.* **2.** Dirigir chalaças; troçar: *C h a l a c e a v a com os amigos, procurando dar um tom alegre à reunião. T. d.* **3.** Fazer chalaça a propósito de; ridicularizar: *C h a l a c e o u a tese do falso erudito.* [F. paral.: *chalaçar.* Conjug.: v. *frear.*]
chalaceiro. *S. m.* Aquele que chalaceia; chalaceador.
chalana. [Do esp. *chalana.*] *S. f.* **1.** *Bras.* Pequena embarcação, de fundo chato, costados verticais, proa e popa finas e iguais, usada no tráfego de pequenos rios e igarapés. **2.** *Mar. G.* Embarcação miúda de proa e popa quadradas, costados verticais e fundo chato, de uso nos serviços de pintura e limpeza da linha-d'água dos navios.
chalé. [Do patoá dos Grisões, atr. do fr. *chalet.*] *S. m.* **1.** Casa campestre, em estilo suíço, com teto de duas águas, muito avançado sobre a fachada, e na qual é a madeira o elemento principal. **2.** Habitação com essa forma. **3.** Casa rústica. **4.** Casa de construção ligeira para fins de recreação.
chaleira. *S. f.* **1.** Vasilha bojuda, de metal, com bico e tampa, onde se aquece água, inclusive para o chá. **2.** *Bras.* Tábua da proa da lancha baleeira, donde o arpoador lança o arpão. ● *S. 2 g.* **3.** *Bras.* V. *bajulador* (2). ● *Adj. 2 g.* **4.** *Bras.* V. *bajulador* (1).
chaleiramento. *S. m. Bras.* V. *chaleirismo* (2).
chaleirar. *V. t. d. Bras.* Lisonjear servilmente; adular, bajular, sabujar: "Entende só de burocracia e de c h a - l e i r a r todo governador que chega." (Mauro Mota, *O Pátio Vermelho,* p. 59.)
chaleirice. *S. f. Bras.* V. *chaleirismo* (2).
chaleirismo. *S. m. Bras.* **1.** Procedimento de quem é chaleira; adulação, bajulação. **2.** Ato de chaleirar; chaleiramento; chaleirice.
chaleirista. *Adj. 2 g.* e *s. 2 g. Bras.* V. *bajulador* (1 e 2).
chalo. *S. m. Bras., SP.* Leito de varas armado sobre estacas fincadas no chão.
chalrar. [De *charlar,* por metátese.] *V. int.* **1.** Falar à toa, alegremente, com outras pessoas. **2.** Soltar vozes inarticuladas; palrar: "Bandos de jandaias passavam c h a l - r a n d o na direção do arvoredo" (Coelho Neto, *Banzo,* p. 68). **3.** Chilrear: "C h a l r a v a agora um bando de pássaros-pretos" (Hugo de Carvalho Ramos, *Tropas e Boiadas,* p. 68). [F. paral.: *chalrear.*]
chalreada. [De *chalrear* + *-ada*¹.] *S. f.* **1.** Ruído simultâneo de muitas vozes; falario, falatório, falácia. **2.** Gralhada de crianças ou de pássaros. [Sin. ger.: *chalreio.*]
chalreador (ô). *Adj.* e *s. m.* Que ou aquele que chalreia.
chalrear. *V. int.* V. *chalrar:* "fingindo um ar severo .... quando era preciso repreender alguma mucama que deixava a miúdos os bilros e a almofada para c h a l - r e a r no gineceu" (Joaquim Nabuco, *Minha Formação,* p. 219). [Conjug.: v. *frear.*]
chalreio. [Dev. de *chalrear.*] *S. m.* V. *chalreada:* "as frondes, unidas espessamente, pareciam a copa duma só árvore prodigiosa onde se juntavam com um c h a l - r e i o , um grasnido atroadores e silvos, guinchos, pios" (Coelho Neto, *Banzo,* p. 86).
chalrote. *S. m.* A casca do pinheiro.
chalupa. [Do fr. *Chaloupe.*] *S. f.* **1.** Antigo navio à vela, cuja mastreação se compõe de gurupés e dois mastros: o de vante de lugre, e o de ré inteiriço, que enverga pequena vela latina quadrangular (*catita*). **2.** No jogo do voltarete, as três cartas de maior valor: espadilha, basto e manilha.
chama¹. [Dev. de *chamar.*] *S. f.* **1.** V. *chamada* (1). **2.** *Fig.* V. *chamariz* (3). ● *S. m.* **3.** *Bras.* Pássaro que se põe no alçapão para chamar outros; chamariz. **4.** *Bras., N. E. Folcl.* Pequeno tambor, de origem africana. ~ V. *chamas.*
chama². [Do lat. *flamma.*] *S. f.* **1.** *Fís.-Quím.* Mistura de gases incandescentes; labareda. **2.** Claridade intensa; luz. **3.** *Fig.* Ardor, paixão: "Amor — c h a m a , e, depois, fumaça..." (Manuel Bandeira, *Estrela da Vida Inteira,* p. 12); *Tinha no peito a c h a m a da revolta.* ~V. *chamas.*
chamada. *S. f.* **1.** Ato de chamar. [Sin.: *chama, chamado, chamamento* e (p. us.) *chamadilho.*] **2.** Ato de chamar as pessoas pelos nomes para verificar se estão presentes numa sala de aula, corporação militar, etc. **3.** Toque para reunir. **4.** Sinal para chamar a atenção. **5.** Nota, apontamento. V. *manda*¹ (1). **6.** *jorn.* Pequeno texto que sai na primeira página, com o fim de chamar a atenção para a matéria publicada em página interna, e que é um resumo dessa matéria. **7.** Título ou frase que se põe nas capas das revistas a fim de chamar a atenção para uma matéria específica. **8.** *Tip.* Chamada de nota. **9.** *Tip.* Sinal convencional que o revisor põe no texto da prova para assinalar erro, e que repete na margem com a indicação da emenda por fazer. [V. *sinal de revisão.*] **10.** *Tip.* Conjunto de palavras, integrantes do título que o compositor sobrepõe ao granel para identificar a matéria. **11.** *Pop.* V. *repreensão* (1). **12.** *Bras.* Gole de aguardente. V. *bicada*¹ (5). ◆ **Chamada de nota.** *Tip.* Número, letra ou outro sinal com que se remete do local do texto para a nota respectiva. [Tb. se diz apenas *chamada.*] **Dar uma chamada.** *Bras. Pop.* V. *embriagar* (4).
chamadilho. *S. m. P. us.* V. *chamada* (1).
chamado. [De *chamar* + *-ado*¹.] *S. m.* V. *chamada* (1).
chamador (ô). *S. m.* **1.** Aquele que chama. **2.** *Bras., S.* Ponteiro² (6). **3.** *Bras., MA.* Meão (7).
chamalote. [Do fr. *chamelot,* hoje *camelot;* var. de *chamelote.*] *S. f.* **1.** Tecido em que a posição do fio produz um efeito ondeado. **2.** Tecido de lã de camelo. **3.** Tecido de pêlo ou de lã, em geral com mistura de seda: "em grossas pregas arqueadas caía-lhe dos quadris a sobre-saia de c h a m a l o t e claro" (Afonso Arinos, *Pelo Sertão,* p. 143). [F. paral.: *chamelote.*]
chama-maré. [De *chamar* + *maré.*] *S. m. Bras.* Designação comum aos crustáceos decápodes, braquiúros, da família dos ocipodídeos, gênero *Uca* Leach., pequenos caranguejos de 0,02 a 0,03 m de comprimento, que têm uma das pinças muito maior que a outra. Do fato de movimentarem constantemente essa pinça lhes veio o nome. [Sin.: *chora-maré, xié, tesoura, catanhão-tesoura, siri-patola, ciecié, vem-cá.* Pl.: *chama-marés.*]
chamamento. *S. m.* **1.** V. *chamada* (1). **2.** Convocação; convite.
chamar. [Do lat. *clamare.*] *V. t. d.* **1.** Dizer em alta voz o nome de (alguém) para que venha, ou para verificar se está presente. **2.** Fazer ir ou vir: *O professor disse que o c h a m a r a ali para dar-lhe parabéns;* **3.** Acordar (1): *Deixou recado para que o c h a m a s s e m às 10 horas.* **4.** Dizer, invocando: *Quando se viu em perigo, c h a - m o u o nome de todos os santos.* **5.** Convocar por meio do toque de apito, campainha, sino, sineta, ou outro sinal: *O sino c h a m a os fiéis para a missa.* **6.** Convocar (1): *O rei c h a m o u a corte.* **7.** Atrair; seduzir: "ali na sala, na modorra da tarde vazia do domingo, seu corpo adquiria calor e me c h a m a v a ." (Carlos Heitor Cony, *A Verdade de Cada Dia,* p. 112). **8.** Fazer funcionar o mecanismo de (o elevador), acionando circuito elétrico ligado a botão de comando: *C h a m o u o elevador e desceu.* **9.** *Bras. Gír.* Comer vorazmente; devorar, comer: *puseram três pratos em sua frente e ele c h a - m o u tudo.* **10.** Exigir, reclamar:"O amor que a exalta e a pede e a c h a m a e a implora" (Manuel Bandeira, *Estrela da Vida Inteira,* p. 13); *Tamanha injustiça c h a m a o castigo dos Céus.* **11.** Convidar, escolher (para cargo ou emprego). *T. d. e i.* **12.** Atrair, angariar; despertar: *Não logrou c h a m a r a atenção dos presentes para o que se passava.* **13.** Fazer vir; trazer: *Procurou, por todos os meios, c h a m á -lo à realidade.* **14.** Avocar; tomar: *C h a m o u a si a responsabilidade do acontecido. T. d.* e *c.* **15.** Fazer ir ou vir: "Uma tourada real c h a m a r a a corte a Salvaterra." (Rebelo da Silva, *Contos e Lendas,* p. 172.) *Transobj.* **16.** Dar nome; designar: qualificar: *C h a m e i -o inteligente;* "Para c h a m á -la de bonita, seria preciso entender de outra forma a beleza." (Xavier Placer, *Doze Histórias Curtas,* p. 9); *C h a m a m -lhe sábio;* "e voz em grita c h a m a r a m -lhe de herege luterano" (Frei Luís de Sousa, *Vida de D. Fr. Bertolameu dos Mártires,* II, p. 35); "Como Sofia não confessasse nada, Rubião c h a m o u - lhe de bonita, e ofereceu-lhe o solitário que tinha no dedo" (Machado de Assis, *Quincas Borba,* p. 287). *Int.* **17.** Dar sinal, com a voz ou com o gesto, para que alguém venha. **18.** Dar (o telefone ou aparelho similar) sinal de chamada, fazendo vibrar a campainha; tocar. **19.** *Bras., S.* Ir à frente da tropa ou dos bois encangados, para guiar a marcha. *P.* **20.** Ter nome; ter por nome: "A primeira namorada de João Ribeiro c h a m a v a - s e América" (Joaquim Ribeiro, *9 Mil Dias com João Ribeiro,* p. 152); "O primeiro romance publicado

depois da morte do autor [Franz Kafka] foi *O Processo*. O seu herói c h a m a - s e K., simplemente K." (Oto Maria Carpeaux, *A Cinza do Purgatório*, p. 152); "Quinquina, a babá de Ceceu. / Joaquina s e c h a m a - v a." (Antônio Carlos Vilaça, *O Desafio da Liberdade*, p. 25). **21.** Recolher-se, acolher-se: *C h a m o u - s e à justiça*. **22.** Dar a si mesmo nome ou epíteto; tratar a si mesmo por ele: "c h a m e i - m e pródigo, lancei o cruzado à conta das minhas dissipações antigas (Machado de Assis, *Memórias Póstumas de Brás Cubas*, p. 74).

chamarisco. *S. m. Bras., S.* V. *chamariz* (1).

chama-rita. [De *chamar* + *antr. f. Rita?*] *S. f.* **1.** *Mús.* Dança de roda portuguesa da Madeira e dos Açores. **2.** *Bras., SP, PR* e *RS.* Chimarrita. [Pl.: *chama-ritas.*]

chamariz. *S. m.* **1.** Coisa que chama, que atrai. [Sin. (bras., S.): *chamarisco.*] **2.** Apelo à publicidade; reclamo. **3.** *Fig.* Engodo, isca, negaça, chama. **4.** *Bras.* Chama[1] (3).

chamarra. *S. f.* V. *samarra.*

chamas. *S. f. pl.* O suplício da fogueira: *Foi condenado às c h a m a s.* ~ V. *chama.* ♦ **Chamas eternas.** Os suplícios do Inferno.

chá-mate. *S. m. Bras.* V. *mate*[2] (3). [Pl.: *chás-mates* e *chás-mate.*]

chamativo. *Adj. Bras.* Que chama ou solicita vivamente a atenção; muito vistoso: *mulher c h a m a t i v a ; vestido c h a m a t i v o ;* "As prateleiras são alegres, coloridas, c h a m a t i v a s." (Carlos Drummond de Andrade, *Jornal do Brasil*, 2.8.1980).

chamató. *S. m. Bras., MA.* V. *tamanco* (1).

chambalé. *S. m. Bras., SP.* Espécie de camisola de criança. [Var.: *chumbalé.*]

chambão. *S. m.* **1.** Carne de segunda categoria, cheia de nervos e peles. **2.** Contrapeso na venda da carne. **3.** Indivíduo mal vestido; mal-amanhado, achamboado, rude. ● *Adj.* **4.** Grosseiro, achavascado, achamboado, chamboado.

chambaril. *S. m.* **1.** Pau curvo que se enfia nos jarretes do porco morto para abrir e pendurar. **2.** Mão de vaca. **3.** *Bras., MA. Deprec.* Mulher feia e/ou gasta; bagulho, bofe.

chamboado. *Adj.* V. *chambão* (4).

chambocar. *V. t. d. Bras., AM.* Cavar a machado (o tronco de uma árvore), para fazer uma canoa. [Conjug.: v. *trancar.*]

chamboíce. *S. f.* Qualidade do que é chambão (4).

chambre. [Do fr. (*robe de*) *chambre.*] *S. m.* V. *roupão:* "despe-se, enfia um c h a m b r e e vai estirar-se no canapé do gabinete" (Machado de Assis, *Páginas Recolhidas*, p. 113). ♦ **Abrir do chambre.** *Bras., N. E. Pop.* V. *fugir* (1 e 2).

chambrié. [Do fr. *chambrière.*] *S. m.* Chicote longo e leve, para domar potros.

chamego (ê). [De *chamar*, ou de *chama*[2].] *S. m. Bras.* **1.** Excitação para atos libidinosos. **2.** Amizade íntima; aproximação estreita; apego. **3.** Paixão violenta. **4.** V. *namoro* (1). **5.** Excitação; agitação; inquietação. **6.** Qualquer ato revelador de pressa ou açodamento. **7.** *Bras., MA.* Atração, sedução: "Para as crianças os seus sorrisos tinham o c h a m e g o de um bazar de brinquedos, para os velhos um descanso, um repoiso." (Viriato Correia, *Histórias Ásperas*, pp. 173-174.)

chameguento. *Adj. Bras.* **1.** Relativo a chamego. **2.** Que se dá a chamego; assanhado.

chamejamento. *S. m.* Ato ou efeito de chamejar; chamejo.

chamejante. *Adj. 2 g.* Que chameja; flamejante: "Os olhos c h a m e j a n t e s lembravam dous astros ardendo numa treva densa e ondulante." (Cruz e Sousa, *Obra Completa*, p. 591.)

chamejar. *V. int.* **1.** Deitar chamas; arder. **2.** *P. ext.* Brilhar, fulgurar, resplandecer: "E de manhã explui [o sol] na lividez do oriente, / Cáustico, a c h a m e j a r, como um remorso ardente!" (Guerra Junqueiro, *A Velhice do Padre Eterno*, p. 218); *Falava com inspiração: seu olhar c h a m e j a v a.* **3.** Irritar-se, encolerizar-se, irar-se: *Ao saber da derrota, c h a m e j o u.* **4.** Arder em paixão. *T. d.* **5.** Expelir, emitir como chamas; dardejar: *Respondeu gritando, e seus olhos c h a m e j a v a m ódio.* [F. paral.: *flamejar.* Conjug.: v. *pelejar.*]

chamejo (ê). [Dev. de *chamejar.*] *S. m.* Chamejamento: "Como em um forno colossal, havia crepitações e c h a m e j o s" (Valentim Magalhães, *Vinte Contos*, p. 96).

chamelote. *S. m.* Chamalote.

chãmente. [Do fem. de *chão* + *-mente.*] *Adv.* De modo simples; sem complicações, com simplicidade.

chamiça. [De *chamiço.*] *S. f.* **1.** Espécie de junco bravo. **2.** Atilho feito com esse junco.

chamiceiro. *S. m.* Aquele que apanha e vende chamiça ou chamiço.

chamico. *S. m. Bras., RS.* Planta de caule grosso, da família das solanáceas (*Datura ferox*), dotada de flores alvacento-azuladas e cápsulas mais ou menos irregulares.

chamiço. [De *chama*[2] + *-iço.*] *S. m.* **1.** Tudo o que se pode utilizar como acendalhas: ramos secos, gravetos, etc. **2.** Lenha meio queimada para fazer carvão. **3.** Lenha acesa; tição. **4.** Os galhos mais finos das árvores.

chaminé. [Do fr. *cheminée*, por infl. de *chama*[1].] *S. f.* **1.** Tubo que comunica a fornalha com o exterior e serve para dar tiragem (2) ao ar e aos produtos da combustão: "o que era um bueiro de engenho comparado com a soberba c h a m i n é de usina, dominando tudo com a sua arrogância?" (José Lins do Rego, *Usina*, p. 100). **2.** V. *lareira* (2): "Eu fiquei ao canto da larga c h a m i n é solarenga onde ardiam, numa brasa viva, toros de azinho e de oliveira." (Júlio Dantas, *Abelhas Doiradas*, p. 195.) **3.** Fogão para aquecer as salas; estufa. **4.** A extremidade do cachimbo onde arde o fumo; fornilho. **5.** Abertura da mina que se destina à renovação do ar. **6.** Tudo quanto serve para a ventilação dos edifícios. **7.** Manga de candeeiro. **8.** *Geol.* Conduto vulcânico.

chá-mineiro. *S. m. Bras. L.* Erva de caule triangular, da família das alismatáceas (*Echinodorus pubescens*), de folhas de tamanho variável, que servem para infusão, flores agrupadas e dispostas em panícula ramosa e que é tida por medicinal; congonha-do-brejo [Pl.: *chás-mineiros.*]

chamorro (ô). [Do esp. *chamorro.*] *Adj.* **1.** Tosquiado, tosado. ● *S. m.* **2.** Denominação injuriosa dada outrora aos portugueses pelos espanhóis e, depois, aos constitucionais pelos realistas.

chamota. *S. f. Tec.* Mistura de alumina e sílica, aquecida a alta temperatura, e que é adicionada, depois de arrefecida, à massa de argila cerâmica que irá ser submetida à ação do calor para constituir material refratário.

champã. *S. m. Bras. Gír. P. us.* V. *champanha.*

champanha. [Do fr. *champagne.*] *S. m.* Vinho espumante, branco ou rosado, fabricado na região de Champagne (França), ou de igual tipo mas de outra procedência. [F. paral.: *champanhe;* sin. (bras., gír., p. us.): *champã* e *champanhota.* É freqüente o uso de *champanha* como feminino.]

champanhe. *S. m.* V. *champanha:* "A música era um frenesi. Corria o c h a m p a n h e, gargalhava-se, a pândega ia avante." (Maria Archer, *Fauno Sovina*, p. 206.)

champanhe-de-cordão. *S. m. Bras., N.E. Pop.* V. *jinjibirra* (1). [Pl.: *champanhes-de-cordão.*]

champanhota. *S. f. Bras. Gír. P. us.* V. *champanha.*

champil. *S. m.* Parte da armadilha de caça onde se põe a isca.

champirrear. *V. t. d. Bras.* Fazer (qualquer objeto) tosco e grosseiro; achamboar. [Conjug.: v. *frear.*]

champrudo. *Adj. Bras., BA.* Gordo e desajeitado: "o triste físico da leva-e-traz: atarracada, tronco forte, pernas curtas, ... cabeçorra, c h a m p r u d a." (Jorge Amado, *Dona Flor e Seus Dois Maridos*, p. 229).

champunha. *S. m. Bras., SP.* Giro do corpo, no ar, sobre as mãos postas no solo.

champurrião. *S. m. Bras., CE. Gír.* V. *bebedeira.* (1).

chamurro. [Alter. de *chamorro.*] *S. m. Bras., CE.* Novilho castrado depois da época, e que toma a aparência dupla de boi e de touro.

chamusca. [Dev. de *chamuscar.*] *S. f.* Ato ou efeito de chamuscar; chamusco, chamuscadura.

chamuscado. [Part. de *chamuscar.*] *Adj.* Levemente queimado; crestado.

chamuscador (ô). *Adj.* e *s. m.* Que ou aquele que chamusca.

chamuscadura. *S. f.* V. *chamusca.*

chamuscamento. *S. m.* Efeito de chamuscar; queimadura leve.

chamuscar. [De *chama.*] *V. t. d.* **1.** Queimar de leve; crestar: "uma faiscazinha c h a m u s c o u o isqueiro" (Afonso Arinos, *Pelo Sertão*, p. 22). **2.** Passar pela chama. *P.* **3.** Queimar-se levemente. **4.** *Bras. S.* Retirar-se à socapa; esgueirar-se. [Conjug.: v. *trancar.*]

chamusco. [Dev. de *chamuscar.*] *S. m.* **1.** V. *chamusca.* **2.** Queima ligeira daquilo que se passa pelo fogo. **3.** Cheiro de coisa queimada. **4.** *Bras.* V. *planalto.* **5.** *Bras., S.* Encontro de forças em luta; tiroteio. ♦ **Estar cheirando a chamusco. 1.** Inspirar suspeitas de perigo ou de burla. **2.** Estar prestes a haver conflito.

chanana. *S. f.* Albina.

chanca. *S. f.* **1.** *Pop.* Pé grande. **2.** Calçado largo e grosseiro; abarca. **3.** Perna masculina delgada e alta.

chança. [Do it. *ciancia.*] *S. f.* **1.** Dito zombeteiro; troça, graçola. **2.** Vaidade, presunção; jactância.

chancarona. *S. f. Bras.* V. *bijupirá.*

➧**chance** (xãç'). [Fr.] *S. f.* Ocasião favorável, oportunidade.

chancear. *V. t. d.* **1.** Perseguir com chanças; dizer chanças a. *Int.* **2.** Dizer chanças. [Conjug.: v. *frear.*]

chanceiro. *S. m.* Aquele que diz chanças ou graçolas.

chancela. [Dev. de *chancelar.*] *S. f.* **1.** Selo pendente, em alguns documentos oficiais. **2.** Rubrica que se grava em sinete para suprir assinatura ou pôr marca em documentos. **3.** *P. ext.* Marca ou sinal que merece confiança e, portanto, faz aceitar como boa uma afirmação, referência, etc.: "está disposto a admitir qualquer coisa, desde que traga a c h a n c e l a do tempo." (Carlos Drummond de Andrade, *Fala, Amendoeira*, p. 25). **4.** Ato de chancelar.

chancelar. [Do fr. *chanceler.*] *V. t. d.* **1.** Selar a branco, em relevo. **2.** Selar[2] (2). **3.** Assinar com chancela (3). **4.** Julgar bom; aprovar, sancionar: *O partido c h a n c e l o u a indicação do seu nome.*

chancelaria. [Do fr. *chancellerie.*] *S. f.* **1.** Repartição que põe chancela em alguns documentos. **2.** Em alguns países, o Ministério das Relações Exteriores. **3.** Repartição por onde correm negócios diplomáticos. **4.** Cargo de chanceler.

chanceler (lér). [Do fr. *chancelier.*] *S. m.* **1.** Antigo magistrado a quem incumbia a guarda do selo real; guarda-selos. **2.** Funcionário encarregado de chancelar documentos ou diplomas. **3.** Ministro das Relações Exteriores, em alguns países. **4.** Chefe do governo em outros.

chanceleresco (ê). *Adj.* ~V. *letra —a, letra —a cursiva* e *letra —a formada.*

chanchã. [Voc. onom.] *S. m. Bras.* **1.** V. *pica-pau-do-campo.* **2.** V. *quenquém* (1).

chanchada. [Do esp. plat. *chanchada*, 'porcaria'.] *S. f. Bras. Teat. Cin.* e *Tel.* **1.** Peça ou filme sem valor, em que predominam os recursos cediços, as graças vulgares ou a pornografia. **2.** Qualquer espetáculo de pouco ou nenhum valor.

chandleriano. *Adj.* Pertencente ou relativo ao, ou próprio do astrônomo norte-americano S. Chandler (1846-1913). ~ V. *componente —a.*

chaneco. [Alter. de *charneca.*] *S. m. Bras., MG.* Terreno plano, descampado, e impróprio para a cultura.

chaneza (ê). [De *chão* (adj.) + *-eza.*] *S. f. Desus.* Lhaneza, simplicidade.

chanfalho. [Do esp. *chafallo.*] *S. m.* **1.** Espada velha e ferrugenta; espadagão: "a autoridade mais modesta e mais transitória que seja procura abandonar os meios estabelecidos em lei e recorre à violência, ao c h a n f a l h o, ao chicote" (Lima Barreto, *Marginália*, p. 27). **2.** *Pej.* Espada, adaga, facão: "Os soldados acorrem, e mal o c h a n f a l h o cintila ao clarão das luminárias, os lutadores se apaziguam." (José Vieira, *Sol de Portugal*, p. 155.) **3.** Instrumento desafinado. **4.** Utensílio deteriorado. [Var. de *chafalho*, e f. de maior uso que esta.]

chanfana. *S. f.* **1.** *Pop.* V. *badulaque* (1). **2.** Sarrabulho, sarapatel. **3.** Comida malfeita. **4.** Aguardente de má qualidade. **5.** Chanfalho, espada.

chanfaneiro. *S. m.* **1.** Aquele que faz chanfanas. **2.** Taberneiro, bodegueiro.

chanfra. [Dev. de *chanfrar.*] *S. f.* V. *chifra.*

chanfradeira. [De *chanfrar* + *-deira.*] *S. f.* V. *chifra.*

chanfrado. [Part. de *chanfrar.*] *Adj.* Que tem chanfraduras.

chanfrador (ô). *S. m.* **1.** Instrumento para chanfrar. **2.** Aquele que chanfra.

chanfrador-cortador. *S. m. Tip.* Cortador-chanfrador. [Pl.: *chanfradores-cortadores.*]

chanfradura. *S. f.* **1.** Efeito de chanfrar. **2.** Recorte em ângulo, ou de esguelha, das extremidades dum objeto; chanfro. [Cf., nesta acepç., *bisel* (1).]

chanfrar. [Do fr. *chanfrer.*] *V. t. d.* **1.** Cortar em ângulo ou de esguelha. **2.** *Carp.* Cortar com plaina ou garlopa as arestas ou quinas de; fazer chanfros em. **3.** *Fig.* Falar mal de (alguém), na ausência.

chanfreta (ê). *S. f. Bras.* Motejo, chacota, zombaria.

chanfro. [Dev. de *chanfrar.*] *S. m.* Chanfradura (2): "Uma longa cornija .... vai de uma ponta a outra do telhado e .... funde as extremidades nos c h a n f r o s terminais das platibandas." (Herberto Sales, *Dados Biográficos do Finado Marcelino*, pp. 32-33.)

changa. [Do esp. plat. *changa.*] *S. f. Bras.* **1.** Carreto feito por changadores ou carregadores. **2.** *Bras. RS.* V. *gorjeta* (2). **3.** *Bras., PR.* V. *dinheiro* (3). ♦ **Boa changa.** *Bras., RS.* Bom negócio.

changador (ô). [Do esp. plat. *changador.*] *S. m. Bras., RS.* Aquele que faz changas ou carretos; ganhador, carregador, changueiro.
changar. [Do esp. plat. *changar.*] *V. int. Bras., RS.* Fazer changa; changuear. [Conjug.: v. *largar.*]
➡**changeant** (xanjã). [Fr.] *Adj.* Cambiante, furta-cor. [Diz-se de tecidos.]
changuear. [Do esp. plat. *changuear.*] *V. int. Bras., RS.* Changar. [Conjug.: v. *frear.*]
changueiro. [Do esp. plat. *changuero.*] *S. m. Bras., RS.* **1.** Cavalo de corridas de pouca importância; parelheiro medíocre. **2.** V. *changador.*
changui. [Do esp. plat. *changuí.*] *El. s. m.* Us. na expr. *não dar changui.* ♦ **Não dar changui.** *Bras., RS.* **1.** Não dar quartel ao inimigo. **2.** Não dar vantagem no jogo.
chanha. [De *sanha?*] *S. f. Bras., PB. Pop.* V. *coceira* (2).
chanisco. *S. m. Bras., RS. Chulo.* As partes pudendas da mulher.
chaníssimo. [Calcado no lat. *planissimu.*] *Adj.* Superl. abs. sint. de *chão.*
chanqueta (ê). [Dim. irreg. de *chanca.*] *S. f.* **1.** Calçado sem contraforte no calcanhar, ou com o contraforte acalcanhado. **2.** Sobra no talão do sapato.
chanta. [Dev. de *chantar.*] *S. f.* V. *chantão.*
chantadura. *S. f.* O ato de chantar.
chantagear. *V. t. d.* **1.** Fazer chantagem contra (alguém). *Int.* **2.** Fazer chantagem. [Conjug.: v. *frear.*]
chantagem[1]. [Do fr. *chantage.*] *S. f.* Ato de extorquir dinheiro, favores ou vantagens a alguém sob ameaça de revelações escandalosas.
chantagem[2]. *S. f. Ant.* Ato de chantar.
chantagista. *Adj. 2 g.* e *s. 2 g.* Que ou quem pratica chantagem[1].
chantão. *S. m.* Estaca ou ramo de árvore para plantar sem raiz; chanta, tanchoeira. [Var.: *tanchão.*]
chantar. [Do lat. *plantare.*] *V. t. d. Ant.* **1.** Fincar no chão; plantar de estaca. *P.* **2.** Fixar-se, estabelecer-se; plantar-se: "tudo me induz a crer que o demônio se chantou naquele miserável corpo" (Alexandre Herculano, *Lendas e Narrativas,* I, p. 269). [Pres. subj.: *chante, ... chanteis, chantem.* Cf. *chantéis,* pl. de *chantel.*]
chantel. *S. m.* Peça que forma o fundo ou parte do fundo de vasilha de tanoeiro. [Pl.: *chantéis.* Cf. *chanteis,* do v. *chantar.*]
➡**chantilly.** [Fr.] *S. m. Cul.* Creme *chantilly.*
chanto. *S. m. Ant.* Pranto.
chantoeira. [De *chantão* + *-eira.*] *S. f.* Lugar plantado de estacas para reprodução.
chantrado. [De *chantre* + *-ado*[2].] *S. m.* Dignidade ou cargo de chantre; chantria.
chantre. [Do fr. *chantre.*] *S. m.* **1.** *Ant.* Cantor. **2.** Funcionário eclesiástico que dirige o coro: "Por vezes, estabelece-se vivo diálogo cantado entre o padre que diz a missa e o chantre que preside o coro." (Antero de Figueiredo, *Toledo,* p. 80).
chantria. *S. f.* Chantrado.
chanura. [De *chan,* f. arc. de *chão,* + *-ura.*] *S. f.* V. *planície.*
chão. [Do lat. *planu.*] *Adj.* **1.** Plano, liso: *terreno chão.* **2.** Tranqüilo, sereno, bonançoso, bonança: *mar chão.* **3.** Franco, lhano, sincero, despretensioso: *ambiente chão.* **4.** Liso nos negócios; honrado: *comerciante chão.* **5.** Singelo, simples, sem enfeites: *arquitetura chã;* "chã e plebéia recordação de um pobre pároco de aldeia" (Alexandre Herculano, *Lendas e Narrativas,* II, p. 151). **6.** Costumado, habitual, trivial, vulgar: *gesto chão.* **7.** Rasteiro, vulgar. [Flex.: *chã, chãos, chãs;* superl. abs. sint.: *chaníssimo.*] ~ V. *missa chã.* ● *S. m.* **8.** Terra chã. **9.** V. *solo*[1] (1). **10.** V. *piso* (3). **11.** Lugar onde se nasceu ou reside; querência. **12.** Pequena propriedade de terra. **13.** Fundo de quadro, tecido, etc. [Pl.: *chãos.*] ♦ **Cair no chão de.** *Bras., S.* Ser agradável a (alguém). **Fazer chão.** *Bras. Pop.* **1.** Ir embora; partir. **2.** V. *fugir* (1 e 2). [Sin. (bras., SP): *riscar chão.*] **Riscar chão.** *Bras., SP. Pop.* V. *fazer chão.*
chão-parado. *S. m. Bras., SP.* V. *planície.* [Pl.: *chãos-parados.*]
chapa. [De **klappa.*] *S. f.* **1.** Designação comum a qualquer peça lisa e pouco espessa, feita de material consistente, como metal, madeira, vidro, etc. **2.** Terreno ou outra superfície plana. **3.** Chapa eleitoral (1). **4.** Camada fina e lisa de uma pasta solidificada: *Tinha uma chapa de lama na sola do sapato.* **5.** *Grav.* Desenho aberto em chapa de metal, madeira ou pedra, para ser reproduzido sobre papel. **6.** *Fot.* Chapa fotográfica (2). **7.** *Art. Gráf.* Fôrma de impressão, especialmente as metálicas, com imagem fotolitográfica para impressão em ofsete; chapa de impressão. [Cf. *fotolito* (1).] **8.** *Pop.* V. *lugar-comum* (2 e 3). **9.** *Pop.* Disco de fonógrafo. **10.** *Pop.* V. *dinheiro* (3). **11.** *Ant.* Certo instrumento musical militar. **12.** *Bras.* Radiografia (2 e 3). **13.** *Bras.* Peça metálica de fogão, plana, lisa e resistente ao calor, sobre a qual se cozem certos alimentos: *fazer um bife, uma panqueca, na chapa.* **14.** *Bras.* Placa (3) **15.** *Bras.* Peça de acrílico ou de outro material em que se fixam os dentes nas dentaduras. **16.** *Bras. Cap.* Golpe traumatizante em que o adversário é atingido com a planta de um pé do capoeirista, que está de costas para ele e apoiado no chão com as duas mãos e o outro pé. **17.** *Bras. N. E.* Dentadura postiça. ● *S. 2 g.* **18.** *Bras. Pop.* Companheiro, camarada, amigo: "— Que manda, Negrão? — O de sempre, meu chapa!" (Ursulino Leão, *Existência de Marina,* p. 32.) ♦ **Chapa bimetálica.** *Fotograv.* Placa fotolitográfica preparada com dois metais de natureza diferente quanto à receptividade às substâncias graxas ou à água. **Chapa de corte.** *Art. Gráf.* Chapa composta de fios de corte, usada na fabricação de objetos de cartão; faca. **Chapa de impressão.** *Art. Gráf.* Chapa (7). **Chapa de trilho.** Círculo de ferro que reforça os aros das rodas dos vagões e toca diretamente nos carris. **Chapa eleitoral.** **1.** Lista de candidatos às eleições. [Tb. se diz apenas *chapa.*] **2.** A papeleta que o eleitor deposita na urna eleitoral e onde se acham inscritos os nomes dos candidatos do seu partido. **Chapa fotográfica.** *Fot.* **1.** Placa rígida, geralmente de vidro, recoberta de emulsão fotográfica. **2.** O filme fotográfico posto no interior da câmara e pronto para ser utilizado. [Tb. se diz apenas *chapa.*] **Chapa fria.** *Bras.* Placa falsa de licenciamento, cuja numeração não corresponde ao automóvel em que está colocada; placa fria. **Chapa pré-sensibilizada.** *Fotograv.* Placa (em geral de alumínio) para fotolitografia, cujo fabrico inclui a prévia sensibilização da superfície, mediante compostos diazóicos. **De chapa.** Em cheio: "Batendo de chapa nas janelas da sala de jantar, cerradas, o sol vespertino conseguia intrometer-se pelas frestas, repartido em feixes de luz onde boiavam milhares de coisinhas aladas" (Ciro dos Anjos, *Explorações no Tempo,* p. 30).
chapa-branca. *S. m. Bras.* Veículo automóvel do serviço público, cuja placa de licenciamento é branca: "No dia em que ele comprou o carro ...., passou-lhe pela memória a figura do amigo dentro do chapa-branca" (Ledo Ivo, *O Flautim,* p. 20). [Pl.: *chapas-brancas.*]
chapada. [Fem. substantivado do part. de *chapar.*] *S. f.* **1.** V. *planalto.* **2.** Pancada ou bofetada em cheio. **3.** Porção de líquido que cai ou se atira duma vez. **4.** *Bras.* Esplanada no alto de um monte, de uma serra. **5.** *Bras., M.A. Qualquer planície de vegetação rasa, sem arvoredo.* **6.** *Bras., N.E.* e *C.O.* Arbusto da família das leguminosas (*Sweetia dasycarpa*), espécie delicada e elegante, de flores aromáticas, amarelas ou alvas, e cujo fruto é uma vagem lanceolada, que vegeta de preferência no cerrado; pau-para-tudo, perobinha, unha-de-anta. **7.** *Tip.* Chapado (5).
chapadão. *S. m. Bras.* **1.** Chapada extensa: "o amplo, infinito plaino das paisagens ermas e dos chapadões desertos" (Herman Lima, *Garimpos,* p. 13). **2.** Sucessão de chapadas. ♦ **Alto chapadão.** *Bras.* Araxá.
chapadeiro. *S. m.* **1.** *Bras.* V. *caipira* (1). **2.** *Bras., MG.* V. *vaqueiro* (1). **3.** *Bras.* Terreno áspero, cheio de socalcos, característico de certas chapadas. **4.** *Bras.* Certa raça bovina de MG.
chapadense. *Adj. 2 g.* **1.** Da ou pertencente ou relativo a Chapada dos Guimarães (MT). ● *S. 2 g.* **2.** Natural ou habitante da Chapada dos Guimarães.
chapa-de-pé. *S. f. Bras. Folcl.* Golpe em que o capoeira estira de surpresa a perna e atinge com a planta do pé o peito ou a cabeça do adversário. [Pl.: *chapas-de-pé.*]
chapadinhense. *Adj. 2 g.* **1.** De, ou pertencente ou relativo a Chapadinha (MA). ● *S. 2 g.* **2.** Natural ou habitante de Chapadinha.
chapado. [Part. de *chapar.*] *Adj.* **1.** Chapeado (1): "*Shorts* com bolsos chapados nas laterais" (Iesa Rodrigues, *Jornal do Brasil,* 29.6.1982). **2.** *Pop.* Rematado, completo, perfeito: *É um idiota chapado.* **3.** *Bras.* Colocado (3). **4.** *Tip.* Relativo ao chapado (5) particularmente à cor nele empregada: *preto chapado.* ● *S. m.* **5.** *Tip.* Área impressa em 100% de uma cor, i. e., em cor pura, uniforme e contínua; chapada: *chapado de preto.*
chapar. *V. t. d.* **1.** Pôr chapa em. **2.** V. *chapear* (1). **3.** Segurar com chapas. **4.** Dar forma de chapa a. **5.** Marcar, cunhar: *Mandou chapar o papel com ornatos em relevo. T. d. e i.* **6.** V. *chapear* (1). **7.** Ornar, guarnecer. **8.** Lançar em rosto. *P.* **9.** Cair de chapa; estatelar-se.
chaparia. *S. f.* **1.** Conjunto de chapas. **2.** Ornato feito de chapas de metal.
chaparral. [De *chaparro* + *-al.*] *S. m. Fitogeog.* Vegetação xerófila, equivalente aos maquis mediterrâneos, que habita o S.O. dos E.U.A. e o N. do México, e engloba pequenas árvores retorcidas, arbustos e subarbustos, ao lado de plantas suculentas, como as cactáceas.
chaparreiro. [De *chaparro* + *-eiro.*] *S. m.* **1.** Sobreiro novo; macheiro. **2.** Árvore pequena e tortuosa, cujo tronco só serve para lenha. [Sin. ger.: *chaparro.*]
chaparro. [Do esp. plat. *chaparro.*] *S. m.* V. *chaparreiro:* "Subia a quebrada, sentava-se no cabeço mais alto à sombra de um chaparro" (Manuel da Fonseca, *Aldeia Nova,* p. 11).
chapatesta. *S. f.* Chapa ou lâmina em que entra a lingüeta da fechadura.
chá-paulista. *S. m. Bras.* Chá dançante. [Pl.: *chás-paulistas.*]
chape. [T. onom.] *S. m.* **1.** Som de qualquer coisa que bate ou cai na água. **2.** Som do cão da espingarda ao bater em falso no ouvido da espoleta. ● *Interj.* **3.** Exprime qualquer desses sons.
chapeado. [Part. de *chapear.*] *Adj.* **1.** Guarnecido de chapas ou lâminas de metal; chapado. ● *S. m.* **2.** *Bras., S.* Cabeçada (8) de animal chapeada de prata.
chapear. *V. t. d.* e *t. d. e i.* **1.** Cobrir, revestir ou guarnecer de chapas; chapar. **2.** Revestir (parede ou teto) com argamassa, cimento ou barro que, arremessados de certa distância, produzem revestimento bem rugoso da superfície. [Conjug.: v. *frear.*]
chape-chape. [Voc. onom.] *S. m.* **1.** Som produzido pelos passos de alguém quando anda em terreno lamacento. **2.** *Bras., RS.* Chão duro. **3.** *Bras., RS.* Terreno seco e áspero. [Pl.: *chape-chapes.*]
chapecoense (còên). *Adj. 2 g.* **1.** De, ou pertencente ou relativo a Chapecó (SC). ● *S. 2 g.* **2.** Natural ou habitante de Chapecó.
chapeirada. *S. f.* **1.** Porção que se pode conter num chapéu; chapelada. **2.** Caldeirada (1).
chapeirão. [Do fr. *chaperon.*] *S. m.* **1.** Chapéu de grandes abas [v. *chapéu* (1)]: "saudou-me à maneira religiosa dos serranos tirando o seu largo chapeirão de couro acabanado" (Coelho Neto, *Sertão,* p. 91). **2.** V. *capuz* (1). **3.** *Bras.* Recife à flor da água, em forma de cogumelo; chapéu-de-sol.
chapelada. *S. f.* **1.** Chapeirada (1). **2.** Saudação que se faz a alguém tirando o chapéu e curvando-se: "à porta, com uma só chapelada para a direita e para a esquerda, saudou a todas as cabeças descobertas e curvas." (Machado de Assis, *Quincas Borba,* p. 189).
chapelão. *S. m.* V. *chapéu* (1): "um sujeito idoso, de um moreno viril, bigode grisalho, chapelão de palha" (Ribeiro Couto, *Cabocla,* p. 16).
chapelaria *S. f.* **1.** Ofício de chapeleiro. **2.** Local onde se fabricam ou vendem chapéus.
chapeleira. *S. f.* **1.** Mulher que faz e/ou vende chapéus. **2.** Caixa onde se guardam e transportam chapéus; porta-chapéus.
chapeleiro. *S. m.* Aquele que faz e/ou vende chapéus.
chapeleta (ê). [Var. de *chapelete.*] *S. f.* **1.** V. *chapéu* (1). **2.** Válvula de bola [q. v.] usada nas bombas [v. *bomba*[2] (1)]. **3.** V. *ricochete* (1). **4.** Roseta nas faces. **5.** *Bras.* Glande (3) muito desenvolvida.
chapelete (ê). [De **chapel,* var. de *chapéu,* + *-ete.*] *S. m.* V. *chapéu* (1).
chapelina. *S. f. Bras., N.E.* Tipo de chapéu usado por mulheres sertanejas: "Embaixo vendiam-se panos, borzeguins, chapelinas, braceletes, meizinhas" (Mário Sete, *Arruar,* p. 14).
chapelinho. *S. m.* Pequeno chapéu, especialmente de mulher: "um chapelinho de palha e os pezinhos calçados com botinas de seda!" (Machado de Assis, *Helena,* p. 269.)
chapetão. [Do esp. plat. *chapetón.*] *Adj. Bras., RS.* Tolo, pacóvio. ~ V. *tolo* (1 a 3). [Fem.: *chapetona.*]
chapetona. *Adj. (f.) Bras., S.* V. *chapetão.*
chapetonada. [Do esp. plat. *chapetonada.*] *S. f. Bras., RS.* Asneira, tolice. ♦ **Pagar chapetonada.** *Bras., RS.* **1.** Ser logrado, pagando preço exagerado por um objeto. **2.** Comprar uma coisa por outra.
chapéu. [Do fr. *chapeau* (na pronúncia antiga).] *S. m.* **1.** Peça de feltro, palha, etc., com copa e abas, e destinada a cobrir a cabeça. [Aum. *chapelão, chapeirão;* dim. irreg.: *chapelete, chapeleta.* Sin. (bras., gír.): *tampa* e *penante.*] **2.** V. *guarda-chuva.* **3.** V. *guarda-sol* (2). **4.** Parte sólida do mosto que sobrenada na fermentação do vinho. **5.** Agárico em forma de guarda-chuva. **6.** *Marinh.* A parte superior do cabestan-

te. **7.** Chapéu de capitão [q. v.]. **8.** *Fig.* Dignidade de cardeal. **9.** *Bot. Pop.* Discomiceto. **10.** *Micol.* V. *píleo* (3). **11.** *Bras. Fut.* Lençol (4). [Dim.: *chapeuzinho* e (irreg.) *chapelinho* (q. v.).] ◆ **Chapéu armado.** Chapéu sem aba, cuja copa se fecha em forma aproximadamente triangular, usado com grande uniforme ou com fardão, como, p. ex., os chapéus de almirante e os dos membros da Academia Brasileira de Letras. [Cf. *chapéu-armado.*] **Chapéu de apara-castigo.** *Bras., CE. Pop.* Chapéu de abas grandes e caídas. **Chapéu de capitão.** Remuneração que se combinava dar ao capitão de um navio mercante no caso de o levar ao porto a salvamento. [Tb. se diz apenas *chapéu.*] **Chapéu de massa.** *Bras., N.E.* Chapéu de feltro: "Ainda conheci Salvador no engenho, de chapéu de massa na cabeça" (José Lins do Rego, *Meus Verdes Anos*, p. 63). **Chapéu de palha.** *Bras.* Chapéu de copa cilíndrica, rígida, e abas curtas e fortes, tecido de palha. [Sin.: *chapéu de palhinha* [q. v.], *palhinha, palheta, peneira, picareta.*] **Chapéu de palhinha.** *Bras., N.E.* Designação muitas vezes dada ao chapéu de palha [q. v.], para o distinguir dos chapéus de palha rústicos, feitos de palha de coqueiro.

chapéu-armado. *S. m. Bras.* **1.** Lagarta do inseto lepidóptero (*Podalia chrysocoma* (Herr.-Schaff.)], da família dos megalopigídeos, praga da aroeira, carvalhos e outras plantas silvestres. Tem pêlos compridos, virados para cima, à feição de um chapéu armado, donde o nome vulgar, e é uma das tataranas [q. v.] mais temidas. **2.** Peixe elasmobrânquio, pleurotremado, da família dos esfirnídeos (*Sphyrna tudes* (Val.)), do Atlântico e Pacífico, de dorso cinza-claro, lado inferior brancacento, e que apresenta dilatação cefálica bastante larga; marteleiro. [Pl.: *chapéus-armados.* Cf. *chapéu armado.*]

chapéu-chile. *S. m.* V. *chapéu-do-chile:* "Abanando-se com o chapéu-chile, encalorado, o Dr. Simplício tomou-me da mão, apertou-a contra o peito: / — De Minas? É meu amigo, desde logo..." (Ribeiro Couto, *Prima Belinha*, p. 111); "Eu o havia visto uma vez, ... de chapéu-chile à Santos Dumont, muito magrinho" (Gilberto Amado, *Depois da Política*, p. 158).

chapéu-coco (côco). *S. m.* Chapéu de homem, de feltro rígido, com a copa arredondada e as abas, estreitas, ligeiramente reviradas nos lados; chapéu-de-coco, coco: "Belinha agradeceu secamente, o chapéu-coco descobriu um cabelo grisalho, cumprimentando, afastando-se." (Ribeiro Couto, *Prima Belinha*, p. 88.) [Pl.: *chapéus-cocos* e *chapéus-coco.*]

chapéu-de-chuva. *S. m.* V. *guarda-chuva.* [Pl.: *chapéus-de-chuva.*]

chapéu-de-cobra. *S. m. Bras., RS.* Espécie de cogumelo [Pl.: *chapéus-de-cobra.*]

chapéu-de-coco (côco). *S. m.* V. *chapéu-coco.* [Pl.: *chapéus-de-coco.*]

chapéu-de-coiro. *S. m. Bras.* Chapéu-de-couro. [Pl.: *chapéus-de-coiro.*]

chapéu-de-couro. *S. m.* **1.** *Bras., S.* Erva ereta e ornamental, da família das alismatáceas *(Echinodorus macraphyllum)*, cujos frutos contêm apenas uma semente, cujas flores são tidas por medicinais, e que vive em terrenos pantanosos de águas rasas; chá-da-campanha, erva-do-brejo, erva-do-pântano. **2.** *Gír. Mar.* Marinheiro que vem dos estados nordestinos. **3.** *Bras., AL.* Espécie de beiju. **4.** *Bras., PI.* Doce feito de mamão, rapadura e coco ralado. [Var. de *chapéu-de-coiro.* Pl.: *chapéus-de-couro.*]

chapéu-de-ferro. *S. m.* Acúmulo de óxido ou hidróxido de ferro à superfície resultante da precipitação do hidróxido de ferro trazido por soluções ascendentes. [Pl.: *chapéus-de-ferro.*]

chapéu-de-frade. *S. m.* **1.** *Bras.* Diamante triangular, de pouco valor. **2.** Pequeno cristal de diamante. **3.** *Bras., PI* a *SP.* Arbusto da família das bignoniáceas *(Zeyheria montana)*, revestido de pêlos estrelados e aveludados, e cujas flores são irregulares, grandes, tomentosas, amarelas ou cor de laranja, com máculas roxas, dispostas em panículas terminais, sendo o fruto uma cápsula suberoso-lenhosa, achatada, áspera, com sementes membranosas e aladas; bolsa-de-pastor, bucho, mandioquinha-brava. [Pl.: *chapéus-de-frade.*]

chapéu-de-napoleão. *S. m. Bras., N.* a *S.* Árvore pequena, ornamental, da família das apocináceas (*Thevetia peruviana*), de grandes flores amarelas e aromáticas, e folhas e frutos carnosos, sendo tidos por venenosos os frutos; auaí-guaçu, jorro-jorro. [Pl.: *chapéus-de-napoleão.*]

chapéu-de-sol. *S. m. Bras.* **1.** V. *guarda-sol* (2). **2.** V. *guarda-chuva.* **3.** V. *chapeirão* (3). **4.** *Fig.* Defesa, proteção. **5.** *Bras.* V. *amendoeira-da-praia.* **6.** *Bras., Amaz.* Árvore alta, da família das borragináceas *(Cordia tentrandra)*, dotada de flores sésseis, esverdeadas, afuniladas, disposta em racimos umbeliformes, e cujo fruto é baga arredondada, branca, com caroços envoltos em substância também branca, levando cada um uma amêndoa: "Ao passar embaixo de um chapéu-de-sol copado que estendia os braços por sobre a estrada, o vento derrubou uma porção de gotas de água, ... que lhe umedeceram a camisa e lhe refrescaram o espírito." (Miroel Silveira, *Bonecos de Engonço*, p. 120.) [Pl.: *chapéus-de-sol.*]

chapéu-do-chile. *S. m.* Variedade fina de chapéu panamá [q. v.]; chapéu-chile; chile: "Estava de calças de listras e paletó preto e com o seu enorme chapéu-do-chile." (José Lins do Rego, *Meus Verdes Anos*, p. 324.) [Pl.: *chapéus-do-chile.*]

chapéu-velho. *S. m. Bras., SP.* Café (2) malfeito. [Pl.: *chapéus-velhos.*]

chapeuzinho (èu). *S. m.* **1.** Chapéu pequeno. **2.** *Bras. Fam.* O acento circunflexo.

chapim. [Do esp. *chapín.*] *S. m.* **1.** *Ant.* Calçado de sola grossa, para mulheres: "nos pés chapins de cor semeados de aljôfares e turquesas" (Aquilino Ribeiro, *Aventura Maravilhosa*, p. 125). **2.** Coturno (2). **3.** Patim[2] (1). **4.** Chapa que liga os trilhos das estradas de ferro aos dormentes. **5.** Sapatinho elegante. **6.** *Fig.* Base peanha. **7.** *Bras.* V. *canário-da-terra.*

chapineiro. *S. m.* Aquele que faz e/ou vende chapins.

chapinhar. [Da onom. *chape* + *-nhar.*] *V. t. d.* **1.** Banhar com a mão, ou com um trapo embebido em líquido, repetidas e freqüentes vezes. **2.** Agitar (a água, a lama) com as mãos ou com os pés: "e enquanto os três padres .... iam chapinhando as poças pela rua tenebrosa, por trás a chuva .... ia-os ironicamente fustigando!" (Eça de Queirós, *O Crime do Padre Amaro*, p. 276); "Meus pés .... chapinharam a lama e se sujaram." (João Clímaco Bezerra, *O Homem e Seu Cachorro*, p. 48). *T. i.* **3.** Bater de chapa com as mãos na água, agitando-a. **4.** Atolar-se, atascar-se, chafurdar. *Int.* **5.** Bater de chapa com as mãos ou com os pés na água, agitando-a: "Poças, às vezes, faziam chapinhar os cavalos, respingando-nos de lama." (Medeiros de Albuquerque, *Contos Escolhidos*, p. 29); "atirava-lhes beijos, mostrava as árvores e partia chapinhando n'água" (Coelho Neto, *Treva*, p. 44). **6.** Escorregar na lama.

chapiscar. *V. t. d.* Aplicar chapisco em. [Conjug.: v. *trancar.*]

chapisco. *S. m. Constr.* Argamassa de areia e cimento, aplicada, em geral, com colher de pedreiro, na superfície lisa, para torná-la áspera e garantir melhor aderência do emboço.

chapista. [De *chapa* + *-ista.*] *S. 2 g. Tip.* V. *compositor de bicos.*

chapliniano. *Adj.* **1.** Pertencente ou relativo ao cineasta e ator inglês Charles Chaplin (1889-1977), ou próprio dele. ● *S. m.* **2.** Grande admirador e/ou profundo conhecedor de Chaplin.

chapo. [De *chapado;* cf. *ganho, gasto, pago.*] *Adj. Bras., N.* Demasiadamente visto e/ou ouvido; comum, vulgar.

chapodar. *V. t. d.* Var. de *chapotar*, com infl. de *podar.*

chapota. [Dev. de *chapotar.*] *S. f.* Ato ou efeito de chapotar.

chapotar. [Do fr. *chapoter.*] *V. t. d.* Aparar ou cortar os ramos inúteis de (árvores). [Var.: *chapodar.*]

chaprão. [De *champrão* < *pranchão*, com metátese e desnasalação.] *S. m. Bras., CE.* Pranchão com que se espreme a massa ou papa da mandioca ralada.

chapriz. [Alter. de *chapins*, pl. de *chapim.*] *S. f. Bras.* Sapato para mulher.

chapuz. [Do fr. ant. e dialetal *chapuis*, 'pedaço grosso de madeira'.] *S. m.* **1.** Bucha (16). **2.** Pedaço de madeira que se junta a uma peça para reforçá-la. ◆ **De chapuz.** De cabeça para baixo.

chapuzar. [Do esp. *chapuzar.*] *V. t. d.* **1.** Lançar na água de cabeça para baixo, de chapuz. **2.** Atirar de chapuz. *P.* **3.** Pôr-se de cabeça para baixo. **4.** Agachar-se, acaçapar-se.

chara. *S. f.* Entre os orientais, costume, modo. [Cf. *xara.*]

charada. [Do fr. *charade.*] *S. f.* **1.** Espécie de enigma cuja solução consiste em recompor uma palavra partindo de elementos desta ou de sílabas que tenham um significado determinado, sendo tais significados (*parciais, pedras* ou *chaves*) apresentados juntamente com um conceito que expressa a palavra desejada. **2.** *Fig.* Linguagem obscura. **3.** *Bras. Fam.* Embaraço, dificuldade, problema. [Cf. *xarada.*] ◆ **Charada adicionada.** V. *charada novíssima.* **Charada aditiva.** V. *charada novíssima.* **Charada aferética.** A que deriva da figura gramatical chamada *aférese* e em que há, pois, supressão de sílaba ou letra no princípio da palavra. Ex.: *Estudar com atenção para bem administrar; solução: digerir-gerir.* **Charada alexandrina.** V. *charada casal.* **Charada alternada.** Aquela em que a última sílaba da primeira parcial ocupa exatamente o centro da segunda, enquanto a primeira sílaba da segunda ocupa, por sua vez, o centro da primeira. **Charada angular.** Charada em terno. **Charada antiga.** V. *charada novíssima.* **Charada apocopada.** A que deriva de uma apócope [q. v.]. Ex.: *Fazer exercício militar com o irmão; conceito: manobra — mano.* **Charada aumentativa.** Aquela em que a segunda parcial é aumentativo da primeira. Ex.: *casca — cascão.* **Charada biforme.** V. *charada casal.* **Charada bifronte.** V. *charada casal.* **Charada casal.** A que é formada por duas parciais cujas soluções terminam em *a* e *o;* charada biforme, charada bifronte, charada alexandrina. Ex.: *casa — caso.* **Charada elíptica.** Charada mefistofélica. **Charada em frase.** V. *charada novíssima.* **Charada em terno.** A que se constitui de três parciais formadas por três sílabas (ou três letras), dispostas em colunas de modo que possam ser lidas tanto vertical como horizontalmente; charada angular. Ex.: *ata — tal — ala.* **Charada epentética.** A que se baseia na epêntese [q. v.]. Ex.: *fada — falada.* **Charada gramatical.** V. *charada novíssima.* **Charada intercalada.** Charada mesoclítica. **Charada invertida.** A que consiste em duas parciais, sendo uma delas o inverso da outra: *raro — orar.* **Charada justaposta.** V. *charada novíssima.* **Charada mefistofélica.** A que consta da junção de duas palavras, sendo a última sílaba da primeira palavra igual à primeira da segunda; charada elíptica. Ex.: *rega — galo: regalo.* **Charada mesoclítica.** A que deriva da mesóclise [q. v.], dividindo-se a primeira parcial, que deverá ter número par de sílabas, para nela se intercalar a segunda ou demais parciais; charada intercalada. Ex.: *medo + la: melado; soldo + da: soldado.* **Charada metagrama.** Aquela cujo conceito sofre alteração ou troca sucessiva de letras na formação das parciais. Ex.: *sílio* (canto); *venerável* (santo); *narrativa* (conto); *previdente* (cauto); *esquerdo* (canho); *cantiga* (canto). **Charada novíssima.** Charada composta de duas ou mais pedras e de um conceito, sempre enunciado em frase, e na qual as soluções das pedras, reunidas, formam as soluções do conceito. [Para a decifração deste, põem-se antes do enunciado algarismos indicativos do número de sílabas.] É a mais simples das charadas, tanto para ser construída como para ser decifrada. Sin.: *charada adicionada, charada aditiva, charada antiga, charada em frase, charada gramatical, charada justaposta, charada simples, charada sintética, charada tiburciana, charada típica.* Ex.: *1-1-1-3. Sofre na China, vive na China, bebe-se na China; conceito: pechincha.* **Charada paragógica.** Aquela em que há paragoge [q. v.], em que ocorre adição de sílaba em fim de palavra. Ex.: *bala — balador.* **Charada parônima.** Charada tônica. **Charada protética.** Aquela em que se adiciona uma sílaba à primeira parcial a fim de se obter a segunda. Ex.: *belo — libelo.* **Charada simples.** V. *charada novíssima.* **Charada sincopada.** A que se baseia na síncope (2), suprimindo-se a sílaba central na segunda parcial: Ex.: *camada — cada.* **Charada sintética.** V. *charada novíssima.* **Charada tiburciana.** V. *charada novíssima.* **Charada típica.** V. *charada novíssima.* **Charada tônica.** Charada de duas chaves, uma das quais tem na sílaba tônica acento agudo, acento circunflexo, ou til; charada parônima. Ex.: *secretária — secretaria.* **Matar a charada.** *Bras.* Resolver um problema; desfazer uma dúvida.

charadismo. *S. m.* Cultivo, gosto ou mania das charadas.

charadista. *Adj. 2 g.* e *s. 2 g.* Que ou quem compõe e/ou decifra charadas.

charamba. *S. f.* Certa dança popular açoriana.

charamela. [Do fr. ant. *chalemelle*, atualmente *chalumeau.*] *S. f. Mús.* **1.** Antigo instrumento de sopro, precursor da atual clarineta, de timbre estridente e áspero, da família da flauta, dotado de palheta simples que o ar fazia vibrar depois de percorrer um tubo cilíndrico, posto acima do corpo sonoro do instrumento: "O brado estrídulo dos anafis e das charamelas ressoava nas abóbadas góticas da igreja" (Antero de Figueiredo, *Leonor Teles*, p. XIX). **2.** Registro grave da clarineta. **3.** Registro do órgão, de timbre suave, e que imita os instrumentos pastoris. **4.** Um dos tubos da gaita de foles.

charameleiro. *S. m.* Tocador de charamela.

charanga. [Onom. de ruído estridoroso.] *S. f.* **1.** Pequena banda de música, formada sobretudo por instrumentos de sopro: "O 13 de maio, o 21 de abril, ... mobilizavam Santana inteira, derramando-se em mar-

chas públicas, com c h a r a n g a, discursos e foguetório" (Ciro dos Anjos, *A Menina do Sobrado*, p. 132). **2.** *Bras. Pop.* Orquestra mais ou menos desafinada. **3.** *Bras. AC.* Navegação fluvial em pequeno percurso. **4.** *Bras.* Coisa indeterminada; troço: *Que c h a r a n g a é essa?*
charangueiro. *S. m.* Músico de charanga (1 e 2).
charão. [Do chin. *chi liau.*] *S. m.* **1.** Verniz de laca, muito lustroso e duradouro, originário da China e do Japão. **2.** Planta asiática, da família das anacardiáceas (*Rhus succedanea*).
charco. [Talvez pré-romano.] *S. m.* **1.** Água estagnada e imunda, de pouca profundidade. **2.** V. *pântano.* [Sin. ger. (p. us.): *charqueiro.*]
charcoso (ô). *Adj.* Em que há charcos.
charcutaria. [Do fr. *charcuterie.*] *S. f.* Comércio, loja ou produtos de charcuteiro; charcuteria.
charcuteiro. *S. m.* Aquele que trabalha em charcutaria, que prepara e vende carne de porco, lingüiça, salames, etc.
charcuteria. *S. f.* Charcutaria.
charge. [Do fr. *charge.*] *S. f.* Representação pictórica, de caráter burlesco e caricatural, em que se satiriza um fato específico, em geral de caráter político e que é do conhecimento público.
chargista. *S. 2 g.* Pessoa que faz charges.
charivari. [Do fr. *charivari.*] *S. m.* Berreiro, tumulto, assuada.
charla. [Dev. de *charlar.*] *S. f.* Conversa à-toa.
charlador (ô). *Adj.* e *s. m.* Que, ou aquele que charla.
charlar. [Do it. *ciarlare.*] *V. int.* Falar à toa; palrar, tagarelar.
charlata. *S. m. Bras. Fam.* Der. regress. de *charlatão* [q. v.]: "Os médicos lhe asseguram que não há nada, ele sai maldizendo a medicina: 'Não descobrem o que eu tenho, são uns c h a r l a t a s'" (Fernando Sabino, *O Homem Nu*, p. 34).
charlatanaria. *S. f.* V. *charlatanice.*
charlatanear. *V. int.* **1.** Proceder como charlatão. **2.** Exibir modos de charlatão; falar como charlatão. [Conjug.: v. *frear.*]
charlatanesco (ê). *Adj.* **1.** Em que há charlatanice: *negócio c h a r l a t a n e s c o.* **2.** Próprio de charlatão: *atitudes c h a r l a t a n e s c a s.*
charlatanice. *S. f.* Qualidade, ação, modos ou linguagem de charlatão; charlatanismo, charlatanaria.
charlatanismo. *S. m.* V. *charlatanice.*
charlatão. [Do it. *ciarlatano.*] *S. m.* **1.** Vendedor público de drogas, cujas virtudes apregoa com exagero. **2.** Explorador da boa-fé do público. **3.** Impostor, embusteiro, trapaceiro. [Fem.: *charlatona;* pl.: *charlatães* e *charlatões.*]
charlateira. *S. f.* Espécie de dragona metálica, sem franja, usada por oficiais militares: "estava vestido com a farda de tenente, de c h a r l a t e i r a s polidas" (Alberto Braga, *Novos Contos*, p. 109).
charlatona. *S. f.* Fem. de *charlatão* [q. v.].
➧**charleston** (tchar'leston). [Ingl.] *S. m.* Tipo de foxtrote [q. v.] muito animado, em compasso quaternário, surgido na década de 20, e em que cada dançarino executa movimentos agitados de braços e pernas, e passos que aproximam e afastam os joelhos.
charlote. [Do fr. *charlotte.*] *S. m. Bras.* Antiga espécie de sapatos de trança, de tecido de malha fina, e ordinariamente com uma cara de gato desenhada a cores; sapato cara-de-gato.
charme. [Do fr. *charme.*] *S. m.* Atração, encanto, sedução, simpatia. [Geralmente us. em relação a pessoas.] ♦ **Fazer charme.** *Bras. Fam.* Procurar agradar, cativar, valendo-se do seu charme, real ou imaginário; fazer charminho.
charminho. [Do fr. *charme* + *-inho.*] *El. s. m.* Us. na loc. *fazer charminho.* ♦ **Fazer charminho.** *Bras. Fam.* Fazer charme: "Rosinha fingiu que estava assombradíssima e começou a fazer c h a r m i n h o, como se não quisesse nem saber do Lindoro." (Cora Rónai Vieira e Paulo Rónai, *Aventuras de Fígaro*, p. 18.)
charmoso (ô). [De *charme* + *-oso.*] *Adj. Bras. Fam. Gal.* Que tem charme; atraente, fascinante, sedutor, encantador.
charneca. [De or. pré-romana.] *S. f.* **1.** *Fitogeog.* Tipo de vegetação xerófila de Portugal, semelhante aos maquis do Mediterrâneo e equivalente ao chaparral [q. v.] californiano. **2.** *P. ext.* Terreno onde medra a charneca (1); gândara: "tomamos o caminho para Palmela que são duas léguas não muito grandes, mas tudo c h a r n e c a tão áspera e desconversável como um labrego". (Fernão Rodrigues Lobo Soropita, *Poesias e Prosas Inéditas*, p. 18). **3.** *Bras.* V. *pântano:* "Passa-se a verde c h a r n e c a / De água venenosa e escura." (Alberto de Oliveira, *Poesias*, 2ª série, p. 252). **4.** Cornicabra. **5.** *Fig.* Estilo monótono.
charneira. [Do fr. *charnière.*] *S. f.* **1.** Reunião de duas peças de madeira ou de metal encravadas num eixo comum em torno do qual uma pelo menos é móvel. **2.** V. *dobradiça* (1). **3.** A parte que une as valvas duma concha. **4.** Peça por onde a fivela se prende ao sapato. **5.** *Encad.* Tira de pano ou de couro que se põe ao longo do encaixe, para formar a guarda-espelho; espelho. **6.** *Filat.* Pequena tira de papel com que os colecionadores prendem o selo no álbum.
charo. *S. m. Bras. Gír.* V. *baseado*[1].
charola. *S. f.* **1.** V. *andor.* **2.** Corredor semicircular em igrejas. **3.** Nicho (1). ♦ **Levar em charola.** Levar (alguém) carregado por ocasião de uma manifestação de apreço.
charolês. [Do fr. *charolais.*] *Adj.* **1.** Diz-se de raça francesa de bovinos de carne muito apreciada. ● *S. m.* **2.** Esta raça. [Flex.: *charolesa* (ê), *charoleses* (ê), *charolesas* (ê).]
charpa. [Do fr. *écharpe.*] *S. f.* **1.** Banda larga de pano; cinta: "Dentre os perfumes sutis que vêm / Das suas c h a r p a s, dos seus vestidos, / Isolar tentas o olor que tem / A trama rara dos seus tecidos." (Manuel Bandeira, *Estrela da Vida Inteira*, p. 23.) **2.** Suspensório em que se apóia o braço doente; tipóia.
charque. [Do quíchua *ch'arqui*, atr. do esp. plat. *charque.*] *S. m. Bras.* Carne de vaca, salgada e em mantas; carne-do-ceará, carne-de-ceará, ceará, carne-do-sul, carne-seca, carne-velha, jabá, iabá, sambamba, sumaca.
charqueação. *S. f. Bras.* Ação de charquear; charqueio.
charqueada. [Do esp. plat. *charqueada.*] *S. f. Bras.* Estabelecimento onde se charqueia a carne; saladeiro, tablada. ♦ **Fazer charqueada.** *Bras. RS.* Derrotar o adversário no jogo, deixando-o sem dinheiro.
charqueador (ô). [Do esp. plat. *charqueador.*] *S. m. Bras., S.* **1.** Proprietário de charqueada. **2.** Fabricante de charque. **3.** Aquele que prepara o charque.
charquear. [Do esp. plat. *charquear.*] *V. t. d. Bras.* **1.** Salgar (a carne), em mantas e expô-la ao sol, na preparação do charque. *Int.* **2.** Preparar o charque. [Conjug.: v. *frear.*]
charque-de-vento. *S. m. Bras., RS.* Charque preparado nas estâncias para o consumo, e que consta de pedaços delgados, com pouco sal, secados à sombra ou ao vento. [Pl.: *charques-de-vento.*]
charqueio. [Do esp. plat. *charqueo.*] *S. m. Bras., RS.* Charqueação.
charqueiro. *S. m. P. us.* V. *pântano.*
charravascal. [Alter. de *chavascal.*] *S. m.* **1.** *Bras.* Campo de vegetação média, de cerca de três metros de altura, composta de certas leguminosas e espinheiros, de tal densidade que se torna quase impenetrável. [Sin. (em MT): *chavascal.*] **2.** *Bras., N.E.* Espécie de caatinga fechada.
charrete. [Do fr. *charrette.*] *S. f.* Veículo, em geral de duas rodas, tirado por um ou, mais raro, por dois eqüinos.
charreteiro. *S. m.* Aquele que dirige o(s) cavalo(s) duma charrete.
charriscar. *Prov. port. V. t. d.* **1.** Riscar, fazendo ruído: "Passante meia noite, ... as raparigas .... subiam a escada ...., tacteando, c h a r r i s c a n d o incerto lume-pronto." (Aquilino Ribeiro, *Maria Benigna*, p. 11.) *Int.* **2.** Estalar, crepitar. [Conjug.: v. *trancar.*]
charro. [Do esp. *charro.*] *Adj.* Rústico; grosseiro: "Não me recordo de ter encontrado no Camilo exemplo do c h a r r o galicismo *chefe de obra* em vez de *obra-prima*" (Mário Barreto, *De Gramática e de Linguagem*, II, p. 99); "Em um desses adelos, de c h a r r a e lúgubre aparência, comprei eu, certa vez, um pequeno relógio, obra do século XVIII" (Luís Edmundo, *De um Livro de Memórias*, III, p. 665).
charrua[1]. [Do fr. *charrue.*] *S. f.* **1.** Arado grande, de ferro, com jogo dianteiro e uma só aiveca. **2.** *Fig.* A agricultura, o campo. **3.** *Ant. Mar.* Navio-transporte de três mastros, grande porão e fraco armamento, usado no séc. XVIII e em parte do XIX em substituição à urca: "Vinha a nau e duas corvetas, com cinco c h a r r u a s, dez brigues e escunas" (Oliveira Martins, *Portugal Contemporâneo*, I p. 174). **4.** Planta da família das compostas (*Eupatorium bartsiaefolium*).
charrua[2]. *S. 2 g. Bras.* **1.** Indivíduo dos charruas, tribo indígena que habitava parte do território do RS. ● *Adj. 2 g.* **2.** Pertencente ou relativo a essa tribo. [Var.: *charruá.*]
charruá. *S. 2 g.* e *adj. 2 g. Bras.* Var. de *charrua*[2].
charruada. [F. substantivada do part. de *charruar.*] *S. f.* Terreno lavrado principalmente com charrua[1] (1).
charruar. *V. t. d.* Lavrar com charrua[1] (1).
➧**charter** (tchárter). [Ingl.] *S. m.* Avião alugado.
charutaria. *S. f. Bras.* V. *tabacaria.*
charutear. *V. int.* Fumar charuto. [Conjug.: v. *frear.*]
charuteira. *S. f.* Caixa para guardar charutos: "Fez sensação na assembléia tirar Calisto de uma c h a r u t e i r a de prata um charuto, e baforar colunas de fumo" (Camilo Castelo Branco, *A Queda dum Anjo*, p. 158).
charuteiro. *S. m.* **1.** Proprietário de charutaria. **2.** Operário que fabrica charutos. **3.** Certa espécie de tabaco.
charuto. [Do tâmul-malaiala *churutu*, 'enrolar', atr. do ingl. *cheroot.*] *S. m.* **1.** Rolo de folhas secas de fumo, preparado para fumar-se. **2.** Bolo ou outro alimento em forma de charuto. **3.** *Bras.* Bebida feita de mel de abelhas e vinho. **4.** *Bras. Pej.* Designação dada aos negros. **5.** *Bras.* Peixe teleósteo, caraciforme, da família dos caracídeos (*Leporellus cartledgei* Fowl.), do rio São Francisco, que tem duas estrias longitudinais escuras, nadadeira dorsal com mancha arredondada, e anal com duas faixas oblíquas, pretas. **6.** *Bras., AL.* Mata-cachorro (3).
chasco[1]. [T. onom.] *S. m.* Dito satírico; zombaria, motejo.
chasco[2]. *S. m. Bras., SP.* Ato de puxar de súbito as rédeas do cavalo, para fazê-lo parar; sofrenaço.
chasque. [Do quíchua *chasqui*, atr. do esp. plat.] *S. m. Bras. S.* Mensageiro, portador, próprio: "andei muito por esses meios, como vaqueano, como c h a s q u e, como confiança dele" (Simões Lopes Neto, *Contos Gauchescos e Lendas do Sul*, p. 168).
chasqueador (ô). *Adj.* e *s. m.* Que ou aquele que gosta de chasquear; zombador, escarnecedor.
chasquear. *V. t. d.* **1.** Dizer chascos a; zombar de; escarnecer: "O bravo capitão, com a sua grossa malícia tarimbeira, c h a s q u e i a a moça, por escolher a carreira das armas" (Eça de Queirós, *Cartas Familiares e Bilhetes de Paris*, p. 9). *T. i.* **2.** Fazer chasco[1]; escarnecer; zombar: *C h a s q u e o u do pobre velhinho. Int.* **3.** Dizer chascos. [Conjug.: v. *frear.*]
chasqueiro. *Adj. Bras. RS.* Diz-se do trote largo e incômodo dos cavalos.
chasquento. [De *chasco*[1] + *-ento.*] *Adj.* **1.** *Bras., S.* Engraçado, espirituoso. **2.** Diz-se de pessoa bem trajada ou que causa boa impressão; interessante, simpático.
chassi. [Do fr. *chassis.*] *S. m.* **1.** Quadro rígido destinado a fixar papel, tecido, vidro, plástico, etc. **2.** Espécie de caixilho de câmaras fotográficas, onde se coloca a chapa sensibilizada que deve ser impressionada pela luz, através da objetiva. **3.** Estrutura de aço sobre a qual se monta toda a carroçaria de veículo motorizado. **4.** Base, estrado. **5.** *Eletrôn.* Armação, em geral metálica, sobre a qual se montam os componentes dum circuito eletrônico. **6.** *Fotograv.* Caixilho metálico, com tampa de vidro, usado na copiagem do negativo ou do diapositivo na chapa sensibilizada; copiador, copiadeira. ♦ **Chassi de vácuo.** *Fotograv.* Chassi pneumático. **Chassi pneumático.** *Fotograv.* Chassi que permite produzir vácuo entre o fundo de borracha, de que é dotado, e a tampa de vidro, a fim de tornar mais perfeita a adesão das placas e negativos ou diapositivos nele encerrados, para copiagem; chassi de vácuo, prensa a vácuo, prensa de vácuo.
chata. [Fem. substantivado do adj. *chato.*] *S. f.* **1.** Barcaça larga e pouco funda. **2.** *Bras. Mar.* Embarcação de estrutura resistente, com proa e popa iguais, fundo chato e pequeno calado, em geral sem propulsão própria, para transporte de carga pesada. [Cf. *alvarenga* e *barcaça.*] **3.** *Bras. Amaz.* Embarcação de fundo chato e pequeno calado, casco frágil subdividido em muitos porões, impelida por uma roda à popa, e própria para navegação na época da estiagem. **4.** *Bras.* V. *boipeva.*
chatada. *S. f. Bras., RS.* **1.** V. *repreensão* (1). **2.** Resposta ou indireta desagradável.
chateação. *S. f.* **1.** Ação ou efeito de chatear. **2.** *P. ext.* Coisa que chateia, que amola: *Discurso longo é uma grande c h a t e a ç ã o.* [Sin. ger.: *chatura, chatice.*]
chatear. [De *chato* + *-ear.*] *V. t. d.* e *p.* **1.** Aborrecer (-se), irritar(-se), amolar(-se). *V. apoquentar.* **2.** V. *entediar* (1 e 3): *A monotonia daquele lugar c h a t e a v a - o; C h a t e o u - s e com o filme demasiado longo. Int.* **3.** Aborrecer, molestar, irritar alguém. **4.** *Bras.* Agachar-se. [Conjug.: v. *frear.*]
➧**chateaubriand.** [Fr.] *S. m.* V. *chatobriã.*
➧**chateaubriant.** [Fr.] *S. m.* V. *chatobriã.*
chateza (ê). *S. f.* Qualidade do que é chato; chatice: "acompanhei-o, aparentemente por acaso, mas na esperança de que me trouxesse uma compensação noturna à c h a t e z a do dia." (João Alphonsus, *Pesca da*

Baleia, p. 71).
chatice. *S. f.* **1.** V. *chateação.* **2.** Chateza.
chatim. [Do dravídico *chetti*, 'mercador'.] *S. m.* Negociante pouco honesto; traficante, tratante.
chatinar. *V. t. i.* **1.** Negociar sem escrúpulos, como um chatim; traficar, mercadejar. *T. d.* **2.** Subornar, peitar.
chato. [Do gr. *platys*, 'largo', pelo lat. vulg. **plattu*, 'plano'.] *Adj.* **1.** Sem relevo; liso, plano. **2.** *Fig.* Sem elevação; rasteiro. **3.** *Pop.* V. *maçante* (1). **4.** *Fig.* Sem elegância; vulgar: "não era o seu gênio, essencialmente delicado ...., para se prestar aos contatos chatos, prosaicos, e muitas vezes ascorosos que a política impõe." (Latino Coelho, *Cervantes*, p. 31). ~ V. *cabeça —a caixa —a* e *pé —.* • *S. m.* **5.** Inseto anopluro da família dos pediculídeos *(Phthirius pubis* (L.)), cosmopolita, que vive normalmente na região pubiana e eventualmente nas sobrancelhas, axilas e outras partes do corpo. Comprimento: até 1,5 mm. Ovos postos sob forma de lêndeas, na base dos pêlos pubianos. Vive cerca de três semanas, incuba os ovos durante sete dias e as ninfas com 15 dias estão aptas para reprodução. [Sin.: *carango, ladro, piolho-das-virilhas, piolho-do-púbis, piolho-ladro.*] **6.** V. *maçante* (2). **7.** Situação ou coisa chata: *O chato é ter de sair com esta chuva.* ♦ **Chato de galochas.** Indivíduo muito maçante, extremamente chato.
chatobriã. [Do fr. *chateaubriand.*] *S. m.* Bife (1), grosso, de filé ou de alcatra. [Cf. *bife* (1), *medalhão*[2] e *turnedô.*]
chatura. *S. f. Gír.* V. *chateação.*
chauá. *S. m. Bras.* V. *chauã.*
chauã. [Do tupi, talvez.] *S. m. Bras.* Ave psitaciforme, da família dos psitacídeos *(Amazona rhodocorytha* (Salv.)), do ES, RJ e S.E. da BA, de coloração geral verde, distinguindo-se das outras espécies de papagaios por ser escarlate a cabeça, vermelhos com tons amarelos a fronte e loros, e por ter nas asas espelho vermelho; acamatanga, acamutanga, acumatanga, acumutanga, camatanga, camutanga, chauá, cumatanga, jauá.
chaudel. *S. m.* Espécie de pano de Bengala com que se faziam colchas, atoalhados, etc. [Pl.: *chaudéis.*]
chauvinismo (xô). [Do fr. *chauvinisme.*] *S. m.* **1.** Nacionalismo exagerado. **2.** Procedimento ou atitude de chauvinista (4).
chauvinista (xô). [Do fr. *chauviniste.*] *Adj. 2 g.* **1.** Relativo ao, ou próprio do chauvinismo. **2.** O que o tem. **3.** Que assume posição extremada, exacerbada. • *S. 2 g.* **4.** Pessoa chauvinista (2 e 3).
chavão. *S. m.* **1.** Chave grande. **2.** Fôrma ou molde para bolos e massas. **3.** Modelo, padrão. **4.** Sentença ou provérbio muito batido pelo uso: "A frase é reles, clichê perfeito, chavão repetido mil vezes em versinhos alambicados de poetas de meia-tigela." (Graciliano Ramos, *Linhas Tortas*, p. 85.) **5.** *Fam.* Autor ou livro de grande autoridade. **6.** V. *lugar-comum* (2 e 3).
chavaria. *S. f.* Grande porção de chaves.
chavascada. *S. f. Bras.* **1.** Pancada, bordoada. **2.** V. *chicotada.*
chavascado. [Part. de *chavascar.*] *Adj.* Tosco, grosseiro, achamboado, achavascado.
chavascal. [De *chavasco* + *-al.*] *S. m.* **1.** Lugar imundo; chiqueiro. **2.** Terra estéril. **3.** Mata de espinheiros e outras plantas silvestres; chavasqueiro. **4.** *Bras., MT.* Charravascal (1).
chavascar. *V. t. d.* Fazer com imperfeição; atamancar; achavascar. [Conjug.: v. *trancar.*]
chavasco. *Adj.* Mal-acabado, tosco, rude, grosseiro, chavasqueiro.
chavasqueiro[1]. *S. m.* Chavascal (3).
chavasqueiro[2]. *Adj.* V. *chavasco.*
chavasquice. *S. f.* Qualidade ou caráter de chavasco.
chave. [Do lat. *clave.*] *S. f.* **1.** Artefato de metal que movimenta a lingüeta das fechaduras. **2.** Instrumento com que se apertam, desapertam, montam ou desmontam vários aparelhos. **3.** Peça móvel para fechar ou abrir os orifícios de instrumentos de sopro. [Compõe-se de três partes: *concha, haste* e *espátula.*] **4.** Peça com que se dá corda a relógios. **5.** Cavilha que atravessa a parte superior do fuso do lagar, prendendo-lhe o peso pelo veio. **6.** Lugar que fecha ou domina território e pode ser ponto estratégico contra inimigos. [Aum.: *chavão, chaveirão.*] **7.** Princípio ou fecho de composição poética ou de outro qualquer trabalho literário. **8.** O que prepara, facilita, explica ou inicia: *chave de um problema.* **9.** Elemento importantíssimo, decisivo: *Por muitos anos Pelé foi a chave da seleção brasileira.* **10.** Relação dos sinônimos ou definições das palavras componentes dos problemas das palavras cruzadas, charadas, etc.; parcial, pedra. **11.** Trespasse de um negócio. **12.** Golpe usado em luta corporal. **13.** Insígnia de posse ou de autoridade. **14.** Palma (da mão). **15.** Largura inferior (do pé). **16.** *Constr.* Remate central e superior duma construção. **17.** *Eletr.* Dispositivo que, segundo a posição que assume, interrompe um circuito elétrico, ou nele introduz um componente. **18.** *Mat.* Símbolo de agrupamento , equivalente ao parêntese (4) [q. v.]. **19.** *Mús.* Ferramenta dos afinadores de instrumentos dotados de cravelhas de aço, como, p. ex., o piano e a harpa. **20.** *Paleogr.* Cifra ou convenção de qualquer sistema criptográfico. **21.** *Paleogr.* Sinal gráfico arciforme, quase sempre vertical, usado para abranger linhas ou palavras que devem ser entendidas ou resumidas sob uma só designação. **22.** *Turfe.* Cada uma das quatro divisões numeradas de um a quatro, em que se agrupam os cavalos de cada páreo, para efeito de apostas em dupla [q. v.]. **23.** *Bras.* Molusco gastrópode, da família dos cipreídeos (*Cypraea zebra* L.), conhecido das Antilhas ao S. do nosso país. A concha tem fundo castanho com manchas brancas, sendo a parte voltada para baixo mais escura, às vezes azulada; uma linha ondulada branco-azul percorre longitudinalmente a parte superior da concha; o comprimento é de 0,07 a 0,10 m. [Sin., nesta acepç., *cauri.*] **24.** *Lus.* Bandeira (13). **25.** Dispositivo ferroviário que permite passar de uma linha férrea a outra contígua; desvio. ♦ **Chave Allen.** Chave cuja extremidade é um prisma hexagonal que se pode encaixar no sextavado interno de um parafuso Allen. **Chave bifásica.** *Eletr.* Interruptor de corrente, que tem duas entradas e duas saídas. **Chave bipolar.** *Eletr.* Interruptor de circuito com dois terminais diretamente acessíveis. **Chave de abóbada.** *Arquit.* A pedra do centro que segura a abóbada. **Chave de boca.** Chave fixa que tem na extremidade duas mandíbulas que podem abraçar, lateralmente, a porca ou a cabeça do parafuso. **Chave de cano.** Ferramenta, com mandíbulas ou outro dispositivo de pega, destinada a operar canos, tubos, luvas, cotovelos e outras peças redondas. **Chave de corrente.** Chave para operar tubos e porcas de grandes dimensões, na qual o dispositivo de pega é proporcionado por uma corrente de rolos de comprimento ajustável. **Chave de estria.** Chave fixa que tem na extremidade um anel reforçado, com saliências externas, e que abraça a porca ou a cabeça do parafuso em toda a periferia. **Chave de fenda.** Ferramenta do feitio do formão, cuja extremidade se introduz no sulco da cabeça de um parafuso e gira, para o apertar ou afrouxar; chave de parafuso. **Chave de grifa.** Ferramenta para operar tubos, luvas, canos e outras peças redondas, que tem mandíbulas ajustáveis mediante uma rosca sem fim que desliza paralelamente à direção do cabo. [Tb. se diz apenas *grifa.*] **Chave de onda.** *Eletrôn.* Chave com vários terminais, utilizada para colocar num circuito diversos componentes. **Chave de ouro. 1.** Remate feliz, de belo efeito, de poesia ou composição literária. **2.** Remate feliz de um acontecimento. **Chave de parafuso.** Chave de fenda. **Chave de roda.** *Autom.* Ferramenta cruciforme com uma chave de porca em cada uma das quatro pontas das barras, para apertar e desapertar as porcas das rodas dos automóveis. **Chave eletrônica.** *Eletr.* Circuito com duas entradas e uma saída, capaz de introduzir, alternadamente, dois sinais diferentes em outro circuito. **Chave falsa.** A que abre uma fechadura que não seja a dela. **Chave inglesa.** Chave de boca, de abertura graduável por meio de uma rosca em espiral. **Chave mestra.** Espécie de gazua com que se abrem todas as portas de um edifício. **Chave monofásica.** *Eletr.* Interruptor de corrente que tem uma entrada e uma saída. **Chave Phillips.** Chave de parafuso que tem a ponta afilada, em forma de cruzeta, e se adapta na reentrância da cabeça dos parafusos Phillips. **Fechar a sete chaves.** Fechar bem fechado, com segurança; trancar. **Fechar com chave de ouro.** Fechar ou encerrar muito bem: "fechou com chave de ouro o monumental serão, verberando o vândalo sem lei nem grei que havia embebido de sangue o chão daquela França" (Ciro dos Anjos, *A Menina do Sobrado*, p. 133). **Meter na chave.** Prender, encarcerar; passar na chave, passar a chave em. **Passar a chave em.** V. *meter na chave.* **Passar na chave.** V. *meter na chave.*
chaveamento. *S. m.* Ato de chavear.
chavear. *V. t. d.* Fechar à chave; trancar. [Conjug.: V. *frear.*]
chaveira. *S. f. Veter.* Doença que o cisticerco [q. v.] produz nos animais.
chaveirão[1]. *S. m.* Chave grande.
chaveirão[2]. [Do fr. *chevron.*] *S. m. Heráld.* Barras em ângulo, nos escudos; asna.
chaveirento. *Adj.* Que tem chaveira; chaveiroso.
chaveiro[1]. *S. m.* **1.** Aquele que guarda chaves, como, p. ex., um despenseiro, um carcereiro; claviculário. **2.** Pessoa que faz ou conserta chaves. **3.** Objeto em que se prendem chaves; porta-chaves.
chaveiro[2]. *S. m.* Rodeiro (1).
chaveiroso (ô). *Adj.* Chaveirento.
chavelha (ê). [Do lat. *clavicula.*] *S. f.* **1.** Espiga do cabeçalho dos carros, junto à canga. **2.** Timão do arado.
chavelhão. [Aum. de *chavelha.*] *S. m.* Peça de ferro à qual se atrela a segunda junta para puxar o carro ou o arado.
chavelho (ê). [De *chavelha.*] *S. m.* **1** V. *corno* (1 e 2): "Vinha apontando .... uma manada desenfreada de gado. Era uma massa enorme, ... uma floresta fragorosa de chavelhos" (Viriato Correia, *Contos do Sertão*, pp. 118-119). **2.** Antena de inseto.
chávena. [Do mal. *chāvan*, pelo chin. *chā-kvān.*] *S. f.* Xícara ou taça para chá, café e outras bebidas, quentes ou frias.
chaveta (ê). [Dim. de *chave.*] *S. f.* **1.** Peça na extremidade dum eixo, para fixar as rodas. **2.** Peça para segurar a cavilha. **3.** Haste em que jogam as dobradiças. **4.** *Bras., SP.* Peça de madeira que prende a canga à tiradeira. [Pl.: *chavetas* (ê). Cf. *chaveta* e *chavetas*, do v. *chavetar.*]
chavetar. *V. t. d.* **1.** Segurar com chaveta (1). **2.** Introduzir chaveta (2) em. [Pres. ind.: *chaveto, chavetas, chaveta*, etc. Cf. *chaveta* (ê) e pl. *chavetas* (ê).]
chaviano. *Adj.* e *s. m.* Flaviense.
chaviense. *Adj. 2 g.* **1.** De, ou pertencente ou relativo a Chaves (PA). • *S. 2 g.* **2.** Natural ou habitante de Chaves.
chavo. [Do esp. *ochavo.*] *S. m.* **1.** Moeda insignificante: "enquanto a corte não chegava, uns sacavam dos dados para arriscar alguns chavos e dobrões às escondidas dos espias de João de Olmedo" (Conde de Sabugosa, *Embrechados*, p. 27). **2.** Diminuto valor (em dinheiro).
chazeiro[1]. *S. m.* Cheda.
chazeiro[2]. *Adj.* Que gosta muito de chá.
ché[1]. [Do chin.] *S. f. Mús.* Espécie de cítara chinesa, atualmente com 20 a 25 cordas metálicas. [Cf. *chê.*]
ché[2]. [Do esp. plat. *che.*] *Interj.* **1.** *Bras., S.* Indica dúvida ou zombaria; qual: *Você vai nada, ché!* **2.** Usa-se como vocativo: *Tu vais à festa, ché?* [O *ch* é muitas vezes pronunciado à espanhola. F. paral.: *chê.*]
chê. *Interj. Bras., S.* Ché[2] [q. v.]: "E quando parei e os dois vultos se chegaram, conheci que eram o meu general e o coronel Onofre. E desarmados, chê!..." (Simões Lopes Neto, *Contos Gauchescos e Lendas do Sul*, p. 222.)
chébate. *S. m. Cron.* O quinto mês do calendário israelita, com 30 dias.
checagem. *S. f.* Ato ou efeito de checar: "Ao final do processo de checagem, com absoluta segurança de sua veracidade, a *Folha* publicou a notícia em sua edição de ontem." (*Folha de S. Paulo*, 22.3.1985.)
checar. [Do ingl. *check.*] *V. int.* e *t. i. Bras.* **1.** Conferir, dando baixa. **2.** Confrontar, conferir. *T. d.* e *i.* **3.** Confrontar, comparar, conferir: *Chequei sua informação com a que tivera pouco antes.* [Conjug.: v. *trancar.*]
➧**check-up.** [Ingl.] *S. m.* **1.** *Med.* Um completo exame de saúde, seja para a verificação de algum sintoma, seja por profilaxia. **2.** *P. ext.* Exame de saúde geral. **3.** *Fig.* Diagnóstico, análise, de (situação, organização, etc.). [Sin. (acepç. 1 e 2): *vistoria clínica.*]
cheda (ê). [Do céltico **cleta.*] *S. f.* Prancha lateral do leito do carro, na qual se metem os fueiros; chazeiro.
chedita. *S. f. Quím.* Explosivo à base de perclorato de amônio.
chefão. [Aum. de *chefe.*] *S. m. Bras.* V. *mandachuva.*
chefatura. *S. f.* Chefia.
chefe. [Do fr. *chef.*] *S. 2 g.* **1.** O principal entre outros. **2.** Aquele que exerce autoridade; que chefia, dirige: *o chefe do governo.* **3.** O dirigente, o diretor, o patrão: *chefe de uma firma.* **4.** Aquele que comanda ou governa: *o chefe das tropas.* **5.** Capitão, caudilho. **6.** V. *cabeça* (23): *Descobriu-se, afinal, o chefe da revolta.* **7.** *Pop.* e *fam.* Designação aplicada a pessoa a quem se quer dirigir a palavra ignorando-lhe o nome ou a profissão: *—Bom dia, chefe!*
chefe-de-divisão. *S. m.* **1.** V. *hierarquia militar.* **2.** Oficial que detinha o posto de chefe-de-divisão. [Pl.: *chefes-de-divisão.*]
chefe-de-esquadra. *S. m.* **1.** V. *hierarquia militar.* **2.** Oficial que detinha o posto de chefe-de-esquadra. [Pl.: *chefes-de-esquadra.*]
chefete (ê). *S. m. Deprec.* **1.** Chefe de estabelecimento pequeno ou pouco importante. **2.** Chefe sem prestígio ou autoridade.
chefia. *S. f.* **1.** Dignidade de chefe. **2.** Repartição onde o

chefe exerce suas funções. [Sin. ger.: *chefatura*.]

chefiado. [Part. de *chefiar*.] *Adj.* e *s. m.* Diz-se de, ou aquele que se acha sob a chefia de alguém.

chefiar. *V. t. d.* **1.** Exercer a chefia de. *Int.* **2.** Exercer funções de chefe.

chega (ê). [Dev. de *chegar*.] *S. m.* e *f.* **1.** *Fam.* V. *repreensão* (1). [No Brasil é, em geral, do g. m.] ● *Prep.* **2.** *Bras. Pop.* Até, mesmo: "o pano do vestido chega estava estufando, no lugar das bolinhas dos seios." (José Bezerra Filho, *Fogo!*, p. 59); "E a peia no lombo, que chega cantava de longe." (José Lins do Rego, *Bangüê*, p. 18); "O jorro chega ia para lá do sumidouro e escorria por riba do chão." (Bernardo Élis, *Veranico de Janeiro*, p. 144). ● *Interj.* **3.** Não mais; basta: "Por que bebes tanto assim rapaz? / Chega, já é demais." (Do samba *É bom parar*, de Rubens Soares e Noel Rosa.)

chegada. *S. f.* **1.** Ato ou efeito de chegar. [Sin.: *chegamento* (p. us.) e *chegança* (ant.).] **2.** Termo do movimento de ida ou vinda. **3.** Aproximação, avizinhação. **4.** *Fam.* V. *repreensão* (1). ♦. **Dar uma chegada.** Aparecer rapidamente (em algum lugar): "ia, então, até a botica .... ou dava uma chegada ao armazém do Pires." (Coelho Neto, *Treva*, p. 165).

chegadeira. *S. f.* Utensílio de ferreiro para chegar carvão à forja.

chegadela. *S. f.* **1.** Aproximação de objetos afastados. **2.** Chegada (1) rápida. **3.** *Fig.* V. *repreensão* (1). **4.** V. *surra* (1).

chegadiço. *Adj.* e *s. m.* **1.** *Ant.* Adventício. **2.** Metediço, intrometido.

chegadinha. [Substantivação do fem. do dim. de *chegado*.] *S. f.* Planta medicinal da família das labiadas (*Aeolanthus suavis*).

chegado. [Part. de *chegar*.] *Adj.* **1.** *Bras.* Dado, inclinado, propenso: *É chegado a bebidas.* **2.** Próximo, contíguo. **3.** Em grau muito próximo; próximo: *parente chegado*; "Gastão [Gastão da Cunha] era nosso primo chegado." (Afonso Arinos de Melo Franco, *Alto-Mar. Maralto*, p. 136). **4.** Estreitamente ligado por afeição; íntimo: *amigo chegado*.

chegador (ô). *S. m.* **1.** Aquele que chega. **2.** Aquele que mete lenha ou carvão em fornalhas. **3.** *Ant.* Cobrador de rendas ou foros. ● *Adj.* **4.** *Bras., RS.* V. *valentão* (1).

chega-e-vira. [De *chegar* + *e* + *virar*.] *S. f. 2 n. Bras., MA.* V. *irerê*.

chegamento. *S. m.* **1.** *P. us.* V. *chegada* (1). **2.** *Ant.* Citação judicial.

chegança. *S. f.* **1.** *Ant.* V. *chegada* (1). **2.** Certa dança erótica do séc. XVIII. **3.** *Bras. Folcl.* Folguedo popular natalino, em que se armam, em plena praça pública, grandes barcos ou naus de guerra, e os folgazões ou maruja figuram uma expedição naval, no decurso da qual se travam combates com os mouros e se cantam feitos heróicos. **4.** *Bras., N.E. Folcl.* V. *fandango* (10). ~ V. *cheganças*.

cheganças. [Pl. de *chegança*.] *S. f. pl. Bras.* Visitas que nas festas de Natal e Reis os festeiros fazem às casas, onde já são esperados, para seus folguedos. ~ V. *chegança*.

chegança. [De *chegar*.] *S. m.* **1.** *Pop.* V. *repreensão* (1). **2.** No bilhar, tacada que obriga a bola a recuar ou a formar ângulo com a posição do taco.

chegar. [Do lat. vulg. *plicare*, 'dobrar', der. regress. de *applicare*, 'abordar, arribar'.] *V. int.* **1.** Vir: *Chegou, enfim, a hora da eleição.* **2.** Atingir o termo do movimento de ida ou vinda: *Depois de longa ausência, meu amigo chegou.* **3.** Atingir certo lugar: *Chegaram aqui ontem pela manhã.* **4.** Ter início; começar: *A primavera chega no dia 21 de setembro.* **5.** Acontecer, suceder, sobrevir: *Chegou, de repente, a desgraça, quando tudo ia tão bem.* **6.** *Bras.* Ser suficiente; bastar: *Ofereci-lhe mais dinheiro, mas ele disse que aquele chegava*; "Viver somente de cartaz não chega" (do samba *Onde Estão os Tamborins?*, de Pedro Caetano). **7.** *Bras.* Ir embora; retirar-se: *Veio ver-me e, à tardinha, disse que já ia chegando.* *T. i.* **8.** Elevar-se; orçar: *Seus gastos chegam a 500 cruzados.* **9.** Atingir, alcançar: *A técnica chegou, no século XX, a um grande aperfeiçoamento; Não chega à última prateleira da estante.* **10.** Ir ao extremo de; ir a ponto de: *Estava tão enfraquecido que chegou a cair*; "explica que esse [Van Gogh] foi um pintor notável mas esquisito à beça, chegou um dia a cortar a orelha direita (ou esquerda?) para mandar embrulhada num papel de presente para uma dona..." (Lígia Fagundes Teles, *A Disciplina do Amor*, p. 85). **11.** Conseguir, lograr: *Apesar das palavras amáveis, não cheguei a sensibilizá-lo.* **12.** Igualar-se; comparar-se: *É muito inteligente, mas não chega à irmã.* **13.** Ser bastante; bastar: " — Mas isto é uma bagatela; não é uma fortuna! | — Chega-me" (José de Alencar, *Lucíola*, p. 171). *T. d.* **14.** Pôr perto de; aproximar: *Chegue a sua cadeira, quero-lhe falar.* **15.** Levar (uma fêmea) à padreação. *T. d.* e *i.* **16.** Pôr perto; aproximar: "Quincas Borba procurou com os pés as chinelas; Rubião chegou-lhas" (Machado de Assis, *Quincas Borba*, p. 8); *Chegou os lábios ao copo.* **17.** *Bras., N.E.* Oferecer como preço para compra: *Cheguei meio milhão pela casa, mas o dono não quis vendê-la.* *P.* **18.** Aproximar-se, avizinhar-se, acercar-se; achegar-se: "Chegou-se a ele e bateu-lhe brandamente no ombro." (Alexandre Herculano, *O Monge de Cister*, II, p. 37); "Ele chegou-se-lhe e mostrou-lhe um maço de cédulas" (Machado de Assis, *Páginas Recolhidas*, p. 168); "Chegou-se ao espelho, olhou-se, contente consigo mesmo." (Diná Silveira de Queirós, *As Noites do Morro do Encanto*, p. 197.) **19.** Conformar-se; amoldar-se: *Chega-te à realidade, homem!* [Conjug.: v. *largar*; tem o e fechado nas f. rizotônicas: *chego* (ê), *chegas* (ê), *chega* (ê), *chegam* (ê), *chegue* (ê), etc.]

cheia. [Fem. substantivado do adj. *cheio*.] *S. f.* **1.** Inundação (2). **2.** *Fig.* Grande quantidade; porção.

cheio. [Do lat. *plenu*.] *Adj.* **1.** Que contém tudo que sua capacidade comporta; pleno, completo: *garrafa cheia de água.* **2.** Que abunda em alguma coisa: *vestido cheio de nódoas.* **3.** Muito cheio (1); repleto: *teatro cheio de gente.* **4.** Que tem ou apresenta algo em alto grau: *cheio de problemas; cheio de saudade; cheio de vida.* **5.** Maciço, compacto. **6.** Que não apresenta interrupção (traço). **7.** Rico, abastado. **8.** Atarefado, azafamado. **9.** Bem-sucedido, feliz. **10.** Nutrido, gordo: "faces lisas cheias e coradas." (Rebelo da Silva, *Contos e Lendas*, p. 58). **11.** *Tip.* Numa composição, trecho constituído só de texto, por oposição às partes formadas de títulos, tabelas, etc. [Cf. *composição cheia*, *composição de cheio e linha cheia*.] **12.** *Bras. Fam.* Diz-se de qualquer animal e, pejorativamente, da mulher, em estado de gravidez. **13.** *Bras. Gír.* Aborrecido, farto: *Está cheio daquele ambiente.* ~ V. — *de chove-não-molha*, — *de dedos*, — *de frescura*, — *de histórias*, — *de galizia*, — *de ipsilones*, — *de luxo*, — *de merda*, — *de nove-horas*, — *de nós pelas costas*, — *de novidades*, — *de si*, — *de terra*, — *de vento*, *composição —a*, *dia —*, *linha —a*, *lua —a*, *página —a*, *ponto —* e *voz —a*. ● *S. m.* **14.** *Arquit.* Porção de parede desprovida de vãos [v. *vão* (10)]; espaço entre dois vãos. **15.** *Bras., SE.* As folhas da maconha. ♦ **Em cheio.** **1.** De maneira plena; plenamente; de todo: "A lua nas janelas bate em cheio." (Castro Alves, *Poesias Escolhidas*, p. 67); "A notícia agradou em cheio ao auditório" (Carlos Drummond de Andrade, *A Bolsa & a Vida*, p. 142). **2.** Exatamente, precisamente; bem: *O tiro acertou em cheio*; "Esta coluna [Zózimo] acertou em cheio quando, há dois meses, apontou o filme *Missing* como o grande vencedor do Festival de Cannes." (*Jornal do Brasil*, 27.5.1982).

cheira-cheira. [Da 3ª pess. sing. do pres. ind. de *cheirar*, repetida.] *S. 2 g.* e *2 n. Bras. Gír.* V. *bajulador* (2).

cheiradeira. [De *cheirar* + *-deira*.] *S. f.* Caixa para rapé ou tabaco, com orifício.

cheirador (ô). *S. m.* Aquele que cheira.

cheirante. *Adj. 2 g. P. us.* V. *cheiroso*.

cheirar. [Do lat. vulg. **flagrare*.] *V. t. d.* **1.** Tomar o cheiro de; aplicar o sentido do olfato a. **2.** Introduzir no nariz (rapé, cânfora, etc.). **3.** Reconhecer pelo cheiro: *Mal entrou em casa, cheirou o frango assado.* **4.** Indagar, procurar, bisbilhotar: *Olhava muito para os cantos, e perguntaram-lhe o que viera cheirar ali.* **5.** Calcular; suspeitar: *Cheirou logo os milhões que aquele negócio daria de lucro.* *T. i.* **6.** Exalar determinado cheiro: "Eu descera ao jardim. Cheirava a heliotrópio" (Menotti del Picchia, *As Máscaras*, p. XII). **7.** Ter aparência, visos ou semelhança: *Este negócio cheira a tramóia.* **8.** Agradar, aprazer: *Aquele assunto não me cheirou.* *Int.* **9.** Exalar cheiro: *Há flores que não cheiram*; "Os ventos vagabundos batem, bolem / Nas árvores. O ar cheira. A terra cheira..." (Augusto dos Anjos, *Eu*, p. 82). **10.** Cheirar mal: *O defunto já está cheirando.* **11.** Exercer ou aplicar o sentido do olfato: "Prova. Olha. Toca. Cheira. Escuta. / Cada sentido é um dom divino". (Manuel Bandeira, *Estrela da Vida Inteira*, p. 20.) **12.** *Bras.* Dar indícios de ser (bom ou mau, etc.); parecer: *O negócio cheira bem; Essa história está cheirando mal.* [pres. ind.: *cheiro*, *cheiras*, *cheira*, etc. Cf. *xero* e *xera*.]

cheireta (ê). *S. 2 g. Bras. Pop.* V. *xereta*.

cheirinho-da-loló. *S. m. Bras.* Mistura, de fabricação caseira, que contém uma ou mais substâncias anestésicas líquidas, cujos efeitos embriagantes se assemelham aos do lança-perfume [q. v.]. [Pl.: *cheirinhos-da-loló*. Tb. se diz apenas *loló*.]

cheiro. [Dev. de *cheirar*.] *S. m.* **1.** Impressão produzida no olfato pelas partículas odoríferas. **2.** Cheiro agradável; perfume, aroma, odor, fragrância, olor; **3.** Mau cheiro; fedor, fetidez. **4.** Essência aromática; perfume: "Cadê meu frasco de cheiro que teu sinhô me mandou?" (Jorge de Lima, *Obra Completa*, I, p. 392.) **5.** Olfato, faro. **6.** Indício, vestígio, rastro. **7.** *Bras.* V. *cheiros* (2). **8.** *Bras., MA.* Coentro. **9.** *Bras., N.E.* Aspiração nasal de carinho: — *Dei um cheiro na morena.* **10.** *Bras.* V. *sachê*. [Cf. *xero*.] ~ V. *cheiros*. ♦ **Cheiro de santidade.** **1.** Cheiro que, segundo a tradição religiosa popular, exalam os cadáveres dos santos. **2.** *P. ext.* Estado de graça permanente de uma pessoa, o qual faz presumir sua admissão no rol dos santos. [Sin. ger.: *odor de santidade*.]

cheiros. [Pl. de *cheiro*.] *S. m. pl.* **1.** Essências aromáticas. **2.** Temperos verdes, como salsa, cebolinha, coentro e outros; cheiro, cheiro-verde. ~ V. *cheiro*.

cheiroso (ô). *Adj.* Que tem cheiro agradável; perfumado, aromático. [Sin. (p. us.): *cheirante*.]

cheiro-verde. *S. m. Bras.* V. *cheiros* (2): "a banha derrete-se, solta e refoga as pevides com mais a cebola, o alho, o cheiro-verde, a salsa e muita pimenta." (Pedro Nava, *Baú de Ossos*, p. 125). [Pl.: *cheiros-verdes*.]

chela. *S. m.* Noviço do budismo esotérico.

chelpa (ê). *S. f. Gír.* V. *dinheiro* (3): "Quando daqui saiu não passava de um pobre rapaz sem proteções e sem chelpa." (Fialho D'Almeida, *Contos*, p. 158).

➡**chemise.** [Fr.] *S. m.* Vestido *chemisier*.

➡**chemisier.** (chemisiê). [Fr.] *Adj. 2 g.* e *2 n.* **1.** Diz-se da roupa feminina de feitio e confecção semelhantes aos da camisa social [q. v.]: *blusa chemisier.* ● *S. m.* **2.** Vestido *chemisier*; *chemise*.

chepe-chepe. [Voc. onom.] *S. m. Bras., MA.* Alagadiço (3). [Pl.: *chepe-chepes*.]

cheque. [Do ingl. *cheque*, norte-americano *check*.] *S. m.* Ordem de pagamento de certa quantia à pessoa em favor da qual se emite esse documento, ou a qualquer portador dele (no primeiro caso, cheque *nominal* ou *nominativo*; no segundo, *cheque ao portador*). [V. *título de crédito*, Cf. *xeque*.] ♦ **Cheque ao portador.** V. *cheque*. **Cheque borrachudo.** *Bras. Gír.* Aquele que, por insuficiência de fundos, vai e volta para a mão do emitente; cheque-borracha. **Cheque bumerangue.** *Bras., RJ, Gír.* Aquele que, por preenchimento conscientemente incorreto, volta à mão do emitente. **Cheque certificado.** Aquele em que o sacado, com a permissão do portador, marca dia certo para o pagamento, ficando exonerados todos os outros responsáveis; cheque marcado. **Cheque compensado.** Depósito feito em cheque. **Cheque cruzado.** Cheque sobre o qual se traçam ou carimbam duas linhas em diagonal, o que significa só poder ser pago a banco, e, se o cruzamento levar o nome de um banco, só a esse banco. **Cheque especial.** *Bras.* Aquele que tem cobertura máxima de saque previamente estabelecida, ainda que o emitente não tenha em sua conta fundos correspondentes. **Cheque marcado.** Cheque certificado. **Cheque nominal.** V. *cheque*. **Cheque nominativo.** V. *cheque*. **Cheque olímpico.** Aquele que, emitido com insuficiência de fundos, obriga o emitente a fazer o depósito antes que ele seja apresentado a desconto. **Cheque visado.** Aquele em que, a pedido do emitente, o sacado apõe seu visto, reservando fundos necessários ao respectivo pagamento, razão por que o sacado passa a ser o principal devedor e responsável. **Cheque voador.** *Bras., RJ, Gír.* O que é emitido em fim de semana, ou em véspera de feriado, no final do expediente bancário, para que o emitente tenha tempo de fazer a cobertura dele.

cheque-borracha. *S. m. Bras., RJ. Gír.* Cheque borrachudo. [Pl.: *cheques-borrachas* e *cheques-borracha*.]

cheque-ouro. *S. m. Bras.* Cheque especial [q. v.] concedido pelo Banco do Brasil. [Pl.: *cheques-ouros* e *cheques-ouro*.]

chercônia. *S. f.* Tecido indiano de seda e algodão.

chererém. *S. m. Bras., GO.* V. *xererém*.

cherimólia. [Do quíchua *chirï*, 'frio' + *muyu*, 'círculo', pelo esp. amer. *chirimoya*.] *S. f.* **1.** Arbusto da família das anonáceas (*Anona cherimolia*), de flores solitárias aromáticas, amareladas, e cujo fruto é sincarpo globoso, com protuberâncias arredondadas, e polpa branca, doce, saborosa, comestível, crua, e que dá excelente licor. **2.** O fruto dessa planta.

cherívia. *S. f.* V. *chirivia.*
cherna. *S. f. Bras.* V. *cherne.*
cherna-preta. *S. f. Bras.* V. *cherne.* [Pl.: *chernas-pretas.*]
cherne. [Do lat. tardio *acernia*, var. de *cherna.*] *S. m. Bras.* Peixe teleósteo, percomorfo, da família dos serranídeos (*Epinephelus niveatus* (Cuv. & Val.)), do Mediterrâneo e do Atlântico, de coloração chocolate, mais escura ou mais clara, às vezes quase cinérea, comprimento de até 2 m, e peso de até 400 kg. O jovem tem o corpo com máculas em séries ou pontos brancos. Freqüenta lugares lodosos, pesca-se com linha de fundo e espinhéis, e a carne é muito estimada no mercado. [Sin.: *cherna, cherna-preta, cherne-pintado, chernete, chernote, mero-preto, cerigado-cherne, cerigado-tapoã.*]
cherne-pintado. *S. m. Bras.* V. *cherne.* [Pl.: *chernes-pintados.*]
chernete (ê). *S. m. Bras.* V. *cherne.*
cherne-vermelho. *S. m. Bras.* V. *vermelho*[2] (1). [Pl.: *chernes-vermelhos.*]
chernote. [Dim. de *cherne.*] *S. m. Bras.* V. *cherne.*
➧**cherry** (tchéri'). [Ingl.] *S. m.* Licor de cerejas.
chesmininés. *S. m. pl. Burl.* Atavios, adornos. ♦ **Dar nos chemininés.** Dar na trilha.
cheta (ê). *S. f. Gír.* **1.** Pequena moeda de cobre. **2.** Pouco dinheiro. **3.** Um vintém: "Puseram-se a andar sem me pagarem cheta!" (José Régio, *Histórias de Mulheres*, p. 32). **4.** *Bras.* Qualquer quantia de dinheiro: "apenas o amigo Artur recebesse a primeira cheta, mandava-lhe um vale do correio e ele ia a Lisboa." (Eça de Queirós, *A Capital*, pp. 108-109). **5.** *Bras., AL.* Liberdade, ousadia, confiança: *Não gosta que tomem cheta com ele.* [Cf. *xeta.*]
chevá. *S. m.* Xuá[1].
cheviote. [Do top. *cheviots*, montes da Escócia onde há carneiros de cuja lã se faz este tecido.] *S. m.* Tecido inglês de lã: "Que a esse povo seja permitido .... refrigerar o corpo com cheviotes claros, alegres e leves" (Eça de Queirós, *Ecos de Paris*, p. 63).
➧**chez** (xê). [Fr.] *Prep.* Em casa de.
chiada. *S. f.* **1.** Ato ou efeito de chiar; chio. **2.** Conjunto de vozes agudas e desagradáveis. [F. paral.: *chiado.*]
chiadeira. [De *chiar* + *-deira.*] *S. f.* **1.** Som agudo, prolongado e desagradável: "Lá fora ouviam-se a chiadeira dos grilos e o pio agoureiro dalguma ave noturna" (Inglês de Sousa, *O Missionário*, p. 330). **2.** Gritaria importuna de vozes agudas e desafinadas. **3.** Pedido ou queixa impertinente e reiterada.
chiado. *S. m.* V. *chiada.*
chiadorense. *Adj. 2 g.* **1.** De, ou pertencente ou relativo a Chiador (MG). ● *S. 2 g.* **2.** Natural ou habitante de Chiador.
chiante. [De *chiar.*] *Adj. 2 g.* **1.** Que chia. **2.** *Gram.* Diz-se das consoantes fricativas palatais *x* ou *ch*, e *j.* ● *S. f.* **3.** *Gram.* Consoante chiante.
chiar. *V. int.* **1.** Emitir chio (1 a 3): *As rodas da carruagem chiavam por falta de graxa; Os ratos chiam;* "As cigarras chiam nas oliveiras" (Fialho d'Almeida, *A Cidade do Vício*, p. 8). **2.** Produzir som semelhante ao de coisa a ferver ou frigir: "Fazia o toucinho chiar no braseiro" (Chico Anísio, *Teje Preso*, p. 166). **3.** Esbravejar de cólera; vociferar. **4.** *Bras. Gír.* Protestar, reclamar: *O patrão exigiu-lhe mais horas e preveniu-o de que seria despedido, caso chiasse.*
chiata. [De *chiar* + *-ata.*] *S. f. Bras., N.* V. *graça* (6).
chiatar. *V. int. Bras., N.* Dizer chiatas.
chiba[1]. *S. f.* Cabra nova; cabrita. [Cf. *xiba.*]
chiba[2]. *S. f.* Empola[1] (1) em mão não calejada. [Cf. *xiba.*]
chibamba. *S. m. Bras., MG.* Ente fantástico que, segundo a crença popular, ronca à maneira de porco e vem, coberto de folhas de bananeira, amedrontar as crianças.
chibanca. *S. f.* Ferramenta para destocar os terrenos, semelhante a um alvião, com um lado para cavar a terra e o outro para cortar as raízes e o tronco das árvores.
chibança. *S. f. Pop.* **1.** Qualidade ou modos de chibante. **2.** V. *fanfarrice.* [Sin. ger.: *chibantaria, chibantice, chibantismo.*]
chibantaria. *S. f.* V. *chibança.*
chibante. [De *chibar* + *-nte.*] *Adj. 2 g.* **1.** Rixoso, brigão, valentão. **2.** V. *fanfarrão* (1). **3.** Orgulhoso, altivo, soberbo. **4.** Casquilho, janota: "sentia .... não poder trazer essa filha bem garrida e chibante, coberta dos mais finos e vistosos enfeites." (Alberto Rangel, *Sombras n'Água*, p. 143.) ● *S. 2 g.* **5.** Pessoa chibante. **6.** V. *fanfarrão* (2). ● *S. m.* **7.** *Bras.* V. *assobiador* (4). **8.** V. *cega-olho* (1).
chibantear. *V. int.* Mostrar-se chibante; ostentar valentias, chibar. [Conjug.: v. *frear.*]
chibantesco (ê). *Adj.* Em que há chibança.
chibantice. *S. f.* V. *chibança.*
chibantismo. *S. m.* V. *chibança.*
chibar. [De *chiba*[1] + *-ar*[2].] *V. int.* Chibantear: "Marcha com desembaraço / O noivo e, bizarro e moço, / Chibando vem" (Raimundo Correia, *Poesias*, p. 87).
chibarrada. [De *chibarro* + *-ada*[1].] *S. f.* Rebanho de gado caprino. [Cf. *fato*[3] (1).]
chibarreiro. *S. m.* Guarda de chibarros [v. *chibarro* (1)]; cabreiro.
chibarro. *S. m.* **1.** Chibo (1) castrado. **2.** *Bras.* V. *mestiço* (3).
chibata. [De *chibo.*] *S. f.* **1.** Vara delgada para fustigar; junco. **2.** *P. ext. Bras.* V. *chicote* (1). **3.** *Bras. Cap.* Golpe traumatizante em que o capoeirista, após dar uma rasteira [q. v.] e quando esta não atinge o alvo, se apóia no chão, com uma das mãos e ergue o corpo para atingir o adversário com um dos pés girando em sentido contrário ao movimento da rasteira. A outra perna fica estendida no ar e impede que o adversário se aproxime. **4.** *Bras., N.E. Chulo.* O membro viril.
chibatã. *S. m. Bras. N. E.* a *C. O.* Árvore grande, das matas secas, cerradas e caatingas, da família das anacardiáceas (*Astronium fraxinifolium*), de caule ereto e casca alvacenta, flores pequenas e alvas, e que fornece madeira de lei, usada em marcenaria; ubatã, aroeira-vermelha, jejuíra, gonçalo-alves, sete-cascos.
chibatada. *S. f.* Pancada de chibata; chicotada.
chibatar. *V. t. d.* V. *chibatear:* "prosseguiu no passeio, chibatando .... as florinhas que se abriam" (Camilo Castelo Branco, *O Bem e o Mal*, p. 83).
chibatear. *V. t. d.* Bater, fustigar com chibata; chicotear, chibatar. [Conjug.: v. *frear.*]
chibateiro. *Adj. Bras., AL. Pop.* Ordinário, reles, vagabundo. [Diz-se, em geral, de prostituta.]
chibato. [De *chibo* + *-ato*[1].] *S. m.* Cabrito entre seis meses e um ano: "Ovelhas, cabras, chibatos, anhos" (Conde de Monsaraz, *Musa Alentejana*, p. 151).
chibcha. *S. 2 g.* **1.** Indivíduo dos chibchas, povo encontrado pelos espanhóis em Nova Granada no séc. XVI. ● *S. m.* **2.** Grande família lingüística do noroeste da América do Sul. ● *Adj. 2 g.* **3.** Pertencente ou relativo aos chibchas. [Sin. ger.: *muísca.*]
chibé. [Do tupi *xi'bé.*] *S. m. Bras., AM, PA.* e *MA.* V. *jacuba* (1).
chibo. [Masc. de *chiba.*] *S. m.* **1.** Cabrito de até um ano. **2.** *Bras., RS.* Cabrito inteiro, não castrado.
chica. [Do hipocorístico *Chica*, de *Francisca.*] *S. f.* **1.** Certa bebida alcoólica. **2.** Certa dança de origem africana, marcada por sapateados fortes e requebros dos quadris. **3.** *Bras. Pop.* V. *guimba.* **4.** *Bras.* V. *piranga*[2] (3).
chicana. [Do fr. *chicane.*] *S. f.* **1.** Sutileza capciosa, em questões judiciais. **2.** Ardil, astúcia, tramóia. [Sin. ger.: *chicanice.*]
chicanar. *V. int.* Chicanear.
chicanear. *V. int.* **1.** Fazer chicana (1). **2.** Contestar sem fundamento. **3.** Suscitar dificuldades, por capricho e má fé. [F. paral.: *chicanar.* Conjug.: v. *frear.*]
chicaneiro. *Adj.* e *s. m.* Que, ou aquele que é dado a chicanas forenses; trapaceiro; chicanista.
chicanice. *S. f.* **1.** Emprego de chicana. **2.** V. *chicana.*
chicanista. *Adj. 2 g.* e *s. 2 g.* V. *chicaneiro.*
chicante. [De *chique* + *-ante.*] *Adj. 2 g. Bras., N. Pop.* Bem vestido; chique.
chicarola. [Alter. de *escarola.*] *S. f.* V. *endívia.*
chicha. *S. f.* **1.** *Inf.* Carne[1] (3). **2.** *Inf.* Qualquer gulodice. **3.** Tradução interlinear. **4.** Apontamento. **5.** *Bras.* Bebida fermentada, em geral feita de milho, mas também de sementes de frutas, tubérculos ou mel.
chicharo. [Do lat. *cicere*, 'grão-de-bico'.] *S. m. Bras., RJ, SP* e *RS.* Planta trepadora ou prostrada, da família das leguminosas (*Lathyrus silvestris*), dotada de flores grandes, variegadas, dispostas em racimos frouxos e pedúnculos mais compridos que as folhas, e cujo fruto é vagem glabra, com várias sementes cinzento-violáceas.
chicharro. *S. m.* **1.** Peixe teleósteo, percomorfo, da família dos carangídeos (*Trachurus trachurus* (L.)), do Atlântico, conhecido na Europa e também no Japão, de dorso glauco, restante do corpo cinza-prateado, com mancha negra no opérculo. Alimenta-se de outros peixes, e sua pesca se faz com linhas e redes. **2.** V. *carapau* (1). **3.** O carangídeo *Trachurops crumenophthalmus* (Bloch), da costa atlântica dos E.U.A. ao RJ. É espécie muito semelhante à *Trachurus* (L.).
chicharro-branco. *S. m. Bras.* V. *chicharro-pintado.* [Pl.: *chicharros-brancos.*]
chicharro-calabar. *S. m. Bras.* V. *carapau* (1). [Pl.: *chicharros-calabares* e *chicharros-calabar.*]
chicharro-cavala. *S. m. Bras.* V. *carapau* (1). [Pl.: *chicharros-cavalas* e *chicharros-cavala.*]
chicharro-de-olho-grande. *S. m. Bras.* V. *chicharro-pintado.* [Pl.: *chicharros-de-olho-grande.*]
chicharro-pintado. *S. m. Bras.* Peixe teleósteo, percomorfo, da família dos carangídeos (*Decapterus punctatus* (Agass.)), do Atlântico, dos E.U.A. ao RJ. Tem dorso verde-mar, abdome prateado, com 10 pontos negros no tórax e uma pinta logo após as nadadeiras dorsal e anal. Sua carne é de qualidade inferior. [Pl.: *chicharros-pintados.* Sin.: *chicharro-branco, chicharro-de-olho-grande.*]
chichelo. [Var. expressiva de *chinelo.*] *S. m. Bras., N.E. E. Ant.* Chinelo.
chichiar. *V. int. Bras.* Chiar muito.
chichica-d'água. *S. f. Bras.* Cuíca-d'água. [Pl.: *chichicas-d'água.*]
chichisbéu. [Do it. *cicisbeo.*] *S. m.* Aquele que corteja com assiduidade, ou galanteia, uma mulher: "Nos bailes reina e se ufana / Dos chichisbéus que extasia." (Raimundo Correia, *Poesias*, p. 257).
chichuta. *S. m. Bras., AM.* V. *chicuta.*
chicle. [Do náuatle *tzictli*, atr. do esp. *chicle.*] *S. m.* **1.** O látex da sapota, matéria-prima da goma de mascar. **2.** *P. ext.* goma de mascar; chiclete.
chiclete. [Marca registrada (do ingl. *Chiclet* < esp. *chicle*).] *S. m.* Chicle (2): "Devagar os carros, avançando no meio dos transeuntes, das barraquinhas de chiclete e confeitos." (Ricardo Ramos, *Matar um Homem*, P. 160.)
chico[1] [Hipocorístico de *Francisco.*] *S. m.* **1.** *Bras. Fam.* Qualquer dos macacos domésticos. **2.** *Bras. Pop.* V. *menstruação* (1). **3.** *Bras. Mar. Merc. Gír.* Comandante do navio; tio. **4.** *Bras., GO.* V. *mentiroso* (4). ● *Adj.* **5.** *Bras., GO.* V. *mentiroso* (1).
chico[2]. *S. m.* V. *bocha* (1).
chico[3]. *S. m. Lus.* Porco (1).
chico[4]. *S. m. Bras.* **1.** Indivíduo dos chicos, tribo indígena que habitava a Serra Negra (AL). ● *Adj.* **2.** De, ou pertencente ou relativo a essa tribo.
chico[5]. *S. m. Bras., PR. Folcl.* Marca (22) do fandango dançada em roda de quatro, com dois pares, batida e valsada como o xará-grande, alternando-se as duas formas.
chico-da-ronda. *S. f. Bras., RS.* V. *chico-puxado.* [Pl.: *chicos-da-ronda.*]
chico-das-dores. *S. m. Bras., CE. Pop.* V. *chicote* (1). [Pl.: *chicos-das-dores.*]
chico-de-roda. *S. m. Bras., RS.* V. *chico-puxado.* [Pl.: *chicos-de-roda.*]
chicolerê. *S. m. Bras., SP.* V. *joão-bobo.*
chico-magro. *S. m. Bras.* V. *bicho-pau* (1). [Pl.: *chicos-magros.*]
chico-preto. *S. m. Bras.* **1.** Ave passeriforme, da família dos fringilídeos (*Volatinia jacarina splendens* (Vieil.)), distribuída desde o México até o N. do Brasil. Coloração preto-azulada brilhante, com mancha branca, formada pelas margens das rêmiges, no lado inferior da asa do macho. [Sin.: *serra-serra.*] **2.** *Bras., N.* V. *graúna.* [Pl.: *chicos-pretos.*]
chico-puxado. *S. m. Bras., RS.* Variedade de fandango; chico-da-ronda, chico-de-roda, puxado. [Pl.: *chicos-puxados* e *chico-puxados.*]
chicória. [Do gr. *kichória*, pelo lat. *cichoria*, pl. de *cichorium.*] *S. f.* **1.** Planta pequena, lactescente, da família das compostas (*Chicorium endivia*), de flores azuis dispostas em capítulos, frutos com escamas agudas e desiguais, e folhas verdes e comestíveis, que podem ser crespas, onduladas ou lisas. **2.** *Bras., SP.* Designação dada pelos garimpeiros aos granates rubros transparentes.
chicotaço. *S. m. Bras., RS.* V. *chicotada.*
chicotada. *S. f.* Pancada com chicote. [Sin.: *chibatada, vergalhada, vergastada, chavascada* e (RS). *chicotaço.*]
chicotar. *V. t. d.* V. *chicotear.*
chicote. *S. m.* **1.** Cordel entrançado ou correia de couro ligada ou não a um cabo de madeira, e comumente usado para castigar animais; açoite, azorrague, chabuco, chibata, chico-das-dores, França, gurinhém, habena, látego, muxinga, peia, peia-boi, preaca, vergalho, vergasta. **2.** Movimento de lacete, rápido e sacudido, da máquina de um trem. **3.** Nos parques de diversões, conjunto mecânico, de movimentos bruscos. **4.** *Ant.* Trança de cabelo. **5.** *Marinh.* Cada uma das extremidades (de cabo, corrente, amarra, etc.). **6.** *Bras.* Amarrado de fios de estopa longos, usado para lavar automóveis.
chicoteamento. *S. m.* Ato ou efeito de chicotear: "confesso que não posso assistir ao chicoteamento de um cavalo sem cólera no coração." (José Gomes Ferreira, *O Mundo dos Outros*, p. 127).

chicotear. *V. t. d.* Dar chicotadas em; zurzir, flagelar, chibatear; chicotar: "Seu filho Michel pôs-me um dia sobre o cavalo e chicoteou-o, fazendo-o disparar comigo." (Afonso Arinos, *Primo Canto*, p. 31.) [Conjug.: v. *frear.*]

chicote-queimado. *S. m. Bras.* **1.** Brinquedo infantil em que uma criança tenta alcançar as outras batendo com um lenço enrolado, em forma de chicote: "Era depois a vez dos jogos de corrida, entre os quais figurava notavelmente o saudoso e rijo chicote-queimado." (Raul Pompéia, *O Ateneu*, p. 150) **2.** Brinquedo infantil em que uma criança esconde um objeto que deverá ser procurado pelas outras, que, cada vez que se aproximam dele, são advertidas pela que o escondeu com as palavras "está quente", e quando se afastam "está frio", e quando o encontra, ouve a outra gritar "chicote-queimado!" e passa, então, a ser quem o esconde; chicotinho-queimado. [Pl.: *chicotes-queimados.*]

chicotinho-queimado. *S. m. Bras.* Chicote-queimado. [Pl.: *chicotinhos-queimados.*]

chicuta. *S. m. Bras., AM.* V. *nenê.* [Var.: *chichuta.*]

chidova. *S. f. Bras.* Peixe teleósteo, caraciforme, da família dos caracídeos *(Serrasalmus undulatus* Goeldi).

chifarote. [Dim. de chifra, com suarabácti.] *S. m.* Espada curta e reta: "— Qual a mais forte das armas? —/ O terçado, a fisga, o chuço, / O dardo, a maça, o virote? / A faca, o florete, o laço, / O punhal, ou o chifarote?..." (Fagundes Varela, *Poesias completas, II*, p. 360.)

➡**chifrier** (xifriê). [Fr.] *S. m. Cont.* Livro usado pelos bancos e grandes empresas para, sob os títulos das respectivas contas, contabilizar apenas em cifras, sem nenhum histórico, a generalidade das suas operações.

chifra. [Do ár. *xîfrâ.*] *S. f.* Instrumento em forma de faca ou de formão, para raspar, adelgaçar ou chanfrar couro; chanfra, chanfradeira.

chifraço. *S. m. Bras., RS.* V. *chifrada.*

chifrada. *S. f. Bras.* Golpe de chifre; chifraço, cornada, cornaço, guampada, guampaço.

chifradeira. *S. f. Bras.* Correia que prende um ao outro os bois duma junta, pelas pontas dos chifres.

chifrar[1]. *V. t. d.* Adelgaçar (o couro) com a chifra.

chifrar[2]. [De *chifre* + *-ar*[2].] *V. t. d.* V. *cornear.*

chifre. [Do esp. ant. *chifle*, dev. de *chiflar*, 'assobiar'.] *S. m.* V. *corno* (1). ♦ **Botar chifre em.** *Bras. Pop.* V. *cornear* (2). **Botar nos chifres da Lua.** Botar nas alturas; enaltecer. **Pôr chifre em.** V. *cornear* (2): "Bestinha pela Raimunda e a peste pondo chifre nele." (Nélio Reis, *Subúrbio*, p. 47.) **Ser do chifre furado.** *Bras. Pop.* Ser disposto, audaz.

chifre-de-boi. *S. m. Bras., MG.* Designação vulgar da silimanita, em massas discóides. [Pl.: *chifres-de-boi.*]

chifre-de-cabra. *S. m. Bras., PE* e *AL.* **1.** *Pop.* V. *avaro* (3). **2.** Indivíduo sem préstimo. [Pl.: *chifres-de-cabra.*]

chifre-de-cão. *S. m. Bras.* V. *chifre-de-veado.* [Pl.: *chifres-de-cão.*]

chifre-de-veado. *S. m. Bras., MG* e *RS.* Planta herbácea e viscosa, da família das martiniáceas *(Martynia lutea)*, de caule carnoso e folhas verde-acinzentadas, flores grandes, com duas brácteas, aromáticas, amarelo-laranja, e cujo fruto é cápsula oblonga amarelo-esverdeada; chifre-de-cão, cornos-do-diabo. [Pl.: *chifres-de-veado.*]

chifre-furado. *S. m. Bras., CE.* Coisa forte, eficaz, segura. [Pl.: *chifres-furados.*]

chifrudo. *Adj.* **1.** *Bras.* Que tem chifres. **2.** *Bras. Pop.* V. *corno* (10). ● *S. m.* **3.** *Bras. Pop.* V. *corno* (8).

chila[1]. [F. red. de *chila-caiota.*] *S. f.* Abóbora pequena, da qual se fazem doces. [Cf. *xila.*]

chila[2]. [Do quimb. *xila.*] *S. f. Ant.* Fazenda de algodão fabricada outrora na Inglaterra e que do Brasil era reexportada para a África. [Cf. *xila.*]

chila-caiota. [Do náuatle *tzilakayútl.*] *S. f.* Aboboreira que dá a chila[1]. [F. paral.: *gila-caiota.* Sin.: *gila.* Pl.: *chilas-caiotas.*]

chile. [F. red. de *chapéu-do-chile.*] *S. m.* V. *chapéu-do-chile.*

chilenas. [Do esp. plat. *chilenas.*] *S. f. pl. Bras., S.* e *GO.* Grandes esporas, cujas rosetas às vezes têm mais de meio palmo de diâmetro: "Apertei as chilenas no pangaré" (Hugo de Carvalho Ramos, *Tropas e Boiadas*, p. 5).

chileno. [Do esp. *chileno.*] *Adj.* **1.** Do ou pertencente ou relativo ao Chile (América do Sul). ● *S. m.* **2.** O natural ou habitante do Chile. **3.** *Bras., S.* Vacum de uma raça desse nome. [Cf. *xileno.*]

chilido. [Voc. onom.] *S. m.* Chilreio agudo de pássaros novos: "Pareceu-lhe mesmo ouvir um vago chilido de ave" (Aquilino Ribeiro, *Caminhos Errados*, p. 208).

chilindrão. [Do esp. *chilindrón.*] *S. m.* Certo jogo de cartas.

chilique. *S. m.* **1.** *Pop.* V. *síncope* (1). **2.** *Faniquito nervoso; fricote.*

chilrada. *S. f.* **1.** O chilrar dos pássaros. **2.** Muitos chilreios. [F. paral.: *chilreada.*]

chilrão. *S. m.* Rede para pescar camarões.

chilrar. [Voc. onom.] *V. int.* **1.** Pipilar; gorjear: "os pássaros chilram e amam" (Oliveira Martins, *O Brasil e as Colônias Portuguesas*, p. 137). **2.** Falar muito; tagarelar: *Crianças chilram no jardim. T. d.* **3.** Exprimir em gorjeios; cantar: *Os pássaros chilravam melodias alegres.* [F. paral.: *chilrear.* No sentido próprio, *chilrar* não se emprega nas duas 1as pess.]

chilre. *Adj. 2 g.* V. *chilro*[2].

chilreada. *S. f.* Chilrada.

chilreador (ô). *Adj.* **1.** Que chilreia. **2.** Palrador, tagarela. [Sin., nessas acepç.: *chilreante, chilreiro.*] ● *S. m.* **3.** Aquele que chilreia.

chilreante. *Adj. 2 g.* V. *chilreador* (1 e 2).

chilrear. [Voc. onom.] *V. int.* e *t. d.* V. *chilrar:* "Voavam no céu azul, chilreando, as andorinhas..." (Olegário Mariano, *Toda uma Vida de Poesia*, I, p. 314.) [Conjug.: v. *frear.*]

chilreio. [Dev. de *chilrear.*] *S. m.* Ato de chilrear; chilro: "trinados e chilreios nas árvores orvalhadas." (Nélson de Faria, *Tiziu e Outras Estórias*, p. 108).

chilreiro. *Adj.* V. *chilreador* (1 e 2).

chilro[1]. [Dev. de *chilrar.*] *S. m.* Chilreio.

chilro[2]. [Do pré-romano, atr. do esp. *chirle.*] *Adj.* **1.** Diz-se do caldo insípido, que não foi engrossado e temperado: *sopa chilra.* **2.** *Fig.* Sem graça; insípido, insulso: "o velho militar contava anedotas .... tão chilras, que todos eram obrigados a rir e a se mostrar satisfeitos." (José de Alencar, *A Viuvinha*, p. 103). **3.** Sem valor; insignificante: "Confessei .... que .... o meu relato saíra chilro, insignificante e mal observado" (Cândido Jucá [Filho], *Noite Insone*, p. 108). [F. paral.: *chilre.*]

chim. [De *chino*, por apócope.] *Adj. 2 g.* e *s. 2 g.* V. *chinês* (1 e 2): "Gosto daquela fábula chim!" (Antônio Feliciano de Castilho, *Camões*, I, p. X); "olhos apertados e oblíquos como os dum chim" (Coelho Neto, *A Conquista*, p. 40).

chimango. *S. m. Bras.* V. *ximango.*

chimarra. *S. f.* V. *samarra.*

chimarrão. [Do esp. plat. *cimarrón.*] *Adj.* e *s. m.* **1.** *Bras., RS.* Diz-se de, ou rês que foge para os matos e se torna selvagem. [Sin. no (N. e N.E.): *barbatão.*] **2.** Diz-se de, ou cão sem dono, cão bravio, que, fora de casa, se nutre de animais que mata. **3.** Diz-se de, ou mate cevado sem açúcar, ou qualquer outra bebida sem açúcar — café, chá, etc. ∼ V. *mate* —.

chimarrear. *V. int. Bras., RS.* Tomar chimarrão; chimarronear [Conjug.: v. *frear.*]

chimarrita. [Var. de *chama-rita* (2).] *S. f. Bras., RS, PR* e *SP.* **1.** Modalidade do fandango, de origem açoriana, onde os pares, em fileiras opostas, se cruzam e se afastam e tornam a aproximar-se, como nas evoluções das danças portuguesas; Limpa-banco. **2.** A cantiga que acompanha essa dança.

chimarronear. *V. int. Bras., RS.* Chimarrear. [Conjug.: v. *frear.*]

chimbé. *Adj. 2 g.* V. *ximbé.*

chimbear. *V. int. Bras., RS.* Vadiar, vagabundear, vagabundar. [Conjug.: v. *frear.*]

chimpanzé. [Do voc. dialetal conguês *ki(m)penzi*, atr. do fr. *quimpezé*, atualmente *chimpanzé.*] *S. m.* Grande macaco antropóide *(Anthopopithecus troglodites)*, da África, sobretudo frugívoro, de corpo peludo, pequena capacidade craniana, nariz chato, focinho alongado e sem queixo, caninos salientes, coluna vertebral curvada para a frente, braços muitos longos e pés quase sem calcanhar. É o mais inteligente de todos os animais, depois do homem; medíocre marchador bípede e ótimo trepador arborícola. [Sin.: *pango.* Var.: *chipanzé.*]

chimpar. [De *pinchar*, com metátese.] *V. t. d.* e *i.* **1.** Assentar com violência, pespegar, aplicar: *Chimpou-lhe uma bofetada.* **2.** Pespegar, aplicar: *Chimpei-lhe uma mentira. T. d.* **3.** Bater com força. *P.* **4.** Meter-se de permeio; entremeter-se.

china[1]. [Do top. *China.*] *S. 2 g.* **1.** V. *chinês* (2): "olhos oblíquos de china" (Fialho d'Almeida, *Lisboa Galante*, p. 92). ● *S. f.* **2.** Espécie de raça bovina. ● *S. m.* **3.** Papel da China [q. v.]: "edições preciosas, impressas em holanda, china ou japão." (Afrânio Peixoto, *Poeira da Estrada*, p. 111).

china[2]. [Do quíchua *tchina*, 'fêmea de animal', atr. do esp. plat. *china.*] *S. f.* **1.** *Bras.* Mulher de índio. **2.** *Bras.* Pessoa do sexo feminino da raça aborígine, ou que apresenta alguns dos caracteres étnicos desta raça. **3.** *Bras.* Mulher de cor morena carregada. **4.** *Bras.* Cabocla [V. *caboclo*[1] (1)]. **5.** *Bras., AM* e *RS.* V. *concubina* (1). **6.** *Bras., S.* V. *meretriz.*

chinarada. *S. f.* **1.** *Bras., RS.* Grande número de chinas [v. *china*[2]]. **2.** As chinas. [Sin. ger.: *chinaredo, chineiro, chinerio.*]

chinaredo (ê). *S. m. Bras., RS.* V. *chinarada.*

chincada[1]. *S. f.* Ato ou efeito de chincar.

chincada[2]. *S. f. Bras., N.E. Fam.* **1.** Censura indireta. **2.** Indireta grosseira, pesada. **3.** Indireta.

chincar[1]. *V. int.* Var. de *cincar.* [Conjug.: v. *trancar.*]

chincar[2]. *V. t. d.* **1.** Provar; experimentar. **2.** Gozar; lucrar. **3.** Fazer cambalear. **4.** Fazer cair em (armadilha). [Conjug.: v. *trancar.*]

chincha. *S. f.* **1.** Barco de pesca. **2.** Pequena rede de arrastar. **3.** *Bras.,* S. V. *cincha.*

chinchar. *V. t. d. Bras.,* S. V. *cinchar*[2].

chincheiro. *S. m. Bras.* V. *maconheiro* (2).

chinchila. *S. f.* **1.** Pequeno mamífero roedor, dos Andes (América do Sul), cinzento-claro, de pêlos finos e sedosos, e pele muito procurada para agasalho. **2.** A pele desse animal. **3.** *Fig.* Homem de má figura. **4.** Certa raça de coelhos.

chincho. *S. m.* V. *cincho*[1]: "Enquanto os chinchos modelavam os queijos nas mãos curtas de Lanja, ele .... armava uma arapuca." (José Vieira, *Vida e Aventura de Pedro Malasarte*, p. 147.)

chinchorro (ô). *S. m.* **1.** Espécie de chincha (1 e 2). **2.** *Fig.* Animal, carro ou navio ronceiro. **3.** *Fig.* Pessoa indolente, vagarosa.

chincoã. [Voc. onom.] *S. m. Bras., Amaz.* Designação comum a uma ave cuculiforme, da família dos cuculídeos *(Piaya cayana* (L.)), e a suas subespécies amazônicas, de coloração vermelho-castanha, retrizes vermelhas com brilho purpúreo e pontas brancas, garganta cor-de-rosa, peito e abdome cinzentos. [Sin.: *atingaçu, atinguaçu, atingaú, atiuaçu, tincoã, maría-caraíba.*]

chincoã-pequeno. *S. m. Bras.* Ave cuculiforme da família dos cuculídeos *(Coccycua rutila* (Ill.)), do C. e O. do País, antinge os países limítrofes, de coloração vermelho-castanha, cauda com pontas brancas, garganta e peito anterior vermelhos, abdome enegrecido e bico amarelo. [Pl.: *chincoãs-pequenos.*]

chinear. [De *china*[2] (6) + *-ear.*] *V. int. Bras., RS.* Andar à procura de chinas [v. *china*[2] (5 e 6)], ou estar com elas. [Conjug.: v. *frear.*]

chineiro. [De *china*[2] (6) + *-eiro.*] *Adj.* **1.** *Bras., RS.* Que tem o hábito de procurar chinas. ● *S. m.* **2.** *Bras., RS.* V. *chinarada.*

chinela. [De *cianela*, f. dialetal genovesa.] *S. f.* Chinelo (1).

chinelada. *S. f.* Pancada com chinela ou chinelo.

chineleiro. *S. m.* **1.** Aquele que faz chinelos e/ou chinelas. **2.** *Fig.* Indivíduo reles.

chinelo. [De *chinela.*] *S. m.* **1.** Calçado macio, geralmente sem salto, para uso doméstico; chinela. **2.** Sapato velho e acalcanhado. [Sin. (bras., N.E.) ant.: *chichelo.*] ♦ **Amanhecer de chinelos trocados.** *Bras. Fam.* Acordar irritado, de mau humor. [Sin. (em MG): *amanhecer com a avó atrás do toco.*] **Botar no chinelo.** Levar vantagem; suplantar; meter no chinelo, pôr no chinelo. **Meter no chinelo.** V. *botar no chinelo.* **Pôr no chinelo.** V. *botar no chinelo.*

chinerio. [Do esp. plat. *chinerío.*] *S. m. Bras., RS.* V. *chinarada.*

chinês. *Adj.* **1.** Da, ou pertencente ou relativo à China (Ásia); chino, chim. ∼ V. *linha* —*a.* ● *S. m.* **2.** O natural ou habitante da China; china, chino, chim. [Flex.: *chinesa* (ê), *chineses* (ê), *chinesas* (ê).] **3.** A língua sino-tibetana da China. V. *sino-tibetano* (2).

chinesice. *S. f.* **1.** Modos ou procedimento de chinês (1 e 2). **2.** Bugiganga, miudeza, bagatela. **3.** Artifício que revela grande paciência. **4.** Coisa ou ação complicada e de utilidade incerta. **5.** *Art. Plást.* Denominação genérica de trabalho ornamental pintado em vermelho, azul e ouro, à imitação do oriental.

chinfra. *S. f. Bras. Gír.* **1.** V. *onda* (13). **2.** Empáfia, pose; onda: *É um sujeito cheio de chinfra.*

chinfrão. *S. m.* Antiga moeda portuguesa, do valor de 14 réis.

chinfreiro. *Adj. Bras. Gír.* Que está na moda, na onda; moderno. [Diz-se, em geral, de roupas, carros, etc.]

chinfrim. *Adj. 2 g.* **1.** Insignificante, reles. ● *S. m.* **2.** *Bras.* V. *arrasta-pé* (1). **3.** *Bras.* V. *rolo*[1] (16). **4.** *Pop.* Algazarra, vozearia, chinfrinada, chinfrineira, chinfrini-

ce. **5.** *Pop.* Desordem, confusão, chinfrinada, chinfrineira, chinfrinice.
chinfrinação. *S. f.* Ato ou efeito de chinfrinar.
chinfrinada. *S. f.* **1.** *Pop.* V. *chinfrim* (4 e 5). **2.** Coisa ridícula.
chinfrinar. *V. int.* **1.** Fazer chinfrim ou desordem. *T. d.* **2.** *Bras. Gír.* Escarnecer de; ridicularizar. **3.** Mexer com; provocar, irritar.
chinfrineira. *S. f.* V. *chinfrim* (4 e 5).
chinfrinice. *S. f.* V. *chinfrim* (4 e 5).
chinguiço. *S. m.* Rodilho que os carregadores põem no cachaço, para apoiar o pau, quando fazem fretes a pau e corda.
chininha. [Dim. de *china*[2].] *S. f. Bras., RS.* Filha de china[2]; caboclinha, chinoca.
chino. *Adj.* e *s. m.* V. *chinês* (1 e 2).
chinó. [Do fr. *chignon.*] *S. m.* V. *cabeleira*[1] (2).
chinoca. *S. f. Bras., RS.* V. *chininha.*
chinocão. *S. m. Bras., RS.* Chinoca bonita, robusta, vistosa.
chinquilho. [De *cinco* + *-ilho.*] *S. m. Pop.* V. *malha*[4] (3).
chintz (xin). [Do ingl.] *S. m.* Tecido lustroso de algodão, geralmente estampado com flores coloridas, ou totalmente liso, usado em decoração de ambientes.
chio. [Voc. onom.] *S. m.* **1.** Som agudo produzido pelas rodas dos carros. **2.** Voz aguda de alguns animais (pássaros, ratos e cigarras); guincho. **3.** Chiada (1). **4.** *Bras.* Mecha ou pequeno canudo cheio de pólvora, que serve de rastilho aos fogos de artifício.
chioba. *S. m. Bras.* V. *cioba* (1 e 2).
➡**chip** (tchip). [Ingl.] *S. m.* Nos circuitos miniaturizados, plaqueta de silício de dimensões, muito reduzidas e que contém elementos semicondutores como transistores, diodos, circuitos integrados.
chipa. *S. f. Bras., RS.* Bolo que se preparava com a massa de milho fervido, socado e passado na peneira, misturado com leite e assado no borralho, e que hoje se faz de polvilho e queijo ralado, em forma de rosquinha, levado ao forno.
chipanzé. *S. m.* V. *chimpanzé.*
➡**chippendale** (tchipendeil'). [Ingl.: de *Chippendale,* marceneiro do séc. XVIII.] *S. m.* Estilo inglês de mobília, variedade de rococó.
chique[1]. *El. s. m.* Us. na loc. pron. *nem chique nem mique.* ♦ **Nem chique nem mique.** Coisa alguma; nada.
chique[2]. [Do fr. *chic.*] *Adj. 2 g.* **1.** Elegante no trajar. **2.** De bom gosto; esmerado, apurado. **3.** Bonito, elegante.
chiquê. *S. m. Pop.* Recusa fingida a fazer ou aceitar alguma coisa; luxo, afetação.
chiqueira. *S. f. Bras.* V. *quero-quero.*
chiqueirá. *S. m. Bras., N.* e N.E. V. *chiqueirador.*
chiqueirador (ô). [De *chiqueirar* + *-dor.*] *S. m. Bras., N.* e *N.E.* Relho amarrado na ponta dum cacete para servir de chicote; chiqueirá, frança. [Cf. *enchiqueirador* (1).]
chiqueirar. *V. t. d. Bras., N.* e *N.E.* Separar (o bezerro) da vaca a fim de que não mame, ou de que seja desmamado.
chiqueireiro. *Adj. Bras.* Diz-se do animal acostumado a dormir no chiqueiro.
chiqueiro. [De *chico*[2] + *-eiro.*] *S. m.* **1.** Pocilga ou curral de porcos; enxurdeiro. **2.** *Fig.* Casa (1) imunda. **3.** Lugar imundo. **4.** Um dos compartimentos de um curral-de-peixe [q. v.], donde não pode mais sair o peixe que lá entrou. **5.** *Bras.* Tapagem que se faz num riacho a fim de impedir que por ele desça o peixe tinguijado. **6.** Pequeno curral onde se encerram bezerros mansos, ovelhas ou porcos. **7.** Nas lavras diamantinas, ensecadeira.
chiquismo. *S. m.* Qualidade do que é chique[2].
chiquito[1]. *S. m. Bras., N.E,* e *prov. lus.* Sapatinho de criança.
chiquito[2]. *Bras. S. m.* **1.** Indivíduo dos chiquitos, tribo indígena que habita MT e a Bolívia. ● *Adj.* **2.** De, ou pertencente ou relativo a essa tribo.
chirca. [Do quíchua *tx'ilka,* atr. do esp. plat. *chilca,* com dissimilação.] *S. f.* **1.** *Bras., RS.* Arbusto da família das compostas (*Eupatorium pinnatifidum*), dotado de capítulos numerosíssimos, racemosos, dispostos em panículas amplas, inclinadas, e cujo fruto é aquênio glabro. **2.** *Bras.* Erva daninha que inutiliza os pastos.
chircal. [Do esp. plat. *chilcal,* com dissimilação.] *S. m. Bras., RS.* Quantidade mais ou menos considerável de chircas dispostas proximamente entre si.
chirinola. [Do esp. *chirinola.*] *S. f. Pop.* **1.** Confusão, trapalhada. **2.** Coisa que não se entende, embrulhada, confusa.
chiripa. [Do esp. *chiripa.*] *S. f. Bras., S.* Bambúrrio (3).
chiripá. [Do quíchua *xiri pac,* 'para o frio', atr. do esp. plat. *chiripá.*] *S. m. Bras., S.* Vestimenta sem costura, outrora usada pelos gaúchos habitantes do campo, e que consistia num metro e meio de fazenda que, passando por entre as pernas, era presa à cintura por uma cinta de couro ou pelo tirador.
chiripear. *V. int. Bras., S.* Ganhar por chiripa. [Conjug.: v. *frear.*]
chiripento. *Adj.* e *s. m. Bras., S.* Diz-se de, ou indivíduo que chiripeia, que é feliz no jogo por acaso.
chirivia. *S. f. Bras.* Planta herbácea da família das umbelíferas *(Pastinaca sativa),* de raiz carnosa comestível e folhas com segmentos ovado-lanceolados, e cujas flores amarelas, com pétalas enroladas para dentro, são tidas por medicinais.
chirriada. *S. f.* Ato de chirriar.
chirriante. *Adj. 2 g.* Que chirria.
chirriar. [Voc. onom.] *V. int.* **1.** Cantar (a coruja): "Casas mineiras, avarandadas, ... barracões feitos para c h i r r i a r e m as corujas" (Alberto Rangel, *Papéis Pintados,* p. 146). **2.** Produzir som agudo e prolongado como a voz da coruja.
chiru. [Do tupi *xe i'ru,* 'meu companheiro'.] *Bras., S. S. m.* **1.** Índio ou caboclo. ● *Adj.* **2.** Acaboclado. [Fem.: *chirua.*]
chirua. *Adj. (f.)* e *s. f.* Fem. de *chiru.*
chispa. [Voc. onom.] *S. f.* **1.** V. *faísca* (1). **2.** Fulgor rápido; lampejo. **3.** *Fig.* Talento, gênio. **4.** Incenso-de-caiena.
chispada. *S. f. Bras.* Ação de chispar (3); corrida rápida; disparada.
chispante. *Adj. 2 g.* Que chispa.
chispar. *V. int.* **1.** Lançar chispas [v. *chispa* (1 e 2)]; chispear: *O metal incandescente* c h i s p a v a *; Seus olhos* c h i s p a v a m *;* "C h i s p a m verdes fuzis riscando o céu sombrio" (Olavo Bilac, *Poesias,* p. 69). **2.** *Fig.* Encolerizar-se; exasperar-se; chispear. **3.** *Bras.* Correr em disparada: *Ao receber a notícia,* c h i s p o u *;* "Caminhões conduziam tropa, jipes c h i s p a v a m." (Carlos Drummond de Andrade, *Fala, Amendoeira,* p. 262.) *T. d.* **4.** Lançar de si (fogo, lume, etc.): *A fogueira* c h i s p a v a *fagulhas;* "De súbito ele vem, calmo e branco, a aparência / De um deus, olhar c h i s p a n d o ansiedades secretas." (Olegário Mariano, *Toda uma Vida de Poesia,* I, p. 222.)
chispe. *S. m.* Pé de porco; pé, pezunho.
chispear. *V. int.* V. *chispar* (1 e 2): "O tostado arrebentou as duas paletas na encontrada e caiu, sacudindo a cola, os olhos c h i s p e a n d o de beiço enrugado e subido de dor." (Simões Lopes Neto, *Contos Gauchescos e Lendas do Sul,* p. 233.) [Conjug.: v. *frear.*]
chiste. [Do esp. *chiste.*] *S. m.* Dito gracioso; facécia, piada, pilhéria, gracejo: "Graças, c h i s t e s , e facécias, que movem o riso, são para o tablado da Comédia, e não para o Púlpito" P[e.] Manuel Bernardes, *Os Últimos Fins do Homem,* p. 376).
chistoso (ô). *Adj.* Que tem chiste; engraçado, espirituoso. [Fem.: *chistosa.* Cf. *xistoso,* adj., fem. *xistosa,* e o s. f. *xistosa.*]
chita. [Do sânscr. *chitra,* 'matizado', atr. do neo-árico *chhit.*] *S. f.* **1.** Tecido ordinário, de algodão, estampado a cores. **2.** *Bras., L.* e *S.* Designação comum a várias espécies do gênero *Oncidium,* família das orquidáceas, plantas terrestres ou epífitas, ornamentais, com flores grandes ou pequenas, em geral amarelas, e algumas aromatizadas. ● *Adj. 2 g.* **3.** *Bras.* Diz-se do vacum de pêlo branco e vermelho; chitado.
chitado. [De *chita* + *-ado*[1].] *Adj. Bras.* Chita (3).
chitão[1]. *S. m. Bras.* Chita estampada de padrão grande: "Saia comprida de c h i t ã o , casaco vermelho, ... lá vai ela se balançando." (Gilvã Lemos, *Jutaí Menino,* p. 53.)
chitão[2]. *Interj. Desus.* Silêncio, caluda. [Var.: *chitom.*]
chitão[3]. [Do gr. *chíton,* pelo fr. *chiton.*] *S. m. Zool.* V. *quíton.*
chitaria. *S. f.* Estabelecimento ou fábrica de chitas.
chitau. [De possível or, indígena.] *S. m. Bras.* Peixe teleósteo, caraciforme, da família dos caracídeos, provavelmente uma das espécies de piranhas, cujo nome científico ainda não está bem correlacionado com o popular.
chitom. *Interj.* Var. de *chitão*[2].
choca[1]. [Do persa *chogan,* atr. do lat. medieval *chuca.*] *S. f.* **1.** Jogo de bola em que esta é rebatida com um grosso pau. **2.** A bola desse jogo. **3.** O pau com que, nesse jogo, se rebate a bola.
choca[2]. [Do lat. tardio *clocca.*] *S. f.* **1.** Chocalho grande. **2.** Vaca que guia os touros bravos.
choca[3]. *S. f. Fam.* Salpico ou mancha de lama na barra de uma roupa.
choca[4]. *S. f. Bras.* Designação comum a várias espécies de aves passeriformes da família dos formicarídeos, com numerosos gêneros e espécies no Brasil, especialmente *Thamnophilus* Vieil., com 11 espécies e algumas subespécies. Têm a extremidade do bico fortemente curvada em forma de gancho. [Sin.: *batará, mbatará (q. v.)* e *embetara.* Cf. *borralhara.*]
choça. *S. f.* **1.** V. *cabana.* **2.** Habitação humilde, pobre: "À porta de humilde c h o ç a , / Uma mulher..." (Vicente de Carvalho, *Poemas e Canções,* p. 205.) **3.** *Gír.* Prisão, cadeia.
chocadeira. *S. f.* Aparelho para chocar ovos.
chocagem. *S. f.* Ato ou operação de chocar.
chocalhada. *S. f.* **1.** Ato de chocalhar. **2.** Ruído de chocalhos. **3.** Porção deles.
chocalhado. [Part. de *chocalhar.*] *Adj.* Agitado, vascolejado.
chocalhante. *Adj. 2 g.* Que chocalha.
chocalhar. *V. t. d.* **1.** Agitar, sacudir, produzindo som semelhante ao do chocalho; chacoalhar: "—Tire o cavalo da chuva! respondeu o padre, c h o c a l h a n d o os dados no copo." (Machado de Assis, *Histórias Românticas,* p. 143.) **2.** Vascolejar (líquido contido num recipiente); chacoalhar: *C h o c a l h o u o coquetel antes de servi-lo.* **3.** Acompanhar ao som de chocalhos. *Int.* **4.** Soar (o chocalho); chacoalhar. **5.** Tocar chocalho. **6.** *Fig.* Dar gargalhadas. **7.** Divulgar segredos.
chocalheiro. *Adj.* **1.** Que chocalha. **2.** Que traz chocalho(s). **3.** *Fig.* V. *leva-e-traz.* ● *S. m.* **4.** Aquele que divulga segredos. **5.** Aquele que fala muito e com indiscrição. **6.** V. *leva-e-traz.*
chocalhice. *S. f.* **1.** Qualidade de quem é chocalheiro. **2.** Dito ou ação de chocalheiro.
chocalho. *S. m.* **1.** Instrumento de metal, provido de badalo e mais ou menos semelhante à campainha, que se põe ao pescoço de animais: "No silêncio tilintavam os c h o c a l h o s dum rebanho de cabras negras" (Eça de Queirós, *A Relíquia,* p. 125). **2.** Cabaça que, agitando-se com pedras dentro, produz som parecido ao do chocalho (1). **3.** Objeto de metal ou de plástico destinado aos bebês, que, agitando-o, se distraem com o ruído. **4.** *Fig.* Pessoa chocalheira (3); intrigante. **5.** V. *xiquexique* (2).
chocalho-de-cascavel. *S. m.* V. *xiquexique* (2). [Pl.: *chocalhos-de-cascavel.*]
chocante. [De *chocar*[1] + *-nte.*] *Adj. 2 g.* Que choca, fere, ofende, melindra.
chocão. [Aum. de *choca*[4].] *S. m. Bras.* Ave passeriforme, da família dos formicarídeos (*Hypoedaleus guttatus* (Vieil.)), do S.E. do Brasil, de coloração preta, com manchas redondas, brancas, nas costas e no peito (macho), lado ventral branco-acinzentado, asas e cauda com estrias brancas. Na fêmea as manchas e estrias são amarelas. Vive em matas e alimenta-se de insetos ou artrópodes de modo geral. [Sin.: *borralhara-pintada.*]
chocar[1]. [Do fr. *choquer.*] *V. t. i.* **1.** Dar choque; ir de encontro: *O caminhão-tanque* c h o c o u *no poste e pegou fogo. Int.* **2.** Ofender, ferir, melindrar alguém: "nos dois livros que tenho presentes, ... nada há que c h o q u e pela extravagância, pelo desusado." (Sousa da Silveira *in Homenagem a Manuel Bandeira,* p. 222). *T. d.* **3.** Ofender, ferir; melindrar: *Tua linguagem licenciosa* c h o c o u *-o profundamente. P.* **4.** Esbarrar reciprocamente; embater-se. [Conjug.: v. *trancar.* Pres. ind.: *choco.* etc. Cf. *choco* (ô).]
chocar[2]. [De *choco* (ô) + *-ar*[2].] *V. t. d.* **1.** Cobrir (os ovos) aquecendo-os com o corpo, a fim de que se desenvolva o embrião e nasça a ave. [Sin.: *incubar, empolhar,* e (bras., GO) *empirrear.*] **2.** *Fig.* Pensar longamente em; planear, premeditar: *Há anos que vem* c h o c a n d o *esta viagem.* **3.** *Bras.* Meter medo a; amedrontar, intimidar. 4. *Bras.* Acariciar com os olhos. *Int.* **5.** Estar no choco[1] (2). **6.** Apodrecer, corromper-se; deteriorar-se: *Alimentos expostos ao calor* c h o c a m *facilmente.* **7.** *Bras., N.E.* Fugir à luta; amedrontar-se, acovardar-se. **8.** Ficar demoradamente à espera: c h o c o u *toda a tarde no cabeleireiro, e não foi atendida.* [Conjug.: v. *trancar.* Pres. ind.: *choco,* etc. Cf. *choco* (ô).]
chocarrear. *V. int.* **1.** Dizer chocarrices; gracejar grosseiramente; chalacear. *T. d.* **2.** Dizer (gracejo, chalaça grosseira): C h o c a r r e o u *umas pilhérias ferinas.* [Conjug.: v. *frear.*]
chocarreiro. [Do esp. *chocarrero.*] *Adj.* **1.** Que diz chocarrices. **2.** Em que há, ou que envolve chocarrice. ● *S. m.* **3.** Aquele que diz chocarrice(s).
chocarrice. *S. f.* **1.** V. *chalaça* (2). **2.** Gracejo atrevido; truanice.
chochar. *V. int. Bras.* Ficar chocho (1 e 2). [Normalmen-

te é defect. Pres. ind.: *chocho, chochas, chocha,* etc. Cf. *chocho* (ô), *chocha* (ô) e *chochas* (ô).]

chochice. *S. f.* **1.** Qualidade de chocho. **2.** Aquilo que é chocho.

chochinha. *S. 2 g.* **1.** Pessoa pequena, muito magra e sem energia. **2.** Palerma, tolo, parvo.

chocho (ô). *Adj.* **1.** Sem suco; seco. **2.** Sem miolo, sem grão; seco, engelhado. **3.** Goro, choco (ovo). **4.** *Fig.* Oco, fútil, vão: "Fazia discursos .... com palavras bonitas, mas chochas." (João de Araújo Correia, *Terra Ingrata,* p. 117.) **5.** *Fig.* Tolo, tonto, simplório. **6.** Enfraquecido, débil. **7.** Sem graça, sem espírito, sem sal; insípido, insulso: "Em si, a matéria é chocha, e não vale a pena de um capítulo, quanto mais dous." (Machado de Assis, *Dom Casmurro,* p. 321). [Flex.: *chocha* (ô), *chochos* (ô), *chochas* (ô). Cf. *chocho, chochas* e *chocha,* do v. *chochar,* e *xoxo,* s. m.]

choco[1] (ô). [Dev. de *chocar.*] *S. m.* **1.** Ato de chocar[2] (1). [Sin.: *incubação* e (bras., GO) *empirreio.*] **2.** O período da incubação. **3.** *Lus.* Animal molusco, cefalópode, decápode, da família dos sepiádeos (*Sepia officinalis* L.), do Atlântico (ilha da Madeira), de cor acastanhada superiormente, branca na face ventral. O dorso é atravessado por faixas transversais irregulares que não atingem as nadadeiras que são azuladas. Comprimento médio: 0,30 m. [Pl.: *chocos* (ô). Cf. *choco,* do v. *chocar.*] ♦ **Estar de choco.** Estar no choco. **Estar no choco.** Estar ou ficar de cama, deitado; estar de choco.

choco[2] (ô). [Do lat. hisp. **clocca,* onom. da voz da galinha choca.] *Adj.* **1.** Diz-se do ovo em que se está desenvolvendo o embrião; goro. **2.** Diz-se da ave que está incubando. **3.** Podre, estragado, chocho. **4.** Sem tempero; insosso, insulso. **5.** Diz-se das águas estagnadas. ~ V. *galinha* —a. [Fem.: *choca.* Cf. *choco,* do v. *chocar.*]

chocolataria. *S. f.* **1.** Fábrica de chocolate (1). **2.** Lugar onde se prepara e vende o chocolate (2).

chocolate. [Do náuatle, atr. do esp. *chocolete.*] *S. m.* **1.** Produto alimentar, em pó ou pastoso, feito de amêndoas de cacau torradas, açúcar e diversas substâncias aromáticas. **2.** Bebida ou bombom preparado com esse produto. **3.** A cor chocolate. ● *Adj. 2 g. e 2 n.* **4.** Da cor do chocolate; amarronzado. ~ V. *pólvora* —.

chocolateira. *S. f.* **1.** Vasilha onde se prepara e/ou serve o chocolate (2). **2.** *P. ext.* Vaso de folha em que se aquece água; cafeteira. **3.** *Bras. Gír.* Cabeça (1). **4.** *Bras. Gír.* Cara, rosto.

chocolateiro. *S. m.* **1.** Fabricante ou vendedor de chocolate. **2.** *Neol.* Negociante ou cultivador de cacau.

chocorreta (ê). *S. f. Ant.* Uma vez (5) de vinho.

chofar. [Do hebr. *shopar.*] *S. m.* Chifre de cabra cujo som, ao ser soprado, servia, nos tempos bíblicos, entre os hebreus, de sinal de comunicação, e que, modernamente, nas sinagogas, é usado antes e durante o *Rosh Hashnah* (ano-novo) e no fim do *Yon Kippur* (dia do perdão).

chofer. [Do fr. *chauffeur.*] *S. m. Condutor de automóvel; motorista.*

choferar. [De *chofer* + *-ar*[2].] *V. t. d. Bras. Pop.* Servir de motorista ou chofer a; conduzir (alguém) em veículo, na condição de motorista.

chofrada. *S. f.* Dito, pancada ou tiro de chofre.

chofrar. *V. t. d.* **1.** Dar de chofre em; acertar, subitamente, com pancada ou golpe. **2.** *Fig.* Vexar com motejo imprevisto; escarnecer de chofre. *T. d. e i.* **3.** Atirar ou arremessar de chofre. *T. i.* **4.** Dar de chofre; ir de encontro; chocar(-se): "uma chalupa a baloiçar-se nas vagas que chofravam de encontro à fortaleza." (Camilo Castelo Branco, *D. Luís de Portugal,* p. 16). *Int.* **5.** Atirar de chofre (o caçador). [Pres. subj.: *chofre,* etc. Cf. *chofre* (ô).]

chofre (ô). [Voc. onom.] *S. m.* **1.** Choque ou pancada repentina. **2.** Tiro contra a ave que se levanta. **3.** Pancada com o taco na bola de bilhar. [Cf. *chofre,* do v. *chofrar.*] ♦ **De chofre. 1.** De repente; de súbito; repentinamente: "deixou escapar um grito .... que cortou de chofre o silêncio do dia." (Inglês de Sousa, *O Missionário,* p. 90). **2.** De chapa, em cheio: "A lua, iluminando suavemente aquele magnífico cenário, batia de chofre na sacada em que se achava uma mulher vestida de branco e com os cabelos soltos." (Artur Azevedo, *Contos fora da Moda,* p. 28.)

chofreiro. *Adj. P. us.* Que faz tudo de chofre.

choldra (ô). *S. f. Pop.* **1.** Coisa imprestável, desprezível. **2.** V. *ralé* (1). **3.** Confusão de gente ordinária; salgalhada. [F. paral.: *joldra.*] ♦ **Ir de choldra.** Ir em confusão ou em má companhia.

choldraboldra. *S. f. Pop.* Choldra, confusão, tumulto.

➧**chômage** (xômáj'). [Fr.] *S. m.* Inatividade forçada, resultante da falta de trabalho, de emprego.

chopa (ô). *S. f.* Ponta aparada em bisel, que pode produzir traços grossos ou finos conforme a posição com que a manuseia o gravador. [F. paral.: *choupa.*]

chopada. *S. f. Bras.* Reunião em que se bebe muito chope.

chope[1] (ô). [Do al. *Schoppen,* atr. do fr. *chope.*] *S. m.* Cerveja fresca de barril.

chope[2] (ô). *S. m. Bras., AM.* Árvore pequena, da família das lecitidáceas (*Gustavia longifolia*), de flores pedunculadas, róseo-purpúreas, e cujo fruto é pixídio globoso de cor vermelho-escura.

chope-duplo. [De *chope*[1] + *duplo.*] *S. m. Bras., RJ. Gír.* Tipo de ônibus de dois andares, que existiu até cerca de 1940 na cidade do Rio de Janeiro. [Pl.: *chopes-duplos.*]

chopim. *S. m. Bras.* V. *chupim* (1).

choque[1]. [Do fr. *choc.*] *S. m.* **1.** Embate, encontro de dois corpos em movimento ou de um corpo em movimento e um em repouso. **2.** Embate, encontrão. **3.** Recontro violento de forças militares. **4.** Carro de choque. **5.** Querela violenta; briga. **6.** Oposição, conflito: "Eu sentia vivamente o choque entre os nossos temperamentos, do norte e do sul" (Fernando Namora, *Retalhos da Vida de um Médico,* p. 118). **7.** Luta, embate: *choque de interesses.* **8.** Abalo emocional; comoção: *Levou um choque ao saber da trágica notícia.* **9.** *Fís.* Qualquer interação entre partículas, agrupamento de partículas ou corpos rígidos, na qual há influência mútua, em geral com troca de energia, quando as partículas se acham muito próximas uma da outra; colisão. **10.** Sensação produzida por uma carga elétrica. **11.** *Patol.* Estado clínico caracterizado por fenômenos que surgem quando a descarga de sangue por parte do coração não é bastante para prover o necessário enchimento das artérias, nem se encontra sob pressão suficiente para atingir órgãos e tecidos. [O estado de choque pode dever-se à perda (integral ou de parte de seus componentes) de massa sangüínea, a fatores nervosos, a fenômenos vasculares ou a alterações cardíacas.] ♦ **Choque elástico.** *Fís.* Aquele em que a energia mecânica do sistema é conservada. [Antôn.: *choque inelástico.*] **Choque inelástico.** *Fís.* Aquele em que a energia mecânica do sistema não é conservada. [Antôn.: *choque elástico.*]

choque[2]. [Do ingl. *choke.*] *S. m. Eletr.* Bobina, geralmente enrolada sobre um núcleo de ferro, que se usa para controlar a intensidade de correntes alternadas num circuito ou para introduzir num circuito uma reatância elevada; reator.

choqueiro. [De *choco*[1] (ô) (1) + *-eiro.*] *S. m.* Lugar onde as galinhas chocam os ovos.

choquento[1]. *Adj.* **1.** Que está choco. **2.** Maldisposto; enfraquecido, adoentado.

choquento[2]. [De *choca* (3) + *-ento.*] *Adj.* Cheio de chocas; enlameado.

choradeira. *S. f.* **1.** Ato de chorar muito e com impertinência. **2.** Lamúria, lamentação. **3.** Pedido lamuriento. **4.** *P. us.* Carpideira (1).

choradinho. [Dim. substantivado do adj. *chorado.*] *S. m. Bras.* V. *baião* (1).

chorado. [Part. de *chorar.*] *Adj.* **1.** Pranteado, lamentado, deplorado: "nesse dia nascera o nunca assaz chorado coronel" (Aluísio Azevedo, *O Mulato,* p. 140). **2.** Tocado ou cantado em tom plangente. **3.** Difícil de obter: *Foi um gol chorado.* ● *S. m.* **4.** *Bras.* V. *baião* (1). **5.** *Bras., MA. Folcl.* Parte do lelê[3] [q. v.] que marca o início da festa, e em que os cantadores e tocadores se apresentam, saúdam os presentes e os cordões dos brincantes, que escolhem os seus pares.

chora-lua. [De *chorar* + *lua.*] *S. m. Bras.* V. *urutau.* [Pl.: *chora-luas.*]

chora-maré. [Alter. de *chama-marés.*] *S. m. Bras.* V. *chama-maré.* [Pl.: *chora-marés.*]

choramigador (ô). *Adj.* e *s. m.* Choramingador.

choramigão. *S. m.* Choramingão. [Fem.: *choramigona.*]

choramigar. [De *chorar* e, decerto, *migas.*] *V. int., t. d.* e *t. d. e i.* Choramingar: "calaram-se ambos. O velho a pensar; o outro, de cabeça baixa, o aspecto infeliz, a choramigar baixinho." (Aluísio Azevedo, *Casa de Pensão,* p. 336). [Conjug.: v. *largar.*]

choramigas. *S. 2 g.* e *2 n.* Choramingas.

choramigona. *S. f.* Fem. de *choramigão.* [q. v.].

choramigueiro. *Adj.* Choramingueiro.

choramingador (ô). *Adj.* e *s. m.* Que, ou aquele que choraminga. [F. paral. *choramigador.*]

choramingão. *S. m.* V. *choramingas.* [F. paral.: *choramigão.* Fem.: *choramingona.*]

choramingar. [Var. de *choramigar,* com. infl. de *míngua.*] *V. int.* **1.** Chorar amiúde e por motivos fúteis. **2.** Chorar em tom baixo. *T. d.* **3.** Proferir em voz de lamúria: "—A dor aumentou ainda mais" — choramingou o doente. *T. d. e i.* **4.** Dizer, contar, em lamentos: Choramingou toda a história da briga para a mãe. [F. paral.: *choramigar.* Conjug.: v. *largar.*]

choramingas. *S. 2 g.* e *2 n.* Pessoa que choraminga; chorão, choramingão. [F. paral.: *choramigas.*]

choramingo. [Dev. de *choramingar.*] *S. m.* Ato de choramingar: "—Tenho que assinar o ponto — explicou o da pasta, quase num choramingo." (Antônio d'Elia, *Os Pistoleiros de Pistóia,* p. 32.)

choramingona. *S. f.* Fem. de *choramingão* [q. v.]. [F. paral. *choramigona.*]

choramingueiro. *Adj.* Que choraminga. [F. paral.: *choramigueiro.*]

chorão[1]. *Adj.* **1.** Que chora muito. **2.** Choroso, plangente, lastimoso: "Uns versos tristes e chorões" (Machado de Assis, *A Semana, II,* p. 102). ● *S. m.* **3.** Indivíduo chorão. **4.** V. *choramingas.* [Fem.: *chorona.*] **5.** *Bras.* Instrumentista que toma parte num choro (3). **6.** *Bras.* Compositor de choro (4 e 5). **7.** *Bras.* Árvore ornamental, australiana, da família das casuarináceas (*Casuarina equisetifolia*), sem folhas e com râmulos verdes, muito cultivada em jardins. **8.** V. *salgueiro* (1). **9.** *Bras.* Ave psitaciforme, da família dos psitacídeos (*Amazona pretei* (Tem.)), do Uruguai e S. do Brasil, de coloração verde, diferindo das outras espécies de papagaios pelo tom escarlate da cabeça, fronte e loros vermelhos, e bordos das asas, até as retrizes maiores das primárias, rubros; papagaio-da-serra. **10.** Designação comum a várias espécies de bagres capazes de emitir sons semelhantes a um choro. **11.** V. *anujá.*

chorão[2]. *S. m. Bras.* F. red. de *mandi-chorão.*

chorão-salgueiro. *S. m. Bras., SC.* Árvore da família das salicáceas (*Salix babylonia*), medicinal, de ramos compridos e pêndulos até o chão, e flor pálida, apétala e unissexuada; salgueiro-chorão, salgueiro-da-babilônia. [Pl.: *chorões-salgueiros* e *chorões-salgueiro.*]

chorãozinho. *S. m. Bras.* V. *anujá.*

chorar. [Do lat. *plorare.*] *V. int.* **1.** Verter ou derramar lágrimas: "Chora de manso e no íntimo..." (Manuel Bandeira, *Estrela da Vida Inteira,* p. 46); "Recordava-lhe .... aquela lágrima quente — única vez que a vira chorar." (Urbano Tavares Rodrigues, *Vida Perigosa,* p. 130.) **2.** Verter ou derramar lentamente gotas de água ou de outro líquido. **3.** Exprimir tristeza, dor, etc., com gemidos, soluços, acompanhados ou não de lágrimas; soluçar. **4.** Lamentar-se, lastimar-se, lamuriar-se; queixar-se: *É uma velha lamurienta: chora dia e noite.* **5.** Ter som análogo à voz do que pranteia: *Esta viola chora que é uma beleza.* **6.** Chorar (13) [q. v.]. **7.** *Bras.* Fazer derramar (bebida servida em doses) mais do que a dose certa: *Ô garçom, chora um pouco aí nesse uísque! T. d.* **8.** Verter ou derramar (lágrimas): "Chorou uma lágrima às escondidas." (Machado de Assis, *Quincas Borba,* p. 188); "Chorou muito; chorou todas as lágrimas poupadas durante aqueles meses plácidos e felizes." (Id., *Helena,* p. 127). **9.** Exprimir em pranto, ou como que em pranto: *As vozes dos infelizes choravam preces;* "Mora [o Ceará] no bojo das violas que choram amor e saudade." (Padre Antônio Vieira, *Sertão Brabo,* p. 25). **10.** Lamentar, lastimar: *Os pais choravam a partida dos filhos para a guerra.* **11.** Sentir profundo desgosto ou saudade pela perda, falta ou ausência de: "sua mulher e seus filhos choraram muito o defunto!" (Ariano Suassuna, *A Pena e a Lei,* p. 150). **12.** Sentir remorsos ou arrependimento de: *chorar os pecados.* **13.** No carteado, verificar o jogo que lhe coube por sorte, descobrindo vagarosamente o canto de (a carta); filar: *chorar as cartas no pôquer.* [Tb. us. como int.: *Aquele cara chora durante quase todo o tempo do jogo.*] *T. i.* **14.** Verter lágrimas: *Muito chorou pelo filho perdido.* **15.** Ter grande pesar ou desgosto pela falta ou perda de alguém: *Toda a nação chorou pelos soldados mortos em ação. P.* **16.** Queixar-se dos próprios males; lastimar-se. [Pres. ind.: *choro,* etc. Cf. *choro* (ô).]

choraria. *S. f. Bras., SP. Pop.* **1.** Choro de muitas pessoas juntas. **2.** Choro prolongado.

chora-vinagre. [De *chorar* + *vinagre.*] *S. m. Bras.* V. *água-viva* (2). [Pl.: *chora-vinagres.*]

chorinho. [Dim. de *choro* (4).] *S. m.* Choro (4) em geral brejeiro e alegre.

choro (ô). [Dev. de *chorar.*] *S. m.* **1.** Ato ou efeito de chorar. **2.** Pranto, lágrimas. **3.** *Bras.* Conjunto de instrumentistas de categoria, essencialmente carioca, surgido em fins do séc. XIX com flauta, violão e cavaquinho (e, mais tarde, acrescido de clarinete, oficleide, bandolim, pistão, trombone), e que tocava em serenatas, bailes familiares e festas populares: "era o c h o r o estimulativo dos músicos .... propiciando verdadeiros duelos entre os instrumentistas" (Edigar de Alencar, *O Fabuloso e Harmonioso Pixinguinha*, p. 19). **4.** *Bras.* Música de caráter sentimental executada por tais conjuntos, vizinha da polca e da valsa, tendo porém marcação rítmica de maxixe, e que se desenvolve em modulações e improvisações. [Cf. *chorinho*.] **5.** *Bras.* Composição instrumental erudita que imita o caráter lírico dessa música. **6.** *Bras. Pop.* V. *arrasta-pé* (1). **7.** *Bras., CE.* Pequena fonte que surge no sopé ou encosta de uma chapada residual. [Pl.: *choros* (ô). Cf. *choro*, do v. *chorar*.] ♦ **Choro das abelhas.** *Apic.* V. *órfã*.

choroense (chorò). *Adj. 2 g.* **1.** De, ou pertencente ou relativo a Choró (CE). ● *S. 2 g.* **2.** Natural ou habitante de Choró.

chorolambre. *S. m. Bras.* V. *xué* (2).

chorona. *Adj.* e *s. f.* **1.** Fem. de *chorão* (1 a 6). **2.** Diz-se de, ou planta cujas folhas pendem: *samambaia c h o r o n a* . ~ V. *choronas*.

choronas. [Do esp. *lloronas*.] *S. f. pl. Bras., RS.* Esporas de ferro, de grandes rosetas, usadas pelos domadores. ~ V. *chorona*.

chororão. *S. m. Bras., BA.* V. *inhambuanhanga*.

chororó. *S. m. Bras., CE.* V. *borralhara*.

chorosamente. [Do fem. de *choroso* + *-mente*.] *Adv.* De modo choroso; com choro, lágrimas, dor.

choroso (ô). *Adj.* **1.** Que chora, que está chorando; lacrimoso: *Encontrei-a c h o r o s a com a morte do tio.* **2.** Que indica choro, lástima ou dor; próprio de quem chora: "Até sorria — sorriso tristonho, de cara c h o r o s a" (Nélson de Faria, *Tiziu e Outras Estórias*, p. 139). **3.** Magoado, sentido, triste.

chorrar. *V. int.* e *t. d.* V. *jorrar*. [Pres. ind.: *chorro*, etc. Cf. *chorro* (ô).]

chorrilho. [Do esp. *chorrillo*.] *S. m.* **1.** Seqüência rápida e contínua; série: "Sendo o português, por natureza, descomedido em palavras, como todos os povos do Sul, a Direção dos Correios .... pôs um travão ao c h o r r i l h o de frases que enchiam os simples cartões de visita, preceituando um máximo de cinco palavras .... para essas fórmulas de cortesia, como sejam agradecimentos e felicitações." (M. Rodrigues Lapa, *Estilística da Língua Portuguesa*, pp. 7-8.) **2.** Conjunto de coisas ou de pessoas mais ou menos semelhantes.

chorro (ô). *S. m.* Jorro: "as águas escoaram em c h o r r o demorado" (Xavier Marques, *Jana e Joel*, p. 94). [Pl.: *chorros* (ô). Cf. *chorro*, do v. *chorrar*.]

chorró. *S. m. Bras., N.E.* Designação onomatopéica da generalidade dos passarinhos pertencentes ao gênero *Thamnophilus* e afins, da família dos formicariídas. V. *choca*⁴.

chorrochoense (chòên). *Adj. 2 g.* **1.** De, ou pertencente ou relativo a Chorrochó (BA). ● *S. 2 g.* **2.** Natural ou habitante de Chorrochó.

chorudo. *Adj. Pop.* **1.** Gordo, chorumento. **2.** Suculento. **3.** Rendoso, rico.

chorume. *S. m.* **1.** Banha, gordura, pingue: "e os olhos, os olhos como grandes pingos de c h o r u m e amarelo sobrenadando, sobressaindo, trementes como uma geléia" (João Guimarães Rosa, *Corpo de Baile*, II, p. 531). **2.** *Fig.* Abundância, opulência.

chorumela. *S. f.* **1.** *Bras.* V. *ninharia*. **2.** *Bras., RS.* Lengalenga, cantilena.

chorumento. *Adj.* Que tem chorume (1): "Vi que ele comia à tripa forra um c h o r u m e n t o jantar de carnes frias" (Camilo Castelo Branco, *Amor de Salvação*, p. 27).

choupa¹. [Do fr. *échoppe*.] *S. f.* **1.** Ponta de ferro ou de aço com que se armam garrochas, chuços, etc. **2.** Ferro de dois gumes usado para abater as reses nos matadouros: "No saladeiro um sujeito lhes cravava a c h o u p a no cabelouro e o animal caía no mesmo lugar." (M. Cavalcanti Proença, *Manuscrito Holandês*, p. 91) **3.** Ponta aparada em bisel, que pode produzir traços grossos ou finos, conforme a posição em que a maneja o gravador. [Cf. *ponta* (14).]

choupa². [Do lat. *clupea*.] *S. f. Bras., BA.* V. *caicanha*.

choupal. *S. m.* Quantidade mais ou menos considerável de choupos dispostos proximamente entre si.

choupana. [De *choupo* + *-ana*?] *S. f.* V. *cabana*.

choupaneiro. *S. m.* Aquele que habita em choupana.

choupo. [De *plopu* lat. *populu*.] *S. m.* V. *choupo-branco*.

choupo-branco. *S. m. Bras.* Árvore ornamental da família das salicáceas (*Populus alba*), de flores pequenas e casca rugosa, e que fornece madeira alva, leve e macia; álamo. [Tb. se diz apenas choupo. Pl.: *choupos-brancos*.]

choupo-preto. *S. m., S.* Árvore ornamental, de grande porte, da família das salicáceas (*Populus nigra*), de casca lisa e acinzentada, folhas alternas, com pecíolos vermelhos, e madeira útil para marcenaria; álamo-preto. [Pl.: *choupos-pretos*.]

chourém. *S. 2 g. Bras., S.* Pessoa sarnenta.

chouriça. *S. f.* **1.** Chouriço (2). **2.** *Escol.* Tradução interlinear nos compêndios em língua estrangeira. **3.** *Lus.* Chouriço (1).

chouriçada. *S. f.* **1.** Grande porção de chouriços. **2.** Pancada com chouriço. **3.** Fumeiro (4).

chouriceiro. *S. m.* Aquele que faz e/ou vende chouriços.

chouriço. [De *chouriça*.] *S. m.* **1.** Enchido de porco, cujo recheio é misturado com sangue e curado ao fumo. [Sin. lus.: *chouriça*. Cf. *lingüiça* (1).] **2.** Saco longo e cilíndrico, cheio de areia ou serradura, para tapar as fendas inferiores das portas e janelas; chouriça. **3.** *Bras.* Iguaria feita de sangue de porco, especiarias e açúcar. **4.** *Bras., RS.* Parte acolchoada do rabicho que passa por sob a cauda do cavalo. **5.** *Ant.* Rolo de cabelo para altear o penteado.

choutador (ô). *Adj.* Que anda a chouto; choutão, chouteiro.

choutana. *Adj. (f.)* Fem. de *choutão*.

choutão. *Adj.* V. *choutador*. [Fem.: *choutona*.]

choutar. [Do lat. *saltare*, 'saltar', atr. de um **soutar*.] *V. int.* Andar a chouto; choutear: "O Marcos trepou na anca do animal cavalgado pelo tabaréu e partiram c h o u t a n d o ." (Cardoso de Oliveira, *Dois Metros e Cinco*, p. 298.)

choutear. *V. int.* **1.** Choutar: "A égua vinha c h o u t e a n d o pelo atalho pedregoso" (Alberto Braga, *Novos Contos*, p. 6). **2.** Acompanhar (o lacaio) ao senhor, em cavalo choutador. **3.** Caminhar vagarosamente. [Conjug.: v. *frear*.]

chouteiro. *Adj.* V. *choutador*: "mulinha c h o u t e i r a" (Ramalho Ortigão, *Em Paris*, p. 143).

chouto. [Dev. de *choutar*.] *S. m.* Trote (1) miúdo e incômodo. ♦ **Sair de chouto.** Fugir apressadamente.

chovediço. *Adj.* **1.** Da chuva, pluvial. **2.** Que promete chuva: *céu c h o v e d i ç o .* **3.** Em que chove a miúdo: *lugar c h o v e d i ç o .*

chovedoiro. *S. m. Bras.* Var. de *chovedouro*.

chovedouro. *S. m. Bras.* Direção de onde costuma vir a chuva. [Var.: *chovedoiro*.]

chove-não-molha. [De *chover* + *não* + *molhar*.] *S. m. 2 n. Bras. Fam.* Coisa ou situação que não vai para diante nem para trás, que não ata nem desata: "quando encontramos algum conhecido, o que não está fácil hoje em dia, a conversa fica naquele c h o v e - n ã o - m o l h a .... cada um com medo do outro" (José J. Veiga, *Os Pecados da Tribo*, p. 73). ♦ **Cheio de chove-não-molha.** *Bras. Fam.* V. *cheio de luxo*.

chover. [Do lat. *plovere*.] *V. int.* **1.** Cair água em gotas da atmosfera: "C h o v e u ; as ruas ainda estão molhadas." (José de Alencar, *A Pata da Gazela*, p. 200.) **2.** *Fig.* Cair da atmosfera: *C h o v e u maná no deserto.* **3.** Cair do alto em abundância: *C h o v e r a m pétalas sobre suas cabeças.* **4.** Cair ou sobrevir em abundância: *C h o v i a m esmolas em seu chapéu*; "Bala c h o v e u logo em cima de mim." (Vieira Pires, *Querência*, p. 124). *T. d.* **5.** Fazer cair; deitar; derramar: *A mangueira c h o v i a frutos maduros no chão.* [V. impess., conjugado só na 3ª pess. sing.; em sentido figurado, porém, pode-se conjugar pessoal e transitivamente: *Deus c h o v e r á bênçãos sobre esta união*.]

chovido. [Part. de *chover*.] *Adj. Bras.* Em que choveu; molhado ou regado pela chuva: "esta rua c h o v i d a e sem pássaros." (Abgar Renault, *A Lápide sob a Lua*, p. XVII); "Havia porém o verde intenso do inverno cobrindo a terra duma tapeçaria gigante. .... Era o sertão c h o v i d o ." (José Lins do Rego, *Bota de Sete Léguas*, p. 144).

➧**chroma-key** (crôma-qui). [Ingl.] *S. f. Telev.* Técnica utilizada para inserir uma imagem em outra gravada separadamente, dando, por exemplo, a impressão de primeiro e segundo planos.

chuá. *S. m. Bras. Gír.* Enchente (3).

chuã. [Do guar. *xu'ã*, 'pontiagudo'.] *S. m. Bras., SP.* Pequeno cesto cônico, de cipó, para carregar frutas.

chuça. [De *chuço*.] *S. f.* V. *chuço*.

chuca-chuca. [De *Chuca-Chuca*, apelido de um bebê famoso do cinema americano na década de 30.] *S. m. Bras.* Pequena mecha de cabelo de bebê, ou de criança de pouca idade, penteada de modo que fique voltada para cima, formando uma espécie de caracol: "Maria Mercedes dormindo quietinha, com os olhos fechados, os punhozinhos cerrados, o c h u c a - c h u c a desfeito, o rostinho gorducho e macio" (Malu de Ouro Preto, *Siri na Noite sem Lua*, p. 127). [Pl.: *chuca-chucas*.]

chuçada. *S. f.* Golpe de chuço ou de instrumento semelhante.

chuçar. *V. t. d.* **1.** Ferir com chuço. **2.** Impelir com chuço ou com outro instrumento de ponta. [Conjug.: v. *laçar*.]

chuceiro. *S. m. Ant.* Soldado armado de chuço (2).

chucha. [Dev. de *chuchar*¹.] *S. f.* **1.** Ação de chuchar. **2.** Seio que amamenta. **3.** O leite do peito; mama. **4.** Boneca ou pano embebido em leite ou água açucarada, que as crianças chucham, na falta de mama; chuchadeira. **5.** V. *chupeta* (2). ♦ **À chucha calada.** **1.** Em segredo; às ocultas: "as noites de inverno, ... velava-as a cismar nos desabrigados. Depois mandava-os socorrer com grosas de escudos. E dava-os à c h u c h a c a l a d a ." (João de Araújo Correia, *Sem Método*, p. 83). **2.** Sem reclamar, sem queixar-se, sem gritar: *Levou uns bofetões à c h u c h a c a l a d a .*

chuchadeira. *S. f.* **1.** Chucha (4). **2.** *Fam.* Negócio rendoso, proveitoso. **3.** *Pop.* Caçoada, desfrute, mangação.

chuchado. [Part. de *chuchar*¹.] *Adj.* Chupado, mirrado, magro.

chuchar¹. [Da onom. *chuch*, que imita a sucção.] *V. t. d.* **1.** Chupar, sugar: "A criança .... piscava os olhos c h u c h a n d o a chupeta" (Coelho Neto, *Sertão*, p. 178). **2.** Mamar (1). **3.** Receber, levar; apanhar. **4.** *Pop.* Fazer caçoada com, mangar de; desfrutar. [Pres. ind.: *chucho*, etc. Cf. *xuxo*.]

chuchar². [De *chucho*² + *-ar*².] *V. t. d. Bras. Pop.* Cutucar, futicar, futucar. [Pres. ind.: *chucho*, etc. Cf. *xuxo*.]

chucho¹. [Do quíchua *chujchu*, atr. do esp. plat. *chucho*.] *S. m. Bras., RS.* **1.** Tremor de frio, calafrio. **2.** Febre intermitente; sezões. [Cf. *xuxo*.]

chucho². [De *chuço*, por assimilação.] *S. m.* **1.** Chuço (1). **2.** *Bras.* Em algumas zonas agrícolas, pau de ponta com que o lavrador abre na terra preparada um buraco onde se deposita a semente.

chuchu. [Do fr. antilhano *chou-chou*.] *S. m. Bras.* **1.** Trepadeira herbácea, da família das cucurbitáceas (*Sechium edule*), de fruto verde, comestível, revestido de espinhos inermes, e flores masculinas e femininas, com corola de cor amarelo-pálida ou alva; nachuchu, machuchu. **2.** O fruto, comestível, dessa planta; caxixe. **3.** *Bras., RJ.* Alcunha das pessoas nascidas em Petrópolis. ● *S. 2 g.* **4.** *Bras.* Pessoa muito bonita e querida, muito bondosa e carinhosa. ♦ **Pra chuchu.** *Bras. Gír.* Em grande quantidade ou intensidade; muitíssimo; à beça: *Na festa havia gente p r a c h u c h u*; "O dinheiro pode sair, mas vai demorar p r a c h u c h u ." (Herberto Sales, *Histórias Ordinárias*, p. 105).

chuchurreado. [Part. de *chuchurrear*.] *Adj.* Diz-se de gole ou beijo ruidoso, repenicado e demorado.

chuchurrear. [De *chuchar*.] *V. t. d.* Beber aos goles, sorvendo com ruído, gorgolejar: "Param [os romeiros] nas mesas dos doces, enchem os bolsos de tortas, c h u c h u r r e i a m o café com galhofas e risadas, e, cantando, reentram no vagalhão." (José Vieira, *Sol de Portugal*, p. 155.) [Conjug.: v. *frear*.]

chuço. *S. m.* **1.** Vara ou pau armado de aguilhão ou choupa¹ (1). [Var. (bras., pop.): *chucho*. Sin.: *jagunço*.] **2.** *Ant.* Arma que consiste numa ponta de ferro encastoada em um bordão: "o corpo do almirante Coligny, atravessado com um c h u ç o pelo ventre, foi despejado de uma janela a um pátio do Louvre." (Ramalho Ortigão, *As Farpas*, II, p. 313). [F. paral.: *chuça*.]

chucrute. [De *sûrcrût*, do dialeto alsaciano, al. *sauerkraut*, 'erva azeda', atr. do fr. *choucroute*.] *S. m.* Repolho picado e fermentado em salmoura, usado como acompanhamento de vários pratos de salsicharia.

chué. [Do ár. hispânico *xui*, 'pouco'.] *Adj. 2 g.* **1.** Sem categoria; ordinário, reles, chinfrim: *poema c h u é ; carpinteiro c h u é .* **2.** Mal-arranjado; sem apuro; desleixado: *Ela anda sempre muito c h u é .* **3.** Apoucado, acanhado, magro. **4.** *Bras.* Diz-se do traje sem graça, simples, ordinário. [Cf. *xué*.]

chuetar. *V. t. d. Bras., BA. Gír. P. us.* Não dar importância a; desdenhar de: "— C h u e t a r de um pedaço desses ... Na farmácia ou onde fosse ... Se ela aparecesse lá, no 'Paraíso em Flor', com vontade de me dar, ia mesmo ali, num ataúde ..." (Jorge Amado, *Dona Flor e Seus Dois Maridos*, p. 395.)

chufa¹. [Voc. onom., calcado no lat. vulg. *sufilare*, por *sibilare*, 'assobiar'.] *S. f.* Dito trocista; caçoada, troça, remoque, mofa: "O bibliômano do tempo dos Césares costumava dissipar sua riqueza em livros. Vai daí, o literato impecunioso alvejava-o com c h u f a s e zombarias." (Eduardo Frieiro, *Os Livros Nossos Amigos*, p. 61.)

chufa[2]. *S. f.* **1.** A raiz, açucarada, da junça. **2.** Bebida refrigerante feita de junça.
chufar. *V. t. d.* **1.** Dizer chufas a; mofar, zombar de. *T. i.* **2.** Zombar, mofar. *Int.* **3.** Dizer chufas. [Sin. ger.: *chufear.*]
chufear. *V. t. d., t. i.* e *int.* V. *chufar.* [Conjug.: v. *frear.*]
chufista. *Adj. 2 g.* e *s. 2 g.* Que ou quem diz chufas.
chula[1]. [Fem. substantivado de *chulo.*] *S. f.* Espécie de dança e música popular de origem portuguesa: "Em noites de luar faziam serenatas; aparecia sempre alguém que .... soubesse cantar chulas e modinhas." (Aluísio Azevedo, *Casa de Pensão*, p. 25.)
chula[2]. *S. f. Bras.* Planta da família das cactáceas (*Rhipsalis sarmentacea*).
chularia. *S. f.* Chulice.
chulé. [Do cigano *chu(l)ló* ou *chu(l)li.*] *S. m. Chulo.* **1.** Sujeira formada pelo suor dos pés. **2.** O fétido que ela desprende.
chuleado. [Part. de *chulear.*] *S. m. Bras.* Chuleio.
chulear. *V. t. d.* **1.** Coser a orla de (o tecido) prendendo-a, de modo que não se desfie. *Int.* **2.** Coser a orla do tecido, prendendo-a, de modo que não se desfie: "Sabia de costura, também: de cerzir e de chulear." (Cecília Meireles, *Obra Poética*, p. 1014.) [Conjug.: v. *frear.*]
chuleio. [Dev. de *chulear.*] *S. m.* **1.** Ato ou efeito de chulear. **2.** O ponto de chulear. [Sin. ger.: *chuleado.*]
chuleiro. *Adj.* Que toca ou dança a chula[1].
chulepento. *Adj.* e *s. m. Bras. Chulo.* Que ou aquele que tem chulé; chulerento.
chulerento. *Adj.* e *s. m. Bras. Chulo.* Chulepento.
chulice. *S. f.* Dito, modos ou ação chula; chularia.
chulipa[1]. *S. f.* Golpe nas nádegas de outrem com o lado exterior do pé.
chulipa[2]. [Do ingl. *sleeper.*] *S. f. Bras. Pop.* V. *dormente* (12).
chulismo. *S. m.* Expressão chula.
chulista[1]. [De *chula*[1] + *-ista.*] *S. 2 g.* Pessoa que toca ou dança a chula.
chulista[2]. [De *chulo* + *-ista.*] *S. 2 g.* Pessoa que faz ou diz chulices.
chulo. [Do esp. *chulo.*] *Adj.* **1.** Grosseiro, baixo, rude: "Imitava tudo. O turco regateador, a criada espevitada, a velha impertinente e rezingona, o boteguineiro chulo e palavroso." (Lúcio Cardoso, *Maleita*, p. 115). **2.** Usado pela ralé; ordinário: "a sua autoridade indiscutível de orador popular, fazia-lhe cair dos lábios, como um rosário de sons, as palavras graves, indecorosas, chulas e poéticas, em misto turbulento e inteligente." (Fialho d'Almeida, *Contos*, p. 10).
chumaçar. *V. t. d.* Meter chumaços [v. *chumaço* (1 a 3)] em; estofar, enchumaçar. [Conjug.: v. *laçar.*]
chumaceira. *S. f.* **1.** Espécie de coxim, de madeira, couro ou metal, sobre o qual se move um eixo, e destinado a evitar o desgaste; bucha. **2.** Peça de madeira ou de couro sobre a qual se movimenta o remo. **3.** *Constr. Nav.* Chapa de metal, em forma de *U*, que, nalgumas embarcações miúdas, cobre cada abertura da falca onde se apóia o remo para remar. [Cf. *toleteira.*]
chumacete (ê). [Dim. de *chumaço.*] *S. m.* **1.** Pequeno chumaço. **2.** Pequena almofada.
chumaço. [Do lat. tardio *plumaciu*, 'cama de penas'.] *S. m.* **1.** Pasta de algodão em rama, entre o forro e o feitio do vestuário, para lhe altear o feitio. **2.** Porção de penas ou de outras matérias flexíveis usadas para o mesmo fim. **3.** Substância com que se acolchoa qualquer coisa. **4.** Porção de algodão, gaze ou fibra sintética, usada em curativos ou na toalete; tampão. **5.** *Bras.* Peça de madeira sobre a qual gira o eixo do carro de bois, e que produz o chio característico desses carros. [Dim. irreg.: *chumacete.*]
chumbada. *S. f.* **1.** Tiro de chumbo. **2.** Porção de chumbo que se gasta num tiro. **3.** Ferimento com tiro de chumbo miúdo. **4.** Chumbo que se põe nas redes e linhas de arremesso para pescar: "pegou a linha a uns três palmos da chumbada, rodou-a por cima da cabeça, deu-lhe impulso, ficou olhando o engodo cair no fim da corredeira, na boca do poço." (Nélson de Faria, *Tiziu e Outras Estórias*, p. 26). **5.** *Marinh.* Peça de chumbo, e eventualmente doutro metal, presa à extremidade da sondareza para fazê-la correr até o fundo do mar. **6.** *Tip.* Jacto de chumbo esguichado fora do molde, nas máquinas compositoras ou fundidoras.
chumbado. [Part. de *chumbar.*] *Adj.* **1.** Soldado ou preso com chumbo. **2.** Tapado ou obturado com chumbo ou com outro metal. **3.** Ferido por tiro de chumbo. **4.** Armado, carregado ou guarnecido de chumbo: *rede chumbada.* **5.** *Bras.* Diz-se do boi de pêlo branco, vermelho ou castanho, com manchas pretas. **6.** *Bras. Pop.* V. *embriagado* (1): *estar, ficar chumbado.* **7.** *Bras. Fam.* Tocado por paixão amorosa: *Mal viu a pequena, ficou chumbado; Só pensa no rapaz, está chumbada.* **8.** *Bras. Fam.* Atingido por doença contagiosa ou, p. ext., por qualquer doença: *Pegou a gripe, está chumbado; O reumatismo o atacou, anda chumbado.*
chumbador (ô). *Adj.* e *s. m.* Que ou aquele que chumba.
chumbagem. *S. f.* Ato ou efeito de chumbar.
chumbalé. *S. m. Bras. SP.* Var. de *chambalé.*
chumbar. *V. t. d.* **1.** Prender, ligar, tapar ou soldar com chumbo ou com outro metal fusível. **2.** Ferir com tiro de chumbo (2): *O caçador chumbou a ave.* **3.** *P. ext.* Ferir com arma de fogo: *Pegou do revólver e chumbou o ladrão.* [Sin., bras., S., nas acepç. 2 e 3: *chumbear.*] **4.** Pôr selo de chumbo em. **5.** Guarnecer com pesos de chumbo: *A costureira chumbou o casaco para lhe dar melhor caimento.* **6.** Dar cor de chumbo a. **7.** *Fig.* Fechar, ou como que fechar, hermeticamente: *chumbar uma sepultura;* "A trombeta fatal os meus ouvidos chumba." (Da Costa e Silva, *Sangue*, p. 77). **8.** *Fig.* Prender fortemente; fixar: "da grilheta mortal que ao chão te chumba, / nunca mais te liberte a vária sorte." (Augusto de Lima, *Poesias*, p. 245). **9.** Embebedar, embriagar. **10.** *Bras. Pop.* Obturar com chumbo ou outra substância: *chumbar os dentes. Int.* **11.** *Tip.* Esguichar (a máquina compositora ou fundidora) o metal-tipo fora do molde.
chumbeado. [Part. de *chumbear.*] *Adj. Bras., S.* V. *embriagado* (1).
chumbear. *V. t. d. Bras., S.* Chumbar (2 e 3). [Conjug.: v. *frear.*]
chúmbeas. *S. f. pl. Mar.* Var. de *chúmeas*, com infl. de *chumbo.*
chumbeira. *S. f.* **1.** Rede de pesca, coniforme, guarnecida de chumbo. [Cf. *tarrafa* (1).] **2.** Pedaço de chumbo, de espaço a espaço, na tralha inferior da rede, para fazê-la ir ao fundo ou mantê-la em posição vertical; chumbo. **3.** Chumbeiro (1): "cinco espingardas com suas chumbeiras e polvorinhos" (Aquilino Ribeiro, *Portugueses das Sete Partidas*, p. 80).
chumbeiro. *S. m.* **1.** Estojo de couro para chumbo de caça; chumbeira. **2.** Grão de chumbo. **3.** Aquele que trabalha com chumbo. **4.** *Bras.* Alcunha do português na época das lutas pela independência. [Cf. *pé-de-chumbo.*]
chumbinho. [Dim. de *chumbo.*] *S. m.* **1.** *Bras.* Pequeno projetil de chumbo para revólver ou espingarda de ar comprimido. **2.** *Bras., MA.* Designação dada aos portugueses. V. *galego* (4). **3.** *Bras., RJ.* Estalo (4) de chumbo. **4.** *Bras.* V. *ensacadinha.*
chumbismo. [De *chumbo*, da alcunha *pé-de-chumbo* + *-ismo.*] *S. m. Bras., S.* Afeição partidária ao regime colonial. [Us. na época da Independência.]
chumbo. [Do lat. *plumbu.*] *S. m.* **1.** *Quím.* Elemento de número atômico 82, metálico, cinza-prateado, mole, muito denso, utilizado em ligas de diversos compostos. [Símb.: *Pb.*] **2.** Grão desse metal, para caça. **3.** Chumbeira (2). **4.** Pedaço de chumbo fixado à linha de pesca para fazê-la ir ao fundo. **5.** Pequenas chapas desse metal, usadas como peso na barra de certas roupas. **6.** *Fig.* Aquilo que pesa muito. **7.** *Fam.* Juízo, tino. **8.** *Art. Gráf.* Cada um dos divisórios desse metal que se põem no tinteiro das prensas para dividir ou limitar o seu âmbito. ♦ **Levar chumbo.** Levar ferro.
chumear. *V. t. d. Mar.* Guarnecer de chúmeas. [Conjug.: v. *frear.*]
chúmeas. [Do ár. *jama'â.*] *S. f. pl. Mar.* Peças de madeira com que se consertam os mastros estalados. [Var.: *chúmbeas.*]
chumeco. [Do ingl. *shoemaker.*] *S. m. Gír. Deprec.* Sapateiro reles.
chupa. [Dev. de *chupar.*] *S. f.* **1.** *Bras., PA.* Árvore regular, da família das lecitidáceas (*Gustavia speciosa*), de flores grandes, com pétalas carnosas e pedicelos tomentosos, dispostas em racimos terminais, e fruto bacáceo, comestível. **2.** *Bras., N. E.* Laranja descascada e não partida, à qual se tira um tampo para se lhe sorver o sumo: "vendem-se roletos de cana, sorvetes, garapa, cerveja, doces, pastéis, chupas de laranja" (Aluísio Azevedo, *O Mulato*, p. 97). [Sin., nessa acepç.: *boquinha* (AM), *chupa-chupa* (AL), *chupetinha* (RJ) e *mamucha* (MG).] ● *S. m.* **3.** *Bras., BA.* Lugar, à margem do Jequitinhonha, onde a força erosiva da corrente abre como que um furo, entrando as águas pela terra até que se espraiam em brejos e baixadas, longe do local perfurado. **4.** *Bras. Mar. Merc.* V. *chupador* (3). ● *S. 2 g.* **5.** *Bras. Gír. Mar. G.* Aquele que não faz força, não se emprega a fundo num exercício ou faina. ● *Adj. 2 g.* **6.** *Bras. Gír. Mar. G.* Diz-se daquele que não se emprega a fundo num exercício ou faina.
chupa-caldo. [De *chupar* + *caldo.*] *S. m.* **1.** *Bras. Pop.* Indivíduo alcoviteiro. **2.** V. *bajulador* (2). [Pl.: *chupa-caldos.*]
chupa-chupa. *S. f. Bras., AL.* V. *chupa* (2). [Pl.: *chupa-chupas.*]
chupada. *S. f. Bras.* **1.** V. *chupadela.* **2.** *Bras. Pop.* V. *repreensão* (1).
chupadela. *S. f.* **1.** Ato de chupar uma vez. **2.** Ato de chupar; chupadura, chupamento, chupança. [Sin. ger.: *chupada.*]
chupa-dente. [De *chupar* + *dente.*] *S. m. Bras.* V. *cuspidor* (4). [Pl.: *chupa-dentes.*]
chupado. [Part. de *chupar.*] *Adj. Fam.* Magríssimo, macérrimo: *um velhinho chupado; cara chupada.*
chupadoiro. *S. m.* V. *chupadouro.*
chupador (ô). *Adj.* **1.** Que chupa. ● *S. m.* **2.** Aquele que chupa. [Sin. (bras., N. E., pop.), nesta acepç.: *chuparino.*] **3.** *Bras. Mar. Merc.* Grande aspirador a vácuo, empregado na descarga de granéis finos tais como trigo, cimento, etc.; chupa, sugador. **4.** *Bras.* Cada uma das depresssões inclinadas para leste na margem direita do braço ocidental do rio Araguaia, acima da barra do rio das Mortes. **5.** *Bras., CE.* Remoinho (nos rios).
chupador-de-anta. *S. m. Bras., AM.* Terreno salgado muito procurado pelas antas e por outros animais. [Pl.: *chupadores-de-anta.*]
chupadouro. [Var. de *chupadoiro.*] *S. m.* **1.** Tubo ou orifício por onde se absorve ou chupa um líquido; chupeta. **2.** Ação continuada de chupar.
chupadura. *S. f.* V. *chupadela* (2).
chupa-flor. [De *chupar* + *flor.*] *S. m.* V. *beija-flor.* [Pl.: *chupa-flores.*]
chupa-galhetas. [De *chupar* + *galheta.*] *S. m. 2 n. Bras.* Seminarista que ajuda à missa. [Pl.: *chupa-galhetas.*]
chupa-gás. [De *chupar* + *gás.*] *S. m. Bras., N.E. Pop.* Indivíduo que se demora muito em casa de meretrizes, apenas para conversar, sem ter relações com nenhuma delas; bebe-gás, seca-gás. [Pl.: *chupa-gases.*]
chupa-mel. [De *chupar* + *mel.*] *S. m.* V. *beija-flor.* [Pl.: *chupa-méis.*]
chupamento. *S. m.* V. *chupadela* (2).
chupança. *S. f.* **1.** *Bras.* V. *chupadela* (2). **2.** *Bras.* Mamata, negociata. **3.** *Bras., MT.* V. *barbeiro* (6).
chupão. *Adj. Bras.* **1.** Que chupa. [Fem.: *chupona.*] **2.** V. *mata-borrão* (1). ● *S. m.* **3.** *Bras.* Aquele que chupa. [Fem.: *chupona.*] **4.** *Bras.* Beijo demorado, sensual, com sucção. **5.** *Bras.* Sorvedura feita com os lábios na epiderme. **6.** *Bras.* Mancha sangüínea proveniente de tal sorvedura; periquito. **7.** *Bras., N.E.* V. *barbeiro* (6).
chupa-ovo. [De *chupar* + *ovo* (ô).] *S. m. Bras.* V. *papa-ovo* (1). [Pl.: *chupa-ovos.*]
chupa-pinto. [De *chupar* + *pinto.*] *S. m. Bras., N.E.* V. *barbeiro* (6).
chupar. [Voc. onom.] *V. t. d.* **1.** Sugar, sorver; chuchar: "Quando eu via o meu filho chupando o leite da mãe, ... ficava que não sei dizer nem digo" (Machado de Assis, *Dom Casmurro*, p. 305). **2.** Aplicar os lábios a, sugando, sorvendo, ou como quem suga ou sorve: *O recém-nascido chupa o seio materno; A criança chupava a chupeta.* **3.** Extrair com a boca o suco de: *chupar tangerinas.* **4.** Revolver na boca, de envolta com saliva: *chupar balas.* **5.** *Pop.* Consumir, dissipar, malbaratar: *Chupou toda a herança da família. Int.* **6.** *Bras. Mar. G. Gír.* Não fazer força; descansar à custa dos outros: *Deixe de chupar, reme direito!*
chuparino. *S. m. Bras., N.E. Pop.* Chupador (2).
chupa-rolha. [De *chupar* + *rolha* (ô).] *S. m. Bras. Pop.* V. *ébrio* (8). [Pl.: *chupa-rolhas.*]
chupa-sangue. [De *chupar* + *sangue.*] *Bras. S. 2 g.* **1.** Pessoa que se aproveita do trabalho alheio, que vive à custa de outrem; chupista, sanguessuga. **2.** *Fut.* Jogador displicente, que não se esforça e sobrecarrega os companheiros de equipe. [Pl.: *chupa-sangues.*]
chupeta (ê). *S. f.* **1.** Chupadouro (1). **2.** *Bras.* Mamilo de borracha para crianças. [Sin.: *chucha, bico, consolador, consolo, pipo* (AM).] **3.** *Bras.* Bico de mamadeira. ♦ **De chupeta. 1.** Apetitoso. **2.** Bom, excelente.
chupetinha. *S. f. Bras., RJ. S. f.* V. *chupa* (2).
chupim. [Do tupi *xo'pi.*] *S. m.* **1.** *Bras.* Ave passeriforme, da família dos icterídeos (*Molothrus bonariensis* (Gemel.)), distribuída por todo o Brasil e países limítrofes. Coloração preta, purpúrea, brilhante. A fêmea é parda, quase negra. Põe os seus ovos nos ninhos do tico-tico, que inadvertidamente lhe cria os filhotes. Costuma causar sérios prejuízos nos arrozais no período das colheitas. Freqüenta os currais das fazendas, alimentando-se de toda sorte de sementes, inclusive do milho,

que recolhe nas fezes do boi. [Sin.: *arumará, boiadeiro, brió, catre, carixo, chopim, corixo, corrixo, gorricho, engana-tico, engana-tico-tico, gaudério, godério, godero, papa-arroz, parasito, uiraúna, vira, vira-bosta, vira-vira.*] **2.** *Bras.* V. *pássaro-preto.* **3.** *Bras., RJ, SP* e *RS.* Marido da professora, quando vive à custa dela. [Cf. *quinca.*]
chupim-do-banhado. *S. m. Bras.* V. *chupim-do-brejo.* [Pl.: *chupins-do-banhado.*]
chupim-do-brejo. *S. m. Bras.* Ave passeriforme, da família dos icterídeos (*Pseudoleistes guiarahuro* (Vieil.)), do Brasil este-meridional, parda, com abdome, peito, encontros, dorso-baixo e uropígio amarelo-vivos. Vive em bandos, nas várzeas ou terrenos alagadiços, e alimenta-se de insetos e outros artrópodes. [Sin.: *chupim-do-banhado, chupim-do-charco, melro-pintado, melro-pintado-do-brejo, pintassilgo-do-brejo.* Pl.: *chupins-do-brejo.*]
chupim-do-charco. *S. m. Bras.* V. *chupim-do-brejo.* [Pl.: *chupins-do-charco.*]
chupista. *S. 2 g.* **1.** V. *ébrio* (8). **2.** V. *chupa-sangue* (1). **3.** Papa-jantares.
chupita. *S. f. Bras., N.* V. *piranha-vermelha.*
chupitar. *V. t. d.* **1.** Chupar devagarinho, repetidas vezes: "Jove, quando foi menino, / chupitou leite caprino" (Luís Gama, *in* Manuel Bandeira, *Antologia dos Poetas Brasileiros da Fase Romântica,* p. 168). **2.** Bebericar, beberricar: "tomar um cafezinho, chupitar uma cerveja" (Eduardo Frieiro, *Feijão, Angu e Couve,* p. 252). **3.** *Gír.* Alcançar, obter, abiscoitar: *Chupitou, ultimamente, um bom emprego.*
churdo. [Do lat. *sordidu.*] *Adj.* **1.** Diz-se da lã suja, como sai da ovelha; ludro. **2.** Sujo, sórdido, miserável; ludro: "Desembocam [as portas] para uma negridão de quartos calçados a lajedos, baixos e churdos" (José Vieira, *Sol de Portugal,* p. 65). **3.** De má qualidade; ordinário. [F. paral.: *churro.*] ● *S. m.* **4.** Homem torpe, vil, ruim.
churma. [Do lat. *plurima,* 'grande quantidade'.] *S. f. Bras.* Nos navios, tripulação voluntária ou forçada, como os antigos galés.
churrascada. *S. f. Bras.* **1.** Refeição de churrasco, ou na qual é este o prato único ou principal: "a Comissão Construtora ofereceu .... uma churrascada de carne de boi" (Eduardo Frieiro, *Feijão, Angu e Couve,* p. 250). **2.** Festa ou recepção com churrasco. [Sin. ger.: *churrasco.*]
churrascaria. *S. f. Bras.* Restaurante onde se serve como especialidade o churrasco.
churrasco. [Do esp. plat. *churrasco.*] *S. m. Bras.* **1.** Porção de carne, ou pequeno animal, sem tempero, assados geralmente ao calor da brasa, em espeto ou sobre grelha. **2.** V. *churrascada.* ♦ **Churrasco corrido.** Churrasco servido em churrascaria, em que diversas espécies de carne são oferecidas seguidamente, à vontade do freguês. [Cf. *rodízio* (9).]
churrasqueada. *S. f. Bras., RS.* Ato de churrasquear.
churrasquear. [Do esp. plat. *churrasquear.*] *V. int. Bras., RS.* **1.** Preparar churrasco. **2.** Comer churrasco. **3.** Tomar refeição leve. **4.** Tomar alimento; comer. *T. d.* **5.** Preparar (carnes). **6.** Comer (1). [Conjug.: v. *frear.*]
churrasqueira. *S. f. Bras.* Grelha, armação de ferro ou aparelho elétrico, para fazer churrasco.
churrasqueiro. *S. m. Bras.* Cozinheiro especialista em churrascos.
churrasqueto (ê). *S. m. Bras.* V. *churrasquinho.*
churrasquinho. [Dim. de *churrasco.*] *S. m. Bras.* Churrasco de pequenos pedaços de carne enfiados num espeto ou num palito; churrasqueto, espetinho.
churriado. *Adj. Bras.* Diz-se de bovino de pêlo vermelho ou escuro com listas brancas.
churrião. [Do esp. *chirrión.*] *S. m.* Carruagem pesada.
churrigueresco (ê). [Do esp. *churrigueresco.*] *Adj.* **1.** Diz-se do estilo arquitetônico criado na Espanha no séc. XVI e depois transplantado especialmente ao México e ao Peru, no qual se aliam elementos góticos a elementos barrocos e platerescos. ● *S. m.* 2. Estilo churrigueresco.
churro. [Do esp. *churro.*] *Adj.* V. *churdo* (1 a 3).
chus. *Adv. Ant.* Mais. [Cf. *bus.*] ♦ **Não dizer chus nem bus.** Não dizer palavra; não retrucar.
chusma. [Do gr. *kéleusma,* atr. do lat. *celeusma.*] *S. f.* **1.** *Mar. Ant.* Equipagem (1): "tirando alguns, que .... vão por mestres e pilotos, toda a mais chusma e meneio das naus são mouros" (João de Lucena, *História da Vida do Padre Francisco de Xavier,* I, p. 223). **2.** Grande quantidade (de pessoas ou coisas); magote [v. *quantidade* (3)]: "acudiram em chusmas com grão miúdo, grande cópia de farinha, e muita variedade de frutas" (Filinto Elísio, *ap.* Sousa da Silveira, *Trechos Seletos,* p. 260); "Decerto, para quem já viveu bastante, há uma chusma de tristezas neste mundo." (Álvaro Moreira, *As Amargas, não...,* p. 43).
chusmar. *V. t. d. Ant.* Guarnecer de chusma (1); tripular.
chuta. [Voc. onom.] *Interj.* Caluda, chitão. [Cf. *chuta,* do v. *chutar.*]
chutador (ô). [De *chutar* (5) + *-(d)or.*] *Adj.* e *s. m. Bras. Gír.* Diz-se de, ou aquele que solta mentiras, mentiroso.
chutar. *V. t. d. Bras.* **1.** Dar chute (1) ou chutes em. **2.** *Gír.* Tentar acertar, arriscando; responder no chute [q. v.]: *chutou o questionário todo.* **3.** *Gír.* Pôr de lado; desdenhar, desprezar: *chutou o amigo por mera ambição. T. d. e i.* **4.** Encaminhar (questão, dúvida, etc.) a outrem que tem possibilidade de resolvê-la. *Int.* **5.** Dar chute. **6.** *Gír.* Tentar acertar, arriscando a resposta; responder no chute: *Não tinha estudado, e chutou.* **7.** *Gír.* Soltar chutes ou balelas; mentir. **8.** Contar gabolices. ♦ **Chutar alto.** *Bras. Gír.* Contar mentiras e/ou gabolices totalmente inverossímeis.
chute. [Do ingl. *shoot.*] *S. m.* **1.** *Bras.* Pontapé (1) dado na bola, no jogo de futebol. [Sin., bras.: *pelotada.*] **2.** *P. ext.* Pontapé (1). **3.** *Bras. Basq.* Arremesso (5). **4.** *Bras. Gír.* Mentira, balela. ♦ **Chute de letra.** *Fut.* O que se dá cruzando o pé por trás do pé que está à frente com a bola. **No chute.** *Bras. Gír.* Por acaso; por sorte: *Não é bom aluno, acerta no chute.*
chuteira. [De *chute* + *-eira.*] *S. f. Bras.* Botina de cano curto, presa ao pé por cadarços e com travas na sola, própria para o futebol. ♦ **Pendurar as chuteiras.** *Bras.* **1.** *Fut. Pop.* Deixar de jogar futebol como profissional. **2.** *Fig.* Deixar de exercer trabalho, cargo ou função.
chuva. [Do lat. *pluvia.*] *S. f.* **1.** Precipitação atmosférica formada de gotas de água cujas dimensões variam entre 1 e 3mm, por efeito da condensação do vapor de água contido na atmosfera. **2.** *P. ext.* Tudo o que cai ou parece cair como chuva (1): "Das janelas e dos terraços cai uma chuva de flores" (Eugênio de Castro, *Obras Poéticas,* II, p. 179); *chuva de balas; chuva de papel picado.* **3.** V. *quantidade* (3): *Crivou-o com uma chuva de perguntas.* **4.** *Bras.* V. *bebedeira* (1). ● *S. m.* **5.** *Bras. Pop.* V. *ébrio* (8). ♦ **Chuva artificial.** Chuva resultante da projeção numa nuvem de substâncias tais como o iodeto de prata e o cloreto de cálcio, capazes de promover a multiplicação de cristais de gelo ou a solidificação de gotas de água evaporadas. **Chuva ciclonal.** Tipo de chuva característico das áreas de baixa pressão, em virtude da constante ascensão das massas de ar. **Chuva de convecção.** Tipo de chuva oriunda do movimento ascendente diurno das massas de ar, freqüente na região equatorial e nas montanhas. **Chuva de estrelas.** *Astr.* V. *chuva de meteoros.* **Chuva de meteoros.** *Astr.* Conjunto dos meteoros que surgem no mesmo dia e parecem provir da mesma região do céu; corrente de meteoros, enxame de meteoros, chuva de estrelas. **Chuva de ouro.** *Expl.* V. *chuva pirotécnica* [Cf. *chuva-de-ouro.*] **Chuva de pedra.** V. *granizo* (1). **Chuva de prata.** *Expl.* V. *chuva pirotécnica.* **Chuva de relevo.** Chuva típica das encostas das montanhas ou escarpas de planaltos, devida à mais baixa temperatura reinante nos trechos de maiores altitudes. **Chuva no roçado.** *Bras.* Negócio proveitoso, vantajoso. **Chuva pirotécnica.** *Expl.* Efeito, em dispositivos pirotécnicos, que produz chuveiros luminosos e contínuos, quer em peças adrede preparadas, quer como remate de foguetes; chuva de ouro, chuva de prata, chuva veneziana. **Chuva veneziana.** *Expl.* V. *chuva pirotécnica.* **Estar na chuva.** *Bras. Pop.* Estar embriagado.
chuva-criadeira. *S. f. Bras.* Chuva fina, ininterrupta, que molha bem a terra: "recaiu na apatia, comprando e plantando milho, comprando e engordando porco, fiado na saúde deles, nas vantagens da terra boa e das chuvas-criadeiras." (Amadeu de Queirós, *João,* p. 195). [Tb. se diz apenas *criadeira.* Pl.: *chuvas-criadeiras.*]
chuvada. *S. f.* Chuva abundante e forte; chuvão, chuvarada, chuveirão, toró: "Só as noites eram boas, ... quando as chuvadas torrenciais não caíam sobre eles, com raios fuzilando" (José Lins do Rego, *Usina,* p. 8).
chuva-de-caju. *S. f. Bras., N.E.* Designação comum a chuvas que caem em setembro ou outubro e favorecem a maturescência dos cajus; piraoba, piroaba. [Pl.: *chuvas-de-caju.* Cf. *chuva-dos-cajueiros.*]
chuva-de-caroço. *S. f. Bras., N.E.* Chuva forte. [Pl.: *chuvas-de-caroço.*]
chuva-de-manga. *S. f. Bras., GO.* As primeiras chuvas da estação chuvosa, que caem em setembro e outubro. [Pl.: *chuvas-de-manga.*]
chuva-de-oiro. *S. m. Bras.* Var. de *chuva-de-ouro.* [Pl.: *chuvas-de-oiro.*]
chuva-de-ouro. *S. m. Bras.* **1.** A *Cassia fistula.* **2.** A orquidácea *Oncidium flexuosum.* [Var.: *chuva-de-oiro.* Pl.: *chuvas-de-ouro.* Cf. *chuva de ouro.*]
chuva-de-rama. *S. f. Bras., CE.* Designação comum às chuvas intermitentes que caem antes do inverno. [Pl.: *chuvas-de-rama.*]
chuva-de-santa-luzia. *S. f. Bras., CE.* Designação comum às chuvas do equinócio. [Pl.: *chuvas-de-santa-luzia.*]
chuva-dos-cajueiros. *S. f. Bras., GO.* Aguaceiro que cai em julho ou agosto e apressa o amadurecimento dos cajus. [Pl.: *chuvas-dos-cajueiros.* Cf. *chuva-de-caju.*]
chuva-dos-imbus. *S. f. Bras.* Cambueiras. [Pl.: *chuvas-dos-imbus.*]
chuvão. *S. m. Bras., N.E. Pop.* V. *chuvada.*
chuvarada. *S. f.* V. *chuvada:* "Os beirões despedem-se dos dias belos, entram nas chuvaradas de dezembro festejando o céu limpo, a doçura dos montes, com barrigadas de castanha, vinho verde e o fado." (José Vieira, *Sol de Portugal,* pp. 162-163.)
chuveirada. *S. f. Bras.* Banho rápido de chuveiro.
chuveirão. *S. m.* V. *chuvada:* "Um vento rijo e chuveirão puxados com força bateram-lhe na cara" (Rebelo da Silva, *Contos e Lendas,* p. 86).
chuveirinho. [Dim. de *chuveiro.*] *S. m. Bras. Fut.* Passe alto dado sobre a área adversária; chuveiro.
chuveiro. *S. m.* **1.** Chuva repentina e abundante, mas passageira. **2.** *Fig.* Grande porção de coisas que caem ou se sucedem com rapidez: "O anadel começou a protestar, entressachando as suas manifestações oficiais com um chuveiro de pragas e ameaças" (Alexandre Herculano, *O Monge de Cister,* II, p. 299). **3.** Crivo por onde, nos banheiros, cai a água canalizada. [Sin., bras., N.E., nesta acepç.: *chuvisco.*] **4.** O compartimento onde está o chuveiro (3). **5.** Banho de chuveiro (3). **6.** Crivo dos regadores. **7.** Anel ou brinco com uma pedra preciosa cercada de brilhantes: "brincava girando o anel de chuveiro no dedo" (Autran Dourado, *As Imaginações Pecaminosas,* p. 96); "nas orelhas chuveiro de aljôfar" (Pᵉ Antônio Vieira, *Sermões,* IV, p. 194). **8.** *Fís. Nucl.* Conjunto de partículas resultante da interação duma partícula ou duma radiação de grande energia com um meio material. **9.** *Bras. Fut.* chuveirinho. **10.** *Bras. Mar.* Gambiarra (2). **11.** *Bras., AM.* Chuva de inverno prolongada e copiosa. ♦ **Chuveiro automático.** *Constr. Sprinkler* [q. v.].
chuvinha. *S. f.* V. *chuvisco* (1).
chuviscar. *V. int.* Chover pouco e miúdo; borriçar, neblinar, molinhar, peneirar. [Defect. Conjug.: v. *trancar.*]
chuvisco. *S. m.* **1.** Chuva miúda, fina. [Sin.: *borraceiro, borriço, chuvinha, molhe-molhe, molinha, molinheira, molinheiro* e, (bras.) *garoa* ou *garua, peneira, neblina* (N.E.), *apaga-pó* (BA), *lebreia* (MG), *chuvisqueiro* (S. e GO) e *librina* (pop.).] **2.** *Bras.* Docinho em forma de pingo, feito de gemas de ovo e açúcar. **3.** *Bras., N.E.* V. *chuveiro* (3). **4.** *Bras. Telev.* Pequenos traços que lembram o chuvisco (1), e que aparecem no vídeo em conseqüência de interferência (3) na imagem.
chuvisqueiro. *S. m. Bras., S.* e *GO.* V. *chuvisco* (1): "O dia clareou todo; o chuvisqueiro da madrugada apagou a poeira dos caminhos, lavou o céu, lavou a luz." (Amadeu de Queirós, *João,* p. 112.)
chuvoso (ô). [Do lat. *pluviosu.*] *Adj.* **1.** Abundante em chuva: *tempo chuvoso;* "Rompe agreste e chuvosa a madrugada." (Eugênio de Castro, *Obras Poéticas,* V. p. 71). **2.** De chuva(s); em que há chuva(s): *dia chuvoso; estação chuvosa.* [Sin. ger., poét.: *pluvioso.*]
▲**ci(a)-.** [Do gr. *skiá, ás.*] *El. comp.* = 'sombra': *cióptico.* [Equiv.: *cio-: ciógrafo.*]
ciá. *S. m. Bras.* V. *macaco-da-noite.*
ciã. [Do ingl. *cyan.*] *Adj. 2 g.* e *s. 2 g.* Ciano [q. v.].
cianamida. *S. f. Quím.* Sólido incolor, deliqüescente. [Fórm.: NH_2CN.]
cianato. *S. m. Quím.* Qualquer sal do ácido ciânico.
cianetação. *S. f. Quím.* Processo de extração de ouro ou de prata mediante solução de cianeto de sódio.
cianeto (ê). *S. m. Quím.* Qualquer sal do ácido cianídrico.
▲**ciani-.** [Do gr. *kyanós, ou.*] *El. comp.* = 'azul': *cianípede.* [Equiv.: *cian(o)-*[1]*: cianogênio, cianato.*]
ciânico. *Adj.* ~ V. *ácido* —.
cianicórneo. [De *ciani-* + *-corn(e)-* + *-eo.*] *Adj. Zool.* Que tem pontas ou antenas azuis.
cianídrico. *Adj.* ~ V. *ácido* —.
cianípede. [De *ciani-* + *-pede.*] *Adj. 2 g. Zool.* Que tem

patas azuis.

cianirrostro. [De *ciani-* + *rostro.*] *Adj. 2 g. Zool.* Que tem bico azul.

cianita. *S. f. Min.* Mineral triclínico, silicato de alumínio; distênio. [Sin. (bras.): *palha-de-arroz.*]

ciano. [Do gr. *kianós.*] *Adj. 2 g.* **1.** Azul esverdeado. • *S. m.* **2.** Essa cor. [Em fotogravura é us. em lugar do azul, nos filtros e tintas, para maior fidelidade ao original. Sin. ger.: *ciã.* Cf. *magenta.*]

▲**cian(o)-**[1]. Equiv. de *ciani-.*

▲**cian(o)-**[2]. *Quím. El. comp.* Indica o radical monovalente NC-.

cianocarpo. [De *cian(o)-*[1] + *-carpo.*] *Adj. Bot.* Que tem frutos azulados.

cianocéfalo. [De *cian(o)-*[1] + *-céfalo.*] *Adj. Zool.* Que tem cabeça azul.

cianogênio. [De *cian(o)-*[2] + *-gen(o)-*[1] + *-io.*] *S. m. Quím.* Gás incolor, com cheiro característico de amêndoas amargas, muito venenoso. [Fórm.: C_2N_2.]

cianômetro. [De *cian(o)-*[1] + *-metro.*] *S. m.* Instrumento com que se mede a intensidade da cor azul do ar.

cianóptero. [De *cian(o)-*[1] + *-ptero.*] *Adj. Zool.* Que tem asas ou barbatanas azuis.

cianosar. *V. int. Med.* Apresentar cianose (2).

cianose. [Do gr. *kyánosis.*] *S. f.* **1.** Espécie de cristal. **2.** *Patol.* Coloração azulada, difusa, da pele e membranas mucosas, devida à presença de alto teor de hemoglobina reduzida no plexo venoso subpapilar da pele.

cianótico. *Adj. Med.* Relativo à, ou que sofre de cianose (2).

cianotipia. [De *cian(o)-*[1] + *-tip(o)-*[2] + *-ia.*] *S. f.* **1.** Método de decalque fotográfico de desenhos a traço, plantas, mapas, etc., sobre papel preparado com certos sais de ferro dotados da propriedade de se transformarem, à ação da luz, em azul-da-prússia. **2.** Decalque obtido por esse processo; cópia azul. [V. *papel de ferroprussiato.*]

cianureto (ê). *S. m. Quím.* V. *cianeto.*

cianuria. *S. f. Med.* Var. pros. de *cianúria.*

cianúria. [De *cian(o)-*[1] + *-úria.*] *S. f. Med.* Eliminação de urina de coloração azulada. [Var. pros.: *cianuria.*]

cianúrico. *Adj.* Referente à cianúria.

➧**ciao** (txau). [It.] V. *tchau.*

ciar[1]. [Do esp. *ciar.*] *V. int.* **1.** Remar para trás. **2.** *P. ext.* Mover-se para trás. [Cf. *siar* e *cear.*]

ciar[2]. [De *cio* + *-ar*[2].] *V. t. d. Ant.* **1.** Ter ciúmes de. *P.* **2.** Ter ciúmes, ciumar, enciumar-se. [Cf. *siar* e *cear.*]

ciateácea. *S. f.* Espécime das ciateáceas.

ciateáceas. *S. f. pl. Bot.* Família de pteridófitos de grande porte, em geral arborescentes, que habitam as matas úmidas e sombrias, e cujos esporângios têm anel completo e oblíquo. Há umas 200 espécies, que preferem as zona tropicais e subtropicais, tendo muitos representantes, os quais apresentam ampla folhagem finamente recortada.

ciateáceo. *Adj.* Pertencente ou relativo às ciateáceas.

▲**ciati-.** [De *cíato* (q. v.).] *El. comp.* = 'vaso', 'espécie de taça': *ciatiforme.*

ciática. [Fem. substantivado de *ciático;* subentende-se *dor.*] *S. f. Med.* Neuralgia do nervo ciático.

ciático. [Do gr. *ischiadikós,* pelo lat. *sciaticu.*] *Adj. Anat.* V. *isquiático.* ~ V. *dor* —*a.*

ciatiforme. [De *ciati-* + *-forme.*] *Adj. 2 g. Bot.* Diz-se do órgão ou parte vegetal que tem forma de taça: *podécio c i a t i f o r m e.*

ciátio. [De *cíato* + *-io*[2].] *S. m. Bot.* Inflorescência multiflora e muito contraída, característica do gênero *Euphorbia,* a qual leva apenas uma flor feminina, a par de numerosas masculinas, que, observadas pelo leigo, parecem uma única flor.

cíato. [Do gr. *kyathos,* pelo lat. *cyathu.*] *S. m.* **1.** Vaso* com asa, com o qual se tirava o vinho da cratera para despejá-lo nos copos dos convivas. **2.** *Anat.* Conduto do infundíbulo do cérebro.

ciatóide. [De *ciátio* + *-oide.*] *Adj. 2 g. Bot.* Semelhante ao ciátio.

cibalho. [De *cibo* + *-alho.*] *S. m.* Alimento procurado pela aves bravas.

cíbalo. [Do gr. *skybalon.*] *S. m. Med.* Coprólito (2).

cibernética. [Do gr. *kybernetiké,* i. e., *téchne kybernetiké,* 'a arte do piloto'.] *S. f.* Ciência que estuda as comunicações e o sistema de controle não só nos organismos vivos, mas também nas máquinas.

cibernético. *Adj.* Pertencente ou relativo à cibernética.

cibo. [Do lat. *cibu.*] *S. m. Ant.* **1.** Comida, alimento (especialmente das aves). **2.** Pequena quantidade de alimento ou de qualquer outra coisa.

cibório. [Do gr. *kibórion,* pelo lat. *ciboriu.*] *S. m.* Vaso onde se guardam as hóstias ou partículas consagradas: "E pela serra fora, caminho de casal remoto, vai o velho prior: adiante o sacristão com a lanterna e a âmbula da extrema-unção, e ele atrás com o c i b ó r i o." (Alexandre Herculano, *Lendas e Narrativas,* II, p. 137.)

cibotático. *Adj. Fís.* Diz-se do estado de um líquido em que existem domínios constituídos por moléculas com orientação regular no espaço, e cujas fronteiras se modificam continuamente.

cica. [Do tupi *sika.*] *S. f. Bras.* O travor e gosto adstringente de certas frutas, quando verdes. [Cf. *sica.*]

cicadácea. *S. f.* Espécime das cicadáceas.

cicadáceas. *S. f. pl. Bot.* Família de gimnospermas, semelhantes a palmeiras, que engloba perto de 65 espécies, das quais apenas três vegetam espontaneamente no extremo N. do Brasil (*Zamia*). Em cultivo há duas espécies, apreciadíssimas por sua beleza.

cicadáceo. *Adj.* Pertencente ou relativo às cicadáceas.

cicadale. *S. f.* Espécime das cicadales.

cicadales. *S. f. pl. Bot.* Classe de gimnospermas formada exclusivamente pela família das cicadáceas.

cicadelídeo. *S. m.* **1.** Espécime dos cicadelídeos. • *Adj.* **2.** Pertencente ou relativo a eles. [Sin.: *jassídeo.*]

cicadelídeos. *S. m. pl. Zool.* Família de insetos da ordem dos homópteros, cigarrinhas saltadoras, com cerca de 20 mm de comprimento, uma ou mais fileiras de espinhos ao longo das tíbias posteriores, vistosos ou coloridos. São pragas de grande interesse econômico, por sugarem a seiva das plantas ou obstruir-lhes os vasos. [Sin.: *jassídeos.*]

cicadídeo. *S. m.* **1.** Espécime dos cicadídeos. • *Adj.* **2.** Pertencente ou relativo a eles. [Sin. ger.: *cicadóideo.*]

cicadídeos. *S. m. pl. Zool.* Família de insetos da ordem dos homópteros, à qual pertencem as cigarras. São grandes insetos (de 0,015 m a 0,070 m) de asas anteriores membranosas, tendo os machos na base do abdome órgãos que produzem som ventralmente. De desenvolvimento muito moroso, podem viver no interior de tubos feitos de terra durante 13 a 17 anos. No estágio adulto podem viver um mês ou pouco mais. [Sin.: *cicadóideos.*]

cicadofilicale. *S. f.* Espécime das cicadofilicales.

cicadofilicales. *S. f. pl. Bot.* Classe de gimnospermas fósseis que vicejaram copiosamente durante os períodos carbonífero e permiano, e tinham aspecto de enormes fetos arborescentes. A classe compreendia duas famílias: lignodendráceas e medulosáceas. [Sin.: *pteridospermas.*]

cicadóideo. *S. m.* e *adj.* Cicadídeo.

cicadóideos. *S. m. pl. Zool.* Cicadídeos.

cicatricial. *Adj. 2 g.* Relativo a, ou próprio de cicatriz.

cicatrícula. [Do lat. *cicatricula.*] *S. f.* **1.** Pequena cicatriz. **2.** *Zool.* Mancha na gema do ovo, que indica o germe. **3.** *Bot.* Sinal na supefície da semente, que corresponde à micrópila.

cicatriz. [Do lat. *cicatrice.*] *S. f.* **1.** Marca deixada numa estrutura anatômica pelo tecido fibroso que recompõe as partes lesadas. **2.** *Fig.* Sinal ou vestígio de danificação ou destruição. **3.** *Fig.* Lembrança ou impressão duradoura de uma ofensa, de uma dor moral. **4.** *Bot.* Vestígios deixados em certos órgãos pela queda de outros ligados a eles. [Dim. irreg.: *cicatrícula.*] ◆ **Cicatriz estelar.** *Astr.* Astroblema.

cicatrização. *S. f.* Ato ou efeito de cicatrizar(-se).

cicatrizado. [Part. de *cicatrizar.*] *Adj.* **1.** Fechado por cicatriz. **2.** *P. ext.* Curado ou seco (o ferimento, a ferida). **3.** Marcado de cicatriz. **4.** *Fig.* Curado de algum sofrimento ou dor moral.

cicatrizante. *Adj. 2 g.* **1.** Que cicatriza. • *S. m.* **2.** Medicamento cicatrizante.

cicatrizar. *V. t. d.* **1.** Fazer que se forme cicatriz (1) em: *Em poucos dias a pomada c i c a t r i z o u a ferida;* "Uns corações têm melhor carnadura que outros. Há deles que c i c a t r i z a m depressa golpes fundos." (Camilo Castelo Branco, *A Mulher Fatal,* p. 90). **2.** *Fig.* Desfazer, dissipar [a cicatriz (3)]: "O tempo foi pouco a pouco abrandando a minha dor, c i c a t r i z a n d o a minha chaga." (Carlos Magalhães de Azeredo, *Ariadne,* p. 85.) *Int.* **3.** Fazer que se firme cicatriz (1): *Esta pomada desinfeta e c i c a t r i z a.* **4.** Transformar-se (uma ferida) em cicatriz (1); cicatrizar-se: "Quitéria .... pensou-lhe o ferimento que, dentro de um mês mais ou menos, c i c a t r i z a v a." (Ulisses Lins de Albuquerque, *Um Sertanejo e o Sertão,* p. 219.) **5.** Desaparecer, dissipar-se [a cicatriz (3)]. *P.* **6.** Cicatrizar (4).

cicatrizável. *Adj. 2 g.* Que pode cicatrizar, ou cicatriza facilmente.

cicerado. [Part. de *cicerar.*] *Adj. Tip.* Marcado, calculado ou graduado em cíceros.

ciceragem. *S. f. Tip.* **1.** Medição em cíceros. **2.** Número de cíceros.

cicerar. *V. t. d. tip.* Marcar, calcular ou graduar em cíceros. [Pres. ind.: *cicero,* etc. Cf. *cícero,* s. m., e *Cícero,* antr.]

cícero. [Do antrop. *Cícero* (v. *ciceroniano*).] *S. m. Tip.* Unidade tipométrica do sistema Didot [q. v.], equivalente a 12 pontos (4,511 mm). [V. *paica.*]

cícero-dantense. *Adj. 2 g.* **1.** De, ou pertencente ou relativo a Cícero Dantas (BA). • *S. 2 g.* **2.** Natural ou habitante de Cícero Dantas. [Pl.: *cícero-dantenses.*]

cicerone. [Do it. *cicerone.*] *S. m.* Pessoa que guia visitantes ou turistas, mostrando-lhes o que há de importante em uma localidade ou dando-lhes informações que lhes interessem.

ciceroniano. [Do lat. *ciceronianu.*] *Adj.* **1.** Pertencente ou relativo a Cícero (Marco Túlio Cícero, séc. I a.C.), orador e escritor latino, ou próprio dele. **2.** Eloqüente, facundo: "lá dentro, começará a reboar o vozeirão de Pereira da Cunha, em réplica ou tréplica, e há de ouvir-se noite adentro a c i c e r o n i a n a oração de Plínio Casado" (Augusto Meyer, *No Tempo da Flor,* p. 14). **3.** Elevado, como o estilo de Cícero.

ciciar. *V. int.* **1.** Pronunciar as palavras em cicio (2). **2.** Rumorejar levemente: *As ramagens c i c i a v a m ao vento;* "a viração c i c i a v a brandamente no canavial" (Franklin Távora, *O Cabeleira,* p. 269); "As cigarras c i c i a v a m estrídulas" (Coelho Neto, *Sertão,* p. 206). *T. d.* **3.** Dizer em voz baixa: "o corcunda e o amigo ficaram com as cabeças muito juntas, c i c i a n d o segredos e olhando sempre para o Desconhecido." (Érico Veríssimo, *Noite,* p. 40). [Cf. *cecear.*]

cicica. *S. f. Bras.* V. *caxirenguengue.*

cicindela. *S. f. Bras.* Inseto coleóptero, dos cicindelídeos, especialmente o do gênero *Cicindela L.,* freqüente em lugares áridos e arenosos. São diurnos, alimentam-se de outros insetos, têm odor desagradável. Comum em nossas praias é a espécie *C. nivea Kirby,* de coloração clara.

cicindelídeo. *S. m.* **1.** Espécime dos cicindelídeos. • *Adj.* **2.** Pertencente ou relativo a eles.

cicindelídeos. *S. m. pl. Zool.* Família de insetos da ordem dos coleópteros, subordem dos adéfagos, besouros muito velozes, de cor metálica e iridescente, em geral verde ou parda, com 1 ou 2 cm de comprimento, manchas claras nos élitros, mandíbulas longas e falciformes. Encontrados em locais ensolarados e abertos, áridos, ou nas areias das praias. Predadores, alimentam-se de outros pequenos insetos.

cicio. [Voc. onom.] *S. m.* **1.** Rumor brando, como o da viração nos ramos das árvores: "Zumbidos e zunzuns de invisíveis insetos, / Chios, c i c i o s, sons de cochichos, baixinho." (Martins Fontes, *Verão,* p. 39.) **2.** Murmúrio de palavras em voz baixa: "Pôs-lhe no ouvido, num c i c i o delicado, ... este segredo político que parecia um segredo de amor: / — Fujamos!" (Antero de Figueiredo, *Leonor Teles,* p. 99.)

cicioso (ô). *Adj.* Que cicia; sussurrante, murmurante: "tinha uma voz meio c i c i o s a, simpática, macia." (Malu de Ouro Preto, *Siri na Noite sem Lua,* p. 11). [Cf. *ceceoso.*]

cicladense. *Adj. 2 g.* **1.** Das, ou pertencente ou relativo às ilhas Cíclades (Grécia). • *S. 2 g.* **2.** Natural ou habitante dessas ilhas.

ciclagem. *S. f. Eletr.* A freqüência de uma corrente alternada.

ciclamato. *S. m. Quím.* Sal ou éster do ácido ciclâmico. [O sal de cálcio é usado como edulcorante.]

ciclame. [Do gr. *kykláminos,* pelo lat. *cyclaminu.*] *S. m.* V. *ciclâmen.*

ciclâmen. [Do fr. *cyclamen.*] *S. m.* **1.** Gênero de primuláceas. **2.** A cor arroxeada peculiar a essas plantas. [Cf. *de cor* (3).] • *Adj. 2 g.* **3.** Que tem essa cor: *saia c i c l â m e n.* **4.** Diz-se dessa cor: *chapéu de cor c i c l â m e n.* [Esta pronúncia é a m. us. Pl.: *ciclamens* e (p. us. no Bras.) *ciclâmenes.*]

ciclâmico. *Adj.* ~ V. *ácido* —.

ciclano. *S. m. Quím.* Hidrocarboneto saturado cíclico, como, p. ex., o cicloexano, o ciclopentano.

ciclantácea. *S. f.* Espécime das ciclantáceas.

ciclantáceas. *S. f. pl. Bot.* Família de plantas monocotiledôneas, semelhantes a pequenas palmeiras, às vezes trepadeiras, que habitam as matas tropicais, e de que há umas 50 espécies. Flores insignificantes e estruturalmente simples, unissexuais, dispostas em espádice; frutos baciformes.

ciclantáceo. *Adj.* Pertencente ou relativo às ciclantáceas.

ciclarídeo. *S. m.* **1.** Espécime dos ciclarídeos. • *Adj.* **2.** Pertencente ou relativo a eles.

ciclarídeos. *S. m. pl. Zool.* Aves passeriformes, da família *Cyclarhidae*, caracterizadas por terem o bico grosso. Arborícolas, alimentam-se de insetos e frutas. São os gente-de-fora-vem-aí.
cicleno. *S. m. Quím.* V. *cicloalqueno.*
cíclico. [Do gr. *kyklikós*, pelo lat. *cyclicu.*] *Adj.* **1.** Pertencente ou relativo a um ciclo. **2.** Que se realiza ou se repete numa certa ordem. **3.** *Bot.* Diz-se das peças florais dispostas em verticilos: *flor* cíclica. **4.** *Med.* Diz-se de todo o processo que oscila periodicamente entre dois extremos. **5.** *Fís.* Diz-se do processo de evolução de um sistema cujo estado inicial é igual ao estado final. **6.** *Quím.* Diz-se de um composto cuja molécula tem pelo menos um anel fechado. ~ V. *coordenada —a, movimento —, permutação —a, simetria —a* e *sonata —a.* ● *S. m.* **7.** Poeta que punha em verso a história dos tempos heróicos da Grécia.
ciclídeo. *S. m.* **1.** Espécime dos ciclídeos. ● *Adj.* **2.** Pertencente ou relativo a eles.
ciclídeos. *S. m. pl. Zool.* Família de peixes teleósteos, de água doce, da América do Sul, América Central e África, com cerca de 300 espécies. Apresentam cores brilhantes, ocorrendo espécies com a curiosa propriedade de incubação oral.
ciclismo. [Do fr. *cyclisme.*] *S. m.* **1.** A arte de andar de bicicleta. **2.** O esporte das corridas de bicicletas.
ciclista. [Do fr. *cycliste.*] *S. 2 g.* Pessoa que pratica o ciclismo.
ciclístico. *Adj.* Relativo ao ciclismo ou aos ciclistas.
ciclo[1]**.** [Do gr. *kyklos*, pelo lat. *cyclu.*] *S. m.* **1.** Série de fenômenos que se sucedem numa ordem determinada: ciclo *das estações;* ciclo *das horas.* **2.** Período ou revolução de certo número de anos passados nos quais se devem repetir na mesma ordem os fenômenos astronômicos. **3.** Período (2) em que ocorrem fatos históricos importantes a partir de um acontecimento, seguindo uma determinada evolução: *o* ciclo *das grandes navegações; o* ciclo *do ouro no Brasil.* **4.** *Bras.* Cada uma das divisões de certos programas de ensino. **5.** *Álg. Mod.* V. *permutação cíclica.* **6.** *Biol. Ger.* Ritmo de sucessão ou repetição de um fenômeno. **7.** *Eletr.* Período da corrente alternada. **8.** *Estat.* Período ou revolução ao fim dos quais se devem repetir, na mesma ordem, os fatos observados. **9.** *Fís.* Qualquer transformação cujo estado inicial é igual ao final. **10.** *Fís.* Em um movimento periódico, parte compreendida entre duas passagens sucessivas do sistema pelo mesmo estado. **11.** *Quím.* O anel de átomos que constitui a estrutura de muitos compostos, como, p. ex., dos hidrocarbonetos aromáticos, do antraceno, dos ciclanos. **12.** *Liter.* Conjunto de poemas em que se celebram feitos de certo herói ou de certa época. **13.** *Liter.* Conjunto de obras de ficção de um autor que versam o mesmo tema: *o "*Ciclo *da Cana-de-Açúcar", de José Lins do Rego.* **14.** *Radiotécn.* V. *hertz.* **15.** Repetição de situações culturais ou sociais ligadas entre si. **16.** Um dos períodos, reversíveis ou irreversíveis, do desenvolvimento social. **17.** Ciclo menstrual. [Cf. *siclo.*] ◆ **Ciclo básico.** Nas instituições de ensino superior que mantêm diversas modalidades de habilitação, o ciclo comum a todos os cursos de determinadas áreas, que precede os estudos profissionais de graduação, e que visa à recuperação de insuficiências evidenciadas pelo vestibular e à aquisição de conhecimentos fundamentais para ciclos ulteriores; primeiro ciclo de graduação. [Tb. se diz apenas *básico.*] **Ciclo cultural.** Conjunto de elementos que apresentam caracteres culturais semelhantes. **Ciclo de Chandler.** *Astr.* V. *período de Chandler.* **Ciclo do mundo.** *Filos.* V. *eterno retorno* (1). **Ciclo dos caldeus.** *Astr.* V. *saros.* **Ciclo dos saros.** *Astr.* V. *saros.* **Ciclo lunar.** *Astr.* Período no fim do qual a lua nova cai aproximadamente nas mesmas datas do ano, e que vale cerca de 19 anos. **Ciclo menstrual.** *Fisiol.* Série de alterações uterovarianas, e fenômenos associados, que ocorrem na mulher entre os períodos menstruais. [Tb. se diz apenas *ciclo.*] **Ciclo metônico.** *Cronol.* Período de 235 meses lunares, ou 19 anos e 11 dias, proposto por Meton [v. *metônico*], no qual as fases da Lua se repetem na mesma ordem e no mesmo dia. **Ciclo solar. 1.** *Cronol.* Período de 28 anos, no fim do qual os dias da semana caem nas mesmas datas do ano. **2.** *Astr.* Período que caracteriza a atividade solar. **Ciclo vital.** Biociclo (2). **Primeiro ciclo de graduação.** V. *ciclo básico.*
ciclo[2]**.** *S. m.* Designação comum a veículos como bicicletas, motocicletas, velocípedes, etc. [Cf. *siclo.*]
ciclo-. *Quím. El. comp.* Indica estrutura fechada, em anel.
▲**cicl(o)-.** [Do gr. *kýklos, ou.*] *El. comp.* = 'círculo': *ciclotimia.* [Equiv.: *-ciclo: triciclo.*]
▲**-ciclo.** Equiv. de *cicl(o)-.*
cicloalceno. *S. m. Quím.* V. *cicloalqueno.*
cicloalqueno. *S. m. Quím.* Qualquer hidrocarboneto cíclico com uma dupla ligação; cicloalceno, cicleno, ciclolefina.
ciclobutano. *S. m. Quím.* Gás incolor, inflamável, existente em certos tipos de petróleo. [Fórm.: C_4H_8.]
cicloexano (cs). [De *cicl(o)-* + *hexano.*] *S. m. Quím.* Hidrocarboneto cíclico, líquido, incolor, existente em certos tipos de petróleo. [Fórm.: C_6H_{12}.]
cicloexanol (cs). *S. m. Quím.* Substância muito higroscópica, em geral na forma de líquido incolor, xaroposo, com cheiro parecido com o da cânfora, obtido pela redução do fenol e usado como solvente de borracha, na fabricação de sabões, como agente de limpeza a seco. [Fórm.: $C_6H_{11}OH$.]
cicloexilamina (cs). *S. f. Quím.* Amina cíclica, líquida, incolor, usada como solvente. [Fórm.: $C_6H_{13}N$.]
cicloidal. *Adj. 2 g.* Relativo a ciclóide. ~ V. *pêndulo —.*
ciclóide. [Do gr. *kykloeidés.*] *Adj. 2 g.* **1.** *Psiq.* Diz-se do tipo em geral jovial, displicente, porém sujeito a períodos de depressão discreta. ● *S. 2 g.* **2.** *Psiq.* Indivíduo ciclóide. ● *S. f.* **3.** *Geom.* Curva plana descrita por um ponto fixo de uma circunferência que rola sem deslizar, sobre uma reta fixa do seu plano. **4.** *Geom. Impr.* Trocóide. **5.** Escamas delgadas e elásticas formadas por uma camada de tecido conjuntivo sotoposto.
ciclolefina. *S. f. Quím.* V. *cicloalqueno.*
ciclometria. [De *cicl(o)-* + *-metr(o)-* + *-ia.*] *S. f.* Arte de medir círculos ou ciclos.
ciclométrico. *Adj.* Relativo à ciclometria.
ciclomotor (ô). [De *ciclo*[2] + *motor.*] *S. m.* Bicicleta motorizada.
ciclonal. *Adj. 2 g.* Ciclônico. ~ V. *chuva —.*
ciclone. [Do gr. *kyklôn.*] *S. m.* **1.** *Met.* Região da atmosfera onde a pressão é baixa em relação à das regiões circunvizinhas, em um mesmo nível; centro de baixa pressão, centro de baixa, baixa. [Antôn.: *anticiclone.*] **2.** *Met.* Tempestade violenta produzida por grandes massas de ar animadas de grande velocidade de rotação e que se deslocam a velocidades de translação crescentes até a tempestade se desfazer. **3.** *Tec.* Peça de equipamento na qual uma corrente de gás, contendo partículas em suspensão, é forçada a executar movimento turbilhonar, com o que se recolhem, por um lado, as partículas, enquanto, por outro, eflui o gás puro.
ciclônico. *Adj.* Relativo a ciclone; ciclonal.
ciclonita. *S. f. Quím.* Hexógeno.
cicloparafina. *S. f. Quím.* Qualquer hidrocarboneto cíclico saturado.
ciclope. [Do gr. *kyklops*, 'de olho redondo', pelo lat. *cyclope.*] *S. m.* **1.** *Mitol.* Gigante com um só olho na testa. **2.** Espécime dos ciclopes. ● *Adj.* **3.** Pertencente ou relativo a eles.
ciclopentano. *S. m. Quím.* Hidrocarboneto cíclico saturado, líquido, encontrado em certos petróleos. [Fórm.: C_5H_{10}.]
ciclópeo. [Do gr. *kyklópeios*, pelo lat. *cyclopeu.*] *Adj.* V. *ciclópico.*
ciclopes. *S. m. pl. Zool.* Crustáceos que vivem nas águas estagnadas.
ciclópico. [Do gr. *kyklopikós.*] *Adj.* **1.** Pertencente ou relativo a ciclope (1). **2.** *Fig.* Extraordinário, colossal, gigantesco: *esforço* ciclópico. **3.** Diz-se de certos monumentos antigos construídos com enormes blocos de pedra irregulares, provavelmente pelásgicos. [Sin. ger.: *ciclópeo.*] ~ V. *concreto —.*
ciclopropano. *S. m. Quím.* Gás incolor, com cheiro característico de solventes da nafta, muito inflamável, usado como anestésico. [Fórm.: C_3H_9.]
ciclorama. [De *cicl(o)-* + *-orama.*] *S. m. Teat.* Grande tela semicircular, geralmente azul-clara, situada no fundo da cena, e sobre a qual se lançam as tonalidades luminosas de céu que se deseja obter, ou se projetam diapositivos ou filmes que se desenvolvem alternada ou paralelamente à ação física dos atores; infinito, parede do infinito, cúpula de horizonte.
ciclorrafo. *S. m.* **1.** Espécime dos ciclorrafos. ● *Adj.* **2.** Pertencente ou relativo a eles.
ciclorrafos. *S. m. pl. Zool.* Insetos da ordem dos dípteros, subordem *Cyclorrhapha.* O adulto emerge da pupa através de uma abertura circular e tem antena com uma lúnula frontal; a larva é geralmente sem cabeça distinta.
ciclossimétrico. *Adj.* ~ V. *função —a.*
ciclostomado. *S. m.* **1.** Espécime dos ciclostomados. ● *Adj.* **2.** Pertencente ou relativo a eles. [Sin. ger.: *ciclóstomo, marsipobrânquio, monorrino.*]
ciclostomados. *S. m. pl. Zool.* **1.** Animais cordados, craniotas, ágnatos, da classe *Cyclostomata*, de pele nua, boca suctorial com dentes córneos, sem maxilas, seis a 14 pares de fendas branquiais; ciclóstomos, marsipobrânquios, monorrinos. **2.** Animais marinhos briozoários, estenolemados, ordem *Cyclostomata.* Caracterizados pelos zoécios tubulares e ausência de opérculos.
ciclóstomo. [De *cicl(o)-* + *-stomo.*] *S. m.* e *adj.* V. *ciclostomado.*
ciclóstomos. *S. m. pl. Zool.* V. *ciclostomados* (1).
ciclotimia. [De *cicl(o)-* + *-tim(o)-* + *-ia.*] *S. f. Psiq.* **1.** Psicose maníaco-depressiva. **2.** Temperamento que se caracteriza por variações cíclicas, da alegria à depressão. [O paciente que a apresenta é, com freqüência, do tipo pícnico.]
ciclotímico. *Psiq. Adj.* **1.** Relativo à, ou que apresenta ciclotimia. ● *S. m.* **2.** Indivíduo ciclotímico.
ciclotomia. [De *cicl(o)-* + *-tom(o)-* + *-ia.*] *S. f. Cir.* Seção do músculo ciliar.
ciclotômico. *Adj.* Relativo à ciclotomia.
ciclótomo. [De *cicl(o)-* + *-tomo.*] *S. m. Cir.* Instrumento de corte empregado na ciclotomia e em outras intervenções cirúrgicas oculares.
ciclotron. [De *cicl(o)-* + *(elé)tron.*] *S. m. Eng. Nucl.* Acelerador de campo variável em que as partículas descrevem órbitas quase circulares num campo magnético e são aceleradas mediante um pequeno potencial que lhes é aplicado duas vezes em cada volta, quando cruzam o espaço situado entre duas peças em forma de *D.*
ciclovia. [De *ciclo*[2] + *via.*] *S. f.* **1.** Pista exclusiva para bicicletas. **2.** Pista para a prática do ciclismo.
ciconídeo. *S. m.* **1.** Espécime dos ciconídeos. ● *Adj.* **2.** Pertencente ou relativo a eles.
ciconídeos. *S. m. pl. Zool.* Aves ardeiformes, da família *Ciconiidae*, cujo bico é direito ou, quando curvo, com a cabeça pelada (jaburu-moleque), dedo posterior articulado em posição mais alta que os anteriores. São aves de grande porte, e vivem aos bandos. Alimentam-se de peixes. São os jaburus, tuiuiús e cauanãs.
ciconiforme. [Do lat. *ciconia*, 'cegonha', + *-forme.*] *S. m.* **1.** Espécime dos ciconiformes. ● *Adj. 2 g.* **2.** Pertencente ou relativo a eles. [Sin. ger.: *herodione.*]
ciconiformes. *S. m. pl. Zool.* Aves neórnites, neognatas, da ordem ciconiformes. Porte geralmente grande, asas medíocres, pernas e pescoço longos, dedos livres ou com membrana reduzida, hálux longo; vivem perto da água e se alimentam sobretudo de peixes. São as garças, flamingos, acauãs e socós. [Sin.: *herodiones.*]
cicuta. [Do lat. *cicuta.*] *S. f.* **1.** Designação comum a várias plantas umbelíferas, venenosas, dos gêneros *Cicuta, Conium* e *Anthricus*, de tamanhos diversos, e que crescem nos pântanos e na montanha. **2.** Veneno extraído da cicuta-da-europa. [Sin. ger. (pop.): *cigude* ou *cegude, embude.*]
cicuta-da-europa. *S. f. Bras.* Planta glabra, verde-escura, da família das umbelíferas (*Conium maculatum*), de caule ereto, flores alvas, folhas pecioladas e grandes, e frutos ovóides, e cujo suco tem odor nauseante e é veneno enérgico. [Pl.: *cicutas-da-europa.*]
▲**-cida.** [Do lat. *caedere* e do lat. *cadere.*] *El. comp.* = 'que mata'; 'que fere'; 'que cai': *vermicida, inseticida; septicida.* [Cf. *-cidio.*]
cidadã. *S. f.* Fem. de *cidadão* [q. v.].
cidadania. *S. f.* Qualidade ou estado de cidadão: cidadania *brasileira.*
cidadão. *S. m.* **1.** Indivíduo no gozo dos direitos civis e políticos de um Estado, ou no desempenho de seus deveres para com este. **2.** Habitante da cidade. **3.** *Pop.* Indivíduo, homem, sujeito: *Esteve aí um* cidadão *procurando por você.* [Fem.: *cidadã* e *cidadoa;* pl.: *cidadãos.*] ◆ **Cidadão do mundo.** Homem que põe os interesses da humanidade acima dos da pátria; cidadão do Universo. **Cidadão do Universo.** Cidadão do mundo.
cidade. [Do lat. *civitate.*] *S. f.* **1.** Complexo demográfico formado, social e economicamente, por uma importante concentração populacional não agrícola, i. e., dedicada a atividades de caráter mercantil, industrial, financeiro e cultural; urbe. **2.** Os habitantes da cidade, em conjunto: A cidade *saiu à rua para aclamar os heróis.* **3.** A parte mais antiga ou mais central de uma cidade. **4.** O centro comercial. **5.** *Bras.* Sede de município, independentemente do número de seus habitantes. **6.** *Bras.* Vasto formigueiro de saúvas constituído por vários alongamentos chamados *panelas.* ◆ **Cidade aberta.** Cidade sem fortificações e sem objetivos militares, que a prática beligerante convencionou poupar de bombardeios, ataques, etc. **Cidade alta.** A parte elevada de uma cidade, por contraposição à baixa. **Cidade baixa.** A

parte baixa de uma cidade, por contraposição à alta. **Cidade das sete colinas.** Roma. [São elas: o Vaticano, o Janículo, o Aventino, o Célio, o Esquilino, o Píncio e o Capitólio.] **Cidade dos pés juntos.** *Bras. Pop.* V. *cemitério* (1). **Cidade lacustre.** Conjunto de habitações construídas sobre estacas, em lagos ou perto deles, descobertas em várias partes do globo, e atribuídas ao homem pré-histórico. **Cidade maravilhosa.** O Rio de Janeiro. **Ir para a cidade dos pés juntos.** *Bras. Pop.* V. *morrer* (1).

cidade-dormitório. *S. f.* Cidade cujos habitantes saem, na maioria, para trabalhar em outra, retornando só para dormir. [Pl.: *cidades-dormitórios.*]

cidade-estado. *S. f.* Na antiguidade clássica, estado (12) onde a soberania era exercida pelos cidadãos livres de uma cidade independente, estendendo-se aos territórios sob o seu controle direto. [Pl.: *cidades-estados.*]

cidadela. [Do it. *cittadella.*] *S. f.* **1.** Fortaleza defensiva duma cidade. **2.** *P. ext.* Lugar onde se pode estabelecer defesa. **3.** *Fig.* Centro onde se reúnem os defensores mais ardentes de uma doutrina, ideologia, etc.: *Minas Gerais foi a* c i d a d e l a *da inconfidência.* **4.** *Bras. Fut.* V. *gol* (1).

cidade-satélite. *S. f.* Cidade com autonomia administrativa ou sem ela, e cuja vida depende doutra cidade mais desenvolvida, mais ou menos próxima. [Pl.: *cidades-satélites.*]

cidadoa (ô). *S. f.* V. *cidadão.*

cidaróide. *S. m.* **1.** Espécime dos cidaróides. ● *Adj. 2 g.* **2.** Pertencente ou relativo a eles.

cidaróides. *S. m. pl. Zool.* Animais equinodermos equinóides, regulares, ordem *Cidaroida*, de carapaça globulosa, rígida ou flexível; sem brânquias; dentes sulcados.

▲**-cidio.** [Do lat. *caedere.*] *El. comp.* = 'morte, assassínio': *parricídio* (lat. *parricidiu*), *filicídio, genocídio.* [Cf. *-cida.*]

cidipídio. *S. m.* **1.** Espécime dos cidipídios. ● *Adj.* **2.** Pertencente ou relativo a eles.

cidipídios. *S. m. pl. Zool.* Animais ctenóforos tentaculados, da ordem *Cydippida*, de corpo arredondado, e tentáculos ramificados e retráteis, que se podem recolher em uma bainha.

cidra. [Do lat. *cítrea.*] *S. f.* O fruto da cidreira. [Cf. *sidra.*]

cidrada. *S. f.* Doce de cidra.

cidral. *S. m.* Quantidade mais ou menos considerável de cidreiras dispostas proximamente entre si.

cidrão. [Aum. de *cidra.*] *S. m.* **1.** Variedade de cidra (1) de casca grossa. **2.** Designação comum a duas espécies de verbenáceas do gênero *Lippia*, de flores e folhas cujo cheiro forte lembra o do limão, aproveitadas em perfumaria. **3.** Doce da casca de cidrão.

cidreira. *S. f. Bras.* Arbusto epinescente, da família das rutáceas (*Citrus medica*), de rebentos avermelhados, folhas aromáticas e flores alvas, e que fornece madeira amarela, dura e compacta.

cidreirense. *Adj. 2 g.* **1.** De, ou pertencente ou relativo a Cidreira (RS). ● *S. 2 g.* **2.** Natural ou habitante de Cidreira.

ciecié. *S. m. Bras., PE.* V. *chama-maré.*

cieiro. *S. m. Patol.* Dermatite localizada nos lábios e produzida pelo frio: "a áspera secura de todos os ventos de norte e leste produz o c i e i r o e decompõe a pele." (Ramalho Ortigão, *As Farpas*, I, p. 37).

ciência. [Do lat. *scientia.*] *S. f.* **1.** Conhecimento (3). **2.** Saber que se adquire pela leitura e meditação; instrução, erudição, sabedoria. **3.** Conjunto organizado de conhecimentos relativos a um determinado objeto, especialmente os obtidos mediante a observação, a experiência dos fatos e um método próprio: c i ê n c i a s *históricas;* c i ê n c i a s *físicas.* **4.** Soma de conhecimentos práticos que servem a um determinado fim: *a* c i ê n c i a *da vida.* **5.** A soma dos conhecimentos humanos considerados em conjunto: *os progressos da* c i ê n c i a *em nossos dias.* **6.** *Filos.* Processo pelo qual o homem se relaciona com a natureza visando à dominação dela em seu próprio benefício. [Atualmente este processo se configura na determinação segundo um método e na expressão em linguagem matemática de leis em que se pode ordenar os fenômenos naturais, do que resulta a possibilidade de, com rigor, classificá-los e controlá-los.] ◆ **Ciência cristã.** Misto de religião e medicina mental, fundada em 1866 nos E.U.A. por Mary Baker-Eddy (1821-1910). **Ciência econômica.** *Econ.* V. *economia* (3). **Ciência infusa.** A que se supõe vinda de Deus por inspiração. **Ciências aplicadas.** Aquelas em que a pesquisa visa a uma aplicação, como, p. ex., a terapêutica, a eletricidade industrial. [Cf. *tecnologia.*] **Ciências econômicas.** *Econ.* Economia (4). **Ciências exatas.** As ciências matemáticas. **Ciências experimentais.** Aquelas cujo método exige o recurso da experimentação. **Ciências físicas.** A física, a química, e ciências afins, como a meteorologia, a hidrologia, a geologia. **Ciências humanas.** As que estudam o comportamento do homem individual ou coletivamente, como, entre outras, a psicologia, a filosofia, a lingüística e a história. **Ciências morais.** As que estudam os sentimentos, pensamentos e atos do homem, aquilo que constitui o espírito humano. **Ciências naturais.** A botânica, a zoologia, a mineralogia e a petrologia. [Cf. *história natural.*] **Ciências normativas.** Aquelas que, como a lógica e a moral, traçam normas ao pensamento e à conduta humana. **Ciências ocultas.** Ocultismo (1). **Ciências sociais.** Aquelas cujo objeto de estudo são os diferentes aspectos das sociedades humanas.

ciênida. *S. m.* e *adj. 2 g.* V. *cienídeo.*

ciênidas. *S. m. pl. Zool.* V. *cienídeos.*

cienídeo. *S. m.* **1.** Espécime dos cienídeos. ● *Adj.* **2.** Pertencente ou relativo a eles.

cienídeos. *S. m. pl. Zool.* Família de peixes teleósteos, de tamanho médio, de grande valor na alimentação e na comercialização do pescado. As espécies mais comuns são a pescadinha, a pescada, a corvina, o papa-terra, etc.

ciente. [Do lat. *sciente.*] *Adj. 2 g.* **1.** Que tem ciência; sábio, douto. **2.** Que tem ciência ou conhecimento de alguma coisa; sabedor: *Está* c i e n t e *do acontecido, nada ignora a esse respeito.* ● *S. m.* **3.** Assinatura que se apõe a documentos para comprovar que se tomou conhecimento de seu conteúdo.

cientificar. *V. t. d.* e *i.* **1.** Dar conhecimento; tornar ciente; informar: C i e n t i f i c a r a m *-no tardiamente da briga. P.* **2.** Tomar conhecimento de; informar-se. [Conjug.: v. *ficar.* Pres. ind.: *cientifico*, etc. Cf. *científico.*]

cientificismo. *S. m. Filos.* Cientismo.

cientificista. *Adj. 2 g. Filos.* Relativo ou pertencente ao cientificismo.

científico. [Do lat. *cientificu.*] *Adj.* **1.** Relativo à ciência, ou às ciências. **2.** Que tem o rigor da ciência: *método* c i e n t í f i c o. **3.** *Bras. Desus.* Diz-se do curso de nível médio em três anos, em que predomina o ensino das ciências exatas, da biologia, etc. ~ V. *ficção —a, indução —a, realismo —* e *socialismo —.* ● *S. m.* **4.** *Bras. Desus.* Curso científico [v. *científico* (3)]. [Cf. *cientifico*, do v. *cientificar.*]

cientismo. *S. m. Filos.* **1.** Atitude segundo a qual a ciência dá a conhecer as coisas como são, resolve todos os reais problemas da humanidade e é suficiente para satisfazer todas as necessidades legítimas da inteligência humana. **2.** Atitude segundo a qual os métodos científicos devem ser estendidos sem exceção a todos os domínios da vida humana. [Sin. ger.: *cientificismo.*]

cientista. [Do ingl. *scientist.*] *S. 2 g.* Pessoa que cultiva particularmente alguma ciência; especialista numa ciência, ou em ciências.

cientologia. [Do ingl. *scientology.*] *S. f.* Filosofia religiosa aplicada que trata do estudo do conhecimento, e segundo a qual se produzem, mediante a aplicação de sua tecnologia, desejadas mudanças nas condições de vida.

cientológico. *Adj.* Relativo à cientologia.

cientólogo. *S. m.* Especialista em cientologia.

ciese. *S. f. Med.* V. *prenhez.*

■ **c.i.f.** [Ingl., sigla de *cost insurance freight*, 'custo seguro frete'.] V. *cláusula c.i.f.*

cifa. [Do ár. *saifā.*] *S. f.* Areia que os ourives empregam para moldar.

cifé. *S. m. Bras. Pop.* V. *diabo* (2).

cifélio. *S. m. Bot.* Minutíssima escavação, amarelada ou esbranquiçada, que se encontra, em grande número, na face inferior dos liquens da família das estictáceas.

▲**cifo-.** [Do gr. *kyphós, é, on.*] *El. comp.* = 'curvado para a frente', 'dobrado': *cifoscoliose.*

cifoescoliose. [De *cifo-* + *escoliose.*] *S. f. Patol.* Cifoscoliose.

cifoftalmo. *S. m.* **1.** Espécime dos cifoftalmos. ● *Adj.* **2.** Pertencente ou relativo a eles.

cifoftalmos. *S. m. pl. Zool.* Animais invertebrados, artrópodes, opilionidos, da subordem dos cifoftalmos, desprovidos de olhos ou com olhos marginais. Não há representantes do grupo no Brasil.

cifomedusa. *S. f.* e *adj.* V. *cifozoário.*

cifomedusas. *S. f. pl. Zool.* V. *cifozoários.*

cifoscoliose. [De *cifo-* + *(e)scoliose.*] *S. f. Patol.* Presença de cifose e escoliose. [F. paral.: *cifoescoliose.*]

cifose. [Do gr. *kyphosis.*] *S. f. Patol.* Curvatura da coluna vertebral de convexidade posterior. [Cf. *lordose* (3) e *escoliose.*]

cifótico. *Adj.* Relativo à cifose.

cifozoário. *S. m.* **1.** Espécime dos cifozoários. ● *Adj.* **2.** Pertencente ou relativo a eles. [Sin. ger.: *acaléfio, acalefo, cifomedusa.*]

cifozoários. *S. m. pl. Zool.* Animais celenterados, da classe *Scyphozoa*, aeróspedos, caracterizados por terem medusas grandes, em forma de campânula ou de guarda-chuva, marginadas por tentáculos. Cavidade digestiva com canais ramificados; pólipos minúsculos, ou ausentes. São as águas-vivas, todas marinhas. [Sin.: *acaléfios, acalefos, cifomedusas.*]

cifra. [Do ár. *çifr*, 'vazio (zero)', atr. do lat. medieval *cifra.*] *S. f.* **1.** Zero, algarismo sem valor absoluto, que serve para dar às unidades que o acompanham um valor relativo, de acordo com a posição. **2.** Montante das operações comerciais. **3.** Importância ou número total. **4.** Explicação ou chave duma escrita enigmática ou secreta. **5.** Essa escrita. **6.** Monograma de um nome. **7.** *Mús.* Em harmonia, cada um dos algarismos representativos do acorde ou acordes que correspondem verticalmente a um baixo cifrado [q. v.]. ~ V. *cifras.*

cifração. *S. f. Mús.* Ação de aplicar sobre um baixo (19) as cifras correspondentes ao acorde de que ele é a base.

cifrado. [Part. de *cifrar.*] *Adj.* Escrito em caracteres secretos: *carta* c i f r a d a. ~ V. *baixo —.*

cifrão. *S. m.* Sinal ($) usado para expressar as unidades monetárias de numerosos países.

cifrar. *V. t. d.* **1.** Escrever em cifra. **2.** *Mús.* Marcar com cifras [v. *cifra* (7)]. *T. d.* e *i.* **3.** Resumir, reduzir; sintetizar: *Ele* c i f r a *a um mínimo as suas ambições. P.* **4.** Resumir-se, reduzir-se: "A propaganda c i f r a v a - s e numa crítica estéril de oposição sectária e de negativismo desolado." (Manuel Ribeiro, *A Ressurreição*, p. 33.)

cifras. [Pl. de *cifra.*] *S. f. pl.* Contabilidade, cálculo: *É um aluno forte em* c i f r a s. ~ V. *cifra.*

cigalho. *S. m.* Pedacinho, migalha.

cigana. *S. f.* **1.** Fem. de *cigano.* **2.** *Bras.* Ave galiforme, da família dos opistocomídeos (*Opisthocomus hoazin* (Mül.)), do N. e O. do Brasil, e de países limítrofes. Dorso pardo-escuro, com brilho oliváceo; coberteiras superiores das asas marginadas de branco; parte exterior das rêmiges vermelha; cauda preta, com pontas amareladas. Vivem aos bandos, nas margens dos rios, e alimentam-se de folhas. [Sin.: *aturiá, catingueiro, jacucigano.*]

ciganada. *S. f.* **1.** Ação de, ou própria de cigano; ciganice. **2.** Multidão de ciganos. [Sin. ger.: *ciganaria.*]

ciganaria. *S. f.* V. *ciganada.*

ciganear. *V. int. Bras.* **1.** Andar errante, sem rumo, à toa; vaguear. **2.** Levar vida boêmia, incerta, como a de cigano: [Conjug.: v. *frear.*]

ciganice. *S. f.* **1.** Ciganada (1). **2.** Trapaça em compras ou vendas; tratantada, traficância. **3.** Lisonja ardilosa. **4.** Pedinchice, pedincharia.

cigano. [Do gr. bizantino *athígganos.*] *S. m.* **1.** Indivíduo de um povo nômade, provavelmente originário da Índia e emigrado em grande parte para a Europa Central, de onde se disseminou, povo esse que tem um código ético próprio e se dedica à música, vive de artesanato, de ler a sorte, barganhar cavalos, etc. [Sin.: *boêmio, gitano; calom* (bras.); *judeu* (MG); *quico* (MG e SP).] **2.** *Fig.* Indivíduo boêmio, erradio, de vida incerta. **3.** *Fig.* Indivíduo trapaceiro, trampolineiro, velhaco. **4.** *Fig.* Vendedor ambulante. **5.** Designação de um dos carneiros de guia. ● *Adj.* **6.** Errante, nômade. **7.** Ladino, astuto; trapaceiro.

cigarra. [Duma var. **cicaro* (existe outra, *cicala*) do lat. *cigada.*] *S. f.* **1.** Designação comum aos insetos homópteros da família dos cicadídeos, que têm três ocelos no disco do vértice, fêmures do par anterior mais dilatados que os demais e, em geral, denteados embaixo. Os machos são providos de órgãos musicais; as larvas permanecem vários anos no solo, alimentando-se de raízes de plantas. [Sin.: *cega-rega.*] **2.** *Bras.* Entre os pescadores, o crustáceo isópode, da família dos cimotoídeos, parasito de fortes unhas, que vive agarrado à língua de determinadas espécies de peixes ou em cavidades na pele ou nas brânquias. **3.** *Bras.* V. *peixe-cadela.* **4.** *Bras., RJ.* Ave passeriforme, da família dos tiranídeos (*Myiornis auricularis* (Vieil.)), do Brasil estemeridional. **5.** *Bras.* Ave passeriforme (*S. l. mexianae* Hellm.), da Amaz., apreciada para gaiola, de coloração cinzenta, asas e cauda enegrecidas, parte inferior branca, um espelho branco em cada asa. **6.** Pixoxó (3). **7.** Campainha elétrica que imita o zunir da cigarra (1) e funciona pela vibração de lâminas comandadas eletromagneticamente. [Cf. *campainha* (2).] **8.** *Bras.* Marido cuja mulher está fora veraneando ou de férias.

cigarra-cobra. *S. f. Bras.* V. *jequitiranabóia.* [Pl.: *ci-*

garras-cobras.]
cigarrada. [De *cigarro* + *-ada*[1].] *S. f.* Trago de cigarro.
cigarrar. *V. int.* Fumar cigarro(s): "sacou do bolso os instrumentos de c i g a r r a r" (Nélson de Faria, *Tiziu e Outras Estórias*, p. 153).
cigarraria. [De *cigarro* + *-aria*.] *S. f. Bras. RS.* V. *tabacaria.*
cigarreira. [Fem. de *cigarreiro*.] *S. f.* Caixinha ou estojo onde se guardam cigarros; porta-cigarros: "abriu a c i g a r r e i r a , tirou lentamente um cigarro, olhando um ponto vago para lá da porta." OManuel da Fonseca, *Aldeia Nova*, p. 53).
cigarreiro. *S. m.* **1.** Operário das fábricas de cigarros. **2.** Espécie de fumo. ● *Adj.* **3.** Relativo a cigarros, ou que os fabrica: *indústria c i g a r r e i r a .*
cigarrilha. *S. f.* **1.** Cigarro cuja mortalha é um fragmento de folha de fumo: "Laura pedia lume para acender a sua c i g a r r i l h a turca (Fialho d'Almeida, *Lisboa Galante*, p. 108). **2.** Pequeno charuto de fumo ruim. **3.** Pequeno tubo que contém uma substância medicinal para se aspirar.
cigarrinha. [Dim. de *cigarra*.] *S. f. Bras.* Designação comum aos insetos homópteros das famílias dos cercopídeos, dos jassídeos, dos cicadelídeos e de outras afins. São numerosíssimos e de grande importância econômica, e alimentam-se da seiva dos vegetais. A maioria das espécies é de pequeno porte.
cigarrista. *S. 2 g.* Pessoa que fuma cigarros; fumante, fumador.
cigarro. [Do esp. *cigarro*, 'charuto'.] *S. m.* Pequena porção de fumo picado, enrolado em papel fino, ou em palha de milho para se fumar. [Sin., (bras.): *pito*.]
cigude. *S. m. Pop.* V. *cicuta.*
cilada. [Do lat. celada, 'ocultada'.] *S. f.* **1.** Lugar escondido apropriado para esperar o inimigo ou a caça; emboscada. **2.** Deslealdade, traição, perfídia. **3.** V. *armadilha* (2).
cilarídeo. *S. m.* **1.** Espécime dos cilarídeos. ● *Adj.* **2.** Pertencente ou relativo a eles.
cilarídeos. *S. m. pl. Zool.* Família de crustáceos, decápodes, macruros, na qual se classificam os lagostins, caracterizados pela ausência de antenas longas, ao contrário das lagostas-comuns.
cilha. [Do lat. *cingula*, 'cinta', atr. do arc. **cinlha*.] *S. f.* Tira de pano ou de couro com que se aperta a sela ou a carga por baixo do ventre das cavalgaduras. [Cf. *silha*.]
cilhado. [Part. de *cilhar*.] *Adj.* **1.** Apertado com cilha. **2.** *P. ext.* Apertado, cingido. **3.** Diz-se do animal que no lugar da cilha tem pêlos de cor diversa da do resto do corpo.
cilhão[1]. [De *cilha* + *-ão*[1].] *S. m.* **1.** Cilha grande; cilha mestra. **2.** Peça dos arreios dos cavalos de tiro formada pela cilha e pela cataplasma. [Cf. *silhão*.]
cilhão[2]. [De *cilha* + *-ão*[2].] *Adj.* e *s. m. Bras.* Diz-se de, ou cavalo cujo dorso é muito encurvado no meio. [Cf. *silhão*.]
cilhar. *V. t. d.* **1.** Cingir ou apertar com cilha. **2.** *P. ext.* Apertar; cingir: *c i l h a r a cintura.* [Cf. *silhar*.]
▲**cili-.** [Do lat. *cilium, ii*.] *El. comp.* = 'pestana', 'cílio': *ciliforme.* [Equiv.: *cili(o)-*: *cilióforo*.]
ciliado. *Adj.* **1.** *Bot.* Provido de cílios: *folha c i l i a d a .* [Cf. *apestanado*.] **2.** Pertencente ou relativo aos ciliados; infusório. ● *S. m.* **3.** Espécime dos ciliados; infusório.
ciliados. *S. m. pl. Zool.* Animais do sub-ramo dos cilióforos, da classe *Ciliata*, que possuem cílios durante toda a vida. São os paramécios, opalinas e outras formas, em sua maioria de vida livre. [Sin.: *infusórios*.]
ciliar. *Adj. 2 g.* De, ou pertencente ou relativo aos cílios. ~ V. *cartilagem* — e *mata* —.
ciliátulo. *Adj. Morfol. Veg.* Provido de pêlos muito curtos nas margens: *folha c i l i á t u l a .*
ciliciar. *V. t. d.* e *p.* Mortificar(-se) com cilício: "Jejuando sempre, orando, c i l i c i a n d o - s e , os seus pensamentos não se desviavam nunca da idéia de Deus." (Guerra Junqueiro, *Contos para a Infância*, p. 169.) [Pres. ind.: *cilicio*, etc. Cf. *cilício* e *silício*.]
cilício. [Do gr. *kilíkion*, pelo lat. *ciliciu*.] *S. m.* **1.** Pequena túnica ou cinto ou cordão, de crina, de lã áspera, às vezes com farpas de madeira, que, por penitência, se trazia vestido diretamente sobre a pele. **2.** Sacrifício voluntário. **3.** Martírio a que alguém se submete com resignação. **4.** *Fig.* Tortura, tormento, aflição. [Cf. *cilicio*, do v. *ciliciar*, e *silício*.]
ciliforme. [De *cili-* + *-forme*.] *Adj. 2 g.* Que tem forma de cílio.
cilígero. [De *cili-* + *-gero*.] *Adj.* Que tem cílios.
cilindrada. *S. f. Mec.* **1.** Volume máximo de gás admitido por um cilindro em um motor de explosão. **2.** Capacidade do cilindro multiplicada pelo número de cilindros e que se pode expressar em polegadas cúbicas, centímetros cúbicos ou litros; deslocamento.
cilindragem. *S. f.* Ação de cilindrar; cilindramento.
cilindramento. *S. m.* Cilindragem.
cilindrar. *V. t. d.* **1.** Submeter à pressão de cilindro. **2.** Tornear em forma de cilindro. **3.** *Ind. Pap.* Acetinar na calandra ou na lissa; calandrar. [Pres. ind.: *cilindro, cilindras, cilindra*, etc. Cf. *silindra* e *acetinar*.]
cilindreiro. [De *cilindro* + *-eiro*.] *S. m. Ind. Pap.* Operário papeleiro que dirige o trabalho de preparo da pasta na holandesa e, p. ext., em qualquer outro aparelho.
cilindricidade. *S. f.* Forma ou qualidade de cilíndrico.
cilíndrico. [Do gr. *kylindrikós*.] *Adj.* Que tem forma de cilindro; cilindriforme, cilindróide, teretiforme. ~ V. *coordenadas* —*as, curva* —*a, hélice* —*a, máquina* —*a, prensa* —*a, simetria* —*a, sistema* —, *superfície* —*a* e *tronco* —.
cilindrifloro. *Adj. Bot.* Que tem flores cilíndricas.
cilindriforme. *Adj. 2 g.* V. *cilíndrico.*
cilindrista. *S. 2 g. Tip.* Impressor que trabalha em máquina de cilindro. [Cf. *minervista* e *rotativista*[1].]
cilindro. [Do lat. *cylindru*.] *S. m.* **1.** *Geom.* Sólido limitado por uma superfície cilíndrica fechada e dois planos paralelos que a cortam em todas as geratrizes. **2.** *Geom. Impr.* Superfície cilíndrica [q. v.]. **3.** Qualquer corpo roliço e alongado que tem o mesmo diâmetro em todo o seu comprimento. **4.** Recipiente onde se move o êmbolo das máquinas de vapor. **5.** Órgão fixo de um motor a explosão, no interior do qual se desloca o êmbolo em seu movimento de vaivém, e onde se realiza a combustão da mistura e a subseqüente expansão dos gases, que produz o funcionamento do motor. **6.** *Tip.* O tambor das impressoras plano-cilíndricas. ♦ **Cilindro central.** *Bot.* Porção que ocupa o centro do caule e da raiz, e contém os feixes vasculares, e por meio da qual se processa a condução dos liquens orgânicos nas plantas superiores, ditas vasculares. [Cf. *estelo*.] **Cilindro circular.** *Geom.* Aquele cujas bases são círculos. **Cilindro da chapa.** *Art. Gráf.* O que suporta a placa de metal, na prensa de ofsete. **Cilindro da fôrma.** *Tip.* Cada um dos cilindros onde se prendem as telhas, nas rotativas. **Cilindro de margeação.** *Art. Gráf.* Aquele que, colocado em primeiro lugar, recebe a folha e realiza a tiragem de branco, na prensa de retiração. [Cf. *cilindro de retiração*.] **Cilindro de retiração.** *Art. Gráf.* O que realiza a impressão do verso da folha, na prensa de retiração. [Cf. *cilindro de margeação*.] **Cilindro de revolução.** *Geom.* Cilindro circular reto. **Cilindro de sucção.** *Ind. Pap.* Rolo de sucção. **Cilindro formador.** *Ind. Pap.* Cada um dos rolos de tela onde se forma a folha de papel, nas máquinas cilíndricas; fôrma redonda. **Cilindro gofrador.** V. *prensa de gofrar.* **Cilindro holandês.** *Ind. Pap.* V. *holandesa.* **Cilindro lustrador.** *Ind. Pap.* Secador monolúcido [q. v.]. **Cilindro oblíquo.** *Geom.* Aquele cujo eixo é oblíquo em relação à base. **Cilindro renal.** Formação alongada que toma a forma da luz tubular distal onde se origina. **Cilindro reto.** *Geom.* Aquele cujas geratrizes são perpendiculares ao plano da diretriz. **Cilindro secador.** *Ind. Pap.* Cada um dos tambores de ferro, aquecidos a vapor, colocados na parte seca da máquina de papel e destinados a completar a secagem da folha. [Tb. se diz apenas *secador*.] **Cilindro truncado.** *Geom.* V. *tronco de cilindro.*
cilindro-eixo. *S. m. Anat.* Axônio. [Pl.: *cilindros-eixos* e *cilindros-eixo*.]
cilindróide. [Do gr. *kylindroeidés*.] *Adj. 2 g.* **1.** V. *cilíndrico*: "tubos c i l i n d r ó i d e s , lâminas elípticas." (Raimundo Morais, *País das Pedras Verdes*, p. 79). ● *S. m.* **2.** *Geom.* Superfície cilíndrica elíptica reta. **3.** *Geom.* Lugar geométrico de uma reta que se move paralelamente a um plano fixo e intercepta constantemente duas curvas fixas.
cilindrúria. [De *cilindro* + *-úria*.] *S. f. Med.* Presença de cilindros renais na urina.
▲**cili(o)-.** Equiv. de *cili-*.
cílio. [Do lat. *ciliu*.] *S. m.* **1.** Pêlo da orla das pálpebras; pestana, celha: "grandes olhos negros, guarnecidos de longos c í l i o s" (Lima Barreto, *Vida e Morte de M. J. Gonzaga de Sá*, p. 137). **2.** *Bot.* Pêlo que guarnece certos órgãos vegetais, tornando possíveis, em certos casos, movimentos na água. [Dim. irreg.: *cilíolo*. Cf. *Sílio*, antr.] ♦ **Cílios vibráteis.** *Biol.* Filamentos finíssimos de animais e de algumas algas sempre em movimento.
ciliodentado. [De *cili(o)-* + *dentado*.] *Adj. Morfol. Veg.* Diz-se das folhas de margens denteadas, as quais apresentam dentes [v. *dente* (5)] ciliados.
cilioflagelada. *S. f.* e *adj. 2 g.* V. *dinoflagelada.*
cilioflageladas. *S. f. pl. Bot.* V. *dinoflageladas.*
cilióforo. [De *cili(o)-* + *-foro*.] *S. m.* **1.** Espécime dos cilióforos. ● *Adj.* **2.** Pertencente ou relativo a eles.
cilióforos. *S. m. pl. Zool.* Animais do ramo dos protozoários, sub-ramo dos *Ciliophora*, que têm cílios ao menos em um estágio da vida, e núcleos de dois tipos. São os ciliados e os suctórios.
ciliolado. [De *cilíolo* + *-ado*[1].] *Adj. Bot.* Provido de cilíolos: *pétala c i l i o l a d a .*
cilíolo. *S. m. Bot.* Pequeno cílio (2).
ciliorrínida. *S. m.* e *adj. 2 g.* V. *ciliorrinídeo.*
ciliorrínidas. *S. m. pl. Zool.* V. *ciliorrinídeos.*
ciliorrinídeo. *S. m.* **1.** Espécime dos ciliorrinídeos. ● *Adj.* **2.** Pertencente ou relativo a eles.
ciliorrinídeos. *S. m. pl. Zool.* Família de peixes elasmobrânquios, plagióstomos, na qual se classifica o caçãopinto ou pintadinho, de corpo pintalgado, com nove manchas transversais.
cima. [Do gr. *kyma*, pelo lat. *cyma*.] *S. f.* **1.** A parte mais elevada. **2.** Cume, cimo, cimeira, topo. **3.** *Bot. P. us.* Cimeira[1] (2). [Pl.: *cimas*. Cf.: *sima* e *simas*, antr.] ♦ **Dar em cima de.** *Bras. Pop.* Requestar, cortejar, galantear: *D e u e m c i m a d a moça a noite toda, e ela não ligou a mínima.* **De cima.** **1.** Do alto; do topo; do cume: *Fiquei espiando d e c i m a .* **2.** Do Céu, de Deus. **3.** Do alto; da autoridade; de quem manda: *Os exemplos devem vir d e c i m a .* **Em cima.** **1.** Na parte superior; no alto: *No seu apartamento, o salão de festa fica e m c i m a .* **2.** Na mão; à mão; em seu poder: *O dinheiro que lhe pedi emprestado está e m c i m a ?* **Em cima de.** **1.** Na parte superior de; no alto de; sobre: *Os livros estão e m c i m a d a mesa.* **2.** Em seguida a; depois de; sobre: "esbofeteia-o, cospe-lhe insultos e m c i m a d e insultos." (José Cardoso Pires, *O Delfim*, p. 290). **Por cima.** **1.** Em posição ou condição superior; com prestígio, com vantagens: *Com a mudança de governo os homens do café ficaram p o r c i m a .* **2.** Além disso: *É ignorante e ainda p o r c i m a vadio.*
cimácio. [Do gr. *kymátion*, pelo lat. tardio *cymatiu*.] *S. m. Arquit.* Moldura que remata uma cornija.
cimalha. *S. f. Arquit.* **1.** A parte superior da cornija. **2.** Arquitrave, epistílio: "lá foi debuxando o desenho da igreja, dos pés-direitos às c i m a l h a s e volutas, das portadas às janelas" (Léu Vaz, *Páginas Vadias*, p. 212). **3.** Saliência da parte mais alta da parede, onde assentam os beirais do telhado.
cimba. [Do gr. *kymbe*, pelo lat. *cymba*.] *S. f. Ant.* Barca, embarcação de carga e transporte.
címbalo[1]. [Do gr. *kymbalon*, pelo lat. *cymbalu*.] *S. m.* **1.** Antigo instrumento de cordas. **2.** Antigo instrumento, constituído por dois meios globos de metal que se percutiam um contra o outro; pratos. **3.** *Ant.* Saltério (2). [Var.: *cêmbalo*.]
címbalo[2]. *S. m. Mús.* F. red. de *clavicímbalo.*
cimbiforme. *Adj. 2 g.* Em forma de pequeno barco ou bote; *semente c i m b i f o r m e .*
cimbrar. *V. t. d.* Dobrar, curvar.
cimbre. [Do antr. fr. dialetal *cindre*, atual *cintre*, talvez com infl. de *simples* (v. *simples*[2]).] *S. m.* Armação de madeira que serve de molde e suporte a arcos e abóbadas durante a construção, e que é após retirada; cambota, simples.
címbrico. [Do lat. *cimbricu*.] *Adj.* Relativo ou pertencente aos cimbros; cimbro.
cimbro. [Do lat. *cimbru*.] *S. m.* **1.** Indivíduo dos cimbros, povo bárbaro germânico que invadiu as Gálias no século II a.C. ● *Adj.* **2.** Címbrico.
cimeira[1]. [De *cima* + *-eira*.] *S. f.* **1.** V. *cima* (2): "A verde c i m e i r a do morro da Glória crescia dos mares espelhantes de sol" (Melo Morais Filho, *Festas e Tradições Populares do Brasil*, p. 227). **2.** *Bot.* Tipo de inflorescência definida, cujo eixo tem crescimento limitado e termina por uma flor, sucedendo o mesmo aos eixos secundários, que partem do principal. [Sin. (p. us.): *cima*.]
cimeira[2]. [De *cimo* + *-eira*.] *S. f.* Ornato no cimo dos capacetes e elmos.
cimeiro. *Adj.* Que fica no cimo, no alto: "A todo o momento, eu esperava avistar, ao longe, num alto, a antiga 'cabeça de las Españas', essa c i m e i r a e imperial Toledo" (Antero de Figueiredo, *Toledo*, pp. 21-22).
cimélio. [De gr. *keimélion*.] *S. m.* **1.** Objeto raro e precioso: "É mesmo uma jóia. Ou melhor, um c i m é l i o , no afortunado neologismo atribuído a Ramiz Galvão. Um *keimélion*, como diriam nossos amigos gregos... Você vai ver, com esses olhos pecadores, nada menos que um autógrafo de Calderón de la Barca!" (Ciro dos Anjos, *Abdias*, p. 136.) **2.** Livro que constitui raridade de grande valor. **3.** Alfaia ou tesouro de uma

igreja.

cimentação. *S. f.* Ato ou efeito de cimentar(-se). [Cf. *cementação.*]

cimentado. [Part. de *cimentar.*] *Adj.* **1.** Ligado ou unido com cimento. **2.** Pavimento com cimento. **3.** V. *alicerçado* (1). **4.** Firmado, consolidado. [Cf. *cementado* e *sementado.*]

cimentar. *V. t. d.* **1.** Ligar ou unir com cimento. **2.** Pavimentar com cimento: *Mandou* cimentar *parte do jardim.* **3.** Alicerçar (1). **4.** Firmar, consolidar: "Cinco séculos consumiu Roma a criar e cimentar a sua unidade peninsular" (Aquilino Ribeiro, *Os Avós dos Nossos Avós*, p. 71); cimentar *uma amizade.* *P.* **5.** Firmar-se; consolidar-se. [Cf. *cementar* e *sementar.*]

cimenteiro. *Adj.* Relativo a cimento (1 e 2): *Indústria* cimenteira. [Cf. *sementeiro.*]

cimento. [Do lat. *caementu.*] *S. m.* **1.** Substância em pó, utilizada como aglomerante ou para ligar certos materiais, e que, umedecida, se usa em estado plástico, endurecendo, depois, pela perda da água. **2.** Cimento Portland [q. v.]. **3.** Chão revestido de cimento (2). **4.** Massa aglutinante usada pelos dentistas. **5.** *Geol.* Material que une os grãos de uma rocha sedimentar consolidada. **6.** Elemento de união, base, alicerce, fundamento: *O* cimento *de nossa amizade é a confiança mútua.* [Cf. *cemento,* s. m. e *semento,* do v. *sementar.*] ♦ **Cimento aluminoso.** Cimento especial, de alto teor de alumina, que se obtém pela cozedura, até à fusão completa, de uma mistura íntima de bauxita e carbonato de cal. **Cimento armado.** Concreto armado. **Cimento asfáltico.** Asfalto sólido ou semi-sólido, utilizado como ligante em concretos betuminosos. **Cimento branco.** Cimento que se distingue do produto comum pela coloração clara, devida ao seu baixo teor de óxido de ferro, e especialmente usado em revestimentos de paredes. **Cimento de escória.** Cimento especial, que se obtém pela moagem conjunta de clínquer e escórias de altos-fornos siderúrgicos. **Cimento hidráulico.** O que endurece debaixo da água; cimento romano. **Cimento Portland.** Cimento comumente usado em concretos e argamassas em geral, obtido pela pulverização de uma mistura de materiais calcários e argilosos, a qual se calcina até à fusão incipiente. [Tb. se diz apenas *cimento.*] **Cimento romano.** Cimento hidráulico.

cimento-amianto. *S. m.* Fibrocimento. [Pl.: *cimentos-amiantos* e *cimentos-amianto.*]

cimério. [Do gr. *kimmérios*, pelo lat. *cimmeriu.*] *Adj.* Lúgubre, infernal, atroz, fúnebre. "Acompanhava-o na ciméria noite / Por entre tempestades e naufrágios, / E sofria misérias indizíveis!" (Gonçalves Dias, *Obras Poéticas*, II, p. 485.)

cimicídeo. *S. m.* **1.** Espécime dos cimicídeos. ● *Adj.* **2.** Pertencente ou relativo a eles.

cimicídeos. *S. m. pl. Zool.* Família de insetos da ordem dos hemípteros, subordem dos gimnocerатos, conhecidos como *percevejos.* Insetos achatados, de forma oval, com asas rudimentares, hematófagos, sendo ectoparasitos dos mamíferos e aves. O percevejo que ataca o homem é o *Cimex lectularius*, percevejo-de-cama, encontradiço nos quartéis, alojamentos e hotéis, e cuja fêmea, muito prolífica, põe de 100 a 200 ovos por dia.

cimicífuga. *S. f.* Planta medicinal da família das ranunculáceas (*Cimicifuga racemosa)*; erva-de-são-cristóvão.

cimicífugo. *Adj. Bot.* Que afugenta os percevejos.

cimicino. *Adj. Bot.* Diz-se da parte de uma planta, geralmente a flor, que emite odor semelhante ao do percevejo.

cimitarra. *S. f.* Sabre oriental de lâmina larga e recurva, e que tem um só gume: "entrechocam-se no ar os golpes de montantes, cimitarras e maças de ferro nos muros de Santarém, ao longe" (Afonso Arinos, *Histórias e Paisagens*, p. 200).

cimo. [De *cima.*] *S. m.* **1.** A parte superior de um objeto elevado; o alto das coisas: *o* cimo *das árvores.* **2.** V. *cume* (1).

cimoso (ô). *Adj. Bot.* Da natureza da, ou que produz ou apresenta cimeira: *inflorescência* cimosa; *espécie* cimosa.

cimoteídeo. *S. m.* **1.** Espécime dos cimoteídeos. ● *Adj.* **2.** Pertencente ou relativo a eles.

cimoteídeos. *S. m. pl. Zool.* Família de crustáceos isópodes, caracterizados por unhas agudas e fortes que permitem sua fixação nas brânquias e pele dos peixes.

cimótrico. [Do gr. *kyma*, 'onda', + *-trico.*] *adj.* Diz-se do indivíduo de cabelos ondulados ou cacheados.

címula. *S. f. Bot.* Pequena cimeira[1] (2). [Cf. *simula*, do v. *simular.*]

cinabarino. *Adj.* Cinabrino (1): *flor* cinabarina.

cinabre. [De [illegible] atr. do gr. *kinnábari*, pelo lat. *cinnabari.*] *S. m. Min.* Mineral trigonal vermelho, sulfeto de mercúrio, minério de mercúrio; cinábrio, cinabrita, uzífur, uzífuro.

cinabrino. *Adj.* **1.** Que tem a cor do cinabre; cinabarino. **2.** Preparado com cinabre.

cinábrio. [Do lat. científico *cinnabrium.*] *S. m.* V. *cinabre.*

cinabrita. *S. f.* V. *cinabre.*

cinâmico. *Adj.* ~ V. *ácido* — e *aldeído* —.

cinamomo. [Do gr. *kinnómanon*, pelo lat. *cinnamomu.*] *S. m. Bras.* Árvore regular, ornamental, da família das meliáceas *(Melia azedarach)*, de flores pequenas e aromáticas, com corola azulada ou rósea, e cujos frutos têm amêndoas amargas e fedorentas; árvore-santa, jasmim-azul, jasmim-de-soldado, lilás-da-índia, lírio-da-índia.

cínara. *S. f. Bot.* Designação do gênero da família das compostas ao qual pertence a alcachofra.

cinastrácea. *S. f.* Espécime das cinastráceas.

cinastráceas. *S. f. pl. Bot.* Família de plantas floríferas, herbáceas, tuberosas, da África tropical, de que só existem seis espécies. As flores, hermafroditas, levam seis estames concrescentes, e o fruto é monospermo.

cinastráceo. *Adj.* Pertencente ou relativo às cinastráceas.

cinca. [De *cinco.*] *S. f.* **1.** Perda no jogo da bola. **2.** *Fig.* Erro, engano: "o emprego irrefletido de certas locuções usuais ...., as cincas e os equívocos, enfim as variadas formas da tolice escrita e da monstruosidade literária" (Eduardo Frieiro, *Os Livros Nossos Amigos*, p. 180). [Sin. ger.: *cincada.*] ♦ **Dar cinca.** *Bras.* Perder cinco pontos por não passar a bola além de certos limites estipulados pelo jogo.

cincada. *S. f.* **1.** Ato de cincar. **2.** V. *cinca.*

cincar. *V. int.* **1.** Dar cincas. **2.** Errar, falhar, *T. i.* **3.** Errar, falhar, enganar-se. [Var.: *chincar.* Conjug.: v. *trancar.*]

cinceiro. *S. m. Bras.* Nevoeiro denso. [Cf. *sinceiro.*]

cincerro (ê). [Do esp. plat. *cencerro.*] *S. m. Bras., MG* e *S.* Campainha grande pendente do pescoço da besta que serve de guia às outras: "Os cincerros tilintavam sempre, marcando o passo cansado das bestas." (Lúcio Cardoso, *Maleita*, p. 14.) [Sin., bras., MG e S.: *sinuelo.*]

cincha. [Do esp. plat. *cincha.*] *S. f. Bras., S.* Faixa de couro ou de qualquer tecido forte que passa por baixo da barriga da cavalgadura para segurar a sela. [Var.: *chincha.*]

cinchador (ô). *S. m. Bras.* Peça de ferro ou de couro presa à cincha por uma argola, e na qual se amarra a presilha do laço.

cinchão. [Do esp. plat. *cinchón.*] *S. m. Bras., RS.* Cinta larga, de tecido e franja, que substitui a sobrecincha e só se usa em arreios mais esmerados.

cinchar[1]. [De *cincho*[1] + *-ar*[2].] *V. t. d.* Apertar com o cincho[1].

cinchar[2]. [Do esp. plat. *cinchar.*] *V. t. d. Bras., S.* **1.** Ter (o animal) preso pelo laço, e este preso à cincha. **2.** Arrastar pela cincha. **3.** Apertar a cincha a. [Var.: *chinchar.*]

cincho[1]. [Do lat. *cingulu.*] *S. m.* Aro em que se aperta a massa do queijo a fim de lhe dar forma e espremer o soro. [Var.: *chincho;* sin.: *circo, cintel, frangelha, empreita de pau.*]

cincho[2]. *S. m. Bras., N.E.* Designação comum a diversas plantas da família das bromeliáceas, gêneros *Aechmea, Bilbergia, Hohenbergia* e *Portea.*

cinchona. *S. f.* Gênero de plantas da família das rubiáceas, ao qual pertence a quina.

cinchonina. *S. f.* Alcalóide existente nas cinchonas.

cínclise. [Do gr. *kíglklisis*, 'agitação'.] *S. f. Med.* Repetição rápida de um determinado movimento, tal como respirar ou pestanejar. [Cf. *sínclise* e *síncrise.*]

cinco. [Do lat. *quinque.*] *Num.* **1.** Cardinal dos conjuntos equivalentes a um conjunto de cinco membros (em algarismos arábicos, *5;* em algarismos romanos, *V).* **2.** Quinto (1). ● *S. m.* **3.** Algarismo representativo do número cinco. **4.** Aquilo ou aquele que numa série de cinco ocupa o último lugar. **5.** Carta de jogar, face de dado ou de pedra de dominó que tem cinco sinais. **6.** A nota cinco, em exame ou concurso.

cinco-chagas. *S. f. 2 n.* V. *caroba-branca.*

cinco-em-rama. *S. f. 2 n.* Potentilha. [Pl.: *cinco-em-ramas.*]

cinco-folhas. *S. f. 2 n. Bras.* V. *caroba-branca.*

cindir. [Do lat. *scindere.*] *V. t. d.* **1.** Separar, dividir: cindir *as sílabas de uma palavra;* "Cinde-se o incindível. Vêm-se dois negócios jurídicos onde só há um." (Pontes de Miranda, *Tratado de Direito Privado*, t. XXXIX, p. 117). **2.** Separar, desavir: cindir *amigos.* **3.** Cortar, cruzar: *A ave* cindiu *os ares num vôo rasante; A pequena embarcação* cindiu *os mares.* **4.** Cortar, sulcar: "naquela face rígida, cindida de linhas incisivas e firmes .... um olhar dominador e duro, velado de tristeza indescritível." (Euclides da Cunha, *Contrastes e Confrontos*, p. 2.)

cindível. *Adj. 2 g.* Que se pode cindir.

cine. *S. m.* F. red. de *cinema.*

▲**cin(e)-.** V. *cines(i)-.*

cineangiocardiografia. [De *cine* + *-angi(o)-* + *-car-di(o)-* + *-graf(o)-* + *-ia.*] *S. f. Med.* Visualização radiológica do coração e dos grandes vasos, mediante injeção de substância de contraste, e registro simultâneo, em filme, das imagens obtidas.

cineangiocardiográfico. *Adj.* Relativo à cineangiocardiografia.

cineangiocoronariografia. [De *cine* + *-angi(o)-* + *coronariografia.*] *S. f. Med.* Visualização radiológica das artérias que irrigam o músculo cardíaco, mediante injeção de substância de contraste, e registro simultâneo, em filme, das imagens obtidas. [F. red.: *cinecoronariografia.*]

cineangiocoronariográfico. *Adj.* Relativo à cineangiocoronariografia.

cineasta. *S. 2 g.* Pessoa que exerce atividade criadora e técnica relacionada com o cinema (1); cinegrafista.

cineclube. [*cine* + *clube.*] *S. m.* Entidade onde se congregam amadores de cinema para estudar-lhe a técnica e a história.

cineclubista. *S. 2 g.* Membro ou freqüentador de cineclube.

cineclubístico. *Adj.* Concernente a cineclube ou a cineclubista.

cinecoronariografia. [De *cine* + *coronariografia.*] *S. f.* F. red. de *cineangiocoronariografia.*

cinecoronariográfico. *Adj.* Relativo à cinecoronariografia.

cinéfilo. [De *cine* + *-filo*[2].] *Adj.* e *s. m.* Que ou aquele que gosta muito de cinema.

cinegética. [Fem. substantivado de *cinegético.*] *S. f.* **1.** Arte de caçar com cães. **2.** A arte da caça: "A cinegética .... não deixa de encerrar certas virtudes, para quem a pratica, é claro. .... não há dúvida que bater monte e empregar meia dúzia de cartuchos com os devidos matadores representa uma aptidude física e técnica, em que estão empenhados todos os sentidos para lá do normal." (Aquilino Ribeiro, *O Homem da Nave*, pp. 47-48.)

cinegético. [Do gr. *kynegetikós*, pelo lat. *cynegeticu.*] *Adj.* Pertencente ou relativo à caça.

cinegrafista. [De *cine* + *-graf(o)-* + *-ista.*] *S. 2 g.* **1.** Cineasta. **2.** Operador de câmera em cinema (1).

cinema. [De *cinematógrafo.*] *S. m.* **1.** Arte de compor e realizar filmes cinematográficos. **2.** Cinematografia. **3.** Projeção cinematográfica. **4.** Sala de espetáculos, onde se projetam filmes cinematográficos. [Cf. *sinema.*] ♦ **Cinema falado.** Aquele em que a projeção é acompanhada de uma faixa sonora. **Cinema mudo.** Aquele em que a projeção não vem acompanhada de som: cena muda.

▲**cinema-.** [Do gr. *kínema, atos.*] *El comp.* = 'movimento': *cinemascópio.* [Equiv.: *cinemat(o)-: cinemática, cinematógrafo.*]

cinemascope (ô). [Do fr. *cinemascope.*] *S. m.* Processo cinematográfico, baseado numa lente inventada pelo físico francês Henri Chrétien (1879-1956), que reproduz as imagens em grandes dimensões, transmitindo ilusão de relevos. [Sin., obsol.: *cinemascópio.*]

cinemascópio. *S. m. Obsol.* V. *cinemascope.*

▲**cinemat(o)-.** Equiv. de *cinema-.*

cinemateca. [De *cinema-* + *-teca.*] *S. f.* Local onde se conservam os filmes cinematográficos, em especial os considerados de valor cultural ou artístico.

cinemática. [De *cinemat(o)-* + *-ica.*] *S. f.* Parte da mecânica que estuda os movimentos sem se referir às forças que os produzem ou às massas dos corpos em movimento; cinética, foronomia. [Cf. *dinâmica* (1), *estática*, e *sinemática*, fem. de *sinemático.*]

cinemático. *Adj.* Relativo ao movimento mecânico. ~ V. *viscosidade* —*a.* [Cf. *sinemático.*]

cinematografar. *V. t. d.* **1.** Projetar (a imagem) por meio do cinematógrafo. **2.** Filmar (1). [Pres. ind.: *cinematografo*, etc. Cf. *cinematógrafo.*]

cinematografia. *S. f.* Conjunto de métodos e processos empregados para registrar e projetar fotograficamente cenas animadas ou em movimento; cinema.

cinematográfico. *Adj.* **1.** Respeitante à cinematografia. **2.** Que, por sua beleza e/ou por outra(s) qualidade(s), é digno de ser cinematografado: *uma jovem* cinematográfica; *paisagem* cinematográfica. **3.** Próprio de cinema; que lembra o que se vê no cinema: "Rilhava os dentes, evocando o beijo *cinematográfico* que dera no aeroporto, pouco antes de partir o avião." (Nélson Rodrigues, *100 Contos Escolhidos. A Vida como Ela É.* II, p. 42.) ~ V. *operador* —.

cinematógrafo. [De *cinemat(o)-* + *-grafo*.] *S. m.* Aparelho inventado em 1895 pelos irmãos franceses Lumière, capaz de reproduzir numa tela o movimento, por meio de uma seqüência de fotografias. [Cf. *cinematografo*, do v. *cinematografar*.]

cinemeiro. *Adj.* e *s. m.* Que ou aquele que é freqüentador assíduo de cinemas.

cineração. *S. f.* Ato de cinerar(-se); incineração.

cineral. [De *ciner(i)-* + *-al*.] *S. m.* Montão de cinzas.

cinerama. [Do ingl. *cinerama*.] *S. m.* Tipo de projeção cinematográfica, sobre tela côncava, o qual produz no espectador a impressão de relevo, como se as imagens tivessem três dimensões.

cinerar. [De *ciner(i)-* + *-ar*².] *V. t. d.* e *p.* Incinerar(-se). [Fut. do pret.: *cineraria*, etc. Cf. *cinerária*.]

cinerária. [Do lat. botânico *cineraria*.] *S. f. Bras.* **1.** Designação comum a várias plantas ornamentais da família das compostas, de caules ramosos e pequeno porte, e cujas flores podem ser alvas, ou de cor azul, carmim, lilás, violeta. **2.** V. *centáurea*. [Cf. *cineraria*, do v. *cinerar*.]

cinerário. [Do lat. **cinerariu*.] *Adj.* **1.** Relativo a cinzas. **2.** Que contém os restos mortais de alguém. ● *S. m.* **3.** Urna cinerária.

cinérea. *S. f.* Variedade de videira americana, muito vigorosa e resistente.

cinéreo. [Do lat. *cinereu*.] *Adj. Poét.* Cinzento (1): "pareceu-me um pouco de cinza, da pulverulência talvez, ou do *cinéreo* pólen de alguma flor obscura, ou do que quer que a isso se assemelhava." (Raimundo Correia, *Poesia Completa e Prosa*, p. 591).

▲ciner(i)-. [Do lat. *cinis, cineris*.] *El. comp.* = 'cinza': *cinerar; cineriforme*.

cinerício. [Do lat. *cinericiu*.] *Adj.* **1.** Cinzento (1): *flores cinerícias*. **2.** Reduzido a cinzas.

cineriforme. [De *ciner(i)-* + *-forme*.] *Adj. 2 g.* Semelhante a cinza.

cinerradiografia. *S. f. Med.* Registro, em fita cinematográfica, das imagens que se sucedem na tela fluoroscópica.

cinerradiográfico. *Adj.* Relativo à cinerradiografia.

cinesalgia. [De *cines(i)-* + *-alg(o)-* + *-ia*.] *S. f. Patol.* Dor de um músculo quando posto em movimento.

cinesálgico. *Adj.* Referente à cinesalgia.

cinescópio. [De *cine* + *-scop-* + *-io*².] *S. m. Eletrôn.* Tipo de válvula em que se forma a imagem nos receptores de televisão.

cinese. *S. f. Biol. Ger.* Fenômeno de excitabilidade dos organismos, provocado por agentes externos, e que pode determinar aceleração ou retardo dos movimentos.

▲-cinese. V. *cines(i)-*.

▲cines(i)-. [Do gr. *kínesis, eos*.] *El. comp.* = 'ação de mover', 'movimento': *cinesalgia*. [Equiv.: *cin(e)-, -cinese: cinestesia, cariocinese*.]

cinestesia. [De *cin(e)-* + *-estes(i)-* + *-ia*.] *S. f. Fisiol.* Sentido pelo qual se percebem os movimentos musculares, o peso e a posição dos membros. [Cf. *cenestesia* e *sinestesia*.]

cinética. [Do gr. *kinetiké*.] *S. f.* V. *cinemática*. ♦ **Cinética química.** Parte da físico-química que estuda a velocidade das reações químicas e os fatores que a influenciam.

cinético. *Adj.* Relativo à cinese: *agente cinético*. ~ V. *energia* — *a* e *momento* —.

cingalês. *Adj.* **1.** Da, ou pertencente ou relativo à antiga ilha de Ceilão, atual República de Sri Lanka. ● *S. m.* **2.** O natural ou habitante dessa ilha. [Flex.: *cingalesa* (ê), *cingaleses* (ê), *cingalesas* (ê).]

cingapuriano. *Adj.* **1.** De, ou pertencente ou relativo a Cingapura (sudeste da Ásia). ● *S. m.* **2.** O natural ou habitante de Cingapura.

cingel. [Do lat. **cingellu*, por *cingulu*.] *S. m.* Junta de bois; cingelada. [Pl.: *cingéis*.]

cingelada. *S. f.* Cingel.

cingeleiro. *S. m.* Dono, alugador ou condutor de um cingel. [Fem.: *cingeleira*. Cf. *singeleira*.]

cingideira. [De *cingir* + *-deira*.] *S. f.* Cada um dos dedos do meio do pé das aves de rapina.

cingidoiro. *S. m. Desus.* Var. de *cingidouro*.

cingidouro. [De *cingir* + *-douro*.] *S. m.* **1.** *Desus.* Cinto (1). **2.** Lugar onde se aperta o cinto. [Var.: *cingidoiro*.]

cingir. [Do lat. *cingere*.] *V. t. d.* **1.** Rodear, cercar: *Velhas muralhas cingem a cidade.* **2.** Prender ou ligar em volta: *Cingiu a faixa de campeão.* **3.** Ornar em roda; coroar: *Um diadema lhe cinge a fronte.* **4.** Pôr na cabeça, circundando o crânio: *cingir uma coroa, um diadema.* **5.** Pôr à cinta: *O cavaleiro cingiu a espada.* **6.** Reprimir, constranger, coartar: *A timidez cingiu- lhe o gesto. T. d.* e *i.* **7.** Unir, apertar: "Eu quero abraçar-te, *cingir*-te ao meu peito" (Martins Fontes, *Verão*, p. 228). **8.** Forçar, constranger, compelir: "Almas pigméias! Deus subjuga-as, *cinge*-as / À imperfeição!" (Augusto dos Anjos, *Eu*, p. 28.) *P.* **9.** Unir-se, apertar-se: *Cingiu-se aos braços do amado.* **10.** Chegar-se, aproximar-se: *Cingira-se à porta, para ouvir melhor.* **11.** Ornar a própria fronte: *Cingiu-se com uma bela tiara de diamantes.* **12.** Limitar-se, restringir-se: *Cingiu-se a consultar o texto de que dispunha.* [Var.: *acingir*. Conjug.: v. *dirigir*.]

cingulado. [De *cíngulo* + *-ado*¹.] *Adj. Bot.* Dotado de cíngulo (2).

cingular. *Adj. 2 g. Bot.* Relativo ou pertencente ao cíngulo (2): *placa cingular*. [Cf. *singular*.]

cíngulo. [Do lat. *cingullu*.] *S. m.* **1.** Cordão com que o sacerdote aperta a alva na cintura: "Colaborando na revolução sociológica, despir-lhe-á [ao padre] a batina e a sobrepeliz e a casula e o *cíngulo* (Camilo Castelo Branco, *Boêmia do Espírito*, p. 216). **2.** *Bot.* Entre as diatomáceas, faixa constituída pelas duas pleuras, parcialmente superpostas, que percorre a célula no sentido do comprimento.

cínico. [Do gr. *kynikós*, pelo lat. *cynicu*.] *Adj.* **1.** Pertencente ou relativo ao cinismo (1) **2.** Que é partidário do cinismo (1). **3.** *P. ext.* Que ostenta princípios e/ou pratica atos imorais; impudico, obsceno. **4.** Que revela cinismo, impudência; *palavras cínicas*. ~ V. *escola* —*a*. ● *S. m.* **5.** Partidário do cinismo (1). **6.** Indivíduo cínico (3 e 4). **7.** *Teat.* Personagem-tipo que representa o indivíduo sem escrúpulos, hipócrita, sarcástico e oportunista. [Cf. *sínico*.]

cinipídeo. *S. m.* **1.** Espécime dos cinipídeos. ● *Adj.* **2.** Pertencente ou relativo a eles.

cinipídeos. *S. m. pl. Zool.* Família de insetos da ordem dos himenópteros, vulgarmente designados *vespinhas-das-galhas*, por produzirem nas plantas esse tipo de excrescência anômala, a galha ou cecídio. São insetos pequenos, pretos, de abdome ovalado e comprimido, e formam galhas principalmente sobre o carvalho.

cinira. [Do hebr. *kinnor*, pelo gr. *kynira* e pelo lat. *cinyra*.] *S. f.* Entre os hebreus, fenícios e sírios, espécie de lira ou cítara.

cinismo. [Do gr. *kynismós*, pelo lat. *cynismu*.] *S. m.* **1.** *Hist. Filos.* Doutrina e modo de vida dos cínicos, partidários dos filósofos gregos Antístenes de Atenas (444-365 a. C.) e Diógenes de Sínope (413-323 a. C.), fundadores da escola cínica, que se caracteriza principalmente pela oposição radical e ativa aos valores culturais vigentes, oposição nascida do discernimento de que é impossível conciliar as leis e convenções morais e culturais com as exigências de uma vida segundo a natureza. **2.** *P. ext.* Impudência, desvergonha, desfaçatez, descaramento. [Cf. *cenismo*.]

cinocéfalo. [Do gr. *kynoképhalos*, pelo lat. *cynocephalu*.] *S. m.* Gênero de macacos de cabeça semelhante à do cão.

cinofilia. [De *cin(o)(s)-* + *-fil(o)-*² + *-ia*.] *S. f.* Qualidade de cinófilo.

cinófilo. [De *cin(o)(s)-* + *-filo*².] *Adj.* Que gosta de cães.

cinofobia. [De *cin(o)(s)-* + *-fob(o)-* + *-ia*.] *S. f.* Medo mórbido dos cães.

cinofóbico. *Adj.* Relativo à cinofobia, ou a cinófobo.

cinófobo. [De *cin(o)(s)-* + *-fobo*.] *Adj.* Que apresenta cinofobia.

cinoglossa. [Do gr. *kynóglossos*, 'língua de cão', pelo lat. *cynoglossos*.] *S. f.* Planta boraginácea. [Sin.: (pop.): *língua-de-cão*.]

cinoglossídeo. *S. m.* **1.** Espécime dos cinoglossídeos. ● *Adj.* **2.** Pertencente ou relativo a eles.

cinoglossídeos. *S. m. pl. Zool.* Família de peixes teleósteos, heterossomos, do grupo dos peixes conhecidos vulgarmente como *linguados*, caracterizados pela assimetria dos olhos, nos adultos.

cinografia. [De *cin(o)(s)-* + *-graf(o)-* + *-ia*.] *S. f.* Tratado acerca dos cães. [Cf. *cenografia* e *senografia*.]

cinográfico. *Adj.* Relativo à cinografia. [Cf. *cenográfico* e *senográfico*.]

cinologia. [De *cin(o)(s)-* + *-log(o)-* + *-ia*.] *S. f.* Estudo dos cães. [Cf. *sinologia* e *cenologia*.]

cinológico. *Adj.* Referente à cinologia. [Cf. *sinológico* e *cenológico*.]

cinomoriácea. *S. f.* Espécime das cinomoriáceas.

cinomoriáceas. *S. f. pl. Bot.* Família da ordem das mirtales, formada por uma única espécie (*Cynomorium coccineum*) que vive parasitariamente sobre raízes nas estepes e litoral salinos da Ásia ocidental. Destituída de clorofila, tal planta leva um rizoma do qual emerge um ramo simples, escamoso e produtor de flores hermafroditas.

cinomoriáceo. *Adj.* Pertencente ou relativo às cinomoriáceas.

cinorexia (cs). [De *cin(o)(s)-* + *-orex-* + *-ia*.] *S. f.* V. *bulimia*.

cinorrexia (cs). *S. f.* V. *cinorexia*.

cinorródio. *S. m. Bot.* Fruto múltiplo das roseiras e de plantas congêneres, em cujo interior se encontram os verdadeiros frutos, que são minutíssimos aquênios; cinórrodo.

cinórrodo. [Do gr. *kynorrhodon*, 'rosa-de-cão', pelo lat. *cynorrhodon*.] *S. m. Bot.* Cinorródio.

▲cin(o)(s)-. [Do gr. *kýon, kynós*.] *El. comp.* = 'cão': *cinegética, cinografia, cinosuro*.

cinosternídeo. *S. m.* **1.** Espécime dos cinosternídeos. ● *Adj.* **2.** Pertencente ou relativo a eles.

cinosternídeos. *S. m. pl. Zool.* Família de reptis da subclasse dos quelônios, na qual se incluem pequenas tartarugas de espaldar bastante forte, e abobadado, placa nucal quase sempre existente, placa caudal dupla, peito comprido e ovalado, constituído por três peças, das quais a anterior e a posterior são móveis, tendo em conjunto 11 placas. Distribuem-se na região neotropical americana. Ex.: muçuã.

cinosura. [Do lat. *Cynosura*.] *S. f. Astr.* A constelação da Ursa Menor [v. *Ursa* (2)].

cinosuro. [De *cin(o)(s)-* + *-uro*.] *Adj. Zool.* Que tem cauda semelhante à do cão.

cinquena. *S. f.* **1.** *Ant.* Prática religiosa que durava cinco dias. **2.** Período de cinco dias.

cinqüenta. [Do lat. *quinquaginta*.] *Num.* **1.** Cardinal dos conjuntos equivalentes a um conjunto de cinco dezenas de membros (em algarismos arábicos, *50*; em algarismos romanos, *L*). **2.** Qüinquagésimo (1). ● *S. m.* **3.** Algarismo representativo do número cinqüenta. **4.** Aquilo ou aquele que numa série de cinqüenta ocupa o último lugar. ● *S. f.* **5.** *Bras., PB.* Medida de superfície, com 50 braças de cada lado e correspondente ao meio alqueire paulista.

cinqüentão. *Adj.* **1.** Qüinquagenário. ● *S. m.* **2.** Qüinquagenário. **3.** *Bras. Pop.* Moeda ou cédula de 50 cruzeiros, ou essa quantia. [Fem., nas acepç. 1 e 2: *cinqüentona*.]

cinqüentenário. *S. m.* Qüinquagésimo aniversário.

cinqüentona. *Adj. (f.)* e *s. f.* Fem. de *cinqüentão* (1 e 2): "Era uma *cinqüentona* gorda mas miúda, de cabelos levemente grisalhos" (Érico Veríssimo, *Noite*, p. 95).

cinquinho. [De *cinco*.] *S. m.* Antiga moeda portuguesa, do séc. XVI, que valia cinco réis: "O dinheiro designado por expressões esquecidas: o xenxém, a pataca, o *cinquinho*." (Alberto Rangel, *Papéis Pintados*, p. 262.)

cinta. [De *cinto*.] *S. f.* **1.** Faixa para apertar na cintura. **2.** Cintura (1 e 2). **3.** V. *cós*. (2). **4.** Tira de pano ou de couro para cingir. **5.** Tira de papel para cingir jornais ou livros que hão de ser expedidos. **6.** Tira de papel com que às vezes se cingem livros que estão sendo lançados e que contêm dizeres de propaganda a respeito deles e/ou do autor, ou advertência ao público. **7.** Tira de aço para cingir fardos ou malas. **8.** Peça íntima de vestuário feita de malha ou de outro tecido entremeado com elástico, e destinada a adelgaçar a cintura e os quadris, ou a corrigir defeitos anatômicos. **9.** Linha ou série circular: *Dava para o pátio do convento uma cinta de pequenas celas.* **10.** *Arquit.* Filete de coluna ou pedestal. **11.** *Constr. Nav.* Fiada de chapas mais grossas, dispostas de proa a popa no forro exterior do costado de navios de ferro, à altura do convés de bordo-livre, com o fim de aumentar a resistência do casco e do próprio costado; cintado. ~ V. *cintas*. [Cf. *sinta*, do v. *sentir*.] ♦ **Cinta antimagnética.** *Bras. Mar. G.* Dispositivo instalado numa embarcação de casco de ferro ou de aço, e que atenua ou neutraliza a deformação que o magnetismo da embarcação causa nas linhas de força do magnetismo terrestre, assim reduzindo muito a eficácia das minas e torpedos eletromagnéticos que se possam encontrar na rota. **Cinta couraçada.** *Constr. Nav.* Cinta de chapas de couraça, para proteger navio encouraçado, e que se estende desde abaixo da sua linha de flutuação até pouco acima dela.

cintado¹. [De *cinta* + *-ado*¹.] *S. m. Constr. Nav.* Cinta (11).

cintado². [Part. de *cintar*.] *Adj.* **1.** Que tem cinta. **2.** Ajustado à cintura; cinturado. ~ V. *concreto* —.

cinta-larga. *Bras. S. 2 g.* **1.** Indivíduo dos cintas-largas, tribo indígena do MT que habita na região do rio Juína-Mirim e cabeceiras do Aripuanã, para o N., entre a margem direita do Aripuanã e a esquerda do Juruena. ● *Adj. 2 g.* **2.** Pertencente ou relativo a essa tribo. [Pl.: *cintas-largas.*]

cinta-liga. *S. f.* Cinta (8) feminina provida de quatro tiras elásticas, nas extremidades das quais há um prendedor de meias. [Pl.: *cintas-ligas.*]

cintamento. [De *cintar* + *-mento.*] *S. m.* **1.** Ato de cintar. **2.** *Constr.* Armadura circular de aço, destinada a aumentar a resistência à compressão de um núcleo de concreto.

cintar. *V. t. d.* **1.** Pôr cinta (1) em. **2.** Pôr cinta (1, 4, 5, 6 e 7) em: *cintar um recém-nascido; cintar um livro para expedi-lo; Aquele editor cinta apenas os autores célebres; A Alfândega cintou os fardos;* "instrumentos para cortar papel, numerar páginas, ... cintar documentos" (Eça de Queirós, *Contos*, p. 90). **3.** Talhar, moldando à depressão da cintura: *Mandou cintar mais o vestido.* **4.** Abarcar ou cingir pela cintura. *T. d.* e *c.* **5.** Formar a cerca de; cercar: *Cintou de eucaliptos a faixa de terra. P.* **6.** Usar ou vestir cinta (8). [Pres. ind.: *cinto, cintas, cinta, cintamos, cintais, cintam;* pres. subj.: *cinte, cintes, ... cinteis, cintem.* Cf. o pres. ind. e pres. subj. do v. *sentir*, e *cintéis*, pl. de *cintel.*]

cintas. [Pl. de *cinta.*] *S. f. pl.* Tábuas pregadas aos caibros junto à cumeeira, e paralelas a esta, para dar firmeza aos planos do madeiramento. ~ V. *cinta.*

cinteiro. *S. m.* **1.** Fabricante e/ou vendedor de cintos ou cintas. **2.** Atadura larga com que se apertam cueiros de crianças, ou se lhes protege o umbigo, quando recém-nascidas; faixa. **3.** Fita que abraça a copa do chapéu, junto à aba.

cintel. [De *cinta* + *-el.*] *S. m.* **1.** Área circulada onde se movem os animais que fazem andar um engenho. **2.** Aparelho, tipo de compasso, com que se descrevem grandes círculos. **3.** Zona, faixa, cinto. **4.** Cerca, cercado, cinto. **5.** V. *cincho*[1]. [Pl.: *cintéis.* Cf. *cinteis*, do v. *cintar.*]

cintigrafia. [De *cinti(lação)* + *-graf(o)-* + *-ia.*] *S. f. Med. Nucl.* Var. de *cintilografia.*

cintigráfico. *Adj.* Relativo à cintigrafia.

cintigrama. [De *cinti(lação)* + *-grama.*] *S. m. Med. Nucl.* Var. de *cintilograma.* [Cf. *centigrama.*]

cintilação. [Do lat. *scintillatione.*] *S. f.* **1.** Ato ou efeito de cintilar. **2.** Brilho trepidante e/ou intenso: *cintilação das pedrarias;* "Cintilações de lâmpadas suspensas" (Augusto dos Anjos, *Eu*, p. 100). **3.** *Fig.* Fulgor do espírito, da inteligência. **4.** *Astr.* Efeito atmosférico sobre a luz estelar, que consiste na variação rápida do brilho e resulta da deformação da onda plana que provém das estrelas, causada pela variação do índice de refração atmosférico nas altas camadas.

cintilador (ô). *S. m. Astr.* Instrumento de análise de fotografias astronômicas, que utiliza cintilação alternada de duas lâmpadas sobre duas fotografias na mesma região celeste, tomadas em épocas diferentes, e permite, assim, identificar qualquer mutação ocorrida em um astro.

cintilante. [Do lat. *scintillante.*] *Adj. 2 g.* Que cintila. ~ V. *escotoma* —.

cintilar. [Do lat. *scintillare.*] *V. int.* **1.** Apresentar o fenômeno da cintilação, tremeluzir; "aqui, ali, cintilavam estrelas trêmulas." (Coelho Neto, *Treva*, p. 280). **2.** Apresentar o brilho das faíscas; tremeluzir: "Rondas de vaga-lumes cintilavam nas trevas maciças." (Xavier Marques, *O Sargento Pedro*, p. 155.) **3.** Refletir a luz; brilhar muito; resplandecer: *As pedrarias de seu rico traje cintilavam.*

cintilho. *S. m.* **1.** Cinto pequeno. **2.** Cinto rico de pedraria: "as roupas recamadas de ouro, e tomadas airosamente em um cintilho de safiras." (Pe. Antônio Vieira, *Sermões*, IV, p. 194).

cintilografia. [De *cintil(ação)* + *-o-* + *-graf(o)-* + *-ia.*] *S. f. Med. Nucl.* Técnica de exame que permite a visualização de órgão interno pelo mapeamento automático da distribuição espacial de isótopos radioativos dentro do corpo. [Var.: *cintigrafia.*]

cintilográfico. *Adj.* Relativo à cintilografia.

cintilograma. [De *cintil(ação)* + *-o-* + *-grama.*] *S. m. Med. Nucl.* Registro gráfico obtido pela cintilografia. [Var.: *cintigrama.*]

cinto. [Do lat. *cinctu*, 'cingido'.] *S. m.* **1.** Faixa ou tira de tecido, de couro, ou de outros materiais, que cinge o meio do corpo com uma só volta. [Sin.: (desus.): *cingidouro.*] **2.** V. *cós* (2). **3.** V. *cintel* (3 e 4). **4.** Cerco[1] (2). **5.** Cinto de segurança. **6.** *Bras., N.E.* Espécie de bolsa comprida e estreita, de malha com fio de algodão, que os viajantes atam à cintura, ou trazem a tiracolo para levar dinheiro. [Cf. *sinto*, do v. *sentir.*] ◆ **Cinto de castidade. 1.** Aparelho fechado a cadeado, que outrora as mulheres usavam, sobretudo na Idade Média, com o fim de impedir as relações sexuais. **2.** *Fig.* Impedimento ou impossibilidade de contato. **Cinto de Órion.** *Astr.* V. *Três-Marias* (1). **Cinto de segurança.** Faixa ou tira presa ao assento de aviões, automóveis, etc., e que se destina a ser usada pelos passageiros para sua segurança. [Tb. se diz apenas *cinto.*] **Apertar o cinto.** Apertar (24).

cinto-de-couro. *S. m. Bras., RS.* Cinta larga de couro cru que se ata à cintura do(s) preso(s), em viagem, para impedir-lhes a fuga. [Sin. (em AL): *colete-de-couro.* Pl.: *cintos-de-couro.*]

cintura. [Do lat. *cinctura.*] *S. f.* **1.** A parte média do tronco humano situada abaixo do peito e acima dos quadris; cinta. **2.** A parte do vestuário que rodeia essa parte do corpo; cinta. **3.** V. *cós* (2). **4.** Golpe de luta que consiste em apertar o adversário pela cinta, procurando erguê-lo e derrubá-lo. **5.** *Anat.* Estrutura circundante, ou parte dela. ◆ **Cintura de pilão.** *Bras. Pop.* V. *cintura de vespa.* **Cintura de retrós.** *Bras. Pop.* V. *cintura de vespa.* **Cintura de tanajura.** *Bras. Pop.* V. *cintura de vespa.* **Cintura de vespa.** *Fam.* Cintura muitíssimo delgada: "Notei-lhe, sob o luar, a cabeleira crespa, / a anca em forma de lira e a cintura de vespa" (Menotti del Picchia, *As Máscaras*, p. 12). [Sin., bras.: *cintura de pilão, cintura de retrós, cintura de tanajura.*] **Cintura escapular.** *Anat.* Cada uma das estruturas ósseas, de forma circundante, que sustentam, de cada lado, um membro superior, constituídas de clavícula e omoplata (que se articulam entre si e, respectivamente, com o esterno e a coluna vertebral). **Cintura pélvica.** *Anat.* Estrutura óssea, circundante, que sustenta os membros inferiores, e é constituída pelos dois ossos ilíacos, que se articulam entre si e o osso sacro.

cinturado. [De *cintura* + *-ado*[1].] *Adj.* **1.** Que tem cintura. **2.** Cintado[2] (2). [F. paral.: *acinturado.*]

cinturão. *S. m.* Grande cinto geralmente de couro, em que se suspendem armas, cartucheiras, em que se traz dinheiro, etc.; boldrié. ◆ **Cinturão verde.** Área onde estão situadas as granjas que fornecem aos grandes centros urbanos os produtos hortigranjeiros.

cinza. [Do lat. **cinisia* < *cinis.*] *S. f.* **1.** Pó ou resíduos da combustão de certas substâncias, em geral de coloração plúmbea; borralha, favila. **2.** *Fig.* Aniquilamento, luto, destruição. **3.** *Fig.* Humilhação, dor: *as cinzas do arrependimento.* ● *S. m.* **4.** *Bras.* Cinzento (5). ● *Adj. 2 g.* e *2 n.* **5.** *Bras.* cinzento (1 e 2): "Os olhos cinza, envelhecidos, não revelavam nada" (Francisco Jorge Torres, *Bruxaxa*, p. 16); *vestido cinza; gravatas de cor cinza.* ~V. *cinzas.* ◆ **Botar cinza nos olhos de.** V. *deitar cinza nos olhos de.* **Deitar cinza nos olhos de.** Enganar, iludir, lograr, burlar, mistificar (alguém); botar cinza nos olhos de.

cinzar. *V. t. d. Bras.* **1.** Acinzentar. **2.** Enganar, lograr, burlar, intrujar. *Int.* e *p.* **3.** *Bras.* Acinzentar-se: "As cores da tarde iam cinzando mansas." (Mário de Andrade, *Os Contos de Belasarte*, p. 119); *Cinzou-se a atmosfera.* [Pres. subj.: *cinze, ... cinzeis, cinzem.* Cf. *cinzéis*, pl. de *cinzel.*]

cinzas. [Pl. de *cinza.*] *S. f. pl.* **1.** Destroços do que foi destruído pelo fogo; ruínas. **2.** Restos mortais: "Drumont satisfaria toda a despesa que se fizesse a bordo para conservar o cadáver, a fim de que chegassem pelo menos as cinzas do poeta [Gonçalves Dias] à amada terra da sua pátria." (Ramalho Ortigão, *Em Paris*, p. 72). **3.** Memória (dos finados): *Jurou pelas cinzas do pai.* **4.** Restos ou lembranças de coisas extintas. **5.** Mortificações, penitências. ~ V. *cinza.*

cinzeiro. *S. m.* **1.** Montão de cinzas. **2.** Parte do fogão de lenha onde cai a cinza. **3.** Recipiente de louça, metal, plástico, etc., onde os fumantes jogam a cinza do fumo e pontas de cigarros ou charutos usados. **4.** *Desus.* Chuva muito fina. **5.** *Bras.* Operário que retira a cinza das caldeiras das usinas de açúcar. **6.** *Bras., L.* Árvore ornamental da família das voquisiáceas (*Vochysia tucanorum*), de flores amarelas reunidas em cacho, fruto capsular, lenhoso, e cuja madeira só serve para tabuados; muriá, barriga-d'água, pau-de-tucano.

cinzel. [Var. de *cisel* (ant.) < fr. ant. *cisel;* o *n* será por infl. de *pincel.*] *S. m.* **1.** Instrumento de aço, cortante numa das extremidades e usado especialmente por escultores e gravadores: "por vezes o cinzel do rude escultor soube imprimir às fisionomias uma expressão digna dos profetas." (Bernardo Guimarães, *O Seminarista*, p. 37). **2.** *Fig.* O escultor ou o gravador. [Pl.: *cinzéis.* Cf. *cinzeis*, do v. *cinzar.*]

cinzelado. [Part. de *cinzelar.*] *Adj.* **1.** Lavrado ou esculpido a cinzel. **2.** *P. ext.* Trabalhado com esmero.

cinzelador (ô) *Adj.* e *s. m.* Que ou aquele que cinzela.

cinzeladura. *S. f.* **1.** V. *cinzelamento.* **2.** Obra cinzelada.

cinzelagem. *S. f.* V. *cinzelamento.*

cinzelamento. *S. m.* Ato ou efeito de cinzelar; cinzelagem, cinzeladura.

cinzelar. *V. t. d.* **1.** Lavrar com cinzel. **2.** Fazer com esmero e nitidez; apurar: "Os poetas parnasianos, os Srs. Théodore de Banville, Sully Prudhomme, Catulle Mendès cinzelam uma frase como Benvenuto Cellini cinzelava uma jóia." (Ramalho Ortigão, *Notas de Viagem*, p. 89.) **3.** Empregar com precisão e apuro: *Bom conhecedor da língua, cinzela excelentemente expressões antiquadas.*

cinzento. *Adj.* **1.** Que tem cor da cinza (1): *meias cinzentas.* [Sin., poét.: *cinéreo.*] **2.** Diz-se dessa cor: *casaco de cor cinzenta.* [Sin. Bras., nessas acepç.: *cinza.*] **3.** Sem relevo; apagado: *existência cinzenta.* **4.** *Gír.* Diz-se do palavreado pretensioso. ~ V. *lua* —*a, luz* —*a* e *massa* —*a.* ● *S. m.* **5.** A cor cinzenta: "E a madrugada clareava o cinzento das casas." (Rodrigo Otávio [filho], *Velhos amigos*, p. 35.) [Sin. bras.: *cinza.*] **6.** *Ópt.* A cor de um corpo que difunde, ou transmite, igual mas parcialmente, radiações de todos os comprimentos de onda na faixa visível do espectro.

cio. [Do gr. *zêlos*, pelo lat. *zelu.*] *S. m.* **1.** Período de desejo sexual intenso dos animais. [Sin.: *estro* e (em partes diversas do Brasil) *alvoroço, reinaço, vício, calor, cavalgação.* Cf. *berra.*] **2.** *P. ext.* O apetite sexual das pessoas.

▲**cio-.** Equiv. de *ci(a)-.*

cioba. *S. f.* **1.** *Bras.* Peixe teleósteo, percomorfo, da família dos lutjanídeos (*Lutjanus analis* (Val.)), distribuído das Antilhas até a Argentina, de dorso verdoengo, flancos e abdome de um rosaforte. Freqüenta lugares pedregosos, e chega a pesar 18 kg. Os exemplares jovens têm barras transversais pouco nítidas e mancha preta acima da linha lateral, ao nível do segundo raio da dorsal. [Sin.: *caranho, caranho-vermelho.*] **2.** *Bras., RJ.* V. *mulata* (3). [Var., nessas acepç.: *chioba.*] ● *S. m.* **3.** *Bras., RS.* Sujeito pedante e adulador.

cioba-mulata. *S. f. Bras.* V. *rabo-aberto.* [Pl.: *ciobas-mulatas.*]

ciobinha. [Dim. de *cioba.*] *S. f. Bras., N.* V. *vermelho-henrique.*

ciografia. [Do gr. *skiographía*, 'pintura em perspectiva', pelo lat. *sciographia.*] *S. f.* **1.** *Arquit.* Arte de desenhar o corte longitudinal ou transversal de um edifício ou de uma máquina para se lhe ver a disposição interna. **2.** *Astr.* Arte de conhecer as horas por meio das sombras projetadas pela luz do Sol ou da Lua.

ciográfico. *Adj.* Relativo à ciografia.

ciógrafo. [De *cio-* + *-grafo.*] *S. m.* Aquele que pratica a ciografia.

cionite. [De *cio(n)(o)-* + *-ite*[1].] *Patol.* Inflamação da úvula.

▲**cio(n)(o)-.** [Do gr. *kíon, onos.*] *El. comp.* = 'úvula': *ciotomia, cionite, cionotomia.*

cionotomia. [De *cio(n)(o)-* + *-tom(o)-* + *-ia.*] *S. f. Cir.* Secção da úvula; quiotomia, ciotomia.

cionotômico. *Adj.* Relativo à cionotomia; ciotômico.

ciόptico. [De *ci(a)-* + *óptico.*] *Adj.* Referente à visão na sombra. [Var.: *ciótico.*]

cioso (ô). *Adj.* **1.** Que tem ciúme (1); ciumento. **2.** Zeloso, cuidadoso: *Esta criança é ciosa de suas obrigações;* "Os políticos .... do velho regímen eram extremamentes ciosos da sua dignidade pessoal." (Oliveira Viana, *Pequenos Estudos de Psicologia Social*, p. 198.) **3.** Interessado em virtude de afeição extrema.

ciótico. *Adj.* Var. de *ciόptico.*

ciotomia. [De *cio(n)(o)-* + *-tom(o)-* + *-ia.*] *S. f. Cir.* V. *cionotomia.*

ciotômico. *Adj.* Cionotômico.

ciperácea. *S. f.* Espécime das ciperáceas.

ciperáceas. *S. f. pl. Bot.* Família de plantas monocotiledôneas, semelhantes às gramíneas, porém dotadas de caule trígono e folhas com bainhas fechadas. Flores em espiguetas reunidas em inflorescências compostas, minutíssimas; fruto aquênio. Há umas 3.000 espécies, distribuídas pelo orbe, sendo o Brasil riquíssimo em representantes, sobretudo em habitats úmidos.

ciperáceo. *Adj.* Pertencente ou relativo às ciperáceas.

ciperale. *S. f.* Espécime das ciperales.

ciperales. *S. f. pl. Bot.* Ordem constituída pela família das ciperáceas, mas que a grande maioria dos botânicos inclui entre as glumifloras.

cipo. [Do lat. *cippu.*] *S. m. Arquit.* **1.** Pequena coluna desprovida de capitel. **2.** Antigo marco miliário. **3.**

Coluna com inscrições. **4.** *Ant.* Estrado onde se colocava o esquife. **5.** *Ant.* Pedra tumular. **6.** *Heráld.* Cepa (4).

cipó. [Var. de *icipó* tupi *ĩsĩ'pó.*] *S. m. Bras.* **1.** Designação comum às plantas sarmentosas ou trepadeiras que pendem das árvores e nelas se trançam; icipó. **2.** *Gír.* Chicote, chibata, vara. ♦ **Cipó bela-flor.** *Bras.* V. *cipó-de-são-joão.* **Cipó mil-homens.** *Bras., N.* **1.** Designação comum a várias trepadeiras ornamentais, da família das aristoloquiáceas, cujas flores apresentam formações e cores exóticas, e com algumas espécies consideradas medicinais; jarrinha, jarrinha-preta, jarrinha-arraia, mil-homens, mil-homens-do-rio-grande-do-sul, batatinha, flor-de-sapo. **2.** V. *serpentária.*

cipoaba. [De *cipó.*] *S. m. Bras., Pl* até *BA.* Arbusto trepador, da família das combretáceas (*Combretum leprosum*), cujas folhas, que encerram saponina, são revestidas de pequenas escamas muito peculiares, e cujas flores são amarelas, dispostas em panículas terminais solitárias, sendo o fruto uma sâmara aveludada, com alas elípticas e transversalmente estriadas; mofumbo, mofumo, mufumba.

cipó-abacate. *S. m. Bras.* V. *abacate-do-mato.* [Pl.: *cipós-abacates* e *cipós-abacate.*]

cipoada. *S. f.* **1.** *Bras.* Golpe dado com o cipó. **2.** *Bras.* Chicotada, chibatada. **3.** *Bras.* V. *cipoal* (1 a 3). **4.** *Bras.* Golpe moral. **5.** *Bras., BA. Pop.* V. *bicada*[1] (5).

cipoal. *S. m.* **1.** *Bras.* Mato abundante de cipós tão enredados que dificultam o trânsito; cipoada. **2.** *Bras. Fig.* Situação difícil; dificuldade, complicação; cipoada. **3.** *Bras. Fig.* Negócio muito intricado em que alguém se meteu, sem saber como dele poderá sair; cipoada. **4.** *Bras., PR.* Designação comum às terras planas e de valor agrícola situadas após a orla arenosa da costa.

cipó-amargo. *S. m. Bras., Amaz.* Trepadeira de folhas alvacentas, da família das menispermáceas (*Abruta candicans*), cuja raiz e caule, amargos e venenosos, entram na composição do curare. [Pl.: *cipós-amargos.*]

cipoar. *V. t. d. Bras.* Açoitar com cipó; dar cipoadas. [Conjug.: v. *coroar.*]

cipó-azougue. *S. m. Bras., L.* **1.** Trepadeira grande, cinzento-esverdeada, da família das cucurbitáceas (*Apodanthera smilacifolia*), de casca rugosa e flores masculinas e femininas; azougue-dos-pobres. **2.** V. *abobrinha* (2). **3.** V. *abobrinha-do-mato* (2). [Pl.: *cipós-azougues* e *cipós-azougue.*]

cipó-brasil. *S. m. Bras.* V. *flor-de-pau.* [Pl.: *cipós-brasis* e *cipós-brasil.*]

cipó-bravo. *S. m. Bras., L.* Arbusto ou trepadeira da família das bignoniáceas (*Tynnanthus elegans*), de aroma semelhante ao do cravo e flores pequenas, amarelas ou alvas. [Pl.: *cipós-bravos.*]

cipó-cabeludo. *S. m. Bras., C.O.* a *S.* Designação comum a várias plantas subarbustivas, de ramos lenhosos, ou trepadeiras, da família das compostas, com propriedades melíferas e providas de flores alvacentas reunidas em capítulos; erva-dutra. [Pl.: *cipós-cabeludos.*]

cipó-caboclo. *S. m. Bras., N.* a *S.* Arbusto ou trepadeira lenhosa, da família das dileniáceas (*Davilla rugosa*), de caule áspero, porte variável, flores pequenas, amarelo-pálidas, e cujos frutos têm sementes; cipó-de-carijó, cipó-vermelho, capa-homem, folha-de-lixa ou folha-lixa, muiraqueteca, sambaibinha. [Pl.: *cipós-caboclos* e *cipós-caboclo.*]

cipó-café. *S. m. Bras.* V. *boa-noite* (2). [Pl.: *cipós-cafés* e *cipós-café.*]

cipó-capador. *S. m. Bras., L.* e *S.* Trepadeira ornamental, da família das apocináceas (*Echites peltata*), de longo caule, flores amareladas, com cálice branco, e fruto com várias sementes envoltas em filamentos sedosos; capa-homem, cipó-de-mucuna, cipó-de-paina, erva-santa, joão-da-costa, paina-de-penas. [Pl.: *cipós-capadores.*]

cipó-chumbo. *S. m. Bras., N.* a *S.* Designação comum a várias plantas parasitas, do gênero *Cuscuta,* família das convolvuláceas, de flores amarelas, róseas ou alvas, e cujos frutos contêm uma semente em cada lóculo; cuscuta. [Pl.: *cipós-chumbos* e *cipós-chumbo.*]

cipó-cravo. *S. m. Bras., MG* a *SC.* **1.** Planta aromática da família das bignoniáceas (*Tynnanthus fasciculatus*) arbustiva ou trepadeira, de flores alvas ou amareladas, pequenas e dispostas em panículas, frutos que são cápsulas grandes, amarelo-ferruginosos e com propriedades medicinais. **2.** Planta aromática da família das bignoniáceas (*Tynnanthus elegans*), com as mesmas características e propriedades do cipó-cravo (1). [Sin. ger.: *cipó-trindade.* Pl.: *cipós-cravos* e *cipós-cravo.*]

cipó-cruz. *S. m. Bras.* V. *piranga*[2] (3). [Pl.: *cipós-cruzes* e *cipós-cruz.*]

cipó-cururu. *S. m. Bras., Amaz.* Designação comum a várias trepadeiras ou arbustos da família das apocináceas, gêneros *Anisolobus* e *Odontadenia,* uns medicinais, outros ornamentais, e cujas flores são grandes, campanuladas e de colorido belíssimo; cururu, cururu-apé. [Pl.: *cipós-cururus* e *cipós-cururu.*]

cipó-d'água. *S. m. Bras., N.* a *S.* Designação comum a várias plantas trepadeiras, da família das bignoniáceas, de flores pequenas, com corolas roxas, algumas das quais levam pétalas alvas, e frutos de forma ovóide. Têm propriedades diuréticas. [Sin.: *cipó-vermelho, muiraqueteca* e *timbó-do-campo.* Pl.: *cipós-d'água.*]

cipó-d'alho. *S. m. Bras.* Arbusto trepador e lenhoso, da família das bignoniáceas (*Adenocalymma alliaceum*), cujo caule e folhas exalam forte cheiro de alho, sendo as flores alvas ou róseas, grandes, dispostas em racimos, e o fruto uma longa cápsula. É considerado medicinal, por suas propriedades febrífugas. [Pl.: *cipós-d'alho.*]

cipó-de-beira-mar. *S. m. Bras., Amaz.* e *S.* Trepadeira lenhosa, da família das leguminosas (*Entada polystachya*), de flores alvas ou esverdeadas, pequenas, reunidas em espigas curtas, dispostas em racimos paniculados, cujo fruto é vagem coriácea, achatada e articulada, com sementes arredondadas, e cujas raízes são consideradas medicinais. [Pl.: *cipós-de-beira-mar.*]

cipó-de-boi. *S. m. Bras.* Rebenque fino de couro cru: "aos conhecidos que dormiam no tronco e agüentavam c i p ó - d e - b o i oferecia consolações: — 'Tenha paciência. Apanhar do governo não é desfeita'." (Graciliano Ramos, *Vidas Secas,* p. 39). [Pl.: *cipós-de-boi.*]

cipó-de-cabaça. *S. m. Bras.* V. *fava-de-santo-inácio-falsa.* [Pl.: *cipós-de-cabaça.*]

cipó-de-carijó. *S. m. Bras.* V. *cipó-caboclo.* [Pl.: *cipós-de-carijó.*]

cipó-de-cobra. *S. m.* **1.** *Bras., Amaz.* e *MT.* Designação comum a várias trepadeiras ramosas, das famílias das aristoloquiáceas e das menispermáceas, de flores maculadas, masculinas e femininas, e com propriedades medicinais; jarrinha, abutinha, butuinha, erva-de-nossa-senhora. **2.** V. *abutua* (1). **3.** V. *fava-de-santo-inácio-falsa.* **4.** V. *parreira-do-mato.* [Pl.: *cipós-de-cobra.*]

cipó-de-copacabana. *S. m. Bras* V. *bacupari-cipó.* [Pl.: *cipós-de-copacabana.*]

cipó-de-imbé. *S. m. Bras., L., S.* e *C. O.* Designação comum a várias plantas ornamentais, da família das aráceas, de flores masculinas e femininas, algumas verde-amareladas, frutos bacais e raízes consideradas cipós; cipó-imbé, fruto-de-imbé, imbé-de-comer, guembê. [Pl.: *cipós-de-imbé.*]

cipó-de-jabutá. *S. m. Bras.* V. *andiroba* (2). [Pl.: *cipós-de-jabutá.*]

cipó-de-jabuti. *S. m. Bras.* **1.** V. *fava-de-santo-inácio-falsa.* **2.** V. *andiroba* (2). [Pl.: *cipós-de-jabuti.*]

cipó-de-leite. *S. m. Bras., N.* a *S.* Leite-de-cachorro. [Pl.: *cipós-de-leite.*]

cipó-de-mucuna. *S. m. Bras.* V. *cipó-capador.* [Pl.: *cipós-de-mucuna.*]

cipó-de-paina. *S. m. Bras.* V. *cipó-capador.* [Pl.: *cipós-de-paina.*]

cipó-de-são-joão. *S. m. Bras., N.* a *S.* Designação comum a várias trepadeiras ornamentais, das famílias das malpighiáceas e das bignoniáceas, de flores aveludadas e multicoloridas, e cujos frutos são longas cápsulas; cipó bela-flor, flor-de-são-joão, marquesa-de-belas, belas. [Pl.: *cipós-de-são-joão.*]

cipó-de-sapo. *S. m. Bras., L.* e *S.* Designação comum a várias plantas ornamentais, da família das asclepiadáceas, de flores carnosas e aromáticas, róseas ou violáceas, frutos comestíveis, contendo sementes de pêlos sedosos, e que têm propriedades lactescentes; agrílica-de-rama, cipó-de-seda, cipozinho-do-campo, paina-de-seda, seda-vegetal, timbó. [Pl.: *cipós-de-sapo.*]

cipó-de-seda. *S. m. Bras.* V. *cipó-de-sapo.* [Pl.: *cipós-de-seda.*]

cipó-de-timbó. *S. m. Bras., S.* e *L.* Arbusto ramoso, da família das sapindáceas, de flores grandes e alvas; timbó-bravo, tururi. [Pl.: *cipós-de-timbó.*]

cipó-do-reino. *S. m. Bras., L.* a *S.* Trepadeira de caule delicado, da família das ranunculáceas (*Clematis campestris*), de flores pedunculadas axilares e fruto aquênio, considerada narcótica e venenosa; barba-de-velho, vide-branca. [Pl.: *cipós-do-reino.*]

cipoense (ô). *Adj. 2 g.* **1.** De, ou pertencente ou relativo a Cipó (BA). ● *S. 2 g.* **2.** Natural ou habitante de Cipó.

cipó-escada. *S. m. Bras.* Designação comum a várias trepadeiras lenhosas e altas, da família das leguminosas, de cipós sinuosos, que lembram uma escada, flores alvas, e cujos frutos são vagens coriáceas; escada-de-jabuti, mororó-cipó, unha-de-vaca. [Pl.: *cipós-escadas* e *cipós-escada.*]

cipó-imbé. *S. m. Bras.* V. *cipó-de-imbé.* [Pl.: *cipós-imbés* e *cipós-imbé.*]

cipoíra (ò-í). *S. m. Bras., PA.* Trepadeira alta e arbustiva, da família das anonáceas (*Guatteria scandens*), de flores esverdeadas, cujo fruto é baga roxo-escura que contém sementes escuras e luzidias, com muitos sulcos longitudinais, e cujos caules, aromáticos, são objeto de comércio e têm uso na medicina doméstica.

cipó-jabutá. *S. m. Bras.* V. *andiroba* (2). [Pl.: *cipós-jabutás* e *cipó-jabutá.*]

cipolino. [Do it. *cipollino.*] *S. m.* Mármore micáceo, de estrutura xistosa, de coloração branca com estrias verdes: "terraço ladrilhado de c i p o l i n o e ágata" (Eugênio de Castro, *Obras Poéticas,* I, p. 93).

cipó-mole. *S. m. Bras.* V. *esporão-de-galo.* [Pl.: *cipós-moles.*]

cipó-seco. *S. m. Bras.* V. *bicho-pau* (1). [Pl.: *cipós-secos.*]

cipó-suma. [Do tupi *sipo'suma.*] *S. m. Bras.* V. *piriguara*[2]. [Pl.: *cipós-sumas* e *cipós-suma.*]

cipotaia (ò). [De *cipó* + tupi *taia,* 'queimante, picante'.] *S. m. Bras.* Planta medicinal da família das caparidáceas (*Capparis urens*).

cipotaneano. *Adj.* **1.** De, ou pertencente ou relativo a Cipotânea (MG). ● *S. m.* **2.** O natural ou habitante de Cipotânea.

cipó-timbó. *S. m. Bras., N.* a *S.* Designação comum a numerosas espécies da família das sapindáceas, trepadeiras lenhosas, de flores alvas ou rosadas, algumas ornamentais e malcheirosas; timbó-de-peixe, mata-peixe, mata-fome, timbó-amarelo, timbó-legítimo, tingui. [Pl.: *cipós-timbós* e *cipós-timbó.*]

cipó-tracuá. *S. m. Bras.* Planta da família das aráceas (*Philodendron myrmecophilum*). [Pl.: *cipós-tracuás* e *cipós-tracuá.*]

cipó-trindade. *S. m. Bras.* V. *cipó-cravo.* [Pl.: *cipós-trindades* e *cipós-trindade.*]

cipó-vermelho. *S. m. Bras.* **1.** V. *cipó-caboclo.* **2.** V. *cipó-d'água.* [Pl.: *cipós-vermelhos.*]

cipó-violeta. *S. m. Bras., MG* e *SP.* Arbusto de casca pardacenta, da família das leguminosas (*Dalbergia variabilis*), de madeira alva, sólida e compacta, própria para marcenaria, flores amarelas ou alvas, e frutos que são vagens; açapuva, braçadeira, jacarandá. [Pl.: *cipós-violetas* e *cipós-violeta.*]

cipozinho-do-campo (cipòzinho). *S. m. Bras.* V. *cipó-de-sapo.* [Pl.: *cipozinhos-do-campo.*]

cipreídeo. *S. m.* **1.** Espécime dos cipreídeos. ● *Adj.* **2.** Pertencente ou relativo a eles.

cipreídeos. *S. m. pl. Zool.* Família de moluscos gastrópodes prosobrânquios, conhecidos na Europa como *porcelanas.* Têm grande pé achatado, tentáculos alongados, onde estão os olhos, sifão saliente e um manto dividido em lóbulos. São utilizados em práticas de macumba. A concha é ovóide, recoberta de esmalte brilhante. Compreende o gênero *Cypraea* e vizinhos.

ciprestal. *S. m.* Quantidade mais ou menos considerável de ciprestes dispostos proximamente entre si.

cipreste. [Do gr. *Kypárissos,* pelo lat. tardio *cypressu.*] *S. m.* **1.** Designação comum a várias árvores exóticas, ornamentais, da família das cupressáceas, dotadas de ramículos verde-amarelados, escuros, densos e plumosos, que levam cones oblongos, constituídos por escamas peltadas, rugosas e cinzentas; as sementes, aromáticas, são ovóides, aladas, de cor vermelho-clara ou castanho-avermelhado. [Sin.: *pinheiro-do-canadá.*] **2.** *Fig.* Morte, luto, dor.

ciprínida. *S. m.* e *adj. 2 g.* V. *ciprinídeo.*

ciprínidas. *S. m. pl. Zool.* V. *ciprinídeos.*

ciprinídeo. *S. m.* **1.** Espécime dos ciprinídeos. ● *Adj.* **2.** Pertencente ou relativo a eles. [Sin. ger.: *ciprínida, ciprinóide.*]

ciprinídeos. *S. m. pl. Zool.* Família de peixes malacopterígios, de água doce, cujo tipo é a carpa; ciprínidas.

▲**ciprin(o)-.** [Do lat. *cyprinus, i.*] *El. comp.* = 'carpa': *ciprinocultor.*

ciprinocultor (ô). [De *ciprin(o)-* + *cultor.*] *S. m.* Criador de carpas.

ciprinocultura. [De *ciprin(o)-* + *cultura.*] *S. f.* Criação de carpas.

ciprinodonte. *S. m.* **1.** Espécime dos ciprinodontes. ● *Adj. 2 g.* **2.** Pertencente ou relativo a eles. [Sin. ger.: *microciprino.*]

ciprinodontes. *S. m. pl. Zool.* Animais da classe dos

peixes, neopterígios, da ordem *Cyprinodontes*, de cabeça achatada e escamosa, boca protrátil e ausência de linha lateral distinta, nadadeiras ventrais pequenas ou ausentes. Há várias espécies vivíparas. Vivem em águas doces e estuários dos grandes rios. São os barrigudinhos. [Sin.: *microciprinos*.]

ciprinóide. [De *ciprin(o)-* + *-óide*.] *Adj. 2 g.* e *s. m.* V. *ciprinídeo*.

ciprinóideo. *S. m.* **1.** Espécime dos ciprinóideos. ● *Adj.* **2.** Pertencente ou relativo a eles.

ciprinóideos. *S. m. pl. Zool.* Animais cordados, classe dos peixes, neopterígios, ostariofisos, subordem *Cyprinoidea*, de corpo recoberto de escamas.

cíprio. [Do gr. *Kyprios*, pelo lat. *cypriu*.] *Adj.* e *s. m.* Cipriota.

cipriota. [Do it. (veneziano) *ciprota*.] *Adj. 2 g.* **1.** De, ou pertencente ou relativo a Chipre, ilha do Mediterrâneo oriental. ● *S. 2 g.* **2.** Natural ou habitante de Chipre. [Sin. ger.: *cíprio*.]

cipselídeo. *S. m.* **1.** Espécime dos cipselídeos. ● *Adj.* **2.** Pertencente ou relativo a eles. [Sin. ger.: *micropodídeo*.]

cipselídeos. *S. m. pl. Zool.* Aves apodiformes, da família dos *Cypselidae*, de plumagem dura, bico largo e curto, cauda com apenas 10 retrizes, e que têm os dois dedos anteriores juntos até à última articulação. Apanham no ar insetos, com que se alimentam. São os andorinhões. [Sin.: *micropodídeos*.]

ciranda. *S. f.* **1.** Peneira grossa com que se joeiram grãos de areia, etc. **2.** Dança de roda infantil, de origem portuguesa; cirandinha. **3.** *Bras.* Dança de roda, adulta, com trovas; sarandi, cirandinha.

cirandagem. *S. f.* **1.** Operação de cirandar (1). **2.** Porção joeirada pela ciranda (1). **3.** Palhas, alimpaduras que voam da ciranda (1).

cirandar. *V. t. d.* **1.** Passar pela ciranda (1); joeirar, peneirar. *Int.* **2.** Dançar a ciranda (2 e 3). **3.** Andar de um lado para outro; dar voltas: "A negra dançava sempre, *c i r a n d a v a* pela sala" (Herman Lima, *Garimpos*, p. 22).

cirandinha. [Dim. de *ciranda*.] *S. f.* V. *ciranda* (2 e 3).

circadiano. [Do lat. *circa diem*, 'em torno do dia'.] *Adj.* ~ V. *ritmo* —.

circassiano. *Adj.* **1.** Da, ou pertencente ou relativo à Circássia (Ásia). ● *S. m.* **2.** O natural ou habitante da Circássia.

circatejano. [Do lat. *circa*, 'cerca, ao redor', + *Tejo*, top., + *-ano*.] *Adj.* Que é das margens do Tejo, rio que banha a Espanha e Portugal.

circéia. [Do lat. *circaea*.] *S. f.* Planta da família das onagráceas (*Circea lutetiana*), de folhas ovais, flores alvas e encarnadas, dispostas em cachos, e de cujo rizoma, rasteiro, nascem caulículos simples. Cresce em terrenos úmidos e sombrios. [Sin.: *erva-de-santo-estêvão*.]

circense. [Do lat. *circense*.] *Adj. 2 g.* Pertencente ou relativo a circo. ~ V. *circenses*.

circenses. [Pl. substantivado de *circense*.] *S. m. pl.* Espetáculos de circo. ~ V. *circense*.

circinado. [Do lat. *circinatu*.] *Adj.* **1.** *Bot.* Diz-se da prefoliação dos pteridófitos, na qual as folhas se mostram enroladas em espiral, do ápice à base; circinal. **2.** *Med.* Que tem lesões em forma de anel.

circinal. [Do gr. *Kírkinos*, 'círculo', pelo lat. *circinu*, + *-al*.] *Adj. 2 g. Bot.* Circinado (1).

circo. [Do lat. *circu*.] *S. m.* **1.** V. *círculo* (3). **2.** Grande anfiteatro onde os antigos se reuniam para jogos públicos; coliseu. **3.** Recinto circular, coberto, cercado de lona, todo desmontável, onde se realizam espetáculos de acrobacia, equitação, equilibrismo, palhaçadas, habilidades diversas, e cujos artistas formam um conjunto itinerante. [Sin.: *circo de cavalinhos* e (SP, pop.) *escavalinho*.] **4.** V. *cincho*[1]. **5.** *Bras., RS.* Roda de pessoas a pé ou a cavalo, feita no campo para reunir o gado eqüino. [Quando o circo (5) tem obstáculos e outros relevos do solo, que dispensam a presença de pessoa para conter os animais, chama-se *mudador*.] ◆ **Circo de cavalinhos.** V. *circo* (3). **Circo de erosão.** *Geol.* Anfiteatro de erosão. **Circo glacial.** *Geol.* Escavação de uma montanha, onde se acumulam a neve e o gelo. **Circo lunar.** *Astr.* Grande depressão circular na superfície da Lua, com centenas de quilômetros de diâmetro. **Ser de circo.** *Bras. Pop.* Ser esperto, muito experimentado; não se deixar lograr.

▲**circu-.** V. *circum-*.

circuição (u-i). [Do lat. *circutione*.] *S. f. P. us.* Ato de andar à roda.

circuitar. *V. int.* **1.** Andar à roda; girar; circular. *T. d.* **2.** Andar à roda de: "Grupos erradios *c i r c u i t a v a m* a vivenda, esquadrinhando, curiosos, a horta maltratada" (Euclides da Cunha, *Os Sertões*, p. 481.) **3.** Fazer a volta de; circundar: *C i r c u i t o u o muro e entrou pelo portão dos fundos.* **4.** Circundar; cercar: *Uma cerca viva c i r c u i t a v a a casa.*

circuito. [Do lat. *circuitu*.] *S. m.* **1.** Contorno, periferia, circunferência. **2.** Linha que limita qualquer área fechada; perímetro. **3.** O que circunda; cinto, cerco, cerca: *um c i r c u i t o de colinas.* **4.** Giro, volta: *Fez um grande c i r c u i t o para chegar a sua casa.* **5.** V. *circuito de palavras*. **6.** Sucessão de fenômenos periódicos; ciclo. **7.** *Numism.* Exergo onde se grava a inscrição nas moedas e medalhas. **8.** *Eletr.* Conjunto de resistores, capacitores, indutores, válvulas eletrônicas e fontes de força eletromotriz, ligados eletricamente entre si, e no qual existe pelo menos um caminho fechado ao longo das ligações e componentes; circuito elétrico. **9.** *Cin.* O conjunto das salas de projeção que apresentam um mesmo filme, ou que pertencem a uma mesma companhia. ◆ **Circuito analógico.** *Eletr.* Circuito elétrico cujo comportamento é análogo ao de um sistema de natureza não elétrica, como, p. ex., um sistema mecânico, um sistema acústico, etc. **Circuito de palavras.** V. *circunlóquio*. [Tb. se diz apenas *circuito*.] **Circuito Eccles-Jordan.** *Eletrôn.* V. *circuito flip-flop*. **Circuito elétrico.** *Eletr.* Circuito (8). **Circuito fechado.** *Telev.* Sistema de televisão em que o vídeo e o áudio são transmitidos, usualmente por cabo, a determinados monitores. **Circuito filtro.** *Eletrôn.* O que tem por função permitir a passagem de correntes de determinada freqüência, bloqueando a passagem de correntes de outras freqüências. [Tb. se diz apenas *filtro*. Sin.. *filtro elétrico*.] **Circuito *flip-flop*.** *Eletrôn.* Circuito que tem dois estados estáveis e passa de um para o outro ao receber um sinal apropriado; circuito Eccles-Jordan, basculador, multivibrador biestável. [Tb. se diz apenas *flip-flop*.] **Circuito impresso.** *Eletrôn.* O que é construído por meio de técnicas análogas às da impressão gráfica: as conexões e alguns componentes são impressos ou depositados num chassi isolante, o que permite fazer o circuito muito compacto e resistente. **Circuito lógico.** *Eletrôn.* Circuito capaz de efetuar, mediante combinação de sinais elétricos, as operações fundamentais da lógica simbólica. **Circuito magnético.** *Eletr.* Caminho fechado em que existe um fluxo magnético. **Circuito *push-pull*.** *Eletrôn.* Aquele em que determinados sinais de entrada se adicionam na saída, enquanto outros são cancelados; balanceador.

circulação. [Do lat. *circulatione*.] *S. f.* **1.** Ato ou efeito de circular[2]. **2.** Movimento contínuo; curso, marcha: *a c i r c u l a ç ã o de água num radiador; a c i r c u l a ç ã o de um boato.* **3.** V. *trânsito* (7). **4.** Passagem, movimentação, marcha: *Durante a recepção a c i r c u l a ç ã o dos garçons tornou-se muito difícil.* **5.** *Biol.* Função vital que transmite a todas as partes do corpo de um animal (pelo sangue ou por outro líquido) ou de um vegetal (pela seiva) o alimento ou o oxigênio de que necessita para viver. **6.** *Cálc. Vect.* A integral curvilínea do vector de um campo vectorial ao longo de uma curva nesse campo. **7.** *Econ.* Complexo dos fenômenos que integram o ciclo transformativo dos capitais circulantes em novos capitais circulantes ou fixos. **8.** *Fisiol.* Circulação sangüínea. **9.** *Edit.* Quantidade de exemplares de um periódico distribuídos efetivamente em cada edição. ◆ **Circulação colateral.** *Med.* O conjunto das ramificações que seguem, mais ou menos, o trajeto do tronco de onde se originam. [Obstruído esse tronco, sua falta pode ser compensada, parcial ou totalmente pelas ditas ramificações.] **Circulação fiduciária.** *Fin.* Curso do papel-moeda devidamente emitido. **Circulação metálica.** Circulação monetária. **Circulação monetária.** *Fin.* Curso do ouro, da prata, amoedado ou não; circulação metálica. **Circulação pulmonar.** *Fisiol.* Pequena circulação. **Circulação sanguínea.** *Fisiol.* Circulação regular e contínua, em sentido único, produzida por cada batimento do coração que impele o sangue, através dos vasos, por todo o organismo, numa operação de saída e de retorno. [Tb. se diz apenas *circulação*.] **Circulação sistêmica.** Grande circulação. **Grande circulação.** *Fisiol.* A que parte do coração esquerdo e distribui o sangue por todo o corpo, retornando o sangue venoso para a aurícula direita; circulação sistêmica. **Pequena circulação.** *Fisiol.* Aquela em que o sangue parte do ventrículo direito e circula através dos pulmões, onde se processa a hematose [q. v.], regressando ao coração por meio das veias pulmonares, que deságuam na aurícula direita; circulação pulmonar.

circulada. [De *circular*[2] + *-ada*[1].] *S. f. Fam.* Ato de circular ou locomover-se mais ou menos rapidamente durante algum tempo; volta, giro.

circulador (ô). *Adj.* **1.** Que faz circular. ● *S. m.* **2.** Aparelho circulador (água, ar). **3.** *Eletrôn.* Girador de quatro pólos, capaz de conduzir microondas do pólo A para o pólo B, do pólo B para o C, do C para o D, e do D para o A.

circulante. [Do lat. *circulante*.] *Adj. 2 g.* **1.** Que circula. **2.** Que está em circulação (2, 3 e 4). ~ V. *ativo* —, *biblioteca* —, *capital* — e *meio* —. ● *S. m.* **3.** *Mat.* O determinante de ordem *n*, cujas linhas são constituídas pelas *n* permutações circulares, de a_1, a_2, a_3 ... a_n.

circular[1]. [Do lat. *circulare*.] *Adj. 2 g.* **1.** Que tem forma de círculo; orbicular, encíclico. **2.** Respeitante a círculo. **3.** Que volta ao ponto de partida: *viagem c i r c u l a r.* **4.** Diz-se de carta, manifesto ou ofício que foi reproduzido e mandado a muitas pessoas; encíclico. ~ V. *birrefringência* —, *cilindro* —, *cone* —, *função* —, *função* — *direta*, *função* — *inversa*, *permutação* —, *polarização* —, *recife* —, *satélite superficial* —, *segmento* — e *simetria* —. ● *S. f.* **5.** Carta, ofício ou manifesto circular[1] (4).

circular[2]. [Do lat. *circulare*.] *V. t. d.* **1.** Fazer círculo próximo de; estar em volta de: *Conversava alegre com aqueles que o c i r c u l a v a m.* **2.** Guarnecer à roda; cercar: "Assentei-me no banco que *c i r c u l a v a* a mesa" (Aluísio Azevedo, *Demônios*, p. 153). **3.** Percorrer à roda; rodear: *As crianças corriam, c i r c u l a n d o o lago.* *Int.* **4.** Mover-se circularmente, tornando ao ponto de partida: *Os carros c i r c u l a v a m velozmente no autódromo.* **5.** Renovar-se (o ar). **6.** Ter curso (moeda, título de crédito, etc.). **7.** Passar de mão em mão: *O espécime raro c i r c u l o u entre os presentes.* **8.** Espalhar-se, propagar-se: *A notícia c i r c u l o u no país inteiro.* **9.** Locomover-se; transitar: *C i r c u l o u rapidamente entre os convidados, recolhendo-se em seguida.* *T. c.* **10.** Percorrer viajando; andar, viajar (1): *C i r c u l o u por toda a Europa durante seis meses.* [Pres. ind.: *circulo*, etc. Cf. *círculo*.]

circulatório. [Do lat. *circulatoriu*.] *Adj.* **1.** Relativo ao movimento circular. **2.** Relativo à circulação (5 e 8): *distúrbio c i r c u l a t ó r i o.* ~ V. *colapso* —.

circulável. *Adj. 2 g.* Que circula [v. *circular*[2] (6)].

círculo. [Do lat. *circulu*.] *S. m.* **1.** *Geom.* Região de um plano limitada por uma circunferência. **2.** *Geom. Impr.* V. *circunferência* (1). **3.** Linha ou movimento circular; circunferência, circo. **4.** Circunscrição territorial. **5.** Cinto, roda, anel. **6.** *Fig.* Área, extensão, limite: *c í r c u l o de relações; o c í r c u l o dos conhecimentos humanos.* **7.** V. *meio* (7). **8.** *Fig.* Associação, assembléia, grêmio: *c í r c u l o literário; c í r c u l o de estudos.* [Cf. *circulo*, do v. *circular*.] ◆ **Círculo circunscrito.** *Geom.* **1.** Num triângulo, círculo que passa pelos três vértices. **2.** Num polígono regular, círculo que passa pelos seus vértices. **3.** Numa elipse, círculo que lhe é concêntrico e lhe tangencia, externamente, os vértices. [Sin. ger.: *circuncírculo*.] **Círculo de altura.** *Astr.* V. *almocântara*. **Círculo de confusão.** *Ópt.* Num sistema óptico corrigido, o menor círculo luminoso que é a imagem de um ponto luminoso. **Círculo de curvatura.** *Geom. Anal.* V. *círculo osculador*. **Círculo de declinação.** *Astr.* Círculo horário. **Círculo deferente.** *Astr.* Deferente[2] (2). **Círculo de fogo.** A faixa formada pelos vulcões ativos e extintos, ao longo da costa das Américas do Pacífico. **Círculo de iluminação.** *Astr.* Terminadouro. **Círculo de inclinação.** *Geofís.* V. *círculo de inclinação magnética*. **Círculo de inclinação magnética.** *Geofís.* Instrumento geomagnético capaz de medir a inclinação magnética, e no qual uma agulha imantada é capaz de girar em torno de um eixo horizontal. [Tb. se diz apenas *círculo de inclinação*; sin.: *bússola de inclinação*.] **Círculo de latitude.** *Astr.* **1.** No sistema de coordenadas eclípticas, círculo menor da esfera celeste, paralelo à eclíptica. **2.** No sistema de coordenadas geográficas, círculo menor da esfera terrestre, paralelo ao equador; paralelo de latitude; paralelo. **Círculo de longitude.** *Astr.* **1.** No sistema de coordenadas eclípticas, semicírculo máximo que passa pelos pólos da eclíptica e pelo zênite do observador. **2.** No sistema de coordenadas geográficas, semicírculo máximo da esfera terrestre que passa pelos pólos e pelo observador; meridiano local. **Círculo de posição.** **1.** *Náut.* Círculo imaginário traçado no globo terrestre, com centro no pé da vertical do astro observado e raio igual à altura do astro acima do horizonte do observador. [É o lugar geométrico das possíveis posições do observador.] **2.** *Mar. G.* Lugar geométrico das possíveis posições de navio ou força inimiga que, a partir de determinada posição conhecida, navegou em rumo desconhecido com determinada velocidade máxima conhecida. **Círculo de trânsito.** *Astr.* Círculo meridiano.

Círculo de Viena. *Filos.* V. *positivismo lógico* (1). **Círculo diurno.** *Astr.* Círculo que uma estrela descreve em seu movimento diurno aparente sobre a esfera celeste. **Círculo dos nove pontos.** *Geom.* Num triângulo, círculo que passa pelos pontos médios dos lados, pelos pés das alturas e pelos pontos médios dos segmentos que unem os vértices à interseção das alturas. **Círculo excêntrico. 1.** *Astr.* Excentrico[1] (3). **2.** *Geom.* Qualquer dos círculos concêntricos a uma cônica central, e cujos diâmetros coincidem com os eixos da cônica. **Círculo exscrito.** *Geom.* Num triângulo, círculo tangente a um lado e aos prolongamentos dos outros dois. **Círculo fundamental.** *Astr.* Círculo máximo da esfera celeste, de plano perpendicular à linha dos pólos de um dado sistema de referência. **Círculo galáctico.** *Astr.* Interseção do plano galáctico com a esfera celeste. **Círculo horário.** *Astr.* Círculo máximo da esfera celeste, que passa pelos pólos e por um dado astro; círculo de declinação. **Círculo inscrito.** *Geom.* **1.** Num triângulo círculo que tangencia seus três lados. **2.** Num polígono regular, círculo que lhe tangencia todos os lados. **3.** Numa elipse, o menor dos círculos que lhe são concêntricos e tangentes. **Círculo máximo.** Qualquer círculo traçado sobre a superfície de uma esfera e que tenha o mesmo raio que ela. [O equador, os meridianos, a eclíptica são círculos máximos na esfera terrestre.] **Círculo meridiano.** *Astr.* Instrumento astronômico fundamental, que dispõe de um círculo graduado de alta precisão, situado no plano do meridiano; círculo de trânsito. **Círculo osculador.** *Geom. Anal.* Círculo que passa por três pontos consecutivos de uma curva; círculo que tangencia uma curva e tem no ponto de tangência a mesma derivada segunda que a curva. [Sin.: *círculo de curvatura, circunferência osculatriz.*] **Círculos menores.** *Geom.* Círculos imaginários que cortam a esfera terrestre, sem passar pelo centro da mesma, e paralelos ao equador; paralelos. **Círculos polares.** *Geom.* Círculos menores, que limitam as zonas glaciais em ambos os hemisférios, denominados Círculo Polar Ártico, o do N., e Círculo Polar Antártico, o do S. **Círculo vicioso. 1.** Sucessão de idéias ou fatos que retornam sempre à idéia ou fato inicial. **2.** *Lóg.* Demonstração ou definição de *A* por meio de *B* que, por sua vez, só se pode demonstrar por meio de *A*. [Cf. *dialelo.*]

▲circum-. [Do lat. *circum.*] *Pref.* = 'movimento ou situação em torno': *circumpolar, circum-adjacente.* [Equiv.: *circum-, circu-: circuncentro; circumurado, circunavegação.*]

circum-adjacente. [De *circum-* + *adjacente.*] *Adj. 2 g.* V. *circunvizinho* (1). [Pl.: *circum-adjacentes.*]

circum-ambiente. [De *circum-* + *ambiente.*] *Adj. 2 g.* Que está em volta (no ar). [Pl.: *circum-ambientes.*]

circumpolar. [De *circum-* + *polar.*] *Adj. 2 g.* **1.** Que está ou se efetua, ou viceja, em volta do pólo, ou perto dele: *viagem c i r c u m p o l a r; vegetação c i r c u m p o l a r.* **2.** *Astr.* Relativo aos astros que, para um dado lugar na superfície da Terra, ou nunca se põem, ou nunca nascem. ~ V. *estrela* —.

circumurado (cū). [De *circum-* + *murado.*] *Adj.* Cercado de muro.

▲circun-. V. *circum-.*

circunavegação (cū). *S. f.* Ato ou efeito de circunavegar.

circunavegador (cū...ô). *S. m.* Aquele que circunavega.

circunavegar (cū). [Do lat. *circumnavigare.*] *V. t. d.* **1.** Rodear navegando. *Int.* **2.** Navegar em volta do globo, duma ilha ou dum continente. [Conjug.: v. *regar.*]

circuncentro. [De *circun-* + *centro.*] *S. m. Geom.* Centro do círculo circunscrito a uma curva.

circuncidado. [Part. de *circuncidar.*] *Adj.* e *s. m.* Circunciso.

circuncidar. [Do lat. *circumcidere.*] *V. t. d.* Praticar a circuncisão em.

circuncírculo. [De *circun-* + *círculo.*] *S. m. Geom.* Círculo circunscrito.

circuncisão. [Do lat. *circumcisione.*] *S. f.* **1.** Ato ou operação que consiste em cortar e retirar um excesso de prepúcio; postectomia. **2.** *Rel.* Rito de iniciação, que consiste em cortar o prepúcio. **3.** Celebração da circuncisão de Cristo. **4.** *Fig.* Corte, supressão.

circuncisfláutico. *Adj. Burl.* **1.** Pretensioso, presumido; amaneirado. **2.** Misterioso, enigmático. **3.** Triste, sorumbático.

circunciso. [Do lat. *circumcisu.*] *Adj.* e *s. m.* Diz-se de, ou aquele em quem se praticou a circuncisão; circuncidado

circundado. [Part. de *circundar.*] *Adj.* ~V. *citação* —a.

circundamento. *S. m.* **1.** Ato ou efeito de circundar. **2.** Cerco, cinto, circuito.

circundante. [Do lat. *circumdante.*] *Adj. 2 g.* Que circunda.

circundar. [Do lat. *circumdare.*] *V. t. d.* **1.** Cercar, rodear, cingir: "Morros escalvados, contrastando com a vegetação luxuriante que c i r c u n d a a casaria branca e acidentada." (Leopoldo Brígido, *Poemas do Tempo,* p. 99.) **2.** Andar à volta de; rondar: *As damas-de-companhia c i r c u n d a v a m a rainha. P.* **3.** Cercar-se, rodear-se: "C i r c u n d a - s e de luto e de tristeza / E excede a melancólica Artemisa." (Cesário Verde, *Obra Completa,* p. 46). [É regular, embora formado de *dar.*]

circundução. [Do lat. *circumductione.*] *S. f.* **1.** Rotação em torno de um centro ou eixo. **2.** *Ant. Jur.* Pena aplicada contra o autor duma ação que não comparecia a juízo, e que consistia na anulação da citação do réu.

circundutar. [De *circunduto* + *-ar*[2].] *V. t. d. Jur.* Julgar nulo.

circunduto. [Do lat. *circumductu.*] *Adj. Jur.* Que tem de repetir-se em virtude de anulação anterior.

circunferência. [Do lat. *circumferentia.*] *S. f.* **1.** *Geom.* Lugar geométrico dos pontos de um plano eqüidistantes dum ponto fixo. [Tb. se diz, impr., *círculo.*] **2.** V. *círculo* (3). **3.** Circuito (1). ♦ **Circunferência osculatriz.** *Geom. Anal.* V. *círculo osculador.*

circunferente. [Do lat. *circumferente.*] *Adj. 2 g.* Que anda em redor; que gira.

circunflexão (cs). [Do lat. *circumflexione.*] *S. f.* Ato ou efeito de dobrar em arco.

circunflexo (cs). [Do lat. *circumflexu.*] *Adj.* De forma curva: "As suas sobrancelhas c i r c u n f l e x a s punham-lhe dois acentos graves nos olhos ameaçadores" (Amadeu de Queirós, *Os Casos do Carimbamba,* p. 58). ~ V. *acento* —.

circunfluência. [Do lat. *circumfluentia.*] *S. f.* **1.** Qualidade de circunfluente. **2.** Movimento circular de um líquido ou de um fluido.

circunfluente. [Do lat. *circumfluente.*] *Adj. 2 g.* Que circunflui.

circunfluir. [Do lat. *circumfluere.*] *V. t. d.* **1.** Fluir ou correr em volta de. **2.** Transbordar; derramar. [Conjug.: v. *atribuir.*]

circunfundir. [Do lat. *circumfundere.*] *V. t. d.* e *i.* **1.** Espalhar em volta. **2.** Derramar ou despejar em torno. *P.* **3.** Derramar-se, espalhar-se.

circunfuso. [Do lat. *circumfusu.*] *Adj.* **1.** Espalhado em redor. **2.** *Poét.* Cercado, rodeado.

circungirar. [De *circun-* + *girar.*] *V. t. d.* **1.** Girar em torno de: "— O tempo .... é bom para uns e ruim para outros — disse Orozimbo, c i r c u n g i r a n d o os olhos pela sala" (Gastão Cruls, *De Pai a Filho,* p. 50). **2.** Percorrer, lendo. *Int.* **3.** Percorrer espaços à volta de um centro.

circunjacência. [De *circunjacente,* por analogia com *adjacência.*] *S. f.* Circunvizinhança (1 e 2).

circunjacente. [Do lat. *circumjacente.*] *Adj. 2 g.* V. *circunvizinho* (1).

circunjazer. [Do lat. *circumjacere.*] *V. int.* Estar em volta; ser circunvizinho. [Conjug.: v. *jazer.*]

circunlocução. [Do lat. *circumlocutione.*] *S. f.* V. *circunlóquio:* "Há .... ocasiões em que um mísero rabiscador tem necessidade de fazer grandes volteios e c i r c u n l o c u ç õ e s sem fim" (Graciliano Ramos, *Linhas Tortas,* p. 18).

circunlóquio. [Do lat. *circumloquiu.*] *S. m.* Rodeio de palavras; circuito, circuito de palavras, circunlocução, perífrase: "c i r c u n l ó q u i o s de todo o gênero, sendo mais aplaudidos os de maior rodeio" (Afonso Pena Júnior, *A Arte de Furtar e o Seu Autor,* II, p. 418).

circunscrever. [Do lat. *circumscribere.*] *V. t. d.* **1.** Descrever uma linha em torno de. **2.** Abranger, conter: *Durante o Império, a Igreja c i r c u n s c r e v i a as leis civis.* **3.** Limitar, restringir: *O governador c i r c u n s c r e v e u a autoridade dos seus auxiliares.* **4.** Impedir que se propague; isolar, limitar: "o dever da sociedade, perante uma epidemia, é c i r c u n s c r e v ê-la, isolá-la" (Eça de Queirós, *Ecos de Paris,* p. 190). *T. d.* e *i.* **5.** Descrever, traçar em redor. **6.** Limitar, restringir, cifrar: "Reduzir o estudo do passado à biografia dos homens ilustres e à narrativa dos feitos retumbantes seria absurdo tão desmedido como c i r c u n s c r e v e r a geografia ao estudo das montanhas." (Alcântara Machado, *Vida e Morte do Bandeirante,* p. 23.) *P.* **7.** Limitar-se; restringir-se. [Part., irreg.: *circunscrito.*]

circunscrição. [Do lat. *circumscriptione.*] *S. f.* **1.** Ação ou efeito de circunscrever(-se). **2.** Linha que circunscreve por todos os lados uma superfície. **3.** Divisão territorial: *c i r c u n s c r i ç ã o eleitoral.* **4.** *Geom.* Ação de circunscrever uma figura a outra.

circunscritivo. *Adj.* Que circunscreve ou limita.

circunscrito. [Do lat. *circumscriptu.*] *Adj.* **1.** Limitado totalmente por uma linha: *triângulo c i r c u n s c r i t o; área c i r c u n s c r i t a.* **2.** Restringido, restrito, limitado. **3.** Que tem limites determinados; localizado: *tumor c i r c u n s c r i t o.* ~ V. *ângulo* — e *círculo* —.

circunsessão. [Do lat. *circumsessione.*] *S. f. Teol.* União íntima das três pessoas divinas, no mistério da Trindade.

circunsoante. [Do lat. *circumsonante.*] *Adj. 2 g.* Que soa em torno.

circunspeção. [Var. de *circunspecção* < lat. *circumspectione.*] *S. f.* **1.** Qualidade ou modos de circunspeto. **2.** Exame demorado de um objeto, considerado por todos os lados; atenção. **3.** Prudência, ponderação; critério: *O assunto foi estudado com muita c i r c u n s p e c ç ã o.*

circunspecção. *S. f.* V. *circunspeção.*

circunspecto. *Adj.* V. *circunspeto.*

circunspeto. [Var. de *circunspecto* < lat. *circumspectu.*] *Adj.* **1.** Que olha à volta de si. **2.** Que procede com circunspeção; ponderado, prudente. **3.** Sério, sisudo, grave. **4.** Que revela circunspeção: *palavras c i r c u n s p e t a s.*

circunstância. [Do lat. *circumstancia.*] *S. f.* **1.** Situação, estado ou condição de coisa(s) ou pessoa(s), em determinado momento: *Na c i r c u n s t â n c i a em que nos achamos, temos de agir com cautela.* **2.** Particularidade, acidente, que acompanha um fato, uma situação: *c i r c u n s t â n c i a s atenuantes; c i r c u n s t â n c i a s agravantes (de um crime);* "Notarei a c i r c u n s t â n c i a de que Camilo Castelo Branco parecia temer, por um antigo pressentimento, a desgraça da cegueira, que o arrastou ao suicídio." (Alberto Pimentel, *O Romance do Romancista,* p. 287.) **3.** Caso, condição; hipótese: *Só nesta c i r c u n s t â n c i a aceito o seu ponto de vista.* **4.** Causa, motivo: *C i r c u n s t â n c i a s particulares impediram-me de atendê-lo.* [Cf. *circunstancia,* do v. *circunstanciar.*] ♦ **Circunstância excludente.** *Jur.* Aquela que, como a legítima defesa, o estrito cumprimento do dever legal, etc., exclui o caráter criminal ou injurídico de um fato. **Circunstância isentiva.** *Jur.* A que isenta, que é dirimente. **De circunstância.** *Bras.* **1.** Importante, grave, ponderoso: "Seu relógio. Sua roupa. / Seus papéis d e c i r c u n s t â n c i a." (Carlos Drummond de Andrade, *Reunião,* p. 72.) **2.** Próprio de ocasiões solenes, de cerimônias: *traje d e c i r c u n s t â n c i a.*

circunstanciado. [Part. de *circunstanciar.*] *Adj.* Enunciado com todas as circunstâncias: "Pelas mútuas e c i r c u n s t a n c i a d a s descrições que trocamos das nossas vivendas, de nossos gostos ...., podemos, como Silfo e Sílfide, visitar-nos de contínuo." (Antônio Feliciano de Castilho, *Amor e Melancolia,* p. 258.)

circunstancial. *Adj. 2 g.* Relativo a, ou resultante de circunstância. ~ V. *complemento* — e *prova* —.

circunstanciar. *V. t. d.* **1.** Expor as circunstâncias de (um fato). **2.** Pormenorizar; esmiuçar. [Pres. ind.: *circunstancio, circunstancias, circunstancia,* etc. Cf. *circunstância.*]

circunstante. [Do lat. *circumstante.*] *Adj. 2 g.* **1.** Que está à volta; circunjacente: "O seu vulto se destacava contra o panorama c i r c u n s t a n t e." (Sabóia Ribeiro, *Contos do Cacau,* p. 135.) ● *S. 2 g.* **2.** Pessoa que está presente. ~ V. *circunstantes.*

circunstantes. [Pl. de *circunstante.*] *S. m. pl.* As pessoas que estão à volta; os presentes; a assistência. ~ V. *circunstante.*

circunstar. [Do lat. *circumstare.*] *V. t. d.* **1.** Estar em volta de. **2.** Estar à vista ou perto de. *Int.* **3.** Estar em volta. **4.** Estar à vista, ou perto. [Conjug.: v. *estar.*]

circunvagante. [Do lat. *circumvagante.*] *Adj. 2 g.* Que circunvaga.

circunvagar. [Do lat. **circumvagare.*] *V. t. d.* **1.** Andar em torno de. **2.** Mover em roda; fazer girar: "Ele c i r c u n v a g o u os olhos por todas aquelas caras compungidas, como a pedir piedade" (Macedo Miranda, *Pequeno Mundo outrora,* p. 43). *Int.* **3.** Andar sem destino, à toa; divagar. [Conjug.: v. *largar.* Pres. ind.: *circunvago,* etc. Cf. *circúnvago.*]

circúnvago. [Do lat. *circumvagu.*] *Adj. Poét.* Que vagueia em torno; que rodeia. [Cf. *circunvago,* do v. *circunvagar.*]

circunvalação. [De *circunvalar* + *-ção.*] *S. f.* **1.** Fosso, vala com parapeito, que interrompe as comunicações de uma praça forte com o exterior. **2.** Obstáculos em volta de uma povoação.

circunvalar. [Do lat. *circumvallare.*] *V. t. d.* **1.** Cercar de fossos, valados, barreiras. **2.** Cercar, procurando defender ou proteger. **3.** Cercar, rodear. *P.* **4.** Cercar-se, para se defender. **5.** Cercar-se, rodear-se.

circunver. [De *circun-* + *ver.*] *V. t. d.* Ver em torno, ver por todos os lados: *Do alto da montanha, c i r c u n v i a o*

soberbo panorama. [Irreg. conjug.: v. *ver.*]
circunvizinhança. [De *circun-* + *vizinhança.*] *S. f.* **1.** Adjacência, proximidade, vizinhança. **2.** Arredores de uma povoação; arredores, cercania(s): "À tarde Jana espaireceu nas *circunvizinhanças.*" (Xavier Marques, *Jana e Joel,* p. 99). [Sin., nessas acepç.: *circunjacência.*] **3.** População vizinha.
circunvizinhar. *V. t. d.* Estar na circunvizinhança, nos arredores de; ser circunvizinho de.
circunvizinho. [De *circun-* + *vizinho.*] *Adj.* **1.** Que está próximo ou em redor; circum-adjacente, circunjacente: "Olinda abrigava as velhas famílias possuidoras dos latifúndios *circunvizinhos*" (Sousa Bandeira, *Evocações e Outros Escritos,* p. 64). **2.** Confinante, limítrofe.
circunvoar. [Do lat. *circumvolare.*] *V. t. d.* **1.** Voar em torno de. **2.** Mover em roda; circunvagar: *circunvoar o olhar, a vista. Int.* **3.** Voar em torno. [Conjug.: v. *coroar.*]
circunvolução. [Do lat. **circumvolutione.*] *S. f.* **1.** Movimento à volta de um centro. **2.** Contorno sinuoso; saliência ondulosa: *as circunvoluções do cérebro, dos intestinos.* **3.** *Arquit.* Voltas da coluna torcida e da voluta jônica. **4.** *Anat.* Saliência sinuosa na superfície cerebral.
circunvolver. [Do lat. *circumvolvere.*] *V. t. d.* Volver ou mover em roda; circunvagar: *Circunvolveu o olhar e nada viu.*
cirenaico. [Do gr. *kyrenaikós,* pelo lat. *cyrenaicu.*] *Adj.* **1.** Da, ou pertencente ou relativo à Cirenaica, região da Líbia (África). **2.** Cireneu (1). **3.** *Hist. Filos.* Pertencente ou relativo ao cineraísmo. ~ V. *escola —a.* ● *S. m.* **4.** O natural ou habitante da Cirenaica. **5.** Cireneu (2). **6.** Partidário do cirenaísmo.
cirenaísmo. *S. m. Hist. Filos.* Doutrina da escola cirenaica, ou escola de Cirene, fundada pelo discípulo de Sócrates, Aristipo de Cirene (séc. V a. C.), e de seus seguidores, cujo tema central é o hedonismo; escola hedonística.
cirenéia. *Adj. (f.)* e *s. f.* Fem. de *cireneu* [q. v.].
cireneu. [Do gr. *kyrenaîos,* pelo lat. *cyrenaeu.*] *Adj.* **1.** De, ou pertencente ou relativo a Cirene, antiga cidade e colônia grega estabelecida na Cirenaica [v. *cirenaico* (1 e 2)]; cirenaico. ● *S. m.* **2.** O natural ou habitante de Cirene; cirenaico. **3.** *Fig.* Aquele que auxilia, principalmente em trabalho penoso: "Não faltaram aqui os *cireneus* para a cruzada higiênica" (Ricardo Jorge, *Sermões dum Leigo,* p. 289). [Fem.: *cirenéia.*]
cirial. *S. m.* Castiçal alto, terminado na parte superior em lanterna, e que se conduz com vela acesa, ao lado da cruz alçada: "*Ciriais* de prata luzem sobre o altar" (Eugênio de Castro, *Obras Poéticas,* I, p. 115). [Cf. *cereal.*]
cirieiro. *S. m.* Vendedor ou fabricante de círios ou velas. [Fem.: *cirieira.* Cf. *cirieiro* e *cirieira.*]
cirigado. *Adj.* **1.** *Bras., NE.* Diz-se do gado pintado ou pontoado. ● *S. m.* **2.** *Bras.* Certo peixe do mar.
ciriláceа. *S. f.* Espécime das ciriláceas.
ciriláceas. *S. f. pl. Bot.* Família de plantas superiores, da ordem das sapindales, que leva flores pentâmeras, com androceu diplostêmone e gineceu com dois a cinco carpelos, estes concrescidos em óvario qüinqüelocular com um óvulo por loja. Compreende cinco espécies de plantas lenhosas, da América do Norte e do Sul.
ciriláceo. *Adj.* Pertencente ou relativo às ciriláceas.
cirílico. [Do antr. *Cirilo,* do monge bizantino (827-869); a quem se atribui a invenção dos caracteres cirílicos.] *Adj.* **1.** Diz-se do alfabeto cirílico. ~ V. *alfabeto —.* ● *S. m.* **2.** Alfabeto cirílico [q. v.].
cirilização. *S. f.* Ato ou efeito de cirilizar.
cirilizar. *V. t. d.* Dar a notação do alfabeto cirílico a.
círio. [Do lat. *cereu.*] *S. m.* **1.** Vela³ (3) grande, de cera. **2.** Procissão que, partindo de determinado lugar, vai levar um círio a outro lugar. [Cf., nesta acepç., *ladaivo;* e *sírio.*]
círio-de-nossa-senhora. *S. m.* **1.** Planta ornamental, da família das liliáceas (*Yucca gloriosa*), de flores alvas, luzidias, inodoras, dispostas em panículas, e fruto capsular, com muitas sementes. **2.** Flor-de-maio. [Pl.: *círios-de-nossa-senhora.*]
círio-do-norte. *S. m.* Planta ornamental, da família das onoteráceas (*Oenothera biennis*), de flores abundantes, com pétalas amarelo-claras, obcordadas, cálice avermelhado, dispostas em longos racimos terminais foliosos. O fruto é cápsula séssil, comprida, sulcada, com semente pequena, castanha. [As flores abrem-se à tardinha e conservam-se abertas até pela manhã. Sin.: *boa-tarde.* Pl.: *círios-do-norte.*]
ciriologia. [Do gr. *kyrios* + *-log(o)-* + *-ia.*] *S. f.* Emprego exclusivo de expressões próprias.
ciriológico. *Adj.* Relativo à ciriologia.
ciriringa. [Do tupi *siri'ri,* 'deslizar'.] *S. f. Bras., AM.* **1.** Ar expirado do fundo da água e que sobe em bolhas à superfície. **2.** Água tremente em conseqüência da passagem dos peixes.
▲**cirr(i)-.** [Do lat. *cirrus,* i.] *El. comp.* = 'cirro¹': *cirroso, cirrífero.*
cirrífero. [De *cirr(i)-* + *-fero.*] *Adj.* Que tem cirro(s).
cirrípede. *S. m.* **1.** Espécime dos cirrípedes. ● *Adj. 2 g.* **2.** Pertencente ou relativo a eles.
cirrípedes. *S. m. pl. Zool.* Subclasse dos crustáceos: animal hermafrodito, cujas formas adultas vivem, em geral, fixas nas rochas, cascos de navio, pilares e algas. Protegidos por uma carapaça calcária recebem o nome de *cracas* ou *caracas.* Algumas espécies são parasitas de caranguejos e moluscos.
cirro¹. [Do lat. *cirru.*] *S. m.* **1.** *Met.* Nuvem constituída de cristais de gelo dispostos em pequenos filamentos brancos ou estreitas faixas da mesma cor, e situada a grandes altitudes (6.000 a 12.000 m): "Já os horizontes .... começavam a se encher de sangue e os duros cúmulos de alabastro iam se desfazendo em *cirros,* se alongando em estratos." (Pedro Nava, *Baú de Ossos,* p. 313.) **2.** *Med.* Respiração estertorosa característica dos estados comatosos; sarrido: "D. Júlia, imóvel, ... a boca entreaberta, seca, deixando ver os dentes, ralava com o *cirro.*" (Coelho Neto, *Turbilhão,* p. 317.) **3.** *Zool.* Penugem em redor das ventas de certas aves. **4.** *Zool.* Cerdas mais fortes de alguns invertebrados. **5.** *Zool.* Tentáculos labiais dalguns peixes. **6.** *Bot.* Apêndice filiforme pelo qual algumas plantas se ligam aos elementos vizinhos.
cirro². [Do gr. *skírros,* 'pedaço de pedra', pelo lat. *scirrhus.*] *S. m. Patol.* Câncer com abundante tecido fibroso.
▲**cirr(o)-.** [Do gr. *kirrhós, á, ón.*] *El. comp.* = 'amarelo cor de palha': *cirrose.*
cirro-cúmulo. *S. m. Met.* Nuvem fina e branca, formada de elementos com aspecto de grânulos dispostos em fiadas, e situada a grandes altitudes (6.000 a 12.000 m). [Sin.: *cúmulo-cirro.* Pl.: *cirros-cúmulos* e *cirros-cúmulo.*]
cirro-estrato. *S. m. Met.* Nuvem que lembra um véu esbranquiçado, por vezes de aspecto fibroso, situada a grandes altitudes (6.000 a 12.000 m). [É constituída de cristais de gelo, e não raro dá lugar à formação de halos.] [Sin.: *estrato-cirro.* Pl.: *cirros-estratos* e *cirros-estrato.*]
cirrose. [De *cirro²* + *-ose.*] *S. f. Patol.* **1.** *P. us.* Inflamação intersticial crônica de qualquer órgão: *cirrose pulmonar.* **2.** Doença crônica do fígado, da qual existem alguns tipos, caracterizada pela associação de lesão dos hepatócitos, desenvolvimento excessivo de tecido conjuntivo e formação de nódulos de regeneração; cirrose hepática. ♦ **Cirrose hepática.** *Patol.* Cirrose (2).
cirrosidade. *S. f. Med.* **1.** Qualidade de cirroso². **2.** Tumor cirroso.
cirroso¹ (ô). *Adj.* **1.** Que tem cirro¹ (1). **2.** *Bot.* Que apresenta cirro¹ (6): *folha cirrosa.* ~ V. *folha —a.*
cirroso² (ô). *Adj. Med.* Semelhante ao cirro², ou da natureza dele.
cirrótico. *Adj.* Relativo à, ou da natureza da cirrose.
cirtópode. *S. m.* **1.** Espécime dos cirtópodes. ● *Adj. 2 g.* **2.** Pertencente ou relativo a eles.
cirtópodes. *S. m. pl. Zool.* Animais metazoários, rotíferos, incluídos por alguns autores na ordem *Scirtopoda,* de corpo provido de apêndices setiformes movidos por músculos estriados, e cauda ausente ou representada por um par de apêndices ciliados.
cirurgia. [Do gr. *cheirourgía,* pelo lat. *chirurgia.*] *S. f.* Ramo da medicina que, total ou parcialmente, trata doenças ou contribui para diagnosticá-las, por meio de operações [V. *operação* (4)]. ♦ **Cirurgia estética.** A que tem por fim o embelezamento. **Cirurgia plástica.** A que visa a modificar, embelezando ou reconstruindo, uma parte externa do corpo humano. [Tb. se diz apenas *plástica.*] **Cirurgia reconstrutora.** A que visa a reconstituir artificialmente uma parte externa do corpo humano deformada por enfermidade, traumatismo, ou anomalia congênita.
cirurgião. *S. m.* Médico que exerce a cirurgia; médico-cirurgião, operador. [Fem.: cirurgiã. Pl.: *cirurgiões* e *cirurgiães.*] ♦ **Cirurgião plástico.** O que se dedica à cirurgia plástica.
cirurgião-dentista. *S. m.* Dentista. [Pl.: *cirurgiões-dentistas* e *cirurgiães-dentistas.*]
cirúrgico. [Do gr. *cheiroûgikós,* pelo lat. *chirurgicu.*] *Adj.* Pertencente ou relativo à, ou usado na cirurgia: *tratamento cirúrgico; centro cirúrgico; instrumento cirúrgico.* ~ V. *desbridamento —, diatermia —a, intervenção —a* e *peça —a.*
▲**cis-.** [Do lat. *cis.*] *Pref.* = 'posição aquém': *cisandino, cisbordo.*
cisalha. [Do lat. **cisalia,* de *caedere,* 'cortar'.] *S. f. Encad.* V. *tesourão* (1). ~ V. *cisalhas.*
cisalhamento. [V. *cisalha.*] *S. m. Fís.* Deformação que sofre um corpo quando sujeito à ação de forças cortantes.
cisalhas. [Do fr. *cisaille.*] *S. f. pl.* Aparas ou pequenos fragmentos de metal. ~ V. *cisalha.*
cisalpino. [Do lat. *cisalpinu.*] *Adj.* Situado aquém dos Alpes, cordilheira da Europa ocidental (em relação a Roma). [Antôn.: *transalpino.*]
cisandino. [De *cis-* + *andino.*] *Adj.* Situado aquém da cordilheira dos Andes (América do Sul). [Antôn.: *transandino.*]
cisão. [Do lat. *scissione;* var. de *cissão* (q. v.).] *S. f.* **1.** Ato ou efeito de cindir. **2.** Divergência, desacordo, dissensão: *Antes do jogo houve uma cisão entre os dirigentes do clube.* **3.** Separação do corpo de um partido, de uma sociedade, de uma doutrina. [Cf. *cisma¹.*] ♦ **Cisão nuclear.** *Fís. Nucl.* V. *fissão* (3).
cisatlântico. [De *cis-* + *atlântico.*] *Adj.* Situado aquém do Atlântico. [Antôn.: *transatlântico.*]
cisbordo (ó). [De *cis-* + *bordo.*] *S. m. Ant. Constr. Nav.* Grande abertura, com porta, no costado de certos navios, à altura de um pavimento, para embarque ou desembarque de objetos pesados ou de grandes dimensões; resbordo.
ciscada. *S. f.* Porção de cisco; ciscalho. ♦ **Dar uma ciscada.** *Bras. Pop.* Procurar, buscar, pesquisar, por alto.
ciscador (ô). *Adj.* **1.** Que cisca. ● *S. m.* **2.** *Bras.* Utensílio de ferro, com longo cabo de madeira, para juntar detritos vegetais e outros; ancinho.
ciscalhada. [De *ciscalho* + *-ada¹.*] *S. f.* **1.** Porção de ciscalho (2). **2.** Aglomeração de algas e detritos doutras plantas. [Sin. ger.: *ciscalhagem, cisqueiro.*]
ciscalhagem. *S. f.* V. *ciscalhada.*
ciscalho. *S. m.* **1.** Ciscada. **2.** Lixo que se junta varrendo; varredura. **3.** Carvão de refugo.
ciscar¹. *V. t. d.* **1.** Limpar de cisco, gravetos, etc. **2.** Revolver o cisco de: "Dois jumentos comiam ramagens das jitiranas e mais longe uma galinha *ciscava* a relva ressequida, com a ninhada em volta." (O. G. Rego de Carvalho, *Somos Todos Inocentes,* p. 125.) **3.** Juntar (folhas secas e outros detritos) com o ciscador. *T. d. e i.* **4.** Limpar; desinçar: *Ciscou a plantação de ervas daninhas. Int.* **5.** *Bras.* Juntar com o ciscador folhas secas e outros detritos. **6.** *Bras.* Esgaravatar o solo (a galinha) à procura de alimentos: "Galinhas *ciscavam* cacarejando" (Coelho Neto, *Treva,* p. 79). **7.** *Bras. N.* e *NE.* Estorcer-se no chão, após um golpe, ou nas vascas da morte. **8.** *Bras., S.* Entrar em conflito; atracar-se; brigar. *P.* **9.** Sair sorrateiramente; escapulir-se, safar-se: *Conseguiram ciscar-se antes de a polícia chegar.* [Conjug.: v. *trancar.*]
ciscar². [De *iscar?*] *V. t. d. Bras., PE, AL* e *MG.* Açular, incitar (o cão) [Conjug.: v. *trancar.*]
cisco. [Do lat. *ciniscul*u.] *S. m.* **1.** Pó ou miudezas de carvão. **2.** Lixo, varredura, **3.** Ramos, gravetos, etc.; arrastados pelas enxurradas. **4.** *Bras.* Leve partícula de qualquer corpo caída especialmente no olho. [Sin. (no N. e em Portugal): *argueiro.*] ♦ **Como cisco.** Em grande quantidade: *gente como cisco.*
cisdanubiano. [De *cis-* + *danubiano.*] *Adj.* Situado aquém do Danúbio, rio europeu. [Antôn.: *transdanubiano*]
cisel. *S. m. Antiq.* Cinzel [q. v.]. [Pl.: *ciséis,* Cf. *siseis,* do v. *sisar.*]
cisgangético. [De *cis-* + *gangético.*] *Adj.* Situado aquém do Ganges, rio da Índia. [Antôn.: *transgangético.*]
cisjurano. [De *cis-* + o top. *jura* + *-ano.*] *Adj.* Situado aquém do Jura, cordilheira entre a França e a Suíça. [Antôn.: *transjurano.*]
cislunar. *Adj. 2 g.* ~ V. *espaço —* e *região —.*
cisma¹. [Do gr. *schísma,* pelo lat. *schisma.*] *S. m.* **1.** Separação do corpo e da comunhão de uma religião. **2.** Dissidência de opiniões. [Cf. *cisão.*]
cisma². [Dev. de *cismar.*] *S. f.* **1.** Ato de cismar; devaneio, sonho, fantasia; cismar: "Sempre em *cismas,* sempre calada, indiferente ao mundo que a cercava." (José Lins do Rego, *Meus Verdes Anos,* p. 291.) **2.** Preocupação, inquietação. **3.** *Bras.* Capricho, teima, obstinação. **4.** *Bras.* Desconfiança, suspeita. **5.**

Bras. Implicância, antipatia. **6.** *Bras.* Receio supersticioso. ◆ **Tirar a cisma de.** *Bras. Pop.* Acabar com a fama de valente de (alguém).

cismado. [Part. de *cismar.*] *Adj. Bras.* Prevenido, desconfiado, invocado.

cismador (ô). *Adj.* **1.** V. *cismativo* (1 a 3): "Foi numa festa de arraial que eu a vi, pálida e c i s m a d o r a." (Artur Azevedo, *Contos Possíveis,* p. 2). **2.** Que faz cismar (1).

cismar. *V. int.* **1.** Ficar absorto em pensamentos: "Debruçado no peitoril da janelinha, os olhos embebidos na beleza de meia dúzia de álamos e cedros, c i s m o ..." (João de Araújo Correia, *Sem Método,* p. 102): "C i s m a o caboclo à porta da cabana." (Ricardo Gonçalves, *Ipês,* p. 43.) **2.** Andar preocupado. *T. i.* **3.** Pensar com insistência: *Há meses vem c i s m a n d o nas vantagens da mudança:* "Pus-me a fumar, estirado num divã, c i s m a n d o numa infinidade de tolices aborrecidas." (Aluísio Azevedo, *Demônios,* p. 128); "porque a Lalu, exagerada como é, c i s m o u de comprar outra [geladeira], com *freezer,* para a festa do casamento." (Maria Julieta Drummond de Andrade, *O Valor da Vida,* p. 162). **4.** *Bras.* Desconfiar, suspeitar. **5.** *Bras.* Implicar; antipatizar: C i s m o u com o novo empregado, e despediu-o. *T. d.* **6.** Pensar insistentemente em; ruminar: *Está a c i s m a r novos planos de vida;* "*Vagando a esmo nos estreitos vales, / Devaneando, / Cantarolando / Ou já c i s m a n d o amores*" (Bernardo Guimarães, *Poesias Completas.* p. 137.) **7.** *Bras.* Meter na cabeça; convencer-se de: *C i s m o u que é um sábio, o pobre rapaz.* **8.** *Bras.* Presumir, imaginar. [Pres. ind.: cismo, etc. Cf. *sismo.*] ● *S. m.* **9.** Cisma[2] (1): "Em seus c i s m a r e s, / Em meio às eiras, nos trigais, de ancinho, / Sabendo de outra pátria além dos mares, / Veio para o Brasil ainda mocinho." (Alphonsus de Guimaraens, *Obra Completa,* p. 284.)

cismarento. *Adj. Bras.* V. *cismativo* (1 a 3).

cismático[1]. [Do gr. *schismatikós,* pelo lat. *chismaticu.*] *Adj.* e *s. m.* Que, ou aquele que se separou da comunhão duma igreja.

cismático[2]. *Adj.* V. *Cismativo* (1 a 3): "Ao pé do olhar aquilino do tio, perdia-se no vago o olhar c i s m á t i c o do sobrinho." (Machado de Assis, *Quincas Borba,* p. 257.)

cismativo. *Adj.* **1.** Dado à cisma[2]; cismático, cismarento, cismador. **2.** Meditativo, pensativo, sonhador, cismático, cismarento, cismador. **3.** Apreensivo, preocupado, inquieto, cismático, cismarento, cismador. **4.** Que revela cisma[2].

cisne. [Do gr. *kyknos,* pelo lat. *cycnu,* vulg. *cicinu,* pelo fr. ant. *cisne,* mod. *cygne.*] *S. m.* **1.** Ave anseriforme, da família dos anatídeos, gênero *Cygnus* Bech., do Velho Mundo. Na América do Sul ocorre só uma das sete espécies conhecidas, a *Cygnus melanochoriphus,* (Mol.), denominada no Brasil *cisne-de-pescoço-preto* e *pato-arminho.* Os cisnes têm pescoço muito longo, pernas situadas muito atrás, e, ótimos voadores, percorrem grandes distâncias em suas migrações. **2.** *Astr.* Constelação boreal, cujas estrelas mais brilhantes, entre as quais se distingue Aridede, formam uma cruz; Cruz do Norte. **3.** *Fig.* Poeta, orador ou músico célebre.

cisne-de-pescoço-preto. *S. m. Bras.* Ave anseriforme, da família dos anatídeos (*Cygnus melanochoriphus* (Mol.)), distribuída desde SP até a Patagônia. Coloração branca, pescoço negro e aveludado, branca a região em volta dos olhos, e carúncula vermelha. Vive permanentemente na água, e nidifica em juncais afastados das margens nas lagoas. Não tem sido criada em cativeiro. [Sin.: *pato-arminho.* Pl.: *cisnes-de-pescoço-preto.*]

cispadano. [De *cis-* + lat. *padanu,* 'do rio Pó'.] *Adj.* Situado aquém do Pó, rio italiano. [Antôn.: *transpadano.*]

cisplandim. *S. m. Bras., N.E.* Antigo jogo de azar: "Nas casas de família e em certos clubes e sociedades .... , jogava-se pôquer, sete-e-meio, roleta, c i s p l a n d i m" (Félix Lima Júnior, *Recordações da Velha Maceió,* p. 18).

cisplatino. [De *cis-* + *platino.*] *Adj.* Situado aquém do rio da Prata, na América do Sul. [Antôn.: *transplatino.*]

cisqueiro. *S. m.* **1.** Lugar onde se junta cisco. **2.** V. *ciscalhada.*

cisrenano. [Do lat. *cirshenanu.*] *Adj.* Situado aquém do Reno, rio europeu. [Antôn.: *transrenano.*]

cissão. *S. f. P. us.* V. *cisão.*

▲**cissi-.** [Do lat. *scissus, a, um.*] *El. comp.* = 'divisão', 'separação': *cissiparidade.*

cissiparidade. [De *cissi-* + *-par(o)* + *-dade.*] *S. f. Genét.* V. *esquizogênese.*

cissíparo. *Adj. Bot.* Que se reproduz por cissiparidade; esquizogenético: *alga c i s s í p a r a.*

cissóide. [Do gr. *kissós,* 'hera', + *-óide.*] *Adj. 2 g.* **1.** Que tem forma de folha de hera. ● *S. f.* **2.** *Geom.* Podária duma parábola em relação ao seu vértice.

cissura. [Do lat. *scissura.*] *S. f.* **1.** Fissura, fenda. **2.** Incisão, talho. **3.** *Fig.* Rompimento de relações de paz ou amizade. [Cf. *cesura.*] **4.** *Anat.* Fenda que certos ossos apresentam, e por onde passam pequenos ramos vasculares ou nervosos. **5.** Sulco existente na superfície de certos órgãos. [Cf. *cesura.*] ◆ **Cissura de Sílvio.** *Anat.* Cada uma das cissuras profundas que se estendem lateralmente entre os globos temporal e frontal, e se encaminham em direção posterior entre os globos temporal e parietal.

cistácea. *S. f.* Espécime das cistáceas.

cistáceas. *S. f. pl. Bot.* Família de árvores, arbustos e ervas, de folhas opostas e flores grandes, vistosas, alvas, amarelas, e vermelhas. Compreende cerca de 175 espécies, de que a grande maioria vegeta na região mediterrânea; nenhuma foi encontrada no Brasil.

cistáceo. *Adj.* Pertencente ou relativo às cistáceas.

cistagano. [De *cis-* + *tagano.*] *Adj.* Situado aquém do Tejo, rio europeu. [Antôn.: *transtagano.*]

cistalgia. [De *cist(i)-* + *-alg(o)-* + *-ia.*] *S. f. Patol.* Dor na bexiga.

cistálgico. *Adj.* Relativo à cistalgia.

▲**-ciste.** [Do gr. *kýstis, ídos.*] *El. comp.* = 'bexiga', 'vesícula': *coleciste.* [Equiv.: *cist(i)-* e *cisto-*: *cistite, cisticerco; cistotomia.*]

cisterciense. [Do lat. medieval *cirterciense.*] *Adj. 2 g.* **1.** Pertencente ou relativo ao mosteiro de Cister (França), fundado por Santo Alberico (?-1109) e Santo Estêvão Harding (1050-1134), que segue a regra de S. Bento. **2.** Pertencente ou relativo à Ordem Cisterciense, organizada por S. Bernardo (1090-1153). ● *S. 2 g.* **3.** Monge do mosteiro de Cister. **4.** Monge da Ordem Cisterciense.

cisterna. [Do lat. *cisterna.*] *S. f.* **1.** Reservatório de água das chuvas. **2.** Poço, cacimba; "Desejando Davi um dia .... um púcaro de água fria da c i s t e r n a de Belém, três valerosos cavaleiros arriscaram suas vidas .... e lhe trouxeram a água, que desejava." (Fr. Tomé de Jesus, *Trabalhos de Jesus.* I, p. 139) [Sin., nesta acepç.: *algibe.*] **3.** Reservatório subterrâneo de água potável.

▲**cist(i)-.** V. *-ciste.*

cisticerco (ê). [De cist(i)- + -cerco.] *S. m. Zool.* Designação comum às formas larvares dos animais platelmintos cestóideos, de vesícula bem constituída e escólex em seu interior. Ocorrem nos vertebrados. Ingerindo a carne de porco ou de boi infestada de cisticercos, quando mal cozida ou crua, o homem adquire a solitária (1). [Sin.: *canjica, canjiquinha; pipoca.*]

cisticercóide. *S. f. Zool.* Designação comum às formas larvares dos animais platelmintos cestóideos, de vesícula rudimentar, praticamente sem cavidade, e sem apêndice, e escólex invaginado.

cisticercose. [De *cisticerco* + *-ose.*] *S. f. Patol.* Infecção pelo cisticerco.

cisticercótico. *Adj.* Relativo a, ou da natureza da cisticercose, ou infeccionado por ela: "carnes c i s t i c e r c ó t i c a s" (USP, *Informações,* nº 87, mar 80).

cístico. [De *cist(i)-* + *-ico*[2].]. *Adj.* **1.** Relativo ou pertencente à vesícula biliar. **2.** Que contém cisto. **3.** *Bot.* Relativo ao cisto (3). ~ V. *canal* —.

cistina. *S. f. Bioquím.* Aminoácido portador de enxofre, presente na urina, constituinte de cálculos vesicais e renais, e de certos depósitos urinários, sólido cristalino, incolor quando puro. [Fórm.: $C_6H_{12}N_2O_4S_2$.]

cistite. [De *cist(i)-* + *-ite*[1].] *S. f. Patol.* Inflamação da bexiga.

cisto. *S. m.* Quisto[1].

▲**cisto-.** V. *-ciste.*

cistocarpo. [De *cisto-* + *-carpo.*] *S. m. Bot.* Gonimoblasto recoberto de uma parede constituída de filamentos oriundos do eixo procárpico, que, a seu turno, procede do gametófito haplóide. É estrutura peculiar às algas mais evoluídas.

cistocele. [De *cisto-* + *-cele.*] *S. f. Patol.* Hérnia da bexiga.

cistócito. [De *cisto-* + *-cito.*] *S. m. Bot.* Célula ampla, de paredes muito flexíveis, encontrada na epiderme das gramíneas.

cistoflagelado. *S. m.* e *adj.* V. *dinoflagelada.*

cistoflagelados. *S. m. pl. Bot.* V. *dinoflageladas.*

cistóide. [De *cisto-* + *-óide.*] *Adj. 2 g.* Semelhante a uma bexiga.

cistolitígero. *Adj. Bot.* Que forma ou gera cistólito: *espécie c i s t o l i t í g e r a.*

cistólito. [De *cisto-* + *-lito.*] *S. m. Bot.* Concreção de carbonato de cálcio que se forma sobre pequeninas excrescências da membrana, dentro da célula, sendo muito freqüentes nas células epidérmicas das acantáceas, moráceas e urticáceas.

cistometria. [De *cisto-* + *-metr(o)-* + *ia.*] *S. f. Med.* Estudo da função neuromuscular da bexiga através de medidas de pressão e capacidade do órgão, mediante a introdução de líquido nesse órgão.

cistométrico. *Adj.* Relativo à cistometria.

cistômetro. *S. m.* Instrumento com que se realiza a cistometria.

cistopielite. [De *cisto-* + *-piel(o)-* + *-ite*[1].] *S. f. Patol.* Inflamação da bexiga e do bacinete.

cistoplegia. [De *cisto-* + *-pleg-* + *-ia.*] *S. f. Patol.* Paralisia da bexiga.

cistoplégico. *Adj.* Relativo à cistoplegia.

cistoscopia. [De *cisto-* + *-scop-* + *-ia.*] *S. f. Med.* Exame da bexiga urinária por meio do endoscópio.

cistoscópico. *Adj.* Referente à cistoscopia.

cistotomia. [De *cisto-* + *-tom(o)-* + *-ia.*] *S. f. Cir.* Intervenção cirúrgica na bexiga, em que esta é aberta a fim de extrair cálculo ou corpo estranho; talha.

cistotômico. *Adj.* Relativo à cistotomia.

cistótomo. [De *cisto-* + *-tomo.*] *S. m. Cir.* Instrumento com que se secciona a parede vesical.

cistre. [Do fr. *cistre.*] *S. m.* Espécie de alaúde, de fundo chato, muito antigo, tocado com um plectro até os fins do séc. XVI.

cístron. [Do ingl. *cistron* cis- + *tr(ans)-* + *-on.*] *S. m. Genét.* Gene (2).

cita[1]. [Dev. de *citar.*] *S. f.* Referência a um trecho ou a uma opinião autorizada; citação. [Cf. *sita,* fem. de *sito*[2].]

cita[2]. [Do gr. *skythes,* pelo lat. *scyta.*] *S. 2 g.* **1.** Indivíduo dos citas, povos nômades do Norte da Europa e da Ásia. [Tb. existe o fem. *citissa.*] ● *S. m.* **2.** O idioma desse povo. V. *indo-iraniano* (3). ● *Adj. 2 g.* **3.** Pertencente ou relativo aos citas; cítico. [Cf. *sita, fem.* de *sito*[2].]

citação. *S. f.* **1.** Ato ou efeito de citar. **2.** Texto que se cita. **3.** Cita[1]. **4.** *Dir.* Chamamento judicial, para que alguém, em prazo fixado, compareça perante uma autoridade judiciária a fim de responder à ação que lhe é proposta ou de se pronunciar acerca do objeto que lhe é indicado. [Cf. *intimação* (2) e *notificação* (2 e 3).] ◆ **Citação circundada.** *Jur.* A que é nula, por algum ato ou fato previsto em lei.

citadino. [Do it. *cittadino.*] *Adj.* e *s. m.* Que, ou aquele que habita a cidade.

citado. [Part. de *citar.*] *Adj.* **1.** Mencionado; transcrito. **2.** *Jur.* Que recebeu citação para vir a juízo. ● *S. m.* **3.** *Jur.* Indivíduo citado (2).

citamínea. *S. f.* Escitamínea.

citamíneas. *S. f. pl. Bot.* Escitamíneas.

citamíneo. *Adj.* Escitamíneo.

citando. [Do lat. *citandu.*] *Adj.* e *s. m. Jur.* Que ou aquele que deve ser citado.

citar. [Do lat. *citare.*] *V. t. d.* **1.** Mencionar ou transcrever como autoridade ou exemplo: *C i t o u um clássico para abonar o uso da palavra; Em seu romance, c i t a em francês o belo poema.* **2.** Mencionar o nome de; fazer referência a: *C i t o u várias pessoas presentes à cerimônia.* **3.** Referir ou transcrever (um texto) em apoio do que afirma: *C i t o u a lei que facultou a sua aposentadoria.* **4.** *Jur.* Avisar, intimar ou aprazar para comparecer em juízo ou cumprir qualquer ordem judicial: *O juiz c i t o u as testemunhas que se haviam negado a depor.* [Cf. (nessa acepç.). *intimar* (1), *interpelar* (3) e *notificar* (5). Pres. ind.: *cito, citas, cita,* etc.; m.-q.-perf.: *citara,* etc. Cf. *cítara,* s. f. *sita,* fem. de *sito*[2], *sito,* do v. *situar,* s. m. e adj., e *sitar,* s. m.]

cítara. [De uma língua indeterminada, pelo gr. *kithára* e pelo lat. *cithara.*] *S. f. Mús.* **1.** *Ant.* Instrumento de cordas, forma aperfeiçoada da lira. **2.** Qualquer instrumento de cordas desprovido de braço e constituído de um corpo único sobre o qual se esticam as cordas. **3.** Instrumento moderno da Europa Central, semelhante ao saltério, com a caixa geralmente trapezoidal. [Cf. *citara,* do v. *citar;* e *cítola* (2).]

citaredo (ê). [Do lat. *citharoedu.*] *S. m.* **1.** Cantor que se acompanhava com cítara: "ama ainda [o povo grego], quase ingenuamente, / A saudade gloriosa dos seus deuses, / Nas canções ancestrais dos c i t a r e d o s / E nos epitalâmios do nascente..." (Raul de Leoni, *Luz Mediterrânea,* p. 38). **2.** Citarista.

citarista. [Do lat. *citharista.*] *S. 2 g.* Pessoa que toca cítara; citaredo.

citarizar. *V. int.* **1.** Tocar cítara. **2.** Soar, fazer-se ouvir, como a cítara: "Sons de violinos, sons de ignotos

violoncelos, / Citarizavam pelo espaço indefinido." (Alphonsus de Guimaraens, *Obra Completa*, p. 207.)
citatório. *Adj.* **1.** Relativo a citação. **2.** Que contém citação judicial.
citável. *Adj. 2 g.* Que pode ou é digno de ser citado.
▲-cite. V. *cit(o)-*.
citerior (ô). [Do lat. *citeriore.*] *Adj. 2 g.* Que está do lado de cá. [Antôn.: *ulterior.*]
▲citi-. [Do lat. *citus, a, um.*] *El. comp.* = 'rápido', 'ligeiro': *citígrado.*
cítico. [Do gr. *skythikós*, pelo lat. *scythicu.*] *Adj.* Cita[2] (3).
citígrado. [De *citi-* + *-grado*[1].] *Adj.* Que anda depressa. [Antôn.: *lentígrado, tardígrado.*]
citiso. [Do gr. *kytisos*, pelo lat. *cytisu.*] *S. m.* Arbusto da família das leguminosas, subfamília papilionácea (*Cytisus racemosus*), de flores amarelas e perfumadas, em cachos pendentes.
citissa. *S. f.* V. *cita*[2] (1)
▲cit(o)-. [Do gr. *kýtos, eos-nous.*] *El. comp.* = 'célula', 'cavidade', *citoplasma, citologia.* [Equiv.: *-cite, -cito, quito-: mielócite, leucócito, quitoptose.*]
-cito. V. *cit(o)-*.
citocinese [De *cit(o)-* + *-cinese.*] *S. f. Citol.* Divisão do citoplasma, no curso da mitose e da meiose, para formar as células-filhas.
citoclástico. [De *cit(o)-* + *clast(o)-* + *-ico*[2].] *Adj. Biol.* Que destrói as células.
citodiagnóstico. [De *cit(o)-* + *diagnóstico.*] *S. m. Med.* Diagnóstico que se faz mediante exame das células presentes em secreções orgânicas.
citodiérese. [De *cit(o)-* + *diérese.*] *S. f. Citol.* Divisão do citoplasma, consecutiva à cariodiérese.
citódio. *S. m. Biol.* Citoplasma sem núcleo.
citogenética. [De *cit(o)-* + *genética.*] *S. f. Genét.* Estudo microscópico do aspecto e comportamento dos cromossomos durante o ciclo de divisão celular e suas implicações com as características expressas pelo indivíduo.
citogenético. *Adj.* Relativo à citogenética.
cítola. [Alter. de *cítara* (q. v.).] *S. f.* **1.** Taramela de moinho. **2.** *Ant.* Instrumento medieval, da família do alaúde, com fundo chato, quatro ou cinco cordas, e em geral tocado com um plectro: "Coros de bailadeiras foliavam ao som das cítolas e das soalhas." (Antero de Figueiredo, *Leonor Teles*, p. 246). [Cf. *sítula.*]
citólise. [De *cit(o)-* + *lise.*] *S. f. Citol.* Destruição ou desagregação da célula.
citolítico. *Adj. Citol.* **1.** Relativo à citólise. **2.** Que produz citólise.
citologia. [De *cit(o)-* + *-log(o)-* + *-ia.*] *S. f. Biol.* Estudo da estrutura e função das células.
citológico. *Adj.* Referente à citologia.
citomerismo. *S. m. Biol.* Divisão celular. V. *mitose.*
citoplasma. [De *cit(o)-* + *-plasma.*] *S. m. Biol.* Protoplasma da célula, excluído o núcleo.
citoplasmático. *Adj.* Do citoplasma, ou referente a ele.
citoplásmico. *Adj. Biol.* Pertencente ou relativo ao citoplasma.
citoplástico. *Adj. Bot.* Concernente ao citoplasma.
citoplasto. [De *cit(o)-* + *-plasto.*] *S. m. Citol.* Conteúdo celular, com exclusão do núcleo.
citoquinina. [De *cit(o)-* + *-quinina.*] *S. f. Fisiol. Veg.* Substância química que favorece a divisão celular e, em conseqüência, o crescimento dos vegetais.
citosina. *S. f. Genét.* Uma das bases nitrogenadas que compõem os ácidos nucléicos, e que se liga à guanina.
citostático. *Adj. Biol.* Que inibe o crescimento ou a reprodução celular.
citotaxia (cs). [De *cit(o)-* + *-taxia.*] *S. f. Biol.* Alteração da disposição das células em face dum estímulo.
citotese. *S. f. Biol.* Regeneração celular.
citozoário. *S. m.* e *adj.* Protozoário.
citozoários. *S. m. pl. Zool.* Protozoários.
citozóico. [De *cit(o)-* + *-zóico.*] *S. m. Biol.* Que vive dentro da célula.
citráceo. *Adj.* Relativo ou semelhante à cidra.
citracônico. *Adj.* ~ V. *ácido* —.
citral. *S. m. Quím.* Aldeído terpênico existente em diversos óleos essenciais, líquido, oleoso, com odor agradável. [Fórm.: $C_{10}H_{16}O$.]
➧citra petita. [Lat., 'aquém do pedido'.] Diz-se do julgamento que não resolveu todas as questões propostas na lide. [Antôn.: *ultra petita.*]
citrato. [De *citr(o)-* + *-ato*[1].] *S. m. Quím.* Designação comum aos sais e ésteres do ácido cítrico.
cítreo. [Do lat. *citreu.*] *Adj.* **1.** Do limão. **2.** Relativo à cidreira.
▲citr(i)-. [Do lat. *citrus, i.*] *El. comp.* = 'limão': *cítrico, citrícola.* [Equiv.: *citr(o)-: citrofobia.*]
cítrico. *Adj.* Relativo a plantas do gênero *Citrus*, ao qual pertencem o limão, a laranja, etc.: "Nem todos sabem que a laranja, fruta cítrica, ... foi inventada por um grande industrial americano" (Fernando Sabino, *Medo em Nova Iorque. A Cidade Vazia*, p. 37). ~ V. *ácido* —.
citrina. [Fem. substantivado do adj. *citrino.*] *S. f.* **1.** Essência de limão. **2.** V. *citrino* (3). [Cf. *cetrina*, fem. de *cetrino.*]
citrino. [Do lat. *citrinu.*] *Adj.* **1.** Acitrinado: "Quase sempre o via só, alto, enxuto, o passo cadenciado e longo, a cabeleira abundante e branca, a face glabra, citrina" (Eduardo Frieiro, *O Romancista Avelino Fóscolo.* p. 15). ● *S. m.* **2.** Fruto cítrico. **3.** Variedade amarela de quartzo; falso topázio, citrina. [Cf. *cetrino.*]
▲citr(o)-. Equiv. de *citr(i)-*.
citro. *S. m.* Planta cítrica: "a verrugose dos citros, da qual se conhecem dois tipos, é provocada por fungos e acarreta prejuízos" (*O Estado de S. Paulo*, 10.4.1977).
citronela. *S. f.* **1.** *Bot.* Designação científica da erva-cidreira e de várias outras plantas de aroma semelhante ao do limão. **2.** Infusão de cascas de limão em aguardente. **3.** Essência extraída de gramínea asiática (*Cymbopogon nardus*), e utilizada como repelente de insetos.
citronelal. *S. m. Quím.* Líquido oleoso, incolor ou amarelado, constituinte do óleo de limão, formado por uma mistura de aldeídos, estereoisômeros e usado em perfumaria. [Fórm.: $C_9H_{17}CHO$.]
citronelol. *S. m. Quím.* Álcool terpênico, líquido, oleoso, com odor de rosas, encontrado em diversos óleos essenciais. [Fórm.: $C_{10}H_{20}O$. Pl.: *citronelóis.*]
ciumada (i-u). *S. f.* **1.** Grande ciúme. **2.** Cena de ciúme: "— Ela não engorda é de ruindade. Me traz de canto chorado, com as suas ciumadas ..." (Ciro dos Anjos, *Montanha.* p. 350.). [Sin. ger.: *ciumagem, ciumaria, ciumeira.*]
ciumagem (i-u). *S. f.* V. *ciumada.*
ciumar (i-u). *V. int.* Ter ciúmes. [Conjug.: v. *saudar.*]
ciumaria (i-u). *S. f.* V. *ciumada.*
ciúme. *S. m.* **1.** Sentimento doloroso que as exigências de um amor inquieto, o desejo de posse da pessoa amada, a suspeita ou a certeza de sua infidelidade, fazem nascer em alguém; zelos. [Nesta acepç. é m. us. no pl.] **2.** Emulação, competição, rivalidade. **3.** Despeito invejoso; inveja. **4.** Receio de perder alguma coisa; cuidado, zelo: *Guardou o retrato com ciúme.* **5.** *Bras., N.E.* Designação comum a arbustos ornamentais, da família das asclepiadáceas, de flores exóticas e aromáticas, vermelhas, róseas, lilás ou violáceas, e cujos frutos têm sementes arredondadas, castanho-claras, de filamentos sedosos, e com propriedades consideradas medicinais; flor-de-seda. ~ V. *ciúmes.*
ciumeira (i-u). *S. f. Pop.* V. *ciumada*: "não consentia a ciumeira do dono da casa no acesso dos adultos do sexo masculino ao convívio do lar." (Eduardo Frieiro, *Feijão, Angu e Couve*, p. 85).
ciumento (i-u). *Adj.* e *s. m.* Que ou aquele que tem ciúmes.
ciúmes. *S. m. pl.* V. *beijo-de-frade.* ~ V. *ciúme.*
ciumoso (i-u...ô). *Adj.* e *s. m. Bras., PR. Pop.* V. *ciumento.*
ciurídeo. (i-u). *S. m.* **1.** Espécime dos ciurídeos. ● *Adj.* **2.** Pertencente ou relativo a eles.
ciurídeos (i-u). *S. m. pl. Zool.* Animais mamíferos, roedores, ciuromorfos, da família *Sciuridae*, de cauda mais longa do que o corpo, densamente pilosa. Arborícolas, de unhas muito aguçadas. São os quatipurus ou esquilos.
ciuromorfo (i-u). *S. m.* **1.** Espécime dos ciuromorfos. ● *Adj.* **2.** Pertencente ou relativo a eles.
ciuromorfos (i-u). *S. m. pl. Zool.* Subordem de mamíferos roedores que compreende os ciurídeos e famílias próximas.
cível. [De *civil*, com infl. dos adjetivos terminados em *-vel.*] *Adj. 2 g.* **1.** Referente ao direito civil; civil: *ação cível: causa cível.* ● *S. m.* **2.** Jurisdição dos tribunais ou juízes aos quais estão afetas as ações de natureza civil e seus incidentes. [Pl.: *cíveis.* Cf. *civil.*]
cívico. [Do lat. *civicu.*] *Adj.* **1.** Relativo aos cidadãos como membros do Estado: *obrigações cívicas.* **2.** Patriótico (1): *entusiasmo cívico.*
civil. [Do lat. *civile.*] *Adj. 2 g.* **1.** Cível (1). **2.** Relativo às relações dos cidadãos entre si, reguladas por normas do Direito Civil. **3.** Relativo ao cidadão considerado em suas circunstâncias particulares dentro da sociedade: *comportamento civil; direitos e obrigações civis.* **4.** Que não tem caráter militar nem eclesiástico: *direito civil; casa civil.* **5.** Social, civilizado. **6.** Cortês, polido: "Andei com eles [os tropeiros] freqüentemente e achei-os sempre comunicativos e civis." (Afonso Arinos, *Histórias e Paisagens*, p. 109.) **7.** *Jur.* Diz-se por oposição a *criminal: processo civil; tribunal civil.* ~ V. *ângulo horário* —, *ano* —, *calendário* —, *casamento* —, *construção* —, *crepúsculo* —, *direito* —, *engenharia* —, *estado* —, *frutos civis*, *guarda* —, *guerra* —, *lista* —, *morte* —, *nome* —, *ordem* —, *paternidade* —, *sociedade* —, *tempo* — e *vida* —. ● *S. m.* **8.** Indivíduo não militar; paisano. **9.** Casamento civil.
civilidade. [Do lat. *civilitate.*] *S. f.* **1.** Conjunto de formalidades observadas entre si pelos cidadãos em sinal de respeito mútuo e consideração. **2.** Polidez, urbanidade, delicadeza, cortesia.
civilismo. *S. m.* **1.** Predomínio de normas ou critérios próprios do direito civil em outros ramos da ciência jurídica. **2.** Partido que propugna o exercício do governo pelos civis. **3.** V. *civismo.*
civilista. *Adj. 2 g.* **1.** Civilístico: *a campanha civilista de Rui Barbosa.* **2.** Que é partidário do civilismo (2). ● *S. 2 g.* **3.** Partidário do civilismo (2). **4.** Especialista e/ou tratadista de direito civil.
civilístico. *adj.* Relativo a civilismo; civilista.
civilização. *S. f.* **1.** Ato ou efeito de civilizar(-se). **2.** O conjunto de caracteres próprios da vida social, política, econômica e cultural de um país ou de uma região; cultura: *as civilizações mediterrâneas; a civilização dos nômades.* **3.** Alto grau de desenvolvimento desses caracteres; progresso, cultura, adiantamento: *A formação social e cultural das Américas é fruto da civilização ocidental.* **4.** Tipo de cultura (3): *civilização industrial; civilização cristã; a civilização dos tecnocratas.*
civilizacional. *Adj. 2 g.* Relativo a civilização.
civilizado. [Part. de *civilizar.*] *Adj.* **1.** Que tem civilização. **2.** Bem-educado, cortês, urbano, civil. ● *S. m.* **3.** Indivíduo que tem civilização.
civilizador (ô). *Adj.* e *s. m.* Que ou aquele que civiliza.
civilizar. *V. t. d.* **1.** Dar civilização (1) a: *Pretendiam civilizar aquelas remotas cidades do sertão.* **2.** Tornar civil, bem-educado, cortês: *O menino é um selvagem: terão de lutar muito para civilizá-lo.* *P.* **3.** Converter-se ao estado de civilização: *Os silvícolas do litoral civilizaram-se mais depressa que os do interior.* **4.** Tornar-se cortês, bem-educado, civil.
civilizável. *Adj. 2 g.* Que se pode civilizar.
civismo. [Do fr. *civisme.*] *S. m.* Devoção ao interesse público; patriotismo, civilismo.
cizânia. [Do gr. *zizánion*, 'joio', pelo lat. *zizania.*] *S. f.* **1.** Gramínea nociva, que nasce no meio do trigo; joio. **2.** *Fig.* Desarmonia, rixa, discórdia: "Na sua colônia [de Villegagnon] os teólogos lhe discutiam os pareceres e avisos e a cizânia logo se manifestara". (João Ribeiro, *História do Brasil*, p. 115)
cizirão. [Do lat. **Cicerone, de cicera*, 'ervilha'.] *S. m.* Planta da família das leguminosas, subfamília papilionácea (*Lathyrus latifolius*), cultivada em jardins, de estípulas desenvolvidas em folhas e folíolos transformados em gavinha.
■ Cl. *Quím.* Símb. de *cloro.*
clã. [Do gaélico *clann*, atr. do ingl. e do fr.] *S. m.* **1.** Entre os antigos escoceses irlandeses, tribo constituída de pessoas de descendência comum. **2.** Aglomeração de famílias que são ou se presumem descendentes de ancestrais comuns. **3.** Partido, grei. **4.** *Anál. Mat.* Conjunto de conjuntos, não vazio, e estável sob as operações de união e diferença entre dois quaisquer de seus elementos.
cladanto. [De *clad(o)-* + *-anto.*] *Adj. Bot.* Que apresenta flores sobre os ramos: *vegetal cladanto.*
cladeado. [Part. de *cladear.*] *Adj. Metal.* Diz-se de metal que foi laminado a quente com outro, que o reveste e forma, na interface comum aos dois, uma solda permanente.
cladear. *V. t. d. Metal.* Impor (a um metal) um revestimento cladeado. [Conjug.: v. *frear.*]
▲clad(o)- [Do gr. *klados*, 'ramo'.] *El comp.* = 'ramo': *cladanto.*
cladócero. *S. m.* **1.** Espécime dos cladóceros. ● *Adj.* **2.** Pertencente ou relativo a eles.
cladóceros. *S. m. pl. Zool.* Animais artrópodes, crustáceos, branquiópodes, da ordem *Cladocera*, de tamanho minúsculo ou microscópico, corpo encerrado em carapaça bivalve, a cabeça excluída, olhos sésseis, medianos, fundidos, apêndices do tronco em número de quatro a seis pares, e a segunda antena alargada e adaptada para a natação.
cladódico. *Adj.* Concernente ao cladódio.
cladódio. [Do gr. *kladódes*, 'ramoso', pelo lat. científico *cladodium.*] *S. m. Bot.* Ramo achatado e verde, freqüen-

temente muito parecido com a folha, que, em muitas plantas, desempenha as funções destas, como, p. ex., nas cactáceas.

cladofiúro. *S. m.* **1.** Espécime dos cladofiúros. ● *Adj.* **2.** Pertencente ou relativo a eles.

cladofiúros. *S. m. pl. Zool.* Animais metazoários, equinodermos, ofiuróides, cujos ossículos ambulacrários se articulam por meio de cavidade glenóide, e cujos braços são bifurcados.

cladóscopo. *S. m.* **1.** Espécime dos cladóscopos. ● *Adj.* **2.** Pertencente ou relativo a eles.

cladóscopos. *S. m. pl. Zool.* Animais marinhos, artrópodes, crustáceos, ostracódios, da ordem *Cladocopa*, de carapaça sem entalhe antenal, o primeiro e o segundo pares de antenas usados para natação, o segundo com dois ramos.

clamador (ô). [Do lat. *clamatore.*] *Adj.* **1.** Que clama; clamante. **2.** Gritador, berrador. ● *S. m.* **3.** Indivíduo que clama.

clamante. [Do lat. *clamante.*] *Adj. 2 g.* Clamador (1).

clamar. [Do lat. *clamare.*] *V. t. d.* **1.** Proferir em alta voz; bradar, gritar, exclamar: *Excitada, a multidão clamava: "Vitória!"* **2.** Implorar, rogar, exorar: *Os condenados clamavam misericórdia.* **3.** Exigir, reclamar: *Todos os presentes clamaram justiça. Int.* **4.** Soltar, ou como que soltar altas vozes; gritar: *O povo clamou, em vão;* "Eis a cidade enfim; os sinos clamam" (Raimundo Correia, *Poesias*, p. 18). *T. d. e i.* **5.** Implorar, rogar, exorar: *Clamam a Deus perdão de seus pecados. T. i.* **6.** Protestar em alta voz; bradar: "A verdade é que em França os homens independentes e ilustrados clamam também contra a censura prévia do teatro, porque é atentatória e inútil." (Alexandre Herculano, *Opúsculos*, I, p. 127.)

clamator. *S. m.* e *adj.* Tiranido.

clamatores. *S. m. pl. Zool.* Tiranidos.

clâmide. [Do gr. *chlamys*, pelo lat. *chlamyde.*] *S. f.* Manto dos antigos gregos, que se prendia por um broche ao pescoço ou ao ombro direito: "É bela assim! Desprende a clâmide. Revolta, / Ondeante, a cabeleira, aos níveis ombros solta, / Cobre-lhe os seios nus e a curva dos quadris" (Olavo Bilac, *Poesias*, p. 138).

clamidemia. [De *clamídia* + *-(h)em(o)-* + *-ia.*] *S. f. Med.* Presença de clamídia no sangue.

clamídia. [Do gr. *chlamys, idos*, 'manto', + o lat. cient. *-ia.*] *S. f. Microbiol.* Microrganismo da família das clamidiáceas, ordem das clamidiales, que, mediante duas espécies, produz várias doenças no homem e noutros animais. ♦ **Clamídia *trachomatis*** *Microbiol.* Espécie de clamídia, de que há várias raças, causadora de tracoma, uretrite, proctite, linfogranuloma venéreo e outras doenças.

clamidiácea. *S. f.* Espécime das clamidiáceas.

clamidiáceas. *S. f. pl. Microbiol.* Família da ordem das clamidiales, que compreende microrganismos que infectam aves e outros animais, inclusive o homem.

clamidiales. *S. f. pl. Microbiol.* Ordem de microrganismos gram-negativos, em forma de cocos, cuja reprodução ocorre, apenas, dentro do citoplasma de células de hospedeiros vertebrados, mediante um ciclo único de desenvolvimento.

clamidíase. [De *clamídia* + *-ase.*] *S. f. Med.* Designação genérica de infecção produzida por qualquer espécie de clamídia.

clamidiforme. *Adj. 2 g. Bot.* Em forma de clâmide ou túnica: *cálice clamidiforme.*

clamidósporo. *S. m. Micol.* Esporo formado no interior duma célula, e que tem membrana dupla, a própria e a da célula-mãe, sendo, por isso, órgão perdurante. Existe em muitos fungos.

clamiforídeo. *S. m.* **1.** Espécime dos clamiforídeos. ● *Adj.* **2.** Pertencente ou relativo a eles.

clamiforídeos. *S. m. pl. Zool.* Animais mamíferos desdentados da família *Chlamyphoridae*. Têm carapaça formada por bandas móveis, finas e muito flexíveis, pelagem sedosa, muito densa e branca. São de pequeno porte e ocorrem no Chile, Argentina e Bolívia.

clamor (ô). [Do lat. *clamore.*] *S. m.* **1.** Ação ou efeito de clamar. **2.** Grito (1) de queixa, súplica ou protesto; brado, voz, vozear. **3.** Rogo, súplica, queixa: *Ouvi ó Deus, meu clamor.* **4.** Procissão em que os fiéis rezam alto e em coro. ♦ **Clamor público.** Descontentamento ou indignação popular.

clamoroso (ô). *Adj.* **1.** Em que há clamor; gritante. **2.** Que se faz ou manifesta com clamor. **3.** Muito evidente; gritante, berrante: *erro clamoroso; injustiça clamorosa.*

clandestinidade. *S. f.* Qualidade ou condição de clandestino.

clandestino. [Do lat. *clandestinu.*] *Adj.* **1.** Feito ou realizado às ocultas: *encontro clandestino.* **2.** Ilegal, ilegítimo: *partido clandestino.* ● *S. m.* **3.** *Pop.* Indivíduo que se introduz sub-repticiamente em navio, avião, trem, etc.; para viajar sem documentos nem passagem. **4.** V. *bookmaker*.

clangor (ô). [Do lat. *clangore.*] *S. m.* Som rijo e estridente como o de certos instrumentos metálicos de sopro, como, p. ex., a trompa e a trombeta: "Entre clangores de fanfarra / Passavam préstitos apoteóticos." (Manuel Bandeira, *Estrela da Vida Inteira*, p. 75.) [Pl.: *clangores* (ô). Cf. *clangores*, do v. *clangorar*.]

clangorar. *V. int.* **1.** Soar com clangor: "A fanfarra do cortejo clangora" (Eugênio de Castro, *Obras Poéticas*, II, p. 179). **2.** Apregoar um acontecimento. [Sin. ger.: *clangorejar*. Pres. subj.: *clangore, clangores, clangore*, etc. Cf. *clangores* (ô). Pl. de *clangor*.]

clangorejar. *V. int.* Clangorar. [Conjug.: v. *pelejar*.]

claprotita. [Do antr. *Klaproth*, de Martin. H. Klaproth (?-1817), químico alemão, + *-ita*[3].] *S. f.* Mineral cinzento-azulado composto de sulfeto de cobre e bismuto.

claque. [Do fr. *claque.*] *S. f.* **1.** *Teat.* Grupo de pessoas combinadas ou contratadas para aplaudirem ou patearem num espetáculo. **2.** *P. ext.* Grupo de admiradores ou seguidores de alguém. **3.** Chapéu alto, de molas: "Apruma-me logo, vergando-me galantemente, de claque em punho." (Aluísio Azevedo, *Demônios*, p. 123).

claquete. [Do fr. *claquette*, de *claquer*, 'bater'.] *S. f. Cin.* Pequeno quadro-negro que assinala o início de cada tomada de uma filmagem e que, graças às informações técnicas nele registradas, facilita a montagem posterior do filme. [Em caso de som-direto, bate-se na claquete uma peça de madeira presa a seu topo por dobradiça, para que o sinal sonoro emitido sirva de registro para a sincronização posterior entre som e imagem.]

clara. [Fem. substantivado do adj. *claro.*] *S. f.* **1.** Albumina que envolve o ovo. **2.** V. *esclerótica*. **3.** V. *clareira*. **4.** *Mar.* V. *aberta* (9). **5.** *Constr. Nav.* Designação comum a algumas aberturas existentes no casco ou no aparelho das embarcações. ~ V. *claras*.

clarabóia. [Do fr. *claire-voie.*] *S. f.* **1.** Abertura no alto dos edifícios, geralmente fechada por caixilho com vidro, e destinada a permitir a entrada da luz. **2.** Janela redonda, ou fresta, por onde entra luz em uma casa.

claraíba. *S. f. Bras., Pl* a *MG.* Planta da família das boragináceas (*Cordia glabrata*), de flores alvas com cálices cilíndricos e denteados, e que fornece madeira de luxo.

clarão[1]. [De *claro* + *-ão.*] *S. m.* **1.** Luz viva e instantânea. **2.** Claridade intensa; claror. **3.** Brilho, cintilação rápida. **4.** *Fig.* Estado de espírito momentâneo: *clarão de inteligência; um clarão de bondade.* **5.** *Bras.* V. *clareira*. ♦ **Clarão anti-solar.** *Astr.* V. *luz anti-solar*.

clarão[2]. [Do fr. *clairon.*] *S. m.* Registro de órgão, cujos tubos são de zinco, com bocal de palheta.

claras. [Fem. pl. substantivado do adj. *claro.*] *El. s. f. pl.* Us. na loc. adv. *às claras*. ~ V. *clara*. ♦ **Às claras.** **1.** À vista de todos; publicamente: *Não o chamou à parte para censurá-lo: fê-lo às claras.* **2.** Sem rodeios, categoricamente: *Manifestou às claras a sua radical discordância.* **3.** De maneira clara; sem preconceitos, claramente: "desde então vejo tudo às claras, vejo certo, posso julgar com justeza" (Aluísio Azevedo, *O Coruja*, p. 242). ~ V. *clara*.

claravalense. *Adj. 2 g.* **1.** De, ou pertencente ou relativo a Claraval (MG). ● *S. 2 g.* **2.** Natural ou habitante de Claraval.

clareação. *S. f.* Ato ou operação de clarear.

clarear. *V. t. d.* **1.** Tornar claro; iluminar, aclarar: "Já então a arraiada vinha clareando o céu." (Machado de Assis, *Páginas Recolhidas*, p. 124); "Entra em seu quarto, a luz do abajur clareia o rosto da mulher" (Ricardo Ramos, *Matar um Homem*, p. 146). **2.** Abrir espaços ou clareiras em; rarear: *clarear um bosque. Int.* **3.** Tornar-se claro; aclarar-se: *Passada a chuva, o dia clareou;* "Madrugada cinzenta, que foi clareando aos poucos." (Moreira Campos, *Portas Fechadas*, p. 27). **4.** Encher-se de clareiras, lacunas ou vãos. **5.** Tornar-se lúcido, penetrante ou perspicaz; aclarar(-se): *Sentiu que sua capacidade de percepção clareava.* **6.** Tornar-se inteligível: *A certa altura, o intricado texto clareou.* **7.** Encher-se de clareiras, de lacunas. [Sin. ger. (p. us.): *clarejar*. Conjug.: v. *frear*.]

clareira. [De *claro* + *-eira.*] *S. f.* **1.** Espaço sem árvores, ou quase, em mata ou bosque. [Sin.: *claro, aberta* e (bras., RS e Amaz.) *campestre*.] **2.** Terreno desmoitado ou arroteado em meio de brenhas ou matas. **3.** V. *claro* (22). [Sin. ger.: *clara, clarão, claro*.]

clarejar. *V. t. d.* e *int. P. us.* V. *clarear*. [Conjug.: v. *pelejar*.]

clarete (ê). [Do fr. *claret.*] *Adj.* **1.** De cor pouco acentuada. ● *S. m.* **2.** Vinho palhete: "Fala-se francês, há pão, clarete, rosbife com batatas e uma boa cama: era divino." (Eduardo Frieiro, *Feijão, Angu e Couve*, p. 122.)

clareza (ê). *S. f.* **1.** Qualidade do que é claro ou inteligível: *a clareza de uma frase.* **2.** Limpidez, nitidez, transparência: *a clareza da água.* **3.** Qualidade da vista que percebe e distingue bem as coisas: *Vê com clareza, não precisa de óculos.* **4.** Timbre bom, bem perceptível: *Fala com clareza, é um prazer ouvi-lo.* **5.** Declaração escrita de um contrato ou encargo: "É possível que o poeta sentisse desejos de, renunciando a tantos sonhos inatingíveis, continuar no cartório bafiento, gatafunhando clarezas e escrituras" (Melo Nóbrega, *O Soneto de Arvers*, p. 25). **6.** Nos cassinos, ato de levantar todas as cartas da mesa. ♦ **Clareza meridiana.** Clareza ou claridade absoluta.

claridade. [Do lat. *claritate.*] *S. f.* **1.** Qualidade do que é claro: *a claridade da manhã.* **2.** Luz viva, intensa: "Faz frio. Mas, depois duns dias de aguaceiros, / Vibra uma imensa claridade crua." (Cesário Verde, *Obra Completa*, p. 98.) **3.** Foco luminoso: *a claridade da lâmpada.* **4.** Brilho luminoso: "romperam a correr desesperadamente .... , sob a primeira claridade do luar que subia." (Eça de Queirós, *Os Maias*, II, p. 566). **5.** Brancura, alvura.

clarificação. *S. f.* Ação ou efeito de clarificar.

clarificador (ô). *Adj.* **1.** Que clarifica; clarificativo. ● *S. m.* **2.** Aquele ou aquilo que clarifica. **3.** *Tec.* Tanque de sedimentação de onde eflui líquido que se quer obter isento de partículas em suspensão. [Cf., nesta acepç., *sedimentador* (2).]

clarificar. [Do lat. *clarificare.*] *V. t. d.* **1.** Tornar claro, limpando ou purificando. **2.** Tornar claro ou límpido, purificando (um líquido). *P.* **3.** Tornar-se claro, límpido. **4.** Tornar-se moralmente puro; purificar-se: *Sua alma clarificou-se nas práticas ascéticas.* [Conjug.: v. *trancar*.]

clarificativo. *Adj.* Clarificador (1).

clarim. [Do esp. *clarín.*] *S. m. Mús.* **1.** Instrumento de sopro, de origem etrusca, feito de metal, com bocal e tubo cônico, hoje apenas usado para sinais militares, graças ao seu timbre claro e estridente: "Um clarim soava triunfalmente" (Eça de Queirós, *Últimas Páginas*, p. 23). **2.** Registro médio do clarinete. **3.** Registro de órgão, de palheta (família dos trompetes). ● *S. 2 g.* **4.** Pessoa que toca esse instrumento.

clarinada. *S. f.* Toque de clarim.

clarinar. *V. int. Bras.* **1.** Tocar clarim. **2.** Emitir sons fortes e vibrantes: "A barra do dia sangrou bonito. I Um galo começou a clarinar." (João Felício dos Santos, *João Abade*, p. 134.)

clarineta (ê). *S. f.* Clarinete: "o filho, Nicola, tocava clarineta." (Fernando Sabino, *O Grande Mentecapto*, p. 143).

clarinete (ê). [Do it. *clarinetto.*] *S. m. Mús.* **1.** Instrumento de sopro, de madeira ou de metal, cujo tubo, parcialmente cilíndrico, é dotado de uma palheta simples: "O cavaquinho, os violões, a rabeca e o clarinete não repousavam, emendando as danças várias." (Alberto Rangel, *Inferno Verde*, p. 86.) **2.** Registro de órgão e de harmônio. ● *S. 2 g.* **3.** Pessoa que toca esse instrumento; clarinetista. [F. paral.: *clarineta*.]

clarinetista. *S. 2 g.* Tocador de clarinete; clarineta.

clarineto (ê). *S. m. Bras. Pop.* Clarineta.

clarissa. *Adj. (f.)* e *s. f.* Diz-se da, ou freira da Ordem de Santa Clara, fundada em Assis (Itália) em 1011 pela própria santa, e cuja regra foi redigida por São Francisco. [Sin.: *clarista*.]

clarista. *Adj. (f.)* e *s. f.* Clarissa.

clarividência. [Do lat. *claru* + *-i-* + lat. *videntia.*] *S. f.* Qualidade de clarividente.

clarividente. [Do lat. *claru* + *-i-* + lat. *vidente.*] *Adj. 2 g.* **1.** Que vê com clareza: *espírito clarividente.* **2.** Atilado, esperto. **3.** Prudente, cauteloso.

claro. [Do lat. *claru.*] *Adj.* **1.** Que alumia; luminoso, luzente, brilhante, resplandecente: *luz clara; lustre muito claro.* **2.** Que recebe claridade; iluminado, alumiado: *sala clara; noite clara.* **3.** Que reflete bem a luz; luzente, lustroso, polido: *espelho claro.* **4.** Transparente, translúcido: *vidro claro; lente clara.* **5.** Límpido, nítido, puro: "O rio / Cantigas de águas claras soluçando." (Da Costa e Silva, *Sangue*, p. 41.) **6.** Bem visível; distinto, discriminável: *silhueta clara; contorno claro.* **7.** Que tem cor ou tonalidade desmaiada, pouco intensa: *vestido claro; olhos claros.* **8.** Diz-se da cor ou tonalidade assim caracterizada: *gravata de cor clara; olhos de tom claro.* **9.** Sem nuvens; sereno: *atmosfera clara.* **10.** Diz-se da parte do dia quando o Sol está acima do horizonte: *Ao sairmos, já era dia* claro. **11.** Diz-se de indivíduo branco ou quase branco (em oposição a *preto*). **12.** Que distingue bem; penetrante, perspicaz (falando-se dos sentidos): *visão clara; audição clara.* **13.** Bem perceptível ao ouvido, bem audível; alto, vibrante: *som claro; voz clara.* **14.** Que representa as coisas ao vivo com exatidão: *memória clara; imaginação clara.* **15.** Que percebe as coisas com clareza; que compreende: *inteligência clara; razão clara.* **16.** Fácil de entender: *letra clara; sentido claro.* **17.** Evidente, manifesto, patente: *intenção clara.* **18.** Não ambíguo; inequívoco, explícito: *regras claras.* **19.** Persuasivo, convincente: *argumento claro; demonstração clara.* **20.** *Poét.* Eminente, ilustre, glorioso; célebre, preclaro: *clara estirpe;* "Nem pode o claro Herói sem pena vê-las, / Com tantas provas, que de amor lhe davam" (Fr. José de Santa Rita Durão, *Caramuru,* VI, p. 43). **21.** *Tip.* Diz-se do tipo (ou fio) de traços mais delgados que o normal; magro, fino. [Cf. *meio-claro.*] ~ V. *bordo* —, *caixa* —*a*, *câmara* —*a* e *minuano* —. ● *S. m.* **22.** Lugar ou espaço onde se apresenta rarefeito, ou é inexistente, aquilo que, à volta, se encontra em quantidade mais ou menos grande; lacuna, vão, clareira: *O claro dos cabelos era devido a um ferimento;* "Um dia, ao pino do Sol, ela repousava em um claro da floresta." (José de Alencar, *Iracema,* p. 51); "Vejo-a, e cuido uma dríada estar vendo, / por entre os claros de uma selva basta, / Aparecendo e desaparecendo..." (Raimundo Correia, *Poesias,* p. 130). **23.** *P. ext.* Incapacidade de raciocinar ou recorrer à memória; branco: *Na hora do exame sentiu um claro na cabeça.* **24.** V. *clareira* (1). **25.** Espaço interrompido, num trecho escrito, por falta de letras ou linhas. **26.** *Art. Plást.* Parte clara ou iluminada de um quadro ou de uma gravura. **27.** *Tip.* Espaço entre palavras ou linhas. **28.** *P. ext. Tip.* O material branco [q. v.] que produz esse espaço. [Cf. *branco* (19 e 20).] ● *Adv.* **29.** Com clareza; claramente: *falar claro; ver claro;* "Falemos claro, amigo. Viemos à caça do sujeito, e por força que o havemos de levar." (José de Alencar, *O Gaúcho,* p. 127). ● *Interj.* **30.** Sem dúvida; evidentemente: — *Será que ele vem?* — *Claro!* ♦ **Claro de abertura.** *Tip.* V. *recolhido* (4). **Claro de entrada.** *Tip.* V. *recolhido* (4). **Em claro.** V. *em branco* (4). **No claro.** *Bras., RS.* À vista; a dinheiro. **Pelo claro.** De maneira clara; claramente: "acender as tochas da razão para distinguir bem pelo claro um marido rico e um marido pobre." (Camilo Castelo Branco, *O Santo da Montanha,* p. 140).

claro-escuro. *S. m.* **1.** Transição do claro para o escuro. **2.** Impressão do contraste dos claros com os escuros. **3.** Combinação e distribuição de sombras e luz: "Lembro particularmente dum .... *crayon* vigoroso, rico de claros-escuros, representando cabeça guedelhuda, testa luminosa, o queixo fino e a expressão angustiada e pensativa de homem moço." (Pedro Nava, *Beira-Mar,* p. 46.) **4.** Realização de tais efeitos em pintura. [Pl.: *claros-escuros* e *claro-escuros.*]

clarone. [Do it. *clarone.*] *S. m. Bras.* **1.** Clarineta (1) baixa em si bemol. **2.** Clarineta (1) alta em mi bemol.

claror (ô). [De *claro* + *-or.*] *S. m.* Claridade intensa; clarão: "sob o claror fulgenteador de milhares de lâmpadas" (Martins Fontes, *A Dança,* p. 73); "E as pétalas voavam: sobem, descem, / Aos clarores do pôr-do-sol do estio." (Alphonsus de Guimaraens, *Obra Completa,* p. 224).

▲-clas(e)-. Equiv. de *-clase.*

▲-clase. [Do gr. *klásis.*] *El. comp.* = 'fratura': *litóclase.* [Equiv.: *-clas(e)-: litoclasia.*]

classe. [Do lat. *classe.*] *S. f.* **1.** Numa série ou num conjunto, grupo ou divisão que apresenta características semelhantes; categoria; ordem. **2.** Categoria de cidadãos baseada nas distinções de ordem social ou jurídica: *classe média; classe comercial; a classe dos solteiros.* **3.** Categoria, ordem, plana, hierarquia; qualidade: *Ciro dos Anjos é um romancista de primeira classe; É ator de última classe.* **4.** Hierarquia baseada na importância ou dignidade de um cargo ou de uma ocupação: *ministro de primeira classe.* **5.** Grupo de pessoas que se diferençam das outras por suas ocupações, costumes, opiniões, tendências, *a classe dos marítimos; a classe dos artistas; a classe dos pessimistas.* **6.** Categoria de coisas baseadas na qualidade, no valor ou no preço: *arroz de primeira classe.* **7.** Coleção ou grupo de coisas que se distinguem pela natureza, uso, etc.: *O catálogo do museu enumera as diversas classes de peças raras.* **8.** Categoria de meio de transporte, ou de parte de um deles, de acordo com as acomodações ou o preço: *Só viaja na primeira classe.* **9.** Grupo ou camada social que se organiza, em sociedades estratificadas, e para cuja formação contribuem a divisão do trabalho, as diferenças de propriedade e de rendas ou a distribuição de riquezas. **10.** *Bras.* Distinção de maneiras; categoria; educação. *Aquele sujeito não tem classe.* **11.** O conjunto de aulas em que se ensina certa matéria: *Inscreveu-se na classe de português; Não freqüenta a classe de ginástica.* **12.** Os estudantes que as freqüentam: *A nossa classe foi elogiada pelo diretor.* **13.** O local onde se ministram as aulas; sala. **14.** Grupo de alunos que, numa escola, seguem o curso juntos, ano a ano, e estudam na mesma sala; aula, sala, turma. **15.** *Lóg.* Conjunto de objetos que se define pelo fato de tais objetos, e só eles, terem uma ou mais características comuns. **16.** *Álg. Mod.* Coleção de todos os grupos, de todos os morfismos de um grupo, ou de todos os espaços vectoriais reais. **17.** *Biol.* Na classificação taxionômica, subdivisão acima das ordens. **18.** *Estat.* Cada um dos intervalos não superpostos em que se divide uma distribuição de freqüências. **19.** *Geom. Anal.* O maior número de tangentes a uma curva algébrica plana, as quais passam por um ponto fora da curva. **20.** *Geom. Anal.* O maior número de planos osculadores a uma curva reversa algébrica que passam por um ponto fora da curva. **21.** *Mil.* Conjunto de indivíduos nascidos no mesmo ano civil. [Pode ser designada tanto pelo ano de nascimento como pela idade desses indivíduos.] ♦ **Classe em si.** *Hist. Filos.* No marxismo, a condição da classe operária que ainda não tomou consciência de suas tarefas de classe, i. e., ainda se mantém como massa desagregada, sujeita a revoltas isoladas, sem haver identificado o estado capitalista como o inimigo inconciliável. **Classe média.** V. *burguesia* (1). **Classe para si.** *Hist. Filos.* No marxismo, a condição da classe operária que atingiu a consciência da sua missão histórica de classe, i. e., que, tendo identificado no estado capitalista o inimigo inconciliável, criou uma teoria revolucionária e um partido destinado a dirigir a luta pela derrubada desse estado.

classicismo. *S. m.* **1.** Qualidade ou feição do que é clássico: "são do mais elegante classicismo seus [de D. Francisco Manuel de Melo] períodos bem equilibrados, túmidos de conceitos" (Hernâni Cidade, *Lições de Cultura e Literatura Portuguesas,* I, p. 329). **2.** Doutrina literária e artística baseada no respeito à tradição clássica [v. *clássico* (1 e 5)]: *É própria do classicismo uma visão objetiva do mundo; Sensível foi a influência de Descartes no classicismo francês.* **3.** Conjunto de características próprias da literatura e das artes da Antiguidade (grega e latina), ou do séc. XVII e parte do XVIII.

clássico. [Do lat. *classicu.*] *Adj.* **1.** Relativo à arte, à literatura ou à cultura dos antigos gregos e romanos. **2.** Que segue, em matéria de artes, letras, cultura, o padrão desses povos. **3.** Da mais alta qualidade; modelar, exemplar: *definição clássica; atitude clássica.* **4.** Cujo valor foi posto à prova do tempo; tradicional; antigo: *Às tendências modernas preferem as formas clássicas da arte e da literatura.* **5.** Que segue os cânones preestabelecidos; acorde com eles. **6.** Sem excessos de ornamentação; simples, sóbrio: *decoração clássica; vestido clássico.* **7.** Famoso por se repetir ao longo do tempo; tradicional: *os clássicos festejos carnavalescos.* **8.** Usado nas aulas ou classes: *exercícios clássicos.* **9.** Costumeiro, costumado, habitual: *o clássico chá das cinco da Academia Brasileira.* **10.** Diz-se da obra ou autor que, pela originalidade, pureza de língua e forma perfeita, se tornou modelo digno de imitação: "*Madame Bovary* é hoje uma obra clássica" (Eça de Queirós, *Ecos de Paris,* p. 17). **11.** Autorizado ou abonado pelos autores clássicos: *expressão, construção, regência clássica.* **12.** *Bras. Desus.* Diz-se do curso de nível médio em três anos, no qual predomina o ensino de línguas, de filosofia, etc. ~ V. *direito* —, *edição* —*a*, *física* —*a*, *localidade* —*a*, *mecânica* —*a* e *sonata* —*a*. ● *S. m.* **13.** Escritor da Antiguidade (grega ou latina). **14.** Escritor, artista ou obra consagrada, de alta categoria. **15.** Acontecimento famoso por sua repetição em épocas consecutivas: *Grandes filmes concorrem ao festival de Cannes, que é um clássico.* **16.** *Fut.* Partida disputada entre dois times famosos. **17.** *Turfe.* Grande prêmio ou páreo especial. **18.** *Bras. Desus.* Curso clássico [v. *clássico* (12)].

classificação. *S. f.* **1.** Ato ou efeito de classificar(-se). **2.** *Bibliot.* Sistema de símbolos representativos dos ramos do conhecimento, usado nas bibliotecas e noutros serviços de documentação para distribuir em classes, subclasses, etc., de acordo com os respectivos assuntos, as notícias de uma bibliografia, filmografia, etc., e as fichas de um catálogo, bem como os livros, filmes, etc., nos lugares onde são depositados. **3.** *Sociol.* Peneiramento (2).

classificado. [Part. de *classificar.*] *Adj.* **1.** Que se classificou em exame seletivo, concurso, etc: *Os alunos classificados começarão as aulas após o carnaval.* ~ V. *anúncio* —. ● *S. m.* **2.** *Bras.* Anúncio classificado.

classificador (ô). *Adj.* **1.** Que classifica ou é usado para classificar. ● *S. m.* **2.** Aquele que classifica ou é empregado para classificar. **3.** Pasta, geralmente de capa dura e lombada grossa, com dispositivo próprio para guardar papéis metodicamente classificados.

classificadora (ô). [Fem. substantivo do adj. *classificador.*] *S. f. Estat.* Máquina que seleciona e conta cartões, efetuando, assim, a apuração mecânica de um inquérito estatístico; separadora.

classificar. [Do lat. *classe* + *-ficar.*] *V. t. d.* **1.** Distribuir em classes e/ou grupos, segundo sistema ou método de classificação: *classificar os livros de uma biblioteca; classificar os tipos humanos.* **2.** Determinar (as categorias em que se divide e subdivide um conjunto). **3.** Pôr em ordem, arrumar (documentos, coleções, etc.). **4.** Aprovar (candidato) em concurso ou torneio. **5.** Identificar (planta, animal, etc.), i. e., colocá-los no sistema de classificação e reconhecer o seu nome científico universal. **6.** *Jur.* Apontar em (a peça inicial da acusação) o tipo legal do delito ou contravenção em que se enquadram os fatos nela articulados, com todas as suas circunstâncias, para determinar a pena aplicável a seu autor. *Transobj.* **7.** Qualificar; tachar: *Classificou o convocado de incapaz;* "quando .... D. Pepê manifestara desejo de ler *O Primo Basílio* e *O Crime do Padre Amaro,* ele se opusera com veemência, classificando tais livros de obscenos." (Gastão Cruls, *De Pai a Filho,* p. 28). *P.* **8.** Qualificar-se, chamar-se: *Costuma classificar-se de democrata.* **9.** Ser aprovado em concurso ou torneio. [Conjug.: v. *trancar.*]

classificatório. *Adj.* Que serve para, ou tem a virtude de classificar (4): *prova classificatória.*

classismo. *S. m.* V. *classicismo.*

classista. *Adj. 2 g.* e *s. 2 g.* Que ou quem representa uma classe: *deputado classista; os classistas.*

classudo. *Adj. Bras. Fam.* e *pop.* Que tem alta classe (10).

▲-clasta. Equiv. de *clast(o)-.*

clástico. [De *clast(o)-* + *-ico*[2].] *Adj.* **1.** Diz-se do modelo desmontável ou de cada uma das peças que o compõem para estudo prático de anatomia. **2.** *Geol.* Diz-se de certas rochas, como a argila, o saibro, o arenito, formada de fragmentos de outras rochas. ~ V. *rocha* —*a*.

▲clast(o)-. [Do gr. *klastós, é, ón.*] *El. comp.* = 'quebrado'; 'que quebra': *clástico, clastomania.* [Equiv.: *-clasta: iconoclasta.*]

clastomania. [De *clast(o)-* + *-mania.*] *S. f.* Tendência patológica para destruir todos os objetos.

clastomaníaco. *Adj.* **1.** Relativo à clastomania. **2.** Que a tem. ● *S. m.* **3.** Pessoa que a tem.

clatrado. *Adj.* [Do lat. *clathratu,* 'fechado com grade'.] ~ V. *folha* —*a*.

clatratação. *S. f. Quím.* Formação de um clatrato.

clatrato. *S. m. Quím.* Composto molecular em que moléculas de um tipo estão incluídas nos buracos de uma rede formada por moléculas de outro tipo.

claudicação. [Do lat. *claudicatione.*] *S. f.* **1.** Ato ou efeito de claudicar. **2.** Vacilação, hesitação, incerteza. **3.** *Fig.* Erro, falta, deslize. **4.** *Fig.* Imperfeição, defeito. [Sin. ger. (bras.): *claudicância.*]

claudicância. *S. f. Bras.* V. *claudicação.*

claudicante. [Do lat. *claudicante.*] *Adj. 2 g.* **1.** Que claudica. **2.** *Fig.* Incerto, vacilante, duvidoso.

claudicar. [Do lat. *claudicare.*] *V. int.* **1.** Não ter firmeza nos pés; coxear; manquejar; capengar: "uma pessoa arrimada à bengala, a claudicar, indica-nos estragos físicos." (Graciliano Ramos, *Viagem,* p. 40). **2.** *Fig.* Cometer falta; falhar; errar: *Não foi feliz no seu discurso: claudicou em vários trechos;* "labutaria nalgum obscuro ofício de mercancia, talvez claudicasse no peso e na medida." (Tristão da Cunha, *À beira do Estix,* p. 76). **3.** Ter imperfeição, falha ou deficiência; falhar; manquejar: *Tem excelente memória, que jamais claudica;* "Demonstrado que a exposição preliminar e as notas claudicam na linguagem, provado estará que o substitutivo não presta." (Rui Barbosa, *Réplica,* p. 353). [Conjug.: v. *trancar.*]

claustra. *S. f. P. us.* Var. de *claustro.*

claustral. [Do lat. *claustrale.*] *Adj. 2 g.* **1.** Relativo ou pertencente a claustro; conventual, monástico. ● *S. m.* **2.** Os claustros.

claustro. [Do lat. *claustru.*] *S. m.* **1.** Pátio interior, descoberto e cercado de arcarias, nos conventos ou edifícios que o foram: "No Mosteiro dos Jerônimos, cujo claustro é considerado o mais belo exemplo do estilo manuelino no mundo, está enterrado Alexandre Herculano." (H. Dobal, *A Viagem Imperfeita,* p. 50.) [Var., p. us.: *claustra.*] **2.** V. *convento* (1): "Saibamos alguma coisa da vida do frade, da sua vida no século, porque a do c l a u s t r o era nua e nula" (Almeida Garrett, *Viagens na Minha Terra*, p. 143). [Sin. (ant.) nessas acepç.: *crasta*.] **3.** A vida monástica. **4.** Assembléia de professores universitários.

▲claustro-. [Do lat. *claustra, orum*.] *El. comp.* = 'clausura, recinto fechado': *claustrofobia*.

claustrofobia. [De *claustro-* + *-fob(o)-* + *-ia*.] *S. f.* Estado psicopatológico caracterizado pelo medo de estar ou passar em lugares fechados ou de tamanho reduzido. [Antôn.: *agorafobia*.]

claustrofóbico. *Adj.* Referente à claustrofobia, ou a claustrófobo.

claustrófobo. [De *claustro-* + *-fobo*.] *S. m.* Aquele que sofre de claustrofobia. [Antôn.: *agoráfobo*.]

cláusula. [Do lat. *clausula*.] *S. f.* **1.** Cada um dos artigos ou disposições dum contrato, tratado, testamento, ou qualquer outro documento semelhante, público ou privado. **2.** Condição (6) que faz parte de um contrato ou documento. **3.** *P. ext.* Contrato, ajuste. **4.** Preceito, norma. **5.** *Ant. Gram.* Oração, sentença. [Cf. *clausula*, do v. *clausular*.] ♦ **Cláusula à ordem.** A que indica títulos transmissíveis por endosso. **Cláusula c.a.f.** Cláusula c.i.f. [Sigla: *c.a.f.* (q. v.).] **Cláusula c.f.** Em contratos de compra e venda mercantil, aquela que estipula que o vendedor cobrará o custo da mercadoria e o frete até o local do destino. [Sigla: *c.f.* (q. v.).] **Cláusula c.i.f.** Em contratos de compra e venda mercantil, as que estabelece que o preço inclui o custo da mercadoria, as despesas com o seguro e o frete até o local do destino; cláusula c.a.f. [Sigla: *c.i.f.* (q. v.).] **Cláusula condicional.** *Jur.* A que subordina o efeito de ato jurídico a evento futuro e incerto. **Cláusula de escala móvel.** *Jur.* Nos contratos, a que estabelece revisão de pagamentos a serem efetuados de acordo com as variações do preço de determinadas mercadorias, dos serviços, dos índices do custo de vida, dos salários, etc. **Cláusula de estilo.** *Jur.* A que é usada de forma constante em negócios da mesma espécie ou natureza, e aceita, tacitamente, pelas partes, mesmo não sendo formulada textualmente **Cláusula f.a.s.** A que estabelece, em contratos de compra e venda mercantil, que no preço da mercadoria se incluem as despesas com o transporte até o costado do navio, no porto de embarque. [Sigla: *f.a.s.* (q. v.).] **Cláusula f.o.b.** A que estipula, em contratos de compra e venda mercantil, que o preço se refere à mercadoria posta a bordo do navio no porto de embarque, correndo por conta do comprador as despesas de frete e seguro, e bem assim os riscos da viagem até o porto de destino. [Sigla: *f.o.b.* (q. v.).] **Cláusula f.o.r.** Aquela que, nos contratos de compra e venda mercantil de mercadorias que hão de ser transportadas por via terrestre, corresponde à cláusula Fob [q. v.]. [Sigla: *f.o.r.* (q. v.).] **Cláusula ouro.** *Jur.* Nos contratos, a que estabelece pagamento em ouro, ou em moeda estrangeira, ou nos seus equivalentes em moeda nacional, para assegurar a manutenção do valor pecuniário da obrigação, diante da depreciação ou oscilação da moeda do Estado em que será cumprida tal obrigação.

clausular[1]. *Adj. 2 g.* Relativo a cláusula.

clausular[2]. *V. t. d.* Estabelecer cláusulas em; dividir em cláusulas. [Pres. ind.: *clausulo, clausulas, clausula*, etc. Cf. *cláusula*.]

clausura. [Do lat. *clausura*.] *S. f.* **1.** Recinto fechado. **2.** Estado ou condição de quem não pode sair do claustro. **3.** V. *convento* (1). **4.** Reclusão conventual. **5.** Vida retirada, reclusa; reclusão.

clausurar. *V. t. d.* e *p.* V. *enclausurar*.

clava. [Do lat. *clava*.] *S. f.* Pau pesado, mais grosso em uma das extremidades, que se usava como arma; maça. [Cf. *tacape*.]

clavado. *Adj.* Em forma de clava; claviforme.

clave. [Do lat. *clave*.] *S. f. Mús.* Sinal colocado no princípio da pauta, que serve para determinar o nome das notas e o grau exato de sua elevação na escala dos sons. [Há três claves: a de *sol*, a de *fá* e a de *dó*.]

clavecinista. *S. 2 g.* Pessoa que toca clavecino.

clavecino. [Do fr. *clavecin*.] *S. m.* V. *cravo*[3].

▲clavi-. [Do lat. *clavis, is*.] *El. comp.* = 'chave', 'teclado': *claviforme, clavicítero*.

clavicêmbalo. [De *clavi-* + *címbalo*, com dissimilação.] *S. m. Mús.* V. *cravo*[3].

clavicímbalo. [Do lat. medieval *clavicymbalu*.] *S. m. Mús.* V. *cravo*[3].

clavicítero. [De *clavi-* + lat. **cytheriu* *cythara*.] *S. m. Mús.* Variedade vertical do cravo, espécie de saltério com teclado, em uso na Alemanha nos sécs. XVI e XVII, e cuja caixa de ressonância, armada de cordas de tripa, ficava acima do teclado.

clavicórdio. [Do lat. medieval *clavichordiu*.] *S. m. Mús.* Um dos mais antigos instrumentos de cordas e teclado, de forma semelhante à do virginal.

clavicórneo. [De *clavi-* + *-corno* (ô) + *-eo*.] *Adj. Zool.* Que tem antenas clavadas.

clavícula. [Do lat. *clavicula*.] *S. f. Anat.* Osso ânterosuperior do tórax, articulado por um lado com a omoplata e pelo outro com o esterno.

claviculado. [De *clavícula* + *-ado*[1].] *Adj.* **1.** Que tem clavícula(s). ● *S. m.* **2.** Mamífero roedor que tem clavículas perfeitas.

clavicular. *Adj. 2 g. Anat.* Relativo ou pertencente à clavícula.

claviculário. [Do lat. *claviculariu*.] *S. m.* **1.** Chaveiro[1] (1). **2.** Móvel ou quadro onde se penduram as chaves.

clavifoliado. [De *clavi-* + *-foli(o)-* + *-ado*[1].] *Adj. Bot.* Que tem folhas clavadas.

claviforme. [De *clavi-* + *-forme*.] *Adj. 2 g.* Clavado.

clavígero. [Do lat. *clavigeru*.] *Adj. Poét.* Que tem clava.

clavija. [Do esp. *clavija*.] *S. f.* **1.** Cavilha de ferro que liga o jogo dianteiro ao traseiro do carro. **2.** Coluna de tear onde se põe a meada para tecer. **3.** Pau ou escápula em que se penduram meadas tingidas para secar.

clavina. *S. f.* V. *carabina*: "O preto, armado duma c l a v i n a , ... avançou cauteloso, ... impondo silêncio" (Hugo de Carvalho Ramos, *Tropas e Boiadas*, p. 136). [Aum. irreg.: *clavinaço*; dim. irreg.: *clavinote*.]

clavinaço. *S. m.* **1.** Clavina grande. **2.** *Desus.* Tiro de clavina.

clavineiro. *S. m. Ant.* Carabineiro.

clavinotaço. *S. m. Bras.* Tiro de clavinote.

clavinote. *S. m. Bras.* Pequena clavina.

clavinoteiro. *S. m. Bras.* **1.** Bandido sertanejo ou soldado armado de clavina. **2.** Facínora, bandido.

clávula. [Do lat. *clavula*.] *S. f. Bras.* Pequena clava.

clavuliforme. [De *clávula* + *-i-* + *-forme*.] *Adj. 2 g. Bot.* Aclavulado.

clazomeniano. *Hist. Filos. Adj.* **1.** V. *anaxagórico* (1). ● *S. m.* **2.** V. *anaxagórico* (2). **3.** Cognome de Anaxágoras de Clazômenes.

clélia. *S. f. Geom.* Curva esférica em que é linear a relação entre o ângulo polar de seus pontos e a longitude, ou entre o seno do ângulo polar e o seno da longitude.

clematite. [Do gr. *klematitis*, pelo lat. *clematitis*.] *S. f. Bot.* Designação comum a várias trepadeiras ornamentais da família das ranunculáceas, pertencentes ao gênero *Clematis*, todas exóticas, de folhas opostas, pecíolos rígidos, caniculados e violáceos na base, com grandes e numerosíssimas flores asteróides.

clemência. [Do lat. *clementia*.] *S. f.* **1.** Disposição para perdoar; indulgência. [Cf. *graça* (3) e *indulto* (1).] **2.** Bondade, benevolência. **3.** Brandura, amenidade. [Cf. *clemencia*, do v. *clemenciar*.]

clemenciar. *V. t. d. P. us.* Tratar com clemência. [Pres. ind.: *clemencio, clemencias, clemencia*, etc. Cf. *clemência*, s. f., e *Clemência*, antr. e mit.]

clemente. [Do lat. *clemente*.] *Adj. 2 g.* **1.** Que tem clemência ou indulgência; indulgente. **2.** Bondoso, benevolente. **3.** Brando, suave; ameno: *temperatura c l e m e n t e*.

clementinense. *Adj. 2 g.* **1.** De, ou pertencente ou relativo a Clementina (SP). ● *S. 2 g.* **2.** Natural ou habitante de Clementina.

clenácea. *S. f.* Espécime das clenáceas.

clenáceas. *S. f. pl.* Bot. Família da ordem das malvales, composta de plantas lenhosas com folhas alternas e estipuladas, flores em cimeiras ou panículas, estames muito numerosos e gineceu com três carpelos, sendo cada loja provida de dois ou mais óvulos. O fruto é capsular. Existem só 22 espécies, todas em Madagáscar.

clenáceo. *Adj.* Pertencente ou relativo às clenáceas.

clepsidra. [Do gr. *klepsydra*, pelo lat. *clepsydra*.] *S. f.* Relógio de água: "A c l e p s i d r a aponta a hora de sexta noturna, e ainda dura o sarau no solar do Conde de Biscaia" (Alexandre Herculano, *Lendas e Narrativas*, II, p. 29).

▲clepto-. [Do gr. *klépto*.] *El. comp.* = 'roubar', 'dissimular': *cleptofobia, cleptomania*.

cleptofobia. [De *clepto-* + *-fob(o)-* + *-ia*.] *S. f.* Medo mórbido de ser roubado ou não pagar dívidas, cometer furto, etc.

cleptofóbico. *Adj.* Relativo à cleptofobia.

cleptomania. [De *clepto-* + *-mania*.] *S. f. Med.* Impulso mórbido para o furto; clopemania: "relanceou o olhar pelas circunvizinhanças, não viu ninguém. O cinzeiro desapareceu no bolso direito da túnica. E .... outro cinzeiro foi parar no bolso esquerdo. Não fora súbito aquele ataque de c l e p t o m a n i a e sim a lembrança daquele bom e leal Zequinha Curvelo. Que melhor presente poderia levar-lhe, que melhor prova de amizade?" (Jorge Amado, *Os Velhos Marinheiros*, p. 307.)

cleptomaníaco. *S. m.* Aquele que sofre de cleptomania; cleptômano, clopemaníaco.

cleptômano. [De *clepto-* + *-mano*.] *S. m.* V. *cleptomaníaco*.

clerezia. [Do b.-lat. *clericia*.] *S. f.* **1.** A classe clerical; o clero. **2.** O corpo clerical duma comunidade: "Toda a c l e r e z i a da sé estava ali apinhada" (Alexandre Herculano, *Lendas e Narrativas*, II, p. 63).

clerical. [Do lat. *clericale*.] *Adj. 2 g.* Pertencente ou relativo ao clero.

clericalismo. [De *clerical* + *-ismo*.] *S. m.* **1.** Influência ou predomínio do clero, da Igreja. **2.** Atitude ou modo de pensar ou de agir daqueles que apóiam incondicionalmente o clero.

clericato. [Do lat. *clericatu*.] *S. m.* Estado, condição ou dignidade de sacerdote.

clérigo. [Do gr. *klerikós*, pelo lat. *clericu*.] *S. m.* **1.** Indivíduo que tem todas as ordens sacras, ou algumas delas. **2.** Aquele que pertence à classe eclesiástica. **3.** Sacerdote cristão. **4.** Aquele que já se iniciou nas ordens sacras pela tonsura dos cabelos.

clero. [Do gr. *klêros*, pelo lat. *cleru*.] *S. m.* **1.** A classe clerical. **2.** A corporação dos sacerdotes.

clerodendro-cheiroso. *S. m.* V. *flor-do-monturo*. [Pl. *clerodendros-cheirosos*.]

cleromancia (cí). [Do gr. *kleromanteía*.] *S. f.* Arte de adivinhar por meio de dados, de objetos que se tiram à sorte, etc.

cleromante. *S. 2 g.* Pessoa que pratica a cleromancia.

cleromântico. *Adj.* Referente à cleromancia, ou a cleromante.

cletrácea. *S. f.* Espécime das cletráceas.

cletráceas. *S. f. pl. Bot.* Família de plantas lenhosas, de folhas alternas, sem estípulas, e flores racemosas de corola dialipétala. Os grãos de pólen são independentes, o gineceu tricarpelar, com ovário súpero e numerosos óvulos, e o fruto capsular. Engloba apenas o gênero *Clethra*, com umas 30 espécies, ocorrentes nas Canárias, nas Américas e na Ásia oriental.

cletráceo. *Adj.* Pertencente ou relativo às cletráceas.

clicar. *V. int. Bras.* Dar ou produzir clique (1): "depois das câmaras c l i c a r e m centenas de vezes, pôde-se saber algo sobre esse antes ilustre desconhecido." (*Isto É*, 19.1.1979, p. 16.) [Conjug.: v. *trancar*. Defect., conjugável só nas 3as pess.]

clichagem. [Do fr. *clichage*.] *S. f. Tip. P. us.* Estereotipagem.

clichê. [Do fr. *cliché*.] *S. m.* **1.** *Fotograv.* Placa fotomecanicamente gravada em relevo sobre metal, usualmente zinco, a traço ou a meio-tom, para impressão de imagens e textos por meio de prensa tipográfica. [Sin. (p. us.): *fotótipo*.] **2.** *P. ext.* A imagem ou o texto assim impressos. **3.** *Tip.* V. *estereótipo* (1). **4.** *Tip.* V. *galvanótipo*. **5.** *Fig.* V. *lugar-comum* (2 e 3). ♦ **Clichê a meia-tinta.** V. *autotipia* (2). **Clichê a meio-tom.** V. *autotipia* (2). **Clichê a traço.** V. *fotogravura a traço* (2). **Clichê combinado.** *Fotograv.* Autotipia combinada. **Clichê de retícula.** V. *autotipia* (2). **Clichê plástico.** *Tip.* V. *plastotipia*. **Clichê recortado.** Autotipia recortada. **Clichê termoplástico.** *Tip.* Clichê obtido de matriz termofixa, com matéria plástica que, amolecendo no calor, permite o reaproveitamento do material em nova estereotipagem. **Segundo clichê.** Parte da tiragem de um mesmo número de um jornal, na qual se acrescentam notícias, de última hora, de fatos ocorridos durante a impressão do jornal.

clicheria. [Do fr. *clicherie*.] *S. f.* **1.** A técnica de fazer clichês. **2.** Oficina onde se fazem clichês [v. *clichê* (1)].

clicherista. *S. 2 g. P. us.* Gráfico que se ocupa, na clicheria, da confecção de clichês [v. *clichê* (1)].

▲-clido-. Equiv. de *clido-*.

▲clido-. [Do gr. *kleís, kleidós*.] *El. comp.* = 'chave', 'clavícula': *clidomancia*. [Equiv.: *-clido-*: *esternoclidomastóideo*.]

clidomancia. [De *clido-* + *-mancia*.] *S. f.* Adivinhação por meio de chaves.

clidomante. *S. 2 g.* Pessoa dada à prática da clidomancia.

clidomântico. *Adj.* Referente à clidomancia, ou a clidomante.

cliente. [Do lat. *cliente*.] *S. 2 g.* **1.** Constituinte, em relação ao seu advogado ou procurador. **2.** Doente, em relação ao médico habitual. **3.** Freguês (3).

clientela. [Do fr. *clientèle*.] *S. f.* Conjunto de clientes; freguesia.

clima. [Do gr. *klíma*, 'inclinação', pelo lat. *clima*.] *S. m.* **1.** Conjunto de condições meteorológicas (temperatura, pressão e ventos, umidade e chuvas) características do estado médio da atmosfera em um ponto da superfície terrestre. **2.** Região onde a temperatura e mais condições atmosféricas são, em geral, as mesmas. **3.** Região, terra, país: "Assim vagou por alongados c l i m a s" (Machado de Assis, *Poesias Completas*, p. 254). **4.** *Fig.* Ambiente, atmosfera. ♦ **Clima ardente.** Aquele cuja temperatura média varia entre 25 e 28°C. **Clima cons-**

tante. Clima marítimo. **Clima continental.** O predominante no interior dos continentes, e cuja temperatura média de verão e inverno se mostra diferenciada em mais de 17°C. **Clima desértico.** O que se caracteriza pelas secas prolongadas e média anual de chuvas de apenas 25 cm. **Clima frio.** O de temperatura variável entre 5 e 10°C. **Clima glacial.** O dominante nos pólos, e cuja temperatura média está abaixo de 0°C. **Clima marítimo.** O dominante nas costas, com variação máxima de 7°C do inverno para o verão; clima constante. **Clima muito frio.** Aquele cuja temperatura média varia entre 0 e 5°C. **Clima quente.** Aquele cuja temperatura média oscila entre 20 e 25°C. **Clima subtropical.** Clima quase sem inverno, de temperatura média inferior a 20°C. **Clima temperado.** Aquele cujas temperaturas médias do verão e do inverno estão geralmente abaixo de 20°C, mas com as estações bem definidas.

clímace. *S. m. Desus.* Clímax.

climatérico. [Do gr. *klimakterikós*, pelo lat. *climactericu.*] *Adj.* **1.** Relativo a qualquer das épocas da vida consideradas críticas, por se pensar que o organismo sofria periodicamente uma transformação radical. [Hoje é us. quase só em relação à época da menopausa, o climatério.] **2.** Climático, climatológico. [Nesta acepç. é considerado galicismo por certos autores.] ~ V. *ano* —.

climatério. [Do gr. *klimakter*, 'ponto crítico da vida humana', + *-io.*] *S. m. Med.* Conjunto de alterações somáticas e psíquicas que se observam no final do período reprodutor da mulher, ou quando diminui, progressivamente, a atividade sexual normal do homem.

climático. *Adj.* De, ou relativo a clima; climatológico.

climatização. [Do fr. *climatisation.*] *S. f.* **1.** Conjunto de processos empregados para se obterem, por meio de aparelhos, em recinto fechado, condições ambientais de temperatura, umidade, pressão, etc., adequadas ao bem-estar dos que nele se encontrem: c l i m a t i z a ç ã o *duma sala de espetáculos, dum avião, duma nave espacial.* **2.** *P. ext.* O preparo de um produto, de um aparelho, etc., para suportar determinadas condições climáticas extremas.

climatizado. [Part. de *climatizar*[2].] *Adj.* Em que se processou climatização.

climatizar[1]. [De *climat(o)-* + *-izar.*] *V. t. d. e i. e p.* V. *aclimar.*

climatizar[2]. [Do fr. *climatiser.*] *V. t. d.* Proceder à climatização de.

▲climat (o)-. [Do gr. *klíma, atos.*] *El. comp.* = 'clima': *climático, climatologia.*

climatologia. *S. f.* Ramo da geografia física que trata dos climas da Terra, analisando-os quer do ponto de vista estático, quer através de suas principais manifestações.

climatológico. *Adj.* **1.** Relativo à climatologia. **2.** Climático.

climatologista. *S. 2 g.* Especialista em climatologia.

climatoterapia. [De *climat(o)-* + *terapia.*] *S. f. Terap.* Tratamento por meio de exposição a condições climáticas adequadas.

climatoterápico. *Adj.* Relativo à climatoterapia.

clímax (cs). [Do gr. *klímax*, pelo lat. *climax.*] *S. m.* **1.** O ponto culminante. **2.** O grau máximo ou ótimo de desenvolvimento de um fenômeno biológico ou social. **3.** *Biol. Ger.* Fase de estabilidade de uma associação ou comunidade biológica, de acordo com condições ambientes prevalentes e estáveis. **4.** *Ret.* Apresentação duma seqüência de idéias em andamento crescente ou decrescente: "Tão dura, tão áspera, tão injuriosa palavra é um Não." (Pe Antônio Vieira, *Sermões*, II, p. 88); "entrava a girar em volta de mim, à espreita de um juízo, de uma palavra, de um gesto, que lhe aprovasse a recente produção" (Machado de Assis, *Memórias Póstumas de Brás Cubas*, p. 138). [Sin.: *gradação* (*ascendente* no primeiro caso e *descendente* no segundo).] **5.** *Ret.* Concatenação dos membros de um período de maneira que cada um comece pela última palavra do anterior; gradação: *O convívio gerou a amizade, a amizade intensificou-se em amor, o amor exaltou-se em loucura.* [Opõe-se a *anticlímax.*] **6.** *Teat.* e *Cin.* Gradação ascendente da ação dramática. **7.** *Teat.* e *Cin.* O instante decisivo da ação e da intensidade emocional de uma peça, no qual o suspense e a expectativa desfecham no esclarecimento ou definição dos fatos dramáticos que o antecederam ou lhe sucederão. [F. paral. (desus.): *clímace.* Cf. *catástase, catástrofe* e *desenlace.*]

clina. *S. f.* Var. de *crina:* "um cavaleiro .... segurava um cavalo de grandes c l i n a s" (Eça de Queirós, *Últimas Páginas*, p. 21).

clinâmen. [Do lat. *clinamen*, 'inclinação, desvio'.] *S. m. Hist. Filos.* No epicurismo, desvio espontâneo que sofrem os átomos e que lhes propicia o encontro e a aglomeração.

clinândrio. *S. m. Bot.* Parte da coluna ou ginostêmio que suporta a antera, na flor das orquidáceas; rostelo.

clianato. *S. m. Bot.* Receptáculo comum a várias flores, como ocorre, p. ex., nas moráceas e nas compostas.

cline. *S. m. Biol. Ger.* Gradação de um caráter genético, ao longo de uma variação ambiente; correlação da gradação genética com a gradação ambiente.

clínica. [Fem. substantivado do adj. *clínico.*] *S. f.* **1.** A prática da medicina. **2.** A clientela de um médico. **3.** Lugar aonde vão os doentes consultar um médico, receber tratamento ou submeter-se a exames clínicos, radiografias, etc. **4.** Casa de saúde. **5.** Sanatório (1). [Cf. *clinica*, do v. *clinicar.*] ◆ **Clínica geral.** V. *clínica médica.* **Clínica médica.** A parte da medicina que trata de doenças susceptíveis de terapêutica medicamentosa; clínica geral, medicina interna.

clinicar. *V. int.* Exercer a clínica (1): "Era um sexagenário, que havia mais de trinta anos c l i n i c a v a no bairro" (Artur Azevedo, *Contos Cariocas*, p. 221). [Conjug.: v. *trancar.* Pres. ind.: *clinico, clinicas, clinica,* etc. Cf. *clínica* e *clínico.*]

clínico. [Do gr. *klinikós*, pelo lat. *clinicu.*] *S. m.* **1.** Médico ou cirurgião que exerce a medicina. **2.** Médico que exerce a clínica médica. ● *Adj.* **3.** Relativo ao tratamento médico dos doentes. **4.** Que se efetua junto ao doente: *demonstração* c l í n i c a. [Cf. *clinico*, do v. *clinicar.*] ~ V. *aconselhamento* —, *análise* —*a*, *olho* —, *psicologia* —*a* e *vistoria* —*a*.

▲clin(o)-[1]. [Do gr. *klíne, es.*] *El. comp.* = 'leito, repouso': *clinândrio, clinoterapia.*

▲clin(o)-[2]. [Do gr. *klíno.*] *El. comp.* = 'inclinar, dobrar': *clinômetro, clinoclasita.*

clinobasídio. [De *clin(o)-*[2] + *basídio.*] *S. m. Micol.* Hifa existente nos liquens, curta, mais ou menos claviforme, perpendicular à parede do picnídio, e que produz um estilósporo.

clinoclasita. *S. f. Min.* Mineral monoclínico, arseniato básico de cobre.

clinocloro. [De *clin(o)-*[2] + *-cloro.*] *S. m. Min.* Mineral monoclínico, hidrossilicato de alumínio e magnésio.

clinomania. [De *clin(o)-*[1] + *-mania.*] *S. f. Patol.* Permanência exagerada e mórbida no leito.

clinômetro. [De *clin(o)-*[2] + *-metro.*] *S. m.* Goniômetro vertical, com que se mede a inclinação do terreno. [Cf. *clisímetro* e *eclímetro.*]

clinoterapia. [De *clin(o)-*[1] + *terapia.*] *S. f. Med.* Tratamento de certas doenças por meio do repouso no leito.

clinoterápico. *Adj.* Relativo à clinoterapia.

clínquer. [Do ingl. *clinker.*] *S. m. Quím.* Calcário e silicato semifundidos e aglutinados de que se obtém o cimento por moagem. [Pl.: *clínqueres.*]

clinquerização. *S. f. Eng. Civ.* Moagem de calcário e silicatos semifundidos para obtenção de clínquer.

clintonita. [De antr. *Clinton*, de DeWitt Clinton (1769-1828), + *-ita*[3].] *S. f.* Silicato hidratado da família das micas cálcicas.

clinudo. [Do esp. plat. *clinudo.*] *Adj. Bras., S.* **1.** Crinudo. **2.** *Fig.* Diz-se do indivíduo cabeludo.

clipe[1]. [Do ingl. *clip.*] *S. m. Bras.* **1.** Pequena peça de metal ou de plástico para prender papéis. **2.** Jóia provida de um dispositivo de segurança, usada pelas mulheres.

clipe[2]. *S. m.* F. red. de *videoclipe* [q. v.].

▲clipe(i)-. [Do lat. *clypeus, i.*] *El. comp.* = 'escudo': *clipeastróide, clipeiforme.*

clipeiforme. [De *clipe(i)-* + *-forme.*] *Adj. 2 g.* Que tem forma de escudo.

clípeo. [Do lat. *clypeu*, 'escudo'.] *S. m.* **1.** *Zool.* Porção da cabeça dos insetos compreendida entre os olhos e a boca. **2.** *Zool.* Porção do cefalotórax das aranhas entre os olhos e as quelíceras. **3.** *Micol.* Massa estromática, escutiforme, que se constitui em torno do ostíolo dos peritécios.

clipéolo. *S. m. Micol.* Esporofilo dos equisetos que apresenta os esporângios nas margens da face interna, assemelhando-se a um pequeno escudo.

clíper. [Do ingl. *clipper.*] *S. m. Mar.* Veleiro de formas finas, proa lançada, mastros altos, pano redondo, grande superfície de velas, e por isso velocíssimo. [Notabilizaram-se os clíperes no transporte de passageiros e carga, do litoral oriental para o ocidental dos E.U.A., via extremo sul do continente americano, na época da corrida do ouro na Califórnia. Pl.: *clíperes.*]

clique. *Interj.* **1.** Onomatopéia que exprime estalido seco ou crepitação. **2.** Som ou estalido produzido pelo ar expelido pela boca com a língua presa atrás dos dentes.

clise. [Do gr. *klísis, eos*, 'inclinação'.] *S. f. Gram.* Denominação genérica de ênclise, próclise e mesóclise.

▲clis(e)-. Equiv. de *-clise*[1].

▲-clise[1]. [Do gr. *klísis, eos.*] *El. comp.* = 'inclinação': *mesóclise, próclise.* [Equiv.: *clis(e)-: clisímetro.*]

▲-clise[2]. [Do gr. *kleîsis, kleidós.*] *El. comp.* = 'ação de fechar, fechamento': *histeróclise*[1].

▲-clise[3]. [Do gr. *klysis, eos.*] *El. comp.* = 'lavagem': *histeróclise*[2].

clisímetro. [De *clis(e)-* + *-i-* + *-metro.*] *S. m.* Clinômetro [q. v.] que fornece diretamente a tangente do ângulo de inclinação. [Cf. *eclímetro.*]

clisma. [Do gr. *klisma.*] *S. m. Desus.* V. *clister.*

▲-clisma. [Do gr. *klysmos.*] *El. comp.* = 'clister': *enteroclisma.*

clister. [Do gr. *klystér*, pelo lat. *clystere.*] *S. m.* Injeção de água, ou de um líquido medicamentoso, no reto. [Sin.: *enema, clisma* (desus.), *lavagem, chá-de-bico* (pop.) e *adjutório* (pop.). Var. (ant. e pop.): *cristel.*] ◆ **Clister opaco.** Líquido radiopaco que se introduz por via retal para exame radiológico do intestino.

clitelo. [Do lat. *clitellae*, 'albarda'.] *S. m. Zool.* A porção mais espessa do corpo das minhocas.

clítico. [Do gr. *klitikós, é ón*, 'relativo a flexão'.] *Adj. Gram.* **1.** Diz-se de qualquer monossílabo átono subordinado, por meio de elemento prosódico, ao vocábulo que o precede, ou que o segue, ou no qual se acha inserido. **2.** Diz-se do pronome átono.

clitogastro. *S. m.* **1.** Espécime dos clitogastros. ● *Adj.* **2.** Pertencente ou relativo a eles. [Sin. ger.: *apócrito, peciolado.*]

clitogastros. *S. m. pl. Zool.* Insetos da ordem dos himenópteros, subordem *Clitogastra.* Base do abdome muito afilada, formando um pecíolo; larvas desprovidas de pernas. [Sin.: *apócritos, peciolados.*]

clitorídeo. *Adj.* Clitoridiano.

clitoridiano. *Adj.* Relativo ao clitóris; clitorídeo.

clitóris. [Do gr. *kleitorís.*] *S. m. 2 n. Anat.* Pequeno órgão alongado, erétil, situado na parte superior da vulva. [Sin. pop., no Amaz.: *tamatiá.*]

clivagem. [Do fr. *clivage* .] *S. f.* Propriedade que têm certos cristais de se fragmentar segundo determinados planos, que sempre são faces possíveis do cristal. ◆ **Clivagem básica.** Clivagem paralela à base do cristal.

clivar. [Do neerl. *klieven*, 'fender', atr. do fr. *cliver.*] *V. t. d.* Fragmentar segundo os planos de clivagem.

clivo. [Do lat. *clivu.*] *S. m.* **1.** Ladeira, aclive. **2.** Outeiro, colina. **3.** V. *vertente* (3).

clivoso (ô). [Do lat. *clivosu.*] *Adj.* **1.** Cheio de clivos. **2.** Ladeirento, declivoso.

cloaca. [Do lat. *cloaca.*] *S. f.* **1.** Fossa ou cano que recebe dejeções e imundícies. **2.** Coletor de esgoto. **3.** V. *latrina* (1). **4.** *P. ext.* Lugar imundo. **5.** Aquilo que cheira mal, que é imundo. **6.** *Zool.* Câmara na extremidade do canal intestinal das aves e dos reptis, na qual se abrem os ureteres e os ovidutos.

cloacal. [Do lat. *cloacale.*] *Adj. 2 g.* **1.** Relativo a, ou próprio de cloaca; cloacino. **2.** *Fig.* Imundo, sórdido, latrinário.

cloacino. *Adj.* Cloacal (1).

cloasma. *S. m. Med.* Placa pardacenta, de contornos irregulares que aparece na pele, quase sempre na face das mulheres grávidas e de pessoas que se expõem excessivamente ao sol tropical.

➧clochard (clôchár). [Fr.] *S. m.* V. *mendigo.*

clonagem. [De *clone* + *-agem.*] *S. f. Genét.* **1.** Processo de obtenção de um clone. **2.** Introdução de um fragmento do material genético de uma célula em outra célula que passa a possuir e a multiplicar a informação genética contida no fragmento introduzido; engenharia genética.

clonal. *Adj. 2 g.* Relativo ao clone.

clone[1]. [Do gr. *klón*, 'broto'.] *S. m. Biol. Ger.* Conjunto de indivíduos originários de outros por multiplicação assexual (divisão, enxertia, apomixia, etc.). [Todos os membros de um clone têm o mesmo patrimônio genético. Var.: *clono.*]

clone[2]. *S. m. Med.* Var. de *clono*[1].

clônico. [De *clon(o)-* + *-ico*[2].] *Adj. Med.* Pertencente ou relativo a clono[1].

clono[1]. [Do gr. *klónos, ou.*] *S. m. Med.* Espasmo em que se alternam, em rápida sucessão, rigidez e relaxamento. [Var.: *clone.*]

clono[2]. *S. m.* Var. de *clone*[1].

▲clon(o)-. [Do gr. *klónos, ou.*] *El. comp.* = 'movimento tumultuoso', 'agitação': *clônico.*

▲clope-. [Do gr. *klopé, ês.*] *El. comp.* = 'roubo': *clopemania.*

clopemania. [De *clope-* + *-mania.*] *S. f.* Cleptomania.

clopemaníaco. *S. m.* V. *cleptomaníaco.*

cloração. *S. f.* Ato ou operação de clorar.

cloral. [De *cloro* + *al*, a 1ª sílaba de *álcool*.] *S. m. Quím.* Tricloroacetaldeído, líquido, oleoso, com cheiro pungente. [Fórm.: CCl_3CHO.]

cloranfenicol. *S. m. Quím.* Antibiótico cristalino, incolor, natural e também sintetizável, empregado contra alguns germes gram-negativos e rickéttsias; cloromicetina. [Fórm.: $C_{11}H_{12}O_5N_2Cl_2$. Pl.: *cloranfenicóis*.]

clorantácea. *S. f.* Espécime das clorantáceas.

clorantáceas. *S. f. pl. Bot.* Família de plantas, sobretudo lenhosas, de folhas opostas e estipuladas, flores aclamídeas ou apenas com perianto bracteóide, androceu com um único estame, e ovário dotado de um óvulo pêndulo. Habitam os países quentes, e há só uma espécie no Brasil.

clorantáceo. *Adj.* Pertencente ou relativo às clorantáceas.

clorar. *V. t. d.* Tratar (a água) com o cloro [q. v.].

clorato. *S. m. Quím.* Qualquer sal do ácido clórico.

clorela. *S. f. Bot.* F. aportuguesada do nome do gênero *Chlorella*, constituído de algas verdes unicelulares, tidas, nos últimos tempos, como possíveis fontes de material nutritivo para animais domésticos, e até para o homem.

clorênquima. [De *clor(o)-* + *(par)ênquima*.] *S. m. Bot.* Tecido vegetal provido de clorofila (particularmente o mesofilo das folhas) e que é um parênquima assimilador, de cor verde.

clorenquimático. *Adj. Bot.* Relativo ao clorênquima; clorenquimatoso: *células* c l o r e n q u i m á t i c a s.

clorenquimatoso (ô). *Adj. Bot.* Clorenquimático.

cloretemia. [De *cloreto* + *-(h)em(o)-* + *-ia*.] *S. f. Med.* Presença de cloretos no sangue.

cloretêmico. *Adj.* Referente à cloretemia.

cloreto (ê). *S. m. Quím.* Qualquer sal derivado do ácido clorídrico.

clórico. *Adj.* ~ V. *ácido*—.

cloridrato. *S. m. Quím. Impr.* Designação dos cloretos resultantes da adição do ácido clorídrico a uma base orgânica.

clorídrico. [De *clor(o)-* + *(h)idro(gênio)* + *-ico*².] *Adj. Quím.* Próprio do, ou derivado do ácido clorídrico. ~ V. *ácido* — e *gás* —.

clorita. [De *clor(o)-* + *-ita*³.] *S. f. Min.* Grupo de minerais monoclínicos, esverdeados, de aspecto, composição e estrutura semelhantes às das micas.

clorito. *S. m. Quím.* Qualquer sal do ácido cloroso.

cloro (ó). [Do gr. *chlorós*, 'verde'.] *S. m. Quím.* Elemento de número atômico 17, do grupo dos halogênios, gasoso, verde-amarelado, venenoso; utilizado no tratamento de água e em várias indústrias. [Símb.: *Cl*.]

▲**clor(o)-.** [Do gr. *chlorós, á, on*.] *El. comp.* = 'esverdeado', 'verde': *clorose, clorofila.*

cloroacetato. *S. m. Quím.* Sal do ácido cloroacético.

cloroacético. *Adj. Quím.* ~ V. *ácido* —.

clorocisto. [De *clor(o)-* + *-cisto*.] *S. m. Bot.* Série de pequenas células clorofiladas existentes em determinados grupos de musgos, como, p. ex., nos esfagnos.

clorofícea. *S. f.* Espécime das clorofíceas.

clorofíceas. *S. f. pl. Bot.* Grupo de organismos unicelulares, ou de células congregadas em talo, classicamente conhecido como *algas verdes*. As células, por conterem clorofila, levam um ou vários núcleos e cromatóforos verdes. Têm membrana celulótica e propagam-se em zoósporos, e pode também ocorrer mais de uma modalidade de fecundação. Compreendem quatro classes: *protococales, ulotricales, sifonocladales* e *sifonales*.

clorofíceo. *Adj.* Pertencente ou relativo às clorofíceas.

clorofila. [De *clor(o)-* + *-fil(o)*².] *S. f.* Pigmento de estrutura química algo semelhante à da hemoglobina do sangue dos mamíferos, solúvel nos solventes orgânicos, que realiza a fotossíntese em presença da luz solar, libertando oxigênio no ar e deste retirando o gás carbônico, e tem importância industrial como desodorante, empregado na higiene do corpo: "Secara a c l o r o f i l a das lavouras." (Augusto dos Anjos, *Eu*, p. 37.) [Fórm.: $C_{55}H_{72}O_5N_4Mg$.]

clorofiláceo. *Adj.* Semelhante à clorofila: *pigmento* c l o r o f i l á c e o.

clorofilado. [De *clorofila* + *-ado*¹.] *Adj.* Que tem clorofila: *parênquima* c l o r o f i l a d o.

clorofilase. [De *clorofila* + *-ase*.] *S. f. Bot.* Fermento que desdobra a clorofila, inativando-a, e que se acha muito espalhado entre as dicotiledôneas.

clorofiliano. *Adj.* Relativo à clorofila.

clorofórmico. *Adj.* Relativo ao, ou resultante do clorofórmio.

clorofórmio. *S. m. Quím.* Triclorometano líquido, incolor, com odor agradável, volátil, usado como anestésico. [Fórm.: $CHCl_3$.]

cloroformização. *S. f.* Ato de cloroformizar.

cloroformizado. [Part. de *cloroformizar*.] *Adj.* Que sofreu o efeito da cloroformização.

cloroformizar. *V. t. d.* Aplicar clorofórmio a; anestesiar por meio do clorofórmio.

cloroleucito. [De *clor(o)-* + *leucito*.] *S. m. Bot.* V. *cloroplasto.*

cloromicetina. *S. f. Quím.* Cloranfenicol.

cloromonadino. *S. m.* **1.** Espécime dos cloromonadinos. • *Adj.* **2.** Pertencente ou relativo a eles.

cloromonadinos. *S. m. pl. Zool.* Animais protozoários, fitomastiginos, ordem *Chloromonadina*. Corpo com dois flagelos, cromatóforos numerosos quando presentes, sem estigma; alimento reservado sob a forma de gordura.

cloroplastídio. [De *clor(o)-* + *plastídio*.] *S. m. Bot.* V. cloroplasto.

cloroplasto. [De *clor(o)-* + *-plasto*.] *S. m. Bot.* Corpúsculo portador da clorofila, existente no interior das células verdes, formado por um estroma ou substrato no interior do qual estão os grana. [Às vezes a cor verde está mascarada por outros pigmentos corados. Sin.: *cloroplastídio, cloroleucito*.]

clorose. [De *clor(o)-* + *-ose*.] *S. f.* **1.** *Patol.* Anemia peculiar à mulher, assim chamada pelo tom amarelo-esverdeado que imprime à pele. **2.** *Fitopatol.* Moléstia dos vegetais, que se revela por uma coloração amarelada das partes normalmente verdes, e cuja causa mais importante é a carência de elementos nutritivos indispensáveis, em geral o ferro.

clorosidade. [De *cloroso* + *-i-* + *-dade*.] *S. f. Ocean. Quím.* A proporção de cloro existente na água do mar, expressa em gramas por litro (a 20°C).

cloroso (ô). *Adj.* ~ V. *ácido*—.

clorótico. *Adj.* Relativo à, ou que tem clorose.

➧**close** (ô). [Ingl.] *S. m. Fot.* Fotografia de um objeto muito próximo da máquina; *close-up*.

➧**closet** (clôzét). [Ingl.] *S. m.* Numa edificação (3), compartimento, em geral sem janela(s), para guardar louças e/ou outros utensílios domésticos, ou roupas de cama e mesa, ou peças de vestuário, etc.

➧**close-up** (clôzáp). [Ingl.] *S. m.* **1.** *Fot. Close.* **2.** *Cin., Fot.* e *Telev.* Tomada (4) [q. v.].

clotóide. *S. f. Geom. Anal.* Espiral de Cornu.

➧**clou** (clu). [Fr.] *S. m.* Ponto de interesse dominante; atrativo principal; idéia de maior destaque.

➧**clown** (cláun). [Ingl.] *S. m.* Palhaço (1).

■ **CLT.** Sigla de Consolidação das Leis Trabalhistas [v. *celetista*.]

clube. [Do ingl. *club*.] *S. m.* **1.** Local de reuniões políticas, literárias ou recreativas. **2.** Local que tem, geralmente, edificações, piscina, etc., e onde, comumente pagando uma mensalidade ou taxa, se reúnem pessoas de uma sociedade (8), para praticar esportes, jogar, dançar, etc. **3.** Associação de pessoas, com objetivo social recreativo, ou, ainda, de promover debates em torno de matéria de interesse comum, tal como literatura, ciência, política, etc., mantendo para isto, em geral, encontros periódicos. ♦ **Clube da várzea.** *Bras. MG, RJ* e *SP. Fut.* Qualquer dos clubes esportivos dos arrabaldes ou subúrbios.

clubeco. *S. m. Pej.* Clube (2) sem importância, insignificante.

clubista. *S. 2 g.* **1.** Sócio ou freqüentador de clube. • *Adj. 2 g.* **2.** Pertencente ou relativo a clube.

clunâmbulo. [Do lat. *clune*, 'nádega', + *ambulare*, 'andar'.] *S. m.* Indivíduo estropiado das pernas que, não podendo fazer uso delas, se arrasta com o assento pousado num estrado de madeira.

clupeia. *S. f. Zool.* Ordem de peixes da classe dos actinopterígios.

clupeídeo. *S. m.* **1.** Espécime dos clupeídeos. • *Adj.* **2.** Pertencente ou relativo a eles.

clupeídeos. *S. m. pl. Zool.* Família de peixes da ordem *Clupeia*, que ocorrem no mar e nas águas doces. Compreende alguns dos peixes mais importantes sob o aspecto econômico, como, p. ex., as sardinhas, as manjubas e os arenques. A sardinha verdadeira é azulada no dorso, prateada nos flancos, com pequena mácula próxima às guelras.

clupeio. *S. m. Zool.* Designação comum aos peixes da família dos clupeídeos. Ex.: as sardinhas.

clúpeo. *S. m.* Peixe teleósteo, da família dos clupeídeos, importante gama de peixes marinhos e de água doce. São dos mais úteis na alimentação, e largamente pescados: arenques, sardinhas, enchovas, etc.

■ **cm.** *Fís.* Símb. de *centímetro*.

▲**cnem(e)-.** [Do gr. *knéme, es*.] *El. comp.* = 'perna', 'tíbia': *cnemalgia*. [Equiv.: *cnemo-* e *-cnemo*: *cnemodáctilo, platicnemo*.]

cnêmida. *S. f.* Var. de *cnêmide*.

cnêmide. [Do gr. *knemís, ídos*.] *S. f.* Chapa de metal com que soldados, na Grécia antiga, protegiam as pernas. [Var.: *cnêmida*.]

cnêmio. *Adj.* Relativo à perna.

▲**cnemo-.** V. *cnem(e)-*.

▲**-cnemo.** V. *cnem(e)-*.

cnidário. [Do gr. *knídе*, 'urtiga', + *-ário*.] *S. m.* e *adj.* Celenterado.

cnidários. *S. m. pl. Zool.* Celenterados.

cnidoblasto. *S. m.* Célula urticante dos cnidários.

cnidocílio. *S. m. Zool.* V. *nematocisto*.

■ **CNTP.** *Fís.* Abrev. de *condições normais de temperatura e pressão*.

cnute. [Do russo *knut*, atr. do fr.] *S. m.* **1.** Chicote usado na Rússia. **2.** *P. ext.* Castigo com esse chicote.

co. *Ant.* e *pop.* Contr. da prep. *com* com o art. ou pron. *o*: "Alteradas estão do reino as gentes, / C o ódio que ocupado os peitos tinha" (Luís de Camões, *Os Lusíadas*, IV, 4);"Adonde se viu embarcar c o estômago vazio!" (Caio de Freitas, *Intrusos no Paraíso*, p. 6). [Flex.: *ca, cos, cas*. [Cf. *cá* e *cós*.]

■**Co.** *Quím.* Símb. de *cobalto*.

▲**co-**¹. [Do lat. *cum*.] *Pref.* = 'contigüidade', 'companhia': *co-aluno; co-autor*. [Equiv.: *cor-, com- con-*: *correlação, compactuar, conchegar*.]

▲**co-**². [De *co(mplemento)*.] *El. comp.* = 'complemento': *cologaritmo*.

coa (qua). Aglut. da prep. *com* e do art. ou pron. dem. *a*: "Sentado sozinho c o a face na mão" (Casimiro de Abreu, *Obras*, p. 78); "falando baixinho, c o a voz tremente, à sua amada distante..." (Afonso Arinos, *Pelo Sertão*, p. 11). [Pl.: *coas*. Cf. *côa* e *côas*, do v. *coar* e s. f., e *Côa*, top.]

côa. [Dev. de *coar*.] *S. f.* Coação¹ (1). [Pl.: *côas*. Cf. *coa* e pl. *coas*.]

coabitação. [Do lat. *cohabitatione*.] *S. f.* Ato de coabitar.

coabitar. [Do lat. *cohabitare*.] *V. t. d.* **1.** Habitar em comum: *C o a b i t a m a mesma casa. T. i.* **2.** Morar em comum: "O senhor, depois de casado com minha filha, não c o a b i t a r á com ela; o senhor morará só, numa boa casa .... ; ao passo que Palmira continuará a residir em minha companhia" (Aluísio Azevedo, *Livro de uma Sogra*, p. 139). **3.** Ter relações sexuais habituais, lícitas ou não, com pessoa do sexo oposto. *Int.* **4.** Viver intimamente com alguém.

coação¹. *S. f.* **1.** Ato ou efeito de coar; côa. **2.** V. *escoação* (2 e 3).

coação². [Do lat. *coactione*.] *S. f.* **1.** Ato de coagir; coerção. **2.** Estado de quem se vê coagido.

coacervação. [De *coacervar* + *-ção*] *S. f. Fís.-Quím.* Numa solução coloidal de substância macromolecular, a separação, pela adição de uma substância ou pela variação de temperatura, de duas fases líquidas, uma rica em colóide e a outra quase isenta dele.

coacervar. [Do lat. *coacervare*.] *V. t. d.* **1.** *Ant.* Acumular, cumular, amontoar. **2.** *Fís.-Quím.* Realizar a coacervação de (um colóide).

coacervato. *S. m. Fís.-Quím.* A fase rica em colóide que se forma na coacervação, e constituída pelas moléculas do colóide que retêm entre si moléculas do solvente e do aditivo.

coactar. [Do lat. *coactare*.] *V. t. d.* V. *coatar*.

coactividade. *S. f.* V. *coatividade*.

coactivo. *Adj.* V. *coativo*.

coacto. [Do lat. *coactu*.] *Adj.* V. *coato*.

coactor (ô). [Do lat. *coactore*.] *S. m.* V. *coator*.

co-acusado. [De *co-*¹ + *acusado*.] *S. m. Jur.* Indivíduo incluído na mesma acusação movida contra outrem, como co-autor, ou como autor de crime conexo; co-réu; co-denunciado. [Pl.: *co-acusados*.]

coada. [Fem. substantivado do part. de *coar*.] *S. f.* **1.** V. *barrela*. **2.** Suco de legumes cozidos e passados pelo coador. [Cf. *cuada*.]

coadjutor (ô). [Do lat. *coadjutore*.] *Adj.* **1.** Que coadjuva. • *S. m.* **2.** Aquele que coadjuva. **3.** Sacerdote adjunto de um pároco ou bispo.

coadjutoria. *S. f.* Serviço ou função de coadjutor.

coadjuvação. *S. f.* Ato ou efeito de coadjuvar.

coadjuvante. [Do lat. *coadjuvante*.] *Adj. 2 g.* **1.** Que coadjuva, ajuda, concorre para um fim comum. **2.** *Teat.* e *Cin.* Diz-se do ator que interpreta papéis secundários. • *S. 2 g.* **3.** *Teat.* e *Cin.* Esse ator.

coadjuvar. [Do lat. *coadjuvare*.] *V. t. d.* e *t. d. e i.* **1.** Ajudar, auxiliar: *Declararam-se dispostos a* c o a d j u v a r *a causa da alfabetização*, C o a d j u v a r a m *as tropas aliadas na defesa do forte. P.* **2.** Auxiliar-se,

ajudar-se mutuamente.
co-administração. *S. f.* Ato ou efeito de co-administrar. [Pl.: *co-administrações.*]
co-administrador (ô). *S. m.* Aquele que co-administra. [Pl.: *co-administradores.*]
co-administrar. [De *co-*[1] + *administrar.*] *V. t. d.* Administrar juntamente com outrem.
coador (ô). *Adj.* **1.** Que côa. ● *S. m.* **2.** Vaso cujo fundo é crivado de pequenos orifícios, por onde passa a parte mais fina de certas substâncias; crivo. **3.** Saco ou utensílio para coar café (2).
coadquirente. *Adj. 2 g.* e *s. 2 g.* Que ou quem coadquire.
coadquirir. [De *co-* + *adquirir.*] *V. t. d.* Adquirir em sociedade com outrem.
coadunação. [Do lat. *coadunatione.*] *S. f.* Ato de coadunar(-se).
coadunado. [Part. de *coadunar.*] *Adj.* **1.** Ajuntado, reunido. **2.** Ajustado, combinado. **3.** V. *concrescente.*
coadunar. [Do lat. *coadunare.*] *V. t. d.* e *t. d.* e *i.* **1.** Juntar, incorporar, reunir, para a formação de um todo: *coadunar várias idéias.* **2.** Conformar, combinar, harmonizar: *coadunar opiniões diferentes. P.* **3.** Conformar-se, combinar-se, harmonizar-se: "Muitos cavalheiros .... passam a vida acidentada à procura .... de um ofício definitivo que *se coadune* com o próprio temperamento" (João do Rio, *Cinematógrafo,* p. 95).
coadunável. *Adj. 2 g.* Que se pode coadunar.
coadura. *S. f.* **1.** Passagem do líquido pelo coador. **2.** O líquido coado.
coagel. [De *coa(gular)* + *gel.*] *S. m. Fís.-Quím.* Gel análogo ao hidróxido férrico ou hidróxido de alumínio, e obtido por precipitação. [Pl.: *coagéis.*]
coagente. *Adj. 2 g.* Que coage; coativo [q. v.].
coagido. [Part. de *coagir.*] *Adj.* Que sofreu coação; coato.
coagir. [De *coação*[2], e não do lat., que é *cogere.*] *V. t. d.* e *t. d.* e *i.* Constranger; forçar: "E se para o rei abdicar for mister *coagi*-lo, faça-se." (Oliveira Martins, *Portugal Contemporâneo,* p. XXII); *coagir os fracos; Coagiram-no a demitir-se do cargo.* [Embora, para alguns, só se deva conjugar nas f. em que o *g* da raiz é seguido de *e* ou de *i,* entre nós a tendência é usá-lo em todas as formas.]
coagmentação. [Do lat. *coagmentatione.*] *S. f. Desus.* Coagmento.
coagmentar. [Do lat. *coagmentare.*] *V. t. d. Desus.* **1.** Fazer aderir; ligar, amassar. **2.** Moldar, amassando ou aglutinando.
coagmento. [Do lat. *coagmentu.*] *S. m.* Ato ou efeito de coagmentar. [Sin., desus.: *coagmentação.*]
coagulabilidade. *S. f.* Qualidade de coagulável.
coagulação. [Do lat. *coagulatione.*] *S. f.* **1.** Ato ou efeito de coagular(-se); coalhadura. **2.** Passagem de um líquido ao estado de sólido: *A hemorragia foi provocada pela má coagulação do sangue.* **3.** *Fís.-Quím.* Precipitação da fase dispersa de um colóide; floculação.
coagulador (ô). *Adj.* **1.** Que coagula; que produz coagulação. ● *S. m.* **2.** V. *abomaso.* **3.** V. *coalheira* (2).
coagulante. [Do lat. *coagulante.*] *Adj. 2 g.* e *s. m.* Que, ou o que coagula.
coagular. [Do lat. *coagulare.*] *V. t. d.* **1.** Promover a coagulação ou solidificação de. *Int.* e *p.* **2.** Converter-se em sólido; solidificar-se: *Rapidamente o leite coagulou; O sangue coagula-se pela formação de massa de fibrina.* [Var. *coalhar.* Pres. ind.: *coagulo,* etc. Cf. *coágulo.*]
coagulável. *Adj. 2 g.* Que se pode coagular.
coágulo. *S. m.* Parte coagulada de um líquido; coalho, coalhadura. [Cf. *coagulo,* do v. *coagular.*]
coajerucu. [De possível or. tupi.] *S. m. Bras., Amaz.* Árvore pequena, da família das anonáceas (*Xylopia fructescens*), de flores hermafroditas, frutos que são bagas pequenas, com sementes, e que fornece madeira castanho-alvacenta, própria para carpintaria, tendo a casca propriedades odoríferas; ibira, pau-de-embira, pijerecu, pindaíba, pindaúva.
coala. [Do austr. *koala.*] *S. m.* Marsupial australiano arborícola (*Phascolarctos cinereus*), de pêlo espesso e cinzento, orelhas grandes e garras aguçadas; não tem rabo e lembra um pequeno urso; alimenta-se de folhas e brotos de eucaliptos.
coalescência. [Do lat. *coalescentia.*] *S. f.* **1.** Junção de partes que se encontravam separadas: *a coalescência das bordas de uma ferida.* **2.** *Fís.* O fenômeno de crescimento de uma gotícula de líquido pela incorporação em sua massa de outras gotículas com as quais entra em contato.
coalescente. [Do lat. *coalescente.*] *Adj. 2 g.* **1.** Aderente, unido. **2.** Aglutinante. **3.** V. *concrescente.*
coalescer. [Do lat. *coalescere.*] *V. t. d.* **1.** Fazer aderir; aglutinar. **2.** Juntar, unir. [Conjug.: v. *crescer.*]
coalhada. *S. f.* Leite coalhado, em geral usado como alimento.
coalhado. [Part. de *coalhar.*] *Adj.* **1.** Coagulado, solidificado: *leite coalhado.* **2.** Apinhado, cheio: *Havia muita gente na missa, a igreja estava coalhada.*
coalhadura. *S. f.* **1.** Ato ou efeito de coalhar; coagulação. **2.** V. *coágulo.*
coalhar. [Do lat. *coagulare.*] *V. t. d., int.* e *p.* V. *coagular.*
coalheira. [De *coalhar* + *-eira.*] *S. f.* **1.** V. *abomaso.* **2.** Líquido segregado por essa víscera e utilizado nas queijarias para coalhar o leite; coalho; coagulador.
coalho. [Dev. de *coalhar.*] *S. m.* **1.** V. *coágulo:* "línguas pendentes e vermelhas como *coalhos* de sangue" (Eça de Queirós, *Contos,* p. 182). **2.** V. *coalheira* (2). **3.** Flor de certo cardo.
coalização. [De *coalizar-se* + *-ção.*] *S. f.* Coalizão.
coalizão. [Do fr. *coalition.*] *S. f.* **1.** Acordo de partidos políticos para um fim comum. **2.** Aliança de nações. **3.** *Econ.* Coligação de produtores da mesma categoria que objetivam vantagens comuns ou lucros arbitrários, ou visam a proteger-se contra a concorrência desleal. [Cf. (nessa acepç.): *cartel*[2].] **4.** *Jur.* Consórcio, convênio, ajuste, aliança ou fusão de capitais, de caráter criminoso, para impedir ou dificultar a concorrência, visando o aumento de lucros arbitrários. [Sin. ger.: *coalização.*]
coalizar-se. [De *coalizão.*] *V. p.* Fazer acordo para um fim comum; unir-se, aliar-se, coligar-se.
co-aluno. [De *co-*[1] + *aluno.*] *S. m.* Aquele que é aluno juntamente com outro(s); condiscípulo. [F. paral.: *comaluno.* Pl.: *co-alunos.*]
cóana. *S. m. Anat.* Cóano.
coanictes. *S. f. pl. Zool.* Subclasse de peixes crossopterígios onde se encontram peixes totalmente extintos, com exceção dos celacantinos, verdadeiros fósseis vivos, encontrados desde 1938 nas costas da África do Sul.
cóano. [Do gr. *kóanos.*] *S. m. Anat.* Cada um dos orifícios posteriores das fossas nasais; cóana.
▲**coano-.** [Do gr. *kóanos.*] *El. comp.* = 'recipiente de metal em fusão', 'funil': *coanócito.*
coanócito. [De *coano-* + *-cito.*] *S. m. Zool.* Célula dos espongiários, provida de um colar membranoso em torno da base do flagelo.
coanoflagelado. [De *coano-* + *flagelado.*] *S. m.* **1.** Espécime dos coanoflagelados. ● *Adj.* **2.** Pertencente ou relativo a eles.
coanoflagelados. *S. m. pl. Zool.* Animais protozoários flagelados, fixos ao substrato, possuidores de um colar citoplasmático hialino, contrátil, através do qual emerge o flagelo.
coanóide. [De *cóano* + *-óide.*] *Adj. 2 g.* V. *afunilado* (1).
coanorragia. [De *coano-* + *-ragia.*] *S. f. Med.* V. *epistaxe.*
coanorrágico. *Adj.* Relativo à coanorragia.
co-apóstolo. [De *co-*[1] + *apóstolo.*] *S. m.* Aquele que apostola juntamente com outrem; companheiro de apostolado. [Pl.: *co-apóstolos.*]
coaptação. [Do lat. *coaptatione.*] *S. f.* **1.** Adaptação recíproca de ossos fraturados. **2.** *Cir.* Redução de ossos deslocados.
coar. [Do lat. *colare.*] *V. t. d.* **1.** Fazer passar através de filtro ou coador; filtrar: *coar o café; coar a sopa.* **2.** Deixar cair gota a gota; fazer pingar: *As nuvens cinzentas coavam uma chuva miúda.* **3.** Fazer correr (o metal fundido) para dentro do molde; vazar. **4.** Deixar passar através: *As venezianas coam a luz do dia. T. d.* e *c.* **5.** Deixar passar: *coava as águas do riacho numa velha bateia, catando o cascalho;* "Meio encoberto já, o sol *coava* sua luz triste através das nuvens" (Adolfo Caminha, *Bom-Crioulo,* pp. 63-64). **6.** Fazer chegar furtivamente: *coou-lhe ao ouvido seu segredo. T. i.* **7.** Penetrar pouco a pouco; introduzir-se: *Ouvia as palavras injustas e o ódio a coar-lhe na alma;* "É tua! — Estas palavras do mancebo / *Coaram* grato enleio" (Gonçalves Dias, *Obras Poéticas,* II, p. 124). *P.* **8.** Passar através; introduzir-se: "Pelos vidros *côa-se* a luz baça do crepúsculo." (Raul Brandão, *A Farsa,* p. 15.) **9.** Penetrar pouco a pouco; insinuar-se: *A indignação pelos abusos coava-se no seu íntimo.* **10.** Fugir, escapar-se. [Conjug.: v. *coroar.* Pres. ind.: *côo, côas, côa,* etc. Part.: *coado,* fem. *coada.* Cf. *Côa,* top.: *coa,* pl. *coas;* e *cuada.*]
coaraciense. *Adj. 2 g.* **1.** De, ou pertencente ou relativo a Coaraci (BA). ● *S. 2 g.* **2.** Natural ou habitante de Coaraci.
coaracimimbi. *S. m. Bras.* V. *maria-faceira.*
coaracinumbi. *S. m. Bras.* V. *maria-faceira.*
coaraciuirá. (i-u-i). *S. m. Bras.* V. *anambé*[1] (1).
coarctação. [Do lat. *coarctatione.*] *S. f.* **1.** Ato ou efeito de coarctar; restrição, redução. **2.** Coarctada (3). [Var.: *coartação.*]
coarctada. [Fem. substantivado de *coarctado.*] *S. f.* **1.** *Jur.* Alegação de defesa; justificação. **2.** *P. ext.* Prova negativa convincente; desmentido. **3.** Réplica vigorosa; coarctação. [Var.: *coartada.*]
coarctado. [Part. de *coarctar.*] *Adj.* **1.** Limitado, circunscrito. **2.** Restringido, diminuído. **3.** Reprimido, coibido. [Sin. ger.: *coarcto.* Var.: *coartado.*]
coarctar. [Do lat. *coarctare.*] *V. t. d.* **1.** Reduzir de tamanho; estreitar, cincunscrever: *O soberano não aceitou a idéia de coarctar seu império.* **2.** Restringir, diminuir, limitar: *A assembléia coarctou os poderes do primeiro-ministro;* "E a jurisdição amplíssima que se lhes havia concedido foi sendo para logo sucessivamente *coarctada*" (João Francisco Lisboa, *Obras,* III, p. 76). **3.** Reprimir, coibir, conter, refrear: *O governo coarctou os abusos. P.* **4.** Restringir-se, limitar-se: *O orador coarctou-se a breves considerações.* [Var.: *coartar.*]
coarctativo. *Adj.* Que coarcta ou pode coarctar. [Var.: *coartativo.*]
coarcto. *Adj.* V. *coarctado.*
coariense. *Adj. 2 g.* **1.** De, ou pertencente ou relativo a Coari (AM). ● *S. 2 g.* **2.** Natural ou habitante de Coari.
coariúba. *S. f. Bras. Amaz.* Árvore muito grande da família das voquisiáceas (*Vochysia grandis*), cuja madeira, de cerne vermelho, é resistente, usada em carpintaria; cedrorana, coariúva, quaruba.
coariúva. *S. m. Bras. Amaz.* V. *coariúba.*
co-arrendador. *S. m.* Aquele que co-arrenda.
co-arrendamento. *S. m.* Ação de co-arrendar. [Pl.: *co-arrendamentos.*]
co-arrendar. [De *co-*[1] + *arrendar.*] *V. t. d.* Arrendar juntamente com outrem.
coartação. *S. f.* V. *coarctação.*
coartada. *S. f.* V. *coarctada.*
coartado. *Adj.* V. *coarctado.*
coartar. *V. t. d.* V. *coarctar.*
coartativo. *Adj.* V. *coarctativo.*
coarto. *Adj.* V. *coarcto.*
coatá-branco. *S. m.* Manquiçapá.
coatar. [Var. de *coactar.*] *V. t. d.* Tornar coato; obrigar, impor, coagir.
coatividade. [Var. de *coactividade.*] *S. f.* Qualidade ou caráter de coativo; coercitividade.
coativo. [Var. de *coactivo.*] *Adj.* **1.** Referente a coação. **2.** Que coata ou coage; coator, coercivo. **3.** Que tem o direito ou a possibilidade de impor obediência: *poder coativo.*
coato. [Var. de *coacto.*] *Adj.* Coagido.
coator (ô). [Var. de *coactor.*] *Adj.* **1.** Coativo (2). ● *S. m.* **2.** Aquele que coata ou coage. **3.** Entre os antigos romanos, cobrador de impostos.
co-autor. [De *co-*[1] + *autor.*] *S. m.* **1.** Aquele que produz com outrem qualquer trabalho ou obra; colaborador, co-participante: *co-autor de um dicionário.* **2.** *Jur.* Aquele que é culpado, juntamente com outrem, da prática de um delito; co-delinqüente, cúmplice: *É co-autor do crime.* [Pl.: *co-autores.*]
co-autoria. [De *co-*[1] + *autoria.*] *S. f.* **1.** Estado, qualidade, condição ou caráter de co-autor. **2.** *Jur.* Pluralidade de agentes de um crime. [Pl.: *co-autorias.*]
co-avalista. [De *co-*[1] + *avalista.*] *S. 2 g.* Pessoa que, juntamente com outra, se obriga por aval no mesmo título. [Pl.: *co-avalistas.*]
coaxação. [Do lat. *coaxatione.*] *S. f.* V. *coaxo.*
coaxada. *S. f.* V. *coaxo.*
coaxante. *Adj. 2 g.* Que coaxa.
coaxar. [Do lat. *coaxare.*] *V. int.* **1.** Fazer ouvir a sua voz (a rã, o sapo): "Sapos *coaxavam* no regato próximo" (Érico Veríssimo, *Noite,* p. 15). **2.** Gritar como a rã ou o sapo. *T. d.* **3.** Exprimir em grito como o da rã ou do sapo. ● *S. m.* **4.** V. *coaxo:* "*Sem o coaxar dos sapos ou o cricri dos grilos / como é que poderíamos dormir tranqüilos / a nossa eternidade?*" (Mário Quintana, *Esconderijos do Tempo,* p. 73.)
coaxi. [Do tupi *kawi'xi;* var. de *cauixi.*] *S. m. Bras., Amaz.* Nateiro que, por ocasião das enchentes, se forma à superfície do aguaçal e se agarra aos troncos, e, depois de seco, voa e se espalha no ar.
coaxial (cs). [De *co-*[2] + *axial.*] *Adj. 2 g. Eletrôn.* Que tem um eixo em comum. ~ V. *cabo* ~.
coaxixá. [Do tupi.] *S. m. Bras.* V. *xixá.*

coaxo. [Dev. de *coaxar.*] *S. m.* **1.** Ato de coaxar. **2.** A voz das rãs e dos sapos. [Sin. ger.: *coaxação, coaxada, coaxar.*]

cobaia. [De alguma língua indígena americana.] *S. f.* **1.** Mamífero roedor, da família dos cavídeos (*Cavia porcellus* (L.)), originário, provavelmente, da região andina, e hoje conhecido apenas em estado doméstico. Muito usado em laboratório para fins experimentais. Coloração dorsal castanho enegrecida, com pêlos grisalhos e amarelos, lados do corpo mais claros, superfície ventral uniformemente amarelo-parda brilhante. Admite-se ser esta espécie a forma selvagem da cobaia doméstica, que se supõe haver sido domesticada pelos indígenas da América do Sul. [Sin.: *porquinho-da-índia, preá-da-índia.*] **2.** *Fig.* Campo ou objeto de experiência: *Não me amava: eu era apenas uma sua* c o b a i a.

cobaltita. *S. f. Min.* Mineral monométrico, sulfoarseniето de cobalto, minério de cobalto.

cobaltizagem. *S. f.* Ato ou efeito de cobaltizar.

cobaltizar. *V. t. d.* **1.** Adicionar cobalto a. **2.** Dar a cor azul do cobalto a. *P.* **3.** Adquirir esta cor: "uma ampla corola eritrina, sulfurina, sandicina, purpurizada, irial, que onímoda, onicolor, ... s e c o b a l t i z a, sem ambreia, se acobreia" (Martins Fontes, *A Dança*, p. 64).

cobalto. [Do al. *Kobalt*, nome de um duende das lendas germânicas, pelo fr. *cobalt.*] *S. m.* **1.** *Quím.* Elemento de número atômico 27, metálico, branco-prateado, resistente, usado em ligas. [Símb.: *Co.*] **2.** *Fig.* Cor azul-escura viva: *Era de ver o* c o b a l t o *daquelas águas.* ◆ **Cobalto 60.** *Quím.* Isótopo radioativo do cobalto, emissor de gamas muito enérgicas, com meia-vida de 5, 6 anos, usado como fonte de radiação em tratamento radioterápico e na gamagrafia de peças metálicas.

cobaltoterapia. [De *cobalto* + *terapia.*] *S. f.* Tratamento pelo cobalto.

cobaltoterápico. *Adj.* Referente à cobaltoterapia.

cobarde. *Adj. 2 g.* e *s. 2 g.* V. *covarde:* "Nunca fui um homem que se pudesse chamar valente, mas também não sou c o b a r d e" (Domingos Monteiro, *Histórias das Horas Vagas*, p. 110).

cobardia. *S. f.* V. *covardia.*

cobardice. *S. f.* V. *covardice.*

coberta. [Fem. substantivado do adj. *coberto.*] *S. f.* **1.** Aquilo que serve para cobrir, cobertura, capa. **2.** Coberta de cama; colcha. **3.** V. *cobertura* (7). **4.** Tampo de degrau de escada. **5.** *Fig.* Abrigo, proteção. **6.** *Fig.* disfarce, dissimulação, aparência, capa. **7.** *Constr. Nav.* Qualquer convés situado abaixo do convés principal. **8.** *Constr. Nav.* Qualquer espaço compreendido entre cada dois conveses sucessivos abaixo do principal, e utilizado para habitação da tripulação. **9.** *Bras., PA.* Embarcação de duas toldas de madeira, uma à vante e outra à ré: "Embarcações de todas as lotações, galeotas, c o b e r t a s, igarités e montarias, sulcavam as águas do Paru" (José Veríssimo, *Cenas da Vida Amazônica*, p. 58). ◆ **Coberta de desmonte.** *Bras., MG.* Terra inútil que, ordinariamente, reveste o cascalho. **Baralhar as cobertas.** *Bras., S.* Meter-se em conflito(s); brigar.

coberteira. [De *coberta* + *-eira.*] *S. f. Zool.* Camada de penas pequeníssimas e flexíveis insertas entre as rêmiges.

coberto. [Part. de *cobrir.*] *Adj.* **1.** Tapado, resguardado. **2.** Vestido, agasalhado. **3.** Revestido. **4.** Polvilhado (doce). **5.** Protegido, defendido. **6.** Dissimulado, oculto. **7.** Cheio, repleto, referto. **8.** Percorrido, vencido. **9.** Excedido (lanço). **10.** Garantido, afiançado. **11.** Liquidado, pago. **12.** *Bras.* e *prov. lus.* Diz-se da fêmea de animal padreada ou prenhe. ~ V. *campo* —, *dívida* — a e *lago* —. ● *S. m.* **13.** *Arquit.* Qualquer espaço coberto; alpendre, telheiro: "O sol dava, com todo o brilho de manhã puríssima, por entre os pilares que sustinham as abóbadas dos c o b e r t o s que cercavam o pátio interior." (Alexandre Herculano, *Lendas e Narrativas*, II, p. 63.) ◆ **A coberto de.** Livre de; defendido contra.

cobertor (ô). *S. m.* **1.** Peça encorpada e felpuda, de lã ou de algodão, que constitui roupa de cama. **2.** Coberta (2). **3.** Colgadura. [Sin. pop., nas acepç. 1 e 2 (em SP): *pulgueiro.*] ◆ **Cobertor de orelha.** *Bras.* Aquela ou aquele com quem alguém se deita; amante.

cobertura. *S. f.* **1.** Aquilo que cobre; coberta. **2.** Ato de cobrir; cobrimento. **3.** Fiança, garantia. **4.** Liquidação, pagamento. **5.** Conjunto de fundos que garante a liquidação de um contrato, ou de uma operação mercantil ou cambiária. **6.** Revestimento (5): *A parede recebeu uma* c o b e r t u r a *de feltro.* **7.** *Arquit.* Teto, telhado, coberta. **8.** Apartamento construído sobre a laje de cobertura de um edifício, e que ocupa uma parte da superfície deste, sendo a outra parte, em geral, constituída por um terraço: "Pra mim, viagens internacionais / Uma c o b e r t u r a e um casarão bem chique" (Chico Buarque de Holanda, *Roda-Viva*, p. 36). **9.** *Jorn., Rád.* e *Telev.* Trabalho de reportagem realizado no local de ocorrência do fato a ser noticiado. **10.** *Encad.* Operação de cobrir de couro, pano, etc., as pastas de um livro. **11.** *Encad.* O material usado nessa operação. **12.** *Ind. Pap.* Revestimento (5). **13.** *Bras. Mar. G.* Ação ou efeito de proteger uma força naval ou um comboio por meio de navios ou aviões interpostos entre ela ou ele e o inimigo. **14.** *Bras. Mar. G.* Grupamento de navios ou aviões ao qual compete executar essa proteção. **15.** *Mat.* Em relação a um conjunto, família de conjuntos cuja união o contém.

cobéua. *Bras. S. 2 g.* **1.** Indivíduo dos cobéuas, grupo indígena tucano que habita nas margens dos rios Querari e alto Aiazi (AM), e mantém contacto permanente com a sociedade nacional. ● *Adj. 2 g.* **2.** Pertencente ou relativo a esse grupo.

cobiça. [Do b.-lat. *cupiditia.*] *S. f.* **1.** Desejo sôfrego, veemente, de possuir bens materiais; avidez, cupidez. **2.** Ambição desmedida de riquezas.

cobiçante. *Adj. 2 g. P. us.* V. *cobiçoso.*

cobiçar. *V. t. d.* **1.** Ter cobiça de; desejar, apetecer ardentemente: *Não* c o b i ç a r *a mulher do próximo.* **2.** Ter ambição de, ambicionar (honras ou riquezas): C o b i ç a *o poder e a glória.* [Conjug.: v. *laçar.*]

cobiçável. *Adj. 2 g.* Digno de se cobiçar; apetecível.

cobiçoso (ô). *Adj.* **1.** Cheio de cobiça; ávido, sôfrego. **2.** Ambicioso. [Sin. ger., p. us.: *cobiçante.*]

cobocó. *S. m. Bras., BA.* V. *cabocó* (1).

cobogó. [Das iniciais dos sobrenomes dos engenheiros (*Co*)*imbra*, (*Bo*)*eckmann* e (*Gó*)*is.*] *S. m. Constr.* Elemento vazado, de cerâmica ou de cimento, empregado na construção de paredes perfuradas, para proporcionar a entrada de luz natural e de ventilação. [F. paral.: *combogó.*]

cobol. *S. m. Proc. Dados.* Compilação desenvolvida pela atividade de processar dados, e que pode ser utilizada em computadores de muitos tipos diferentes. [Pl.: *cobóis.*]

cobra[1]. [Do lat. *colubra.*] *S. f.* **1.** Designação popular dos ofídios em geral, que inclui espécies venenosas ou não. [Sin.: *serpente* e (bras) *mbói, mbóia,* e *malacatifa* (PB).] **2.** Objeto em forma de cobra. **3.** *Fig.* Pessoa de má índole e/ou de mau gênio. **4.** *Bras.* No jogo do bicho [q. v.], o nono grupo (8), que abrange as dezenas 33, 34, 35 e 36, e corresponde ao número nove. **5.** *Bras.* Personagem animal do bumba-meu-boi [q. v.]. ● *S. 2 g.* **6.** *Bras. Pop.* Pessoa perita em seu ofício ou em sua arte; cobrão. ● *Adj. 2 g.* **7.** Diz-se de cobra[1] (6). ◆ **Cobra corre-campo.** *Bras., CE.* V. *corre-campo* (1). **Andar como cobra quando perde a peçonha.** *Bras., N.E.* Mostrar-se ansioso de vingança. **Dizer cobras e lagartos de.** Dizer coisas muito ofensivas ou injuriosas, a respeito de (pessoa ou coisa): "Há quem ache Lisboa detestável .... ; e quem .... a não tolere por forma alguma, e d e l a d i g a c o b r a s e l a g a r t o s." (Fialho d'Almeida, *Pasquinadas*, p. 313.) **Ficar cobra.** *Bras. Pop.* Enfurecer-se, indignar-se. **Matar a cobra e mostrar o pau.** *Bras.* Afirmar alguma coisa e prová-la.

cobra[2]. *S. f. Ant.* Copla.

cobra-capim. *S. f. Bras.* V. *cobra-de-capim.* [Pl.: *cobras-capins* e *cobras-capim.*]

cobra-cega. *S. f. Bras.* **1.** Animal anfíbio, da ordem dos gimnofiônios, família dos cecilídeos, particularmente as espécies dos gêneros *Siphonops* Wagl., e *Caecilia* (L.), comuníssimos no Brasil. Corpo vermiforme, pele com sulcos transversais formando anéis distintos, sem aspecto quadriculado; cor escura, tendendo ao cinza-azulado; olhos ausentes. Vive no solo, em cavidades ou galerias pouco profundas, e alimenta-se de material vegetal humoso. [Sin.: *cobra-pilão, minhocão, mãe-de-saúva, ubijara.* Cf. *cobra-de-duas-cabeças.*] **2.** Designação comum a várias espécies de reptis ofídios, das famílias dos tiflopídeos e leptotiflopídeos, gêneros *Helminthopis* Pet., *Typhlops* Dum. & Bid., e *Leptotyphlops* Fitz., de hábitos subterrâneos, com aspecto vermiforme, por vezes confundidas com minhocas. [Sin.: *fura-terra, minhoca.* Pl.: *cobras-cegas.*]

cobra-chata. *S. f. Bras.* V. *boipeva.* [Pl.: cobras-chatas.]

cobra-cipó. *S. f. Bras.* Designação comum a várias espécies de reptis ofídios, de corpo muito fino e alongado, geralmente verde, e hábitos arborícolas, entre elas a *Dendrophidion dendrophis* (Schl.), a *Drymoluber dichrous* (Pet.), umas 10 espécies do gênero *Phylodrias* Wagl., algumas do *Chironius* Fifz., e outras. [Sin.: *boicipó, boiobi, boiubu, bojobi.* Cf. *cobra-verde* (1) e *acutimbóia.* Pl.: *cobras-cipós* e *cobras-cipó.*]

cobra-coral. *S. f. Bras.* **1.** Designação comum a várias espécies de reptis ofídios de coloração mista, em geral com vermelho, preto, amarelo, branco ou outras cores intercaladas, formando no dorso faixas transversais distintas. As mais representativas são dos gêneros *Anilius* Oken, *Lystrophis* Cope, *Hydropis* Wagl., *Erythrolampus* Wagl., e especialmente as venenosas do gênero *Micrurus* Wagl. O povo distingue entre as falsas corais ou aglifas, família dos colubrídeos, e as verdadeiras corais, proteróglifas, família dos elapídeos. Estas últimas são venenosas. [Sin.: *boipiranga, coral, boicorá.*] **2.** Personagem animal e fantástica do bumba-meu-boi [q. v.]. [Pl.: *cobras-corais* e *cobras-coral.*]

cobra-coral-falsa. *S. f. Bras.* Designação comum às cobras da família dos colubrídeos, de coloração semelhante à das corais verdadeiras, ordinariamente com mistura de vermelho, preto e amarelo, e que destas se distinguem por serem opistoglifas ou aglifas, com constrição atrás da cabeça ou pescoço, olhos grandes, cauda fina e alongada. [Cf. *cobra-coral-venenosa.* Pl.: *cobras-corais-falsas.*]

cobra-coral-venenosa. *S. f. Bras.* Reptil ofídio da família dos elapídeos, série proteroglifa, gênero *Micrurus* Wagl., distribuído por todo o País, onde atualmente são conhecidas 13 espécies. Distinguem-se das demais cobras pela coloração do tipo coral e pelas presas pequenas, anteriores e sulcadas. Cabeça e cauda curtas, quase da mesma grossura do corpo. [Sin.: *coral-venenosa, coral-verdadeira, ibiboboca, ibiboca, ibioca.* Cf. *cobra-coral-falsa.* Pl.: *cobras-corais-venenosas.*]

cobra-d'água. *S. f. Bras.* **1.** Designação comum a várias espécies de reptis ofídios da família dos colubrídeos, especialmente do gênero *Helicops* Wagl., de hábitos aquáticos, com nove espécies brasileiras, e que se alimentam de peixes, girinos, rãs e larvas de artrópodes. [Sin.: *surucucurana, sucurana.*] **2.** V. *cobra-lisa* [Pl.: *cobras-d'água.*]

cobra-de-asa. *S. f. Bras.* V. *jequitiranabóia.* [Pl.: *cobras-de-asa.*]

cobra-de-cabelo. *S. f. Bras.* V. *nematomorfos* (1). [Pl.: *cobras-de-cabelo.*]

cobra-de-capim. *S. f. Bras.* Reptil ofídio, da família dos colubrídeos (*Leimadophis poecilogyrus* (Wied.)), uma das espécies mais comuns, de coloração geral verde, e com 0,60 m de comprimento. Vive em capinzais, tem hábitos aquáticos e alimenta-se de peixes, anuros e lagartixas. [Sin.: *cobra-capim, cobra-de-lixo.* Pl.: *cobras-de-capim.*]

cobra-de-duas-cabeças. *S. f. Bras.* Reptil lacertílio, da família dos anfisbenídeos, particularmente as espécies de *Amphisbaena* L., com sete representantes no Brasil, e *Leposternon* Spix, com 10 espécies. Corpo longo, cilíndrico, desprovido de pés, com a mesma grossura de um extremo ao outro, donde o nome popular. Coloração, em geral, branca a amarela, com vestígios de escamas; sulcos longitudinais e transversais, que lhe dão aspecto quadriculado. Vive em cavidades no solo, e alimenta-se de pequenos invertebrados. No Brasil são conhecidos quatro gêneros e cerca de 20 espécies desses animais. [Sin.: *anfisbena, ibijara, mãe-de-saúva, rei-das-formigas, ubijara* e (lus.) *licranço.* Cf. *cobra-cega* (1). pl.: *cobras-de-duas-cabecas.*]

cobra-de-fogo. *S. f. Bras.* Boitatá (2). [Pl.: *cobras-de-fogo.*]

cobra-de-lixo. *S. f. Bras.* V. *cobra-de-capim.* [Pl.: *cobras-de-lixo.*]

cobra-de-veado. *S. f. Bras.* **1.** V. *salamanta.* **2.** Reptil ofídio, da família dos boídeos (*Boa hortulana* (L.)), distribuído por todo o País, pardo ou cinza-pardo em cima, com duas séries de grandes manchas pardo-escuras, arredondadas, alternadas, ao longo do corpo; boa. [Pl.: *cobras-de-veado.*]

cobra-de-vidro. *S. f. Bras.* Reptil lacertílio, da família dos angüídeos (*Ophiodes striatus* (Spix)), colubriforme, cauda quebradiça. Apresenta vestígios de patas posteriores, e é desprovido de patas anteriores. Coloração escura, com linhas longitudinais mais escuras no dorso, e a parte inferior azulada. Vive em lugares secos e alimenta-se de pequenos invertebrados. [Var.: *cobravidro;* sin.: *quebra-quebra* e (lus.) *licranço.* Pl.: *cobras-de-vidro.*]

cobra-do-ar. *S. f. Bras. N. E.* V. *jequitiranabóia.* [Pl.: *cobras-do-ar.*]

cobra-do-mar. *S. f.* Muçum-do-mar. [Pl.: *cobras-do-mar.*]

cobrador (ô). *Adj.* e *s. m.* Que ou aquele que cobra ou faz cobranças; recebedor.

cobra-espada. *S. f. Bras., N.E.* V. *jararaquinha-do-campo* (1). [Pl.: *cobras-espadas* e *cobras-espada.*]

cobra-grande. *S. f. Bras., Amaz.* V. *boiúna* (1). [Pl.: *cobras-grandes.*]

cobra-jabuti. *S. f. Bras., MA. Folcl.* Animal lendário, de aparência monstruosa, que se retrai quando encontra uma pessoa, transformando-se em cágado, e, se essa pessoa o leva para casa, ao chegar lá adquire o aspecto de monstro indescritível. [Pl.: *cobras-jabutis* e *cobras-jabuti*.]

cobra-lisa. *S. f. Bras.* Réptil ofídio, da família dos colubrídeos (*Liophis miliaris* (L.)), comuníssimo em todo o País. Tem hábitos aquáticos, donde o nome que também lhe dão, de *cobra-d'água*. Coloração verde carregada, com aspecto de reticulado em virtude da orla escura das escamas; lado ventral amarelado; corpo brilhante; comprimento: até 1 m. [Sin.: *cobra-d'água, jararaca-do-tabuleiro, trairabóia*. Pl.: *cobras-lisas*.]

cobra-nariguda. *S. f. Bras.* V. *jararaca-da-praia*. [Pl.: *cobras-narigudas*.]

cobrança. *S. f.* **1.** Ato ou efeito de cobrar. **2.** Arrecadação de quantias.

cobra-nova. *S. f. Bras., S.* V. *jararacuçu-do-brejo*. [Pl.: *cobras-novas*.]

cobrão. [Aum. de *cobra[1]* (5).] *S. m. Bras. Pop.* Cobra[1] (6).

cobra-papagaio. *S. f. Bras. AM.* **1.** V. *ararambóia*. **2.** *Bras., N.E.* V. *jararaca-verde*. [Pl.: *cobras-papagaios* e *cobras-papagaio*.]

cobra-pilão. *S. f. Bras.* V. *cobra-cega* (1). [Pl.: *cobras-pilões* e *cobras-pilão*.]

cobra-preta. *S. f.* **1.** *Bras., AM.* V. *muçurana* (1). **2.** *Bras., S.* Designação comum da *Rachidelus brazili* Boul., às vezes confundida com a muçurana, de coloração negra brilhante, e que se alimenta de pássaros, não sendo, como é a anterior, ofiófaga. [Pl.: *cobras-pretas*.]

cobrar. [Der. regress. de *recobrar*.] *V. t. d.* **1.** Receber, adquirir (o que é devido): *cobrar* uma dívida; *cobrar* impostos. **2.** Fazer com que seja pago: *Os operários cobraram as horas extras.* **3.** Readquirir, recobrar, recuperar: *Cobrou alento e continuou a marcha.* **4.** Possuir-se de; tomar, adquirir: *O lutador cobrou inesperado arrojo.* **5.** Tomar, conquistar: *Os navegadores cobraram novas terras.* **6.** Pedir ou exigir cumprimento de (coisa prometida ou compromisso assumido): *Não pára de cobrar a gravata que lhe prometi: O editor cobrou várias vezes a tradução que prometi para o ano passado. T. d. e i.* **7.** Fazer com que seja pago; exigir em troca: *Cobrarei alto preço pelas jóias.* **8.** Passar a ter, a sentir; tomar: *Cobrou intenso ódio ao concorrente.* **9.** Cobrar (6). *Int.* **10.** *Bras.* Na pesca da baleia, colher a corda presa ao arpão. *P.* **11.** Pagar-se: *cobrou-se com os seus próprios recursos.* **12.** Tomar-se, possuir-se: *Ante o adversário cobrou-se de medo.* **13.** Refazer-se, restaurar-se, recobrar-se, recuperar-se. [Pres. ind.: *cobro*, etc. Cf. *cobro* (ô).]

cobra-topete. *S. f. Bras.* V. *surucutinga*. [Pl.: *cobras-topetes* e *cobras-topete*.]

cobrável. *Adj. 2 g.* Que se pode cobrar.

cobra-verde. *S. f. Bras.* **1.** Réptil ofídio, da família dos colubrídeos *Philodryas olfersii* (Lich.) *P. aestivus* (Dum. & Bid.) e de outras do gênero. São cobras finas, em geral verdes ou esverdeadas, ágeis, de até 1 m de comprimento, com hábitos arborícolas, e que se alimentam de pássaros e pererecas. [Cf. *cobra-cipó*.] **2.** Designação comum às espécies *Leimadophis viridus* (Gunt.) do N., C.O. e O., e *Leimadophis typhus* (L.) do S. e L., de coloração verde. [Pl.: *cobras-verdes*.]

cobra-vidro. *S. f. Bras.* V. *cobra-de-vidro*. [Pl.: *cobras-vidros* e *cobras-vidro*.]

cobre. [Do lat. *cupru*.] *S. m.* **1.** *Quím.* El. de número atômico 29, metal, vermelho, maleável e dúctil, utilizado em ligas de importância. [Símb. *Cu*.] **2.** Moeda desse metal. **3.** *P. ext.* Moeda. **4.** *Fig.* V. *dinheiro* (3): "Os apostadores casavam o cobre nas mãos do gerente de honestidade inatacável." (Antônio de Alcântara Machado, *Cavaquinho e Saxofone*, p. 28.) **5.** *Grav.* Placa gravada em cobre. **6.** *Grav. P. ext.* Estampa obtida dessa placa. **7.** *Bras. MG.* A antiga moeda de 40 réis. ~ V. *cobres*. ♦ **Cobre amarelo.** Latão.

cobreação. *S. f.* Ato ou efeito de cobrear; cobreagem. [Cf. *galvanoplastia*.]

cobreagem. *S. f.* V. *cobreação*.

cobrear. *V. t. d.* **1.** *Quím.* Depositar uma camada aderente de cobre sobre (uma superfície metálica) em geral por meio de um processo eletroquímico. **2.** Acobrear. [Conjug.: v. *frear*.]

cobreira. *S. f. Bras. Pop.* V. *cachaça* (1).

cobreiro. *S. m. Bras.* V. *cobrelo*.

cobrejar. *V. int.* Mover-se tortuosamente como cobra; colear, serpear, serpejar, serpentear, ondear: *Os rios cobrejam nos prados.* [Conjug.: v. *pelejar*.]

cobre-leito. [De *cobrir* + *leito*.] *S. m.* Colcha [q. v.], em geral decorativa. [Pl.: *cobre-leitos*.]

cobrelo (ê). [Dim. de *cobra*.] *S. m. Pop.* O herpes-zoster assim dito por se afigurar ao povo ser essa dermatose produzida pelo contato da roupa sobre a qual passasse alguma cobra; cobreiro, cobro.

cobres. [Pl. de *cobre*.] *S. m. pl.* **1.** V. *dinheiro* (3). **2.** Dinheiro miúdo, ou em moedas. ~ V. *cobre*. ♦ **Cair com os cobres.** *Bras. Pop.* Fazer uma despesa; pagar; passar os cobres, espichar os cobres. **Espichar os cobres.** *Bras. Pop.* V. *cair com os cobres*. **Passar os cobres.** *Bras. Pop.* V. *cair com os cobres*. **Passar nos cobres.** *Bras. Fam.* Vender (1): "Eu, dona daquilo, passava aquele apartamento nos cobres, comprava outro, menor que fosse, um sala-e-quarto, um quarto só, mas com janelas dando para a amplidão." (Elsie Lessa, *A Dama da Noite*, p. 18.) **Torrar nos cobres.** *Bras.* Vender por qualquer preço; queimar.

cobricama. [De *cobrir* + *cama*.] *S. f. Ant.* Cobre-leito; colcha: "larga cama de estrado, ... revestida de uma cobricama que tinha no meio, brosladas, as figuras de um rei e de uma rainha" (Antero de Figueiredo, *Leonor Teles*, p. 194).

cobrição. *S. f.* **1.** Ação ou efeito de cobrir(-se). **2.** Coito de quadrúpedes.

cobrimento. *S. m.* Cobertura (2).

cobrinha. [Dim. de *cobra*.] *S. f. Bras., AM.* e *PA.* Fila de pessoas; bicha.

cobrir. [Do lat. *cooperire*.] *V. t. d.* **1.** Ocultar ou resguardar, pondo alguma coisa em cima, diante ou em redor: *Cobriu a cabeça para entrar no templo.* **2.** Ocultar ou resguardar, estando ou ficando em cima, diante ou em derredor; encobrir: *O véu cobre-lhe o rosto; O ator pôs-se à frente do protagonista da peça, cobrindo-o. O telhado cobre toda a casa.* **3.** Estender-se ou alastrar-se por cima de: *O nevoeiro cobre a cidade.* **4.** Ocupar por inteiro uma superfície; espalhar-se por; encher: *Os exércitos cobriram os campos; A neve cobre o monte; As chagas cobrem-lhe o corpo.* **5.** Envolver, vestir: *A roupa, em farrapos, mal o cobre.* **6.** Proteger, defender: *A artilharia cobria o avanço da infantaria.* **7.** Não deixar ouvir, abafar (som): *Os trovões cobriram o marulhar das ondas.* **8.** Dissimular, disfarçar, encobrir: *Seu ar afável cobre más intenções.* **9.** Exceder, ultrapassar: *A receita cobriu a despesa.* **10.** Liquidar, pagar: *cobrir as despesas.* **11.** Ser suficiente para; chegar para: *Seu ordenado mal lhe cobre as despesas; O dinheiro ganho na loteria não cobre as suas dívidas.* **12.** Pagar, satisfazer (gasto, dívida): *O que ganha não lhe é suficiente para cobrir a metade das despesas.* **13.** Garantir, abonar. **14.** Vencer, percorrer: *Cobriu larga distância em pouco tempo.* **15.** Fazer a cobertura (9) de. **16.** Sobrepor-se a (fêmea, sobretudo animal) para a cópula: *O touro cobriu várias reses;* "Os braços dela o puxaram, chamando, e ele a cobriu em silêncio." (Adonias Filho, *Luanda Beira Bahia*, p. 74). *T. d. e i.* **17.** Ocultar ou resguardar, pondo algo em cima, diante ou em redor: "Vejo-a onde vê-la é ver o Paraíso, / A camisa comprida, as tranças louras, / As mãos cobrindo os seios com os cabelos" (Dante Milano, *Poesias*, p. 22); *cobrir a mesa com a toalha.* **18.** Encher, juncar, alastrar: *O vulcão cobriu o campo de lavas; A primavera cobre de flores o jardim.* **19.** Encher, cumular: *Ao vê-la, cobriu-a de beijos.* **20.** Proteger, resguardar, defender: *Cobriu o filho das balas; Cobre-o contra o frio. P.* **21.** Pôr chapéu, capuz, véu, etc. na cabeça. **22.** Envolver-se, revestir-se: *Cobriu-se com o manto por causa do frio;* "Cobriu-se do luto que não despiu senão para trocá-lo pela mortalha." (José de Alencar, *Senhora*, p. 188). **23.** Ficar (uma superfície) ocupada por inteiro, ou quase por inteiro: "Cobriram-se de treva os largos horizontes." (Guerra Junqueiro, *A Morte de D. João*, p. 12); *A lagoa cobriu-se de barcos.* **24.** Encher-se, cumular-se: "A amendoeira cobria-se de flores" (Rebelo da Silva, *Contos e Lendas*, p. 171); *cobrir-se de glórias.* **25.** Proteger-se, resguardar-se, defender-se. **26.** Afligir-se, angustiar-se: *Chegava a hora da partida, e cobria-se o coração do velho.* [Irreg. Muda o *o* da raiz em *u* na 1ª pess. sing. do pres. ind., *cubro*, e, pois, em todo o pres. subj.: *cubra, cubras*, etc.; part. irreg.: *coberto*.]

cobro[1] (ô). [Dev. de *cobrar*.] *S. m.* **1.** Termo, fim. **2.** *Ant.* Arrecadação, cobrança. **3.** *Ant.* Foro que certos reguengueiros pagavam ao rei. [Pl.: *cobros* (ô). Cf. *cobro*, do v. *cobrar*.]

cobro[2] (ô). *S. m.* **1.** V. *cobrelo*. **2.** *Mar. Merc.* Cada um dos pranchões de madeira com que se reveste o fundo de um porão de carga. [Cf. *sarreta*.] **3.** *Marinh.* Cada uma das dobras com que se colhe um cabo, corrente, etc., na aducha em cobros. [Pl.: *cobros* (ô). Cf. *cobro*, do v. *cobrar*.]

cobu[1]. *S. m.* Alga marinha, comestível, do Japão.

cobu[2] [De or. afr.] *S. m. Bras., MG.* Biscoito de fubá, assado sobre folhas de bananeira; joão-deitado.

coca[1] (ó). [Dev. de *cocar*.] *S. f.* Ação de cocar. [Pl.: *cocas* (ó). Cf. *coca* (ô) e pl. *cocas* (ô).] ♦ **À coca.** À espreita; de atalaia.

coca[2] (ó). [Do quínchua *kuka*.] *S. f.* **1.** Arbusto frondoso, da família das eritroxiláceas (*Erythroxylum coca*), de flores amarelo-alvacentas, pequenas e aromáticas, solitárias ou reunidas em cimeiras, fruto drupáceo, oblongo, vermelho, e cujas folhas e casca encerram vários alcalóides, dos quais o mais importante é a cocaína. **2.** Substância extraída desse arbusto, com a qual se narcotizam peixes. [Pl.: *cocas* (ó). Cf. *coca* (ô) e pl. *cocas* (ô).] ♦ **Dar coca.** Seduzir, encantar, fascinar.

coca[3] (ó). [Do nórdico *koggen*.] *S. f.* **1.** Embarcação nórdica dos sécs. XIII a XV, própria para o mar aberto, com castelos de proa e de popa, movida a vela. [Pl.: *cocas* (ó). Cf. *coca* (ô) e pl. *cocas* (ô).]

coca[4] (ó) *S. f. Marinh.* **1.** Volta ou torção indesejável que um cabo toma, em sentido contrário ao da sua cocha, o que sucede com maior freqüência nos cabos novos ou de pouco uso. **2.** *Marinh.* Torção indesejável numa corrente, fazendo um elo trepar por cima do outro. [Pl.: *cocas* (ó). Cf. *coca* (ô) e pl. *cocas* (ô).]

coca[5] (ó) *S. f. Bras., RS.* Saco de malhas para a pesca de peixe e camarões. [Pl.: *cocas* (ó). Cf. *coca* (ô) e pl. *cocas* (ô).]

coca[6] (ó). *S. f. Pop.* F. red. de *cocaína* [Pl.: *cocas* (ó) Cf. *coca* (ô) e pl. *cocas* (ô).]

coca (ô). *S. f.* **1.** Bioco, capuz. **2.** V. *papão* (1). **3.** *Lus. Folcl.* Personalidade mítica, semelhante ao papão, que amedronta os meninos. Pl.: *cocas* (ô). Cf. *coca* e *cocas* do v. *cocar*, e *coca*, s. f., pl. *cocas*.]

coça. [Dev. de *coçar*.] *S. f.* **1.** *Pop.* Ato de coçar; coçadura. **2.** V. *surra* (1). [Cf. *cossa*.]

cocada. *S. f.* **1.** Doce seco, de coco ralado e calda de açúcar, cortado, geralmente, em losangos ou quadrados, ou já feito em fôrma arredondada. **2.** *Bras. Pop.* Golpe dado com a cabeça. **3.** *Bras., RJ.* Menina-moça; cocadinha. ● *S. 2 g.* **4.** *Bras., BA. Pop.* Pessoa que leva e traz recados ou bilhetes de namorados; alcoviteiro, colete-curto. ♦ **Vender cocada.** *Bras., MA.* Ser pau-de-cabeleira.

cocada-puxa. [De *cocada* + *puxar*.] *S. f. Bras.* Doce feito com o coco ralado e açúcar mascavo, ou melaço, de consistência um tanto pastosa e grudenta: "— Onde o batuque da caninha doce? / — Que é do moleque da cocada-puxa?" (Raul Pederneiras, *ap.* Nélson Costa, *Páginas Cariocas*, p. 298.) [Pl: *cocadas-puxa*.]

cocadinha. *S. f. Bras., RJ.* Cocada (3).

coçado. [Part. de *coçar*.] *Adj.* **1.** Gasto pelo atrito ou roçaduras; cotiado. **2.** Esfregado ou roçado com as unhas. **3.** Que recebeu coça (2); sovado, surrado.

coca-do-paraguai. *S. f. Bras.* V. *cabelo-de-negro* (1). [Pl.: *cocas-do-paraguai*.]

coçadura. *S. f.* Coça (1).

coçagem. [De *coçar* + *-agem[2]*.] *S. f.* Ato de coçar.

cocaiense. *Adj. 2 g.* **1.** De, ou pertencente ou relativo a Barão de Cocais (MG). ● *S. 2 g.* **2.** Natural ou habitante de Barão de Cocais.

cocaína. *S. f. Quím.* Alcalóide cristalino, incolor, tóxico, encontrado na coca[2] (1). [Fórm.: $C_{17}H_{12}O_4N$.]

cocainomania (a-i). [De *cocaína* + *-mania*.] *S. f.* O vício de tomar ou aspirar cocaína.

cocainômano (a-i). *S. m.* Indivíduo que tem cocainomania.

cocal. *S. m. Bras., N.* e *N.E.* Coqueiral.

cocalense. *Adj. 2 g.* **1.** De, ou pertencente ou relativo a Cocal (PI). ● *S. 2 g.* **2.** Natural ou habitante de Cocal.

cocama. *Bras. S. 2 g.* **1.** Indivíduo dos cocamas, tribo indígena tupi extinta, cujos poucos remanescentes habitam as margens e ilhas do Solimões, próximo às desembocaduras do Içá e do Japaurá (AM). ● *Adj. 2 g.* **2.** Pertencente ou relativo a essa tribo.

cocanha. [Do it. *cuccagna*.] *S. f.* V. *mastro de cocanha*.

cocão. *S. m.* **1.** *Bras.* Peça (espécie de mancal rústico) sobre a qual gira o eixo do carro de bois: "O gemido agudo dos cocões de aroeira do carro de bois já pode ser ouvido no centro da cidade." (Antônio Celso, *A Porta de Jerusalém*, p. 19.) **2.** *Constr. Nav.* Cada uma das pequenas peças de madeira pregadas no alcatrate de embarcação miúda, de um lado e outro das aberturas feitas nas falcas para colocação das chumaceiras.

cocar[1]. [Do fr. *cocarde*.] *S. m.* **1.** Penacho, laço ou distintivo que se usa na cabeça, no chapéu, no elmo, etc.: "As plumas dos chapéus debruçam-se em matizados cocares" (Rebelo da Silva, *Contos e Lendas*, p. 175). **2.** Roseta distintiva de partido, nacionalidade, etc.: *o cocar tricolor dos franceses.* **3.** *Bras., Pl.* V. *galinha-d'angola.* [Cf. *cucar.*]

cocar². *V. t. d.* **1.** Estar ou ficar à coca de, à espreita de; observar, espiar, espionar: *Gosta de cocar o que se passa em casa do vizinho. Int.* **2.** Estar ou ficar à coca, à espreita; observar, espiar, espionar: "viu .... o vulto da carvoeira .... estendendo o olhar, cocando" (Eça de Queirós, *O Primo Basílio*, p. 213); *Seus olhos estavam atentos, a cocar.* [Conjug.: v. *trancar.* Pres. ind.: *coco, cocas*, etc. Cf. *coco* (ô), s. m. *Coco* (ô), top., *coca* (ô), pl. *cocas* (ô); e *cucar.*]

coçar. [Do lat. **coctiare.*] *V. t. d.* **1.** Esfregar ou roçar (a parte do corpo onde há coceira) com as unhas ou com objeto áspero: "coçavam as canelas, ou então catavam delicadamente as muquiranas por entre os pêlos do peito." (Augusto Meyer, *No Tempo da Flor*, pp. 27-28). **2.** Esfregar ou roçar com as unhas: *Coçou a cabeça, pensativo.* **3.** V. *surrar* (2): *Coçou-os a pauladas. T. i.* **4.** Esfregar ou roçar com as unhas: *Cismava, coçando na cabeça. Int.* **5.** Produzir coceira; comichar: *O ferimento coça, ao cicatrizar.* **6.** *Marinh.* Puir-se (cabo, vela, toldo, etc.) pelo atrito com outro objeto. *P.* **7.** Esfregar ou coçar a própria pele. **8.** Lutar com dificuldades; sofrer trabalhos; *Enquanto o pai se coça para educá-lo ele se diverte na cidade.* [Conjug.: v. *laçar.* Pres. ind.: *coço, coças, coça*, etc. Cf. *cosso* e *cossa.*] ♦ **Não se coçar.** *Bras. Pop.* Não fazer menção de tirar dinheiro para pagar uma despesa, dando ensejo a que outrem a pague.

cócaras. *El. s. f. pl.* V. *cócoras.*

cocção. [Do lat. *coctione.*] *S. f.* **1.** Ato ou efeito de cozer; cozimento. **2.** Digestão dos alimentos no estômago.

cóccida. *S. m.* e *adj. 2 g.* V. *coccídeo.*

cóccidas. *S. m. pl. Zool.* V. *coccídeos.*

coccídeo. *S. m.* **1.** Espécime dos coccídeos [v. *cochonilha*]. ● *Adj.* **2.** Pertencente ou relativo a eles.

coccídeos. *S. m. pl. Zool.* Família de insetos homópteros, normalmente parasitas de plantas, sendo a espécie tipo a cochonilha [q. v.].

coccídio. *S. m.* **1.** Espécime dos coccídios. ● *Adj.* **2.** Pertencente ou relativo a eles.

coccídios. *S. m. pl. Zool.* Animais protozoários, telosporídeos, da ordem *Coccidia.* Zigoto imóvel, e esporos com uma ou mais camadas externas. Reprodução alternada, constando de fase esquizogônica assexuada, seguida de esporogonia; intracelulares, geralmente em tecido epitelial de moluscos, anelídeos, artrópodes e vertebrados. Causam as eimerioses dos animais domésticos.

coccidiose. *S. f. Zool.* Eimeriose.

▲**coccig-.** [Do gr. *kókkyx, ygos.*] *El. comp.* = 'cóccix': *coccígeo.*

coccige. *S. m. Anat.* V. *cóccix.*

coccígeo. *Adj.* **1.** Do, ou relativo ao cóccix; coccigiano. **2.** V. *cuculiforme* (1). ● *S. m.* **3.** V. *cuculiforme* (3).

coccígeos. *S. m. pl. Zool.* Cuculiformes.

coccigiano. *Adj.* Coccígeo (1).

coccinélida. *S. m.* e *adj.* Coccinelídeo.

coccinélidas. *S. m. pl. Zool.* Coccinelídeos.

coccinelídeo. *S. m.* **1.** Espécime dos coccinelídeos. ● *Adj.* **2.** Pertencente ou relativo a eles.

coccinelídeos. *S. m. pl. Zool.* Família de insetos coleópteros, à qual pertencem as joaninhas.

coccíneo. [Do lat. *coccineu.*] *Adj. Poét.* De cor escarlate.

cóccix (csis). [Do gr. *kókkyx.*] *S. m. 2 n. Anat.* Pequeno osso que termina a coluna vertebral na parte inferior. [Sin. pop. (bras.): *mucumbu, osso-do-pai-joão, uropígio.*]

cócega. *S. f.* V. *cócegas.*

cócegas. *S. f. pl.* **1.** Sensação especial, espécie de tremor espasmódico, geralmente acompanhado de riso convulso, produzida por leve roçar ou por fricção nalguns pontos da pele ou das mucosas. **2.** *Fig.* Desejo, tentação **3.** *Fig.* Impaciência, sofreguidão. [Tb. us. (no Brasil, pelo menos) no sing. Var., pop. (Bras. e prov. lus.): *coscas* ou *cosca.*]

coceguento. *Adj.* Que facilmente sente cócegas (1). [Sin. (bras.): *cosquento, cosquilhento, cosquilhoso, cosquilhudo.*]

coceira. *S. f.* **1.** V. *prurido* (1). **2.** *P. ext.* Irritação cutânea causada pela ação de coçar, devida a prurido. [Sin., pop.: *chanha, iuçá, já-começa, quipã.* Cf. *cosseira.*]

cocha. *S. f.* **1.** *Marinh.* Ato ou efeito de cochar. **2.** *Marinh.* Intervalo entre os elementos (fios, cordões) constitutivos de um cabo. **3.** *Mar. G. Gír.* Empenho ou recomendação de pessoa importante; pistolão. **4.** *Mar. G. Gír.* Pessoa que faz esse empenho ou recomendação. **5.** Torcedura de cabo. **6.** *Eng. Elétr.* Cabo nu destinado à formação de um cabo de encordoamento composto. **7.** *Bras. S.* Ânimo, coragem. [Pl.: *cochas.* Cf. *cocha* (ô) e *coxa* (ô); os pl. *cochas* (ô) e *coxas* (ô); e *coxo* (ô).] ♦ **Perder a cocha.** Desanimar-se, desencorajar-se.

cocha (ô). *S. f.* Vasilha de madeira; gamela. [Var.: *coche* (ô) e *cocho* (ô). Pl.: *cochas* (ô). Cf. *cocha* e *coxa* (ô), os pl. *cochas* e *coxas* (ô); *cocha, cochas*, do v. *cochar*, e *coxo* (ô).]

cochado. [Part. de *cochar.*] *Adj.* **1.** Que se cochou [v. *cochar* (1)]; bem torcido. **2.** Apertado, acochado.

cochar. [V. *cocha.*] *V. t. d.* **1.** *Marinh.* Torcer (fios) para formar um cordão, ou (cordões) para formar um cabo, ou (cabos) para formar um cabo calabroteado. **2.** *Mar. G. Gír.* Proteger, proporcionando boas situações a. **3.** Apertar, acochar; calçar, comprimir, prensar. [Pres. ind.: *cocho, cochas, cocha*, etc.; pres. subj.: *coche, coches*, etc. Cf. *cocha* (ô), pl. *cochas* (ô), *coche* (ô), pl. *coches* (ô); *cocho* (ô); *coxa* (ô) e pl. *coxas* (ô) e *coxo* (ô).]

coche¹ (ô). [Do húng. ou do tcheco, atr. do al. *Kutsche* e do fr. *couche.*] *S. m.* **1.** Carruagem antiga e suntuosa; "Um coche da casa real, a três parelhas de mulas, conduziu o féretro da porta da igreja até a porta do cemitério." (Ramalho Ortigão, *As Farpas*, III, p. 279.) **2.** Carruagem fechada; sege. [Pl.: *coches* (ô). Cf. *coche* e *coches*, do v. *cochar.*]

coche² (ô). *S. m.* Var. de *cocho²* [Pl.: *coches* (ô). Cf. *coche* e *coches*, do v. *cochar.*]

coche³ (ô). *S. m.* Var. de *cocha* (ô) [Pl.: *coches* (ô). Cf. *coche* e *coches* do v. *cochar.*]

coche⁴ (ô). *Interj. Pop.* Serve para enxotar ou chamar porcos. [Cf. *coche*, do v. *cochar.*]

cocheira. *S. f.* **1.** Casa destinada a guardar coches, carruagens e outros veículos. **2.** V. *cavalariça.* [Cf. *coxeira.*] ♦ **De cocheira.** *Bras.* **1.** Reservado, sigiloso, confidencial; *informação de cocheira.* **2.** Em caráter reservado; confidencialmente: *Soube, de cocheira, que haveria substituições no Ministério.* [A loc. referia-se, originariamente, aos informes a respeito de corridas obtidos, sob sigilo, nas cocheiras do Jóquei.]

cocheiro. *S. m.* **1.** Aquele que guia os cavalos de uma carruagem; boleeiro: "Com as chicotadas rijas do cocheiro, os animais levavam a caleche aos trancos." (Coelho Neto, *Treva*, p. 31.) [Sin., poét.: *auriga.*] **2.** *Astr.* Auriga (2).

cochichada¹. *S. f.* Cochicho¹.

cochichada². *S. f.* Gebada.

cochichador (ô). *Adj.* e *s. m.* Que ou aquele que cochicha.

cochichar. *V. int.* e *t. i.* **1.** Falar em voz baixa; mussitar, murmurar: *As moças olhavam para os rapazes e cochichavam; Ao vê-lo, cochichou com a mulher.* **2.** Mexericar, intrigar, enredar: *As comadres cochicharam a noite inteira. T. d.* e *t. d.* e *i.* **3.** Dizer em voz baixa; segredar, murmurar: "Margarida cochichou qualquer coisa perto do Corregedor e ele se voltou logo para mim." (Ariano Suassuna, *A Pedra do Reino*, p. 271); "sumia-se nas trevas do quarto, cochichava números à mulher" (Graciliano Ramos, *Infância*, p. 129).

cochicheio. *S. m. Bras.* Ato, efeito ou hábito de cochichar (1 e 2): "Mesmo irritada com o cochicheio, não podia conter o riso ante o grotesco da situação." (Jorge Amado, *Dona Flor e Seus Dois Maridos*, p. 395.)

cochicho¹. [Dev. de *cochichar.*] *S. m.* Ato de cochichar; cochichada.

cochicho². [Voc. onom.] *S. m.* **1.** Ave passeriforme, da família dos furnarídeos (*Anumbius annumbi* (Vieil.)), do S.E. do Brasil, de dorso ocráceo manchado de negro, garganta branca marginada de escuro, fronte pardo-castanha com listras negras, retrizes pretas com pontas amareladas. Constrói o ninho na forquilha das árvores, com a forma de um amontoado de gravetos. É insetívoro. [Sin.: *titeri, joão-graveto.*] **2.** Brinquedo de criança, cujo som imita a voz do cochicho. **3.** V. *cochicholo.* **4.** Chapéu amarrotado e velho.

cochichó. *S. m. Bras., PB.* V. *cochicholo.*

cochicholo (ô). [De *cochicho²* (3).] *S. m.* Casinhola ou aposento muito apertado; cochicho, cochichó, cachichola: "Estava morando no Méier. A casa era um cochicholo" (Gastão Cruls, *De Pai a Filho*, p. 50).

cochilada. [De *cochilar* + *-ada¹.*] *S. f.* Ato ou efeito de cochilar (3); bobeada.

cochilar. [Do quimb. *kukoxila.*] *V. int. Bras.* **1.** Dormir levemente; passar pelo sono; dormitar, toscanejar: *Cochilou durante quase todo o discurso;* "A mamãe cochila. / O papai cabeceia. / O relógio badala." (Jorge de Lima, *Obra Completa*, I, p. 228.) **2.** *Fig.* Descuidar-se, errar, cincar: *O aluno cochilou e errou a prova.* **3.** *Bras. Fam.* V. *dormir de touca.*

cochilo. [Dev. de *cochilar.*] *S. m. Bras.* **1.** Ato de cochilar (1); cabeceio: "não busques nada, a não ser o repouso, ... o esquecimento, a contemplação que prende com o cochilo, o cochilo que expira no sono..." (Machado de Assis, *A Semana*, I, p. 102.) **2.** *Fig.* Descuido, erro, cincada.

cochinada. *S. f.* **1.** Vara de porcos ou cochinos. **2.** Rumor de cochinos. **3.** *Fig.* Ação indecorosa; indecência, porcaria. **4.** Coisa malfeita; cacaborrada, porcaria.

cochinar. *V. int.* **1.** Dar grunhidos como os cochinos; grunhir. **2.** *Fig.* Fazer grande ruído de vozes.

cochinchinense. *Adj. 2 g.* e *s. 2 g.* V. *cochinchino.*

cochinchinês. *Adj.* e *s. m.* V. *cochinchino.* [Flex.: *cochinchinesa* (ê), *cochinchineses* (ê), *cochinchinesas* (ê).]

cochinchino. *Adj.* **1.** De, ou pertencente ou relativo à Cochinchina, região meridional da república do Vietname (Ásia). ● *S. m.* **2.** Natural ou habitante da Cochinchina. [Sin. ger.: *cochinchinense* e *cochinchinês.*]

cochinês. *Adj.* **1.** De, ou pertencente ou relativo a Cochim (Índia). ● *S. m.* **2.** Natural ou habitante de Cochim. [Flex.: *cochinesa* (ê), *cochineses* (ê), *cochinesas* (ê).]

cochinilha. *S. f.* **1.** V. *cochonila.* **2.** Tecido colorido com a cochonila.

cochino. [Do esp. *cochino.*] *S. m. Pop.* **1.** Porco não cevado. **2.** *P. ext.* Porco. **3.** *Fig.* Indivíduo imundo e resmungão. ● *Adj.* **4.** Sujo, imundo.

cocho¹ (ô). *S. m.* Var. de *cocha* (ô) [q. v.]. [Pl.: *cochos* (ô). Cf. *cocho*, do v. *cochar*, e *coxo* (ô), s. m., pl. *coxos* (ô).]

cocho² (ô). *S. m.* **1.** Tabuleiro com rebordos para conduzir cal amassada. **2.** Caixa onde gira a mó dos amoladores. **3.** *Bras.* Espécie de vasilha, em geral feita com um tronco de madeira escavada, para a água ou a comida do gado, para se lavar mandioca, etc.: "Come a ração no cocho da mangueira / Um velho pangaré." (Ricardo Gonçalves, *Ipês*, p. 44). **4.** *Bras.* O carpo (2) do coco-da-baía. **5.** *Bras., N.E.* Parte da prensa (5) que recebe a massa e é perfurada embaixo a fim de deixar vazar a manipueira. **6.** *Bras., BA.* Caixa onde se põe o fruto do cacau para fermentação. [Var.: *coche.* Pl.: *cochos* (ô). Cf. *cocho*, do v. *cochar*, e *cocho* (ô), pl. *cochos* (ô).] ♦ **Comer no mesmo cocho.** *Bras.* Aparceirar-se ou nivelar-se com alguém.

cochonila. [Var. de *cochinilha.*] *S. f. Quím.* Corante obtido de insetos (família dos coccídeos), vermelho, que contém ácido carmínico.

cochonilha. [Var. de *cochinilha*, do esp. *cochinilla.*] *S. f. Bras.* Inseto homóptero, da família dos coccídeos, que segrega substâncias especiais (cera, laca) que servem de revestimento. Os machos adultos têm duas asas; as fêmeas são sempre ápteras. São pequeníssimas, alimentam-se de seiva de plantas, e vivem nas folhas, galhos, tronco e raízes. [Sin.: *coccídeo, escama, piolho-de-planta, piolho-dos-vegetais.*]

cochonilha-do-carmim. *S. f.* Inseto homóptero, da família dos coccídeos, *Dactylopius coccus* Costa, do México e América Central. Usou-se muito no passado para fabrico do carmim, sendo necessários 155.000 exemplares para obtenção de 1 quilo de corante. A espécie é parasita do nopal. [Sin.: *carmim.* Pl.: *cochonilhas-do-carmim.*]

cochonilha-verde. *S. f. Bras.* Inseto homóptero, da família dos coccídeos (*Coccus viridis* (Green.)), praga do cafeeiro e das plantas cítricas, às quais ocasiona danos apreciáveis. A fêmea tem forma elíptica, chata, coloração verde tendente ao amarelo. É comum nas laranjeiras do Brasil Central. [Sin.: *piolho-verde, escama-verde.* Pl.: *cochonilhas-verdes.*]

cochonilha-vermelha. *S. f. Bras.* Inseto homóptero, da família dos coccídeos (*Aonidiella aurantii* (Maskell.)), muito prejudicial às plantas do gênero *Citrus* e às roseiras. O escudo da fêmea é avermelhado ou pardacento, circular ou subcircular. [Pl.: *cochonilhas-vermelhas.*]

cociente. *S. m.* Var. de *quociente* [q. v.].

➡**cocker spaniel** (côquer spâniel). [Ingl.] Cão de pequena estatura (cerca de 37 cm de altura), focinho quadrado, pêlo longo e sedoso e grandes orelhas pendentes.

cóclea. [Do gr. *koklías*, 'caracol', pelo lat. *cochlea.*] *S. f.* **1.** *Mec.* Parafuso de Arquimedes. **2.** *Anat.* Parte anterior do labirinto, ou orelha interna: caracol.

cocleado. [Do lat. *cochleatu.*] *Adj.* Torcido em espiral; coclear, cocleiforme.

coclear. *Adj. 2 g.* **1.** V. *cocleado.* **2.** *Bot.* Que se desenvolve helicoidalmente, como os frutos do gênero *medicago*. ● *S. m.* **3.** *Bot.* Tipo de prefloração em que há uma peça inteiramente externa, ou inteiramente interna, sendo as demais externas por um bordo e internas por outro.

cocleária. *S. f.* Planta da família das crucíferas (*Cochlearia officinalis*), de flores alvas, pedunculadas, dispostas em racimos corimbiformes, síliqua com muitas sementes, e folhas consideradas medicinais.

coclearídeo. *S. m.* Espécime dos coclearídeos. ● *Adj.* **2.** Pertencente ou relativo a eles.

coclearídeos. *S. m. pl. Zool.* Aves ciconiformes da família *Cochleariidae*, cujo bico tem contorno ogival, é curto, pouco mais longo que a cabeça e muito mais largo que alto. São os arapapás.

cocleariforme. [De *coclear* + *-i-* + *-forme.*] *Adj. 2 g. Bot.* Diz-se de pétala ou flor em forma de colher.

cocleiforme. *Adj. 2 g.* V. *cocleado.*

cocliomídeo. *S. m.* **1.** Espécime dos cocliomídeos. ● *Adj.* **2.** Pertencente ou relativo a eles.

cocliomídeos. *S. m. pl. Zool.* Família de insetos dípteros que, juntamente com os sarcofagídeos, depositam os ovos nas carnes em putrefação, no charque e nos animais domésticos, constituindo as chamadas bicheiras.

coclospermácea. *S. f.* Espécime das coclospermáceas.

coclospermáceas. *S. f. pl. Bot.* Família de plantas floríferas, constituída de pequenas árvores e arbustos com folhas lobadas e flores vistosas, coloridas, de corola dialipétala; estames numerosíssimos, gineceu com três a cinco carpelos e muitos óvulos. O fruto é cápsula, dotado de sementes reniformes revestidas de pêlos brancos e longos. Há umas 25 espécies nas regiões intertropicais, três delas no Brasil.

coclospermáceo. *Adj.* Pertencente ou relativo às coclospermáceas.

coco[1] (ó). [Do gr. *kókkos*, pelo lat. *coccu.*] *S. m.* **1.** Bactéria de forma arredondada. **2.** *Bot.* Porção individualizada em que se fragmentam, na maturidade, vários frutos capsulares. *P. ex.:* nas euforbiáceas o fruto típico é uma tricoca; esta, quando madura, divide-se em três partes, cada uma delas com uma semente, e cada uma destas sementes forma um coco. [Pl.: *cocos* (ó). Cf. *coco* (ô), s. m., pl. *cocos* (ô), e *Coco* (ô), top.]

coco[2] (ó). *S. m.* Medida japonesa de capacidade, equivalente a seis alqueires. [Pl.: *cocos* (ó). Cf. *coco* (ô), s. m. pl. *cocos* (ô), e *Coco* (ô), top.]

coco[1] (ô). [De *coca* (ô).] *S. m.* **1.** Designação comum a numerosas espécies de palmeiras: *coco-de-vassoura, coco-catulé*, etc. **2.** O fruto de tais palmeiras, em especial o do coqueiro-da-baía, cuja polpa é de largo uso na culinária brasileira, simplesmente ralada ou reduzida a leite, em doces, molhos, etc. **3.** Vasilha feita do endocarpo do coco-da-baía, no qual se embebe, perto da boca, um cabo torneado. **4.** *P. ext.* Vasilha de folha-de-flandres que tem a forma da anterior e serve para tirar a água dos potes. **5.** *Pop.* V. *cabeça* (1). **6.** *Bras. Pop.* Muito dinheiro; dinheirama. **7.** *Ant.* V. *papão*[1] (1). [Pl.: *cocos* (ô). Cf. *coco*, do v. *cocar*, e *coco* (ó), s. m. pl. *cocos* (ó), e *Coco* (ô), top.] ♦ **Quebrar coco.** *Bras. N.E.* Quebrar catulé [q. v.].

coco[2] (ô). *S. m. Bras., N.E.* **1.** Dança popular de roda, originária de AL, e acompanhada de canto e percussão; pagode; zambê: *c o c o de ganzá; c o c o de usina.* **2.** Canção que pode existir independentemente da dança: *c o c o de oitava; c o c o agalopado.* [Pl.: *cocos* (ô). Cf. *coco*, do v. *cocar; coco* (ó), s. m., pl. *cocos* (ó), e *Coco* (ô), top.]

coco[3] (ô). *S. m. Ant.* Ato de cocar; coca. [Pl.: *cocos* (ô). Cf. *coco*, do v. *cocar;* e *coco* (ó), s. m., pl. *cocos* (ó), e *Coco* (ô), top.]

coco[4] (ô). *S. m.* F. red. de *chapéu-coco.* [Pl.: *cocos* (ô). Cf. *coco*, do v. *cocar*, e *coco (ó)*, s. m., pl. *cocos* (ó), e *Coco* (ô), top.]

▲**-coco.** [Do gr. *kókkos, ou.*] *El. comp.* = 'coco[1]', 'bactéria': *pneumococo.*

cocó[1]. *S. m. Bras.* Penteado feminino, que consiste em enrodilhar os cabelos no alto da cabeça; pirote ou birote, pitó, pitote, pericote, periquito, totó. [Cf. *coque* e *cocô.*]

cocó[2]. [T. onom.] *S. f. Bras. Inf.* A galinha. [Cf. *cocô.*]

cocô. *S. m. Bras. Inf.* e *pop.* Excremento. [Cf. *cocó.*] ♦ **Fazer cocô.** *Bras. Inf.* e *pop.* V. *defecar* (5).

coco-babão. *S. m. Bras.* V. *coco-da-quaresma.* [Pl.: *cocos-babões.*]

coco-baboso. *S. m. Bras.* V. *coco-de-catarro.* [Pl.: *cocos-babosos.*]

coco-cabeçudo. *S. m. Bras.* V. *aricuri.* [Pl.: *cocos-cabeçudos.*]

coco-catulé. *S. m. Bras.* V. *coco-da-quaresma.* [Pl.: *cocos-catulés* e *cocos-catulé.*]

coco-da-baía. *S. m. Bras.* Coqueiro-da-baía. [Pl.: *cocos-da-baía.*]

coco-da-praia. *S. m. Bras.* Variedade de coco nordestino. [Pl.: *cocos-da-praia.*]

coco-da-quaresma. *S. m. Bras., CE* a *RJ.* Estipe solitário e ereto, da família das palmáceas (*Syagrus picrophyla*), dotado de flores densas, pétalas irregularmente linear-lanceoladas e agudas, fruto drupáceo, oblongo, verde, cujo albume é comestível; catulé, coco-babão, coco-catulé, pati. [Pl.: *cocos-da-quaresma.*]

coco-da-serra. *S. m. Bras.* V. *acumã.* [Pl.: *cocos-da-serra.*]

coco-de-catarro. *S. m. Bras., N.* a *L.* Espique ornamental, da família das palmáceas (*Acrocomia sclerocarpa*), de fruto drupáceo, comestível, amarelo-pálido, de aroma agradável, flores monóicas, suavemente aromáticas e amareladas; coco-baboso, coco-de-espinho, coco-macaúba, macajuba, macaibeira, macaúba, macajá, macaíba, mucajá, mocajá, bocaiúva. [Pl.: *cocos-de-catarro.*]

coco-de-colher. *S. m. Bras., AL.* Coco-da-baia ainda verde, de polpa muito tenra, a qual se retira com colher. [Pl.: *cocos-de-colher.*]

coco-de-espinho. *S. m.* V. *coco-de-catarro.* [Pl.: *cocos-de-espinho.*]

coco-de-indaiá. *S. m. Bras.* V. *anajá*[1] (1). [Pl.: *cocos-de-indaiá.*]

coco-de-iri. *S. m. Bras.* V. *airi.* [Pl.: *cocos-de-iri.*]

coco-de-macaco. *S. m. Bras.* V. *babaçu.* [Pl.: *cocos-de-macaco.*]

coco-de-palmeira. *S. m. Bras.* V. *babaçu.* [Pl.: *cocos-de-palmeira.*]

coco-de-praia. *S. m. Bras., RN. Folcl.* V. *bambelô.* [Pl.: *cocos-de-praia.*]

coco-de-purga. *S. m. Bras.* V. *andá-açu.* [Pl.: *cocos-de-purga.*]

cocô-de-rola. *S. m. Bras., BA.* Cabelo cocô-de-rola [q.v.]. [Pl.: *cocôs-de-rola.*]

coco-de-vassoura. *S. m.* **1.** *Bras., PR* e *MT.* Palmeira da família das palmáceas (*Bactris campestris*), cujas folhas são freqüentemente usadas para vassouras rústicas, e cujos frutos são drupáceos; gururi. **2.** V. *acumã.* **3.** V. *ariri* (1). [Pl.: *cocos-de-vassoura.*]

coco-de-zambê. *S. m. Bras., RN. Folcl.* V. *bambelô.* [Pl.: *cocos-de-zambê.*]

cocóideo. *S. m.* **1.** Espécime dos cocóideos. ● *Adj.* **2.** Pertencente ou relativo a eles.

cocóideos. *S. m. pl. Zool.* Grupo de insetos homópteros, que reúne os parasitos de plantas, que lhes sugam a seiva. São pragas de plantas, vulgarmente denominados *piolhos.*

coco-indaiá. *S. m. Bras.* V. *anajá*[1] (1). [Pl.: *cocos-indaiás* e *cocos-indaiá.*]

coco-macaúba. *S. m. Bras., N.* a *L.* V. *coco-de-catarro.* [Pl.: *cocos-macaúbas* e *cocos-macaúba.*]

cocombro. *S. m. Bras.* V. *cabaceiro-amargoso.*

coco-naiá. *S. m. Bras.* V. *babaçu.* [Pl.: *cocos-naiás* e *cocos-naiá.*]

coco-peneruê. *S. m. Bras., Pl. Folcl.* Dança de terreiro, mais comum no litoral, com sapateado, e cujo ritmo se parece com o da batida de casca de coco, e é mantido por dois cantadores e a percussão de pequenos tambores e pandeiros. [Pl.: *cocos-peneruês* e *cocos-peneruê.*]

coco-pindoba. *S. m. Bras.* V. *babaçu.* [Pl.: *cocos-pindobas* e *cocos-pindoba.*]

cócoras. *El. s. f.* Us. nas loc. adv. *de cócoras* ou *em cócoras.* [Var.: *cócaras.*] ♦ **A cócoras.** V. *de cócoras:* "A c ó c o r a s e a pular ficavam aqueles cavouqueiros, tal rãs, a desempenhar lastimoso papel" (Haroldo Maranhão, *O Tetraneto del-Rei*, p. 74). **De cócoras.** Sentado no chão ou sobre os calcanhares; agachado; a cócoras, em cócoras; "D e c ó c o r a s, em linha, os calceteiros, / Com lentidão, terrosos e grosseiros, / Calçam de lado a lado a longa rua." (Cesário Verde, *Obra Completa*, p. 98). **Em cócoras.** V. *de cócoras.*

cocoré. *S. m. Bras.* V. *rolo*[1] (16).

cocoricar. *V. int.* V. *cucuricar:* "os galos, pressentindo a manhã, c o c o r i c a v a m triunfalmente." (Coelho Neto, *A Conquista.* p. 444); [Conjug.: v. *trancar.* Normalmente é defect.]

cocoricó. *S. m. Bras.* V. *cocorocó.* [Var. pros.: *cocoricô.*]

cocoricô. [Var. pros. de *cocoricó.*] *S. m. Bras.* V. *cocorocó.*

cocório. *Adj. Bras., PE.* Caviloso, fingido, hipócrita.

cocoroca. *S. f.* **1.** *Bras.* V. *corcoroca* (1 e 2). ● *S. 2 g.* **2.** *Bras. Gír.* Indivíduo quadrado (5). **3.** *Bras. Gír.* Indivíduo velho e caduco. ● *Adj. 2 g.* **4.** *Bras. Gír.* Diz-se de indivíduo cocoroca.

cocorocó. *S. m. Bras.* Onomatopéia do canto do galo: "O c o c o r o c ó de um galo da vizinhança." (Artur Azevedo, *Contos Possíveis*, p. 83). [F. paral.: *cocoricó, cocoricô.* Var. pros.: *cocoricô*; var. *quiquiriqui.*]

cocorocô. *S. m. Bras.* V. *cocorocó.*

cocorote. *S. m. Bras.* V. *cascudo*[1]: "Que valiam, diante daquela desgraça, c o c o r o t e s e puxões de orelhas, logo esquecidos?" (Graciliano Ramos, *Infância*, p. 239.)

cocota. [Do fr. *cocotte.*] *S. m. Bras.* Menina pré-adolescente, muito vaidosa. [Cf. *cocote.*]

cocote. [Do fr. *cocotte.*] *S. f.* **1.** V. *meretriz.* **2.** Mulher elegante, de costumes fáceis. [Cf. *cocota.*]

cocre. [De *croque*, por metátese.] *S. m. Bras., S.* V. *croque:* "Por qualquer futilidade, lá vinha o puxão de orelha, o c o c r e, o pontapé." (Guido Vilmar Sassi, *Piá*, p. 9).

co-credor. [De *co-*[1] + *credor.*] *S. m.* Indivíduo que é credor juntamente com outro(s). [Pl.: *co-credores.*]

➧**cocu** (coqui). [Fr.] *S. m. Gír.* Marido enganado; corno.

cocular. *V. t. d.* e *t. d.* e *i. Bras. Pop.* V. *cogular.* [Cf. *cucular.*]

coculina. *S. f. Bras.* Tóxico, que pode ser mortífero, encontrado na seiva e nas sementes da butuá-catinguenta.

coculo. *S. m. Bras. Pop.* V. *cogulo.* [Cf. *cuculo* do v. *cucular* e *s. m.*]

cocumbi. *S. m. Bras., BA. Pop.* V. *cucumbi.*

cocuruta. *S. f.* V. *cocuruto* (1 a 4).

cocurutado. [De *cocuruto* + *-ado*[1].] *S. m. Bras., ES.* V. *maria-é-dia* (1).

cocuruto. *S. m.* **1.** O ponto mais elevado de uma coisa; crista, grimpa. [Var. (MG e BA): *cacuruto.*] **2.** O alto da cabeça. **3.** Vértice, ponta. [Var. nestas acepç.: *cocuruta.*] **4.** V. *cume* (1). [Var., nessas acepç.: *cocuruta.*] **5.** *Bras., MG.* Elevação cônica de alguns montes ou colinas. **6.** *Bras., RS.* Saliência de terreno; montículo. **7.** *Bras., RS.* Os altos de uma coxilha.

cocuzu. *Bras. S. 2 g.* e *adj. 2 g.* Congorê.

coda. [Do it. *coda*, 'cauda'.] *S. f. Mús.* **1.** Seção conclusiva de uma composição (sonata, sinfonia, etc.) em que há repetições. **2.** Na fuga[2] real, o prolongamento do sujeito, para facilitar a entrada da resposta.

codajaense. *Adj. 2 g.* **1.** De, ou pertencente ou relativo a Codajás (AM). ● *S. 2 g.* **2.** Natural ou habitante de Codajás.

códão. *S. m.* **1.** Congelação da umidade infiltrada no solo; geada. **2.** Sincelo. [Var.: *codo.* Pl.: *códãos.*]

codaque. [De *Kodak*, nome comercial de certa máquina fotográfica.] *S. f.* V. *máquina fotográfica.*

códea. [Do lat. **cutina* < *cutis*, 'pele'.] *S. f.* **1.** Parte exterior dura; casca, crosta: "Arrancavam-se, à unha, nacos de leitão, com a c ô d e a encoscorada" (Coelho Neto, *Rei Negro*, p. 100). **2.** Sujeira solidificada na roupa. **3.** Crosta de pão, rosca, etc.: "Comprava aos garotos da rua, por uma c ô d e a de broa, os passarinhos que tinham aprisionado, às vezes estropiado." (José Régio, *Histórias de Mulheres*, pp. 169-170.)

codeína. [Do gr. *kódeia*, 'papoula', + *-ina.*] *S. f. Quím.* Derivado da morfina, cristalino, incolor, sedativo, hipnótico. [Fórm.: $C_{18}H_{21}O_3N$.]

co-delinqüência. [De *co-*[1] + *delinqüência.*] *S. f.* **1.** Delinqüência coletiva. **2.** Co-autoria ou cumplicidade em delito. [Pl.: *co-delinqüências.*]

co-delinqüente. [De *co-*[1] + *delinqüente.*] *S. 2 g.* V. *co-autor* (2). [Pl.: *co-delinqüentes.*]

co-denunciado. *S. m. Jur.* V. *co-acusado.*

codessal. *S. m.* Quantidade mais ou menos considerável de codessos dispostos proximamente entre si; codesseira.

codesseira. *S. f.* Codessal.

codesso (ê). [Do gr. *kytisos*, pelo lat. *cytisu.*] *S. m.* Arbusto ornamental, da família das leguminosas (*Laburnum vulgare*), de flores amarelo-claras, dispostas em racimos pêndulos, e cujo fruto é vagem espessa, com sementes verrucosas. Fornece madeira castanho-esverdeada, própria para marcenaria de luxo, e tem propriedades melíferas.

codeúdo. *Adj.* Que tem côdea grossa.

co-devedor. [De *co-* + *devedor.*] *S. m.* Aquele que responde por uma dívida juntamente com outro(s). [Pl.: *co-devedores.*]

códex (cs). [Do lat. *codex.*] *S. m.* **1.** V. *tábula* (2). **2.** Conjunto de tábulas [v. *tábula* (2)] **3.** V. *códice* (3). **4.** *Ant.* Código farmacêutico; farmacopéia. [Pl.: *códices.*]

co-dialeto. [De *co-*[1] + *dialeto.*] *S. m.* Dialeto que se originou de uma língua juntamente com outra língua ou dialeto. [Pl.: *co-dialetos*.]

códice. [Do lat. *codice*.] *S. m.* **1.** Forma característica do manuscrito em pergaminho, semelhante à do livro moderno, e assim denominada por oposição à forma do rolo: "Era sereno seu rosto angélico, semelhante ao de uma dessas virgens que se encontram nas iluminuras de antigos códices" (Alexandre Herculano, *Lendas e Narrativas*, I, p. 87). [Cf. *livro em rolo*.] **2.** Registro ou compilação de manuscritos, documentos históricos, ou leis; código antigo. **3.** Obra antiga de autor clássico. [F. paral., nesta acepç.: *códex* (q. v.).]

codicilar. *Adj. 2 g.* **1.** Contido em codicilo. **2.** Relativo a, ou em forma de codicilo.

codicilo. [Do lat. *codicillu*.] *S. m.* **1.** *Jur.* Ato escrito de última vontade, pelo qual alguém faz disposições especiais sobre seu enterro, dá pequenas esmolas, lega móveis, roupas ou jóias de uso pessoal, não muito valiosas, nomeia ou substitui testamenteiros. **2.** *Ant.* Alteração ou anulação de um testamento, por disposições adicionais a ele: "Instituiu-a ele sua herdeira maior. Fê-lo em testamento traçado em 1821, seguido de codicilo escrito dois meses antes de seu falecimento" (Aureliano Leite, *Pequena História da Casa Verde*, p. 31).

codificação. [Do fr. *codification*.] *S. f.* **1.** Reunião de leis em código (1). **2.** Aplicação de código (6 e 7). **3.** *Proc. Dados.* Ação de codificar a escrita de um processo ou conjunto de dados de uma forma simbólica, aceitável por uma unidade de processamento de dados. **4.** *Teor. Com.* Ato ou efeito de codificar.

codificado. [Part. de *codificar*.] *Adj.* Que se codificou; de que se fez codificação.

codificador (ô). *S. m.* **1.** Aquele que codifica. **2.** *Eletrôn.* Circuito que transforma uma seqüência de sinais em sinais codificados. **3.** *Proc. Dados.* Dispositivo que traduz um programa para uma forma aceitável por um computador.

codificar. [Do fr. *codifier*.] *V. t. d.* **1.** Reunir em código (2): *codificar o direito comercial.* **2.** Reduzir a código (6 e 7): *codificar um telegrama.* **3.** Transformar em códice; reunir, coligir, compilar: *codificar documentos históricos.* **4.** *Teor. Com.* Transformar, recorrendo a um código, uma mensagem original numa seqüência de sinais adequados à transmissão em determinado canal. **5.** *Proc. Dados.* Preparar, num código ou pseudocódigo (uma lista das operações necessárias para um computador resolver um programa específico). [Conjug.: v. *trancar*.]

código. [Do lat. *codice*, com mudança de declinação.] *S. m.* **1.** Coleção de leis. **2.** Conjunto metódico e sistemático de disposições legais relativas a um assunto ou a um ramo do direito. **3.** Coleção autorizada de fórmulas médicas ou farmacêuticas. [Sin., nesta acepç.: *farmacopéia* e, ant., *códex*.] **4.** Coleção de regras e preceitos. **5.** Norma, regra, lei. **6.** Vocabulário ou sistema de sinais convencionais ou secretos utilizados em correspondências e comunicações. **7.** Palavra-chave, formada de 10 letras diferentes, dum sistema em que se substituem algarismos por letras, na marcação do preço de mercadoria. Ex.: *Pernambuco* (*p* corresponde a 1; *e*, a 2; etc.). **8.** Ordenações. **9.** *Proc. Dados.* Sistema de símbolos com que se representa uma informação numa forma que a máquina possa operar. **10.** *Teor. Com.* Conjunto de regras por meio do qual mensagens são convertidas, de maneira convencionada e reversível, de uma representação para outra. ♦ **Código antigo.** Códice (2). **Código binário.** *Proc. Dados.* Código que utiliza dois caracteres definidos e distintos: o 0 (zero) e o 1 (um). **Código de barras.** *Tec.* Conjunto de barras de diferentes espessuras, impressas numa embalagem, e que identificam a origem, o fabricante, o produto e o preço do material, podendo ser interpretado por um transdutor óptico acoplado a um processador automático. **Código de máquinas.** *Proc. Dados.* Aquele que serve para representar um conjunto de instruções básicas que o computador, por sua construção e projeto lógico, é capaz de executar diretamente. **Código genético.** *Genét.* Conjunto de seqüências de três nucleotídeos de ácido desoxirribonucléico, correspondentes aos aminoácidos que formam a cadeia polipeptídica. **Código morse.** Alfabeto morse.

código-fonte. *S. m. Proc. Dados.* V. *programa-fonte.* [Pl.: *códigos-fontes* e *códigos-fonte*.]

código-objeto. *S. m. Proc. Dados.* V. *programa-objeto.* [Pl.: *códigos-objetos* e *códigos-objeto*.]

codilhar. *V. t. d.* **1.** Passar codilho (1 e 2) a: *codilhar o parceiro.* **2.** *Fig.* Envolver em codilho (2); enganar, lograr, frustrar: *Foi codilhado pelo falso médico.*

codilheira. *S. f.* Tumor no codilho (3).

codilho. [Do esp. *codillo*.] *S. m.* **1.** Incidente no jogo do voltarete, em que o feito[1] (4) teve menos vazas que um dos parceiros. **2.** *Fig.* Logro, engano, embuste. **3.** Saliência na articulação superiror da mão do cavalo.

codinome. [De *códi(go)* + *nome*.]. *S. m. Bras.* Designação que esconde a identidade dum indivíduo, ou que nomeia secretamente uma operação (2), uma organização (4), um plano de ação, etc.

co-direção. [De *co-*[1] + *direção*.] *S. f.* Direção exercida em comum com outrem; co-diretoria. [Pl.: *co-direções*.]

co-diretor. [De *co-*[1] + *diretor*.] *S. m.* Aquele que é diretor juntamente com outrem. [Pl.: *co-diretores*.]

co-diretoria. [De *co-*[1] + *diretoria*.] *S. m.* Co-direção. [Pl.: *co-diretorias*.]

codizar. [De *códi(go)* + *-izar*.] *V. t. d. Bras. Mar. G.* Substituir as letras, sílabas, palavras ou grupos de palavras do texto claro de (uma mensagem) pelas suas correspondentes relacionadas em um código.

codo. *S. m.* Var. de *códão*.

co-doador. [De *co-*[1] + *doador*.] *S. m.* Aquele que faz uma doação conjuntamente com outrem. [Pl.: *co-doadores*.]

codoense (òên). *Adj. 2 g.* **1.** De, ou pertencente ou relativo a Codó (MA). ● *S. 2 g.* **2.** Natural ou habitante de Codó.

co-dominância. *S. f. Genét.* Independência de expressão de genes ou alelos de um mesmo lócus, em indivíduos heterozigóticos.

co-dominante. *Adj. Genét.* Relativo à co-dominância, ou que a apresenta.

códon. [Do ingl. *codon* *cod(e)*, 'código' + *-on*.] *S. m. Genét.* Seqüência de três nucleotídeos do ácido ribonucléico mensageiro que, na síntese de proteínas, representa a codificação da informação genética para um determinado aminoácido ou para a terminação da cadeia polipeptídica.

co-donatário. [De *co-*[1] + *donatário*.] *S. m.* Aquele que recebe uma doação conjuntamente com outrem. [Pl.: *co-donatários*.]

codório. [Da expr. litúrgica *quod ore*, que o sacerdote diz, na missa, quando vai beber o vinho.] *S. m. Bras.* Gole de vinho ou de aguardente.

codorna. *S. f.* Designação comum às aves tinamiformes, da família dos tinamídeos, gêneros *Nothura* Waler, *N. maculosa* (Tem.) e outras. Coloração pardo-amarelada no dorso; penas com manchas e faixas transversais pretas no centro e estrias amareladas nos lados; garganta branca, pescoço e peito bruno-amarelados, com largas estrias pretas; rêmiges escuras, com faixas transversais amareladas; abdome amarelado. É uma das aves cinegéticas mais apreciadas. [Sin.: *codorniz, inhambuí*.]

codorna-buraqueira. *S. f. Bras.* Ave tinamiforme, da família dos tinamídeos (*Taoniscus nanus* (Tem.)), do S.E. do País, de dorso preto com estreitas faixas transversais, cabeça e pescoço pardo-amarelados, penas do vértice com parte central escura, garganta e abdome brancos, peito e flancos amarelados, com largas faixas pretas transversais, e cujo nome vem do fato de ela esconder-se em burcacos no chão. É a menor das codornas brasileiras. [F. red.: *buraqueira;* sin.: *perdigão*. Pl.: *codornas-buraqueiras*.]

codorna-mineira. *S. f. Bras.* Ave tinamiforme, da família dos tinamídeos (*Nothura minor* (Spix.)). Muito semelhante à codorna verdadeira, porém menor (0,19 m), cabeça e dorso castanhos com muitas faixas e pontos pretos, coberteiras superiores das asas com faixas pretas transversais estreitas. Freqüenta os campos abertos nos cerrados de MG, SP e MT. [Pl.: *codornas-mineiras*.]

codorniz. [Do lat. *coturnice*.] *S. f.* V. *codorna.*

codorno. [De *codorna*.] *S. m. Bras.* V. *sesta* (1). [Pl.: *codornos*. *Cf. codorno* (ô) e pl. *codornos* (ô).]

codorno (ô). *S. m.* Variedade de pêro grande e sumarento. [Pl.: *codornos* (ô). Cf. *codorno* e pl. *codornos*.]

co-edição. [De *co-*[1] + *edição*.] *S. f.* *Edição* (4) *publicada mediante convênio entre editores*. [Pl.: *co-edições*.]

co-editar. [De *co-*[1] + *editar*.] *V. t. d.* Fazer co-edição de.

co-editor. [De *co-*[1] + *editor*.] *S. m.* Cada um daqueles que fazem co-edição ou co-edições. [Pl.: *co-editores*.]

co-educação. [De *co-*[1] + *educação*.] *S. f.* **1.** Educação em comum. **2.** Educação conjunta de indivíduos de ambos os sexos. [Pl.: *co-educações*.]

co-educar. [De *co-*[1] + *educar*.] *V. t. d.* Educar em comum: *Co-educando os dois sexos, a escola contribui para um melhor relacionamento entre estes.* [Conjug.: v. *trancar*.]

coeficiente. *S. m.* **1.** *Mat.* Parte numérica num produto de fatores numéricos e literais. **2.** *Mat.* Numa expressão constituída pelo produto de vários fatores, o produto de alguns dos fatores escolhidos segundo uma convenção arbitrária. **3.** Propriedade que tem algum corpo ou fenômeno de poder ser avaliado numericamente; grau, nível: *coeficiente de resistência*. **4.** *Fig.* Condição ou circunstância que contribui para um dado fim ou resultado; fator: *A liberdade é um dos coeficientes básicos da democracia.* ♦ **Coeficiente angular.** *Geom. Anal.* Tangente trigonométrica do ângulo que uma reta faz com o eixo dos *xx* de um sistema cartesiano bidimensional; o coeficiente da variável *x*, na equação reduzida de uma reta. **Coeficiente de acoplamento.** *Fís.* Um parâmetro que intervém nas equações de movimento de dois sistemas acoplados e dependentes da ação recíproca de um sobre o outro. **Coeficiente de aproveitamento.** *Urb.* Num lote[1] (8), relação entre a área de construção e a área total. **Coeficiente de associação.** *Estat.* Medida da associação de dois atributos. É positivo quando existe entre eles uma associação direta, e negativo no caso contrário. **Coeficiente de atrito.** *Fís.* Quociente do módulo da força de atrito pelo módulo da força normal à superfície de contato de dois corpos sólidos. **Coeficiente de extinção.** *Fís.-Quím.* V. *absortividade.* **Coeficiente de inteligência.** Quociente de inteligência. **Coeficiente de rigidez.** *Fís.* Constante de força. **Coeficiente de viscosidade.** *Fís.* V. *viscosidade.* **Coeficiente linear.** *Geom. Anal.* O termo constante na equação reduzida de uma reta.

coéforo. [Do gr. *choephóros*.] *S. m.* Na Grécia antiga cada um dos portadores de oferendas destinadas aos mortos.

coelheira. *S. f.* Recinto onde se criam coelhos.

coelheiro. *Adj.* **1.** Que caça coelhos: *cadela coelheira.* ● *S. m.* **2.** Caçador de coelhos. **3.** Cão coelheiro.

coelho (ê). [Do pré-romano, atr. do lat. *cuniculu*.] *S. m.* **1.** Animal mamífero, lagomorfo, da família dos leporídeos (*Oryctolagus cuniculus* (L.)), da Europa, e que, introduzido em outros continentes, se tornou praga importante na Austrália e Nova Zelândia. Cavam tocas, onde parem seus filhos. Dessa espécie provêm todas as raças domésticas. **2.** Iguaria feita com a carne desse animal. **3.** *Bras.* No jogo do bicho [q. v.], o 10º grupo (8), que abrange as dezenas 37, 38, 39 e 40, e corresponde ao número dez. **4.** *Bras.* V *americano*[2] (2). **5.** *Bras., Gír. Desus.* Cédula de 10 cruzados. ● *Adj.* **6.** *Bras.* V. *americano*[2] (3). ♦ **Matar dois coelhos de uma cajadada.** Obter dois resultados com um só trabalho ou esforço.

coelho-do-mato. *S. m. Bras.* V. *tapiti*[1]. [Pl.: *coelhos-do-mato*.]

coelho-netense. *Adj. 2 g.* **1.** De, ou pertencente ou relativo a Coelho Neto (MA). ● *S. 2 g.* **2.** Natural ou habitante de Coelho Neto. [Pl.: *coelho-netenses*.]

coelho-no-prato. *S. m. Bras.* Planta da família das leguminosas (*Periandra coccinea*), de caule herbáceo, prostrado e viloso, pedúnculos alongados, e poucas flores, vermelho-escarlate. [Pl.: *coelhos-no-prato*.]

coelho-rochense. *Adj. 2 g.* **1.** De, ou pertencente ou relativo a Coelho da Rocha (RJ). ● *S. 2 g.* **2.** Natural ou habitante de Coelho da Rocha. [Pl.: *coelho-rochenses*.]

coelho-sai. [De *coelho* + *sair*.] *S. m. 2 n. Bras.* Certo jogo infantil.

coempção. [Do lat. *coemptione*.] *S. f.* **1.** *Jur.* Compra em comum. **2.** *Jur.* Compra recíproca. **3.** Entre os hebreus e romanos, rito segundo o qual o casamento se efetuava mediante a troca de uma moeda entre os cônjuges e o pronunciamento de certas palavras.

coentrada. *S. f.* **1.** Porção de coentros. **2.** Molho que tem por base o coentro.

coentrilho. [Do esp. *culantrillo*, ou dim. de *coentro*.] *S. m. Bras., SC* e *RS.* Árvore pequena, da família das rutáceas (*xanthoxylum hyemale*), de flores sésseis, castanho-esverdeadas, com lacínias triangulares, dispostas em panículas axiliares compostas, e fruto formado por carpelos rugosos, escuros, de cheiro forte, com sementes pretas e luzidias, e cuja casca, amarga, acre e um pouco aromática; é tida por medicinal.

coentro. [Do gr. *koríandro*, pelo lat. *coriandru*.] *S. m.* Planta glabra, da família das umbelíferas (*coriandrum sativum*), de flores róseas ou alvas, pequenas e aromáticas, cujo fruto é diaquênio, e cuja folha, usada como condimento, exala odor característico. [Sin., bras., MA: *cheiro*. Cf. *cheiros* (2).]

coerção. [Do lat. *coertione*.] *S. f.* **1.** Ato de coagir; coação. **2.** Repressão, coibição. **3.** *Jur.* A força que emana da soberania do Estado e é capaz de impor o respeito à norma legal.

coercibilidade. *S. f.* Qualidade de coercível.

coercímetro. *S. m. Fís.* Instrumento com que se mede a coercividade duma substância ferromagnética.

coercitividade. *S. f.* Qualidade de coercitivo; coercividade, coatividade.
coercitivo. *Adj.* V. *coercivo* (1).
coercível. [Do lat. *coercere*, 'comprimir', + *-vel.*] *Adj. 2 g.* **1.** Que pode ser coagido; reprimível. **2.** Que se pode encerrar em menor espaço.
coercividade. [De *coercivo* + *-i-* + *-dade.*] *S. f.* **1.** V. *coercitividade.* **2.** *Fís.* A intensidade do campo magnético externo que deve ser imposta a uma substância ferromagnética para lhe anular a magnetização; força coerciva.
coercivo. [Do lat. *coercere*, 'comprimir', + *-ivo.*] *Adj.* **1.** Que pode exercer coerção; coercitivo. **2.** V. *coativo* (2). ~ V. *força —a.*
coerência. [Do lat. *cohaerentia.*] *S. f.* **1.** Qualidade, estado ou atitude de coerente. **2.** Ligação ou harmonia entre situações, acontecimentos ou idéias; relação harmônica; conexão, nexo, lógica. **3.** V. *congruência* (1). **4.** *Fís.* Propriedade apresentada por duas ou mais ondas eletromagnéticas monocromáticas que têm o mesmo comprimento de onda e o mesmo plano de vibração, apresentam diferenças de fase constantes e passam em um mesmo intervalo de tempo, por uma mesma região do espaço. **5.** *Estat.* Propriedade pela qual um estimador de parâmetro de uma população tende aleatoriamente para esse parâmetro quando o número de membros da amostra tende para infinito.
coerente. [Do lat. *cohaerente.*] *Adj. 2 g.* **1.** Em que há coesão, ligação ou adesão recíproca. **2.** V. *lógico* (3). **3.** Que procede com coerência; conseqüente: *É coerente com seus princípios.* **4.** *Fís.* Diz-se de uma radiação eletromagnética constituída por trens de onda que satisfazem as condições de coerência. ~ V. *estimador — e fontes —s.*
coerir. [Do lat. *cohaerere.*] *V. int.* **1.** Fazer coesão; aderir reciprocamente: *As moléculas deste organismo não coerem perfeitamente.* **2.** *Fig.* Aderir-se, associar-se, aliar-se: *Os dois partidos políticos coeriram. T. d.* **3.** Fazer aderir; associar, aliar: "Queira aceitar essa fórmula nova que abrange, aquieta, resolve e coere todas as diversidades." (João Ribeiro, *Cartas Devolvidas*, p. 227.) [Irreg. Conjug.: v. *aderir.*]
coeruna. *Bras. S. 2 g.* **1.** Indivíduo dos coerunas, tribo indígena com língua isolada que vivia ao N. do rio Japurá (AM). ● *Adj. 2 g.* **2.** Pertencente ou relativo a essa tribo.
coesão. [Do fr. *cohésion?*] *S. f.* **1.** União íntima das partes de um todo. **2.** *Fig.* Harmonia, concordância, união: *Havia falta de coesão entre os membros do partido.* **3.** Conexão, nexo, coerência. **4.** *Fís.* Propriedade resultante da ação das forças atrativas existentes entre as partículas (moléculas, átomos, íons) constitutivas de um corpo.
coesivo. [Do fr. *cohésif?*] *Adj.* Em que há coesão.
coeso (é). [Do lat. *cohaesu.*] *Adj.* **1.** Ligado ou unido por coesão; intimamente ligado; conexo: "Topo a tudo para servir o Partido, torná-lo coeso em torno do Governo, que é único centro possível de interesses conservadores estáveis..." (Alberto Rangel, *Livro de Figuras*, pp. 188-189.) **2.** Concorde, harmônico. **3.** Coerente, lógico: "Porque só a base filosófica de uma doutrina coesa é capaz de imprimir disciplina ao espírito." (Vivaldo Coaraci, *Todos Contam Sua Vida*, p. 201.)
coesor (ô). [De *coeso* + *-or.*] *S. m. Fís.* Instrumento usado para indicar a presença de ondas eletromagnéticas.
coessência. [De *co-*[1] + *essência.*] *S. f.* Essência comum.
coessencial. [Do lat. *coessentiale.*] *Adj. 2 g.* Que tem a mesma essência que outro(s).
coestaduano. [De *co-*[1] + *estado* + *-ano.*] *Adj.* e *s. m.* Que ou aquele que é do mesmo estado que outro; conterrâneo: "Talvez lhe seja superior por se tratar de um coestaduano e a seiva de afetividade regional ser forte mesmo nos ironistas mais desabusados." (Agripino Grieco, *Gente Nova do Brasil*, p. 371.)
coetâneo. [Do lat. *coaetaneu.*] *Adj.* **1.** V. *contemporâneo* (1). **2.** Que é da mesma idade. ● *S. m.* **3.** V. *contemporâneo* (2). **4.** Indivíduo coetâneo (2) de outro.
coeternidade. *S. f.* Qualidade de coeterno.
coeterno. [Do lat. *coaeternu.*] *Adj.* Que existe com outro desde sempre: "— Grande Deusa, / Coeterna do caos!" (José Bonifácio, *Poesias*, p. 53.)
coevo (é). [Do lat. *coaevu.*] *Adj.* e *s. m.* V. *contemporâneo*: "Quem nunca provou .... estas cabidelas de frango coevas da Monarquia que enchem a alma, não pode realmente conhecer o que seja a especial bemaventurança tão grosseira e tão divina, que no tempo dos frades se chamava *comezaina.*" (Eça de Queirós, *A Correspondência de Fradique Mendes*, pp. 216-217); "Admiramos hoje os grandes filósofos gregos; seus coevos, porém, admiravam muito mais aos atletas vencedores no estádio." (Monteiro Lobato, *Urupês, Outros Contos e Coisas.* p. 446.)
coexistência (z). *S. f.* Qualidade ou condição de coexistente.
coexistente (z). *Adj. 2 g.* Que coexiste.
coexistir (z). *V. int.* **1.** Existir simultaneamente: *Coexistiam, naquele homem, a sabedoria e a modéstia;* "Na época dos descobrimentos marítimos coexistiam na Europa um sistema mercantilista em desenvolvimento e um sistema feudal em decomposição." (Paulo Mercadante, *A Consciência Conservadora no Brasil*, p. 17.) **2.** Conviver: *Aqui as raças coexistem sem atritos. T. i.* **3.** Existir simultaneamente: "E as paredes aveludavam-se de musgos, os quais coexistiam com a hera." (O. G. Rego de Carvalho, *Somos Todos Inocentes*, p. 38.)
co-fator (ô). [De *co-*[2] + *fator.*] *S. m. Álg.* Num determinante, o menor de um elemento, com sinal positivo ou negativo, conforme a ordem do elemento seja par ou ímpar; complemento algébrico. [Pl.: *co-fatores.*]
cóferdã. [Do ingl. *cofferdam.*] *S. m. Bras. Constr. Nav.* **1.** Espaço celular entre duas anteparas transversais próximas uma da outra, destinado a servir como isolante térmico entre um tanque de óleo ou de água, uma praça de máquinas ou de caldeiras, etc., e compartimentos habitáveis; espaço de ar, espaço de segurança. **2.** Espaço celular estanque, disposto lateralmente junto ao costado de antigos encouraçados e cruzadores, e por vezes cheio de substâncias leves, tais como serragem ou aparas de cortiça, destinado a limitar o volume alagado por um eventual veio de água ou rombo; contramina. [Cf. nesta acepç. *embono* (2).]
co-fiador (ô). *S. m.* Aquele que se obrigou por fiança juntamente com outrem. [Pl.: *co-fiadores.*]
cofiar. [Do fr. *coiffer.*] *V. t. d.* Alisar, afagar (a barba, o bigode, o cabelo), passando a mão por eles: "era alto, magro, moreno e usava barba grisalha, e em ponta, que cofiava lentamente." (Humberto de Campos, *Memórias*, p. 223). [Var., p. us.: *acofiar.*]
cofo[1] (ô). *S. m.* **1.** *Bras.* Samburá: "queres viver na praia, mariscando e pescando .... ? Pois vai, pede a tua avó umas calças e uma baeta, toma um cofo e uma linha." (Xavier Marques, *Jana e Joel*, pp. 13-14). **2.** *Bras., RJ.* Tipiti de comprimento superior ao comum. [Pl.: *cofos* (ô).]
cofo[2] (ô). *S. m. Ant.* Certo sapato para agasalho; pantufo[1] (1). [Pl.: *cofos* (ô).]
cofo[3] (ô). *S. m. Ant.* Espécie de escudo persa. [Pl.: *cofos* (ô).]
cofose. [Do gr. *kóphosis.*] *S. f. Med.* Surdez absoluta.
cofre. [Do fr. *coffre.*] *S. m.* **1.** Caixa onde se guarda dinheiro, jóias, documentos e outros objetos de valor; arca, burra. **2.** Móvel de metal, resistente e com fechadura de segredo, para o mesmo fim. **3.** Tesouro, erário: *o cofre do Estado.* **4.** *Fig.* Fonte de receita. **5.** *Tip.* Plano ou mesa onde se coloca a fôrma, nas prensas planas e planocilíndricas. ◆ **Cofre de carga.** V. *contêiner.*
cofre-forte. *S. m.* Caixa-forte. [Pl.: *cofres-fortes.*]
cogente. [Do lat. *cogente.*] *Adj. 2 g.* Racionalmente necessário.
co-gestão. [De *co-*[1] + *gestão.*] *S. f.* Gestão em comum; administração ou gerência em sociedade. [Pl.: *co-gestões.*]
cogitabundo. [Do lat. *cogitabundu.*] *Adj.* Profundamente pensativo; cogitativo, meditabundo: "Cogitabunda Musa, / Foge os pesares. Eia!" (Raimundo Correia, *Poesias*, p. 39.)
cogitação. [Do lat. *cogitatione.*] *S. f.* **1.** Ação de cogitar (1, 3, 4 e 5); pensar. **2.** Ação de cogitar (2); tenção, intenção, projeto, plano.
cogitar. [Do lat. *cogitare.*] *V. t. d.* **1.** Refletir acerca de; pensar em; imaginar, excogitar: *Pôs-se a cogitar um novo plano.* **2.** Ter em mente; tencionar, projetar: *Não cogito ir ao Rio. T. i.* **3.** Refletir, pensar, imaginar, cuidar: "Se a moça cogitasse em um meio de fascinar o seu amante, ... não poderia escolher melhor do que este receio sincero por ela manifestado." (José de Alencar, *Encarnação*, p. 377); "Disse e abandonou a sala, deixando o juiz a cogitar sobre quão surpreendente é a vida, por vezes absurda" (Jorge Amado, *Teresa Batista Cansada de Guerra*, p. 54); *Não cogito de viajar. Int.* **4.** Pensar, refletir: *Muito cogitou antes de tomar a resolução.* **5.** Ficar absorto em pensamentos; meditar, cismar: *Levou horas em silêncio, a cogitar.*
cogitativo. *Adj.* V. *cogitabundo.*
➧**cogito** (cógito). [Lat., 'penso'.] *S. m. Filos.* Pensamento, especialmente o pensamento de um indivíduo isolado.
➧**cogito, ergo sum** (cógito, érgo sum). [Lat., 'penso, logo existo'.] *Filos.* Verdade firme e assegurada, de que não se pode duvidar, princípio primeiro do cartesianismo.
cognação. [Do lat. *cognatione.*] *S. f.* **1.** No direito romano, parentesco consangüíneo pelo lado das mulheres. **2.** Descendência comum do mesmo tronco, masculino ou feminino; parentesco. [Cf., nessas acepç.: *agnação.*] **3.** Relação ou analogia entre vocábulos cognatos: *É visível a cognação entre as palavras* Ângelo e anjo. [Cf. *cognição.*]
cognado. [Do lat. *cognatu.*] *Adj.* e *s. m.* **1.** Diz-se de, ou parente por cognação (1 e 2); cognato. **2.** Diz-se de, ou relação por cognação (3); cognato.
cognático. [De *cognato* + *-ico.*] *Adj.* Relativo a cognação.
cognato. [Do lat. *cognatu.*] *Adj.* e *s. m.* **1.** Cognado. **2.** *Gram.* Diz-se de, ou vocábulo que tem raiz comum com outro(s): *As palavras* belo, beleza *e* embelezar *são cognatas.*
cognição. [Do lat. *cognitione.*] *S. f.* **1.** Aquisição de um conhecimento. **2.** *P. ext.* Conhecimento, percepção. **3.** *Jur.* Fase processual duma demanda, em que o juiz toma conhecimento do pedido, da defesa, das provas, e a decide, em contraposição à fase executória. [Cf. *cognação.*]
cognitivo. *Adj.* Relativa a cognição ou ao conhecimento. V. *função —a* e *linguagem —a.*
cógnito. [Do lat. *cognitu.*] *Adj. Ant.* Conhecido, sabido.
cognome. [Do lat. *cognomen.*] *S. m.* Epíteto nominal; apelido, alcunha; antonomásia: "A pena maior recairia sobre D. Pedro, que o cronista e secretário do seu filho bastardo, mestre de Aviz e depois rei, indulta das abomináveis ferezas ajoujando-o com o cognome de Justiceiro." (Aquilino Ribeiro, *Príncipes de Portugal*, p. 77.)
cognominação. *S. f.* Ato ou efeito de cognominar(-se).
cognominado. [Part. de *cognominar.*] *Adj.* Que recebeu cognome; alcunhado. ~ V. *cognominados.*
cognominados. [Pl. de *cognominado.*] *Adj.* e *s. m. pl. Gram.* Diz-se de, ou vocábulos com radical comum, nas diferentes flexões etimológicas. ~ V. *cognominado.*
cognominar. [Do lat. *cognominare.*] *V. transobj.* **1.** Designar por cognome; apelidar, alcunhar, chamar: *Alexandre da Macedônia foi cognominado o* Grande; "D. José cognominava de renegado o fugitivo sócio" (Camilo Castelo Branco, *Amor de Salvação*, p. 133). *P.* **2.** Ter ou adotar cognome: *Cognominou-se de coronel e passou a mandar na região.*
cognoscibilidade. *S. f.* Qualidade de cognoscível.
cognoscitivo. [De um suposto lat. **cognoscitu*, por *cognitu*, 'cógnito'.] *Adj.* Que tem a faculdade de conhecer.
cognoscível. [Do lat. *cognoscibile.*] *Adj. 2 g.* Que se pode conhecer; conhecível.
cogoilo. *S. m. Arquit.* Cogulho.
cogote. [Do esp. *cogote.*] *S. m. Pop.* Região occipital; nuca, cachaço. [Var.: *cangote* e *congote*; sin. (*bras.*, AM) *atuá.*]
cogotilho. [Do esp. *cogotillo.*] *S. m. Bras.* Tosa que se faz, por garbo, nas crinas do cavalo acompanhando-lhe a volta do pescoço. [Var.: *cangotilho.*]
cogotudo. *Adj.* Que tem cogote proeminente; pescoçudo, cachaçudo. [Var.: *cangotudo.*]
cogula. [Do lat. *cuculla.*] *S. f.* Túnica larga de religiosos: "a cogula do beneditino" (Alexandre Herculano, *O Bobo*, p. 89).
cogulado[1]. [De *cogula* + *-ado*[1].] *Adj.* Vestido de cogula.
cogulado[2]. [Part. de *cogular.*] *Adj.* Que tem cogulo; muito cheio.
cogular. *V. t. d.* e *T. d. e i.* Acogular: *Cogulou o prato; Cogulou de jóias o seu cofre.* [Var. pop, bras.: *cocular, cucular.*]
cogulhado. [De *cogulho* + *-ado*[1].] *Adj. Arquit.* Guarnecido de cogulhos.
cogulho. *S. m. Arquit.* Espécie de paquife que termina em folhas encrespadas como as do repolho; cogoilo.
cogulo. [Var. de *coculo* (q. v.) lat. *cucullu*, 'capuz'.] *S. m.* **1.** O que numa medida excede o conteúdo até às bordas: *o cogulo de um litro de sal.* **2.** *Fig.* Excesso, demasia. [Var. pop. *caculo* e (bras., N.E., e lus.): *cuculo.*]
cogumelo. [Do lat. **cucumellu*, dim. de *cucuma*, 'vaso de cozinha'.] *S. m.* **1.** *Bot.* Designação comum a inúmeras plantas criptógamas parasitas, distribuídas por muitas dezenas de famílias e centenas de gêneros,

espalhados por todo o globo. Há cogumelos microscópicos (*Saccharomyces, Aspergillus, Mucor, Claviceps, Phytophtora, Plasmopora*) e macroscópicos, de porte variável, (*Cantharellus cibarius; Agaricus campestris*), muitos dos quais venenosos, e alguns comestíveis. **2.** *Bras. Constr. Nav.* Ventilador constituído de um tubo que se assemelha a um cogumelo. **3.** *Bras. Marinh.* Âncora especial, em forma de cogumelo, usada em amarrações fixas.

cogumelo-de-caboclo. *S. m. Bras.* V. *esponja-de-raiz.* [Pl.: *cogumelos-de-caboclo.*]

cogumelo-de-sangue. *S. m. Bras.* V. *esponja-de-raiz.* [Pl.: *cogumelos-de-sangue.*]

cogumelo-do-mar. *S. m. Bras.* V. *renila.* [Pl.: *cogumelos-do-mar.*]

co-herdar. [De *co-*¹ + *herdar.*] *V. t. d.* Herdar em comum.

co-herdeiro. [De *co-*¹ + *herdeiro.*] *S. m.* Aquele que co-herda. [Pl.: *co-herdeiros.*]

coibente (o-i). [Do lat. *cohibente.*] *Adj. 2 g.* Que coíbe, reprime, refreia.

coibição (o-i). [Do lat. *cohibitione.*] *S. f.* Ato ou efeito de coibir.

coibir (o-i). [Do lat. *cohibere.*] *V. t. d.* **1.** Obstar à continuação de; reprimir, refrear: *coibir abusos.* **2.** Impedir de fazer alguma coisa: *Só o medo do escândalo o coibiu. T. d. e i.* **3.** Impedir, proibir, tolher: *Coibiram-no de viajar.* **4.** Reduzir, restringir, circunscrever: *A lei coíbe as liberdades a seus justos limites. P.* **5.** Reprimir-se, conter-se. **6.** Privar-se, abster-se: *Coíbe-se de bebidas alcoólicas;* "Quem [entre os camponeses] visita um moribundo .... não se coíbe de lhe dizer: / — Encomenda a alminha a Deus" (Aquilino Ribeiro, *Portugueses das Sete partidas,* p. 340).

coice. [Var. de *couce* < lat. *calce,* 'calcanhar'.] *S. m.* **1.** Pancada que certos quadrúpedes, especialmente os eqüinos, desferem com os cascos traseiros, firmando as patas dianteiras no chão. **2.** Pancada para trás, com o calcanhar. **3.** Parte posterior de algo; traseira, retaguarda: "Lá vinha também, no coice do cortejo, a cavalaria." (João da Silva Correia, *Farândola,* p. 28); *Ia no coice da caravana.* **4.** Dente da rabiça do arado. **5.** Calcanhar (1). **6.** V. *coiceira* (1). **7.** Parte inferior da coronha (1). **8.** Recuo da arma de fogo quando disparada. **9.** *Fig.* Brutalidade, má-criação ou qualquer agressão moral (sobretudo quando envolve ingratidão). ♦ **Coice da porta.** V. *coiceira* (1).

coice-de-mula. *S. m. Bras. Cap.* Golpe traumatizante em que o capoeirista, tendo as mãos apoiadas no chão, procura atingir o adversário com os dois pés, após encolher e distender as pernas, como no movimento dos coices dos muares. [Pl.: *coices-de-mula.*]

coicear. [Var. de *coucear.*] *V. t. d.* e *int.* Dar coices; escoicear. [Conjug.: v. *frear.*]

coiceira. [Var. de *couceira.*] *S. f.* **1.** Parte da porta em que se pregam os gonzos ou dobradiças; coice da porta; coice. **2.** *P. ext.* Soleira, limiar.

coiceiro. [Var. de *couceiro.*] *Adj. Bras.* Que costuma dar coices.

coicinhar. *V. t. d.* e *int.* V. *escoicear.*

coicoa (ô). *S. f. Bras.* V. *piranha-vermelha.*

coifa. [Do germ., atr. do lat. tardio *cofia.*] *S. f.* **1.** Rede ou touca em que as mulheres envolvem o cabelo: "Cotinha .... arrancou da cabeça, num gesto atrevido, as pérolas da coifa" (Afonso Arinos, *Pelo Sertão,* p. 152). **2.** Invólucro, envoltório. **3.** *Desus.* Membrana que envolve a cabeça do feto ao nascer. **4.** Chaminé campanulácea usada sobre os fogões a gás ou nas capelas dos laboratórios de química. **5.** *Bot.* Nos musgos, capuz mais ou menos dilacerado que cobre a porção suprema da cápsula e cai após a abertura desta; caliptra. **6.** *Encad.* Curvatura que se dá, sobre a cabeçada, a cada uma das extremidades da lombada de um livro. **7.** *Mar. G.* Revestimento de metal macio, com forma ogival afilada, adaptado à ogiva de projetil que se destina a perfurar couraça pesada.

coima. [Do lat. *calumnia,* 'calúnia'.] *S. f.* **1.** Pena pecuniária imposta ao dono de gados que pastam sem licença em propriedade alheia, ou a danificam. **2.** Multa, pena, castigo.

coimar. *V. t. d., transobj., int.* e *p. P. us.* V. *acoimar.*

coimável. *Adj. 2 g.* Sujeito a coima; acoimável, coimeiro.

coimbrão (o-im). *Adj.* **1.** De, ou pertencente ou relativo a Coimbra (Portugal). ● *S. m.* **2.** O natural ou habitante de Coimbra. [Sin. ger.: *conimbricense, conimbrigense* e *colimbriense.* Flex.: *coimbrã, coimbrãos, coimbrãs.*]

coimbrense (o-im). *Adj. 2 g.* **1.** De, ou pertencente ou relativo a Coimbra (MG). ● *S. 2 g.* **2.** Natural ou habitante de Coimbra.

coimeiro. *Adj.* **1.** V. *coimável.* **2.** Defeso, vedado (terreno). ● *S. m.* **3.** Cobrador de coima(s). **4.** Aquele que fica sujeito a coima.

coincidência (o-in). [De *coincidir.*] *S. f.* **1.** Identidade ou igualdade de duas ou mais coisas. **2.** Ocupação do mesmo espaço; sobreposição, justaposição. **3.** Simultaneidade de dois ou mais acontecimentos.

coincidente (o-in). *Adj. 2 g.* Que coincide.

coincidir (o-in). [Do lat. escolástico *coincidere.*] *V. t. i.* **1.** Ser idêntico em formas ou dimensões; ajustar-se perfeitamente (uma linha ou superfície sobre outra). **2.** Ser idêntico, igual; igualar-se, equiparar-se: *Minha opinião coincide com a sua.* **3.** Acontecer, ocorrer, ao mesmo tempo: "Aqui o sonho coincidiu com a realidade, e as mesmas bocas uniram-se na imaginação e fora dela". (Machado de Assis, *Várias Histórias,* p. 55); *Sua chegada coincidiu com a do pai.* **4.** Ajustar-se, afinar-se; concordar: *Esta construção coincide com a norma gramatical. Int.* **5.** Ser idêntico, igual: *O funcionário do banco afirmou que as assinaturas não coincidem.* **6.** Ser idêntico em formas ou dimensões; ajustar-se perfeitamente. **7.** Recair, incidir no mesmo ponto: *Duas linhas coincidem ao formar um ângulo.* **8.** Incidir ao mesmo tempo: *As datas dos nossos aniversários coincidem.* **9.** Ser concordante; concordar, combinar: *Nossos pensamentos sempre coincidiram.*

coincidível (o-in). *Adj. 2 g.* Que pode coincidir; suscetível de coincidência.

coiné. [Do gr. *koiné diálektos,* 'língua comum'.] *S. m.* **1.** Língua comum, baseada no dialeto ático e adotada pelos gregos e por habitantes dos países da parte oriental do Mediterrâneo, a partir do séc. IV a.C. **2.** *P. ext.* Qualquer língua comum originada de uma redução mais ou menos artificial, a uma unidade, de variantes idiomáticas. [O galego-português dos *Cancioneiros,* p. ex., é uma coiné formada no séc. XIII e que persistiu como língua estritamente literária até o séc. XVI.]

co-interessado. *Adj.* e *s. m.* Que ou aquele que tem com outrem interesse ou interesses comuns. [Pl.: *co-interessados.*]

coio. *S. m. Pop.* **1.** Esconderijo. **2.** Abrigo ou valhacouto de malfeitores; covil.

coió. [De or. indígena, decerto.] *S. m.* **1.** *Bras.* V. *peixe-voador* (1). **2.** *Bras.* V. *voador*² (5). **3.** *Bras.* V. *tolo* (8). **4.** *Bras., N.E. Fam.* Namorado ridículo. **5.** *Bras., N.E.* Assobio característico que se dá perto de uma mulher como galanteio ou provocação amorosa. **6.** *Bras., BA.* Choça de um só compartimento, que os trabalhadores constroem no meio das matas; capuaba. [Cf. nessa acepç. *tijupá* (2).] **7.** *Bras., SP. Pop.* Medroso, covarde.

coió-coió. *S. m. Bras.* V. *tuim.* [Pl.: *coiós-coiós* e *coió-coiós.*]

coiote. [Do náuatle *koyotl.*] *S. m.* Espécime de lobo americano (*Canis latrans*), *comum desde o Alasca até a Guatemala.*

coira. *S. f.* V. *coura.*

coiraça. *S. f.* V. *couraça.*

coiraçado. *Adj.* e *s. m.* Couraçado.

coiraçamento. *S. m.* Couraçamento [q. v.].

coiraçar. *V. t. d.* e *p.* V. *couraçar.*

coiraceiro. *S. m.* Couraceiro [q. v.].

coirama. *S. f.* V. *courama.*

coirana. [Do tupi *kiïrana,* 'semelhante a pimenta'.] *S. f.* **1.** *Bras., N.* a *S.* Designação comum a várias plantas arbustivas, medicinais, da família das solanáceas, de flores alvas ou amarelo-esverdeadas, dispostas, nalgumas espécies, em espigas, e frutos bacáceos: "o cheiro manso das coiranas em flor." (Valdomiro Silveira, *Os Caboclos,* p. 25.) **2.** V. *boa-noite* (2). ♦ **Roer coirana.** *Bras. N.E. Pop.* Mostrar-se ciumento ou despeitado.

coirão. *S. m.* Courão [q. v.].

coireada. *S. f. Bras., RS.* Var. de *coureada* [q. v.].

coireador (ô). *S. m. Bras., RS.* Var. de *coureador* [q. v.].

coirear. *V. t. d.* V. *courear.*

coireiro. *S. m.* Coureiro [q. v.].

coirela. [Do lat. vulg. **quadrella,* dim. de quadra, 'quadrada', atr. do port. arc. *quairela.*] *S. f.* **1.** Porção de terra cultivada, longa e estreita. **2.** Antiga medida agrária, equivalente a 100 braças de comprimento por 10 de largura. [Var.: *courela.*]

coirinho. *S. m. Bras., CE.* Courinho [q. v.].

coirmã (o-ir). [De *co-*¹ + *irmã.*] *Adj. (f.)* e *s. f.* Fem. de *coirmão* [q. v.].

coirmão (o-ir). [De *co-*¹ + *irmão.*] *Adj.* **1.** Diz-se daquele que é membro, sócio, filiado; irmão: *agências coirmãs.* ~ V. *primos —s.* ● *S. m.* **2.** Aquele que é coirmão. [Flex.: *coirmã, coirmãos, coirmãs.*]

coiro. *S. m.* V. *couro.* ~ V. *coiros.*

coiros. *S. m. pl. Bras., N.E.* V. *couros.* ~ V. *coiro.*

coisa. [Var. de *cousa* < lat. *causa.*] *S. f.* **1.** Aquilo que existe ou pode existir: *todas as coisas do Universo.* **2.** Objeto inanimado: *os animais e as coisas.* **3.** Realidade, fato: *Não veremos palavras, mas coisas evidentes.* **4.** Negócio, interesse: *Sabe tratar de suas coisas.* **5.** Empreendimento, empresa: *Agora a coisa vai.* **6.** Acontecimento, ocorrência, caso: *Foi assim que se deu a coisa.* **7.** Assunto, matéria: *Trata-se de coisa séria.* **8.** Causa, motivo: *Que coisa provocou o rompimento dos dois?* **9.** Mistério, enigma: *Aí tem a coisa, ninguém a entende.* **10.** Perda dos sentidos, ou mal-estar ou indisposição indeterminada; troço: *Deu-lhe uma coisa.* **11.** *Bras. Gír.* Troço (2): *Que coisa, a casa que ele comprou!* **12.** *Bras., PB.* V. *baseado*¹. ● *S. m.* **13.** *Bras. pop.* V. *diabo* (2). ~ V. *coisas.* ♦ **Coisa de.** Cerca de; mais ou menos: "Assim, de cabeça baixa, ... deixei eu há coisa de três horas o meu carro" (José Cardoso Pires, *O Delfim,* p. 30). **Coisa do arco-da-velha.** Coisa espantosa, extraordinária, inverossímil. **Coisa julgada.** *Jur.* Sentença irrecorrível, decisória da lide, e que tem força de lei nos limites das questões decididas. **Coisa pública.** Os negócios ou os interesses do Estado; o Estado. **Coisas e loisas.** **1.** Mistura de coisas várias, assuntos vários. **2.** Coisas indeterminadas, ou que não se quer especificar: *Disse-me coisas e loisas.* [Tb. se usa no sing.] **Aí é que a coisa fia fino.** V. *aí é que são elas.* **Alguma coisa.** Um tanto; algum tanto, algo: "Todos a achavam imensamente estranha e alguma coisa feia." (Antônio Patrício, *Serão Inquieto.* p. 124.) **E lá vai coisa.** *Bras. Fam.* V. *e lá vai fumaça.* **Não dizer coisa com coisa.** Falar sem nexo ou propósito; disparatar. **Não fazer coisa com coisa.** Agir despropositadamente; disparatar. **Não ser lá grande coisa.** V. *não ser lá para que digamos.* **Uma coisa.** *Bras. Fam.* e *pop.* **1.** V. *um amor: Depois de remodelada, a casa ficou uma coisa.* **2.** Reação súbita e incontrolável; um troço: *Senti uma coisa quando vi a criança chorando, e chorei também.* **3.** Coisa ruim, de má qualidade; uma bomba: *O programa de televisão, ontem, foi uma coisa.*

coisa-à-toa. *S. 2 g. Bras.* **1.** Indivíduo desprezível, ordinário, sem caráter: "A única notícia do coisa-à-toa Dona Flor a teve escrita a beliscões na bunda de Zulmira." (Jorge Amado, *Dona Flor e Seus Dois Maridos,* p. 493.) **2.** V. *diabo* (2). [Pl.: *coisas-à-toa.*]

coisada. [Var. de *cousada.*] *S. f. Pop.* Multidão de coisas heteróclitas.

coisa-em-si. [Var. de *cousa-em-si.*] *S. f. Hist. Filos.* No kantismo, o que subsiste independentemente da representação. [Pl.: *coisas-em-si.*]

coisa-feita. [Var. de *cousa-feita.*] *S. f. Bras.* **1.** V. *bruxaria* (1 e 2): "Sinhá Ambrósia falou de Odete, de feitiço. A pobre morrera em vista de coisa-feita." (José Lins do Rego, *Usina.* p. 33.) **2.** V. *rolo*¹ (16). [Pl.: *coisas-feitas.*]

coisa-má. [Var. de *cousa-má.*] *S. m. Bras. Pop.* V. *diabo* (2). [Pl.: *coisas-más.*]

coisar. [De *coisa* + *-ar*²; var. de *cousar.*] *V. t. d. Bras. Pop.* **1.** Refletir, matutar; imaginar. *T. i.* **2.** *Bras. Pop.* Cuidar; preparar: *F. está coisando do almoço. Int.* **3.** Refletir, matutar. [Na linguagem inculta esse verbo substitui qualquer outro que não ocorre a quem fala.]

coisa-ruim. *S. m. Bras. Pop.* V. *diabo* (2). [Var. de *cousa-ruim.* Pl.: *coisas-ruins.*]

coisas. [Pl. de *coisa;* var. de *cousas.*] *S. f. pl.* **1.** Bens, propriedades, valores. **2.** *Bras. Pop.* Órgãos genitais externos de ambos os sexos: "E deixava-se possuir pelo amante que lhe beijava os pés, as coisas, os seios." (José Lins do Rego, *Riacho Doce,* p. 56). ~ V. *coisa.*

coisificar. [Var. de *cousificar.*] *V. t. d.* **1.** Reduzir (o ser humano, ou elemento(s) ligado(s) a ele) a valores exclusivamente materiais: *Os métodos de propaganda coisificam o consumidor.* **2.** Tratar como coisa (2): *Prepotente, coisifica os subalternos.* [Conjug.: v. *trancar.*]

coisíssima. [Var. de *cousíssima.*] *El. s. f.* Us. na loc. adv. e na loc. pron. *coisíssima nenhuma.* ♦ **Coisíssima nenhuma.** **1.** *Loc. adv.* De modo algum; de maneira nenhuma: *Disse que vinha, mas não virá coisíssima nenhuma.* **2.** *Loc. pron.* Absolutamente nada: *Há cerca de um ano que ele não faz coisíssima nenhuma.*

coita¹. [Dev. de *coitar*².] *S. f. Arc.* **1.** Pena, dor, aflição; desgraça. **2.** Necessidade, precisão.

coita². [Do marata *koytā.*] *S. f.* **1.** *Luso-asiat.* Grande faca de cozinha. **2.** Faca de mat[illegible]

coitada. *S. f.* Var. de *coutada* [q. v.].

coitado. [Part. de *coitar*[2]] *Adj.* e *s. m.* **1.** Desgraçado, mísero, pobre infeliz: "Ao velho c o i t a d o / De penas ralado, / Já cego e quebrado, / Que resta? — Morrer." (Gonçalves Dias, *Obras Poéticas*, II, p. 25); "um c o i t a d o sem eira nem beira" (Guido Vilmar Sassi, *São Miguel*, p. 79). ● *Interj.* **2.** Pobre dele! [Fem.: *coitada.* Cf. *coutada, s. f.*, e *coutado*, do v. *coutar*. Cf. *coita*[1].]

coitar[1]. *V. t. d.* V. *coutar*.

coitar[2]. [Do lat. **coctare* < *coctus*, por *coactus*.] *V. t. d. Arc.* Causar coita[1] a; afligir; desgraçar. [Cf. *coutar*.]

coité. [De *cuitê*.] *S. f. Bras.* **1.** V. *cuieira* (1). **2.** V. *cuia* (1 e 2).

coiteense (èên). *Adj. 2 g.* **1.** De, ou pertencente ou relativo a Conceição do Coité (BA). ● *S. 2 g.* **2.** Natural ou habitante de Conceição do Coité.

coiteiro. *S. m.* **1.** Var. de *couteiro* [q. v.]. **2.** *Bras., N.E.* Indivíduo que dá coito[2] ou asilo a bandidos, ou os protege.

coito[1]. [Do lat. *coitu*.] *S. m.* Relação sexual; acasalamento, cópula. [Em Portugal, *cóito*. Cf. *couto*.]

coito[2]. *S. m.* Var. de *couto*[1].

coito[3]. *S. m.* Var. de *couto*[2].

cóito. *S. m. Lus.* V. *coito*[1].

coivara. [Do tupi.] *S. f.* **1.** *Bras.* Restos ou pilha de ramagens não atingidas pela queimada, na roça à qual se deitou fogo, e que se juntam para serem incineradas a fim de limpar o terreno e adubá-lo com as cinzas, para uma lavoura. [Cf. *paulama* (2).] **2.** *Bras., MA.* Galhadas e troncos de árvores derrubados pelas cheias e que descem rio abaixo.

coivarar. [De *coivara* + *-ar*[2].] *V. t. d. Bras.* Empilhar (os troncos e galhos não queimados de todo), para de novo lançar-lhes fogo e desembaraçar o terreno; encoivarar.

cola[1]. [Do gr. *kólla*, pelo lat. **colla*.] *S. f.* **1.** Substância ou preparado glutinoso para fazer aderir papel, madeira e outros materiais; goma: *c o l a de peixe; c o l a de amido.* **2.** *Bras.* Cópia feita clandestinamente nos exames escritos; fila.

cola[2]. [De uma língua indígena do Sudão.] *S. f.* Árvore da família das esterculiáceas *(Cola acuminata)*, cuja semente contém alcalóides tônicos e aperitivos. [Sin.: *órobo, ervilha-de-pombo, jero* e *(BA) obi*.]

cola[3]. *S. m.* Vento forte que sopra nas costas das Filipinas (arquipélago a sudeste da Ásia).

cola[4]. [Do esp. *cola*.] *S. f.* **1.** Cauda, rabo. **2.** Rasto, rastro, encalço: "O chiru foi andando ...., e eu, na c o l a dele." (Simões Lopes Neto, *Contos Gauchescos e Lendas do Sul*, p. 182.) ◆ **Bater com a cola na cerca.** *Bras., S. Pop.* V. *morrer* (1).

cola[5]. *S. f. Bras.* Circuncisão que os malês praticavam quando a criança atingia os 10 anos de idade.

▲-cola. [Do lat. *colere*.] *El. comp.* = 'que habita'; 'que cultiva': *aqüícola, vinícola, citrícola.*

colabá. [Do ioruba.] *S. m. Bras.* Filha-de-santo que zela pelos preceitos de Xangô.

colaboração. [De *colaborar* + *-ção*] *S. f.* **1.** Trabalho em comum com uma ou mais pessoas; cooperação: *Aquele dicionário é fruto de c o l a b o r a ç ã o bem orientada.* **2.** *P. ext.* Ajuda, auxílio, contribuição: *Sem a c o l a b o r a ç ã o de todos não haverá paz.* **3.** *Restr.* Artigo de jornal ou revista feito por pessoa estranha ao corpo de redatores permanente: *Sua c o l a b o r a ç ã o de música aparece aos domingos.* **4.** Participação em obra literária, científica, etc.: *Fez a c o l a b o r a ç ã o de física da enciclopédia.* **5.** O conjunto do trabalho dos colaboradores, da colaboração: *Está pronta a c o l a b o r a ç ã o especializada da nova obra.*

colaboracionismo. *S. m.* Atividade, atitude ou sentimento de colaboracionista.

colaboracionista. *Adj. 2 g.* e *s. 2 g.* Diz-se de, ou nacional dum país ocupado que apóia as forças de ocupação ou com elas colabora.

colaborador (ô). *Adj.* **1.** Que colabora. ● *S. m.* **2.** Aquele que colabora. **3.** V. *co-autor* (1).

colaborar. [Do lat. *collaborare*.] *V. t. i.* **1.** Prestar colaboração; trabalhar na mesma obra; cooperar: *Todos c o l a b o r a m o s na campanha.* **2.** Escrever ou prestar colaboração (3 e 4): "Eu não encontrei na redação do *Jornal do Porto*, enquanto c o l a b o r e i naquela folha, senão cavalheiros" (Ramalho Ortigão, *Primeiras Prosas*, p. 44); *C o l a b o r o u no* Novo Dicionário *desde o início da obra.* **3.** Concorrer, contribuir: *A luz e a sombra c o l a b o r a m para a grande expressividade dos quadros de Rembrandt. Int.* **4.** Prestar colaboração; cooperar: *Cumpre que toda a equipe saiba c o l a b o r a r.* **5.** Auxiliar ou ajudar a fazer alguma coisa.

colação. [Do lat. *collatione*.] *S. f.* **1.** Comparação, confronto, conferência, cotejo: *c o l a ç ã o de documentos históricos.* **2.** Ato ou efeito de colar[2]; nomeação para benefício eclesiástico **3.** Concessão de título, direito ou grau. **4.** Refeição leve, **5.** *Bibliogr.* Confronto da cópia dum manuscrito com o original ou com outra cópia, ou ainda, do original ou da cópia com suas edições, para verificar a correspondência entre os respectivos textos, que se expressa num estema, e assim analisar a maior ou menor autoridade, para a escolha da edição exata. **6.** *Bibliogr.* Enumeração, num catálogo, das características físicas de um livro (tomação, paginação, ilustração, formato, etc.); notas bibliográficas. **7.** *Jur.* Ato de restituir à massa da herança os bens recebidos pelos herdeiros com antecipação em vida do de cujus, para que se obtenha igualdade nas partilhas. ◆ **Trazer à colação.** Citar a propósito; referir.

colacia. *S. f.* **1.** Estado, caráter de, ou relação entre colaços. **2.** *Fig.* Ligação ou amizade estreita; intimidade.

colacionar. *V. t. d.* **1.** Fazer colação (1) de; cotejar, comparar, conferir, confrontar: *C o l a c i o n a m o s as várias cópias do manuscrito para comprovar-lhes a autenticidade.* **2.** *Bibliogr.* Fazer a colação (5) de (manuscrito ou impresso). **3.** *Encad.* Verificar, antes da costura, se os cadernos de um livro foram corretamente alçados; conferir; passar à letra. **4.** *Jur.* Trazer ou restituir (bens, ou os seus valores respectivos) à colação (7).

colacionável. *Adj. 2 g.* Que deve ser colacionado. ~ V. *bens colacionáveis.*

colaço. [Do lat. *collacteu*.] *Adj.* **1.** Diz-se do indivíduo em relação a outro que foi amamentado pela mesma mulher, embora filhos de mães diferentes: "Da mãe de Catão se escreve que, para que seu filho saísse bem morigerado, criou juntamente a seus peitos outro menino, filho de bons pais; e como os dous eram c o l a ç o s, foram-se criando em amizade, e semelhança de costumes" (P[e]. Manuel Bernardes, *Os Últimos Fins do Homem*, p. 418). **2.** *Fig.* Diz-se de indivíduo que tem muita amizade, afinidade ou intimidade com outro. ~ V. *irmãos* —*s*. ● *S. m.* **3.** Indivíduo colaço.

colada. *S. f.* **1.** Colo[1] (6). **2.** *Metal.* A massa fundida que sai de um forno metalúrgico e é lançada nos moldes de fundição.

cola-de-cavalo. *S. f. Bras.* V. *cavalinha* (1). [Pl.: *colas-de-cavalo*.]

coladeira. [Fem. de *colador*.] *S. f. Art. Gráf.* Qualquer dos aparelhos que perfazem a colagem ou distribuem cola à superfície do material que se deseja aderir a outra superfície; colador.

colado[1]. [Part. de *colar*[2].] *Adj.* **1.** Que recebeu colação ou benefício eclesiástico: *vigário c o l a d o.* **2.** Investido de um título, grau, direito ou cargo.

colado[2]. [Part. de *colar*[3].] *Adj.* **1.** Pegado com cola; grudado, fixado. **2.** Intimamente ligado; muito conchegado: "Os pares dançarinos maxixavam c o l a d o s." (Antônio de Alcântara Machado, *Novelas Paulistanas*, p. 78.) ~ V. *capa* —*a*.

colador (ô). [De *colar*[3] + *-dor*.] *S. m.* **1.** Aquele que cola. **2.** *Art. Gráf.* Coladeira.

colagem[1]. *S. f.* **1.** Ato ou efeito de colar[3]. **2.** Adição ao vinho de cola[1] (1) orgânica ou mineral, a fim de clarificá-lo.

colagem[2]. [Do fr. *collage*.] *S. f. Art. Plást.* Composição elaborada a partir da utilização de matérias de texturas variadas, ou não, superpostas ou colocadas lado a lado, na criação de um motivo ou imagem a ele associada. [No período entre 1912-1914, época da evolução do cubismo (q. v.), o t. referia-se ao processo, adotado por Picasso (v. *picassiano*) e Georges Braque (1882-1963), de aplicar no suporte pictórico tecidos, papéis pintados, recortes de jornal e outros materiais. O uso de elementos de texturas diversas na colagem estendeu-se, depois, ao domínio da escultura, vindo a influir em criações do surrealismo (q. v.).]

colagem[3]. [Do fr. *coulage*.] *S. f. Tec.* Método de moldagem de peças cerâmicas que consiste em verter, num molde, a barbotina.

colagênio. *S. m. Quím.* Proteína formada por uma hélice tríplice de cadeias de polipeptídios, e que é o constituinte mais importante dos tecidos conectivos animais.

colágeno. *S. m. Histol.* **1.** Substância que constitui as fibras do tecido conjuntivo. **2.** V. *tecido conjuntivo.*

colagenose. *S. f. Patol.* Denominação geral de algumas doenças (lúpus eritematoso, polimiosite, periarterite nodosa, etc.) em que existem áreas de degeneração de tecido colágeno. As lesões podem ocorrer em estruturas as mais diversas (pele, rins, articulações, etc.).

colagogo (ô). [Do gr. *cholagogós*.] *Adj.* e *s. m.* Diz-se de, ou medicamento que excita a secreção da bílis.

colangiectasia. [De *col(e)-* + *-angi(o)-* + *-ectas-* + *-ia*.] *S. f. Med.* Dilatação dos canais biliares.

colangite. [De *col(e)-* + *-angi(o)-* + *-ite*[1].] *S. f. Patol.* Inflamação de canais biliares.

colante. [De *colar*[3] + *-nte*.] *Adj. 2 g.* **1.** Que cola. **2.** *Restr.* Diz-se da roupa muito chegada ao corpo, muito apertada ou justa. ● *S. m.* **3.** Essa roupa.

colapsante. *Adj. 2 g.* Que colapsa.

colapsar. *V. t. d.* **1.** Provocar colapso em. *Int.* **2.** Provocar colapso.

colapso. [Do lat. *collapsu*.] *S. m.* **1.** *Patol.* Falência de função, de força, ou de estado geral; esgotamento. **2.** *Patol.* Estado anormal em que as paredes duma estrutura, dum órgão, ou duma estrutura dentro deste, normalmente afastadas, entram em contato. **3.** Alteração brusca e danosa; situação anormal e grave; crise: *c o l a p s o financeiro.* **4.** *Bot.* Perda de turgescência nos tecidos vegetais, que se apresentam mais ou menos murchos. ◆ **Colapso circulatório.** Estado de choque por insuficiência circulatória. **Colapso pulmonar.** Estado do pulmão que, parcial ou totalmente, não tem conteúdo aéreo.

colar[1]. [Do lat. *collare*.] *S. m.* **1.** Ornato ou insígnia para o pescoço. **2.** Gola, colarinho. **3.** V. *golilha* (1).

colar[2]. [Der. regress. de *colação*.] *V. t. d.* e *i.* **1.** Nomear para benefício eclesiástico vitalício. **2.** Investir na posse de (cargo, direito, título ou grau). *T. d.* **3.** Receber (grau superior): *C o l o u o grau de médico há cerca de um ano.*

colar[3]. *V. t. d.* **1.** Unir, pegar com cola[1] (1); grudar. **2.** Juntar cola a, para dar consistência. **3.** Clarificar (vinhos) com cola[1] (1). **4.** *Bras. Gír.* Copiar clandestinamente, num exame escrito; filar. *T. d.* e *i.* **5.** Aplicar; juntar, unir, aderir: *C o l o u os lábios aos da namorada;* "Foi direto à janela do escritório, c o l o u a testa aos caixilhos, meditabundo" (João da Silva Correia, *Farândola*, p. 113). **6.** Pôr quase junto, unido, encostado: *C o l o u o seu carro ao do amigo para avisá-lo do perigo. Int.* **7.** Ligar-se ou grudar-se com cola[1] (1). **8.** Ajustar-se, moldar-se, amoldar-se: *O jérsei é um tecido que c o l a bem.* **9.** *Bras. Gír.* Ser admitido, aceito, acreditado, etc.: *A desculpa não c o l o u ; Suas mentiras sempre c o l a m.* **10.** *Bras. Gír.* Copiar clandestinamente num exame escrito; filar: *Não passará na prova de matemática sem c o l a r. P.* **11.** Encostar-se; unir-se: *C o l o u - s e à parede para que ninguém o visse.*

colar-de-ifá. *S. m. Bras.* Opelê-ifá (1). [Pl.: *colares-de-ifá*.]

colar-de-pérolas. *S. m. Astr.* Fenômeno ocorrente pouco antes dum eclipse total do Sol, quando a Lua já cobriu quase por inteiro o disco solar, que só é visto através dos vales da superfície lunar situados no bordo da Lua. [Pl.: *colares-de-pérolas*.]

colarejo (ê). *Adj.* **1.** De, ou pertencente ou relativo a Colares (Portugal.) ● *S. m.* **2.** O natural ou habitante de Colares.

colarete (ê). [De *colar*[1] + *-ete*.] *S. m. Arquit.* Moldura composta de um astrágalo e filete.

colarinho. [Dim. de *colar*[1].] *S. m.* **1.** Gola de pano cosida ou adaptada à camisa, em volta do decote. **2.** *Arquit.* Listel que de ordinário contorna a parte superior do fuste de certas colunas. **3.** *Bras. Gír.* A espuma num copo de cerveja ou de chope: "O garçom trouxe o copo com o chope dourado e o largo c o l a r i n h o de espuma." (José Carlos Oliveira, *A Revolução das Bonecas*, p. 124.) ◆ **Mudar o colarinho.** *Bras., RJ. Gír.* V. *morder a batata.*

colarinho-branco. [Trad. do ingl. *white-collar*.] *S. m. Bras.* Designação genérica dos profissionais de diferentes níveis (executivos, funcionários, etc.) que, pela natureza de suas atividades e contatos, precisam apresentar-se em trajes convencionais (para os homens, terno e gravata): "O objetivo [da passeata, no Rio de Janeiro] foi a defesa dos privilégios dos 'c o l a r i n h o s - b r a n c o s' " (*Jornal do Brasil*, 25.6.1983). [Pl.: *colarinhos-brancos*.]

colatário. *S. m.* Aquele a quem aproveita a colação (2 e 3), ou que com ela se beneficia.

colateira. *S. f. Bras.* V. *coleira*[4].

colateral. *Adj. 2 g.* **1.** Que está ao lado; paralelo. **2.** Que é parente, mas não em linha reta; transversal. ~ V. *cadeia —, circulação —, linha —, ponto — e série —.* ● *S. m.* **3.** Parente colateral.

colateralidade. *S. f.* Qualidade do que é colateral.

colatício. [Do lat. *collaticiu*.] *Adj.* ~ V. *águas —as.*

colatinense. *Adj. 2 g.* **1.** De, ou pertencente ou relativo a Colatina (ES). ● *S. 2 g.* **2.** Natural ou habitante de Colatina.

co-latitude. *S. f. Geog.* Complemento da latitude. [Pl.: co-latitudes.]

colativo. [Do lat. *collativu*.] *Adj.* **1.** Relativo a colação.

2. Que se pode colar[2], conferir (benefício ou investidura).

colau[1]. *S. m. Luso-asiat.* Conselheiro ou ministro de Estado, na China.

colau[2]. *S. m. Luso-asiat.* Restaurante, na China.

colbaque. [Do turco *kalpak*, atr. do fr. *colback*.] *S. m.* Boné militar de pêlo, em forma de cone truncado.

colcha (ô). [Do esp. *colcha*.] *S. f.* Coberta de cama, geralmente usada por cima dos lençóis e cobertor: "tomamos café sentados na cama gigantesca (a maior que já vi), coberta por uma colcha azul." (Maria Julieta Drummond de Andrade, *Um Buquê de Alcachofras, p. 26.)*

colchão. [Aum. de *colcha*.] *S. m.* Coxim grande, cheio de substância flexível natural ou sintética, e que se estende, em geral, sobre o estrado da cama: *colchão de crina; colchão de molas.*

colchão-de-noiva. *S. m. Bras.* Bolo de massa de pão-de-ló [q. v.], enrolado com um recheio doce e pastoso; colchão-de-noivo, rocambole. [Pl.: *colchões-de-noiva*.]

colchão-de-noivo. *S. m. Bras.* V. *colchão-de-noiva*. [Pl.: *colchões-de-noivo*.]

colcheia. [De *crocheia < fr. *croche*.] *S. f.* **1.** *Mús.* Figura que vale a metade da semínima, e a cuja haste se prende uma pequena cauda. **2.** *Liter. Pop. Bras.* V. *sextilha* (2).

colcheiro. *S. m.* Aquele que faz ou vende colchas. [Cf. *colchoeiro*.]

colcheta (ê). *S. f.* Argolinha mais ou menos em forma de lira, na qual se engancha o colchete (1); fêmea. [Pl.: *colchetas* (ê) Cf. *colcheta* e *colchetas*, do v. *colchetar*.]

colchetar. *V. t. d., int.* e *p.* Acolchetar. [Pres. ind.: *colcheto, colchetas, colcheta*, etc.; pres. subj.: *colchete, colchetes*, etc. Cf. *colcheta* (ê), pl. *colchetas* (ê), e *colchete* (ê), pl. *colchetes* (ê).]

colchete (ê). [Do fr. *crochet*.] *S. m.* **1.** Pequeno gancho de metal, para prender uma parte do vestuário a outra, onde está costurada a colcheta. **2.** *P. ext.* O conjunto do gancho e da colcheta. **3.** Gancho duplo em que os açougueiros penduram a carne. **4.** *Mat.* Símbolo de associação ([ ]), equivalente ao parêntese. **5.** V. *alfabético fonético*. [Cf. *colchete* e *colchetes*, do v. *colchetar*.] — V. *colchetes*. ♦ **Colchete de pressão.** Tipo de colchete em que as duas peças se encaixam por pressão. [Tb. se diz apenas *pressão*.]

colchetes (ê). *S. m. pl.* Sinais de pontuação ([ ]) que encerram, em uma citação, palavra(s) que não faz(em) parte dela; parênteses retos. [Cf. *colchete* e *colchetes*, do v. *colchetar*.] ~ V. *colchete* (ê).

colchoaria. *S. f.* Estabelecimento onde se fabricam e/ou vendem colchões, travesseiros, etc.

colchoeiro. *S. m.* Aquele que faz, conserta e/ou vende colchões. [Cf. *colcheiro*.]

colchonete. *S. m.* Pequeno colchão portátil: "no interior do furgão fora colocado um desses colchonetes que o pessoal que adora acampar usa para dormir mal" (Herberto Sales, *Armado Cavaleiro, o Audaz Motoqueiro*, p. 142).

colcós. [Do russo *kolkhoz*, de *kol (lectionoe)*, 'coletivo', + *khoz (aistvo)*, 'fazenda'.] *S. m.* Fazenda coletiva, na União Soviética, formada por um conjunto de agricultores duma aldeia ou dum grupo de aldeias, reunidos para cultivar a terra em comum, sob uma administração eleita, e dirigida por um presidente. [Pl.: *colcoses*. Cf. *kibutz*.]

colcotar. *S. m. Quím.* Mistura de óxidos naturais de ferro, usada como material para polimento de vidros.

coldre (ô). *S. m.* **1.** Cada um dos dois estojos de couro pendentes do arção da sela, e em que de ordinário se metem pistolas ou outras armas: "Larga catana à ilharga, trabuco a tiracolo, e adaga à cinta, além dos pistoletes nos coldres, completavam o equipamento destes indivíduos" (José de Alencar, *O Sertanejo*, p. 28). **2.** *P. ext.* Estojo de couro para revólver, em geral preso ao cinto. **3.** *Ant.* Aljava para setas, virotes, etc.: "Dissera: abre, Cupido, coldre cheio, / E extrai, de mil farpões, o que Ela escolhe" (Antônio Feliciano de Castilho, *As Metamorfoses*, pp. 250-251).

cole. [Do lat. *collis*.] *S. m. Ant.* Colina, outeiro: "O rio, a árida riba, os coles, vão feridos / coos balados da grei" (Antônio Feliciano de Castilho, *As Geórgicas de Virgílio*, p. 219).

▲col(e)-. [Do gr. *cholé, ês*.] *El. comp.* = 'bílis': *colemia, coleciste*.

▲-cole. [Do lat. *collum, i*.] *El. comp.* = 'pescoço': *albicole*. [Equiv.: *-colo: crassicolo, plumicolo*.]

coleado. [De *colo* + *-eado*.] *Adj.* **1.** Que tem forma de colo[1] (1 e 2). **2.** Sinuoso, flexuoso.

coleamento. *S. m.* Coleio.

coleante. *Adj. 2 g.* Que coleia ou serpeia; serpeante, serpejante, serpenteante: "e é teu vulto triunfal, longo, heráldico, esgalgo, / coleante como um cisne e esbelto como um galgo!" (Menotti del Picchia, *As Máscaras*, p. LII).

colear[1]. *V. int.* **1.** Mover o colo. **2.** Andar ou mover-se sinuosamente, aos ziguezagues; serpear, serpentear, cobrejar: "No chão coleia a lagartixa." (Augusto dos Anjos, *Eu*, p. 82); "Um córrego de águas límpidas coleia em amplas curvas sobre um leito de pedras" (Eduardo Frieiro, *O Mameluco Boaventura*, p. 138). ● *T. d.* **3.** Andar ou mover-se sinuosamente, aos ziguezagues, ao longo de: "passeamos pelo caminhos, coleando a vasta quinta" (Eça de Queirós, *Contos*, p. 122); "Trens coleando rampas nos montes ..." (Joaquim Cardoso, *Poesias Completas*, p. 103). *P.* **4.** Mover-se (a serpente). **5.** Andar ou mover-se como a serpente: "entrou a serpente coleando-se mansamente sem pés, mas com cabeça" (P[e]. Antônio Vieira, *Sermões*, IV, p. 299); *A moça coleava-se faceira*. [Conjug.: v. *frear*.]

colear[2]. [Do esp. plat. *colear*.] *V. t. d. Bras., RS.* Fazer cair (o animal), puxando-lhe pela cola ou cauda. [Conjug.: v. *frear*.]

coleção. [Do lat. *collectione*.] *S. f.* **1.** Conjunto ou reunião de objetos da mesma natureza ou que têm qualquer relação entre si: *coleção de quadros; coleção de antiguidades.* **2.** Compilação, coletânea: *coleção de adágios.* **3.** Ajuntamento, quantidade. **4.** O conjunto dos modelos da alta costura lançados antes do início de cada estação. **5.** *Edit.* Conjunto limitado de obras, de um mesmo autor ou de diversos autores, editadas sob um título principal: *coleção Brasiliana.* **6.** *Edit.* Conjunto não limitado de obras de autores diversos, publicadas por uma mesma editora, sob um título geral indicativo de assunto ou área, para atendimento de segmentos definidos do mercado: *coleção Teatro Urgente.*

colecionação. *S. f.* Ato de colecionar; colecionamento.

colecionador (ô). *S. m.* Indivíduo que coleciona; colecionista.

colecionamento. *S. m.* Colecionação.

colecionar. *V. t. d.* Fazer coleção de; reunir, juntar; coligir: *colecionar selos; colecionou a mais completa camoniana do Brasil.*

colecionista. *S. 2 g.* Colecionador.

coleciste. [De *col(e)-* + *-ciste*.] *S. f. Anat.* Vesícula biliar.

colecistectomia. [De *coleciste* + *-ectom-* + *-ia*.] *S. f. Cir.* Extirpação da vesícula biliar.

colecistectômico. *Adj.* Referente à colecistectomia.

colecistite. [De *coleciste* + *-ite[1]*.] *S. f. Patol.* Inflamação da vesícula biliar.

colecistostomia. [De *coleciste* + *-o-* + *-stom(a)-* + *-ia*.] *S. f. Cir.* Abertura cirúrgica da vesícula biliar, com ou sem retirada de cálculos, seguida da colocação, no interior do órgão, de dreno tubular de borracha, de permanência variável, e através do qual a vesícula biliar fica em contato com o exterior do organismo.

colecistostômico. *Adj.* Relativo à colecistostomia.

colecistotomia. [De *coleciste* + *-o-* + *-tom(o)-* + *-ia*.] *S. f. Cir.* Abertura cirúrgica da vesícula biliar.

colecistotômico. *Adj.* Relativo à colecistotomia.

colédoco. [Do gr. *cholédochos*.] *Adj.* ~ V. *canal* —.

colega. [Do lat. *collega*.] *S. 2 g.* **1.** Pessoa que pertence à mesma corporação, ou exerce a mesma função que outra(s). **2.** Companheiro de escola.

co-legatário.[De *co-[1]* + *legatário*.] *S. m.* O que é legatário juntamente com outrem. [Pl.: *co-legatários*.]

colegiada. *Adj. (f.)* e *s. f. Rel.* Diz-se da, ou a igreja que, sem ser catedral, goza o privilégio de ter um cabido próprio.

colegiado. [De *colégio* + *-ado[2]*.] *Adj.* **1.** Reunido ou organizado em colégio (1 e 2). ~ V. *governo* —. ● *S. m.* **2.** Órgão dirigente cujos membros têm poderes idênticos.

colegial. [Do lat. *collegiale*.] *Adj. 2 g.* **1.** Relativo a, ou próprio de colégio. ● *S. 2 g.* **2.** Aluno de colégio.

colegialidade. *S. f. Rel.* Governo comum da Igreja, pela totalidade dos bispos, ou colégio apostólico.

colegiatura. *S. f.* Qualidade ou estado de colegial.

colegiense. *Adj. 2 g.* **1.** De, ou pertencente ou relativo a Porto Real do Colégio (AL). ● *S. 2 g.* **2.** Natural ou habitante de Porto Real do Colégio.

colégio. [Do lat. *collegiu*.] *S. m.* **1.** Reunião ou associação de colegas; grêmio, corporação. **2.** Corporação de pessoas notáveis da mesma categoria, ou cujos membros têm a mesma dignidade. **3.** Estabelecimento de ensino primário ou secundário. **4.** Conjunto de indivíduos reunidos para fins eleitorais. **5.** *Ant.* Convento de jesuítas, com ônus de ensino.

coleguismo. *S. m.* Espírito de solidariedade e lealdade para com os colegas.

coleio. [Dev. de *colear*.] *S. m.* Ação de colear; movimento sinuoso; coleamento: "Tinha, marchando, qualquer coisa de cobra pelo coleio das curvas, de ave pelos movimentos de vôo." (Júlio Dantas, *Espadas e Rosas*, p. 22.)

coleira[1]. [Do lat. *collaria*.] *S. f.* **1.** Espécie de colar que cinge o pescoço dos animais: "Era um cão ordinário, um pobre cão vadio, / Que não tinha coleira e não pagava imposto" (Guerra Junqueiro, *A Musa em Férias*, p. 151). **2.** Gargalheira (1 e 2).

coleira[2]. [Fem. de *coleiro[2]*.] *S. f. Bras.* Designação comum a diversas aves passeriformes da família dos fringilídeos, gênero *Sporophila* cab., particularmente as espécies *S. americana* (Gmel.), *S. collaris* (Bod.), *S. caerulescens* (Vieil.) e *S. lineola* (L.), distribuídas por todo o País. Alimentam-se de sementes de capim e freqüentam descampados. O nome provém da garganta branca com uma mancha preta no meio. [Sin.: *gola, coleiro, papa-capim*. Cf. *bigodinho, coleirinho* e *coleirinha* (1).]

coleira[3]. *S. m. Bras., N.* **1.** V. *carrapato-estrela*. **2.** Sujeito malandro, velhaco ou mau pagador.

coleira[4]. *S. f. Bras.* Pequena árvore da família das esterculiáceas *(Cola acuminata)*, de flores polígamas, pequenas, aromáticas e amarelas, fruto asteróide, lenhoso e liso, cujas sementes contêm cafeína; colateira, oribi, orobó.

coleira-de-sapé. *S. m. Bras.* V. *coleira-do-brejo* (1). [Pl.: *coleiras-de-sapé*.]

coleirado. [De *coleira[1]* + *-ado[1]*.] *Adj.* **1.** Que traz coleira. **2.** Diz-se do animal que tem no pescoço malha ou pêlos que dão a aparência de coleira.

coleira-do-brejo. *S. f. Bras.* **1.** Designação comum a duas aves passeriformes da família dos fringilídeos: *Sporophila collaris ochrascens* Hellm, do Brasil centro-ocidental, e *S. bouvreil pileata* (Scl.), do S. Têm dorso, retrizes e coberteiras da cauda pardo-amareladas, cabeça, nuca, rêmiges e cauda negras, garganta branca, com colar negro separando-a do peito, e fronte com duas manchinhas brancas. [Sin.: *coleira-de-sapé, coleiro-de-sapé, coleiro-do-brejo*.] **2.** Brejal (2). [Pl.: *coleiras-do-brejo*.]

coleira-virada. *S. f. Bras.* V. *coleirinha* (1). [Pl.: *coleiras-viradas*.]

coleirinha. [Dim. de *coleira[2]*.] *S. m. Bras.* **1.** Ave passeriforme, da família dos fringilídeos *(Sporophila caerulescens* (Vieil.)) do S. do País até a margem direita do baixo Amazonas, de coloração cinza, fronte e parte anterior do vértice enegrecidas, orelhas pretas, faces brancas, garganta branca com uma faixa preta no meio, abdome branco com uma fita preta atravessando o peito, e flancos cinzentos; coleira-virada, coleiro-virado. [Cf. *coleira[2]*.] **2.** V. *tem-tenzinho*.

coleiro[1]. *S. m. Encad.* Recipiente onde os encadernadores aquecem a cola em banho-maria.

coleiro[2]. [De *colo[1]* + *-eiro*.] *S. m. Bras.* V. *coleira[2]*.

coleiro-da-baía. [De *coleiro[2]* + *da* + o top. *Bahia*.] *S. m. Bras.* V. *papa-arroz* (1). [Pl.: *coleiros-da-baía*.]

coleiro-da-serra. *S. m. Bras.* V. *papa-arroz* (1). [Pl.: *coleiros-da-serra*.]

coleiro-de-sapé. *S. m. Bras.* V. *coleira-do-brejo* (1). [Pl.: *coleiros-de-sapé*.]

coleiro-do-brejo. *S. m. Bras.* V. *coleira-do-brejo* (1). [Pl.: *coleiros-do-brejo*.]

coleiro-pardinho. *S. m. Bras.* Designação dada à coleirinha (1) jovem, cuja coloração é pardo-olivácea. [Pl.: *coleiros-pardinhos*.]

coleiro-virado. *S. m. Bras.* V. *coleirinha* (1). [Pl.: *coleiros-virados*.]

colelitíase. [De *col(e)-* + *litíase*.] *S. f. Patol.* Presença de cálculos nas vias biliares; litíase biliária.

colélito. [De *col(e)-* + *-lito*.] *S. m. Patol.* Cálculo biliar.

colêmbolo. *S. m.* **1.** Espécime dos colêmbolos. ● *Adj.* **2.** Pertencente ou relativo a eles. [Sin. ger.: *apantóptero*.]

colêmbolos. *S. m. pl. Zool.* Animais artrópodes da classe dos insetos, apterigotos, ordem *Collembola*. Tamanho: até 5 mm; providos de antenas com quatro segmentos; aparelho bucal mastigador; ausência de olhos compostos; inserida no quarto segmento do abdome têm uma fúrcula que lhes permite dar saltos. Vivem em lugares úmidos e alimentam-se de matéria orgânica em decomposição. [Sin.: *apantópteros*.]

colemia. [De *col(e)-* + *-(h)em(o)-* + *-ia*.] *S. f. Patol.* Presença de bílis ou pigmentos biliares no sangue.

colêmico. *Adj.* Relativo à colemia.

colendo. [Do lat. *colendu*, gerundivo de *collere*, 'cultuar'.] *Adj.* Respeitável, venerando: "Como ele [Rui

Barbosa], só foram amados no Brasil o colendo Chanceler Barão do Rio Branco e o divino Poeta Olavo Bilac." (Martins Fontes, *Terras da Fantasia*, p. 204.) [Aplica-se em geral às altas corporações judiciárias.]

colênquima. [Do gr. *kólla*, 'cola', + *égchyma*, 'infusão, derramamento'.] *S. m. Anat. Veg.* Tecido vegetal cujas células apresentam paredes espessadas desigualmente, por deposição de celulose e pectina, e que tem função mecânica, de sustentação. Encontra-se no caule jovem, ramos, pecíolo e folhas.

colenquimático. *Adj. Anat. Veg.* Colenquimatoso.

colenquimatoso (ô). *Adj. Anat. Veg.* Concernente ao colênquima; colenquimático: *célula colenquimatosa.*

▲coleo-. [Do gr. *koleós, oû.*] *El. comp.* = 'estojo': *coleóptero, coleorriza.*

coleóptero. [De *coleo-* + *-ptero.*] *S. m.* **1.** Espécime dos coleópteros. ● *Adj.* **2.** Pertencente ou relativo a eles. [Sin. ger.: *eleuterado, elitróptero.*]

coleópteros. *S. m. pl. Zool.* Animais artrópodes, da classe dos insetos, ordem *Coleoptera*, com aparelho bucal mastigador, élitros e asas posteriores membranosas. Holometabólicos, larvas campodeiformes ou escarabeiformes, as quais, juntamente com os adultos, constituem sérias pragas dos vegetais. [Sin.: *eleuterados, elitrópteros.*]

coleóptilo. *S. m. Bot.* Bainha do embrião das gramíneas, que no curso da germinação da semente circunda a base da parte aérea em crescimento.

coleorriza. [De *coleo-* + *-riza.*] *S. f. Bot.* Bainha fechada que envolve a radícula, presente no embrião das gramíneas.

cólera. [Do gr. *choléra*, pelo lat. *cholera.*] *S. f.* **1.** Impulso violento contra o que nos ofende, fere ou indigna; ira, raiva, fúria, furor, zanga. **2.** A ferocidade dos animais: *a cólera do tigre.* **3.** *Fig.* Ímpeto, agitação: *a cólera das ondas.* ● *S. f. e m.* **4.** *Patol.* Doença infecciosa aguda, contagiosa, que pode manifestar-se sob forma epidêmica, caracterizada, em sua apresentação clássica, por diarréia abundante, prostração e cãibras; cólera-morbo, mordexim: "Todos à porfia corriam a socorrer os infelizes atacados pelo cólera." (Joaquim Manuel de Macedo, *Os Romances da Semana*, p. 4).

colerado. [De *cólera* + *-ado*[1].] *Adj. Bras., SP. Pop.* Encolerizado.

cólera-morbo. [De *cólera* (4) + morbo.] *S. f. e m.* V. *cólera* (4).

colérico. [Do lat. *cholericu.*] *Adj.* **1.** Atreito a encolerizar-se; irado, enfurecido, raivoso, encolerizado. **2.** Diz-se de indivíduo atacado de cólera (4). ● *S. m.* **3.** Indivíduo colérico.

colesteatoma. *S. m. Patol.* **1.** Formação cística proliferante, não raro infectada, que se observa, com maior freqüência, no ouvido médio e na mastóide, podendo ocorrer, também, em ossos do crânio, no sistema nervoso central, nas meninges. **2.** Tumor, pouco comum, no cérebro do cavalo.

colestérico. *Adj. Fís.-Quím.* Diz-se de um líquido paracristalino em que existem camadas onde as moléculas se orientam paralelamente a uma direção, e cuja espessura é da ordem de 500 a 5.000 moléculas.

colesterol. *S. m. Quím.* Substância complexa existente em todas as células do corpo, especialmente nas do tecido nervoso, e presente nas gorduras animais, com funções bioquímicas ainda não de todo esclarecidas, cujos ésteres se depositam nas placas responsáveis pela aterosclerose. [Fórm.: $C_{27}H_{46}O$. Pl.: *colesteróis.*]

coleta. [Do lat. *collecta*, 'coisas coligidas'.] *S. f.* **1.** V. *colheita* (3). **2.** Quantia que se paga de imposto. **3.** Cota para obra de piedade ou para despesa comum. **4.** *Rel.* Oração que na missa antecede a epístola. **5.** *Bras.* Peditório para despesas comuns, ou para obras de instrução ou de caridade. [Pl.: *coletas.* Cf. *coleta* (ê) e pl. *coletas* (ê).]

coleta (ê). [Do esp. *coleta.*] *S. f.* Trança de cabelo usada pelos toureiros espanhóis na parte posterior da cabeça. [Pl.: *coletas* (ê). Cf. *coleta* e *coletas*, do v. *coletar;* e *coleta, s. f.* e fem. do adj. *coleto*, pl. *coletas.*]

coletado. [Part. de *coletar.*] *Adj. e s. m.* Que ou aquele que está sujeito ao pagamento de um tributo; contribuinte.

coletânea. [Do lat. *collectanea.*] *S. f.* Conjunto de excertos seletos de várias obras.

coletâneo. [Do lat. *collectaneu.*] *Adj.* Extraído de várias obras; colhido, coligido.

coletar. *V. t. d.* **1.** Obrigar a pagamento de coleta (2); tributar; *coletar uma empresa.* **2.** Fazer coleta de; colher, recolher, arrecadar: *coletar contribuições.* **3.** Designar cota a: *coletar os membros de uma sociedade.* **4.** *Bot.* Colher (plantas) para estudos. *P.* **5.** Fazer (duas ou mais pessoas) coleta entre si; cotizar-se: *Coletaram-se para as despesas da festa.* [Pres. ind.: *coleto, coletas, coleta*, etc.; pres. subj.: *colete, coletes*, etc. Cf. *coleta* (ê), pl. *coletas* (ê); *colete* (ê), pl. *coletes* (ê); e *coulete*, top.]

coletável. *Adj. 2 g.* Que pode ser coletado.

colete (ê). [Do fr. *collet.*] *S. m.* **1.** Peça de vestuário abotoada na frente, sem mangas nem gola, indo em geral até a cintura, usada por cima de camisa, blusa, etc. Espartilho [q. v.]. **3.** *Bras.* Grade circular para proteger a base ou as hastes dos arbustos. [Pl.: *coletes* (ê). Cf. *colete* e *coletes*, do v. *coletar;* e *Coulete*, top.] ♦ **Colete ortopédico.** Aquele cuja estrutura varia segundo o fim a que se destina, e usado, em geral, para proteger a coluna vertebral ou o tórax afetados por defeito congênito, acidente ou enfermidade.

colete-curto. *S. m. Bras., N. E.* **1.** V. *cocada* (3). **2.** V. *pau-de-cabeleira* (1 e 2). [Pl.: *coletes-curtos.*]

colete-de-coiro. *S. m. Bras., AL.* Colete-de-couro. [Pl.: *coletes-de-coiro.*]

colete-de-couro. [Var. de *colete-de-coiro.*] *S. m. Bras., AL.* Cinto-de-couro. [Pl.: *coletes-de-couro.*]

coleteiro. *S. m.* Aquele que fabrica ou faz coletes.

coletício. [Do lat. *collecticiu.*] *Adj. Ant.* Dizia-se da gente reunida sem escolha apressadamente, para a guerra.

coletividade. *S. f.* **1.** Qualidade ou caráter de coletivo. **2.** Conjunto, agrupamento, agremiação. **3.** *Sociol.* Sociedade (11).

coletivismo. *S. m.* Sistema social e econômico em que a exploração dos meios de produção deve tornar-se comum a todos os membros da sociedade.

coletivista. *Adj. 2 g.* **1.** Pertencente ou relativo ao coletivismo. **2.** Que é partidário ou seguidor do coletivismo. ● *S. 2 g.* **3.** Partidário ou seguidor desse sistema.

coletivização. *S. f.* Ato ou efeito de coletivizar(-se).

coletivizado. [Part. de *coletivizar.*] *Adj.* Tornardo coletivo: "observaríamos que, na Lingüística da expressão, o discurso é estudado não como um instrumento que visa a projetar numa tela comum sentimentos e idéias *coletivizados*" (Sílvio Elia, *Orientações da Lingüística Moderna*, p. 4).

coletivizar. [De *coletivo* + *-izar.*] *V. t. d. e p.* Tornar(-se) coletivo.

coletivo. [Do lat. *collectivu.*] *Adj.* **1.** Que abrange ou compreende muitas coisas ou pessoas. **2.** Pertencente a, ou utilizado por muitos. **3.** *Gram.* Diz-se do substantivo que, no singular, designa várias pessoas, animais ou coisas. Ex.: *povo, rebanho, laranjal.* **4.** Que manifesta a natureza ou a tendência de um grupo como tal ou pertence a uma classe, a um povo, ou a qualquer grupo. ~V. *autor —, consciência —a, inconsciente —, juízo —, pessoa —a* e *título —.* ● *S. m.* **5.** *Bras.* Veículo de transporte coletivo: "grande foi a minha emoção ao deparar, no assento do *coletivo*, com uma bolsa preta de senhora." (Carlos Drummond de Andrade, *A Bolsa & a Vida*, p. 7). **6.** *Bras. Esport.* Treino em conjunto.

coleto. [Do lat. *collectu.*] *Adj.* **1.** Coligido, reunido, compilado. **2.** Recolhido, arrecadado. [Fem.: *coleta;* pl.: *coletas.* Cf. *coleta* (ê) e pl. *coletas* (ê).] ● *S. m.* **3.** *Morfol. Veg.* Porção intermediária entre o caule e a raiz, nas plantas lenhosas.

coletor (ô). [Do lat. tardio *collectore.*] *Adj.* **1.** Que colige, compila, reúne. **2.** Diz-se do cano principal de esgoto, onde se entroncam os canais secundários. ~ V. *lente — a.* ● *S. m.* **3.** Aquele que colige, reúne, compila; compilador. **4.** Aquele que lança ou recebe coletas; recebedor, cobrador. **5.** Cano coletor de esgoto. **6.** *Eletrôn.* Eletrodo que coleta elétrons. **7.** *Eletrôn.* Num transmissor, eletrodo através do qual o fluxo primário de portadores de carga deixa a região intereletródica. ♦ **Coletor radiado.** *Tip.* Sorvedouro (4).

coletoria. *S. f.* **1.** Repartição pública onde se pagam as coletas ou impostos. **2.** Funções de coletor (4).

colgado. [Part. de *colgar.*] *Adj.* **1.** Que está pendente. **2.** Enfeitado com colgadura(s). **3.** *Ant.* Enforcado.

colgadura. *S. f.* Estofo vistoso e/ou rico, que se colga ou pendura nas paredes ou janelas, para cobri-las e orná-las: "As casas todas se enfeitavam; punham-se às janelas *colgaduras* de damasco, flores" (José Vieira, *Sol de Portugal*, p. 27).

colgar. [Do lat. *collocare.*] *V. t. d.* **1.** Suspender, deixando pendente; suspender, pendurar, dependurar: *Colgou o quadro e pôs-se a contemplá-lo.* **2.** Guarnecer ou ornar com colgadura(s): *Colgaram as janelas com ricas tapeçarias.* **3.** *Ant. Fig.* Enforcar (1). [Conjug.: v. *largar.*]

colha (ô). [Dev. de *colher* (ê).] *S. f. Bras.* Colheita, entre os seringueiros.

colhão. [Do lat. vulg. *coleone.*] *S. m. Chulo.* Testículo.

colhedeira. [De *colher* (ê) + *-deira.*] *S. f.* **1.** Utensílio de madeira, espécie de espátula com que os pintores reúnem as tintas moídas. **2.** Colheitadeira.

colhedor (ô). *Adj.* **1.** Que colhe ou recolhe. ● *S. m.* **2.** Aquele que colhe ou recolhe: *colhedor de plantas; colhedor de notícias.* **3.** *Marinh.* Cabo com que se tesa um estai, um ovém, etc., e que gurne em um par de bigotas, uma das quais é presa no chicote do cabo a tesar, e a outra num ponto apropriado do convés, do costado, de um mastro, etc.

colheita. *S. f.* **1.** Ato de colher (produtos agrícolas); apanha. **2.** *P. ext.* O conjunto dos produtos agrícolas de determinado período. [Cf. *safra*[2] (1).] **3.** Ato ou efeito de colher; colhimento, recolhimento, arrecadação, coleta: *colheita de contribuições.* **4.** *Fig.* Aquilo que se colhe, recolhe ou obtém: *Sua vida foi uma colheita de glórias.*

colheitadeira. *S. f. Bras., RS.* Máquina usada na colheita, sobretudo de cereais, e que ceifa, trilha, classifica e ensaca; colhedeira.

colheiteiro. *S. m.* **1.** Aquele que colhe, que faz colheitas. **2.** Lavrador, agricultor.

colher (é). [Do lat. *cochleare.*] *S. f.* **1.** Instrumento composto de uma concha (7) rasa e de cabo, para levar certos alimentos à boca, ou para misturar, mexer, provar ou servir iguarias: *colher de café; colher de sopa.* **2.** O conteúdo de uma colher: *Tome uma colher do remédio ao deitar-se.* **3.** Designação comum a diversos utensílios de feitio mais ou menos semelhante ao da colher: *colher do fórceps; colher de espalhar tintas.* [Pl.: *colheres.* Cf. *colher* (ê) e *colheres* (ê), do v. *colher* (ê).] ♦ **Colher de pedreiro.** Instrumento feito de chapa de aço, com cabo de madeira, e com que os pedreiros tiram argamassa do caixão, alisam os revestimentos, partem e assentam tijolos. **Dar uma colher de chá a.** *Bras. Gír.* **1.** Dar uma oportunidade a. **2.** Facilitar, favorecer. **De colher.** *Bras. Gír.* Fácil de resolver ou de dispor; acessível, ameno: *Este problema é de colher.* **Meter a colher em.** *Fam.* V. *meter o bedelho em.*

colher (ê). [Do lat. *colligere.*] *V. t. d.* **1.** Tirar, desprender (flores, frutos, folhas) do ramo ou da haste; apanhar: "Ando *colhendo* flores tristes: / Um goivo aqui, outro acolá..." (Alphonsus de Guimaraens, *Obra Completa*, p. 207.) **2.** Tirar, apanhar, recolher: *Colheu água na fonte;* "Abaixei-me, *colhi* água na concha das mãos e bebi." (Aluísio Azevedo, *Pegadas*, p. 162). **3.** Recolher; apanhar: *O pescador colheu as redes; O professor colheu as provas dos alunos.* **4.** Coletar, coligir; arrecadar; recolher: *Colheu contribuições para a obra beneficente;* "Levava o inverno a estudar o empreendimento, *colhendo* informes quanto à guarnição." (Aquilino Ribeiro, *Os Avós dos Nossos Avós*, p. 189). **5.** Achegar, aproximar; acolher; *Sentiu o braço forte que a colhia.* **6.** Apanhar, pegar: *colher borboletas.* **7.** Surpreender, apanhar: *Colheram-no em flagrante.* **8.** Adquirir, obter, conseguir: *Colheu boas informações sobre o candidato.* **9.** Atingir, alcançar: *O tiro colheu o alvo.* **10.** Alcançar, obter: *Colheu os louros da vitória.* **11.** Amainar; recolher: "Inútil! Calmaria. Já *colheram* / As velas." (Camilo Pessanha, *Clepsidra*, p. 181.) **12.** Apreender, perceber: *Não colheu bem o que lhe disseram; Afinal, colheu o sentido da frase.* **13.** Receber em paga, em recompensa: *Sabe colher a estima de todos.* **14.** Segurar, pegar, prender: *Não pôde fugir, pois o guarda o colheu de pronto.* **15.** Segurar, travar, aferrar; tomar: *O cavalo colhe o freio nos dentes.* **16.** Atropelar; derribar, derrubar: *O automóvel colheu o pedestre.* **17.** Ter plantação ou messe de; cultivar: *Este lavrador colhe feijão.* **18.** *Marinh.* Arrumar (cabo, espia, corrente, etc.) em aduchas, para não enrascar e ficar pronto para uso imediato, ou com bom aspecto. *T. d. e i.* **19.** Depreender, inferir, deduzir: *Desse fato colhemos que é falso tudo quanto declarou.* **20.** Receber, acolher: *Colheu a criança nos braços. Transobj.* **21.** Encontrar, apanhar, surpreender: *Colhemos o adversário desprevenido. Int.* **22.** Ter o que colher: *Só colhe quem semeia.* **23.** Proceder à colheita: "fez-se lavrador, plantou, *colheu*, permutou o seu produto por boas e honradas patacas" (Machado de Assis, *Memórias Póstumas de Brás Cubas*, p. 7). **24.** Ser concludente; proceder: *Esta dedução não colhe.* [M.-q.-perf. ind.: *colhera* (ê), *colheras* (ê), etc.; inf. pess.: *colher* (ê), *colheres* (ê), etc. Cf. *colher*, pl. *colheres*, e *colhera*, pl. *colheras.*]

colhera. [Do esp. plat. *collera.*] *S. f. Bras., S.* **1.** Ajoujo para atrelar mutuamente dois animais. **2.** O conjunto dos animais assim atrelados. **3.** *Pop.* Dois indivíduos que andam sempre juntos. [Pl.: *colheras.* Cf. *colhera* (ê) e *colheras* (ê), do v. *colher* (ê).]

colherada. *S. f.* Conteúdo de uma colher; colher. ♦ **Meter a sua colherada em.** *Fam.* V. *meter o bedelho em.*

colher-de-vaqueiro. *S. m. Bras.* V. *moliana* (2). [Pl.: *colheres-de-vaqueiro.*]

colhereiro. *S. m.* **1.** Aquele que faz ou vende colheres de pau. **2.** *Bras.* Ave ciconiforme, da família dos tresquiornitídeos (*Ajaia ajaja* (L.)), de praias lodosas, rios e lagoas. No período de acasalamento tem o dorso e pescoço brancos, o dorso inferior e as asas cor-de-rosa, as coberteiras superiores menores das asas vermelho-vivas, a cauda cor de ocre; noutros períodos o colorido é mais pálido, e desaparece a cor das coberteiras das asas e da cauda. [Sin.: *aiaiá, ajajá.*]

colherete (ê). [De *colher* (ê).] *S. m.* Pancada com a bola ou péla nos que assistem ao jogo.

colheril. *S. m.* Pequena colher de estucador; colherim.

colherim. *S. m.* Colheril.

colhimento. *S. m.* V. *colheita* (3).

colhoneira. [De *colhão* + *-eira.*] *S. f.* V. *suporte atlético.*

colhoneiro. [De *colhão* + *-eiro.*] *S. m.* V. *suporte atlético.*

colhudo. [De *colhão* + *-udo.*] *Adj.* **1.** Que tem testículos grandes. **2.** *Bras.* V. *valentão* (1). **3.** *Bras., N.E. Fam.* Diz-se de menino ou rapazinho intrometido, atrevido, sebite. **4.** *Bras., S.* Diz-se de cavalo não castrado. ● *S. m.* **5.** *Bras.* V. *valentão* (3).

colibri. [Do galíbi *kolibri*, pelo fr. *colibri.*] *S. m.* V. *beija-flor.*

cólica. [Fem. substantivado do adj. *cólico.*] *S. f. Patol.* **1.** Dor abdominal intensa, em particular nos órgãos ocos. **2.** *P. ext.* Dor nos órgãos ocos extra-abdominais: *cólica salivar* (dos canais salivares); *cólica brônquica.* ~ V. *cólicas.*

cólicas. [Pl. de *cólica.*] *S. f. pl. Fig.* **1.** Aflição, medo, receio. **2.** Dificuldades, entaladela, aperto. ~ V. *cólica.*

cólico[1]. *Adj.* Relativo ou pertencente ao colo[2] ou cólon.

cólico[2]. [De *col(e)-* + *-ico[2].*] *Adj.* Da, ou relativo à bile.

colidente. *Adj. 2 g.* Que colide. [V. *conflitante.*]

colidir. [Do lat. *collidere.*] *V. t. d. e i.* **1.** Fazer ir de encontro: *A tempestade colidiu o navio com os rochedos. T. i.* **2.** Ir de encontro; chocar-se, abalroar: "Derrapando, o caminhão quase colidira com um bonde" (Malu de Ouro Preto, *Siri na Noite sem Lua*, p. 36). **3.** Embater-se, chocar-se; contrariar, contradizer: "a vida pacata e 'burguesa' do escritor colidiu com a idéia generalizada de que os poetas têm de ser necessariamente boêmios, em conflito com as normas da vida social policiada." (J. Matoso Câmara Jr., *Ensaios Machadianos*, p. 109). *Int.* **4.** Ir de encontro; abalroar, chocar-se: *Os veículos colidiram.* **5.** Ser reciprocamente oposto; chocar-se, contradizer-se: *Suas palavras e seus atos colidem; São idéias que colidem.*

coliforme. *S. m.* **1.** Espécime dos coliformes. ● *Adj. 2 g.* **2.** Pertencente ou relativo a eles.

coliformes. *S. m. pl. Zool.* Aves neórnites, neógnatas, ordem *Coliiformes*, de pequeno porte, cauda longa, pernas pamprodáctilas, com o primeiro e o quarto dedos reversíveis. Ocorrem na África.

coligação. [Do lat. *colligatione.*] *S. f.* **1.** Ato ou efeito de coligar; junção, união, ligação: *coligação de partículas.* **2.** Aliança de diversas pessoas ou organizações que visa a um fim comum; associação, coalização, fusão, liga: *coligação de partidos políticos.* **3.** União de estados; confederação. **4.** Trama, conluio, maquinação.

coligado. [Part. de *coligar.*] *Adj.* **1.** Unido por coligação; ligado, junto: *paredes coligadas.* **2.** Diz-se de membro de uma coligação; associado, aliado, confederado. ● *S. m.* **3.** Membro de uma coligação; associado, aliado, confederado.

coligar. [Do lat. *colligare.*] *V. t. d.* **1.** Unir, ligar, juntar. **2.** Unir para um fim comum; associar por coligação; aliar: *Os interesses mútuos coligaram os dois partidos.* **3.** Aproximar, unir, identificar: *O rigoroso ascetismo coliga aqueles frades. P.* **4.** Unir-se, ligar-se, juntar-se. **5.** Aliar-se, associar-se por coligação: *As três nações coligaram-se;* "Aos franceses, que tentavam estabelecer-se nesta nossa baía de Guanabara, coligaram-se os tamoios." (Carlos de Laet, *O Frade Estrangeiro e Outros Escritos*, p. 17).

coligativo. *Adj.* **1.** Respeitante a coligação. **2.** Que coliga: *propriedades coligativas de uma substância.* ~ V. *propriedade —a.*

coligido. [Part. de *coligir.*] *Adj.* Que se coligiu; coletâneo.

coligidor (ô). *Adj.* e *s. m.* Que ou aquele que colige.

coligir. [Do lat. *colligere.*] *V. t. d.* **1.** Reunir em coleção, massa ou feixe; ajuntar (o que está esparso): "Então, eu lancei-lhe as mãos aos cabelos, coligi-os, enlacei-os à pressa, improvisei um toucado" (Machado de Assis, *Memórias Póstumas de Brás Cubas*, p. 60). *T. d. e i.* **2.** Reunir em coleção; ajuntar: "Poucos versos nos deixou ele [Carvalho Júnior], uma vintena de sonetos, que um piedoso amigo .... *coligiu com outros trabalhos e deu há pouco num volume, como obséquio póstumo.*" (*Id.*, *Crítica*, p. 115.) **3.** Concluir; inferir: "Pois assim como do aborrecimento, que os Anjos e Santos têm ao pecado, se colige bem sua graveza, por serem amigos de Deus: assim se pode coligir o mesmo do grande desejo com que o procura o Diabo, por ser este seu adversário declarado." (P[e] Manuel Bernardes, *Exercícios Espirituais*, I, pp. 131-132.) [Conjug.: v. *dirigir.*]

colimação. *S. f.* Ato ou efeito de colimar.

colimado. [Part. de *colimar.*] *Adj.* Submetido a colimação. ~ V. *feixe —.*

colimador (ô). *S. m.* **1.** *Astr.* Instrumento auxiliar para se efetuar a colimação. **2.** *Ópt.* Sistema óptico com que se colima um feixe de raios luminosos; sistema óptico que põe a imagem de um objeto no infinito. [Em geral é um sistema de lentes com distância focal relativamente grande.] **3.** *Fís. Nucl.* Dispositivo que colima as trajetórias das partículas dum feixe a um ângulo sólido muito pequeno. ● *Adj.* **4.** ~ V. *lente —a.*

colimadora (ô). *S. f. Ópt.* Lente colimadora.

colimar. [Do lat. *collimare*, dos astrônomos seiscentistas; f. errônea; originária de má leitura de *collineare*, 'visar'.] *V. t. d.* **1.** Observar com instrumento adequado. **2.** *P. ext.* Mirar, visar, observar. **3.** *Fig.* Ter em vista; visar a; objetivar, pretender: "Podemos colimar escopo certo, ... próximo, nas brumas cada vez mais densas do futuro" (Visconde de Taunay, *Reminiscências*, p. 39). **4.** *Fís. Nucl.* Tornar paralelas, ou quase paralelas (as trajetórias das partículas de um feixe). **5.** *Ópt.* Tornar paralelos (os raios luminosos de um feixe).

colimbídeo. *Adj.* e *s. m.* Podicipedídeo.

colimbídeos. *S. m. pl. Zool.* Podicipedídeos.

colimbiforme. [Do gr. *kólymbos*, 'mergulhão', + *-i-* + *-forme.*] *S. f.* e *adj. 2 g.* V. *podicipediforme.*

colimbiformes. *S. f. pl. Zool.* V. *podicipediformes.*

colimbriense. *Adj. 2 g.* e *s. 2 g.* V. *coimbrão.*

colina[1]. [Do it. *collina*, pelo esp. *colina.*] *S. f.* **1.** Pequeno monte; cerro, morro, outeiro. **2.** Encosta, quebrada. [Cf. *culina.*]

colina[2]. *S. f. Quím.* Líquido xaroposo, incolor, presente nos tecidos animais e vegetais, onde tem importante função no metabolismo. [Fórm.: $C_5H_{15}O_2N$. Cf. *culina.*]

colineação. *S. f. Geom.* Transformação no espaço, em que pontos se transformam em pontos, retas em retas, e planos em planos; transformação colinear.

colinear[1]. [De *co-*[1] + lat. *linea*, 'linha', + *-ar*[1].] *Adj. 2 g. Mat.* Diz-se de uma configuração pertencente à mesma reta que outra. ~ V. *transformação —.*

colinear[2]. *V. t. d. Mat.* Colocar (diversas configurações) sobre uma linha reta. [Conjug.: v. *frear.*]

colinearidade. *S. f. Geom.* Propriedade de figuras colineares.

colinearização. *S. f.* Ato de colinear.

colinense[1]. *Adj. 2 g.* **1.** De, ou pertencente ou relativo a Colina (SP). ● *S. 2 g.* **2.** Natural ou habitante de Colina.

colinense[2]. *Adj. 2 g.* **1.** De, ou pertencente ou relativo a Colinas (MA). ● *S. 2 g.* **2.** Natural ou habitante de Colinas.

colinérgico. [Do ingl. *cholinergic.*] *Adj. (f.)* Diz-se de fibra nervosa que libera acetilcolina [q. v.].

colinoso (ô). *Adj.* Que tem colinas.

coliquação. [De *coliquar* + *-ção.*] *S. f. Patol.* Dissolução orgânica com excreções abundantes; fusão, liquefação.

coliquar. [Do lat. *colliquere.*] *V. t. d.* Fundir, derreter; dissolver.

coliquativo. *Adj. Med.* **1.** Relativo à coliquação. **2.** Diz-se dos estados mórbidos que parecem originar-se da fusão das partes sólidas e se acompanham de abatimento profundo: *diarréia coliquativa; suor coliquativo.*

colírio. [Do gr. *kollyrion*, pelo lat. *collyriu.*] *S. m.* **1.** Remédio que se aplica sobre a conjuntiva dos olhos para efeito curativo ou de alívio. **2.** *Bras. Fam.* Pessoa muito bonita, muito agradável à vista.

colisão. [Do lat. *collisione.*] *S. f.* **1.** Embate recíproco de dois corpos; choque, batida, abalroamento: *colisão de veículos.* **2.** Luta, embate. **3.** Oposição, discórdia, desarmonia, divergência: *colisão de idéias.* **4.** Contradição; divergência: *Apesar de colisões entre nossos pontos de vista, continuaremos bons amigos.* **5.** Dificuldade de opção; conflito: *Viu-se ante grave colisão de deveres.* **6.** *Gram.* Aliteração que produz som desagradável. Ex.: *Nunca que ela quisesse semelhante absurdo; O Sr. Soares sentiu sumamente a sua falta.* **7.** *Fís.* Interação entre duas partículas atômicas, subatômicas ou moleculares em movimento.

coliseu. [De *Coliseu* gr. *kolossaîon*, 'colossal', pelo lat. *colossaeu*, anfiteatro da antiga Roma.] *S. m.* Circo (2).

➧**colis postaux** (colí poçtô). [Fr.] *S. m. pl.* **1.** Pequenas encomendas, até determinado limite de peso, transportadas sob o controle dos correios, e de franquia obrigatória no ato da remessa. **2.** A repartição que se encarrega de tais encomendas.

colite. [De *colo*[2] + *-ite*[1].] *S. f. Patol.* Inflamação do colo[2] ou cólon.

colitigante. [De *co-*[1] + *litigante.*] *Adj. 2 g.* **1.** Diz-se de pessoa que litiga ou demanda em conjunto com outrem. ● *S. 2 g.* **2.** V. *litisconsorte.*

➧**collant** (colã). [Fr.] *S. m.* **1.** Roupa de malha muito ajustada ao corpo e que reúne calça e meia numa só peça. **2.** Blusa e calça de características semelhantes, podendo ou não cobrir as pernas.

colmado. [Part. de *colmar*[1].] *Adj.* **1.** Coberto de colmo: "Vamos. Colmadas choças aparecem, / Baixas e tristes." (Alberto de Oliveira, *Poesias*, 3ª série, p. 287.) ● *S. m.* **2.** Casinha coberta de colmos; colmo. **3.** V. *cabana*: "Dos colmados envolava-se .... um fumo tênue e alto no espaço" (Coelho Neto, *Sertão*, p. 72).

colmagem. *S. f.* Ato ou operação de colmar[1].

colmar[1]. [De *colmo* (ô) + *-ar*[2].] *V. t. d.* **1.** Cobrir de colmo: *comar uma cabana.* **2.** *P. ext.* Cobrir, toldar: *Colmaram toda a varanda.* [Pres. ind.: *colmo*, etc. Cf. *colmo* (ô).]

colmar[2]. [Do lat. *cumulare*, decerto.] *V. t. d.* **1.** Elevar, altear; engrandecer, sublimar: *Seus atos de justiça colmam o seu nobre caráter.* **2.** Rematar, completar: *Com isto ele colmou de todo a sua série de asneiras. T. d. e i.* **3.** Encher; cumular: *Colmou-o de benefícios;* "deram-me larga e severa educação, colmando-me ao mesmo tempo de carinhos" (Bulhão Pato, *Memórias*, II, p. 179). [Pres. ind.: *colmo*, etc. Cf. *colmo* (ô).]

colmatagem. [Do fr. *colmatage.*] *S. f.* **1.** Ação ou efeito de colmatar. **2.** Depósito ou sobreposição de terras. **3.** Operação de guiar águas ricas em detritos minerais e orgânicos para bacias ou planícies baixas e pantanosas, aumentando-lhes assim a fertilidade.

colmatar. [Do fr. *colmater.*] *V. t. d.* **1.** Preencher (vazios, lacunas ou brechas); aterrar, entulhar. **2.** Fazer colmatagem (3) em (terreno).

colmeal. *S. m.* **1.** Lugar onde há colmeias. **2.** Porção de colmeias. **3.** *Fig.* Série de pequenas habitações.

colmeeiro. *S. m.* Tratador de colmeias, de abelhas, e/ou negociante delas; abelheiro, apicultor.

colmeia. *S. f.* **1.** Cortiço ou outra instalação de abelhas. **2.** Porção de abelhas; enxame. **3.** *Fig.* Acumulação de pessoas ou coisas. [Var. pros.: *colméia.*]

colméia. *S. f.* V. *colmeia*: "No caule da bananeira há miríades de células, como favos de uma colméia" (Carlos Lacerda, *A Casa do Meu Avô*, p. 161).

colmilho. [Do esp. *colmillo.*] *S. m.* Dente canino; presa.

colmilhoso (ô). *Adj.* Colmilhudo (1).

colmilhudo. *Adj.* **1.** Que tem grandes colmilhos; colmilhoso. **2.** *Bras. S.* Diz-se de cavalo de grandes colmilhos e, portanto, velho, imprestável. **3.** *Bras. Fig.* Diz-se de indivíduo muito velho.

colmo (ô). [Do lat. *culmu.*] *S. m.* **1.** Caule caracterizado por nós bem marcados e entrenós distintos, peculiar à família das gramíneas, quase sempre fistuloso. **2.** Palha longa extraída de várias plantas, empregada para cobrir cabanas, atar feixes, etc. **3.** Colmado (2): "O tênue fumo sai do colmo das herdades" (Gonçalves Crespo, *Obras Completas*, p. 356). [Pl.: *colmos* (ô). Cf. *colmo*, do v. *colmar.*]

colo[1]. [Do lat. *collu.*] *S. m.* **1.** *Anat.* Pescoço (1). **2.** Base do pescoço de certos animais. **3.** *Anat.* Porção estreitada de órgão ou estrutura corporal: *colo da bexiga; colo do útero.* **4.** Designação comum a várias formas que têm analogia com o colo: "um vaso da China de colo alto, com flores." (Almeida Garret, *Frei Luís de Souza*, p. 53); *colo de um osso.* **5.** Regaço (1): *Sentou a criança no colo.* **6.** *Geogr.* Depressão entre duas elevações, caracterizada por ser mais larga que os desfiladeiros e gargantas e poder constituir ligação entre uma e outra vertente entre regiões acidentadas; colada. **7.** *Bot.* Zona de transição entre raiz e caule já manifesta na planta jovem. **8.** *Morfol. Veg.* V. *arquegônio.* ♦ **Colo da glande.** *Anat.* Porção estreitada situada entre a coroa da glande [q. v.] e os corpos cavernosos [v. *corpo cavernoso*]. **Trazer ao colo.** Dar toda a proteção, todo o carinho a, cuidar muito de; amparar.

colo[2]. [Do lat. *collon.*] *S. m. Anat.* Parte do intestino grosso situada entre o íleo e o reto.

▲col(o)-. [Do gr. *kólon, ou.*] *El. comp.* = 'colo[2], cólon': *cólica, colopatia.*

▲-colo. Equiv. de *-cole.*

colobacilo. *S. m.* Bacilo que se encontra normalmente no intestino do homem e dos animais.

colóbio. [Do gr. *kolóbion*, pelo lat. *colobiu.*] *S. m. Ant.* Túnica sem mangas, ou de mangas curtas. [Cf. *dalmática* (3).]

colobógnato. *S. m.* **1.** Espécime dos colobógnatos. • *Adj.* **2.** Pertencente ou relativo a eles.

colobógnatos. *S. m. pl. Zool.* Artrópodes miriápodes, diplópodes, da ordem *Colobognatha.* Corpo com 30 a 60 somitos; machos com gonópodes formados pelo segundo par de pernas do sétimo somito e pelo primeiro par de pernas do oitavo somito; cabeça cônica.

colocação. [Do lat. *collocatione.*] *S. f.* **1.** Ato ou efeito de colocar(-se). **2.** Emprego (2): "Arranjara-lhe colocação na mercearia de um parente, na cidade." (Gilvã Lemos, *Jutaí Menino*, p. 89.) **3.** Venda, distribuição. **4.** Aplicação (de valores). **5.** Apresentação, exposição (de fatos ou idéias). **6.** *Bras.* Casa, geralmente sobre palafitas, do seringueiro amazônico: "Os índios se defendiam, e não havia outra alternativa, e atacavam as colocações — casas de seringueiros —". (Edilson Martins, *Amazônia, a Última Fronteira*, p. 217).

colocado. [Part. de *colocar.*] *Adj.* **1.** Posto, disposto; situado. **2.** Empregado (1). **3.** *Bras., RJ. Gír.* Que está sob o efeito de droga (4); chapado.

colocador (ô). [De *colocar* + *-(d)or.*] *S. m.* V. *assentador* (3).

colocar. [Do lat. *collocare.*] *V. t. d.* e *i.* **1.** Pôr (em algum lugar): "Mãos piedosas colocaram uma vela acesa ao lado dele." (Nélson de Faria, *Bazé*, p. 36); *Colocou os livros na estante*; "Alice coloca a bandeja sobre a mesinha do rádio." (Telmo Vergara, *Contos da Vida Breve*, p. 188). **2.** Aplicar, empregar, pôr: *Colocaram as economias em ações.* **3.** Situar (moralmente); pôr: *Colocaram o líder em má situação.* **4.** Situar ou dispor geograficamente; situar: *Certos estrangeiros colocam Buenos Aires no Brasil. T. d.* **5.** Pôr em um lugar: *O pedreiro colocou os tijolos, assentando-os com cimento.* **6.** Dar emprego (2) a; empregar: *Logo que pôde, colocou muito bem os parentes.* **7.** Estabelecer, instalar; pôr: *Colocou uma loja de miudezas.* **8.** Pôr à venda; vender: *Veio à cidade para colocar as mercadorias.* **9.** Trazer à baila ou à discussão; apresentar, expor: *Colocar um problema, uma questão. P.* **10.** Tomar posição; instalar-se: *Colocou-se no melhor camarote.* **11.** Conseguir emprego (2). **12.** Apresentar-se, situar-se (moralmente): *Homem digno, sabe colocar-se no seu lugar.* [Conjug.: v. *trancar.*]

colocíntida. [Do gr. *kolokynthís, ídos*, 'cabacinhas', pelo lat. *colocynthida.*] *S. f. Bot.* Coloquíntida.

colocutor (ô). [Do lat. *collocutore.*] *S. m.* Interlocutor (1).

colódio. [Do gr. *kollódes*, 'viscoso', + *-io*[1].] *S. m. Quím.* Nitrocelulose em determinada concentração de nitrogênio, utilizada na fabricação de vernizes e lacas.

colofão. [Do gr. *kolophón.*] *S. m.* Inscrição no fim de manuscritos ou de livros impressos, com indicação sobre a feitura do volume, e o nome do copista ou do impressor, a data do acabamento, etc. [F. paral.: *cólofon;* sin.: *subscrição.* Cf. *termo de impressão.*]

cólofon. *S. m.* V. *colofão.*

colofônio. [Do gr. *kolophonía*, pelo lat. *colophonia.*] *S. m. Quím.* Material resinoso, resíduo da destilação de terebintinas.

co-logaritmo. [De *co-*[2] + *logaritmo.*] *S. m. Mat.* Logaritmo decimal do inverso de um número.

colografia. *S. f. Fotograv. P. us.* V. *fototipia* (1).

colográfico. *Adj. P. us.* Relativo à colografia; fototípico.

coloidal. [De *colóide* + *-al.*] *Adj. 2 g.* **1.** Da natureza da cola[1]; gelatinoso, colóide: *substância coloidal.* **2.** Relativo aos colóides. ~ V. *estado — e física —.*

colóide. [De *cola*[1] + *-óide.*] *Adj. 2 g.* **1.** V. *coloidal* (1). • *S. m.* **2.** *Fís.-Quím.* Sistema físico-químico que contém duas fases, uma das quais, a fase dispersa, está extremamente subdividida e imersa na outra, a fase dispersora. [As partículas da fase dispersa (*micelas*) podem ter dimensões que variam, aproximadamente, entre $5X10^{-5}$ cm e 10^{-7} cm.] **3.** *Quím.* Corpo que não se cristaliza, ou só se cristaliza muito dificilmente, e que, em dissolução, se difunde com lentidão extrema. ♦ **Colóide hidrófilo.** *Fís.-Quím.* Aquele em que a fase dispersora é água e cujas micelas agrupam em torno de si moléculas de água. **Colóide hidrófobo.** *Fís.-Quím.* Aquele em que a fase dispersora é água e cujas micelas não formam ligações com as moléculas de água. **Colóide liófilo.** *Fís.-Quím.* Aquele em que as micelas formam ligações com as moléculas da fase dispersora. **Colóide liófobo.** *Fís.-Quím.* Aquele em que as micelas não formam ligações com as moléculas da fase dispersora. **Colóide molecular.** *Fís.-Quím.* Eucolóide.

colom. [Do esp. amer. *colón.*] *S. m.* Unidade monetária, e moeda, da Costa Rica, dividida em 100 cêntimos, e do Salvador, dividida em 100 centavos. [Cf. *cólon.*]

colombense. *Adj. 2 g.* **1.** De, ou pertencente ou relativo a Colombo (Sri Lanka e PR). • *S. 2 g.* **2.** Natural ou habitante de Colombo.

▲colombi-. V. *columbi-.*

colombiano[1]. *Adj.* **1.** Da, ou pertencente ou relativo à Colômbia (América do Sul). • *S. m.* **2.** O natural ou habitante da Colômbia. [Sin. ger. (p. us.): *colombino.* Cf. *coulombiano.*]

colombiano[2]. *Adj.* Pertencente ou relativo ao navegante genovês Cristóvão Colombo (1451-1506), descobridor da América, ou à sua época. [Cf. *coulombiano.*]

colombina. *S. f. Teat.* **1.** A principal personagem feminina da *commedia dell'arte* [q. v.], companheira do Arlequim e do Pierrô, namoradeira, alegre, fútil e bela. [Com maiúscula, nesta acepç.] **2.** Fantasia carnavalesca inspirada nessa personagem. [Cf. *columbina*, fem. de *columbino.*]

colombino. *Adj. P. us.* Colombiano[1]. [Cf. *columbino.*]

colômbio. *S. m. Quím.* V. *nióbio.*

colombofilia. [De *colomb(i)-* + *-fil(o)*[2]- + *-ia.*] *S. f.* Columbofilia.

colombofílico. *Adj.* Relativo à colombofilia.

colombófilo. [De *colomb(i)-* + *-filo.*] *S. m.* Columbófilo.

colombro. *S. m.* V. *cabaceiro-amargoso.*

colomi. *S. m. Bras.* V. *curumi.* [Cf. *columim.*]

colomim. *S. m. Bras.* V. *curumi.* [Cf. *columim.*]

cólon. [Do gr. *kólon*, pelo lat. *colon.*] *S. m. Anat.* V *colo*[2]. [F. paral.: *colo.* Cf. *colom.*]

➡colón. [Esp. amer.] *S. m.* V. *colom.*

colonato. [Do lat. tardio *colonatu.*] *S. m.* **1.** Estado de colono. **2.** Instituição de colonos.

colonhão. [Var. de *colonião.*] *S. m. Bras.* V. *capim-guiné.*

colonia. *S. f.* Contrato entre colono e proprietário. [Cf. *colônia.*]

colônia[1]. [Do lat. *colonia.*] *S. f.* **1.** Grupo de migrantes que se estabelecem em terra estranha. **2.** Grupo de pessoas que se estabelecem noutra região de seu país. **3.** Lugar onde se estabelece qualquer desses grupos. **4.** Região pertencente a um Estado e situada fora de seu âmbito geográfico principal; possessão, domínio. **5.** Estado posto sob a autoridade de outro; protetorado. **6.** Indivíduos de uma nação que vivem em país ou cidade estrangeira, e seus descendentes que lhes conservam as tradições, características culturais, religiosas, etc.: a *colônia brasileira da França.* **7.** Conjunto de pessoas que se agrupam para determinado fim: *colônia balnear.* **8.** *Biol. Ger.* Conjunto de organismos da mesma espécie e que vivem juntos: *colônia de bactérias.* **9.** *Biol. Ger.* Conjunto de espécies diferentes que vivem num todo isolado. **10.** *Citol.* Grupo de células contíguas derivadas de uma célula ancestral, e que vivem sobre uma superfície sólida. **11.** *Bras., S.* Nas fazendas, grupo de casas de colonos [v. *colono* (4).] [Cf. *colonia.*] ♦ **Colônia agrícola. 1.** Povoação campestre de colonos lavradores, **2.** Estabelecimento campestre onde certos condenados cumprem pena. **Colônia de enraizamento.** Aquela em que se enraiza o elemento humano colonizador, quer pela substituição paulatina da população indígena, quer pela coexistência com esta e através da mestiçagem, quer pela associação com os próprios indígenas. **Colônia de povoamento.** Colônia de áreas pouco povoadas, na qual o colonizador aparece como elemento povoador.

colônia[2]. *S. f.* F. red. de *água-de-colônia:* "Recebe o sorriso e se vai, notando o jeito arrumado, o rosto muito barbeado e claro cheiro de colônia." (Ricardo Ramos, *Circuito Fechado*, p. 85.) [Cf. *colonia.*]

colonial. *Adj. 2 g.* **1.** Relativo a colônia, ou a colonos. [Sin., bras.: *colônico.*] **2.** *Biol. Ger.* Que vive em colônia (8). **3.** *Bras.* Diz-se de um estilo arquitetônico muito em voga no Brasil no fim do primeiro e no segundo quartel deste século, inspirado na arquitetura dos tempos coloniais. ~ V. *telha —.* • *S. 2 g.* **4.** Colonista. **5.** Colonial brasileiro. ♦ **Colonial brasileiro.** Estilo colonial (3); colonial.

colonialismo. [De *colonial* + *-ismo.*] *S. m. Ciênc. Pol.* Sistema ou orientação política tendente a manter sob domínio, inclusive econômico, as possessões de determinado Estado. [Cf. *neocolonialismo.*]

colonialista. *Adj. 2 g.* **1.** Relativo ao, ou próprio do colonialismo. **2.** Que o exerce. **3.** Que é partidário dele. • *S. 2 g.* **4.** Partidário dele.

coloniano. *Adj.* **1.** De, ou pertencente ou relativo a Colônia (República Federal da Alemanha e RJ). • *S. m.* **2.** O natural ou habitante de Colônia.

colonião. *S. m.* V. *capim-guiné:* "Um dia a bezerra vermelha / e a outra queimada / fugiram nas touceiras do colonião." (José Sarney, *Os Maribondos de Fogo*, p. 51.) [Var.: *colonhão.*]

colônico. [Do lat. *colonicu.*] *Adj. Bras.* Colonial (1).

colonista. *S. 2 g. Bras.* Especialista em questões relativas a colonos ou colônias; colonial. [Cf. *colunista.*]

colonização. *S. f.* Ato ou efeito de colonizar.

colonizado. [Part. de *colonizar.*] *Adj.* **1.** Em que se estabeleceu colônia. **2.** Povoado de colonos.

colonizador (ô). *Adj.* e *s. m.* Que ou aquele que coloniza, que promove colonização.

colonizar. *V. t. d.* **1.** Transformar em colônia (4 e 5): *Os portugueses colonizaram o Brasil.* **2.** Habitar como colono: *Grupos de camponeses do Nordeste vieram colonizar o Centro do País.* **3.** Propagar-se ou alastrar-se por; invadir: *O sapé coloniza terrenos pobres e esgotados.*

colonizável. *Adj. 2 g.* Que se pode colonizar.

colono. [Do lat. *colonu.*] *S. m.* **1.** Membro de uma colônia (1 a 6). **2.** Cultivador de terra pertencente a outrem. **3.** Povoador (2). **4.** *Bras. S.* Membro de colônia (1) vindo para o Brasil com o fim de trabalhar na lavoura.

colonoscopia. [De *cólon* + *-o-* + *-scop-* + *-ia.*] *S. f. Med.* Exame do interior do cólon, mediante o uso do colonoscópio.

colonoscópico. *Adj.* Relativo à colonoscopia.

colonoscópio. *S. m. Med.* Endoscópio com que se realiza a colonoscopia.

colopatia. [De *col(o)-* + *-patia.*] *S. f. Patol.* Moléstia do cólon.

colopático. *Adj.* Relativo à colopatia.

coloquial. *Adj. 2 g.* **1.** Relativo a, ou próprio de colóquio. **2.** *Liter.* Diz-se do estilo em que se usam vocabulário e sintaxe bem próximos da linguagem cotidiana.

coloquialismo. *S. m.* Maneira ou tom coloquial: "o prodigioso coloquialismo dos textos de Nélson [Nélson Rodrigues] aparece como uma autêntica revolução." (Yan Michalski, *Jornal do Brasil, 22.12.1980*).

coloquíntida. [Var. de *colocíntida.*] *S. f. Bras., SP.* Trepadeira ornamental, da família das cucurbitáceas (*Cucurbita pepo*), de flores com corola amarela e monopétala, e frutos com manchas amarelas e verde-escuras, de várias formas.

colóquio. [Do lat. *colloquiu.*] *S. m.* Conversação ou palestra entre duas ou mais pessoas.

color (ô). [Do lat. *colore.*] *S. f.* **1.** *Ant.* Cor. • *S. m.* **2.** *Ant.* Adorno, ornato. [Pl.: *colores* (ô). Cf. *colores*, do v. *colorar* e *colorir.*] ♦ **Sob color de.** A pretexto de; sob a aparência de; sob cor de, socolor de: "Tal foi o caso da poesia, devastada por estes vândalos, que sob color de a cobrirem e idealizarem, a mudaram por mais de um século, ... a tornaram velha presumida e prichosa" (Latino Coelho, *Cervantes*, p. 201).

▲-color. Equiv. de *color(i)-.*

coloração. [De *colorar* + *-ção.*] *S. f.* **1.** Ação de dar ou de adquirir cor(es): *coloração de um tecido; coloração de um fruto.* **2.** Efeito produzido pelas cores; colorido, cor.

colorado[1]. [Do esp. *colorado.*] *Adj.* **1.** *Bras., RS.* Vermelho. **2.** Diz-se de um partido político do Uruguai. **3.** *Bras.* Pertencente ou relativo ao Esporte Clube Internacional (RS). **4.** *Bras.* Que é torcedor ou jogador dessa agremiação. • *S. m.* **5.** Membro do partido colorado. **6.** *Bras.* Membro, torcedor ou jogador do Esporte Clube Internacional (RS); internacional.

colorado[2]. *Adj.* **1.** De, ou pertencente ou relativo a Colorado (PR). • *S. m.* **2.** O natural ou habitante de Colorado.

colorante. [Do lat. *colorante.*] *Adj. 2 g.* Que colora; corante.

colorar. [Do lat. *colorare.*] *V. t. d.* **1.** V. *colorir* (1 a 3): *colorar um tecido.* **2.** Adornar, enfeitar, embelezar; colorir. **3.** Tornar vivo, expressivo; avivar, colorir: *colorar a linguagem, o estilo.* [Pres. subj.: *colore, colores*, etc. Cf. *colores* (ô), pl. de *color.*]

colorau. [Do esp. *colora(d)o.*] *S. m.* Pó vermelho, condimentício, feito de pimentão, urucu, etc.

colorear. [Do lat. *colore,* 'cor', + *-ear.*] *V. t. d.* **1.** Colorir, corar. **2.** Disfarçar, colorir: *Coloreou suas mentiras com hábeis raciocínios. Int.* **3.** *Bras., S.* Apresentar cor vermelha. **4.** *Bras., S.* Mostrar-se na sua cor vermelha. [Conjug.: v. *frear.*]

▲color(i)-. [Do lat. *color, oris.*] *El. comp.* = 'cor', 'coloração': *colorear, colorímetro.* [Equiv.: *-color: quadricolor.*]

colorido. [Do it. *colorito.*] *Adj.* **1.** Que tem cores; feito a cores. **2.** *Fig.* Disfarçado, dissimulado. **3.** *Fig.* Brilhante, expressivo, vivo: *estilo colorido.* ~V. *filme*—. ● *S. m.* **4.** V. *coloração* (2): "Coloridos mimosos, tenras cores" (Teixeira de Pascoais, *D. Carlos,* p. 46). **5.** Combinação de cores em pintura, na vegetação, etc. **6.** *Fig.* Brilho, brilhantismo, vivacidade: *colorido estilístico; colorido orquestral.*

colorífico. [Do lat. *colorificu.*] *Adj.* Que produz cor.

colorimetria. [De *color(i)-* + *-metr(o)-*[2] + *-ia.*] *S. f. Fís.-Quím.* Análise colorimétrica.

colorimétrico. *Adj.* Relativo à colorimetria, ou ao colorímetro. ~ V. *análise —a.*

colorímetro. [De *color(i)-* + *-metro.*] *S. m. Fís.-Quím.* Instrumento para realizar análise colorimétrica.

colorir. [Do lat. *colore,* 'cor', + *-ir.*] *V. t. d.* **1.** Cobrir ou matizar de cor(es); dar cor(es) a; colorear, colorar, colorizar, corar: *As flores colorem os campos; Coloriu o desenho;* "Um rubor súbito, vivíssimo, colorira-lhe o rosto" (Júlio Ribeiro, *A Carne,* p. 13). **2.** Adornar, ornar, enfeitar, decorar; colorar: *As flores coloriam o banquete.* **3.** Tornar vivo, expressivo, brilhante; avivar, realçar, colorar: *colorir uma narração; colorir o estilo.* **4.** Disfarçar, dissimular, encobrir; coonestar: *Apesar dos sofismas de que usou, não conseguiu colorir a sua grave falta. P.* **5.** Tomar cor; cobrir-se de cores; tingir-se: *O céu coloriu-se vivamente.* **6.** Ruborizar-se; corar. [Defect. Faltam-lhe as f. em que ao *r* da raiz se seguiria *o* ou *a*: a 1ª pess. sing. do pres. ind. e todo o pres. subj. Pres. ind.: *colores, colore,* etc. Cf. *colores* (ô), pl. de *color.*]

colorismo. *S. m.* Qualidade, arte ou escola de colorista.

colorista. *Adj. 2 g.* **1.** Que colore: *operário colorista.* **2.** *Art. Plást.* Diz-se do pintor de colorido vivo e expressivo, ou de sua obra. **3.** Diz-se do pintor que usa as cores tirando delas o maior efeito estético. **4.** Diz-se do escritor brilhante e imaginoso, ou de seu estilo, de sua obra. ● *S. 2 g.* **5.** Aquele que colore. **6.** *Art. Plást.* Pintor colorista: *Em sua fase azul, Picasso revelou-se um fino colorista.* **7.** *Fig.* Escritor colorista.

colorização. *S. f.* Ato ou efeito de colorizar; coloração.

colorizar. *V. t. d. P. us.* V. *colorir* (1).

colossal. *Adj. 2 g.* **1.** Que tem proporções de colosso (1). **2.** Enorme, agigantado. **3.** *Fig.* Imensurável, incomensurável; vastíssimo: *império colossal.* **4.** *Fig.* Extraordinário, prodigioso: *força colossal; cultura colossal.*

colosso (ô). [Do gr. *kolossós,* pelo lat. *colossu.*] *S. m.* **1.** Estátua descomunal. **2.** Pessoa agigantada. **3.** Objeto de enormes dimensões. **4.** Grande poderio ou soberania: *o colosso do império alexandrino.* **5.** Pessoa de excepcional poder, valor ou merecimento: *Dante é um colosso.* **6.** *Bras.* Coisa muito vantajosa, muito gostosa, excelente: *Esta maionese é um colosso.* **7.** *Bras.,S.* Grande quantidade [q. v.]: *um colosso de meninos.*

colostomia. [De *col(o)-* + *stom(a)-* + *-ia.*] *S. f. Cir.* Comunicação cirurgicamente construída entre o cólon e o meio exterior.

colostomizado. [Part. de *colostomizar.*] *Adj.* Em que se fez colostomia.

colostomizar. *V. t. d. Cir.* Praticar a colostomia em.

colostração. [Do lat. *colostratione.*] *S. f. Patol.* Doença do recém-nascido, que se atribuía ao colostro.

colostro (ô). [Do lat. *colostru.*] *S. m.* O primeiro leite de uma parida, rico em proteínas e imunoglobulinas, pobre em lactose e gorduras.

colpado. [De *colpo* + *-ado*[1].] *Adj. Bot.* Provido de colpo: *pólen colpado.*

colpite. [De *colp(o)-* + *-ite*[1].] *S. f. Patol.* Inflamação da vagina; elitrite, vaginite.

colpo. *S. m. Bot.* Sulco ou fenda do grão de pólen.

▲colp(o)-. [Do gr. *kólpos, ou.*] *El. comp.* = 'vagina'; 'sulco', 'cavidade': *colpite, colpocele.* [Equiv.: *-colp(o)-: monocolpado.*]

▲-colp(o)-. Equiv. de *colp(o)-.*

colpocele. [De *colp(o)-* + *-cele.*] *S. f. Patol.* Hérnia vaginal; elitrocele.

colpotomia. [De *colp(o)-* + *-tom(o)-* + *-ia.*] *S. f. Cir.* Incisão da vagina; elitrotomia.

colpotômico. *Adj.* Relativo à colpotomia; elitrotômico.

cólquico. [Do gr. *kolchikón,* pelo lat. *colchicu.*] *S. m. Bot.* Planta medicinal silvestre, da família das liliáceas (*Colchicum autumnale*), de flores roxas e sementes tóxicas; lírio-verde.

coltar. [Do ingl. *coal tar.*] *S. m. Lus.* Alcatrão de hulha.

coltarizar. *V. t. d.* Revestir de coltar.

colubreado. [De *colubra,* 'cobra', + *-eado.*] *Adj.* V. *colubrino* (1).

colubrear. *V. int.* Mover-se como as cobras; colear, serpear, serpentear: *As chamas colubreavam violetas.* [Conjug.: v. *frear.*]

colubrídeo. *S. m.* **1.** Espécime dos colubrídeos. ● *Adj.* **2.** Pertencente ou relativo a eles.

colubrídeos. *S. m. pl. Zool.* Importante família de reptis ofídios, com mais de 250 gêneros e cerca de 1.000 espécies. Agrupam-se em três séries: *áglifos,* sem dentes venenosos; *opistóglifos,* com dentes posteriores mais longos, comunicando-se com as glândulas venenosas; *proteróglifos,* com dentes venenosos na parte inferior.

colubrina. [Fem. substantivado de *colubrino.*] *S. f.* **1.** Antiga peça de artilharia, comprida e fina, de alcance maior que o comum na época. **2.** Espada antiga de lâmina sinuosa. **3.** Briônia.

colubrino. [Do lat. *colubrinu.*] *Adj.* **1.** Relativo ou semelhante à cobra; sinuoso, colubreado. **2.** Próprio da cobra: "Gira em volteios colubrinos, / Lentos, elásticos, felinos, / Ao retumbar dos tamborins." (Martins Fontes, *Fantástica,* p. 120.) **3.** Enroscado, espiralado: *coluna colubrina.*

columbário. [Do lat. *columbariu.*] *S. m.* **1.** Entre os romanos, edifício cavado na rocha, ou subterrâneo, e guarnecido de nichos destinados a receber as urnas funerárias: *o columbário da via Ápia.* **2.** Edifício provido de nichos onde se conservam as cinzas funerárias. **3.** *Desus.* Pombal.

▲columb(i)-. [Do lat. *columbus, i.*] *El. comp.* = 'pombo': *columbicultura.* [Equiv.: *columbo-* e *colombi-*: *columbofilia; colombofilia.*]

columbicultor (ô). [De *columb(i)-* + *-cultor.*] *S. m.* Aquele que se dedica à columbicultura.

columbicultura. [De *columb(i)-* + *cultura.*] *S. f.* Criação de pombos.

columbídeo. *S. m.* **1.** Espécime dos columbídeos. ● *Adj.* **2.** Pertencente ou relativo a eles.

columbídeos. *S. m. pl. Zool.* Aves columbiformes, da família *Columbidae,* cujo tarso é mais curto que o dedo anterior médio. Boas voadoras, podem freqüentar o chão e as árvores; alimentam-se de pequenos frutos, sementes e plantas herbáceas. São as pombas verdadeiras.

columbiforme. [De *columb(i)-* + *-forme.*] *S. m.* **1.** Espécime dos columbiformes. ● *Adj.* **2.** Pertencente ou relativo a eles.

columbiformes. *S. m. pl. Zool.* Aves neórnites, neógnatas, da ordem *Columbiformes,* de bico pequeno, curto, com ceroma grosso e mole na base, patas curtas e emplumadas, com dedos livres, e hálux ao nível dos outros dedos, papo desenvolvido, produzindo secreção alimentícia para os filhotes. São os pombos e rolas em geral.

columbino. [Do lat. *columbinu.*] *Adj.* **1.** Relativo ou pertencente a pombo ou pomba. **2.** Que tem forma ou aspecto de pombo ou pomba: "As mulheres .... foram beijar devotamente a columbina imagem do Espírito Santo." (Aluísio Azevedo, *O Cortiço,* p. 128.) **3.** *Fig.* Inocente, puro: *coração columbino.* [Fem.: *columbina.* Cf. *colombino,* adj., e *colombina,* fem. de *colombino* e s. f.]

colúmbio. *S. m. Quím. Obsol.* Nióbio.

▲columbo-. V. *columb(i)-.*

columbofilia. [De *columbo-* + *-fil(o)-*[2] + *-ia.*] *S. f.* **1.** Amor aos pombos; interesse por eles. **2.** A arte da criação de pombos-correios. [F. paral.: *colombofilia.*]

columbófilo. [De *columbo-* + *-filo.*] *Adj.* e *s. m.* **1.** Que, ou aquele que tem columbofilia (1). **2.** Que ou aquele que se consagra à columbofilia (2). [F. paral.: *colombófilo.*]

columela. [Do lat. *columella,* dim. de *columna,* 'coluna'.] *S. f.* **1.** *Bot.* Massa de tecido estéril que forma na cápsula dos musgos uma como coluna central. **2.** *Bot.* Porção axial estéril e maciça dos esporângios dos mixomicetos e de vários tipos de fungos. **3.** *Zool.* Eixo interior das conchas univalves.

columin. *S. m.* **1.** *Bras.* V. *curumi.* **2.** *Bras., N.* Dente que nasce nos cavalares quando têm cinco anos. [Cf. *colomi* e *colomim.*]

coluna. [Do lat. *columna.*] *S. f.* **1.** *Arquit.* Pilar cilíndrico que sustenta abóbadas, entablamentos, etc., que serve de ornato em edifícios, e consta de três partes: *base* ou *pedestal, fuste, capitel.* **2.** Objeto cilíndrico semelhante à coluna. [Dim. irreg.: *colunelo* e *coluneta.*] **3.** Cada uma das subdivisões verticais de periódicos ou de certos livros. **4.** Série de objetos empilhados; pilha, ruma. **5.** Linha vertical de algarismos. **6.** Troço de soldados em linha. **7.** Volume líquido ou gasoso dentro dum recipiente cilíndrico. **8.** Massa de fluido em forma cilíndrica. **9.** *Fig.* Sustentáculo, apoio, pilar. **10.** *Álg. Mod.* Numa matriz, conjunto de termos situados em uma mesma vertical. **11.** *Mar. G.* Formatura em que os navios navegam na esteira do navio testa, i. e., em linha de marcação relativa de 180º. [É a formatura habitual de cruzeiro para pequenos grupamentos de navios.] **12.** *Tip.* Cada uma das divisões verticais de uma página de livro, ou de periódico, separadas por filete (fio de coluna) ou linha branca (canal). **13.** *Tip.* Divisão vertical de tabela. **14.** *Bras.* Coluna vertebral. ♦ **Coluna barométrica.** *Fís.* Num barômetro, a coluna de mercúrio que equilibra a pressão atmosférica. **Coluna corolítica.** *Arquit.* A que tem ornatos de folhas e flores em espiral. **Coluna coxa.** *Tip.* A que sai menor que as outras. **Coluna cromatográfica.** *Fís.-Quím.* Aparelho para realizar análises cromatográficas, que consta de um tubo cheio de absorvente apropriado, através do qual flui a solução que vai ser analisada. **Coluna de destilação.** *Quím.* Equipamento constituído por um vaso cilíndrico vertical, provido de partições, onde se efetua, mediante aquecimento apropriado, a destilação fracionada de uma mistura líquida. **Coluna escalonada.** *Bras. Mar. G. Desus.* Formatura especial em que cada navio fica a até 15º para um ou outro bordo do navio testa. **Coluna geológica.** O conjunto das rochas da crosta da Terra dispostas na ordem de sua formação ou de sua idade. **Coluna salomônica.** Coluna lavrada em espiral à feição das do *Sancta sanctorum* do templo de Salomão: "Aos cantos do palco erguiam-se colunas salomônicas." (Urbano Tavares Rodrigues, *A Noite Roxa,* p. 65.) **Coluna vertebral.** *Anat.* Coluna formada pela superposição das vértebras, situada na parte dorsal do tronco, e que sustenta a cabeça, sendo sustentada pela bacia. [Tb. se diz apenas *coluna.*]

colunar[1]. [Do lat. *columnare.*] *Adj. 2 g.* **1.** Relativo a, ou que tem forma de coluna. ~ V. *estrutura —.* ● *S. f.* **2.** *Bras., MT.* Velha moeda espanhola, de prata, cunhada no Paraguai no tempo colonial.

colunar[2]. *V. t. d.* **1.** Dispor em colunas. **2.** Dar forma de coluna a. [Fut. do pret.: *colunaria,* etc. Cf. *colunária,* fem. de *colunário.*]

colunário. [Do lat. *columnariu.*] *Adj.* Em que há colunas representadas. [Fem.: *colunária.* Cf. *colunaria,* do v. *colunar.*]

colunata. [Do it. *colonnato.*] *S. f. Arquit.* Série de colunas dispostas simetricamente.

colunável. [De *coluna* + *-ável.*] *Adj. 2 g.* e *s. 2 g.* Diz-se de, ou pessoa que é digna de figurar, ou que figura, nas colunas de acontecimentos sociais.

colunelo. [Do it. *colonnello.*] *S. m.* **1.** Coluna pequena [v. *coluna* (1 e 2)]. **2.** Marco, frade.

colunense. *Adj. 2 g.* **1.** De, ou pertencente ou relativo a Coluna (MG) ● *S. 2 g.* **2.** Natural ou habitante de Coluna.

coluneta (ê). *S. f.* Coluna pequena e estreita. [V. *coluna* (1 e 2).]

colunismo. *S. m. Bras.* **1.** Atividade de colunista. **2.** Os colunistas.

colunista. [De *coluna* + *-ista.*] *S. 2 g. Bras.* Comentarista, cronista ou crítico de jornal, revista, etc., que mantém seção acerca de política, arte, literatura, vida social, etc. [Cf. *colonista.*]

coluro. *S. m. Astr.* Uma das interseções do equador com a eclíptica. ♦ **Coluro solsticial.** *Astr.* Cada um dos meridianos que passam pelos pontos solsticiais.

colusão. [Do lat. *collusione.*] *S. f.* Ajuste secreto e fraudulento entre duas ou mais partes, com prejuízo para terceiros; conluio.

colutório. [Do lat. *collutu,* 'lavado', + *-or-* + *-io*[2].] *S. m. Med.* Forma farmacêutica de consistência espessa, que se aplica nas paredes internas da boca.

coluvião. [Do lat. *colluvione.*] *S. f.* **1.** Solo das encostas dos morros formado por detritos provindos dos altos. **2.** Enxurrada, inundação, aluvião. **3.** *Fig.* Multidão ou confusão de coisas.

colza (ô). [Do flam. *kohlzaad,* pelo fr. *colza.*] *S. f.* Variedade de couve comestível (*Brassica campestris*) que no inverno serve de forragem, e de cuja semente se extrai um óleo.

com. [Do lat. *cum.*] *Prep.* Partícula usada em português nos seguintes casos (entre vários outros): **1.** Introduz complemento terminativo de verbos, substantivos e adjetivos que implicam idéia de concorrência, comparação, semelhança, união, companhia, acordo, ou desacordo, expectativa, simultaneidade, etc.: "Posto que não excedesse os vinte e oito anos, o vigário, no pausado e refletido do seu dizer, competia com os cinqüenta anos de algum egresso daquele tempo." (Camilo Castelo Branco, *O Bem e o Mal*, p. 55); *Confrontando Pedro com Paulo, notei a superioridade do primeiro*; "A casa de seu Carneiro não se parecia nada com as fazendas da região" (Pedro Nava, *Baú de Ossos*, p. 276); "Juntou-se a fome com a vontade de comer" (dito popular); "— Vai casar com uma viúva." (Machado de Assis, *Várias Histórias*, p. 71); "contava com a maresia e com a vizinhaça dos pássaros das falésias para que o perdigoto não se aventurasse muito para diante." (José Cardoso Pires, *O Anjo Ancorado*, p. 73); "ficou em paz com Deus e os homens." (Machado de Assis, *Várias Histórias*, p. 42); "Fez inimizade com um seu vizinho distante." (Raquel de Queirós, *100 Crônicas Escolhidas*, p. 27); *Seus atos não são concordes com a sua pregação; Sua chegada coincidiu com a minha ausência*. **2.** Junto aos nomes, designa o adjunto restritivo de conteúdo, parte, acessório: *um prato com muita comida*; "Cadeiras de espaldar com fulvas pregarias" (Gonçalves Crespo, *Obras Completas*, p. 264); *homens com gravata*; "No princípio, Adão e Eva amanheceram nus, e estavam contentes .... com a singeleza do seu trajar." (Camilo Castelo Branco, *Noites de Lamego*, p. 9). **3.** É elemento fundamental de numerosas locuções adverbiais de modo, substitutivas dos advérbios em *mente*: *Meditou no assunto com vagar; Procede com fidelidade*. **4.** Auxilia a formação de locuções prepositivas: **a**) funcionando como elemento conectivo principal: *de parceria com; de cambulhada com*; **b**) regendo o substantivo fundamental da expressão: *com referência a*; **c**) constituindo locuções prepositivas: *É severo para com o filho*. **5.** Sobretudo antecedendo verbos no infinito, indica idéia de concessão e equivale a 'apesar de': "Inês de Castro .... , com ser o mais belo, é também o mais simples assunto que ainda trataram poetas." (Almeida Garret, *Frei Luís de Souza*, p. 37); *Como é que ele saiu com este mau tempo?* **6.** Entra na formação de adjuntos circunstanciais que indicam: **a**) companhia, ajuntamento: "Dá-me uma saudade em me lembrando / Do belo tempo que passei com elas" (João de Deus, *Campo de Flores*, I, p. 248); **b**) preço, custo ou compensação: "Mas pagar tanto amor com tédio e asco..." (Santa Rita Durão, *Caramuru*, VI, 38). **c**) causa ou motivo: "Verão morrer com fome os filhos caros / Em tanto amor gerados e nascidos" (Luíz de Camões, *Os Lusíadas*, V, 47); "Rua fora, caminhou depressa, com medo de que ainda o chamassem" (Machado de Assis, *Várias Histórias*, p. 63). **d**) provisão ou abundância: *Havia ali um caixote com frutas*. **e**) meio ou instrumento: "Esfregava-o com a mão direita" (José Cardoso Pires, *O Anjo Ancorado*, p. 19); "Com um pé tateou o terreno" (Id., *ib.*, p. 82). **f**) concessão: *Com tantos amigos influentes, não consegue bom emprego*; **g**) matéria: "pintavam o corpo com tinta azul." (Paulo Mercadante, *Os Sertões do Leste*, p. 34). **h**) modo: "Com muito jeito entregou-lhe a ave" (José Cardoso Pires, *O Anjo Ancorado*, p. 87); "o jeito com que dizia as suas sátiras às gazetas dava mostras de espírito faceto." (Camilo Castelo Branco, *O Bem e o Mal*, p. 55). **i**) tempo: *Saímos com dia*; "Saímos para o campeio com a fresca da madrugada." (Afonso Arinos, *Histórias e Paisagens*, p. 7). **j**) estado: "Com a garganta afogada em uivos, ululante, / Entre os troncos da brenha hirsuta, — o Bandeirante / Jaz por terra, à feição de um tronco derribado..." (Olavo Bilac, *Poesias*, p. 266).

▲**com-.** V. *co-*[1].

coma[1]. [Do gr. *kóme*, pelo lat. *coma*.] *S. f.* **1.** Cabeleira abundante e crescida. **2.** Juba, crinas ou plumagem. **3.** Penacho. **4.** Copa de árvore; franças. **5.** *Astr.* Parte de um cometa, com o aspecto de um envoltório gasoso, que rodeia o núcleo do astro; cabeleira. **6.** *Ópt.* Aberração de um sistema óptico em que a imagem de uma fonte pontual, situada fora do eixo óptico, tem a aparência de um pequeno cometa. ~ V. *comas*.

coma[2]. [Do gr. *kôma*, 'sonolência', pelo lat. *coma*.] *S. m.* e *f.* **1.** Med. Estado de inconsciência em que nem sequer uma estimulação enérgica desperta o doente, e durante o qual se perdem as atividades cerebrais superiores, conservando-se a respiração e a circulação. **2.** *Fig.* Insensibilidade, indiferença, apatia: *um povo que não desperta do seu coma político*. ~ V. *comas*.

coma[3]. [Do gr. *kómma*, pelo lat. *comma*.] *S. f. Mús.* **1.** A nona parte de um tom. **2.** Em instrumentos não temperados, intervalo musical entre duas notas enarmônicas (dó sustenido e ré bemol, p. ex.). **3.** Nas partituras de música instrumental e de música vocal, sinal em forma de vírgula que indica ao executante o momento em que deve respirar, sem fazer pausa. ~ V. *comas*.

coma[4]. *Conj.* e *adv. Ant.* e *pop.* Como.

comado. [Do lat. *comatu*.] *Adj.* **1.** Que tem coma[1] (1 a 3). **2.** Que tem coma[1] (4); frondoso, copado: *arbustos comados*. [F. paral.: *comato*.]

comadre. [Do lat. tardio *commatre*.] *S. f.* **1.** Madrinha, em relação aos pais do neófito. **2.** Mãe do neófito, em relação aos padrinhos deste. **3.** *Fam.* Amiga, companheira. [Masc., nessas acepç.: *compadre*.] **4.** *Fam.* Parteira (1) **5.** Mulher bisbilhoteira, mexeriqueira, alcoviteira. **6.** Urinol chato para os doentes que não se podem levantar; aparadeira, rasteira. **7.** *Jog. Inf.* Brincadeira infantil dramatizada na qual os participantes representam famílias que se visitam, vão às compras, ou juntos festejam datas íntimas.

comadre-do-azeite. *S. f. Bras.* Planta da família das euforbiáceas (*Omphalea diandra*), de fruto esférico, deiscente, amarelo, com três a quatro sementes, oleaginosas, de óleo comestível e usado em iluminação, lubrificação, etc. [Pl.: *comadres-do-azeite*.]

comadresco (ê). *Adj.* Relativo a, ou próprio de comadre(s) [v. *comadre* (1 a 4)].

comadrice. *S. f.* Coisa de comadre; intriga, mexerico, bisbilhotice.

comadrinha. [Dim. de *comadre*.] *S. f. Jog. Inf.* Brincadeira em que duas crianças (ou duas fileiras que se defrontam) vão-se aproximando uma da outra, a pular de cócoras, enquanto travam um diálogo, assim iniciado: "— *Comadrinha comadrinha!*" "— *Como passou, senhora minha?*" Finda a conversa voltam, sempre agachadas, aos seus lugares, onde se deixam cair, dizendo: "— *Txi-bum! É de Nossa Senhora da Conceição.*"

com-aluno. *S. m.* Co-aluno. [Pl.: *com-alunos*.]

comanche. *S. 2 g.* **1.** Indivíduo dos comanches, tribo indígena norte-americana, das fronteiras do Texas e do México. ● *Adj. 2 g.* **2.** Pertencente ou relativo a essa tribo.

comandância. *S. f.* Cargo de comandante.

comandante. *Adj. 2 g.* **1.** Que comanda; dirigente. ● *S. m.* **2.** Aquele que tem um comando. **3.** *Mar.* Oficial que exerce o comando de um navio (de guerra ou mercante). **4.** *Mar. G.* Qualquer oficial superior do Corpo da Armada. [Impropriamente se estende, às vezes, aos oficiais superiores dos demais corpos e quadros de oficiais da Marinha, exceto médicos e dentistas.]

comandante-chefe. *S. m. Mar. G.* F. paral. de *comandante-em-chefe*. [Pl.: *comandantes-chefes*.]

comandante-em-chefe. *S. m. Mar. G.* Título aplicado a determinados comandantes navais de alto escalão, como comandante-em-chefe da esquadra, comandante-em-chefe das forças em operação, etc. [F. paral.: *comandante-chefe*. Pl.: *comandantes-em-chefe*.]

comandar. [Do fr. *commander*; gal. militar tardio.] *V. t. d.* **1.** *Mil.* Dirigir como superior em exército ou armada: *comandar um batalhão*. **2.** Dirigir, governar, mandar: *comandar uma empresa*. **3.** Liderar, conduzir: *Moisés comandou o êxodo dos judeus*. **4.** Ordenar, preceituar, prescrever, mandar: *Deus comanda que amemos o próximo como a nós mesmos*. **5.** Elevar-se acima de; estar sobranceiro a; dominar: *O planalto comanda a paisagem*. *Int.* **6.** Dirigir, governar.

comandatuba. *S. f. Bras.* Ajurana.

comandita. [Do fr. *commandite*.] *S. f. Com.* Sociedade comercial em que, ao lado dos sócios ilimitada e solidariamente responsáveis, há sócios que entram apenas com capitais, não participando na gestão dos negócios, e cuja responsabilidade se restringe ao capital subscrito.

comanditado. [Part. de *comanditar*.] *Adj.* e *s. m. Com.* Diz-se de, ou sócio solidário e ilimitadamente responsável, na sociedade em comandita, e a quem compete a direção desta e a administração dos negócios. [Cf. *comanditário*.]

comanditar. *V. t. d. Com.* **1.** Entrar com fundos para, ou gerir os negócios de (uma sociedade em comandita). **2.** Encarregar da administração dos fundos de uma sociedade em comandita. [Fut. pret.: *comanditaria*, etc. Cf. *comanditária*, fem. de *comanditário*.]

comanditário. *Adj.* e *s. m. Com.* Diz-se de, ou sócio apenas capitalista numa sociedade em comandita, e cuja responsabilidade, pois, se estringe ao capital subscrito. [Fem.: *comanditária*. Cf. *comanditaria*, do v. *comanditar*, e *comanditado*.

comando. [Dev. de *comandar*.] *S. m.* **1.** Ação de comandar. **2.** Posto, autoridade ou função de comandante. **3.** Direção, governo, liderança, mando. **4.** *Automat.* Num sistema de controle, variável de entrada, que se modifica independentemente deste sistema. **5.** *Mil.* Pequeno grupo de militares treinados para operações rápidas em território inimigo. **6.** *Bras. Mil.* Órgão que dirige uma unidade operativa, e que inclui o comandante, seu estado-maior e os serviços. **7.** *Bras. Mil.* Local onde funciona o referido órgão. **8.** *Bras. Mar. G.* Área territorial sob comando de um militar: *O comando do 4º Distrito Naval abrange toda a Amazônia e mais o Maranhão e o Piauí*. **9.** *P. ext.* Grupo de ação estratégica: *comando político; comando sanitário*. ~ V. *comandos*.

comando-chefe. *S. m. Bras. Mar. G.* F. paral. de *comando-em-chefe*. [Pl.: *comandos-chefes*.]

comando-em-chefe. *S. m. Bras. Mar. G.* **1.** Cargo de comandante-em-chefe. **2.** Órgão por meio do qual o comandante-em-chefe exerce suas atribuições. **3.** Local ou instalações onde funciona um comando-em-chefe (2). [F. paral.: *comando-chefe*. Pl.: *comandos-em-chefe*.]

comandos. [Pl. de *comando*.] *S. m. pl. Bras. Mar. G.* Destacamento de indivíduos especialmente organizados e adestrados para efetuarem incursões navais contra objetivos terrestres com o fim de os destruir, efetuar prisioneiros e/ou obter informações necessárias a operações de maior vulto. ~ V. *comando*.

comarca. [De *com* + *marca*[1] (13).] *S. f.* **1.** Circunscrição judiciária sob a jurisdição de um ou mais juízes de direito. **2.** *Ant.* Região, confins.

comarcã. *Adj.* (f.) V. *comarcão*.

comarcão. *Adj.* **1.** Relativo ou pertencente a comarca. **2.** *Ant.* Limítrofe, confinante, fronteiro. [Flex.: *comarcã, comarcãos, comarcãs*.]

comas. *S. f. pl.* V. *aspas* (2). ~ V. *coma*.

comato. *Adj.* Comado [q. v.].

comatoso (ô). *Adj.* Relativo a, ou próprio de coma[2]: *estado comatoso*.

comba. *S. f.* Vale que se vai alteando entre montanhas.

combalido. [Part. de *combalir*.] *Adj.* **1.** Abatido, abalado. **2.** Falto de forças físicas ou morais.

combalir. *V. t. d.* **1.** Enfraquecer, debilitar, abater, abalar: *A doença o combaliu; Os gastos excessivos combaliram a economia do país*. **2.** Causar abalo ou alteração em; abater, abalar: *A morte do pai combaliu-o deveras*. **3.** Tornar menos firme; abalar; aluir: *O terremoto combaliu os alicerces*. **4.** Deteriorar; apodrecer. *P.* **5.** Enfraquecer-se, debilitar-se. [Defect. Só se conjuga nas f. em que ao *l* da raiz se segue a vogal *i*; faltam-lhe, pois, as 3 pess. do sing. do pres. ind. e a 2ª do sing. do imperat., e todo o pres. subj.]

combate. [Dev. de *combater*.] *S. m.* **1.** Ato ou efeito de combater. **2.** Ação bélica de amplitude menor que a batalha (1), travada em área restrita, entre unidades militares de pequeno vulto. ♦ **Dar combate a.** Combater (3): *dar combate ao inimigo; dar combate a um incêndio*.

combatente. *Adj. 2 g.* **1.** Que combate ou pode combater. ~ V. *oficial* — e *poder* —. ● *S. 2 g.* **2.** Pessoa que combate ou pode combater. **3.** Soldado, guerreiro.

combater. [Do lat. tardio *combattere*.] *V. t. d.* **1.** Bater-se com; sustentar combate contra: *Os soldados combateram demoradamente os inimigos*. **2.** Opor-se a; impugnar, contestar: *A reforma combatia a estrutura social dominante*. **3.** Fazer diligência para dominar, vencer ou extinguir; dar combate a: *combater os preconceitos; combater um incêndio; combater uma doença*. **4.** Contestar em discussão; questionar: *Combateu-o duramente pelos jornais*. *T. i.* e *int.* **5.** Pelejar, lutar: *combater contra os erros administrativos; Bravo, combateu até à morte*. *P.* **6.** Bater-se, pelejar: *Os dois exércitos combatiam-se com fúria*. **7.** Estar em conflito; debater-se; bater-se: "enquanto as outras religiões se combatem e se dividem, a minha igreja será única" (Machado de Assis, *Histórias sem Data*, pp. 1-2).

combatível. *Adj. 2 g.* **1.** Sujeito a ser combatido. **2.** Discutível, questionável: *opinião combatível*.

combatividade. [Do fr. *combativité*.] *S. f.* **1.** Qualidade de combativo. **2.** Tendência que os homens e animais apresentam para combater.

combativo. [Do fr. *combatif*.] *Adj.* **1.** Que tem pendor ou ânimo para combater. **2.** Que não se recusa ao combate.

combinação. [Do lat. *combinatione*.] *S. f.* **1.** Ato ou efeito de combinar(-se). **2.** Reunião de coisas dispostas em certa ordem. **3.** Ajuste, acordo, contrato. **4.** Plano, projeto. **5.** União íntima; fusão. **6.** Conformidade, harmonia. **7.** Roupa íntima feminina, constituída de saia e corpinho numa só peça. [Sin., no RS: *saia*.] **8.** *Bot.* Transferência de uma espécie, subespécie ou variedade para outra categoria taxionômica, como, p. ex., quando se muda uma dada espécie de gênero. **9.** *Mat.* Subconjunto não ordenado de um conjunto discreto e finito. ♦ **Combinação linear.** *Mat.* Adição de entidades matemáticas análogas (equações, variáveis, matrizes, etc.), cada uma delas multiplicada por uma constante. **Combinação química.** Ligação estável de dois ou mais átomos, em proporções definidas, constituindo uma substância com propriedades físicas e químicas características.

combinado. [Part. de *combinar*.] *Adj.* **1.** Agrupado em ordem metódica. **2.** Convencionado, ajustado. **3.** *Bras. Mil.* Diz-se de atividade, operação ou órgão que emprega forças ou elementos ponderáveis de mais de uma força armada (Aeronáutica, Exército ou Marinha), e sob comando único, para o cumprimento de uma missão comum. ~ V. *ação —a, autotipia —a* e *clichê —*. ● *S. m.* **4.** *Esport.* V. *seleção* (4).

combinador (ô). *Adj.* e *s. m.* Que ou aquele que faz combinações [v. *combinação* (1 a 4)].

combinar. [Do lat. tardio *combinare*.] *V. t. d.* **1.** Juntar, reunir, em certa ordem: *combinar tintas; combinar sons.* **2.** Dispor metodicamente; ordenar; acertar, ajustar: *Não combinaram bem as idéias antes de pôr o plano em ação.* **3.** Ajustar, acertar, pactuar: *Encontraram-se às ocultas para combinar a fuga. T. d. e i.* **4.** Fazer coexistir; aliar, harmonizar: *Seu temperamento combina a energia do feitio paterno com a doçura que herdou da mãe.* **5.** Unir, ligar: *combinar um elemento químico com outro.* **6.** Comparar, confrontar, cotejar: *Combinou a versão de Pedro com a de Paulo, e viu que ambas eram falsas. T. i.* **7.** Estar conforme, ajustar-se, harmonizar-se, condizer: *Sua natureza combina com a do irmão;* "como fizesse bom tempo, as senhoras combinaram em tomar o café na chácara." (Aluísio Azevedo, *Casa de Pensão*, p. 177). *Int.* **8.** Estar conforme; ajustar-se, harmonizar-se, condizer: *Seus gênios não combinam. P.* **9.** Estar de acordo; harmonizar-se: *Os seus temperamentos combinaram-se muito bem.* **10.** Entrar em combinação: *Os elementos que se combinam nessa estrutura tornam-na indestrutível.* **11.** Coligar-se, unir-se, associar-se. **12.** Unir-se em combinação química.

combinatório. *Adj.* Relativo a, ou em que há combinação ou combinações. ~ V. *análise —a* e *número —*.

combinável. *Adj. 2 g.* Que se pode combinar.

combléia. *S. f. Bras., N. E. Pop.* V. *garrucha* (3).

combogó. *S. m. Bras. Constr.* F. paral. de *cobogó*.

combóia. [De *comboio*.] *S. f. Bras., PE.* Cesto grande, com varais, no qual se transporta o bagaço verde nos engenhos de bangüê.

comboiar. *V. t. d.* **1.** Escoltar (um comboio). **2.** Conduzir, transportar; rebocar. **3.** *Bras., Gír.* Fazer-se acompanhar de; rebocar: *Passou comboiando uma bela morena.* [Pres. ind.: *combóio, combóias, comboiamos*, etc. Cf. *comboio*.]

comboieiro. *S. m.* **1.** Aquele que escolta ou guia comboio. **2.** *Bras., Amaz.* Indivíduo encarregado de levar aos locais de extração do látex (centros), semanal ou mensalmente, o comboio (7). **3.** Navio que escolta outros.

comboio. [Do fr. *convoi*.] *S. m.* **1.** Porção de carros que se dirigem ao mesmo destino. **2.** Carros de munições e mantimentos que acompanham forças militares. **3.** Leva (3) de feridos ou de presos. **4.** Série de carruagens puxadas sobre carris por uma locomotiva; trem: "de instante a instante, eram berros de locomotivas que chegavam, que partiam, arrastando comboios." (Coelho Neto, *Turbilhão*, p. 51). **5.** *Mar. G.* Grupo de navios mercantes ou de navios de guerra auxiliares que, em tempo de guerra, navegam juntos, protegidos por uma escolta de navios de guerra e, por vezes, também de aviões. **6.** *Bras.* Conjunto de animais de carga que transportam mercadorias; tropa. **7.** *Bras., Amaz.* Lote de muares que conduzem víveres e utensílios destinados aos seringueiros. [Cf. *combóio*, do v. *comboiar*.]

combóio. *S. m. Lus.* V. *comboio*.

combona. *S. f.* Caneiro (2) para apanhar peixe na praia.

comborça (ó). *S. f.* **1.** Aquela que é amante de um homem, em relação à mulher ou a outra amante desse homem: "Conceição padecera, a princípio, com a existência da comborça; mas, afinal, resignara-se." (Machado de Assis, *Páginas Recolhidas*, p. 78). **2.** V. *concubina* (1).

comborçaria. *S. f.* [De *comborça* + *-aria*.] V. *concubinato*.

comborço (ô). *S. m.* Aquele que é amante de uma mulher em relação ao marido ou outro amante, dessa mulher: "Que fazer, se aquele morto se levantava entre ambos como um fantasma, enxergando nele um comborço, nela uma adúltera, em ambos — dois infames?..." (Veiga Miranda, *Pássaros que Fogem...*, p. 69.) [Fem.: *comborça* (ó). Pl.: *comborços* (ó).]

combretácea. *S. f.* Espécime das combretáceas.

combretáceas. *S. f. pl. Bot.* Família de plantas superiores, formada por árvores e trepadeiras lenhosas, de folhas opostas e flores racemosas, pequeninas, diclamídeas, hermafroditas ou unissexuais. Androceu isostêmone ou diplostêmone; ovário ínfero e unilocular, e fruto drupáceo, monospermo. Há cerca de 450 representantes nas terras tropicais; o Brasil tem uma série razoável delas, sendo a amendoeira-da-praia uma das mais comuns.

combretáceo. *Adj.* Pertencente ou relativo às combretáceas.

combro. [De *cômoro*, com síncope e desdobramento da labial nasal na bilabial.] *S. m.* V. *cômoro*: "Da montanha Itajuba os vê sorrindo, / Galgando vales, combros, serranias." (Gonçalves Dias, *Obras Poéticas*, II, p. 258.)

comburente. [Do lat. *comburente*.] *Adj. 2 g.* e *s. m.* Que ou aquilo que alimenta a combustão: "os negros perfis das árvores pareciam restos carbonizados de uma flora adusta, resistindo, de pé, as labaredas comburentes." (Coelho Neto, *Treva*, pp. 92-93).

comburido. [Part. de *comburir*.] *Adj.* Queimado, combusto.

comburir. [Do lat. *comburere*.] *V. t. d., int.* e *p.* Queimar (1, 2, 17 e 24): "E o remoinho vai, pelas terras em fora, engrossando cada vez mais, pelo meio da mata .... , roncando, torcendo as garrancharias, que estralejam, como se um fogo invisível e violento as comburisse." (Herman Lima, *Tijipió e Garimpos*, p. 14); "Sonho! A lava combure, incandescendo os céus!" (Martins Fontes, *Poesias*, V, p. 8). [Defect., só conjugável nas f. em que ao *r* se segue e ou *i*. Geralmente só é us. nas 3as. pess.]

combustão. [Do lat. *combustione*.] *S. f.* **1.** Ação de queimar, de comburir; ustão. **2.** Estado de um corpo que arde produzindo calor, ou calor e luz; ignificação. **3.** *Fig.* Conflagração moral. **4.** *Fig.* Guerra, revolução, conflagração. **5.** *Quím.* O processo de combinação duma substância com o oxigênio, em geral exotérmico e auto-sustentável. ♦ **Combustão espontânea.** A que ocorre naturalmente, sem a presença aparente de agente específico de ignição.

combustar. [De *combusto* + *-ar*[2].] *V. t. d., int.* e *p.* Queimar (1, 2, 17 e 24).

combustibilidade. *S. f.* **1.** Qualidade de combustível. **2.** Propriedade de arder.

combustível. [Do lat. **combustibile*.] *Adj. 2 g.* **1.** Que arde ou tem a propriedade de arder; adustível, combustivo. ~ V. *gás — e óleo —*. ● *S. m.* **2.** Qualquer substância, material ou produto que se utiliza para produzir combustão. ♦ **Combustível atômico.** *Eng. Nucl.* Combustível nuclear. **Combustível enriquecido.** *Eng. Nucl.* Material que contém nuclídeos físseis em proporção superior àquela em que são encontrados em estado natural. **Combustível nuclear.** *Eng. Nucl.* Substância físsil utilizada num reator nuclear; combustível atômico.

combustivo. *Adj.* V. *combustível* (1).

combusto. [Do lat. *combustu*.] *Adj.* Queimado, comburido.

combustor (ô). [De *combusto* + *-or*.] *S. m. Bras.* Poste para iluminação pública, usado sobretudo em praças e jardins: "Pelo quadro da janela do carro passavam, rápidos, os globos iluminados dos combustores." (Érico Veríssimo, *Noite*, p. 90.)

come-aranha. [De *comer* + *aranha*.] *S. m. Bras., N.* V. *marimbondo-caçador*. [Pl.: *come-aranhas*.]

começador (ô). *Adj.* e *s. m.* Que ou aquele que começa; iniciador.

começante. *Adj. 2 g.* Que começa ou está no princípio; principiante, incipiente.

começar. [Do lat. vulg. **cominitiare*.] *V. t. d.* **1.** Dar começo a; principiar, iniciar, encetar: *Começou a conferência com uma longa citação. T. I.* **2.** Dar começo ou princípio, principiar: "E que fez Rousseau? Quase analfabeto até aos trinta anos, começa a escrever aos trinta e cinco." (Graça Aranha, *A Estética da Vida*, p. 194); "Começava a soprar a viração da tarde" (Aluísio Azevedo, *O Mulato*, p. 264); "O céu começou de toldar-se com o anoutecer" (Alexandre Herculano, *Lendas e Narrativas*, II, p. 28). *Int.* e *pred.* **3.** Ter princípio ou começo: *Começou a festa*; "A semana acabou fresca, tendo começado e continuado horrivelmente cálida." (Machado de Assis, *A Semana*, II, p. 252.) **4.** Dar começo (a uma conversa, a uma atividade ou ação qualquer): *Depois de longo silêncio, o conferencista, finalmente, começou*; "Começou por me dizer que o seu caso era simples — e que se chamava Macário..." (Eça de Queirós, *Contos*, p. 1); *O orador começou por dirigir uma saudação à cidade que o acolhera.* **5.** Fazer a primeira experiência ou tentativa em algum campo: "Dostoievski começa escrevendo dramas." (Olívio Montenegro, *Retratos e Outros Ensaios*, p. 57.) [Muda o ç em c antes de *e*, e este é aberto nas f. rizotônicas. Pres. ind.: *começo, começas, começa, começamos, começais, começam*; pres. subj.: *comece, comeces*, etc.]

começo (ê). [Dev. de *começar*.] *S. m.* O primeiro momento da existência ou da execução duma coisa; princípio, origem. [Pl.: *começos* (ê). Cf. *começo*, do v. *começar*.] ~ V. *começos*.

come-cobra. [De *comer* + *cobra*.] *S. m. Bras.* V. *marimbondo-caçador*. [Pl.: *come-cobras*.]

começos (ê). [Pl. de *começo* (ê).] *S. m. pl.* Experiência, tentativa, ensaio. ~ V. *começo*.

comedeira. *S. f.* Ganho desonesto proveniente de suborno, comissões ilícitas, etc.; ladroeira, mamata, negociata, comedela, comedoria, comidas, comilança: *Lutou para dar fim à comedeira que, por baixo do pano, corria pela repartição.*

comedela. *S. f.* **1.** V. *patuscada* (1). **2.** *Fig.* V. *comedeira*.

comedia. [De *comer*.] *S. f. Bras.* **1.** V. *pasto* (2). **2.** *Bras., Amaz.* Ponto onde se reúnem os animais para fazer os seus repastos. **3.** Lugar onde caem frutos silvestres procurados pela caça; mesa. [Cf. *comédia*.]

comédia. [Do gr. *komoidía*, pelo lat. *comoedia*.] *S. f.* **1.** *Teat.* Obra ou representação teatral em que predominam a sátira e a graça. **2.** *P. ext. Teat.* Drama (1): "Julgamos dever notar aqui que os nossos modernos atores ainda não chamam geralmente qualquer drama senão comédia, embora ele seja trágico." (Alexandre Herculano, *Opúsculos*, IX, p. 145.) **3.** *Teat.* A arte do teatro; teatro, drama. **4.** *Teat.* A instituição teatral em geral. **5.** *Teat.* Companhia dramática. **6.** *Fig.* Fato ridículo. **7.** Fingimento, dissimulação, simulação: *A doença dela não passou de comédia.* [Cf. *comedia*, dos v. *comediar* e *comedir* e *s. f.*] ♦ **Comédia antiga.** *Teat.* O conjunto das obras de teatro cômico da Grécia antiga escritas no período que vai até o séc. IV a. C., de conteúdo predominante político-social, e que tem Aristófanes (v. *aristofanesco*) como seu principal representante. **Comédia atelana.** *Teat.* No antigo teatro romano, peça no gênero da farsa, curta, caracterizada pelas sátiras político-sociais, oriunda das representações da antiga cidade de Atela, e na qual os atores eram sempre mascarados e personificavam tipos fixos; fábula atelana, atelana. **Comédia de caráter.** *Teat.* Aquela em que a ação se define pelas atitudes peculiares às diferentes personagens. **Comédia de costumes.** *Teat.* A que reflete os usos e costumes, idéias e sentimentos habituais de determinada sociedade, classe ou profissão: "Martins Pena é o fundador da nossa comédia de costumes." (Sábato Magaldi, *Panorama do Teatro Brasileiro*, p. 40). **Comédia de improviso.** *Teat.* V. *commedia dell'arte*. **Comédia italiana.** *Teat.* V. *commedia dell'arte*. **Comédia média.** *Teat.* O conjunto das obras de teatro cômico da Grécia antiga, de conteúdo alegórico, mitológico e literário, e situadas nos três primeiros quartéis do séc. IV a. C. **Comédia moral.** *Teat.* Comédia de costumes que encerra princípios éticos. **Comédia musical.** *Teat.* **1.** Peça teatral cujos diálogos são entremeados de música, canto, bailados, etc. **2.** Opereta. **Comédia nova.** *Teat.* O conjunto de obras de teatro cômico da Grécia antiga, escritas no período final do séc. IV a. C., caracterizadas pela sátira aos costumes, e cujos principais autores foram Menandro e Filêmon. **Comédia tabernária.** *Teat.* No antigo teatro romano, comédia de inspiração popular, cuja ambientação e personagens são tirados da classe mais pobre; fábula tabernária. **Alta comédia.** *Teat.* A que aborda e desenvolve ação de sentido elevado. **Baixa comédia.** *Teat.* A que tem caráter grotesco ou licencioso; farsa.

comédia-de-arte. *S. f. Teat.* V. *commedia dell'arte*. [Pl.: *comédias-de-arte*.]

comédia-farsa. *S. f. Teat.* Comédia que apresenta características da farsa (1). [Pl.: *comédias-farsas*.]

comediante. *S. 2 g. Teat.* e *Cin.* **1.** Ator de comédia (1); cômico. **2.** *P. ext.* Ator, intérprete. **3.** Pessoa fingida, dissimulada.

comédia-pastelão. *S. f. Cin.* Comédia na qual a movimentação dos atores é intensa e vivamente cômica, e em que há brincadeiras pesadas (como atirarem-se mutuamente pastelões e tortas), pancadaria e perseguições. [Tb. se diz apenas *pastelão*. Pl.: *comédias-pastelões* e *comédias-pastelão*.]

comediar. *V. t. d.* Converter em comédia (1); tornar cômico. [Pres. ind.: *comedio, comedias, comedia*, etc. Cf. *comédia*.]

comedido. [Part. de *comedir*.] *Adj.* Que tem comedimento; prudente, moderado.

comedimento. [De *comedir* + *-mento*.] *S. m.* Prudência, moderação, modéstia.

comediografia. [Do gr. *komoidía* + *-graf(o)-* + *-ia*.] *S. f.* Arte e técnica de escrever e encenar comédias.

comediográfico. *Adj.* Referente à comediografia.

comediógrafo. [Do gr. *komoidía*, 'comédia', + *-grafo*.] *S. m.* **1.** Autor de comédias; comedista, cômico. **2.** *P. ext.* Dramaturgo, teatrólogo.

comedir. [Do lat. **commetire*, por *commetiri*.] *V. t. d.* **1.** Regular convenientemente; medir: *Costuma* comedir *as suas ações.* **2.** Moderar; conter: *É incapaz de* comedir *os seus impulsos. P.* **3.** Moderar; conter-se. [Conjug.: v. *medir*. Defect. Não é us. na 1ª. pess. do sing. do pres. ind. nem, portanto, no pres. do subj. Imperf.: *comedia*, etc. Cf. *comédia*.]

comedista. *S. 2 g. Bras.* V. *comediógrafo*.

comedoiro. *S. m.* e *adj.* V. *comedouro*.

comedor (ô). *Adj.* **1.** Que come. **2.** Que come muito; comilão, glutão. ● *S. m.* **3.** Indivíduo comedor (2); comilão. **4.** Indivíduo dissipador, esbanjador, perdulário. **5.** Parasito (3). ♦ **Comedor de caranguejo.** *Bras.* Alcunha que os mineiros e os habitantes do interior do ES dão aos habitantes de Vitória, capital do ES, e adjacências, principalmente os do litoral. **Comedor de formiga.** *Bras., SP.* Alcunha que os santistas dão aos nascidos na capital de SP.

comedoria. *S. f.* **1.** Comida, alimentação; comedorias: *A* comedoria *aqui é melhor aos sábados.* **2.** V. *patuscada* (1): *Pelo convite, vê-se que a* comedoria *vai ser boa.* **3.** *Fig.* V. *comedeira*. ~ V. *comedorias*.

comedorias. [Pl. de *comedoria*.] *S. f. pl.* **1.** *Mil. Ant.* Ração de víveres fornecida diariamente, sobretudo a bordo. **2.** V. *comedoria* (1): "o que V. Rev.ma pagou não deu sequer para as comedorias, porque não é com tão pouco que se alimenta aquele rapaz!" (Aluísio Azevedo, *O Coruja*, p. 35). ~ V. *comedoria*.

come-dorme. [De *comer* + *dormir*.] *S. m.* V. *dormideira* (5). [Pl.: *comes-dormes* e *come-dormes*.]

comedouro. [Var. de *comedoiro*.] *S. m.* **1.** Lugar aonde os animais silvestres vão comer. **2.** Lugar ou recipiente onde comem animais. ● *Adj.* **3.** V. *comestível* (1).

come-e-dorme. *S. m. 2 n. Bras., Gír.* Indivíduo sem trabalho ou ocupação que vive à custa dos favores de alguém.

come-espiga. [De *comer* + *espiga*.] *S. m.* Bajulador, adulador, puxa-saco. [Pl.: *come-espigas*.]

comelinácea. *S. f.* Espécime das comelináceas.

comelináceas. *S. f. pl. Bot.* Família de plantas superiores herbáceas, de caule nodoso, folhas alternas e flores trímeras cimosas, folhas com bainha, gineceu com dois ou três carpelos e um só estigma, ovário súpero, fruto quase sempre capsular. Existem umas 300 espécies, na grande maioria tropicais, muitas delas brasileiras.

comelináceo. *Adj.* Pertencente ou relativo às comelináceas.

come-longe. [De *comer* + *longe*.] *S. 2 g.* e *2 n. Bras., N. E.* **1.** Pessoa que tem o hábito de comer terra; geófago. **2.** *P. ext.* Pessoa amarela, pálida; amarelo: "Crêem os sertanejos cearenses que todo sujeito muito pálido, muito amarelo, ... 'come-longe', segundo pinturescamente dizem, vira lobisomem nas noites de quinta para sexta-feira." (Gustavo Barroso, *O Sertão e o Mundo*, p. 58.)

comemoração. [Do lat. *commemoratione*.] *S. f.* **1.** Ato ou efeito de comemorar. **2.** *P. ext.* Festa ou solenidade em que se comemora alguma coisa.

comemorar. [Do lat. *commemorare*.] *V. t. d.* **1.** Trazer à memória; fazer recordar; lembrar: *O ano de 1972* comemorou *o quarto centenário de* Os Lusíadas. **2.** Solenizar, recordando: *Com esta festa* comemoramos *o centenário do grande poeta.* **3.** *P. ext.* Festejar, celebrar: *Deu uma grande festa para* comemorar *as bodas de ouro.*

comemorativo. *Adj.* **1.** Que comemora; memorativo. **2.** *Med.* Relativo ao estado anterior do doente. ● *S. m.* **3.** *Med.* Comemorativos [q. v.].

comemorativos. [Pl. de *comemorativo*.] *S. m. pl. Med.* Informação com fins diagnósticos sobre circunstâncias anteriores à doença atual. [Tb. us. (menos) no sing.] ~ V. *comemorativo*.

comemorável. *Adj. 2 g.* Que merece comemoração.

comenda. *S. f.* **1.** Benefício outrora concedido a eclesiásticos e a cavaleiros de ordens militares. **2.** Condecoração ou distinção de ordem honorífica. **3.** Insígnia ou divisa de comendador.

comendadeira. *S. f.* Fem. de *comendador*.

comendador (ô). *S. m.* Aquele que é titular de uma comenda. [Fem.: *comendadeira*.]

comendadoria. *S. f.* **1.** Benefício de comendador; renda ou usufruto de comenda (1). **2.** Dignidade de comendador. [Sin. ger.: *comendatoria*.]

comendataria. *S. f.* **1.** Comendadoria. **2.** Cargo de comendatário. [Cf. *comendatária*, fem. de *comendatário*.]

comendatário. *Adj.* **1.** Que usufrui comenda (1). ● *S. m.* **2.** Aquele que concede comenda. [Fem.: *comendatária*. Cf. *comendataria*.]

comendatício. [Do lat. *commendaticiu*.] *Adj.* Que se recomenda.

comendativo. [Do lat. *commendativu*.] *Adj.* **1.** Que se recomenda. **2.** Próprio para recomendar.

comenos. *S. m. 2 n.* Momento, instante, ocasião: "No comenos de uma tal angústia eu via Querubina dominar-me com o seu porte modelar e altaneiro" (Téo-Filho, *O Perfume de Querubina Dória*, p. 48). ♦ **Neste comenos. 1.** Nesta mesma ocasião. **2.** Neste ínterim; neste entretempo; entretanto: "Os descontentes .... rasgaram os livros de assentamento dos impostos. Neste comenos, chega Otávio acompanhado por alguns amigos e guardas." (Mecenas Dourado, *Mecenas ou o Suborno da Inteligência*, p. 70.)

comensal. [Do lat. *comensale*.] *S. 2 g.* **1.** Cada um daqueles que comem juntos. **2.** Indivíduo que tem o hábito de comer em casa alheia. **3.** *Zool.* Organismo que vive com outro, de espécie diferente, sem lhe ser útil ou nocivo, ou que ocupa a mesma área e tem o mesmo regime alimentar.

comensalidade. *S. f.* **1.** Qualidade de comensal. **2.** Camaradagem à mesa.

comensalismo. [De *comensal* + *-ismo*.] *S. m.* Vida em comum de seres de espécies diversas entre os quais se cria certa dependência.

comensurabilidade. *S. f.* Qualidade de comensurável.

comensurar. [Do lat. tardio *commensurare*, 'medir por comparação'.] *V. t. d.* **1.** Medir (duas ou mais grandezas) com a mesma unidade. **2.** Medir (1). *T. d. e i.* **3.** Comparar; proporcionar.

comensurável. [Do lat. **commensurabile*.] *Adj. 2 g.* **1.** Que se pode medir. **2.** *Mat.* Diz-se duma grandeza que contém certo número de vezes exatamente uma unidade de convenientemente escolhida.

comentação. [Do lat. *commentatione*.] *S. f.* Ato ou efeito de comentar.

comentador (ô). [Do lat. *commentatore*.] *Adj.* e *s. m.* Que ou aquele que faz comentários; comentarista.

comentar. [Do lat. *commentare*.] *V. t. d.* **1.** Explicar, interpretando e/ou anotando: *O pregador* comentou *admiravelmente o Sermão da Montanha.* **2.** Falar sobre; conversar acerca de: *Todos* comentavam *o desastre*; "Elisiário entrou a comentar a bela obra anônima" (Machado de Assis, *Páginas Recolhidas*, p. 33). **3.** Falar maliciosamente sobre; fazer comentário (3) a: *Ao passar, notou que* comentavam *sua minissaia.* **4.** Fazer comentário (1) a; criticar, analisar.

comentário. [Do lat. *commentariu*.] *S. m.* **1.** Série de observações com que se esclarece e/ou critica uma produção literária ou científica; anotação, nota. **2.** Apreciação ou análise de um fato, de uma situação. **3.** Crítica maliciosa. [Sin. ger.: *comento*.]

comentarista. *S. 2 g.* Autor de comentários; comentador.

comentício. [Do lat. *commenticiu*.] *Adj.* **1.** Inventado, imaginado. **2.** Fingido, fictício, imaginário.

comento. [Do lat. *commentu*.] *S. m.* V. *comentário*.

come-quieto. [De *comer* + *quieto*.] *S. m. 2 n. Bras. Pop.* **1.** Calçado de lona; sapato tênis. **2.** Indivíduo discreto, que não alardeia as suas aventuras amorosas.

comer. [Do lat. *comedere*, Atr. de uma var. vulgar **comere*.] *V. t. d.* **1.** Introduzir (alimentos) no estômago, pela boca, mastigando-os e engolindo-os; tomar, abocar: "Ia ao pomar, comia frutas, trepava em árvores." (Júlio Ribeiro, *A Carne*, p. 23.) **2.** *Fig.* Gastar em comida: *É um terrível glutão:* come *todo o ordenado.* **3.** Dilapidar, dissipar, desbaratar, consumir: Comeu *toda a herança paterna em poucos meses.* **4.** Acreditar facilmente em; admitir sem exame (dito ou fato mentiroso). **5.** Destruir, consumir: *A tuberculose* come*-lhe os pulmões.* **6.** Consumir, corroer: *A ferrugem* comeu *a dobradiça.* **7.** Absorver, tragar, consumir: *Juro por estes olhos que a terra há de* comer. **8.** Omitir, suprimir: *Tem dicção imperfeita:* Come, *ao falar, as consoantes fricativas; O copista* comeu *duas palavras do texto.* **9.** Roubar, furtar; *O tesoureiro* comeu *todo o dinheiro que havia em caixa.* **10.** Eliminar (uma ou mais pedras do adversário, no jogo de damas e no de xadrez): "diria à bela Miranda que jogasse comigo o xadrez .... , onde a rainha come o peão, o peão come o bispo, o bispo come o cavalo, o cavalo come a rainha, e todos comem a todos." (Machado de Assis, *A Semana*, II, pp. 46-47). **11.** *Chulo.* Possuir sexualmente; copular com; papar, traçar, faturar: "abriu as coxas e deixou que ele a comesse como há muito lhe pedia e suplicava." (Jorge Amado, *Dona Flor e Seus Dois Maridos*, p. 129). *T. i.* **12.** Provar, experimentar: *Segundo a Bíblia, Deus proibiu que Adão e Eva* comessem *do fruto proibido. Transobj.* **13.** Considerar, tomar, ter: *Não o* comam *por tolo: é espertíssimo. Int.* **14.** Tomar alimento: "Até o século XVII, na Europa, comia-se com os dedos." (Eduardo Frieiro, *Feijão, Angu e Couve*, p. 95); *Há dois dias que não* come. **15.** Alimentar-se: "como bem e não durmo mal." (Machado de Assis, *Dom Casmurro*, p. 5). **16.** Causar comichão ou prurido. **17.** Lucrar, cometendo fraude; roubar: Comeu *onde pôde, durante a administração do amigo. P.* **18.** Mortificar-se, consumir-se: *Ao saber-se traído, comeu-se de raiva.* ● *S. m.* **19.** Comida.

comercial. *Adj. 2 g.* **1.** Do, ou próprio do comércio. **2.** Relativo ao comércio; mercantil. [Sin., RS: *caixeiral*.] ● S. m. **3.** Anúncio transmitido por emissora de rádio ou televisão. ~ V. *ano —, balança —, balanço —, casa —, direito —, junta —, livro —, papel —, prato —* e *sociedade —*.

comercialidade. *S. f.* Qualidade de comercial (1).

comercialista. *Adj. 2 g.* e *s. 2 g.* Diz-se de, ou especialista em direito comercial.

comercialização. *S. f.* Ato ou efeito de comercializar.

comercializado. [Part. de *comercializar*.] *Adj.* Que se comercializou.

comercializar. *V. t. d.* Tornar comerciável ou comercial.

comercializável. *Adj. 2 g.* Que pode ser comercializado.

comerciante. [Do lat. *commerciante*.] *Adj. 2 g.* **1.** Que exerce o comércio. **2.** Que tem vocação ou jeito para o comércio. **3.** *Fig.* Diz-se de pessoa interesseira, que só faz algo visando a lucro pecuniário. ● *S. 2 g.* **4.** Indivíduo comerciante; negociante.

comerciar. [Do lat. **commerciare*, por *commerciari*.] *V. int.* **1.** Exercer a profissão de negociante; negociar. *T. i.* **2.** Fazer comércio; negociar: Comercia *em tecidos.* **3.** Ter comércio (3) com alguém: Comercio *com ele há muito tempo, é excelente pessoa.* [Pres. ind.: *comercio, comercias, comercia, comerciamos, comerciais, comerciam*. Fut. pret.: *comerciaria*, etc. Cf. *comércio*, s. m., e *comerciaria*, fem. de *comerciário*.]

comerciário. *S. m. Bras.* Empregado no comércio. [Fem.: *comerciária*. Cf. *comerciaria*, do v. *comerciar*.]

comerciável. *Adj. 2 g.* Que se pode comerciar.

comercinho. [Dim. de *comércio*.] *S. m. Bras., BA, ES* e *MG.* V. *comércio* (5).

comércio. [Do lat. *commerciu*.] *S. m.* **1.** Permutação, troca, compra e venda de produtos ou valores; mercado, negócio, tráfico. **2.** A classe dos comerciantes. **3.** Relações de sociedade. **4.** Relações sexuais ilícitas. **5.** *Bras., BA, ES* e *MG.* Povoado onde se realizam feiras semanais; comercinho, rua. [Cf. *comercio*, do v. *comerciar*.] ♦ **De fechar o comércio.** *Bras. Gír.* Sensacional, extraordinário: *uma mulata de* fechar o comércio.

comes. [Dev. de *comer*.] *El. s. m. pl.* Us. na loc. s. *comes e bebes*. ♦ **Comes e bebes.** *Pop.* e *Fam.* Comidas e bebidas: "Os comes e bebes .... difundiam-se pelo acampamento em regozijo" (Melo Morais Filho, *Festas e Tradições Populares do Brasil*, p. 151).

come-santo. [De *comer* + *santo*.] *S. 2 g. Bras. Pej.* V. *protestante* (6).

comestibilidade. *S. f.* Qualidade do que é comestível.

comestíveis. *S. m. pl.* V. *víveres*. ~ V. *comestível*.

comestível. [Do lat. *comestibile*.] *Adj. 2 g.* **1.** Que se come, que é bom para comer; comível, comedouro, edule. ● *S. m.* **2.** Aquilo que se come. ~ V. *comestíveis*.

cometa (ê). [Do gr. *kométes*, pelo lat. *cometa*.] *S. m.* **1.** *Astr.* Astro de luminosidade fraca, formado por um grupo de pequenas partículas sólidas, com envoltório gasoso, e que gira em torno do Sol em órbitas elípticas muito alongadas, algumas das quais praticamente parabólicas, e nalguns casos aparentemente hiperbólicas. Na proximidade do Sol, por efeito da pressão de radiação, forma-se em grande número de cometas uma longa cauda, que se estende a milhões de quilômetros. **2.** Pessoa que aparece e desaparece rapidamente. **3.** *Bras.* V. *caixeiro viajante*: "O que me aconteceu de mais importante mesmo foi com Geraldino — cometa de São Paulo — que vendia .... pasta pra alvejar os dentes, tintura e loção pros cabelos." (Nélson de Faria, *Tiziu e Outras Estórias*, p. 18.) **4.** *Bras., SP.* Expresso (6) que liga Santos a São Paulo. **5.** *Bras.* Designação comum aos peixes teleósteos cipriniformes, da família dos ciprinídeos (*Carassius auratus* (L)), de corpo curto e grosso, e nadadeiras bem desenvolvidas, especialmente a caudal. [Cf. *peixe-vermelho*.] ♦ **Cometa de curto período.** *Astr.* Cometa elíptico, cujo período é inferior a 10 anos. **Cometa de eclipse.** *Astr.* O que é descoberto por ocasião de um eclipse total do Sol. **Cometa de Halley.** *Astr.* O cometa mais conhecido, e cuja última aparição ocorreu em 1986. **Cometa de longo período.** *Astr.* Aquele cuja órbita é praticamente uma parábola; cometa não-periódico, cometa parabólico. **Cometa de período intermediário.** *Astr.* Aquele cujo período é compreendido entre 10 e 100 anos, e cuja órbita é uma elipse alongada. **Cometa elíptico.** *Astr.* Aquele cuja órbita é elíptica. [O cometa de curto período [q. v.] e o cometa de período intermediário [q. v.] são elípticos.] **Cometa hiperbólico.** *Astr.* Aquele que tem a peculiaridade de o cálculo da sua órbita conduzir a uma hipérbole, o que indica a possibilidade de não ser ele um membro próprio do sistema solar. **Cometa não-periódico.** *Astr.* V. *cometa de longo período.* **Cometa parabólico.** *Astr.* V. *cometa de longo período.* **Cometa periódico.** *Astr.* Aquele cujo retorno é previsível e pode ser observado. [São os periódicos o cometa de curto período (q. v.) e o cometa de período intermediário (q. v.).] **Cometa telescópico.** *Astr.* O que só é visível através de um telescópio.

cometário. *Adj.* Relativo a cometa. ~ V. *astronomia* —*a*.

cometear. *V. int. Bras., MA. Fam.* Aparecer e desaparecer logo depois, à maneira de cometa (2). [Conjug.: v. *frear*.]

cometedor (ô). *Adj.* e *s. m.* **1.** Que ou aquele que comete delito, crime. **2.** Empreendedor.

cometer. [Do lat. *committere*.] *V. t. d.* **1.** Praticar, fazer; perpetrar: "Quando um homem comete alguma ação heróica, nasce de novo." (José Lins do Rego, *Gregos e Troianos*, p. 173.) **2.** Tentar, empreender: *Ponderadas as vantagens e as desvantagens, resolveram cometer o plano qual o haviam projetado. T. d.* e *i.* **3.** Praticar, fazer; perpetrar: "Cometi para com V. Exª. um desprimor, que teria talvez sabor de selvageria." (Latino Coelho, *Fernão de Magalhães*, p. 57.) **4.** Confiar, entregar; incumbir: "ele [D. Pedro I] congregou os melhores espíritos que o rodeavam ...., cometendo-lhes a tarefa de escreverem um Código Orgânico." (Euclides da Cunha, *À margem da História*, p. 247); *Cometeram -lhe ontem a alta função.* **5.** Propor, oferecer. *P.* **6.** Aventurar-se; expor-se: *Que coragem, cometer-se a tão arriscada empresa!*

cometida. *S. f.* V. *acometimento*.

cometimento. *S. m.* **1.** Acometimento (1). **2.** Empreendimento, tentativa ou empresa difícil, arriscada e/ou de grande vulto; acometimento.

▲**cometo-.** [Do gr. *kométes*, pelo lat. *cometa*.] *El. comp.* = 'cometa': *cometografia, cometomancia*.

cometografia. [De *cometo-* + *-graf(o)-* + *-ia*.] *S. f. P. us.* Ramo da astronomia que estuda os cometas. [Sin. (tb. p. us.): *astronomia cometária*.]

cometográfico. *Adj.* Referente à cometografia.

cometógrafo. [De *cometo-* + *-grafo*.] *S. m.* Especialista em cometografia.

cometologia. [De *cometo-* + *-logo-* + *-ia*.] *S. f.* Tratado acerca dos cometas.

cometológico. *Adj.* Referente à cometologia.

cometomancia (cí). [De *cometo-* + *-mancia*.] *S. f.* Arte de adivinhar pela observação dos cometas.

cometomante. [De *cometo-* + *-mante*.] *S. 2 g.* Pessoa que se dedica à cometomancia.

cometomântico. *Adj.* Relativo à cometomancia, ou a cometomante.

comezaina. [De *comer*.] *S. f. Pop.* **1.** Refeição abundante: "os que saíam, depois daquela comezaina grossa, iam radiantes de contentamento, com a barriga bem cheia, a arrotar." (Aluísio Azevedo, *O Cortiço*, p. 58.) **2.** V. *patuscada* (1). [Sin. ger.: *papazana*.]

comezinho. *Adj.* **1.** Bom para se comer. **2.** *Fig.* Fácil de entender; evidente, simples: *palavra, expressão comezinha.* **3.** Caseiro, doméstico.

comichão. [Do lat. *comestione*.] *S. f.* **1.** V. *prurido* (1). **2.** *Fig.* Desejo premente.

comichar. [Der. regress. de *comichão*.] *V. t. d.* **1.** Causar comichão em. *Int.* **2.** Sentir comichão. **3.** Coçar (5).

comichoso (ô). *Adj.* Que tem comichão, ou sujeito a comichão.

comicial. [Do lat. *comitiale*.] *Adj. 2 g.* Respeitante a comício. ~ V. *mal* —.

comicidade. *S. f.* Qualidade ou caráter de cômico.

comício. [Do lat. *comitiu*.] *S. m.* **1.** Reunião pública de cidadãos para tratar de assuntos de interesse geral, ou em que um candidato a cargo eletivo divulga seu programa. [Cf. *ato público*.] **2.** Assembléia popular, entre os antigos romanos. ♦ **Comício relâmpago.** *Bras.* Comício improvisado, geralmente em via pública, e que rapidamente se dissolve.

cômico. [Do gr. *komikós*, pelo lat. *comicu*.] *Adj.* **1.** Relativo a comédia; burlesco. **2.** Que faz rir por ser engraçado ou ridículo, burlesco. ~ V. *alívio* —, *cena* —*a*, *descanso* — e *pausa* —*a*. ● *S. m.* **3.** *Teat.* Comediante (1). **4.** V. *comediógrafo*: "Nestas [comédias] procurou ele [Gil Vicente] seguir as pisadas de Plauto e Terêncio, ... e com efeito elas se podem comparar com as dos dois cômicos latinos." (Alexandre Herculano, *Opúsculos*, IX, pp. 83-84.) **5.** Aquilo que faz rir; burlesco.

comida. [Fem. substantivado do adj. *comido*.] *S. f.* **1.** O que se come. **2.** O que é próprio para se comer. **3.** Ação de comer: "As chagas da boca e a inchação dos beiços dificultavam-lhe a comida e a bebida." (Graciliano Ramos, *Vidas Secas*, p. 103.) **4.** Cozinha (3): *comida francesa; comida mineira.* **5.** *Bras. Chulo.* Pessoa com que se têm secretamente relações sexuais. **6.** *Bras. Chulo.* Pessoa que se dá. ~ V. *comidas*. ♦ **Comida de sal.** Alimentos temperados com sal em oposição aos alimentos doces.

comidas. [Pl. de *comida*.] *S. f. pl.* V. *comedeira*. ~ V. *comida*.

comido. [Part. de *comer*.] *Adj.* **1.** Mastigado e ingerido. **2.** Roído, carcomido: *O pano estava todo comido.* **3.** Consumido, gasto. **4.** Enganado, logrado.

comigo. [De *com* + o arc. *mego*, 'comigo', do lat. *mecum*, que já encerra a preposição.] *Pron.* **1.** Com a pessoa que fala: *Abraçou-se comigo.* **2.** Em minha companhia: "Comigo fica ou leva-me contigo / Dos mares à amplidão" (Gonçalves Dias, *Obras Poéticas*, I, p. 335). **3.** Ao mesmo tempo que eu; juntamente comigo: "Morto, é morto o cantor dos meus guerreiros! / Virgens da mata, suspirai comigo!" (Machado de Assis, *Poesias Completas*, p. 259.) **4.** Em meu ser; dentro de mim: "Se existe a paz, a paz comigo existe." (Luís Carlos, *Colunas*, p. 118.) **5.** Em minha mente; no meu espírito: *Tenho comigo uma noção especial da vida*; "Trago uma cisma comigo" (João de Deus, *Campo de Flores*, I, p. 62). **6.** A meu respeito; concernente à minha pessoa; dirigido a mim: *Esta observação não é comigo.* **7.** Com a minha pessoa; para proveito meu: *Gastou comigo uma fortuna.* **8.** De mim para mim; de mim comigo; entre mim: *Isto não vai dar certo, pensei comigo.* **9.** Próprio para mim; para ser feito ou resolvido por mim: *Trabalho manual não é comigo.* **10.** Em meu poder: *O livro está comigo.* **11.** A meu cargo: *Deixe o seu negócio comigo, que o resolverei.*

comigo-ninguém-pode. *S. m. 2 n. Bras.* Planta da família das aráceas (*Dieffenbachia picta*), de bagas vermelho-alaranjadas, cultivada em jardins, cáustica e venenosa; aningapara.

comilança. [De *comilão*.] *S. f. Bras. Pop.* **1.** Ato de comer muito. **2.** *Fig.* V. *comedeira*. [F. paral.: *comilância*.]

comilância. *S. f. Bras., Pop.* V. *comilança*.

comilão. [Do lat. *comedone*.] *Adj.* e *s. m.* Que, ou aquele que come muito; comedor, glutão. [Fem.: *comilona*.]

comilona. *Adj. (f.)* e *s. f.* V. *comilão*.

cominação. [Do lat. *comminatione*.] *S. f.* Ato de cominar.

cominador (ô). [Do lat. *comminatore*.] *Adj.* e *s. m.* Que, ou o que exprime cominação; ameaçador.

cominar. [Do lat. *comminare*.] *V. t. d.* e *i.* **1.** Ameaçar com pena ou castigo no caso de infração ou falta de cumprimento de contrato, ou de preceito, ordem, mandato, etc. **2.** Impor, prescrever (castigo, pena): "cominando severas penas aos infratores" (Euclides da Cunha, *Os Sertões*, p. 105).

cominativo. [Do lat. *comminativu*.] *Adj.* Cominatório.

cominatório. *Adj.* Que envolve cominação; cominativo.

cominho. [Do semita, atr. do gr. *kyminos* e do lat. *cuminu*.] *S. m.* **1.** Planta de caule ereto, da família das umbelíferas (*Cuminum cyminum*), de flores alvas, róseas ou avermelhadas, e cujo fruto contém sementes aromáticas, condimentares e oleaginosas. **2.** *Fig.* Enredo, intriga, mexerico. **3.** *Bras. Gír.* V. *dinheiro* (3).

cominho-armênio. *S. m.* V. *alcaravia*. [Pl.: *cominhos-armênios*.]

cominuição (u-i). *S. f.* Ato ou efeito de cominuir.

cominuir. [Do lat. *comminuere*.] *V. t. d.* Partir em pedaços; fragmentar; esmigalhar. [Conjug.: v. *atribuir*.]

cominutivo. *Adj.* Em que houve cominuição.

▲**-com(i)(o)-.** [Do gr. *koméo*, ô.] *El. comp.* = 'lugar onde se trata', 'hospital'; 'trato', 'cuidado': *gerocomia*. [Equiv.: *-cômio: manicômio*.]

▲**-cômio.** Equiv. de *-com(i)(o)-*.

comiseração. [Do lat. *commiseratione*.] *S. f.* Ato de comiserar-se; piedade, pena, dó, compaixão, amiseração, miseração.

comiserador (ô). *Adj.* **1.** Que comisera, que inspira compaixão; comiserativo: *um quadro comiserador.* **2.** Que se comisera, que tem compaixão: *É homem piedoso, comiserador das desgraças alheias.*

comiserar. [Do lat. **commiserare*, por *commiserari*.] *V. t. d.* **1.** Inspirar compaixão, piedade, pena, dó, a. *P.* **2.** Ter ou mover-se a piedade ou compaixão; compadecer-se, apiedar-se, condoer-se, doer-se; amiserar-se.

comiserativo. *Adj.* Comiserador (1).

comissão. [Do lat. *commissione*.] *S. f.* **1.** Ato de cometer, de encarregar. **2.** Encargo, incumbência. **3.** Grupo de pessoas com funções especiais, ou incumbidas de tratar de determinado assunto; comitê. **4.** Reunião de tais pessoas para tal efeito. **5.** Cada um dos grupos em que se dividem os membros das duas câmaras legislativas, e que devem estudar e dar pareceres sobre os projetos e propostas de lei; comitê: *comissão de obras públicas.* **6.** *P. ext.* Local onde funciona a comissão (5). **7.** Retribuição ou gratificação paga pelo comitente ou comissionado. **8.** Cargo ou emprego em comissão, i. e., temporário, não efetivo. **9.** Preenchimento de cargo ou função em caráter temporário por funcionário já pertencente ao quadro da administração pública. **10.** *Jur.* Preenchimento temporário de cargo isolado da administração pública por ocupante demissível *ad nutum*. ♦ **Comissão de frente.** *Bras.* Grupo de componentes de escola de samba, vestidos a rigor, que abre o desfile de sua escola, saudando o público e os juízes.

comissária. [Fem. de *comissário*.] *S. f. Bras.* Aeromoça.

comissariado. *S. m.* **1.** Cargo ou funções de comissário; comissariaria. **2.** Local onde o comissário exerce as suas funções.

comissariaria. *S. f.* Comissariado (1).

comissário. [Do lat. medieval *commissariu*.] *S. m.* **1.** Aquele que exerce comissão. **2.** Autoridade policial. **3.** Aquele que representa o governo ou outra entidade junto de uma companhia ou em funções de administração. **4.** Aquele que compra ou vende gêneros em comissão. **5.** *Bras.* Funcionário incumbido, a bordo de aviões comerciais, de vários serviços indispensáveis à segurança e conforto dos passageiros: "As aeromoças e comissários iam e vinham, a um tempo solícitos e ausentes." (Maria Julieta Drummond de Andrade, *Um Buquê de Alcachofras*, p. 14.) [Sin. obsol. nesta acepç. *aeromoço*.] **6.** *Bras. Mar. G. Ant.* Oficial pertencente a um quadro especial, a cargo de quem estavam afetos os serviços fazendários da administração dos navios e estabelecimentos navais. [Correspondente ao atual intendente (1) de marinha.] **7.** *Mar. Merc.* Oficial a quem compete, orientado pelo capitão e como representante do armador, dirigir a economia de navio mercante (efetuar pagamentos, supervisionar os ranchos, cuidar da hospedagem e do bem-estar dos passageiros, etc.).

comissionado. [Part. de *comissionar*.] *Adj.* e *s. m.* Que ou aquele que exerce uma comissão.

comissionamento. *S. m.* Ato ou efeito de comissionar.

comissionar. *V. t. d.* e *i.* **1.** Encarregar de comissão; expedir como comissário. **2.** Confiar; encarregar.

comissivo. [Do lat. *commissu*, 'cometido', + *-ivo*.] *Adj.* Que é o resultado de uma ação. ~ V. *crime* —. [Cf. *omissivo*.]

comisso. [Do lat. *commissu*.] *S. m.* Pena ou multa em que incorre quem falta a certas condições impostas por contrato ou lei.

comissório. [Do lat. *commissoriu*.] *Adj.* Cuja inexatidão determina a nulidade dum contrato.

comissura. [Do lat. *commissura*.] *S. f.* **1.** Linha de junção: "Havia, isso sim, um rictus de amargura a vincar a comissura dos lábios agrestes" (Orlando Gonçalves, *Este Mundo dos Homens*, p. 29). **2.** Juntura, junção.

comissural. *Adj. 2 g.* Relativo ou pertencente a comissura.

comistão. [Do lat. *commistione*.] *S. f.* **1.** *Antiq.* Mistura de coisas secas. [Sin. antiq.: *comistura.*] **2.** *Jur.* Uma das maneiras de aquisição da propriedade móvel, por acessão da coisa misturada.

comistura. [Do lat. *commistura.*] *S. f. Antiq.* Comistão (1).

comisturar. [De *comistura* + *-ar*[2].] *V. t. d., t. d. e i. e p. Antiq.* Misturar, mesclar.

comitê. [Do fr. *comité.*] *S. m.* Comissão (3 e 5). ◆ **Em comitê.** Em reunião íntima; em particular.

comitente. [Do lat. *committente.*] *Adj. 2 g.* e *s. 2 g.* Que ou quem encarrega de comissão; constituinte.

comitiva. [Do lat. vulg. *commitiva*, a princípio 'cargo de conde'.] *S. f.* **1.** Gente que acompanha; séquito. **2.** *Bras., MT.* Conjunto dos trabalhadores que acompanham nas matas o extrator da poaia.

comitre. *S. m. Mar. Ant.* Auxiliar do mestre, nas galés, encarregado da manutenção e disciplina dos remadores.

comível. *Adj. 2 g.* V. *comestível* (1).

➧**commedia dell'arte.** [It.] *Loc. s. f. Teat.* Gênero teatral espirituoso e nitidamente popular, de origem italiana, que floresceu na Europa durante o séc. XVII e cuja ação, de gestos estereotipados, é sempre improvisada, embora os enredos e as personagens sejam fixas; algumas destas (o Arlequim, a Colombina, o Pantaleão, o Doutor, etc.) usavam máscaras, e permanecem até hoje como tipos característicos do carnaval. [Sin.: *comédia de improviso, comédia-de-arte* e *comédia italiana.*]

➧**comme il faut** (comil fô). [Fr. 'como se deve'.] Como deve ser; como convém.

➧**common law** (cômân ló). [Ingl., 'lei comum'.] **1.** Título com que se designa o direito consuetudinário em vigor na Inglaterra e nos E.U.A. **2.** Lei não escrita.

como. [Do lat. vulg. *quomo*, f. apocopada de *quomodo.*] *Conj.* **1.** Da mesma forma que: *É c o m o era o pai, um grande médico;* "Teus olhos são negros, negros, / C o m o as noites sem luar..." (Castro Alves, *Poesias Completas*, p. 43); "O mar é para mim c o m o o Céu para um crente." (Vicente de Carvalho, *Poemas e Canções*, p. 156). **2.** Porque: *C o m o chegou tarde, perdeu a aula;* "A pergunta da velha embatucou-me; c o m o não tive que responder, desviei-me da questão." (Joaquim Manuel de Macedo, *Os Romances da Semana*, p. 13); " — E que se passou depois? — inquiri, c o m o o silêncio se prolongasse." (Domingos Monteiro, *Histórias Castelhanas*, p. 60.) **3.** *Desus.* Logo que; quando: "Porém c o m o a luz crástina chegada / Ao mundo for, em minhas almadias, / Eu irei visitar a forte armada" (Luís de Camões, *Os Lusíadas*, II, p. 8); "E c o m o chegou, atropelou-a, agarrou-a, apertou-a" (Simões Lopes Neto, *Contos Gauchescos e Lendas do Sul*, p. 144); "c o m o chegaram, cada um despiu a farda" (Id., *ib.*, p. 222). **4.** *P. us.* Desde que, uma vez que; se: "não hesitava [o P^e^ Antônio Vieira] em propor o princípio mais absurdo, c o m o fosse ou parecesse novo" (Antônio Feliciano de Castilho, *ap.* Álvaro Lins e Aurélio Buarque de Holanda, *Roteiro Literário de Portugal e do Brasil*, I, p. 170). **5.** No momento em que: "Dos filhos meus os corações unidos / Vejo, c o m o lhes junto as mãos nas minhas" (Gonçalves Dias, *Obras Poéticas*, II, p. 542). ● *Adv.* **6.** De que maneira: *C o m o terá conseguido vencer, se tudo lhe eram obstáculos?* **7.** A que ponto; com que intensidade: "— C o m o são cheirosas as primeiras rosas, / E os primeiros beijos c o m o têm perfume!" (Alphonsus de Guimaraens, *Obra Completa*, p. 196.) **8.** Mais ou menos; aproximadamente: "Haverá na Cidade c o m o dous mil judeus" (Fr. Pantaleão de Aveiro, *Itinerário da Terra Santa*, p. 531); "andei c o m o três léguas" (Simões Lopes Neto, *Contos Gauchescos e Lendas do Sul*, p. 125). ◆ **Como quê.** V. *como o diabo:* "velhote pardavasco, baixo, calvo, desconfiado c o m o q u ê" (Ulisses Lins de Albuquerque, *Um Sertanejo e o Sertão*, p. 32). **A como.** A que preço; a quanto: *A c o m o vende estas laranjas?*

▲**como-.** [Do gr. *kóme, es.*] *El. comp.* = 'cabelo', 'cabeleira': *liócomo.*

comoção. [Do lat. *commotione.*] *S. f.* **1.** Perturbação, abalo. **2.** Revolta, motim: "uma luta surda lavrava, semelhante a essas c o m o ç õ e s nacionais intestinas que ninguém percebe mas o governo denuncia." (Carlos Drummond de Andrade, *Fala, Amendoeira*, p. 291). **3.** Perturbação orgânica, especialmente nervosa.

cômoda. [Fem. substantivado do adj. *cômodo.*] *S. f.* Espécie de mesa, geralmente de madeira, com gavetas ou gavetões desde a base até a face superior. [Cf. *camiseiro* (3).]

comodante. [Do lat. *commodante.*] *S. 2 g. Jur.* Pessoa que dá uma coisa em comodato.

comodatário. *S. m. Jur.* Aquele que recebe uma coisa em comodato.

comodato. [Do lat. *commodatu.*] *S. m. Jur.* Empréstimo gratuito de coisa não fungível, a qual deve ser restituída no tempo convencionado. [Cf. *mútuo* (2).]

comodidade. [Do lat. *commoditate.*] *S. f.* **1.** Qualidade do que é cômodo. **2.** Bem-estar, conforto. [Sin. ger.: *cômodo.*]

comodismo. *S. m.* Sistema ou atitude que leva a atender, acima de tudo, à própria comodidade.

comodista. *Adj. 2 g.* e *s. 2 g.* Que ou quem atende sobretudo à sua comodidade; egoísta.

cômodo. [Do lat. *commodu.*] *Adj.* **1.** Útil, vantajoso. **2.** Adequado, favorável, próprio. **3.** Tranqüilo, calmo. ● *S. m.* **4.** V. *comodidade.* **5.** Acomodação; quarto: *Não havia c ô m o d o s para todos no hotel.* **6.** Compartimento; aposento: *A casa tem quatro c ô m o d o s.* **7.** Hospitalidade, agasalho.

comodoro. [Do ingl. *commodore.*] *S. m.* **1.** V. *hierarquia militar.* **2.** Oficial que detém o posto de comodoro. **3.** Em algumas marinhas mercantes, oficial de náutica de categoria imediatamente superior a capitão-de-longo-curso, e a quem compete o comando de um grande paquete, o cargo de inspetor de uma grande companhia de navegação, ou um cargo técnico-administrativo de alto escalão. [Na hierarquia oficial da Marinha Mercante do Brasil não há essa categoria, mas em algumas companhias de navegação brasileiras é uso chamar *comodoro* ao comandante mais antigo.] **4.** Chefe do departamento náutico de clube recreativo.

comoração. [Do lat. *commoratione.*] *S. f.* Insistência longa dum orador em certo ponto do discurso.

comorense. *Adj. 2 g.* **1.** Das, ou pertencente ou relativo às ilhas Comores (arquipélago e república do Oceano Índico). *S. 2 g.* **2.** Natural ou habitante das ilhas Comores.

comoriência. [Do lat. *commorientia*, de *commoriente* (v. *comoriente*).] *S. f. Jur.* Morte simultânea de duas ou mais pessoas.

comoriente. [Do lat. *commoriente*, part. pres. de **commorere*, por *commori*, 'morrer juntamente'.] *Adj. 2 g.* e *s. 2 g. Jur.* Que ou quem morre no mesmo instante que outrem.

cômoro. [Do lat. *cumulu*, 'montão'.] *S. m.* Pequena elevação de terreno; duna, combro: "a luz correu, banhou, submergiu todos os c ô m o r o s , cerros, rechãs da cordilheira." (Afrânio Peixoto, *Bugrinha*, p. 10.)

comoso[1] (ô). *Adj.* **1.** Em forma de coma[1] (1 a 4). **2.** *Bot.* Que termina em coma[1] (4).

comoso[2] (ô). [Do lat. *comosu.*] *Adj.* Que apresenta coma[2].

comovedor (ô). *Adj.* V. *comovente.*

comovedoramente. [Do fem. de *comovedor* + *-mente.*] *Adv.* De modo comovedor, inspirando ou suscitando comoção: "balando sob o aguaceiro, a olhar c o m o v e d o r a m e n t e os homens" (Coelho Neto, *Sertão*, p. 85).

comovente. [Do lat. *commovente.*] *Adj. 2 g.* Que comove; comovedor, emocionante.

comover. [Do lat. *commovere.*] *V. t. d.* **1.** Mover muito; agitar: *O temporal c o m o v i a as ondas.* **2.** Agitar; abalar: *Tumultuosos acontecimentos c o m o v e r a m a cidade.* **3.** Causar comoção (1) no ânimo de; impressionar; emocionar, enternecer: *Suas súplicas acabaram c o m o v e n d o o pai. T. d. e i.* **4.** Incitar, impelir, mover: *Nem a vista de tantas misérias o c o m o v e u a um gesto de generosidade.* **5.** Produzir impressão moral, ou enternecimento: *Sua atitude c o m o v e u pelo caráter inesperado. Int.* **6.** Produzir impressão moral, ou enternecimento; emocionar: *A inocência é uma virtude que c o m o v e. P.* **7.** Sentir comoção; enternecer-se, emocionar-se. **8.** Decidir-se; resolver-se.

comovido. [Part. de *comover.*] *Adj.* **1.** Agitado, abalado, estremecido. **2.** Enternecido, impressionado.

compacidade. *S. f.* **1.** Qualidade ou estado do que é compacto. **2.** Relação entre o volume realmente ocupado pelas partículas de um solo e o volume aparente deste, a qual varia conforme as dimensões dos poros existentes entre aquelas partículas.

compactação. *S. f.* Ato, operação ou efeito de compactar.

compactador (ô). *Adj.* e *s. m.* Que ou o que compacta.

compactar. [De *compacto* + *-ar*[2].] *V. t. d.* Reduzir o volume dos vazios de (um solo), para aumentar-lhe a densidade, resistência e estabilidade.

compacto. [Do lat. *compactu*, part. pass. de *compingere*, 'ajuntar'.] *Adj.* **1.** Cujas partes componentes estão muito juntas; comprimido. **2.** Denso, basto, espesso: "as folhas escreveram-se, formando todas um grosso volume de trezentas páginas c o m p a c t a s" (Machado de Assis, *Histórias sem Data*, p. 201). **3.** Sólido, maciço. **4.** Numeroso, copioso. ~ V. *composição —a, conjunto —, edição —a* e *osso —.* ● *S. m.* **5.** Disco pequeno, gravado em 33 1/3 ou 45 r. p. m., com uma ou duas composições de cada lado, em geral para lançamento de cantor ou música novos. [Cf. *long-play.*] **6.** *Rád.* e *Telev.* Edição reduzida de uma gravação de televisão ou rádio, normalmente apresentada como reprise.

compactuar. [De *com-* + *pactuar.*] *V. t. i.* V. *pactuar* (3): *Não c o m p a c t u a com desonestos.* [Tem, em regra, conotação pejorativa.]

compadecedor (ô). *Adj.* **1.** Compadecido. **2.** Que inspira compaixão.

compadecer. [Do lat. *compatescere.*] *V. t. d.* **1.** Ter compaixão de; deplorar: *O sofrimento ensinou-lhe a c o m p a d e c e r a dor alheia.* **2.** Inspirar compaixão em: *O choro das crianças famintas não o c o m p a d e c e u .* **3.** Tolerar, suportar, agüentar: *Sua idade avançada não c o m p a d e c e r á os rigores do inverno; Sábio, não c o m p a d e c e os ignorantes.* **4.** Conformar-se com; ser compatível: *Não c o m p a d e c e teorias tão avançadas. P.* **5.** Ter compaixão; comiserar-se, condoer-se, apiedar-se. **6.** Ser compatível; harmonizar-se: *Sua sabedoria não se c o m p a d e c e com tais futilidades;* "O ministro é, em verdade, o depositário do mais eficaz dos poderes, mas por sua mesma natureza está sujeito a uma infinidade de vexames que mal s e c o m p a d e c e m com a sobranceria dos que cingem espada." (Carlos de Laet, *Obras Seletas*, I, p. 34). [Conjug.: v. *aquecer.*]

compadecido. [Part. de *compadecer.*] *Adj.* Que se compadece; que sente compaixão; compadecedor.

compadecimento. *S. m.* Ato ou efeito de compadecer(-se).

compadrada. [Do esp. plat. *compadrada.*] *S. f. Bras., RS.* V. *fanfarrice* (2): "Não lhe falo nas cousas divertidas do serviço, como .... as c o m p a d r a d a s da peonada e outras que sempre alegram um campeiro." (Simões Lopes Neto, *Contos Gauchescos e Lendas do Sul*, p. 232.)

compadrado[1]. [De *compadre* + *-ado*[1].] *S. m.* V. *compadrio* (1).

compadrado[2]. [Part. de *compadrar.*] *Adj.* Tornado compadre.

compadrar. *V. t. d.* **1.** Tornar compadre. **2.** Tomar relações íntimas com. *P.* **3.** Fazer-se compadre de.

compadre. [Do lat. *compatre.*] *S. m.* **1.** Padrinho de um neófito em relação aos pais dele. **2.** Pai do neófito em relação aos padrinhos. **3.** *Fam.* Amigo, companheiro. [Fem., nessas acepç.: *comadre.*] **4.** *Bras.* Papagaio (9). **5.** *Bras., BA.* O Exu que guarda a casa do candomblé.

compadrear. [Do esp. plat. *compadrear.*] *V. int. Bras., RS.* Fazer compadrada; fanfarrear, fanfarronar. [Conjug.: v. *frear.*]

compadre-do-azeite. *S. m. Bras., PA.* Arbusto sarmentoso, da família das euforbiáceas (*Elalophora abutalfolia*), de flores apétalas, verdes, dispostas em racimos axilares, e cujo fruto é cápsula, carnoso, quadrado, com sementes aromáticas. [Pl.: *compadres-do-azeite.*]

compadresco (ê). *Adj.* **1.** Referente às relações de compadre. **2.** Próprio de compadre. ● *S. m.* **3.** V. *compadrio* (1): "A amizade que ficou entre eles transformou-se em c o m p a d r e s c o, com o batizado de minha irmã Maria Ana, de quem João Alfredo foi padrinho." (Carolina Nabuco, *Oito Décadas*, pp. 7-8.)

compadrice. *S. f.* V. *compadrio.*

compadrio. *S. m.* **1.** Condição de compadres; relações entre compadres; compaternidade, compadrado, compadresco. **2.** Cordialidade, intimidade. **3.** Proteção excessiva, ou injusta. [Sin. ger.: *compadrice.*]

compaginação. [Do lat. *compaginatione.*] *S. f.* **1.** Ato ou efeito de compaginar. **2.** *Tip.* Paginação (1).

compaginado. [Part. de *compaginar.*] *Adj. Bot.* Diz-se dos órgãos ou partes vegetais cujas superfícies se aplicam uma sobre a outra.

compaginador (ô). [De *compaginar* (2) + *-dor.*] *S. m. Tip.* Paginador.

compaginar. [Do lat. *compaginare.*] *V. t. d.* **1.** Ligar intimamente. **2.** *Tip.* Paginar (2).

compaixão. [Do lat. *compassione.*] *S. f.* Pesar que em nós desperta a infelicidade, a dor, o mal de outrem; piedade, pena, dó, condolência.

companha. *S. f.* **1.** *Ant.* Equipagem (1). **2.** *Ant.* Agremiação de pescadores. **3.** *Desus.* Companhia ou companheiro.

companheira. [Fem. de *companheiro.*] *S. f.* **1.** Mulher que acompanha. **2.** Mulher em relação à pessoa com quem vive. **3.** *Pop.* Esposa (2). **4.** Coisa que acompanha. ~ V. *companheiras.*

companheirão. [Aum. de *companheiro.*] *S. m. Bras.*

Amigo leal, disposto, com quem se pode contar em quaisquer circunstâncias. [Fem.: *companheirona.*]

companheiras. [Pl. de *companheira.*] *S. f. pl. Bras. Pop.* V. *secundinas.* ~ V. *companheira.*

companheirismo. *S. m.* Procedimento ou convívio cordial, afetuoso, próprio de companheiro; camaradagem, coleguismo: "senti alguns bons momentos de companheirismo através das palavras e principalmente dos gestos com que se acercavam do visitante brasileiro" (Carlos de Gusmão, *Boca da Grota,* p. 374).

companheiro. *Adj.* **1.** Que acompanha. ~ V. *estrela* —a. ● *S. m.* **2.** Aquele que acompanha. **3.** Camarada, colega. **4.** Esposo (2). **5.** *Astr.* Estrela visível, ou não, que forma com outra um sistema binário; estrela companheira. ♦ **Companheiro astrométrico.** *Astr.* Componente invisível de uma estrela binária, revelado pelas variações no movimento próprio da componente visível.

companheirona. *S. f.* Fem. de *companheirão.*

companhia. [De *companha* + *-ia.*] *S. f.* **1.** Ato de acompanhar. **2.** Aquilo ou aquele que acompanha. **3.** *P. ext.* Pessoa com quem se está ou se vive, com quem se convive: *Gosto muito dele: é uma boa companhia.* **4.** Séquito, comitiva. **5.** Reunião de pessoas para um fim comum. **6.** Trato íntimo, convivência, convívio: *Vivem em companhia de más pessoas.* **7.** Sociedade ou firma comercial constituída por acionistas. **8.** Sociedade anônima [q. v.]. **9.** Subdivisão de batalhão comandada por um capitão: "uma companhia de soldados penetrou no pouso onde Marcolino já havia dado com o corpo de Luísa." (Franklin Távora, *O Cabeleira,* p. 245.) **10.** *Bras.* Cada uma das unidades locais de bandeirantes [v. *bandeirantes* (2)]. ♦ **Trabalhar na companhia do desvio.** *Bras., N.E. Fam. Desus.* Estar no desvio.

cômpar. [Do lat. *compare.*] *Adj. 2 g.* **1.** Igual, semelhante. **2.** Que está a par. [Pl.: *cômpares.* Cf. *compares,* do v. *comparar.*]

comparabilidade. *S. f.* Qualidade de comparável.

comparação. [Do lat. *comparatione.*] *S. f.* Ato ou efeito de comparar; confrontação, confronto, cotejo.

comparado. [Part. de *comparar.*] *Adj.* Que se comparou; confrontado, cotejado. ~ V. *literatura* —a.

comparador (ô). *Adj.* **1.** Que compara. ● *S. m.* **2.** Aquele que compara. **3.** *Fís.* Instrumento de precisão para medir distâncias moderadas, constituído por um ou mais microscópios ou telemicroscópios de leitura montados sobre uma escala ao longo da qual se podem mover. **4.** *Eletrôn.* Circuito que compara dois sinais (quanto à amplitude, à tensão, etc.) e fornece um sinal de resposta indicativo do resultado.

comparar. [Do lat. *comparare.*] *V. t. d.* **1.** Estabelecer confronto entre; cotejar, confrontar: *Comparou longamente o feitio de cada um dos filhos, e notou serem muito divergentes. T. d. e i.* **2.** Estabelecer confronto entre pessoas, animais, ou coisas, ou entre pessoas e animais ou coisas; cotejar, confrontar: "Não falta quem compare os poetas com os navegantes. (Correia Garção, *Obras Poéticas e Oratórias,* p. 469); "Lima Barreto .... não gostava que o comparassem a Machado de Assis" (Francisco de Assis Barbosa, *Lima Barreto,* p. 243). **3.** Examinar simultaneamente, a fim de conhecer as semelhanças, as diferenças ou relações: *Compare Helena com Dom Casmurro, e verá que progresso fez Machado de Assis.* **4.** Pôr em igual nível; igualar, equiparar: *Em seu ensaio compara o jovem poeta a Fernando Pessoa. P.* **5.** Igualar-se; rivalizar: *Bocage não se compara a Camões; Raros os contistas, no mundo, que se comparam com Machado de Assis.* [Pres. subj.: *compare, compares,* etc. Cf. *cômpares,* pl. de *cômpar.*]

comparatista. *S. 2 g.* **1.** Especialista em literatura comparada. **2.** Jurista que se especializou em direito comparado.

comparativa. *S. f. Gram.* Conjunção comparativa.

comparativo. *Adj.* **1.** Que serve para comparar. **2.** Que emprega comparação: *método comparativo.* ~ V. *conjunção* —a. ● *S. m.* **3.** *Gram.* Grau (22) que exprime a superioridade, a inferioridade ou a igualdade do atributo de um ser ou coisa em relação ao que lhe serve de termo de comparação. Há, pois, três espécies de comparativo: **a)** de *superioridade* (*Pedro é mais inteligente que* [ou do que] *Paulo*); **b)** *de inferioridade* (*Pedro é menos inteligente que* [ou do que] *Paulo*); **c)** *de igualdade* (*Pedro é tão inteligente como* [ou *quanto,* ou *que nem*] *Paulo*). [Este último comparativo dispensa, às vezes, o tão anteposto ao adjetivo.] ♦ **Comparativo de igualdade.** *Gram.* V. *comparativo* (3). **Comparativo de inferioridade.** *Gram.* V. *comparativo* (3). **Comparativo de superioridade.** *Gram.* V. *comparativo* (3).

comparável. [Do lat. *comparabile.*] *Adj. 2 g.* **1.** Que pode ser comparado. **2.** Análogo, semelhante.

comparecente. *Adj. 2 g.* Que comparece.

comparecer. [Do lat. *comparescere.*] *V. int.* Aparecer, apresentar-se, em local determinado: *Embora doente, compareceu ao encontro; Se tem um compromisso, nunca deixa de comparecer.* [Conjug.: v. *aquecer.*]

comparecimento. [De *comparecer* + *-i-* + *-mento.*] *S. m.* **1.** Presença de alguém num dado ponto. **2.** Apresentação em juízo. [Sin. ger.: *comparência.*]

comparência. [Do lat. *comparentia.*] *S. f.* comparecimento.

comparsa. [Do it. *comparsa.*] *S. 2 g.* **1.** *Teat.* e *Cin.* V. *extra*[1] (4). **2.** *P. ext.* Pessoa que tem papel pouco importante em negócio. **3.** Companheiro, parceiro, cúmplice: *Conta sempre com os comparsas em toda baderna em que se mete.*

comparsaria. *S. f.* Conjunto de comparsas.

comparte. [Do lat. *comparte.*] *Adj. 2 g.* e *s. 2 g.* **1.** Que ou quem toma parte; participante. **2.** Condômino, quinhoeiro. **3.** V. *litisconsorte.*

comparticipar. *T. i.* Participar conjuntamente; compartir, compartilhar: "Prisioneira no gineceu, ela [a mulher grega] desaparecia, em nada comparticipando das agitadas lutas cívicas de então." (Pardal Mallet, *Pelo Divórcio!,* p. 31.)

compartilhamento. *S. m.* Ato ou efeito de compartilhar.

compartilhante. *Adj. 2 g.* e *s. 2 g.* Diz-se de, ou quinhoeiro numa partilha.

compartilhar. *V. t. d. e t. d. e i.* **1.** Ter ou tomar parte em; participar de; partilhar, compartir: *Compartilhando a sorte do marido, com ele partiu para o degredo; Compartilha sua riqueza com os amigos.* T. i. **2.** Ter ou tomar parte; participar; compartir: *compartilhar da alegria de alguém.*

compartimentagem. *S. f.* Conjunto de compartimentos.

compartimentar. *V. t. d.* Compartir (2).

compartimento. [Do fr. *compartiment.*] *S. m.* Cada uma das divisões de uma casa, de um móvel, de um veículo, etc.: *O compartimento das bagagens fica na parte traseira do ônibus; O apartamento tem cinco compartimentos ou peças; A escrivaninha tinha um compartimento secreto.* ♦ **Compartimento de colisão.** *Bras. Mar. G.* Compartimento estanque situado no extremo de vante ou de ré da embarcação, e destinado a limitar a entrada de água em caso de abalroamento pela proa ou pela popa.

compartir. [Do lat. **compartire,* por *compartiri.*] *V. t. d.* **1.** Compartilhar (1). **2.** Dividir em compartimentos. [Sin. bras., nesta acepç.: *compartimentar.*] **3.** Distribuir por vários indivíduos ou lugares; repartir, partilhar. *T. d. e i.* **4.** Compartilhar (1). *T. i.* **5.** Compartilhar (2); *Compartiu das dores do amigo, fazendo-lhe companhia.*

compáscuo. [Do lat. *compascuu.*] *S. m.* Pasto comum.

compassado. [Part. de *compassar.*] *Adj.* **1.** Pausado, medido, moderado. **2.** Cadenciado, cadente, ritmado.

compassageiro. [De *com* + *passageiro.*] *S. m.* Indivíduo que viaja com outro(s).

compassar. [Do lat. **compassare.*] *V. t. d.* **1.** Medir a compasso; cadenciar: "avistava-o tranqüilo, na cama próxima, uma das mãos sob a face, compassando a respiração ciciante." (Raul Pompéia, *O Ateneu,* p. 201). **2.** Dispor com exatidão simétrica. **3.** Medir pelo cálculo; calcular. **4.** Regular, moderar: *compassar as ações.* **5.** Abrir intervalos em; espaçar, espacear, espacejar. **6.** Fazer mover lentamente; tornar vagaroso. **7.** *Mar.* Distribuir convenientemente, equilibrar os pesos e a carga a bordo de (embarcação) e dispor as suas velas, com o fim de obter o melhor andamento e governo desta. *P.* **8.** Mover-se compassadamente.

compassível. [Do lat. *compassibile.*] *Adj. 2 g.* Que facilmente se compadece. [Cf. *compassivo.*]

compassividade. *S. f.* Qualidade de compassivo.

compassivo. *Adj.* Que tem ou revela compaixão; condolente: "Deusa dos bosques! compassiva escuta / Nossos queixosos, míseros clamores" (Domingos dos Reis Quita, *Obras,* II, p. 137). [Cf. *compassível.*]

compasso. [Dev. de *compassar.*] *S. m.* **1.** Instrumento de metal ou de madeira para traçar circunferências e marcar medidas. **2.** *Mar.* Equilíbrio da embarcação: *nau de mau compasso.* **3.** *Mar.* Distribuição dos pesos a bordo. **4.** *Mús.* Unidade métrica constituída de tempos agrupados em porções iguais, de dois em dois (*compasso binário*), de três em três (*compasso ternário*), de quatro em quatro (*compasso quaternário*), e, mais raramente, de cinco em cinco (*compasso quinário*), de sete em sete (*compasso setenário*), de nove em nove (*compasso nonário*), e que é separada da unidade seguinte por um travessão ou barra de compasso. **5.** *P. ext.* Espaço compreendido entre dois travessões, qualquer que seja o seu conteúdo. ~ V. *compassos.* ♦ **Compasso binário.** *Mús.* V. *compasso* (4). **Compasso nonário.** *Mús.* V. *compasso* (4). **Compasso quaternário.** *Mús.* V. *compasso* (4). **Compasso quinário.** *Mús.* V. *compasso* (4). **Compasso setenário.** *Mús.* V. *compasso* (4). **Compasso ternário.** *Mús.* V. *compasso* (4). **A compasso com.** Simultaneamente com; ao mesmo tempo que: "não o seduziam, nem o consolavam, a carícia do lar, o brando sossego dos campos, o esquecimento das cousas, deixando-se vegetar a compasso com o correr das águas e o crescer das árvores, numa inércia abandonada." (Oliveira Martins, *A Vida de Nun'Álvares,* p. 83).

compassos. [Pl. de *compasso.*] *S. m. pl. Tip.* Paralelas (3). ~ V. *compasso.*

compaternidade. [De *com* + *paternidade.*] *S. f.* **1.** A parte que se tem, com outros, numa obra, idéia ou invenção. **2.** V. *compadrio* (1).

compatibilidade. *S. f.* **1.** Qualidade ou condição de compatível. **2.** *Mat.* Propriedade de um sistema de equações que admite pelo menos uma solução; consistência.

compatível. [Do lat. **compatibile.*] *Adj. 2 g.* **1.** Que pode coexistir: *atributos compatíveis.* **2.** Conciliável, harmonizável: "Será compatível com a objetividade científica da História o empenho de por ela demonstrar tese concebida antes da sua elaboração ....?" (Hernâni Cidade, *in* João Gaspar Simões, *Perspectiva da Literatura Portuguesa do Século XIX,* I, p. 115.) [Sin. ger.: *compossível.*] ~ V. *equações compatíveis* e *sistema* —.

compatrício. *Adj.* e *s. m.* V. *compatriota.*

compatriota. [Do lat. *compatriota.*] *Adj. 2 g.* e *s. 2 g.* Que ou quem é da mesma pátria; compatrício, conterrâneo, paisano.

compelação. [Do lat. *compellatione.*] *S. f. Jur.* **1.** Chamamento (de alguém) a juízo. **2.** Interrogatório baseado em fatos e articulados. [Cf. *compilação.*]

compelativo. *Adj.* Diz-se da frase com que se faz compelação, com que se interpelam pessoas ou se chama a atenção num discurso.

compelir. [Do lat. *compellere.*] *V. t. d. e i.* **1.** Obrigar, forçar, coagir, constranger: *Compeliram-no a aceitar o desafio;* "A resposta foi compelir-me fortemente a olhar para baixo" (Machado de Assis, *Memórias Póstumas de Brás Cubas,* p. 25). *T. d.* **2.** Impelir; empurrar. [Irreg. conjug. v. *aderir.*]

compendiador (ô). *Adj.* e *s. m.* Que ou aquele que compendia.

compendiar. [Do lat. *compendiare.*] *V. t. d.* **1.** Reduzir a compêndio (1); resumir; sintetizar: "Ele [Colombo] sozinho, pelo que fez, escreveu, agiu, e inspirou, compendia uma época." (Vicente Licínio Cardoso, *Figuras e Conceitos,* p. 55); "Madame Victor Hugo .... compendiou num livro, que toda a gente leu, a história imortal de seu marido." (Ramalho Ortigão, *Em Paris,* pp. 198-199). **2.** Publicar em compêndio (2). [Pres. ind.: *compendio,* etc. Cf. *compêndio.*]

compêndio. [Do lat. *compendiu.*] *S. m.* **1.** Resumo de doutrinas; síntese. **2.** Livro de texto para escolas: *um compêndio de geografia;* "Desde a escola, nos compêndios de aula, começamos a ver em Brutus um ingrato, um traidor." (Álvaro Lins, *A Glória de César e o Punhal de Brutus,* p. 198.) **3.** Coisa ou pessoa que compendia, resume, simboliza certa(s) qualidade(s): "Santo Isidoro de Sevilha, compêndio e espelho de toda a sabedoria cristã que o antecedera, julga não apenas imperfeita, mas improcedente, qualquer assimilação entre um mito do paganismo e a verdade revelada." (Sérgio Buarque de Holanda, *Visão do Paraíso,* p. 179.) [Dim. irreg.: *compendíolo.* Cf. *compendio,* do v. *compendiar.*]

compendíolo. *S. m.* Pequeno compêndio.

compendioso (ô). [Do lat. *compendiosu.*] *Adj.* **1.** Em forma de compêndio. **2.** Resumido, sintético: "— Ao vencedor, as batatas"! I Gostava da fórmula, achava-a engenhosa, compendiosa e eloqüente" (Machado de Assis, *Quincas Borba,* p. 31).

compenetração. *S. f.* Ato de compenetrar(-se).

compenetrado. [Part. de *compenetrar.*] *Adj.* Convencido intimamente.

compenetrar. *V. t. d.* **1.** Fazer penetrar bem; arraigar. *T. d. e i.* **2.** Convencer profundamente; levar ao íntimo de: *A doença veio compenetrá-lo da necessidade de terminar sua obra. P.* **3.** Assenhorar-se completamente (de um assunto). **4.** Convencer-se; persuadir-se: "vive ainda, por uma ilusão magnífica, na Espanha do passado, e não se compenetrou da decadência" (Eça de Queirós, *Ecos de Paris,* p. 141).

compensação. [Do lat. *compensatione.*] *S. f.* **1.** Ato ou efeito de compensar. **2.** *Automat.* Regulagem prévia de um dispositivo suplementar, num sistema qualquer, para contrabalançar fontes conhecidas de erro. **3.** *Automat.* Ação modificante ou supletiva que melhora o desempenho de um sistema quanto a uma operação determinada. **4.** *Fin.* Operação contábil com que se facilita a cobrança e pagamento de cheques doutros bancos em um banco oficial. **5.** *Psican.* Mecanismo de defesa que atua inconscientemente, e pelo qual o indivíduo tenta compensar deficiências reais ou imaginárias. **6.** *Psican.* Processo consciente em que o indivíduo se esforça para contrabalançar defeitos reais ou fantásticos no referente ao físico, ao desempenho, às habilidades ou aos atributos psicológicos.

compensado[1]. *Bras. S. m.* **1.** Chapa de madeira, formada por outras mais finas, coladas com resina e prensadas, e cujos veios são dispostos perpendicularmente; madeira compensada. [Cf. *aglomerado* (7).] • *Adj.* **2.** Diz-se de qualquer dessas chapas. ~ V. *madeira —a.*

compensado[2]. [Part. de *compensar.*] *Adj.* Em que houve compensação. ~ V. *cheque — e terraplenagem —a.*

compensador (ô). *Adj.* **1.** Que compensa. • *S. m.* **2.** Maquinismo com que se corrigem as variações de temperatura no pêndulo. **3.** *Ópt.* Componente destinado a eliminar a diferença de caminho óptico que, numa dupla refração, existe entre o raio ordinário e o raio extraordinário. **4.** *Ópt.* Componente destinado a anular a rotação do plano da luz polarizada que atravessa uma substância opticamente ativa.

compensar. [Do lat. *compensare.*] *V. t. d.* **1.** Estabelecer equilíbrio entre; contrabalançar, equilibrar: *compensar os dois pratos da balança.* **2.** Reparar o dano, o incômodo, etc., resultante de; contrabalançar, contrapesar: *A alegria do encontro compensou os momentos de espera.* **3.** *Jur.* Extinguir simultaneamente (encargos recíprocos de dois devedores); fazer o encontro e a liquidação de (obrigações recíprocas); encontrar. *T. d. e i.* **4.** Reparar (um mal) com um bem correspondente; indenizar, ressarcir, recompensar: "regressava .... entregue aos frívolos pensamentos matinais que nos *compensam*, por instantes; dos sofrimentos do corpo." (Amadeu de Queirós, *Os Casos do Carimbamba*, p. 93.)

compensativo. [Do lat. *compensativu.*] *Adj.* Que serve para compensar.

compensatório. *Adj.* Que contém compensação.

compensável. *Adj. 2 g.* Que pode ser compensado.

comperto. [Do lat. *compertu.*] *Adj.* Descoberto, patente, evidente.

competência. [Do lat. *competentia.*] *S. f.* **1.** Faculdade concedida por lei a um funcionário, juiz ou tribunal para apreciar e julgar certos pleitos ou questões. **2.** Qualidade de quem é capaz de apreciar e resolver certo assunto, fazer determinada coisa; capacidade, habilidade, aptidão, idoneidade. **3.** Oposição, conflito, luta. ♦ **À competência.** À porfia, à compita.

competente. [Do lat. *competente.*] *Adj. 2 g.* **1.** Que tem competência (1 e 2); legal, suficiente, idôneo, apto. **2.** Próprio, adequado.

competição. [Do lat. *competitione.*] *S. f.* **1.** Ato ou efeito de competir. **2.** Busca simultânea, por dois ou mais indivíduos, de uma vantagem, uma vitória, um prêmio, etc. **3.** Luta, desafio, disputa, rivalidade. **4.** *Biol. Ger.* Luta dos seres vivos pela sobrevivência, especialmente quando são escassos os elementos necessários à vida entre os componentes de uma comunidade.

competidor (ô). [Do lat. *competitore.*] *Adj.* **1.** Que compete, ou impele à competição; competitivo. • *S. m.* **2.** Antagonista, rival, êmulo.

competir. [Do lat. *competere.*] *V. t. i.* **1.** Pretender uma coisa simultaneamente com outrem: *Candidatou-se a uma vaga na Academia, e o seu melhor amigo decidiu competir com ele.* **2.** Rivalizar, emular: *Sua inteligência compete com a da irmã;* "não deslizemos a reminiscências de outra ordem; fiquemos na surdez de Olinda [o Marquês de Olinda], que *competia* com Beethoven nesta qualidade." (Machado de Assis, *Páginas Recolhidas*, p. 172). **3.** Pertencer por direito; caber, tocar: *Compete-lhe a parte maior da herança.* **4.** Ser da competência; cumprir, caber, impender: *Aos cidadãos compete observar a lei;* "*Compete* à imaginação trabalhar mais, para criar a simpatia e o terror, que interrompem o curso monótono das coisas" (Carlos Drummond de Andrade, *Fala, Amendoeira*, p. 283). *P.* **5.** Rivalizar(-se); emular(-se): *Competem-se, neste particular, saber e modéstia.* [Irreg. Conjug.: v. *aderir.* Pres. ind.: *compito, competes, compete,* etc. Cf. *Cômpito.*]

competitividade. *S. f.* Qualidade de competitivo.

competitivo. *Adj.* **1.** Relativo a competição. **2.** Competidor (1). **3.** Que causa competição.

compilação. [Do lat. *compilatione.*] *S. f.* Ato ou efeito de compilar. [Var.: *copilação.* Cf. *compelação.*]

compilador (ô). [Do lat. *compilatore.*] *S. m.* **1.** Aquele que compila. **2.** *Proc. Dados.* Conjunto de procedimentos de tradução que converte um programa-fonte em módulo-objeto de um específico computador. Tal conjunto é por sua vez, também, um programa de computador, constituído de 3 etapas gerais: análise sintática, análise semântica e geração de código (objeto). [Var.: *copilador.*]

compilar. [Do lat. *compilare.*] *V. t. d.* **1.** Coligir, reunir (textos de vários autores, ou de natureza ou procedência vária.) **2.** Elaborar (um programa) em linguagem-objeto a partir de um programa em linguaguem-fonte. [Var.. *copilar.*]

compilatório. *Adj.* Referente a compilação. [Var.: *copilatório.*]

compita. [De *competir.*] *S. f.* Porfia, rivalidade. ♦ **À compita.** À porfia, à competência: "Cada fidalgo pompeava à *compita* na comitiva dos pajens, qual deles mais lustroso no variado e riqueza das librés." (Camilo Castelo Branco, *Doze Casamentos Felizes*, p. 194.)

cômpito. [Do lat. *compitu.*] *S. m.* **1.** Ponto onde desembocam diversos caminhos. **2.** Ponto onde os caminhos se cruzam; encruzilhada. [Cf. *compito*, do v. *competir.*]

complacência. [Do lat. *complacentia.*] *S. f.* **1.** Ato ou desejo de comprazer; agrado. **2.** Benevolência, condescendência.

complacente. [Do lat. *complacente.*] *Adj. 2 g.* Que tem, ou em que há complacência (2): *Homem complacente, permite muitos abusos; Sua atitude com o malandro foi complacente em demasia.* [Sin., p. us.: *comprazente.*] ~ V. *hímen —.*

complanar. [Do lat. *complanare.*] *V. t. d.* **1.** Tornar plano; nivelar. *P.* **2.** Estender-se por superfície plana: "enlevado no azul do céu ou no lago verde que lá embaixo se *complana* como bacia de águas precipitadas da catadupa do Gerez." (Camilo Castelo Branco, *No Bom Jesus do Monte*, pp. 5-6).

compleição. [Do lat. *complexione.*] *S. f.* **1.** Constituição física de alguém; constituição, organização: "Apesar da *compleição* robusta, nunca fora das melhores a saúde do escritor [Lima Barreto]." (Francisco de Assis Barbosa, *A Vida de Lima Barreto*, p. 215.) **2.** Disposição de espírito; temperamento, inclinação.

compleicional. *Adj. 2 g.* Referente a compleição.

compleiçoado. [De *compleição* + *-ado*[1].] *Adj.* Que tem boa ou má compleição.

complementação. *S. f.* **1.** Completação. **2.** *Álg. Mod.* Operação que associa a cada conjunto o seu complemento.

complementar[1]. *Adj. 2 g.* **1.** Que serve de complemento. **2.** Pertencente ou relativo a complemento. **3.** Que sucede ao elementar. [Sin. ger.: *complementário.*] ~ V. *ângulo —, conjunto —, cor —, probabilidade e pronome —.*

complementar[2]. *V. t. d. e p.* V. *completar* (1, 2 e 4). [Fut. pret.: *complementaria,* etc. Cf. *complementária*, f. de *complementário.*]

complementaridade. *S. f. Fís.* Aspecto ou manifestação diferente de um mesmo fenômeno, que pode ser investigado ou medido separadamente, mas não simultaneamente.

complementário. *Adj.* Complementar[1]. [Fem.: *complementária.* Cf. *complementaria*, do v. *complementar.*]

complemento. [Do lat. *complementu.*] *S. m.* **1.** Aquilo que complementa ou completa. **2.** Ato ou efeito de complementar; acabamento, remate, completação, completamento. **3.** *P. ext.* O conjunto de bolsa, sapatos, cinto, meias, etc., que completam, com o vestuário, o traje feminino. [Cf. *acessório.*] *Gram.* Palavra ou expressão que completa o sentido de outra. **4.** *Geom.* Ângulo complementar. **5.** *Mat.* Conjunto complementar. **6.** *Patol.* Substância presente no soro normal, e que se combina com o complexo antígeno-anticorpo, produzindo lise quando o antígeno é uma célula intacta. ♦ **Complemento algébrico.** *Álg.* Co-fator. **Complemento circunstancial.** *Gram.* V. *adjunto adverbial.* **Complemento de causa eficiente.** *Gram. Desus.* V. *agente da voz passiva.* **Complemento direto.** *Gram.* V. *objeto direto.* **Complemento indireto.** *Gram.* V. *objeto indireto.* **Complemento nominal.** *Gram.* Palavra ou expressão que completa o sentido de um nome ou de seu equivalente. **Complemento objetivo.** *Gram.* V. *Objeto direto.* **Complemento terminativo.** *Gram.* **1.** V. *objeto* indireto. **2.** Palavra que, regida de preposição, completa a significação de outra.

completação. *S. f.* V. *complemento* (2).

completador (ô). *Adj. e s. m.* Que ou o que completa.

completamento. *S. m.* V. *complemento* (2).

completar. *V. t. d.* **1.** Fazer completo; inteirar; acabar: *Os papéis espalhados pelo chão completavam a desordem da sala; Sua educação esmerada completava os seus dons naturais.* **2.** Concluir, rematar: *Seu governo pretende completar a obra educativa do anterior.* **3.** Perfazer, fazer, atingir: *Vestiu a filha de branco e azul até completar sete anos. P.* **4.** Fazer completo, inteirando-se: "uma certa visão foi-se formando no seu cérebro, *completando-se*" (Eça de Queirós, *O Primo Basílio*, p. 172). [Sin., nas acepç. 1, 2 e 4: *complementar.*]

completas. [Do fem. pl. do adj. *completo.*] *S. f. pl.* Na liturgia católica, horas canônicas (1) que se rezam à noite, após as vésperas; completório: "Havia tempos que soara no mosteiro a hora das *completas*" (José de Alencar, *Alfarrábios*, p. 192).

completeza (ê): *S. f. Mat.* Propriedade de ser completo.

completitude. *S. f.* Qualidade ou condição do que é completo: "Se nem todas as verdades devem ser ditas mesmo num livro de memórias, estas sofreriam na sua *completitude* com a ausência de algumas." (Gilberto Amado, *Depois da Política*, p. 244.)

completível. [Do lat. *complectibile.*] *Adj. 2 g.* Que pode ser abrangido.

completivo[1]. [Do lat. *completivu.*] *Adj. e s. m.* Que ou aquilo que completa, que serve de complemento.

completivo[2]. *Adj.* Que abrange, abraça ou cobre.

completo. [Do lat. *completu.*] *Adj.* **1.** A que não falta nada do que pode ou deve ter; preenchido, concluído. **2.** Total, cabal. **3.** Perfeito, acabado. **4.** Inteiro, exato. ~ V. *aval —, endosso — e indução —a.* • *S. m.* **5.** Aquilo que está completo ou perfeito.

completório. *S. m.* **1.** Completas. **2.** *Fig.* Fim, cabo, termo.

complexado (cs). *Adj. Psicol.* Diz-se de, ou aquele que tem complexo (5).

complexante (cs). *Adj. 2 g. e s. m. Quím.* Diz-se de, ou reagente que adicionado a uma solução forma complexo estável com um certo íon metálico.

complexão (cs). [Do lat. *complexione.*] *S. f.* **1.** Encadeamento de coisas; união, conjunto. **2.** *Fís.* Microestado.

complexar. *V. t. d.* Produzir complexo (5) em.

complexidade (cs). *S. f.* Qualidade do que é complexo.

complexismo (cs). *S. m.* Linha terapêutica da homeopatia (1) que adota a prescrição de inúmeros remédios.

complexista (cs). *Adj. 2 g.* **1.** Pertencente ou relativo ao complexismo. **2.** Que exerce o complexismo. • *S. 2 g.* **3.** Pessoa que exerce o complexismo.

complexo (cs). [Do lat. *complexu.*] *Adj.* **1.** Que abrange ou encerra muitos elementos ou partes. **2.** Observável sob diferentes aspectos. **3.** Confuso, complicado, intricado. ~ V. *domínio —, número —, nota —a, pessoa —a, plano —, série —a, e variável —a.* • *S. m.* **4.** Grupo ou conjunto de coisas, fatos ou circunstâncias que têm qualquer ligação ou nexo entre si. **5.** *Psicol.* Conjunto de representações ou idéias estruturadas e caracterizadas por forte impregnação emocional, total ou parcialmente reprimidas, e que determinam as atitudes de um indivíduo, seu comportamento, seus sonhos, etc. **6.** *Mat.* Número complexo. **7.** *Quím.* Combinação química cuja molécula encerra átomos que estão dissimulados em face dos respectivos reagentes analíticos ordinários, e também no que se refere às suas propriedades magnéticas, elétricas e fisiológicas habituais. ♦ **Complexo brasileiro.** *Bras.* Conjunto de rochas e terrenos que constituem o sistema arqueano na América do Sul. **Complexo conjugado.** *Mat.* Número complexo cuja parte real é igual à de outro número complexo, e cuja parte imaginária é simétrica à deste; imaginário conjugado. [Tb. se diz apenas *conjugado.*] **Complexo cultural.** *Sociol.* Conjunto de traços culturais estreitamente ligados entre si, em torno de um central. **Complexo de Édipo.** *Psicol.* Inclinação erótica de uma criança pelo progenitor do sexo oposto, recalcada em virtude do conflito ambivalente com o progenitor do próprio sexo, ao mesmo tempo amado, odiado e temido. [O complexo de Édipo, que constitui uma etapa normal no crescimento psicológico da criança, torna-se patológico quando não resolvido.] **Complexo de inferioridade.** *Psicol.* Complexo (5) vinculado a sentimentos de deficiências reais ou imaginárias: "Parece que Newton deve ter sofrido de um enorme e invencível *complexo de inferioridade*, pois sempre se recusou a dançar nas reuniões da sua cidade, e não se conhece dele uma só aventura amorosa." (Ronaldo Rogério de Freitas Mourão, *Astronomia e Astronáutica*, pp. 17-18.) **Complexo espacial.** *Astr.* Área onde se encontram as instalações para lançamentos espaciais. **Complexo vitamínico B.** *Farmac.* Grupo de diversas substâncias, cada uma com funções metabólicas diferentes, que interferem no metabolismo de glicídios, proteínas, na regeneração de células sanguíneas, no crescimento de microrganismos, etc.

compliância. *S. f. Fís.* Num sistema acústico, a massa de fluido (geralmente ar) que pode ser comprimido sem que o seu centro de massa se desloque. [É um componente análogo à capacitância de um circuito elétrico.]

complicação. [Do lat. *complicatione.*] *S. f.* **1.** Ato ou efeito de complicar(-se). **2.** Estado ou caráter do que é complicado. **3.** Dificuldade, embaraço, obstáculo.

complicado. [Part. de *complicar.*] *Adj.* Que tem complicação; embaraçado, enredado, difícil.

complicador (ô). *Adj.* e *s. m.* Que ou o que complica.

complicar. [Do lat. *complicare.*] *V. t. d.* **1.** Reunir (coisas heterogêneas). **2.** Tornar confuso, intricado, difícil; embaraçar, enredar: *Ao tentar esclarecer a matéria, complicou-a com exemplificação confusa.* **3.** Dificultar a compreensão ou a resolução de: *Novos depoimentos complicaram a questão. T. d. e i.* **4.** Implicar, envolver: *Não quis complicá-lo numa situação difícil. P.* **5.** Tornar-se confuso, intricado, difícil; embaraçar-se, enredar-se: "A afeição de Quintanilha complicava-se de respeito e temor." (Machado de Assis, *Relíquias de Casa Velha*, p. 119.) [Conjug.: v. *trancar.*]

cômplice. [Do lat. tardio *complice.*] *S. m. Desus.* Cúmplice.

complô. [Do fr. *complot.*] *S. m.* **1.** Conspiração contra o Estado ou o poder constituído. **2.** *P. ext.* Conluio contra uma instituição ou indivíduo(s).

➧**complot.** [Fr.] *S. m.* V. *complô.*

componedor (ô). [Do esp. *componedor.*] *S. m.* **1.** *Tip.* Utensílio em que o tipógrafo reúne manualmente os tipos, e que consiste em lâmina de metal com rebordo num dos lados e num dos extremos, e peça corrediça para estabelecer a medida: "Os compositores .... precipitavam os dedos nos caixotins, enchendo os componedores com um trepidar metálico de gotas d'água em zinco." (Coelho Neto, *Turbilhão*, p. 9.) [V. *talão de justificação* e *rabeca* (5).] **2.** *Tip.* Peça em que se compõem manualmente as matrizes das tituleiras. **3.** *Tip.* Dispositivo onde se reúnem mecanicamente, para fundição da linha-bloco, as matrizes e espaçadores da linotipo e congêneres. **4.** *Encad.* Instrumento de metal, com fenda ajustável, montado em cabo de madeira, formando um T, e em que o dourador reúne os tipos para estampar os dizeres nas lombadas e capas das encadernações; componedor universal. ♦ **Componedor universal.** *Encad.* Componedor (4).

componenda. [Do lat. *componenda.*] *S. f.* Convenção com a cúria romana acerca do que se há de pagar por certas dispensas ou concessões.

componente. [Do lat. *componente.*] *Adj. 2 g.* **1.** Que entra na composição de alguma coisa. ● *S. m.* **2.** Aquilo que entra na composição de alguma coisa. **3.** Parte elementar de um sistema. **4.** *Fís.-Quím.* Num sistema, qualquer das espécies químicas, entre as que o constituem, incluída no menor grupo de substâncias necessárias para caracterizar quimicamente o sistema. [Cf. nesta acepç., *constituinte* (7).] ♦ **Componente chandleriano.** *Astr.* V. *período de Chandler.*

componível. [Do lat. *componere*, 'compor', + *-i-* + *-vel.*] *Adj. 2 g.* Que se pode compor.

compor. [Do lat. *componere.*] *V. t. d.* **1.** Formar ou construir de diferentes partes, ou de várias coisas: *Com móveis velhos comprados aqui e ali, conseguiu compor uma bela sala.* **2.** Entrar na composição de; fazer parte de: *Escolheu com critério os nomes que deveriam compor a comissão.* **3.** Produzir, inventar (escrevendo, pintando, esculpindo, etc.): *compor discursos; compor uma sinfonia;* "No ano de 1830 Fontaney compôs várias poesias sob cujo tom respeitoso palpitam ardores reprimidos." (Melo Nóbrega, *O Soneto de Arvers*, p. 57). **4.** Dar feitio ou forma a; afeiçoar: *Agrada-lhe compor as frases com grande pompa.* **5.** Colocar ou dispor com certa ordem ou arranjo: *compor um vaso de flores.* **6.** Conformar; aparentar: *Inquieto, tentou compor uma fisionomia tranqüila.* **7.** Melhorar; aliviar: *remédio para compor o estômago.* **8.** Reconciliar, harmonizar: *Temperamento conciliador, é dado a compor desavenças.* **9.** Pôr em ordem; arranjar, arrumar, ajeitar, endireitar: "Virgília .... pegou-lhe numa das mãos, compôs-lhe a gravata." (Machado de Assis, *Memórias Póstumas de Brás Cubas*, p. 177). **10.** *Jur.* Entrar em composição (6) com. **11.** *Art. Gráf.* Transformar (um texto destinado à impressão) em caracteres tipográficos, por meios manuais, mecânicos, fotográficos ou eletrônicos. **12.** *Teat.* e *Cin.* Representar, interpretar: *compor a personagem. Int.* **13.** Escrever música: *Mozart começou a compor aos seis anos.* **14.** *Art. Gráf.* Compor (11). *P.* **15.** Harmonizar-se, conciliar-se; recompor-se: *Compuseram-se, às instâncias de amigos comuns.* **16.** Resignar-se, conformar-se: *Acabou por se compor com seu sentimento de culpa.* **17.** Amoldar-se, afeiçoar-se. **18.** Ser composto; constituir-se; constar: *Esta família compõe-se de três pessoas;* "A casa, pequena e negra, compõe-se de duas peças separadas por uma meia parede." (Inglês de Sousa, *Contos Amazônicos*, p. 46). [Irreg. Conjug.: v. *pôr.*] ♦**Compor a dois.** *Tip.* Compor à linha certa [q. v.]. **Compor limpo.** *Tip.* Compor com reduzido número de erros. **Compor sujo.** *Tip.* Compor com erros freqüentes.

comporta[1]. [De *com* + *porta.*] *S. f.* Porta que sustém as águas de um dique, de um açude ou de uma represa; portagão. ~ V. *comportas.*

comporta[2]. *S. f.* Dança popular do séc. XVIII. ~ V. *comportas.*

comportação. *S. f. Bras., CE.* Bom comportamento; bons modos.

comportado. [Part. de *comportar-se.*] *Adj.* V. *bem-comportado:* "As aulas na Matriz eram no domingo. Às vezes, o vigário comparecia, para ver o adiantamento dos meninos .... E distribuía santinhos entre os mais comportados." (Oto Lara Resende, *Boca do Inferno*, p. 30.)

comportamento. *S. m.* **1.** Maneira de se comportar; procedimento, conduta. **2.** Conjunto de atitudes e reações do indivíduo em face do meio social.

comportar. [Do lat. *comportare.*] *V. t. d.* **1.** Permitir, admitir; suportar: *A língua portuguesa não comporta certas construções traduzidas literalmente de outros idiomas.* **2.** Sofrer, padecer; suportar: *Comportou bravamente as dores.* **3.** Ser capaz de conter: *Este auditório comporta mil pessoas.* **4.** Conter em si: *Não acredito que este pequeno barco possa comportar mais de duas pessoas. P.* **5.** Proceder, portar-se: *Comportou-se dignamente em face do inimigo.* **6.** *Fam.* Proceder ou portar-se bem: *Comporte-se, menino!* [Nesta acepç. é us., em geral, no imperat.]

comportas. [Pl. de *comporta.*] *S. f. pl. Bras., PE* e *BA.* Artifícios ou lábias de que se vale quem se quer insinuar, captar a confiança de outrem. ~ V. *comporta.*

comportável. *Adj. 2 g.* Que se pode comportar ou admitir; tolerável.

composição. [Do lat. *compositione.*] *S. f.* **1.** Ato ou efeito de compor. **2.** Coordenação, constituição. **3.** Redação (2). **4.** Produção literária ou artística. **5.** Agrupamento molecular. **6.** Conciliação de partes litigantes; acordo. **7.** *Gram.* Reunião de dois ou mais radicais para a formação de uma nova palavra, a qual tem um significado único e autônomo, não raro dissociado das noções expressas pelos seus componentes. [Dois são os tipos de composição: *justaposição*, em que cada um dos elementos da palavra composta conserva a sua integridade morfológica (*porco-espinho, pé-de-vento, surdo-mudo, passatempo*) e *aglutinação*, em que tais elementos se unem intimamente, por se haver perdido a idéia de composição, subordinando-se a um único acento tônico: *planalto*] [de *plano* + *alto*], *embora* [de *em* + *boa* + *hora*]. **8.** *Jur.* Transação (4). **9.** *Art. Gráf.* Ato ou efeito de compor (11). **10.** *Art. Gráf.* Sistema ou processo de compor (11). **11.** *Edit.* Parte tipográfica (textual) de um impresso. **12.** *Mús.* A arte e a técnica de compor (14). **13.** *Mús.* Obra escrita segundo tal técnica. **14.** *Bras.* O conjunto dos carros de um trem, nas estradas de ferro. ♦ **Composição aberta.** *Tip.* **1.** A que recebe entrelinhamento maior que o normal. **2.** *P. ext.* Composição entrelinhada. **Composição acidentada.** *Tip.* A que contém fórmulas, tabelas, etc. **Composição a frio.** *Art. Gráf.* Designação geral dos sistemas de composição que não utilizam a fundição de tipos; composição fria. (Os principais sistemas deste tipo são a fotocomposição e as máquinas datilográficas especiais para composição.) **Composição à margem.** *Tip.* Aquela cujas linhas, desiguais e que não ocupam toda a medida, são justificadas em uma das margens, em geral à esquerda; composição ao canto. **Composição ao canto.** *Tip.* Composição à margem. **Composição a quente.** *Art. Gráf.* Diz-se dos sistemas mecanizados de composição que utilizam uma caldeira para fundir os tipos; composição quente. [V. *linotipo* e *monotipo.*] **Composição arejada.** *Tip.* A que apresenta harmoniosa distribuição de claros. **Composição centrada.** *Tip.* A que se constitui de linhas centradas. **Composição cerrada.** *Tip.* V. *composição compacta.* **Composição cheia.** *Tip.* V. *composição compacta.* [Cf. *cheio* (11).] **Composição compacta.** *Tip.* A que não leva entrelinhas; composição cerrada, composição cheia, composição desentrelinhada. **Composição corrida.** *Tip.* A dos textos comuns, sem corandéis, tabelas, etc.; composição seguida, composição de cheio, matéria corrida, trabalho de cheio. **Composição de caixa.** *Tip.* A que é feita à mão reunindo-se tipos de caixa com auxílio de um componedor. **Composição de cheio.** *Tip.* V. *composição corrida.* [Cf. *cheio* (11).] **Composição de fantasia.** *Tip.* A composição de qualquer obra-de-bico; remendagem. **Composição desentrelinhada.** *Tip.* V. *composição compacta.* **Composição em epitáfio.** *Tip.* Aquela que, à imitação de certas inscrições lapidares, é constituída por linhas centradas, de diferentes larguras. **Composição em pé.** *Tip.* A que acaba de ficar pronta ou que depois da tiragem se conserva intacta, para reimpressão do texto; composição levantada, tipo levantado. **Composição em sumário.** *Tip.* Aquela em que a primeira linha é cheia e as seguintes recolhem à esquerda; parágrafo francês. **Composição em triângulo.** *Tip.* Aquela cujas linhas diminuem gradativamente, formando vértice. [Cf. *fundo-de-lâmpada.*] **Composição entrada.** *Tip.* A que, dentro de um texto, recebe defesas de um ou de ambos os lados, em geral para destacar citações extensas. **Composição entrelinhada.** *Tip.* A que recebe entrelinhas, manual ou mecanicamente; composição aberta. **Composição ficada.** *Tip.* A que, excedendo a paginação de um periódico, é guardada para o número seguinte. [Tb. se diz apenas *ficada*, ou *ficado.*] **Composição fotográfica.** Fotocomposição [q. v.]. **Composição fria.** *Art. Gráf.* Composição a frio. **Composição interlineal.** *Tip.* Composição bilíngüe em linhas sucessivas, mantida a correspondência das palavras respectivas. **Composição levantada.** *Tip.* V. *composição em pé.* **Composição manual.** *Tip.* Composição feita à mão com tipos de caixa [v. *composição de caixa*], ou com caracteres transferíveis. **Composição mecânica.** *Tip.* A que se faz em máquina compositora de linhas-blocos ou de tipos soltos. [V. *fotocomposição, linotipia* e *mecanotipia.*] **Composição quebrada.** *Tip.* A que tem muitos parágrafos, linhas curtas, numerosos claros, etc. **Composição quente.** *Art. Gráf.* Composição a quente. **Composição recorrida.** *Tip.* Aquela cujas linhas tiveram de ser refeitas no componedor ou na máquina, para mudança de medida, etc.; recorrido. [V. *recorrer* (6).] **Composição seguida.** *Tip.* V. *composição corrida.* **Composição tabular.** *Tip.* **1.** Aquela cujos parágrafos não têm claro de entrada e se distinguem pela linha branca que os separa. **2.** Composição de fios para imprimir tabelas.

compósita. [Do it. *composita.*] *S. f.* Ordem compósita.

compositivo. [Do lat. *compositivu.*] *Adj.* Relativo a composição.

compósito. [Do lat. *compositu.*] *Adj.* **1.** Composto, mesclado, heterogêneo. **2.** Que tem vários préstimos, usos diversos; que serve a muitos fins: "móvel monumental e compósito que servia de guarda-louça, guarda-comidas, aparador e mesa de servir." (Pedro Nava, *Balão Cativo*, p. 358.) ● *S. m.* **3.** *Tec.* Material constituído pela misturação e aglutinação de duas ou mais substâncias. ~ V. *ordem —a.*

compositor (ô). [Do lat. *compositore.*] *S. m.* **1.** Aquele que compõe. **2.** *Art. Gráf.* Aquele que se ocupa em compor quer manualmente, quer em linotipo, quer em qualquer máquina de fotocomposição [Cf. *tipógrafo.*]: "Os compositores .... precipitavam os dedos nos caixotins, enchendo os componedores com um trepidar metálico de gotas d'água em zinco." (Coelho Neto, *Turbilhão*, p. 9.) **3.** Árbitro que obtém o encerramento de uma demanda por meio de composição; medianeiro. **4.** Aquele que se dedica à arte da composição (12): *Chopin foi um compositor romântico; É bom compositor de música popular.* **5.** *Bras., RS.* Aquele que prepara o cavalo para a corrida: "Quando apareceu o dono se queixando do compositor, que se metera na canha e descuidara o cavalo, ninguém acreditou." (Ciro Martins, *Paz nos Campos*, p. 11.) **6.** *Bras., RS. P. ext.* Parelheiro (2). ● *Adj.* **7.** Que compõe. ~ V. *máquina —a.* ♦ **Compositor de bicos.** *Tip.* Tipógrafo que se ocupa na composição de obras-de-bico; compositor de fantasia, chapista, obrista, remendeiro. [Cf. *compositor de cheio.*] **Compositor de cheio.** *Tip.* Aquele que se ocupa exclusivamente na composição corrida; compositor de linhas, caixista. [Cf. *compositor de bicos.*] **Compositor de fantasia.** *Tip.* V. *compositor de bicos.* **Compositor de linhas.** *Tip.* V. *compositor de cheio.*

compositora (ô). [Fem. de *compositor.*] *S. f.* **1.** Mulher que escreve composições musicais. **2.** *Tip.* Mulher que se dedica ao trabalho de compor tipos. **3.** V. *máquina compositora.*
composse. *S. f. Jur.* compossessão.
compossessão. *S. f. Jur.* Posse em comum, ou em conjunto, da mesma coisa; composse.
compossessor (ô). *S. m.* Aquele que possui uma coisa em comum com outro; compossuidor.
compossibilidade. *S. f.* **1.** Qualidade de compossível. **2.** *Filos.* Qualidade dos possíveis que o são simultaneamente.
compossível. *Adj. 2 g.* V. *compatível.*
compossuidor (u-i...ô). *S. m.* Compossessor.
composta. *S. f.* Espécime das compostas; acarnácea.
compostas. *S. f. pl. Bot.* Família de plantas floríferas, quase sempre herbáceas ou arbustivas, com folhas alternas, e caracterizadas pela inflorescência em capítulo. Em geral, há dois tipos de flores: hermafroditas tubulosas e unissexuais lingüiformes, estas situadas na margem do capítulo. O cálice tem a forma de longos pêlos e chama-se *pappus.* Cinco estames de anteras concrescentes; ovário ínfero dotado de um óvulo. Também o fruto é peculiar à família: aquênio. É a maior família das plantas superiores, com mais de 14.000 espécies, espalhadas por todo o orbe, e muitas delas existentes no Brasil. Abundam sobretudo nas áreas abertas, campestres. [Sin.: *acarnáceas.*]
composto (ô). [Do lat. *compositu.*] *Adj.* **1.** Constituído por dois ou mais elementos. **2.** *Fig.* Circunspecto, sério, modesto. ~ V. *curva —a, dízima periódica —a, folha —a, fruto —, função —a, juro —, lente —a, número —, olho —, pêndulo —, período — por coordenação, período — por coordenação e subordinação, período — por subordinação, probabilidade —a, sujeito — e tempo —.* • *S. m.* **3.** Substância ou corpo composto. **4.** Complexo de várias coisas combinadas. **5.** *Quím.* Substância em que a existência de ligações químicas garante a uniformidade de propriedades e a constância de composição.
compostura. [Do lat. *compostura.*] *S. f.* **1.** Composição; formação. **2.** Concerto, arranjo. **3.** Falsificação, imitação. **4.** Seriedade ou correção de maneiras; comedimento, circunspecção, modéstia: "Não imaginas a graça que tinha em falar e andar, tudo sem perder a *compostura* dos modos nem a gravidade dos pensamentos." (Machado de Assis, *Páginas Recolhidas,* p. 46.) **5.** *Bras., RS.* Ato ou efeito de preparar o cavalo para corridas. **6.** *Bras., RS.* O tempo que nisto se leva. ~ V. *composturas.*
composturas. [Pl. de *compostura.*] *S. f. pl.* Cosméticos ou outros artifícios que se usam para disfarçar o mau estado da pele do rosto, as rugas, etc. ~ V. *compostura.*
compota. [Do fr. *compote.*] *S. f.* Doce de frutas cozidas em calda de açúcar.
compoteira. *S. f.* Recipiente de louça ou de vidro, côncavo, com tampa, para guardar compota ou outros doces em calda ou em pasta.
compra. [Dev. de *comprar.*] *S. f.* **1.** Ato de comprar (1). **2.** Coisa comprada. **3.** *Fig.* Suborno, peita. **4.** Ato de tirar do baralho, ao jogo, certo número de cartas.
compradiço. *Adj.* Fácil de ser comprado ou subornado.
comprador (ô). *S. m.* Aquele que compra.
comprar. [Do lat. *comparare.*] *V. t. d.* **1.** Adquirir por dinheiro: "Bastava baixar a mão, e teria tesouros para *comprar* um condado" (Eça de Queirós, *Últimas Páginas,* p. 111). **2.** Ganhar, adquirir ou obter com sacrifício ou prejuízo material ou moral: *Procura, com bajulações, comprar a simpatia do chefe.* **3.** Subornar, peitar: *Comprou o guarda alfandegário, dando-lhe parte do contrabando;* "Leonor percebia-os [aos inimigos], fingia-se desatenta, e intimamente planejava aniquilá-los, pondo-os ao seu serviço, subornando-os, *comprando-os.*" (Antero de Figueiredo, *Leonor Teles,* p. 126). **4.** Em alguns jogos, tirar do baralho (uma carta, ou certo número de cartas). **5.** Possibilitar a aquisição de: "Seu pai começou a juntar dinheiro ainda no tempo em que o dinheiro, de fato, poderia *comprar,* pelo menos, uma boa dose de tranqüilidade de espírito." (Joraci Camargo, *Anastácio,* p. 41.) *T. d. e i.* **6.** Adquirir por compra: *Comprou a casa a um parente.* ♦ **Comprar a mangrado.** Comprar sem escolher. **Comprar briga.** Meter-se em complicações, sem necessidade ou proveito.
compratório. *Adj.* **1.** Que serve para comprar. **2.** Que tem por efeito a compra.
comprável. *Adj. 2 g.* **1.** Que se pode adquirir por compra; comerciável. **2.** Subornável.
comprazedor (ô). *Adj.* **1.** Que gosta de comprazer; obsequiador, complacente. **2.** Condescendente, transigente. • *S. m.* **3.** Aquele que gosta de comprazer.
comprazente. *Adj. 2 g. P. us.* V. *complacente.*
comprazer. [Do lat. *complacere.*] *V. t. i.* **1.** Fazer o gosto, a vontade; ser agradável: *Procura comprazer ao amigo, para reconquistar-lhe as graças.* **2.** Condescender; ceder: *comprazer a um pedido. Int.* **3.** Fazer o gosto, a vontade de outrem; ser-lhe agradável: "no círculo dos condiscípulos é um autômato que ri por *comprazer,* e vai sem saber que vai para onde o impelem" (Camilo Castelo Branco, *Amor de Salvação,* p. 58). *P.* **4.** Deleitar-se, regojizar-se. [Conjug.: v. *aprazer,* mas o perf. ind. e seus derivados têm duas formas: *comprazi* ou *comprouve,* etc.]
comprazimento. *S. m.* Ato ou efeito de comprazer; complacência.
compreender. [Do lat. *comprehendere.*] *V. t. d.* **1.** Conter em si; constar de; abranger: *A República Federativa do Brasil compreende 23 estados, um território e um distrito federal.* **2.** Mencionar; incluir: *Esta relação não compreende todos os nomes.* **3.** Alcançar com a inteligência; atinar com; perceber, entender: *Não compreendo a razão de sua raiva.* **4.** Perceber ou alcançar as intenções ou o sentido de: *Compreendi a sua atitude, e não insisti;* "Goethe, espírito apolítico, egoísta, não *compreendeu* o maior acontecimento do seu tempo, a Revolução Francesa." (Oto Maria Carpeaux, *A Cinza do Purgatório,* p. 28). **5.** Entender, perceber; ouvir. *P.* **6.** Estar incluído ou contido; encerrar-se.
compreensão. [Do lat. *comprehensione.*] *S. f.* **1.** Ato ou efeito de compreender. **2.** Faculdade de perceber; percepção. **3.** *Lóg.* Conjunto dos elementos (características, propriedades, qualidades) pertencentes a um conceito. Ex.: a compreensão do conceito de cachorro inclui animal, vertebrado, mamífero, quadrúpede, etc. [Cf., nesta acepç. *conotação* (3) e *extensão* (10).]
compreensibilidade. *S. f.* Qualidade de compreensível.
compreensiva. [Fem. substantivado do adj. *compreensivo.*] *S. f. Desus.* Compreensão, percepção.
compreensível. [Do lat. *comprehensibile.*] *Adj. 2 g.* Que se pode compreender.
compreensivo. [Do lat. *comprehensivu.*] *Adj.* **1.** Que compreende ou pode compreender. **2.** Que revela compreensão: "a atitude da esposa — tão amiga, *compreensiva* e paciente ...., agravou-lhe o sentimento de inferioridade" (Érico Veríssimo, *Noite,* pp. 198-199).
compressa. [Do lat. *compressa,* 'comprimida'.] *S. f.* Segmento, retangular ou quadrado, de algodão, linho, ou gaze hidrófila, usado para fazer compressão, proteger ou lavar uma parte do corpo, podendo conter medicamentos mais complexos, ou apenas soro fisiológico a temperaturas variáveis. É usada em curativos, intervenções cirúrgicas, etc.
compressão. [Do lat. *compressione.*] *S. f.* **1.** Ato ou efeito de comprimir(-se). **2.** *Fís.* Processo em que se aumenta a pressão num sistema pela ação de agentes externos.
▲**compressi-.** [Do lat. *compressu,* í.] *El. comp.* = 'achatado': *compressicaule, compressicórneo.*
compressibilidade. *S. f. Fís.* **1.** Propriedade dos corpos que, sob a ação de uma pressão aplicada uniformemente à sua superfície, diminuem de volume. **2.** Coeficiente que mede a variação da unidade de volume de um corpo pela variação de pressão que a provoca.
compressicaude. [De *compressi-* + *-caude.*] *Adj. 2 g. Zool.* Que tem cauda chata.
compressicaule. [De *compressi-* + *caule.*] *Adj. 2 g. Bot.* Que tem o caule comprimido.
compressicórneo. [De *compressi-* + *-corn(e)-* + *-eo.*] *Adj. Zool.* Que tem antenas comprimidas.
compressível. [Do lat. *compressibile.*] *Adj. 2 g.* Que pode ser comprimido.
compressivo. *Adj.* **1.** Que serve para comprimir; compressório. **2.** Que reprime, refreia.
compresso. [Do lat. *compressu.*] *Adj.* Comprimido (1).
compressor (ô). *Adj.* **1.** Que comprime; comprimente. ~ V. *rolo —.* • *S. m.* **2.** Aquele ou aquilo que comprime. **3.** Rolo compressor. **4.** Anteparo corrediço, de madeira ou de metal, que sustém as fichas, pastas, etc., nas gavetas dos fichários e arquivos. **5.** *Tec.* Máquina, alternativa ou rotativa, destinada a comprimir um gás.
compressório. *Adj.* Compressivo (1).
compridez (ê). *S. f. P. us.* Comprimento, longitude.
comprido. [Part. do arc. *comprir,* do lat. *complere,* 'encher'.] *Adj.* **1.** Extenso no sentido longitudinal; longo: *estrada comprida.* **2.** De grande estatura; alto: *Que sujeito comprido!* **3.** Que, por enfadonho, monótono, cansativo, dá idéia de haver durado muito: *um dia comprido; um filme comprido* **4.** *Ant.* Completo, perfeito. ~ V. *café —, língua —a e tosse —a.* • *S. m.* **5.** *Bras., GO.* Informação (10) que se alonga no álveo do rio, tornando difícil precisar a localização do diamante. [Cf. *cumprido,* do v. *cumprir.*] ♦ **Ao comprido.** Em sentido longitudinal.
comprimário. [Do it. *comprimariu.*] *S. m. P. us.* Comparsa de companhia lírica: "— A vida é uma ópera e uma grande ópera. O tenor e o barítono lutam pelo soprano, em presença do baixo e dos *comprimários*" (Machado de Assis, *Dom Casmurro,* p. 25).
comprimente. [Do lat. *comprimente.*] *Adj. 2 g.* Que comprime; compressor. [Cf. *cumprimente,* do v. *cumprimentar.*]
comprimento. *S. m.* **1.** Extensão de linha. **2.** Dimensão longitudinal de um objeto: *O comprimento da mesa é fora do comum.* **3.** Grandeza, tamanho. **4.** *Geom.* Num retângulo, a maior distância entre dois vértices consecutivos. **5.** *Geom.* Num paralelepípedo, a maior das arestas. **6.** *Álg. Mod.* Número de elementos de uma permutação cíclica. [Cf. *cumprimento,* do v. *cumprimentar* e s. m.] ♦ **Comprimento de onda.** *Fís.* Numa onda, a distância entre dois pontos cuja diferença de fase é igual a 2 π radianos. **Comprimento de pulso.** *Eng. Eletrôn. Impr.* A duração de um pulso (4).
comprimido. [Part. de *comprimir.*] *Adj.* **1.** Que sofreu compressão; compresso. **2.** Contido, refreado. ~ V. *ar —.* • *S. m.* **3.** O que sofreu compressão. **4.** Pastilha de substâncias medicamentosas em pó, que mediante compressão se tornam compactas, e que geralmente deve ser engolida sem mastigar. [Cf. *tablete.*]
comprimir. [Do lat. *comprimere.*] *V. t. d.* **1.** Reduzir a menor volume, mediante pressão: *Comprimiu o embrulho a fim de que coubesse no caixote.* **2.** Apertar, premer: "Um soluço irreprimível lhe inchou o peito e *comprimiu* a garganta" (José Régio, *O Príncipe com Orelhas de Burro,* p. 173); *Comprimiu o botão da campainha.* **3.** Encolher, retrair, contrair: *Comprimiu o estômago para esbeltar a silhueta.* **4.** Reprimir, refrear; oprimir: *Não podendo comprimir a ansiedade, pôs-se a chorar.* **5.** Afligir, confranger: *A dor da perda do amigo comprimia-o. P.* **6.** Reduzir-se; encolher-se.
comprista. *S. 2 g.* Indivíduo que gosta muito de fazer compras.
comprobação. *S. f.* Comprovação (1) [q. v.].
comprobante. *Adj. 2 g.* e *s. m.* Comprovante [q. v.].
comprobativo. [Do lat. *comprobativu.*] *Adj.* V. *comprobatório.*
comprobatório. *Adj.* Que contém prova ou provas do que se diz; que serve para comprovar; comprobativo, comprovativo: "Tratava-se de tirar a limpo os documentos *comprobatórios* de origem asiática dos índios." (E. Roquete-Pinto, *Seixos Rolados,* p. 284.)
comprometedor (ô). *Adj.* Que compromete ou pode comprometer.
comprometer. [Do lat. *compromittere.*] *V. t. d.* **1.** Obrigar por compromisso. **2.** Dar, como garantia; empenhar: *comprometer a palavra.* **3.** Expor a perigo; arriscar, aventurar: *Para satisfazer uma vaidade comprometeu o seu futuro.* **4.** Pôr (alguém) em má situação, ou em situação suspeita: *Sabendo-se perseguido, não aceitou a companhia do amigo, temendo comprometê-lo. P.* **5.** Tomar compromisso; obrigar-se. **6.** Assumir responsabilidade grave.
comprometido. [Part. de *comprometer.*] *Adj.* **1.** Obrigado por compromisso. **2.** Dado como garantia; empenhado; **3.** Arriscado, aventurado.
comprometimento. *S. m.* Ação ou fato de comprometer(-se).
compromissado. [Part. de *compromissar.*] *Adj.* V. *comprometido.*
compromissar. *V. t. d.* e *p.* V. *comprometer.*
compromissário. [Do lat. *compromissariu.*] *Adj.* Obrigado por compromisso.
compromissivo. *Adj.* Em que há, ou que envolve compromisso; compromissório.
compromisso. [Do lat. *compromissu.*] *S. m.* **1.** Obrigação ou promessa mais ou menos solene. **2.** Acordo entre litigantes pelo qual se sujeita a arbitragem a decisão de um pleito. **3.** Dívida que se deve pagar em determinado dia. **4.** Concordata de falidos com credores. **5.** Acordo político; convenção, ajuste, pacto. **6.** Promessa de trato a ser cumprido. **7.** Estatutos de confraria (1). **8.** Escrita vincular. **9.** *Bras.* Obrigação de caráter social: *Domingo não tenho compromissos.*
compromissório. *Adj.* Compromissivo.
compromitente. [Do lat. *compromittente.*] *Adj. 2 g.* e *s. 2 g.* Que ou quem toma compromisso.

comprovação. [Var. de *comprobação* < lat. *comprobatione.*] *S. f.* **1.** Ato de comprovar; comprobação. **2.** *Adm.* Conjunto de documentos relativos a gastos que se fizeram por determinada verba.

comprovador (ô). [Do lat. *comprobatore.*] *Adj.* e *s. m.* Que ou o que comprova.

comprovante. [Var. de *comprobante* < lat. *comprobante.*] *Adj. 2 g.* **1.** Que comprova; comprovador. ● *S. m.* **2.** *Bras.* Recibo, nota ou documento com que se comprova a realização de uma despesa.

comprovar. [Do lat. *comprobare.*] *V. t. d.* **1.** Concorer para provar; ajuntar novas provas a; confirmar; corroborar: *A atitude serena do acusado* comprova *sua inocência.* **2.** Evidenciar, demonstrar: *A brilhante atuação naquele impasse* comprovou *sua fama de grande político.* **3.** *Tip.* Evidenciar em nova prova (as emendas assinaladas em prova anterior); contraprovar, conferir. [Cf., nesta acepç., *revisar* (5).]

comprovativo. *Adj.* V. *comprobatório.*

comprovincial. [Do lat. *comprovinciale.*] *Adj. 2 g.* Comprovinciano (1).

comprovinciano. *Adj.* **1.** Que é da mesma província que outro(s); comprovincial. ● *S. m.* **2.** Aquele que é da mesma província que outro(s): "A casa do encontro era na antiga Rua dos Barbonos, onde morava uma comprovinciana de Rita." (Machado de Assis, *Várias Histórias*, p. 5.)

compsotlipídeo. *S. m.* **1.** Espécime dos compsotlipídeos. ● *Adj.* **2.** Pertencente ou relativo a eles.

compsotlipídeos. *S. m. pl. Zool.* Aves passeriformes, da família *Compsothlypidae*, insetívoras, de tamanho pequeno, bico reto, delicado e afilado, com vibrissas quase imperceptíveis na base. São os pia-cobras e os pula-pulas.

➧**compte rendu** (cont'randü). [Fr.] Análise ou exposição sucinta de um fato, de um texto, etc.

compulsação. [Do lat. *compulsatione.*] *S. f.* Ato de compulsar.

compulsador (ô). *Adj.* e *s. m.* Que, ou aquele que compulsa.

compulsão. [Do lat. *compulsione.*] *S. f.* **1.** Ato de compelir. **2.** *Psicol.* Tendência à repetição.

compulsar. [Do lat. *compulsare.*] *V. t. d.* **1.** Examinar, lendo. **2.** Manusear, percorrer, folhear (livros, documentos); consultando: "Compulsando a documentação existente, verifiquei que não foram poucos os desembarques clandestinos de negros africanos realizados no litoral das Alagoas, no período de ilegalidade do tráfico." (Abelardo Duarte, *Três Ensaios, pp. 79-80.)* **3.** *Desus.* Compelir, obrigar.

compulsivo. [Do lat. *compulsu*, 'impelido junto com outros' + *-ivo.*] *Adj.* Que compele; próprio para compelir, ou a isso destinado: "Engoliu com esforço, sentindo uma compulsiva precisão de chorar." (Maria Julieta Drummond de Andrade, *O Valor da Vida*, p. 142.)

compulsória. [Fem. substantivado do adj. *compulsório.*] *S. f.* **1.** Mandado de juiz superior para instância inferior. **2.** Aposentadoria forçada, por haver o servidor, civil ou militar, alcançado o limite de idade permitido ao serviço público: "— Está no emprego há mais de 39 anos e detesta ver alguém aposentar-se no devido tempo. Aguarda a compulsória." (Osmã Lins, *Nove, Novena*, p. 184.)

compulsório. [Do lat. *compulsu*, 'impelido junto com outros', + *-or-* + *-io*[2].] *Adj.* Que obriga ou compele.

compunção. [Do lat. *compunctione.*] *S. f.* **1.** Pesar de haver cometido pecado ou ação má. **2.** *P. ext.* Pesar profundo: "A sua ansiedade como que borbota, espalha-se nos gestos, na profunda compunção do semblante, nos suspiros, na palidez cadavérica" (Rocha Pombo, *No Hospício*, p. 307). **3.** Manifestação desse pesar; contrição. [Sin. ger.: *compungimento.*]

compungimento. *S. m.* V. *compunção.*

compungir. [Do lat. *compungere.*] *V. t. d.* **1.** Mover a compunção. **2.** Pungir moralmente; magoar, afligir: Compunge-*o a lembrança das rudes palavras que proferiu.* **3.** Enternecer; sensibilizar: *A desgraça do inimigo* compungiu-*o vivamente. Int.* **4.** Causar compunção (1 e 2). *P.* **5.** Ter compunção; arrepender-se. [Conjug.: v. *dirigir.*]

compungitivo. *Adj.* Que compunge ou reflete compungimento.

computação. [Do lat. *computatione.*] *S. f.* Ato ou efeito de computar.

computador (ô). [Do lat. *computatore.*] *S. m.* **1.** Aquele que faz cômputos, que calcula. **2.** *Proc. Dados.* Computador eletrônico. [Sin. pop., nesta acepç., *cérebro eletrônico.*] ◆ **Computador analógico.** *Proc. Dados.* Aquele que opera com dados representados por quantidades físicas que variam continuamente, realizando processamentos físicos com estes dados. **Computador digital.** *Proc. Dados.* Computador que opera com dados discretos ou descontínuos, efetuando uma seqüência de processos lógicos e aritméticos com estes dados, num programa previamente preparado. Um computador eletrônico digital é basicamente integrado por: unidade central de processamento (CPU), unidades de memória, canais de comunicação e dispositivos de entrada e de saída. **Computador eletrônico.** Processador de dados com capacidade de aceitar informações, efetuar com elas operações programadas, fornecer resultados para resolução de problemas. Dividem-se em dois grandes grupos: computadores analógicos e digitais. Quanto à evolução tecnológica podem ser divididos em: computadores de 1ª. geração — utilização de válvulas; de 2ª. geração — utilização de transistores; de 3ª. geração — utilização de circuito integrado. [Tb. se diz apenas *computador.*]

computadorização. *S. f.* Ato ou efeito de computadorizar.

computadorizado. [Part. de *computadorizar.*] *Adj.* Que se computadorizou. ~ V. *tomografia* —*a.*

computadorizar. [De *computador* + *-izar.*] *V. t. d. Proc. Dados.* **1.** Processar ou armazenar (informação) mediante computador (2) ou sistema de computadores. **2.** Fornecer (dado [s]) mediante computador (2) ou sistema de computadores.

computar. [Do lat. *computare.*] *V. t. d.* **1.** Fazer o cômputo (1) de; contar: computar *votos. T. d. e i.* **2.** Calcular, orçar: Computou *a despesa em 10.000 cruzados.* **3.** Igualar, ajustar; comparar: *Dispôs-se a* computar *a receita com as despesas.* **4.** Contar; incluir: Computou *este delito entre os passíveis de pena de morte.* [Defect. Não é us. nas três 1ªs pess. do pres. ind.]

computável. *Adj. 2 g.* Que pode ser computado.

computista. *S. m.* **1.** Aquele que organiza o cômputo (1); calendarista. **2.** O encarregado de receber rendas de câmara apostólica.

cômputo. [Do lat. *computu.*] *S. m.* **1.** V. *contagem* (2). **2.** *Cronol.* Cômputo eclesiástico. **3.** Cálculo (1). ◆ **Cômputo eclesiástico.** *Cronol.* Série de regras pelas quais se determinam as datas das festas móveis das igrejas cristãs. [Tb. se diz apenas *cômputo.*]

comtesco (ê). *Adj.* V. *comtista* (1).

comtiano. *Adj.* e *s. m.* V. *comtista.*

comtismo. *S. m.* Positivismo.

comtista. *Adj. 2 g.* **1.** Pertencente ou relativo a Augusto Comte [v. *positivismo*], ou próprio dele; comtiano, comtesco. ● *S. 2 g.* **2.** Grande conhecedor e/ou seguidor do comtismo; comtiano. [Cf. *positivista* e *contista.*]

comua. [Fem. antigo, substantivado do adj. *comum.*] *S. f.* V. *latrina* (1): "pensava em Bertolesa que .... dormia lá embaixo, ... aos fundos do armazém, perto da comua." (Aluísio Azevedo, *O Cortiço*, p. 320).

comum. [Do lat. *commune.*] *Adj. 2 g.* **1.** Pertencente a todos ou a muitos: "O vocábulo *tabu*, de origem polinésia, vai-se tornando comum às línguas européias" (Ângela Vaz Leão, *História de Palavras*, p. 35). **2.** Vulgar, trivial, ordinário. **3.** Habitual, normal, usual, geral. [Superl. abs. sint.: *comuníssimo.*] **4.** Feito em sociedade ou em comunidade. ~ V. *ação* —, *bens comuns, canal hepático* —, *denominador* —, *estopim* —, *massa* —, *máximo divisor* —, *mínimo múltiplo* —, *múltiplo* —, *nervo motor-ocular* —, *senso* —, *substantivo* —, *vala* — e *vinho* —. ● *S. m.* **5.** Qualidade ou caráter de comum. **6.** A maioria:"Lalá .... tinha algum espírito mais que o comum das senhoras brasileiras." (Artur Azevedo, *Contos Efêmeros*, p. 8.) **7.** Aquilo que é comum, habitual, normal: *O* comum *é sairmos às 10 horas.*

comum-de-dois. *Adj. Gram.* Diz-se de substantivo que tem só uma forma para os dois gêneros, como, p. ex., *artista, pianista, regente, selvagem;* comum de dois gêneros, sobrecomum, uniforme. [Pl. *comuns-de-dois.*]

comuna[1]. [Do fr. *commune.*] *S. f.* **1.** Na Idade Média, cidade que obtinha de seu senhor suserano carta que lhe concedia autonomia. **2.** Subdivisão territorial, na França. **3.** Administração de concelho. **4.** Municipalidade, município. **5.** Poder revolucionário instalado em Paris, em 1871, após o levantamento do sítio. **6.** Comunidade (5). **7.** *Bras., PE.* Grupo de indivíduos que habitualmente se reúnem para pândegas ou desordens.

comuna[2]. [Der. regress. de *comunista.*] *S. 2 g. Bras. Pop.* Comunista (3).

comunal. [Do lat. vulg. *communale.*] *Adj. 2 g.* **1.** Referente a comuna (1 a 6). **2.** *Ant.* comum (1): "o povo viu, após suas primeiras queixas, quanto o rei queria atender ao bem comunal" (Antero de Figueiredo, *Leonor Teles*, pp. 79-80). ● *S. 2 g.* **3.** Habitante de comuna; comuneiro.

comunalismo. [De *comunal* + *-ismo.*] *S. m.* Municipalismo (1). [Cf. *descentralismo.*]

comunalista. [De *comunal* + *-ista.*] *Adj. 2 g.* **1.** Municipalista (2). ● *S. 2 g.* **2.** Municipalista (3). [Cf. *descentralista.*]

comuneiro. *S. m.* Habitante de uma comuna; comunal.

comungado. [Part. de *comungar.*] *Adj.* Que recebeu a comunhão; que comungou.

comungante. [Do lat. *communicante.*] *Adj. 2 g.* **1.** Que comunga. ● *S. 2 g.* **2.** Pessoa que pode ou que vai receber comunhão.

comungar. [Do lat. *communicare.*] *V. t. d.* **1.** Administrar a comunhão (2) a: *O Sacerdote* comungou *os fiéis.* **2.** Receber ou tomar em comunhão: *Contrito,* comungou *a hóstia. Int.* **3.** Receber ou tomar o sacramento da Eucaristia: "queria confessar-se e comungar, tinha medo de morrer em pecado" (Coelho Neto, *Sertão*, p. 330). *T. i.* **4.** Pertencer a grupo ou sociedade que tem as mesmas idéias religiosas, políticas, literárias, científicas, etc.: *Sempre* comungou *no Partido Liberal.* **5.** Ter entrada ou parte em; participar: Comunga *nos ideais da liberdade.* **6.** Pôr-se ou ficar em contato; ligar-se, unir-se, comunicar-se: "Poesia é um estado de alma religioso e metafísico em que o homem comunga diretamente com a divindade." (Alberto Ramos, *Prosas de Ariel*, p. 135.) [Conjug.: v. *largar.*]

comungatório. [De *comungar.*] *Adj.* **1.** Referente à comunhão. ● *S. m.* **2.** Lugar, geralmente junto ao altar, onde os fiéis tomam comunhão.

comunhão. [Do lat. *communione.*] *S. f.* **1.** Ato ou efeito de comungar: "Que é a reza senão a comunhão com o infinito?" (Geraldo França de Lima, *Branca Bela*, p. 17.) **2.** V. *eucaristia* (1). **3.** A administração ou a recepção da Eucaristia. **4.** Participação em comum em crenças, interesses ou idéias: "os seus lábios ficaram colados muito tempo, em silêncio, completando .... a comunhão perfeita das suas almas." (Eça de Queirós, *Os Maias*, II, p. 261). **5.** Conjunto daqueles que comungam os mesmos ideais, crenças ou opiniões; comunidade. **6.** *Lit.* Antífona que faz parte das orações finais da missa. [Cf. *liturgia da missa.*]

comunheiro. *S. m.* V. *condômino.*

comunial. *Adj. 2 g.* Referente à comunhão.

comunicabilidade. *S. f.* Qualidade de comunicável.

comunicação. [Do lat. *communicatione.*] *S. f.* **1.** Ato ou efeito de comunicar(-se). **2.** Ato ou efeito de emitir, transmitir e receber mensagens por meio de métodos e/ou processos convencionados, quer através da linguagem falada ou escrita, quer de outros sinais, signos ou símbolos, quer de aparelhamento técnico especializado, sonoro e/ou visual. **3.** *P. ext.* A ação de utilizar os meios necessários para realizar tal comunicação. **4.** *P. ext.* A mensagem recebida por esses meios. **5.** O conjunto de conhecimentos relativos à comunicação (2), ou que tem implicações com ela, ministrado nas respectivas faculdades. **6.** A capacidade de trocar ou discutir idéias, de dialogar, de conversar, com vista ao bom entendimento entre pessoas. **7.** Exposição oral ou escrita sobre determinado assunto: *Temos* comunicação *mensal das ocorrências.* **8.** Participação ou aviso de fato ocorrido ou por ocorrer: comunicação *de casamento, de falecimento.* **9.** Convivência, trato, convívio: *Prefiro não ter* comunicação *nenhuma com ele.* **10.** Caminho de acesso ou de ligação; passagem; passadouro. **11.** *Eng. Eletrôn.* Transmissão de informação de um ponto a outro por meio de sinais em fios, ou de ondas eletromagnéticas. **12.** *Teor. Inf.* Transmissão de mensagem entre uma fonte e um destinatário, distintos no tempo e/ou no espaço, utilizando um código comum. [Cf. *sistema de comunicação.*] ~ V. *comunicações.* ◆ **Comunicação de massa.** *Teor. Inf.* Comunicação social dirigida a uma ampla faixa de público, anônimo, disperso e heterogêneo, atingindo simultaneamente (ou a breve trecho) uma grande audiência, graças à utilização dos meios de comunicação de massa [q. v.]. **Comunicação humana.** *Teor. Inf.* Comunicação social, própria dos seres humanos, baseada em sistemas de signos (a linguagem falada, v.g.), em oposição à comunicação baseada em sistemas de instruções ou comandos, como a que se faz entre animais ou máquinas. **Comunicação interpessoal.** *Teor. Inf.* Comunicação direta estabelecida entre dois ou mais indivíduos, por meio da fala frente-a-frente, carta, telefone, etc. **Comunicação não verbal.** *Teor. Inf.* Comunicação baseada em sistemas de significação independentes da linguagem falada, como a mímica, a pictografia, a música, etc. **Comunicação social.** *Teor. Inf.* **1.** Processo de comunicação de caráter indireto e mediato, estabelecido no seio da sociedade, por meio de jornal, revista, teatro, rádio, cinema, propaganda, etc. **2.** Atividade profissional que se ocupa dessa comunicação. **3.** Comunicação de massa. **4.** Comunicação humana. **Comunicação verbal.** *Teor. Inf.* Comunicação através da linguagem falada ou de sua forma escrita. **Comunicação visual.** *Teor. Inf.* **1.** Comunicação que se utiliza de canal visual para transmissão de mensagens. **2.** Programação visual (1).

comunicacional. *Adj. 2 g.* Relativo à comunicação.

comunicações. [Pl. de *comunicação.*] *S. f. pl.* **1.** Os meios de transporte fluvial, marítimo, rodoviário, aéreo, etc.: *Com a enchente se interromperam as comunicações entre as duas cidades.* **2.** O conjunto dos meios técnicos de comunicação (11); telecomunicações. ~ V. *comunicação.*

comunicado. [Part. substantivado de *comunicar.*] *S. m.* **1.** Escrito ou artigo dirigido a jornal, revista, etc., e geralmente de interesse particular. **2.** Aviso ou informação transmitida oficialmente.

comunicador (ô). [Do lat. *communicatore.*] *Adj.* **1.** Que comunica. ● *S. m.* **2.** Aquele que comunica. **3.** Apresentador e animador de um programa de rádio, de televisão, de espetáculos, etc. **4.** *P. ext.* Comunicólogo (2).

comunicante. [Do lat. *communicante.*] *Adj. 2 g.* Que comunica; transmissor, comunicador.

comunicar. [Do lat. *communicare.*] *V. t. d.* **1.** Fazer saber; tornar comum; participar: *comunicar idéias, pensamentos, propósitos; "Tristão escreveu comunicando a mudança de carreira"* (Machado de Assis, *Memorial de Aires*, p. 36). **2.** Pôr em contato ou relação; estabelecer comunicação entre; ligar, unir: *Um túnel secreto comunicava os dois castelos. T. d. e i.* **3.** Fazer saber; tornar comum; participar: *Na carta comunica ao amigo a sua decisão.* **4.** Estabelecer relação; ligar, unir: *O Canal do Panamá comunica o Oceano Pacífico com o Atlântico.* **5.** Transmitir, difundir: *Comunica o seu entusiasmo a quantos o cercam.* **6.** Pegar por contágio; transmitir: *Comunicou a virose a toda a família.* **7.** Dar; conceder, doar: *Grande paz a notícia lhe comunicou.* **8.** Conferir, transmitir, dar: "o fim trágico do judeu comunica às suas páginas [de Antônio José, o Judeu] alegres e juvenis um reflexo de simpática melancolia" (Machado de Assis, *Relíquias de Casa Velha*, p. 152). *T. i.* **9.** Dar passagem: "Nos jardins do palácio dos Távoras, em Lisboa .... — havia um pavilhão de verão, que comunicava com o corpo do edifício por uma extensa galeria de madeira." (Júlio Dantas, *Abelhas Doiradas*, p. 140.) **10.** Ter comércio ou entendimento; entender-se, tratar: *Não vê o amigo há anos, nem tem meios de comunicar com ele. Int.* **11.** Estabelecer comunicação, entendimento; conversação, convívio: "ergueu cortesmente de sobre o longo cabelo .... o seu bonezinho de seda preta. Eu saudei com o meu capacete de cortiça; e comunicamos." (Eça de Queirós, *A Relíquia*, p. 93); "Quem não comunica se trumbica." (Abelardo Barbosa, 'o Chacrinha'). *P.* **12.** Tornar-se comum; transmitir-se, propagar-se: *A alegria comunicou-se a todos os presentes.* **13.** Pegar ou transmitir-se por contágio. **14.** Travar ou manter entendimento; entender-se, dialogar (3) [q. v.]: *Dar-se-ão bem no trabalho de equipe: são pessoas que se comunicam.* [Conjug.: v. *trancar.*]

comunicativo. [Do lat. *communicativu.*] *Adj.* **1.** Que se comunica facilmente; expansivo: "o Conde de Ficalho era uma criatura reservada, glacial, protocolar, pouco comunicativa, nada acessível" (Júlio Dantas, *Abelhas Doiradas*, pp. 146-147). **2.** Que se comunica, se transmite, se propaga: "Um riso geral, comunicativo, absoluto, abafava o barulho da louça quebrando-se contra as pedras." (Aluísio Azevedo, *O Cortiço*, p. 129.)

comunicável. [Do lat. *communicabile.*] *Adj. 2 g.* **1.** Que se pode comunicar: "A poesia é intraduzível mas é comunicável." (Guilherme Figueiredo, *Despropósitos*, p. 71.) **2.** Expansivo, franco.

comunicólogo. [De *comunic(ar)* + *-o-* + *-logo.*] *S. m.* **1.** Designação genérica de bacharel em Comunicação Social, particularmente daquele com habilitação em cinema, rádio, televisão: *comunicólogo em televisão.* **2.** Especialista em comunicação; comunicador.

comunidade. [Do lat. *communitate.*] *S. f.* **1.** Qualidade ou estado do que é comum; comunhão: *Há entre eles comunidade de interesses.* **2.** Concordância, conformidade, identidade: *comunidade de sentimentos.* **3.** Posse, obrigação ou direito em comum. **4.** O corpo social; a sociedade: *As leis atingem toda a comunidade.* **5.** Qualquer grupo social cujos membros habitam uma região determinada, têm um mesmo governo e estão irmanados por uma mesma herança cultural e histórica. **6.** Qualquer conjunto populacional considerado como um todo, em virtude de aspectos geográficos, econômicos e/ou culturais comuns: *a comunidade latino-americana.* **7.** Grupo de pessoas considerado, dentro de uma formação social complexa, em suas características específicas e individualizantes: *a comunidade dos comerciantes.* **8.** Grupo de pessoas que comungam uma mesma crença ou ideal: *a comunidade católica.* **9.** Grupo de pessoas que vivem submetidas a uma mesma regra religiosa. **10.** *P. ext.* Local por elas habitado. **11.** *Biol. Ger.* Conjunto de populações animais e vegetais em uma mesma área, formando um todo integrado e uniforme. **12.** *Sociol.* Agrupamento que se caracteriza por forte coesão baseada no consenso espontâneo dos indivíduos.

comunismo. *S. m.* **1.** Qualquer sistema econômico e social baseado na propriedade coletiva. **2.** Sistema social, político e econômico desenvolvido teoricamente por Karl Marx [v. marxismo], e proposto pelos partidos comunistas como etapa posterior ao socialismo. **3.** Qualquer doutrina social, política e econômica que proponha alguma forma de propriedade coletiva dos meios de produção. **4.** Política ou doutrina dos partidos comunistas. **5.** O conjunto dos comunistas, suas organizações, seu programa e sua atuação política. [Cf. *castrismo, leninismo, marxismo-leninismo, maoísmo, stalinismo* e *trotskismo.*]

comuníssimo. [Do lat. *communissimu.*] *Adj.* Superl. abs. sint. de *comum.*

comunista. *Adj.* **1.** Do, ou pertencente ou relativo ao, ou próprio do comunismo: *a ideologia comunista.* **2.** Diz-se de militante do Partido Comunista ou de sectário do comunismo. ● *S. 2 g.* **3.** Militante de um partido comunista ou sectário do comunismo. [Sin. (bras., pop.) nesta acepç.: *comuna.*]

comunitário. [Do lat. *communitariu, por haplologia.] *Adj.* Respeitante à comunidade, considerada quer como estrutura fundamental da sociedade, quer como tipo ou forma específica de agrupamento.

comunização. *S. f.* Ato ou efeito de comunizar(-se).

comunizante. *Adj. 2 g.* Que simpatiza com o comunismo, ou tende para ele; esquerdizante: *idéias comunizantes.*

comunizar. [De *comun(ismo)* + *-izar.*] *V. t. d.* **1.** Tender ou fazer tender ao comunismo. *P.* **2.** Imbuir-se de idéias comunistas; pô-las em prática.

comutação. [Do lat. *commutatione.*] *S. f.* **1.** Ato ou efeito de comutar. **2.** Atenuação de pena. **3.** Substituição, permutação. **4.** *Gram.* Metátese. **5.** *Eng. Elétr.* Processo mecânico em que se converte a corrente alternada que flui na armadura de um gerador em corrente contínua de saída do gerador. **6.** *Eng. Elétr.* Processo mecânico ou eletrônico, em que se interrompe repetitiva e seqüencialmente um pulso. **7.** *Mat.* Inversão da ordem com que se efetua uma operação entre dois elementos de um conjunto.

comutador (ô). *Adj.* **1.** Que comuta. ● *S. m.* **2.** Aquele que comuta. **3.** *Fís.* Interruptor (3). [Cf. (nesta acepç.) *comutador* (6).] **4.** *Alg. Mod.* Elemento que se forma a partir de dois elementos de um grupo, antemultiplicando o seu produto pelo produto dos seus inversos. **5.** *Mat.* Operador que se forma a partir de dois outros, formando-se a diferença entre os seus produtos numa ordem e na ordem inversa. **6.** *Eng. Elétr.* Parte de um gerador de corrente contínua que faz o contato elétrico com as escovas, liga os condutores da armadura ao circuito externo e realiza a comutação. [Cf., nesta acepç.: *interruptor* (3).]

comutar. [Do lat. *commutare.*] *V. t. d. e i.* **1.** Permutar; trocar: *Costuma comutar a sua colheita com o vizinho.* **2.** Substituir (pena, castigo) por outro menor; atenuar. **3.** *Mat.* Efetuar a comutação de (dois elementos de um conjunto).

comutatividade. [De *comutativo* + *-i-* + *-dade.*] *S. f. Mat.* Propriedade de uma operação cujo resultado independe da ordem em que os elementos são operados.

comutativo. *Adj.* **1.** Que comuta. **2.** Relativo à troca. ~ V. *anel* —, *contrato* —, *grupo* — e *operação* —*a*.

comutável. *Adj. 2 g.* Que se pode comutar.

▲**con-.** V. *co-*[1].

cona. *S. f. Chulo.* Vulva; cono.

conabi. [Do tupi *kuna'bi.*] *S. m. Bras., AM* a *SP.* Arbusto da família das euforbiáceas (*Phyllanthus conami*) de casca pardacenta, amarga e tida por medicinal, flores apétalas, numerosas, dispostas nas axilas de folhas, e fruto capsular, verde, com sementes vermelho-escuras e luzidias. [Var.: *canabi, conami, conambi.*]

conação. [Do lat. *conatione.*] *S. f. Psicol.* Tendência consciente para atuar.

conairó. *S. m. Bras., Amaz.* Conairu.

conairu. [De possível or. tupi.] *S. m. Bras.* Pequeno peixe teleósteo, siluriforme, da família dos pimelodídeos (*Pimelodella insignis* Schomb.), da Amaz. e Guianas; conairó.

conambi. *S. m. Bras.* V. *conabi.*

conambim. *S. m. Bras., Amaz.* Arbusto alto, da família das compostas (*Clibadium surinamense*), de flores alvacentas, de desagradável odor e reunidas em capítulos e fruto aquênio; cunambi.

conami. *S. m. Bras.* V. *conabi.*

conarácea. *S. f.* Espécime das conaráceas.

conaráceas. *S. f. pl. Bot.* Família de plantas superiores formada de árvores e trepadeiras com folhas alternas e compostas. Androceu com dois verticilos de estames; fruto: cápsula monosperma, que se abre por uma fenda. Há cerca de 250 espécies, habitantes das terras tropicais, possuindo o Brasil número apreciável.

conaráceo. *Adj.* Pertencente ou relativo às conaráceas.

conativo. *Adj.* ~ V. *função* —*a*.

conato. [Do lat. *conatu.*] *Adj.* **1.** V. *congênito* (2). **2.** *Bot.* V. *concrescente: brácteas conatas.*

conatural. *Adj. 2 g.* **1.** Conforme a natureza de outro(s). **2.** V. *congênito* (2).

conca. [Do gr. *kógche*, pelo lat. *concha.*] *S. f.* **1.** Concha da orelha. **2.** *Ant.* Pedra ou pedaço de tijolo arredondado, para jogar malha [cf. *malha*[4] (4)]: *jogo da conca.* **3.** *Ant.* Tigela. **4.** *Bras., Amaz.* Espata de palmeira.

concameração. [Do lat. *concameratione.*] *S. f.* Parte arqueada de edifício.

concani. *S. m.* Dialeto da língua marata, que deu ao português numerosas palavras por ser falado no antigo Concão, região da Índia onde se acha Goa, ex-província ultramarina portuguesa. [Var.: *concanim.*]

concanim. *S. m.* Var. de *concani.*

concanizar. *V. t. d.* Adaptar (um vocábulo) ao concani.

concassor (ô). [Do fr. *concasseur.*] *S. m. Bras.* Certa máquina primitiva para beneficiamento do café.

concatenação. [Do lat. *concatenatione.*] *S. f.* Ato ou efeito de concatenar; concatenamento.

concatenamento. *S. m.* Concatenação.

concatenar. [Do lat. *concatenare.*] *V. t. d.* **1.** Prender, ligar; encadear: *concatenar idéias.* **2.** Estabelecer relação entre; relacionar: *Desnorteado, mal podia concatenar os fatos.*

concausa. [De *con-* + *causa.*] *S. f.* Causa concomitante.

concavar. [Do lat. *concavare.*] *V. t. d.* Tornar côncavo. [Pres. ind.: *concavo*, etc. Cf. *côncavo.*]

concavidade. [Do lat. *concavitate.*] *S. f.* **1.** Qualidade do que é côncavo. **2.** Forma côncava. **3.** Cavidade, cova, côncavo, depressão. [Opõe-se a *convexidade.*]

concavifoliado. [Do lat. *concavu*, 'côncavo', + *-i-* + *-foli-* + *-ado*[1].] *Adj. Bot.* Que tem folhas côncavas.

côncavo. [Do lat. *concavu.*] *Adj.* **1.** Menos elevado no meio que nas bordas; cavado, escavado. **2.** Enfunado, pando: "Os ventos brandamente respiravam, / Das naus as velas côncavas inchando" (Luís de Camões, *Os Lusíadas*, I, 19). ~ V. *poliedro* —. [Opõe-se a *convexo.*] ● *S. m.* **3.** Concavidade, cavidade, cova: "despejando a água no côncavo da mão, pôs-se a banhar os olhos" (Coelho Neto, *Turbilhão*, p. 166). [Cf. *concavo*, do v. *concavar.*]

côncavo-convexo. *Adj.* Côncavo de um lado e convexo do outro. [Pl.: *côncavo-convexos.*]

conceber. [Do lat. *concipere.*] *V. t. d.* **1.** Formar [o embrião (1)], pela fecundação do óvulo; gerar. **2.** Sentir em si o germe de (uma criação intelectual): *conceber um poema, um quadro, uma sinfonia.* **3.** Formar no espírito ou no coração: *conceber um pensamento, uma paixão.* **4.** Compreender, entender: *Ninguém concebia a dor daquele homem ordinariamente insensível.* **5.** Figurar; imaginar: "Olhemos o vôo dos passarinhos. A olhá-los, cortando os ares, gráceis, quase imateriais, nunca poderíamos conceber a fealdade." (Patrícia Joyce, *Anúncio de Casamento*, p. 142.) **6.** Explicar, interpretar: *Seu sentimento religioso concebe essa atitude resignada. Transobj.* **7.** Figurar; imaginar: *Ninguém o concebia tão notável governante como veio a revelar-se. Int.* **8.** Ser fecundada: "no íntimo, um dos seus desgostos era o não haver concebido. Gostava de crianças" (Mário Sete, *Senhora de Engenho*, p. 110).

concebimento. *S. m. P. us.* Ato ou efeito de conceber; concepção.

concebível. *Adj. 2 g.* Que se pode conceber; conceptível.

concedente. [Do lat. *concedente.*] *Adj. 2 g.* e *s. 2 g.* Que ou quem concede.

conceder. [Do lat. *concedere.*] *V. t. d.* **1.** Permitir, facultar: *O juiz concedeu que o réu interviesse na defesa.* **2.** Dar, outorgar: *conceder uma licença;* "Os jesuítas concederam-lhe a melhor hospitalidade" (Aquilino Ribeiro, *Portugueses das Sete Partidas,* p. 165). **3.** Admitir por hipótese: *Concedendo que ele tenha razão, permita-lhe explicar-se. T. d. e i.* **4.** Permitir, facultar. **5.** Dar, outorgar: *Cristo concedeu a Pedro o poder de governar a sua Igreja. T. i.* **6.** Concordar, convir, anuir: *O juiz concedeu em que se retirasse a queixa.*

concedido. [Part. de *conceder.*] *Adj.* Permitido, outorgado, dado, admitido.

concedível. *Adj. 2 g.* Que se pode conceder.

conceição. [Do lat. *conceptione.*] *S. f.* **1.** A concepção da Virgem Maria. **2.** A festa comemorativa dessa concepção. **3.** Antiga moeda portuguesa do tempo de D. João IV (1604-1656), que valia 12$000 (12 mil-réis).

conceiçãozense. *Adj. 2 g.* **1.** De, ou pertencente ou relativo a Conceição (PB). • *S. 2 g.* **2.** Natural ou habitante de Conceição.

conceicionense. *Adj. 2 g.* **1.** De, ou pertencente ou relativo a Conceição do Mato Dentro (MG). • *S. 2 g.* **2.** Natural ou habitante de Conceição do Mato Dentro.

conceicionista. *S. f.* Freira da Ordem da Conceição de Maria; concepcionista.

conceiçoense. *Adj. 2 g.* **1.** De, ou pertencente ou relativo a Conceição do Rio Verde (MG). • *S. 2 g.* **2.** Natural ou habitante de Conceição do Rio Verde.

conceito. [Do lat. *conceptu.*] *S. m.* **1.** *Filos.* Representação dum objeto pelo pensamento, por meio de suas características gerais. [Cf. *abstração* (2) e *idéia* (11).] **2.** Ação de formular uma idéia por meio de palavras; definição, caracterização: *O professor deu-nos um conceito de beleza absolutamente subjetivo.* **3.** Pensamento, idéia, opinião: *Emitiu conceitos reveladores de grande competência.* **4.** Noção, idéia, concepção: *Seu conceito de elegância está ultrapassado, meu caro.* **5.** Apreciação, julgamento, avaliação, opinião: *Não tenho conceito formado sobre este assunto; Com sua atitude correta na questão ele subiu no meu conceito.* **6.** *P. ext.* Avaliação de conduta e/ou aproveitamento escolar, etc. [Cf. *nota* (10).] **7.** Ponto de vista; opinião, concepção: *No meu conceito, a família agiu mal com o rapaz.* **8.** Reputação, fama: *Goza de bom conceito entre os colegas.* **9.** Máxima, sentença, provérbio. **10.** Parte de uma charada, um logogrifo, etc., na qual se dá a palavra ou frase que é a chave para a solução proposta. ♦ **Conceito absoluto.** *Lóg. Escolást.* Conceito de algo (qualidade ou relação) não submetido às condições limitativas do sujeito em que se realiza; conceito abstrato. Ex.: a sabedoria, a anterioridade. **Conceito abstrato.** *Lóg. Escolást.* Conceito absoluto. **Conceito indefinido.** *Lóg.* Conceito que exprime uma essência indeterminada. Ex.: não-homem.

conceituação. *S. f.* Ato ou efeito de conceituar.

conceituado. [Part. de *conceituar.*] *Adj.* **1.** De quem se formou algum conceito; avaliado. **2.** Que desfruta de bom conceito; bem-conceituado, bem considerado, bem reputado: "Joaquim era guarda-livros conceituado de um armazém de fazendas, no Recife." (Adalberon Cavalcanti Lins, *Curral Novo,* p. 271).

conceitual. *Adj. 2 g.* Conceptual. ~ V. *realismo* —.

conceitualismo. *S. m. Hist. Filos.* **1.** Doutrina segundo a qual os universais não existem em si mesmos, sendo construções do espírito; realismo conceitual. **2.** *Hist. Filos.* Doutrina segundo a qual as idéias são formas ou operações próprias do pensamento e não meros sinais que se aplicam igualmente a indivíduos diversos; realismo moderado. [Cf. *nominalismo.* F. paral.: *conceptualismo.*]

conceitualista. *Adj. 2 g.* **1.** Referente ao conceitualismo. **2.** Diz-se do sectário do conceitualismo. • *S. 2 g.* **3.** Sectário do conceitualismo. [F. paral.: *conceptualista.*]

conceituar. *V. t. d.* **1.** Formular conceito (3), de ou acerca de: *Freud conceituou o inconsciente.* **2.** Formar conceito (5) acerca de; julgar, avaliar: *É pessoa indicada para melhor conceituar os candidatos.* **3.** Concorrer para o bom ou mau conceito (3) de: *A dignidade do seu gesto conceituou-o excelentemente junto aos próprios adversários. Transobj.* **4.** Fazer conceito (3); formar opinião de; classificar: *Conceituam-no de erudito. T. i.* **5.** Avaliar, ajuizar: *Sabe conceituar dos homens e das coisas.*

conceituoso (ô). *Adj.* **1.** Em que há conceito. **2.** Sentencioso (2).

concelebração. *S. f.* Ato ou efeito de concelebrar.

concelebrado. [Part. de *concelebrar.*] *Adj.* Que se concelebrou: "O Papa João Paulo II rezou ontem no Vaticano a maior missa concelebrada da história da Igreja, com a participação de mais de seis mil padres de 60 países." (*O Globo,* 1.5.1982.)

concelebrante. *S. m.* Cada um daqueles que concelebram; cooficiante.

concelebrar. [Do lat. *concelebrare.*] *V. t. d.* **1.** Celebrar (ofício religioso) juntamente com outro(s) sacerdote(s). *Int.* **2.** Celebrar ofício religioso juntamente com outro(s) sacerdote(s). [Sin. ger.: *cooficiar.*]

concelheiro. *Adj. Lus.* Concelhio. [Cf. *conselheiro.*]

concelhio. *Adj. Lus.* Do concelho, ou relativo a ele; concelheiro.

concelho (ê). [Do lat. *conciliu.*] *S. m. Lus.* **1.** Circunscrição administrativa de categoria imediatamente inferior ao distrito, do qual é divisão. **2.** V. *município* (1). [Cf. *conselho.*]

concento. [Do lat. *concentu.*] *S. m.* Consonância, harmonia.

concentração. *S. f.* **1.** Ato ou efeito de concentrar(-se). **2.** *P. ext.* Estado de quem se concentra ou absorve num assunto ou matéria: *Nada o fazia abstrair-se de sua concentração.* **3.** *Bras. Esport.* Reunião de atletas à vespera de uma partida (geralmente em hotel ou clube retirado do centro), a fim de repousarem e receberem instruções. **4.** *Quím.* Medida da composição dum sistema com vários componentes. ♦ **Concentração de saturação.** *Quím.* Concentração de uma solução que está em equilíbrio com o soluto puro. **Concentração galáctica.** *Astr.* Conjunto formado pela matéria em torno do centro galáctico.

concentrado. [Part. de *concentrar.*] *Adj.* **1.** Reunido em um centro; centralizado. **2.** Limitado, apertado. **3.** Latente, dissimulado, oculto. **4.** Absorto, ensimesmado: "Teobaldo era detestado pelos colegas por ser muito desinsofrido e petulante; o outro por ser muito casmurro e concentrado." (Aluísio Azevedo, *O Coruja,* p. 20.) • *S. m.* **5.** Alimento do qual, por processo caseiro ou industrial, se retira a água ou parte dela, se reduz a consistência sólida ou pastosa e que, para ser utilizado, é em geral dissolvido em alimento ou líquido: *concentrado de tomate; concentrado de carne.* **6.** *Quím.* Qualquer sistema resultante do tratamento químico de um minério, e no qual a concentração do elemento que se deseja obter sob forma pura é maior que no minério original.

concentrador (ô). *Adj.* **1.** Que concentra. • *S. m.* **2.** Aquele ou aquilo que concentra.

concentrar. [De *con-* + *centro* + *-ar*[2].] *V. t. d.* **1.** Fazer convergir para um centro, ou para um mesmo ponto; centralizar, encentrar: *aparelho que concentra os raios luminosos; concentrar esforços.* **2.** Reunir em um mesmo centro ou ponto: *O general concentrou as tropas para lhes dar as últimas instruções.* **3.** Tornar mais denso, mais forte, mais ativo, etc.: *concentrar um molho, uma bebida.* **4.** *Quím.* Aumentar a proporção de (substância dissolvida). **5.** *Bras. Esport.* Promover a concentração (3) de. *T. d. e i.* **6.** Aplicar, empregar, dirigir (o pensamento, a atenção, o sentimento, etc.) de modo intenso ou exclusivo: *Concentra nos filhos todo o amor.* **7.** Reunir, agrupar: *Concentrou os poderes públicos em um governo forte. P.* **8.** Aplicar a atenção a algum assunto; meditar profundamente; absorver-se: "cismo, concentro-me e não dou resposta à minha ânsia!" (Geraldo França de Lima, *Branca Bela,* p. 69). **9.** Convergir, dirigir-se (para um centro). **10.** *Bras. Esport.* Ficar em concentração (3).

concentricidade. *S. f.* Qualidade ou estado de concêntrico.

concêntrico. [De *con-* + *centro* + *-ico*[2].] *Adj. Geom.* Que tem o mesmo centro; homocêntrico: "as sardinhas .... faziam às vezes estremecer a toalha do rio em pequenos círculos concêntricos" (Inglês de Sousa, *O Missionário,* p. 254).

concepção. [Do lat. *conceptione.*] *S. f.* **1.** O ato ou efeito de conceber ou de gerar (no útero); geração. **2.** O ato de conceber ou criar mentalmente, de formar idéias, especialmente abstrações: *a concepção de um princípio filosófico, de uma teoria matemática.* **3.** *P. ext.* Maneira de conceber ou formular uma idéia original, um projeto, um plano, para posterior realização: *A concepção urbanística de Brasília é do arquiteto brasileiro Lúcio Costa.* **4.** Noção, idéia, conceito, compreensão: *Sua concepção de autoridade está baseada nos moldes tradicionais.* **5.** Modo de ver, ponto de vista; opinião, conceito: *Na minha concepção vocês agiram de maneira impensada.*

concepcionário. [Do lat. *conceptione,* 'conceição', + *-ário.*] *S. m. Rel.* Defensor do dogma da conceição imaculada da Virgem Maria.

concepcionista. *S. f.* Conceicionista.

conceptacular. *Adj. 2 g. Bot.* Relativo ao conceptáculo: *paráfises conceptaculares.*

conceptáculo. [Do lat. *conceptaculu.*] *S. m. Bot.* **1.** Órgão urceolado onde se formam os propágulos nas hepáticas. **2.** Órgão esférico mergulhado no talo de muitas algas, e que se abre para o exterior por um ostíolo. Em seu interior formam-se os órgãos reprodutivos.

conceptibilidade. *S. f.* Qualidade de conceptível.

conceptível. *Adj. 2 g.* Concebível.

conceptivo. [Do lat. *conceptivu.*] *Adj.* Próprio para ser concebido.

conceptual. [Do lat. *conceptu,* 'conceito', + *-al.*] *Adj. 2 g.* **1.** Próprio para a concepção. **2.** Referente a, ou em que há concepção. [F. paral.: *conceitual.*]

conceptualismo. *S. m.* Conceitualismo [q. v.].

conceptualista. *Adj. 2 g.* e *s. 2 g.* Conceitualista.

concernência. [Do lat. *concernentia.*] *S. f.* Qualidade de concernente; relação.

concernente. [Do lat. *concernente.*] *Adj. 2 g.* Que concerne; relativo, atinente, referente: "De todos os dados, ... limitemo-nos a recolher os concernentes àqueles vultos que vivem na história do país" (Alberto Rangel, *Textos e Pretextos,* p. 24).

concernir. [Do lat. *concernere.*] *V. t. i.* Dizer respeito; ter relação; referir-se: *O ensino desta matéria não lhe concerne, e sim ao seu colega matemático;* "No que concerne às coisas do espírito, anotarei que nessa época passei a freqüentar a casa do Mestre Eufrosino, precursor de Hermes Trismegisto nos estudos sobre Santana." (Ciro dos Anjos, *A Menina do Sobrado,* p. 131). [Irreg. Conjug.: v. *aderir,* é us. quase só nas 3as pess.]

concertado. [Part. de *concertar.*] *Adj.* **1.** Brando, calmo, sereno. **2.** Apurado, estudado. **3.** Modesto, composto. **4.** *Jur.* Conferido, confrontado, cotejado. [Cf. *consertado.*] ~ V. *terreno* —.

concertador (ô). *Adj.* e *s. m.* Que ou aquele que concerta. [Cf. *consertador.*]

concertamento. *S. m.* Ato ou efeito de concertar; concerto. [Cf. *consertamento.*]

concertante. [Do it. *concertante.*] *Adj. 2 g. Mús.* **1.** Que toma parte num concerto (7). **2.** Diz-se da música que explora efeitos contrastantes provenientes da associação de instrumentos solistas entre si, ou de um pequeno grupo de solistas com a orquestra, ou de grupos instrumentais diversos. **3.** Diz-se do solista, ou do instrumento considerado como tal, que executa papel importante num conjunto musical: *tenor concertante; trompete concertante.* ~ V. *missa* — e *sinfonia* —. • *S. m.* **4.** Trecho musical em que todas as partes (solistas, coros, orquestra, etc.) se fazem ouvir simultânea e alternadamente.

concertar. [Do lat. *concertare.*] *V. t. d.* **1.** Pôr em boa ordem; dar melhor disposição a; compor, ajustar, endireitar: "examinou as luvas, concertou a gravata" (Machado de Assis, *Histórias Românticas,* p. 263). **2.** Harmonizar, conciliar: *É hábil em concertar opiniões divergentes;* "Longo foi o debate; nenhuma opinião chegava a concertar os espíritos." (Machado de Assis, *Histórias sem Data,* p. 18). **3.** Decidir por concerto (3); pactuar; ajustar; combinar: *Concertamos uma viagem que infelizmente não se realizou;* "Àquela noite Menino de Asas e seus pais ficaram ao pé do fogo concertando planos para o futuro." (Homero Homem, *Menino de Asas,* p. 46). **4.** Fazer soar: *concertar hinos.* **5.** Ornar, enfeitar. *T. d. e i.* **6.** Ajustar, combinar: *Concertou o encontro com o amigo, porém faltou. T. i.* **7.** Ajustar, combinar, deliberar; concordar: *Todos concertaram em adiar a reunião.* **8.** Ser conforme; concordar, harmonizar-se: *Suas opiniões concertam com as minhas. Int.* **9.** Soar acordemente, em concerto (5): *vozes que concertam. P.* **10.** Entrar em concerto (3 e 4); harmonizar-se, ajustar-se, concordar: *Após a intervenção do comandante a tripulação concertou.* [Pres. ind.: *concerto,* etc. Cf. *concerto* (ê), *conserto* e *consertar.*]

concertina. [Do fr. *concertina.*] *S. f. Mús.* Instrumento da família do acordeão [q. v.], mas com caixa hexágona e teclado de pequenos botões. [Sin. bras.: *cordeona, sanfona, gaita, harmônica.*]

concertino. *S. m. Mús.* **1.** Pequeno concerto. **2.** Parte de uma orquestra (o grupo de solistas de um concerto grosso, p. ex.).

concertista. [Do it. *concertista.*] *S. 2 g.* Pessoa que dá concertos.

concerto (ê). [Do it. *concerto.*] *S. m.* **1.** Ato ou efeito de concertar. **2.** Comparação, cotejo, confronto. **3.** Combinação, ajuste. **4.** Harmonia, acordo. **5.** Consonância de instrumentos, ou de vozes no canto; harmonia: "Entra o galo e faz com a cigana um concerto de vozes, que me acorda inteiramente." (Machado de Assis, *A Semana*, II, p. 10.) **6.** *Mús.* Composição musical extensa para um instrumento solista, com acompanhamento de orquestra. **7.** Espetáculo em que se executam obras musicais. [Cf., nesta acepç.: *recital.* Pl.: *concertos* (ê). Cf. *concerto*, do v. *concertar; conserto*, do v. *consertar;* e *conserto* (ê), s.m.] ♦ **Concerto grosso.** *Mús.* Composição na qual um pequeno grupo de instrumentos solistas (o *concertino*) se opõe ao grosso da orquestra (o *tutti*), ou por vezes se funde com ele.

concessão. [Do lat. *concessione.*] *S. f.* **1.** Ação de conceder; permissão, consentimento. **2.** Ato de ceder do seu direito, do seu ponto de vista, em favor de outrem; condescendência: *Para viverem bem, fazem muitas concessões.* **3.** *Econ.* Privilégio que o governo concede a uma empresa para que explore, em regime de monopólio, um serviço de utilidade pública. **4.** *Econ.* Privilégio concedido pelo Estado a uma empresa ou indivíduo para que explore, mediante contrato, recursos naturais cuja propriedade, segundo a Constituição, não pode ser privada.

concessionária. [Fem. substantivado de *concessionário.*] *S. f. Econ.* Empresa a que foi outorgada uma concessão (3 e 4).

concessionário. *Adj.* e *s. m.* Que ou aquele que obtém uma concessão.

concessiva. [Fem. substantivado do adj. *concessivo.*] *S. f.* Conjunção concessiva.

concessível. *Adj. 2 g.* Que pode ser concedido.

concessivo. [Do lat. *concessivu.*] *Adj.* Referente a concessão; concessório. ~ V. *conjunção —a.*

concessor (ô). *S. m.* Aquele que concede.

concessório. *Adj.* Concessivo.

concha. [Do lat. *conchula*, atr. de **concla.*] *S. f.* **1.** Designação comum às valvas dos lamelibrânquios. **2.** Invólucro calcário ou córneo de certos animais, especialmente os moluscos, que tem a face interna revestida de madrepérola, utilizada no fabrico de botões, objetos de adorno, etc. [Sin. (bras.): *itã, sambá, tambá.*] **3.** Qualquer objeto ou utensílio de feitio análogo ao da concha (2). **4.** Prato de balança. **5.** Parte côncava, forrada de camurça, das chaves dos instrumentos de sopro. [V. *sapata* (9).] **6.** *Anat.* Cavidade da face externa do pavilhão da orelha, na qual está situado o orifício do conduto auditivo externo. **7.** Utensílio semelhante à concha (2), arredondado e côncavo, cujo tamanho e profundidade variam segundo o fim a que se destina, como servir sopa, certas iguarias pastosas ou servidas com o próprio caldo, como o feijão, etc. [Sin. (nesta acepç.) p. us.: *caço.*] **8.** *Tip.* Receptáculo situado abaixo do ponto de transferência das matrizes, do primeiro elevador para o guindaste da linotipo, e que serve para receber as matrizes sem endentado. **9.** *Bras., S. Chulo.* A vulva. ~ V. *conchas.* ♦ **Concha acústica.** *Arquit.* Abóbada formada por um quarto de esfera, ou por paredes côncavas, destinada a dirigir os sons refletidos.

conchado. [De *concha* + *-ado*[1].] *Adj.* Em forma de concha.

conchalense. *Adj. 2 g.* **1.** De, ou pertencente ou relativo a Conchal (SP). ● *S. 2 g.* **2.** Natural ou habitante de Conchal.

conchamblança. [De *conchavo*, certamente.] *S. f. Bras., N.E.* e *S. Gír.* Acordo, ajuste, combinação, conchavo.

conchar. *V. t. d.* Conchear.

concharia. *S. f.* Grande porção de conchas.

conchas. *S. f. pl.* Fôrma para fundir bocas-de-fogo. ~ V. *concha.*

conchavado. [Part. de *conchavar.*] *Adj.* **1.** Que se conchavou, que fez conchavo. ● *S. m.* **2.** Aquele que se conchavou. **3.** *Bras., RS.* Trabalhador assalariado. **4.** *Bras., RS.* Peão[2] de estância.

conchavador (ô). *S. m.* Aquele que conchava, que ajusta.

conchavar. [Do lat. *conclavare.*] *V. t. d.* **1.** Unir, ligar, juntar, ajuntar. **2.** Combinar, ajustar, acertar: *conchavar um encontro; Após longos entendimentos, conchavaram o negócio.* **3.** *Bras., S.* Contratar os serviços de. **4.** Meter, encaixar. *Int.* **5.** Fazer conchavo (2 e 3). *P.* **6.** Conluiar-se, mancomunar-se: *Conchavaram-se para trair o amigo.* **7.** *Bras.* Entrar para o serviço de propriedade rural ou de uma casa qualquer; assalariar-se, alugar-se.

conchavo. [Dev. de *conchavar.*] *S. m.* **1.** Ato de conchavar. **2.** Combinação, acordo, ajuste. **3.** Maquinação, trama, conluio. **4.** *Bras., S.* Emprego ou serviço doméstico.

concheado. [De *concha* + *-eado.*] *Adj.* **1.** Que tem concha, como os moluscos, em geral os quelônios; conchudo. **2.** Que tem a forma de uma concha (2); conchudo. **3.** Coberto ou revestido de conchas [v. *concha* (2)].

conchear. *V. t. d.* Ornar ou revestir de conchas; conchar. [Conjug.: v. *frear.*]

conchegado. [Part. de *conchegar.*] *Adj.* **1.** Muito chegado ou aproximado; posto em contato. **2.** *Fig.* Agasalhado, confortado. **3.** *Bras., SP.* Diz-se de pessoa ou animal de membros curtos, grossos e fortes; atarracado.

conchegar. [De *cóm* + *chegar.*] *V. t. d.* **1.** Chegar, aproximar: *Conchegou sua cadeira para melhor ouvir.* **2.** Arranjar, compor, ajeitar, chegando a si: *Conchegou a gola do casaco; Conchegou bem os lençóis. T. d.* e *i.* **3.** Chegar, aproximar: "Aproximou-se de Luísa, tomou-a nos braços, conchegou-a ao seio, e depôs-lhe nos lábios um beijo de amor." (Franklin Távora, *O Cabeleira*, p. 242.); *Conchegou do rosto a capa. P.* **4.** Achegar-se, unir-se. **5.** Chegar-se, buscando conforto ou agasalho; achegar-se; acomodar-se: "—Ela acordou, murmurou Jana, explicando a demora e conchegando-se na sombra" (Xavier Marques, *Jana e Joel*, p. 81). **6.** Abrigar-se, abafar-se, agasalhar-se. [F. paral.: *aconchegar.* Conjug.: v. *chegar.*]

conchegativo. *Adj.* Que proporciona conchego (2).

conchego (ê). [Dev. de *conchegar.*] *S. m.* **1.** Ato de conchegar. **2.** Comodidade, conforto, agasalho: "A própria produção de idéias necessita o inverno, o conchego pensativo dos fogões acesos e céus velados" (Eça de Queirós, *Cartas Familiares e Bilhetes de Paris*, p. 168). **3.** Pessoa que protege; amparo. [Var.: *aconchego.*]

concheira. [De *concha* + *-eira.*] *S. f. Bras., SP* e *SC.* V. *sambaqui.*

conchense. *Adj. 2 g.* **1.** De, ou pertencente ou relativo a Conchas (SP). ● *S. 2 g.* **2.** Natural ou habitante de Conchas.

▲**conchi-.** [De *concha.*] *El. comp.* = 'concha': *conchífero.*

conchífero. [De *conchi-* + *-fero.*] *Adj.* Que tem conchas: *praia conchífera.*

concho. [De *concha.*] *Adj. Pop.* **1.** Confiante em si. **2.** Cheio de si; vaidoso, ancho: "muito concho, ufana dos seus galões de prata e oiro ...., caminhava .... no meio do cordão das irmandades religiosas" (Aluísio Azevedo, *O Mulato*, p. 18). [Sin. ger.: *conchudo* (2).]

conchóide. [De *concha* + *-óide.*] *S. f. Geom.* V. *conchóide de Nicomedes.* ♦ **Conchóide da reta.** *Geom.* V. *conchóide de Nicomedes.* **Conchóide de Nicomedes.** *Geom.* Lugar geométrico plano descrito por um ponto que pertence a uma reta girante em torno de um ponto fixo, e que está a uma distância constante da interseção dessa reta com outra reta fixa que não passa pelo ponto fixo; conchóide, conchóide da reta, concóide.

conchoso (ô). *Adj.* Abundante em conchas.

conchostráceo. *Adj. S. m.* **1.** Espécime dos conchostráceos. ● *Adj.* **2.** Pertencente ou relativo a eles.

conchostráceos. *S. m. pl. Zool.* Animais artrópodes, crustáceos, branquiópodes, da ordem *Conchostraca*, de carapaça bivalve protegendo o corpo, somitos em número de 19 ou 20, e olhos sésseis.

conchudo. *Adj.* **1.** Concheado (1 e 2). **2.** V. *concho.*

concidadã. *S. f.* Fem. de *concidadão* [q. v.].

concidadão. [De *com-* + *cidadão.*] *S. m.* Certa pessoa que, em relação a outra, é da mesma cidade ou do mesmo país: "O grande mestre ateniense [Demóstenes] era um popular, que num estado democrático tinha apenas na palavra entusiástica e dominadora o segredo de sua influência sobre os seus concidadãos." (Latino Coelho, *A Oração da Coroa*, p. IX.) [Flex.: *concidadã, concidadãos, concidadas.*]

conciliabilidade. *S. f.* Qualidade de conciliável.

conciliábulo. [Do lat. *conciliabulu.*] *S. m.* **1.** Concílio de heréticos ou cismáticos. **2.** Concílio de prelados católicos realizado sem convocação legítima e confirmação papal. **3.** Assembléia secreta, de intenções malévolas. **4.** Conluio, conventículo: "Chamavam-se a conciliábulos vários políticos graduados, alguns deles saídos da cadeia." (Tobias Monteiro, *O Presidente Campos Sales na Europa*, p. LVII.)

conciliação. [Do lat. *conciliatione.*] *S. f.* **1.** Ato ou efeito de conciliar(-se). **2.** Harmonização de litigantes ou pessoas desavindas.

conciliador (ô). [Do lat. *conciliatore.*] *Adj.* **1.** Propenso a conciliar ânimos, opiniões; conciliante, conciliativo: *temperamento conciliador.* **2.** Propenso ou disposto a conciliar ânimos, opiniões: *Homem conciliador, é ele quem resolve os dissídios da família.* ● *S. m.* **3.** Indivíduo conciliador (2).

conciliante. [Do lat. *conciliante.*] *Adj. 2 g.* V. *conciliador* (1).

conciliar[1]. [De *concílio* + *-ar*[1].] *Adj. 2 g.* Referente a concílio.

conciliar[2]. [Do lat. *conciliare.*] *V. t. d.* **1.** Pôr em boa harmonia; pôr de acordo; congraçar; reconciliar: *conciliar pessoas desavindas.* **2.** Aliar, unir; combinar: *conciliar elementos.* **3.** Atrair, granjear, captar; conseguir: *Tudo faz para conciliar simpatias;* "Hora de dormir em Valles. Holanda, pelo excesso de cansaço, não consegue conciliar o sono." (Viana Moog, *Tóia*, p. 99). *T. d.* e *i.* **4.** Aliar, unir, combinar: *Concilia ternura com severidade.* **5.** Granjear, atrair: *Sua atuação no Congresso conciliou-lhe boa reputação. P.* **6.** Estar ou pôr-se de acordo; harmonizar-se, congraçar-se. **7.** Ficar em paz, em harmonia, consigo mesmo: "faço um gesto agressivo ou me ajoelho contrito, / entre extremos oscilo e não me concilio." (Mendonça Jr., *Poemas fora da Moda*, p. 31). [Pres. ind.: *concilio*, etc.; fut. pret.: *conciliaria*, etc. Cf. *concílio*, s. m., *consílio*, s. m., *conciliária*, fem. de *conciliário*, e *consiliária*, fem. de *consiliário.*]

conciliário. *Adj.* Relativo ou pertencente a concílio. [Fem.: *conciliária.* Cf. *conciliaria*, do v. *conciliar*, e *consiliário*, s. m., fem. *consiliária.*]

conciliativo. *Adj.* V. *conciliador* (1).

conciliatório. *Adj.* Que serve para, ou é destinado a conciliar: *atitude conciliatória.*

conciliável. *Adj. 2 g.* Que se pode conciliar.

concílio. [Do lat. *conciliu.*] *S. m.* Assembléia de prelados católicos em que se tratam assuntos dogmáticos, doutrinários ou disciplinares. [Cf. *concilio*, do v. *conciliar*, e *consílio*, s. m.] ~ V. *concílios.* ♦ **Concílio ecumênico.** *Rel.* Reunião de toda uma Igreja cristã, pela convocação de uma representação determinada, para definir e deliberar sobre pontos atinentes à missão que lhe é própria. [Na Igreja Católica Romana este concílio é convocado de tempo a tempo, segundo as necessidades de reforma, renovação ou expressão mais fiel ou autêntica de sua doutrina.]

concílios. [Pl. de *concílio.*] *S. m. pl. Desus.* Deliberações votadas em concílio. ~ V. *concílio.*

concional. [Do lat. *concionale.*] *Adj. 2 g.* Referente às assembléias públicas; concionário.

concionar. [Do lat. **concionare.*] *V. int.* **1.** Falar ao povo, em comícios. *T. d.* **2.** Proferir em público. [Fut. pret.: *concionaria*, etc. Cf. *concionária*, fem. de *concionário.*]

concionário. [Do lat. *concionariu.*] *Adj.* Concional. [Fem.: *concionária.* Cf. *concionaria*, do v. *concionar.*]

concisão. [Do lat. *concisione.*] *S. f.* **1.** Exposição das idéias em poucas palavras. **2.** Laconismo, brevidade. **3.** Precisão, exatidão. [Antôn.: *prolixidade.*]

conciso. [Do lat. *concisu.*] *Adj.* **1.** Em que há concisão (1): *explicação concisa.* **2.** Sucinto, resumido. **3.** Breve, lacônico. **4.** Preciso, exato: "Aires .... enche a sua velhice .... anotando, um pouco irregularmente, nos cadernos do seu Memorial, com língua precisa e concisa, a substância do que vê e sente ... " (Mário Casassanta, *Machado de Assis e o Tédio à Controvérsia*, p. 18). [Antôn.: *prolixo.*]

concitação. [Do lat. *concitatione.*] *S. f.* Ato ou efeito de concitar.

concitador (ô). [Do lat. *concitatore.*] *Adj.* **1.** Que concita; concitativo. ● *S. m.* **2.** Aquele que concita. [Sin. ger.: *incitador.*]

concitar. [Do lat. *concitare.*] *V. t. d.* **1.** Incitar à desordem, ao tumulto: *Os rebeldes concitaram os demais presos;* "em política pedia o trono para a multidão. Com o fim de a pôr ali, pegou de um pau, concitou os ânimos e deitou abaixo o rei" (Machado de Assis, *Páginas Recolhidas*, p. 17). **2.** Incitar, instigar; estimular: *concitar paixões. T. d.* e *i.* **3.** Incitar, excitar, mover: "O autor concitava, profeticamente, a mocidade patrícia a estar a postos, vigilante, firme" (Alcides Maia, *Ruínas Vivas*, p. 97).

concitativo. *Adj.* V. *concitador* (1).

conclamação. [Do lat. *conclamatione.*] *S. f.* Ato de conclamar.

conclamar. [Do lat. *conclamare.*] *V. t. d.* **1.** Bradar ou clamar simultaneamente. **2.** Gritar em tumulto: *A multidão conclamava que seus direitos tinham sido violados.* **3.** Aclamar em comum: *O povo conclamou o herdeiro real.* **4.** Chamar aos brados; invocar;

convocar: "A não ser o orador, que *conclamara* toda a população para ouvir uma terrível notícia, ninguém sabia o móvel da reunião." (Murilo Rubião, *O Ex-Mágico*, p. 71.) *Transobj.* **5.** Aclamar, proclamar: *Conclamaram-no imperador. Int.* **6.** Dar brados; vozear.

conclave. [Do lat. *conclave.*] *S. m.* **1.** Assembléia de cardeais para a eleição do Papa. **2.** Lugar onde eles se reúnem para tal fim. **3.** *P. ext.* Reunião de pessoas para tratar dalgum assunto: "é preciso que os chefes da nossa democracia .... abandonem o gosto por essa atividade discreta, misteriosa, invisível, passada toda ela no sigilo dos *conclaves* partidários" (Oliveira Viana, *Pequenos Estudos de Psicologia Social*, p. 69).

conclavista. *S. m.* Membro de conclave (1 e 3).

concliz. [Var. de *concriz* (q. v.).] *S. m. Bras.*, *PB* e PE. V. *corrupião.*

concludente. [Do lat. *concludente.*] *Adj. 2 g.* Que conclui, ou merece fé; terminante, categórico: *prova concludente; argumento concludente.*

concluído. [Part. de *concluir.*] *Adj.* Que se concluiu; acabado, terminado.

concluimento (u-i). *S. m. P. us.* V. *conclusão* (1).

concluinte (u-ín). *Adj. 2 g.* **1.** *Desus.* Concludente. ● *S. 2 g.* **2.** *Bras.* Estudante que está no último ano do curso, já, portanto, a concluí-lo.

concluir. [Do lat. *concluere.*] *V. t. d.* **1.** Pôr fim, término, a, ou levar a cabo; acabar, terminar, findar: "veio [de São Paulo] com o curso ainda por acabar. *Concluiu*-o em Pernambuco." (Pedro Rabelo, *A Alma Alheia*, p. 42). **2.** Ajustar, assentar, firmar definitivamente: *Após demorados trâmites, concluíram o acordo.* **3.** Deduzir, inferir: *Pensou, pensou, e concluiu que errara. T. d. e i.* **4.** Deduzir, inferir: *Pela maneira fria por que o receberam, concluiu haver chegado em hora imprópria.* **5.** Ajustar, assentar, firmar definitivamente: "Eleito por 2 meses .... Otávio *concluiu* com Antônio e Lépido o acordo triunviral por 5 anos." (Mecenas Dourado, *Mecenas ou o Subordo da Inteligência*, p. 57.) *T. i* **6.** Acabar(-se), terminar, findar: *A conferência concluiu com uma longa citação. Int.* **7.** *Jur.* Ser concludente; merecer fé: *O parecer da testemunha conclui, sendo, pois, importante para o julgamento.* **8.** Terminar de falar: *Mal o colega concluiu, contra-arrazoou com veemência.* [Conjug.: v. *atribuir.*]

conclusão. [Do lat. *conclusione.*] *S. f.* **1.** Ato de concluir; término. [Sin. p. us. *concluimento.*] **2.** Fim, termo: *a conclusão dum estudo.* **3.** Epílogo, remate, fecho: *a conclusão de um discurso.* **4.** Ilação, dedução: *a conclusão de um problema.* **5.** Ajuste definitivo de um negócio. **6.** Tese; proposição. **7.** *Jur.* Entrega ou remessa de um processo ao juiz, para que este lavre nele despacho ou sentença. ~ V. *conclusões.*

conclusionista. *S. 2 g.* Pessoa que defende, numa universidade, conclusões magnas [q. v.].

conclusiva. [Fem. substantivado de *conclusivo.*] *S. f. Gram.* Conjunção conclusiva.

conclusivo. [Do lat. tardio *conclusivu.*] *Adj.* **1.** Que contém conclusão: "Trata-se de obras [sobre a essência ou o ministério da Poesia] escritas, não raro, com muita finura e grande sutileza de pensamento, mais insatisfatórias e nada *conclusivas*, na generalidade dos casos." (Eduardo Frieiro, *Torre de Papel*, p. 111.) **2.** Próprio para se concluir. ~ V. *conjunção* —*a.*

concluso. [Do lat. *conclusu.*] *Adj. Jur.* Diz-se do processo concluído e entregue ao juiz para despacho.

conclusões. [Pl. de *conclusão.*] *S. f. pl.* Conclusões magnas. ~ V. *conclusão.* ♦ **Conclusões magnas.** Teses que antecedem o doutoramento. [Tb. se diz apenas *conclusões.*]

▲conco-. [Do gr. *kógche, es.*] *El. Comp.* = 'concha': *concômetro.*

concocção. [Do lat. *concoctione.*] *S. f. Ant. Med.* A primeira digestão dos alimentos no estômago.

concoctivo. *Adj.* Relativo à concocção.

concoidal. *Adj. 2 g.* **1.** Semelhante a uma concha; concóide. **2.** *Med.* Diz-se da fratura lisa e curva como a das conchas. **3.** *Geom.* Relativo à concóide.

concóide. [Do gr. *kogchoidés.*] *Adj. 2 g.* **1.** V. *concoidal* (1). ● *S. f.* **2.** *Geom.* V. *conchóide de Nicomedes.*

concômetro. [De *conco-* + *-metro*[2].] *S. m.* Instrumento para medir o ângulo da espiral de determinadas conchas.

concomitância. [Do lat. *concomitantia.*] *S. f.* Qualidade de concomitante; simultaneidade.

concomitante. [Do lat. **concomitante.*] *Adj. 2 g.* **1.** Que se manifesta simultaneamente com outro: a ação *concomitante da idade e da doença; Sua partida foi concomitante com a chegada do irmão.* **2.** Que acompanha: *A queda do avião foi concomitante à explosão.*

concordado. [Part. de *concordar.*] *Adj.* Que entrou em acordo (1 a 4).

concordância. [Do lat. *concordantia.*] *S. f.* **1.** Ato de concordar. **2.** Acordo, harmonia, consonância: *concordância de sentimentos, de opiniões;* "Ela acreditava candidamente que pudesse haver, entre uma mulher e um homem, uma amizade pura, imaterial, feita da *concordância* amável de dois espíritos delicados." (Eça de Queirós, *Os Maias*, II, p. 45.) **3.** *Gram.* Harmonização das flexões de palavras em uma frase. **4.** *Geol.* Conformidade (3). **5.** *Tip.* Furo (5).

concordante. [Do lat. *concordante.*] *Adj. 2 g.* **1.** Que concorda; concorde. **2.** Coerente; harmônico.

concordar. [Do lat. *concordare.*] *V. t. d.* **1.** Pôr de acordo; conciliar, concertar: *concordar vontades; concordar pessoas desavindas.* **2.** Ter a mesma opinião sobre; pôr-se de acordo em; acordar: *Todos concordaram que aquele parecer era o mais avisado. T. d. e i.* **3.** Pôr de acordo; concertar, harmonizar: *Ele concorda sua vida com sua ideologia.* **4.** Pôr em concordância gramatical: *Concordou o segundo dos adjetivos com o substantivo. T. i.* **5.** Estar de acordo; ser conforme: *Seu parecer concordava com o do mestre.* **6.** Estar de acordo; convir, assentir: "Pois bem: assentemos e *concordemos* todos em que este livro é a urna, em que determinei guardar estes pobres romances que morreram." (Joaquim Manuel de Macedo, *Os Romances da Semana*, p. VI); "O senhor há de *concordar* que me deve uma resposta, seja qual for!" (Aluísio Azevedo, *O Mulato*, p. 244). [Na última abonação, note-se a elipse da prep. *em.*] **7.** Ser do mesmo parecer: "A Sr[a]. D. Amália já me disse .... , e eu *concordo* plenamente com ela, que nós em vista deste escândalo não o podemos apoiar." (Conde de Ficalho, *Uma Eleição Perdida*, p. 164.) **8.** Estar em concordância gramatical: *O verbo deve concordar com o sujeito em número e pessoa. Int.* **9.** Estar de acordo; ajustar-se, harmonizar(-se), combinar: *Têm um temperamento harmônico: sempre concordam em tudo.* **10.** Estar de acordo; estar em relação ou proporção; ser conforme: *O orçamento prévio e a conta apresentada não concordam. Bit. i.* **11.** Pôr-se de acordo; conciliar-se, concertar-se: *Concordei com ele em vários pontos.*

concordata. [Do it. *concordato.*] *S. f.* **1.** Convenção entre o Estado e a Igreja acerca de assuntos religiosos de uma nação. **2.** Benefício concedido por lei ao negociante insolvente e de boa-fé para evitar ou suspender a declaração de sua falência, ficando ele obrigado a liquidar suas dívidas segundo for estipulado pela sentença que concede o benefício. **3.** Nalguns países, acordo entre o comerciante insolvente e os seus credores, para os mesmos fins.

concordatário. *Adj.* **1.** Que aprovou a concordata. **2.** Que pediu concordata. ● *S. m.* **3.** Negociante que pleiteia concordata ou é por ela beneficiado.

concordável. [Do lat. *concordabile.*] *Adj. 2 g.* Sobre que pode haver acordo.

concorde. [Do lat. *concorde.*] *Adj. 2 g.* **1.** Concordante (1): "a fortuna e a natureza andaram *concordes* em seqüestrarem da multidão .... o indivíduo de quem eu fui herdeiro" (Antônio Feliciano de Castilho, *Amor e Melancolia*, p. 347). **2.** Da mesma opinião.

concórdia. [Do lat. *concordia.*] *S. f.* **1.** Paz (1): *Lutam pela concórdia entre os homens.* **2.** Harmonia de vontades e/ou de opiniões.

concordiano. *Adj.* **1.** De, ou pertencente ou relativo a Concórdia (SC). ● *S. m.* **2.** O natural ou habitante de Concórdia.

concorrência. [Do lat. *concurrentia.*] *S. f.* **1.** Ato ou efeito de concorrer. **2.** Competição, rivalidade: *Tamanho é seu prestígio como romancista que não há concorrência possível.* **3.** Afluência de pessoas no mesmo momento para o mesmo lugar: *O espetáculo teve grande concorrência.* **4.** Confluência, concordância: *concorrência de opiniões.* **5.** Disputa ou rivalidade entre produtores, negociantes, industriais, etc., pela oferta de mercadorias ou serviços iguais ou semelhantes. **6.** Pesquisa que tem por fim a tomada de preços para compra e venda de materiais ou de serviços em grande escala: *O governo abriu concorrência para a construção duma estrada.* **7.** Alegação, em juízo, de direitos comuns sobre o mesmo objeto.

concorrente. [Do lat. *concurrente.*] *Adj. 2 g.* **1.** Que concorre. ● *S. 2 g.* **2.** Pessoa que concorre; competidor. **3.** Candidato que concorre com outro(s). **4.** Pessoa que faz concorrência (5).

concorrer. [Do lat. *concurrere.*] *V. t. i.* **1.** Juntar-se (para uma ação comum); contribuir, cooperar: *Tudo concorria para o bom êxito da operação.* **2.** Acorrer, acudir, afluir (juntamente com outros): "Em algum dia grande faziam [os escravos] seu batuque, ao qual *concorriam* os negros das vizinhanças." (Franklin Távora, *O Cabeleira*, p. 251); *Concorreram todos ao comício.* **3.** Ter a mesma pretensão de outrem; competir: *Concorreu com o velho amigo nas eleições.* **4.** Apresentar-se como candidato; ir a concurso: "Resolvi *concorrer* a uma bolsa de estudos para a Sorbonne." (Maria Julieta Drummond de Andrade, *Um Buquê de Alcachofras*, p. 48); *Concorreu à cátedra de português.* **5.** Cooperar; contribuir: *Concorre para a manutenção do amigo pobre com pequena quantia mensal.* **6.** Existir simultaneamente; coexistir: *Concorrem na sua pessoa o saber, a inteligência, a bravura e a generosidade.* **7.** Dirigir-se (para o mesmo ponto); convergir: *retas que concorrem num determinado ponto.*

concorrido. [Part. de *concorrer.*] *Adj.* Que atrai concorrência (3), ou grande concorrência; que é freqüentado, ou muito freqüentado: *festas concorridas.*

concotomia. *S. f. Cir.* Incisão dos cornetos nasais.

concotômico. *Adj.* Relativo à concotomia.

concreção. [Do lat. *concretione.*] *S. f.* **1.** Ação de tornar concreto; solidificação. **2.** Efeito da agregação dos sólidos contidos nos líquidos. **3.** Massa, geralmente de aspecto nodular, formada pela precipitação sucessiva, e de que se origina uma estrutura concêntrica. **4.** Reunião de partículas no interior de tecidos ou órgãos vegetais e animais.

concrecionado. [De *concreção* + *-ado*[1].] *Adj. Min.* **1.** Em que há concreção. **2.** Que forma concreção. ~ V. *solo* —.

concrecional. *Adj. 2 g.* Em que há, ou é da natureza da concreção.

concrescência. *S. f. Bot.* Aderência íntima e congênita de órgãos ou partes vegetais, como, p. ex., as pétalas duma corola gamopétala.

concrescente. *Adj. 2 g. Bot.* Em que há concrescência; conato, coadunado, coalescente: *estames concrescentes.*

concrescer. [Do lat. *concrescere.*] *V. int.* **1.** Crescer em conjunto. **2.** Aderir, aglutinar-se. [Conjug.: v. *crescer.*]

concrescibilidade. *S. f.* Qualidade de concrescível.

concrescido. [Part. de *concrescer.*] *Adj. Bot.* Em que ocorreu concrescência.

concrescível. [Do lat. **concrescibile.*] *Adj. 2 g.* Que pode tornar-se concreto.

concretagem. *S. f.* Ato ou efeito de concretar.

concretar. *V. t. d.* Lançar o concreto, em estado plástico, nas fôrmas de construção de (peça duma estrutura).

concretismo. *S. m.* **1.** Primazia do que é concreto. **2.** *Art. Plást.* e *Liter.* Designação dada pelo suíço Max Bill à escola que procura apresentar obras partindo da realização de uma imagem autônoma, não originada de modelo natural, e que se utiliza de elementos geralmente visuais ou táteis; arte concreta. [Cf. *abstracionismo* (2).]

concretista. *Adj. 2 g.* **1.** Referente ao, ou que é adepto do concretismo. ● *S. 2 g.* **2.** Adepto do concretismo. [Sin. ger.: *concreto.*]

concretitude. *S. f. Filos.* Qualidade de concreto (7).

concretização. *S. f.* Ato ou efeito de concretizar(-se).

concretizado. [Part. de *concretizar.*] *Adj.* Que se concretizou.

concretizar. *V. t. d.* e *p.* Tornar(-se) concreto; realizar (-se), efetivar(-se): *Concretizou seu ideal de escrever um livro; Seu velho sonho concretizou-se: é hoje escritor célebre.*

concretizável. *Adj. 2 g.* Que pode ser concretizado.

concreto. [Do lat. *concretu.*] *Adj.* **1.** Que existe em forma material. **2.** Que é considerado no objeto de que faz parte e não abstraído dele. **3.** Que tem consistência mais ou menos sólida; condensado, espesso, solidificado. **4.** Que exprime um objeto particular, determinado. **5.** Claro, definido: *uma idéia concreta.* **6.** *Art. Plást.* e *Liter.* Concretista. **7.** *Filos.* Diz-se de coisa ou de representação que se apresenta de modo completo, tal como lhe é próprio apresentar-se na sua realidade existencial. [Cf. nesta acepç. *abstrato* (5).] ~ V. *música* —*a* e *substantivo* —. ● *S. m.* **8.** Aquilo que é concreto (1). **9.** *Constr.* Mistura, em proporções prefixadas, de um aglutinante com água e um agregado constituído de areia e pedra, de sorte que venha a formar uma massa compacta e de consistência mais ou menos plástica, e que endureça com o tempo. [Sin., lus. (nesta acepç.):

betão e *formigão*.] **10.** *Art. Plást.* e *Liter.* Concretista. **11.** *Quím.* Em perfumaria, pomada impregnada de essência. ♦ **Concreto aparente.** Concreto (9) que, nas construções, não recebe revestimento. **Concreto arejado.** Concreto (9) que contém bolhas de ar uniformemente distribuídas em sua massa, e nesta introduzidas por meio de aditivos especiais, para melhorar a trabalhabilidade do material pelo resultante aumento da plasticidade. **Concreto armado.** Concreto (9) em cuja massa se dispõem armaduras constituídas de barras de aço, para aumentar-lhe a resistência a determinados esforços; cimento armado. **Concreto betuminoso.** Mistura de ligante betuminoso (em geral um cimento asfáltico) e agregado selecionado, preparada e aplicada a quente, utilizada em pavimentos de ruas, rodovias e aeroportos. **Concreto ciclópico.** Concreto simples que contém pedra-de-mão. **Concreto cintado.** Concreto armado com cintamento. **Concreto magro.** Concreto simples com reduzido teor de cimento e, por isso, de baixa resistência. **Concreto pré-esforçado.** *Lus.* V. *concreto protendido.* **Concreto pré-moldado.** Concreto (9) em peças pré-fabricadas. **Concreto protendido.** Concreto (9) ao qual se aplicam tensões prévias para aumentar-lhe a resistência aos esforços que o solicitarão. [Tb. se diz apenas *protendido.* Sin. lus. *concreto pré-esforçado.*] **Concreto simples.** Concreto que não é armado. **Concreto vibrado.** Concreto (9) adensado por processo vibratório.

concretude. *S. f.* Qualidade de concreto: "Mergulhado no cotidiano, na concretude, no chão dos homens." (Antônio Carlos Vilaça, *in* Hugo de Lara, *Argemiro e Rosalinda*, p. XI.)

concriação. *S. f.* Ato de concriar.

concriar. [Do lat. *concriare.*] *V. t. d.* **1.** Criar ao mesmo tempo. **2.** Colaborar com outrem em.

concriz. [T. onom., imitante da voz do pássaro?] *S. m. Bras., N.E.* V. *corrupião.*

concubina. [Do lat. *concubina.*] *S. f.* **1.** Mulher que vive amasiada com um homem. [Sin. (alguns deles bras. e pop.): *amante, amásia, amiga, arranjo, banda-de-esteira, barregã, camarada, caseira, china, comborça, espingarda, fêmea, gato, manceba, moça, murixaba, muruxaba, osso, puxavante, rapariga, sexta-feira.*] **2.** Variedade de tulipa.

concubinagem. *S. f.* V. *concubinato.*

concubinário. *Adj.* e *s. m.* Que ou aquele que tem concubina.

concubinar-se. *V. p.* Viver em concubinato; amancebar-se, amasiar-se, amigar-se.

concubinato. [Do lat. *concubinatu.*] *S. m.* Estado de quem tem ou é concubina; amasio, barreguice, concubinagem, comborçaria, mancebia.

concúbito. [Do lat. *concubitu.*] *S. m.* **1.** Ajuntamento carnal; cópula, coito. **2.** Coabitação.

conculcador (ô). *Adj.* e *s. m.* Que ou aquele que conculca; desprezador, aviltador, vilipendiador.

conculcar. [Do lat. *conculcare.*] *V. t. d.* **1.** Calcar aos pés; espezinhar. **2.** Desprezar, menosprezar; aviltar: *conculcar a liberdade* [Conjug.: v. *trancar.*]

concunhado. [De *con-* + *cunhado.*] *S. m.* Indivíduo em relação ao cunhado ou cunhada de seu cônjuge.

concupiscência. [Do lat. *concupiscentia.*] *S. f.* **1.** Desejo intenso de bens ou gozos materiais. **2.** Apetite sexual: "Quem me livrará (coitado de mim) da concupiscência, raiz e seminário de todos os males humanos?" (D. Fr. Amador Arrais, *Diálogos*, p. 406.)

concupiscente. [Do lat. *concupiscente.*] *Adj. 2 g.* Que tem ou revela concupiscência.

concupiscível. [Do lat. *concupiscibile.*] *Adj. 2 g.* Que desperta a concupiscência.

concursado. [Part. de *concursar.*] *Adj.* Que se concursou: *Dentre os 100 candidatos concursados, apenas dois obtiveram colocação.*

concursar. [De *concurso* (6) + *-ar*[2].] *V. t. d.* Submeter a concurso (6).

concurso. [Do lat. *concursu.*] *S. m.* **1.** Ato ou efeito de concorrer. **2.** Afluência, concorrência: "A missa do padre novo .... tinha atraído à igreja um numeroso e brilhante concurso." (Bernardo Guimarães, *O Seminarista*, p. 257.) **3.** A circunstância de se encontrarem juntas duas ou mais coisas; encontro. **4.** Cooperação, ajuda. **5.** Certame. **6.** Provas documentais ou práticas prestadas pelos candidatos a certo cargo público ou a certas concessões. **7.** *Turfe.* Cada uma das duas modalidades de apostas conhecidas como *bolo* [q. v.] e *betting* [q. v.].

concussão. [Do lat. *concussione.*] *S. f.* **1.** Comoção violenta; abalo, choque. **2.** *Expl.* Choque violento transmitido ao ar pela onda de compressão gerada pela detonação de uma carga explosiva: "De vez em quando o rumor esbatido duma rajada, a surda concussão dalguma bomba." (José Rodrigues Miguéis, *Onde a Noite Se Acaba.* p. 132.) **3.** *Fig.* Extorsão ou peculato cometido por empregado público no exercício de suas funções: "esse estuar de discussões sem hipocrisia e à luz clara, que causa as agitações superficiais vistosas, permite fiscalizar o funcionalismo público, atalhando desmandos, tiranias, concussões, rapinas." (António Sérgio, *Cartas do Terceiro Homem, p. 57).*

concussionário. *Adj.* e *s. m.* Que ou aquele que pratica concussão (3).

concutir. [Do lat. *concutere.*] *V. t. d.* **1.** Fazer tremer; abalar: *O estampido concutiu o casarão.* **2.** Incutir, infundir: *Aquele acontecimento concutiu o terror. T. i.* **3.** Incutir, infundir: *concutiu o medo nas almas.*

condadense. *Adj. 2 g.* **1.** De, ou pertencente ou relativo a Condado (PB e PE). ● *S. 2 g.* Natural ou habitante de Condado.

condado. *S. m.* **1.** Dignidade de conde. **2.** Antiga jurisdição ou território de conde.

condal. *Adj. 2 g.* Pertencente ou relativo a conde.

condão. [Dev. de *condõar*, arc., do lat. *condonare*, 'dar de presente'.] *S. m.* **1.** Virtude especial, ou poder misterioso, a que se atribui influência benéfica ou maléfica. **2.** Dom, faculdade: *Aquela moça tem o condão de agradar.*

conde. [Do lat. *comite.*] *S. m.* **1.** V. *barão* (1). [Fem.: *condessa.*] **2.** Na Idade Média, comandante militar de um território. **3.** Valete. ♦ **Conde palatino. 1.** Na fase final do Império Romano, conde que era investido de suprema autoridade judicial. **2.** Durante o Sacro Império Romano Germânico, conde que era investido de poderes imperiais, dentro de seus domínios.

condecoração. *S. f.* **1.** Ato de condecorar ou de ser condecorado: *Durante a condecoração do herói seus colegas se perfilaram.* **2.** Insígnia honorífica. **3.** Insígnia de ordem militar ou civil. [Cf. *crachá* (1).]

condecorado. [Part. de *condecorar.*] *Adj.* **1.** Que tem condecoração. **2.** Nobilitado, engrandecido. ● *S. m.* **3.** Aquele que tem condecoração.

condecorar. [Do lat. *condecorare.*] *V. t. d.* **1.** Distinguir com condecoração (2 e 3). **2.** Nobilitar, realçar: *Senhoras elegantes condecoravam o palanque. T. d.* e *i.* **3.** Dar títulos honoríficos ou designação honrosa a; agraciar: *Condecorou-o com o epíteto de poeta. P.* **4.** Dar a si próprio (uma honra).

condenação. [Do lat. *condemnatione.*] *S. f.* **1.** Ato ou efeito de condenar. **2.** Julgamento que condena. **3.** A sentença condenatória. **4.** *P. ext.* A pena imposta por sentença. **5.** O indício da culpa. **6.** *Fig.* Censura, reprovação, reproche.

condenado. [Part. de *condenar.*] *Adj.* **1.** Sentenciado como criminoso. **2.** *P. ext.* Criminoso que aguarda sentença. **3.** Diz-se de doente declarado incurável. **4.** Rejeitado, reprovado: *Métodos condenados voltaram a vigorar.* **5.** *Bras. Pop.* Diz-se de pessoa que incorre na reprovação de outrem; danado, desgraçado: *Que menino condenado para amolar a gente!* **6.** *Bras. Pop.* Extraordinário; danado de bom: *sujeito condenado pra brigar!* **7.** *Bras.* Diz-se de construção prestes a ruir, considerada irrecuperável pela engenharia: *edifício condenado.* ● *S. m.* **8.** Aquele que sofreu condenação. **9.** Indivíduo condenado (2, 3 e 5).

condenador (ô). [Do lat. *condemnatore.*] *Adj.* **1.** Que condena. **2.** Condenatório. **3.** Que reprova, censura. ● *S. m.* **4.** Quem condena.

condenar. [Do lat. *condemnare.*] *V. t. d.* **1.** Proferir sentença condenatória contra; declarar culpado: *Condenaram o réu sem provas suficientes.* **2.** Mostrar ou indicar a criminalidade de: *Não há provas que o condenem; O seu próprio silêncio o condena.* **3.** Considerar em culpa ou erro; reprovar: *Embora pareça inocente, muitos o condenam.* **4.** Reprovar, desaprovar, censurar: *Os pacifistas condenam o armamentismo.* **5.** Julgar incapaz do fim a que se destina; rejeitar: *Examinou bem a máquina, e condenou-a.* **6.** Declarar (casa, edifício, etc.) sem condições de ser habitado, em geral por perigo de desabamento. **7.** Considerar caso perdido, por falta de condições de cura: *condenar um doente. T. d.* e *i.* **8.** Sentenciar (2): *O júri o condenou a 10 anos de prisão;* "Que grande crime teria ela cometido para que Deus a condenasse a tão duro castigo?" (Coelho Neto, *Turbilhão*, p. 191). *P.* **9.** Dar provas contra si; culpar-se. **10.** Obrigar-se, sujeitar-se.

condenatório. *Adj.* Que envolve condenação; condenador: *sentença condenatória.*

condenável. [Do lat. *condemnabile.*] *Adj. 2 g.* **1.** Que merece condenação. **2.** Censurável, reprovável.

condensabilidade. *S. f.* Qualidade ou propriedade de condensável.

condensação. [Do lat. *condensatione.*] *S. f.* **1.** Ato ou efeito de condensar(-se). **2.** *Fís.* O fenômeno da passagem dum vapor para o estado líquido. ♦ **Condensação radioelétrica.** *Astr.* Ponto da superfície solar que emite radiação intensa de natureza hertziana.

condensador (ô). *Adj.* **1.** Que condensa; condensante, condensativo. ● *S. m.* **2.** *Ópt.* Sistema óptico convergente usado para iluminar objetos numa observação ou numa projeção. **3.** *Quím.* Dispositivo em que se realiza a condensação de um vapor, e que consta de um conjunto, por onde passa o vapor, envolto numa camisa por onde circula um líquido de refrigeração.

condensante. [Do lat. *condensante.*] *Adj. 2 g.* V. *condensador* (1).

condensar. [Do lat. *condensare.*] *V. t. d.* **1.** Tornar denso ou mais denso. **2.** Tornar consistente, engrossar (líquidos). **3.** Liquefazer (gases ou vapores). **4.** Reduzir, resumir, sintetizando: *condensar uma obra literária.* **5.** Juntar, reunir; agregar, conglomerar: *condensar forças. P.* **6.** Tornar-se denso; engrossar: "Cúmulos e nimbos torvelinhavam no ceu, condensando-se numa grande nuvem negra e espessa." (Virgílio Várzea, *Nas Ondas*, p. 1.)

condensativo. *Adj.* V. *condensador* (1).

condensável. *Adj. 2 g.* Que se pode condensar.

condense. *Adj. 2 g.* **1.** De, ou pertencente ou relativo a Conde (PB e BA). ● *S. 2 g.* **2.** Natural ou habitante de Conde.

condescendência. [Do lat. *condescendentia.*] *S. f.* **1.** Ato de condescender. **2.** Qualidade de condescendente.

condescendente. [Do lat. *condescendente.*] *Adj. 2 g.* Que condescende, transige; transigente.

condescender. [Do lat. *condescendere.*] *V. t. i.* **1.** Transigir espontaneamente; ceder, anuir voluntariamente: *Acabou condescendendo às solicitações;* "Condescendeu a ficar sobre um divã, no escritório, com a condição de que eu iria chamá-la ao menor incidente que se produzisse." (Júlio Dantas, *Abelhas Doiradas*, p. 67); *Condescendeu em celebrar um pacto de amizade;* "Essa circunstância levou Arnaldo a condescender .... com a vontade do capitão-mor." (José de Alencar, *O Sertanejo*, p. 203). *Int.* **2.** Transigir espontaneamente, ceder, anuir à vontade ou ao rogo de alguém: *Implorei-lhe que condescendesse, e ele foi implacável.*

condessa[1] (ê). [Do lat. *comitissa.*] *S. f.* **1.** Fem. de conde (1). **2.** *Bras.* V. *coração-de-boi.* **3.** *Bras.* V. *fruta-de-condessa.* [Pl.: *condessas* (ê). Cf.: *condessa* e *condessas*, do v. *condessar.*]

condessa[2] (ê). [Dev. de *condessar.*] *S. f.* Cesta de verga, delicada e pequena, com tampa. [Pl.: *condessas* (ê). Cf. *condessa, condessas*, do v. *condessar.*]

condessar. *V. t. d. Ant.* Pôr em depósito; guardar. [Pres. ind.: *condesso, condessas, condessa* etc. Cf. *condesso* (ê), s. m., e *condessa* (ê), s. f., pl. *condessas* (ê).]

condesso (ê). *S. m. Pej.* Marido, sem título, de uma condessa. [Pl.: *condessos* (ê). Cf. *condesso*, do v. *condessar.*]

condestablessa (ê). *S. f. Ant.* Condestabresa.

condestabre. *S. m. Ant.* Condestável. [Fem.: *condestabresa, condestablessa.*]

condestabresa (ê). *S. f. Ant.* Mulher de condestabre; condestablessa.

condestável. [Do lat. *comes stabuli*, 'intendente das cavalariças reais', pelo fr. ant. *conestable.*] *S. m.* **1.** Outrora, chefe supremo do exército. **2.** Antigo chefe de artilheiros. **3.** Título do infante que nas grandes solenidades se postava à direita do trono real.

condeubense (e-u). *Adj. 2 g.* **1.** De, ou pertencente ou relativo a Condeúba (BA). ● *S. 2 g.* **2.** Natural ou habitante de Condeúba.

condição. [Do lat. *conditione.*] *S. f.* **1.** V. *circunstância* (3). **2.** Modo de ser, estado, situação (de coisa). **3.** Maneira de viver resultante da situação de alguém. **4.** Classe social. **5.** Caráter, índole: *Tímido, não tem condição para mandar.* **6.** Obrigação que se impõe e se aceita; condicional. **7.** Categoria elevada, distinção: *É pessoa de condição.* **8.** Qualidades requeridas como ideais: *aparelho em más condições.* ♦ **Condição de contorno.** *Anál. Mat.* Condição imposta à solução de uma equação diferencial ou de um sistema de equações diferenciais, e que deve ser satisfeita para determinados valores das variáveis independentes. **Condição inicial.** *Anál. Mat.* Condição que se impõe à solução duma equação diferencial ou às suas derivadas. [Em geral, refere-se a problemas físicos em que a variável independente é o tempo, cujo valor inicial se faz nulo.] **Condição necessária.** *Mat.* A que é conseqüência lógica de uma dada condição ou de um conjunto de condições. **Condição *sine qua non*** [Lat., 'sem a qual não'.] Condição indispensável. **Condição suficiente.** *Mat.* Condição da qual se obtém outra logicamente. **Condições normais de temperatura e pressão.** *Fís.* Estado de um sistema cuja temperatura é igual a 0º C cuja pressão é igual a 760 mm de mercúrio normais. [Abrev.: CNTP.] **Sob condição.** Condicionalmente.

condicente. [Do lat. *condicente.*] *Adj. 2 g.* Condizente: "procurara outra forma de ganhar o pãozinho, mais condicente com o seu ser moral." (Antônio Sérgio, *Cartas do Terceiro Homem*, p. 71).

condicionado. [Part. de *condicionar.*] *Adj.* Dependente de, ou imposto por condição. [Cf. *acondicionado.*] V. *ar—, probabilidade —a* e *reflexo —.*

condicionador (ô). *Adj.* **1.** Que condiciona. ● *S. m.* **2.** Aquilo ou aquele que condiciona. ♦ **Condicionador de ar. 1.** Qualquer aparelho para regular a temperatura e a umidade de um ambiente fechado. **2.** *P. ext.* Aparelho que se destina a baixar a temperatura de um ambiente fechado; ar-condicionado, ar-refrigerado.

condicional. [Do lat. *conditionale.*] *Adj. 2 g.* **1.** Dependente de condição. **2.** Que envolve condição. **3.** Que exprime circunstância de condição. ~ V. *cláusula —, conjunção —, livramento —, modo —* e *suspensão — da pena.* ● *S. m.* **4.** *Gram. Desus.* Futuro do pretérito. ● *S. f.* **5.** Condição (6). **6.** *Gram.* Conjunção condicional.

condicionalidade. *S. f.* Estado, qualidade ou caráter do que é condicional.

condicionalismo. [De *condicional* + *-ismo.*] *S. m.* Conjunto de condições ou peculiaridades geográficas, físicas, meteorológicas, etc., que caracterizam determinada região do globo terrestre.

condicionamento. *S. m.* Ato ou efeito de condicionar (3). [Cf. *acondicionamento.*]

condicionante. *Adj. 2 g.* **1.** Que condiciona: *fator condicionante.* ● *S. 2 g.* **2.** Imposição, resultante de circunstâncias ou de decisão prévia, que deve ser observada na solução de um problema; restrição.

condicionar. *V. t. d.* **1.** Pôr condições a; regular: *condicionar um contrato. T. d.* e *i.* **2.** Estabelecer como condição: *Condicionou a viagem a uma série de exigências. P.* **3.** Habituar-se a condições novas: *Só a muito custo se condicionou à vida naquele clima frio.* [Cf. *acondicionar.*]

condignidade. *S. f.* Qualidade de condigno.

condigno. [Do lat. *condignu.*] *Adj.* **1.** Proporcional ao mérito, ao valor: *Teve a recompensa condigna do seu esforço.* **2.** Devido, merecido; *Pagaram-lhe os vencimentos condignos.*

condiliano. *Adj.* Referente a côndilo.

côndilo. [Do gr. *kóndylos*, pelo lat. *condylu.*] *S. m. Anat.* Eminência articular que se apresenta arredondada em um sentido, e achatado em outro.

condilóide. [De *côndilo* + *-óide.*] *Adj. 2 g.* Que tem forma de côndilo.

condiloma. [Do gr. *kondyloma*, pelo lat. *condyloma.*] *S. m. Patol.* Excrescência carnuda e dolorosa que se observa no ânus, na vulva ou na glande peniana.

condimentação. *S. f.* Ato ou efeito de condimentar.

condimentado. [Part. de *condimentar.*] *Adj.* Em que há condimentos; temperado; adubado.

condimentar[1]. *Adj. 2 g.* Relativo a, ou próprio para condimento.

condimentar[2]. *V. t. d.* Deitar condimento a; temperar; adubar.

condimentício. *Adj.* Condimentoso.

condimento. [Do lat. *condimentu.*] *S. m.* Substância aromática, geralmente de origem vegetal, usada para realçar o sabor dos alimentos; tempero, adubo.

condimentoso (ô). *Adj.* **1.** Que condimenta; condimentício. **2.** Em que há condimentos em abundância e/ou muito fortes: "as iguarias condimentosas, ... a alimentação rija lourejava nos pratos e nas terrinas entre ondulações de perfumes." (Camilo Castelo Branco, *Noites de Insônia*. I, p. 19).

condir. [Do lat. *condire.*] *V. t. d.* Temperar, preparar (medicamentos).

condiscípulo. [Do lat. *condiscipulu.*] *S. m.* **1.** Companheiro de estudos. **2.** Aquele que num curso freqüenta o mesmo ano ou classe que outro. [Sin. ger.: *colega.*]

➧**conditio juris** (condício júriç). [Lat., 'condição de direito'.] *Jur.* Condição, circunstância ou formalidade de que depende a validade dum ato jurídico.

➧**conditio sine qua non.** [Lat.] V. *sine qua non.*

condizente. *Adj. 2 g.* Que condiz; bem combinado, harmônico: *O seu vestir não é condizente com a posição que tem.* [F. paral.: *condicente.*]

condizer. [Do lat. *condicere.*] *V. t. i* e *int.* Dizer bem; estar em proporção, em harmonia; harmonizar-se: "em tudo havia a ordem clara que tão bem condizia com o seu puro perfil." (Eça de Queirós, *Os Maias*, II, p. 18); "Tudo nelas, exceto a estatura, condiz ao modelo da mulher mal-educada" (Fialho d'Almeida, *Pasquinadas*, p. 170); *Tiveram de separar-se: seus temperamentos não condizem.* [Irreg. conjug.: v. *dizer.*]

condoer. [Do lat. *condolere.*] *V. t. d.* **1.** Despertar compaixão em; excitar à dor: *As súplicas do infeliz condoeram finalmente aquele coração empedernido. P.* **2.** Compadecer-se, ter dó: "Baldão, ludíbrio da sorte / Em terra estranha, entre gente, / Que alheios males não sente, / Nem se condói do infeliz!" (Gonçalves Dias, *Obras Poéticas*, I, p. 343.) [Conjug.: v. *doer.*]

condoído. [Part. de *condoer.*] *Adj.* Que se compadece ou condói de outrem; compadecido: "Refulgia Vésper, como condoída / Lágrima caída sobre o dia morto." (Alberto de Oliveira, *Póstuma*, p. 70.)

condoimento (o-i). *S. m.* V. *condolência.*

condolência. [Do lat. *condolentia.*] *S. f.* **1.** Sentimento de quem se condói; compaixão. **2.** Testemunho de pesar pela dor alheia. [Sin. ger.: *condoimento.*] ~ V. *condolências.*

condolências. [Pl. de *condolência.*] *S. f. pl.* V. *pêsames:* "Vi-o sair de casa, no caixão, as grinaldas, o coche, os soluços sinceros, os pêsames, as condolências dos profissionais de cerimônias fúnebres" (Lima Barreto, *Vida e Morte de M. J. de Gonzaga de Sá*, pp. 108-109). ~ V. *condolência.*

condolente. [Do lat. *condolente.*] *Adj. 2 g.* Que tem ou revela condolência, compaixão; compassivo.

condominial. *Adj. 2 g.* Relativo a condomínio.

condomínio. [De *con-* + *domínio.*] *S. m.* **1.** Domínio exercido juntamente com outrem; co-propriedade. **2.** O objeto de condomínio (1). **3.** Contribuição para as despesas comuns, em edifício de apartamentos.

condômino. [De *con-* + lat. *dominus*, 'senhor, dono'.] *S. m.* Dono juntamente com outrem; co-proprietário, comunheiro.

condor (ô). [Do quíchua *kúntur.*] *S. m.* **1.** Ave falconiforme, da família dos catartídeos (*Vultur gryphus* L.), de porte avantajado, coloração preta, com colar branco no pescoço, asas com manchas brancas, cabeça, nuca e pescoço nus. Os jovens são pardos. Alimenta-se de carne em putrefação. Ocorre nos Andes. [Sin.: *abutre-do-novo-mundo.*] **2.** Antiga unidade monetária, e moeda, do Chile.

condoreirismo. *S. m. Bras.* O estilo ou maneira peculiar dos poetas condoreiros; condorismo.

condoreiro. *Bras. Adj.* **1.** Diz-se do estilo elevado ou guindado, hiperbólico, ou do poeta que tem esse estilo. ~ V. *escola —a.* ● *S. m.* **2.** Poeta condoreiro.

condorismo. *S. m. Bras.* Condoreirismo.

➧**condottiere.** [It.] *S. m.* Capitão de soldados mercenários (particularmente na Itália da Renascença); aventureiro.

condralgia. [De *condr(o)-* + *-alg(o)-* + *-ia.*] *S. f. Patol.* Dor na cartilagem.

condrálgico. *Adj.* Relativo à condralgia.

condricte. *S. m.* **1.** Espécime dos condríctes. ● *Adj. 2 g.* **2.** Pertencente ou relativo a eles. [Sin. ger.: *elasmobrânquio.*]

condrictes. *S. m. pl. Zool.* Animais cordados, craniotas, gnastomados, da superclasse *Pisces*, classe *Chondrichthyes*, com a pele revestida de escamas placóides, esqueleto cartilaginoso, cinco a sete pares de brânquias, e número igual de fendas branquiais. São os tubarões e raias. [Sin.: *elasmobrânquios.*]

condrina. [De *condr(o)-* + *-ina.*] *S. f.* Substância que se extrai das cartilagens.

condrioma. *S. m. Citol.* Aparelho corpuscular existente nas células, formado por condriossomos. [Cf. *condroma.*]

condriossomo. [De *condri(ma)* + *-somo.*] *S. m. Citol.* Designação comum a corpúsculos intracelulares que compõem o condrioma, os quais fazem parte do protoplasma e ocorrem tanto nas células vegetais como nas animais.

▲**condr(o)-.** [Do gr. *chóndros, ou.*] *El. comp.* ='cartilagem': *condrina, condroblasto.* [Equiv.: *-condro: pericondro.*]

▲**-condro.** Equiv. de *condr(o)-.*

condroblasto. [De *condr(o)-* + *-blasto.*] *S. m. Anat.* Célula do tecido cartilaginoso.

condrodisplasia. [De *condr(o)-* + *displasia.*] *S. f. Patol.* Condição mórbida em que há crescimento anormal das extremidades diafisárias de ossos longos, ocorrendo o aparecimento de tumores ósseos e cartilaginosos nas diáfises dos ossos, nas porções próximas às epífises.

condrodistrofia. [De *condr(o)-* + *distrofia.*] *S. f. Patol.* Condição mórbida que se caracteriza pelo desenvolvimento anormal de cartilagem.

condroganóide. *S. m.* e *adj. 2 g.* Paleopterígio.

condroganóides. *S. m. pl. Zool.* Paleopterígios.

condróide. [De *condr(o)-* + *-óide.*] *Adj. 2 g. Anat.* Semelhante à cartilagem.

condroma. [De *condr(o)-* + *-oma.*] *S. m. Patol.* Tumor formado por tecido cartilaginoso. [Cf. *condrioma.*]

condrósteo. *S. m.* **1.** Espécime dos condrósteos. ● *Adj. 2 g.* **2.** Pertencente ou relativo a eles.

condrósteos. *S. m. pl. Zool.* Animais da classe dos peixes, paleopterígeos, da ordem *Chondrostei*, de corpo nu ou com fileiras longitudinais de escudos ósseos ou escamas ganóides; coluna vertebral cartilaginosa, mas ossos dérmicos no tronco e na cabeça; cauda heterocerca; sem dentes; vértebras acêntricas, notocórdio persistente. No grupo se incluem os esturjões.

condução. [Do lat. *conductione.*] *S. f.* **1.** Ato, efeito ou meio de conduzir. **2.** *Pop.* Meio de transporte; veículo, transporte: *Fiquei sem condução: tive de vir a pé.* **3.** *P. ext.* O próprio veículo de transporte, especialmente o coletivo: *A condução demorou muito, e cheguei atrasado.* ♦ **Condução extrínseca.** *Fís.* Num semicondutor, condução de carga realizada pelos portadores majoritários. **Condução intrínseca.** *Fís.* Num semicondutor, condução de carga realizada pelos portadores minoritários.

conducente. [Do lat. *conducente.*] *Adj. 2 g.* **1.** Que conduz (a um fim): "Não duvido que a convivência com essa matrona seja salutar, proveitosa, e conducente a boas vantagens sociais" (Eça de Queirós, *Ecos de Paris*, p. 91). **2.** Que tende (para um fim); tendente.

conduíte. [Do fr. *conduite.*] *S. m.* e *f. Constr.* Tubo rígido ou flexível, que pode, ou não, ser embutido, de uso em instalações elétricas para passagem de fios condutores de energia.

conduplicado. *Adj. Morfol. Veg.* Enrolado ao longo do eixo longitudinal: *prefoliação conduplicada.*

condurango. [Do quíchua *kúntur anku*, 'cipó do condor'.] *S. m. Bras., RJ* e *MG.* Planta da família das vitáceas (*Vitis sulciacaulis*), trepadeira, de caule sarmentoso, folhas graúdas, flores esverdeadas, e cujo fruto é baga ovóide e preta, com semente.

conduru. *S. m. Bras.* V. *conduru-de-sangue.*

conduru-de-sangue. *S. m. Bras.* Árvore grande, da família das moráceas (*Brosimum paraense*), que tem flores masculinas e femininas, e fornece madeira de alburno cinzento e cerne vermelho com máculas amarelas, própria para marcenaria; amapá-doce, apé, muirapiranga, conduru, pau-rainha. [Pl.: *condurus-de-sangue.*]

conduta. [De *conduto.*] *S. f.* **1.** Procedimento moral (bom ou mau); comportamento. **2.** Transporte de pessoas; leva. **3.** *Bras., PE.* Parte anterior das caldeiras das locomotivas, onde termina a tubulação e donde parte a chaminé.

condutância. *S. f. Eletr.* **1.** Propriedade dum sistema que lhe permite conduzir eletricidade. **2.** Num condutor ôhmico, o inverso da resistência. **3.** A parte real da admitância de um circuito. ♦ **Condutância equivalente.** *Fís.-Quím.* A condutância de uma coluna de eletrólito que contém um equivalente-grama do soluto e está compreendida entre dois elétrodos planos paralelos afastados um centímetro um do outro. **Condutância específica.** *Fís.-Quím.* Condutividade. **Condutância mútua.** *Eletrôn.* Transcondutância.

condutar. *V. t. d.* **1.** Comer (pão) com algum conduto. **2.** *Fig.* Poupar, economizar.

condutibilidade. *S. f.* Propriedade que têm os corpos de ser condutores de calor, eletricidade, som, etc.

condutímetro. *S. m. Eletr.* Qualquer aparelho para medir uma condutância, especialmente a de uma solução.

condutismo. [De *conduta* + *-ismo.*] *S. m. P. us.* Behaviorismo [q. v.].

condutível. [Do lat. **conductibile.*] *Adj. 2 g.* **1.** Que pode ser conduzido. **2.** Que apresenta condutibilidade.

condutividade. [De *condutivo* + *-i-* + *-dade.*] *S. f. Eletr.* Condutância de um condutor de secção reta uniforme igual a uma unidade de área, e de comprimento igual a uma unidade de comprimento; o inverso da resistividade. [Sin.: *condutância específica.*] ♦ **Condutividade térmica.** *Fís.* Quantidade de calor que passa, por unidade de tempo, através da unidade de área de um condutor térmico no qual existe um gradiente de

temperatura uniforme igual a um grau de temperatura por unidade de comprimento.
condutivo. *Adj.* Condutor[2] (1).
conduto. [Do lat. *conductu.*] *S. m.* **1.** Via por onde se escoa um fluido, e que, conforme o tipo de escoamento, poderá ser livre [v. *escoamento livre*] ou forçado [v. *escoamento forçado*]; via, caminho. **2.** Canal (5): *conduto auditivo; conduto alimentar.* **3.** *Pop.* Aquilo que se come habitualmente com o pão. [Sin. (lus., nesta acepç.): *presigo.*] ♦ **Conduto vulcânico.** *Geol.* Ligação entre a cratera e a câmara magmática; chaminé.
condutor[1] (ô). [Do ingl. *conductor.*] *S. m.* Pessoa que cobra ou arrecada as passagens nos bondes, ônibus e trens.
condutor[2] (ô). [Do lat. *conductore.*] *Adj.* **1.** Que conduz; condutivo. ~ V. *motivo* —. • *S. m.* **2.** Aquele que conduz. **3.** *Art. Gráf.* Impressor que atende ao preparo de uma ou mais prensas e supervisiona o trabalho de tiragem. **4.** *Constr.* Cano por onde se escoam para o solo, encaminhadas pelas calhas, as águas pluviais do telhado. **5.** *Ind. Pap.* Operário que supervisiona o funcionamento da máquina de papel. **6.** *Eletr.* Condutor elétrico. ♦ **Condutor de imagem.** *Art. Gráf., Grav.* e *Fotograv.* Superfície impressora obtida por qualquer processo. **Condutor elétrico.** *Eletr.* Todo sistema capaz de efetuar um transporte de carga elétrica sob a forma de uma corrente elétrica. [Tb. se diz apenas *condutor.*] **Condutor metálico.** *Eletr.* Condutor sólido no qual a condução de eletricidade se deve ao movimento de elétrons da banda de condução. **Condutor ôhmico.** *Eletr.* Condutor elétrico em que a resistência é constante.
conduzir. [Do lat. *conducere.*] *V. t. d.* **1.** Fazer-se acompanhar de, ou ir na companhia de, guiando, orientando, e/ou em caráter de homenagem: *A criança conduzia o cego;* "O cocheiro que me conduz da gare ao hotel .... fala-me corretamente o francês" (Ramalho Ortigão, *A Holanda*, p. 135). **2.** Guiar, dirigir, governar: *conduzir uma caravana; conduzir um veículo; conduzir uma nação.* **3.** Ter capacidade para transportar: *Este ônibus conduz 32 pessoas.* **4.** Ser condutor (6) de; transmitir: *Fios conduzem eletricidade. T. i.* **5.** Ir ter; levar: *Este caminho conduz ao rio; Seu procedimento conduz a uma estabilidade psíquica. T d. e i.* **6.** Trazer; levar: *Conduziu o prisioneiro à presença do rei;* "Dous sujeitos de libré azul conduziam para o interior do teatro um cavalo que acabava de servir." (Aluísio Azevedo, *Demônios*, p. 187). *P.* **7.** Portar-se, comportar-se, proceder, haver-se: *Conduziu-se mal no governo do Estado.* [Irreg. Conjug.: v. *aduzir.*]
cone. [Do gr. *kónos*, pelo lat. *conu.*] *S. m.* **1.** *Geom.* Sólido limitado por uma superfície cônica fechada e dois planos paralelos que cortam todas as suas geratrizes. **2.** *Geom.* Sólido limitado por uma superfície cônica fechada de uma só folha e um plano que corta todas as suas geratrizes. [Cf. nestas acepç., *superfície cônica.*] **3.** *Geom. Impr.* Superfície cônica. **4.** Qualquer objeto cônico. **5.** *Morfol. Veg.* Estróbilo. ♦ **Cone aluvial.** V. *cone de aluvião.* **Cone assintótico.** *Geom.* Cone cujas geratrizes são assintóticas das hiperbolóides. **Cone circular.** *Geom.* O que tem por base um círculo. **Cone de aluvião.** *Geol.* Acúmulo de material aluvional, transportado por um curso de água, em forma aproximada de cone; cone aluvial, cone de dejeção, cone de detritos, leque de aluvião. **Cone de avalancha.** *Geol.* Massa de material (neve, gelo, rochas e objetos) transportado pela avalancha e depositado após a sua queda. **Cone de dejeção.** *Geol.* V. *cone de aluvião.* **Cone de detritos.** *Geol.* V. *cone de aluvião.* **Cone de luz.** *Fís.* No contínuo espaço-tempo, superfície cônica que limita a região acessível a sinais emanados de um ponto situado no seu vértice. **Cone de nulo.** *Eng. Eletrôn.* No diagrama direcional de uma antena, superfície cônica sobre a qual é nulo o sinal da emissora. **Cone de sombra.** *Astr.* Zona sombria projetada pela Terra durante os eclipses lunares, ou pela Lua durante os eclipses solares. **Cone diretor.** *Geom. Anal.* Superfície cônica gerada por uma reta que passa por um ponto fixo do espaço e se move paralelamente à geratriz de uma superfície regrada. **Cone do nariz.** *Astron.* Parte de um foguete onde é colocada a carga útil. **Cone eqüilátero.** *Geom.* Cone circular em que o diâmetro da base é igual à altura. **Cone eruptivo.** *Geol.* Cone vulcânico. **Cone esférico.** *Geom.* Sólido limitado por uma superfície esférica e uma superfície cônica circular de vértice no centro da esfera. **Cone oblíquo.** *Geom.* Aquele em que a altura não passa pelo centro da base. **Cone quádrico.** *Geom.* O que tem por seção reta uma cônica. **Cone reto.** *Geom.* Aquele em que a altura passa pelo centro da base. **Cone truncado.** *Geom.* V. *tronco de cone.* **Cone vulcânico.** *Geol.* Acumulação em forma de cone, em torno da cratera, dos produtos lançados pelo vulcão; cone eruptivo.
conectar. [Do lat. *connectere*, talvez atr. do ingl. *connect.*] *V. t. d.* **1.** Unir ou ligar por conexão; estabelecer conexão (1) entre. **2.** *P. ext.* Unir, ligar, juntar, ajuntar.
conectivo. [De *connect*, rad. do lat. *connectere*, 'ligar', + *ivo.*] *Adj.* **1.** Que une ou liga. ~ V. *Tecido* —. • *S. m.* **2.** *Bot.* Tecido estéril situado entre as duas tecas da antera, e que as une. **3.** *Gram.* Palavra que liga partes da oração, ou as orações, em um período (10). [Var.: *conetivo.*]
conector (ô). [Do ingl. *connector.*] *S. m.* **1.** *Eletr.* Componente de um circuito elétrico ou eletrônico, destinado a estabelecer ligação elétrica entre dois outros componentes. **2.** *Bras.* Peça ou dispositivo destinado a ligar partes móveis de uma máquina. • *Adj.* **3.** *Bras.* Diz-se de peça ou dispositivo que serve para isso.
cônega. *S. f. Ant.* Religiosa de um cabido regular.
cônego. [Do lat. *canonicu.*] *S. m.* **1.** Padre secular pertencente a um cabido e ao qual impendem obrigações religiosas em uma sé ou colegiada. **2.** *Fam.* Pessoa que leva boa vida. [Fem.: *cônega* (ant.) e *canonisa.*] ♦ **Cônego regrante.** O sujeito à regra monástica: "Imaginavam os bons dos cônegos regrantes que eram eles os senhores daqueles domínios." (Antônio Feliciano de Castilho, *Amor e Melancolia*, p. 312.)
conetivo. *Adj.* e *s. m.* Var. de *conectivo* [q. v.].
conetor (ô). *S. m.* e *adj.* Var. de *conector* [q. v.].
conexão (cs). [Do lat. *connexione.*] *S. f.* **1.** Ligação, união: "A verdade é que a conexão viva entre o presente e o passado não pode ser abandonada, sob o risco da ruptura de interesse mútuo entre a história e a sociedade." (José Honório Rodrigues, *Vida e História*, p. 53.) **2.** Nexo, relação, coerência: "sensibilidade ao mesmo tempo profunda e errante, ávida de desvendar conexões novas entre o mundo do amor e o mundo natural." (Carlos Drummond de Andrade, *Passeios na Ilha*, p. 212). **3.** Analogia entre coisas diferentes.
conexidade (cs). *S. f.* Qualidade de conexo.
conexivo (cs). [Do lat. *connexivu.*] *Adj.* Relativo a conexão.
conexo (cs). [Do lat. *connexu.*] *Adj.* Que tem, ou em que há conexão: *letras e assuntos conexos; matéria conexa com outra.* ~ V. *conjunto* —.
conezia. *S. f.* **1.** Canonicato. **2.** *Fig.* Sinecura, prebenda.
confabulação. [Do lat. *confabulatione.*] *S. f.* Ato ou efeito de confabular.
confabular. [Do lat. **confabulare.*] *V. int.* e *t. i.* **1.** Trocar idéias; conversar, cavaquear; falar. **2.** Conversar sobre assunto misterioso, secreto ou suspeito; maquinar, tramar, conspirar.
confecção. [Do lat. *confectione.*] *S. f.* **1.** Ato ou efeito de confeccionar. **2.** Roupa feita, ou confeccionada em fábrica, que se adquire pronta.
confeccionado. [Part. de *confeccionar.*] *Adj.* Diz-se de obra a que se deu acabamento, ou de roupa feita em fábrica.
confeccionador (ô). *S. m.* Aquele que confecciona.
confeccionar. [Do fr. *confectionner.*] *V. t. d.* **1.** Confeiçoar (1): *confeccionar medicamentos.* **2.** Dar acabamento a; executar (uma obra qualquer). **3.** Compor, organizar. [Sin. ger.: *confeiçoar.*]
confeccionista. *S. 2 g.* Pessoa que trabalha em confecção (2).
confederação. [Do lat. *confederatione.*] *S. f.* **1.** Reunião de diferentes Estados que, embora conservando a respectiva autonomia, formam um só, reconhecendo um governo comum: *a Confederação Helvética.* **2.** Aliança de nações para um fim comum. **3.** Liga, associação, união de grupos, Estados, etc., com um fim determinado: *A Confederação do Equador, formada em 1824 no N.E., tinha cunho republicano e separatista.* **4.** Agrupamento de associações, federações profissionais, sindicais, esportivas, etc., para a defesa de interesses comuns: *a Confederação Brasileira de Futebol.* **5.** *Bras.* Associação sindical de grau superior, sediada na capital da República, e que reúne pelo menos três federações.
confederado. [Part. de *confederar.*] *Adj.* **1.** V. *coligado* (2). • *S. m.* **2.** V. *coligado* (3).
confederar. [Do lat. *confederare.*] *V. t. d.* **1.** Unir em confederação. *P.* **2.** Unir-se, associar-se para um fim comum, em geral político: "Pra acabar coos ataques reiterados / Dos Luzos, confederam-se os Tamoios." (Gonçalves de Magalhães, *A Confederação dos Tamoios*, p. 33.)
confederativo. *Adj.* Relativo a confederação.
confeição. [Do lat. *confectione.*] *S. f.* Ato ou efeito de confeiçoar.
confeiçoar. [De *confeição* + *-ar*[2].] *V. t. d.* **1.** Preparar (medicamentos) com várias drogas. **2.** Manipular (bolos e doces de confeitaria). **3.** Confeccionar. [Conjug.: v. *coroar.*]
confeitadeira. [De *confeitar* (3) + *-deira.*] *S. f.* Mulher que confeita bolos; confeiteira, doceira.
confeitado. [Part. de *confeitar.*] *Adj.* Coberto com massa de água e açúcar ou glacê: *castanhas confeitadas; amêndoas confeitadas.* [Cf. *aconfeitado.*]
confeitar. *V. t. d.* **1.** Cobrir com açúcar, tal como se faz com os confeitos. **2.** Trabalhar (o açúcar) associando-o artisticamente a outros elementos, como, p. ex., frutas, chocolate, mel. **3.** Ornamentar (bolo), cobrindo-o com uma preparação feita de açúcar e outros ingredientes. **4.** *Fig.* Adoçar para iludir: *Tratara-o com aspereza, mas agora, levado pelo interesse, confeitava as palavras.* **5.** *Fig.* Disfarçar, encobrir. [Cf. *aconfeitar.*]
confeitaria. *S. f.* **1.** Casa onde se fabricam ou vendem bolos, biscoitos, doces, salgadinhos, etc. **2.** *Bras.* Casa de chá.
confeiteira. *S. f.* **1.** Prato para servir doces. **2.** Vasilha para guardar confeitos. **3.** Mulher que faz, vende e/ou confeita doces; confeitadeira.
confeiteiro. *S. m.* Fabricante ou vendedor de confeitos, bolos e outros doces; doceiro.
confeito. [Do lat. *confectu*, 'preparado', pelo it. *confetto.*] *S. m.* **1.** Semente ou pevide coberta de uma camada aderente de açúcar. **2.** *P. ext.* Bala, rebuçado. **3.** Pequenas pastilhas coloridas usadas para confeitar bolos.
conferência. [Do lat. *conferentia.*] *S. f.* **1.** Ato ou efeito de conferir. **2.** Confronto, cotejo. **3.** Conversação entre duas ou mais pessoas sobre negócios de interesse comum. **4.** V. *convenção* (6). **5.** Reunião de representantes ou delegados de vários países para discutirem problemas internacionais. **6.** Preleção pública sobre assunto literário, científico, etc. **7.** Junta de médicos que reciprocamente se consultam e esclarecem sobre o estado de um doente ou sobre medidas sanitárias. **8.** Reunião dos membros dum tribunal coletivo para decisão final ou acórdão. [Cf. *conferencia*, do v. *conferenciar.*] ♦ **Conferência de frete.** *Mar. Merc.* Cada um dos conclaves internacionais de natureza privada, em que as companhias de navegação se congregam para estabelecer regras acerca de fretes, distribuição de cargas, etc., referentes ao comércio marítimo internacional.
conferenciador (ô). *S. m. Bras. P. us.* V. *conferencista.*
conferencial. *Adj. 2 g.* Relativo a, ou que tem forma de conferência.
conferenciar. *V. int.* **1.** Discutir ou tratar em conferência. **2.** Fazer preleção ou conferência. **3.** Conversar, palestrar: *Não se viam desde muito, e hoje, ao reencontrarem-se, conferenciaram longamente. T. i.* **4.** Ter conferência (3): "saía de Cascais num batel o João Ramalho, ... para conferenciar com o Mestre" (Oliveira Martins, *A Vida de Nun'Álvares*, p. 179). [Pres. ind.: *conferencio, conferencias, conferencia*, etc. Cf. *conferência.*]
conferencista. [De *conferência* (6) + *-ista.*] *S. 2 g.* Pessoa que faz conferência(s). [Sin.: *conferente* (lus.) e *conferenciador* (bras., p. us.).]
conferente. [Do lat. *conferente.*] *Adj. 2 g.* **1.** Que confere. • *S. 2 g.* **2.** *Lus.* V. *conferencista.* **3.** Pessoa que toma parte numa conferência (3 e 4). **4.** *Tip.* Auxiliar do revisor, que lê o original em voz alta ou escuta a leitura da prova. [V. *cantador* (5).]
conferição. *S. f.* Ato ou efeito de conferir.
conferir. [Do lat. **conferere*, por *conferre.*] *V. t. d.* **1.** Ver se está certo; comparar, confrontar, verificar: *Levou longo tempo a conferir o recibo.* **2.** Dar, conceder, outorgar: *Na confissão o sacerdote confere o perdão dos pecados.* **3.** *Jur.* Trazer à colação; colar, colacionar. *T. d. e i.* **4.** Comparar; confrontar: *Conferiu as provas com o original;* "Passei uma última vez pela Livraria José Olímpio, na Rua do Ouvidor, para conferir minhas recordações com os objetos que a elas estão ligados." (Carlos Drummond de Andrade, *Fala, Amendoeira*, p. 49.) **5.** Dar; outorgar: *Conferiu um título honorífico ao general vitorioso.* **6.** Dar; imprimir: *Conferiu à exposição um tom solene. T. i.* **7.** Tratar; discutir: *conferir negócios com alguém. T. i.* **8.** Tratar, discutir negócios; conferenciar. *Int.* **9.** Estar conforme ou certo: *Verificou se as contas conferiam.* **10.** Tratar de negócios em conferência; conferenciar: *Convocou os sócios para conferir.* **11.** *Tip.* Ler o original em voz alta, enquanto o revisor acompanha o texto na prova

[Cf. *revisar* (5).] **12.** *Tip.* V. *comprovar* (3). **13.** V. *colacionar* (1). [Irreg. Conjug.. v. *aderir.*]
confertifloro. *Adj. Bot.* Provido de flores densamente agrupadas.
confessado. [Part. de *confessar.*] *Adj.* **1.** Que se confessou. **2.** Confesso (2). ● *S. m.* **3.** Aquele que se confessa com determinado padre.
confessando. *S. m.* Aquele que vai confessar-se, fazer a confissão de seus pecados: "No branco véu das confessandas / Envolves a alva cabeleira..." (Alphonsus de Guimaraens, *Obra Completa*, p. 216.)
confessar. [Do lat. *confessare.*] *V. t. d.* **1.** Declarar; revelar: *Confessou tranqüilamente a sua culpa.* **2.** Reconhecer a verdade, a realidade de (ação, erro, culpa, etc.) **3.** Declarar [pecado(s)] ao confessor. **4.** Ouvir em confissão: *O sacerdote confessou a moribunda.* **5.** Professar, seguir (sistema, doutrina, religião, seita, etc.). **6.** Deixar perceber ou transparecer: *Seus olhos confessavam o que lhe ia na alma. T. d. e i.* **7.** Declarar, revelar: *Confessou-lhe toda a verdade. Transobj.* **8.** Declarar, reconhecer: *Confessaram Cristo por filho de Deus. Int.* **9.** Fazer a confissão dos seus pecados; confessar-se: *É católico praticante: confessa e comunga pela Páscoa. P.* **10.** Declarar pecados ao confessor; confessar: "queria confessar-se, comungar, tinha medo de morrer em pecado" (Coelho Neto, *Sertão*. p. 330). **11.** Declarar-se; reconhecer-se: *Confessou-se responsável por tudo;* "era prova de bom gosto literário confessarem-se os poetas influenciados pelos autores italianos." (Melo Nóbrega, *O Soneto de Arvers.* p. 77). [Pres. ind.: *confesso*, etc. Cf. *confesso* (ê).]
confessional. *Adj. 2 g.* **1.** Relativo a, ou próprio de confissão. **2.** Relativo a uma crença religiosa. ~ V. *sigilo* —.
confessionário. *S. m.* **1.** Lugar onde o padre ouve a confissão. **2.** *Fig.* O sacramento da penitência: *Usavam o confessionário para fins políticos.* **3.** Tribunal de penitência.
confesso. [Do lat. *confessu.*] *Adj.* **1.** Que confessou as suas culpas. **2.** Que foi objeto de confissão; confessado. **3.** Convertido ao cristianismo. ● *S. m.* **4.** Monge que vivia em mosteiro. **5.** Confessor (2). [Pl.: *confessos*. Cf. *confesso* (ê) e pl. *confessos* (ê).]
confesso (ê). [Dev. de *confessar.*] *S. m.* **1.** Confissão ao sacerdote. **2.** *Ant.* Qualquer confissão. [Pl.: *confessos* (ê). Cf. *confesso*, do v. *confessar*, adj. e s. m., e pl. *confessos*.]
confessor (ô). [Do lat. *confessore.*] *S. m.* **1.** Sacerdote que ouve a confissão de pecados e erros feita por penitentes. **2.** Aquele que confessa a fé cristã; confesso. [Cf. *mártir* (1).]
confessório. [Do lat. *confessoriu.*] *Adj.* Relativo à confissão.
confete (é). [Do it. *confetti*, pl. de *confetto.*] *S. m.* **1.** Rodelinhas multicores de papel que atiram uns aos outros, aos punhados, aqueles que brincam no carnaval. **2.** *Bras. Fig. Pop.* Elogio, amabilidade, galanteio.
confiabilidade. *S. f.* Qualidade de quem ou do que é confiável; fiabilidade.
confiado. [Part. de *confiar.*] *Adj.* **1.** Que tem confiança. **2.** Que se confiou. **3.** *Pop.* Atrevido, petulante. ● *S. m.* **4.** Indivíduo confiado (3).
confiança. [De *confiar* + *-ança.*] *S. f.* **1.** Segurança íntima de procedimento. **2.** Crédito, fé: *O mensageiro não merecia a confiança nele depositada.* **3.** Boa fama: *A joalheria é de confiança.* **4.** Segurança e bom conceito que inspiram as pessoas de probidade, talento, discrição, etc. **5.** Esperança firme: *O congresso inaugurou-se numa atmosfera de confiança.* **6.** Familiaridade (3). **7.** *Pop.* Atrevimento, petulância. **8.** *Bras.* Atos libidinosos; licença. ● *S. m.* **9.** *Bras., RS.* Empregado (ou outra pessoa) de confiança, com quem se pode contar em qualquer situação: "andei muito por esses meios, como vasqueano, como chasque, como confiança dele" (Simões Lopes Neto, *Contos Gauchescos e Lendas do Sul*, p. 168). ♦ **Dar confiança a.** Tratar (alguém) com familiaridade e/ou consentir em ser assim tratado. **Depositar confiança em. 1.** Crer na honradez ou discrição de. **2.** Ter em bom conceito, em alta estima.
confiante. *Adj. 2 g.* Que confia: *Estão confiantes na vitória.*
confiar. [Do lat. *confidere*, com mudança de conjugação.] *V. int.* **1.** Ter confiança; ter fé; esperar, acreditar: *É um crédulo: confia demais. T. i.* **2.** Pôr ou ter confiança, esperança (em alguém ou alguma coisa): "esperava; não confiava em si absolutamente, mas confiava muito do acaso." (Aluísio Azevedo, *O Coruja*, p. 273). *T. d. e i.* **3.** Comunicar ou transmitir em confiança: *Confiei-lhe a minha opinião sobre o assunto;* "S. Rev^{ma} confiara-lhe o segredo, pela muita confiança que nele depositava." (Inglês de Sousa, *O Missionário*, p. 101); "Enquanto ela confiava da irmã o despeito e aversão com que a deixaram as últimas palavras de Calisto Elói, estava ele no seu gabinete retocando e piorando aquelas linhas rimadas" (Camilo Castelo Branco, *A Queda dum Anjo*, p. 152). **5.** Entregar em confiança; fiar. *P.* **6.** Ter confiança; acreditar; fiar-se.
confiável. *Adj. 2 g.* Em que(m) se pode confiar; digno de confiança; fidedigno.
confidência. [Do lat. *confidentia.*] *S. f.* **1.** Informação ou revelação secreta. **2.** Confiança na discrição e lealdade de alguém. [Cf. *confidencia*, do v. *confidenciar.*]
confidencial. *Adj. 2 g.* **1.** Dito ou escrito em confidência; secreto. ● *S. f.* **2.** Comunicação ou ordem sob sigilo.
confidenciar. *V. t. d.* e *t. d. e i.* **1.** Dizer em segredo, em confidência: *Não lhe apraz confidenciar seus problemas;* "Um ministro do gabinete canadiano .... confidenciava aos jornalistas as suas últimas declarações." (Joaquim Paço d'Arcos, *Neve sobre o Mar*, p. 20.) *P.* **2.** Trocar confidências [v. *confidência*, (1)]. [Pres. ind.: *confidencio, confidencias, confidencia*, etc. Cf. *confidência.*]
confidencioso (ô). *Adj.* **1.** Relativo a, ou que tem modos de confidência. **2.** Revelado ou dito em confidência.
confidente. [Do lat. *confidente.*] *Adj. 2 g.* **1.** Diz-se de pessoa a quem se confiam segredos. ● *S. 2 g.* **2.** Pessoa a quem se confiam segredos. **3.** *Teat.* Personagem secundária, que representa o papel de íntimo de outra personagem mais importante. **4.** *Teat.* Personagem que exerce a função de intermediário ou mediador entre a ação da peça e o público, informando este das peripécias e intrigas.
configuração. [Do lat. *configuratione.*] *S. f.* **1.** A forma exterior de um corpo; conformação, aspecto, figura, feitio. **2.** *Astr.* Posição aparente de dois ou mais astros na esfera celeste. **3.** *Geom.* Qualquer conjunto formado por pontos, linhas e superfícies; figura.
configurar. [Do lat. *configurare.*] *V. t. d.* Dar a forma ou figura de; conformar: *Tomou um bocado de argila e configurou um ser humano.*
confim. [Do lat. *confine.*] *Adj. 2 g.* Que confina. ~ V. *confins.*
confinamento. *S. m.* **1.** Ato ou efeito de confinar(-se). **2.** *Fís. Nucl.* Operação que impede, de modo eficiente e prolongado, que as partículas de um plasma colidam com as paredes do recipiente que o contém.
confinante. *Adj. 2 g.* Que confina; confrontante.
confinar. [De *confin* + *-ar*^{2}.] *V. t. d.* **1.** Limitar; circunscrever, demarcar: *Altos muros confinavam os parques da mansão.* **2.** Encerrar, enclausurar: *Confinou o prisioneiro numa cela escura. T. i.* **3.** Ter como limite ou fronteira; limitar(-se): *O Brasil confina, ao sul, com o Uruguai.* **4.** Ser ou estar próximo, fronteiro; aproximar-se, avizinhar-se: *Suas idéias confinam com as minhas;* "percebeu que entre eles havia .... pouca ou nenhuma afinidade moral, e da parte da mulher para com o marido uns modos que transcendiam o respeito e confinavam na resignação e no temor." (Machado de Assis, *Várias Histórias*, p. 108). *Int.* **5.** Estar nos confins. *P.* **6.** Dedicar-se com exclusividade; consagrar-se; absorver-se, concentrar-se: "E os mexicanos?! Era incrível, mas tanto se confinara ultimamente nas afeições domésticas, que se esquecera de fazer amigos entre eles." (Viana Moog, *Tóia*, p. 40.)
confinidade. *S. f.* Qualidade de confinante.
confins. [Pl. de *confim.*] *S. m. pl.* **1.** Raias, fronteiras. **2.** Extremo longínquo. ~ V. *confim.*
confioso (ô). *Adj.* Cheio de confiança.
confirmação. [Do lat. *confirmatione.*] *S. f.* **1.** Ato ou efeito de confirmar(-se). **2.** *Rel.* Sacramento da Igreja Católica Apostólica Romana, habitualmente administrado pelo bispo, e que assegura, fortalece, confirma a graça do batismo; crisma. **3.** Parte do discurso na qual o orador desenrola as provas.
confirmador (ô). *Adj.* **1.** V. *confirmante.* ● *S. m.* **2.** Aquele que confirma.
confirmante. [Do lat. *confirmante.*] *Adj. 2 g.* Que confirma; confirmador, confirmativo.
confirmar. [Do lat. *confirmare.*] *V. t. d.* **1.** Afirmar de modo absoluto; corroborar: *A testemunha confirmou o depoimento do réu.* **2.** Dar certeza a; mostrar a verdade de; demonstrar, comprovar: *As experiências que fez confirmam sua tese.* **3.** Sustentar, manter, conservar, firmar: *O Ministro baixou portaria confirmando instruções anteriores.* **4.** Aprovar, sancionar: *O cardiologista confirmou o diagnóstico do clínico.* **5.** Conferir o sacramento da confirmação a. *P.* **6.** Verificar-se, realizar-se, cumprir-se: *Confirmou-se a sua previsão.* **7.** Receber confirmação (2).
confirmativo. [Do lat. *confirmativu.*] *Adj.* V. *confirmante.*
confirmatório. *Adj.* Que contém confirmação (1).
confiscação. [Do lat. *confiscatione.*] *S. f.* Confisco.
confiscar. [Do lat. *confiscare.*] *V. t. d.* **1.** Apreender em proveito do fisco; arrestar: "Se por seu lado a Inquisição não cessava de funcionar, queimando judeus para depurar a fé, confiscando-lhes os bens para acudir às urgências do erário régio ...., força é também confessar que, no decurso do século XVII e na primeira metade do seguinte, a Inquisição condena, castiga e queima os messias sebastianistas, freqüentemente padres" (Oliveira Martins, *História de Portugal*, II, p. 193). **2.** Apoderar-se ou apossar-se de, como em caso de confisco: "não recebia correio sem passagem pela mão da avó. Creio que ela se temeu de tudo e de todos e confiscou-me, nessa ocasião, a totalidade da correspondência." (Maria Archer, *Nada Lhe Será Perdoado*, p. 73). [Conjug.: v. *trancar.*]
confiscável. *Adj. 2 g.* Que se pode confiscar.
confisco. [Dev. de *confiscare.*] *S. m.* Ato ou efeito de confiscar; confiscação.
confissão. [Do lat. *confessione.*] *S. f.* **1.** Ato de confessar(-se). **2.** Declaração da própria fé; profissão. **3.** *P. ext.* Cada uma das seitas cristãs. **4.** *Rel.* Parte do sacramento da penitência constituída pela declaração dos próprios pecados. **5.** *Rel.* Penitência (7). **6.** Oração da Igreja, também chamada *confiteor* [q. v.]. ♦ **Confissão auricular.** A que se faz ao ouvido do confessor. **Confissão de dívida.** Obrigação escrita pelo devedor.
confitente. [Do lat. *confitente.*] *Adj. 2 g.* e *s. 2 g.* Que ou quem confessa ou se confessa.
➧**confiteor** (confítcor). [Lat., 'eu confesso'.] *S. m.* Oração que principia por essa palavra, e recitada pelos católicos antes de confessarem os seus pecados ao padre.
conflagração. [Do lat. *conflagratione.*] *S. f.* **1.** Incêndio que se alastrou. **2.** *Fig.* Viva excitação de ânimo; veemência de sentimentos ou paixões: "perde-se na conflagração cerebral, numa revoada de sombras, de palavras, de idéias e sensações inextricáveis, todas sincopadas, tudo caótico, tudo caótico." (Ferreira de Castro, *A Tempestade*, p. 258). **3.** Revolução (2). **4.** Guerra (1) generalizada: "Ele [o poeta popular João Martins de Ataíde] descreveu humoristicamente o medo dos sertanejos, quando da entrada do Brasil na conflagração mundial." (Leonardo Mota, *Violeiros do Norte*, p. 58.)
conflagrar. [Do lat. *conflagrare.*] *V. t. d.* **1.** Incendiar totalmente. **2.** Excitar vivamente; abrasar: *conflagrar ânimos.* **3.** Pôr em convulsão, agitação; convulsionar: *O movimento libertador conflagrou todo o país.*
conflitante. [Do lat. *conflictante.*] *Adj. 2 g.* **1.** Colidente, contraditório: *sentimentos conflitantes.* **2.** Incompatível, inconciliável. **3.** Que está em luta; oposto, contrário.
conflitar. [Do lat. *conflictare.*] *V. t. i.* e *int.* Estar em oposição; colidir: *Sua opinião conflita com a minha; Os dois pareceres conflitam.*
conflito. [Do lat. *conflictu.*] *S. m.* **1.** Embate dos que lutam. **2.** Discussão acompanhada de injúrias e ameaças; desavença. **3.** Guerra (1). **4.** Luta, combate. **5.** Colisão, choque: *As opiniões dos dois entram sempre em conflito.* **6.** *Teat.* O elemento básico determinante da ação dramática, a qual se desenvolve em função da oposição e luta entre diferentes forças; conflito dramático. ♦ **Conflito dramático.** *Teat.* Conflito (6).
conflituoso (ô). *Adj.* **1.** Relativo a conflito(s). **2.** Que tem caráter de conflito. **3.** Afeito a conflitos. **4.** Irritável, irascível, iracundo.
confluência. [Do lat. *confluentia.*] *S. f.* **1.** Qualidade do que é confluente. **2.** Lugar onde se juntam dois ou mais rios; afluência. **3.** *Patol.* Erupção cutânea. **4.** *Anál. Mat.* Procedimento com que se obtém uma equação diferencial a partir de outra que tem dois pontos singulares, fazendo um dos pontos tender para o outro.
confluente. [Do lat. *confluente.*] *Adj. 2 g.* **1.** Que conflui. ● *S. m.* **2.** *Geog.* Rio que desemboca na mesma foz, com outro rio: "No ocidente do vale, à ourela dos rios, ... a selva é quase hostil. Aí, meio fechadas na ramaria, ao longo dos afluentes, dos confluentes, dos defluentes — as tristes choupanas." (Raimundo Morais, *Na Planície Amazônica*, p. 22.) [Cf. *afluente* e *defluente.*]

confluir. [Do lat. *confluere.*] *V. t. c.* **1.** Correr (para o mesmo ponto), convergir, afluir: *Centenas de pessoas confluíram ao teatro; As águas confluem para o mar. Int.* **2.** Juntarem-se (dois rios) e correrem depois num leito comum. [Conjug.: v. *fluir.*]

confocal. *Adj. 2 g.* Que têm os mesmos focos reais ou imaginários.

conformação. [Do lat. *conformatione.*] *S. f.* **1.** Configuração (1). **2.** Conformidade, resignação.

conformado. [Part. de *conformar-se.*] *Adj.* e *s. m.* Que ou aquele que se conforma, resigna, acomoda com infortúnios, vicissitudes, desconfortos, desgraças: *pessoa conformada; É um conformado: tudo aceita como a vontade de Deus.*

conformador (ô). [Do lat. *conformatore.*] *Adj.* **1.** Que conforma. ● *S. m.* **2.** Aquele que conforma. **3.** Aparelho usado pelos chapeleiros para dar forma aos chapéus.

conformal. *Adj. 2 g.* ~ V. *mapeamento —.*

conformar. [Do lat. *conformare.*] *V. t. d.* **1.** Formar; dispor; configurar: *Não fará cirurgia plástica: quer conservar as feições como a natureza as conformou.* **2.** Tornar conforme; conciliar, harmonizar: *Não logrou conformar os pareceres opostos. T. d. e i.* **3.** Tornar conforme; conciliar, adequar, amoldar: *conformar a vida com os ideais cristãos. T. i.* **4.** Ser conforme; corresponder; ajustar-se, adequar-se, amoldar-se: *A grandeza do empreendimento conforma com a capacidade e arrojo do empreendedor. P.* **5.** Ser conforme; corresponder, ajustar. **6.** Acomodar-se; resignar-se: "Como as mulheres que foram realmente belas, a Ribeirinha não se conformaria com o outono da vida" (Celso Cunha, *Língua e Verso*, p. 25); "Tenente Pires Ferreira não se conformara em ficar aguardando ordens morosas em Juazeiro." (João Felício dos Santos, *João Abade*, p. 16). **7.** *Ant.* Ser da mesma opinião; concordar. **8.** Identificar-se: *Seus temperamentos se conformam.*

conformativa. [Fem. substantivado de *conformativo.*] *S. f. Gram.* Conjunção conformativa.

conformativo. *Adj. Bras.* Destinado a conformar. ~ V. *conjunção —a.*

conforme. [Do lat. *conforme.*] *Adj. 2 g.* **1.** Que tem a mesma forma; idêntico. **2.** Resignado, conformado: "gordo, rosado, corpulento, bigode em duas volutas, ... fisionomia de pessoa contente consigo se não conforme com o mundo" (Aquilino Ribeiro, *Alemanha Ensangüentada*, p. 121). **3.** Da mesma opinião; concorde: *Neste assunto estou conforme com ele.* **4.** Nos devidos termos: *A certidão foi lida e achada conforme.* ~ V. *mapeamento —, projeção —* e *projeção cônica —.* ● *Adv.* **5.** Em conformidade. ● *Conj.* **6.** Segundo as circunstâncias: *— Pode viajar comigo? — Conforme.* **7.** Como, segundo: *Conforme ouvi contar, aquele casamento não durará muito.* **8.** À medida que, à proporção que: *Conforme o cheiro crescia, o ambiente tornava-se irrespirável.* **9.** *Bras.* Logo que: *Conforme chegou, foi falando da viagem.* ~ V. *conformes.*

conformes. *S. m. pl.* Us. na expr. *ter os seus conformes.* ~ V. *conforme.* ♦ **Ter os seus conformes.** *Bras., N.E. Pop.* Depender de certas circunstâncias.

conformidade. *S. f.* **1.** Qualidade do que é conforme (1). **2.** Qualidade de quem se conforma; resignação. **3.** *Geol.* Sucessão paralela e contínua dos depósitos estratificados; concordância.

conformismo. *S. m.* Atitude de quem se conforma com todas as situações.

conformista. *Adj. 2 g.* e *s. 2 g.* **1.** Entre os ingleses, que ou quem professa a religião oficial, o anglicanismo. **2.** Que ou quem é adepto do conformismo.

confortabilidade. *S. f.* Qualidade de confortável.

confortado. [Part. de *confortar.*] *Adj.* **1.** Fortalecido, animado. **2.** Agasalhado, aconchegado.

confortador (ô). *Adj.* **1.** Confortante. ● *S. m.* **2.** Aquele que conforta, anima, consola.

confortante. [Do lat. *confortante.*] *Adj. 2 g.* Que conforta; confortador: *palavra confortante.*

confortar. [Do lat. *confortare.*] *V. t. d.* **1.** Dar forças a; fortificar: *Procurou um vinho para confortar o viajante.* **2.** Dar ou proporcionar conforto a; tornar confortável: *Gastou milhões para confortar a casa de campo.* **3.** Aliviar as penas, a dor, de; consolar; animar: *Procurou, com palavras de afeto, confortar a viúva. P.* **4.** Dar-se forças; fortificar-se: *Confortou-se com uma poção do tônico.* **5.** Buscar ânimo, consolo. [Pres. ind.: *conforto*, etc. Cf. *conforto* (ô).]

confortativo. *Adj.* **1.** Próprio para confortar. ● *S. m.* **2.** Medicamento fortificante.

confortável. [Do ingl. *confortable.*] *Adj. 2 g.* **1.** Que conforta; que oferece conforto^2: *poltrona confortável.* **2.** Cômodo, adequado. **3.** Aconchegado, agasalhado: *ambiente confortável.*

conforto^1 (ô). [Dev. de *confortar.*] *S. m.* **1.** Ato ou efeito de confortar(-se). **2.** Estado de quem é confortado. **3.** Consolo, alívio. [Pl.: *confortos* (ô). Cf. *conforto*, do v. *confortar.*]

conforto^2 (ô). [Do ingl. *comfort.*] *S. m.* Bem-estar material; comodidade. [Pl.: *confortos* (ô). Cf. *conforto*, do v. *confortar.*]

confradaria. *S. f. Prov. lus.* Confraria [q. v.].

confrade. [Do lat. medieval *confratre.*] *S. m.* **1.** Membro de confraria. **2.** Colega, companheiro, camarada. [Fem.: *confreira.*]

confragoso (ô). [Do lat. *confragosu.*] *Adj.* **1.** V. *áspero* (2). **2.** Cheio de penedias.

confrangedor (ô). *Adj.* Que confrange.

confranger. [Do lat. **confrangere.*] *V. t. d.* **1.** Oprimir, afligir, angustiar: *Nada o alivia da dor que lhe confrange o coração.* **2.** Moer, esmigalhar: *Procurava, com as mãos enormes, confranger os ossos do animal. P.* **3.** Contorcer-se, contrair-se. **4.** Sentir-se muito mal; afligir-se, angustiar-se: *Confrangeu-se com a morte do amigo;* "o coração, que não tem para dar senão suspiros, no fundo do peito se confrange todo, e se espedaça." (Antônio Feliciano de Castilho, *O Presbitério da Montanha*, I, p. 109). [Conjug.: v. *tanger.*]

confrangido. [Part. de *confranger.*] *Adj.* **1.** Contraído de dor, contorcido. **2.** Contrafeito, constrangido. **3.** Torturado, oprimido; angustiado, aflito.

confrangimento. *S. m.* **1.** Ato ou efeito de confranger(-se). **2.** Contração dolorosa.

confraria. [Por *confradaria* [q. v.], de *frade* 'frate, 'irmão'.] *S. f.* **1.** Associação para fins religiosos; irmandade, congregação. **2.** Conjunto das pessoas da mesma categoria, dos mesmos interesses ou da mesma profissão. **3.** Sociedade, associação. **4.** *Teat.* No teatro francês da Idade Média, sociedade teatral dedicada às representações de milagres e mistérios, bem como de farsas e pantomimas.

confraternar. *V. t. d. P. us.* Confraternizar (1).

confraternidade. *S. f.* **1.** União fraterna. **2.** Amizade como a que deve e costuma haver entre irmãos. **3.** Relação que une os companheiros da mesma confraria (2): *confraternidade das artes.*

confraternização. *S. f.* Ato de confraternizar.

confraternizar. [De *con-* + *fraternizar.*] *V. t. d.* **1.** Ligar como irmãos [Sin., p. us.: *confraternar.*] *T. i.* **2.** Conviver ou tratar fraternalmente: *Apesar de sua alta posição, confraterniza com os humildes.* **3.** Ter os mesmos sentimentos, crenças ou idéias de outrem: *Declarou que confraternizava com seus antigos opositores. Int.* **4.** Confraternizar (3): *Conquanto oriundos de terras tão distantes, confraternizam vivamente.* **5.** Dar, mais ou menos efusivamente, demonstração de confraternidade (1 e 2): *Após a vitória os jogadores brasileiros confraternizaram;* "Desconhecidos confraternizam, trocam amabilidades" (Érico Veríssimo, *A Volta do Gato Preto*, p. 183).

confreira. *S. f.* Fem. de *confrade.*

confrontação. *S. f.* **1.** Ato de confrontar(-se). **2.** Comparação, cotejo, confronto. **3.** Acareação (de acusados ou testemunhas). ~ V. *confrontações.*

confrontações. [Pl. de *confrontação.*] *S. f. pl.* Limites ou extremos de um prédio. ~ V. *confrontação.*

confrontado. [Part. de *confrontar.*] *Adj.* Que se confrontou; comparado, cotejado.

confrontador (ô). *S. m.* Aquele que confronta.

confrontante. *Adj. 2 g.* **1.** Que confronta. **2.** Confinante.

confrontar. [De *con-* + *fronte* + *-ar^2.*] *V. t. d.* **1.** Pôr frente a frente; acarear: *confrontar testemunhas.* **2.** Comparar, cotejar: *confrontar situações. T. d. e i.* **3.** Pôr frente a frente; acarear. **4.** Comparar, cotejar: *Confrontou a tradução com o original para verificar se estava fiel;* "Mesmo tendo o hábito de percorrer livrarias, era naquela [a *José Olímpio*] que o escritor pousava para confrontar suas idéias com as dos confrades" (Carlos Drummond de Andrade, *Fala, Amendoeira*, p. 51). *T. i.* **5.** Fazer face; defrontar: *A casa confronta com a estrada. P.* **6.** Fazer face mutuamente; defrontar-se: *Os edifícios onde moram se confrontam;* "Confrontavam-se no caminho estreito, o homem abaixava os olhos, contrafeito" (Herman Lima, *Garimpos*, p. 142).

confronte. *Adj. 2 g.* **1.** Que confronta, que está em frente de: *Meu sítio é confronte ao dele.* ● *Adv.* **2.** *Bras., N. E.* Defronte; em face; em frente.

confronto. [Dev. de *confrontar.*] *S. m.* **1.** Ato ou efeito de confrontar. **2.** Paralelo, comparação. **3.** V. *briga* (1): "quatro pessoas ficaram feridas e 14 foram detidas em longo confronto de policiais com milhares de manifestantes." (*Jornal do Brasil*, 13.5.1985).

confuciano. *Adj.* Pertencente ou relativo a, ou próprio de Confúcio [v. *confucionismo*].

confucionismo. *S. m. Hist. Filos.* Doutrina ética e política de Confúcio (Kung Fu-tze), filósofo chinês (551-479 a. C.), e de seus seguidores, a qual por mais de dois mil anos constituiu o sistema filosófico dominante da China. Caracteriza-se por situar o homem e a experiência social e política da humanidade no centro da investigação, daí resultando a definição das relações humanas individuais em função das instituições sociais, principalmente da família e do estado.

confucionista. *Adj. 2 g.* **1.** Relativo a Confúcio, ou ao confucionismo [q. v.]. **2.** Que segue o confucionismo. ● *S. 2 g.* **3.** Pessoa que o segue.

confugir. [Do lat. *confugere.*] *V. int.* **1.** Fugir ao mesmo tempo que outrem. *T. i.* **2.** Solicitar auxílio ou amparo; recorrer. [Conjug.: v. *fugir.*]

confundas. [Alter. de *profundas.*] *S. f. pl. Bras. Pop.* Profundas (1) dos infernos.

confundido. [Part. de *confundir.*] *Adj.* **1.** Assustado, atordoado. **2.** Envergonhado, acanhado. **3.** Embaraçado, atrapalhado.

confundir. [Do lat. *confundere.*] *V. t. d.* **1.** Misturar desordenadamente; baralhar: *Para não serem encontradas as cartas, confundiu os papéis que estavam sobre a mesa.* **2.** Não distinguir (pessoas ou coisas): *Tão parecidas são as irmãs que até os íntimos as confundem; Confundiu os sons; Confunde sentimentos.* **3.** Embaraçar, enlear; envergonhar; humilhar; vexar: *Procurou confundi-lo com palavras rudes.* **4.** Fundir juntamente, ou de mistura. *T. d. e i.* **5.** Reunir sem ordem; misturar: *Confundiu documentos importantes com insignificantes.* **6.** Não estabelecer distinção, não distinguir, entre pessoas ou coisas: "Chegou-se .... a confundir a religião com a moral e fazer da moral leiga um substituto da religião." (Alceu Amoroso Lima, *A Realidade Americana*. p. 204); *Confundia o seu acanhamento com indiferença; Ingênua, confunde o honesto com o desonesto. P.* **7.** Misturar-se; reunir-se: *As águas dos dois rios confundiam-se ali;* "intensas meditações em que a sua vida se confundia na vida do Ser" (Eça de Queirós, *Notas Contemporâneas*, p. 403); "Gonçalves empalideceu, — ou pelo menos, ficou sério; nele a seriedade confundia-se com a palidez." (Machado de Assis, *Relíquias de Casa Velha*, p. 119). **8.** Perturbar-se, equivocar-se: *Confundiu-se ao pronunciar a difícil palavra.*

confundível. *Adj. 2 g.* Que pode ser confundido.

confusa. [Der. regress. de *confusão.*] *S. f. Bras, Gír.* V. *confusão* (5). **2.** V. *rolo^1* (16).

confusão. [Do lat. *confusione.*] *S. f.* **1.** Ato ou efeito de confundir. **2.** Estado daquilo que se acha confundido, misturado. **3.** Falta de ordem ou método. **4.** Incapacidade de reconhecer diferenças ou distinções: *confusão de nomes, de lugares.* **5.** Tumulto, barulho, barafunda. [Sin. (bras., gír.): *confusa.* **6.** V. *rolo^1* (16). **7.** Falta de clareza: *A confusão do texto impossibilita um juízo perfeito acerca do que nele se afirma.* **8.** Perturbação causada pela modéstia, pelo pudor, pela vergonha de alguma falta; enleio. **9.** Perplexidade, hesitação: *Entre o amor filial e a sede de vingança, é evidente a confusão de Hamlet.* **10.** *Jur.* Extinção parcial ou total de certos direitos e obrigações em virtude de se reunirem na mesma pessoa as qualidades de credor e devedor.

confusional. [Do ingl. *confusional.*] *Adj. 2 g.* Caracterizado por confusão mental.

confuso. [Do lat. *confusu.*] *Adj.* **1.** Desordenado, misturado, tumultuado, revolto. **2.** Mal distinto; obscuro. **3.** Enleado, perturbado: "abaixou os olhos, enrubescendo, e, toda confusa, toda medrosa, jurou .... que só a mim queria por toda a vida" (Aluísio Azevedo, *Demônios*, p. 120). **4.** Hesitante, perplexo.

confutação. [Do lat. *confutatione.*] *S. f.* Ato ou efeito de confutar.

confutador (ô). [Do lat. *confutatore.*] *S. m.* Aquele que confuta.

confutar. [Do lat. *confutare.*] *V. t. d.* **1.** Rebater, refutar. **2.** Impugnar, contrariar; reprimir: "pregue livremente a Fé de u'a só Divindade, confute a falsidade dos que ainda são chamados Deuses imortais" (P^e. Antônio Vieira, *Sermões*, III, p. 196). *P.* **3.** Dar provas contra si mesmo.

confutável. *Adj. 2 g.* Que se pode confutar.

conga^1. [Do esp. *conga.*] *S. f.* Espécie de dança figurada, de salão, originária da América Central.

conga[2]. [De *côngrua*.] *S. f. Bras., PE.* Prêmio a que tem direito o proprietário duma casa de farinha pelo produto alheio nela fabricado, à razão de meia cuia por prensa.

congada. *S. f. Bras.* Bailado dramático em que os figurantes representam, entre cantos e danças, a coroação de um rei do Congo; congado.

congado. *S. m. Bras., PE.* Congada.

congéia. *S. f.* Certa trepadeira originária da Ásia.

congelação. [Do lat. *congelatione*.] *S. f.* **1.** Congelamento (1). **2.** Passagem de um líquido ao estado sólido. **3.** Entorpecimento de uma parte do corpo pelo frio intenso.

congelado. [Part. de *congelar*.] *Adj.* **1.** Que se congelou: *alimentos congelados.* **2.** Frio como gelo: *A neve deixou-o com os pés congelados.* **3.** *Econ.* Diz-se dos créditos que não se podem transferir para o exterior em virtude de medidas restritivas do Governo.

congelador (ô). *Adj.* **1.** Que congela. ● *S. m.* **2.** Compartimento da geladeira onde o gelo é fabricado e onde se guardam os alimentos a congelar. **3.** Móvel semelhante a geladeira e que se destina a congelar os alimentos.

congelamento. *S. m.* **1.** Ato ou efeito de congelar(-se); congelação. **2.** *Econ.* Estado de uma dívida, em geral externa, que temporariamente não pode ser satisfeita, nem ser objeto de exigência, por falta de divisas. **3.** *Econ.* Fixação de valores, preços, etc., em certo nível, com o fim de proteger a economia popular em épocas anormais.

congelar. [Do lat. *congelare*.] *V. t. d.* **1.** Solidificar pela ação do frio; tornar em gelo; encaramelar. **2.** Tornar frio como gelo; resfriar: *O vento frio da noite congelava os viandantes.* **3.** Descoroçoar, desalentar; gelar: *Aquelas palavras duras o congelaram.* **4.** *Econ.* Tornar congelado (3). **5.** *Econ.* Sofrer congelamento (3) *P.* **6.** Mudar-se em gelo; cristalizar-se, encaramelar-se. **7.** Desalentar(-se), descoroçoar; gelar-se. **8.** Embaraçar-se, embargar-se (a voz).

congelativo. *Adj.* Que faz congelar.

congelável. *Adj. 2 g.* Que pode ser congelado.

congeminação. [Do lat. *congeminatione*.] *S. f.* **1.** Ato de congeminar. **2.** Formação dupla e simultânea.

congeminar[1]. [Do lat. *congeminare*.] *V. t. d.* e *p.* **1.** Multiplicar(-se), redobrar(-se). **2.** Irmanar(-se), fraternizar(-se). [A acepç. 2 é impr. Cf. *conjuminar*.]

congeminar[2]. [Alter. de *imaginar*?] *V. int.* e *t. i. Lus.* Cismar; pensar, imaginar: *Leva horas a congeminar; Ficou a congeminar no além-túmulo.*

congênere. [Do lat. *congenere*.] *Adj. 2 g.* **1.** Pertencente ao mesmo gênero; congenérico. **2.** Idêntico, semelhante, similar.

congenérico. *Adj.* Congênere (1): *espécies congenéricas.*

congeneridade. *S. f.* Qualidade de congênere.

congenial. *Adj. 2 g.* **1.** Conforme ao gênio ou à índole de alguém: "fica mortalmente ferida .... no seu congenial pudor de donzela" (Aluísio Azevedo, *Livro de uma Sogra*, p. 153). **2.** Próprio da natureza: *Vê-se-lhe a estupidez congenial.*

congenialidade. *S. f.* Qualidade de congenial.

congênito. [Do lat. *congenitu*.] *Adj.* **1.** Gerado ao mesmo tempo. **2.** Nascido com o indivíduo; conatural, conato, inato: *defeito congênito;* "uma parada repentina do coração, uma conseqüência oportuna de uma lesão encoberta e congênita" (José Geraldo Vieira, *A Mulher Que Fugiu de Sodoma*, p. 301); "É, em suma, a razão pela qual o gênio poético, congênito ao homem e inseparável dele, não podia deixar estancar a poesia em tempos que sublevaram muitos dos velhos valores" (Vitorino Nemésio, *Conhecimento de Poesia*, p. 330). **3.** Apropriado, acomodado: *Escolheu uma ocupação bem congênita à sua índole.*

congérie. [Do lat. *congerie*.] *S. f.* **1.** Massa informe; montão. **2.** *Fig.* Acervo, acumulação: "Essa congérie de profecias antigas .... podia animar a qualquer dos ousados capitães daquela 'cavalaria do oceano'" (João Ribeiro, *Cartas Devolvidas*, p. 178).

congestão. [Do lat. *congestione*.] *S. f. Patol.* Afluência anormal do sangue aos vasos de um órgão.

congestionado. [Part. de *congestionar*.] *Adj.* **1.** Que sofreu, ou em que se produziu congestão. **2.** *Fig.* Rubro, afogueado: *De tão raivoso, tinha o rosto congestionado.* [Sin. ger.: *congesto*.] **3.** *Bras.* Em que ocorreu congestionamento (2).

congestionamento. *S. m.* **1.** Ato ou efeito de congestionar(-se). **2.** *Bras.* Acúmulo de veículos, que dificulta o trânsito; engarrafamento.

congestionante. *Adj. 2 g.* Que congestiona.

congestionar. *V. t. d.* **1.** Produzir congestão em. **2.** *Bras.* Produzir congestionamento (2) em: *O acidente congestionou todo o tráfego do bairro. P.* **3.** *Med.* Ficar (um órgão, ou parte dele) com acúmulo de sangue ou de matérias outras, como exsudatos e transudatos. **4.** Enrubescer, afoguear-se: *Em certo ponto da discussão seu rosto congestionou-se.* **5.** *Fig.* Pôr-se rubro de cólera.

congestionável. *Adj. 2 g.* Sujeito a congestionar-se.

congestivo. *Adj.* Que indica possibilidade de congestão.

congesto. [Do lat. *congestu*.] *Adj.* V. *congestionado*: "Um piado de gato rompia meu peito congesto." (José Lins do Rego, *Meus Verdes Anos*, p. 113.)

conglobação. [Do lat. *conglobatione*.] *S. f.* Ato ou efeito de conglobar(-se).

conglobar. [Do lat. *conglobare*.] *V. t. d.* **1.** Dar a forma de globo a; juntar em globo. **2.** Amontoar, acumular. **3.** Reunir; juntar: *Conglobou todos os partidos da região.* **4.** Resumir sintetizar; concentrar: *Em seu pequeno volume congloba as teorias do mestre. T. d. e i.* **5.** Concentrar; resumir; sintetizar: *Procurou conglobar em poucas páginas o pensamento do filósofo. P.* **6.** Tomar a forma de globo. **7.** Formar-se em magotes. **8.** Concentrar-se; resumir-se, sintetizar-se: "De repente um silêncio em que se conglobavam milhares de agonias, emudeceu o circo." (Rebelo da Silva, *Contos e Lendas*, p. 179.)

conglomeração. [Do lat. *conglomeratione*.] *S. f.* Agregação em massa.

conglomerado. [Part. substantivado de *conglomerar*.] *S. m.* **1.** *Petr.* Rocha sedimentar clástica, formada de fragmentos arredondados de diâmetro superior a 2mm e reunidos por um cimento qualquer. **2.** Conjunto, aglomerado, todo: *O conglomerado verbal;* fazer reparo *equivale* a reparar. **3.** Grupo econômico-financeiro constituído de empresas de atividades completamente diversas.

conglomerar. [Do lat. *conglomerare*.] *V. t. d.* **1.** Fazer conglomeração de; amontoar. *P.* **2.** Unir-se, reunir-se. **3.** Enovelar-se, enrolar-se.

conglutinação. [Do lat. *conglutinatione*.] *S. f.* Ato ou efeito de conglutinar(-se).

conglutinante. [Do lat. *conglutinante*.] *Adj. 2 g.* Que tem a propriedade de conglutinar.

conglutinar. [Do lat. *conglutinare*.] *V. t. d.* e *p.* **1.** Ligar(-se), aderir, com substância viscosa; glutinar. **2.** Tornar(-se) viscoso.

conglutinoso (ô). [Do lat. *conglutinosu*.] *Adj.* Viscoso, visguento, pegajoso.

congo[1]. *S. m.* **1.** V. *congolês* (2). **2.** V. *banto* (1). **3.** *Bras., N.* e *N.E.* Dança dramática de origem africana, que se realiza de preferência pelo Natal, pela festa de Nossa Senhora do Rosário, e pela de São Benedito.

congo[2]. [Do chin. pequinês *kung[1] fu[1]*, 'trabalho'.] *Adj.* Diz-se de uma variedade de chá consumido, em geral, na China.

congolense. *Adj. 2 g.* e *s. 2 g.* V. *congolês.*

congolês. *Adj.* **1.** De, ou pertencente ou relativo ao Congo (África); congolense, conguês. ● *S. m.* **2.** O natural ou habitante do Congo; congolense, conguês, congo. [Flex.: *congolesa* (ê), *congoleses* (ê), *congolesas* (ê).]

congonha. [Do tupi *kõ'gõi*, 'o que mantém o ser'.] *S. f.* **1.** *Bras., L.* e *S.* Designação comum a numerosos arbustos de várias famílias, entre elas as aqüifoliáceas, cujas folhas servem para chás ou tisanas, sendo as flores alvacentas, dispostas em fascículos axilares, e o fruto drupa pequena; mate-falso. **2.** *Bras., S.* V. *erva-mate.* **3.** *Bras., S.* Erva-mate preparada só com as folhas secas na sombra, sem o calor do fogo.

congonha-amarela. *S. f. Bras.* Planta da família das ocnáceas *(Luxemburgia octandra)*. [Pl.: *congonhas-amarelas*.]

congonha-brava. *S. f. Bras.* Planta da família das celastráceas *(Maytenus communis)*. [Pl.: *congonhas-bravas*.]

congonha-brava-de-folha-miúda. *S. f. Bot.* V. *lenha-branca.* [Pl.: *congonhas-bravas-de-folha-miúda*.]

congonha-cachimbo. *S. f. Bras.* Planta da família das voquisiáceas *(Vochysia tucanorum)*. [Pl.: *congonhas-cachimbos* e *congonhas-cachimbo*.]

congonha-do-brejo. *S. f. Bras.* V. *chá-mineiro.* [Pl.: *congonhas-do-brejo*.]

congonha-do-campo. *S. f. Bras.* Planta da família das ocnáceas *(Luxemburgia polyandra)*. [Pl.: *congonhas-do-campo*.]

congonha-do-gentio. *S. f. Bras.* Planta medicinal, da família das rubiáceas *(Rudgea viburnoides)*. [Pl.: *congonhas-do-gentio*.].

congonha-do-sertão. *S. f. Bras.* Planta da família das icacináceas *(Villaresia congonha)*. [Pl.: *congonhas-do-sertão*.]

congonhalense. *Adj. 2 g.* **1.** De, ou pertencente ou relativo a Congonhal (MG). ● *S. 2 g.* **2.** Natural ou habitante de Congonhal.

congonhar. [De *congonha* (3) + *-ar[2]*.] *V. int. Bras., RS.* Ingerir mate de congonha; matear.

congonha-verdadeira. *S. f. Bras.* Planta da família das icacináceas *(Villaresia mucronata)*. [Pl.: *congonhas-verdadeiras*.]

congonheiro. [De *congonha* + *-eiro*.] *S. m.* Árvore da família das voquisiáceas *(Vochysia oppugnata)*; rabo-de-tucano.

congonhense. *Adj. 2 g.* **1.** De, ou pertencente ou relativo a Congonhas (MG). ● *S. 2 g.* **2.** Natural ou habitante de Congonhas.

congonhinhense. *Adj. 2 g.* **1.** De, ou pertencente ou relativo a Congonhinhas (PR). ● *S. 2 g.* **2.** Natural ou habitante de Congonhinhas.

congorê. *Bras. S. 2 g.* **1.** Indivíduo dos congorês, subgrupo nambiquara que habita na Serra do Norte (MT). ● *Adj. 2 g.* **2.** Pertencente ou relativo a esses indígenas. [Sin. ger.: *cocuzu*.]

congorsa *S. f.* Arbusto de flores azuis, da família das apocináceas *(Vinca major)*.

congosta (ô). [Do lat. vulg. *congusta*.] *S. f.* **1.** Rua estreita e longa. **2** Azinhaga. [Var., menos us.: *cangosta*.]

congote. *S. m. Bras.* V. *cogote.*

congoxa (ô). [Do esp. *congoja*.] *S. f. Ant.* Angústia, aflição. ~ V. *congoxas.*

congoxas (ô). [Pl. de *congoxa*.] *S. f. pl.* Cócegas que os cavalos manifestam quando se lhes apertam as cilhas. ~V. *congoxa.*

congraçador (ô). *Adj.* e *s. m.* Diz-se de, ou aquele que congraça; conciliador, pacificador.

congraçamento. *S. m.* Ato ou efeito de congraçar(-se).

congraçar. *V. t. d.* e *t. d.* e *i.* **1.** Reconciliar; harmonizar: *Conseguiu congraçar os presentes, a princípio tão exaltados;* "Sentada no trono, já não ardia [Leonor Teles] em despeitos, nem ódios: pelo contrário, queria congraçar toda a gente, insinuar-se, seduzir, conquistar" (Oliveira Martins, *A Vida de Nun'Álvares*, p. 31). *Int.* **2.** Procurar granjear as boas graças, a amizade, a simpatia de. **3.** Fazer congraçamento. *P.* **4.** Reatar as relações de amizade; fazer as pazes; harmonizar-se; reconciliar-se: "Vamos em nossa cama congraçar-nos: / Tal ardor nunca tive e tais desejos" (Manuel Odorico Mendes, *A Ilíada de Homero*, p. 45). [Conjug.: v. *laçar*.]

congratulação. [Do lat. *congratulatione*] *S. f.* Ação de congratular-se. ~ V. *congratulações.*

congratulações. [Pl. de *congratulação*.] *S. f. pl.* Palavras por meio das quais alguém se congratula com outrem; parabéns, felicitações. ~ V. *congratulação.*

congratulador (ô). *S. m.* Aquele que se congratula.

congratulante. [Do lat. *congratulante*.] *Adj. 2 g.* Que congratula.

congratular. [Do lat. **congratulare, por congratulari*.] *V. t. d.* **1.** Dirigir felicitações ou parabéns a; felicitar: *Congratulou-o pelo êxito da missão. P.* **2.** Regozijar-se com o bem ou satisfação de outrem. **3.** Dar a si mesmo os parabéns (por ter feito ou evitado alguma coisa).

congratulatório. *Adj.* Que encerra congratulação ou serve para congratular.

congregação. [Do lat. *congregatione*.] *S. f.* **1.** Ato ou efeito de congregar(-se). **2.** Assembléia, reunião. **3.** *Rel.* Grupo de religiosos com determinado fim ou ideal, sob a direção de um responsável, que emitem os votos de forma não solene. **4.** V. *confraria* (1). **5.** Conselho dos professores duma escola de ensino médio ou superior. **6.** *Sociol.* Grupo de indivíduos acrescido a uma determinada população em virtude do excesso dos imigrantes sobre os emigrantes.

congregado. [Part. de *congregar*.] *Adj.* **1.** Junto, reunido. **2.** Que faz parte de uma congregação religiosa. ● *S. m.* **3.** Membro de congregação religiosa.

congregante. [Do lat. *congregante*.] *Adj. 2 g.* **1.** Que congrega. ● *S. 2 g.* **2.** Membro de congregação.

congregar. [Do lat. *congregare*.] *V. t. d.* **1.** Juntar, reunir: "A primeira bandeira que ali [no Paraguai] congregou brasileiros e orientais foi o pala do general Flores" (Euclides da Cunha, *Contrastes e Confrontos*, p. 5); *Congrega-os um ideal comum.* **2.** Ligar, conglutinar: *Congregou várias substâncias para obter a mistura.* **3.** Convocar, invitar: "ele [D. Pedro] congregou os melhores espíritos que o rodeavam ...., cometendo-lhes a tarefa de escreverem um Código Orgânico." (Euclides da Cunha, *À margem da História*, p. 247); *O Papa* *congregou um concílio. P.* **4.** Reunir-se em congresso: "Todos os homens que *se congregam* em Paris para uma empresa de qualquer ordem principiam o seu pacto de confraternização por jantarem juntos em períodos determinados." (Ramalho Ortigão, *Em Paris,* p. 146.) **5.** Existir simultaneamente; reunir-se, agregar-se: *Acredita que todas as virtudes nela se congregam.* [Conjug.: v. *regar.*]

congressional. *Adj. 2 g.* Relativo a congresso; congressista.

congressista. *Adj. 2 g.* **1.** Congressional. ● *S. 2 g.* **2.** Membro de congresso.

congresso. [Do lat. *congressu.*] *S. m.* **1.** Reunião, encontro. **2.** Ligação, ajuntamento, união: *congresso sexual.* **3.** Reunião de diplomatas para tratarem de problemas internacionais; conferência. **4.** O corpo ou poder legislativo de uma nação; assembléia, parlamento: *No Brasil, o Congresso é constituído pelo Senado Federal e pela Câmara dos Deputados.* **5.** Assembléia de delegados para discutirem assuntos de importância; conferência.

congressual. *Adj. 2 g.* Relativo ou pertencente a congresso (3 a 5).

congro. [Do gr. *kóggros*, 'enguia', pelo lat. *congru.*] *S. m. Bras.* Peixe teleósteo, ápode, da família dos congrídeos (*Conger conger* (L.)), do Mediterrâneo e do Atlântico, sem escamas, de maxilar mais longo que a mandíbula, dorso cinza-azulado, abdome claro, nadadeiras ímpares bordadas de negro, e cujo comprimento vai até 3m. Alimenta-se de outros peixes. [Var.: *corongo.*]

congro-real. *S. m. Bras., S.* Tiravira (2). [Pl.: *congros-reais.*]

congro-rosa. *S. m. Bras.* Peixe teleósteo, jugular, da família dos ofidiídeos (*Genypterus blacodes* (Sch.)), da costa atlântica. [Pl.: *congros-rosas.*]

côngrua. [Fem. substantivado de *côngruo.*] *S. f.* **1.** Pensão que se concedia aos párocos para sua conveniente sustentação. **2.** *Bras., PB.* Pagamento que faz o plantador de mandioca pela moagem do produto no moinho de farinha do proprietário das terras onde se acha instalado.

congruado. [De *côngrua* + *-ado*[1].] *Adj.* Que recebe côngrua.

congruência. [Do lat. *congruentia.*] *S. f.* **1.** Harmonia duma coisa com o fim a que se destina; coerência, congruidade. **2.** Propriedade, conveniência, congruidade. **3.** *Álg. Mod.* Propriedade de dois inteiros cuja diferença é divisível por um terceiro. **4.** *Geom.* Propriedade de dois ângulos cuja diferença é de 360 graus.

congruente. [Do lat. *congruente.*] *Adj. 2 g.* Em que há congruência; côngruo. ~ V. *figuras —s.*

congruidade (u-i). [Do lat. *congruitate.*] *S. f.* V. *congruência* (1).

congruísmo. *S. m.* Sistema teológico dos que sustentam que Deus concede aos homens graça côngrua.

congruísta. *Adj. 2 g.* e *s. 2 g.* Diz-se de, ou sectário do congruísmo.

côngruo. [Do lat. *congruu.*] *Adj.* Congruente.

conguense. *Adj. 2 g.* **1.** De, ou pertencente ou relativo a Congo (PB). ● *S. 2 g.* **2.** Natural ou habitante de Congo.

conguês. *Adj.* e *s. m.* V. *congolês.* [Flex: *conguesa* (ê), *congueses* (ê), *conguesas* (ê).]

conguista. *S. 2 g. Bras., ES. Folcl.* Folgador (2).

conha. *S. f.* Saliência escabrosa no tronco das árvores desde a base até certa altura.

conhaque. [Do fr. *cognac.*] *S. m.* **1.** Aguardente de vinho fabricada em Cognac (região de Charente, França). **2.** Bebida com as mesmas características, fabricada em qualquer outro país.

conhecedor (ô). *Adj.* e *s. m.* Que ou aquele que conhece alguma coisa; perito, entendedor.

conhecença. *S. f. Ant.* Conhecimento.

conhecer. [Do lat. *cognoscere.*] *V. t. d.* **1.** Ter noção, conhecimento, informação, de; saber: *Desistiu da empresa, quando lhe conheceu as desvantagens;* "Alguém já disse ironicamente que o brasileiros *conhecem* menos o seu Amazonas, que os astrônomos a geografia da Lua." (Tavares Bastos, *O Vale do Amazonas,* p. 341.) **2.** Ser muito versado em; conhecer bem: "*Conhecia* Joyce [James Joyce] dezoito línguas, e muitos dos dialetos dessas línguas, o que fazia o espanto dos seus amigos." (Olívio Montenegro, *Retratos e Outros Ensaios,* p. 93.) **3.** Travar conhecimento com: *Quero que me apresentes a ela, sempre desejei conhecê-la.* **4.** Ter relações, convivência com: *Não conhece ninguém nesta cidade;* "Era um sexagenário, que havia mais de trinta anos clinicava no bairro, onde todos o *conheciam* e respeitavam." (Artur Azevedo, *Contos Cariocas,* p. 221). **5.** Ter experiência de: *Com idade tão avançada, é impossível que não conheça a vida.* **6.** Distinguir, reconhecer: *Há dois dias está em coma, já não conhece ninguém.* **7.** Apreciar, julgar, avaliar: *Entrou na briga para conhecer a sua força.* **8.** Ter indícios certos de; prever: *conhecer o futuro.* **9.** Sentir, experimentar: *Os habitantes dos trópicos não conhecem o frio.* **10.** Estar ou ficar certo, convencido de; reconhecer: "Poti pôs a mão no crânio do ancião e *conheceu* que era finado" (José de Alencar, *Iracema,* p. 108). **11.** Ter relações sexuais com. **12.** Aceitar; admitir: *A justiça não conhece privilégio.* **13.** Submeter-se, sujeitar-se a: *Sua ambição não conhece limites. T. i.* **14.** Ter (o juiz) competência para intervir num processo; dar-se por competente para isso: *O desembargador conhece da causa. Transobj.* **15.** Travar conhecimento com: "*conheci-o* [a Guerra Junqueiro] profeta, com um fato velho, a pregar na Praça" (Raul Brandão, *Memórias,* II, p. 253). **16.** Reconhecer (12): *Ao ouvi-lo, conheceu-o por seu rei. P.* **17.** Ter uma idéia da própria capacidade. [Conjug.: v. *aquecer.*]

conhecido. [Part. de *conhecer.*] *Adj.* **1.** Que muitos conhecem: *homem conhecido; canção conhecida.* **2.** De que se tem noção ou experiência; sabido: *assunto conhecido.* **3.** Experimentado, perito, versado: *É muito conhecido em literatura.* **4.** Famoso por suas obras, sua atividade: *compositor conhecido.* ● *S. m.* **5.** Indivíduo de quem temos conhecimento, ou com quem temos ligeiras relações: *O deputado é um conhecido de meu primo.*

conhecimento. *S. m.* **1.** Ato ou efeito de conhecer. **2.** Idéia, noção. **3.** Informação, notícia, ciência. **4.** Prática da vida; experiência. **5.** Discernimento, critério, apreciação. **6.** Consciência de si mesmo; acordo. **7.** Pessoa com quem travamos relações. **8.** *Com.* Documento escrito, declaração ou recibo de que consta ter alguém em seu poder certas mercadorias [v. *título de crédito*]. **9.** *Com.* Nota de despacho de mercadorias entregues para transporte [v. *título de crédito*]. **10.** *Com.* Recibo de parcela de contribuição direta. [V. *título de crédito.*] **11.** *Filos.* No sentido mais amplo, atributo geral que têm os seres vivos de reagir ativamente ao mundo circundante, na medida de sua organização biológica e no sentido de sua sobrevivência. [Cf. *experiência* (5 a 7).] **12.** *Filos.* A posição, pelo pensamento, de um objeto como objeto, variando o grau de passividade ou de atividade que se admitam nessa posição. **13.** *Filos.* A apropriação do objeto pelo pensamento, como quer que se conceba essa apropriação: como definição, como percepção clara, apreensão completa, análise, etc. ~ V. *conhecimentos.* ♦ **Conhecimento adequado.** *Hist. Filos.* Segundo Leibniz [v. *leibniziano*], conhecimento distinto cujos elementos, até os mais primitivos, são conhecidos de modo distinto. **Conhecimento aéreo.** Documento contratual de transporte aéreo. **Conhecimento *a posteriori*.** *Hist. Filos.* Segundo Kant [v. *kantismo*], o conhecimento que só pode ser adquirido por meio da experiência; conhecimento empírico. [Cf. *a posteriori* e *conhecimento a priori.*] **Conhecimento *a priori*.** *Hist. Filos.* Segundo Kant [v. *kantismo*], conhecimento absolutamente independente da experiência e de todas as impressões dos sentidos. Ex.: o conhecimento de que toda mudança tem uma causa. [Cf. *a priori* e *conhecimento a posteriori.*] **Conhecimento de bagagem.** Recibo da bagagem de um passageiro, fornecido pelas empresas de transporte. **Conhecimento de carga.** *Com.* Documento comprobativo do recebimento de mercadoria por empresa encarregada do seu transporte (terrestre, marítimo ou aéreo) e que se constitui em título de crédito transmissível por endosso, em virtude da cláusula "à ordem" lançada em seu contexto; conhecimento de frete, conhecimento de transporte. **Conhecimento de depósito.** **1.** Recibo de depósito de mercadorias. **2.** *Com.* Recibo que os armazéns gerais, trapiches ou estabelecimentos similares dão aos depositantes de mercadorias, para certificar o depósito, emitido conjuntamente com o *warrant* [q. v.], mas dele separável, e que contém obrigatoriamente a cláusula "à ordem", sendo, pois (independentemente do *warrant*), transferível por meio de endosso. **Conhecimento de frete.** V. *conhecimento de carga.* **Conhecimento de transporte.** V. *conhecimento de carga.* **Conhecimento empírico.** *Hist. Filos.* Conhecimento a *posteriori.*

conhecimentos. [Pl. de *conhecimento.*] *S. m. pl.* Erudição, instrução, saber. ~ V. *conhecimento.*

conhecível. *Adj. 2 g.* Que se pode conhecer; cognoscível.

conibo. *Bras. S. 2 g.* **1.** Indivíduo dos conibos, tribo indígena do S.O. da Amaz. ● *Adj. 2 g.* **2.** Pertencente ou relativo a essa tribo.

cônica. [Fem. substantivado de *cônico.*] *S. f. Geom.* Lugar geométrico dos pontos de um plano cujas distâncias a uma reta fixa do plano e a um ponto fixo fora da reta e no plano têm um cociente constante; traço de uma superfície cônica circular num plano. [Sua equação em coordenadas cartesianas é um polinômio do segundo grau, e pode ser uma elipse, uma hipérbole, uma parábola ou, em casos particulares, uma circunferência, ou um par de retas, distintas ou coincidentes. Sin.: *seção cônica, curva quadrática* ou apenas *quadrática.*] ♦ **Cônica central.** *Geom.* A que tem um centro. [São cônicas centrais a elipse e a hipérbole.] **Cônica cúbica.** *Geom. Anal.* Curva reversa que pode ser originada pela interseção de duas superfícies cônicas que tenham curvas do segundo grau por diretrizes, ou pela interseção de dois hiperbolóides de uma folha com geratriz comum.

conicaleira. *S. f. Tec.* Máquina que enrola os fios têxteis em carretéis cônicos.

conicidade. *S. f.* Qualidade de cônico; feitio cônico.

conicina. *S. f. Quím.* V. *coniina.*

cônico. [Do gr. *konikós.*] *Adj.* V. *coniforme.* ~V. *curva —a, hélice —a, projeção —a, projeção —a conforme, seção —a, superfície —a* e *tronco —.*

conicóide. [De *cônico* + *-óide.*] *S. m. Geom.* V. *quádrica.*

coniconió. *S. m. Bras.* V. *vivió.*

conidângio. *S. m. Micol.* Célula que forma certo número de conídios, nos fungos.

conídio. *S. m. Micol.* Esporo de origem assexual. Nos fungos ocorre freqüentemente esse tipo agâmico de propagação, ao lado dos ascósporos e basidiósporos.

conidióforo. [De *conídio* + *-foro.*] *Adj. Micol.* Portador de conídios: *fase conidiófora.*

conífera. [Do lat. *conifera.*] *S. f.* Espécime das coníferas.

coníferas. *S. f. pl. Bot.* Classe de plantas gimnospermas que, como o pinheiro, produzem sementes não abrigadas em um fruto, mas reunidas em estróbilos coniformes.

conifloro. *Adj. Bot.* Que tem flores cônicas.

coniforme. *Adj. 2. g.* Que tem forma de cone; conoidal, conóide, cônico.

coniina. *S. f. Quím.* Alcalóide encontrado na cicuta, líquido incolor, venenoso; conina, conicina. [Fórm.: $C_8H_{17}N$.]

conimbricense. [Do lat. *Conimbrica*, 'Coimbra', + *-ense.*] *Adj. 2 g.* e *s. 2 g.* V. *coimbrão:* "Houve tempo em que a velha catedral *conimbricense* .... era formosa" (Alexandre Herculano, *Lendas e Narrativas,* II, p. 57).

conimbrigense. *Adj. 2 g.* e *s. 2 g.* V. *coimbrão.*

conina. *S. f. Quím.* V. *coniina.*

conirrostro. *S. m.* **1.** Espécie dos conirrostros. ● *Adj.* **2.** Pertencente ou relativo a eles.

conirrostros. *S. m. pl. Zool.* Animais metazoários, cordados, vertebrados, aves passeriformes, de bico grosso, muito forte, e cônico.

conivalve. *Adj. 2 g.* Que tem concha ou valva cônica.

conivência. [Do lat. *conniventia.*] *S. f.* **1.** Ato de ser conivente. **2.** Cumplicidade; colaboração. **3.** Conluio, maquinação. **4.** *Bot.* Aproximação, pelo ápice, de dois órgãos ou partes vegetais que são livres na base, não havendo soldadura.

conivente. [Do lat. *connivente.*] *Adj. 2 g.* **1.** Que finge não ver ou encobre o mal praticado por outrem: *Foi conivente na deslealdade ao velho amigo* **2.** Cúmplice, conluiado. **3.** Que se aproxima, que se toca. **4.** *Bot.* Que apresenta conivência: *estames coniventes.* ~ V. *válvulas —s.*

conjectura. *S. f.* V. *conjetura:* "Subi, de *conjectura* em *conjectura,* / Às esplendências do que fui e fiz." (José Oiticica, *Fonte Perene,* p. 36.)

conjecturador (ô). *Adj.* e *s. m.* V. *conjeturador.*

conjectural. *Adj. 2 g.* V. *conjetural.*

conjecturar. *V. t. d.* V. *conjeturar.*

conjecturável. *Adj. 2 g.* V. *conjeturável.*

conjetura. [Var. de *conjectura* lat. *conjectura.*] *S. f.* Juízo ou opinião sem fundamento preciso; suposição, hipótese: "Concentrados em *conjeturas* sobre a morte do arrieiro, cada qual queria mostrar-se mais sereno" (Afonso Arinos, *Pelo Sertão,* pp. 33-34).

conjeturador (ô). [Var. de *conjecturador.*] *Adj.* e *s. m.* Que ou aquele que conjetura.

conjetural. [Var. de *conjectural* lat. *conjecturale.*] *Adj. 2 g.* Fundamentado em conjetura(s): *estudo conjetural;* "que há neste mundo que se possa dizer verdadeiramente verdadeiro? Tudo é *conjetural.*" (Machado de Assis, *A Semana,* II, p. 306).

conjeturar. [Var. de *conjecturar.*] *V. t. d.* **1.** Julgar por conjetura; supor; presumir: *Procurou* conjeturar *as possíveis razões de sua zanga.* **2.** Prever, entrever: *Ouvindo a sua palavra fácil,* conjeturou *o seu futuro como político. Int.* **3.** Fazer conjeturas: *Não afirmava, apenas* conjeturava.

conjeturável. [Var. de *conjecturável.*] *Adj. 2 g.* Que se pode conjeturar.

conjugação. [Do lat. *conjugatione.*] *S. f.* **1.** Ato ou efeito de conjugar(-se). **2.** Reunião, junção. **3.** *Gram.* Conjunto ordenado das flexões dos verbos. **4.** Ato de conjugar (verbos). **5.** *Bot.* Processo de reprodução no qual se opera a fusão íntima de duas células isoladas, ou de um filamento de alga verde, originando um corpo único, dito *zigósporo.* **6.** *Álg. Mod.* Num grupo simétrico, automorfismo que se define por $A\ B\ A\ A^1$, onde A e B são elementos do grupo. **7.** *Biol. Ger.* Fusão de dois gametas ou duas células, na reprodução. ♦ **Conjugação celular.** *Biol. Ger.* Fusão de células.

conjugado. [Part. de *conjugar.*] *Adj.* **1.** Ligado, unido. ~ V. *ângulo —, apartamento —, base —a, complexo —, conjunto —, diâmetros —s, elemento —, folha —a, hipérboles —as, imaginário —, planos —s, pontos —s* e *raízes —as.* ● *S. m.* **2.** Apartamento conjugado [q. v.]. **3.** *Mat.* Complexo conjugado [q. v.]. **4.** *Álg. Mod.* Elemento conjugado. **5.** *Mat.* Conjunto conjugado. **6.** V. *ângulo conjugado.* **7.** *Fís.* Sistema de duas forças paralelas de suportes distintos, com sentidos opostos, e que atuam sobre um corpo; binário, par, torque.

conjugal. [Do lat. *conjugale.*] *Adj. 2 g.* Relativo ou pertencente a cônjuges, ou ao casamento. ~ V. *fé —.*

conjugalmente. [De *conjugal* + *-mente.*] *Adv.* À maneira de cônjuges; tal como eles: "Viu-os ir ambos conjugalmente para o lado da Glória. Casados? amigos?" (Machado de Assis, *Quincas Borba,* p. 179.)

conjugar. [Do lat. *conjugare.*] *V. t. d.* **1.** Dizer ou escrever ordenadamente as flexões de (o verbo): conjuga *errado o verbo* vir *e outros mais.* **2.** Dizer ou escrever (flexão ou flexões de um verbo): Conjugou *corretamente o futuro do subjuntivo de* pôr. **3.** Unir ou ligar juntamente: Conjugaram *esforços para levar a cabo a empresa;* "O ódio de outros separa-nos, mas o nosso amor conjuga-nos." (Machado de Assis, *Páginas Recolhidas,* p. 102.) *P.* **4.** Unir-se ou ligar se conjuntamente: "Estas qualidades soberanas conjugavam-se com detestáveis pechas" (Aquilino Ribeiro, *Os Avós dos Nossos Avós,* p. 103). [Conjug.: v. *largar.*]

conjugável. *Adj. 2 g.* Que se pode conjugar.

cônjuge. [Do lat. *conjuge.*] *S. m.* Cada uma das pessoas ligadas pelo casamento em relação à outra.

conjuminância. [De *conjuminar* + *-ância.*] *S. f. Bras.* Ato ou efeito de conjuminar; combinação: "conseguiria seu objetivo, ainda, daquela vez, graças à conjuminância dos 'Contreiras'?..." (Otávio de Faria, *O Pássaro Oculto,* p. 243).

conjuminar. [Alter. de *congeminar*[1].] *V. t. d.* e *p. Bras. Pop.* ligar(-se), unir(-se), combinar(-se). [Cf. *congeminar.*]

conjunção. [Do lat. *conjunctione.*] *S. f.* **1.** União, encontro: *A* conjunção *das águas do rio Negro com as do Amazonas ocorre perto de Manaus;* "não foi só o aperto de mão que selou o contrato, ... foi a conjunção das nossas bocas amorosas..." (Machado de Assis, *Dom Casmurro,* p. 152); "Ela gostou dele, acercaram-se, amaram-se. Dessa conjunção de luxúrias vadias brotou D. Plácida." (Id., *Memórias Póstumas de Brás Cubas,* p. 203). **2.** Encontro de circunstâncias; conjuntura. **3.** Ensejo, oportunidade. **4.** *Astr.* Configuração de dois astros cujas ascensões retas são iguais. **5.** *Gram.* Palavra invariável que liga duas orações ou dois termos semelhantes da mesma oração. **6.** *Bras. Pop.* V. *menstruação* (1). ♦ **Conjunção aditiva.** *Gram.* Conjunção coordenativa que liga meramente dois termos ou duas orações de função idêntica: *e, nem, também, então,* etc. [Sin., desus.: *conjunção copulativa.* Tb. se diz apenas *aditiva.*] **Conjunção adversativa.** *Gram.* Conjunção coordenativa que liga dois termos ou duas orações de função idêntica, estabelecendo, porém, uma idéia de contraste, de oposição: *mas, porém, contudo, todavia,* etc. [Tb. se diz apenas *adversativa.*] **Conjunção alternativa.** *Gram.* Conjunção coordenativa que liga dois termos ou duas orações de sentido diferente, e indica que, verificando-se o que se diz em uma delas, deixa de verificar-se o que se diz na outra: *ou; ou .... ou; ora .... ora; já .... já; quer .... quer,* etc.: *Trabalhou, ou fingiu trabalhar;* Ou *vai* ou *racha;* Ora *é delicado,* ora *é brutal;* Já *trabalho,* já *estudo;* Quer *chova,* quer *faça sol.* [Tb. se diz apenas *alternativa.*] **Conjunção aproximativa.** *Gram* V. *conjunção aditiva.* [Tb. se diz apenas *aproximativa.*] **Conjunção causal.** *Gram.* Conjunção subordinativa que inicia uma oração subordinada denotadora de causa: *porque, pois, porquanto, pois que, já que, visto que, desde que,* etc. [Tb. se diz apenas *causal.*] **Conjunção comparativa.** *Gram.* Conjunção subordinativa que inicia uma oração subordinada que contém o segundo membro de uma comparação, de um confronto: *que, do que, qual, quanto, assim como,* etc. [Tb. se diz apenas *comparativa.*] **Conjunção concessiva.** *Gram.* Conjunção subordinativa que inicia uma oração subordinada na qual se admite um fato que, contrário à ação expressa na oração principal, é, contudo, incapaz de impedir que tal ação se realize: *embora, conquanto, ainda que, posto que, mesmo que,* etc. [Tb. se diz apenas *concessiva.*] **Conjunção conclusiva.** *Gram.* Conjunção coordenativa que liga à precedente uma oração que expressa conclusão ou conseqüência: *logo, pois, portanto, por conseguinte,* etc. [Sin., desus.: *conjunção ilativa.* Tb. se diz apenas *conclusiva.*] **Conjunção condicional.** *Gram.* Conjunção subordinativa que inicia uma oração subordinada em que se expressa uma hipótese ou condição necessária para que se realize ou não a ação principal: *se, caso, contanto que, salvo se, dado que,* etc. [Tb. se diz apenas *condicional.*] **Conjunção conformativa.** *Gram.* Conjunção subordinativa que inicia uma oração subordinada na qual se expressa conformidade com um ato, fato, etc., a que se refere a oração principal: *conforme, segundo, consoante, como,* etc. [Sin., desus.: *conjunção modal.* Tb. se diz apenas *conformativa.*] **Conjunção consecutiva.** *Gram.* Conjunção subordinativa que inicia uma oração subordinada na qual se indica a conseqüência do que foi declarado na anterior: *que (tal .... que, tanto .... que); de forma que, de sorte que,* etc.: *Procedeu de* tal *modo* que *escandalizou a todos; Trabalhou* tanto que *se esgotou; Está muito doente, de* sorte que *não irá à recepção.* [É muito comum, não só na linguagem corrente, senão também na literária, a elipse do elemento antecedente: *Caminhou [tanto ou de tal maneira]* que *ficou exausto.* [Sin., desus.: *conjunção correlativa.* Tb. se diz apenas *consecutiva.*] **Conjunção continuativa.** *Gram.* Conjunção coordenativa que liga orações, exprimindo só uma continuação do discurso ou transição de idéia: *pois, porque, entretanto, no entanto, daí, além disso,* etc. [Sin., desus.: *conjunção transitiva.* Tb. se diz apenas *continuativa.*] **Conjunção coordenativa.** *Gram.* A que liga termos ou orações de idêntica função gramatical. [Tb. se diz apenas *coordenativa.*] **Conjunção copulativa.** *Gram.* V. *conjunção aditiva.* [Tb. se diz apenas *copulativa.*] **Conjunção correlativa.** *Gram.* Conjunção consecutiva. [Tb. se diz apenas *correlativa.*] **Conjunção disjuntiva.** *Gram.* V. *conjunção alternativa.* [Tb. se diz apenas *disjuntiva.*] **Conjunção explicativa.** *Gram.* Conjunção coordenativa que liga duas orações na segunda das quais se explana a idéia contida na primeira: *que, porque, porquanto, isto é, por exemplo.* [Tb. se diz apenas *explicativa.*] **Conjunção final.** *Gram.* Conjunção subordinativa que inicia uma oração que indica a finalidade da oração principal: *para que, a fim de que, porque* [= *para que*], etc. [Tb. se diz apenas *final.*] **Conjunção ilativa.** *Gram.* V. *conjunção conclusiva.* [Tb. se diz apenas *ilativa.*] **Conjunção inferior.** *Astr.* Conjunção de um planeta com o Sol, quando o planeta está entre a Terra e o Sol. **Conjunção integrante.** *Gram.* Conjunção subordinativa que introduz oração que funciona como sujeito, objeto direto, objeto indireto, predicativo, complemento nominal, ou aposto de outra oração: *que* e *se.* [Tb. se diz apenas *integrante.*] **Conjunção modal.** *Gram.* V. *conjunção conformativa.* [Tb. se diz apenas *modal.*] **Conjunção periódica.** *Gram.* V. *conjunção temporal.* [Tb. se diz apenas *periódica.*] **Conjunção proporcional.** *Gram.* Conjunção subordinativa que inicia oração em que se indica um fato realizado ou por se realizar simultaneamente com o fato da oração principal: *à medida que, à proporção que, ao passo que, quanto mais .... mais,* etc. [Tb. se diz apenas *proporcional.*] **Conjunção subordinativa.** *Gram.* A que liga duas orações, uma das quais completa ou determina o sentido da outra. [Tb. se diz apenas *subordinativa.*] **Conjunção superior.** *Astr.* Conjunção de um planeta com o Sol, quando este se acha entre a Terra e o planeta. **Conjunção temporal.** *Gram* Conjunção subordinativa que inicia oração subordinada denotadora de circunstância de tempo: *quando, enquanto, antes que, depois que, desde que,* etc. [Sin., desus.: *conjunção periódica.* Tb. se diz apenas *temporal.*] **Conjunção transitiva.** *Gram.* V. *conjunção continuativa.* [Tb. se diz apenas *transitiva.*]

conjuncional. *Adj. 2 g.* **1.** Relativo a conjunção (5). **2.** *Gram.* Diz-se da oração que se liga a outra por intermédio de uma conjunção (5).

conjungir. [Do lat. *conjungere.*] *V. t. d.* **1.** Unir ou ligar intimamente. **2.** Ligar pelo casamento; casar, matrimoniar. **3.** Aliar; combinar. [Conjug.: v. *dirigir.*]

conjunta. [Do esp. plat. *coyunda.*] *S. f. Bras., RS.* Tira macia de couro com que se prende o boi ao jugo pela base dos chifres.

conjuntar. *V. t. d e i.* Ligar, juntar, ajuntar, conjungir.

conjuntiva. [Fem. substantivado do adj. *conjuntivo.*] *S. f. Anat.* Membrana mucosa que forra a parte externa do globo ocular e a parte interna das pálpebras; adnata.

conjuntival. *Adj. 2 g. Anat.* Pertencente ou referente à conjuntiva.

conjuntivite. [De *conjuntiva* + *-ite*[1].] *S. f. Patol.* Inflamação da conjuntiva. [Sin. bras. pop.: *carregação dos olhos.*]

conjuntivo. [Do lat. *conjunctivu.*] *Adj.* **1.** Que junta. **2.** *Gram.* Que une orações ou palavras; equivalente a uma conjunção gramatical: *locução* conjuntiva. ~ V. *modo —, tecido —* e *testamento —.* ● *S. m.* **3.** *Gram.* O modo conjuntivo, hoje chamado *subjuntivo.*

conjunto. [Do lat. *conjunctu.*] *Adj.* **1.** Junto simultaneamente: *o som* conjunto *dos violinos e dos violoncelos.* **2.** Ligado, conjugado: *Morávamos em casas* conjuntas; "Vida e morte são elos conjuntos da mesma cadeia, que prendem o homem simples ao tronco árduo chamado existência." (Aquilino Ribeiro, *Portugueses das Sete Partidas,* p. 341). **3.** Adjacente, contíguo, próximo: *Adquiriu terras* conjuntas *à sua propriedade.* ~ V. *ação —a, conta —a* e *probabilidade —a.* ● *S. m.* **4.** Reunião das partes que formam um todo; complexo: "A glória, já se disse, é o conjunto dos mal-entendidos que se criam em torno de um nome." (Oto Maria Carpeaux, *A Cinza do Purgatório,* p. 15.) **5.** Grupo, quadro, equipe: *Foi atendido por um* conjunto *de grandes médicos.* **6.** Conjunto residencial: *O* conjunto *de Cordovil recebeu grande número de favelados.* **7.** Grupo de músicos que se reúnem para executar peças de música erudita ou popular para mais de um instrumento ou de uma voz. **8.** Traje feminino composto de vestido e casaco, ou saia, blusa e/ou casaco, ou calça e blusa e/ou casaco: "Veste um conjunto lilás, decotado" (Viana Moog, *Um Rio Imita o Reno,* p. 64). **9.** *Mat.* Qualquer coleção de seres matemáticos. ♦ **Conjunto aberto.** *Mat.* Conjunto cujo complemento é fechado; conjunto em que pelo menos um ponto de acumulação não lhe pertence. **Conjunto bem-ordenado.** *Mat.* Conjunto ordenado em que todo subconjunto tem um elemento menor que todos os demais. **Conjunto compacto.** *Mat.* Conjunto infinito em que todo subconjunto tem pelo menos um ponto de acumulação pertencente ao conjunto. **Conjunto complementar.** *Mat.* O que deve ser somado a outro a fim de se obter um terceiro; a diferença $A - B$, onde B é um subconjunto do conjunto A. [Sin.: *complemento.*] **Conjunto conexo.** *Mat.* O que não pode ser dividido em apenas dois subconjuntos fechados que não tenham nenhum ponto comum. **Conjunto conjugado.** *Mat.* O que se obtém quando um elemento de um conjunto é transformado pelos componentes de um grupo de transformações. [Tb. se diz apenas *conjugado.*] **Conjunto contínuo.** *Mat.* Continuum (1). **Conjunto crítico.** *Eng. Nucl.* Sistema constituído por um material físsil e um moderador, de forma, dimensões e massa perfeitamente definidas, e em que se pode manter uma reação nuclear em cadeia; montagem crítica. **Conjunto de Cantor.** *Mat.* Conjunto formado com base no conjunto de números reais no intervalo fechado [0,1], do qual se retiram todos os números situados no terço médio, depois os do terço médio dos intervalos resultantes, e sucessivamente assim. É um conjunto perfeito e não denso. [V. *conjunto denso em um espaço.* Sin.: descontínuo de Cantor e *conjunto ternário de Cantor.*] **Conjunto denso.** *Mat.* Conjunto denso em um espaço. **Conjunto denso em si mesmo.** *Mat.* Aquele em que toda vizinhança de qualquer de seus pontos contém pelo menos um outro ponto que também lhe pertence. **Conjunto denso em um espaço.** *Mat.* Aquele em que todas as vizinhanças de pontos de um espaço contêm pelo menos um de seus pontos. [Tb. se diz apenas *conjunto denso.*] **Conjunto derivado.** *Mat.* Conjunto dos pontos de acumulação de um conjunto. **Conjunto discreto.** *Mat.* O que não tem pontos de acumulação, como, p. ex., o conjunto dos números inteiros. **Conjunto enumerável.** *Mat.* V. *conjunto numerável.* **Conjunto fechado.** *Mat.* O que contém todos os seus pontos de acumulação. **Conjunto finito.** *Mat.* O que pode ser posto em correspondência biunívoca com um subconjunto limitado dos números naturais. **Conjunto infinito.** *Mat.* O que contém uma infinidade de membros; conjunto em que se pode estabelecer uma correspondência biunívoca entre seus membros e os membros de um de seus subconjuntos. **Conjunto interseção.** *Mat.* V. *produto* (10). **Conjunto isolado.** *Mat.* O que não contém nunhum dos seus pontos de acumulação; o que consiste apenas em pontos isolados. **Conjunto nulo.** *Mat.* Conjunto vazio. **Conjunto numerável.** *Mat.* O que pode ser posto em correspondência biunívoca com o conjunto dos números naturais ou com um subconjunto deste; conjunto enumerável; enumerável. **Conjunto ordenado.** *Mat.* Aquele entre cujos membros se define uma relação de ordem. **Conjunto perfeito.** *Mat.* O que é idêntico ao seu conjunto derivado; conjunto fechado e denso em si mesmo. **Conjunto residencial.** *Arquit.* Agrupamento organizado e ordenado de casas ou edifícios de habitação que constituem uma unidade, ou por haverem sido projetados em conjunto ou porque formam uma unidade de vizinhança. [Tb. se diz apenas *conjunto.*] **Conjunto ternário de Cantor.** *Mat.* V. *conjunto de Cantor.* **Conjunto união.** *Mat.* V. *união* (13). **Conjunto vazio.** *Mat.* O que não contém nenhum elemento, como, p. ex., o conjunto dos números reais cujo quadrado é negativo; conjunto nulo.

conjuntura. *S. f.* **1.** Situação nascida de um encontro de circunstâncias, e que se considera como o ponto de partida de uma evolução, uma ação, um fato. **2.** Acontecimento, ocorrência. **3.** Oportunidade, ensejo, ocasião: *Naquela conjuntura os fatos lhe sorriam.* **4.** Lance difícil, embaraçoso: "Nesta conjuntura a mãe por natureza e a mãe por amor porfiam cuidados para restituir a razão à pobre menina, e conseguem-no no fim do último ato." (Ramalho Ortigão, *Crônicas Portuenses*, p. 196.) ♦ **Conjuntura econômica.** A situação econômica de um país.

conjuntural. *Adj. 2 g.* Relativo a, ou próprio de conjuntura.

conjura. [Dev. de *conjurar.*] *S. f.* **1.** V. *conjuro.* **2.** V. *conjuração* (2 a 4): "D. Sancho I, que uma conjura misteriosa apeara do trono, contribuía .... para o custeio das despesas da estada dos estudantes do Mosteiro de Santa Cruz em universidades de França." (Feliciano Ramos, *História da Literatura Portuguesa*, p. 87.)

conjuração. [Do lat. *conjuratione.*] *S. f.* **1.** Ato de conjurar. **2.** Conspiração contra uma autoridade estabelecida; conjura. **3.** Conluio, maquinação, trama, conjura. **4.** Reunião de pessoas conjuradas; conjura. **5.** V. *conjuro.* ♦ **Conjuração Mineira.** Movimento patriótico dos fins do séc. XVIII, encabeçado pelo alferes Joaquim José da Silva Xavier, dito o *Tiradentes* (1746-1792), e que se destinava a libertar o Brasil do regime colonial português. [Tb. se diz, mais freqüentemente, porém com menor propriedade, *Inconfidência Mineira.*]

conjurado. [Part. de *conjurar.*] *Adj.* **1.** Que conjura, conspira. ● *S. m.* **2.** Aquele que conjura, conspira. **3.** *Restr.* Inconfidente (4).

conjurador (ô). *S. m.* Aquele que faz conjuros.

conjurante. [Do lat. *conjurante.*] *Adj. 2 g.* Que conjura.

conjurar. [Do lat. *conjurare.*] *V. t. d.* **1.** Convocar para conjuração: *O chefe conjurou os revoltosos para uma reunião decisiva.* **2.** Projetar ou intentar por meio de conjuração; maquinar: *Conjuraram a deposição do chefe do governo.* **3.** Afastar, desviar (perigo, mal iminente). **4.** Esconjurar, exorcismar: *conjurar um sortilégio.* **5.** Rogar com instância a; suplicar: *Conjurou o delegado a tal ponto que obteve relaxamento da prisão. T. d. e i.* **6.** Insurgir, levantar: *Conjuraram os nativos contra o domínio estrangeiro.* **7.** Rogar com insistência a; suplicar: "Eu vos conjuro, filhas de Jerusalém, ... que não perturbeis à minha amada o descanso, nem a façais despertar, até que ela se queira erguer." (Antônio Pereira de Figueiredo, *A Bíblia Sagrada* (trad.), p. 743.) **8.** Instigar, incitar: *O monarca, pelo seu despotismo, conjurou contra si todo o povo. T. i.* **9.** Conspirar, insurgir-se, levantar-se: *Tiradentes foi um dos patriotas que conjuraram contra o domínio português no Brasil. P.* **10.** Filiar-se numa conspiração. **11.** Ligar-se por juramento. **12.** Lastimar-se, queixar-se: *Não te conjures contra a fortuna.*

conjuratório. *Adj.* Referente a, ou que encerra conjura.

conjuro. [Dev. de *conjurar.*] *S. m.* **1.** Invocação de magia. **2.** Palavras autoritárias para esconjurar o Demônio ou as almas do outro mundo; exorcismo. [F. paral.: *conjura;* sin.: *conjuração.*]

conluiado. [Part. de *conluiar.*] *Adj.* Acertado em conluio.

conluiar. *V. t. d.* **1.** Unir ou reunir em conluio. **2.** Tramar, fraudar, de combinação com outrem. *P.* **3.** Fazer ou formar conluio: *Elementos perigosos conluiaram-se para um assalto.*

conluio. [Do lat. *colludiu.*] *S. m.* **1.** Combinação entre duas ou mais pessoas para lesar outrem; maquinação, trama, conspiração: "foi rompendo a escuridão à caça desse ente maldito, que fazia o velho casarão falar ou gemer, ameaçá-lo ou repeli-lo, num conluio demoníaco com o vento, os morcegos e a treva." (Afonso Arinos, *Pelo Sertão*, p. 25.) **2.** *P. ext.* Colusão.

cono. *S. m. Chulo.* Vulva, cona.

conocarpo. [Do gr. *kônos*, 'objeto de forma cônica', + *-carpo.*] *Adj. Bot.* Que tem frutos cônicos.

conócito. *S. m. Bot.* Célula epidérmica de plantas da família das ciperáceas, dotada de parede internamente espessada, que encerra um corpúsculo cônico de sílica, particularidade estrutural que permite identificar fragmentos de plantas dessa família.

conoidal. [De *conóide* + *-al.*] *Adj. 2 g.* V. *coniforme.*

conóide. [Do gr. *konoeidés.*] *Adj. 2 g.* **1.** V. *coniforme.* ● *S. m.* **2.** *Geom.* Superfície gerada por uma reta que se desloca paralelamente a um plano, interceptando constantemente uma curva e uma segunda reta. **3.** Qualquer superfície gerada pela revolução de uma cônica em torno de um dos seus eixos.

conopeu. *S. m. Lit.* Pano ou dossel que cobre o tabernáculo.

conopofagídeo. *S. m.* **1.** Espécime dos conopofagídeos. ● *Adj.* **2.** Pertencente ou relativo a eles.

conopofagídeos. *S. m. pl. Zool.* Aves passeriformes, da família *Connopophagidae*, de tarso exaspidiano e penachos brancos atrás dos olhos do macho. Vivem nas matas, próximo ao solo, e se alimentam de insetos.

conosco (ô). *Pron.* **1.** Com a(s) pessoa(s), ou à(s) pessoa(s), que fala(m); com as nossas pessoas: *Conversavam conosco;* "Venha jantar conosco domingo." (Machado de Assis, *Várias Histórias*, p. 107). **2.** Em nossa companhia: "Lampiros de ouro, archotes do caminho, / Vinde conosco, aproximai-vos dela!" (Alberto de Oliveira, *Poesias*, 2ª série, p. 91); "Pedro era meu tio, irmão de Mamãe. Morava conosco e nos distraía." (Maria Julieta Drummond de Andrade, *A Busca*, p. 17). **3.** Ao mesmo tempo que nós; juntamente conosco: *Quando formos cantar, cantem conosco.* **4.** Em nosso ser; dentro de nós: *A tranqüilidade existe conosco.* **5.** Em nossa mente; em nosso espírito: *Temos conosco um princípio pelo qual nos batemos.* **6.** A nosso respeito; concernente à(s) nossa(s) pessoa(s); dirigido a nós: *Suas palavras, tão severas, não são conosco; Aquela ordem era conosco.* **7.** De nós para nós; entre nós: *Resolvemos conosco fugir à reunião.* **8.** Próprio para nós; para ser feito ou resolvido por nós: *Trabalho aos domingos não é conosco.* **9.** Em nosso poder: *Os papéis ficaram conosco.* **10.** A nosso cargo: *Pode deixar o caso conosco: não se arrependerá.* [Normalmente, conosco (e convosco) não admitem depois de si pronomes demonstrativos, como *mesmo* e *próprio*, nem numerais, nem aposto, etc. Dir-se-á, pois: *com nós mesmo(s), com nós dois, com vós próprio(s), com vós outro(s)*, e assim por diante. Poucos são os exemplos discrepantes dessa norma; eis aqui três: "Monólogos que .... são diálogos de nós conosco próprios" (Antero de Figueiredo, *Jornadas em Portugal*, p. 4); "se não andássemos .... tão preocupados conosco próprios" (Luís Forjaz Trigueiros, *O Carro de Feno*, p. 17); "convosco mesmas" (Alberto de Oliveira, *Poesias*, 2ª série, p. 66).]

conotação. *S. f.* **1.** Relação que se nota entre duas ou mais coisas. **2.** Sentido translato, ou subjacente, às vezes de teor subjetivo, que uma palavra ou expressão pode apresentar paralelamente à acepção em que é empregada: *O vocábulo roto, em Portugal, tem a conotação* de homossexual masculino; *Por ser muito usado em relação a bandidos,* famigerado, *que significa* famoso, *apresenta, aos olhos de muitos, conotação pejorativa;* "Empson [William Empson] conferiu ao vocábulo ambigüidade um significado bastante lato, procurando desvincular a palavra da conotação pejorativa que lhe anda adstrita (equívoco, falta de clareza)" (Vítor Manuel de Aguiar e Silva, *Teoria da Literatura*, p. 29). **3.** *Log.* Propriedade que tem um termo de designar um ou mais seres, dando a conhecer alguma coisa das suas propriedades. [Opõe-se, nesta acepç., a *denotação* (3); cf. *compreensão* (3).]

conotar. [Do lat. vulg. **connotare.*] *V. t. d.* Ter como conotação.

conotativo. *Adj. Lóg.* **1.** Diz-se de nomes que designam, junto com o sujeito, um atributo. **2.** Diz-se de idéias e associações ligadas, pela experiência individual ou coletiva, a uma palavra.

conotríquio. *S. m.* **1.** Espécime dos conotríquios. ● *Adj.* **2.** Pertencente ou relativo a eles.

conotríquios. *S. m. pl. Zool.* Animais protozoários enciliados, da ordem *Chonotrichaa*, de corpo em forma de vaso, provido de cílios somente no funil anterior.

conquanto. [De *com* + *quanto.*] *Conj.* Embora; se bem que; posto que; não obstante: "moralistas inexoráveis, conquanto lhe confessem o talento, dão-no por um vicioso miserável, encharcado nas sensualidades" (Antônio Feliciano de Castilho, *A Lírica de Anacreonte*, p. 20).

conquiliologia. [Do gr. *kogchylion*, 'conchinha', + *-log(o)-* + *-ia.*] *S. f. Zool.* **1.** Estudo das conchas. **2.** Tratado sobre as valvas dos moluscos. [Cf. *malacologia.*]

conquiliológico. *Adj.* Referente à conquiliologia.

conquiliologista. *S. 2 g.* Especialista em conquiliologia.

conquista. [Dev. de *conquistar.*] *S. f.* **1.** Ato ou efeito de conquistar. **2.** Pessoa ou coisa conquistada: "Da plêiade dos primeiros padres que aportaram à nova conquista com Tomé de Sousa e Duarte da Costa, entre eles dois principalmente se distinguiram, Nóbrega e Anchieta." (João Ribeiro, *História do Brasil*, p. 99.) **3.** Pessoa a quem se conquistou [v. *conquistar* (4)] o amor: *É um inconstante: cada dia aparece com uma nova conquista.*

conquistado. [Part. de *conquistar.*] *Adj.* **1.** Que se conquistou: *prêmio duramente conquistado.* **2.** Subjugado, vencido: *nação conquistada.*

conquistador (ô). *Adj.* e *s. m.* **1.** Que ou aquele que conquista, que vence, que triunfa. **2.** *Fam.* Que ou aquele que faz conquistas amorosas.

conquistar. [Do lat. vulg. **conquisitare*, freqüentativo de *conquire.*] *V. t. d.* **1.** Submeter pela força de armas; vencer, subjugar: *Carlos Magno conquistou grande parte da Europa e foi coroado pelo Papa Leão III Imperador do Ocidente.* **2.** Submeter, vencer, subjugar. **3.** Adquirir à força do trabalho; alcançar: *Conquistou, na velhice, a fama de sábio.* **4.** Granjear, adquirir, ganhar (amizade, amor, simpatia, etc.): *Tudo faz para conquistar as boas graças do chefe; Conquistou, enfim, o amor daquela mulher.* **5.** *Fam.* Obter a simpatia de (alguém): *Tanto fez que conquistou o chefe. T. d. e i.* **6.** Tomar terra à força de armas: *A Índia conquistou Goa a Portugal.* **7.** Atrair, seduzir: *Mesmo preso, tentou conquistar os adversários à sua política.*

conquistável. *Adj. 2 g.* Que pode ser conquistado.

conquistense[1]. *Adj. 2 g.* **1.** De, ou pertencente ou relativo a Conquista (MG). ● *S. 2 g.* **2.** Natural ou habitante de Conquista.

conquistense[2]. *Adj. 2 g.* **1.** De, ou pertencente ou relativo a Vitória da Conquista (BA). ● *S. 2 g.* **2.** Natural ou habitante de Vitória da Conquista.

consabido. *Adj.* Sabido por muitos: *verdades consabidas.*

consagração. *S. f.* **1.** Ato ou efeito de consagrar. **2.** Sagração (3). **3.** Honra ou aplauso manifestado pela opinião pública. **4.** *P. ext.* Exaltação, glorificação; louvor, elogio. **5.** Cerimônia em que se sagra um bispo. **6.** Cerimônia praticada na profissão monástica. **7.** Ato pelo qual o pastor protestante recebe a investidura de uma paróquia. **8.** *Rel.* Ritual de dedicação à divindade duma pessoa ou duma coisa. **9.** *Rel.* Parte da missa em que, segundo a teologia católica, o pão e o vinho são transubstanciados no corpo e sangue de Cristo, significando a morte na cruz. [Cf. *transubstanciação* (2).]

consagrado. [Part. de *consagrar.*] *Adj.* Que recebeu consagração: *a hóstia consagrada; escritor consagrado.*

consagrador (ô). *Adj.* Que consagra; que envolve consagração.

consagrar. [Do lat. tardio *consacrare*, por *consecrare.*] *V. t. d.* **1.** Tornar sagrado. **2.** Dedicar ou oferecer a Deus ou aos santos por culto ou voto. **3.** Fazer a consagração (4) de: *Em* Os Lusíadas, *Camões consagra os feitos portugueses.* **4.** Sancionar, confirmar; ratificar: *A batalha de Guararapes consagrou a vitória dos nativos sobre os invasores holandeses.* **5.** Na religião católica e em certas seitas protestantes, converter (pão e vinho) no Corpo e no Sangue de Cristo. *T. d. e i.* **6.** Oferecer por culto ou voto: *Consagrou o recém-nascido a Nossa Senhora.* **7.** Oferecer afetuosamente; dedicar: *Consagrou enorme esforço à realização do seu ideal.* **8.** Votar, dedicar: *Consagrou sua vida a obras beneficentes;* "Que é isto, ó Musas! por que a lira empunho, / A Lira que ao silêncio consagrara?" (José Bonifácio, *Poesias*, p. 58). *Transobj.* **9.** Eleger, aclamar: *A crítica mais exigente o consagra o maior escritor vivo. P.* **10.** Dedicar-se; dar-se: "Filho de uma velha família patrícia

de Basiléia, nascido em 1818, *consagra-se* [Jacob Burckhardt] aos estudos mais diversos." (Oto Maria Carpeaux, *A Cinza do Purgatório*, pp. 15-16.)
consangüíneo. [Do lat. *consanguineu.*] *Adj.* **1.** Que é do mesmo sangue; carnal. ~ V. *irmãos —s.* ● *S. m.* **2.** Parente por consangüinidade.
consangüinidade. [Do lat. *consanguinitate.*] *S. f.* **1.** Parentesco do lado paterno; sangüinidade. **2.** *Pet.* Parentesco de rochas, indicado pela semelhança de composição química ou mineralógica.
consciência[1]. [Do lat. *conscientia.*] *S. f.* **1.** *Filos.* Atributo altamente desenvolvido na espécie humana e que se define por uma oposição básica: é o atributo pelo qual o homem toma em relação ao mundo (e, posteriormente, em relação aos chamados estados interiores, subjetivos) aquela distância em que se cria a possibilidade de níveis mais altos de integração. **2.** *P. ext.* Conhecimento desse atributo. **3.** Faculdade de estabelecer julgamentos morais dos atos realizados: *uma consciência reta; consciência torturada.* **4.** Conhecimento imediato da sua própria atividade psíquica: "Tudo isso se desenrolava dentro dele sem que ele próprio tivesse plena *consciência* dos pensamentos." (Macedo Miranda, *Pequeno Mundo outrora*, p. 35.) **5.** Conhecimento, noção, idéia. **6.** Cuidado com que se executa um trabalho, se cumpre um dever; senso de responsabilidade: *Fez a tradução com toda a consciência.* **7.** Honradez, retidão, probidade: *homem de consciência.* ♦ **Consciência coletiva.** *Sociol.* Conjunto de representações, de sentimentos ou de tendências não explicáveis pela psicologia do indivíduo, mas pelo fato do agrupamento dos indivíduos em sociedade. **Consciência de si.** *Filos.* Autoconsciência. **Consciência moral.** *Ét.* A faculdade de distinguir o bem do mal, de que resulta o sentimento do dever ou da interdição de se praticarem determinados atos, e a aprovação ou o remorso por havê-los praticado. **Em consciência.** Em boa verdade. **Em sã consciência.** Com sinceridade; sinceramente. **Pôr a consciência em almoeda.** Oferecê-la a quem mais der.
consciência[2]. *S. f.* Peça na extremidade da haste da broca manual, constituída por uma chapa de metal curva, que se encosta ao peito para fazer pressão.
consciencial. *Adj. 2 g.* Relativo ou pertencente à consciência[1].
consciencioso (ô). *Adj.* Que tem consciência[1].
consciente. [Do lat. *consciente.*] *Adj. 2 g.* **1.** Que tem consciência[1] (1) do que faz ou do que sente: *O homem é um ser consciente.* **2.** Que tem consciência[1] (4): *Só há três dias o doente voltou a estar consciente.* **3.** Que procede com consciência[1] (5 a 7): *Um país precisa de homens conscientes para governá-lo.* **4.** V. *cônscio*: *Está consciente da situação; É consciente de suas responsabilidades.* **5.** Em que se tem consciência[1] (4): *estado consciente.* **6.** Que é feito com consciência[1] (5 e 6): *trabalho de pesquisa consciente.* **7.** *Psicol.* Pertencente ou relativo ao consciente (8): *fatos conscientes; reações conscientes.* ● *S. m.* **8.** *Psicol.* O conjunto dos processos e fatos psíquicos de que temos consciência, i. e., conhecimento (por oposição a inconsciente [q. v.]). [Cf. nesta acepç., *subconsciente* (2).]
➧**conscientia fraudis** (conciência fráudiç). [Lat.] *Jur.* Consciência da fraude.
➧**conscientia sceleris** (conciência céleriç). [Lat.] *Jur.* Consciência do crime.
conscientização. *S. f.* Ato ou efeito de conscientizar.
conscientizar. *V. t. d.* **1.** Tomar consciência[1] (5) de; ter noção ou idéia de: *Apesar de moço, conscientiza bem os problemas que o cercam. T. d. e i.* **2.** Dar consciência[1] (5): "Pensou no quanto poderia ajudar àquela gente, ... *conscientizando-os* .... da sua natureza humana" (Ilza Espírito Santo Porto, *João sem Terra e Outros Contos*, p. 13).
cônscio. [Do lat. *consciu.*] *Adj.* Que sabe bem o que faz ou o que deve fazer; ciente, consciente: "fiz-me paciente resignada, *cônscia* de estar cumprindo uma obrigação penosa" (Aluísio Azevedo, *Livro de uma Sogra*, p. 160).
conscrição. [Do lat. *conscriptione.*] *S. f.* Alistamento para o serviço militar.
conscrito. [Do lat. *conscriptu.*] *Adj.* e *s. m.* Recrutado, alistado: "os jovens *conscritos*, os mancebos, sobem das aldeias a tirar a sorte para o serviço militar." (José Vieira, *Sol de Portugal*, p. 132).
consecratório. [Do lat. *consecratu*, 'consagrado', + *-or-* + *-io.*] *Adj.* Relativo a consagração.
consectário. [Do lat. *consectariu.*] *S. m.* Conseqüência, resultado, efeito: "O desprezo dos nossos elementos bélicos, quando inopinado nos atacou o segundo López, era .... o *consectário* de uma política que, tendo criado a organização militar do Paraguai, e esperando que em boa e leal amizade frutificasse a semente de tal política, absolutamente não curava de agressões externas" (Carlos de Laet, *O Frade Estrangeiro e Outros Escritos*, p. 107).
consecução. [Do lat. *consecutione.*] *S. f.* Ato ou efeito de conseguir; conseguimento.
consecutiva. [Fem. substantivado do adj. *consecutivo.*] *S. f. Gram.* Conjunção consecutiva.
consecutivo. [Do lat. *consecutu*, 'que seguiu', + *-ivo.*] *Adj.* Que segue outro; imediato, subsecutivo, conseguinte: *Esperou-a, em vão, oito dias consecutivos.* ~ V. *ângulos —s* e *conjunção —a.*
conseguido. [Part. de *conseguir.*] *Adj.* **1.** Alcançado, obtido. **2.** Feito ou executado com felicidade, com bom êxito.
conseguidor (ô). *Adj.* e *s. m.* Que ou aquele que consegue.
conseguimento. [De *conseguir* + *-mento.*] *S. m.* Consecução.
conseguinte. [Do lat. *consequente*, com infl. da conjugação de *seguir.*] *Adj. 2 g.* **1.** Consecutivo. **2.** Conseqüente, coerente, lógico. ♦ **Por conseguinte.** Por conseqüência; conseqüentemente, portanto: "Meu irmão sonhou também, e eu com ele *por conseguinte*, na procura da felicidade alheia" (Antônio Feliciano de Castilho, *Amor e Melancolia*, p. 341).
conseguir. [Do lat. *consequere.*] *V. t. d.* **1.** Alcançar; obter: *Conseguiu altos postos à custa de bajulações.* **2.** Ter como conseqüência ou resultado: *Seu heroísmo apenas conseguiu despertar a inveja dos inimigos.* [Irreg. Conjug.: v. *seguir.*]
conseguível. *Adj. 2 g.* Que se pode conseguir.
conselhar. *V. t. d. Desus.* Aconselhar. [Conjug.: v. *aparelhar.*]
conselheiral. *Adj. 2 g.* **1.** Próprio de conselheiro (3 e 4); conselheiro. **2.** Que tem modos, atitudes sérias, graves, de conselheiro. [Sin. ger.: *conselheirático* e *conselheiresco.*]
conselheirático. *Adj.* V. *conselheiral.*
conselheiresco (ê). *Adj.* V. *conselheiral.*
conselheirismo. *S. m.* Modo de ser dos conselheiros.
conselheirista. *S. 2 g.* Adepto ou partidário de Antônio Vicente Mendes Maciel, dito Antônio Conselheiro (1828-1897), que chefiou, no interior da BA, a Revolta de Canudos.
conselheiro. [Do lat. *consiliariu.*] *Adj.* **1.** Que aconselha. **2.** Conselheiral (1): "Com o ceticismo da ironia, sem o menor tom *conselheiro* ou doutoral, impedi que se arraigassem em seu espírito funestos preconceitos de militarismo, de sacrifícios heróicos de raças." (Miroel Silveira, *Bonecos de Engonço*, p. 21.) ● *S. m.* **3.** Aquele que aconselha: *Não ouça o que ele diz: é mau conselheiro.* **4.** Membro de um conselho (4 a 7). [Sin., p. us., nas acepç. 3 e 4: *consiliário.*] **5.** *Bras.* Título honorífico do Império. **6.** V. *carreira diplomática.* [Cf. *concelheiro.*] ♦ **Conselheiro de embaixada.** V. *carreira diplomática.*
conselheiro-penense. *Adj. 2 g.* **1.** De, ou pertencente ou relativo a Conselheiro Pena (MG). ● *S. 2 g.* **2.** Natural ou habitante de Conselheiro Pena. [Pl.: *conselheiro-penenses.*]
conselho (ê). [Do lat. *consiliu.*] *S. m.* **1.** Parecer, juízo, opinião. **2.** Advertência que se emite; admoestação, aviso: *Siga meu conselho: não se precipite.* **3.** Senso do que convém; tino, prudência, aviso: *homem de bom conselho.* **4.** Corpo coletivo superior. **5.** Tribunal (7). **6.** Reunião ou assembléia de ministros. **7.** Corporação à qual incumbe opinar ou aconselhar sobre certos negócios públicos: *conselho de saúde; conselho de economia.* **8.** Reunião de pessoas para tratarem de assunto particular: *conselho de família.* **9.** Reunião de professores, presidida pelo reitor ou diretor da universidade ou escola onde lecionam, para tratar assuntos de ensino ou de ordem. [Cf. *concelho.*] ♦**Conselho de guerra.** Tribunal especial, instituído em tempo de guerra, e constituído por oficiais das forças armadas, que julga as infrações de natureza militar cometidas por militares ou pessoas sujeitas à jurisdição militar.
consenciente. [Do lat. *consentiente.*] *Adj. 2 g.* Que consente.
consensial. *Adj. 2 g.* V. *Consensual* (1).
consenso. [Do lat. *consensu.*] *S. m.* Conformidade, acordo ou concordância de idéias, de opiniões: *No consenso quase unânime da crítica, é Machado de Assis o maior escritor brasileiro;* "No *consenso* de todos, onde achar o jovem Rogério melhor esposa?" (José Régio, *História de Mulheres*, p. 130). ♦ **Consenso das gentes.** Prova da existência de Deus pelo consenso das crenças de todos os povos.
consensual. *Adj. 2 g.* **1.** Relativo a consenso; consensial. **2.** Dependente de consenso. ~ V. *contrato — e rapto —.*
consensualidade. *S. f.* Qualidade de consensual.
consentâneo. [Do lat. *consentaneu.*] *Adj.* **1.** Apropriado, adequado: *O ambiente era consentâneo a seu temperamento artístico.* **2.** Congruente, coerente: "uma menina solteira a lidar com enjeitados figurou-se-lhe exercício menos *consentâneo* com a pureza e candura de anos tanto em flor." (Camilo Castelo Branco, *Novelas do Minho*, VIII, p. 25).
consentimento. *S. m.* **1.** Ato de consentir. **2.** Permissão, licença. **3.** Anuência, aprovação, acordo. **4.** Aprovação tácita; tolerância.
consentir. [Do lat. *consentire.*] *V. t. d.* **1.** Dar consenso ou aprovação a; permitir; tolerar; sofrer, admitir: *Não consente que usem o seu nome para obter regalias.* **2.** Concordar com; aprovar: *A maioria dos constituintes consentiu a adoção de medidas sociais.* **3.** Dar ocasião a; tornar possível: *A situação é grave e não consente tais gracejos.* **4.** Concordar com; admitir: *Consinto que esteja certo, mas penso de modo diferente. T. d. e i.* **5.** Dar lugar ou ocasião a; deixar: *Suas ocupações não lhe consentem um minuto de descanso.* **6.** Permitir, admitir, tolerar: *Não consentia tal desapreço à pessoa do governador. T. i.* **7.** Aceder, aquiescer, anuir, concordar: *Consentiu apenas em uma rápida entrevista.* **8.** Estar em harmonia; ser conforme; condizer: *Naquele caso as conveniências consentiam com as necessidades. Int.* **9.** Dar consentimento; anuir; concordar; aprovar: "Quem cala *consente*" (prov.). [Irreg. Conjug.: v. *sentir.*]
conseqüência. [Do lat. *consequentia.*] *S. f.* **1.** Resultado, efeito: *Sua fraqueza é conseqüência da enfermidade.* **2.** Dedução, conclusão, ilação. **3.** Importância, alcance: *Esta decisão é de grande conseqüência.*
conseqüencial. *Adj. 2 g.* Relativo a conseqüência.
conseqüente. [Do lat. *consequente.*] *Adj. 2 g.* **1.** Que segue naturalmente: *o conseqüente resultado de uma imprudência.* **2.** Que se infere, que se deduz. **3.** Que procede coerentemente; que raciocina bem; coerente, lógico, racional: *O educador deve ser conseqüente em seus atos e suas palavras.* ● *S. m.* **4.** *Lóg.* Em relação de implicação, o termo que é implicado. [Opõe-se a *antecedente.*] **5.** *Mat.* Denominador de uma razão. **6.** *Mat.* Numa seqüência ordenada, termo que sucede imediatamente a outro. **7.** *Mús.* V. *imitação* (2).
consertado. [Part. de *consertar.*] *Adj.* **1.** Emendado, corrigido. **2.** Remendado. [Cf. *concertado.*]
consertador (ô). *S. m.* Aquele que conserta. [Cf. *concertador.*]
consertamento. *S. m. P. us.* Conserto. [Cf. *concertamento.*]
consertar. [Do lat. *consertare, freqüentativo de *conserere*, 'reunir partes desconjuntadas'.] *V. t. d.* **1.** Pôr em bom estado ou condição (o que estava danificado ou estragado); reparar, restaurar. **2.** Coser ou costurar, reparando: "Eduína me dava banho, *consertava* minha roupa" (Lia Correia Dutra, *Navio sem Porto*, p. 43). **3.** Pôr em boa ordem; dar melhor disposição a; arrumar, arranjar: *Antes de entrar na sala, consertou a gravata e penteou o cabelo.* **4.** Remediar; corrigir, emendar: *Tentou, em vão, consertar o que dissera.* **5.** *Jur.* Conferir, cotejar (a cópia com o original). **6.** *Bras.* Preparar (o peixe) escamando-o e tirando-lhe os intestinos, antes de o levar ao fogo. *T. i.* **7.** *Jur.* Combinar com o original; estar conforme: *A cópia da certidão consertа com o original.* [Pres. ind.: *conserto*, etc. Cf. *conserto* (ê) e *concerto* (ê), s. m., *concertar*, v. e *concerto*, do v. *concertar.*]
conserto (ê). *S. m.* Ato ou efeito de consertar. [Sin., p. us.: *consertamento.* Pl.: *consertos* (ê). Cf. *conserto*, do v. *consertar; concerto*, do v. *concertar;* e *concerto*(ê), s. m.] ~ V. *consertos.*
consertos (ê). [Pl. de *conserto* (ê).] *S. m. pl. Bras., N.* e *N.E.* As vísceras do peixe retiradas quando o limpam. ~V. *conserto.*
conserva. [Dev. de *conservar.*] *S. f.* **1.** Líquido ou calda em que se conservam substâncias alimentícias. **2.** *P. ext.* Substância conservada nessa calda. **3.** Preparação farmacêutica com plantas e açúcar. **4.** *Bras.* Conservação (1). ♦ **Navegar de conserva.** *Mar.* Navegar acompanhado de outro navio.
conservação. [Do lat. *conservatione.*] *S. f.* **1.** Ato ou efeito de conservar(-se). [Sin., bras.: *conserva.*] **2.** *Arquit.* Conjunto de medidas de caráter operacional —

intervenções técnicas e científicas, periódicas ou permanentes — que visam a conter as deteriorações em seu início, e que em geral se fazem necessárias com relação às partes da edificação que carecem de renovação periódica, por serem mais vulneráveis aos agentes deletérios. ♦ **Conservação do momento angular.** *Fís.* O momento angular total de um sistema dinâmico isolado que não muda durante o curso de sua evolução.

conservacionista. *Adj. 2 g.* e *s. 2 g.* Que ou quem advoga a conservação dos recursos naturais [q. v.].

conservado. [Part. de *conservar.*] *Adj.* Que se conserva, que resiste à idade, ao tempo: "O cura era um velhote *conservado,* / Malicioso, alegre, prazenteiro" (Guerra Junqueira, *A Velhice do Padre Eterno*, p. 154).

conservador (ô). [Do lat. *conservatore.*] *Adj.* **1.** Que conserva; conservante. **2.** Diz-se daquele que em política é favorável à conservação da situação vigente, opondo-se a reformas radicais. • *S. m.* **3.** Aquele que conserva. **4.** O encarregado da conservação de arquivo, museu, biblioteca, etc.: "Taylor e Cailleux se empenharam em obter para o amigo [Charles Nodier] o lugar de *conservador* da biblioteca do Conde de Artois" (Melo Nóbrega, *O Soneto de Arvers*, p. 13). **5.** Aquele que em política é favorável à conservação da situação vigente, opondo-se a reformas radicais. **6.** *P. us.* V. *museólogo.*

conservadorismo. *S. m.* Conservantismo.

conservante. [Do lat. *conservante.*] *Adj. 2 g.* Conservador (1).

conservantismo. *S. m.* **1.** Atitude daquele que é conservador (5), que é hostil às inovações políticas ou sociais. **2.** Tradicionalismo. **3.** Espírito conservador até à rotina. [Sin. ger.: *conservadorismo.*]

conservantista. *Adj. 2 g.* **1.** Referente ao, ou que é adepto do conservantismo. • *S. 2 g.* **2.** Adepto do conservantismo.

conservar. [Do lat. *conservare.*] *V. t. d.* **1.** Resguardar de dano, decadência, deterioração, prejuízo, etc.; preservar: *conservar os livros de uma biblioteca.* **2.** Manter, preservar: *A vida ao ar livre o ajuda a conservar a saúde.* **3.** Continuar a ter: *Conserva os amigos de infância; Conservo boas recordações daquele tempo.* **4.** Reter; manter: *Os solos ricos conservam o humo,* **5.** Ter ou manter em seu poder; resguardar: *Conservam as terras herdadas do avô.* **6.** Não se desfazer de; permanecer em: *conservar um emprego.* **7.** Amparar, defender, salvaguardar. *Transobj.* **8.** Manter, preservar: *Aos 80 anos, conserva os dentes intatos; "conservava acesa a sua lâmpada até altas horas da noite, rezando ou estudando"* (Bernardo Guimarães, *O Seminarista*, p. 74). *P.* **9.** Permanecer, ficar, continuar, manter-se: "Laura *conservava-se* imóvel, como que aterrada defronte do imenso cadáver luminoso." (Aluísio Azevedo, *Pegadas*, p. 148.) **10.** Continuar a ter boa disposição física; resistir à idade: *Apesar dos reveses sofridos, tem-se conservado bem.*

conservativo. *Adj.* **1.** Próprio para conservar alguma coisa; conservatório. **2.** *Fís.* Diz-se dum sistema ou dum processo em que não há dissipação de energia mecânica. ~ V. *campo* —, *força* —a e *sistema* —.

conservatório. [Do it. *conservatorio.*] *Adj.* **1.** Conservativo (1). • *S. m.* **2.** Estabelecimento público destinado ao ensino das belas-artes: *conservatório musical.*

conservável. *Adj. 2 g.* Que pode ser conservado.

conserveiro. *S. m.* Fabricante e/ou vendedor de conservas.

consideração. [Do lat. *consideratione.*] *S. f.* **1.** Ato ou efeito de considerar. **2.** Importância dada a alguém; respeito, deferência, estima. **3.** Reflexão, raciocínio.

considerado. [Part. de *considerar.*] *Adj.* Que goza de consideração (2); respeitado, estimado, acatado.

considerando. [Do lat. *considerandu.*] *S. m.* **1.** Cada uma das considerações ou fundamentos cuja exposição ordenada abre certos documentos, como, p. ex., leis, decretos e sentenças, e que principiam pelas palavras *considerando* ou *atendendo.* **2.** Motivo, razão, argumento.

considerar. [Do lat. *considerare.*] *V. t. d.* **1.** Atender a; atentar para; pensar em; meditar; ponderar: *Considerando as vantagens do cargo, aceitou-o.* **2.** Examinar; observar; apreciar: *Pediu-me que, na leitura da obra, considerasse apenas o estilo, sem levar em conta a gramática.* **3.** Deter a vista em; contemplar, observar: "tendo limpo e pendurado as armas do amo .... , *considerava* o Senhor de Astorga com assombro e desconfiança." (Eça de Queirós, *Últimas Páginas*, p. 426). **4.** Imaginar, conceber: *Era-lhe impossível considerar as tristes conseqüências de seu ato.* **5.** Ter em boa conta: *Todos o consideram como homem e* como artista. Transobj. **6.** Ter na conta de; reputar, julgar: *Considero Manuel Bandeira um dos grandes líricos da nossa língua;* "Então, ainda *considerava* uma extravagância aquela compra, feita num rasgo de entusiasmo?" (Eça de Queirós, *Os Maias*, II, p. 142). *Int.* **7.** Pensar, refletir em alguma coisa: *Considerei longamente antes de tomar uma resolução. T. i.* **8.** Contemplar, observar, mirar: "D. Fernando *considera* na rainha, com um sorriso suave .... . Aperta na dela sua mão gelada" (Antero de Figueiredo, *Leonor Teles*, p. 254). **9.** Meditar; pensar, refletir: "*Considerai* no mistério / dos humanos desatinos!" (Cecília Meireles, *Obra Poética*, p. 876); "Agora, apiedado de si próprio, *considera* na mísera condição humana." (Antero de Figueiredo, *Toledo*, p. 169). *P.* **10.** Crer-se; reputar-se; julgar-se: "*Considero-me* indigno do favor recebido" (Graciliano Ramos, *Caetés*, p. 226); *Imodesta, considera-se belíssima.*

considerável. *Adj. 2 g.* **1.** Que se deve considerar; notável, importante. **2.** Muito grande.

consignação. [Do lat. *consignatione.*] *S. f.* Ato ou efeito de consignar. ♦ **Consignação de rendimento.** Anticrese [q. v.]. **Consignação em folha.** Desconto feito mensalmente em folha de pagamento de funcionários do Governo. **Consignação em pagamento.** Depósito judicial da coisa devida, nos casos e formas legais, e que tem como resultado a extinção da obrigação.

consignador (ô). *Adj.* **1.** Que consigna; consignante. • *S. m.* **2.** Aquele que consigna.

consignante. *Adj. 2 g.* Consignador (1).

consignar. [Do lat. *consignare.*] *V. t. d.* **1.** Afirmar, declarar, estabelecer: *Não pretendia lavrar uma queixa, mas apenas consignar o fato.* **2.** Confiar ou enviar (mercadorias) a alguém, para que as negocie ou em comissão: *A empresa não consigna os seus produtos. T. d. e i.* **3.** Confiar ou enviar mercadorias a alguém, a fim de que as negocie: *Consignamos-lhe 100 fardos de charque.* **4.** Determinar, assentar (renda ou quantia para despesa ou pagamento de dívida). **5.** Dedicar, consagrar: *Consignou, no discurso, um elogio ao predecessor.* **6.** Encomendar, recomendar: *O padre consignou a Deus a alma do moribundo.*

consignatário. *S. m.* **1.** Aquele a quem se consignam mercadorias. **2.** Aquele que recebe em consignação o equivalente do que lhe é devido.

consignativo. [Do lat. *consignatu*, part. pass. de *consignare*, 'consignar', + *-ivo.*] *Adj. Jur.* Diz-se do censo ou quantia entregue por uma vez a quem se obriga a pagar anualmente determinada pensão.

consignável. *Adj. 2 g.* Que pode ou deve ser consignado.

consigo. [De *con-* + *sigo* < lat. *secum*, que já encerra a preposição.] *Pron.* **1.** Em sua companhia: *Levava consigo o irmãozinho e um cão;* "Desse viver .... o fora arrancar a solicitude do padrinho, para o meter *consigo* na galeota de negócio e conduzi-lo ao Pará" (Inglês de Sousa, *O Missionário*, p. 205). **2.** Em seu ser; dentro de si: *A menina traz consigo a inocência.* **3.** Em sua mente; no seu espírito: "Ele tinha *consigo* um capricho bizarro..." (Jorge de Lima, *ap.* Ad. Marroquim, *Terra das Alagoas*, p. 265). **4.** Com a sua pessoa; para seu proveito: *Despende muito com os parentes e quase nada consigo.* **5.** De si para si; de si consigo; de si para consigo; de si para si; entre si: *Disse consigo, que iria;* "O menino, ... disse *consigo*, logo que os dous se encontraram: 'Guimarães há de ser meu pai, e Cristina há de ser minha mãe' " (Machado de Assis, *A Semana*, II, p. 377). **6.** Em seu poder: "Quem é que não tem cem mil-réis *consigo?*" (Id., *Papéis Avulsos*, p. 202.) **7.** A seu cargo: *Tinha consigo a resolução de vários problemas.* **8.** Com V. Sª(s), com o(s) senhor(es) ou a(s) senhora(s), com você(s), etc.: "que tem a senhora com a minha vida ....? Meta-se *consigo*, cuide nos seus bilros ...., e deixe a vida alheia." (Manuel Antônio de Almeida, *Memórias de um Sargento de Milícias*, p. 131); "A senhora há de dizer *consigo* que eu, valendo menos que Sócrates, sou mais desapiedado que ele" (Machado de Assis, *Crônicas*, II, p. 412). [Este uso, condenado por muitos e defendido por outros, é freqüente, sobretudo em Portugal. Muitas vezes, parece resultar da perplexidade, por parte de quem fala, entre a cerimônia e a intimidade no tratamento.]

consiliário. [De *consílio* + *-ário.*] *S. m. P. us.* Conselheiro (3 e 4). [Fem.: *consiliária*. Cf. *conciliário*, adj., fem. *conciliária*, e *conciliaria*, do v. *conciliar.*]

consílio. [Do lat. *consiliu.*] *S. m. Desus.* Conselho, assembléia. [Cf. *concílio*, s. m., e *concilio*, do v. *conciliar.*]

➧**consilium fraudis** (consílium fráudiç). [Lat., 'conluio da fraude'.] *Jur.* Conluio entre pessoas para lesar alguém.

consistência. [Do lat. *consistentia.*] *S. f.* **1.** Qualidade ou estado de consistente. **2.** Concordância aproximada entre os resultados de várias medições de uma mesma quantidade. **3.** *Fig.* Perseverança, firmeza, constância. **4.** *Mat.* Compatibilidade (2). **5.** *Fís.* Propriedade de um conjunto de resultados de experiências que satisfazem, dentro dos limites dos erros experimentais, as leis pertinentes aos fenômenos a que se referem.

consistente. [Do lat. *consistente.*] *Adj. 2 g.* **1.** Que é formado, constituído; que consta, consiste: "Melhor, muito melhor era a venda, *consistente* numa casa de moradias e num alpendre para abrigar a carga das mulas." (Eduardo Frieiro, *Feijão, Angu e Couve*, p. 115.) **2.** Que se resume, se cifra, se reduz: *conhecimentos consistentes em ensinamentos mal administrados.* **3.** Duro, sólido. **4.** Espesso, grosso: *uma sopa consistente.* ~ V. *estimador* — e *equações* —*s.*

consistir. [Do lat. *consistere.*] *V. t. i.* **1.** Ser constituído; constar, compor-se: *Sua única esperança consiste no bom êxito do negócio; O edifício do castelo consistia em construções várias, de diferentes épocas.* **2.** Fundar-se, estribar-se, basear-se: *O prestígio de sua obra consiste na aplicação com que a ela se dedica.* **3.** Resumir-se, reduzir-se, cifrar-se: *Sua proclamada cultura consiste na memorização de sentenças latinas;* "O verdadeiro teatrólogo não diz tudo. Sua sabedoria, como domínio técnico, *consiste* em conter-se, no desdobramento da ação, para dizer menos do que parece necessário." (Josué Montelo, *Artur Azevedo e a Arte do Conto*, p. 39).

consistorial. *Adj. 2 g.* Referente a consistório.

consistório. [Do lat. *consistoriu.*] *S. m.* **1.** Assembléia de cardeais, presidida pelo Papa: "Assim sucedeu ao Papa Urbano VI ...., o qual repreendendo asperamente de avareza em público *consistório* ao Cardeal de Amiens, este, tomado de ira repentina, se levantou, e apontando para o Papa com o dedo, disse: 'Tu, enquanto barense, mentes.' " (Pe. Manuel Bernardes, *Nova Floresta*, IV, pp. 21-22.) **2.** Qualquer assembléia ou reunião de pessoas onde se tratem assuntos magnos. **3.** Lugar onde se realiza assembléia ou reunião: "lembrando os perigos da noite nesse ermo — *consistório* das almas penadas" (Afonso Arinos, *Pelo Sertão*, p. 13).

consoada. *S. f.* **1.** Pequena refeição noturna, em dia de jejum. **2.** Ceia da noite de Natal. **3.** *Lus. Desus.* Presente no dia do Natal.

consoante. [Do lat. *consonante*, 'que soa juntamente'.] *Adj. 2 g.* **1.** Que tem consonância. **2.** *Fon.* Diz-se do fonema resultante dum fechamento ou dum estreitamento em qualquer região acima da glote [v. *zona de articulação*], que funciona como obstáculo à passagem da corrente de ar. **3.** Diz-se da(s) letra(s) que representa(m) fonema dessa espécie. ~ V. *rimas* —*s.* • *S. f.* **4.** *Fon.* Fonema consoante (2); consoante. [Classificam-se, em português: **a)** quanto ao tipo de obstáculo oposto à corrente do ar, em *oclusivas, fricativas, laterais* e *vibrantes;* **b)** quanto à zona de articulação, em *bilabiais, labiodentais, linguodentais, alveolares, palatais* e *velares;* **c)** quanto à ação das cordas vocais, em *surdas* e *sonoras;* **d)** quanto à ressonância nas cavidades bucal e nasal, em *orais* e *nasais.* Nas oclusivas há uma aproximação completa ou fechamento momentâneo de dois órgãos da cavidade bucal. Segundo a região em que este se processa, as oclusivas podem ser: bilabiais (lábio contra lábio): *p, b, m,* como em *pote, bote, mato;* linguodentais (ponta da língua e arcada dental superior): *t, d, n,* como em *tal, dama, nada;* palatais (dorso da língua e palato duro): *nh,* como em *ninho, ganho;* velares (parte posterior da língua e véu palatino): *k, g,* como em *cata, gata.* Nas fricativas há uma aproximação incompleta de dois órgãos da cavidade bucal, e a corrente de ar comprime-se, o que lhe permite passar por uma fenda estreitada. Segundo a região em que a compressão se processa, dando lugar a um contato parcial, as fricativas podem ser: **a)** labiodentais (lábio inferior e arcada dental superior): *f, v,* como em *faca, vaca;* **b)** alveolares (ponta da língua e alvéolos): *s, z,* como em *sapo, cego, zelo;* **c)** palatais (dorso da língua e palato duro): *x* (também representado por *ch*), *j,* como em *xale, cheque, jacto.* Nas laterais há uma obstrução resultante do contato da língua com algum ponto da região central da cavidade oral, escapando o ar livremente por um ou por ambos os lados da língua. Segundo a zona onde ocorre a obstrução, as laterais podem ser: **a)** alveolar (ponta da língua e alvéolos): *l,* como em *lago;* **b)** palatal (dorso da língua e palato duro): *lh,* como em *galho.* Nas vibrantes há uma vibração da língua, provinda do contato intermitente desta com certa zona da boca. As vibrantes podem ser: alveolares ou velares, conforme a vibração se dê na região dos alvéolos ou na região do véu palatino, respectivamente: **a)** alveolar (*r* — fraco — em posição intervocálica): *aro, tiro;* **b)** velar (a vibrante *r* nas demais posições): *rato, régua; carro, certo, guelra; lar, ser.* Nas surdas não há vibração das cordas vocais; ei-las: a oclusiva bilabial *p;* a oclusiva linguodental *t;* a fricativa labiodental *f;* a oclusiva velar *k* (*c,* antes de *a, o, u; qu,* antes de *e* e *i*); a fricativa alveolar *s* (*ss,* entre vogais; *c,* antes de *e* e *i; ç,* antes de *a, o, u; x,* como em *próximo, sintaxe);* a fricativa palatal *x* (quando equivalente a *ch,* como em *xale, peixe,* e também representada por *ch,* como em *chave, chuva*). Nas sonoras há vibração das cordas vocais; ei-las: a oclusiva bilabial *b;* a oclusiva linguodental *d;* a oclusiva velar *g* (*gu* antes de *e* e *i*); a fricativa labiodental *v;* a fricativa alveolar *z* (também representada, em posição intervocálica, por *s: casa, uso,* e *x: exemplo, exato*); a fricativa palatal *j* (tb. representada por *g,* antes de *e* e *i,* como em *gemer, gíria*); a vibrante velar *r* (forte), como em *rei, tenro, terra.* Nas nasais a corrente de ar ressoa, em parte, na cavidade nasal; ei-las: a oclusiva bilabial *m,* a oclusiva linguodental *n* e a oclusiva palatal *nh.* — Todos esses qualificativos de consoantes podem ser usados substantivamente: *uma oclusiva, uma velar,* etc.] **5.** Letra consoante (3). [São as seguintes, em português: *b, c, d, f, g, h, j, l, m, n, p, q, r, s, t, v, x, z.*] ● S. m. **6.** Palavra que rima com outra; rima: "acha [o jocoso] consoantes para tudo: — *Está acabada a função! oh que grande aflição! lá vai a D. Elvira com o conselheiro Negrão! e o juiz Cerveira pela mão! dormir sobre a questão!...*" (Ramalho Ortigão, *As Farpas,* I, pp. 253-254). ● *Prep.* e *conj.* **7.** Conforme, segundo: *Trabalha consoante suas forças; O Brasil alcançou o tricampeonato, consoante se esperava; Terminou o livro no fim do ano, consoante prometera.* ♦ **Consoante alveolar.** V. *consoante* (4). [Tb. se diz apenas *alveolar.*] **Consoante bilabial.** V. *consoante* (4). [Tb. se diz apenas *bilabial.*] **Consoante fricativa.** V. *consoante* (4). [Tb. se diz apenas *fricativa.*] **Consoante labiodental.** V. *consoante* (4). [Tb. se diz apenas *labiodental.*] **Consoante lateral.** V. *consoante* (4). [Tb. se diz apenas *lateral.*] **Consoante linguodental.** V. *consoante* (4). [Tb. se diz apenas *linguodental.*] **Consoante líquida.** Qualquer das consoantes laterais ou vibrantes. [Tb. se diz apenas *líquida.*] **Consoante nasal.** V. *consoante* (4). [Tb. se diz apenas *nasal.*] **Consoante oclusiva.** V. *consoante* (4). [Tb. se diz apenas *oclusiva.*] **Consoante oral.** V. *consoante* (4). [Tb. se diz apenas *oral.*] **Consoante palatal.** V. *consoante* (4). [Tb. se diz apenas *palatal.*] **Consoante ramista.** Designação comum ao *j* e ao *v,* por haverem sido pela primeira vez diferençados do *i* e do *u,* em textos franceses, por Petrus Ramus (1515-1572); letra ramista. **Consoante sonora.** V. *consoante* (4). [Tb. se diz apenas *sonora.*] **Consoante surda.** V. *consoante* (4). [Tb. se diz apenas *surda.*] **Consoante velar.** V. *consoante* (4). [Tb. se diz apenas *velar.*] **Consoante vibrante.** V. *consoante* (4). [Tb. se diz apenas *vibrante.*]

consoar^{1}. [Do lat. *consonare.*] *V. int.* **1.** Soar juntamente. **2.** Ter consonância (2); rimar entre si: *As palavras* vestido e estufa *não consoam;* "Em 1540, Charles de Sainte-Marthe desculpou-se de fazer consoar palavras em *aire* e *ère.*" (Melo Nóbrega, *O Soneto de Arvers,* p. 89). *T. i.* **3.** Ser consoante (1); rimar: Beleza *consoa* com tristeza. [Conjug.: v. *coroar.*]

consoar^{2}. *V. int.* **1.** Tomar a consoada (1): "apareceu-lhe na noite de Natal, quando a cáfila toda consoava à lareira." (Aquilino Ribeiro, *Cinco Réis de Gente,* p. 59). *T. d.* **2.** Comer ou beber em consoada (1): *Consoou apenas um magro caldo.* [Conjug.: v. *coroar.*]

consociação. [Do lat. *consociatione.*] *S. f.* Ato ou efeito de consociar(-se).

consociar. [Do lat. *consociare.*] *V. t. d.* e *p.* **1.** Tornar (-se) sócio; associar(-se). **2.** Conciliar(-se), harmonizar(se), unir: *Estão em séria divergência, e é difícil consociá-los; As facções dissidentes consociaram-se.* [Pres. ind.: *consocio,* etc. Cf. *consócio.*]

consociável. *Adj. 2 g.* Que se pode consociar.

consócio. [Do lat. *consociu.*] *S. m.* **1.** Sócio, em relação a outro. **2.** Confrade, colega. [Cf. *consocio,* do v. *consociar.*]

consogro (ô). [Do lat. *consocru.*] *S. m.* Pai de um dos cônjuges, em relação ao pai do outro [Flex.: *consogra, consogros* (ô), *consogras.*]

consolação [Do lat. *consolatione.*] *S. f.* **1.** Ato ou efeito de consolar(-se). **2.** Pessoa ou coisa que consola. **3.** Alívio, lenitivo, conforto. [Sin. ger.: *consolo.*]

consolado. [Part. de *consolar.*] *Adj.* **1.** Aliviado de dor ou de pena. **2.** Alegre, contente. [Cf. *consulado.*]

consolador (ô). [Do lat. *consolatore.*] *Adj.* **1.** V. *consolativo.* ● *S. m.* **2.** Aquele que consola. **3.** V. *chupeta* (2). **4.** *Bras. Chulo.* Pênis artificial; consolo, consolo-de-viúva.

consolante. [Do lat. *consolante.*] *Adj. 2 g.* V. *consolativo.*

consolar. [Do lat. *consolare.*] *V. t. d.* **1.** Aliviar ou suavizar a aflição, o sofrimento, o padecimento de: *Consolar os aflitos é uma das obras de misericórdia.* **2.** Dar lenitivo a; suavizar, mitigar: "O que consola a dor de amar, é ser amado" (Luís Delfino, *Rosas Negras,* p. 39); *Buscava consolar as apreensões do amigo.* **3.** Proporcionar sensação agradável a; dar prazer a: *A lauta ceia o consolou. T. d.* e *i.* **4.** Proporcionar consolação, lenitivo; confortar: *O nascimento do filho consolou-a da perda do marido; As visitas dos amigos consolavam-no do fundo golpe. T. i.* e *int.* **5.** Causar ou proporcionar consolação: "Volve [Almeida Garrett] o pensamento para a literatura, que sempre o consola dos infortúnios políticos, dos reveses da sorte e das humilhações." (José Osório de Oliveira, *O Romance de Garrett,* p. 79); *As manifestações de amizade consolam. P.* **6.** Receber consolação: *Consola-se com a certeza da punição do seu agressor.* **7.** Pôr termo aos próprios pesares; conformar-se, resignar-se: "Se só me faltassem os outros, vá; um homem consola-se mais ou menos das pessoas que perde; mas falto eu mesmo, e esta lacuna é tudo." (Machado de Assis, *Dom Casmurro,* p. 4.) [Pres. ind.: *consolo,* etc. Cf. *consolo* (ô), s. m., e *consular.*]

consolativo. *Adj.* Que consola; consolador, consolante.

consolatório. *Adj.* Que serve para consolar.

consolável. [Do lat. *consolabile.*] *Adj. 2 g.* Que pode ser consolado.

consolda. [Do lat. *consolida.*] *S. f. Bot.* **1.** V. *solda*^{2}. **2.** Planta de propriedades medicinais, da família das borragináceas *(Symphytum asperrimum);* consólida.

consolda-do-cáucaso. *S. f.* Planta forrageira, da família das borragináceas *(Symphytum asperrimum);* consólida. [Pl.: *consoldas-do-cáucaso.*]

console. *S. m.* **1.** V. *consolo.* **2.** *Proc. Dados.* Terminal privilegiado utilizado para comunicação entre o operador de computador e o computador, que permite a intervenção, por métodos manuais, no controle da máquina e nos processamentos que estão sendo por ela efetuados.

consólida. [Do lat. *consolida.*] *S. f.* **1.** Consolda (2). **2.** Consolda-do-cáucaso. [Cf. *consolida,* do v. *consolidar.*]

consolidação. [Do lat. *consolidatione.*] *S. f.* **1.** Ato ou efeito de consolidar(-se). **2.** Fusão de várias empresas industriais em uma só. **3.** Ação de aumentar a rigidez dalgum elemento construtivo. **4.** Obra(s) destinada(s) a aumentar a consistência dos terrenos, impedindo-lhes o desmoronamento. **5.** Reunião de leis conforme um certo sistema ou ordem. **6.** Ato pelo qual diferentes direitos, dantes separados, se reúnem na mesma pessoa. **7.** Garantia dum empréstimo público pela designação de receita especial assecuratória de seu pagamento. **8.** Transformação de dívida flutuante em permanente, mediante emissão de títulos de renda perpétua, substitutivos dos daquela. **9.** *Arquit.* Medida de caráter permanente que visa tornar um elemento arquitetônico estável, sólido e seguro, detendo as alterações em processo mediante pequenas intervenções em que, por via de regra, se justapõem ao elemento arquitetônico materiais modernos. [Cf., nesta acepç., *escoramento* (3).]

consolidado. [Part. de *consolidar.*] *Adj.* **1.** Que se consolidou. ~ V. *dívida —a.* ● *S. m.* **2.** Título de dívida pública consolidada.

consolidador (ô). [Do lat. *consolidatore.*] *Adj.* **1.** Que consolida ou consolidou; consolidante. ● *S. m.* **2.** Aquele que consolida ou consolidou.

consolidante. [Do lat. *consolidante.*] *Adj. 2 g.* Consolidador (1).

consolidar. [Do lat. *consolidare.*] *V. t. d.* **1.** Tornar sólido, seguro, estável: *medidas tendentes a consolidar a ordem pública.* **2.** Fazer a consolidação (2 a 8) de. **3.** Provocar em (fratura óssea) a formação de um calo resistente. *Int.* **4.** Tomar consistência: *Esta mistura consolida rapidamente. P.* **5.** Tornar-se sólido, firme, estável, firmar-se. **6.** Tornar-se sólido, concreto; materializar-se. [Pres. ind.: *consolido, consolidas, consolida,* etc. Cf. *consólida.*]

consolidativo. *Adj.* Próprio para consolidar.

consolo. [Do fr. *console.*] *S. m.* **1.** *Arquit.* Peça saliente na parede de um edifício, destinada a suportar elementos que se projetam ou a receber vasos, estátuas, plantas, etc. **2.** Tipo de mesa de encostar, dotada de pés ornamentais, sendo muitas vezes presa à parede e suportada por uma espécie de cantoneira (de madeira esculpida, de ferro batido, de pedra, etc.) **3.** *Mús.* Nos órgãos, peça móvel onde estão postos os teclados, os registros e a pedaleira. **4.** *Mús.* A parte superior das harpas; modilhão. [Cf. *consolo* (ô), *s. m.,* e pl. *consolos* (ô)]

consolo (ô). [Dev. de *consolar.*] *S. m.* **1.** V. *consolação.* **2.** *Bras., N.E.* V. *chupeta* (2). **3.** *Bras. Chulo.* V. *consolador* (4). [Pl.: *consolos* (ô). Cf. *consolo,* do v. *consolar* e s. m., e pl. *consolos.*]

consolo-de-viúva (consolo [ô]). *S. m. Bras. Chulo.* V. *consolador* (4). [Pl.: *consolos-de-viúva.*]

consomê. [Do fr. *consommé.*] *S. m. Cul.* Caldo de carne ou de galinha servido frio ou quente, de ordinário em lugar da sopa e em taças apropriadas, de louça, com duas asas.

consonância. [Do lat. *consonantia.*] *S. f.* **1.** Conjunto agradável de sons; harmonia. **2.** Concordância de sons; rima. **3.** *Fig.* Acordo, concordância, conformidade.

consonantal. *Adj. 2 g.* Referente a consoante (4), ou constituído por consoantes; consonântico.

consonântico. *Adj.* Consonantal. ~ V. *escrita —a.*

consonantismo. *S. m.* **1.** *Gram.* O conjunto das transformações sofridas pelas consoantes. [Cf. *vocalismo.*] **2.** *Paleogr.* O princípio formador das escritas consonânticas. [Cf. *fonetismo.*]

consonantização. *S. f. Gram.* Transformação de semivogal em consoante: *iam* (lat.) < *já; aue* (lat.) < ave. [Cf. vocalização.]

consonantizar. *Gram. V. t. d.* **1.** Transformar (semivogal) em consoante. *P.* **2.** Transformar-se (uma semivogal) em consoante: *Os* ii *da palavra latina* ieiunus *consonantizaram-se.* [Cf. *vocalizar* (2).]

consonar. [Do lat. *consonare.*] *V. int.* **1.** Formar consonância. *T. i.* **2.** Concordar, concertar, harmonizar-se, combinar(-se): *Sua proposta não consona com os meus interesses.* [Pres. ind.: *consono,* etc. Cf *cônsono.*]

cônsono. [Do lat. *consonu.*] *Adj.* Consonante. [Cf. *consono,* do v. *consonar.*]

consorciação. *S. f.* **1.** Ato ou efeito de consorciar(-se). **2.** *Bras., S.* Pastagem com mais de uma espécie forrageira.

consorciar. [De *consórcio* + *-ar*^{2}] *V. t. d.* **1.** Unir, associar; combinar: "a melhor porção do país ...., tem como único e verdadeiro mar, capaz de consorciá-la pelo intercâmbio comercial à civilização longínqua, o Atlântico" (Euclides da Cunha, *À margem da História,* p. 96); *consorciar interesses e benefícios.* **2.** Unir, associar, combinar. *P.* **3.** Unir-se em matrimônio; casar-se. **4.** Ligar-se, combinar-se. [Pres. ind.: *consorcio,* etc. Cf. *consórcio.*]

consórcio. [Do lat. *consortiu.*] *S. m.* **1.** Associação, ligação, união. **2.** Reunião de empresas, de interesses. **3.** Casamento. [Cf. *consorcio,* etc. do v. *consorciar.*]

consorte. [Do lat. *consorte.*] *S. 2 g.* **1.** Companheiro na mesma sorte, estado ou encargo(s). **2.** Cônjuge.

conspecto. [Do lat. *conspectu.*] *S. m.* Presença, vista, aspecto: "venceu os outros na satisfação de hospedar o francês, cuja fronte se enrugara ao conspecto da vila retalhada e recruzada de becos e vielas." (Camilo Castelo Branco, *A Enjeitada,* p. 15). [Var.: *conspeto.*]

conspeto. *S. m.* V. *conspecto.*

conspicuidade (u-i). *S. f.* Qualidade de conspícuo.

conspícuo. [Do lat. *conspicuu.*] *Adj.* **1.** Que dá na(s) vista(s); visível. **2.** Notável, eminente, distinto, ilustre. **3.** Sério, grave, respeitável: "um conspícuo erudito de rabona e óculos a procurar, entre as pedras — meticulosamente! — o segredo do torvelinho distante dos homens" (Adelino Magalhães, *Obras Completas,* II, p. 492).

conspiração. [Do lat. *conspiratione.*] *S. f.* **1.** Ato ou efeito de conspirar; maquinação, trama. **2.** Conluio secreto. [Sin. ger.: *conspirata.*]

conspirador (ô). *Adj.* **1.** Que conspira. [Cf. *conspirativo.*] ● *S. m.* **2.** Aquele que conspira.

conspirar. [Do lat. *conspirare.*] *V. t. d.* **1.** Maquinar, tramar: *Os revolucionários conspiraram a tomada do poder. T. i.* **2.** Entrar em conspiração, em conluio; tramar uma conspiração; maquinar: "Acusaram ao assassino, eles que conspiravam contra a vida do seu rei e legítimo senhor?" (Correia Garção, *Obras Poéticas e Oratórias,* p. 589.) **3.** Concorrer, tender (para certo fim): *Tudo parecia conspirar para sua felicidade.* **4.** Projetar em comum coisa contrária aos interesses de outrem. *Int.* **5.** Tramar ou maquinar contra os poderes públicos.

conspirata. *S. f.* V. *conspiração:* "Quando rebenta uma conspirata, ... a cadeia de Viseu recebeu grande

porção de conspiradores" (José Vieira, *Sol de Portugal*, pp. 83-84).
conspirativo. [De *conspirar* (3).] *Adj.* Que conspira, concorre, tende (para certo efeito). [Cf. *conspirador.*]
conspurcação. *S. f.* Ato ou efeito de conspurcar(-se).
conspurcar. [Do lat. *conspurcare.*] *V. t. d.* **1.** Sujar; macular: *Conspurcou as claras vestes.* **2.** Manchar, macular; infamar: "A ignomínia que barbariza e desumana o escravo, conspurca a família livre, escandaliza no lar doméstico a pureza das virgens e a castidade das mães" (Rui Barbosa, *Ensaios Literários*, p. 48). **3.** Corromper, perverter: *Conspurcou-o sua ambição desmedida. P.* **4.** Corromper-se, aviltar-se. [Conjug.: v. *trancar.*]
conspurcável. *Adj. 2 g.* Que pode ser conspurcado.
consta. [Dev. de constar.] *S. m.* Notícia que passa por certa.
constância. [Do lat. *constantia.*] *S. f.* **1.** Qualidade de constante. **2.** Vigência, vigor. **3.** Firmeza de ânimo; perseverança, persistência, ânimo.
constante. [Do lat. *constante.*] *Adj. 2 g.* **1.** Que não se desloca; inalterável, imutável. **2.** Incessante, contínuo: "Tinha na alma um constante sorriso — que os seus lábios repetiam." (Eça de Queirós, *Os Maias*, II, p. 46.) **3.** De valor fixo; invariável. **4.** Que consta ou consiste. ~ V. *capital* — e *clima* —. ● *S. f.* **5.** Motivo, tema, idéia, etc., que aparece com freqüência, de maneira constante, dominante, por vezes obsessiva, em obra literária ou artística. *Na poesia de Casimiro de Abreu são notáveis as constantes amor e saudade; A religião é uma constante de Alphonsus de Guimaraens.* **6.** *P. ext.* Idéia ou preocupação obsessiva: *Só pensa na morte: é uma constante em seu espírito.* **7.** *Mat.* Numa expressão analítica, grandeza, independente das variáveis nela envolvidas. ♦ **Constante astronômica.** *Astr.* Valor de uma dada grandeza astronômica, que serve como elemento básico para a métrica ou física do Universo. **Constante cosmológica.** *Cosm.* Termo introduzido por Einstein [V. *einsteiniano*] em 1917, nas suas equações do campo gravitacional, para permitir a elaboração de um universo estático, homogêneo e isotrópico nas geometrias não-euclidianas. Pode ser positivo, negativo ou nulo. Se positivo, representa a força repulsiva no Universo, que é diretamente proporcional à distância: quanto maior a distância entre duas galáxias, tanto maior será o valor da constante. **Constante crioscópica.** *Fís.-Quím.* Em crioscopia, constante de proporcionalidade entre o abaixamento do ponto de fusão do solvente e a molalidade da solução. **Constante da aberração.** *Astr.* O valor máximo do desvio provocado pela aberração. **Constante de Boltzmann.** *Fís.* Cociente da constante dos gases perfeitos pelo número de Avogadro, igual a 1,38044 x 10^{-23} joules por grau kelvin. [Símb.: *k.*] **Constante de desaceleração.** *Cosm.* Parâmetro de desaceleração. **Constante de desintegração.** *Fís. Nucl.* O inverso da meia-vida de um nuclídeo radioativo multiplicado pelo logaritmo neperiano de dois; cociente da atividade duma amostra de um nuclídeo radioativo em um determinado instante pelo número de átomos do nuclídeo presentes na amostra; constante radioativa. **Constante de dissociação.** *Fís.-Quím.* Constante de equilíbrio da reação de ionização de uma substância; constante de ionização. **Constante de equilíbrio.** *Fís.-Quím.* Numa reação química, relação entre as atividades dos reagentes e produtos que é satisfeita quando a reação está em equilíbrio. **Constante de Faraday.** *Fís.-Quím.* Faraday. **Constante de força.** *Fís.* Numa mola elástica que obedece à lei de Hooke, constante de proporcionalidade entre a força aplicada à mola e a elongação desta; coeficiente de rigidez. **Constante de gravitação.** *Fís.* Constante de proporcionalidade da lei de gravitação universal de Newton, igual a 6,670 x 10^{-11} m^3. kg^{-1} s^{-2}. [Símb.: *G.*] **Constante de Henry.** *Fís.-Quím.* Constante de proporcionalidade entre a pressão de um gás em equilíbrio com uma solução e a fração molar deste gás nesta solução. **Constante de Hubble.** *Cosm.* Constante de proporcionalidade que existe na relação entre as velocidades de recessão das galáxias e suas distâncias. O valor mais recente, determinado em 1974 por Sandage e Tammann, é igual a 56,9±3,4 km por segundo por megaparsec. **Constante de integração.** *Anál. Mat.* Constante arbitrária que é adicionada à primitiva, numa operação de integração indefinida. **Constante de ionização.** *Fís.-Quím.* Constante de dissociação. **Constante de Planck.** *Fís.* Constante de proporcionalidade entre a energia de uma partícula e a freqüência da onda associada à partícula. É uma constante universal igual a 6,62517 x 10^{-34} J.s. [Símb.: *h.*] **Constante de proporcionalidade.** *Mat.* Cociente de duas grandezas proporcionais; fator de proporcionalidade. **Constante dos gases perfeitos.** *Fís.* Constante de proporcionalidade da lei dos gases perfeitos, a qual é independente da natureza do gás e igual a 8,3144 joules por grau kelvin por mol. [Símb.: *R.*] **Constante ebulioscópica.** *Fís.-Quím.* Constante de proporcionalidade entre a elevação da temperatura de ebulição do solvente e a molalidade da solução. **Constante radioativa.** *Fís. Nucl.* Constante de desintegração. **Constante solar.** *Astr.* Número de calorias que receberia, por minuto, uma área de 1 cm^2, perpendicular aos raios solares, quando colocada a distância média Terra-Sol, e fora da atmosfera terrestre. O seu valor é de 1,98+0,05 cal/cm^2 por minuto. **Constante unificada de massa atômica.** *Fís.-Quím.* Um doze avos da massa em repouso de um átomo de carbono 12, igual a 1,66032 x 10^{-24} g.
constantinense. *Adj. 2 g.* **1.** De, ou pertencente ou relativo à cidade de Constantina (Argélia). ● *S. 2 g.* **2.** Natural ou habitante dessa cidade.
constantinopolitano. [Do lat. *constantinopolitanu.*] *Adj.* **1.** De, ou pertencente ou relativo a Constantinopla, atual Istambul, capital da Turquia (Ásia). ● *S. m.* **2.** O natural ou habitante de Constantinopla.
constar. [Do lat. *constare.*] *V. int.* **1.** Passar por certo ou verdadeiro; ser dito com visos de verdade: *Apesar da aparência modesta, consta que é riquíssimo. T. i.* **2.** Chegar ao conhecimento: *Não lhe constava a proibição de ali estacionar.* **3.** Estar escrito, registrado ou mencionado: *Tudo que lhe sucede consta de seu diário; Numerosos são os vocábulos que não constam nos dicionários.* **4.** Ser composto ou formado; consistir; constituir-se: "A cabana constava de três peças: uma servia de varanda, outra de dormitório, a última era a cozinha." (José de Alencar, *O Sertanejo*, p. 101.) **5.** Fazer parte; incluir-se: *Constam de seu guarda-roupa de inverno seis preciosos casacos.* [Na acepç. 1 é impessoal.]
constatação. [Do fr. *constatation.*] *S. f.* Ato ou efeito de constatar. [É de grande uso, ao menos no Brasil, e muito expressivo.]
constatar. [Do fr. *constater.*] *V. t. d.* Estabelecer ou consignar a verdade de (um fato), o estado de (uma coisa); comprovar; verificar: *A perícia constatou a culpa do acusado.* [É muito expressivo e de largo uso, embora condenado pelos puristas.]
constelação. [Do lat. *constellatione.*] *S. f.* **1.** *Astr.* Uma das 88 regiões convencionais da esfera celeste estabelecidas pela União Astronômica Internacional. **2.** *Ant.* Grupo de estrelas. **3.** *P. ext.* Grupo de pessoas notáveis pela inteligência, cultura, etc., ou que para nós representam muito sob o aspecto afetivo. **4.** *P. ext.* Conjunto, grupo, série: "E pensar que tudo aquilo era .... tão mimosamente verde na primavera, sobretudo quando rompia a constelação das florinhas campestres" (Vieira Pires, *Querência*, p. 110); "as razões invocadas .... estão longe de abranger a constelação de motivos que está por trás de um ato tão franco e inconseqüente quanto aquele" (Carlos Castelo Branco, *Jornal do Brasil*, 9.8.1970). ♦ **Constelação zodiacal.** *Astr.* Constelação que é atravessada pela eclíptica.
constelado. [Do lat. *constellatu.*] *Adj.* **1.** Diz-se do céu estrelado. **2.** Que tem forma de estrela; asteróide.
constelar. *V. t. d.* **1.** Reunir em forma de constelação. **2.** Ornar de objetos brilhantes como estrelas: *Quer condecorações para constelar a casaca. P.* **3.** Cobrir-se de constelações. **4.** Compor-se (de coisas brilhantes como estrelas).
consternação. [Do lat. *consternatione.*] *S. f.* Ato ou efeito de consternar(-se): "A hora em que ele expirava, hora de consternação e alaridos para todo um povo, era a única, talvez, em que pelos espíritos fuzilavam alguns relâmpagos de dúvidas sobre a justiça e a misericórdia do Ente Supremo" (Antônio Feliciano de Castilho, *O Presbitério da Montanha*, I, p. 113).
consternado. [Part. de *consternar.*] *Adj.* **1.** Profundamente triste; de ânimo abatido; prostrado, desalentado. **2.** Que denota consternação; desolado: *um semblante consternado.*
consternador (ô). *Adj.* Que consterna.
consternar. [Do lat. *consternare.*] *V. t. d.* **1.** Causar funda aflição e abatimento a; lançar em consternação; desalentar. *P.* **2.** Ficar prostrado pela dor; afligir-se profundamente. **3.** Encher-se de espanto; horrorizar-se.
constipação. [Do lat. *constipatione.*] *S. f.* **1.** Prisão de ventre. **2.** *Pop.* e *impr.* V. *resfriado* (5).
constipado. [Part. de *constipar.*] *Adj.* Que sofre constipação.
constipar. [Do lat. *constipare.*] *V. t. d.* **1.** Causar constipação a. *P.* **2.** Apanhar constipação.
constitucional. [Do lat. *constitutione*, 'constituição', + *-al.*] *Adj. 2 g.* **1.** Relativo ou pertencente à constituição (3): *direito constitucional; princípios constitucionais.* **2.** Conforme a constituição (3): *medidas constitucionais; poder constitucional.* **3.** Que é regido por constituição (3): *país constitucional.* **4.** Diz-se do regime político em que o poder executivo é limitado por uma constituição (3). [Cf., nessas acepç., *constituinte* (3 e 4).] **5.** Inerente à organização física ou psíquica do indivíduo. ~ V. *carta* —, *garantias constitucionais* e *direito* —. ● *S. m.* **6.** Partidário da Carta Constitucional.
constitucionalidade. *S. f.* Qualidade do que é constitucional (2 e 3).
constitucionalismo. *S. m.* Sistema ou doutrina dos sectários do regime constitucional.
constitucionalista. *Adj. 2 g.* **1.** Relativo ao, ou que é partidário do constitucionalismo. ● *S. 2 g.* **2.** Partidário do constitucionalismo. **3.** Especialista em direito constitucional.
constitucionalizar. *V. t. d.* e *p.* Tornar(-se) constitucional.
constituição (u-i). [Do lat. *constitutione.*] *S. f.* **1.** Ato de constituir, de estabelecer, de firmar. **2.** Modo pelo qual se constitui uma coisa, um ser vivo, um grupo de pessoas; organização, formação. **3.** Lei fundamental e suprema dum Estado, que contém normas respeitantes à formação dos poderes públicos, forma de governo, distribuição de competências, direitos e deveres dos cidadãos, etc.; carta constitucional, carta magna. **4.** Conjunto de normas reguladoras de uma instituição, corporação, etc.; estatuto. [Cf., nas acepç. 3 e 4, *constitucional* (1 a 4).] **5.** *Biotip.* O conjunto das características anatômicas, funcionais, reacionais e psíquicas que marcam um indivíduo. **6.** *P. ext.* A constituição (5) física de um indivíduo; compleição. ♦ **Constituição de renda.** *Jur.* Ato entre vivos, ou de última vontade, a título oneroso ou gratuito, pelo qual alguém entrega a outrem, por tempo indeterminado, bens de raiz ou certa quantia, obrigando-se o segundo a pagar ao primeiro, ou a quem este indicar, uma renda ou prestação periódica.
constituído. [Part. de *constituir.*] *Adj.* **1.** Formado, composto. **2.** Estabelecido, fixado pela constituição (3). ~V. *poderes* —*s.*
constituinte (u-in). [De *constituir* + *-nte.*] *Adj. 2 g.* **1.** Que constitui. **2.** Que faz parte de um organismo. **3.** Que tem atribuições constituídas pelo povo e/ou pelo governo para elaborar, redigir ou reformar a constituição (3): *assembléia constituinte; comissão constituinte.* **4.** Relativo a assembléia (1) ou a cortes constituintes. ● *S. 2 g.* **5.** Pessoa que faz de outra seu procurador ou representante; comitente. **6.** Membro de uma assembléia constituinte. **7.** *Fís.-Quím.* Qualquer espécie química presente num sistema físico-químico. [Cf., nesta acepç., *componente* (4).] **8.** *Ling.* Qualquer palavra, construção ou morfema que faz parte de uma estrutura (6) mais ampla. ● *S. f.* **9.** Assembléia constituinte: a *Constituinte de 1934.* ♦ **Constituinte essencial.** *Min.* Mineral que caracteriza a rocha.
constituir. [Do lat. *constituere.*] *V. t. d.* **1.** Ser a base, a parte essencial, de; formar; compor; representar: *A libertação dos escravos constituía fator importante na proclamação da República;* "as procissões constituem a forma mais popular de exprimir o sentimento religioso" (Alceu Amoroso Lima, *A Realidade Americana*, pp. 210-211); "Fazer arte é querer tornar o mundo mais belo, porque a obra de arte, uma vez feita, constitui beleza objetiva, beleza acrescentada à que há no mundo." (Fernando Pessoa, *Páginas de Doutrina Estética*, p. 63). **2.** Organizar, estabelecer: *constituir uma firma comercial.* **3.** Pôr, assentar, estabelecer (em certo lugar): *Constituiu naquela cidade a sede da firma.* **4.** Dar poderes a, para tratar de negócio, causa, etc.: *constituir um advogado; constituir um procurador. Transobj.* **5.** Nomear; eleger: *Constituí-o meu procurador. P.* **6.** Colocar-se (em certa posição). **7.** Arrogar-se qualidade, direito, posição, etc.: *Constituiu-se, desde a morte do pai, no protetor da família.* **8.** Consistir em; ser; representar, formar: "Prolonguei a juventude com excessos insensatos, os quais, pouco a pouco, se constituíam minhas únicas formas de excitação." (Fernanda Botelho, *Lourenço É Nome de Jogral*, p. 77.) [Conjug.: v. *atribuir.*]
constitutivo. *Adj.* **1.** Que constitui: "uma estante, ou mais propriamente as peças constitutivas de uma estante." (Carlos Drummond de Andrade, *Cadeira de Balanço*, p. 58). ~ V. *propriedade* —*a.* **2.** Essencial, indispensável. **3.** Característico, distintivo.

constituto-possessório. *S. m. Jur.* Operação jurídica por meio da qual aquele que possuía em nome próprio passa a possuir imediatamente em nome alheio; desprendimento de posse. [Pl.: *constitutos-possessórios.*]

constrangedor (ô). *Adj.* Que constrange.

constranger. [Do lat. *constringere*; cf. *constringir.*] *V. t. d.* **1.** Impedir os movimentos de; apertar: *O paletó mirrado o constrangia.* **2.** Tolher a liberdade de; incomodar: *Aquela visita cerimoniosa constrangeu-o.* **3.** Tolher cercear: *Constranger a liberdade de alguém.* **4.** Forçar, coagir; violentar: *Constrangeram-no a poder de ameaças. T. d. e i.* **5.** Obrigar pela força; compelir, coagir: *Constrangem-no ao silêncio; Tentaram constrangê-lo a desdizer-se. P.* **6.** Experimentar constrangimento; acanhar-se. [Conjug.: v. *ranger.*]

constrangido. [Part. de *constranger.*] *Adj.* Forçado, contrafeito: *um ar constrangido.*

constrangimento. *S. m.* **1.** Aperto, compressão. **2.** Situação ou estado de quem foi constrangido, violentado. **3.** Violência, coação. **4.** Insatisfação, desagrado, descontentamento. **5.** Acanhamento, timidez, embaraço.

constrição. [Do lat. *constrictione.*] *S. f.* **1.** Pressão circular que reduz o diâmetro de um objeto. **2.** Aperto, compressão.

constringência. [De *constringente.*] *S. f. Ópt.* O inverso do poder dispersor de uma substância, igual à razão entre o índice de refração da substância para a raia D menos a unidade e a diferença entre o índice de refração para a raia C.

constringente. [Do lat. *constringente.*] *Adj. 2 g.* Que constringe; constritor.

constringir. [Do lat. *constringere*, cf. *constranger.*] *V. t. d.* **1.** Cingir, apertando; apertar em volta: "Jazem sobre o *toilette* alguns papéis revoltos, / Um livro de orações, marmorezinhos, laços, / A fita que constringe os seus cabelos soltos" (João Ribeiro, *Versos*, p. 213); "O partido aferra com tentáculos de aço o homem moderno; constringe-o, absorve-o, tritura-o" (Alberto Ramos, *Prosas de Ariel*, pp. 78-79). *P.* **2.** Contrair-se; apertar-se: *Na angústia que o tomava, constringia-se-lhe a garganta.* [Conjug.: v. *dirigir.*]

constritivo. [Do lat. *constrictivu.*] *Adj.* Que produz constrição, ou tende a constringir.

constrito. [Do lat. *constrictu.*] *Adj.* **1.** Apertado; comprimido. **2.** Constrangido; forçado.

constritor (ô). *Adj.* **1.** Constringente. ● *S. m.* **2.** Aquele que constringe.

construção. [Do lat. *constructione.*] *S. f.* **1.** Ato, efeito, modo ou arte de construir. **2.** Edificação, edifício. **3.** Organismo, constituição. **4.** *Gram.* Colocação das palavras nas frases e destas nos períodos. ◆ **Construção civil.** Atividade relacionada com a construção de edifícios. **Construção gramatical.** Sintaxe [q. v.]. **Construção naval.** **1.** Arte de construir navios. **2.** Ato ou efeito de construir navios. **Construção ternária.** *Mús.* Estrutura de uma peça musical cujo plano se divide em três partes *(A-B-A)*: *A* — exposição do tema no tom principal com orientação para o tom da dominante; *B* — desenvolvimento do tema com modulações para tons vizinhos e flexão para o tom principal; *A* — reexposição do tema no tom principal sem orientação para o tom da dominante; forma ternária. [Cf. *sonata bitemática* e *sonata monotemática.*]

constructo. [Do lat. *constructu*, part. pass. de *construere*, pelo ingl. *construct.*] *S. m.* Aquilo que é elaborado ou sintetizado com base em dados simples, especialmente um conceito: *os constructos da ciência.* [Var.: *construto.*]

construir. [Do lat. *construere.*] *V. t. d.* **1.** Dar estrutura a; edificar; fabricar: *construir casas; construir navios;* "Aqui se encontram três andares na altura em que hoje se construi um só." (José Vieira, *Sol de Portugal*, p. 65.) **2.** Organizar, dispor, arquitetar: *É rapaz trabalhador: constrói o seu futuro sobre bases sólidas.* **3.** Formar, conceber, elaborar: "Noberto chorava, arrepelava-se, pedia a morte, construía planos absurdos ou terríveis." (Machado de Assis, *Páginas Recolhidas*, pp. 61-62.) **4.** *Geom.* Traçar segundo os princípios geométricos: *construir um paralelogramo. T. d. e i.* **5.** *Gram.* Dispor (as palavras da oração) segundo as regras da sintaxe: *Devemos construir o verbo consistir com a prep.* em, *e não com* de; *Não se constrói* dignar-se *com a prep.* a. *Int.* **6.** Fazer construções: *Os antigos egípcios construíam com precisão notável.* [Pres. ind.: *construo, constróis* ou *construis, constrói* ou *construi, construímos, construís, constroem* ou *construem;* imperat.: *constrói* ou *construi, construí*, etc.]

construtivismo. *S. m.* **1** Ação construtiva (política, social, literária, etc.). **2** *Teat.* Estilo moderno de cenografia caracterizado pela utilização de estruturas tridimensionais (praticáveis, escadas, andaimes, etc.) expressivamente simplificadas, por meio das quais se objetiva a abstração e a estilização, opondo-se, assim, ao ilusionismo realista. **3.** *Art. Plást.* Estilo não figurativo que se desenvolveu no princípio deste século entre os artistas soviéticos e se caracteriza pela disposição rigidamente formal do espaço, das massas e dos volumes, e pela utilização de materiais e técnicas industriais modernas (plásticos, vidros, etc.). [Cf., nesta acepç.: *suprematismo.*]

construtivista. *Adj. 2 g.* **1.** Relativo ao, ou que é partidário do construtivismo. ● *S. 2 g.* **2.** Partidário dele.

construtivo. [Do lat. *constructivu.*] *Adj.* **1.** Que serve para construir. **2.** Que visa a renovar, ou corrigir, melhorar, aperfeiçoar: *crítica construtiva; idéia construtiva; colaboração construtiva.*

construto. *S. m.* V. *constructo.*

construtor (ô). [Do lat. tardio *constructore.*] *Adj.* **1.** Que constrói, **2.** Que se dedica à construção de edifícios: *empresa construtora.* ● *S. m.* **3.** Aquele que constrói. **4.** *Fut. Bras.* Jogador que organiza os ataques, as jogadas da linha de frente.

construtora (ô). [Fem. substantivado do adj. *construtor.*] *S. f.* Empresa ou organização que tem por fim construir edifícios e casas.

construtura. *S. f.* Modo de construir.

consubstanciação. *S. f. Teol.* **1.** União de dois ou mais corpos na mesma substância. **2.** Presença de Cristo na Eucaristia.

consubstancial. [Do lat. *consubstantiale.*] *Adj. 2 g.* **1.** Que tem uma só substância; em que há unidade de substância. **2.** Da mesma natureza ou essência que outro: "sonho em que Elisa habitou realmente dentro da sua alma, numa fusão tão absoluta que se tornou consubstancial com o seu ser!" (Eça de Queirós, *Contos*, p. 283).

consubstancialidade. *S. f.* Qualidade de consubstancial.

consubstanciar. *V. t. d.* **1.** Unir para formar uma substância; ligar, unificar, consolidar: "Evidentemente que há cem maneiras de definir romantismo .... Uma, no entanto, consubstancia todas as outras." (João Gaspar Simões, *Liberdade do Espírito*, p. 33.) *P.* **2.** Unir-se, ligar-se intimamente; identificar-se: "inspiração e expressão vão de par, indivíduo e universo consubstanciam-se, *eu* e *não-eu* integram-se." (João Gaspar Simões, *Liberdade do Espírito*, p. 34).

consueto (é) [Do lat. *consuetu.*] *Adj.* Costumeiro, usual.

consuetudinário. [Do lat. *consuetudinariu.*] *Adj.* **1.** Fundado nos costumes: *direito consuetudinário;* "Triste naufrágio o do crítico, que, fora dessas leis consuetudinárias ou contra elas, pretende erguer o castelo aéreo de seus dogmas e reformações." (João Ribeiro, *Páginas de Estética*. p. 54.) **2.** Costumado, costumeiro, habitual: "Na vida de meu P^e^ S. Filipe Néri se lê que impôs a um lascivo consuetudinário esta só penitência: que em recaindo se tornasse a confessar: e deste modo veio a sarar do seu mal antigo."(P^e^. Manuel Bernardes, *Vários Tratados*, II, p. 346.) ~ V. *direito* —.

cônsul. [Do lat. *consule.*] *S. m.* **1.** Magistrado supremo, na república romana e na primeira república francesa. **2.** Funcionário diplomático de uma nação encarregado de, em país estrangeiro, proteger os cidadãos dessa nação, de fomentar-lhe o comércio, etc. [Fem.: *consulesa (ê)*; pl.: *cônsules.*] ◆ **Cônsul honorário.** Cidadão de um país, nele residente, e que exerce as funções de cônsul (2) representando os interesses de outra nação.

consulado. [Do lat. *consulatu.*] *S. m.* **1.** Dignidade ou cargo de cônsul. **2.** Tempo durante o qual alguém exerce esse cargo. **3.** Residência de cônsul. **4.** Escritório onde exerce ele as suas funções; repartição consular. [Cf. *consolado.*]

consulagem. *S. f.* Emolumentos que se pagam ao cônsul por sua intervenção na expedição de navios.

consular. [Do lat. *consulare.*] *Adj. 2 g.* Relativo a cônsul. [Cf. *consolar.*] ~ V. *fatura* — e *repartição* —.

consulente. [Do lat. *consulente.*] *Adj. 2 g.* e *s. 2 g.* Que ou quem consulta; consultador, consultante.

consulesa (ê). *S. f.* Fem de *cônsul.*

cônsul-geral. *S. m.* Chefe de certas repartições consulares de maior importância. [Pl.: *cônsules-gerais.* V. *carreira diplomática.*]

consulta. [Dev. de *consultar.*] *S. f.* **1.** Ato de consultar. **2.** Parecer, conselho. **3.** Conferência para deliberação. **4.** Prudência, reflexão.

consultador (ô). [Do lat. *consultatore.*] *Adj.* e *s. m.* V. *consulente.*

consultante. [Do lat. *consultante.*] *Adj. 2 g.* e *s. 2 g.* V. *consulente.*

consultar. [Do lat. *consultare.*] *V. t. d.* **1.** Pedir conselho, opinião, instrução, parecer, a: *Não delibera sem consultar o pai; Consultou o médico.* **2.** Procurar informar-se de alguma coisa por meio de: "Carlos Maria consultou o relógio; eram duas horas" (Machado de Assis, *Quincas Borba*, p. 52); *Para escrever a tese, consultou várias obras;* "Aborrecido com a própria imagem, / Manuel Morais / há dezessete anos / não consultava os espelhos." (H. Dobal, *A Serra das Confusões*, "O Antinarciso"). **3.** Sondar, examinar, antes de decidir: *Consultou a consciência, e resolveu absolver o réu.* **4.** Dar ou apresentar a sua consulta ou parecer sobre (algum assunto). *T. d. e i.* **5.** Pedir instrução, conselho, parecer: "Rita, desconfiada e medrosa, correu à cartomante para consultá-la sobre a verdadeira causa do procedimento de Camilo." (Machado de Assis, *Várias Histórias*, p. 9). *Int.* **6.** Dar parecer. *P.* **7.** Tomar conselho na própria consciência; refletir, meditar.

consultável. *Adj. 2 g.* Que pode ser consultado.

consultivo. *Adj.* **1.** Referente a consulta. **2.** Que envolve conselho. **3.** Diz-se das corporações que emitem parecer sem voto deliberativo.

consultor (ô). [Do lat. *consultore.*] *S. m.* **1.** Aquele que dá ou pede conselho. **2.** Aquele que consulta, examinando. **3.** Aquele que dá pareceres acerca de assuntos da sua especialidade: *o consultor da República.*

consultoria. [De *consultor* + *-ia.*] *S. f.* **1.** Cargo ou função de consultor (3); os consultores. **2.** O local onde eles trabalham.

consultório. [Do lat. *consultoriu.*] *S. m.* Lugar ou casa onde se dão consultas: *consultório médico.*

consumação¹. [Do lat. *consummatione.*] *S. f.* Ato de consumar(-se).

consumação². [Do fr. *consommation.*] *S. f. Bras. Gal.* **1.** Consumo de bebida ou de comida que os clubes e outras casas de diversões estipulam aos seus freqüentadores. **2.** A despesa feita com esse consumo. [O vernáculo seria *consumo* ou *consumição.*]

consumado. [Part. de *consumar.*] *Adj.* **1.** Acabado, perfeito. **2.** Abalizado.

consumar. [Do lat. *consummare.*] *V. t. d.* **1.** Terminar, completar, acabar: *Novas chuvas torrenciais consumaram o estado de calamidade pública.* **2.** Realizar, praticar: *consumar um crime.* **3.** Levar ao auge; aperfeiçoar, requintar: *Os assaltantes consumaram sua crueza seviciando as vítimas. P.* **4.** Tornar-se exímio; adquirir perfeição: *Escrevendo cada vez melhor, consumou-se nas letras.* **5.** Chegar ao termo; ultimar-se, completar-se: *A despeito da vigilância policial, consumou-se o atentado.*

consumição. *S. f.* **1.** Ato de consumir(-se). **2.** Efeito de consumir; mortificação; amofinação: *A visita foi para o doente uma consumição.* **3.** *Bras.* Inquietação, preocupação, apreensão: *Tudo o inquieta, tudo lhe é motivo de consumição.*

consumido. [Part. de *consumir.*] *Adj.* **1.** Que se consumiu; consumpto. **2.** *Bras., BA.* Inquieto, preocupado.

consumidor (ô) *Adj.* **1.** Que consome. ● *S. m.* **2.** Aquele ou aquilo que consome. **3.** *Restr.* Aquele que compra para gastar em uso próprio.

consumir. [Do lat. *consumere.*] *V. t. d.* **1.** Gastar ou corroer até à destruição; devorar, destruir; extinguir: *Os vermes consomem os cadáveres.* **2.** Gastar, aniquilar, anular: *O alcoolismo consumiu suas energias.* **3.** Enfraquecer, abater: *A doença o consumiu assustadoramente.* **4.** Desgostar, afligir, mortificar: *Os desatinos do rapaz consomem a família.* **5.** Fazer esquecer; apagar: *O tempo consumiu a lembrança daquele feito heróico.* **6.** Gastar; esgotar: *Estas providências inúteis lhe consomem o tempo.* **7.** V. *apoquentar.* **8.** *Bras., CE.* Enganar, iludir. *T. d. e i.* **9.** Aplicar; empregar: *Consome horas a fio no estudo. Int.* **10.** Comungar (o padre, à missa). *P.* **11.** Enfraquecer-se, abater-se. **12.** V. *apoquentar.* [Irreg. Conjug.: v. *sumir.*]

consumismo. *S. m.* Sistema que favorece o consumo exagerado.

consumista. *Adj. 2 g.* **1.** Relativo ao consumismo. **2.** Favorável a ele. ● *S. m.* **3.** Pessoa favorável ao consumismo, ou que o pratica.

consumível. *Adj. 2 g.* Que pode ser consumido.

➧**Consummatum est** (consumátum eçt). [Lat.] [Tudo] está consumado. [Últimas palavras de Cristo na tradução latina da *Vùlgata.*]

consumo. [Dev. de *consumir.*] *S. m.* **1.** Ato ou efeito de consumir; gasto. **2.** Extração de mercadorias. **3.** Aplicação das riquezas na satisfação das necessidades econômicas do homem. **4.** Aproveitamento dos produtos. [V. *produto* (4).] ♦ **Consumo específico de propelente.** *Astron.* O inverso de impulso específico.

consumpção. [Do lat. *consumptione.*] *S. f.* **1.** Ato ou efeito de consumir(-se). **2.** *Patol.* Definhamento progressivo e lento do organismo humano produzido por doença. [Var.: *consunção.*]

consumptibilidade. *S. f.* Qualidade de consumptível. [Var. *consuntibilidade.*]

consumptível. [Do lat. *consumptibile.*] *Adj. 2 g.* Que se pode consumir. [Var.: *consuntível.*]

consumptivo. *Adj.* Que consome; consumidor. [Var.: *consuntivo.*]

consumpto. [Do lat. *consumptu.*] *Adj.* Consumido. [Var.: *consunto.*]

consunção. *S. f.* V. *consumpção.*

consuntibilidade. *S. f.* V. *consumptibilidade.*

consuntível. *Adj. 2 g.* V. *consumptível.*

consuntivo. *Adj.* V. *consumptivo* [q. v.].

consunto. *Adj.* V. *consumpto.*

consútil. [Do lat. *consutile.*] *Adj. 2 g.* Que tem costura. [Pl.: *consúteis.* Opõe-se a *inconsútil.* Cf. *sútil.*]

conta. [Dev. de *contar.*] *S. f.* **1.** Ato ou efeito de contar. **2.** Operação aritmética. **3.** *Cont.* Elemento contábil destinado a condensar, mediante débitos e créditos, as operações financeiras e patrimoniais, classificadas segundo os tipos dos componentes do patrimônio, dos custos, despesas ou consumos, das rendas ou receitas, do capital e dos lucros ou perdas, evidenciando, enfim, por meio de saldos, a respectiva posição atual. **4.** *Cont.* Documento apresentado pelo credor ao devedor para haver o preço de coisa vendida ou de serviço prestado. **5.** *Cont.* Demonstração de débitos e créditos; extrato de conta. **6.** Registro que serve para controlar o movimento de dinheiro depositado por alguém em banco ou casa bancária, mediante anotações de seus créditos e débitos; conta bancária. **7.** Nota de despesas nos restaurantes, cafés e casas congêneres; adição. **8.** *Fig.* Reputação, crédito: *É tido em boa conta.* **9.** Responsabilidade: *O que suceder ficará por sua conta.* **10.** Atenção, importância: *Não dei conta do caso.* **11.** Justificação, razão. **12.** Informação, notícia, comunicação: *Deu conta de tudo que viu.* **13.** Pequena esfera de vidro ou de outro material, com um orifício no centro, e que se enfia em rosário, colar, ou em fios, para feitura de bordados, etc.: "Cercava-lhe o pescoço um colar .... de grandes contas de ouro maciço." (Afonso Arinos, *Pelo Sertão,* p. 67.) **14.** *Propag.* Anunciante de um veículo de propaganda. **15.** *Propag.* Cliente de uma agência de propaganda. ~ V. *contas.* ♦ **Conta aberta.** Aquela a que se vão sucessivamente adicionando novos artigos. **Conta assinada.** Total referente a vendas mercantis, que o vendedor é obrigado a entregar ao comprador, por meio de fatura e sua duplicata, devendo esta, depois de conferida e assinada, ser devolvida ao primeiro. [Cf. *duplicata* (2).] **Conta bancária.** Conta (6). **Conta conjunta.** Conta bancária em nome de mais de uma pessoa, e que pode ser movimentada por qualquer delas. **Conta corrente.** Escrituração do débito e do crédito de pessoa ou de firma. [Cf. *contas-correntes.*] **Conta de chegar.** Aquela em que se aumenta ou reduz o valor de certas parcelas com o fim de se obter um total preestabelecido. **Conta devedora.** Débito (3). **Conta redonda.** Aquela em que se desprezam as frações ou unidades de pequeno valor. **À conta de. 1.** Por causa de. **2.** A pretexto de: "eram nesta matéria demasiadamente nímios e, à conta de defenderem a jurisdição de el-rei, totalmente extinguiam a da Igreja" (Fr. Vicente do Salvador, *História do Brasil,* p. 416). **A conta inteirada.** *Bras. Pop.* No mais alto grau; a mais não ser; muitíssimo: "Aquele português é malcriado a conta inteirada." (Rute Guimarães, *Água Funda,* p. 129.) **Afinal de contas.** Afinal (1 e 2). **Ajustar contas com.** Haver-se ou avir-se com (alguém). **Dar conta de. 1.** Dar tento de; notar. **2.** Prestar conta de, dar informação sobre (pessoa ou coisa pela qual se é responsável). **3.** Dar fim a; acabar, destruir. **4.** *P. ext. Fam.* Ingerir (1): *Em poucos minutos deu conta da feijoada;* "a pequena já dera conta de uma xícara de leite fervido." (Coelho Neto, *Sertão,* p. 173). **5.** V. *dar conta do recado.* **Dar conta do recado.** Realizar bem qualquer tarefa; dar conta de, dar o recado. "Ponderou .... que o rejuvenescimento dos quadros se impunha, pois, com as últimas reformas do ensino, os professores antigos não estavam dando conta do recado." (Ciro dos Anjos, *Abdias,* p. 3.) **Demais da conta.** *Bras. Pop.* Em excesso, demasiadamente, demasiado; sem conta: *Trabalha demais da conta; É rico demais da conta.* **Em conta.** por preço razoável, módico: *Naquele mercado compra-se mais em conta.* **Fazer conta de.** Fazer caso de; levar em conta. **Fazer conta que.** Fazer de conta que: "A moça fizera conta que estava sonhando e delirando, e que o movimento de Florinda fora como ilusão dos olhos dela." (Franklin Távora, *O Cabeleira,* p. 133.) **Fazer de conta que. 1.** Fingir que. **2.** Imaginar que; supor: "— Mas então .... não tem confiança em mim? Faça de conta que sou sua mãe." (Machado de Assis, *Quincas Borba,* p. 229) **3.** Convir que [Sin. ger.: *fazer conta que.*] **Levar à conta de. 1.** Imputar ou atribuir a: *Levam o crime à conta do velho.* **2.** Considerar ou contar como: *Levo as suas faltas ao serviço à conta de férias.* **Levar a sua conta.** Apanhar sova. **Levar em conta.** Fazer conta de. **Por conta.** *Bras. Fam.* Em estado de indignação; furioso: *estar, ficar, andar por conta.* **Saldar contas.** *Fig.* **1.** Exigir satisfações. **2.** Desforrar-se, desforçar-se. **Por conta do à-toa.** *Bras. Pop.* Em péssima situação; em apuros; por tudo; *estar, andar, ficar por conta do à-toa;* "o cozinheiro do hotel, condoído, se oferecera para levá-la àquela pensão de mulheres. Estava por conta do à-toa. Aceitara." (Lucilo Varejão, *Visitação do Amor,* p. 73). **Por conta do Bonifácio.** *Bras., Pop.* Sem ligar importância a nada; indiferente; por conta do cão. **Por conta do cão.** *Bras. Pop.* Por conta do Bonifácio. **Sem conta.** Em quantidade inumerável; sem conto: "Os abraços sem conta, os beijos, os gemidos" (Olavo Bilac, *Poesias,* p. 11). **Ser a conta.** Ser suficiente; bastar. **Tomar conta de.** Encarregar-se de.

contabescer. [Do lat. *contabescere.*] *V. int.* Definhar, consumir-se. [Conjug.: v. *crescer.*]

contábil. [Do it. *contabile.*] *Adj. 2 g. Bras.* Referente à ciência da contabilidade: *normas contábeis.* [Pl.: *contábeis.*] ~ V. *moeda —.*

contabilidade. [Do it. *contabilità.*] *S. f.* **1.** Ciência que estuda e pratica as funções de orientação, controle e registro dos atos e fatos de uma administração econômica. **2.** Disciplina autônoma que estuda e desenvolve as técnicas de apropriação, registro, exposição e liquidação, em termos de moeda, das operações, negócios ou transações das aziendas. **3.** O conjunto de livros e documentos de escrituração da azienda. **4.** O local, repartição ou seção onde se desenvolvem as atividades contábeis. **5.** *Fam.* Levantamento de despesas; cálculo, cômputo. ♦ **Contabilidade paralela.** *Com.* e *Indúst.* Registro, à parte, de dados contábeis, nem sempre doloso mas, em geral, fora do modelo fiscal vigente, a fim de atender às necessidades de uma empresa. [Cf. *caixa dois* e *economia invisível.*]

contabilista. *S. 2 g.* Especialista em contabilidade.

contabilização. *S. f.* Ato ou efeito de contabilizar.

contabilizado. [Part. de *contabilizar.*] *Adj.* Que se contabilizou.

contabilizar. [De *contábil* + *-izar.*] *V. t. d.* Escriturar sistematicamente em livros apropriados (fatos relativos às atividades econômicas de um estabelecimento comercial).

contabilizável. *Adj. 2 g.* Que se pode ou deve contabilizar.

contactar. *V. t. d. e i. e int.* Contatar [q. v.].

contacto. *S. m.* Contato [q. v.].

contado. [Part. de *contar.*] *Adj.* **1.** De que se verificou o número, a quantidade; computado: *Aqui estão as peças contadas.* **2.** Referido, narrado. ~ V. *favas—as.* ♦ **De contado.** À vista (dinheiro. pagamento).

contador (ô) *Adj.* **1.** Que conta ou refere. ~ V. *tubo —.* ● *S. m.* **2.** Aquele que conta, que refere. **3.** Verificador de contas. **4.** Funcionário judicial que conta salários e custas. **5.** Aparelho para contagem de água, de gás ou de eletricidade; medidor. **6.** Peça de mobiliário antigo, espécie de armário com pequeninas gavetas, firmado numa peanha ou em quatro pés: "Em cima dum contador hispano-árabe descansavam em atitudes cismadoras figurinhas de Saxe e de Sevres." (Bernardo Pinheiro, *Pindela, Azulejos,* p. 96.) **7.** Borla de rosário. **8.** *Art. Gráf.* Aparelho que se adapta às prensas para contar as folhas tiradas, ou ao teclado das compositoras para contagem das linhas produzidas. **9.** *Automat.* Dispositivo que mede o deslocamento angular de um eixo em computadores analógicos mecânicos. **10.** *Eletrôn.* Circuito para contar pulsos elétricos provenientes de um sistema; contador eletrônico. **11.** *Bras.* Indivíduo diplomado em contabilidade. ♦ **Contador eletrônico.** *Eletrôn.* Contador (10).

contadoria. *S. f.* Repartição onde se faz verificação de contas ou onde se paga e se recebe dinheiro.

conta-fios. [De *contar* + o pl. de *fio.*] *S. m. 2 n.* Lupa usada nas alfândegas para a contagem dos fios de um tecido em que entram substâncias diversas.

contagem. *S. f.* **1.** Ato ou operação de contar. **2.** O efeito de contar; apuração, apuramento; cômputo. **3.** Salário de contador de tribunal. **4.** Escore. **5.** *Mat.* Determinação do número de elementos de um conjunto mediante uma correspondência entre ele e o subconjunto 1, 2,..., *n* dos números naturais. ♦ **Contagem do original.** *Tip.* Cálculo que tem por fim determinar a correspondência entre a extensão do original e a da composição respectiva, em medida e tipo previstos. **Contagem regressiva.** *Astron.* Seqüência de operações que precedem o lançamento de um engenho, escalonadas segundo uma contagem cronométrica regressiva, de acordo com um programa preestabelecido; retrocontagem.

contagense. *Adj. 2 g.* **1.** De, ou pertencente ou relativo a Contagem (MG). ● *S. 2 g.* **2.** Natural ou habitante de Contagem.

contagiante. *Adj. 2 g.* Contagioso.

contagião. *S. f. Desus.* Contágio (1 e 2).

contagiar. *V. t. d.* **1.** Comunicar o vírus contagioso a; contaminar: *A peste contagiou metade do país.* **2.** *P. ext.* Transmitir-se ou comunicar-se a: *A filosofia de Sartre* [v. *sartriano*] *contagia a mentalidade atual.* **3.** Corromper, viciar: *Seus desregramentos contagiaram os amigos. T. d. e i.* **4.** Pegar por contágio; contaminar. *P.* **5.** Adquirir doença por contágio; contaminar-se: *Conviveu com o amigo tuberculoso, e acabou contagiando-se.* [Pres. ind.: *contagio,* etc. Cf. *contágio.*]

contágio. [Do lat. *contagiu.*] *S. m.* **1.** Transmissão de doença dum indivíduo a outro por contato imediato ou mediato. **2.** *P. ext.* Transmissão de males ou vícios. [Sin. desus. nessas acepç.: *contagião.*] **3.** *Estat.* Propriedade dum fenômeno aleatório repetitivo cuja probabilidade de ocorrência num estádio de uma seqüência de acontecimentos depende de ele haver ocorrido ou não anteriormente. [Cf. *contagio,* do v. *contagiar.*]

contagiosidade. *S. f.* Qualidade de contagioso.

contagioso (ô). [Do lat. *contagiosu.*] *Adj.* Que se propaga por contágio; contagiante.

conta-giros. [De *contar* + o pl. de *giro.*] *S. m. 2 n. Bras.* V. *tacômetro.*

conta-gotas. [De *contar* + *gota* (ô).] *S. m. 2 n.* Aparelho ou dispositivo com que se pingam as gotas de um líquido; gotímetro.

➧**container** (contêinâr). [Ingl.] *S. m.* V. *contêiner.*

contaminação. [Do lat. *contaminatione.*] *S. f.* **1.** Ato ou efeito de contaminar(-se). **2.** *Liter.* Combinação, na comédia latina, de dois enredos, tomados a comédias gregas. ♦ **Contaminação sintática.** *Gram.* V. *quiasma* (1).

contaminado. [Part. de *contaminar.*] *Adj.* Que sofreu contaminação; que se contaminou.

contaminador (ô). [Do lat. *contaminatore.*] *Adj.* e *s. m.* Que ou o que contamina.

contaminar. [Do lat. *contaminare.*] *V. t. d.* **1.** Contagiar (1). **2.** Provocar infecção em. **3.** Corromper, viciar; contagiar. *T. d. e i.* **4.** Contagiar (4). *P.* **5.** Contagiar (5).

contaminável. [Do lat. *contaminabile.*] *Adj. 2 g.* Sujeito a contaminar-se.

contanaua. *Bras. S. 2 g.* **1.** Indivíduo dos contanauas, tribo indígena que habitava na região entre os rios Tarauacá e Envira (AC). ● *Adj. 2 g.* **2.** Pertencente ou relativo a essa tribo.

contanto. Us. na loc. conj. *contanto que.* ♦ **Contanto que.** Sob condição de que; uma vez que; desde que: *Irei, contanto que ele vá.*

conta-passos. [De *contar* + o pl. de *passo*[1].] *S. m. 2 n.* Pedômetro.

contaquiro. *Bras. S. 2 g.* **1.** Indivíduo dos contaquiros, tribo indígena do AC que habita nas cabeceiras do rio Curumaá, afluente esquerdo do alto Purus, e no curso do Macanã. ● *Adj. 2 g.* **2.** Pertencente ou relativo a essa tribo.

contar. [Do lat. *computare.*] *V. t. d.* **1.** Verificar o número, a quantidade, de; computar: *Contando os livros que separara, notou faltarem dois.* **2.** Fazer entrar como parcela numa conta; levar em conta: *Errei na soma, pois contei duas vezes o nove.* **3.** Ter, possuir: *Teve bela recepção, pois contava muitos amigos na sua cidade.* **4.** Marcar, registrar: *O taxímetro contava 15 cruzados.* **5.** Narrar, referir, relatar: *Contou anedotas picantes;* "já Aristóteles, na *Poética,* fazia a distinção entre o historiador (conta o que aconteceu) e o narrador (conta o que poderia ter acontecido)." (Álvaro Lins, *Literatura e Vida Literária.* p. 224). **6.** Ter esperanças de; esperar: *Contava encontrá-la, ao chegar.* **7.** Propor-se, propor-se a; tencionar: *Contava sair cedo,* e *não pôde.* **8.** Incluir num grupo, numa conta, num total; levar em conta; considerar: *Levava três malas de viagem, sem contar uma de mão. T. c.* **9.** Ter de existência ou idade. *Álvares de Azevedo contava, ao morrer, apenas 20 anos;* "Não contava bem Antônio Vieira oito anos de idade, quando em 1615 teve de acompanhar sua família para a metrópole do Brasil." (João Francisco Lisboa, *Obras,* IV, p. 9). *T. d. e i.* **10.** Incluir num grupo, numa conta, num total; considerar: *Sempre o contou no grupo dos amigos.* **11.** Narrar, referir-se, relatar: *Contei-lhe a história por inteiro;* "ela contava-lhe anedotas, e pedia-lhe outras" (Machado de Assis, *Páginas Recolhidas,* p. 7). *T. i.* **12.** Fazer narração de fato ou acontecimento: *O viajante contava de suas proezas na África;* "Contavam de mortes e tocaias, de trapaças nas brigas de galo, de falsificações nas contas do armazém." (Jorge Amado, *Teresa Batista Cansada de Guerra,* p. 66). **13.** Ter esperança, confiança em; esperar, confiar: *Em caso de aperto, conto com ele.* **14.** Dispor de: "Roma podia fazer aliados, Cartago contava apenas com servidores a preço." (Aquilino Ribeiro, *Os Avós dos Nossos Avós,* p. 79). **15.** Ter idéia; supor; imaginar: *Muito malicioso, não conta com a malícia alheia. Transobj.* **16.** Levar à conta de; considerar: *Conto como um presente o convívio com ele. Int.* **17.** Fazer contas; calcular: "com dez anos, já sabia ler, escrever e contar" (Machado de Assis, *Várias Histórias,* p. 47). **18.** Ter peso, importância; ser ponderável; pesar: "era uma opinião que contava, num meio onde tão poucas sugestões úteis podem recolher os artistas plásticos para se orientarem" (Carlos Drummond de Andrade, *Fala, Amendoeira,* p. 239). **19.** *Mat.* Estabelecer uma correspondência biunívoca entre o subconjunto dos naturais 1, 2, ..., *n* e (os elementos de um conjunto). [Pres. subj.: *conte, contem,* etc. Cf. *contém* e *contêm,* do v. *conter.*]

contas. [Pl. de *conta.*] *S. f. pl.* Miçanga (1). ~ V. *conta.*

contas-correntes. *S. m. 2 n.* Livro onde se escrituram as contas correntes dum estabelecimento comercial: "Adrião chegou-se à minha carteira, folheou o contas-correntes, mexeu os dedos, calculando" (Graciliano Ramos, *Caetés,* p. 89). [Cf. *conta corrente.*]

contatado. [Part. de *contatar.*] *Adj.* Diz-se de nação indígena que entrou em contato com os sertanistas, portanto, com a civilização. [Dizia-se, anteriormente, *pacificado,* mas dado o caráter etnocêntrico do termo este foi substituído por *contatado.*]: "Normalmente uma tribo exige de dois a quatro anos para ser contatada, atraída" (Edilson Martins, *Nossos Índios, Nossos Mortos,* p. 277).

contatar. [Var. de *contactar.*] *V. t. i., t. d.* e *int.* **1.** Ter ou entrar em contato, em relações, com. **2.** Entrar em contato com (tribo em estado de cultura pura).

contativo. [De *contato* + *-ivo.*] *Adj. Tec.* Diz-se de processo que se efetua mediante o contato direto de diversas partes.

contato. [Do lat. *contactu;* var. de *contacto.*] *S. m.* **1.** Ato de exercer o sentido do tato; toque. **2.** Estado ou situação dos corpos que se tocam. **3.** Relação de freqüência, de proximidade, de influência. **4.** Freqüentação, relação. **5.** *Astr.* Posição aparente de dois astros no instante em que parecem tocar-se. **6.** *Geom. Dif.* Propriedade de duas curvas que, tendo um ponto comum, têm nas vizinhanças desse ponto pelo menos *n* +1 pontos comuns, onde *n* é um inteiro positivo; propriedade de duas curvas que, tendo um ponto comum, têm nesse ponto, a partir da primeira, todas as *n* derivadas de mesma ordem, iguais entre si. **7.** *Geol.* superfície de encontro entre duas rochas ou entre duas formações ou séries geológicas diferentes. **8.** *Propag.* Contato de agência. **9.** *Propag.* Contato de veículos. **10.** *Bras. Mar. G.* Ato ou efeito de avistar uma unidade inimiga (contato visual) ou determinar-lhe a presença pelo radar (contato radar). **11.** *Bras. Mar. G.* Ato ou efeito de se comunicar uma estação de rádio com outra (contato rádio). **12.** *Bras.* O primeiro encontro de uma expedição com uma tribo indígena até então em estado de cultura pura: "São tantas as curiosidades, mas uma, especialmente, me arrebatou: por que nos lambuzavam de cuspe, logo após o contato, no nosso primeiro encontro?" (Edilson Martins, *Makaloba,* p. 185.) **13.** *Fot.* V. *cópia por contato.* ♦ **Contato de agência.** *Propag.* Funcionário de agência de propaganda que a representa junto a um cliente ou grupo de clientes, e supervisiona o planejamento, execução, distribuição e controle da propaganda comercial desse cliente ou grupo de clientes, a cargo dos diversos departamentos da agência. [Tb. se diz apenas *contato.*] **Contato de veículos.** *Propag.* Funcionário de veículo de propaganda que é responsável pela venda de seu espaço ou tempo a um grupo de agências e/ou anunciantes. [Tb. se diz apenas *contato.*] **Contato radar.** *Bras. Mar. G.* V. *contato* (10). **Contato rádio.** *Bras. Mar. G.* Contato (11). **Contato visual.** *Bras. Mar. G.* V. *contato* (10).

contável. *Adj. 2 g.* Que pode ser contado.

conta-voltas. [De *contar* + o pl. de *volta.*] *S. m. 2 n. Fís.* V. *tacômetro.*

contêiner. [Do ingl. *container.*] *S. m.* Grande caixa de dimensões e outras características padronizadas, para acondicionamento da carga geral a transportar, com a finalidade de facilitar o seu embarque, desembarque e transbordo entre diferentes meios de transporte. [Sin.: *cofre de carga,* e (ingl.) *container.* Pl.: *contêineres.*]

conteira. *S. f.* **1.** Peça que reforça o conto[3] (1). **2.** *Mil.* A parte posterior do reparo da peça de artilharia. **3.** *Mar. G.* Ato ou efeito de conteirar.

conteirar. *V. t. d. Mar. G.* Movimentar (uma peça de artilharia, um reparo de lançamento de torpedo ou de míssil, um telêmetro, holofote, luneta visual, etc.) em torno de um eixo vertical, de modo que os aponte para a direção do horizonte que convier.

conteiro. *S. m.* Fabricante e/ou vendedor de contas de rosários, e/ou de colares, etc.

contemplação. [Do lat. *contemplatione.*] *S. f.* **1.** Aplicação demorada e absorta da vista e do espírito. **2.** Meditação profunda. **3.** Consideração, deferência: *Pune quando necessário, sem contemplação com pessoa alguma.* **4.** *Rel.* Conhecimento de Deus e das realidades divinas não por vias e métodos discursivos e sim pela vivência.

contemplador (ô). [Do lat. *contemplatore.*] *Adj.* **1.** Que contempla; contemplante. ● *S. m.* **2.** Aquele que contempla.

contemplante. [Do lat. *contemplante.*] *Adj. 2 g.* Contemplador (1).

contemplar. [Do lat. *contemplare.*] *V. t. d.* **1.** Olhar, observar, atenta ou embevecidamente; considerar com admiração ou com amor: "tirou de uma gaveta um retrato, contemplou-o longo tempo" (Machado de Assis, *Histórias Românticas,* p. 156); "Contemplando o teu vulto sagrado, / Compreendemos o nosso dever" (Olavo Bilac, "Hino à Bandeira Nacional", *in Poesias Infantis,* p. 38); "Os egípcios antigos .... contemplavam suas estátuas não com sentimentos artísticos, mas religiosos." (Carlos Cavalcanti, *História das Artes,* I, p. 32). **2.** Ver ou admirar com o pensamento: *Contempla, na solidão do claustro, a sabedoria divina.* **3.** Meditar, refletir, em; considerar: *Leva a vida a contemplar os mistérios da morte.* **4.** Admirar, apreciar. **5.** Dar, conferir alguma coisa a, como prêmio, ou prova de consideração: *Contemplou, ao morrer, todos os seus auxiliares. T. d. e i.* **6.** Dar ou conferir alguma coisa como prêmio ou prova de consideração: *Desde muito o contemplo com a minha estima; O Presidente contemplou-o com a Ordem do Cruzeiro do Sul. T. i.* **7.** Refletir, meditar: *Costuma contemplar longamente em suas faltas passadas. Int.* **8.** Meditar, refletir: *Entrou em retiro para contemplar. P.* **9.** Mirar-se com desvanecimento.

contemplativa. [Fem. substantivado do adj. *contemplativo.*] *S. f.* **1.** Faculdade de contemplar. **2.** Absorção do pensamento.

contemplatividade. *S. f.* Qualidade de contemplativo.

contemplativo. [Do lat. *contemplativu.*] *Adj.* **1.** Referente a, ou em que há contemplação, ou que a ela conduz: "diante da mesa, com as lágrimas nos olhos, ficou esquecida, em contemplativa mudez." (Coelho Neto, *Turbilhão,* p. 335); *vida contemplativa.* **2.** Dado à contemplação. ● *S. m.* **3.** Aquele que é dado à contemplação. **4.** Religioso que se dedica essencialmente à contemplação (4).

contemporaneidade. *S. f.* Qualidade de contemporâneo.

contemporâneo. [Do lat. *contemporaneu.*] *Adj.* **1.** Que é do mesmo tempo, que vive na mesma época (particularmente a época em que vivemos). ● *S. m.* **2.** Indivíduo do mesmo tempo ou do nosso tempo; coevo: *Machado de Assis e Joaquim Nabuco são contemporâneos.* [Sin. ger.: *coevo, coetâneo.*]

contemporização. *S. f.* Ato de contemporizar; transigência.

contemporizador (ô). *Adj.* e *s. m.* Que ou aquele que contemporiza.

contemporizar. [De *con-* + lat. *tempore,* 'tempo' + *-izar.*] *V. int.* **1.** Acomodar-se às circunstâncias; chegar a acordo; transigir: *Não rema contra a maré: contemporiza. T. i.* **2.** Transigir, condescender: *Não contemporiza com os desonestos. T. d.* **3.** Dar tempo a. **4.** Entreter para ganhar tempo: *Contemporizou o público até a chegada do conferencista.*

contemptamento. *S. m. Ant.* V. *desprezo* (1). [Cf. *contentamento.*]

contemptível. [Do lat. *contemptibile.*] *Adj. 2 g.* Digno de contempto ou desprezo; desprezível.

contempto. [Do lat. *contemptu.*] *S. m.* V. *desprezo* (1). [Cf. *contento.*]

contemptor (ô). [Do lat. *contemptore.*] *Adj.* e *s. m.* Desprezador: "opiniático, egoísta e algo contemptor dos homens, isso fui" (Machado de Assis, *Memórias Póstumas de Brás Cubas,* p. 34). [Cf. *contentor.*]

contenção[1]. [Do lat. *contentione.*] *S. f.* Ato de contender; luta, contenda, competência. [Cf. *contensão.*]

contenção[2] *S. f.* **1.** *Bras.* Ato de conter(-se): "Marido e mulher, agora sem necessidade de contenção, riem à solta" (Telmo Vergara, *Contos da Vida Breve,* p. 234). **2.** *Cir.* Estado de um membro fraturado ou deslocado que se mantém reduzido. [Cf *contensão.*]

contencioso (ô). [Do lat. *contentiosu.*] *Adj.* **1.** Em que há contenção[1] ou litígio. **2.** Incerto, duvidoso ~ V. *jurisdição —a.* ● *S. m.* **3.** Numa repartição ou estabelecimento, a secção onde se tratam questões litigiosas: *o contencioso do Banco do Brasil.*

contenda. [Dev. de *contender.*] *S. f.* **1.** Debate, altercação, disputa, controvérsia. **2.** Guerra, luta, combate, peleja. **3.** *Fig.* Esforço para conseguir alguma coisa.

contendedor (ô). *S. m.* Contendor [q. v.].

contendense. *Adj. 2 g.* **1.** De, ou pertencente ou relativo a Contenda (PR). ● *S. 2 g.* **2.** Natural ou habitante de Contenda.

contender. [Do lat. *contendere.*] *V. int.* **1.** Ter contenda com alguém: *Gosta de viver em paz: desagrada-lhe contender.* **2.** Apresentar como objeção; opor-se, contrapor-se *T. i.* **3.** Lutar, brigar, discutir; disputar; altercar: *Retirou-se da sala para não ver-se forçado a contender com amigos.* **4.** Competir, rivalizar: *Ninguém contende com ele em matéria de literatura.*

contendor (ô). [Var. haplológica de *contendedor.*] *S. m.* Aquele que contende; contendedor. [A f. *contendor* é m. us. que a outra.]

contensão. [De *com* + *tensão.*] *S. f.* **1.** Esforço ou tensão considerável: "Em silêncio e com ademanes simples, que traíam no entanto a contensão interior, subiu à tribuna" (Aquilino Ribeiro, *Os Avós dos Nossos Avós,* p. 241). **2.** Grande aplicação intelectual. **3.** Conjunto de meios a que se recorre para manter no abdome as vísceras herniadas. **4.** Meios práticos para imobilizar ossos fraturados. [Cf. *contenção.*]

contentadiço. *Adj.* Que se contenta com facilidade.

contentamento. [De *contentar* + *-mento.*] *S. m.* Sentimento de prazer; satisfação, alegria. [Cf. *contemptamento.*]

contentar. *V. t. d.* **1.** Tornar contente; dar prazer, satisfação, a: *Condescendente, procura contentar os amigos.* **2.** Apaziguar, sossegar: *Fez tudo para contentar a criança birrenta. P.* **3.** Ficar satisfeito, contente; satisfazer-se: "As massas populares contentam-se com um pouquinho de felicidade" (Joraci Camargo, *Anastácio,* p. 42); "suponho que são [os selvagens] como os gregos: contentam-se em comer uma azeitona, olhando o céu que é bonito..." (Eça de Queirós, *Os maias,* II, p. 23); "Gosta de ser amado. Contenta-se de crer que o é." (Machado de Assis, *Quincas Borba,* p. 42.)

contentável. *Adj. 2 g.* Que pode ser contentado.

contente. [Do lat. *contentu,* limitado, contido', atr. do ant. *contento.*] *Adj. 2 g.* Satisfeito, alegre; prazenteiro.

contento[1]. [Dev. de *contentar.*] *S. m.* Contentamento. [Cf. *contempto.*] ♦ **A contento.** Segundo os desejos; satisfatoriamente: *O empregado trabalha a contento.*

contento[2]. [Do lat. *contentu.*] *S. m.* Conteúdo (2). [Cf. *contempto.*]

contento[3]. *Adj. Ant.* Contente [q. v.]. [Cf. *contempto.*]

contentor (ô). *Adj.* **1.** Que contém. ● *S. m.* **2.** Aquele ou aquilo que contém. [Cf. *contemptor.*]

conter. [Do lat. *continere.*] *V. t. d.* **1.** Ter ou encerrar em si; compreender; incluir: *Este livro contém toda a produção poética de Cecília Meireles;* "Toda obra de arte há de ser essencialmente socrática, isto é: conter mais questões do que respostas." (Álvaro Lins, *Literatura e Vida Literária,* p. 27.) **2.** Reprimir, refrear, sofrear: *Difícil conter a multidão desenfreada; Conteve o riso.* **3.** Moderar o ímpeto de; manter em certos limites: *Era difícil conter os litigantes inflamados. P.* **4.** Refrear-se, reprimir-se, moderar-se: "Ante tanta baixeza, tanta covardia, não se conteve. Era demais!" (Marques Rebelo, *Marafa,* p. 33.) **5.** Manter-se por força de contenção; conservar-se. **6.** Estar incluído; incluir-se:

Neste volume se contêm alguns dos melhores contos machadianos. **7.** Consistir; encerrar-se, resumir-se, cifrar-se: "O ser feliz, afinal, / Neste pouco se contém: / Extrair do nosso mal / Alguma soma de bem..." (Augusto Gil, *O Craveiro da Janela*, p. 89.) [Irreg. Conjug.: v. *ter*. Pres. ind.: *contenho, conténs, contém, contemos, contendes, contêm*. Cf. *contem*, do v. *contar*.]

contérmino. [Do lat. *conterminu*.] *Adj.* **1.** Que confina; adjacente. ● *S. m.* **2.** Raia, confim.

conterrâneo. [Do lat. *conterraneu*.] *Adj.* e *s. m.* Que ou aquele que é da mesma terra; compatrício, compatriota, paisano.

contestabilidade. *S. f.* Qualidade de contestável.

contestação. [Do lat. *contestatione*.] *S. f.* **1.** Ato de contestar. **2.** Debate, polêmica; questão. **3.** V. *contradição* (2). **4.** *Jur.* Resposta ao libelo do autor no processo. **5.** Conformidade de testemunhos.

contestado. [Part. de *contestar*.] *Adj.* **1.** Respondido, contraditado. **2.** Negado, contrariado.

contestador (ô). *Adj.* e *s. m.* Contestante.

contestante. [Do lat. *contestante*.] *Adj. 2 g.* e *s. 2 g.* Que ou quem contesta; contestador.

contestar. [Do lat. **contestare*, por *contestari*.] *V. t. d.* **1.** Provar com o testemunho de outrem. **2.** Asseverar ou confirmar alegando razões. **3.** Negar a exatidão de; contrariar, contradizer: *Vários autores contestam a sua tese.* **4.** Impugnar: *Contestaram os resultados das eleições. T. i.* **5.** Responder, replicar: *Contestaram ao interrogatório de modo irreverente. Int.* **6.** Questionar, discutir, altercar. **7.** Opor-se, resistir.

contestatário. *Adj.* e *s. m.* Diz-se de, ou aquele que é dado a contestar. [Cf. *contestatório*.]

contestatório. *Adj.* Que envolve contestação. [Cf. *contestatário*.]

contestável. *Adj. 2 g.* Que se pode contestar.

conteste. [De *com-* + lat. *teste*, 'testemunha'.] *Adj. 2 g.* **1.** Concorde em depoimento. **2.** Comprovativo, afirmativo.

conteúdo. [Part. arc. de *conter*.] *Adj.* **1.** Contido. ● *S. m.* **2.** Aquilo que se contém nalguma coisa; contento. **3.** *Anál. Mat.* Função não negativa e aditiva de um clã sobre os reais. **4.** V. *índice de matéria*.

➧**Conteur** (contér). [Fr.] *S. m.* Contista.

contexto (ês). [Do lat. *contextu*.] *S. m.* **1.** Encadeamento das idéias dum escrito. **2.** Contextura: "Todo o contexto enfim de sua vida, / Por diversos pedaços repartida." (Fr. Francisco de S. Carlos, *A Assunção*, p. 24.) **3.** Aquilo que constitui o texto no seu todo; composição. **4.** Conjunto; todo, totalidade: "A incorporação do romantismo ao contexto nacional haveria de processar-se em termos de uma conciliação." (Paulo Mercadante, *A Consciência Conservadora no Brasil*, p. 183.) **5.** Argumento, assunto. **6.** Referente (3).

contextura (ês). *S. f.* Ligação entre as partes de um todo; encadeamento, contexto: "Uma pulsação vigora as alamedas, nas ascendências inexauríveis da seiva, rebentando em folhagens de contextura fina" (Fialho d'Almeida, *O País das Uvas*, p. 7).

contido. [Part. de *conter*.] *Adj.* Reprimido, refreado: *As lágrimas contidas não a deixavam falar.*

contigo. [De *com* + *tigo*, 'contigo', lat. *tecum*, que já encerra a preposição.] *Pron.* **1.** Com a pessoa com quem se fala: "explica-lhe o que eu tinha conversado contigo." (Antônio Feliciano de Castilho, *O Doente de Cisma*, p. 52); "Tu comigo, eu contigo, ambos sonhamos..." (Alberto de Oliveira, *Poesias*, 2ª série, p. 169). **2.** Na companhia da pessoa com quem se fala; em tua companhia: "Vem e leva-me contigo / A algum ditoso recanto" (José Albano, *Rimas*, p. 50). **3.** Ao mesmo tempo que tu; juntamente contigo: *Queres que eu cante contigo?* **4.** Em teu ser; dentro de ti: *A serenidade está contigo.* **5.** Em tua mente; no teu espírito: *Tens contigo a convicção de que sempre se deve fazer o bem.* **6.** A teu respeito; relativo a ti; concernente a tua pessoa; dirigido a ti: *A censura não é contigo.* **7.** Com a tua pessoa; para teu proveito: *Por que, gastando como gastas com a família, quase nada despendes contigo?* **8.** De ti para ti; de ti para contigo; com os teus botões: *Dirás contigo que eu te enganei.* **9.** Próprio para ti; para ser feito ou resolvido por ti: *Bem sei que repreender não é contigo.* **10.** Em teu poder: *Os documentos ficarão contigo.* **11.** A teu cargo: *Se está contigo a solução do caso, sei que será resolvido.*

contiguar. *V. t. d.* Tornar contíguo; avizinhar. [Conjug.: v. *averiguar*. Pres. ind.: *contiguo* (ú), etc. Cf. *contíguo*.]

contigüidade. [Do lat. *contiguitate*.] *S. f.* **1.** Estado de contíguo. **2.** Proximidade, vizinhança, adjacência.

contíguo. [Do lat. *contiguu*.] *Adj.* **1.** Que está em contato; unido. **2.** Próximo, vizinho, adjacente: "Lembra-me que minha mãe foi colocada num quarto da frente, contíguo à sala de visitas" (Umberto Peregrino, *Três Mulheres*, p. 3). ~ V. *zona* —*a*. [Cf. *contiguo* (ú), do v. *contiguar*.]

continência. [Do lat. *continentia*.] *S. f.* **1.** Abstenção de prazeres; castidade. **2.** Moderação, comedimento: "a rainha, perdendo completamente a continência, disse-lhe: / — Não sabe o que é uma mulher com ciúmes?" (Bulhão Pato, *Memórias*, II, p. 15.) **3.** Capacidade (1). **4.** Cumprimento militar que consiste em, de pé, com o busto ereto e os calcanhares unidos, fletir o braço direito e, com a mão espalmada, tocar com as pontas dos dedos a extremidade direita da pala do quepe (ou ponto correspondente, nas demais coberturas de cabeça), e, em seguida, baixar a mão, encostando-a na coxa direita. [A continência pode tb. ser feita com o militar andando, sem que, então, ele una os calcanhares.]

continental. *Adj. 2 g.* Do, ou relativo ao continente. ~ V. *águas continentais* —, *banqueta* —, *bloco* —, *clima* —, *mar* —, *monção* —, *plataforma* — e *talude* —.

continentalidade. [De *continental* + *-i-* + *-dade*.] *S. f.* Qualidade de continental.

continentalista. [Do ingl. *continentalist*.] *Adj. 2 g.* **1.** Diz-se da estratégia que se apóia basicamente em atividades, forças e operações continentais e terrestres. ● *S. 2 g.* **2.** Pessoa que adota essa estratégia, ou que ela adere. [Cf. *maritimista*[2].]

continente. [Do lat. *continente*.] *Adj. 2 g.* **1.** Que contém algo. **2.** Que tem continência (1 e 2). ● *S. m.* **3.** Aquilo que contém algo. **4.** Grande massa de terra cercada pelas águas oceânicas. **5.** Cada uma das cinco grandes divisões da terra: Europa, Ásia, África, América e Oceânia. **6.** O corpo principal da Europa em relação às Ilhas Britânicas. **7.** *Bras., RS.* Designação dada popularmente ao Rio Grande do Sul, desde os tempos coloniais até à revolução de 1835. [Cf. *continentista* (1).] ◆ **Continente austral.** As grandes massas de terra existentes em torno do pólo sul. **Antigo Continente. 1.** Europa, Ásia e África. **2.** Portugal, em relação às colônias. **Novíssimo Continente.** A Oceânia. **Novo Continente.** A América.

continentino. *Adj.* e *s. m. Bras., RS. Ant.* V. *continentista* (1).

continentista. [De *Continente de São Pedro*, antiga denominação do RS.] *Adj. 2 g.* e *s. 2 g. Bras., RS.* **1.** Designação antiga de rio-grandense do sul [v. *continente* (7)]; continentino. ● *S. m.* **2.** Revolucionário republicano de 1835; farrapo.

contingência. [Do lat. *contingentia*.] *S. f.* **1.** Qualidade do que é contingente. **2.** Incerteza sobre se uma coisa acontecerá ou não. **3.** *Com.* Reserva, cota, contingente.

contingenciamento. *S. m. Econ.* e *Com.* Política econômica fundada no princípio da compensação, e que visa a restringir ou suprimir a importação, estabelecendo, em função dos contingentes, cotas legais para as mercadorias importáveis.

contingente. [Do lat. *contingente*.] *Adj. 2 g.* **1.** Que pode ou não suceder; eventual, incerto: "Seria possível uma associação, embora contingente e passageira, entre as duas classes?" (Graciliano Ramos, *Memórias do Cárcere*, I, p. 71.) **2.** Que, entre muitos, compete a cada um. **3.** *Filos.* Diz-se das coisas e dos acontecimentos que se concebem, sob qualquer um dos aspectos da sua existência, como podendo ser ou não ser. [Cf. nesta acepç.: *acaso* e *acidente*.] **4.** *Lóg.* Diz-se de uma proposição cuja verdade ou falsidade só pode ser conhecida pela experiência e não pela razão. ● *S. m.* **5.** Cota, quinhão. **6.** Porção de homens que cada circunscrição territorial tem de dar para o serviço militar: "sabia que era esperado a toda a hora o vapor da Companhia do Amazonas, que devia levar o contingente de recrutas para a capital." (Inglês de Sousa, *Contos Amazônicos*, p. 23). **7.** *Econ.* e *Com.* Nos países de economia protecionista, reserva de produtos importáveis e exportáveis. **8.** *Mil.* Grupamento temporário de homens, estabelecido para executar determinada tarefa: *contingente de desembarque.*

continuação. [Do lat. *continuatione*.] *S. f.* **1.** Ato de continuar; sucessão: *Só a continuação dos dias lhe trouxe a paz.* **2.** V. *prosseguimento*: *Na trilogia* O Tempo e o Vento, *de Érico Veríssimo,* O Retrato *é a continuação de* O Continente, *que tem como continuação* O Arquipélago. **3.** Prolongamento, prolongação: *Esta rua é continuação daquela.*

continuado. [Part. de *continuar*.] *Adj.* **1.** Que dura sem interrupção; repetido, seguido, contínuo: *esforço continuado.* ● *S. m.* **2.** *Gram. Desus.* Aposto.

continuador (ô). *Adj.* e *s. m.* Que ou aquele que continua.

continuante. [De *continuar* + *-nte*.] *S. m. Álg.* Determinante em que os elementos da diagonal principal são números quaisquer, os de uma paralela vizinha são iguais a + l, os da outra paralela vizinha iguais a *-l*, e todos os outros elementos são nulos.

continuar. [Do lat. *continuare*.] *V. t. d.* **1.** Prosseguir ou prolongar sem interrupção; fazer que não se interrompa: *Morto o amigo, continuou a missão que o levara ali.* **2.** Dar seguimento a: *Continuaremos depois a conversa.* **3.** Vir imediatamente depois de; suceder, seguir-se a: *O governo de D. Pedro I continuou o de D. João VI.* **4.** Fazer prosseguir na mesma direção; prolongar: *Continuou a muralha até o mar. T. i.* **5.** Não interromper; prosseguir, perseverar: *Apesar da advertência, continuou em sua tarefa destrutiva. Pred.* **6.** Permanecer: "O Rio de Janeiro continua lindo." (Do samba *Aquele Abraço*, de Gilberto Gil). *Int.* **7.** Não se interromper; prosseguir, perseverar, perdurar: *Esta situação não pode continuar.* **8.** Prosseguir, seguir: *As lutas civis continuaram por mais 10 anos. P.* **9.** Estender-se, prolongar-se. [Pres. ind.: *continuo*, etc. Cf. *contínuo*.]

continuativa. [Fem. substantivado do adj. *continuativo*.] *S. f. Gram.* Conjunção continuativa.

continuativo. *Adj.* Que tende a continuar, ou indica continuação. ~ V. *conjunção* —*a*.

continuidade (u-i). [Do lat. *continuitate*.] *S. f.* **1.** Qualidade ou caráter do que é contínuo. **2.** *Anál. Mat.* Propriedade que caracteriza uma função contínua. **3.** *Eletr.* Condição de um circuito elétrico em que há um percurso fechado, permitindo fluxo de corrente. **4.** *Cin.* e *Telev.* A relação minuciosa dos elementos necessários à coerência das imagens, do som e dos cortes de um roteiro. **5.** *Cin.* e *Telev.* Num filme, o desenvolvimento contínuo e coerente de uma idéia ou de uma seqüência. **6.** *Cin.* e *Telev.* A ausência absoluta de discrepância nos detalhes de qualquer dos elementos de uma tomada. ◆ **Continuidade à direita.** *Anál. Mat.* Propriedade de uma função que é contínua à direita de um ponto. **Continuidade à esquerda.** *Anál. Mat.* Propriedade de uma função que é contínua à esquerda de um ponto.

continuísmo. *S. m.* Doutrina ou manobra política tendente à perpetuação no poder de uma pessoa ou de um grupo.

continuísta. *Adj. 2 g.* **1.** Que é partidário ou seguidor do continuísmo. ● *S. 2 g.* **2.** Partidário ou seguidor do continuísmo. **3.** *Cin.* e *Telev.* Pessoa encarregada da continuidade (5).

contínuo. [Do lat. *continuu*.] *Adj.* **1.** Em que não há interrupção; seguido, sucessivo. ~ V. *ato* —, *baixo* —, *conjunto* —, *corrente* —*a*, *correspondência* —*a*, *deformação* —*a*, *em ato* —, *filtro* —, *fração* —*a*, *função* —*a*, *máquina* —*a*, *paginação* —*a*, *papel* —, *proporção* —*a*, *transformação* —*a*, e *variável* —*a*. ● *S. m.* **2.** Empregado de repartições ou estabelecimentos que leva e traz papéis, transmite recados e faz outros pequenos serviços; bói. [Cf. *continuo*, do v. *continuar*.] ◆ **Contínuo espaço-tempo.** *Fís.* Espaço quadridimensional onde ocorrem os fenômenos físicos, e que se pode caracterizar por três coordenadas espaciais num referencial tridimensional e por uma quarta coordenada dada pelo produto *c.t*, em que *c* é a velocidade e *t* o instante de ocorrência dum acontecimento no referencial do espaço; *continuum*. **De contínuo. 1.** Continuamente, constantemente: "Hás de lembrar-te que as bolhas fazem-se e desfazem-se de contínuo, e tudo fica na mesma água." (Machado de Assis, *Quincas Borba*, p. 13.) **2.** Imediatamente.

➧**continuum** (tí). [Lat.] *S. m.* **1.** *Mat.* Conjunto compacto e conexo; conjunto contínuo. **2.** *Fís.* Contínuo espaço-tempo.

contista. [De *conto*[1] + *-ista*.] *S. 2 g.* Autor de contos literários. [Cf. *comtista*.]

conto[1]. [Dev. de *contar*.] *S. m.* **1.** Narração falada ou escrita. **2.** Narrativa pouco extensa, concisa, e que contém unidade dramática, concentrando-se a ação num único ponto de interesse. [Cf. *novela* (1) e *romance* (3).] **3.** Conto da carochinha (1). **4.** Engodo, embuste. **5.** V. *mentira* (1). ~ V. *contos*. ◆ **Conto da carochinha. 1.** Conto popular para crianças; conto. **2.** V. *mentira* (1). **3.** Invenção, peta, puerilidade. [Sin. ger.: *história da carochinha* e (lus.) *conto de Trancoso*.] **Conto de Trancoso.** *Lus.* V. *conto da carochinha*.

conto[2]. [Do lat. *computu*.] *S. m.* **1.** Conta, cômputo, número. **2.** *Lus.* Mil escudos. **3.** *Obsol.* Conto de réis: "Pois o rapaz me pediu três contos e quinhentos pelo rádio, você já viu?" (José Carlos Cavalcanti Borges, *O Assassino*, p. 22.) ♦ **Conto de réis.** Um milhar de mil-réis [q. v.]. [Tb. se diz apenas *conto*.] **Sem conto.** Sem conta.

conto[3]. [Do gr. *kontós*, pelo lat. *contu*.] *S. m.* **1.** A extremidade inferior da lança ou do bastão: "Aparecem os cavaleiros, fidalgos distintos todos, com o conto das lanças nos estribos" (Rebelo da Silva, *Contos e Lendas*, p. 175). **2.** Remate globular do canhão.

contoada. *S. f.* Pancada com o conto[3] (1).

conto-do-vigário. *S. m. Bras.* **1.** Embuste para apanhar dinheiro, em que o embusteiro, o vigarista, procura aproveitar-se da boa-fé da vítima, contando uma história meio complicada, mas com certa verossimilhança, como, p. ex., a do paco [q. v.]. **2.** *P. ext.* Qualquer embuste para tirar dinheiro ou bem material alheio: "Ninguém já engana ninguém — o que é tristíssimo — na terra natal do Conto-do-Vigário." (Fernando Pessoa, *Páginas Íntimas e de Auto-Interpretação*, p. 420.) [Esse exemplo, de autor português, leva a crer que a palavra não é brasileirismo.]; *Minha empregada caiu num conto-do-vigário: entregou minha televisão a um sujeito que dizia ser mecânico e ter ordem minha para levá-la.* [Pl.: *contos-do-vigário*.]

contorção. [Do lat. *contortione*.] *S. f.* **1.** Ato ou efeito de contorcer(-se). **2.** Movimento irregular e violento. **3.** Posição forçada e incômoda.

contorcer. [Do lat. *contorquere*, atr. de *contorcere.] *V. t. d.* **1.** Torcer muito; contrair: *Contorceu a boca numa careta de nojo. P.* **2.** Contrair o próprio corpo pelo desespero, pela dor, etc.; ter contorções; torcer-se: *Debatia-se e contorcia-se, enquanto tentavam algemá-lo; Contorcia-se no leito, nos últimos estertores.* **3.** Fazer curvas sucessivas; dobrar, retorcer-se: "Aquele roteiro .... alonga-se contorcendo-se em voltas sobremaneira extensas." (Euclides da Cunha, *À margem da História*, p. 120.) [Conjug.: v. *torcer*.]

contorcido. *Adj.* Que sofreu contorção.

contorcionista. *S. 2 g.* Ginasta que faz contorções [v. *contorção* (2)], levando o corpo a tomar determinadas posições; contorcista.

contorcista. *S. 2 g.* Contorcionista.

contorcível. *Adj. 2 g.* Sujeito a contorcer-se.

contornar. [Do it. *contornare*.] *V. t. d.* **1.** Fazer o contorno de; dar a volta a: "Um córrego de águas límpidas coleia em amplas curvas sobre um leito de pedras, procura vertentes, contorna barrancos, rodeia outeiros, foge dos morros, cascateia em declives e pendentes." (Eduardo Frieiro, *O Mameluco Boaventura*, p. 138.) **2.** Estender-se em roda de; rodear, cercar: *Um belo jardim contornava a mansão.* **3.** *Fig.* Dar a (um problema, um caso, uma situação), uma solução imperfeita, incompleta, ou de emergência, por falta, circunstancial ou não, de condições para uma solução perfeita; ladear. **4.** Tornear; aprimorar, aperfeiçoar, arredondar: *contornar um período.* [F. paral.: *contornear*. Pres. ind.: *contorno*, etc. Cf. *contorno* (ô).]

contornável. *Adj. 2 g.* Que pode ser contornado. [Antôn.: *incontornável*.]

contornear. *V. t. d.* V. *contornar*: "Atravessa quinze dias infindáveis a contornear a nossa costa." (Euclides da Cunha, *À margem da História*, p. 47.) [Conjug.: v. *frear*.]

contorno (ô). [Do it. *contorno*] *S. m.* **1.** Linha que fecha ou limita exteriormente um corpo. **2.** Circuito, volta, periferia. **3.** Linha que determina os relevos. **4.** O arredondado de certas formas. **5.** *Mat.* Fronteira (4). **6.** *Telecom.* No campo de radiação de uma estação emissora, isopleta de intensidade do campo. [Pl.: *contornos* (ô). Cf. *contorno*, do v. *contornar*.]

contortas. *S. f. pl. Bot.* Ordem de plantas floríferas, dicotiledôneas, metaclamídeas, de corola torcida, com flores pentâmeras, androceu isostêmone, gineceu bicarpelar e ovário súpero.

contorto (ô). *Adj.* Contorcido, torcido.

contos. [Pl. de *conto*[1].] *S. m. pl.* Embustes, intrigas, enredos. ~ V. *conto*.

contra. [Do lat. *contra*.] *Prep.* **1.** Em oposição a; em luta com: "Contra ũa dama, ó peitos carniceiros, / Feros vos amostrais, e cavaleiros?" (Luís de Camões, *Os Lusíadas*, III, 130). **2.** Em contradição com: *É incapaz de proceder contra os seus princípios.* **3.** Em direção oposta à de: *remar contra a maré:* **4.** Em posição contrária ou hostil a: *Está contra tudo; É contra a diretoria anterior.* **5.** Em troca de; recebendo em troca: *Paguei contra recibo.* **6.** Em frente de; defronte de: *Encontraram-se, enfim, cara contra cara.* **7.** Junto de: *Ficaram ali, encolhidos, um contra o outro.* **8.** De encontro a: *Bateu a cabeça contra a mesa.* **9.** Em direção a: *Investiu impetuoso contra o inimigo.* **10.** Ao contrário de; contrariamente a: *Contra o que você pensa, eu não irei.* **11.** De combate a: *remédio contra sarna.* **12.** Em objeção ou oposição a: *É a minha palavra contra a sua.* ● *Adv.* **13.** Desfavoravelmente: *O juiz votou contra.* ● *S. m.* **14.** Obstáculo, dificuldade: *Avaliou os prós e os contras antes de decidir.* **15.** Contestação, objeção: *Embora sabendo que receberia um contra, insistiu.* ♦ **Ser do contra.** *Bras.* Discordar por princípio: *Não adianta pedir: o rapaz é do contra.*

▲**contra-.** [Do lat. *contra*.] *El. comp.* = 'oposição'; 'ação conjunta'; 'proximidade': *contra-atacar; contracanto, contraveneno, contramestre.*

contra-abertura. [De *contra-* + *abertura*.] *S. f.* Abertura em sentido ou ponto oposto a outra. [Pl.: *contra-aberturas*.]

contra-alísio. [De *contra-* + *alísio*.] *S. m. Met.* Corrente aérea que sopra, às vezes, acima do alísio e em sentido oposto a ele, em diversas regiões subtropicais dos dois hemisférios. [Pl.: *contra-alísios*.]

contra-almirante. [De *contra-* + *almirante*.] *S. m.* **1.** V. *hierarquia militar*. **2.** Oficial que detém o posto de contra-almirante. [V. *almirante* (3). Pl.: *contra-almirantes*.]

contra-amura. [De *contra-* + *amura*.] *S. f. Ant. Marinh.* Cabo com que se facilitava a manobra da amura. [Pl.: *contra-amuras*.]

contra-argumento. [De *contra-* + *argumento*.] *S. m.* Argumento contrário a outro. [Pl.: *contra-argumentos*.]

contra-arminhos. [De *contra-* + *arminhos*.] *S. m. 2 n. Heráld.* Campo negro com salpicos brancos, em um brasão.

contra-arrazoado. [De *contra-* + *arrazoado*.] *S. m. Jur.* Alegação fundamentada que se opõe a um arrazoado. [Pl.: *contra-arrazoados*.]

contra-arrazoar. [De *contra-* + *arrazoar*.] *V. t. d.* **1.** Produzir contra-arrazoado em oposição a (um arrazoado). **2.** Arrazoar contra. *Int.* **3.** Produzir contra-arrazoado. [Conjug.: v. *coroar*.]

contra-arrestar. [De *contra-* + *arrestar*.] *V. t. d.* **1.** Decidir em contrário de. **2.** Opor obstáculo a, resistir a; contrastar.

contra-atacante. *S. 2 g.* Pessoa que contra-ataca. [Pl.: *contra-atacantes*.]

contra-atacar. [De *contra-* + *atacar*.] *V. t. d.* Atacar em revide. [Conjug.: v. *trancar*.]

contra-ataque. [De *contra-* + *ataque*.] *S. m.* **1.** *Mil.* Ação ofensiva temporária e local, desencadeada por uma força encarregada da defesa de uma posição. [Pode ter por fim restabelecer uma posição defensiva (reconquistando o terreno cedido ao inimigo), desorganizar a força atacante, ou cortar-lhe as vias de retirada.] **2.** *Esport.* Domínio rápido e inesperado da bola sem dar tempo ao adversário de armar a defesa. [Pl.: *contra-ataques*.] ~ V. *contra-ataques*.

contra-ataques. [Pl.: de *contra-ataque*.] *S. m. pl.* Trincheiras. ~ V. *contra-ataque*.

contra-aviso. [De *contra-* + *aviso*.] *S. m.* Aviso que anula ou modifica outro; contra-ordem, contramandado. [Pl.: *contra-avisos*.]

contrabaixista. [De *contrabaixo* + *-ista*.] *S. 2 g.* Tocador de contrabaixo; contrabaixo.

contrabaixo. [Do it. *contrabbasso*.] *S. m.* **1.** O maior e mais grave instrumento de cordas, da família do violino. [Sin. (pop.): *rabecão*.] **2.** Contrabaixista. **3.** *Ant.* Voz de baixo profundo. **4.** *Ant.* Cantor que tinha essa voz. **5.** Registro de órgão, em geral atribuído à pedaleira. **6.** O instrumento mais grave da família dos saxornes. [V. *tuba*[1] (2).]

contrabalançado. [Part. de *contrabalançar*.] *Adj.* **1.** Igualado em peso. **2.** Equilibrado, compensado.

contrabalançar. [De *contra-* + *balançar*.] *V. t. d.* **1.** Igualar em peso; equilibrar. **2.** Contrapesar, compensar: "Para contrabalançar .... este aspecto agreste e duro, há tratos de terra incomparáveis" (Raimundo Morais, *Na Planície Amazônica*, p. 171). *T. d. e i.* **3.** Contrapesar, compensar: *contrabalançar tristezas com alegrias.* [Conjug.: v. *laçar*.]

contrabaluarte. [De *contra-* + *baluarte*.] *S. m.* Baluarte de reforço, situado atrás de outro.

contrabanda. [De *contra-* + *banda*[1].] *S. f. Heráld.* Peça do brasão lançada ao contrário da banda[1] (5), i. e., da direita para a esquerda.

contrabandear. [De *contrabando* + *-ear*.] *V. t. d.* **1.** Negociar de contrabando; fazer contrabando de: *Contrabandeou 200 caixas de uísque.* [Sin. (bras.): *passar* (18).] *Int.* **2.** Fazer contrabando; ser contrabandista. [Conjug.: v. *frear*.]

contrabandista. [De *contrabando* + *-ista*.] *S. 2 g.* **1.** Pessoa que faz contrabando, que contrabandeia; muambeiro. **2.** Vendedor ambulante de quinquilharias; bufarinheiro.

contrabando. [Do it. *contrabbando*.] *S. m.* **1.** Introdução clandestina de mercadorias estrangeiras sem pagamento de direitos. [Cf. *descaminho* (3).] **2.** *P. ext.* Objeto, artigo contrabandeado; muamba. **3.** Comércio ou tráfico proibido: *Foram presos porque fazem contrabando de maconha.* **4.** *Fam.* Ato mau praticado às ocultas. **5.** *Bras. Gír.* Pessoa com quem se tem ligação amorosa, clandestina, permanente ou de ocasião: *Clarimundo apareceu aqui com o seu contrabando: a Miquelina.*

contrabater. [De *contra-* + *bater*.] *V. t. d.* Bater com o auxílio de uma contrabateria.

contrabateria. [De *contra-* + *bateria*.] *S. f.* Bateria que se constrói para desmontar outra; bateria oposta a outra.

contrabordo. [De *contra-* + *bordo*.] *El. s. m.* Us. na loc. *a contrabordo de.* ♦ **A contrabordo de.** *Mar.* Ao lado de outra embarcação, com um bordo de uma encostado no da outra: *O meu navio está atracado a contrabordo do seu; O navio A está a contrabordo do navio B.*

contrabracear. [De *contra-* + *bracear*.] *V. t. d. Marinh.* Bracear (verga) em sentido oposto àquele em que antes fora braceada. [Conjug.: v. *frear*.]

contrabraçola. [De *contra-* + *braçola*.] *S. f. Constr. Nav.* Cada uma das duas tábuas ou chapas metálicas dispostas de bombordo a boroeste, transversalmente às braçolas, numa clara da escotilha, a fim de evitar entradas de água para os pavimentos inferiores. [Cf. *braçola*.]

contrabuzina. [De *contra-* + *buzina*.] *S. f. Bras., RS.* Peça oca, de aço, com que se reveste a buzina (10) para que não se gaste em conseqüência do rolamento sobre o eixo.

contracadaste. [De *contra-* + *cadaste*.] *S. m. Constr. Nav.* Prolongamento do coral do cadaste, que forma um reforço interno dele.

contracaixa. [De *contra-* + *caixa*.] *S. f. Tip.* O lado direito da caixa-alta, que contém as letras acentuadas e sinais menos usados, e onde o compositor coloca habitualmente a galé, quando trabalha.

contracambiar. [De *contra-* + *cambiar*.] *V. t. d.* **1.** Corresponder mal a; pagar mal (um obséquio). **2.** Sacar de novo por conta de fundos do sacador. [Pres. ind.: *contracambio*, etc. Cf. *contracâmbio*.]

contracâmbio. [Dev. de *contracambiar*.] *S. m.* Ato ou efeito de contracambiar. [Cf. *contracambio*, do v. *contracambiar*.]

contracanto. [De *contra-* + *canto*[2].] *S. m. Mús.* Espécie de segundo tema livremente associado a um tema principal, e que se combina com ele harmonicamente.

contração. [Do lat. *contractione*.] *S. f.* **1.** Ato ou efeito de contrair(-se). **2.** Encolhimento, diminuição, encurtamento. **3.** *Anat.* Retração de volume por encurtamento ou aproximação de parede de órgãos: *contração estomacal; contração intestinal.* **4.** *Anat.* Retraimento dos músculos. **5.** *Gram.* Redução de duas ou mais vogais a uma só. V. *crase* (2). [Em especial, a fusão da preposição *a* com o artigo *a* (*à*, *às*), ou com os demonstrativos começados por *a*: *àquele(s), àquela(s)*, etc.] **6.** *Paleogr.* Processo de abreviatura por supressão de uma ou mais letras mediais. [Cf. *suspensão* (10).]

contracapa. [De *contra-* + *capa*[1].] *S. f. Encad.* Cada um dos lados internos (*segunda capa* e *terceira capa*) de um livro, revista, folheto, etc.

contracarena. [De *contra-* + *carena*.] *S. f. Constr. Nav.* Embono (2).

contracédula. [De *contra-* + *cédula*.] *S. f.* Cédula que revoga e substitui outra anterior.

contracena. [De *contra-* + *cena*.] *S. f. Teat.* **1.** Ato de contracenar. **2.** Marcação complementar ou diálogo fingido, que se desenvolve paralelamente à cena principal.

contracenar. *Teat. V. int.* **1.** Participar (o ator) de contracena(s) [v. *contracena* (2)]; fingir que dialoga, enquanto outros atores dialogam de fato. **2.** *P. ext.* Atuar em; representar, interpretar. *T. i.* **3.** Participar de contracena (2). **4.** Representar; atuar; interpretar: *Bibi Ferreira contracenou com Paulo Autran na peça* O Homem de La Mancha.

contracepção. [Do ingl. *contraception*.] *S. f.* Infecundidade resultante do uso de anticoncepcionais.

contraceptivo. [Do ingl. *contraceptive*.] *Adj.* e *s. m.* Diz-se de, ou medicamento ou método anticoncepcional.

contrachaveta (ê). [De *contra-* + *chaveta*.] *S. f.* Cunha de ferro ou de aço que se introduz na chaveta para que esta não recue.

contrachefe. [De *contra-* + *chefe*.] *S. m. Heráld.* A nona peça ordinária na parte inferior do escudo.

contracheque. [De *contra-* + *cheque*.] *S. m.* Documento emitido por firma comercial, repartição pública, etc., no qual se especifica o ordenado bruto do funcionário, as respectivas deduções (de imposto por pagar, desconto para institutos de aposentadoria e pensões, etc.), ou acréscimos (salário-família, auxílio-enfermidade, gratificações, etc.), e mediante o qual se acha ele autorizado a receber o que lhe é devido.

contrachoque. [De *contra-* + *choque*.] *S. m.* Choque em sentido contrário a outro.

contracifra. [De *contra-* + *cifra*.] *S. f.* Chave com que se decifra uma escrita cifrada.

contracobra. [De *contra-* + *cobra*.] *S. f.* Arbusto da família das verbenáceas (*Aegiphila salutaris*).

contracolagem. [De *contra-* + *colagem*.] *S. f. Encad.* Ato ou efeito de contracolar.

contracolar. [De *contra-* + *colar*³.] *V. t. d. Encad.* Colar (a contraguarda) à guarda branca.

contracorrente. [De *contra-* + *corrente*.] *S. f.* **1.** *Ocean. Fís.* Corrente permanente que flui em sentido contrário à de uma corrente principal: "O estirão de oceano que se estende entre as ilhas de Maracá e a costa é fortemente movimentado por correntes e contracorrentes." (Raul Bopp, *Putirum*, p. 208.) **2.** *Eng. Ind.* Característica de processo em que duas correntes fluidas que interagem escoam em sentidos opostos.

contracosta. [De *contra-* + *costa*.] *S. f.* **1.** Costa marítima oposta a outra, no mesmo continente ou na mesma ilha: "ecos de remadas denunciaram um canoeiro que vinha pela altura da restinga em direção à contracosta" (Xavier Marques, *Jana e Joel*, p. 108). **2.** *Bras., PA.* A costa setentrional da ilha de Marajó. [Cf. *contraencosta*.]

contracoticado. [De *contra-* + *cotica* + *-ado*¹.] *Adj. Heráld.* Diz-se do escudo que tem a cotica lançada da esquerda para direita.

contráctil. *Adj. 2 g.* V. *contrátil.* [Pl.: *contrácteis*.]

contractilidade. *S. f.* Contratilidade.

contractivo. *Adj.* Contrativo.

contracto. *Adj.* V. *contrato* (1).

contracultura. [De *contra-* + *cultura*.] *S. f.* Forma negativa de cultura com o fim de combater os valores culturais vigentes; arremedo de cultura.

contracunhar. [De *contra-* + *cunhar*.] *V. t. d.* Cunhar novamente.

contracunho. [De *contra-* + *cunho*.] *S. m. Art. Gráf.* V. *contramolde* (3).

contracurva. [De *contra-* + *curva*.] *S. f. Arquit.* Curva que prolonga um arco, tomando direção oposta à dele: *cadeira com perna em curva e contracurva.*

contradança. [Do ingl. *countrydance*, atr. do fr. *contredanse*.] *S. f.* **1.** Dança de caráter rústico, de quatro ou mais pares que se defrontam e executam uma série de movimentos contrários. **2.** A música que acompanha essa dança. [Cf. *quadrilha* (3 e 4).] **3.** Qualquer das danças em fileiras opostas. **4.** Música que acompanha qualquer dessas danças.

contradançar. [De *contra-* + *dançar*.] *V. int.* Dançar a contradança. [Conjug.: v. *laçar*.]

contradição. [Do lat. *contradictione*.] *S. f.* **1.** Incoerência entre afirmação ou afirmações atuais e anteriores, entre palavras e ações; desacordo. **2.** Contestação, impugnação; contradita. **3.** Objeção, oposição. **4.** *Filos.* Caráter essencial de tudo o que é real: aquele que revela que cada coisa que é só se compreende pela negação de algo que a precedeu, negação que se perfaz pela posição da coisa mesma, i. e., pela negação daquela negação. É a categoria fundamental da lógica dialética. [Cf., nesta acepç., *negatividade* (2).] **5.** *Lóg.* Oposição entre proposições contraditórias. ♦ **Sem contradição.** Incontestavelmente, irrecusavelmente.

contradita. [Fem. substantivado de *contradito*.] *S. f.* **1.** V. *contradição* (2): "ponto em que as informações de d'Ennery merecem contradita, é o relativo à acusação de haver o poeta [Félix d'Arvers] esbanjado a herança familiar." (Melo Nóbrega, *O Soneto de Arvers*, p. 32). **2.** *Jur.* Alegação forense dum pleiteante contra outro.

contraditado. [Part. de *contraditar*.] *Adj.* Contestado, impugnado, contradito.

contraditar. [De *contradita* + *-ar*².] *V. t. d.* **1.** *Jur.* Opor contradita (2) a. **2.** Contestar, impugnar.

contraditável. *Adj. 2 g.* Que pode ser contraditado.

contradito. [Do lat. *contradictu*.] *Adj.* V. *contraditado.*

contraditor (ô). [Do lat. *contradictore*.] *Adj. e s. m.* **1.** *Jur.* Que, ou aquele que opõe contradita (2). **2.** Que ou aquele que contradiz, contesta; contrariador.

contraditório. [Do lat. *contradictoriu*.] *Adj.* **1.** Em que há, ou que encerra contradição; oposto. **2.** Que incorre em contradição ou contradições. **3.** *Lóg.* Diz-se de duas proposições tais que uma afirma o que a outra nega (proposições da forma *S é P* — *S não é P*).

contradizer. [Do lat. *contradicere*.] *V. t. d.* **1.** Dizer o contrário de; impugnar, contrariar: *No seu arrazoado contradizia a doutrina do mestre.* **2.** Contrariar, desmentir: *Há fatos que contradizem sua afirmação.* **3.** Redargüir a; contestar: *Magoado, não contradisse o amigo. Int.* **4.** Alegar o contrário; fazer oposição. *P.* **5.** Dizer o contrário do que antes afirmara; desmentir-se: "Há impressões dessa noite, que me aparecem truncadas ou confusas. Contradigo-me, atrapalho-me." (Machado de Assis, *Páginas Recolhidas*, p. 85.) [Irreg. Conjug.: v. *dizer*.]

contradomínio. [De *contra-* + *domínio*.] *S. m. Anál. Mat.* Numa função, conjunto dos valores que a variável dependente pode tomar. [Cf. *campo de definição* e *domínio* (9).]

contra-eletromotriz. [De *contra-* + *eletromotriz*.] *Adj. (f.)* ~ V. *força* —. [Pl.: *contra-eletromotrizes*.]

contra-emboscada. [De *contra-* + *emboscada*.] *S. f.* Emboscada que se faz contra. [Pl.: *contra-emboscadas*.]

contra-emergentes. [De *contra-* + o pl. de *emergente*.] *Adj. 2 g. pl. Heráld.* Diz-se de animais unidos costas com costas, saindo as cabeças e mãos fora do escudo.

contra-encosta. [De *contra-* + *encosta*.] *S. f.* A encosta ou vertente de uma elevação do terreno situada do lado oposto ao que é tomado como referência. [Cf. *contracosta*. Pl.: *contra-encostas*.]

contraente. [Do lat. *contrahente*.] *Adj. 2 g. e s. 2 g.* Que ou quem contrai.

contra-erva. [De *contra-* + *erva* (4).] *S. f.* V. *figueirilha.* [Pl.: *contra-ervas*.]

contra-erva-do-peru. *S. f.* Planta da família das compostas (*Flaveria contrayerba*). [Pl.: *contra-ervas-do-peru*.]

contra-escarpa. [De *contra-* + *escarpa*.] *S. f.* Talude ou muro que circunda um fosso (2). [Pl.: *contra-escarpas*.]

contra-escota. [De *contra-* + *escota*.] *S. f. Mar.* Cabo de reforço à escota, para facilitar-lhe a manobra por ocasião de vento forte. [Pl.: *contra-escotas*.]

contra-escritura. [De *contra-* + *escritura*.] *S. f.* Escritura clandestina que revoga uma escritura pública. [Pl.: *contra-escrituras*.]

contra-espionagem. [De *contra-* + *espionagem*.] *S. f.* **1.** Ato ou efeito de se opor à ação de espiões. **2.** Organização incumbida de vigiar e combater a ação de espiões. [Pl.: *contra-espionagens*.]

contra-estadia. [De *contra-* + *estadia*.] *S. f.* Sobreestadia. [Pl.: *contra-estadias*.]

contra-estai. [De *contra-* + *estai*.] *S. m. Marinh.* **1.** Cabo usado para reforçar um estai. **2.** Cabo que, em alguns navios, agüenta o mastro no sentido da popa. [Pl.: *contra-estais*.]

contra-estimular. [De *contra-* + *estimular*.] *V. t. d.* Combater o excesso de estímulo (2) de. [Pres. ind.: *contra-estimulo*, etc. Cf. *contra-estímulo*.]

contra-estímulo. [De *contra-* + *estímulo*.] *S. m.* Ato ou efeito de contra-estimular. [Pl.: *contra-estímulos*. Cf. *contra-estimulo*, do v. *contra-estimular*.]

contra-exemplo. [De *contra-* + *exemplo*.] *S. m.* Exemplo que nega determinada afirmação. [Pl.: *contra-exemplos*.]

contrafação. [De *contrafazer* + *-ção* (e não do lat. *contrafactione*).] *S. f.* **1.** Falsificação de produtos, de valores, assinaturas, etc., de outrem. **2.** O produto, valor, assinatura, etc., de outrem, falsificado; imitação fraudulenta. **3.** Fingimento, simulação. [Var. desus.: *contrafeição*.]

contrafagote. [De *contra-* + *fagote*.] *S. m.* Instrumento grande, da família do fagote, e que ressoa à oitava inferior da nota escrita.

contrafaixa. [De *contra-* + *faixa*.] *S. f. Heráld.* Faixa dividida em duas, de esmalte diferente, nos escudos.

contrafaixado. [De *contrafaixa* + *-ado*¹.] *Adj.* Que tem contrafaixas.

contrafator (ô). *S. m.* Aquele que contrafaz, que pratica contrafação; contrafazedor.

contrafazedor (ô). *S. m.* Contrafator.

contrafazer. [Do lat. tardio *contrafacere*.] *V. t. d.* **1.** Reproduzir, imitando; imitar, arremedar: *Nada cria: apenas contrafaz obras célebres; O seu semblante contrafazia serenidade.* **2.** Imitar por zombaria, para fazer rir. **3.** Imitar por falsificação. **4.** Violentar a vontade de; constranger. *P.* **5.** Apresentar-se de forma diferente, de modo que não possa ser reconhecido; disfarçar-se. **6.** Violentar a própria vontade: "Será talvez uma particularidade de temperamento extravagante. Mas não me posso contrafazer. Embirro." (Graciliano Ramos, *Linhas Tortas*, p. 29.) [Irreg. Conjug.: v. *fazer*.]

contrafé. [De *contra-* + *fé*.] *S. f.* Cópia autêntica de citação ou intimação judicial que se entrega à pessoa citada ou intimada.

contrafecho (ê). [De *contra-* + *fecho*.] *S. m. Arquit.* Aduela contígua ao fecho, num arco ou em uma platibanda.

contrafeição. *S. f. Desus.* V. *contrafação.*

contrafeito. [Part. de *contrafazer*.] *Adj.* **1.** Constrangido, forçado: *Sentia-se contrafeito; Riu um riso contrafeito;* "Confrontavam-se no caminho estreito, o homem abaixava os olhos, contrafeito" (Herman Lima, *Garimpos*, p. 142). ● *S. m.* **2.** *Constr.* Viga pregada na extremidade mais baixa dos caibros a fim de atenuar a inclinação do telhado sobre a sanca (2). **3.** *Bras.* Papagaio cujas penas têm um colorido muito vivo, obtido artificiosamente.

contrafilé. [De *contra-* + *filé*.] *S. m. Bras.* A parte média do dorso do boi, utilizada, em geral, para bifes ou rosbifes, por ser macia.

contrafileira. [De *contra-* + *fileira*.] *S. f.* **1.** Fileira atrás de outra. **2.** *Constr.* Peça de madeira que escora obliquamente a armação do telhado; contrafixa.

contrafixa (cs). [De *contra-* + *fixa*.] *S. f.* Contrafileira (2).

contrafixo (cs). [De *contra-* + *fixo*.] *S. m.* Pequena chapa de metal que reveste o orifício onde gira um eixo de ferro.

contrafloreado. [De *contra-* + *floreado*.] *Adj. Heráld.* Diz-se do escudo que tem florões opostos e alternados.

contraforma (ô). [De *contra-* + *fôrma*.] *S. f. Tip.* Fôrma com que se realiza a segunda impressão e as seguintes, nas tiragens em duas ou mais cores.

contraforte. [Do it. *contrafforte*.] *S. m.* **1.** Forro que reforça a parte posterior do calçado. **2.** Qualquer forro empregado para reforçar a peça que reveste. **3.** *Arquit.* V. *encontro* (7). **4.** *Constr.* Obra maciça de alvenaria que reforça muro ou parede. **5.** *Geogr.* Cadeia de montanhas que se destaca, mais ou menos perpendicularmente, de um maciço principal, entestando com ele.

contrafrechal. [De *contra-* + *frechal*.] *S. m. Bras. Constr.* Viga paralela ao frechal, na qual se pregam os extremos dos caibros do madeiramento dos telhados.

contrafuga. [De *contra-* + *fuga*.] *S. f. Mús.* Fuga² em que a imitação [q. v.] do tema se faz em sentido inverso.

contrafundo. [De *contra-* + *fundo*.] *Adv.* Para baixo; para o fundo.

contrage. [De *contra*, provavelmente.] *S. f. Bras.* Raio da roda grande dos engenhos de açúcar.

contragolpe. [De *contra-* + *golpe*.] *S. m.* **1.** Golpe em oposição a outro. **2.** Golpe (4) que se antecipa a outro ou se destina a anular esse outro.

contragosto (ô). [De *contra-* + *gosto*.] *S. m.* **1.** Falta de vontade, de gosto. **2.** Aversão, repulsa, antipatia. [Pl.: *contragostos* (ô).] ♦ **A contragosto.** Contra a própria vontade; constrangidamente: *Assinou a ordem a contragosto.*

contraguarda. [De *contra-* + *guarda*.] *S. f.* **1.** Obra de defesa defronte de um baluarte. **2.** *Encad.* A metade solta da guarda de cor, que em geral se cola à folha externa da guarda branca.

contraguerrilha. [De *contra-* + *guerrilha*.] *S. f.* Luta ou conjunto de iniciativas que visam a combater a guerrilha.

contraído. [Part. de *contrair*.] *Adj.* **1.** Que sofreu contração; apertado, encolhido, estreitado. **2.** Que se contraiu ou assumiu: *O compromisso contraído o obrigou a viajar.* **3.** Sem espontaneidade; acanhado, tímido.

contra-impelir. [De *contra-* + *impelir*.] *V. t. d.* Impelir em sentido oposto; fazer recuar. [Conjug.: v. *aderir*.]

contra-indicação. [De *contra-* + *indicação*.] *S. f.* **1.** Ato de contra-indicar. **2.** Indicação que anula outra, ou que a ela se opõe. **3.** *Med.* Qualquer condição ou sintoma que torna desaconselhável o uso de uma medicação ou de uma intervenção cirúrgica. [Pl.: *contra-indicações*.]

contra-indicado. [Part. de *contra-indicar*.] *Adj.* Que é objeto de contra-indicação (3); desaconselhado. [Pl.: *contra-indicados*.]

contra-indicar. [De *contra-* + *indicar*.] *V. t. d.* **1.** Opor-se ao emprego ou à indicação de; desaconselhar: *contra-indicar um medicamento. T. d. e i.* **2.** Opor-se ao emprego ou à indicação; desaconselhar: "vossa alta dignidade prelatícia .... parecia contra-indicar-vos aos sufrágios de vários acadêmicos infelizmente dissociados do grêmio católico." (Carlos de Laet, *O Frade Estrangeiro e Outros Escritos*, p. 125). [Conjug.: v. *trancar*.]

contra-informação. [De *contra-* + *informação*.] *S. f. Mil.* Conjunto de medidas, ativas e passivas, que, na paz ou na guerra, visam a assinalar, evitar e neutralizar a espionagem, a subversão, ou outras atividades de informações dum inimigo real ou potencial. [Pl.: *contra-informações*.]

contrair. [Do lat. *contrahere*.] *V. t. d.* **1.** Fazer contração de; apertar, encolher: *Contraiu a boca num ricto de dor; "A rapariga .... contrai o rosto num esgar que quer ser choro."* (Natércia Freire, *A Alma da Velha Casa*, p. 85). **2.** Fazer contração (5) de: *contrair dois fonemas*. **3.** Adquirir (amizades, hábitos, doenças, etc.). **4.** Contratar, ajustar: *contrair um empréstimo*. **5.** Tomar sobre si; assumir: *contrair uma obrigação*. **6.** *P. ext.* Assumir o compromisso de: *contrair matrimônio*. *P.* **7.** Encolher-se; apertar-se: "A mão direita contraiu-se; os dedos crisparam-se como se apertassem o cabo de uma arma" (Afonso Arinos, *Pelo Sertão*, p. 45). [Irreg. Conjug.: v. *sair*.]

contraível. *Adj. 2 g.* **1.** Que se pode contrair (3, 4, 5 e 6). **2.** V. *contrátil*.

contralto. [Do it. *contralto*.] *Mús. S. m.* **1.** A voz feminina de tessitura mais grave. **2.** Instrumento cujo registro corresponde a essa voz. **3.** Cantora que a possui. [Sin. ger.: *alto*.]

contraluz. [De *contra-* + *luz*.] *S. f.* **1.** Lugar oposto àquele em que a luz dá de chapa. **2.** Luz que incide num quadro em sentido contrário àquele em que foi pintado.

contramalha. [De *contra-* + *malha*.] *S. f.* Malha que reforça outra.

contramalhar. [De *contramalha* + *-ar*[2].] *V. t. d.* Fazer contramalha(s) em.

contramandado. [De *contra-* + *mandado*[2].] *S. m.* V. *contra-ordem*.

contramandar. [De *contra-* + *mandar*.] *V. int.* Contra-ordenar.

contramangas. [De *contra-* + o pl. de *manga*.] *S. f. pl.* Segundas mangas, compridas e largas, no mesmo vestuário.

contramanifestação. [De *contra-* + *manifestação*.] *S. f.* Manifestação organizada com o fito de anular outra ou de neutralizar-lhe os efeitos.

contramão. [De *contra-* + *mão*[1].] *S. f. Bras.* **1.** Sentido oposto à mão[1] (24): *O carro foi multado porque vinha na contramão.* ● *Adj. 2 g. e 2 n.* **2.** Que tem a direção oposta à mão[1] (23): *beco contramão; ruas contramão*. [Pl.: *contramãos*.] ● *Adv.* **3.** Fig. Fora de mão [v. *mão*[1]]: *Sua casa fica contramão para mim.*

contramarca. [De *contra-* + *marca*.] *S. f.* **1.** Segunda marca, que serve para substituir ou autenticar outra. **2.** *Ind. Pap.* Marca-d'água secundária, constituída pelas iniciais do fabricante e posta isoladamente numa das metades da folha de papel. [Cf., nesta acepç., *filigrana* (4).] **3.** *Com.* Em mercadorias expedidas, as iniciais do nome ou da firma do remetente, que devem constar de guias de transporte, conhecimentos [v. *conhecimento* (8)], faturas, etc.

contramarcar. [De *contramarca* + *-ar*[2].] *V. t. d.* Pôr contramarca em. [Conjug.: v. *trancar*.]

contramarcha. [De *contra-* + *marcha*.] *S. f.* Marcha em sentido oposto ao da que se fazia.

contramarchar. [De *contramarcha* + *-ar*[2].] *V. int.* **1.** Fazer contramarcha: "viram contramarchar os recrutas, obedecendo às insolentes vozes dos cabos-de-esquadra." (Teixeira de Queirós, *Comédia do Campo*, II, p. 39). *T. i.* **2.** Seguir em contramarcha.

contramaré. [De *contra-* + *maré*.] *S. f.* Maré oposta à maré ordinária.

contramargem. [De *contra-* + *margem*.] *S. f.* Faixa de terreno anexa à margem.

contramatriz. [De *contra-* + *matriz*.] *S. m. Art. Gráf.* V. *contramolde* (3).

contrameão. [De *contra-* + *meão*.] *S. m. Bras., N.E.* Nas rodas cheias, sem pinos, dos carros de bois, peça compreendida entre o meão e a arreia. [Pl.: *contrameãos*.]

contramedida. [De *contra-* + *medida*.] *S. f.* Medida destinada a sustar, neutralizar ou atenuar o efeito de outra.

contramestra. [De *contra-* + *mestra*.] *S. f.* Auxiliar imediata de chefe em oficina, fábrica, ateliê de costura, etc.

contramestre. [De *contra-* + *mestre*.] *S. m.* **1.** Numa organização hierárquica de trabalho (fábrica, oficina, obra, etc.), o responsável por uma equipe ou por determinado serviço. **2.** *Mar. G.* Subalterno a quem compete dirigir os trabalhos e fainas marinheiras numa divisão de convés, a bordo. **3.** *Mar. Merc.* Suboficial de convés especializado em manobra. [Fem. (na 1ª acepç.): *contramestra*.]

contramezena. [De *contra-* + *mezena*.] *S. m. Marinh. Ant.* Mastro de contramezena.

contramina. [De *contra* + *-mina*[1].] *S. f.* **1.** Mina[1] (4) com que se procura a do inimigo para inutilizá-la. **2.** *Fig.* Artifício para anular uma intriga, um ardil. **3.** *Constr. Nav. Bras.* Cóferdã (2).

contraminar. *V. t. d.* Frustrar ou inutilizar por meio de contramina (1 e 2).

contraminuta. [De *contra-* + *minuta*[1].] *S. f. Jur.* Razões escritas oferecidas pela parte contra quem se interpôs agravo, i. e., o agravado. [Cf. *minuta*[1] (3).]

contraminutar. *V. t. d.* Apresentar contraminuta contra.

contramoldagem. [De *contra-* + *moldagem*.] *S. f.* Reprodução pela moldagem (em escultura).

contramoldar. [De *contra-* + *moldar*.] *V. t. d.* Fazer a contramoldagem de.

contramolde. [De *contra-* + *molde*.] *S. m.* **1.** Molde que serve para reforçar outro. **2.** Desenho ou forma invertida do objeto que se procura reproduzir. **3.** *Art. Gráf.* Superfície moldada, que contém o motivo que deve ser estampado, nos processos de gofragem ou de relevografia; contracunho, contramatriz.

contramovimento. [De *contra-* + *movimento*.] *S. m. Bras.* Movimento oposto a outro.

contramurar. [De *contramuro* + *-ar*[2].] *V. t. d.* **1.** Guarnecer de contramuro. *T. d. e i.* **2.** *Fig.* Defender, resguardar: *É preciso contramurá-lo das calúnias.*

contramuro. [De *contra-* + *muro*.] *S. m.* Muro pequeno, para defesa de outro.

contranatural. [De *contra-* + *natural*.] *Adj. 2 g.* Antinatural.

contranaturalidade. [De *contra-* + *naturalidade*.] *S. f.* **1.** Disposição ou inclinação contranatural. **2.** Qualidade ou caráter de contranatural.

contranitência. [Do lat. **contranitentia*.] *S. f.* Força que resiste ou se opõe a outra.

contranitente. [Do lat. **contranitente*.] *Adj. 2 g.* Que oferece resistência ou oposição.

contranivelamento. [De *contra-* + *nivelamento*.] *S. m.* Operação de verificação e controle de um nivelamento topográfico, e que consiste em repetir este, geralmente, no sentido contrário, i. e., do ponto de chegada para o ponto de partida, seguindo o mesmo caminhamento.

contranivelar. *V. t. d.* Efetuar contranivelamento de (um levantamento topográfico).

contra-ofensiva. [De *contra-* + *ofensiva*.] *S. f.* Ofensiva ou contra-ataque com que se procura retirar ao inimigo a iniciativa do ataque. [Pl.: *contra-ofensivas*.]

contra-oferta. [De *contra-* + *oferta*.] *S. f.* Oferta apresentada em substituição a outra não aceita. [Pl.: *contra-ofertas*.]

contra-ofertar. [De *contra-oferta* + *-ar*[2].] *V. int.* **1.** Apresentar contra-oferta. *T. d.* **2.** Oferecer em contra-oferta: *Contra-ofertou cinco milhões.*

contra-oitava. [De *contra-* + *oitava*.] *S. f. Mús.* A oitava inferior a outra. [Pl.: *contra-oitavas*.]

contra-ordem. [De *contra-* + *ordem*.] *S. f.* Ordem que se opõe a outra já dada, ou a anula; desaviso, contra-aviso, contramandado. [Pl.: *contra-ordens*.]

contra-ordenar. [De *contra-* + *ordenar*.] *V. int.* Dar ordem ou ordens em oposição a outra(s) anteriormente dada(s); contramandar.

contrapadieira. [De *contra-* + *padieira*.] *S. f.* V. *arquete*[2].

contrapala. [De *contra-* + *pala*[1].] *S. f. Heráld.* Pala[1] (10) oposta na cor ou dividida em duas.

contraparenta. [De *contra-* + *parenta*.] *S. f.* V. *contraparente*.

contraparente. [De *contra-* + *parente*.] *S. 2 g.* **1.** Parente muito afastado. **2.** Parente afim [v. *afinidade* (6)]. [Fem.: *contraparenta*.]

contraparentesco (ê). [De *contra-* + *parentesco*.] *S. m.* Condição de contraparente.

contraparte. [De *contra-* + *parte*.] *S. f. Mús.* Parte musical em contraposição a outra, particularmente em duetos.

contrapartida. [De *contra-* + *partida*.] *S. f.* **1.** *Cont.* O lançamento em conta feito por oposição ao lançamento em outra conta e em sentido oposto, para completar uma partida dobrada [q. v.]. **2.** Compensação, contrapeso. **3.** Correspondência, equivalência.

contrapassantes. [De *contra-* + o pl. de *passante*.] *Adj. 2 g. pl. Heráld.* Diz-se de dois animais representados a caminhar em direções opostas, um sobre o outro.

contrapasso. [De *contra-* + *passo*.] *S. m.* **1.** Passo de dança em oposição a outro. **2.** Meio passo militar que se dá para readquirir a cadência da marcha.

contrapé. [De *contra-* + *pé*.] *S. m.* Apoio, esteio, base.

contrapeçonha. [De *contra-* + *peçonha*.] *S. f. Pop.* V. *contraveneno*: "As [folhas] de jurubeba saram as chagas, e as raízes são contrapeçonha." (Frei Vicente de Salvador, *História do Brasil*, p. 35.)

contrapelo (ê). [De *contra-* + *pêlo*.] *S. m.* Revés do pêlo. ◆ **A contrapelo.** Ao revés; ao arrepio.

contraperna. [De *contra-* + *perna* (8).] *S. f. Constr.* Peça destinada a reforçar as asnas e que consiste numa viga justaposta à perna, até cerca de metade do comprimento desta.

contrapesar. [De *contrapeso* + *-ar*[2].] *V. t. d.* **1.** Equilibrar por meio de contrapeso; contrabalançar. **2.** Compensar, ressarcir. **3.** Avaliar o mérito de; pesar, apreciar: *contrapesar uma proposta*. [Pres. ind.: *contrapeso*, etc. Cf. *contrapeso* (ê).]

contrapeso (ê). [Do it. *contrappeso*.] *S. m.* **1.** Peso adicional que, posto numa concha da balança, a equilibra com a outra. **2.** Pequena porção duma coisa, com que se perfaz o peso pretendido. **3.** Maromba[1] (1). **4.** *Fig.* Aquilo que compensa ou contrabalança alguma coisa. **5.** Lastro[1] (6). [Pl.: *contrapesos* (ê). Cf. *contrapeso*, do v. *contrapesar*.]

contrapilastra. [De *contra-* + *pilastra*.] *S. f. Arquit.* Pilastra fronteira a outra.

contrapino. [De *contra-* + *pino*.] *S. m. Bras.* Pequena cavilha de ferro, de duas pernas, que se atravessa na ponta de um eixo, parafuso ou cavilha, para manter no lugar porcas, arruelas, etc.

contrapiso. [De *contra-* + *piso*.] *S. m. Constr.* Capeamento de argamassa para nivelar pisos, sobre o qual se aplica o revestimento definitivo.

contrapontado. [De *contra-* + *ponta* + *-ado*[1].] *Adj.* **1.** *Heráld.* Diz-se de escudo que tem as pontas opostas umas às outras. **2.** *Mús.* Composto segundo as regras do contraponto (3): *estilo contrapontado*.

contrapontar. *V. t. d. Mús.* Contrapontear (1) [q. v.].

contraponteador (ô). *Adj. e s. m. Bras., RS.* Diz-se de, ou aquele que é dado a contrapontear (2).

contrapontear. *V. t. d.* **1.** *Mús.* Pôr em contraponto (3); instrumentar; contrapontar. **2.** *Bras., RS.* Causar aborrecimento a (em discussão); contrariar, contradizer. **3.** *Bras., RS.* Atrapalhar (uma objeção). [Conjug.: v. *frear*.]

contrapontista. [Do it. *contrappuntista*.] *S. 2 g.* Especialista em contraponto (1).

contrapontístico. *Adj.* Relativo a contraponto ou a contrapontista.

contraponto. [Do it. *contrappunto*.] *S. m. Mús.* **1.** Disciplina que ensina a compor polifonia. **2.** A própria polifonia. **3.** A arte de compor música para duas ou mais vozes ou instrumentos. [Cf. *harmonia* (12).] ◆ **Contraponto invertível.** *Mús.* Aquele em que as vozes podem trocar suas posições sem infringir as regras da harmonia.

contrapor (ô). [Do lat. *contraponere*.] *V. t. d.* **1.** Pôr contra, em frente; opor; confrontar: *Contrapôs as duas imagens.* **2.** Pôr em paralelo. **3.** Expor ou apresentar em oposição: *Ao ser interpelado, contrapôs os argumentos com muita segurança.* *T. d. e i.* **4.** Pôr contra, em frente; opor: "Contrapõe o seu peito às ventanias, / Guardando o vale, a serra escura." (Alberto de Oliveira, *Poesias*, III, p. 75.) **5.** Expor ou apresentar em oposição: *Contrapôs fortes argumentos aos do opositor.* *P.* **6.** Pôr-se contra; opor-se. [Irreg. Conjug.: v. *pôr*.]

contraporca. [De *contra-* + *porca*.] *S. f.* Segunda porca, que se atarraxa sobre a primeira para impedir que esta desande.

contraposição. [Do lat. *contrapositione*.] *S. f.* Ato ou efeito de contrapor(-se); oposição.

contraposto (ô). [Do lat. *contrapositu*.] *Adj.* Oposto (2).

contrapressão. [De *contra-* + *pressão*.] *S. f.* Pressão exercida em sentido oposto ao de outra: "O Presidente da República .... continua oscilando entre pressões e contrapressões." (Carlos Castelo Branco, *Jornal do Brasil*, 27.6.1981.)

contraprestação. [De *contra-* + prestação.] *S. f. Jur.* Cumprimento de obrigações por uma das partes em correspondência às de outra, nos contratos bilaterais.

contraproducente. [De *contra-* + *producente*.] *Adj. 2 g.* **1.** Que prova o contrário daquilo que se pretendia. **2.** Cujo resultado é contrário ao que se esperava: *Foram contraproducentes as medidas: a situação, em vez de melhorar, agravou-se.*

contraproduzir. [De *contra-* + *produzir*.] *V. int.* Ser contraproducente. [Conjug.: v. *aduzir*. Normalmente é defect., conjugável só nas 3as. pess.]

contrapropaganda. [De *contra-* + *propaganda*.] *S. f.*

Propaganda destinada a combater ou anular outra.
contrapropor. *V. t. d.* Oferecer ou apresentar em contrapropostas. [Irreg. Conjug.: v. *pôr.*]
contraproposta. [De *contra-* + *proposta.*] *S. f.* Proposta feita em substituição a outra não aprovada ou aceita.
contraprotesto. [De *contra-* + *protesto.*] *S. m.* Protesto destinado a destruir ou anular os efeitos de outro.
contraprova. [De *contra-* + *prova.*] *S. f.* **1.** Impugnação jurídica de um libelo: "Dava conta, incidente por incidente, das menores inquirições, provas e *contra-provas*" (Visconde de Taunay, *Visões do Sertão*, p. 20). **2.** *Grav.* Desenho copiado por pressão em papel miúdo. **3.** *Graf.* Prova de gravura tirada, em prensa, de estampa ainda fresca, para inspeção do trabalho na mesma posição em que está na placa, prancha, etc. **4.** *Tip.* Prova tipográfica tirada para verificação das emendas indicadas em prova anterior. [Cf. *segunda prova.*]
contraprovar. [De *contraprova* + *-ar*^{2}.] *V. t. d.* **1.** Fazer a contraprova de; provar em contrário. **2.** *Tip.* V. *comprovar* (3).
contrapunção. [De *contra-* + *punção.*] *S. m. Tip.* **1.** Haste de aço em que se grava em relevo a forma dos vazios internos da letra, e com a qual se bate a face da punção (7), como fase preliminar do trabalho de abrir a letra, continuado a buril e lima. **2.** O espaço que fica nas partes internas da letra impressa; rebaixos do olho. [Cf. *olho* (18).]
contrapunho. [De *contra-* + *punho.*] *S. m. Marinh.* Cabo ligado à ponta da vela grande e do traquete e que serve para auxiliar a manobra.
contraquarteado. [De *contra-* + *quarto* + *-eado.*] *Adj. Heráld.* Diz-se de escudo cujos quartéis são divididos em quatro partes.
contraquartel. [De *contra-* + *quartel.*] *S. m. Heráld.* A quarta parte de um quartel. [Pl.: *contraquartéis.*]
contraquilha. [De *contra-* + *quilha.*] *S. f. Constr. Nav.* Pranchão que se prende pela face inferior da quilha, para reforçá-la, quando ela é constituída de seções curtas.
contra-rampa. [De *contra-* + *rampa.*] *S. f.* Plano inclinado considerado no sentido da descida; declive. [Pl.: *contra-rampas.* Opõe-se a *rampa.*]
contra-rapantes. [De *contra-* + o pl. de *rapante.*] *Adj. 2 g. pl. Heráld.* Diz-se dos animais rapantes voltados um contra o outro.
contra-reforma. [De *contra-* + *reforma.*] *S. f. Rel.* Movimento de reação à reforma (8). [Pl.: *contra-reforma.*]
contra-regra. [De *contra-* + *regra.*] *Teat. S. 2 g.* **1.** Funcionário encarregado de cuidar dos cenários e objetos de cena, indicar as entradas e saídas dos atores, dirigir a movimentação dos maquinismos, distribuir informes e horários, etc. ● *S. f.* **2.** Função exercida pelo contra-regra; contra-regragem. [Pl.: *contra-regras.*]
contra-regragem. [De *contra-* + *regragem*] *S. f. Teat.* Contra-regra (2). [Pl.: *contra-regragens.*]
contra-regulador. [De *contra-* + *regulador.*] *S. m. Teat.* No palco italiano, cada um dos reguladores [v. *regulador* (5)] subseqüentes aos do primeiro plano. [Pl.: *contra-reguladores.*]
contra-reparo. [De *contra-* + *reparo* (6).] *S. m. Fort.* A segunda trincheira em torno de uma praça de guerra. [Pl.: *contra-reparos.*]
contra-réplica. [De *contra-* + *réplica.*] *S. f.* Tréplica. [Pl.: *contra-réplicas.*]
contra-repto. [De *contra-* + *repto.*] *S. m.* Repto em revide a outro. [Pl.: *contra-reptos.*]
contra-retábulo. [De *contra-* + *retábulo.*] *S. m.* Fundo para o retábulo na decoração dum altar. [Pl.: *contra-retábulos.*]
contra-revolução. [De *contra-* + *revolução.*] *S. f.* Revolução que visa a anular outra anterior ou a ela oposta. [Pl.: *contra-revoluções.*]
contra-revolucionário. [De *contra-* + *revolucionário.*] *Adj.* e *s. m.* Que ou aquele que combate uma revolução. [Pl.: *contra-revolucionários.*]
➧ **contraria contrariis curantur** (contrária contráriiç curântur). [Lat.] V. *similia similibus curantur.*
contrariado. [Part. de *contrariar.*] *Adj.* **1.** Que é ou foi objeto de oposição ou contestação: *vocação contrariada.* **2.** Desgostoso, aborrecido, descontente: *É rica, tem de tudo, e vive contrariada.*
contrariador (ô). *Adj.* e *s. m.* **1.** Que ou aquele que contraria. **2.** Contraditor (2). [Sin. ger.: *contrariante.*]
contrariante. *Adj. 2 g.* e *s. 2 g.* V. *contrariador.*
contrariar. *V. t. d.* **1.** Fazer oposição a; estorvar, embaraçar: *Cumpriu o que prometera, embora contrariando os seus próprios interesses.* **2.** Dizer, fazer ou querer o contrário de; contestar: *O Ministro, em seu parecer, contraria a opinião pública.* **3.** Causar descontentamento a; aborrecer, descontentar, desgostar: *Seu procedimento desregrado contraria muito a família. P.* **4.** Estar ou agir em contradição consigo mesmo; contadizer-se. **5.** Fazer-se oposição recíproca. [Pres. ind.: *contrario*, etc. Cf. *contrário.*]
contrariável. *Adj. 2 g.* Que se pode contrariar, contestar, discutir.
contrariedade. [Do lat. *contrarietate.*] *S. f.* **1.** Oposição (4). **2.** Estorvo, obstáculo. **3.** Desgosto, aborrecimento, descontentamento. **4.** *Dir.* Contestação jurídica de um libelo. **5.** *Log.* Oposição entre proposições contrárias.
contrário. [Do lat. *contrariu.*] *Adj.* **1.** Oposto, contraditório, inverso. **2.** Diverso, diferente. **3.** Nocivo, prejudicial. **4.** Desfavorável, desvantajoso. **5.** *Lóg.* Diz-se de duas proposições que não podem ser ambas verdadeiras, mas que podem ambas ser falsas (proposições da forma mais geral *todo S é P e nenhum S não é P.*) ● *S. m.* **6.** Tudo que é oposto. **7.** Inimigo, adversário. [Cf. *contrario*, do v. *contrariar.*] ◆ **Ao contrário.** Pelo contrário. **Do contrário.** Se não for assim; em caso contrário. **Pelo contrário.** **1.** Ao invés. **2.** Longe disso, [Sin. ger.: *ao contrário.*]
contra-rotura. [De *contra-* + *rotura.*] *S. f.* Rotura em sentido ou lugar oposto ao de outra; contra-ruptura. [Pl.: *contra-roturas.*]
contra-ruptura. [De *contra-* + *ruptura.*] *S. f.* Contra-rotura. [Pl.: *contra-rupturas.*]
contra-seguro. [De *contra-* + *seguro.*] *S. m.* Resseguro^{1}. [Pl.: *contra-seguros.*]
contra-selar. [De *contra-selo* + *-ar*^{2}.] *V. t. d.* Pôr contra-selo em. [Pres. ind.: *contra-selo*, etc. Cf. *contra-selo* (ê).]
contra-selo (ê). [De *contra-* + *selo.*] *S. m.* **1.** Selo que se cola em cima ou ao lado de outro. **2.** Carimbo para inutilizar selos. [Pl.: *contra-selos* (ê). Cf. *contra-selo*, do v. *contra-selar.*]
contra-senha. [De *contra-* + *senha*^{1}] *S. f.* Palavra ou grupo de palavras que se deve dizer quando se ouve a senha, para provar qualidade de comparsa ou aliado. [Pl.: *contra-senhas.*]
contra-senso. [De *contra-* + *senso.*] *S. m.* Dito ou fato contrário ao bom-senso; absurdo, disparate, despautério: "Que *contra-senso* falar aos pequenos de um elefante antes de lhes mostrar as diferenças e semelhanças existentes entre um cão e um gato!" (Roquete-Pinto, *Seixos Rolados*, p. 34.) [Pl.: *contra-sensos.*]
contra-significação. [De *contra-* + *significação.*] *S. f. Bras.* Significação contrária a outra. [Pl.: *contra-significações.*]
contra-soca. [De *contra-* + *soca.*] *S. f. Bras.* V. *soca* (2). [Pl.: *contra-socas.*]
contrastado^{1}. [De *contraste* (6) + *-ado*^{1}.] *Adj. Med.* Diz-se do órgão, veia, etc. que recebeu contraste (6).
contrastado^{2}. [Part. de *contrastar.*] *Adj.* Que sofreu contraste, ou em que há contraste(s).
contrastante. *Adj. 2 g.* Que contrasta.
contrastar. [Do lat. tardio *contrastare.*] *V. t. d.* **1.** Fazer ou estabelecer oposição a: *Sua alegria contrastava o ambiente lúgubre.* **2.** Ser contrário a; opor-se a; contrariar: *A afirmação do cientista contrastava sérios estudos àquele respeito*; "farejava a vitória. Que outro poder viria *contrastá-lo*? Sentia-se indestrutível." (Machado de Assis, *Páginas Recolhidas*, p. 106). **3.** Lutar contra; resistir a; afrontar, arrostar: *Não tinha meios para contrastar as forças inimigas; "Assim a nave rota, / Que o vento contrastara, / Entrando o porto, esquece / Que males já sofreu." (Gonçalves Dias, Obras Poéticas, II, p. 147).* **4.** V. *contrastear. T. i.* **5.** Estar em oposição, em contraste: "O porte e o aspecto senhoril, e sobretudo a voz cheia e imperativa daqueles dous homens, *contrastavam* notavelmente com a pobreza do traje e com a humildade das palavras que usavam." (Arnaldo Gama, *O Balio de Leça*, p. 1.) **6.** Lutar, resistir, arrostar, afrontar: *Os bandeirantes contrastavam com índios, feras, intempéries, doenças.*
contrastaria. *S. f.* **1.** Profissão de quem contrasta metais preciosos. **2.** Estabelecimento onde se exerce tal profissão.
contrastável. *Adj. 2 g.* Que se pode contrastar.
contraste. [Dev. de *contrastar.*] *S. m.* **1.** Oposição entre coisas ou pessoas das quais uma faz que a outra sobressaia; oposição. **2.** Verificação do toque do ouro ou da prata. **3.** Aquele que avalia esse toque e o preço das jóias. **4.** Esbarrão, encontro, embate. **5.** Diferenças de tons ou de luz numa pintura ou em fotografias. **6.** *Med.* Substância radiopaca empregada em radiologia.
contrasteação. *S. f.* Ato ou efeito de contrastear.
contrasteador (ô). *S. m.* Aquele que contrasteia, que faz contrasteação; avaliador.
contrastear. *V. t. d.* **1.** Avaliar os quilates de (metais preciosos); contrastar. **2.** *P. ext.* Avaliar, aquilatar; contrastar. [Conjug.: v. *frear.*]
contra-sujeito. [De *contra-* + *sujeito.*] *S. m. Mús.* Na fuga^{2}, tema secundário que acompanha o sujeito, e com o qual se combina harmonicamente em contraponto invertível [q. v.]. [Pl.: *contra-sujeitos.*]
contrata. [Dev. de *contratar.*] *S. f.* **1.** Ajuste de serviços temporários. **2.** *Pop.* Contrato (3).
contratação. *S. f.* **1.** Ato de contratar; contrato. **2.** Trato^{1} (3) de mercadorias.
contratado. [Part. de *contratar.*] *Adj.* **1.** Que foi objeto de contrato perfeito e acabado. **2.** Diz-se de funcionário que assinou um contrato bilateral para exercer interinamente determinada função. ● *S. m.* **3.** Funcionário contratado (2).
contratador (ô). [Do lat. *contractatore.*] *Adj.* **1.** Que contrata. ● *S. m.* **2.** Aquele que contrata; contratante.
contratalho. [De *contra-* + *talho.*] *S. m. Grav.* Talho que se faz cruzar com outros, perpendicular ou obliquamente, segundo o efeito tonal desejado.
contratante. *Adj. 2 g.* **1.** Que contrata, que faz um tratado. ● *S. 2 g.* **2.** Contratador (2).
contratar. *V. t. d.* **1.** Fazer contrato de; combinar; ajustar: *Antes de contratar os seus serviços averigúe os seus conhecimentos.* **2.** Empregar, assalariar; ajustar: *Contratou-o para a tarefa.* **3.** Adquirir por contrato; convencionar. *Int.* **4.** Negociar, comerciar. *P.* **5.** Empregar-se, assalariar-se. [Pres. subj.: *contrate, contrateis*, etc. Cf. *contráteis*, pl. de *contrátil.*]
contratável. *Adj. 2 g.* Que se pode contratar.
contratelar. [De *contra-* + *tela* + *-ar*^{2}.] *V. t. d.* Forrar (um quadro, uma tela) com um pano a fim de conservar pinturas antigas danificadas.
contratempo. [Do it. *contrattempo.*] *S. m.* **1.** Acidente imprevisto. **2.** Contrariedade, aborrecimento. **3.** Dificuldade, obstáculo. **4.** Antigo passo de dança. **5.** *Mús.* Forma rítmica em que o som é articulado sobre um tempo fraco, ou sobre a parte fraca de um tempo, mas não se prolonga sobre um tempo forte ou sobre a parte forte de um tempo, que são substituídos por uma pausa. [Cf. *síncope* (3).] ● *Adv.* **6.** Fora do tempo.
contrátil. [Var. de *contráctil.*] *Adj. 2 g.* Suscetível de contrair-se ou encolher-se; contraível (q. v.). [Pl.: *contráteis.* Cf. *contrateis*, do v. *contratar.*]
contratilidade. [Var. de *contractilidade.*] *S. f.* Qualidade ou estado de contrátil.
contratirar. *V. t. d. Grav.* **1.** Tirar contraprova (3) de. **2.** Estresir (1).
contratista. [De *contrato* + *-ista.*] *S. m. Bras., BA.* Empregado de fazenda cacaueira a quem o patrão entrega alguns hectares de terra para que plante cacau e tudo quanto for preciso para a subsistência, devendo a terra ser restituída, mediante indenização, apenas os cacaueiros frutifiquem.
contrativo. [Var. de *contractivo.*] *Adj.* Que faz contrair.
contrato. [Do lat. *contractu.*] *Adj.* **1.** Contraído. [Var. de *contracto.*] ● *S. m.* **2.** Ato ou efeito de contratar. **3.** Acordo entre duas ou mais pessoas que transferem entre si algum direito ou se sujeitam a alguma obrigação. [Sin. pop., nesta acepç.: *contrata.*] **4.** O documento resultante desse acordo. **5.** *Bras.* Casa onde se desmancha a baleia e se fabrica o azeite. ◆ **Contrato acessório.** O que pressupõe a existência de outro, do qual depende e, por via de regra, serve de garantia; pacto adjeto. **Contrato aleatório.** Aquele em que ao menos uma contraprestação é incerta, por depender de fato futuro. **Contrato bilateral.** Aquele em que as partes estabelecem obrigações recíprocas: contrato sinalagmático. **Contrato comutativo.** O que é oneroso, sendo certas e equivalentes as contraprestações estabelecidas. **Contrato consensual.** O que se aperfeiçoa com o mero consenso das partes, podendo ser até verbal. **Contrato cotalício.** Aquele em que alguém se associa a um litigante a quem auxilia mediante certa percentagem no resultado final da demanda. **Contrato formal.** Aquele para cuja validez a lei estabelece determinada forma ou solenidade: contrato solene. **Contrato leonino.** Aquele que em uma das partes leva todas as vantagens, ou a maioria delas, em detrimento da(s) outra(s) parte(s). **Contrato real.** **1.** Aquele que só se aperfeiçoa mediante a tradição da coisa que é objeto de prestação de uma das partes. **2.** O que tem por objeto bens imóveis ou direitos reais de garantia (hipoteca, penhor, etc.). **Contrato resolúvel.** Ato resolúvel. **Contrato sinalagmático.**

Contrato bilateral. **Contrato solene.** Contrato formal. **Contrato sucessivo.** Aquele em que uma das partes se obriga a efetivar prestações certas e periódicas. **Contrato unilateral.** Aquele em que só uma das partes se obriga para com a outra.

contratorpedeira. *S. f. Bras. Mar. G. Desus.* V. *contratorpedeiro.*

contratorpedeiro. [De *contra-* + *torpedeiro.*] *S. m. Mar. G.* **1.** *Ant.* Navio de combate, destinado a combater os torpedeiros, dotado de maior velocidade do que estes, e armado de canhões de médio calibre e tubos lança-torpedos. [F. paral., desus.: *contratorpedeira;* sin., desus.: *caça-torpedeiro, destróier.*] **2.** Navio de combate, de alta velocidade, grande mobilidade, tamanho moderado, pequena autonomia, proteção estrutural nula, e cujo armamento é constituído por torpedos, canhões de pequeno ou médio calibre, armas anti-submarino ou pequenos mísseis. ♦ **Contratorpedeiro de escolta.** *Mar. G.* Contratorpedeiro-escolta. **Contratorpedeiro de esquadra.** *Mar. G.* Contratorpedeiro-líder.

contratorpedeiro-escolta. *S. m. Mar. G.* Contratorpedeiro construído na II Guerra Mundial pelos aliados especialmente para escoltar comboios, e que é menor que o contratorpedeiro comum, de menor velocidade, e tem armamento preponderantemente anti-submarino; contratorpedeiro de escolta. [Pl.: *contratorpedeiros-escoltas* e *contratorpedeiros-escolta*].

contratorpedeiro-líder. *S. m. Mar. G.* Contratorpedeiro maior do que o contratorpedeiro comum, com acomodações para um comandante de força e seu estado-maior, e utilizado como líder de flotilha; contratorpedeiro de esquadra. [Pl.: *contratorpedeiros-líderes.*]

contratrilho. [De *contra-* + *trilho.*] *S. m. Bras., N.E.* Segundo trilho, que se coloca lateral e interiormente ao primeiro, nas bifurcações, nos cruzamentos, etc., das linhas férreas, com o fim de evitar descarrilamentos.

contratual. *Adj. 2 g.* **1.** Referente a contrato: *É muito versado em matéria c o n t r a t u a l.* **2.** Que consta de contrato: *Não foram cumpridas as obrigações c o n t r a t u a i s.*

contratualidade. *S. f.* Qualidade de contratual.

contratualismo. *S. m.* Na filosofia do Direito, doutrina segundo a qual o Estado foi estabelecido mediante contrato entre os cidadãos, ou entre eles e o soberano.

contratura. [Do lat. *contractura.*] *S. f.* Ato ou efeito de contrair(-se).

contravalação. [De *contravalar* + *-ção.*] *S. f. Fort.* Fosso, com parapeito, destinado a impedir as surtidas dos sitiados.

contravalar. [De *contra-* + *valar*[2].] *V. t. d. Fort.* Fortificar por meio de contravalação.

contravalor (ô). [De *contra-* + *valor.*] *S. m. Fin.* Valor trocado por outro.

contravapor (ô). [De *contra-* + *vapor.*] *S. m.* **1.** Corrente de vapor acionada em direção contrária à que habitualmente faz andar uma máquina, e que serve para fazê-la parar, ou retroceder, quando se trata de uma locomotiva. **2.** *Bras. Pop.* Reação contrária imediata: *Impertinente na pergunta, levou um c o n t r a v a p o r.*

contravariância. [De *contra-* + *variância.*] *S. f. Cálc. Vect.* Propriedade dos vectores e tensores contravariantes.

contravariante. *Adj. 2 g. Cálc. Vect.* Diz-se de cada índice superior de um tensor.

contraveirado. [De *contraveiro* + *-ado*[1].] *Adj. Heráld.* Que tem contraveiro(s).

contraveiro. [De *contra-* + *veiro.*] *S. m. Heráld.* Veiro em que o metal é oposto ao metal, e a cor à cor.

contravenção. [Do lat. **contraventione.*] *S. f.* Transgressão ou infração a disposições estabelecidas. [Sin. p. us: *contraversão.*] ♦ **Contravenção penal.** *Jur.* Ato ilícito menos importante que o crime, e que só acarreta a seu autor a pena de multa ou prisão simples.

contravencional. *Adj. 2 g.* Relativo a contravenção.

contraveneno. [De *contra-* + *veneno.*] *S. m.* Medicamento usado para frustrar a ação de um veneno; antídoto, antitóxico, contrapeçonha: "Não há veneno funesto, quando para ele já se descobriu um c o n t r a v e n e n o." (Olavo Bilac, *Conferências Literárias.* p. 261.)

contraveniente. [Do lat. medieval *contraveniente.*] *Adj. 2 g. e s. 2 g.* V. *contraventor.*

contraventamento. [De *contra-* + *vent(o)* + *-a-* + *-mento.*] *S. m. Constr.* Sistema de ligação entre elementos principais de uma estrutura para aumentar a rigidez do conjunto

contravento. [De *contra-* + *vento.*] *S. m.* **1.** Guardavento. **2.** Porta ou persiana exterior da janela, que abre para fora e à esquerda do vento e da chuva.

contraventor (ô). [Do lat. medieval **contraventore.*] *Adj. e s. m.* Que ou aquele que contravém, transgride, perpetra contravenção; transgressor, contraveniente.

contraversão. *S. f.* **1.** Versão contrária. **2.** Inversão (1). **3.** *P. us.* Contravenção.

contraverter. [De *contra-* + *verter.*] *V. t. d.* Voltar para o lado oposto; inverter.

contravia. [De *contra-* + *via.*] *S. f.* Via de estrada de ferro oposta à via normal.

contravigia. [De *contra-* + *vigia.*] *S. f. Bras.* Pequena jangada de pesca.

contravir. [Do lat. *contravenire.*] *V. t. d.* **1.** Transgredir, infringir, violar. **2.** Responder, retorquir, **3.** Divergir, discordar: "Siá Marciana receitou-me um simples, bom para tudo aquilo; Próspero c o n t r a v e i o, aconselhando outra coisa." (Godofredo Rangel, *Vida Ociosa*, pp. 57-58.) *T. d. e i.* **4.** Responder, retorquir: "A minha posição é excelente, porque lhes bato com a História; porém, se alguns argumentadores com uma ignorância muito acidulada ou com uma notável má-fé me c o n t r a v i e r e m, que o meu método histórico é idiota e que o meu livro é bestial — lisonjas que eu já não estranharei — nem assim me desarmam os filisteus" (Camilo Castelo Branco, *Perfil do Marquês de Pombal*, pp. X-XI). *T. i.* **5.** Transgredir ou infringir lei ou regulamento: "Logo, toda lei adotada fora do círculo do art. 34 c o n t r a v é m à Constituição." (Rui Barbosa, *Trabalhos Jurídicos I*, p. 55.) [Irreg. Conjug.: v. *vir.*]

contravolta. [De *contra-* + *volta.*] *S. f. Bras.* Volta, volteio, giro, em sentido contrário a um anterior: "Um mosquito perverso .... pôs-se a fazer voltas e c o n t r a v o l t a s no ar, sobre a minha face." (Olavo Bilac, *Crítica e Fantasia*, p. 271.)

contrectação. [Do lat. *contrectatione.*] *S. f.* Ato de tirar alguma coisa do domínio ou posse de alguém.

contribuição (u-i). [Do lat. *contributione.*] *S. f.* **1.** Ato ou efeito de contribuir. **2.** Quinhão, cota, tributo. **3.** Parte pertencente a cada um nas despesas do Estado ou em uma despesa comum. **4.** Subsídio moral, social, literário ou científico para algum fim.

contribuinte (u-in). *Adj. 2 g. e s. 2 g.* Que ou quem contribui, ou paga contribuição. [V. *coletado.*]

contribuir. [Do lat. *contribuere.*] *V. t. i.* **1.** Concorrer com outrem nos meios para a realização de uma coisa: *C o n t r i b u i u com vários regionalismos na elaboração do novo dicionário.* **2.** Cooperar, colaborar: *Foi ele quem mais c o n t r i b u i u para a realização da minha obra;* "Resumindo essa páginas, eu c o n t r i b u o decerto melhor para a educação dos jovens políticos." (Joaquim Nabuco, *Minha Formação*, p. 15). **3.** Ter parte em um resultado: "Os humildes ruídos da natureza c o n t r i b u í a m para uma voluptuosa sensação de silêncio." (Graça Aranha, *Canaã*, p. 2); "A forma, tornando-se mais variada e mais perfeita .... , c o n t r i b u í r a a aplainar a aspereza dos primeiros ensaios." (Latino Coelho, *Cervantes*, p. 85). **4.** Ter parte numa despesa comum: *C o n t r i b u i u com meio bilhão de cruzados para a construção do hospital.* **5.** Pagar contribuição: *C o n t r i b u i todos os meses para obras beneficentes. T. d.* e *T. d. e i.* **6.** Entrar com; fornecer: *C o n t r i b u i u alimentação para os refugiados. Int.* **7.** Ter parte numa despesa comum: *Foram vultosos os gastos, e ele, coitado, não pode c o n t r i b u i r.* [Conjug.: v. *atribuir.*]

contributário. [De *con-* + *tributário.*] *Adj. e s. m.* Tributário juntamente com outro(s).

contributivo. *Adj.* Referente a contribuição.

contributo. *S. m.* Aquilo com que se contribui; contribuição.

contrição. [Do lat. *contritione.*] *S. f. Teol.* Espécie de arrependimento pelas próprias culpas ou pecados, motivado pela caridade sobrenatural ou amor de Deus: "exercita atos de c o n t r i ç ã o, pelo motivo de ser Deus quem é o ofendido" (Pe. Manuel Bernardes, *Exercícios Espirituais*, I, pp. 119-120).

contristação. [Do lat. *contristatione.*] *S. f.* Ato ou efeito de contristar(-se); aflição.

contristador (ô). *Adj. e s. m.* Que ou o que contrista.

contristar. [Do lat. *contristare.*] *V. t. d.* **1.** Tornar muito triste; afligir; penalizar. *Int.* **2.** Causar tristeza: *Sua pobreza c o n t r i s t a. P.* **3.** Entristecer(-se); penalizar-se; afligir-se.

contrito. [Do lat. *contritu.*] *Adj.* Que tem contrição; pesaroso, arrependido.

contro. *Interj. Mar. Ant.* Voz de comando dada ao homem do leme para pôr o leme de encontro, i. e., a sotavento, para a embarcação arribar.

controlado. [Part. de *controlar.*] *Adj.* **1.** Submetido a controle (2): *medicamento de venda c o n t r o l a d a.* **2.** Que tem controle (5). **3.** Comedido, moderado. **4.** Ponderado, prudente. ~ V. *variável* —a.

controlador (ô). *Adj.* **1.** Que controla. ● *S. m.* **2.** Aquele ou aquilo que controla.

controladoria. *S. f.* **1.** Órgão oficial de controle (3). **2.** Funções daquele que exerce controle (3).

controlar. [Do fr. *contrôler.*] *V. t. d.* **1.** Exercer o controle de: *C o n t r o l a diversas empresas, no que despende muito tempo.* **2.** Submeter a controle: *É pródigo, incapaz de c o n t r o l a r os gastos. P.* **3.** Manter o controle, o domínio de si mesmo; conter-se, dominar-se: *C o n t r o l o u - s e para não ter uma explosão de raiva.* [Pres. subj.: *controle, controles*, etc. Cf. *controle* (ô) e pl. *controles* (ô).]

controlável. *Adj. 2 g.* Que pode ser controlado.

controle (ô). [Do fr. *contrôle.*] *S. m.* **1.** Ato ou poder de controlar; domínio, governo. **2.** Fiscalização exercida sobre as atividades de pessoas, órgãos, departamentos, ou sobre produtos, etc., para que tais atividades, ou produtos, não se desviem das normas preestabelecidas. **3.** *Restr.* Fiscalização financeira. **4.** Botão, mostrador, chave, circuito ou parafuso destinado a ajustar ou fazer variar as características de um elemento elétrico. **5.** Autodomínio físico e psíquico. **6.** V. *equilíbrio* (6). [Pl.: *controles* (ô). Cf. *controle* e *controles*, do v. *controlar.*] ♦ **Controle remoto.** Método de controlar máquinas ou equipamentos a distância.

controlista. [De *controle* + *-ista.*] *S. 2 g. Bras. Mar. Merc.* Pessoa que serve de elemento de ligação entre a embarcação mercante e o seu agente.

controvérsia. [Do lat. *controversia.*] *S. f.* **1.** Discussão ou debate regular acerca de assunto literário, artístico, científico, etc. **2.** Contestação, polêmica.

controversista. *S. 2 g.* **1.** Pessoa que entra em controvérsia. **2.** Polemista, argumentador.

controverso. [Do lat. *controversu.*] *Adj.* Que é objeto de controvérsia; controvertível.

controverter. [Do lat. (p. us.) *controvertere.*] *V. t. d.* Pôr objeção ou dúvida a; disputar; rebater; discutir: *A tese foi vitoriosa sem que ninguém a c o n t r o v e r t e s s e.*

controvertível. *Adj. 2 g.* **1.** Que se pode controverter. **2.** Duvidoso, discutível; controverso.

contubernáculo. *S. m.* Lugar onde ocorre contubérnia, camaradagem: "Compunha-se o Palheiro de veteranos estropiados, um c o n t u b e r n á c u l o de argentários idosos com fêmeas espaventosas" (Camilo Castelo Branco, *Serões de S. Miguel de Ceide*, II, p. 10).

contubernal. [Do lat. *contubernale.*] *Adj. 2 g.* **1.** Em que há, ou que vive em contubérnio. ● *S. 2 g.* **2.** Pessoa que vive em contubérnio.

contubernar. *V. t. i e p.* **1.** Viver em comum, em contubérnio (1). **2.** Viver em contubérnio (3); amancebar-se, amasiar-se, amigar-se.

contubérnio. [Do lat. *contuberniu.*] *S. m.* **1.** Vida em comum; familiaridade. **2.** Convivência, camaradagem: "Além de lhes ser molesto o c o n t u b é r n i o com idólatras, tinham suspeitas de que a pureza não fosse flor muito do seu canteiro." (Aquilino Ribeiro, *Portugueses das Sete Partidas*, p. 297.) **3.** Mancebia, concubinato, amigação: "Revoltava-se contra a raivação danada que a bestializava, vituperando, com ódio frenético, quantos apanhava em c o n t u b é r n i o s ou conchavos concupiscentes." (Coelho Neto, *Rei Negro*, p. 34.) **4.** Tenda de campanha.

contudo. [De *com* + *tudo.*] *Conj.* Todavia; no entanto; não obstante, nada obstante: "As vozes não subiam do tom médio e, c o n t u d o, ouviam-se bem" (Machado de Assis, *Várias Histórias*, p. 26).

contumácia. [Do lat. *contumacia.*] *S. f.* **1.** Grande teimosia; obstinação, aferro, afinco, pertinácia. **2.** *Jur.* Recusa a comparecer em justiça por questão criminal.

contumacíssimo. [Do lat. *contumacissimu.*] *Adj.* Superl. abs. sint. de *contumaz.*

contumaz. [Do lat. *contumace.*] *Adj. 2 g. e s. 2 g.* Que ou quem tem contumácia: "Sonhador c o n t u m a z, aprendera contudo, na luta pela vida, a conhecer o momento em que o sonho termina e a realidade começa." (Otávio Issa, *Os Inquietos*, p. 13.) [Superl. abs. sint.: *contumacíssimo.*]

contumélia. [Do lat. *contumelia.*] *S. f.* Invectiva, injúria, insulto: "Consideremos que, por entre o rabeio dos políticos e a intromissão dos cortesãos, jamais se obscureceu em D. Pedro o siso que o levou, através das conturbações e c o n t u m é l i a s turvejantes dos seus dias no Brasil, a desenvolver os haras e as olarias" (Alberto Rangel, *Dom Pedro Primeiro e a Marquesa de Santos*, p. 15).

contumelioso (ô). [Do lat. *contumeliosu.*] *Adj.* Que envolve contumélia; injurioso, insultuoso.
contundente. [Do lat. *contundente.*] *Adj. 2 g.* **1.** Que contunde. **2.** Incisivo, decisivo: *argumento contundente.* **3.** Extremamente agressivo: *É um caráter contundente.*
contundir. [Do lat. *contundere.*] *V. t. d.* **1.** Fazer contusões em; pisar; moer; obtundir: *Na queda, contundiu levemente o joelho. P.* **2.** Ferir-se, magoar-se.
conturbação. [Do lat. *conturbatione.*] *S. f.* **1.** Ato de contubar(-se). **2.** Perturbação de ânimo; agitação. **3.** Motim, sublevação.
conturbador (ô). [Do lat. *conturbatore.*] *Adj.* **1.** Que conturba; conturbativo. ● *S. m.* **2.** Aquele que conturba.
conturbar. [Do lat. *conturbare.*] *V. t. d. e p.* **1.** Perturbar (-se), alvoroçar(-se), alvorotar(-se), alterar(-se), confundir(-se): "um frêmito de raiva a *conturbar* -lhe o semblante." (João da Silva Correia, *Farândola,* p. 80.) **2.** Amotinar(-se), sublevar(-se).
conturbativo. *Adj.* Conturbador (1).
contusão. [Do lat. *contusione.*] *S. f.* **1.** Efeito de confundir. **2.** Lesão superficial, sem laceração, produzida por impacto. **3.** *Fig.* Impressão, mossa.
contuso. [Do lat. *contusu.*] *Adj.* Que sofreu contusão, contundido. ~ V. *ferida* —a.
conubial. [Do lat. *connubiale.*] *Adj. 2 g.* Conjugal, matrimonial, nupcial.
conúbio. [Do lat *connubiu.*] *S. m.* **1.** Casamento, matrimônio, núpcias: "Um homem não tem mais merecimento por nascer inteligente, que por nascer do *conúbio* do duque e de uma duquesa." (Santo Tirso, *Cartas de Algures,* p. 11.) **2.** União, ligação, aliança: "Escrevi-a com a pena da galhofa e a tinta da melancolia, e não é difícil antever o que poderá sair desse *conúbio.*" (Machado de Assis, *Memórias Póstumas de Brás Cubas,* p. IX.)
conurbação. [De *con-* + *urbe* + *-a-* + *-ção.*] *S. f.* Conjunto formado por uma cidade e seus subúrbios, ou por cidades reunidas, que constituem uma seqüência, sem contudo, se confundirem. [No Brasil, o ABCD (cidades de Santo André, São Bernardo do Campo, São Caetano do Sul e Diadema), que tem por núcleo a cidade de São Paulo, é exemplo de conurbação.]
convalária. *S. f.* V. *lírio-do-vale.*
convales. [Pl. de *convale* < lat. *convalle.*] *S. m. pl.* Vales entre colinas: "os horizontes profundos de serranias e *convales* enevoados" (Coelho Neto, *Obra Seleta,* p. 269).
convalescença. [Do lat. *convalescentia.*] *S. f.* **1.** Ato de convalescer. **2.** Período subseqüente a uma doença de que alguém se restabeleceu.
convalescente. [Do lat. *convalescente.*] *Adj. 2 g.* e *s. 2 g.* Que ou quem está em convalescença.
convalescer. [Do lat. *convalescere.*] *V. int.* **1.** Passar, mais ou menos lentamente, de enfermo a são; recuperar a saúde; adquirir forças. **2.** Recobrar a saúde; restabelecer-se, recuperar-se: *Adoeceu gravemente, mas não tardou a convalescer; Convalesceu depressa da última recaída. T. d.* **3.** Fortalecer, fortificar: *O medicamento convalesceu o doente em poucas semanas.* [Cojug.: v. *crescer.*]
convalidação. *S. f.* Ato ou efeito de convalidar.
convalidar. [De *con-* + *validar.*] *V. t. d. Jur.* **1.** Tornar válido (um ato jurídico a que faltava algum requisito), em vista da superveniência de nova lei que aboliu exigência. **2.** Restabelecer a validade ou eficácia de (ato ou contrato).
convecção. [Do lat. *convectione.*] *S. f. Fís.* Em fluidos, processo de trasmissão de calor que é acompanhado por um transporte de massa efetuado pelas correntes que se formam no seio do fluido. [Cf. *convicção.*]
convectivo. *Adj. Tec.* Referente à convecção.
convelir. [Do lat. *convellere.*] *V. t. d.* **1.** Deslocar (o que estava firme); subverter, abalar: "época [a última do séc. XVIII] fecunda em sucessos assombrosos, que estremeceram e *convelirам* nos seus carcomidos fundamentos a Europa monárquica e feudal." (Latino Coelho, *Elogio Histórico de José Bonifácio,* p. 138). *Int.* **2.** *Med.* Ter convulsões ou espasmos. [Conjug.: v. *aderir.*]
convenção [Do lat. *conventione.*] *S. f.* **1.** Ajuste, acordo ou determinação sobre um assunto,fato, etc.; convênio, pacto. **2.** Aquilo que só tem valor, sentido ou realidade mediante acordo recíproco ou explicação prévia. **3.** Tudo aquilo que é tacitamente aceito, por uso ou geral consentimento, como norma de proceder, de agir, no convívio social; costume; convenção social: *É pessoa de convívio fácil, pois se atém às conveções.* **4.** *P. ext. Pej.* Apego exagerado a essas normas; convecionalismo. **5.** Acordo ou pacto internacional, particularmente para decisão dum assunto específico, como serviço postal, direito autoral, arbitragem, etc. **6.** Encontro, reunião ou assembléia de indivíduos ou representações de classe, de associações, etc., onde se delibera sobre determinados assuntos; conferência; congresso: *A convenção dos dentistas será no mês vindouro.* **7.** *Ciênc. Pol.* Assembléia partidária em que se escolhem candidatos e adotam plataformas e regras do partido. **8.** Assembléia extraordinária que se reúne para estabelecer ou modificar uma constituição, como a famosa assembléia francesa de 1792-1795. [Nesta acepç., usa-se com inicial maiúscula.] ◆ **Convenção cênica.** *Teat.* V. *convenção teatral.* **Convenção de palco.** *Teat.* V. *convenção teatral.* **Convenção dramática.** *Teat.* V. *Convenção teatral.* **Convenção social.** Convenção (3). **Convenção teatral.** *Teat.* **1.** Qualquer dos processos da encenação (como, p. ex., a emissão de um sussurro, o uso do verso, a iluminação, a movimentação dos atores em cena) que se destinam a tornar funcionais e eficazes as condições peculiares do palco, e também a transpor corretamente os variados estilos cênicos de diferentes épocas. **2.** Situação ou movimento simplificado (cênico ou de atores [v. *gesto-chave*]), aceito pelo público, de antemão, como representativo de outro mais complexo. [Sin. ger.: *convenção cênica, convenção de palco. convenção dramática.*]
convencedor (ô). *Adj.* Convincente: "São todos esses aspectos .... que vemos nos dois volumes de Cavalheiro [Edgard Cavalheiro, sobre Monteiro Lobato] fundidos num retrato impressionante, *convencedor,* humano." (Paulo Rónai, *Encontros com o Brasil,* p. 231.)
convencer. [Do lat. *convincere.*] *V. t. d.* **1.** Persuadir de determinada coisa: *Os argumentos acabaram convencendo -o. T. d. e i.* **2.** Persuadir com razões, argumentos ou fatos a reconhecer alguma coisa: "o amigo Gonçalves .... *convenceu* de que semelhante ato seria rematada loucura." (Machado de Assis, *Relíquias de Casa Velha,* p. 112); "la poisando a cesta em cima do balcão, ... na ânsia de *convencer* o comerciante a aceitar o negócio." (João da Silva Correia, *Farândola,* p. 48). *P.* **3.** Adquirir certeza, ficar persuadido; persuadir-se: "Cada vez me *convenço* mais do que assegura Anatole France: são as idéias que governam o mundo" (Martins Fontes, *Terras da Fantasia,* p. 38). [Conjug.: v. *vencer.*]
convencido. [Part. de *convencer.*] *Adj.* **1.** Que se convenceu; persuadido, **2.** *Fam.* Imodesto; presumido, presunçoso: *Desde que foi premiada, ficou convencida.* ● *S. m.* **3.** *Fam.* Indivíduo convencido (2).
convencimento. *S. m.* **1.** Ato ou efeito de convencer (-se). **2.** *Pop.* Imodéstia, presunção, vaidade, empáfia.
convencionado. [Part. de *convencionar.*] *Adj.* Ajustado, determinado ou fixado por convenção.
convencional. [Do lat. *conventionale.*] *Adj. 2 g.* **1.** Relativo a, ou resultante de convenção: *valor convencional de uma moeda.* **2.** Conforme às convenções sociais: *Não pôde fugir aos abraços convencionais após a conferência.* **3.** *P. ext. Pej.* Resultante de convenção (4); pouco natural ou sincero: *Detesto aquele eterno e convencional sorriso.* **4.** Consagrado ou aprovado pelo uso, pela experiência: *Só trabalha com métodos convencionais.* ~V. *domicílio*—, *guerra*—, *resgate* —*e submarino* —. ● *S. 2 g.* **5.** Membro de uma convenção, especialmente da Convenção (8).
convencionalismo. *S. m.* Convenção (4).
convencionalista. *Adj. 2 g.* **1.** Que se firma em convenções. **2.** Que tem caráter de convenção. **3.** Apegado às convenções [v. *convenção* (3 e 4)]. ● *S. 2 g.* **4.** Membro de uma convenção. **5.** Aquele que é apegado às convenções [v. *convenção* (3 e 4)].
convencionar. *V. t. d.* **1.** Estabelecer por convenção; ajustar, combinar: *Convencionaram sinais para seus entendimentos secretos. P.* **2.** Combinar, ajustar, acertar, mutuamente: *Houve um desencontro, mas convencionaram-se em reunir-se no dia seguinte.*
convencível. *Adj. 2 g.* Que se pode convencer.
convenente. *Adj. 2 g.* e *s. 2 g.* Diz-se de, ou participante de convenção ou convênio.
conveniado. [Part. de *conveniar.*] *Adj.* e *s. m. Bras.* Diz-se de, ou cada um daqueles que conveniam, que firmam convênio.
convenial. *Adj. 2 g. Bras.* Referente a convênio.
conveniar. *Bras. V. t. d.* **1.** Firmar convênio acerca de. *Int.* **2.** Firmar convênio. [Pres. ind.: *convenio,* etc. Cf. *convênio.*]
conveniência. [Do lat. *convenientia.*] *S. f.* **1.** Qualidade ou caráter de conveniente; proveito, interesse, vantagem. **2.** Decoro, decência. ◆ **Guardar as conveniências.** Não afastar-se das convenções sociais [v. *convenção* (3)]. **Respeitar as conveniências.** Respeitar o decoro, a decência.
conveniente[1]. [Do lat. *conveniente.*] *Adj. 2 g.* **1.** Útil, proveitoso, interessante: *Sua ida nos será muito conveniente.* **2.** Vantajoso, cômodo: *A casa me é conveniente, por ser espaçosa.* **3.** Favorável, propício, oportuno: *Esperou a hora conveniente, e agiu.* **4.** Decoroso, decente. [Sin. ger.: *convinhável, convindo.*]
conveniente[2]. *Adj. 2 g.* e *s. 2 g.* Diz-se de, ou participante de convênio.
convênio. [Do lat. *conveniu.*] *S. m.* Convenção, ajuste, acordo, pacto: "Espera-se que, no futuro, o escritor possa estabelecer *convênio* ou contrato eqüitativo com o editor de livros ou jornais" (Antônio Quadros, *A Existência Literária,* p. 219). **2.** Contrato entre dois ou mais órgãos públicos. **3.** Contrato de prestação de serviço ou outro entre um órgão público e uma instituição particular. [Cf. *convenio,* do v. *conveniar.*]
conventicular. *Adj. 2 g.* **1.** De, ou relativo a conventículo. **2.** Clandestino, secreto.
conventículo. [Do lat. *conventiculu.*] *S. m.* **1.** Assembléia clandestina de conspiradores. **2.** Conluio, maquinação, trama. **3.** Reunião secreta de pessoas.
conventilho. *S. m. Bras., S.* V. *prostíbulo.*
convento. [Do lat. *conventu.*] *S. m.* **1.** Habitação de comunidade religiosa; cenóbio, mosteiro, ascetério, claustro, clausura, eremitério. **2.** A própria comunidade. **3.** *Fig.* Casa muito grande.
conventual. [Do lat. *conventuale*] *Adj. 2 g.* **1.** Relativo a, ou próprio de convento. ~ V. *missa* —. ● *S. 2 g.* **2.** Pessoa residente num convento. **3.** *Rel.* Frade duma das ordens que seguem a regra de São Francisco de Assis.
conventualidade. *S. f.* Morada fixa em convento.
convergência. [Do lat. *convergentia.*] *S. f.* **1.** Ato de convergir. "Dá-se aqui uma *convergência* de esforços entre a gramática e a história natural, esta revelando a continuidade indefinida das espécies, aquela ensinando que o vocábulo *vida* não tem antônimo..." (Fidelino de Figueiredo, *Entre Dois Universos,* p. 227.) **2.** Qualidade, caráter ou estado de convergente. **3.** Ponto ou grau em que linhas, raios luminosos, objetos, etc., convergem. **4.** *Ópt.* O inverso da distância focal de um sistema óptico; potência. **5.** *Fís.* Propriedade de um feixe de radiação ou de partículas em que os raios ou as trajetórias se dirigem para um mesmo ponto. **6.** *Biol. Ger.* Formação evolutiva de caracteres semelhantes em grupos distintos; formação de similaridade sucessiva entre organismos ou associações antes distintas.
convergente. [Do lat. *convergente.*] *Adj. 2 g.* **1.** Que converge. **2.** *Biol. Ger.* Que apresenta convergência (6). ~ V. *estrabismo* —, *formas* —*s, integral* —, *lente* —, *reação* —, *seqüência* — *e série* —. ● *S. m.* **3.** *Astr.* V. *radiante* (5).
convergir. [Do lat. *convergere.*] *V. t. i.* **1.** Tender ou dirigir-se (para o mesmo ponto): *Todas as ruas da cidadezinha convergiam para a praça;* "A arte é uma linguagem catalisadora. Nela *convergem* forças e influências, visíveis ou imponderáveis." (Celso Kelly, *Portinari,* p. 15). **2.** Concorrer, afluir (ao mesmo ponto): *Seus pensamentos convergiam sempre para aquela idéia.* **3.** Tender (para um mesmo fim): *As primeiras diligências do seu governo convergiram para a educação.* [Irreg. Conjug.: v. *divergir.*]
conversa[1]. [Dev. de *conversar.*] *S. f.* **1.** V. *conversação* (1). **2.** *Pop.* V. *palavreado* (1 e 2). **3.** V. *mentira* (1): *Isto é conversa; o caso é muito outro.* **4.** Ajuste de contas; entendimento: *Precisamos de ter uma conversa.* ◆ **Conversa de usineiro.** *Bras., PB. Pop.* Insinceridade, hipocrisia. **Conversa fiada.** **1.** Propósito ou proposta de pessoa que não tem, na realidade, intenção de cumprir o que diz; conversa mole; papo furado [Cf. *conversa-fiada.*] **2.** V. *conversa mole* (2): "era um grande conversador e ficava batendo papo, uma *conversa fiada* que não tinha fim" (Antônio Carlos Vilaça, *A Descoberta do Morro,* p. 25). **Conversa mole.** *Bras. Pop.* **1.** V. *conversa fiada* (1). **2.** Conversa sem nenhum resultado prático; conversa vazia, oca; conversa fiada, conversa para boi dormir, história para boi dormir, história para menino dormir sem ceia, léria, lero-lero, leréia, papo furado. **Conversa para boi dormir.** *Bras. Pop.* V. *conversa mole* (2). **Ir na conversa de.** *Bras. Pop.* Dar crédito a: "— Não vá na *conversa daquele* senhor que o trouxe no carro. Eu também queria trazê-lo, mas ele se precipitou com estrondo e seqüestrou-o." (Carlos Drummond de Andrade, *De Notícias & Não Notícias Faz-se a Crônica,* p. 13.) **Jogar (a) conversa fora.** Passar o tempo falando à toa, inutilidades. **Passar uma conver-**

sa em. 1. Procurar convencer. **2.** Engabelar, engambelar.

conversa². [Do lat. *conversa*, i. e., *mulier conversa*, 'mulher convertida'.] *S. f.* Mulher recolhida em convento, sem professar.

conversação. [Do lat. *conversatione.*] *S. f.* **1.** Ato de conversar; palestra, colóquio, conversa. **2.** Convivência, familiaridade.

conversadeira. *Adj.* (*f.*) **1.** Fem. de *conversador*: "A Consulesa é muito alegre e conversadeira" (José J. Veiga, *Os Pecados da Tribo*, p. 12). ● *S. f.* **2.** *Bras.* Cadeira com dois ou três assentos opostos, própria para duas ou três pessoas que queiram conversar: "uma conversadeira de palhinha, encostada à parede" (Aluísio Azevedo, *Casa de Pensão*, p. 87). **3.** *Arquit.* Assento pouco abaixo de peitoril de janela, nos flancos dos rasgos da parede, e que pode ser de madeira, cantaria, ou da própria alvenaria da parede.

conversado. [Part. de *conversar.*] *Adj.* **1.** Com quem se conversou ou palestrou. **2.** A quem se sondou o pensamento íntimo por meio de conversa hábil ou astuciosa: *Os amigos conversados votaram todos com ele.* **3.** Que é dado à conversação, ou conversa agradavelmente: "era insinuante, afável, conversado; tinha certa viveza e graça." (Machado de Assis, *Iaiá Garcia*, p. 122). **4.** Sobre que se conversou; que foi objeto de conversação: *Vários foram os assuntos conversados.* **5.** Que tem o tom simples da conversação; corrente, fluente, desafetado: *estilo conversado*; "cumpriu [Ferreira de Araújo] o seu ofício com pontualidade, largueza de ânimo e aquele estilo vivo e conversado que era o encanto dos seus escritos." (Machado de Assis, *Poesia e Prosa*, p. 166). **6.** Decorrido no meio de conversação; acompanhado de conversa: "E o almoço foi muito alegre, muito íntimo, muito conversado" (Eça de Queirós, *A Cidade e as Serras*, p. 318). ● *S. m.* **7.** *Pop. P. us. no Brasil.* V. *namorado* (4): "Que vão dançar? A ciranda, ... o verde-gaio? Os conversados vão dançar a cana-verde." (Martins Fontes, *A Dança*, p. 73.) ♦ **Estar conversado.** Já ter (duas ou mais pessoas) falado o bastante sobre um assunto, dito sobre ele o que havia para dizer: "— Não falemos mais nisso, estamos conversados, você sabe muito bem que esgotei o estoque de paciência" (Elsie Lessa, *A Dama da Noite*, p. 27).

conversador (ô). *Adj.* **1.** Que conversa ou gosta de conversar. [Sin. (p. us.): *conversante.*] ● *S. m.* **2.** Indivíduo conversador; conversa-fiada, papo.

conversa-fiada. *S. 2 g. Bras.* **1.** Pessoa que não tem intenção de cumprir o que promete; papo-furado. **2.** Gabola, jactancioso. **3.** V. *Conversador* (2). [Pl.: *conversas-fiadas*. Cf. *conversa fiada.*]

conversante. *Adj. 2 g. P. us.* Conversador (1).

conversão. [Do lat. *conversione.*] *S. f.* **1.** Ato ou efeito de converter(-se). [Sin., p. us.: *convertimento.*] **2.** O ato de passar dum grupo religioso para outro, duma para outra seita ou religião. **3.** A rejeição ou aceitação pública de certo número de atitudes. **4.** *Eng. Nucl.* Produção, com base numa substância fértil, de uma substância físsil diferente da que é consumida na reação nuclear em cadeia. **5.** *Fin.* Novação duma dívida pública sob a forma de consolidação. **6.** Conversão de espécie. **7.** *Mil.* Mudança de direção duma tropa em marcha. **8.** *Ret.* V. *quiasmo*. **9.** *Psiq.* Processo em virtude do qual emoções se transformam em manifestações físicas. ♦ **Conversão de espécie.** *Com.* Cálculo de uma moeda em outra. [Tb. se diz apenas *conversão.*] **Conversão interna.** *Fís. Nucl.* Processo de decaimento radioativo em que a energia de um núcleo excitado se transfere para um elétron orbital que é ejetado do átomo, acompanhado, em geral, pela emissão de um raio X característico. **Conversão química.** *Tec. Quím.* Processo industrial em que se realiza, de forma controlada, uma certa e determinada transformação química, que, acoplada convenientemente a outras transformações ou a operações de natureza física, constitui a totalidade do procedimento; processo unitário.

conversar. [Do lat. **conversare, por conversari.*] *V. t. i.* **1.** Falar, discorrer, palestrar: "Aqui nossa alma / Com Deus conversa e os homens compreende" (Guimarães Passos, *Horas Mortas*, p. 16); "Conversamos da cidade e suas dimensões." (Machado de Assis, *Memorial de Aires*, p. 68); "às horas da comida .... se demorava a conversar um pouco em coisas que não lhe inspiravam interesse." (Fialho d'Almeida, *A Cidade do Vício*, p. 201). **2.** Falar, tratar; discutir: *Conversou de um assunto e de outro, mas não definiu a sua posição*; "Ao chá, conversamos primeiramente de letras, e pouco depois de política" (Machado de Assis, *Páginas Recolhidas*, p. 162); "conversavam a respeito das compras que já tinham realizado" (José de Alencar, *A Pata da Gazela*, p. 161). *Int.* **3.** Falar com alguém; palestrar: "Fomos conversar, sentados numa carroça vazia que estava encostada ao paiol." (Macedo Miranda, *Lady Godiva*, p. 100); *Está cansado; conversou a tarde toda.* **4.** *Desus.* Conviver; morar, residir. *T. d.* **5.** Tratar intimamente, com familiaridade: *Afirmou que costuma conversar toda a alta-roda.* **6.** Sondar o pensamento de: *Está difícil arrancar-lhe uma opinião: várias vezes o conversei e ele fechou-se em copas.* **7.** Falar ou discorrer sobre: "Moço vistoso e bem-arrumado, conversando diversos assuntos, apareceu um tal Raimundo, que muito Merenciano agradou e louvou." (Bariani Ortêncio, *Vão dos Angicos*, p. 88.) **8.** *Bras.* Requestar; namorar; cantar: *O rapaz tentou conversá-la, porém ela não se interessou pelo seu tipo.*

conversável. *Adj. 2 g.* **1.** De boa conversação, convívio ou trato; sociável. **2.** Acessível a conversa, a entendimento; abordável.

conversibilidade. *S. f.* Qualidade de conversível; convertibilidade.

conversível. [Do lat. tardio *conversibile.*] *Adj. 2 g.* **1.** Que se pode converter; convertível. **2.** Que se pode trocar por outros valores. **3.** Que tem a capota dobrável ou removível (automóvel, barco, etc.). ~ V. *automóvel* — e *moeda* —. ● *S. m.* **4.** Automóvel de capota dobrável ou removível; automóvel conversível.

conversivo. *Adj.* Que tem a virtude ou a propriedade de converter.

converso¹. [Dev. de *conversar.*] *S. m. Pop.* **1.** Conversação (1). **2.** Lugar onde se conversa; locutório.

converso². [Do lat. *conversu.*] *Adj.* **1.** Convertido. ● *S. m.* **2.** Religioso leigo, i. e., com votos, mas sem haver recebido ordens sacras. **3.** Convertido.

conversor (ô). [Do lat. tardio *conversore.*] *S. m.* **1.** *Eng. Elétr.* Máquina que transforma corrente contínua em alternada, ou vice-versa. **2.** *Eletrôn.* Circuito que transforma a freqüência de um sinal; conversor de freqüência. **3.** *Proc. Dados.* Dispositivo que transforma em outra linguagem aquela em que está codificada uma informação. **4.** *Metal.* Forno especial, piriforme, usado em siderurgia para obtenção de aço, mediante a injeção de uma corrente de ar na massa de ferro em fusão. ● *Adj.* ~ V. *reator* — e *válvula* —a. ♦ **Conversor de freqüência.** *Eletrôn.* Conversor (2).

convertedor (ô). *Adj.* e *s. m.* Que ou aquele que converte.

converter. [Do lat. *convertere.*] *V. t. d.* **1.** Conduzir à religião que se julga ser a verdadeira: *Depois de longa doutrinação converteu o amigo.* **2.** Fazer mudar de partido, de parecer, de modo de vida: *Com a sua habilidade, chegou a converter numerosos adversários; Era um bêbedo, mas o casamento o converteu, e é hoje ótimo chefe de família.* **3.** Mudar a natureza de (dívida pública). *T. d. e i.* **4.** Mudar (uma coisa) em outra de forma e/ou propriedade diferente; transformar, transmutar: *Converteu o bloco de cera em velas.* **5.** Mudar ou transformar o fim, a função, o uso de uma coisa: *Quando a criança nasceu, converteram o escritório em quarto de dormir*; "A beleza suscita o desejo; a pequenez converte a posse em domínio total e constante" (Fidelino de Figueiredo, *Entre Dois Universos*, p. 248). **6.** Trocar em algo de valor equivalente: *converter papel-moeda em ouro; converter marcos em dólares.* **7.** Trazer (alguém) a (opinião, crença, partido): "S. Revmª vai .... converter os Munducurus ao Cristianismo." (Inglês de Sousa, *O Missionário*, p. 214.) **8.** Comutar, substituir: *converter uma pena capital em trabalhos forçados.* *Int.* **9.** *Basq.* Acertar o arremesso à cesta, conseguindo pontos; encestar. *P.* **10.** Transformar-se, mudar-se, transmudar-se: "agora esta emoção convertera-se em um amor profundo, aquecido nas dúvidas, amadurecido na luta interior" (Conde de Ficalho, *Uma Eleição Perdida*, p. 145). **11.** Mudar de religião, de partido, opinião, etc.: "Apesar de livres-pensadores ...., Macário tinha certeza de que se converteriam facilmente" (Inglês de Sousa, *O Missionário*, p. 115). [Conjug.: v. *verter.*]

convertibilidade. [Do lat. *convertibilitate.*] *S. f.* Conversibilidade.

convertido. [Part. de *converter.*] *Adj.* e *s. m.* Que ou aquele que se converteu; converso.

convertimento. *S. m. P. us.* Conversão (1).

convertível. [Do lat. *convertibile.*] *Adj. 2 g.* Conversível (1).

convés. [De *converso¹* (2), ato de um **convesso.*] *S. m. Constr. Nav.* **1.** Designação comum aos pavimentos, a bordo. **2.** O piso desses pavimentos, e mais especialmente o dos pavimentos descobertos, ou cobertos apenas com toldo; deque. [Pl.: *conveses.*] ♦ **Convés balístico.** *Bras. Mar. G.* Convés protegido por couraça; convés encouraçado, convés protegido. **Convés corrido.** *Constr. Nav.* Convés principal sem superestruturas que se estendam de borda a borda (inclusive sem castelo de proa e tombadilho). **Convés da borda-livre.** *Mar. Merc.* O mais elevado convés, completamente estanque. **Convés de abrigo.** *Bras. Constr. Nav.* Em alguns navios mercantes, espaço situado entre o convés principal e a primeira coberta, não dotado de compartimentagem estanque. **Convés de arqueação.** *Bras. Mar. Merc.* Convés que a sociedade de arqueação e registro de navios mercantes estipula, segundo certas regras, como o limite superior dos espaços a serem computados na tonelagem bruta do navio. **Convés de manobra.** *Constr. Nav.* Convés superior. **Convés encouraçado.** *Bras. Mar. G.* V. *convés balístico.* **Convés lavado.** *Constr. Nav.* Convés desprovido de tombadilho. **Convés parcial.** *Constr. Nav.* Convés que não é contínuo de proa a popa. **Convés principal.** *Constr. Nav.* Primeiro convés contínuo de proa a popa, contando de cima para baixo, e que é descoberto no todo ou em parte. **Convés protegido.** *Bras. Mar. G.* V. *convés balístico.* **Convés superior.** *Constr. Nav.* Convés exposto ao tempo; convés de manobra.

convescote. [De *conv(ívio)*, 'banquete', + *escote*; criação de Castro Lopes.] *S. m. Bras. P. us.* Piquenique: "desaprovou, no íntimo, a excursão, achando que ao diretor do Arquivo Histórico não assenta andar em convescotes de colegiais." (Ciro dos Anjos, *Abdias*, p. 50).

convexidade (cs). [Do lat. *convexitate.*] *S. f.* **1.** Qualidade de convexo. **2.** Curvatura exterior. [Opõe-se à *concavidade.*]

convexirrostro (cs). *Adj. Zool.* Que tem o bico convexo.

convexo (cs). [Do lat. *convexu.*] *Adj.* De saliência curva; arredondado externamente; bojudo. ~ V. *poliedro* — e *superfície* —a. [Opõe-se a *côncavo.*]

convicção. [Do lat. *convictione.*] *S. f.* **1.** Efeito de convencer. **2.** Certeza adquirida por demonstração. **3.** Persuasão íntima. [Cf. *convecção.*]

convício. [Do lat. *conviciu.*] *S. m.* Afronta de palavras injuriosas; injúria, doesto: "E logo depois, do alto, o espingardeamento, as pedradas, os convícios, os remoques." (Euclides da Cunha, *À margem da História*, p. 93.)

convicioso (ô). *Adj.* **1.** Que usa convícios. **2.** Em que há convício.

convicto. [Do lat. *convictu.*] *Adj.* **1.** Convencido. **2.** Diz-se do réu cujo crime se demonstrou.

convidado. [Part. de *convidar.*] *S. m.* Aquele que recebeu convite (1 e 2).

convidador (ô). *S. m.* Aquele que convida ou gosta de convidar.

convidar. [Do lat. *convidare.*] *V. t. d.* **1.** Pedir o comparecimento de; convocar: *Não compareceu à cerimônia porque não o convidaram.* [Sin. (p. us.): *invitar.*] *T. d. e i.* **2.** Convidar (1): "Alegres tangem os sinos convidando à prece os fiéis." (Carlos de Laet, *Obras Seletas*, I, p. 53); "Convidei-o para almoçar amanhã." (Haroldo Maranhão, *As Peles Frias*, p. 47). **3.** Solicitar, instar: *Convidaram-no a retirar-se*; "Ritinha convidou a mulher a entrar e, já íntimas, conversaram sobre Violante." (Coelho Neto, *Turbilhão*, p. 329). **4.** Atrair, seduzir: "Há veludos de imbaúba nessas redes de teus olhos, / que convidam, preguiçosas, a gente para o descanso" (Ascenso Ferreira, *Catimbó e Outros Poemas*, p. 116). **5.** Incitar, impelir, estimular: *Aquele olhar severo convidava-os ao trabalho.* *T. i.* **6.** Atrair, levar, induzir: "E irreprimível sono a repousar convida." (Alberto de Oliveira, *Poesias*, 2ª série, p. 207.) *Int.* **7.** Despertar o apetite, a atenção, a realização de uma vontade, etc., de alguém; ser convidativo: *A mesa, repleta de iguarias, convidava; Naquele calor escaldante, a bela piscina azul convidava*; "Seduzes, e convidas, e fascinas" (Olavo Bilac, *Poesias*, p. 82). *P.* **8.** Oferecer-se, propor-se: *Convidou-se para representar o papel mais importante da peça.* **9.** Dar-se por convidado (não o tendo sido). **10.** *Bras. RS.* Combinar (os corredores entre si) o começo da corrida, a largada.

convidativo. *Adj.* Que convida, atrai; atraente.

convincente. [Do lat. *convincente.*] *Adj. 2 g.* Que convence; convencedor.

convindo. [Part. de *convir.*] *Adj.* V. *conveniente.*

convinhável. *Adj. 2 g.* V. *conveniente.*

convir. [Do lat. *convenire.*] *V. t. i.* **1.** Concordar, admitir: *Ante os meus argumentos, conveio em que* *estava errado;* "Um personagem do romance [*Misael e Maria Rita*, de Gilberto de Alencar], pernambucano, elogia a culinária do Norte, mas convindo em que a mineira também é excelente" (Eduardo Frieiro, *Feijão, Angu e Couve*, p. 173). [Aparece, muitas vezes, com a preposição elíptica: "Convenhamos que o fenômeno da semelhança completa entre dois indivíduos não parentes é cousa mui rara" (Machado de Assis, *Outras Relíquias*, p. 3); *Convenhamos que ele proceda mal.*] **2.** Ser conveniente, útil, proveitoso: *O negócio não lhe convém;* "O isolamento é a situação que convém ao escritor" (Oliveira Martins, *Portugal Contemporâneo*, I, p. XXIII). **3.** Ser próprio ou conforme; ficar bem; condizer: *Tal procedimento não convém a homem tão educado;* "A pureza convém às almas como as nossas" (Eugênio de Castro, *Obra Poética*, I, p. 137). **4.** Quadrar, servir: *Este lugar me convém. Int.* **5.** Ser conveniente (1 a 3): *A compra do sítio convém — vou fazê-la, quanto antes;* "convinha que nos safássemos do local" (Ciro dos Anjos, *A Menina do Sobrado*, p. 248); "Convém lembrar que o adolescente Newton demonstrou já nessa idade [15 anos] o seu gosto pelas improvisações mecânicas e invenções curiosas" (Ronaldo Rogério de Freitas Mourão, *Astronomia e Astronáutica*, p. 17). **6.** Ser próprio, conforme, decoroso; ficar bem: "Estamos no mês de maio — e convém falar de rosas." (Eça de Queirós, *Notas Contemporâneas*, p. 311); *Convém levar a sério as obrigações assumidas.* [Irreg. Conjug.: v. *vir.*]

convite. [Do cat. *convit.*] *S. m.* **1.** Ato de convidar; convocação: "Pareceu-me ler naquela palavra um convite a amá-la de vez" (Machado de Assis, *Relíquias de Casa Velha*, p. 32). [Sin., p. us.: *invite.*] **2.** *P. ext.* Mensagem oral ou escrita pela qual se formaliza este ato. **3.** Dádiva, presente. **4.** *Desus.* Banquete.

conviva. [Do lat. *conviva.*] *S. 2 g.* Pessoa que toma parte, como convidada, em banquete, almoço, jantar, etc.; comensal.

convival. [Do lat. *convivale.*] *Adj. 2 g.* Relativo a convívio (1).

convivência. [Do lat. *conviventia.*] *S. f.* **1.** Ato ou efeito de conviver; relações íntimas; familiaridade, convívio. **2.** Trato diário.

convivente. [Do lat. *convivente.*] *Adj. 2 g.* **1.** Que convive. **2.** *Bras., N.E.* Dado a amores ilícitos; femeeiro. • *S. 2 g.* **3.** Pessoa que convive. **4.** *Bras.* Pessoa muito afável, amiga de sociedade, de boa companhia.

conviver. [Do lat. *convivere.*] *V. t. i.* **1.** Viver em comum com outrem em intimidade, em familiaridade. **2.** Ter convivência. **3.** Habituar-se aos poucos, com serenidade, a um mal de qualquer natureza.

convívio. [Do lat. *conviviu.*] *S. m.* **1.** *P. us.* Banquete. **2.** *Fig.* V. *convivência* (1).

convizinhança. [De *con-* + *vizinhança.*] *S. f.* Estado ou situação recíproca de vizinhos.

convizinhar. *V. t. i.* **1.** Ser convizinho; estar na convizinhança: *Sua casa convizinhava da do irmão; Seu sítio convizinha com o meu.* **2.** Avizinhar-se; aproximar-se. **3.** Ter semelhança; assemelhar-se, parecer: *Seus pontos de vista convizinham dos meus nesse particular; Seu feitio moral convizinha com o de meu filho. Int.* **4.** Ter pontos de semelhança, de contato: *Seus temperamentos convizinham.*

convizinho. [De *con-* + *vizinho.*] *Adj.* e *s. m.* **1.** Vizinho com outrem; próximo: "Toda a verde serrania convizinha a Viseu é o antigo cenário épico de guerrilhas" (José Vieira, *Sol de Portugal*, p. 81); *Sua casa é convizinha da nossa.* **2.** *Fig.* V. *semelhante.*

convocação. [Do lat. *convocatione.*] *S. f.* **1.** Ato ou efeito de convocar. **2.** Convite (1). **3.** Ato ou efeito de chamar um alistado para prestação do serviço militar.

convocado. [Part. de *convocar.*] *Adj.* e *s. m.* Diz-se de, ou aquele que recebeu convocação.

convocador (ô). *Adj.* e *s. m.* Que ou aquele que convoca.

convocar. [Do lat. *convocare.*] *V. t. d.* **1.** Chamar ou convidar para uma reunião; invitar: *O síndico, ontem, convocou os condôminos.* **2.** Fazer reunir; constituir: *O Papa convocou o concílio.* **3.** Convidar (1). **4.** Pedir, solicitar: *Convocou a ajuda dos presentes. T. d.* e *i.* **5.** Convidar (2): *Convocou os oficiais a conselho.* [Conjug.: v. *trancar.*]

convocatória. [Fem. substantivado de *convocatório.*] *S. f.* Carta circular cujo conteúdo é uma convocação.

convocatório. *Adj.* Que serve para convocar.

convocável. *Adj. 2 g.* Que pode ser convocado.

convolação. *S. f. Jur.* Ato ou efeito de convolar.

convolar. [Do lat. *convolare.*] *V. t. i.* Mudar de estado, de cônjuge, de foro (ô), de partido, de sentimento, de idéias, etc.: *Governista, convolou para a oposição;* "o texto de Gênesis declara que as bodas de Lia se consumaram, e que sete dias depois Jacó convolava a novas núpcias com Raquel" (João Ribeiro, *Cartas Devolvidas*, p. 22).

convolução. [Cf. *convoluto.*] *S. f.* **1.** Ato ou efeito de enrolar para dentro. **2.** *Estat.* Distribuição de probabilidade da função soma de duas variáveis aleatórias.

convoluto. [Do lat. *convolutu*, 'virado ao redor'.] *Adj. Bot.* Diz-se da prefoliação em que o limbo foliar se enrola longitudinalmente, à semelhança dum canudo, como na bananeira.

convolvulácea. *S. f.* Espécime das convolvuláceas.

convolvuláceas. *S. f. pl. Bot.* Família de ervas, subarbustos, arbustos e principalmente trepadeiras, dotados de folhas opostas e flores vistosas, grandes e coloridas. Androceu isostêmone; gineceu bicarpelar; fruto capsular, muitas vezes com cálice acrescente. Há quase 1.100 espécies, na maioria habitantes dos países quentes, inclusive o Brasil, muitas delas altamente ornamentais.

convolvuláceo. *Adj.* Pertencente ou relativo às convolvuláceas.

convosco (ô). [De *com* + *vosco* < lat. *voscum*, por *vobiscum*, que já encerra a preposição.] *Pron.* **1.** Com a(s) pessoa(s) com quem se fala: "'Misericórdia!' — bradou toda aquela multidão, ao passar por elrei: .... 'Convosco a tenho, mesquinha gente' — disse elrei comovido." (Alexandre Herculano, *Lendas e Narrativas*, I, p. 302); *Gostaria de conversar a sós convosco.* **2.** Em vossa companhia: *Deus seja convosco.* **3.** Ao mesmo tempo que vós; juntamente convosco: *Gostais de que os fiéis orem convosco?* **4.** Em vosso ser; dentro de vós: *A graça está convosco.* **5.** Em vossa mente; no vosso espírito: *Tendes convosco princípios que remontam à vossa meninice.* **6.** A vosso respeito; concernente a(s) vossa(s) pessoa(s); dirigido a vós: *As pilhérias são convosco?* **7.** Com a vossa pessoa; para proveito vosso: *Gastais pouquíssimo convosco.* **8.** De vós para vós: *Que meditais convosco, na solidão de vosso retiro?* **9.** Próprio para vós; para ser feito ou resolvido por vós: *Isso de esforço não é convosco, bem o sei.* **10.** Em vosso poder: *Os documentos estão convosco.* **11.** A vosso cargo: *Deixo convosco a resolução do problema.* [V. nota em *conosco.*]

convulsão. [Do lat. *convulsione.*] *S. f.* **1.** Ato ou efeito de convulsar, convulsionar, convelir. **2.** Grande agitação ou transformação. **3.** Cataclismo (3). **4.** *Med.* Contração, ou série de contrações, súbitas e involuntárias, dos músculos voluntários. [Cf. *espasmo* (1).]

convulsar. *V. int.* **1.** Pôr em convulsões; convulsionar. **2.** Cair em convulsões; convulsar-se: "Oh! então o interior [da casa] / Todo convulsa e freme, e é contenda e furor" (Alberto de Oliveira, *Poesias*, 3ª série, p. 93). *P.* **3.** Cair em convulsões; convulsionar-se.

convulsibilidade. *S. f. Med.* V. *convulsividade.*

convulsionar. *V. t. d.* **1.** Pôr em convulsão; convulsar: "O ano de 1839 abria o ciclo de perigosas lutas políticas que convulsionariam a Província das Alagoas" (Carlos Pontes, *Tavares Bastos*, p. 3). **2.** Excitar à revolução, à agitação: *O desespero e a fome convulsionaram os habitantes da cidade sitiada. P.* **3.** Cair em convulsão. [Fut. pret.: *convulsionaria*, etc. Cf. *convulsionária*, fem. de *convulsionário.*]

convulsionário. *Adj.* e *s. m.* Que, ou aquele que tem ou finge ter convulsão (2). [Fem.: *convulsionária.* Cf. *convulsionaria*, do v. *convulsionar.*]

convulsivamente. [Do fem. de *convulsivo* + *-mente.*] *Adv.* De modo convulsivo; com convulsão: "Tertuliano, abraçado ao cadáver, soluçava convulsivamente, e todo o seu corpo tremia como tocado por uma pilha elétrica." (Artur Azevedo, *Contos fora da Moda*, p. 12.)

convulsividade. [De *convulsivo* + *-i-* + *-dade.*] *S. f. Med.* Disposição para convulsões.

convulsivo. *Adj.* **1.** Relativo a convulsão. **2.** Em que há, ou que se caracteriza por convulsão: *movimentos convulsivos.* **3.** Que produz convulsão: *febre convulsiva; remédios convulsivos.*

convulso. [Do lat. *convulsu.*] *Adj.* Em que há convulsão: "Um tremor convulso de nervos doentes agitou-me o corpo" (Alphonsus de Guimaraens, *Obra Completa*, p. 400). ~ V. *tosse —a.*

coo. Aglut. da prep. *com* e do art. ou pron. dem. *o*; co: "Fala-me só coo revolver dos olhos." (Junqueira Freire, *Obras Póstumas*, II, p. 192.)

coobação. [De *coobar* + *-ção.*] *S. f.* Destilação repetida do mesmo líquido.

coobar. [Do lat. dos alquimistas *cohobare*, atr. do fr. *cohoder.*] *V. t. d.* Fazer a coobação de (um líquido).

coobrigação. [De *co-*[1] + *obrigação.*] *S. f.* Obrigação conjunta, ou em comum, de duas ou mais pessoas.

coobrigado. [De *co-*[1] + *obrigado.*] *Adj.* e *s. m.* Diz-se de, ou aquele que assumiu obrigação juntamente com outrem.

coocupante. *Adj. 2 g.* e *s. 2 g.* Que ou quem coocupa.

coocupar. [De *co-*[1] + *ocupar.*] *V. t. d.* Ocupar juntamente com outrem.

coficiante. *S. m.* Cada um daqueles que coficiam; concelebrante.

coficiar. [De *co-*[1] + *oficiar.*] *V. t. d.* e *int.* Concelebrar.

coonestação. *S. f.* Ação ou efeito de coonestar.

coonestador (ô). *Adj.* e *s. m.* Que ou aquele que coonesta.

coonestar. [Do lat. *cohonestare.*] *V. t. d.* Dar aparência de honestidade a; fazer que pareça honesto, decente.

cooperação. [Do lat. *cooperatione.*] *S. f.* Ato ou efeito de cooperar.

cooperado. [Part. substantivado de *cooperar.*] *S. m. Econ. Rur.* Membro ou participante de uma cooperativa; cooperador, cooperativado.

cooperador (ô). [Do lat. *cooperatore.*] *Adj.* **1.** Que coopera; cooperante. • *S. m.* **2.** Aquele que coopera. **3.** *Econ. Rur.* V. *cooperado.*

cooperante. [Do lat. *cooperante.*] *Adj. 2 g.* Cooperador (1).

cooperar. [Do lat. **cooperare*, por *cooperari.*] *V. t. i.* **1.** Operar ou obrar simultaneamente; trabalhar em comum; colaborar: *cooperar para o bem público; cooperar em trabalhos de equipe. Int.* **2.** Ajudar, auxiliar; colaborar.

cooperativa. [Fem. substantivado de *cooperativo.*] *S. f.* Sociedade ou empresa constituída por membros de determinado grupo econômico ou social, e que objetiva desempenhar, em benefício comum, determinada atividade econômica.

cooperativado. [De *cooperativa* + *-ado*[1].] *S. m. Econ. Rur.* V. *cooperado.*

cooperativismo. *S. m.* Doutrina econômica que atribui às cooperativas um papel primordial.

cooperativista. *Adj. 2 g.* **1.** Respeitante a sociedades cooperativas. **2.** Que é adepto do cooperativismo. • *S. 2 g.* **3.** Adepto dessa doutrina.

cooperativo. [Do lat. *cooperativu.*] *Adj.* **1.** Que coopera. **2.** Em que há cooperação. ~ V. *anúncio* — e *fenômeno* —.

co-opositor. [De *co-*[1] + *opositor.*] *S. m.* Aquele que é opositor junto com outrem. [Pl.: *co-opositores.*]

cooptação. [Do lat. *cooptatione.*] *S. m.* Ato ou efeito de cooptar.

cooptar. [Do lat. *cooptare.*] *V. t. d.* **1.** Agregar, associar. **2.** Admitir numa sociedade com dispensa das formalidades de praxe. **3.** Escolher ou unir-se a (alguém), como companheiro, parceiro ou cúmplice, para um empreendimento ou ação conjunta.

coordenação. [Do lat. tardio *coordinatione.*] *S. f.* **1.** Ato ou efeito de coordenar. **2.** *Gram.* Modalidade de construção de períodos na qual as orações têm sentido independente e são separadas por vírgula ou ponto e vírgula, ou são relacionadas entre si por conjunções coordenativas. Ex.: *Entrou na sala, olhou apressadamente ao redor e saiu.* ♦ **Coordenação assindética.** *Gram.* Modalidade de coordenação (2) em que há assíndeto [q. v.]; parataxe. **Coordenação sindética.** *Gram.* Modalidade de coordenação em que há síndeto [q. v.].

coordenada. [Fem. substantivado de *coordenado.*] *S. f.* **1.** *Gram.* V. *oração* (4). **2.** *Fam.* Orientação, diretriz; dado(s): *Vou-te dar a coordenada para encontrares o tal sujeito; Já tenho a coordenada para estudar o assunto.* **3.** *Geom. Anal.* Qualquer dos membros de um conjunto que determina univocamente a posição de um ponto no espaço. [O conjunto é formado por tantos membros quantas as dimensões do espaço considerado, e o número de membros constitui característica intrínseca do espaço. A coordenada pode ser uma distância, um ângulo, uma velocidade, um momento, etc. M. us. no pl.] ♦ **Coordenada astronômica.** *Astr.* Cada um dos arcos de círculo máximo da esfera celeste, utilizado para definir um ponto dessa esfera; coordenada celeste. **Coordenada celeste.** *Astr.* Coordenada astronômica. **Coordenada cíclica.** *Fís.* Coordenada ignorável. **Coordenada geográfica.** *Astr.* Cada uma das duas coordenadas (a latitude e a longitude) de um ponto sobre a superfície da Terra, referidas ao equador e a um meridiano-origem. **Coordenada horizontal.** *Astr.* Cada uma das coordenadas astronômicas do sistema que tem como plano fundamental o plano do horizonte real e como eixo principal a vertical do lugar. São: o azimute, a altura e o complemento de altura. **Coordenada ignorável.** *Fís.* A que não figura explicitamente na expressão da lagrangiana dum sistema; coordenada cíclica. **Coordenada reduzida.** *Fís.* Qualquer das coordenadas, de pressão reduzida, temperatura reduzida ou volume reduzido; variável reduzida. **Coordenadas areocêntricas.** *Astr.* Coordenadas de um astro, ou de um ponto da superfície do planeta Marte, em relação ao centro deste planeta. **Coordenadas areográficas.** *Astr.* Coordenadas de um ponto da superfície do planeta Marte, em relação ao seu disco aparente. **Coordenadas cartesianas.** *Geom. Anal.* **1.** Sistema de coordenadas planas em que as famílias de curvas coordenadas são retas paralelas a dois eixos que se cortam. **2.** Sistema de coordenadas tridimensionais em que as famílias de superfícies coordenadas são três famílias de planos respectivamente paralelos a três planos com uma interseção comum. **3.** *P. ext.* Conjunto ordenado de *n* números que determinam a posição de um ponto num espaço de *n* dimensões e representam as distâncias deste ponto a planos generalizados que se interceptam num ponto comum. **Coordenadas cartesianas ortogonais.** *Geom. Anal.* Coordenadas cartesianas em que as famílias de retas (ou as famílias de planos) são perpendiculares entre si. **Coordenadas cilíndricas.** *Geom. Anal.* Coordenadas curvilíneas em que as superfícies coordenadas ortogonais são: superfícies cilíndricas circulares coaxiais; feixe de semiplanos coaxial à família anterior; planos perpendiculares ao eixo comum. **Coordenadas elipsoidais.** *Geom. Anal.* Coordenadas ortogonais em que as famílias de superfícies coordenadas são elipsóides hiperbolóides de uma folha e hiperbolóides de duas folhas, mutuamente perpendiculares e confocais. **Coordenadas elípticas.** *Geom. Anal.* Coordenadas planas ortogonais em que as curvas coordenadas pertencem a uma família de elipses e a uma família de hipérboles, ambas coaxiais e confocais entre si. **Coordenadas esféricas.** *Geom. Anal.* Coordenadas curvilíneas ortogonais em que as famílias de superfícies coordenadas são: superfícies esféricas concêntricas; superfícies cônicas coaxiais com vértice no centro das esferas; feixe de semiplanos coaxiais às superfícies cônicas. **Coordenadas esferoidais.** *Geom. Anal.* Coordenadas curvilíneas ortogonais em que as famílias de superfícies coordenadas são: elipsóides coaxiais e confocais; hiperbolóides de revolução, coaxiais, coaxiais e confocais aos elipsóides; feixe de planos cujo eixo é o mesmo das famílias anteriores. **Coordenadas generalizadas.** *Fís.* Grupo de parâmetros independentes que fixam univocamente o estado de um sistema de natureza mecânica, e que podem ser modificados, arbitrária e independentemente, sem violar os vínculos do sistema. **Coordenadas geocêntricas.** *Astr.* Coordenadas de um ponto de esfera celeste, referidas ao centro da Terra. **Coordenadas heliográficas.** *Astr.* Coordenadas de um astro ou de um ponto na superfície do Sol, em relação ao seu disco aparente. **Coordenadas intrínsecas.** *Geom. Anal.* A curvatura, a torção e o comprimento de arco de uma curva; coordenadas naturais. **Coordenadas naturais.** *Geom. Anal.* Coordenadas intrínsecas. **Coordenadas ortogonais.** *Geom. Anal.* Aquelas em que as famílias de curvas coordenadas ou de superfícies coordenadas são mutuamente perpendiculares. **Coordenadas parabólicas.** *Geom. Anal.* Coordenadas curvilíneas ortogonais em que as famílias de superfícies coordenadas são: parabolóides de revolução com foco na origem; parabolóides de revolução com o mesmo foco e o mesmo eixo que os anteriores, mas abertos em sentido contrário; feixe de planos que passam pelo eixo. **Coordenadas paraboloidais.** *Geom. Anal.* Coordenadas curvilíneas ortogonais em que as famílias de superfícies coordenadas são: parabolóides elípticos coaxiais e confocais; parabolóides elípticos coaxiais e confocais aos anteriores, mas abertos em sentido oposto; parabolóides hiperbólicos confocais e coaxiais aos anteriores. **Coordenadas planetocêntricas.** *Astr.* Coordenadas de um astro, ou de um ponto da superfície de um planeta, em relação ao centro deste. **Coordenadas planetográficas.** *Astr.* Coordenadas de um ponto da superfície de um planeta em relação ao seu disco aparente. **Coordenadas polares.** *Geom. Anal.* Coordenadas planas em que as famílias de curvas coordenadas são: um feixe de retas com um ponto comum; circunferências de círculo com centro neste ponto. **Coordenadas retangulares.** *Geom. Anal.* Coordenadas cartesianas retangulares. **Coordenadas selenocêntricas.** *Astr.* Coordenadas de um ponto da esfera celeste referidas ao centro da Lua. **Coordenadas selenográficas.** *Astr.* Coordenadas de um ponto da superfície lunar em relação ao disco aparente da Lua. **Coordenada tangencial.** *Astr.* Coordenada da projeção cônica de um astro sobre o plano tangente à esfera celeste. **Coordenadas topocêntricas.** *Astr.* Coordendas de um ponto da esfera celeste, referidas ao local da observação. **Coordenadas toroidais.** *Geom. Anal.* Coordenadas curvilíneas ortogonais em que as famílias de superfícies coordenadas são: esferas com centro no eixo dos *z* e que passam por um círculo fixo no plano *xy* com centro na origem; superfícies toroidais com eixo em *Oz* e centro no plano *xy*; feixe de planos com eixo em *Oz*.

coordenado. [Part. de *coordenar*.] *Adj.* Disposto segundo certos métodos e preceitos. ~ V. *eixo*[1] —, *oração* —*a*, *plano* — e *superfície* —*a*.

coordenador (ô). *Adj. e s. m.* Que ou aquele que coordena.

coordenadoria. *S. f.* **1.** Cargo ou funções de coordenador. **2.** Local onde se exercem estas funções.

coordenar. [Do lat. *coordinare*.] *V. t. d.* **1.** Dispor segundo certa ordem e método; organizar; arranjar: *Ainda não escreveu o discurso, mas já coordenou os elementos necessários.* *T. d. e i.* **2.** Ligar, ajuntar por coordenação (2): *A conjunção* mas *coordena, nesta frase, a segunda oração à primeira.*

coordenativa. [Fem. substantivado de *coordenativo*.] *S. f. Gram.* Conjunção coordenativa.

coordenativo. *Adj.* Relativo a, ou que produz coordenação. ~ V. *conjunção* —*a*.

coorte. [Do lat. *cohorte*.] *S. f.* **1.** Parte de uma legião, entre os antigos romanos: "Viu a mansidão e paciência com que se deixou [Jesus Cristo] prender pelos soldados da coorte romana" (Pe. Antônio Vieira, *Sermões*, VII, p. 267). **2.** Porção de gente armada; tropa. **3.** Multidão de pessoas; magote: "A sociedade recebeu-o prazenteiramente, deu-lhe a primeira linha na coorte dos elegantes" (Camilo Castelo Branco, *Amor de Salvação*, p. 134).

copa. [Do lat. vulg. *cuppa*.] *S. f.* **1.** *Ant.* Vaso covo; taça, copo. **2.** Dorna, balseiro. **3.** A parte superior do chapéu. **4.** Ramagem superior de uma árvore, que forma uma superfície convexa. **5.** Compartimento da casa onde se lavam e em geral se guardam as louças e talheres que se usam às refeições, certos gêneros alimentícios, etc.: "A empregada vai e vem, da copa para a cozinha, carregando os pratos." (Guido Vilmar Sassi, *Piá*, p. 91.) **6.** Louça para serviço de mesa; baixela. **7.** Torneio desportivo em que se disputa uma copa ou taça: a *copa do mundo* (a taça Jules Rimet). **8.** *Bras., RS.* Cada uma das chapas redondas e convexas, de prata, postas nas extremidades do bocal do freio campeiro. ~ V. *copas*. ♦ **Da copa e cozinha.** Muito íntimo; da mais estreita intimidade.

copacabanense *Adj. 2 g.* **1.** De, ou pertencente ou relativo a Copacabana, bairro do Rio de Janeiro (RJ). • *S. 2 g.* **2.** Habitante ou natural de Copacabana.

copacabânico. [Do top. *Copacabana* + *-ico*[2].] *Adj.* Pertencente ou relativo a, ou próprio de Copacabana: "Sorri .... e saí para a noite copacabânica murmurosa de mar e multiflorida de estrelas." (Gilberto Amado, *Depois da Política*, p. 21.)

copaço. *S. m. Bras. Pop.* V. *copázio*.

copa-cozinha. *S. f. Bras.* Compartimento da casa que serve ao mesmo tempo de copa (5) e de cozinha. [Pl.: *copas-cozinhas*.]

copada[1]. *S. f.* **1.** Copo cheio. **2.** Porção de líquido que um copo contém. **3.** *Arquit.* Parte esférica da base das colunas.

copada[2]. *S. f. Bras.* Grande copa de árvore.

copado. [De *copa* + *-ado*[1].] *Adj.* **1.** Que tem copa (3 e 4): "Primeiro era Vargem Alegre, com suas jabuticabeiras copadas, pendidas sobre a cerca." (Caio de Freitas, *Intrusos no Paraíso*, p. 3.) [Sin. (bras.): *çopudo*.] **2.** Que tem forma de copa (1); convexo, bojudo.

copagem. *S. f. Bras.* A copa das árvores: "o sol .... estava a pino e, por entre a copagem negra da mangueira um dos seus raios descia .... sobre o ventre da rapariga" (Aluísio Azevedo, *O Cortiço*, p. 203).

copaíba. [Do tupi *kupa'iwa*.] *S. f. Bras., AM* a *PR.* Árvore frondosa da família das leguminosas (*Copaifera langsdorfii*), de madeira avermelhada e usada em marcenaria, flores alvas com máculas róseas, reunidas em raminhos, sendo o fruto uma vagem drupácea que contém uma semente. Produz um óleo medicinal espesso, viscoso, de tonalidade que vai do amarelo ao pardo. [Sin.: *copaibeira* e *pau-de-óleo*.]

copaíba-branca. *S. f. Bras.* Árvore da família das leguminosas, subfamília cesalpiniácea (*Copaifera guyanensis*); copaíba-do-pará. [Pl.: *copaíbas-brancas*.]

copaíba-curiarana. *S. f. Bras.* Árvore da família das leguminosas, subfamília cesalpiniácea (*Copaifera glycycarpa*), nativa na Amaz. e em MT, e que se distingue das outras copaíbas pela vagem lenhosa e convexa e pelo sabor doce do arilo amarelo que envolve a semente; copaíba-preta. [Pl.: *copaíbas-curiaranas* e *copaíbas-curiarana*.]

copaíba-do-pará. *S. f. Bras.* Copaíba-branca. [Pl: *copaíbas-do-pará*.]

copaíba-jutaí. *S. f. Bras.* Árvore da família das leguminosas, subfamília cesalpiniácea (*Copaifera martii*), que fornece madeira de cerne duro, pardo-avermelhado, resinoso e difícil de se trabalhar. [Pl.: *copaíbas-jutaís* e *copaíbas-jutaí*.]

copaibal (a-i). *S. m. Bras.* Quantidade mais ou menos considerável de copaíbas dispostas proximamente entre si.

copaíba-marimari. *S. f. Bras.* Árvore da família das leguminosas, subfamília cesalpiniácea (*Copaifera reticulata*), que fornece a maior parte do óleo de copaíba exportado pelo Brasil, e madeira avermelhado-clara, que lembra a do cedro, porém mais dura, fibrosa e difícil de trabalhar. [Pl.: *copaíbas-marimaris* e *copaíbas-marimari*.]

copaíba-preta. *S. f. Bras.* Copaíba-curiarana. [Pl.: *copaíbas-pretas*.]

copaibarana (a-i). [De *copaíba* + *-rana*.] *S. f. Bras.* Árvore grande, da família das leguminosas, subfamília cesalpiniácea (*Eperua purpurea*), de flores purpurinas e madeira pardo-avermelhada, resinosa; iebaro.

copaibeira (a-i). *S. f. Bras.* V. *copaíba*.

copaibeiro (a-i). *S. m. Bras., PA* e *MA.* Extrator de óleo de copaíba.

copal. [Do náuatle *kopalli*, 'resina'.] *Adj. (f.)* Diz-se de várias resinas duras e vítreas que se extraem de certas árvores das regiões tropicais e se empregam na preparação de vernizes e lacas.

copar. *V. t. d.* **1.** Tosquiar a rama de (árvore) em derredor, para formar copa (4). **2.** Aparar (o cabelo) por igual em redor da cabeça. **3.** Dar forma convexa ou bojuda a. **4.** Fitar (3): *O cão copou as orelhas.* **5.** *Bras.* Dar a forma de tubo a. *Int. e p.* **6.** Formar copa (a árvore): *O cajueiro está copando*; "Copa-se o bosque, escarpam-se rochedos, / De amenas flores se recamam prados" (Almeida Garrett, *Camões*, p. 9). [Pres. subj.: *cope, copes, cope, copemos, copeis, copem*. Cf. *copéis*, pl. de *copel*.]

coparrão. *S. m.* V. *copázio*: "abancados ao jogo, com grandes coparrões de vinho ao lado!" (Alberto Braga, *Novos Contos*, p. 3).

co-participação. *S. f.* Ato ou efeito de co-participar: *Mal se vê a sua co-participação no trabalho.* [Pl.: *co-participações*.]

co-participante. *Adj. 2 g. e s. 2 g.* Que ou quem coparticipa. [Pl.: *co-participantes*.]

co-participar. [De *co*[1] + *participar*.] *V. t. i.* Participar juntamente com outrem: *Os sócios do clube co-participaram na elaboração do novo estatuto; Vários foram os que co-participaram da reunião.*

copas. [Pl. de *copa* (1).] *S. f. pl.* Um dos naipes [v. *naipe* (1)], vermelho, que se figura com o desenho de um coração, e que nos antigos baralhos portugueses era em forma de taça. ~ V. *copa*. ♦ **Fazer-se em copas.** V. *fechar-se em copas*. **Fechar-se em copas.** Não dizer nada; trancar-se; fazer-se em copas: "Não aplaudia, mas não censurava. Calava-se, fechava-se em copas ao ouvir referências ao nome de Mininha" (Nélson de Faria, *Cabeça-Torta*, p. 64).

copázio. *S. m.* Copo grande; coparrão, copaço.

cope. *S. m. Bras.* Parte do calão[2] (5) que fica no centro, e de malha mais estreita que a do resto.

copé. [Do tupi *ko'pé*, 'na roça'.] *S. m. Bras.* **1.** Cabana de madeira e palha dos guaranis. **2.** *P. ext.* V. *cabana*. [Pl.: *copés*. Cf. *cupé*, pl. *cupés*, e *cupê*, pl. *cupês*.]

copeira. *S. f.* **1.** *P. us.* Copa (5). **2.** Fem. de *copeiro* (1): "Teresinha, quando veio do interior para trabalhar como copeira e arrumadeira, ... quase não cooperou nada" (Stanislaw Ponte Preta, *Febeapá 2*, p. 81).

copeiragem. *S. f. Bras.* **1.** Serviço ou ofício de copeiro (1 e 2). **2.** O conjunto dos copeiros de uma casa.

copeirar. *V. int. Bras.* Trabalhar como copeiro (1); exercer as funções de copeiro (1).

copeiro. *S. m.* **1.** Empregado doméstico que trabalha na copa (5) e serve à mesa. **2.** Aquele que preparava doces e licores. **3.** Aparador (3) para copos e garrafas. **4.** Intervalo cônico das rodas da carruagem. • *Adj.* ~ V. *engenho* — e *engenho* — *rasteiro*.

copejada. *S. f.* **1.** Ato ou efeito de copejar; copejadura. **2.** Parte da rede de galeão onde se reúne o peixe para ser copejado.

copejador (ô). *S. m.* Aquele que copeja.
copejadura. *S. f.* Copejada (1).
copejar. *V. t. d.* **1.** Cravar o arpão em. **2.** Pescar com arpão. [Conjug.: v. *pelejar.*]
copel. *S. m. Bras.* Saco de malha miúda, das redes de arrastar. [Pl.: *copéis.* Cf. *copeis,* do v. *copar.*]
copela. [Do it. *coppella.*] *S. f.* Cadinho empregado na copelação.
copelação. *S. f. Metal.* Operação de refino de metais nobres (ouro, prata), na qual o material é aquecido até à fusão numa mufla e as impurezas presentes são oxidadas e se volatizam ou se depositam no fundo do cadinho.
copelar. *V. t. d.* Submeter à copelação; apurar na copela; passar pela copela.
copenhaguense. *Adj. 2 g.* **1.** De, ou pertencente ou relativo a Copenhague, capital da Dinamarca. ● *S. 2 g.* **2.** Natural ou habitante dessa cidade.
copeógnato. *S. m.* e *adj.* V. *corrodente.*
copeógnatos. *S. m. pl. Zool.* V. *corrodentes.*
copépode. *S. m.* **1.** Espécime dos copépodes. ● *Adj. 2 g.* **2.** Pertencente ou relativo a eles.
copépodes. *S. m. pl. Zool.* Animais metazoários, artrópodes, crustáceos, da subclasse *Copepoda,* na maioria microscópicos ou muito pequenos, e cujo tronco tem nove somitos livres, sendo os quatro últimos, nas espécies parasitas, desprovidos de apêndices e reduzidos.
copeque (é). [Do turco *köpek,* 'cão', atr. do russo *kopeika* e do fr. *kopeck.*] *S. m.* Moeda soviética que vale a centésima parte do rublo.
co-periódico. [De co-[1] + *periódico.*] *Adj. 2 g. Mat.* Que tem os mesmos períodos que outro: *O seno e o co-seno são funções co-periódicas.* [Pl.: *co-periódicos.*]
copernicano. *Adj.* **1.** De, pertencente ou relativo ao astrônomo polonês Nicolau Copérnico (1473-1543), ou próprio dele, ou de seu sistema cosmológico. — V. *sistema* —. ● *S. m.* **2.** Aquele que segue ou aceita o sistema cosmológico de Copérnico [oposto, em geral, ao *sistema ptolemaico* (q. v.)].
cópia. [Do lat. *copia.*] *S. f.* **1.** Transcrição textual do que está escrito algures; traslado. **2.** Reprodução de uma obra de arte; de uma fotografia, de um filme, etc. **3.** *Fot.* Cópia, normalmente feita em papel fotográfico, obtida a partir de um negativo; cópia fotográfica. **4.** *Pop.* Retrato, imagem: *O filho é a cópia do pai.* **4.** Imitação, reprodução: *A sua casa é uma cópia da em que ele passou a infância.* **5.** Grande quantidade; abundância: *O general passou revista a grande cópia de soldados.* [Cf. *copia,* do v. *copiar.*] ◆ **Cópia azul.** *Art. Gráf.* Cianotipia (2). **Cópia fotográfica.** Cópia (3). **Cópia fotostática.** *Art. Gráf.* V. *fotocópia* (2). **Cópia heliográfica.** *Art. Gráf.* Cópia obtida por qualquer processo de heliografia. **Cópia por contato.** *Fot.* Cópia de um negativo colocado diretamente sobre o papel fotográfico; apresenta, destarte, as mesmas dimensões e forma do negativo. [Sin.: *cópia-contato.* Tb. se diz apenas *contato.*] **Cópia xerográfica.** *Art. Gráf.* V. *xerografia* (2).
copiá. *S. m. Bras.* V. *copiar*[1]: "Na frente da casa erguia-se o copiá feito de piteira e folhas de bananeiras." (Bernardo Élis, *Ermos e Gerais,* p. 60.)
cópia-contato. *S. f. Fot.* V. *cópia por contato.* [Pl.: *cópias-contatos* e *cópias-contato.*]
copiadeira. *S. f.* **1.** *Fotogr.* V. *chassi* (6). **2.** *Fotogr.* Aparelho para copiar negativos e que produz, em geral, positivos do mesmo tamanho que estes.
copiador (ô). *S. m.* **1.** Copista[1] (1). **2.** V. *copiógrafo.* **3.** Livro onde se copiam, por decalque ou por outro processo, cartas e outros documentos, no comércio, etc. **4.** Prensa que se usa para copiar cartas ou faturas escritas com tinta copiativa, apertando-as entre as folhas, umedecidas, do livro copiador. **5.** *Fotogr.* Fotogravador que se ocupa no trabalho de cópia. **6.** *Fotogr.* V. *chassi.* (6).
copiadora (ô). [Fem. de *copiador.*] *S. f.* Casa comercial especializada em fazer cópias heliográficas, ou fotocópias, xerox, etc., de documentos.
copiagem. *S. f.* **1.** *Fotogr.* Operação de copiar na superfície sensibilizada o negativo ou o diapositivo fotográfico. **2.** *Fot.* Operação de copiar por meios fotoquímicos.
copião. *S. m. Cin.* Cópia de todos os planos de um filme em que só há imagem (o som é gravado depois) e as indicações que precedem as seqüências e a elas sucedem, e da qual o montador se serve para selecionar as imagens que deverão constar do filme acabado: "a Polícia recuperou em S. Paulo o copião do filme *A Selva,* baseado no romance de Ferreira de Castro, roubado há dias" (*Jornal do Brasil,* Rio, 6.11.72).
copiar[1]. [Var. de *copiara* (q. v.) outra var.: *copiá.*] *S. m. Bras., N.* e *N.E.* **1.** Varanda contígua à casa; alpendre: "para descansar da escandalosa mandriice, atirava o corpo para o fundo duma excelente maqueira de tucum, armada no copiar" (Inglês de Sousa, *O Missionário,* pp. 367-368); "espaireceu nas circunvizinhanças e conversou no copiar de Trindade com as filhas desta vizinha." (Xavier Marques, *Jana e Joel,* p. 99). **2.** Parte aberta de barraca ou de casa rústica, espécie de vestíbulo desta.
copiar[2]. *V. t. d.* **1.** Fazer a cópia de; transcrever: *Mandaram-no copiar todo o texto.* **2.** Reproduzir, imitando: *Como exercício, copiam telas de grandes mestres da pintura.* **3.** Inspirar-se em; imitar: *Em sua obra copia o estilo de Machado de Assis.* **4.** Imitar, plagiar: *Não faz outra coisa senão copiar autores de renome.* **5.** *Fot.* Reproduzir (um negativo). *T. d. e i.* **6.** Obter, adquirir, por cópia: *Os invasores copiaram do inimigo os projetos que se baseavam numa técnica por eles desconhecida. P.* **7.** Imitar-se reciprocamente. [Pres. ind.: *copio, copias, copia,* etc. Cf. *cópia.*]
copiara. [Do tupi *kopi'ara.*] *S. f. Bras.* V. *copiar*[1].
copiativo. *Adj.* Que se presta para copiar: *lápis copiativo; tinta copiativa.*
copico. *S. m. Bras.* Certa peça da rede de pescar.
copidescar. *V. t. d.* Fazer o trabalho de copidesque (1) em: *Copidescou muito bem a reportagem, que estava ilegível.* [Conjug.: v. *trancar.*]
copidesque. [Do ingl. *copy desk.*] *S. m. Edit., Jorn.* **1.** Redação final de um texto com vistas à sua publicação; correção, aperfeiçoamento e adequação de um texto escrito às normas gramaticais, editoriais, etc. **2.** *P. ext.* Aquele que faz o copidesque (1). **3.** Setor do jornal, revista, casa editora, etc., em que se faz o copidesque (1).
copilação. *S. f.* Var. de *compilação* [q. v.].
copilador (ô). *S. m.* Var. de *compilador* [q. v.].
copilar. *V. t. d.* Var. de *compilar* [q. v.].
copilatório. *Adj.* Var. de *compilatório* [q. v.].
co-piloto (ô). [De co-[1] + *piloto.*] *S. m.* Aquele que dirige um avião juntamente com o piloto. [Pl.: *co-pilotos.*]
copio. *S. m.* Rede miúda de arrastar.
copiografar. *V. t. d.* Reproduzir por meio do copiógrafo; autocopiar. [Pres. ind.: *copiografo,* etc. Cf. *copiógrafo.*]
copiografia. *S. f.* Reprodução de texto ou desenho por meio de copiógrafo.
copiográfico. *Adj.* Referente à copiografia, ou ao copiógrafo.
copiógrafo. [De *cópia* + *-o-* + *-grafo.*] *S. m.* Utensílio formado sobretudo por uma pasta gelatinosa sobre a qual se estampa um escrito ou desenho, do qual se extraem mecanicamente numerosos exemplares; autocopista, copiador, polígrafo. Cf. *copiografo,* do v. *copiografar.*]
copiosamente. [Do fem. de *copioso* (ô) + *-mente.*] *Adj.* De maneira copiosa; com abundância; abundantemente.
copiosidade. *S. f.* Qualidade de copioso; abundância.
copioso (ô). [Do lat. *copiosu.*] *Adj.* **1.** De que há cópia (5); abundante: "o príncipe perfeito .... saboreou .... uma tão copiosa quão delicada refeição" (José Régio, *O Príncipe com Orelhas de Burro,* p. 235). **2.** Grande, extenso.
copirraite. [Do ingl. *copyright*] *S. m.* Direito exclusivo de imprimir, reproduzir ou vender obra literária, científica ou artística.
copista[1]. [De *cópia* + *-ista.*] *S. 2 g.* **1.** Pessoa que copia; copiador. **2.** V. *escrevente.* **3.** Escriba (3). **4.** *Fig.* Plagiário, imitador.
copista[2]. [De *copo-* + *-ista.*] *S. 2 g. Pop.* Grande bebedor; beberrão.
copiúva. *S. f. Bras., RJ* a *PR* e *GO.* Arbusto ou pequena árvore, da família das cunoniáceas (*Weinmannia pinnata*), dotada de flores alvo-esverdeadas, pequenas, numerosíssimas, e cujo fruto é pequena cápsula, de cor azul, com duas sementes pilosas; guaraparé, guarapari, guaraparim, pau-do-chapado.
copla. [Do esp. *copla* provenç. *cobla.*] *S. f.* **1.** Pequena composição poética, geralmente em quadras, para ser cantada. [Sin., p. us.: *litrilha.*] **2.** V. *quadra* (4).
coplanar. [De co-[1] + *plano* + *-ar*[1].] *Adj. 2 g. Geom.* Diz-se de uma configuração pertencente ao mesmo plano que outra.
copo. [De *copa.*] *S. m.* **1.** Vaso em geral cilíndrico, sem tampa, pelo qual se bebe, e para outros usos; taça. **2.** O conteúdo de um copo: "Bebera copo sobre copo" (Domingos Monteiro, *Histórias das Horas Vagas,* p. 141). **3.** Qualquer objeto semelhante a um copo. [Aum.: *copaço, copázio, coparrão.*] — V. *copos.* ◆ **Copo químico.** *Quím.* V. *bécher.* **Cuspir no copo em que bebeu.** *Pop.* V. *sujar a água que bebe.* **Não beber nem desocupar o copo.** *Bras., GO. Pop.* V. *não atar nem desatar.* **Ser um bom copo.** *Fam.* Ser muito dado a bebidas alcoólicas; ser bom bebedor.
copo-d'água. *S. m. Bras.* Lanche ou colação que se oferece em manifestação de amigos: "tem-se notícia de várias festas, danças, jantares, ... opíparos copos-d'água." (Raul Lima, *O Fio do Tempo,* p. 95.) [Pl.: *copos-d'água.*]
copo-de-leite. *S. m. Bras.* **1.** Designação comum a duas ervas aquáticas, ornamentais e exóticas, da família das aráceas (*Calla palustris* e *Richardia africana*), de flores femininas e masculinas, brancas, dispostas em espádice amarelo, protegidas por espata alvacenta, suavemente aromática, e cujos frutos se compõem de numerosas bagas vermelhas. **2.** V. *açucena* (1). **3.** V. *cala*[2]. **4.** V. *palma-de-são-josé.* [Pl.: *copos-de-leite.*]
copofone. [De *copo* + *-fone.*] *S. m.* Série de copos graduados que, atritados, emitem sons musicais. [Cf. *harmônica* (1).]
copolímero. [De *co-* + *polímero.*] *S. m. Quím.* Polímero formado por sucessivas aglomerações de grande número de duas moléculas fundamentais.
copos. [Pl. de *copo.*] *S. m. pl.* **1.** Ornatos de metal nos bocais dos freios. **2.** Guarda da mão na espada: "D. Pedro .... segura a espada nas mãos ambas, tendo uma na bainha e outra nos copos" (Ramalho Ortigão, *As Farpas,* I, p. 228). — V. *copo.*
copra. [Do sânscr. *Kharpara,* atr. do hindustani *khopra.*] *S. f.* Amêndoa do coco seca e preparada para se extrair dela o copraol.
copraol. *S. m.* Substância gordurosa, isenta das partes mais fusíveis, empregada na preparação de supositórios, velas, etc., e que se extrai da copra. [Pl.: *copraóis.*]
coprêmese. [De *copr(o)-* + *êmese.*] *S. f. Med.* Vômito de matéria fecal.
▲**copr(o)-.** [Do gr. kópros, 'excremento'.] *El. comp.* = 'excremento', 'esterco': *coprófago, coprófito, coprêmese.*
coprocrasia. [De *copr(o)-* + *-cras(i)(o)-* + *-ia.*] *S. f. Patol.* Evacuações alvinas involuntárias. [Cf. *diarréia.*]
co-produção. *S. f.* Ato ou efeito de co-produzir. [Pl.: *co-produções.*]
co-produtor. *S. m.* Indivíduo que co-produz. [Pl.: *co-produtores.*]
co-produtos. [De co-[1] + o pl. de *produto.*] *S. m. pl. Econ.* e *Com.* Partes do mesmo animal ou da mesma planta, consideradas como produtos negociáveis distintos.
co-produzir. [De co-[1] + *produzir.*] *V. t. d. Com.* Produzir juntamente com outrem. [Conjug.: v. *aduzir.*]
coprofagia. [De *coprófago* + *-ia.*] *S. f.* **1.** Modo de alimentação dos animais que se nutrem de excremento. **2.** *Patol.* Estado mórbido que impele o indivíduo a comer excremento. [Sin. ger.: *escatofagia.*]
coprofágico. *Adj.* Relativo à coprofagia.
coprófago. [Do gr. *koprophágos.*] *Adj.* **1.** Que pratica a coprofagia; escatófago. ● *S. m.* **2.** Animal ou indivíduo que a pratica.
coprófilo. [De *copr(o)-* + *-filo*[2].] *Adj.* **1.** Que gosta de excrementos; escatófilo. **2.** Diz-se da bactéria que vive nas fezes. ● *S. m.* **3.** Aquele que gosta de excrementos; escatófilo.
coprófito. [De *copr(o)-* + *-fito.*] *S. m. Micol.* Fungo que se desenvolve sobre excrementos.
coprolagnia. [De *copr(o)-* + gr. *lagnéia,* 'lubricidade'.] *S. f. Med.* Excitação sexual produzida pelo cheiro, visão ou contato de matérias fecais.
coprolalia. [De *copr(o)-* + *-lalia.*] *S. f. Patol.* Impulso mórbido que leva o indivíduo a proferir obscenidades.
coprolálico. *Adj.* Relativo à coprolalia.
coprólito. [De *copr(o)-* + *-lito.*] *S. m.* **1.** Excremento fóssil. **2.** Massa fecal endurecida; cíbalo.
coprologia. [De *copr(o)-* + *-log(o)-* + *-ia.*] *S. f.* **1.** Emprego de expressões obscenas, imundas, em literatura. **2.** O versar temas imundos em obras literárias. **3.** Estudo dos adubos orgânicos. **4.** O estudo das fezes.
coprológico. *Adj.* Referente à coprologia.
coproma. [De *copr(o)-* + *-oma.*] *S. m. Patol.* Fecaloma (1).
co-propriedade. [De co-[1] + propriedade.] *S. f.* Condomínio (1). [Pl.: *co-propriedades.*]
co-proprietário. [De co-[1] + *proprietário.*] *S. m.* V. *condômino.* [Pl.: *co-proprietários.*]
copta (ó). *Adj. 2 g.* **1.** Da, ou relativo ou pertencente à raça egípcia que conservou os caracteres dos primitivos

habitantes do Egito. ● *S. 2 g.* **2.** Indivíduo pertencente a esta raça. **3.** Cristão jacobita do Egito. ● *S. m.* **4.** *Ling.* O egípcio antigo, língua camito-semítica escrita, do séc. III em diante, com caracteres gregos, e que hoje é usado apenas como língua litúrgica. [F. paral.: *copto.*]

cóptico. [Do lat. *copticu.*] *Adj.* Relativo ou pertencente aos coptas.

copto. *Adj.* e *s. m.* Copta.

copuda. [Fem. substantivado de *copudo.*] *S. f. Bras.* Planta da família das rosáceas (*Licania parinarioides*).

copudo. *Adj. Bras.* Copado (1): *mangueiras copudas;* "no pouso, sob um pau-terra *copudo* e retorcido ouviram de longe um vozeiro estranho e agourento." (Afonso Arinos, *Lendas e Tradições Brasileiras*, p. 30).

cópula. [Do lat. *copula.*] *S. f.* **1.** União, ligação. **2.** O ato sexual; coito. [Sin. (p. us.), nessas acepç.: *copulação.*] **3.** *Mús.* Registro de órgão que une um teclado com outro ou os teclados manuais com a pedaleira. **4.** *Gram. Ant.* Verbo que liga o atributo ao sujeito. **5.** *Lóg.* O verbo ser enquanto exprime a relação entre predicado e sujeito. [Cf. *copula*, do v. *copular.*]

copulação. [Do lat. *copulatione.*] *S. f.* **1.** *P. us.* V. *cópula* (1 e 2). **2.** *Quím.* Reação entre um composto diazóico e um fenol ou uma amina.

copulador (ô). [Do lat. *copulatore.*] *Adj.* e *s. m.* Que ou o que copula.

copular. [Do lat. *copulare.*] *V. t. d.* **1.** Ligar, ajuntar; unir; emparelhar, acasalar. *T. i.* e *int.* **2.** Ter cópula (2): *Copula com vários homens;* Um touro vivia *copulando* à vista de todos, ao ar livre." (Chico Buarque, *Fazenda-Modelo*, p. 15). [Pres. ind.: *copulo, copulas, copula*, etc. Cf. *cópula* e *copular.*]

copulativa. [Fem. substantivado de *copulativo.*] *S. f. Gram.* Conjunção copulativa.

copulativo. [Do lat. *copulativu.*] *Adj.* Que serve para ligar; que liga ~ V. *conjunção* —*a*, e *verbo* —.

➧**copyright** (cópi'ráit). [Ingl.] *S. m.* V. *copirraite.*

coque[1]. [T. onomatopéico.] *S. m.* **1.** V. *cascudo*[2]. **2.** Cozinheiro, mestre-cuca. **3.** *Bras.* Penteado feminino que consiste em enrodilhar os cabelos de trás da cabeça: "Os cabelos, penteados rentes à cabeça, formavam meticuloso *coque* na nuca." (Vasconcelos Maia. *O Leque de Oxum*, p. 57.) [Cf. *cocó.*]

coque[2]. [Do ingl. *coke.*] *S. m. Quím.* Carvão amorfo, resultante da calcinação e pirólise do carvão mineral, na qual ocorre a libertação de diversos produtos voláteis. ◆ **Coque de madeira.** *Quím.* O que se obtém pela carbonização da madeira. **Coque de petróleo.** *Quím.* Carvão relativamente puro que se obtém como resíduo na destilação do petróleo. **Coque siderúrgico.** *Metal.* O apropriado à utilização nos altos-fornos.

coqueificação (e-i). *S. f. Quím.* Ação de coqueificar.

coqueificar (e-i). [De *coque*[2] + *-i-* + *-ficar.*] *V. t. d.* Transformar em coque (um carvão). [Conjug.: v. *trancar.*]

coqueiral. *S. m.* Quantidade mais ou menos considerável de coqueiros dispostos proximamente entre si; cocal.

coqueirinho-do-campo. *S. m. Bot.* V. *acumã.* [Pl.: *coqueirinhos-do-campo.*]

coqueiro[1]. [De *coco* (ô) + *-eiro.*] *S. m.* Designação comum a todas as palmeiras que produzem fruto comestível ou de largo emprego industrial. [Cf. *cuqueiro.*]

coqueiro[2]. [De *coco*[2] (2) + *-eiro.*] *S. m. Bras., N.E.* Cantador de coco; coquista. [Cf. *cuqueiro.*]

coqueiro[3]. [De *coco*[1] + *-eiro.*] *S. m.* **1.** *Desus. Pop.* Intrujão, embusteiro, impostor. **2.** *Bras. Gír.* Em carteado, pessoa que joga de modo comedido, firme, seguro, arriscando pouco a sorte. [Cf. *cuqueiro.*]

coqueiro-açaí. *S. m. Bras.* V. *açaí* (1). [Pl.: *coqueiros-açaís* e *coqueiros-açaí.*]

coqueiro-amargoso. *S. m. Bras.* Espécie de palmeira (*Syagrus oleracea*); guariroba. [Pl.: *coqueiros-amargosos.*]

coqueiro-anão. *S. m. Bras.* V. *buri-da-praia.* [Pl.: *coqueiros-anões* e *coqueiros-anãos.*]

coqueiro-azedo. *S. m. Bras.* V. *butiá-de-vinagre.* [Pl.: *coqueiros-azedos.*]

coqueiro-babunha. *S. m. Bras.* Babunha. [Pl.: *coqueiros-babunhas* e *coqueiros-babunha.*]

coqueiro-bacaba. *S. m. Bras.* V. *bacaba* (2). [Pl.: *coqueiros-bacabas* e *coqueiros-bacaba.*]

coqueiro-buriti. *S. m. Bras.* V. *buriti.* [Pl.: *coqueiros-buritis* e *coqueiros-buriti.*]

coqueiro-cabeçudo. *S. m. Bras.* **1.** V. *aricuri.* **2.** V. *butiá-de-vinagre.* [Pl.: *coqueiros-cabeçudos.*]

coqueiro-caiaué. *S. m. Bras.* Caiaué. [Pl.: *coqueiros-caiaués* e *coqueiros-caiaué.*]

coqueiro-catulé. *S. m. Bras.* Certa palmeira (*Syagrus comosa*). [Pl.: *coqueiros-catulés* e *coqueiros-catulé.*]

coqueiro-da-baía. *S. m. Bras., N.* a *S.* Espique alto, da família das palmáceas (*Cocos nucifera*), dotado de inflorescência em espádices de flores alvas, unissexuadas, protegidas por espata dupla, e cujo fruto é drupa ovóide, grande, fibrosa e dura, em cuja cavidade se encontra albume lactescente e oleaginoso, comestível; coco-da-baía. [Pl.: *coqueiros-da-baía.*]

coqueiro-da-praia. *S. m. Bras.* V. *buri-da-praia.* [Pl.: *coqueiros-da-praia.*]

coqueiro-de-dendê. *S. m. Bras.* V. *dendezeiro.* [Pl.: *coqueiros-de-dendê.*]

coqueiro-de-vênus. *S. m. Bras.* Dracena. [Pl.: *coqueiros-de-vênus.*]

coqueiro-do-campo. *S. m. Bras.* V. *acumã.* [Pl.: *coqueiros-do-campo.*]

coqueiro-guriri. *S. m. Bras.* V. *buri-da-praia.* [Pl.: *coqueiros-guriris* e *coqueiros-guriri.*]

coqueiro-jataí. *S. m. Bras.* Butiá (2). [Pl.: *coqueiros-jataís* e *coqueiros-jataí.*]

coqueiro-macho. *S. m.* Feto arbóreo da família das ciateáceas (*Cyathea arborea*). [Pl.: *coqueiros-machos.*]

coqueiro-pissandó. *S. m. Bras.* V. *ariri* (1). [Pl.: *coqueiros-pissandós* e *coqueiros-pissandó.*]

coqueiro-tarampaba. *S. m. Bras., AM* e *MT.* V. *bacaba* (3). [Pl.: *coqueiros-tarampabas* e *coqueiros-tarampaba.*]

coqueiro-tucum. *S. m. Bras.* V. *cumari* (1). [Pl.: *coqueiros-tucuns* e *coqueiros-tucum.*]

coqueluche. [Do fr. *coqueluche.*] *S. f.* **1.** Doença infecciosa aguda, produzida por bactéria, altamente contagiosa, peculiar à infância, e que, lesando o aparelho respiratório, se manifesta por acessos de tosse violenta; tosse convulsa, tosse comprida, tosse de guariba. **2.** *Fig.* Pessoa, coisa ou hábito que desfruta momentaneamente da preferência ou atenção popular: "Como era namorador [Alceu Amoroso Lima]. Era a *coqueluche* das moças." (Antônio Carlos Vilaça, *O Desafio da Liberdade*, p. 37); *Assistir a novelas pela televisão é agora a coqueluche da cidade.* **3.** Hábito ou vício dominador; paixão; mania: "Jogar castanhas era a *coqueluche* da meninada." (Hermano Requião, *Itapagipe*, p. 28.)

coqueluchóide. *Adj. 2 g.* Semelhante à coqueluche.

coqueria. *S. f. Quím.* Numa planta industrial, a instalação onde se procede à coqueificação.

coquete. [Do fr. *coquet, coquette.*] *Adj. 2 g.* **1.** Que procura despertar a admiração de outrem: *Aos 90 anos, mostrava-se coquete ao alardear a boa condição física e mental.* **2.** Diz-se de quem é faceiro e cuida exageradamente da aparência por prazer ou a fim de agradar aos outros. [Nestas acepç., no Brasil, é m. us. no fem.] ● *Adj.* (*f.*) **3.** *P. ext.* Diz-se de mulher leviana, volúvel, inconstante. ● *S. 2 g.* **4.** Pessoa coquete.

coquetel. [Do ingl. *cock-tail.*] *S. m.* **1.** Bebida preparada com a mistura de duas ou mais bebidas alcoólicas, ou suco de tomate ou de certas frutas, gelo, às vezes açúcar, etc. **2.** Reunião social, ordinariamente com muitos convidados e a partir das 19 horas, por ocasião da qual se servem, em pé, coquetéis, salgadinhos, canapés. **3.** *Cul.* Iguaria preparada com peixe, marisco ou crustáceo, caracterizada pelo molho abundante, feito em geral com maionese, creme de leite e molho de tomate, e servida gelada em taça: *coquetel de camarão; coquetel de lagosta.* [Pl.: *coquetéis.*] ◆ **Coquetel Molotov.** Bomba de fabricação caseira.

coquetelaria. *S. f. Bras.* Arte de preparar coquetéis: "Um grande concurso de *coquetelaria* movimentou a semana paulista" (Zózimo Barroso do Amaral, *Jornal do Brasil*, 19.7.1981).

coqueteleira. [De *coquetel* (1) + *-eira.*] *S. f. Bras.* Recipiente em que se preparam coquetéis.

coqueteria. [Do fr. *coquetterie.*] *S. f.* Coquetismo.

coquetismo. [De *coquete* + *-ismo.*] *S. m.* Qualidade ou modos de coquete (3 e 4); coqueteria.

coquilho. [De *coco* (ô) + *-ilho.*] *S. m.* **1.** Planta da família das canáceas (*Canna glauca*), nativa na Amaz., BA e MT, de rizoma tuberoso, comestível, caule e folhas glaucas, flores amareladas, e cujo fruto encerra sementes de albume córneo. **2.** A amêndoa ou parte exportável dos cocos explorados para produção de óleo (babaçu, licurizeiro, etc.).

coquinho. [Dim. de *coco* (ô).] *S. m. Bras.* V. *jeribazeiro.*

coquinho-babá. *S. m. Bras.* Palmeira da família das palmáceas, do *N.* e *N.E.* do Brasil (*Desmoncus setosus*), de caule nodoso, fino, flexível, de até 4 m de comprimento, folhas invaginantes, flores monóicas e fruto pequeno, arredondado, polposo e mucilaginoso. [Pl.: *coquinhos-babás* e *coquinhos-babá.*]

coquirana. *S. f. Bras., Amaz.* Var. de *ucuquirana.*

coquista. *S. m. Bras., N.E.* V. *coqueiro*[2].

cor. [Do lat. *cor.*] *S. m. Ant.* Coração[1] (1). [Cf. *cor* (ô).]

◆ **De cor.** Com fundamento ou base na memória; de memória: *Conhece Byron de cor;* "*Já a lera [a carta] muitas vezes e sabia-a quase de cor*" (*Domingos Monteiro, Histórias das Horas Vagas*, p. 51).

cor (ô). [Do lat. *colore.*] *S. f.* **1.** *Ópt.* Característica de uma radiação eletromagnética visível de comprimento de onda situado num pequeno intervalo de espectro eletromagnético [q. v.], a qual depende da intensidade do fluxo luminoso e da composição espectral da luz, e provoca no observador uma sensação subjetiva independente de condições espaciais ou temporais homogêneas. [Contrapõe-se ao branco, que é a síntese dessas radiações, e ao preto, que é a ausência de luz.] **2.** O aspecto dos corpos decorrente da percepção daquelas radiações pelo órgão visual, determinado, basicamente, por suas variáveis (a fonte de luz e a superfície refletora, um objeto colorido), e que tem como atributos principais o matiz, a luminosidade e a saturação: *as cores do arco-íris; O vermelho é uma cor; O daltonismo é uma perturbação no reconhecimento das cores.* **3.** *P. ext.* Qualquer cor (1 e 2), exceto o branco, o preto e o cinzento. **4.** A propriedade que têm os corpos, naturais ou artificiais, de absorver ou refletir a luz em maior ou menor grau: "as *cores* nascem quando a luz vai despontando, / as *cores* morrem quando a luz vai se escondendo." (Gilca da Costa Melo Machado, *Poesias*, p. 162). **5.** Qualquer matéria corante (pigmento, tinta etc.) existente na natureza ou obtida quimicamente, inclusive o branco, o preto e o cinzento. **6.** A cor (2) predominante num objeto ou num ambiente; colorido, tom: *a cor de um automóvel; Mudou a cor do quarto.* **7.** As cores da bandeira, ou de outra insígnia, que servem como distintivo de um país, instituição, grupo, etc.: *as cores nacionais; as cores dum clube.* **8.** O colorido da pele, e especialmente das faces: *homem de cor branca; Ao ver a antiga namorada, fugiram-lhe as cores.* **9.** *Fig.* Realce, relevo; colorido: *dar cor à verdade.* **10.** *Fig.* Aparência, aspecto, mostra: *Foi uma mentira com a cor da verdade.* **11.** *Fig.* Característica particular; feição, marca, tom: *cor política; a cor polêmica dos debates; Os romances de Bernardo Guimarães têm cor local.* **12.** *P. ext.* V. *paleta* (2). [Pl.: *cores* (ô). Cf. *cor*, s. m., e *cores*, do v. *corar* e pl. de *cor.*]

◆ **Cor complementar.** A cor primária (específica de luz ou de tinta) excluída da mistura das duas outras da mesma variável, e correspondente a uma cor primária da variável oposta. Ex.: a cor primária (de luz) magenta é a complementar da primária (de tinta) verde, obtida quimicamente pela mistura amarelo com o ciã. [Este princípio aplica-se também à extensa gama de cores terciárias, cada uma das quais tem a sua complementar, que se forma na retina no ato da percepção da cor, segundo a tendência para o equilíbrio característica dos fenômenos da natureza.] **Cor de burro fugido.** *Burl.* Cor de burro quando foge. **Cor de burro quando foge.** *Burl.* Cor estranha, indefinida; cor de burro fugido. **Cor espectral.** *Ópt.* A de uma radiação eletromagnética visível monocromática. **Cor fria.** A que ocupa, no espectro visível, a fixa compreendida entre o verde e o violeta, além de toda a gama de cinzas. **Cor fundamental.** Cada uma das cores do espectro visível [q. v.]. **Cor local.** **1.** Na pintura tradicional, a representação dos objetos com suas características exteriores, tais como a contextura, o volume, o peso, etc., procurando-se dar ao observador a ilusão de que se encontra, objetivamente, em face desta realidade. **2.** *Fig.* Conjunto de características exteriores com que, numa obra de arte, se assinala um local, tempo ou pessoa; *um romance com muita cor local.* **Cor neutra.** Cor indefinida e pouco vistosa, como, p. ex., o cinza, o pardo, o bege. **Cor primária.** Cor (2) que não resulta da mistura de duas outras, mas depende do uso das variáveis luz ou tinta, havendo, assim, cores primárias específicas de luz (verde, vermelho, azul), quando se trata da projeção luminosa colorida sobre superfície branca, ou cores primárias específicas de tinta (amarelo, ciã e magenta), quando se trata de pigmentos expostos à luz branca. **Cor quente.** A que ocupa, no espectro visível, a faixa compreendida entre o vermelho e o amarelo, além de toda a gama de marrons e ocres. **Cor secundária.** A que resulta da mistura de duas cores primárias de luz (como, p. ex., o amarelo que se obtém pela superposição de um foco verde e de um vermelho), ou da mistura química de duas cores primárias de luz (como, p. ex., o vermelho resultante da mistura química do magenta com o amarelo). **Cor terciária.** A que resulta da mistura de uma cor primária com uma ou mais cores secundárias em proporções variáveis: o verde azulado, o azul esverdeado, o vermelho arroxeado, etc. [A maioria das cores existentes na natureza pertence a essa categoria.] **De cor.** **1.** Diz-se das pessoas que têm a cor da pele naturalmente escura: *homem de cor.* **2.** Diz-se de coisa de qualquer cor [v. *cor* (3)]: *tapete de cor; blusa de cor.* **3.** Com traje de cor (3): — *A viúva estava de luto? — Não, estava de cor.* [Em expressões como *estava de azul, trajava de amarelo, vestida de branco,* etc., as palavras designativas de cores trazem implícita a idéia de vestido, roupa, traje: *estava de azul* equivale, pois, a 'estava de vestido azul'.] **Ficar sem cor.** Empalidecer de súbito por efeito de emoção, ou tornar-se pálido, macilento, por efeito de doença; perder a cor. **Mudar de cor.** Tornar-se pálido, lívido, ou corado, ruborizado, por efeito de emoção repentina. **Perder a cor.** Ficar sem cor. **Sob cor de.** V. *sob color de:* "Num instante se negociou o casamento; não conseguindo a rainha mais do que certas ressalvas, para lhe garantir o futuro, *sob cor de o garantir à nação*" (Oliveira Martins, *Vida de Nun'Álvares,* p. 79). **Ter boa cor.** Ter as faces naturalmente rosadas, coradas. **Ter má cor.** Ter as faces pálidas, amareladas, descoradas.

▲cor-. Equiv. de *co-*[1].

cora. [Dev. de *corar.*] *S. f.* **1.** Ato ou efeito de corar. **2.** Branqueamento de roupa, cera, etc.

coração[1]. [Do lat. *cor.*] *S. m.* **1.** *Anat.* No homem e nalguns vertebrados, órgão oco, muscular, situado na cavidade torácica, constituído de duas aurículas e dois ventrículos, e que recebe o sangue e o bombeia por meio dos movimentos ritmados de sístole [q. v.] e diástole [q. v.]. [Cf. *circulação sangüínea, grande circulação* e *pequena circulação.*] **2.** *Zool.* Todo segmento que por suas contrações movimenta o sangue ou outro líquido através do corpo dos animais. **3.** *P. ext.* A parte anterior do corpo humano onde se convenciona estar o coração; o tórax, o peito: *Apertou o filho ao coração.* **4.** *Fig.* A parte mais interna, ou a mais central, ou a mais importante, de um lugar, de uma região: *Para vencer a guerra era preciso alcançar o coração do país.* **5.** O coração humano, considerado como a sede dos sentimentos, das emoções, da consciência: *Sua bondade tocou-me o coração. E Mães, a agonizar de fome e de cansaço, / Levam com o coração mais do que com os braços / Os filhos pequeninos." (Vicente de Carvalho, Poemas e Canções,* p. 58). **6.** A natureza ou a parte emocional do indivíduo (por oposição à natureza, ou à parte intelectual, à cabeça): *Põe o coração em tudo e recusa-se a pensar nas conseqüências;* "Eu simplesmente sinto / Com a imaginação. / Não uso o *coração.*" (Fernando Pessoa, *Poesias de Fernando Pessoa,* p. 238). **7.** Caráter, índole, feitio: *ter bom coração; ter coração perverso.* **8.** Amor, afeto: *Deu o coração a quem não o merecia.* **9.** O objeto do amor de alguém: *Desde muito não via o seu coração.* **10.** Coragem, ânimo: *Não lhe falta coração para a luta;* "Enfim, tens *coração* de verme aflita, / Flutuar moribunda entre estas ondas" (Santa Rita Durão, *Caramuru,* VI, p. 41). **11.** Qualquer objeto cuja forma lembra a do coração, ou a que se convencionou ser a do coração. **12.** *P. ext.* Cada um dos pesos do tear com essa forma. **13.** Designação comum a várias plantas. **14.** Designação comum a várias estrelas. **15.** *Bras.* O primeiro dos três compartimentos em que se divide um curral de pescaria. **16.** *Bras., N.E.* Mangará. ♦ **Coração bovino.** *Med.* Coração muito aumentado de tamanho; coração de boi. **Coração de boi.** *Med.* Coração bovino. **Coração de ouro.** **1.** O de pessoa extremamente bondosa, generosa. **2.** Pessoa com essa qualidade: "Magalhães é um *coração de ouro*" (Machado de Assis, *Relíquias de Casa Velha,* p. 186). **Coração de pedra.** **1.** O de pessoa insensível, desalmada, cruel. **2.** Pessoa com essa qualidade. **Coração direito.** *Anat.* A parte do coração constituída pela aurícula e pelo ventrículo direito, e pela qual circula o sangue venoso [q. v.], e que é completamente isolada do coração esquerdo. **Coração esquerdo.** *Anat.* A parte do coração constituída pela aurícula e pelo ventrículo esquerdo, e pela qual circula o sangue arterial [q. v.], e que é completamente isolada do coração direito. **Abrir o coração.** Abrir-se, desabafar(-se). **Com o coração na mão.** Com o coração nas mãos: "Diga-me uma cousa, mas fale verdade, não quero disfarce; há de responder com o *coração na mão.*" (Machado de Assis, *Dom Casmurro,* p. 135.) **Com o coração nas mãos.** Aflito, angustiado, em alto grau; com o coração na mão. **Cortar o coração.** Cortar a alma. **De todo o coração.** Sinceramente, afetuosamente. **Falar com o coração nas mãos.** Falar com sinceridade; falar do coração. **Falar do coração.** Falar com o coração nas mãos. **Pôr o coração à larga.** Não se afligir, não se preocupar com aquilo que possa suceder: "—Realmente, três dias para caminhar onze léguas! Neste andar chegaremos ao Coqueiro quando as galinhas tiverem dentes. / — Ora, *ponha o coração à larga.*" (Cardoso de Oliveira, *Dois Metros e Cinco,* p. 323.) **Ter coração de pedra.** V. *ter cabelo no coração* (3). **Ter o coração perto da goela.** *Bras., N.E. Pop.* Ser muito franco; não saber ocultar o que sente ou pensa.

coração[2]. *S. f. Ato ou efeito de corar.*

coração[3]. *S. m. Bras., RJ.* Sala; varanda.

coração-de-boi. *S. m. Bras.* Árvore pequena, da família das anonáceas *(Anona reticulata),* de folhas ásperas, pulverulentas e avermelhadas, numerosas flores, amarelas ou de um branco esverdeado, com máculas purpúreas, e cujo fruto é baga composta, de casca avermelhada ou amarelada. Fornece madeira fibrosa e macia, usada em construção civil. [Sin.: *ata, condessa, jacama, graviola, miloló, pinha, araticum, araticum-de-cheiro.* Pl.: *corações-de-boi.*]

coração-de-bugre. *S. m. Bras.* V. *aroeira-de-bugre.* [Pl: *corações-de-bugre.*]

coração-de-estudante. *S. m. Bras.* Designação comum a várias plantas da família das bignoniáceas. [Pl.: *corações-de-estudante.*]

coração-de-negro. *S. m. Bras.* V. *catinga-de-porco* (2). [Pl.: *corações-de-negro.*]

coração-magoado. *S. m. Bras.* Planta da família das amarantáceas *(Iresine herbstii);* orelha-de-porco. [Pl.: *corações-magoados.*]

coração-verde. *S. m. Bras.* V. *beberu.* [Pl.: *corações-verdes.*]

coraçãozinho. [Dim. de *coração*[1].] *S. m. Bras., PE.* Baba-de-boi-da-campina.

coraciforme. *S. m.* **1.** Espécime dos coraciformes. ● *Adj.* **2.** Pertencente ou relativo a eles.

coraciformes. *S. m. pl. Zool.* Aves neórnites, neognatas, da ordem coraciformes, diurnas, de porte pequeno. Têm tarsos curtos, com o terceiro e o quarto dedos ou os dedos externos anteriores soldados até à segunda ou terceira falange; bico duro e forte. São os martins-pescadores e as juruvas.

coracirrostro. *S. m.* **1.** Espécime dos coracirrostros. ● *Adj.* **2.** Pertencente ou relativo a eles.

coracirrostros. *S. m. pl. Zool.* Animais metazoários, cordados, vertebrados, aves passeriformes, com o bico longo e forte, bastante grande.

coracóide. [Do gr. *korakoeidés.*] *Adj. 2 g.* **1.** Recurvo, coracóideo. ~ V. *apófise* —. ● *S. m.* **2.** *Zool.* Um dos três ossos componentes da cintura escapular dos vertebrados ovíparos de respiração pulmonar.

coracóideo. *Adj.* Coracóide. ~ V. *apófise* —*a.*

coraçonada. [Do esp. *corazonada.*] *S. f. Bras., RS.* Coisa que o coração (5) diz ou dita; pressentimento, palpite: "Sempre me deu uma *coraçonada* para fazer umas perguntas... mas engoli a língua." (Simões Lopes Neto, *Contos Gauchescos e Lendas do Sul,* p. 127.)

co-radical. [De *co-*[1] + *radical.*] *Adj. 2 g. Gram.* Diz-se de palavras que têm o mesmo radical. [Pl.: *co-radicais.*]

corado. [De *corar.*] *Adj.* **1.** Que tem cor (ô) (1 e 2); tinto, colorido. **2.** Que tem as faces vermelhas: *meninos sadios corados.* **3.** Rubro pela afluência de sangue à pele. **4.** *Fig.* Cheio de pudor; envergonhado: *A maliciosa anedota deixou-a corada.* **5.** Branqueado, limpo, pela exposição ao sol: *roupa corada.* **6.** Tostado ao fogo: *batatas coradas.*

coradoiro. *S. m. Bras.* V. *coradouro.*

coradouro. [Var. de *coradoiro.*] *S. m. Bras.* **1.** Lugar onde se põe roupa a corar (2); quarador, quaradouro: "foi ficar à porta, olhando as lavadeiras que .... estendiam a roupa nos *coradouros* ou em cordas que vergavam" (Coelho Neto, *Turbilhão,* p. 189). **2.** Ato de corar (2).

coragem. [Do fr. ant. *corages,* atualmente *courage.*] *S. f.* **1.** Bravura em face do perigo. **2.** Intrepidez, ousadia. **3.** Resolução, franqueza, desembaraço: *Confessou com coragem a sua falta.* **4.** Perseverança, constância, firmeza: *Foi notável sua coragem durante todo o longo período dos estudos.* ● *Interj.* **5.** Us. para infundir coragem.

corais. [Pl. de *coral*[1].] *S. m. pl.* Carúnculas rubras de algumas aves. ~ V. *coral.*

coraixita. *S. 2 g.* **1.** Indivíduo dos coraixitas, tribo árabe à qual pertencia Maomé. [Cf. *maometismo.*] ● *Adj. 2 g.* **2.** Pertencente ou relativo a essa tribo.

corajoso (ô). *Adj.* **1.** Que tem coragem: *homem corajoso;* "Não sou *corajoso:* tenho medo de ter medo." (Guilherme Figueiredo, *Despropósitos,* p. 66). [Sin., bras., pop.: *corajudo.*] **2.** Que denota coragem: *procedimento corajoso.*

corajudo. *Adj. Bras. Pop.* Corajoso (1): "Zé Bento — eta sujeito *corajudo!*" (Nélson de Faria, *Tiziu e Outras Estórias,* p. 54.)

coral[1]. [Do gr. *korállion,* atr. do lat. *corallium* e do cat. ant. *corall.*] *S. m.* **1.** Animal celenterado, antozoário, de corpo em forma de pólipo com tentáculos orais e tubo digestivo dividido em septos e com sifonóglifo. Provido de endoesqueleto ou exosqueleto calcário, vive nos mares quentes, a pouca profundidade, e é responsável pela formação de recifes e atóis. Conhecem-se atualmente cerca de 6.200 espécies. [Cf. *hidra* (2).] **2.** *Fig.* Cor vermelho-amarelada característica das colônias do coral-vermelho. ● *Adj. 2 g.* e *2 n.* **3.** Que tem essa cor; coralino: *blusas coral.* ♦ **Coral da roda.** *Constr. Nav.* Forte peça de madeira, curva, que reforça a ligação da roda de proa à quilha, em embarcação de casco de madeira. **Coral do cadaste.** *Constr. Nav.* Forte peça de madeira, curva, que reforça a ligação do cadaste à quilha, em embarcação de casco de madeira; curva do cadaste.

coral[2]. *S. f.* V. *flor-de-coral* (4).

coral[3]. *S. f.* **1.** F. red. de *cobra-coral.* **2.** *P. ext.* Qualquer cobra não venenosa de tom avermelhado.

coral[4]. [Var. de *curau* (2), com ultracorreção.] *S. m. Bras., MG* e *RJ.* V. *canjica* (1).

coral[5]. [De *coro* (ô) + *-al.*] *Adj. 2 g.* **1.** Referente a coro: *canto coral; declamação coral.* ● *S. m.* **2.** Canto em coro; canto coral. **3.** *Mús.* Forma que se desenvolveu a partir da Reforma protestante: *coral luterano; os corais de Bach.* **4.** *Mús.* Designação de certos grupos corais; madrigal, coro (ô): *o coral Palestrina.*

coral-azul. *S. m.* Animal celenterado, antozoário, alcionário, cenotecário, cujo esqueleto é maciço, formado por fibras cristalinas, calcárias, de coloração azul. São espécies do gênero *Heliopora Blainville,* da região indo-pacífica. [Sin.: *acori.* Pl.: *corais-azuis.*]

coral-branco. *S. m.* Madrépora. [Pl.: *corais-brancos.*]

coral-dos-jardins. *S. m.* V. *flor-de-coral* (4). [Pl.: *corais-dos-jardins.*]

coraleira. *S. f.* **1.** Pequena embarcação empregada na pesca do coral[1] (1); coraleiro. **2.** Árvore cujas flores imitam corais. [Cf. *coral*[1] (1 e 2).]

coraleiro. *Adj.* **1.** Concernente à pesca do coral[1] (1). ● *S. m.* **2.** Pescador de coral[1] (1). **3.** Coraleira (1). **4.** *Bras.* V. *papagaio-do-peito-roxo.*

coraliário. *S. m.* e *adj.* V. *antozoário.*

coraliários. *S. m. pl. Zool.* V. *antozoários.*

corálico. *Adj. Mús.* Relativo à forma coral: "Tanto para os textos quanto para as melodias *corálicas,* o período clássico acabava de encerrar-se, quando J. S. Bach surgiu no cenário musical." (Henriqueta Rosa Fernandes Braga, *Do Coral e Sua Projeção na História da Música,* p. 18.)

coraliforme. *Adj. 2 g.* ~ V. *raiz* —.

coralígeno. [De *coral* + *-i-* + *-geno.*] *Adj.* Que é da origem do coral[1] (1).

coralimorfário. *S. m.* **1.** Espécime dos coralimorfários. ● *Adj.* **2.** Pertencente ou relativo a eles.

coralimorfários. *S. m. pl. Zool.* Animais metazoários, celenterados, antozoários, zoantários, actiniários, subordem *Corallimorpharia,* desprovidos de áreas ciliadas nos filamentos e providos de tentáculos capitados.

coralina. [Fem. substantivado de *coralino.*] *S. f.* Incrustação calcária, variegada, de uma espécie de alga.

coralíneo. *Adj.* Procedente do coral[1] (1), ou da natureza dele. [Cf. *coralino.*]

coralino. [Do lat. *corallinu.*] *Adj.* **1.** Coral[1] (3). **2.** Diz-se do recife formado pelo acúmulo de seres vivos portadores de carapaça calcária. [Cf. *coralíneo.*]

coralista. *S. 2 g.* Corista (1): *A Nona Sinfonia, de Beethoven, foi cantada por 300 coralistas.*

coral-negro. *S. m.* Coral-preto. [Pl.: *corais-negros.*]

coral-preto. *S. m.* Animal celenterado, antozoário, zoantário, antipatário, com esqueletos em forma de plantas cujos galhos são formados de material córneo, do qual saem os pequenos pólipos. Ocorre, em águas tropicais profundas e têm coloração escura. [Sin.: *coral-negro.* Pl.: *corais-pretos.*]

coral-venenosa. *S. f. Bras.* V. *cobra-coral-venenosa.* [Pl.: *corais-venenosas.*]

coral-verdadeira. *S. f. Bras.* V. *cobra-coral-venenosa.* [Pl.: *corais-verdadeiras.*]

coral-vermelho. *S. m.* Animal celenterado, antozoário, alcionário, gorgonáceo, do gênero *Corallium* Marsiglio, e cujas colônias, de coloração vermelha e arborescentes, são utilizadíssimas em joalharia. [Pl.: *corais-vermelhos.*]

coramastro. [Do ingl. *quartermaster.*] *S. m. Bras. Mar. Merc.* Homem de vigia ao portaló de navio mercante, e a quem compete, além da tarefa de vigilância, cuidar da amarração, folgando-a ou tesando-a quando necessário, e bater as horas no sino de bordo.

coramina. [Nome registrado.] *S. f.* A piridina B- carboxildietilamina, empregada como estimulante cardíaco.

➧**coram populo** (Córam pópulo). [Lat.] Na presença do povo; publicamente.

coranchim. *S. m. Bras., SP.* V. *curanchim.*

corandel. [Var. de *corondel*   cat. *corondell*, pelo esp. *corondel.*] *S. m. Tip.* Parte da composição em medida mais estreita que a da página ou coluna, e destinada a vestir ilustração; recorrido. [Pl.: *corandéis.*]

corante. *Adj. 2 g.* e *s. m.* Que ou substância que cora, que dá cor (ô). ♦**Corante ácido.** *Quím.* O que se usa para tingir fibras sintéticas e animais, e que opera em solução ácida. **Corante ao mordente.** *Quím.* O que se usa para tingir sobretudo a lã, e cuja ação e efeito são realçados pela adição de um mordente, como, p. ex., o cromo. **Corante azóico.** *Quím.* Composto azóico, usado para tingir especialmente o algodão. **Corante básico.** *Quím.* Corante aplicado sobretudo ao papel, e que é um derivado amino ou aminossubstituído. **Corante de cuba.** *Quím.* O que se fixa sobre uma fibra na forma de solução incolor e adquire depois, por oxidação, a coloração final. **Corante direto.** *Quím.* O que se usa para o tingimento de algodão e fibras vegetais, e que opera num banho ao qual se adiciona cloreto de sódio ou sal de Glauber. Pertence, muitas vezes, à classe dos corantes azóicos. **Corante substantivo.** *Quím.* O que tinge as fibras sem o auxílio de mordentes.

corar. [Do lat. *colorare*, atr. duma forma *coorar.] *V. t. d.* **1.** Dar cor a; colorir, tingir, pintar: *As índias coram o corpo com urucu e outras substâncias tintoriais.* **2.** Branquear, expondo ao sol (roupa, cera, etc.). **3.** Tornar favorável ou agradável na aparência; disfarçar, desculpar; atenuar: *Tentou corar a mentira com uma explicação. Int.* **4.** Denunciar vergonha, pudor, prazer, embaraço, etc., pelo rubor das faces; enrubescer. **5.** Branquear em conseqüência de ficar exposto ao sol: *A lavadeira estendeu a roupa a corar.* **6.** Tornar-se vermelho ou corado; enrubescer, ruborizar-se: "levantei-a nos meus braços, e confesso que foi corando de vergonha" (José de Alencar, *Lucíola*, p. 121). **7.** Envergonhar-se, pejar-se, enrubescer: "Guerreiros, não coro / Do pranto que choro." (Gonçalves Dias, *Obras Poéticas*, II, p. 25). *Não coras de proceder tão mal?* [No Brasil, nas acepç. 2 e 5 (em geral com referência à roupa), se diz, muito comumente, *quarar.* Pres. ind.: *coro*, etc. Pres. subj.: *core, cores*, etc. Cf. *coro* (ô), s. m., e *cores* (ô), pl. de cor (ô), e *couro.*]

corbelha (é). [Do fr. *corbeille.*] *S. f.* **1.** Cesto delicado, em geral de vime ou de madeira, que se enche de doces, frutas, flores, etc. **2.** Lugar onde se expõem os presentes de núpcias.

corbícula. *S. f. Zool.* Aparelho coletor de pólen das abelhas, formado por uma franja de pêlos nas tíbias posteriores.

corça (ô). *S. f.* **1.** A fêmea do corço. **2.** *Pop.* A fêmea do veado. [Cf. *corsa, fem. de corso*[3].]

corcel. [Do fr. ant. *corsier*, hoje *coursier.*] *S. m.* **1.** Cavalo de campanha. **2.** Cavalo muito corredor: "Era como a sensação sublime de galopar pelas alturas, num corcel de lenda, crescido magnificante, roçando as nuvens lustrosas..." (Eça de Queirós, *A Ilustre Casa de Ramires*, p. 435.) [Pl.: *corcéis.*]

corcha (ô). [Do esp. *corcha.*] *S. f.* **1.** Casca de árvore. **2.** Cortiça (1). **3.** Rolha de cortiça (1). **4.** Folha de madeira usada para tapar a boca das peças de artilharia.

corcho (ô). [Do esp. *corcho.*] *S. m.* Vaso de cortiça (1).

corço (ô). *S. m.* **1.** Mamífero eurásico, artiodáctilo, ruminante, da classe dos cervídeos *(Capreolus capreolus)*, leve de pequeno porte, chifres curtos, cauda rudimentar, e cuja pelagem é parda no verão e acinzentada no inverno. **2.** *Pop.* Veado pequeno. [Cf. *corso.*]

corcoroca. [F. sincopada de *corocoroca*, voc. onom. imitante do ronco do peixe.] *S. f. Bras.* **1.** Designação comum a várias espécies de peixes teleósteos, percomorfos, da família dos pomadasídeos, gênero *Haemulon* (Cuv.), especialmente *Haemulon sciurus* (Shaw), do Atlântico, e que ocorre desde a Flórida ao RJ. Coloração amarelo-esverdeada ou verde-amarelada, abdome claro, estrias longitudinais azuladas sobre o corpo, que desaparecem depois da morte. A carne é de qualidade inferior, é pescada com redes de arrasto e também com linhas de fundo. Alimenta-se de vermes, crustáceos, moluscos e pequenos peixes. **2.** Peixe teleósteo, percomorfo, da família dos pomadasídeos, *H. plumiere* (Lac.) de cor bronzeada, com listas azuis apenas na cabeça e parte anterior do corpo. [Sin. (nestas acepç.): *abiquara ou biquara, arrebenta-panela, boca-de-fogo, boca-de-velha, cambuba, capiúna, cocoroca, corocoroca boca-de-fogo, corocoroca-mulata, crocoroca, macaca, negramina, pirambu, sapuruna, uribaco, xira.*] **3.** Peixe teleósteo, percomorfo, da família dos pomadasídeos (*Pomadasys corvinaeformis* (Steind.)), da costa atlântica.

corcova. [Do lat. hispânico *curcuvu*, 'encurvado'.] *S. f.* **1.** Curva saliente: "Para além a serra crescia em corcovas doces" (Eça de Queirós, *A Cidade e as Serras*, p. 203). **2.** V. *corcunda* (1). **3.** *Bras.* Corcovo (ô).

corcovado. [De *corcova* + *-ado*[1].] *Adj.* **1.** Que tem corcova (1 e 2). ● *S. m.* **2.** *Bras.* V. *uru*[1].

corcovadura. *S. f.* **1.** Ato ou efeito de corcovar. **2.** V. *corcunda* (1).

corcovar. *V. t. d.* **1.** Dar forma arqueada a; curvar. *Int.* **2.** Dar corcovos; corcovar-se, corcovear(-se), ginetear. *P.* **3.** Dar corcovos; corcovar, corcovear. **4.** Ficar curvado; curvar-se. [Pres. ind.: *corcovo*, etc. Cf. *corcovo* (ô).]

corcoveador (ô). *Adj.* Que corcoveia.

corcovear. *V. int.* e *p.* **1.** V. *corcovar* (2 e 3): "O cavalo corcoveava pela várzea, que parecia uma cabra" (José de Alencar, *O Sertanejo*, p. 107). **2.** Curvetear (1). [Conjug.: v. *frear.*]

corcovo (ô). [Do lat. hispânico *cucurvu*, 'encurvado'.] *S. m.* Salto que o cavalo dá, arqueando o dorso; pinote. [Var.: *corcova.* Sin. (bras.): *curveta.* Pl.: *corcovos* (ó). Cf. *corcovo* do v. *corcovar.*]

corcunda. [Cruz. de *carcunda* (q. v.) com *corcova.*] *S. f.* **1.** Protuberância deforme nas costas ou no peito; corcova, corcovadura, bossa, geba, giba, gibosidade, cacunda. ● *S. 2 g.* **2.** Pessoa que tem corcunda (1); cacunda, cacundo. ● *S. m.* **3.** *Bras.* Alcunha que nos tempos da Independência se dava aos partidários dos portugueses, da monarquia absoluta e do Reino Unido: "Pensava segundo a disposição do dia liberal exaltado ou conservador corcunda." (Machado de Assis, *Páginas Recolhidas*, pp. 38-39.) **4.** *Bras.* No período regencial, adepto do partido restaurador ou caramuru. **5.** *Bras.* V. *carimboto.* ● *Adj. 2 g.* **6.** Que tem corcunda (1); gebo, geboso, giboso.

corda. [Do lat. *chorda.*] *S. f.* **1.** Cabo de fios vegetais unidos e torcidos uns sobre os outros. **2.** Fio de tripa, de seda, de náilon ou de aço, esticado sobre a caixa de ressonância dum instrumento de cordas. [V. *bordão*[2] (2 e 3).] **3**. Lâmina de aço que aciona o maquinismo dos relógios e doutros instrumentos. **4.** Série, cadeia, cordão: *corda de pessoas;* "naquele dia .... andava eu no Minho, por aquela corda de chãs e outeiros, que abrangem quatro léguas" (Camilo Castelo Branco, *Amor de Salvação*, p. 10). **5.** *Anat.* Corda vocal. **6.** *Encad.* Cada um dos barbantes que se prendem com a costura, dentro das serrotagens, e cujas pontas são enfiadas ou coladas nas pastas do livro. [V. *nervo* (6 e 7).] **7.** *Geom.* Segmento de uma secante a uma curva, ou a uma superfície, compreendido entre dois pontos de interseção. **8.** *Constr. Nav. Ant.* Cada uma das vigas longitudinais que, nas naus, galeões, etc., juntamente com os vaus e as latas, agüentavam os pavimentos. **9.** *Marinh.* Pedaço de cabo ligado ao badalo do sino de bordo. [É este, a bordo, o único cabo que tem o nome de *corda* Cf. *sicorda.*] **10.** *Bras.* Terras próximas que se estendem na mesma direção; cordão. **11.** *Bras., RS.* Entre os campeiros, o laço. **12.** Manada de porcos domésticos ou selvagens: *uma corda de queixadas.* **13.** Antiga unidade de medida de comprimento equivalente a 15 palmos, ou seja, 3,3 m. ~ V. *cordas.* ♦**Corda do tímpano.** *Anat.* Ramo do nervo facial que contribui para a inervação das glândulas salivares e dois terços anteriores da língua. **Corda sensível.** Lado fraco do caráter de alguém, e em que é mais fácil tocá-lo, comovê-lo. **Cordas simpáticas.** *Mús.* Cordas que, por um fenômeno acústico, vibram quando outra corda é tocada. **Corda vocal.** *Anat.* Cada uma das quatro pregas de membrana vocal, existentes no interior da laringe, sendo as duas superiores denominadas as *falsas cordas vocais*, e as duas inferiores *as verdadeiras cordas vocais*, pois são as que influem na fonação. [Tb. se diz apenas *corda.*] **Com a corda no pescoço.** Em aperto, em apertura; em apuros: *estar, viver, andar com a corda no pescoço.* **Dançar na corda bamba.** Ver-se em situação embaraçosa. **Dar corda a** *Bras. Fam.* **1.** Dar a (alguém) pretexto para falar muito ou para namorar. **2.** Alimentar pretensões a (alguém): "— Essa menina, que pelos modos não tem que fazer, namora a torto e a direito, dá corda a quanto bicho-careta lhe arreganha os dentes." (Artur Azevedo, *Contos Cariocas*, p. 67.) **Dar corda ao relógio.** Enrolar-lhe a corda, a fim de que o maquinismo comece ou continue a andar. **Estar com toda a corda. 1.** Estar livre de qualquer inibição ou coação. **2.** Falar incessantemente, movido por grande entusiasmo ou excitação: "— Ah! Pois o senhor não sabia do sucesso? —, prossegue o cego Daniel que estava com toda a corda" (Antônio Versiani, *Viola de Queluz*, p. 39). **Roer a corda. 1.** Faltar a uma promessa, a um compromisso. **2.** Desfazer um negócio, um contrato. **Serem a corda e a caçamba.** Serem inseparáveis (duas pessoas); andarem sempre juntas.

▲**-corda.** Equiv. de *cordo-.*

corda-d'água. *S. f.* Chuva forte; cordoada. [Pl.: *cordas-d'água.*]

corda-de-ibeji. *S. f. Bras., BA.* Festa especial dos gêmeos, na qual se estende uma corda de lado a lado do barracão, onde se penduram frutas e outros objetos, e, no meio da festa, as pessoas pulam para tirá-los. [Pl.: *cordas-de-ibeji.*]

cordado. [De *corda(-dorsal)* + *-ado*[1].] *S. m.* **1.** *Zool.* Animal que durante pelo menos um estágio da vida, ou durante toda ela, apresenta notocórdio. ● *Adj.* **2.** *Morfol. Veg.* ~ V. *folha* —*a.*

corda-dorsal. *S. f. Zool.* Cordão fibroso de sustentação que constitui o esqueleto primitivo dos cordados. [Pl.: *cordas-dorsais.*]

cordagem. *S. f.* V. *cordame.*

cordaitácea. *S. f.* Espécime das cordaitáceas.

cordaitáceas. *S. f. pl. Paleob.* Família de gimnospermas fósseis pertencente à classe das cordaitales.

cordaitáceo. *Adj.* Pertencente ou relativo às cordaitáceas.

cordaitales. *S. f. pl. Paleob.* Classe de gimnospermas exclusivamente fósseis, de porte arbóreo e com folhas lineares ou lanceoladas acumuladas no ápice do tronco. Estames com cinco a seis sacos polínicos e carpelos dotados de um só óvulo na extremidade. Compuseram grandes florestas durante o período devoniano superior, as quais desapareceram no curso do mesozóico. Encerra duas famílias: cordaitáceas e pitiáceas.

cordame. *S. m.* **1.** Conjunto de cordas; cordoada, cordoalha. **2.** Reunião dos cabos do aparelho dum navio. [Sin. ger.: *cordagem.*]

cordão. [Do fr. *cordon.*] *S. m.* **1.** Corda delgada. **2.** Cabo de pequeno diâmetro, formado de muitos fios de cobre e empregado em ligações elétricas. **3.** Série, fileira, corda: *cordão de serras;* "caminhava triunfante e feliz no meio do cordão das irmandades religiosas" (Aluísio Azevedo, *O Mulato*, p. 18). **4.** Corrente que se usa pendente do pescoço: "A madrinha deu-lhe um cordão de ouro com a medalha de São José" (Moreira Campos, *Os Doze Parafusos*, p. 96). **5.** Série de postos militares para evitar um contágio. **6.** V. *cadarço* (3). **7.** *Bras.* Grupo de carnavalescos, ou participantes de folguedo popular, que saem juntos e muitas vezes com a mesma indumentária ou fantasia. **8.** *Bras., BA.* Corda (10). ~ V. *cordões.* ♦**Cordão de aningas.** *Bras., Marajó.* Designação comum a longas faixas de aningas que, por espaço às vezes de quilômetros, serpeiam no campo baixo e nos mundongos, ocupando o leito dos antigos regos obstruídos. **Cordão de mato.** Bras., AM. Faixa de arvoredo comprida e estreita, no campo. **Cordão umbilical. 1.** *Anat.* Órgão semelhante a um cordão, que liga o feto à placenta e lhe assegura a nutrição por meio de vasos sanguíneos durante a gestação; funículo. **2.** *Astron.* Tubulação entre o solo e um veículo espacial, antes do lançamento deste, destinada a provê-lo de combustível e de energia elétrica.

cordão-de-frade. *S. m. Bras., N.* a *S.* Designação comum a várias plantas de caule herbáceo, da família das labiadas, com propriedades medicinais, de flores grandes, alvas, amarelas, vermelhas ou roxas, e cujo fruto é aquênio; cordão-de-são-francisco, catinga-de-mulata, pau-de-praga, rubim. [Pl.: *cordões-de-frade.*]

cordão-de-são-francisco. *S. m. Bras.* V. *cordão-de-frade.* [Pl.: *cordões-de-são-francisco.*]

cordas. *S. f. pl. Mús.* Na orquestra moderna, o conjunto dos instrumentos de cordas friccionáveis. ~ V. *corda.*

cordato. [Do lat. *cordatu.*] *Adj.* **1.** Que se põe de acordo. **2.** Que tem bom senso; prudente, sensato.

córdax (cs). [Do gr. *córdax.*] *S. m. Teat.* Dança lasciva da antiga comédia grega.

cordeação. *S. f.* **1.** Ato ou efeito de cordear. **2.** Medida tirada com corda. **3.** *Bras., N.E.* Ato ou efeito de cordear (3); cordeamento.

cordeador (ô). *S. m. Bras., N.E.* Funcionário municipal que tem o encargo de determinar a cordeação (3).

cordeamento. *S. m. Bras., N.E.* Cordeação (3).

cordear. *V. t. d.* **1.** Medir com corda. **2.** Alinhar com corda. **3.** *Bras., N.E.* Alinhar (as edificações); arruar.

[Conjug.: v. *frear*. Pres. ind.: *cordeio*, ... *cordeais*, *cordeiam*. Cf. *cordiais*, pl. de *cordial*.]

cor-de-carne. *Adj. 2 g.* e *2 n.* Diz-se da cor bege rosada como a da pele das pessoas brancas.

cordeira. [Fem. de *cordeiro*.] *S. f.* **1.** Cria ainda nova de ovelha; anha. **2.** *Fig.* Pele curtida de cordeira.

cordeiragem. *S. f. Bras., RS.* Porção ou rebanho de cordeiros.

cordeirense. *Adj. 2 g.* **1.** De, ou pertencente ou relativo a Cordeiro (RJ). ● *S. 2 g.* **2.** Natural ou habitante de Cordeiro.

cordeiro. [Do lat. vulg. **cordariu*.] *S. m.* **1.** Filhote ainda novo da ovelha; anho. **2.** Prato feito com ele. **3.** *Fig.* Pessoa mansa e inocente.

cordeiropolense. *Adj. 2 g.* **1.** De, ou pertencente ou relativo a Cordeirópolis (SP). ● *S. 2 g.* **2.** Natural ou habitante de Cordeirópolis.

cordel. [Do provenç. *cordel*.] *S. m.* **1.** Corda muito delgada; cordão, guita, barbante: "Ajeitou os restos sangrentos, ... amarrou-os com o cordel, arremessou tudo novamente na corredeira." (Nélson de Faria, *Tiziu e Outras Estórias*, p. 28.) **2.** *Bras.* Folheto de literatura de cordel [q. v.]. [Pl.: *cordéis*.] ◆ **Cordel detonante.** *Expl.* Acessório para iniciar uma detonação, constituído por um núcleo de alto poder explosivo recoberto por três capeamentos: um de celulose ou de material impregnado de borracha, ou de plástico, à prova de água; outro de fios de juta ou de algodão; e outro de plástico, ou de guta-percha, também impermeáveis à água. [Cf. *estopim comum, estopim hidráulico* e *estopim de segurança*.]

cordelista. *S. 2 g. Bras.* Autor de literatura de cordel.

cordeona. [De *acordeom*.] *S. f. Bras.* V. *concertina*: "o toque .... das cordeonas." (Alcides Maia, *Tapera*, p. 59).

cor-de-rosa. *Adj. 2 g.* e *2 n.* **1.** Da cor vermelho-clara de certas rosas [v. *rosa* (1)]; rosa, rosado, róseo: *veludo cor-de-rosa*; "Trago-te, ainda uma vez, as cor-de-rosa / Rosas de ontem, de hoje, de amanhã" (Odilo Costa, filho, *Boca da Noite*, p. 84). **2.** *Fig.* Risonho, próspero, feliz: *um futuro cor-de-rosa*; *existências cor-de-rosa*. ~ V. *ganso*—. ● *S. m. 2 n.* **3.** A cor vermelho-clara de certas rosas; rosa, rosado, róseo: "Começou logo a sonhar que em redor ia tudo se fazendo de um cor-de-rosa, a princípio muito leve e transparente, depois mais carregado" (Aluísio Azevedo, *O Cortiço*, p. 200). [V. *de cor* (3).]

▲**cordi-.** [Do lat. *cor, cordis*.] *El. comp.* = 'coração': *cordiforme, cordifoliado*.

cordíaca. [Do lat. *cordiaca*, talvez oriundo do cruz. de *cardíaca* com *cor, cordis*, 'coração'.] *S. f. Veter.* Doença no coração dos cavalos.

cordial. [Do lat. *cordiale*.] *Adj. 2 g.* **1.** Relativo ou pertencente ao coração. **2.** Afetuoso, afável. **3.** Sincero, franco. ● *S. m.* **4.** Medicamento ou bebida que fortalece ou conforta: "levam-no [a Almeida Garrett] à farmácia das Necessidades, onde lhe dão cordiais que o reanimam e lhe permitem voltar para a casa" (José Osório de Oliveira, *O Romance de Garrett*, p. 177). [Pl.: *cordiais*. Cf. *cordeais*, do v. *cordear*.]

cordialidade. *S. f.* Qualidade do que é cordial.

cordierita. [Do antr. *Cordier*, de Pierre Louis Antoine Cordier (1777-1861), geólogo francês, + *-ita*[3].] *S. f. Min.* Mineral ortorrômbico, silicato de alumínio e magnésio.

cordifoliado. [De *cordi-* + *-foli-* + *-ado*[1].] *Adj. Bot.* Que tem folhas cordiformes.

cordiforme. [De cordi- + -forme.] *Adj. 2 g.* Em forma de coração: "O vento ensaiava melodias na sua flauta mágica. Tremiam as espadanas, ao rés da água, e as folhas cordiformes dos choupos." (Garibaldino de Andrade, *O Sol e a Nuvem*, p. 144.)

cordilha. [Dim. de *corda*.] *S. f.* O atum ao sair do ovo.

cordilheira. [Do esp. *cordillena*.] *S. f.* **1.** *Geogr.* Sistema de altas montanhas que se desenvolvem em grande extensão, geralmente paralelas e próximas ao litoral, lançando cadeias de montanhas secundárias, contrafortes do maciço central. **2.** *Bras., MT.* Extensão de mato ao longo da barranca dos rios.

cordisburguense. *Adj. 2 g.* **1.** De, ou pertencente ou relativo a Cordisburgo (MG). ● *S. 2. g.* **2.** Natural ou habitante de Cordisburgo.

cordite. [Do lat. *chorda*, 'corda', + *-ite*[2].] *S. f. Quím.* Pólvora à base de nitrocelulose.

cordo. *Adj. Ant.* Der. regress. de *cordato*.

▲**cordo-.** [De *corda*.] *El. comp.* = 'corda'; 'corda de instrumento musical': *cordoveias*; *cordoada*. [Equiv.: *-corda: reocorda*.]

cordoada. [De *cordo-* + *-ada*[1].] *S. f.* **1.** Pancada com cordão ou corda. **2.** V. *cordame* (1). **3.** Corda-d'água. **4.** V. *aguaceiro* (1).

cordoalha. *S. f.* V. *cordame* (1).

cordoaria. *S. f.* **1.** Fábrica de cordas. **2.** *Bras., BA.* Certa rede de pescar.

córdoba. [Do esp. nicaragüense *córdoba*.] *S. m.* Unidade monetária, e moeda, da Nicarágua, que se divide em 100 centavos.

cordoeiro [De *corda*, com infl. de *cordão*.] *S. m.* Fabricante e/ou vendedor de cordas.

cordões. [Pl. de *cordão*.] *S. m. pl. Art. Gráf.* Fios que, em substituição aos cadarços [q. v.] prendem e transportam o papel, nas prensas, pautadoras e dobradoras. ~ V. *cordão*.

cordofanês. *Adj.* **1.** Do, ou pertencente ou relativo ao Cordofão (Sudão). ● *S. m.* **2.** O natural ou habitante do Cordofão. [Flex.: *cordofanesa* (ê), *cordofaneses* (ê), *cordofanesas* (ê).]

cordofone. [De *cordo-* + *-fone*.] *Adj. 2 g.* e *s. m.* Diz-se de, ou instrumento que soa pela vibração das cordas.

➧**cordon-bleu** (cordõ blê). [Fr.] *S. m.* Cozinheira excelente.

cordovaneiro. *S. m.* Fabricante e/ou vendedor de cordovão.

cordovão. [Do moçárabe *cordoban*, 'de Córdova'.] *S. m.* Couro de cabra curtido e preparado especialmente para calçado: "Entrou com o andar manso de costume, em chinelas de cordovão" (Machado de Assis, *Várias Histórias*, p. 212).

cordoveias. [De *cordo-* + o pl. de *veia*.] *S. f. pl. Pop.* As veias jugulares e os tendões do pescoço.

cordovês. *Adj.* **1.** De, ou pertencente ou relativo a Córdova (Espanha e República Argentina). ● *S. m.* **2.** O natural ou habitante de Córdova. [Flex.: *cordovesa* (ê), *cordoveses* (ê), *cordovesas* (ê).]

cordura. [De *cordo* + *-ura*.] *S. f.* Qualidade ou caráter de cordato ou cordo [q. v.].

▲**core-**[1]. [Do gr. *choreía, as*.] *El. comp.* = 'dança': *coregrafia*. [Equiv.: *coreo-*: *coreografia*.]

▲**-core-**[2]. [Do gr. *koré*.] *El. comp.* = 'pupila': *anisocoria*.

co-ré. [De *co-* + *ré*[1].] *S. f.* Fem. de *co-réu*. [Pl.: *co-rés*.]

coreano. *Adj.* **1.** Da, ou pertencente ou relativo à Coréia (Ásia). ● *S. m.* **2.** O natural ou habitante da Coréia. **3.** A língua falada na Coréia, cuja sintaxe apresenta algumas afinidades com o japonês.

corecaru (è). *Bras. S. 2 g.* **1.** Indivíduo dos corecarus, subgrupo indígena baniua dos rios Içana e Cuiari (AM). ● *Adj. 2 g.* **2.** Pertencente ou relativo a esse subgrupo.

corê-corê. *Adj.* e *s. m. Bras., SP. Pop.* Loquaz, palrador. [Pl.: *corê-corês*.]

co-redator. [De *co-*[1] + redator.] *S. m.* Aquele que redige com outrem. [Pl.: *co-redatores*.]

co-redentor. [De *co-*[1] + *redentor*.] *S. m.* Aquele que coopera na redenção. [Pl.: *co-redentores*.]

coregia. [Do gr. *choregía*.] *S. f.* Cargo ou funções de corego.

corégico. [Do gr. *khoregikós*.] *Adj.* e *s. m.* Entre os antigos gregos, dizia-se de, ou monumento erguido em homenagem a um corego: *Existe em Atenas, perto do teatro de Dioniso, um corégico dedicado a Lisícrates.*

corego. [Do gr. *coregós*.] *S. m. Teat.* e *Mús.* Na Grécia antiga, cidadão, sobretudo entre os homens de posse, que superintendia a escolha e os ensaios dos coros das tragédias, comédias, e demais festas públicas, e supria todas as despesas.

coregrafia. *S. f.* V. *coreografia*.

coregráfico. *Adj.* V. *coreográfico*.

corégrafo. *S. m.* V. *coreógrafo*: "O subtil Luciano de Samósata, corégrafo eminentíssimo, amava a dança sobre todas as artes" (Martins Fontes, *A Dança*, p. 13).

coréia[1]. [Do gr. *choreía*, pelo lat. *chorea*.] *S. f.* **1.** Na Grécia antiga, dança acompanhada de cantos: "Já todo o belo coro se aparelha / Das Nereidas, e junto caminhava / Em coréias gentis, usança velha, / Pera a ilha, a que Vênus as guiava." (Luís de Camões, *Os Lusíadas*, IX, 50.) **2.** Bailado; dança. **3.** *Patol.* Distúrbio encefálico caracterizado por movimentos musculares anormais e espontâneos, sem propósito, irregulares, rápidos e transitórios, sugerindo uma dança. [Sin., nesta acepç.: *dança de São Guido, dança de São Vito, remelexo* (pop.) e (bras., Amaz.) *caruara*.]

coréia[2]. [De *Coréia*, top.] *S. f. Bras., N.E.* e *MG. Pop.* Zona de meretrício.

coréico. *Adj.* Relativo a coréia[1] (1 e 2).

coreídeo. *S. m.* **1.** Espécime dos coreídeos. ● *Adj.* **2.** Pertencente ou relativo a eles.

coreídeos. *S. m. pl. Zool.* Família de insetos da ordem dos hemípteros, superfamília dos coreóides. São percevejos fitófagos, predadores das hortas, que atacam o tomate e a abóbora, de tamanho grande e numerosas nervuras na membrana dos hemiélitros.

coreiro. *S. m.* Aquele que reza ou canta num coro (ô). [Cf. *coureiro*.]

coremense. *Adj. 2 g.* **1.** De, ou pertencente ou relativo a Coremas (PB). ● *S. 2 g.* **2.** Natural ou habitante de Coremas.

corenta. *Num. Ant.* e *Pop.* Quarenta (1): "Quando morreu, tinha uns corenta e cinco anos." (Cardoso de Oliveira, *Dois Metros e Cinco*, p. 271.)

▲**coreo-.** Equiv. de core-[1].

coreografia. [De *coreo-* + *-graf(o)-* + *-ia*.] *S. f.* **1.** A arte de conceber e compor a seqüência de movimentos, passos e gestos de um bailado, e de fazer a respectiva notação: *A primeira coreografia da "Sagração da Primavera", de Stravinski, foi feita por Serge Diaghilev.* **2.** A arte da dança ou do bailado (1). [A f. *coregrafia* (bem como, naturalmente, *coregráfico* e *corégrafo*) parece menos boa e não tem uso.]

coreográfico. *Adj.* Pertencente ou relativo a coreografia [q. v.].

coreógrafo. [De *coreo-* + *-grafo*.] *S. m.* Especialista em coreografia [q. v.].

coreópsis. *S. 2 g.* e *2 n.* Gênero de plantas da família das compostas, ornamentais e muito rústicas, de largo emprego em cercaduras.

corera (ê). *S. f. Bras.* V. *crueira* (1).

coresma. *S. f. Ant.* e *pop.* Quaresma: "passou janeiro, passou fevereiro, chegou e passou a coresma sem que o doente nem empiorasse, nem melhorasse." (Bernardo Élis, *Veranico de Janeiro*, p. 26).

co-responsabilidade. [De *co-*[1] + *responsabilidade*.] *S. f.* Responsabilidade que se divide entre duas ou mais pessoas, empresas, etc: "Algumas frases intercaladas no livro (José Veríssimo sabia bem que eu não as havia escrito) me foram atribuídas na co-responsabilidade da publicação." (João Ribeiro, *Cartas Devolvidas*, p. 192.) [Pl.: *co-responsabilidades*.]

co-responsável. *Adj. 2 g.* Responsável juntamente com outrem. [Pl.: *co-responsáveis*.]

coreto (ê). [Dim. de *coro* (ô).] *S. m.* **1.** Espécie de quiosque (1) construído ao ar livre, para concertos musicais **2.** *Bras., MG.* Reunião festiva em que se bebe fazendo saudações cantadas. **3.** *Bras., MG.* O canto dessas saudações: "'Fulano faz anos hoje...' .... Fazem-se saúdes, cantam-se coretos, entre mais demonstrações de amizade.'" (Aires da Mata Machado Filho, *Dias e Noites em Diamantina*, p. 8). [Cf. *cureto*, do v. *curetar*.]

coreu. [Do gr. *choreîos*, pelo lat. *choreu*.] *S. m.* **1.** Pé de verso grego ou latino, formado de uma sílaba longa seguida de outra breve. **2.** *Teat.* e *Mús.* Cântico acompanhado de danças dramáticas e de músicas de flautas e crótalos.

co-réu. [De *co-*[1] + *réu*.] *S. m.* V. *co-acusado*. [Flex.: *co-ré, co-réus, co-rés*.]

coreuta. *S. 2 g. Teat.* Cada um dos membros do coro, no teatro clássico; corista.

corfiota. [Do it. *corfiota*.] *Adj. 2 g.* **1.** Da, ou pertencente ou relativo à ilha de Corfu (Grécia). ● *S. 2 g.* **2.** Natural ou habitante de Corfu.

corgo. *S. m. Pop.* F. sincopada de *córrego*.

corguinhano. *Adj.* e *s. m.* Corguinhense.

corguinhense. *Adj. 2 g.* **1.** De, ou pertencente ou relativo a Corguinho (MS). ● *S. 2 g.* **2.** Natural ou habitante de Corguinho. [Sin. ger.: *corguinhano*.]

coriáceo. [Do lat. *coriaceu*.] *Adj.* **1.** De consistência semelhante à do couro: "Tenho na memória o seu vulto atarracado, vulgar, empastado na gordura espessa, coriácea" (Maria Archer, *Nada Lhe Será Perdoado*, p. 285). **2.** Semelhante ao couro, ou que o lembra.

coriambo. [Do gr. *choríambos*, pelo lat. *choriambu*.] *S. m.* Pé de verso grego ou latino, constituído de um coreu e de um iambo, i. e., de duas sílabas breves entre duas longas.

coriandro. [Do lat. *coriandru*.] *S. m.* Gênero de plantas umbelíferas, ao qual pertence o coentro [q. v.].

coriandrol. *S. m.* Óleo essencial de coriandro. [Pl.: *coriandróis*.]

coriária. [Do lat. *coriaria*, 'relativo ao couro' (subentende-se *substantia*).] *S. f.* **1.** Substância usada no curtume de couros. **2.** Sumagre (1) que a produz.

coriavo. [Voc. onom.] *S. m. Bras.* V. *curiango*.

coribante. [Do gr. *korybas, ántos*, pelo lat. *corybante*.] *S. m.* Sacerdote frígio de Cibele, que dançava nas festas dessa deusa, ao som de flautas, címbalos e tamborins, soltando gritos estridentes: "estrelas, mares, formas, sons, figuras, seres, entram a dançar num coro monstruoso de coribantes loucos" (Gilberto Amado, *A

Dança sobre o Abismo, p. 200).

coribântico. [Do gr. *korybantikós.*] *Adj.* Relativo ou pertencente aos coribantes, ou próprio deles.

córico¹. [Do gr. *korikós. pelo lat. corycu.*] *S. m.* Balão de couro com que os atletas da Grécia antiga se exercitavam.

córico². [Do gr. *chorikós*, pelo lat. *choricu.*] *Adj.* Dizia-se dos versos que eram cantados pelo coro (ô) nas peças teatrais.

coriculo. [Do lat. *coriu*, 'couro', + *-culo.*] *S. m.* Tira de couro; correia.

coridálido *S. m. e adj.* V. *megalóptero.*

coridálidos. *S. m. pl. Zool.* V. *megalópteros.*

coridora (ô). *S. f. Bras.* Peixe teleósteo, siluriforme, da família dos calictídeos, gênero *Corvdoras* Lac., revestido de placas ósseas em duas séries, dorsal e ventral, desprovido de vesícula natatória, e que se alimenta de algas e detritos. São apreciados pelos aquariófilos pela constante limpeza que fazem nos aquários. Conhecem-se ao todo umas 30 espécies, distribuídas por todo o Brasil. [Sin.: *sarro* e *limpa-plantas.*]

corifeu. [Do lat. *coryphaeu.*] *S. m.* **1.** Chefe, diretor, caudilho. **2.** Chefe de seita: "De cada escola filosófica brotam, com os discípulos de maior e mais fecundo engenho, os *corifeus* de novas seitas, os fundadores de sistemas novos" (Latino Coelho, *A Oração da Coroa*, p. XXXIV). **3.** *Teat.* Mestre do coro, na tragédia e comédia antigas, o qual exercia a função de principal representante do povo e de intermediário entre os coreutas [v. *coreuta*] e as personagens principais. **4.** *P. ext.* Indivíduo que ocupa o primeiro lugar ou que se destaca dos demais em uma arte, profissão, categoria, etc.

corimá. *S. m. Bras., SP.* V. *caxambu* (2).

corimbífero. *Adj. Bot.* Que tem flores em corimbo; corimboso.

corimbiforme. *Adj. 2 g.* Semelhante ao corimbo: *cimeira corimbiforme.*

corimbo. [Do gr. *kórymbos*, pelo lat. *corimbu.*] *S. m. Bot.* Tipo muito comum de inflorescência em que as flores partem de alturas diferentes e alcançam o mesmo nível, na porção superior: "Era o sertao, era a floresta inteira / Que em *corimbos*, festões e luz se abria." (Alberto de Oliveira, *Poesias*, 2ª série, p. 272.)

corimbó-da-mata. *S. m. Bras.* Planta trepadeira, da família das bignoniáceas *(Tanaecium nocturnum).* [Pl.: *corimbós-da-mata.*]

corimboso (ô). *Adj. Bot.* Corimbífero: *espécie corimbosa.*

corincho. *S. m. Bras., RS.* Prosa, arrogância, topete, bazófia, pimponice. ♦ **Quebrar o corincho de.** *Bras., S.* Acabar com a bazófia de (alguém); quebrar-lhe a castanha; desmoralizá-lo.

corindiba. *S. f. Bras., S.* V. *quatindiba.*

corindiúba. [Do tupi, talvez.] *S. f. Bras.* V. *quatindiba.*

corindo. *S. m. Min.* Coríndon.

coríndon. [Do sânscr. *kuruvinda*, 'rubi' atr. do tâmul *kurundan* e do fr. *corindom.*] *S. m. Min.* Mineral trigonal, sesquióxido de alumínio, pedra preciosa. [F. paral.: *corindo.*]

coringa. *Bras., PE* e *AL. S. f.* **1.** Pequena vela triangular, usada à proa das canoas de embono. **2.** Vela quadrangular também pequena, que se usa à proa das barcaças. ● *S. m.* **3.** Moço de barcaça. **4.** Pessoa feia e raquítica. [Cf. *curinga.*]

corinocarpácea. *S. f.* Espécime das corinocarpáceas.

corinocarpáceas. *S. f. pl. Bot.* Família de plantas superiores, da ordem das sapindales, que compreende árvores de folhas alternas, flores dispostas em panículas terminais, com o androceu formado por cinco estames e cinco estaminódios, e fruto drupáceo. Englobam umas poucas espécies da Nova Zelândia e adjacências.

corinocarpáceo. *Adj.* Pertencente ou relativo às corinocarpáceas.

corinósporo. *S. m. Bot.* Propágulo simples de várias algas, constituído de uma célula sustentada por um pedículo. É órgão de multiplicação vegetativa.

corintense. *Adj. 2 g.* **1.** De, ou pertencente ou relativo a Corinto (MG). ● *S. 2 g.* **2.** Natural ou habitante de Corinto. [Sin. ger.: *coritiano*¹. Cf. *coríntio.*]

corintiano¹. *Adj* e *s. m.* Corintense.

corintiano². *Bras. Adj.* **1.** Pertencente ou relativo ao Esporte Clube Coríntias Paulista (SP). **2.** Que é torcedor ou jogador dessa agremiação. ● *S. m.* **3.** Membro, torcedor ou jogador dela; coríntiãs. [Sin. ger.: *alvinegro* e *mosqueteiro.*]

coríntiãs. *S. 2 g e 2 n. Bras.* V. *corintiano*² (3).

coríntio. [Do gr. *korínthios*, pelo lat. *corinthiu.*] *Adj.* **1.** De, ou pertencente ou relativo a Corinto (Grécia). ~ V. *ordem* —a. ● *S. m.* **2.** Natural ou habitante de Corinto. [Cf. *corintense.*]

corinto. [Do top. *Corinto.*] *S. m.* **1.** Casca de uvas miúdas, sem sementes, muito usada para passas. **2.** Passa dessas uvas.

cório. *S. m. Anat.* Var. de *córion.*

▲**corio-.** [Do gr. *chórion.*] *El. comp.* = 'membrana': *coróide.*

córion. [Do gr. *chórion.*] *S. m. Anat.* **1.** Membrana que envolve o feto. **2.** Derme. [Var.: *cório.*]

coriônico. *Adj.* Do, pertencente ou relativo ao córion.

coripaca. *Bras. S. 2 g.* e *adj. 2 g.* V. *pajualiene.*

coripaso. *Bras. S. m.* **1.** Indivíduo dos coripasos, tribo indígena aruaque. ● *Adj. 2.* Pertencente ou relativo a essa tribo. [Cf. *baniva.*]

coripétala. *S. f. P. us.* Arquiclamídea.

coripétalas. *S. m. pl. Bot. P. us.* Arquiclamídeas.

coripétalo. *Adj. Morfol. Veg.* **1.** De pétalas livres; apopétalo, dialipétalo: *corola coripétala.* [Opõe-se a *gamopétalo.*] **2.** *Bot. P. us.* Arquiclamídeo.

coriscação. *S. f.* Ato ou efeito de coriscar.

coriscada. *S. f.* Grande porção de coriscos.

coriscado. [De *corisco* + *-ado*¹.] *Adj.* Ferido por corisco, ou por coisa ardente ou estimulante.

coriscante. *Adj. 2 g.* Que corisca: "olhos *coriscantes*, e formas tão esculturais da beleza antiga" (Camilo Castelo Branco, *Noites de Lamego*, p. 166).

coriscar. [Do lat. vulg. **coriscare*, por *coruscare.*] *V. int.* **1.** Brilhar em corisco. **2.** Brilhar como corisco: *O diamante do anel coriscava.* **3.** Faiscar, relampaguear, relampejar. *T. d.* **4.** Lançar, dardejar: *coriscar ameaças.* [Conjug.: v. *trancar.* Normalmente é impess. nas acepç. 1 a 3.]

corisco. *S. m.* **1.** Faísca elétrica. **2.** Centelha que fende as nuvens eletrizadas sem se ouvirem trovões. [Sin. pop. (nesta acepç., no RS): *mandado-de-deus* ou apenas *mandado.*] **3.** *Fig.* Hóspede inesperado.

corista. [De *coro* (ô) + *-ista.*] *S. 2 g.* **1.** Cada um dos membros dos coros teatrais, de igreja, etc.; coralista: "os criados circulavam, oferecendo aos *coristas* arquejantes água nevada e azucarilhos. Depois de novo os braços se erguiam, o coro majestoso recomeçava" (Eça de Queirós, *Cartas Familiares e Bilhetes de Paris*, p. 227). **2.** *Teat.* Coreuta. **3.** *Teat.* Vedete [q. v.] de companhia de revistas. ● *Adj. 2 g.* **4.** Diz-se do religioso que se prepara para ser clérigo e para os deveres de recitar em coro o ofício divino. [Cf. *curista.*]

corixa. *S. f. Bras., MT* e *GO.* Canal por onde as águas das lagoas, dos brejos ou dos campos baixos se escoam para os rios vizinhos. [Var.: *corixe* e *corixo.*]

corixão. *S. m. Bras., MT* e GO. Corixa de grandes proporções.

corixe. *S. m. Bras., MT* e *GO.* V. corixa.

corixo¹. *S. m. Bras.* V. *chupim* (1).

corixo². *S. m. Bras., MT* e *GO.* V. *corixa*: "E assim lá vão os três, lavando palavras, clareando assunto, os animais enxaguando as patas nos *corixos*" (Bariani Ortêncio, *Vão dos Angicos*, p. 56).

coriza. [Do gr. *kóryza*, pelo lat. *coryza.*] *S. f. Patol.* Eliminação de secreção mucosa ou mucopurulenta pelas narinas e decorrente de inflamação do revestimento mucoso das fossas nasais. [Sin.: *defluxo, defluxão* (pop.), *defluxeira* (fam.) e, no RS, *trancaço.*]

corja. [Do malaiala *korchchu.*] *S. f.* **1.** Multidão de pessoas desprezíveis, de má nota; canalha, súcia: *corja de vadios.* **2.** *Ant.* Vinte: *uma corja de livros.*

corjesuense. *Adj. 2 g.* **1.** De, ou pertencente ou relativo a Coração de Jesus (MG). ● *S. 2 g.* **2.** Natural ou habitante de Coração de Jesus.

▲**-corm-.** [Do gr. *kormós, oû.*] *El. comp.* = 'tronco': *nanocormia.*

cormo. *S. m. Morfol. Veg.* Eixo longitudinal das plantas superiores, constituído pela raiz e pelo caule.

cormofítico. *Adj.* Relativo ao cormófito.

cormófito. [De *cormo* + *-fito.*] *S. m. Bot.* Planta superior dotada de cormo. [Opõe-se a *talófito* (1).]

cormófitos. [Pl. de *cormófito.*] *S. m. pl. Bot.* Categoria taxionômica empregada em vários sistemas de classificação vegetal, e caracterizada pela presença do cormo.

cornaca. [Do cingalês *kuruneka.*] *S. m.* **1.** Aquele que guia elefantes e deles cuida: "O cansado *cornaca*, à sombra dos gigantes, / Dorme na areia: ao sul há miragens ridentes; / Passam trombas ao norte, e beduínos distantes: / A alma do mar rodando em todo o areal pressentes." (Luís Delfino, *Algas e Musgos*, p. 142.) **2.** *P. ext.* Indivíduo que guia e/ ou apadrinha outro.

cornácea. *S. f.* Espécime das cornáceas.

cornáceas. *S. f. pl. Bot.* Família de plantas floríferas que contém quase só espécies lenhosas, de folhas opostas e pequeninas flores cimosas. Estas são tetrâmeras em todos os verticilos. Fruto bacáceo ou drupáceo. Engloba umas 115 espécies, na grande maioria do hemisfério norte, sendo apenas uma, pouco importante, conhecida no Brasil.

cornáceo. *Adj.* Pertencente ou relativo às cornáceas.

cornaço. [De *corno* (ô) + aço.] *S. m. Bras., RS.* V. *chifrada.*

cornada. [De *corno* + *-ada*¹.] *S. f.* V. *chifrada.*

cornadura. *S. f.* A armação dos animais cornígeros; chifres, cornos.

cornal. *S. m.* Corneira.

cornalina. [Do fr. *cornaline.*] *S. f.* Variedade vermelha da calcedônia.

cornamusa. [Do fr. *cornemuse.*] *S. f.* Gaita de foles [q. v.]: "Então, ondulam no ar diáfano e fluente / Suavidades idílicas, acordes / De avenas, *cornamusas* e ocarinas / Que vêm de longe, da alma branca dos pastores" (Raul de Leoni, *Luz Mediterrânea*, p. 38).

cornante. *Adj. 2 g.* **1.** Referente a boi, ou a gado cornígero. ● *S. m.* **2.** *Gír.* Boi (1).

cornar. *V. t. d.* Bater ou ferir com os cornos. [Pres. ind.: *corno*, etc. Cf. *corno* (ô).]

corne. [Do ingl. *horn.*] *S. m.* Trompa¹(1).

▲**-corn(e)-.** [Do lat. *cornu.*] *El. comp.* = 'corno', 'chifre', 'antena': *auricórneo, pubicórneo.*

córnea. [Fem. substantivado de *córneo* (subentende-se *membrana*).] *S. f. Anat.* A parte anterior, transparente e de curvatura acentuada, da esclerótica.

corneador (ô). *Adj. Bras., S.* Diz-se do boi que é dado a cornear ou marrar.

corneano. *Adj. Anat.* Da córnea, ou relativo a ela.

cornear. *V. t. d.* **1.** Ferir com os chifres; escornar, marrar, chifrar. **2.** *Pop.* Ser infiel a (a pessoa a quem se está ligado por laços de amor carnal); botar chifre em; pôr chifre em; chifrar: " 'Olhe aqui, Setenta-e-Um, eu acho que minha mulher me *corneia*, e quero saber a verdade.' " (Maria Alice Barroso, *Um Nome para Matar*, p. 101.) [Conjug.: v. *frear.*]

corneíba. *S. f. Bras.* V. *aroeira* (1).

corne-inglês. *S. m.* **1.** *Anat.* Oboé curvo. **2.** Oboé alto, em fá, com o tubo mais longo e mais grosso que o do oboé comum, e o pavilhão esférico. [Pl.: *cornes-ingleses.*]

corneira. *S. f.* Correia que prende o boi à canga pelos cornos; cornal.

corneliano¹. *Adj.* **1.** Pertencente ou relativo a Cornélio Pena (1896-1958), escritor brasileiro, ou próprio dele: "É natural que esteja buscando a generalização sem tentar a dissecação de todos os personagens *cornelianos.*" (Fausto Cunha, *Situações da Ficção Brasileira*, p. 127.) ● *S. m.* **2.** Grande admirador e/ou profundo conhecedor da obra de Cornélio Pena.

corneliano². *Adj.* **1.** Pertencente ou relativo ao poeta dramático francês Pierre Corneille (1606-1684), ou próprio dele. **2.** Diz-se da tragédia feita à maneira das de Corneille. ● *S. m.* **3.** Grande admirador e/ou profundo conhecedor da obra de Corneille.

córneo. [Do lat. *corneu.*] *Adj.* **1.** Feito de corno (1). **2.** Relativo a, ou próprio de corno (1): *objeto de consistência córnea.* **3.** Que tem a natureza do corno (1); duro como corno (1): "Por causa disto, eu vivo pelos matos, / Magro, roendo a substância *córnea* da unha." (Augusto dos Anjos, *Eu*, p. 79.)

córner. [Do ingl. *corner.*] *S. m. Fut.* **1.** Cada um dos quatro ângulos retos formados pela interseção da linha de fundo [q. v.] com a lateral. **2.** Infração que consiste na saída da bola pela linha de fundo, tocada por um jogador que defende; escanteio, esquinado, tiro de canto. **3.** Cobrança dessa infração; escanteio, esquinado, tiro de canto. [Pl.: *córneres.*] ♦ **Chutar para córner.** Pôr (alguém) de lado; dar o fora em; largar; chutar para escanteio.

➡**corner** (córnâr). [Ingl.] V. *córner.*

corneta¹ (ê). [Do it. *cornetta.*] *S. f.* **1.** Instrumento de sopro, com bocal e pavilhão largo. **2.** Trombeta (1). **3.** Instrumento de sopro, feito de metal, dotado de bocal, tubo cilíndrico liso, recurvado sobre si mesmo, e pavilhão cônico. **4.** Registro de órgão. **5.** *Gír.* Nariz (1). **6.** *Bras.* Bandeirola triangular usada na marinha para sinais. **7.** A estrada principal dum formigueiro. ● *S. m.* **8.** Corneteiro. ♦ **Corneta acústica.** Instrumento para concentrar o som no canal auditivo das pessoas surdas. **Corneta de chaves.** A que tem no tubo, liso, orifícios fechados por válvulas ou chaves que, premidas pelos dedos, se abrem para emitir os diferentes sons cromáticos.

corneta² (ê). [De *corno* + *-eta.*] *Adj. 2 g.* **1.** *Bras.* Diz-se do boi ou vaca a que falta um dos cornos. **2.** *Bras., RS.* Diz-se de indivíduo intrometido e trapalhão.

cornetada. *S. f.* Toque de corneta[1] (1).

cornetão-de-semente. *S. m. Bras., BA.* Marido traído que finge não saber. [Pl.: *cornetões-de-semente.*]

cornetear. [De *corneta*[2] (2) + *-ear.*] *V. int. Bras., RS.* Fazer o papel do indivíduo corneta[2] (2). [Conjug.: v. *frear.*]

corneteiro. *S. m.* Aquele que toca corneta num batalhão; corneta.

cornetim. [Do esp. *cornetín.*] *S. m.* **1.** Pequena corneta provida de três chaves. **2.** Aquele que toca esse instrumento.

cornetinha. [Dim. de *corneta.*] *S. f. Lus.* Caramujo (1).

corneto (ê). [Do fr. *cornet.*] *S. m. Anat.* Cada uma das pequenas lâminas ósseas dobradas sobre entre si mesmas, localizadas no interior das fossas nasais; cartucho.

cornicabra. [De *corno* (ô) + *-i-* + *cabra.*] *S. f.* Planta da família das solâneas (*Capsicum annuum*); charneca.

cornicho. [Dim. irreg. de *corno* (1 e 2).] *S. m.* **1.** Tentáculo do caracol. **2.** Antena dos insetos. **3.** Vaso corniforme para água benta, que se costuma pendurar na parede.

córnico. [Do ingl. *cornich*, atr. do fr. *cornique.*] *S. m. Ling.* V. *celta* (2).

corniculado. *Adj. Morfol. Veg.* Diz-se de órgãos ou partes vegetais cujo aspecto recorda o de um chifre minuto: *antera corniculada.*

cornicurto. *Adj.* Que tem cornos curtos.

cornífero. [Do lat. *corniferu.*] *Adj.* Que tem corno(s) ou excrescência em forma de corno; cornígero, cornudo, cornuto, lunado.

cornificado. [De *corno* (ô) + *-i-* + *-ficar* + *-ado*[1].] *Adj. Zool.* Diz-se da estrutura cuja resistência ou dureza semelha à do chifre, ou de uma barbatana ou parte cartilaginosa ou levemente ossificada encontrada em certos animais, como os peixes.

corniforme. *Adj. 2 g.* Que tem forma de corno (1).

cornígero. [Do lat. *cornigeru.*] *Adj.* V. *cornífero.*

cornija. [Do it. *cornice.*] *S. f. Arquit.* **1.** Ornato que assenta sobre o friso de uma obra. **2.** Molduras sobrepostas que formam saliências na parte superior da parede, porta, etc.

cornimboque. [De *corno.*] *S. m. Bras., N., N.E.* e *MG.* Ponta de chifre de boi, usada como caixa de tabaco; tabaqueiro, taroque: "A conversa foi interrompida pela chegada do Mangaba, que .... pediu ao Dunda uma pitada de rapé do seu belo cornimboque com tampa de prata." (J. M. Cardoso de Oliveira, *Dois Metros e Cinco*, p. 235.) [Var.: *corrimboque.*] ♦ **Cornimboque do Diabo.** *Bras.* V. *cafundó* (3). **Cornimboque do Judas.** *Bras.* V. *cafundó* (3).

cornípede. [Do lat. *cornipede.*] *Adj. 2 g.* De patas córneas.

cornípeto. *Adj.* Cornúpeto.

corniso. [Do esp. *cornizo.*] *S. m.* Arbusto araliáceo, espécie de abrunheiro, que pode atingir 5 m de altura.

cornisolo (ô). *S. m.* O fruto do corniso. [Pl.: *cornisolos* (ô).]

corno (ô). [Do lat. *cornu.*] *S. m.* **1.** Apêndice duro e recurvo que guarnece a fronte de alguns animais; aspa, binga, chavelho, chifre, guampa ou guampo, haste. [Há tb., correspondentes ao pl. *cornos*, os sin. *armação, armas* e *tocos.* Cf. *armadura* (3).] **2.** *P. ext.* Antena ou tentáculo semelhante ao corno; chavelho. [Dim. irreg.: *cornicho.*] **3.** Ponta ou objeto que apresenta semelhança com o corno (1). **4.** A substância do corno (1). **5.** V. *buzina* (1). **6.** Trompa ou buzina rudimentar, de uso pastoril. **7.** *Astr.* Cúspide (4). **8.** *Gír.* Marido de adúltera; cornudo, chifrudo, galheiro, galhudo, aspudo, cabrão, cabrum, cervo, faz-de-conta, mumu. **9.** *Bras., N.E. Fam.* Menino manhoso ou levado: "— Cadê aquele corno? / — Tá no terreiro, jogando pião. / — Chama esse corno aqui." (Chico Anísio, *Teje Preso*, p. 36.) ● *Adj.* **10.** *Chulo.* Diz-se do marido de adúltera; chifrudo, galhudo, guampudo, aspudo. [Pl.: *cornos* (ó). Cf. *corno*, do v. *cornar.*] ~ V. *cornos.* ♦ **Não ir com os cornos de.** V. *não ir com.* **Pôr os cornos na Lua.** Pôr nas nuvens.

cornos (ó). *S. m. pl.* V. *armas* (7). ~ V. *corno.*

cornos-do-diabo. *S. m. 2 n. Bras.* V. *chifre-de-veado.*

cornubianito. [Do lat. *Cornubia*, 'Cornualha', + *-ano* + *-ito*[2].] *S. m. Geol.* Rocha finamente granulada, que se forma por metamorfismo de contato.

cornucópia. [Do lat. *cornucopia.*] *S. f.* **1.** Corno mitológico, atributo da abundância, e símbolo da agricultura e do comércio. **2.** Vaso corniforme que se representa cheio de flores e frutos. **3.** *Anat.* A extensão do plexo coróide em cada cavidade do quarto ventrículo [v. *ventrículo* (3)].

cornuda. [Fem. substantivado do adj. *cornudo.*] *S. f. Bras.* V. *peixe-martelo.*

cornudo. [Do lat. cornutu.] *Adj.* **1.** V. *cornífero.* ● *S. m.* **2.** V. *corno* (8).

cornúpeto. [Do lat. *cornupetu.*] *Adj.* Que ataca com o chifre ou corno; cornípeto.

cornuto. [Do lat. *cornutu.*] *Adj.* V. *cornífero.*

coro[1] (ó). [Do lat. *coru.*] *S. m. Ant.* Vento do noroeste, no Mediterrâneo. [Cf. *coro* (ô) e *couro.*]

coro[2] (ó). [Do gr. *kóros.*] *S. m.* Antiga medida hebraica: "À sua mesa gasta [Salomão], por dia, trinta coros de flor de farinha e sessenta de farinha ordinária" (Eugênio de Castro, *Obras Poéticas*, II, p. 154). [Cf. *coro* (ô) e *couro.*]

coro (ô). [Do gr. *chorós*, pelo lat. *choru.*] *S. m.* **1.** Conjunto vocal que se expressa pelo canto ou pela declamação. **2.** *Mús.* Conjunto de cantores, em número mais ou menos considerável, que executam peças em uníssono ou a várias vozes, com acompanhamento ou sem ele, e do qual é padrão o que é constituído por vozes mistas de soprano, contralto, tenor e baixo; orfeão: *coro sacro; coro profano; coro polifônico.* **3.** *Mús.* Composição destinada a esse tipo de execução. **4.** *Mús.* Conjunto de instrumentos musicais da mesma categoria. **5.** V. *coral*[5] (4). **6.** *Teat.* No teatro clássico, conjunto harmônico dos atores que, como representantes do povo junto às personagens principais, e declamando e cantando, narram a ação, a comentam, e freqüentemente nela intervêm com ponderações e conselhos. **7.** *Teat.* Conjunto harmônico de atores de qualquer peça. **8.** *Teat.* Parte de uma obra dramática declamada ou cantada por vários atores. **9.** Balcão, nas igrejas, onde se canta e se toca. **10.** A parte da igreja, no recinto do altar-mor, onde os cônegos, membros de colegiada e seminaristas rezam em comum. **11.** Estribilho dos hinos. **12.** Conjunto de vozes de animais, ou de sons: "Um coro / De aves canta a alegria ingênua de viver" (Vicente de Carvalho, *Poemas e Canções*, p. 153); *um coro de reclamações; um coro de gargalhadas.* [Pl.: *coros* (ó). Cf. *coro*, do v. *corar.* e s. m., *coro* (ó), s. m., *Coro*, top., e *couro.*] ♦ **Coro a capela.** *Mús.* Coro sem acompanhamento instrumental; orfeão. **Coro falado.** *Mús.* Coro declamado, de grandes possibilidades expressivas, usado por vários compositores do séc. XX. **Coro múltiplo.** *Mús.* Aquele cujas partituras são compostas para mais de um conjunto de cantores. **Em coro.** A uma voz; ao mesmo tempo: "De braço dado, as meninas passavam por nós aos grupos, cantando em coro valsas tristes, modinhas de serenatas." (Raquel de Queirós, *As Três Marias*, p. 6.) **Fazer coro com.** Repetir o que (alguém) diz ou faz: "Andrade Ferreira faz coro com os contemporâneos e põe em contraste Júlio Dinis com Camilo" (João Gaspar Simões, *Liberdade do Espírito*, p. 374).

▲**coro-.** [Do gr. *chóra, as.*] *El. comp.* = 'região', 'território', 'país': *corografia.* [Equiv.: *-cor(o)-: ornitocórico.*]

▲**-cor(o)-.** Equiv. de *coro-.*

coró. *S. m. Bras.* **1.** Bicho de esterco; bicho de paus podres. **2.** V. *rato-de-espinho.* **3.** V. *sauiá.* **4.** V. *rato-toró.* **5.** V. *roncador* (4). **6.** V. *bicheira* (2). **7.** V. *escaravelho* (1).

coroa (ô). [Do gr. *koróne*, pelo lat. *corona.*] *S. f.* **1.** Ornato circular com que se cinge a cabeça como sinal de dignidade, vitória, poder, etc. (tanto pode ser uma grinalda de flores como uma jóia de ouro e pedras preciosas [cf. *diadema* (1)]): *coroa de duque; coroa de louros; Napoleão I cingiu a coroa de ferro em 1805.* **2.** O poder ou dignidade real; a monarquia: *os partidários da coroa.* **3.** A pessoa do monarca na condição de chefe de Estado: *os bens da Coroa; o discurso da Coroa.* [Nesta acepç. e na anterior, tb. us. com inicial maiúscula.] **4.** *Fig.* Coroa de louros (2). **5.** V. *tonsura* (2): "lá no fim, no altar-mor, o prior lendo a epístola, numa casula verde desbotada, a pequenina coroa muito nítida nos cabelos duros" (Conde de Ficalho, *Uma Eleição Perdida*, p. 106). **6.** *Fam.* Calvície no alto ou no meio da cabeça. **7.** Cume, cimo, alto. **8.** A forma circular de coroa, de anel, ou objeto coroniforme: *pão de coroa; a coroa de um dossel.* **9.** *Anat.* Porção esmaltada dos dentes, situada fora dos alvéolos. **10.** A face superior do diamante. **11.** Unidade monetária, e moeda, da Suécia, Noruega, Dinamarca, Islândia e Tchecoslováquia. **12.** *Geom.* Superfície plana entre duas circunferências concêntricas. **13.** *Rel.* Rosário com sete padre-nossos e sete dezenas de ave-marias. **14.** Flores dispostas em círculo, enviadas em homenagem aos mortos por ocasião do enterro; coroa funerária. **15.** Tufo circular de penas na cabeça dalgumas aves. **16.** Calvície nos joelhos do cavalo. **17.** *Met.* Meteoro luminoso resultante da difração da luz solar ou lunar através de fina cortina de nuvem, nevoeiro ou poeira, constituído por um círculo ou série de círculos de pequeno raio, tendo por centro o Sol, ou a Lua, cujo bordo-interno é violáceo, sendo o externo avermelhado. [Cf. *halo* (1).] **18.** *Bras.* Baixio, persistente ou temporário, produzido por aluviões, nos estuários e no baixo curso dos rios e lagoas; croa, croinha. **19.** *Anat.* Coroa da glande. [Var.: *croa.*] ● *S. 2 g.* **20.** *Bras. Gír.* Pessoa que está passando da maturidade à velhice. **21.** *Bras. Gír.* Pessoa idosa em relação a quem fala: *Magoou-se quando a filha a chamou coroa.* ♦ **Coroa Austral.** *Astr.* Constelação austral, ao S. do Telescópio e do Altar, a O. do Escorpião e ao N. e L. do Sagitário. [É fácil localizá-la por se encontrar no bordo da Via-láctea, atrás do dardo do Escorpião.] **Coroa branca.** *Astr.* Região da coroa solar que tem espectro semelhante ao da fotosfera, pois reflete a luz desta; coroa de Fraunhofer. **Coroa da glande.** *Anat.* Borda proximal, arredondada, da glande (3), que está separada dos corpos cavernosos pelo colo da glande. [Tb. se diz apenas *coroa.*] **Coroa de emissão.** *Astr.* A região mais interna da coroa solar, e que origina intensas raias de emissão. **Coroa de espinhos. 1.** A que puseram em Cristo. **2.** *Fig.* Grande tormento ou aflição. **Coroa de Fraunhoffer.** *Astr.* Coroa branca. **Coroa de louros. 1.** Na antiguidade greco-romana, coroa de folhas de louro conferida aos que se distinguiam por ações nobres e grandes. **2.** *P. ext.* Prêmio, recompensa, honra, distinção; glória. [Nesta acepç., tb. se diz apenas *coroa.*] **Coroa de máximo.** *Astr.* Coroa solar, muito extensa e intensa, que ocorre nas épocas de máximo de atividade solar. **Coroa de mínimo.** *Astr.* Coroa solar, pouco extensa e pouco intensa, que ocorre nas épocas de mínimo de atividade solar. **Coroa F.** *Astr.* A região mais interna da coroa branca do Sol. **Coroa funerária.** Coroa (14). **Coroa K.** *Astr.* A região mais externa da coroa branca do Sol. **Coroa naval. 1.** *Ant.* Coroa criada pelo imperador romano Cláudio (IV a III séc. a.C.), e concedida aos que praticavam feitos de valor em combates ou ações navais. **2.** *Bras. Mar. G.* Símbolo que encima todos os distintivos de órgãos, estabelecimentos e navios da Marinha do Brasil, constituído por um diadema de ouro ornamentado de pedrarias, com quatro popas de galeão e quatro velas redondas brancas, sendo visíveis no desenho apenas uma popa, duas velas e duas meias popas. **Coroa radial.** O resplendor das imagens do culto. **Coroa solar.** *Astr.* Camada da atmosfera solar que envolve a cromosfera e se estende a milhões de km, com estrutura complexa e variável, segundo a atividade solar. **Tríplice coroa.** *Bras. Turfe.* Seqüência de três grandes prêmios disputados anualmente nos grandes hipódromos do País, com o fim de selecionar o melhor potro da geração dos três anos.

coroá[1]. *S. m. Bras.* V. *caraguatá.*

coroá[2]. *Bras. S. 2 g.* **1.** Indivíduo dos coroás, tribo indígena que habitava a província de Goiás. ● *Adj. 2 g.* **2.** Pertencente ou relativo a essa tribo.

coroá[3]. *S. m.* V. *caroá.*

coroação. [Do lat. tardio *coronatione.*] *S. f.* **1.** Ato ou efeito de coroar; coroamento. **2.** O cerimonial da coroação; coroamento. **3.** Fecho, desfecho, remate. **4.** Esgalhos que guarnecem a cabeça do veado. **5.** *Bras., SP. Restr.* Ato ou efeito de coroar (9 e 10).

coroaciense. *Adj. 2 g.* **1.** De, ou pertencente ou relativo a Coroaci (MG). ● *S. 2 g.* **2.** Natural ou habitante de Coroaci.

coroa-cristi. *S. f.* V. *esponjeira.* (2) [Pl.: *coroas-crísti.*]

coroa-de-cristo. *S. f.* V. *dois-irmãos* (1). [Pl.: *coroas-de-cristo.*]

coroa-de-frade. *S. f. Bras.* Planta da família das cactáceas (*Melocactus bahiensis*), mais encontradiça nas caatingas, e cujos caules, pequenos, angulados, têm o ápice coroado de pêlos híspidos e meio aculeados. [Pl.: *coroas-de-frade.*]

coroa-de-moçambique. *S. f.* Planta da família das amarilidáceas (*Haemanthus coccineus*). [Pl.: *coroas-de-moçambique.*]

coroadense. *Adj. 2 g.* **1.** De, ou pertencente ou relativo a Coroados (SP). ● *S. 2 g.* **2.** Natural ou habitante de Coroados.

coroa-de-viúva. *S. f. Bras., L.* e *S.* Trepadeira ornamental, da família das verbenáceas (*Petrea subserrata*), de flores azuis ou violáceas, com brácteas azul-celeste, dispostas em racimos axilares, e cujo fruto é cápsula coriácea; capela-de-viúva, flor-de-viúva, flor-de-são-miguel, touca-de-viúva, viuvinha. [Pl.: *coroas-de-viúva.*]

coroado[1]. *Bras. S. m.* **1.** Indivíduo dos coroados, tribos indígenas de várias partes do Brasil, e de diferentes famílias lingüísticas, como, p. ex., os caingangues, bororos e puris. ● *Adj. 2 g.* **2.** Pertencente ou relativo aos coroados.

coroado². *Adj.* **1.** Que tem coroa. **2.** Que tem dignidade soberana: *monarca* coroado. **3.** *Fig.* Premiado, laureado: *obra* coroada. **4.** Diz-se de uma variedade de pêro. ~ V. *rimas —as e testa —a.* ● *S. m.* **5.** *Bras., Amaz.* V. *tico-tico-do-mato.*

coroa-grandense. *Adj. 2 g.* **1.** De, ou pertencente ou relativo a Coroa Grande (RJ). ● *S. 2 g.* **2.** Natural ou habitante de Coroa Grande. [Pl.: *coroa-grandenses.*]

coroa-imperial. *S. f. Bras.* Planta da família das liliáceas (*Fritillaria imperialis*). [Pl.: *coroas-imperiais.*]

coroamento. *S. m.* **1.** Coroação (1 e 2). **2.** Ornato ou remate que coroa um edifício. **3.** *Teat.* No palco italiano, trainel que se acrescenta à parte superior de um bastidor, de um rompimento, ou de qualquer elemento cenográfico vertical, e que representa abóbadas, copas de árvores, etc.

coroanha. [Do tupi *kuru'aña.*] *S. f. Bras.* Designação comum a duas plantas da família das leguminosas, subfamília papilionácea: *Dioclea erecta,* decorativa, de flores roxas, que vegeta em MT, e *Dioclea violacea,* trepadeira ornamental, de flores bracteadas, violáceo-purpúreas, que ocorre desde as Guianas até SP.

coroar. [Do lat. *coronare.*] *V. t. d.* **1.** Pôr coroa em; cingir com coroa: Coroaram*, na festa, a Rainha da Primavera.* **2.** Encimar com uma coroa: coroar *a popa de um navio.* **3.** Servir de remate superior a; encimar: *Um torreão imponente* coroava *o palacete.* **4.** Guarnecer em redor; cingir: *Os belos cachos louros* coroavam-lhe *a fronte.* **5.** Terminar, rematar (uma ação, uma atividade, ou série de ações ou atividades, etc.): *O Memorial de Aires* coroou *a carreira literária de Machado de Assis;* "Aplausos prolongados coroaram essas palavras." (R. Magalhães Jr., *Artur Azevedo e Sua Época*, p. 118). **6.** Recompensar com um prêmio; premiar: *Trabalhou muito, mas* coroaram-lhe *dignamente o esforço.* **7.** Elevar à dignidade real: Coroaram *a rainha em meio de grande esplendor.* **8.** Preencher, cumprir, satisfazer: Coroou *antigo desejo da filha facultando-lhe a viagem à Europa.* **9.** *Bras., SP.* Limpar uma pequena área em círculo à volta de (uma laranjeira), por falta de braços ou meios para a limpeza de toda a área do laranjal. **10.** *Bras., SP.* Fazer um círculo de pedras, terra e detritos vegetais em volta de (o cafeeiro). *-Transobj.* **11.** Elevar à dignidade real: *Em 18 de julho de 1841* coroaram *D. Pedro II imperador do Brasil. P.* **12.** Cingir a si mesmo de uma coroa. **13.** Cercar-se (de um círculo qualquer). [A 1ª pess. do sing. do pres. ind., e só ela, leva acento circunflexo: corôo.]

coroaracaá. [Do tupi.] *S. f. Bras., RJ e SC.* Trepadeira da família das piperáceas (*Peperomia hederacea*), de caule suculento e pubescente, e cujo fruto é baga ovóide, medicinal.

coroatá. [Do tupi *karawa'tã*, 'caroá rijo'.] *S. m. Bras.* V. *caroá.*

coroataense. *Adj. 2 g.* **1.** De, ou pertencente ou relativo a Coroatá (MA). ● *S. 2 g.* **2.** Natural ou habitante de Coroatá.

coroá-verdadeiro. *S. m. Bras.* V. *caraguatá.* [Pl.: *coroás-verdadeiros.*]

corobicho. *Adj. Bras., RS.* Diz-se de cavalo forte, resistente.

coroboca. *S. f. Bras., MG e SP.* **1.** Lugar ermo ou deserto. **2.** Habitação longínqua.

coroca¹. *S. f. Bras.* Caroca.

coroca². *S. m. Bras.* F. red. de *anum-coroca* [q. v.].

coroca³. [Do tupi *ko'roka*, 'rabugento'.] *Bras. Adj. 2 g.* **1.** Decrépito, caduco, curungo: *velho* coroca. **2.** Diz-se de velho adoentado, achacadiço. ● *S. 2 g.* **3.** Pessoa velha e feia; coróia, curuca, curungo.

coroça. [Do esp. *coroza?*] *S. f.* **1.** *Lus.* Capa de palha usada no campo para resguardo da chuva: palhiça, palhoça, palhota. [Var. (ant.): *croça.*] **2.** Jurisdição abusiva sob aparência legal.

corocono. *S. m. Bras.* Festa dos mortos celebrada pelos índios pariquis e amaquis.

coró-coró. [Voc. onom.] *S. m. Bras.* Ave ciconiforme, da família dos tresquiornitídeos (*Phimosus infuscatus nudifrons* (Spix)), do C. O. e L. do Brasil, de coloração preta com brilho verde, tendo cor-de-rosa a fronte e a parte anterior, despenada, da cabeça; maçarico-preto. [Pl.: *coró-corós.*]

corocoroca. *S. Bras.* V. *corcoroca* (1 e 2). ◆ **Corocoroca boca-de-fogo.** *Bras.* V. *corcoroca* (1 e 2).

corocoroca-mulata. *S. f. Bras.* V. *corcoroca* (1 e 2). [Pl.: *corocorocas-mulatas.*]

corocotéu. [Voc. onom?] *S. m. Bras.* V. *corocoxó.*

corocoturi. [Do tupi *korokotu'ru.*] *S. m. Bras.* V. *caracaraí.*

corocoxó. [Voc. onom?] *S. m. Bras.* **1.** Designação comum às aves passeriformes da família dos cotingídeos, gênero *Ampelion*, espécie *Cucullatus* (Sw), da região este-meridional do Brasil, de dorso pardo-amarelado, cabeça negra, cauda quase preta com margem verde, asas escuras com coberteiras amarelas, abdome amarelo-vivo. **2.** Designação comum às aves passeriformes da família dos cotingídeos (*Melanocephalus* Wied.)). do S.E. do Brasil, de dorso oliváceo, parte inferior verde tirante a amarelo, e cabeça negra. [Sin. ger.: *cavalo-frouxó, corocotéu, corotéu, crocoió, rocororé, rorocoré.*]

corografia. [Do gr. *chorographía*, pelo lat. *chorographia.*] *S. f.* Estudo ou descrição geográfica de um país, região, província ou município.

corográfico. [Do gr. *chorographikós.*] *Adj.* Relativo à corografia.

corógrafo. [Do gr. *chorográphos*, pelo lat. *chorographu.*] *S. m.* Especialista em corografia.

coróia. *S. f.* **1.** *Bras.* V. *coroca³* (3). **2.** *Bras., RJ.* A fêmea do canário-da-terra. ● *S. m.* **3.** *Bras., BA.* V. *anum-coroca.*

coróide. [De *corio-* + *-óide.*] *S. f.* **1.** *Anat.* Membrana do olho, fina, vascular, pigmentada, situada entre a esclerótica e a retina; coroidéia. ● *Adj. 2 g.* **2.** ~ V. *plexo — e tela —.*

coroidéia. [De *coróide* + *-éia.*] *S. f. Anat.* Coróide.

coróideo. *Adj.* ~ V. *tela —a.*

coroidite. [De *coróide* + *-ite¹.*] *S. f. Patol.* Inflamação da coróide.

coroinha (o-i). [Dim. de *coroa.*] *S. m.* Menino que presta serviço nas igrejas como ajudante de missas e ladainhas.

corola. [Do lat. *corolla*, 'pequena coroa'.] *S. f. Morfol. Veg.* Verticilo interno do perianto da flor, quase sempre vistoso e de coloração viva, rarissimamente verde. [Cada segmento corolino é chamado *pétala.* As pétalas ou são livres entre si ou soldadas umas às outras; neste último caso, a porção estreita basal chama-se *tubo*, a porção superior livre, *limbo*, e a abertura deste, *fauce.* Dim. irreg.: *corólula.*]

coroláceo. *Adj.* Semelhante a corola.

corolado. [De *corola* + *-ado¹.*] *Adj.* Que tem corola.

corolário. [Do lat. *corollaria.*] *S. m.* **1.** Proposição que imediatamente se deduz de outra demonstrada. **2.** Decorrência, dedução, conseqüência, resultado, consectário.

corolífero. *Adj.* Que sustenta a corola.

coroliforme. *Adj. 2 g.* Em forma de corola.

corolino. *Adj.* Da natureza da corola: *segmento* corolino.

corolítico. [Do lat. *coroliticu.*] *Adj.* ~ V. *coluna —a.*

corologia. *S. f. Biol. Ger.* Estudo da distribuição geográfica dos organismos.

corológico. *Adj.* Relativo à corologia.

corólula. [De *corola* + *-ula.*] *S. f.* Dim. irreg. de *corola.*

coromandelense. *Adj. 2 g.* **1.** De, ou pertencente ou relativo a Coromandel (MG). ● *S. 2 g.* **2.** Natural ou habitante de Coromandel.

corombó. *Adj. 2 g. Bras. N.* Diz-se da rês de chifres pequenos ou quebrados.

corona. [Do lat. *corona*, 'coroa'.] *S. f.* **1.** *Morfol. Veg.* Conjunto de apêndices ligulares que se encontram nas corolas de muitas plantas. **2.** *Morfol. Veg.* Apêndice petalóide do perigônio de muitas amarilidáceas. **3.** *Eletr.* O fenômeno luminoso que acompanha uma descarga em corona.

coronácris. *S. f. 2 n.* V. *esponjeira* (2).

coronada. *S. f.* **1.** Espécime das coronadas. ● *Adj. 2 g.* **2.** Pertencente ou relativo a elas. [Sin. ger.: *peromedusa.*]

coronadas. *S. f. pl. Zool.* Animais celenterados, cifozoários, da ordem *Coronatae*, de campânula circundada por longo sulco acima da margem. São marinhos, na maioria de águas profundas. [Sin.: *peromedusas.*]

coronal. [Do lat. *coronale.*] *Adj. 2 g.* **1.** Relativo a coroa (1); coronário. **2.** V. *coroniforme.* ~ V. *arco —.* ● *S. m.* **3.** *Anat.* V. *frontal* (7).

coronária. [Fem. substantivado de *coronário.*] *S. f. Anat.* Cada uma das duas artérias que irrigam o coração. ◆ **Coronária estomáquica.** *Anat.* Artéria que contribui para irrigar o estômago.

coronariano. *Adj.* **1.** Pertencente ou relativo às coronárias. **2.** Diz-se de medicamento indicado no tratamento das coronárias.

coronário. [Do lat. *coronariu.*] *Adj.* **1.** Coronal (1). **2.** V. *coroniforme.* **3.** *Anat.* Diz-se de vários órgãos que apresentam disposição flexuosa ou circular: *artérias* coronárias; *plexo* coronário.

coronariografia. *S. f. Med.* Visualização radiológica, obtida mediante injeção de contraste, das artérias coronárias do coração.

coronaua. *Bras. S. 2 g.* **1.** Indivíduo dos coronauas, tribo indígena que habita a fronteira do Brasil com o Peru. ● *Adj. 2 g.* **2.** Pertencente ou relativo a essa tribo.

coronavisor (ô). [Do lat. *corona*, 'coroa' + visor.] *S. m. Astr.* Instrumento astronômico, de princípio eletrônico, que permite a observação da coroa solar.

coroncho. *S. m. Bras.* Acari-amarelo.

corondel. *S. m. Tip.* Corandel [q. v.] [Pl.: *corondéis.*]

corondó. *S. m. Bras.* Molusco gastrópode, pulmonado, da família dos limneídos, gênero *Australorbis* Pilsbry, de forma helicoidal, e que vive em água doce ou em banhados. Nele se processa parte do ciclo evolutivo do xistossomo (*Schistosoma mansoni* Sambon).

coronel¹. [Do fr. *colonel.*] *S. m.* **1.** V. *hierarquia militar.* **2.** Oficial que detém o posto de coronel. **3.** Designação comum a coronel e tenente-coronel. [Usa-se muito *coronel*, abreviadamente, para designar *coronel-aviador* e *tenente-coronel-aviador.*] **4.** *Bras.* Chefe político, em geral proprietário de terra, do interior do País. **5.** *Bras.* Indivíduo que, numa roda de várias pessoas, paga as despesas de todas elas: "A palavra coronel como sinônimo de pagador talvez tenha nascido em alguma antiga pensão noturna recifense." (Mauro Mota, *Votos e Ex-Votos*, p. 64.) [Pl.: *coronéis.*]

coronel². [De esp. *coronel.*] *S. m. Heráld.* Coroa aberta, que remata superiormente um escudo: "Dos coronéis irrompem, como timbres soberbos, soberbas cabeças de águias" (Antero de Figueiredo, *Toledo*, p. 118). [Pl.: *coronéis.*]

coronelato. *S. m.* Qualidade ou posto de coronel¹.

coronel-aviador. *S. m.* **1.** V. *hierarquia militar.* **2.** Oficial que detém o posto de coronel-aviador. [V. *coronel* (3). Pl.: *coronéis-aviadores.*]

coronel-de-barranco. *S. m. Bras., AM.* Homem enriquecido com o negócio fluvial.

coronelício. *Adj.* **1.** *Bras. Deprec.* Próprio de coronel¹: "Tal a extensão desse perdularismo coronelício, que alcançou o léxico." (Mauro Mota, *Votos e Ex-Votos*, p. 64.) **2.** *Bras.* Que ostenta importância política.

coronel-vividense. *Adj. 2 g.* **1.** De, ou pertencente ou relativo a Coronel Vivida (PR). ● *S. 2 g.* **2.** Natural ou habitante de Coronel Vivida. [Pl.: *coronel-vividenses.*]

corongo. *S. m. Bras.* Var. de *congro.*

coronha. [Do esp. ant. *curueña*, hoje *cureña.*] *S. f.* **1.** A parte das espingardas e de outras armas de fogo, geralmente de madeira, onde se encaixa o cano, e por onde são empunhadas. **2.** V. *esponjeira* (3).

coronhada. *S. f.* Golpe com coronha (1).

coronheiro. [De *coronha* (1) + *-eiro.*] *S. m.* Fabricante de coronhas.

▲**coroni-.** [Do lat. *corona*, ae.] *El. comp.* = 'coroa': *coroniforme.* [Equiv.: *coron(o)-*: *coronóide.*]

corônide. [Do lat. *coronide.*] *S. f.* **1.** Coroa, remate, complemento. **2.** *Paleogr.* V. *corônis.*

coroniforme. *Adj. 2 g.* Que tem forma de coroa, especialmente da coroa real, cupoliforme e vazada; coronal, coronário.

coronilha¹. *S. f.* V. *espinho-de-cristo* (1).

coronilha². *S. m. Bras., RS.* **1.** Indivíduo forte, resistente. **2.** V. *valentão* (3).

corônio. [De *coron(o)-* + *-io.*] *S. m.* **1.** *Astr.* Elemento químico imaginário, que se supunha existir na coroa solar, e que é identificado, hoje, como sendo o oxigênio e o hélio duas vezes ionizados. **2.** *Paleogr.* V. *corônis.*

corônis. *S. f. 2 n. Paleogr.* Sinal em forma de 3, que indica o fim de uma obra manuscrita; corônide, corônio.

▲**coron(o)-.** *S. m.* Equiv. de *coroni-.*

coronógrafo. [De *coron(o)-* + *-grafo.*] *S. m. Astr.* Instrumento inventado pelo astrônomo Bernard Lyott (1897-1952), e destinado à observação da coroa solar fora dos eclipses.

coronografopolarímetro. [De *coron(o)-* + *-graf(o)-* + *polarímetro.*] *S. m. Astr.* V. *coronopolarímetro.*

coronóide. [De *coron(o)-* + *-óide.*] *Adj. 2 g.* Coronóideo.

coronóideo. *Adj.* Que tem forma de bico de gralha; coronóide.

coronopolarímetro. [De *coron(o)-* + *polarímetro.*] *S. m. Astr.* Instrumento idealizado pelo astrônomo francês A. Dollfus (1924-) para a observação polarimétrica da coroa solar, fora dos eclipses; coronografopolarímetro.

coropó. *Bras. S. 2. g.* **1.** Indivíduo dos coropós, tribo indígena das imediações do rio da Pomba, vizinhos e parentes lingüísticos dos puris [v. *puri²*]. ● *Adj. 2 g.* **2.**

Pertencente ou relativo aos coropós.

coroque. [De *croque*, por epêntese.] *S. m.* **1.** *Bras., BA.* Vara utilizada no espostejamento da baleia. **2.** Bras. V. *roncador* (4).

cororô. *S. m. Bras., RJ.* Camada de arroz esturrado que fica aderente à vasilha em que se coze o arroz.

cororoá. *S. m. Bras., S.* Laço ou pealo feito de couro vermelho.

corote. [De *ancorote*, por aférese.] *S. m. Bras.*, Barrilete para transportar água: "Desceu do ombro o rastelo, na ponta de cujo cabo trazia dependurados o corote de água e o picuá da merenda." (João Pacheco, *Negra a caminho da Cidade*, p. 84.)

corotéu. *S. m. Bras.* V. *corocoxó.*

corozil. *S. m.* Espécie de colmo.

corozo (ô). [Do esp. *corozo.*] *S. m. Com.* Marfim-vegetal.

corpaço. *S. m.* V *corpanzil* (1).

corpanzão. *S. m.* V. *corpanzil* (1): "o sombrio corpanzão de nosso Pai venerável!" (Eça de Queirós, *Contos*, p. 190).

corpanzil. *S. m.* **1.** *Fam.* Grande corpo; corpaço; corpanzão: "alçando na ponta dos botins o corpanzil rotundo" (Eça de Queirós, *Os Maias, II*, p. 397). **2.** Pessoa corpulenta de grande estatura.

corpeada. *S. f. Bras., RS.* Negaça com o corpo.

corpete (ê). *S. m.* **1.** Blusa ajustada ao corpo e que não ultrapassa a cintura; corpinho, colete, corselete. **2.** V. *sutiã*: "Desapertou devagar dois botões do corpete, tirou do seio um papel dobrado." (Eça de Queirós, *O Primo Basílio*, p. 31.)

corpinho. [Dim. de *corpo.*] *S. m.* **1.** V. *corpete* (1): "Traja bem; comprime a cintura e o tronco no corpinho de lã fina cor de castanha" (Machado de Assis, *Quincas Borba*, p. 57). **2.** *Bras.* Roupa íntima feminina em forma de corpete (1). **3.** *Bras., BA* e *MG.* V. *sutiã.*

corpo (ô). [Do lat. *corpus, corporis.*] *S. m.* **1.** A parte central ou a principal de um edifício: "O corpo principal do edifício comunicava-se, por um pequeno corredor, com o grande salão de estudo, que comportava todos os estudantes" (Daniel de Carvalho, *De Outros Tempos*, p. 9). **2.** A substância física, ou a estrutura, de cada homem ou animal. **3.** *Restr.* A parte do organismo humano ou animal constituída pelo tórax e pelo abdome; o tronco: *O passarinho tinha o corpo de uma cor e as asas e cabeça de outra.* **4.** *P. ext.* A parte da veste que cobre o tronco: *vestido de corpo liso e mangas e barra franzidas.* **5.** Designação comum a certos órgãos de estrutura ou constituição especial: *corpo cavernoso* [q. v.]. **6.** A parte material, animal, ou a carne, do ser humano, por oposição à alma, ao espírito: *Chafurda-se nos prazeres do corpo.* **7.** O ser humano morto; cadáver: *O corpo do escritor foi velado na Academia.* **8.** A pessoa, o indivíduo: *separação de corpos e bens.* **9.** Grupo de pessoas que funcionam ou trabalham juntas, consideradas como uma unidade. *Seu corpo de assistentes é altamente capaz.* **10.** Corporação (1 e 2): *corpo de bombeiros.* **11.** Conjunto de militares que constitui uma arma (3) especial: *corpo de infantaria.* **12.** A parte essencial, principal ou central de certos objetos: *O corpo do avião praticamente desapareceu na queda.* **13.** A parte principal de livro, artigo, reportagem, etc., por oposição às partes preliminares ou finais. **14.** Porção limitada de matéria (1). **15.** Qualquer objeto natural perceptível no céu: *As estrelas são corpos celestes.* **16.** Espessura, densidade, consistência: "Cortês sorrindo, o mercador gabava / As cores vivas, o tecido, o corpo / Do estofo que vendia." (Gonçalves Dias, *Obras Poéticas*, I, p. 103); *Mexeu o mingau até tomar corpo.* **17.** Constituição, compleição: *Não tem corpo para soldado.* **18.** Riqueza de sabor, de tom, de cor, etc.: *Com a idade sua voz foi tomando corpo.* **19.** Crescimento, aumento; desenvolvimento: *A calúnia vai tomando corpo à medida que a repetem.* **20.** Vulto, importância, realce: *Os ideais republicanos adquiriram corpo depois da Abolição.* **21.** Estrutura, textura, contextura: *o corpo de uma doutrina.* **22.** Coleção de leis civis ou canônicas: *corpo de direito romano.* **23.** *Álg. Mod.* Anel de integridade cujos elementos, à exceção do zero, têm um inverso multiplicativo. [Tb. se diz, impr., *campo.*] **24.** *Encad.* O bloco formado pelos cadernos ou folhas, por oposição à capa; miolo. **25.** *Estat.* Numa tabela, o conjunto de linhas e colunas, exceto a coluna indicadora. **26.** *Iconogr.* Âmbito da estampa, assim denominado em relação às margens. **27.** *Ind. Pap.* Espessura (5). [Cf. *gramatura.*] **28.** *Tip.* Distância entre as faces anterior e posterior do tipo ou de outro material tipográfico (fio, entrelinha, etc.), expressa em pontos. **29.** *Tip.* e *Caligr.* Em certas letras de caixa-baixa ou minúsculas, dotadas de hastes, a parte correspondente à altura das letras médias. [Cf. *corpo primitivo.*] **30.** *Tec.* Parte da carcaça de uma válvula que dispõe de elementos para fixação da peça à tubulação (roscas, flanges, p. ex.), e onde se encontra o orifício de passagem do fluido. Ao corpo liga-se o castelo (11). [Pl.: *corpos* (ó); aum. irreg.: *corpanzil, corpaço;* dim. irreg.: *corpúsculo* (q. v.).] ◆ **Corpo a corpo.** Procurando um adversário atingir o corpo do outro, com arma branca ou sem ela: *Lutaram corpo a corpo.* [Cf. *corpo-a-corpo.*] **Corpo caloso.** *Anat.* Estrutura do sistema nervoso central que reúne os dois hemisférios cerebrais. **Corpo cavernoso.** *Anat.* Tecido erétil do pênis e do clitóris. **Corpo da guarda. 1.** Certo número de soldados postados em um lugar para fazerem guarda e serem distribuídos como sentinelas, em diferentes postos. **2.** O lugar onde a guarda fica alojada; corpo de guarda. **Corpo de baile.** O conjunto dos bailarinos de um teatro, de uma escola, etc.: *o corpo de baile do Municipal.* **Corpo de Cristo.** O pão eucarístico. **Corpo de delito.** Fato material em que se baseia a prova de um crime. **Corpo de guarda.** Corpo da guarda (2). **Corpo de luz.** *Turfe.* Cada distância aproximada do tamanho de um animal, entre dois parelheiros: *O vencedor ficou dois corpos de luz à frente do segundo colocado.* **Corpo diplomático.** O conjunto dos representantes dos países estrangeiros junto ao governo doutro país. **Corpo discente.** O conjunto dos alunos de um estabelecimento de ensino. **Corpo docente.** O conjunto dos professores de um estabelecimento de ensino. **Corpo estranho. 1.** *Med.* O que penetrou ou foi introduzido em tecido ou cavidade do corpo humano. **2.** *Fig.* Pessoa ou objeto não adaptado a um ambiente. **Corpo geniculado.** *Anat.* Cada uma de quatro saliências semi-ovóides, de cor acinzentada, situadas, duas de cada lado, na extremidade posterior e inferior do tálamo (4). **Corpo negro.** Radiador que absorve toda a energia radiante que sobre ele incidir; radiador perfeito. **Corpo perturbador.** *Astr.* Astro cuja atração modifica a órbita de outro em torno de um terceiro. **Corpo pré-estelar.** *Astr.* Massa de matéria de grande volume e pequena densidade, a qual, segundo as hipóteses cosmogônicas, se transformará numa estrela pelo efeito de contração e ativação de reações nucleares. **Corpo primitivo.** *Caligr.* Gabarito das letras médias, em harmonia com o qual se projetam as hastes das ascendentes e descendentes. [Cf. *corpo* (29).] **Corpo psamomatoso.** *Patol.* Massa esférica e laminada de matéria calcária, em geral microscópica, e que pode estar presente em tumores benignos ou malignos, e também, por vezes, em inflamação crônica. **Corpos redondos.** *Geom.* Designação histórica e tradicional comum ao cilindro, ao cone e à esfera. **Corpo vertebral.** *Anat.* Formação semelhante a tambor, situada, anteriormente, em cada vértebra, à exceção da primeira, *atlas*, que não tem corpo vertebral. **Botar corpo.** Adquirir formas adultas. **Criar corpo.** V. *ganhar corpo:* "As liberdades públicas criaram corpo, dia a dia, em pleno regime monárquico." (Abelardo Duarte, *Três Ensaios*, p. 30). **Dar de corpo.** *Pop.* V. *defecar* (5); "Antônio Félix contou-me que outro dia vinha do campo e foi dar de corpo. (Para quem não conhece a expressão popular, explico que é um eufemismo para designar a satisfação de uma necessidade fisiológica.)" (Hélio Galvão, *Cartas da Praia*, p. 56.) **De corpo e alma.** De maneira plena, total; em corpo e alma: *Entregou-se de corpo e alma ao trabalho.* **De corpo presente.** Com a presença, ou em presença da pessoa: *missa de corpo presente; elogio de corpo presente.* **Deitar corpo.** V. *ganhar corpo:* "O Gesteira, não se lembra? ninguém dava nada por ele e está aí, deitou corpo, nem parece aquele esqueleto que andava pelo Campo Grande." (Coelho Neto, *Treva*, p. 49.) **Em corpo.** Sem manta, sem agasalho; em pêlo. **Em corpo e alma.** De corpo e alma: "Entregou-se portanto em corpo e alma ao caboclo da casa do mangue." (Manuel Antônio de Almeida, *Memórias de um Sargento de Milícias*, p. 125). **Entrar com o corpo.** *Bras. Fam.* Entrar em um negócio, no gozo de uma vantagem qualquer, sem despender dinheiro; entrar com a cara; entrar com a cara e a coragem: *É sócio de grande firma, na qual entrou com o corpo; Pobre, casou com uma pequena rica — entrou com o corpo.* **Fazer corpo mole.** Fugir, ou tentar fugir, mais ou menos manhosamente, ao atendimento de um pedido ou ao cumprimento de obrigação: *Prometeu ajudar-me na revisão do livro, e fez corpo mole; Na hora de dar aulas, muitas vezes faz corpo mole, e raramente as dá.* **Fechar o corpo.** *Bras.* **1.** Torná-lo invulnerável a facadas, tiros e mordidas de cobra, mediante orações e feitiçarias: "Muitas são as benzedeiras que tiram feitiços e fazem orações para fechar o corpo." (Regina Lacerda, *Papa-Ceia*, p. 17.) **2.** Ingerir bebida alcoólica a pretexto de isentar o corpo de qualquer doença. **Ganhar corpo.** Aumentar, crescer, desenvolver-se (pessoa ou coisa); criar corpo, deitar corpo: *Era fragilzinho, mas com os ares da serra ganhou corpo; O boato surgiu, e foi ganhando corpo.* **Malfeito de corpo.** *Bras.* Constrangido, contrafeito, forçado. **Negar o corpo.** Esquivar-se, afastar-se, arredar-se. **Quebrar o corpo.** *Pop.* V. *defecar* (5). **Ter o corpo fechado.** *Bras.* **1.** Estar imune de perigos como tiro, facada, etc., graças a amuletos e mandingas. **2.** Ser invulnerável. **Tirar o corpo fora.** Livrar-se de trabalhos ou complicações; eximir-se de alguma incumbência com habilidade ou astúcia: "Agora é na moleza, no faz-de-conta-que-vou-mas-não-vou. Sabe tirar o corpo fora, quando o encarregam de um trabalho." (Guido Vilmar Sassi, *Piá*, p. 94.)

corpo-a-corpo. *S. m. 2 n. Bras.* Luta de corpo a corpo. [Cf. *corpo a corpo.*]

corpo-amarelo. *S. m.* Corpo-lúteo. [Pl.: *corpos-amarelos.*]

corpo-de-prova. *S. m.* Amostra de forma e dimensões padronizadas, preparada para ser submetida a ensaios com o fim de se verificarem determinadas características do material que a constitui. [Pl.: *corpos-de-prova.*]

corpo-lúteo. [De *corpo* + *lúteo.*] *S. m.* Massa amarela, remanescente do folículo de Graaf, após a ruptura; corpo-amarelo. [Pl.: *corpos-lúteos.*]

corporação. [Do fr. *corporation.*] *S. f.* **1.** Associação de pessoas do mesmo credo ou profissão, sujeitas à mesma regra ou estatutos, e com os mesmos deveres ou direitos; corpo. **2.** Conjunto de órgãos que administram ou dirigem determinados serviços de interesse público; corpo. **3.** Reunião de indivíduos para um fim comum; associação, agremiação.

corporal. [Do lat. *corporale.*] *Adj. 2 g.* **1.** Do, relativo ao, ou próprio do corpo (2); corpóreo: *asseio corporal.* **2.** Que tem corpo (2); material. ~ V. *lesão* —. ● *S. m.* **3.** Pano sobre o qual o sacerdote põe o cálice e a hóstia no altar. **4.** *Desus.* O corpo ou centro da igreja, entre o cruzeiro e a porta principal.

corporalidade. [Do lat. *corporalitate.*] *S. f.* Qualidade de corpóreo ou corporal; corporeidade.

corporalizar. *V. t. d.* **1.** Dar corpo a; materializar. **2.** Tornar palpável, patente, evidente. *P.* **3.** Tomar corpo; materializar-se.

corporativismo. *S. m.* Doutrina que prega a reunião das classes produtoras em corporações, sob a fiscalização do Estado.

corporativista. *Adj. 2 g.* **1.** Referente ao, ou que é partidário do corporativismo. ● *S. 2 g.* **2.** Partidário do corporativismo.

corporativo. [Do fr. *corporatif.*] *Adj.* Relativo a corporação ou corporações.

corporatura. [Do lat. *corporatura.*] *S. f.* Forma externa dum corpo (2); configuração: "Eram ambos altos, espadaúdos e bem-apessoados de corporatura." (Arnaldo Gama, *O Balio de Leça*, p. 1.)

corporeidade. *S. f.* Corporalidade.

corpóreo. [Do lat. *corporeu.*] *Adj.* **1.** Corporal (1): *fraqueza corpórea.* **2.** Relativo a corpo (6); material: *Prefere os bens corpóreos aos espirituais.*

corporificação. *S. f.* Ato ou efeito de corporificar(-se).

corporificar. *V. t. d.* **1.** Atribuir corpo a (aquilo que não o tem). **2.** Reunir (elementos dispersos) em um corpo. *P.* **3.** Tomar corpo; corporalizar-se: "a expectativa da inundação, que não passava de um pressentimento, corporifica-se." (Raimundo Morais, *Na Planície Amazônica*, p. 93). [Conjug.: v. *trancar.*]

corpo-seco. [De *corpo* + *seco* (ê).] *S. m. Bras., S.* **1.** V. *esqueleto* (2). **2.** Duende das matas, em forma de esqueleto (1). [Pl.: *corpos-secos.*]

corpudo. *Adj. Bras., S. Pop.* V. *corpulento* (1).

corpulência. [Do lat. *corpulentia.*] *S. f.* **1.** Qualidade de corpulento. **2.** *Restr.* Obesidade.

corpulento. [Do lat. *corpulentu.*] *Adj.* **1.** Que tem corpo grande; volumoso, alentado, corpudo. **2.** *P. ext.* De grandes dimensões: *Jaqueiras corpulentas sombreavam o quintal.* **3.** *Restr.* Muito gordo; obeso.

➡**corpus** (córpuç). [Lat., 'corpo'.] *S. m.* **1.** Conjunto de documentos, dados e informações sobre determinada matéria: *o corpus dos manuscritos do Pe Antônio Vieira.* **2.** Toda a obra atribuída a um escritor. **3.** *Ling.* e *Semiol.* Conjunto finito de materiais significantes (enunciados lingüísticos, capas de revistas, etc.) constituído com vistas à análise semiológica.

➡**corpus alienum** (córpuç aliênum). [Lat., 'corpo estranho'.] *Jur.* Matéria estranha ao objeto da lide.

➡Corpus Christi (córpuç críçti). [Lat., 'corpo de Cristo'.] Festa do corpo de Cristo, celebrada na quinta-feira seguinte ao domingo da Santíssima Trindade.

corpuscular. *Adj. 2 g.* Respeitante a corpúsculo. ~ V. *radiação* —.

corpúsculo. [Do lat. *corpusculu.*] *S. m.* **1.** Corpo pequeníssimo. **2.** Partícula diminutíssima de corpo(s) (14).

➡corpus juris canonici (córpuç júriç canônici). [Lat.] *Jur.* Consolidação do direito eclesiástico ou canônico, a qual reúne os cânones dos concílios e as decretais dos papas.

➡corpus juris civilis (córpuç júriç civíliç). [Lat.] *Jur.* Denominação dada por Dionísio Godofredo ao conjunto das obras do direito romano organizado por ordem do imperador Justiniano (527-565), e formado de quatro livros; *Institutas, Pandectas ou Digesto, Novelas* e *Código.*

corra (ô). [De *correr?*] *S. f.* Corda de esparto; correia, soga.

corrão. *Adj. Bras.* Diz-se do indivíduo que corre com velocidade incomum.

correada. *S. f.* Pancada com correia (1).

correagem. *S. f.* Correame.

correame. *S. m.* Conjunto de correias [v. *correia* (1)], particularmente as do uniforme militar; correagem.

correão. *S. m.* Correia (1) grande. [Cf. *corrião.*]

correaria. *S. f.* **1.** Estabelecimento ou casa onde se vendem correias e outros artefatos de couro. **2.** Antigo bairro de correeiros.

corre-campo. [De *correr* + *campo.*] *S. f.* **1.** *Bras.* Reptil ofídio, da família dos colubrídeos (*Dryophylax pallidus* (L.)), pardo ou oliváceo, com manchas escuras; corredeira, ubiraquá, cobra corre-campo. **2.** *Bras., SE.* Reptil ofídio, da família dos colubrídeos (*Tomodon dorsatus* (Dum. & Bib.)). [Pl.: *corre-campos.*]

correção. [Do lat. *correctione.*] *S. f.* **1.** Ato ou efeito de corrigir(-se). **2.** Qualidade de correto. **3.** Casa de correção [q. v.] **4.** *Tip.* Emenda (8). [Cf. *correição* e *corrição.*] ♦. **Correção juliana.** *Cronol.* Correção do calendário introduzida por Júlio César (100-44 a. C.), e que consiste em acrescentar um dia em cada quatro anos, nos anos ditos bissextos. **Correção monetária.** *Cont.* Efeito da conversão dos históricos [v. *histórico* (5)], em decorrência da modificação do poder aquisitivo da moeda.

correcional. *Adj. 2 g.* **1.** Referente a correção. **2.** Diz-se do tribunal em que se julgam, sem júri, causas criminais de menor importância. **3.** Diz-se da pena que se aplica a contravenções e a delitos de pouca monta. ● *S. m.* **4.** Jurisdição de tribunais correcionais.

correcionalidade. *S. f.* Qualidade ou caráter de certas infrações afetas, por sua natureza, à jurisdição correcional.

corre-corre. [Da 3ª pess. sing. do pres. ind. de *correr*, repetida.] *S. m.* **1.** *Bras.* V. *correria* (1). **2.** Grande afã; azáfama, lufa-lufa. [Pl.: *corres-corres* e *corre-corres.*]

corredeira. *S. f.* **1.** *Bras.* Trecho de rio onde as águas, dada a inclinação do terreno, correm céleres, e que, muitas vezes, corresponde à última etapa de uma queda d'água; cachoeira, carreira, correntada, corrida, rápido, urmana, xirinica: "Dos rumores do campo tinham ficado apenas o fresco ramalhar das árvores e o rouco perene das corredeiras que rolavam as águas pesadas por entre os penhascos escuros" (Coelho Neto, *Sertão*, p. 21). **2.** *Tip.* Parte do resvaladouro da linotipo onde desliza a correia que conduz as matrizes ao componedor. **3.** *Bras.* V. *caminheiro* (5). **4.** *Bras., S.* V. *corre-campo* (1). **5.** *Bras., S. Pop.* V. *diarréia.* ~ V. *corredeiras.*

corredeiras. [Pl. de *corredeira.*] *S. f. pl.* Bancos por onde correm, nos bangüês, os tabuleiros de secar o açúcar. ~ V. *corredeira.*

corredela. *S. f. Pop.* Corrida curta.

corrediça. [Fem. substantivado de *corrediço.*] *S. f.* **1.** Encaixe de madeira, de metal, etc., sobre o qual se movem os batentes de porta ou de janela, a tampa de uma caixa, etc.: "Ainda corre nas ruas estreitas ...., um arzinho de noite, e já as portas se abrem de par em par, rolam as corrediças nas lojas" (Aquilino Ribeiro, *Alemanha Ensangüentada*, p. 298). **2.** *Teat.* Bastidor (3). **3.** V. *estore.* **4.** Cortina que corre em trilho ou vara cilíndrica.

corrediço. *Adj.* **1.** Que corre ou se move com facilidade; corredio: *porta corrediça.* **2.** Que escorrega ou resvala. **3.** Cuja superfície é sem asperezas; liso. **4.** Sem embaraço(s); fácil. **5.** V. *corrente* (2). [Sin. ger.: *corredio.*]

corredio. *Adj.* V. *corrediço:* "pastem [as vacas] na solidão do bosque movediço, / à beira da água plena, alegre, corredia" (Antônio Feliciano de Castilho, *As Geórgicas de Virgílio*, p. 161); "Tinha os cabelos corredios e as mãos estreitas" (Fialho d'Almeida, *Contos*, p. 153).

corredoira. *S. f.* Corredoura.

corredoiro. *S. m.* Corredouro.

corredor (ô). [Do it. *corridore.*] *Adj.* **1.** Que corre, ou corre muito. ~ V. *anjo.* ● *S. m.* **2.** Aquele que corre, ou que corre muito. **3.** Passagem, em geral estreita e longa, no interior de uma edificação, para comunicar dois ou mais compartimentos. **4.** Qualquer passagem estreita. **5.** Passagem de águas, numa barra, por intervalo estreito e perigoso à navegação. **6.** Intervalo apertado na foz de um rio. **7.** *Fort.* Caminho coberto. **8.** *Bras.* Porção de terreno estreito e limpo, dentro de um capão. **9.** *Bras.* Cavalo proveniente de raça própria para corridas. **10.** *Bras.* Aquele que guia o cavalo, em corridas. **11.** *Bras., N.E.* Osso da canela do boi, que contém abundância de tutano e por isso é muito apreciado pelos sertanejos. **12.** *Bras., SC.* Fenda nos costões rochosos da costa, de paredes paralelas. **13.** *Bras., S.* Parte duma estrada que atravessa um campo de criação de gado, sendo, porém, dele separada por cerca, de um lado e do outro. **14.** *Bras., RS.* Anel metálico ou de couro, usado para apertar a costura de peças do arreamento. **15.** *Bras., RS.* Indivíduo encarregado de incitar à briga os galos já cansados.

corredora (ô). [Fem. de *corredor.*] *S. f.* Grade de madeira ou de ferro, pesada, que corria verticalmente entre dois frisos, servindo para aumentar os obstáculos na entrada de uma fortificação. [Cf. *corredoura.*]

corredoura. [Var. de *corredoira.*] *S. f.* Peça localizada por baixo da mó do moinho. [Cf. *corredora.*]

corredouro. [Var. de *corredoiro.*] *S. m.* **1.** Lugar próprio para corridas. **2.** Ação repetida de correr.

corredura. *S. f.* **1.** V. *corrida* (1). **2.** Os restos de um líquido aderente à medida, e que correm em proveito do vendedor.

correeiro. *S. m.* Fabricante ou vendedor de correias e/ou de outras obras de couro.

corregedor (ô). [De *correger* + *-dor.*] *S. m.* **1.** Magistrado a quem compete corrigir os erros e abusos das autoridades judiciárias e de serventuários da justiça, promovendo-lhes a responsabilidade funcional. **2.** Antigo magistrado cujas atribuições eram análogas às dos atuais juízes de direito.

corregedoria. *S. f.* **1.** Cargo ou jurisdição de corregedor; corretoria. **2.** Área de sua jurisdição.

correger. [Do lat. *corrigere.*] *V. t. d.* **1.** *Ant.* Corrigir. **2.** *Ant.* Reparar, consertar. **3.** *Bras., N.E. Pop.* Revistar, vistoriar, correr. [Conjug.: v. *reger.*]

corregimento. *S. m. P. us.* **1.** Ato ou efeito de correger. **2.** Reparação do dano; multa. **3.** Ornamento; alfaia.

córrego. [Do lat. hispânico *corrugu.*] *S. m.* **1.** Regueiro ou sulco aberto pelas águas correntes. **2.** Caminho estreito, ou atalho, entre montes ou muros. **3.** *Bras.* Ribeiro de pequeno caudal; riacho. **4.** *Bras.* Na região média do São Francisco, qualquer dos afluentes desse rio. [Var.: *corgo.*]

córrego-dantense. *Adj. 2 g.* **1.** De, ou pertencente ou relativo a Córrego Danta (MG). ● *S. 2 g.* **2.** Natural ou habitante de Córrego Danta. [Pl.: *córrego-dantenses.*]

córrego-seco. *S. m. Bras., GO.* Sulco torrencial temporário. [Pl. *córregos-secos.*]

corregourense. *Adj. 2 g.* e *s. 2 g.* Corregourino.

corregourino. *Adj.* **1.** De, ou pertencente ou relativo a Córrego do Ouro (GO). ● *S. m.* **2.** O natural ou habitante de Córrego do Ouro. [Sin. ger.: *corregourense.*]

correia. [Do lat. *corrigia.*] *S. f.* **1.** Tira, geralmente de couro, para atar, prender ou cingir; soga, loro. **2.** Certo jogo popular português. **3.** *Mec.* Cinta flexível que estabelece ligação entre duas rodas, transmitindo o movimento de uma à outra. ~ V. *correias.* ♦ **Encurtar as correias a.** Cercear ou diminuir a liberdade de (alguém).

correias. [Pl. de *correia.*] *S. f. pl.* Arreios do cavalo de tiro. ~ V. *correia.*

correição. [Do lat. *correctione.*] *S. f.* **1.** Ato ou efeito de corrigir; correção. **2.** Função administrativa, em via de regra de competência do poder judiciário, exercida pelo corregedor. **3.** Visita do corregedor às comarcas no exercício de suas atribuições. **4.** *Bras.* V. *formiga-correição.* **5.** *Bras.* Desfilada de formigas em trabalho. **6.** *Bras.* Aparição, em determinada época, de numerosas formigas e outros insetos. **7.** *Bras., AL.* Corpo de funcionários da Prefeitura incumbidos de prender os animais encontrados soltos pelas ruas, e que são restituídos aos donos mediante pagamento de multa. [Cf. *correção* e *corrição.*]

correio. [Do provenç. ant. *corrieu.*] *S. m.* **1.** Pessoa encarregada de levar ou trazer despachos e correspondência, ou notícias; mensageiro. **2.** Repartição pública que recebe e expede correspondência; posta. **3.** Edifício onde funciona essa repartição. **4.** Empregado postal encarregado da distribuição da correspondência aos destinatários; carteiro. **5.** Mala na qual se transporta correspondência. **6.** Conjunto de cartas que um indivíduo recebe ou expede; correspondência. **7.** Precursor, prenunciador.

correio-geral. *S. m.* Edifício onde estão centralizados os serviços postais de uma cidade. [Pl.: *correios-gerais.*]

correlação. [De *co-*[1] + *relação.*] *S. f.* **1.** Relação mútua entre dois termos. **2.** Qualidade de correlativo. **3.** Correspondência (5): *Há perfeita correlação entre o ponto de vista de um e o de outro.* **4.** *Estat.* Dependência entre as funções de distribuição de duas ou mais variáveis aleatórias, em que a ocorrência de um valor de uma das variáveis favorece a ocorrência dum conjunto de valores das outras variáveis. **5.** *Geom.* Transformação linear que, no plano, associa pontos a retas e retas a pontos, e, no espaço, associa pontos a planos e planos a pontos.

correlacionar. *V. t. d.* e *i.* **1.** Estabelecer relação ou correlação entre. *P.* **2.** Ter correlação: "em boa filosofia, as duas cousas correlacionam-se : a morte e o amor" (Eça de Queirós, *Últimas Páginas*, p. 492).

correlatar. *V. t. d.* **1.** Pôr em mútua relação. *P.* **2.** Estar ou ficar em correlação.

correlativa. [Fem. substantivado de *correlativo.*] *S. f. Gram.* Conjunção correlativa.

correlativo. [Do lat. *correlativu.*] *Adj.* Em que há correlação; correlato, correspondente. ~ V. *conjunção* —*a.*

correlato. *Adj.* V. *correlativo:* "acontece que o pintor enriqueceu e com o poder e a glória vieram os vícios correlatos: deu de beber, ficou vaidoso, mesquinho." (Lígia Fagundes Teles, *A Disciplina do Amor*, p. 77).

correligionário. [De *co-*[1] + lat. *religione*, 'religião', + *-ário.*] *Adj.* e *s. m.* Que ou aquele que é da mesma religião, partido, doutrina ou sistema que outrem.

correligionarismo. *S. m.* Solidariedade entre correligionários.

correlograma. [De *correl(ação)* + *-o-* + *-grama.*] *S. m. Estat.* Diagrama cartesiano ortogonal em que nas abscissas são locadas as ordens dos coeficientes de correlação serial de duas séries cronológicas, e nas ordenadas esses coeficientes.

correntada. [De *corrente* + *-ada*[1].] *S. f. Bras., AM.* V. *corredeira* (1).

correntão. [Aum. de *corrente.*] *S. m.* **1.** Grande corrente (9). **2.** *Restr.* Correntão (1) de ouro: "a fazenda se despovoou, tombaram as cercas, o coronel, sem correntão nem guarda-chuva, aderiu à canalha" (Graciliano Ramos, *Infância*, p. 38). **3.** *Bras., SP.* Laço feito de couro tecido de maneira especial, imitando elos duma corrente, e que, pela excepcional resistência, serve para prender reses muito ariscas, que rebentam laços ordinários. ● *Adj.* **4.** Desembaraçado no apresentar-se, conversar, ou tratar de negócios.

corrente. [Do lat. *currente.*] *Adj. 2 g.* **1.** Que corre sem encontrar empecilho; fluente. **2.** Diz-se das águas que correm, que não se acham estagnadas; corrediço, corredio. **3.** Fácil, fluente: *estilo corrente.* **4.** Vulgar, comum, usual; *remédio corrente.* **5.** Aceito por todos; geralmente admitido: *dito de uso corrente; expressão corrente; opinião corrente.* **6.** Sabido de todos; propalado; notório: *Seu procedimento leviano é fato corrente na família.* ~ V. *ano* —, *ativo* —, *conta* —, *edição* —, *mês* —, *moeda* —, *obra-de-arte* —, *preço* — e *título* —. ● *S. f.* **7.** O curso das águas de um rio, de um ribeiro, de um regato; correnteza: "Desce a corrente do rio / O barco sem remadores." (Alberto de Oliveira, *Poesias*, 2ª série, p. 92.) **8.** Corrente de ar; correnteza, vento. **9.** Cadeia de metal; grilhão: "sempre trazia, trespassada no colete, uma pesada corrente de ouro (Ciro dos Anjos, *A Menina do Sobrado*, p. 98). **10.** V. *amarra* (3). **11.** O decurso do tempo. **12.** *Bras.* Receptáculo de madeira com o fundo furado, por onde, nos engenhos de açúcar, escoa a calda da cana que não chegou a coalhar-se. **13.** Grupo de indivíduos que representam idéias, tendências, opiniões, em qualquer ramo do conhecimento ou em coisas da vida prática, ou as idéias, tendências, opiniões, etc., defendidas por um desses grupos: *as correntes literárias do século XIX; Quanto ao resultado do jogo de futebol, havia várias correntes.* **14.** Corrente da felicidade. **15.** *Eletr.* V.

corrente elétrica. **16.** *Tip.* Cada um dos trilhos sobre os quais desliza o carro, na prensa de cilindro e no prelo manual. ● *S. m.* **17.** O que é comum, vulgar, habitual: *O corrente é grafar os nomes próprios com inicial maiúscula.* ● *Adv.* **18.** Correntemente. ♦ **Corrente alternada. 1.** *Eletr.* Aquela cuja intensidade varia senoidalmente com o tempo. [Siglas: *AC* e *CA.*] **2.** *Eletrôn.* Corrente elétrica cuja intensidade e sentido variam periodicamente com o tempo. **3.** *Ocean. Fís.* Corrente de maré que, na enchente, corre numa direção, e na vazante, na direção oposta. **Corrente ativa.** *Eletr.* Num circuito de corrente alternada, componente da corrente que está em fase com a tensão; corrente *wattada.* **Corrente contínua.** *Eletr.* Corrente elétrica cuja intensidade é constante, ou varia muito pouco, nunca se lhe invertendo o sentido. [Sigla: *CC* ou *DC.*] **Corrente da felicidade.** Série de cartas de caráter místico ou supersticioso enviadas cada uma a uma pessoa, que, por sua vez, deverá enviar certo número estipulado a outras pessoas, e assim por diante, formando uma corrente ou cadeia de cartas que, de acordo com os seus dizeres, caso seja interrompida acarretará desgraças ao causador da interrupção, à sua família, etc. [Tb. se diz apenas *corrente.*] **Corrente da maré.** Movimento horizontal das águas do mar registrado durante cada fluxo ou refluxo da maré. **Corrente de ar. 1.** Ar encanado por uma porta ou passagem. **2.** Direção do vento. **3.** Movimento vertical do ar na troposfera. **4.** Qualquer movimento de ar nas camadas superiores da atmosfera. **Corrente de aberração.** *Ocean. Fís.* Corrente paralela à costa, produzida pelas barras ou arrebentações oblíquas a esta. **Corrente de deriva.** *Ocean. Fís.* Corrente produzida diretamente pelo vento, por arrastamento da água superficial, transmitido às maiores profundidades por viscosidade. [Em águas muito profundas dirige-se 45º para a esquerda do vento, no hemisfério sul, e 45º para a direita, no hemisfério norte. Em águas mais rasas o ângulo é menor, mas sempre orientado para a esquerda do vento.] **Corrente de deslocamento.** *Eletr.* Num dielétrico, derivada, em relação ao tempo, do fluxo do deslocamento elétrico. **Corrente de indução.** *Eletr.* Corrente induzida em um circuito por um fluxo magnético variável; corrente induzida. **Corrente de lava.** *Geol.* Jazida de rochas vulcânicas de formação mais ou menos extensa na direção em que as lavas correram. **Corrente de maré.** *Ocean. Fís.* A corrente, produzida por forças astronômicas, responsável pela maré. **Corrente de meteoros.** *Astr.* V. *chuva de meteoros.* **Corrente de refluxo.** *Ocean. Fís.* Corrente que, em determinados locais das praias, atravessa a barra ou arrebentação, escoando as águas retidas entre a arrebentação e a praia. **Corrente de rolos.** *Tec.* Corrente constituída por uma série de rolos metálicos articulados, como a de uma bicicleta, utilizada para transmitir esforços muito intensos. **Corrente dewattada.** *Eng. Elétr.* Corrente reativa. **Corrente eficaz.** *Eletr.* A intensidade de uma corrente contínua que, num intervalo de tempo, desprende, num resistor, a mesma quantidade de calor que uma corrente alternada que percorre o resistor no mesmo intervalo. **Corrente elétrica.** *Eletr.* **1.** Fluxo de carga elétrica através de um condutor. **2.** Intensidade do fluxo de carga elétrica através de um condutor. [Tb. se diz apenas (nessas acepç.) *corrente.*] **Corrente estelar.** *Astr.* Grupo de estrelas que têm aproximadamente o mesmo movimento próprio e estão na mesma região do céu. **Corrente Foucault.** *Eletr.* Corrente induzida no interior de um corpo condutor por um campo magnético variável. **Corrente induzida.** *Eletr.* Corrente de indução. **Corrente lacustre.** Massa de águas lacustres que, impelidas pelo vento, seguem determinada direção, condicionada pela forma do respectivo lago. **Corrente marinha.** Corrente marítima. **Corrente marítima.** Massa de águas do mar que segue uma determinada direção e percorre trechos do oceano; corrente marinha. **Corrente polifásica.** *Eng. Elétr.* Corrente elétrica composta, produzida por um gerador onde se formam, simultaneamente, várias tensões alternadas senoidais que guardam entre si diferenças de fase constantes. **Corrente reativa.** *Eng. Elétr.* Num circuito de corrente alternada, componente da corrente que está em quadratura com a tensão; corrente dewattada. **Correntes de d'Arsonval.** *Med.* V. *darsonvalização.* **Corrente trifásica.** *Eng. Elétr.* Corrente elétrica composta, produzida por um gerador onde se formam, simultaneamente, três tensões alternadas senoidais que guardam entre si uma diferença de fase constante e igual a 120º. **Corrente wattada.** *Eng. Elétr.* Corrente ativa. **Ao corrente de.** Informado a respeito de; a par de: *estar, andar, achar-se ao corrente dos fatos políticos.* **Ir contra a corrente.** Ir contra a opinião da maioria; remar contra a maré.

correntense. *Adj. 2 g.* **1.** De, ou pertencente ou relativo a Correntes (PE). ● *S. 2 g.* **2.** Natural ou habitante de Correntes. [Sin. ger.: *correntino.*]

correnteza (ê). *S. f.* **1.** V. *corrente* (7 e 8). **2.** Série ou fila continuada de coisas. **3.** V. *lance de casas:* "Ganhou o atalho comprido / de casas em correntezas / e entrou num campo florido." (Cruz e Sousa, *Obra Completa,* p. 284.) **4.** Facilidade de expressão; desembaraço: *Fala com toda a correnteza.*

correntezano. *Adj.* **1.** De, ou pertencente ou relativo a Correntezas (RJ). ● *S. m.* **2.** O natural ou habitante de Correntezas.

correntinense. *Adj. 2 g.* **1.** De, ou pertencente ou relativo a Correntina (BA). ● *S. 2 g.* **2.** Natural ou habitante de Correntina.

correntino[1]. [Do esp. plat. *correntino.*] *Adj.* **1.** De, ou pertencente ou relativo a Corrientes, província argentina. ● *S. m.* **2.** O natural ou habitante de Corrientes.

correntino[2]. *Adj.* e *s. m.* Correntense.

correntino[3]. *Adj.* **1.** De, ou pertencente ou relativo a Corrente (PI). ● *S. 2 g.* **2.** O natural ou habitante de Corrente.

correntio. *Adj.* **1.** Correditço (1). **2.** Geralmente admitido; habitual, usual: *termo, hábito correntio.* **3.** Corrente, habitual: "Desde então, transformou-se, de repente, / A nossa intimidade correntia / Em saudações de simples cortesia" (Raul de Leoni, *Luz Mediterrânea,* p. 75).

correntista. *S. 2 g. Bras.* **1.** Empregado que escritura o livro de contas-correntes. **2.** Cada uma das partes coobrigadas no contrato de contas-correntes. **3.** Titular de conta corrente num banco.

correntoso (ô). *Adj.* Que tem corrente ou correnteza forte: "a travessia de um rio correntoso com cavalos pela rédea" (Gastão Cruls, *De Pai a Filho,* p. 49).

correr. [Do lat. *currere.*] *V. int.* **1.** Deslocar-se, numa seqüência de impulsos, repousando o corpo ora sobre uma, ora sobre outra perna, e num andamento em geral mais veloz que a marcha. **2.** Andar com muita ligeireza. **3.** Dirigir-se apressadamente, ou com afã, a algum lugar: *O visitante chegou de repente, e correram a comprar algo para lhe oferecer.* **4.** Acudir às pressas; acorrer: *A campainha da porta tocou com alarde e a empregada correu para atender.* **5.** Mover-se, deslocar-se, com rapidez; rolar: *As águas da correnteza corriam entre as pedras; Um rio corre ao longo da estrada;* "Entre os sinceiros da margem, / Murmura e corre o Mondego" (Gonçalves Dias, *Obras Completas,* p. 317). **6.** Cair, descer; escorrer: *As lágrimas corriam-lhe abundantes; O sangue corria aos borbotões.* **7.** Deslizar, mover-se, deslocar-se (em virtude do próprio peso, ou à força): *A cortina da sala não está correndo.* **8.** Passar rapidamente: *Um arrepio correu-lhe pela espinha.* **9.** Passar, decorrer: "Correram ainda alguns minutos." (Machado de Assis, *Várias Histórias,* p. 24.) **10.** Ter seguimento no tempo; suceder, decorrer, passar-se: *Sua vida corria suavemente.* **11.** Passar de mão em mão; circular: *A carta correu entre os presentes.* **12.** Ser dito, propalado; ser notório: "casara com um bacharel das Alagoas, deputado agora por outra província, e, segundo corria, prestes a ser ministro de Estado." (Machado de Assis, *Quincas Borba,* p. 223). **13.** Ficar sob a responsabilidade de; correr por conta de: *As despesas correrão pelo Estado.* **14.** Ter (moeda) curso legal; girar. **15.** Imprimir; rodar: *Está conforme o original, pode correr.* *T. d.* **16.** Percorrer; visitar: "Correram a casa toda juntos, ... murmurando orações contra malefícios." (Afonso Arinos, *Pelo Sertão,* p. 35); *Levou três dias correndo a cidade.* **17.** Pôr a correr; afugentar, dispersar: *Os policiais correram os desordeiros.* **18.** Mover, fazendo deslizar: *correr as cortinas.* **19.** Fazer entrar (o ferrolho) na fechadura. **20.** Perseguir (a caça) na carreira. **21.** Aplicar (os olhos, a vista) a alguma coisa ou alguém, em geral rapidamente, ou por alto, para uma visão de conjunto: *Correu os olhos pela carta e devolveu-a.* **22.** Percorrer, compulsar: *Correu quase toda a obra do autor e não achou o trecho que procurava.* **23.** Estar exposto ou sujeito a (perigo, risco, etc.): *Se continuar bebendo, corre o risco de perder o emprego.* **24.** Fazer o percurso de: *O atleta correu 10 quilômetros.* **25.** Tomar parte em uma disputa: *O cavalo correu o segundo páreo.* *T. d.* e *c.* **26.** Arremessar, atirar, arrojar: *Correu a enxada ao agressor.* **27.** Passar ligeiramente, de leve: *Correu a mão pelos cabelos.* *Pred.* **28.** Decorrer, passar (em certo estado ou condição): "A conversa corre alegre" (Ciro dos Anjos, *Abdias,* p. 79); "Um ano correu sereno e feliz." (Coelho Neto, *Sertão,* p. 113). *P.* **29.** Envergonhar-se, vexar-se: "viu-se qual era, correu-se da sua comparativa pobreza, e refugiu dos bailes, das ceias" (Camilo Castelo Branco, *Amor de Salvação,* p. 216); "Correu-se de pejo, corou" (Júlio Ribeiro, *A Carne,* p. 83). **30.** Comunicar-se; dar-se: *Correm-se bem desde a infância.* **31.** Estar situado na mesma direção, ou rumo, etc.: *As duas cidades corriam-se no mapa.* ♦ **Correr tudo.** *Bras., PR.* Correr à disparada, a toda a velocidade.

correria. *S. f.* **1.** Corrida desordenada; corre-corre, debandada. **2.** Assalto a campo inimigo; corrida. **3.** *Bras., Amaz.* Na segunda metade do século passado e primeiras décadas deste, matança de índios organizada pelos grandes proprietários de terra, os seringalistas: "No Acre, ainda pela década de 40, tinha-se notícias das correrias, que eram grupos de nordestinos armados que, a serviço de seringalistas .... cercavam aldeias, ao raiar do dia, e destruíam tribos inteiras." (Edilson Martins, *Amazônia, a Última Fronteira,* p. 217.)

correspondência. *S. f.* **1.** Ato ou efeito de corresponder (-se). **2.** Troca de cartas, bilhetes ou telegramas. **3.** Correio (6). **4.** Artigo de jornal em forma de carta aos redatores; carta a um jornal. **5.** Relação de conformidade; correlação: *correspondência entre a beleza e a simpatia.* **6.** *Mat.* Regra por meio da qual se associam a cada elemento de um conjunto um ou mais elementos de outro. ♦ **Correspondência contínua.** *Mat.* Transformação contínua. **Correspondência em.** *Mat.* A que é pertinente a uma função em. **Correspondência sobre.** *Mat.* A que é pertinente a uma função sobre.

correspondente. *Adj. 2 g.* **1.** Que corresponde. **2.** Apropriado, adequado. **3.** V. *correlativo.* ~ V. *sócio —.* ● *S. 2 g.* **4.** Pessoa que se corresponde [v. *corresponder* (5)] com alguém. **5.** Pessoa que trata de negócios de outra(s) fora da terra desta(s). **6.** Empregado encarregado de redigir a correspondência (2). **7.** *Jorn.* Jornalista que representa uma empresa de comunicação em determinada cidade, região ou país, distintos daquele onde se situa a sede da empresa; é o responsável, naquele local determinado, pela cobertura e envio regular de notícias e artigos para a empresa. ♦ **Correspondente de guerra.** *Jorn.* Repórter encarregado de fazer a cobertura de uma região em guerra ou em revolução.

corresponder. [De *co-*[1] + *responder.*] *V. t. i.* **1.** Ser próprio, adequado, conforme; estar em correspondência, em correlação: *A graça de seus movimentos corresponde à esbelteza da figura;* "A criação da Universidade por D. Dinis, em 1290, corresponde a crescentes aspirações culturais" (Feliciano Ramos, *História da Literatura Portuguesa,* p. 87). **2.** Ser proporcional; estar em equivalência: *Sua fama de inteligente não corresponde aos seus dotes reais.* **3.** Retribuir (2): *Correspondeu ao cordial aceno.* *P.* **4.** Estar em correlação. **5.** Cartear-se: "Combinaram os meios de se corresponderem, em caso de necessidade" (Machado de Assis, *Várias Histórias,* p. 10).

corretagem. [Do prov. ant. *corratatge.*] *S. f.* **1.** Salário ou serviços do corretor[2]. **2.** Agência, comércio, trato. **3.** Atividade ou serviço de corretor[2].

corretar. *V. int. Bras.* Fazer ofício de corretor[2].

corretismo. *S. m.* Procedimento correto, irrepreensível.

corretivo. *Adj.* **1.** Que corrige; corretório. ● *S. m.* **2.** Aquilo com que se corrige. **3.** Punição, castigo. **4.** V. *repreensão* (1).

correto. [Do lat. *correctu.*] *Adj.* **1.** Isento de erros. **2.** Emendado, corrigido: *Acaba de lançar a obra em segunda edição, correta.* **3.** Exato, irrepreensível: *conduta correta.* **4.** Íntegro, honesto, digno: *homem correto.* **5.** Esmerado, elegante. **6.** Certo, apropriado, adequado: *termo correto.*

corretor[1] (ô). [Do lat. *correctore.*] *S. m.* **1.** Aquele que corrige. **2.** *Tip.* Revisor (4).

corretor[2] (ô). [Cruz. do provenç. *corratier* com *corredor,* por alusão à diligência dos corretores.] *S. m.* **1.** Agente comercial que serve de intermediário entre vendedor e comprador, representando um ou outro eventualmente. **2.** Inculcador, agenciador, intermediário. ♦ **Corretor de amores.** Aquele que serve de intermediário em relações amorosas; alcoviteiro.

corretora (ô). *S. f.* Instituição que atua no mercado de títulos e valores mobiliários, e que, além de outras atividades financeiras, detém o monopólio das operações nas bolsas de valores. [Cf. *distribuidora.*]

corretoria. *S. f.* V. *corregedoria* (1). [Cf. *corretória,* fem. de *corretório.*]

corretório. *Adj.* **1.** Corretivo (1). [Fem.: *corretória.* Cf. *corretoria.*] ● *S. m.* **2.** Registro de correções e penas.

corrião. [Por *correão,* de *correia.*] *S. m. Bras., MG.* Cinto de homem, de couro, com fivela: "No corrião, bem arrochado na barriguinha .... , trazia sempre uma caxerenga de ponta afiada." (Nélson de Faria, *Tiziu e Outras Estórias*, p. 167.) [Cf. *correão.*]

corrição. [De *correr* + -*ção.*] *S. f.* Levantamento de caça por meio de cães. [Cf. *correção* e *correição.*]

corricar[1]. *V. int.* **1.** Correr a passo miúdo. **2.** Andar ligeiro. **3.** *Bras.* Andar de um lado para outro; perambular, vagabundear. [Conjug.: v. *trancar.*]

corricar[2]. *V. int. Bras.* Pescar de corrico. [Conjug.: v. *trancar.*]

corricas. *S. f. pl.* Rugas, gelhas, carquilhas.

corrico. [Dev. de *corricar.*] *S. m. Bras.* Modalidade de pescaria de anzol, que consiste em o pescador imprimir à canoa a máxima velocidade, deixando a linha estendida à tona da água para que o peixe (geralmente a cavala) seja atraído pelos saltos da isca e venha prender-se ao anzol; pescaria de corrico.

corrida. *S. f.* **1.** Ato ou efeito de correr; carreira, corredura. **2.** Correria (2). **3.** Caminho entre dois pontos conhecidos. **4.** V. *tourada* (2). **5.** Nos automóveis de praça, a quantia estipulada, ou indicada por taxímetro, e que corresponde a um certo percurso. **6.** Competição esportiva em que se percorrem distâncias predeterminadas: *corrida automobilística; corrida de obstáculos.* **7.** O ato de verter num molde o metal em fusão: *a corrida do aço.* **8.** Afluência inopinada às casas bancárias para levantamento de depósitos em casos de crise financeira, ou a um local onde há determinada mercadoria rara ou de preço abaixo do normal, ou onde se descobriu jazida de minério, etc. **9.** *Bras., BA.* V. *corredeira* (1). ~ V. *corridas.* ♦ **Corrida com obstáculos.** *Atlet.* Aquela em que o atleta, ao correr, deve saltar barreiras com dimensões determinadas colocadas a distâncias preestabelecidas. **Corrida da tainha.** *Bras., RS.* A migração das tainhas. **Corrida de cavalos.** Corridas [q. v.]. **Corrida de fundo.** *Atlet.* Corrida rasa de longa distância (5.000, 10.000 e 42.195 m). **Corrida de meio-fundo.** *Atlet.* Corrida rasa, com percurso de 800 a 1.500 m, em que o atleta se apóia em dois fatores: técnica e recuperação, numa dosagem da energia que visa a manter certa média de rendimento durante o percurso. **Corrida de revezamento.** *Atlet.* Corrida em equipe entre atletas que cumprem, cada um, uma parte do percurso, tendo de passar o bastão ao companheiro, que fará a etapa seguinte. **Corrida de velocidade.** *Atlet.* Corrida rasa disputada em percurso curto, numa distância entre 100 e 400 m, e que se caracteriza pelo esforço que o atleta desenvolve desde a saída até a chegada. **Corrida rasa.** *Atlet.* A que se realiza em pista lisa, sem obstáculos. **Botar a corrida fora.** *Bras., RS.* **1.** Fazer perder-se uma corrida de animais, por imperícia. **2.** *Fig.* Atrapalhar a realização de um negócio ou desejo. **De corrida.** Às pressas, à pressa; sem demora: *Passaram de corrida por aqui;* "voltou logo de *corrida* a dizer palavras muito cariciáveis às avezinhas que nós ouvíamos gralhear." (Camilo Castelo Branco, *A Mulher Fatal*, p. 107).

corridas. [Pl. de *corrida.*] *S. f. pl.* Carreira entre dois ou mais cavaleiros sob certas condições e com apostas e prêmios; corrida de cavalos. ~ V. *corrida.*

corrido. [Part. de *correr.*] *Adj.* **1.** Que correu. **2.** Escoado, passado: *Já é longo o tempo corrido após a sua vitória.* **3.** Posto fora; expulso. **4.** Perseguido, caçado. **5.** Vexado, envergonhado: *A humilhação deixou-os corridos.* **6.** Gasto, batido. **7.** *Bras., S.* Diz-se de animal que anda no cio. ~ V. *brita —a, composição —a, folha —a, fundação —a* e *matéria —a.* ● *S. m.* **8.** *Bras.* Espécie de cascalho. **9.** *Bras., BA. Mús. Pop.* Tipo de samba-de-roda em que não há refrão coral. [Cf., nesta acepç.: *corta-jaca, separa-o-visgo, apanha-o-bago, miudinho* (4), *bate-baú.*]

corrigenda. [Do lat. *corrigenda.*] *S. f.* **1.** *Tip.* Errata (1). **2.** V. *admoestação* (3).

corrigibilidade. *S. f.* Qualidade de corrigível.

corrigir. [Do lat. *corrigere.*] *V. t. d.* **1.** Dar forma correta a, emendando; endireitar, retificar: *Leu a carta corrigindo a ortografia; Corrigiu a pronúncia do aluno.* **2.** Arranjar, arrumar, ordenar, endireitar, compor, concertar: "— Eu acho que você aqui na minha terra, ... vai ser a primeira mulher a andar na rua de chapéu. / E a Vanju, *corrigindo* os cabelos por cima da orelha: — Alguém tinha de ser a primeira." (Josué Montelo, *Cais da Sagração*, p. 15) **3.** Eliminar, suprimir (erro, defeito, deficiência, etc.): *O mecânico facilmente corrigiu o defeito do carro; Corrigiu os erros do texto.* **4.** Atenuar os inconvenientes de: *Procuraram corrigir a severidade excessiva do estatuto.* **5.** Reparar (agravo, injustiça, etc.). **6.** Castigar, censurar, repreender: *Corrigiu o aluno perante toda a classe. Int.* **7.** Aplicar corretivo (3 e 4): "nada de castigos cruéis, *corrigisse* quando fosse preciso, mas sem exagero." (Coelho Neto, *Treva*, p. 254). *P.* **8.** Emendar, retificar, a si mesmo: *Pronunciou mal a palavra, mas corrigiu-se em seguida.* **9.** Mudar de vida; emendar-se. [Part. *corrigido* e *correto* (este, us. quase só como adj.) [Conjug.: v. *dirigir.*]

corrigível. *Adj. 2 g.* Que se pode corrigir.

corrilheiro. *S. m.* Promotor ou freqüentador de corrilhos.

corrilho. [Do esp. *corrillo.*] *S. m.* **1.** Reunião facciosa; conciliábulo, conventículo. **2.** V. *mexerico* (1). **3.** Ajuntamento, reunião.

corrimaca. *S. f. Bras.* V. *quantidade* (3).

corrimaça. [De *correr*, certamente.] *S. f.* **1.** Perseguição com vaias; assuada. [Sin. ant.: *corrimento.*] **2.** *Pop.* Corrida, tropel.

corrimão. [De *correr* + *mão*[1].] *S. m.* Peça ao longo e ao(s) lado(s) de uma escada, apoiada ou não em balaústres, e que serve de resguardo, ou apoio para a mão, de quem sobe ou desce; mainel. [Pl.: *corrimãos* e *corrimões.*]

corrimboque. *S. m. Bras.* Var. de *cornimboque*: "Tabaco mais abundante nos *corrimboques* de chifre bem lavrados" (Mauro Mota, *Votos e Ex-Votos*, p. 41). ♦ **Passado pelo corrimboque do Diabo.** *Bras., N.* V. *passado* (13).

corrimento. *S. m.* **1.** Ato ou efeito de correr. **2.** Secreção patológica que se escoa de um órgão. **3.** *Ant.* Corrimaça (1).

corriola. [Por *correola*, dim. de *correa* (f. ant. de *correia*), + -*ola.*] *S. f.* **1.** Jogo no qual se enrola uma fita dobrada metendo ponteiros entre as voltas, e ganhando aquele que consegue que algum deles fique preso quando a fita se desenrola. **2.** Motim de rua; arruaça. **3.** *Fam.* Engano, logro, burla. **4.** *Bras. Gír.* Bando, quadrilha, grupo.

corriqueirice. *S. f.* **1.** Qualidade de corriqueiro (1); vulgaridade, trivialidade. **2.** *Bras., SP.* Corriqueirismo.

corriqueirismo. *S. m. Bras., SP.* Qualidade ou caráter de corriqueiro (2); corriqueirice.

corriqueiro. [De *corricar*[1] (1) + -*eiro.*] *Adj.* **1.** Corrente, vulgar, habitual. **2.** *Bras., SP.* Presumido, afetado. **3.** *Bras., BA.* Irrequieto, agitado, buliçoso: "— Isto sucede a meninas *corriqueiras.* Que faz uma rapariga sozinha por essas locas, em hora de meio-dia?" (Xavier Marques, *Jana e Joel*, p. 75.) **4.** *Lus.* Que leva e traz novidades. ● *S. m.* **5.** *Bras.* V. *periquito*[1] (6). [Cf. *curriqueiro.*]

corriquinho. [Dim. de *corrico.*] *S. m. Bras., SP.* Na região do Ribeira, certa rede de pesca de malhas estreitas.

corrixo. *S. m. Bras.* V. *chupim* (1).

corro (ô). *S. m. Ant.* **1.** Circo, arena. **2.** Ajuntamento de pessoas em forma de círculo; roda. **3.** Assembléia, junta. **4.** Bando, multidão.

corró. [Voc. onom. *S. m. Bras., N.E. Pop.* **1.** Designação comum a pequenos peixes sem valor, de rios e açudes. **2.** *P. ext.* Indivíduo de baixa estatura.

corroboração. *S. f.* Ato ou efeito de corroborar(-se).

corroborante. [Do lat. *corroborante.*] *Adj. 2 g.* Que corrobora.

corroborar. [Do lat. *corroborare.*] *V. t. d.* **1.** Dar força a; fortificar, fortalecer, roborar: *remédio para corroborar o organismo.* **2.** Confirmar, comprovar, roborar: "A tradução dos poetas latinos é a triaga em que S. Exª encontra mais virtudes medicinais. Esta opinião *corrobora* o crítico com o antegosto da restauração próxima" (Ramalho Ortigão, *Figuras e Questões Literárias*, I, p. 37). *P.* **3.** Adquirir forças; fortificar-se, fortalecer-se, roborar-se.

corroborativo. *Adj.* Próprio para corroborar.

corrodente. *S. m.* **1.** Espécime dos corrodentes. ● *Adj. 2 g.* **2.** Pertencente ou relativo a eles. [Sin. ger.: *psocóptero, copeógnato.*]

corrodentes. *S. m. Pl. Zool.* Animais artrópodes, da classe dos insetos, ordem *Corrodentia.* Corpo de tamanho reduzido; tórax pequeno, incompletamente fundido; aparelho bucal mastigador; quatro asas reticuladas, ou ápteros. Vivem no tronco das árvores ou sob o lado inferior das folhas, protegidos por delgado véu de seda, e alimentam-se de matéria orgânica vegetal ou animal, havendo alguns frugívoros. Algumas espécies atacam coleções de insetos e livros. [Sin.: *psocópteros* e *copeógnatos.*]

corroer. [Do lat. *corrodere.*] *V. t. d.* **1.** Roer lentamente; consumir pouco a pouco; gastar, carcomer: *O rato corroeu os livros; Esta enfermidade corrói os órgãos.* **2.** Destruir ou danificar progressivamente: *Os séculos corroeram as inscrições dos túmulos egípcios.* **3.** Depravar, desnaturar: *Há vícios que corroem a alma. P.* **4.** Atacar ou roer reciprocamente; gastar-se: *São dois metais que, postos lado a lado, se corroem.* **5.** Depravar-se, corromper-se, viciar-se. [Conjug.: v. *moer.*]

corroído. [Part. de *corroer.*] *Adj.* **1.** Carcomido, gasto. **2.** Depravado, viciado.

corroló. *S. m. Bras., Pl.* Doce feito com raspa de requeijão e rapadura.

corrompedor (ô). *Adj.* e *s. m.* V. *corruptor.*

corromper. [Do lat. *corrumpere.*] *V. t. d.* **1.** Tornar podre; estragar, decompor: *O calor corrompe certos alimentos.* **2.** Alterar, adulterar: *Corrompeu o texto, adaptando-o ao que pretendia.* **3.** Perverter, depravar, viciar: *As más influências corromperam-no.* **4.** Subornar, peitar, comprar: *Corrompendo a testemunha, obteve depoimento falso. P.* **5.** Apodrecer, adulterar-se. **6.** Perverter-se, depravar-se, viciar-se.

corrompido. [Part. de *corromper.*] *Adj.* V. *corrupto.*

corrompimento. *S. m.* V. *corrupção.*

corrosão. [Do fr. *corrosion.*] *S. f.* **1.** Ação ou efeito de corroer(-se). **2.** Desgaste, ou modificação química ou estrutural de um material, provocados pela ação química ou eletroquímica espontânea de agentes do meio ambiente. **3.** *Geol.* Decomposição e destruição de rochas, resultante da ação química dissolvente das águas. ♦ **Corrosão alveolar.** *Tec. Quím.* A que é muito localizada e provoca o desenvolvimento de pites na superfície metálica. **Corrosão biológica.** *Tec. Quím.* A que ocorre em virtude da atividade metabólica de microrganismos que podem ou produzir agentes corrosivos, ou provocar a formação de pilhas de concentração, ou alterar as películas superficiais dos metais, ou influenciar a velocidade das reações anódicas ou catódicas, ou finalmente alterar a composição do meio. **Corrosão catódica.** *Eng. Ind.* Aquela em que o metal atacado funciona como o catodo de uma pilha eletroquímica. **Corrosão eletroquímica.** *Eng. Ind.* A que resulta da formação de pilhas eletroquímicas constituídas pelo metal e por uma solução. **Corrosão eólica.** *Geol.* Erosão originada pelo impacto das partículas sólidas transportadas pelos ventos. **Corrosão grafítica.** *Tec. Quím.* Corrosão que ataca ferros com alto teor de grafita e que provoca a oxidação dos grãos metálicos, deixando resíduo grafítico. **Corrosão intergranular.** *Tec. Quím.* A que ocorre nas fronteiras dos grãos de um metal ou de uma liga, sem afetar os grãos cristalinos. **Corrosão magmática.** *Geol.* Modificação irregular do contorno dos fenocristais, previamente estáveis, devida à ação posterior do magma, que reage dissolvendo parcialmente os fenocristais. **Corrosão por aeração diferencial.** *Tec. Quím.* A que ataca uma região metálica que está em contato com um meio onde a concentração de oxigênio é menor que a concentração nas regiões vizinhas. **Corrosão sob tensão.** *Tec. Quím.* A que ocorre nas regiões metálicas sujeitas a uma tensão mecânica maior que a das regiões vizinhas.

corrosibilidade. *S. f.* Qualidade de corrosível.

corrosível. *Adj. 2 g.* Que pode ser corroído; sujeito a corrosão (1).

corrosividade. *S. f.* Qualidade do que é corrosivo (1).

corrosivo. [Do lat. *corrosivu.*] *Adj.* **1.** Que corrói: "Um penetrante e *corrosivo* frio / Anestesiou-me a sensibilidade" (Augusto dos Anjos, *Eu*, p. 105); "O dia é pardo, nuvens no alto, o vento a erguer da rua redemoinhos dum pó *corrosivo* à pele" (Fialho d'Almeida, *Pasquinadas*, p. 5). ~ V. *sublimado —.* ● *S. m.* **2.** Aquilo que corrói.

corrubiana. [Var. de *corrupiana.*] *S. f. Bras. Met.* Fenômeno observado em certas regiões montanhosas de MG, e consistente na queda de neblina frígida, no inverno ou no verão, acompanhada de vento sueste: "Tivemos um domingo de sol pleno, o que não é comum na Serra, ainda sujeita às visitas da '*corrubiana*', nesta época do ano. É um nevoeiro denso que baixa até ao solo, como o *fog* londrino." (Ciro dos Anjos, *Abdias*, p. 49.) [Cf. *cruviana.*]

corrução[1]. *S. f.* V. *corrupção.*

corrução[2]. *S. f. Bas.* V. *maculo.*

corruchiar. [Voc. onom.] *V. int. Bras.* Emitir (o canário-da-terra e outras aves cantoras) certo canto baixo e seguido: "Um dia o canarinho amanhecera *corruchiando*, cantando de estalo." (Gilvã Lemos, *Jutaí Menino*, p. 96.)

corrugação. *S. f.* Ato ou efeito de corrugar; enrugamento.

corrugadeira. [De *corrugar* + -*deira.*] *S. f. Ind. Pap.* Onduladeira [q. v.].

corrugado. [Part. de *corrugar*.] *Adj.* V. *enrugado*: *testa* c o r r u g a d a.
corrugar. [Do lat. *corrugare*.] *V. t. d. e p.* V. *enrugar*. [Conjug.: v. *largar*.]
corruíra. [Do tupi *kuru'ira*.] *S. f. Bras.* V. *garriça*.
corruiraçu (u-i). [De *corruíra* + *-açu*.] *S. f. Bras.* V. *corruiruçu*.
corruíra-do-brejo. *S. f. Bras.* V. *corutié*. [Pl.: *corruíras-do-brejo*.]
corruiruçu (u-i). *S. f. Bras.* Ave passeriforme, da família dos trogloditídeos (*Thryothorus longirostris* Vieil.), da faixa litorânea meridional e região este-sententrional do País. Coloração pardo-acinzentada, garganta branca, e uma estria da mesma cor sobre os olhos, característica da espécie; asas e cauda riscadas de negro. [Sin.: *cambaxirra-grande, corruiraçu*.]
corrume. *S. m.* Entalhe que se faz em uma peça para que nela corra outra embebida, encaixada.
corrupção. [Do lat. *corruptione*.] *S. f.* **1.** Ato ou efeito de corromper; decomposição, putrefação. **2.** Devassidão, depravação, perversão. **3.** Suborno, peita. [Var.: *corrução*; sin. ger.: *corrompimento*.]
corrupiana. [De *corrupio* + *-ana*.] *S. f. Bras.* Corrubiana [q. v.].
corrupião. [Voc. onom.?] *S. m. Bras.* Ave passeriforme, da família dos icterídeos (*Icterus jamacaii* (Gmel.)), do Brasil este-setentrional, de coloração geral preta, dorso e barriga vermelhos com tons alaranjados, e asa com espelhos brancos. É apreciada como ave de gaiola, por ser bela e pelo seu canto. [Sin.: *concliz, concriz, sofrê*.]
corrupiar. [De *corrupio* + *-ar*².] *V. int.* **1.** *Bras.* Rodopiar (1): "Flor voltara a embalar-se na rede, e Justa fazia outra vez c o r r u p i a r o fuso às castanholas de seus dedos ágeis." (José de Alencar, *O Sertanejo*, p. 104.) *T. d.* **2.** Fazer andar às voltas.
corrupié. *S. m. Bras., SP.* V. *crupiê*.
corrupiê. *S. m. Bras., SP.* V. *crupiê*.
corrupio. [De *correr*, certamente.] *S. m.* **1.** Designação comum a diversas brincadeiras infantis e, em particular, aquela em que a pessoa, segurando a criança pelas duas mãos, rodopia juntamente com ela, rapidamente em círculos diminutos, ou daquela em que duas crianças de mãos dadas, braços esticados e os pés de cada uma em frente dos da outra, rodopiam velozmente. **2.** *Fam.* V. *roda-viva* (1). **3.** Espécie de cata-vento de penas ou de papel, para crianças. **4.** *Bras.* Designação comum aos ouriços-do-mar irregulares, disciformes ou cordiformes, com ânus marginal e simetria radial quase transformada em bilateral; bolacha. [Cf., nesta acepç., *ouriço-do-mar*.]
corrupixel. *S. m. Bras., BA.* Sacola na ponta duma vara, para colher frutas sem as estragar. [Sin., bras., AL: *tetéia*. Pl.: *corrupixéis*.]
corruptela. [Do lat. *corruptela*.] *S. f.* **1.** Ato ou efeito de corromper; corrupção. **2.** Aquilo que é capaz de corromper. **3.** Modo errado de escrever ou pronunciar uma palavra ou locução. **4.** Alteração, modificação; abuso. [Var.: *corrutela*.]
corruptibilidade. [Do lat. *corruptibilitate*.] *S. f.* Qualidade de ou caráter de corruptível. [Var.: *corrutibilidade*.]
corruptível. [Do lat. *corruptibile*.] *Adj. 2 g.* **1.** Suscetível de se corromper: *alimento* c o r r u p t í v e l. **2.** Capaz de se deixar subornar; venal, corrupto: *funcionário* c o r r u p t í v e l. [Var.: *corrutível*; sin. ger.: *corruptivo*.]
corruptivo. [Do lat. *corruptivu*.] *Adj.* V. *corruptível*. [Var.: *corrutivo*.]
corrupto. [Do lat. *corruptu*.] *Adj.* **1.** Que sofreu corrupção; podre, estragado, infectado. **2.** Devasso, depravado. **3.** Corruptível (2): *governo* c o r r u p t o. **4.** Errado, viciado (tratando-se de linguagem). [Var.: *corrupto*; sin. ger.: *corrompido*.]
corruptor (ô). [Do lat. *corruptore*.] *Adj.* **1.** Que corrompe: *políticos* c o r r u p t o r e s. ● *S. m.* **2.** Aquele que corrompe. **3.** Alterador de textos [v. *texto* (1)]. **4.** Aquele que suborna, que peita; subornador. [Var.: *corrutor*; sin. ger.: *corrompedor*.]
corrutela. *S. f.* **1.** V. *corruptela*. **2.** *Bras., GO.* Pequeno arraial formado por garimpeiros na entrada das terras virgens aonde vão à procura de diamante: "Na torre ficava um relógio, luxo exagerado para uma c o r r u t e l a." (Bariani Ortêncio, *Vão dos Angicos*, p. 14.)
corrutibilidade. *S. f.* V. *corruptibilidade*.
corrutível. *Adj. 2 g.* V. *corruptível*.
corrutivo. *Adj.* V. *corruptivo*.
corruto. *Adj.* V. *corrupto*.
corrutor (ô). *Adj. e s. m.* V. *corruptor*.
corsário. [Do it. *corsaro*.] *S. m.* **1.** *Mar. G.* Navio que faz o corso¹ (1). **2.** *Mar. G.* Homem que faz o corso¹ (1). [Cf. *pirata* (1).] **3.** *P. ext.* Pirata (1). ● *Adj.* **4.** Relativo a corso¹.
corsear. *V. int.* Andar a corso¹. [Conjug.: v. *frear*.]
corselete (ê). [Do fr. *corselet*.] *S. m.* **1.** Antiga armadura, leve, para o peito. **2.** V. *corpete* (1). [Var.: *cossolete* e *cossoleto*.]
córsico. [Do lat. *corsicu*.] *Adj.* **1.** Da, ou pertencente ou relativo à Córsega, ilha do Mediterrâneo. ● *S. m.* **2.** O natural ou habitante dessa ilha. [Sin. ger.: *corso* (ô).]
corso¹ (ô). [Do it. *corso*.] *S. m.* **1.** *Ant. Mar. G.* Caça a navios mercantes do inimigo, efetuada por navio armado por particular com a devida autorização de um governo beligerante. **2.** *Mar. G.* Ataque esporádico contra o tráfego comercial do inimigo, realizado por navio de guerra ou por navio mercante armado, e em que se tira partido, em alto grau, da surpresa. [É forma de ação utilizada pelo beligerante mais fraco no mar. Cf. *pirataria* (1).] **3.** Vida errante e vagabunda de povos bárbaros que se mantêm com o fruto dos roubos praticados nos lugares por onde passam. **4.** Desfile de carros, de carruagens. [Cf. *corço*.]
corso² (ô). *S. m.* Cardume de sardinhas. [Cf. *corço*.]
corso³ (ô). [Do lat. *corsu*.] *Adj. e s. m.* Córsico. [Fem.: *corsa*. Cf. *corço* e *corça*.]
corso⁴ (ô). *Adj. Bras., BA.* Diz-se dos peixes que vivem a pouca profundidade. [Cf. *corço*.]
corta. [Dev. de *cortar*¹.] *S. f.* **1.** Poda, desbaste. **2.** Grande corte aberto nas minas para a extração de minério.
corta-água. [De *cortar*¹ + *água*¹.] *S. f. Bras.* V. *talha-mar* (4). [Pl.: *corta-águas*.]
corta-bainha. [De *cortar*¹ + *bainha*.] *S. f. Bras., CE.* V. *cachaça* (1). [Pl.: *corta-bainhas*.]
corta-brocha. [De *cortar*¹ + *brocha*.] *S. m. Bras., CE. Pop.* Discussão acalorada; altercação. [Pl.: *corta-brochas*.]
corta-capim. [De *cortar*¹ + *capim*.] *S. m. Bras. Cap.* Golpe que consiste numa série ininterrupta de rasteiras [v. *rasteira* (4)], e em que o capoeirista, apoiado nas mãos e agachado numa perna, roda a outra em torno do corpo em um mesmo sentido. [Este golpe é mais utilizado em exibições e exercícios. Pl.: *corta-capins*.]
cortada. [Fem. substantivo do adj. *cortado*².] *S. f.* **1.** *Basq.* Ataque caracterizado pela impulsão do jogador que bate com a mão espalmada na bola. **2.** *Esport.* Golpe de raquete, rasante e muito forte.
cortadeira. [De *cortar*¹ + *-deira*.] *S. f.* **1.** V. *carretilha* (2). **2.** *Bras.* Instrumento agrário de virar terra. **3.** *Bras.* Designação dada à formiga saúva (*Atta sexdens*) em várias zonas do País. **4.** *Bras., PE.* Peça de metal, curva e dentada, que se aplica acima das ventas das cavalgaduras, e de cujas extremidades parte uma das rédeas que firmam o governo; picadeira.
cortadela. *S. f.* Corte¹ (2) pequeno e/ou pouco profundo; cortadura.
cortado¹. [Var. de *quartado* (q. v.).] *S. m. Bras., S.* A quarta parte da moeda boliviana, que se dividia em quatro partes para facilitar o troco.
cortado². [Part. de *cortar*¹.] *Adj.* **1.** Que se cortou ou separou dum todo: *O dedo* c o r t a d o *continua sangrando; Havia na mesa muito pão* c o r t a d o. **2.** Talhado segundo certas regras: *roupa bem* c o r t a d a. **3.** Interrompido, interceptado, impedido: *Não recebeu o telegrama em conseqüência das comunicações* c o r t a d a s. **4.** Atormentado, magoado: *A morte do pai deixou-o de coração* c o r t a d o. **5.** *Bras.* Diz-se do curso de água que se interrompe durante as estações secas. ● *S. m.* **6.** *Bras.* V. *roda-vida* (1): *Para sustentar a família leva a vida num* c o r t a d o. **7.** Situação difícil ou angustiosa; apuro, aperto: *Vi-me num* c o r t a d o *para explicar minha ausência*. **8.** Perseguição (especialmente doméstica) miúda e iterativa: *A sogra traz o genro num* c o r t a d o.
cortador (ô). *Adj.* **1.** Que corta; cortante. **2.** *Fig.* Que abre caminho; que fende. **3.** *Bras., BA.* V. *namorador* (1). ● *S. m.* **4.** Aquele que corta a carne nos açougues. **5.** Designação comum a vários utensílios que cortam. **6.** *Bras.* Pescador que verifica se há peixe nas redes. **7.** *Bras., BA.* V. *namorador* (2).
cortador-chanfrador (ô). *S. m. Tip.* Aparelho para cortar e chanfrar entrelinhas e fios; chanfrador-cortador. [Pl.: *cortadores-chanfradores*.]
cortadura. *S. f.* **1.** Corte¹ (2). **2.** Cortadela. **3.** Pego para escoamento de água. **4.** Abertura entre montes.
corta-fios. [De *cortar*¹ + o pl. de *fio*.] *S. m. 2 n.* Espécie de alicate próprio para cortar fios.
corta-garoupa. [De *cortar*¹ + *garoupa*.] *S. m. Bras.* V. *cação-garoupa*. [Pl.: *corta-garoupas*.]
cortagem. *S. f.* Corte¹ (1) de carne, em açougue.
corta-jaca. [De *cortar*¹ + *(a) jaca*.] *S. f.* **1.** *Bras., N.E Folcl.* Um dos passos tradicionais do *samba-de-roda*, em que o dançarino torce e movimenta o pé como se estivesse cortando a jaca: "— Isto é o tatu, isto é a saramba, isto é o quimbete, isto é a tirana, ... isto é ... o c o r t a - j a c a, o fandango, o sarrabalho?" (Martins Fontes, *A Dança*, p. 90.) [Cf. *corrido* (9).] ● *S. 2 g.* **2.** *Bras., PE* e *AL. Gír.* V. *bajulador* (2). [Pl.: *corta-jacas*.]
corta-luz. [De *cortar*¹ + *luz*.] *S. m. Bras. Fut.* O ato de interpor-se (o jogador) entre o adversário e o companheiro que vai chutar. [Pl.: *corta-luzes*.] ♦ **Fazer o corta-luz.** *Bras. Fut.* Proceder dessa maneira.
corta-mão. [Do provenç. ant. *escartabont*, mod. *cartabon*?] *S. m.* V. *esquadro* (1). [Pl.: *corta-mãos*. Cf. *curtamão*.]
corta-mar. [De *cortar*¹ + *mar*.] *S. m.* **1.** V. *quebra-mar*. **2.** Prolongamento angular dos pegões das pontes, que serve para reforçar a construção. **3.** *Bras.* V. *talha-mar* (4). [Pl.: *corta-mares*.]
cortamento. *S. m. P. us.* Corte¹ (1).
cortante. *Adj. 2 g.* **1.** Cortador (1). **2.** Agudo, estridente: *som* c o r t a n t e. **3.** Muito frio; gelado: *vento* c o r t a n t e. ~ V. *força* —. ● *S. m.* **4.** *Bras., RJ.* V. *cerol* (2).
corta-palha. [De *cortar* + *palha*.] *S. m.* Serrote fixo para cortar a palha que se dá ao gado. [Pl.: *corta-palhas*.]
corta-papel. [De *cortar*¹ + *papel*.] *S. m.* Utensílio em forma de faca, feito de metal, madeira, osso, marfim, etc., com que se corta papel dobrado ou se separam as folhas de uma publicação, cortando-lhes a ligação das margens. [Pl.: *corta-papéis*.]
cortar¹. [Do lat. *curtare*.] *V. t. d.* **1.** Dividir com instrumento de gume: C o r t o u *a folha de papel ao meio;* C o r t o u *dois metros de fazenda*. **2.** Separar (uma parte) de um todo, com instrumento cortante: C o r t o u *uma fatia do bolo*. **3.** Fazer incisão em; dar um talho em: *A gilete* c o r t o u *-lhe o dedo*. **4.** Derrubar pelo corte: c o r t a r *um pinheiro*. **5.** Aparar (3): c o r t a r *a grama;* c o r t a r *o cabelo*. **6.** Talhar, segundo certas regras: c o r t a r *um vestido*. **7.** Suprimir, eliminar: C o r t o u *um trecho do longo romance*. **8.** Encurtar, diminuir: C o r t o u *caminho passando pelo atalho*. **9.** Impedir, obstar, interceptar: C o r t a r a m *a comunicação telefônica entre Rio e São Paulo*. **10.** Fazer parar; interromper: C o r t o u *a palavra do orador*. **11.** Eliminar da alimentação, do uso: "C o r t e i o açúcar, Eduardo. / — Mas saia um pouco do regime, você emagreceu, não emagreceu?" (Lígia Fagundes Teles, *Antes do Baile Verde*, p. 10); "C o r t e i o jantar, tem um mês que não sei o gosto de feijão..." (Jorge Amado, *Dona Flor e Seus Dois Maridos*, p. 63). **12.** Impedir que aumente ou se agrave; atalhar, abortar: *O medicamento* c o r t o u *o resfriado*. **13.** Desfazer, anular, invalidar: *A bebida* c o r t o u *o efeito da medicação*. **14.** Cruzar-se com; atravessar: *Este caminho* c o r t a *a rodovia*. **15.** Atravessar, cruzar: "O Cavaleiro, tristonho agora, / C o r t a v a a estrada deserta e nua..." (Artur de Sales, *Poesias*, p. 70); "Asas, tontas de luz, c o r t a n d o o firmamento!" (Olavo Bilac, *Poesias*, p. 170). **16.** Ultrapassar (um carro, ou quem o dirige) passando inesperada e perigosamente para a mesma faixa de rodagem; fechar: *O ônibus* c o r t o u *o carro, que por um triz não capotou; Aquele automóvel* c o r t o u *-o perto do túnel*. **17.** Sulcar, cruzar; singrar: c o r t a r os mares. **18.** Cavar, sulcar: "Rugas profundas c o r t a v a m - lhe o rosto em todos os sentidos." (Inglês de Sousa, *Contos Amazônicos*, p. 262.) **19.** Provocar sensação semelhante à do corte: "Lá fora faz frio, e esse frio c o r t a / a carne espectral dos velhos mendigos." (Francisco Carvalho, *Rosa dos Eventos*, p. 49.) **20.** Dividir (o baralho) antes de cada carteamento. **21.** *Mat.* Cancelar (6). **22.** *Bras., RS.* Separar, apartar (reses de um rebanho). **23.** *Bras. Fam.* Pôr fim a; acabar com; liquidar. *Int.* **24.** Ter bom gume: *Esta tesoura não* c o r t a. **25.** Cortar fazenda para feitio de roupas: *Meu alfaiate* c o r t a *bem; Pedro* c o r t a *e Joana cose*. **26.** Em tênis, pingue-pongue, etc., interceptar a trajetória da bola, batendo nela com força em direção ao campo adversário. **27.** *Bras., N.E.* Secar, no verão (um curso de água): *Com o rigor do verão, o riacho* c o r t o u. **28.** Encurtar caminho: *Chegaram antes porque* c o r t a r a m *pelo atalho do bosque*. *P.* **29.** Ferir-se com instrumento cortante. **30.** *Bras.* Interromper-se (um curso de água). **31.** *Bras., RS.* Separar-se, afastar-se. [Pres. ind.: *corto, cortas, corta*, etc.; pres. subj.: *corte, cortes*, etc. Cf. *corto* (ô), adj., e as flex. *corta* (ô), *cortas* (ô); *corte* (ô), s. f., pl. *cortes* (ô); e *Cortes* (ô), antr. e top.] ♦ **Cortar direito.** Proceder com retidão, com justiça. [Sin. (bras.; N.E.): *cortar pelo direito*.] **Cortar em claro.** Cortar rente.
cortar². *V. t. d. Bras., BA.* Cortejar, requestar; namorar. [Pres. ind.: *corto, cortas, corta*, etc.; pres. subj.: *corte*,

cortes, etc. Cf. *corto* (ô), adj., e as flex. *corta* (ô) e *cortas* (ô); *corte* (ô), s. f., pl. *cortes* (ô); e *Cortes* (ô), [antr. e top.]

corta-rio. [De *cortar*[1] + *rio*.] *S. m.* Canal que se constrói para modificar o trajeto de um curso de água, encaminhando-o para local mais conveniente. [Pl.: *corta-rios*.]

corta-trapo. [De *cortar*[1] + *trapo*.] *S. m. Ind. Pap.* Aparelho provido de facas circulares que fragmentam os trapos destinados ao fabrico de papel. [Pl.: *corta-trapos*.]

corta-vento. [De *cortar*[1] + *vento*.] *S. m. Bras.* **1.** Moinho de vento. **2.** V. *narceja*. [Pl.: *corta-ventos*.]

corte[1]. [Dev. de *cortar*[1].] *S. m.* **1.** Ato ou efeito de cortar(-se). **2.** Talho ou golpe com instrumento cortante; cortadura: *A faca, ao cair, deu-lhe um corte no pé que foi até o osso.* **3.** O gume de instrumento cortante: *A tesoura está sem corte.* **4.** V. *açougue* (1). **5.** V. *matadouro* (1). **6.** Cada uma das faces da aduela de um arco de edifício. **7.** Porção de fazenda suficiente para uma roupa ou uma peça de vestuário: *Meu corte de linho dá para uma saia.* **8.** Maneira de talhar as roupas: *As calças que ele faz têm um corte muito elegante.* **9.** Operação periódica de desbastar uma floresta, árvores, arbustos, etc. **10.** Diminuição, redução: *A perda do emprego obrigou-me a um corte nos gastos.* **11.** Interrupção, suspensão: *Houve corte de luz em todo o bairro.* **12.** Apresentação real ou representação gráfica do perfil de um objeto em três dimensões. **13.** Trecho de uma obra de criação (filme, livro, peça teatral, etc.) censurado e dela retirado: *O filme sofreu três cortes em suas cenas eróticas.* **14.** V. *atalho* (2). **15.** *Álg. Mod.* Corte de Dedekind. **16.** *Tip.* Talude (4). **17.** *Encad.* Cada uma das três faces do livro que são aparadas no processo de encadernação ou em certo gênero de brochura. **18.** *Caligr.* Linha que atravessa a haste do *t* e do *f* minúsculos. **19.** *Bras. Constr.* Escavação a céu aberto feita em uma faixa do terreno para rebaixá-lo e dar passagem a uma via de comunicação. **20.** *Arquit.* Representação gráfica de seção vertical de uma edificação, mostrando as alturas e outros detalhes construtivos de interesse. [Pl.: *cortes*. Cf. *corte* (ô), pl. *cortes* (ô), e o antr. e top. *Cortes* (ô).] ♦ **Corte da abertura.** *Encad.* O que é paralelo à lombada; corte lateral, corte da frente, frente, dianteira. **Corte da cabeça.** *Encad.* O correspondente à cabeça do livro; corte superior. **Corte da frente.** *Encad.* V. *corte da abertura*. **Corte de Dedekind.** *Álg. Mod.* Num campo ordenado, par de subconjuntos não-vazios em que o primeiro não tem mínimo e é classe majorante do segundo, e o segundo não tem máximo e é classe minorante do primeiro. [Tb. se diz apenas *corte*.] **Corte de ponte.** *Tip.* Entalhe maior que a fenda de seleção, praticado nas matrizes das linotipos misturadoras para determinar a separação automática das matrizes de magazines diferentes. **Corte do pé.** *Encad.* O que corresponde ao pé do livro; corte inferior. **Corte geológico.** Corte longitudinal ou transversal de um terreno, mediante o qual se examina a sua constituição geológica. **Corte inferior.** *Encad.* Corte do pé. **Corte lateral.** *Encad.* V. *corte da abertura*. **Corte superior.** *Encad.* Corte da cabeça. **Ruim de corte.** *Bras., N.E. Pop.* **1.** Em má situação financeira: *estar, andar, viver ruim de corte*. **2.** Em mau estado de saúde.

corte[2]. [V. a etimologia de *corte* (ô).] *S. f.* V. *curral* (1): "Havia movimento de gado que saía das cortes para o pasto." (Camilo Castelo Branco, *Vulcões de Lama*, p. 224); "Em todas as cortes grunhiam porcos." (Eça de Queirós, *Últimas Páginas*, p. 4). [Pl.: *cortes*. Cf. *corte* (ô) e pl. *cortes* (ô).]

corte (ô). [Do lat. *vulg. corte*. Cf. *corte*[2], da mesma origem, tendo havido mudança de timbre da tônica.] *S. f.* **1.** A residência de um monarca; paço. **2.** As pessoas que habitualmente cercam um soberano. **3.** Cidade onde este reside. **4.** O governo de um país monárquico, em relação ao de outro país. **5.** *Fig.* O conjunto de pessoas que cercam outra(s), procurando agradar-lhe(s): *Aonde ela vai leva sua corte; Tem uma corte de aduladores.* **6.** V. *galanteio*: "às mulheres agrada sempre a corte amorosa" (Melo Nóbrega, *O Soneto de Arvers*, p. 47). **7.** *Bras.* V. *mutirão* (1). **8.** *Bras.* Denominação dada aos tribunais. ~ V. *cortes* (ô). [Pl.: *cortes* (ô). Cf. *corte* e *cortes*, do v. *cortar*; *corte*, s. m., pl. *cortes*; e *corte*, top.] ♦ **Corte celeste.** Os anjos e os santos. **Corte marcial.** Conselho de guerra. **Fazer a corte a.** Procurar agradar a (alguém), ou conquistar-lhe o amor, as boas graças.

corteiro. *S. m. Bras., PE.* Empreiteiro de corte[1] (19), nas construções de estradas de ferro.

cortejador (ô). *Adj.* e *s. m.* **1.** Que, ou aquele que corteja demasiadamente. **2.** Galanteador.

cortejar. [Do it. *corteggiare*.] *V. t. d.* **1.** Fazer ou dirigir cortesia (3) a; cumprimentar: *Cortejou a vizinha, tirando o chapéu.* **2.** Fazer a corte (ô) (6) a; requestar, galantear: *Era bela e inteligente, e os rapazes cortejavam-na.* **3.** Lisonjear ou obsequiar com o intento de obter algo. *Int.* **4.** Fazer a corte (ô) (6): "Mesurado, donairosíssimo, diserto, dameja, corteja, galanteia, idiliza, enquanto um Monsenhor *virtuose* toca, num cravo-liral marchetado, ... , o minuete de Exaudet" (Martins Fontes, *A Dança*, p. 53). *P.* **5.** Cumprimentar-se mutuamente fazendo a corte (ô) (6); flertando: "cortejamo-nos; ela seguiu; entrou com o marido na carruagem, que os esperava um pouco acima; fiquei atônito." (Machado de Assis, *Memórias Póstumas de Brás Cubas*, p. 144.) [Conjug.: v. *pelejar*.]

cortejo (ê). [Do it. *corteggio*.] *S. m.* **1.** Ato ou efeito de cortejar. **2.** Cumprimentos solenes. **3.** Comitiva pomposa; séquito. **4.** Procissão, acompanhamento.

corteleiro. *S. m. Bras.* Boi manso, que volta sempre à corte[2] [q. v.], ao curral.

cortelha (ê). [De *corte*[2] + *-elha*.] *S. f.* Cortelho [q. v.].

cortelho (ê). [De *corte*[2] + *-elho*.] *S. m.* Pocilga (2). [F. paral.: *cortelha*.]

cortes (ô). [Pl. de *corte* (ô).] *S. m. pl. Lus.* **1.** Parlamento (1). **2.** Edifício onde ele funciona. ~ V. *corte* (ô).

cortês. [Do lat. vulg. *cortense*.] *Adj. 2 g.* Que tem cortesia; delicado. [Pl.: *corteses* (ê).]

cortesã. [Do it. *cortigiana*.] *S. f.* **1.** *Ant.* Favorito do rei. **2.** Mulher dissoluta, que vive luxuosamente. **3.** Prostituta elegante: "Ó magras cortesãs d'olhar felino, impuro, / Ó gaviões febris de bocas esfaimadas" (Guerra Junqueiro, *A Morte de D. João*, p. 187). [Cf., nesta acepç.: *meretriz*.] ● *Adj.* **4.** ~ V. *letra* —.

cortesania. *S. f.* Modos de cortesão.

cortesanice. *S. f.* **1.** Simulação de cortesia; urbanidade fingida. **2.** Intriga ou astúcia de cortesão.

cortesão. [Do it. *cortigiano*.] *Adj.* **1.** Relativo ou pertencente à corte (ô) (1 a 4); áulico. **2.** Palaciano (2). ● *S. m.* **3.** Homem da corte; áulico. **4.** Adulador, bajulador. **5.** P. us. Indivíduo afável, cortês. [Flex.: *cortesã*; *cortesãos* (preferível), *cortesões*, *cortesãs*.]

cortesense. *Adj. 2 g.* **1.** De, ou pertencente ou relativo a Cortês (PE). ● *S. 2 g.* **2.** Natural ou habitante de Cortês.

cortesia. *S. f.* **1.** Maneiras de homem da corte (ô). **2.** *P. ext.* Delicadeza, amabilidade, urbanidade. **3.** Cumprimento, mesura, reverência. **4.** Oferta ou presente feito por qualquer organização comercial ou industrial a clientes seus, como prova de cortesia, de amabilidade. ♦ **Fazer cortesia com o chapéu alheio.** Mostrar-se generoso ou pródigo à custa de outrem.

córtex (cs). [Do lat. *cortex*.] *S. m. Biol.* Camada externa de todos os órgãos animais ou vegetais, de estrutura mais ou menos concêntrica; cortiça: *córtex cerebral*. [F. paral.: *córtice*. Pl.: *córtices*.]

cortiça. [Do lat. *corticea*.] *S. f.* **1.** Casca de sobreiro e doutras árvores; corcha. [Cf. *súber*.] **2.** Bóia, em geral de cortiça (1), com que se aprende a nadar. **3.** Cada um dos discos de cortiça (1) que, flutuando, sustentam as bordas da rede de pescar. **4.** *Biol.* V. *córtex*.

cortiçada[1]. *S. f.* Grande porção de cortiça (1).

cortiçada[2]. [De *cortiço* (1) + *-ada*[1].] *S. f.* Série de cortiços.

cortiçado. *Adj.* Provido de/ou córtice.

cortical. *Adj. 2 g.* Pertencente ou relativo ao córtice ou córtex.

córtice. [Do lat. *cortice*.] *S. m. Biol.* V. *córtex*.

corticeira. *S. f.* **1.** Lugar onde se junta cortiça (1). **2.** *Bras., litoral.* Árvore regular, ornamental da família das leguminosas (*Erythrina crista-galli*), de pedúnculos florais vermelhos e fruto que é vagem pedunculada, com sementes oblongas e pequenas. Fornece madeira branco-amarelada, muito leve e porosa. [Sin.: *flor-de-coral, mulungu, sananduva*.] **3.** V. *flor-de-coral*. (2).

corticeiro. *Adj.* **1.** Relativo à cortiça (1) ou à sua indústria. ● *S. m.* **2.** Indivíduo que trabalha na extração da cortiça nos sobreirais.

corticento. *Adj.* **1.** Corticiforme. **2.** Que tem a natureza da cortiça.

cortíceo. [Do lat. *corticeu*.] *Adj.* Feito de cortiça.

▲**cortic(i)-.** [Do lat. *cortex, icis*.] *El. comp.* = 'córtex, córtice, cortiça, casca': *cortícola, corticeira*.

corticícola. [De *cortic(i)-* + *-cola*.] *Adj. 2 g. Bot.* Que vive sobre a casca das árvores, como líquens, muitas algas, samambaias, musgos, e assim por diante.

corticífero. [De *cortic(i)-* + *-fero*.] *Adj.* Que produz cortiça.

corticiforme. [De *cortic(i)-* + *-forme*.] *Adj. 2 g.* Que tem aparência de cortiça; corticento.

corticina. [De *cortic(i)-* + *-ina*?] *S. f. Bras. Constr. Nav.* Espécie de linóleo encorpado com que se reveste o piso nos compartimentos habitáveis das cobertas.

corticite. [De *cortic(i)-* + *-ite*[1].] *S. f.* Substância com que se revestem pavimentos, composta de aparas, serradura e outros resíduos de cortiça, aglomerados por meio de um cimento.

cortiço. *S. m.* **1.** Caixa cilíndrica, de cortiça, na qual as abelhas se criam e fabricam o mel e a cera. **2.** *Bras.* Habitação coletiva das classes pobres: casa de cômodos, cabeça-de-porco, caloji, estância, quadro, zungu.

corticóide. [De *cortic(i)-* + *-óide*.] *S. m. Med.* **1.** Cada um dos hormônios produzidos pela camada cortical das glândulas supra-renais. **2.** Cada um dos compostos naturais ou sintéticos com atividade semelhante à daqueles hormônios. ● *Adj. 2 g.* **3.** Relativo aos corticóides, ou próprio deles. [Sin. ger.: *corticosteróide*.]

cortícola. *Adj. 2 g. Bot.* V. *corticícola*.

corticoso (ô). [Do lat. *corticosu*.] *Adj.* Que tem a casca muito grossa.

corticossupra-renal. *Adj. 2 g. Med.* Relativo a uma ou a ambas as glândulas supra-renais. [Pl.: *corticossupra-renais*.]

corticosteróide. *Adj. 2 g.* e *s. m. Med.* Corticóide.

cortil. *S. m.* Corte[2] (1) pequena.

cortilha. [Dev. de *cortilhar*.] *S. f.* V. *carretilha* (2).

cortilhar. *V. t. d.* Cortar em pedacinhos.

cortina. [Do esp. *cortina*, lat. *cortina*.] *S. f.* **1.** Peça, geralmente de pano, que, suspensa, resguarda, enfeita ou envolve algo: cortinado. **2.** Muro que liga dois baluartes. **3.** Pequeno muro que resguarda um caminho, a beira dum precipício. **4.** *P. ext.* Fileira, alinhamento, renque: *A casa se escondia atrás de uma cortina de casuarinas.* **5.** *Teat.* V. *pano*[1] *de boca*. **6.** *Teat.* Representação ligeira nos entreatos das revistas teatrais. **7.** *Med.* Extrato do córtex das glândulas supra-renais, por alguns considerado um hormônio. ♦ **Cortina alemã.** *Teat.* Cortina teatral inteiriça, atada, na parte superior, a uma barra horizontal móvel, e que se eleva verticalmente para abrir a cena. **Cortina à polichinelo.** *Teat.* Cortina teatral inteiriça, com um tubo na extremidade inferior, e que se abre ao ser levantada por duas cordas que a enrolam de baixo para cima. **Cortina de bambu.** **1.** As fronteiras que separam a China e as repúblicas socialistas da Ásia, dos Estados de regimes diferentes. **2.** *P. ext.* O regime comunista chinês. [Cf. *cortina de ferro* (2 e 3).] **Cortina de boca.** *Teat.* V. *pano de boca*. **Cortina de ferro.** **1.** *Teat.* Cortina executada em placas de amianto, situada à frente do pano de boca, e destinada a isolar o palco da platéia em caso de incêndio; cortina de segurança. **2.** *Fig.* A linha fronteiriça entre os países europeus de governo comunista integrados no bloco liderado pela União Soviética e os da Europa Ocidental. **3.** *P. ext.* O conjunto desses países. [Cf. *cortina de bambu*.] **Cortina de fumaça.** **1.** *G. Quím.* Nuvem artificial utilizada para ocultar movimentos e ações táticas da tropa, formada pela suspensão de agentes fumígenos no ar. **2.** *P. ext.* Qualquer expediente adotado com fim despistador. **Cortina de manobra.** *Teat.* Cortina leve, situada atrás do pano de boca, e que é baixada quando uma troca rápida de cenário deve ocorrer sem interromper o espetáculo, ou quando os atores, nas cenas de ligação, passam a representar no proscênio, diante dela. **Cortina de segurança.** *Teat.* Cortina de ferro (1). **Cortina grega.** Cortina de teatro composta de duas partes franzidas que se traspassam levemente no centro, e que abrem a cena afastando-se lentamente. **Cortina italiana.** Cortina teatral constituída de duas partes franzidas que, para abrir a cena, são ao mesmo tempo levantadas verticalmente e puxadas lateralmente por um cordão atado no meio do debrum interior de cada uma. **Cortina lenta.** *Teat.* Abertura ou fechamento gradual do pano de boca, para se obterem determinados efeitos cênicos; pano lento. **Cortina rápida.** *Teat.* Abertura ou fechamento súbito do pano de boca para a obtenção de determinados efeitos cênicos; pano rápido. **Atrás da cortina.** *Bras., MG.* V. *por baixo do pano*.

cortina-de-pobre. *S. f. Bras.* V. *anil-trepador*. [Pl.: *cortinas-de-pobre*.]

cortinado. [De *cortina* + *-ado*[1].] *S. m.* **1.** Armação de cortinas. **2.** Cortina (1).

cortinar. *V. t. d.* **1.** Armar com cortina. **2.** Encobrir, ocultar, tapar: "Era como o pinhal a cortinar o oceano revolto d'ante a vista do conventinho descansado." (Antônio Feliciano de Castilho, *Amor e Melancolia*, p. 246.)

cortineiro. *S. m.* **1.** Indivíduo que faz cortinas [v. *cortina* (1)]. **2.** *Teat.* O funcionário encarregado de abrir e fechar a cortina ou pano de boca; paneiro.

cortisona. *S. f. Quím.* Hormônio produzido pelas supra-

renais, utilizado em medicina. [Fórm.: $C_{21}H_{28}O_5$.]
corto (ô). [Part. irreg. de *cortar*[1].] *Adj. Lus.* V. *cortado*[1] (1 a 4). [Flex.: *corta* (ô), *cortos* (ô), *cortas* (ô). Cf. *corto*, *corta* e *cortas*, do v. *cortar*.]
coruba. *S. f. Bras. Pop.* V. *sarna* (1).
corucão. *S. m. Bras.* Ave caprimulgiforme, família dos caprimulgídeos (*Podager nacunda* (Vieil.)), da região cisandina da América do Sul. Coloração do dorso, peito e garganta pardo-amarelada, pintada finamente de preto, rêmiges pretas com fita branca, retrizes amareladas listradas de preto, as laterais com largas margens brancas nas extremidades, abdome branco, mento vermelho, uma fita branca na garganta. [Sin.: *sebastião, tabaco-bom, tiom-tiom.*]
coruchéu. [Do fr. *clocher*, 'campanário'.] *S. m.* **1.** Remate piramidal de edifício. **2.** Zimbório, torre ou torreão que coroa um edifício: "não avistou, pois, a Iola, que do c o r u c h é u da casa paterna o seguia com o olhar." (João Ribeiro, *Crepúsculo dos Deuses*, p. 63.) **3.** Barrete cônico, de papelão, que os penitentes da Inquisição levavam na cabeça.
coruja[1]. [Do b.-lat. *curusa*?] *S. f. Bras.* **1.** Designação comum às espécies de aves estrigiformes, especialmente as de maior porte, das famílias dos titonídeos e dos estrigídeos. São noturnas, de plumagem mole, e em geral preferem como alimento os pequenos mamíferos, sobretudo roedores, dos quais vomitam, depois, os pêlos e parte dos ossos. [Sin.: *estrige.*] **2.** V. *bruxa* (2). **3.** Pessoa coruja (5). ● *S. 2 g.* **4.** Pai ou mãe coruja (5). ● *Adj. 2 g.* **5.** Diz-se do pai ou da mãe que exalta com exagero as qualidades do(s) filho(s). **6.** Diz-se de pessoa notívaga, ou que troca a noite pelo dia. **7.** Diz-se da pessoa que freqüenta o hipódromo nas madrugadas, para ver os exercícios e aprontos dos cavalos. ~ V. *vôo* —.
coruja[2]. *S. f. Bras.* F. red. de *borboleta-coruja.*
coruja-branca. *S. f. Bras.* V. *suindara.* [Pl.: *corujas-brancas.*]
coruja-buraqueira. *S. f. Bras.* V. *coruja-do-campo.* [Pl.: *corujas-buraqueiras.*]
coruja-católica. *S. f. Bras.* V. *suindara.* [Pl.: *corujas-católicas.*]
coruja-das-torres. *S. f. Bras.* V. *suindara.* [Pl.: *corujas-das-torres.*]
coruja-de-igreja. *S. f. Bras.* V. *suindara.* [Pl.: *corujas-de-igreja.*]
coruja-do-campo. *S. f.* Ave estrigiforme, da família dos estrigídeos (*Speotyto cunicularia grallaria* (Tem.)), do Paraguai e de quase todo o Brasil. A coloração do dorso é pardo-cinzenta, com grandes manchas vermelhas transversais; as asas e a cauda têm manchas brancas transversais; a garganta é branca. Nidifica em cupinzeiros e buracos de tatu, e alimenta-se de insetos, sobretudo coleópteros. [Sin.: *caburé-do-campo, coruja-buraqueira, corujinha-buraqueira, corujinha-do-buraco, guedé.* [Pl.: *corujas-do-campo.*]
coruja-do-mato. *S. f. Bras.* **1.** Designação comum às aves estrigiformes da família dos estrigídeos, especialmente as dos gêneros *Lophostrix Less.* e *Ciccaba* Wagl., as primeiras com penacho. **2.** V. *murucututu.* [Pl.: *corujas-do-mato.*]
corujão. [Aum. de *coruja.*] *S. m.* **1.** *Bras.* V. *murucututu.* **2.** *Bras., AL.* Variedade de papagaio de papel. **3.** *Bras.* Vôo coruja [q. v.]. **4.** *Bras., CE.* Ônibus noturno.
corujão-de-igreja. *S. m. Bras.* V. *suindara.* [Pl.: *corujões-de-igreja.*]
corujão-orelhudo. *S. m. Bras.* **1.** V. *murucututu.* **2.** V. *jacurutu.* [Pl.: *corujões-orelhudos.*]
coruja-orelhuda. *S. f. Bras.* V. *jacurutu.* [Pl.: *corujas-orelhudas.*]
coruja-preta. *S. f. Bras.* **1.** V. *mocho-negro.* **2.** V. *jacurutu.* [Pl.: *corujas-pretas.*]
corujeira. [De *coruja* + *-eira.*] *S. f.* Povoação insignificante situada em lugar penhascoso; corujeiro.
corujeiro. [De *coruja* + *-eiro.*] *Adj. Bras., RS.* **1.** De aspecto excelente; agradável à vista; bom: *esporas c o r u j e i r a s.* **2.** Disposto para tudo. ● *S. m.* **3.** Corujeira.
corujinha. [Dim. de *coruja.*] *S. f. Bras.* V. *cuspidor* (4).
corujinha-buraqueira. *S. f. Bras.* V. *coruja-do-campo.* [Pl.: *corujinhas-buraqueiras.*]
corujinha-do-buraco. *S. f. Bras.* V. *coruja-do-campo.* [Pl.: *corujinhas-do-buraco.*]
corujinha-do-mato. *S. f. Bras.* Ave estrigiforme, da família dos estrigídeos (*Otus choliba* (Vieil.)), com três subespécies brasileiras, de coloração dorsal parda, pintada de preto; caburé-de-orelha. [Pl.: *corujinhas-do-mato.*]
corumbá. [Do top. *Corumbá*, cidade do MS.] *S. m. Bras.* Lugar esquecido, desprezado ou distante. [Tb. us. no pl.]
corumbaense[1]. *Adj. 2 g.* **1.** De, ou pertencente ou relativo a Corumbá (MS). ● *S. 2 g.* **2.** Natural ou habitante de Corumbá.
corumbaense[2]. *Adj. 2 g.* **1.** De, ou pertencente ou relativo a Corumbá de Goiás (GO). ● *S. 2 g.* **2.** Natural ou habitante de Corumbá de Goiás.
corumbaibense (a-i). *Adj. 2 g.* **1.** De, ou pertencente ou relativo a Corumbaíba (GO). ● *S. 2 g.* **2.** Natural ou habitante de Corumbaíba.
corumbamba. *S. m. Bras., MG.* Acontecimento complicado; trapalhada.
corumbás. *S. m. pl. Bras.* V. *corumbá.*
corumbataiense (a-i). *Adj. 2 g.* **1.** De, ou pertencente ou relativo a Corumbataí (SP). ● *S. 2 g.* **2.** Natural ou habitante de Corumbataí.
corunhês. *Adj.* **1.** De, ou pertencente ou relativo a Corunha (Espanha). ● *S. m.* **2.** O natural ou habitante de Corunha. [Flex.: *corunhesa* (ê), *corunheses* (ê), *corunhesas* (ê).]
coruscação. [Do lat. *coruscatione.*] *S. f.* **1.** Ato ou efeito de coruscar. **2.** Fulgor súbito: *a c o r u s c a ç ã o de um meteorito.*
coruscante. [Do lat. *coruscante.*] *Adj. 2 g.* Que corusca; fulgurante, reluzente, cintilante.
coruscar. [Do lat. *coruscare.*] *V. int.* **1.** Fulgurar; reluzir; relampaguear; rutilar: "o sol queimava, c o r u s c a n d o nas pedras" (Coelho Neto, *Treva*, p. 313). *T. d.* **2.** Deitar de si; dardejar: *Seus olhos c o r u s c a m chispas de ira.* [Conjug.: v. *trancar.* Normalmente é defect.]
coruta. *S. f.* Var. de *coruto*[1]: "Prefere [o gaio, para fazer seu ninho] .... a c o r u t a de uma árvore que zombe da ventania" (Aquilino Ribeiro, *O Homem da Nave*, p. 78).
coruto[1]. [De *cocuruto*, por haplologia.] *S. m.* **1.** V. *cume* (1): "O mais importante dos c o r u t o s, com um ar maciço de zimbório, era formado pelo Monte Branco" (Aquilino Ribeiro, *Os Avós dos Nossos Avós*, p. 134). **2.** Penacho de milho e doutras plantas. [Var.: *coruta.*]
coruto[2]. *S. m. Bras.* Pirambucu (1).
corvacho. *S. m.* Corvo pequeno.
corvéia. [Do fr. *corvée.*] *S. f.* **1.** Trabalho gratuito que no tempo do feudalismo o camponês era obrigado a prestar ao seu senhor ou ao Estado. **2.** *P. ext.* Trabalho imposto e pesado.
corvejamento. *S. m.* Ato ou efeito de corvejar.
corvejar. *V. int.* **1.** Crocitar. **2.** *Fig.* Fazer mau agouro ou presságio; agourentar. *T. d.* **3.** Repisar, remoer (uma idéia). [Conjug.: v. *pelejar.*]
corvelo (ê). *Adj.* e *s. m.* Corvense. [Cf. *Curvelo*, top.]
corvense. *Adj. 2 g.* **1.** De, ou pertencente ou relativo à ilha do Corvo, do arquipélago português dos Açores. ● *S. 2 g.* **2.** Natural ou habitante dessa ilha. [Sin. ger.: *corvelo.*]
corveta[1] (ê). [Do fr. *corvette.*] *S. f.* **1.** *Ant.* Navio de guerra, semelhante à nau, menor e menos armado que ela, porém mais veloz. Apareceu em fins do séc. XVIII para substituir a fragata e o brigue em missões de reconhecimento ofensivo, para o qual este era demasiado fraco e aquela forte demais, e desempenhava missões de aviso, de transporte de munição, de surpresa, etc. **2.** Navio de combate, de 500 a 1.200 toneladas, boa mobilidade, e velocidade de 12 a 18 nós, para patrulha anti-submarina e escolta de comboios. [Cf. *curveta.*]
corveta[2] (ê). *S. m. Bras.* F. red. de *capitão-de-corveta* [q. v.]: *O c o r v e t a vai ser promovido a fragata.* [Cf.: *curveta.*]
corvídeo. *S. m.* **1.** Espécime dos corvídeos. ● *Adj.* **2.** Pertencente ou relativo a eles.
corvídeos. *S. m. pl. Zool.* Aves passeriformes, da família *Corvidae*, onívoras, caracterizadas com tarso do tipo ocreado (escamas anteriores), tegumento não dividido, ou indistintamente dividido, em placas, a primeira das rêminges da mão, curta, com manchas azuis ou violáceas na plumagem. Vivem nas matas e descampados. São as gralhas.
corvina. [Do esp. *corvina.*] *S. f.* Designação comum aos peixes teleósteos, marinhos, da família dos cianídeos, gêneros *Micropogon* L.; e aplicada particularmente à espécie *M. opercularis* (Quaoy & Gain.); corvina-marisqueira, corvineta, cururuca.
corvina-marisqueira. *S. f. Bras., RJ.* V. *corvina.* [Pl.: *corvinas-marisqueiras.*]
corvineta (ê). *S. f. Bras.* V. *corvina.*
corvino. [Do lat. *corvinu.*] *Adj.* Do, ou pertencente ou relativo ao corvo (1): "as fétidas ciganas aumentavam com o grasnar c o r v i n o a grande agitação do rio" (Inglês de Sousa, *Contos Amazônicos*, p. 45).
corvo (ô). [Do lat. *corvu.*] *S. m.* **1.** Ave passeriforme, da família dos corvídeos, especialmente as do gênero *Corvus* L., de coloração preta, das regiões neártica, paleártica e oriental. **2.** *Bras. Impr.* Urubu[1] (1). [Dim. irreg.: *corvacho.*] **3.** *Arquit.* Modilhão. **4.** *Astr.* Constelação austral. [Pl.: *corvos* (ó).]
corvo-marinho. *S. m.* V. *biguá.* [Pl.: *corvos-marinhos.*]
cós. [Do provenç. *cors*, 'corpo'.] *S. m. 2 n.* **1.** Tira de pano que cinge certas peças do vestuário, particularmente as calças e saias, no lugar da cintura: "Os c ó s das saias são invariavelmente de linho branco" (Ramalho Ortigão, *As Farpas*, I, p. 31). [Tb. há o pl. *coses*, encontrável sobretudo em autores antigos: "Cortam-se atrás os c o s e s dos calções" (Nicolau Tolentino de Almeida, *Obras Poéticas*, I, p. 116); "cigarro detrás da orelha e lambedeira nos c o s e s da calça" (Padre Antônio Vieira, *Sertão Brabo*, p. 30).] **2.** Parte do vestuário onde se ajusta essa tira de pano; cinta, cintura, cinto.
■**cos.** *Mat.* Símb. de *co-seno.*
■**cos**[-1]. *Mat.* Símb. impr. de *arco co-seno* [q. v.].
cosca. *S. f. Bras.* e *prov. lus. Pop.* V. *cócegas.*
coscas. *S. f. pl. Bras.* e *prov. lus. Pop.* V. *cócegas.*
coscorão. [De *kosk*, onomatopéia de golpe em objeto duro.] *S. m.* **1.** Filhó de farinha e de ovos. **2.** *Bras.* Casca espessa que se forma ao cicatrizar-se uma ferida. **3.** *Bras., S.* Homem rústico, atrasado.
coscoro. [Der. regress. de *coscorão.*] *S. m.* **1.** Encrespamento e endurecimento de um tecido que se deixou secar depois de embebido em líquido espesso. **2.** V. *crosta* (1). **3.** Enrugamento da pele.
coscós. [Do esp. plat. *coscoja.*] *S. m. Bras., S.* Roseta de ferro que se põe no freio e faz rumor quando o eqüídeo move a língua. [Pl.: *coscoses.*]
coscosear. *V. int. Bras., S.* Mover o coscós, produzindo ruído típico. [Conjug.: V. *frear.* Normalmente é defect., só conjugável nas 3as pess.]
coscoseiro. [Do esp. plat. *coscojero.*] *Adj. Bras., S.* Diz-se do cavalo dado a coscosear. [Cf. *cuscuzeiro.*]
coscuvilhar. *V. int.* Fazer intrigas, enredos, mexericos; bisbilhotar, mexericar. [Cf. *cascavilhar.*]
coscuvilheiro. *Adj.* e *s. m.* Diz-se de, ou aquele que coscuvilha; mexeriqueiro, bisbilhoteiro, cuvilheiro: "Outra c o s c u v i l h e i r a .... rondou vários dias a porta do Hospital. Estoirava de curiosidade." (Fernando Namora, *Retalhos da Vida de um Médico*, p. 254.)
coscuvilhice. *S. f.* Ato ou procedimento de coscuvilheiro; enredo, mexerico, bisbilhotice.
■**cosec**[-1]. *Mat.* Símb. de *co-secante* [q. v.].
■**cosech**[-1]. *Mat.* Símb. impr. de *arco co-secante* [q. v.].
■**cosech**[-1]. *Mat.* Símb. impr. de *arco co-secante hiperbólica* [q. v.].
co-secante. [De *co-*[2] + *- secante.*] *S. f. Mat.* Função plurívoca de uma variável definida como o inverso do seno, e cujo domínio exclui apenas os múltiplos inteiros de . [Símb.: *csc* e *cosec.* Pl.: *co-secantes.*] ◆ **Co-secante hiperbólica.** *Mat.* Função definida como o inverso do seno hiperbólico. **Co-secante hiperbólica inversa.** *Mat.* Arco co-secante hiperbólica. **Co-secante inversa.** *Mat.* Arco co-secante.
cosedor (ô). *S. m.* Aparelho usado por encadernadores para coser livros.
cosedura. *S. f.* Ação ou efeito de coser(-se). [Cf. *cozedura.*]
co-segurar. *V. t. d.* Firmar um co-seguro do.
co-seguro. [De *co-*[1] + *seguro.*] *S. m.* Seguro que se distribui entre diversas companhias seguradoras, dividindo-se entre elas os riscos proporcionalmente às cotas distribuídas. [Cf. *resseguro*[1]. Pl.: *co-seguros.*]
co-seno. [De *co-*[2] + *seno.*] *S. m.* **1.** *Trig.* Função de um ângulo orientado, definida como o quociente da abscissa da extremidade dum arco de circunferência subtendido por esse ângulo pelo raio da circunferência. **2.** *Mat.* Função periódica de uma variável, igual a um quando a variável é zero, e cuja derivada segunda lhe é simétrica. [Símb.: *cos.* Pl.: *co-senos.*] ◆ **Co-seno hiperbólico.** *Mat.* Função transcendente igual à média aritmética entre duas exponências com os expoentes simétricos. **Co-seno hiperbólico inverso.** *Mat.* Arco co-seno hiperbólico. **Co-seno inverso.** *Mat.* Arco co-seno.
co-senóide. [De *co-seno* + *-óide.*] *S. f. Geom. Anal.* Curva que representa a função co-seno em um sistema cartesiano ortogonal. [Pl.: *co-senóides.*]
coser. [Do lat. *consuere.*] *V. t. d.* **1.** Unir com pontos de agulha; costurar: "mandei-lhe c o s e r as mais finas cambraias, ... uma linda touca de renda" (Machado de Assis, *Histórias sem Data*, p. 35). **2.** *Cir.* Unir por ponto[1] (33) as bordas de (uma estrutura); costurar. **3.**

Bras. Dar facadas em; esfaquear, costurar. *T. d.* e *i* **4.** Unir, encostar: *Coseu o ouvido à porta para ouvir melhor o que diziam. Int.* **5.** Fazer trabalho de costura; costurar: *Cose e borda para sustentar-se; "A menina .... sabia coser, bordar"* (Bernardo Guimarães, *O Seminarista*, p. 28). *P.* **6.** Costurar para si mesmo. **7.** Consertar, cosendo, a própria roupa. **8.** Unir-se, encostar-se muito a alguma coisa ou pessoa: "trêmulos e espavoridos, tinham-se retirado para um canto, cosendo-se à parede da casa" (Bernardo Guimarães. *O Seminarista*, p. 138); *O cão cosia-se ao dono* [Conjug.: v. *mover*. Part.: *cosido*. Cf. *cozer* e *cozido*.]

■**cosh-1.** *Mat.* Símb. impr. de *co-seno hiperbólico* [q. v.].

cosicador (ô). *S. m. Bras.* **1.** Aquele que cosica. **2.** *Fig.* Aquele que une coisas desconexas.

cosicar. *V. t. d.* **1.** Coser ou costurar à mão (coisas ligeiras). **2.** *Bras.* Coser, consertando. [Conjug.: v. *trancar*.]

co-signatário. [De *co-*[1] + *signatário*.] *S. m.* Aquele que é signatário juntamente com outrem. [Pl.: *co-signatários*.]

cósmea. *S. f.* V. *amor-de-moça*.

cosme-e-damião. *S. m. Bras.* Grupo de dois policiais que juntos fazem ronda. [Pl.: *cosmes-e-damiões* e *cosme-e-damiões*.]

cosmética. [Fem. substantivado do adj. *cosmético*.] *S. f.* A indústria da fabricação de cosméticos.

cosmético. [Do gr. *kosmetikós*.] *Adj.* e *s. m.* Diz-se de, ou qualquer dos produtos utilizados para a limpeza, conservação ou maquilagem da pele. [M. us. como s. m.]

cósmico. [Do gr. *kosmikós*, pelo lat. *cosmicu*.] *Adj.* **1.** Pertencente ou relativo ao cosmo, ao Universo: *espaços cósmicos*. **2.** Diz-se do astro que nasce e se põe com o Sol. ~ V. *espaço —, fonte —a de rádio, nascer —, navegação —a, ovo —, poeira —a, pôr —, radiação —a, raios —s, repulsão —a* e *ruído —*. ● *S. m.* **3.** Globo que representa o mundo.

cosmo. [Do gr. *kósmos*.] *S. m.* O Universo: "Grandes coisas aconteceram no mundo que ele viu, das quais teve .... uma rápida percepção, desde o cometa Halley à conquista do cosmo pelo homem." (Ascendino Leite, *Passado Indefinido*, p. 263.)

▲**cosm(o)-.** [Do gr. *kósmos, ou*.] *El. comp.* = 'mundo', 'universo': *cosmurgia* (gr. *kosmourgía*), *cosmovisão*. [Equiv.: *-cosmo*: *macrocosmo*.]

▲**-cosmo.** Equiv. de *cosm(o)-*.

cosmogonia. [Do gr. *kosmogonía*.] *S. f. Astr.* Ciência afim da astronomia, e que trata da origem e evolução do Universo. ♦ **Cosmogonia estelar.** *Astr.* V. *astrogenia*.

cosmogônico. *Adj.* Respeitante à cosmogonia.

cosmogonista. *S. 2 g.* Especialista em cosmogonia.

cosmografia. [Do gr. *kosmographía*, pelo lat. *cosmographia*.] *S. f. Astr.* Astronomia descritiva.

cosmográfico. *Adj.* Referente à cosmografia.

cosmógrafo. [Do gr. *kosmográphos*, pelo lat. *cosmographu*.] *S. m.* Especialista em cosmografia.

cosmolábio. [De *cosmo* + *(astro)lábio*.] *S. m. Astr.* Instrumento astronômico antigo, com que se media a altura dos astros.

cosmologia. [Do gr. *kosmología*.] *S. f. Astr.* Ciência afim da astronomia, e que trata da estrutura do Universo. ♦ **Cosmologia Alfvén-Klein.** *Cosm.* Modelo cosmológico em que o Universo inicial é descrito como gigantesca nuvem esférica colapsante de matéria e antimatéria. Quando a densidade crítica é alcançada, a matéria e a antimatéria começam a se aniquilar, e a resultante liberação de radiação e energia provoca o Universo em expansão. Dentro do nosso atual conhecimento observacional do Universo, em especial considerando a pequena quantidade de radiação gama registrada, é muito difícil aceitar esse modelo como o mais provável. **Cosmologia newtoniana.** *Cosm.* Modelo cosmológico muito simples, que inclui modelos comuns de biguebangue, que podem derivar da teoria clássica da gravitação de Newton. **Cosmologia relativista.** *Cosm.* Cosmologia desenvolvida com base na teoria geral da relatividade de Einstein.

cosmológico. [Do gr. *kosmologikós*.] *Adj.* Relativo à cosmologia. ~ V. *constante —a, distância —a, horizonte —* e *princípio —*.

cosmologista. *S. 2 g.* Cosmólogo.

cosmólogo. *S. m.* Especialista em cosmologia; cosmologista.

cosmometria. [De *cosm(o)-* + *-metr(o)-*[2] + *-ia*.] *S. f. Astr. P. us.* Astrometria.

cosmométrico. *Adj. P. us.* Referente à cosmometria; astrométrico.

cosmometrista. *S. 2 g. P. us.* Especialista em cosmometria; astrometrista.

cosmonauta. [De *cosm(o)-* + *nauta*.] *S. m. Astron.* Astronauta.

cosmonáutica. [De *cosm(o)-* + *náutica*.] *S. f.* Astronáutica.

cosmonave. [De *cosm(o)-* + *nave*.] *S. f. Astron.* V. *nave espacial*.

cosmonomia. [De *cosm(o)-* + *-nom(o)-* + *-ia*.] *S. f. Astr.* Parte da astronomia que se relaciona com as leis cósmicas.

cosmonômico. *Adj.* Referente à cosmonomia.

cosmopolense. *Adj. 2 g.* **1.** De, ou pertencente ou relativo a Cosmópolis (SP). ● *S. 2 g.* **2.** Natural ou habitante de Cosmópolis.

cosmopolita. [Do gr. *kosmopolítes*.] *S. 2 g.* **1.** Indivíduo que vive ora num país, ora noutro, adotando-lhes com facilidade os usos e costumes. **2.** Pessoa que se julga cidadão do mundo inteiro, ou para quem a pátria é o mundo: "Ele tinha viajado em toda a Europa .... , era um cosmopolita, na grande acepção filosófica desta palavra, inteiramente lavado de estreitos preconceitos de raça e de nação." (Ramalho Ortigão, *A Holanda*, p. 241.) ● *Adj. 2 g.* **3.** Que passa a vida a viajar em diversos países. **4.** Que é de todos os países. **5.** Que apresenta aspectos comuns a vários países: *São Paulo é uma cidade cosmopolita*. **6.** Que sofre influência do estrangeiro: *mentalidade cosmopolita*. **7.** Próprio de cosmopolita (1 e 2): *costumes cosmopolitas*. **8.** *Bot.* Diz-se das espécies que se espalham pela maior parte do globo, espontaneamente.

cosmopolitismo. *S. m.* **1.** Qualidade ou maneira de viver de cosmopolita: "O bairrismo do povo contrastava com o cosmopolitismo dos fidalgos." (Antero de Figueiredo, *Leonor Teles*, p. 74.) **2** *Filos.* Atitude ou doutrina que prega a indiferença ante a cultura, os interesses e/ou soberania nacionais, com a alegação de que a pátria de todos os homens é o Universo.

cosmorama. [De *cosm(o)-* + *-orama*.] *S. m.* **1.** Série de vistas de vários países observadas por aparelhos ópticos que as ampliam. **2.** Aparelho com que se observam essas vistas. **3.** Lugar onde se expõem.

cosmoramense. *Adj. 2 g.* **1.** De, ou pertencente ou relativo a Cosmorama (SP). ● *S. 2 g.* **2.** Natural ou habitante de Cosmorama.

cosmos[1]. *S. m. 2 n.* V. *cosmo*.

cosmos[2]. [Do gr. *kósmos*.] *S. m. 2 n.* V. *amor-de-moça*: "Quando voltou, correndo, trazia consigo uma braçada de cosmos retardatários, colhidos pelo caminho." (Ciro dos Anjos, *Abdias*, p. 188).

cosmovisão. [De *cosmo* + *visão*.] *S. f.* Concepção ou visão do mundo. [Sin.: *mundividência* e (al.) *Weltanschauung*.]

cosmurgia. [Do gr. *kosmourgía*.] *S. f.* Criação do mundo.

cospe-cospe. [De *cuspir* + *cuspir*.] *S. m.* **1.** *Bras.* Peixe teleósteo, ciprinodonte, da família dos pecilídeos (*Poecillia branneri* Eig.), do Amazonas, que mede até 0,06 m de comprimento. **2.** *Bras., AL. Pop.* Qualquer peixe muito miúdo. [Var.: *gospe-gospe*. Pl.: *cospes-cospes* e *cospe-cospes*.]

cosquento. *Adj. Bras. Pop.* V. *coceguento*.

cosquilhento. [Do esp. plat. *cosquilla*, 'cócega', + *-ento*.] *Adj. Bras., RS.* **1.** V. *coceguento*. **2.** V. *cosquilhoso* (2).

cosquilhoso (ô). [Do esp. plat. *cosquilloso*.] *Adj. Bras., RS.* **1.** V. *coceguento*. **2.** *Fig.* Que se melindra facilmente; suscetível; cosquilhento, cosquilhudo.

cosquilhudo. [Do esp. plat. *cosquilla*, 'cócega', + *-udo*.] *Adj. Bras., RS.* **1.** V. *coceguento*. **2.** V. *cosquilhoso* (2).

cossa. *S. f. Pop.* Acossa. [Cf. *coça*, do v. *coçar* e *s. f.*]

cossaco. [Do turco *kazac*, atr. do rus. *kozak* e do fr. *cosaque*.] *S. m.* Soldado de um corpo de cavalaria russo, recrutado entre os povos, outrora nômades, das estepes do S. da Rússia.

cossecante. *S. f.* Var. de *co-secante*.

cosseira. *S. f.* Batente inferior das portas das peças de bordo. [Cf. *coceira*.]

cosseno. *S. m.* Var. de *co-seno*.

cossenóide. *S. f.* Var. de *co-senóide*.

cosso[1] (ô). [De *corso*[1], com assimilação.] *S. m. Antiq.* **1.** Ato de correr atrás, perseguindo. **2.** Ação de bater o mato, para caçar. [Cf. *coço*. do v. *coçar*.]

cosso[2] (ô). *S. m. Bras.* Planta ornamental da família das rosáceas (*Hagenia abyssinica*), de folhas alternadas e flores pequeninas, nativa das montanhas da África central e oriental. [Var.: *cusso*. Cf. *coço*, do v. *coçar*.]

cossoiro. *S. m.* Cossouro [q. v.].

cossolete (ê). *S. m.* V. *corselete*.

cossoleto (ê). *S. m.* V. *corselete*.

cossouro. *S. m.* Roseta de espora. [F. paral.: *cossoiro*.]

▲**cost-.** [Do lat. *costa, ae*.] *El. comp.* = 'costela': *costalgia*.

costa. [Do lat. *costa*.] *S. f.* **1.** *Ant. Anat.* Costela (1). **2.** Litoral (2). **3.** Porção de mar próxima da terra. **4.** A cost da África em geral [Nesta acepç. figura em vários vocábulos ou expressões, como, p. ex., *pano-da-costa* e *sabão-da-costa*.] **5.** Encosta, declive. **6.** *Morfol. Veg.* Em geral, linha em relevo que percorre órgãos e partes vegetais, formando ressalto. **7.** *Morfol. Veg. Desus.* Nervura central. ~ V. *costas*. ♦ **Dar à costa.** *Mar.* **1.** Encalhar (a embarcação) no litoral, por acidente ou má visibilidade, ou impelida por tormenta; ir à costa. **2.** *Fig.* Perder-se, arruinar-se. **Ir à costa.** *Mar.* V. *dar à costa* (1).

costa-abaixo. *S. f. Bras.* Descida de um morro ou cerro. [Pl.: *costas-abaixo*. Antôn.: *costa-acima*.]

costa-acima. *S. f. Bras.* Subida de um morro ou cerro. [Pl.: *costas-acima*. Antôn.: *costa-abaixo*.]

costado. [De *costa* + *-ado*[1].] *S. m.* **1.** V. *costas* (1). **2.** *Constr. Nav.* Revestimento ou forro exterior do casco acima da linha-d'água, em embarcação de grande porte. **3.** *Constr. Nav.* Revestimento ou forro exterior acima do bojo. **4.** *Constr. Nav.* Forro exterior do casco da embarcação miúda. [Cf. *obras vivas*.] **5.** *Geneal.* Cada um dos quatro avós de cada indivíduo. ● *Adj.* **6.** *Morfol. Veg.* Provido de costa (6): *cápsula costada*. ♦ **No costado.** Na consciência (i. e., pesando nela, como um fardo pesa às costas ou no costado); às costas: *Aquele bandido traz mais de 20 mortes no costado*.

costal. *Adj. 2 g.* **1.** *Anat.* Relativo ou pertencente às costelas. ● *S. m.* **2.** Fardo ou porção de mercadoria que se pode conduzir às costas (1): "Onde está ele? / — No sítio do Felisberto, aonde o mandei com um costal de mandioca." (Franklin Távora, *O Cabeleira*, p. 249.) **3.** Fios que atam a meada a fim de que ela não se enrede. **4.** *Bras.* Certa peça de cangalha.

costalgia. [De *costa* (1) + *-alg(o)-* + *-ia*.] *S. f. Patol.* Dor na região dorsal.

costálgico. *Adj.* Relativo à costalgia.

costaneira. [Do esp. *costanera*.] *S. f.* **1.** Papel de qualidade inferior que resguarda de lado as resmas. **2.** Papel grosso e ordinário. **3.** *Carp.* Tábua obtida da extremidade exterior ou interior de um tronco, e que não é tão perfeita quanto as outras serradas da parte intermediária dele; casqueira. **4.** V. *borrador* (1). ● *S. m.* **5.** *Bras., CE.* Vaqueiro que ladeia a boiada.

costaneiro. *Adj.* **1.** Da, ou relativo à costaneira. ● *S. m.* **2.** Lombo (2).

costão. *S. m. Bras.* Costa (2) desabrigada e sem enseadas.

costa-riquenho. *Adj.* e *s. m.* V. *costarriquenho*.

costa-riquense. *Adj. 2 g.* e *s. 2 g.* V. *costarriquenho*.

costarriquenho. [Do esp. *costarriqueño*.] *Adj.* **1.** Da, ou pertencente ou relativo à Costa Rica (América Central). ● *S. m.* **2.** O natural ou habitante desse país. [Sin.: *costarriquense, costa-riquense*. F. paral.: *costa-riquenho*.]

costarriquense. *Adj. 2 g.* e *s. 2 g.* V. *costarriquenho*. [F. paral.: *costa-riquense*.]

costas. [Pl. de *costa*.] *S. f. pl.* **1.** A parte posterior do tronco humano; dorso, lombo, costado. **2.** A parte posterior de vários objetos: *as costas do vestido*; "cuspiu, limpou a boca com as costas da mão, e abriu para o ar a sua voz áspera" (João do Rio, *Vida Vertiginosa*, p. 145). **3.** Encosto (1): "estiquei mais as pernas, recostei-me nas costas do banco e debrucei para trás a cabeça." (Aluísio Azevedo, *Pegadas*, p. 165). **4.** O lado oposto; reverso: "A moldura que lhe mandei pôr não encobria a dedicatória, escrita embaixo, não nas costas do cartão" (Machado de Assis, *Dom Casmurro*, pp. 338-339). **5.** *Bras., S.* Margem de um rio, arroio, lagoa, banhado, região, mata ou planície. **6.** *Encad.* Em um livro, o lado correspondente ao fim do texto. ~ V. *costa*. ♦ **Às costas.** No costado. **Carregar nas costas.** *Bras.* Numa tarefa que exija esforço de um grupo, fazer praticamente sozinho o trabalho de (todos). **Desejar ver pelas costas.** Desejar a ausência, o desaparecimento de (alguém). **Mostrar as costas.** V. *fugir* (1 e 2). **Ter as costas largas.** **1.** Estar sob a proteção de alguém; ter as costas quentes, ter costas quentes, ter costas largas, ter santo forte. **2.** Ser capaz de arrostar responsabilidades, encargos, culpas, etc.; ter costas largas. **Ter as costas quentes.** V. *ter as costas largas* (1). **Ter costas largas.** V. *ter as costas largas*. **Ter costas quentes.** V. *ter as costas largas* (1).

costeado. [Part. de *costear*.] *Adj.* **1.** *Bras., MG, S* e *MT.* **1.** Diz-se do gado que se põe em pastoreio e curral para amansar. **2.** *Bras., MG.* Diz-se do gado trabalhado. [Cf. *custeado*, part. de *custear*.]

costeagem. *S. f.* Ato ou efeito de costear: "Os mares piscosos traziam a fartura, e alentavam a *costeagem*" (Capistrano de Abreu, *Capítulos de História Colonial*, p. 101).

costear. *V. t. d.* **1.** Navegar perto da costa de; perlongar: "Na tarde escura de junho, o vapor vai *costeando* as praias fluminenses, rendilhadas e tarjadas de branco." (Jaime Adour da Câmara, *Oropa, França e Bahia*, p. 17.) **2.** Percorrer em torno; circundar, rodear: *Costeou o monte, sem encontrar a estrada; Seguiu a rua que costeava a igreja.* **3.** *Bras., S.* Arrebanhar (o gado) em determinadas épocas, não só para evitar que se disperse, mas também para acostumá-lo a reunir-se em certos pontos da fazenda. [Sin., no N. E.: *vaquejar*.] **4.** *Bras., MG, S.* e *MT.* Sujeitar (o gado) por algum tempo, em pastoreio ou no curral, para amansá-lo ou corrigi-lo. **5.** *Bras., MT* e *S.* Fazer sofrer, castigar (alguém), por desforra. *Int.* **6.** Navegar chegado à praia ou seguindo a direção da costa próxima. *P.* **7.** Navegar, chegando-se: *A embarcação costeou-se à terra.* **8.** Chegar-se, aproximar-se. [Conjug.: v. *frear*. Pres. ind.: *costeio*, etc. Cf. *custeio*, do v. *custear* e s. m., e esse verbo.]

costeio. [Dev. de *costear*.] *S. m.* **1.** Ato ou efeito de costear (1 a 4). **2.** Vaquejada (1). [Cf. *custeio*, do v. *custear* e s. m.] ♦ **Dar um costeio em.** Tratar (alguém) com energia, corrigi-lo, quando tenha praticado ação condenável.

costeira. *S. f.* **1.** *Ant.* Costa (2) marítima. **2.** *Bras.* Serra íngreme, à beira-mar. ♦ **Bater a costeira.** *Bras., RS.* Andar de casa em casa mexericando, sem ter o que fazer.

costeiro. *Adj.* **1.** Relativo a costa. **2.** Que navega junto à costa, ou de porto a porto na mesma costa. ~ V. *mar* — e *navegação* — a.

costela. [Dim. de *costa*.] *S. f.* **1.** *Anat.* Cada um dos 24 ossos que, distribuídos em 12 pares, se estendem das vértebras torácicas em direção à linha média, no aspecto ventral do tronco, contribuindo para formar a maior parte da gaiola torácica [q. v.]. [Dos 12 pares, apenas os sete superiores estão ligados ao osso esterno por cartilagem costal — *costelas verdadeiras* —, sendo os três pares que se seguem formados pelas *costelas falsas*, que se unem à cartilagem costal superior, ligando-se ao esterno pela sétima cartilagem costal, e os dois últimos pares formados pelas *costelas flutuantes*, cujas extremidades anteriores, unidas por cartilagens, permanecem livres.] **2.** Caverna de navio. **3.** Armadilha para pássaros. **4.** *Morfol. Veg.* Nervura média de algumas folhas. **5.** *Tip.* Cada uma das nervuras da linha-bloco da linotipo aparadas, na saída, pelas facas que regulam o corpo. **6.** *Bras. Fam.* Esposa, mulher, cara-metade. **7.** *Bras.* V. *catabi* (1). ♦ **Costela de ombro.** *Tip.* Costela de pente. **Costela de pente.** *Tip.* Costela de proporções maiores que as comuns, produzida em moldes que fundem do corpo 18 para cima; costela de ombro. **Costela falsa.** *Anat.* V. *costela* (1). **Costela flutuante.** *Anat.* V. *costela* (1). **Costela verdadeira.** *Anat.* V. *costela* (1).

costela-de-vaca. *S. f. Bras., RJ.* V. *catabi* (1). [Pl.: *costelas-de-vaca*.]

costelar. *V. t. d. Bras., CE.* Dobrar (a folha de fumo) ao centro, de modo que fique costela (4) dobrada sobre costela (4).

costeleta (ê). *S. f.* **1.** Costela (1) de certos animais, separada com carne aderente. **2.** Iguaria feita com essa costela: "Porém, em breve, a disposição lhe volta. A comida é boa: *costeletas* de carneiro." (Guido Vilmar Sassi, *Piá*, p. 90.) **3.** *Bras.* Porção de barba e cabelo que se deixa crescer na parte lateral do rosto, junto à orelha.

costeletada. *S. f.* V. *costuletada*.

costilha. *S. f. Mús.* Tira de madeira delgada que une o tampo ao fundo dos instrumentos de corda.

costilhar. [Do esp. plat. *costillar*.] *S. m. Bras., RS.* **1.** A região das costelas do vacum. **2.** A carne que se tira dessa região, junto com as *costelas* [v. *costela* (1)] em geral para fazer assado. **3.** O assado feito dessa carne.

costuletada. [De *costeletada*, com dissimilação.] *S. f. Bras.* Pancada, golpe.

costumado. *Adj.* **1.** Que é de costume; usual, habitual, costumeiro: "A mesa estava ao lado da chaminé, ... no seu recanto *costumado* abrigada pelo biombo japonês" (Eça de Queirós, *Os Maias*, I, p. 171). **2.** Habituado, acostumado. ● *S. m.* **3.** O que é costume.

costumar. *V. t. d.* **1.** Ter por costume; ter o hábito de; usar: *Costuma passar fora os meses de verão. T. d. e i.* **2.** Habituar, afazer, acostumar: *Costumou os filhos a respeitá-lo. P.* **3.** Habituar-se, afazer-se, acostumar-se: "*Costumei-me* a ver o mal em toda a parte" (José Duro, *Fel*, p. 45). [Fut. pret.: *costumaria*, etc. Cf. *costumária*, fem. de *costumário*.]

costumário. *Adj.* Que se faz por costume e uso; consuetudinário. [Fem.: *costumária*. Cf. *costumaria*, do v. *costumar*.]

costumbrismo. [Do esp. *costumbrismo*.] *S. m. Liter.* Na literatura espanhola romântica, descrição realística da vida popular.

costume[1]. [Do lat. *consuetudine*.] *S. m.* **1.** Uso, hábito ou prática geralmente observada: "Tenho o *costume*, em Paris, de visitar os cemitérios" (Costa Rego, *Águas Passadas*, p. 269). **2.** Particularidade, característica: *Seu relógio tem o costume de atrasar.* **3.** Jurisprudência baseada no uso e não na lei escrita. **4.** V. *menstruação* (1). **5.** Uso, moda: *o costume das calças compridas.* **6.** Trajo adequado ou característico: *costume de montaria.* **7.** *Teat.* Vestuário de teatro. ~ V. *costumes*. ♦ **Às de costume.** *Jur.* Abrev. da expr. *às perguntas de costume*, empregada nos termos de depoimento e relativa aos impedimentos das testemunhas.

costume[2]. [Do fr. *costume*.] *S. m. Bras.* **1.** Roupa de homem (calça, paletó e, por vezes, colete). **2** *Bras.* Vestuário feminino (casaco e saia).

costumeira. *S. f.* **1.** Costume mau, ou pouco importante; usança. **2.** Vício (6): *Não larga a costumeira de roer unhas.*

costumeiro. *Adj.* Usual, habitual, costumário. ~ V. *direito* —.

costumes. [Pl. de *costume*[1].] *S. m. pl.* **1.** Procedimento, comportamento. **2.** *Ét.* Numa sociedade determinada, os comportamentos que são prescritos, do ponto de vista moral. **3.** *Sociol.* Atitude ou valor social consagrado pela tradição e que se impõe aos indivíduos do grupo e se transmite através de gerações. ~ V. *costume*.

costura. [Do lat. vulg. **consutura*.] *S. f.* **1.** Ato, efeito, arte ou profissão de coser. **2.** *P. ext.* Trabalho feito com agulha e fio, e/ou tecido ou outro material costurado ou a costurar: *A costura da saia ficou torta; A moça veio buscar as costuras.* **3.** *Cir.* Sutura de tecidos. **4.** *Fig.* Cicatriz (1) profunda. **5.** *Encad.* Ato ou efeito de ligar entre si os cadernos de um livro, manual ou mecanicamente, com fio têxtil ou metálico, para formar brochuras, cartonagens e encadernações. [V. *grampeamento*.] **6.** *Constr. Nav.* Juntura entre as tábuas ou as chapas do costado dos navios. **7.** *Marinh.* Trabalho feito nos chicotes de dois cabos para ligá-los definitivamente. **8.** *Marinh.* Trabalho feito no chicote de um cabo para fazer uma mão (19). **9.** *Marinh.* Trabalho feito entre o chicote de um cabo e o seio de outro, para fazer uma encapeladura. **10.** *Bras.* Ato ou efeito de costurar (4 e 5).

costuradeira. *S. f. Bras.* Máquina usada para costurar as brochuras ou os volumes destinados à encadernação editorial.

costurador (ô). *S. m. Encad.* **1.** Operário que trabalha na costuradeira. **2.** Aparelho de madeira em que o encadernador executa a costura manual dos livros; engenho, tear, estribilhas.

costuragem. *S. f. Bras.* Ação de costurar brochuras.

costurar. [De *costura* + *-ar*[2].] *V. t. d.* **1.** Coser (1 a 3). **2.** *Bras. Gír.* Metralhar (1). **3.** *Bras. Gír.* Dirigir perigosamente no trânsito, cortando [v. *cortar*[1] (16)] (os outros veículos): "Ele tocou a mais de cem por hora. *Costurava* os outros carros." (Dalton Trevisan, *Essas Malditas Mulheres*, p. 14.) *Int.* **4.** Coser (5): "Emily Brontë, na época em que escrevia *O Morro dos Ventos Uivantes*, *costurava*, descascava batatas, amassava o pão." (Álvaro Lins, *Literatura e Vida Literária*, p. 213.) **5.** *Fut.* Desenvolver jogo de dribles e passes curtos bem coordenados por entre os adversários, envolvendo-os: *Garrincha era um dos que melhor costuravam.* **6.** *Bras. Gír.* Dirigir perigosamente no transito, cortando [v. *cortar*[1] (16)] os outros veículos: *Ia costurando como um louco, quando capotou.*

costureira. *S. f.* **1.** Mulher que se ocupa em trabalhos de costura (1). **2.** *Bras., SP. Gír. Mil.* V. *metralhadora*.

costureiro. *S. m.* **1.** Homem que se ocupa em trabalhos de costura (1). **2.** Pessoa que dirige uma casa de alta costura (1) e cria as coleções que, a cada estação, estabelecem as novas linhas da moda. [Cf., nesta acepç., *alfaiate* (1).] **3.** *Anat.* Músculo costureiro [q. v.]. ● *Adj.* **4.** ~ V. *músculo* —.

■**cosv**[-1]**.** *Mat.* Símb. impr. de *arco co-seno verso* [q. v.].

■**cot.** *Mat.* Símb. de *co-tangente*.

■**cot**[-1]**.** *Mat.* Símb. impr. de *arco co-tangente* [q. v.].

cota[1]. [Do frâncico **kotta*, pano de lã', pelo fr. ant. *cote*, modernamente *cotte*.] *S. f.* **1.** Armadura de couros retorcidos ou de malhas de ferro, que cobria o corpo. **2.** Espécie de gibão. **3.** *Rel.* Espécie de sobrepeliz, com uma abertura quadrada para cabeça.

cota[2]. [Var. de *quota*.] *S. f.* **1.** Quinhão (1): *cota de exportação.* **2.** Porção determinada: *Já teve a sua cota de carne.* **3.** Quantia correspondente à contribuição de cada indivíduo de um grupo para certo fim; cota-parte, prestação. **4.** Nas sociedades mercantis de responsabilidade limitada, a porção do capital de cada sócio. **5.** Pronunciamento escrito de advogados, membros do Ministério Público e representantes do fisco nos autos de um processo que vão com vista a eles por ordem judicial. **6.** Citação, nota, apontamento ou referência à margem dum escrito. **7.** Letra com que se classificam as peças dum processo. **8.** Número que exprime, em metros ou noutra unidade de comprimento, a distância vertical de um ponto a uma superfície horizontal de referência (altura, altitude, diferença de nível, etc.). **9.** *Arquit. P. ext.* Qualquer medida que se apõe a uma projetos de arquitetura. **10.** *Mat.* Numa função de uma ou mais variáveis, diferença entre dois valores da variável dependente. [Cf., nesta acepç., *afastamento* (5).] ♦ **Cota verdadeira.** Cota[2] (8) referente à altitude. **Cota vermelha.** Em projetos de estradas, a diferença medida verticalmente entre um ponto do projeto e a cota do correspondente ponto do terreno natural.

cota[3]. *S. f.* Lado de uma ferramenta oposto ao gume.

cotação. *S. f.* **1.** Ato ou efeito de cotar. **2.** Preço pelo qual se negociam mercadorias, títulos, ações de bancos ou fundos públicos, moedas estrangeiras, nas bolsas ou nas praças de comércio. **3.** Determinação desses preços. **4.** *Fig.* Conceito, consideração: *Goza de elevada cotação literária.* **5.** Oportunidade de bom êxito por parte de quem compete num certame: *É excelente a sua cotação, este ano, na Bienal.*

cotado. [Part. de *cotar*.] *Adj.* **1.** Que tem boa cotação no mercado: *As ações que adquiri estão muito cotadas.* **2.** Bem-conceituado; conceituado, prestigiado: *É escritor dos mais cotados.* **3.** Que tem possibilidades de vencer num certame, de obter um prêmio: *Para Prêmio Nobel é ele um dos autores mais cotados; A égua Juracê é muito cotada para o próximo clássico.*

cotador (ô). [De *cota*[2] (5) + *-dor*.] *S. m.* Aquele que põe cotas.

cotalício. *Adj.* ~ V. *contrato* —.

cotamento. *S. m.* Ato de pôr cotas [V. *cota*[2] (5).] num processo.

cotangente. *S. f.* Var. de *co-tangente*.

co-tangente. [De *co-*[1] + *tangente*.] *S. f.* **1.** *Trig.* Função de um ângulo orientado, igual à razão entre a abscissa e a ordenada da extremidade dum arco de circunferência subtendido pelo ângulo. **2.** *Mat.* Função periódica de uma variável, igual ao cociente da função co-seno pela função seno, em todos os pontos em que esta for diferente de zero. [Símb.: *cot*. Pl.: *co-tangentes*.] ♦ **Co-tangente hiperbólica.** *Mat.* Função igual ao cociente do co-seno hiperbólico pelo seno hiperbólico. **Co-tangente hiperbólica inversa.** *Mat.* Arco co-tangente hiperbólica. **co-tangente inversa.** *Mat.* Arco co-tangente.

cotanilho. *S. m.* Pequeno cotão[1].

cotanilhoso (ô). *Adj.* Que tem cotanilho.

cotão[1]. [Do fr. *coton*.] *S. m.* **1.** Pêlo que se desprende dos panos. **2.** Felpazinha ou lanugem que se junta no forro dos vestidos, atrás ou embaixo dos móveis, etc. **3.** Lanugem dalguns vegetais: "Lá se encontra no algodoeiro, entre as cápsulas cheias de alvo e macio *cotão*, algum enfezado aleijão herbáceo que nutre as larvas." (José de Alencar, *O Gaúcho*, p. 142).

cotão[2]. *S. m.* Cota[1] (1) grande.

cota-parte. [Var. de *quota-parte*.] *S. f.* **1.** Fração duma soma comum que cada pessoa deve pagar ou receber. **2.** V. *cota*[2] (3). [Pl.: *cotas-partes*.]

cotar. *V. t. d.* **1.** Notar ou assinalar por meio de cota[2] (7 e 8). **2.** Fixar o preço ou a taxa de: cotizar. **3.** *Geod.* Marcar o nível ou a altura de. *T. d. e i.* **4.** Taxar; avaliar: *O corretor cotou o imóvel em Cz$ 200.000,00. Transobj.* **5.** Acusar, tachar: *Cotei-o de negligente.* [Pres. ind.: *coto*, etc.: fut. pret.: *cotaria*, etc. Cf. *coto* (ô), *couto*, o antr. *Couto*, e *cotária*, fem. de *cotário*.]

cotário. *S. m. Bras.* Cotista (2). [Fem.: *cotária*. Cf. *cotaria*. do v. *cotar*.]

cote[1]. [Do lat. *cote*.] *S. m.* Pedra de amolar; mó.

cote[2]. [Der. regress. de *cotio*.] *S. m.* Coisa de todos os dias. ♦ **A cote.** Cotidianamente; todos os dias; com freqüência; de cote, a cotio, de cotio. **De cote.** V. *a cote*.

cote[3]. *S. m. Marinh.* Volta singela que se dá no chicote de um cabo e na qual as duas pernadas são estendidas, lado a lado, no mesmo sentido.

cotecá. *S. m. Bras.* Instrumento indígena de percussão.

cotegipense. *Adj. 2 g.* **1.** De, ou pertencente ou relativo a Cotegipe (BA). • *S. 2 g.* **2.** Natural ou habitante de Cotegipe.
cotejador (ô). *S. m.* Aquele que coteja.
cotejamento. *S. m. P. us.* V. *cotejo.*
cotejar. *V. t. d.* **1.** Examinar [cotas (v. cota[2] (2))], confrontando-as. **2.** *P. Ext.* Confrontar, comparar: *Cotejou os textos para assinalar as divergências. T. d. e i.* **3.** Pôr em paralelo; confrontar, comparar: "Abri qualquer dicionário, — e cotejai a miséria da palavra — Beleza — com a opulência sinonímica da palavra — Graça." (Olavo Bilac, *Conferências Literárias,* p. 230.) [Conjug.: v.*pelejar.*]
cotejo (ê). [Dev. de *cotejar.*] *S. m.* **1.** Ato ou efeito de cotejar. **2.** Comparação, confronto. [Sin. ger. (p. us.): *cotejamento.*]
cotelão. *S. m. Bras.* Certo tecido em moda no séc. XVIII.
coteleiro. *Adj.* e *S. m. Bras., N.* Diz-se de, ou boi manso que procura o curral. [Cf. *cuteleiro.*]
➡**coterie** (cot'ri) [Fr.] *S. f.* Panelinha, igrejinha, corrilho.
■**cotg**$^{-1}$. *Mat.* Símb. impr. de *arco co-tangente* [q. v.].
■**cotgh**$^{-1}$. *Mat.* Símb. impr. de *arco co-tangente hiperbólica* [q. v.].
■**coth**$^{-1}$. *Mat.* Símb. impr. de *arco co-tangente hiperbólica* [q. v.].
cotia. *S. f.* Antiga embarcação, pequena e ligeira, do Oceano Índico. [Cf. *cutia.*]
cotiado. [Part. de *cotiar.*] *Adj.* Gasto pelo uso; coçado.
cotiar. *V. t. d.* **1.** Usar a cote [v. *cote*[2]], diariamente. **2.** Gastar com o uso, usar todos os dias (roupa, ou peça do vestuário). [Pres. ind.: *cotio, cotias, cotia,* etc. Cf. *Cótio,* antr., e *cutia, s. f.*]
cotiara. *S. f. Bras.* **1.** Réptil ofídio, da família dos crotalídeos (*Bothrops cotiara* (Gomes)), de coloração verde-olivácea no dorso, com duas séries de manchas triangulares pretas nos bordos e castanhas no centro, orladas de claro, que se alternam ou correspondem sem se fundirem. Atinge 0,90 m de comprimento, e ocorre de MG ao S. [Sin.: *quatiara, boicoatiara* ou *boiquatiara, boicotiara, jararaca-preta.*]. **2.** V. *cutiaia.*
cotica. [Do fr. *cotice.*] *S. f. Heráld.* Banda (5) estreita que atravessa o escudo.
coticado. [De *cotica* + *-ado*[1].] *Adj. Heráld.* Que tem cotica.
cotícula. [Do lat. *coticula.*] *S. f.* Pedra de toque do ouro e da prata. [Cf. *cutícula* e *cutícola.*]
cotidal. [Do ingl. *cotidal.*] *Adj. 2 g.* ~ V. *linha* —.
cotidade. [Var. de *quotidade.*] *S. f.* Soma fixa correspondente ao montante de cada cota-parte.
cotidianidade. [De *cotidiano* + *-i-* + *-dade.*] *S. f.* Qualidade do que é cotidiano. [Var. de *quotidianidade.*]
cotidiano. [Do lat. *quotidianu;* var. de *quotidiano.*] *Adj.* **1.** De todos os dias; diário: *a vida cotidiana.* **2.** Que se faz ou sucede todos os dias, diário: *labor cotidiano; complicações cotidianas.* **3.** Que aparece todos os dias; diário: *Jornal cotidiano.* **4.** Que sucede ou se pratica habitualmente: *Machado de Assis faz parte de suas leituras cotidianas.* • *S. m.* **5.** Aquilo que se faz ou ocorre todos os dias. **6.** O que sucede ou se pratica habitualmente.
cotil. *S. m. Bras.* Cotim [q. v.].
cotiledonar. *Adj. 2 g. Bot.* Cotiledôneo. ~ V. *nó* —.
cotilédone. [Do gr. *kotyledón,* pelo lat. *cotyledone.*] *S. m.* e *f.* **1.** *Bot.* Folha seminal ou embrionária, a primeira que surge quando da germinação da semente, e cuja função é nutrir a jovem planta nas primeiras fases de seu crescimento. [As plantas floríferas angiospérmicas dividem-se em dois grupos segundo o número de cotilédones: monocotiledôneas, com um só, e dicotiledôneas, com dois. Só estas últimas exteriorizam o cotilédone ao germinar a semente.] **2.** *Anat.* Qualquer das subdivisões da superfície uterina da placenta.
cotiledôneo. *Adj. Bot.* Que tem cotilédones; cotiledonar.
cotilhão. [Do fr. *cotillon.*] *S. m.* **1.** Antiga dança de muitos pares, entremeada de várias músicas e distribuição de brindes, pela qual se usava terminar um baile. **2.** Par de objetos similares, distribuídos em reuniões dançantes, entre homens e mulheres, com o fim de animar a festa.
▲**cotil(o)-.** [Do gr. *kotyle, es.*] *El. comp.* = 'cavidade', 'concavidade': *cotilóforo.* [Equiv.: *-cotilo: acotilo.*]
▲**-cotilo.** Equiv. de *cotil(o)-.*
cótilo. [Do gr. *kotyle.*] *S. m. Anat.* Cavidade dum osso na qual se articula a extremidade de outro, especialmente a do ilíaco.
cotilóforo. [De *cótilo* + *-foro.*] *Adj. Anat.* Que tem cótilos.
cotilóide. [Do gr. *kotyloeidés.*] *Adj. 2 g. Anat.* Que tem forma de cótilo ~ V. *cavidade* —. [F. paral.: *cotilóideo.*]
cotilóideo. *adj.* Cotilóide. [q. v.]
cotim. [Var. de *cotil* (bras.), do fr. *coutil.*] *S. m.* Certo tecido muito leve, de linho ou de algodão: "os remendos das calças de cotim" (José Cardoso Pires, *O Delfim,* p. 88).
cotinga. [Do tupi *ko'tĩga.*] *S. f.* **1.** *Bras., Amaz.* V. *anambé*[1] (1). **2.** *Bras., BA.* Peixe teleósteo, percomorfo, da família dos pomadasídeos *(Bathystoma aurolineatum* (Cuv.)), muito parecido com o garganta-de-ferro. [q. v.] **3.** *Bras., ES.* V. *garganta-de-ferro.* **4.** *Bras., PR.* Capim de folhas largas, aproveitadas pelos tropeiros para palha de cigarros.
cotingal. [De *cotinga* (4).] *S. m. Bras., PR.* Quantidade mais ou menos considerável de cotingas dispostas proximamente entre si.
cotíngida. *S. m.* e *adj. 2 g.* V. *cotingídeo.*
cotíngidas. *S. m. pl. Zool.* V. *cotingídeos.*
cotingídeo. *S. m.* **1.** Espécime dos cotingídeos. • *Adj.* **2.** Pertencente ou relativo a eles.
cotingídeos. *S. m. pl. Zool.* Aves passeriformes, da família *Cotingidae,* de porte relativamente grande, de tarso picnaspídeo e plumagem de cores brilhantes, e que se alimentam de frutos e insetos. [São os galos-da-serra, os anambés, os pavós, os cricriós, os maús.]
cotio[1]. [Do lat. tardio *cottidio, por quotidie.*] *S. m.* Uso cotidiano. [Cf. *Cótio,* antr.] ◆ **A cotio.** V. *a cote.* **De cotio.** V. *a cote.*
cotio[2]. *Adj.* Diz-se de uma espécie de grão-de-bico. [Cf. *Cótio,* antr.]
cotista. [Var. de *quotista.*] *Adj. 2 g.* **1.** Que tem cotas [v. *cota*[2] (4)] integrantes do capital de uma sociedade mercantil de responsabilidade limitada. • *S. 2 g.* **2.** Pessoa que é cotista; cotário.
cotização. [Var. de *quotização.*] *S. f.* Ato ou efeito de cotizar(-se). [Cf. *cutisação.*]
cotizar. [Var. de *quotizar.*] *V. t. d.* **1.** Dividir ou distribuir por cota[2] (1). **2.** Cotar (2). *P.* **3.** Reunir-se a outros a fim de contribuir para uma despesa comum: *Seus amigos cotizaram-se para pagar a fiança.* [Cf. *cutisar.*]
cotizável. [Var. de *quotizável.*] *Adj. 2 g.* Que se pode cotizar.
coto. *S. m.* Antigo instrumento japonês (séc. VII), de cordas dedilháveis e caixa de ressonância longa e ligeiramente abaulada, pousada sobre o chão. [É, por assim dizer, a harpa do Japão, com 13 cordas de seda, que o artista, ajoelhado diante do instrumento, faz vibrar por meio de dedeiras de marfim colocadas nos três primeiros dedos da mão direita.] [Pl.: *cotos.* Cf. *coto* (ô), *pl. cotos* (ô); *couto,* pl. *coutos;* e *Couto,* antr.]
coto (ô). [Do lat. *cubitu.*] *S. m.* **1.** Resto de vela, de tocha ou de archote: "Sobre o lavatório de vinhático, numa palmatória de cristal, havia um coto de vela; acendeu-o." (Coelho Neto, *Turbilhão,* p. 36.) **2.** *Cir.* Extremidade distal de membro do qual se amputou uma parte: "Deceparam-lhe a mão esquerda .... ! Com o coto a jorrar sangue, segura .... o pendão político das quinas de Ourique e dos leões de Castela" (Antero de Figueiredo, *Toledo,* p. 122). [Sin. (bras.): *cotoco.*] **3.** *Cir.* Extremidade de órgão em que se praticou ressecção de extensão variável, ou secção completa, e que foi suturada. **4.** Parte da asa das aves de onde nascem as penas. **5.** Espécie de lima de serradores. **6.** V. *cotó*[1] (3). ~ V. *cotos* (ô). [Pl.: *cotos* (ô). Cf. *coto,* do v. *cotar.* e s. m.; *cotos,* pl. de *coto; Coto,* antr. m.; *couto,* s. m., pl. *coutos;* e Couto, antr.]
cotó[1]. [Do fr. *couteau.*] *S. m.* **1.** *Desus.* Faca grande; cutelo. **2.** *Bras.* Faca pequena e ordinária. **3.** Coisa pequena; coto (ô), cotoco.
cotó[2]. *Bras. Adj. 2 g.* **1.** Que tem um braço ou perna mutilada. **2.** V. *suru* (1). ~ V. *sorte* —. • *S. 2 g.* **3.** Pessoa cotó[2] (1).
cotoco (ô). *S. m.* **1.** *Bras.* Coto (ô) (2). **2.** *Bras.* V. *cotó*[1] (3): "— Eu até tinha umas velas aqui. Um cotoco de vela pra quem quisesse subir no escuro." (Stanislaw Ponte Preta, *Febeapá 2,* p. 105.) **3.** *Bras., BA.* Cabeção (4). [Pl.: *cotocos* (ô).]
cotonar. [De *cotão* + *-ar*[2].] *V. t. d.* Dar aspecto de algodão a; algodoar: "até que a vela do barco, pequenina, confundia-se com as espumas que cotonavam o oceano." (Coelho Neto, *Banzo,* p. 160).
cotonaria. [De *cotão* + *-aria.*] *S. f.* V. *algodoaria.* [Cf. *cotonária.*]
cotonária. [De *cotão* + *-ária.*] *S. f. Bot.* Designação comum a plantas cujas folhas têm aspecto e maciez do algodão. [Var.: *cotoneira;* sin.: *gnafálio.* Cf. *cotonaria.*]
cotoneira. *S. f. Bot.* V. *cotonária.*
cotonete (é). *S. m.* Palito (1) com dois pequenos chumaços de algodão nas extremidades, usado principalmente, para fins higiênicos.
▲**coton(i)-.** [De *cotão.*] *El. comp.* = 'algodão': *cotonicultura.*
cotonicultor (ô). [De *coton(i)-* + *cultor.*] *S. m. Bras.* Agricultor que se consagra à cotonicultura.
cotonicultura. [De *coton(i)-* + *cultura.*] *S. f. Bras.* Cultura do algodão.
cotonifício. [Do it. *cotonificio.*] *S. m. Bras.* **1.** Manufatura de panos de algodão. **2.** V. *algodoaria.*
cotos (ô). [Pl. de *coto* (ô).] *S. m. pl.* Nós dos dedos das mãos. ~ V. *coto* (ô). [Cf. *cotos.* pl. de *coto.*]
cotovelada. *S. f.* **1.** Pancada ou empurrão com o cotovelo; cotovelão. **2.** Leve toque dado com o cotovelo em uma pessoa para chamar-lhe a atenção.
cotovelão. *S. m.* Cotovelada (1).
cotovelar. *V. t. d. int.* e *p. P. us.* v. *acotovelar.* [Pres. ind.: *cotovelo,* etc. Cf. *cotovelo* (ê).]
cotoveleira. *S. f.* Peça elástica usada por certos desportistas para proteger o cotovelo.
cotovelo (ê). [Do lat. *cubitale,* 'da altura dum côvado', pelo moçárabe *qubtal.*] *S. m.* **1.** *Anat.* Articulação que conecta braço e antebraço. **2.** Parte da manga de uma vestimenta que recobre o cotovelo: "porque a derradeira vez que o encontrei, ... tiritava dentro duma quinzena cor de mel, roída nos cotovelos" (Eça de Queirós, *Contos,* pp. 273-274). **3.** Ângulo saliente. **4.** Ângulo mais ou menos fechado que um rio, uma estrada, um muro, etc., apresentam: "Conhecia os diferentes vinhos selvagens, que se vendiam na sombria frescura interior das tabernas recolhidas nos cotovelos das brancas estradas" (Ramalho Ortigão, *As Farpas,* I, p. 80). [Pl.: *cotovelos* (ê). Cf. *cotovelo,* do v. *cotovelar.*] ◆ **Cotovelo de captura.** *Geog.* Alteração brusca do traçado de um rio por haver sido capturado por outro. **Falar pelos cotovelos.** *Fam.* Falar em excesso; ser ou mostrar-se muito loquaz; ter bebido água de chocalho.
cotovia. [T. de or. onom.] *S. f.* Ave passeriforme, da família dos motacilídeos (*Anthus campestris* (L.)), acinzentada, da região paleártica, C. e S. da Europa, e que pelo inverno emigra para a África e a Índia.
cotoxó. *Bras. S. 2 g.* **1.** Indígena dos cotoxós, tribo extinta da BA, lingüisticamente pertencente à família camacã. • *Adj. 2 g.* **2.** Pertencente ou relativo a essa tribo. [Var.: *cutaxó.*]
cotréia. *S. f. Bras., AM* e *SE.* **1.** Aguardente ordinária. **2.** *Pop.* V. *cachaça* (1).
cotriba. *S. m. Bras., SP. Gír.* **1.** Indivíduo metido a valente **2.** V. *valentão* (3).
cotruco. [De *cá o troco* da frase *dá cá o troco.*] *S. m.* **1.** *Bras.* Vendedor ambulante de fazendas e objetos de armarinho. **2.** *Bras., N.* V. *lambedeira* (3). **3.** *Bras., RJ. Gír.* V. *galego* (4).
➡**cottage** (cótedj'). [Ingl.] *S. m.* Casa de campo.
coturnado. [Do lat. *cothurnatu.*] *Adj.* Que tem coturno ou forma de coturno.
coturno. [Do gr. *kóthournos,* pelo lat. *cothurnu.*] *S. m.* **1.** Na Grécia antiga, borzeguim de solas altíssimas, que chegava até o meio da perna e se atava pela frente, usado sobretudo pelos atores trágicos: "As personagens da tragédia clássica, representadas por atores de coturno, uma espécie de calçado simbólico de alta dignidade, eram normalmente deuses, semideuses e heróis lendários." (Antônio José Saraiva e Óscar Lopes, *História da Literatura Portuguesa,* p. 306). **2.** Calçado de sola grossa e alta; chapim. **3.** Meia curta, peúga: "Vem aí a neve. Trago os pés como calhaus e olhe que pus dois pares de coturnos de lã, uns por cima dos outros." (Aquilino Ribeiro, *Caminhos Errados,* p. 18.) ◆ **Calçar o coturno.** **1.** *Teat.* Desempenhar um papel com nobreza e força dramática. **2.** *Teat.* Escrever tragédias. **3.** Tratar de assuntos elevados em estilo nobre. **De alto coturno.** Socialmente importante; de alta hierarquia; aristocrático: "era conde ou marquês, ao que parecia, gente de alto coturno" (Visconde de Taunay, *O Encilhamento,* p. 173). **De baixo coturno.** De baixa hierarquia; plebeu.
co-tutor. [De *co-*[1] + *tutor.*] *S. m.* Aquele que é tutor com outrem. [Flex.: *co-tutora* (ô), *co-tutores* (ô), *co-tutoras* (ô).]
couce. *S. m.* V. *coice.*
coucear. *V. t. d.* e *int.* V. *coicear.* [Conjug.: v. *frear.*]
couceira. *S. f.* V. *coiceira.*
couceiro. *Adj.* Coiceiro [q. v.].
couçoeira. *S. f. Bras.* Madeira grossa para ser desdobrada ou aparelhada.
➡**coudée** (cudê). [Fr.] *Adj.* ~ V. *montagem* —.
coudel. [Var. de *caudel* lat. *capitellu.*] *S. m.* **1.** Antigo

capitão de cavalaria. **2.** Aquele que tem a seu cargo uma coudelaria. [Pl.: *coudéis.*]
coudelaria. [Var. de *caudelaria.*] *S. f.* V. *haras.*
coulomb (culom). [Do antr. *Coulomb,* de Charles Augustin Coulomb, físico francês (1736-1806).] *S. m. Eletr.* Unidade de medida de carga elétrica, ou quantidade de eletricidade, no Sistema Internacional: é a quantidade de eletricidade que atravessa, durante um segundo, qualquer secção transversal de um condutor percorrido por uma corrente de intensidade invariável igual a um ampère. [Simb.: *C.* Pl.: *coulombs.*]
coulombiano (culom). *Adj.* Relativo a coulomb. ~ V. *campo* —. [Cf. *colombiano.*]
coulometria. [De *Coulomb* (pron.: *culom*) + *-metr(o)-*[2] + *-ia.*] *S. f. Quím.* Técnica de análise quantitativa de soluções, baseada na medida da deposição ou desprendimento eletrolítico de uma espécie química.
coulométrico (culom). *Adj. Quím.* Referente à coulometria.
coulômetro. [De *Coulomb* (pron.: *culom*) + *-metro*[2].] *S. m. Fís.-Quím.* Célula eletrolítica na qual se realiza uma eletrólise com o objetivo de medir o equivalente eletroquímico de uma substância ou efetuar a medição eletroquímica de uma corrente elétrica; voltâmetro.
➧**counterglow** (càuntàrglô). [Ingl.] *S. m. Astr.* V. *luz anti-solar.*
➧**coup de foudre** (cu de fudr'). [Fr.] *S. m.* **1.** Raio. **2.** *Fig.* Grande desgraça inesperada. **3.** Amor à primeira vista.
➧**coup de grâce** (cu de graç'). [Fr.] *Loc. s. m.* Golpe de misericórdia.
➧**coup de théâtre** (cu de têâtr'). [Fr.] *Loc. s. m.* Modificação repentina de uma situação, como costuma suceder no teatro.
➧**coupé.** [Fr.] V. *cupê.*
➧**couplet** (cuplé). [Fr.] *S. m.* Estrofe de uma canção; copla.
coura. [Var. de *coira.*] *S. f.* **1.** Antigo gibão de couro usado pelos guerreiros. **2.** *P. us.* V. *couraça* (1).
couraça. [Var. de *coiraça* < lat. *coriacea.*] *S. f.* **1.** Armadura de couro ou de metal destinada a proteger as costas e o peito. [Sin.: *peito de prova* e, p. us., *coura.*] **2.** Invólucro de certos animais. **3.** *Fig.* Proteção, defesa, resguardo: *Sua calma é a* c o u r a ç a *com que resiste às injúrias dos inimigos.* **4.** *Fig.* Aquilo que serve de resguardo contra a maledicência ou a má sorte. **5.** *Mar. G.* Chapa de aço especial, de maior espessura que o chapeamento do casco, usada para proteger os órgãos vitais dos navios de combate de maior porte. ● *Adj. 2 g.* **6.** *Mar. G. Gír.* Diz-se de quem é pouco amigo de tomar banho: *F. é* c o u r a ç a *: só toma banho aos sábados.*
couraçado. [Part. de *couraçar;* var. de *coiraçado.*] *Adj.* **1.** Revestido de metal. **2.** Blindado. ~ V. *cinta* —*a.* ● *S. m.* **3.** Navio dotado de couraça. [Cf. *encouraçado.*] **4.** *Bras.* V. *cascudo-espinho.*
couraçamento. [Var. de *coiraçamento.*] *S. m. Mar. G.* O conjunto das couraças de proteção de um navio de combate.
couraçar. [Var. de *coiraçar.*] *V. t. d.* **1.** Armar ou revestir de couraça (5), blindar (navio). *P.* **2.** Proteger-se, resguardar-se. **3.** *Fig.* Tornar-se indiferente, insensível, como que protegido por couraça. [Conjug.: v. *laçar.*]
couraceiro. [Var. de *coiraceiro.*] *S. m. Ant.* Soldado armado de couraça (1).
courama. [Var. de *coirama.*] *S. f.* **1.** Montão de couros [v. *couro* (2)]; pelame. **2.** *Bras., N. E.* Couros.
courão. [Var. de *coirão.*] *S. m. Chulo.* V. *couro* (7).
coureada. [Do esp. plat. *cuereada.*] *S. f. Bras., RS.* Ação de courear. [Var.: *coireada.*]
coureador (ô). *S. m. Bras., RS.* Aquele que coureia; coureiro. [Var.: *coireador.*]
courear. [Do esp. plat. *cuerear.*] *V. t. d. Bras., RS.* Extrair o couro de (animal). [Var.: *coirear.* Conjug.: v. *frear.*]
coureiro. [Var. de *coireiro.*] *S. m.* **1.** Vendedor de couros. **2.** *Bras.* Coureador. **3.** *Bras., MA. Folcl.* Tocador de tambor, no conjunto do tambor-de-crioulo; tambozeiro. [Cf. *coreiro.*]
courela. *S. f.* Var. de *coirela.*
courinho. [Dim. de *couro;* var. de *coirinho.*] *S. m. Bras., CE.* **1.** O couro ou pele de cabra. **2.** *Chulo.* O prepúcio.
couro. [Var. de *coiro* < lat. *coriu.*] *S. m.* **1.** Pele espessa de certos animais. **2.** Pele curtida de animais. **3.** A indústria do couro (2). **4.** Pele da cabeça humana. **5.** *Fam.* V. *pele* (1). **6.** *Pop.* Mulher muito feia e velha. **7.** *Chulo.* Meretriz desprezível e velha; courão, bagaço. **8.** *Bras.* Bola de futebol. **9.** *Bras.* V. *chicote* (1). [Cf. *coro* (ô), s. m., e *coro,* do v. *corar* e s. m.] ~ V. *couros.* ♦ **Couro cabeludo.** A pele da cabeça onde nascem os cabelos. **Couro cru.** Couro não curtido. **Couro da Rússia.** Couro preparado com pele de vitela, cavalo, etc., curtida com casca de salgueiro, faia ou carvalho, e cujo carnaz se fricciona com óleo de bétula, para ficar macio e perfumado e afugentar insetos. Originalmente preparado na Rússia, era tingido só de vermelho, com brasil (3). Lavrado ou, mais comumente, estampado, com desenhos losângicos, usa-se na estofagem de móveis, no fabrico de bolsas e em encadernações de luxo. [Sin.: *couro de Moscóvia* ou apenas *moscóvia.*] **Couro de Moscóvia.** V. *couro da Rússia.* **Comer o couro de.** *Bras., CE.* Surrar, espancar (alguém). **Dar no couro.** *Bras., RJ* e *SP. Gír. Fig.* **1.** Acertar plenamente. **2.** Servir, satisfazer plenamente determinado objetivo: *O jogador será substituído: não dá mais* n o c o u r o. [M. us. na f. negativa.] **Dar o couro às varas.** *Fam.* e *Pop.* V. *morrer* (1). **Em couro.** Nu, despido, pelado; em pêlo.
couro-n'água. *S. m.* **1.** *Bras., SP.* V. *valentão* (3). **2.** *Bras., MG.* Estróina, doidivanas. [Pl.: *couros-n'água.*]
couros. [Pl. de *couro;* var. de *coiros.*] *S. m. pl. Bras., N. E.* O conjunto de peças do vestuário feito de couro usado pelos sertanejos e que se compõe de gibão ou véstia, guarda-peito ou peitoral, e perneiras: "Amarrei-o, meti-me com ele na capoeira, estraguei-lhe os c o u r o s nos espinhos dos mandacarus, quipás, alastrados e rabos-de-raposa." (Graciliano Ramos, *S. Bernardo,* p. 15.) [Sin.: *courama.*] ~ V. *couro.*
cousa. *S. f.* V. *coisa.* ~ V. *cousas.*
cousada. *S. f.* Coisada.
cousa-em-si. *S. f. Hist. Filos.* Coisa-em-si. [Pl.: *cousas-em-si.*]
cousa-feita. *S. f. Bras.* Coisa-feita [q. v.]. [Pl.: *cousas-feitas.*]
cousa-má. *S. m. Bras.* Coisa-má. [q. v.] [Pl.: *cousas-más.*]
cousar. *V. t. d., t. i.* e *int.* Coisar [q. v.].
cousa-ruim. *S. m. Bras.* Coisa-ruim [q. v.]. [Pl.: *cousas-ruins.*]
cousas. *S. f. pl.* V. *coisas.* ~ V. *cousa.*
cousificar. *V. t. d.* Coisificar. [Conjug.: v. *trancar.*]
cousíssima. *El. s. f.* Us. na loc. adv. e na loc. pron. *cousíssima nenhuma.* ♦ **Cousíssima nenhuma.** Coisíssima nenhuma.
coutada. [Fem. do part. substantivado de *coutar.*] *S. f.* **1.** Terra onde a caça é proibida. **2.** Terra reservada para pasto. **3.** Tapada, cerrado. [Var.: *coitada.* Cf. *coitada,* fem. de *coitado.*]
coutar. [De *couto*[1] + *-ar*[2].] *V. t. d.* **1.** Tornar defeso (um terreno). **2.** *Ant.* Acoitar (1 a 3). [Var.: *coitar*[1]. Part.: *coutado.* Cf. *coitado* e *coitar*[2].]
couteiro. *S. m.* Guardador de coutos ou coutadas. [Var.: *coiteiro* [q. v.].]
couto[1]. [Do lat. *cautu.*] *S. m.* **1.** *Ant.* Terra coutada, privilegiada. **2.** *Ant.* Lugar onde se podiam asilar os criminosos, onde não entrava a justiça do rei: *As capitanias hereditárias brasileiras foram declaradas* c o u t o *e homizio para os criminosos;* "Lidara .... com grandes celerados da Beira, e dera-lhes c o u t o muita vez, como aos Brandões de Midões." (Bulhão Pato, *Memórias,* II, p. 143.) **3.** Asilo, refúgio, valhacouto. [Var.: *coito.* Cf. *coto* (ô), pl. *cotos* (ô); *coto,* pl. *cotos; coto,* do v. *cotar,* e *Coto,* antr.]
couto[2]. *S. m.* Medida antiga, talvez o mesmo que côvado. [Var.: coito. Cf. *coto* (ô), pl. *cotos* (ô); *coto,* pl. *cotos; coto,* do v. *cotar;* e *Coto,* antr.]
➧**couvade** (cuvád'). [Fr.] *S. f. Etnol.* Costume difundido entre índios sul-americanos, e segundo o qual o pai, depois do parto de sua mulher, é obrigado a deitar-se dias inteiros, e não fazer trabalho pesado e abster-se de muitos alimentos importantes. [Há o correspondente vernáculo *recolhimento.*]
couval. *S. m.* Quantidade mais ou menos considerável de couves dispostas proximamente entre si: "Medrava a fazenda ao sopro de Deus: C o u v a l em dois palmos de terra, nabal em riba de fraga" (Aquilino Ribeiro, *Estrada de Santiago,* p. 292). [Cf. *coval.*]
couve. [Do gr. *kaulós,* pelo lat. *caule.*] *S. f. Bot. Bras.* Planta glabra, bienal, da família das crucíferas (*Brassica oleracea*), de flores alvas ou amarelas, de grande tamanho, dispostas em racimos frouxos, e folhas verdes, onduladas, um pouco carnosas, e comestíveis. ♦ **Couve à mineira.** *Bras.* Prato típico de nossa cozinha, feito de couve cortada fininho e refogada na gordura.
couve-de-bruxelas. *S. f.* Variedade de couve escassamente cultivada no Brasil, e cujas folhas constituem pequenos repolhos. [Pl.: *couves-de-bruxelas.*]
couve-flor. *S. f.* Planta de caule curto, da família das crucíferas (*Brassica oleracea, var. Botrytis cauliflora*), de folhas oblongas com a nervura central alvacenta, os pedúnculos florais que se tornam carnosos e formam um capítulo de flores abortadas comestíveis, reunidos, em grande número, na extremidade do caule. [Pl.: *couves-flores.*]
couveiro. *S. m.* **1.** Vendedor de couve. ● *Adj.* **2.** *Lus. Pop.* Terreno onde se plantam couves, ou próprio para o plantio delas. [Cf. *coveiro.*]
couve-marinha. *S. f.* Soldanela. [Pl.: *couves-marinhas.*]
couve-nabo. *S. f.* Variedade de couve que tem o caule em parte hipertrofiado, com aspecto de nabo, bastante espalhada pelo mundo, e existente no Brasil. [Pl.: *couves-nabos.*]
couve-rábano. *S. f.* Planta de caule carnoso, da família das crucíferas (*Brassica oleracea,* var. *gongylodes*), com variedades que diferem na coloração dos pecíolos e das nervuras, e no feitio das folhas, que são comestíveis. [Var.: *couve-rábão.* Pl.: *couves-rábanos.*]
couve-rábão. *S. f.* Var. de *couve-rábano.* [Pl.: *couves-rábãos.*]
couvetinga. *S. f. Bras.* Designação comum a dois arbustos da família das solanáceas, cujos frutos são considerados calmantes e diuréticos (*Solanum auriculatum* Ait. e *S. subumbellatum* Vell.)
couve-troncha. *S. f.* V. *couve-tronchuda.* [Pl.: *couves-tronchas.*]
couve-tronchuda. *S. f.* Variedade de couve, cultivada no Brasil, de folhas com margens onduladas e nervuras e pecíolos largos; couve-troncha, troncha. [Pl.: *couves-tronchudas.*]
cova. [Do lat. vulg. **cova.*] *S. f.* **1.** Abertura na terra: escavação, buraco. **2.** Abertura que se faz na terra para plantar um vegetal ou lançar uma semente. **3.** Buraco onde se escondem certos animais; toca, buraco. **4.** Concavidade, depressão, cavidade, côncavo. **5.** V. *sepultura* (1). **6.** Caverna, antro. **7.** *Bras.* Pequena elevação de terreno bem trabalhada à enxada e onde se planta a maniva de mandioca, geralmente um pé só. [Dim. irreg.: *covacho.* Pl.: *covas.* Cf. *cova* (ô), f. do adj. *covo* (ô), e pl. *covas* (ô).] ♦ **Descer à cova.** V. *morrer* (1).
covacho. [De *cova* + *acho.*] *S. m.* Pequena cova.
covada. *S. f. Bras., Amaz.* Cova onde as tartarugas fazem ninho para desovar.
cova-de-anjo. *S. f. Bras., BA.,* Depressão de terreno com 0,60 a 0,80 m de profundidade. [Pl.: *covas-de-anjo.*]
cova-de-touro. *S. f. Bras., RS.* Escavação feita pelos touros com as patas e os chifres ao prepararem-se para travar luta, e que, com a ação contínua das chuvas, por vezes se torna profunda. [Pl.: *covas-de-touro.*]
côvado. [Do lat. *cubitu.*] *S. m.* Antiga unidade de medida de comprimento equivalente a três palmos, ou seja, 0,66 m; cúbito.
cova-do-ladrão. *S. f. Fam.* Depressão entre a região occipital e a parte posterior do pescoço. [Pl.: *covas-do-ladrão.*]
covagem. *S. f.* **1.** Ação de abrir cova (em cemitério). **2.** O preço desse trabalho; coval, covato.
coval. *S. m.* **1.** Divisão do terreno dum cemitério na qual se podem abrir covas ou sepulturas. **2.** V. *covagem* (2). **3.** Divisão de terreno destinado para seara ou sementeira. [Cf. *couval.*]
covalente. *Adj. 2 g.* ~ V. *ligação* —.
covanca. [De *cova.*] *S. f. Bras., S.* Terreno pouco extenso, cercado de morros, com entrada natural apenas de um lado, formando uma espécie de bacia, e que é, de ordinário, o extremo de um vale ou de uma várzea.
covão. *S. m.* **1.** Cova grande; boqueirão. **2.** *Bras., AM.* Poço profundo dos rios. [Cf. *côvão.*]
côvão. [Do gr. *kóphinos,* pelo lat. *cophinu.*] *S. m.* Cesto com que se apanham peixes em rio. [Pl.: *côvãos.* Cf. *covão.*]
covarde. [De fr. ant. *coart,* hoje *couard.*] *Adj. 2 g.* **1.** Sem coragem; tímido, medroso, poltrão. **2.** Fraco de ânimo; pusilânime. **3.** Desleal, traiçoeiro. ● *S. 2 g.* **4.** Pessoa covarde. [F. paral.: *cobarde.*]
covardia. [De *covarde* + *-ia.*] *S. f.* **1.** Falta de coragem; medo, timidez, poltronice. **2.** Fraqueza de ânimo; pusilanimidade. **3.** Ânimo traiçoeiro. [F. paral.: *cobardia;* sin. ger.: *covardice.*]
covardice. [De *covarde* + *-ice.*] *S. f.* V. *covardia.* [F. paral.: *cobardice.*]
covariação. [De *co-*[1] + *variação.*] *S. f. Estat.* **1.** Tendência à variação simultânea, em grandeza e sinal, dos termos de duas séries cronológicas. **2.** Medida da tendência à variação simultânea dos termos de duas séries cronológicas.
covariância. *S. f. Estat.* Entre duas variáveis aleatórias, média aritmética (ou esperança matemática) do produto dos afastamentos de cada variável em relação à respectiva média (ou à esperança matemática).

covariante. *Adj. 2 g. Cálc. Vect.* Diz-se de cada índice inferior de um tensor.

covas-de-mandioca. *S. f. pl. Bras., região do rio São Francisco.* Pequenas nuvens que anunciam borrasca.

covato. [De *cova* + *-ato*[1].] *S. m.* **1.** Ofício de coveiro. **2.** Lugar onde se abrem sepulturas. **3.** V. *covagem* (2).

covear. *V. t. d. Bras.* Abrir covas em, para plantar mudas de café. [Conjug.: v. *frear.*]

coveiro. *S. m.* **1.** Aquele que abre covas para defuntos; enterrador, sepultador, sepultureiro. **2.** *Fig.* Aquele que contribui para a queda de uma instituição: *os coveiros da monarquia.* [Cf. *couveiro.*]

coveitiano. *Adj.* **1.** Do, ou pertencente ou relativo ao Coveite (Kwait, país da Arábia, no Golfo Pérsico). ● *S. m.* **2.** O natural ou habitante do Coveite.

covelina. [Do antr. *Covelli*, de Nicola Covelli, mineralogista italiano (1790-1829), + *-ina.*] *S. f. Min.* mineral hexagonal, sulfito de cobre, de cor anil.

➧**cover-girl** (côvar-gârl). [Ingl.] *S. f.* Mulher que posa para fotografias de revistas, em especial para a capa.

coveta (ê). *S. f. Bras., N.E.* Cova ou buraco onde se põe a semente da cana.

covil. [Do lat. *cubile*, 'cama'.] *S. m.* **1.** Cova de feras; toca. **2.** *Fig.* Abrigo de salteadores, de ladrões. **3.** *Fig.* Casa miserável; choça. **4.** *Fig.* V. *prostíbulo.*

covileiro. [De *covil* + *-eiro.*] *Adj.* Diz-se do caçador que pelo rasto vai dar com a caça de pêlo.

covilhete (ê). *S. m.* **1.** Pires chato para doce. **2.** Pequena malga; tigelinha: "O covilhete de barro com as azeitonas" (Eça de Queirós, *Contos*, p. 112). **3.** *Bras., N. E.* Engenho de açúcar no qual a roda é movida pela água que cai na sua parte mediana.

covo. [De *côvão*, com mudança de timbre da vogal tônica.] *S. m.* **1.** *Bras.* Armadilha de pesca formada por esteiras armadas em paus e munidas de sapatas de chumbo: "Estava .... concertando uns covos para os meter em um poço onde os camarões saltavam em cardumes" (Franklin Távora, *O Cabeleira*, p. 114). [Os pescadores lançam o covo, cuja posição assinalam com três marcos, e no dia seguinte o levantam.] **2.** *Bras., AL. Gír.* Relógio ordinário. [Pl.: *covos.* Cf. *covo* (ô) e pl. *covos* (ô).]

covo (ô). [Do lat. *covu*, var. de *cavu.*] *Adj.* Côncavo, fundo. [Flex.: *cova* (ô), *covos* (ô), *covas* (ô). Cf. *covo*, pl. *covos*, e *cova*, pl. *covas.*]

covoá. *S. m. Bras., C.O.* Designação comum a pequenos montes de altitude variada que formam os acidentes do Planalto Central do Brasil.

covoada. [De *covão* + *-ada*[1].] *S. f.* **1.** Série de covas: "Os detritos, acumulados pelos enxurros nas covoadas que ali formava o terreno, alimentavam as árvores altaneiras" (José de Alencar, *O Sertanejo*, p. 75). **2.** *Bras., N.E.* Encosta ou ondulação das serras coberta com alguma vegetação: "Palmilhando as covoadas da serra do Cajueiro, em cujo sopé ficava a fazenda, José Brilhante, premido pela apertura do momento, achou um ninho e uma fortaleza." (Gustavo Barroso, *Heróis e Bandidos*, p. 164.) **3.** *Bras., SP.* Depressão de terreno encharcada. **4.** *Bras., RS.* Vale entre duas coxilhas.

covoão. [Aum. de *cova.*] *S. m. Bras.* Baixada estreita e profunda.

covoca. *S. f. Bras., MG.* Terreno desmoronado, à beira de morros ou de montanhas, e que forma depressão, grota ou cova funda.

covocó. *S. m. Bras., PE* e *BA.* V. *cabocó* (1).

covolume. [De *co-*[2] + *volume.*] *S. m. Fís.* Parâmetro que é proporcional ao volume ocupado pelas moléculas dum gás real, e que figura na sua equação de estado. ◆ **Covolume balístico.** *Expl.* O dos gases formados durante a queima de uma pólvora.

➧**cow-boy** (caubói). [Ingl.] *S. m.* V. *caubói.*

coxa (ô). [Do lat. *coxa.*] *S. f.* **1.** Parte do membro inferior que vai desde as virilhas até o joelho, e cujo esqueleto é o fêmur. ● *S. 2 g.* **2.** *Bras.* V. *curitibano*[2]. ● *Adj. 2 g.* **3.** V. *curitibano*[2]. [Pl.: *coxas* (ô). Cf. *cocha*, pl. *cochas*, *cocha* e *cochas*, do v. *cochar*, e *cocha* (ô), pl. *cochas* (ô).] ◆ **Em cima da coxa.** Sem atenção ou esforço: em cima da perna; às pressas: "em menos de meia hora .... um deputado ou um senador escreve em cima da coxa uma emenda ou um artigo aditivo" (Joaquim Manuel de Macedo, *Os Romances da Semana*, p. 102). **Nas coxas.** *Chulo.* Às pressas; de modo precário, imperfeito; em cima da perna: *Como o prazo era curto, fez o trabalho nas coxas.*

coxa-branca. *Adj. 2 g.* e *s. 2 g. Bras.* V. *curitibano*[2]. [Pl.: *coxas-brancas.*]

coxal. *Adj. 2 g.* Relativo ou pertencente à coxa. ~ V. *osso* —.

coxalgia. [De *coxa* + *-alg(o)-* + *-ia.*] *S. f. Patol.* **1.** Dor na articulação coxofemoral. **2.** Dor na coxa.

coxálgico. *Adj.* Relativo à coxalgia.

coxartria. [De *coxa* + *-artr(o)-* + *-ia.*] *S. f. Patol.* Inflamação da articulação coxofemoral; coxite.

coxártrico. *Adj.* Referente à coxartria.

coxartrose. *S. f. Med.* Artrose da articulação coxofemoral.

coxé. *Adj. 2 g. Bras., PE.* **1.** Diz-se de quem tem uma perna mais curta que a outra. **2.** V. *coxo* (1)

coxeadura. *S. f.* Ato de coxear; manqueira.

coxear. *V. int.* **1.** Andar como coxo, manquejando; claudicar: "— Fiquei com o joelho dorido, disse ela entrando em casa e coxeando." (Machado de Assis, *Quincas Borba*, p. 268.) [Sin. (vários deles bras.): *cambetear, capengar, capenguear, caxingar, mancar, manquejar, manquetear, manquitar, manquitolar.*] **2.** Vacilar, hesitar. *T. i.* **3.** Manquejar, claudicar: *coxear de um pé.* [Conjug.: v. *frear.*]

coxeira. *S. f.* **1.** Liga elástica, usada em casos de distensão da musculatura da região coxal. **2.** Coxeadura de animal. [Cf. *cocheira.*]

coxia. [Do it. *corsia.*] *S. f.* **1.** Passagem estreita entre duas fileiras de bancos, camas, etc.: "Foi então subindo em pontas de pés pela coxia tapetada de vermelho" (Eça de Queirós, *Os Maias*, II, p. 383). **2.** Espaço ocupado por cada cavalo na estrebaria. **3.** *Constr. Nav.* Prancha de madeira presa entre duas bancadas consecutivas de embarcação miúda, na mediania, com uma abertura (*enora*) por onde gurne o mastro. **4.** Cada um dos assentos removíveis suplementares que se instalam na platéia de teatros, cinemas, etc., para aumentar a lotação: "de entre a multidão, que ainda enchia as galerias por detrás das cadeiras corais, arrebentou, por uma das coxias, um homem, em cabelo e coberto por um lorigão de couro entrançado" (Arnaldo Gama, *O Balio de Leça*, p. 142). **5.** *Bras.* Estrado de paus roliços ou de tábuas, que forma o convés de carga do ajoujo. **6.** *Bras.* Ruma de tijolos e de vários outros objetos que se dispõem ordenadamente. **7.** *Bras., BA.* Colina pequena, de pouca altura, que corre pelos campos, quebrando a uniformidade das planícies. **8.** *Bras., BA* e *MG.* No médio São Francisco, a passadeira estreita que contorna a barra da barca, e por onde os remeiros manobram as varas. V. *coxias.* ◆ **Correr a coxia.** Vadiar, sem destino, por toda parte.

coxias. [Pl. de *coxia.*] *S. f. pl. Teat.* V. *bastidores* (2). ~ V. *coxia.*

coxicoco (ô). *S. m. Bras.* V. *caxinguelê.*

coxilha. [Do esp. *cuchilla.*] *S. f. Bras., S.* Campina com pequenas e contínuas elevações, arredondadas, típica da planície sul-rio-grandense, em geral coberta de pastagem, e onde se desenvolve a pecuária: "reconheceu os seus campos natais, os campos da fronteira, estendidos em planuras escampas, ondulados em suaves coxilhas" (Darci Azambuja, *No Galpão*, p. 73). [A boa grafia seria *cuchilha* ou *cochilha.*]

coxilhão. *S. m. Bras., RS.* Coxilha [q. v.] muito extensa.

coxim. [Do cat. *coixí.*] *S. m.* **1.** Almofada que serve de assento: "O resto da manhã, se havia calor, passava-o sobre coxins de cetim cor de pérola" (Eça de Queirós, *O Mandarim*, p. 53). **2.** Espécie de sofá sem costas; divã. **3.** Qualquer objeto semelhante a uma almofada destinado a servir de assento a alguma coisa. **4.** Parte da sela onde o cavaleiro se assenta. **5.** Prancha estofada de crina e coberta de couro em que se cortam as folhas de ouro. **6.** Almofada de couro cheia de areia, onde se fixam as peças para cinzelar. **7.** Peça reforçada de alvenaria na qual se apóia a extremidade de uma viga. **8.** Suporte de ferro fundido que se põe sobre o dormente e onde assenta o trilho.

coximpim. *S. m. Bras., SP.* V. *gangorra*[1] (1).

coxinense. *Adj. 2 g.* **1.** De, ou pertencente ou relativo a Coxim (MS). ● *S. 2 g.* **2.** Natural ou habitante de Coxim.

coxinilho. [Do esp. plat. *cojinillo.*] *S. m. Bras., RS.* Manta geralmente de lã, que se põe sobre os arreios para comodidade do cavaleiro. [Var.: *coxonilho.*]

coxite. [De *coxa* + *-ite*[1].] *S. f. Patol.* Coxartria.

coxo (ô). [Do lat. tardio *coxu.*] *Adj.* **1.** Que coxeia (1). [Sin. (bras. e pop., na maioria): *caxingó, coxé, manco, manquitó, manquitola, pepé, rengo.*] **2.** Diz-se de objeto a que falta pé ou perna: "Tipos esquálidos que atravessam o átrio, detêm-se olhando as cadeiras coxas, os bancos de cozinha imundos" (Fialho d'Almeida, *Pasquinadas*, pp. 6-7). **3.** *Fig.* Incompleto, truncado, imperfeito: *frase coxa; desculpa coxa.* ~ V. *coluna* —a e *página* —a. ● *S. m.* **4.** Aquele que coxeia: [Sin. (bras. e pop., na maioria): *caxingó, manco, manquitó, manquitola, pepé.*] **5.** *Bras., CE. Pop.* V. *diabo* (2). [Flex.: *coxa* (ô), *coxos* (ô), *coxas* (ô). Cf. *cocho* (ô), pl. *cochos* (ô); *cocha* (ô), pl. *cochas* (ô); *cocha*, pl. *cochas*; e *cocho*, *cochas*, *cocha*, do v. *cochar.*]

coxofemoral. [De *cox(a)* + *-o-* + *femoral.*] *Adj. 2 g. Anat.* De, ou relativo à articulação de osso coxal e fêmur.

coxonilho. *S. m. Bras., RS* e *GO.* Var. de *coxinilho*: "Em teares (horizontais) primitivos, tecelãs fazem colchas, panos para calças, sacos, coxonilhos, baixeiros e outros artefatos" (Regina Lacerda, *Papa-Ceia*, p. 16).

coxote. *S. m. Ant.* Parte da armadura que cobria as coxas.

cozedura. *S. f.* **1.** Ato ou efeito de cozer; cozimento: "A criada estava no forno vigiando a cozedura do pão." (Natércia Freire, *A Alma da Velha Casa*, p. 20.) **2.** Estado do que se acha cozido. **3.** Ato de submeter à ação do fogo matérias usadas na indústria: *a cozedura da porcelana.* **4.** Quantidade de coisas que se cozem de uma vez no forno: *O pão foi assado em duas cozeduras.* **5.** Concentração de um xarope. **6.** A parte sólida do caldo. [Cf. *cosedura.*]

cozer. [Do lat. *cocere.*] *V. t. d.* **1.** Preparar (alimentos) pela ação do fogo; cozinhar: *cozer o pão; cozer a carne.* **2.** Submeter à ação do fogo (substâncias dentro de líquido); cozinhar. **3.** Reduzir ao estado de cozido (2) cozinhar: *O fogo estava tão fraco que não cozeu a carne.* **4.** Reduzir a cinza ou a carvão; calcinar; cozinhar: *O incêndio cozeu enorme área da floresta, matando centenas de animais.* **5.** Digerir (1); cozinhar: *O estômago coze certos alimentos com dificuldade.* *Int.* **6.** Preparar alimentos ao fogo; cozinhar: *Coze com perfeição: seus quitutes têm fama.* **7.** Saber cozer; ser cozinheira; trabalhar como tal; cozinhar: "A Margarida trabalhava para fora, cozia, engomava, fazia renda." (Conde de Ficalho, *Uma Eleição Perdida*, p. 39.) [Conjug.: v. *mover.* Cf. *coser.*]

cozido. [Part. de *cozer.*] *Adj.* **1.** Que se cozeu; cozinhado. ● *S. m.* **2.** Aquilo que se cozeu. **3.** Prato de carnes (peito, carnes salgadas, charcutaria, etc.) cozidas com verduras, legumes, ovos, batatas, etc. [Sin., nesta acepç., no RS: *fervido.* Cf. *cosido*, do v. *coser.*]

cozimento. *S. m.* **1.** Cozedura (1). **2.** Líquido com propriedades medicinais, no qual se cozeram ervas e outras drogas; decocção, decocto; infusão: "É para ele que se manipulam os ungüentos de tingir a barba, os cozimentos para amaciar a pele e os pós de lustrar as unhas." (Ramalho Ortigão, *Em Paris*, p. 229.) **3.** *Ind. Pap.* Operação em que se trata a madeira com reagentes químicos, a quente, com o intuito de obter a pasta química; digestão.

cozinha. [Do lat. *cocina.*] *S. f.* **1.** Compartimento da casa onde se preparam os alimentos. **2.** A arte de os preparar: *A cozinha chinesa é requintada em extremo.* **3.** O conjunto dos pratos característicos de um país ou de uma região; comida: *a cozinha italiana; a cozinha baiana.* **4.** O preparo dos alimentos. **5.** *Bras. Jorn. Gír.* Preparo, para publicação, dos originais e das ficadas [v. *ficada* (4)]: "Na redação, o secretário fazia a sua cozinha, quando a senhora, não primaveril, ... dele se aproximou timidamente." (Carlos Drummond de Andrade, *Fala, Amendoeira*, p. 150.)

cozinhado. *Adj.* **1.** Cozido (1). ● *S. m.* **2.** Alimento que se cozeu [v. *cozer* (1)].

cozinhador (ô). *S. m.* **1.** Aquele que cozinha. **2.** *Ind. Pap.* Grande recipiente metálico, vertical, horizontal ou esférico, fixo ou rotativo, com revestimento interno anticorrosivo, e no qual se põe a madeira fragmentada e se injeta o reagente químico, a quente e sob pressão, para obter a pasta química; autoclave, digestor.

cozinhar. [Do lat. **cocinare.*] *V. t. d.* **1.** Cozer (1 a 5): "Vamos às trutas! Corro a cozinhá-las; / Corre tu a escolher na adega o vinho!" (Eugênio de Castro, *Églogas*, p. 46). **2.** Tramar, urdir: *cozinhar intrigas.* **3.** *Pop.* Adiar a solução de (um assunto), a efetivação de (uma medida, uma providência); cozinhar em água fria. **4.** *Bras. Jorn. Gír.* Fazer a cozinha (5) de. *Int.* **5.** Cozer (6 e 7): *Cozinha excelentemente;* "morava com a senhora na própria loja, ... D. Maricota cozinhava, lavava e engomava." (Artur Azevedo, *Contos Cariocas*, p. 115). **6.** *Pop.* Remanchar, tardar, demorar-se: *Pedi lhe o obséquio, mas ele cozinhou e acabou não fazendo nada.*

cozinheira. *S. f.* **1.** Mulher que sabe cozinhar, especialmente a que faz disso profissão. [Sin. fam.: *tacho.*] **2.** *Marinh.* Vela triangular içada no estai do mastro real grande, por ante-a-ré da cozinha ou da chaminé desta; vela de fumo.

cozinheiro. *S. m.* Homem que sabe cozinhar, especialmente o que faz disso profissão. [Sin. pop.: *cuca, cuco,* *mestre-cuca.*] ◆ **Cozinheiro de forno e fogão.** Cozinheiro excepcional, de grande competência. [Tb. se diz apenas *de forno e fogão.*]

■**cP** . *Fís.* Símb. de *centipoise.*

■**CPD.** *Proc. Dados.* Sigla de *Centro de Processamento de Dados.*

■**CPU.** [Ingl., *Central Processing Unit.*] *Proc. Dados.* Sigla de *Unidade Central de Processamento* [q. v.].

■**Cr.** *Quím.* Símb. de *cromo.*

crã. *S. m. Tip.* Risca (6).

craca. *S. f.* **1.** *Ant. Arquit.* A parte côncava das colunas estriadas. [Cf. *estria*[1] (3).] **2.** *Bras.* Designação dos animais artrópodes, crustáceos, cirrípedes [q. v.], da família dos balanídeos, que vivem incrustados nos rochedos marinhos, madeiras do cais, cascos de navios, ou sobre a carapaça de outros animais marinhos. São fixos, vivíparos, e hermafroditos. [Sin.: *caraca, bálano, glande-do-mar.*] ◆ **Craca das pedras.** *Bras.* V. *craca* (2).

cracaxá. *S. m. Bras.* Caracaxá.

crachá. [Do fr. *crachat.*] *S. m.* **1.** Insígnia honorífica (grã-cruz, comenda, etc.) que se traz ao peito; condecoração [q. v.], venera: "O Imperador, com pena da lapela de sua casaca vazia de condecorações, mandou-lhe [a Gonçalves Dias] um c r a c h á ." (José Lins do Rego, *Gordos e Magros,* p. 101.) **2.** Emblema da corporação usado nos quepes dos militares. **3.** Cartão com dados pessoais que se usa ao peito para fins de identificação ou controle, em empresas, congressos, feiras, etc.

▲**-cracia.** [Do gr. *-kratía.*] *El. comp.* = 'poder', 'autoridade': *gerontocracia, tecnocracia.*

cracídeo. *S. m.* **1.** Espécime dos cracídeos. ● *Adj.* **2.** Pertencente ou relativo aos cracídeos.

cracídeos. *S. m. pl. Zool.* Aves galiformes, da família *Cracidae,* cujo dedo posterior está situado na mesma altura dos anteriores. Arborícolas, alimentam-se de frutas, folhas, insetos e pequenos animais. São os mutuns, os jacus, as araquãs e os cujubins.

cracoviana. *S. f. Álg. Mod.* Entidade semelhante a uma matriz, porém diferente dela pela regra do produto, definida esta como o produto da transposta do multiplicando pela matriz multiplicadora.

cracoviano. *Adj.* **1.** Da, ou pertencente ou relativo à Cracóvia (Polônia). ● *S. m.* **2.** O natural ou habitante da Cracóvia.

craguatá. *S. f. Bras.* V. *caraguatá.*

craibeira (a-i). *S. m. Bras.* V. *sambaíba-de-minas-gerais.*

cranial. *Adj. 2 g. Anat.* Voltado em direção ao crânio. [Cf. *craniano.*]

craniano. *Adj.* Pertencente ou relativo ao crânio. [Cf. *cranial.*] ~ V. *caixa —a, calota —a, índice —, nervo — e par —.*

craniar. [De *crânio* + *-ar*[2].] *V. t. d. Bras. Fam.* Imaginar, idealizar; excogitar: "o sangue lhe subia e, em instantes de coragem, punha-se a c r a n i a r os meios para enfrentar a situação." (Antônio Celso, *A Porta de Jerusalém,* p. 4). [Pres. ind.: *cranio,* etc. Cf. *crânio.*]

craniectomia. [De *crani(o)-* + *-ectom-* + *-ia.*] *S. f. Cir.* **1.** Operação pela qual se extirpa uma porção da caixa craniana. **2.** Uma das etapas da abertura da caixa craniana, geralmente com o objetivo de alguma manobra sobre o conteúdo desta.

craniectômico. *Adj.* Referente à craniectomia.

crânio. [Do gr. *kraníon,* pelo lat. *cranion.*] *S. m.* **1.** *Anat.* Caixa óssea que encerra e protege o encéfalo, no homem e nos vertebrados. [Sin., pop.: *cabeça.*] **2.** *Bras. Gír.* Indivíduo muito inteligente e/ou de grande preparo. [Cf. *cranio,* do v. *craniar.*]

▲**crani(o)-.** [Do gr. *kraníon.*] *El. comp.* = 'crânio': *craniotomia; craniectomia.*

craniofacial. *Adj. 2 g. Anat.* Relativo ou pertencente, ao mesmo tempo, ao crânio e à face.

craniografia. [Do gr. *crani(o)-* + *-graf(o)-* + *-ia.*] *S. f.* Descrição científica do crânio.

craniográfico. *Adj.* Respeitante à craniografia.

craniolar. *Adj. 2 g.* Que tem feitio de crânio.

craniolária. *S. f.* Concha craniolar.

craniologia. [De *crani(o)-* + *-log(o)-* + *-ia.*] *S. f.* **1.** Estudo dos crânios. **2.** Ramo da antropologia dedicado ao estudo comparativo das diferentes formas de crânios humanos, atuais e fósseis. **3.** Arte de conhecer as aptidões e instintos das pessoas pelo estudo dos respectivos crânios.

craniológico. *Adj.* Relativo à craniologia.

craniologista. *S. 2 g.* Especialista em craniologia; craniólogo.

craniólogo. [De *crani(o)-* + *-logo.*] *S. m.* Craniologista.

craniomancia (cí). [De *crani(o)-* + *mancia.*] *S. f.* Arte de adivinhar as inclinações morais e intelectuais das pessoas pela observação de seus crânios.

craniomante. [De *crani(o)-* + *mante.*] *S. 2 g.* Pessoa que pratica a craniomancia.

craniomântico. *Adj.* Relativo à craniomancia, ou a craniomante.

craniometria. [De *crani(o)-* + *-metr(o)-*[2] + *-ia.*] *S. f.* Medição do crânio.

craniométrico. *Adj.* Referente à craniometria.

craniômetro. [De *crani(o)-* + *-metro*[2].] *S. m.* Instrumento com que se medem os diâmetros cranianos.

craniópago. [De *crani(o)-* + *-pago.*] *S. m. Ter.* Cada um dos monstros duplos unidos pelo crânio.

cranioscopia. [De *crani(o)-* + *-scop-* + *-ia.*] *S. f.* Exame do crânio para fins diagnósticos.

cranioscópico. *Adj.* Referente à cranioscopia.

cranioscópio. *S. m.* Instrumento com que se faz a cranioscopia.

craniota. *Adj. 2 g.* e *s. m.* V. *vertebrado* (2 e 3).

craniotas. *S. m. pl. Zool.* V. *vertebrados.*

craniotomia. [De *crani(o)-* + *-tom(o)-* + *-ia.*] *S. f. Cir. Impr.* Craniectomia.

craniotômico. *Adj.* Relativo à craniotomia.

cranjê. *S. 2 g.* e *adj. 2 g. Bras.* Var. de *crenjê.*

craó. *S. 2 g.* e *adj. 2 g. Bras.* V. *craô.*

craô. *Bras. S. 2 g.* **1.** Indivíduo dos craôs, tribo jê da parte setentrional de GO, classificada por Nimuendaju, antropólogo alemão (1883-1945), como timbira oriental. ● *Adj. 2 g.* **2.** Pertencente ou relativo a essa tribo. [Var.: *craó, caraó, caraú.*]

craptê. *Bras. S. 2 g.* **1.** Indivíduo dos craptês, tribo indígena da margem direita do alto rio Cachorro (N. do PA). ● *Adj. 2 g.* **2.** Pertencente ou relativo a essa tribo.

crápula. [Do lat. *crapula.*] *S. f.* **1.** Modo extravagante de vida; desregramento, devassidão, libertinagem: "Carlos da Maia .... desce como os outros, prolongando o incesto, à mais baixa c r á p u l a em que pode atolar-se um malandrim." (Fialho d'Almeida, *Pasquinadas,* p. 275.) ● *S. m.* **2.** Indivíduo crapuloso, desregrado, libertino. **3.** Indivíduo vil, canalha, calhorda.

crapulear. *V. int.* Levar vida de crápula (2). [Conjug.: v. *frear.*]

crapuloso (ô). [Do lat. *crapulosu.*] *Adj.* **1.** Em que há crápula (1): *vida c r a p u l o s a .* **2.** Dado à crápula (1); libertino, devasso: *Devasso, c r a p u l o s o , dá péssimo exemplo aos filhos.* ● *S. m.* **3.** Indivíduo libertino, crapuloso; crápula.

craque[1]. [Do ingl. *crack.*] *S. m. Bras.* **1.** Turfe. Cavalo de grande poderio locomotor, ganhador dos grandes prêmios em um ou vários hipódromos. **2.** Jogador de futebol famoso por sua grande destreza. ● *S. 2 g.* **3.** Pessoa exímia e/ou famosa em qualquer ramo de conhecimento ou de atividade; ás: *É um c r a q u e em medicina;* "Segundo minha empregada, que é uma c r a q u e em espíritos, eu estava bem carregada, e com uns três trabalhinhos nas costas feitos por mulher." (Marisa Raja Gabaglia, *Milho pra Galinha, Mariquinha,* p. 19.)

craque[2]. [Voc. onom.; cf. o ingl. *crash.*] *Interj.* **1.** Voz imitativa de coisa que se quebra com ruído ou se desmorona com estrondo. ● *S. m.* **2.** O ato de quebrar-se com ruído ou desmoronar-se com estrondo. **3.** *Bras.* Sucessão de falências bancárias. **4.** *Bras.* Abalo ou ruína econômica ou financeira causada por tais falências. **5.** *Bras.* Baixa súbita e imprevista de valores negociáveis.

craqueamento. *S. m. Quím.* Decomposição térmica dirigida de hidrocarbonetos pesados em outros mais leves; craqueio.

craqueio. *S. m. Quím.* Craqueamento.

craquelê. [Do fr. *craquelé,* part. de *craqueler.*] *S. m.* Rachadura do esmalte da porcelana, ou do verniz, ou da pintura a óleo, por contração ou dilatação do suporte (3), formando um entrelaçamento irregular de fendas muito finas.

crás[1]. *S. m. 2 n.* Som imitativo da voz do corvo.

crás[2]. [Do lat. *cras.*] *Adv. Ant.* Amanhã.

crase. [Do gr. *krâsis,* 'mistura'.] *S. f.* **1.** *Gram.* Contração ou fusão de duas vogais em uma só: *à (aa); ler (leer); dor (door).* **2.** *Restr.* A contração de dois *aa.* V. *contração* (5). **3.** Designação vulgar do acento indicativo de certos casos de crase: Em *vou a praia,* o a deve ter crase. **4.** Temperamento, constituição, índole. **5.** *Med.* Mistura, equilíbrio das partes constitutivas dos líquidos orgânicos.

crasear. *V. t. d. Bras.* Pôr crase (3) em (a partícula a). [Conjug.: v. *frear.*]

craspedódromo. *Adj. Morfol. Veg.* Provido de nervuras secundárias que alcançam a margem da folha.

craspedota. [Do gr. *kraspedío,* 'guarnecer com franja'.] *Adj. 2 g.* e *s. f.* Diz-se da, ou pequena medusa dos hidrozoários, provida de um véu, campânula ou umbrela.

▲**crassi-.** [Do lat. *crassus, a, um.*] *El. comp.* = 'grosso': *crassicaude.*

crassicaude. [De *crassi-* + *-caude.*] *Adj. 2 g.* Que tem cauda grossa.

crassicaule. [De *crassi-* + *caule.*] *Adj. 2 g.* Que tem caule grosso.

crassície. [Do lat. *crassitie.*] *S. f.* V. *crassidão.*

crassicolo. [De *crassi-* + *-colo.*] *Adj.* Que tem pescoço grosso.

crassicórneo. *Adj.* Que tem cornos ou antenas espessas.

crassidade. [Do lat. *crassitate.*] *S. f.* V. *crassidão.*

crassidão. [Do lat. *crassitudine,* com troca de sufixo.] *S. f.* Qualidade de crasso; crassície, crassidade.

crassifoliado. [De *crassi-* + *-folio-* + *ado*[1].] *Adj. Bot.* Crassifólio.

crassifólio. *Adj. Bot.* Dotado de folhas espessas; crassifoliado.

crassilíngüe. [De *crassi-* + *-língua.*] *Adj. 2 g.* **1.** Que tem língua grossa. ● *S. m.* **2.** *Zool.* Reptil sáurio.

crassinérveo. [De *crassi-* + *nervo* + *-eo.*] *Adj. Bot.* Que tem nervuras espessas.

crassípede. [De *crassi-* + *-pede.*] *Adj. 2 g. Zool.* Que tem pés grossos.

crassipene. [De *crassi-* + *-pene.*] *Adj. 2 g. Zool.* Que tem penas espessas.

crassirrostro. [De *crassi-* + *-rostro.*] *Adj. Zool.* Que tem bico grosso.

crasso. [Do lat. *crassu.*] *Adj.* **1.** Espesso, denso, grosso: *substância c r a s s a .* **2.** Grosseiro, desmarcado: *erro c r a s s o ;* "E não poucos .... iam .... ditar regras e leis com entono e aprumo correspondentes à sua c r a s s a ignorância." (Visconde de Taunay, *O Encilhamento,* p. 233). **3.** Grosseiro, rude, bronco: "Foi Abdera terra de entendimentos c r a s s o s e de espíritos rombos" (Antônio Feliciano de Castilho, *A Lírica de Anacreonte,* p. 19).

crassulácea. *S. f.* Espécime das crassuláceas.

crassuláceas. *S. f. pl. Bot.* Família de plantas superiores, caracterizada por ervas e arbustos suculentos, ricos em água, cujas flores, hermafroditas, têm dois verticilos de estames e carpelos livres, tendo os frutos folículo múltiplo. Há umas 1.300 espécies temperadas e tropicais, das quais apenas uma nativa no Brasil.

crassuláceo. *Adj.* Pertencente ou relativo às crassuláceas.

crasta. [Do lat. *claustra.*] *S. f. Ant.* V. *claustro* (1 e 2).

crástino. [Do lat. *crastinu.*] *Adj. Poét.* **1.** Relativo ao dia de amanhã, ao dia seguinte. **2.** Da manhã; matutino, matinal.

▲**-crata.** [Do gr. *kratos, -eos, -ous.*] *El. comp.* = 'poder', 'domínio': *escravocrata.*

cratense. *Adj. 2 g.* **1.** Do, ou pertencente ou relativo ao Crato (CE). ● *S. 2 g.* **2.** Natural ou habitante do Crato.

cratera. [Do lat. *cratera.*] *S. f.* **1.** Abertura larga, geralmente circular, por onde saem as matérias de um vulcão em erupção. **2.** Buraco aberto pela explosão duma granada. **3.** Buraco grande: *As ruas estão cheias de c r a t e r a s ; Este menino está com uma c r a t e r a no dente.* **4.** Vaso antigo, em forma de taça, com duas alças, onde os gregos e romanos misturavam vinho e água: "enchem-se c r a t e r a s de falerno capitoso, e a orgia pagã recrudesce." (Alphonsus de Guimaraens, *Obra Completa,* p. 420). **5.** *Fig.* Tudo quanto pode originar desgraça ou calamidade. **6.** *Astr.* Cratera lunar. **7.** *Eng. Ind.* Orifício macroscópico causado por corrosão superficial; covinha de corrosão superficial; pite. **8.** *Eng. Ind.* Orifício resultante do arrebentamento de bolhas gasosas na película de um metal eletrodepositado. ◆ **Cratera adventícia.** Cratera secundária. **Cratera central.** Cratera principal de um vulcão. **Cratera de explosão.** A que resulta de erupções violentas que abatem uma parte da cúpula, formando um boqueirão. **Cratera de subversão.** A que resulta de uma subversão da rocha subjacente, sob a ação das matérias em fusão. **Cratera lunar.** *Astr.* Formação lunar, de origem vulcânica ou meteorítica, com o aspecto de uma depressão, cujas dimensões variam entre a craterleta [q. v.] e imensas crateras, que chegam a 240 km de diâmetro. [Tb. se diz apenas *cratera.*] **Cratera meteorítica.** *Astr.* A produzida pelo impacto de um meteorito sobre a superfície de um planeta ou de um satélite. [Na superfície lunar são muito comuns essas crateras, pois a ausência da atmosfera lhes permite atingir a superfície.] **Cratera secundária.** A que surge no flanco de um vulcão, em conseqüência das pressões internas; cratera adventícia.

cratera-lago. *S. f. Geol.* Antiga depressão de cratera (1), ocupada pelas águas da chuva; lago de cratera. [Pl.: *crateras-lagos.*]

crateramento. *S. m. Eng. Ind.* Formação de pites de corrosão.

crateriforme. *Adj. 2 g.* Que tem forma de cratera (4) ou de taça: *célula crateriforme.*

►craterlet. [Ingl.] *S. f. Astr.* Craterleta.

craterleta (ê). [Do ingl. *craterlet.*] *S. f. Astr.* Pequena cratera lunar, com diâmetro de até 8 km. [Tb. se usa o voc. ingl.]

crauá. *S. m. Bras.* **1.** V. *caroá.* **2.** Corda feita de caroá.

crauaçu. [De *crauá* + *-açu.*] *S. m. Bras.* V. *caraguatá.*

crauatá. *S. m. Bras.* V. *caraguatá.*

craucá (a-u). *S. m. Bras.* V. *graucá.*

crauçanga. [Do tupi, talvez.] *S. f. Bras., CE.* Traçanga.

craúna. *S. f. Bras.* V. *graúna.*

cravação. *S. f.* **1.** Ato ou efeito de cravar(-se); cravadura. **2.** Conjunto de pregos que se cravam para fixar alguma coisa. **3.** Ornato de pregos em simetria; pregaria. **4.** Engaste de pedras preciosas. **5.** *Tip.* Relevo produzido pelos tipos, fios, etc., no lado do papel oposto àquele em que se imprime.

cravador (ô). *S. m.* **1.** Aquele ou aquilo que crava. **2.** Furador de sapateiro. **3.** *Tip.* Pequena haste pontuda de metal, fixada em cabo ou encimando a pinça, com que o tipógrafo move tipos e espaços na composição; ponta, furador.

cravadura. *S. f.* Cravação (1).

cravagem. [De *cravar* + *-agem.*] *S. f. Bot.* Doença de certas gramíneas que origina o apodrecimento da espiga antes da perfeita maturação; fungão, morrão, centeio-espigado; esporão.

cravamento. *S. m.* Ato de cravar(-se); fincamento.

cravanista. *Adj. 2 g. Bras., N. de MG.* Esperto, vivo, inteligente.

cravar. [Do lat. tardio *clavare.*] *V. t. d.* **1.** Fazer penetrar à força e profundamente: *Cravou o prego; Cravou o punhal no coração do inimigo.* **2.** *Tip.* Estampar (a matriz) com o punção. **3.** Engastar (pedraria). *T. d. e i.* **4.** Fixar, fitar: "a velha levantou a cabeça e cravou nele os olhos, muda e comovida" (Coelho Neto, *Turbilhão,* p. 275). *P.* **5.** Penetrar; fincar-se. **6.** Fixar-se, arraigar-se: *Aquela dúvida cravou-se no seu espírito.* **7.** Fixar-se, prender-se: "os olhos azuis .... cravaram-se na imagem de Nossa Senhora da Glória, mas cerraram-se logo." (José de Alencar, *Alfarrábios,* p. 193).

craveira. [De *cravo*[2] + *-eira.*] *S. f.* **1.** Orifício de ferradura no qual entra o cravo. **2.** Estalão para medir a altura das pessoas: "Ao fundo, o aparelho esquipático .... devia ser a craveira com que tomavam a altura dos recrutas." (Aquilino Ribeiro, *Caminhos Errados,* p. 169.) **3.** Aparelho com que o sapateiro toma medida do pé. **4.** V. *padrão*[1] (2). **5.** *Fig.* Estofo, jaez, laia. **6.** *Fig.* Medida. padrão.

craveiro[1]. *S. m.* **1.** Planta glauca, de caule reto, da família das cariofiláceas (*Dianthys caryophyllus*), cujas flores (cravos), solitárias, são vermelhas, alvas ou variegadas, sendo o fruto uma cápsula ovóide, alongada. **2.** *Bras., PE* Peça de pirotecnia que, acesa, imita a planta de onde lhe veio o nome: "os craveiros bizarros, de fachos esquisitos, queimados no pátio." (Mário Sete, *Senhora de Engenho,* p. 27). **3.** Instrumento musical parecido ao cavaquinho.

craveiro[2]. [De *cravo*[2] (1) + *-eiro.*] *S. m.* Fabricante de cravos; cravejador, cravista.

craveiro[3]. *Adj.* **1.** Relativo a craveira. **2.** Diz-se do palmo que tem 12 polegadas e da braça que tem 10 desses palmos.

craveiro-da-índia. *S. m. Bras., AM* e *PA.* Árvore alta e ornamental, da família das mirtáceas (*Caryophyllus aromaticus*), cujo fruto é drupa seca, cujas flores são róseas ou avermelhadas, hermafroditas, pequenas, e contêm óleo do qual se desprende aroma intenso, e que é muito empregado na indústria de perfumes, sendo a madeira de excelente qualidade. [Pl.: *craveiros-da-índia.*]

craveiro-da-terra. *S. m. Bras., L.* e *SP.* Designação comum a arbustos pequenos e ornamentais, da família das mirtáceas (*Calyptranthes aromatica* e *Pseudocaryophyllus sericeus*), que contêm óleo usado no fabrico de essências aromáticas, e cujas flores são alvas e aromáticas, sendo o fruto uma baga ovóide; canela-brava, chá-da-terra, louro-da-terra. [Pl.: *craveiros-da-terra.*]

craveiro-do-campo. *S. m.* V. *flor-das-almas.* [Pl.: *craveiros-do-campo.*]

cravejador (ô). *S. m.* **1.** Aquele que craveja. **2.** V. *craveiro*[2].

cravejamento. *S. m.* Ato ou efeito de cravejar.

cravejar. *V. t. d.* **1.** Fixar por meio de cravos; pregar com cravos. **2.** Engastar, encastoar. *T. d. e i.* **3.** Intercalar; entressachar. [Conjug.: v. *pelejar.*]

cravelha (ê). [Do lat. *clavicula,* 'chavezinha'.] *S. f.* **1.** Peça de madeira ou de metal de certos instrumentos musicais, destinada a retesar-lhes as cordas: "O negro está agora apertando as cravelhas do violão." (Lúcia Benedetti, *Maria Isabel,* p. 93.) **2.** V. *cravelho.* [Var.: *caravelha.*] ◆ **Apertar a cravelha.** Mostrar-se exigente com firmeza; insistir.

cravelhal. *S. m. Mús.* **1.** A parte dos instrumentos de corda onde se inserem as cravelhas. **2.** O conjunto das cravelhas. [Sin. ger.: *cravelhame.*]

cravelhame. *S. m.* V. *cravelhal.*

cravelho (ê). [De *cravelha.*] *S. m.* Peça grosseira de madeira com que se fecham cancelas e alguns postigos e portas; cravelha. [Var.: *caravelho.*]

cravete (ê). [De *cravo*[2] + *-ete,* talvez.] *S. m.* Cada uma das pontas metálicas da fivela que servem para fixar o cinto, a correia, etc.

cravija. [Do esp. *clavija.*] *S. f.* **1.** Em carro de tração animal, barra de ferro que une a lança com os varais. **2.** Barra que fixa o carro de tração animal no eixo dianteiro, facilitando-lhe os movimentos para os lados.

cravina[1]. *S. f.* **1.** Planta ornamental, com muitos caules ramificados, da família das cariofiláceas (*Dianthus plumarius*), de cuja espécie se obtêm numerosas variedades, e que tem flores solitárias, aromáticas, unicolores ou variegadas, e folhas lanceoladas e agudas; cravo-bordado. **2.** V. *tico-tico-rei.*

cravina[2]. [De *carabina,* com síncope.] *S. f. Bras.* V. *carabina.*

cravina-de-túnis. *S. f.* V. *cravo-de-defunto* (1). [Pl.: *cravinas-de-túnis.*]

cravinhense. *Adj. 2 g.* **1.** De, ou pertencente ou relativo a Cravinhos (SP). ● *S. 2 g.* **2.** Natural ou habitante de Cravinhos.

cravinho[1]. [Dim. de *cravo*[1].] *S. m.* Cada um dos botões ainda fechados do cravo-da-índia.

cravinho[2]. [Dim. de *cravo*[2].] *S. m.* Variedade de prego pequeno.

cravinoso (ô). *Adj.* Que tem forma de cravo ou de cravina.

cravista[1]. *S. 2 g.* V. *craveiro*[2].

cravista[2]. *S. 2 g.* Tocador de cravo[3].

cravo[1]. [F. red. de *cravo-da-índia.*] *S. m.* A flor do craveiro[1] (1).

cravo[2]. [Do lat. *clavu.*] *S. m.* **1.** Prego para ferradura. **2.** Prego com que os pés e as mãos dos crucificados eram fixados à cruz. **3.** Afecção do folículo sebáceo. **4.** *Med.* Calo doloroso e aprofundado no derma, na planta do pé, como um cone.

cravo[3]. [Do fr. *clavecin.*] *S. m.* Instrumento de cordas, com um ou dois teclados, da família da espineta e do virginal, e cujo som é produzido por meio de plectros [v. *plectro* (2)] que puxam as cordas, fazendo-as vibrar; clavecino, clavicímbalo: "Quando ao cravo holandês tocavas o teclado / A tua mão de pluma era um sonho de amor." (Olegário Mariano, *Toda uma Vida de Poesia,* I, p. 233.)

cravoária. *S. f.* V. *cravo-de-defunto.*

cravo-bordado. *S. m.* Cravina[1] (1). [Pl.: *cravos-bordados.*]

cravo-da-índia. *S. m.* V. *cravo-de-defunto* (1). [Pl.: *cravos-da-índia.*]

cravo-de-amor. *S. m.* Planta ornamental da família das cariofiláceas (*Gypsophila paniculata* L.), cultivada no Brasil, de raízes volumosas, caule herbáceo, nodoso até 1 m de altura, folhas estreitas e lanceoladas, e flores alvas e pequenas; gipsófila. [Pl.: *cravos-de-amor.*]

cravo-de-bouba. *S. m. Patol.* Eflorescência da bouba, de caráter verrucoso, mais freqüente nos pés. [Pl.: *cravos-de-bouba.*]

cravo-de-cabecinha. *S. m.* V. *cravo-de-defunto* (1). [Pl.: *cravos-de-cabecinha.*]

cravo-de-defunto. *S. m.* **1.** Designação comum a várias plantas ornamentais, da família das compostas, dotadas de propriedades odoríferas, e cujas flores são alaranjadas, pardo-avermelhadas com as margens amarelas, ou, ainda, amarelo-pálidas, sendo o fruto aquênio, com sementes pretas; cravo-da-índia, cravo-de-cabecinha, rosa-da-índia, cravina-de-túnis, cravoária. **2.** Tagetes. **3.** A flor de qualquer dessas plantas. [Pl.: *cravos-de-defunto.*]

cravo-do-maranhão. *S. m. Bras.* Árvore da família das lauráceas (*Dicypellium caryophyllatum*), de ramos fortes e abundantes, folhas esparsas, coriáceas, flores róseo-avermelhadas, aromáticas, e cujo fruto é baga elipsóide. Fornece madeira para construção civil e naval. [Pl.: *cravos-do-maranhão.*]

►crawl (crau). [Ingl.] *S. m. Esport.* Nado livre.

cré[1]. [Do fr. *craie.*] *S. m.* Calcário formado por despojos de foraminíferos, radiolários, corais, etc., que se encontra misturado sobretudo com argila. [Cf. *crê,* do v. *crer.*]

cré[2]. *El. s. m.* Us. nas expr. *cré com cré, lé com lé; cré com cré e lé com lé; lé com lé, cré com cré; lé com lé e cré com cré.* [Cf. *crê,* do v. *crer.*] ◆ **Cré com cré, lé com lé.** Cada qual com os seus iguais. [Sin.: *cré com cré e lé com lé; lé com lé, cré com cré; lé com lé e cré com cré.*] **Cré com cré e lé com lé.** V. *cré com cré, lé com lé.*

creatina. *S. f. Quím.* Substância cristalina encontrada nos músculos. [Fórm.: $C_4H_9O_2N_3$.]

crebro (é). [Do lat. *crebru.*] *Adj. Poét.* Freqüente, amiudado; repetido: "Crebros suspiros pelo ar soavam, / Dos que feridos vão da seta aguda" (Luís de Camões, *Os Lusíadas,* IX, 32).

creca. [De *careca,* com síncope.] *S. f.* **1.** *Bras., S.* Calvície, careca. ● *S. m.* **2.** *Bras., SP. Pop.* Indivíduo calvo, careca.

creche. [Do fr. *crèche.*] *S. f.* **1.** Instituição de assistência social que abriga, durante o dia, criancinhas cujas mães são necessitadas ou trabalham fora do lar. **2.** Estabelecimento que se destina a dar assistência diurna a crianças de tenra idade.

credência. [Do it. *credenza,* talvez pelo fr. *crédence.*] *S. f.* **1.** Mesa, ao pé do altar, onde se põem as galhetas e outros acessórios da missa: "depois de ter dito ao sacristão que os batizados e casamentos se fariam depois da missa, debruçou-se sobre a credência e .... ali ficou imóvel por largo tempo" (Bernardo Guimarães, *O Seminarista,* p. 257). **2.** Mesa onde, nas antigas basílicas, se depositavam as ofertas dos fiéis. **3.** Nicho de madeira ou de pedra, com mesa para escrever, nos corredores de alguns conventos. **4.** Espécie de aparador; bufete. **5.** Aparato, em sala de jantar, onde se colocam os objetos que devem servir durante a refeição: "Vendeu .... a velha mobília, que punha como que um perfume de grandeza extinta no arruinado casarão, as credências marchetadas, os tremós de espelho partido ao meio, e em cuja moldura dançavam estranhas figurinhas" (Maria Amália Vaz de Carvalho, *Contos e Fantasias,* p. 101).

credenciação. *S. f.* Credenciamento.

credenciado. [Part. de *credenciar.*] *Adj.* Que recebeu credenciais (1) ou está habilitado.

credenciais. *S. f. pl.* **1.** Procuração que o governo dum Estado outorga a embaixador ou enviado em país estrangeiro. **2.** Títulos e/ou ações que abonam umpessoa. ~ V. *credencial.*

credencial. [Do it. *credenziale.*] *Adj. 2 g.* **1.** Digno de crédito. **2.** Que dá créditos ou poderes para representar o país perante o governo de outro. ~ V. *credenciais.*

credenciamento. *S. m.* Ato ou efeito de credenciar; credenciação.

credenciar. *V. t. d.* **1.** Conferir credenciais (1) a: *Vai se embaixador, seu país em breve o credenciará. T. d. e i.* **2.** Dar credenciais (2); dar direito ou fazer merecedor: *Sua cultura e retidão credenciam-no ao cargo que ocupa.* **3.** Habilitar: *Os exames que fez credenciam-no à função.*

credenciário. [Do it. *credenziario.*] *S. m.* Aquele que tem a seu cargo a credência (1) e o altar-mor.

crediário. *S. m. Bras.* Sistema de vendas a crédito, com pagamento a prestações, adotado pelo comércio, sobretudo pelas grandes lojas. [Sin., p us.: *auxiliário* e *facilitário.*]

crediarista. *S. 2 g. Bras.* Pessoa que faz compras pelo crediário.

credibilidade. [Do lat. escolástico *credibilitate,* pelo fr. *crédibilité.*] *S. f.* Qualidade do que é crível [q. v.]. "Estas mesmas novelas possuem credibilidade logo à primeira vista, mais um sinal por que se reconhece a obra de ficção de real valor." (Paulo Rónai, *Encontros com o Brasil,* p. 134.)

credibilíssimo. *Adj.* Superl. abs. sint. de *credível* e *crível.*

creditante. *S. 2 g.* Pessoa que expede carta de crédito.

creditar. *V. t. d.* **1.** Dar crédito (1) a; garantir, segurar. *T. d. e i.* **2.** Inscrever como credor: *O Banco creditou-o em 500 cruzados.* **3.** Depositar, lançar (uma quantia) em conta corrente; levar a crédito. *P.* **4.** Constituir-se credor. [Pres. ind.: *credito,* etc. Cf. *crédito.*]

creditício. *Adj.* Referente ao crédito público.

crédito. [Do lat. *creditu.*] *S. m.* **1.** Segurança de que alguma coisa é verdadeira; confiança: *Suas afirmações merecem crédito.* **2.** Boa reputação; boa fama; consideração: *Cometeu um deslize profissional e perdeu o crédito.* **3.** Autoridade, influência, valia, importância: *Tem crédito no meio político.* **4.** Fé na solvabilidade. **5.** Facilidade de obter dinheiro por empréstimo ou abrir contas em casas comerciais. **6** Facilidade de conseguir adiantamentos de dinheiro para fins comerciais, industriais, agrícolas, etc. **7.** Soma posta à disposição de alguém num banco, numa casa de comércio, etc., mediante certas vantagens. **8.** O que o negociante tem a haver. **9.** O haver de uma conta. **10.** Direito de receber o que se emprestou. **11.** Quantia correspondente a esse direito. **12.** Autorização para despesas dada por autoridades que estabelecem, votam ou regulamentam os orçamentos. **13.** Troca de bens presentes por bens futuros. **14.** Nos cursos universitários, unidade de trabalho escolar correspondente a 15 horas de trabalho-aula ministradas em um período letivo. **15.** *Edit.* Indicação do(s) autor(es) de uma obra intelectual (texto, foto, desenho, etc.) em qualquer trabalho editado. **16.** *Edit.* Indicação do(s) responsável (responsáveis) pelas atividades de natureza intelectual, artística ou técnica, interveniente(s) na edição de um livro, disco, etc. **17.** *Cin., Rad.* e *Telev.* Enumeração dos atores, músicos, diretores, técnicos, etc., que participaram da realização de um determinado filme, programa de televisão ou de rádio. [Cf. *credito*, do v. *creditar*, e *débito.*] ♦ **Crédito capital.** Crédito de corporação. **Crédito de confiança.** Prova de confiança ou nova oportunidade dada a alguém de quem se tem motivo para desconfiar. **Crédito de corporação.** Crédito resultante do lançamento de debêntures pelas sociedades anônimas; crédito capital. **Crédito fiscal.** *Fin.* Dívida para com o poder publico. **Crédito real.** O que tem por base uma garantia constituída sobre propriedade imóvel ou direito de natureza real. **Crédito seletivo.** *Fin.* Política financeira governamental que consiste em restringir o crédito para os setores da economia em que existe alta de preços. **A crédito.** Recebendo o objeto comprado sem o pagar no ato da compra, ou entregando-o sem receber no ato o pagamento; fiado: *comprar a* crédito; *vender a* crédito. **Levar a crédito.** Creditar (3).

creditório. *Adj.* Relativo a crédito.

credível. [Do lat. *credibile.*] *Adj. 2 g. P. us.* Crível. [Superl. abs. sint.: *credibilíssimo.*]

credo. [Do lat. *credu.*] *S. m.* **1.** *Rel.* Oração cristã iniciada, em latim, pela palavra *credo* (creio), e que encerra os artigos fundamentais da fé católica. [Sin., fam.: *creio-em-deus-padre* e *creio-em-deus-pai.*] **2.** *Lit.* Parte da missa (1) que se inicia com essa oração, recitada ou cantada. [V. *liturgia da missa.*] **3.** Profissão de fé. **4.** Fé religiosa. **5.** Preceitos ou normas por que se rege uma pessoa, um partido, uma seita, etc. **6.** Programa ou doutrina de um partido. ● *Interj.* **7.** Exprime espanto e aversão; credo-em-cruz, creio-em-deus-padre, cruz-credo, cruzes. ♦ **Com o credo na boca. 1.** Em grande perigo. **2.** Com muito medo.

credo-em-cruz. *Interj.* V. *credo* (7).

➧**credo quia absurdum** (credo kuia absúrdum). [Lat.] Creio por ser absurdo.

credor (ô). [Do lat. *creditore.*] *Adj.* **1.** Merecedor, digno. ● *S. m.* **2.** Aquele a quem se deve dinheiro, ou outra coisa, considerado quanto ao devedor e à dívida. [Sin. bras., pop.: *cadáver.*] **3.** Aquele que faz jus a alguma compensação útil, a considerações, etc. ♦ **Credor pignoratício.** Aquele que está garantido por um título de venda no qual se estipula que pode retirar os bens vendidos e deles gozar mediante um aluguel. **Credor quirografário.** Aquele que é credor em virtude de documento particular não autenticado.

➧**credo ut intelligam.** [Lat., 'creio para compreender'.] Fórmula que resume a posição doutrinária fundamental de Santo Anselmo [v. *anselmiano*], o qual afirma ser a fé a fonte de todo o saber, filosófico ou teológico.

credulidade. [Do lat. *credulitate.*] *S. f.* Qualidade de crédulo.

crédulo. [Do lat. *credulu.*] *Adj.* **1.** Que crê facilmente; que não tem malícia; ingênuo. ● *S. m.* **2.** Indivíduo ingênuo.

creié. *Bras. S. 2 g.* **1.** Indivíduo dos creiés, tribo timbira pertencente ao grupo oriental dos jês setentrionais. ● *Adj. 2 g.* **2.** Pertencente ou relativo a essa tribo.

creio-em-deus-padre. *S. m. 2 n.* e *interj.* V. *credo* (1 e 7).

creio-em-deus-pai. *S. m. 2 n.* e *interj. Bras.* V. *credo* (1 e 7).

creiom (ê-i). [Do fr. *crayon.*] *S. m.* **1.** Lápis de grafita. **2.** Desenho feito com esse lápis.

crejica. *S. f. Bras.* V. *crejuá.*

crejuá. *S. m. Bras.* Ave passeriforme, da família dos cotingídeos (*Cotinga maculata* (Müll.)), de coloração azul-brilhante no dorso, cauda preta, mento, garganta e peito vermelho-púrpura, com uma faixa azul sobre o peito, abdome purpurino, flancos e crisso azuis, e coberteiras das asas pretas com manchas azuis; fêmeas pardas no dorso e ocre-avermelhadas na parte inferior. Habita a faixa litorânea do Brasil, da BA ao RJ. [Sin.: *catingá, crejica, curuá, quiruá, suiruá.*]

cremação. [Do lat. *crematione.*] *S. f.* Ato ou efeito de cremar.

cremado[1]. [De *creme* + *-ado[1].*] *Adj.* Que tem a cor do creme (1).

cremado[2]. [Part. de *cremar.*] *Adj.* Incinerado, queimado.

cremador (ô). [Do lat. *crematore.*] *Adj.* e *s. m.* Que ou aquele que crema.

cremalheira. [Do fr. *crémaillère.*] *S. f.* **1.** Corrente de ferro com um gancho onde se suspende a caldeira sobre o fogo. **2.** Tipo de linha ferroviária em que existe um trilho dentado no qual engrenam as rodas motrizes, também dentadas, das locomotivas, e utilizado em rampas muito fortes. **3.** Esse trilho. **4.** Barra dentada sobre a qual trabalha uma engrenagem que serve para transformar movimento retilíneo em circular. **5.** Peça munida de dentes, em relógios e noutros maquinismos.

cremar. [Do lat. *cremare.*] *V. t. d.* Incinerar, queimar (cadáver).

cremaster. [Do gr. *kremaster*, 'suspensor'.] *S. m. Anat.* Músculo que se insere na bolsa escrotal, e que age suspendendo o testículo.

crematório. *Adj.* Em que se faz cremação: *forno* crematório.

creme. [Do fr. *crème.*] *S. m.* **1.** Substância espessa, gordurosa, branco-amarelada, que se forma na superfície do leite, e com a qual se faz a manteiga; nata, creme de leite, creme fresco. **2.** Designação comum a várias preparações culinárias, doces ou salgadas, em cuja composição entra o leite engrossado com farinha. **3.** Denominação comum a várias qualidades de molho que têm por base um caldo engrossado com farinha ao qual se adiciona leite ou creme (1). **4.** Designação comum a certas sopas de tipo cremoso: creme *de espargos.* **5.** Iguaria mais ou menos espessa, feita com leite, ovos, açúcar, etc., e usada quer como sobremesa, quer como recheio de peças de pastelaria, ou para fazer sorvete. **6.** Cor branco-amarelada como a do creme (1). **7.** *Fig.* O que há de melhor; a nata, o escol, a fina flor. ● *Adj. 2 g.* e *2 n.* **8.** Que tem a cor do creme (1): "Trazia um costume folgado de casimira clara, gravata creme, camisa alvíssima" (Júlio Ribeiro, *A Carne*, p. 71). **9.** Diz-se dessa cor: *sapato de cor* creme. ♦ **Creme chantilly.** *Cul.* Creme (5) fresco e batido; chantilly. **Creme de leite.** V. *creme* (1). **Creme fresco.** V. *creme* (1). **Creme de tártaro.** *Quím.* O tartarato ácido de potássio.

cremeira. *S. f.* Recipiente próprio para guardar creme ou leite.

cremnóbata. [Do gr. *kremnobates.*] *S. 2 g.* Dançarino de cordas; acrobata.

cremnofobia. [Do gr. *kremnos*, 'precipício', + *-fob(o)-* + *-ia.*] *S. f.* Medo patológico de precipícios.

cremnofóbico *Adj.* Relativo à cremnofobia.

cremocarpo. *S. m. Bot.* Fruto próprio das umbelíferas, que se divide, na maturidade, em dois corpos simétricos ou mericarpos, os quais permanecem presos a dois filamentos ou carpóforos.

cremona. [Do fr. *crémone.*] *S. f.* Ferragem com que se trancam janelas e portas, composta de duas hastes engranzadas numa cremalheira movida por maçaneta.

cremonense. *Adj. 2 g.* **1.** Da, ou pertencente ou relativo à cidade de Cremona (Itália). ● *S. 2 g.* **2.** Natural ou habitante de Cremona.

cremor (ô). [Do lat. *cremore.*] *S. m.* **1.** Cozimento feito com o sumo de alguma planta. **2.** A parte mais espessa de um líquido. **3.** *Bras., PR.* V. *pirose.*

cremosidade. *S. f.* Qualidade ou estado de cremoso.

cremoso (ô). *Adj.* Que tem consistência de creme (1).

crena[1]. *S. f.* **1.** Espaço entre os dentes duma roda ou duma peça denteada. **2.** *Morfol. Veg.* Recorte ou subdivisão de uma folha crenada. **3.** *Tip.* A parte do relevo da letra que, em certos caracteres, se projeta além da haste; projeção. [Dim. irreg.: *crênula.*]

crena[2]. *S. f. Constr. Nav. Ant.* Var. de *carena* [q. v.].

crenacarore. *Bras. S. 2 g.* **1.** Indivíduo dos crenacarores, tribo indígena contatada pela primeira vez no começo da década de 70, e que habitava as cabeceiras dos rios Peixoto de Azevedo e Jarina (MT). Com a construção da rodovia Cuiabá/Santarém tiveram seu território invadido. Conhecidos inicialmente como índios "gigantes", viu-se após o contato que possuíam apenas uma altura um pouco mais elevada que a maioria dos nossos índios. Ainda na década de 70 foram transferidos para o Parque Nacional do Xingu, onde vivem até hoje ao lado de outras nações que no passado foram suas inimigas históricas, como acontece com os txucarramães, por exemplo. ● *Adj. 2 g.* **2.** Pertencente ou relativo a esta tribo.

crenado. [De *crena[1]* + *-ado[1].*] *Adj.* Que tem crena[1]. ~ V. *letra —a* e *tipo —.*

crenagem. *S. m. Tip.* Ação ou efeito de crenar[1].

crenaque. *Bras. S. 2 g.* **1.** Indivíduo dos crenaques, tribo de botocudos do rio Doce. ● *Adj. 2 g.* **2.** Pertencente ou relativo a essa tribo.

crenar[1]. *V. t. d. Tip.* Desbastar (o tipo) em torno da crena[1] (3), a qual impede o acabamento normal a esmeril.

crenar[2]. *V. int. Bras., N. F.* sincopada de *carenar.*

crença. [Do lat. medieval *credentia.*] *S. f.* **1.** Ato ou efeito de crer. **2.** Fé religiosa. **3.** Aquilo em que se crê, que é objeto de crença. **4.** Convicção íntima. **5.** Opinião adotada com fé e convicção: crenças *políticas.* **6.** *Filos.* Forma de assentimento que é objetivamente insuficiente, embora subjetivamente se imponha com grande evidência. [Cf. *opinião* (6) e *certeza* (7).]

crendeirice. *S. f.* **1.** Qualidade de crendeiro. **2.** Crendice.

crendeiro. [De *crer;* formação irreg.] *Adj.* e *s. m.* **1.** Que ou aquele que crê em absurdos ou superstições ridículas. **2.** Simplório, ingênuo.

crendice. [De *crer;* formação irreg.] *S. f.* **1.** Crença (5) popular absurda e ridícula; crendeirice. **2.** Superstição (1).

▲**creni-.** *El. comp.* = 'crena', 'incisura', 'entalhe': *crenífero, crenirrostro.*

crenífero. [De *creni-* + *-fero.*] *Adj. Morfol. Veg.* Que tem crênulas; crenulado [Cf. *crinífero.*]

crenirrostro. [De *creni-* + *-rostro.*] *Adj. Zool.* Que tem bico crenulado.

crenjê. *Bras. S. 2 g.* **1.** Indivíduo dos crenjês, tribo jê do rio Mearim (MA). ● *Adj. 2 g.* **2.** Pertencente ou relativo a essa tribo. [Var.: *cranjê.*]

crenoterapia. *S. f. Med.* Tratamento pelas águas minerais.

crenoterápico. *Adj.* Relativo à crenoterapia.

crente. [Do lat. *credente.*] *Adj. 2 g.* **1.** Que crê. **2.** *Restr.* Que tem fé ou crença religiosa. **3.** *Irôn.* Que leva demasiado a sério as suas obrigações, as coisas em que se mete, e por elas tem entusiasmo, nelas acredita. ● *S. 2 g.* **4.** Pessoa que acredita, que tem fé religiosa: "O mar é para mim como o Céu para um crente." (Vicente de Carvalho, *Poemas e Canções*, p. 156.) **5.** *Bras.* V. *protestante* (6).

crênula. *S. f.* Dim. de *crena.[1]*

crenulado. [De *crênula* + *-ado[1].*] *Adj. Morfol. Veg.* Crenífero.

▲**creo-.** [Do gr. *kréas, atos.*] *El. comp.* = 'carne': *creosoto.*

creofagia. [Do gr. *kreophagía.*] *S. f.* Hábito de alimentar-se de carne.

creofágico. *Adj.* Referente à creofagia.

creófago. [Do gr. *kreophágos.*] *Adj.* e *s. m.* Que ou aquele que tem creofagia; carnívoro.

creófilo. [De *creo-* + *-filo[2].*] *Adj.* Que gosta de carne.

creolina. *S. f.* Nome comercial de certo desinfetante líquido, com base em sabão de resina e creosoto, com propriedades germicidas, anti-sépticas e desodorantes.

creosotado. [Part. de *creosotar.*] *Adj.* A que se aplicou creosoto.

creosotagem. *S. f.* Ato de creosotar.

creosotar. *V. t. d.* Aplicar creosoto a. [Pres. ind.: *creosoto*, etc. Cf. *creosoto* (ô).]

creosoto (ô). [De *cre(o)-* + gr. *sotéon*, de *sózo*, 'salvar, conservar'.] *S. m. Quím.* Fração da destilação do alcatrão, constituída por hidrocarbonetos, fenol e outros derivados aromáticos. [Pl.: *creosotos* (ô). Cf. *creosoto*, do v. *creosotar.*]

creosotol. *S. m. Quím.* Mistura de carbonatos de vários fenóis contidos no creosoto. [Pl.: *creosotóis.*]

crepe. [Do fr. *crêpe.*] *S. m.* **1.** Tecido fino, transparente ou não, de aspecto ondulado, feito com fio, muito torcido, de seda ou lã natural ou sintética: "O vestido, de crepe *Georgette* preto, ... fazia realçar a cor da pele mate, lisa, dum róseo muito leve" (Policarpo Feitosa, *Gisinha*, p. 45). **2.** Fita ou tecido negro que se usa em sinal de luto. **3.** Luto, dor. **4.** *Bras.* Rolo de borracha de maniçoba.

crépido. [Adapt. imperfeita do fr. *crépu.*] *Adj. Poét.* Crespo, encarapinhado.

crepitação. [Do lat. tardio *crepitatione.*] *S. f.* Ato ou efeito de crepitar; estalo, estalido.

crepitante. [Do lat. *crepitante.*] *Adj. 2 g.* Que crepita.

crepitar. [Do lat. *crepitare.*] *V. int.* **1.** Estalar (a madeira a arder, o sal que se deita no fogo): *A lenha* crepita *na lareira;* "No silêncio, ouvi os círios crepitarem."

(Lia Luft, *A Asa Esquerda do Anjo*, p. 117). **2.** Estalar ao modo da madeira a arder, ou do sal que se deita ao fogo: "A areia da praia crepitou sob o pé forte e rijo do guerreiro tabajara" (José de Alencar, *Iracema*, p. 131).

crepom. [Do fr. *crépon*.] *Adj.* **1.** ~ V. *papel* —. • *S. m.* **2.** Tecido de aspecto semelhante ao papel crepom.

crepuncatéie. *Bras. S. 2 g.* **1.** Indivíduo dos crepuncatéies, tribo timbira pertencente ao grupo oriental do jês setentrionais. • *Adj. 2 g.* **2.** Pertencente ou relativo a essa tribo.

crepuscular. *Adj. 2 g.* **1.** Do, ou pertencente ou relativo ao crepúsculo. **2.** Que aparece ao anoitecer: *insetos crepusculares*. **3.** *Fig.* Declinante, decadente: *beleza crepuscular*. [Sin. ger. (p. us.): *crepusculino*.] ~ V. *arco* —.

crepusculário. *S. m. Zool.* Designação comum aos insetos que aparecem à hora do crepúsculo.

crepusculejar. *V. int.* Ir chegando a hora do crepúsculo: "Crepusculeja .... Fino, em múrmura corrente, / Sopra o zéfiro." (Luís Carlos, *Colunas*, p. 52.) [Conjug.: v. *pelejar*. Normalmente é defect., conjugável só nas 3as. pess.]

crepusculino. *Adj. P. us.* V. *crepuscular*.

crepúsculo. [Do lat. *crepusculu*.] *S. m.* **1.** *Astr.* Luminosidade, de intensidade crescente ao amanhecer (*crepúsculo matutino*) e decrescente ao anoitecer (*crepúsculo vespertino*), proveniente da iluminação das camadas superiores da atmosfera pelo Sol, quando, embora escondido, está próximo do horizonte: "Relógio, não o tinha; contentava-se de pregoar a saudação angélica nos dois crepúsculos e ao meio-dia." (Antônio Feliciano de Castilho, *Amor e Melancolia*, p. 338.) **2.** *Fig.* Decadência, declínio; ocaso: *o crepúsculo da civilização grega*. ♦ **Crepúsculo astronômico.** *Astr.* O que tem por limites os instantes do nascer ou do pôr do Sol e os instantes em que ele está a 18° abaixo do horizonte. **Crepúsculo civil.** *Astr.* O que tem por limites os instantes do nascer ou do pôr do Sol e os instantes em que ele está a 9° abaixo do horizonte. **Crepúsculo fotográfico.** *Astr.* O instante em que se podem iniciar as observações com placas fotográficas sensíveis sem se correr o risco de obter placas veladas pela luz crepuscular. **Crepúsculo matutino.** V. *crepúsculo* (1): "movendo-se nas labutações caseiras, à luz frouxa de crepúsculo matutino." (José de Alencar, *O Sertanejo*, p. 74). **Crepúsculo náutico.** *Astr.* O que tem por limites os instantes do nascer ou do pôr do Sol e os instantes em que ele está a 12° abaixo do horizonte. **Crepúsculo vespertino.** V. *crepúsculo* (1).

crer. [Do lat. *credere*.] *V. t. d.* **1.** Ter por certo; dar como verdadeiro; acreditar: *Crê apenas aquilo que a razão explica.* **2.** Ter confiança em, aceitar como verdadeiras as palavras ou afirmações de: *Rogou que o cressem, apesar da inverossimilhança do que dizia.* **3.** Julgar, presumir, supor: *Há cerca de um mês que não o vejo, creio que se mudou. Transobj.* **4.** Julgar, reputar, supor: *Até prova em contrário, eu o creio honesto*; "ele cria a cultura eslava bem jovem de idade e muito retardada no seu normal crescimento." (Fidelino de Figueiredo, *Entre Dois Universos*, p. 157). *T. i.* **5.** Ter confiança; ter fé; dar crédito: "Creio em ti, Deus" (Almeida Garrett, *Folhas Caídas*, p. 69); "Creio na minha Pátria e no meu povo." (Teixeira de Pascoais, *D. Carlos*, p. 18); "O crente evangélico não teme o Purgatório, porque nele não crê" (L. Lavenère, *O Padre Cornélio*, p. 169). *Int.* **6.** Ter fé, ter crença (sobretudo religiosa). *P.* **7.** *Desus.* Fiar-se, confiar. [Irreg. Pres. ind.: *creio, crês, crê, cremos, credes* (ê), *crêem;* Imperf.: *cria, crias*, etc.; perf: *cri, creste* (ê), *creu, cremos, crestes* (ê), *creram* (ê); m.-q.-perf.: *crera* (ê), *creras* (ê), etc: fut. pres.: *crerei, crerás*, etc.; fut. pret.: *creria, crerias*, etc.: imperat.: *crê, crede* (ê); pres. subj.: *creia, creias, creia, creiamos, creiais, creiam;* imperf. subj.: *cresse* (ê), *cresses* (ê), ... *cressem* (ê), etc.; fut.: *crer, creres* (ê), *crer*, etc.; ger.: *crendo;* part.: *crido*. Cf. *cré*, s. m. e el. s. m.; *crestes* e *crestes*, do v. *crestar; cresce, cresces* e *crescem*, do v. *crescer;* e *criemos, crieis*, do v. *criar*.]

crescença. [Do lat. *crescentia*.] *S. f.* **1.** Ato ou efeito de crescer. **2.** Crescimento; medrança. **3.** Acréscimo, aumento; suplemento.

crescendo. [Do it. *crescendo*.] *S. m.* **1.** Aumento progressivo de sonoridade. **2.** Progressão, gradação: "A minha obsessão vai num crescendo, chega ao frenesim" (José Rodrigues Miguéis, *Gente da Terceira Classe*, p. 140).

crescente. [Do lat. *crescente*.] *Adj. 2 g.* **1.** Que cresce ou vai crescendo. **2.** Próspero, progressivo. ~ V. *ditongo* — e *quarto* —. • *S. m.* **3.** O que cresce. **4.** V. *quarto crescente*. **5.** Forma aparente da lua durante o quarto crescente, quando apresenta iluminada menos da metade do seu hemisfério. **6.** *P. ext.* O que tem forma de meia-lua. **7.** Armas e estandarte do antigo império turco. **8.** Na arquitetura árabe, arco maior que o semicircular. **9.** Cabelo postiço usado por mulheres para complemento de penteado. • *S. f.* **10.** Enchente de rio ou de maré.

crescentiforme. [De *crescente* + *-forme*.] *Adj. 2 g.* Em forma de crescente (5).

crescer. [Do lat. *crescere*.] *V. int.* **1.** Aumentar em volume, grandeza ou extensão: *Com as últimas chuvas o volume de água dos rios cresceu espantosamente;* "Cresce a chuva, os rios crescem" (Gonçalves Dias, *Obras Poéticas*, II, p. 233); *A fama do seu saber cresce dia a dia.* **2.** Aumentar em estatura ou altura: *As crianças cresciam e ficavam mais independentes; Em poucos anos cresceram os pinheiros, formando bonita alameda.* **3.** Aumentar em intensidade, força ou ímpeto: *Caía a noite, e o seu pavor crescia.* **4.** Aumentar em duração. **5.** Aumentar em número ou em quantidade; multiplicar-se: *A população do Brasil cresce rapidamente.* **6.** Tornar-se mais longo: *Seu cabelo cresceu.* **7.** Nascer e desenvolver-se; medrar: *Ervas daninhas cresciam no arrozal.* **8.** Avolumar-se; inchar: *O arroz cresce depois de cozido. T. d.* **9.** Fazer crescer; aumentar: *O espetáculo tenebroso crescia o seu pavor. Pred.* **10.** Desenvolver-se (em certo estado ou condição): *Cresceu magro e pálido. T. i.* **11.** Investir ou avançar contra alguém: "viu-se o homem crescer para a fera, a espada .... sumir-se até aos copos entre a nuca do animal." (Rebelo da Silva, *Contos e Lendas*, p. 183). **12.** Aumentar; desenvolver (-se): *Cresceu em sabedoria, e em beleza.* [Muda o c em ç, naturalmente, antes de a e o. Apresenta as seguintes particularidades nas f. rizotônicas: **a)** no pres. ind. a 1ª pess. sing. tem o e fechado: *cresço* (ê), e a 2ª do sing. (e, conseqüentemente, a mesma do imperat.), a 3ª do sing. e a 3ª do pl. têm o e aberto: *cresces* (é), *cresce* (é), *crescem* (é); **b)** no pres. do subj. o e é sempre fechado: *cresça* (ê), *cresças* (ê), etc. Pres. ind.: *cresço* (ê), *cresces, cresce*, ... *crescem*. Cf. *cresse* (ê), *cresses* (ê), *cressem* (ê), do v. *crer*.]

crescida. [Fem. substantivado de *crescido*.] *S. f. Bras., N.E.* Cheia de um rio.

crescido. [Part. de *crescer*.] *Adj.* **1.** Que cresceu; aumentado, desenvolvido. **2.** Grande, considerável, avultado. **3.** Avançado, maduro: *idade crescida*. ~ V. *latitude* —a e *terra* —a. ~ V. *crescidos*.

crescidos. [Pl. substantivado de *crescido*.] *S. m. pl.* **1.** Malhas com que se alargam as meias em certos pontos. **2.** Sobras, sobejos. ~ V. *crescido*.

crescimento. *S. m.* **1.** Ato ou efeito de crescer. **2.** *Pop.* Febre intermitente. [Nesta acepç. é m. us. no pl.]

crescimentos. *S. m. pl. Pop.* Crescimento (2) [q. v.].

créscimo. [De *crescer*.] *S. m.* **1.** A parte excedente. **2.** Resíduos, restos.

crescógrafo. *S. m. Bot.* Aparelho registrador que permite acompanhar com grande precisão a marcha do crescimento das plantas.

cresílico. *Adj. Quím.* Próprio ou derivado do cresol. ~ V. *ácido* —.

cresol. [Do lat. científico *cresolum*.] *S. m. Quím.* Qualquer dos três isômeros fenólicos derivados do tolueno, líquidos, voláteis. [Fórm.: C_7H_8O. Pl.: *cresóis*. Cf. *crisol* e pl.: *crisóis*.]

crespar. [Do lat. *crispare*.] *V. t. d.* Tornar crespo; encrespar, crespir. [Pres. ind.: *crespo, crespas, crespa*, etc. Cf. *crespo* (ê), as flex. *crespa* (ê), *crespas* (ê), o antr. *Crespo* (ê), e *crispar*.]

crespidão. [Do lat. *crespitudine*.] *S. f.* **1.** Qualidade ou estado de crespo. **2.** Aspereza, escabrosidade: "As goelas dos vulcões, as brechas das solfataras, os dentes e as agulhas das erosões milenárias igualam-se na crespidão da serrania" (Alberto Rangel, *Livro de Figuras*, pp. 223-224).

crespina. [De *crespo* + *-ina*.] *S. f. Zool.* O segundo estômago dos ruminantes.

crespir. [Do fr. *crépir*.] *V. t. d.* **1.** Encrespar, crespar. **2.** Pintar aos salpicos, para imitar pedra.

crespo (ê). [Do lat. *crispu*.] *Adj.* **1.** De superfície áspera, rugoso, áspero. **2.** Riçado, anelado, eriçado, encrespado: *cabelo crespo*. **3.** Agitado, encapelado: *Observou a superfície crespa das águas.* **4.** Escabroso, pedregoso, áspero. **5.** Escabroso, indecente, indecoroso: "ria-se com gosto .... quando à sua vista contavam histórias e anedotas bem crespas" (Visconde de Taunay, *Ao Entardecer*, pp. 46-47). **6.** Ameaçador, perigoso. ~ V. *crespos*. [Flex.: *crespa* (ê), *crespos* (ê), *crespas* (ê). Cf. *crespo, crespas* e *crespa*, do v. *crespar*.]

crespos (ê). [Pl. de *crespo*.] *S. m. pl.* Rugas, pregas. ~ V. *crespo*.

cresta[1] [Dev. de *crestar*[1].] *S. f.* Ato ou efeito de crestar[1]; crestamento.

cresta[2]. [Dev. de *crestar*[2].] *S. f.* Ato ou efeito de crestar[2].

crestadeira[1]. [De *crestado*[1] + *-eira*.] *S. f.* Utensílio de cozinha com que se dá a certas iguarias a cor de queimado ou de tostado.

crestadeira[2]. [De *crestado*[2] + *-eira*.] *S. f.* Instrumento com que se crestam as colmeias.

crestado[1]. [Part. de *crestar*[1].] *Adj.* Que sofreu crestamento ou cresta[1].

crestado[2]. [Part. de *crestar*[2].] *Adj.* Que foi objeto de cresta[2].

crestadura. [De *crestado*[1] + *-ura*.] *S. f.* Queimadura leve, ligeira, superficial.

crestamento. *S. m.* **1.** Cresta[1]. **2.** Efeito produzido pelo calor do Sol.

crestar[1]. [Do lat. *crustare*.] *V. t. d.* **1.** Queimar à superfície, de leve; tostar. **2.** Dar a cor de queimado a; tornar trigueiro ou atrigueirado: "O sol crestara a pele parda" (Adonias Filho, *Légua da Promissão*, p. 104). **3.** Secar, queimar, por efeito do frio intenso, ou do calor: *A geada crestou a relva;* "O sol crestava tudo. Só o mandacaru resistia, conservando-se verde" (Adalberon Cavalcanti Lins, *Curral Novo*, p. 42). **4.** Fazer vacilar; enfraquecer: *As tentações crestam, às vezes, sua virtude. P.* **5.** Secar, queimar, por efeito do frio ou do calor; estiolar-se: *crestou-se toda a plantação*. [Pres. ind.: *cresto*, etc.; pres. subj.: *creste, crestes*, etc. Cf. *cresto* (ê), s. m., e *creste* (ê), *crestes* (ê), do v. *crer*.]

crestar[2]. [Do lat. *castrare*.] *V. t. d.* **1.** Tirar o mel de (colmeia), colhendo parte dos favos. **2.** *Fig.* Reduzir a quantidade de; desfalcar. **3.** Saquear, despojar. [Pres. ind.: *cresto*, etc.; pres. subj.: *creste, crestes*, etc. Cf. *cresto* (ê), s. m. e *creste* (ê), *crestes* (ê), do v. *crer*.]

cresto (ê). *S. m.* Chibo castrado aos oito dias de idade. [Pl.: *crestos* (ê). Cf. *cresto*, do v. *crestar*, e *cresto*, antr.]

crestomatia. [Do gr. *crestomátheia*, 'instrução útil'.] *S. f.* V. *antologia* (2): "Amanhã os selecionadores e os antologistas hão de, em suas crestomatias, citar trechos, artigos, ideais de Miguel Couto" (A. Austregésilo, *Obras Completas*, X, p. 27).

creta. *S. f.* Funcho marinho.

cretáceo. [Do lat. *cretaceu*.] *Adj. e s. m.* ~ V. *período* —.

cretense. [Do lat. *cretense*.] *Adj. 2 g.* **1.** Da, ou pertencente ou relativo à ilha de Creta (Grécia). • *S. 2 g.* **2.** Natural ou habitante de creta. [Sin. ger.: *candiota* (q. v.).]

cretinice. *S. f.* Qualidade, ação ou modos de cretino; cretinismo.

cretinismo. *S. m.* **1.** Cretinice. **2.** *Patol.* Estado mórbido produzido pela ausência ou insuficiência da glândula tireóide.

cretinização. [De *cretinizar* + *-ção*.] *S. f.* **1.** Estado de cretino. **2.** Embrutecimento progressivo.

cretinizar. *V. t. d. e p.* Tornar(-se) cretino; imbecilizar(-se).

cretino. [Do fr. *crétin*.] *Adj.* **1.** *Patol.* Que sofre de cretinismo (2). **2.** *P. ext.* Lorpa, pacóvio, idiota. • *S. m.* **3.** Indivíduo cretino.

cretinoso (ô). *Adj.* Relativo a, ou próprio de cretino.

cretone. [Do fr. *cretonne*.] *S. m.* **1.** Fazenda branca, muito forte, primeiramente de cânhamo e linho, e hoje de algodão. **2.** Cretone (1) de algodão, tingido: "um dos [quartos] mais espaçosos e alegres do Palacete, forrado de cretones cor de canário" (Eça de Queirós, *A Ilustre Casa de Ramires*, p. 132). [Sin. ger., bras., N.E.: *bramante*.]

cria. [Dev. de *criar*.] *S. f.* **1.** Animal que ainda mama: "Tia Carlota comprou uma vaca com cria, para vender o leite" (Helena Morley, *Minha Vida de Menina*, p. 21). **2.** Criatura (4). **3.** *Bras.* Pessoa, em geral pobre, criada em casa de outrem. **4.** *Bras. S.* Pessoa ou animal natural ou procedente de determinado lugar. ♦ **Lamber a cria.** Tratar com muito carinho um filho novo ou um trabalho intelectual de criação recente.

criação. [Do lat. *creatione*.] *S. f.* **1.** Ato ou efeito de criar: *a criação do mundo*. **2.** O conjunto dos seres criados; natureza: *as maravilhas da criação;* "Era a Criação toda, aves e flores, / Flores e sol, e astros e vaga-lumes / A amar.... a amar..." (Alberto de Oliveira, *Poesias*, 2ª série, p. 272). **3.** A propagação da espécie. **4.** Invenção, elaboração: *Seu livro é obra de criação*. **5.** Obra, invento, produção: *As criações de arte dada a grande procura, estão custando muito caro.* **6.** Instituição, fundação, formação: *a criação de um curso de* *letras.* **7.** Amamentação, lactação. **8.** Educação (7): *menino de boa* criação. **9.** O período da meninice. **10.** O conjunto dos animais domésticos que se criam, principalmente para fins lucrativos: *A peste dizimou a* criação *da fazenda.* **11.** *Bras., N.* e *N.E.* Gado caprino e ovelhum. **12.** *Bras., S.* Alvenaria de pedras miúdas e de argamassa, que serve de enchimento aos vãos deixados pelas pedras mais volumosas. ♦ **De criação.** Diz-se do filho adotivo [q. v.] em relação a um membro da família que o adotou, ou vice-versa: *filho de* criação; *pai de* criação; *irmão de* criação.

criacionismo. *S. m.* **1.** *Rel.* Teoria da origem dos seres por criação, oposta à evolução espontânea. **2.** *Liter.* A forma hispano-americana do expressionismo [q. v.]

criacionista. *Adj. 2 g.* Relativo ao criacionismo.

criada. [Fem. de *criado* (2 e 3).] *S. f.* Mulher empregada no serviço doméstico; empregada, doméstica.

criadagem. *S. f.* **1.** Conjunto de criados [v. *criado* (2)] e/ou criadas. **2.** A classe dos criados e criadas.

criadeira[1]. *S. f. Bras.* F. red. de *chuva-criadeira.*

criadeira[2]. *Adj. (f.)* **1.** Que cria bem. ● *S. f.* **2.** V. *ama-de-leite.* **3.** Acessório de incubação constituído de uma caixa adequada à vida dos pintinhos nos seus primeiros dias. **4.** *Bras.* A rês destinada a procriar.

criado. [Do lat. *creatu.*] *Adj.* **1.** Que se criou. ● *S. m.* **2.** Homem ou rapaz empregado em serviço doméstico; servo, empregado. **3.** Designação que dá a si mesmo alguém que, de viva voz ou por escrito, se põe, cortesmente, à disposição de outrem: *seu* criado; *este seu* criado; criado *de V. Exª;* "Umas coplas que eram assim... e me lembro, porque que quem as botou — para uma outra — foi mesmo este seu criado Matias!..." (Simões Lopes Neto, *Contos Gauchescos e Lendas do Sul,* p. 143).

criado-grave. *S. m.* Aquele que é do serviço particular de uma pessoa; aio, escudeiro. [Pl.: *criados-graves.*]

criadoiro[1]. *S. m.* V. *criadouro*[1].

criadoiro[2]. *Adj.* Var. de *criadouro*[2].

criado-mudo. *S. m.* V. *mesa-de-cabeceira* (1): "Tirei o revólver da cinta e o coloquei sobre o criado-mudo, o cano voltado para a parede." (Ledo Ivo, *A Morte do Brasil,* p. 9.) [Pl.: *criados-mudos.*]

criador (ô). [Do lat. *creatore.*] *Adj.* **1.** Que cria ou criou. **2.** Fecundo, fecundante, fértil, almo: *solo* criador. **3.** Inventivo, fecundo, criativo: *talento* criador. ● *S. m.* **4.** Aquele que cria ou criou. **5.** Deus. **6.** Lavrador que trata da criação do gado. **7.** *Bras.* Fazendeiro de gado.

criadouro[1]. [Var. de *criadoiro.*] *S. m.* Viveiro de plantas.

criadouro[2]. *Adj.* Capaz de medrar, de se criar bem. [Var.: *criadoiro.*]

criança. [Do lat. *creantia.*] *S. f.* **1.** Ser humano de pouca idade, menino ou menina; párvulo. **2.** Pessoa ingênua, infantil: *Não desconfia de nada, é uma* criança. **3.** *Ant.* Criação, educação. ♦ **Criança de peito.** A que ainda mama; menino do peito.

criançada. *S. f.* **1.** Grupo de crianças; as crianças: "A criançada rompeu aos gritos" (Coelho Neto, *Treva,* p. 33). **2.** Criancice (1).

criancice. *S. f.* **1.** Ação, dito, modos ou procedimento de criança; criançada. **2.** Leviandade, imprudência, irreflexão.

crianço. *S. m. Pop.* **1.** Criança de pouca idade. **2.** Criançola.

criançola. *S. m.* Rapaz que, já não sendo criança, por seus atos ou maneiras parece que o é; crianço: "Era ainda um criançola, preocupado com estudantadas e torrinhas do Lírico." (Gastão Cruls, *De Pai a Filho,* p. 32.)

criar. [Do lat. *creare.*] *V. t. d.* **1.** Dar existência a; tirar do nada: *Deus* criou *o mundo em seis dias.* **2.** Dar origem a; gerar, formar: *A insalubridade* cria *germes.* **3.** Dar princípio a; produzir, inventar, imaginar, suscitar: criar *uma filosofia, uma religião;* "Smetana, todos o sabem, criou a música nacional dos tchecos." (Walter Benevides, *Compositores Surdos,* p. 45). **4.** Estabelecer, fundar, instituir: Criou *escolas em suas terras.* **5.** Alimentar, sustentar: *A mãe não tinha leite para* criar *o filho.* **6.** Instruir, educar: Cria *os filhos na religião católica.* **7.** Promover a procriação de: Cria *gado de raça.* **8.** Entregar-se à cultura de; cultivar: criar *rosas.* **9.** Adquirir, granjear: *Boa-praça,* cria *facilmente simpatias e afetos;* "No presídio o bandido criara fama de boa pessoa, de trabalhador." (José Lins do Rego, *Usina,* p. 5). **10.** Adquirir, cobrar: "pediu um copo de vinho para criar coragem" (Maria Julieta Drummond de Andrade, *Um Buquê de Alcachofras,* p. 17); *Apesar de enfraquecido,* criou *forças para enfrentar a situação.* **11.** Vir a ter; adquirir: criar *raízes;* criar *cabelos brancos. T. d. e i.* **12.** Originar, causar: Criou *prejuízos para a família.* **13.** Deixar-se possuir; cobrar: Criou *amor ao filho adotivo. Transobj.* **14.** Tornar; fazer; instituir. *Int.* **15.** Encher-se de pus (uma ferida). *P.* **16.** Nascer, originar-se: *O arroz* criava-se *com abundância naquele vale.* **17.** Formar-se, crescer, desenvolver-se; educar-se: *Machado de Assis* criou-se *no morro do Livramento.* [Pres. ind.: *crio, crias, cria, criamos, criais, criam;* pres. subj.: *crie, criemos, crieis,* etc. Cf. *críamos* e *crieis,* do v. *crer.*]

criatividade. *S. f.* **1.** Qualidade de criativo. **2.** Capacidade criadora; engenho, inventividade.

criativo. *Adj.* Criador (3): *imaginação* criativa.

criatório. *S. m.* **1.** *Bras., N.E.* Estabelecimento de criação de gado: "Surgiu assim uma ligação estreita entre as atividades da metalurgia e siderurgia e o vale do Rio Doce, onde a vida humana assentava no trabalho agrícola e de criatório." (Manuel Diegues Júnior, *Regiões Culturais do Brasil,* p. 261.) **2.** *Bras., Pl* e *GO.* Gado bovino.

criatura. [Do lat. *creatura.*] *S. f.* **1.** Coisa criada. **2.** Cada um dos seres criados: "Sei de uma criatura antiga e formidável, / Que a si mesma devora os membros e as entranhas, / Com a sofreguidão da fome insaciável." (Machado de Assis, *Poesias Completas,* p. 293.) **3.** Ser, indivíduo, pessoa: "Minha mãe era boa criatura." (Id., *Dom Casmurro,* p. 20.) **4.** *Fig.* Pessoa que tem formação intelectual ou política influenciada ou orientada por outrem; cria: *Vários poetas brasileiros atuais são* criaturas *de Carlos Drummond de Andrade.*

criável. [Do lat. *creabile.*] *Adj. 2 g.* Que pode ser criado.

cribriforme. [Do lat. *cribru,* 'crivo', + *-forme.*] *Adj. 2 g.* Que tem forma de crivo.

cricati. *bras. S. 2 g.* **1.** Indivíduo dos cricatis, tribo jê classificada por Nimuendaju como timbira oriental. ● *Adj. 2 g.* **2.** Pertencente ou relativo a essa tribo.

cricetídeo. *S. m.* **1.** Espécime dos cricetídeos. ● *Adj.* **2.** Pertencente ou relativo a eles.

cricetídeos. *S. m. pl. Zool.* Animais roedores, miomorfos, com molares cuspidados, laminados ou prismáticos. Quando cuspidados, as cúspides dos molares superiores são dispostas em duas séries em relação ao eixo longitudinal.

criciúma. [De or. tupi.] *S. f. Bras., N.* a *S.* Designação comum a numerosíssimas espécies da família das gramináceas, cujo colmo tem largo emprego na fabricação de balaios e cestos, cujas flores estão dispostas em espigas de cor vária segundo a espécie, podendo ser roxo-acinzentadas e verde-amarelas com máculas roxo-avermelhadas, e cujas folhas são lanceoladas; bambu-trepador, caracá, gurixima, pitinga, quixiúna, taquara-trepadora, taquari, taquarinha.

criciumalense (i-u). *Adj. 2 g.* **1.** De, ou pertencente ou relativo a Criciumal (RS). ● *S. 2 g.* **2.** Natural ou habitante de Criciumal.

criciumense (i-u). *Adj. 2 g.* **1.** De, ou pertencente ou relativo a Criciúma (SC). ● *S. 2 g.* **1.** Natural ou habitante de Criciúma.

cricóstomo. [Do gr. *kríkos,* 'círculo', + *-stomo.*] *Adj.* Que tem boca ou abertura redonda.

cricri[1]. *S. m. Bras.* Voz imitativa do canto dos grilos; cricrido: "E pelas moitas altas da estrada, o cricri fino e metálico dos grilos." (Virgílio Várzea, *Mares e Campos,* p. 30.)

cricri[2]. [De *cri(ança)* + *cri(ada).*] *Adj. 2 g.* e *s. 2 g. Bras. Gír.* **1.** Diz-se de, ou conversa exclusivamente sobre filhos e criadagem. **2.** Diz-se de, ou pessoa muito tediosa, chatíssima, que só fala de assuntos de pouco ou de nenhum interesse.

cricrido. *S. m. Bras.* Cricri[1].

cricrilar. [De *cricri.*] *V. int.* Cantar (o grilo): "Os grilos cricrilavam, impertinentes." (Cordeiro de Andrade, *Anjo Negro,* p. 115.)

cricrió. [T. onom. que imita a voz da ave.] *S. m. Bras.* V. *vivió.*

crífia. *S. f. Paleogr.* Sinal em forma de braquia encimado por um ponto (.), e que indicava trecho de sentido obscuro.

crila. *S. m. Bras.* V. *menino* (1).

crilada. *S. f. Bras.* Grupo de crilas.

crime. [Do lat. *crimen.*] *S. m.* **1.** *Dir. Pen.* Segundo o conceito formal, violação culpável da lei penal; delito. **2.** *Dir. Pen.* Segundo o conceito substancial, ofensa de um bem jurídico tutelado pela lei penal. **3.** *Dir. Pen.* Segundo o conceito analítico, fato típico, antijurídico e culpável. **4.** Qualquer ato que suscita a reação organizada da sociedade. **5.** Ato digno de repreensão ou castigo. **6.** Ato condenável, de conseqüências funestas ou desagradáveis: *Seria um* crime *deixar apodrecer a safra de café.* ● *Adj. 2 g.* e *2 n.* **7.** V. *criminal: processo* crime. ♦ **Crime comissivo.** O resultante de uma ação do criminoso. **Crime culposo.** O resultante de ato de imprudência, negligência ou imperícia do agente. **Crime de lesa-majestade.** Crime contra o rei, ou membro da família real, ou contra o poder soberano de um Estado. [Tb. se diz apenas *lesa-majestade.*] **Crime de lesa-pátria.** Crime contra a pátria; crime de leso-patriotismo. [Tb. se diz apenas *lesa-pátria.*] **Crime de lesa-razão.** Crime contra a razão. [Tb. se diz apenas *lesa-razão.*] **Crime de leso-patriotismo.** Crime de lesa-pátria. [Tb. se diz apenas *leso-patriotismo.*] **Crime de responsabilidade.** O cometido por funcionário público, com abuso de poder ou violação de dever inerente a seu cargo, emprego ou função. **Crime doloso.** Aquele em que o elemento subjetivo é o dolo[1], i. e., em que o agente quis diretamente o resultado ilícito ou assumiu o risco de o produzir. **Crime falho.** Aquele cuja execução se conclui sem que, no entanto, sobrevenha a consumação, por circunstância alheia à vontade do agente. **Crime formal.** O que se consuma independentemente do resultado que possa produzir. **Crime omissivo.** O resultante de uma omissão do criminoso. **Crime permanente.** Aquele cuja consumação se prolonga no tempo. **Crime preterdoloso.** Aquele em que a vontade do criminoso, dirigida à prática de um crime menos grave, foi superada por um resultado mais grave, imputável a título de culpa, de maneira que estabelece uma causalidade psíquica complexa, por dolo no antecedente e culpa no conseqüente; crime preterintencional. **Crime preterintencional.** Crime preterdoloso. **Crime privativo.** O que só existe na imaginação do agente, que acredita estar violando uma norma penal, quando pratica um ato que, na realidade, é impunível.

criminação. [Do lat. *criminatione.*] *S. f.* Ação de criminar.

criminador (ô). [Do lat. *criminatore.*] *S. m.* Aquele que crimina; acusador.

criminal. [Do lat. *criminale.*] *Adj. 2 g.* Relativo ou pertencente a crime; criminoso, crime. ~ V. *direito* — e *instrução* —.

criminalidade. *S. f.* **1.** Qualidade ou estado de criminoso. **2.** O grau de crime. **3.** O conjunto dos crimes. **4.** A história dos crimes.

criminalista. *S. 2 g.* **1.** Especialista em assuntos criminais; penalista. **2.** *Bras., N.E., MG* e *SP. Pop.* Jurado muito severo nos seus julgamentos, que tende sempre a condenar o réu: "Como eu era 'criminalista', como por lá se diz, isso é, justiceiro, condenando aqueles que o mereciam, os defensores me recusavam sempre" (Alphonsus de Guimaraens, *Obra Completa,* p. 449).

criminalística. *S. f. Dir. Pen.* Ciência auxiliar do Direito Penal, a qual tem por objeto a descoberta de crimes e a identificação de seus autores.

criminalização. *S. f.* Ato ou efeito de criminalizar.

criminalizado. [Part. de *criminalizar.*] *Adj.* Considerado como crime.

criminalizar. *V. t. d.* Considerar como crime: "Será compatível com esse compromisso uma legislação interna que criminalize a posse de drogas para uso próprio?" (*Jornal do Brasil,* 4.9.1983.)

criminar. [Do lat. *criminare.*] *V. t. d.* **1.** Imputar crime a; ter como criminoso; acusar, incriminar: "Criminar o infeliz que está debaixo da pressão da lei é vilíssima covardia." (Ramalho Ortigão, *Primeiras Prosas,* p. 45.) *P.* **2.** Dar-se por criminoso; declarar-se criminoso. **3.** Deixar transparecer a própria culpa; incriminar-se.

criminável. *Adj. 2 g.* Que pode ser criminado.

▲**crimino-.** [Do lat. *crimen, inis.*] *El. comp.* = 'crime': *criminologia.*

criminologia. [De *crimino-* + *-log(o)-* + *-ia.*] *S. f.* **1.** Ciência que se ocupa das teorias do direito criminal. **2.** Filosofia do direito penal.

criminológico. *Adj.* Referente à criminologia.

criminologista. *S. 2 g.* Especialista em criminologia; criminólogo.

criminólogo. [De *crimino-* + *-logo.*] *S. m.* Criminologista.

criminoso (ô). [Do lat. *criminosu.*] *Adj.* **1.** V. *criminal.* **2.** Em que há, ou que constitui ou importa crime: *Deixou os filhos em* criminoso *abandono.* **3.** Que cometeu crime. ● *S. m.* **4.** Aquele que praticou crime; réu.

▲**crimo-.** [Do gr. *krymmós, ou.*] *El. comp.* = 'frio': *crimodinia, crimófilo.*

crimodinia. [De *crimo-* + *-odin(o)-* + *-ia.*] *S. f. Patol.* Dor produzida pelo frio ou pela umidade.

crimodínico. *Adj.* Relativo à crimodinia.

crimófilo. [De *crimo-* + *-filo*[2].] *Adj.* Que se dá bem em lugares frios; que gosta do frio.

crina. [Do lat. *crine.*] *S. f.* **1.** Pêlo do pescoço e da cauda do cavalo, e doutros animais, mais longo e mais firme que o conjunto da pelagem; cabeleira. **2.** Tecido grosseiro, fabricado com crina vegetal, para fricções: *Lavei-me com luva de* c r i n a. [Var.: *clina.*] ♦ **Crina vegetal.** Denominação genérica de fibras retiradas de plantas como palmeiras, e outras do gênero *agave,* que têm o mesmo uso da crina (1).

crinal. [Do lat. *crinale.*] *Adj. 2 g.* **1.** De, ou relativo a crina. ● *S. m.* **2.** Crineira (1).

crinalvo. [De *crina* + *alvo.*] *Adj.* Cuja crina é mais clara que os outros pêlos do corpo.

crindiúva. [Do tupi *karãd'ũwa.*] *S. f. Bras.* V. *quatindiba.*

crineira. *S. f.* **1.** Conjunto de crinas que formam crista sobre o pescoço dos cavalos; crinal: "Adeus, gosto de soltar o pensamento por aí, feito cavalo desencilhado recém, de cola erguida, sacudindo a c r i n e i r a" (M. Cavalcanti Proença, *Manuscrito Holandês,* p. 87). **2.** Conjunto de pêlos flexíveis que envolvem a cabeça do leão e doutros animais; juba. **3.** O conjunto de pêlos ou fios que do alto do capacete descaem para trás.

▲**crini-.** [Do lat. *crinis, is.*] *El. comp.* = 'crina', 'cabelo', 'pêlo': *criniforme, crinífero.*

crinicórneo. *Adj. Zool.* Que tem antenas peludas.

crinífero. [De *crin(i)-* + *-fero.*] *Adj.* Que tem crina; crinígero. [Cf. *crenífero.*]

criniforme. [De *crin(i)-* + *forme.*] *Adj. 2 g.* Que apresenta a forma de um cabelo.

crinígero. [Do lat. *crinigeru.*] *Adj.* Crinífero.

crinipreto (ê). *Adj.* Que tem crina preta, sendo o resto do pêlo de outra cor.

crinisparso. [De *crin(i)-* + *esparso.*] *Adj. Poét.* De cabelos soltos ou desgrenhados.

crinito. [Do lat. *crinitu.*] *Adj.* Que tem crina ou coma.

crino. *S. m.* Gênero de plantas ornamentais, da família das amarilidáceas (*crinum*), que compreende cerca de 130 espécies tropicais e subtropicais, cultivadas graças à beleza de suas flores.

crinóide. [Do gr. *krinoeidés.*] *S. m.* **1.** Espécime dos crinóides. ● *Adj.* **2.** Pertencente ou relativo a eles.

crinóides. *S. m. pl. Zool.* Animais equinodermos, da classe *crinoidea,* marinhos, de corpo formado por uma espécie de cálice revestido de numerosas placas, do qual saem cinco braços ramificados. São fixos por um pedúnculo ligado à face aboral, e vivem no mar até a 4000 m de profundidade.

crinolina. [Do fr. *crinoline.*] *S. f.* **1.** Tecido feito de crina.**2.** Tecido resistente, próprio para forro: "veludos e c r i n o l i n a s, sutaches e aljofres eram encontradiços nas vendas" (Nélson de Faria, *Cabeça-Torta,* p. 8). **3.** Anágua de crinolina, usada para armar ou entufar a saia.

crinudo. *Adj. Bras.* Diz-se de animal de bastas crinas; clinudo.

▲**crio-.** [Do gr. *kryos, eos-ous.*] *El. comp.* = 'gelo': *criogênio, crioscópio.*

criocirurgia. [De *crio-* + *cirurgia.*] *S. f. Cir.* Método cirúrgico que, mediante aparelhagem especial, emprega temperaturas muito baixas para a incisão e extração de tecidos.

criocirúrgico. *Adj.* Referente à criocirurgia.

criófita. *Adj. 2 g. Biol.* Que vive no gelo ou na neve.

criogenia. [De *crio-* + *-gen(o)-* + *-ia.*] *S. f. Fís.* Ciência da produção e manutenção de temperaturas muito baixas em sistemas, e do estudo das propriedades físico-químicas destes sistemas naquelas temperaturas.

criogênico. [De *crio-* + *-gen(o)-* + *-ico*[2]*.*] *Adj. Fís.* Relativo a temperaturas muito baixas, ou à determinação delas.

crioidrato (o-i). *S. m. Fís.-Quím.* Eutético constituído por um sal e água.

crióidrico. *Adj. Quím.* Próprio ou característico de um eutético aquoso.

criolita. [De *crio-* + *-lito.*] *S. f.* Mineral monoclínico, fluoreto de alumínio e sódio. [Fórm.: Na_3AlF_6.]

crioscopia. [De *crio-* + *-scop-* + *-ia.*] *S. f. Fís.-Quím.* Conjunto de técnicas de medida de massa molecular dum soluto não volátil, baseado na medida do abaixamento do ponto de fusão dum solvente puro quando se lhe adiciona o soluto.

crioscópico. *Adj.* Referente à crioscopia. ~ V. *constante —a.*

crioscópio. [De *crio-* + *-scop-* + *-io.*] *S. m. Fís.-Quím.* Aparelho em que se fazem as medições e observações da crioscopia.

criostato. [De *crio-* + *-stato.*] *S. m. Fís.* Termostato para ser usado em temperaturas muito baixas.

crioterapia. *S. f. Med.* Emprego do gelo como terapêutica.

crioterápico. *Adj.* Relativo à crioterapia.

crioulada. *S. f.* Bando de crioulos; criouléu.

criouléu. *S. m.* **1.** *Bras. RJ.* Baile popular, que se realizava em geral aos sábados, e no qual predominavam crioulos e pretos. **2.** Crioulada.

crioulinho. *S. m.* Pequeno crioulo (10). ♦ **Crioulinho do Pastoreio.** *Bras., S.* V. *Negrinho do Pastoreio.* **Crioulinho do Pastorejo.** *Bras., S.* V. *Negrinho do Pastoreio.*

crioulismo. [De *crioulo* + *-ismo.*] *S. m. Liter.* Nas literaturas hispano-americanas, tendência nativista.

crioulo. [De *criar.*] *Adj.* **1.** Diz-se de indivíduo de raça branca nascido nas colônias européias de além-mar, particularmente da América. **2.** Diz-se do dialeto falado por essas pessoas. **3.** Dizia-se do negro nascido na América. **4.** Pertencente ou relativo aos nativos de determinada região: *fumo* c r i o u l o; *cavalo* c r i o u l o. **5.** Diz-se do dialeto português falado em Cabo Verde e noutras possessões portuguesas da África. **6.** Diz-se da galinha comum, sem tipo nem raça definida. **7.** *Ling.* Diz-se da língua nativa formada a partir da simplificação e amálgama de outros sistemas lingüísticos, e usada, a princípio, apenas como língua de comunicação. **8.** *Bras.* Diz-se de qualquer indivíduo negro. **9.** *Bras. RS.* Diz-se de indivíduo natural de qualquer parte do estado: *O rapazinho é* c r i o u l o *de Bajé.* ● *S. m.* **10.** Indivíduo crioulo (1, 3, 8 e 9). [Sin. (RJ), na acepç. 8: *bacurau.*] **11.** *Ling.* Língua crioula [v. *crioulo* (7)]. **12.** *Bras.* Cigarro feito de palha e fumo de rolo. ♦ **Crioulo do Pastoreio.** *Bras., S.* V. *Negrinho do Pastoreio.* **Crioulo do Pastorejo.** *Bras., S.* V. *Negrinho do Pastoreio.*

cripta. [Do gr. *krypte,* pelo lat. *crypta.*] *S. f.* **1.** Galeria subterrânea; caverna, gruta: "A Torre de Marfim mudou-se em c r i p t a escura" (Eugênio de Castro, *Obras Poéticas,* III, p. 139). **2.** Nalgumas igrejas, galeria subterrânea onde se enterravam mártires ou se guardavam relíquias. **3.** Capela subterrânea, não raro mais antiga do que a igreja sob a qual se encontra. **4.** Lugar secreto e subterrâneo. **5.** *Anat.* Pequena depressão tubular que se abre em superfície livre. **6.** *Anat.* Antro, cavidade. **7.** *Morfol. Veg.* Qualquer pequena cavidade de uma parte ou órgão vegetal. ♦ **Cripta estomática.** *Morfol. Veg.* Espaço aerífero onde se localizam os estômatos, na superfície de certas folhas grossas e rígidas.

criptandro [De *cript(o)-* + *-andro.*] *Adj. Bot.* Diz-se dos vegetais desprovidos de órgãos masculinos aparentes.

cripteroniácea. *S. f.* Espécime das cripteroniáceas.

cripteroniáceas. *S. f. pl. Bot.* Família de plantas superiores das mirtales, que encerra árvores de folhas opostas e flores racemosas. Estames numerosos, carpelos concrescentes, ovário súpero; fruto capsular. Há quatro espécies, apenas, na Índia e nas Filipinas.

cripteroniáceo. *Adj.* Pertencente ou relativo às cripteroniáceas.

criptestesia. *S. f. Filos.* Metagnomia.

criptestésico. *Adj.* Relativo à criptestesia.

críptico. [Do gr. *kriptikós,* pelo lat. *crypticu.*] *Adj.* Relativo ou pertencente a cripta. [Cf. *crítico.*]

▲**cript(o)-.** [Do gr. *kryptós, é, ón.*] *El. comp.* = 'escondido', 'oculto': *criptandro, criptograma.*

criptoanalisar. *V. t. d.* Aplicar a criptoanálise a (um criptograma). [Pres. subj.: *criptoanalise,* etc. Cf. *criptoanálise.*]

criptoanálise. [De *cript(o)-* + *análise.*] *S. f.* **1.** Ciência que abrange os princípios, métodos e meios para se chegar à decriptação de um criptograma, sem prévio conhecimento dos códigos ou cifras empregados na produção dele. **2.** Ato de criptoanalisar. [Cf. *criptoanalise,* do v. *criptoanalisar.*]

criptobrânquio. *S. m.* e *adj.* Mutabílio.

criptobrânquios. *S. m. pl. Zool.* Mutabílios.

criptocarpo. [De *cript(o)-* + *-carpo.*] *Adj. Morfol. Veg.* Diz-se dos vegetais cujos frutos estão ocultos.

criptocéfalo. *Adj.* e *s. m.* Sedentário (4 e 6).

criptocéfalos. *S. m. pl. Zool.* Sedentários.

criptocerado. *S. m.* **1.** Espécime dos criptocerados. ● *Adj.* **2.** Pertencente ou relativo a eles. [Sin. ger.: *hidrocorisido.*]

criptocerados. *S. m. pl. Zool.* Insetos hemípteros, da subordem *Cryptocerata,* de antenas pequenas e ocultas sob a cabeça, aquáticos, e, na maioria, predadores. [Sin.: *hidrocorisidos.*]

criptocomunista. [De *cript(o)-* + *comunista.*] *Adj. 2 g.* e *s. 2 g.* Que ou quem é disfarçadamente comunista.

criptocristalino. [De *cript(o)-* + *cristalino.*] *Adj.* Diz-se da textura cristalina tão fina que é impossível distinguir-lhe os componentes, mesmo com o auxílio do microscópio.

criptófito. *S. m. Bot.* Categoria da classificação das formas de vida constituída por plantas cujas gemas ficam protegidas sob o solo ou água. Engloba os geófitos, os helófitos e os hidrófitos.

criptogamia. [De *criptógamo* + *-ia.*] *S. f. Bot.* Classe do antigo sistema sexual de Lineu, a qual abrange as plantas destituídas de flores e que, portanto, apresentam órgãos reprodutivos inaparentes. Inclui os fungos, as algas, os liquens, os musgos e os pteridófitos.

criptogâmico. *Adj.* Pertencente ou relativo aos criptógamos: *moléstia* c r i p t o g â m i c a.

criptógamo. [De *cript(o)-* + *-gamo.*] *S. m. Bot.* Vegetal que não se reproduz por meio de flores, e que tem órgãos reprodutivos pequeninos, dificilmente perceptíveis pelo leigo. [Hoje os criptógamos já não constituem um grupo sistemático; estão divididos em muitos grupos independentes.]

criptografado. [Part. de *criptografar.*] *Adj.* Que se criptografou; cifrado.

criptografar. [De *cript(o)-* + *-graf(o)-* + *-ar*[2]*.*] *V. t. d.* Tornar incompreensível, com observância de normas especiais consignadas numa cifra ou num código, o texto de (uma mensagem escrita com clareza). [Cf. *cifrar* e *codizar.*]

criptografia. [De *cript(o)-* + *-graf(o)-* + *-ia.*] *S. f.* **1.** Arte de escrever em cifra ou em código. **2.** Conjunto de técnicas que permitem criptografar escritas.

criptográfico. *Adj.* Referente à criptografia.

criptograma. [De *cript(o)-* + *-grama.*] *S. m.* O texto criptografado de uma mensagem.

criptologia. [De *cript(o)-* + *-log(o)-* + *-ia.*] *S. f.* Ciência oculta; ocultismo.

criptológico. *Adj.* Respeitante à criptologia.

criptoméria. *S. f.* Planta gimnospérmica do grupo das coníferas, gênero *Cryptomeria,* próxima do pinheiro, e freqüente nos jardins europeus.

criptomerismo. *S. m. Biol.* Recessividade.

criptômero. *S. m. Genét.* Gene recessivo.

criptomonadino. *S. m.* **1.** Espécime dos criptomonadinos. ● *Adj.* **2.** Pertencente ou relativo a eles.

criptomonadinos. *S. m. pl. Zool.* Animais protozoários, fitomastiginos, da ordem *Cryptomonadina,* ovais, achatados, não amebóides, com dois flagelos, e na maioria holofíticos. Algumas espécies vivem como zooxantelas em outros protozoários e metazoários.

crípton. *S. m. Quím. Desus.* Criptônio.

criptônimo. [De *cript(o)-* + *-ônimo.*] *Adj.* **1.** Que oculta ou disfarça o nome. ● *S. m.* **2.** V. *pseudônimo* (1).

criptônio. *S. m. Quím.* Elemento de número atômico 36, pertencente à família dos gases nobres, incolor, presente em diminuta proporção na atmosfera. [Simb.: *Kr.*]

criptoplasma. *S. m. Citol.* A parte não granulada do protoplasma.

criptópode. [De *cript(o)-* + *-pode.*] *Adj. 2 g.* e *s. m. Zool.* Diz-se de, ou animal que não tem pés aparentes.

criptorquia. [De *cript(o)-* + *-orqui-* + *-ia.*] *S. f. Ter.* Ausência de testículo no escroto, por haver ficado retido na cavidade abdominal ou no canal inguinal.

criptorquidia. *S. f. Ter. Impr.* V. *criptorquia.*

cripturiforme. *S. m.* e *adj. 2 g.* Tinamiforme.

cripturiformes. *S. m. Pl. Zool.* Tinamiformes.

críquete. [Do ingl. *cricket.*] *S. m.* Jogo muito popular na Inglaterra, que se desenrola num campo gramado, entre dois times de 11 jogadores cada um, e que consiste em impelir com uma pá de madeira uma bola maciça, em direção à meta oposta.

cris[1]**.** *S. m.* Punhal malaio, de lâmina ondulada. [Pl.: *crises.*]

cris[2]**.** [De *gris.*] *Adj. 2 g.* Cinzento, gris [Pl.: *crises.*]

cris[3]**.** *Adj. 2 g.* **1.** *Ant.* Que está em eclipse (1): *lua* c r i s. **2.** *P. ext.* Que causa medo; medonho, terrível. ● *S. m.* **3.** *Ant.* Eclipse, criso. [Pl.: *crises.*]

crisada. *S. f.* Golpe de cris[1].

crisalho. *S. m.* Gênero de pintura monocrômica, em tons grisalhos ou acinzentados.

crisálida. [Do gr. *chrysallís,* pelo lat. *crysallida.*] *S. f.* **1.** Estado intermediário por que passam os lepidópteros para se transformarem de lagarta em borboleta. **2.** Ninfa de borboleta, ou o envoltório dessa forma larvar. **3.** *Fig.* Coisa latente. [Var.: *crisálide.* Cf. *crisalida* e *crisalide,* do v. *crisalidar.*]

crisalidar. *V. int.* e *p.* Transformar-se (a lagarta) em crisálida (2). [Normalmente é defect., conjugável só nas 3as pess. Pres. ind.: *crisalida, ... crisalidam; pres. subj.: crisalide, ... crisalidem.* Cf. *crisálida* e *crisálide.*]

crisálide. *S. f.* Var. de *crisálida.* [Cf. *crisalide,* do v. *crisalidar.*]

crisântemo. [Do gr. *chrysánthemos,* pelo lat. *chrysanthemu.*] *S. m.* Designação comum a vários subarbustos ornamentais, da família das compostas, originários do

Oriente, de flores amarelas, róseas ou alaranjadas, dispostas em capítulos; despedidas-de-verão, monsenhor.

crise[1] [Do lat. *crise.*] *S. f.* **1.** Alteração que sobrevém no curso de uma doença. **2.** Acidente repentino que sobrevém numa pessoa em estado aparente de boa saúde ou agravamento súbito de um estado crônico: *crise de asma; crise de apendicite; crise epiléptica; crise cardíaca.* **3.** Manifestação violenta e repentina de ruptura de equilíbrio: *crise de depressão; crise nervosa.* **4.** Manifestação violenta de um sentimento: *crise de raiva; crise de ternura; crise de choro.* **5.** Estado de dúvidas e incertezas: *crise religiosa; crise moral.* **6.** Fase difícil, grave, na evolução das coisas, dos fatos, das idéias: *período de crise; crise familiar; crise literária; crise política, crise agrícola.* **7.** Momento perigoso ou decisivo: *crise histórica.* **8.** Lance embaraçoso; lance, conjuntura: *crise amorosa.* **9.** Tensão, conflito: *crise diplomática; crise internacional.* **10.** Deficiência, falta, penúria: *crise de mão-de-obra; crise do café.* **11.** *Econ.* Ponto de transição entre uma época de prosperidade e outra de depressão [q. v.], ou vice-versa. **12.** *Teat.* Complicação e agravamento da intriga, que leva a ação dramática a uma catástrofe ou a conseqüência grave e decisiva; crise dramática. **13.** *Bras.* Paradeiro (2). ♦ **Crise cerebral.** *Neurol.* e *Psiq.* Distúrbio de origem cerebral que acomete um paciente cujo estado de saúde era, aparentemente, bom, ou torna mais grave uma doença crônica já existente. **Crise dramática.** *Teat.* Crise (12). **Crise epiléptica.** *Neurol.* e *Psiq.* Crise cerebral decorrente de excessiva carga oriunda de neurônios e que, segundo suas características clínicas e/ou eletrencefalográficas, apresenta formas diversas. **Crise epiléptica generalizada.** *Neurol.* e *Psiq.* Aquela que se caracteriza, clinicamente, por distúrbios da consciência, do sistema nervoso autônomo, acompanhadas, ou não, de alterações da motricidade (em especial, convulsões), e que é registrada em encefalograma como descarga epiléptica crítica [q. v.] **Crise epiléptica parcial.** *Neurol.* e *Psiq.* Aquela cujas manifestações iniciais (motoras, sensoriais, psíquicas, do sistema nervoso autônomo) não têm caráter intenso das vistas nas crises epilépticas generalizadas. **Crise social.** *Sociol.* Situação grave em que os acontecimentos da vida social, rompendo padrões tradicionais, perturbam a organização de alguns ou de todos os grupos integrados na sociedade.

crise[2]. *S. f.* Certo tecido antigo.

criselefantino. [Do gr. *chryselephántinos.*] *Adj.* Feito de ouro e de marfim: "Moldei o Homem tal qual a criselefantina / Estátua modelar que Atenéia destina / A Febo-Apolo, Deus da Luz!" (Martins Fontes, *Nos Jardins de Augusto Comte,* p. 95.)

crisma[1]. [Do lat. *chrisma.*] *S. m.* Óleo perfumado que se usa na administração dalguns sacramentos.

crisma[2]. [Dev. de *crismar.*] *S. f.* **1.** *Rel.* Confirmação (2). **2.** A cerimônia deste sacramento. **3.** *P. ext.* Mudança de nome.

crismar. [Do lat. *chrismare.*] *V. t. d.* **1.** Conferir a crisma (2) a. *Transobj.* **2.** Alcunhar, apelidar; batizar: *Por ser muito agitado crismaram-no de maluquinho. P.* **3.** Receber o sacramento da confirmação. **4.** Apelidar-se, cognominar-se.

criso *S. m. Bras. Pop.* Cris[3] (3).

▲cris(o)-. [Do gr. *chrysós, oû.*] *El. comp.* = 'ouro': *crisofilo, crisolita.*

crisobalanácea. *S. f.* Espécime das crisobalanáceas.

crisobalanáceas. *S. f. pl. Bot.* Família recentemente destacada das rosáceas para conter alguns gêneros desta, como *Chrysobalanus, Licania* e *Parinari,* e constituída por plantas arbóreas quase sempre das matas pluviais, comuns no Brasil.

crisobalanáceo. *Adj.* Pertencente ou relativo às crisobalanáceas.

crisoberilo. [Do lat. *chrisoberyllu.*] *S. m. Min.* Mineral ortorrômbico, aluminato de glucínio, pedra semipreciosa.

crisocola. [Do lat. *chrisocolla.*] *S. f. Min.* Mineral criptocristalino, terroso, silicato hidratado de cobre, minério de cobre de escasso valor econômico.

crisofícea. *S. f.* Espécime das crisofíceas.

crisofíceas. *S. f. pl. Bot.* Grupo complexo de algas flageladas, de cromatóforos dourados. Compreendem várias classes, um tanto variáveis segundo os autores.

crisofíceo. *Adj.* Pertencente ou relativo às crisofíceas.

crisofilo. [De *cris(o)-* + *-filo*[1].] *Adj. Morfol. Veg.* Que tem folhas douradas.

crisófito. *S. m.* **1.** Espécime dos crisófitos. ● *Adj.* **2.** Pertencente ou relativo a eles.

crisófitos. *S. m. pl. Bot.* Grande grupo de algas dotadas de plasma claro, larga abundância de carotinóides e membrana formada por duas peças, e que contém, ainda, sílica. Falta-lhe o amilo. Engloba as crisofíceas, heterocontas e diatomáceas.

crisografia. [Do gr. *chrysographía.*] *S. f.* Arte de escrever a ouro.

crisográfico. *Adj.* Relativo à crisografia.

crisógrafo. [De *criso-* + *-grafo.*] *S. m.* Aquele que pratica a crisografia.

crisol. [Do esp. *crisol.*] *S. m.* **1.** Cadinho. **2.** *Fig.* Aquilo em que se apuram os sentimentos. **3.** *Fig.* Aquilo que serve para evidenciar as boas qualidades do indivíduo. **4.** *Tip.* Recipiente das máquinas fundidoras e compositoras, onde se derrete o metal-tipo; caldeira. [Pl.: *crisóis.* Cf. *cresol* e pl. *cresóis.*]

crisolita. *S. f. Min.* Variedade verde límpida da olivina, ortorrômbica. [Cf. *crisólita.*]

crisólita. *S. f.* Crisólito. [Cf. *crisolita.*]

crisólito. [Do gr. *chrysólithos,* pelo lat. *chrysolithu.*] *S. m.* Pedra preciosa da cor do ouro; crisólita.

crisomelídeo. *S. m.* **1.** Espécime dos crisomelídeos. ● *Adj.* **2.** Pertencente ou relativo a eles.

crisomelídeos. *S. m. pl. Zool.* Família de insetos da ordem dos coleópteros, semelhantes aos cerambicídeos, porém com antenas mais curtas, menores. Fitófagos, constituem uma praga muito séria para a agricultura.

crisomonadino. *S. m.* **1.** Espécime dos crisomonadinos. ● *Adj.* **2.** Pertencente ou relativo a eles.

crisomonadinos. *S. m. pl. Zool.* Animais protozoários, fitomastiginos, da ordem *Crysomonadina.* São solitários ou coloniais, geralmente amebóides; um, dois ou três flagelos; produzem cistos endógenos de sílica; holofíticos ou holozóicos. Algumas espécies transmitem sabor desagradável à água doce onde vivem.

crisopa. *S. f.* **1.** Espécime dos crisopas. ● *Adj. 2 g.* **2.** Pertencente ou relativo a eles.

crisopas. *S. f. pl. Zool. Bras.* Designação comum aos insetos neurópteros da família dos crisopídeos, de corpo delicado, em geral de coloração verde, antenas filiformes, tão compridas quanto o corpo, ou mais, asas hialinas, longas, com máculas escuras, e larvas predadoras.

crisopídeo. *S. m.* **1.** Espécime dos crisopídeos. ● *Adj.* **2.** Pertencente ou relativo a eles.

crisopídeos. *S. m. pl. Zool.* Família de insetos da ordem dos neurópteros, subordem *Planipenia,* pequenos, esverdeados, olhos dourados ou da cor do cobre, e que, quando tocados, soltam um odor desagradável, semelhante ao da barata. São considerados neurópteros estritos, vivendo sobre ervas e folhagem.

crisópraso. [Do gr. *chrysóprasos,* pelo lat. *chrysoprasu.*] *S. m. Min.* Variedade de calcedônia verde-clara.

crisóstomo. [Do gr. *chrysóstomos,* pelo lat. *chrisostomu.*] *Adj.* **1.** Que tem boca de ouro. **2.** *Fig.* Que fala bem; eloqüente.

crisotila. [De *cris(o)-* + gr. *tíloi,* 'pêlo dos cílios'.] *S. f. Min.* Mineral monoclínico, variedade fibrosa de serpentina.

crispação. *S. f.* Ato ou efeito de crispar(-se); crispamento, crispatura.

crispamento. *S. m.* V. *crispação.*

crispar. [Do lat. *crispare.*] *V. t. d.* **1.** Encrespar, franzir: *Crispou a folha em que acabara de escrever.* **2.** Contrair, encolher: *Crispou os músculos do rosto, num ricto de dor;* "parou, sufocado de raiva e despeito, mordendo os beiços, crispando os punhos." (Herman Liman, *Tijipió,* p. 148). *P.* **3.** Contrair-se espasmodicamente: "A mão direita contraiu-se, os dedos crisparam-se como se apertassem o cabo de uma arma pronta a ser brandida na luta..." (Afonso Arinos, *Pelo Sertão,* p. 45.) [Cf. *crespar.*]

crispatura. *S. f.* V. *crispação.*

crispim. [T. onom.] *S. m.* **1.** *Bras., N.E.* V. *saci* (2). **2.** *Teat.* Personagem da *commedia dell'arte* [q. v.] e da antiga comédia francesa, que representava o criado irrequieto, pretensioso, velhaco e bajulador. [Vestia-se geralmente de negro, e usava espadim e botas.]

crisso. *S. m. Zool.* Região em volta do ânus das aves.

crista. [Do lat. *crista.*] *S. f.* **1.** Excrescência carnosa existente na cabeça dos galos e doutros galináceos. **2.** A parte terminal do abdome dos pássaros, entre as coxas e a cauda. **3.** Saliência no alto da cabeça de certos peixes e reptis. **4.** Lígula da folha das palmeiras. **5.** Penacho, poupa. **6.** O ponto mais alto; cocuruto, grimpa: "Ao fundo o mar batia a crista dos escolhos ..." (Manuel Bandeira, *Estrela da Vida Inteira,* p. 44) **7.** Aresta (de monte) resultante da união das vertentes pela parte superior. **8.** V. *cume* (1). **9.** *Anat.* Designação comum às saliências estreitas e alongadas de certos ossos. **10.** *Bras. Gír.* Cabeleira, cabelo. ♦ **Crista dorsal.** *Zool.* Quilha dorsal. **De crista caída.** *Fam.* Desanimado, desencantado, abatido; desiludido. **Jogar as cristas.** Brigar, lutar. **Na crista da onda.** *Fig.* Em situação relevante (na sociedade, na política, nas artes, etc.): *estar, achar-se, andar na crista da onda.*

cristã. *Adj. (f).* e *s. f.* Fem. de *cristão* [q. v.].

crista-de-galo. *S. f. Bras. N.E.* e *L.* Designação comum a várias plantas ornamentais, das famílias amarantáceas, de folhas comestíveis, flores dispostas em espiga, com bractéolas estreitas, e cujo fruto é cápsula ovóide, com sementes; beijo-de-palmas, bredo-de-namorado, bredo-vermelho, caruru-do-mato, veludo. [Pl.: *cristas-de-galo.*]

crista-de-mutum. *S. f. Bras.* Trepadeira da família das leguminosas, subfamília papilionácea (*Mucuna huberi Ducke*), cujas flores, alaranjadas e muito grandes, são consideradas as mais belas dessa subfamília. [Pl.: *cristas-de-mutum.*]

crista-de-peru. *S. f.* **1.** *Bras., BA.* Designação comum a vários arbustos ornamentais da família das euforbiáceas, de flores dióicas, vermelhas, dispostas em espigas, e folhas membranosas e variegadas, sendo os frutos cápsulas triloculares; rabo-de-macaco. **2.** V. *acalifa.* **3.** Ganha-saia (1). [Pl.: *cristas-de-peru.*]

cristado. [Do lat. *cristatu.*] *Adj.* Que tem crista.

cristal. [Do lat. *crystallu.*] *S. m.* **1.** *Fís.* Substância sólida cujas partículas constitutivas (átomos, íons ou moléculas) estão arrumadas regularmente no espaço. **2.** *Min.* Cristal de rocha. **3.** Vidro constituído de três partes de sílica, duas de óxido de chumbo e uma de potássio. **4.** Vidro muito límpido e puro. **5.** Objeto de cristal (3). **6.** *Fig.* Limpidez, transparência: *o cristal das águas.* **7.** *Fig.* O que tem sonoridade cristalina [v. *cristalino* (4)]: *É belo o cristal de sua voz.* ♦ **Cristal biaxial.** *Min.* O que tem dois eixos ópticos. **Cristal de rocha.** *Min.* Quartzo vítreo incolor. [Tb. se diz apenas *cristal.*] **Cristal gêmeo.** *Min.* Designação comum aos cristais grupados de modo regular e que não cresceram isorientados na sua estrutura cristalina. **Cristal hectoédrico.** *Min.* O que tem 100 faces. **Cristal hemiédrico.** *Min.* O que apresenta hemiedria. **Cristal hemiprismático.** *Min.* O que só deixa ver metade das suas faces. **Cristal hemisferoédrico.** O que tem a aparência de um hemisferóide. **Cristal heterônomo.** *Min.* Aquele cuja formação se desvia das leis conhecidas. **Cristal leptomórfico.** *Min.* Cristal muito miúdo. **Cristal líquido.** *Fís.* Líquido que apresenta uma regularidade parcial na arrumação espacial de suas partículas constitutivas. **Cristal negativo.** *Ópt.* Cristal monaxial em que o índice de refração extraordinário é menor que o índice de refração ordinário. **Cristal piezelétrico.** *Fís.* Aquele entre cujas faces uma compressão cria uma diferença de potencial elétrico. **Cristal positivo.** *Ópt.* Cristal monaxial em que o índice de refração extraordinário é maior que o índice de refração ordinário.

cristaleira. *S. f. Bras.* Armário envidraçado onde se guardam objetos de cristal, garrafas, copos, etc.

cristaleiro. [De *cristal* (2) + *-eiro.*] *S. m. Bras., MG.* Homem que se ocupa com a exploração de cristais; garimpeiro.

cristalandense. *Adj. 2 g.* **1.** De, ou pertencente ou relativo a Cristalândia (GO). ● *S. 2 g.* **2.** Natural ou habitante de Cristalândia.

cristalense. *Adj. 2 g.* **1.** De, ou pertencente ou relativo a Cristais (MG). ● *S. 2 g.* **2.** Natural ou habitante de Cristais.

▲cristali-. Equiv. de *cristalo-.*

cristalífero. [De *cristali-* + *-fero.*] *Adj.* Que contém cristais.

cristalinense. *Adj. 2 g.* **1.** De, ou pertencente ou relativo a Cristalina (GO). ● *S. 2 g.* **2.** Natural ou habitante de Cristalina.

cristalinidade. *S. f.* Qualidade de cristalino.

cristalino. [Do gr. *krystállinos,* pelo lat. *crystallinu.*] *Adj.* **1.** Pertencente ou relativo ao cristal. **2.** Que tem a forma de cristal (1). **3.** Límpido como cristal; muito claro; transparente: "Junto ao rio cristalino / Brincava o ledo menino." (Gonçalves Dias, *Obras Poéticas,* II, p. 50). **4.** Cujo som semelha o do cristal quando ferido: *voz cristalina.* ~ V. *estrutura —a, grupamento —, retículo —, rocha —a* e *sistema —.* ● *S. m.* **5.** *Anat.* Estrutura ocular biconvexa, transparente, localizada entre a câmara posterior e o corpo vítreo, e que constitui parte do mecanismo de refração ocular.

cristalito. *S. m. Min.* Cristal microscópico, de forma variada, que ocorre disseminado em certos vidros vulcânicos.

cristalização. *S. f.* **1.** Ato ou efeito de cristalizar(-se). **2.** *Fís.-Quím.* Passagem de uma substância dum estado amorfo (líquido ou gás) para o estado cristalino, ou de uma solução para esse estado. **3.** Aglomerado de cristais [v. *cristal* (2)]. **4.** Estado do que cristalizou [v. *cristalizar* (2)] *a cristalização de uma mentalidade.* ♦ **Cristalização fracionada.** *Quím.* Processo de separação de substâncias dissolvidas, baseado nas diferenças de solubilidade de cada uma, e que consiste em evaporar uma solução, em condições controladas de pressão, temperatura e concentração, para obter a cristalização de cada soluto sob forma pura.

cristalizado. [Part. de *cristalizar.*] *Adj.* **1.** Que se cristalizou. **2.** Diz-se da fruta preparada para ser envolvida em açúcar, o qual, depois de seco, se solidifica, formando na superfície dela uma leve crosta: *caju cristalizado; figo cristalizado.*

cristalizador (ô). *Adj.* **1.** Que cristaliza. ● *S. m.* **2.** Frasco aberto, em geral com diâmetro maior que a altura, usado em laboratório para se obterem cristais por evaporação do solvente, ou como cuba em diversos misteres. **3.** *Tec. Quím.* Vaso provido de elementos de calefação e de agitação onde se efetua, mediante a vaporização de um solvente, a cristalização de um soluto. **4.** *Bras.* Tanque onde se põe em movimento, por meio de pás ou de hélices, a massa cozida do açúcar, antes de centrifugado, a fim de aumentar-lhe os cristais.

cristalizar. *V. t. d.* **1.** Dar a forma e a contextura do cristal a; converter em cristal: "— O sol ouviu-os e redargüiu que sim, que cristalizassem as lágrimas e fizessem delas uma estrela." (Machado de Assis, *Páginas Recolhidas*, p. 109). *T. i.* **2.** Permanecer (em um mesmo estado); não experimentar mudança: *Suas idéias cristalizaram na mentalidade obsoleta de seu século. Int. e p.* **3.** Adquirir a forma de cristal ou cristais. **4.** Permanecer em um mesmo estado; não experimentar mudança. **5.** Tornar-se concreto; consolidar-se, materializar-se: "No momento em que um grande infortúnio nos fere, temos apenas alma para sofrer e chorar. Depois, sim! depois é que o sofrimento pode cristalizar-se em versos." (Olavo Bilac, *Conferências Literárias.* p. 41.)

cristalizável. *Adj. 2 g.* Suscetível de se cristalizar.

▲**cristalo-.** [Do gr. *krístallos, ou.*] *El. comp.* = 'cristal': *cristalogenia.* [Equiv.: *cristali-*: *cristalífero.*]

cristaloblástico. *Adj.* ~ V. *textura* — a.

cristalografia. [De *cristalo-* + *-graf(o)-* + *-ia.*] *S. f.* Ciência que se ocupa dos cristais, das suas formas e estrutura, e das leis que regem a sua formação.

cristalográfico. *Adj.* Referente à cristalografia. ~ V. *eixo* —.

cristalógrafo. [De *cristalo-* + *-grafo.*] *S. m.* Especialista em cristalografia.

cristalóide. [Do gr. *krystalloeidés.*] *Adj. 2 g.* **1.** Semelhante a cristal. ● *S. m.* **2.** *Anat.* Membrana que envolve o cristalino do olho. **3.** *Fís.-Quím.* Substância que usualmente não forma soluções coloidais, e que pode atravessar membranas semipermeáveis. **4.** *Min.* Corpo diminuto, sem contorno geométrico, que polariza a luz por ser dotado de estrutura cristalina.

cristalologia. [De *cristalo-* + *-log(o)-* + *-ia.*] *S. f.* Tratado acerca dos cristais.

cristalológico. *Adj.* Referente à cristalologia.

cristalomancia (cí). [De *cristalo-* + *-mancia.*] *S. f.* Adivinhação por meio de imagens que se formam, ou se supõe formarem-se, em cristais, espelhos, cubos de gelo e outros objetos capazes de reflexão.

cristalomante. [De *cristalo-* + *-mante.*] *S. 2 g.* Pessoa dada à prática da cristalomancia.

cristalomântico. *Adj.* Relativo à cristalomancia, ou a cristalomante.

cristalotecnia. [De *cristalo-* + *-tecn(o)-* + *-ia.*] *S. f.* Arte de trabalhar os cristais ou de produzi-los artificialmente.

cristalotécnico. *Adj.* Pertencente ou relativo à cristalotecnia.

cristalotomia. [De *cristalo-* + *-tom(o)* + *-ia.*] *S. f.* Arte de talhar ou cortar os cristais.

cristalotômico. *Adj.* Pertencente ou relativo à cristalotomia.

cristandade. [Do lat. tardio *christianitate.*] *S. f.* **1.** O conjunto dos povos ou países cristãos. **2.** Qualidade do que é cristão.

cristão. [Do lat. *christianu.*] *Adj.* **1.** Do, ou relativo ou pertencente ao cristianismo. **2.** Que o professa. **3.** Que sofre ou sofreu influência do cristianismo: *humanismo cristão; vida cristã.* ~V. *ciência*—ã e *era* — ã.● *S. m.* **4.** Aquele que professa o cristianismo, que é sectário dele. **5.** *Bras.* Criatura humana; pessoa: *Dói na alma de um cristão ver tanta miséria.* **6.** *Bras., SC.* Alcunha que se dava aos membros do partido conservador, em contraposição a *judeu*, como eram alcunhados os liberais. [Flex.: *cristã, cristãos, cristãs;* superl. abs. sint.: *cristianíssimo.*]

cristão-novo. *S. m.* Judeu convertido à fé cristã. [Flex.: *cristã-nova, cristãos-novos, cristãs-novas.*]

cristão-velho. *S. m.* Cristão que não descende de judeus. [Flex.: *cristã-velha, cristãos-velhos, cristãs-velhas.*]

cristear. [De *cristo* (3) + *-ear.*] *V. t. d. Pop.* **1.** Enganar, lograr, intrujar. **2.** Zombar de; desfrutar. [Conjug.: v. *frear.*]

cristel. *S. m. Ant. Pop.* Clister. [Pl.: *cristéis.*]

cristianismo. [Do gr. *christianismós*, pelo lat. *christianismu.*] *S. m.* **1.** O conjunto das religiões cristãs, i. e., baseadas nos ensinamentos, na pessoa e na vida de Jesus Cristo: o catolicismo, o protestantismo, e religiões ortodoxas orientais. **2.** Cada uma dessas religiões.

cristianíssimo. [Do lat. *christianissimu.*] *Adj.* Superl. abs. sint. de *cristão*: "tomou a decisão heróica de correr em auxílio da pobre sofredora. A sua formação cristianíssima, arrebatada pela sublimidade do gesto, não hesitou um só momento." (Orlando Gonçalves, *Este Mundo dos Homens*, p. 101).

cristianização. *S. f.* Ato ou efeito de cristianizar(-se).

cristianizador (ô). *Adj.* e *s. m.* Que ou aquele que cristianiza.

cristianizar. [Do gr. *christinízo*, pelo lat. *christianizare.*] *V. t. d.* **1.** Tornar cristão; converter à fé cristã : "Havia que batizar todos os negros, segundo os Mandamentos da Santa Madre Igreja, cristianizá -los, para que assim se salvassem" (Herberto Sales, *Os Pareceres do Tempo*, p. 31). **2.** Dar caráter cristão a: *Cristianizou o texto antes de o publicar. P.* **3.** Fazer-se cristão.

cristianopolino. *Adj.* **1.** De, ou pertencente ou relativo a Cristianópolis (GO). ● *S. m.* **2.** O natural ou habitante de Cristianópolis.

cristinense. *Adj. 2 g.* **1.** De, ou pertencente ou relativo a Cristina (MG). ● *S. 2 g.* **2.** Natural ou habitante de Cristina.

cristino-castrense. *Adj. 2 g.* **1.** De, ou pertencente ou relativo a Cristino Castro (PI). ● *S. 2 g.* **2.** Natural ou habitante de Cristino Castro. [Pl.: *cristino-castrenses.*]

cristinopolense. *Adj. 2 g.* **1.** De, ou pertencente ou relativo a Cristinópolis (SE). ● *S. 2 g.* **2.** Natural ou habitante de Cristinópolis.

cristo. [De *Cristo*, 'sagrado nome do Salvador'.] *S. m.* **1.** A imagem de Jesus Cristo crucificado: "sobressaía uma lindíssima cruz d'ouro fosco sobre a qual agonizava um Cristo artisticamente burilado pregado com cravos de diamantes" (Bernardo Pinheiro, Pindela, *Azulejos*, p. 105). [Seria mais razoável o emprego de minúscula inicial, nesta acepç.] **2.** Redentor, Messias. **3.** *Bras. Pop.* Vítima de logro, perseguição, zombaria, coisa desagradável. ♦ **Bancar o cristo.** *Bras.* Expiar ou pagar pelos outros; ser o cristo. **Ser o cristo.** *Bras.* Bancar o cristo.

cristocêntrico. [De *Cristo* + *-centr(o)-* + *-ico*[3].] *Adj.* Diz-se de qualquer sistema teológico, filosófico, cultural, etc., que tem Jesus Cristo como centro.

cristologia. [Do hier. *Cristo* + *-log(o)* + *-ia.*] *S. f.* Tratado acerca da pessoa de Jesus Cristo e sua doutrina.

cristológico. *Adj.* Referente à cristologia.

cristólogo. *S. m.* Especialista em cristologia.

cristovense. *Adj. 2 g.* **1.** De, ou pertencente ou relativo a São Cristóvão (SE). ● *S. 2 g.* **2.** Natural ou habitante de São Cristóvão.

critério. [Do gr. *kritérion*, pelo lat. *criteriu.*] *S. m.* **1.** Aquilo que serve de base para comparação, julgamento ou apreciação. **2.** Princípio que permite distinguir o erro da verdade. **3.** V. *discernimento* (2). **4.** Discernimento, circunspeção, prudência. **5.** Modo de apreciar coisas e/ou pessoas. **6.** *Filos.* Sinal que permite reconhecer uma coisa ou uma noção.

criteriologia. [De *critério* + *-log(o)-* + *-ia.*] *S. f.* Parte da lógica que estuda os critérios da verdade.

criteriológico. *Adj.* Referente à criteriologia.

criterioso (ô). *Adj.* **1.** Que revela, ou em que há critério. **2.** Acertado, ajuizado, judicioso.

crítica. [Fem. substantivado do adj. *crítico;* subentende-se *arte.*] *S. f.* **1.** Arte ou faculdade de examinar e/ou julgar as obras do espírito, em particular as de caráter literário ou artístico: *O "Jornal de Crítica", de Álvaro Lins, passa em revista diversos aspectos da literatura; crítica musical; crítica cinematográfica.* **2.** A expressão da crítica (1), em geral por escrito, sob forma de análise, comentário ou apreciação teórica e/ou estética: *As críticas de Sainte-Beuve são clássicas na literatura francesa.* **3.** O conjunto daqueles que exercem a crítica; os críticos: *Seu livro foi bem recebido pela crítica; "Sem receio de erro, afirmamos que grande parte da orientação cultural do nosso teatro se deve à crítica."* (Sábato Magaldi, *Panorama do Teatro Brasileiro*, p. 265). **4.** Juízo crítico; discernimento, critério. **5.** Discussão dos fatos históricos. **6.** Apreciação minuciosa; julgamento. **7.** Ato de criticar, de censurar; censura, condenação. **8.** *Restr.* Julgamento ou apreciação desfavorável, censura: *Não suporta a mínima crítica.* [Cf. *critica*, do v. *criticar.*] ♦ **Crítica textual.** V. *ecdótica.* **Abaixo da crítica.** Muito mau ou censurável; lastimável: *um texto abaixo da crítica; procedimento abaixo da crítica.* **Nova crítica.** Movimento crítico-literário surgido nos E.U.A. (*The New Criticism*) na década de 30, que modificou profundamente a crítica e o estilo da literatura, por considerar a obra literária como um todo autônomo e auto-suficiente, com seus elementos organicamente relacionados, independente de dados históricos ou biográficos do autor, atribuindo a verdadeira significação dela à intenção do autor ao escrevê-la.

criticador (ô). *S. m.* Aquele que tem por costume criticar, dizer mal de alguém ou de algo.

criticalidade. *S. f. Eng. Nucl.* Estado de um reator nuclear em que cada nêutron libertado em uma fissão produz, em média, uma fissão.

criticante. *Adj. 2 g.* e *s. 2 g.* Que ou quem critica.

criticar. *V. t. d.* **1.** Fazer a crítica (2) de. **2.** Dizer mal de; censurar. [Conjug.: v. *trancar.* Pres. ind.: *critico, criticas, critica*, etc. Cf. *crítico* e *crítica.*]

criticaria. *S. f. Deprec.* Conjunto de críticas ou de críticos.

criticastro. *S. m. Deprec.* Crítico reles; critiqueiro.

criticável. *Adj. 2 g.* Que se pode ou deve criticar.

criticismo. [Do al. *Kritizismus.*] *S. m. Filos.* Tendência a considerar a teoria do conhecimento como a base de toda a pesquisa filosófica. [Essa tendência encontrou sua expressão mais perfeita no sistema de Kant (v. *kantismo*), e leva, em graus e perspectivas diferentes, a uma posição relativista quanto ao conhecimento: a aceitação do valor e da infalibilidade do conhecimento humano dentro dos limites da experiência, ao mesmo tempo que a certeza da sua inadequação para transcender esses limites.]

criticista. *Adj. 2 g.* **1.** Respeitante ao, ou que é sectário do criticismo. ● *S. 2 g.* **2.** Sectário do criticismo.

crítico. [Do gr. *kritikós*, pelo lat. *criticu.*] *Adj.* **1.** Pertencente ou relativo à crítica. **2.** Relativo à crise. **3.** Que encerra crítica, julgamento: *observações críticas.* **4.** Grave, perigoso: *o período crítico de uma doença.* **5.** Embaraçoso, difícil, perigoso: *situação crítica.* **6.** *Eng. Nucl.* Diz-se de qualquer sistema ou processo em que se opera uma reação em cadeia com um fator de multiplicação efetivo igual à unidade. ~ V. *acoplamento* —, *área* —a, *conjunto* —, *descarga epiléptica* —a, *edição* —a, *editor* —, *massa* —a, *manifestação epiléptica* —a, *montagem* —a, *ponto* —, *potencial* —, *pressão* —a, *realismo* —, *silogismo* —, *temperatura* —a, *valor* — e *velocidade* —a. ● *S. m.* **7.** Aquele que faz críticas; censor. [Deprec.: *criticastro, critiqueiro.* Cf. *critico*, do v. *criticar*, e *críptico.*]

critiqueiro. *S. m. Deprec.* Criticastro.

critiquice. *S. f. Deprec.* **1.** Crítica ordinária. **2.** Mania de criticar ou censurar à toa.

crivação. *S. f.* Ato ou efeito de crivar(-se).

crivado. [Part. de *crivar.*] *Adj.* Furado em muitas partes; cravejado; atravessado: *Esfaquearam-no, o corpo estava crivado.* ~ V. *placa* —a.

crivador (ô). *Adj.* **1.** Que criva. ● *S. m.* **2.** Aquele que criva. **3.** *Bras., MA. Folcl.* V. *pererengue.*

crivar. [Do lat. *cribrare.*] *V. t. d.* **1.** Passar por crivo. **2.** Furar em muitos pontos: "Previa-os relutantes ...., amarrando-o a uma árvore, crivando-o de setas como a outro S. Sebastião." (Inglês de Sousa, *O Missionário*, p. 214.) **3.** Encher de pintas; sarapintar. *T. d. e i.* **4.** Encher, cobrir: "Ao sairmos da aula, Beirão foi cercado por um magote de alunas que lhe interceptavam os passos, crivando -o de perguntas." (Ciro dos Anjos, *Abdias*, p. 25.) *P.* **5.** Ficar crivado, traspassado. [Pres. subj.: *crive*, ... *crivemos, criveis, crivem.* Cf. *críveis.* pl. de *crível.*]

crível. [Do lat. *credibile.*] *Adj. 2 g.* Que se pode crer; acreditável. [Pl.: *críveis;* superl. abs. sint.: *credibilíssimo.* Cf. *criveis*, do v. *crivar.*]

crivo. [Do lat. *cribru.*] *S. m.* **1.** Peneira de arame; joeira. **2.** Coador (2). **3.** V. *pausa* (4). **4.** Objeto muito esburacado. **5.** *Bras.* A grelha das fornalhas dos engenhos. **6.** *Bras.* Cada uma das barras de que ela se constitui. **7.** *Bras.* Bordado de bastidor para o qual se prepara o pano tirando-lhe alguns fios interpolados, tanto na largura como no comprimento, até formarem uma espécie de grade: "Sinhá Rita vivia principalmente de ensinar a fazer renda, crivo e bordado." (Machado de Assis, *Páginas Recolhidas*, p. 5.) [Sin., nesta acepç.: *labirinto* (N. e N.E.), *barafunda* e *lavarinto*.] **8.** *Fig.* Apreciação minuciosa; crítica: *passar pelo crivo da censura.* ♦ **Crivo de Eratóstenes.** *Arit.* Método de construir uma tábua de números primos escrevendo a sucessão dos números naturais ímpares e eliminando sucessivamente os múltiplos de 3, de 5, de 7, etc.

crivoso (ô). *Adj. Anat. Veg.* Provido de pequeninas perfurações: *tubo crivoso.*

crixaense. *Adj. 2 g.* **1.** De, ou pertencente ou relativo a Crixás (GO). ● *S. 2 g.* **2.** Natural ou habitante de Crixás.

crixaná. *Bras. S. 2 g.* **1.** Indivíduo dos crixanás, tribo caraíba dos mananciais do Jauaperi. ● *Adj. 2 g.* **2.** Pertencente ou relativo a essa tribo.

cró. *S. m.* Jogo de cartas em que ganha o parceiro que primeiro reúne um naipe completo.

croa (ô). *S. f.* Var. de *coroa.*

croá. *S. m. Bras.* V. *caroá.*

croácio. *Adj.* Croata (1).

croata. [Do eslavônio *krovat*, 'montanhês', atr. do fr. *croate.*] *Adj. 2 g.* **1.** De, ou pertencente ou relativo à Croácia (Iugoslávia); croácio. ● *S. 2 g.* **2.** Natural ou habitante da Croácia.

croatá. *S. m. Bras.* V. *caroá.*

croca[1]. *S. f.* **1.** Porca que trata mal os leitões. **2.** Mulher pouco amorosa para com os filhos.

croca[2]. *S. f.* Uma das peças da charrua.

croça[1]. [Do fr. *crosse.*] *S. f.* Bastão episcopal. [A boa escrita seria *crossa.*]

croça[2]. *S. f. Ant.* Var. de *coroça* (1) [q. v.].

crocal. [Do lat. *crocallis.*] *S. m.* Pedra fina, da cor da cereja ou do açafrão.

crocante. [Do fr. *croquant.*] *Adj. 2 g.* **1.** Que produz, ao ser mordido, um ruído seco característico. **2.** Diz-se de biscoito, chocolate, ou outra guloseima preparada com castanhas, ou amendoins, ou amêndoas, ou nozes, ou açúcar caramelado.

cróceo. [Do lat. *croceu.*] *Adj.* Da cor do açafrão: "Veludo cróceo, deslumbrante, quente, / Cheio d'alma odorosa das violetas" (Luís Delfino, *Algas e Musgos*, p. 89).

croché. *S. m.* Crochê [q. v.]: "Dona Santa .... limitava-se a ouvir a conversa, ora fumando, ora fazendo croché" (M. Rodrigues de Melo, *Várzea do Açu*, p. 181).

crochê. [Do fr. *crochet.*] *S. m.* **1.** Tecido rendado executado à mão com uma agulha provida dum gancho na extremidade, e utilizado na confecção de peças ornamentais, de vestuário e outras. [Cf. *ponto alto.*] **2.** O ato de fazer crochê: *O crochê era sua principal ocupação.* **3.** *Bras., GO. Pop.* Permuta de várias coisas ao mesmo tempo. [Var. pros.: *croché.*]

crocheteira. [De *croché* + *-t-* + *-eira.*] *S. f.* Mulher que se ocupa em trabalhos de crochê.

crocidismo. [Do gr. *krocidismós*, pelo lat. *crocidismu.*] *S. m. Psiq.* Carfologia (1).

crocidolita. [Do gr. *krokís*, 'urdidura', + *-lito.*] *S. f. Min.* Variedade azulada de asbesto, de fibras longas e finas.

crocitante. [Do lat. *crocitante.*] *Adj. 2 g.* Que crocita: "E, sobre o humano açougue, crocitante, / Abre o sinistro corvo as asas largas..." (Raimundo Correia, *Poesias*, p. 224).

crocitar. [Do lat. *crocitare.*] *V. int.* **1.** Soltar a sua voz (o corvo); corvejar: "E ao pino do meio-dia, quando o Sol faiscava causticante nos rochedos — passava na direção da montanha, crocitando lugubremente, a esfaimada legião dos amaldiçoados corvos..." (Trindade Coelho, *Os Meus Amores*, p. 208). **2.** Imitar a voz do corvo; corvejar.

crocito. [Do lat. *crocitu.*] *S. m.* A voz do corvo, do condor, e doutras aves.

crocodiliano. *S. m.* **1.** Espécime dos crocodilianos. ● *Adj.* **2.** Pertencente ou relativo a eles. [Sin. ger.: *loricados.*]

crocodilianos. *S. m. pl. Zool.* Ordem de reptis de grande porte, coração com quatro cavidades, fenda anal longitudinal, dentes alveolados e palato bem constituído. São animais pulmonados, mas habitam os rios, deixando à tona da água só as narinas e os olhos. [A ordem compreende, além do crocodilo, os jacarés, o gavial e os aligatores. Sin.: *loricados.*]

crocodilo. [De um voc. egípcio = 'verme das pedras', atr. do gr. *krokódeilos* e do lat. *crocodilu.*] *S.m.* Designação comum aos reptis da ordem dos crocodilianos, em especial aos do gênero *Crocodilus.*

crocoió. *S. m. Bras., SP.* **1.** V. *alma-de-gato* (1). **2.** V. *corocoxó.*

crocoíta. [Do gr. *krókos*, 'açafrão' + *ita*[3].] *S. f. Min.* Mineral monoclínico, vermelho, cromato de chumbo.

crocoroca. *S. f. Bras.* V. *corcoroca* (1 e 2).

króia. [De *coira*, com metátese.] *S. f. Lus.* V. *meretriz.*

croinha (o-í). [De *coroinha*, com *síncope.*] *S. m. Bras.* **1.** Coroinha. **2.** V. *coroa* (18).

croma. *S. m. Telev.* Sinal que contém a informação referente às cores da imagem.

▲crom(a)-. [Do gr. *chrôma, atos.*] *El. comp.* = 'cor', 'pigmento': *cromatóforo.* [Equiv.: *cromo-*: *cromocalcografia.*]

cromado. [Part. de *cromar.*] *Adj.* **1.** Que tem cromo. **2.** Diz-se do metal a que se deu revestimento de cromo. ● *S. m.* **3.** Acessório cromado de um veículo automóvel, etc.

cromadorídio. *S. m.* **1.** Espécime dos cromadorídios. ● *Adj.* **2.** Pertencente ou relativo a eles.

cromadorídios. *S. m. pl. Zool.* Animais asquelmintos nematódios, da ordem *Chromadorida*, afasmídios, de esôfago curto e dividido em três regiões. Vivem na água doce ou salgada.

cromagem. *S. f.* Ação ou efeito de cromar.

cromar. *V. t. d. Quím.* Recobrir (uma superfície metálica), em geral por processo eletrolítico, com uma película de cromo. [Pres. subj.: *crome*, ... *cromeis*, *cromem*. Cf. *croméis*, pl. de *cromel.*]

cromática. [Fem. substantivado de *cromático.*] *S. f.* **1.** Ciência que estuda as cores. **2.** A arte de combinar as cores.

cromaticidade. [De *cromático* + *-i-* + *-dade.*] *S. f. Ópt.* Propriedade de uma radiação luminosa visível que caracteriza a sua cor, independentemente da sua intensidade.

cromático. [Do lat. *chromaticu.*] *Adj.* **1.** Respeitante a cores; crômico. **2.** Relativo a cor (ô) (3). **3.** *Citol.* Relativo à cromatina. **4.** *Mús.* Composto de uma série de semitons. ~ V. *aberração —a, escala —a, sistema —* e *trompete —.*

cromátide. *S. f. Citol.* Filamento em que se divide longitudinalmente o cromossomo durante a cariocinese.

cromatina. [De *cromat(o)-* + *-ina.*] *S. f. Citol.* Substância existente no núcleo celular, e que se cora intensamente pelos corantes básicos; cariotina.

cromatismo. [Do gr. *chromatismós.*] *S. m.* **1.** Distribuição harmoniosa das cores. **2.** *Mús.* Divisão da oitava em 12 partes iguais, mediante a decomposição de cada tom (10) da escala diatônica em dois semitons, um cromático e outro diatônico obtendo-se, assim, uma escala cromática cuja notação depende do tom e do modo da escala diatônica de que se originou a escala cromática. [O cromatismo tende a destruir a noção de tonalidade devido à igual dignidade concedida aos 12 graus da escala cromática.] **3.** *Mús.* Emprego do cromatismo (2) na composição: *cromatismo wagneriano.*

cromato. *S. m. Quím.* Qualquer sal do ácido crômico.

▲cromat(o)-. [Do gr. *chrôma, chrometos.*] *El. comp.* = 'cor': *cromatóforo.* [Equiv.: *-cromat(o)-*: *hemocromatose.*]

▲-cromat(o)-. Equiv. de *cromat(o)-.*

cromatófilo. [De *cromat(o)-* + *-filo*[2].] *Adj.* Que se cora por corante básico.

cromatóforo. [De *cromat(o)-* + *-foro.*] *S. m. Citol.* Célula do derma da pele que contém pigmento, podendo alterar, mercê de suas rápidas modificações, a cor do animal que a possui.

cromatogênico. [De *cromat(o)-* + *-gen(o)-* + *-ico*[2].] *Adj.* Que produz cor.

cromatográfico. *Adj.* ~ V. *coluna —a.*

cromatólise. [De *cromat(o)-* + *-lise.*] *S. f. Citol.* Lise ou destruição da cromatina.

cromel. *S. m. Quím.* Liga metálica constituída por 90% de níquel e 10% de cromo, utilizada, com freqüência, na feitura de pares termelétricos. [Pl.: *croméis.* Cf. *cromeis*, do v. *cromar.*]

crômio. *S. m.* Cromo[1].

crômico. *Adj.* **1.** Cromático (1). **2.** *Quím.* Diz-se dos derivados do cromo[1] trivalente.

cromífero. [De *crom(o)-* + *-i-* + *-fero.*] *Adj.* Que contém cromo[1].

crominiense. *Adj. 2 g.* **1.** De, ou pertencente ou relativo a Cromínia (GO). ● *S. 2 g.* **2.** Natural ou habitante de Cromínia.

cromista. [De *crom(o)-* + *-ista.*] *S. 2 g. Fotograv.* Gráfico que, nos processos de tricromia, prepara as placas, clichês, etc., correspondentes a cada cor, e faz os retoques necessários, inclusive nos negativos.

cromita. *S. f. Min.* Mineral monométrico, cromato de ferro, minério de cromo.

cromo[1]. [Do gr. *chrôma*, 'cor'.] *S. m. Quím.* Elemento de número atômico 24, metálico, duro, maleável, prateado, com um leve tom azulado, que forma inúmeras ligas e tem diversos usos importantes. [F. paral.: *crômio.* Símb.: *Cr.*]

cromo[2]. [F. red. de *cromolitografia.*] *S. m.* **1.** Figura estampada a cores, em geral com relevo, constituindo pequeno impresso recortado para colagem em álbuns, etc., ou imagem maior para pendurar em parede, inclusive como suporte de calendário: "nas paredes distanciavam-se pequenos cromos amarelados, representando marujos de chapéu de palha" (Aluísio Azevedo, *Casa de Pensão*, p. 87). **2.** V. *cromolitografia.* **3.** *Fot.* e *Art. Gráf.* Fotografia positiva e transparente em cores; transparência de cor; diapositivo. [Cf. *eslaide.*]

▲crom(o)-. Equiv. de *crom(a)-.*

cromocalcografia. [De *crom(o)-* + *calcografia.*] *S. f. Tip. P. us.* Calcografia a cores.

cromocalcográfico. *Adj. P. us.* Relativo à cromocalcografia.

cromófobo. [De *crom(o)-* + *-fobo.*] *Adj. Citol.* Que não se cora por corante básico.

cromofônico. *Adj.* ~ V. *música —a.*

cromóforo. [Do *crom(o)-* + *-foro.*] *S. m. Quím.* Grupo responsável pela cor de um composto.

cromógeno. [De *crom(o)-* + *-geno.*] *Adj.* e *s. m. Biol.* Diz-se de, ou microrganismo que produz coloração no meio onde se encontra.

cromogravura. [De *crom(o)-* + *gravura.*] *S. f.* Gravura em cores.

cromolitografia. [De *crom(o)-* + *litografia.*] *S. f.* Litografia em cores, obtida pela impressão sucessiva, com as tintas escolhidas, das pedras ou chapas de metal onde foram gravadas em separado as várias partes do desenho. [F. red.: *cromo*; sin. (p. us.): *litocromia.*]

cromolitográfico. *Adj.* Relativo à cromolitografia.

cromômero. [De *crom(o)-* + *-mero*[1].] *S. m.* Cada um dos grânulos de cromatina ao longo do cromossomo, na prófase, e que alguns admitem serem genes e outros não.

cromoplastofonia. [De *crom(o)-* + *-plast-* + *-o-* + *-fon(o)-* + *-ia.*] *S. f.* Composição artística que se caracteriza pelo uso simultâneo de cores, formas visuais e sons.

cromoplastofônico. *Adj.* Relativo à cromoplastofonia.

cromorno. *S. m. Mús.* Antiga família de instrumentos de sopro dotados de palheta dupla e com a extremidade inferior do tubo recurvada como um anzol.

cromosfera. [De *crom(o)-* + *-sfera.*] *S. f. Astr.* Camada da atmosfera solar, de cor vermelha brilhante, acima da camada inversora e abaixo da coroa.

cromosférico. *Adj.* Relativo à cromosfera.

cromossômico. *Adj.* De, ou pertencente ou relativo a cromossomo.

cromossomo. [De *crom(o)-* + *-somo.*] *S. m. Citol.* Corpúsculo em que se divide o núcleo celular no curso da mitose. Cora-se fortemente pelos corantes básicos. Cada espécie vegetal ou animal possui um número constante de cromossomos, que transmitem os caracteres hereditários de cada ser e constituem unidades definidas na formação do novo ser.

cromoterapia. [De *crom(o)-* + *terapia.*] *S. f. Med.* **1.** Terapêutica que utiliza luzes de várias cores. **2.** Emprego terapêutico de áreas limitadas do espectro.

cromoterápico. *Adj.* Relativo à cromoterapia.

cromotipia. [De *crom(o)-* + *-tip(o)-*[2] + *-ia.*] *S. f. Tip.* Qualquer processo de impressão tipográfica a cores; cromotipografia.

cromotípico. *Adj.* Relativo à cromotipia.

cromotipografia. [De *crom(o)-* + *tipografia.*] *S. f. Tip.* Cromotipia.

cromotipográfico. *Adj.* Relativo à cromotipografia.

cron. *S. m. Biol.* Unidade de tempo evolutivo, correspondente a 1 milhão de anos.

cronaxia (cs). *S. f. Fisiol.* O tempo mínimo necessário para que uma corrente, que seja o dobro da reóbase, provoque contração muscular.

cronhada. *S. f.* Var. de *coronhada*: "alvorotada [a passarada] pelo estrondo das cronhadas à porta principal" (Camilo Castelo Branco, *A Brasileira de Prazins*, p. 155).

crônica. [Do lat. *chronica.*] *S. f.* **1.** Narração histórica, ou registro de fatos comuns, feitos por ordem cronológica. **2.** Genealogia de família nobre. **3.** Pequeno conto de enredo indeterminado. **4.** Texto jornalístico redigido de forma livre e pessoal, e que tem como temas fatos ou idéias da atualidade, de teor artístico, político, esportivo, etc., ou simplesmente relativos à vida cotidiana. **5.** Seção ou coluna de revista ou de jornal consagrada a um assunto especializado: *crônica política; crôni-*

ca *teatral.* **6.** O conjunto das notícias ou rumores relativos a determinados assuntos: *É inacreditável a crônica dos conchavos ocorridos naquele distante município.* **7.** Biografia, em geral escandalosa, de uma pessoa: *Sua crônica é bem conhecida.*

cronicão. *S. m.* Crônicon: "Vocábulos .... que só por acaso se encontram nalgum velho cronicão ou antigo escritor continuam a viver entre o povo" (Dr. J. J. Nunes, *Digressões Lexicológicas,* p. 42).

cronicidade. *S. f.* Qualidade de crônico.

crônico. [Do gr. *cronikós,* pelo lat. *chronicu.*] *Adj.* **1.** Relativo a tempo. **2.** Que dura há muito. **3.** *Fig.* Persistente; entranhado, inveterado: *Coitado, sofre de burrice crônica.* **4.** *Patol.* Diz-se das doenças de longa duração, por oposição às de manifestação aguda: *bronquite crônica.*

crônicon. *S. m.* Volumosa crônica medieval; cronicão.

croniqueiro. *S. m. Fam. Deprec.* Cronista.

cronista. *S. 2 g.* Quem escreve crônicas. [Sin., fam. e deprec.: *croniqueiro.*]

▲**cron(o)-.** [Do gr. *chrónos, ou.*] *El. comp.* = 'tempo': *cronograma, cronaxia.*

cronofotografia. [De *cron(o)-* + *fotografia.*] *S. f.* Método de análise do movimento por meio de fotografias tiradas sucessivamente com intervalos iguais, e do qual proveio a cinematografia atual.

cronofotográfico. *Adj.* Referente à cronofotografia.

cronofotógrafo. [De *cron(o)-* + *fotógrafo.*] *S. m.* Aparelho com que se tiram cronofotografias.

cronografia. [Do gr. *chronographía.*] *S. f. P. us.* V. *cronologia.*

cronográfico. *Adj. P. us.* Relativo à cronografia.

cronógrafo. [De *cron(o)-* + *-grafo.*] *S. m. Astr.* Instrumento para medida de tempo e conservação de sua unidade.

cronograma [De *cron(o)-* + *-grama.*] *S. m.* **1.** Inscrição que encerra letras com realce especial, as quais, reunidas, formam uma data expressa em algarismos romanos. **2.** Representação gráfica da previsão da execução de um trabalho, na qual se indicam os prazos em que se deverão executar as suas diversas fases. **3.** *Astr.* Registro de um cronógrafo.

cronoinversão (o-in). [De *cron(o)-* + *inversão.*] *S. f. Med. Leg.* Gerontofilia.

cronologia. [Do gr. *chronología.*] *S. f.* **1.** Tratado das datas históricas. **2.** *Astr.* Ciência da utilização de regras baseadas na astronomia e em convenções próprias para estabelecer as divisões do tempo e a fixação das datas. [Sin. ger.; p. us.: *cronografia.*]

cronológico. [Do gr. *chronologikós.*] *Adj.* Relativo à cronologia. ~ V. *índice* — e *ordem* —*a.*

cronologista. *S. 2 g.* Especialista em cronologia.

cronometrado. [Part. de *cronometrar.*] *Adj.* Em que houve cronometragem.

cronometragem. *S. f.* Ato ou efeito de cronometrar.

cronometrar. *V. t. d.* Registrar de modo preciso, com o cronômetro, a duração de (um fenômeno, um ato, e, em especial, uma prova desportiva). [Pres. ind.: *cronometro,* etc. Cf. *cronômetro.*]

cronometria. [De *cronômetro* + *-ia.*] *S. f.* Técnica da medida dos intervalos de tempo e da conservação de sua unidade.

cronométrico. *Adj.* Referente à cronometria, ou a cronômetro.

cronometrista. *S. 2 g.* **1.** Fabricante e/ou vendedor de cronômetros. **2.** Pessoa encarregada de cronometrar.

cronômetro. [De *cron(o)-* + *-metro*[2].] *S. m.* Instrumento mecânico de precisão, para medir intervalos de tempo com aproximação de décimo de segundo ou menos. [Cf. *cronometro,* do v. *cronometrar.*]

cronônimo. [De *cron(o)-* + *-ônimo.*] *S. m.* Designação de divisões do tempo: nomes referentes ao calendário *(domingo, terça-feira, fevereiro, setembro);* de eras históricas *(Idade Média, Hégira),* ou de épocas (*Quinhentos* [o séc. XVI], *Oitocentos* [o séc. XIX]).

cronoscópio. [De *cron(o)-* + *-scop-* + *-io.*] *S. m. Eletrôn.* Dispositivo para medir pequenos intervalos de tempo entre dois fenômenos mediante a posição de dois impulsos elétricos, originados por aqueles numa linha de transmissão.

croque. [Do fr. *croc.*] *S. m.* **1.** *Marinh.* Vara provida de um gancho na extremidade, e utilizada pelos marinheiros para atracar barcos. [Cf. *ganchorra.*] **2.** *Bras.* e *prov. port.* V. *cascudo*[2]. [Var., bras. S.: *cocre.*]

croqué. [Do fr. *croquet.*] *S. m.* Jogo em que bolas de madeira, impelidas por um taco em forma de marreta, devem passar sob pequenos arcos, seguindo um trajeto predeterminado; toque-emboque.

croquete. [Do fr. *croquette.*] *S. m.* Bolinho de carne, galinha, camarão, etc., moídos, passado em farinha de rosca e frito. [Cf. *almôndega.*]

croqui. [Do fr. *croquis.*] *S. m.* Esboço, em breves traços, de desenho ou de pintura.

➧**cross-country** (croç cântri). [Ingl.] *S. m. Esport.* Corrida que não se realiza em pistas convencionais, e na qual os competidores enfrentam obstáculos naturais, durante o percurso.

cróssima. [Do ingl. *crossing,* 'cruzamento'.] *S. f. Bras.* Peça triangular de ferro ou de aço, colocada nos desvios das vias férreas, nos pontos onde os trilhos se interceptam.

➧**crossing over** (cróssin ôver). [Ingl.] *S. m. Genét.* Permuta (3).

crossopterígio. *S. m.* **1.** Espécime dos crossopterígios. ● *Adj.* **2.** Pertencente ou relativo a eles.

crossopterígios. *S. m. pl. Zool.* Animais cordados, da classe dos peixes, coanictes, da superordem *Crossopterygii.* Pré-maxila e maxila presentes.

crossosomatácea. *S. f.* Espécime das crossosomatáceas.

crossosomatáceas. *S. f. pl. Bot.* Família de plantas floríferas, da ordem das rosales, que se distingue pelas sementes reniformes, as quais levam tecido nutritivo abundante e arilo multífido. Há tão-só duas espécies de arbustos microfilos, na América do Norte.

crossosomatáceo. *Adj.* Pertencente ou relativo às crossosomatáceas.

crosta (ô). [Do lat. *crusta.*] *S. f.* **1.** Camada de substância espessa que se forma sobre um corpo; coscoro, crusta. **2.** Casca, côdea, crusta: *a crosta do pão.* **3.** Escama que se forma na pele sobre uma ferida, ou por dessecação dalgum líquido secretado: "Grossas crostas de feridas arroxeadas cobriam a sua miserável cabeça" (Eça de Queirós, *Últimas Páginas,* p. 328). ♦ **Crosta da Terra.** *Geofís.* V. *litosfera.* **Crosta terrestre.** *Geofís.* V. *litosfera.*

crotalídeo. *Adj.* **1.** Pertencente ou relativo aos crotalídeos. ● *S. m.* **2.** Espécime dos crotalídeos.

crotalídeos. *S. m. pl. Zool.* Família de serpentes que tem por tipo o gênero crótalo.

crótalo. [Do gr. *krótalon,* pelo lat. *krotalu.*] *S. m.* **1.** Gênero de cobras muito venenosas, da família dos crotalídeos, que têm na cauda um guizo que chocalha quando elas rastejam ou batem com a cauda. É representado no Brasil por uma espécie (*Crotalus durissus*), a cascavel, e suas variedades. **2.** Antigo instrumento musical semelhante a castanholas, usado em especial pelos sacerdotes e sacerdotisas de Cíbele: "Tíbios flautins finíssimos gritavam; / E, as curvas harpas de ouro acompanhando, / Crótalos claros de metal cantavam..." (Olavo Bilac, *Poesias,* p. 135.)

crotalóide. [De *crótalo* + *-óide.*] *Adj. 2 g.* Semelhante ao crótalo.

crotão. *S. m. Bras., N.* e *N.E.* Cróton.

cróton. [Do lat. *croton.*] *S. m. Bras., N.* e *N.E.* Arbusto ornamental, da família das euforbiáceas (*Codiacum variegatum*), com inflorescência e longos racimos, flores monóicas, verdes ou amarelas, sendo o fruto uma cápsula trilocular, e as folhas variegadas; folha-de-papagaio: "O jardim todo tratado com roseiras florindo e crótons a vicejar." (José Lins do Rego, *Meus Verdes Anos,* p. 144.) [F. paral.: *crotão.*]

crotônico. *Adj.* ~ V. *ácido* —.

cru. [Do lat. *crudu.*] *Adj.* **1.** Que não está cozido: *carne crua.* **2.** Que não passou ainda por preparação: "a alpercata de couro cru estalava rudemente junto do sapato fino, pontiagudo, ... do reinol casquilho" (Euclides da Cunha, *Contrastes e Confrontos,* p. 57). **3.** Que nada tem que lhe atenue ou suavize a intensidade: *luz crua; tom cru;* "depois duns dias de aguaceiros, / Vibra uma imensa claridade crua." (Cesário Verde, *Obra Completa,* p. 98). **4.** Sem disfarce; sem rebuço: *Queria a verdade nua e crua: teve-a;* "Talvez em breve diga o que é o Cairo e o que é Jerusalém na sua crua e positiva realidade" (Eça de Queirós, *Notas Contemporâneas,* p. 1). **5.** Bárbaro, cruel: "esse homem cru amava particularmente o chicote e empregava-o a miúdo, sem hesitação nem remorso." (Machado de Assis, *Páginas Recolhidas,* p. 105). **6.** Áspero, duro: *palavras cruas.* **7.** Demasiado livre; chocante: *linguagem crua.* **8.** Angustiante, aflitivo, penoso, cruciante: "O cru dessossego / Do pai fraco e cego, / Enquanto não chego, / Qual seja, — dizei!" (Gonçalves Dias, *Obras Poéticas,* II, p. 24). [Pl.: *crus.* Cf. *cruz,* s. f., e *Cruz,* hier. e antr.] ~ V. *couro* —, *pano* —, *seda* —*a* e *tijolo* —. ♦ **A cru.** Sem rebuço ou disfarce; cruamente: "Viu tudo a cru: / Viu, sem refolhos, / Com os próprios olhos, / Seu corpo nu." (Martins Fontes, *Verão,* p. 223.)

cruá. [De possível or. tupi.] *S. f. Bras.* Trepadeira da família das cucurbitáceas (*Sicana odorifera*), da América do Sul tropical, de caule anguloso e sulcado, gavinhas com ventosas, e flores campanuladas, amarelo-alaranjadas. Usa-se como planta ornamental, e seus frutos e sementes são empregados na medicina popular: melão-caboclo.

crubixá. [Do tupi *kurubia'hab,* 'lugar onde se apanha seixo'.] *S. m. Bras.* Coral negro que se encontra em diversos pontos da costa brasileira.

▲**cruci-.** [Do lat. *crux, ucis.*] *El. comp.* = 'cruz': *cruciforme, crucirrostro.*

cruciação. *S. f.* Ato ou efeito de cruciar.

cruciador (ô). [Do lat. *cruciatore.*] *Adj.* **1.** V. *cruciante* (1). ● *S. m.* **2.** Aquele que crucia.

crucial[1]**.** [De *cruci-* + *-al.*] *Adj. 2 g.* Cruciforme.

crucial[2]**.** [Do lat. tardio *cruciale.*] *Adj. 2 g.* **1.** Difícil, árduo, duro: *Pobre e sem liberdade, está vivendo o momento mais crucial de sua vida.* **2.** Terminante, categórico, decisivo: *argumento crucial.* **3.** Muito importante; capital: *problema crucial.*

cruciana. *S. f. Bras.* Espécie de bambu.

cruciante. [Do lat. *cruciante.*] *Adj. 2 g.* **1.** Que crucia; cruciador, cruciário: "O Pereira da Costa, morto há um ano de doença cruciante, cerrou os olhos sem haver soltado um gemido." (João de Araújo Correia, *Sem Método,* p. 83.) **2.** V. *cru* (8).

cruciar. [Do lat. *cruciare.*] *V. t. d.* **1.** Crucificar (1). **2.** *Fig.* Crucificar (2): "Procura / Curtir sem queixa o mal que te crucia" (Manuel Bandeira, *Estrela da Vida Inteira,* p. 46). [Fut. pret.: *cruciaria,* etc. Cf. *cruciária,* fem. de *cruciário.*]

cruciário. [Do lat. *cruciariu.*] *Adj.* V. *cruciante* (1). [Fem.: *cruciária.* Cf. *cruciaria,* do v. *cruciar.*]

crucífera. [Fem. substantivado de *crucífero.*] *S. f.* Espécime das crucíferas.

crucíferas. *S. f. pl. Bot.* Família de plantas superiores, herbáceas quase todas, com flores racemosas, providas de quatro sépalas e pétalas, e quatro estames, dispostos dois a dois, sendo os internos mais longos. Ovário súpero, bilocular; fruto: *síliqua.* Existem cerca de 3.000 espécies, próprias dos países temperados e frios, muitas delas comestíveis, como a couve e o repolho, e outras ornamentais.

cruciferário. [Do lat. *crucifer,* 'que leva a cruz' + *-ário.*] *S. m.* Aquele que leva a cruz, nas procissões.

crucífero. [Do lat. *cruciferu.*] *Adj.* **1.** Que traz ou sustenta uma cruz: *estandarte crucífero.* **2.** Que tem flor cruciforme; crucígero. **3.** Pertencente ou relativo à família das crucíferas.

crucificação. *S. f.* **1.** Ato ou efeito de crucificar. **2.** *Restr.* Suplício do Cristo na cruz. [Sin. ger.: *crucificamento, crucifixão.*]

crucificado. [Part. de *crucificar.*] *Adj.* **1.** Pregado na cruz; crucifixo. ● *S. m.* **2.** Aquele que padeceu o suplício da cruz. **3.** *Restr.* Jesus Cristo.

crucificador (ô). *S. m.* Aquele que crucifica.

crucificamento. *S. m.* V. *crucificação.*

crucificar. [Do lat. *crucifigere.*] *V. t. d.* **1.** Pregar na cruz; aplicar o suplício da cruz a; cruciar: "finalmente o crucificariam [a Jesus] entre dois ladrões aos olhos da sua própria mãe." (Ramalho Ortigão, *As Farpas,* I, p. 88). **2.** *Fig.* Afligir muito; torturar, mortificar, atormentar, martirizar, cruciar: *As saudades crucificam -no; O mau comportamento do rapaz crucifica a família.* **3.** Criticar acerbamente, maldizer de, condenar (alguém): "louvando-o [ao Marquês de Pombal] uns em alta voz, ... crucificando -o outros sem piedade, para saciarem os ódios." (Rebelo da Silva, *Contos e Lendas,* p. 172). [Sin. ger.: *crucifixar.* Conjug.: v. *trancar.*]

crucifixão (cs). [Do lat. *crucifixione.*] *S. f.* V. *crucificação.*

crucifixar (cs). *V. t. d.* V. *crucificar.*

crucifixo (cs). [Do lat. *crucifixu.*] *S. m.* **1.** Imagem de Cristo pregado na cruz. ● *Adj.* **2.** Crucificado (1).

cruciforme. [De *cruci-* + *-forme.*] *Adj. 2 g.* Em forma de cruz; crucial: "Por influência dos equinócios e solstícios, sem falar nos símbolos cruciformes, a influência do quatro chegou a estender-se a muitos setores." (Augusto Meyer, *A Forma Secreta,* p. 158.)

crucígero. [Do lat. *crucigeru.*] *Adj.* Crucífero (2).

crucilandense. *Adj. 2 g.* **1.** De, ou pertencente ou relativo a Crucilândia (MG). ● *S. 2 g.* **2.** Natural ou habitante de Crucilândia.

crucirrostro. [De *cruci-* + *rostro.*] *Adj. Zool.* Cujo bico é cruzado.

crudelíssimo. [Do lat. *crudelissimu.*] *Adj.* Superl. abs. sint. de *cruel;* cruelíssimo.

▲**crudi-.** [Do lat. *crudus.*] *El. comp.* = 'cru': *crudívoro.*

crudivorismo. [De *crudívoro* + *-ismo.*] *S. m.* Procedi-

mento ou hábito de crudívoro.
crudívoro. [Do lat. *crudu*, 'cru' + -i- + -voro.] *Adj.* e *s. m.* Que ou aquele que se nutre de alimentos crus.
crueira. [Var. de *curuera*, do tupi *kuru'era*.] *S. f.* **1.** *Bras.* Resíduos da fabricação da farinha de mandioca, que, por grossos, não passam na urupema ou peneira; cruera, curuera, caruera, corera, quirera. **2.** *Bras., Amaz.* Fenômeno observado em certos rios onde a maré, depois de repontar, enche durante uns 15 minutos e recomeça a vazar durante igual tempo, para em seguida encher de vez; cuiuíra, cuinhira, cunhira. **3.** *Bras., PE.* Tumor seco que se manifesta na cabeça dos galináceos.
cruel. [Do lat. *crudele*.] *Adj. 2 g.* **1.** Que se compraz em fazer mal, em atormentar ou prejudicar; cruento: *indivíduo cruel*. **2.** Duro, insensível, desumano, cruento: *homem de natureza cruel*. **3.** Severo, rigoroso, tirano: *juiz cruel*. **4.** Que denota crueldade: *ação cruel; lei cruel*. **5.** Pungente, doloroso: *Foi-lhe cruel a perda do amigo;* "só depois de cruéis angústias tive o consolo de vê-la recobrar os sentidos" (José de Alencar, *Lucíola*, p. 185). **6.** Cruento (1): *luta cruel*. [Superl. abs. sint.: *crudelíssimo* e *cruelíssimo*.]
crueldade. [Do lat. *crudelitate*.] *S. f.* **1.** Qualidade do que é cruel: *A crueldade do seu procedimento horripilou a todos.* **2.** Ato cruel; crueza: *Lampião praticou muitas crueldades.* **3.** Dureza, rigor: a crueldade do destino.
cruelíssimo. *Adj.* Crudelíssimo.
cruentação. [Do lat. *cruentatione*]. *S. f.* Ato ou efeito de cruentar(-se).
cruentar. [Do lat. *cruentare*.] *V. t. d.* e *p.* V. *ensangüentar*.
cruento. [Do lat. *cruentu*.] *Adj.* **1.** Em que há sangue; sanguinolento, sangrento, cruel: *luta cruenta*. **2.** Banhado em sangue; ensangüentado. **3.** V. *cruel* (1 e 2): "Cafuz de força e agilidade sem medidas, cruento como Pajeú, primitivo a ponto de não proferir palavras senão grunhidos" (João Felício dos Santos, *João Abade*, p. 94).
cruera (ê). *S. f.* V. *crueira* (1).
crueza (ê). *S. f.* **1.** Estado de cru, do que não está cozido. **2.** Crueldade (2). **3.** Indisposição estomacal, por má qualidade dos alimentos ou difícil digestão deles. **4.** Estado da água que contém muitos sais calcários e é fria e indigesta.
crume. *S. m. Zool.* Crúmen [q. v.].
crúmen. [Do lat. *crumen*.] *S. m. Zool.* Glândula suborbicular de certos ruminantes, cuja secreção é odorífera. [F. paral.: *crume*. Pl. *crumens* e (p. us. no Brasil) *crúmenes*.]
cruor (ô). [Do lat. *cruore*.] *S. m.* **1.** Sangue derramado. **2.** Coágulo de sangue em que há hemácias.
crupe[1]. [Do ingl. *croup*, pelo fr. *croup*.] *S. m. Patol.* Obstrução laríngea aguda devida a processo inflamatório, corpo estranho, ou neoplasma, levando à sufocação. ♦ **Crupe diftérico.** *Patol.* O que ocorre na infecção laríngea pelo *Corynebacterium diphtheriae* com formação de membranas; difteria laríngea, garrotilho.
crupe[2]. *S. m.* Canhão fabricado nas indústrias Krupp, ou segundo o sistema de Krupp.
crupiara. *S. f. Bras. C.* V. gupiara.
crupiê. [Do fr. *croupier*.] *S. m.* Empregado que, especialmente nos cassinos, dirige o jogo, e paga e recolhe as apostas. [Var., em SP; *corrupiê* ou *corrupié*.]
crural. [Do lat. *crurale*.] *Adj. 2 g. Anat.* Relativo ou pertencente a coxa: *artéria crural*.
crurifrágio. [Do lat. *crurifragiu*.] *S. m.* Antigo suplício de quebradura das pernas: "Os mais devotos reclamavam que se aplicasse aos crucificados, se ainda viviam, o crurifrágio romano, quebrando-lhes os ossos com barras de ferro" (Eça de Queirós, *A Relíquia*, p. 295).
crusta. [Do lat. *crusta*.] *S. f.* **1.** V. *crosta* (1 e 2): "lá fora a umidade crescia, liquefazendo a crusta da terra." (Aluísio Azevedo, *Pegadas*, p. 141.) **2.** Tártaro ou viscosidade marítima que endurece na superfície das conchas.
crustáceo. *Adj.* **1.** Coberto de crusta. **2.** Pertencente ou relativo aos crustáceos. **3.** *Morfol. Veg.* Diz-se do talo dos liquens que se aplica estreitamente ao substrato, lembrando uma crosta. ● *S. m.* **4.** Espécime dos crustáceos.
crustáceos. *S. m. pl. Zool.* Classe de animais do filo dos artrópodes, predominantemente aquáticos e de respiração branquial, exosqueleto calcário, cabeça e tórax fundidos numa só peça (*cefalotórax*), dois pares de antenas e apêndices birremes. Ex.: caranguejo, camarão, lagosta, craca, tatuí, etc.
cruviana. [Var. de *corrupiana* corrupio.] *S. f.* **1.** *Bras., N.* Vento intenso, gelado, frígido. **2.** *Bras., N.E.* Chuvisco, garoa. **3.** *Bras., N.* e *N.E.* Vento frio da madrugada: "— A cruviana não se vê, se sente. Tarde da noite, pela segunda cantada dos galos, ela vai chegando, e quem dorme da banda de fora das casas começa a ter aquele friozinho." (José Vieira, *Vida e Aventura de Pedro Malasarte*, p. 48.) [No CE: *curviana*. Cf. *corrubiana*.]
cruz. [Do lat. *cruce*.] *S. f.* **1.** Antigo instrumento de suplício, constituído por dois madeiros, um atravessado no outro, em que se amarravam ou pregavam os condenados à morte. **2.** *P. ext.* Aflição, pena, infortúnio, trabalhos: *Aquele casamento foi a sua cruz*. **3.** O madeiro em que foi pregado Jesus Cristo. **4.** Representação da cruz (3): *Trazia sempre consigo uma cruz de ouro.* **5.** A paixão e morte de Cristo.**6.** Símbolo da redenção, para os cristãos. **7.** Poder eclesiástico: *a cruz e a espada*. **8.** *Fig.* O cristianismo. **9.** Gesto de persignar(-se). **10.** Insígnia cruciforme de várias ordens militares e religiosas. **11.** Sinal cruciforme, escrito ou impresso: *assinalar com uma cruz os substantivos e com duas os adjetivos.* **12.** *Marinh.* Parte da âncora em que os braços se prendem com a haste. **13.** *Tip.* Sinal em forma de cruz latina, de significação variada, porém usado sobretudo para indicar ano de falecimento e como chamada de nota; adaga, obelisco. **14.** *Bras.* Designação comum a diversas plantas da família das onagráceas, gênero *Jussieua*. [Cf. *crus*, pl. de *cru*.] ~ V. *cruzes*. ♦ **Cruz alçada.** Crucifixo que se leva processionalmente, em certas solenidades da Igreja Católica. **Cruz de Genebra.** Cruz vermelha. **Cruz de Lorena.** Cruz com dois braços transversais. **Cruz de Santo André.** Cruz em forma de *X*. **Cruz de Santo Antônio.** Cruz em forma de *T*. **Cruz do Norte.** *Astr.* V. *Cisne* (2). **Cruz do Sul.** *Astr.* V. *Cruzeiro do Sul*. **Cruz dupla.** *Tip.* Sinal em forma de cruzes superpostas, usado para indicar sede de arcebispado, ou como chamada de nota; adaga dupla. **Cruz florenciada.** Cruz cujos braços terminam em flor-de-lis. **Cruz gamada.** Suástica. **Cruz grega.** Cruz de quatro braços iguais. **Cruz latina.** Cruz que tem um braço maior que os outros três. **Cruz recruzetada.** A que tem em cada extremidade uma cruz menor. **Cruz vermelha.** Cruz de cor vermelha sobre fundo branco, indicativa de neutralidade das ambulâncias em virtude da Convenção de Genebra; cruz de Genebra. **Assinar de cruz.** **1.** Fazer uma cruz por assinatura, por não saber escrever. **2.** Assinar sem ler. **3.** Estar por tudo. [Sin. ger.: *assinar em cruz*.] **Assinar em cruz.** V. *assinar de cruz*. **Fazer cruz na boca.** Não ter que comer. **Entre a cruz e a água benta.** V. *entre a cruz e a caldeirinha*. **Entre a cruz e a caldeirinha.** Num dilema, em situação crítica, sem saber como livrar-se; entre a cruz e a água benta; entre a espada e a parede; entre o fogo e a frigideira; "Ao receber o livro do Professor Pedro Pinto, senti-me, na qualidade de crítico, entre a cruz e a caldeirinha, assistindo à encarniçada luta entre dois grandes amigos que muito prezo e tenho em grande conta." (João Ribeiro, *Crítica*, V, p. 161.) **Levar a cruz ao Calvário.** Levar ao cabo empresa difícil.
cruza. [Dev. de *cruzar*.] *S. f.* **1.** *Biol.* Produto de um cruzamento (4 e 5). **2.** *Restr.* Cruzamento (4 e 5). **3.** *Bras., S.* Segundo amanho que se dá a um terreno cortando transversalmente o primeiro.
cruzada[1]. *S. f.* **1.** Expedição militar de caráter religioso que se fazia na Idade Média, contra hereges ou infiéis. **2.** *Fig.* Campanha de propaganda ou defesa de certos interesses, princípios ou idéias: *cruzada contra o analfabetismo*.
cruzada[2]. *S. f. Bras., RS.* V. *cruzamento* (1 e 2): "Numa cruzada de carreiros sentiu ruído de ferros que se chocavam" (Simões Lopes Neto, *Contos Gauchescos e Lendas do Sul*, p. 309).
cruzadismo. [De *cruzado*[2] + *-ismo*.] *S. m.* Cultivo, gosto ou mania das palavras cruzadas.
cruzadista. *S. 2 g. Bras.* Pessoa que se dedica ao cruzadismo.
cruzado[1]. [De *cruzada*[1].] *S. m.* **1.** Expedicionário das cruzadas (1). **2.** *Fig.* Defensor ou pregador ardente dalguma idéia ou doutrina.
cruzado[2]. [Part. de *cruzar*.] *Adj.* **1.** Disposto ou posto em cruz: "os olhos baixos pareciam contemplar as mãos caídas e cruzadas" (Eça de Queirós, *Últimas Páginas*, p. 53). **2.** Resultante de um cruzamento (4 e 5). **3.** Interceptado, interrompido. ~ V. *cheque —, estratificação —a, fecundação —a, linha —a, palavras —as, primos —s* e *rimas —as*. ● *S. m.* **4.** Antiga moeda portuguesa, de ouro ou de prata: "Ai, fortunas, ai, fortunas ... / doblas, oitavas, cruzados, / vastos dinheiros antigos" (Cecília Meireles, *Obra Poética*, p. 884). **5.** Moeda de quatrocentos réis. **6.** Unidade monetária, e moeda, brasileira, dividida em 100 centavos, em vigor desde 28 de fevereiro de 1986 quando substituiu o cruzeiro (4), valendo, naquela data, cada cruzado, 1.000 cruzeiros. [Símb.: Cz$.] **7.** Soco preferido pelo pugilista que luta em meia distância ou no corpo-a-corpo, e desferido enquanto gira rápido para o lado do punho com que tenciona acertar o alvo.
cruzador (ô). *Adj.* **1.** Que cruza. ● *S. m.* **2.** Aquele que cruza. **3.** *Mar. G.* Navio de combate, de tamanho médio, grande velocidade, proteção moderada, grande raio de ação, boa mobilidade, e armamento de calibre médio e tiro rápido, destinado a efetuar explorações, coberturas, escoltas de comboios (contra-ataques de superfície), guerra de corso, bombardeios de costa, etc.
cruz-almense. *Adj. 2 g.* **1.** De, ou pertencente ou ralativo a Cruz das Almas (BA). ● *S. 2 g.* **2.** Natural ou habitante de Cruz das Almas.
cruz-altense. *Adj. 2 g.* **1.** De, ou pertencente ou relativo a Cruz Alta (RS). ● *S. 2 g.* **2.** Natural ou habitante de Cruz Alta. [Pl.: *cruz-altenses*.]
cruzamento. *S. m.* **1.** Ato ou efeito de cruzar(-se). **2.** Ponto onde se cruzam caminhos; encruzilhada, encruzada. **3.** Intercepção, interrupção. **4.** *Biol.* Acasalamento de linhagens geneticamente diversas. **5.** *Restr.* Acasalamento de indivíduos de raças diferentes. ♦ **Cruzamento sintático.** *Gram.* V. *quiasma* (1).
cruzar. *V. t. d.* **1.** Dispor em cruz: *cruzar as pernas, os braços;* "permaneci ali muito tempo, com as mãos para trás, cruzando e descruzando os dedos" (Caio de Freitas, *Intrusos no Paraíso*, p. 4). **2.** Dar forma de cruz a: *Cruzou dois pedaços de madeira e colocou-os sobre o túmulo.* **3.** Cortar; atravessar: *A Avenida Rio Branco cruza a Presidente Vargas;* "Cruzam o firmamento as estrelas cadentes..." (Martins Fontes, *Verão*, p. 154). **4.** Passar por; percorrer; atravessar: *Lembrava-se bem do tempo em que cruzara aquelas estradas.* **5.** Transpor, penetrar: *Saiu dizendo que jamais voltaria a cruzar aqueles umbrais.* **6.** Percorrer em diversos sentidos: *cruzar os mares; cruzar estradas.* **7.** Acasalar (animais). **8.** *Bras.* Transmitir (o objeto cruzado) forças mágico-espirituais de proteção e ajuda. *T. c.* **9.** Cortar, atravessar: "cruzam pelos ares sibilantes balas" (Correia Garção, *Obras Poéticas e Oratórias*, p. 584). *T. i.* **10.** Encontrar-se, vindo em direções opostas: "cruzara com um caboclo espadaúdo e rijo" (Herman Lima, *Garimpos*, p. 142). *Int.* **11.** Formar cruz; cruzar-se: *Os dois caminhos cruzam perto da lagoa.* **12.** Percorrer o mar em direções diversas. **13.** Estar atravessado; colocar-se de través. **14.** Encontrar-se, vindo em direções opostas; cruzar-se: "A multidão marcha apressada, os milhares de automóveis cruzam, a ordem é perfeita e tudo se faz sem barulho." (Dario de Almeida Magalhães, *Páginas Avulsas*, p. 17.) **15.** Correr, percorrer (os ares): "O canário cantava na gaiola / a andorinha cruzava, em liberdade." (Hermes Fontes, *A Fonte da Mata...*, p. 27.) *P.* **16.** Cruzar (11): *As alças do vestido cruzam-se nas costas.* **17.** Cruzar (14): Os navios cruzaram-se em pleno equador; "Neste retiro os longos dias passo, / Sem alegrias e sem dissabores, / Vendo as aves cruzarem-se no espaço" (Ricardo Gonçalves, *Ipês*, p. 37).
cruz-credo. *Interj.* V. *credo (7)*.
cruz-de-malta. *S. f.* **1.** Cruz de quatro braços iguais que se alargam nas extremidades. **2.** *Bras., N.* a *S.* Designação de várias plantas da família das onoteráceas, de flores solitárias, amarelas, e cujos frutos são cápsulas tetrágonas, com sementes pequenas, sendo as folhas, em algumas espécies, tidas por medicinais; erva-de-bicho, mãos-de-sapo, mururé, negreira, salsa-do-brejo. [Pl.: *cruzes-de-malta*.]
cruz-d'oestano. *Adj.* e *s. m.* Cruzeirense[3]. [Pl.: *cruz-d'oestanos*.]
cruzeira. [De *cruz* + *eira*.] *S. f.* **1.** *Tip.* Barra de metal, móvel ou fixa, que, nos formatos maiores, atravessa a rama, vertical e às vezes também horizontalmente. **2.** *Tip.* O claro correspondente a essa barra e que divide ao meio a folha impressa. [V. *medianiz*.] **3.** *Bras.* V. *urutu*.
cruzeirense[1]. *Adj. 2 g.* **1.** De, ou pertencente ou relativo a Cruzeiro (SP). ● *S. 2 g.* **2.** Natural ou habitante de Cruzeiro.
cruzeirense[2]. *Adj. 2 g.* **1.** De, ou pertencente ou relativo a Cruzeiro do Sul (AC). ● *S. 2 g.* **2.** Natural ou habitante de Cruzeiro do Sul.
cruzeirense[3]. *Adj. 2 g.* **1.** De, ou pertencente ou relativo a Cruzeiro do Oeste (PR). ● *S. 2 g.* **2.** Natural ou habitante de Cruzeiro do Oeste. [Sin. ger.: *cruz-d'oestano*.]
cruzeirense[4]. *Bras. Adj. 2 g.* **1.** Pertencente ou relativo

ao Esporte Clube Cruzeiro (MG). **2.** Que é torcedor ou jogador dessa agremiação. ● *S. 2 g.* **3.** Membro, torcedor ou jogador dela; cruzeiro. [Sin. ger.: *raposa*.]
cruzeirense-do-sul. *Adj. 2 g.* **1.** De, ou pertencente ou relativo a Cruzeiro do Sul (PR). ● *S. 2 g.* **2.** Natural ou habitante de Cruzeiro do Sul. [Pl.: *cruzeirenses-do-sul*.]
cruzeiro. *Adj.* **1.** Que tem cruz ou é marcado com uma cruz. ● *S. m.* **2.** Grande cruz, erguida nos adros, cemitérios, largos, praças, etc. **3.** A parte da igreja compreendida entre a capela-mor e a nave central. **4.** Antiga unidade monetária, e moeda, brasileira, dividida em 100 centavos, que entrou em vigor em novembro de 1942, quando substituiu o mil-réis, e que em 1967, agravando-se o processo inflacionário, foi reavaliada, passando o cruzeiro a valer mil cruzeiros antigos. Em 28 de fevereiro de 1986 esta moeda foi substituída pelo cruzado [v. *cruzado* (6).] [Símb.: Cr$.] **5.** *Mar* G. Navegação feita em vários rumos, dentro de uma área limitada, para fins de policiamento das águas ou para observação de movimentos do inimigo. **6.** *Mar. Merc.* Viagem de navio de passageiros, com turistas, em visita a vários portos. **7.** *Astr.* Cruzeiro do Sul. **8.** *Bras.* Planta da família das rubiáceas *(Declieuxia chiococcoides)*, encontrada em quase todo o País, e da qual se conhecem numerosas variedades. Folhas sésseis, fruto seco e achatado, e flores azuis; atinge 1,30 m de altura. **9.** *Bras.* V. *urutu*. **10.** *Bras.* V. *cruzeirense*[4] (3). ◆ **Cruzeiro do Sul.** *Astr.* Constelação austral, característica de nosso hemisfério, situada ao S. do Centauro e ao N. da Mosca. A olho nu, compõe-se de cinco estrelas — quatro delas dispostas em forma de cruz, e uma, a *Intrometida* ou *Intrusa*, situada sobre o menor braço da cruz —, e de uma nebulosa escura, o *Saco de Carvão*. [Tb. se diz apenas *Cruzeiro*. Sin.: *Cruz do Sul*.]
cruzes. [Pl. de *cruz*]. *S. f. pl.* **1.** Os quadris: "Artur aproveitava o ligeiro tumulto para ir, ... com as c r u z e s quebradas de fadiga, fumar, para a saleta." (Eça de Queirós, *A Capital*, p. 368.) **2.** Reverso com cruz, de certas moedas. **3.** A parte da cavalgadura onde se unem as espáduas. ● *Interj.* **4.** V. *credo* (7): "C r u z e s ! Tibe! Volte! Abrenúncio!" (Alberto Rangel, *Lume e Cinza*, p. 169);"C r u z e s ! Parecia até que era ainda em sonho!" (Hugo de Carvalho Ramos, *Tropas e Boiadas*, p. 75). ~ V. *cruz*.
cruzeta (ê). *S. f.* **1.** Pequena cruz. **2.** Régua em forma de *T*, usada pelos operários para nivelar, com auxílio do fio de prumo. **3.** Peça formada de braços que se empunham para fazer girar os cilindros da prensa de talho-doce ou deslizar o carro da prensa litográfica; molinete. **4.** *Arquit.* Moldura dum ornato de janela ou de porta de sacada, que excede pelos lados o nível da base. **5.** *Bras., AM a CE, e lus.* V. *cabide* (3). **6.** *Bras., SP.* Remanso de rio onde se cruzam duas correntezas opostas, formando no centro um remoinho.
cruzetado. [De *cruzeta* + *-ado*[1].] *Adj.* Que tem forma de cruzeta.
cruzetense. *Adj. 2 g.* **1.** De, ou pertencente ou relativo a Cruzeta (RN). ● *S. 2 g.* **2.** Natural ou habitante de Cruzeta.
cruziliense. *Adj. 2 g.* **1.** De, ou pertencente ou relativo a Cruzília (MG). ● *S. 2 g.* **2.** Natural ou habitante de Cruzília.
crúzio. *Adj. e s. m.* Diz-se de, ou aquele que pertence à Congregação de Santa Cruz de Coimbra.
cruzmaltino. *Adj. e s. m. Bras.* V. *vascaíno*.
cruzo. [Dev. de *cruzar*.] *S. m. Bras., S.* **1.** Caminho nos campos, que cruza com outro. **2.** O lugar desse cruzamento; encruzilhada.
cruz-serrano. *Adj.* **1.** De, ou pertencente ou relativo a Santa Cruz de la Sierra (Bolívia). ● *S. m.* **2.** O natural ou habitante dessa cidade. [Pl.: *cruz-serranos*.]
■**Cs.** *Quím.* Símb. do *césio*.
■**csc.** *Mat.* Símb. de *co-secante* [q. v.].
■**csc**$^{-1}$. *Mat.* V. *arco co-secante*.
■**csch**$^{-1}$. *Mat.* V. *arco co-secante hiperbólico*.
csi. [Do gr. *xi* (como em *fixo*).] *S. m.* A 14ª letra do alfabeto grego (,).
ctenário. *S. m. e adj.* Ctenóforo.
ctenários. *S. m. pl.* Ctenóforos.
ctenídeo. *S. m.* **1.** Espécime dos ctenídeos. ● *Adj.* **2.** Pertencente ou relativo a eles.
ctenídeos. *S. m. pl. Zool.* Família de aranhas da ordem dos aracneídeos, as quais se caracterizam por apresentar os olhos dispostos em três filas, usualmente 2-4-2, sendo os primeiros menores. São comuns no solo das matas, e existem espécies grandes, como a *Phoneutria nigriventer*, de picada perigosa e muito dolorosa. Conhecidas como *aranhas armadeiras* por sua agressividade, habitam os lugares escuros úmidos.
▲**cten(o)-.** [Do gr. *kteís, enós*.] *El. comp.* = *'pente', 'objeto dentado'*: *ctenóforo*.
ctenóforo. [De *cten(o)-* + *-foro*.] *S. m.* **1.** Espécime dos ctenóforos. ● *Adj.* **2.** Pertencente ou relativo aos ctenóforos. [Sin. ger.: *ctenário*.]
ctenóforos. *S. m. pl. Zool.* Animais enterozoários, radiados, do ramo *Ctenophora*, marinhos, solitários, desprovidos de nematocistos, e cujo corpo é revestido de oito fileiras de palhetas com cílios em forma de pente, para locomoção. [Sin.: *ctenários*.]
ctenóide. *Adj. 2 g.* Diz-se das escamas ciclóides de bordo livre, denteado ou espinhoso, freqüente nos osteíctios.
ctenomídeo. *S. m.* **1.** Espécime dos ctenomídeos. ● *Adj.* **2.** Pertencente ou relativo a eles.
ctenomídeos. *S. m. pl. Zool.* Família de mamíferos roedores, pequenos, de cabeça grande e arredondada, cores variadas, membros curtos e fortes, terminando por unhas curvas. Vivem em galerias que abrem no solo.
ctenostomado. *S. m.* **1.** Espécime dos ctenostomados. ● *Adj.* **2.** Pertencente ou relativo aos ctenostomados.
ctenostomados. *S. m. pl. Zool.* Animais briozoários, gimnolemados, da ordem *Ctenostomata*, com zoécios quitinosos ou gelatinosos, e ectocistos desprovidos de opérculos, fechados apenas pelos divertículos dos tentáculos. Vivem em colônias incrustadas em rochas ou em conchas.
■**ctg**$^{-1}$. V. *arco co-tangente*.
■**ctgh**$^{-1}$. V. *arco co-tangente hiperbólica*.
■**CTI.** Sigla de *Centro de Tratamento Intensivo*.
■**ctn**$^{-1}$. *Mat.* V. *arco co-tangente*.
■**ctnh**$^{-1}$. *Mat.* V. *arco co-tangente hiperbólica*.
cu. [Do lat. *culu*.] *S. m. Chulo.* **1.** V. *ânus*. **2.** *P. ext.* Nádegas (1). **3.** Fundo da agulha, oposto à ponta ou bico. **4.** *Marinh. Ant.* A parte inferior dum poleame, oposta à cabeça. ◆ **Dar o cu.** *Chulo.* Ser pederasta passivo; tomar no cu. **Fazer cu doce.** *Bras. Chulo.* Fingir não aceitar alguma coisa, quando intimamente muito a deseja. **Ficar com o cu na mão.** *Bras. Chulo.* Ficar cheio de medo, apavorado. **Não ter no cu o que periquito roa.** *Bras. Chulo.* Ser extremamente pobre. **Tirar o cu da seringa.** *Bras. Chulo.* Livrar-se de situação embaraçosa. **Tomar no cu.** *Chulo.* Dar o cu.
■**Cu.** *Quím.* Símb. de *cobre*.
cuada. [De *cu* + *-ada*[1].] *S. f. Chulo.* **1.** Pancada com as nádegas. **2.** Parte das calças, das ceroulas ou das cuecas correspondente às nádegas. **3.** Remendo que se põe nessa parte: "sentava-se a costurar ao pé de uma janela. Deitava pela terceira vez umas c u a d a s nas calças do marido." (João de Araújo Correia, *Terra Ingrata*, p. 194.) [Cf. *coada*.]
cuandu. [Do tupi *kuã'du*.] *S. m. Bras.* **1.** V. *ouriço-cacheiro*. **2.** A carnaubeira quando nova.
cuatá. [Do tupi *kua'tá*.] *S. m. Bras.* Designação comum aos primatas da família dos cebídeos, gênero *Ateles* E. Geof., da Amaz., com duas espécies e quatro subespécies em nosso país. São macacos de grande porte, com membros excessivamente longos e finos, cauda muito longa, preênsil, toda coberta de pêlos, face nua, polegar ausente ou rudimentar. [Sin.: *macaco-aranha*.]
cuatatere. *Bras. S. 2 g.* **1.** Indivíduo dos cuatateres, tribo indígena que habita nas margens do igarapé Coatu, afluente esquerdo do alto Uraricoera (RR). ● *Adj. 2 g.* **2.** Pertencente ou relativo a essa tribo.
cuba[1]. [Do lat. *cupa*.] *S. f.* **1.** Vasilha grande de madeira na qual se guarda vinho ou outros líquidos; tina. **2.** Grande vasilha utilizada para vários fins industriais. **3.** *Autom.* Cuba de nível constante. ◆ **Cuba da agulha.** *Náut.* Recipiente que contém o elemento sensível duma agulha magnética (ímãs, flutuador, rosa-dos-ventos) e o líquido que envolve esse elemento, e que leva marcada internamente a linha-de-fé, indicadora da direção da proa da embarcação. **Cuba de nível constante.** *Autom.* Reservatório de gasolina do carburador. [Tb. se diz apenas *cuba*.]
cuba[2]. [Do top. *Cuba*.] *S. f.* Variedade de tabaco.
cuba[3]. [De *cuebas*, com síncope e apócope.] *S. m.* **1.** *Bras.* Indivíduo entendido em práticas de feitiçaria. **2.** *Bras., PE.* Indivíduo poderoso e influente; cuebas, mancueba. **3.** *Bras., PE.* Indivíduo astuto, atilado, matreiro; cuebas, mancueba.
cubagem. *S. f.* **1.** Ato, efeito ou método de cubar (2). **2.** Quantidade de unidades cúbicas que se podem conter num certo espaço. **3.** Cálculo da capacidade dum recipiente ou dum recinto.
cubano. *Adj.* **1.** De, ou pertencente ou relativo à República de Cuba, a maior ilha do mar das Antilhas. ● *S. m.* **2.** O natural ou habitante de Cuba.
cubar. *V. t. d.* **1.** Elevar ao cubo[1] (2). **2.** Avaliar ou medir (o volume de um sólido ou de uma jazida mineral, a capacidade dum recipiente ou dum recinto); cubicar. **3.** Fazer a cubagem (3) de.
cubata. *S. f.* Choça formada de folhas, habitação dos pretos africanos: "Naquela noite, Samba, a escrava bângala, mal dormira. No aconchego da c u b a t a, durante horas a sua voz rendeu-se em preces aos espíritos protetores" (Castro Soromenho, *Rajada e Outras Histórias*, p. 118).
cubatão. *S. m. Bras., SP.* Pequena elevação no sopé de cordilheiras.
cubatense. *Adj. 2 g.* **1.** De, ou pertencente ou relativo a Cubatão (SP). ● S. 2 g. **2.** Natural ou habitante de Cubatão.
cubatura. *S. f.* Redução geométrica de um sólido qualquer a um cubo equivalente em volume.
cubé. [Do tupi *ku'bé*.] *S. m. Bras.* V. *cubiú*.
cubeba (é). [Do ár. *kabābâ*.] *S. f.* **1.** Arbusto da família das piperáceas (*Piper cubeba*), originário da Índia, e cuja semente já foi utilizada em medicina. **2.** O fruto desse arbusto.
cubelo (ê). [Dim. de *cubo*[1] (1).] *S. m.* Torreão das fortificações antigas, cúbico, que veio a ser substituído pelo baluarte: "Posto que em paz com os cristãos, os mouros de Toledo têm pelas torres, c u b e l o s e adarves seus atalaias e vigias" (Alexandre Herculano, *Lendas e Narrativas, II*, p. 43).
cubencragnotire. *Bras. S. 2 g.* **1.** Indivíduo dos cubencragnotires, divisão dos índios caiapós que habita no PA, nas cabeceiras dos rios Iriri e Curuá, e na margem esquerda do Xingu, proximidades da serra Encontrada. ● *Adj. 2 g.* **2.** Pertencente ou relativo a essa tribo.
cúbica. [Fem. substantivado de *cúbico*.] *S. f.* **1.** *Álg.* Equação cúbica. **2.** *Geom. Anal.* Curva cúbica. ◆ **Cúbica reversa.** *Geom.* Curva reversa que corta um plano em três pontos, reais ou complexos, distintos ou não.
cubicar. *V. t. d.* Cubar (2). [Conjug.: v. *trancar*. Pres. ind.: *cubico*, etc. Cf. *cúbico*.]
cúbico. [Do lat. *cubicu*.] *Adj.* **1.** Relativo ou pertencente a cubo[1]. **2.** Que tem a forma de cubo[1] (1); cubóide, cubiforme. ~ V. *cônica —a, curva —a, equação —a, média —a, metro —, parábola —a, polegada —a, raiz —a,* e *sistema —*. [Cf. *cubico*, do v. *cubicar*.]
cubicular. [Do lat. *cubiculare*.] *Adj. 2 g.* Respeitante a cubículo.
cubiculário. [Do lat. *cubiculariu*.] *S. m. Ant.* Criado de quarto.
cubículo. [Do lat. *cubiculu*.] *S. m.* **1.** Pequeno compartimento. **2.** Cela de convento. **3.** *Ant.* Quarto de cama; câmara. **4.** *Bras.* V. *cadeia* (3).
cubiforme. *Adj. 2 g.* V. *cúbico* (2).
cubilô. *S. m. Metal.* Forno cilíndrico onde se refunde o ferro para lançá-lo nos moldes de fundição. [Var.: *cubilote*.]
cubilote. *S. m. Tec.* Var. de *cubilô*.
cúbio. *S. m. Bras.* Arbusto da família das solanáceas (*Solanum sessiliflorum*), de cujo fruto se faz doce.
cubismo. [De *cubo* + *-ismo*.] *S. m. Art. Plást.* Escola de pintura (que veio a estender-se à escultura) surgida, por volta de 1910, através da obra dos artistas Pablo Picasso [v. *picassiano*], Georges Braque (1882-1963) e André Lhote (1885-1962), e que se caracteriza pela decomposição e geometrização das formas naturais, num processo intelectual arbitrário que, negando o realismo visual e as leis da perspectiva, tende a representar os objetos em sua totalidade, como se fossem contemplados simultaneamente por todos os lados.
cubista. *Adj. 2 g.* **1.** Referente ao, ou próprio do cubismo. **2.** Que é adepto ou seguidor dessa escola. ● *S. 2 g.* **3.** Adepto ou seguidor do cubismo.
cubital. *Adj. 2 g. Anat.* Pertencente ou relativo ao cúbito (1).
cúbito. [Do lat. *cubitu*.] *S. m.* **1.** *Anat.* Osso longo situado na parte interna do antebraço. **2.** *Ant.* Côvado.
cubiú. [Do tupi *kubi'u*.] *S. m. Bras., Amaz.* Peixe teleósteo, caraciforme, da família dos caracídeos *(Tetragonopterus argenteus* Cuvier), da Amaz., prateado, pequeno, mais ou menos arredondado, de opérculo transparente, permitindo ver o tom avermelhado das brânquias, e mácula preta na base da nadadeira caudal; cubé, pataca.
cubo[1]. [Do gr. *kybos*, pelo lat. *cubu*.] *S. m.* **1.** *Geom.* Poliedro regular com seis faces quadradas; hexaedro regular. **2.** *Mat.* A terceira potência de uma variável. **3.** Objeto cubiforme: c u b o de gelo. **4.** Peça onde se encaixa a extremidade do eixo dos carros. **5.** *Constr. Nav.* Parte central da hélice, que se fixa ao eixo propulsor e de onde partem as pás. ◆ **Cubo perfeito.**

Mat. Número inteiro que é o cubo (2) de outro.

cubo^2. *S. m.* Nome que se deu, no Japão, após a revolução de 1585, ao imperador temporal, dando-se ao espiritual a designação de *dairo.*

cubóide. [Do gr. *kyboeidés.*] *Adj. 2 g.* **1.** V. *cúbico* (2). ● *S. m.* **2.** *Anat.* Osso curto do tarso.

cubomancia (ci). [Do gr. *kyboeimanteía.*] *S. f.* Arte de adivinhar por meio de cubos. [V. *cubo*^{1} (1).]

cubomante. [De *cubo*^{1} (1) + *-mante.*] *S. 2 g.* Pessoa que se consagra à cubomancia.

cubomântico. *Adj.* Relativo à cubomancia, ou a cubomante.

cubomedusa. *S. f.* **1.** Espécime das cubomedusas. ● *Adj. 2 g.* **2.** Pertencente ou relativo a elas. [Sin. ger.: *carideída.*]

cubomedusas. *S. f. pl. Zool.* Animais celenterados cifozoários, ordem *Cubomedusae.* Forma cúbica, sem lobos marginais, com uma dobra interna na umbrela, semelhante ao véu; quatro tentáculos ou quatro grupos de tentáculos. Vivem nos mares tropicais e subtropicais, e alimentam-se, em geral, de peixes. [Sin.: *carideídas.*]

cuca^1. [Do ingl. *cook.*] *S. m. Bras. Pop.* Mestre-cuca.

cuca^2. [Alter. de *coca* (ô).] *S. f. Bras.* **1.** V. *papão*^{1} (1). **2.** V. *bruxa* (2).

cuca^3. *S. f. Bras. Gír.* **1.** V. cabeça (1):"Chapéu inexistente em cima, só tem aba, que é de três cores bem espantadas. Com um chapéu desses, a gente protege os olhos e areja a cuca, um barato." (Carlos Drummond de Andrade, *Jornal do Brasil,* 16.11.72.) **2.** Mente, raciocínio, intelecto: *Levou bomba porque sua cuca não anda nada boa.* ♦ **Encher a cuca.** *Bras. Gír.* V. *embriagar* (4). **Fundir a cuca.** *Bras. Gír.* **1.** Fazer perder o senso, o siso, o rumo, a direção; baratinar, encucar: "A visão das companheiras desfilando tranqüilamente peladas acabou de fundir a cuca da Rosinalva." (Marisa Raja Gabaglia, *Milho pra Galinha, Mariquinha,* p. 15.) **2.** Confundir, perturbar, baralhar, encucar: "Quando Eduardo começa a projetar em mim os complexos edipianos dele, funde a minha cuca." (Id., *ib.,* p. 90.) **3.** Perder o senso, o siso; baratinar; endoidar; encucar.

cuca^4. [Var. de *cuque.*] *S. f. Bras.* Bolo de origem alemã, feito com ovos, farinha de trigo, manteiga, fermento, e coberto com açúcar; cuque.

cuca^5. [De *quicuca,* com aférese.] *S. f. Bras., PE.* Rolo que se faz com o mato depois da roçagem em que se usa o gancho; quicucã, ticuca.

cuca^6. *S. f. Bras., MG.* V. *luxo* (1).

cucar^1. *V. int.* Cantar (o cuco); cucular^2. [Conjug.: v. *trancar.* Normalmente é defect., conjugável só nas 3as. pess. Cf. *cocar,* . v. e s. m.]

cucar^2. *V. int.* Cocar^2. [Conjug.: v. *trancar. Cf. cocar,* v. e s. m.]

cucar^3. *Gír. RJ. V. t. d.* **1.** Bolar (2). *Int.* **2.** Remoer uma idéia, um pensamento; matutar. [Conjug.: v. *trancar.* Cf. *cocar,* v. e s. m.]

cucharra. [Do esp. plat. *cuchara.*] *S. f. Bras., RS.* Colher grosseira, de chifre ou de pau, usada no campo.

cuchê. [Do fr. *couché.*] *Adj.* ~ V. *papel* —.

cuco^1. [T. onom.] *S. m.* **1.** Ave cuculiforme, da família dos cuculídeos *(Cuculus canorus* L.), da Europa, que é capaz de imitar a voz de numerosas espécies de pássaros e põe ovos nos ninhos de outras aves, para que estas os choquem. **2.** Relógio que, ao dar as horas, imita o canto dessa ave: "Tinham dado onze horas no cuco da sala de jantar." (Eça de Queirós, *O Primo Brasílio,* p. 5.) **3.** *Lus.* Marido a quem a mulher é infiel. ● *Adj. Lus.* **4.** Diz-se de cuco (3).

cuco^2. [Do ingl. *cook.*] *S. m. Bras. Pop.* Mestre-cuca.

cucoecamecra. *Bras. S. 2 g.* **1.** Indivíduo dos cucoecamecras, tribo jê, pertencente ao grupo setentrional dos timbiras orientais. ● *Adj. 2 g.* **2.** Pertencente ou relativo a essa tribo.

cu-cosido. *S. m. Bras.* V. *tuim.* [pl.: *cus-cosidos.*]

cucu. *S. m. Bras., RS.* Papa-lagarta.

cucuia. *El. s. f.* Us. na loc. *ir para a Cucuia.* ♦ **Ir para a Cucuia.** *Bras. Pop.* **1.** V. *morrer* (1). **2.** Falhar, malograr-se; ir para o beleléu [q. v.].

cucuiana. *Bras. S. 2. g.* **1.** Indivíduo dos cucuianas, subgrupo dos índios pianocotós que vive na região dos rios Panamá e Marapi (MA). ● *Adj. 2 g.* **2.** Pertencente ou relativo a essa tribo.

cuculado. *Adj. Morfol. Veg.* Em forma de capuz; cuculiforme: *pétala cuculada.*

cucular^1. *Adj. 2 g.* Que tem forma de cuculo^1. [Cf. *cocular.*]

cucular^2. [Do lat. *cuculare.*] *V. int.* Cucar^1. [Cf. *cocular.*]

cucular^3. *V. t. d. e t. d. e i.* V. *cogular.* [Cf. *cocular.*]

cuculídeo. *S. m.* **1.** Espécime dos cuculídeos. ● *Adj.* **2.** Pertencente ou relativo a eles.

cuculídeos. *S. m. pl. Zool.* Aves cuculiformes, da família *Cuculidae,* de dedos livres, dispostos dois para a frente e dois para trás, e cujo bico, de altura sempre inferior ao comprimento, tem as margens não serradas. Vivem nas capoeiras e descampados, alimentando-se sobretudo de insetos, especialmente ortópteros. São os anuns, os sacis e as almas-de-gato.

cuculiforme. *S. 2 g.* **1.** Espécime dos cuculiformes; coccígeo. ● *Adj.* **2.** *Morfol. Veg.* Cuculado. **3.** Pertencente ou relativo aos cuculiformes; coccígeo.

cuculiformes. *S. m. pl. Zool.* Aves neórnites, neógnatas, da ordem *Cuculiformes,* de porte médio ou pequeno, cujos pés são zigodáctilos, sendo o dedo posterior externo reversível, não adaptado para a preensão. Têm cauda comprida e mole, bico moderado ou longo. São os anuns e os sacis. [Sin.: *coccígeos.*]

cuculo^1. [Do lat. *cucullu.*] *S. m.* **1.** Capuz, capelo. **2.** *Zool.* Órgão dos podogônios, em forma de lâmina articulada, na porção interior do cefalotórax, e que cobre as quelíceras e os palpos. [Cf. *coculo,* do v. *cocular* e s. m.]

cuculo^2. *S. m. Bras., N.E.,* e *lus. Pop.* **1.** V. *cogulo:* "só abrigava [o alpendre] madeira, um cuculo de cestos vazios e um carro de bois" (Eça de Queirós, *A Cidade e as Serras,* p. 289). **2.** Monte, porção. [Cf. *coculo,* do v. *cocular,* e s. m.]

cucumbi. *S. m. Bras., BA. Folcl.* Antigo folguedo de negros, vestidos de peles e penas, figurando um cortejo para a celebração do rito da puberdade, e no curso do qual se representa a morte e a ressurreição do filho do chefe. [Cf. *cacumbi* e *cabocolinhos.*]

cucura. [Do tupi *ku'kura.*] *S. f. Bras.* Planta da família das moráceas *(Pourouma cecropiaefolia);* mapati, matapi.

cucúrbita. [Do lat. *cucurbita.*] *S. f.* **1.** Designação científica da abóbora. **2.** No alambique, a peça que recebe a substância que vai ser destilada. [Cf. *cucurbita,* do v. *cucurbitar.*]

cucurbitácea. *S. f.* Espécime das cucurbitáceas.

cucurbitáceas. *S. f. pl. Bot.* Família de plantas prostradas ou trepadeiras, muitas vezes com gavinhas, de flores grandes ou pequenas, unissexuais. Cinco estames, livres ou soldados; ovário com estilete trífido, e estigmas bífidos; o fruto é baga, às vezes lenhosa. Há umas 750 espécies, sobretudo tropicais, muitas brasileiras e numerosas delas, como, p. ex., a aboboreira, a melancia, a bucha, importantes para o homem.

cucurbitáceo. *Adj.* **1.** Pertencente ou relativo às cucurbitáceas. **2.** Relativo à abóbora. **3.** Semelhante à abóbora; cucurbitino.

cucurbitale. *S. f.* Espécime das cucurbitales.

cucurbitales. *S. f. pl. Bot.* Ordem de plantas superiores que encerra somente a família das cucurbitáceas.

cucurbitar. [De *cucúrbita* + *-ar*^{2}.] *V. int.* Nascer em forma de cabaça. [Defec., conjugável só nas 3as pess. Pres. ind.: *cucurbita,* .... *cucurbitam.* Cf. *cucúrbita.*]

cucurbitino. [Do lat. *cucurbitinu.*] *Adj.* Cucurbitáceo (3).

cucuri. *S. m. Bras.* V. *cação-frango.*

cucuricar. [Voc. onom.] *V. int.* Cantar (o galo); cocoricar, cucuritar: "Cachorro late e galo cucurica." (Humberto Crispim Borges, *Cacho de Tucum,* p. 57.) [Conjug.: v. *trancar.* Normalmente é defect., conjugável só nas 3as pess.]

cucuritar. [Voc. onom.] *V. int.* V. *cucuricar:* "Na alvorada lua, cucuritam os galos, pensando que é a madrugada..." (Martins Fontes, *A Dança,* p. 73). [Normalmente é defect., conjugável só nas 3as pess.]

cucutiribá. *S. f. Bras.* Var. de *cutiribá.*

cu-de-boi. *S. m.* **1.** *Bras. Pop.* V. *rolo*^{1}(16). **2.** *Bras., BA.* *garrucha* (3). [Pl.: *cus-de-boi.*]

cu-de-breu. *S. m. Bras., PE.* V. *buscapé.* [Pl.: *cus-de-breu.*]

cu-de-cachorro. *S. m.* V. *amarelinha*^{1} (1). [Pl.: *cus-de-cachorro.*]

cu-de-ferro. *Adj. 2 g.* e *s. 2 g. Bras. Gír.* Diz-se de, ou pessoa que leva extremamente a sério seus trabalhos, estudos, compromissos: etc.; cê-dê-efe. [Pl.: *cus-de-ferro.*]

cu-de-foca. *Adj. 2 g.* e *2 n.* e *s. 2 g.* e *2 n. Bras. Gír.* Diz-se de, ou bebida extremamente gelada: *Traga-me aí um chope cu-de-foca!*

cu-de-galinha. *S. m. Bras., N.* e *SC.* Remendo de um rasgão em que a linha que o costurou é puxada formando um bolinho; rosquinha. [Pl.: *cus-de-galinha.*]

cu-de-jegue. *S. m. Bras., AL.* Cachaça com rodelas de limão e sal. [Pl.: *cus-de-jegue.*]

cu-de-judas. *S. m. Bras. Chulo.* V. *cafundó* (3): "Nunca vi lugar mais insípido! Nem que fosse pra Nosso Senhor me fazer moça de novo eu me sujeitaria a morar naquele cu-de-judas." (Jorge de Lima, *Calunga,* p. 138.) [Pl.: *cus-de-judas.*]

cudelume. [De *cu* + *de* + *lume.*] *S. m. Bras. Pop.* V. *pirilampo.*

cu-de-mãe-joana. *S. m. Bras., N.E. Chulo.* Coisa em que todos se intrometem, sobre a qual toda a gente dá opinião; negócio em que todo o mundo mete a sua colherada [q. v.]. [Pl.: *cus-de-mãe-joana.*]

cu-de-mulata. *S. m. Bras.* V. *amarelinha*^{1} (1). [Pl.: *cus-de-mulata.*]

cu-doce. *S. 2 g. Bras. Chulo.* Pessoa cheia de luxo [q. v.]. [Pl.: *cus-doces.*]

cu-do-conde. *S. m. Bras. Chulo.* V. *cafundó* (3). [Pl.: *cus-do-conde.*]

cu-do-mundo. *S. m. Chulo.* V. *cafundó* (3): "Hospedando-se naquele 'cu-do-mundo' do Rio Vermelho, vinha logo cedo, antes do almoço, para a casa da filha" (Jorge Amado, *Dona Flor e Seus Dois Maridos,* p. 351). [Pl.: *cus-do-mundo.*]

cuebas. *S. m. 2 n. Bras., PE.* V. *cuba*^{3} (2 e 3).

cueca. *S. f.* Cuecas [q. v.].

cuecas. [De *cu.*] *S. f. pl.* Peça íntima do vestuário masculino, espécie de calção usado sob as calças. [Tb. us. no sing., pelo menos no Brasil.]

cueiro. [De *cu* + *-eiro.*] *S. m.* Pano em que se envolve o corpo das crianças de peito da cintura para baixo, especialmente as nádegas e pernas: "A Joaquina .... enrolou o filho no cueiro de flanela e deitou-o com cuidado." (Natércia Freire, *A Alma da Velha Casa,* p. 93.) ♦ **Estar fedendo a cueiro.** Ser ainda muito criança.

cuera. [De possível or. tupi.] *S. f. Bras., RS.* Matadura ao lado do fio do lombo dos cavalos, originada do uso dos lombilhos; unheira, tubuna. [Cf. *qüera.*]

cueretu. *Bras. S. 2 g.* **1.** Indivíduo dos cueretus, tribo tucana do rio Caritaia, afluente do Miriti-Paraná. ● *Adj. 2 g.* **2.** Pertencente ou relativo a essa tribo.

cuerudo. *Adj. Bras., RS.* Diz-se do cavalo que sofre de cuera. [Cf. *qüerudo.*]

cúfia. [Do it. *cuffia.*] *S. f. Constr.* Peça de aço que se encaixa sobre pilastra de fundações para protegê-la, e na qual bate o martelo do bate-estaca.

cuí. [Do tupi *ku'i,* 'farinha'.] *S. m.* **1.** *Bras.* Escória de fumo em forma de pó. **2.** *Bras. Amaz.* Farinha fina, peneirada.

cuia. [Do tupi ku'ya.] *S. f.* **1.** Fruto da cuieira. **2.** Vaso feito desse fruto maduro depois de esvaziado do miolo. [Sin. (nessas acepç.): *cabaça* ou *cabaço, coité, cuieté* ou *cuietê, cuité* ou *cuitê.* **3.** *Bras. Gír.* V. *cabeça* (1). **4.** *Bras., MA.* Abóbora-d'água (2). **5.** *Bras., MA.* Abóbora-menina (2). **6.** *Bras., N.E.* Medida de capacidade para secos, equivalente a 1/32 do alqueire. **7.** *Bras., N.E.* O conteúdo dessa medida. **8.** *Bras., MG. Pop.* V. *meretriz.* **9.** *Bras., RS.* A cabaça, quase sempre ricamente prateada e lavrada, em que se prepara e se bebe o mate por meio de uma bombilha. ♦ **Juntar as cuias.** *Bras. Pop.* Transferir a residência; mudar-se. **Tomar na cuia dos quiabos.** *Bras., BA. Pop.* Ser logrado.

cuiabano. *Adj.* **1.** De, ou pertencente ou relativo a Cuiabá, capital de MT. ● *S. m.* **2.** O natural ou habitante de Cuiabá. **3.** *Bras., MT.* Mato-grossense (2).

cuiaca. *S. f. Bras., GO.* Certo utensílio de que se utiliza o minerador de diamantes.

cuiada. *S. f. Bras.* Porção de infusão de mate contida em uma cuia.

cuia-de-macaco. *S. f. Bras.* V. *castanha-de-macaco.* [Pl.: *cuias-de-macaco.*]

cuia-do-brejo. *S. f. Bras.* Planta da família das estiracáceas *(Styrax camporum),* ornamental, de folhagem belíssima e flores campanuladas, alvas ou creme, e que exsuda uma resina aromática, que substitui o incenso oriental. Ocorre em MG, SP e PR. [Sin.: *estoraque-do-campo.* Pl.: *cuias-do-brejo.*]

cuiambuca. [Do tupi *kuyā'buka.*] *S. f. Bras.* Cumbuca (1): "das traves do teto pendiam cuiambucas rachadas, donde escorria — um líquido vermelho parecendo sangue." (Inglês de Sousa, *Contos Amazônicos,* p. 49).

cuiame. *S. m. Bras.* Grande porção de cuias.

cuiana. *Bras. S. 2 g.* **1.** Indivíduo dos cuianas, tribo indígena no N. do PA que habita nas cabeceiras do rio Cuá, até o rio Cachorro. ● *Adj. 2 g.* **2.** Pertencente ou relativo a essa tribo.

cuianaua. *Bras. S. 2 g.* **1.** Indivíduo dos cuianauas, tribo indígena do rio Moa e do Paraná dos Mouras, região do Tarauacá (AC). ● *Adj. 2 g.* **2.** Pertencente ou relativo a essa tribo.

cuiapeua. [Do tupi *kuya'pewa*, 'cuia chata'.] *S. f. Bras., Amaz.* Cuia chata empregada na cerâmica para dar polimento à manufatura.

cuiapitinga. [Do tupi *kuya pi'tĩga*, 'cuia de cor clara'.] *S. f. Bras., AM* e *PA.* Cuia que, embebida na decocção de certas plantas expostas a vapores amoniacais da urina, adquire cor preta lustrosa e indelével, e serve de recipiente para líquidos e sólidos. [Cf. *pitinga* (2).]

cuiara. *Adj. 2 g. Bras.* **1.** Esperto no jogo. **2.** Velhaco, matreiro. • *S. m.* **3.** *Bras.* Indivíduo cuiara. **4.** *Bras., SP.*: V. *rato-d'água.*

cuiarana. [Do tupi *kuya'rana*, 'semelhante a cuia'.] *S. f. Bras.* Árvore da família das combretáceas (*Buchenavia grandis*).

cuíca. [Do tupi *ku'ika.*] *S. f. Bras.* **1.** Designação comum às espécies de mamíferos marsupiais da família dos didelfídeos, gênero *Didelphis* L., exceto os gambás. Numerosas delas são desprovidas de bolsas marsupiais e muito semelhantes aos ratos, dos quais diferem por terem acima de 12 dentes incisivos, ao passo que os roedores têm 12 no máximo. [Sin.: *jupati, quaiaquica.* Cf. *catita*³ (1). **2.** Instrumento feito com um pequeno barril em uma de cujas bocas se prende uma pele bem estirada, em cujo centro está presa uma pequena vara, a qual, ao ser atritada com um pano úmido ou com a palma da mão molhada, faz vibrar o singular tambor, produzindo ronco; adufo, fungador-onça, tambor-onça, roncador, omelê, puíta, socador, vu: "negros, mulatos, todos tocando as *cuícas* e os tambores roucos, todos cantando a marcha carnavalesca." (Telmo Vergara, *Contos da Vida Breve,* p. 55).

cuíca-d'água. *S. f. Bras.* Mamífero marsupial, da família dos didelfídeos (*Chironectes minimus* (Zimm.)), distribuído por toda a América do Sul, de coloração cinzenta ornada de grandes manchas pretas que formam suas placas no dorso e se estendem sobre as extremidades e grande parte da cabeça, e com manchas brancas sobre os olhos. Tem membranas natatórias nos pés, dedos da mão normais, e orelhas redondas e nuas. Vive nos barrancos dos rios, lagos, saindo à noite para se alimentar de pequenos peixes, crustáceos e insetos aquáticos. [Sin.: *chichica-d'água.* Pl.: *cuícas-d'água.*]

cuicuro. *Bras. S. m.* **1.** Indivíduo dos cuicuros, tribo caraíba, da região dos formadores do Xingu. • *Adj.* **2.** Pertencente ou relativo a essa tribo. [Var.: *cuicuru* e *guicuru.*]

cuicuru. *S. 2. g.* e *adj. 2 g. Bras.* V. *cuicuro.*

cuidado. *S. m.* **1.** Atenção (1): *Seus trabalhos são feitos com muito cuidado.* **2.** Precaução, cautela: *Cuidado para não cair!* **3.** Diligência, desvelo, zelo: *Sempre teve cuidado com seus livros.* **4.** Encargo, responsabilidade, conta: *Deixei a encomenda dos livros sob seus cuidados.* **5.** Inquietação de espírito: *O filho é todo o seu cuidado;* "Disto enfim já não duvido, / No mundo o maior cuidado / Vem do bem que foi perdido / Antes de ser alcançado." (José Albano, *Rimas,* p. 46.) **6.** Pessoa ou coisa que é objeto de desvelos: *O filho mais velho é o cuidado da casa.* • *Adj.* **7.** Pensado, imaginado, meditado. **8.** Previsto, calculado, suposto. • *Interj.* **9.** Atenção, cuidado, cautela.

cuidador (ô). *S. m.* Aquele que cuida.

cuidadoso (ô). *Adj.* **1.** Que tem ou denota cuidado: *menino cuidadoso; trabalho cuidadoso.* **2.** Diligente, zeloso: *É um pequeno limpo, cuidadoso.* [Var.: *cuidoso.*]

cuidar. [Do lat. *cogitare.*] *V. t. d.* **1.** Imaginar, pensar, meditar; cogitar, excogitar: *Cuidou maduramente o plano.* **2.** Julgar, supor: *Cuidei que ele dormia, e estava desperto. T. i.* **3.** Julgar, supor: *Depois de tamanha deslealdade, nem sei o que cuide dele.* **4.** Aplicar a atenção, o pensamento, a imaginação; atentar, pensar, refletir: *Cuidou muito no assunto antes da decisão.* **5.** Ter cuidado (3); tratar: *Cuida da saúde;* "A velha tapuia Rosa já não podia cuidar da pequena lavoura que lhe deixara o marido." (Inglês de Sousa, *Contos Amazônicos,* p. 3); "elas lavam, cozinham; passam roupa. Cuidam das crianças da casa." (Ana Elisa Gregori, *Os Barões da Candeia,* p. 5). **6.** Fazer os preparativos; tratar: *cuidar do almoço. Transobj.* **7.** Julgar, supor: *Eu cuidava-o rico, e é bem pobre. P.* **8.** Ter-se por; julgar-se, considerar-se: *Cuida-se muito inteligente, mas é apenas esperto.* **9.** Prevenir-se, acautelar-se. **10.** Ter cuidado consigo mesmo, com a sua saúde, a sua aparência ou apresentação: "a própria D. Marfisa .... já andaria à procura dos dois. espigada na sua cinta, os sapatos de salto alto, os cabelos anilados. Era mulher que se cuidava." (Moreira Campos, *Portas Fechadas,* p. 37.)

cuidaru. *S. m. Bras.* Espécie de clava chata e esquinada, de cerca de 1 m de tamanho, usada pelos indígenas; tamarana.

cuidoso (ô). *Adj.* Var. haplológica de *cuidadoso:* "o verso flui fácil, como era natural sucedesse numa época acima de tudo cuidosa da forma." (Hernâni Cidade, *Lições de Cultura e Literatura Portuguesas,* I, p. 294.)

cuieira. *S. f.* **1.** *Bras., AM* e *PA.* Árvore baixa, da família das bignoniáceas (*Crescentia cujete*), de caule tortuoso, flores solitárias, grandes, esverdeadas ou amarelo-pálidas, com estrias roxas, a qual fornece madeira castanho-amarelada, dura e forte, própria para marcenaria, e cujo fruto, baga, é usado como vasilhas, cuias e instrumentos musicais; cabaceira, árvore-de-cuia, cuitê ou cuité, coité: "iriam abrigar-se sob a copada cuieira" (Inglês de Sousa, *O Missionário,* p. 260). **2.** *Bras. MA.* Abóbora-d'água (1). **3.** *Bras., MA.* Abóbora-menina (1).

cuieté. *S. m. Bras.* Var. pros. de *cuietê* [q. v.].

cuietê. [V. *cuitê.*] *S. m. Bras.* V. *cuia* (1 e 2). [Var. pros.: *cuieté.*]

cuietezeira (etè). *S. f. Bras.* V. *cabaceiro-amargoso.*

cuim¹ (u-ím). [Voc. onom.] *S. m. Bras.* V. *ouriço-cacheiro.*

cuim² (u-ím). [Voc. onom.] *S. m.* O grunhir do porco quando sofre.

cuim³ (u-ím). [Do tupi *ku i,* 'farinha', com nasalação.] *S. m. Bras.* Alimpadura do arroz.

■ **cu. in.** Abrev. de *polegada cúbica.* [Em ingl., *cubic inch.*]

cuinchar (u-i). [Voc. onom.] *V. int.* Gritar (o porco); cuinhar: "Bácoros cuinchavam" (Coelho Neto, *A Conquista,* p. 444).

cuincho (u-i). [Dev. de *cuinchar.*] *S. m.* Ato de cuinchar; a voz do porco: "as leitegadas reunidas aos cuinchos em volta das porcas de mamas flácidas" (Coelho Neto, *Obra Seleta, I,* p. 443).

cuinhar (u-i). [Voc. onom.] *V. int.* Cuinchar: "vinte índios, em fila, saem do mato, imitando uma vara de caititus, cuinhando, roncando, grunhindo" (Martins Fontes, *A Dança,* p. 83).

cuinhira (u-i). [Do tupi.] *S. f. Bras., Amaz.* V. *crueira* (2).

cuintau (u-in). [Do tupi.] *S. m. Bras.* V. *anhuma.*

cuipuna. [Do tupi.] *S. f. Bras.* Árvore da família das mirtáceas (*Myrcia tingens*).

➧**cuique suum** (cuiqüe súum). [Lat., 'a cada um o seu'.] Aforismo do direito romano.

cuíra. [Do tupi.] *Adj. 2 g. Bras., Amaz.* Que não pára; que está em contínuo movimento; irrequieto, traquinas: *um cavalo cuíra; criança cuíra.*

cuité. *S. f.* e *m. Bras.* V. *cuitê.*

cuitê. [Var. de *cuietê* < tupi *kuya e'tê,* 'cuia verdadeira'.] *S. f.* e *m. Bras.* **1.** V. *cuieira* (1): "a polpa dos frutos do cuitê entremaduros ou verdoengos" (Leôncio C. de Oliveira, *Vida Roceira,* p. 29). **2.** V. *cuia* (1 e 2). [Var. pros.: *cuité;* outra var.: *coité.*]

cuité-açu. *S. m. Bras.* V. *cardamomo-da-terra.* [Pl.: *cuités-açus.*]

cuiteense (èen). *Adj. 2 g.* **1.** De, ou pertencente ou relativo a Cuité (PB). • *S. 2 g.* **2.** Natural ou habitante de Cuité.

cuitelão. *S. m. Bras.* **1.** Ave piciforme, da família dos galbulídeos (*Jamaralcyon tridactyla* (Vieil.)), do S.E. do Brasil, de colorido verde-metálico, cabeça com estrias longitudinais ferruginosas, peito e abdome esbranquiçados, e pé com três dedos apenas. Alimenta-se de insetos. [Sin.: *violeiro, guanumbiguaçu.*] **2.** V. *bicudo* (10).

cuitelo. *S. m. Bras., SP.* Entre os caipiras, designação comum aos beija-flores. [V. *beija-flor.*]

cuitezeira (tè). [De *cuité* + *-z-* + *-eira.*] *S. f. Bras.* V. *cabaceiro-amargoso.*

cuiúba. [De possível or. tupi.] *S. m. Bras.* V. *tuim.*

cuiú-cuiú. [Do tupi *ku'yu ku'yu.*] *S. m. Bras.* **1.** Ave psitaciforme, da família dos psitacídeos (*Pionopsitta pileata* (Scop.)), do S.E. do Brasil e países limítrofes, de coloração verde-azeitona, asas azul-cobalto, sendo a fronte sangüínea no macho adulto, e azul no macho jovem e na fêmea. [Sin.: *caturra, iuiú, periquito-rei, periquito-real, maitaca-de-cabeça-vermelha, tuimaitaca.*] **2.** Designação comum a várias espécies de peixes teleósteos, siluriformes, da família dos doradídeos, com uma fileira de placas córneas imbricadas ao longo da linha lateral. A maioria tem um grande acúleo serreado nas nadadeiras peitorais e dorsal. A espécie comum, dos rios Paraná e Paraguai, é a *Oxydoras kneri* Bleek., de dorso plúmbeo, flancos mais claros, abdome amarelado, com placas da mesma cor. Comprimento: até 0,60 m; tem hábitos noturnos. [Sin.: *armado, focinho-de-porco, iuiú, peixe-de-manilha, queruqueru, quiriquiri.* Cf. *abotoado* (5). Pl.: *cuiú-cuiús.*]

cuiuíra. *S. f. Bras., AM.* V. *crueira* (2).

cuiumari. *S. m. Bras., AM.* V. *cujumari.*

cujara. *S. m. Bras., SP.* V. *rato-d'água.*

cujigenéri. *Bras. S. 2 g.* **1.** Indivíduo dos cujigenéris, tribo da bacia do Purus. • *Adj. 2 g.* **2.** Pertencente ou relativo a essa tribo.

cujo. [Do lat. *cuju* < adj. *cujus, a, um.*] **1.** *Pron. rel.* De que ou de quem; do qual, da qual, dos quais, das quais: *É um gás a cujas exalações ninguém resiste;* "Vós, poderoso Rei, cujo alto Império / O Sol logo em nascendo vê primeiro." (Luís de Camões, *Os Lusíadas,* I, 8); "Aquela, cujo amor me causa alguma pena, / Põe o chapéu ao lado, abre o cabelo à banda." (Cesário Verde, *Obra Completa,* p. 86). [À idéia de referência ou relação acrescenta a de posse ou pertença, etc. Reclama, em regra, antecedente e conseqüente expressos, e concorda em gênero e número com este, que não pode ser igual àquele. [Cf. *qual.*] O antecedente é representado por um substantivo (tal qual o conseqüente), ou por um pronome, como se vê nos dois últimos exemplos citados. É arcaico o emprego do *cujo* sem esta característica, embora disso haja documentação em autores modernos: "Antes de o tragar o inferno, cujo [= do qual] é, o árabe sensual passava pelo paraíso, que nos tinha roubado!" (Rebelo da Silva, *Contos* e *Lendas,* p. 20); "Ele recebeu com o batismo o nome do santo, cujo era o dia." (José de Alencar, *Iracema,* p. 138); "aquelas reservas, restrições, insinuações e dúvidas cujas principais já mais ou menos indicamos." (José Régio, *O Príncipe com Orelhas de Burro,* p. 20); *Cujo é este livro?*] • *S. m.* **2.** *Bras. Fam.* Qualquer pessoa, indeterminada ou de quem não se quer dizer o nome; sujeito, indivíduo, fulano, camarada, cara; dito-cujo: "Então, seu alferes, me cheguei peito a peito, e mandei o cujo prós quintos!..." (Amadeu de Queirós, *Os Casos do Carimbamba,* p. 100.) **3.** *Bras., Pop. P. ext.* V. *diabo* (2): "Conta-se que um marido .... ao fazer uma viagem deixou o diabo guardando-lhe a mulher. — Mas esta, que não era tola, percebeu que o guarda era o cujo." (Lindolfo Gomes, *Contos Populares Brasileiros,* p. 73).

cujuba¹. [De possível or. tupi: *kuya yub,* 'cuia amarela'.] *S. f.* **1.** *Bras., CE.* Pequena cuia (1). **2.** *Bras.,* MA. Desenvolvimento monstruoso dos testículos.

cujuba². [Talvez de or. tupi.] *Interj. Bras., AM.* Voz empregada pelos tiradores de madeira para que todos a um tempo se empenhem na tração.

cujubi. [Do tupi *kuyu'bi.*] *S. m. Bras., Amaz.* V. *cujubim.*

cujubim. [Do tupi *kuyu'bi;* var. de *cujubi.*] *S. m. Bras.* Designação comum às aves galiformes, da família dos cracídeos, gênero *Pipile* Bon., que ocorrem na Amaz., especialmente *P. cumanensis* (Jacq.). Caracteriza essa espécie a pele da garganta nua e de coloração azul-escura, e o fato de uma parte das coberteiras das asas superiores ser branca com pontas pretas. [Var.: *cajubi, cajubim.*]

cujumari. [De possível or. tupi.] *S. m. Bras., AM.* Árvore muito alta, da família das lauráceas (*Ocotea cujumary*), dotada de flores dióicas, de exterior amarelo-pálido e interior alvacento, cujo fruto é baga com cúpula crassa na base, e que fornece madeira própria para marcenaria; cuiumari, cuxumari, cumari, cuxeri.

▲**-cula.** [Do lat. *-cula.*] *Suf. nom.* = '-ula' [q. v.].

culape. *S. m. Bras., RS.* **1.** Susto. **2.** Naco, pedaço.

culatra. [Do it. *culatta.*] *S. f.* **1.** O fundo do cano de arma de fogo. **2.** A parte posterior do canhão. **3.** *Mec.* Tampa que fecha a parte superior dos cilindros dos motores de explosão. **4.** *Gír. Nádegas.* **5.** *Bras., S.* O remanescente duma partida de gado. **6.** *Bras., S.* A retaguarda de um rebanho.

culatrão. [Aum. de *culatra.*] *S. m. Lus.* **1.** Mulher muito gorda. **2.** Prostituta reles. V. *meretriz.*

culatrear. *V. t. d.* **1.** *Bras., S.* Seguir na culatra (6), tangendo (o rebanho). **2.** *Fig.* Ir no encalço de; perseguir. [Conjug.: v. *frear.*]

➧**cul-de-lampe** (cu de lamp'). [Fr.] *S. m.* Vinheta no fim de um capítulo, em um livro. [Pl.: *culs-de-lampe.*]

➧**cul-de-sac** (cü de sac). [Fr.] *S. m. Arquit.* Rua sem saída, que tem geralmente, no final, uma área para manobra de veículos. [Pl.: *culs-de-sac.*]

cule. [Do dravídico *kuli,* 'salário, jornal', atr. do ingl. *coolie.*] *S. m.* Operário nativo não especializado, em particular na Índia, na antiga China, etc.

▲**culici-.** [Do lat. *culex, icis.*] *El. comp.* = 'mosquito': *culiciforme.*

culicídeo. *S. m.* **1.** Espécime dos culicídeos. • *Adj.* **2.**

Pertencente ou relativo a eles.
culicídeos. *S. m. pl. Zool.* Família de insetos da ordem dos dípteros, subordem dos nematóceros. Conhecidos como *pernilongos, mosquitos, carapanãs* e *muriçocas*, constituem grande família, em que as fêmeas são hematófagas e causam prejuízos graves, servindo de vectores na transmissão de doenças.
culiciforme. [De *culici-* + *-forme.*] *Adj. 2 g.* Semelhante a mosquito[1] (1).
culina. *Bras. S. 2 g.* **1.** Indivíduo dos culinas, tribo indígena pano do S. O. da Amaz., ou de seus vizinhos aruaques homônimos. • *Adj. 2 g.* **2.** Pertencente ou relativo a esses indígenas. [Var.: *culino* e *curina*. Cf. *colina*.]
culinária. [Fem. substantivado de *culinário*.] *S. f.* A arte de cozinhar.
culinário. [Do lat. *culinariu*.] *Adj.* Pertencente ou relativo a cozinha: *Petrechos culinários.* ~ V. *arte —a.*
culino. *S. 2 g.* e *adj. 2 g. Bras.* V. *culina.*
cúlmen. [Do lat. *culmen*.] *S. m. Zool.* Crista mediana dorsal do bico das aves. Pl.: *culmens* e, p. us. no Brasil, *cúlmenes*.]
culminação. *S. f.* **1.** V. *culminância.* **2.** *Astr.* Posição de um astro quando, no seu movimento diurno, atinge o mínimo de sua distância zenital.
culminância. [Do lat. *culminantia*.] *S. f.* Auge, apogeu, zênite; culminação: *Chegou à culminância do poder.*
culminante. [Do lat. *culminante*.] *Adj. 2 g.* Que é o mais elevado, o mais alto. ~ V. *ponto —.*
culminar. [Do lat. *culminare*.] *V. int.* Chegar ao ponto culminante, mais alto, ao auge: *Na década de 1880 culminou o movimento abolicionista brasileiro: O virtuosismo do futebol brasileiro culminou com a obtenção da Taça Jules Rimet.*
▲-culo. [Do lat. *-culo*.] *Suf. nom.* = '-ulo' [q. v.].
culote. [Do fr. *culotte*.] *S. m. Bras.* **1.** Calça larga na parte superior e justa a partir do joelho, usada por militares e para montaria, em geral com botas de cano alto ou com perneiras. **2.** *Cir. Plást.* Acúmulo de gordura localizado na face externa de articulação coxofemoral.
culpa. [Do lat. *culpa*.] *S. f.* **1.** Conduta negligente ou imprudente, sem propósito de lesar, mas da qual proveio dano ou ofensa a outrem. **2.** Falta voluntária a uma obrigação, ou a um princípio ético. **3.** Delito, crime, falta: "Não blasfemeis contra Deus, minha mãe, que é enorme culpa." (Alexandre Herculano, *Lendas e Narrativas, II*, p. 37.) **4.** Transgressão de preceito religioso; pecado. **5.** Responsabilidade por ação ou por omissão prejudicial, reprovável ou criminosa: *A criança não tem culpa de haver esquecido os livros em casa; A moça não tem culpa de ter despertado tão grande paixão.* **6.** *Jur.* Violação ou inobservância duma regra de conduta, de que resulta lesão do direito alheio. [Cf. *dolo*[1].] ♦ **Por culpa de.** Por causa de (algum mal ou inconveniente): *Cheguei atrasado por culpa do trânsito.* **Ter culpa no cartório.** Estar implicado em um delito ou falta; ter culpas no cartório. **Ter culpas no cartório.** Ter culpa no cartório.
culpabilidade. *S. f.* Estado ou qualidade de culpável ou de culpado.
culpado. [Do lat. *culpatu*.] *Adj.* **1.** Que tem culpa(s). • *S. m.* **2.** Aquele que cometeu ato culposo. **3.** *Restr.* Criminoso, delinqüente.
culpando. [Do lat. *culpandu*.] *Adj.* Que merece ou deve ser culpado.
culpar. [Do lat. *culpare*.] *V. t. d.* **1.** Acusar de culpa; declarar culpado; incriminar: *Os jurados culparam o réu. T. d. e i.* **2.** Acusar, incriminar, responsabilizar: *Culparam-no de crime que não cometeu. P.* **3.** Cair em culpa; confessar-se culpado.
culpável. [Do lat. *culpabile*.] *Adj. 2 g.* **1.** A que se pode lançar a culpa. **2.** Digno de censura; condenável, repreensível: *atitude culpável.*
culposo (ô). *Adj.* **1.** Que cometeu culpa. **2.** Em que há culpa. ~ V. *crime — e receptação —a.*
culteranismo. [Do esp. *culteranismo*.] *S. m.* **1.** Excessivo apuro ou afetação no uso da linguagem. **2.** Estilo purístico, afetado. [Sin. ger.: *cultismo*.]
culteranista. *Adj. 2 g.* **1.** Relativo ao, ou que é partidário do culteranismo. • *S. 2 g.* **2.** Partidário do culteranismo; cultista.
cultismo. *S. m.* **1.** Qualidade de culto[2], ou de civilizado. **2.** Culteranismo.
cultista. *Adj. 2 g.* **1.** Referente ao, ou que é partidário do cultismo. • *S. 2 g.* **2.** Partidário do cultismo; culteranista.
cultivação. *S. f. P. us.* V. *cultivo.*
cultivador (ô). *S. m.* **1.** Aquele que cultiva; cultor. **2.** Agricultor, lavrador.
cultivar. [Do it. *coltivare*.] *V. t. d.* **1.** Fertilizar (a terra) pelo trabalho; amanhar: *Em vão procuraram os lavradores cultivar aqueles campos cansados.* **2.** Dar condições para o nascimento e desenvolvimento de (planta): *cultivar o trigo;* "gostava muito de flores .... Bem pena tinha de não possuir um pedacinho de quintal onde as cultivasse!" (José Régio, *Histórias de Mulheres*, p. 83). **3.** Aplicar-se ou dedicar-se a: *cultivar as artes.* **4.** Procurar manter ou conservar: *Cultiva suas amizades da infância.* **5.** Formar, educar ou desenvolver pelo estudo, pelo exercício: *Não cultiva os seus talentos. Int.* **6.** Exercer a agricultura. *P.* **7.** Formar-se pela educação; adquirir cultura. • *S. m.* **8.** *Bot.* Designação comum às variedades de plantas obtidas por meio de cultivo.
cultivável. *Adj. 2 g.* Que pode ser cultivado.
cultivo. [Dev. de *cultivar*.] *S. m.* **1.** Ato ou efeito de cultivar: *O cultivo da cana-de-açúcar no Brasil principiou na primeira metade do séc. XVI.* **2.** Modo de cultivar (6); cultura. [Sin. ger. (p. us.) *cultivação*.]
culto[1]. [Do lat. *cultu*.] *S. m.* **1.** Adoração ou homenagem à divindade em qualquer de suas formas, e em qualquer religião: *o culto da Santíssima Trindade; o culto das forças da natureza.* **2.** Modo ou sistema de exteriorizar o culto (1): ritual [cf. *liturgia*.]: *o culto cristão; o culto budista.* **3.** Cerimônia de culto (2) protestante. **4.** V. *religião* (3). **5.** *Fig.* Adoração, veneração, reverência, preito: "Leonardo, no seu culto da perfeição, dobrava o joelho ante as estátuas, ainda úmidas de terra, encontradas no sulco dos arados de Itália." (Alcides Maia, *Crônicas e Ensaios*, p. 143.)
culto[2]. [Do lat. *cultu*.] *Adj.* **1.** Que tem cultura (5); instruído, ilustrado: *homem culto.* **2.** Civilizado, adiantado: *povo culto; país culto.*
cultor (ô). [Do lat. *cultore*.] *S. m.* **1.** Cultivador (1). **2.** Aquele que se dedica a determinado estudo: *cultor das artes.* **3.** *Fig.* Partidário, sectário.
▲cultri-. [Do lat. *culter, tri*.] *El. comp.* = 'faca': *cultriforme, cultrifoliado.*
cultrifoliado. [De *cultri-* + *-foli-* + *-ado*[1].] *Adj. Bot.* Que tem folhas cultriformes.
cultriforme. [De *culti-* + *-forme*.] *Adj. 2 g.* Que tem forma de lâmina de faca.
cultrirrostro. [De *cultri-* + *-rostro*.] *Zool. Adj.* **1.** Cujo bico é cultriforme. **2.** Pertencente ou relativo aos cultrirrostros. • *S. m.* **3.** Espécime dos cultrirrostros.
cultrirrostros. *S. m. pl. Zool.* Família de pernaltas de bico pontiagudo e comprido como lâmina de faca.
cultual. *Adj. 2 g.* Relativo ao, ou próprio do culto: "No Reino Unido o nome da rainha é em toda a imprensa objeto de um respeito quase cultual" (Ramalho Ortigão, *As Farpas*, IX, p. 40).
cultuar. *V. t. d.* **1.** Render culto a: *Os gregos cultuavam os deuses do Olimpo.* **2.** Tornar objeto de culto: *Após a sua morte, cultuam-lhe o nome.*
cultura. [Do lat. *cultura*.] *S. f.* **1.** Ato, efeito ou modo de cultivar. **2.** V. *cultivo* (2). **3.** O complexo dos padrões de comportamento, das crenças, das instituições e doutros valores espirituais e materiais transmitidos coletivamente e característicos de uma sociedade; civilização: *a cultura ocidental; a cultura dos esquimós.* **4.** O desenvolvimento de um grupo social, uma nação, etc., que é fruto do esforço coletivo pelo aprimoramento desses valores; civilização, progresso: *A Grécia do séc. V a. C. atingiu o mais alto grau de cultura de sua época.* **5.** Atividade e desenvolvimento intelectuais; saber, ilustração, instrução: *Ministério da Cultura; a cultura do espírito.* **6.** Apuro, esmero, elegância. **7.** Criação de certos animais, em particular os microscópicos: *cultura de carpas; cultura de germes.* ♦ **Cultura de massa.** Cultura imposta pela indústria cultural; indústria cultural. **Cultura física.** Desenvolvimento sistemático do corpo humano por meio de ginástica e desportos.
cultural. [Do al. *kulturell*.] *Adj. 2 g.* Relativo à, ou próprio da cultura. ~ V. *antropologia. —, bem —, ciclo —, complexo —, indústria — e inventário —.*
culumi. *S. m. Bras., Amaz.* V. *curumi.*
culumim. *S. m. Bras., Amaz.* V. *curumi.*
cumáceo. *S. m.* **1.** Espécime dos cumáceos. • *Adj.* **2.** Pertencente ou relativo a eles.
cumáceos. *S. m. pl. Zool.* Animais artrópodes, crustáceos, malacrostráceos, peracarídios, da ordem *Cumacea*. Corpo provido de carapaça cobrindo os cinco primeiros segmentos torácicos; três pares de maxilípedes urópodes delicados; a maioria vive no mar, enterrada na lama ou na areia.
cumachama. [De *como (se) chama?*] *S. 2 g. Bras., CE. Pop.* Palavra com que se designa vagamente alguém cujo nome se ignora ou não se quer mencionar.
cumadá-minanei. *S. 2 g.* e *adj. 2 g. Bras.* Ipeca[2]. [Pl.: *cumadás-minaneis* e *cumadás-minanei*.]
cumaí. [Do tupi *ku'mã*, 'sorva', + *i*, 'pequena'.] *S. m. Bras.* Árvore silvestre da família das apocináceas (*Couma utilis*).
cumaná. *Bras. S. 2 g.* **1.** Indivíduo dos cumanás, tribo indígena da bacia do Guaporé. • *Adj. 2 g.* **2.** Pertencente ou relativo a essa tribo.
cumanã. [De possível or. tupi.] *S. f. Bras.* Arbusto da família das euforbiáceas, da região das caatingas (*Euphorbia phosphorea*).
cumanaxo. *Bras. S. 2 g.* **1.** Indivíduo dos cumanaxos, tribo indígena maxacali de Minas Novas (MG). • *Adj. 2 g.* **2.** Pertencente ou relativo a essa tribo.
cumandá. *S. f. Bras.* V. *acapurana.*
cumandatiá. [Do tupi *cumã'dá*, 'feijão'.] *S. f. Bras.* Trepadeira da família das leguminosas, subfamília papilionácea (*Dolichos lablab*).
cumaré. *S. m.* V. *cumaru-do-ceará.*
cumari. [Do tupi *kũba'ri*; var. de *cumbari*.] *S. m.* **1.** *Bras., N.* a *L.* Espique grande, da família das palmáceas (*Astrocaryum vulgare*), cujo fruto, drupáceo, com polpa amarelo-avermelhada e aromática, tem semente com uma amêndoa comestível, e que apresenta inflorescência em espádice, emergindo do centro de duas brácteas; cumbari, cumbarim, aiará, curuá, coqueiro-tucum, tucum-do-amazonas, tucumã-piranga. **2.** *Bras., RJ* e *S.* V. *cumarim.* **3.** *Bras., AM.* V. *cujumari.*
cumarim. [Var. de *cumari*.] *S. m. Bras., RJ* e *S.* Arbusto pequeno, da família das solanáceas (*Capsicum frutescens*), cujo fruto, baga ovóide de cor vermelha, encerra um ácido considerado condimentício; cumari, pimenta-cumarim, pimenta-apuã.
cumarina. *S. f. Quím.* Substância odorífera, cristalina, incolor, existente nas sementes do cumari. [Fórm.: $C_9H_6O_2$.]
cumarino. *Adj.* **1.** De, ou pertencente ou relativo a Cumari (GO). • *S. m.* **2.** O natural ou habitante de Cumari.
cumaru. [Do tupi *kumba'ru*; var. de *cumbaru*.] *S. m. Bras., Amaz.* **1.** Árvore da família das leguminosas (*Dipteryx odorata*), própria da mata úmida, de flores vermelhas e perfumadas, e cujos frutos são drupas que contêm grandes sementes negras, odoríferas e ricas em cumarina; cumbaru, cumburu, paru. **2.** V. *fava-de-cheiro.*
camaru-amarelo. *S. m. Bras., AM* e *MT.* V. *cumaru-verdadeiro.* [Pl.: *cumarus-amarelos*.]
cumaru-do-amazonas. *S. m. Bras., AM* e *MT.* V. *cumaru-verdadeiro.* [Pl.: *cumarus-do-amazonas*.]
cumaru-do-ceará. *S. m. Bras., N.E.* até *L.* Árvore regular, da família das leguminosas (*Torresea cearensis*), de casca grossa, suberosa, gordurosa e aromática, tida por medicinal, flores alvas ou amarelo-pálidas, pequenas e aromáticas, e cujo fruto é vagem achatada e escura, contendo uma semente alada e rugosa; cumbaru-das-caatingas, cumaré, amburana, imburana-de-cheiro. [Pl.: *cumarus-do-ceará*.]
cumarurana. [De *cumaru* + *-rana*.] *S. f. Bras.* Árvore da família das leguminosas, subfamília papilionácea (*Dipterix oppositifolia* e *D. alata*).
cumaru-verdadeiro. *S. m. Bras., AM* e *MT.* Árvore grande e elegante, da família das leguminosas (*Coumarouna odorata*), cujos frutos, vagens drupáceas, encerram uma semente, a fava-de-cumaru, considerada medicinal, e cujas flores, dispostas em panículas, são vermelhas e aromáticas; cumaru-amarelo, cumaru-do-amazonas, cumaruzeiro. [Pl.: *cumarus-verdadeiros*.]
cumaruzeiro. *S. m. Bras., AM* e *MT.* V. *cumaru-verdadeiro.*
cumatanga. *S. m. Bras.* V. *chauã.*
cumatê. [De possível or. tupi.] *S. m.* **1.** *Bras., N.* a *S.* Designação de arbustos ornamentais da família das melastomáceas, cujas cascas são ricas em tanino, e que têm poucas flores, dispostas em panículas terminais, e frutos capsulares, com muitas sementes. **2.** V. *axuá* (2).
cumati. [Do tupi *kuma'ti*.] *S. m. Bras.* Árvore da família das mirtáceas (*Myrcia atramentifera*).
cumã-uaçu. [Do tupi *ku'mã*, 'sorva', + *wa'su*, 'grande'.] *S. f. Bras.* Árvore da família das apocináceas (*Couma macrocarpa*). [Pl.: *cumã-uaçus*.]
cumba. *Adj.* e *s. m. Bras., SP. Gír.* V. *valentão* (1 e 3).
cumbá. *S. m. Bras., MG.* Saco improvisado com a saia, cuja barra fica presa ao cós, e empregado na colheita do café.
cumbaca. [Do tupi *ku'mbaka*, 'língua virada'.] *S. f. Bras.* V. *anujá.*

cumbari. *S. m. Bras.* V. *cumari* (1).
cumbarim. *S. m. Bras.* V. *cumari* (1).
cumbaru. *S. m. Bras.* V. *cumaru* (1).
cumbaru-das-caatingas. *S. m. Bras.* V. *cumaru-do-ceará.* [Pl.: *cumbarus-das-caatingas.*]
cumbe. *S. f. Bras., CE. Pop.* V. *cachaça* (1).
cumbé. *S. m. Bras. Pop.* V. *lesma* (1).
cumbense. *Adj. 2 g.* **1.** De, ou pertencente ou relativo a Cumbe (SE). • *S. 2 g.* **2.** Natural ou habitante de Cumbe.
cumbuca. [De *cuiambuca*, com síncope.] *S. f. Bras.* **1.** Vaso feito de cabaça na parte superior da qual se fez uma abertura circular, e destinado principalmente a conter água ou qualquer outro líquido; cuiambuca. **2.** *Bras.* Rifa. **3.** *Gír.* Casa de jogo. **4.** Cabaça onde se faz um furo por onde possa o mico introduzir a mão e parte do braço, e da qual não pode libertar-se por não ter o expediente de largar o engodo ali colocado.
cumbuca-de-macaco. *S. m. Bras.* V. *sapucaia* (1). [Pl.: *cumbucas-de-macaco.*]
cumbuco. [De *cumbuca.*] *Adj. Bras., N.* Diz-se do bovino cujos chifres, encurvados, têm as pontas voltadas uma para a outra.
cumburu. *S. m. Bras.* V. *cumaru.* (1).
cume. [Do lat. *culmen.*] *S. m.* **1.** O ponto mais alto de um monte; cimo, crista, cocuruto ou cucuruta, coruta ou coruto, cumeeira, picaroto, pináculo, píncaro, pinguruto; ponto culminante. **2.** *Fig.* Auge, apogeu, ápice; ponto culminante; *o cume da glória.*
cumeada. *S. f.* **1.** Seqüência de cumes de montanhas: "as cumeadas da grande cordilheira das Vertentes" (Afonso Arinos, *Pelo Sertão*, p. 109). **2.** V. *cumeeira* (2). [Sin. ger.: *encumeada.*]
cumeeira. *S. f.* **1.** V. *cume* (1.) **2.** A parte mais alta do telhado; cumeada, cavalete de telhado, cumeada.
cumeeira-da-casa. *S. m. Bras., BA.* O chefe de uma família. [Pl.: *cumeeiras-da-casa.*]
➧**cum grano salis** (cum gráno sáliç). [Lat., 'com um grão de sal'.] Com um tudo-nada de brincadeira; não de todo a sério.
cumiana. *Bras. S. 2 g.* **1.** Indivíduo dos cumianas, subgrupo dos índios pianocotos que habita nos rios Acari, Mapuera e Nhamundá (N. do PA). • *Adj. 2 g.* **2.** Pertencente ou relativo a esses indígenas.
cumim. *S. m. Bras.* Ajudante de garçom.
cúmplice. [Do lat. tardio *complice.*] *S. 2 g.* **1.** Pessoa que tomou parte em um delito ou crime; co-autor. **2.** *P. ext.* Pessoa que colabora em, ou participa com outrem de algum fato; parceiro, sócio.
cumpliciar. *V. t. d. e p.* Acumpliciar(-se).
cumplicidade. *S. f.* Ato ou qualidade de cúmplice.
cumpridor (ô). *Adj.* **1.** Que cumpre ou executa: *É cumpridor de suas obrigações.* **2.** *Restr.* Que cumpre ou executa os seus deveres, obrigações, promessas: *É um funcionário cumpridor.* • *S. m.* **3.** Aquele que cumpre ou executa; executor. **4.** Aquele que cumpre seu dever. **5.** *Restr.* Executor testamentário; testamenteiro.
cumprimentar. *V. t. d.* **1.** Dirigir ou fazer cumprimento(s) a, saudar, cortejar: "Ela entrou cerimoniosamente, cumprimentou-o com um gesto de cabeça" (Artur Azevedo, *Contos Possíveis*, p. 85). **2.** Fazer elogios a; elogiar, louvar: *Sua atuação honesta levou amigos e inimigos a cumprimentarem-no. Int.* **3.** Apresentar cumprimento(s) (2 e 3): "Uma senhora, perto, sorriu; outros indivíduos sorriram, cumprimentaram." (Graciliano Ramos, *Viagem*, pp. 65-66.) *P.* **4.** Trocar cumprimentos; saudar-se: "eles cumprimentaram-se, o que era muito natural, porque na roça não se encontram duas pessoas que não se cumprimentem" (Artur Azevedo, *Contos Cariocas*, p. 135). [Pres. ind.: *cumprimento*, etc. Pres. subj.: *cumprimente*, etc. Cf. *comprimento* e *comprimente.*]
cumprimenteiro. *Adj.* Que cumprimenta muito.
cumprimento. [Do ant. *comprimento*, de *comprir* (*cumprir*) + *-mento.*] *S. m.* **1.** Ato ou efeito de cumprir: *cumprimento de um dever, de uma promessa.* **2.** Gesto ou expressão falada ou escrita de cortesia; saudação: "Fazendo um cerimonioso cumprimento às meninas, estendeu-lhes a mão" (Coelho Neto, *Treva*, p. 178). **3.** Elogio, louvor, gabo: *Devo tomar suas palavras como cumprimento ou como censura?* [Cf. *comprimento.*]
cumprir. [Do lat. *complere.*] *V. t. d.* **1.** Tornar efetivo (o que foi determinado ou prescrito, ou a que nos obrigamos perante nós mesmos); executar; desempenhar: *Cumpriu religiosamente as últimas vontades do pai; cumprir ordens; cumprir a missão;* "Cumpra o que lhe ordeno." (Camilo Castelo Branco, *Mistérios de Fafe*. p. 21); "Cumpriu João Cocá a promessa generosa de tornar menos precárias as condições do casebre de Ana Monção" (Antônio Versiani, *Viola de Queluz*, p. 33). **2.** Preencher, realizar: *Sem o saber, cumpria, daquele modo, a profecia divina.* **3.** Satisfazer (pedido, desejo). **4.** Sujeitar-se, submeter-se a: "regressou [Charles Nodier] a Paris .... , cumprindo pena de prisão" (Melo Nóbrega, *O Soneto de Arvers*, p. 12). **5.** Completar, atingir: "Gonçalo Mendes da Maia, o velho fronteiro de Beja, cumpria os noventa e cinco anos" (Alexandre Herculano, *Lendas e Narrativas*, II, p. 86). **6.** Ser necessário, conveniente ou proveitoso; convir: "Cumpria-lhe ser duro e implacável, era poderoso e forte." (Machado de Assis, *Quincas Borba*, pp. 30-31). **7.** Competir, caber, pertencer: *Cumpria-lhe chefiar a delegação. Int.* **8.** Ser necessário, conveniente, proveitoso: *Cumpre trabalhar com ordem; Cumpre que todos vivam honestamente. P.* **9.** Realizar-se, verificar-se: *Cumpriu-se a profecia do astrólogo.* **10.** Completar-se, inteirar-se: *Cumpriam-se 10 anos de sua residência aqui.* [Impess. na acepç. 7. Part.: *cumprido.* Cf. *comprido.*]
cumulação. [Do lat. *cumulatione.*] *S. f.* Ato ou efeito de cumular; acumulação.
cumulaia. *S. f. Bras., RJ. Pop* V. *cachaça* (1).
cumulante. [De *cumular* + *-nte.*] *S. m. Estat.* Qualquer dos coeficientes do desenvolvimento em série do logaritmo da função característica de uma variável aleatória.
cumular. [Do lat. *cumulare.*] *V. t. d., t. d. e i. e p.* **1.** V. *acumular.* **2.** Dar, conceder em alto grau ou grande quantidade: "dezembro trouxe outra coisa além do calor: Sofia. Bartoleu foi buscá-la. Cumulou-a de carinhos e privilégios dentro de casa." (Carlos Heitor Cony, *A Verdade de Cada Dia*, p. 107). [Pres. ind.: *cumulo.* etc. Cf. *cúmulo.*]
cumulativo. *Adj.* **1.** Feito por acumulação. **2.** Que consiste em acumular: *sistema cumulativo.* ~ V. *avales —s* e *índice —.*
cúmulo. [Do lat. *cumulu.*] *S. m.* **1.** Reunião de coisas sobrepostas; montão. **2.** O ponto mais alto; o mais alto grau; auge, máximo: "Chegou teu gênio [do Padre Antônio Vieira] finalmente ao cúmulo / De ser preciso levantar dos mares / Um continente para ser teu túmulo!" (Humberto de Campos, *Poesias Completas*, p. 163); *Perdeu os pais num desastre de avião, e, por cúmulo de desgraça, o filho também.* **3.** *Met.* Nuvem branca, de grande desenvolvimento vertical, de base retilínea e topo arredondado, constituída de elementos que lembram novelos, flocos de algodão ou torreões de castelo; carneirinho, algodão: "Já os horizontes .... começavam a se encher de sangue e os duros cúmulos de alabastro iam se desfazendo em cirros, se alongando em estratos." (Pedro Nava, *Baú de Ossos*, p. 313.) [Cf. *cumulo*, do v. *cumular.*] ♦ **Cúmulo das galáxias.** *Astr.* V. *aglomerada de galáxias.* **Cúmulo estelar.** *Astr.* V. *aglomerado estelar.* **Cúmulo galáctico.** *Astr.* V. *aglomerado galáctico.* **Cúmulo globular.** *Astr.* V. *aglomerado globular.* **Cúmulo móvel.** *Astr.* Aglomerado móvel.
cúmulo-cirro. *S. m. Met.* Cirro-cúmulo. [Pl.: *cúmulos-cirros.*]
cúmulo-estrato. *S. m. Met.* Estrato-cúmulo. [Pl.: *cúmulos-estratos.*]
cúmulo-nimbo. *S. m. Met.* Nuvem núncia de trovoadas, de aspecto fibroso (por causa da presença de cristais de gelo), constituída de um ou vários elementos que lembram grandes torreões cujas bases se emendam umas às outras, e que pode estender-se verticalmente de 1 000 a 6 000m acima do solo. [Sin.: *nimbo-cúmulo.* Pl.: *cúmulos-nimbos.*]
cuna. [Do lat. *cuna.*] *S. f.* **1.** *Poét.* Berço (1). **2.** *Fig.* Origem, pátria, berço.
cunabi *S. m. Bras.* Planta tóxica, da família das compostas (*Ichthyothere cunabi*). [Var. *cunabim.*]
cunabim. *S. m. Bras.* Var. de *cunabi.*
cunambi. *S. m. Bras.* V. *conambim.*
cunau. *S. m. Bras.* V. *cunauaru.*
cunauaru. [Do tupi *kunawa'ru.*] *S. m. Bras.* **1.** Anfíbio anuro, da família dos hilídeos (*Hyla venulosa* (Laur.)), distribuído desde o México até o ES. Coloração cinza-chumbo tirante ao marrom ou ao verde-oliva. Comprimento: cerca de 0,9 m. Nidifica em ocos de árvores, onde prepara câmaras em que põe os ovos. Este sapo, segundo a crendice dos indígenas, traz felicidade. **2.** Resina perfumada segregada por esse sapo. [Sin. ger.: *cunuaru, cuñau, curucucica.*]
cunca[1]. *S. f. Bras.* Designação comum a tubérculos sumarentos que se desenvolvem nas raízes horizontais do imbuzeiro, e com que, à falta de água, os vaqueiros e caçadores matam a sede.
cunca[2]. [Do ingl. *cooncan.*] *S. m. Bras.* Certo jogo de cartas: "Na sala de jantar duas mulheres velhas jogavam cunca silenciosamente, com um colega e um desconhecido." (João Alphonsus, *Pesca da Baleia*. p. 68.)
cunctatório. *Adj.* V. *cuntatório.*
cundunda. *S. m. Bras., PE.* V. *amboré.*
cundurango. *S. m. Bras., L.* e *S.* Designação comum a várias trepadeiras ou arbustos trepadores, da família das compostas, dotadas de flores alvas em numerosos capítulos e dispostas em panículas ou corimbos, e cujos frutos são aquênios com cerdas vermelhas.
cunduru. *S. m. Bras.* Certa árvore da família das urticáceas.
cuneado. *Adj.* ~ V. *folha —a.*
cuneano. [De *cune(i)-* + *-ano.*] *Adj.* Cuneiforme [q. v.].
▲**cune(i)-.** [Do lat. *cuneus, i.*] *El. comp.* = 'cunha': *cuneiforme, cuneirrostro; cuneano.*
cuneifoliado. [De *cunei(i)-* + *-foli-* + *-ado*[1].] *Adj. Morfol. Veg.* Que tem folhas em forma de cunha (1).
cuneifólio. *Adj. Bot.* Que tem folhas cuneadas.
cuneiforme. [De *cune(i)-* + *-forme.*] *Adj. 2 g.* **1.** Que tem forma de cunha (1); cuneano. **2.** Pertencente ou relativo à escrita cuneiforme: "Considerando o formulário para declaração de imposto de renda algo assimilável aos textos em caracteres cuneiformes, sempre me abstive religiosamente de preenchê-lo." (Carlos Drummond de Andrade, *Cadeira de Balanço*, p. 35.) ~ V. *escrita —* e *folha —.* ~ V. *cuneiformes.*
cuneiformes. [Pl. substantivado de *cuneiforme.*] *S. m. pl.* **1.** Escrita cuneiforme. **2.** *Anat.* Designação de três ossos do tarso. ~ V. *cuneiforme.*
cuneirrostro. [De *cunei(i)-* + *-rostro.*] *Adj. Zool.* Que tem bico em forma de cunha (1).
cunete. *S. m. Bras. Chulo.* Cunilíngua.
cungue. *S. m.* Na antiga China, título nobiliárquico de alta hierarquia.
cunha. [Do lat. *cunea.*] *S. f.* **1.** Peça de ferro ou de madeira, em forma de diedro sólido, bastante agudo, que se introduz em uma brecha para fender pedras, madeira, etc., para servir de calço e para firmar ou ajustar certas coisas. **2.** Corpo de tropa formada em triângulo. **3.** *Fig.* Pistolão (2 e 3). **4.** Palavra suplementar que arredonda verso ou período. **5.** *Geom.* Porção de uma esfera limitada por um fuso e pelos planos que o determinam; cunha esférica. **6.** *Tip.* Cada uma das pequenas peças de madeira que, premidas pelo bandulho entre os biséis e os lados da rama, serviam outrora para apertar a fôrma. **7.** *Tip. Desus.* V. *cunho* (8). **8.** *Tip.* Cada uma das peças de metal biseladas que, na unidade fundidora da monotipo, servem para estabelecer a largura das letras e espaços. [O conjunto compreende duas cunhas de justificação, a cunha normal, a cunha de transferência dos espaços e a cunha de transferência dos tipos.] ♦ **Cunha de justificação.** *Tip.* V. *cunha* (8). **Cunha de transferência dos espaços.** *Tip.* V. *cunha* (8). **Cunha de transferência dos tipos.** *Tip.* V. *cunha* (8). **Cunha esférica.** *Geom.* Cunha (5). **Cunha normal.** *Tip.* V. *cunha* (8). **À cunha.** Muito cheio, lotado: "Garrett fazia o papel de um cavaleiro .... E, naquela noite, com o Municipal à cunha, Garrett foi anunciado mas não entrou." (Olavo de Barros, *Palco Giratório*, p. 60.)
cunhã. [Do tupi *ku'ñã.*] *S. f.* **1.** *Bras., Amaz.* Mulher (1). **2.** *Bras., MA.* Mulher (1) jovem. **3.** *Bras.* Designação de duas plantas forrageiras (*Bradburya angustifolia* K. e *Bradburya sagittata* R.) da família das leguminosas: "A cunhã é uma leguminosa forrageira adaptada às condições dos trópicos, chegando ao Ceará em 1963, através da Universidade." (*Jornal Universitário*, junho, 1982.)
cunhada. [Do lat. *cognata.*] *S. f.* Irmã de um dos cônjuges em relação ao outro.
cunhadia. *S. f.* Cunhadio.
cunhadio. *S. m.* Parentesco entre cunhados; cunhadia.
cunhado[1]. [Do lat. *cognatu.*] *S. m.* **1.** Irmão de um dos cônjuges em relação ao outro. **2.** *Bras., Amaz.* Entre os caboclos, tratamento equivalente a *companheiro, amigo, senhor*, etc.
cunhado[2]. [Part. de *cunhar.*] *Adj.* Que se cunhou; amoedado.
cunhador (ô). *Adj.* e *s. m.* Que ou aquele que cunha.
cunhagem. *S. f.* Operação de cunhar (moeda).
cunhal. [De *cunha* + *-al.*] *S. m.* Ângulo saliente formado por duas paredes convergentes; esquina: "O soalho era igualmente escuro, de grossas tábuas que reluziam, e nos cunhais pendiam argolas, retorciam-se ganchos à espera das redes." (Coelho Neto, *Treva*, p. 80.)
cunhambebense. *Adj. 2 g.* **1.** De, ou pertencente ou relativo a Cunhambebe (RJ). • *S. 2 g.* **2.** Natural ou

habitante de Cunhambebe.

cunhantã. [Do tupi *kuña'tain*, 'mulher adolescente'; var. de *cunhantaim*.] *S. f. Bras., Amaz.* **1.** Menina (1). **2.** Moça (1): "crianças sadias correndo, cunhantãs gordotas sorrindo" (Raimundo Morais, *País das Pedras Verdes*, p. 275). [Var.: *cunhatã, cunhantaim*.]

cunhantaim (a-ím). *S. f. Bras.* V. *cunhantã*.

cunhar. [Do lat. *cuneare*.] *V. t. d.* **1.** Imprimir cunho (2) em: "se os fenícios, esses formidáveis esgravatadores de ouro e de metais preciosos, estiveram .... nas regiões da Venezuela, receio bem que não se encontre nelas .... ouro bastante para cunhar uma libra falsa." (Eça de Queirós, *Cartas Familiares e Bilhetes de Paris*. p. 132). **2.** Amoedar (1): *cunhar o ouro, a prata, o cobre*. **3.** *Fig.* Tornar saliente, notável; evidenciar: *Sabe cunhar as suas idéias*. **4.** Criar, inventar, amoedar: *cunhar novas palavras*.

cunharapixara. [Do tupi *kuñã rapi'xara*, 'próximo de mulher'.] *Adj. Bras., Amaz.* Maricas, efeminado.

cunhatã. *S. f. Bras., Amaz.* V. *cunhantã*.

cunhete (ê). *S. m.* Caixote de madeira utilizado sobretudo para guardar ou transportar munição de guerra.

cunhira. [De possível or. indígena.] *S. f. Bras., Amaz.* V. *crueira* (2).

cunho. [Do lat. *cuneu*.] *S. m.* **1.** Placa de ferro para marcar moedas, medalhas, etc., com as inscrições ou imagens executadas em côncavo. **2.** A marca em relevo impressa por essa placa. **3.** Uma das faces de certas moedas na qual se representavam as armas reais: "E os olhos a apalpavam [à moeda], de longe, e transmitiam-lhe a sensação fria do metal e até a do relevo do cunho." (Machado de Assis, *Várias Histórias*, p. 35.) **4.** *Fig. P. ext.* Marca, selo: *Via-se nos seus escritos o cunho da cultura humanística*. **5.** *Fig.* Feição, caráter, índole: *Seu discurso era de cunho marcadamente liberal*. **6.** *Constr. Nav.* Peça de metal incudiforme, que se fixa na amurada das embarcações, nos turcos, ou nos lugares por onde possam passar cabos de laborar, para dar-lhes volta. **7.** *Art. Gráf.* Chapa de metal gravada a entalhe, usada, com o contramolde, para produzir a gofragem de papéis e a impressão em relevo. **8.** *Tip.* Cada uma das peças de metal que, com o auxílio de chave, servem para apertar a fôrma na rama. [Sin., nesta acepç: *aperto* e (desus.) *cunha*. V. *enviesado*.]

cuniba. *Bras. S. 2 g.* **1.** Indivíduo aruaque dos cunibas, tribo do rio Juruá. ● *Adj. 2 g.* **2.** Pertencente ou relativo a essa tribo.

cuniculídeo. *S. m.* **1.** Espécime dos cuniculídeos. ● *Adj.* **2.** Pertencente ou relativo a eles.

cuniculídeos. *S. m. pl. Zool.* Animais roedores histricomorfos, de porte grande, cauda quase nula, mãos com cinco dedos, sendo o interno muito reduzido, pés com cinco dedos, o primeiro e o quinto reduzidos, e unhas em forma de cascos. São as pacas.

cunicultor (ô). [De *cuni*, abrev. do lat. *cuniculu*, 'coelho', + *cultor*.] *S. m.* Criador de coelhos.

cunicultura. [De *cuni*. abrev. do lat. *cuniculu*; 'coelho', + *cultura*.] *S. f.* Criação de coelhos.

cunilíngua. [Do lat. cient. *cunnilingus*.] *S. f.* Ato de aplicar a língua na vulva e/ou clitóris. [Sin., bras.: *cunete*.]

cunoniácea. *S. f.* Espécime das cunoniáceas.

cunoniácea. *S. f. pl. Bot.* Família de árvores e arbustos de folhas opostas ou verticiladas e estipuladas, flores pequenas, ordenadas em inflorescências racemosas, e óvulos dispostos em duas fileiras. As 250 espécies habitam a África e a América do Sul, possuindo o Brasil diversos representantes.

cunoniáceo. *Adj.* Pertencente ou relativo às cunoniáceas.

cuntatório. [Var. de *cunctatório*, de *cunctatu* (lat. *cunctari*, 'contemporizar') + *-or-* + *-io*.] *Adj.* **1.** Relativo a , ou em que há delonga(s); vagaroso. **2.** Contemporizador, transigente, condescendente.

cunuaru. *S. m. Bras.* V. *cunauaru*.

cunuri[1]. [Do tupi *kunu'ri*.] *S. m. Bras.* Designação comum a duas árvores da família das euforbiáceas (*Cunuria crassipes* e *Cunuria spruceana*) da região amazônica.

cunuri[2]. *Bras. S. 2 g.* **1.** Indivíduo dos cunuris, índios imberbes que habitavam a margem esquerda do Amazonas, confundidos com mulheres pelos descobridores espanhóis, donde se terá possivelmente originado a lenda das amazonas [v. *amazona*.]. ● *Adj. 2 g.* **2.** Pertencente ou relativo a esses índios.

cupá. [De possível or. tupi.] *S. m. Bras.* Certa planta de raiz comestível.

cupaí. [De possível or. tupi; dim. de *cupá*.] *S. m. Bras.* Arbusto da família das gutiferáceas (*Clusia rose*).

cupana. *S. f. Bras., AM.* Designação que davam ao guaraná os índios da Mundurucânia.

cupão[1]. *S. m.* Cupom.

cupão[2]. *S. m.* Pequeno peso antigo de Malaca.

cupé. *S. m. Bras., MA.* Alcunha dada aos portugueses no Brasil colonial. V. *galego* (4). [Pl.: *cupés*. Cf. *copé*, pl. *copés*, e *cupê*, pl. *cupês*.]

cupê. [Do fr. *coupé*.] *S. m.* **1.** Carruagem fechada, de quatro rodas, geralmente para dois passageiros. **2.** Carro de passeio ou carro esporte, de duas portas. [Cf. e nesta acepç.: *sedã*. Pl.: *cupês*. Cf. *cupé*, pl. *cupés*, e *copé*, pl. *copés*.]

cupi. *S. m. Bras. Desus.* V. *cupim*.

cupidez (ê). *S. m.* Qualidade ou ação de cúpido; cobiça: "Decerto que .... me formigava na polpa dos dedos uma cupidez atávica, encadeada desde os tetravós romanos, sôfregos pelo vil metal" (Aquilino Ribeiro, *Cinco Réis de Gente*, p. 63).

cupidíneo. [Do lat. *cupidineu*.] *Adj.* Relativo a Cupido, ao amor, ou próprio dele.

cupidinoso (ô). *Adj.* Que tem, ou em que há cupidez.

cupido. *S. m.* **1.** *Mitol.* Designação latina de Eros (1), o deus alado do Amor, que é representado freqüentemente de olhos vendados e munido de arco, flecha e carcás. [Sin.: os epítetos *o deus cego, o frecheiro cego, o frecheiro*.] **2.** *Mitol.* Cada um dos gênios infantis alados que acompanham Cupido e Vênus e aparecem representados nas obras de arte romana rodeando esses ou outros personagens mitológicos: "O frecheiro [Cupido (1)], que contra o céu se atreve, / A recebê-la vem, ledo e contente, / Vêm todos os cupidos servidores, / Beijar a mão à Deusa dos amores." (Luís de Camões, *Os Lusíadas*, IX, p. 36.) **3.** *P. ext.* Personificação do amor; amor. **4.** Homem ridículo, metido a galanteador. [Cf. *cúpido*.]

cúpido. [Do lat. *cupidu*.] *Adj.* **1.** Ávido de dinheiro ou bens materiais; cobiçoso: *Auxiliares cúpidos desmoralizaram a administração do prefeito*. **2.** *P. ext.* Possuído de, ou que revela desejos amorosos: "Os grupos das esquinas lambiam-na de olhares cúpidos, demorados" (Jorge de Lima, *Salomão e as Mulheres*, p. 32). [Cf. *cupido*, s. m., e *Cupido*, mit. e antr.]

cupim. [Do tupi *kopi'i*; var. de *cupi*.] *S. m. Bras.* **1.** Designação comum aos insetos da ordem dos isópteros. São sociais, vivendo em comunidades geralmente populosas, formadas por indivíduos ápteros e alados; constroem cupinzeiros na madeira ou no solo. Vegetarianos, alguns atacam plantas vivas, raízes, sementes, cereais e tubérculos, mas podem alimentar-se, também, de objeto de madeira ou compensado, de papel, etc., causando sérios prejuízos. Algumas espécies são xilófagas, possuindo protozoários intestinais que digerem a celulose. [Sin.: *térmita, térmite*, e (bras., Amaz.) *itapicuim*.] **2.** O ninho do cupim; cupineiro, cupinzeiro, itacuru, itacurubá, itapecuim, tacuri, tacuru, tapecuim, tucuri. **3.** V. *aleluia*[2]. **4.** Geba ou toutiço dos touros da raça zebu: "O toutiço aprumado, como um cupim de touro" (Francisco Julião, *Cachaça*, p. 16). **5.** *Bras., N.* Carapinha de negro.

cupincha. [Por *copincha*. de *companheiro*, certamente.] *S. 2. g. Bras* Camarada, companheiro, comparsa, amigo.

cupineiro. *S. m. Bras.* V *cupinzeiro*.

cupinhoró. *Bras. S. 2. g.* **1.** Indivíduo dos cupinhorós, tribo indígena do MA. ● *Adj. 2 g.* **2.** Pertencente ou relativo a essa tribo.

cupinudo. *Adj.* e *s. m. Bras., RS.* **1.** Diz-se de, ou touro de grande cupim (4): "pulou para o cupinudo, ainda meio azonzado do trompaço" (Simões Lopes Neto, *Contos Gauchescos e Lendas do Sul*, p. 233). **2.** *Fig.* V. *valentão* (1 e 3).

cupinzama. *S. f. Bras., S.* Grande quantidade de cupins [v. *cupim* (1)], ou de *cupinzeiros*.

cupinzeiro. *S. m.* **1.** *Bras.* V. *cupim*. (2). **2.** Árvore quase morta atacada de cupim (1). [F. paral.: *cupineiro*.]

cupira. [Do tupi *koopi'ira*, 'abelha de cupim'.] *S. m. Bras.* Inseto himenóptero, apóideo, da família dos meliponídeos (*Trigona* (*T.*) *pallida* (Latreille)), cuja boca do ninho é construída com barro; boca-de-sapo. [Cf. *abelha-de-cupim*.]

cupirense. *Adj. 2 g.* **1.** De, ou pertencente ou relativo a Cupira (PE). ● *S. 2 g.* **2.** Natural ou habitante de Cupira.

cupiúba. [Do tupi *koo'pi ïwa*, 'árvore do cupim'.] *S. f. Bras., AM.* Árvore grande, da família das celastráceas (*Goupia glabra*), de casca cinzenta com manchas alvas e córtex castanho; flores hermafroditas, esverdeadas e dispostas na axila das folhas, em falsas umbrelas, frutos que são bagas pequenas e pretas, e madeira cinzento-amarelada, que, quando cortada, exala odor forte. [Var.: *cupiúva, cutiúba*.]

cupiúva. *S. f. Bras., AM.* V. *cupiúba*.

cupom. [Do fr. *coupon*.] *S. m.* **1.** Título de juro que vem junto a uma ação ou obrigação, e destacável. **2.** Cédula impressa e/ou numerada a ser destacada de jornal, revista, caixas de certas mercadorias, programas, etc., e que dá direito a voto, a assistir a certos espetáculos, ao recebimento de folhetos, brindes, etc. [F. paral.: *cupão*.]

cupramônio. *S. m. Quím.* Íon complexo divalente positivo de cobre. [Fórm.: $Cu(NH_3)_4^{++}$.]

cupressácea. *S. f.* Espécime das cupressáceas.

cupressáceas. *S. f. pl. Bot.* Família de coníferas caracterizada pelos estames com três a cinco sacos polínicos e pelos carpelos com número variável de óvulos. São árvores ou arbustos de folhas escamiformes ou aciculares, opostas ou verticiladas. Os cones, lignificados, chamam-se *gálbulas*. Vivem nas regiões temperadas e frias do hemisfério norte, e só se desenvolvem no Brasil quando cultivadas.

cupressáceo. *Adj.* Pertencente ou relativo às cupressáceas.

cupressiforme. [Do lat. *cupressu*, 'cipreste', + *-i* + *-forme*.] *Adj. 2 g.* Semelhante ao cipreste.

cúpreo. *Da cor do cobre.*

▲cupr(i)-. [Do lat. *cuprum, i*.] *El. comp.* = 'cobre': *cúprico, cupripene*.

cúprico. [De *cupr(i)-* + *-ico*[2].] *Adj.* **1.** De cobre. **2.** Em que há cobre. **3.** *Quím.* Referente a, ou próprio de qualquer sal de cobre divalente. ~ V. *óxido* —.

cuprífero. [De *cupr(i)-* + *-fero*.] *Adj.* Que contém cobre.

cuprino. [De *cupr(i)-* + *-ino*.] *Adj.* Relativo a cobre.

cupripene. [De *cupr(i)-* + *-pene*.] *Adj. 2 g. Zool.* Que tem asas ou élitros da cor do cobre.

cuprirrostro. [De *cupr(i)-* + *-rostro*.] *Adj. Zool.* Que tem bico da cor do cobre.

cuprita. [De *cupr(i)-* + *-ita*[3].] *S. f. Min.* Mineral monométrico, vermelho, óxido de cobre.

cuproso (ô). [De *cupr(i)-* + *-oso*.] *Adj.* Referente a, ou próprio de qualquer sal de cobre monovalente. ~V. *sal* —.

cupu. [Do tupi *ku'pu*.] *S. m. Bras., N.* F. red. de *cupuaçu*.

cupuaçu. [Do tupi *kupua'su*, 'cupu grande'.] *S. m. Bras., N., N.E.* e *L.* **1.** Árvore (*Theobroma grandiflorum*), grande ou pequena, da família das esterculiáceas, cujo fruto, cápsula oblonga, tem polpa aromática, doce, comestível, usada em compotas e refrescos, e cujas sementes lembram, no sabor, o cacau-verdadeiro, sendo as flores vermelho-purpúreas com as margens alvas, e dispostas em panículas: "Cupuaçu, o veludo perfumado da casca do estojo ovalado onde se abrigam os bagos carnudos" (Tiago de Melo, *Mormaço na Floresta*, p. 77). **2.** O fruto dessa árvore. **3.** V. *cacau-do-peru*. [F. red.: *cupu*.]

cupuaçurana. [Do tupi *kupuaçu'rana*, 'semelhante ao cupuaçu'.] *S. f. Bras.* Árvore da família das bombacáceas (*Matisia paraensis*).

cupuaí. [Do tupi *kupua'i*, 'cupu pequeno'.] *S. m.* **1.** *Bras.* Árvore da família das esterculiáceas (*Theobroma subincanum*). **2.** O fruto dessa árvore.

cúpula. [Do it. *cupola*.] *S. f.* **1.** A parte superior, côncava e interna, dalguns edifícios. **2.** A parte superior, convexa, externa, de grandes edifícios, geralmente hemisférica, e rematada pelo zimbório (1): *Via-se a distância a cúpula de São Pedro*. **3.** O próprio zimbório. **4.** Abóbada (1). **5.** As pessoas dirigentes, as mais graduadas de um partido, organização, estabelecimento de ensino, etc.; direção, chefia: *a cúpula do Partido Democrático; reunião de cúpula*. **6.** *Morfol. Veg.* Produção de origem receptacular que se localiza na base de flores e frutos, com forma de taça, dentro da qual se acha inserido o pedicelo da flor ou do fruto. **7.** *Bot.* Carapulo. ♦ **Cúpula de horizonte.** *Teat.* V. *ciclorama*.

cupulado. *Adj.* Que tem cúpula: *flor cupulada*.

cupular. *Adj. 2 g.* Relativo a, ou semelhante a cúpula: *bordo cupular*. [Cf. *copular*.]

cupulífera. *S. f.* Espécime das cupulíferas.

cupulíferas. *S. f. pl. Bot.* Família de árvores e arbustos dicotiledôneos, que compreende os gêneros em que o fruto é capsular, tais como o carvalho, o castanheiro, etc.

cupulífero. *Adj.* **1.** Portador de cúpula. **2.** Pertencente ou relativo às cupulíferas.

cupuliforme. *Adj. 2 g.* Que tem forma de cúpula: *receptáculo cupuliforme*.

cuque. [Do al. *Kuchen*.] *S. f. Bras.* Cuca[4].

cuqueiro. *Adj. Bras., MG.* Que gosta de luxo ou cuca.

[Cf. *coqueiro*.]
cura. [Do lat. *cura*.] *S. f.* **1.** Ato ou efeito de curar(-se). **2.** Restabelecimento da saúde: *O doente não tem cura*. **3.** Meio de debelar uma doença; tratamento: "Se não morrer da cura ficará melhor" (prov.). **4.** Tratamento preventivo de saúde: *Fez uma cura de banhos de mar para fortalecer-se*. **5.** Sazonamento (2). **6.** Processo de curar (6) queijos e outros alimentos. **7.** *Fig.* Solução, remédio: *Sua paixão por ele é um caso sem cura*. **8.** *Fig.* Regeneração, emenda: *Pensava-se que a cura fosse definitiva, mas o rapaz continua vadio*. • *S. m.* **9.** Vigário de aldeia ou povoação: *O senhor cura é muito querido pelos paroquianos*.
curabi. [Do caribe.] *S. m. Bras., PA.* Pequena flecha ervada, de uso entre os indígenas.
curabilidade. *S. f.* Qualidade de curável.
curaca. [Do quichua *kuraj-ka*, 'o mais idoso', pelo esp. amer. *curaca*.] *S. m. Bras., AM.* V. *morubixaba* (1).
curaçaense. *Adj. 2 g.* **1.** De, ou pertencente ou relativo a Curaçá (BA). • *S. 2 g.* **2.** Natural ou habitante de Curaçá.
curaçau. [Do top. *Curaçau*.] *S. m.* Licor alcoólico, feito com aguardente de cana e casca de laranja amarga.
curadá. *S. m. Bras., AM.* Beiju grande e espesso, feito de tapioca umedecida, e que leva pedacinhos de castanha crua.
curado. [Part. de *curar*.] *Adj.* **1.** Restabelecido de doença; sarado. **2.** Que foi seco ao sol ou ao calor do fogo: *queijos curados; lingüiças curadas*. **3.** *Bras.* Supostamente preservado do veneno das cobras, de facadas, tiros e outros males por meio de mezinhas ou sortilégios. — V. *sal* —.
curador (ô). [Do lat. *curatore*.] *S. m.* **1.** Pessoa que tem, por incumbência legal ou judicial, a função de zelar pelos bens e pelos interesses dos que por si não o possam fazer (de órfãos, de loucos, de toxicômanos, etc.); aquele que exerce curadoria. **2.** Membro do Ministério Público que, por efeito de lei, exerce, junto às varas cíveis e especializadas, funções específicas na defesa de incapazes, ou de certas instituições e pessoas. **3.** *Bras.* Feiticeiro ou rezador que cura pessoas mordidas por ofídios venenosos, ou que, com sua arte, as torna respeitadas por esses animais. ♦ **Curador de casamentos.** O que zela pela juridicidade do vínculo matrimonial. **Curador de família.** O defensor da família constituída e do vínculo matrimonial; curador do vínculo. **Curador de massas falidas.** O que tem o encargo de zelar pelos interesses da massa, nos processos falimentares e nos de concordata, e promover, perante o juízo criminal, a responsabilidade do autor de crime falimentar. **Curador de menores.** Aquele cujas funções se exercem junto ao juízo de menores com relação aos menores abandonados e delinqüentes. **Curador de resíduos.** O que zela pela execução perfeita da vontade do testador, intervindo em qualquer processo em que haja interesses ligados a testamentos, extinção de usufruto e fideicomisso, sub-rogação de bens gravados, e a quem cabe, ainda, velar pelas fundações. **Curador do vínculo.** Curador de família. **Curador geral dos órfãos.** O que zela pelos direitos, bens e pessoa dos órfãos em qualquer processo em que eles sejam partes ou meros interessados.
curadoria. *S. f.* Cargo, poder ou função de curador; curatela.
curamimético. *Adj. Med.* Diz-se de droga cujo efeito aparenta uma cura.
curanchim. *S. m. Bras., SP.* **1.** V. *uropígio* (1). **2.** *Fam.* O cóccix [q. v.] e região adjacente. [Var.: *coranchim*.]
curandeirice. *S. f.* V. *curandice*.
curandeirismo. *S. m. Bras.* A atividade ou conjunto das práticas dos curandeiros.
curandeiro. *S. m.* **1.** Aquele que cura sem título nem habilitações, em geral por meio de rezas e feitiçarias. [Sin. em MG: *carimbamba* e *puçanguara*.] **2.** *P. ext.* Medicastro (1).
curandice. *S. f.* Ato de curandeiro. [Seria preferível *curandeirice*.]
curar. [Do lat. *curare*.] *V. t. d.* **1.** Restabelecer a saúde de; livrar de doença: *A medicação certa curou o paciente desenganado*. **2.** Debelar (doenças, feridas, etc.): "Curaram ferida com pedra-lipes." (José Lins do Rego, *Meus Verdes Anos*, p. 66); "As salsas águas do mar / As fundas feridas curam" (Guimarães Passos, *Horas Mortas*, p. 52). **3.** Fazer (alguém) perder defeito moral ou hábito prejudicial: *Sabia que o rapaz era alcoólatra, mas não perdia a esperança de curá-lo*. **4.** Remediar; emendar, corrigir: *Uma boa sova curaria a sua desobediência*. **5.** Branquear, expondo ao sol; corar: *curar o linho*. **6.** Secar ao calor, ou ao fumeiro: *curar queijos; curar peixes*. **7.** *Bras.* Preparar, tornando melhor para o uso: *curar a madeira*. *T. i.* **8.** Tratar, cuidar: "Os nossos maiores .... curavam mais de praticar façanhas do que de conservar os monumentos delas." (Alexandre Herculano, *Lendas e Narrativas*, I, p. 219.) *Int.* **9.** Exercer a medicina. **10.** *P. ext.* Praticar o curandeirismo. *P.* **11.** Recuperar a saúde; restabelecer-se, sarar: *Bem tratado como foi, curou-se de todo*. **12.** Emendar-se de algum defeito moral, ou de mau hábito: *Foi jogador apaixonado, mas acabou curando-se*.
curare. [Do caribe continental, atr. do tupi amazonense *curare*.] *S. m.* **1.** Veneno muito violento, de ação paralisante, vermelho-escuro, de aspecto resinoso, solúvel na água, extraído da casca de certos cipós, e com o qual algumas tribos indígenas ervam as suas flechas. [Sin. *ervadura, ervagem, ticuna, uirari, voorara*. V. *curare* (2).] **2.** *Quím.* Extrato preparado de várias espécies de vegetais (*Strychnos*), e que contém o alcalóide curarina, muito venenoso.
curariforme. [De *curare* + *-i-* + *-forme*.] *Adj. 2 g. Med.* Que produz o relaxamento muscular característico do curare.
curarina. *S. f. Quím.* Alcalóide encontrado no curare, e muito venenoso, porém usado para fins terapêuticos. [Fórm.: $C_{19}H_{26}ON_2$.]
curarismo. *S. m.* Envenenamento pelo curare.
curarização. *S. f.* Ato ou efeito de curarizar.
curarizante. *Adj. 2 g.* Que curariza; paralisante.
curarizar. *V. t. d.* **1.** Envenenar com curare. **2.** *Terap.* Submeter (pessoa ou animal) à influência do curare, para fins terapêuticos, pela indução de um estado de relaxamento muscular ou paralisia mediante administração de curare ou derivado.
curatá. [De possível or. tupi.] *S. f. Bras.* Planta da família das poligonáceas (*Coccoloba cordifolia*.).
curatela. [Do lat. *curatella*.] *S. f.* Curadoria.
curatelado. [De *curatela* + *-ado*[1].] *Adj.* e *s. m. Bras.* Que ou aquele que está sujeito à curatela.
curativo. *S. m.* **1.** Ato ou efeito de curar. **2.** Aplicação local de remédios em ferida, úlcera, incisões cirúrgicas, etc., para tratá-las, limpá-las e protegê-las de agentes infecciosos, e/ou facilitar a regeneração dos tecidos; penso: *Feito o curativo, o aspecto da ferida melhorou muito; Para estancar o sangue fizeram-lhe um curativo de emergência*. **3.** *P. ext.* A gaze, o adesivo, a faixa de tecido, etc., com que se fixam os produtos terapêuticos ou antissépticos de um curativo (2); penso: *O menino mexeu-se tanto que o seu curativo caiu*. **4.** V. *parche*. • *Adj.* **5.** Relativo a cura (2 e 3), ou a curativo (2 e 3).
curato. *S. m.* **1.** Cargo de cura (9). **2.** Residência de cura (9). **3.** Povoação pastoreada por um cura (9).
cura-tudo. [De *curar* + *tudo*.] *S. m. 2 n.* Remédio que se diz ser capaz de curar tudo; panacéia.
curau[1]. *S. m.* **1.** *Bras.* V. *caipira* (1). **2.** *Bras., Amaz.* Ave da família dos psitácidas. (*Amazona aestiva* (Lin.)) **3.** *Bras., SE.* Sertanejo retirante. **4.** *Bras., MT.* Indivíduo inexperiente, ingênuo, novato.
curau[2]. *S. m.* **1.** *Bras., N.* Comida feita de carne salgada pilada junto com farinha de mandioca. **2.** *Bras., SP, MT* e *GO.* V. *canjica* (1).
curauá. [Do tupi *kura'wá*.] *S. m.* **1.** *Bras.* Planta da família das bromeliáceas (*Ananas sativus*), de cujas folhas, sem espinhos, se faz fibra têxtil. **2.** *Bras., Marajó.* Cavalo de pelagem branca. • *Adj. 2 g.* **3.** *Bras., Marajó.* Diz-se de eqüídeo de pelagem branca.
curável. [Do lat. *curabile*.] *Adj. 2 g.* Que se pode curar.
curcúligo. *S. m.* Planta ornamental da família das amarilidáceas (*Curculigo orchioides*).
curculiônidas. *S. m. pl. Zool.* Curculionídeos.
curculionídeo. *Adj.* **1.** Relativo ou semelhante ao gorgulho. **2.** Pertencente ou relativo aos curculiônidas. • *S. m.* **3.** Espécime dos curculionídeos.
curculionídeos. *S. m. pl. Zool.* Família de insetos coleópteros cujo tipo é o gorgulho; curculiônidas.
curcurana. *S. f. Bras., BA.* Alagadiço ou brejo que se forma junto às praias.
curdo. *Adj.* **1.** De, ou pertencente ou relativo ao Curdistão (região da Ásia). • *S. m.* **2.** Indivíduo dos curdos, povo nômade muçulmano que habita essa região. **3.** O idioma deles.
curema. *S. m. Bras., PB* e *PE.* **1.** V. *valentão* (3). **2.** Indivíduo importante; figurão.
curera (ê). [Do tupi *ku'rera*.] *S. f. Bras., Amaz.* A mandioca ao sair do tipiti, reduzida a massa mole e imprópria à fabricação de farinha.
cureta (ê). [Do fr. *curette*.] *S. f.* **1.** Instrumento cirúrgico para raspar, em forma de colher e com bordas cortantes. • *S. m.* **2.** *Bras.* V. *aborteiro*. [Pl.: *curetas* (ê). Cf. *cureta* e *curetas*, do v. *curetar*.]
curetagem. *S. f.* Ação ou operação de curetar; raspagem.
curetar. *V. t. d.* Raspar com a cureta. [Pres. ind.: *cureto*. *curetas*, *cureta*, etc. Cf. *cureta* (ê), pl. *curetas* (ê), e *coreto* (ê).]
cureteiro. [De *cureta* (ê) + *-eiro*.] *S. m. Bras.* V. *aborteiro*.
curi. [Do tupi *ku'ri*.] *S. m.* **1.** *Bras., Amaz.* V. Argila vermelha. **2.** *Bras., S.* V. pinheiro-do-paraná.
cúria. [Do lat. *curia*.] *S. f.* **1.** A corte pontifícia: "Um repreende o pontífice romano, chamando-lhe imprevidente! Outro condena a política da Cúria!" (Antero de Quental, *Prosas*, I, p. 291.) **2.** Tribunal eclesiástico dos bispados. **3.** Antiga divisão das tribos romanas. **4.** O antigo senado romano. **5.** Lugar onde se reunia esse senado.
curiacica. [Do tupi?] *S. m. Bras.* Espécie de peixe (*Pimelodus clarias*).
curiacica-da-branca. *S. m. Bras.* V. *mandi-pintado* (1). [Pl.: *curiacicas-da-branca*.]
curial. [Do lat. *curiale*.] *Adj. 2 g.* **1.** Pertencente ou relativo à cúria: "essas diferenças .... representam a razão prática que confirma a necessidade de uma crescente descentralização da Igreja e portanto redundam numa autonomia episcopal muito maior do que a permitida pela centralização curial" (Alceu Amoroso Lima, *João XXIII*, p. 206). **2.** *Fig.* Próprio, conveniente: "Não me tenhas por sacrílego, leitora minha devota; a limpeza da intenção lava o que puder haver menos curial no estilo." (Machado de Assis, *Dom Casmurro*, p. 42.) • *S. m.* **3.** Oficial da cúria pontifícia. **4.** Membro da cúria (4).
curiangada. *S. f. Bras., S.* Bando de curiangos.
curiango. [Do quimb. *kurianga*, 'preceder'.] *S. m. Bras.* Designação da espécie (*Nyctidromus albicollis* (Gmel.)), uma das mais comuns e mais distribuídas no continente, desde o S. do México até o N.E. da Argentina, com duas subespécies, de coloração pardo-amarelada finamente pintada de preto e com manchas pretas maiores, rêmiges pretas com fita branca. [Sin.: *coriavo, curiangu, mariangu, engole-vento*. Cf. *bacurau* (1).]
curiango-tesoura. *S. m. Bras.* **1.** Ave caprimulgiforme, da família dos caprimulgídeos (*Macropsalis forcipata* (Nitz.)), do S.E. do País. **2.** Ave caprimulgiforme da família dos caprimulgídeos (*Hydropsalis torquata* (Gmel.)), distribuída pelo Brasil inteiro, de corpo cinzento com pintinhas pretas e com manchas maiores pretas e vermelhas, retrizes laterais do macho duas vezes mais longas que as médias. [Sin. ger.: *bacurau-tesoura*. Pl.: *curiangos-tesouras* e *curiangos-tesoura*.]
curiangu. *S. m. Bras.* V. *curiango*: "os curiangus saíam das moitas demandando a larga planura por onde a lua, solitária no céu liso, ... estendia a sua claridade triste" (Coelho Neto, *Banzo*, p. 120).
curiantã. *S. f. Bras.* V. *gurinhatã*.
curião. [Do lat. *curione*.] *S. m.* Chefe de cúria [q. v.] entre os antigos romanos.
curibatá. *S. f. Bras.* V. *curimbatá*.
curiboca (ó). *S. 2 g. Bras., N.* e *N.E.* Var. de *cariboca*: "A proporção que as mesclas se vão operando, que os novos descendentes se vão afastando dos tipos primitivos, surgem mestiços disfarçados que são então julgados semibrancos e curibocas e, por fim, o chamado branco nacional" (A. Austregésilo, *Obras Completas*, X, p. 156).
curica. [Do tupi *ku'rika*.] *S. f.* **1.** *Bras.* Ave psitaciforme, da família dos psitacídeos (*Eucinetus barrabandi* (Kuhl.)), da Amaz., de coloração verde, cabeça, garganta e ponta da cauda pretas, faces e encontro alaranjados, peito amarelo-oliváceo, coberteiras inferiores da asa encarnadas, e rêmiges pretas marginadas de azul. **2.** *Bras., AM* e *MA.* Espécie de papagaio de papel, pequeno e sem talas.
curicaca. [Do tupi *kuri'kaka*.] *S. f. Bras.* Ave ciconiforme, da família dos tresquiornitídeos (*Theristicus caudutus* (Bod.)), da América do Sul, de dorso cinzento, com brilho esverdeado; rêmiges da mão e cauda pretas; partes das coberteiras superiores das asas e das rêmiges da mão esbranquiçadas. [Var.: *curucaca*.]
curicaca-parda. *S. f. Bras.* V. *tapicuru*[1]. [Pl.: *curicacas-pardas*.]
curie. [Do antr. *Curie*, de Maria Skolodowska Curie, física polonesa (1867-1934).] *S. m. Fís. Nucl.* Unidade de medida de radioatividade, igual à atividade de uma amostra na qual o número de desintegrações por segundo é $3{,}700 \times 10^{10}$. [Símb.: *Ci*.]
curieterapia. [Do antr. *Curie*, de Pierre e Maria Curie (v.

curie), + *terapia.*] *S. f. Med.* Terapêutica pelo rádio[2].
curieterápico. *Adj.* Relativo à curieterapia.
curimã. [Do tupi *ku'rema.*] *S. f. Bras., N.E.* **1.** A *Mugil cephalus* L., espécie de tainha da costa do País, próxima da tainha verdadeira, porém menor, com 0,60 a 0,80 m de comprimento. [Em PE são mantidas em viveiros especiais, cuja despesca é feita na Semana Santa. Sin.: *tainhota, tapuji, tamatarana, urichoa.* Cf. *curimãí.*] **2.** V. *tainha* (1).
curimãí. [De *curimã* + tupi *i*, 'pequena'.] *S. f. Bras., N.E. Pop.* Designação comum às curimãs novas, quando no ponto de serem levadas para os viveiros. [Cf. *curimã* (1).]
curimatá. [Do tupi *kuruma'tá.*] *S. m.* **1.** *Bras., RN* e *PB.* Zona das caatingas apropriada à criação do gado; curimataú. **2.** *Bras., MA* e *MG.* V. *curimbatá.*
curimatã. *S. m. Bras.* V. *curimbatá.*
curimataense. *Adj. 2 g.* **1.** De, ou pertencente ou relativo a Curimatá (PI). ● *S. 2 g.* **2.** Natural ou habitante de Curimatá.
curimataú. *S. m. Bras.* **1.** Curimatá (1). **2.** V. *curimbatá.*
curimba. *S. m. Bras.* V. *curimbatá.*
curimbaba. [Do tupi *kuĩr'baba,* 'força, valentia, valor'.] *S. m. Bras., MG.* V. *capanga* (3).
curimbatá. [Var. de *curimatá* < *curumatá,* do tupi *kuruma'tá.*] *S. m. Bras.* Designação comum a peixes teleósteos caraciformes, da família dos caracídeos, subfamília dos proquilodontídeos, especialmente do gênero *Prochilodus* Agass., com 24 espécies distribuídas por todo o País. Sua pesca é feita com redes; alimenta-se de vegetais, sobretudo lodo, prestando-se bem para piscicultura; costuma remexer a terra nas lagoas, donde lhe vem o nome de *papa-terra.* [Sin.: *curibatá, curimatá* ou *curimatã, curimataú, curimba, curumbatá, grumatá* ou *grumatã, papa-terra.*]
curimbatá-da-lagoa. *S. m. Bras.* Peixe teleósteo, caraciforme, da família dos caracídeos *(Prochilodus vimboides* Kner.), do Brasil oriental. É a menor das espécies do gênero, com tamanho máximo de 0,25 m e carne de sabor desagradável. [Sin.: *soguá, soguaguá, soguagra.* Pl.: *curimbatás-da-lagoa.*]
curimbó. [Do tupi *korĩ'bo.*] *S. m. Bras.* **1.** Certa árvore da Amazônia. **2.** V. *atabaque* (2).
curina. *S. 2 g.* e *adj. 2 g. Bras.* V. *culina.* [Cf. *Corina,* antr.]
curinga. [Do quimb. *kuringa,* 'matar'.] *S. m.* **1.** Carta de baralho, que, em certos jogos, muda de valor segundo a combinação que o parceiro tem em mão. [Sin.: *dunga* (N.E.) e *melé* (MA e AL). Cf. *curingão.*] **2.** *Bras. fig.* Pessoa esperta, sem escrúpulos, que tira partido de qualquer situação. **3.** *Bras. Fut.* Jogador que joga em muitas posições e por isso pode substituir qualquer companheiro. **4.** *Bras. Teat.* Ator que interpreta vários papéis numa mesma peça: "Rodrigo é uma espécie de curinga .... que cumpre a entrada de meia dúzia de personagens efêmeros" (Geraldinho Vieira, *Jornal de Brasília).* [Cf. *coringa.*] ♦ **Curinga imaginário.** Em certos jogos, carta inexistente na mão do jogador, mas de que ele pode valer-se para fechar um jogo e bater.
curingão. [De *curinga.*] *S. m.* Carta com desenho especial (geralmente a figura de um bobo da corte), que se inclui no baralho comum em alguns jogos como canastra, biriba, buraco, etc., e que funciona como curinga (1).
cúrio. [Do lat. científico *curium,* do sobrenome de Pierre Curie, físico francês (1869-1906), e de sua mulher, Marie Skolodowska Curie (1867-1934).] *S. m. Quím.* Elemento transurânico de número atômico 96, artificial, radioativo, metálico. [Símb.: *Cm.*]
curió. [Do tupi *kuri'ó.*] *S. m. Bras.* Ave passeriforme, da família dos fringilídeos *(Oryzoborus angolensis* (L.)), distribuída por todo o País. O macho é preto, com abdome vermelho, um espelho branco na asa, a fêmea, parda, parte inferior amarelada. [Sin.: *avinhado, bico-de-furo, papa-arroz.* Cf. *peito-roxo.*]
curiola. *S. f. Bras.* Árvore da família das sapotáceas *(Lucuma torta* DC.), freqüente nos cerrados.
curiosa. [Fem. substantivado do adj. *curioso.*] *S. f. Fam.* Parteira sem habilitação legal. [Cf. *curioso* (11).]
curiosidade. [Do lat. *curiositate.*] *S. f.* **1.** Qualidade ou caráter daquele ou daquilo que é curioso. **2.** Desejo de ver, saber, informar-se, desvendar, alcançar etc.; interesse: *A matéria deste jornal satisfaz a* curiosidade *dos leitores.* **3.** Desejo de aprender, conhecer, investigar determinados assuntos; interesse: *Quem, por* curiosidade, *quiser conhecer a Campanha de Canudos, deve ler* Os Sertões, *de Euclides da Cunha.* **4.** Desejo irreprimível de conhecer os segredos, os negócios alheios; bisbilhotice, indiscrição: *A* curiosidade *perdeu as mulheres do Barba-Azul.* **5.** Informação que revela algo desconhecido e interessante: Seu livro está cheio de curiosidades folclóricas. **6.** Tendência de amador a procurar coisas raras e originais: a curiosidade de um colecionador, de um bibliófilo. **7.** Objeto raro e/ou interessante; raridade: *loja de* curiosidades.
curioso (ô). [Do lat. *curiosu.*] *Adj.* **1.** Cuidadoso, cuidoso, zeloso. **2.** Que tem, ou em que há curiosidade (2 a 4): *criança* curiosa; *estudante* curioso; *olhar* curioso; "Com um gesto pegou na fulgurante mosca, / Curioso de a examinar." (Machado de Assis, *Poesias Completas,* p. 316); "alma curiosa de perfeição" (Id., *Várias Histórias,* p. 134). **3.** Ávido de esquadrinhar assuntos de outrem; indiscreto, bisbilhoteiro: *repórter* curioso. **4.** Diz-se de indivíduo que, embora sem interesse pessoal num fato, dele participa como espectador. **5.** Que merece atenção, desperta interesse; interessante: *idéia* curiosa; *informação* curiosa; *personagem* curiosa. **6.** Surpreendente, interessante, singular, notável: *coisa* curiosa: *não consigo lembrar-me de sua fisionomia.* **7.** Diz-se de objeto raro, original, excepcional: *escultura* curiosa. ● *S. m.* **8.** Indivíduo curioso. **9.** *Restr.* Coisa, fato, aspecto curioso, surpreendente, singular: *O* curioso *neste crime é a aparente ausência de motivo.* **10.** *Bras.* Indivíduo que, embora sem conhecimentos teóricos, entende de muita coisa; prático. **11.** *Bras.* Profissional sem diploma. [Cf. (nesta acepç.) *curiosa.*]
curista. [De *cura* + *-ista.*] *S. 2 g. Bras., MG.* Pessoa que faz estação de águas minerais com o fito de tratar-se ou curar-se de alguma doença. [Cf. *corista.*]
curitiba. *S. 2 g. Bras.* Curitibano[2] (3).
curitibanense. *Adj. 2 g.* **1.** De, ou pertencente ou relativo a Curitibanos (SC). ● *S. 2 g.* **2.** Natural ou habitante de Curitibanos.
curitibano[1]. *Adj.* **1.** De, ou pertencente ou relativo a Curitiba, capital do PR. ● *S. m.* **2.** O natural ou habitante de Curitiba.
curitibano[2]. *Bras. Adj.* **1.** Pertencente ou relativo ao Curitiba Futebol Clube (PR). **2.** Que é torcedor ou jogador dessa agremiação. ● *S. m.* **3.** Membro, torcedor ou jogador dela; curitiba. [Sin. ger.: *coxa, coxa-branca, alviverde.*]
curitubense. *Adj. 2 g.* **1.** De, ou pertencente ou relativo a Curituba (SE). ● *S. 2 g.* **2.** Natural ou habitante de Curituba.
curiúva. [Do tupi *ku-ri,* 'pinheiro', + *iwa,* 'árvore'.] *S. f. Bras.* Variedade de pinheiro.
curiuvense (i-u) *Adj. 2 g.* **1.** De, ou pertencente ou relativo a Curiúva (PR). ● *S. 2 g.* **2.** Natural ou habitante de Curiúva.
curra. [De *curro* (q.v.).] *S. f. Bras. Gír.* Ato ou efeito de currar.
currado. [Part. de *currar.*] *Adj.* e *s. m. Bras. Gír.* Que ou aquele que foi vítima de curra.
currais-novense. *Adj. 2 g.* **1.** De, ou pertencente ou relativo a Currais Novos (RN). ● *S. 2 g.* **2.** Natural ou habitante de Currais Novos. [Pl.: *currais-novenses.*]
curral. *S. m.* **1.** Lugar onde se junta e recolhe o gado; arribana, malhada, corte. [Cf. *cercado* (5).] **2.** *Bras.* Armadilha para apanhar peixe; caiçara. [Sin. no N.: *cacuri.*] **3.** *Tip.* V. *dente-de-cachorro.* **4.** *Bras., CE. Gír.* V. *zona*[1] (10).
curralada. *S. f.* Série de currais: "a grande curralada dos bois, enorme, atulhada de feno" (Trindade Coelho, *Os Meus Amores,* p. 245).
curral-de-peixe. *S. m. Bras.* Cercado destinado à pesca junto à praia, composto de três partes: a *espia* (entrada), a *sala* (espaço elíptico maior) e o *chiqueiro* (espaço circular). [Pl.: *currais-de-peixe.* Cf. *cercada.*]
curraleira. [De *curral* + *-eira.*] *S. f.* **1.** *Bras.* Planta da família das euforbiáceas *(Croton antisyphiliticus).* **2.** *Bras., SP.* Certa dança rústica. **3.** *Bras., MT.* Certa raça bovina.
curraleiro. *Adj.* **1.** Diz-se do gado que fica em curral. **2.** *Bras.* Diz-se de certa raça bovina. ● *S. m.* **3.** *Bras.* V. *papagaio-do-peito-roxo.*
curralinhense. *Adj. 2 g.* **1.** De, ou pertencente ou relativo a Curralinho (PA). ● *S. 2 g.* **2.** Natural ou habitante de Curralinho.
currar. [De *curra* + *-ar*[2].] *V. t. d. Bras. Gír.* Servir-se, juntamente com outro(s), para fins libidinosos de (mulher ou homem), utilizando astúcia e violência.
➧**currente calamo** (currente cálamo). [Lat., 'ao correr da pena'.] Sem muita reflexão; rapidamente: *um poema escrito* currente calamo.
currículo[1]. [Do lat. *curriculu.*] *S. m.* **1.** Ato de correr. **2.** Atalho, corte. **3.** *Bras.* Parte de um curso literário. **4.** *Bras. P. ext.* As matérias constantes de um curso.
currículo[2]. *S. m.* F. abrev., e aportuguesada, do lat. *curriculum vitae.*
➧**curriculum vitae** (currículum vite). [Lat., 'carreira da vida'.] Conjunto de dados concernentes ao estado civil, ao preparo profissional e às atividades anteriores de quem se candidata a um emprego. [Tb. se diz, apenas, e em port., *currículo.*]
curriqueiro. *S. m. Bras., RS.* Ave passeriforme, da família dos furnarídeos *(Geositta cunicularia* (Vieil.)), distribuída do extremo S. do País até à Patagônia, de dorso terroso, rêmiges cor de canela com coberteiras leonadas claras, pescoço e peito da mesma cor, este último estriado de escuro, e parte inferior mais clara. Alimenta-se de insetos, e nidifica no solo, em galerias. [Cf. *corriqueiro.*]
curro. [Der. regress. de *curral?*] *S. m.* **1.** Lugar anexo à praça de touros, e onde estes ficam antes e depois da corrida. **2.** Conjunto de touros que se correm no mesmo dia. **3.** *Bras. Gír.* V. *prostíbulo.* **4.** *Bras, Chulo.* Cópula violenta. [Cf., nesta acepç., *curra* e *currar.*] **5.** *Bras., SP.* Reunião de senzalas.
currumbá. *S. m. Bras., PE.* V. *sambongo.*
currupira. *S. m. Bras.* Var. de *curupira.*
cursar. [Do lat. *cursare.*] *V. t. d.* **1.** Percorrer, andar: Cursou *longas terras, antes de esbarrar por aqui.* **2.** Seguir o curso (7 ou 8) de (uma matéria): Cursa *medicina na Universidade do Estado da Guanabara.* **3.** Seguir o curso (7 ou 8) de (um estabelecimento): "Já então os dous gêmeos cursavam a Faculdade de Direito, em São Paulo; outro a Escola de Medicina, no Rio." (Machado de Assis, *Esaú e Jacó,* p. 107.) **4.** Freqüentar; visitar: *Seu bisavô* cursava *a corte de D. Pedro II.* **4.** Ter (arma de fogo) o alcance de: *Este fuzil* cursa *mil metros. Int.* **5.** Percorrer terras; viajar. **6.** Percorrer mares; navegar. **7.** V. *defecar* (5).
cursário. *S. m.* e *adj.* V. *blatário.*
cursários. *S. m. pl. Zool.* V. *blatários.*
cursilhista. *S. 2 g.* **1.** Pessoa que adere ao cursilho (1). **2.** Pessoa que já praticou o cursilho (2).
cursilho. [Do esp. *cursillo.*] *S. m.* **1.** Movimento da Igreja surgido na Espanha em 1948, e que consiste, em princípio, num encontro destinado a orientar os católicos adultos leigos no sentido da reflexão acerca dos fatos fundamentais da fé cristã e das conseqüências práticas que dela decorrem para o comportamento do indivíduo e suas relações com a comunidade. **2.** Técnica específica dos exercícios espirituais praticada no cursilho (1).
cursinho. [Dim. de *curso.*] *S. m.* Curso pré-vestibular.
cursista. *S. 2 g.* Pessoa que freqüenta um curso.
cursivo. [De *curso* + *-ivo.*] *Adj.* **1.** Diz-se da letra manuscrita, geralmente pequena, traçada de maneira rápida e corrente. **2.** Executado sem esforço; ligeiro. ~ V. *letra chancelaresca —a* e *letra humanística —a.* ● *S. m.* **3.** Letra cursiva.
curso. [Do lat. *cursu.*] *S. m.* **1.** Ato de correr. **2.** Movimento numa direção; corrente, fluxo: curso *das águas;* curso *dos automóveis.* **3.** A direção que um rio segue da nascente à foz. **4.** Andamento, direção, rumo: *Suas idéias seguiam determinado* curso. **5.** Seguimento, seqüência, sucessão, decurso: *o* curso *dos anos.* **6.** Voga, uso, circulação: *A palavra lealdoso está fora de* curso. **7.** O conjunto das matérias ensinadas em escolas, classes, etc., de acordo com um programa traçado e que em geral se adapta aos diferentes níveis de adiantamento dos alunos: curso *primário;* curso *superior;* curso *supletivo.* **8.** Série de aulas, conferências ou palestras sobre um tema, ou sobre vários temas, conexos ou não: *Seguiu o* curso *de jornalismo na Academia Brasileira;* "Fez cursos muito completos de matemática" (Júlio Ribeiro, *A Carne,* p. 3). **9.** Tratado ou compêndio sobre determinada matéria de ensino: *Publicou um* curso *de português.* **10.** Designação comum a certos estabelecimentos de ensino especializado. **11.** Preço dos títulos ou mercadorias negociados nas bolsas ou no mercado ordinário. **12.** O conjunto de operações realizadas na bolsa. **13.** Equivalência de moedas cambiáveis, expressa por uma relação numérica. **14.** Certa moléstia dos bovinos. **15.** *Bras., BA* e *SP.* Piracema (3). **16.** Caminho, percurso: *navegação de longo* curso. **17.** *Med.* Evacuação alvina do homem, normal ou patológica. ♦ **Curso de água.** Água corrente que pode constituir um regato, um ribeirão ou um rio; curso fluvial. **Curso de formação.** *Bras., MG.* V. *normal* (6). **Curso divagante.** *Geogr.* Curso de rio que corre em zonas de planície e que de ordinário se apresenta em feitio sinuoso, formando meandros. **Curso fluvial.** Curso de água. **Curso inferior.** *Geogr.* Parte final do curso de

um rio, já para perto da foz, onde pode ocorrer depósito de aluvião. **Curso médio.** *Geogr.* Trecho intermediário do curso de um rio, onde geralmente ocorre o transporte fluvial. **Curso superior. 1.** *Geogr.* Parte do rio próxima à sua cabeceira, e onde predomina a ação de desgaste vegetal. **2.** Curso (7) universitário. **Curso supletivo.** Curso (7) em que se ministra o ensino supletivo [q. v.]. **Dar livre curso a.** *Fig.* Deixar correr ou seguir livremente; não opor nenhuma resistência a.

cursor (ô). [Do lat. *cursore.*] *Adj.* **1.** Que corre ao longo. ● *S. m.* **2.** Na Antiguidade, escravo que acompanhava a pé a carruagem do senhor. **3.** Mensageiro do Papa. **4.** Peça que corre ao longo de outra, em certos instrumentos. **5.** *Tip.* Peça cuneiforme que compõe o espaçador da linotipo. [V. *cabeça* (19).]

curta[1]. *S. m.* F. red. de *curta-metragem: "Curta brasileiro* [*Meow*, de Marcos Magalhães], ganha prêmio especial." *(Jornal do Brasil,* 27.5.1982.)

curta[2]. [Fem. substantivado de *curto*[1].] *El. s. f.* Us. na loc. *à curta.* ♦ **À curta.** À ligeira; apressadamente.

curtamão. *S. m. Bras.* Esquadro, de grandes proporções, usado pelos pedreiros, carpinteiros, etc. [Pl.: *curtamãos.* Cf. *corta-mão.*]

curta-metragem. *S. m. Cin.* Filme com a duração média de 10 minutos, rodado para fins artísticos, educativos, comerciais, etc., e que trata em geral de um único assunto; filme de curta metragem. [F. red.: *curta.* Pl.: *curtas-metragens.* Cf. *metragem* (3).]

curtarém. *S. m.* Espécie de toucados das bailarinas hindus.

curteza (ê). *S. f.* **1.** Qualidade de curto[2]. **2.** Pequenez, tacanhice, acanhamento.

curtição. *S. f.* **1.** V. *curtimento.* **2.** *Bras. Gír.* Êxtase provocado por droga (3); barato. **3.** *Bras. Gír. P. ext.* Aquilo que proporciona prazer e/ou alegria, ou aquilo que está na onda; chinfra, barato, onda. **4.** *Bras. Gír.* V. *onda* (13).

curtido. [Part. de *curtir.*] *Adj.* **1.** Preparado por curtimento. **2.** Calejado, endurecido: *É homem curtido, agüenta bem o rojão.*

curtidor (ô). *Adj.* e *s. m.* Que ou aquele que curte.

curtidura. *S. f.* V. *curtimento.*

curtimenta. *S. f.* **1.** Fermentação do mosto com o bagaço. **2.** *P. us.* Curtimento de peles.

curtimento. *S. m.* Ato ou efeito de curtir [q. v.]; curtidura, curtição.

curtir. [De um lat. vulg. *corretrire, de *retrire, em vez de *reterere*, 'desgastar pelo atrito'.] *V. t. d.* **1.** Preparar (couro) para torná-lo imputrescível. **2.** Preparar (alimento), pondo-o de molho em líquido adequado. **3.** Tornar rijo, são, saudável (uma pessoa), expondo-a ao sol, ao ar livre. **4.** Queimar, enrijecer (a pele). **5.** Padecer, sofrer, suportar: *curtir saudades, tristezas;* "Acerbas penas / curtiu naquelas regiões" (Machado de Assis, *Poesias Completas*, p. 254); "curtindo violentas dores nevrálgicas" (Machado de Assis, *Páginas Recolhidas*, p. 155). "curti uma insônia atroz" (Graciliano Ramos, *Caetés*, p. 88); "curti fome e sede" (Mário da Silva Brito, *O Fantasma sem Castelo*, p. 120). **6.** Sofrer os efeitos de (bebedeira). **7.** *Bras. Gír.* Experimentar a vivência de, em estado de curtição (2 e 3): *curtir um som; curtir um barato.* **8.** *Bras. Gír. P. ext.* Gozar, desfrutar, deleitar-se, em: *curtir uma festa; curtir uma viagem, um bom papo. Int.* **9.** Passar ou viver sofrendo: *Curtiu dez anos na prisão.* **10.** *Bras. Gír.* Experimentar êxtase provocado por droga (3).

curto[1]. *S. m. Bras.* F. red. de *curto-circuito* (1).

curto[2]. [Do lat. curtu.] *Adj.* **1.** De pequeno comprimento: *dedos curtos.* **2.** *P. ext.* De comprimento inferior ao que deveria ser; ao habitual: *Ela usa vestido curto para a sua idade.* **3.** Rápido, breve: *Conversamos só durante curtos momentos.* **4.** *Fig.* Limitado, acanhado, tacanho: *homem de entendimento curto.* **5.** Escasso, parco; pouco: "As pedras viram alcanfor no cascalho, as poucas achadas vendem-se por uma miséria de preço; o dinheiro é curto e vasqueiro, chorado, e pela hora da morte" (Afrânio Peixoto, *Bugrinha*, p. 173). ~ V. *letra —a, linha —a, onda —a, página —a, tonelada —a* e *vista —a.*

curto-circuitar. *V. int.* Provocar um curto-circuito.

curto-circuito. *S. m.* **1.** *Eletr.* Conexão de resistência muito baixa entre dois pontos de potencial diferente num circuito elétrico. [F. red.: *curto.*] **2.** *Med.* Disposição obtida cirurgicamente, e que se destina, em geral, a contornar obstrução de órgão oco. [Sin. ingl., nesta acepç.: *by-pass.* Pl.: *curtos-circuitos.*]

curtose. *S. f. Estat.* Propriedade duma curva de densidade de probabilidade, geralmente unimodal, caracterizada pelo seu maior ou menor achatamento medido em relação à curva da distribuição de Gauss; achatamento.

curtume. *S. m.* **1.** Curtimento (de couros, peles, etc.). **2.** Maneira de curti-los. **3.** Estabelecimento onde se curtem couros; alcaçaria, anoque. **4.** Substância com que se curtem couros.

curtumeiro. *S. m. Bras.* Proprietário de, ou aquele que trabalha em curtume (3): "Segundo o industrial, 'o preço do couro se tornou proibitivo e está estrangulando os calçadistas e curtumeiros ....' " *(Jornal do Brasil,* 19.2.1979).

curu. *S. m. Bras.* Manto feito de fibras de urtiga grande, usado pelos índios coroados do PR.

curuá. [Do tupi *kuru'á.*] *S. m. Bras.* **1.** V. *cumari* (1). **2.** V. *anambé-azul.* **3.** V. *crejuá.* **4.** V. *rato-de-espinho.*

curuaia. *Bras. S. 2 g.* **1.** Indivíduo dos curuaias, tribo indígena tupi do rio Curuá, afluente do médio Xingu (PA). ● *Adj. 2 g.* **2.** Pertencente ou relativo a essa tribo. [Var.: curuaie.]

curuaie. *S. 2 g.* e *adj. 2 g. Bras.* Var. de *curuaia.*

curuapé. *S. m. Bras.* V. *cipó-cururu.*

curuatá. *S. m. Bras., AM.* **1.** Invólucro das flores de certas palmeiras. **2.** V. *caraguatá.*

curuatá-açu. *S. m. Bras.* V. *caraguatá-piteira.* [Pl.: *curuatás-açus.*]

curuatá-de-pau. *S. m. Bras.* V. *caraguatá.* [Pl.: *curuatás-de-pau.*]

curuatá-pinima. *S. m. Bras.* V. *bonito-pintado.* [Pl.: *curuatás-pinimas.*]

curuba. [Do tupi *ku'ruba*, 'sarna'.] *S. f. Bras.* **1.** V. *borbulha* (4). **2.** V. *sarna* (1). **3.** O bicho que provoca a sarna. [Var.: *coruba.*]

curubento. *Adj.* e *s. m. Bras.* Diz-se de, ou indivíduo atacado de curuba.

curubixá. [Do tupi *kuru'mi*, 'menino (larva)', + *hab*, 'lugar da larva'.] *S. m. Bras.* Designação comum às larvas dos insetos tricópteros. São campodeiformes ou eruciformes, abrigadas em estojos ou galerias feitos com grãos de areia ou detritos vegetais. [Var.: *grumixá.*]

curuca[1]. [Do tupi *ku'ruka.*] *S. f. Bras.* V. *coroca*[3] (3).

curuca[2]. [De possível or. tupi.] *S. f. Bras.* Agitação de peixes que vêm à flor da água na época da desova.

curuca[3]. *S. m. Bras., N.E.* Espécie de decápode macruro da família dos atiídeos *(Atya scabra* Leach), que vive, na água doce, freqüentando as corredeiras. Tem três pares de patas de tamanho decrescente, revestidos por acúleos vermelho-escuros em fileiras, terminados em unha articulada, e dos quais os dois primeiros são delgados e terminam em pinças com tufos de pêlos vermelhos em forma de pincel. A espécie é comum na BA e PE, e mede até 0,10 m de comprimento.

curucaca. *S. f. Bras.* Var. de *curicaca.*

curuçaense. *Adj. 2 g.* **1.** De, ou pertencente ou relativo a Curuçá (PA). ● *S. 2 g.* **2.** Natural ou habitante de Curuçá.

curucucica. *S. m. Bras., MA.* V. *cunauaru.*

curu-curu. *S. m. Bras.* V. *tuco-tuco.* [Pl.: *curus-curus.*]

curuense. *Adj. 2 g.* **1.** De, ou pertencente ou relativo a São Luís do Curu (CE). ● *S. 2 g.* **2.** Natural ou habitante de São Luís do Curu.

curuera (ê). *S. f. Bras.* V. *crueira* (1).

curugu. *S. m. Bras.* Grande instrumento de percussão, de som lúgubre, usado por algumas tribos indígenas.

curuiri. (u-i). [De possível or. indígena.] *S. m. Bras.* Árvore da família das mirtáceas *(Eugenia luschnathiana)*; pitombeira-da-baía.

curul. [Do lat. *curule.*] *Adj. 2 g.* **1.** Relativo ou pertencente a certa classe de antigos magistrados romanos. ~ V. *cadeira —* e *estátua —.* ● *S. f.* **2.** Cadeira curul. **3.** *P. ext.* Cadeira que ocupam os magistrados ou outras pessoas revestidas de altas dignidades: "A conquista da curul senatorial era para os políticos do regime monárquico a suprema aspiração." (Carlos Pontes, *Motivos e Aproximações.* p. 161.)

curulana. *S. f. Bras.* V. *jacaré-coroa.*

curumã. *S. f. Bras.* V. *tainha* (1).

curumatá. *S. m. Bras.* Designação comum a diversas espécies de peixes do AM e do rio São Francisco *(Anodus am.).* [Var.: *curumatã* e *curumatão.*]

curumatã. *S. f. Bras.* V. *curumatá.*

curumatão. *S. m. Bras.* V. *curumatá.*

curumba. *S. 2 g. Bras., N.E.* **1.** *Deprec.* Designação comum aos homens de baixa condição que, a pé ou a cavalo, e mal vestidos, transitam pelas estradas. **2.** *Bras., N.E.* Indivíduo que desce do sertão à procura de trabalho nos engenhos, usinas e estradas. **3.** *Bras., N.E.* Retirante (1). **4.** *Bras., PE.* Sertanejo que trabalha nos canaviais e nas usinas de açúcar, durante a safra. **5.** *Bras., PE.* V. *caipira* (1). ● *S. f.* **6.** Mulher velha.

curumbatá. *S. m. Bras.* V. *curimbatá.*

curumi. [Do tupi *kuru'mi.*] *S. m. Bras., Amaz.* **1.** V. *menino* (1). **2.** Criado jovem. **3.** A vara de pesca do pirarucu. [Var.: *curumim, culumi, culumim, colomi* e *colomim.*]

curumim. *S. m. Bras., Amaz.* V. *curumi:* "Caboclo olha para a mulher e os filhos. Os curumins têm barriga grande" (Eneida, *Cão da Madrugada.* p. 15).

curuminzada. [De *curumim* (1) + *-zada.*] *S. f. Bras., Amaz.* **1.** Grupo de curumins. **2.** Os curumins.

curumuiana. *Bras. S. 2 g.* **1.** Indivíduo dos curumuianas, tribo indígena das margens do rio Paru de Leste (N. do PA). ● *Adj. 2 g.* **2.** Pertencente ou relativo a essa tribo.

curungo. *Adj.* e *s. m. Bras.* V. *coroca*[3] (1 e 3).

curupé. [Do tupi.] *S. f. Bras., Amaz.* Tarapé.

curuperê. [Do tupi.] *S. m. Bras., Amaz.* Pequeno riacho ou afluente de igarapé central que seca no verão.

curupeté. [De possível or. tupi.] *S. m. Bras., Amaz.* Tambaqui.

curupiá. [De possível or. tupi.] *S. f. Bras.* Árvore da família das ulmáceas *(Celtis glycicarpa).*

curupira. [Do tupi *kuru'pir*, 'o coberto de pústulas'.] *S. m. Bras.* Ente fantástico, que, segundo a crendice popular, habita as matas e é um índio cujos pés apresentam o calcanhar para diante e os dedos para trás. [Var.: *currupira.*]

curupitá. [Do tupi *kurupi'tá.*] *S. f. Bras., AM.* Designação comum de diversas árvores polimorfas, do gênero *Sapium*, da família das euforbiáceas, cujas glândulas, localizadas no ápice e na base das folhas, produzem látex, do qual se faz borracha de boa qualidade, e cujas flores estão dispostas em espigas terminais com brácteas, sendo os frutos pequenas cápsulas; árvore-de-leite, murupita.

curupu. [Do tupi *kuru'pu.*] *S. m. Bras., AM.* Pulsação dos vasos periféricos, visível em certas pessoas que sofrem de distúrbios cardíacos.

curupuruí. [Do tupi.] *S. m. Bras.* Ave da família dos trogloditídeos *(Troglodyte musculus).*

curuquerê. [Do tupi *ku'ru ker ê*, 'lagarta propensa a dormir'.] *S. m. Bras.* Lagarta do inseto lepidóptero da família dos noctuídeos *(Alabama argillacea* (Hübn.)), a qual é verde, com listras longitudinais, e ataca folhas e brotos novos do algodoeiro. A mariposa adulta é olivácea ou parda, e tem nas asas anteriores algumas listras transversais escuras, em ziguezague, e uma pequena mancha na parte central. Envergadura: 30 a 35 mm.

curuqui. *S. m. Bras.* Tambor feito de tronco de madeira leve e ocada, usada pelos indígenas.

cururipense. *Adj. 2 g.* **1.** De, ou pertencente ou relativo a Cururipe (AL). ● *S. 2 g.* **2.** Natural ou habitante de Cururipe.

cururu. [Do tupi *kuru'ru.*] *S. m.* **1.** *Bras.* Designação comum a alguns sapos de grande porte de pele enrugada. **2.** *Bras., N.* e *N.E.* Designação comum às espécies do gênero *Bufo* L., de pele verrucosa, provida de glândulas de peçonha; sapo-cururu. **3.** *Bras., AM.* Trepadeira da família das sapindáceas, de suco venenoso, flores pequenas, pediceladas, alvas ou esverdeadas, e cujo fruto é cápsula cilíndrica, vermelha, com várias sementes; arari. **4.** *Bras., AM.* V. *cipó-cururu.* **5.** *Bras., Amaz.* Certa dança indígena. **6.** *Bras., SP* e *MT.* Dança de roda em que se canta ao desafio: "Um dia se engraçou com a Tudinha, num cururu em casa de Maneco Lopes." (M. Cavalcanti Proença, *Manuscrito Holandês*, p. 80.) **7.** *Bras., SP. Folcl.* Dança de roda, palmeada e sapateada, semelhante, nos seus passos e ademanes, à coreografia ameríndia. ● *Adj. 2 g.* **8.** *Bras.* V. *jururu* (2).

cururuá. [Do tupi.] *S. m. Bras., Amaz.* V. *rato-de-espinho.*

cururubóia. [Do tupi *kururu'bói*, 'cobra-sapo'.] *S. f. Bras.* Reptil ofídio, da família dos colubrídeos *(Xenodon serverus* (L.)), do C.O. e N. do País. Os jovens apresentam faixas angulares, pardacentas, com margens mais escuras, separadas por espaços pardo-claros; mancha branca arredondada na nuca e faixas curvas na cabeça; ventre pardo ou negro, com grandes manchas amareladas dos lados; os adultos têm dorso pardo e abdome amarelado. [Sin.: *jacanarana, quiriripitá.*]

cururuca. [De possível or. tupi.] *S. m. Bras.* V. *corvina.*

cururucica. [Do tupi *kuru'ru*, 'sapo', + *sika*, 'resina'.] *S. f. Bras.* Certa resina medicinal.

cururuí. *S. m. Bras.* Designação popular, em língua tupi, para várias espécies de sapos ou anuros de pequeno porte.

cururupuense. *Adj. 2 g.* **1.** De, ou pertencente ou relativo a Cururupu (MA). ● *S. 2 g.* **2.** Natural ou habitante de Cururupu.

cururuxoré. *S. m. Bras., Amaz.* V. *rato-de-espinho.*

curutié. [Voc. onom.] *S. m. Bras.* Ave passeriforme, da família dos furnarídeos *(Certhiaxis cinnamomea russeola* (Vieil.)), do S. do País. Dorso pardo-acinzentado, abdome branco, garganta amarelo-clara. Constrói ninho com gravetos, em árvores ou arbustos, nos brejos, e alimenta-se de insetos. [Sin.: *corruíra-do-brejo, marrequinho-do-brejo.* Cf. *joão-teneném.*]

curuzu. *S. m. Bras., S.* **1.** Bolo fecal. **2.** Monte de cascalho de mineração.

curva. [Fem. substantivado de *curvo.*] *S. f.* **1.** *Geom.* Lugar geométrico de um ponto que se desloca num espaço com um único grau de liberdade; linha curva. [O conceito pode abranger, como caso particular, a linha reta.] **2.** Qualquer linha ou superfície curva: *a curva de um arabesco; A curva das montanhas desenhava-se no horizonte.* **3.** Trecho sinuoso de rua, estrada, ou qualquer via; volta: *A estrada de Cabo Frio é cheia de curvas.* **4.** V. *curvatura* (2): *O arame, fino demais perdeu toda a curva, deformando o fundo da sacola.* **5.** Peça arqueada em construções, móveis, etc.: *a curva do pára-lama.* **6.** Linha que liga pontos de antemão cotados em ordenadas e abscissas, nos gráficos demonstrativos ou estatísticos. ~ V. *curvas.* ◆ **Curva algébrica.** *Geom. Anal.* Curva cujas equações cartesianas são algébricas racionais inteiras. **Curva analagmática.** *Geom.* Qualquer curva plana que possa inverter-se em si mesmo, como, p. ex., o caracol, a cardióide, a cassinóide e a estrofóide. **Curva binodal.** *Fís.-Quím.* Num diagrama de equilíbrio dum sistema líquido ternário, a curva que separa uma região de existência de uma fase líquida da região de existência de duas fases líquidas. **Curva característica. 1.** *Eletr.* A que representa, num gráfico apropriado, a dependência funcional, entre a resistência elétrica dum componente e a corrente que o atravessa, ou entre a resistência e a tensão, ou entre a corrente e a tensão. [Tb. se diz apenas *característica.*] **2.** *Eletrôn.* Representação gráfica da dependência entre um parâmetro do sinal de saída dum circuito e outro parâmetro do sinal de entrada. [Tb. se diz apenas *característica.*] **3.** *Geom. Anal.* Sobre uma superfície, qualquer das curvas cujas tangentes, em um ponto, são direções características da superfície nesse ponto. **Curva catacáustica.** *Geom.* Curva plana resultante da interseção de uma superfície catacáustica com um plano que contém a fonte luminosa e a normal à superfície. **Curva cáustica.** *Geom. Anal.* Curva plana resultante da interseção de uma superfície cáustica com um plano que contém a fonte luminosa e a normal à superfície. [Tb. se diz apenas *cáustica.*] **Curva cilíndrica.** *Geom.* Curva contida numa superfície cilíndrica. **Curva composta.** A que consiste em dois ou mais arcos de círculos concordantes, de raios diferentes e curvaturas do mesmo sentido. **Curva cônica.** *Geom.* Curva contida numa superfície cônica. **Curva cúbica.** *Geom. Anal.* Curva algébrica plana cuja equação cartesiana é do terceiro grau. [Tb. se diz apenas *cúbica.*] **Curva de calibração.** *Fís.* Num gráfico apropriado, a curva que relaciona os valores duma grandeza física diretamente mensurável com os valores duma segunda grandeza. **Curva da perna.** A parte por onde ela se dobra, por trás do joelho. **Curva de contorno.** *Geom. Anal.* Curva de nível (2). **Curva de cristalização.** *Fís.* Curva de equilíbrio formada pelos pontos em que, num resfriamento isobárico de um líquido, aparece pela primeira vez a fase sólida em equilíbrio com o líquido. **Curva de ebulição.** *Fís.* Curva de equilíbrio entre um líquido e o vapor, formada pelos pontos em que este aparece pela primeira vez num processo de aquecimento isobárico daquele. **Curva de freqüência.** *Estat.* A que traduz, num sistema de coordenadas cartesianas, a função de freqüência duma variável estocástica. **Curva de fusão.** *Fís.* Num diagrama de equilíbrio, curva de equilíbrio entre uma fase sólida e uma líquida, e que é constituída pelos pontos onde pela primeira vez aparece a fase líquida, quando se aquece isobárica e continuamente a fase sólida. **Curva de Gauss.** *Geom. Anal.* Curva plana que representa, num sistema de coordenadas cartesianas ortogonais, uma exponencial com expoente quadrático negativo. **Curva de giração.** *Lus. Mar.* Curva de giro. **Curva de giro.** *Bras. Mar.* A que o centro de gravidade duma embarcação descreve quando se mantém o leme carregado para um dos bordos; curva de giração. **Curva de luz.** *Astr.* Representação gráfica da magnitude de uma estrela em função do tempo. **Curva de nível. 1.** Linha que, nas cartas topográficas, liga pontos de uma mesma cota[2]; isoípsa. [Curvas de nível muito juntas indicam terreno muito íngreme, abrupto; afastamento de uma para a outra indica região pouco íngreme.] **2.** *Geom. Anal.* Qualquer das projeções ortogonais, sobre um plano, das interseções de uma superfície com uma família de planos paralelos ao das projeções; curva de contorno. **Curva de orvalho.** *Fís.* Curva de equilíbrio formada pelos pontos em que, no resfriamento isobárico de um vapor, aparece pela primeira vez uma fase líquida em equilíbrio com esse vapor. **Curva de resposta.** *Fís.* A dependência funcional, expressa graficamente, entre o sinal que entra num instrumento e o sinal de saída. **Curva de transição.** *Topog.* Curva cujo raio varia gradualmente, de modo que se suavize uma mudança de direção. **Curva dextrogira.** *Geom. Anal.* A que tem torção positiva. [A hélice dextrogira assemelha-se às bordas de um parafuso de rosca direita.] **Curva diacáustica.** *Geom. Anal.* Curva plana resultante da interseção de uma superfície diacáustica com um plano que contém a fonte luminosa e a normal à superfície. [Tb. se diz apenas *diacáustica.* Sin.: *cáustica por refração.*] **Curva do cadaste.** *Constr. Nav.* Coral do cadaste. **Curva empírica.** *Fís.* Num sistema de coordenadas, curva que se aproxima, segundo um critério de natureza estatística, dum conjunto de pontos obtidos experimentalmente. **Curva esférica.** *Geom.* A que está contida numa superfície esférica. **Curva espacial.** *Geom.* A que está situada num espaço de três dimensões, e que não é necessariamente uma curva reversa, podendo ser plana. **Curva fechada.** *Geom.* A que divide uma superfície em duas regiões, uma das quais finita, de modo que os pontos de uma região não podem ser ligados aos da outra por arcos de curvas contínuas contidos na superfície sem cortar a curva. **Curva geodésica.** *Geom. Anal.* V. *geodésica.* **Curva hipsográfica.** Perfil topográfico que abrange as terras emersas e o relevo submarino que se lhes segue. **Curva hodográfica.** V. *hodógrafo.* **Curva isógona.** *Topog.* Isogônica (1). **Curva isóptica.** *Geom. Anal.* Lugar geométrico da interseção de duas tangentes a uma curva plana ou reversa, que fazem entre si um ângulo constante. [Tb. se diz apenas *isóptica.*] **Curva levogira.** *Geom. Anal.* A que tem torção negativa; curva sinistrogira. **Curva ortóptica.** *Geom. Anal.* Curva isóptica gerada por tangentes que fazem um ângulo reto. [Tb. se diz apenas *ortóptica.*] **Curva ovóide.** *Geom. Anal.* Fólio simples. **Curva podária.** *Geom. Anal.* Lugar geométrico dos pés das perpendiculares baixadas de um ponto fixo às tangentes duma curva. [Tb. se diz apenas *podária.*] **Curva quadrática.** *Geom.* V. *cônica.* **Curva reversa.** *Geom.* A que não está contida num plano. **Curva senoidal.** *Geom. Anal.* V. *senóide.* **Curva sigmóide.** *Geom.* A que tem o aspecto de um *s.* **Curva sinistrogira.** *Geom. Anal.* Curva levogira. **Curva sinusoidal.** *Geom. Anal.* V. *senóide.* **Curva transcendente.** *Geom. Anal.* A que representa uma função transcendente.

curvaça. [De *curva* + *-aça.*] *S. f. Patol.* Tumor ósseo localizado na região da base do jarrete dos eqüídeos.

curvado. [Part. de *curvar.*] *Adj.* Que se curvou; curvo: *As costas curvadas denotam-lhe um desvio de espinha.*

curvador (ô). *S. m. Tip.* Curva-linhas.

curval. *Adj. 2 g. Anat.* Referente à curva da perna.

curva-linhas. [De *curvar* + *linha.*] *S. m. 2 n. Tip.* Utensílio com que se dá a forma de arco ou de círculo às entrelinhas e aos fios de chumbo ou de latão; curvador.

curvar. [Do lat. *curvare.*] *V. t. d.* **1.** Tornar curvo; dobrar, arquear: "Curva os bambuais o vento." (Olavo Bilac, *Poesias,* p. 94.) **2.** Dobrar em arco ou em ângulo. **3.** Inclinar para diante ou para baixo: *Curvou a cabeça diante do altar;* "Alina corou, curvando a fronte para subtrair-se ao olhar que penetrava-lhe os seios d'alma." (José de Alencar, *O Sertanejo,* p. 181.) **4.** *Fig.* Abater; dominar, oprimir, sujeitar: *Pretende curvar todos aqueles que se rebelaram contra sua vontade. Int.* **5.** Tornar-se curvo; vergar, envergar(-se): *Curvava ao peso da carga; Curvou com a idade. P.* **6.** Apresentar-se, aparecer, com a sua curvatura: *A cúpula da igreja curvava-se contra o céu cinzento.* **7.** Tornar-se curvo; vergar, envergar(-se): *Curva-se cada dia mais, ao peso da idade.* **8.** Dobrar, inclinar o corpo, a cabeça, cumprimentando: "foi ao piano, perguntou a Luísa curvando-se: / — É alguma canção do Tirol, D. Luísa?" (Eça de Queirós, *O Primo Basílio,* p. 67.) **9.** Prostrar-se; ajoelhar-se: *Exigiram-lhe que se curvasse ante o pai e pedisse perdão.* **10.** Sujeitar-se, resignar-se; submeter-se: *Curvou-se à vontade da família;* "renunciou à virtude, infringiu a moral, curvou-se à lei do instinto." (Graciliano Ramos, *Infância,* pp. 38-39.)

curvas. [Pl. de *curva.*] *S. f. pl.* Formas [V. *forma* (ó) (1).] arredondadas: *A pequena era só curvas.* ~ V. *curva.*

curvatão. *S. m. Constr. Nav. Ant.* Cada uma das duas fortes peças de madeira presas à romã do mastro ou mastaréu, e sobre as quais assenta o cesto da gávea.

curvatura. [Do lat. *curvatura.*] *S. f.* **1.** Forma curva de qualquer corpo. [Sin., p. us.: *curvidade.*] **2.** Dobramento, arqueamento: *A curvatura do metal foi insuficiente, e a peça ficou defeituosa.* [Sin.: *curva* e (p. us.) *curvidade.*] **3.** Cumprimento com inclinação do corpo para a frente: *Fez uma exagerada curvatura ao chefe.* **4.** *Geom. Anal.* Derivada do ângulo formado por duas tangentes a uma curva em relação ao comprimento do arco da curva compreendido entre os dois pontos de tangência. ◆ **Curvatura de campo.** *Ópt.* Aberração de um sistema óptico em que a superfície focal não é plana. **Curvatura do espaço.** *Fís.* Característica intrínseca do espaço, a qual se identifica por não serem retilíneas as trajetórias dos raios luminosos que o atravessam. **Curvatura gaussiana.** *Geom. Anal.* Produto das curvaturas principais duma superfície num ponto. **Curvatura geodésica.** *Geom. Anal.* Num ponto de uma curva sobre uma superfície, curvatura da projeção ortogonal da curva sobre o plano tangente à superfície no ponto; curvatura tangencial. **Curvatura normal.** *Geom. Anal.* A curvatura da seção normal de uma superfície num certo ponto e numa dada direção. **Curvatura principal.** *Geom. Anal.* Valor máximo ou mínimo da curvatura normal de uma superfície. **Curvatura tangencial.** *Geom. Anal.* Curvatura geodésica.

curvejão. [De *curva.*] *S. m. Zootec.* V. *jarrete* (2).

curvelano. *Adj.* **1.** De, ou pertencente ou relativo a Curvelo (MG). ● *S. m.* **2.** O natural ou habitante de Curvelo.

curveta (ê). [Do fr. *courbette.*] *S. f.* **1.** Volta ou curva de caminho ou de atalho. **2.** Volta tortuosa; ziguezague. **3.** Movimento que faz o eqüídeo erguendo e dobrando as patas dianteiras e baixando a garupa: "O murzelo lustrino de Arlequim, ... depois de alçar as mãos em engraçada curveta, começou a avançar a passos amiudados e rítmicos de dança." (Xavier Marques, *As Voltas da Estrada,* p. 67.) **4.** *Bras.* V. *corcovo.* [Cf. *corveta.*]

curvetear. *V. int.* **1.** Fazer curvetas; corcovear: "Os cavalos .... nitriam alegremente ao avistar a comitiva, ... enquanto os poldrinhos curveteavam travessos à cola das mães." (José de Alencar, *O Sertanejo,* p. 205.) *T. d.* **2.** Fazer curvetear.: *Curveteou o cavalo para ser visto pela namorada.* [Conjug.: v. *frear.*]

curviana. *S. f. Bras., CE. Pop.* V. *cruviana.*

curvicórneo. *Adj. Zool.* Que tem cornos curvos.

curvidade. *S. f. P. us.* V. *curvatura* (1 e 2).

curvifloro. *Adj. Morfol. Veg.* Que tem a corola curva.

curvifoliado. *Adj. Morfol. Veg.* Que tem folhas recurvadas.

curvígrafo. [Do lat. *curvu,* 'curvo', + *-i-* + *-grafo.*] *S. m.* Instrumento com que se traçam curvas.

curvilhão. *S. m. Zootec.* V. *jarrete* (2): "a um sacalão de rédeas, estacou empinado, curvilhões contractos, cabeça ao alto, mastigando o freio" (Alcides Maia, *Tapera,* pp. 7-8).

curvilíneo. *Adj.* **1.** Formado de linhas curvas. **2.** De forma curva. **3.** Que segue direção curva. ~ V. *integral —a.*

curvinervado. *Adj. Morfol. Veg.* Curvinérveo.

curvinérveo. *Adj. Morfol. Veg.* Provido de nervuras longitudinais curvas e aproximadamente paralelas; curvinervado: *folha curvinérvea.*

curvípede. [Do lat. *curvipede.*] *Adj. 2 g.* Que tem pernas curvas.

curvirrostro. [Do lat. *curvu,* 'curvo', + *-rostro.*] *Adj. Zool.* Que tem bico curvo.

curvo. [Do lat. *curvu.*] *Adj.* **1.** Que muda de direção sem formar ângulos; arqueado: *traço curvo; a lâmina curva de uma adaga; as linhas curvas do estilo D. João V.* **2.** Que não é reto nem poligonal: *a forma curva de um anel.* **3.** Que não é plano nem poliédrico; abaulado, arqueado, aredondado: *as chapas curvas que formam o casco de um navio;* o *teto curvo da igreja.* **4.** Curvado, inclinado, vergado: *Este ramo curvo impede a passagem dos veículos.* **5.** *Fig.* Em atitude humilde e respeitosa, ou submissa; curvado, dobrado: *Vive curvo perante os poderosos.* ~ V. *estereotipia —a, estereótipo — e linha —a.*

cuscada. *S. f. Bras., RS.* **1.** Porção de cuscos. **2.** Os cuscos. **3.** *Fig.* Gente reles, ou inútil, imprestável.

cusco. [Do esp. plat. *cusco.*] *S. m. Bras., RS.* **1.** Cão pequeno, de raça ordinária. **2.** *Fig.* Pessoa sem importância, reles, ou inútil, imprestável. [Sin. ger.: *guaipeva, guapeva, guaipeca, guaipé.*]

cuscuta. [Do gr. *kasytas,* pelo ár. *kuxutâ* e pelo b.-lat.

cuscuta.] *S. f. Bras. Pop.* V. *cipó-chumbo.*
cuscutácea. *S. f.* Espécime das cuscutáceas.
cuscutáceas. *S. f. pl. Bot.* Família de plantas parasíticas, afilas, aclorofiladas, de uma tonalidade amarelada ou mesmo dourada, filamentosas, dotadas de flores inconspícuas. Vivem sobre outras plantas superiores, recebem o nome vulgar de *cipó-chumbo,* e são consideradas por vários autores como subfamília das convolvuláceas.
cuscutáceo. *Adj.* Pertencente ou relativo às cuscutáceas.
cuscuz. [Do ár. *kuskus.*] *S. m.* **1.** *Bras.* Iguaria feita de farinha de milho (em geral graúda), ou de farinha de arroz, etc., cozida ao vapor. **2.** *Bras., RJ.* Bolinho de farinha de milho ou de tapioca assado na grelha. **3.** *Bras., PE.* Morro isolado. [Pl.: cuscuzes.] ♦ **Cuscuz de tapioca.** *Bras.* Bolo de farinha de tapioca, coco ralado e açúcar, embebidos em leite, e que não é cozido ou assado.
cuscuzeira. *S. f. Bras.* Cuscuzeiro (1).
cuscuzeiro. *S. m.* **1.** *Bras.* Fôrma para se fazer cuscuz, de lata, de alumínio ou de barro, e cujo fundo, cheio de orifícios, é adaptado à boca de uma panela com água fervendo; cuscuzeira. **2.** *Bras., S.* Pico arredondado, que se destaca de uma chapada. [Cf. *coscoseiro.*]
cuscuz-paulista. *S. m. Bras.* Cuscuz (1) de farinha de milho, feito com peixe e camarão, ou galinha, ovos cozidos e muito tempero. [Pl.: *cuscuzes-paulistas.*]
cuspada. *S. f.* V. *cusparada.*
cusparada. *S. f. Bras.* **1.** Grande porção de cuspo. **2.** Ato de emitir uma cusparada (1). [Sin. ger.: *cuspidura, cuspada, cuspinhada.*]
cuspe. *S. m. Var.* de *cuspo:* "Enquanto duravam as visitas chamadas de cerimônia ou as outras, recebiam as escarradeiras .... as cusparadas em série dos fumantes, o c u s p e preto dos tomadores de rapé." (Mauro Mota, *Votos e Ex-Votos,* p. 43.) ♦ **Quebrar o cuspe.** *Bras. N.E. Pop.* Tomar a primeira refeição no dia; quebrar o jejum.
cuspe-de-tropeiro. *S. m. Bras.* Planta da família das compostas (*Soliva sessilis*). [Pl.: *cuspes-de-tropeiro.*]
cuspidado. *Adj.* Acabado em nítida ponta aguda: pétala c u s p i d a d a ; folha c u s p i d a d a ; dente c u s p i d a d o .
cuspidal. *Adj. 2 g.* ~ *V. ponto* —.
cuspidato. [Do lat. *cuspidatu.*] *Adj.* Que termina em cúspide.
cúspide. [Do lat. *cuspide.*] *S. f.* **1.** Extremidade aguda; ponta, vértice. **2.** O ferrão das abelhas, do lacrau, etc. **3.** O tridente de Netuno. **4.** *Astr.* Extremidade, em forma de ponta, da região iluminada de um planeta ou satélite; corno. **5.** *Geom.* Numa curva, ponto duplo em que as duas tangentes são coincidentes; ponto duplo em que o hessiano é nulo. [Sin.: *ponto cuspidal, ponto de reversão.*] **6.** *Morfol. Veg.* Porção afilada e aguda que termina vários órgãos vegetais laminares, como pétalas e folhas. **7.** *Odont.* Ponto ou saliência do dente, destinada a cortar, dilacerar ou moer o alimento.
▲-cúspide. Equiv. de *cuspidi-.*
cuspideira. [De *cuspido* + *-eira.*] *S. f.* V. *escarradeira.*
cuspidela. *S. f.* Cuspidura (1).
▲cuspidi-. [Do lat. *cuspis, idis.*] *El. comp.* = 'cúspide', 'ponta': *cuspidiforme.* [Equiv. *-cúspide: quadricúspide.*]
cuspidiforme. [De *cuspidi-* + *-forme.*] *Adj. 2 g.* Que tem a forma de pequena ponta. [Cf. *cúspide* (1).]
cuspido. [Part. de *cuspir.*] *Adj.* **1.** Em que se cuspiu: *assoalho sujo, c u s p i d o .* **2.** *Fig.* Ultrajado, abocanhado. ♦ **Cuspido e escarrado.** Exatamente como; tal qual; sem tirar nem pôr; direitinho, escritinho, escarrado; escrito e escarrado; escarrado e cuspido: *Este menino é o avô, c u s p i d o e e s c a r r a d o ; Saiu ao pai, c u s p i d o e e s c a r r a d o .*
cuspidor (ô). *Adj.* **1.** Que cospe muito. ● *S. m.* **2.** V. *escarradeira.* **3.** *Bras.* Ave passeriforme, da família dos conopofagídeos (*Conopophaga lineata* (Wied)), do L. e S. do País, de dorso pardo-oliváceo, cabeça e peito avermelhados, capuz pardo com penas brancas. **4.** Ave passeriforme, da família dos conopofagídeos (*C. melanops* (Vieil.)), do S.E. do País; chupa-dente, corujinha.
cuspidura. *S. f.* **1.** Ato ou efeito de cuspir; cuspidela. **2.** V. *cusparada.*
cuspilhar. *V. int.* e *t. d.* Cuspinhar: "um cotovelo sobre o peitoril, as pernas cruzadas, a c u s p i l h a r consecutivamente pedacinhos de fumo que ele mascava do cigarro." (Aluísio Azevedo, *O Cortiço,* p. 259); *C u s p i l h o u uma substância esverdeada.*
cuspinhada. *S. f.* V. *cusparada.*
cuspinhador (ô). *Adj.* e *s. m.* Que ou aquele que cuspinha.
cuspinhadura. *S. f.* Ato ou efeito de cuspinhar.
cuspinhar. *V. int.* e *t. d.* Cuspir amiúde, e pouco de cada vez; cuspilhar: "retiram-se velozes, c u s p i n h a n d o de engulho pela má companhia." (Ramalho Ortigão, *As Farpas,* VIII, p. 260); *c u s p i n h a r sangue.*
cuspir. [Do lat. *couspuere.*] *V. int.* **1.** Lançar da boca cuspo ou outra substância líquida: *Não cessava de c u s p i r . T. d.* **2.** Lançar da boca; lançar de si: "não se engasgaria mais, nos acessos de tosse, nem c u s p i r i a sangue." (Macedo Miranda, *Pequeno Mundo Outrora,* p. 35.) **3.** Lançar saliva em: *C u s p i a quem se aproximava.* **4.** Lançar, soltar, proferir (injúrias, afrontas, calúnias). *T. i.* **5.** Dirigir ultrajes, ofensas; abocanhar: *Após a sua infâmia, c u s p i a m -lhe por onde passasse. Int.* **6.** Salivar[2] (1). **7.** Lançar (uma arma de fogo), pelo ouvido, grãos de pólvora ou centelhas. [Irreg. Conjug.: v. *bulir.*]
cuspo. [Dev. de *cuspir.*] *S. m.* Humor segregado pelas glândulas bucais; saliva. [Var.: *cuspe.*]
cusquenho. [Do esp. *cuzqueño.*] *Adj.* **1.** De, ou pertencente ou relativo a Cusco (Peru). ● *S. m.* **2.** O natural ou habitante de Cusco.
cusso. *S. m. Bras.* Var. de cosso[2].
custa. [De *custo.*] *S. f.* **1.** *Ant.* Dispêndio, despesa. **2.** Custo, expensas: *O serviço foi feito a minha c u s t a .* ~V. *custas.* ♦ **À custa da barba longa.** Sem trabalhar; à custa do pai. **À custa de. 1.** Com sacrifício de: *Faz concessões à c u s t a d a honra.* **2.** Com o emprego, a prática ou o auxílio de; à força de, a poder de: *Aquele burro só anda à c u s t a de pancadas; Obteve o poder à c u s t a de traições.* **3.** A expensas de: *Vive à c u s t a d o sogro.* **À custa do pai.** À custa da barba longa.
custar. [Do lat. *constare.*] *V. int.* **1.** Ter determinado preço ou valor; ser adquirido por certo preço ou valor. *A pulseira c u s t o u 100.000 cruzados.* **2.** Ser difícil, penoso: *Muito c u s t a viver entre mal-educados.* **3.** Levar tempo, tardar, demorar: "Vai casar. Arranjou um noivo. C u s t o u , mas acertou." (Machado de Assis, *Quincas Borba,* p. 333); "C u s t o u muito a esfriar o rescaldo dessa luta inglória." (Povina Cavalcanti, *Volta à Infância,* p. 20.) *T. i.* **3.** Ser difícil ou doloroso: "C u s t a v a -lhe acreditar que o apartamento de Polanco, o seu lar mexicano, também fora desmontado" (Viana Moog, *Tóia,* p. 38); *A morte do filho muito lhe c u s t o u .* **4.** *Bras. Ter dificuldade: C u s t o u a entender o que lhe diziam.* **5.** *Bras.* Tardar, demorar: *C u s t o u a chegar.* ♦ **Custar barato.** Estar à venda, ou ser obtido, por preço baixo, módico: *Comprarei aquela camisa, porque c u s t a b a r a t o ; Os tapetes c u s t a r a m b a r a t o porque estavam em liquidação.* **Custar caro. 1.** Estar à venda, ou ser obtido, por preço alto, elevado: *Não compro um carro novo porque c u s t a c a r o ; O sapato c u s t o u c a r o , mas é ótimo.* **2.** Ser obtido à custa de grande sacrifício, aborrecimento, desgosto, etc.: C u s t o u -lhe c a r o a reconciliação dos pais. **3.** Acarretar conseqüências graves ou penosas: *Sua vadiação vai-lhe c u s t a r c a r o .* **Custe o que custar.** A qualquer preço; de qualquer modo; haja o que houver.
custas. [Pl. de *custa.*] *S. f. pl.* Despesas feitas em processo judicial. ~ V. *custa.*
custeamento. *S. m.* **1.** Ato ou efeito de custear. **2.** Conjunto ou relação de despesas. [Sing. ger.: *custeio.*]
custear. [De *custo* + *-ear.*] *V. t. d.* Correr com as despesas de: *C u s t e o u os estudos do irmão.* [Conjug.: v. *frear.* Pres. ind.: *custeio,* etc.; part.: *custeado.* Cf. *costeio,* do v. *costear* e s. m., esse verbo, e *costeado*].
custeio. [Dev. de *custear.*] *S. m.* Custeamento. [Cf. *costeio.*]
custenau. *Bras. S. 2 g.* **1.** Indivíduo dos custenaus, tribo indígena aruaque das cabeceiras do Xingu. ● *Adj. 2 g.* **2.** Pertencente ou relativo a essa tribo.
custo. [Dev. de *custar.*] *S. m.* **1.** Quantia pela qual se adquiriu algo. **2.** Valor em dinheiro. **3.** *Fig.* Dificuldade, trabalho, esforço: "Coitada da Joaninha! Lembro-me bem .... de sua maneira retraída, encabulada. Era um c u s t o fazê-la entrar na roda." (Osvaldo Orico, *Vinha do Senhor,* p. 55.) **4.** *Bras.* Demora, tardança. ♦ **A custo.** A duras penas; dificilmente: "Dois de Ouros, desesperado, a c u s t o rompia a multidão." (Fran Martins, *Dois de Ouros,* p. 9); "Terra ingrata onde a urze a c u s t o desabrocha" (Guerra Junqueiro, *in Agostinho de Campos, Junqueiro,* p. 174). **Dar pelo custo.** Contar alguma coisa a alguém tal como a ouviu de outrem: "Foi ele mesmo quem me referiu o caso. Aqui o d o u p e l o c u s t o , sem nada de meu." (Lúcio de Mendonça, *Horas do Bom Tempo,* p. 221.)
custódia. [Do lat. *custodia.*] *S. f.* **1.** Lugar onde se guarda alguma coisa com segurança. **2.** Lugar onde se conserva alguém detido; detenção. **3.** Guarda, segurança; proteção. **4.** Objeto de ouro ou prata em que se expõe a hóstia consagrada. [Cf. *custodia,* do v. *custodiar.*]
custodiar. [Do lat. *custodiare.*] *V. t. d.* Ter em custódia; guardar; proteger. [Pres. ind.: *custodio, custodias, custodia,* etc. Cf. *Custódio,* antr., fem. *Custódia; custódio,* adj.; e *custódia,* s. f.]
custodiense. *Adj. 2 g.* **1.** De, ou pertencente ou relativo a Custódia (PE). ● *S. 2 g.* **2.** Natural ou habitante de Custódia.
custódio. [Do lat. *custode,* 'guarda', + *-io.*] *Adj.* Que guarda, que defende ou protege. [Cf. *custodio,* do v. *custodiar.*]
custoso (ô). *Adj.* **1.** Que custa muito dinheiro; de alto custo: *vestes c u s t o s a s ; vinhos c u s t o s o s .* **2.** Árduo, difícil, trabalhoso. **3.** *Bras.* Diz-se de coisa demorada. **4.** *Bras., GO.* V. *arteiro* (2).
cutâneo. *Adj.* **1.** Pertencente ou relativo à cútis ou cute: *Existem visíveis variações c u t â n e a s entre indivíduos da mesma raça.* **2.** Da cútis, da pele: *inflamação c u t â n e a .*
cu-tapado. *S. m. Bras.* V. *tuim.* [Pl.: *cus-tapados.*]
cutaxó. *S. 2 g.* e *adj. 2 g. Bras.* Cotoxó.
cute. [Do lat. *cute.*] *S. f. P. us.* V. *cútis.*
cutela. *S. f.* Faca larga para cortar carne. [Cf. *cutelo* (2).]
cutelão. *S. m.* Cutilão.
cutelaria. *S. f.* Arte, ofício ou oficina de cuteleiro. [Cf. *cutilaria,* do v. *cutilar.*]
cuteleiro. [De *cutelo* + *-eiro.*] *S. m.* Fabricante ou vendedor de instrumentos de corte; acerador. [Cf. *coteleiro.*]
cutelo. [Do lat. *cultellu,* 'faquinha'.] *S. m.* **1.** Instrumento cortante, semicircular, de ferro. **2.** Utensílio semelhante ao cutelo (1), especial para cortadores e correeiros. [Aum.: *cutilão, cutelão.*] **3.** *Ant. Marinh.* Cada uma das velas suplementares quadrangulares, caçadas junto às testas do velacho e da gávea, quando o vento era de feição, para aumentar a superfície do pano; vela de cutelo.
cúter. [De *catur,* atr. do ingl. *cutter.*] *S. m.* Embarcação pequena de mastreação constituída de gurupés e um mastro envergando pano latino e gafetope, usada especialmente em regatas à vela. [Pl.: *cúteres.*]
cuterebrídeo. *S. m* **1.** Espécime dos cuterebrídeos. ● *Adj.* **2.** Pertencente ou relativo a eles.
cuterebrídeos. *S. m. pl. Zool.* Família de insetos dípteros na qual se encontram moscas cujas larvas parasitam o homem e animais domésticos. São moscas de grande porte, pilosas, que põem os ovos sob a epiderme. As larvas, ao desenvolverem-se, provocam irritação crescente, caracterizando o berne. A mais comum é a *Dermatobia hominis,* conhecida como *mosca-do-berne* [q. v.].
cutia[1]. [Var. de *acuti* tupi *aku'ti.*] *S. f. Bras.* Mamífero roedor, da família dos dasiproctídeos, gênero *Dasyprocta* Ill., com sete espécies em território brasileiro. As cutias têm apenas vestígio de cauda, extremidades anteriores bem mais curtas que as posteriores, com cinco dedos, sendo o quinto muito reduzido. Pés compridos, e três dedos desenvolvidos, com unhas cortantes, equivalentes a pequenos cascos. Vivem nas matas e capoeiras, donde saem à tardinha para alimentar-se de frutos e sementes caídos das árvores. A coloração é variável entre as espécies. [Var.: *acuchi, acouti, acuti, aguti.* Cf. *cotia,* do v. *cotiar* e s. f.]
cutia[2] *S. f.* Árvore da família das rutáceas (*Pilocarpus,* sp.). [Cf. *cotia,* do v. *cotiar* e s. f.]
cutia-de-pau. *S. f. Bras., BA.* V. *caxinguelê.* [Pl.: *cutias-de-pau.*]
cutia-de-rabo. *S. f. Bras.* V. *cutiaia.* [Pl.: *cutias-de-rabo.*]
cutia-diapá. *Bras. S. 2 g.* **1.** Indivíduo dos cutias-diapás, tribo indígena que habitava nas terras entre os rios Jundiatuba e Jutaí (AM). ● *Adj. 2 g.* **2.** Pertencente ou relativo a essa tribo. [Pl.: *cutias-diapás.*]
cutiaia. *S. f. Bras.* Mamífero roedor da família dos dasiproctídeos (*Myoprocta acouchy* (Erxl.)), da região do baixo Amazonas, e mais três espécies do alto Amazonas. É menor que a cutia comum, mas tem uma pequena cauda, de 8 cm de comprimento, e possui hábitos noturnos. [Sin.: *cotiara, cutiuaia, cutia-de-rabo.*]
cutiano. *Adj.* **1.** De, ou pertencente ou relativo a Cutia (SP). ● *S. m.* **2.** O natural ou habitante de Cutia.
cutícola. [De *cute* + *-i-* + *-cola.*] *Adj. 2 g.* Que vive na pele. [Cf. *cutícula* e *cotícula.*]
cutícula. [Do lat. *cuticula.*] *S. f.* **1.** A flor da pele; película, epiderme. **2.** Película que se destaca da pele em torno das unhas. **3.** *Morfol. Veg.* Fina camada impermeável que recobre externamente a epiderme do caule primário e das folhas, protegendo a planta contra os agentes do meio exterior, e não leva celulose, mas uma substância peculiar, a cutina. [Cf. *cutícola,* e *cotícula.*]
cuticular. [Do lat. *cuticulare.*] *Adj. 2 g.* Relativo ou

pertencente à cútis, ou à cutícula (1 e 2): *transpiração cuticular.*
cutículo. [De *cutícula.*] *S. m.* Invólucro, simples ou complexo, do corpo de um animal.
cuticuloso (ô). *Adj.* Que tem forma de cutícula.
cutidura. [De *cútis.*] *S. f.* Parte da membrana ceratogênica [q. v.], que se aloja na goteira existente no bordo superior do casco, desempenhando o papel de matriz da muralha; bordalete.
cutieira. *S. f. Bras.* V. *andá-açu.*
cutieiro. *S. m. Bras.* V. *andá-açu.*
cutielão. *S. m. Bras.* V. *ariramba-da-mata-virgem.*
cutilada. [Do arc. *cuitellada,* por infl., talvez, do esp. *cuchillada.*] *S. f.* Golpe de cutelo, sabre, espada, etc.
cutilão. *S. m.* Cutelo (1 e 2) grande; cutelão.
cutilar. *V. t. d. Bras.* Ferir com cutelo, ou com instrumento análogo. [Fut. pret.: *cutilaria,* etc. Cf. *cutelaria.*]
cutiliquê. [Da ant. soletração da abrev. de *que* (q̃), que se lia *cu til quê.* Outrora a letra *q* chamava-se *cu.*] *El. s. m.* Us. na loc. *de cutiliquê.* ◆ **De cutiliquê.** De pouca monta; sem importância: *razões, questões de cutiliquê.* [Cf. *quotiliquê.*]
cutimandioca. [Do tupi.] *S. f. Bras.* Árvore da família das rosáceas (*Licania capinensis*).
cutimbóia. *S. f. Bras., Amaz.* V. *acutimbóia.*
cutina. [De *cute* ou *cútis* + *-ina.*] *S. f. Bot.* Substância particular da cutícula, de constituição química mal conhecida, e muito resistente aos reagentes químicos.
cutinização. *S. f. Bot.* Formação de cutina numa membrana celular vegetal.
cutipaca. [Do tupi.] *S. m. Bras., SP, ilha de São Sebastião.* Cavaleiro (10).
cutipuruí. [Do tupi *kutipuru'i,*] *S. f. Bras.* Ave passeriforme, da família dos trogloditídeos (*Troglodytes musculus clarus* Berl. & Hart.), da Amaz., de coloração parda, crisso e cauda avermelhados, asas e cauda listradas de preto, e parte inferior clara, em tons cinza e avermelhado; cambaxirra.
cutirreação. *S. f. Med.* Reação cutânea local à introdução ou aplicação na pele de determinada substância para a qual se supõe esteja o organismo sensibilizado, e que possibilita o diagnóstico de certas enfermidades.
cútis. [Do lat. *cutis.*] *S. f. 2 n.* **1.** A pele humana. **2.** Epiderme, tez. [F. paral. (p. us.): *cute.* Cf. *carnaz.*]
cutisação. *S. f.* Ato ou efeito de cutisar. [Cf. *cotização.*]
cutisar. *V. t. d. Med.* Converter (uma mucosa) em estado semelhante ao da cútis. [Cf. *cotizar.*]
cutitiribá. [Do tupi *kutitiri'ba.*] *S. m. Bras.* Árvore da família das sapotáceas (*Lucuma rivicoa* Gaertn.). [Var.: *cucutiribá.*]
cutitiribá-grande. *S. m. Bras.* Árvore da família das sapotáceas (*Lucuma macrocarpa* Hub.). [Pl.: *cutitiribás-grandes.*]
cutitiribarana. [De *cutitiribá* + *-rana.*] *S. f. Bras.* Árvore da família das sapotáceas (*Lucuma duckei* Hub.).
cutiuaia (i-u). *S. f. Bras.* V. *cutiaia.*
cutiúba. [Do possível or. tupi.] *S. f. Bras.* V. *cupiúba.*
cutiú preto. *S. m. Bras.* V. *gavião pega-macaco* (1). [Pl.: *cutiús-pretos.*]
cutruca. *S. 2 g.* **1.** *Bras. Gír.* V. *galego* (4). **2.** Pessoa inculta, ignorante.
cutuba. [Do tupi *ku'tu bae,* 'o que fere'.] *Adj. 2 g. Bras., N.* e *N.E.* **1.** Muito inteligente. **2.** Muito bom. **3.** Bonito, belo. **4.** Importante, poderoso. **5.** V. *valentão* (1).
cutúbea. *S. f. Bras.* Planta da família das gencianáceas (*Coutoubea spicata*), cuja raiz é tida como medicinal.
cutuca. *S. f. Bras., GO.* Espécie de selim com dois arções altos, usado sobretudo em cavalos de doma: "Na quinta-feira das Dores, o sol ia descambando, o patrão manda-me chamar, passar a *cutuca* no lombilho do matungo, e partir sem detença para o povoado." (Hugo de Carvalho Ramos, *Tropas e Boiadas,* p. 5). [Sin. (no N.E.): *ginete.*]
cutucação. *S. f.* Cutucada. [Var.: *catucação.*]
cutucada. *S. f. Bras. Pop.* Ato ou efeito de cutucar; cutucação. [Var.: *catucada.*]
cutucão. *S. m. Bras. Pop.* **1.** Cutucada grande. **2.** Cutilada, facada. [Var.: *catucão.*]
cutucar. [Do tupi *ku'tuka,* ger. de *ku'tug,* 'espetar, ferir'.] *V. t. d. Pop. Bras.* Tocar ligeiramente (alguém) com o dedo, o cotovelo, etc., ou algum objeto, principalmente para fazer uma advertência que não se quer ou não se pode fazer de viva voz: "Diziam que ele, nas mesas de jogo das reuniões familiares, era useiro e vezeiro em *cutucar* as senhoras próximas com esse artelho" (Gustavo Barroso, *Mississípi,* p. 131). [Var.: *catucar* e *futucar.* Conjug.: v. *trancar.*]
cutucurim. [De possível or. tupi.] *S. m. Bras.* V. *harpia* (3).
cuviara. *S. f. Bras., MT.* Reptil lacertílio, da família dos iguanídeos (*Hoplocercus spinosus* Fitz), do Brasil Central, de coloração parda, com manchas pardo-escuras, cauda curta e grossa, provida de espinhos, terminada em acúleo, e comprimento de até 0,15 m. Vive em pequenas galerias, em regiões de cerrado, e alimenta-se de pequenos artrópodes. [Sin.: *truirapeva* e *taraguirapeva.*]
cuvico. *S. m. Bras., PB. Pop.* V. *cubículo* (1).
cuvilheiro. [Masc. de *cuvilheira* < lat. *cubicularia.*] *Adj. e s. m.* V. *coscuvilheiro.*
cuvu. *S. m. Bras.* Aparelho de pescaria usado nos lugares rasos e lodosos dos rios e lagoas; juquiá.
cuxá. [Do tupi *ku,* 'o que conserva', + *xai,* 'azedo'.] *S. m. Bras.* Molho feito com folhas de vinagreira, gengibre e outros temperos.
cuxita. *S. 2 g.* **1.** Indivíduo dos cuxitas, povo com algumas características negróides, que se estende por todo o N.E. africano. ● *S. m.* **2.** *Ling.* Grupo de línguas camíticas faladas a S.E. do baixo Nilo, e ao qual pertence o somali. ● *Adj. 2 g.* **3.** Pertencente ou relativo aos cuxitas, ou ao cuxita (2).
cuxitinere. *Bras. S. 2 g.* **1.** Indivíduo dos cuxitineres, tribo indígena aruaque do AC. ● *Adj. 2 g.* **2.** Pertencente ou relativo a essa tribo.
cuxeri. *S. m. Bras., AM.* V. *cujumari.*
cuxiú. [Do tupi *cuxi'u.*] *S. m. Bras.* **1.** Designação comum às espécies de primatas da família dos cebídeos, gênero *Chiropotes* Less., da Amaz., especialmente o *C. chiropotes* (Humb.), ao N., e o *C. satanas* (Hoffm.), ao S. do rio Amazonas. Muito próximos dos sagüis, os cuxiús diferenciam-se destes em serem pretos, terem uma barba alongada por baixo do queixo e garganta e peito pilosos. [A espécie *satanas* diferencia-se de *chiropotes* por ter o redemoinho da cabeça no centro do vértice, enquanto que nesta última ele é na região ocipital. Sin.: *cuxiú-negro.*] **2.** V. *parauaçu.*
cuxiú-de-nariz-branco. *S. m. Bras.* Primata da família dos cebídeos (*Chiropotes albinasa* (I. Geoff.)), do PA e N. de MT. Coloração preta, com nariz e centro do focinho (onde a pele é nua) cor-de-rosa vivo, e pêlos brancos entre as narinas. [Pl.: *cuxiús-de-nariz-branco.* Sin.: *piroculu.*]
cuxiú-negro. *S. m. Bras.* Cuxiú (1). [Pl.: *cuxiús-negros.*]
cuxumari. *S. m. Bras., AM.* V. *cujumari.*
■ **cv.** *Fís.* Símb. de *cavalo-vapor.*
czar. [Do russo *tsar,* atr. do polaco *czar* e do fr. *czar* (mod. *tsar*).] *S. m.* Título que se dava ao imperador na Rússia, e aos antigos soberanos sérvios e búlgaros. [Fem.: *czarina.*]
czarda. *S. f.* V. *xarda.*
czaréviche. [Do russo *tsarevich,* atr. do fr. *czaréwitch* (mod. *tsarévich*).] *S. m.* Título que se dava, na Rússia, ao príncipe herdeiro do trono.
czarevna. [Do russo *tsarevna,* atr. do fr. *czarevna* (mod. *tsarevna*).] *S. f.* Título que se dava, na Rússia, à princesa herdeira do trono.
czarina. [Do al. *Zarin,* atr. do fr. *czarine* (mod. *tsarine*).] *S. f.* Título que se dava, na Rússia, à imperatriz.
czarismo. *S. m.* **1.** Sistema político em vigor na Rússia no tempo dos czares. **2.** *P. ext.* Período da história russa em que reinavam os czares: *Ao czarismo sucedeu a revolução, na Rússia.*
czarista. *Adj. 2 g.* **1.** Pertencente ao, ou próprio do czarismo. **2.** Que é partidário do czarismo. ● *S. 2 g.* **3.** Partidário dele.

D

d. *S. m.* **1.** A 4ª letra do nosso alfabeto. [V. *alfabeto fonético internacional.*] **2.** *Mús.* A nota ré, na antiga notação alfabética, ainda hoje usada nos países germânicos e anglo-saxões. **3.** *Mat.* Símb. de *deci-*. **4.** *Fís. Nucl.* Símb. de *dêuteron*. **5.** *Quím.* Símb. de *deutério*. **6.** Símb. de *dia*. ● *Num.* **7.** No sistema romano de numeração, é símb. do número 500. **8.** O 4º, numa série indicada pelas letras do alfabeto: *loja D* (ou *loja d*). **9.** A 4ª, num grupo de séries: *série D* (ou *série d*). [Cf. *de* e *dê*, do v. *dar*, e s. m. Pl.: *dês* ou *dd*. Com maiúscula, nas acepç. 2, 4, 5 e 7.]

da[1]. Contr. da prep. *de* com o art. *a*. [Cf. *dá*, do v. *dar*.]

da[2]. Contr. da prep. *de* com o pron. dem. *a*. [Cf. *dá*, do v. *dar*.]

■ **da.** *Mat.* Símb. de *dec(a)-*.

dã. *S. f. Bras.* Entre os jejes, o culto da serpente.

dáblio. *S. m.* Nome da letra *w*: "Wanda e Wlado, uma família de nomes começando com d á b l i o, mamãe se chamava Webe." (Lígia Fagundes Teles, *Seminário dos Ratos*, p. 64.) [Pl.: *dáblios* e *ww*.]

dação. [Do lat. *datione*.] *S. f.* **1.** *Desus.* Ato de dar; restituição. **2.** *Jur.* Entrega de uma coisa em pagamento de outra que se devia.

➧**da capo.** [It., 'desde o início'.] *Mús.* Indica que se deve repetir a peça desde o começo.

dacarense. *Adj.* 2 *g.* **1.** De, ou pertencente ou relativo à cidade de Dacar (Senegal). ● *S.* 2 *g.* **2.** Natural ou habitante de Dacar.

➧**dacha.** [Rus.] *S. f.* Casa de campo, na Rússia. [F. paral.: *datcha*.]

dácio. [Do lat. *daciu*.] *Adj.* **1.** Da, ou pertencente ou relativo à Dácia, antigo país europeu. ● *S. m.* **2.** O natural ou habitante da Dácia. [Sin. ger.: *daco*.]

dacito. [Do top. *Dácia* + *-ito*[2].] *S. m. Geol.* Rocha magmática efusiva de composição correspondente à do diorito quartzoso.

dacma. *S. f.* Espécie de torre, aberta no alto, onde os parses, da Índia, expunham os corpos dos mortos à voracidade dos abutres, segundo seu rito religioso.

▲**dacno-.** [Do gr. *dákno*.] *El. comp.* = 'morder': *dacnomania*.

dacnomania. [De *dacno-* + *-mania*.] *S. f. Med.* Impulso mórbido que leva o indivíduo a morder-se e/ou a morder os circunstantes.

dacnomaníaco. *Adj.* **1.** Relativo à, ou que tem dacnomania. ● *S. m.* **2.** Aquele que a tem.

daco. *Adj.* e *s. m.* Dácio.

dacolá. Contr. da prep. *de* com o adv. *acolá*.

dacota. *S.* 2 *g.* **1.** Indivíduo dos dacotas, antiga tribo indígena dos E.U.A. ● *S. m.* **2.** A língua dos dacotas. ● *Adj.* 2 *g.* **3.** Pertencente ou relativo a esta tribo.

dacriadenalgia. [De *dacri(o)-* + *-aden(o)-* + *-alg(o)-* + *-ia*.] *S. f. Patol.* Dor em glândula lacrimal.

dacriadenálgico. *Adj.* Referente à dacriadenalgia.

dácrio. [Do gr. *dákryon*, 'lágrima'.] *S. m. Anat.* Ponto de confluência dos ossos frontal e lacrimal e da apófise ascendente de maxilar.

▲**dacri(o)-.** [Do gr. *dákryon*.] *El. comp.* = 'lágrima': *dacrioma*, *dacriocele*.

dacriocele. [De *dacri(o)-* + *-cele*.] *S. f. Patol.* Hérnia do dacriociste.

dacriociste. [De *dacri(o)-* + *-ciste*.] *S. m. Anat.* O saco lacrimal.

dacriocistite. [De *dacriociste* + *ite*[1].] *S. f. Patol.* Inflamação do dacriociste.

dacrioma. [De *dacri(o)-* + *-oma*.] *S. m. Patol.* Tumoração produzida por obstrução de conduto lacrimal.

dácron. [Marca registrada.] *S. m.* **1.** Certa fibra têxtil sintética. **2.** O tecido feito com esta fibra.

dactílico. [Do gr. *daktylikós*, pelo lat. *dactylicu*.] *Adj.* **1.** Pertencente ao dáctilo. **2.** Constituído por dáctilos. ~ V. *verso* —. [Var.: *datílico*.]

dactilino. [De *da(c)til(o)-* + *-ino*.] *Adj.* Semelhante a um dedo; dactilóide. [Var.: *datilino*.]

dactilioteca. [Do gr. *daktyliothéke*, pelo lat. *dactyliotheca*.] *S. f.* Museu, armário ou caixa onde se guardam coleções de anéis, jóias e pedras gravadas. [Var.: *datilioteca*. Cf. *dactiloteca*.]

dactilite. [De *da(c)til(o)-* + *-ite*[1].] *S. f. Med.* Inflamação em dedo.

▲**da(c)til(o)-.** [Do gr. *dáktylos*, ou.] *El. comp.* = 'dedo': *da(c)tilino*, *da(c)tilografia*. [Equiv.: *-da(c)tilo*: *microdá(c)tilo*.]

▲**-da(c)tilo.** Equiv. de *da(c)til(o)-*.

dáctilo. [Do gr. *dáktylos*.] *Adj.* e *s. m.* Diz-se de, ou pé de verso, grego ou latino, formado de uma sílaba longa seguida de duas breves. [Var.: *dátilo*.]

dactilografado. [Part. de *dactilografar*.] *Adj.* Escrito à máquina. [Var.: *datilografado*.]

dactilografar. [De *da(c)til(o)-* + *grafar*.] *V. t. d.* e *int.* Escrever à máquina: *Já d a c t i l o g r a f o u a carta; Sabe d a c t i l o g r a f a r.* [Var.: *datilografar*. Pres. ind.: *dactilografo*, etc. Cf. *dactilógrafo*.]

dactilografia. *S. f.* Arte de dactilografar, de escrever à máquina. [Var.: *datilografia*.]

dactilográfico. *Adj.* Relativo à dactilografia. [Var.: *datilográfico*.]

dactilógrafo. [De *da(c)til(o)-* + *-grafo*.] *S. m.* **1.** Máquina de escrever. **2.** Indivíduo que escreve à máquina. **3.** *Bras., RJ. Pop.* Indivíduo que escreve a música das peças de compositores populares ignorantes da arte musical. [Var.: *datilógrafo*. Cf. *dactilografo*, do v. *dactilografar*.]

dactilograma. [De *da(c)til(o)-* + *-grama*.] *S. m.* Reprodução datiloscópica; impressão digital. [Var.: *datilograma*.]

dactilóide. [De *da(c)til(o)-* + *-óide*.] *Adj.* 2 *g.* Dactilino. [Var.: *datilóide*.]

dactilologia. [De *da(c)til(o)-* + *log(o)-* + *-ia*.] *S. f.* Quirologia. [Var.: *datilologia*.]

dactilológico. [De *da(c)til(o)-* + *-log(o)-* + *-ico*[1].] *Adj.* Quirológico. [Var.: *datilológico*.]

dactilomancia (cí). [Do gr. *daktylomanteía*.] *S. f.* Arte de adivinhar por meio dos dedos. [Var.: *datilomancia*.]

dactilomante. *S.* 2 *g.* Pessoa que pratica a dactilomancia. [Var.: *datilomante*.]

dactilomântico. *Adj.* Referente à dactilomancia. [Var.: *datilomântico*.]

dactiloscopia. [De *da(c)til(o)-* + *-scop-* + *-ia*.] *S. f.* Sistema de identificação por meio das impressões digitais. [Var.: *datiloscopia*.]

dactiloscópico. *Adj.* Relativo à dactiloscopia. [Var.: *datiloscópico*.]

dactiloscopista. *S.* 2 *g.* **1.** Especialista em dactiloscopia. **2.** Funcionário encarregado de colher impressões digitais. [Var.: *datiloscopista*.]

dactiloscrito. [De *da(c)til(o)-* + *escrito*.] *S. m.* Mecanoscrito. [Var.: *datiloscrito*.]

dactilospasmo. [De *da(c)til(o)-* + *espasmo*.] *S. m. Med.* Contração espasmódica de quirodáctilo ou pododáctilo; cãibra de dedo. [Var.: *datilospasmo*.]

dactilospasmódico. *Adj.* Relativo a dactilospasmo. [Var.: *datilospasmódico*.]

dactiloteca. [De *da(c)til(o)-* + *-teca*.] *S. f.* **1.** *Zool.* Pele que envolve cada um dos dedos dos mamíferos. **2.** Coleção de dactilogramas em arquivo de identificação. [Var.: *datiloteca*. Cf. *dactilioteca*.]

dada. [Fem. substantivado do part. de *dar*.] *S. f.* **1.** *Ant.* Ato de dar; doação, dádiva. **2.** *Bras., SP.* Ataque, batida ou assalto organizado contra aldeia de índios.

dadá. [Do fr. *dada*.] *S. m.* **1.** Dadaísmo. ● *S.* 2 *g.* **2.** Dadaísta (2). ● *Adj.* 2 *g.* **3.** Dadaísta (1).

dadaísmo. [Do fr. *dadaïsme*.] *S. m.* Movimento literário lançado em 1916 por Tristan Tzara, escritor francês de origem romena (1896-1963), e cujo princípio essencial era, tal como no super-realismo, que lhe sucedeu e para o qual passaram quase todos os seus adeptos, o apelo ao subconsciente; dadá.

dadaísta. [Do fr. *dadaïste*.] *Adj.* 2 *g.* **1.** Relativo ao, ou que é partidário do dadaísmo. ● *S.* 2 *g.* **2.** Artista ou pessoa partidária do dadaísmo. [Sin. ger.: *dadá*.]

▲**-dade.** [Do lat. *tate*.] *Suf. nom.* = 'qualidade', 'modo de ser', 'estado', 'propriedade': *bondade* (< lat. *bonitate*), ruindade, normalidade, orfandade.

dadeira. [De *dar* + *-deira*.] *Bras. Adj.* (*f.*) **1.** Diz-se da mulher sujeita a ataques. ● *S. f.* **2.** Mulher sujeita a ataques. **3.** V. *meretriz*.

dádiva. [Do lat. *dativa*, pl. de *dativum*, 'donativo', no lat. tardio, com deslocação de acento.] *S. f.* Aquilo que se dá; donativo; dom, presente, oferta. [Cf. *dadiva*, do v. *dadivar*.]

dadivar. *V. t. d.* Conceder dádiva(s) a; presentear; *O avô leva o tempo a d a d i v a r o netinho.* [Pres. ind.: *dadivo*, *dadivas*, *dadiva*, etc. Cf. *dádiva*.]

dadivoso (ô). *Adj.* Amigo de dar, de dadivar; liberal, generoso: *É d a d i v o s o com os que o servem; É homem de índole d a d i v o s a.*

dado[1]. [De **dadu* < ár. *dad* ou persa *dada* ou *dadan*?] *S. m.* Peça cúbica, de madeira, osso, marfim, etc., marcada em cada uma das faces com pontos, de 1 a 6, e que se usa em certos jogos. ♦ **Lançar os dados.** V. *lançar a sorte*.

dado[2]. [Part. de *dar*.] *Adj.* **1.** Que se deu; oferecido, presenteado; gratuito: "A cavalo d a d o não se olham os dentes" (prov.). **2.** Permitido, concedido, facultado: *Usou de todos os recursos d a d o s.* **3.** Habituado, acostumado, afeito: *homem d a d o às letras.* **4.** Que se dá bem com os outros; afável, lhano, tratável: *O rapaz é rico, porém muito d a d o*; "Um cão amável, muito alegre e d a d o" (Otávio de Faria, *Novelas da Masmorra*, p. 16). **5.** Determinado (2): *Em d a d o instante calou-se.* ● *S. m.* **6.** Elemento ou quantidade conhecida, que serve de base à resolução de um problema. **7.** Princípio em que assenta uma discussão. **8.** Elemento ou base para a formação dum juízo. **9.** *Arquit.* Parte superior de um pedestal, sobre a qual assenta a base da coluna. **10.** *Arquit.* Plinto ou cubo que serve de base para um ornato qualquer. **11.** *Filos.* O que se apresenta à consciência como imediato, não construído ou não elaborado. [Cf. *fenômeno* (9).] **12.** *Bras.* Dormente de pedra. **13.** *Bras.* Condição ou exigência estabelecida: *Não, isso não foi do* d a d o (i. e., não foi o que se combinou). **14.** *Bras.* O que é habitual, normal, em alguma coisa; o próprio dessa coisa: *O* d a d o *da cadeira é ter quatro pernas; O* d a d o *da festa é a gente brincar.* ♦ **Dado bruto.** *Estat.* Dado primitivo. **Dado estatístico.** *Estat.* **1.** Número dos membros de um subconjunto de uma população ou de uma amostra que têm as características definidas por um subconjunto do domínio de uma variável aleatória; numa população ou numa amostra, número de membros que têm um determinado conjunto de características definidas por meio de um subconjunto do domínio de uma variável aleatória. **2.** *P. ext.* Medida estatística da presença dum determinado conjunto de valores de uma variável aleatória numa população ou numa amostra. **Dado primitivo.** *Estat.* O que ainda não sofreu qualquer espécie de tratamento estatístico; dado bruto. **Dado que.** Suposto que; admitido que; na hipótese de que: *Não gosta de viagens, e,* d a d o q u e *gostasse, a pobreza não lhe permitiria fazê-las.*

dado³. *Adj.* Datado: *Este alvará é* d a d o *da cidade do Rio de Janeiro aos 5 de março.*

dador (ô). [Do lat. datore.] *Adj.* e *s. m.* Que ou aquele que dá ou concede. [Cf. *doador.*] ~ V. *rolo* —.

dados. [Pl. de *dado*².] *S. m. pl. Proc. Dados.* Representação convencional de fatos, conceitos ou instruções de forma apropriada para comunicação e processamento por meios automáticos; informação em forma codificada. ♦ **Dados de entrada.** *Proc. Dados.* V. *input* (2).

dafnifilácea. *S. f.* Espécime das dafnifiláceas.

dafnifiláceas. *S. f. pl. Bot.* Família de plantas superiores, da ordem das geraniales, que engloba só o gênero *daphniphyllum,* com 30 espécies asiáticas. Flores unissexuais, sem pétalas; androceu diplostêmone; fruto drupáceo; folhas inteiras e sem estípulas.

dafnifiláceo. *Adj.* Pertencente ou relativo às dafnifiláceas.

▲**dafno-.** [Do gr. *dáphne, es.*] *El. comp.* = 'loureiro': *dafnomancia.*

dafnomancia (cí). [De *dafno-* + *-mancia.*] *S. f.* Adivinhação por meio de folhas de loureiro queimadas.

dafnomante. [De *dafno-* + *-mante.*] *S. 2 g.* Pessoa que pratica a dafnomancia.

dafnomântico. *Adj.* Relativo à dafnomancia, ou a dafnomante.

■ **dag.** Abrev. de *decagrama.*

daga. *S. f. Ant.* V. *adaga.*

dagã. [Do ioruba.] *S. m. Bras.* **1.** Filha-de-santo que auxilia a ialorixá na administração do candomblé; sidagã. **2.** A filha-de-santo mais velha de um candomblé, indicada para a cerimônia do padê de Exu.

dágaba. *S. f.* Santuário búdico em forma de cúpula.

dagora. [Contr. da prep. *de* + o adv. *agora.*] *Adv.* De agora: *Há um livro de João do Rio chamado* Portugal d a g o r a.

daguerreotipar. *V. t. d.* **1.** Reproduzir por daguerreótipo. **2.** *Fig.* Apresentar, representar ou descrever com a máxima exatidão; reproduzir fielmente; retratar: *Zola* d a g u e r r e o t i p o u *em sua obra os mais variados tipos sociais. P.* **3.** Retratar-se pelo daguerreótipo. **4.** *Fig.* Mostrar-se ou apresentar-se tal como é. [Pres. ind.: *daguerreotipo,* etc. Cf. *daguerreótipo.*]

daguerreotipia. *S. f.* Arte de daguerreotipar.

daguerreotípico. *Adj.* Relativo à daguerreotipia.

daguerreótipo. [Do fr. *daguerréotype.*] *S. m.* **1.** Aparelho primitivo de fotografia, inventado por Daguerre, pintor e físico francês (1787-1851). **2.** Imagem reproduzida por esse aparelho. **3.** Pintura ou reprodução exata. [Cf. *daguerreotipo,* do v. *daguerreotipar.*]

daí. Contr. da prep. *de* com o adv. *aí.* [Cf. *dai,* do v. *dar.*]

daimiado. *S. m.* Daimiato.

daimiato. *S. m.* Território governado por um daimio; daimiado.

daimio. [Do jap. *daimyo.*] *S. m.* Designação comum aos príncipes feudais japoneses, que perderam os seus privilégios na revolução de 1868.

daiquiri. [Do esp. amer. *daiquirí* < top. *Daiquirí,* cidade cubana.] *S. m.* Coquetel preparado com rum, gelo picado, suco de lima ou de limão, e açúcar.

dairo. *S. m.* V. *cubo*².

■ **dal.** Abrev. de *decalitro.*

dala¹. [Do fr. *dale.*] *S. f.* **1.** Calha ou sulco para escoamento de água e doutros líquidos. **2.** *Constr. Nav.* Calha ou tubo de ferro preso ao costado de embarcação, para que se lancem ao mar águas servidas, cinzas ou lixo, sem sujar o costado. [Antigamente se usavam dalas de madeira ou de lona.]

dala². [Do ingl. *dale?*] *S. f.* Terreno ou caminho entre montanhas; desfiladeiro.

dalai-lama. [Do tibetano *dalai,* 'oceano', + *lama,* 'sacerdote'.] *S. m.* Chefe supremo da religião budista, residente no Tibete, soberano espiritual dos lamas; grão-lama. [Pl.: *dalai-lamas.*]

dalcerídeo. *S. m.* **1.** Espécime dos dalcerídeos. ● *Adj.* **2.** Pertencente ou relativo a eles.

dalcerídeos. *S. m. pl. Zool.* Família de insetos da ordem dos lepidópteros. São as mariposas de antenas pectíneas sem probóscides, e cujas larvas, de um verde-claro brilhante, popularmente designadas como *lagartas gelatinosas,* têm o aspecto de massas de gelatina, em que se destacam tubérculos intumescentes. Parasitam as folhas da laranjeira.

dalém. Contr. da prep. *de* com o adv. *além:* "Este luar que se levanta / D a l é m, das bandas do mar" (Alberto de Oliveira, *Poesias,* 3ª série, p. 45).

d'alembertiano (lam). [Do antr. *d'Alembert,* de Jean d'Alembert (1717-1783), cientista francês, enciclopedista, + *-ano.*] *S. m. Fís. Mat.* Importante operador (4) da física matemática, constituído pelo operador laplaciano e por uma parcela negativa que envolve a derivada parcial segunda em relação ao tempo, dividida pelo quadrado da velocidade da luz; operador de d'Alembert.

dalgum. Contr. da prep. *de* com o pron. indef. *algum:* "Lá fora ouviam-se a chiadeira dos grilos e o pio agoureiro d a l g u m a ave noturna" (Inglês de Sousa, *O Missionário,* p. 330).

dali. Contr. da prep. *de* com o adv. *ali:* "D a l i vão em demanda da água pura" (Luís de Camões, *Os Lusíadas, IV,* 64).

dália. [Do antr. *Dahl,* de A. Dahl, botânico sueco, pelo fr. *dahlia.*] *S. f.* **1.** Designação comum a várias plantas herbáceas, ornamentais, da família das compostas, com mais de 3 000 variedades, cujas flores originais têm capítulos grandes ou pequenos, de lígulas vermelhas, aveludadas, e disco amarelo. **2.** A flor de qualquer dessas plantas.

dálmata. [Do lat. *dalmata.*] *Adj. 2 g.* **1.** Da, ou pertencente ou relativo à Dalmácia (Iugoslávia); dalmatense. ● *S. 2 g.* **2.** Natural ou habitante da Dalmácia; dalmatense. ● *S. m.* **3.** Língua românica morta que se falou nas costas dálmatas. **4.** Cão possivelmente originário da Dalmácia, com altura entre 0,55 m e 0,60 m, de forte musculatura, focinho vigoroso, orelhas finas e pendentes, e pelagem branca com manchas negras.

dalmatense. *Adj. 2 g.* e *s. 2 g.* Dálmata (1 e 2).

dalmática. [Do lat. *dalmatica,* i. e., *vestis dalmatica.*] *S. f.* **1.** Paramento que diáconos e subdiáconos vestem sobre a alva¹(2): "Havia de tudo nesse tesouro episcopal de sobrepelizes, amictos, estolas, casulas e até uma d a l m á t i c a chamalotada e incrustada de pérolas falsas." (Alberto Rangel, *Livro de Figuras,* p. 119.) **2.** Tunicela (2). **3.** Túnica de mangas longas, usada pelos antigos romanos. [Cf., nesta acepç., *colóbio.*]

dálton. *S. m. Quím.* Unidade de massa atômica: a de um átomo hipotético que, na escala química de massas, é igual à unidade. Vale $1{,}66018 \times 10^{-27}$ kg.

daltônico. *Adj.* **1.** Relativo ao, ou que sofre de daltonismo. ● *S. m.* **2.** Aquele que sofre de daltonismo.

daltonismo. [Do antr. *Dalton,* de John Dalton, físico, químico e naturalista inglês (1766-1844), que sofria de cegueira em relação ao vermelho.] *S. m.* **1.** *Med.* Incapacidade para diferençar cores; acromatopsia. **2.** *Med. Restr.* Incapacidade de perceber certas cores, em especial o vermelho, donde a impossibilidade de distinguir, p. ex., o vermelho do verde. [Cf., nessas acepç., *discromatopsia.*] **3.** *Fig.* Deficiência intelectual que impossibilita perceber e compreender certos assuntos: *Seu* d a l t o n i s m o *político dificulta-lhe a carreira.*

daltonizar. [Do antr. *Dalton* (v. a etimologia de *daltonismo*) + *-izar.*] *V. t. d. Fig.* Deturpar a percepção ou a inteligência de: *As paixões* d a l t o n i z a m *sua visão das coisas.*

dama. [Do fr. *dame.*] *S. f.* **1.** Mulher nobre; dona: d a m a *do paço.* **2.** Designação atenciosa ou honorífica de qualquer mulher: *Estavam muitas* d a m a s *no banquete.* **3.** A mulher que dança com um homem. [Nesta acepç., opõe-se a *cavalheiro* (3).] **4.** *Teat.* Atriz (1): *Itália Fausta foi uma grande* d a m a *do teatro brasileiro.* **5.** A carta de baralho com a figura feminina; rainha. **6.** Rainha (7). **7.** Tábula do jogo de damas que atingiu a última linha do tabuleiro. **8.** *Bras.* Bloco de terra que, em trabalhos de terraplenagem manual, se deixa verticalmente intato em local de corte, como testemunho da altura original do terreno, para facilitar a posterior cubagem do material escavado; morro-testemunho. **9.** *Bras., N.E., MG* e *GO.* V. *meretriz.* ● *S. m.* **10.** *Bras., BA.* Celibatário boêmio. ● *Adj.* **11.** *Bras., BA.* Diz-se de dama (10). ~ V. *damas.* ♦ **Dama de honor. 1.** *Ant.* A que assistia junto das pessoas reais e estava a seu serviço palaciano. **2.** Moça ou menina que acompanha a noiva, em lugar preferencial, na cerimônia do casamento. [Sin. ger., bras.: *dama de honra.*] **Dama de honra.** *Bras.* Dama de honor. **Ser uma dama.** *Bras. Fam.* Ser uma moça.

damacuri. *Bras. S. 2 g.* **1.** Indivíduo dos damacuris, tribo indígena da Amazônia. ● *Adj. 2 g.* **2.** Pertencente ou relativo a essa tribo.

dama-de-ovos. *S. f. Bras.* Variedade de manga da BA. [Pl.: damas-de-ovos.]

dama-do-lago. *S. f. Bras.* Designação comum a ervas da família das ninfeáceas, fixadas no fundo de águas rasas, com folhas natantes e flores azuis, que ocorrem em todo o Brasil; baronesa. [Pl.: *damas-do-lago.*]

dama-do-paço. *S. f. Bras., PE. Folcl.* Personagem feminina do maracatu que dança com o calunga, saudando o povo, e, com gestos, solicita dádivas. [Pl.: *damas-do-paço.*]

dama-entre-verdes. *S. f.* Planta de caule ereto e ramoso, ornamental, da família das ranunculáceas (*Nigella damascena),* de grandes flores azuladas ou alvacentas, solitárias, terminais, e cujo fruto é cápsula globosa, com sementes trígonas, rugosas e aromáticas; cabelos-de-vênus. [Pl.: *damas-entre-verdes.*]

damaísmo. *S. m.* **1.** Conjunto de damas. **2.** As damas em geral. **3.** Trato ou modos de dama.

damanense. *Adj. 2 g.* **1.** De, ou pertencente ou relativo a Damão (Índia). ● *S. 2 g.* **2.** Natural ou habitante de Damão.

damanivá. *Bras. S. 2 g.* **1.** Indivíduo dos damanivás, tribo indígena de RR, da região do Caracaraí, Serra Grande e serra do Urubu. ● *Adj. 2 g.* **2.** Pertencente ou relativo a essa tribo.

damas. [Do ár. *ax-xitranj attaman.*] *S. f. pl.* Jogo em que, num tabuleiro dividido em 64 quadrados, alternadamente pretos e brancos, jogam dois parceiros, cada um com 12 tábulas (pretas para um, brancas para o outro), ganhando quem comer ou eliminar todas as tábulas do adversário; jogo de damas. ~ V. *dama.*

damasceno. [Do gr. *damaskenós,* pelo lat. *damascenu.*] *Adj.* **1.** De, ou pertencente ou relativo a Damasco (Síria); damasquino. ● *S. m.* **2.** O natural ou habitante de Damasco.

damasco. [Do top. *Damasco.*] *S. m.* **1.** O fruto do damasqueiro [q. v.]; abricó. **2.** Tecido de seda, com desenhos lavrados, que se fabricava em Damasco. **3.** *P. ext.* Tecido imitante ao damasco; adamascado: "Um longo vestido de d a m a s c o preto, liso, ... desenhalhes as formas esveltas" (Ramalho Ortigão, *A Holanda,* p. 159).

damasela. [Do fr. *demoiselle,* 'senhorita'?] *S. f. Bras.* Certa fazenda fina do séc. XVIII.

damasqueiro. *S. m.* Árvore regular, frutífera, da família das rosáceas *(Prunus armeniaca),* de flores grandes, solitárias ou geminadas, róseas ou alvacentas, dispostas em fascículos, com escamas protetoras, e cujo fruto, drupáceo, o damasco, é aromático, aveludado e amarelo-avermelhado.

damasquilho. *S. m.* Tecido adamascado; damasquim.

damasquim. *S. m.* Damasquilho.

damasquinagem. *S. f.* **1.** Operação de damasquinar. **2.** V. *tauxia* (1).

damasquinar. [De *damasquino* + *-ar*².] *V. t. d.* **1.** Ornar com o damasco (2). **2.** Ornar ou embutir (metal) com lavores de outro metal; lavrar com tauxía; tauxiar; atauxiar: d a m a s q u i n a r *uma espada.*

damasquinaria. [De *damasquino* + *-aria.*] *S. f.* V. *tauxia* (1).

damasquino. [Do ár. *damaxqi.*] *Adj.* **1.** Damasceno (1). **2.** *Restr.* Diz-se das armas brancas com lavores.

damejar. *V. t. d.* **1.** Fazer a corte a (damas); cortejar, galantear; namorar: D a m e j a *uma senhora belíssima. Int.* **2.** Fazer a corte; cortejar, galantear; namorar: "Mesurado, donairosíssimo, diserto, d a m e j a, corteja, galanteia" (Martins Fontes, *Fantástica,* p. 141); *É um D. Juan: vive* d a m e j a n d o. [Conjug.: v. *pelejar.*]

damiana. [De uma língua do México, pelo esp. *damiana.*] *S. f.* Planta da família das turneráceas *(Turnera*

diffusa), considerada popularmente como afrodisíaco.
damice. [De *dama* + *-ice.*] *S. f.* **1.** Melindre feminino; denguice. **2.** Modos de dama afetada; afetação.
damista. *S. 2 g.* Jogador de damas.
danação. [Do lat. *damnatione.*] *S. f.* **1.** Ato ou efeito de danar(-se). **2.** Excitação, perturbação. **3.** Fúria, raiva. **4.** V. *raiva* (1). **5.** Condenação, maldição, infortúnio, desgraça: *a danação de Fausto.* **6.** *Bras. Fam.* Diabrura, travessura, reinação: *Veja só a danação daquele menino!* **7.** *Bras., N.E.* Confusão, balbúrdia, trapalhada: *Encontrei a casa na maior danação.*
danada. [Fem. substantivado do adj. *danado.*] *S. f. Bras. Pop.* V. *cachaça* (1).
danado. [Part. de *danar.*] *Adj.* **1.** Amaldiçoado, condenado: *alma danada.* **2.** Que sofreu dano, corrompido, estragado, arruinado, danificado. **3.** Furioso, irado, zangadíssimo: *Está danado com o sócio.* **4.** V. *raivoso* (1). **5.** Mau, malvado, ímpio. **6.** Incrível, pasmoso, extraordinário: *Que sorte danada!*; *Tem um apetite danado.* **7.** *Bras. Fam.* Endiabrado, travesso: *criança danada.* **8.** *Bras.* V. *valentão* (1). **9.** *Bras.* Inteligente, hábil, jeitoso, esperto: *É danado para negócios.* **10.** *Bras.* Que causa dor ou sofrimento. **11.** *Bras., N.E. Pop.* Seguido da prep. *de* e anteposto a um adjetivo, ou, sem preposição, posposto a um adjetivo, equivale a 'muito, extraordinariamente': *É um cabra danado de bom; Comi uma curimã boa danada.* ~ V. *filho de coito* —. ● *S. m.* **12.** Indivíduo amaldiçoado, condenado: *os danados do Inferno.* **13.** Pessoa atacada de hidrofobia. **14.** Sujeito malvado, mau, ímpio. **15.** *Bras.* V. *valentão* (3). **16.** *Bras.* Indivíduo hábil, vivo, esperto, inteligente, capaz de coisas extraordinárias.
danador (ô). [Do lat. *damnatore.*] *Adj.* e *s. m.* Que ou aquele que dana.
danaida. *S. f.* Var. de *danaide.*
danaide. [Do gr. *danaís, ídos*, pelo lat. *danaide.*] *S. f.* **1.** *Mitol.* Entre os gregos antigos, cada uma das 50 filhas de Dânao que, tendo assassinado os maridos na noite de núpcias, foram condenadas, no Tártaro, a encher de água um tonel sem fundo. **2.** Espécie de roda hidráulica que imprime à corrente de água vários movimentos rotatórios. **3.** *Zool.* Espécie de borboleta diurna, da família dos danaídeos. [Var.: *danaida.*]
danaídeo. *S. m.* **1.** Espécime dos danaídeos. ● *Adj.* **2.** Pertencente ou relativo a eles.
danaídeos. *S. m. pl. Zool.* Família de insetos da ordem dos lepidópteros. São as borboletas de cores brilhantes, patas anteriores pequenas e inadequadas à locomoção; nervura radial na asa anterior com cinco ramos. Os adultos produzem líquidos de sabor desagradável, o que explica serem raramente atacados pelos predadores.
danar. [Do lat. *damnare.*] *V. t. d.* **1.** Causar dano a; prejudicar, estragar, adulterar, danificar: *A ferrugem danou os metais.* **2.** Perverter, corromper, depravar: *Há vícios que danam o espírito.* **3.** Irritar, enfurecer, encolerizar: *Aquela injúria o danou.* **4.** Comunicar hidrofobia a; tornar hidrófobo. **5.** Atirar, jogar, sem critério ou cuidado, adoidadamente: *Danou tinta na parede. Int.* **6.** Enfurecer-se, encolerizar-se; desesperar-se, danar-se. **7.** Ser atacado de hidrofobia; danar-se. *P.* **8.** Corromper-se, estragar-se, adulterar-se, danificar-se: *O vinho, velho demais, danou-se.* **9.** Perverter-se, corromper-se, depravar-se. **10.** Enfurecer-se, encolerizar-se; desesperar-se; danar: *Dana-se com as loucuras do filho.* **11.** Ser atacado de hidrofobia; danar. **12.** *Bras.* Sair ou partir com ímpeto; escapulir-se, escapar-se, ir-se: "*Danou-se* de escada abaixo, / se atirou no mar azul." (Ascenso Ferreira, *Catimbó e Outros Poemas*, p. 166); *Cavalgou e danou-se.* ◆ **E danou-se.** *Bras. Gír.* V. *e lá vai fumaça.* [V. *danou-se.*] **Pra danar.** *Bras., N.E. Pop.* Muitíssimo; extraordinariamente: *É rico pra danar*; "Bonita e cheirosa *pra danar.*" (Anilda Leão, *Riacho Seco*, p. 25).
danburita. [Do top. *Danbury* + *-ita*³.] *S. f. Min.* Mineral ortorrômbico, silicato de cálcio e boro.
dança. *S. f.* **1.** Seqüência de movimentos corporais executados de maneira ritmada, em geral ao som de música: *dança de salão; dança folclórica; dança ritual; passos de dança; curso de dança.* **2.** A arte da dança: *A dança de Isadora Duncan surpreendeu e encantou os meios artísticos.* **3** Música destinada a ser dançada: *A valsa é uma dança de origem germânica.* **4.** Composição musical inspirada em ritmo de dança: *As "Danças Húngaras" de Brahms.* **5.** Baile (2). **6.** *Fig.* V. *baile* (4). **7.** *Fig.* Negócio intricado; questão. ◆ **Dança clássica.** Dança (1) pautada num conjunto de normas que regem os movimentos, passos e gestos desenvolvidos no ensino coreográfico, e que se aplicam sistematicamente em exercícios de técnica e espetáculos. **Dança da fecundidade.** *Teat.* Entre os antigos gregos, dança ritual e dramática em honra a Dioniso, deus dos ciclos vitais; dança fálica. **Dança de São Guido.** *Patol.* V. *coréia*¹ (3). [Era freqüente que os que sofriam desse mal invocassem a ajuda de São Guido, patrono dos atores e dançarinos, para obter a cura.] **Dança de São Vito.** *Patol.* V. *coréia*¹ (3). **Dança do ventre.** Dança oriental de mulheres, caracterizada pela movimentação contínua e ondulante do ventre nu. **Dança dos paulitos.** *Lus. Folcl.* Laços dos ofícios. **Dança dramática.** *Bras.* Expressão criada por Mário de Andrade, escritor brasileiro (1893-1945), para designar cada um dos bailados populares — *bumba-meu-boi, chegança, fandango, pastoril, maracatu*, etc. — que têm uma parte representada, ou que se baseiam num assunto. **Dança fálica.** *Teat.* Dança da fecundidade. **Dança moderna.** Forma contemporânea da dança (1), com técnica própria, e em que se desenvolve um sentido de liberdade de expressão e de movimentos por oposição à rigidez acadêmica da dança clássica. **Entrar na dança.** Meter-se ou empenhar-se numa empresa, assunto, negócio, etc.
dança-da-santa-cruz. *S. f. Bras., SP. Folcl.* Dança de origem portuguesa, em que um grupo de pessoas, partindo da igreja, vai entoar cantigas religiosas diante duma casa ou dum logradouro, no dia 3 de maio. [Pl.: *danças-da-santa-cruz.*]
dança-de-camaradas. *S. f. Bras., C.O.* Tipo de batuque (2) com sapateado e palmas, executado por pares de homens que se colocam frente a frente: "O resto formou alas do lado oposto e caíram todos com entusiasmo, *batendo palmas, na velha dança-de-camaradas.*" (Hugo de Carvalho Ramos, *Tropas e Boiadas*, p. 83.) [Pl.: *danças-de-camaradas.*]
dançadeira. [Fem. de *dançador.*] *Adj. (f.)* **1.** Diz-se de mulher que dança: "eram graciosas, os diabos das cunhãs, animadas, *dançadeiras*" (Mílton Dias, *As Cunhãs*, p. 50). ● *S. f.* **2.** Mulher que dança ou gosta de dançar. **3.** Dançarina, bailarina.
dança-de-rato. *S. f. Bras., S. Pop.* Confusão, balbúrdia, reviravolta. [Pl: *danças-de-rato.*]
dançado. *Adj.* Próprio da dança, ou de quem dança: "Desse homem baixinho, apesar de seu modo *dançado* de andar, a impressão que se desprendia era, paradoxalmente, a de verticalidade." (Gilberto Amado, *Minha Formação no Recife*, p. 255)
dança-do-lelê. *S. f. Bras., MA. Folcl.* Lelê³. [Pl.: *danças-do-lelê.*]
dançador (ô). *Adj.* **1.** Que dança; dançante. ● *S. m.* **2.** Aquele que dança ou que gosta de dançar. **3.** Dançarino, bailarino. **4.** *Bras.* V. *tangará.*
dança-dos-velhos. *S. f. Bras., BA. Folcl.* Dança de influência ibérica, na região do São Francisco, em que as mulheres e os homens desenvolvem uma espécie de sapateado. [Pl.: *danças-dos-velhos.*]
dança-grande. *S. f. Bras., MA. Folcl.* A segunda parte do lelê³, e a mais longa, onde os brincantes executam uma coreografia diversificada, os passos recebendo nomes especiais, além de apresentarem um diálogo, quando os pares se cortejam, como na quadrilha. [Pl: *danças-grandes.*]
dançante. *Adj. 2 g.* **1.** Dançador (1). **2.** Em que há dança. ~ V. *chá* —. ● *S. 2 g.* **3.** Pessoa que dança. **4.** Catopê (2).
dançar. [Do fr. ant. *dancier*, hoje *danser.*] *V. int.* **1.** Executar movimentos corporais de maneira ritmada, em geral ao som de música; bailar. **2.** Balançar, oscilar; sacudir-se, agitar-se: *A chama do candeeiro dançava ao sopro do vento; A roupa dançava-lhe no corpo; O barco dançava nas ondas.* **3.** *Bras. Gír.* Sair-se mal; não alcançar o que esperava: *Fez o exame vestibular e dançou.* **4.** *Bras. Gír.* Ser preso, detido. *T. d.* **5.** Executar segundo as regras de dança: *dançar uma valsa; dançar danças antigas*: "cada um rezava uma reza, *dançava* a sua dança, cantava o seu canto" (Antônio Olinto, *Copacabana*, p. 36). [Conjug.: v. *laçar.*] ◆ **Dançar conforme tocam.** Dançar conforme a música. [V. *música.*]
dançarina. *S. f.* **1.** Mulher que dança por profissão; bailarina, dançatriz. **2.** Mulher que dança bem. **3.** *Bras.* Designação que em algumas regiões se deu à gripe espanhola de 1918.
dançarinar. [Do fem. de *dançarino* + *-ar*². *V. int.* Agitar-se ou mover-se como dançarino: "Aí vem ele, *dançarinando* no andar." (Augusto Meyer, *No Tempo da Flor*, p. 35.)
dançarino. *S. m.* **1.** Homem que dança por ofício; bailarino. **2.** Homem que dança bem. **3.** *Bras.* V. *tangará.* ● *Adj.* **4.** Relativo a dança.
dançarola. *S. f. Bras., S.* Bailarico, dançata.
dançata. *S. f. Bras., S.* Dançarola.
dançatriz. *S. f.* V. *dançarina* (1).
➡**dancing** (dâncing). [Ingl.] *S. m.* Estabelecimento público onde se dança, em geral mediante pagamento.
dandalunda. *S. f. Bras., BA.* Iemanjá, nos candomblés angolenses.
dandão. *S. m.* **1.** *Bras.* Pesadelo noturno; dão-dão. **2.** *Bras., SP, PR* e *RS.* Modalidade do fandango.
dândi. [Do ingl. *dandy.*] *S. m.* **1.** Homem que se veste com extremo apuro. **2.** *Deprec.* Janota, almofadinha.
dandinar. [Do fr. *dandiner.*] *V. int.* e *p.* **1.** Mover ou balançar o corpo com afetação e desgraciosamente: *O gordo curvou-se ante as senhoras dandinando-se.* **2.** Caminhar bamboleando-se.
dandismo. *S. m.* **1.** Qualidade ou maneiras de dândi. **2.** Futilidade, frivolidade: *dandismo espiritual.*
danês. [Do fr. *danois.*] *Adj.* e *s. m. Gal. P. us.* V. *dinamarquês* (1 e 3). [Flex.: *danesa* (ê), *daneses* (ê), *danesas* (ê).]
danificação. *S. f.* Ato ou efeito de danificar(-se); estrago, deterioração, danificamento, dano.
danificado. [Part. de *danificar.*] *Adj.* Que sofreu dano.
danificador (ô). *Adj.* e *s. m.* Que ou aquele que danifica; daninhador.
danificamento. *S. m.* V. *danificação.*
danificar. *V. t. d.* **1.** Causar dano a; prejudicar, estragar, deteriorar: *A geada danificou os cafezais; As calúnias danificaram-lhe a honra. P.* **2.** Sofrer dano; estragar-se, prejudicar-se, deteriorar-se: *Danificaram-se as colheitas.* [Conjug.: v. *trancar.* Pres. ind.: *danifico*, etc. Cf. *danífico.*]
danífico. [Do lat. *damnificu.*] *Adj.* Que causa dano; danoso, danificador. [Cf. *danifico*, do v. *danificar.*]
daninhador (ô). *Adj.* e *s. m.* Que ou aquele que daninha, que causa danos; danificador.
daninhar. *Bras. S. v. t. d.* **1.** Causar dano a; danificar. *Int.* **2.** Fazer diabruras (uma criança). **3.** Mostrar-se daninho (2): *Este garoto só sabe daninhar.*
daninheza (ê). *S. f.* **1.** *Bras.* Qualidade ou ato de daninho (1). **2.** *Bras., SP.* Travessura (de criança); traquinagem, diabrura.
daninho. *Adj.* **1.** Que causa dano; danoso, nocivo: *ervas daninhas.* **2.** Mau, ruim, malvado: *gênio daninho.* **3.** *Bras. N.E.* Travesso, traquinas, endiabrado. ~ V. *erva* —a.
danisco. *Adj. Bras. Fam.* Incrível, pasmoso, danado: *raiva danisca; apetite danisco; inteligência danisca.*
d'annunziano. *Adj.* Pertencente ou relativo a, ou próprio de Gabriele D'Annunzio, escritor italiano (1863-1938).
dano¹. [Do lat. *damnu.*] *S. m.* **1.** Mal ou ofensa pessoal; prejuízo moral: *Grande dano lhe fizeram as calúnias.* **2.** Prejuízo material causado a alguém pela deterioração ou inutilização de bens seus. **3.** Estrago, deterioração, danificação: *Com o fogo, o prédio sofreu enormes danos.* ◆ **Dano emergente.** *Jur.* Prejuízo efetivo, concreto, provado. [Cf. *lucro cessante.*] **Dano infecto.** *Jur.* Prejuízo possível, eventual, iminente.
dano². [Do fr. *danois.*] *Adj.* e *s. m. Gal. Ant.* V. *dinamarquês* (1 e 3).
danoso (ô). [Do lat. *damnosu.*] *Adj.* Que causa dano; nocivo, prejudicial, daninho.
danou-se. *Interj. Bras., N.E. Pop.* e *fam.* Exprime espanto, surpresa, admiração, entusiasmo: — *O Brasil é tricampeão? Danou-se!*; "— Lá vem Papa-Légua em toda [a] carreira / e vem com os arreios luzindo no sol! / — *Danou-se!* Vai tirar a argolinha!" (Ascenso Ferreira, *Catimbó e Outros Poemas*, p. 44). [Cf. *e danou-se* (em *danar*).]
dantes. [Contr. de *de* + *antes.*] *Adj.* **1.** Antes, anteriormente: *Trilhou caminhos nunca dantes palmilhados*; "Estava como *dantes*" (José de Alencar, *Cinco Minutos*, p. 29). **2.** Outrora, antigamente: *Dantes não se via tanta soltura de costumes.*
dantesco (ê). [Do it. *dantesco.*] *Adj.* **1.** Pertencente ou relativo a, ou próprio de Dante Alighieri, poeta italiano (1265-1321). **2.** Que lembra as cenas horríveis descritas por Dante no "Inferno" da sua *Divina Comédia*: "Era um sonho *dantesco* .... O tombadilho, / Que das luzernas avermelha o brilho, / Em sangue a se banhar." (Castro Alves, *Poesias Escolhidas*, p. 330.)
dantólogo. *S. m.* Aquele que se dedica ao estudo da obra de Dante Alighieri [v. *dantesco* (1)] e/ou é versado em matérias referentes a esse poeta.
dantzigano. *Adj.* **1.** Da, ou pertencente ou relativo à cidade de Dantzig, atual Gdánsk (Polônia). ● *S. m.* **2.** O natural ou habitante dessa cidade.
danubiano. *Adj.* Pertencente ou relativo ao Danúbio, rio

europeu; danubino.

danubino. [Do lat. *danubinu.*] *Adj.* Danubiano.

danura. [De *dan(ado)* + *-ura.*] *S. f. Bras., GO. Fam.* Travessura, diabrura, danação.

dão-dão. *S. m. Bras.* Dandão (1). [Pl.: *dão-dãos.*]

daomeano. *Adj.* **1.** Do, ou pertencente ou relativo ao Daomé, atual República Popular de Benim (África). ● *S. m.* **2.** O natural ou habitante do Daomé. **3.** A língua falada no antigo Daomé.

daqueiro. *S. m. Bras.* V. *bacu-de-pedra.*

daquele (ê). Contr. da prep. *de* com o pron. *aquele.* [Flex. *daquela, daqueles* (ê), *daquelas.*] ~ V. *daqueles.*

daqueles (ê). [Pl. de *daquele.*] *Adj. 2 n. Bras. Pop.* e *fam.* Fora do comum; extraordinário; indizível: "Lá pelas tantas, *Miss* Glazer insistiu numa foto com a presença do camelo. O animal estava com um humor *daqueles*" (Marisa Raja Gabaglia, *Milho pra Galinha, Mariquinha,* p. 34); "Penca explicou tudo, deu uma bronca *daquelas* com eles, pediram mil desculpas" (Luís Vilela, *Tremor de Terra,* pp. 82-83). [Fem.: *daquelas.*]. ~ V. *daquele.*

daqueloutro. Contr. de *daquele* com o pron. indef. *outro.* [Flex.: *daqueloutra, daqueloutros, daqueloutras.*]

daquém. Contr. da prep. *de* com o adv. *aquém.*

daqui. [Contr. da prep. *de* com o adv. *aqui.*] **1.** Deste lugar. **2.** V. *da pontinha:* "o alambique que produzia uma cachaça '*daqui*'" (Chico Anísio, *Teje Preso,* pp. 16-17). [Vem sempre acompanhado de um gesto de comprimir e puxar o lóbulo de uma das orelhas.]

daquilo. Contr. da prep. *de* com o pron. dem. *aquilo.*

dar. [Do lat. *dare.*] *V. t. d.* **1.** Ceder, presentear; doar: *Deu todos os seus livros.* **2.** Obsequiar com; oferecer, conceder: *dar casa e comida.* **3.** Prestar, conceder: *dar garantias.* **4.** Conceder, outorgar: *dar licença;* "*Dá* que eu veja uma vez o céu da pátria, / O céu do meu Brasil!" (Casimiro de Abreu, *Obras,* p. 73). **5.** Lançar de si; produzir, criar: *O pomar dá muitos frutos.* **6.** Emitir, enunciar: *dar conselhos.* **7.** Bater, soar: "Ouvi nitidamente o relógio da portaria *dar* as onze horas." (Pedro Nava, *Beira-Mar,* p. 35.) **8.** Resultar em; tornar-se: *Oxigênio e hidrogênio combinados dão vapor de água.* **9.** Prescrever, preceituar, ditar: *dar instruções; dar ordens.* **10.** Admitir, supor: *Demos que você prefira viajar.* **11.** Manifestar, revelar: *Deu sinais de preocupação.* **12.** Incorrer em; praticar, cometer: *Deu uma rata.* **13.** Exalar, emanar, emitir: *dar mau cheiro.* **14.** Soltar, emitir: *dar estalos; dar gritos; dar gemidos.* **15.** Publicar, divulgar, comunicar: *Os jornais deram a notícia.* **16.** Deixar livre; facultar, abrir, franquear: *dar entrada; dar lugar.* **17.** Realizar, efetuar; oferecer: *dar um banquete; dar uma festa.* **18.** Desfazer-se de; vender: *Só dou a propriedade por muito dinheiro.* **19.** Vender muito barato: *Um louco: vendeu a casa por 10.000 cruzados. Deu-a.* **20.** Lançar, deitar, brotar: *A fonte dá muita água.* **21.** Ministrar, administrar: *dar um clister.* **22.** Infligir, impor, cominar: *dar castigo.* **23.** Dedicar, consagrar: *dar amor.* **24.** Infundir, inspirar: *dar alento; dar cuidados.* **25.** Levar a cena; representar: "De noite foi ao Ginásio; *dava*-se a *Dama das Camélias;* Marocas estava lá, e, no último ato, chorou como uma criança." (Machado de Assis, *Histórias sem Data,* p. 47.) **26.** Executar em público; exibir: *dar uma récita.* **27.** Apresentar, sugerir, propor: *dar um alvitre.* **28.** Permitir, consentir: *Deu que mãos inábeis usassem seus pincéis.* **29.** Julgar, entender: *Dou que a melhor atitude é esta.* **30.** Ser causa determinante de: *A doença infecciosa deu a morte.* **31.** Causar; determinar, provocar: "Só o trabalho *dá* a verdadeira alegria, concreta, fecunda, palpável." (Pontes de Miranda, *Obras Literárias,* p. 181.) **32.** Constituir, formar, perfazer: *O texto dá um livro de 300 páginas.* **33.** Conter, trazer: *Aquela antologia não dá o conto de que lhe falei.* **34.** Registrar, consignar; trazer: *O dicionário não dá a palavra leitoril.* **35.** Ensinar, lecionar: *O prof. X dá muitas matérias. T. d. e i.* **36.** Fazer doação de; presentear, ceder, doar: *Deu a casa ao filho.* **37.** Oferecer, conceder: "*dou*-lhe camarote, *dou*-lhe chá, *dou*-lhe cama; só não lhe *dou* moça." (Machado de Assis, *Dom Casmurro,* p. 2) **38.** Fazer esmola de: *Demos pão ao mendigo.* **39.** Proporcionar: *dar oportunidade a alguém.* **40.** Ceder para uso ou serviço: *Deram-me um bom quarto no hotel.* **41.** Aplicar: *Deu-lhe uma bofetada.* **42.** Ministrar, administrar: *Deu remédio ao doente.* **43.** Entregar: *dar a encomenda ao portador.* **44.** Destinar, dedicar, consagrar: *Dava muitas horas ao estudo;* "*Dei* os primeiros dias ao conhecimento da cidade" (Machado de Assis, *Páginas Recolhidas,* p. 64). **45.** Conceder, outorgar: *dar deferimento à petição.* **46.** **Renunciar a; sacrificar:** *dar a vida por alguém.* **47.** Confiar, cometer, incumbir: *O governo deu-lhe a missão mais difícil.* **48.** Permitir, conceder: *O pai deu-lhe o prometido.* **49.** Atribuir, conferir: *A crítica deu a Camilo a autoridade de clássico;* "Os romanos costumavam *dar* às mulheres nomes diminutivos: Messalina, Agripina (de Messala e Agripa)" (João Ribeiro, *Curiosidades Verbais,* p. 76). **50.** Obsequiar com; oferecer: *Deu um banquete a correligionários seus.* **51.** Participar, comunicar: *Os amigos deram-lhe a notícia.* **52.** Prestar, render: *Davam obediência ao seu líder.* **53.** Causar, ocasionar: *Dava preocupações aos pais.* **54.** Conferir, conceder, facultar: *O diretor deu-lhe, por fim, a licença.* **55.** Expressar, enunciar, exprimir: *Deu-nos boa-tarde; Demos-lhe parabéns pelo seu aniversário.* **56.** Trocar, permutar: *Deu dois carneiros por um bezerro.* **57.** Pagar: *Dei 60 cruzados por este livro.* **58.** Conseguir, obter: *Demos à pátria a vitória.* **59.** Fazer adquirir ou tomar; imprimir: *Fernando Pessoa deu novos rumos à poesia de língua portuguesa.* **60.** Infundir, inspirar; suscitar: *Necessita, coitado, que lhe dêem fé e esperança;* "Sua beleza envolvia os homens e *dava* espanto e mágoa nas mulheres." (Elias José, *Inquieta Viagem no Fundo do Poço,* p. 23). **61.** Fazer atribuir, ou conquistar; atrair, granjear: *Tais costumes deram a esse povo a fama de devasso;* "Suas idéias [de Benedetto Croce] sobre Lógica e Estética *deram*-lhe renome universal, sendo mesmo o mais universal dos italianos." (José Honório Rodrigues, *Teoria da História do Brasil,* p. 57). **62.** Atribuir, imputar: *dar a culpa a alguém.* **63.** Expor, mostrar: *Dê-lhe a razão de sua discórdia.* **64.** Atribuir, calcular: "Raquítico, miúdo, acanhado, ninguém de boa mente me *daria* mais do que dez anos." (Cordeiro de Andrade, *Anjo Negro,* p. 106.) *Transobj.* **65.** Considerar, reputar: *Leu o romance no original e o deu por bom. T. i.* **66.** Fazer dádiva de alguma coisa; presentear com ela: "Quem *dá* aos pobres empresta a Deus" (prov.). **67.** Bater, espancar: *Deu no filhinho por uma tolice.* **68.** Ir de encontro; bater: *O navio deu no recife.* **69.** Ter vista ou saída; deitar, dizer: *A janela dá para o jardim.* **70.** Achar, encontrar: *Deu com o livro na estante.* **71.** Incidir, bater: *O sol dava no seu rosto.* **72.** Manifestar-se, aparecer: *Deu-lhe varíola.* **73.** Acertar, atinar: *Dei com a solução do problema.* **74.** Dar de cara; avistar, divisar: *Quando levantei a cabeça, dei com ele em frente de mim.* **75.** Tomar conhecimento; perceber, notar: "Parava indeciso, como que .... a pedir desculpa de importunar os raros leitores, que continuavam a ler sem *dar* pelo visitante ilustre" (Mário de Alencar, *Alguns Escritos,* p. 35); "Quando *dei* por mim estava na Rua da Glória." (Machado de Assis, *Páginas Recolhidas,* p. 72). **76.** Resultar, redundar: *Todo o nosso esforço deu em nada.* **77.** Ir, ter; desembocar: *A rua vai dar na pracinha.* **78.** Ser suficiente, ou ter capacidade suficiente para; chegar, bastar: *O dinheiro não dá para os gastos;* "mesa comprida, estreita e imponente, que *dá* para doze pessoas" (Vanda Fabian, *Zé Canarinho,* p. 29). **79.** Adquirir o hábito; começar, principiar: "O moço *deu* de chegar ao hotel altas horas da noite." (Mário Donato, *A Parábola das 4 Cruzes,* p. 24); "*Deu* agora para conversar comigo à mesa." (Dias da Costa, *Canção do Beco,* p. 6); "*Dão* todos em dizer que és inconstante" (Guimarães Passos, *Horas Mortas,* p. 6). **80.** Ter jeito, vocação, aptidão: *Não dou para isso.* **81.** Fazer-se, transformar-se: "Nesse mesmo dia encontrou Abreu que, depois de ter esbanjado a herança, *dera* em jogador, e vivia, segundo era fama, da banca." (José de Alencar, *Senhora,* p. 306.) **82.** Dedicar-se, aplicar-se: "Ao som das canções de Sarah Vaughan, *dei* ultimamente .... de reler o poeta Rainer Maria Rilke." (Vinícius de Morais, *Para Viver um Grande Amor,* p. 117.) **83.** *Chulo.* Entregar-se sexualmente (mulher ou homem): *Dá a todo o mundo. Bit. i.* **84.** Ser suficiente; bastar: *O ordenado dá-lhe para viver. Pred.* **85.** Ter determinado resultado: *O negócio deu errado; Seu palpite deu certo. Int.* **86.** Fazer dádiva(s). **87.** Bater, soar: "E a noite ia se passando. *Deram* dez horas." (Aluísio Azevedo, *O Cortiço,* p. 155.) **88.** Ser sorteado em jogo: *Que bicho deu hoje?* **89.** Produzir ou criar frutos; frutificar: "fruteiras quase no ponto de *dar*, mangueirinha com flores." (José Carlos Cavalcanti Borges, *Padrão G,* p. 83). **90.** Surgir, manifestar-se (doença epidêmica): "Primeiro, *deu* a bexiga, e levou mais da metade dos pretos." (Josué Montelo, *A Noite sobre Alcântara,* p. 91.) **91.** *Chulo.* Entregar-se sexualmente: "Dizia que era donzela / Nem isso não era ela / Era uma moça que *dava*." (Vinícius de Morais, *Poemas, Sonetos e Baladas,* p. 93). **92.** *Bras. Pop.* Dar pé (2). *P.* **93.** **Passar (de saúde); sentir-se:** *Dou-me bem aqui.* **94.** Estar de acordo; viver em harmonia: *Estão casados há 20 anos e se dão excelentemente.* **95.** Realizar-se, acontecer, ocorrer: *O descobrimento da América deu-se a 12 de outubro de 1492;* "O monólogo puro, que seria o ato verbal em que um sujeito único, isolado, independente de qualquer outro sujeito, não teria um interlocutor nem em si mesmo, não *se dá* .... na linguagem." (José G. Herculano de Carvalho, *Teoria da Linguagem,* I, p. 44.) **96.** Render-se, entregar-se. **97.** Dedicar-se, aplicar-se: *dar-se à matemática.* **98.** Procurar passar por, inculcar-se: *Dava-se por grande advogado.* **99.** Prestar-se: *dar-se ao desfrute.* [Irreg. Pres. ind.: *dou, dás, dá, damos, dais, dão;* perf.: *dei, deste, deu, demos, destes, deram;* m.-q.-perf.: *dera, deras, dera, déramos, déreis, deram;* imperat.: *dá, dai,* etc.; pres. subj.: *dê, dês, dê, demos, deis, dêem;* imperf.: *desse, desses, desse, déssemos, désseis, dessem;* fut.: *der, deres, der, dermos, derdes, derem.* O imperf. ind., o fut. pres. e o fut. pret. são regulares. Cf. *d; de,* prep.; *da; deste* (ê) e pl. *destes* (ê); *desse* (ê) e pl. *desses* (ê); *daí;* e *déu.*] ◆ **Dar a saber.** Fazer constar. **Dar certo.** Ter bom resultado, bom êxito. **Dar de si.** Sofrer abalo ou deslocamento. **Dar duro.** *Bras. Gír.* Trabalhar muito, duramente. **Dar em cima de.** *Bras.* **1.** Elogiar, lisonjear, visando a uma conquista amorosa: *Deu em cima da secretária, que não atendeu à cantada.* **2.** Insistir com: *Deu em cima do pai para conseguir-lhe a viagem.* **Dar em nada.** Não ter bom êxito; falhar; dar em droga. **Dar para trás.** **1.** Retroceder, retrogradar, regredir. **2.** Entrar em declínio; declinar; ir piorando; piorar. **Dar por bem-empregado.** Congratular-se pelos resultados obtidos com (coisa qualquer, dinheiro, esforço). **Dar que falar.** Dar motivo a comentários (em geral maliciosos). **Não se dar por achado.** Fingir que não houve; fazer de conta ou ignorar que não é a ele que se dirigem, em geral para deixar passar despercebida uma solicitação. **Não se lhe dar.** Pouco se lhe dar. **Pouco se lhe dar.** Pouco lhe importar; ser-lhe indiferente; não se lhe dar.

daraf. *S. m. Fís. P. us.* Unidade de elastância, igual ao inverso de um farad.

darameçalá. *S. m.* Na Índia, pousada ou estalagem onde os viajantes se hospedam gratuitamente.

dardada. *S. f.* Golpe ou tiro de dardo.

dardânio. [Do gr. *dardánios,* pelo lat. *dardaniu.*] *Adj.* e *s. m.* V. *troiano.*

dardar. *V. t. d.* **1.** Ferir com dardo(s); dardejar. *Int.* **2.** *Bras.* Brilhar muito; cintilar, dardejar: "*Darda* o sol mais rijo, como acesa frágua" (Alberto de Oliveira, *Poesias,* 2ª série, p. 233); *Seus olhos dardam de paixão.*

dardejamento. *S. m.* Ato de dardejar; dardejo.

dardejante. *Adj. 2 g.* **1.** Que dardeja. **2.** Que irradia chamas como dardos; cintilante, chamejante.

dardejar. *V. t. d.* **1.** Arremessar dardo(s) contra: *Os invasores dardejam a fortaleza.* **2.** Mover ou vibrar à maneira de dardo: *A serpente dardejava a língua.* **3.** Ferir com dardo(s); alancear, lancear: *Dardejou-o pelas costas.* **4.** Lançar de si; desferir, emitir: "O Sol, nascendo apenas, vem primeiro / Seus raios nessa campa *dardejar*" (Gonçalves Dias, *Obras Poéticas,* II, p. 99); *Dardejou suas ferinas ironias. T. d. e i.* **5.** Lançar, emitir, projetar, desferir: *Dardejou-me as chispas do seu olhar inflamado; Ergueu-se dardejando impropérios ao desafeto. Int.* **6.** Arremessar dardos. **7.** Projetar cintilações; chamejar, cintilar, resplandecer, fulgurar: "O sol *dardeja* a prumo. O azul é resplendente" (Guerra Junqueiro, *A Morte de D. João,* p. 18); *Seus olhos dardejam de cólera.* [Conjug.: v. *pelejar.*]

dardejo (ê). [Dev. de *dardejar.*] *S. m.* Dardejamento.

dardo. [Do frâncico **darod,* pelo fr. *dard.*] *S. m.* **1.** Pequena lança. **2.** Pau terminado em lança de ferro, e que se atira com a mão; amento. **3.** Ferrão de alguns insetos. **4.** A língua da cobra. **5.** *Fig.* Aquilo que fere, punge ou magoa: *O dardo da angústia invadiu-lhe o espírito.* **6.** *Fig.* Censura ou dito mordaz: *Os dardos de Gregório de Matos.*

dares. [Pl. da substantivação de *dar.*] *El. s. m. pl.* Us. na loc. *dares e tomares.* ◆ **Dares e tomares.** Desavenças; contendas, altercações: *ter seus dares e tomares com alguém;* "Foi o caso, que os ditos poetas, depois de vários *dares e tomares*, alcunharam, contumeliosa e prosaicamente, os seus respectivos namoros com o nome de *peixeiras.*" (Ramalho Ortigão, *Crônicas Portuenses,* p. 110.)

darico (í). [Do gr. *dariekós.*] *S. m.* Antiga moeda persa, que também teve curso entre os hebreus.

darma. [Do sânscr.] *S. m. Filos.* Nas filosofias e religiões da Índia, os preceitos morais e religiosos, o exercício da virtude, a conformidade à lei. Ex.: no budismo, a doutrina do Buda; no bramanismo, as regras de vida dos brâmanes.

daroês. [Do árabe-persa *darūix*, 'pobre'.] *S. m.* Religioso muçulmano: "grande cópia de daroeses ...., os quais por insígnia do sacerdócio andam vestidos de roxo, com .... as cabeças e barbas e sobrancelhas rapadas, e contas ao pescoço por onde rezam, mas não pedem esmola" (Fernão Mendes Pinto, *Peregrinação*, III, p. 185). [Sin.: *dervis* e *dervixe*, f. menos recomendadas, porém de maior uso, especialmente a última. Pl.: *daroeses* (ê).]

darsana. [Do sânscr.] *S. m.* Cada uma das escolas filosóficas da Índia, que se classificam, em geral, em ortodoxas e heterodoxas, conforme aceitem ou não a autoridade do Veda. São seis as ortodoxas: *niaia, vaisesica, sanquia, ioga, mimansa* e *vedanta;* e duas as heterodoxas principais: *o budismo* e *o jainismo.* [Cf. *hinduísmo*.]

darsonvalização. [Do antr. *d'Arsonval*, de Arsène d'Arsonval, fisiologista francês (1851-1940).] *S. f. Terap.* Aplicação terapêutica de correntes elétricas de alta freqüência também ditas *correntes de d'Arsonval*, no tratamento de moléstias; arsonvalização.

darto. *S. m. Anat.* Membrana que envolve os testículos, situada sob a pele do escroto, à qual adere intimamente. [Cf. *dartro*.]

dartrial. [De *dartro* + *-al*.] *S. m. Bras., Amaz.* a *RJ.* Arbusto ereto e glabro, da família das leguminosas (*Cassia alata*), dotado de propriedades medicinais, cujas flores são amarelas, grandes, dispostas em racemos, com brácteas cor de laranja, e cujo fruto é vagem bivalve, quase preta, coriácea, tendo em toda a extensão longitudinal uma grande asa crenulada e saliente; manjerioba-grande, mata-pasto, fedegoso.

dartro. [Do céltico, pelo fr. *dartre*.] *S. m. Obsol.* **1.** Designação genérica, e imprecisa, de várias dermatoses. **2.** Designação vulgar do herpes. [Cf. *darto*.]

dartroso (ô). *Adj.* **1.** Que tem dartro. **2.** Da natureza do dartro.

darwiniano (w=u-i). *Adj.* **1.** Pertencente ou relativo a, ou próprio de Charles Darwin, naturalista inglês (1809-1882). ● *S. m.* **2.** Darwinista (2).

darwinismo (w=u-i). [De *Darwin* (v. *darwiniano*) + *-ismo*.] *S. m.* Sistema de história natural cuja conclusão extrema é o parentesco fisiológico e a origem comum de todos os seres vivos, com a formação de novas espécies por um processo de seleção natural.

darwinista (w=u-i). *Adj. 2 g.* **1.** Relativo ao, ou que é sectário do darwinismo. ● *S. 2 g.* **2.** Sectário do darwinismo; darwiniano.

➡**Dasein** (dazáin). [Al.] *S. m. Filos.* Segundo Heidegger [v. *heideggeriano*], o modo de ser exclusivo do homem que é o ente portador de um relacionamento fundamental ao ser, qual seja o de encontrar-se na zona de abertura do ser, na qual os entes podem manifestar-se como entes; existência.

▲**dasi-.** [Do gr. *dasys, eîa, y.*] *El. comp.* = 'espesso': *dasímetro, dasipodídeo.*

dasiátida. *S. m.* e *adj. 2 g.* V. *dasiatídeo.*

dasiátidas. *S. m. pl. Zool.* V. *dasiatídeos.*

dasiatídeo. *S. m.* **1.** Espécime dos dasiatídeos. ● *Adj.* **2.** Pertencente ou relativo a eles.

dasiatídeos. *S. m. pl. Zool.* Família de peixes popularmente conhecidos como *raias*, da classe dos elasmobrânquios, ordem dos hipotremados e subordem batóidea. Ex.: raia-lixa, raia-amarela.

dasimetria. [De *dasímetro* + *-ia*.] *S. f.* Medida da densidade do ar nas diferentes camadas atmosféricas.

dasimétrico. *Adj.* Referente à dasimetria.

dasímetro. [De *dasi-* + *-metro*.] *S. m.* Instrumento para medir a intensidade dos gases e vapores, e que é um delgado bulbo de vidro.

dasipodídeo. *S. m.* **1.** Espécime dos dasipodídeos. ● *Adj.* **2.** Pertencente ou relativo a eles.

dasipodídeos. *S. m. pl. Zool.* Animais mamíferos, desdentados, da família *Dasypodidae*, cujo corpo é revestido de carapaça córnea provida de bandas móveis do lado dorsal. Dentes molares em número superior a cinco em cada maxilar; pelagem relativamente rala, cobrindo as partes moles do corpo. São os verdadeiros tatus.

dasiproctídeo. *S. m.* **1.** Espécime dos dasiproctídeos. ● *Adj.* **2.** Pertencente ou relativo aos dasiproctídeos.

dasiproctídeos. *S. m. pl. Zool.* Animais roedores, histricomorfos, de grande porte, terrestres, com quatro dedos nas mãos e três nos pés, todos revestidos de unhas fortes, cortantes, e extremidades anteriores mais curtas que as posteriores, sendo estas últimas utilizadas para o salto. São as cutias ou agutis.

dasiterapia. [Do gr. *dás*, 'árvore resinosa', + *-i-* + *terapia*.] *S. f. Terap.* Tratamento de moléstias pela residência em florestas de pinheiros ou doutras árvores resinosas.

dasiterápico. *Adj.* Referente à dasiterapia.

dasometria. [Do gr. *dás*, 'árvore resinosa', + *-o-* + *-metr(o)-* + *-ia*.] *S. f.* Disciplina que trata da mensuração de árvores em pé e de madeira, para o cálculo de seu crescimento, e do volume de madeira que ela fornecerá, etc. [Cf. *dendrometria*.]

dasométrico. *Adj.* Relativo à dasometria.

dasonomia. [Do gr. *dás*, 'árvore resinosa', + *nom(o)-* + *-ia*.] *S. f.* Disciplina que trata das florestas, de sua composição, estrutura, produtividade, conservação, etc.

dasonômico. *Adj.* Referente à dasonomia.

data. [Do lat. *data* (part. pass. de *dare*, 'dar'), i. e., *charta data*.] *S. f.* **1.** Indicação precisa do ano, mês ou dia em que ocorreu ou deverá ocorrer algum fato. **2.** Data (1) assinalada em cartas, publicações, moedas, etc. **3.** Tempo, época, período: *Naquela data ainda não existia a televisão.* **4.** Porção ou faixa de terra. **5.** Grande porção, grande quantidade: *Levou uma data de pancadas.* **6.** *Astr.* Instante de referência de um fenômeno astronômico. **7.** *Tip.* Porção de originais que se dá ao tipógrafo para compor. **8.** *Bras.* Jazida ou mineração de ouro ou de pedras preciosas. **9.** *Bras., MG, SP* e *PR.* Porção de terreno com 20 a 22 por 40 a 44 metros.

datação. *S. f.* **1.** Ação ou efeito de datar. **2.** *Fís. Nucl.* Processo de determinação da idade dum corpo baseado na medida da atividade de nuclídeo de meia-vida relativamente grande.

datador (ô). *Adj.* ~ V. *carimbo* ~.

datal. *Adj. 2 g.* Relativo a data (1 e 2).

datar. *V. t. d.* **1.** Pôr data em: *datar uma carta.* *T. i.* **2.** Principiar a contar-se; durar, existir (desde certo tempo): *A abolição data de 1888;* "Data de 1916 o início de minha vida de artista." (E. di Cavalcanti, *Viagem da Minha Vida*, p. 77). *T. d. e i.* **3.** Principiar a contar; considerar que dura ou existe (desde certo tempo): "Sustentam-se as mais variadas opiniões sobre a época do nascimento da Idade Média. Pirene e Fueter datam-na de 622, com a aparição do Islã." (José Honório Rodrigues, *Teoria da História do Brasil*, p. 115.)

dataria. [Do it. *dateria*.] *S. f.* **1.** Repartição da Santa Sé, donde se expedem todos os negócios regulados pelo papa fora do consistório. **2.** Cargo de datário.

datário. *S. m.* Membro da dataria (1).

➡**data venia** (data vênia). [Lat., 'com a devida vênia'.] Expressão respeitosa com que se principia uma argumentação, ou opinião, divergente da de outrem.

➡**datcha.** [Rus.] *S. f. Dacha.*

datil. [Do esp. *dátil*.] *S. m.* Fruto da datileira; tâmara. [Seria melhor a f. *dátil*.]

datilado. *Adj.* Atamarado.

datileira. *S. f.* Tamareira.

datílico. *Adj.* Var. de *dactílico.*

datilino. *Adj.* Var. de *dactilino.*

datilioteca. *S. f.* Var. de *dactilioteca.*

dátilo. *Adj.* e *s. m.* Var. de *dáctilo.*

datilografado. [Part. de *datilografar*.] *Adj.* Var. de *dactilografado*: "destacou entre os papéis umas tiras datilografadas" (Gilberto Amado, *Depois da Política*, p. 242).

datilografar. *V. t. d.* e *int.* Var. de *dactilografar.* [Pres. ind.: *datilografo*, etc. Cf. *datilógrafo*.]

datilografia. *S. f.* Var. de *dactilografia.*

datilográfico. *Adj.* Var. de *dactilográfico.*

datilógrafo. *S. m.* Var. de *dactilógrafo.* [Cf. *datilografo*, do v. *datilografar*.]

datilograma. *S. m.* Var. de *dactilograma.*

datilóide. *Adj. 2 g.* Var. de *dactilóide* [q. v.].

datilologia. *S. f.* Var. de *dactilologia.*

datilológico. *Adj.* Var. de *dactilológico.*

datilomancia (cí). *S. f.* Var. de *dactilomancia.*

datilomante. *S. 2 g.* Var. de *dactilomante.*

datilomântico. *Adj.* Var. de *dactilomântico.*

datiloscopia. *S. f.* Var. de *dactiloscopia.*

datiloscópico. *Adj.* Var. de *dactiloscópico.*

datiloscopista. *S. 2 g.* Var. de *dactiloscopista.*

datiloscrito. *S. m.* Var. de *dactiloscrito.*

datilospasmo. *S. m.* Var. de *dactilospasmo.*

datilospasmódico. *Adj.* Var. de *dactilospasmódico.*

datiloteca. *S. f.* Var. de *dactiloteca.*

datiscácea. *S. f.* Espécime das datiscáceas.

datiscáceas. *S. f. pl. Bot.* Família de plantas superiores, da ordem das parietales, formada de apenas quatro espécies dióicas, lenhosas ou herbáceas, da Ásia. Flores geralmente unissexuais, com perianto de três a oito peças; ovário pluriovular; fruto: cápsula.

datiscáceo. *Adj.* Pertencente ou relativo às datiscáceas.

datismo. [Do gr. *datismós*.] *S. m.* Repetição tediosa de vários sinônimos para exprimir idéias muito simples.

dativo. [Do lat. *dativu*, i, e., *casu dativu*.] *Adj.* **1.** *Jur.* Nomeado por magistrado e não por lei: *tutor dativo* **2.** Referente ao dativo (3). ● *S. m.* **3.** *Gram.* Caso gramatical das línguas com declinações (como o grego, o latim, o alemão), que exprime a relação de objeto indireto; caso indireto. ◆ **Dativo de interesse.** Dativo ético. **Dativo ético.** Espécie de objeto indireto que não é objeto da ação, mas sim de um interesse especial na ação por parte de pessoa indicada pelos pronomes átonos — *me, te, nos, vos, lhe, lhes* — junto ao verbo: "Nem pensar quero que um dia / Me podeis morrer, Senhora" (Eugênio de Castro, *Obras Poéticas*, V, p. 91); "Badala-me assim, badala" (Vicente de Carvalho, *Poemas e Canções*, p. 199); *Proceda-me direito, meu filho.* [V. outras abonações, p. ex., em *me*. Sin.: *dativo de interesse*.]

datolita. *S. f.* Mineral monoclínico, silicato básico de boro e cálcio.

■**db.** *Fís.* Símb. de *decibel.*

■**DC.** *Eletr.* CC.

■**d. C.** Abrev. de *depois de Cristo.* [V. a. *D.* Cf. a. C.]

■**DDC.** Sigla de *discagem direta a cobrar.*

■**DDD.** Sigla de *discagem direta à distância.*

■**DDI.** Sigla de *discagem direta internacional.*

■**d.d.p.** *Fís.* Abrev. de *diferença de potencial.*

■**DDT.** *S. m. Quím.* Diclorodifeniltricloroetano, sólido, cristalino, incolor, inseticida poderoso, cujo emprego foi proibido pelos efeitos que pode produzir no organismo animal. [Fórm.: $C_{14}H_9Cl_5$.]

de. [Do lat. *de*.] *Prep.* Partícula de larguíssimo emprego em português. Usa-se, além de noutros casos, nos seguintes: **1.** Entre dois substantivos, indicando: **a)** relação atributiva possessiva que era expressa pelo genitivo latino: *casa de João; a biblioteca de Murilo Mendes.* **b)** adjunto adnominal: *jura de amor;* "os bisonhos milicianos seriam transformados em bons elementos de combate, ao contacto da gente belígera de Pernambuco" (Elísio de Carvalho, *Brava Gente*, p. 43); "Não havia .... um problema tão grave quanto o da falta de meios de transporte." (Fausto Cunha, *Caminhos Reais, Viagens Imaginárias*, p. 81). **c)** a relação duma denominação especial: *o alcaide de Santarém.* **d)** a de pertença, proveniência, origem: *o paço do imperador; uma voz de moça.* **e)** a de natureza, qualidade, caráter, índole, pendor: *curso de água;* "O sol agora é de um fulgor compacto." (Augusto dos Anjos, *Eu*, p. 81); "eu era ... maneiro de corpo" (Afonso Arinos, *Pelo Sertão*, p. 183). **f)** a de fim, destino, acomodação, uso, aplicação (equivalendo à prep. *para*): *máquina de escrever; sala de recepção.* **g)** a de profissão, ocupação: "Homens do mar!" (Castro Alves, *Obra Completa*, p. 278); *moço do comércio.* **h)** a de tenção, disposição, propósito: *homem de luta; atitude de provocação.* **i)** a de naturalidade, habitação, situação: *negro da Abissínia; animais de países frios.* **j)** a de duração, idade, data: *um trabalho de três meses; moça de 22 anos; as ocorrências de ontem.* **l)** a de formação, composição, participação, constituição, conteúdo: *os senadores da oposição; um copo de leite.* **m)** a de matéria: "Agora contarei a história do relógio de ouro." (Machado de Assis, *Histórias da Meia-Noite*, p. 199); "Boneca de pano dos olhos de conta, / vestido de chita, cabelo de fita." (Jorge de Lima, *Obra Completa*, I, p. 268). **n)** a de assunto, objeto (equivalendo às prep. *sobre, acerca de, a respeito de*): *obra de crítica literária; um ensaio de economia.* **o)** a de forma: *chapéu de dois bicos.* **p)** a de dimensão: *um sofá de três metros.* **q)** a de valor: *livro de 100 cruzados.* **r)** a de quantidade, número: "— Muito bem, ... um exército de sessenta mil homens entrará em Portugal e fará..." (Rebelo da Silva, *Contos e Lendas*, p. 172). **s)** a de causa (equivalendo à prep. *por*): *sofrimento de amor;* "Minh'alma, de sonhar-te, anda perdida." (Florbela Espanca, *Sonetos Completos*, p. 60). **t)** a de primazia, quando posta entre um substantivo e este mesmo substantivo repetido no plural: *o poeta dos poetas; o rei dos reis.* **2.** Introduz o complemento terminativo de alguns verbos, adjetivos e substantivos: "Falas de amor" (Augusto dos Anjos, *Eu*, p. 43); "De cumprir meu voto ninguém poderá mover-me" (Alexandre Herculano, *Lendas e Narrativas*, II, p. 303); *É incapaz de odiar.* **3.** Com os verbos auxiliares *ter* e *haver* e o infinitivo impessoal de outros, forma locuções perifrásticas do futuro: *Hei de vencer;* "Ah! Por todos os séculos vindouros / Há de travar-se essa batalha vã / Do dia de hoje contra o de amanhã" (Augusto dos Anjos, *Eu,* p. 115); "os membros seus inermes / Têm de ser fatalmente o pábulo dos vermes / Frios e roedores..." (Raimundo Correia, *Poesias,* p. 179). **4.** Pospõe-se a certos verbos, quando seguidos de infinitivo: "Começais hoje, solenemente, de pagar o vosso tributo." (Amadeu Amaral, *O Elogio da Mediocridade,* p. 86); "e se dignou de falar ao seu servo" (Pe Manuel Bernardes, *Vários Tratados,* I, p. 195); *Deu de gritar; Principiou de rezar; Entrou de falar.* **5.** Usa-se com numerosos verbos para designar o agente da passiva (equivalendo a *por*): "De balas traspassado / — Duas, de lado a lado —, / Jaz morto, e arrefece." (Fernando Pessoa, *Poesias de Fernando Pessoa,* p. 219.) **6.** Emprega-se no predicativo de verbos transobjetivos: *Tacham-no de maluco;* "Chamaram de 'mensagem' ao tomito precedente *Música e Pensamento*" (Fidelino de Figueiredo, *Um Homem na Sua Humanidade,* Prólogo); *Apelidaram-no de Bolinha.* **7.** Funciona como termo de ligação, no superlativo relativo dos adjetivos: "Fi-los [estes versos] pensando em ti, filos pensando / Na mais pura de todas as mulheres." (Olavo Bilac, *Poesias,* p. 49.) **8.** Funciona, às vezes, como partitivo: *Comeu do pão e bebeu do vinho.* **9.** Contribui para formar inúmeras locuções prepositivas: *perto de; longe de; de pé; a propósito de; à feição de; de acordo com; de concerto com.* **10.** Entra na constituição de locuções conjuntivas, regendo o substantivo fundamental da expressão: *de arte que; de sorte que; de maneira que.* **11.** Auxilia a formação de numerosíssimos adjuntos adverbiais, que exprimem: **a)** a origem dum movimento; direção, proveniência: *de Belo Horizonte a Maceió.* **b)** o tempo desde que, ou o tempo em que: "de segunda-feira até domingo" (Augusto dos Anjos, *Eu,* p. 110); "De madrugada os galos cantam, a quinta acorda" (Eça de Queirós, *A Correspondência de Fradique Mendes,* p. 215); "De manhã saio em Olhão deslumbrado." (Raul Brandão, *Pescadores,* p. 282). **c)** modo ou maneira: "Caio de joelhos, trêmulo..." (Augusto dos Anjos, *Eu,* p. 103); *Vi-o de costas.* **d)** meio ou instrumento: *Armou-se de rifle;* "armado de arcabuz" (Augusto dos Anjos, *Eu,* p. 114). **e)** causa, razão, motivo: "Ele chorou de cobarde" (Gonçalves Dias, *Obras Poéticas,* II, p. 30); "Por entre as penhas / de incultas brenhas / cansa-me a vista / de te buscar." (Alvarenga Peixoto, *in* M. Rodrigues Lapa, *Vida e Obra de Alvarenga Peixoto,* p. 21). **f)** estado, situação, condição; emprego, posto: *Está de cama; Ficou de sentinela; Passou uma semana de dieta; Está de balconista numa grande loja.* **g)** conformidade: *Estão todos de harmonia; Acham-se de acordo.* **12.** Combina-se, não raro, com certas preposições, como, p. ex., *sobre, sob, entre a: Baixou de sobre o telhado; Surgiu de sob a terra;* "Começava a soltar, dentre o arvoredo, / Verdadeiras risadas de cristal" (Guerra Junqueiro, *A Velhice do Padre Eterno,* p. 153); "ouvimos então a gritaria das mulheres, que tinham vindo de a pé" (Simões Lopes Neto, *Contos Gauchescos e Lendas do Sul,* p. 148). **13.** Entra como expletivo em certas frases: *um pobre de um mendigo; o infeliz do homem;* "o bom do padre cura" (Guerra Junqueiro, *A Velhice do Padre Eterno,* p. 157); "O bom do velho ao sobressalto acorda" (Alexandre Herculano, *Poesias,* p. 117). [Cf. *d,* e *dê,* do v. *dar* e s. m.]

▲de-. [Do lat.] *Pref.* = 'movimento de cima para baixo'; 'origem, procedência'; 'afastamento'; 'extração'; 'intensidade'; 'significação contrária': *decair; derivar* (< lat. *derivare*); *depenar; decantar* (< lat. *decantare*); *decompor.*

dê. *S. m.* O nome da letra *d.* [Pl.: *dês* ou *dd.* Cf. *d* e *de.*]

➧deadline (dèdláin). [Ingl.] *S. m.* Prazo máximo para a conclusão de uma tarefa.

deado. *S. m.* V. *decanato* (1 a 3).

dealbação. *S. f.* **1.** Ato ou efeito de dealbar; branqueamento. **2.** *Fig.* Purificação, depuração.

dealbar. [Do lat. *dealbare.*] *V. t. d.* **1.** Branquear, clarear, aclarar: "Subiu serena a Lua, dealbando as entranhas do vale" (Godofredo Rangel, *Vida Ociosa,* p. 150). **2.** *Fig.* Depurar, purificar. *Int.* **3.** Tornar-se ou mostrar-se alvo; clarear: "No alto da serra, quando dealba o dia / Sobe um canto festivo de alegria / Das árvores molhadas de relento." (Olegário Mariano, *Toda uma Vida de Poesia,* II, p. 506). [Var.: *dealvar.*]

dealvar. *V. t. d.* e *int.* V. *dealbar.*

deambulação. *S. f.* Ato de deambular; passeio, digressão.

deambular. [Do lat. *deambulare.*] *V. int.* Passear; vaguear, vagar: "a população dá-se ainda ao prazer de deambular; anda pelos parques, vai até as fortificações" (Aquilino Ribeiro, *É a Guerra,* p. 243).

deambulatório. [Do lat. *deambulatoriu.*] *Adj.* **1.** Relativo a passeio. **2.** *Fig.* Erradio; desnorteado. ● *S. m.* **3.** *Arquit.* Galeria que circunda o coro ou o altar-mor de certas igrejas; charola. **4.** *Arquit.* Galeria coberta, para passeio.

deão. [Do fr. ant. *deiien,* hoje *doyen.*] *S. m.* **1.** Dignitário eclesiástico que preside ao cabido; decano. **2.** Decano[1] (1). **3.** Coordenador de um grupo de párocos. [Pl.: *deãos, deães, deões.*]

dearticulação. *S. f.* Pronúncia das palavras com toda a clareza; articulação clara; boa dicção.

dearticular. [De *de-* + *articular*[2].] *V. t. d.* Pronunciar ou articular bem, com toda a clareza.

➧de auditu (dé audítu). [Lat.] Por ouvir dizer.

deaurar. [Do lat. *deaurare.*] *V. t. d. P. us.* Cobrir de ouro, ou como que de ouro; dourar: "É a umidade que nas leiras, / De mansinho, / Faz abrolhar as sementeiras, / Sazona, purpura a uva, / Adoça, torna olorosa, / Deaura, amacia a fruta." (Martins Fontes, *Verão,* p. 50.)

➧débâcle (dêbácl). [Fr.] *S. f.* **1.** Ruína financeira. **2.** Derrota militar.

debaixo. [De *de* + *baixo.*] *Adv.* **1.** Em posição inferior, mas na mesma direção vertical; baixo: *Numa coluna, o capitel é a parte superior, o fuste a intermediária, e a base a que fica debaixo.* **2.** Em condição ou situação inferior; em desprestígio; por baixo: *Agora está debaixo, e perdeu a arrogância.* ◆ **Debaixo de. 1.** Em posição inferior a (uma coisa que está por cima, ou acima); sob: *Escondeu um dinheirão debaixo do travesseiro; Ainda que não se falem, continuam a viver debaixo do mesmo teto.* **2.** Em conseqüência de: *Acovardou-se, debaixo de tais acusações.* **3.** Exprime relações de dependência, sujeição, subordinação, etc.: *Vive cada dia mais atormentado, debaixo das dívidas que contraiu.*

debalde. [De *de* + *balde.*] *Adv.* Em vão; inutilmente, baldadamente, embalde.

debandada. *S. f.* **1.** Ato ou efeito de debandar (1 e 2); fuga desordenada. **2.** Desarranjo, mistura, desarrumação, confusão.

debandar. [De *de-* + *bando* + *-ar*[2].] *V. t. d.* **1.** Pôr em fuga desordenada: *Conseguimos debandar os assaltantes. Int.* e *p.* **2.** Pôr-se em debandada; fugir desordenadamente; dispersar-se: *Os soldados debandaram; Os presos debandaram-se.* **3.** Desarranjar-se, desordenar-se, confundir-se: *Estavam todos em ordem, mas de repente debandaram; De tal forma se debandou no seu discurso que ninguém mais o entendeu.*

debar. *V. t. d.* e *int. Ant.* e *pop.* Dobar [q. v.]. [Pres. ind.: *debo,* etc. Cf. *debo* (ê).]

debate. [Do ingl. *debate.*] *S. m.* **1.** Discussão em que se alegam razões pró ou contra; disputa, questão: *debates jurídicos.* **2.** Contestação; contradição; dúvida: *Este assunto não comporta debates.* **3.** Altercação, contenda, porfia. **4.** Designação comum a poemas dialogados da Idade Média, particularmente alegóricos e satíricos.

debatedor (ô). *Adj.* e *s. m.* Que ou aquele que debate.

debater. *V. t. d.* **1.** Examinar em debate; tratar de; discutir: *Os parlamentares debateram as novas leis.* **2.** Contestar, questionar: *Debateu destemerosamente a ordem absurda.* **3.** Tratar de; discutir: *Dirigi-me ao proprietário e debatemos o preço da casa. Int.* **4.** Discutir, porfiar, contender. *P.* **5.** Agitar-se muito, resistindo ou procurando libertar-se, ou tentando fugir de situação penosa: *A ave debatia-se na armadilha; Anos a fio debateu-se na miséria;* "Aqui [no leito] lânguido à noite debati-me / Em vãos delírios anelando um beijo..." (Álvares de Azevedo, *Obras Completas,* I, p. 151).

debatidiço. *Adj.* Que se debate muito.

debatidura. *S. f.* Ato de debater-se (a presa) para fugir.

debelação. *S. f.* Ato ou efeito de debelar.

debelador (ô). [Do lat. *debellatore.*] *Adj.* **1.** V. *debelatório.* ● *S. m.* **2.** Aquele ou aquilo que debela.

debelar. [Do lat. *debellare.*] *V. t. d.* **1.** Sujeitar; vencer, dominar: "Era coisa capital debelar essas insurreições" (João Ribeiro, *História do Brasil,* p. 387). **2.** Reprimir, combater: *Lutou para debelar seus vícios.* **3.** Destruir, extinguir: *debelar uma crise; debelar uma doença.*

debelatório. *Adj.* Que debela; vitorioso, vencedor, debelador.

debenturagem. *S. f. Bras.* Ato de debenturar.

debenturar. *V. t. d. Bras.* Estabelecer ou emitir debêntures em: *debenturar uma empresa.* [Pres. subj.: *debenture,* etc. Cf. *debênture.*]

debênture. [Do ingl. *debenture.*] *S. f.* Título de crédito ao portador, formal e privilegiado, emitido, em séries uniformes, pelas sociedades anônimas ou em comandita por ações, o qual vence juros, é representantivo de empréstimos amortizáveis, contraídos a longo prazo mediante garantia de todo o seu ativo (e não em caráter obrigatório), especialmente abonados por hipotecas, penhores ou anticreses; obrigação, obrigação ao portador. [Cf. *apólice* (3), *bônus* (2), e *debenture,* do v. *debenturar.* V. *título de crédito.*]

debenturista. *S. 2 g. Bras.* Pessoa que possui debêntures; obrigacionista.

debenturístico. *Adj.* Relativo a debênture.

debicador (ô). *Adj.* Que debica.

debicar. [De *de-* + *bicar.*] *V. t. d.* **1.** Comer pequena porção de; provar: *Mal debicou a sobremesa.* **2.** Zombar de; escarnecer: *Disse isto só para debicá-lo. T. i.* **3.** Tirar ou puxar com o bico (a ave): *Os pombos debicavam no milho.* **4.** Tocar de leve; comer em pequena quantidade: *O menino debicava no pão.* **5.** Zombar; escarnecer: *Não debique do pobre velho. Int.* **6.** Comer pouco; comer pequena quantidade de uma coisa. **7.** Zombar, escarnecer: *Gosta de debicar.* [Conjug.: v. *trancar.*]

débil. [Do lat. *debile.*] *Adj. 2 g.* **1.** Sem vigor físico; fraco, franzino: *criança débil; organismo débil.* **2.** Em que não há energia; frouxo, fraco: *vontade débil.* **3.** Pouco resistente; fraco, frágil, quebradiço: "Todos cantam sua terra, / Também vou cantar a minha, / Nas débeis cordas da lira / Hei de fazê-la rainha" (Casimiro de Abreu, *Obras,* p. 60). **4.** Pouco perceptível aos sentidos: *luz débil; sons débeis.* **5.** Minguado, insignificante, diminuto: *resultados débeis.* **6.** *Psiq.* Que sofre de debilidade mental. **7.** *Bras. Gír.* V. *tolo* (1 a 3). ● *S. 2 g.* **8.** *Psiq.* Débil mental (1). **9.** *Bras. Gír.* V. *tolo* (8). [Pl.: *débeis.*] ◆ **Débil mental. 1.** *Psiq.* Indivíduo com debilidade mental. [Tb. se diz apenas *débil.*] **2.** *P. ext.* Indivíduo tolo, bobo, simples.

debilidade. [Do lat. *debilitate.*] *S. f.* **1.** Qualidade ou estado de débil; falta de vigor ou energia (física ou psíquica); fraqueza. **2.** Frouxidão, tenuidade, leveza. ◆ **Debilidade mental.** *Psiq.* Atraso, congênito ou precocemente adquirido, do desenvolvimento intelectual, caracterizado sobretudo por dificuldade de adaptação social e perturbações ou deficiência de julgamento, situando-se o nível intelectual do débil, nos testes de inteligência, abaixo do da pessoa normal de sete anos. [Cf. *imbecilidade* (3) e *idiotia* (2).]

debilitação. [Do lat. *debilitatione.*] *S. f.* Ato ou efeito de debilitar(-se); perda de forças; enfraquecimento, debilitamento.

debilitamento. *S. m.* V. *debilitação.*

debilitante. [Do lat. *debilitante.*] *Adj. 2 g.* Que debilita; enfraquecedor: *clima debilitante.*

debilitar. [Do lat. *debilitare.*] *V. t. d.* **1.** Tornar débil; enfraquecer: *As muitas preocupações debilitam seus nervos.* **2.** Causar perdas a; tirar recursos a: *As guerras debilitam as nações.* **3.** *Eletr.* Fornecer (corrente elétrica) a um circuito. *P.* **4.** Tornar-se débil; enfraquecer(-se).

debilitável. *Adj. 2 g.* Que se pode debilitar.

debilóide. [De *débil* (8) + *-óide.*] *Adj. 2 g.* e *s. 2 g. Bras. Pop. Deprec.* Que ou quem é um tanto débil mental: "Tenho horror de sapateado, não agüento mais aquela debilóide da Shirley Temple." (Autran Dourado, *As Imaginações Pecaminosas,* p. 46.)

debique. [Dev. de *debicar.*] *S. m.* Ato de debicar ou escarnecer; zombaria, troça, desfrute: *Não me presto a debiques.*

debitar. *V. t. d.* e *t. d. e i.* **1.** Constituir ou inscrever como devedor: *Fez várias compras e pediu que o debitassem; Debitamos F. em mil cruzados;* "pode mandar debitar-me nos seus livros pelas dívidas de seu pai." (José de Alencar, *A Viuvinha,* p. 96). **2.** Lançar (determinada quantia) na conta devedora de alguém; levar a débito. **3.** *Cont.* Carregar (uma parcela) em contas do débito: *Debite à caixa 10.000 cruzados.* **4.** *Eletr.* Fornecer (uma corrente elétrica) a um circuito. *P.* **5.** Tornar-se ou constituir-se devedor: *Debitou-se em 2.000 cruzados que retirou do banco.* [Pres. ind.: *debito,* etc. Cf. *débito* e *creditar.*]

débito. [Do lat. *debitu.*] *S. m.* **1.** Aquilo que se deve; dívida. **2.** O que se lança como recibo pelo título de uma conta comercial. **3.** *Cont.* A recíproca do crédito, na formação das partidas dobradas; conta devedora.

[Cf. *debito*, do v. *debitar*, e *crédito*.] **4.** V. *deflúvio* (3). ◆ **Débito fluvial.** V. *deflúvio* (3). [Tb. se diz apenas *débito*.] **Levar a débito.** Debitar (2).

deblaterar. [Do lat. *deblaterare*.] *V. int.* e *t. i.* **1.** Falar ou clamar com violência contra pessoas ou coisas; imprecar: *Deblaterou contra os desmandos políticos do adversário. T. d.* **2.** Bradar; clamar: *Deblaterava que a sociedade ia caminhando para o caos.*

debo (ê). [F. eufemística de *diabo*.] *S. m. Bras., CE. Pop.* V. *diabo* (2). [Pl.: *debos* (ê). Cf. *debo*, do v. *debar*.]

debochado. [Do fr. *débauché*.] *Adj.* **1.** Devasso, libertino, dissoluto. **2.** *Bras.* Gaiato, trocista, gozador; debochador: *É um tipo brincalhão, debochado.* **3.** *Bras.* Próprio de quem é debochado (2); trocista, debochativo: *Falou-me em tom debochado.* ● *S. m.* **4.** Indivíduo debochado (1 e 2).

debochador (ô). *Bras. Adj.* **1.** V. *debochado* (2). ● *S. m.* **2.** Indivíduo debochador.

debochar. [Do fr. *débaucher*.] *V. t. d.* **1.** Lançar no deboche; tornar devasso, libertino; viciar, corromper. **2.** *Bras.* Zombar de; escarnecer: *Debocharam-no sem dó.* **3.** *Bras.* Desafiar com zombarias. **4.** *Bras.* Não levar em conta; desprezar, menosprezar, menoscabar. *T. i.* **5.** *Bras.* Zombar de; escarnecer: *Não deboche dos seus superiores.* **6.** Desafiar com zombarias. **7.** Não levar em conta; desprezar, menosprezar: *Debocha da minha capacidade. P.* **8.** Tornar-se devasso, libertino; corromper-se, viciar-se.

debochativo. *Adj. Bras.* V. *debochado* (3).

deboche. [Do fr. *débauche*.] *S. m.* **1.** Devassidão, libertinagem: "Era um deboche enorme, era um festim devasso!" (Cesário Verde, *Obras Completas*, p. 166.) **2.** *Bras.* V. *zombaria.*

debocheira. *S. f. Bras., S.* Grande troça ou deboche.

deborcar. *V. t. d.* Virar de borco; emborcar: *deborcar uma jarra.* [Conjug.: v. *trancar*.]

debotar. *V. t. d., int.* e *p. P. us.* Var. de *desbotar.*

debrear. [Do fr. *débrayer*.] *V. t. d.* e *int. Bras.* V. *embrear*[2]. [Conjug.: v. *idear*.]

debridar. *V. t. d. Med.* Desbridar (2).

debruadeira. *S. f.* **1.** Mulher que trabalha em debruns. **2.** *Bras.* Máquina da indústria de fiação e tecelagem, para debruar.

debruado. [Part. de *debruar*.] *Adj.* **1.** Guarnecido com debrum: *chapéu debruado.* **2.** Orlado, beirado, ladeado; rodeado, circundado. **3.** *Heráld.* Diz-se de peça separada do campo por cotica ou por filete de esmalte diferente. **4.** *Bras.* Diz-se do cavalo cujo pêlo apresenta listras brancas.

debruar. *V. t. d.* **1.** Guarnecer com debrum: *debruar o casaco.* **2.** Orlar, marginar, margear, beirar: *Belos coqueirais debruam as praias do Nordeste.* **3.** Ornar em volta: *debruar um desenho.* **4.** *Fig.* Ornar, apurar, trabalhar: *Debruou o discurso cuidadosamente.*

debruçar. *V. t. d.* **1.** Pôr de bruços: *Debruçou o doente para as massagens.* **2.** Inclinar, abater, pender: *Debruçou a cabeça; A árvore debruça os ramos. P.* **3.** Inclinar o busto para a frente: "À noite, se debruçam nas janelas, / Sem olhos, sem ouvidos, sem risadas" (Afonso Schmidt, *Mocidade*, p. 16); "O doutor debruçou-se delicadamente sobre a enferma" (Artur Azevedo, *Contos Cariocas*, pp. 221-222). **4.** Pender, abater-se: *Seus cabelos debruçavam-se em louras mechas.* [Conjug.: v. *laçar*.]

debrum. *S. m.* **1.** Fita que se cose dobrada sobre a orla de um tecido para guarnecê-lo ou segurar-lhe a trama. **2.** Listra ou filete circundante; orla, barra, cercadura: *debrum de uma gravura.* **3.** *Heráld.* Cotica, filete ou vergueta que rodeia uma peça.

debulha. [Dev. de *debulhar*.] *S. f.* Ato de debulhar; descasca, debulho.

debulhador (ô). *Adj.* **1.** Que debulha. **2.** Aquele que debulha. ● *S. m.* **3.** Máquina para debulhar.

debulhadora (ô). *S. f.* Máquina de debulhar cereais.

debulhar. [Do lat. *depoliare < *despoliare*, 'despojar'.] *V. t. d.* **1.** Extrair os grãos ou sementes de; esbagoar: "debulhava milho" (Coelho Neto, *Sertão*, p. 203); *debulhar uma romã.* **2.** Tirar a pele ou casca de; descascar: *debulhar o arroz.* **3.** Mover as contas de (rosário ou terço), passando-as por entre o polegar e o indicador: "Virás, talvez, e então, por certo, as minhas / Mãos de sombra debulharão rosários / Para a maior de todas as Rainhas..." (Alphonsus de Guimaraens, *Obra Completa*, p. 157). *P.* **4.** Esbagoar-se. **5.** *Fig.* Desfazer-se, desmanchar-se, desatar-se: *Debulhou-se em lágrimas.* [Var., p. us.: *desbulhar*[1].]

debulho. [Dev. de *debulhar*.] *S. m.* **1.** V. *debulha.* **2.** Resíduo de grãos debulhados. **3.** *Bras.* Alimentos triturados e em começo de digestão que se encontram no estômago dos ruminantes.

debutante. [Do fr. *débutante*.] *S. f. Gal.* Mocinha que se estréia na vida social.

debutar. [Do fr. *débuter*.] *Gal. V. int.* **1.** Iniciar-se, estrear-se. **2.** *Restr.* Estrear-se na vida social: *Minha filha debutará no próximo ano.* **3.** *Turfe.* Correr (um animal) pela primeira vez, num hipódromo.

debute. [Do fr. *début*.] *S. m. Gal.* Estréia (3 a 6).

debuxador (ô). *Adj.* **1.** Que debuxa; debuxante. ● *S. m.* **2.** Aquele que debuxa.

debuxante. *Adj. 2 g.* Debuxador (1).

debuxar. *V. t. d.* **1.** Fazer o debuxo de; desenhar, delinear, traçar, esboçar, bosquejar: *O pintor debuxou a paisagem.* **2.** Planear, rascunhar, traçar, bosquejar: *debuxar um discurso, um poema.* **3.** Representar na idéia; figurar, imaginar: *É capaz de debuxar sucessos futuros. T. d.* e *i.* **4.** Representar, pintar, traçar, delinear, desenhar: "Que multidão de males me repete, / Aterrada, a penosa fantasia! / Como com ígneos traços me debuxa / O quadro de meus males!..." (Marquesa de Alorna, *Poesias*, p. 126.) *P.* **5.** Representar-se, desenhar-se: *Debuxava-se no seu espírito a providência adequada.*

debuxo. [Dev. de *debuxar*.] *S. m.* **1.** Desenho dum objeto em suas linhas gerais; esboço, risco, bosquejo, delineamento: *debuxo de um retrato.* **2.** Plano, rascunho, projeto, traçado: *debuxo de um romance.* **3.** Traço, feição, aspecto. **4.** Chapa lavrada em relevo, com a qual se estampam tecidos.

➡**debye** (bai). [Ingl., do antr. *Debye*, de Peter J. W. Debye, físico e químico norte-americano (1884-1966).] *S. m. Eletr.* Unidade de medida de momento de dipolo, igual a 10 unidades eletrostáticas de carga vezes centímetro.

▲**dec(a)-**[1]. [Do gr. *déka*.] *El. comp.* = 'dez': *declato.*

▲**dec(a)-**[2]. *Pref.* que, anteposto ao nome duma unidade de medida, forma o nome de uma unidade derivada dez vezes maior que a primeira. [Símb.: *da*.]

decá. [Do ioruba.] *S. m. Bras.* Transmissão de obrigações, na hierarquia do candomblé.

decacampeão. [De *dec(a)-*[1] + *campeão*.] *S. m.* Indivíduo, clube, etc., que é dez vezes campeão. [Tb. us. como adj. Fem.: *decacampeã*.]

decacampeonato. [De *dec(a)-*[1] + *campeonato*.] *S. m.* Campeonato obtido pela décima vez.

década. [Do lat. *decada*.] *S. f.* **1.** Série de dez; dezena. **2.** Decêndio. **3.** Decênio: *Nas décadas de 50 e 60 verificou-se enorme progresso na tecnologia;* "A década de 70 é colocada como um marco pelos cirurgiões plásticos" (*Folha de S. Paulo*, 4.8.1981).

decadáctilo. [Do gr. *dekadáktylos*.] *Adj.* Que tem 10 dedos. [Var.: *decadátilo*.]

decadátilo. *Adj.* Var. de *decadáctilo.*

decadência. [Do lat. *decadentia*.] *S. f.* **1.** Estado daquele ou daquilo que decai; aproximação do fim; decaimento, declínio: *a decadência do império romano; decadência duma empresa.* **2.** Enfraquecimento, abatimento, empobrecimento; *decadência das artes.* **3.** Estrago, corrupção: *decadência dos costumes.* **4.** Época em que alguma coisa decaiu ou se corrompeu: *o latim da decadência.* **5.** *Jur.* Extinção de um direito por haver decorrido o prazo legal prefixado para o exercício dele. [Cf., nessa acepç.: *prescrição* (5) e *perempção*.]

decadencial. *Adj. 2 g. Jur.* Relativo a decadência (5).

decadente. [Do lat. *decadente.] *Adj. 2 g.* **1.** Que decai; que está em decadência; declinante. **2.** V. *decadista* (2). ● *S. 2 g.* **3.** V. *decadista* (3).

decadentismo. *S. m.* Decadismo.

decadentista. *Adj. 2 g.* e *s. 2 g.* V. *decadista.*

decadismo. *S. m. Liter.* Arte ou escola cujos adeptos se comprazem em refinamentos mais ou menos doentios da sensibilidade e do estilo, típicos das épocas de decadência das letras, e disso tiram a sua glória; decadentismo.

decadista. *Adj. 2 g.* **1.** Referente ao decadismo. **2.** Que é adepto do decadismo; decadente. ● *S. 2 g.* **3.** Adepto do decadismo; decadente. [Sin. ger.: *decadentista*.]

decaedro. [De *dec(a)-*[1] + *-edro*.] *Adj.* **1.** Que tem dez faces. ● *S. m.* **2.** *Geom.* Poliedro de dez faces.

decagonal. *Adj. 2 g. Geom.* Que tem dez lados e dez ângulos; decangular.

decágono. [Do gr. *dekágonos*, pelo lat. *decagonu*.] *S. m. Geom.* Polígono de dez lados.

decagrama. [De *dec(a)-*[2] + *grama*[2].] *S. m.* Medida de peso, equivalente a 10 gramas. [Abrev.: *dag*.]

decaída. *S. f.* **1.** Efeito de decair; decaimento. **2.** V. *meretriz.*

decaído. [Part. de *decair*.] *Adj.* **1.** Que decaiu. **2.** Diminuído; enfraquecido. **3.** Empobrecido. **4.** Arruinado, estragado. **5.** Decrépito, caduco. ● *S. m.* **6.** Aquele que decaiu.

decaidratado (a-i). [De *dec(a)-*[1] + *hidratado*.] *Adj. Quím.* Diz-se de substância da qual cada uma das moléculas se acha associada quimicamente a dez moléculas de água.

decaimento (a-i). *S. m.* **1.** Ato ou efeito de decair; decaída. **2.** Decadência, declínio. **3.** *Fís. Nucl.* Diminuição da atividade de uma amostra de um radionuclídeo com o correr do tempo.

decair. [Do lat. vulg. *decadere*, decerto.] *V. int.* **1.** Ir para baixo; baixar, abater-se, pender: *As plantas decaem sob o sol forte.* **2.** Sofrer diminuição; cair, baixar, diminuir, enfraquecer: *A pressão atmosférica decaiu; Decaem -me as forças.* **3.** Passar a uma situação inferior; ir em decadência; aproximar-se do fim; declinar: *O império decaía; Nosso prestígio decai; Decaíram os costumes.* **4.** Afrouxar, diminuir: *A velocidade do veículo ia decaindo.* **5.** Pender, abater-se: *Decai -lhe às costas um belo manto. T. i.* **6.** Sofrer diminuição; perder a posse ou a posição: *decair de importância; decair da confiança de alguém.* **7.** *Jur.* Incidir em decadência (5): *decair da causa.* [Irreg. Conjug.: v. *sair*.]

decalagem. [Do fr. *décalage*.] *S. f. Eletrôn.* Deslocamento da freqüência da portadora de vídeo em relação à sua freqüência nominal.

decalcar. [Do fr. *décalquer*.] *V. t. d.* **1.** Reproduzir (um desenho) calcando; calcar. **2.** *Fig.* Imitar servilmente, quase copiando: *Alguns autores novos decalcam Guimarães Rosa.* **3.** *Fig.* Fazer aparecer ou surgir, como que reproduzindo por decalcomania: "De encontro à Lua, as hirtas galharias / Estão paradas como nos vitrais / E o luar decalca nas paredes frias / Misteriosas janelas fantasmais..." (Mário Quintana, *A Rua dos Cata-Ventos*, p. 62.) [Conjug.: v. *trancar*.]

decalço. [Dev. de *decalcar*.] *S. m.* V. *decalque.*

decalcomania. [Do fr. *décalcomanie*.] *S. f.* **1.** Processo de transportar desenhos ou imagens coloridas de um papel para outro papel, ou para uma superfície, calcando-os diretamente e retirando-os depois de umedecidos. **2.** Cada um desses desenhos ou imagens; decalque.

decalitro. [De *dec(a)-*[2] + *litro*.] *S. m.* Medida de capacidade, equivalente a 10 litros. [Abrev.: *dal*.]

decálogo. [Do gr. *dekálogos*, pelo lat. *decalogu*.] *S. m.* **1.** Os dez mandamentos bíblicos da lei de Deus. **2.** Conjunto de dez leis ou princípios filosóficos, morais, políticos, etc.

decalque. [Dev. de *decalcar*.] *S. m.* **1.** Ato ou efeito de decalcar. **2.** Desenho ou imagem decalcada; decalcomania. **3.** Cópia; plágio. [F. paral.: *decalco*.]

decameronico. *Adj.* Relativo ou pertencente ao, ou que lembra o *Decameron*, de Boccaccio, escritor italiano (1313-1375).

decametro. [De *dec(a)-*[2] + *metro*.] *S. m.* Unidade de comprimento equivalente a dez metros.

decampamento. *S. m.* Ato ou efeito de decampar.

decampar. *V. int.* Mudar de campo ou de acampamento; levantar acampamento: *A tropa decampou às primeiras horas da manhã.*

decana. *Bras. S. 2 g.* **1.** Indivíduo dos decanas, tribo indígena que habitou a região banhada pelo Içana, afluente do Negro. ● *Adj. 2 g.* **2.** Pertencente ou relativo a essa tribo.

decanado. *S. m.* V. *decanato.*

decanato. *S. m.* **1.** Dignidade de decano[1] ou deão. **2.** Qualidade de decano[1]. **3.** Jurisdição eclesiástica presidida por um deão. **4.** *Astrol.* e *Astr.* V. *decania* (4). [F. paral.: *decanado;* sin. ger.: *decania*.]

decandria. *S. f. Bot.* Caráter de decandro.

decandro. [De *deca-* + *-andro*.] *Adj. Bot.* Que tem dez estames livres entre si.

decangular. [De *deca-* + *ângulo* + *-ar*[1].] *Adj. 2 g. Geom.* Decagonal.

decani. [Do hindustani *dakhani*.] *Adj. 2 g.* **1.** Do, ou pertencente ou relativo ao Decão, região da Índia em que se acha Goa, antigo território português ultramarino. ● *S. 2 g.* **2.** Natural ou habitante do Decão. [Var.: *decanim*.]

decania. *S. f.* **1.** V. *decanato.* **2.** Corporação presidida por decano[1]. **3.** Grupo de dez indivíduos. **4.** *Astrol.* e *Astr.* Cada uma das três divisões, em dez graus, de cada signo do zodíaco; decanato, decúria. [Em Astrologia diz-se, de preferência, *decanato*.]

decanim. *Adj. 2 g.* e *s. 2 g.* Var. de *decani.*

decano[1] (cã). [Do lat. *decanu*.] *S. m.* **1.** O mais antigo ou mais velho dos membros de uma classe, instituição ou corporação; deão: "Mais longe, no Uruguai, por exemplo, é português o venerando decano da Universidade de Montevidéu." (Ramalho Ortigão, *Últimas Farpas*, p. 253.) **2.** *P. ext.* O mais antigo ou mais velho dos membros de uma assembléia ou de uma reunião: "Concentraram-se sombriamente a extrair a moralidade da fábula .... que decorrera à vista deles e que nenhum percebera. Até que um, que não bebera nem fumara, chamou o d e c a n o da reunião, Ângelo, o bedel do copo sem fundo: — É agora a tua vez, amigo. És o mais velho de todos. Terás muito que nos contar." (Fidelino de Figueiredo, *Um Colecionador de Angústias*, pp. 222-223.) **3.** Deão (1). **4.** Sub-reitor de uma universidade.

decano². [De *dec(a)-*¹ + *-ano*.] *S. m. Quím.* Hidrocarboneto líquido, incolor, usado como solvente. [Fórm.: $C_{10}H_{22}$.]

decanol. [De *decano*² + *-ol*².] *S. m. Quím.* Álcool saturado, líquido, incolor, com cheiro adocicado, usado na fabricação de detergentes e em perfumaria. [Pl.: *decanóis*, Fórm.: $C_{10}H_{21}OH$.]

decantação. *S. f.* Ato e efeito de decantar¹ (1 e 2).

decantar¹. [Do lat. tardio *decanthare*.] *V. t. d.* **1.** Separar, por gravidade, impurezas sólidas que se contenham em (um líquido). *T. d. e i.* **2.** Limpar, livrar, purificar: *Os anos* d e c a n t a r a m *sua alma do sedimento das paixões. P.* **3.** Transvazar-se, desaguar: *A corrente do rio* d e c a n t a - s e *no mar.*

decantar². [Do lat. *decantare*.] *V. t. d.* **1.** Celebrar ou exaltar em cantos ou em versos: *Camões* d e c a n t o u *os feitos portugueses.* **2.** Celebrar, engrandecer, exaltar: D e c a n t a v a *a sua cidade como a mais importante do país.*

decapagem. *S. f.* Ato ou efeito de decapar; descascamento.

decapante. *Adj. 2 g.* e *s. 2 g.* Diz-se de, ou substância usada para decapar.

decapar. [Do fr. *décaper*.] *V. t. d.* Remover ferrugem, tinta, incrustações, da superfície metálica.

decapê. [Do fr. *décapé*, part. de *décaper*, us. impropriamente.] *S. m.* **1.** Processo de tratar a madeira à base de gesso, análogo ao aparelhamento, e que confere à superfície uma aparência lisa e esbranquiçada, por efeito da penetração do gesso nas fibras da madeira. **2.** Peça tratada por esse processo. ● *Adj. 2 g.* **3.** Diz-se de qualquer dessas peças.

decapitação. *S. f.* Ação de decapitar (1); degolação, decepamento.

decapitar. [Do lat. *decapitare*.] *V. t. d.* **1.** Cortar a cabeça de; degolar: *A coroa inglesa fez* d e c a p i t a r *Maria Stuart.* **2.** *Fig.* Tornar acéfalo; privar de chefe, de direção: d e c a p i t a r *o governo do país.* **3.** *P. ext.* Cortar (parte de um todo); decepar: d e c a p i t a r *um braço:* d e c a p i t a r *um tronco.*

decápode. [Do gr. *dekápodos*.] *Adj. 2 g.* **1.** Que tem 10 pés. ● *S. m.* **2.** Espécime dos decápodes.

decápodes. *S. m. pl. Zool.* **1.** Animais artrópodes, crustáceos, malacostráceos, eucarídios, da ordem *Decapoda*, cujo corpo é provido de cinco pares de patas ambulatórias e três pares de maxilípedes. Apêndices torácicos quase todos unirremes; na maioria marinhos, algumas espécies de água doce, ou terrestres. São as lagostas, os camarões, os caranguejos, os siris e os bernardos-eremitas. **2.** Animais metazoários, moluscos, cefalópodes, dibrânquios, da subordem *Decapoda*, dotados de 10 braços ou tentáculos. No grupo se incluem as lulas e as sépias.

decassílabo. [Do gr. *dekasyllabos*.] *Adj.* **1.** Diz-se do verso ou da palavra que tem 10 sílabas. ● *S. m.* **2.** Verso de 10 sílabas.

decastere. *S. m.* V. *decastéreo*.

decastéreo. [De *dec(a)-*² + *estéreo*¹.] *S. m.* Medida para lenha, equivalente a 10 estéreos.

decastilo. [De *deca-* + *-stilo*.] *Adj.* e *s. m. Arquit.* Diz-se de, ou monumento, edifício ou templo com 10 colunas na fachada.

decatir. [Do fr. *décatir*.] *S. m. Bras.* Certa máquina da indústria de chapelaria.

decatlo. [De *dec(a)-*¹ + *-atlo*.] *S. m.* Conjunto de 10 provas de atletismo: corrida de velocidade (100, 400 e 1 500 m, e 110 m com barreiras), saltos (em distância, em altura e com vara) e lançamentos (de peso, de disco e de dardo).

decatron. *S. m. Eletrôn.* Válvula a gás, com 10 catodos dispostos simetricamente em torno de uma placa, e na qual a descarga luminosa entre um catodo e a placa pula para o catodo vizinho, desde que a válvula receba um impulso.

decedura. *S. f.* **1.** *Med.* V. *delivramento*. **2.** *Ant.* V. *decesso* (1).

deceinar. *V. t. d.* Lavar (meadas) para despojá-las da cinza da barrela: d e c e i n a r *meadas de linho.*

decemplicar. [Do lat. *decem*, 'dez', + a terminação *plicar* (por analogia com *decuplicar*, etc.).] *V. t. d.* e *int.* V. *decuplicar*. [Conjug.: v. *trancar*.]

decenal. [Do lat. *decennale*.] *Adj. 2 g.* **1.** Que dura 10 anos: *plano* d e c e n a l. **2.** Que se realiza de 10 em 10 anos.

decenário. *Adj.* **1.** Que se divide em dezenas. ● *S. m.* **2.** Decênio [q. v.].

decência. [Do lat. *decentia*.] *S. f.* **1.** Qualidade de decente; conveniência, conformidade, correção, decoro. **2.** Asseio, limpeza.

decendial. *Adj. 2 g.* **1.** Relativo a decêndio. **2.** Que dura um decêndio. [Sin. ger.: *decendiário*.]

decendiário. *Adj.* Decendial.

decêndio. *S. m.* Espaço de 10 dias; década. [Cf. *decênio*.]

decênio. [Do lat. *decenniu*.] *S. m.* Período de 10 anos; década. [Cf. *decêndio*.]

decenovenal. [Do lat. *decennovenale*.] *Adj. 2 g.* Que dura 19 anos.

decente. [Do lat. *decente*.] *Adj. 2 g.* **1.** Que fica bem, conveniente, correto, conforme, decoroso, digno: *maneiras* d e c e n t e s; *atitude* d e c e n t e. **2.** Apropriado, adequado, asseado, limpo: *casa* d e c e n t e; *roupa* d e c e n t e; "E alvejam-te, na sombra dos pinheiros, / Sobre os teus pés d e c e n t e s, verdadeiros, / As saias curtas, frescas, engomadas." (Cesário Verde, *Obra Completa*, p. 118). **3.** Que tem bons costumes, bons modos; honesto, limpo, digno: *homem sério,* d e c e n t e. [Cf. *descente* e *discente*.]

decentemente. [De *decente* + *-mente*.] *Adv.* De maneira decente; com decência: "Não tinha meios para receber d e c e n t e m e n t e as visitas." (Alberto Rangel, *Sombras n'Água*, p. 174).

decenvirado. *S. m.* Decenvirato.

decenvirato. [Do lat. *decemviratu*.] *S. m.* Governo ou dignidade dos decênviros; decenvirado.

decênviro. [Do lat. *decemviru*.] *S. m.* Cada um dos dez magistrados que foram, na república romana, incumbidos de codificar as leis.

decepador (ô). *Adj.* e *s. m.* Que ou aquele que decepa.

decepamento. *S. m.* Ato ou efeito de decepar.

decepar. [De *des-* + *ceco* + *-ar*².] *V. t. d.* **1.** Cortar, separando do corpo de que faz parte; partir, mutilar, truncar: d e c e p a r *um braço.* **2.** Decapitar, degolar. **3.** *Fig.* Interceptar, interromper, cortar: *Os gritos* d e c e p a r a m *a conversa.* **4.** *Fig.* Desunir, desligar: *As divergências* d e c e p a r a m *a unidade do partido.* **5.** *Fig.* Pôr termo a; cortar, destruir, eliminar: *As ameaças* d e c e p a r a m - *lhe o atrevimento.* **6.** *Fig.* Abater, quebrar, quebrantar: *Os sofrimentos* d e c e p a r a m - *lhe a resistência.* **7.** *Fig.* Tirar a vida a; abater: *Um dia a morte nos* d e c e p a r á.

decepção. [Do lat. *deceptione*.] *S. f.* **1.** Malogro de uma esperança; desilusão, desengano, desapontamento. **2.** Surpresa desagradável; desapontamento. **3.** Contrariedade, desgosto: *Você só me dá* d e c e p ç õ e s.

decepcionar. *V. t. d.* **1.** Causar decepção a; desenganar, desiludir: *Já não acredita em mim:* d e c e p c i o n e i - *o.* **2.** Surpreender, desagradavelmente; desapontar: *O resultado da eleição* d e c e p c i o n o u *o público. P.* **3.** Ficar decepcionado.

decertar. [Do lat. *decertare*.] *V. int. P. us.* Lutar, pelejar, combater. [Pres. ind.: *decerto*, etc. Cf. *disserto*, do v. *dissertar*, e este verbo.]

decerto. [De *de* + *certo*.] *Adv.* Com certeza; por certo, certamente: D e c e r t o *fará o que lhe pedimos*; "Se houve alguém no meio teatral brasileiro, que tivesse o coração na mão, esse alguém foi d e c e r t o Artur Azevedo" (R. Magalhães Júnior, *Artur Azevedo e Sua Época*, p. 204). [Cf. *disserto*, do v. *dissertar*.]

decesso. [Do lat. *decessu*.] *S. m.* **1.** Morte, óbito, passamento. [Sin. (ant.): *decedura*.] **2.** Diminuição, rebaixamento. **3.** Redução de alguém a cargo (ou função) de classe inferior ao que ocupa. [Antôn., nesta acepç.: *promoção*¹ (1 e 2).]

decessor (ô). [Do lat. *decessore*.] *S. m. Ant.* Antecessor.

decho. [Alter. de *diacho*.] *S. m. Ant.* e *Pop.* V. *diabo* (2).

▲**deci-.** [Do lat. *decimus, a, um*.] *Pref.* que, anteposto ao nome duma unidade de medida, forma o nome de uma unidade derivada dez vezes menor que a primeira: decigrama, decímetro. [Símb.: *d*.]

decibel. [De *deci-* + *bel*.] *S. m. Fís.* Unidade de intervalo de potência, igual a 1/10 do bel, correspondente, pois, a um intervalo tal que a razão entre as potências extremas seja 1,259, e freqüentemente empregada para exprimir diferenças de nível de sensação acústica. [Pl.: *decibéis* ou *decibels*. Símb.: *db*.]

decibelímetro. *S. m.* Sonômetro (2) eletroacústico cuja escala de leitura é em decibéis.

decidido. [Part. de *decidir*.] *Adj.* **1.** Sobre que se tomou uma decisão; resolvido, definido, determinado, assente: *negócio* d e c i d i d o. **2.** Que atua com decisão; pronto, resoluto, desembaraçado; destemido, corajoso, arrojado, decisivo: *homem* d e c i d i d o. **3.** Firme, enérgico, inabalável, decisivo: *vontade* d e c i d i d a.

decididor (ô). [De *decidir* + *-(d)or*.] *Adj.* Que decide: "Oh, se uma decisão interviesse logo, fixadora de pólo, marcadora de eixo, d e c i d i d o r a de caminho a seguir!" (Gilberto Amado, *Depois da Política*, p. 134.)

decidir. [Do lat. *decidere*.] *V. t. d.* **1.** Determinar, assentar, resolver, deliberar: D e c i d i u *partir, e partiu.* **2.** Dar solução a; resolver, solucionar, desatar: d e c i d i r *dúvidas, dificuldades.* **3.** Dar decisão (2) a; julgar, sentenciar: *O juiz* d e c i d i u *o pleito.* **4.** Fazer tomar decisão ou resolução: *Estava irresoluta, mas o agravamento da situação* d e c i d i u - *a.* **5.** Ser a causa decisiva de: *A morte do marido* d e c i d i u *a sua partida. T. d. e i.* **6.** Convencer, persuadir, induzir: *Tudo fez para* d e c i d i - *lo a aceitar a proposta*; "Depois uma tosse forte de Luisinha d e c i d i u Melquior a transferi-la para o quarto da mãe" (Coelho Neto, *Treva*, p. 215). *T. i.* **7.** Dar decisão; resolver, dispor, deliberar: *O governo* d e c i d i u *dos vencimentos dos funcionários públicos.* **8.** Emitir juízo; opinar: *De nada entende, e quer* d e c i d i r *de tudo. Int.* **9.** Tomar decisão ou decisões; resolver, deliberar: *Bom chefe,* d e c i d e *rápida e sensatamente. P.* **10.** Resolver-se, determinar-se. **11.** Propender, inclinar-se: *Hesitou na escolha e, enfim,* d e c i d i u - s e *pelo pior.* **12.** Dar preferência; optar: *Entre tantas moças,* d e c i d i u - s e *pela mais feia, só porque é rica.* [Imperf. ind.: *decidia*, etc. Cf. *dissidia*, dos v. d i s s i d i a r e d i s s i d i r, e este verbo.]

decídua. [Fem. substantivado de *decíduo*.] *S. f. Med.* Porção da mucosa uterina hipertrofiada durante a gestação e que se elimina após o parto.

deciduifólio (u-i) [De *decíduo* + *-i-* + *-fólio*.] *Adj. Bot.* Que perde as folhas durante certa época do ano, em geral fria ou seca.

decíduo. [Do lat. *deciduu*.] *Adj.* **1.** Que cai; caduco, cadivo. **2.** *Bot.* Que se desprende precocemente; *estípulas* d e c í d u a s.

decifração. *S. f.* Ato ou efeito de decifrar.

decifrador (ô) *Adj.* e *s. m.* Que ou aquele que decifra.

decifrar. [De *de-* + *cifrar*.] *V. t. d.* **1.** Ler, explicar ou interpretar (o que está escrito em cifra, ou mal escrito): d e c i f r a r *um hieroglifo;* d e c i f r a r *uma carta.* **2.** Compreender, revelar: *A ciência busca* d e c i f r a r *os mistérios do Universo.* **3.** Adivinhar, prever: d e c i f r a r *o futuro.* **4.** Compreender o gênio, as tendências, os sentimentos de: *Personalidade estranha, é muito difícil* d e c i f r á - *lo.* **5.** Traduzir, verter (trecho difícil, ou considerado por alguém como tal): *Como se arranjarão os estrangeiros para* d e c i f r a r *certas passagens de Guimarães Rosa?; Entregou-lhe o texto em inglês para obrigá-lo a* d e c i f r a r *o português.* **6.** Ler à primeira vista (música).

decifrável. *Adj. 2 g.* Que se pode decifrar.

decigrama. [De *deci-* + *grama*².] *S. m.* Unidade de massa, equivalente à décima parte de um grama². [Símb.: *dg*.]

decil. [Do lat. *decem*, 'dez', + *-il*.] *S. m.* **1.** *Estat.* Separatriz correspondente ao valor do argumento que divide a distribuição numa razão decimal. ● *Adj. 2 g.* **2.** ~ V. *amplitude* —.

decilhão. [Var. de *decilião*.] *Num.* e *s. m.* **1.** A sexagésima potência de dez. **2.** A trigésima terceira potência de dez. [Esta acepç. não é recomendável cientificamente.]

decilião. *Num.* e *s. m.* V. *decilhão*.

decilitro. [De *deci-* + *litro*.] *S. m.* Medida de capacidade, equivalente à décima parte do litro. [Abrev.: *dl*.]

décima. [Fem. substantivado do num. *décimo*.] *S. f.* **1.** Uma das dez partes iguais em que se divide a unidade; décimo. **2.** Imposto que abrange a décima parte de um rendimento; dízima. **3.** *P. ext.* Contribuição direta; tributo. **4.** *Poét.* Estrofe de 10 versos. **5.** *Liter. Pop. Bras.* Estrofe de 10 versos de sete sílabas, cujo esquema rimático é, mais comumente, ABBAACCDDC, empregada sobretudo na glosa dos motes, conquanto se use igualmente nas pelejas e, com menos freqüência, no corpo dos romances [v. *romance* (9)]. **6.** *Bras., S.* Quadra, verso ou canção. [Cf. *decima*, do v. *decimar*.]

decimal. *Adj. 2 g.* **1.** Referente a décimo. ~ V. *casa* —, *fração* —, *logaritmo* —, *numeração* —, *número* —, *sistema* —, *sistema métrico* — e *vírgula* —. ● *S. f.* **2.** V. *fração decimal.* ● *S. m.* **3.** V. *número decimal.*

decimar. *V. t. d.* e *int.* V. *dizimar.* [Pres. ind.: *decimo*, *decimas*, *decima*, etc. Cf. *décimo* e *décima*.]

decimável. *Adj. 2 g.* Sujeito a décima (2 e 3); tributável.

decímetro. [De *deci-* + *metro*.] *S. m.* **1.** Medida de comprimento, equivalente à décima parte do metro. **2.** Extensão que lhe corresponde. [Abrev.: *dm*.]

décimo. [Do lat. *decimu*.] *Num.* **1.** Ordinal e fracionário correspondente a dez: *o décimo mês*. ● *S. m.* **2.** A décima parte; décima. **3.** Aquele ou aquilo que ocupa o décimo lugar. [Cf. *decimo*, do v. *decimar*.]

decisão. [Do lat. *decisione*.] *S. f.* **1.** Ato ou efeito de decidir(-se); resolução, determinação, deliberação. **2.** Sentença, julgamento. **3.** Desembaraço, disposição; coragem. **4.** Capacidade de decidir; de tomar decisões: *Não pode ser chefe: falta-lhe decisão.*

decisivo. [Do fr. *décisif*. lat. medieval *decisivu*.] *Adj.* **1.** Que decide; resolutivo, deliberativo. **2.** Peremptório, definitivo, categórico, terminante: *ordem decisiva.* **3.** Indubitável, insofismável; terminante: *Chegamos a uma compreensão decisiva do caso.* **4.** V. *decidido* (2 e 3): *indivíduo decisivo; espírito decisivo.* **5.** Que decide, resolve, termina; terminante: *jogo decisivo; batalha decisiva.* **6.** Grave, supremo; crítico: *momento decisivo.*

decisório. *Jur. Adj.* **1.** Que tem o poder de decidir. ● *S. m.* **2.** Parte da sentença em que o juiz manifesta sua decisão em favor de um dos litigantes; dispositivo.

decistere. *S. m.* V. *decistéreo*.

decistéreo. [De *deci-* + *estéreo*[1].] *S. m.* A décima parte do estéreo[1].

declamação. [Do lat. *declamatione*.] *S. f.* **1.** Ato, modo ou arte de declamar. **2.** Palavreado oco. **3.** Maneira pomposa, enfática, de discursar.

declamador (ô). [Do lat. *declamatore*.] *Adj.* e *s. m.* Que ou aquele que declama.

declamar. [Do lat. *declamare*.] *V. t. d.* **1.** Recitar em voz alta, com os gestos e entonações apropriadas: *Declamou poemas de Camões e de Bilac.* **2.** Dizer com ênfase ou violência: *declamar impropérios.* **3.** Proclamar, pregar: *Declamou a sua plataforma política.* *Int.* **4.** Recitar em voz alta, com os gestos e entonações apropriadas: *Demóstenes declamava diante do mar.* **5.** *Deprec.* Falar ou discursar com afetação e pompa, em estilo campanudo. *T. i.* **6.** Falar com violência contra alguém ou algo; bradar, deblaterar, invectivar: *Declamou contra o ministro, contra as instituições.*

declamativo. *Adj.* V. *declamatório*.

declamatório. [Do lat. *declamatoriu*.] *Adj.* **1.** Em que há declamação. **2.** Relativo a, ou próprio de declamação. **3.** Pomposo, empolado, enfático. [Sin. ger.: *declamativo*.]

declaração. [Do lat. *declaratione*.] *S. f.* **1.** Ato ou efeito de declarar(-se). **2.** Aquilo que se declara. **3.** Prova escrita; documento. **4.** Depoimento; explicação: *prestar declarações.* **5.** Lista pormenorizada; inventário, rol: *declaração de bens.* **6.** Confissão de amor.

declarado. [Part. de *declarar*.] *Adj.* Que se declarou; manifestado, confessado, patenteado; claro, evidente; *inimigo declarado; febre declarada.*

declarador (ô). [Do lat. *declaratore*.] *Adj.* **1.** Declarante (1). ● *S. m.* **2** Declarante (2).

declarante. [Do lat. *declarante*.] *Adj. 2 g.* **1.** Que declara; declarador. ● *S. 2 g.* **2.** Pessoa que declara; declarador. **3.** *Jur.* Depoente.

declarar. [Do lat. *declarare*.] *V. t. d.* **1.** Dar a conhecer; manifestar, pronunciar, expor, dizer: *Já declarou a sua opinião.* **2.** Esclarecer, explicar, aclarar: *Não conseguiu declarar as razões do seu gesto.* **3.** Anunciar, comunicar, publicar, proclamar, apregoar: *Declarou publicamente as suas intenções.* **4.** Proclamar solenemente: *declarar guerra; declarar os direitos do homem.* **5.** Confessar, revelar: *Declarou ter sido o autor do crime.* **6.** Fazer referência a; referir, mencionar; dar: *O documento não declara os nomes das testemunhas.* **7.** Determinar, resolver, decretar: *Os credores declararam a falência.* **8.** Indigitar, indicar, apontar, designar: *A testemunha declarou os autores do crime.* *T. d.* e *i.* **9.** Dar a conhecer; manifestar, expor: *Declarei -lhe o meu ponto de vista.* **10.** Confessar, revelar: "Fernando fez-se sério e declarou à mulher de Soares que não poderia amá-la." (Machado de Assis, *Contos Recolhidos*, p. 82.) **11.** Esclarecer, explicar: *Só aos íntimos declarou seu plano.* **12.** Dar ao manifesto. **13.** Anunciar solenemente: *A Alemanha declarou guerra à França.* *Transobj.* **14.** Considerar publicamente; proclamar: *Declarou -o culpado;* "E a baronesa, do lado, declarou também a galantine uma perfeição." (Eça de Queirós, *Os Maias*, II, p. 81). **15.** Nomear, eleger: *Declaro -as minhas herdeiras.* *Int.* **16.** *Bras., MG. Pop.* Ficar louco; enlouquecer, endoidecer. *P.* **17.** Dar a conhecer as suas intenções, manifestar-se, abrir-se: *Declarou-se à pequena.* **18.** Considerar-se como; reconhecer-se, confessar-se: *Declarou-se culpado.* **19.** Manifestar-se, surgir: *A epidemia declarou-se há um mês.* **20.** Pronunciar-se ou manifestar-se; *Declaro -me pela democracia.*

declarativo. [Do lat. *declarativu*.] *Adj.* Em que há declaração; declaratório.

declaratório. *Adj.* Declarativo. ~ V. *ação* —*a*.

declinação. [Do lat. *declinatione*.] *S. f.* **1.** Ato de declinar. **2.** Inclinação, declive; desvio. **3.** Diminuição de intensidade; abaixamento. **4.** Aproximação do fim; decadência, declínio. **5.** Enfraquecimento, afrouxamento. **6.** *Astr.* Uma das coordenadas equatoriais: arco do círculo horário de um dado ponto da esfera celeste, contado positivamente para o N., e negativamente para o S., a partir do equador, até o ponto considerado. V. *bússola de declinação*. **7.** *Gram.* Flexão de substantivos, adjetivos e pronomes. **8.** *Gram.* Cada uma das classes de palavras que se declinam da mesma forma: *as palavras da primeira declinação latina.* ◆ **Declinação geocêntrica.** *Astr.* Declinação de um ponto da esfera celeste, referida ao centro da Terra. **Declinação heliocêntrica.** *Astr.* Declinação de um ponto da esfera celeste, referida ao centro do Sol. **Declinação magnética.** *Geofís.* Ângulo medido sobre um plano horizontal, entre a direção do norte magnético e a do norte verdadeiro. **Declinação topocêntrica.** *Astr.* Declinação de um ponto da esfera celeste, referida ao local da observação.

declinador (ô). *Adj.* **1.** Declinante (1). ● *S. m.* **2.** *Fís.* Instrumento com que se determina a declinação do plano de um quadrante.

declinante. [Do lat. *declinante*.] *Adj. 2 g.* **1.** Que declina; declinador. **2.** Decadente (1).

declinar. [Do lat. *declinare*.] *V. int.* **1.** Desviar-se do rumo; afastar-se dum ponto ou direção: *Com o nevoeiro, o avião declinou.* **2.** *Astron.* Afastar-se (o astro) do equador celeste. **3.** *Fís.* Afastar-se (a agulha magnética) do norte verdadeiro. **4.** Descer, descair, inclinar-se, abaixar-se: *Aqui o terreno começa a declinar;* "A tarde ia morrendo. / O sol declinava no horizonte e deitava-se sobre as grandes florestas, que iluminava com os seus últimos raios." (José de Alencar, *O Guarani*, I, p. 126). **5.** Avizinhar-se do termo; aproximar-se do fim; decair: *Aos poucos foi declinando o brilho do império; O dia declina.* **6.** Baixar, cair, descer: *A temperatura declinou.* **7.** Afrouxar, diminuir, ceder: *A febre declina.* **8.** Enfraquecer(-se), debilitar-se; decair: *Suas forças declinam dia a dia.* *T. d.* **9.** Eximir-se a; não aceitar; recusar, rejeitar: *declinar honrarias; declinar uma responsabilidade.* **10.** Repelir, desviar, arredar. **11.** Apartar, desviar: *declinar a conversa.* **12.** Desviar, baixando: *declinar a vista.* **13.** Rebaixar, abater: *A repreensão declinou -lhe o orgulho.* **14.** Enunciar ou revelar (o nome de); nomear: *O presidente declinou o nome do próximo orador.* **15.** *Gram.* Enunciar as flexões de (nomes e pronomes): *O aluno não sabia declinar rosa em latim.* *T. i.* **16.** Desviar-se, afastar-se: *declinar do assunto; declinar do caminho certo;* "Sofre, mas não declines da confiança, / Que sereno puseste no futuro." (Luís Carlos, *Colunas*, p. 149). **17.** Propender, inclinar-se: *declinar para o mal.* **18.** Eximir-se, recusar, desistir, rejeitar: *declinar do cargo.* **19.** Ir-se extinguindo; baixar, cair, descer, diminuir: *A temperatura declinou a 15°.* **20.** Entrar em decadência; aproximar-se do fim; enfraquecer(-se), debilitar-se, decair: *Seu corpo foi declinando para a morte.* **21.** *Jur.* Recusar a jurisdição de um juiz ou tribunal, por incompetente *T. d.* e *i.* **22.** Eximir-se a; fugir a; recusar, rejeitar: *Não pretendo declinar de mim esta responsabilidade.* **23.** Enunciar ou revelar (o nome de); nomear: *Declinou aos eleitores os nomes dos candidatos.*

declinativo. *Adj.* ~ V. *língua* —*a*.

declinatória. [Fem. substantivado de *declinatório*.] *S. f.* *Jur.* Ato de declinar (21); exceção oposta pelo réu para recusar a jurisdição dum juiz ou dum tribunal.

declinatório. *Adj.* **1.** Que declina. **2.** Próprio para declinar jurisdição: *meios declinatórios.*

declinável. [Do lat. *declinabile*.] *Adj. 2 g.* Que se pode declinar: *palavra declinável.*

declínio. *S. m.* **1.** Ato de declinar; declinação. **2.** V. *decadência* (1).

declinoso (ô). *Adj.* Em que há inclinação ou declinação.

declivar. *V. int.* **1.** Formar declive: *Aqui o caminho começa a declivar.* *T. d.* **2.** Formar declive em; tornar íngreme.

declive. [Do lat. *declive*.] *S. m.* **1.** Pendor ou inclinação de terreno, considerado este de cima para baixo; descida, declividade, declívio. **2.** V. *vertente* (3). ● *Adj. 2 g.* **3.** Inclinado, formando ladeira (no sentido da descida). [Antôn.: *aclive*.]

declividade. [Do lat. *declivitate*.] *S. f.* **1.** Qualidade de declivoso. **2.** V. *declive* (1).

declívio. *S. m.* **1.** V. *declive* (1). **2.** V. *vertente* (3).

declivoso (ô). *Adj.* Em que há declive; ladeiroso, ladeirento.

decô. [F. red. de *art déco*.] *Adj.* Do, ou pertencente ou relativo ao *art déco* [q. v.]: *decoração decô.*

decoada. *S. f.* **1.** V. *barrela*. **2.** Ato de coar a água da barrela.

decoar. *V. t. d.* Lavar em decoada, em água de barrela, lixiviar: *decoar a roupa.* [Conjug.: v. *coroar*.]

decocção. [Do lat. *decoctione*.] *S. f.* **1.** *Farmac.* Operação de extrair os princípios ativos duma substância vegetal por contato mais ou menos prolongado com um líquido em ebulição. **2.** *Farmac.* O produto líquido dessa operação; decocto. **3.** V. *cozimento* (2).

decocto. [Do lat. *decoctu*.] *S. m.* **1.** Decocção (2). **2.** V. *cozimento* (2).

decodificação. [De *de-* + *codificação*.] *S. f.* Ato ou efeito de decodificar; descodificação.

decodificador (ô). [De *de-* + *codificador*.] *S. m.* *Teor. Com.* Aquele (pessoa ou mecanismo) que faz a decodificação. [F. paral.: *descodificador*.]

decodificar. [De *de-* + *codificar*.] *V. t. d.* *Teor. Com.* Fazer operação inversa à de codificar (5). [F. paral.: *descodificar*. Conjug.: v. *trancar*.]

decolagem. [Do fr. *décollage*.] *S. f.* Ato de decolar.

decolar. [Do fr. *décoller*.] *V. int.* Despegar-se (aeronave) da terra ou da água. [Cf. *pousar* (11).]

de-comer. *S. m. 2 n.* *Bras. Pop.* Coisa de comer; alimento, comida: "Com o cheiro do de-comer seu estômago roncava" (Bernardo Élis, *Veranico de Janeiro*, p.47).

decomponente. *Adj. 2 g.* Que decompõe.

decomponível. *Adj. 2 g.* Que se pode decompor.

decompor. [De *de-* + *compor*.] *V. t. d.* **1.** Separar os elementos componentes de: *decompor o sal; decompor uma palavra; decompor um número.* **2.** Dividir em partes para exame e estudo; analisar: *decompor uma obra.* **3.** Alterar, modificar, transformar, demudar, transtornar: *O ódio decompôs -lhe o semblante.* **4.** Corromper, estragar, apodrecer: *O calor decompôs a carne.* *P.* **5.** Modificar-se (uma coisa) em virtude de se lhe separarem os elementos constitutivos. **6.** Modificar-se, alterar-se, demudar-se, transtornar-se: *Ao ouvir a má notícia, decompuseram-se -lhe as feições.* **7.** Corromper-se, estragar-se. [Irreg. Conjug.: v. *pôr*.]

decomposição. *S. f.* **1.** Ato ou efeito de decompor(-se). **2.** Redução a elementos simples: *decomposição de uma idéia.* **3.** Alteração profunda: *decomposição de um rosto.* **4.** Análise[1] (2). **5.** Desorganização: *a decomposição do corpo social.* **6.** Corrupção, estrago, apodrecimento: *decomposição de um cadáver, de uma fruta.* **7.** *Álg. Mod.* Partição (2). **8.** *Cálc. Vect.* Determinação das componentes de um vector segundo direções determinadas.

decomposto (ô). [Part. de *decompor*.] *Adj.* Que sofreu decomposição, ou está em decomposição. ~ V. *folha* —*a*.

➧**décor** (decór). [Fr.] *S. m.* **1.** *Teat.* Decoração de cena. **2.** *P. ext.* V. *cenário*[1] (1).

decoração[1]. *S. f.* Ato ou efeito de decorar[1]: "As aulas de gramática, de decoração maciça das regras gramaticais, abrem-se nas ruas que hoje caracterizam o centro da cidade." (Delso Renault, *O Rio Antigo nos Anúncios de Jornais*, p. 13.)

decoração[2]. [Do lat. *decoratione*.] *S. f.* **1.** Ato ou efeito de decorar[2]. **2.** Arranjo de um espaço arquitetônico, com mobiliário, obras de pintura e escultura, tapeçaria, cortinas, etc.; decoração de interior. **3.** Ornamento, ornato, enfeite, adorno: *decoração de uma coluna.* ◆ **Decoração de interior.** Decoração (2).

decorador[1] (ô). [De *decorar*[1] + *-(d)or*.]. *Adj.* e *s. m.* Que ou aquele que decora, que aprende de cor.

decorador[2] (ô). [Do lat. *decoratore*.] *S. m.* Indivíduo especializado em decoração[1] (2).

decorar[1]. [Da loc. *de cor* + *-ar*[2].] *V. t. d.* **1.** Aprender de cor; reter na memória: *decorar uma lição.* *Int.* **2.** Procurar guardar na memória aquilo que leu. [Pres. ind.: *decoro*, etc. Cf. *decoro* (ô).]

decorar[2]. [Do lat. *decorare*.] *V. t. d.* **1.** Guarnecer com decoração; dispor formas e cores em; ornamentar, embelezar: *Decorou o ambiente com muito gosto.* **2.** Realçar, ornar, adornar: "a literatura latina formava humanistas, decorava os espíritos" (Hermes Lima,

Tobias Barreto, p. 2). **3.** *P. us.* Condecorar: *O governo decorou -os com insígnias.* **4.** Honrar, enobrecer. [Pres. ind.: *decoro*, etc. Cf. *decoro* (ô).]

decorativamente. [Do fem. de *decorativo* + *-mente.*] *Adv.* De modo decorativo: "o velho guarda-roupa envidraçado, com as pratas muito tratadas a gesso-cré, resplandecendo decorativamente" (Eça de Queirós, *O Primo Basílio*, p. 7).

decorativo. *Adj.* **1.** Concernente a decoração[2]: *artes decorativas.* **2.** Que serve para enfeitar, embelezar; que decora: *cortinas decorativas; efeitos decorativos.*

decoreba. *S. f. Bras. Gír.* **1.** Hábito ou mania de decorar[1], de aprender de cor, sem assimilar. ● *S. 2 g.* **2.** Pessoa que tem o hábito, a mania de decorar[1].

decoro (ô). [Do lat. *decoru.*] *S. m.* **1.** Correção moral; compostura, decência. **2.** Dignidade, nobreza, honradez, brio, pundonor. **3.** Conformidade do estilo com o assunto. [Pl.: *decoros* (ô). Cf. *decoro*, do v. *decorar.*]

decoroso (ô). *Adj.* Conforme ao decoro; decente, honesto, digno: *conduta decorosa.* [Antôn.: *indecoroso* e (p. us.) *indécoro.*]

decorrência. [Do lat. *decurrentia.*] *S. f.* Decurso, derivação, conseqüência.

decorrente. [Do lat. *decurrente.*] *Adj. 2 g.* **1.** Que decorre, que passa, que se escoa; decursivo. **2.** Que decorre, que se origina: "a inteligência goza de privilégios e oportunidades especiais, decorrentes da necessidade inelutável, para a nacionalidade jovem, de tomar consciência de si mesma" (Barreto Filho, *Introdução a Machado de Assis*, p. 28). ~ V. *folha* —.

decorrer. [Do lat. *decurrere.*] *V. int.* **1.** Passar, escoar-se (o tempo): "Uma hora decorreu. Outras passaram" (Augusto Gil, *Luar de Janeiro*, p. 140). **2.** Passar(-se), suceder, acontecer: *Muitas coisas decorreram após a sua partida: O filme decorre na Amazônia. T. i.* **3.** Originar-se, derivar(-se): *Suas vitórias na vida decorrem do talento.* ● *S. m.* **4.** Ato de decorrer; decurso; transcurso: "No decorrer do mês de maio, ... D. João baixou decisões de interesse para a Colônia" (Delso Renault, *O Rio Antigo nos Anúncios de Jornais*, p. 10).

decorrido. [Part. de *decorrer.*] *Adj.* **1.** Que decorreu; passado. **2.** Findo, acabado. [Sin. (p. us.): *decurso.*]

decorticação. *S. f.* Ato de decorticar.

decorticar. [Do lat. *decorticare.*] *V. t. d.* Tirar o córtice, a cortiça, a casca, a; descascar, descortiçar; descorticar: *decorticar um tronco de árvore.* [Conjug.: v. *trancar.*]

decotado. [Part. de *decotar.*] *Adj.* **1.** Cortado ou aparado na parte superior: *árvore decotada.* **2.** Que tem decote (3): *vestido decotado.* **3.** Que usa decote (3): *mulher decotada.* **4.** Descoberto, exposto, por efeito do decote (3): *ombros decotados.*

decotador (ô). *Adj.* e *s. m.* Que ou aquele que decota; cortador, aparador.

decotar. [De **decortar*?.] *V. t. d.* **1.** Cortar por cima e/ou em volta de; aparar, podar: *O jardineiro decotava os arbustos.* **2.** Cortar, amputar, mutilar: *Decotou a cauda do animal.* **3.** Fazer corte ou abertura na parte superior de (peça de vestuário). **4.** Fazer que use vestes decotadas [v. *decotado* (2)]: "decotava a mulher sempre que podia, e até onde não podia, para mostrar aos outros as suas venturas particulares." (Machado de Assis, *Quincas Borba*, pp. 57-58). **5.** *Fig.* Cortar, extirpar, eliminar. *P.* **6.** Trajar-se descobrindo o pescoço e as espáduas: *Decotou-se para ir ao baile.* [Var. (pop.): *degotar.*]

decote. [Dev. de *decotar.*] *S. m.* **1.** Ato de cortar ou aparar ramos de árvores; poda. **2.** Decepamento, mutilação. **3.** Abertura no alto do vestuário para deixar o colo a descoberto; degolo: "no decote do casaco justo aflorava a turgência macia do seio moreno e lindo." (Herman Lima, *Garimpos*, p. 144). [Var. (pop.): *degote.*]

decremento. [Do lat. *decrementu.*] *S. m.* **1.** V. *decrescimento.* **2.** *Anál. Mat.* Decréscimo (2). ♦ **Decremento logarítmico.** *Fís.* Num movimento harmônico amortecido, o logaritmo neperiano do quociente das amplitudes de duas oscilações sucessivas.

decrepidez (ê). *S. f.* V. *decrepitude.*

decrepitação. *S. f. Quím.* A perda de água, acompanhada por pequeninos ruídos, que sofrem alguns cristais ao serem aquecidos.

decrépito. [Do lat. *decrepitu.*] *Adj.* **1.** Muito idoso ou gasto; caduco: *indivíduo decrépito.* **2.** *P. ext.* Diz-se de animal velhíssimo e fraco, e também de coisa muito usada e em ruína.

decrepitude. *S. f.* Estado ou condição de decrépito; velhice extrema; caducidade; decrepidez.

decrescendo. [Do it. *decrescendo.*] *Adv.* e *s. m. Mús.* V. *diminuindo.*

decrescente. [Do lat. *decrescente.*] *Adj. 2 g.* Que decresce. ~ V. *ditongo* —.

decrescer. [Do lat. *decrescere.*] *V. int.* Tornar-se menor; diminuir, ceder, enfraquecer: *As forças decresceram; O som decresceu; O vento decresceu.* [Conjug.: v. *crescer.*]

decrescimento. *S. m.* Ato de decrescer; diminuição, decremento, decréscimo.

decréscimo. *S. m.* **1.** V. *decrescimento.* **2.** *Anál. Mat.* Acréscimo negativo; decremento.

decretação. *S. f.* Ato de decretar.

decretado. [Part. de *decretar.*] *Adv. Bras., N.E. Pop.* De próposito; determinadamente, intencionalmente: *Veio decretado para insultar o rapaz.*

decretal. [Do lat. *decretale.*] *S. f.* Antiga carta ou constituição pontifícia, em resposta a consultas sobre questões de moral ou de direito.

decretalista. *Adj. 2 g.* **1.** Relativo a decretal. ● *S. 2 g.* **2.** Jurisconsulto versado em decretais.

decretar. *V. t. d.* **1.** Ordenar por decreto ou lei: *O governo decretou novas eleições.* **2.** Determinar, ordenar, estabelecer: *A própria experiência vai decretando os passos que devemos dar.* **3.** *Pop.* Declarar em tom categórico, peremptório: "O poeta enfureceu-se e decretou: / — Não canto mais!..." (Nestor de Holanda, *Memórias do Café Nice*, p. 111.) **4.** Prescrever, preceituar, doutrinar. *T. d.* e *i.* **5.** Determinar, ordenar, estabelecer: *Aquele povo decretou a si mesmo o seu regime político.* **6.** Destinar, designar. *Int.* **7.** Dar ordens; ordenar, mandar: *Em casa é a mulher e não ele quem decreta.*

decretatório. *Adj.* Relativo a decreto.

decreto. [Do lat. *decretu.*] *S. m.* **1.** Determinação escrita, emanada do chefe do Estado, ou de outra autoridade superior. **2.** Mandado judicial: *decreto de arresto, de penhora.* **3.** Determinação, ordem, decisão. **4.** Vontade, plano, desígnio: *os decretos da Providência.* ♦ **Decreto judiciário.** *Jur.* Decisão, sentença. **Nem por decreto.** De modo nenhum; em nenhuma hipótese: *Não faço as pazes com ele nem por decreto.*

decreto-lei. *S. m.* Decreto que o chefe do poder executivo expede, com força de lei, por estar absorvendo, anormalmente, as funções próprias do legislativo, eventualmente supresso. [Cf. *lei* (2). Pl.: *decretos-leis.*]

decretório. [Do lat. *decretoriu.*] *Adj.* Decisivo, terminante, peremptório, resolvente. ~ V. *ano* — e *dias* —s.

decriptação. *S. f.* Ato ou efeito de decriptar.

decriptar. [De *de-* + *-cript(o)-* + *-ar*[2].] *V. t. d.* Traduzir ou decifrar (mensagens cifradas, das quais não se tem a chave).

decrua. [Dev. de *decruar.*] *S. f.* Decruagem.

decruagem. *S. f.* Ato ou operação de decruar; decrua.

decruar. [De *de-* + *cru* + *-ar*[2].] *V. t. d.* **1.** Dar leve fervura a, para que não fique cru; cozer ligeiramente: *decruar os legumes.* **2.** Lavar a seda crua.

decúbito. [Do lat. *decubitu.*] *S. m.* Posição de quem está deitado: *decúbito ventral;* "Qualquer delas mede de comprimento a altura dum homem, ... e tem lavrada a figura da personagem que protege, em decúbito dorsal, trajando ao tempo" (Fialho d'Almeida, *Estâncias d'Arte e de Saudade*. p. 153).

➧**de cujus** (dé cújuç). [Lat. Primeiras palavras da expr. lat. *de cujus successione agitur* ('de cuja sucessão se trata').] *Jur.* Inventariado (2) [q. v.].

decumbente. [Do lat. *decumbente.*] *Adj. 2 g.* **1.** Que está deitado ou caído. **2.** *Bot.* Que se acha voltado para o solo: *caule decumbente.*

decuplar. [Do lat. *decuplare.*] *V. t. d.* e *int.* V. *decuplicar.* [Pres. ind.: *decuplo*, etc. Cf. *décuplo.*]

decuplicar. *V. t. d.* **1.** Multiplicar por 10. **2.** Tornar 10 vezes maior. *Int.* **3.** Tornar-se 10 vezes maior. [Sin. ger.: *decuplar* e *decemplicar.* Conjug.: v. *trancar.*]

décuplo. [Do lat. *decuplu.*] *Num.* **1.** Que contém 10 vezes uma quantidade. **2.** Que é 10 vezes maior. ● *S. m.* **3.** Quantidade 10 vezes maior que outra. [Cf. *decuplo*, do v. *decuplar.*]

decúria. [Do lat. *decuria.*] *S. f.* **1.** Grupo de 10 coisas ou de 10 indivíduos. **2.** Corpo militar de cavalaria e infantaria, entre os romanos. **3.** Classe de alunos duma aula a cargo de um decurião (2). **4.** *Astrol.* e *Astr.* V. *decania* (4).

decuriado. *S. m.* Cargo de decurião.

decurião. [Do lat. *decurione.*] *S. m.* **1.** Chefe de decúria (2). **2.** Aluno dos mais adiantados de uma escola, ou o mais adiantado, a quem o professor encarrega de ensinar uma classe de outros. [V. *monitor* (2).]

decursivo. *Adj.* V. *decorrente* (1).

decurso. [Do lat. *decursu.*] *S. m.* **1.** Ato de decorrer; passagem do tempo: *Com o decurso dos anos tornou-se um grande poeta.* **2.** Tempo de duração: *o decurso do governo.* **3.** Sucessão, seqüência: *o decurso dos acontecimentos.* **4.** Extensão (considerada pelo tempo que leva para ser percorrida); percurso: *no decurso da caminhada.* ● *Adj. P. us.* **5.** Decorrido.

decussação. [Do lat. *decussatione.*] *S. f. Anat.* Cruzamento em forma de X.

decussado. [Do lat. *decussatu.*] *Adj. Bot.* Diz-se de peças ou órgãos vegetais que se dispõem de maneira oposta em forma de cruz: *brácteas decussadas.*

dedada. *S. f.* **1.** Porção de substância aderente que se toma com um dedo. **2.** Impressão ou nódoa que o dedo deixa num objeto. **3.** Pancada ou toque com dedo.

dedal. [Do lat. *digitale.*] *S. m.* **1.** Utensílio cilíndrico que se encaixa no terceiro dedo da mão direita de quem cose, a fim de empurrar a agulha. [Sin. (no PR): *pequerrucho.*] **2.** Porção muito pequena: *um dedal de vinho.* **3.** *Bras., N.* a *L.* Árvore ornamental, da família das litráceas *(Lafoensia densiflora),* dotada de flores campanuladas, alvas, róseas ou esverdeadas, e cujo fruto é cápsula pequena; aricuiá, dedaleira, pacari-damata, pacari-selvagem.

dedal-à-vista. *S. m. Jog. Inf.* Jogo de salão em que o grupo se afasta enquanto o chefe põe um dedal em lugar à vista, porém insuspeitado. Na volta, cada participante que o descobre segreda ao chefe o lugar onde ele se acha, e vai sentar-se, perdendo a brincadeira o último a encontrá-lo. [Pl.: *dedais-à-vista.*]

dedal-de-repuxo. *S. m. Bras. Mar.* Instrumento circular, de metal, que se cose no repuxo (8), e do qual os marinheiros se servem para coser pano. [Pl.: *dedais-de-repuxo.*]

dedal-de-rosa. *S. f.* V. *alamanda.* [Pl.: *dedais-de-rosa.*]

dedaleira. *S. f. Bras.* **1.** Planta ornamental, da família das escrofulariáceas *(Digitalis purpurea),* de propriedades medicinais que, dependendo da dose, podem ser venenosas, e cujas flores, campanuladas, vermelho-violáceas, são hermafroditas, sendo o fruto uma cápsula glandulosa que contém sementes com bastante albume. [Sin. (desus.): *digital.*] **2.** V. *dedal* (3).

dedaleira-preta. *S. f. Bras., SP* a *GO.* Árvore da família das voquisiáceas *(Qualea cordata),* de flores irregulares, pequenas, pálidas, com uma pétala amarela, maculada de roxo, dispostas em racimos, sendo o fruto uma cápsula, e que fornece madeira própria para carpintaria; dedaleiro-preto, pau-terra. [Pl.: *dedaleiras-pretas.*]

dedaleiro-preto. *S. m. Bras.* V. *dedaleira-preta.* [Pl.: *dedaleiros-pretos.*]

dedáleo. [Do lat. *dedaleu.*] *Adj.* **1.** Relativo a dédalo; labiríntico, emaranhado, intricado; confuso, complicado. **2.** Engenhoso, imaginoso.

dédalo. [Do antr. *Dédalo*, arquiteto grego construtor do labirinto de Creta.] *S. m.* **1.** Cruzamento confuso de caminhos; encruzilhada, labirinto: *o dédalo das metrópoles;* "Que interessante dédalo de vielas, estreitinhas, ... ondulosas, cruzando-se, cambaleando, voltando atrás, abrindo panças, fazendo hemiciclos de roda das igrejas!" (Fialho d'Almeida, *Estâncias d'Arte e de Saudade*, p. 32). **2.** *Fig.* Coisa complicada ou obscura; confusão, emaranhamento: *o dédalo das leis.*

dedão. [Aum. de *dedo.*] *S. m.* V. *dedo polegar* (2).

dedar. *V. t. d.* e *int. Bras.* V. *dedo-durar.*

dedecorar. [Do lat. *dedecorare.*] *V. t. d.* Tornar indecoroso; fazer que falte ao decoro; desonestar: *A grande metrópole absorveu-a e dedecorou-a.*

dedeira. *S. f.* **1.** Pedaço de couro ou de pano com que se reveste o dedo. **2.** Pequeno instrumento usado no polegar pelo tocador de violão para percutir as cordas graves. **3.** Cada um dos entalhes que constituem o índice de dedo de um livro.

dedetê. *S. m. Pop.* V. *DDT.*

dedetização. *S. f.* Ato ou efeito de dedetizar.

dedetizado. [Part. de *dedetizar.*] *Adj.* Em que se fez dedetização.

dedetizar. *V. t. d.* Usar dedetê, ou outros inseticidas em.

dedicação. [Do lat. *dedicatione.*] *S. f.* **1.** Qualidade de quem se dedica; abnegação, consagração, devotamento. **2.** Afeição profunda; veneração, amor.

dedicado. [Part. de *dedicar.*] *Adj.* **1.** Que se dedica ou se sacrifica; devotado, abnegado: *filho dedicado.* **2.** Extremamente afetuoso.

dedicador (ô). [Do lat. *dedicatore.*] *Adj.* e *s. m.* Que ou aquele que dedica; ofertante.

dedicar. [Do lat. *dedicare.*] *V. t. d.* e *i.* **1.** Oferecer ou destinar com afeto ou dedicação: *Dediquei-lhe um poema.* **2.** Consagrar, votar, devotar, tributar: *Dedico-lhe grande amizade.* **3.** Consagrar ao culto de: *Os gregos dedicaram vários templos a Zeus.* **4.** Pôr ao serviço de; aplicar, empregar, destinar: *Dedica o seu tempo à medicina. P.* **5.** Consagrar sua afeição e/ou seus serviços a alguém; consagrar-se; dar-se: *Julieta dedicou-se a Romeu até a morte.* **6.** Aplicar-se, destinar-se, ocupar-se, empregar-se, entregar-se, consagrar-se, dar-se: "Escritores de todas as nações dedicaram-se .... a cultivar o novo filão de emoções [a ficção científica]." (Mário da Silva Brito, *O Fantasma sem Castelo*, p. 40); *dedicar-se ao comércio, às letras; Dedica-se exclusivamente às manobras políticas.* [Conjug.: v. *trancar.*]

dedicatória. [De *dedicar.*] *S. f.* Palavras escritas com as quais se oferece a alguém uma publicação qualquer, um retrato, etc.

dedignação. [Do lat. *dedignatione.*] *S. f.* Ato de dedignar-se.

dedignar-se. [Do lat. **dedignare*, por *dedignari*, + *se*[1].] *V. p.* Julgar indigno de si; não se dignar; desdenhar: *Não se dedignava de conversar com os humildes;* "E o próprio arcebispo de Tessalônica .... não se dedignava de proteger os Ferreiras, arrematantes dos contrabandos." (Oliveira Martins, *História de Portugal*, II, p. 213).

dedilhação. *S. f.* V. *dedilhamento.*

dedilhado. [Part. substantivado de *dedilhar.*] *S. m.* V. *dedilhamento.*

dedilhamento. *S. m.* Ato de dedilhar; dedilhação, dedilhado.

dedilhar. *V. t. d.* **1.** Fazer vibrar com os dedos: "ao fundo do terraço aparece Belkiss, avançando lentamente, dedilhando uma harpa." (Eugênio de Castro, *Obras Poéticas*, II, p. 131). **2.** *Mús.* Executar com os dedos (peça ou trecho musical) em instrumento de cordas: *dedilhar um prelúdio.* **3.** *Mús.* Indicar por algarismo o dedo de que o executante se deve servir para cada nota em (peça ou trecho de peça musical). *Int.* **4.** Bater ou tocar com os dedos; tamborilar: "repetia, / Dedilhando no leque rendilhado, / Que a doces galanteios proferia / De um — papelito — o fumo perfumado." (Gonçalves Crespo, *Obras Completas*, p. 155).

dedilhável. *Adj. 2 g.* Que pode ser dedilhado; próprio para se dedilhar.

dedo (ê). [Do lat. *digitu.*]. *S. m.* **1.** Cada um dos prolongamentos articulados que terminam os pés e as mãos do homem e doutros animais. **2.** Cada uma das partes da luva correspondentes a um dedo: "Uma luva ficara caída no chão: ergueu-se, ainda trôpega, foi apanhá-la, esteve a esticar-lhe os dedos maquinalmente" (Eça de Queirós, *O Primo Basílio*, p. 348). **3.** Medida aproximadamente igual à da largura de um dedo: *Três dedos de vinho; calça com quatro dedos de bainha.* **4.** *Fig.* Aptidão, capacidade, tino, jeito: *Todos elogiam o seu dedo para negócios.* **5.** *Fig.* Mão[1] (9): *Vê-se nesta obra o dedo do mestre.* **6.** *Bras., ES.* A banana quando ainda muito pequena, com a flor na extremidade. ♦ **Dedo anular.** Aquele em que mais habitualmente se usa anel. [Tb. se diz apenas *anular;* sin., fam.: *seu-vizinho.*] **Dedo auricular.** V. *dedo mínimo.* **Dedo do impulsor.** *Tip.* Peça da linotipo presa à placa que desliza na guia do impulsor, e que leva em sua parte mais curta o amortecedor. **Dedo frio.** *Quím.* Parte de certos equipamentos de destilação, com a forma de um dedo oco, que fica mergulhada no vapor e é resfriada por uma mistura refrigerante colocada em seu interior, ou mediante um líquido que nela circula. **Dedo grande do pé.** V. *dedo polegar* (2). **Dedo hipocrático.** Aquele cuja última falange adquire o aspecto de uma baqueta de tambor. **Dedo índex.** V. *dedo indicador.* **Dedo indicador.** O que está situado entre o polegar e o médio: "fez um gesto com o dedo indicador da mão direita ao lado da fronte" (Ana Elisa Gregori, *Os Barões da Candeia*, p. 15). [Tb. se diz apenas *indicador;* sin.: *dedo índex, índex, índice, dedo mostrador* e (Fam.) *fura-bolo* ou *fura-bolos.*] **Dedo médio.** O maior dos dedos da mão, situado entre o anular e o indicador. [Sin. (fam.): *maior-de-todos* e *pai-de-todos.*] **Dedo meiminho.** V. *dedo mínimo.* **Dedo mindinho.** V. *dedo mínimo.* **Dedo minguinho.** *Bras. Fam.* V. *dedo mínimo.* **Dedo mínimo.** O menor dos dedos da mão: "O anel de brasão luzindo no dedo mínimo" (Lígia Fagundes Teles, *A Disciplina do Amor*, p. 123). [Tb. se diz apenas *mínimo;* sin.: *dedo mindinho, dedo minguinho, dedo meiminho, dedo auricular, mindinho, minguinho, meiminho.*] **Dedo mostrador.** V. *dedo indicador.* **Dedo polegar. 1.** O primeiro e mais curto e grosso dos dedos da mão. [Tb. se diz apenas *polegar.* Sin.: *pólex* (ou melhor, *pólice*) e (bras., N., N.E. e S., fam.) *mata-piolho* e *cata-piolho.*] **2.** O primeiro e mais grosso dos dedos do pé; dedo grande do pé; dedão. **A dedo.** Com cuidado; calculadamente; de caso pensado: *Um escândalo, o concurso: a banca examinadora foi escolhida a dedo.* **Botar o dedo no suspiro.** *Bras.* Valer-se de situação vantajosa para impor condições vexatórias. **Cheio de dedos. 1.** Confuso, embaraçado, atrapalhado: "O homem parou, cheio de dedos, para procurar os fósforos nos bolsos." (Mário Quintana, *Sapato Florido*, p. 17.) **2.** Cheio de ademanes, mesuras, trejeitos; amaneirado: "Quando .... a irmã e o cunhado apareceram, Porto todo cheio de dedos, ela fez uma cena daquelas" (Jorge Amado, *Dona Flor e Seus Dois Maridos*, p. 133). **Dois dedos de.** Pequena quantidade de; um pouco de; algum: *dois dedos de conversa; dois dedos de latim.* **Jurar dedo com dedo.** *Bras.* Jurar pela cruz que se faz cruzando os dedos indicadores. **Meter o dedo em tudo.** Ser abelhudo, intrometido; intrometer-se. **Não levantar um dedo.** Não fazer esforço algum: *Não levantou um dedo para me ajudar.* **Pôr o dedo na ferida.** *Fig.* Indicar ou reconhecer o ponto vulnerável ou fraco. **Ter dedo.** Ser hábil; ter jeito. **Tirar o dedo.** *Bras., CE. Pop.* Realizar algo pela primeira vez.

dedo-de-dama. *S. f.* Certa espécie de uva de longos bagos. [Pl.: *dedos-de-dama.*]

dedo-durar. [De *dedo-duro* + *-ar*[2].] *V. t. d.* e *int. Bras. Gír.* Delatar, alcagüetar. [Var.: *dedurar, dedar.*]

dedo-duro. *S. 2 g. Bras. Gír.* V. *alcagüete* (3 e 4). [Pl.: *dedos-duros.*]

dedução. [Do lat. *deductione.*] *S. f.* **1.** Ação de deduzir; subtração, diminuição; abatimento. **2.** O que resulta de um raciocínio; conseqüência lógica; ilação, inferência; conclusão. **3.** *Lóg.* Processo pelo qual, com base em uma ou mais premissas, se chega a uma conclusão necessária, em virtude da correta aplicação das regras lógicas. **4.** *Lóg.* Método dedutivo. [Cf., nas acepç. 3 e 4, *demonstração* (6), *prova* (18) e *raciocínio* (4).] **5.** *Jur.* Exposição minuciosa; enumeração de fatos e argumentos. [Cf. *indução* e *didução.*]

deducional. *Adj. 2 g.* Feito por dedução.

dedurar. *V. t. d.* e *int. Bras. Gír.* V. *dedo-durar.*

dedurismo. [De *dedo-duro* + *-ismo*, com haplologia.] *S. m. Bras. Gír.* Hábito e/ou gosto de dedo-durar.

dedutível. *Adj. 2 g.* Que se pode deduzir.

dedutivo. [Do lat. *deductivu.*] *Adj.* Que procede por dedução. ~ V. *método* —. [Cf. *indutivo.*]

deduzir. [Do lat. *deducere.*] *V. t. d.* **1.** Tirar de fatos ou princípios; tirar como conseqüência; inferir, concluir: *Os fatos me levam a deduzir que ele não será nomeado.* **2.** Diminuir, abater, reduzir: *A conta era grande, mas o negociante deduziu 15 por cento.* **3.** Expor minuciosamente; enumerar (fatos e argumentos): *A defesa deduziu com segurança os argumentos.* **4.** *Jur.* Propor em juízo. *T. d. e i.* **5.** Tirar, diminuir, subtrair, abater, descontar: *deduzir da receita a despesa.* **6.** Tirar como conseqüência lógica; inferir, concluir: *De suas maneiras frias deduzi que está magoado comigo.* **7.** Expor circunstanciadamente; enumerar: *Deduziu ao juiz todas as suas razões.* **8.** Tirar, extrair: *deduzir uma quantia de outra. Int.* **9.** Tirar dedução ou deduções: *O filósofo observa, induz e deduz.* [Irreg. Conjug.: v. *aduzir.*]

deênfase. [Adap. do ingl. *de-emphasis.*] *S. f. Eletrôn.* Restauração de um sinal que sofreu pré-ênfase à sua forma original.

➧**de facto.** [Lat.] *Jur.* De fato. [Antôn.: *de jure.*]

defasagem. [Do fr. *déphasage.*] *S. f.* **1.** Diferença de fase entre dois fenômenos. **2.** *Fig.* Diferença, discrepância, descompasso: *Houve uma defasagem entre a data prevista para a execução do plano e a data real da execução.*

defasar. [De *defasagem.*] *V. t. d.* **1.** Pôr fora de fase. **2.** *Fís.* Estabelecer uma diferença de fase entre (duas oscilações ou vibrações).

defecação. [Do lat. *defaecatione.*] *S. f.* **1.** Evacuação de matérias fecais, de fezes; dejeção. **2.** Depuração, purificação, limpeza. **3.** *Quím.* Eliminação de impurezas que turvam um líquido, mediante precipitação ou coagulação.

defecado. [Part. de *defecar.*] *Adj.* **1.** Limpo de fezes ou impurezas; depurado. **2.** Magro, extenuado.

defecador (ô). *Adj.* **1.** Que defeca, ou defeca muito. • *S. m.* **2.** Vaso em que se defeca. **3.** *Bras.* Aparelho das usinas de açúcar destinado a eliminar as substâncias albuminóides que o caldo da cana contém.

defecar. [Do lat. *defaecare.*] *V. t. d.* **1.** Separar as fezes ou impurezas de (líquido); depurar, limpar, purificar: *defecar o vinho.* **2.** *Fig.* Purificar, purgar, limpar; depurar, acrisolar. **3.** Enfraquecer, debilitar. *T. d. e i.* **4.** Limpar, purificar, livrar: *Defecou o vinho das impurezas. Int.* **5.** Expelir os excrementos. [Sin., nesta acepç.: *evacuar, obrar, operar, cursar;* (chulos) *cagar, barrear, borrar, descomer,* e (bras., pop.) *aliviar-se, amarrar o gato, despachar, desistir, dar de corpo, estercar, fazer cocô, fazer necessidade, fazer obra, fazer precisão, ir aos pés, passar telegrama, quebrar o corpo. P.* **6.** Sujar-se com os próprios excrementos. [Sin.: *obrar-se* e (chulo) *borrar-se, cagar-se.*] **7.** *Fig.* Limpar-se, purificar-se; livrar-se: *defecar-se das parvoíces.* **8.** Enfraquecer(-se), debilitar-se; emagrecer, definhar(-se). [Conjug.: v. *trancar.*]

defecatório. *Adj.* Que defeca ou faz defecar.

defecção. [Do lat. *defectione.*] *S. f.* **1.** Falta, desaparecimento. **2.** Abandono de partido, opinião ou crença; deserção, apostasia, abjuração: "Borges fugiu, em vez de pôr-se à frente dos elementos que sublevara, deixando-lhes da fuga um documento lamentável. Aos seus cúmplices, porém, ocultou os motivos verdadeiros da sua defecção" (Craveiro Costa, *História das Alagoas*, p. 82). **3.** Sublevação, rebelião.

defectibilidade. *S. f.* Qualidade do que é defectível.

defectível. *Adj. 2 g.* **1.** Que tem defeito; imperfeito, incompleto, defeituoso. **2.** Suscetível de enganar-se; falível.

defectivo. [Do lat. *defectivu.*] *Adj.* A que falta alguma coisa; imperfeito, defeituoso. ~ V. *verbo* —.

defedação. [Dé *de-* + lat. *foedatione*, 'ação de manchar'.] *S. f.* Mancha na pele.

defeito. [Do lat. *defectu.*] *S. m.* **1.** Imperfeição; balda, senão. [Sin. pop. no CE: *cafanga, cafangada.*] **2.** Deficiência, deformidade. **3.** Imperfeição moral; vício, labéu, desdouro. **4.** Balda, mania. **5.** Desarranjo, enguiço. **6.** *Ant.* Falta, carência. **7.** *Fís.* Substituição de uma partícula (átomo ou íon) por outra, numa rede cristalina; defeito pontual. **8.** *Fís.* Alteração do arranjo regular das partículas constitutivas de uma rede cristalina. ♦ **Defeito de massa.** *Fís. Nucl.* Diferença entre a soma das massas em repouso dos núcleons que constituem um núcleo e a massa em repouso deste núcleo. **Defeito pontual.** *Fís.* Defeito (7).

defeituoso (ô). *Adj.* **1.** Que tem, ou em que há defeito; imperfeito, incompleto. **2.** Desarranjado, enguiçado.

defendedor (ô). *Adj.* e *s. m. P. us.* V. *defensor.*

defendente. [Do lat. *defendente.*] *Adj. 2 g.* e *s. 2 g. P. us.* V. *defensor.*

defender. [Do lat. *defendere.*] *V. t. d.* **1.** Prestar socorro ou auxílio a; proteger, amparar: *defender os humildes.* **2.** Opor a força, oferecer resistência, a um ataque ou agressão feita a: *defender a praça.* **3.** Resguardar, preservar, abrigar: *O capuz defende-lhe a cabeça.* **4.** Proibir, vedar, impedir, interditar, tolher: *defender o caminho; defender a caça.* **5.** Falar em abono de; pleitear em favor de; interceder por; patrocinar: *defender o réu.* **6.** Sustentar com argumentos ou razões: *defender um princípio.* **7.** *Bras.* Conseguir, obter, arranjar, em geral valendo-se de expedientes hábeis ou menos lícitos. **8.** *Bras.* Executar ou desempenhar em competição: *O cantor defendeu a minha música; O ator defende bem aquele papel. T. d. e i.* **9.** Oferecer resistência; proteger, socorrer: *defender o território do ataque; defender a Pátria contra a invasão.* **10.** Resguardar, abrigar; preservar: *defender a casa do temporal.* **11.** Proibir, vedar, impedir: "Não parta o Gama enfim, que lho defende / O Regedor dos bárbaros profanos" (Luís de Camões, *Os Lusíadas*, VIII, 84). **12.** Sustentar com argumentos ou razões: *defender a causa contra os opositores.* **13.** Interceder por; desculpar: *Defendeu-o da calúnia. Int.* **14.** *Bras. Fut.* Agarrar (10). *P.* **15.** Repelir um ataque ou agressão; opor defesa; resistir. **16.** Abrigar-se, resguardar-se, proteger-se: *defender-se do frio.* **17.** Rebater uma acusação. **18.** Justificar-se, desculpar-se. **19.** Proteger-se, preservar-se, livrar-se: *Defendemo-nos da epidemia com a vacinação.* **20.** *Bras.* Cavar a vida habilmente, ou de maneira menos lícita. **21.** *Bras.* Tirar das inclinações amorosas proveito de caráter sexual. [Part.: *defendido* e *defeso.* A f. irreg. só é us. no sentido de *proibir.*]

defendimento. *S. m. P. us.* V. *defesa* (1).

defendível. *Adj. 2 g.* Que pode ser defendido; defensível, defensável.

defenestração. [Do fr. *défenestration.*] *S. f.* Ato de atirar alguém ou algo pela janela fora: *A defenestração de Praga ocorreu em 1618.*

defensa. [Do lat. tardio *defensa.*] *S. f.* **1.** V. *defesa* (1). **2.**

Marinh. Trançado de cabo, recheado de cortiça granulada, borracha, pedaços de cabo velho ou um toro de madeira, e destinado a defender o casco da embarcação contra danos e avarias, nas atracações: "A guarnição arranjava o navio para a atracação, estendia as espias no convés, ajeitava *defensas*, limpava anteparas." (Moacir C. Lopes, *Maria de Cada Porto*, p. 282.) ♦ **Defensa de balão.** *Marinh.* Defensa de forma esférica, feita de cabo velho e coberta por uma rede ou por um entrelaçado de cabo de cairo.

defensão. [Do lat. *defensione.*] *S. f.* V. *defesa* (1): "Lá estão mancebos franceses da primeira plana, conjurados na *defensão* da honra nacional." (Camilo Castelo Branco, *A Enjeitada*, p. 222.)

defensável. *Adj. 2 g.* **1.** V. *defendível.* **2.** *Ant.* Defensivo (1 e 2).

defensiva. [Fem. substantivado do adj. *defensivo.*] *S. f.* **1.** Conjunto de meios de defesa ou proteção. **2.** Posição de quem se defende, de quem resiste a um ataque: *ficar na defensiva.*

defensível. [Do lat. *defensibile.*] *Adj. 2 g.* V. *defendível.*

defensivo. *Adj.* **1.** Que serve para defesa: *arma defensiva.* **2.** Que visa à defesa, a resistir ao ataque: *guerra defensiva; posição defensiva.* ● *S. m.* **3.** V. *preservativo* (2). ♦ **Defensivo agrícola.** *Quím.* Produto químico utilizado no combate e prevenção de pragas agrícolas; agrotóxico.

defensor (ô). [Do lat. *defensore.*] *Adj.* e *s. m.* Que ou aquele que defende. [Sin. (p. us.): *defendente, defendedor.* P. us. como adj.]

defensório. [Do lat. *defensoriu.*] *Adj.* Relativo a defensa ou defesa.

deferência. [Do lat. *deferentia.*] *S. f.* **1.** Consideração, acatamento, atenção. **2.** Respeito, reverência. **3.** Condescendência, complacência.

deferente[1]. [Do lat. *deferente.*] *Adj. 2 g.* **1.** Que defere, atende, concede; anuente. **2.** Obsequioso, cortês. **3.** Respeitoso, reverente. **4.** Condescendente, complacente. ~ V. *canal* — e *círculo* —. ● *S. m.* **5.** *Astr.* No sistema cosmogônico de Ptolomeu, é a órbita larga e circular, com a Terra fixa em seu centro, e ao longo da qual um planeta fictício realiza uma revolução aparente, enquanto que o planeta real revoluciona em outra órbita, também circular, centrada sobre o planeta fictício; círculo deferente. [Cf. *diferente.*]

deferente[2]. *Adj. 2 g. Ant.* e *pop.* Diferente. [Cf. *diferente.*]

deferido. [Part. de *deferir.*] *Adj.* Atendido, outorgado, aprovado; despachado favoravelmente. [Cf. *diferido.*]

deferimento. *S. m.* Ato de deferir; anuência, aprovação. [Cf. *diferimento.*]

deferir. [Do lat. *deferere, por *deferre.*] *V. t. d.* **1.** Anuir a (o que se pede ou requer); atender: *deferir uma petição. T. d.* e *i.* **2.** Outorgar, conferir, conceder: "Ouviu-o repousadamente D. Duarte e *deferiu*-lhe o requerimento, com cujo decreto pôs em terra as intrigas dos murmuradores" (Haroldo Maranhão, *O Tetraneto del-Rei*, p. 16); *A comissão julgadora deferiu-lhe o prêmio. T. i.* **3.** Atender, condescender, anuir: *deferir ao pedido.* **4.** Estar de acordo; concordar, aceitar: *O governo deferiu à sugestão do partido.* **5.** Ter acatamento, atenção ou complacência: *O soberano deferia aos mais humildes vassalos.* [Irreg. Conjug.: v. *aderir.* Cf. *diferir.*]

deferível. *Adj. 2 g.* Que se pode deferir.

defervescência. [Do lat. *defervescentia.*] *S. f. Med.* Período de desaparecimento da febre.

defesa (ê). [Do lat. *defensa.*] *S. f.* **1.** Ato de defender (-se); socorro, auxílio, defensa, defensão, defendimento: *defesa dos oprimidos.* **2.** Aquilo que serve para defender: *Sua única defesa era o punhal.* **3.** Ato ou forma de repelir um ataque; resistência: *a defesa do forte; defesa costeira.* **4.** Contestação de uma acusação; refutação, impugnação: *advogado de defesa.* **5.** Justificação, alegação. **6.** Resguardo, proteção: *muro de defesa.* **7.** Impedimento, interdição, proibição. **8.** Cada um dos dentes caninos dos animais. **9.** Chifre, corno: *as defesas do javali.* **10.** *Jur.* Pessoa(s) que em juízo patrocina(m) outra: *A defesa falou com segurança.* **11.** *Fut.* Grupo de jogadores que atuam na defensiva. **12.** *Psicol.* Mecanismo de defesa. **13.** *Tip.* Claro com que se recolhe, de um ou de ambos os lados, trecho de composição que deve ficar mais estreito que a medida geral do impresso. **14.** *Bras.* Proveito que habilmente se tira de algo; arranjo, cavação. [V. *defender* (20).] ♦ **Legítima defesa.** *Jur.* O emprego dos meios necessários e ao alcance para resistir à força ou agressão, sem que ultrapassem os limites da razão ou da justiça natural.

defeso (ê). [Do lat. *defensu.*] *Adj.* **1.** Defendido por uma proibição; proibido, vedado, impedido, interdito: *arma defesa; território defeso;* "Bebe-se diariamente [entre os índios fulniôs] a jurema, ralada e machucada numa cuia; é bebida *defesa* às crianças e às mulheres (acreditam os índios que a jurema faz mal ao mênstruo)." (Estevão Pinto, *Etnologia Brasileira*, p. 113.) ● *S. m.* **2.** Época do ano em que é defeso ou proibido caçar. [Cf. *defesso.*]

defesso (é). [Do lat. *defessu.*] *Adj.* Cansado, fatigado. [Cf. *defeso* (ê).]

defibrilar. *V. t. d.* Deter a fibrilação de.

deficiência. [Do lat. *deficientia.*] *S. f.* **1.** Falta, falha, carência; imperfeição, defeito. **2.** *Med.* Insuficiência (3). **3.** *Geom. Anal.* Gênero (9).

deficiente. [Do lat. *deficiente.*] *Adj. 2 g.* Falto, falho, carente; incompleto, imperfeito. ~ V. *número* —.

déficit. [Do lat. *deficit*, 'falta'.] *S. m.* **1.** O que falta para completar uma conta, um orçamento, uma provisão, etc. **2.** O que falta para as receitas igualarem o montante das despesas. [Antôn.: *superávit.*]

deficitário. *Adj.* **1.** Que acusa déficit; que apresenta saldo de contas negativo: *orçamento deficitário.* **2.** *P. ext.* Deficiente, falho. [Antôn.: *superavitário.*]

definhado. [Part. de *definhar.*] *Adj.* **1.** Emagrecido, enfraquecido, debilitado; extenuado, minado, consumido. **2.** Ralado, mortificado. **3.** Decaído, murcho.

definhamento. *S. m.* **1.** Perda de forças; emagrecimento, abatimento. **2.** Peco (1).

definhar. [De *fim.*] *V. t. d.* **1.** Tornar magro; extenuar: *A doença definhou-o. Int.* **2.** Enfraquecer(-se), consumir-se pouco a pouco; extenuar-se: *Alimentando-se mal, vai definhando a olhos vistos.* **3.** Abater-se, decair; murchar, secar: *Com o mau clima as plantas definharam. P.* **4.** Consumir-se aos poucos; enfraquecer(-se), abater-se.

definibilidade. *S. f.* Qualidade de definível.

definição. [Do lat. *definitione.*] *S. f.* **1.** Ato ou efeito de definir(-se). **2.** Expressão com que se define. **3.** Explicação precisa; significação: *definição de uma palavra.* **4.** Exposição, descrição, enunciação. **5.** Decisão, resolução. **6.** Qualidade duma visão ou duma fotografia em que os detalhes são nítidos e os contrastes marcados. **7.** *Lóg.* Determinação da compreensão de um conceito. **8.** *Lóg.* Enunciado de uma identidade cujo primeiro termo é o termo a definir e o outro se compõe unicamente de termos ou sinais conhecidos. ♦ **Definição por abstração.** Inclusão de um objeto (símbolo ou função) em uma classe, pela determinação das condições sob as quais o objeto por definir se iguala a qualquer elemento da referida classe. **Definição por postulado.** *Lóg.* Definição em que um conjunto de noções é determinado pelos axiomas ou postulados que enunciam suas relações fundamentais. **Dar definição de.** *Bras. Pop.* Dar conta ou notícia de; estar a par de: *Sabe da vida de todo o mundo, dá definição de tudo.*

definido. [Part. de *definir.*] *Adj.* **1.** Determinado com exatidão; fixo: *É homem de objetivos definidos.* **2.** De que se deu a explicação precisa, a significação: *vocábulos definidos e por definir.* **3.** Demarcado, limitado. **4.** Exato, preciso. [F. paral.: *definito.*] ~ V. *artigo* — e *integral* —a. ● *S. m.* **5.** Aquilo que se definiu.

definidor (ô). [Do lat. *definitore.*] *Adj.* **1.** Que define. ● *S. m.* **2.** Aquele que define. **3.** Assessor de um superior maior de ordem religiosa.

definir. [Do lat. *definire.*] *V. t. d.* **1.** Determinar a extensão ou os limites de; limitar, demarcar: *definir uma área.* **2.** Enunciar os atributos essenciais e específicos de (uma coisa), de modo que a torne inconfundível com outra: *definir um losango.* **3.** Explicar o significado de; indicar o verdadeiro sentido de: *definir um termo, uma expressão.* **4.** Dar a conhecer de maneira exata; expor com precisão; explicar: *definir uma idéia; definir uma situação.* **5.** Manifestar com exatidão; esclarecer: *definir uma posição.* **6.** Demarcar, fixar, estabelecer: *definir a autoridade;* "O Tratado de 1750 *define* mais ou menos a configuração geográfica que hoje possui o Brasil." (Visconde de Carnaxide, *D. João V e o Brasil*, p. 45). **7.** Decidir, decretar: *O Vaticano definiu o dogma da Trindade.* **8.** Ajuizar o sentido ou o objetivo de; interpretar: *É-me difícil definir a sua visita.* **9.** Tornar conhecido; revelar: *O comportamento define o caráter. P.* **10.** Dizer o que pensa a respeito de algo; declarar-se, exprimir-se, explicar-se. **11.** Tomar uma resolução ou um partido; assumir posição; decidir-se.

definitivamente. [Do fem. de *definitivo* + *-mente.*] *Adv.* **1.** De modo ou em caráter definitivo. **2.** Decididamente, terminantemente.

definitivo. [Do lat. *definitivu.*] *Adj.* **1.** Que define; determinante, determinativo: *A proposição de tem sentido definitivo.* **2.** Decisivo, concludente, terminante: *argumentos definitivos.* **3.** Absoluto, categórico, inabalável, inapelável: *sentença definitiva.* **4.** Final; total: *Foi piorando de vida, até que chegou à ruína definitiva.* ~ V. *edição* —a e *órbita* —a.

definito. [Do lat. *definitu.*] *Adj.* V. *definido.*

definitório. *S. m.* **1.** Congregação dos definidores [v. *definidor* (3)]. **2.** Lugar onde eles se reúnem.

definível. *Adj. 2 g.* Que se pode definir.

deflação[1]. [Do ingl. *deflation.*] *S. f.* Ação de diminuir o excesso de papel-moeda em circulação. [Antôn.: *inflação.*]

deflação[2]. [Do lat. *deflare*, 'soprar por cima'] *S. f. Geol.* Carregamento pelo vento dos detritos de decomposição das rochas.

deflacionado. [Part. de *deflacionar.*] *Adj.* Em que se promoveu deflação.

deflacionar. *V. t. d.* Promover a deflação[1] de. [Antôn.: *inflacionar.* Fut. pret.: *deflacionaria*, etc. Cf. *deflacionária*, fem. de *deflacionário.*]

deflacionário. *Adj.* **1.** Relativo à deflação[1]. **2.** Em que há deflação[1]. [Antôn.: *inflacionário.* Fem.: *deflacionária.* Cf. *deflacionaria*, do v. *deflacionar.*]

deflacionável. *Adj. 2 g.* Que pode ser deflacionado. [Antôn.: *inflacionável.*]

deflacionista. [Do ingl. *deflationist.*] *Adj. 2 g.* **1.** Relativo à deflação[1], ou que é partidário dela. ● *S. 2 g.* **2.** Partidário da deflação[1]. [Antôn.: *inflacionista.*]

deflagração. [Do lat. *deflagratione.*] *S. f.* **1.** *Expl.* Autocombustão que se propaga de partícula em partícula de um combustível, com velocidades compreendidas entre alguns centímetros e 400 m por segundo. **2.** Combustão ativa e completa, com chama intensa. **3.** *Fig.* Ocorrência súbita e impetuosa; irrupção: *a deflagração da revolta.*

deflagrador (ô). *Adj.* Que deflagra ou produz deflagração.

deflagrar. [Do lat. *deflagrare.*] *V. int.* **1.** Inflamar-se com chama intensa, centelhas ou explosões: *A mina de pólvora deflagrou.* **2.** *Fig.* Irromper repentinamente: *A tempestade está prestes a deflagrar;* "Sabia a revolução pronta, preparada, a pique de *deflagrar.*" (Afonso Arinos de Melo Franco, *A Alma do Tempo*, p. 331). *T. d.* **3.** Fazer inflamar-se com chama cintilante: *deflagrar o salitre.* **4.** *Fig.* Atear, provocar, excitar: *deflagrar a rebelião;* "Estarei mesmo pronta para construir e derrubar heróis, *deflagrar* paixões, insuflar suspeitas .... ?" (Nélida Piñon, *A Força do Destino*, p. 18).

deflectir. [Do lat. *deflectere.*] *V. t. i.* **1.** Mudar a direção de um movimento para um dos lados: *Deflectiu os raios luminosos para a esquerda.* **2.** Mudar a posição ou o movimento natural; desviar: *Deflecti para a direita o curso do rio.* **3.** *Agrim.* Seguir o ângulo da deflexão. *Int.* **4.** Desviar-se, deslocar-se: *Os raios luminosos deflectiram.* [Var.: *defletir;* sin. ger.: *deflexionar.* Defect. Conjug.: v. *genuflectir.*]

deflector (ô). *Adj.* e *s. m.* Que ou aquilo que faz deflectir. [Var.: *defletor.*]

deflegmação. *S. f.* **1.** Ato de deflegmar. **2.** *Quím.* Operação em que se condensa parcialmente uma mistura de vapores, recolhendo como líquido o menos volátil; desflegmação.

deflegmador (ô). [De *deflegmar* + *-dor.*] *S. m.* **1.** *Eng. Ind.* Aparelho em que os sucos fermentados sofrem uma destilação parcial, donde provém a flegma (2). **2.** *Quím.* Coluna de destilação fracionada colocada entre o alambique e o condensador; desflegmador.

deflegmar. [De *de-* + gr. *phlégma*, 'muco', + *-ar*[2].] *V. t. d. Quím.* Realizar a deflegmação de; desflegmar.

defletir. *V. t. i.* e *int.* V. *deflectir.* [Defect. Conjug.: v. *genuflectir.*]

defletor (ô). *Adj.* e *s. m.* V. *deflector.*

deflexão (cs). [Do lat. *deflexione.*] *S. f.* **1.** Ato ou efeito de deflectir. **2.** Movimento com que se abandona uma linha que se descrevia, para seguir outra. **3.** *Agrim.* Ângulo existente entre dois caminhamentos: deflexão à esquerda ou à direita. **4.** *Náut.* Desvio da agulha magnética da direção do norte magnético, provocada pela presença, nas suas proximidades, de ferros, motores elétricos em operação, etc.

deflexionar (cs). *V. t. i.* e *int.* V. *deflectir.*

deflexo (cs). *Adj. Morfol. Veg.* Recurvado para baixo: *pedúnculo deflexo.*

defloração. [Do lat. *defloratione.*] *S. f.* V. *desfloração.*

deflorado. [Part. de *deflorar.*] *Adj.* Que se deflorou.

deflorador (ô). [Do lat. *defloratore.*] *Adj.* e *s. m.* V.

desflorador.
defloramento. *S. m.* V. *desfloração.*
deflorar. [Do lat. *deflorare.*] *V. t. d.* **1.** Desflorar (1). **2.** V. *estuprar.* **3.** Compilar as melhores passagens de.
defluência. [Do lat. *defluentia.*] *S. f.* **1.** V. *deflúvio* (1): *a defluência das águas.* **2.** Decorrência, decurso, sucessão, deflúvio: *a defluência dos anos.* **3.** Influência, influxo: *a defluência duma idéia.* [Cf. *difluência.*]
defluente. [Do lat. *defluente.*] *Adj. 2 g.* **1.** Que deflui. ● *S. m.* **2.** *Geogr.* Braço formado pela divisão das águas dum rio: "No ocidente do vale, à ourela dos rios, na várzea plástica, a selva é quase hostil. Aí, meio fechadas na ramaria, ao longo dos afluentes, dos confluentes, dos defluentes — as tristes choupanas." (Raimundo Morais, *Na Planície Amazônica,* p. 22.) [Cf. *difluente, afluente* e *confluente.*]
defluir. [Do lat. *defluere.*] *V. int.* **1.** Derivar (um líquido); ir correndo. *T. i.* **2.** Derivar, emanar, manar, decorrer, provir: "A linguagem que o romancista [Machado de Assis] atribui às suas principais criações de semiloucos filósofos parece defluir de uma página inflamada de Artur de Oliveira, justamente pela ênfase romântica" (Eugênio Gomes, *Machado de Assis,* p. 139). [Conjug.: v. *atribuir.* Cf. *difluir.*]
deflúvio. [Do lat. *defluviu.*] *S. m.* **1.** Ação de defluir; corrimento, escoamento, percurso (de líquidos); defluência, defluxão. **2.** V. *defluência* (2). **3.** Vazão de um curso de água, considerada num período relativamente longo; débito, despesa, débito fluvial, despesa fluvial.
defluxão (cs ou ss). [Do lat. *defluxione.*] *S. f.* **1.** V. *deflúvio* (1). **2.** *Patol.* Descarga abundante. **3.** *Med.* Fluxão. **4.** *Pop.* V. *coriza.*
defluxeira (cs ou ss). *S. f. Fam.* V. *coriza.*
defluxo (cs ou ss). [Do lat. *defluxu.*] *S. m. Pop.* V. *coriza.*
➧**de fond en comble** (de fõ tã combl'). [Fr.] De baixo a cima; inteiramente.
deforete (ê ou é). *S. m. Bras., PE* e *AL. Pop.* **1.** Descanso durante o serviço; folga. **2.** Pilhéria de mau gosto.
deformação. [Do lat. *deformatione.*] *S. f.* **1.** Ação ou efeito de deformar(-se); modificação da forma primitiva; alteração. **2.** Desfiguração, deturpação: *deformação de uma idéia.* **4.** *Mat.* Deformação contínua. ◆ **Deformação contínua.** *Mat.* A que se processa numa linha, numa superfície ou num volume materiais, sem provocar o seu rompimento. [Tb. se diz apenas *deformação.*] **Deformação elástica.** *Estrut.* A que desaparece com a cessação da causa. [Opõe-se a *deformação plástica.*] **Deformação linear.** *Estrut.* A que se caracteriza pela variação da distância entre dois pontos vizinhos. **Deformação orogênica.** *Geol.* Deformação da crosta terrestre, devida a um levantamento ocasionado por movimentos verticais ou tangenciais. **Deformação plástica.** *Estrut.* A que permanece após cessada a causa. [Opõe-se a *deformação elástica.*]
deformado. [Part. de *deformar.*] *Adj.* **1.** Que sofreu deformação. **2.** Cuja forma se perdeu ou profundamente se alterou.
deformador (ô). *Adj.* e *s. m.* Que ou o que deforma.
deformar. [Do lat. *deformare.*] *V. t. d.* **1.** Alterar a forma de; tornar deforme: *Os espelhos côncavos deformam as imagens.* **2.** Deturpar, alterar, modificar: *O tradutor deformou o pensamento do autor. P.* **3.** Perder a forma primitiva; alterar-se, modificar-se: *Seu rosto deformou-se com a velhice.* [Sin. ger.: *desformar.*]
deformatório. *Adj.* Que produz deformidade.
deformável. *Adj. 2 g.* Que se pode deformar; sujeito a deformar-se.
deforme. [Do lat. *deforme.*] *Adj. 2 g.* **1.** Que perdeu a sua forma primitiva; alterado, deformado. **2.** Que tem forma irregular e desagradável; monstruoso, desconforme, disforme.
deformidade. [Do lat. *deformitate.*] *S. f.* **1.** Estado do que é deforme; irregularidade, desproporção ou anormalidade de conformação; defeito, aleijão: *deformidade física.* **2.** Vício, perversão. **3.** Dano estético.
defraudação. [Do lat. *defraudatione.*] *S. f.* Ato ou efeito de defraudar; espoliação fraudulenta; defraudamento, fraude.
defraudador (ô). [Do lat. *defraudatore.*] *Adj.* e *s. m.* Que ou aquele que defrauda.
defraudamento. *S. m.* V. *defraudação.*
defraudar. [Do lat. *defraudare.*] *V. t. d.* **1.** Espoliar fraudulentamente; fraudar: *defraudar o tesouro público.* **2.** Privar dolosamente de: *defraudar uma herança.* **3.** Lesar dolosamente; prejudicar, esbulhar; fraudar: *defraudar os clientes.* **4.** Contrariar, iludindo com subterfúgios: *defraudar a lei.* **5.** Iludir, desenganar; fraudar: *defraudar a expectativa. T. d. e i.* **6.** Privar fraudulentamente; espoliar: *O miserável defraudou o órfão de sua pequena herança.*
defrontação. *S. f.* **1.** Ato de defrontar(-se). **2.** Estado daquilo que defronta.
defrontante. *Adj. 2 g.* Que defronta.
defrontar. *V. t. i.* **1.** Estar fronteiro ou defronte: *Sua casa defronta com a minha.* **2.** Ver-se defronte; deparar, topar: *Na curva da estrada, defrontei com o rio.* **3.** Arrostar, encarar: *defrontar com o perigo. T. d.* **4.** Colocar-se defronte de; encarar, enfrentar: *defrontar o adversário. T. d. e i.* **5.** Pôr defronte; confrontar: *defrontar a filosofia com a religião. P.* **6.** Estar frente a frente; confrontar-se: *Os muros defrontam-se.* **7.** Ver-se defronte; topar, deparar-se, confrontar-se. **8.** Arrostar, encarar, enfrentar.
defronte. [De *de* + *fronte.*] *Adv.* **1.** Em face; frente a frente: "É já de minha terra esta colina, / Aquele capão de árvores defronte" (Alberto de Oliveira, *Poesias,* 3ª série, p. 245). ● *Adj. 2 g.* **2.** *Bras., MT.* Diferente, diverso. ◆ **Defronte a.** V. *defronte de:* "Vou sentar-me defronte ao corvo magro e rudo" (Machado de Assis, *Poesias Completas,* p. 303). **Defronte de.** **1.** Em frente de; diante de: **2.** Em oposição a. **3.** Em comparação com: *Você, metido a rico, defronte de Carlos é um pobretão.* [Sin. ger.: *defronte a.*]
defumação. *S. f.* **1.** Ato ou efeito de defumar; defumadura. **2.** *Bras., N.* Processo empregado na preparação da borracha. **3.** *Bras. Folcl.* Queima de ervas e raízes aromáticas a fim de afastar malefícios de pessoas e casas, e atrair boa sorte.
defumado. [Part. de *defumar.*] *Adj.* Que se defumou: *carne defumada; tacho defumado.*
defumadoiro. *S. m.* V. *defumadouro.*
defumador (ô). *Adj.* **1.** Que defuma. ● *S. m.* **2.** Aquele que defuma. **3.** Vaso onde se queimam substâncias para defumar ou perfumar; caçoula, perfumador, defumadouro. **4.** *P. ext.* Substância para defumar (4). **5.** *Bras., Amaz.* Pequena palhoça, junto da habitação onde o seringueiro defuma a borracha; defumadouro.
defumadouro. [Var. de *defumadoiro.*] *S. m.* **1.** Substância que defuma. **2.** V. *defumador* (3 e 5). **3.** Lugar onde se defuma alguma coisa; fumeiro. **4.** Ato de defumar.
defumadura. *S. f.* Defumação (1).
defumar. [De *de-* + *fumo* + *-ar*[2].] *V. t. d.* **1.** Expor, curar, secar ao fumo: *defumar presuntos.* **2.** Enegrecer com fumo. **3.** Perfumar com o fumo de substâncias aromáticas: *defumar os lençóis; defumar a sala.* **4.** Proceder à queima de ervas, raízes ou substâncias aromáticas a fim de afastar malefícios de (pessoas, casas ou objetos), e atrair boa sorte. *P.* **5.** Perfumar-se.
defunção. [Do lat. *defunctione.*] *S. f.* Falecimento, óbito, decesso.
defuntar. [De *defunto* + *-ar*[2].] *V. int. Bras., S. Fam.* V. *morrer* (1). [Cf. *defuntear.*]
defuntear. [Do esp. plat. *defuntear.*] *V. t. d. Bras., RS. Pop.* Matar, assassinar: "— Mas... não é pra defuntear o homem... amarrado? / — Não! Acoquiná-lo, só..." (Simões Lopes Neto, *Contos Gauchescos e Lendas do Sul,* p. 179.) [Conjug.: v. *frear.* Cf. *defuntar.*]
defunteiro. *S. m.* **1.** *Bras., S.* Aquele que trata de enterros; gato-pingado. [Sin. (no RJ): *papa-defunto(s).*] ● *Adj.* **2.** Próprio de funeral, de enterro.
defunto. [Do lat. *defunctu,* i. e., *defunctu vita,* 'que já se desobrigou do encargo da vida'.] *Adj.* **1.** Que faleceu; morto, falecido, extinto. **2.** Esquecido, olvidado; extinto: *glórias defuntas.* **3.** De, ou próprio de defunto (4): "Garcia tinha-se chegado ao cadáver, levantara o lenço e contemplara por alguns instantes as feições defuntas." (Machado de Assis, *Várias Histórias,* pp. 117-118.) ● *S. m.* **4.** Pessoa que morreu; cadáver. ◆ **Defunto sem choro.** *Bras.* Pessoa desprezada, desamparada, sem proteção. **Matar defunto.** *Bras.* Contar história já sabida.
degas. *S. m. 2 n. Bras. Gír.* **1.** Eu (modo de alguém referir-se à própria pessoa); o papai; o boneco: "Ainda que Suçuarana é o sobrenome cá do degas; por causa de ser malhado como a bicha." (José de Alencar, *Til,* p. 111); "Aqui onde vês este degas, já desanquei uma capangada!" (Id., *ib.,* p. 107); *Aqui o degas não vai nessa onda.* [Antecedido sempre de o.] **2.** Sujeito importante. **3.** Contador de vantagens.
degasar. [De *de-* + *gás* + *-ar*[2].] *V. t. d. Quím.* Desgasar.
degelar. [De *de-* + *gelo* + *-ar*[2].] *V. t. d.* **1.** Derreter (o que estava congelado); descongelar: *O sol degelou a neve.* **2.** *Fig.* Aquecer, reanimar: *Sua presença degelou a reunião, que estava muito sem vida; Em pouco tempo degelou a rigidez.* **3.** *Fig.* Amolecer, abrandar: *degelar o coração. Int.* e *p.* **3.** Derreter-se (o que estava congelado). **4.** *Fig.* Amolecer(-se), abrandar(-se), desenrijar-se. [F. paral.: *desgelar.* Pres. ind.: *degelo,* etc. Cf. *degelo* (ê).]
degelo (ê). [Dev. de *degelar.*] *S. m.* **1.** Ato ou efeito de degelar; descongelação. **2.** *Met.* Desaparição gradual da água congelada (gelo). [Pl.: *degelos* (ê). Cf. *degelo,* do v. *degelar.*]
degeneração. [Do lat. *degeneratione.*] *S. f.* **1.** Ato ou efeito de degenerar. **2.** Passagem de um estado natural a outro inferior; alteração para pior; definhamento, estrago, degenerescência. **3.** Corrupção, depravação: *degeneração dos costumes.* **4.** Abastardamento. **5.** *Fís.* Fenômeno apresentado por um sistema quantificado que tem estados degenerados; degenerescência. **6.** *Eletrôn.* Realimentação negativa. **7.** *Patol.* Mudança de forma para outra funcionalmente inferior. **8.** *Restr.* Alteração de tecido para uma forma funcionalmente inferior, ou menos ativa. [Quando há alteração química do próprio tecido, a degeneração é dita *verdadeira.* Cf. *infiltração* (4).] ◆ **Degeneração de permuta.** *Fís.* A de um estado de um sistema constituído por diversas partículas idênticas, e que decorre da indistinguibilidade destas partículas.
degenerado. [Part. de *degenerar.*] *Adj.* **1.** Que degenerou. **2.** Em que há degenerescência. **3.** Depravado, corrompido. [Sin. ger.: *degênere.*] ~ V. *matéria —a.* ● *S. m.* **4.** Indivíduo que degenerou. ~ V. *degenerados.*
degenerados. [Pl.: de *degenerado.*] *Adj. Fís.* Diz-se de dois ou mais estados de um sistema quantificado que têm a mesma energia, mas números quânticos diferentes. ~ V. *degenerado.*
degenerante. *Adj. 2 g.* **1.** Que degenera. **2.** *Constr.* Diz-se do arco em que as linhas do intradorso e do extradorso se tornaram retas e paralelas, ficando oblíquas as juntas das pedras.
degenerar. [Do lat. *degenerare.*] *V. int.* e *p.* **1.** Perder as qualidades ou características primitivas; abastardar-se: *A planta degenerou.* **2.** Desviar-se das qualidades da raça; abastardar-se: "Quem puxa aos seus não degenera" (Prov.). **3.** Modificar-se ou alterar-se para pior; estragar-se: *O vinho degenerou.* **4.** Corromper-se, aviltar-se, depravar-se: *No convívio dos delinqüentes ele degenerou-se. T. d.* **5.** Deturpar, alterar: *Degenerou toda a narração dos acontecimentos.* **6.** Tornar degenerado; corromper: *Tais costumes degeneram a nação. T. i.* **7.** Desviar-se (das qualidades primitivas): *Esta espécie degenerou do tipo original.* **8.** Modificar-se para pior; transformar-se em, piorando: "O valor com que domáramos o oceano .... degenerara rapidamente num egoísmo sórdido." (Ramalho Ortigão, *Figuras e Questões Literárias,* I, p. 148.) [Pres. subj.: *degenere,* etc. Cf. *degênere.*]
degenerativo. *Adj.* Que produz degeneração ou é da natureza dela. ~ V. *força —a.*
degênere. [Do lat. *degenere.*] *Adj. 2 g.* V. *degenerado:* "Tentei compreendê-lo [ao poeta Luís Guimarães Júnior]; senhores, confesso-vos que fiz essa experiência mortal e saí dela edificado. Dela trouxe, se não a voz, ao menos o eco degênere, o vagido elementar do seu grito adulto e valoroso." (João Ribeiro, *O Fabordão,* p. 47.) [Cf. *degenere,* do v. *degenerar.*]
degenerescência. [Do fr. *dégénérescence.*] *S. f.* **1.** Degeneração, decaimento, definhamento. **2.** Disposição para degenerar. **3.** Alteração dos caracteres dum corpo organizado. **4.** *Fís.* Degeneração (5). **5.** *Genét.* Existência de mais de uma seqüência de três bases que representam um mesmo aminoácido no código genético.
degenerescente. [Do fr. *dégénérescent.*] *Adj. 2 g.* Que revela degenerescência.
deglutição. *S. f.* Ato de deglutir; passagem do bolo alimentar da boca para o esôfago, passando pela laringe.
deglutinação. [De *de-* + *glutinar* + *-ção.*] *S. f. Gram.* Modalidade de aférese em que, num vocábulo, se separam os fonemas *a* ou *o* iniciais, por serem confundidos com o artigo. Ex.: *bodega* [q. v.], *relógio* [q. v.] [Cf. *composição* (7).]
deglutir. [Do lat. *deglutire.*] *V. t. d.* e *int.* Engolir, ingerir: *Deglutiu avidamente dois churrascos;* "deglutia [D. Leopoldina] bocados de um prato apreciado, sozinha, com o apetite voraz de gulosa que o era." (Alberto Rangel, *Dom Pedro Primeiro e a Marquesa de Santos,* p. 144); *O mal da garganta impede-o de deglutir.*
degola. [Dev. de *degolar.*] *S. f.* **1.** V. *degolação.* **2.** *Fig.* Reprovação em massa. **3.** *Fig.* Dispensa em massa de empregados. **4.** *Bras.* Reentrância do eixo dos carros de bois.
degolação. [Do lat. *decollatione.*] *S. f.* Ato ou efeito de

degolar(-se); decepamento, decapitação; degola, degoladura, degolamento.

degoladoiro. *S. m.* V. *degoladouro.*

degolador (ô). *S. m.* **1.** Aquele que degola. **2.** Ferramenta de serralheiro para formar cantos redondos e outras superfícies côncavas, e para estirar e adelgaçar os metais.

degoladouro. [Var. de *degoladoiro.*] *S. m.* Lugar onde se degolam ou matam animais; matadouro.

degoladura. *S. f.* V. *degolação.*

degolamento. *S. m.* V. *degolação.*

degolar. [Do lat. *decollare.*] *V. t. d.* **1.** Cortar o pescoço ou a cabeça a; decapitar. **2.** Cortar, decepar. **3.** *Encad.* Mutilar (livro ou parte de livro), atingindo no aparo a mancha da impressão. *P.* **4.** Cortar o pescoço a si próprio; suicidar-se por degolação. [Pres. ind.: *degolo, degolas*, etc. Cf. *degolo* (ô).]

degolo (ô). *S. m.* Decote (3). [Cf. *degolo*, do v. *degolar.*]

degotar. *V. t. d. e p. Pop.* Decotar.

degote. *S. m. Pop.* Decote.

degradação. [Do lat. *degradatione.*] *S. f.* **1.** Destituição ignominiosa de um grau, dignidade, encargo, qualidade, etc.: *degradação militar.* **2.** Deterioração, desgaste, estrago: *degradação das rochas.* **3.** Atenuação gradual; diminuição: *degradação das cores dum quadro.* **4.** *Fig.* Aviltamento, rebaixamento, abjeção: *degradação moral.* **5.** *Fís. Nucl.* Processo em que as partículas, atravessando um meio, perdem suas identidades ou suas energias. ♦ **Degradação de energia.** *Fís.* Fenômeno ocorrente em todos os processos espontâneos ou irreversíveis na natureza, e no qual a energia, sob forma diferente de energia térmica, se transforma, pelo menos parcialmente, em calor.

degradador (ô). *Adj.* **1.** V. *degradante.* ● *S. m.* **2.** Aquele ou aquilo que degrada.

degradante. [Do lat. *degradante.*] *Adj. 2 g.* Que degrada; aviltante, infamante, degradador.

degradar[1]. [Do lat. *degradare.*] *V. t. d.* **1.** Privar de graus, dignidades ou encargos; exautorar: *degradar um magistrado.* **2.** Tornar vil ou desprezível; aviltar, envilecer: *Tal comportamento degrada o país.* **3.** Estragar, deteriorar, desgastar: *Os ventos e as chuvas degradaram as rochas.* **4.** Atenuar ou diminuir gradualmente; graduar: *degradar tonalidades duma pintura. T. d. e i.* **5.** Privar, rebaixar: *O comando degradou dos seus títulos alguns dos oficiais. P.* **6.** Envilecer-se, aviltar-se, rebaixar-se: "Sim, é o culto da palavra que está em crise, é a retórica que entrou em decadência, é o estilo que deperece, é a eloqüência que se degrada" (Neemias Gueiros, *A Advocacia e o Seu Estatuto*, p. 27). [Cf. *degredar.*]

degradar[2]. *V. t. d.* V. *degredar.*

➧**dégradé** (dêgradê). [Fr.] *Adj.* **1.** Diz-se de cor que vai esmaecendo em tonalidades cada vez menos vivas. ● *S. m.* **2.** O conjunto dessas tonalidades.

degranar. [De *de-* + *gran(o)-* + *-ar²*.] *V. t. d.* Desprender os grãos de: *degranar o milho.*

degrau. [De *de-* + *grau.*] *S. m.* **1.** Cada uma das peças, constituídas essencialmente de um plano sólido horizontal, em que se põe o pé para subir ou para descer escadas fixas: *Os degraus foram abertos na rocha.* [Cf. *espelho* (5).] **2.** *P. ext.* Qualquer peça transversal que proporcione firmeza para apoio do pé nas escadas móveis. **3.** *Fig.* V. *escalão.* **4.** *Fig.* Meio de que alguém usa para se elevar ou conseguir certo fim: *A bajulação é um degrau para ele conquistar posições.*

degredado. [Part. de *degredar.*] *Adj.* e *s. m.* **1.** Que ou aquele que sofreu pena de degredo; desterrado. **2.** *P. ext.* Banido, exilado.

degredar. [Do lat. *decretare.*] *V. t. d.* **1.** Impor a pena de degredo a; desterrar. **2.** *P. ext.* Exilar, banir. [Var.: *degradar.* Cf. *degradar[1]*. Pres. ind.: *degredo*, etc. Cf. *degredo* (ê).]

degredo (ê). [Do lat. *decretu.*] *S. m.* **1.** Pena de desterro que a justiça impõe a criminosos. **2.** *P. ext.* Exílio, banimento. **3.** Lugar onde se cumpre a pena de degredo. [Pl.: *degredos* (ê). Cf. *degredo*, do v. *degredar.*]

degringolada. [Do fr. *dégringolade.*] *S. f. Gal.* **1.** Ação de degringolar. **2.** *Fig.* Decadência, queda, ruína, derrota.

degringolar. [Do fr. *dégringoler.*] *V. int. Gal.* **1.** Descer precipitadamente de alto a baixo; rolar, cair. **2.** *Fig.* Cair em rápida decadência; arruinar-se: *Com a inflação, a empresa não tardou a degringolar.* **3.** Desorganizar-se, desordenar-se, desarranjar-se: *Se errarmos a posição de uma só carta, o jogo degringola todo.*

degustação. [Do lat. *degustatione.*] *S. f.* **1.** Ato de degustar. **2.** Reunião social em que se serve vinho acompanhado de salgadinhos, patê e, sobretudo, queijo.

degustar. [Do lat. *degustare.*] *V. t. d.* Avaliar pelo paladar o sabor de; provar: *degustar um caqui; Degustou o vinho com delícia.*

▲**de(i)-.** [Do lat. *deus, i.*] *El. comp.* = 'Deus', 'deus': *deísmo, deiforme, deípara* (< lat. *deipara*).

dei. [Do ár. *da i.*] *S. m.* Título que os janízaros, que constituíam as guarnições de Argel e Túnis após a conquista destas cidades pelos turcos, no séc. XVI, davam aos chefes eleitos por eles.

déia. [Do lat. *dea.*] *S. f. Poét.* Deusa.

deicida (e-i). [Do lat. *deicida.*] *Adj. 2 g.* e *s. 2 g.* Que ou quem mata um deus.

deicídio (e-i). [Do lat. tardio *deicidiu.*] *S. m.* **1.** Morte infligida a um deus. **2.** *Rel.* A morte que os judeus deram a Cristo.

deícola. [Do lat. tardio *deicola.*] *S. 2 g.* Deísta (2).

dèictico. [Do gr. *deiktikós.*] *Adj.* Relativo à dêixis. [Var.: *dêitico.*]

deidade. [Do lat. *deitate.*] *S. f.* **1.** Divindade, nume; deus ou deusa. **2.** *Fig.* Pessoa ou coisa que se admira e venera. **3.** *Fig.* Mulher formosíssima.

deificação (e-i). *S. f.* Ato ou efeito de deificar.

deificador (e-i...ô). *Adj.* **1.** Deífico (1). ● *S. m.* **2.** Aquele que deifica.

deificar (e-i). [Do lat. *deificare.*] *V. t. d.* **1.** Incluir em o número dos deuses; divinizar. **2.** Promover a apoteose de. [Pres. ind.: *deifico*, etc. Cf. *deífico.* Conjug.: v. *trancar.*]

deífico. [Do lat. *deificu.*] *Adj.* **1.** Que deifica ou diviniza; deificador. **2.** Divino (1). [Cf. *deifico*, do v. *deificar.*]

deiforme (e-i). [De *de(i)-* + *-forme.*] *Adj. 2 g.* **1.** Conforme com Deus. **2.** *Poét.* Que tem a aparência de um deus.

Deimos. [Do gr. *deimos*, 'terror'.] *S. m. Astr.* O menor e mais externo dos satélites do planeta Marte, com 8 km de diâmetro e magnitude aparente de 12,8, na oposição. [Foi descoberto em 11.8.1877 pelo astrônomo norte-americano Asaph Hall (1829-1907).]

deionizar. [De *de-* + *íon* + *-izar.*] *V. t. d.* Desionizar.

deípara. [Do lat. *deipara.*] *S. f.* **1.** Aquela que deu à luz a um deus. **2.** Epíteto dado a Maria, mãe de Jesus Cristo.

▲**-(d)eira.** Fem. de *-(d)or.*

deiscência (e-i). [Do lat. *dehiscentia.*] *S. f.* **1.** *Bot.* Abertura espontânea de órgão ou partes vegetais ao alcançarem a maturidade. **2.** *Cir.* Afastamento, após terem sido estes unidos artificialmente, dos planos anatômicos atingidos por uma incisão cirúrgica ou uma ferida. ♦ **Deiscência do ovo.** *Med.* Abertura da vesícula de Graaf.

deiscente (e-i). [Do lat. *dehiscente.*] *Adj. 2 g.* ~ V. *fruto* —.

deísmo. [De *de(i)-* + *-ismo.*] *S. m. Filos.* Sistema ou atitude dos que, rejeitando toda espécie de revelação divina, e portanto a autoridade de qualquer Igreja, aceitam, todavia, a existência de um Deus, destituído de atributos morais e intelectuais, e que poderá ou não haver influído na criação do Universo. [Cf. *teísmo[1]*.]

deísta. *Adj. 2 g.* **1.** Relativo ao, ou que é adepto do deísmo. ● *S. 2 g.* **2.** Adepto do deísmo; deícola.

deita. [Dev. de *deitar.*] *S. f. Pop.* Deitada.

deitada. [De *deitar* + *-ada[1]*.] *S. f. Pop.* Ato de deitar-se alguém para dormir; deita.

deitado. [Part. de *deitar.*] *Adj.* **1.** Estendido horizontalmente; acamado. ~ V. *página* —*a.* ● *S. m.* **2.** *Tip.* Esquema a que, na imposição, devem obedecer as páginas em relação ao formato escolhido.

deitar. [Do lat. *dejectare.*] *V. t. d.* **1.** Estender ao comprido; pôr ou dispor mais ou menos horizontalmente; inclinar: *Deitou as sacas para arrumá-las melhor.* **2.** Pôr em posição de decúbito; estender na cama: *deitar a criança.* **3.** Fazer ou deixar pender; inclinar, abater, abaixar: *deitar a cabeça; O vento deitava o milharal.* **4.** Fazer cair: *deitar o sal.* **5.** Entornar, verter: *deitar água.* **6.** Atirar, lançar, arremessar: *deitar pedras.* **7.** Lançar, largar, soltar: *deitar foguetes.* **8.** Lançar de si; expelir, ressumar, segregar: *A ferida deita sangue.* **9.** Trescalar, exalar: *deitar cheiro agradável.* **10.** Espalhar, difundir: *O lampião deita pouca luz.* **11.** Emitir, expedir, soltar: *deitar gritos.* **12.** Exprimir, enunciar: *deitar palpites.* **13.** Produzir, criar: *deitar flores.* **14.** Pôr, colocar, aplicar: "*deita a luneta*, lê com atenção a lista dos pratos" (Artur Azevedo, *Contos Efêmeros*, p. 226); *deitar um remendo; deitar uma atadura.* **15.** Ostentar, exibir, mostrar: *deitar um vestido novo.* **16.** Estender para segurar ou apanhar: *Deitou a rede de pesca.* **17.** Percorrer, andar (certa distância): *A embarcação deita muitas milhas.* **18.** Estabelecer, instalar: *deitar um negócio. T. d. e i.* **19.** Estender horizontalmente; pôr ao comprido: *deitar o tapete no chão.* **20.** Fazer ou deixar pender; inclinar: *Deitou a cabeça no meu ombro; Deitei o chapéu para trás.* **21.** Entornar, verter: *deitar a cerveja no copo.* **22.** Fazer cair: *deitar o adversário no chão; deitar o açúcar no café.* **23.** Atirar, lançar, arremessar: *deitar uma pedra ao ar.* **24.** Emitir, expedir, lançar: *Deitou impropérios aos seus inimigos.* **25.** Dirigir, lançar; volver: "Rita sorriu, *deitando-me uns olhos de censura*" (Machado de Assis, *Memorial de Aires*, p. 8). **26.** Pôr, colocar, aplicar: *deitar a renda na saia.* **27.** Imputar, atribuir: *deitar a culpa ao adversário.* **28.** Espraiar, estender; circunvagar: *Deitou os olhos pela paisagem. T. i.* **29.** Ter vista ou saída: *A varanda deita para o jardim;* "A sala *deitava* para um corredor" (Santo-Tirso, *De rebus pluribus*, p. 23). **30.** Montar, importar: *A quanto deitarão as despesas?* **31.** Pôr-se subitamente; lançar-se: *Deitou a comer;* "*E deitou a correr* por entre as sebes cheirosas" (Coelho Neto, *Banzo*, p. 147). **32.** Estender-se, dilatar-se, alongar-se: *O artigo deita da página 20 à 53. P.* **33.** Estender-se, lançar-se ao comprido, sobre leito, sofá, etc., ou no chão: "Despiu-se e *deitou-se.*" (Artur Azevedo, *Contos Possíveis*, p. 83.) **34.** Arremessar-se; arrojar-se, botar-se: *Deitou-se ao mar.* **35.** Acometer, investir: *Deitou-se aos inimigos.* **36.** Atirar-se, aplicar-se, empenhar-se: *deitar-se ao trabalho.* **37.** V. *recolher* (21): "*Deitei-me* à hora habitual, depois da ceia." (Josué Montelo, *A Noite sobre Alcântara*, p. 158.) ♦ **Deitar abaixo.** Deitar por terra. **Deitar a perder. 1.** Ser a causa da ruína ou desgraça de. **2.** Dar cabo de; destruir. **Deitar e rolar.** *Bras.* **1.** Fazer o que quer, quando em posição de mando, aproveitando eventual superioridade em relação a outrem; pintar e bordar. **2.** V. *pintar o sete* (1). **Deitar fora. 1.** Desfazer-se de. **2.** Fazer sair; expulsar. **3.** Passar inutilmente, sem proveito: *Deitou fora as suas férias.*

dêitico. *Adj.* Dèictico [q. v.].

deixa. [Dev. de *deixar.*] *S. f.* **1.** Ato ou efeito de deixar; deixação, deixada, deixamento. **2.** Legado, herança. **3.** *Teat.* Palavra, frase ou atitude do ator, que indica a outro(s) o momento em que deve(m) falar ou entrar em cena. **4.** *Teat.* Ruído, sinal ou movimento de luzes ou de cenários, que marca o instante da entrada em cena de um ou mais atores, ou do início de novo movimento cênico. **5.** *P. ext.* Palavra, frase ou circunstância que dá ocasião a que alguém aja ou fale: *Aproveitei a deixa e falei.* **6.** *Bras., S.* Espaço alagado que formam os rios quando voltam ao primitivo leito, após a enchente. **7.** *Bras., SP.* Antigo leito de um rio; álveo antigo de cuja existência se conservam claros vestígios. ♦ **Pegar na deixa.** *Bras., N.E.* Nas cantorias, principiar uma estrofe rimando com o último verso da anterior.

deixação. *S. f.* V. *deixa* (1). ♦ **Deixação de si mesmo.** Abandono, desprendimento, abnegação da sua pessoa.

deixada. *S. f.* V. *deixa* (1).

deixa-disso. *El. s. m.* Us. na loc. *turma do deixa-disso* [q. v.].

deixamento. *S. m.* V. *deixa* (1).

deixar. [Do ant. *leixar.*] *V. t. d.* **1.** Sair de; afastar-se, retirar-se: *deixar a sala.* **2.** Separar-se, apartar-se de: *deixar os companheiros.* **3.** Ausentar-se: *deixar a pátria.* **4.** Sair de; desviar-se de: *deixar a estrada principal.* **5.** Não continuar a reter; não conservar mais; largar, soltar: *deixar a presa.* **6.** Abandonar, desprezar: *deixar a mulher.* **7.** Desistir de; renunciar a: *deixar honrarias.* **8.** Pôr de parte; não considerar; esquecer, abstrair: *Deixemos este ponto da questão.* **9.** Afastar, arredar, desviar, repelir: *Deixe esses devaneios bobos.* **10.** Não obstar; permitir, consentir: *Deixou que o apanhassem.* **11.** Adiar, delongar: *Deixemos por enquanto este negócio.* **12.** Dar como lucro ou proveito; render: *O empreendimento deixou pouco dinheiro.* **13.** Largar, abandonar; exonerar-se, demitir-se: *deixar o emprego.* **14.** Não referir; omitir: *deixar os pormenores.* **15.** Desabituar-se de: *deixar o vício do jogo.* **16.** Ser despojado de; perder: *deixar a vida; A planta deixa as suas folhas.* **17.** Desertar de; abandonar, abjurar: *deixar o partido, a religião.* **18.** Transmitir, comunicar; imprimir, infundir: *O prato deixou um sabor picante; Esta música deixa uma ponta de nostalgia.* **19.** Causar, ou transmitir, ao ausentar-se ou morrer: *deixar saudades; deixar exemplos.* **20.** Transmitir como legado[1] (1), ou (caso não haja testamento) como natural conseqüência da morte, automaticamente: *Morreu, deixando uma fortuna.* **21.** Transmitir como legado[1] (2): "O modernismo como revolução não deixou monumentos literários." (Hélio Pólvora, *A Força da Ficção,* p. 15); "Deixou [Tchekov] umas 300 histórias curtas." (id., *ib.,* p. 37). **22.** Tornar possível; facultar: *O nevoeiro mal deixava enxergar o caminho. Transobj.* **23.** Fazer que fique (em certo estado ou condição); tornar: *Deixei-o alegre; A transação deixou-o rico.* **24.** Instituir, constituir, nomear: *O avô deixou-o por herdeiro. T. i.* **25.** Cessar, desistir: *Por que deixou de estudar?* **26.** Fugir a; evitar: *Não posso deixar de agir assim. T. d. e i.* **27.** Transferir, legar: *O pai deixou-lhe uma casa.* **28.** Pôr à disposição de; ceder: *Deixou-me o seu lugar.* **29.** Não privar, não despojar (de alguém ou de algo): "Levai o que me mata ou me invalida, / Mas deixai-me a saudade, que esta vida / Só bem se vive morto de saudade." (Luís Carlos, *Colunas,* p. 113.) *P.* **30.** Cessar, desistir; abster-se: *Deixe-se de palavras e procure agir.* **31.** Separar-se, apartar-se: *Viveram anos juntos, sem nunca se deixarem.* **32.** Não obstar ou resistir; consentir, permitir: *deixar-se prender.* ◆ **Deixar a desejar.** Não corresponder ao que se esperava, ou ao que seria de esperar. **Deixar atrás. 1.** Não mencionar, omitir. **2.** Exceder, superar, suplantar. **Deixar cair.** *Bras.* V. *deixar correr.* **Deixar correr. 1.** Deixar que aconteça. **2.** Não fazer caso de. [Sin.: *deixar cair, deixar ir.*] **Deixar de fora.** Não dar oportunidade de participar; excluir. **Deixar ir.** V. *deixar correr.* **Deixar para lá.** Não fazer caso de; não se incomodar com. **Deixar passar. 1.** Não impedir que passe. **2.** Admitir, tolerar: *Impossível deixar passar semelhante desaforo.* **Deixar perceber.** Dar a entender. **Deixar ver.** Mostrar, apresentar; demonstrar.

dêixis (cs). [Do gr. *deíxis, eos.*] *S. f. Ling.* Faculdade que tem a linguagem de designar demonstrando e não conceituando. [Em qualquer sistema lingüístico a designação dêitica, ou demonstrativa, figura par a par com a designação simbólica, ou conceitual. V. *símbolo* (11) e *signo* (4 e 5).]

➧**déjà entendu** (dejá antandü). [Fr. 'já ouvido'.] *Neurol.* e *Psiq.* Ilusão epiléptica [q.v.] que representa manifestação epiléptica crítica, e durante a qual o paciente interpreta mal sensação ou sensações sonora(s) que, entretanto, percebe bem e que passa(m) a ter, para o paciente, características anormalmente familiares. [Cf. *jamais entendu.*]

➧**déjà vécu** (dejá vecü). [Fr. 'já vivido'.] *Neurol.* e *Psiq.* Ilusão epiléptica [q. v.] que representa manifestação epiléptica crítica, e durante a qual o paciente interpreta mal situação ou situações que, entretanto, percebe bem e que passa(m) a ter, para o paciente, características anormalmente familiares. [Cf. *jamais vécu.*]

➧**déjà vu** (dejá vü). [Fr., da loc. *c'est du déjà vu.*] **1.** Aquilo que dá a impressão de já ter sido visto. **2.** Sensação de já haver estado em determinado lugar ou certa situação quando isto, na realidade, não aconteceu. **2.** *Neurol.* e *Psiq.* Ilusão epiléptica [q. v.] que representa manifestação epiléptica crítica, e durante a qual o paciente interpreta mal objeto(s) que, entretanto, vê bem e que passa(m) a ter, para o paciente, características anormalmente familiares. [Cf., nesta acepç., *jamais vu.*]

dejarretar. *V. t. d.* Cortar pelo jarrete; jarretar.

dejeção. [Do lat. *dejectione.*] *S. f.* **1.** Defecação (1). **2.** Dejeto (2). **3.** *Geol.* Substância não gasosa expelida por vulcões. **4.** *Med.* Evacuação.

dejejua. [Dev. de *dejejuar.*] *S. f.* V. *desjejua.*

dejejuadoiro. *S. m.* Dejejuadouro [q. v.].

dejejuadouro. [Var. de *dejejuadoiro.*] *S. m.* V. *desjejum.*

dejejuar. [De *de-* + *jejuar.*] *V. t. d., int.* e *p.* V. *desjejuar.*

dejejum. *S. m.* V. *desjejum.*

dejetar. [Do lat. *dejectare.*] *V. int.* **1.** Fazer dejeção (1); defecar. *T. d.* **2.** Fazer dejeção (1) de.

dejeto. [Do lat. *dejectu.*] *S. m.* **1.** Ato de evacuar excrementos. **2.** Conjunto de matérias fecais expelidas por uma vez; dejeção.

dejetório. [De *dejeto* + *-ório.*] *S. m. Bras.* V. *latrina* (1).

dejua. [De *dejejua,* por haplologia.] *S. f.* V. *desjejum.*

dejuação. *S. f.* V. *desjejum.*

dejungir. [Do lat. *dejungere.*] *V. t. d.* Desjungir. [Defect. Conjug.: v. *jungir.*]

➧**de jure.** [Lat.] *Jur.* De direito. [Antôn.: *de facto.*]

➧**de jure constituendo.** [Lat., 'do direito a constituir'.] *Jur.* A propósito de matérias ou situações jurídicas não previstas em leis vigentes, mas que poderão ou deverão, com o tempo, constituir normas de direito objetivo; *de lege ferenda.*

dejúrio. [Do lat. *dejuriu.*] *S. m. P. us.* Juramento solene.

dela. Contr. da prep. *de* com o pron. *ela.*

delação. [Do lat. *delatione.*] *S. f.* **1.** Ato de delatar; denúncia. **2.** Revelação, manifestação, mostra. [Cf. *dilação.*]

delamber. [Do lat. *delambere.*] *V. t. d.* **1.** Tocar de leve em; roçar, lamber: "brisa da pátria além revoa, / E a delamber-lhe o braço de alabastro, / Falou-lhe de partir... e parte... e voa..." (Castro Alves, *Poesias Escolhidas,* p. 132). *P.* **2.** Lamber o próprio corpo; lamber-se. **3.** Mostrar grande alegria ou contentamento; regozijar-se, entusiasmar-se: *Delambia-se diante do namorado.* **4.** *Fig.* Mostrar-se vaidoso de si mesmo; narcisar-se. **5.** *Fig.* Apurar-se ridiculamente; afetar-se.

delambido. [Part. de *delamber-se.*] *Adj.* **1.** Que se delambeu ou foi lambido. **2.** Afetado, presumido. **3.** Sem expressão ou vivacidade; chocho, desenxabido, deslambido: *desenho delambido.* ● *S. m.* **4.** Indivíduo afetado, presumido.

delapidar. *V. t. d.* V. *dilapidar.*

delas-frias. *S. f. 2 n. Bras., N.E. Gír.* V. *cachaça* (1).

delatar. *V. t. d.* **1.** Denunciar, revelar (crime ou delito); acusar: *Delatou com veemência os desmandos da administração.* **2.** Acusar como autor de crime ou delito: *Silvério dos Reis delatou os conjurados.* **3.** Deixar perceber; denunciar, evidenciar, revelar: *O olhar ardente delatava seu amor;* "Enganar-se-ia .... quem supusesse inteiramente broncos os paulistas da época. A redação dos documentos seiscentistas delata um avanço notável sobre a dos anteriores" (Alcântara Machado, *Vida e Morte do Bandeirante,* p. 100). *T. d. e i.* **4.** Denunciar como culpado: *Delatou os companheiros à autoridade.* **5.** Revelar, denunciar: *Delatou à polícia o esconderijo dos ladrões. P.* **6.** Denunciar-se como culpado; acusar-se. [Cf. *dilatar.*]

delatável. *Adj. 2 g.* Que pode ou deve ser delatado. [Cf. *dilatável.*]

delator (ô). [Do lat. *delatore.*] *S. m.* Aquele que delata; denunciante.

delatório. *Adj.* Relativo a delação. [Cf. *dilatório.*]

➧**délavé** (dêlavê). [Fr.] *Adj.* Diz-se do tecido cuja cor manchada imita um tecido desbotado.

del-credere. *Adj. Jur.* **1.** Diz-se da cláusula do contrato de comissão em virtude da qual o comissário se constitui garante solidário ao comitente, assumindo o risco de solvibilidade e pontualidade daqueles com quem trata por conta deste, sem direito a nenhuma reclamação. ● *S. m.* **2.** O contrato de comissão assim firmado. **3.** Prêmio ou comissão que se paga ao comissário pala garantia assim constituída.

dele (ê). Contr. da prep. *de* com o pron. *ele.* [Flex.: *dela, deles* (ê), *delas.* Cf. *dele* e *deles,* do v. *delir.*]

➧**deleatur** (á). [Lat.] *S. m. Tip.* Sinal de revisão [₰] que indica que se deve suprimir letra ou palavra; sinal de supressão.

deleção. [Do ing. *deletion* < lat. *deletione,* 'destruição'.] *S. f. Genét.* Perda de um ou mais nucleotídeos de uma molécula de ácido desoxirribonucléico.

delegação. [Do lat. *delegatione.*] *S. f.* **1.** Ato ou efeito de delegar. **2.** Comissão que dá a alguém o direito de agir em nome de outrem, quer em caráter particular, quer como representante (3); mandato. **3.** Delegacia (1). **4.** *Jur.* Modalidade de novação [q. v.] pela qual um devedor passa a terceiro o encargo de pagar a sua dívida. [V. *expromissão.*]

delegacia. *S. f.* **1.** Cargo ou jurisdição de delegado; delegação. **2.** Repartição em que o delegado exerce a sua função: *delegacia policial; a Delegacia do Tesouro no exterior.*

delegado. [Part. de *delegar.*] **1.** Aquele que é autorizado por outrem a representá-lo; comissário. **2.** Enviado, emissário. **3.** Aquele que tem a seu cargo serviço público dependente de autoridade superior. **4.** A maior autoridade policial numa delegacia. **5.** Representante (3).

delegante. [Do lat. *delegante.*] *Adj. 2 g.* e *s. 2 g.* Que ou quem delega.

delegar. [Do lat. *delegare.*] *V. t. d.* **1.** Investir na faculdade de obrar; transmitir por delegação: *Delega mal os encargos que exigem maior competência. T. d. e i.* **2.** Transmitir poderes; investir na faculdade de obrar: *O país delega ao Congresso função legislativa; Delegou à comissão poderes especiais.* **3.** Enviar (alguém) com poderes de julgar, resolver, obrar; encarregar, incumbir: *A empresa delegou dois representantes ao simpósio.* [Conjug.: v. *regar.*]

delegatário. *Adj.* e *s. m.* Diz-se de, ou aquele a quem se delega encargo ou poderes.

delegatório. [Do lat. *delegatoriu.*] *Adj.* Em que há delegação.

delegável. *Adj. 2 g.* Que se pode delegar.

➧**de lege ferenda.** [Lat., 'da lei a criar'.] *Jur. De jure constituendo.*

deleitação. [Do lat. *delectatione.*] *S. f.* Ação de deleitar (-se), prazer prolongado; gozo, regalo, delícia, deleite, deleitamento.

deleitamento. *S. m.* V. *deleitação.*

deleitante. [Do lat. *delectante.*] *Adj. 2 g.* V. *deleitável.*

deleitar. [Do lat. *delectare.*] *V. t. d.* **1.** Causar prazer, deleite, a; deliciar: *A vida ao ar livre deleita-o. P.* **2.** Sentir ou receber grande prazer; deliciar-se: *Deleita-se com música clássica.*

deleitável. [Do lat. *delectabile.*] *Adj. 2 g.* Que deleita, que é muito agradável, que dá prazer; delicioso, deleitoso, deleitante.

deleite. [Dev. de *deleitar.*] *S. m.* **1.** Gozo íntimo e suave. **2.** Prazer inteiro, pleno; delícia, deleitação.

deleitoso (ô). *Adj.* V. *deleitável.*

deleixo. *S. m. P. us.* Desleixo, desleixamento: "Neste lânguido deleixo / Correr deixo / Minha vida descuidosa" (Bernardo Guimarães, *Poesias Completas,* p. 125).

➧**delenda Carthago.** [Lat., 'Cartago deve ser destruída'.] Sentença com que M. Pórcio Catão (234-149 a. C.) terminava suas intervenções no Senado romano. Diz-se para insistir na conveniência de se tomarem medidas drásticas.

deleriado. *Adj. Bras., S. Pop.* Sem sentidos; desfalecido, desmaiado.

deletério. [Do gr. *deletérios.*] *Adj.* **1.** Que destrói ou danifica; prejudicial, danoso: *elemento deletério;* "Perguntado por que deixara de tomar rapé, ... respondeu que alguns escritores modernos atribuíam ao amoníaco, parte componente do rapé, o deperecimento das faculdades retentivas, pela ação deletéria que o poderoso álcali exercitava sobre a massa encefálica." (Camilo Castelo Branco, *A Queda dum Anjo,* p. 159). **2.** Nocivo à saúde: *germes deletérios.* **3.** Que corrompe ou desmoraliza: *ambiente deletério.*

deletrear. [De *de-* + *letra* + *-ear.*] *V. t. d.* e *int.* **1.** Ler letra por letra; soletrar: "Ponho-me a silabá-lo; e não descubro. Entro a deletreá-lo; e não percebo." (Rui Barbosa, *Réplica,* p. 110); "Repetiu as frases silabificando, quase, deletreando, com o olho esquerdo fechado, com a atenção concentrada." (Júlio Ribeiro, *A Carne,* p. 140). **2.** Ler mal: *A empregada deletreou o bilhete; Não leu com fluência: deletreou.* [Sin. ger.: *letrear.* Conjug.: v. *frear.*]

delével. [Do lat. *delebile.*] *Adj. 2 g.* Que se pode apagar ou delir: "Tobias escrevia com uma tinta roxa muito usada no seu tempo e facilmente delével" (Hermes Lima, *Tobias Barreto,* pp. 284-285).

délfica. [Do gr. *delphke,* pelo lat. *delphica.*] *S. f.* A trípode da pitonisa de Delfos.

délfico. [Do gr. *delphikós,* pelo lat. *delphicu.*] *Adj.* De, ou pertencente ou relativo a Delfos (Grécia), ou ao seu antigo oráculo.

delfim[1]. [Do gr. *delphín,* pelo lat. *delphine.*] *S. m.* **1.** Mamífero cetáceo, da família dos delfinídeos *(Delphinus delphis* L.), cosmopolita, com rostro separado da fronte por um sulco que vai de um olho ao outro, 38 a 65 dentes superiores e 40 a 58 inferiores, dorso preto, com os lados cinzentos, e ventre branco. Atinge até 2 m de comprimento, e alimenta-se de peixinhos, moluscos e crustáceos. [Sin.: *golfinho.*] **2.** Monstro que tinha a parte superior do corpo em forma de mulher e a inferior em forma de serpente. **3.** Título dado aos antigos soberanos do Delfinado, e que, com a cessão desse feudo à coroa francesa, passou para os herdeiros do rei da França. **4.** *Astr.* Constelação boreal, ao N. do Aquário e da Águia, ao S. da Raposa e a O. do Pégaso. [Com maiúscula, nesta acepç.]

delfim[2]. [Do ár. *alfil.*] *S. m.* Bispo, no jogo de xadrez.

delfinense. *Adj. 2 g.* **1.** De, ou pertencente ou relativo a Delfim Moreira (MG). ● *S. 2 g.* **2.** Natural ou habitante de Delfim Moreira.

delfínida. *S. f.* e *adj. 2 g.* V. *delfinídeo.*

delfínidas. *S. m. pl. Zool.* V. *delfinídeos.*

delfinídeo. *S. m.* **1.** Espécime dos delfinídeos. ● *Adj.* **2.** Pertencente ou relativo aos delfinídeos.

delfinídeos. *S. m. pl. Zool.* Mamífero cetáceo, da família *Delphinidae,* de tamanho médio, cabeça terminada em rostro curto, dentes grandes e fortes, nadadeira dorsal bem desenvolvida. São os cetáceos conhecidos, e entre eles se incluem os botos e as toninhas.

delfino. [Cruz. de *finado* com o antr. *Delfino?*] *S. m. Bras., N. Pop.* Defunto, finado.

delfinopolitano. *Adj.* **1.** De, ou pertencente ou relativo a Delfinópolis (MG). ● *S. m.* **2.** O natural ou habitante de Delfinópolis.

delgadeza (ê). *S. f.* Qualidade de quem ou daquilo que é delgado; delgado.

delgado. [Do lat. *delicatu.*] *Adj.* **1.** De pouca espessura; fino: *tábua delgada; lâmina delgada.* **2.** De reduzida grossura ou diâmetro: *cintura delgada; pulsos delgados.* **3.** De corpulência escassa; magro, fino: *um rapazinho pálido e delgado.* **4.** Agudo, fino: *voz delgada.* **5.** Pontudo, afiado, aguçado: *flechas delgadas.* **6.** De escassa densidade; ralo, tênue, leve: *vinho delgado; delgado vapor.* **7.** *Fig.* Sutil, fino, arguto: *espírito delgado.* ~ V. *intestino* — e *lente* —a. ● *S. m.* **8.** A parte delgada de alguns objetos. **9.** Delgadeza.

delibação. [Do lat. *delibatione.*] *S. f.* Ato de delibar; prova.

delibar. [Do lat. *delibare.*] *V. t. d.* **1.** Libar (1): *Delibou o néctar.* **2.** Provar, bebendo; avaliar pelo paladar; degustar: *delibar o vinho;* "Do seio intacto o leite / Inda eu não delibava" (P^e^ Sousa Caldas, *Salmos de Davi*, p. 97). **3.** *Poét.* Tocar com os lábios para sentir e provar; saborear, experimentar: "Era-me grato petiscar, delibar aquela boa comida sergipana" (Gilberto Amado, *Presença na Política*, p. 245).

deliberação. [Do lat. *deliberatione.*] *S. f.* **1.** Ação de deliberar; discussão para se estudar ou resolver um assunto, um problema, ou tomar uma decisão: *O conselho está em deliberação.* **2.** Exame interior; reflexão, meditação. **3.** Resolução, decisão: *tomar uma deliberação.* **4.** Capacidade de resolver, decidir, deliberar; decisão, resolução: *Resolvem tudo por ele: não tem deliberação.*

deliberante. [Do lat. *deliberante.*] *Adj. 2 g.* **1.** Que delibera; deliberativo. ● *S. 2 g.* **2.** Quem delibera.

deliberar. [Do lat. *deliberare.*] *V. t. d.* **1.** Resolver depois de exame ou discussão; decidir, assentar: *A Junta deliberou a prisão do culpado. Int.* **2.** Meditar no que se há de fazer; consultar a si mesmo, ou a outrem; ponderar, refletir: *Deliberaram longamente antes da ação final.* **3.** Decidir, resolver. *T. i.* **4.** Discutir, examinar: *Reuniu-se o Parlamento para deliberar sobre a situação do país. P.* **5.** Resolver-se consideradamente; decidir-se, determinar-se: *Finalmente deliberou-se a procurá-lo.*

deliberativo. [Do lat. *deliberativu.*] *Adj.* **1.** Referente a deliberação. **2.** Deliberante (1). ~ V. *voto* —.

deliberatório. *Adj.* Em que há, ou que envolve deliberação.

delicada. [Fem. substantivado de *delicado.*] *S. f. Bras., N.E. Pop.* V. *tuberculose.*

delicadeza (ê). *S. f.* **1.** Qualidade de delicado; finura, delgadeza; tenuidade, leveza: *delicadeza dos ramos.* **2.** Moleza, macieza, brandura: *delicadeza da pele.* **3.** Debilidade, fraqueza, fragilidade: *a delicadeza de um órgão.* **4.** Suavidade, leveza: *a delicadeza de um vinho.* **5.** Sensibilidade, sutileza, finura: *delicadeza de espírito.* **6.** Sagacidade, penetração, perspicácia: *delicadeza intelectual.* **7.** Perfeição, esmero, apuro, primor: *delicadeza de entalhes.* **8.** Destreza, ligeireza: *delicadeza de um pincel.* **9.** Sensibilidade extrema; melindre, escrúpulo. **10.** Cortesia, urbanidade, afabilidade: *Sempre nos recebe com muitas delicadezas.* **11.** Mimo, ternura: *as delicadezas da namorada.* **12.** Embaraço, complicação, dificuldade: *Sentiu a delicadeza da situação.*

delicado. [Do lat. *delicatu.*] *Adj.* **1.** Delgado, fino: "desejo / Ter nos braços teu corpo delicado, / Ter na boca a doçura de teu beijo." (Olavo Bilac, *Poesias*, p. 68); *pano delicado; traços delicados; cintura delicada.* **2.** Mole, macio. **3.** Leve, tênue: *aragem delicada.* **4.** Suave, brando: *o delicado verdor dos bosques.* **5.** Fraco, frágil: *hastes delicadas* **6.** Doce, terno, meigo. **7.** Sensível, sutil, fino: *alma delicada; gosto delicado* **8.** Atencioso, obsequioso, afável; urbano; cortês. **9.** Suscetível de se ofender; melindroso, escrupuloso. **10.** Efeminado, afeminado, adamado. **11.** Suave, tenro, leve, fino: *iguaria delicada.* **12.** Esmerado, apurado, primoroso: *entalhe delicado.* **13.** Pouco perceptível; sutil: *diferença delicada.* **14.** Precário, débil: *saúde delicada.* **15.** Embaraçoso, complicado, difícil: *assunto delicado.*

delícia. [Do lat. *delicia.*] *S. f.* **1.** Prazer intenso; sensação deleitosa; voluptuosidade, deleite: *a delícia de amar.* **2.** Extrema felicidade; enlevo, encanto, êxtase, deleite: *as delícias da música.* **3.** Coisa deliciosa: *Este abacaxi é uma delícia.* **4.** Pessoa encantadora, ou pitoresca, ou desfrutável. [Cf. *delicia*, do v. *deliciar.*]

deliciadamente. [Do fem. de *deliciado* + *-mente.*] *Adv.* Que experimentou ou experimenta delícia (1).

deliciar. [Do lat. **deliciare*, por *deliciari.*] *V. t. d.* **1.** Causar grande prazer ou delícia a; deleitar: *O ar puro matinal deliciava os caminhantes. P.* **2.** Sentir grande prazer ou delícia; deleitar-se: *Deliciou-se com o banho de mar e o bom almoço.* [Pres. ind.: *delicio, delicias, delicia,* etc. Cf. *delícia.*]

delicioso (ô). [Do lat. *deliciosu.*] *Adj.* **1.** Que causa delícia (1); extremamente agradável; deleitável: *passeio delicioso; vinho delicioso.* **2.** Excelente, perfeito, encantador: *pessoa deliciosa.* **3.** Vivaz, gracioso, chistoso: *anedota deliciosa.*

deligação. *S. f.* Aplicação de ligaduras.

delimitação. [Do lat. *delimitatione.*] *S. f.* Ato de delimitar; demarcação, circunscrição.

delimitador (ô). *Adj.* **1.** Que delimita; delimitativo. ● *S. m.* **2.** Aquele que delimita; demarcador.

delimitar. [Do lat. **delimitare.*] *V. t. d.* **1.** Fixar os limites de; estremar, demarcar: *delimitar um terreno.* **2.** Pôr limites a; circunscrever, restringir: *delimitar a esfera de trabalho.*

delimitativo. *Adj.* Delimitador (1).

delineação. [Do lat. *delineatione.*] *S. f.* V. *delineamento.*

delineador (ô). *Adj.* **1.** Que delineia. ● *S. m.* **2.** Aquele que delineia. **3.** Cosmético para avivar ou alterar o contorno dos olhos e/ou dos lábios.

delineamento. *S. m.* **1.** Ato de delinear; representação por traços gerais; traçado, esboço. **2.** O primeiro esboço ou projeto de qualquer obra; plano geral. **3.** Limitação, demarcação, delimitação. [Sin. ger.: *delineação.*]

delinear. [Do lat. *delineare.*] *V. t. d.* **1.** Fazer os traços gerais de; traçar, esboçar, debuxar: *O desenhista delineou o modelo.* **2.** Traçar as linhas gerais, o plano de; projetar, planear: *delinear um empreendimento; delinear um romance.* **3.** Descrever de modo sucinto; expor em linhas gerais: *delinear um caráter.* **4.** Demarcar, delimitar: *delinear os compartimentos.* [Conjug.: v. *frear.*]

delineativo. *Adj.* Concernente a delineação.

delineável. *Adj. 2 g.* Que se pode delinear.

delinqüência. [Do lat. *delinquentia.*] *S. f.* **1.** Ato de delinqüir. **2.** Estado, qualidade ou caráter de delinqüente.

delinqüente. [Do lat. *delinquente.*] *Adj. 2 g.* e *s. 2 g.* Que ou quem delinqüiu.

delinqüido[1]. Part. de *delinqüir.*

delinqüido[2]. [De *delíquio?*] *Adj. Bras. Pop.* **1.** Muito magro; enfermiço, debilitado. **2.** Desmaiado, desfalecido.

delinqüir. [Do lat. *delinquere.*] *V. int.* Cometer falta, crime, delito: *Os que delinqüiram serão castigados;* "Que o mesmo rei .... os obrigava a pagar pesadas multas ...., com o pretexto de haverem delinqüido contra as leis civis" (Alexandre Herculano, *História de Portugal*, III, p. 106). [Defect. Falta-lhe a 1ª pess. sing. do pres. ind. e, portanto, todo o pres. subj. Pres. ind.: *delinqües, delinqüe, delinqüimos, delinqüis, delinqüem.*]

délio. [Do gr. *délios*, pelo lat. *deliu.*] *Adj.* **1.** De, ou pertencente ou relativo à ilha de Delos (Grécia). ● *S. m.* **2.** O natural ou habitante desta ilha. [Fem.: *délia*. Cf. *delia*, do v. *delir.*]

deliqüescência. [Do lat. *deliquescentia.*] *S. f.* **1.** *Fís.-Quím.* Formação de uma película de solução sobre os cristais de um sal que está numa atmosfera onde a pressão de vapor de água é maior que a pressão de vapor da solução aquosa saturada com o sal, na mesma temperatura. **2.** *Fig.* Desagregação, degeneração, decadência: *a deliqüescência dos costumes.*

deliqüescente. [Do lat. *deliquescente.*] *Adj. 2 g.* **1.** Sujeito a deliqüescência. **2.** *Fig.* Que se desfaz, que se dissolve. **3.** *Fig.* Desagregado, decadente: *moral deliqüescente; estilo deliqüescente.*

deliqüescer. [Do lat. *deliquescere.*] *V. int.* **1.** Sofrer deliqüescência (1 e 2). *T. i.* **2.** *Fig.* Dissolver-se, desfazer-se; esfumar-se: "Também na Espanha, vinha de longe aquela cena informe, de sabor e intentos religiosos quase exclusivos, a deliqüescer em quadros cândidos" (José Carlos Lisboa, *O Teatro de Cervantes*, p. 15). [Conjug.: v. *crescer.*]

delíquio. [Do lat. *deliquiu.*] *S. m.* **1.** Liquefação sob a ação da umidade do ar. **2.** *Med.* V. *síncope* (1): "Mas a carne não pôde com o espírito, as forças do corpo cederam: tomou-a um mortal delíquio, emudeceu, e.... suspendeu-se-lhe a vida." (Almeida Garrett, *Viagens na Minha Terra*, p. 133)

delir. [Do lat. *delere.*] *V. t. d.* **1.** Apagar, desvanecer, esvanecer, esvaecer: *Sucessivas lavagens deliram a nódua.* **2.** Fazer desaparecer; destruir, desfazer: "Nas suturas das rochas, pelas brechas dos lançantes, escorrem teimosos fios d'água que vão delindo a rigidez dos blocos e filtrando-lhes no imo a fúria com que arremetem uns contra os outros." (Afonso Arinos, *Pelo Sertão*, p. 102). **3.** Dissolver, diluir, desfazer: *delir os favos; delir uma pasta.* **4.** Abater, gastar, consumir: *As privações deliram suas forças. P.* **5.** Desfazer-se, desmanchar-se: "algumas porções desiguais de muros esboroados a delir-se." (Antônio Feliciano de Castilho, *O Presbitério da Montanha*, p. 39); "O seu sonhar não era devaneio vago, ... nem os seus ataques à vida se deliam em fumaradas como as que azulavam o ar nesse momento" (Alberto d'Oliveira, *Prosa e Verso*, I, p. 203). [Conjug.: v. *aderir.* Defect. falta-lhe a 1ª pess. sing. do pres. ind. e, dela derivado, o pres. subj. Pres. ind.: *deles, dele, delimos, delis, delem;* imperf.: *delia, delias,* etc. Cf. *dele* (ê) e pl. *deles* (ê); *délia*, fem. de *délio; Délia*, mit. e antr.; e *Délias*, heort.]

delirado. [Part. de *delirar.*] *Adj.* Que está em delírio; louco, estonteado, delirante.

deliramento. *S. m. P. us.* Ação ou efeito de delirar; delírio.

delirante. [Do lat. *delirante.*] *Adj. 2 g.* **1.** Que delira; atacado de delírio. **2.** Próprio de quem delira; extravagante, insensato, aloucado; *imaginação delirante.* **3.** Desordenado, desregrado: *gestos delirantes.* **4.** *Fam.* Extraordinário, maravilhoso, arrebatador: *espetáculo delirante.*

delirar. [Do lat. *delirare.*] *V. int.* **1.** Estar ou cair em estado de delírio: *O doente tinha febre e delirava.* **2.** Estar ou ficar fora de si; praticar desvarios; variar, tresvariar: *Aquele bêbado delira e diz asneiras.* **3.** Sentir e/ou manifestar com excesso ou grande intensidade: *delirar de ódio; delirar de prazer.* **4.** Disparatar, despropositar.

delírio. [Do lat. *deliriu.*] *S. m.* **1.** *Psiq.* Perturbação mental de duração relativamente curta e acompanhada de alucinações, excitação mental, inquietude física. Pode surgir no curso de doença mental mais duradoura, ou de traumatismos, doenças infecciosas, intoxicações, e gira em torno de determinado assunto (ciúme, perseguição, grandeza, etc.). [Sin., p. us.: *delusão.*] **2.** Transporte, êxtase, arrebatamento. **3.** Exaltação do espírito; agitação, desvairamento. **4.** Entusiasmo extremo; excitação.

delirioso (ô). *Adj. P. us.* **1.** Que tem, ou em que há delírio; delirante. **2.** Proveniente de delírio.

➧**delirium tremens** (delírium trémenç). [Lat.] *Psiq.* Forma de perturbação mental passível de ocorrer em alcoólatras e em viciados em ópio, e caracterizada por tremores, suores, dor precordial, agitação e alucinações terrificantes.

delitescência. [Do lat. *delitescentia.*] *S. f. Med.* **1.** Desaparecimento repentino dos sinais objetivos da doença. **2.** Período em que o agente mórbido permanece latente no organismo.

delitivo. *Adj. P. us.* Delituoso.

delito. [Do lat. *delictu.*] *S. m.* **1.** Fato que a lei declara punível; crime. **2.** Culpa, falta; pecado. ♦ **Flagrante delito.** Delito (1) em cuja prática o agente é surpreendido.

delituoso (ô). *Adj.* Em que há, ou que constitui delito. [Sin. (p. us.): *delitivo.*]

➧**delivery order** (delíveri órdâr). [Ingl., 'ordem de entrega'.] *Jur.* Título à ordem (endossável), que confere ao portador legitimado o direito de exigir do capitão do navio a entrega de mercadorias nele embarcadas e constantes de determinado conhecimento relacionado ao título.

delivramento. *S. m. Med.* Expulsão das páreas ou secundinas, após o parto; decedura, dequitação, dequitadura.

➧**délivrance** (dêlivranç'). [Fr.] *S. f.* Parto (2).

delivrar[1]. [Do fr. *délivrer.*] *Ant. V. t. d.* **1.** Dar liberdade a; livrar; soltar. *P.* **2.** Expelir as secundinas (a parturiente); dequitar-se.

delivrar[2]. *V. t. d. Ant.* Deliberar (1).

delmirense. *Adj. 2 g.* **1.** De, ou pertencente ou relativo a Delmiro Gouveia (AL). ● *S. 2 g.* **2.** Natural ou habitante de Delmiro Gouveia.

▲**-delo.** [Do gr. *dêlos, e, ou.*] *El. comp.* = 'visível', 'aparente': *enterodelo.*

delonga. [Dev. de *delongar.*] *S. f.* **1.** Ato de delongar; demora, adiamento, dilação, atraso. **2.** Embaraço que retarda a execução de um ato.

delongador (ô). *Adj.* e *s. m.* Que ou aquele que delonga; atrasador.

delongar. [De *de-* + *longo* + *-ar*[2]] *V. t. d.* **1.** Tornar longo, demorado; demorar; retardar; adiar, dilatar: *O funcionário delongou o encaminhamento do processo. P.* **2.** Demorar-se, retardar-se, prolongar-se: "Delongou-se a conversação até alta noite." (Camilo Castelo Branco, *A Enjeitada*, p. 198.) [Conjug.: v. *largar*.]

delta. [Do fenício, atr. do gr. *délta*, pelo lat. *delta*.] *S. m.* **1.** A quarta letra do alfabeto grego, correspondente ao nosso D, e que tem, a maiúscula, a forma do triângulo ( ), e a minúscula (d), esta forma: **2.** Foz caracterizada pela presença de ilhas de aluvião, geralmente de configuração triangular, assentadas à embocadura de um rio, e que forma canais até o mar: *o delta do Nilo;* "As águas caudalosas de dois rios, juntando-se num *delta*, corriam algum tempo soltas, numa levada tranqüila, até uma apertada garganta." (Coelho Neto, *Treva*, p. 269). **3.** Sinal triangular ou estrelado, nas extremidades digitais, na planta e na palma humanas, orientador da classificação dactiloscópica dos tipos dermopapilares. ◆ **Delta de Dirac.** *Anál. Mat.* Funcional que, aplicado a uma função, dá o valor dessa função na origem do seu domínio. **Delta de Kronecker.** *Cálc. Vect.* Tensor misto de segunda ordem, que é nulo quando os seus índices são diferentes, e igual à unidade quando são iguais.

deltacismo. [De *delta*, pelo modelo de *lambdacismo* e *rotacismo* (q. v.).] *S. m.* Vício de articulação que consiste na pronúncia defeituosa do *d*, em geral trocado pelo *t*.

deltaico. *Adj.* Relativo ou semelhante a delta (2): *aluviões deltaicos*.

delta-mais. *S. m. Fís. Nucl.* Bárion que no estado fundamental tem massa igual a 1,330 unidades de massa atômica, spin igual a três meios, paridade positiva, e carga positiva igual a uma ou duas vezes a do próton. [Pl.: *deltas-mais*.]

delta-menos. *S. m. Fís. Nucl.* Bárion que no estado fundamental tem massa igual a 1,330 unidades de massa atômica, spin igual a três meios, paridade positiva, e carga negativa igual à do elétron. [Pl.: *deltas-menos*.]

delta-zero. *S. m. Fís. Nucl.* Bárion que no estado fundamental tem massa igual a 1,330 unidades de massa atômica, spin igual a três meios, paridade positiva e carga elétrica nula. [Pl.: *deltas-zeros* e *deltas-zero*.]

deltocarpo. [Do gr. *délta*, 'delta', + -o- + -*carpo*.] *Adj. Morfol. Veg.* Diz-se do vegetal cujos frutos têm seção triangular.

deltóide. [Do gr. *deltoeidés*.] *Adj. 2 g.* **1.** Que tem forma de delta (1) maiúsculo; deltóideo. ~ V. *folha* —. ● *S. m.* **2.** *Anat.* Músculo triangular que recobre a articulação do ombro. ● *S. f.* **3.** *Geom.* Tricúspide (3).

deltóideo. *Adj.* Deltóide (1).

deltoidiano. *Adj. Anat.* Relativo ou pertencente ao músculo deltóide.

delubro. [Do lat. *delubru*.] *S. m.* Templo pagão.

deludir. [Do lat. *deludere*.] *V. t. d.* **1.** Enganar, lograr, iludir: *Deludiu a vigilância do sentinela e fugiu.* **2.** Infringir, transgredir: *deludir o regulamento.*

delusão. [Do lat. *delusione*.] *S. f.* **1.** Engano, logro, burla. **2.** *Psiq. P. us.* V. *delírio* (1).

deluso. [Do lat. *delusu*.] *Adj.* **1.** Que engana. **2.** Que foi deludido; enganado, iludido, iluso.

delusório. [Do lat. *delusoriu*.] *Adj.* Enganador, ilusório: "Meu caro amigo! vais morrer obscuro, / Tu que deixaste o gozo pela glória / E tiveste uma vida *delusória* / Como um clarão de sol sobre um monturo." (A. J. Pereira da Silva, *Holocausto*, p. 123)

deluzir-se. [De *de-* + *luzir* + *se*[1].] *V. p.* **1.** Perder a luz ou o brilho; deslustrar-se, desluzir-se. **2.** Desvanecer-se, apagar-se. [Unipessoal. Conjug.: v. *aduzir*.]

demagogia. [Do gr. *demagogía*.] *S. f.* **1.** Dominação ou preponderância das facções populares. **2.** Conjunto de processos políticos hábeis tendentes a captar e utilizar, com objetivos menos lícitos, a excitação e as paixões populares. **3.** Ausência de governo; anarquia, desordem. **4.** Demagogice. **5.** Afetação ou simulação de modéstia, de pobreza, de humildade, de desprendimento, de tolerância, etc.

demagogice. *S. f. Pej.* Ato ou dito de demagogo; demagogia.

demagógico. [Do gr. *demagogikós*.] *Adj.* **1.** Relativo a demagogia. **2.** Dado à demagogia (2); demagogo. **3.** Próprio de demagogo: *atitudes demagógicas*.

demagogismo. *S. m.* Sistema ou processos de demagogo.

demagogo (ô). [Do gr. *demagogós*.] *S. m.* **1.** Na Grécia antiga, cada um dos chefes do partido democrático durante a guerra do Peloponeso. **2.** Chefe de facção popular. **3.** Político inescrupuloso e hábil que se vale das paixões populares para fins ilícitos. **4.** Partidário da demagogia. ● *Adj.* **5.** Demagógico (2).

demais. [De *de* + *mais*.] *Adv.* **1.** Excessivamente; em demasia. **2.** Muitíssimo; intensamente: *Eles se amam demais.* **3.** Além disso; ademais: *Não o pude atender por estar ocupadíssimo: demais, estava muito cansado.* ● *Pron. (pl).* **4.** Os mais, os outros, os restantes. [Geralmente precedido de artigo, nesta acepç. Cf. a loc. adv. *de mais*, à qual se opõe *de menos*.] ◆ **Por demais.** Em excesso; em demasia; demasiadamente, demasiado.

demanda. [Dev. de *demandar*.] *S. f.* **1.** Ação de demandar. **2.** Ação judicial; processo, litígio. **3.** Contestação; discussão, disputa. **4.** Combate, peleja, pugna. **5.** *Desus.* Pergunta. **6.** *Econ.* Procura (2). **7.** *Eletr.* Cota de quilowatts necessários ao consumo de uma cidade, de uma empresa industrial, etc. ◆ **Demanda de cloro.** *Eng. Ind.* No tratamento de água, quantidade de cloro consumida por substâncias presentes na água, no tratamento desta, quando tais substâncias ficam em contato com um excesso de cloro durante 10 minutos. **Demanda efetiva.** *Econ.* Total de despesas que se conservam em equilíbrio com as receitas que as empresas esperam receber, e que determina o número de empregados a serem efetivamente admitidos. **Demanda excedente.** *Econ.* Numa economia de troca, diferença entre a quantidade de um bem que a pessoa deseja possuir e a quantidade que possui inicialmente. **Demanda global.** *Econ.* Correlação entre o número de pessoas que todas as empresas em conjunto querem empregar e as receitas globais que esperam receber com a venda de sua produção. **Em demanda de.** Em busca de; à procura de: *Vive em demanda de glória.*

demandado. [Part. de *demandar*.] *Adj.* e *s. m.* Diz-se de, ou aquele contra quem se intenta demanda (2).

demandador (ô). *S. m.* V. *demandante* (2).

demandante. [Do lat. *demandante*.] *Adj. 2 g.* **1.** Que demanda. ● *S. 2 g.* **2.** Pessoa que demanda; pleiteador, demandista, demandador.

demandar. [Do lat. *demandare*.] *V. t. d.* **1.** Ir em busca de; procurar: *demandar novas terras.* **2.** Dirigir-se para; ir em direção a: *demandar a cidade;* "Vai pensativo *demandando* a praia, / Onde o Timbira mensageiro o aguarda." (Gonçalves Dias, *Obras Poéticas*, p. 313). **3.** Ter necessidade de; precisar de; necessitar: *Faminto, demanda alimentação.* **4.** Reclamar, pedir, requerer, exigir: *A tarefa demanda muito tempo e competência.* **5.** Pedir, solicitar. **6.** Intentar ação judicial, ou demanda, contra; processar, acionar. *T. d. e i.* **7.** Perguntar, indagar: *Demandou-me se eu poderia viajar. Int.* **8.** Propor demanda(s). **9.** Disputar, contender, litigar.

demandista. *S. 2 g.* **1.** Pessoa que intenta demandas. **2.** Pessoa muito dada a demandas. [V. *demandante* (2).]

demão. [De *de* + *mão*.] *S. f.* **1.** Cada película de tinta ou de produto afim aplicada sobre uma superfície base ou sobre outra película anteriormente aplicada; mão. **2.** Cada uma das vezes em que se recomeça um trabalho ou se retoma um assunto. **3.** Auxílio, ajuda, mão. [Pl.: *demãos*.]

demarcação. *S. f.* **1.** Determinação de limites por meio de marcos ou balizas; delimitação. **2.** Definição, fixação. **3.** Separação, distinção.

demarcador (ô). *Adj.* e *s. m.* Que ou aquele que demarca.

demarcar. [De *de-* + *marcar*.] *V. t. d.* **1.** Marcar os limites de; estremar, delimitar: *demarcar um terreno.* **2.** Definir, determinar, fixar: *demarcar o campo de ação; demarcar o prazo.* **3.** Separar, distinguir: *demarcar os pontos principais da questão.* [Conjug.: v. *trancar*.]

demarcativo. *Adj.* Que serve para demarcar; demarcatório: *linha demarcativa.*

demarcatório. *Adj.* **1.** Em que há demarcação. **2.** Referente a demarcação. **3.** Demarcativo: "O ano de 1927 foi .... uma espécie de linha *demarcatória* para a cultura da nossa terra, com a publicação dos *Poemas* de Jorge de Lima." (Carlos Moliterno, *Notas sobre Poesia Moderna em Alagoas*, p. 38.)

demarcável. *Adj. 2 g.* Que se pode demarcar.

➡**démarche** (dêmárx'). [Fr.] *S. f.* Diligência; providência.

demasia. *S. f.* **1.** Aquilo que é demais; excesso, sobra, resto, sobejo. **2.** Desregramento, imoderação, intemperança. **3.** Abuso, temeridade. ◆ **Em demasia.** V. *demasiado* (5): "Dei-lhe os emboras .... estofados de palavras e idéias *em demasia* literárias." (Camilo Castelo Branco, *A Mulher Fatal*, p. 98.)

demasiado. [De *demasia* + *ado*[1].] *Adj.* **1.** Que passa dos justos limites; excessivo. **2.** Descomedido, desregrado, imoderado. **3.** Exorbitante, abusivo. **4.** Supérfluo, inútil. ● *Adv.* **5.** Em demasia, por demasiado, excessivamente: "As condições do meio e a sua índole arrastaram-no *demasiado* à vida exterior" (Euclides da Cunha, *Contrastes e Confrontos*, p. 282). ◆ **Por demasiado.** V. *demasiado* (5).

demasiar-se. [De *demasia* + -*ar*[2] + *se*[1].] *V. p.* Ir além dos limites razoáveis; exceder-se: *Demasia-se no trabalho; Demasiou-se na bebida.*

demasioso (ô). [De *demasia* + -*oso*.] *Adj.* Demasiado, excessivo.

demência. [Do lat. *dementia*.] *S. f.* **1.** *Patol.* Qualquer deterioração mental. [Cf. *oligofrenia*.] **2.** *Pop.* Loucura, doidice, parvoíce. **3.** Procedimento insensato. [Sin. ger. *dementação* e (p. us.) *amência*.] ◆ **Demência precoce.** *Psiq.* Esquizofrenia.

dementação. [Do lat. *dementatione*.] *S. f.* V. *demência*.

dementado. [Part. de *dementar*.] *Adj.* e *s. m.* Que ou aquele que perdeu o juízo; demente.

dementar. [Do lat. *dementare*.] *V. t. d.* **1.** Tornar demente; fazer perder a razão; enlouquecer. *P.* **2.** Tornar-se demente; perder a razão; enlouquecer. [Sin. ger.: *amentar*.]

demente. [Do lat. *demente*.] *Adj. 2 g.* e *s. 2 g.* **1.** Que ou quem apresenta demência; dementado. **2.** *Pop.* Louco insensato. [Sin. ger. (p. us.): *amente*.]

demerara. *S. m.* Açúcar demerara.

➡**de meritis** (de mérïtiç). [Lat., 'sobre o mérito'.] *Jur.* Pronunciamento (do juiz ou das partes) acerca da relação jurídica principal da demanda, em face das provas produzidas e do direito aplicável.

demérito. [Do lat. *demeritu*.] *S. m.* **1.** Falta ou perda de mérito ou merecimento; desmerecimento; desmérito. ● *Adj.* **2.** Falto de mérito. **3.** Que perdeu o merecimento; desmerecedor.

demeritório. *Adj.* Que constitui ou implica demérito.

demissão. [Do lat. *demissione*.] *S. f.* Ato ou efeito de demitir(-se).

demissionário. *Adj.* **1.** Que se demitiu; que pediu demissão; demitente. **2.** *Fig.* Que abdica do seu direito; que não o faz valer.

demissibilidade. *S. f.* Qualidade de demissível.

demissível. *Adj. 2 g.* Que pode ser demitido; sujeito a demissão.

demisso. [Do lat. *demissu*.] *Adj.* **1.** Voltado para a terra; abatido: "É vê-lo agora vir, *demissa* a fronte, e o dorso" (Alberto de Oliveira, *Poesias, 3ª série*, p. 103). **2.** Humilhado.

demissório. *Adj.* Respeitante a demissão. [Fem. pl.: *demissórias*. Cf. *dimissórias*.]

demitente. [Do lat. *demittente*.] *Adj. 2 g.* Demissionário (1).

demitir. [Do lat. *demittere*.] *V. t. d.* **1.** Tirar cargo, função ou dignidade de; destituir, exonerar: *O governo demitiu vários funcionários.* **2.** Licenciar, despedir: *O quartel demitiu as tropas.* **3.** Renunciar a; desistir de; abdicar de, abdicar: *demitir os seus direitos.* **4.** Largar, deixar, depor: *Vencidos, demitiram as armas.* *T. d. e i.* **5.** Afastar, desviar: *Demito de mim a idéia de vingança.* **6.** Destituir, exonerar, desempregar: *A empresa demitiu-o do cargo. P.* **7.** Pedir demissão; exonerar-se. **8.** Renunciar a; desistir de; abster-se: *Demitiu-se de todas as falsas honrarias.*

demitização. [De *demitizar* + -*ção*.] *S. f. Rel.* Movimento manifestado na teologia protestante e católica, originado dos escritos de Rudolf Bultmann (1884-1976), teólogo alemão.

demitizar. [De *de-* + *mito* + -*izar*.] *V. int. Rel.* **1.** Separar o essencial das narrativas bíblicas de sua forma literária mítica. **2.** Escoimar de mitos a mensagem cristã.

demiúrgico. [Do gr. *demiurgikós*.] *Adj.* Relativo a, ou próprio de demiurgo.

demiurgo (i-úr). [Do gr. *demiourgós*, pelo lat. *demiurgu*.] *S. m.* **1.** *Hist. Filos.* Segundo Platão [v. *platonismo*], o Deus que cria o Universo, organizando a matéria preexistente. **2.** *Rel.* Criatura intermediária entre a natureza divina e a humana: "Já passou a época dos heróis, *demiurgos* e reis para a história, das catástrofes para a geologia — hoje é o átomo aqui, ali o infusório, acolá a vil plebe e a multidão dos pequeninos que definem, explicam e governam o mundo." (João Ribeiro, *Páginas de Estética*, p. 56.)

▲**demo-.** [Do gr. *dêmos*, *ou*.] *El comp.* = 'povo': *democrático* (< gr. *demokratikós*), *demografia*, *demopsicologia*.

demo[1]. *S. m.* **1.** Demônio. V. *diabo* (2). **2.** Pessoa turbulenta ou muito astuciosa.

demo[2]. [Do gr. *dêmos*, pelo lat. *demos*.] *S. m.* **1.** Povoação na Ática antiga. **2.** Cada um dos burgos que constituem certas tribos da África.

democracia. [Do gr. *demokratía.*] *S. f.* **1.** Governo do povo; soberania popular; democratismo. [Cf. *vulgocracia.*] **2.** Doutrina ou regime político baseado nos princípios da soberania popular e da distribuição eqüitativa do poder, ou seja, regime de governo que se caracteriza, em essência, pela liberdade do ato eleitoral, pela divisão dos poderes e pelo controle da autoridade, i. e., dos poderes de decisão e de execução; democratismo. [Cf. (nesta acepç.) *ditadura* (1).] **3.** País cujo regime é democrático. **4.** As classes populares; povo, proletariado. ♦ **Democracia autoritária.** *Ciênc. Pol.* Sistema de governo surgido após a 1ª Guerra Mundial, em geral anticomunista, firmado na supremacia do poder executivo em relação aos demais poderes. **Democracia popular.** *Ciênc. Pol.* Designação comum aos regimes políticos monopartidários dominantes nos países da área socialista. [Cf., nesta acepç. *república popular.*]

democrata. *S. 2 g.* **1.** Pessoa que adota uma concepção democrática de governo. **2.** Partidário da democracia (2). **3.** Indivíduo democrático (4). ● *Adj. 2 g.* **4.** Democrático (1).

democrático. [Do gr. *demokratikós.*] *Adj.* **1.** Relativo ou pertencente à democracia (1 e 2); democrata. **2.** Que se adapta aos interesses do povo (5): *espírito democrático.* **3.** Que emana do povo, ou que a ele pertence; popular: *representação democrática; governo democrático.* **4.** *Bras.* Que convive harmoniosamente com todas as classes sociais: *O empresário é muito democrático perante seus subordinados.*

democratismo. *S. m.* Democracia (1 e 2).

democratização. *S. f.* Ato ou efeito de democratizar(-se).

democratizado. [Part. de *democratizar.*] *Adj.* **1.** Que se tornou democrata. **2.** Convertido à democracia. **3.** Popularizado.

democratizador (ô). *Adj.* Democratizante.

democratizante. *Adj. 2 g.* Que democratiza; democratizador.

democratizar. [Do gr. *demokratízo.*] *V. t. d.* **1.** Levar à democracia; tornar democrático ou democrata. *democratizar um país; democratizar os jovens.* **2.** Pôr ao alcance do povo; popularizar: *democratizar as artes. P.* **3.** Tornar-se democrata ou democrático.

democritiano. *Adj.* Pertencente ou relativo a Demócrito de Abdera, filósofo grego (460-352 a.C.), ou próprio dele; democrítico.

democrítico. *Adj.* Democritiano.

➧**démodé** (dêmodê). [Fr.] *Adj.* Fora de moda.

demofilia. [De *demo-* + *fil(o)*[2]- + *-ia.*] *S. f.* Qualidade de demófilo; amor ou simpatia ao povo.

demófilo. [De *demo-* + *-filo*[2].] *Adj.* e *s. m.* Que ou aquele que ama o povo.

demografia. [De *demo-* + *-graf(o)-* + *-ia.*] *S. f.* Estudo estatístico das populações, no qual se descrevem as características de uma coletividade, sua natalidade, migrações, mortalidade, etc.

demográfico. *Adj.* Relativo à demografia; populacional. ~ V. *censo* — e *explosão* —*a.*

demógrafo. [De *demo-* + *-grafo.*] *S. m.* Especialista em demografia.

demolhar. [De *de-* + *molho* (ô) + *-ar*[2].] *V. t.* Pôr de molho em água: *demolhar o bacalhau.*

demolição. [Do lat. *demolitione.*] *S. f.* Ato ou efeito de demolir.

demolidor (ô). [Do lat. *demolitore.*] *Adj.* e *s. m.* Que ou aquele que demole; desmantelador; destruidor.

demolir. [Do lat. *demolire.*] *V. t. d.* **1.** Deitar abaixo, deitar por terra (qualquer construção); desfazer, desmantelar; destruir, derribar, derrubar: *demolir uma fábrica, um edifício.* **2.** *Fig.* Reduzir a nada; arruinar, aniquilar, destruir: *demolir uma reputação.* [Defect. Não se conjuga na 1ª pess. sing. do pres. ind. nem, portanto, no pres. subj.]

demolitório. *Adj. Jur.* Que contém ordem de demolição; que manda demolir: *mandado demolitório.*

demologia. [De *demo-* + *-log(o)-* + *-ia.*] *S. f.* V. *demopsicologia.*

demonete (ê). *S. m.* **1.** Pequeno demônio. **2.** Criança endiabrada, travessa, traquinas. [Sin. ger.: *diabrete, demonico.*]

demonetização. [Do fr. *démonétisation.*] *S. f.* V. *desmonetização.*

demonetizar. [Do fr. *démonétiser.*] *V. t. d.* V. *desmonetizar.*

demoníaco. [Do lat. *daemoniacu.*] *Adj.* Relativo a, ou próprio de demônio; diabólico, satânico.

demonico. *S. m. P. us.* V. *demonete.*

demônio. [Do gr. *daimónion*, pelo lat. *daemoniu.*] *S. m.* **1.** Nas crenças da Antigüidade e no politeísmo, gênio inspirador, bom ou mau, que presidia o caráter e o destino de cada indivíduo; alma, espírito. **2.** Nas religiões judaica e cristã, anjo mau que, tendo-se rebelado contra Deus, foi precipitado no Inferno e procura a perdição da humanidade; gênio ou representação do mal; espírito maligno, espírito das trevas; Lúcifer, Satanás, Diabo. **3.** Cada um dos anjos caídos ou gênios maléficos do Inferno, sujeitos a Lúcifer ou Satanás; diabo. **4.** Personificação do Mal; Diabo. **5.** Pessoa má, ruim, perversa, de maus instintos; diabo. **6.** Pessoa (especialmente criança) importuna ou barulhenta, turbulenta, irrequieta, travessa; diabo. **7.** Pessoa antipática ou de feições desagradáveis; diabo. **8.** Força ou estímulo interior que excita ou conturba os sentimentos e paixões: *o demônio da ira; o demônio da dúvida.* ♦ **Com os demônios.** Com os diabos: Com os demônios! Perdi um dinheirão no negócio. **Como um demônio.** Com ardor, disposição, ímpeto ou paixão: *Trabalha como um demônio.*

demonismo. *S. m.* **1.** Crença em demônios. **2.** Demonolatria.

demonista. *Adj. 2 g.* **1.** Pertencente ou relativo ao, ou que é sectário do demonismo. **2.** Demonolátrico. ● *S. m.* **3.** Sectário do demonismo. **4.** Demonólatra.

▲**demon(o)-.** [Do gr. *daímon, onos.*] *El. comp.* = 'deus, deusa', 'divindade', 'demônio': *demonismo, demonologia, demonolatria.*

demonografia. [De *demon(o)* + *-graf(o)-* + *-ia.*] *S. f.* Demonologia.

demonográfico. *Adj.* Demonológico.

demonógrafo. [De *demon(o)-* + *-grafo.*] *S. m.* Demonólogo.

demonólatra. [De *demon(o)-* + *-latra.*] *S. 2 g.* Adorador de demônios; praticante de demonolatria; demonista.

demonolatria. [De *demon(o)-* + *-latria.*] *S. f.* Culto dos demônios; demonismo.

demonolátrico. *Adj.* Relativo à demonolatria; demonista.

demonologia. [De *demon(o)-* + *-log(o)-* + *-ia.*] *S. f.* **1.** Teoria ou ciência dos demônios; tratado da natureza e influência dos demônios; demonografia. **2.** V. *folclore* (3).

demonológico. *Adj.* Relativo à demonologia; demonográfico.

demonólogo. [De *demon(o)-* + *-logo.*] *S. m.* Aquele que é versado em demonologia e/ou escreve sobre essa matéria; demonógrafo.

demonomancia (cí). [De *demon(o)-* + *-mancia.*] *S. f.* Adivinhação por influência de demônios.

demonomania. [De *demon(o)-* + *mania.*] *S. f.* Mania dos loucos que se julgam possessos do Demônio; demonopatia.

demonomaníaco. *Adj.* e *s. m.* Que ou aquele que tem demonomania; demonopata, demonópata.

demonomante. [De *demon(o)-* + *-mante.*] *S. 2 g.* Pessoa que pratica a demonomancia.

demonomântico. *Adj.* Relativo à demonomancia, ou a demonomante.

demonopata. [De *demon(o)-* + *-pata.*] *Adj. 2 g.* e *s. 2 g.* Demonomaníaco. [Var. pros.: *demonópata.*]

demonópata. *Adj. 2 g.* e *s. 2 g.* Var. pros. de demonopata [q. v.].

demonopatia. [De *demon(o)-* + *-pat(a)-* + *-ia.*] *S. f.* Demonomania.

demonstrabilidade. *S. f.* Qualidade do que é demonstrável.

demonstração. [Do lat. *demonstratione.*] *S. f.* **1.** Ato de demonstrar. **2.** Tudo que serve para provar qualquer coisa; prova. **3.** Manifestação, sinal, testemunho: *demonstração de amizade.* **4.** Lição prática e experimental. **5.** Exibição, apresentação: *Os acrobatas fizeram várias demonstrações.* **6.** *Filos.* Dedução que prova a verdade de sua conclusão por se apoiar em premissas admitidas como verdadeiras. [Cf., nesta acepç., *dedução* (3 e 4), *prova* (18) e *raciocínio* (4).]

demonstrador (ô). [Do lat. *demonstratore.*] *Adj.* **1.** Que demonstra; demonstrante, demonstrativo: *argumentos demonstradores.* ● *S. m.* **2.** Aquele que demonstra: *demonstrador de anatomia.*

demonstrante. [Do lat. *demonstrante.*] *Adj. 2 g.* V. *demonstrador* (1).

demonstrar. [Do lat. *demonstrare.*] *V. t. d.* **1.** Provar por meio de raciocínio concludente; fazer a demonstração de; comprovar, patentear, confirmar: *demonstrar um conceito; demonstrar um teorema.* **2.** Mostrar, manifestar, evidenciar, revelar: *demonstrar apreço; demonstrar antipatia.* **3.** Ensinar praticamente; explicar, mostrando o objeto de que se trata: *demonstrar a evaporação da água. T. d. e i.* **4.** Dar a conhecer; fazer ver; mostrar: *Demonstrei-lhe a gravidade do seu erro.* **5.** Manifestar, indicar, revelar: *Demonstrava amizade por todos os presentes.* **6.** Provar, confirmar, evidenciar: *Quis demonstrar a si mesmo que não era covarde. P.* **7.** Dar-se a conhecer; revelar-se.

demonstrativo. [Do lat. *demonstrativu.*] *Adj.* **1.** V. *demonstrador* (1). **2.** Próprio para demonstrar. ~ V. *pronome* — e *silogismo* —. ● *S. m.* **3.** V. *pronome demonstrativo.*

demonstrável. [Do lat. *demonstrabile.*] *Adj. 2 g.* Que se pode demonstrar.

demopsicologia. [De *demo-* + *psicologia.*] *S. f.* **1.** Estudo da psicologia de um povo. **2.** V. *folclore* (3). [Sin. ger.: *demologia.*]

demopsicológico. *Adj.* Referente à demopsicologia.

demora. [Dev. de *demorar.*] *S. f.* **1.** Ato de demorar(-se). **2.** Dilação, atraso, delonga. **3.** Detença, paragem, pausa: *Qual a demora do trem na estação?*

demorado. [Part. de *demorar.*] *Adj.* Que demora; moroso, tardio, demoroso. ~ V. *voga* —*a.*

demorar. [Do lat. **demorare*, por *demorari.*] *V. t. d.* **1.** Fazer que fique ou espere; deter, reter: *Tudo fez para demorar os amigos.* **2.** Atrasar, retardar, adiar: *Procurou não demorar o cumprimento da promessa. Int.* **3.** Tardar a vir; retardar-se: *Não virá agora, vai demorar.* **4.** Tardar a ser feito; ser de execução demorada: *Tenha paciência: o serviço demora.* **5.** Levar tempo; tardar: *Esperou ansioso, mas a resposta demorava. T. i.* **6.** Levar tempo; tardar, custar: *Demorou a voltar à casa. T. c.* **7.** Estar situado; ficar, jazer: *O chalé demora entre dois montes;* "A quase totalidade do Brasil *demora* no hemisfério meridional" (Capistrano de Abreu, *Capítulos de História Colonial*, p. 41). **8.** Habitar, residir, morar: *Sua família demora na Europa.* **9.** Permanecer, ficar: *Demorou longo tempo na praia. P.* **10.** Ficar, permanecer: *Demorou-se em casa para almoçar.* **11.** Atrasar-se, retardar-se, tardar: "Sim, *demorei-me* a divagar sem rumo" (Gonçalves Dias, *Obras Poéticas*, II, P. 27). **12.** Levar tempo; custar: *Demorou-se em decifrar a charada.* **13.** Estar parado; esperar, deter-se: *O trem demorou-se apenas 15 minutos.*

demoroso (ô). *Adj.* V. *demorado.*

demospôngia. *S. f.* Espécime das demospôngias.

demospôngias. *S. f. pl. Zool.* Animais poríferos, da classe *Demospongiae*, que compreendem espécies puramente silicosas, e outras também sustentadas por esqueleto de fibras orgânicas de espongina. São, na maioria, marinhos, e podem ser usados como esponja para banho.

demospôngio. *Adj.* Pertencente ou relativo às demospôngias.

demostênico. [Do gr. *demosthenikós*, pelo lat. *demosthenicu.*] *Adj.* Pertencente ou relativo a, ou próprio de Demóstenes, o maior dos oradores gregos (384-322 a. C.), do seu estilo ou da sua eloqüência.

demostração. *S. f. Desus.* Ato de demostrar; demonstração.

demostrador (ô). *S. m. Desus.* Aquele que demostra; demonstrador.

demostrar. [De *de-* + *mostrar.*] *V. t. d., t. d. e i.* e *p. Desus.* Demonstrar.

demótico. [Do gr. *demotikós.*] *Adj.* ~ V. *escrita* —*a.*

demover. [Do lat. *demovere.*] *V. t. d.* **1.** Tirar ou mudar de lugar; deslocar; remover: *A pedra era imensa, custou muito demovê-la.* **2.** Fazer renunciar a um intuito; dissuadir, despersuadir: *Não logrando demovê-lo com raciocínios, recorreu às lágrimas. T. d. e i.* **3.** Afastar, desviar, despersuadir, dissuadir: *Esforcei-me por demovê-lo do mau intento;* "não houve ponderação que *demovesse* meu pai da resolução tomada." (Povina Cavalcanti, *Volta à Infância*, p. 16). *P.* **4.** Mover-se de um lugar para outro; deslocar-se. **5.** Abalar-se, abalançar-se, dispor-se: *Não se demoveu a replicar ao adversário.* **6.** Renunciar a um intuito ou objetivo; dissuadir-se; afastar-se, desviar-se: *Meu partido não se demove de suas diretrizes.* [Conjug.: v. *mover.*]

demudado. [Part. de *demudar.*] *Adj.* **1.** Mudado, alterado, desfigurado: *Via-se que muito sofrera: tinha o rosto demudado.* **2.** Perturbado, alterado, transtornado: "Trêmulo, arquejante, *demudado*, aproximei-me da banca do voltarete." (Artur Azevedo, *Contos Possíveis*, p. 6.) *No semblante demudado líamos seu espanto.*

demudar. [Do lat. *demudare.*] *V. t. d.* **1.** Tornar diferente do que era; modificar, transformar, alterar, mudar: *O tempo demudou-lhe o caráter.* **2.** Perturbar, comover, transtornar, abalar: *A triste notícia demudou-lhe o ânimo. T. d. e i.* **3.** Transformar, mudar: *Demudou a* *hostilidade em simpatia;* "aquilo tudo .... d e m u d o u a má opinião de Afonso em estima atenciosa e quase amigável." (Camilo Castelo Branco, *Amor de Salvação,* p. 135). *P.* **4.** Modificar-se, transformar-se, alterar-se: *Ao ouvir aquele nome, sua fisionomia d e m u d o u - s e.*

demulcente. [Do lat. *demulcente.*] *Adj. 2 g.* e *s. m.* Emoliente.

denário. [Do lat. *denariu.*] *Adj.* **1.** Que contém dez. ● *S. m.* **2.** Antiga moeda romana que valia dez asses. **3.** Antigo peso de farmácia e ourivesaria.

dendê. [Do quimb. *ndénde,* 'palmeira'.] *S. m.* **1.** *Bras.* V. *dendezeiro.* **2.** O fruto do dendezeiro. **3.** O óleo extraído desse fruto; azeite-de-dendê, azeite-de-cheiro.

dendezeiro (dê). *S. m. Bras.* Espique anelado e ereto, da família das palmáceas (*Elaesis guineensis*), dotado de inflorescência em espádice grande, monóica e protegida por espata dupla, cujos frutos, drupáceos, amarelos ou alaranjados, de tamanho variável, fornecem óleo de duas qualidades, um extraído da polpa e o outro da amêndoa, de largo emprego como tempero; coqueiro-de-dendê, dendê.

dendi. *Bras. S. 2 g.* **1.** Indígena da tribo dos dendis, que habitava uma região entre MG e BA. ● *Adj. 2 g.* **2.** Pertencente ou relativo a essa tribo.

dendraxônio (cs). [De *dendr(o)-* + gr. *-axon,* 'eixo', + *-ico.*] *S. m. Anat.* Neurônio em que o axônio, ao abandonar a célula, se divide em filamentos terminais.

dendria. [De *dendr(o)-* + *-ia.*] *S. f.* Pedra que apresenta figuras semelhantes a plantas.

dendrite. [De *dendr(o)-* + *-ite*[2].] *S. f.* **1.** Dendrolite. **2.** *Anat.* Prolongamento ramificado da célula nervosa, o qual conduz impulsos em direção ao corpo celular.

dendrito. [De *dendr(o)-* + *-ito*[2].] *S. m. Geol.* Deposição nas rochas, arborescente, em virtude da infiltração de águas carregadas de óxido de ferro, manganês, etc.

▲**dendr(o)-.** [Do gr. *déndron, ou.*] *El. comp.* = 'árvore': *dendrite, dendroclastia.*

dendrobata. [Do gr. *dendrobatéo.*] *Adj. 2. g.* e *s. 2 g. Zool.* Que ou animal que vive habitualmente nas árvores. [Var. pros.: *dendróbata.*]

dendróbata. *Adj. 2 g.* e *s. 2 g. Zool.* Var. pros. de *dendrobata.*

dendróbio. [De *dendr(o)-* + *-bio.*] *S. m. Bot.* Gênero de orquidáceas epífitas (*Dendrobium*) que compreende várias espécies de orquídeas.

dendrocélio. *S. m.* **1.** Espécime dos dendrocélios. ● *Adj.* **2.** Pertencente ou relativo a eles.

dendrocélios. *S. m. pl. Zool.* Designação comum a dois grupos de animais metazoários, platelmintos, turbelários, que apresentam o tubo digestivo ramificado.

dendroclasta. [De *dendr(o)-* + *-clasta.*] *Adj. 2 g.* e *s. 2 g.* Que ou quem não respeita as árvores, ou as destrói. [Antôn.: *dendrólatra.*]

dendroclastia. *S. f.* Qualidade de dendroclasta. [Antôn.: *dendrolatria.*]

dendrocolaptídeo. *S. m.* **1.** Espécime dos dendrocolaptídeos. ● *Adj.* **2.** Pertencente ou relativo a eles.

dendrocolaptídeos. *S. m. pl. Zool.* Aves passeriformes, trepadoras, da família *Dendrocolaptidae,* de tarso endaspidiano e o bico longo e forte, freqüentemente curvo. São os arapaçus ou pica-paus-vermelhos.

dendrocronologia. [De *dendr(o)-* + *cronologia.*] *S. f. Geofís.* Datação que se baseia nos círculos dos troncos das árvores, e que tem por objetivo o estudo das variações climáticas do passado, em especial as dos períodos de seca ou de chuva.

dendrocronológico. *Adj.* Referente à dendrocronologia.

dendrofobia. [De *dendr(o)-* + *-fob(o)-* + *-ia.*] *S. f.* Horror às árvores.

dendrofóbico. *Adj.* Referente à dendrofobia.

dendrófobo. [De *dendr(o)-* + *-fobo.*] *Adj.* e *s. m.* Que ou aquele que tem dendrofobia, que é inimigo das árvores.

dendróide. [Do gr. *dendroeidés.*] *Adj. 2 g.* Que tem forma ou aparência de árvore; dendróideo.

dendróideo. *Adj.* Dendróide.

dendrólatra. [De *dendr(o)-* + *-latra.*] *Adj. 2 g.* e *s. 2 g.* Que ou quem professa a dendrolatria. [Antôn.: *dendroclasta.*]

dendrolatria. [De *dendr(o)-* + *-latria.*] *S. f.* Adoração ou culto das árvores. [Antôn.: *dendroclastia.*]

dendrolátrico. *Adj.* Referente à dendrolatria.

dendrolite. [De *dendr(o)-* + *-lite.*] *S. m.* Árvore petrificada, fóssil, dentrite.

dendrologia. [De *dendr(o)-* + *-log(o)-* + *-ia.*] *S. f. Bot.* Estudo científico das árvores.

dendrológico. *Adj.* Relativo à dendrologia.

dendrometria. [De *dendr(o)-* + *-metro-* + *-ia.*] *S. f. Bot.* Medição das dimensões das árvores. [cf. *dasometria.*]

dendrômetro. [De *dendr(o)-* + *-metro.*] *S. m.* Instrumento com que se medem as árvores e se avalia a quantidade de madeira que podem fornecer.

dendroquiroto (ô). *S. m.* **1.** Espécime dos dendroquirotos. ● *Adj.* Pertencente ou relativo a eles.

dendroquirotos (ô). *S. m. pl. Zool.* Animais equinodermas, holoturóides, da ordem *Dendrochirota,* providos de tentáculos com ramificações arborescentes.

denegação. [Do lat. *denegatione.*] *S. f.* **1.** Ato de denegar; recusa, negação. **2.** Indeferimento, desatendimento. **3.** Desmentido, contestação.

denegar. [Do lat. *denegare.*] *V. t. d.* **1.** Dizer que não é verdade; negar: *D e n e g o u o crime.* **2.** Não dar; recusar, negar: *D e n e g o u o seu apoio.* **3.** Desatender, indeferir: *d e n e g a r um requerimento; d e n e g a r um pedido.* **4.** Abjurar; renegar: *d e n e g a r a sua fé.* **5.** Não aceitar; recusar: *D e n e g o u a oferta.* **6.** Desmentir; contradizer: *O adversário d e n e g o u -o publicamente. T. d.* e *i.* **7.** Não conceder; recusar, negar: *Os pais d e n e g a r a m seu apoio ao filho ingrato.* **8.** Impedir, obstar: *A Alfândega d e n e g o u entrada ao contrabando. P.* **9.** Recusar-se, negar-se. [Conjug.: v. *regar.*]

denegatório. *Adj.* Que denega, indefere; que envolve denegação: *despacho d e n e g a t ó r i o.*

denegrecer. *V. t. d.* e *p.* V. *denegrir.* [Conjug.: v. *aquecer.*]

denegrido. [Part. de *denegrir.*] *Adj.* **1.** Enegrecido, fusco. **2.** *Fig.* Maculado, manchado; desacreditado, infamado.

denegridor (ô). *Adj.* e *s. m.* Que ou aquele que denigre.

denegrir. *V. t. d.* **1.** Tornar negro, escuro; enegrecer, escurecer: *Os cigarros d e n e g r i r a m -lhe os dentes.* **2.** *Fig.* Macular, manchar: *Sua vida dissoluta d e n e g r i u - lhe a alma;* "sendo alferes, não podia, sem penas e agravos, d e n e g r i r as leis e regulamentos da guerra." (José Cândido de Carvalho, *O Coronel e o Lobisomem,* p. 11). **3.** *Fig.* Desacreditar, desabonar, infamar: "não podia permitir .... que alguém pensasse em d e n e g r i r a reputação do amigo João Fonseca" (Id., *ib.,* p. 202). *P.* **4.** Tornar-se negro, escuro; enegrecer-se, escurecer-se: *Seus cabelos d e n e g r i r a m - s e com os cosméticos.* [Sin. ger.: *denegrecer.* Irreg. Conjug.: v. *agredir.*]

dengo. *S. m. Bras.* Var. de *dengue* (2 a 5).

dengosa. *S. f. Bras., N.E. Gír.*V. *cachaça* (1).

dengoso (ô). *Adj.* **1.** Cheio de dengues; afetado, enfeitado, delambido, requebrado. **2.** Faceiro, jovial, feiticeiro. **3.** Manhoso, astuto. **4.** Efeminado, adamado. **5.** Diz-se da criança birrenta, choramingas. [Sin. ger.: *dengue* e *dengueiro.*]

dengue. [Do esp. *dengue.*] *Adj. 2 g.* **1.** V. *dengoso.* ● *S. m. Bras.* **2.** Melindre feminino; denguice. **3.** Faceirice, feitiço, requebro, denguice: "A mulatinha selvagem, ... com os seus d e n g u e s lascivos, havia-o escravizado." (Coelho Neto, *Treva,* p. 51.) **4.** Birra ou choradeira de criança. **5.** Manha, treta. [Var. (do s.m.): *dengo.*] **6.** *Med.* Doença infecciosa produzida por vírus, transmitida pelo mosquito *Aedes aegypti,* e caracterizada por cefaléia, mialgias, artralgias, comprometimento de vias aéreas superiores, febre, exantema, linfadenopatia. Incide, em caráter epidêmico ou de modo esporádico, na Índia, Japão, Sul do Pacífico, Caribe e América do Sul, principalmente ao norte. ◆ **Dengue hemorrágico.** *Med.* O que é acompanhado de fenômenos hemorrágicos e incide, preferentemente, em criança.

denguê. *S. m. Bras., BA. Folcl.* Prato da culinária afro-brasileira, feito com milho branco cozido e açúcar.

dengueiro. *Adj.* V. *dengoso.*

denguice. *S. f.* **1.** Qualidade de quem é dengue ou dengoso. **2.** Modos ou ademanes de dengoso; afetação de maneiras; dengue. **3.** Faceirice ou melindre feminino; dengue.

deni. *Bras. S. 2 g.* **1.** Indivíduo dos denis, tribo indígena aruaque, que vive pelos igarapés do vale do rio Cunhuã, entre as desembocaduras dos rios Xiruã e Pauini, no AM. Somam cerca de 300 pessoas, e os primeiros contatos com a sociedade nacional ocorreram na década de 60. ● *Adj. 2 g.* **2.** Pertencente ou relativo a esta tribo.

denier. *S. m. Tec.* Unidade convencional, usada em fiação, igual ao peso, em gramas, de nove metros do fio.

denodado. [Do lat. *denotatu.*] *Adj.* **1.** Que tem denodo; ousado, valoroso, destemido, intrépido. **2.** Impetuoso, arrebatado.

denodar. *V. t. d.* Cortar o nó a; desatar; desembaraçar. [Pres. ind.: *denodo,* etc. Cf. *denodo* (ô) e *denudar.*]

denodo (ô). *S. m.* **1.** Ousadia, intrepidez, valor, coragem, ímpeto, bravura, destemor: "Estava Bernardo Pires dizendo palavras de sincera gratidão ao d e n o d o e humanidade com que ela se arriscara aos perigos" (Camilo Castelo Branco, *Doze Casamentos Felizes,* p. 133). **2.** Ímpeto, arrebatamento. **3.** Agitação, impetuosidade, violência: *o d e n o d o das ondas em dia de borrasca.* [Pl.: *denodos* (ô). Cf. *denodo,* do v. *denodar.*]

denominação. [Do lat. *denominatione.*] *S. f.* **1.** Ato de denominar; nomeação. **2.** Designação, nome. **3.** Nos países anglo-saxônios, designação geral das congregações eclesiásticas, seitas, etc.

denominador (ô). [Do lat. *denominatore.*] *Adj.* **1.** Que denomina, que designa pelo nome. ● *S. m.* **2.** Aquele ou aquilo que denomina. **3.** *Mat.* Termo que fica abaixo do traço de uma fração ordinária; o divisor, numa fração ordinária. ◆ **Denominador comum.** **1.** *Mat.* Um múltiplo de todos os denominadores de um conjunto de frações ordinárias. **2.** *Fig.* Ponto(s) em que estão de acordo as partes em litígio, e que pode(m) servir de fundamento de uma conciliação entre elas. **3.** *Fig.* Elemento, traço, aspecto comum a duas ou mais coisas, pessoas ou animais: "O elogio fúnebre, a trenodia, o epitáfio, têm todos um d e n o m i n a d o r c o m u m, que é o louvor à personalidade morta, cantada pelos seus feitos heróicos." (José Honório Rodrigues, *Teoria da História do Brasil,* p. 204.)

denominar. [Do lat. *denominare.*] *V. t. d.* **1.** Pôr nome em; designar, nomear: *Procurou d e n o m i n a r bem a nova substância química.* **2.** Indicar ou chamar pelo nome; nomear: *d e n o m i n a r pessoas; d e n o m i n a r as plantas. Transobj.* **3.** Pôr nome a; chamar, nomear: *Pela sua vida exemplar d e n o m i n a r a m -no santo. P.* **4.** Intitular-se, designar-se, dizer-se: *Compôs uns versos e logo s e d e n o m i n o u poeta.*

denominativo. [Do lat. *denominativu.*] *Adj.* Próprio para denominar ou nomear: *termo d e n o m i n a t i v o.*

denotação. [Do lat. *denotatione.*] *S. f.* **1.** Ato de denotar. **2.** Sinal, indicação. **3.** *Lóg.* Propriedade do termo que corresponde à extensão do conceito. [Opõe-se a *conotação* (3).]

denotador (ô). [Do lat. *denotatore.*] *Adj.* e *s. m.* Que denota, que indica: *resposta d e n o t a d o r a de dúvida.*

denotar. [Do lat. *denotare.*] *V. t. d.* **1.** Revelar por meio de notas ou sinais; fazer notar; fazer ver; manifestar, indicar, mostrar: *Sua fisionomia d e n o t a v a preocupação; Suas ações d e n o t a m verdadeira amizade.* **2.** Significar, exprimir, simbolizar: *A espada e a balança d e n o t a m o caráter da justiça.* **3.** Encontrar, observar, notar: *D e n o t a m o s muitas qualidades de estilo no poema.*

denotativo. [Do lat. *denotatu,* 'denotado', + *-ivo.*] *Adj.* Relativo a denotação, ou que a encerra. ~ V. *função —a* e *linguagem —a.*

densidade. [Do lat. *densitate.*] *S. f.* **1.** Qualidade daquilo que é denso, compacto, cerrado; densidão: *d e n s i d a d e da mata; d e n s i d a d e das trevas.* **2.** Relação entre a massa e o volume de um corpo; massa volumar. **3.** *Fig.* Força, peso, intensidade, profundidade: *d e n s i d a d e poética.* **4.** *Demogr.* Concentração de população. **5.** *Fís.* Densidade relativa. ◆ **Densidade absoluta.** *Fís.* V. *massa volumar.* **Densidade de fluxo magnético.** *Fís.* Indução magnética. **Densidade de fluxo radiante.** *Fís.* V. *emitância energética.* **Densidade de freqüência.** *Estat.* V. *densidade de probabilidade.* **Densidade de probabilidade.** *Estat.* **1.** Para uma variável aleatória discreta, função da variável que dá a probabilidade de ela assumir um valor pertencente ao seu domínio. **2.** Para uma variável aleatória contínua, derivada da função de distribuição; função de uma variável aleatória contínua que, multiplicada por acréscimo infinitesimal dessa variável, dá a probabilidade de ela assumir um valor na vizinhança infinitesimal de qualquer ponto de seu domínio; limite do quociente da probabilidade de uma variável aleatória contínua assumir um valor num intervalo de seu domínio pela amplitude do intervalo quando esta tende para zero. [Sin., nas 2 acepç: *densidade de freqüência, função de densidade de freqüência, função de freqüência, função de freqüência relativa, função de densidade de probabilidade, função probabilidade* e *função de distribuição* ou apenas *distribuição.*] **Densidade dinâmica.** *Sociol.* Grau de concentração da vida coletiva, medido pela intensidade das trocas econômicas e culturais. **Densidade estática.** *Sociol.* Número de habitantes em determinada área. p. ex., por quilômetro quadrado. **Densidade fotográfica.** *Fot.* Logarítmo decimal da opacidade de uma chapa fotográfica. **Densidade óptica.** *Fís.* V. *absorvância.* **Densidade relativa.** *Fís.* Cociente entre a massa específica de uma substância e a massa específica de outra tomada como padrão. [Para sólidos e líquidos o padrão geralmente adotado é a água a 4ºC; para gases e vapores os padrões usuais são o ar e o hidrogênio. Tb. se diz apenas *densidade.*]

densidão. *S. f.* Densidade (1).

densiflòro. [Do lat. *densu*, 'denso', + *-i-* + *-floro.*] *Adj. Morfol. Veg.* Que tem flores numerosas e aproximadas.

densifoliado. [Do lat. *densu*, 'denso', + *-i-* + *-foli(o)-* + *-ado*[1].] *Adj. Morfol. Veg.* Que tem folhas muito juntas.

densimetria. [Do lat. *densu*, 'densu', + *-i-* + *-metr(o)-*[2] + *-ia.*] *S. f. Fís.* Medida da densidade dos líquidos e sólidos.

densimétrico. *Adj.* Relativo à densimetria.

densímetro. [Do lat. *densu*, 'denso', + *-i-* + *-metro.*] *S. m. Fís.* Instrumento que dá a densidade dum líquido ou a concentração duma solução líquida.

densitômetro. [De *densit*, abrev. do lat. *densitate*, 'densidade', + *-o-* + *-metro.*] *S. m. Ópt.* Instrumento destinado a medir a densidade óptica de chapas fotográficas impressionadas.

denso. [Do lat. *densu.*] *Adj.* **1.** Que tem muita massa e peso em relação ao volume. **2.** Espesso, grosso: *líquido denso.* **3.** Cerrado (2): *mata densa.* **4.** Compacto, comprimido: *densas camadas de folhas;* "despertando mais cedo ainda vi que um denso nevoeiro envolvia a cidade." (Povina Cavalcanti, *Volta à Infância*, p. 17). **5.** *Fig.* Escuro, carregado: *céu de um azul denso.* **6.** *Fig.* Intenso, fundo, profundo: *pensamento denso.* ~ V. *conjunto —, conjunto — em si mesmo e conjunto — em um espaço.*

dentada. *S. f.* **1.** Ferimento com os dentes; mordidela, mordedura. **2.** Vestígio de mordedura. **3.** *Fig.* Dito picante, mordaz.

dentado[1]. [Do lat. *dentatu.*] *Adj.* Guarnecido de dentes; denteado, adentado.

dentado[2]. [Part. de *dentar.*] *Adj.* **1.** Recortado em dentes; denteado, adentado. **2.** Ferido ou cortado com os dentes; mordido.

dentadura. *S. f.* **1.** Conjunto dos dentes, nas pessoas e nos animais. **2.** Dentes artificiais, devidamente montados. **3.** A totalidade dos dentes de certas rodas.

dental[1]. [Do lat. *dentale.*] *S. m.* Dente do arado.

dental[2]. [De *dente* + *-al.*] *Adj.* **1.** Relativo ou pertencente aos dentes: *esmalte dental.* **2.** Que serve para a limpeza dos dentes: *fio dental; pasta dental.* ~ V. *alvéolo —.*

dentama. *S. f. Bras., S.* **1.** Grande quantidade de dentes. **2.** Dentadura toda igual.

dentão. [Aum. de *dente.*] *S. m.* **1.** Dente (1) [q. v.] grande. **2.** *Bras., PA.* V. *vermelho*[2] (1).

dentar. *V. t. d.* **1.** Dar dentadas em, morder. **2.** Formar ou fazer dentes em; dentear: *dentar uma roda.* **3.** Recortar, formando pontas ou chanfraduras; chanfrar, dentear: *dentar o couro, o papel. Int.* **4.** Começar a ter dentes: *O filhote já está dentando.* [Sin. ger.: *adentar.* Fut. pret.: *dentaria*, etc.; pres. subj.: *dente, denteis*, etc. Cf. *dentaria*, fem. de *dentário; dentéis*, pl. de *dentel;* e *dintéis*, pl. de *dintel.*]

dentário. [Do lat. *dentariu.*] *Adj.* **1.** Relativo a, ou próprio dos dentes. **2.** Em que se pratica a odontologia: *gabinete dentário.* [Fem.: *dentária.* Cf. *dentaria*, do v. *dentar.*] ~ V. *arcada —a, cárie —a, piorréia alveolar —a, polpa —a* e *raiz —a.*

dente. [Do lat. *dente.*] *S. m.* **1.** Cada uma das estruturas duras, semelhantes a osso, que guarnecem os maxilares e mandíbula do homem e doutros animais, e servem especialmente para morder e triturar alimentos. [Na dentição permanente do homem, são em número de 32, oito em cada maxilar e 16 na mandíbula, distribuídos assim, a partir da frente da arcada em direção às partes laterais: quatro dentes incisivos, dois caninos, quatro pré-molares e seis molares. Tb. se usam substantivamente: os incisivos; o canino direito; um pré-molar; um dos molares esquerdos. Aum.: *dentão, dentilhão, dentola.* Dim.: irreg.: *dentículo.*] **2.** Cada uma das pontas ou saliências que guarnecem a engrenagem de certos objetos. **3.** Cume pontiagudo de montanha. **4.** *Arquit.* V. *dentilhão* (2). **5.** *Morfol. Veg.* Segmento, recorte ou divisão pouco profunda que órgãos e partes vegetais apresentam com freqüência. **6.** *Tip.* V. *pinça* (8). ♦ **Dente apontado.** O que sofreu mutilação feita com o fim de torná-lo triangular. **Dente canino.** V. *dente* (1). **Dente de coelho. 1.** Dificuldade ou obstáculo difícil de remover: *Neste problema há dente de coelho.* **2.** Roubalheira, maroteira: *Esse negócio tem dente de coelho.* [Cf. *dente-de-coelho.*] **Dente de leite.** Cada um dos dentes da primeira dentição. [Cf. *dente-de-leite.*] **Dente de siso.** O último dos dentes molares, que rompe geralmente entre os 17 e os 21 anos de idade. [Tb. se diz apenas *siso;* sin. (bras.): *dente queiro, dente queixeiro, dente do juízo.*] **Dente do juízo.** *Bras.* V. *dente de siso.* **Dente incisivo.** V. *dente* (1). **Dente molar.** V. *dente* (1). **Dente permanente.** Cada um dos dentes da segunda dentição. **Dente por dente.** Com desforra igual à ofensa. **Dente pré-molar.** V. *dente* (1). **Dente queiro.** *Bras., N.E.* V. *dente de siso.* **Dente queixeiro.** *Bras.* V. *dente de siso.* **Dente vomerino.** *Zool.* Dente encontrado nos peixes, e que se acha implantado na base do vômer [q. v.]. **Armado até os dentes.** Armado em excesso, preparando-se para uma possível luta renhida. **Falar entre os dentes.** Falar sem articular bem as palavras; resmungar. **Mostrar os dentes a.** Ameaçar (alguém).

denteação. *S. f.* Ato ou efeito de dentear; denteadura.

denteado[1]. [De *dente* + *-eado.*] *Adj.* V. *dentado*[1]. ~ V. *folha —a.*

denteado[2]. [Part. de *dentear.*] *Adj.* V. *dentado*[2] (1).

denteadura. *S. f.* Denteação.

dentear. *V. t. d.* V. *dentar* (2 e 3). [Conjug.: v. *frear.*]

dente-de-cachorro. *S. m. Tip.* Defeito de composição que consiste em espacejamento exagerado entre as palavras; dente-de-cão, dente-de-coelho, curral. [Pl.: *dentes-de-cachorro.*]

dente-de-cão. *S. m.* **1.** *Min.* Cristal de calcita, escalenoedro, que lembra a forma de um dente de cão. **2.** *Tip.* V. *dente-de-cachorro.* **3.** *Bras.* V. *pirapucu* (1). **4.** *Arquit.* Ornato pontiagudo formado de florões de quatro folhas. **5.** *Bras., MG.* Designação vulgar do quartzo em pequenos fragmentos de bordos vivos e agudos. [Pl.: *dentes-de-cão.*]

dente-de-cavalo. *S. m. Bras.* Variedade de milho (1). [Pl.: *dentes-de-cavalo.*]

dente-de-coelho. *S. m. Tip.* V. *dente-de-cachorro.* [Pl.: *dentes-de-coelho.* Cf. *dente de coelho.*]

dente-de-cutia. *S. m. Bras., Amaz.* Buril usado na cerâmica marajoara. [Pl.: *dentes-de-cutia.*]

dente-de-leão. *S. m. Bras., N.* a *S.* Planta acaule, lactescente, da família das compostas (*Taraxacum officinale*), de folhas com lobos desiguais, triangulares, agudos, dentado-acuminados, tidas por medicinais, flores liguladas, amarelo-ouro, dispostas em capítulos grandes, e fruto aquênio, estriado, com papilas alvas e dentes no ápice; taraxaco. [Pl.: *dentes-de-leão.*]

dente-de-leite. *S. m. Fut.* **1.** Categoria de jogador de futebol entre os sete e os 12 anos. **2.** Jogador dessa categoria. [Pl.: *dentes-de-leite.* Cf. *dente de leite.*]

dente-de-lobo. *S. m. Encad.* V. *brunidor de ágata.* [Pl.: *dentes-de-lobo.*]

dente-de-ovo. *S. m. Bras.* Cristal de aragonita que se encontra na ponta do bico do pinto quando sai da casca. [Pl.: *dentes-de-ovo.*]

dente-de-velha. *S. m. Bras.* V. *gangão*[1]. [Pl.: *dentes-de-velha.*]

dentel. [De *dente*, decerto.] *S. m. Carp.* Entalhe para regular a altura das prateleiras. [Pl.: *dentéis.* Cf. *denteis*, do v. *dentar*, e *dintel*, pl. *dintéis.*]

dentelária-da-china. *S. f.* Planta ornamental, da família das plumbagináceas (*Plumbago larpentai*), dotada de propriedades medicinais, e cujas flores, azuis, são dispostas em fascículos densos e de notável durabilidade. [Pl.: *dentelárias-da-china.*]

dentelária-da-índia. *S. f.* Arbusto de caule ereto, ornamental, da família das plumbagináceas (*Plumbago rosea*), dotado de propriedades medicinais, e que tem flores róseo-vermelhas, dispostas em longas espigas terminais e axilares, com numerosas glândulas no cálice, sendo o fruto uma cápsula, e a raiz e as folhas vesiculosas. [Pl.: *dentelárias-da-índia.*]

dentelária-do-cabo. *S. f.* V. *bela-emília.* [Pl.: *dentelárias-do-cabo.*]

dentelo (ê). *S. m. Arquit.* Entalhe em forma de dente; dentículo.

dente-seco. [De *dente* + *seco* (ê).] *Adj.* e *s. m. Bras., RS. Pop.* V. *valentão* (1 e 3). [Pl.: *dentes-secos.*]

dentição. [Do lat. *dentitione.*] *S. f.* **1.** Formação e nascimento dos dentes. V. *odontíase.* **2.** O conjunto dos dentes. ♦ **Terceira dentição.** *Pop. Irôn.* Dentadura postiça.

denticórneo. [De *dente* + *-i-* + *cornu*, 'chifre', 'antena', + *-eo.*] *Adj. Zool.* Que tem as antenas dentadas.

denticulado[1]. [Do lat. *denticulatu.*] *Adj.* Guarnecido de dentículos.

denticulado[2]. [Part. de *denticular*[2].] *Adj.* Recortado em forma de dentículos ou dentes.

denticular[1]. *Adj. 2 g.* Que tem dentículos ou entalhes em forma de dentes.

denticular[2]. *V. t. d.* Recortar formando dentículos ou dentes. [Pres. ind.: *denticulo*, etc. Cf. *dentículo.*]

dentículo. [Do lat. *denticulu.*] *S. m.* **1.** Pequeno dente (1) [q. v.]. **2.** *Arquit.* Dentelo. **3.** *Morfol. Veg.* Pequeno recorte na orla de certas folhas. [Cf. *denticulo*, do v. *denticular.*]

dentificação. *S. f.* Formação dos dentes ou da sua substância.

dentiforme. *Adj. 2 g.* Que tem forma de dente.

dentifrício. [Do lat. *dentifriciu.*] *Adj.* e *s. m.* Diz-se de, ou preparado que serve para limpar os dentes.

dentígero. [De *dente* + *-i-* + *-gero.*] *Adj.* Que tem dentes.

dentilhão. *S. m.* **1.** Dente muito grande [v. *dente* (1)]. **2.** *Arquit.* Conjunto de tijolos ou pedras salientes deixado numa parede para amarrar outra parede; espera, dente. **3.** *Arquit.* Designação genérica de obras de arquitetura em forma dentada.

dentina. *S. f.* O marfim dos dentes, que circunda a polpa dentária e está recoberto por esmalte, na coroa, e por cemento, na raiz.

dentirrostro. [De *dente* + *-i-* + *-rostro.*] *Adj.* **1.** *Zool.* Que têm o bico denteado. **2.** Pertencente ou relativo aos dentirrostros. • *S. m.* **3.** Espécime dos dentirrostros.

dentirrostros. *S. m. pl. Zool.* Animais metazoários, cordados, vertebrados, aves passeriformes, com a borda do bico denteada.

dentista. *S. 2 g.* Profissional que trata das moléstias dentárias. [Sin.: *odontologista, odontólogo* e *saca-molas* (deprec.), *tira-dentes* (pop.).]

dentola. *S. m. Fam.* Dente grande [v. *dente* (1)]. ~ V. *dentolas.*

dentolas. *S. 2 g.* e *2 n.* Indivíduo que tem dentes grandes e feios. [Cf. *dentuço.*] ~ V. *dentola.*

dentre. [De *de* + *entre.*] *Prep.* Do meio de: "Logo de manhã cedo / Começava [o melro] a soltar, dentre o arvoredo, / Verdadeiras risadas de cristal." (Guerra Junqueiro, *A Velhice do Padre Eterno*, p. 153); *Dentre a multidão saiu uma criança correndo.* [Não confundir com *entre.*]

dentro. [Do lat. *de* + *intro.*] *Adv.* Do lado interior; interiormente. ♦ **Dentro de. 1.** No interior de: *Vive dentro de casa.* **2.** No íntimo de: *dentro de minha alma.* **3.** No espaço de: "dentro de alguns instantes desceria as ladeiras do outro lado do morro" (Fran Martins, *Dois de Ouros*, pp. 11-12). [Sin. ger.: *dentro em.*] **Dentro em.** Dentro de: "Mapa sentimental dentro em mim estampado" (Hermes Fontes, *Gênese*, p. 71); "Andei léguas de sombra / Dentro em meu pensamento." (Fernando Pessoa, *Obra Poética*, p. 131).

dentrosa. [De *dentro*?] *S. f. Bras., RJ. Gír. de gat.* Chave de abrir portas e cofres.

dentuça. *S. f. Fam.* Arcada dentária com dentes grandes e/ou ressaídos.

dentuço. *Adj.* e *s. m. Bras.* Que ou aquele que tem os dentes grandes e/ou ressaídos. [Cf. *dentolas.*]

dentudo. *Adj.* **1.** Que tem dentes grandes. • *S. m.* **2.** Aquele que tem dentes grandes. **3.** *Bras.* V. *peixe-cachorro* (1).

dentudo-dourado. *S. m. Bras.* Peixe teleósteo, caraciforme, da família dos caracídeos (*Acestrorhamphus falcatus* Bloch), de coloração prateada, comprimento de até 26 cm, e que se alimenta de outros peixes. [Pl.: *dentudos-dourados.* Cf. *peixe-cachorro.*]

dentudo-pintado. *S. m. Bras.* V. *peixe-cadela.* [Pl.: *dentudos-pintados.*]

denudação. [Do lat. *denudatione.*] *S. f.* Ato ou efeito de denudar(-se); desnudamento.

denudar. [Do lat. *denudare.*] *V. t. d.* e *p.* V. *desnudar.* [Cf. *denodar.*]

denúncia. [Dev. de *denunciar.*] *S. f.* **1.** Ato ou efeito de denunciar. **2.** *Jur.* Peça inauguratória da ação penal de atribuição do Ministério Público; denunciação. **3.** *Jur.* Comunicação que uma das partes contratantes faz à outra no sentido de que tem o contrato por findo; denunciação. **4.** Acusação secreta ou não que se faz de alguém, com base ou sem ela, em falta ou crime cometido: *O estudante foi preso por denúncia de inimigos políticos.* **5.** Anúncio ou comunicação do fim de um acordo: *a denúncia de um Tratado.* [Cf. *denuncia*, do v. *denunciar.*] ♦ **Denúncia cheia.** *Jur.* Denúncia (3) de contrato de locação feita pelo locador, por motivo de infração do locatário. **Denúncia vazia.** *Jur.* Faculdade que tem o locador de denunciar o contrato de locação por conveniência própria, independente de motivar a denúncia.

denunciação. [Do lat. *denuntiatione.*] *S. f.* **1.** Declaração, revelação. **2.** *Jur.* V. *denúncia* (2 e 3).

denunciado. [Part. de *denunciar.*] *Adj.* e *s. m.* Que ou aquele que foi objeto de denúncia.

denunciador (ô). [Do lat. *denuntiatore.*] *Adj.* e *s. m.* Que ou aquele que denuncia, que mostra, que revela.

denunciante. [Do lat. *denuntiante.*] *Adj. 2 g.* e *s. 2 g.*

Que ou quem denuncia.

denunciar. [Do lat. *denuntiare.*] *V. t. d.* **1.** Fazer ou dar denúncia de; acusar, delatar: *O jornalista denunciou os criminosos.* **2.** Dar a conhecer; revelar, divulgar: *denunciar uma trama.* **3.** Publicar, proclamar, anunciar: *denunciar as festividades.* **4.** Dar a perceber; evidenciar: *Sua fisionomia denunciava medo; Caminhava sem denunciar fadiga.* **5.** *Jur.* Oferecer denúncia contra (alguém). **6.** *Jur.* Promover a denúncia (3 e 5) de; declarar findo: *denunciar um acordo, um contrato. T. d. e i.* **7.** Delatar como autor de um crime; fazer denúncia: *Denunciou à justiça o conspirador.* **8.** Dar a conhecer; revelar: *Denunciou ao advogado que o testamento era falso.* **9.** Dizer, comunicar, revelar, anunciar: *Denunciou aos fiéis o novo dogma. Transobj.* **10.** Declarar, reconhecer, instituir: *Denunciou-o por seu herdeiro. P.* **11.** Revelar-se, manifestar-se, mostrar-se, evidenciar-se: *A pobreza da família denuncia-se facilmente.* **12.** Tornar-se perceptível ou visível: *Denunciam-se na escura mata os movimentos do animal.* **13.** Revelar-se; trair-se: *Denuncia-se pelo seu modo de andar.* **14.** Confessar-se culpado; delatar-se: *O criminoso denunciou-se.* **15.** Dar sinais de si; fazer-se notar: *O visitante denunciou-se pela elegância.* [Pres. ind.: *denuncio, denuncias, denuncia,* etc. Cf. *denúncia.*]

denunciativo. [Do lat. *denuntiativu.*] *Adj.* Que denuncia; denunciador: *olhar denunciativo; sorriso denunciativo de piedade.*

denunciatório. *Adj.* Que envolve ou implica denúncia.

denunciável. *Adj. 2 g.* Que pode ser denunciado.

➧**Deo gratias** (déo gráciaç). [Lat., 'graças a Deus'.] Expr. que se encontra em muitas preces e é empregada ironicamente por quem se vê livre de obrigação desagradável.

➧**de omni re scibili, et quibusdam aliis** (de ômni ré cíbili ét qüibúçdam áliiç). [Lat. 'de todas as coisas sabíveis e de mais algumas'.] A primeira parte da expressão é do famoso polímata Pico della Mirandola, que pretendia responder a qualquer pergunta; a segunda, de algum trocista, Voltaire talvez, que achava um tanto exagerada essa pretensão. Usa-se a propósito de pessoas que pretendem saber tudo.

deodorense. *Adj. 2 g.* **1.** De, ou pertencente ou relativo a Marechal Deodoro (AL). ● *S. 2 g.* **2.** Natural ou habitante de Marechal Deodoro.

deontologia. [Do gr. *déontos,* 'necessidade', + *-log(o)-* + *-ia.*] *S. f.* **1.** O estudo dos princípios, fundamentos e sistemas de moral. **2.** Tratado dos deveres.

deontológico. *Adj.* Referente à deontologia.

deontologismo. [De *deontologia* + *-ismo.*] *S. m.* Sistema moral baseado na deontologia.

deontologista. *Adj. 2 g.* **1.** Relativo ao, ou que é partidário do deontologismo. ● *S. 2 g.* **2.** Partidário dele.

➧**de pane lucrando.** [Lat., 'para ganhar o pão'.] Diz-se das obras literárias feitas de um jacto, buscando quem as escreveu resolver dificuldades financeiras eventuais.

deparador (ô). *Adj. e s. m.* Que ou aquele que depara; achador, descobridor.

deparar. *V. t. d.* **1.** Fazer aparecer de repente; trazer ou apresentar inesperadamente: *O acaso depara muitas vezes a felicidade.* **2.** Encontrar inesperadamente; defrontar, topar: *Na curva da estrada deparamos um lago belíssimo. T. d. e i.* **3.** Fazer aparecer inesperadamente; fazer achar ou encontrar; trazer, apresentar: *Seus livros nos deparam passagens penetrantes. T. i.* **4.** Encontrar inesperadamente; defrontar, topar: *Deparei com ele quando passeava. P.* **5.** Vir, chegar, aparecer, apresentar-se, oferecer-se, inesperadamente: *Deparou-se-me uma rara ocasião de iniciar o negócio.* **6.** Encontrar inesperadamente; defrontar-se: "E *deparou-se* com um jovem forte, alto, de grande beleza." (Clarice Lispector, *A Via-Crúcis do Corpo,* p. 95.)

deparável. *Adj. 2 g.* Que se pode deparar.

departamental. *Adj. 2 g.* Relativo ou pertencente a departamento.

departamento. [Do fr. *département.*] *S. m.* **1.** Divisão administrativa da França e de algumas outras nações. **2.** Seção, divisão, setor, numa repartição pública, num ministério, num estabelecimento comercial ou industrial, etc.: *departamento de vendas a crédito.* **3.** *Bras. Restr.* Segundo a atual legislação brasileira, a menor fração da estrutura universitária para efeitos de organização administrativa e didático-científica, em cursos que visam a completar a formação universitária do aluno. [Cf. *departimento.*]

departição. *S. f.* Departimento.

departimento. *S. m.* Ato ou fato de departir(-se); departição. [Cf. *departamento.*]

departir. [De *de-* + *partir.*] *P. us. V. t. d.* **1.** Separar em partes; dividir, distribuir, repartir: *departir a propriedade.* **2.** Perturbar; desarmonizar. *T. d. e i.* **3.** Separar, distinguir, apartar: *departir o joio do trigo.* **4.** Narrar minuciosamente; minudenciar: *Nada omitiu: departiu-lhe toda a história. Int.* **5.** Contar despreocupadamente. *P.* **6.** Sair, apartar-se, separar-se, afastar-se.

depascente. [Do lat. *depascente.*] *Adj. 2 g.* Que corrói; que (se) alastra.

depauperação. *S. f.* Depauperamento.

depauperado. [Part. de *depauperar.*] *Adj.* Que se depauperou; que sofre depauperamento.

depauperador (ô). *Adj.* Que depaupera; depauperante.

depauperamento. *S. m.* Ato ou efeito de depauperar(-se); depauperação.

depauperante. [Do lat. *depauperante.*] *Adj. 2 g.* Depauperador.

depauperar. [Do lat. *depauperare.*] *V. t. d.* **1.** Esgotar os recursos de; tornar pobre; empobrecer: *Os gastos excessivos depauperaram a economia do País.* **2.** Esgotar as forças de; extenuar, debilitar, enfraquecer, exaurir: *A vida dissoluta depauperou-o. P.* **3.** Enfraquecer(-se), debilitar-se, extenuar-se.

depenado. [Part. de *depenar.*] *Adj.* **1.** Que ficou sem penas, ou que as perdeu. **2.** *Fam.* Que ficou sem dinheiro.

depenador (ô). *S. m.* **1.** Aquele que depena. **2.** *Fam.* Indivíduo que com astúcia e manha se apossa do dinheiro de outrem.

depenar. [De *de-* + *pena*[1] + *-ar*[2].] *V. t. d.* **1.** Tirar as penas a; deplumar, despenar: *depenar frangos.* **2.** *P. ext.* Arrancar os pêlos a; arrepelar: *Chorava, depenando as barbas e cabelos.* **3.** *Gír.* Extorquir dinheiro astuciosamente a: *Depenaram o coitado no cassino.* **4.** *Gír.* Tirar os haveres de (alguém), deixando-o sem nada; pelar. *P.* **5.** Perder ou ir perdendo as penas: *O frango depenou-se; O passarinho está a depenar-se.*

dependência. [Do lat. *dependentia.*] *S. f.* **1.** Estado ou caráter de dependente. **2.** Sujeição, subordinação. **3.** Acessório, complemento, anexo. **4.** Cada uma das peças ou cômodos de uma casa. **5.** *Bras.* Edificação anexa a uma casa; puxado, puxada. ◆ **Dependência estatística.** *Estat.* Relação que existe entre duas ou mais variáveis aleatórias quando a probabilidade de ocorrência simultânea de determinados valores de seus domínios não é igual ao produto das probabilidades de ocorrência desses valores isoladamente; dependência estocástica. **Dependência estocástica.** *Estat.* Dependência estatística. **Dependência funcional.** *Anál. Mat.* A que existe entre duas ou mais funções relacionadas por uma identidade. Ex.: o seno e o co-seno são funcionalmente dependentes, já que $sen^2x + cos^2x = 1$. **Dependência linear.** *Anál. Mat.* Propriedade de conjunto de quantidades de um conjunto cuja combinação linear, com constantes nesse conjunto, pode ser nula sem que todas as constantes o sejam.

dependente. [Do lat. *dependente.*] *Adj. 2 g.* **1.** Que depende. ~ V. *morfema* — e *variável* —. ● *S. 2 g.* **2.** Pessoa que não dispõe de recursos para promover a sua subsistência. **3.** Pessoa que vive a expensas de outra. **4.** *Bras.* Estudante que, reprovado numa disciplina de uma série escolar, obtém matrícula na série imediata, dependendo da aprovação naquela disciplina a sua promoção a esta série.

depender. [Do lat. *dependere.*] *V. t. i.* **1.** Estar na dependência; estar sujeito; pender: *Ele trabalha e depende dos horários.* **2.** Ter conexão ou relação imediata; estar ligado: *O efeito depende da causa.* **3.** Resultar, derivar, proceder: *O prestígio de que desfruta depende do seu caráter.* **4.** Estar subordinado; estar sob o domínio, autoridade, influência ou arbítrio; ser dependente: *Todos dependemos de Deus.* **5.** Envolver decisão, resolução: *A solução do caso depende do presidente.* **6.** Fazer parte; estar ligado ou anexo: *O engenho depende da propriedade.*

dependura. [Dev. de *dependurar.*] *S. f.* **1.** Ato ou efeito de dependurar; pendura. **2.** Objeto(s) pendurado(s); pendura. ◆ **Estar à dependura.** V. *estar na dependura.* **Estar na dependura.** **1.** Estar na miséria. **2.** Estar em perigo de vida. [Sin. ger.: *estar à dependura, estar por uma dependura.*] **Estar por uma dependura.** *Bras., S. V. estar na dependura.* **Na dependura.** *Bras. Pop.* V. *na pendura.*

dependurado. [Part. de *dependurar.*] *Adj.* **1.** Que se dependurou; pendurado. ~ V. *olhos* —*s.* ● *S. m.* **2.** *Bras., GO.* Encosta de montanha mais ou menos sem vegetação.

dependurar. *V. t. d., t. d. e c. e p.* Var. de *pendurar.* [Antôn.: *despendurar.*]

depenicar. [De *de-* + *pena*[1] + *-icar.*] *V. t. d.* **1.** Tirar ou arrancar as penas ou os pêlos de, aos poucos; debicar, depenar. **2.** Comer, ou tirar para comer, pequenas porções de; debicar, beliscar: *Antes do jantar vai depenicando as comidas. T. i.* **3.** Comer em pequenas porções; debicar: *depenicar no pão. Int.* **4.** Comer aos pouquinhos, ou muito pouco; debicar, beliscar: *Ela só depenicava no almoço.* [Conjug.: v. *trancar.*]

deperecer. [De *de-* + *perecer.*] *V. int.* Ir-se finando pouco a pouco; desperecer: "Começou [Machado de Assis] a *deperecer* a enfraquecer-se, e .... o seu abatimento era tamanho que não lhe permitiu rever as provas do *Esaú e Jacó.*" (Lúcia Miguel Pereira, *Machado de Assis,* p. 257.) [Conjug.: v. *aquecer.*]

deperecimento. *S. m.* Ato de deperecer; desfalecimento ou consunção gradual; desperecimento.

depilação. *S. f.* Ato ou efeito de depilar(-se); epilação.

depilado. [Part. de *depilar.*] *Adj.* Que se depilou, em que se fez depilação.

depilador (ô). *S. m.* Aquele que faz depilação profissionalmente.

depilar. [Do lat. *depilare.*] *V. t. d.* **1.** Arrancar ou fazer cair o pêlo ou o cabelo a; pelar, rapar: "— É a única mulher que se pode dar ao luxo de não *depilar* as axilas!" (Adovaldo Fernandes Sampaio, *O Sol na Rede,* p. 17.) *P.* **2.** Arrancar ou fazer cair o próprio pêlo; pelar-se, rapar-se.

depilatório. *Adj.* **1.** Diz-se daquilo que depila. ● *S. m.* **2.** Preparado para fazer cair o cabelo ou o pêlo. [F. paral.: *epilatório.*]

depleção. [Do lat. *depletione.*] *S. f. Med.* Diminuição da quantidade dos humores do organismo.

depletivo. *Adj.* Que produz depleção.

deploração. [Do lat. *deploratione.*] *S. f.* **1.** Ato de deplorar. **2.** Palavras com que se deplora.

deplorador (ô). *S. m.* Aquele que deplora.

deplorar. [Do lat. *deplorare.*] *V. t. d.* **1.** Chorar, lastimar, prantear: *Muito deplorou a morte do amigo.* **2.** Sentir, lamentar: *Deploro haver despendido tanto dinheiro sem proveito. P.* **3.** Lastimar-se, prantear-se, lamentar-se, chorar-se: *A infeliz deplorava-se e acusava-o de tudo.*

deplorativo. *Adj.* **1.** Relativo a deploração; deploratório. **2.** Que deplora ou lastima; lastimoso.

deploratório. *Adj.* Deplorativo (1).

deplorável. *Adj. 2 g.* **1.** Digno de deploração; lamentável, lastimável. **2.** Detestável, abominável: *procedimento deplorável.*

deplumar. [De um lat. *deplumare,* formado de *deplumatu,* 'que perdeu ou mudou as penas'.] *V. t. d.* Depenar (1).

depoente. [Do lat. *deponente.*] *Adj. 2 g.* ~ V. *verbo* —. ● *S. 2 g. Jur.* Pessoa que depõe em juízo como testemunha.

depoimento (o-i). *S. m.* **1.** Ato de depor. **2.** Aquilo que as testemunhas depõem; testemunho.

depois. [Do lat. tardio *depost.*] *Adv.* **1.** Posteriormente, em seguida: "Amor? Receios, desejos, / promessas de paraísos, / *Depois* sonhos, *depois* risos, / *Depois* beijos!" (Menotti del Picchia, *Juca Mulato,* p. 55.) **2.** Atrás, detrás. **3.** Ademais, demais; além disso: *É muito rico e inteligente, e, depois, é simpático em extremo.* ◆ **Depois de.** **1.** Seguidamente a: "Deitei-me à hora habitual, *depois da* ceia." (Josué Montelo, *A Noite sobre Alcântara,* p. 158.) **2.** Em posição inferior a. **Depois que.** Desde o tempo, ou depois do tempo, em que: "Como hei de eu, de hoje em diante, / Viver, *depois que* partires?" (Olavo Bilac, *Poesias,* p. 212.)

depolarização. *S. f. Fís.-Quím.* e *Eletr.* V. *despolarização.*

depolarizar. *V. t. d. Fís.-Quím.* e *Eletr.* V. *despolarizar.*

depolmar. *V. int. Bras., CE. Pop.* Ostentar-se presunçosamente.

depopular. [Do lat. *depopulare.*] *V. t. d.* V. *despovoar* (1).

depor. [Do lat. *deponere.*] *V. t. d.* **1.** Pôr de parte, pôr de lado (algo que se trazia); deixar: *Depôs o jornal que estava lendo.* **2.** Despojar de cargo ou dignidade; destituir: *A revolução depôs o monarca.* **3.** Tirar de posição elevada; colocar abaixo; abaixar: *Depôs o fardo que trazia à cabeça.* **4.** Pôr de parte; abandonar, perder: *depor a dissimulação; Certas palavras com o tempo depõem algumas acepções.* **5.** *Jur.* Declarar em juízo: *Depôs que o assalto se dera de madrugada.* **6.** Desistir de; abdicar, renunciar: *depor a autoridade.* **7.** Exprimir, expressar: *Os documentos depõem o con-*

trário do que alega a testemunha. T. d. e i. **8.** Despojar de cargo ou dignidade; destituir: *Depuseram-no do ministério.* **9.** Depositar, colocar, pôr: *depor a lanterna sobre a mesa; Depôs no médico toda a sua esperança. T. i.* **10.** Declarar, revelar, expor: *Não deporei de fatos que o possam comprometer.* **11.** Fornecer indícios, provas: *Tais costumes depõem contra a sua honestidade. Int.* **12.** Prestar depoimento em juízo: *Instaurado o processo, foram diversos funcionários convidados a depor. P.* **13.** Ir ao fundo; descer, depositar-se: *Depuseram-se as impurezas do líquido.* [Irreg. [Conjug.: v. *pôr.* Perf. ind.: *depus, depuseste, depôs,* etc. Cf. *depós.*]

deportação. [Do lat. *deportatione.*] *S. f.* Ato ou efeito de deportar; desterro, banimento, exílio.

deportado. [Part. de *deportar.*] *Adj. e s. m.* Diz-se de, ou aquele que foi condenado à deportação; desterrado, exilado, banido.

deportar. [Do lat. *deportare.*] *V. t. d.* Levar para fora, para longe; condenar a degredo; desterrar, expatriar, exilar, banir: *deportar um conspirador.*

deporte[1]. [Do it. *diporto.*] *S. m. Ant.* V. *esporte* (1).

deporte[2]. *S. m. Com.* **1.** Operação de bolsa pela qual o vendedor, jogando na baixa, adquire títulos à vista na alta e depois os revende a termo, para liquidação posterior, à mesma pessoa de quem os adquiriu. **2.** Diferença superior do curso a termo em relação ao curso à vista, nas operações de bolsa. [Antôn.: *reporte.*]

depós. [De *de* + lat. *post.*] *Prep. P. us.* Depois de; após, empós: "Ergueu-se a gente toda, e foi depós o brasileiro." (Camilo Castelo Branco, *No Bom Jesus do Monte,* p. 20); "trepavam as encostas verdejantes os rebanhos, depós eles os pegureiros" (Id., *A Mulher Fatal,* p. 32).

deposição. [Do lat. *depositione.*] *S. f.* Ato ou efeito de depor. ♦ **Deposição eletrolítica.** *Fís.-Quím.* Formação de uma camada de metal sobre um eletrodo por meio duma eletrólise.

depositação. *S. f. Geol.* Ação de depositar.

depositador (ô). *S. m. P. us.* Depositante (2).

depositante. *Adj. 2 g.* **1.** Que deposita. ● *S. 2 g.* **2.** Pessoa que deposita. [Sin. (p. us.), nesta acepç.: *depositador.*]

depositar. *V. t. d.* **1.** Pôr em depósito; guardar: *Depositou as suas economias. T. d. e c.* **2.** Guardar (em lugar seguro): *Depositei meu dinheiro no banco.* **3.** Pôr, colocar, depor: *Depositou na mesa o seu embrulho.* **4.** Dar a guardar; pôr em segurança: *Depositamos o menor em casa de seus tios.* **5.** Colocar ou entregar com solenidade: *O governo depositou-lhe o corpo na capela presidencial. T. d. e i.* **6.** Confiar, fiar: *Depositou seus segredos ao amigo. P.* **7.** Ficar no fundo; depor-se, assentar: *As fezes do vinho depositaram-se na garrafa.* [Pres. ind.: *deposito,* etc.; fut. pret.: *depositaria,* etc. Cf. *depósito,* s. m., e *depositária,* f. de *depositário.*]

depositário. [Do lat. *depositariu.*] *S. m.* **1.** Aquele que recebe em depósito. **2.** *Fig.* Confidente (2). [Fem.: *depositária.* Cf. *depositaria,* do v. *depositar.*]

depósito. [Do lat. *depositu.*] *S. m.* **1.** Ato de depositar(-se). **2.** Aquilo que se depositou. [Cf., nesta acepç., *retém* (2).] **3.** Lugar ou estado daquilo que se depositou. **4.** Substâncias que se depositam no fundo de um líquido; sedimento. **5.** Reservatório (2). **6.** Armazém (1). **7.** *Bibliot.* Parte da biblioteca onde se instala o acervo principal. **8.** *Geol.* Concentração natural de qualquer substância de natureza rochosa. **9.** *Tip. P. us.* V. *magazine* (3). [Cf. *deposito,* do v. *depositar.*] **Depósito alóctone.** *Geol.* Depósito constituído por materiais de outras áreas, ou exógenos. **Depósito aluviano.** *Geol.* Depósito formado por aluvião (1). **Depósito anagênico.** *Geol.* Depósito constituído de rochas detríticas ou clásticas com pedaços de tamanho variável. **Depósito autóctone.** *Geol.* Depósito constituído pela desagregação ou destruição do material no próprio lugar. **Depósito de mar profundo.** *Geol.* V. *depósito marinho.* **Depósito eólico.** *Geol.* Sedimento formado por deposição eólica. **Depósito legal.** Entrega que, por lei, estão os editores de um país obrigados a fazer, às bibliotecas nacionais ou órgãos congêneres, de um ou mais exemplares de todos os livros que publiquem. **Depósito litorâneo.** *Geol.* V. *depósito marinho.* **Depósito marinho.** *Geol.* Material acumulado no fundo do mar e que se assenta sobre o solo oceânico. [Quanto à profundidade, os depósitos marinhos distinguem-se em *litorâneos* (de mar pouco profundo) e de *mar profundo;* quanto à origem, podem ser *terrígenos* e *pelágicos.*] **Depósito paleogêneo.** *Geol.* Designação comum aos primeiros depósitos do terciário. **Depósito pelágico.** Material orgânico (esqueletos, carapaças, conchas, etc.) que se acumula nas profundezas dos oceanos e mares e constitui um lodo ou vasa de origem variada (diatomáceas, radiolários, etc.). [V. *depósito marinho.*] **Depósito terrígeno.** Material acumulado na plataforma continental, intimamente relacionado com as terras emersas que lhe ficam próximas, e constituído por seixos, cascalhos, areia, lodo ou vasa, etc. [V. *depósito marinho.*]

depravação. [Do lat. *depravatione.*] *S. f.* **1.** Ato ou efeito de depravar(-se); perversão, corrução. **2.** Degeneração mórbida.

depravado. [Part. de *depravar.*] *Adj.* **1.** Devasso, corrompido, pervertido. **2.** Perverso, malvado. ● *S. m.* **3.** Indivíduo depravado.

depravador (ô). *Adj. e s. m.* Que ou aquele que deprava, corrompe ou perverte.

depravar. [Do lat. *depravare.*] *V. t. d.* **1.** Alterar prejudicialmente; estragar, danificar, corromper: *Estas substâncias depravam o sangue.* **2.** *Fig.* Perverter, corromper, degenerar: *Tais costumes depravam a sociedade.* **3.** Falsificar, adulterar: *depravar um documento. P.* **4.** Alterar-se para pior; estragar-se, danificar-se. **5.** Perverter-se, corromper-se, degenerar-se: *Deprayou-se naquela súcia.*

deprecação. [Do lat. *deprecatione.*] *S. f.* **1.** Ato de deprecar. **2.** *Jur.* V. *deprecada.* **3.** Súplica de perdão; rogativa.

deprecada. [Fem. substantivado do part. de *deprecar.*] *S. f. Jur.* Documento em que um juiz ou tribunal pede a outro a realização dum ato ou diligência judicial; deprecação. [F. paral.: *deprecata;* sin.: *deprecação.*]

deprecado. [Part. de *deprecar.*] *Adj.* Diz-se de juiz, etc. a quem se expediu deprecada.

deprecante. [Do lat. *deprecante.*] *Adj. 2 g. e s. 2 g.* Que ou quem depreca.

deprecar. [Do lat. **deprecare.*] *V. t. d.* **1.** Pedir com instância e submissão; rogar, suplicar, implorar: "com a boca em fogo, ... gemeu fundamente, como se deprecara, numa prece suprema, a assistência divina a seu martírio." (Afonso Arinos, *Histórias e Paisagens,* p. 60). *T. d. e i.* **2.** Pedir submissamente; rogar, suplicar, implorar: *O preso deprecava piedade ao carrasco. Bit. i.* **3.** Suplicar, implorar; orar: *Deprecou a Deus pela vida de seus filhos. Int.* **4.** Fazer súplicas; implorar. **5.** *Jur.* Expedir deprecada(s). [Conjug.: v. *trancar.*]

deprecata. [Do lat. *deprecata.*] *S. f. Jur.* V. *deprecada.*

deprecativo. [Do lat. *deprecativu.*] *Adj.* Em que há deprecação.

deprecatório. [Do lat. *deprecatoriu.*] *Adj.* Relativo a deprecação.

depreciação. *S. f.* **1.** Ação de depreciar. **2.** Baixa de preço ou de valor. **3.** *Fig.* Desprezo, menosprezo, desdém. **4.** Perda progressiva de valor, legalmente contabilizável, dos móveis, utensílios, maquinismo, veículos, embarcações, ferramentas e instalações de uma empresa.

depreciado. [Part. de *depreciar.*] *Adj.* Que teve ou experimentou depreciação.

depreciador (ô). [Do lat. *depretiatore.*] *Adj. e s. m.* Que ou aquele que deprecia.

depreciar. [Do lat. *depretiare.*] *V. t. d.* **1.** Abaixar o preço ou o valor de; desvalorizar: *depreciar mercadorias.* **2.** Rebaixar, desestimar, desprezar, desdenhar, menoscabar: *O professor depreciava as qualidades dos alunos. P.* **3.** Abaixar de preço ou de valor; desvalorizar-se: *Estes produtos depreciaram-se no mercado.* **4.** Perder a estima, a consideração; aviltar-se, desacreditar-se. [Pres. ind.: *deprecio, deprecias, deprecia,* etc.]

depreciativo. *Adj.* Em que há, ou que envolve depreciação. [Antôn.: *apreciativo.*]

depreciável. *Adj. 2 g.* Sujeito a depreciação.

depredação. [Do lat. *depraedatione.*] *S. f.* Ato de depredar; saque, pilhagem, devastação.

depredado. [Part. de *depredar.*] *Adj.* Que se depredou; que foi objeto de depredação.

depredador (ô). [Do lat. *depraedatore.*] *Adj. e S. m.* Que ou aquele que pratica depredação.

depredando. [Ger. adjetivado de *depredar.*] *Adj.* Que vai ser depredado: "Furtivos retiremos do horto mundo / Os depredandos pomos." (Fernando Pessoa, *Odes de Ricardo Reis,* p. 92.)

depredar. [Do lat. **depraedare.*] *V. t. d.* **1.** Destruir, assolar, devastar, talar: *A turba depredou a propriedade.* **2.** Roubar, saquear, espoliar: *Os ladrões depredaram a casa. T. d. e i.* **3.** Roubar, saquear, espoliar: *Depredaram-lhe muitas reses.*

depredatório. *Adj.* Em que há, ou que tem por fim depredação.

depreender. [Do lat. *deprehendere.*] *V. t. d.* **1.** Atingir a compreensão de; perceber, compreender; *Depreendemos perfeitamente a idéia.* **2.** Concluir, inferir, deduzir: *É fácil depreender que o povo não se acha satisfeito. T. i.* **3.** Concluir, deduzir, inferir: "A muita lição do hipocondríaco Edgar Quinet, como depreendo das epígrafes dos seus versos, ainda assim, não o saturou do sombrio menospreço das coisas boas da vida." (Camilo Castelo Branco, *Serões de São Miguel de Ceide,* III, p. 59). *T. d. e i.* **4.** Chegar à conclusão; deduzir, concluir: *Do seu silêncio depreendi que estava contrariado.*

depreensão. [Do lat. *deprehensione.*] *S. f.* Ato ou efeito de depreender.

depressa. *Adv.* Com pressa; com rapidez; em breve tempo.

depressão. [Do lat. *depressione.*] *S. f.* **1.** Ato de deprimir(-se). **2.** Abaixamento de nível resultante de pressão ou de peso. **3.** Baixa de terreno. **4.** Diminuição, redução. **5.** *Anat.* Achatamento ou cavidade superficial. **6.** *Astr.* Distância angular, medida sobre um círculo vertical, entre um ponto da esfera celeste abaixo do horizonte e este último; altura negativa. **7.** *Econ.* Situação em que os volumes de consumo e de produção *per capita* e o número de empregados são inferiores aos normais, havendo recursos econômicos não utilizados. [Cf., nesta acepç., *crise* (11).] **8.** *Psiq.* Distúrbio mental caracterizado por adinamia, desânimo, sensação de cansaço, e cujo quadro muitas vezes inclui, também, ansiedade, em grau maior ou menor. **9.** *Fig.* Abatimento moral ou físico; letargia. ♦ **Depressão do horizonte.** *Astr.* Depressão (6) do horizonte aparente [q. v.].

depressivo. *Adj.* **1.** V. *deprimente.* **2.** Que revela depressão.

depresso. [Do lat. *depressu.*] *Adj.* **1.** Em que há depressão. **2.** *Morfol. Veg.* Deprimido (2).

depressor (ô). *Adj.* **1.** Que deprime. **2.** *Fisiol. Farm.* e *Med.* Diz-se de agente que diminui uma atividade fisiológica. ● *S. m.* **3.** Aquele que deprime. **4.** Agente depressor (2).

deprimente. [Do lat. *deprimente.*] *Adj. 2 g.* Que deprime; depressivo, depressor.

deprimido. [Part. de *deprimir.*] *Adj.* **1.** Que apresenta depressão (8); abatido. **2.** *Morfol. Veg.* Comprimido, achatado: *fruto deprimido.*

deprimir. [Do lat. *deprimere.*] *V. t. d.* **1.** Causar depressão em; abaixar, abater: *Este medicamento deprime a pressão sanguínea; A violência acabou deprimindo sua força moral.* **2.** Debilitar, enfraquecer: *A febre deprime os doentes.* **3.** Causar angústia, ou penosa sensação moral, em; abater, angustiar: *As sérias dificuldades do amigo deprimiriam-no.* **4.** Rebaixar, humilhar, aviltar, desprezar, menosprezar: *deprimir os pretensiosos. P.* **5.** Sofrer depressão; abaixar-se, abater-se: *O terreno deprimiu-se.* **6.** Rebaixar-se, humilhar-se, diminuir-se. **7.** Abater-se, angustiar-se; sofrer.

depuração. *S. f.* Ato ou efeito de depurar(-se).

depurador (ô). *Adj.* **1.** V. *depurante.* ● *S. m.* **2.** O que depura. **3.** *Ind. Pap.* Aparelho que completa ou substitui a ação do areeiro, [q. v.] na separação das impurezas da pasta (areia, nós da madeira, etc.), antes de sua chegada à caixa de entrada.

depurante. *Adj. 2 g.* Que depura; depurador, depurativo.

depurar. *V. t. d.* **1.** Tornar puro ou mais puro; limpar, purificar: *depurar águas; depurar o sangue; depurar o espírito.* **2.** Excluir (um representante eleito), não apurando os votos por ele obtidos. *T. d. e i.* **3.** Tornar puro; limpar, purificar: *As lágrimas depuraram-no de todas as culpas. P.* **4.** Purificar-se, limpar-se: *A água depurou-se com a filtragem.*

depurativo. *Adj.* **1.** V. *depurante.* ● *S. m.* **2.** Medicamento depurativo.

deputação. *S. f.* **1.** Ato de deputar. **2.** Reunião de pessoas encarregadas de missão especial.

deputado. [Do lat. *deputatu.*] *S. m.* **1.** Indivíduo comissionado para tratar de negócios de outrem. **2.** Membro eleito de assembléia legislativa.

deputar. [Do lat. *deputare.*] *V. t. d. e i.* **1.** Transmitir por delegação; delegar: *O Presidente deputou no ministro plenos poderes.* **2.** Mandar em comissão; encarregar de uma missão; incumbir, delegar: *O Conselho deputou três dos seus membros à conferência.*

deque. [Do ingl. *deck.*] *S. m.* **1.** *Mar. Merc.* Convés (2). **2.** *P. ext. Arquit.* Terraço ou plataforma feita de tábuas geralmente paralelas.

dequitação. *S. f. Med.* V. *delivramento.*

dequitadura. [De *dequitado* + *-ura.*] *S. f. Med.* V. *delivramento.*

dequitar-se. [De *de-* + *quitar* + *se*[1].] *V. p. Med. P. us.* **1.** Expelir a placenta. **2.** Dar à luz.
➡**derby** (dárbi). [Ingl.] *S. m. Turfe.* A mais importante e tradicional carreira inglesa, disputada em Epsom pela primeira vez no séc. XVII, e que veio a dar nome ao primeiro clube de corridas de cavalo do Brasil, no RJ, depois incorporado ao Jóquei Clube.
dereito. *Adj.* e *s. m. Ant.* e *pop.* Direito.
derelito. *Adj.* e *s. m.* V. *derrelito.*
deriva. [Do fr. *dérive.*] *S. m.* **1.** *Automat.* Desvio que um instrumento sofre com o tempo, a partir do seu ponto de repouso, quando a variável medida e as condições ambientes são constantes. **2.** *Cronol.* Variação progressiva da marcha de um relógio. ♦ **Deriva dos continentes.** *Geofís.* Fenômeno pelo qual os continentes se deslocam sobre a superfície terrestre, como que flutuando sobre a magma. **À deriva.** Sem rumo; solto, perdido; arrastado, levado: *O bote ia à* d e r i v a *; Os destroços ficaram à* d e r i v a.
derivação. [Do lat. *derivatione.*] *S. f.* **1.** Ato ou efeito de derivar. **2.** *Gram.* Processo pelo qual se formam palavras umas de outras, por meio de afixos. **3.** *Fig.* Origem, princípio. **4.** *Anál. Mat.* Ato de calcular a derivada de uma função.
derivada. [Fem. substantivado do adj. *derivado.*] *S. f. Anál. Mat.* **1.** Limite do cociente do acréscimo de uma função pelo acréscimo da variável independente, quando esse acréscimo tende para zero. ♦ **Derivada à direita.** *Anál. Mat.* Derivada obtida quando se toma o limite à direita do cociente que a define. **Derivada à esquerda.** *Anál. Mat.* Derivada obtida quando se toma o limite à esquerda do cociente que a define. **Derivada direcional.** *Anál. Mat.* Produto escalar do gradiente de uma função de ponto pelo versor da tangente a uma curva que passa por um ponto dado. **Derivada enésima.** *Anál. Mat.* A que se obtém derivando uma função *n* vezes. **Derivada logarítmica.** *Anál. Mat.* O cociente da derivada de uma função pela própria função. **Derivada normal.** *Anál. Mat.* Derivada direcional numa direção perpendicular a uma superfície. **Derivada ordinária.** *Anál. Mat.* A derivada de uma função duma única variável. **Derivada parcial.** *Anál. Mat.* A derivada de uma função de diversas variáveis em relação a uma delas, quando as outras permanecem constantes. **Derivada primeira.** *Anál. Mat.* A que se obtém quando se deriva uma função apenas uma vez. **Derivada total.** *Anál. Mat.* Numa função de diversas variáveis que, por sua vez, são funções deriváveis de uma variável, o somatório dos produtos das derivadas parciais da função pelas respectivas derivadas das variáveis em relação àquela de que dependem.
derivado. [Part. de *derivar.*] *Adj.* **1.** Apartado, desviado. **2.** Proveniente, oriundo, originário, resultante. ~ V. *conjunto —, equação —a* e *modo —.* ● *S. m.* **3.** *Gram.* Vocábulo que deriva de outro. ♦ **Derivado do petróleo.** Qualquer substância que se obtém pela destilação ou craqueamento do petróleo, como gasolina, querosene, nafta, óleo combustível, óleo lubrificante, asfalto.
derivante. [Do lat. *derivante.*] *Adj. 2 g.* Que deriva ou se deriva.
derivar. [Do lat. *derivare.*] *V. t. d.* **1.** Desviar do seu curso; mudar a direção de; dirigir para outro ponto: *As enchentes* d e r i v a r a m *o rio; O orador* d e r i v o u *o seu discurso.* **2.** *Anál. Mat.* Calcular a derivada de (uma função). *T. d. e i.* **3.** *Gram.* Indicar a origem (de palavra): *O etimologista* d e r i v o u *erradamente saudade do espanhol.* **4.** Formar-se (uma palavra de outra): Beleza d e r i v a de belo. **5.** Desviar o curso; mudar a direção: D e r i v o u *a conversa para outros assuntos.* **6.** Fazer provir ou resultar; dar como origem: *Muitos reis* d e r i v a v a m *de Deus o seu poder. T. i.* **7.** Originar-se, provir, resultar: *Seu êxito* d e r i v a *do trabalho.* **8.** *Gram.* Provir, originar-se, formar-se (uma palavra de outra). **9.** Originar-se, descender: *Seus pais* d e r i v a m *dos Albuquerques.* **10.** Ser levado ou deixar-se levar; ir à deriva: *As flores* d e r i v a v a m *pelo lago.* **11.** *Náut.* Apartar-se do rumo; mudar de direção; descair, desandar: *O navio* d e r i v o u *para o sul. Int.* **12.** Correr, manar, fluir, defluir, derivar-se: *O regato* d e r i v a *tranqüilo.* **13.** Decorrer, transcorrer, passar(-se), escoar(-se): *O tempo ia* d e r i v a n d o *;* D e r i v a r a m *dois anos após aqueles sucessos.* **14.** Ser levado ou deixar-se levar; ir à deriva: *As folhinhas* d e r i v a m *tontas. P.* **15.** Originar-se, provir. **16.** Descender, provir. **17.** Derivar (12): D e r i v a m - s e *pelos rochedos os braços do rio.* **18.** *Gram.* Provir (uma palavra) de. **19.** Deixar-se levar: *Os fanáticos* d e r i v a v a m - s e *pelas idéias do boato.* **20.** Espalhar-se, difundir-se, propagar-se: *A fé* d e r i v o u - s e *pelo reino.* **21.** *Náut.* Apartar-se do rumo; mudar de direção; desandar.
derivativo. [Do lat. *derivativu.*] *Adj.* **1.** Relativo a derivação; derivatório. **2.** *Med.* V. *revulsivo* (1). ● *S. m.* **3.** *Med.* Revulsivo (2). **4.** *Bras.* Ocupação ou divertimento para fazer esquecer, ou para atenuar, um pensamento triste, uma idéia fixa, ou para quebrar a monotonia de uma tarefa, etc.
derivatório. *Adj.* Derivativo (1).
derivável. *Adj. 2 g.* **1.** Que se pode derivar. **2.** Que tem derivação provável.
derma. [Do gr. *dérma*, pelo lat. *derma.*] *S. m.* V. *pele* (1).
▲**derm(a)-.** [Do gr. *dérma, atos.*] *El. comp.* = 'pele': *dermite.* [Equiv.: *dermat(o)-, dermo-, -derm(o)-, -dermo: dermatose, dermatologia; dermopapilar; endodérmico; osteodermo.*]
dermanissídeo. *S. m.* **1.** Espécime dos dermanissídeos. ● *Adj.* **2.** Pertencente ou relativo a eles.
dermanissídeos. *S. m. pl. Zool.* Gênero de ácaros da família dos gamasídeos. Pequenos, ovais, moles e meio transparentes. Parasitam aves e ratos, de onde passam para o homem.
dermáptero. *S. m.* **1.** Espécime dos dermápteros. ● *Adj.* **2.** Pertencente ou relativo a eles. [Sin. ger.: *euplecóptero* e *euplexóptero.*]
dermápteros. *S. m. pl. Zool.* Animais artrópodes, da classe dos insetos, pterigotos, ordem *Dermaptera.* São paurometabólicos, dotados de aparelho bucal mastigador, élitros curtos, asas posteriores dobradas transversalmente, cercos transformados em par de pinças ou fórceps articulados com a extremidade do abdome. Têm hábitos noturnos, e se abrigam sob pedras ou cascas de árvores. São as lacrainhas. [Sin.: *euplecópteros* e *euplexópteros.*]
dermatite. [De *dermat(o)-* + *-ite*[1].] *S. f. Patol.* Inflamação da pele; dermite. ♦ **Dermatite herpetiforme.** *Patol.* Hidroa.
▲**dermat(o)-.** V. *derm(a)-.*
dermatogênio. *S. m. Anat. Veg.* Dermatógeno.
dermatógeno. [De *dermat(o)-* + *-geno*[1].] *S. m. Anat. Veg.* Camada externa do meristema, constituída, em geral, por um único estrato de células, e da qual se originam os tecidos da casca das plantas; dermatogênio.
dermatóglifo. [De *dermat(o)-* + *-glifo.*] *S. m. Genét.* Impressão das dobras cutâneas encontradas na epiderme das palmas das mãos e dos quirodáctilos, e das plantas dos pés e dos pododáctilos, cujos padrões auxiliam nos diagnósticos genéticos.
dermatóide. [De *dermat(o)-* + *-óide.*] *Adj. 2 g.* Semelhante à pele ou ao couro.
dermatologia. [De *dermat(o)-* + *-log(o)-* + *-ia.*] *S. f.* Ramo da medicina que trata do diagnóstico e tratamento das doenças da pele.
dermatológico. *Adj.* Referente à dermatologia.
dermatologista. *S. 2 g.* Especialista em dermatologia.
dermatopatia. [De *dermat(o)-* + *-pat(o)-* + *-ia.*] *S. f.* Designação genérica das doenças da pele.
dermatopático. *Adj.* Referente à dermatopatia.
dermatose. [De *dermato-* + *-ose.*] *S. f. Patol.* Designação comum às doenças da pele.
derme. [De *derma*, por infl. de *epiderme.*] *S. f. Histol.* Camada cutânea que se segue, em profundidade, à epiderme, e se compõe de densa rede de tecido conjuntivo vascular; córion.
dermestídeo. *S. m.* **1.** Espécime dos dermestídeos. ● *Adj.* **2.** Pertencente ou relativo a eles.
dermestídeos. *S. m. pl. Zool.* Família de insetos da ordem dos coleópteros. São besouros pequenos, ovais, antenas curtas, de 2 a 10 mm de comprimento. Importantes pela destruição e prejuízos que causam. Em geral necrófagos. Nutrem-se de lãs, sedas, peles, couros curtidos, pergaminhos, carniça, etc. As larvas são extremamente vorazes.
dérmico. *Adj.* Relativo ao derma. ~ V. *osso —* e *placa —a.*
dermite. [De *derm(a)-* + *-ite*[1].] *S. f. Patol.* Dermatite.
▲**dermo-.** V. *derm(a)-.*
▲**-derm(o)-.** V. *derm(a)-.*
▲**-dermo.** V. *derm(a)-.*
dermodermáptero. *S. m.* e *adj.* V. *diploglossado.*
dermodermápteros. *S. m. pl. Zool.* V. *diploglossados.*
dermográfico. *Adj.* ~ V. *lápis —.*
dermóide. *Adj. 2 g.* Semelhante ao derma. ~ V. *quisto —.*
dermopapilar. [De *dermo-* + *papilar.*] *Adj. 2 g. Anat.* Relativo ou pertencente às papilas dérmicas.
dermóptero. *S. m.* **1.** Espécime dos dermópteros. ● *Adj.* **2.** Pertencente ou relativo a eles. [Sin. ger.: *galeopiteco.*]
dermópteros. *S. m. pl. Zool.* Animais mamíferos, da ordem *Dermoptera*, que têm os membros ligados pelo patágio (2) [q. v.]. São noturnos, frugívoros e herbívoros. [Sin.: *galeopitecos.*]
dermoquelídeo. *S. m.* **1.** Espécime dos dermoquelídeos. ● *Adj.* **2.** Pertencente ou relativo a eles.
dermoquelídeos. *S. m. pl. Zool.* Família de tartarugas atecas, da ordem dos quelônios, representada pela tartaruga-de-couro, o maior de todos os quelônios. Existem espécies fósseis, que se desenvolveram depois do período jurássico.
➡**dernier cri** (derniê cri). [Fr.] A última moda.
derotremado. *S. m.* e *adj.* V. *mutabílio.*
derotremados. *S. m. Pl. Zool.* V. *mutabílios.*
derrabado. [Part. de *derrabar.*] *Adj.* **1.** Diz-se do animal que tem o rabo cortado. **2.** *Ant. Mar.* Dizia-se do navio ou embarcação que, por má distribuição da carga, mergulhava a popa mais do que o normal. [Antôn., nesta acepç.: *afocinhado, embicado.*]
derrabar. [De *de-* + *rabo* + *ar*[2].] *V. t. d.* **1.** Amputar o rabo ou cauda a: *O veterinário* d e r r a b o u *o cão.* **2.** Cortar a cauda ou as abas de (veste). **3.** Cortar a parte posterior de. *P.* **4.** Cortar o próprio rabo. [F. paral.: *desrabar.*]
derradeiras. [Fem. pl., substantivado, de *derradeiro.*] *S. f. pl. Bras. Pop.* V. *secundinas.*
derradeiro. [De um lat. vulg. **deretrariu, derratrariu retro*, 'para trás'.] *Adj.* **1.** Que vem atrás; que está depois; último. **2.** Extremo, final: *Aplicaram tal medida como* d e r r a d e i r o *recurso.* ♦ **Por derradeiro.** Afinal de contas; além de tudo: *É mentiroso, pedante, e,* p o r d e r r a d e i r o *, é corrupto.*
derrama[1]. [Dev. de *derramar.*] *S. f.* V. *derrame* (1).
derrama[2]. *S. f.* **1.** Tributo local, repartido em proporção com os rendimentos de cada contribuinte. **2.** *Bras.* No séc. XVIII, na região das minas, cobrança dos quintos em atraso ou de um imposto extraordinário.
derramadeira. [Fem. de *derramador.*] *Adj. (f.)* ~ V. *nuvem —.*
derramador (ô). *Adj.* e *s. m.* Que ou aquele que derrama.
derramamento. *S. m.* Ato ou efeito de derramar(-se).
derrama-molho. [De *derramar* + *molho* (ô).] *S. m. Bras., PE.* Pequena barca, ou canoa de embono, que tem boca diminuta ou que é muito estreita. [Pl.: *derrama-molhos.*]
derramar. [Do lat. vulg. *deramare*, 'arrancar os ramos a'.] *V. t. d.* **1.** Cortar ou aparar os ramos a; desramar: d e r r a m a r *os arbustos.* **2.** Espalhar, espargir, esparzir: *À passagem do cortejo* d e r r a m a m o s *palmas e flores.* **3.** Espalhar, dispersar: *Brincando na praia, cavava e* d e r r a m a v a *a areia.* **4.** Fazer correr (líquido) para fora; entornar: d e r r a m a r *o vinho.* **5.** Deixar correr (líquido) por fora; verter: *Não* d e r r a m o u *uma lágrima.* **6.** Alijar o conteúdo de: d e r r a m a r *um vaso.* **7.** Emitir, espalhar, difundir: *O Sol* d e r r a m a *a sua luz.* **8.** Exalar, emitir: *As rosas* d e r r a m a m *suave perfume.* **9.** Tornar conhecido; vulgarizar, divulgar, difundir, propagar: *Saiu a* d e r r a m a r *a doutrina.* **10.** Distribuir, repartir. **11.** Repartir com largueza; liberalizar, prodigalizar, prodigar: d e r r a m a r *seus bens.* **12.** Produzir ou fazer brotar em abundância: *Ali a natureza* d e r r a m a *os seus frutos.* **13.** Soltar com freqüência, ou em excesso: d e r r a m a r *suspiros.* **14.** Dispersar, debandar: *A polícia* d e r r a m o u *os manifestantes. T. d. e i.* **15.** Distribuir, repartir: d e r r a m a r *dinheiro aos pobres.* **16.** Divulgar, difundir, propagar: d e r r a m a r *a fé a todos os povos. P.* **17.** Espalhar-se, difundir-se: *O luar* d e r r a m a - v a - s e *pelo campo;* "A sombra do crepúsculo ia de manso d e r r a m a n d o - s e pela devesa." (Bernardo Guimarães, *O Seminarista*, p. 12.) **18.** Espalhar-se, dispersar-se: *Após o comício a multidão* d e r r a m o u - s e *pelos arredores;* "E os moços inquietos, que a festa enamora, / D e r r a m a m - s e em torno dum índio infeliz." (Gonçalves Dias, *Obras Poéticas*, II, p. 19.) **19.** Divulgar-se, propagar-se. **20.** Entornar-se, verter: d e r r a m a r - s e *o sangue.* **21.** Difluir, manar, correr: d e r r a m a r - s e *o rio.* **22.** Emitir em abundância ou excessivamente; exceder-se, prodigalizar-se: "Em demorada saudação, o professor d e r r a m o u - s e em galanteios às cinco mulheres que nos acompanhavam." (Graciliano Ramos, *Viagem*, p. 35); d e r r a m a r - s e *em palavras.* **23.** Tornar-se hidrófobo (o animal); danar-se.
derrame. [Dev. de *derramar.*] *S. m.* **1.** Derramamento. [F. paral.: *derrama.*] **2.** *Med.* Acúmulo de líquidos ou gases em cavidade natural ou acidental. **3.** *Pop.* Hemorragia, geralmente cerebral. **4.** *Bras., S.* e *GO.* Lombada de morro: "Pelo d e r r a m e do morro descia a estrada de onde se avistavam as terras lavradas." (José Godói Garcia, *O Caminho de Trombas*, p. 133.)
derrancar[1]. *V. t. d.* **1.** Tornar rançoso; estragar, alterar, deteriorar: *O calor* d e r r a n c o u *a manteiga.* **2.** Molestar, afetar, irritar. **3.** Depravar, corromper, perverter: d e r r a n c a r *os costumes.* **4.** Encolerizar, irritar, enraivecer, enfurecer: *O insulto* d e r r a n c o u - o. *P.* **5.** Tornar-se rançoso; estragar-se, deteriorar-se, alterar-se.

6. Corromper-se, perverter-se, depravar-se. **7.** Encolerizar-se, irar-se. [Conjug.: v. *trancar.*]

derrancar². [De *arrancar*, com mudança de prefixo?] *V. t. d.* **1.** Desarraigar, arrancar: *Tais idéias derrancam as nossas crenças. Int.* e *p.* **2.** *Bras., SP.* Abalar(-se), arrancar(-se), fugir [q. v.] [Conjug.: v. *trancar.*]

derranco. [Dev. de *derrancar¹*.] *S. m.* **1.** Ação de derrancar¹. **2.** Alteração dos alimentos e licores pela ação do ar. [F. paral.: *derranque.*]

derranque. [Dev. de *derrancar¹*.] *S. m.* Derranco.

derrapagem. [Do fr. *dérapage.*] *S. f. Bras.* Ato ou efeito de derrapar.

derrapar. [Do fr. *déraper.*] *V. int. Bras.* Escorregar de lado (veículo de rodas), perdendo a direção; desgovernar-se: "Derrapando, o caminhão quase colidira com um bonde" (Malu de Ouro Preto, *Siri na Noite sem Lua*, p. 36).

derreador (ô). *Adj.* e *s. m.* Que ou aquele que derreia.

derreamento. *S. m.* Efeito de derrear(-se).

derrear. *V. t. d.* **1.** Fazer vergar ao peso de: *O fardo derreou-lhe as costas.* **2.** Vergar, curvar, abater, arriar: *derrear a cabeça.* **3.** Prostrar, maltratar, desancar: *A surra derreou-o.* **4.** Enfraquecer, alquebrar; cansar, extenuar: *Tantos trabalhos e preocupações a derreavam.* **5.** Menoscabar, desacreditar. *P.* **6.** Curvar-se, vergar-se, inclinar-se: *derreiam-se as árvores.* **7.** Prostrar-se, cansar-se, extenuar-se: *Derreou-se com a caminhada.* **8.** *Bras., S.* Perder o ânimo; esmorecer, desanimar. [Conjug.: v. *frear.*]

derredor. [De *de* + *redor.*] *Adv.* **1.** Em volta, à roda; em derredor: "um sorvo longo de vida e contentamento errava derredor, no catingueiro roxo dos serrotes, emperolados da orvalhada" (Hugo de Carvalho Ramos, *Tropas e Boiadas*, p. 11). ● *S. m.* **2.** *Ant.* Circuito; roda. ♦ **Derredor de.** V. *em derredor de:* "os cortesãos, / em prantos derredor do mortuário leito, / Erguem a voz em grita aos céus levando as mãos." (Gonçalves Crespo, *Obras Completas*, p. 3[illegible]3). **Em derredor.** À volta, à roda, em torno, em redor, derredor. **Em derredor de.** À volta de, em torno de; em redor de; derredor de: "Os meninos quedos e taciturnos olhavam em derredor de si com tristeza." (Bernardo Guimarães, *O Seminarista*, p. 12.)

derregar. *V. t. d.* Abrir novos regos em (a terra) para que recebam e escoem águas pluviais. [Conjug.: v. *regar.*]

derrelição. [Do lat. *derelictione.*] *S. f.* **1.** Abandono; desamparo. **2.** *Jur.* Abandono voluntário de coisa móvel, com a intenção de não mais a ter para si. [Cf., nesta acepç., *ocupação* (6).]

derrelito. [Do lat. *derelictu.*] *Adj.* **1.** Abandonado, desamparado. ● *S. m.* **2.** *Bras. Mar.* Embarcação abandonada, soçobrada ou à deriva, e que constitui perigo para a navegação.

derrengado. [Part. de *derrengar.*] *Adj.* **1.** *Bras.* Descadeirado (3). **2.** *Bras., N.* Diz-se dos animais imprestáveis, com a coluna vertebral muito curvada por doença conseqüente às grandes cargas que suportaram. **3.** *Bras., CE.* Diz-se de pessoa cheia de mesuras e lábias.

derrengar. [Do lat. vulg. **derenicare*, formado de *renes*, 'rins'.] *Bras. V. t. d.* **1.** Desancar, descadeirar. **2.** Curvar à força de peso excessivo a coluna vertebral de (animais de carga), inutilizando-os para o serviço. *P.* **3.** Requebrar-se em trejeitos afetados; requebrar-se, rebolar-se, saracotear. [Var. (em PE), nesta acepç.: *redengar-se.* Conjug.: v. *largar.*]

derrengo. [Dev. de *derrengar.*] *S. m.* Derrengue.

derrengue. [Dev. de *derrengar.*] *S. m.* **1.** Ato ou efeito de derrengar(-se). **2.** Requebro de corpo. [F. paral.: *derrengo.*]

derretedura. *S. f.* Derretimento.

derreter. [De *de-* + o ant. **reter*, do lat. *reterere*, 'desgastar roçando'.] *V. t. d.* **1.** Tornar líquido; liquefazer, fundir: *derreter o gelo, a manteiga.* **2.** Consumir, gastar, dissipar, malbaratar: *Derreteu a herança em pouco tempo.* **3.** Consumir, apoquentar, amofinar: *Os sofrimentos derreteram-lhe a alma.* **4.** Dissipar, desvanecer: *A amabilidade do rapaz derreteu as prevenções do futuro sogro.* **5.** Enternecer; comover: *As carícias da filha logo derreteram o pai ranzinza. Int.* **6.** *Bras., S. Pop.* V. *fugir* (1 e 2). *P.* **7.** Tornar-se líquido; fundir-se. **8.** Enternecer-se, comover-se. **9.** Enamorar-se, apaixonar-se: *Derreteu-se por ele desde o primeiro encontro.* **10.** Requebrar-se, derrengar-se. **11.** Exceder-se, desdobrar-se em amavios. [Conjug.: v. *verter.*]

derretido. [Part. de *derreter.*] *Adj.* **1.** Que se derreteu; liquefeito, dissolvido. **2.** *Fig.* Enamorado, namorado, apaixonado. ~ V. *manteiga —a.*

derretimento. *S. m.* **1.** Ato ou efeito de derreter(-se); derretedura. **2.** *Fig.* Desvanecimento, requebro, afetação.

derribada. *S. f. Bras., MG.* V. *derrubada* (1).

derribadinha. [Dim., substantivado, do fem. de *derribado.*] *S. f. Bras., MG.* Corte, a machado ou a foice, duma pequena porção de mato.

derribado. [Part. de *derribar.*] *Adj.* Que se derribou; que sofreu derribamento. [F. paral.: *derrubado.*]

derribamento. *S. m.* Ato de derribar(-se). [F. paral.: *derrubamento.*]

derribar. [Do lat. **deripare.*] *V. t. d.* **1.** Lançar por terra; fazer cair; abater: *Derribou o inimigo com um murro violento.* **2.** Prostrar, vencer, subjugar: *Os romanos derribaram os povos da Europa Central.* **3.** Abater, prostrar: *A longa enfermidade o derribou.* **4.** Obrigar a exonerar-se; destituir; depor: *derribar um chefe de governo.* **5.** Demitir, exonerar. **6.** Pôr em riste para arremeter: *derribar lanças. P.* **7.** Lançar-se por terra; atirar-se de cima para baixo; precipitar-se, arrojar-se. [F. paral.: *derrubar.*]

derriça. [Dev. de *derriçar.*] *S. f. Bras. Pop.* **1.** Ato de derriçar; contenda, rixa. **2.** Caçoada, troça.

derriçador (ô). *Adj.* e *s. m.* Que ou aquele que derriça, namora; namorador.

derriçagem. *S. f. Bras.* Ato de derriçar (3): "para criá-los [aos filhos] a Maria Cearense se esbaforia, de sol a sol, na limpa das ruas entre os cafezais, entanguia os dedos na apressada e dolorosa derriçagem dos grãos." (Miroel Silveira, *Bonecos de Engonço*, p. 108).

derriçar. [De *riço?*] *V. t. d.* **1.** Puxar, com a mão ou com os dentes, para arrancar ou rasgar: *O louco derriçou-lhe as vestes.* **2.** Destramar, desenriçar. **3.** *Bras., S.* Tirar (os frutos do cafeeiro) dos galhos correndo a mão de cima para baixo e deixando-os cair no chão: "Trabalham. Que ardor de mouro! / Todos derriçam café." (Paulo Setúbal, *Alma Cabocla*, p. 54.) *Int.* **4.** Dirigir motejos; gracejar. **5.** *Pop.* V. *namorar* (9). [Conjug.: v. *laçar.*]

derriço. [Dev. de *derriçar.*] *S. m.* **1.** *Pop.* V. *namoro* (1). **2.** V. *namorado* (4). **3.** Escárnio, zombaria, mofa.

derrisão. [Do lat. *derisione.*] *S. f.* **1.** Riso motejador. **2.** Escárnio, irrisão.

derriscar. *V. t. d.* **1.** Riscar o nome em (o rol dos confitentes). **2.** Apagar, riscar, cancelar. *T. d.* e *i.* **3.** Excluir, banir. [Conjug.: v. *trancar.*]

derrisório. [Do lat. *derisoriu.*] *Adj.* Em que há derrisão.

derrocada. *S. f.* Desmoronamento; ruína.

derrocado. *Adj.* Desmoronado, arruinado, derrubado.

derrocador (ô). *Adj.* e *s. m.* Que ou aquele que derroca.

derrocamento. *S. m.* Ato ou operação de derrocar.

derrocar. *V. t. d.* **1.** Derribar; destruir; arrasar, desmoronar: *Derrocaram as posições inimigas.* **2.** Remover rochas, particularmente do leito de (rios ou canais), para os desobstruir. **3.** Destituir, derribar, depor. **4.** Humilhar, abater. *P.* **5.** Cair em ruína; desmoronar-se, aluir-se. [Conjug.: v. *trancar.*]

derrogação. [Do lat. *derogatione.*] *S. f.* Ação de derrogar; derrogamento.

derrogador (ô). [Do lat. *derogatore.*] *S. m.* Aquele que derroga.

derrogamento. *S. m.* Derrogação.

derrogante. *Adj. 2 g.* Que derroga.

derrogar. [Do lat. *derogare.*] *V. t. d.* **1.** Anular, abolir: "Da morte a férrea lei não se derroga; / Nas páginas fatais é tudo eterno! / O que se escreve ali jamais se risca!" (Bocage, *Poesias*, p. 142). *T. i.* **2.** *Jur.* Substituir (preceitos legais); revogar parcialmente (uma lei). **3.** Produzir alteração essencial. **4.** *Jur.* Conter disposições contrárias a alguma lei ou uso. *Int.* **5.** *Jur.* Praticar atos com quebra, infração ou detrimento de alguma lei ou uso. [Cf. *ab-rogar.* Conjug.: v. *largar.*]

derrogatório. [Do lat. *derogatoriu.*] *Adj.* Que envolve ou implica derrogação. [Cf. *ab-rogatório.*]

derrogável. *Adj. 2 g.* Que pode ser derrogado. [Cf. *ab-rogável.*]

derrota¹. [Dev. de *derrotar.*] *S. f.* **1.** Ação ou efeito de derrotar¹. [Sin., pop.: *pilota.*] **2.** Desbarato de tropas. **3.** Desbaste selvagem de árvores. **4.** Grande estrago; ruína. **5.** *Bras. Pop.* Coisa sem préstimo ou de má qualidade: *Esta fazenda se esgarça facilmente: é uma derrota.* **6.** *Bras. Pop.* Acontecimento funesto; desgraça: *A festa ia pelo meio quando se deu o crime: foi uma derrota.*

derrota². [Do lat. *dirupta*, i. e., *via dirupta*, 'caminho aberto através de obstáculos'.] *S. f. Náut.* O caminho percorrido por uma embarcação numa viagem por mar; rota.

derrotado. [Part. de *derrotar¹*.] *Adj.* **1.** Vencido (1). **2.** *Bras.* Extenuado; desanimado.

derrotador (ô). [De *derrotar¹* + *-(d)or.*] *Adj.* e *s. m.* Que ou aquele que derrota.

derrotamento. [De *derrotar²* + *-mento.*] *S. m. Jur.* Desvio da rota dum navio neutro por vaso de guerra de Estado beligerante, com o fim de fazer presa dele ou de suas mercadorias.

derrotar¹. *V. t. d.* **1.** Estroçar; desbaratar: *O general derrotou as tropas inimigas.* **2.** Vencer em discussão, competência ou jogo. **3.** Fatigar ao extremo; exaurir; prostrar: *A longa caminhada derrotou-o.* **4.** *Bras.* Inutilizar, invalidar.

derrotar². *V. t. d.* **1.** Desviar da rota. *P.* **2.** Perder o rumo; desencaminhar-se.

derroteiro. *S. m. Ant. Náut.* Roteiro (1).

derrotismo. *S. m. Bras.* Pessimismo daqueles que só acreditam em derrotas, em fracassos.

derrotista. *Adj. 2 g.* **1.** Inclinado ou afeito ao derrotismo. **2.** Em que há, ou que envolve derrotismo: *mentalidade derrotista; concepção derrotista.* ● *S. 2 g.* **3.** Pessoa inclinada ou afeita ao derrotismo.

derruba. [Dev. de *derrubar.*] *S. f. Bras.* V. *derrubada* (1).

derrubada. *S. f. Bras.* **1.** Ato de abater as árvores de uma mata a fim de aproveitar o terreno para plantações; derruba, derrube. [Var., em MG: *derribada.*] **2.** Demissão, em massa, de funcionários públicos, quando ascende ao poder um novo partido político ou novo chefe de governo. **3.** *Turfe. Gír.* Ação de derrubar (4).

derrubado. [Part. de *derrubar.*] *Adj.* **1.** Derribado. **2.** *Bras. Gír.* Diz-se de pessoa, festa, etc., desanimada, sem graça.

derrubamento. *S. m.* Ato de derrubar. [F. paral.: *derribamento.*]

derrubar. [Do lat. **derupare.*] *V. t. d.* **1.** V. *derribar.* **2.** *Bras.* Pousar ou arriar (carga). **3.** *Bras.. Gír.* Agir deslealmente em prejuízo de; dar uma rasteira em: *Fez tudo para derrubar o amigo, tomar-lhe a namorada. Int.* **4.** *Bras. Turfe. Gír.* Divulgar falsas barbadas entre os apostadores. *P.* **5.** Prostrar-se, derribar-se.

derrube. [Dev. de *derrubar.*] *S. m. Bras.* V. *derrubada* (1).

derruído. [Part. de *derruir.*] *Adj.* Que sofreu derruimento.

derruimento (u-i). *S. m.* Ato ou efeito de derruir(-se).

derruir. [Do lat. *deruere.*] *V. t. d.* **1.** Desmoronar; derribar: *derruir um muro; derruir uma instituição.* **2.** Destruir, anular: *Seu último pronunciamento derruiu toda sua ação anterior;* "Os românticos vieram tirar os últimos corolários da civilização cristã, por um lado, e por outro principalmente derruir os preconceitos fundamentais que dela restavam." (Nestor Vítor, *A Crítica de ontem*, p. 57). *P.* **3.** Desmoronar-se, ruir: "O velho edifício está a derruir-se." (Camilo Castelo Branco, *Noites de Lamego*, p. 64.) [Sin. ger.: *derruir.* Conjug.: v. *atribuir.*]

dervis. *S. m.* V. *daroês.* [Pl.: *dervises.*]

dervixe. [Do árabe-persa *darūīx*, 'pobre', pelo fr. *derviche.*] *S. m.* V. *daroês.*

▲**des-.** [Do lat. ex.] *Pref.* = 'separação', 'transformação', 'intensidade', 'ação contrária', 'negação', 'privação': *despedaçar, desfazer, desleixar, desumano.* [Assume, às vezes, caráter reforçativo: *desafastar, desalhear, desalijar, desaliviar, desapagar, desapartar, desapear, desbarrancado, desborcar, desencabritar, desenxabido, desfear, desfruir, desinfelicidade, desinfeliz, desinquietar, desinquieto, desinsofrido, deslisar, desmochar, desnu, desnuar, desnudez, despelar;* e, em um caso (pelo menos), reiterativo: *deslavrar.*]

dês. [Do lat. de ex.] *Prep.* Desde.

desabado. [Part. de *desabar.*] *Adj.* **1.** Que desabou. **2.** De abas largas, direitas ou caídas: "Usava [Gilberto Amado] um panamá desabado" (Guedes de Miranda, *Eu e o Tempo*, p. 61). ● *S. m.* **3.** *Bras.* V. *vertente* (3). **4.** *Bras., SP.* Terreno em declive; ladeira, encosta.

desabafado. [Part. de *desabafar.*] *Adj.* **1.** Desagasalhado. **2.** Livre, desembaraçado. **3.** Sereno, tranqüilo.

desabafamento. *S. m.* V. *desabafo.*

desabafar. [De *des-* + *abafar.*] *V. t. d.* **1.** Desagasalhar, descobrir. **2.** Tornar livre (a respiração); desafrontar. **3.** Desimpedir, desembaraçar, descobrir: *Cortaram o mato para desabafar o caminho.* **4.** Dar livre curso a; desafogar: *Desabafou as queixas longamente reprimidas. T. i.* **5.** Desafogar-se; expandir-se: *Após desabafar em lágrimas, sentiu-se aliviada. Int.* **6.** Desafogar-se, revelando o que sente ou pensa: *Sofrera calado, queria desabafar.* **7.** Respirar livremente. *P.* **8.** Desagasalhar-se, descobrir-se. **9.** Desafogar-se, expandir-se.

desabafo. [Dev. de *desabafar.*] *S. m.* Ato ou efeito de desabafar(-se); expansão, desafogo, desabafamento.

desabalado. [Part. de *desabalar*?] *Adj. Pop.* **1.** Excessivo, descompassado, desmedido. **2.** Precipitado, arrebatado: "eu corria d e s a b a l a d o pela rua, sem saber o que fizesse de tamanha felicidade." (Ciro dos Anjos, *A Menina do Sobrado*, p. 101).

desabalar. [De *des-* + *abalar.*] *V. int.* Abalar (10) [v. *fugir* (1 e 2)]: "Lídia d e s a b a l o u pela velha escada para os fundos da casa." (Carlos Castelo Branco, *Continhos Brasileiros*, p. 30.)

desabalroamento. *S. m. Mar.* Ato de desabalroar.

desabalroar. [De *des-* + *abalroar.*] *V. int. Mar.* Tirar as balroas. [Conjug.: v. *coroar.*]

desabamento. *S. m.* Ato ou efeito de desabar; desabe.

desabar. [De *des-* + *aba* + *-ar*[2].] *V. t. d.* **1.** Abaixar a aba de (o chapéu); abar. *Int.* **2.** Desmoronar, ruir, cair; abater-se: *Os casebres d e s a b a r a m com o vendaval;* "Cedros antigos, como os do Líbano, d e s a b a v a m de pancada." (Rebelo da Silva, *Contos e Lendas*, p. 27). **3.** Desencadear-se, cair com força (chuva, tempestade): "Certo sábado fui visitá-la, e d e s a b o u um desses dilúvios cariocas, que ameaçam engolir a cidade." (Maria Julieta Drummond de Andrade, *Um Buquê de Alcachofras*, p. 49.)

desabe. [Dev. de *desabar.*] *S. m.* **1.** Desabamento. **2.** A parte que desabou [v. *desabar* (2)] de uma construção.

desabelhar. [De *des-* + *abelha* + *-ar*[2].] V. *int.* Partir em bandos, como um enxame de abelhas; debandar. [Conjug.: v. *aparelhar.*]

desabilidade. [De *des-* + *habilidade.*] *S. f.* Falta de habilidade; inabilidade.

desabilitar. [De *des-* + *habilitar.*] *V. t. d.* Tornar inábil ou inapto.

desabitado. [De *des-* + *habitado.*] *Adj.* Que não tem habitantes; deserto, ermo.

desabitar. [De *des-* + *habitar.*] *V. t. d.* Deixar sem habitantes, sem moradores; despovoar. [Pres. ind.: *desabito*, etc. Cf. *desábito.*]

desábito. [De *des-* + *hábito.*] *S. m.* Falta de hábito, de costume; desuso, descostume. [Cf. *desabito*, do v. *desabitar.*]

desabituação. *S. f.* Ato de desabituar(-se).

desabituar. [De *des-* + *habituar.*] *V. t. d. e i.* **1.** Fazer perder o hábito a; desacostumar: *A carreira de advogado d e s a b i t u o u -o das letras;* "Meses e meses de intoxicação citadiana d e s a b i t u a m -nos do ar livre." (Luís Forjaz Trigueiros, *Campos Elísios*, p. 13.) *P.* **2.** Perder o hábito; desacostumar-se.

desabocar. [De *desbocar*, com epêntese, decerto.] *V. int. Bras.* Dizer asneiras. [Conjug.: v. *trancar.*]

desaboçar. [De *des-* + *aboçar.*] *V. t. d. Mar.* Tirar as boças a. [Conjug.: v. *laçar.*]

desabonado[1]. [De *des-* + *abonado.*] *Adj.* **1.** Sem abonador ou sem abonação. **2.** Falto de meios ou recursos; não abonado.

desabonado[2]. [Part. de *desabonar.*] *Adj.* Falto de crédito, de autoridade; desacreditado.

desabonador (ô). *Adj.* e *s. m.* Que, ou aquele que desabona, desacredita.

desabonar. [De *des-* + *abonar.*] *V. t. d.* **1.** Desacreditar; depreciar: *O modo como agiu agora d e s a b o n a sua conduta anterior. P.* **2.** Perder o crédito, a autoridade: "É dura afronta, mas com esta afronta / Eu não me avilto, / nem me d e s a b o n o" (Laurindo Rabelo, *Poesias Completas*, p. 109).

desabono. [Dev. de *desabonar.*] *S. m.* **1.** Ato ou efeito de desabonar. **2.** Descrédito, depreciação.

desabordamento. *S. m. Desus.* Ato de desabordar.

desabordar. [De *des-* + *abordar.*] *V. t. d. Desus.* **1.** Separar (uma embarcação) de outra à qual estava abordada. *Int.* **2.** Largar (o navio que se tinha abordado).

desabotinado. [De *botina*[1]?] *Adj. Bras., MG* e *S. Pop.* **1.** V. *valentão* (1). **2.** Insensato, adoidado.

desabotoado. [Part. de *desabotoar.*] *Adj.* **1.** Que se desabotoou. **2.** A que se fez sair o botão da casa: "Gosta de andar com a blusa d e s a b o t o a d a e pra fora das calças curtas." (Manuel Lobato, *Garrucha 44*, p. 82.) **3.** A que se abriram os botões; desabrochado.

desabotoadura. *S. f.* Desabotoamento.

desabotoamento. *S. m.* Ato ou efeito de desabotoar; desabotoadura.

desabotoar. [De *des-* + *abotoar.*] *V. t. d.* **1.** Fazer sair o botão da casa de: "d e s a b o t o o u o paletó, tirou a carteira, abriu-a" (Machado de Assis, *Papéis Avulsos*, p. 204). **2.** Abrir ou desapertar (qualquer tipo de fecho de). **3.** Abrir, descerrar: *D e s a b o t o u os lábios, ensaiando um sorriso. Int.* **4.** Abrir os botões; desabrochar(-se), desabrolhar, desabotoar-se. *P.* **5.** Abrir o próprio vestuário, desabotoando-o. **6.** Dizer sem reserva o que pensa. **7.** V. *desabotoar* (4). [Conjug.: v. *coroar.*]

desabraçar. [De *des-* + *abraçar.*] *V. t. d.* Desprender dos braços (o que estava abraçado). [Conjug.: v. *laçar.*]

desabridamente. [Do fem. de *desabrido* + *-mente.*] *Adv.* De maneira desabrida; com desabrimento; asperamente, rudemente: "O padre levantava a voz também enfurecida, e insultava d e s a b r i d a m e n t e o inimigo do gênero humano" (Camilo Castelo Branco, *Noites de Lamego*, p. 171).

desabrido. [De *dessaborido*, com síncope.] *Adj.* **1.** Rude, grosseiro: "sentia-se humilhada pelos grosseiros galanteios que ele lhe dirigira sem o menor rebuço, com d e s a b r i d a petulância e desenvoltura sensual" (Domingos Olímpio, *Luzia-Homem*, p. 33). **2.** Áspero, violento: "Foi .... numa noite de junho, com d e s a b r i d o s ventos e águas desabaladas, que apareceu, molhado e transido" (Coelho Neto, *Treva*, p. 173). **3.** Insolente, inconveniente: "O que mais me atraía, talvez, em Baroja [Pío Baroja] era o seu dom de impertinência, as suas opiniões d e s a b r i d a s." (Eduardo Frieiro, *O Alegre Arcipreste*, p. 187.)

desabrigado. [De *des-* + *abrigado.*] *Adj.* **1.** Que não tem abrigo. **2.** Exposto às intempéries.

desabrigar. [De *des-* + *abrigar.*] *V. t. d.* **1.** Tirar o abrigo a; deixar exposto ao tempo. **2.** Desamparar, desproteger, abandonar. [Conjug.: v. *largar.*]

desabrigo. [De *des-* + *abrigo.*] *S. m.* **1.** Falta de abrigo. **2.** *Fig.* Desamparo; abandono. ● *S. m.* **3.** Indivíduo desabrigado.

desabrimento. *S. m.* **1.** Aspereza no trato; rudeza, grosseria. **2.** Rigor do tempo.

desabrir. [De *des-* + *abrir.*] *V. t. d. e i.* **1.** Us. na expr. *desabrir mão de* [q. v.]. *P.* **2.** Irritar-se, encolerizar-se. **3.** Malquistar-se com alguém. [Conjug.: v. *abrir.* Cf. *desabrido.*]

desabrochado. [Part. de *desabrochar.*] *Adj.* Desapertado, solto, aberto.

desabrochamento. *S. m.* Ato ou efeito de desabrochar (-se). [Sin. (bras.): *desabrocho.*]

desabrochar. [De *des-* + *abrochar.*] *V. t. d.* **1.** Desapertar, abrir (o que estava preso com broche ou outro fecho). **2.** Fazer abrir; desabrolhar: "O pobre moço ignora que lhe há de morrer a mulher antes que volte outra primavera a d e s a b r o c h a r as flores da claustra." (Camilo Castelo Branco, *A Mulher Fatal*, p. 100.) **3.** Abrir; mostrar: *d e s a b r o c h a r um sorriso.* **4.** Desvendar; revelar: *d e s a b r o c h a r um segredo. Int.* **5.** Principiar a abrir, abrir-se (a flor); desabotoar(-se), desabrolhar, desabrochar-se: "Rosa a d e s a b r o c h a r, botão de rosa" (Alberto de Oliveira, *Poesias*, 2ª série, p. 155). **6.** Desenvolver-se; crescer; desabrolhar, desabrochar-se. **7.** Principiar a manifestar-se: "Vinha entretanto d e s a b r o c h a n d o a primavera." (Oliveira Martins, *A Vida de Nun'Álvares*, p. 59.) *Sua inteligência d e s a b r o c h o u tardiamente. P.* **8.** Desabotoar-se, desapertar-se. **9.** Soltar-se; romper, irromper: *D e s a b r o c h o u - s e em impropérios.* **10.** V. *desabrochar* (5). **11.** V. *desabrochar* (6): *Há talentos que se d e s a b r o c h a m despercebidos.* [Pres. ind.: *desabrocho*, etc. Cf. *desabrocho* (ô).] ● *S. m.* **12.** *Fig.* Princípio, começo: *o d e s a b r o c h a r da vida, da juventude.*

desabrocho (ô). [Dev. de *desabrochar.*] *S. m. Bras.* Desabrochamento. [Pl.: *desabrochos* (ô). Cf. *desabrocho*, do v. *desabrochar.*]

desabrolhar. [De *des-* + *abrolhar.*] *V. t. d.* e *int.* V. *desabrochar* (2, 5 e 6).

desabusado. [Part. de *desabusar.*] *Adj.* **1.** Isento de abusões ou preconceitos. **2.** Confiado, inconveniente. **3.** Petulante, insolente, atrevido.

desabusar. [De *des-* + *abusar.*] *V. t. d.* **1.** Livrar de abusões; tirar do erro; desenganar, desiludir; esclarecer. *P.* **2.** Livrar-se de erro; desiludir-se, desenganar-se. **3.** Tornar-se confiado, inconveniente, ou insolente, petulante.

desabuso. [Dev. de *desabusar.*] *S. m.* Ato ou efeito de desabusar(-se).

desaçaimado. [Part. de *desaçaimar.*] *Adj.* A que se tirou o açaimo. [F. paral.: *desaçamado.*]

desaçaimar. [De *des-* + *açaimar.*] *V. t. d.* Tirar o açaimo a. [F. paral.: *desaçamar.*]

desaçamado. [Part. de *desaçamar.*] *Adj.* Desaçaimado.

desaçamar. [De *des-* + *açamar.*] *V. t. d.* Desaçaimar.

desacampar. [De *des-* + *acampar*[1].] *V. int.* Levantar arraial; deixar de estar em acampamento.

desacanhado. [De *des-* + *acanhado.*] *Adj.* Que não tem acanhamento; afoito, resoluto.

desacanhar. [De *des-* + *acanhar.*] *V. t. d.* Livrar de acanhamento; tornar esperto ou desembaraçado: "deixou tudo para vir falar-me, com um alvoroço, um prazer tão sincero, que me d e s a c a n h o u logo." (Machado de Assis, *Memórias Póstumas de Brás Cubas*, p. 94).

desacasalar. [De *des-* + *acasalar.*] *V. t. d.* Separar (os acasalados); descasalar.

desacatamento. *S. m.* Desacato (1).

desacatar. [De *des-* + *acatar.*] *V. t. d.* **1.** Faltar ao respeito devido a; afrontar: *Foi punido por d e s a c a t a r o seu superior hierárquico.* **2.** Menosprezar, menoscabar, desprezar; profanar: *Ateu, d e s a c a t a qualquer preceito religioso.* **3.** *Bras. Gír.* Causar espanto ou estupefação a, pela beleza, elegância, inteligência, ou por outra qualidade. *Int.* **4.** *Bras. Gír.* Causar espanto, estupefação, pela beleza, elegância, inteligência, ou outra qualidade.

desacato. [Dev. de *desacatar.*] *S. m.* **1.** Falta de acatamento; desacatamento. **2.** Profanação, desprezo. **3.** *Bras. Gír.* Ato de desacatar (4). **4.** *Bras. Gír.* Pessoa que desacata, i. e., que provoca admiração, ficando num plano superior às demais, pela beleza e/ou por outra qualidade.

desacaudilhado. [De *des-* + *acaudilhado.*] *Adj.* **1.** Sem caudilho. **2.** Privado de chefe.

desacautelado. [Part. de *desacautelar.*] *Adj.* Que não tem cautela; descuidado, imprevidente, desprecatado.

desacautelar. [De *des-* + *acautelar.*] *V. t. d.* **1.** Não ter cautela com. *P.* **2.** Ser imprevidente; descuidar-se, desprevenir-se. [Sin. ger.: *desprecaver.*]

desacavalar. [De *des-* + *acavalar.*] *V. t. d.* Separar (o que estava acavalado ou sobreposto).

desaceitar. [De *des-* + *aceitar.*] *V. t. d.* Não aceitar; rejeitar. [Part.: *desaceitado* e *desaceito.*]

desaceleração. *S. f.* Ato ou efeito de desacelerar.

desacelerar. [De *des-* + *acelerar.*] *V. t. d.* Reduzir a velocidade de; retardar.

desacentuar. [De *des-* + *acentuar.*] *V. t. d.* Tirar a acentuação de.

desacerbar. [De *des-* + *acerbar.*] *V. t. d.* Tirar a acerbidade de; abrandar, suavizar.

desacertado. [Part. de *desacertar.*] *Adj.* **1.** Não acertado; errado. **2.** Importuno, inconveniente. **3.** Despropositado, desatinado.

desacertar. [De *des-* + *acertar.*] *V. t. d.* **1.** Fazer, dizer, empregar, etc., com desacerto. **2.** Tirar da ordem ou do acerto; tornar desacertado. **3.** Não atinar com; não alcançar. *Int.* **4.** Proceder erradamente. *P.* **5.** Sair da ordem; deixar de regular bem: *O motor d e s a c e r t o u - s e.* **6.** Baldar-se, frustrar-se. [Pres. ind.: *desacerto*, etc. Cf. *desacerto* (ê).]

desacerto (ê). [De *des-* + *acerto* (ê).] *S. m.* **1.** Falta de acerto; erro. **2.** Tolice, asneira. [Pl.: *desacertos* (ê). Cf. *desacerto*, do v. *desacertar.*]

desachegar. [De *des-* + *achegar.*] *V. t. d.* **1.** Separar (o que estava chegado). *P.* **2.** Afastar-se, separar-se, [Conjug.: v. *chegar.*]

desacidificar. [De *des-* + *acidificar.*] *V. t. d.* Tirar o sabor ácido de. [Conjug.: v. *trancar.*]

desaclimação. *S. f.* Ato ou efeito de desaclimar(-se).

desaclimar. [De *des-* + *aclimar.*] *V. t. d. e p.* Desabituar(-se) de um clima; desaclimatar(-se).

desaclimatar. [De *des-* + *aclimatar.*] *V. t. d. e p.* V. *desaclimar.*

desacobardar. [De *des-* + *acobardar.*] *V. t. d. e p.* Desacovardar.

desacochar. [De *des-* + *acochar.*] *V. t. d.* **1.** *Marinh.* Desapertar ou desfazer as cochas de (um cabo). *Int.* **2.** *Bras., SP.* Perder a compostura altiva ou presunçosa. **3.** *Bras., SP.* Ficar desorientado e envergonhado. [F. paral.: *descochar.*]

desacoimar. [De *des-* + *acoimar.*] *V. t. d.* **1.** Absolver de coima; livrar de pena ou castigo: *d e s a c o i m a r o acusado.* **2.** Desobrigar de pagamento de coima ou multa. **3.** Restabelecer o crédito de; reabilitar. *Transobj.* **4.** Levantar a pecha lançada sobre alguém: *d e s a c o i m a m -no de preguiçoso.* [F. paral.: *descoimar.*]

desacoitado. [Part. de *desacoitar*, var. de *desacoutado.*] *Adj.* Sem refúgio ou coito; desabrigado.

desacoitar. [De *des-* + *acoitar:* var. de *desacoutar.*] *V. t. d.* Fazer sair do coito ou guarida; desabrigar.

desacolchetar. [De *des-* + *acolchetar.*] *V. t. d.* Desprender dos colchetes; desapertar, desprendendo os colchetes. [Conjug.: v. *acolchetar.*]

desacolchoar. [De *des-* + *acolchoar.*] *V. t. d.* Desmanchar (o que estava acolchoado). [Conjug.: v. *coroar.*]

desacolher. [De *des-* + *acolher.*] *V. t. d.* **1.** Acolher ou receber mal. **2.** Negar acolhida ou abrigo a. [Conjug.: v. *mover. M.-q.-perf.*: *desacolhera* (ê), *desacolheras* (ê), *desacolhera* (ê), *desacolhêramos, desacolhêreis, desacolheram* (ê). Cf. *desacolheras, desacolhera, desacolhêramos, desacolheram*, do v. *desacolherar.*]

desacolherar. [De *des-* + *acolherar.*] *V. t. d. Bras., S.* Tirar (o animal) da colhera; desprendê-lo da parelha.

[Pres. ind.: *desacolhero, desacolheras, desacolhera, desacolheramos, desacolherais, desacolheram.* Cf. *desacolheras* (ê), *desacolhera* (ê), *desacolhêramos, desacolheram* (ê), do v. *desacolher.*]

desacolhimento. *S. m.* Ato de desacolher.

desacomodado. [Part. de *desacomodar.*] *Adj.* Que está fora do seu lugar; desarrumado, desordenado, desarranjado.

desacomodar. [De *des-* + *acomodar.*] *V. t. d.* **1.** Tirar do(s) cômodo(s), do lugar; desalojar: *Desacomodou a família para hospedar o amigo.* **2.** Tirar a acomodação de; desorganizar, desordenar: *desacomodar os livros de uma estante.* **3.** Privar do emprego ou ocupação; destituir; desempregar. *P.* **4.** Perder o emprego.

desacompanhado. [Part. de *desacompanhar.*] *Adj.* Sem companhia; só, isolado, solitário.

desacompanhar. [De *des-* + *acompanhar.*] *V. t. d.* **1.** Deixar de acompanhar. **2.** Deixar de proteger, de prestar auxílio ou apoio a. **3.** Deixar de estar de acordo ou em harmonia com; separar-se de. **4.** Deixar de estar de acordo, de concordar com: *Quase sempre vota com o amigo; raramente o desacompanha.*

desaconchegar. [De *des-* + *aconchegar*] *V. t. d.* Desconchegar. [Conjug.: v. *chegar.*]

desaconselhado. [De *des-* + *aconselhado.*] *Adj.* Privado de conselho; não avisado, não prevenido.

desaconselhar. [De *des-* + *aconselhar.*] *V. t. d. e i.* Desviar de uma resolução; dissuadir, despersuadir, desadmoestar. [Conjug.: v. *aparelhar.*]

desacoplamento. *S. m.* Ato ou efeito de desacoplar.

desacoplar. [De *des-* + *acoplar.*] *V. t. d.* Desfazer o acoplamento de.

desacorçoado. [Part. de *desacorçoar.*] *Adj.* **1.** V. *desacoroçoado.* **2.** *Bras., Amaz.* Marginalizado; abandonado: "Redundante falar que hoje passam todo o tipo de privações, sem ter o que comer, ... sem direito a nada, completamente *desacorçoados* — esse é o termo da região." (Edilson Martins, *Nós, do Araguaia,* p. 32.) ● *S. m.* **3.** V. *desacoroçoado.*

desacorçoar. [De *des-* + *acorçoar.*] *V. t. d.* e *int.* V. *descoroçoar.* [Conjug.: v. *coroar.*]

desacordado. [Part. de *desacordar.*] *Adj.* Que perdeu os sentidos; desmaiado.

desacordante. *Adj. 2 g.* Que desacorda.

desacordar. [De *des-* + *acordar.*] *V. t. d.* **1.** Pôr em desacordo, discordância, dissidência ou oposição. *T. i.* **2.** Estar em desacordo, em desarmonia; discordar: *Minha opinião desacorda vivamente da sua.* **3.** Esquecer-se, olvidar-se. *Int.* **4.** Não concordar; discordar. **5.** Falar sem coerência. **6.** Perder os sentidos, o acordo, a lembrança; desacordar-se. **7.** Soar com dissonância; desafinar, desentoar. *P.* **8.** Desacordar (6). **9.** Deixar de estar de acordo. [Pres. ind.: *desacordo,* etc. Cf. *desacordo* (ô).]

desacorde. [De *des-* + *acorde.*] *Adj. 2 g.* Dissonante; desarmônico, discordante.

desacordo (ô). [De *des-* + *acordo.*] *S. m.* **1.** Falta de acordo; divergência, discordância, desarmonia. **2.** Desmaio, delíquio, síncope. **3.** Descordo (ô) (2). [Pl.: *desacordos* (ô). Cf. *desacordo,* do v. *desacordar.*]

desacoroçoado. [Part. de *desacoroçoar.*] *Adj.* e *s. m.* V. *descoroçoado.*

desacoroçoar. [De *des-* + *acoroçoar.*] *V. t. d.* e *int.* V. *descoroçoar.* [Conjug.: v. *coroar.*]

desacorrentamento. *S. m.* Ato de desacorrentar.

desacorrentar. [De *des-* + *acorrentar.*] *V. t. d.* **1.** Desligar da corrente. **2.** Desprender; soltar.

desacostumado[1]. [De *des-* + *acostumado.*] *Adj.* Não acostumado ou costumado; inabitual, desusado: *Aos domingos o cinema tem uma freqüência desacostumada.*

desacostumado[2]. [Part. de *desacostumar.*] *Adj.* Desabituado, desafeito: *Passou anos sem escrever, e agora, desacostumado, custa-lhe redigir um artiguete.*

desacostumar. [De *des-* + *acostumar.*] *V. t. d.* e *i.* **1.** Fazer perder um hábito ou costume; desabituar: *O cultivo das letras desacostumou -o da ciência. P.* **2.** Perder hábito ou costume; desabituar-se. [F. paral.: *descostumar.*]

desacoutado. [Part. de *desacoutar.*] *Adj.* V. desacoitado.

desacoutar. [De *des-* + *acoutar.*] *V. t. d.* V. *desacoitar.*

desacovardar. [De *des-* + *acovardar.*] *V. t. d.* **1.** Tirar a covardia a; dar coragem, ânimo, a; animar. *P.* **2.** Perder a covardia; recuperar o ânimo, a coragem. [F. paral.: *desacobardar.*]

desacreditado. [Part. de *desacreditar.*] *Adj.* **1.** Que perdeu o crédito ou a reputação. **2.** Mal conceituado.

desacreditador (ô). *Adj.* e *s. m.* Que ou aquele que desacredita.

desacreditar. [De *des-* + *acreditar.*] *V. t. d.* **1.** Fazer perder o crédito ou a reputação; difamar: *Rompeu com o amigo e tentou desacreditá -lo.* **2.** Desmerecer, depreciar: *A falta de sistematização contribuiu para desacreditar sua obra.* **3.** Não acreditar: *Todos desacreditaram aquela explicação fabulosa. P.* **4.** Perder o crédito, a reputação. [F. paral.: *descreditar.*]

desacumular. [De *des-* + *acumular.*] *V. t. d. e i.* Separar (o que estava acumulado).

desacunhar. [De *des-* + *cunhar.*] *V. t. d. Náut.* Tirar a(s) cunha(s) a.

desadmoestar. [De *des-* + *admoestar.*]. *V. t. d. e i.* V. *desaconselhar.*

desadoração. *S. f.* Ato ou efeito de desadorar[1].

desadorado. [Part. de *desadorar*[2].] *Adj. Bras.* **1.** Incomodado por dor violenta. **2.** Desmedido, excessivo. **3.** Impertinente; endiabrado, irrequieto, turbulento: *Que pequeno desadorado.*

desadorador (ô). *Adj.* e *s. m.* Que ou aquele que desadora [v. *desadorar*[1]].

desadorar[1]. [De *des-* + *adorar.*] *V. t. d.* **1.** Recusar-se a adorar; não adorar, **2.** Detestar, abominar: *É um misantropo: desadora o convívio social.* **3.** Reprovar, desaprovar: *Desadora o procedimento do filho, mas não interfere em sua vida.* [Pres. ind.: *desadoro,* etc. Cf. *desadoro* (ô).]

desadorar[2]. [De *des-* + *-a-* + *-(d)or-* + *-ar*[2].] *Bras., N.* e *N.E. V. t. d.* **1.** Causar incômodo a, com impertinência; importunar, amolar. *Int.* **2.** Sofrer dor violenta. **3.** Causar incômodo a outrem com impertinência. **4.** Indignar-se, irar-se. [Pres. ind. *desadoro,* etc. Cf. *desadoro* (ô).]

desadormecer. [De *des-* + *adormecer.*] *V. t. d.* **1.** Cortar o sono a; despertar. **2.** Desentorpecer, reanimar. [Conjug.: v. *aquecer.*]

desadornado. [De *des-* + *adornado.*] *Adj.* Que não tem adorno; simples, singelo.

desadornar. [De *des-* + *adornar.*] *V. t. d.* Tirar os adornos a; desenfeitar. [Pres. ind.: *desadorno,* etc. Cf. *desadorno* (ô).].

desadorno (ô). [De *des-* + *adorno* (ô).] *S. m.* **1.** Falta de adorno. **2.** Desalinho, desarranjo. [Pl.: *desadornos* (ô). Cf. *desadorno,* do v. *desadornar.*]

desadoro (ô). [Dev. de *desadorar*[2].] *S. m. Bras., N.* e *N.E.* **1.** Estado de quem sofre dor violenta, de quem desadora. **2.** Importunação, amolação. **3.** Barulho, ruído, assuada, latomia. **4.** Quantidade excessiva. V. *quantidade* (3). [Pl.: *desadoros* (ô). Cf. *desadoro,* do v. *desadorar.*]

desadunado. [Part. de *desadunar.*] *Adj.* Desunido, separado, afastado.

desadunar. [De *des-* + *adunar.*] *V. t. d.* Desunir, separar, afastar.

desadvertido. [De *des-* + *advertido.*] *Adj.* **1.** Inadvertido. **2.** Que não reflete. **3.** Indiscreto, imprudente.

desafabilidade. [De *des-* + *afabilidade.*] *S. f.* Falta de afabilidade.

desafaimar. [De *des-* + *afaimar.*] *V. t. d.* Tirar a fome a; saciar; fartar.

dasafamar. [De *des-* + *afamar.*] *V. t. d.* Tirar a boa fama a; desacreditar.

dasafastar. [De *des-* (q. v.) + *afastar.*] *V. t. d., t. d. e i., int.* e *p. Pop.* Afastar.

desafável. [De *des-* + *afável.*] *Adj. 2 g.* Que não é afável.

desafazer. [De *des-* + *afazer.*] *V. t. d. e i.* **1.** Desacostumar, desabituar. *P.* **2.** Desacostumar-se, desabituar-se. [Irreg. Conjug.: v. *fazer.*]

desafeado. [Part. de *desafear.*] *Adj.* A que se tirou a fealdade. [Cf. *desafiado,* part. de *desafiar.*]

desafear. [De *des-* + *afear.*] *V. t. d.* Tirar a fealdade a. [Conjug.: v. *frear.* Cf. *desafiar.*]

desafeição. [De *des-* + *afeição.*] *S. f.* Falta de afeto; desamor, desafeto.

desafeiçoado. [Part. de *desafeiçoar*[2].] *Adj.* Inimigo, adverso, contrário, desafeto.

desafeiçoar[1]. [De *des-* + *afeiçoar*[1].] *V. t. d.* Tirar a feição a; desfigurar; alterar. [Conjug.: v. *coroar.*]

desafeiçoar[2]. [De *des-* + *afeiçoar*[2].] *V. t. d. e i.* **1.** Tirar a afeição; fazer desgostar: *Desafeiçoou-os ao velho companheiro; Certos desentendimentos o desafeiçoaram do amigo. P.* **2.** Perder a afeição a quem se tinha. [Sin. ger.: *desapegar, despegar.* Conjug.: v. *coroar.*]

desafeitar. [De *des-* + *afeitar.*] *V. t. d. e p.* V. *desenfeitar.*

desafeito. [De *des-* + *afeito.*] *Adj.* V. *desacostumado*[2].

desaferrar. [De *des-* + *aferrar.*] *V. t. d.* **1.** Soltar (o que estava aferrado, preso com ferro). **2.** Soltar (o que estava seguro). *T. d. e i.* **3.** Fazer desistir; dissuadir: *Não conseguimos desaferrá-lo daquela idéia. P.* **4.** Desprender-se, soltar-se. **5.** Dissuadir-se; desistir. [Pres. ind.: *desaferro,* etc. Cf. *desaferro* (ê).]

desaferro (ê). [Dev. de *desaferrar.*] *S. m.* Ato de desaferrar(-se). [Pl.: *desaferros* (ê). Cf. *desaferro,* do v. *desaferrar.*]

desaferrolhar. [De *des-* + *aferrolhar.*] *V. t. i.* **1.** Abrir (o que estava fechado com ferrolho). **2.** Correr o ferrolho de, para abrir. **3.** Pôr em liberdade; soltar. *P.* **4.** Desprender-se, soltar-se.

desafervorar. [De *des-* + *afervorar.*] *V. t. d.* **1.** Afrouxar o fervor de. **2.** Abrandar o ímpeto de.

desafetação. [De *des-* + *afetação.*] *S. f.* Falta de afetação; singeleza, despretensão, naturalidade.

desafetado. [De *des-* + *afetado.*] *Adj.* Sem afetação.

desafeto. [De *des-* + *afeto.*] *Adj.* **1.** Sem afeto. ● *S. m.* **2.** V. *desafeição.* **3.** *Bras.* Adversário, inimigo, rival.

desafiado[1]. [Part. de *desafiar*[1].] *Adj.* Chamado a desafio. [Cf. *desafeado,* part. de *desafear.*]

desafiado[2]. [Part. de *desafiar*[2].] *Adj.* Que perdeu o fio; embotado. [Cf. *desafeado,* part. de *desafear.*]

desafiador (ô). *Adj.* e *s. m.* Que ou aquele que desafia; provocador, desafiante.

desafiante. *Adj. 2 g.* e *s. 2 g.* Desafiador.

desafiar[1]. [De um lat. vulg. **fidare,* alter. do lat. *fidere,* 'fiar-se'.] *V. t. d.* **1.** Propor duelo ou combate a. **2.** Instigar, incitar, excitar, estimular, provocar: *Calmo e imperturbável, desafiava a cólera impotente do amigo.* **3.** Fazer face a; afrontar, arrostar: *desafiar a sorte.* **4.** Desinquietar, tentar. **5.** Chamar a desafio (3). *P.* **6.** Provocar-se ou instigar-se mutuamente. [Pres. ind.: *desafio, desafias, desafia,* etc. Cf. *desafear* e *disafia.*]

desafiar[2]. [De *des-* + *afiar.*] *V. t. d.* Tirar o fio a; embotar: *desafiar uma navalha.* [Pres. ind.: *desafio, desafias, desafia,* etc. Cf. *desafear* e *disafia.*]

desafinação. *S. f.* **1.** Ato de desafinar. **2.** Estado daquilo que desafina. **3.** Falta de harmonia; desarmonia. [Sin. ger.: *desafinamento.*]

desafinado. [Part. de *desafinar.*] *Adj.* Que perdeu a afinação (7 a 10); desacorde, dissonante. [Antôn.: *afinado.*]

desafinamento. *S. m.* V. *desafinação.*

desafinar. [De *des-* + *afinar.*] *V. t. d.* **1.** Fazer perder a afinação (7 a 10). **2.** Perturbar, alterar, atrapalhar: *As intromissões da sogra desafinavam a harmonia do casal. T. i.* **3.** Destoar, desdizer: *Tal proceder desafina da sua aparência circunspecta. Int.* **4.** Perder a afinação (7 a 10); produzir sons discordantes; desafinarse. **5.** Pôr-se de mau humor; destemperar-se, zangar-se, irritar-se, desafinar-se: *Desafina com qualquer contrariedade. P.* **6.** Desafinar (4). **7.** V. *desafinar* (5).

desafio. [Dev. de *desafiar*[1].] *S. m.* **1.** Ato de desafiar[1]. **2.** Provocação, porfia, **3.** *Bras. Liter. Pop.* Cantoria em duelo, mais violenta do que a cantoria comum. **4.** *Bras. Liter. Pop.* Composição poética escrita por um cantador e que pretensamente reproduz uma cantoria travada por ele mesmo com outro cantador, ou entre dois outros; peleja: "Foi ainda Jacó Passarinho que me recitou este longo *desafio* composto por Leandro Gomes de Barros e atribuído a Manuel Serrador e Josué Romano" (Leonardo Mota, *Cantadores,* p. 61). **5.** *Bras. Mús.* Diálogo popular cantado, espécie de duelo com versos improvisados, e geralmente acompanhado de viola e rabeca, no N., e de sanfona e violão, no S. ◆ **A desafio.** *Bras. Liter. Pop.* De modo violento, com insultos mordazes ao contendor: *Cantei martelo a desafio.*

desafivelar. [De *des-* + *afivelar.*] *V. t. d.* Desapertar a fivela de.

desafixar (cs). [De *des-* + *afixar.*] *V. t. d.* Despregar (o que estava afixado).

desafogado. [Part. de *desafogar.*] *Adj.* Aliviado; desembaraçado.

desafogar. [De *des-* + *afogar.*] *V. t. d.* **1.** Libertar daquilo que afoga, sufoca ou oprime; desoprimir: *desafogar a garganta; desafogar o ânimo, o espírito.* **2.** Desapertar, desoprimir, descomprimir: *Desafogou o pescoço, tirando o pesado colar.* **3.** Diminuir o peso de; tornar mais leve; descarregar. **4.** Expandir, dizer, desabafar (o que sente ou pensa). **5.** Libertar-se, aliviar-se de: *desafogar saudades.* **6.** Deixar que se manifeste, se expanda livremente; dar livre curso a: *desafogar paixões. Int.* **7.** Expandir-se, desabafar-se, desafogar-se: *Tentou sufocar as queixas, mas, não resistindo, desafogou; Desafogou em lágrimas. P.* **8.** Livrar-se do que apertava ou comprimia; desapertar-se. **9.** Expandir-se, desabafar-se; desafogar-se: *Desafogou-se comigo sobre dificuldades que o afligiam.* [Conjug.: v. *largar.* Pres. ind.: *desafogo,* etc. Cf. *desafogo* (ô).]

desafogo (ô). [Dev. de *desafogar*.] *S. m.* **1.** V. *desabafo*. **2.** Abastança, folga. [Antôn.: *afogo* (ô). Pl.: *desafogos* (ô). Cf. *desafogo*, do v. *desafogar*.]
desafoguear. [De *des-* + *afoguear*.] *V. t. d.* Tirar o calor de; refrigerar. [Conjug.: v. *frear*.]
desaforado. [Part. de *desaforar*.] *Adj.* **1.** Inconveniente, atrevido, insolente. **2.** *Jur.* Que foi objeto de desaforamento.
desaforama. *S. f. Bras., S. Pop.* Chorrilho de insultos, de más palavras, de desaforos.
desaforamento. *S. m.* **1.** Ato de desaforar. **2.** Atrevimento, desaforo.
desaforar. [De *des-* + *aforar*[1].] *V. t. d.* **1.** Isentar do pagamento de um foro. **2.** Privar de direitos ou privilégios. **3.** Deslocar (um processo ou o julgamento dele) de um foro para outro. **4.** Tornar insolente, atrevido, impudente. *P.* **5.** Renunciar aos privilégios do foro. **6.** Privar-se, abster-se. **7.** Tornar-se insolente, atrevido, impudente. [Pres. ind.: *desaforo*, etc. Cf. *desaforo* (ô).]
desaforo (ô). [Dev. de *desaforar*.] *S. m.* **1.** Pouca-vergonha, impudência. **2.** Atrevimento, insolência, petulância. [Sin.: *desaforamento*. Pl.: *desaforos* (ô). Cf. *desaforo*, do v. *desaforar*.]
desafortunado. [De *des-* + *afortunado*.] *Adj.* Desfavorecido da fortuna; infeliz.
desafreguesar. [De *des-* + *afreguesar*.] *V. t. d.* **1.** Tirar os fregueses de. *P.* **2.** Deixar de comprar na mesma loja. **3.** Deixar de freqüentar um mesmo lugar, uma mesma casa.
desafronta. [Dev. de *desafrontar*.] *S. f.* **1.** Ato ou efeito de desafrontar(-se). **2.** Satisfação que se tira de uma afronta.
desafrontado. [Part. de *desafrontar*.] *Adj.* **1.** Vingado, desforçado. **2.** Aliviado, desoprimido.
desafrontador (ô). *Adj.* e *s. m.* Que ou aquele que desafronta.
desafrontar. [De *des-* + *afrontar*.] *V. t. d.* **1.** Livrar ou vingar de afronta; desagravar: *Não teve sossego enquanto não desafrontou a memória do pai.* **2.** Defender de afronta, ataque, assédio, perseguição, etc. **3.** Aliviar de (dor, pesar, cansaço, etc.). *T. d. e i.* **4.** Desoprimir, livrar: *A confissão desafrontou-o do enorme peso.* *P.* **5.** Vingar-se de afronta recebida; desagravar-se. **6.** Aliviar-se, livrar-se.
desagaloar. [De *des-* + *agaloar*.] *V. t. d.* Tirar os galões de. [Conjug.: v. *coroar*.]
desagarrar. [De *des-* + *agarrar*.] *V. t. d.* Despegar, soltar, desarraigar; desgarrar.
desagasalhado. [Part. de *desagasalhar*.] *Adj.* Pouco enroupado; desabrigado.
desagasalhador (ô). *Adj.* e *s. m.* Que ou aquele que desagasalha.
desagasalhar. [De *des-* + *agasalhar*.] *V. t. d.* **1.** Tirar o agasalho a; desabrigar. *P.* **2.** Desabrigar-se, desabafar-se, descobrir-se.
desagasalho. [De *des-* + *agasalho*.] *S. m.* **1.** Falta de agasalho. **2.** Desabrigo.
desagastamento. *S. m.* Ato de desagastar(-se).
desagastar. [De *des-* + *agastar*.] *V. t. d.* **1.** Fazer cessar o agastamento ou irritação de; reconciliar, desenfadar. *P.* **2.** Desenfadar-se, divertir-se.
deságio. [De *des-* + *-ágio*.] *S. m.* **1.** Desconto que se faz num título de crédito, geralmente quando é pago à vista, ou no papel-moeda trocado por moeda metálica. **2.** Perda de ágio [q. v.]. desvalorização da moeda; depreciação.
desaglomerar. [De *des-* + *aglomerar*.] *V. t. d.* Separar (o que estava aglomerado); desacumular.
desagradado. [Part. de *desagradar*.] *Adj.* Não satisfeito; descontente, desgostoso.
desagradar. [De *des-* + *agradar*[1].] *V. t. i.* **1.** Não agradar; descontentar; desgostar: *Com sua falta de tato, desagrada a gregos e troianos;* "Deixou aquela conversa, que lhe *desagradava*" (Graciliano Ramos, *Caetés*, p. 247); "Com suas qualidades e principalmente com suas idéias abolicionistas *desagradou* logo à família da mulher." (Pedro Nava, *Baú de Ossos*, p. 198). *P.* **2.** Descontentar-se, desgostar-se.
desagradável. [De *des-* + *agradável*.] *Adj. 2 g.* Que desagrada; não agradável.
desagradecer. [De *des-* + *agradecer*.] *V. t. d.* e *t. d. e i.* Não agradecer; receber ou retribuir com ingratidão: *Desagradeceu os favores recebidos; Desagradece ao velho amigo o apoio dado em hora difícil.* [Conjug.: v. *aquecer*.]
desagradecido. [Part. de *desagradecer*.] *Adj.* e *s. m.* Que ou aquele que não agradece ou não agradeceu; ingrato.
desagradecimento. *S. m.* Ato de desagradecer; ingratidão.
desagrado. [De *des-* + *agrado*.] *S. m.* **1.** Ato ou efeito de desagradar. **2.** Falta de agrado; desprazer. **3.** Rudeza, indelicadeza.
desagravador (ô). *Adj.* e *s. m.* Que ou aquele que desagrava.
desagravar. [De *des-* + *agravar*.] *V. t. d.* **1.** Reparar (ofensa, injúria). **2.** Tornar menos grave, menos culposo: *Um pedido de desculpa não desagravará falta tão grave.* **3.** Aliviar, suavizar (um mal). **4.** Desinflamar (1): *A pomada não desagravou a ferida.* **5.** *Jur.* Dar provimento a, emendando o agravo do juiz inferior. *P.* **6.** Vingar-se, desforrar-se, desafrontar-se.
desagravo. [De *des-* + *agravo*.] *S. m.* **1.** Ato ou efeito de desagravar; reparação de agravo, afronta; desafronta. **2.** *Jur.* Emenda de agravo, mediante sentença de tribunal superior.
desagregação. *S. f.* **1.** Ato ou efeito de desagregar(-se). **2.** Separação de partes que estavam agregadas. **3.** *Fig.* Dispersão, dissolução, desorganização: *É triste ver a desagregação da família.*
desagregado. [Part. de *desagregar*.] *Adj.* Que se desagregou; que foi objeto de desagregação.
desagregador (ô). *Adj.* **1.** Que desagrega; desagregante. ● *S. m.* **2.** Aquilo que desagrega.
desagregante. *Adj. 2 g.* Desagregador (1).
desagregar. [De *des-* + *agregar*.] *V. t. d.* **1.** Desunir, separar (o que estava agregado). *T. d. e i.* **2.** Separar; fragmentar: *A professora desagregou a classe em duas turmas.* **3.** Arrancar, desarraigar: *A brusca partida desagregou a criança do seu meio, traumatizando-a.* **4.** *Fig.* Causar a desagregação (3) de. *P.* **5.** Separar-se; desunir-se; dissociar-se. [Conjug.: v. *regar*. F. paral., p. us.: *desgregar*.]
desagregável. *Adj. 2 g.* Que se pode desagregar.
desagrilhoar. [De *des-* + *agrilhoar*.] *V. t. d.* Livrar de grilhões; libertar. [F. paral.: *desgrilhoar*. Conjug.: v. *coroar*.]
desaguadoiro. *S. m.* Desaguadouro.
desaguadouro. [Var. de *desaguadoiro*.] *S. m.* Rego, vala, canal, sarjeta, etc., para escoamento de águas.
desaguamento. *S. m.* Ato ou efeito de desaguar(-se).
desaguar. [De *des-* + *aguar*.] *V. t. d.* **1.** Esgotar a água de: *desaguar um barco.* **2.** Enxugar, secar. **3.** Dar algo a comer a (animais) para não aguarem. *Int.* **4.** Lançar as suas águas (rio). **5.** *Bras. Pop.* V. *urinar* (1): "Os cachorros de Hamburgo! São mais ricos de forma e variedade que os próprios pães hamburgueses, de uma compostura, um andar tão digno, uma tal decência, que desaprenderam a ladrar, a homenagear os postes, *desaguando* um pouco." (Augusto Meyer, *A Chave e a Máscara*, p. 213.) *P.* **6.** Vazar-se, despejar-se: *rios que se deságuam no mar.* [Conjug.: v. *aguar*.]
desaguaxado. [Part. de *desaguaxar*.] *Adj.* Diz-se do animal cavalar que após longo descanso está novamente exercitado e ágil.
desaguaxar. *Bras., S. V. t. d.* **1.** Fazer correr, por exercício (cavalo que passou muito tempo desocupado, tornando-se por isso gordo e/ou preguiçoso), para torná-lo ágil. *P.* **2.** Fazer exercício(s); exercitar-se. **3.** *Fig.* Aliviar-se (dalguma repressão).
desaguaxe. [Dev. de *desaguaxar*.] *S. m. Bras., S.* Ato de desaguaxar.
desaguisado. [De *des-* + *aguisado*.] *S. m.* **1.** Conflito entre pessoas; rixa, contenda: "uma feita, ... o General e o Coronel Onofre Pires tiveram um *desaguisado*; o General deu as costas, num pouco caso, e o Coronel saiu, num rompante, batendo forte os saltos dos botins" (Simões Lopes Neto, *Contos Gauchescos e Lendas do Sul*, p. 221). **2.** Confusão, desordem.
desainadura. *S. f.* Doença nos cascos dos cavalos muito gordos.
desainar. *V. t. d. Ant.* Amansar (o falcão) privando-o de carne.
desairar. *V. t. d.* **1.** Causar desaire a; tornar desairoso. **2.** Tirar ou diminuir o merecimento de: *Não revelou a pequena falta do empregado para não o desairar.* *P.* **3.** Desmerecer-se, apoucar-se, amesquinhar-se.
desaire. [Do esp. *desaire*.] *S. m.* **1.** Falta de elegância, de distinção; deselegância. **2.** Falta de decoro; inconveniência. **3.** Descrédito, desdouro, mancha. [Sin. ger.: *desar*.]
desairoso (ô). *Adj.* **1.** Que tem, ou em que há desaire; indecoroso, inconveniente. **2.** Que não tem elegância; deselegante.
desajeitado. [De *des-* + *ajeitado*.] *Adj.* **1.** Que não tem jeito; desastrado, desazado, maljeitoso. **2.** Bronco, pateta, lorpa. [Sin. ger.: *desjeitoso*.]
desajeitamento. *S. m.* Feitio, ato ou modos de desajeitado; falta de jeito; desjeito.
desajeitar. [De *des-* + *ajeitar*.] *V. t. d.* Tirar o jeito de; deformar.
desajoujar. [De *des-* + *ajoujar*.] *V. t. d.* **1.** Desprender do ajoujo. **2.** *P. ext.* Desprender, soltar. **3.** Aliviar, desoprimir. *P.* **4.** Desprender-se, soltar-se.
desajoujo. [Dev. de *desajoujar*.] *S. m.* Ato de desajoujar(-se).
desajuda. [De *des-* + *ajuda*.] *S. f.* Falta de ajuda; desamparo.
desajudado. [Part. de *desajudar*.] *Adj.* Que não tem ou não teve ajuda ou auxílio; desfavorecido.
desajudar. [De *des-* + *ajudar*.] *V. t. d.* **1.** Não ajudar; não prestar auxílio a; desfavorecer. **2.** Estorvar, atrapalhar.
desajuizado (u-i). [Part. de *desajuizar*.] *Adj.* e *s. m.* **1.** Que ou aquele que perdeu o juízo; insensato. **2.** *Fam.* Leviano, imprudente.
desajuizar (u-i). [De *des-* + *ajuizar*.] *V. t. d.* Tirar o juízo a; entontecer, desjuizar: *A cólera desajuizou-o.* [Conjug.: v. *ajuizar*.]
desajuntar. [De *des-* + *ajuntar*.] *V. t. d.* Desunir, desligar, disjungir.
desajustado. [Part. de *desajustar*.] *Adj.* **1.** A que se desfez o ajuste. **2.** Desordenado; transtornado. **3.** Desajuntado, desunido. **4.** *Psic.* e *Sociol.* Diz-se de indivíduo que sofre de desajustamento. ● *S. m.* **5.** *Psic.* e *Sociol.* Indivíduo desajustado (4).
desajustamento. *S. m.* **1.** Desajuste. **2.** *Psic.* e *Sociol.* Falta de ajustamento ou adaptação do indivíduo ao meio familiar ou social, à comunidade, à ordem política ou econômica vigente. **3.** *Biol.* Inadaptação do organismo às condições ambientes.
desajustar. [De *des-* + *ajustar*.] *V. t. d.* **1.** Desfazer o ajuste de; desunir, desajuntar, separar. **2.** Desordenar, desarranjar, transtornar (o que estava disposto de certo modo). *P.* **3.** Desfazer o ajuste que tinha feito com outrem. **4.** Desunir-se, separar-se. **5.** Desavir-se, indispor-se.
desajuste. [Dev. de *desajustar*.] *S. m.* Ato ou efeito de desajustar(-se); desajustamento.
desalado. [De *des-* + *alado*.] *Adj.* Que não tem asas; áptero.
desalagar. [De *des-* + *alagar*.] *V. t. d.* **1.** Livrar da água (aquilo que estava alagado ou inundado). *T. d. e i.* **2.** Desembaraçar, livrar; evacuar: *Desalagou o bairro de malandros.* [Conjug.: v. *largar*.]
desalastrar. [De *des-* + *alastrar*.] *V. t. d.* Tirar o lastro de; aliviar do lastro.
desalbardar. [De *des-* + *albardar*.] *V. t. d.* Tirar a albarda a.
desalegre. [De *des-* + *alegre*[1].] *Adj. 2 g. P. us.* Sem alegria; tristonho, triste.
desaleitar. [De *des-* + *aleitar*[1].] *V. t. d.* V. *desmamar*.
desalentado. [Part. de *desalentar*.] *Adj.* **1.** Sem ânimo ou alento; desanimado. **2.** Cansado, fatigado, afadigado, extenuado.
desalentador (ô). *Adj.* **1.** Que desalenta. ● *S. m.* **2.** Aquele ou aquilo que desalenta.
desalentar. [De *des-* + *alentar*.] *V. t. d.* **1.** Tirar o ânimo, o alento, a; esmorecer, desanimar: *Ocultou-lhe a má notícia, para não desalentá-lo.* *Int.* e *p.* **2.** Desanimar(-se); esmorecer.
desalento. [De *des-* + *alento*.] *S. m.* Falta de alento; desânimo, abatimento: "Desânimo... Desesperança... *Desalento* ..." (Manuel Bandeira, *Estrela da Vida Inteira*, p. 41.)
desalforjar. [De *des-* + *alforjar*.] *V. t. d.* **1.** Tirar do(s) alforje(s). **2.** Vazar o conteúdo de; despejar. **3.** *Fig.* Tirar da algibeira.
desalgemar. [De *des-* + *algemar*.] *V. t. d.* Tirar as algemas a; libertar.
desalhear. [De *des-* (q. v.) + *alhear*.] *V. t. d.* **1.** Alhear; desnortear; distrair. **2.** Alienar (bens). [Conjug.: v. *frear*.]
desaliar. [De *des-* + *aliar*.] *V. t. d.* **1.** Romper, quebrar, desfazer (aliança). **2.** Desligar, separar (aliados).
desalijar. [De *des-* (q. v.) + *alijar*.] *V. t. d.* **1.** Aliviar de (a carga); alijar. **2.** Aliviar; despejar; descarregar.
desalinhado. [Part. de *desalinhar*.] *Adj.* Sem alinho; descuidado, desordenado.
desalinhar. [De *des-* + *alinhar*.] *V. t. d.* **1.** Tirar do alinhamento. **2.** Desarranjar, desordenar: *O vento desalinhou-lhe os cabelos.* **3.** Desadornar, desenfeitar, desataviar. *P.* **4.** Desarranjar-se, desordenar-se. **5.** Desadornar-se, desataviar-se.
desalinhavado. [Part. de *desalinhavar*.] *Adj.* Mal concatenado; desconexo; descosido: *palavras, idéias desalinhavadas.*
desalinhavar. [De *des-* + *alinhavar*.] *V. t. d.* Tirar os

alinhavos a.
desalinho. [De *des-* + *alinho.*] *S. m.* **1.** Falta de alinho; descuido no traje; desarranjo, desordem. **2.** Perturbação de ânimo.
desalistar. [De *des-* + *alistar.*] *V. t. d.* **1.** Tirar da lista ou rol. **2.** Dar baixa a (um recruta).
desaliviar. [De *des-* (q. v.) + *aliviar.*] *V. t. d., t. d. e i., int.* e *p.* Aliviar de todo.
desalmado. [De *des-* + *alma* + *-ado*[1].] *Adj.* Que demonstra maus sentimentos; cruel, perverso, desumano.
desalmamento. *S. m. P. us.* Qualidade ou ação de desalmado; desumanidade, crueldade, malvadez.
desalojamento. *S. m.* Ato ou efeito de desalojar(-se).
desalojar. [De *des-* + *alojar.*] *V. t. d.* **1.** Fazer sair do alojamento. **2.** Obrigar a sair, fazer sair, de um lugar ou de um posto: *Desalojou o menino para fazer sentar a gorda senhora; Desalojou o antigo funcionário para nomear outro mais dinâmico. T. d. e i.* **3.** Fazer sair (do alojamento ou posto): *O diretor desalojou-o do alto cargo. Int.* **4.** Sair do alojamento, do posto, ou do lugar onde se encontrava. *P.* **5.** Abandonar o alojamento ou o posto. **6.** Levantar acampamento.
desalterar. [De *des-* + *alterar.*] *V. t. d.* **1.** Fazer cessar a alteração de; acalmar; abrandar, aplacar: *desalterar mágoas.* **2.** Aplacar (a sede ou a fome): "só se interrompia para mascar ervas apanhadas a esmo por desalterar a fome e a sede." (João Ribeiro, *Floresta de Exemplos*, p. 220). **3.** Aplacar a sede a: *Estava sedento e eu o desalterei. P.* **4.** Aplacar-se, acalmar-se, sossegar. **5.** Aplacar a própria sede; dessedentar-se: "serpentes enormes de dorso luzente, que vão descendo preguiçosamente a desalterar-se no rio que corre embaixo." (Afonso Arinos, *Pelo Sertão*, p. 101).
desalumiado. [De *des-* + *alumiado.*] *Adj.* **1.** Sem luz. **2.** *Fig.* Ignorante, ignaro.
desamabilidade. *S. f.* Qualidade ou caráter de desamável; falta de amabilidade.
desamagoar-se. [De *des-* + *-a-*[2] + *magoar* + *se*[1].] *V. p. Bras.* Livrar-se de mágoa; consolar-se. [Conjug.: v. *coroar.*]
desamalgamar. [De *des-* + *amalgamar.*] *V. t. d. e t. i.* Separar, desunir (aquilo que estava amalgamado).
desamamentar. [De *des-* + *amamentar.*] *V. t. d.* V. *desmamar.*
desamanhar. [De *des-* + *amanhar.*] *V. t. d.* Tirar o amanho a; descompor, desalinhar.
desamar. [De *des-* + *amar.*] *V. t. d.* **1.** Deixar de amar; perder a afeição a; não amar: *Adorava os tios, e agora os desama;* "Amo o rato, não desamo o gato." (Machado de Assis, *Dom Casmurro*, p. 313). **2.** Odiar, aborrecer: "um autor é como um pai: um pai não desama seus filhos ainda os mais feios: um autor não desama as suas obras ainda as mais defeituosas." (Joaquim Manuel de Macedo, *Os Romances da Semana*, p. VI); "Neste viver oscilante ele dá a tudo quanto pratica, na terra que devasta e desama, um caráter provisório" (Euclides da Cunha, *À Margem da História*, p. 80). *Int.* **3.** Deixar de amar: "Coragem de amar e desamar, de morrer e desmorrer." (Lígia Fagundes Teles, *A Disciplina do Amor*, p. 21). *P.* **4.** Malquerer-se; odiar-se.
desamarrar. [De *des-* + *amarrar.*] *V. t. d.* **1.** Soltar (o que estava amarrado); desprender; desatar: *Desamarrou a fita que lhe prendia os cabelos.* **2.** Soltar da amarra. *T. d. e i.* **3.** Fazer abandonar; afastar: *Ninguém o desamarra dos pais; Não conseguiram desamarrá-lo do local antes da chegada da polícia. T. i.* **4.** Levantar ferro; largar. *P.* **5.** Desatar-se; soltar-se. **6.** Levantar ferros. **7.** Dissuadir-se, desaferrar-se: *desamarrar-se de uma idéia, de uma opinião.*
desamarrotar. [De *des-* + *amarrotar.*] *V. t. d.* Alisar (o que estava amarrotado).
desamassamento. *S. m.* Ato ou efeito de desamassar.
desamassar. [De *des-* + *amassar.*] *V. t. d.* **1.** Desfazer (a massa do pão), para que demore a levedar. **2.** Desamolgar: *Deu uma batida com o carro, e teve de mandar desamassar o pára-lama. Int.* **3.** Desfazer a massa do pão para que tarde a levedar.
desamável. [De *des-* + *amável.*] *Adj. 2 g.* Não amável; indelicado, incivil, inamável.
desambição. [De *des-* + *ambição.*] *S. f.* **1.** Falta de ambição; desinteresse. **2.** Desprendimento, abnegação.
desambicioso (ô). [De *des-* + *ambicioso.*] Que não tem ambição.
desambientado. [Part. de *desambientar.*] *Adj.* **1.** Que está fora de seu ambiente. **2.** Que ainda não se adaptou ou não se pode adaptar ao novo meio onde vive.
desambientar. [De *des-* + *ambientar.*] *V. t. d.* **1.** Tirar (pessoa, animal ou coisa) de seu ambiente. *P.* **2.** Sair de seu ambiente.
desamigar. [De *des-* + *amigar.*] *V. t. d.* Desfazer a amizade de. [Conjug.: v. *largar.*]
desamigo. [De *des-* + *amigo.*] *Adj.* Não amigo; hostil.
desamizade. [De *des-* + *amizade.*] *S. f.* Falta de amizade.
desamoador (ô). *S. m. Bras.* V. *desamuador.*
desamodorrar. [De *des-* + *amodorrar.*] *V. t. d.* **1.** Fazer sair da modorra; excitar; animar. *Int.* **2.** Sair da modorra; acordar, despertar.
desamoedação. [De *desamoedar* + *-ção.*] *S. f.* V. *desmonetização.*
desamoedar. [De *des-* + *amoedar.*] *V. t. d.* V. *desmonetizar.*
desamofinar. [De *des-* + *amofinar.*] *V. t. d.* Tirar a mofineza de; fazer perder a mofineza: "Um cornicho carregado de ungüentos — amuleto que lhe viera das mãos de um feiticeiro, com poiso lá para as bandas do Luita, que é terra de afamados curandeiros, para desamofinar os maus espíritos que lhe entraram no corpo pondo-o enfermo." (Castro Soromenho, *Rajada e Outras Histórias*, pp. 11-12).
desamolgar. [De *des-* + *amolgar.*] *V. t. d.* Endireitar ou aplanar (o que estava amolgado). [Conjug.: v. *largar.*]
desamontoar. [De *des-* + *amontoar.*] *V. t. d.* Separar; desacumular. [Conjug.: v. *coroar.*]
desamor (ô). [De *des-* + *amor.*] *S. m.* Falta de amor; desprezo, desdém, desculto.
desamorado. *Adj.* Que tem desamor.
desamorável. [De *des-* + *amorável.*] *Adj. 2 g.* Não amorável; desamoroso.
desamoroso (ô). [De *des-* + *amoroso.*] *Adj.* Não amoroso; desamorável.
desamortalhar. [De *des-* + *amortalhar.*] *V. t. d.* Tirar a mortalha (1) a.
desamortização. *S. f.* Ato ou efeito de desamortizar.
desamortizar. [De *des-* + *amortizar.*] *V. t. d.* Sujeitar (bens de mão-morta) ao direito comum.
desamortizável. *Adj. 2 g.* Que se pode desamortizar.
desamotinar. [De *des-* + *amotinar.*] *V. t. d.* Fazer cessar o motim de.
desamparado. [Part. de *desamparar.*] *Adj.* **1.** Deixado ao desamparo; abandonado. **2.** Solitário, ermo.
desamparar. [De *des-* + *amparar.*] *V. t. d.* **1.** Deixar de amparar; não auxiliar; abandonar. **2.** Deixar de sustentar: *Sumiu-se no mundo, desamparando a pobre mãe viúva.* **3.** Deixar de sustentar, de segurar, de resguardar: *Sentia-se abatida, suas forças a desamparavam cada dia mais.* **4.** Afastar-se de; desertar, abandonar: *Desamparou, sem dó, a cabeceira do doente. P.* **5.** Largar aquilo a que se apoiava ou arrimava.
desamparo. [De *des-* + *amparo.*] *S. m.* Falta de amparo; abandono. ◆ **Ao desamparo.** Em estado de abandono; em esquecimento: "Sozinha e ao desamparo ela vivia / Nesse pobre casebre abandonado" (Gonçalves Crespo, *Obras Completas*, p. 161).
desamuador (ô). *S. m. Bras.* Instrumento de aço empregado pelos calafates para repuxar cavilhas, pregos, etc.
desamuar. [De *des-* + *amuar.*] *V. t. d.* **1.** Fazer perder o amuo a. *Int.* e *p.* **2.** Perder o amuo. [Sin. ger.: *desemburrar, desembezerrar.*]
desana. *Bras. S. 2 g.* **1.** Indivíduo dos desanas, tribo indígena que vive entre os rios Tiquié e Papuri (AM), e pertence à família lingüística tucano. ● *Adj. 2 g.* **2.** Pertencente ou relativo a essa tribo.
desancador (ô). *S. m.* Aquele que desanca; espancador.
desancamento. *S. m.* Ato ou efeito de desancar.
desancar. [De *des-* + *anca* + *-ar*[2].] *V. t. d.* **1.** Derrear com pancadas na anca: "Meteu-se no meio do gado, fez um estrago desancando os bois com um pau." (Ilza Espírito Santo Porto, *João sem Terra e Outros Contos*, p. 15.) **2.** Bater muito em; maltratar: *Embriagado, desancou o filho.* **3.** Vencer em discussão. **4.** Criticar severamente: *Em sua coluna literária desanca bons e maus autores.* [Conjug.: V. *trancar.*]
desancorar. [De *des-* + *ancorar.*] *V. t. d. Desus* **1.** Levantar a âncora de: *desancorar um barco. Int.* **2.** Levantar âncora; desaferrar do porto.
desanda. [Dev. de *desandar.*] *S. f.* **1.** V. *descompostura* (2). **2.** V. *repreensão* (1).
desandar. [De *des-* + *andar.*] *V. t. d.* **1.** Fazer andar para trás; tresandar: *Desandou a montadura para não atropelar a criança.* **2.** Percorrer em sentido contrário: *Sentindo-se mal, desandou o caminho e voltou para casa.* **3.** Desatarraxar: *desandar parafusos.* **4.** Soltar; desatar: *Não se conteve e, naquele ambiente cerimonioso, desandou uma sonora gargalhada. T. d. e i.* **5.** Dar com força: *Em resposta à injúria, desandou no inimigo várias bofetadas.* **6.** Dar em resultado; redundar, reverter: *Sua paixão desandou em loucura. Int.* **7.** Andar para trás; retroceder: *Em face da superioridade das tropas aliadas, o exército inimigo desandou;* "João Fernandes foi até à Rua Primeiro de Março; desandou, os dois caixeiros despediram-se" (Macha do de Assis, *Contos sem Data*, p. 35). **8.** Entrar em decadência; decair, declinar, retroceder: "quando tudo estava tão bonito, as coisas pegaram a desandar. / Foi a praga. Pois ia tudo correndo tão bem!" (Rute Guimarães, *Água Funda*, p. 110). **9.** Tornar-se mau; adquirir hábitos condenáveis: *As más companhias levaram-no a desandar.* **10.** *Bras. Pop.* Decompor-se, alterar-se por influência de qualquer fator externo: *A maionese desandou ao ser misturada à salada.* **11.** *Bras. Pop.* Estar com diarréia.
desando. [Dev. de *desandar.*] *S. m.* **1.** Ato de desandar. **2.** *Fig.* Decadência, declínio, piora.
desanelar. [De *des-* + *anelar.*[2]] *V. t. d.* Desfazer os anéis de: *desanelar os cabelos.*
desanexar (cs). [De *des-* + *anexar.*] *V. t. d.* **1.** Separar (aquilo que estava anexado); desligar, desmembrar. *T. d. e i.* **2.** Separar, desligar, desmembrar: *Desanexou do processo alguns documentos.*
desanexo (cs). [De *des-* + *anexo.*] *Adj.* Que não está anexo; separado, desligado.
desanichar. [De *des-* + *anichar.*] *V. t. d.* **1.** Tirar do nicho. **2.** *Fig.* Desalojar, desaninhar.
desanimação. [De *des-* + *animação.*] *S. f.* Falta de animação; desânimo, esmorecimento, desalento.
desanimado. [Part. de *desanimar.*] *Adj.* **1.** Que perdeu o ânimo, a coragem, o alento, o valor. **2.** Que revela desânimo, desalento: *um semblante desanimado.*
desanimar. [De *des-* + *animar.*] *V. t. d.* **1.** Fazer perder o ânimo, a coragem, a energia; desalentar: *Os obstáculos ao seu plano desanimaram-no.* **2.** Esmorecer, entibiar: *A má receptividade ao projeto desanimou sua vontade de prosseguir.* **3.** Desfavorecer. *T. i.* **4.** Perder o ânimo; desistir: *Por falta de pista, desanimaram de ir ao encalço do criminoso. Int.* **5.** Perder o ânimo, a coragem, o alento; desalentar-se, desanimar-se: "Da falta de espírito é até desagradável falar. Ela põe a gente jururu. Desilude. Abate. Desanima." (Antônio de Alcântara Machado, *Cavaquinho e Saxofone*, p. 108.) *P.* **6.** Desanimar (5). [Pres. ind.: *desanimo*, etc. Cf. *desânimo.*]
desânimo. [De *des-* + *ânimo.*] *S. m.* Falta de ânimo; desalento, abatimento. [Cf. *desanimo*, do v. *desanimar.*]
desaninhar. [De *des-* + *aninhar.*] *V. t. d.* **1.** Tirar do ninho. **2.** Fazer sair; desalojar: *Só a muito custo desaninhou os maus inquilinos.* **3.** Descobrir o lugar onde se acha (alguém ou algo).
desanistiar. [De *des-* + *anistiar.*] *V. t. d.* Tornar sem efeito a anistia concedida a.
desanojar. [De *des-* + *anojar.*] *V. t. d.* **1.** Aliviar o nojo ou desgosto a; consolar, desenojar. *T. d. e i.* **2.** Aliviar, desenfadar, desenojar: *Os amigos procuravam em vão, desanojá-lo daquele tédio. P.* **3.** Desenfadar-se, desagastar-se, desenojar. [Pres. ind.: *desanojo*, etc. Cf. *desanojo* (ô).]
desanojo (ô). [Dev. de *desanojar.*] *S. m.* Ato ou efeito de desanojar. [Pl.: *desanojos* (ó). Cf. *desanojo*, do v. *desanojar.*]
desanuviado. [Part. de *desanuviar.*] *Adj.* **1.** Limpo de nuvens: "Branquejou agora uma clareira de céu desanuviado!" (Camilo Castelo Branco, *A Mulher Fatal*, pp. 19-20.) **2.** Sereno, tranqüilo: *Tinha o semblante desanuviado.*
desanuviar. [De *des-* + *anuviar.*] *V. t. d.* **1.** Dissipar as nuvens de; limpar de nuvens. **2.** Desassombrar, serenar, tranqüilizar: *A boa notícia desanuviou-lhe o espírito. P.* **3.** Limpar-se de nuvens. **4.** Serenar-se, tranqüilizar-se.
desapadrinhar. [De *des-* + *apadrinhar.*] *V. t. d.* Tirar a proteção a; desproteger, desauxiliar, desamparar.
desapagar. [De *des-* (q.v.) + *apagar.*] *V. t. d.* Obliterar (o que está escrito ou desenhado); apagar. [Conjug.: v. *largar.*]
desapaixonado. [De *des-* + *apaixonado.*] *Adj.* **1.** Que não tem, ou em que não há paixão; isento. **2.** Que age com imparcialidade; imparcial.
desapaixonar. [De *des-* + *apaixonar.*] *V. t. d.* **1.** Fazer perder ou esquecer uma paixão. **2.** Alegrar, distrair, confortar: *Passados os primeiros dias do luto, os amigos procuraram desapaixoná-lo. P.* **3.** Acalmar ou vencer as próprias paixões.
desaparafusagem. *S. f.* Ação de desaparafusar; desparafusagem.
desaparafusar. [De *des-* + *aparafusar.*] *V. t. d.* **1.** Desandar ou desatarraxar os parafusos de; desenroscar. *P.* **2.** Tornar-se mal seguro (o que estava aparafusado); desatarraxar-se. [F. paral.: *desparafusar.*]
desaparecer. [De *des-* + *aparecer.*] *V. int.* **1.** Deixar de

ser visto; sumir-se: *O sol desapareceu e o dia anuviou-se;* "Vejo-a, e cuido uma dríada estar vendo, / Por entre os claros de uma selva basta, / Aparecendo e *desaparecendo* ..." (Raimundo Correia, *Poesias*, p. 130). **2.** Ocultar-se, esconder-se; sumir (-se): *O casebre desaparecia entre as folhagens.* **3.** Perder-se; sumir(-se): *Não conseguem encontrar os livros que desapareceram com a mudança.* **4.** V. *morrer* (1): *Todos desaparecemos um dia.* **5.** Retirar-se, afastar-se: *Freqüentava a alta-roda, mas, com a morte da mulher, desapareceu.* **6.** Apagar-se, ofuscar-se, obscurecer(-se): *Quando se põe a falar, desaparece aquele físico insignificante: é o homem de inteligência superior.* **7.** Esquivar-se furtivamente: *Roubou a casa e desapareceu pela porta dos fundos.* [Conjug.: v. *aquecer*.]

desaparecido. [Part. de *desaparecer*.] *Adj.* e *s. m.* Que ou aquele que desapareceu.

desaparecimento. *S. m.* **1.** Ato de desaparecer. **2.** *Fig.* Falecimento (1). [Sin. ger.: *desaparição*.]

desaparelhar. [De *des-* + *aparelhar*.] *V. t. d.* **1.** Tirar o(s) aparelho(s) a; desguarnecer. *Int.* **2.** *Marinh.* Ficar desmastreado (o navio). [Conjug.: v. *aparelhar*.]

desaparição. [De *des-* + *aparição*.] *S. f.* Desaparecimento.

desapartar. [De *des-* (q. v.) + *apartar*.] *V. t. d., int.* e *p. Pop.* Apartar: "Abriu a bolsa, *desapartou* algumas cédulas de um bolo grudento" (Gilvã Lemos, *Jutaí Menino*, p. 9).

desapavorar. [De *des-* + *apavorar*.] *V. t. d.* Tirar o pavor a.

desapear. [De *des-* (q. v.) + *apear*.] *V. t. d., t. d. e i., int.* e *p.* V. *apear:* "A montaria mal se encostara à cerca de limão-brabo, e o cavaleiro já *desapeava*." (Mario Palmério, *Chapadão do Bugre*, p. 5.) [Conjug.: v. *frear*.]

desapegado. [Part. de *desapegar*.] *Adj.* **1.** Desunido, despegado. **2.** Desafeiçoado. **3.** Indiferente, desinteressado.

desapegamento. *S. m.* V. *desapego* (ê).

desapegar. [De *des-* + *apegar*[1].] *V. t. d., t. d. e i.* e *p.* Despegar. [Conjug.: v. *regar*. Pres. ind.: *desapego*, etc. Cf. *desapego* (ê).]

desapego (ê). [De *des-* + *apego*.] *S. m.* **1.** Falta de apego, de afeição, desamor, **2.** Desinteresse, indiferença. [Sin. ger.: *desapegamento* e *despego*. Pl.: *desapegos* (ê). Cf. *desapego*, do v. *desapegar*.]

desaperceber. [De *des-* + *aperceber*.] *V. t. d.* **1.** Privar ou despojar de apercebimentos, provisões ou munições. *T. d. e i.* **2.** Não prover; desabastecer. *P.* **3.** Desprover-se; desprevenir-se. **4.** Descuidar-se, desprevenir-se, desacautelar-se, desperceber-se. [Conjug.: v. *mexer*.]

desapercebido. [Part. de *desaperceber*.] *Adj.* **1.** Desprevenido, desacautelado. **2.** Desprovido, desguarnecido; despercebido.

desapercebimento. *S. m.* Falta de precaução.

desaperrar. [De *des-* + *aperrar*.] *V. t. d.* e *p.* Desengatilhar(-se) (a espingarda).

desapertar. [De *des-* + *apertar*.] *V. t. d.* **1.** Afrouxar, alargar (o que estava apertado): "*desapertou* o cinturão de que pendiam as perdizes e contou-as vagarosamente" (Domingos Monteiro, *Histórias das Horas Vagas*, p. 9). **2.** Desabotoar, desafivelar, desacolchetar. **3.** Desoprimir, aliviar: *desapertar o peito, a alma, o coração. T. d. e i.* **4.** Soltar, livrar: *Não queria desapertá-la dos braços. P.* **5.** Soltar-se, livrar-se. **6.** Abrir-se, expandir-se, desabafar-se: *Desapertou-se com o amigo.* **7.** *Bras.* Sair; esquivar-se. [Pres. ind.: *desaperto*, etc. Cf. *desaperto* (ê).]

desaperto (ê). [Dev. de *desapertar*.] *S. m.* Ato ou efeito de desapertar. [Pl.: *desapertos* (ê). Cf. *desaperto*, do v. *desapertar*.].

desapiedado. [Part. de *desapiedar*.] *Adj.* Falto de piedade ou compaixão; desumano, cruel, despiedado.

desapiedar. [De *des-* + *apiedar*.] *V. t. d.* **1.** Tirar a piedade a; tornar impiedoso, cruel, duro, desumano. *P.* **2.** Perder a compaixão; tornar-se insensível aos males alheios. [Var.: *despiedar*. Conjug.: v. *apiedar*.]

desaplaudir. [De *des-* + *aplaudir*.] *V. t. d.* Não aplaudir; desaprovar.

desaplauso. [De *des-* + *aplauso*.] *S. m.* Falta de aplauso; desaprovação, reprovação.

desaplicação. [De *des-* + *aplicação*.] *S. f.* **1.** Falta de aplicação; negligência. **2.** Ato de tirar aquilo que estava aplicado.

desaplicar. [De *des-* + *aplicar*.] *V. t. d.* **1.** Desviar a aplicação de. **2.** Tirar (aquilo que estava aplicado). [Conjug.: v. *trancar*.]

desapoderado. [Part. de *desapoderar*.] *Adj.* **1.** Privado da posse; do poder, do domínio. **2.** Incapaz de ser senhor de si; fora de si. **3.** *Fig.* Furioso, desenfreado, desabalado.

desapoderar. [De *des-* + *apoderar*.] *V. t. d.* e *i.* **1.** Privar da posse, do poder, do domínio; desapossar, privar. *P* **2.** Privar-se da posse, do poder, do domínio.

desapoiar. [De *des-* + *apoiar*.] *V. t. d.* Tirar o apoio a; não concordar com. [Conjug.: v. *apoiar*. Pres. ind.: *desapóio*, etc. Cf. *desapoio*.]

desapoio. [De *des-* + *apoio*.] *S. m.* **1.** Ato de desapoiar. **2.** Falta de apoio. [Cf. *desapóio*, do v. *desapoiar*.]

desapolvilhar. [De *des-* + *apolvilhar*.] *V. t. d.* Tirar os pós a; limpar dos pós; desempoar.

desapontado. [Do ingl. *disappointed*.] *Adj.* **1.** Logrado, burlado. **2.** Envergonhado, vexado, corrido. **3.** Decepcionado, desiludido.

desapontador (ô). [De *desapontar*[2] + -(d)or.] *Adj.* Que desaponta: "É .... *desapontador* que certa crítica ainda não tenha prestado atenção a este seu volume de contos [*Eis a Noite!*, de João Alphonsus]" (Guilherme Figueiredo, *Cobras & Lagartos*, p. 71).

desapontamento. [Do ingl. *disappointment*.] *S. m.* Sucesso desagradável, que surpreende; decepção, desilusão. [Sin. Bras.: *desaponto*.]

desapontar[1]. [De *des-* + *apontar*[2].] *V. t. d.* Apontar mal; tirar da pontaria.

desapontar[2]. [Do ingl. *to disappoint*.] *V. t. d.* **1.** Causar desapontamento a. *P.* **2.** Ter ou sentir desapontamento; enfiar(-se).

desaponto. [Dev. de *desapontar*[2]] *S. m. Bras.* v. *desapontamento*.

desapoquentar. [De *des-* + *apoquentar*.] *V. t. d.* Tirar de apoquentações; tranqüilizar, aliviar.

desaportuguesar. [De *des-* + *aportuguesar*.] *V. t. d.* Tirar a feição portuguesa a.

desaposentar. [De *des-* + *aposentar*.] *V. t. d.* Privar de aposento; desalojar.

desapossamento. *S. m.* Ato ou efeito de desapossar(-se); despojamento.

desapossar. [De *des-* + *apossar*.] *V. t. d.* e *i.* **1.** Tirar ou privar da posse, do domínio; despojar: *Desapossaram-no de sua casa.* **2.** Obrigar a largar; esbulhar, privar. *P.* **3.** Privar-se do domínio; renunciar à posse. [Sin. ger.: *desempossar, despossar, despossuir*.]

desaprazer. [De *des-* + *aprazer*.] *V. t. i.* Não aprazer; causar contrariedade; desagradar; desgostar: *Posso ajudá-lo, se isto não lhe desapraz.* [Irreg. Conjug.: v. *aprazer*.]

desaprazível. [De *des-* + *aprazível*.] *Adj. 2 g.* Que não apraz; desagradável, desprazível.

desapreçar. [De *des-* + *apreçar*.] *V. t. d.* Desapreciar. [Pres. ind.: *desapreço*, etc. Cf. *desapreço* (ê) e *desapresso*, do v. *desapressar*, e esse verbo. Conjug.: v. *começar*.]

desapreciar. [De *des-* + *apreciar*.] *V. t. d.* Não dar apreço a; amesquinhar; desapreçar.

desapreço (ê). [De *des-* + *apreço*.] *S. m.* Falta de apreço; menosprezo. [Pl.: *desapreços* (ê). Cf. *desapreço*, do v. *desapreçar*, e *desapresso*, do v. *desapressar*.]

desaprender. [De *des-* + *aprender*.] *V. t. d.* e *i.* **1.** Esquecer (aquilo que aprendera, que sabia): *Desaprendeu o pouco de latim que sabia;* "Os cachorros de Hamburgo! São mais ricos de forma e variedade que os próprios pães hamburgueses, de uma compostura, um andar tão digno, uma tal decência, que *desaprenderam* a ladrar, a homenagear os postes, desaguando um pouco." (Augusto Meyer, *A Chave e a Máscara*, p. 213).

desapresilhar. [De *des-* + *apresilhar*.] *V. t. d.* Desprender (o que estava apresilhado).

desapressar. [De *des-* + *apressar*.] *V. t. d.* e *i.* **1.** Livrar, desembaraçar: aliviar. *P.* **2.** Tornar-se vagaroso; não mostrar ou não ter pressa. **3.** Livrar-se, desembaraçar-se. [Pres. ind.: *desapresso*, etc. Cf. *desapreço* (ê), s. m.; *desapreço*, do v. desapreçar; e esse verbo.]

desaprimorado. [De *des-* + *aprimorado*.] *Adj.* Que não tem primor; indelicado.

desapropositado. [De *des-* + *apropositado*.] *Adj.* Fora de propósito; inoportuno, despropositado.

desapropósito. [De *des-* + *-a-* + *propósito*.] *S. m.* Falta de propósito; inconveniência, despropósito.

desapropriação. *S. f.* Ato ou efeito de desapropriar.

desapropriador (ô). *Adj.* e *s. m.* Que ou aquele que desapropria; desapropriante.

desapropriando. *S. m. Jur.* Aquele ou aquilo que vai ser desapropriado.

desapropriante. *Adj. 2 g.* e *s. 2 g.* Desapropriador.

desapropriar. [De *des-* + *apropriar*.] *V. t. d.* **1.** Privar alguém da propriedade de; expropriar; desapossar: *A Prefeitura desapropriou várias casas a fim de alargar a rua. T. d. e i.* **2.** Privar, desapossar: *O governo desapropriou os revoltosos de todos os bens. P.* **3.** Privar-se (do que é seu).

desaprovação. *S. f.* Ato de desaprovar; censura, reprovação.

desaprovar. [De *des-* + *aprovar*.] *V. t. d.* Não aprovar; reprovar, censurar, improvar.

desaprovativo. *Adj.* Que denota, encerra ou exprime desaprovação.

desaproveitado. [Part. de *desaproveitar*.] *Adj.* **1.** Abandonado, perdido, desperdiçado. **2.** Perdulário, dissipador, dissipado, desperdiçado.

desaproveitamento. *S. m.* **1.** Falta de aproveitamento; desperdício. **2.** Falta de progresso nos estudos.

desaproveitar. [De *des-* + *aproveitar*.] *V. t. d.* Não aproveitar; desperdiçar.

desaprumar. [De *des-* + *aprumar*.] *V. t. d.* **1.** Desviar do prumo: *As chuvas desaprumaram o paredão. Int.* e *p.* **2.** Desviar-se do prumo; pender, inclinar-se.

desaprumo. [De *des-* + *aprumo*.] *S. m.* **1.** Desvio do prumo. **2.** Efeito de desaprumar.

desapurado. [De *des-* + *apurado*.] *Adj.* Feito com desapuro; descuidado.

desapuro. [De *des-* + *apuro*.] *S. m.* Falta de apuro, cuidado, esmero, primor; descuido, desprimor.

desaquartelar. [De *des-* + *aquartelar*.] *V. t. d.* Tirar do quartel; desalojar.

desaquecer. [De *des-* + *aquecer*.] *V. t. d.* Tirar o aquecimento a. [Conjug.: v. *aquecer*.]

desaquecimento. *S. m.* Ato ou efeito de desaquecer.

desaquinhoar. [De *des-* + *aquinhoar*.] *V. t. d.* **1.** Privar do quinhão. *P.* **2.** Prescindir do quinhão a que tinha direito. [Conjug.: v. *coroar*.]

desar. [De *des-* + *-ar*[1].] *S. m.* **1.** Revés da fortuna; desgraça: "o meu [nome] se converterá em ludíbrio da populaça, que folga, a vil, com o *desar* dos grandes." (Gonçalves Dias, *Teatro*, p. 237). **2.** V. *desaire*.

desaranhar. [De *des-* + *aranha* + *-ar*[2].] *V. t. d.* **1.** Tirar as teias de aranha de. **2.** *Fig.* Esclarecer, clarear; desemaranhar, desenredar.

desarar. [De *des-* + *aro*[1] + *-ar*[2].] *V. Int.* **1.** Despegar-se (o casco da besta). **2.** *Fig.* Pôr em desordem; desarranjar.

desarborizar. [De *des-* + *arborizar*.] *V. t. d.* Privar de árvores; cortar as árvores de.

desarcar. [De *des-* + *arcar*[1].] *V. t. d.* **1.** Tirar os arcos a (pipas, tonéis, etc.). *P.* **2.** Desunir-se, desconjuntar-se. [Conjug.: v. *trancar*.]

desarear. [De *des-* + *arear*.] *V. t. d.* Limpar de areia; tirar a areia de. [Conjug.: v. *frear*.].

desarmado. [Part. de *desarmar*.] *Adj.* **1.** Não armado. **2.** *Morfol. Veg.* Mútico.

desarmamentismo. [De *desarmamento* + *-ismo*.] *S. m. Ciênc. Pol.* **1.** Movimento político de caráter internacional, contrário ao incremento ou manutenção de poderio militar excessivo. **2.** *P. ext.* Pacifismo. [Cf. *armamentismo*.].

desarmamento. *S. m.* **1.** Ato ou efeito de desarmar(-se). **2.** Licenciamento de tropas. **3.** Redução das forças do exército ao efetivo de paz. [Sin. ger., p. us.: *desarme*.]

desarmar. [De *des-* + *armar*.] *V. t. d.* **1.** Tirar as armas ou meios de ataque ou defesa a: *Desarmaram os soldados aprisionados; Desarmou o louco, tirando-lhe da mão a faca.* **2.** Desguarnecer de armamento: *desarmar um exército.* **3.** Tirar a armação ou os adornos de: *Desarmaram a capela depois do casamento.* **4.** Desembaraçar ou despir de armadura. **5.** Desengatilhar, desaperrar (uma arma). **6.** Separar as peças componentes de: *desarmar um brinquedo.* **7.** Serenar, aplacar, apaziguar: *Sua placidez terminava desarmando o irado acusador.* **8.** Frustrar, baldar: *Sua autoconfiança desarmou as objeções do chefe.* **9.** Fazer cessar a animosidade, a prevenção, a resistência de: *Estava irritado, mas a doçura da mulher desarmou-o; Tantos argumentos acabaram desarmando-o. Int.* **10.** Depor as armas; desarmar-se. *P.* **11.** Depor as armas; desarmar: *Acovardado pela violência do outro, desarmou-se e pediu clemência.* **12.** Despir-se de armadura; despojar-se. **13.** Aplacar-se, serenar-se: "o instinto rude se *desarma* em prece" (Hermes Fontes, *A Fonte da Mata*..., p. 32)

desarme. [Dev. de *desarmar*.] *S. m. P. us.* Desarmamento: "Papa conclama as potências ao *desarme* total." (*Jornal do Brasil*, 2.1.1983.)

desarmonia. [De *des-* + *harmonia*.] *S. f.* **1.** Falta de harmonia: "A *desarmonia* do lencinho com o vestido ofendia o belo ideal, e a simetria plástica das damas da terra" (Camilo Castelo Branco, *A Queda dum Anjo*, p. 266). **2.** *Fig.* Divergência, discordância. **3.** Desproporção ou má disposição das partes de um todo.

desarmônico. [De *des-* + *harmônico*.] *Adj.* Em que há desarmonia.

desarmonizador (ô). *Adj.* e *s. m.* Que ou aquele que causa desarmonia.

desarmonizar. [De *des-* + *harmonizar.*] *V. t. d.* **1.** Produzir a desarmonia de, ou entre: *Suas grosserias vieram* desarmonizar *o ambiente. P.* **2.** Pôr-se em desacordo; discordar, desavir-se.

desaromar. [De *des-* + *aromar.*] *V. t. d.* Desaromatizar.

desaromatizar. [De *des-* + *aromatizar.*] *V. t. d.* Tirar o aroma de; fazer perder o aroma; desaromar.

desarquear. [De *des-* + *arquear.*] *V. t. d.* **1.** Fazer perder a forma de arco. **2.** Tirar os arcos de. [Conjug.: v. *frear.*]

desarquivar. [De *des-* + *arquivar.*] *V. t. d.* **1.** Tirar (o que estava guardado em arquivo). **2.** Promover o andamento de (processo, inquérito, etc., que estava arquivado).

desarraigamento. *S. m.* Ato de desarraigar; desenraizamento, erradicação. [Var. (lus.): *desarreigamento.*]

desarraigar. [De *des-* + *arraigar.*] *V. t. d.* **1.** Arrancar pela raiz ou com raízes; tirar inteiramente. **2.** Extirpar ou extinguir de todo; destruir: desarraigar *maus hábitos. T. d. e i.* **3.** Fazer sair: *Os portugueses* desarraigaram *os árabes da Península Ibérica.* [Var. (lus.): *desarreigar;* sin. ger.: *desraigar, desraizar, desenraizar, erradicar.* Conjug.: v. *largar.*]

desarrancar. [De *des-* (q. v.) + *arrancar.*] *V. t. d.* Arrancar com ímpeto. [Conjug.: v. *trancar.*]

desarranchado. [Part. de *desarranchar.*] *Adj.* Que não toma as refeições no quartel.

desarranchar. [De *des-* + *arranchar.*] *V. t. d.* **1.** Tirar do rancho (1 e 3). **2.** Privar do rancho (4 e 5). *Int.* **3.** Abandonar ou desmanchar o rancho (1 a 3). **4.** Separar-se ou desligar-se do rancho (1 a 3).

desarranjador (ô). *Adj.* e *s. m.* Que ou aquele que desarranja.

desarranjar. [De *des-* + *arranjar.*] *V. t. d.* **1.** Tirar da ordem ou disposição costumada; pôr em desordem. **2.** Alterar ou prejudicar o bom arranjo, a boa ordem, a boa disposição ou o bom funcionamento de: *A queda* desarranjou *o relógio; O vatapá* desarranjou-*lhe o estômago.* **3.** Embaraçar, alterar, estorvar, empecer, transtornar: *A chegada de seu pai veio* desarranjar *os nossos planos. P.* **4.** Desavir-se, desentender-se, indispor-se: Desarranjou*-se com a família: não mais a procurou.* **5.** Alterar-se, transtornar-se.

desarranjo. [De *des-* + *arranjo.*] *S. m.* **1.** Falta de arranjo; desordem, confusão. **2.** Obstáculo, contratempo. **3.** *Fig.* Enguiço (4): *O automóvel parou com* desarranjo *no motor.* **4.** V. *diarréia.*

desarrazoado. [De *des-* + *arrazoado.*] *Adj.* **1.** Em que não há razão; não razoável; injusto; despropositado. **2.** Que não tem razão; que procede sem razão ou bom senso; disparatado.

desarrazoar. [De *des-* + *arrazoar.*] *V. int.* Falar ou proceder sem razão, ou com falta de bom senso; disparatar. [Conjug.: v. *coroar.*]

desarrear. [De *des-* + *arrear.*] *V. t. d.* Tirar os arreios a: "Enquanto se punha a janta, desarreou a besta" (Lúcio de Mendonça, *Horas do Bom Tempo,* p. 223). [Conjug.: v. *frear.*]

desarredondar. [De *des-* + *arrendondar.*] *V. t. d.* Tirar a forma redonda a.

desarregaçar. [De *des-* + *arregaçar.*] *V. t. d.* Soltar, fazer cair ou descer (o que estava arregaçado). [Conjug.: v. *laçar.*]

desarreigamento. *S. m. Lus.* V. *desarraigamento.*

desarreigar. [De *des-* + *arreigar.*] *V. t. d.* e *t. d. e i. Lus.* V. *desarraigar.* [Conjug.: v. *largar.*]

desarrimar. [De *des-* + *arrimar.*] *V. t. d.* **1.** Tirar o arrimo, o apoio, a; desamparar: desarrimar *a planta;* desarrimar *a família. T. d. e i.* **2.** Separar, desamparar (do arrimo ou apoio): Desarrimaram*-no da bengala.*

desarrimo. [De *des-* + *arrimo.*] *S. m.* **1.** Falta de arrimo. **2.** Desamparo, abandono.

desarrochar. [De *des-* + *arrochar.*] *V. t. d.* Desapertar (o que estava arrochado).

desarrolhar[1]. [De *des-* + *arrolhar[1].*] *V. t. d.* Tirar a rolha de; desrolhar.

desarrolhar[2]. [Do esp. *desarrollar.*] *V. t. d. Bras., RS.* Espalhar (o gado que se acha arrolhado).

desarroupado. [De *des-* + *arroupado.*] *Adj.* V. *desenroupado.*

desarruar. [De *des-* + *arruar[1].*] *V. t. d.* Tirar da rua ou do arruamento: desarruar *um jardim.*

desarrufar. [De *des-* + *arrufar.*] *V. t. d.* **1.** Fazer cessar o arrufo a; reconciliar: *Os agrados da namorada* desarrufaram*-no. P.* **2.** Deixar de estar arrufado; reconciliar-se.

desarrufo. [De *des-* + *arrufo.*] *S. m.* Cessação de arrufo; reconciliação.

desarrugamento. *S. m.* Ato ou efeito de desarrugar.

desarrugar. [De *des-* + *arrugar.*] *V. t. d.* V. *desenrugar.* [Conjug.: v. *largar.*]

desarrumação. *S. f.* **1.** Ato ou efeito de desarrumar; desordem, desarrumo. **2.** Confusão do que está desarrumado; desarranjo.

desarrumar. [De *des-* + *arrumar.*] *V. t. d.* Tirar do arrumo; pôr fora do seu lugar; desordenar; desarranjar.

desarrumo. [Dev. de *desarrumar.*] *S. m.* V. *desarrumação* (1).

desarticulação. *S. f.* **1.** Ato ou efeito de desarticular(-se). **2.** Falta de articulação. [Sin. ger.: *exarticulação.*]

desarticular. [De *des-* + *articular[2].*] *V. t. d.* **1.** Amputar na articulação: desarticular *um braço.* **2.** Fazer sair da articulação; torcer, destroncar, desconjuntar, deslocar: desarticular *o tornozelo.* **3.** Desconjuntar; desunir, desordenar: *O exército* desarticulou *o inimigo. P.* **4.** Sofrer ou apresentar desarticulação. [Sin. ger.: *exarticular.*]

desartificioso (ô). [De *des-* + *artificioso.*] *Adj.* **1.** Que não tem artifício. **2.** *Fig.* Modesto, simples; natural.

desarvorado. [Part. de *desarvorar.*] *Adj.* **1.** *Mar.* Diz-se de embarcação sem árvores ou mastros. **2.** *Mar.* Que voga sem governo; desaparelhado. **3.** *Fig.* Que fugiu desordenadamente. **4.** *Bras.* Diz-se do indivíduo desorientado, desnorteado, perturbado, transtornado: "Se aquela garota morresse ou se mudasse, o moleque Zé Belmiro estaria desarvorado." (Gentil Ursino Vale, *Confidências do Agreste,* p. 11); *A morte trágica do filho deixou-o* desarvorado.

desarvoramento. *S. m.* Ato ou efeito de desarvorar(-se).

desarvorar. [De *des-* + *arvorar.*] *V. t. d.* **1.** Deitar abaixo, abater (o que estava arvorado). **2.** *Mar.* Tirar ou derrubar os mastros ou as enxárcias a (embarcação); desaparelhar: *A tormenta* desarvorou *a nau. Int.* **3.** *Mar.* Perder os mastros; desmastrear-se. **4.** *Fam.* Fugir desordenadamente; abalar. *P.* **5.** *Bras.* Desnortear-se, desorientar-se; perturbar-se.

desasa. [Dev. de *desasar.*] *S. f. Bras.* Muda das aves.

desasado. [Part. de *desasar.*] *Adj.* **1.** Que tem as asas caídas ou partidas. **2.** Derreado, desancado. [Cf. *desazado.*]

desasar. [De *des-* + *asar.*] *V. t. d.* **1.** Partir ou abater as asas de: desasar *uma ave;* desasar *uma jarra.* **2.** V. *surrar* (2). [Pres. ind.: *desaso,* etc. Cf. *desazo.*]

desasir. [De *des-* + *asir.*] *V. t. d.* **1.** Soltar da mão; largar: desasir *o peso. P.* **2.** Despegar-se, soltar-se. **3.** Livrar-se; desembaraçar-se: desasir-*se dum importuno.*

desasnar. [De *des-* + *asno* + *-ar[2].*] *V. t. d.* **1.** Tirar da ignorância; ensinar: "Tinha [o engenho de cana-de-açúcar] escola de primeiras letras, onde o padre-mestre desasnava meninos." (Sérgio Buarque de Holanda, *Raízes do Brasil,* p. 48); "Ele está ainda muito pequeno, mas vou tratar de o ir desasnando aqui mesmo em casa, e quando tiver 12 ou 14 anos há de me entrar para a escola." (Manuel Antônio de Almeida, *Memórias de um Sargento de Milícias,* p. 121). **2.** Tirar de engano ou erro; desenganar, desiludir.

desassanhar. [De *des-* + *assanhar.*] *V. t. d.* **1.** Aplacar a sanha de; tranqüilizar, serenar. *P.* **2.** Perder a sanha; apaziguar-se.

desassazonado. [De *des-* + *assazonado.*] *Adj.* **1.** Que está fora do tempo próprio, da sazão ou estação; temporão: *fruto* desassazonado. **2.** Intempestivo; inoportuno.

desasseado. [De *des-* + *asseado.*] *Adj.* Falto de asseio; sujo.

desassear. [De *des-* + *assear.*] *V. t. d.* Tirar o asseio ou limpeza de; sujar: *Os animais* desassearam *a casa.* [Conjug.: v. *frear.*]

desasseio. [De *des-* + *asseio.*] *S. m.* Falta de asseio; sujeira.

desasselvajar. [De *des-* + *asselvajar.*] *V. t. d.* Tirar do estado selvagem.

desassemelhar. [De *des-* + *assemelhar.*] *V. t. d.* Tornar dessemelhante. [Conjug.: v. *aparelhar.*]

desassenhorear. [De *des-* + *assenhorear.*] *V. t. d.* Tirar a qualidade de senhor a; tirar da posse; desapossar. [Conjug.: v. *frear.*]

desassestar. [De *des-* + *assestar.*] *V. t. d.* Deslocar, desviar (o que estava assestado): desassestar *o binóculo.*

desassimilação. [De *des-* + *assimilação.*] *S. f.* Processo pelo qual uma substância é transformada em produto excrementício.

desassimilador (ô). *Adj.* e *s. m.* Que ou o que desassimila.

desassimilar. [De *des-* + *assimilar.*] *V. t. d.* Tirar ou fazer cessar a assimilação de; alterar: desassimilar *uma substância.*

desassisado. [De *des-* + *assisado.*] *Adj.* e *s. m.* Que ou aquele que não tem siso; louco, desatinado.

desassisar. [De *des-* + *-as[1]* + *siso* + *-ar[2]*] *V. t. d.* **1.** Fazer perder o siso; tornar louco ou maníaco; desajuizar, desatinar: *A paixão* desassisou*-o. P.* **2.** Perder o siso; desatinar.

desassistido. [De *des-* + *assistido.*] *Adj.* Privado de assistência, amparo, ajuda; desprotegido.

desassociar. [De *des-* + *associar.*] *V. t. d.* **1.** Desligar, separar, desunir (aquele ou aquilo que estava associado). *P.* **2.** Deixar de formar sociedade; desligar-se, separar-se.

desassombrado. [De *des-* + *assombrado.*] *Adj.* **1.** Que não é sombrio; exposto ao sol. **2.** Franco, afável. **3.** Corajoso, bravo.

desassombrar. [De *des-* + *assombrar.*] *V. t. d.* **1.** Tirar a sombra a; clarear, aclarar: *Podou os arbustos para* desassombrar *a varanda.* **2.** Tirar o assombramento a, livrar de susto, temor, tristeza, ódio ou suspeita; serenar, desanuviar: desassombrar *o espírito. P.* **3.** Perder o assombro, o medo, o receio; recobrar o ânimo; desanuviar-se, desassustar-se.

desassombro. [De *des-* + *assombro.*] *S. m.* **1.** Falta de assombro; firmeza. **2.** Franqueza, confiança. **3.** Destemor, intrepidez.

desassoreamento. [De *des-* + *assoreamento.*] *S. m.* Ato ou efeito de desassorear.

desassorear. [De *des-* + *assorear.*] *V. t. d.* Desfazer o assoreamento de. [Conjug.: v. *frear.*]

desassossegado. [Part. de *desassossegar.*] *Adj.* Inquieto, aflito, receoso, sobressaltado.

desassossegar. [De *des-* + *assossegar.*] *V. t. d.* **1.** Tirar o sossego a; turbar a paz de; inquietar. *P.* **2.** Perder o sossego, inquietar-se [F. paral.: *dessossegar.* Conjug.: v. *regar.* Pres. ind.: *desassossego,* etc. Cf. *desassossego* (ê).]

desassossego (ê). [Dev. de *desassossegar.*] *S. m.* Falta de sossego; inquietação; perturbação. [F. paral.: *dessossego* (ê). Pl.: *desassossegos* (ê). Cf. *desassossego,* do v. *desassossegar.*]

desassunto. [De *des-* + *assunto.*] *S. m.* Falta de assunto: "mudaram rápido de assunto ou desassunto" (Autran Dourado, *As Imaginações Pecaminosas,* p. 48).

desassustar. [De *des-* + *assustar.*] *V. t. d.* **1.** Livrar de susto, medo ou temor; tranqüilizar, desassombrar. *P.* **2.** Perder o susto ou temor; tranqüilizar-se, desassombrar-se.

desastrado. *Adj.* **1.** Que redundou em desastre. **2.** Proveniente de desastre; funesto, desgraçado. **3.** Sem jeito para nada; desajeitado. **4.** Sem graça; desgracioso, desairoso.

desastre. [Do provenç. ant. *desastre.*] *S. m.* **1.** Acontecimento calamitoso, especialmente o que ocorre de súbito e ocasionando grande dano ou prejuízo. **2.** Acidente (2).

desastroso (ô). *Adj.* Em que há, ou que produz desastre.

desatabafar. [De *des-* + *atabafar.*] *V. t. d.* **1.** Aliviar do excesso de roupa; fazer que deixe de estar atabafado; desabafar: *A mãe* desatabafou *o filhinho, pois fazia calor. Int.* **2.** Respirar livremente, com desafogo. **3.** Falar livremente, com desafogo; desabafar.

desatacar. [De *des-* + *atacar.*] *V. t. d.* **1.** Desapertar a ataca ou atacador de; soltar, desligar, desatar: desatacar *as sandálias.* **2.** Desabotoar, desacolchetar, desafivelar: desatacar *o colete.* **3.** Descarregar; despejar; desatacar *os alforjes;* desatacar *o cano da espingarda.* [Conjug.: v. *trancar.*]

desatado. [Part. de *desatar.*] *Adj.* **1.** Não atado; desligado, desprendido, solto. **2.** Isento, desobrigado. **3.** Desencadeado, liberto. ~ V. *sangria* —*a.*

desatador (ô). *S. m.* Aquele que desata.

desatadura. *S. f.* V. *desatamento.*

desatamento. *S. m.* Ato ou efeito de desatar(-se); desatadura, desate.

desatar. [De *des-* + *atar[2].*] *V. t. d.* **1.** Desprender, desapertar, desligar: "ela contava / A sua triste infância, e desatava / Pelos ombros as tranças vaporosas" (Gonçalves Crespo, *Obras Completas,* p. 186); *desatar a sandália.* **2.** Desfazer, desdar (nó ou liame). **3.** Soltar, desfraldar: desatar *as velas.* **4.** Resolver, solucionar, explicar, elucidar; dirimir: desatar *dúvidas;* desatar *dificuldades.* **5.** Rescindir, dissolver: desatar *um pacto.* **6.** Prorromper em; soltar: desatar *risadas. T. d. e i.* **7.** Livrar, desobrigar, isentar, libertar: *Que Deus o* desate *daquele padecimento. T. i.* **8.** Começar de repente; prorromper: "aloés, hipogrifos e licornes desatarram a morder-lhe nas pernas e a puxá-lo." (Aquilino Ribeiro, *Estrada de Santiago*, p. 313). *P.* **9.** Soltar-se, desligar-se, desprender-se. **10.** Livrar-se, libertar-se, isentar-se **11.** Desabrochar(-se), abrir-se: *Os campos* desatam-se *em flores.* **12.** Expandir-se, romper: *desatar-se em lágrimas.* **13.** Manifestar-se livremente; expandir-se: *Tímido a princípio, pouco a pouco se* desatou.

desatarraxar. [De *des-* + *atarraxar.*] *V. t. d.* Despregar, desunir, desapertar, desprender, tirando a(s) tarraxa(s) ou parafuso(s) de; desaparafusar, desentarraxar.

desatascar. [De *des-* + *atascar.*] *V. t. d. e t. d. e i.* **1.** Tirar ou arrancar do atascadeiro, da lama; desatolar: desatascar *o carro;* desatascar *o amigo do vício. P.* **2.** Sair do atascadeiro; desatolar-se. [Conjug.: v. *trancar.*]

desatável. *Adj. 2 g.* Que se pode desatar.

desataviado. [De *des-* + *ataviado.*] *Adj.* Que não traz atavios; desadornado, desornado.

desataviar. [De *des-* + *ataviar.*]. *V. t. d.* **1.** Tirar os atavios a; desadornar, desornar, desenfeitar; despir: desataviar *o estilo. P.* **2.** Desadornar-se, desornar-se, desenfeitar-se.

desatavio. [De *des-* + *atavio.*] *S. m.* Falta de atavio; desalinho.

desate. [Dev. de *desatar.*] *S. m.* **1.** V. *desatamento.* **2.** Desenlace, desfecho.

desatemorizar. [De *des-* + *atemorizar.*] *V. t. d.* **1.** Fazer perder o temor; sossegar, tranqüilizar. **2.** Inspirar ânimo a; afoitar, animar.

desatenção. [De *des-* + *atenção.*] *S. f.* **1.** Falta de atenção. **2.** Descortesia, indelicadeza.

desatencioso (ô). [De *des-* + *atencioso.*] *Adj.* **1.** Que não dá atenção. **2.** Que não tem atenções; descortês, indelicado.

desatender. [De *des-* + *atender.*] *V. t. d.* **1.** Não atender, não dar atenção, a; não fazer caso de. **2.** Desconsiderar, desprezar. *T. i.* **3.** Não atender: Desatendeu *aos gritos de socorro do pequeno.*

desatendível. [De *des-* + *atendível.*] *Adj. 2 g.* Que não merece atenção: "dama de trinta anos, espírito francês e matéria não desatendível sem os realces do espírito" (Camilo Castelo Branco, *A Mulher Fatal*, p. 14).

desatentar. [De *des-* + *atentar*[1].] *V. t. i.* **1.** Não atentar; não prestar atenção; não reparar: *Distraído,* desatentou *no amigo que o saudara.* **2.** Distrair-se, deixar: Desatentou *de fechar a porta.*

desatento. [De *des-* + *atento.*] *Adj.* **1.** Que não presta atenção; distraído: "desatento, andava na rua aos encontrões, meio cego, meio surdo." (Graciliano Ramos, *Infância*, p. 229). **2.** Inconsiderado, leviano.

desaterrar. [De *des-* + *aterrar*[2].] *V. t. d.* **1.** Desfazer (um aterro); escavar, aplanar ou desobstruir (um terreno). **2.** Fazer escavações em. [Pres. ind.: *desaterro*, etc. Cf. *desaterro* (ê).]

desaterro (ê). [Dev. de *desaterrar.*] *S. m.* **1.** Ato de desaterrar. **2.** O terreno que se desaterrou. [Pl.: *desaterros* (ê), Cf. *desaterro*, do v. *desaterrar.*]

desatestar. [De *des-* + *atestar*[2].] *V. t. d.* **1.** Desembaraçar ou aliviar (o que estava atestado ou inteiramente cheio): desatestar *uma vasilha. T. d. e i.* **2.** Desobrigar, desembaraçar, aliviar: Desatestei-o *do grave compromisso.*

desatilado. [De *des-* + *atilado.*] *Adj.* Que não é atilado.

desatinado. [Part. de *desatinar.*] *Adj.* **1.** Falto de tino; fora de si; louco, estouvado. • *S. m.* **2.** Indivíduo desatinado.

desatinar. [De *des-* + *atinar.*] *V. t. d.* **1.** Fazer perder o tino ou a razão; alucinar, desvairar, enlouquecer: *A pobreza e o sofrimento* desatinaram *-no.* **2.** Não atinar com; desacertar: desatinar *o alvo. Int.* **3.** Dizer ou praticar desatinos. **4.** Fazer perder o tino ou a razão; desvairar, alucinar, enlouquecer: "É [o amor] dor que desatina sem doer." (Luís de Camões, *Rimas*, p. 135). **5.** Não atinar; desacertar: Desatinava *no que dizia.*

desatino. [Dev. de *desatinar.*] *S. m.* **1.** Falta de tino, de juízo; loucura. **2.** Ato ou palavras de desatinado.

desativação. *S. f.* **1.** Ação de desativar. **2.** *Eng. Nucl.* Redução da atividade de uma amostra fortemente radioativa, pelo decaimento radioativo; refrigeração.

desativado. [Part. de *desativar.*] *Adj.* Que foi objeto de desativação.

desativar. [De *des-* + *ativar.*] *V. t. d.* **1.** *Bras.* Tirar do serviço, da atividade, tornar inativo (coisa): *A Marinha* desativou *vários navios;* "Suécia desativa usinas nucleares até o ano 2000" (*Jornal do Brasil*, 24.11.1979). **2.** Tirar a (algo) a capacidade de atuar, de operar: *A bomba, felizmente, não explodiu, porque fora* desativada.

desatolado[1]. [Part. de *desatolar*[1].] *Adj.* Saído do atoleiro; desatascado.

desatolado[2]. [Part. de *desatolar*[2].] *Adj. Bras., N.E. Pop.* Diz-se do indivíduo desembaraçado, sem acanhamento, sem timidez.

desatolar. [De *des-* + *atolar*[1].] *V. t. d. e t. d. e i.* **1.** Tirar do atoleiro; desatascar. *P.* **2.** Sair do atoleiro; desatascar-se.

desatolar-se. [De *des-* + *atolar*[2] + *se*[1].] *V. p. Bras., N.E. Pop.* Deixar de ser tolo, acanhado; perder o acanhamento; proceder com desembaraço.

desatordoar. [De *des-* + *atordoar.*] *V. t. d.* Tirar do atordoamento; fazer que recobre os sentidos, que volte a si: *O remédio* desatordoou*-o.* [Conjug.: v. *coroar.*]

desatracação. *S. f.* Ato de desatracar(-se).

desatracar. [De *des-* + *atracar.*] *V. t. d.* **1.** Desencostar e afastar (embarcação) de cais ou de outra embarcação a que esteja atracada: *O prático* desatracou *o navio às 10 horas.* **2.** Desprender, apartar: *Os policiais* desatracaram *os provocadores. Int.* **3.** *Mar.* Desencostar-se e afastar-se (a embarcação) de cais ou de outra embarcação a que esteja atracada: *Só agora o navio* desatracou. *P.* **4.** Desprender-se, apartar-se. [Conjug.: v. *trancar.*]

desatravancar. [De *des-* + *atravancar.*] *V. t. d.* **1.** Tirar as travancas a; desobstruir: desatravancar *o caminho.* **2.** *Fig.* Desimpedir, desembaraçar, facilitar: desatravancar *o andamento do processo.* [F. paral.: *destravancar.* Conjug.: v. *trancar.*]

desatravessar. [De *des-* + *atravessar.*] *V. t. d.* **1.** Tirar as travessas a; destrancar: desatravessar *uma porta.* **2.** Desatravancar; desembaraçar. *P.* **3.** Afastar-se ou desviar-se para um lado: desatravessar-se *do caminho.*

desatrelado. [Part. de *desatrelar.*] *Adj.* **1.** Tirado ou solto da trela. **2.** Desprendido, desengatado.

desatrelar. [De *des-* + *atrelar.*] *V. t. d. e p.* **1.** Tirar(-se) ou soltar(-se) da trela; desengatar(-se): desatrelar *os cães.* **2.** Desprender(-se), desengatar(-se) (animais atrelados a um carro): desatrelar *as parelhas.* **3.** Desengatar(-se) (1): desatrelar *um vagão.* [F. paral.: *destrelar.*]

desatremar. [De *des-* + *atremar.*] *V. int.* **1.** Perder o tino, o juízo; desatinar: *Apesar do vinho, falava calmo e não* desatremava. **2.** Desviar-se do bom caminho; desorientar-se, transviar-se. *T. d.* **3.** Fazer perder o tino; desassisar, desatinar.

desatualizado. [Part. de *desatualizar.*] *Adj.* Não atualizado; sem atualização.

desatualizar. [De *des-* + *atualizar.*] *V. t. d. e p.* Tornar(-se) desatualizado.

desautoração. [De *desautorar* + *-ção.*] *S. f.* Desautorização (1 e 3).

desautorado. [Part. de *desautorar.*] *Adj.* Que sofreu desautoração; desautorizado.

desautorar. [De *des-* + *autor* + *-ar*[2]?] *V. t. d.* **1.** Privar de cargo, dignidade ou insígnia, por castigo; exautorar, desautorizar. *T. d. e i.* **2.** Destituir, privar, por castigo; exautorar: *O governo* desautorou*-o do encargo diplomático.* **3.** Rebelar-se contra a autoridade de; desacatar, desconsiderar. *P.* **4.** Perder a autoridade; descer de dignidade; rebaixar-se, desautorizar-se.

desautoridade. [De *des-* + *autoridade.*] *S. f. P. us.* Quebra de autoridade ou de decoro.

desautorização. *S. f.* **1.** Ato ou efeito de desautorizar; desautoração. **2.** Falta de devido respeito; descrédito. **3.** Perda da dignidade ou autoridade; desautoração.

desautorizado. [Part. de *desautorizar.*] *Adj.* **1.** Que se desautorizou; desautorado, desacreditado. **2.** Que sofreu desautorização (3); desautorado.

desautorizar. [De *des-* + *autorizar.*] *V. t. d.* **1.** Tirar a autoridade a; desacreditar, desabonar, desautorar: *Em vão tenta* desautorizar *os mestres.* **2.** Fazer perder a autoridade, prestígio; desprestigiar, desconsiderar: *Tais excessos o* desautorizam *diante do povo. P.* **3.** Rebaixar-se, dedignar-se, desautorar-se.

desavagar. *V. t. d.* Arrancar (a ferradura) depois de lhe cortar os rebites. [Conjug.: v. *largar.*]

desavença. [De *des-* + *avença.*] *S. f.* Quebra de boas relações; inimizade, discórdia, dissensão.

desaverbar. [De *des-* + *averbar.*] *V. t. d.* **1.** Anular o averbamento de. **2.** *P. ext.* Cancelar, riscar, derriscar.

desavergonhado. [Part. de *desavergonhar.*] *Adj. e s. m.* Que ou aquele que não tem vergonha; desbriado, descarado, insolente, petulante.

desavergonhar. [De *des-* + *avergonhar.*] *V. t. d.* **1.** Fazer perder a vergonha; tornar descarado ou impudente. *P.* **2.** Perder a vergonha; descarar-se. [F. paral.: *desvergonhar.*]

desavexar. [De *des-* + *avexar.*] *V. t. d.* Livrar de vexame; fazer sair de situação vexatória. [Conjug.: v. *fechar.*]

desavezado. [Part. de *desavezar.*] *Adj.* Desacostumado, desabituado, desvezado.

desavezar. [De *des-* + *avezar*[1].] *V. t. d.* **1.** Tirar o vezo a; desacostumar, desabituar. *P.* **2.** Perder o vezo; desacostumar-se, desabituar-se: Desavezou-se *do trabalho.* [Pres. ind. *desavezo*, etc. Cf. *desavezo* (ê).]

desavezo (ê). [Dev. de *desavezar.*] *S. m.* Ato ou efeito de desavezar(-se). [Pl.: *desavezos* (ê), Cf. *desavezo*, do v. *desavezar.*]

desaviar. [De *des-* + *aviar.*] *V. t. d. Desus.* **1.** Não aviar; não dar aviamento a. **2.** Apartar do caminho; desviar. **3.** Impedir; estorvar.

desavindo. [Part. de *desavir.*] *Adj.* Que anda em desavença; desacorde; malquisto, mal-avindo: "os dous esposos .... altercavam tão azedos e desavindos que bem podiam assinalar aquelas horas como as mais infernadas de sua vida." (Camilo Castelo Branco, *A Enjeitada*, p. 202.)

desavir. [De *des-* + *avir.*] *V. t. d. e t. d. e i.* **1.** Suscitar desavenças ou discórdia entre; indispor; malquistar: desavir *famílias;* desavir *o país com os vizinhos. P.* **2.** Discordar, desconcordar: Desavieram-se *no preço.* **3.** Quebrar a amizade; indispor-se; malquistar-se. [Irreg. Conjug.: v. *vir.*]

desavisado. [De *des-* + *avisado.*] *Adj. e s. m.* Imprudente, leviano.

desavisar. [De *des-* + *avisar.*] *V. t. d.* **1.** Dar contra-aviso a: "avisar à Embaixada que o ato fora suspenso, pedir às emissoras radiofônicas que desavisassem os ouvintes" (Maria Julieta Drummond de Andrade, *Um Buquê de Alcachofras*, p. 16); desavisar *os convidados.* **2.** Tornar leviano, imprudente: *O sucesso* desavisou*-o. P.* **3.** Não atentar, não dar fé: desavisar-se *do perigo.*

desaviso. [De *des-* + *aviso.*] *S. m.* **1.** V. *contra-ordem.* **2.** Imprudência, indiscrição, leviandade.

desavistar. [De *des-* + *avistar.*] *V. t. d.* Perder de vista; deixar de ver, de avistar.

desavolumar. [De *des-* + *avolumar.*] *V. t. d.* **1.** Tirar ou diminuir o volume de: Desavolumou *a cintura com exercícios. P.* **2.** Perder o volume; adelgaçar(-se).

desazado. [De *des-* + *azado.*] *Adj.* **1.** Maljeitoso, inapto: "Eu seria, talvez, desazado, no conceito dos outros; era um demolidor que nada sabia ainda construir." (Xavier Marques, *A Cidade Encantada*. p.194.) **2.** Desmazelado, descuidado. **3.** Impróprio, descabido. [Cf. *desasado.*]

desazo. [De *des-* + *azo.*] *S. m.* **1.** Falta de jeito; desjeito, inaptidão: "exclui os desvarios da paixão, os desazos da inépcia" (Machado de Assis, *Papéis Avulsos*, p. 212). **2.** Desmazelo, desleixo; descuido. [Cf. *desaso*, do v. *desasar.*]

desbabar. [De *des-* + *babar.*] *V. t. d.* Limpar a baba a.

desbabelização. *S. f.* Ação de desbabelizar.

desbabelizar. [De *des-* + *babel* + *-izar.*] *V. int.* Diminuir a confusão das línguas (a qual, segundo a Bíblia, se deu quando da construção da torre de Babel), especialmente pela elaboração de idiomas auxiliares universais.

desbagoar. [De *des-* + *bago*[1] + *-ar*[2].] *V. t. d.* Esbagoar (1). [Conjug.: v. *coroar.*]

desbagulhar. [De *des-* + *bagulho* + *-ar*[2].] *V. t. d.* Tirar o(s) bagulho(s) a.

desbalizar. [De *des-* + *baliza* + *-ar*[2].] *V. t. d.* Tirar as balizas a.

desbancar. *V. t. d.* **1.** Ganhar o dinheiro da banca. **2.** Levar vantagem a; vencer; exceder, suplantar: "No último andar deste estabelecimento comercial é que está o salão de chá que desbancou o da casa Mappin." (Antônio de Alcântara Machado, *Cavaquinho e Saxofone*, p. 5); Desbancou *todos os concorrentes.* [Conjug.: v. *trancar.*]

desbandeirar. [De *des-* + *bandeira* + *-ar*[2].] *V. t. d.* **1.** Desembandeirar. **2.** Tirar a panícula ou bandeira a (o milho).

desbaratador (ô). *Adj. e s. m.* **1.** Que ou aquele que desbarata ou destroça. **2.** *Restr.* Dissipador, perdulário.

desbaratamento. *S. m.* **1.** Ato ou efeito de desbaratar(-se). **2.** Desperdício, esbanjamento. **3.** Derrota. [Sin. ger.: *desbarate* ou *desbarato.*]

desbaratar. [De *es-* + *barato* + *-ar*[2].] *V. t. d.* **1.** Esbanjar, dilapidar, malgastar, malbaratar: *Em poucos meses* desbaratou *a herança.* **2.** Estragar, arruinar, destruir: desbaratar *a saúde.* **3.** Bater, vencer; derrotar, destroçar: "Não se contenta a gente portuguesa, /

Mas seguindo a vitória estrui e mata; / A povoação sem muro, e sem defesa, / Esbombardeia, acende e *desbarata*." (Luís de Camões, *Os Lusíadas*, I, 90.) **4.** Pôr em desordem; tratar sem cuidado; maltratar: *desbaratar os livros*. *P.* **5.** Estragar-se, arruinar-se. **6.** Desfazer-se em pedaços; despedaçar-se, espedaçar-se, destroçar-se: *Com o temporal o barco desbaratou-se.*

desbarate. [Dev. de *desbaratar*.] *S. m.* V. *desbaratamento*. "É bastante provável que eu .... não possa concluir a tarefa planejada e estudada desde muito. Foi um *desbarate* de tempo, de paciência e de interesses." (Camilo Castelo Branco, *D. Luís de Portugal*, p. 7.)

desbarato. [Dev. de *desbaratar*.] *S. m.* V. *desbaratamento*.

desbarbado. [De *des-* + *barbado*.] *Adj.* Sem barba, imberbe, lampinho.

desbarbar. [De *des-* + *barbar*.] *V. t. d.* **1.** Tirar a barba a. **2.** Cortar os pêlos de. **3.** Grosar ou limar (as pontas do grão de trigo). **4.** *Tec.* Tirar as rebarbas de (uma peça metálica); rebarbar.

desbarrancado. [De *des-* [q. v.] + *barranco* + *-ado*[1].] *S. m.* **1.** *Bras.*, *SP.* Despenhadeiro, precipício. **2.** *Bras.*, *MG*, *RS* e *GO*. V. *quebrada* (3).

desbarrancamento. *S. m. Bras.* Ato ou efeito de desbarrancar.

desbarrancar. [De *des-* + *barranco* + *-ar*[2].] *V. t. d.* **1.** *Bras.* Escavar profundamente; desaterrar, esbarrancar. **2.** *Bras. S.*, Desfazer barrancos de (terreno), aplainando-o. [Conjug.: v. *trancar*.]

desbarrar[1]. [De *des-* + *barrar*[2].] *V. t. d.* Tirar a barra a; destrancar: *desbarrar o portão*.

desbarrar[2]. [De *des-* + *barrar*[1].] *V. t. d.* Tirar o barro de; desembarrar.

desbarretar. [De *des-* + *barrete* + *-ar*[2].] *V. t. d.* **1.** Tirar o barrete da cabeça de. *P.* **2.** Tirar o barrete ou chapéu; descobrir-se. **3.** Tirar o chapéu, cumprimentando.

desbarrigado. [De *des-* + *barriga* + *-ado*[1].] *Adj.* **1.** Que tem pouca barriga; desembarrigado: "era duma elegância física pouco comum — fino, *desbarrigado*, bem-proporcionado e pisando como um rei" (Pedro Nava, *Beira-Mar*, p. 49). **2.** Que traz o colete desapertado na cintura ou as calças desapertadas no cós. **3.** *Bras.*, *MG.* Diz-se do animal faminto ou mal nutrido.

desbastador (ô). *Adj.* **1.** Que desbasta. ● *S. m.* **2.** Aquele que desbasta. **3.** Plaina grande de carpinteiro.

desbastamento. *S. m.* Ato ou efeito de desbastar; desbaste.

desbastar. [De *des-* + *basto*[2] + *-ar*[2].] *V. t. d.* **1.** Tornar menos basto; fazer mais ralo: *desbastar o cabelo*. **2.** Desengrossar (uma peça), cortando: *desbastar uma tábua*. **3.** *Fig.* Tornar menos grosseiro; polir, aperfeiçoar, melhorar: *desbastar os modos*. **4.** Tirar a bruteza ou ignorância a; desemburrar, desasnar.

desbastardar. [De *des-* + *bastardo* + *-ar*[2].] *V. t. d.* Legitimar (o que era bastardo): *desbastardar um filho*.

desbaste. [Dev. de *desbastar*.] *S. m.* **1.** Desbastamento. **2.** *Bras.*, *N.E.* Operação agrícola que consiste em arrancar, após a semeadura mecânica do algodão, as plantas em excesso, deixando nas distâncias convenientes as que devem permanecer.

desbatizar. [De *des-* + *batizar*.] *V. t. d.* **1.** Privar da graça do batismo. **2.** Tirar ou mudar o nome de batismo a. **3.** Tirar ou mudar o nome de: *desbatizar uma rua*. *P.* **4.** Perder ou mudar o nome de batismo.

desbeiçar. [De *des-* + *beiço* + *-ar*[2].] *V. t. d.* **1.** Cortar o beiço ou beiços a. **2.** Cortar ou quebrar as bordas a; esborcinar, desborcinar: *desbeiçar um muro*. [Conjug.: v. *laçar*.]

desbenzido. [De *des-* + *benzido*.] *Adj.* Que não foi benzido: "Fracioná-la [a fé], decompô-la, ... é pregar-se o homem estupidamente numa cruz *desbenzida*, revirado com a cabeça para a terra, e os calcanhares contra o Céu." (Antônio Feliciano de Castilho, *O Presbitério da Montanha*, p. 116.)

desbloquear. [De *des-* + *bloquear*.] *V. t. d.* **1.** Desfazer ou cortar o bloqueio a: *Desbloquearam o porto*. **2.** Permitir a movimentação de; desimpedir, destravar, desentravar. [Conjug.: v. *frear*.]

desbloqueio. [Dev. de *desbloquear*.] *S. m.* Ato ou efeito de desbloquear.

desbocado. [Part. de *desbocar*.] *Adj.* **1.** *Equit.* Que não obedece ao freio (o cavalo); desenfreado. **2.** *Fig.* Obsceno em palavras; impudico, inconveniente.

desbocamento. [De *desbocar (3 e 6)* + *-mento*.] *S. m. Bras.* Descomedimento na linguagem.

desbocar. *V. t. d.* **1.** Calejar a boca de (cavalgadura), com freio duro. **2.** Despejar, entornar, desborcar: *desbocar um balde de água*. **3.** Tornar desbocado (2): *As más companhias desbocaram-na T. c.* **4.** Despejar, vazar, desaguar, desembocar: *O Tocantins desboca no Amazonas*. *P.* **5.** Não obedecer ao governo (a calvagadura). **6.** Tornar-se desbocado (2); descomedir-se. [Conjug.: v. *trancar*.]

desbolado. [De *des-* + *bola* + *-ado*[1].] *Adj.* Sem bola ou juízo; desajuizado.

desbolinar. [De *des-* + *bolina* + *-ar*[2].] *V. t. d. Marinh.* Desfazer as cocas de (um cabo).

desbolotar. [De *des-* + *bolota* + *-ar*[2].] *V. t. d. Bras.*, *S.* Tirar de (um ovino) as bolas de excremento que lhe ficam presas à lã.

desborcar. [De *des-* + *borcar*.] *V. t. d.* **1.** Virar de borco; despejar, entornar: *desborcar um pote*. *Int.* **2.** Entornar-se; despejar-se. **3.** Esvaziar-se, voltando-se de borco. [Conjug.: v. *trancar*.]

desborcinar. *V. t. d.* V. *esborcinar*.

desbordante. *Adj. 2 g.* Que desborda.

desbordar. [De des- + borda + -ar[2].] *V. int.* **1.** Encher-se em demasia; transbordar, extravasar: *Os recipientes desbordavam*. **2.** Sair para fora do leito (rio). **3.** Estar ou ficar cheio em demasia; transbordar: *Todos saíram de casa: as ruas desbordam; A praça desbordava de gente*. *T. i.* **4.** Ultrapassar os limites: *A discussão desbordou da esfera religiosa*. *T. d.* **5.** Fazer transbordar. *P.* **6.** Extravasar-se, exceder-se: *Desbordava-se em exaltação*. *[F. paral.:* esbordar. Pres. ind.: *desbordo*, etc. Cf. *desbordo* (ô).]

desbordo (ô). [Dev. de *desbordar*.] *S. m.* Ato ou efeito de desbordar. [Pl.: *desbordos (ó)*. *Cf. desbordo*, do v. *desbordar*.]

desbroar. *V. t. d* e *p.* Var. de *esboroar*. [Conjug.: v. *coroar*.]

desborrar. [De *des-* + *borra (ô)* + *-ar*[2].] *V. t. d.* Tirar as borras a; limpar das borras: *desborrar uma vasilha*.

desbotado. [Part. de *desbotar*.] *Adj.* **1.** Diz-se da cor que perdeu a viveza primitiva; desmaiado, pálido. **2.** Diz-se daquilo que perdeu a sua cor; desmaiado: *vestido desbotado*. **3.** Sem brilho; amortecido.

desbotadura. *S. f.* Desbotamento.

desbotamento. *S. m.* Ato ou efeito de desbotar; desbotadura.

desbotar. [De *des-* + *boto*[3] (ô) + *-ar*[2].] *V. t. d.* **1.** Fazer desvanecer a cor ou brilho de. **2.** Tornar menos viva (a cor). **3.** Alterar a cor de. **4.** Deslustrar; amortecer; afear. *Int.* **5.** Perder a viveza da cor; desbotar-se: *O tecido, de um azul tão bonito, desbotou*. **6.** Sofrer mudança de cor. **7.** Deslustrar-se, amortecer. *P.* **8.** Desbotar (5). **9.** Apagar-se, obliterar-se: *Seu valor nunca se desbotará de nossa memória*. **10.** Perder a vivacidade ou brilho; deslustrar-se, amortecer-se: *Seu olhar desbotou-se com o tempo*. [Var. (p. us.): *debotar*.]

desbotável. *Adj. 2 g.* Que desbota; sujeito a desbotar.

desbote. [Dev. de *desbotar*.] *S. m.* Perda do viço e da viveza da cor.

desbragadamente. [Do fem. de *desbragado* + *-mente*.] *Adv.* De modo desbragado; descomedidamente: "Taioba contava casos, inventava histórias, mentia *desbragadamente*." (Antônio Celso Alves Pereira, *A Porta de Jerusalém*. p. 29.)

desbragado. [Part. de *desbragar*.] *Adj.* **1.** Descomedido, impudico; indecoroso. ● *S. m.* **2.** Indivíduo desbragado.

desbragamento. *S. m.* **1.** Qualidade ou ato de desbragado. **2.** Descomedimento de linguagem ou de atitudes; despudor, despejo.

desbragar. [De *des-* + *braga* + *-ar*[2].] *V. t. d.* **1.** *Mar.* Desprender da braga (2). **2.** Dar largas a; desprender de conveniências: *desbragar a linguagem*. **3.** Tornar libertino, dissoluto, impudico: *O mau convívio desbragou-o*. [Conjug.: v. *largar*.]

desbravador (ô). *Adj.* e *s. m.* Que ou aquele que desbrava.

desbravar. [De *des-* + *bravo* + *-ar*[2].] *V. t. d.* **1.** Tornar manso; domar, amansar: *desbravar o cavalo*. **2.** Preparar (terreno) para cultura; arrotear. **3.** Explorar (terras desconhecidas). **4.** Limpar, mondar; abrir: *desbravar um caminho*. *Int.* **5.** Perder a braveza; amansar-se.

desbravejado. [Part. de *desbravejar*.] *Adj. Bras.*, *S.* Diz-se de terreno que se desbravejou.

desbravejar. [De *des-* + *bravo* + *-ejar*.] *V. t. d. Bras.*, *S.* Limpar, roçar, tirar as coivaras a (o terreno); desbravar. [Conjug.: v. *pelejar*.]

desbriado. [De *des-* + *brio* + *-ado*[1].] *Adj.* e *s. m.* Diz-se de, ou indivíduo sem brio; desavergonhado.

desbriamento. *S. m.* Desbrio.

desbriar. [De *des-* + *brio* + *-ar*[2].] *V. t. d.* **1.** Tirar o brio a; causar desbrio a; humilhar. *P.* **2.** Perder o brio, o caráter, a dignidade; rebaixar-se, aviltar-se.

desbridamento. *S. m. Med.* Remoção, em lesão traumática ou de outra natureza, de corpo estranho ou de tecido desvitalizado; debridamento. ◆ **Desbridamento cirúrgico.** *Med.* O que se faz por meios cirúrgicos. **Desbridamento enzimático.** *Med.* O que se faz mediante emprego de enzimas atóxicas, não irritantes, e que não lesem tecido são.

desbridar. [De *des-* + *bridar*.] *V. t. d.* **1.** Tirar a brida ou bridão a; desembridar. **2.** *Med.* Praticar desbridamento em; debridar. *P.* **3.** Soltar-se da brida (o animal); desembridar.

desbrio. [De *des-* + *brio*.] *S. m.* Falta de brio, de vergonha, de pundonor; desbriamento.

desbrioso (ô). [De *des-* + *brioso*.] *Adj.* Que não é brioso; que não tem brio.

desbrochar. [De *des-* + *brocha* + *-ar*[2].] *V. int. P. us.* V. *desabrochar* (5): "Secar-se o orvalho à flor que *desbrochava*, / E o inverno negrejar a primavera!..." (Barão de Paranapiacaba, *Poesias Escolhidas*, p. 34).

desbulhar[1]. [Do lat. *despoliare*, 'despojar'.] *V. t. d.* e *p. P. us.* Debulhar.

desbulhar[2]. *V. t. d.* e *t. d.* e *i.* Var. de *esbulhar*.

desbundado. [Part. de *desbundar*.] *Adj. Bras. Gír.* Diz-se daquele que desbundou.

desbundante. *Adj. 2 g. Bras. Gír.* Que desbunda: *A atriz estava desbundante naquele papel*.

desbundar. [De *des-* + *bunda* + *-ar*[2]?] *V. int. Bras. Gír.* **1.** Perder o autodomínio, por efeito de droga (3). **2.** *P. ext.* Perder o autodomínio; perder as estribeiras. **3.** Rasgar a fantasia [q. v.]. **4.** Causar espanto, grande admiração, impacto.

desbunde. [Dev. de *desbundar*.] *S. m. Bras. Gír.* **1.** Ato ou efeito de desbundar. **2.** Loucura, desvario.

desburocratização. *S. f.* Ato ou efeito de desburocratizar(-se).

desburocratizante. *Adj. 2 g.* Que desburocratiza.

desburocratizar. [De *des-* + *burocratizar*.] *V. t. d.* **1.** Fazer perder o caráter, a feição, os hábitos burocráticos. *P.* **2.** Perder esse caráter, essa feição, esses hábitos.

desburrificar. [De *des-* + *burrificar*.] *V. t. d.* Fazer que deixe de ser burro; desasnar. [Conjug.: v. *trancar*.]

descabaçar. [De *des-* + *cabaço*[2] + *-ar*[2].] *V. t. d. Bras. Chulo.* Tirar o cabaço a; desvirginar. [Conjug.: v. *laçar*.]

descabeçado. [De *des-* + *cabeça* + *-ado*[1]] *Adj.* e *s. m. Bras.* Diz-se de, ou indivíduo sem cabeça, sem juízo; maluco, desmiolado.

descabeçar. [De *des-* + *cabeça* + *-ar*[2].] *V. t. d.* **1.** Cortar a cabeça a; decapitar. **2.** Cortar a(s) ponta(s) a; amputar. **3.** *Bras.*, *SP.* Limpar (um terreno) de touceiras e tocos. *Int.* **4.** Perder a parte alta; diminuir em altura; descair, baixar: *A maré começa a descabeçar*. [Conjug.: v. *começar*.]

descabelado[1]. [De *des-* + *cabelo* + *-ado*[1].] *Adj.* Sem cabelo (por natureza).

descabelado[2]. [Part. de *descabelar*] *Adj.* **1.** Cujo cabelo foi arrancado; escabelado. **2.** *Fam.* Despenteado, desgrenhado, escabelado. **3.** *Fig.* Exagerado, excessivo: *mentira descabelada*.

descabelar. [De *des-* + *cabelo* + *-ar*[2].] *V. t. d.* **1.** Tirar ou arrancar os cabelos a. **2.** Desgrenhar, despentear: *O vento descabelou-a*. *P.* **3.** Arrancar os cabelos a si mesmo; desgrenhar-se, arrepelar-se. [F. paral.: *escabelar*.]

descaber. [De *des-* + *caber*.] *V. int.* **1.** Não ter cabimento ou cabida; não caber; não vir a propósito: *Tais comentários descabem*. *T. i.* **2.** Não competir; não tocar: *Descabe-lhe o voto no julgamento desta causa*. [Irreg. Conjug.: v. *caber*, mas em geral só se usa no part. e nas 3as pess.]

descabido. [Part. de *descaber*.] *Adj.* Que não tem cabimento; impróprio, inconveniente, inoportuno.

descachaçar. [De *des-* + *cachaça* + *-ar*[2].] *V. t. d. Bras.* Limpar (o suco da cana-de-açúcar) da cachaça (1). [Conj.: v. *laçar*.]

descadeirado. [Part. de *descadeirar*.] *Adj. Bras.* **1.** Diz-se do animal que, por acidente ou por doença, arrasta as patas traseiras. **2.** *P. ext.* Diz-se de quem, por qualquer enfermidade, tem dor nas cadeiras. **3.** *P. ext.* Diz-se de quem foi espancado; derrengado. **4.** *P. ext.* Fatigado, cansado, extenuado.

descadeirar. [De *des-* + *cadeira* + *-ar*[2].] *V. t. d.* **1.** Bater nas ancas ou cadeiras de. **2.** Derrear com pancadas; derrengar, desancar. *P.* **3.** Mover muito as cadeiras; saracotear-se. [F. paral.: *escadeirar*.]

descafeinação (e-i). *S. f.* Ato ou efeito de descafeinar.

descafeinado (e-i). [Part. de *descafeinar*.] *Adj.* Que se descafeinou; sem cafeína.

descafeinar (e-i). [De *des-* + *cafeína* + *-ar*[2].] *V. t. d.* Extrair (do café) a cafeína.

descaída. *S. f.* **1.** Ato de descair. **2.** Lapso, erro, descuido. **3.** Indiscrição.
descaído. [Part. de *descair.*] *Adj.* **1.** Caído, inclinado, tombado. **2.** Abatido, prostrado.
descaimento (a-i). *S. m.* **1.** Estado do que descai ou descaiu; declinação, decadência. **2.** Abatimento, prostração.
descair. [De *des-* + *cair.*] *V. t. d.* **1.** Deixar pender ou cair: *descair os braços. Int.* **2.** Inclinar-se lentamente; abaixar-se, declinar: *O Sol vai descaindo.* **3.** Curvar-se, vergar: *As árvores descaíam ao vento.* **4.** Cair, pender: *Suas pálpebras descaem;* "*Descaía*-lhe o rosto esmaecido / Sobre o mármore branco de seu peito." (Gonçalves Crespo, *Obras Completas*, p. 186). **5.** Sofrer diminuição ou decadência; declinar: *Sua reputação descai.* **6.** Perder as forças; esmorecer, desfalecer: *Os caminhantes descaíam de fadiga.* **7.** Mudar de rumo, derivar (embarcação). **8.** Abrandar, serenar, amainar: *A tempestade foi descaindo. T. i.* **9.** Descambar; derivar: *Seu estilo se complica e descai em prolixidade.* **10.** Afastar-se, apartar-se: *descair do rumo.* **11.** Sofrer diminuição; decair: *descair da fama. P.* **12.** Tornar-se indiscreto ou inconveniente. [Irreg. Conjug.: v. *sair.*]
descalabro. [Do esp. *descalabro.*] *S. m.* **1.** Grande dano ou perda; ruína, perda: "Os desacertos naturais à implantação do regime e os *descalabros*, evitáveis ou inevitáveis, cunharam por aqui a idéia de 'republicanizar a República'." (João Neves da Fontoura, *Memórias*, I, p. 13.) **2.** Desgraça, derrota.
descalar. [De *des-* + *calar*[3].] *V. t. d. Bras. Marinh.* Tirar (o leme da embarcação) do lugar.
descalçadeira. [De *descalçar* + *-deira.*] *S. f.* **1.** V. *calçadeira.* **2.** *Fig.* V. *descompostura* (2). **3.** *Fig.* V. *repreensão* (1).
descalçadela. *S. f. Pop.* **1.** V. *descompostura* (2). **2.** V. *repreensão* (1).
descalçador (ô). *Adj.* **1.** Que descalça. ● *S. m.* **2.** V. *calçadeira.*
descalçar. [De *des-* + *calçar.*] *V. t. d.* **1.** Tirar (aquilo que vestia a perna, o pé ou a mão): *descalçar as luvas.* **2.** Despir (pé, mão ou perna) daquilo com que estava calçado. **3.** Tirar o calço ou apoio a: *descalçar um móvel; descalçar a roda do carro.* **4.** *Fig.* Privar de auxílio ou recurso; desamparar. **5.** Tirar o empedramento de; desempedrar: *descalçar uma rua. P.* **6.** Tirar o próprio calçado: "O hóspede *descalçou-se*, despiu-se, ... deitou-se" (Artur Azevedo, *Contos Cariocas*, p. 59). [Conjug.: v. *laçar.* Tem part. duplo: *descalçado* e *descalço.*]
descalço. [Part. de *descalçar.*] *Adj.* **1.** Tirado do pé; descalçado: "Tenda de neve — a cortina; / Dois bustos, um ramilhete / Além; *descalça* botina / Sobre o tapete." (Alberto de Oliveira, *Poesias*, 1ª série, p. 220.) **2.** Sem calçado. **3.** De pés nus, ou calçados apenas com meias. **4.** *Fig. Pop.* Desprevenido (2). **5.** *Turfe.* Diz-se do cavalo que corre sem ferraduras.
descalhoar. [De *des-* + *calhau* + *-ar*[2].] *V. t. d.* Limpar dos calhaus; tirar os calhaus ou pedras de; desempedrar. [Conjug.: v. *coroar.*]
descaliçar. [De *des-* + *caliça* + *-ar*[2].] *V. t. d.* Tirar a caliça a; escaliçar. [Conjug.: v. *laçar.*]
descalvadense. *Adj. 2 g.* **1.** De, ou pertencente ou relativo a Descalvado (SP). ● *S. 2 g.* **2.** Natural ou habitante de Descalvado.
descalvado. [Part. de *descalvar.*] *Adj.* V. *escalvado* (1 e 2).
descalvar. [De *des-* + *calvo* + *-ar*[2].] *V. t. d.* Escalvar.
descamação. *S. f.* **1.** Ato de descamar. **2.** *Geol.* Separação, em forma de escama, das partes exteriores de uma rocha; esfoliação. **3.** *Med.* Queda, sob a forma de escamas, dos elementos epiteliais da pele.
descamante. *Adj. 2 g.* **1.** Que descama ou se descama; escamante. **2.** *Bot.* Que se esfolia em lâminas delgadas, como, p. ex., o súber e a casca externa das árvores.
descamar. [De *des-* + *escamar*, com síncope.] *V. t. d.* e *p.* Escamar (1 e 2).
descambação. *S. f.* Ato ou efeito de descambar.
descambada. [Fem. substantivado do adj. *descambado.*] *S. f.* **1.** *Bras.* Lapso, erro, descaída. **2.** *Bras., RS.* Encosta mais ou menos íngreme; descambado.
descambado. *Adj.* **1.** Que descambou. ● *S. m.* **2.** *Bras.* Terreno em declive. **3.** *Bras., RS.* Descambada (2).
descambar. [De *des-* + *cambar*[1].] *V. int.* **1.** Cair, desabar, tombar: *descambou uma tempestade.* **2.** descer, declinar: *O Sol descamba no ocaso.* **3.** Tender, derivar: *O veículo descamba para a esquerda.* **4.** *Bras., RS.* Descer (coxilha ou cerro). *T. i.* **5.** *Fig.* Dizer inconveniências. **6.** Passar a pior; descair, degenerar: *As pilhérias descambaram em ofensas; Após alguns minutos, a conversa descambou em patifaria.* **7.** *Bras., S.* Espancar com (relho, facão, etc.): *Descambou o rebenque no pequeno por uma tolice.*
descaminhar. [De *des-* + *caminhar.*] *V. t. d., t. d. e i.* e *p.* V. *desencaminhar.*
descaminho. *S. m.* **1.** Ato ou efeito de descaminhar(-se). **2.** Extravio, sumiço. **3.** Exportação clandestina. [Cf., nesta acepç.: *contrabando* (1).]
descamisa. [Dev. de *descamisar.*] *S. f.* V. *descamisada.*
descamisada. *S. f.* Ato de descamisar (o milho); descamisa, desfolhada, desfolho, escamisada, escamisadela, escapelada, esfolhada, esfolhadela.
descamisado. [Part. de *descamisar.*] *Adj.* e *s. m.* **1.** Que ou aquele que não tem camisa. **2.** Maltrapilho, roto, esfarrapado.
descamisar. [De *des-* + *camisa* + *-ar*[2].] *V. t. d.* **1.** Tirar a camisa a. **2.** Tirar a camisa (5) a; desfolhar; escarpelar. [Sin. ger.: *desencamisar, escamisar.*]
descampado. *Adj.* **1.** Desabrigado, desabitado: *terreno descampado; região descampada.* ● *S. m.* **2.** Campo extenso, inculto, aberto e desabitado. [F. paral.: *escampado.*]
descampar. [De *des-* + *campo* + *-ar*[2].] *V. int.* **1.** Correr pelo campo: *Os animais descamparam.* **2.** Desarvorar, sumir, desaparecer.
descangar. [De *des-* + *cangar.*] *V. t. d.* Tirar a canga a: *descangar os bois.* [Conjug.: v. *largar.*]
descangotado. [Part. de *descangotar.*] *Adj. Bras.* **1.** Que tem a cabeça caída para trás. **2.** Prostrado, combalido, abatido.
descangotar. [De *des-* + *cangote* + *-ar*[2].] *V. int. Bras.* **1.** Ficar com a cabeça caída para trás. **2.** Ficar prostrado, combalido, enfraquecido; abater-se.
descanhotar. [De *des-* + *canhota* + *-ar*[2].] *V. t. d. Bras.* **1.** Destroncar, desengonçar, desarticular: *Na queda, descanhotou o pulso.* **2.** Quebrar a força do braço a. *P.* **3.** *Bras., S. Pop.* Andar com ligeireza e desembaraço.
descanjicar. [De *des-* + *canjica* + *-ar*[2].] *V. t. d.* **1.** *Bras.* Reduzir a fragmentos, partir miúdo, como se faz com o milho para canjica. **2.** *Bras.* Fazer em pedaços; fazer pedaços, espatifar, espedaçar: *descanjicar um vaso.* **3.** *Bras., SP.* Bater com violência em. [Conjug.: v. *trancar.*]
descansadeiro. *S. m.* Lugar onde se descansa.
descansado. [Part. de *descansar.*] *Adj.* **1.** Tranqüilo, sossegado, descuidoso: *Fique descansado, que tudo sairá bem.* **2.** Lento, vagaroso: *É pessoa muito descansada no trabalho.*
descansar. [De *des-* + *cansar.*] *V. t. d.* **1.** Dar descanso a; livrar de fadiga: *descansar o corpo.* **2.** Livrar de receio, cuidado, aflição; tranqüilizar, acalmar, sossegar: *A boa notícia descansou-o.* **3.** Aliviar, mitigar, diminuir, suavizar: *Estas alegrias descansam as penas da vida.* **4.** Dar pausa a; suspender, interromper. *T. d.* e *i.* **5.** Apoiar, encostar, firmar: *Descansou o cotovelo na mesa.* **6.** Fixar, fitar: *Descansou os olhos no irmão. T. i.* **7.** Firmar-se, apoiar-se, escorar-se, assentar: *A sacada descansa em três colunas.* **8.** Basear-se, estribar-se, fundar-se: *Sua teoria descansa na experiência.* **9.** Acreditar, confiar, crer: *Descansei na eficácia da prece;* "Em mim se apoiava, / Em mim se firmava, / Em mim *descansava*, / que filho lhe sou." (Gonçalves Dias, *Obras Poéticas*, II, pp. 24-25). **10.** Deixar aos cuidados de; confiar: *O diretor descansa no gerente. Int.* **11.** Tomar descanso; repousar do cansaço: *Deitou-se para descansar;* "Teu coração dentro do meu *descansa*." (Antônio Nobre, *Só*, p. 108). **12.** Ficar de pousio (terra): *O roçado descansou um ano.* **13.** Estar na cama; dormir. **14.** Estar sepultado; repousar eternamente. **15.** Tranqüilizar-se, aliviar-se, acalmar-se, sossegar: *Só descansarei quando encontrar meu filho.* **16.** Estar pousado; jazer: *À margem do rio descansam os seixos.* **17.** *Bras.* V. *morrer* (1). **18.** *Bras.* Dar à luz; parir: "Papai manda dizer ao senhor e a Dona Filomena que mamãe *descansou* e que lá em casa tem mais um criadinho às ordens." (Mário Souto Maior, *Como Nasce um Cabra da Peste*, p. 67.)
descanso. [Dev. de *descansar.*] *S. m.* **1.** Repouso, sossego, calma, pausa. **2.** Ócio, folga, vagar. **3.** Pachorra, lentidão. **4.** Apoio, proteção. **5.** Alívio, consolo. **6.** Sono (2). **7.** Objeto sobre o qual outro assenta ou se apóia. **8.** Forquilha (2). **9.** Ressalto existente no gatilho, o qual oferece resistência ao dedo do atirador durante o acionamento do disparo. **10.** *Arquit.* Espaço ao lado da chegada de uma escada, em cada pavimento, para tornar mais suave a subida. **11.** Nas escadas de lanços compridos, patamar. **12.** Habitação, morada. ◆ **Descanso cômico.** *Teat.* V. *alívio cômico.*
descantar[1]. [De *des-* + *cantar.*] *V. t. d.* e *int.* **1.** *Mús.* Cantar ao som de um instrumento. **2.** *Mús.* Cantar ao desafio. **3.** *Mús.* Cantarolar. *T. i.* **4.** Dizer mal, censurar: *descantar do próximo.* **5.** Harmonizar-se, condizer, afinar.
descantar[2]. [De *des-* + *canto*[3] + *-ar*[2].] *V. t. d.* Descantear.
descante. [Dev. de *descantar*[1].] *S. m.* **1.** Ato de descantar[1]. **2.** Cantiga popular, acompanhada de um instrumento. **3.** *Ant.* Espécie de viola pequena. **4.** Desafio entre cantadores. [Cf. *descanto.*]
descantear. [De *des-* + *canto*[3] + *-ear.*] *V. t. d.* Limpar de cantos (as pedras); descantar. [Conjug.: v. *frear.*]
descanto. [Dev. de *descantar*[1].] *S. m. Mús.* **1.** Forma polifônica medieval (séc. XI) que sucedeu ao órgano, já com o emprego do movimento contrário sobre o canto firme, mas ainda baseada em vozes ritmicamente iguais. [Cf. *diafonia* (2).] **2.** Desde o séc. XII, canto a várias vozes; canto de estante. **3.** Voz superior de uma polifonia. **4.** Voz de soprano, na música polifônica. [Cf. *descante.*] ◆ **Descanto florido.** No séc. XII, o descanto, em geral a três vozes, no qual a cada som do canto firme correspondiam, nas outras vozes, sons de valores diferentes.
descapacitar-se. [De *des-* + *capacitar* + *se*[1].] *V. p.* Despersuadir-se, dissuadir-se: *Descapacitou-se de sua convicção inicial.*
descapitalização. *S. f.* Ato decorrente do descompasso entre a receita e a despesa de uma empresa, que se vê obrigada a entrar no capital para atender às exigências de caixa.
descapitalizado. [Part. de *descapitalizar.*] *Adj.* Que se descapitalizou.
descapitalizar. [De *des-* + *capitalizar.*] *V. t. d.* e *int.* Promover a descapitalização de.
descaracterização. *S. f.* Ato ou efeito de descaracterizar(-se). [Var.: *descaraterização.*]
descaracterizar. [De *des-* + *caracterizar.*] *V. t. d.* **1.** Tirar o caráter a; fazer perder o característico a: *As fábricas e os edifícios descaracterizavam a vila.* **2.** Desfazer a caracterização a: *O maquilador descaracterizou a atriz. P.* **3.** Perder os característicos. **4.** Desfazer ou tirar a caracterização: *Depois do espetáculo o intérprete descaracterizou-se.* [Var.: *descaraterizar.*]
descarado. [Part. de *descarar.*] *Adj.* e *s. m.* **1.** Desavergonhado, impudente. **2.** Insolente, atrevido.
descaramento. *S. m.* **1.** Falta de vergonha; impudência. **2.** Desaforo, insolência, atrevimento. [Sin. ger.: *descaro.*]
descarapuçar. [De *des-* + *carapuça* + *-ar*[2].] *V. t. d.* Tirar a carapuça a. [Conjug.: v. *laçar.*]
descarar. [De *des-* + *cara* + *-ar*[2].] *V. t. d.* **1.** Tirar o pejo a; desavergonhar: *O dinheiro e as más companhias o descaravam. P.* **2.** Perder a vergonha; tornar-se atrevido, impudente.
descaraterização. *S. f.* Var. de *descaracterização.*
descaraterizar. *V. t. d.* e *p.* Var. de *descaracterizar.*
descarbonizar. [De *des-* + lat. *carbone*, 'carvão', + *-izar.*] *V. t. d.* Retirar o carvão depositado no cabeçote, no interior do motor.
descarboxilação (cs). *S. f. Quím.* Operação em que, mediante reagentes apropriados, se retira uma carboxila de um ácido orgânico.
descarboxilar (cs). *V. t. d. Quím.* Provocar a descarboxilação de (um ácido).
descarburização. *S. f. Quím.* Diminuição do teor de carbono de um sistema composto.
descarburizar. *V. t. d. Quím.* Provocar descarburização em.
descarga. [De *des-* + *carga.*] *S. f.* **1.** Ato de descarregar; descarregamento. **2.** Cancelamento de carga; baixa. **3.** Tiro de espingarda, revólver, canhão, etc. **4.** Muitos tiros disparados simultaneamente. **5.** Escapamento dos gases da combustão (em motor de explosão). **6.** *Art. Gráf.* V. *folha de descarga.* **7.** *Eletr.* Condução de eletricidade através de um gás; descarga elétrica. **8.** *Eletr.* Escoamento da carga elétrica de um capacitor. **9.** *Eletr.* Fornecimento de corrente elétrica por uma bateria. **10.** V. *vazão* (2). **11.** *P. ext.* Bomba ou válvula que controla a descarga de água dum vaso sanitário. ◆ **Descarga elétrica.** *Eletr.* Descarga (7). **Descarga em arco.** *Eletr.* Descarga elétrica em um gás, realizada sob tensão baixa e com intensidade de corrente elevada. **Descarga epiléptica.** *Neurol.* e *Psiq.* Descarga oriunda de neurônios, decorrente da atividade simultânea de muitas dessas células. **Descarga epiléptica crítica.** *Neurol.* e *Psiq.* Registro de onda ou de grupos de ondas pelo

eletrencefalograma, que acompanha(m) as manifestações clínicas de crises epilépticas. **Descarga fluvial.** V. *vazão* (2). **Descarga sólida.** Proporção de matéria sólida transportada, em suspensão ou dissolução, por um curso de água, e geralmente expressa em gramas por metro cúbico do líquido.

descargo. [De *des-* + *cargo.*] *S. m.* V. *desencargo.*

descaridade. [De *des-* + *caridade.*] *S. f.* Falta de caridade.

descaridoso (ô). [De *des-* + *caridoso.*] *Adj.* Que não tem, ou em que não há caridade: "Fui cruel e descaridoso com Nhá Chica." (Francisco Ribeiro Sampaio, *Renembranças,* p. 1); *procedimento descaridoso.*

descarinhoso (ô). [De *des-* + *carinhoso.*] *Adj.* Não carinhoso; seco, severo, ríspido.

descarnado. [Part. de *descarnar.*] *Adj.* **1.** Que tem poucas carnes. **2.** Muito magro. **3.** Privado de carnes.

descarnadura. *S. f.* Operação de descarnar.

descarnar. [De *des-* + *carne* + *-ar*².] *V. t. d.* **1.** Separar da carne os ossos de: *descarnar uma ave.* **2.** Separar da casca (polpa de fruta, árvore, etc.); descascar: *descarnar um tronco de árvore.* **3.** Cavar, escavar: *As chuvas prolongadas descarnaram a montanha.* **4.** Tornar muito magro; emagrecer muito; ressequir: *A doença descarnou-o.* **5.** *Arquit. Fig.* Pôr a descoberto base ou alicerce de (um edifício). *T. d. e i.* **6.** Separar de si; afastar: *descarnar a inveja do coração.* **7.** Desapegar, desafeiçoar. *P.* **8.** Perder as carnes; emagrecer.

descaro. [Dev. de *descarar.*] *S. m.* V. *descaramento.*

descaroável. [De *des-* + *caroável.*] *Adj. 2 g.* Descaridoso, inclemente; descarinhoso.

descaroavelmente. [De *descaroável* + *-mente.*] *Adv.* De modo descaroável; cruelmente, descaridosamente: "três meses esteve esperando a rainha, até que afinal D. Pedro se casou um dia, para, no outro, abandonar descaroavelmente a esposa." (Oliveira Martins, *A Vida de Nun'Álvares,* p. 21).

descaroçador (ô). *Adj.* **1.** Que descaroça. ● *S. m.* **2.** Máquina de descaroçar.

descaroçamento. *S. m.* Operação de descaroçar.

descaroçar. [De *des-* + *caroço* + *-ar*².] *V. t. d.* Tirar o(s) caroço(s) a. [Conjug.: v. *laçar.*]

descarrar. [De *des-* + *carro* + *-ar*².] *V. t. d.* Tirar do carro; descarregar: *descarrar as mercadorias.*

descarregadoiro. *S. m.* Descarregadouro.

descarregador (ô). *Adj.* **1.** Que descarrega. ● *S. m.* **2.** Aquele que descarrega. **3.** Instrumento para descarregar.

descarregadouro. [Var. de *descarregadoiro.*] *S. m.* Lugar próprio para descargas.

descarregamento. *S. m.* Descarga (1).

descarregar. [De *des-* + *carregar.*] *V. t. d.* **1.** Tirar a carga (1) de: *descarregar um caminhão; descarregar os animais.* **2.** Tirar ou extrair a carga de (arma de fogo). **3.** Disparar a carga de (arma de fogo). **4.** Tirar de um carro; descarrar: *descarregar as sacas.* **5.** Tranqüilizar, sossegar, desoprimir, aliviar: *A confissão do erro descarregou sua consciência.* **6.** Desafogar, desabafar, expandir: *descarregou a raiva.* **7.** Vibrar com força; dar com ímpeto: *descarregar uma paulada.* **8.** *Eletr.* Retirar carga elétrica de (um sistema que a tenha acumulado). **9.** *Med.* Lançar, evacuar: *descarregar humores.* *T. d. e i.* **10.** *Arremessar, lançar, despejar: *O rio descarrega suas águas no Atlântico.* **11.** Livrar do que pesa, aliviar, desobrigar, desonerar: *O governo descarregou o povo dos impostos.* **12.** Transmitir, confiar: *Descarregou no amigo seus cuidados.* **13.** Arremessar, vibrar: *Descarregava rudes golpes no adversário.* **14.** Imputar, atribuir: *Descarregou a culpa no sócio.* *T. i.* **15.** Dar com ímpeto; cair, incidir, tombar: *A tempestade descarregou sobre a cidade.* *Int.* **16.** Despejar carga. **17.** *Auton.* Ficar sem carga; arriar: *A bateria do fusca descarregou.* *P.* **18.** Livrar-se, aliviar-se, desonerar-se: *descarregar-se das responsabilidades.* **19.** Serenar(-se), acalmar(-se): *Depois de se confessar, seu espírito descarregou-se.* **20.** Esvaziar-se. [Conjug.: v. *regar.* Pres. ind.: *descarrego,* etc. Cf. *descarrego* (ê).]

descarrego (ê). [Dev. de *descarregar.*] *S. m. Ant.* e pop. Ato de descarregar; descargo. [Pl.: *descarregos* (ê). Cf. *descarrego,* do v. *descarregar.*]

descarreirar. [De *des-* + *carreira* + *-ar*².] *V. t. d.* Tirar ou desviar da carreira ou carreiro; desencaminhar, descaminhar, desencarreirar: *O guia era inapto e descarreirou a expedição.*

descarreto (ê). [De *des-* + *carreto.*] *S. m.* **1.** *Bras. S.* Local de rio onde, por este oferecer dificuldade à navegação, a embarcação deve ser aliviada de carga. **2.** *Bras., GO.* Ação de descarregar(-se). [Pl.: *descarretos* (ê).]

descarrilamento. *S. m.* Ato ou efeito de descarrilar. [F. paral.: *desencarrilamento;* var. (bras.): *descarrilhamento, desencarrilhamento.*]

descarrilar. [De *des-* + *carril* + *-ar*².] *V. t. d.* **1.** Fazer sair, ou desviar, dos trilhos do carril: *A árvore caída descarrilou o trem.* *Int.* **2.** Saltar (uma carruagem) fora dos trilhos sobre os quais ia rodando: "Um trem de carga .... descarrilou na madrugada de ontem numa zona desértica da Califórnia" (*Jornal do Brasil,* 9.1.1982). **3.** *Fig.* Sair da linha reta ou do bom caminho; desviar-se da lógica ou do bom senso; disparatar, desassisar. **4.** *Fig.* Comportar-se mal; desregrar-se: *Leviana, não tardou a descarrilar.* [F. paral.: *desencarrilar;* var., bras.: *descarrilhar, desencarrilhar.*]

descarrilhamento. *S. m. Bras.* V. *descarrilamento.*

descarrilhar. *V. t. d.* e *int. Bras.* V. *descarrilar:* "o major não viu a expressão do rosto, não percebeu que o espírito do homem ia talvez descarrilhar" (Machado de Assis, *Quincas Borba,* p. 335).

descartar. [De *des-* + *carta* + *-ar*².] *V. t. d.* **1.** Rejeitar (a carta de baralho que não serve). **2.** Obrigar a jogar (certas cartas). **3.** Pôr de parte; não levar em conta; afastar: *A polícia descartou qualquer hipótese de acidente.* **4.** Pôr de parte; deixar de usar ou jogar fora após o uso: *Dada a injeção, descartou a seringa.* *P.* **5.** Pôr de lado certas cartas, no jogo; baldar-se. **6.** Livrar-se de pessoa ou coisa incômoda, enfadonha ou importuna: *Tudo fez para descartar-se do repórter.* **7.** Pôr de parte; deixar de usar ou jogar fora após o uso: *Descartou-se das lâminas usadas.*

descartável. *Adj. 2 g.* Que se pode ou se deve descartar (4): *fraldas descartáveis.*

descarte. [Dev. de *descartar.*] *S. m.* **1.** Ato ou efeito de se descartar. **2.** As cartas rejeitadas no jogo. **3.** *Fig.* Evasiva.

descasalar. [De *des-* + *casal* + *-ar*².] *V. t. d.* Desacasalar.

descasamento. *S. m.* Ato de descasar(-se).

descasar. [De *des-* + *casar.*] *V. t. d.* **1.** Anular ou desfazer o casamento de. **2.** Separar (pessoas casadas ou animais acasalados); descasalar. **3.** Desirmanar, desemparelhar: *descasar as luvas.* *T. d. e i.* **4.** Separar, tirar (de pessoa, ou coisa, etc.): *Descasou do regimento aquele item.* *P.* **5.** Desligar-se, desunir-se, separar-se. **6.** Divorciar-se, separar-se.

descasca. [Dev. de *descascar.*] *S. f.* **1.** V. *descascamento.* **2.** V. *descompostura* (2).

descascação. *S. f.* V. *descascamento.*

descascadela. [De *descascar* + *-dela.*] *S. f.* **1.** V. *repreensão* (1). **2.** Crítica violenta.

descascadinha. [Fem. substantivado do dim. de *descascado.*] *S. f. Bras., S. Pop.* Mulher clara.

descascado. [Part. de *descascar.*] *Adj.* A que se tirou a casca, ou dela saiu. ~ V. *barata* —*a.*

descascador (ô). *S. m.* **1.** Aquele que descasca. **2.** Máquina para descascar cereais.

descascadura. *S. f.* V. *descascamento.*

descascamento. *S. m.* Ato de descascar; descascação, descascadura; descasque, descasca.

descascar¹. [De *des-* + *casca* + *-ar*².] *V. t. d.* **1.** Tirar a casca de; cascar, escascar. **2.** *Bras.* Repreender severamente; censurar, admoestar. **3.** *Bras.* Falar mal de. **4.** *Bras., S.* Desembainhar (facão, faca); pelar: "uma indiada macanuda, capaz de bolear a perna e descascar o facão até pra Cristo, salvo seja!..." (Simões Lopes Neto, *Contos Gauchescos e Lendas do Sul,* p. 168). *Int.* **5.** Largar ou perder a casca: *O feijão descascou.* *P.* **6.** Libertar-se, safar-se, desembaraçar-se. [Conjug.: v. *trancar.*]

descascar². [De *des-* + *casco* + *-ar*².] *V. int.* Perder o casco (a besta). [Conjug.: v. *trancar.*]

descaso. [De *des-* + *caso.*] *S. m.* **1.** Desatenção, desconsideração, desprezo, desapreço. **2.** Irreflexão, inadvertência.

descaspar. [De *des-* + *caspa* + *-ar*².] *V. t. d. P. us.* Tirar a caspa a: *Descaspou a cabeça.*

descasque. [Dev. de *descascar.*] *S. m.* V. *descascamento.*

descativar. [De *des-* + *cativar.*] *V. t. d.* **1.** Livrar do cativeiro; libertar: *descativar os presos.* **2.** Deixar livre; soltar, desprender: *descativar a imaginação.* *P.* **3.** Livrar-se do cativeiro; libertar-se.

descativo. [De *des-* + *cativo.*] *Adj.* Liberto do cativeiro; livre.

descaudado. [De *des-* + *caudado.*] *Adj.* Sem cauda; descaudato.

descaudar. [De *des-* + *cauda* + *-ar*².] *V. t. d.* Tirar a cauda a; derrabar.

descaudato. [De *des-* + *caudato.*] *Adj.* Descaudado.

descaulino. [De *des-* + *caule* + *-ino.*] *Adj. Morfol. Veg.* V. *acaule.*

descautela. [De *des-* + *cautela.*] *S. f.* Falta de cautela.

descavalgamento. *S. m.* Ato de descavalgar.

descavalgar. [De *des-* + *cavalgar.*] *V. t. d.* **1.** Fazer desmontar; tirar da cavalgadura; apear. *Int.* **2.** Descer da cavalgadura; apear(-se). [Conjug.: v. *largar.*]

descavar. *V. t. d.* Escavar; cavar.

descaveirado. *Adj.* V. *escaveirado.*

descaxelado. *Adj. Bras. Pop.* Var. de *desqueixelado.*

descelular. [De *des-* + *célula* + *-ar*².] *V. t. d.* Tirar ou desfazer as células de; desprover de células.

descendência. [Do lat. *descendentia.*] *S. f.* Série de pessoas provenientes de um mesmo tronco; prole.

descendente. [Do lat. *descendente.*] *Adj. 2 g.* **1.** Que descende. **2.** Que desce; decrescente. ~ V. *maré* —, *nodo* —, *pielografia* — e *seiva* —. ● *S. 2 g.* **3.** Pessoa que descende de outra, ou de uma raça. ● *S. m.* **4.** *Fís. Nucl.* Nuclídeo que se forma na desintegração de outro nuclídeo. ● *S. f.* **5.** *Tip.* A haste que, em certas letras de caixa-baixa, se projeta para baixo, como no *q* e no *p.* [Cf. *letra descendente.*] ~ V. *nodo* —, *letra* — e *descendentes.*

descendentes. [Pl. de *descendente.*] *S. m. pl.* Os indivíduos que constituem uma descendência. ~ V. *descendente.*

descender. [Do lat. *descendere.*] *V. t. i.* **1.** Provir por geração; descer: *Descende de gente nobre.* **2.** Derivar, originar-se: *O português descende do latim.* *T. c.* **3.** *P. us.* Baixar, pousar, descer: "Isto dizendo irado e quase insano, / Sobre a terra africana descendeu" (Luís de Camões, *Os Lusíadas,* I, 77).

descendimento. [De *descender* + *-mento.*] *S. m. P. us.* V. *descida* (1).

descensão. [Do lat. *descensione.*] *S. f.* V. *descida* (1). [Cf. *dissensão.*]

descensional. *Adj. 2 g.* Relativo a descensão.

descenso. [Do lat. *descensu.*] *S. m.* **1.** V. *descida* (1). [Antôn.: *ascenso.*] **2.** *Patol.* Ptose. [Cf. *dissenso.*]

descente. *Adj. 2 g.* **1.** Que desce. ● *S. f.* **2.** Descida; vazante. [Cf. *decente* e *discente.*]

descentralismo. [De *des-* + *centralismo.*] *S. m.* Regime político em que os órgãos administrativos têm autonomia marcante, ficando tanto quanto possível desprendidos do poder central. [Cf. *municipalismo* e *comunalismo.*]

descentralista. *Adj. 2 g.* **1.** Relativo ao, ou que é adepto do descentralismo. ● *S. 2 g.* **2.** Adepto do descentralismo. [Cf. *municipalista* e *comunalista.*]

descentralização. *S. f.* Ato ou efeito de descentralizar.

descentralizado. [Part. de *descentralizar.*] *Adj.* Que se descentralizou; em que houve descentralização.

descentralizador (ô). *Adj.* **1.** Que descentraliza ou tende a descentralizar; descentralizante. **2.** Que é partidário da descentralização. ● *S. m.* **3.** Aquele que descentraliza ou tende a descentralizar. **4.** Aquele que é partidário da descentralização.

descentralizante. *Adj. 2 g.* Descentralizador (1).

descentralizar. [De *des-* + *centralizar.*] *V. t. d.* **1.** Afastar ou separar do centro; descentrar. **2.** Aplicar o descentralismo a; dar autonomia administrativa a. *Int.* **3.** Aplicar o descentralismo.

descentralizável. *Adj. 2 g.* Que pode ser descentralizado.

descentrar. [De *des-* + *centrar.*] *V. t. d.* **1.** Descentralizar (1). **2.** Desviar ou tirar do centro geométrico: *descentrar um eixo.*

descer. [Do lat. *descendere.*] *V. t. d.* **1.** Remover de cima para baixo; pôr embaixo: *descer um painel.* **2.** Percorrer do alto para baixo: "Agora ele desce as escadas com rapidez, não teve paciência para esperar o elevador." (Hilda Hilst, *Ficções,* p. 292); "Desci montanhas e galguei encostas" (Francisca Júlia, *Esfinges,* p. 110). **3.** Baixar, pender, abaixar: *descer o chapéu.* **4.** Trazer para posição ou nível inferior; baixar, diminuir: *descer o ordenado.* **5.** Obrigar a ceder, a humilhar-se: *descer a arrogância.* **6.** Desfechar, desferir, baixar: *descer pauladas.* **7.** *Mús.* V. *baixar* (3). *T. d. e i.* **8.** Tirar, retirar (de lugar elevado); pôr embaixo: *Desceu-o do muro.* **9.** Desmontar, descavalgar, apear. **10.** Transferir, cometer, entregar, passar: *Desceu o encargo ao auxiliar.* **11.** *T. i.* Proceder, provir, descender: *descer de família nobre.* **12.** Sair ou vir de lugar elevado: *descer do morro.* **13.** Apear(-se), saltar. **14.** Rebaixar-se, aviltar-se: *O político desceu à maior humilhação.* **15.** Passar a outro assunto ou aspecto de pouca ou nenhuma significação: *descer a pormenores sem importância.* **16.** Baixar, cair: *descer de sua* *dignidade.* **17.** Cair, recair, incidir: *Este acento desce sobre todas as vogais tônicas.* **18.** *Bras.* Manifestar-se (o orixá) na iniciada. *T. c.* **19.** *P. us.* Descender (3). *Int.* **20.** Mover-se de cima para baixo. **21.** Vir a nível inferior; diminuir, baixar: *Os lucros descem sensivelmente; As águas desceram.* **22.** Formar ladeira; inclinar-se: *Neste ponto a estrada desce.* **23.** Inclinar-se, declinar: *O Sol descia no ocaso.* **24.** Desvalorizar-se, depreciar-se: *A nossa moeda desceu.* **25.** Fluir, manar, derramar-se: *As lágrimas desceram-lhe copiosas.* **26.** Perder ou diminuir o valor ou a honra; desacreditar-se, decair. **27.** Ser vibrado ou desferido: *O golpe desceu violento.* **28.** *Bras., N.E.* Correr (um rio) após estiada. *P.* **29.** Baixar (de um ponto a que se tinha subido); apear-se. **30.** Desistir de opinião, posição ou pretensão: *Desceu-se de sua severidade.* [Conjug.: v. *crescer.*]

descercar. [De *des-* + *cercar.*] *V. t. d.* **1.** Tirar (o que rodeia ou cerca): *descercar um pátio.* **2.** Levantar o cerco a (praça de guerra). *P.* **3.** Libertar-se do que rodeia. [Pres. ind.: *descerco*, etc. Cf. *descerco* (ê).] [Conjug.: v. *trancar.*]

descerco (ê). [Dev. de *descercar.*] *S. m.* Ato ou efeito de descercar(-se). [Pl.: *descercos* (ê). Cf. *descerco*, do v. *descercar.*]

descerebração. *S. f.* Ato ou efeito de descerebrar.

descerebrado. [Part. de *descerebrar.*] *Adj. e s. m.* **1.** *Med.* Que, ou aquele que sofreu descerebração. **2.** *Fig.* Idiota, cretino.

descerebrar. [De *des-* + *cérebro* + *-ar*^{2}.] *V. t. d.* **1.** Tirar o juízo a; tornar idiota ou cretino: *A grave enfermidade descerebrou-o.* **2.** *Med.* Tirar o cérebro a, ou interromper as comunicações dele com os centros cerebrais que estão abaixo. *P.* **3.** Perder o juízo; desassisar-se.

descerimônia. [De *des-* + *cerimônia.*] *S. f.* Sem-cerimônia (1).

descerimonioso (ô). [De *des-* + *cerimonioso.*] *Adj.* **1.** Que não é de cerimônia: *O ministro é pessoa descerimoniosa.* **2.** Em que não há cerimônia: *homem de maneiras simples, descerimoniosas.*

descerrar. [De *des-* + *cerrar.*] *V. t. d.* **1.** Abrir (o que estava cerrado): *descerrar as pálpebras;* "Acorda, minha Terra, / *Descerre* a janela tua!" (Gonçalves Crespo, *Obras Completas*, p. 315); "Quando os lábios *descerra*, só murmura / frases, cujos sentidos não se alcança" (Gonçalves Dias, *Obras Poéticas*, II, p. 149). **2.** Manifestar, divulgar, patentear, descobrir, revelar: *descerrar um segredo.* **3.** Despertar, afrouxar: *descerrar as amarras. T. d. e i.* **4.** Descobrir, revelar, descortinar, abrir: *O estudo descerra ao homem novos caminhos. P.* **5.** Abrir-se, franquear-se: "A lingüeta correu macia, uma folha da porta se *descerrou*." (Graciliano Ramos, *Insônia*, p. 23.) **6.** Descobrir-se, revelar-se; descortinar-se.

deschancelar. [De *des-* + *chancela* + *-ar*^{2}.] *V. t. d.* Tirar a chancela a.

deschapelar-se. *V. p.* Tirar o chapéu; descobrir-se: *Deschapelou-se ao entrar.*

descida. *S. f.* **1.** Ato de descer. [Sin.: *descimento* e (p. us.) *descendimento, descensão, descenso.*] **2.** Terreno inclinado, ladeira, quando se desce; declive. **3.** V. *vertente* (3). **4.** Diminuição, abaixamento, abatimento. **5.** *Fig.* Decadência, declínio. [Antôn.: *subida.*]

descido. [Part. de *descer.*] *S. m. Tip.* Letra, número ou outro sinal de olho menor que o de sua fonte e fundido abaixo da linha, usado na composição de índices em fórmulas matemáticas e químicas. [Cf. *elevado* (5).]

descimbramento. *S. m.* Ato de descimbrar. [Sin. (lus.): *descofragem.*]

descimbrar. [De *des-* + *cimbre* + *-ar*^{2}.] *V. t. d. Constr.* Tirar os cimbres a; retirar as fôrmas de (o concreto de uma construção), após ter ele endurecido suficientemente; desmoldar. [Sin. (lus.): *descofrar.*]

descimentar. [De *des-* + *cimento* + *-ar*^{2}] *V. t. d.* **1.** Tirar, desfazer o cimento de. **2.** Fazer perder a solidez; abalar, abater, arruinar: *descimentar as bases da sociedade.*

descimento. *S. m.* **1.** V. *descida* (1). **2.** *Bras.* Na era colonial, transporte para o litoral de silvícolas aprisionados nos sertões, e que eram escravizados.

descingir. [De *des-* + *cingir.*] *V. t. d.* **1.** Tirar o que cingia ou apertava; desapertar, alargar, desatar: *descingir o cinto.* **2.** Tirar, retirar: *descingir a coroa. T. d. e i.* **3.** Privar (de coisa que cinge): *Descingiu o guerreiro da sua espada.* [Conjug.: v. *dirigir.*]

desclaridade. [De *des-* + *claridade.*] *S. f.* Falta de claridade.

desclassificação. *S. f.* Ato de desclassificar.

desclassificado. [Part. de *desclassificar.*] *Adj. e s. m.* **1.** Que, ou aquele que não teve classificação. **2.** Que ou aquele que é indigno da consideração social; desacreditado. [Sin. ger.: *desqualificado.*]

desclassificar. [De *des-* + *classificar.*] *V. t. d.* **1.** Deslocar ou tirar de uma classe ou categoria: *O veterinário desclassificou três animais.* **2.** Privar do bom conceito; desacreditar, desmoralizar, desconceituar, desqualificar. **3.** Eliminar (concorrente) em competição, concurso, etc.; desqualificar: *As derrotas desclassificaram vários times; A prova de português desclassificou metade dos candidatos.* [Conjug.: v. *trancar.*]

descloroformização. *S. f.* Ato ou efeito de descloroformizar.

descloroformizado. [Part. de *descloroformizar.*] *Adj.* Que deixou de estar cloroformizado; que saiu do efeito da cloroformização.

descloroformizar. [De *des-* + *cloroformizar.*] *V. t. d.* Tirar do efeito da cloroformização; fazê-la cessar.

descoagulação. [De *descoagular* + *-ção.*] *S. f.* O inverso da coagulação; descoagulamento.

descoagulado. [Part. de *descoagular.*] *Adj.* Que se descoagulou; liquefeito, fundido, derretido, descoalhado.

descoagulamento. [De *descoagular* + *-mento.*] *S. m.* Descoagulação.

descoagular. [De *des-* + *coagular.*] *V. t. d.* **1.** Liquefazer, derreter, fundir (o que estava coagulado); proceder à descoagulação de: *descoagular o azeite. Int. e p.* **2.** Tornar-se líquido; fundir-se. [Sin. ger.: *descoalhar.*]

descoalhado. [Part. de *descoalhar.*] *Adj.* V. *descoagulado:* "é já pouca / A neve, ao sol fundida e *descoalhada* ..." (Raimundo Correia, *Poesias*, p. 91).

descoalhar. [De *des-* + *coalhar.*] *V. t. d. int. e p.* V. *descoagular.*

descoalho. [Dev. de *descoalhar.*] *S. m.* Ato de descoalhar(-se).

descoberta. [Fem. substantivado do adj. *descoberto.*] *S. f.* **1.** Aquilo que se descobriu ou encontrou por acaso ou mediante busca, pesquisa, observação, dedução ou invenção: *A descoberta do ouro no Brasil deu-se no fim do séc. XVII; a descoberta da penicilina; a descoberta de um novo planeta.* **2.** *Restr.* Terra que se descobriu ou se encontrou pela primeira vez. **3.** Achado, invenção, inovação. **4.** Solução conveniente, bem arquitetada; achado. [Sin. ger.: *descobrimento.*]

descobertense. *Adj. 2 g.* **1.** De, ou pertencente ou relativo a Descoberto (MG). ● *S. 2 g.* **2.** Natural ou habitante de Descoberto.

descoberto. [Part. (irreg.) de *descobrir.*] *Adj.* **1.** Que não está coberto; nu. **2.** Destapado. **3.** Patente, evidente. **4.** Divulgado, propalado. **5.** Denunciado, revelado. **6.** Inventado, achado. **7.** Aberto (3). ~ V. *Passivo* —. ● *S. m.* **8.** *Bras.* Local onde se descobriu ouro e se estabeleceu serviço de mineração. ◆ **A descoberto. 1.** Sem proteção. **2.** Francamente, abertamente. **3.** Sem garantia, a não ser a confiança pessoal.

descobridor (ô). *Adj. e s. m.* **1.** Que ou aquele que faz descobertas. **2.** Explorador (4).

descobrimento. *S. m.* **1.** Ato ou efeito de descobrir(-se). **2.** V. *descoberta.*

descobrir. [De *des-* + *cobrir.*] *V. t. d.* **1.** Tirar cobertura, véu, tampa, ou qualquer outra coisa que ocultava total ou parcialmente, deixando à vista: *descobrir a cabeça; descobrir a panela.* **2.** Deixar ver; mostrar: *A maré vazante descobriu as areias.* **3.** Encontrar pela primeira vez: *Cabral descobriu o Brasil.* **4.** Resolver, solver, solucionar; decifrar: *descobrir um enigma.* **5.** Dar com; achar, encontrar: *descobrir um tesouro; descobrir um atalho.* **6.** Patentear, evidenciar: *descobrir a verdade.* **7.** Manifestar, revelar: *descobrir segredos.* **8.** Dar a conhecer: *Suas atitudes descobriram seu caráter.* **9.** Denunciar, delatar: *descobrir o criminoso.* **10.** Alcançar com a vista; divisar, avistar: *Descobriu o avião sobrevoando a montanha.* **11.** Notar, perceber: "Só agora, já velho, é que *descubro* a minha infância e todos os seus encantamentos." (Mário da Silva Brito, *O Fantasma sem Castelo*, p. 40.) *Descubro em seu olhar funda melancolia.* **12.** Reconhecer, identificar: *Olhando em torno, descobriu o irmão.* **13.** *P. us.* Desfazer, dissipar: *A alvorada vem descobrindo a escuridão.* **14.** Percorrer, explorar: *A vanguarda avançou a descobrir o campo. Int.* **15.** Descobrir (20). **16.** Aparecer à vista; emergir: *Os rochedos descobrem na maré baixa. P.* **17.** Tirar o chapéu, o barrete, etc.: *Descobriu-se e cumprimentou-nos.* **18.** Mostrar-se, aparecer: *A Lua descobriu-se.* **19.** Destapar-se, destampar-se: *O cesto descobriu-se com a queda.* **20.** Aclarar-se, desanuviar-se, descobrir: *O Sol descobriu-se.* **21.** Tirar de si, afastar, o que cobre: *O doente, em delírio, descobriu-se todo.* **22.** Deixar a proteção; expor-se: *O duelista descobriu-se.* **23.** Dar-se a conhecer; revelar-se, identificar-se. **24.** Fazer confidências; revelar segredos ou intentos; confessar-se. [Irreg. Conjug.: v. *cobrir.*]

descocado. [Part. de *descocar-se.*] *Adj.* **1.** Insolente, atrevido, descarado. **2.** Insensato. (1).

descocar-se. *V. p.* Proceder com descoco. [Conjug.: v. *trancar.* Pres. ind.: *descoco-me*, etc. Cf. *descoco* (ô).]

descochar. *V. int. Bras.* V. *V. t. d.* e *int.* V. *desacochar.*

descoco (ô). [De *des-* + *coco*^{1} (ô), na acepç. de 'cabeça'?] *S. m.* **1.** Descaramento, insolência, atrevimento. **2.** Insensatez, disparate. [Pl.: *descocos* (ô). Cf. *descoco-me*, do v. *descocar-se.*]

descodear. [De *des-* + *côdea* + *-ar*^{2}.] *V. t. d.* **1.** Tirar a côdea a: *descodear o pão.* **2.** Dar ou ministrar as primeiras noções de civilização a. [Conjug.: v. *frear.*]

descodificação. *S. f.* Decodificação.

descodificador (ô). [De *des-* + *codificador.*] *Comun.* Decodificador.

descodificar. [De *des-* + *codificar.*] *V. t. d.* Decodificar. [Conjug.: v. *trancar.*]

descofragem. [Do fr. *décoffrage.*] *S. f. Lus.* Ato de descofrar; descimbramento.

descofrar. [Do fr. *décoffrer.*] *V. t. d. Lus.* V. *descimbrar.*

descoimar. [De *des-* + *coimar.*] *V. t. d.* e *transobj.* Desacoimar.

descoivarar. [De *des-* + *coivarar.*] *V. t. d. Bras.* Limpar (um terreno) da coivara proveniente duma queimada; desencoivarar.

descolagem. *S. f.* Ato ou efeito de descolar.

descolar. [De *des-* + *colar*^{3}.] *V. t. d.* **1.** Desligar, despegar (aquilo que estava colado): *descolar o selo.* **2.** *Bras. Gír.* Conseguir, obter, arranjar: "— Pai, bem que você podia me *descolar* essa nota de cinco mil. Tou precisando de uns trocados." (Carlos Drummond de Andrade, *Jornal do Brasil*, 15.5.1982.) *T. d. e i.* **3.** Puxar, arrancar, tirar: *Descolou-o do banco e deu-lhe uns bofetões.* **4.** *Bras. Gír.* Oferecer, dar; arranjar: *Ganhou dinheiro e anda descolando jantares para todos os amigos. T. i.* **5.** Separar-se, afastar-se, despegar-se, descolar-se: *O pequeno não descola da mãe. Int.* **6.** Decolar: *O avião descolou. P.* **7.** Descolar (5): *Descolou-se da mulher, que ainda dormia.*

descolmar. [De *des-* + *colmar*^{1}.] *V. t. d.* **1.** Arrancar, levar, tirar o colmo a: *A ventania descolmou o casebre.* **2.** Desprover ou desguarnecer de colmo.

descolocado. [De *des-* + *colocado* (2).] *Adj. e s. m.* Desempregado.

descolonização. *S. f.* Ato ou efeito de descolonizar.

descolonizar. [De *des-* + *colonizar.*] *V. t. d.* Tirar a condição de colônia a.

descoloração. *S. f.* Ato ou efeito de descolorar; perda da cor.

descolorante. *Adj. 2 g. e s. m.* Descorante.

descolorar. [De *des-* + *colorar.*] *V. t. d., int. e p.* V. *descorar*^{1}. [Pres. subj.: *descolore, descolores*, etc. Cf. *discolores* (ô), pl. de *discolor.*]

descolorir. [De *des-* + *colorir.*] *V. t. d.* **1.** V. *descorar*^{1}: *O novo preparado descoloriu-lhe os cabelos.* **2.** Tirar a expressividade ou colorido a; empobrecer; afear: *Seu estilo descolore a linguagem e entedia o leitor. Int.* **3.** V. *descorar*^{1}. *P.* **4.** V. *descorar*^{1}. **5.** Perder a expressividade ou colorido; afear-se, desvigorar-se. [Conjug.: v. *colorir.* Pres. ind.: *descoloro, descolores*, etc. Cf. *discolores* (ô), pl. de *discolor.*]

descomedido. [Part. de *descomedir-se.*] *Adj.* **1.** Sem comedimento; inconveniente. **2.** Disparatado, absurdo.

descomedimento. *S. m.* Falta de comedimento; insolência, excesso.

descomedir-se. [De *des-* + *comedir* + *se*^{1}.] *V. p.* Praticar excessos; mostrar-se inconveniente, disparatado; exceder-se, desmedir-se. [Irreg., defect. Conjug.: v. *medir*, mas falta-lhe a 1ª pess. sing. do pres. ind. e, portanto, todo o pres. subj.]

descomer. [De *des-* + *comer.*] *V. int. Bras. Pop.* **1.** V. *defecar* (5). *T. d.* **2.** Expelir; defecar: "É que o gato que eu lhe trouxe *descome* dinheiro." (Ariano Suassuna, *Auto da Compadecida*, p. 94.)

descometer. [De *des-* + *cometer.*] *V. t. d. e i.* Livrar ou eximir de encargo; desobrigar: *Descometeu-o da tarefa.* [Conjug.: v. *mexer.*]

descomodidade. [De *des-* + *comodidade.*] *S. f.* Falta de comodidade; descômodo.

descômodo. [De *des-* + *cômodo.*] *S. m.* Descomodidade.

descomover. [De *des-* + *comover.*] *V. t. d.* Tirar a

comoção a; restituir à serenidade; serenar, apaziguar, sossegar. [Conjug.: v. *mover.*]
descompadrar. [De *des-* + *compadrar.*] *V. t. d.* **1.** Malquistar, indispor (amigos ou compadres). *P.* **2.** Malquistar-se, inimizar-se.
descompaixão. [De *des-* + *compaixão.*] *S. f.* Falta de compaixão.
descompassado. [Part. de *descompassar.*] *Adj.* **1.** Que se descompassou, saiu da medida, dos limites; desmedido, descomunal. **2.** Desordenado, desacertado.
descompassar. [De *des-* + *compassar.*] *V. t. d.* **1.** Tirar do compasso; executar sem regularidade; desproporcionar, exagerar: *descompassar a fala, o andar.* **2.** Tornar inconveniente, descomedido: *descompassar as atitudes.* **3.** *Mús.* Fazer sair do compasso: *Emocionado descompassou a tocata. Int.* **4.** *Mús.* Perder o compasso, a cadência, o ritmo: *O dançarino descompassou. P.* **5.** Sair da ordem ou dos princípios estabelecidos: *Descompassam-se chuvas.* **6.** Descomedir-se, exceder-se: "Evidentemente, Sílvio [Sílvio Romero] às vezes *descompassou-se* na apreciação do valor de Tobias, como ao estudar o estro do grande companheiro." (Hermes Lima, *Tobias Barreto*, p. 279.)
descompasso. [De *des-* + *compasso.*] *S. m.* **1.** Falta de medida, de compasso. **2.** Falta de acordo, de ordem. **3.** Desacordo, desarmonia, divergência; desajustamento: "seu *descompasso* com o mundo chegava a ser cômico de tão grande: não conseguia acertar o passo com as coisas ao seu redor." (Clarice Lispector, *Uma Aprendizagem ou O Livro dos Prazeres*, p. 17). **4.** Descomedimento.
descompensação. [De *des-* + *compensação.*] *S. f. Med.* **1.** Estado em que o coração se mostra incapaz de efetuar sua função de manter a circulação normal. **2.** *P. ext.* Qualquer situação em que se verifica um tipo de insuficiência funcional, inclusive mental.
descompensar. [De *des-* + *compensar.*] *V. int. Med.* Entrar em fase de descompensação.
descomplicação. *S. f.* Ato ou efeito de descomplicar.
descomplicado. [Part. de *descomplicar.*] *Adj.* Que não apresenta complicação; sem complicação; simples.
descomplicar. [De *des-* + *complicar.*] *V. t. d.* Fazer cessar a complicação de. [Conjug.: v. *trancar.*]
descomponenda. [De *des-* + *componenda.*] *S. f.* **1.** *descompustura* (2). **2.** Saraivada de insultos.
descompor. [De *des-* + *compor.*] *V. t. d.* **1.** Tirar a composição, a ordem, a simetria, a; desalinhar, desarranjar, desordenar: *A tempestade descompôs a tropa.* **2.** Alterar, transtornar: *A droga descompôs-lhe a mente.* **3.** Tirar a feição regular de; desfigurar: *O medo descompôs sua fisionomia.* **4.** Desfazer, decompor: *A luz intensa descompôs a treva.* **5.** Desnudar, despir. **6.** Tirar o(s) ornato(s) a; desadornar, desornar, desenfeitar. **7.** Injuriar, afrontar: *O bêbedo passou a descompor todos os presentes.* **8.** Censurar acremente; repreender ou admoestar com violência: *Descompôs o empregado por haver quebrado a taça. P.* **9.** Desarranjar-se, desordenar-se, desalinhar-se. **10.** Alterar-se, transtornar-se, perturbar-se. **11.** Perder o controle ou a compostura; descomedir-se. [Irreg. Conjug.: v. *pôr.*]
descomposição. [De *des-* + *composição.*] *S. f.* Ato ou efeito de descompor.
descompostura. [De *des-* + *compostura.*] *S. f.* **1.** Ato ou efeito de descompor. **2.** Censura acrimoniosa; injúria, invectiva. [Sin. (muitos deles fam., pop. ou de gír.): *bigode, desanda, descalçadeira, descalçadela, descasca, descomponenda, escalda-rabo, esporada, foguetada, jiribanda, pavana, raspanete, responso, retambana, reverbério, ripada, sabão* e (bras.) *articulação, despacho, destampatório, esbregue, esporro, espinafração, foguete, fubeca, fubecada, lambada, lavagem, puteação, raspe, respe, surra de língua.*]
descomprazente. *Adj. 2 g.* Que descompraz.
descomprazer. [De *des-* + *comprazer.*] *V. t. d.* **1.** Não comprazer; não satisfazer o desejo, a vontade de: *Tais encargos o descomprazem. T. i.* **2.** Não satisfazer; desagradar: *seus trabalhos descomprazem ao professor.* **3.** Não condescender; ser descomprazente. [Conjug.: v. *aprazer.*]
descompressão. [De *des-* + *compressão.*] *S. f.* Ato ou efeito de descomprimir.
descomprimir. [De *des-* + *comprimir.*] *V. t. d.* **1.** Cessar ou aliviar a compressão de **2.** Reduzir a pressão de.
descomprometer-se. [De *des-* + *comprometer* + *se*[1].] *V. p.* Fazer cessar compromisso assumido.
descomprometido. [Part. de *descomprometer-se.*] *Adj.* Que deixou de estar comprometido; cujo compromisso cessou ou se desfez.
descomunal. [De *des-* + *comunal*(2).] *Adj. 2 g.* Fora do comum; colossal, extraordinário; escomunal.
descomungar. [Var. de *desexcomungar*, por haplologia.] *V. t. d.* Desexcomungar. [Conjug.: v. *largar.*]
descomunhão. *S. f.* Desexcomunhão.
desconceito. [De *des-* + *conceito.*] *S. m.* **1.** Mau conceito; má fama; descrédito. **2.** Desrespeito, desconsideração.
desconceituado. [Part. de *desconceituar.*] *Adj.* e *s. m.* Que ou aquele que perdeu o conceito, a reputação.
desconceituar. [De *des-* + *conceituar.*] *V. t. d.* **1.** Privar do bom conceito; desacreditar, desconsiderar, desclassificar. *P.* **2.** Perder o conceito, a reputação, desacreditar-se, desclassificar-se.
desconcentração. *S. f.* Ato ou efeito de desconcentrar.
desconcentrar. [De *des-* + *concentrar.*] *V. t. d.* **1.** Tirar do centro; descentralizar. **2.** Tirar da concentração; fazer que deixe de estar concentrado.
desconcertado. [Part. de *desconcertar.*] *Adj.* **1.** Descomposto, descomedido, desregrado; desacertado. **2.** Embaraçado, contrafeito, perturbado, sem jeito. [Cf. *desconsertado.*]
desconcertador (ô). *Adj.* **1.** V. *desconcertante.* ● *S. m.* **2.** Aquele que desconcerta. [Cf. *desconsertador.*]
desconcertante. *Adj. 2 g.* Que desconcerta; desconcertador, desorientador.
desconcertar. [De *des-* + *concertar.*] *V. t. d.* **1.** Fazer perder o concerto, a boa disposição; desarranjar: *desconcertar um aparelho.* **2.** Desalinhar, descompor: *desconcertar os cabelos.* **3.** Atrapalhar, desorientar, desnortear: *A ironia desconcertou-o* **4.** Pôr em divergência; desavir. *T. i.* **5.** Discordar, discrepar, dissentir: *desconcertar da opinião geral. Int.* **6.** Disparatar, despropositar. *P.* **7.** Desarranjar-se, desconjuntar-se, estragar-se: *A máquina desconcertou-se.* **8.** Desordenar-se. **9.** Deslocar-se; desarticular-se: *Desconcertou-se o braço esquerdo da velha.* **10.** Desconvir, desconcordar: *desconcertar-se no preço.* **11.** Desentender-se, desarmonizar-se, desavir-se. **12.** Descompor-se, desativar-se, desadornar-se. **13.** Atrapalhar-se, perturbar-se, desnortear-se: *Não se desconcertou com a brincadeira.* [Pres. ind.: *desconcerto*, etc. Cf. *desconcerto* (ê); *desconserto* (ê); e o v. *desconsertar.*]
desconcerto (ê). [De *des-* + *concerto.*] *S. m.* **1.** Ato ou efeito de desconcerta(-se). **2.** Desordem, desarranjo, transtorno. **3.** Desarmonia, discordância. [Pl.: *desconcertos (ê).* Cf. *desconcerto*, do v. *desconcertar; desconserto (ê).* s. m.; e *desconcerto*, do v. *desconsertar.*]
desconchavar. [De *des-* + *conchavar.*] *V. t. d.* **1.** Desligar, desprender, descombinar, desencaixar: *desconchavar as engrenagens. T. d. e i.* **2.** Desencaixar, desligar: *Desconchavou a roda do eixo. Int.* **3.** Dizer ou fazer despautérios; disparatar, despropositar. *P.* **4.** Desconcordar, desarmonizar-se, desavir-se: *Desconchavou-se com o sócio.*
desconchavo. [Dev. de *desconchavar.*] *S. m.* Ato de desconchavar; disparate, tolice.
desconchegar. [De *des-* + *conchegar.*] *V. t. d.* **1.** Separar (o que estava conchegado); tirar o conchego a; desunir, desaproximar: *Desconchegou a criança e a pôs no berço.* **2.** Desarranjar, desacomodar: *desconchegar os cobertores.* [F. paral.: *desaconchegar.* Conjug.: v. *chegar.*]
desconciliar. [De *des-* + *conciliar*[2]] *V. t. d.* Tornar desavindo; pôr em desacordo; provocar desavença em; desacordar, desavir.
desconcordância. [De *des-* + *concordância.*] *S. f.* **1.** Falta de concordância; discrepância. **2.** Desarmonia, dissonância. **3.** Erro de concordância gramatical.
desconcordante. [De *des-* + *concordante.*] *Adj. 2 g.* **1.** V. *discorde* (2). **2.** Incoerente, inconseqüente. [Sin. ger.: *desconcorde.*]
desconcordar. [De *des-* + *concordar.*] *V. t. d.* **1.** Separar por desacordo; desavir, desconciliar: *A discussão do problema desconcordou a assembléia. T. i.* **2.** Não concordar; discrepar, discordar: *Desconcordo desta idéia absurda.*
desconcorde. [De *des-* + *concorde.*] *Adj. 2 g.* V. *desconcordante.*
desconcórdia. [De *des-* + *concórdia.*] *S. f.* Falta de concórdia.
descondensar. [De *des-* + *condensar.*] *V. t. d.* **1.** Tirar a qualidade de denso a; tornar tênue ou ralo; dissolver. **2.** *Fig.* Atenuar, dissipar: *A paisagem tranqüila descondensou a sua melancolia. P.* **3.** Deixar de estar condensado; dissolver-se.
desconectar. [De *des-* + *conectar.*] *V. t. d.* **1.** Desfazer a conexão existente entre. **2.** *P. ext.* Desunir, desligar.
desconexão (cs). [De *des-* + *conexão.*] *S. f.* Falta de conexão.
desconexo (cs). [De *des-* + *conexo.*] *Adj.* Sem conexão; incoerente, desunido.
desconfiado. [Part. de *desconfiar.*] *Adj.* **1.** Que desconfia, não confia, não se fia; falto de confiança. **2.** Que desconfia, se agasta, se melindra, com facilidade.
desconfiança. [De *des-* + *confiança.*] *S. f.* **1.** Qualidade de desconfiado. **2.** Falta de confiança.
desconfiante. *Adj. 2 g.* Que tem desconfiança.
desconfiar. [De *des-* + *confiar.*] *V. t. d.* **1.** Ter suposição de; supor, julgar, conjeturar: *Desconfio que não se entendem bem. T. i.* **2.** Não ter confiança, ou deixar de a ter; suspeitar, duvidar: *Desconfia até dos íntimos;* "*Desconfia* dos que não fumam: esses não têm vida interior, não têm sentimentos." (Mário Quintana, *Sapato Florido*, p. 27.) **3.** Agastar-se, amuar-se, zangar-se, melindrar-se: *A mulher desconfiou com o marido. Int.* **4.** Mostrar-se desconfiado; não fiar; duvidar. **5.** Perder a confiança, o ânimo; desanimar, desesperançar-se.
desconfiável. *Adj. 2 g.* De que se pode desconfiar; não confiável.
desconfiômetro. [De *desconfiar* + *-o-* + *-metro.*] *S. m. Bras. Burl.* **1.** Suposto aparelho que dá a capacidade de perceber quando se é inoportuno, inconveniente, ou maçante. **2.** Essa capacidade. [Sin. ger.: *semancol* (q. v.).]
desconformar. [De *des-* + *conformar.*] *V. t. i.* Não ser conforme; discordar, divergir, desconcordar: *desconformar da decisão.*
desconforme. [De *des-* + *conforme.*] *Adj. 2 g.* **1.** Que não é conforme. **2.** Que não se conforma. **3.** V. *deforme* (2).
desconformidade. [De *des-* + *conformidade.*] *S. f.* **1.** Divergência, discordância, desacordo. **2.** Desarmonia, desproporção: "Já escrevi que foi aqui, nesta cidade [do Rio de Janeiro], que se viu — viram brasileiros e estrangeiros, a *desconformidade* das instituições políticas com as realidades nacionais." (José Honório Rodrigues, *Vida e História*, p. 144.)
desconfortante. [De *des-* + *confortante.*] *Adj. 2 g.* Que provoca desconforto; desconfortativo.
desconfortar. [De *des-* + *confortar.*] *V. t. d.* **1.** Tirar o conforto a. **2.** Desconsolar, desalentar, afligir, desanimar. [Sin. ger.: *inconfortar.* Pres. ind.: *desconforto*, etc. Cf. *desconforto* (ô).]
desconfortável. [De *des-* + *confortável.*] *Adj. 2 g.* Não confortável; inconfortável: "o passeio não tinha muitos encantos: o casarão era enorme e *desconfortável*, o quintal sem árvores" (Raquel de Queirós, *As Três Marias*, p. 25).
desconfortativo. [De *des-* + *confortativo.*] *Adj.* Desconfortante.
desconforto (ô). [De *des-* + *conforto.*] *S. m.* **1.** Falta de conforto. **2.** Desconsolo, aflição. [Pl.: *desconfortos* (ô). Cf. *desconforto*, do v. *desconfortar.*]
desconfranger. [De *des-* + *confranger.*] *V. t. d.* Tirar o confrangimento a; descontrair, desapertar: *desconfranger os lábios.* [Conjug.: v. *tanger.*]
descongelação. *S. f.* Ato ou efeito de descongelar(-se), descongelamento, degelo.
descongelamento. *S. m.* V. *descongelação.*
descongelar. [De *des-* + *congelar.*] *V. t. d.* **1.** Liquefazer (o que estava congelado); degelar. **2.** Fazer cessar o congelamento (3) de. *P.* **3.** Derreter-se.
descongestionamento. *S. m.* Ato ou efeito de descongestionar(-se).
descongestionante. *Adj. 2 g.* e *s. m.* Que, ou substância que descongestiona.
descongestionar. [De *des-* + *congestionar.*] *V. t. d.* **1.** Livrar de congestão. **2.** Desintumescer, desinchar. **3.** Tornar menos compacto; desobstruir, desacumular. **4.** Restabelecer em (via pública) o trânsito congestionado: *O viaduto descongestionou as ruas da praia. P.* **5.** Livrar-se de congestão.
desconhecedor (ô). *Adj.* **1.** Que desconhece ou ignora. **2.** V. *desconhecido* (3). ● *S. m.* **3.** Aquele que desconhece ou ignora.
desconhecer. [De *des-* + *conhecer.*] *V. t. d.* **1.** Não conhecer; ignorar: *Cometeu a infração por desconhecer o regulamento do trânsito.* **2.** Não reconhecer; estranhar: *Fez plástica de rosto, e até as amigas a desconheceram.* **3.** Não reconhecer (benefício recebido): *Ingrato, desconhece tudo quanto se faz por ele.* **4.** Ser ingrato a: *Recebe os favores, e depois desconhece quem os fez.* **5.** Não admitir; não aceitar; não reconhecer: *Desconheço a competên-*

cia dele para criticar-me o romance. T. d. e i. **6.** Não reconhecer: Desconheceu *naquele homem feito o filho que deixara criança.* **7.** Não reconhecer; não admitir; negar: Desconhece *à palavra uma acepção regional. Transobj.* **8.** Não querer reconhecer: Desconheço*-o por meu amigo. P.* **9.** Achar-se mudado; não se reconhecer. [Conjug.: v. *aquecer.*]

desconhecido. [Part. de *desconhecer.*] *Adj.* **1.** Que não é conhecido; ignorado, incógnito. **2.** Que não tem conhecimentos ou relações: *Passou mal os primeiros dias na cidade, sozinho,* desconhecido. **3.** Desagradecido, ingrato, desconhecedor. ~ V. *soldado—.* ● *S. m.* **4.** Pessoa a quem não se conhece: *Apareceu-me ontem aqui com um* desconhecido. ♦ **Ilustre desconhecido.** *Irôn.* Pessoa sem credenciais, que ninguém conhece nem sabe de onde veio.

desconhecimento. *S. m.* **1.** Ato ou efeito de desconhecer. **2.** Falta de conhecimento. **3.** Ingratidão.

desconhecível. [De *des-* + *conhecível.*] *Adj. 2 g.* Que não se pode conhecer.

desconjunção. [De *des-* + *conjunção.*] *S. f.* V. *desconjuramento.*

desconjuntado. [Part. de *desconjuntar.*] *Adj.* Que sofreu desconjuntamento.

desconjuntamento. *S. m.* Ato ou efeito de desconjuntar(-se); desconjunção, desconjuntura.

desconjuntar. [De *des-* + *conjuntar.*] *V. t. d.* **1.** Tirar fora das junturas ou juntas: *O contorcionista* desconjuntava *as articulações, assumindo posturas incríveis;* "Eu faço versos como os saltimbancos / Desconjuntam os ossos doloridos." (Mário Quintana, *A Rua dos Cata-Ventos,* p. 50.) **2.** Separar, desunir. **3.** Deslocar, desarticular, luxar; desmentir: Desconjuntou *o braço na queda.* **4.** Desmanchar, desorganizar, desfazer: *A morte do pai* desconjuntou *seus planos de viagem. P.* **5.** Separar-se, desunir-se. **6.** Desmanchar-se, desfazer-se; arruinar-se.

desconjunto. [De *des-* + *conjunto.*] *Adj.* **1.** Separado, desunido. **2.** Diferente, desarmonioso; discordante.

desconjuntura. [De *des-* + *conjuntura.*] *S. f.* V. *desconjuntamento.*

desconjurar. [De *des-* + *conjurar.*] *V. t. d.* **1.** Esconjurar (1 a 4). **2.** Ofender, desacatar. *T. d. e i.* **3.** Esconjurar (5): Desconjurei*-o que me dissesse como se chama. P.* **4.** Esconjurar (6).

desconsagração. *S. f.* Ato ou efeito de desconsagrar.

desconsagrar. [De *des-* + *consagrar.*] *V. t. d.* Profanar (1).

desconsciência. [De *des-* + *consciência.*] *S. f.* Falta de consciência; inconsciência.

desconsentimento. *S. m.* Ação ou efeito de desconsentir; falta de consentimento.

desconsentir. [De *des-* + *consentir.*] *V. t. i.* **1.** Não consentir, não permitir. **2.** Discordar, divergir. [Irreg. Conjug.: v. *aderir.*]

desconsertado. [Part. de *desconsertar.*] *Adj.* Desarranjado, desconjuntado, estragado. [Cf. *desconcertado.*]

desconsertador (ô). *Adj. e s. m.* Que ou aquele que desconserta. [Cf. *desconcertador.*]

desconsertar. [De *des-* + *consertar.*] *V. t. d.* Desarranjar, desconjuntar, estragar. [Pres. ind.: *desconserto,* etc. Cf. *desconserto* (ê); *desconcerto* (ê); e o v. *desconcertar.*]

desconserto (ê). [De *des-* + *conserto* (ê).] *S. m.* Desarranjo, desconjuntamento. [Pl.: *desconsertos* (ê). Cf. *desconserto,* do v. *desconsertar; desconcerto* (ê), s. m.; e *desconcerto,* do v. *desconcertar.*]

desconsideração. [De *des-* + *consideração.*] *S. f.* **1.** Falta de consideração, de acatamento; desrespeito, desatenção. **2.** Ofensa, agravo, ultraje.

desconsiderar. [De *des-* + *considerar.*] *V. t. d.* **1.** Não considerar; não examinar convenientemente. **2.** Tratar sem respeito ou com desatenção: Desconsiderou *o chefe, e foi demitido.* **3.** Desacreditar, desconceituar: *Seu comportamento leviano o* desconsiderou *em seu emprego. P.* **4.** Perder a consideração ou o respeito dos outros.

desconsolação. [De *desconsolar* + *-ção*] *S. f.* Falta de consolação; desconsolo: "Quando de ti me aparto, sinto logo / A desconsolação dos infelizes / Que despertam dum sonho venturoso..." (Eugênio de Castro, *Obras Poéticas,* V. p. 50.)

desconsoladamente. [Do fem. de *desconsolado* + *-mente.*] *Adv.* De modo desconsolado; sem consolação: "— Ora aí está! exclama o filho de Israel deixando pender desconsoladamente os braços." (Eça de Queirós, *Notas Contemporâneas,* p. 85.)

desconsolado. [Part. de *desconsolar.*] *Adj.* **1.** Que não tem consolação; triste, consternado. **2.** *Fam.* Insípido, insulso, desenxabido (pessoa ou coisa).

desconsolador (ô). *Adj.* Que desconsola, aflige, entristece; desconsolativo.

desconsolar. [De *des-* + *consolar.*] *V. t. d.* **1.** Causar desconsolação a; afligir, entristecer, desanimar ao extremo: *A perda do amigo* desconsolou*-o. Int.* **2.** Causar desconsolação, tristeza. *P.* **3.** Entristecer-se, afligir-se. [Pres. ind.: *desconsolo,* etc. Cf. *desconsolo* (ô).]

desconsolativo. *Adj.* Desconsolador.

desconsolável. [De *des-* + *consolável.*] *Adj. 2 g.* Não consolável; inconsolável.

desconsolo (ô). [De *des-* + *consolo* (ô).] *S. m.* Desconsolação. [Pl.: *desconsolos* (ô). Cf. *desconsolo,* do v. *desconsolar.*]

descontador (ô). *S. m. Jur.* Aquele que desconta um título de crédito pagando-lhe antecipadamente o valor ao endossante.

descontar. [De *des-* + *contar.*] *V. t. d.* **1.** Pagar ou receber (um título de crédito) antes do vencimento, mediante desconto. **2.** Tirar de uma conta, de uma quantidade ou de um todo; deduzir, abater: Descontou *o que lhe deviam, antes de pagar a conta.* **3.** Não levar em conta; não fazer caso: *Como lhe devo favores,* desconto *a grosseria que me fez.* **4.** *Fam.* Revidar, responder: *Exaltado, deu um soco para* descontar *o que levara. T. d. e i.* **5.** Tirar, deduzir, abater: *Do total* descontou *100 cruzados. Int.* **6.** Fazer operação ou comércio de descontos. [Fut. pret.: *descontaria,* etc. Cf. *descontária,* fem. de *descontário.*]

descontário. *Adj. e s. m.* Diz-se de, ou portador legítimo de um título descontado; descontatário. [Fem.: *descontária.* Cf. *descontaria,* do v. *descontar.*]

descontatário. *Adj. e s. m.* V. *descontário.*

descontentadiço. *Adj.* Que facilmente se descontenta; difícil de contentar.

descontentamento. *S. m.* Falta de contentamento; desprazer, desgosto.

descontentar. [De *des-* + *contentar.*] *V. t. d.* **1.** Tornar descontente; desgostar, aborrecer, contrariar. *P.* **2.** Estar ou ficar descontente; experimentar desgosto, contrariedade.

descontente. [De *des-* + *contente.*] *Adj. 2 g.* **1.** Que não está contente; insatisfeito, malcontente. **2.** Triste, desgostoso, malcontente. **3.** Que exprime ou denota desgosto, tristeza, aborrecimento: *atitude* descontente. ● *S. 2 g.* **4.** Pessoa descontente.

descontinência. [De *des-* + *continência.*] *S. f.* Incontinência (1).

descontinuação. *S. f.* Ato ou efeito de descontinuar.

descontinuar. [De *des-* + *continuar.*] *V. t. d.* **1.** Não continuar; interromper, suspender. *Int.* **2.** Interromper-se, cessar: *Falou mais de uma hora sem* descontinuar. [Pres. ind.: *descontinuo,* etc. Cf. *descontínuo.*] ♦ **Sem descontinuar.** Sem solução de continuidade; ininterruptamente: "até à meia-noite, sem descontinuar, subiram comissões com oradores." (Coelho Neto, *A Conquista,* p. 433); "Os olhos oblíquos de uma rapariga chinesa, realmente bela, riam sem descontinuar." (Graciliano Ramos, *Viagem,* p. 37).

descontinuidade (u-i). [De *des-* + *continuidade.*] *S. f.* **1.** Qualidade do que é descontínuo. **2.** *Anál. Mat.* Propriedade duma função que não é contínua. **3.** *Anál. Mat.* Ponto de descontinuidade. ♦ **Descontinuidade de Gutemberg.** *Geol.* Camada que se situa a 292 km de profundidade da superfície terrestre, e que separa o manto (8) do nife. **Descontinuidade de Mohorovicic.** *Geol.* Zona de divisão do sial continental que flutua sobre o sima, e que se encontra, em média, à profundidade de 28-30 km, sendo mais profunda sob os grandes maciços e quase superficial sob o fundo dos oceanos. **Descontinuidade de primeira espécie.** *Anál. Mat.* Propriedade duma função para a qual existem, mas são diferentes, os limites laterais num ponto do seu domínio; descontinuidade ordinária. **Descontinuidade de segunda espécie.** *Anál. Mat.* Propriedade de uma função para a qual não existe algum dos limites laterais num ponto do seu domínio. **Descontinuidade essencial.** *Anál. Mat.* Descontinuidade irremovível. **Descontinuidade finita.** *Anál. Mat.* Propriedade de uma função cujos limites laterais num ponto são diferentes, sendo a diferença finita. **Descontinuidade infinita.** *Anál. Mat.* Propriedade de uma função cujos limites laterais num ponto são diferentes, sendo a diferença infinita. **Descontinuidade irremovível.** *Anál. Mat.* A que não é removível; descontinuidade essencial. **Descontinuidade não-essencial.** *Anál. Mat.* Descontinuidade removível. **Descontinuidade ordinária.** *Anál. Mat.* Descontinuidade de primeira espécie. **Descontinuidade removível.** *Anál. Mat.* Propriedade de uma função para a qual existem e são iguais os limites laterais num ponto de seu domínio, mas cujo valor nesse ponto não coincide com os dos limites; descontinuidade não-essencial. [A função pode tornar-se contínua se se der uma definição adequada do seu valor no ponto.]

descontínuo. [De *des-* + *contínuo.*] *Adj.* **1.** Não contínuo; interrompido, interrupto. **2.** *Biol. Ger.* Diz-se dos caracteres que se apresentam em graus nitidamente delimitados, e não continuamente. [Cf. *descontinuo,* do v. *descontinuar.*] ~ V. *função —a.* ♦ **Descontínuo de Cantor.** *Mat.* V. *conjunto de Cantor.*

desconto. [De *des-* + *conto*[2].] *S. m.* **1.** Ato ou efeito de descontar. **2.** V. *abatimento* (7). **3.** *Cont.* Operação bancária de aquisição antecipada de títulos cambiais ou de legítimo comércio mediante um prêmio ou juro. **4.** *Cont.* O prêmio ou juro dessa operação. **5.** *Bras.* Perda de peso que o gado sofre durante uma viagem.

descontração. [De *des-* + *contração*] *S. f.* Ato ou efeito de descontrair-se: "Meu amigo Alberto .... disse que centenas de pessoas acotoveladas na calçada, nos ônibus, carros, ... assistiram as cenas de violência .... com a mesma descontração com que acompanham suas novelas preferidas." (Carlos Eduardo Novais, *Jornal do Brasil,* 5.10.1980.)

descontraído. [Part. de *des-* + *contraído.*] *Adj.* Que não tem, ou em que não há constrangimento ou embaraço; simples, espontâneo, natural; informal: *rapaz* descontraído; *fisionomia* descontraída; *ambiente* descontraído.

descontrair. [De *des-* + *contrair.*] *V. t. d.* **1.** Fazer perder o constrangimento: *Estava muito tenso, mas a minha brincadeira o* descontraiu. *P.* **2.** Perder o constrangimento; ficar natural; desembaraçar-se.

descontramantelo (ê). [Cruz. de *desmantelo* com *contratempo.*] *S. m. Bras., CE. Pop.* Contratempo (1 a 3).

descontratar. [De *des-* + *contratar.*] *V. t. d.* Desfazer um contrato sobre (transação).

descontrolado. [Part. de *descontrolar*[1].] *Adj.* **1.** Não controlado; desequilibrado, descomedido, desmedido. ● *S. m.* **2.** Indivíduo descontrolado.

descontrolar. [De *des-* + *controlar.*] *V. t. d.* **1.** Fazer perder o controle, o domínio de si mesmo, o equilíbrio: *O acidente automobilístico* descontrolou*-o por muito tempo. P.* **2.** Perder o controle, o domínio de si mesmo; desequilibrar-se, descomedir-se, desmedir-se. [Pres. subj.: *descontrole, descontroles,* etc. Cf. *descontrole* (ô) e pl. *descontroles* (ô).]

descontrole (ô). [De *des-* + *controle* (ô).] *S. m.* Falta de controle. [Pl.: *descontroles* (ô). Cf. *descontrole* e *descontroles,* do v. *descontrolar.*]

desconvencer. [De *des-* + *convencer.*] *V. t. d. e. i. e p.* Despersuadir(-se), dissuadir(-se). [Conjug.: v. *vencer.*]

desconveniência. [De *des-* + *conveniência.*] *S. f.* Falta de conveniência; inconveniência.

desconveniente. [De *des-* + *conveniente.*] *Adj. 2 g.* Não conveniente; inconveniente.

desconversação. [De *des-* + *conversação.*] *S. f.* **1.** Ato ou efeito de desconversar. **2.** Falta de conversação; falta de trato social.

desconversar. [De *des-* + *conversar.*] *V. t. d. e int.* **1.** Deixar de conversar. *Int.* **2.** *Bras.* Mudar de assunto, em uma conversação; fazer-se desentendido; dissimular: *Quando lhe perguntam a idade,* desconversa.

desconversável. [De *des-* + *conversável.*] *Adj. 2 g.* **1.** Não conversável; insociável; intratável; rude, inconversável. **2.** Diz-se de lugar solitário, desfreqüentado.

desconverter. [De *des-* + *converter.*] *V. t. d.* Desfazer a conversão de [Conjug.: v. *mexer.*]

desconvidar. [De *des-* + *convidar.*] *V. t. d.* Revogar um convite feito a: *Depois de o convidar com insistência* desconvidou*-o.*

desconvir. [De *des-* + *convir.*] *V. int.* **1.** Ser inconveniente; não ser proveitoso. *T. i.* **2.** Não estar de acordo; não admitir; não convir; discordar, discrepar: Desconveio *em que se convocasse a reunião para terça-feira.* [Irreg. Conjug.: v. *vir.*]

descoordenar. [De *des-* + *coordenar.*] *V. t. d.* Tirar a coordenação de.

descor (ô). [De *des-* + *cor* (ô).] *S. f.* Falta de cor; palidez: "Viu-se ao espelho; a descor da face e a linha roxa que lhe circulava as pálpebras dificilmente podiam deixar de impressionar a família." (Machado de Assis, *Helena,* p. 129.) [Pl.: *descores* (ô). Cf. *descores,* do v. *descorar.*]

descorado. [Part. de *descorar*[1]] *Adj.* **1.** Que perdeu a cor. **2.** Sem cor; pálido.

descoramento. *S. m.* **1.** Ação ou efeito de descorar[1](-se). **2.** Palidez, palor.

descorante. *Adj. 2 g.* e *s. m.* Que ou o que descora, faz perder a cor; descolorante.

descorar[1]. [De *des-* + *cor* (ô) + *-ar[2]*.] *V. t. d.* **1.** Fazer perder a cor: "As volúpias da noite *descoraram*-te / A fronte enfebrecida." (Álvares de Azevedo, *Obras Completas*, I, p. 497). *Int.* e *p.* **2.** Perder a cor; empalidecer: "fitou os olhos na escritura, *descorou* subitamente e passou o pergaminho a Diogo Lopes, dizendo-lhe: / Estamos perdidos!" (Alexandre Herculano, *Lendas e Narrativas*, I, p. 145); "Um mancebo no jogo *se descora*" (Id., *ib.*, p. 197). [Sin. ger.: *descolorar, descolorir.* Pres. subj.: *descore, descores,* etc. Cf. *descores* (ô), pl. de *descor* (ô).]

descorar[2]. [De *des-* + *cor* + *-ar[2]*.] *V. t. d.* Esquecer-se de (aquilo que havia decorado). [Pres. subj.: *descore, descores,* etc. Cf. *descores* (ô), pl. de *descor* (ô).]

descorçoado. [Part. de *descorçoar*.] *Adj.* e *s. m.* V. *descoroçoado*: "parei junto a um ponto de jornais, *descorçoado*, com vontade de ir-me embora para outra terra, outro planeta." (Ribeiro Couto, *Prima Belinha*, p. 83).

descorçoar. [De *descoroçoar, por síncope*.] *V. t. d.* e *int.* V. *descoroçoar* [Conjug.: v. *coroar*.]

descordar. [De *des-* + *corda* + *-ar[2]*.] *V. int. Lus.* Cortar (o toureiro), com o estoque, a medula espinhal do touro, fazendo-o cair, sem que possa mais levantar-se. [Pres. ind.: *descordo,* etc. Cf. *descordo* (ô) e *discordo* (ô), s. m.; *discorde,* adj.; *discordo,* do v. *discordar,* e este v.]

descordo (ô). *S. m.* **1.** Poesia trovadoresca de caráter amoroso, na qual o poeta lamentava paixão não correspondida. **2.** Dança ou canção medieval trovadoresca, talvez de origem provençal; desacordo. [Pl.: *descordos* (ô). Cf. *descordo,* do v. *descordar; discordo* (ô), s. m. pl. *discordos* (ô); e *discordo,* do v. *discordar.*]

descorna. [Dev. de *descornar*.] *S. f.* Ação de descornar (1).

descornar. [De *des-* + *corno* + *-ar[2]*.] *V. t. d.* **1.** Tirar os cornos a (um animal); esmochar. *P.* **2.** Ficar sem cornos um animal. [Cf. *escornar.*]

descoroar. [De *des-* + *coroar*.] *V. t. d.* **1.** Tirar a coroa a: *Descoroaram o soberano; O temporal descoroou as ameias do velho muro.* **2.** Derribar, derrocar: *A Revolução Francesa descoroou a dinastia dos Bourbons.* [F. paral.: *escoroar.* Conjug.: v. *coroar.*]

descoroçoado. [Part. de *descoroçoar*.] *Adj.* e *s. m.* Sem coragem, sem ânimo; desanimado, desalentado. [Var.: *descorçoado, desacoroçoado, desacorçoado.*]

descoroçoar. [De *des-* + *coração* + *-ar[2]*, por síncope e assimilação.] *V. t. d.* **1.** Tirar o ânimo ou a coragem a: *A morte do seu general descoroçoou os soldados em ação. Int.* **2.** Perder a coragem; desanimar. [Var.: *descorçoar, desacoroçoar, desacorçoar.* Conjug.: v. *coroar.*]

descorolado. [De *des-* + *corolado*.] *Adj. Morfol. Veg.* Sem corola.

descorrelação. [De *des-* + *correlação*.] *S. f.* Ausência de correlação.

descorrelacionar. [De *des-* + *correlacionar*.] *V. t. d.* Tirar a correlação a.

descortejar. [De *des-* + *cortejar*.] *V. t. d.* **1.** Não cortejar (1). **2.** Tratar com descortesia; desconsiderar. [Conjug.: v. *pelejar.*]

descortês. [De *des-* + *cortês*.] *Adj. 2 g.* Falto de cortesia; grosseiro, indelicado. [Pl.: *descorteses* (ê).]

descortesia. [De *des-* + *cortesia*.] *S. f.* Ação descortês; grosseria, indelicadeza.

descortiçamento. *S. m.* Ato ou efeito de descortiçar.

descorticar. *V. t. d.* V. *decorticar.* [Conjug.: v. *trancar.*]

descortiçar. [De *des-* + *cortiça* + *-ar[2]*.] *V. t. d.* Tirar a cortiça a; decorticar [q. v.] [Conjug.: v. *laçar.*]

descortinar. [De *des-* + *cortina* + *-ar[2]*.] *V. t. d.* **1.** Patentear, mostrar, correndo a cortina. **2.** Enxergar, avistar: *Da janela do palácio descortinou a multidão reunida na praça.* **3.** Descobrir, notar, distinguir: *Naquela explosão de cólera descortinou o temperamento do amigo.* **4.** Tornar manifesto; patentear, revelar: *O documento secreto descortinava a ação dos revolucionários.* **5.** Abrir clareiras em (mata).

descortinável. *Adj. 2 g.* Que se pode descortinar.

descortino. [Dev. de *descortinar*.] *S. m. Bras.* **1.** Ação de descortinar ou descobrir. **2.** *Fig.* Qualidade de quem vê de longe; capacidade de antever. **3.** Percepção aguda; perspicácia: "inteligência de largo *descortino*, servida por uma cultura, variadíssima" (Sousa Bandeira, *Evocações e Outros Escritos*, p. 54).

descosedura. *S. f.* Ato ou efeito de descoser(-se).

descoser. [De *des-* + *coser*.] *V. t. d.* **1.** Desmanchar a costura de; descosturar. **2.** Desfazer (costura); descosturar. **3.** Desconjuntar, desmantelar: *As tempestades descoseram o barco.* **4.** Rasgar, dilacerar. **5.** Delatar divulgar: *Passa a vida a descoser a vida alheia. P.* **6.** Romperem-se as costuras; descosturar-se: "Olhe a saia de riscado, / *Descoseu-se*-lhe a bainha..." (Augusto Gil, *O Craveiro da Janela*, p. 70.) **7.** *Fam.* Dizer tudo o que sente; desabafar. [Conjug.: v. *mover.*]

descosido. [Part. de *descoser*.] *Adj.* **1.** Cuja costura se desfez; descosturado: "Suas calcinhas remendadas, o bolso da camisa *descosido*..." (Gilvã Lemos, *Jutaí Menino*, p. 37.) **2.** *Fig.* Sem nexo; mal concatenado; desalinhavado: *idéias descosidas.* **3.** Desconjuntado, desprendido, solto.

descostumar. [De *des-* + *costumar*.] *V. t. d.* e *i.* e *p.* V. *desacostumar.*

descostume. [De *des-* + costume.] *S. m.* Falta de costume.

descosturado. [Part. de *descosturar*.] *Adj. Descosido (1).*

descosturar. [De *des-* + *costurar*.] *V. t. d.* e *p.* Descoser (1, 2 e 6).

descotoar. [De *des-* + *cotão[1]* + *-ar[2]*.] *V. t. d.* Tirar o cotão[1] a. [Conjug.: v. *coroar.*]

descravar. [De *des-* + *cravar*.] *V. t. d.* **1.** Arrancar (ferro, pedras de engaste, etc.); desencravar. *T. d.* e *i.* **2.** Despregar, desviar (os olhos, a vista): *Não descravava os olhos da noiva.*

descravejar. [De *des-* + *cravejar*.] *V. t. d.* Tirar os cravos a; desengastar. [Conjug.: v. *pelejar.*]

descravizar. [De *des-* + *escravizar*, com haplologia.] *V. t. d.* Livrar da escravidão.

descredenciado. [Part. de *descredenciar*.] *Adj.* A que se tiraram as credenciais; que já não as tem.

descredenciamento. *S. m.* Ato ou efeito de descredenciar.

descredenciar. [De *des-* + *credenciar*.] *V. t. d.* Tirar as credenciais a.

descreditar. *V. t. d.* e *p.* V. *desacreditar.* [Pres. ind.: *descredito,* etc. Cf. *descrédito.*]

descrédito. [De *des-* + *crédito*.] *S. m.* **1.** Falta, perda ou diminuição de crédito. **2.** V. *difamação.* **3.** Má fama, ou desonra, resultante de mau procedimento. [Cf. *descredito,* do v. *descreditar.*]

descremação. *S. f. Bras.* Ação ou operação de descremar.

descremar. [De *des-* + *creme* + *-ar[2]*] *V. t. d. Bras.* Separar o creme de (o leite).

descrença. [De *des-* + *crença*.] *S. f.* Falta ou perda de crença; incredulidade.

descrente. [De *des-* + *crente*.] *Adj. 2 g.* e *S. 2 g.* Que ou quem descrê; indrédulo, descrido.

descrer. [De *des-* + *crer*.] *V. t. d.* **1.** Não crer; negar: *Descrê tudo aquilo que a razão não explica.* **2.** Deixar de crer. *T. i.* **3.** Não crer; não ter fé ou não dar crédito: *Descrê de Deus, dos amigos, de tudo.* [Irreg. Conjug.: v. *crer.*]

descrever. [Do lat. *describere*.] *V. t. d.* **1.** Fazer a descrição de; narrar. **2.** Expor, contar minuciosamente: *Descrevi-lhe as peripécias da viagem.* **3.** Fazer, perfazer, produzir, movimentando-se; traçar: *O jacto, cortando o ar, descrevia uma reta perfeita.* [Part. irreg.: *descrito.* Conjug.: v. *mexer.*]

descrição. [Do lat. *descriptione*.] *S. f.* **1.** Ato ou efeito de descrever. **2.** Exposição circunstanciada feita pela palavra falada ou escrita. **3.** Enumeração, relação. [Cf. *discrição.*]

descrido. [Part. de *descrer*.] *Adj.* e *s. m.* V. *descrente.*

descriminação. *S. f. Jur.* Ato ou efeito de descriminar. [Cf. *discriminação.*]

descriminador (ô). *Adj. Jur.* Descriminante. [Cf. *discriminador.*]

descriminante. *Adj. 2 g. Jur.* Que descrimina; descriminador. [Cf. *discriminante.*]

descriminar. [De *des-* + *criminar*.] *V. t. d.* **1.** Absolver de crime; tirar a culpa de; inocentar. **2.** *Jur.* Excluir a criminalidade ou antijuridicidade de (um fato). [Cf. *discriminar.*]

descriminável. *Adj. 2 g.* Que se pode descriminar. [Cf. *discriminável.*]

descristianização. *S. f.* Ato ou efeito de descristianizar.

descristianizar. [De *des-* + *cristianizar*.] *V. t. d.* Tirar a qualidade de cristão, as crenças cristãs, a.

descritível. *Adj. 2 g.* Que pode ser descrito.

descritivo. [Do lat. *descriptivu*.] *Adj.* **1.** Em que há descrição; que apresenta descrições: *estilo descritivo.* **2.** Próprio para descrever: *linguagem descritiva.* **3.** Relativo a descrições. — V. *astronomia —a, botânica —a, geometria —a, memória —a* e *música —.* ● *S. m.* **4.** *P. us.* Descrição (1). [Cf. *discretivo.*]

descritor. [Do lat. *descriptore*.] *Adj.* **1.** Que descreve. ● *S. m.* **2.** Aquele que descreve. **3.** *Docum.* Palavra ou expressão utilizada em indexação e tesauro para representar, sem ambigüidade, um determinado conceito.

descruzar. [De *des-* + *cruzar*.] *V. t. d.* Separar (o que estava cruzado); desencruzar: "Silencioso, permanecia ali muito tempo, com as mãos para trás, cruzando e *descruzando* os dedos." (Caio de Freitas, *Intrusos no Paraíso*, p. 4).

descuidado. [Part. de *descuidar*.] *Adj.* **1.** Que não tem cuidado. **2.** Desleixado, negligente, descuidoso. **3.** Precipitado, irrefletido. **4.** Preguiçoso, indolente. ● *S. m.* **5.** Pessoa descuidada.

descuidadoso (ô). [De *des-* + *cuidadoso*.] *Adj. P. us.* Não cuidadoso; descuidado, descuidoso: "Mães-d'água de grandes cabeleiras gotejantes, surgindo dos pegos para furtarem crianças de sete meses às mães *descuidadosas*." (Guedes de Miranda, *Eu e o Tempo*, p. 16).

descuidar. [De *des-* + *cuidar*.] *V. t. d.* **1.** Tratar sem cuidado, descurar: *Descuidou os seus negócios para tratar dos alheios.* **2.** Não fazer caso de; desprezar: *Descuida os humildes. T. d.* e *i.* **3.** Fazer esquecer-se; distrair: *As preocupações o descuidaram dos deveres. T. i.* **4.** Não cuidar; esquecer-se; descurar: *Descuidou da tarefa que se propusera terminar.*

descuidista. *S. 2 g. Bras. Gír.* Gatuno que atua valendo-se de uma distração, descuido, falta de vigilância da vítima; lalau.

descuido. [Dev. de *descuidar*.] *S. m.* **1.** Falta de cuidado. **2.** Inadvertência, irreflexão. **3.** Negligência, desleixo. **4.** Desalinho, desarranjo: *descuido no vestir.* **5.** Lapso ou distração do espírito. **6.** Falta, erro. **7.** *Bras. Gír.* Furto devido a uma distração. **8.** *Fam.* Filho concebido sem que houvesse intenção.

descuidoso (ô). *Adj.* **1.** V. *descuidado* (2). **2.** Descansado, tranqüilo.

desculpa. [Dev. de *desculpar*.] *S. f.* **1.** Ação ou efeito de desculpar(-se). **2.** Perdão, indulgência, absolvição. **3.** Escusa, justificação: *Apresentou desculpas por não poder ir ao banquete.* **4.** Pretexto, evasiva: *A doença que alegou para entrar em férias é pura desculpa: nunca o vi tão bem.*

desculpador (ô). *Adj.* e *s. m.* Que ou aquele que desculpa ou absolve.

desculpar. [De *des-* + *culpar*.] *V. t. d.* **1.** Eliminar ou atenuar a culpa de; justificar: *A má saúde desculpa a sua negligência no trabalho.* **2.** Absolver, perdoar: *Intolerante, não desculpa faltas alheias. T. d.* e *i.* **3.** Relevar, absolver (de falta cometida): *Dada a nossa velha amizade, desculpei-lhe a desatenção com que ontem me tratou. P.* **4.** Expor as razões que eliminam ou atenuam a própria culpa; justificar-se: "Na primeira semana chegou atrasado duas vezes: a mulher tivera um ataque de madrugada — *desculpou-se*." (Maria Julieta Drummond de Andrade, *Um Buquê de Alcachofras*, p. 27.) **5.** Pedir escusa. [Sin. ger.: *exculpar.*]

desculpável. *Adj. 2 g.* Que pode ser desculpado.

descultivar. [De *des-* + *cultivar*.] *V. t. d.* Deixar de cultivar; conservar inculto.

desculto[1]. [De *des-* + *culto[1]*.] *S. m.* **1.** Ausência ou falta de culto[1]. **2.** V. *desamor.* **3.** Irreverência.

desculto[2]. [De *des-* + *culto[2]*.] *Adj.* Não cultivado; inculto, incivilizado.

descumpridor (ô). *S. m.* **1.** Aquele que descumpre, que deixa de cumprir. **2.** Aquele que é inadimplente.

descumprimento. [De *descumprir* + *-mento*.] *S. m.* **1.** Falta de cumprimento. **2.** Inadimplemento.

descumprir. [De *des-* + *cumprir*.] *V. t. d.* **1.** Não cumprir; deixar de cumprir. **2.** Inadimplir.

descupinização. *S. f. Bras.* Ação de descupinizar.

descupinizar. [De *des-* + *cupim* + *-izar*.] *V. t. d.* Exterminar o cupim de: *Mandou descupinizar as estantes.*

descuramento. *S. m.* **1.** Ato ou efeito de descurar. **2.** Desleixo, descuido.

descurar. [De *des-* + *curar*.] *V. t. d.* **1.** Não curar; desleixar, descuidar. **2.** Não fazer caso de; abandonar, descuidar. **3.** Tornar descuidoso. *T. i.* **4.** Não tratar, não cuidar; descuidar: *Descura dos próprios interesses.*

descuriosidade. [De *des-* + *curiosidade*.] *S. f.* Falta de curiosidade.

descurioso (ô). [De *des-* + *curioso*.] *Adj.* Falto de curiosidade.

descurvar. [De *des-* + *curvar*.] *V. t. d.* Desencurvar.

desdar. [De *des-* + *dar*.] *V. t. d.* **1.** Desatar (nó, laçada, etc.). **2.** *P. us.* Retomar (o que se tinha dado). *P.* **3.** desatar-se, soltar-se; desfazer-se. [Irreg. Conjug.: v. *dar.*]

desde (ê). [Da ant. prep. *des* < lat. *de ex*, 'de dentro de'.] *Prep.* A começar de, a partir de: "São duas da manhã. E espera desde as nove..." (Ribeiro Couto, *Poesias Reunidas*, p. 31); "Desde então para cá fiquei sombrio!" (Augusto dos Anjos, *Eu*, p. 105); "não suportava aquela residência conventual, que *cheirava* a incenso desde a entrada" (Coelho Neto, *Treva*, p. 63). ♦ **Desde que. 1.** Desde o tempo, o momento em que; desde quando: "Desde que meus olhos fitaram o seu rosto cândido, a tranqüilidade desertou a minh'alma." (Camilo Castelo Branco, *A Queda dum Anjo*, p. 111.) **2.** Visto que; uma vez que: *Desde que é rico, não lhe é difícil auxiliar o próximo.*

desdém. [Do provenç. *desdenh.*] *S. m.* **1.** Ato ou efeito de desdenhar; desprezo com orgulho. **2.** Altivez, arrogância. ♦ **Ao desdém.** Descuidosamente, negligentemente; desafetadamente: "Manga de camisa solta, / Faixa pregada ao desdém" (Rodrigues Lobo, *Éclogas*, p. 254).

desdenhador (ô). *Adj.* e *s. m.* Que ou aquele que desdenha.

desdenhar. [Do lat. vulg. **disdignare.*] *V. t. d.* **1.** Mostrar ou ter desdém a; desprezar com altivez: *Desdenha as amizades que não lhe aproveitam;* "Eu sei de certos senhores / Que desdenham, sérios, graves, / O doce aroma das flores / E o terno canto das aves." (Ricardo Gonçalves, *Ipês*, p. 49). **2.** Motejar, escarnecer. *T. i.* **3.** Não fazer caso; menoscabar: *Não desdenhemos dos humildes. P.* **4.** Não se dignar.

desdenhativo. *Adj.* **1.** Desdenhoso (1). **2.** Que menospreza; depreciativo.

desdenhável. *Adj. 2 g.* Digno de desdém.

desdenhosamente. [Do fem. de *desdenhoso* + *-mente.*] *Adv.* De maneira desdenhosa; com desdém.

desdenhoso (ô). *Adj.* **1.** Que tem, ou em que há desdém; desdenhativo. **2.** Que liga pouca importância; menosprezador.

desdentado[1]. [De *des-* + *dentado*[1].] *Adj.* **1.** Sem dentes. [Sin. (p. us.): *edentado.*] **2.** Que deixa ver a falta de dentes: "seus cândidos olhos cor do céu, seu sorriso desdentado, e seu ar simples, ingênuo" (Malu de Ouro Preto, *Siri na Noite de Lua*, p. 13). **3.** Pertencente ou relativo aos desdentados. ● *S. m.* **4.** Espécime dos desdentados.

desdentado[2]. [Part. de *desdentar.*] *Adj.* A que se tiraram ou quebraram os dentes; banguela.

desdentados. *S. m. pl. Zool.* Animais mamíferos da ordem *Edentata*, sem dentes ou com dentição imperfeita, caninos e incisivos raramente representados, e pré-molares, quando os há, desprovidos de raiz e de esmalte. São os tamanduás, preguiças e tatus, todos monofiodontes, exceto os primeiros. [Cf. *xenartro.*]

desdentar. [De *des-* + *dente* + *-ar*[2].] *V. t. d.* **1.** Tirar ou quebrar os dentes a. *P.* **2.** Perder os dentes.

desdita. [De *des-* + *dita*[1].] *S. f.* Falta de dita; infelicidade, desventura.

desditado. [De *desdita* + *-ado*[1].] *Adj.* V. *desditoso* (1).

desdito[1]. [De *desdita.*] *Adj.* V. *desditoso* (1).

desdito[2]. *Adj.* Part. de *desdizer.*

desditoso (ô). [De *des-* + *ditoso.*] *Adj.* **1.** Infeliz, desgraçado, desventurado, mal-aventurado, inditoso, desditado, desdito: *seres desditosos; desditosa formosura.* ● *S. m.* **2.** Aquele que é desditoso; infeliz, desgraçado, desventurado, inditoso.

desdizer. [De *des-* + *dizer.*] *V. t. d.* **1.** Contradizer a afirmação ou asserção de; desmentir: *Aborrecido, viu-se obrigado a desdizer o amigo.* **2.** Dizer o contrário de; negar: *Desdisse tudo que antes afirmara. T. i.* **3.** Não condizer; discordar: *Seu atual depoimento desdiz do anterior.* **4.** Desviar-se das qualidades; degenerar: *Inteligente e responsável, não desdirá da família. P.* **5.** Negar o que havia dito; retratar-se. [Irreg. Conjug.: v. *dizer.*]

desdobramento. *S. m.* Ato ou efeito de desdobrar(-se); desdobre, desdobro.

desdobrar. [De *des-* + *dobrar.*] *V. t. d.* **1.** Abrir ou estender (o que estava dobrado). **2.** Dividir em dois. **3.** Fracionar ou dividir em grupos. **4.** Dar maior incremento ou atividade a: *desdobrar esforços.* **5.** Dividir (uma tora de madeira) em tábuas. *P.* **6.** Abrir-se (o que estava dobrado). **7.** Fazer-se em dois. **8.** Desenvolver-se, incrementar-se. **9.** Prolongar-se no espaço ou no tempo. **10.** Manifestar-se, produzir-se. **11.** Envidar o máximo esforço para; empenhar-se a fundo em: *Embora pobre, desdobrou-se para ajudar o velho amigo.* [Pres. ind.: *desdobro*, etc. Cf. *desdobro* (ô).]

desdobrável. *Adj. 2 g.* Que pode ser desdobrado. — V. *prospecto* —.

desdobre. [Dev. de *desdobrar.*] *S. m.* **1.** V. *desdobramento.* **2.** *Bras.* Desenvolvimento, incremento, aumento.

desdobro (ô). [Dev. de *desdobrar.*] *S. m.* **1.** Certa máquina de serraria. **2.** Corte das toras feito pelas serrarias para a formação de pranchões. **3.** Corte de tais pranchões para a formação de tábuas, vigas e barrotes. **4.** V. *desdobramento.* [Pl.: *desdobros* (ô). Cf. *desdobro*, do v. *desdobrar.*]

desdoirar. [De *des-* + *doirar.*] *V. t. d.* e *p.* V. *desdourar:* "Sua trança doirada desdoirou-se" (Eugênio de Castro, *Obras Poéticas*, X, p. 191).

desdoiro. *S. m.* V. *desdouro.*

desdormido. [De *des-* + *dormido.*] *Adj. Bras.* Diz-se de quem não dormiu.

desdourar. [De *des-* + *dourar.*] *V. t. d.* **1.** Tirar a douradura a. **2.** Fazer perder o brilho. **3.** Deslustrar, obscurecer; manchar, desacreditar: *Negociatas em que se meteu desdouraram sua reputação na praça. P.* **4.** Perder a douradura. **5.** Perder a cor dourada. **6.** Manchar-se, deslustrar-se. [Var.: *desdoirar.*]

desdouro. [Dev. de *desdourar.*] *S. m.* **1.** Ato ou efeito de desdourar(-se). **2.** *Fig.* Deslustre, mácula, descrédito. [Var.: *desdoiro.*]

deseclipsar. [De *des-* + *eclipsar.*] *V. t. d.* **1.** Tirar da frente de (algum objeto) aquilo que o encobria ou obscurecia; descobrir, desvendar. **2.** *Fig.* Restituir o brilho, a fama, a glória, etc., a. *Int.* **3.** Reaparecer depois do eclipse. *P.* **4.** Ficar como antes do eclipse; recobrar a claridade. **5.** Patentear-se com brilho; esclarecer-se.

desedificação. *S. f.* Ato ou efeito de desedificar.

desedificar. [De *des-* + *edificar.*] *V. t. d.* **1.** Dar maus exemplos a; desmoralizar. **2.** Desviar da moral ou da crença religiosa. **3.** Escandalizar, melindrar. [Conjug.: v. *trancar.*]

deseducação. *S. f.* Ato ou efeito de deseducar.

deseducar. [De *des-* + *educar.*] *V. t. d.* **1.** Estragar a educação de. **2.** Educar mal. [Conjug.: v. *trancar.*]

deseducativo. [De *des-* + *educativo.*] *Adj.* Que deseduca.

deseixar. [De *des-* + *eixo* + *-ar*[2].] *V. t. d.* **1.** Tirar o eixo à. **2.** Tirar do eixo.

desejador (ô). *Adj.* **1.** Que deseja; desejoso. **2.** Cobiçoso, ávido. ● *S. m.* **3.** Pessoa desejadora.

desejar. *V. t. d.* **1.** Ter desejo ou vontade de; querer, apetecer, ambicionar: "Não me basta saber que sou amado, / Nem só desejo o teu amor; desejo / Ter nos braços teu corpo delicado" (Olavo Bilac, *Poesias*, p. 68). **2.** Ter gosto ou empenho em: *Desejaria que o filho fosse o que ele não pôde ser.* **3.** Cobiçar, ambicionar: *Deseja coisas fora de seu alcance.* **4.** Ter desejo (6) de. *Transobj.* **5.** Querer (alguém ou algo) para determinado fim: *Teve provas da alta capacidade do correligionário, e logo o desejou seu ministro. T. d.* e *i.* **6.** Exprimir (um desejo) às vezes sob forma de votos, de cumprimentos: *Desejo-lhe boas-festas;* "Desejei-lhe um amor verdadeiro e ele riu, desafiante." (Lígia Fagundes Teles, *A Disciplina do Amor*, p. 122). *Int.* **7.** Aspirar ao que não possui ou goza; ter desejos: *Quem tem pouco deseja muito.* [Conjug.: v. *pelejar.*]

desejável. *Adj. 2 g.* Digno de se desejar.

desejo (ê). [Do lat. vulg. **desidiu.*] *S. m.* **1.** Ato ou efeito de desejar. **2.** Vontade de possuir ou de gozar. **3.** Anseio, aspiração. **4.** Cobiça, ambição. **5.** Vontade de comer ou beber; apetite. **6.** Apetite sexual: "Adeus, corpo gentil, pátria do meu desejo!" (Olavo Bilac, *Poesias*, p. 182.) **7.** *Pop.* Na gravidez, vontade exacerbada de comer e/ou beber determinada(s) coisa(s).

desejoso (ô). *Adj.* Que tem desejo; desejador: *desejoso de glória.*

deselegância. [De *des-* + *elegante.*] *S. f.* **1.** Falta de elegância. **2.** Ação ou procedimento deselegante.

deselegante. [De *des-* + *elegante.*] *Adj. 2 g.* **1.** Falto de elegância. **2.** Desairoso, indecoroso. **3.** Sem graça no trajar.

desemaçar. [De *des-* + *emaçar.*] *V. t. d.* Separar (coisas que estavam emaçadas). [Conjug.: v. *laçar.*]

desemadeirar. [De *des-* + *emadeirar.*] *V. t. d.* Tirar o madeiramento de.

desemalar. [De *des-* + *emalar.*] *V. t. d.* Tirar da mala.

desemalhar. [De *des-* + *emalhar.*] *V. t. d.* Tirar das malhas da rede.

desemaranhar. [De *des-* + *emaranhar.*] *V. t. d.* **1.** V. *desenredar* (1): *Procurava desemaranhar a vasta cabeleira.* **2.** Desenriçar, desencrespar. **3.** Esclarecer, desintricar, desintrincar; explicar; decifrar: *desemaranhar um mistério.*

desembaciar. [De *des-* + *embaciar.*] *V. t. d.* Limpar, desempanar (o que estava embaciado).

desembainhar (a-i). [De *des-* + *embainhar.*] *V. t. d.* **1.** Tirar da bainha; despir: "Ocultei-me também nas sombras da viela, / Desembainhei a espada" (Júlio Dantas, *A Ceia dos Cardeais*, p. 21); "Desembainha torva durindana" (Álvares de Azevedo, *Obras Completas*, I, p. 178). **2.** Desmanchar a bainha de (uma costura). [Conjug.: v. *embainhar.*]

desembalar[1] [De *des-* + *embalar*[2].] *V. t. d.* **1.** Tirar da embalagem; desenfardar: *desembalar fardos, pacotes.*

desembalar[2]. [De *des-* + *embalar*[3].] *V. t. d.* **1.** Tirar a bala de (um cartucho). **2.** Descarregar (arma de fogo).

desembandeirar. [De *des-* + *embandeirar.*] *V. t. d.* Tirar a(s) bandeira(s) a; arriar a(s) bandeira(s) de; desbandeirar.

desembaraçado. [Part. de *desembaraçar.*] *Adj.* **1.** Isento ou livre de embaraços. **2.** Ativo, diligente, expedito. **3.** Livre de acanhamento, de timidez; desinibido.

desembaraçador (ô). *Adj.* e *s. m.* Que ou aquele que desembaraça.

desembaraçar. [De *des-* + *embaraçar.*] *V. t. d.* **1.** Livrar de embaraço; desimpedir: *Desembaraçaram as ruas por onde passaria o cortejo.* **2.** Desenredar, desembaralhar: *desembaraçar um novelo.* **3.** V. *desenredar* (1). *T. d.* e *i.* **4.** Pôr a salvo; livrar, safar, desembargar: *Logrou desembaraçá-lo das dificuldades. P.* **5.** Andar ou trabalhar ligeiro. **6.** Desfazer-se, livrar-se. **7.** Perder a timidez, o acanhamento: *A menina, tímida, desembaraçou-se depois de entrar para o colégio.* [Conjug.: v. *laçar.*]

desembaraço. [De *des-* + *embaraço.*] *S. m.* **1.** Ato ou efeito de desembaraçar(-se). **2.** Falta de embaraço; desimpedimento, facilidade. **3.** Agilidade, presteza. **4.** Coragem, denodo.

desembaralhar. [De *des-* + *embaralhar.*] *V. t. d.* Pôr em ordem (o que estava embaralhado); desembaraçar.

desembarcadoiro. *S. m.* V. *desembarcadouro.*

desembarcadouro. [Var. de *desembarcadoiro.*] *S. m.* Lugar onde se desembarca; desembarque.

desembarcar. [De *des-* + *embarcar.*] *V. t. d.* **1.** Tirar de uma embarcação: *Desembarcaram enorme carga de explosivos.* **2.** Pôr em terra: *Desembarcaram os passageiros clandestinos no primeiro porto. Int.* **3.** Sair de uma embarcação, ou de outro meio de transporte; saltar em terra: *Os passageiros do ônibus desembarcaram na estação rodoviária.* [Conj.: v. *trancar.*]

desembargado. [Part. de *desembargar.*] *Adj.* **1.** Livre de embargo. **2.** Desembaraçado, despachado.

desembargador (ô). [De *desembargar* + *-dor.*] *S. m.* Juiz do Tribunal de Justiça, ou de Apelação.

desembargar. [De *des-* + *embargar.*] *V. t. d.* **1.** Tirar o embargo a. **2.** Pôr desembargo a. *T. d.* e *i.* **3.** Desembaraçar (4): *Antes de entrar para a firma, procurou desembargá-la de possíveis problemas.* [Conjug.: v. *largar.*]

desembargatório. *Adj.* **1.** Relativo a desembargo. **2.** Relativo ou pertencente a desembargador.

desembargo. [Dev. de *desembargar.*] *S. m.* **1.** Ato ou efeito de desembargar. **2.** Levantamento de embargo ou arresto. **3.** Antiga magistratura de desembargador. **4.** *Ant.* Despacho em que se concede determinada mercê ou privilégio (tença, dote, etc.). **5.** *Ant.* Ordem do erário para pagamento de uma dívida ou mercê.

desembarque. [Dev de *desembarcar.*] *S. m.* **1.** Ato de desembarcar. **2.** Lugar de desembarque; desembarcadouro. ♦ **Desembarque à viva força.** Operação anfíbia [v. *anfíbio* (6)] [Expressão anterior à 2ª. Guerra Mundial (1939-1945).]

desembarrancar. [De *des-* + *embarrancar.*] *V. t. d.* **1.** Tirar de um barranco. **2.** Desatolar; desatascar. **3.** Desembaraçar, desimpedir. [Conjug.: v. *trancar.*]

desembarrar. [De *des-* + *embarrar*[1].] *V. t. d.* Desbarrar[2].

desembarrigado. [Part. de *desembarrigar.*] *Adj. Bras.*, *S.* **1.** Desbarrigado (1). **2.** Delgado, magro.

desembarrigar. [De *des-* + *embarrigar.*] *V. t. d. Bras.*, *S.* **1.** Fazer desaparecer a barriga volumosa de. **2.** Tornar delgado. [Conjug.: v. *largar.*]

desembarrilar. [De *des-* + *barril* + *-ar*[2].] *V. t. d.* **1.** Tirar do barril. **2.** *Fig.* Desenganar, desiludir.

desembaular (a-u). [De *des-* + *embaular.*] *V. t. d.* Tirar do baú. [Conjug.: v. *saudar.*]

desembebedar. [De *des-* + *embebedar.*] *V. t. d.* **1.** Fazer cessar a embriaguez a. *P.* **2.** Cessar de estar bêbedo. [Sin. ger.: *desemborrachar, desembriagar.*]

desembestada. [Fem. substantivado de *desembestado.*] *S. f.* **1.** *Bras.* Corrida insofreável de cavalo ou de outro animal, quando toma os freios nos dentes; disparada. **2.** V. *galopada.*

desembestado. [Part. de *desembestar.*] *Adj.* Desenfreado, arrebatado, descomedido.

desembestamento. *S. m.* Ato ou efeito de desembestar.

desembestar. [De *des-* + *em-*[2] + *besta* + *-ar*[2].] *V. t. d.* **1.** Despedir da besta (seta, virote, etc.). **2.** Proferir com violência; despedir: *Irritado, desembestou uma série de impropérios. T. d. e i.* **3.** Arremessar, atirar (como besta): *Desembestou do arco diversas flechas. Int.* **4.** Partir ou sair da besta (seta, virote, etc.) **5.** Correr impetuosamente. **6.** Dar por paus e por pedras; descomedir-se, exceder-se.

desembezerrar. [De *des-* + *embezerrar.*] *V. t. d., int.* e *p.* V. *desamuar.*

desembirrar. [De *des-* + *embirrar.*] *V. t. d.* **1.** Tirar a birra a. *Int.* **2.** Deixar de estar embirrado.

desembocadura. *S. f.* **1.** Ato de desembocar. **2.** Lugar onde o rio desemboca; foz.

desembocar. [De *des-* + *embocar.*] *V. t. d.* **1.** *P. us.* Sair fora de: *desembocar uma rua, um porto. Int.* **2.** Transpor, saindo, a embocadura de rio, canal, rua, etc.; sair de um lugar relativamente estreito para outro mais largo; abocar: *Numerosos rios desembocam no São Francisco; Saiu da Avenida Rio Branco, desembocando na Praça Mauá.* **3.** Ir dar, ir ter (uma rua, ou qualquer logradouro público), a outra rua ou logradouro; abocar: *A Rua da Alfândega desemboca na Praça da República.* [Conjug.: v. *trancar.*]

desembolar[1]. [De *des-* + *embolar*[1].] *V. t. d.* Tirar as bolas a (touro, florete, etc.).

desembolar[2]. [De *des-* + *embolar*[2].] *V. t. d.* Desfazer o bolo (1) de; desemaranhar.

desembolsar. [De *des-* + *embolsar.*] *V. t. d.* **1.** Tirar da bolsa, ou do bolso. **2.** Despender, gastar: *Desembolsou 100 cruzados, tudo o que tinha.* [Pres. ind.: *desembolso,* etc. Cf. *desembolso* (ô).]

desembolso (ô). [Dev. de *desembolsar.*] *S. m.* **1.** Ato ou efeito de desembolsar. **2.** Aquilo que se gastou ou pagou. **3.** Aquilo que se pagou adiantadamente. [Pl.: *desembolsos* (ô). Cf. *desembolso,* do v. *desembolsar.*]

desemborcar. [De *des-* + *emborcar.*] *V. t. d.* Voltar para cima (o que se achava emborcado). [Conjug.: v. *trancar.*]

desemborrachar. [De *des-* + *emborrachar.*] *V. t. d.* e *p.* V. *desembebedar.*

desemborrascar. [De *des-* + *emborrascar.*] *V. t. d.* **1.** Desassombrar, desanuviar. **2.** Tornar sereno; abrandar, amainar. [Conjug.: v. *trancar.*]

desemboscar. [De *des-* + *emboscar.*] *V. t. d.* Fazer sair do bosque ou da emboscada. [Conjug.: v. *trancar.*]

desembotar. [De *des-* + *embotar.*] *V. t. d.* **1.** Tornar cortante, agudo (o que estava embotado); afiar. **2.** Tornar ligeiro, ágil. **3.** Tornar desembaraçado (3): *Sua mudança para a capital desembotou-o.*

desembraçar. [De *des-* + *embraçar.*] *V. t. d.* Largar (aquilo que estava embraçado). [Conjug.: v. *laçar.*]

desembramar. *V. t. d. Bras., SP.* Desembaraçar, desenredar; desenroscar.

desembravecer. [De *des-* + *embravecer.*] *V. t. d.* **1.** Tirar a braveza a; acalmar, serenar. **2.** Amansar, domesticar: *desembravecer animais. Int.* e *p.* **3.** Perder a braveza; acalmar(-se); serenar(-se). **4.** Amansar(-se), domesticar-se. [Conjug.: v. *aquecer.*]

desembrear[1]. [De *des-* + *embrear*[1].] *V. t. d.* Limpar do breu. [Conjug.: v. *frear.*]

desembrear[2]. [De *des-* + *embrear*[2].] *V. t. d.* e *p.* Soltar(-se) a embreagem de (o veículo); desengatar(-se), desengrenar(-se). [Conjug.: v. *frear.*]

desembrenhar. [De *des-* + *embrenhar.*] *V. t. d.* **1.** Fazer sair, tirar, arrancar das brenhas. *P.* **2.** Sair das brenhas; libertar-se.

desembriagar. [De *des-* + *embriagar.*] *V. t. d* e *p.* V. *desembebedar.* [Conjug.: v. *largar.*]

desembridar. [De *des-* + *embridar.*] *V. t. d.* e *p.* V. *desbridar* (1 e 3).

desembrulhar. [De *des-* + *embrulhar.*] *V. t. d.* **1.** Tirar de embrulho (1). **2.** Desdobrar, estender (o que estava embrulhado). **3.** Esclarecer, explicar; desenredar: *desembrulhar uma situação escusa.*

desembrulho. [Dev. de *desembrulhar.*] *S. m.* Ato ou efeito de desembrulhar.

desembrumar. [De *des-* + *embrumar.*] *V. t. d.* **1.** Tirar a aparência brumosa a; tornar claro. *P.* **2.** Perder o aspecto brumoso; tornar-se claro: "enigmas se desembrumam; perguntas obtêm respostas." (Gilberto Amado, *Depois da Política,* p. 250).

desembruscar. [De *des-* + *embruscar.*] *V. t. d.* Tornar limpo ou claro; desanuviar. [Conjug.: v. *trancar.*]

desembrutecer. [De *des-* + *embrutecer.*] *V. t. d.* **1.** Tirar a bruteza a. **2.** Tornar esperto; instruir; civilizar. [Conjug.: v. *aquecer.*]

desembruxar. [De *des-* + *embruxar.*] *V. t. d.* Livrar de bruxaria ou bruxedo; desenfeitiçar.

desembuçar. [De *des-* + *embuçar.*] *V. t. d.* **1.** Tirar o embuço a. **2.** Esclarecer; revelar, patentear. *P.* **3.** Descobrir o rosto, afastando aquilo que o cobria. [Conjug.: v. *laçar.*]

desembuchar. [De *des-* + *embuchar.*] *V. t. d.* **1.** Desimpedir (o que estava embuchado). **2.** Descobrir, confessar (coisa que se embuchou): *Interrogado pela polícia, desembuchou toda a história. Int.* **3.** Expandir-se, abrir-se, desabafar.

desemburrar. [De *des-* + *emburrar.*] *V. t. d.* **1.** Dar instrução a; polir; civilizar. **2.** V. *desamuar* (1). *Int.* **3.** V. *desemburrar* (5). *P.* **4.** Polir-se, aperfeiçoar-se. **5.** Deixar de estar emburrado; desamuar-se, desembezerrar-se; desemburrar.

desemedar. [De *des-* + *emedar.*] *V. t. d.* Desmanchar as medas de.

desemoinhar (o-i). [De *des-* + *moinha* + *-ar*[2].] *V. t. d.* Tirar a moinha, a pragana, a.

desemoldurar. [De *des-* + *emoldurar.*] *V. t. d.* Tirar da moldura; desencaixilhar; desenquadrar.

desempacar. [De *des-* + *empacar.*] *V. t. d. Bras.* Desemperrar (a cavalgadura que empacou). [Conjug.: v. *trancar.*]

desempachar. [De *des-* + *empachar.*] *V. t. d.* **1.** Livrar de empacho; desobstruir, desimpedir. *P.* **2.** Libertar-se, livrar-se; desembaraçar-se.

desempacho. [Dev. de *desempachar.*] *S. m.* Ato ou efeito de desempachar(-se).

desempacotamento. *S. m.* Ato ou efeito de desempacotar; desembrulho.

desempacotar. [De *des-* + *empacotar.*] *V. t. d.* Tirar do pacote; desembrulhar, desembalar.

desempalhar. [De *des-* + *empalhar.*] *V. t. d.* **1.** Tirar da palha. **2.** Tirar a palha a.

desempalmar. [De *des-* + *empalmar.*] *V. t. d.* Largar ou mostrar (aquilo que estava empalmado).

desempambado. *Adj. Bras., BA. Pop.* Desembaraçado, franco, positivo.

desempanado. [Part. de *desempanar.*] *Adj.* **1.** Diz-se daquilo a que se tiraram os panos. **2.** Desembaciado, limpo. **3.** *Fig.* Esclarecido, elucidado, compreensível. **4.** *Bras.* Que diz abertamente o que pensa e age como pensa; franco, verdadeiro, positivo.

desempanar. [De *des-* + *empanar.*] *V. t. d.* **1.** Tirar os panos de. **2.** Restituir o brilho a (objeto que estava empanado ou embaciado); desembaciar. **3.** *Fig.* Esclarecer, elucidar: *Desempanar uma questão.*

desempapelar. [De *des-* + *empapelar.*] V. t. d. **1.** Tirar do papel ou dos papéis; desembrulhar. **2.** *Bras.* Tirar o revestimento de papel de: *Mandou desempapelar as paredes e pintá-las.*

desempar. [De *des-* + *empar.*] *V. t. d.* Tirar as estacas que sustentam (as videiras).

desemparceirar. [De *des-* + *emparceirar.*] *V. t. d.* Separar (quem está emparceirado); desparceirar.

desemparedar. [De *des-* + *emparedar.*] *V. t. d.* Soltar, livrar (o que estava emparedado).

desemparelhar. [De *des-* + *emparelhar.*] *V. t. d.* Separar (o que estava emparelhado). [Conjug.: v. *aparelhar.*]

desempastar. [De *des-* + *empastar.*] *V. t. d.* Desmanchar (aquilo que estava empastado).

desempastelar. [De *des-* + *empastelar.*] *Tip.* **1.** *V. t. d.* Distribuir corretamente (tipo ou outro material empastelado). **2.** *T. d. e i.* Desembaraçar (a caixa tipográfica) do material empastelado.

desempatador (ô). *Adj.* **1.** Que desempata. • *S. m.* **2.** Aquele que desempata. **3.** V. *sobreárbitro.*

desempatar. [De *des-* + *empatar.*] *V. t. d.* **1.** Tirar o empate a; resolver, decidir (o que estava empatado). *Int.* **2.** Decidir-se, deliberar-se.

desempate. [Dev. de *desempatar.*] *S. m.* Ato ou efeito de desempatar.

desempavesar. [De *des-* + *empavesar.*] *V. t. d.* **1.** *Mar.* Tirar os paveses a. *P.* **2.** Deixar de arrogância (uma pessoa).

desempeçar. [De *des-* + *empeçar*[1].] *V. t. d.* Tirar o empeço ou empecilho a; desenredar. [Conjug.: v. *começar.* Pres. ind.: *desempeço, desempeças, desempeça,* ...., *desempeçam,* etc. Cf. *desempeço* (ê), do v. *desempecer* e s. m.; *desempeça* (ê), *desempeças* (ê), *desempeçam* (ê), do v. *desempecer;* e *desimpeço, desimpeças, desimpeça, desimpeçam,* do v. *desimpedir.*]

desempecer. [De *des-* + *empecer.*] *V. t. d.* **1.** Deixar de empecer; desimpedir. *T. d. e i.* **2.** Desembaraçar, livrar. *P.* **3.** Desembaraçar-se; livrar-se. [Sin. ger.: *desempecilhar.* Conjug.: v. *aquecer.* Pres. ind.: *desempeço* (ê); etc.; pres. subj.: *desempeça* (ê), *desempeças* (ê), ..., *desempeçam* (ê), etc. Cf. *desempeço, desempeças, desempeça, desempeçam,* do v. *desempeçar,* e *desimpeço, desimpeças, desimpeça, desimpeçam,* do v. *desimpedir.*]

desempecilhar. [De *des-* + *empecilho* + *-ar*[2].] *V. t. d.* e *t. d. e i.* e *p.* V. *desempecer.*

desempeço (ê). [Dev. de *desempeçar.*] *S. m.* **1.** Alívio; desopressão. **2.** Desembaraço; desobstrução. [Pl.: *desempeços* (ê). Cf. *desempeço,* do v. *desempeçar,* e *desimpeço,* do v. *desimpedir.*]

desempedernir. [De *des-* + *empedernir.*] *V. t. d.* **1.** Amolecer (o que estava empedernido). **2.** Abrandar; enternecer: *Seus rogos acabaram desempedernindo o coração paterno.* [Defect., só conjugável nas f. em que ao *n* da raiz se segue em um *i.*]

desempedrar. [De *des-* + *empedrar.*] *V. t. d.* **1.** Tirar o empedramento a, as pedras, a. **2.** Limpar de pedras os calhaus (um campo); descalhoar.

desempegar. [De *des-* + *empegar.*] *V. t. d.* Tirar do pego[1]. [Conjug. v. *regar.* Pres. ind.: *desempego,* etc. Cf. *desempego* (ê).]

desempego (ê). [Dev. de *desempegar.*] *S. m.* Ação ou efeito de desempegar. [Pl.: *desempegos* (ê). Cf. *desempego,* do v. *desempegar.*]

desempenadeira. *S. f.* **1.** Peça de madeira ou de metal, retangular, provida de alça numa face e bem aplainada na outra, que os pedreiros empregam para distribuir o emboço sobre a parede ou o teto e o reboco sobre o emboço, e para regularizar, desempenando, deixando sem empeno, a superfície final; esparavel, talocha, broquel. [Cf. *desempoladeira.*] **2.** Máquina provida de um tambor com lâminas, rotativo, usada para desempenar tábuas.

desempenado. [Part. de *desempenar.*] *Adj.* **1.** Sem empenamento; direito. **2.** *Bras.* Forte; galhardo, desenvolto: "um belo caboclo — .... alto, espadaúdo, desempenado." (Coelho Neto, *Treva,* p. 253). **3.** V. *valentão* (1).

desempenar. [De *des-* + *empenar*[1].] *V. t. d.* **1.** Tirar o empenamento a; desentortar, endireitar. **2.** Alisar, aplainar (o reboco ou o emboço). *P.* **3.** Perder o empenamento; endireitar-se. **4.** Adquirir ou tomar postura elegante; aprumar-se: *Estava corcunda, mas, à custa de ginástica, desempenou-se.*

desempenhar. [De *des-* + *empenhar.*] *V. t. d.* **1.** Resgatar (o que se dera como penhor). **2.** Livrar de dívidas. **3.** Cumprir (aquilo a que se estava obrigado): *Tardou muito, mas acabou desempenhando a sua obrigação.* **4.** Exercer, executar: *desempenhar uma função, um cargo.* **5.** Representar, interpretar: *desempenhar um papel. Int.* **6.** Representar ou interpretar um papel, ou papéis: *Fernanda Montenegro desempenha de modo admirável. P.* **7.** Cumprir, executar: *Desempenhou-se bem da melindrosa tarefa.*

desempenho. [Dev. de *desempenhar.*] *S. m.* **1.** Ato ou efeito de desempenhar(-se). **2.** Execução de um trabalho, atividade, empreendimento, etc., que exige competência e/ou eficiência: *O desempenho de Rui Barbosa na Conferência de Haia causou grande impressão no plenário; O desempenho de Pelé na Copa do Mundo deu-lhe fama internacional.* **3.** Conjunto de características ou de possibilidades de atuação de máquina, motor ou veículo (terrestre, aéreo ou marítimo), tais como velocidade, capacidade de carga, agilidade, autonomia de movimentos, rendimento, etc.: *O seu novo automóvel tem excelente desempenho.* **4.** Atuação, comportamento: "O produto interno bruto [do Brasil], que em 1980 cresceu 7,9%, apresentou nos anos seguintes péssimo desempenho (em 1983, caiu 3,3%)." (*Folha de S. Paulo,* 28. 5. 1984.) **5.** *Teat.* V. *interpretação* (3). [V. *performance.*]

desempeno. [Dev. de *desempenar.*] *S. m.* **1.** Ato ou efeito de desempenar(-se). **2.** Cada uma das réguas com que o carpinteiro verifica se uma peça está plana ou desempenada. **3.** Aprumo, elegância, galhardia: "Faltava-lhe [ao sertanejo] a plástica impecável, o desempenho, a estrutura corretíssima das organizações atléticas." (Euclides da Cunha, *Os Sertões,* p. 114.) **4.** Desembaraço, agilidade.

desemperramento. *S. m.* Ato ou efeito de desemperrar (-se). **2.** Desistência de perrice ou teima. [Sin. ger.: *desemperro.*]

desemperrar. [De *des-* + *emperrar.*] *V. t. d.* **1.** Tornar lasso (o que estava perro). **2.** Soltar; desembaraçar: *É caladão, mas depois de uns uísques desemperra a língua.* **3.** Tirar a perrice ou teima a. *Int.* e *p.* **4.** Deixar de estar perro: *Azeitada, a fechadura desemperrou; A peça desemperrou-se.* [Pres. ind.: *desemperro,* etc. Cf. *desemperro* (ê).]

desemperro (ê). [Dev. de *desemperrar.*] *S. m.* Desem-

perramento. [Cf. *desemperro*, do v. *desemperrar*.]
desempestar. [De *des-* + *empestar*.] *V. t. d.* **1.** Livrar da peste. **2.** Desinfeccionar.
desempilhar. [De *des-* + *empilhar*.] *V. t. d.* Desarrumar, tirar do lugar (o que estava empilhado).
desemplastrar. [De *des-* + *emplastrar*.] *V. t. d.* Tirar o emplastro de.
desemplastro. [Dev. de *desemplastrar*.] *S. m.* Ação de desemplastrar.
desemplumar. [De *des-* + *emplumar*.] *V. t. d.* Tirar as plumas ou penas a.
desempoado. [Part. de *desempoar*.] *Adj.* **1.** A que se tirou o pó; limpo do pó. **2.** Lhano; tratável. **3.** Despretensioso, modesto.
desempoar. [De *des-* + *empoar*.] *V. t. d.* **1.** Tirar o pó a; limpar do pó: "Sentou-se o conselheiro .... em um tamborete que o Chico d e s e m p o o u com a manga da camisa" (Valentim Magalhães, *Vinte Contos*, p. 100). **2.** *Fig.* Tirar preconceitos a. **3.** Tornar afável, modesto. *P.* **4.** Perder os preconceitos. [Conjug.: v. *coroar*.]
desempobrecer. [De *des-* + *empobrecer*.] *V. t. d.* **1.** Tirar da pobreza; tornar rico; enriquecer. *Int.* **2.** Sair da pobreza; enriquecer(-se). [Conjug.: v. *aquecer*.]
desempoçar. [De *des-* + *empoçar*.] *V. t. d.* **1.** Tirar do poço ou poça. **2.** Tirar água de (um poço). **3.** Desfazer as poças de. *T. d. e i.* **4.** Tirar (de poço ou lugar semelhante). [Conjug.: v. *laçar*. Cf. *desempossar*.]
desempoladeira. *S. f. Bras.* Instrumento de pedreiro que consiste numa tábua ou régua com empunhadura no centro, e é empregado para alisar ou desempolar o reboco; trolha. [Cf. *desempenadeira*. (1).]
desempolar. [De *des-* + *empolar*.] *V. t. d.* **1.** Tirar as empolas a. **2.** Aplanar, alisar. *Int.* **3.** Desfazerem-se as empolas a: *O ferimento d e s e m p o l o u.*
desempoleirar. [De *des-* + *empoleirar*.] *V. t. d.* **1.** Tirar do poleiro (1). **2.** *Pop.* Fazer descer de posição elevada: *D e s e m p o l e i r a r a m os procuradores nomeados pelo governo anterior.*
desempolgadura. *S. f.* Ação de desempolgar.
desempolgar. [De *des-* + *empolgar*.] *V. t. d.* Largar das mãos ou das garras; desgarrar. [Conjug.: v. *largar*.]
desempossar. *V. t. d. e i. e p.* V. *desapossar*. [Cf. *desempoçar*.]
desempregado. [Part. de *desempregar*.] *Adj. e s. m.* Que ou aquele que está sem emprego; descolocado.
desempregar. [De *des-* + *empregar*.] *V. t. d.* Demitir do emprego ou cargo; destituir; exonerar. [Conjug.: v. *regar*. Pres. ind.: *desemprego*, etc. Cf. *desemprego* (ê).]
desemprego (ê). [De *des-* + *emprego* (ê).] *S. m.* Falta de emprego. [Pl.: *desempregos* (ê). Cf. *desemprego*, do v. *desempregar*.] ◆ **Desemprego disfarçado.** *Econ.* Situação em que parte da mão-de-obra empregada poderia ser despedida se houvesse queda de produção, por produzir apenas aparentemente. **Desemprego estrutural.** *Econ.* O que ocorre numa sociedade em desenvolvimento, por cair, nalguns setores, o nível de emprego, não conseguindo a mão-de-obra ser colocada nos setores em expansão por falta de aptidão técnica.
desemprenhar. [De *des-* + *emprenhar*.] *V. int.* **1.** Dar à luz (1). **2.** *Fig.* V. *desembuchar* (3).
desemproar. [De *des-* + *emproar*.] *V. t. d. Fig.* Abater a vaidade, a presunção, a proa de. [Conjug.: v. *coroar*.]
desempunhar. [De *des-* + *empunhar*.] *V. t. d.* Largar do punho ou da mão.
desemudecer. [De *des-* + *emudecer*.] *V. t. d.* **1.** Fazer sair do silêncio. *Int.* **2.** Deixar de estar silencioso; recuperar a fala. [Conjug.: v. *aquecer*.]
desemulsificação. *S. f.* Ato ou efeito de desemulsificar.
desemulsificador (ô). [De *des-* + *emulsificador*.] *Adj. e s. m. Fís.-Quím.* Diz-se de, ou qualquer substância que destrói uma emulsão ou impede que esta se forme; desemulsificante.
desemulsificante. *Adj. 2 g. e s. 2 g.* Desemulsificador.
desemulsificar. [De *des-* + *emulsificar*.] *V. t. d.* Evitar a emulsão de. [Conjug.: v. *trancar*.]
desenamorar. [De *des-* + *enamorar*.] *V. t. d.* **1.** Fazer perder o amor, o afeto, a. *P.* **2.** Deixar de estar enamorado.
desenastrar. [De *des-* + *enastrar*.] *V. t. d.* Soltar do(s) nastro(s); desnastrar.
desencabar. [De *des-* + *encabar*.] *V. t. d.* **1.** Tirar do cabo (instrumento, utensílio). *P.* **2.** Sair ou soltar-se do cabo.
desencabeçar. [De *des-* + *encabeçar*.] *V. t. d. e i.* **1.** Tirar da cabeça ou da idéia; dissuadir, despersuadir: *D e s e n c a b e c e i - o do propósito de viajar. T. d. Bras.* **2.** Desviar (alguém) do bom caminho, do procedimento correto, induzindo-o, por conselhos e exemplos, a proceder mal. [Conjug.: v. *começar*.]
desencabrestar. [De *des-* + *encabrestar*.] *V. t. d.* **1.** Tirar o cabresto a. **2.** *Fig.* Tornar desenfreado, descomedido. *P.* **3.** Soltar-se do cabresto. **4.** Desordenar-se, descomedir-se.
desencabritar. [De *des-* (q. v.) + *encabritar(-se)*.] *V. int. Bras.* Fugir apressadamente.
desencabular. [De *des-* + *encabular*.] *V. int. Turfe.* Ganhar (o cavalo) uma corrida após algumas tentativas em que chegara sempre em segundo ou terceiro lugar.
desencadeador (ô). *Adj.* Desencadeante.
desencadeamento. *S. m.* Ação de desencadear(-se).
desencadeante. *Adj. 2 g.* Que desencadeia; desencadeador.
desencadear. [De *des-* + *encadear*.] *V. t. d.* **1.** Soltar, desatar, desprender (o que estava preso ou atado por cadeias). **2.** Desunir, desligar (coisas que têm conexão entre si). **3.** Despertar, provocar, excitar: *A grosseria do rapaz d e s e n c a d e o u a raiva de seu amigo. Int.* **4.** Cair com força (chuva); romper com ímpeto (tempestade, etc.). *P.* **5.** Soltar-se, desprender-se. **6.** Soltar-se ou romper com ímpeto: "E d e s e n c a d e o u - s e na sala uma gritaria histérica" (Augusto Meyer, *No Tempo da Flor*, p. 33). **7.** Manifestar-se de súbito e/ou com ímpeto; irromper: *D e s e n c a d e a r a m - s e as paixões.* [Conjug.: v. *frear*.]
desencadernação. *S. f.* Ação de desencadernar.
desencadernado. [De *des-* + *encadernado*.] *Adj.* **1.** Que não está encadernado. **2.** *Fig.* Desconexo, desconjuntado.
desencadernar. [De *des-* + *encadernar*.] *V. t. d.* **1.** Tirar a encadernação a. **2.** *Fig.* Tirar fora das junturas; desconjuntar.
desencaiporar. [De *des-* + *encaiporar*.] *Bras. V. t. d.* **1.** Fazer perder o caiporismo. *Int.* **2.** Perder o caiporismo; voltar a ser feliz.
desencaixadura. *S. f.* V. *desencaixamento*.
desencaixamento. *S. m.* Ato ou efeito de desencaixar (-se); desencaixe, desencaixadura.
desencaixar. [De *des-* + *encaixar*.] *V. t. d.* **1.** Fazer sair do encaixe. **2.** Deslocar, desconjuntar. **3.** Descolocar, desempregar. **4.** Aplicar, ou investir (dinheiro que vinha sendo mantido em caixa). *T. d. e c.* **5.** Desviar, deslocar: *Foi difícil d e s e n c a i x a r a bala do corpo do ferido. P.* **6.** Desconjuntar-se.
desencaixe. [Dev. de *desencaixar*.] *S. m.* **1.** Ato ou efeito de desencaixar (4): "O fato [o aumento do Índice VB de Fundos de Investimento e o decréscimo do I. B. V.] significa uma inversão de tendência, sendo explicado pelo d e s e n c a i x e das instituições, que começou a ser forte naquele dia." (*Jornal do Brasil, 3.12.1971.*) **2.** V. *desencaixamento.*
desencaixilhar. [De *des-* + *encaixilhar*.] *V. t. d.* Tirar do caixilho; desenquadrar, desemoldurar.
desencaixotamento. *S. m.* Ato ou efeito de desencaixotar.
desencaixotar. [De *des-* + *encaixotar*.] *V. t. d.* Tirar de caixote ou de caixa.
desencalacração. *S. f.* Ato ou efeito de desencalacrar (-se);
desencalacrar. [De *des-* + *encalacrar*.] *V. t. d.* **1.** Livrar de apuros, de dívidas. *P.* **2.** Livrar-se de dificuldades financeiras. [Sin. ger., pop.: *desencravilhar*.]
desencalhar. [De *des-* + *encalhar*.] *V. t. d.* **1.** Tirar do encalhe (uma embarcação). **2.** Desobstruir, desimpedir. *Int.* **3.** Sair do encalhe. **4.** *Bras. Pop.* Encontrar casamento (moça que estava encalhada); desencravar.
desencalhe. [Dev. de *desencalhar*.] *S. m.* Ato ou efeito de desencalhar; desencalho.
desencalho. [Dev. de *desencalhar*.] *S. m.* Desencalhe.
desencalmado. [Part. de *desencalmar*.] *Adj.* Tranqüilo, sereno, despreocupado.
desencalmar. [De *des-* + *encalmar*.] *V. t. d.* **1.** Tirar ou moderar a calma ou calor a; refrescar. **2.** *Fig.* Moderar o ardor de; tranqüilizar. *P.* **3.** Refrescar-se da calma.
desencaminhador (ô). *Adj. e s. m.* **1.** Que, ou aquele que desencaminha. **2.** Corruptor, pervertedor, passador.
desencaminhamento. *S. m.* Ato ou efeito de desencaminhar(-se).
desencaminhar. [De *des-* + *encaminhar*.] *V. t. d.* **1.** Desviar do verdadeiro caminho: *A névoa baixa d e s e n c a m i n h o u os alpinistas.* **2.** Desviar do bom caminho; aliciar para o mal; corromper, perverter: *As más companhias d e s e n c a m i n h a r a m o rapaz.* **3.** Perder, sumir: *D e s e n c a m i n h o u os documentos que tinha em seu poder.* **4.** Roubar, defraudar: *D e s e n c a m i n h o u a herança dos irmãos mais novos.* **5.** Subtrair ao pagamento de direito. *T. d. e i.* **6.** Desviar, apartar: *D e s e n c a m i n h e i - o das más influências. P.* **7.** Desviar-se do caminho que seguia; extraviar-se. **8.** Perder-se; perverter-se; desmoralizar-se. [Sin. ger.: *descaminhar*.]
desencamisar. [De *des-* + *encamisar*.] *V. t. d.* V. *descamisar*.
desencampar. [De *des-* + *encampar*.] *V. t. d.* Desfazer a encampação de.
desencanar. [De *des-* + *encanar*[1].] *V. t. d.* Tirar ou desviar do cano.
desencanastrar. [De *des-* + *encanastrar*.] *V. t. d.* **1.** Tirar da canastra. **2.** Desentrançar, desmanchar (tecido encanastrado).
desencantação. *S. f.* V. *desencantamento*.
desencantador (ô). *Adj. e s. m.* Que ou aquele que desencanta.
desencantamento. *S. m.* Ato ou efeito de desencantar (-se); desencanto, desencantação.
desencantar. [De *des-* + *encantar*.] *V. t. d.* **1.** Tirar, desfazer, quebrar o encanto ou encantamento de: *Com um beijo o príncipe d e s e n c a n t o u a bela adormecida.* **2.** Causar decepção a, desiludir: *A convivência do rapaz d e s e n c a n t o u a noiva.* **3.** Achar, descobrir, encontrar (coisa perdida ou difícil de achar): *Conseguiu d e s e n c a n t a r documentos considerados como perdidos. P.* **4.** Decepcionar-se, desiludir-se.
desencanto. [Dev. de *desencantar*.] *S. m.* V. *desencantamento.*
desencantoar. [De *des-* *encantoar*.] *V. t. d.* **1.** Tirar do canto[1]. **2.** Trazer ao convívio; tirar do isolamento, ou da inércia. [Conjug.: v. *coroar*.]
desencapamento. *S. m.* Ato ou efeito de desencapar.
desencapar. [De *des-* + *encapar*.] *V. t. d.* Tirar a capa, a cobertura, a.
desencapelar. [De *des-* + *encapelar*[2].] *V. t. d.* **1.** Tirar o capelo a. **2.** *Marinh.* Tirar a encapeladura de (mastro ou mastaréu). **3.** *Marinh.* Desfazer as voltas do capelo de (a amarra), passadas na abita. *Int.* **4.** Deixar (o mar) de estar encapelado; serenar, amansar.
desencapoeirar. *V. t. d.* **1.** Tirar da capoeira[1] (1). **2.** *P. ext.* Trazer para fora.
desencapotar. [De *des-* + *encapotar*.] *V. t. d.* **1.** Tirar o capote a. **2.** Descobrir, mostrar, patentear. *Int.* **3.** Revelar-se tal qual é; abrir-se.
desencaracolar. [De *des-* + *encaracolar*.] *V. t. d.* Desfazer (caracóis ou anéis de cabelo); desanelar, desencrespar.
desencarapelar. [De *des-* + *encarapelar*.] *V. t. d.* V. *desencarapinhar*.
desencarapinhar. [De *des-* + *encarapinhar*.] *V. t. d.* Alisar (cabelo encarapinhado); desencrespar, desencarapelar.
desencarceramento. *S. m.* Ato ou efeito de desencarcerar.
desencarcerar. [De *des-* + *encarcerar*.] *V. t. d.* Tirar do cárcere; soltar, libertar.
desencardimento. *S. m.* **1.** Ação de desencardir. **2.** Limpeza, purificação, expurgação.
desencardir. [De *des-* + *encardir*.] *V. t. d.* **1.** Embranquecer (a roupa encardida); clarear. **2.** Lavar, limpar. *T. d. e c.* **3.** Limpar, purificar: *Procurou d e s e n c a r d i r de antigas máculas a sua reputação.*
desencarecer. [De *des-* + *encarecer*.] *V. t. d. e int.* Depreciar, aviltar. [Conjug.: v. *aquecer*.]
desencargo. [De *des-* + *encargo*.] *S. m.* Cumprimento ou desobrigação de um encargo: *d e s e n c a r g o de uma tarefa; d e s e n c a r g o de consciência.* **2.** Ato de desobrigar-se. **3.** Alívio, desabafo. [F. paral.: *descargo*.]
desencarnação. *S. f.* Ato ou efeito de desencarnar.
desencarnar. [De *des-* + *encarnar*.] *V. int.* **1.** Deixar a carne; passar para o mundo espiritual. **2.** V. *morrer* (1). *V. t. d.* **3.** Abstrair os aspectos vitais e históricos de (uma doutrina religiosa), conservando-lhe um caráter por demais abstrato.
desencarquilhar. [De *des-* + *encarquilhar*.] *V. t. d.* Tirar as carquilhas ou rugas a; desenrugar, desrugar, alisar.
desencarrancar. [De *des-* + *carranca* + *-ar*[2].] *V. t. d.* Tirar a carranca a; fazer que deixe de estar carrancudo. [Conjug.: v. *trancar*.]
desencarregar. [De *des-* + *encarregar*.] *V. t. d.* **1.** Livrar de culpa; aliviar: *d e s e n c a r r e g a r a consciência. T. d. e i.* **2.** Livrar (de encargo, obrigação, etc.); desobrigar: *Vendo-o pouco disposto a trabalhar, d e s e n c a r r e g o u - o da tarefa.* **3.** Destituir de emprego. [Conjug.: v. *regar*.]
desencarreirar. [De *des-* + *encarreirar*.] *V. t. d.* Desencaminhar, descarreirar.
desencarretar. [De *des-* + *encarretar*.] *V. t. d.* Tirar (peça de artilharia, etc.) da carreta.
desencarrilamento. *S. m.* V. *descarrilamento*.
desencarrilar. [De *des-* + *encarrilar*.] *V. t. d. e int.* V. *descarrilar*.

desencarrilhamento. *S. m. Bras.* V. *descarrilamento.*
desencarrilhar. [De *des-* + *encarrilhar.*] *V. t. d.* e *int. Bras.* V. *descarrilar.*
desencartar. [De *des-* + *encartar.*] *V. t. d.* **1.** Tirar o encarte a. **2.** Destituir do emprego em que estava encartado.
desencasar. [De *des-* + *encasar.*] *V. t. d.* **1.** Tirar da casa, do encaixe. *P.* **2.** Sair da casa: "e, ao ribombo formidável da gargalhada de Pantagruel, estremece, desanca, *desencasando-se* dos gonzos, a velha caixilharia de todo o edifício social." (Martins Fontes, *A Alegria*, p. 18).
desencascar[1]. [De *des-* + *encascar*[1].] *V. t. d.* Lavar, limpar; desencardir. [Conjug.: v. *trancar.*]
desencascar[2]. [De *des-* + *encascar*[2].] *V. t. d.* Tirar do casco, pipa ou tonel (o líquido que contenham). [Conjug.: v. *trancar.*]
desencasquetar. [De *des-* + *encasquetar.*] *Fam. V. t. d.* **1.** Tirar da cabeça (idéia, mania, teima, etc.). *T. d.* e *i.* **2.** Dissuadir, despersuadir: *Só a duras penas o desencasquetou daquela idéia. P.* **3.** Perder a mania de fazer alguma coisa.
desencastelar. [De *des-* + *encastelar.*] *V. t. d.* **1.** Desalojar de castelo. **2.** Desmanchar (o que estava encastelado ou empilhado).
desencastoar. [De *des-* + *encastoar.*] *V. t. d.* **1.** Tirar o castão a. **2.** Tirar do engaste; desengastar. [Conjug.: v. *coroar.*]
desencatarroar. [De *des-* + *encatarroar.*] *V. t. d.* e *p.* Curar(-se) de catarro. [Conjug.: v. *coroar.*]
desencavar. [De *desencovar.*] *V. t. d. Bras.* Descobrir, desencovar.
desencavernar. [De *des-* + *encavernar.*] *V. t. d.* Tirar da caverna; desencovilar.
desencavilhar. [De *des-* + *encavilhar.*] *V. t. d.* Tirar a cavilha a.
desencepar. [De *des-* + *encepar.*] *V. t. d.* **1.** Tirar do cepo. **2.** *Marinh.* Prolongar o cepo de (uma âncora) com a sua haste. **3.** *Marinh.* Desfazer as voltas que (uma amarra) tenha dado em torno do cepo da âncora.
desencerar. [De *des-* + *encerar.*] *V. t. d.* Tirar a cera que reveste: *desencerar o assoalho.*
desencerramento. *S. m.* Ação ou efeito de desencerrar(-se).
desencerrar. [De *des-* + *encerrar.*] *V. t. d.* **1.** Soltar do encerro; libertar. **2.** Abrir, descerrar. **3.** *Fig.* Patentear; descobrir. *P.* **4.** Sair de clausura ou da prisão. **5.** Mostrar-se; surgir.
desencharcar. [De *des-* + *encharcar.*] *V. t. d.* **1.** Tirar do charco. **2.** Tornar seco; enxugar. [Conjug.: v. *trancar.*]
desencher. [De *des-* + *encher.*] *V. t. d.* Esvaziar; despejar. [Part.: *desenchido.* Cf. *encher.*]
desencilhar. [De *des-* + *encilhar.*] *V. t. d.* **1.** Tirar a cilha a. **2.** *Bras.* Tirar os arreios a (o cavalo).
desenclaustrar. [De *des-* + *enclaustrar.*] *V. t. d.* Tirar do claustro.
desenclavinhar. [De *des-* + *enclavinhar.*] *V. t. d.* Destravar ou desimpedir (aquilo que estava enclavinhado).
desencobrir. [De *des-* + *encobrir.*] *V. t. d.* Descobrir, tirando a cobertura ou aquilo que ocultava. [Irreg. Conjug.: v. *cobrir.*]
desencoifar. [De *des-* + *encoifar.*] *V. t. d.* Tirar a coifa a.
desencoivarar. [De *des-* + *encoivarar.*] *V. t. d. Bras.* Descoivarar.
desencolar. [De *des-* + *encolar*[1].] *V. t. d.* Desbastar a borda de (uma tábua), para depois aplainar.
desencolerizar. [De *des-* + *encolerizar.*] *V. t. d.* **1.** Fazer passar a cólera; desagastar, aplacar, serenar. *P.* **2.** Aplacar-se, apaziguar-se, desagastar-se.
desencolher. [De *des-* + *encolher.*] *V. t. d.* **1.** Estender (o que estava encolhido). *P.* **2.** Tornar às dimensões anteriores. **3.** Perder o acanhamento; desembaraçar-se. [Conjug.: v. *colher.*]
desencomendar. [De *des-* + *encomendar.*] *V. t. d.* Desistir de (o que estava encomendado).
desenconchar. [De *des-* + *enconchar.*] *V. t. d.* **1.** Tirar da concha. **2.** *Fig.* Soltar; libertar. *T. d.* e *i.* **3.** Fazer sair (de um lugar em que estava encolhido ou agasalhado): *Desenconchei-o do seu cantinho. P.* **4.** Sair de lugar recôndito.
desencontrado. [Part. de *desencontrar.*] *Adj.* **1.** Que vai em direção oposta à de outro. **2.** Contrário, oposto, encontrado: *opiniões desencontradas; sentimentos desencontrados.*
desencontrar. [De *des-* + *encontrar.*] *V. t. d.* **1.** Fazer que não se encontrem, ou que sigam caminhos ou direções diversas (dois ou mais indivíduos ou coisas). *Int.* **2.** Ser incompatível; discordar: *Não podem continuar juntos: suas opiniões desencontram. P.* **3.** Não se encontrar: *Por um atraso de poucos minutos, desencontraram-se.* **4.** Ser incompatível; discordar, divergir.
desencontro. [Dev. de *desencontrar.*] *S. m.* Ato ou efeito de desencontrar.
desencorajar. [De *des-* + *encorajar.*] *V. t. d.* Tirar a coragem a.
desencordoar. [De *des-* + *encordoar.*] *V. t. d.* Tirar as cordas a: *Desencordoou o violino.* [Conjug.: v. *coroar.*]
desencorpar. [De *des-* + *encorpar.*] *V. t. d.* Fazer diminuir o corpo ou volume a.
desencorrear. [De *des-* + *encorrear.*] *V. t. d.* **1.** Soltar (o que estava atado com correias). *Int.* **2.** Perder a rijeza própria da correia ou do couro. [Conjug.: v. *frear.*]
desencortiçar. [De *des-* + *encortiçar.*] *V. t. d.* Desenrugar, alisar; desencoscorar. [Conjug.: v. *laçar.*]
desencoscorar. [De *des-* + *encoscorar.*] *V. t. d.* **1.** Tirar o coscoro ou a crosta a. **2.** Desencrespar; desencortiçar.
desencostar. [De *des-* + *encostar.*] *V. t. d.* **1.** Desviar ou afastar do encosto. *T. d.* e *i.* **2.** Afastar, privar (daquilo em que se apoiava); desarrimar: *Desencostou da cadeira ambos os braços. P.* **3.** Afastar-se daquilo em que se apoiava.
desencovador (ô). *Adj.* e *s. m.* Que ou aquele que desencova.
desencovar. [De *des-* + *encovar.*] *V. t. d.* **1.** Tirar ou fazer sair da cova. **2.** Patentear, descobrir (o que estava escondido); desencavar.
desencovilar. [De *des-* + *encovilar.*] *V. t. d.* **1.** Tirar ou fazer sair do covil. *P.* **2.** Sair do covil.
desencravar. [De *des-* + *encravar.*] *V. t. d.* **1.** Tirar os pregos a; despregar. **2.** Tirar (cravo ou objeto cravado). **3.** *Tip.* Desentupir (o olho do tipo). [V. *pontilha* (5).] *T. d.* e *c.* **4.** Tirar (o que estava cravado); despregar: *Desencravou o prego da tábua. Int.* **5.** *Pop.* Casar-se (moça que estava encravada); desencalhar.
desencravilhar. [De *des-* + *encravilhar.*] *V. t. d.* **1.** Desencravar; desentalar. **2.** *Pop.* Desencalacrar (1). *P.* **3.** *Pop.* Desencalacrar (2).
desencrencar. [De *des-* + *encrencar.*] *V. t. d. Bras.* Desfazer encrenca de. [Conjug.: v. *trancar.*]
desencrespar. [De *des-* + *encrespar.*] *V. t. d.* **1.** Tirar o encrespamento a; desencarapinhar; alisar. **2.** Desembaraçar, desemaranhar. *Int.* **3.** Desencapelar, serenar-se (o mar). *P.* **4.** Desencaracolar-se; alisar-se. **5.** Desanuviar-se; serenar(-se): *Passada a angústia, o seu semblante desencrespou-se.*
desencruzar. [De *des-* + *encruzar.*] *V. t. d.* Descruzar.
desencurralar. [De *des-* + *encurralar.*] *V. t. d.* **1.** Soltar do curral; desencantoar. **2.** Pôr em liberdade; soltar.
desencurvar. [De *des-* + *encurvar.*] *V. t. d.* Desfazer a curva ou curvatura de, endireitar (o que era curvo); descurvar.
desendemoninhar. [De *des-* + *endemoninhar.*] *V. t. d.* **1.** Tirar o demônio do corpo de; livrar do demônio. **2.** *Fig.* Desencolerizar, aplacar.
desendeusar. [De *des-* + *endeusar.*] *V. t. d.* **1.** Não reconhecer o caráter divino de. **2.** Negar culto ou adoração a. **3.** Deixar de ter em alto conceito; refrear a admiração a: *Após a ingratidão do amigo, passou a desendeusá-lo.*
desendividar. [De *des-* + *endividar.*] *V. t. d.* **1.** Solver dívida(s) de; desobrigar. **2.** Dar quitação a. *P.* **3.** Pagar suas próprias dívidas.
desenegrecer. [De *des-* + *enegrecer.*] *V. t. d.* Fazer deixar de ser negro; clarear; branquear. [Conjug.: v. *aquecer.*]
desenervação. *S. f.* Ato ou efeito de desenervar.
desenervar. [De *des-* + *enervar.*] *V. t. d.* Tirar a enervação ou debilitação a; tonificar.
desenevoar. [De *des-* + *enevoar.*] *V. t. d.* **1.** Limpar de névoas ou nuvens; desanuviar: *A ventania desenevoou o céu.* **2.** Aclarar, alegrar; desanuviar: *desenevoar o semblante. P.* **3.** Tornar-se claro, desanuviado: *O céu desenevoou-se; Seu rosto desenevoou-se com a boa nova.* [Conjug.: v. *coroar.*]
desenfadadiço. *Adj.* **1.** Que desenfada. **2.** Divertido, pândego, recreativo.
desenfadado. [Part. de *desenfadar*] *Adj.* **1.** Que perdeu o enfado. **2.** Plácido, sossegado; despreocupado: *um ar desenfadado.*
desenfadamento. *S. m.* Desenfado.
desenfadar. [De *des-* + *enfadar.*] *V. t. d.* **1.** Tirar o enfado a; divertir; distrair. *P.* **2.** Divertir-se, distrair-se.
desenfado. [Dev. de *desenfadar.*] *S. m.* **1.** Alívio do enfado. **2.** Passatempo agradável; divertimento, recreação. [Sin. ger.: *desenfadamento.*]
desenfaixar. [De *des-* + *enfaixar.*] *V. t. d.* Tirar as faixas a.
desenfardar. [De *des-* + *enfardar.*] *V. t. d.* Tirar do(s) fardo(s); desembalar.
desenfardo. [Dev. de *desenfardar.*] *S. m.* Ato ou efeito de desenfardar.
desenfarpelar. [De *des-* + *enfarpelar.*] *V. t. d.* Tirar ou despir a farpela a.
desenfastiadiço. *Adj.* Próprio para desenfastiar; desenfastioso.
desenfastiar. [De *des-* + *enfastiar.*] *V. t. d.* **1.** Tirar o fastio a; despertar o apetite de: *Preparou quitutes para desenfastiar o convalescente.* **2.** Fazer cessar o aborrecimento de; distrair, alegrar, recrear. **3.** Suavizar, amenizar: *Omitiu detalhes para desenfastiar a longa narrativa. P.* **4.** Alegrar-se, distrair-se.
desenfastioso (ô). *Adj.* Desenfastiadiço.
desenfeitado. [Part. de *desenfeitar.*] *Adj.* V. *desornado.*
desenfeitar. [De *des-* + *enfeitar.*] *V. t. d.* **1.** Tirar os enfeites a; desadornar, desornar, desataviar. *P.* **2.** Tirar de si os adornos, os enfeites; desadornar-se, desornar-se, desataviar-se. [Sin. ger.: *desafeitar.*]
desenfeitiçar. [De *des-* + *enfeitiçar.*] *V. t. d.* **1.** Livrar do feitiço; desencantar. **2.** *Fig.* Livrar da paixão. *T. d.* e *i.* **3.** Livrar, libertar: *Desenfeiticei-o da má companhia. P.* **4.** Cessar (alguém) de estar enfeitiçado. [Conjug. v. *laçar.*]
desenfeixar. [De *des-* + *enfeixar.*] *V. t. d.* **1.** Tirar do feixe. **2.** Desmanchar (o que estava enfeixado). **3.** Separar, desunir.
desenfermar. [De *des-* + *enfermar.*] *V. int.* Deixar de estar enfermo; convalescer.
desenferrujar. [De *des-* + *enferrujar.*] *V. t. d.* **1.** Tirar a ferrugem a. **2.** Dar exercício a articulações [v. *articulação* (3)] de: *Convalescente, dá pequenas caminhadas, para desenferrujar as pernas.*
desenfezar. [De *des-* + *enfezar.*] *V. t. d.* **1.** Limpar das fezes. **2.** Tirar o enfezamento a; fazer crescer ou desenvolver-se fisicamente: *As férias passadas ao ar livre desenfezaram o menino.* **3.** Desenfadar; desencolerizar: *As justificativas acabaram por desenfezar o pai enraivecido.*
desenfiado. [Part. de *desenfiar.*] *Adj.* Que se desenfiou. — V. *tiro* —.
desenfiar. [De *des-* + *enfiar.*] *V. t. d.* **1.** Tirar o fio a; desfiar. **2.** Tirar de fio ou linha: *desenfiar uma agulha.* **3.** Tirar (algum objeto) daquilo em que estava enfiado. *Int.* **4.** Soltar o fio ou linha: *A agulha desenfiou. P.* **5.** Sair, soltar-se (o que estava enfiado). **6.** *Desus.* Desviar-se, apartar-se.
desenfileirar. [De *des-* + *enfileirar.*] *V. t. d.* Tirar da fileira; desalinhar.
desenflorar. [De *des-* + *enflorar.*] *V. t. d.* **1.** Tirar as flores de; fazer cair as flores a: *A ventania desenflorou o jasmineiro. Int.* **2.** Despojar-se das flores; perder as flores.
desenfocar. [De *des-* + *enfocar.*] *V. t. d.* Desprender da forca. [Conjug.: v. *trancar.*]
desenforjar. [De *des-* + *enforjar.*] *V. t. d.* Tirar da forja.
desenformar. [De *des-* + *enformar.*] *V. t. d.* Tirar da fôrma.
desenfornar. [De *des-* + *enfornar.*] *V. t. d.* Tirar do forno.
desenfrascar. [De *des-* + *enfrascar.*] *V. t. d.* Tirar de frasco(s). [Conjug.: v. *trancar.*]
desenfreado. [Part. de *desenfrear.*] *Adj.* **1.** Que não tem freio. **2.** Arrebatado; descomedido.
desenfreamento. *S. m.* Ato ou efeito de desenfrear(-se); desenfreio.
desenfrear. [De *des-* + *enfrear.*] *V. t. d.* **1.** Tirar o freio a; soltar. **2.** Dar largas a; soltar: *desenfrear a voz, a imaginação. P.* **3.** Tomar o freio nos dentes. **4.** Arremessar-se, soltar-se com ímpeto: *As águas desenfrearam-se, rompendo a muralha.* **5.** Encolerizar-se, enfurecer-se; irritar-se. **6.** Tornar-se dissoluto; exceder-se, descomedir-se. [Conjug.: v. *frear.*]
desenfreio. [Dev. de *desenfrear.*] *S. m.* Desenfreamento.
desenfrenar. [Do esp. plat. *desenfrenar.*] *V. t. d. Bras., RS.* Tirar o freio a (cavalgadura); desenfrear.
desenfronhar. [De *des-* + *enfronhar.*] *V. t. d.* **1.** Tirar da fronha. **2.** *P. ext.* Despir, desnudar. **3.** *Fig.* Patentear; mostrar. *P.* **4.** Sair da fronha.
desenfueirar. [De *des-* + *enfueirar.*] *V. t. d.* Tirar os fueiros a.
desenfunar-se. [De *des-* + *enfunar-se.*] *V. p.* **1.** Deixar de estar bojuda, enfunada (vela de embarcação). **2.** *Fig.* Deixar de ser vaidoso.
desenfurecer. [De *des-* + *enfurecer.*] *V. t. d.* **1.** Tirar o furor a; desencolerizar; acalmar. *P.* **2.** Perder o furor ou

a fúria; acalmar-se. [Conjug.: v. *aquecer*.]

desenfurnar. [De *des-* + *enfurnar*.] *V. t. d.* **1.** Tirar de furna. **2.** *Fam.* Fazer voltar ao convívio social ou humano (quem estava enfurnado, retraído, isolado). **3.** *Marinh.* Tirar do seu lugar (os mastros de uma embarcação). *P.* **4.** *Fam.* Voltar ao convívio social ou humano (quem estava enfurnado, retraído, isolado).

desengaçar. [De *des-* + *engaço* + *-ar*^{2}.] *V. t. d.* Separar do engaço (bagos de uvas). [Conjug.: v. *laçar*.]

desengaiolar. [De *des-* + *engaiolar*.] *V. t. d.* **1.** Tirar da gaiola. **2.** *Fig.* Soltar da prisão; libertar. *P.* **3.** Sair da gaiola; soltar-se.

desengajado. [Part. de *desengajar*.] *Adj.* e *s. m.* **1.** Diz-se de, ou militar que reside fora do quartel. **2.** Diz-se de, ou aquele que não assumiu posição política, ou que abdicou da que assumira.

desengajar. [De *des-* + *engajar*.] *V. int.* **1.** Quebrar o ajuste com a firma ou pessoa com quem estava engajado. *P.* **2.** Desligar-se de, ou interromper participação em (empreendimento ou atividade em que estava engajado).

desengalfinhar. [De *des-* + *engalfinhar*.] *V. t. d.* **1.** Separar (quem estava engalfinhado). *P.* **2.** Separar-se (aqueles que estavam engalfinhados).

desenganado. [Part. de *desenganar*.] *Adj.* **1.** Desiludido, desesperançado. **2.** Que não tem cura; que está à morte.

desenganador (ô). *Adj.* e *s. m.* Que ou aquele que desengana, que desilude.

desenganar. [De *des-* + *enganar*.] *V. t. d.* **1.** Tirar de engano, erro, esperança ilusória ou falsa crença: *Vendo-o tão convencido da inocência do filho, não teve coragem de o desenganar.* **2.** Tirar as esperanças de salvação de: *desenganar um doente.* **3.** *Bras., RS.* Tirar toda a resistência de (o cavalo), fazendo-o fiel e manso. *T. d.* e *i.* **4.** Desiludir, despersuadir: *Desenganei-o do sonho em que estava envolvido.* *P.* **5.** Sair (de engano ou erro). **6.** Desiludir-se, desesperançar-se.

desenganchar. [De *des-* + *enganchar*.] *V. t. d.* Soltar, desprender (o que estava enganchado).

desengano. [Dev. de *desenganar*.] *S. m.* **1.** Ato ou efeito de desenganar. **2.** Desilusão, desesperança. **3.** Franqueza nas palavras e ações.

desengarrafar. [De *des-* + *engarrafar*.] *V. t. d.* **1.** Tirar da garrafa. **2.** Fazer cessar o engarrafamento (2) de: "Consegue-se com a pista seletiva não apenas *desengarrafar* o trânsito, aumentando a velocidade média das vias em questão, como reduzir o número de pequenos acidentes." (*Jornal do Brasil*, 1.9.1982); "Detran promete em dois meses *desengarrafar* Copacabana" (*Jornal do Brasil*, 28.5.1979).

desengarranchar. [De *des-* + *en-*^{3} + *garrancho* + *-ar*^{2}.] *V. t. d. Bras.* Desimpedir, desembaraçar (o terreno).

desengasgar. [De *des-* + *engasgar*.] *V. t. d.* Tirar o engasgamento a. [Conjug.: v. *largar*.]

desengasgo. [Dev. de *desengasgar*.] *S. m.* Desengasgue.

desengasgue. [Dev. de *desengasgar*.] *S. m.* Ato ou efeito de desengasgar; desengasgo.

desengastar. [De *des-* + *engastar*.] *V. t. d.* **1.** Tirar do engaste. *T. d.* e *i.* **2.** Tirar (do engaste); desprender: *Desengastou da coroa o maior diamante.*

desengatar. [De *des-* + *engatar*.] *V. t. d.* e *p.* **1.** Desprender(-se) ou soltar(-se) do engate; desatrelar(-se): *desengatar os vagões de um trem.* **2.** Desembrear(-se)^{2}. **3.** Desatrelar(-se) (2). **4.** Desaperrar(-se) (espingarda).

desengate. [Dev. de *desengatar*.] *S. m.* Ato ou efeito de desengatar.

desengatilhar. [De *des-* + *engatilhar*.] *V. t. d.* **1.** Disparar, desfechar (arma de fogo). **2.** Alterar; mudar, modificar: *Respondeu secamente, sem desengatilhar a carranca.*

desengavetar. [De *des-* + *engavetar*.] *V. t. d.* Tirar (o que estava engavetado): "*desengavetou*, escovou e vestiu a sobrecasaca dos dias solenes" (Artur Azevedo, *Contos Efêmeros*, p. 29).

desengenhoso (ô). [De *des-* + *engenhoso*.] *Adj.* Falto de engenho ou de jeito; não engenhoso.

desenglobar. [De *des-* + *englobar*.] *V. t. d.* Separar (o que estava englobado).

desengodar. [De *des-* + *engodar*.] *V. t. d.* **1.** Tirar o engodo a. **2.** *Fig.* Desiludir; desenganar.

desengolfar. [De *des-* + *engolfar*.] *V. t. d.* **1.** Tirar do golfo. *T. d.* e *i.* **2.** Livrar de (abismo, vício, erro): *Nada mais poderá fazer para desengolfá-lo do mau caminho.*

desengolir. [De *des-* + *engolir*.] *V. t. d.* e *int.* Vomitar, lançar, bolçar. [Irreg. Conjug.: v. *engolir*.]

desengomar. [De *des-* + *engomar*.] *V. t. d.* Tirar a goma a;

desengonçado. [Part. de *desengonçar*.] *Adj.* **1.** Tirado dos engonços; desconjuntado. **2.** Sem aprumo; desaprumado, desajeitado, desconjuntado.

desengonçar. [De *des-* + *engonçar*.] *V. t. d.* **1.** Tirar dos engonços: *desengonçar um portão.* *P.* **2.** Sair dos engonços; desconjuntar-se. **3.** *Fig.* Mover-se desajeitadamente como se estivesse desconjuntado: *O menino cresceu depressa e desengonçou-se no andar.* [Conjug.: v. *laçar*.]

desengonço. [Dev. de *desengonçar*.] *S. m.* Ato ou efeito de desengonçar(-se).

desengordar. [De *des-* + *engordar*.] *V. t. d.* **1.** Tirar ou diminuir a gordura a; tornar magro. *Int.* **2.** Tornar-se magro; emagrecer(-se).

desengordurar. [De *des-* + *engordurar*.] *V. t. d.* Tirar a gordura ou a(s) mancha(s) de gordura a.

desengraçado. [De *des-* + *engraçado*.] *Adj.* **1.** Que não tem graça; sem atrativos ou encantos: *Casal desengraçado, maçante, o que chegou no fim da reunião.* **2.** Que não tem graça; deselegante, desairoso, desgracioso: *vestido desengraçado.* **3.** Sem espírito ou animação; insípido, desenxabido: *anedota desengraçada.* • *S. m.* **4.** Indivíduo desengraçado.

desengraçar. [De *des-* + *engraçar*.] *V. t. d.* **1.** Tirar a graça a. *T. i.* **2.** Antipatizar: *Desengraçou com o rapaz à primeira vista, e entrou a persegui-lo;* "pulsos de ferro, olhos coriscantes, e formas tão esculturais da beleza antiga, que eu fiquei cismando se o demônio *desengraça* com as raças adelgaçadas, e vai às montanhas procurar corpos com capacidade de o receberem." (Camilo Castelo Branco, *Noites de Lamego*, p. 166). [Conjug.: v. *laçar*.]

desengrandecer. [De *des-* + *engrandecer*.] *V. t. d.* Apoucar, menoscabar, amesquinhar, aviltar: *Sua atitude anterior o enobreçeu, mas a de agora o desengrandece.* [Conjug.: v. *aquecer*.]

desengranzar. [De *des-* + *engranzar*.] *V. t. d.* Soltar, desprender (o que estava engranzado). [Var.: *desengrazar*.]

desengravescer. [De *des-* + *engravescer*.] *V. t. d.* Tirar ou diminuir a gravidade de. [Conjug.: v. *crescer*.]

desengraxar. [De *des-* + *engraxar*.] *V. t. d.* **1.** Tirar a graxa ou o lustre de. **2.** *Pop.* Destingir (o que estava pintado de preto).

desengrazar. [De *des-* + *engrazar*.] *V. t. d.* Var. de *desengranzar*.

desengrenar. [De *des-* + *engrenar*.] *V. t. d.* e *p. Autom.* V. *desembrear*^{2}.

desengrimpar-se. [De *des-* + *engrimpar-se*.] *V. p.* **1.** Descer das grimpas. **2.** *Fig.* Abater-se, humilhar-se.

desengrinaldar. [De *des-* + *engrinaldar*.] *V. t. d.* **1.** Tirar a grinalda a. *P.* **2.** Desadornar-se de grinalda. [Sin. ger.: *desgrinaldar*.]

desengrossar. [De *des-* + *engrossar*.] *V. t. d.* **1.** Tornar menos grosso; desbastar; adelgaçar. *Int.* **2.** Desinchar, desintumescer. [Pres. ind.: *desengrosso*, etc. Cf. *desengrosso* (ô).]

desengrosso (ô). [Dev. de *desengrossar*.] *S. m.* Ato ou efeito de desengrossar. [Pl.: *desengrossos* (ô). Cf. *desengrosso*, do v. *desengrossar*.]

desengrumar. [De *des-* + *engrumar*.] *V. t. d.* Desfazer ou dissolver os grumos de.

desenguiçar. [De *des-* + *enguiçar*.] *V. t. d.* **1.** Tirar o enguiço a. *P.* **2.** Livrar-se de enguiço. [Conjug.: v. *laçar*.]

desengulhar. [De *des-* + *engulhar*.] *V. t. d.* Fazer passar o engulho a; desenjoar.

desenhador (ô). *S. m. P. us.* Desenhista.

desenhar. [Do it. *disegnare*.] *V. t. d.* **1.** Traçar o desenho (1, 5 e 6) de: "A mão de meu pai sobre o papel *desenha*, / Quase num só traço, o menino a cavalo." (Alberto Da Costa e Silva, *As Linhas da Mão*, p. 130.) **2.** Dar relevo a; delinear: *O vestido de jérsei desenha-va-lhe as belas formas.* **3.** Descrever, apresentar, caracterizando, oralmente ou por escrito: "No número de tais óperas contava-se Lúcia de Lammermoor. Assunto escocês, tratado por pena escocesa, e das mais admiráveis em *desenhar* tipos simpáticos e imortais." (Júlio Dinis, *Uma Família Inglesa*, p. 158.) **4.** Tornar perceptível; representar, acusar: *Os últimos acontecimentos vieram desenhar as atuais tendências da nação.* **5.** Conceber, projetar, imaginar, idear: *Desenhou um plano diabólico, que por um triz não se executou;* "*Desenhava* o velho levar Balbina diante do indigente, apontar-lha como senhora daquela casa, e obrigá-lo a agradecer-lhe a ela a esmola do pão e da enxerga." (Camilo Castelo Branco, *Noites de Lamego*, p. 102). *Int.* **6.** Traçar desenho(s). **7.** Exercer a profissão de desenhista; trabalhar como tal. *P.* **8.** Apresentar-se com os contornos bem definidos; ressair, ressaltar; avultar, destacar(-se): *A montanha desenha-se contra o azul do céu.* **9.** Aparecer, representar-se ou reproduzir-se na mente, na imaginação; afigurar-se, figurar-se: *A cena violenta desenhou-se outra vez a seus olhos.*

desenhista. *S. 2 g.* **1.** Pessoa que exerce a arte do desenho. **2.** Pessoa que desenha ou sabe desenhar. [Sin. ger. (p. us.): *desenhador*.]

desenhista-de-produto. *S. 2 g.* Indivíduo com formação em desenho-de-produto [q. v.] (3º grau) ou profissional que exerce ocupação própria desta especialização; *designer.* [Pl.: *desenhistas-de-produto*.]

desenhista-industrial. *S. 2 g.* Indivíduo diplomado em desenho industrial [q. v.] (3º grau) ou profissional que exerce ocupação própria dessa atividade; *designer.* [Pl.: *desenhistas-industriais*.]

desenho. [Dev. de *desenhar*.] *S. m.* **1.** Representação de formas sobre uma superfície, por meio de linhas, pontos e manchas, com objetivo lúdico, artístico, científico, ou técnico: *um desenho de criança; o desenho de uma paisagem; um desenho de anatomia; o desenho de um motor.* **2.** A arte e a técnica de representar, com lápis, pincel, pena, etc., um tema real ou imaginário, expressando a forma e geralmente abandonando a cor: *o desenho de um modelo vivo; o desenho abstrato.* [O desenho tende a representar o tema racionalmente, configurando ou sugerindo seus limites, enquanto a cor tende a transmitir valores de ordem emotiva.] **3.** Toda obra de arte executada segundo as condições acima descritas: *um desenho de Portinari; um desenho expressionista.* **4.** A disciplina relativa à arte e à técnica do desenho (1 e 2): *uma aula de desenho.* **5.** Versão preparatória de um desenho artístico ou de um quadro; esboço, estudo: *Os desenhos de Leonardo da Vinci revelam a riqueza de seu gênio criador.* **6.** Traçado, risco, projeto, plano: *O desenho da igreja de S. Francisco de Ouro Preto é obra do Aleijadinho.* **7.** Forma, feitio, configuração: *o desenho de uma letra, de uma boca.* **8.** *Fig.* Delineamento, esboço; elaboração: *o desenho de uma idéia; o desenho de uma personagem de ficção.* **9.** *Fig.* Intento, propósito, desígnio: "O manhoso cortesão vira claramente que a partida del-rei transtornava todos os seus *desenhos*" (Alexandre Herculano, *Lendas e Narrativas*, I, p. 149). ♦ **Desenho à mão livre.** O que é feito sem o auxílio de instrumentos (régua, esquadro, compasso, etc.). **Desenho animado. 1.** Filme cinematográfico, em geral de curta metragem, baseado numa série de desenhos que representam as fases sucessivas de uma ação, e que, fotografados e projetados, dão a ilusão do movimento. **2.** Ramo da indústria cinematográfica relativo a esse gênero de filmes. **Desenho arquitetônico.** Desenho técnico, segundo processo de projeções, para representação de um edifício e seus detalhes através de plantas, cortes ou seções e elevações ou fachadas. **Desenho industrial. 1.** Atividade especializada de caráter técnico e artístico, que se ocupa da concepção da forma de objetos tridimensionais (desenho-de-produto) e bidimensionais (programação visual) a apartir de critérios de funcionalidade e estéticos, com vistas à produção industrial ou em série. **2.** O produto desta atividade. [Sin. ger.: *design*.]

desenho-de-produto. *S. m.* Parte do desenho industrial [q. v.] que se ocupa da concepção de sistemas e produtos tridimensionais (postos de trabalho, mobiliário, utensílios, máquinas, ferramentas, exposições, etc.); *design.* [Pl.: *desenhos-de-produto*.]

desenjoar. [De *des-* + *enjoar*.] *V. t. d.* **1.** Tirar o enjôo a; desengulhar. **2.** Distrair, desenfadar, desentediar. *P.* **3.** Livrar-se do enjôo. [Conjug.: v. *coroar*.]

desenjoativo. *Adj.* **1.** Que desenjoa. • *S. m.* **2.** Iguaria aperitiva, ou que corta o enjôo.

desenlaçamento. *S. m.* Ação e efeito de desenlaçar(-se); desenlace.

desenlaçar. [De *des-* + *enlaçar*.] *V. t. d.* **1.** Desfazer o laço ou as laçadas de: *desenlaçar uma faixa, um cinto.* **2.** *Bras.* Desprender do laço (6): *Desenlaçar um boi.* **3.** Soltar, desprender (o que estava enlaçado): *desenlaçar os braços.* **4.** Desenredar, aclarar, deslindar, destrinçar: *desenlaçar um mistério.* **5.** Dar desenlace (2) a: *Cena altamente patética desenlaça o drama.* *P.* **6.** *Bras.* Soltar-se do laço (6). **7.** Livrar-se, desprender-se. [F. paral.: *deslaçar*. Conjug.: v. *laçar*.]

desenlace. [Dev. de *desenlaçar*.] *S. m.* **1.** Desenlaçamento. **2.** Desfecho, solução, remate; desenredo: *o desenlace da novela.* **3.** *Teat.* V. *catástase* (2).

desenlambuzar. [De *des-* + *enlambuzar*.] *V. t. d. Pop.*

Limpar (coisa ou pessoa que estava enlambuzada); tirar nódoas ou porcaria de; limpar, assear.

desenlamear. [De *des-* + *enlamear.*] *V. t. d.* **1.** Tirar a lama[1] (1) a. **2.** Tirar da lama[1] (2); restabelecer a honra, o crédito de; desenodoar. *P.* **3.** Limpar-se lama[1] (1). **4.** Sair da lama[1] (2). [Sin. ger.: *desenlodar.* Conjug.: v. *frear.*]

desenlapar. [De *des-* + *enlapar.*] *V. t. d.* Fazer sair da lapa[1]; desentocar.

desenleado. [Part. de *desenlear.*] *Adj.* **1.** Expedito, rápido. **2.** Desembaraçado, franco.

desenlear. [De *des-* + *enlear.*] *V. t. d.* **1.** Desfazer o enleio de. **2.** Desprender, soltar (o que estava enleado). **3.** Desenredar, desemaranhar. **4.** Livrar de dificuldade ou embaraço; desembaraçar. *P.* **5.** Desprender-se, soltar-se. **6.** Livrar-se de enleio ou dificuldade; desembaraçar-se. [Conjug.: v. *frear.*]

desenleio. [Dev. de *desenlear.*] *S. m.* Ato ou efeito de desenlear(-se).

desenlevar. [De *des-* + *enlevar.*] *V. t. d.* **1.** Tirar o enlevo a. **2.** Desiludir, desenganar.

desenliçar. [De *des-* + *enliçar.*] *V. t. d.* **1.** Desenredar, destrinçar, destramar. *P.* **2.** Soltar-se, desprender-se; libertar-se. [Conjug.: v. *laçar.*]

desenlodar. [De *des-* + *enlodar.*] *V. t. d.* e *p.* V. *desenlamear.*

desenlouquecer. [De *des-* + *enlouquecer.*] *V. t. d.* **1.** Curar da loucura; equilibrar. *Int.* **2.** Recobrar o juízo, a razão; equilibrar-se. [Conjug.: v. *aquecer.*]

desenlutar. [De *des-* + *enlutar.*] *V. t. d.* **1.** Tirar o luto a. **2.** Alegrar; consolar. *P.* **3.** Tirar o luto. **4.** Alegrar-se; consolar-se.

desenobrecer. [De *des-* + *enobrecer.*] *V. t. d.* **1.** Privar de título de nobreza. **2.** Desdourar; aviltar. *P.* **3.** Perder a nobreza. [F. paral.: *desnobrecer.* Conjug.: v. *aquecer.*]

desenodoar. [De *des-* + *enodoar.*] *V. t. d.* **1.** Tirar as nódoas a; desenlamear; limpar. **2.** V. *desenlamear* (2). [F. paral.: *desnodoar.* Conjug.: v. *coroar.*]

desenojar. [De *des-* + *enojar.*] *V. t. d.* **1.** Fazer cessar o nojo ou a náusea a. **2.** Desanojar (1). *T. d.* e *i.* **3.** Desanojar (2). *P.* **4.** Desanojar (3).

desenovelar. [De *des-* + *enovelar.*] *V. t. d.* **1.** Desenrolar (o que estava enovelado). **2.** Achar ou seguir o fio de (uma história, uma intriga). *P.* **3.** Estender-se; desenrolar-se. **4.** Desenrolar-se; passar(-se); ocorrer: *Importantes acontecimentos desenovelavam-se ante seus olhos.* [F. paral.: *desnovelar.*]

desenquadrar. [De *des-* + *enquadrar.*] *V. t. d.* Tirar de quadro ou de moldura.

desenraiar. [De *des-* + *enraiar.*] *V. t. d.* Destravar (uma roda de carro).

desenraivecer. [De *des-* + *enraivecer.*] *V. t. d.* **1.** Tirar ou abrandar a raiva a; tornar sereno; aplacar, serenar. *P.* **2.** Perder a raiva; desenfurecer-se, serenar(-se). [Conjug.: v. *aquecer.*]

desenraizamento (a-i). [De *desenraizar* + *-mento.*] *S. m.* V. *desarraigamento.*

desenraizar (a-i). [De *des-* + *enraizar.*] *V. t. d.* e *t. d.* e *i.* V. *desarraigar.* [Conjug.: v. *enraizar.*]

desenramar[1]. [De *des-* + *enramar[1].*] *V. t. d.* Tirar os ramos a.

desenramar[2]. [De *des-* + *enramar[2].*] *V. t. d. Tip.* Tirar da rama (a composição tipográfica).

desenrascar. [De *des-* + *enrascar.*] *V. t. d.* **1.** Livrar de embaraço(s), de dificuldade(s). **2.** *Marinh.* Desembaraçar (cabo, vela, adriça, bandeira, etc., que esteja enrascado). *P.* **3.** Livrar-se de embaraço(s), de dificuldade(s). [Conjug.: v. *trancar.*]

desenredador (ô). *S. m.* Aquele que desenreda, que desfaz o enredo de.

desenredar. [De *des-* + *enredar.*] *V. t. d.* **1.** Desfazer o enredo de; estirar ou separar (o que estava enredado); desenlear, desembaraçar, desemaranhar: "A flor da vaga, o seu cabelo verde, / Que o torvelinho enreda e desenreda..." (Camilo Pessanha, *Clepsidra e Outros Poemas,* p. 195). **2.** Resolver, destrinçar (negócio ou questão complicada). **3.** Descobrir; esclarecer; desintricar; desintrincar: *desenredar a trama de um mistério.* *P.* **4.** Desenlaçar-se, soltar-se. **5.** Tornar-se claro, nítido, perceptível. **6.** Desembaraçar-se, desemaranhar-se. **7.** Sair de apuros; desembaraçar-se. [Pres. ind.: *desenredo,* etc. Cf. *desenredo* (ê).]

desenredo (ê). [Dev. de *desenredar.*] *S. m.* **1.** Ato ou efeito de desenredar. **2.** Solução, desenlace, desfecho. **3.** *Teat.* V. *catástase* (2). [Pl.: *desenredos* (ê). Cf. *desenredo,* do v. *desenredar.*]

desenregelar. [De *des-* + *enregelar.*] *V. t. d.* **1.** Degelar, descongelar. **2.** *Fig.* Aquecer, esquentar.

desenriçar. *V. t. d.* **1.** Desencrespar, alisar. **2.** Desembaraçar, desemaranhar. [F. paral.: *desriçar.* Conjug.: v. *laçar.*]

desenrijar. [De *des-* + *enrijar.*] *V. t. d.* **1.** Tirar a rijeza a. *P.* **2.** Perder a rijeza; enfraquecer(-se).

desenriquecer. [De *des-* + *enriquecer.*] *V. t. d.* **1.** Tirar a riqueza a; empobrecer. *Int.* e *p.* **2.** Tornar-se pobre; empobrecer(-se). [Conjug.: v. *aquecer.*]

desenristar. [De *des-* + *enristar.*] *V. t. d.* Tirar (a lança) do riste.

desenrizar. [De *des-* + *enrizar.*] *V. t. d. Ant. Marinh.* Desrizar.

desenrodilhar. [De *des-* + *enrodilhar.*] *V. t. d.* **1.** Estender, separar (o que estava enrodilhado); desenrolar. *P.* **2.** Desenrolar-se; estender-se: "a primeira parte do conto é a descrição de uma cascavel que, tocada pelo sol, se desenrodilha e sai do buraco" (Hélio Pólvora, *A Força da Ficção,* p. 26).

desenrolamento. *S. m.* **1.** Ato ou efeito de desenrolar(-se). **2.** Desdobramento; desenvolvimento.

desenrolar. [De *des-* + *enrolar.*] *V. t. d.* **1.** Desenvolver, estender (o que estava enrolado); desfazer o rolo de: *Desenrolou as tiras de papel e pôs-se a discursar.* **2.** Desembrulhar: *Desenrolando a caixa, deparou com o belo presente.* **3.** Rolar; verter: *Noutras eras um rio desenrolara suas águas por aquelas paragens.* **4.** Expor minuciosamente; explicar, explanar: *Desenrolou com precisão aquele caso escabroso.* *P.* **5.** Desdobrar-se, desenroscar-se: *Espicaçou a serpente, que se desenrolou, desfazendo o bote.* **6.** Estender-se, mostrar-se, apresentar-se, patentear-se: "Nós íamos seguindo; ←, em torno, imensa, / Ia desenrolando-se a paisagem..." (Raimundo Correia, *Poesias,* p. 51.)

desenroscar. [De *des-* + *enroscar.*] *V. t. d.* **1.** Estirar (o que estava enroscado); desenrolar. **2.** Desaparafusar (1). *P.* **3.** Estirar-se; estender-se, desenrolar-se, desfazendo as voltas ou roscas. [Conjug.: v. *trancar.*]

desenroupado. [Part. de *desenroupar.*] *Adj.* Sem roupa; despido; nu; desarroupado.

desenroupar. [De *des-* + *enroupar.*] *V. t. d.* Tirar a roupa a; despir, desnudar.

desenrubescer. [De *des-* + *enrubescer.*] *V. t. d.* **1.** Tirar a cor vermelha a. **2.** Fazer perder a cor vermelha a; descorar. *Int.* **3.** Perder a cor vermelha. **4.** Empalidecer; desmaiar, desbotar. [Conjug.: v. *crescer.*]

desenrugar. [De *des-* + *enrugar.*] *V. t. d.* **1.** Tirar as rugas de; desfranzir, alisar; desrugar. *P.* **2.** Perder as rugas: *A pele desenrugou-se com o uso de cosméticos.* [Conjug.: v. *largar.*]

desensaboar. [De *des-* + *ensaboar.*] *V. t. d.* Tirar o sabão a. [Conjug.: v. *coroar.*]

desensaburrar. [De *des-* + *ensaburrar.*] *V. t. d.* Limpar da saburra; dessaburrar.

desensacar. [De *des-* + *ensacar.*] *V. t. d.* Tirar do(s) saco(s) ou da(s) saca(s). [Conj.: v. *trancar.*]

desensangüentar. [De *des-* + *ensangüentar.*] *V. t. d.* Limpar o sangue de.

desensarado. [De *des-* + *-en-[3]* + *sarado.*] *S. m. Bras.* Indivíduo que ainda não se restabeleceu de doença grave.

desensarilhar. [De *des-* + *ensarilhar.*] *V. t. d.* Separar (o que estava ensarilhado).

desensebar. [De *des-* + *ensebar.*] *V. t. d.* **1.** Limpar do sebo. **2.** Tirar as manchas de sebo ou gordura a. [Conjug.: v. *chegar.*]

desensinar. [De *des-* + *ensinar.*] *V. t. d.* Fazer esquecer (o que se tinha ensinado); fazer desaprender.

desensino. [Dev. de *desensinar.*] *S. m.* Ato ou efeito de desensinar.

desensoberbecer. [De *des-* + *ensoberbecer.*] *V. t. d.* **1.** Tirar a soberba de. **2.** Humilhar, vexar. *P.* **3.** Deixar de ser soberbo. [Conjug.: v. *aquecer.*]

desensolvar. [De *des-* + *ensolvar.*] *V. t. d. Ant.* Tirar a pólvora úmida de (canhão, morteiro).

desensombrar. [De *des-* + *ensombrar.*] *V. t. d.* **1.** Tirar aquilo que fazia sombra a; desenevoar, clarear. **2.** Tornar alegre e claro.

desensopar. [De *des-* + *ensopar.*] *V. t. d.* V. *enxugar* (1).

desensurdecer. [De *des-* + *ensurdecer.*] *V. t. d.* **1.** Tirar a surdez a. *Int.* **2.** Curar-se da surdez; deixar de ser surdo. [Conjug.: v. *aquecer.*]

desentabuar. [De *des-* + *entabuar.*] *V. t. d.* Tirar as tábuas a (um forro ou soalho).

desentaipar. [De *des-* + *entaipar.*] *V. t. d.* **1.** Tirar de entre taipas. **2.** Soltar, libertar; desembaraçar.

desentalado. [Part. de *desentalar.*] *Adj.* V. *destabocado* (3).

desentalar. [De *des-* + *entalar.*] *V. t. d.* **1.** Tirar ou soltar das talas. **2.** Livrar de dificuldades; desenrascar; desembaraçar: *Preveni-o de que, caso se metesse noutra enrascada, nada faria para desentalá-lo.* *T. d.* e *i.* **3.** Livrar, desembaraçar: *Desentalei-o da complicação.* *P.* **4.** Soltar-se, livrar-se, desembaraçar-se.

desentaramelar. [De *des-* + *entaramelar.*] *V. t. d.* Desembaraçar (a língua) falando muito.

desentarraxar. [De *des-* + *entarraxar.*] *V. t. d.* V. *desatarraxar.*

desentediar. [De *des-* + *entediar.*] *V. t. d.* **1.** Tirar o tédio a; desenjoar. **2.** Distrair; alegrar.

desentender. [De *des-* + *entender.*] *V. t. d.* **1.** Não entender. **2.** Fingir que não entende: *Compreendeu a conversa, mas desentendeu as indiretas que lhe atiraram.* *P.* **3.** Não se compreender mutuamente: *Impossível a harmonia entre os dois: desentendem-se por qualquer insignificância.*

desentendido. [Part. de *desentender.*] *Adj.* e *s. m.* Que ou aquele que não entende.

desentendimento. *S. m.* **1.** Falta de entendimento. **2.** Estupidez, asneira, burrice.

desentenebrecer. [De *des-* + *entenebrecer.*] *V. t. d.* **1.** Dissipar as trevas de; tornar menos escuro; iluminar. **2.** Tornar mais claro ou compreensível; aclarar, esclarecer. [Conjug.: v. *aquecer.*]

desenternecer. [De *des-* + *enternecer.*] *V. t. d.* **1.** Fazer perder a ternura. *P.* **2.** Deixar de estar terno ou enternecido. [Conjug.: v. *aquecer.*]

desenterrado. [Part. de *desenterrar.*] *Adj.* **1.** Tirado de debaixo da terra. **2.** Diz-se de pessoa de aspecto doentio, pálida, cadavérica.

desenterrador (ô). *Adj.* e *s. m.* **1.** Que ou aquele que desenterra. **2.** Esquadrinhador, pesquisador, investigador.

desenterramento. *S. m.* Ato ou efeito de desenterrar.

desenterrar. [De *des-* + *enterrar.*] *V. t. d.* **1.** Tirar de debaixo da terra: *Desenterrou raízes, das quais se alimentou.* **2.** Exumar (1): *desenterrar cadáveres.* **3.** Tirar de lugar recôndito. **4.** Tirar do esquecimento: *O poeta desenterrou todo um vocabulário medieval.* **5.** Descobrir, patentear: *Conseguiu desenterrar toda a história da família.* *T. d.* e *i.* **6.** Livrar, libertar: *Tudo fizeram para o desenterrar do alcoolismo.* [Sin. ger.: *dessoterrar.*]

desenterroar. [De *des-* + *enterroar.*] *V. t. d.* Desfazer os torrões a; esterroar; pulverizar. [Conjug.: v. *coroar.*]

desentesar. [De *des-* + *entesar.*] *V. t. d.* **1.** Fazer perder a tesura; tornar lasso. *Int.* e *p.* **2.** Perder a tensão; tornar-se frouxo ou bambo.

desentesoirador (ô). *S. m.* e *adj.* V. *desentesourador.*

desentesoirar. [De *des-* + *entesoirar.*] *V. t. d.* V. *desentesourar.*

desentesourador (ô). *S. m.* e *adj.* Quem ou que desentesoura. [Var.: *desentesoirador.*]

desentesourar. [De *des-* + *entesourar.*] *V. t. d.* **1.** Tirar do tesouro. **2.** Descobrir, encontrar, desencantar. [Var.: *desentesoirar.*]

desentibiar. [De *des-* + *entibiar.*] *V. t. d.* Tirar a tibieza a.

desentoação. *S. f.* Ato ou efeito de desentoar(-se); desentoamento, desentôo.

desentoado. [Part. de *desentoar.*] *Adj.* Desafinado, dissonante, destoante.

desentoamento. *S. m.* V. *desentoação.*

desentoar. [De *des-* + *entoar.*] *V. int.* **1.** Sair do tom; desafinar, dissonar, destoar. **2.** *Fig.* Fazer ou dizer inconveniências; disparatar, despropositar: *Naquela reunião de pessoas sérias só ele desentoava.* *P.* **3.** Disparatar, despropositar. [Conjug.: v. *coroar.*]

desentocar. [De *des-* + *entocar.*] *V. t. d.* **1.** Tirar de toca ou cova; destocar. *P.* **2.** Sair da toca ou cova. [Conjug.: v. *trancar.*]

desentolher. [De *des-* + *en-[3]* + *tolher.*] *V. t. d.* Fazer cessar o tolhimento ou o entorpecimento a.

desentonar. [De *des-* + *entonar.*] *V. t. d.* Abater o entono, a altivez, a; humilhar.

desentôo. [Dev. de *desentoar.*] *S. m.* V. *desentoação:* "cantando com desentôo na voz apagada e rouca as modinhas banzeiras da senzala." (Francisco Ribeiro Sampaio, *Renembranças,* p. 1).

desentorpecer. [De *des-* + *entorpecer.*] *V. t. d.* **1.** Tirar o torpor a. **2.** *Fig.* Reanimar; excitar: *desentorpecer as idéias.* *Int.* **3.** Deixar de estar entorpecido; reanimar-se. *P.* **4.** Readquirir o vigor. **5.** Sair da inércia; mostrar atividade ou energia: *Desentorpeceu, afinal: está trabalhando com afinco.* F. paral.: *destorpecer.* [Conjug.: v. *aquecer.*]

desentortar. [De *des-* + *entortar.*] *V. t. d.* Tirar a qualidade de torto a; endireitar.

desentralhar. [De *des-* + *entralhar.*] *V. t. d. Marinh.* Tirar a tralha (3 e 4) de.

desentrançado. [Part. de *desentrançar.*] *Adj.* V. destrançado.

desentrançar. [De *des-* + *entrançar.*] *V. t. d.* V. *destrançar.* [Conjug.: v. *laçar.*]

desentranhamento. *S. m.* Ato ou efeito de desentranhar(-se).

desentranhar. [De *des-* + *entranhar.*] *V. t. d.* **1.** Tirar das entranhas. **2.** Arrancar as entranhas a; estripar. **3.** Tirar ou extrair do íntimo da alma, como que das próprias entranhas: *À medida que falava, ia desentranhando antigas lembranças. T. d. e i.* **4.** Tirar de lugar oculto ou recôndito: *Desentranhava da arca velhos documentos.* **5.** Retirar (um documento ou uma peça) do corpo dos autos. *P.* **6.** Patentear o que tem no íntimo da alma; desafogar-se, desabafar-se. **7.** Desfazer-se (em dádivas ou produtos). **8.** Sacrificar a si mesmo por um fim elevado.

desentravar. [De *des-* + *entravar.*] *V. t. d.* Tirar os entraves a; destravar.

desentrelinhado. [Part. de *desentrelinhar.*] *Adj.* ~ V. *composição —a.*

desentrelinhamento. *S. m. Tip.* Ato ou efeito de desentrelinhar.

desentrelinhar. [De *des-* + *entrelinhar.*] *V. t. d. Tip.* Tirar as entrelinhas de.

desentrincheirar. [De *des-* + *entrincheirar.*] *V. t. d.* **1.** Romper as trincheiras a. **2.** Desalojar das trincheiras.

desentristecer. [De *des-* + *entristecer.*] *V. t. d.* **1.** Tirar a tristeza a; alegrar. *Int.* e *p.* **2.** Perder a tristeza; alegrar-se. [F. paral.: *destristecer.* Conjug.: v. *aquecer.*]

desentronizar. [De *des-* + *entronizar.*] *V. t. d.* V. *destronar.*

desentropilhar. [De *des-* + *entropilhar.*] *V. int. Bras., RS.* Desfazer a tropilha, nela introduzindo animais de pêlos diversos.

desentrosado. [Part. de *desentrosar.*] *Adj.* Que já não está entrosado; de que ou quem cessou o entrosamento.

desentrosamento. *S. f.* Ato ou efeito de desentrosar(-se).

desentrosar. [De *des-* + *entrosar.*] *V. t. d.* **1.** Fazer cessar o entrosamento de; desencaixar. *Int.* e *p.* **2.** Deixar de entrosar(-se).

desentulhador (ô). *Adj.* e *s. m.* Que ou aquele que desentulha.

desentulhar. [De *des-* + *entulhar.*] *V. t. d.* **1.** Tirar o entulho a. **2.** Tirar da tulha. **3.** Desobstruir (o que estava entulhado).

desentulho. [Dev. de *desentulhar.*] *S. m.* **1.** Ato ou efeito de desentulhar. **2.** Aquilo que se atirou do entulho.

desentumecer. *V. t. d.* e *int.* V. *desintumescer.* [Conjug.: v. *aquecer.*]

desentupimento. *S. m.* Ação ou efeito de desentupir (-se).

desentupir. [De *des-* + *entupir.*] *V. t. d.* **1.** Abrir, desobstruir (o que estava entupido). *Int.* **2.** *Pop.* Dizer o que sabe; falar, desembuchar: *Acossado pela polícia, acabou desentupindo. P.* **3.** Livrar-se de obstrução (o que estava entupido). [Irreg. Conjug.: v. *entupir.*]

desenturmado. *Adj. Turfe.* Diz-se do cavalo inscrito num páreo onde a média dos concorrentes tem, reconhecidamente, maior capacidade locomotora do que ele.

desenturvar. [De *des-* + *enturvar.*] *V. t. d.* Tirar a enturvação de, tornar claro ou evidente (o que era turvo).

desenvasar. [De *des-* + *envasar*[2].] *V. t. d.* **1.** Tirar ou desencalhar da vasa (a embarcação). **2.** Pôr a nado (a embarcação), tirando-a do estaleiro.

desenvasilhar. [De *des-* + *envasilhar.*] *V. t. d.* Tirar da vasilha.

desenvencilhar. [De *des-* + *envencilhar.*] *V. t. d., t. d. e i.* e *p.* V. *desvencilhar.*

desenvenenar. [De *des-* + *envenenar.*] *V. t. d.* **1.** Curar dos efeitos do veneno. **2.** Fazer expelir o veneno. **3.** Destruir as propriedades venenosas de. [Sin. ger.: *desintoxicar.*]

desenvergar. [De *des-* + *envergar.*] *V. t. d.* **1.** *Mar.* Tirar (a vela) da verga. **2.** *Mar.* Tirar (o toldo) dos vergueiros. **3.** *Fam.* Despir; tirar: *Desenvergou o casaco novo.* [Conjug.: v. *largar.*]

desenvernizar. [De *des-* + *envernizar.*] *V. t. d.* Tirar o verniz a; deslustrar.

desenviesar. [De *des-* + *enviesar.*] *V. t. d.* Tirar o viés a.

desenviolar. [De *des-* + *-en-*[3] + *violar*[2].] *V. t. d. P. us.* Purificar (coisa violada, poluída, profanada).

desenviscar. [De *des-* + *enviscar.*] *V. t. d.* Tirar o visco a. [Conjug.: v. *trancar.*]

desenvolto (ô). [De *des-* + *envolto.*] *Adj.* **1.** Desembaraçado, expedito. **2.** Inquieto, travesso, turbulento. **3.** Libertino, impudico, desonesto.

desenvoltura. [Do it. *disinvoltura.*] *S. f.* Qualidade de desenvolto.

desenvolução. *S. f.* Desenvolvimento (1).

desenvolvente. *Adj. 2 g.* Que desenvolve.

desenvolver. [De *des-* + *envolver.*] *V. t. d.* **1.** Fazer crescer ou medrar: *A luz solar desenvolve os vegetais.* **2.** Fazer que progrida, aumente, melhore, se adiante: *O hábito do estudo desenvolve a capacidade intelectual.* **3.** Fazer uso de; pôr em prática; empregar; exercer, aplicar: *Desenvolveu, para me convencer, toda a sua força de persuasão.* **4.** Dar origem a; originar, gerar, produzir. **5.** Expor extensamente, ou com minúcia: *Não teve tempo para desenvolver o seu raciocínio.* **6.** Tirar o acanhamento, a timidez, a. **7.** Tirar do invólucro; desenrolar: *Desenvolvia, um por um, os objetos que comprara.* **8.** Movimentar-se (a embarcação, o automóvel, etc.) com determinada velocidade: *O navio desenvolve até 10 nós.* **9.** *Mat.* Efetuar o desenvolvimento de (uma expressão analítica); expandir. **10.** *Bras.* Aumentar por vários processos as faculdades mediúnicas de (alguém) segundo o padrão de elevada moral do médium nas práticas ritualistas. *P.* **11.** Tornar-se maior ou mais forte; crescer: *Os meninos desenvolveram-se nas últimas férias;* "A vegetação incubada por muito tempo desenvolvia-se com tamanho arrojo, que mais parecia uma explosão" (José de Alencar, *O Sertanejo*, p. 205). **12.** Estender-se, prolongar-se: *A nova rodovia desenvolve-se pelo Sul do País.* **13.** Aumentar, progredir: *A indústria automobilística desenvolveu-se enormemente nos últimos anos.* **14.** Progredir intelectualmente; adiantar-se; instruir-se: *As crianças desenvolveram-se bem com os novos métodos de ensino.* **15.** Ter desenvolvimento (3): *É fundamental que o País se desenvolva.*

desenvolvido. [Part. de *desenvolver.*] *Adj.* **1.** Aumentado, acrescido, adiantado. **2.** De bom desenvolvimento físico; crescido, grande: *criança desenvolvida.* **3.** Instruído, adiantado, culto: *povos desenvolvidos.* **4.** Diz-se de região ou país em estado de desenvolvimento (3). [Cf. *subdesenvolvido.*]

desenvolvimentismo. *S. m. Bras.* Política, atuação ou convicção desenvolvimentista; espírito desenvolvimentista.

desenvolvimentista. *Bras. Adj. 2 g.* **1.** Relativo ao, ou que visa o desenvolvimento (3): *política desenvolvimentista.* **2.** Que é adepto do desenvolvimentismo. ● *S. 2 g.* **3.** Adepto do desenvolvimentismo.

desenvolvimento. *S. m.* **1.** Ato ou efeito de desenvolver (-se); desenvolução. **2.** Adiantamento, crescimento, aumento, progresso. **3.** Estágio econômico, social e político de uma comunidade, caracterizado por altos índices de rendimento dos fatores de produção, i. e., os recursos naturais, o capital e o trabalho. [Cf., nesta acepç.: *subdesenvolvimento* (2).] **4.** *Mús.* Parte duma peça em que um elemento temático é desenvolvido em suas possibilidades musicais. **5.** *Topog.* Comprimento real, extensão efetiva (de uma estrada). **6.** *Mat.* Representação duma expressão analítica mediante uma soma finita ou infinita de parcelas que se obtêm por meio de regras apropriadas. ♦ **Desenvolvimento de projeto.** *Arquit.* **1.** Processo de estudo e trabalho pelo qual o arquiteto, baseado no anteprojeto, elabora as peças do projeto da obra que se pretende construir. **2.** O conjunto de plantas, elevações, seções e memórias que constituem as peças de um projeto de arquitetura.

desenvolvível. *Adj. 2 g.* **1.** Que pode ser desenvolvido. ~ V. *superfície —.* ● *S. f.* **2.** *Geom.* Superfície desenvolvível.

desenxabidez (ê). *S. f.* Qualidade de desenxabido; desenxabimento, enxabidez.

desenxabido. [De *des-* (q. v.) + *enxabido.*] *Adj.* **1.** Sem sabor; insípido, insulso. **2.** Sem graça ou sem animação; monótono, insípido, insulso. [Sin. ger.: *enxabido.* Var. bras.: *desenxavido.*]

desenxabimento. *S. m.* V. *desenxabidez.*

desenxabir. *V. t. d.* Tornar desenxabido.

desenxamear. [De *des-* + *enxamear.*] *V. t. d.* Dispersar (o que enxameava). [Conjug.: v. *frear.*]

desenxarciar. [De *des-* + *enxarciar.*] *V. t. d. Const. Nav.* **1.** Tirar as enxárcias a. **2.** Partir, avariar as enxárcias de.

desenxavido. *Adj. Bras.* V. *desenxabido.*

desenxoframento. *S. m.* Ato de desenxofrar.

desenxofrar. [De *des-* + *enxofrar.*] *V. t. d.* **1.** Limpar do enxofre; extrair o enxofre a. **2.** *Fig.* Desencolerizar; desagastar.

desenxovalhado. [Part. de *desenxovalhar.*] *Adj.* **1.** Limpo; asseado; bem-posto. **2.** Desafrontado, desagravado, vingado.

desenxovalhar. [De *des-* + *enxovalhar.*] *V. t. d.* **1.** Tornar limpo, asseado; lavar. **2.** Desamarrotar. **3.** *Fig.* Desafrontar, desagravar: *Tudo fez para desenxovalhar a honra do pai.*

desenxovalho. [Dev. de *desenxovalhar.*] *S. m.* Ato ou efeito de desenxovalhar.

desenxovar. [De *des-* + *enxovar* (q. v.).] *V. t. d.* Tirar da enxovia.

desequilibrado. [Part. de *desequilibrar.*] *Adj.* **1.** Que não está em equilíbrio (2). **2.** Que perdeu o equilíbrio mental; louco, alienado. **3.** Imponderado, irrefletido, descomedido. **4.** Que não tem equilíbrio (2): *mesa desequilibrada.* ● *S. m.* **5.** Aquele que perdeu o equilíbrio mental; louco, alienado.

desequilibrador (ô). *Adj.* Que desequilibra; desequilibrante.

desequilibrante. [De *des-* + *equilibrante.*] *Adj. 2 g.* Desequilibrador: " o trem pára num último e desequilibrante solavanco" (Marques Rebelo, *Cenas da Vida Brasileira*, p. 105).

desequilibrar. [De *des-* + *equilibrar.*] *V. t. d.* **1.** Tirar o equilíbrio (2) a. **2.** Tirar o equilíbrio mental a; desatinar, desvairar, enlouquecer: *A morte da mãe acabou de desequilibrá-lo. P.* **3.** Sair do equilíbrio, perder o equilíbrio.

desequilíbrio. [De *des-* + *equilíbrio.*] *S. m.* **1.** Ausência de equilíbrio. **2.** *Psicol.* Anomalia psíquica, que se caracteriza, essencialmente, pela variabilidade de humor, emotividade excessiva e instabilidade geral, e que leva à inadaptação social.

deserção. [Do lat. *desertione.*] *S. f.* **1.** Ato ou efeito de desertar. **2.** *Jur.* Perecimento de um recurso por falta de preparo, i. e., de pagamento das custas. **3.** *Turfe. Forfait.*

deserdação. *S. f.* Ato ou efeito de deserdar(-se); exerdação.

deserdado. [Part. de *deserdar.*] *Adj.* **1.** Privado de herança. **2.** Destituído de bens ou qualidades; não dotado: *deserdado da sorte, de talento.* ● *S. m.* **3.** Indivíduo deserdado.

deserdar. [De *des-* + *herdar.*] *V. t. d.* **1.** Excluir de herança ou da sucessão. **2.** Privar de bens, de dons concedidos a outros. *P.* **3.** Privar-se. [Sin.: *exerdar.*]

desertar. *V. t. d.* **1.** Tornar ermo, deserto; despovoar: *Com a seca, os lavradores desertaram os campos.* **2.** Abandonar, deixar: *Desertando as boas companhias, entregou-se a uma vida dissipada;* "Desde que meus olhos fitaram o seu rosto cândido, a tranqüilidade desertou a minh'alma." (Coelho Neto, *Sertão*, p. 111). *T. i.* **3.** Renunciar, desistir: "Os operários da Europa desertaram daquele trabalho perigoso." (Eça de Queirós, *Notas Contemporâneas*, p. 11.) **4.** Ausentar-se, afastar-se: *Desertou, ainda jovem, da terra natal.* **5.** Afastar-se, desviar-se: *Desgostoso, desertou de seus ideais políticos.* **5.** Fugir, retirar-se: *Desertou do convívio dos amigos.* **6.** Passar, bandear-se: *Desertou para a facção oposta. Int.* **7.** Deixar o serviço militar sem licença. **8.** *Turfe.* Fazer *forfait* (1). [Pres. ind.: *deserto*, etc. Cf. *diserto.*]

desértico. *Adj.* Diz-se de terreno ou região que, embora não seja perfeito deserto, a um deserto se assemelha pelo aspecto do solo ou pelo clima, como ocorre em grande parte da Sibéria. ~ V. *clima—.*

desertificação. *S. f.* **1.** *Geogr.* Transformação de uma região em deserto pela ação de fatores climáticos ou humanos. **2.** Desaparecimento de toda a atividade humana numa região aos poucos transformada em deserto.

desertificar. *V. t. d. Geogr.* **1.** Produzir a desertificação (1) em. *P.* **2.** Sofrer (uma região) desertificação (2). [Conjug.: v. *trancar.*]

deserto. [Do lat. *desertu.*] *Adj.* **1.** Desabitado, despovoado, descampado, ermo. **2.** Pouco freqüentado; solitário: *rua deserta.* **3.** *Jur.* Em que há deserção (2). ● *S. m.* **4.** Região natural caracterizada por terreno arenoso e seca quase absoluta, e que apresenta, por isso, pobreza de vegetação e fraca densidade populacional. **5.** Lugar solitário; solidão, ermo. **6.** *Bot.* Região, fria ou quente, onde a água falta para as manifestações vitais durante a maior parte do ano, e em que a vegetação se caracteriza pela xerofilia. Ao lado das plantas xerófilas típicas, medeiam no deserto numerosas espécies anuais, que só vegetam quando chove, e durante a seca o solo permanece desnudo por entre a esparsa vegetação. [Cf. *diserto.*] ♦ **Pregar no deserto.** Falar sem ser ouvido ou atendido pelas pessoas a quem se dirige.

desertor (ô). [Do lat. *desertore.*] *S. m.* **1.** Militar que deserta, que abandona as fileiras do exército. **2.** Trânsfuga (1). **3.** *Fig.* Aquele que abandona um partido, uma causa.

desescalada. [De *des-* + *escalada.*] *S. f.* **1.** Redução progressiva de uma atividade guerreira. **2.** Retirada progressiva de armas potentes numa guerra. **3.** Retirada progressiva de tropas numa guerra. **4.** Redução de armamentos.

desesperação. *S. f.* Ato ou efeito de desesperar(-se); desespero, desesperança.

desesperado. [Part. de *desesperar.*] *Adj.* **1.** Que perdeu a esperança. **2.** Que está entregue ao desespero. **3.** Próprio de quem perdeu a esperança: *situação desesperada; esforço desesperado.* **4.** Renhido, encarniçado: *combate desesperado.* **5.** Arrebatado, precipitado. ● *S. m.* **6.** Indivíduo desesperado.

desesperador (ô). *Adj.* **1.** Que desespera, que faz desesperar; desesperante, desesperativo. ● *S. m.* **2.** Aquele que faz desesperar.

desesperança. [De *des-* + *esperança.*] *S. f.* Falta ou perda de esperança; desespero, desesperação.

desesperançar. [De *des-* + *esperançar.*] *V. t. d.* **1.** Tirar a esperança a; desanimar. *P.* **2.** Perder a esperança; desanimar. [Conjug.: v. *laçar.*]

desesperante. *Adj. 2 g.* V. *desesperador* (1).

desesperar. [De *des-* + *esperar.*] *V. t. d.* **1.** Tirar a esperança a; desanimar; desalentar: *A nefasta notícia desesperou toda a família.* **2.** Causar desespero a; afligir muito. **3.** Causar furor ou raiva a; irritar, encolerizar: *A vitória do velho inimigo político desesperou o candidato a governador.* **4.** Perder a esperança de atingir (determinado fim); deixar de esperar: *Os soldados já desesperavam aquela difícil vitória. T. i.* **5.** Perder a esperança: "*desesperando* da terra, voltou-se para Deus" (Machado de Assis, *Várias Histórias,* p. 32). *Int.* **6.** Perder a esperança: *Viam-se compelidos a desesperar. P.* **7.** Perder a esperança de conseguir algo. **8.** Enraivecer-se; encolerizar-se. [Pres. ind.: *desespero,* etc. Cf. *desespero* (ê).]

desesperativo. *Adj.* V. *desesperador* (1).

desespero (ê). [Dev. de *desesperar.*] *S. m.* **1.** V. *desesperação.* **2.** Aflição extrema. **3.** Raiva, cólera, furor. [Pl.: *desesperos* (ê). Cf. *desespero,* do v. *desesperar.*] ◆ **Dar o desespero.** *Bras.* Irar-se, encolerizar-se, enfurecer-se.

desespero-dos-pintores. *S. m.* Planta ornamental, da família das saxifragáceas *(Saxifraga umbrosa),* de flores pequenas, alvas, com pontoações purpúreas, róseas ou amarelas, dispostas em racimos paniculados, compactos, e cujo fruto é cápsula. [Pl.: *desesperos-dos-pintores.*]

desestabilização. *S. f.* Ato ou efeito de desestabilizar.

desestabilizado. [Part. de *desestabilizar.*] *Adj.* Em que houve desestabilização.

desestabilizar. [De *des-* + *estabilizar.*] *V. t. d.* **1.** Tirar a estabilidade de: *A oposição tenta desestabilizar o governo. P.* **2.** Perder a estabilidade.

desestagnação. *S. f.* Ação ou operação de desestagnar.

desestagnar. [De *des-* + *estagnar.*] *V. t. d.* Fazer que cesse a estagnação a; fazer correr (água que estava estagnada).

desestatização. *S. f.* Ato ou efeito de desestatizar.

desestatizado. [Part. de *desestatizar.*] *Adj.* Que sofreu desestatização.

desestatizar. [De *des-* + *estatizar.*] *V. t. d.* Fazer cessar a estatização de.

desesteirar. [De *des-* + *esteirar.*] *V. t. d.* **1.** Tirar as esteiras a. **2.** Descobrir (um pavimento), levantando as esteiras.

desestima. [De *des-* + *estima.*] *S. f.* Falta de estima; menosprezo, desestimação.

desestimação. *S. f.* V. *desestima.*

desestimador (ô). *Adj.* e *s. m.* **1.** Que ou aquele que desestima. **2.** Maldizente, depreciador.

desestimar. [De *des-* + *estimar.*] *V. t. d.* **1.** Não estimar; não ter em estima. **2.** Deixar de estimar; retirar a estima a. *P.* **3.** Não ter apreço ou estima a si mesmo.

desestimulador (ô). [De *desestimular* + *-(d)or.*] *Adj.* Desestimulante: "Se esperei palavra *desestimuladora* da viagem ...., enganei-me, redondamente." (Gilberto Amado, *Depois da Política,* p. 16.)

desestimulante. *Adj. 2 g.* Que desestimula; desestimulador.

desestimular. [De *des-* + *estimular.*] *V. t. d.* **1.** Fazer perder o estímulo. *P.* **2.** Perder o estímulo. [Pres. ind.: *desestimulo,* etc. Cf. *desestímulo.*]

desestímulo. [De *des-* + *estímulo.*] *S. m.* Falta ou perda de estímulo. [Cf. *desestimulo,* do v. *desestimular.*]

desestiva. [De *des-* + *estiva.*] *S. f. Mar. Merc.* Ato ou efeito de desestivar.

desestivar. *V. t. d. Mar. Merc.* Retirar carga de bordo de (um navio).

desestorvar. [De *des-* + *estorvar.*] *V. t. d.* Livrar de estorvo. [Pres. ind.: *desestorvo,* etc. Cf. *desestorvo* (ô).]

desestorvo (ô). [Dev. de *desestorvar.*] *S. m.* Ação de desestorvar. [Pl.: *desestorvos* (ô). Cf. *desestorvo,* do v. *desestorvar.*]

desestruturação. *S. f.* Ato ou efeito de desestruturar.

desestruturar. [De *des-* + *estruturar.*] *V. t. d.* **1.** Desfazer a estrutura de. *P.* **2.** Perder a estrutura.

desevangelizar. [De *des-* + *evangelizar.*] *V. t. d.* **1.** Tirar a doutrina evangélica a. **2.** Inutilizar a propagação de (certa doutrina ou sistema).

desexcomungar. [De *des-* + *excomungar.*] *V. t. d.* Levantar a excomunhão a; descomungar. [Conjug.: v. *largar.*]

desexcomunhão. [De *des-* + *excomunhão.*] *S. f.* Ação de desexcomungar; descomunhão.

desfabricar. [De *des-* + *fabricar.*] *V. t. d.* Desmanchar, destruir, arruinar (o que estava fabricado). [Conjug.: v. *trancar.*]

desfabular. [De *des-* + *fabular*[2].] *V. t. d.* Desfazer a fábula de; revelar a verdade de.

desfaçado. [Part. de *desfaçar-se.*] *Adj.* Atrevido, descarado, insolente, impudente. [Cf. *disfarçado.*]

desfaçamento. *S. m. P. us.* Desfaçatez: "o furor de Camargo não teve limites, quando os intrusos tiveram o *desfaçamento* de confessar o motivo que ali os reunia." (José de Alencar, *Senhora,* p. 223).

desfaçar-se. [De *des-* + *face* + *-ar*[2] + *se*[1].] *V. p.* Tornar-se ou mostrar-se desfaçado. [Conjug.: v. *laçar.* Cf. *disfarçar.*]

desfaçatez (ê). [Do it. *sfacciatezza.*] *S. f.* Falta de vergonha; descaramento, impudor, cinismo: "o alambicado personagem tivera a *desfaçatez* de se vir sentar diante de mim, na mesma mesa..." (Mário de Sá-Carneiro, *A Confissão de Lúcio,* p. 123). [Sin., p. us.: *desfaçamento.*]

desfadiga. [Dev. de *desfadigar.*] *S. f.* Ato ou efeito de desfadigar(-se); descanso, alívio.

desfadigar. *V. t. d.* **1.** Tirar a fadiga a; aliviar do cansaço, da fadiga. *P.* **2.** Aliviar-se de fadiga, de cansaço. [Conjug.: v. *largar.*]

desfalcar. [Do it. *defalcare.*] *V. t. d.* **1.** Tirar, subtrair parte de: *Desfalcou a quantia destinada ao pagamento da dívida.* **2.** Reduzir, diminuir: *O excessivo esforço desfalcou-lhe a energia.* **3.** Defraudar, dissipar. *T. d. e i.* **4.** Alcançar (11). **5.** Roubar, explorar. [Conjug.: v. *trancar.*]

desfalcável. *Adj. 2 g.* Que pode ser desfalcado.

desfalecente. *Adj. 2 g.* Que desfalece; que se encontra em estado de desfalecimento.

desfalecer. [De *des-* + *falecer.*] *V. t. d.* **1.** Tirar as forças a; enfraquecer: *O choque desfaleceu-o;* "A fresca e vivace expansão de saúde desaparecera sob uma langue morbidez que a *desfalecia*" (José de Alencar, *Lucíola,* p. 176). **2.** Desalentar; desanimar; esmorecer. *Int.* **3.** Perder as forças; desmaiar. **4.** Esmorecer; desalentar-se. **5.** Diminuir, minguar, decrescer, decair: *Nem com os anos e o sofrimento a sua vivacidade desfaleceu; Não desfaleceu em poder criativo.* [F. paral.: *esfalecer.* Conjug.: v. *aquecer.*]

desfalecido. [Part. de *desfalecer.*] **1.** Falto de forças; abatido, enfraquecido, desmaiado. **2.** Pouco intenso; amortecido, mortiço.

desfalecimento. *S. m.* **1.** Estado do que desfalece; desmaio, fraqueza, vertigem. **2.** Diminuição gradual de atividade, intensidade, viveza, brilho. ◆ **Desfalecimento cardíaco.** *Patol.* Diminuição repentina da ação cardíaca.

desfalque. [Dev. de *desfalcar.*] *S. m.* **1.** Ato ou efeito de desfalcar. **2.** Diminuição ou redução de uma quantidade: *A chegada repentina do inverno ocasionou um desfalque na venda de roupas de lã.* **3.** Alcance (8): *O desfalque na empresa causou pânico entre os acionistas.* **4.** O resultado material do desfalque (3); rombo: *O desfalque no banco atinge cifras altíssimas.*

desfanatizar. [De *des-* + *fanatizar.*] *V. t. d.* Tirar o fanatismo a.

desfarelar. [De *des-* + *farelo* + *-ar*[2].] *V. t. d.* Esfarelar (1).

desfastio. [De *des-* + *fastio.*] *S. m.* **1.** Falta de fastio; apetite. **2.** Graça, bom humor, jovialidade. ◆ **Por desfastio.** Para entreter; por graça.

desfavelamento. *S. m.* Ato ou efeito de desfavelar.

desfavelar. [De *des-* + *favela (1)* + *-ar*[2].] *V. t. d.* Acabar com favela existente em: *Vão desfavelar alguns morros.*

desfavor (ô). [De *des-* + *favor.*] *S. m.* **1.** Falta de favor, de graça. **2.** Desdém, desprezo, desconsideração. **3.** Malquerença, inimizade.

desfavorável. [De *des-* + *favorável.*] *Adj. 2 g.* **1.** Que não é favorável; desvantajoso. **2.** Adverso, contrário, oposto: *O juiz decretou sentença desfavorável ao réu.*

desfavorecedor (ô). *Adj.* e *s. m.* Que ou aquele que desfavorece.

desfavorecer. [De *des-* + *favorecer.*] *V. t. d.* **1.** Não favorecer; ser desfavorável a; desajudar: *A medida tomada desfavorece a indústria automobilística.* **2.** Tirar o favor a; desestimar: *Há súditos que o monarca desfavoreceu.* [Conjug.: v. *aquecer.*]

desfazedor (ô). *Adj.* **1.** Que desfaz ou destrói. ● *S. m.* **2.** Aquele que desfaz. **3.** *Fam.* Pessoa invejosa, que deprecia tudo e todos.

desfazer. [De *des-* + *fazer.*] *V. t. d.* **1.** Modificar a forma ou o arranjo de; desmanchar: *desfazer a cama; desfazer o penteado.* **2.** Inutilizar, destruir, desmanchar: *desfazer uma costura.* **3.** Reduzir a fragmentos; despedaçar, quebrar, destroçar: *Puxou a toalha, desfazendo toda a louça.* **4.** Destroçar, desbaratar: *Com o ataque de surpresa, desfez as posições inimigas.* **5.** Desatar, desdar: *desfazer um nó.* **6.** Desunir, separar, dispersar: *Desfez os grupos que se formavam.* **7.** Tornar sem efeito; desmanchar, anular: *desfazer um negócio, um acordo.* **8.** Resolver; suprimir; dirimir: *Procurou desfazer as dúvidas que o assaltavam.* **9.** Dissipar, desvanecer, esvaecer: *Não alcançou desfazer a má impressão.* **10.** Espalhar, dispersar: *O vento desfez as nuvens.* **11.** Abater, enfraquecer: *A doença o desfez em pouco tempo. T. d. e i.* **12.** Livrar, desembaraçar: *Desfez a sua casa de presenças incômodas.* **13.** Reduzir a fragmentos; picar: *Desfez a carta em mil pedaços.* **14.** Dissolver, diluir: *desfazer o pó na água. T. c.* **15.** Reduzir a importância de; apoucar, amesquinhar: *Costuma desfazer no trabalho dos outros;* "escolheu algumas armas, pagou-as sem *desfazer* na modicidade do preço" (Camilo Castelo Branco, *Mistérios de Fafe,* p. 54). *P.* **16.** Desmanchar (6): *O velho tecido desfazia-se ao menor toque.* **17.** Converter-se, transformar-se; virar: *Atirados ao fogo, os papéis desfizeram-se em cinzas.* **18.** Reduzir-se a fragmentos; quebrar-se. **19.** Desunir-se; separar-se; dispersar-se. **20.** Dissolver-se, diluir-se; liquefazer-se, derreter-se. **21.** Dissipar-se, desvanecer-se, esvanecer-se, esvair-se. **22.** Espalhar-se, dispersar-se. **23.** Desembaraçar-se, livrar-se: "banho-me, *desfaço-me* daquelas impurezas que me irritam os olhos" (Osmã Lins, *Nove, Novena,* p. 235). **24.** Desapossar-se: "— Quem seria o dono execrável deste bichinho, que teve ânimo de se *desfazer* dele por alguns pares de níqueis?" (Machado de Assis, *Páginas Recolhidas,* p. 93). **25.** Dissolver-se; anular-se: *Com a morte dum dos sócios a sociedade se desfez:* "Precária .... a minha paz, indo-se, *desfazendo-se,* liquidando a ilusão" (Geraldo França de Lima, *Branca Bela,* p. 210). **26.** Acabar, findar; dissipar-se: *Ao toque da vara de condão, desfez-se o encantamento.* **27.** Dar largas a um sentimento, uma expansão, um gesto, desmanchar-se: *desfez-se em lágrimas; desfaz-se em obséquios, em atenções.* [F. paral.: *esfazer.* Irreg. Conjug.: v. *fazer.* Imperf. ind: *desfazia,* etc. Cf. *disfasia.*]

desfazimento. *S. m.* Ato de desfazer(-se).

desfeado. [Part. de *desfear.*] *Adj.* Afeado, enfeado. [Cf. *desfiado.*]

desfear. [De *des-* (q.v.) + *feio* + *-ar*[2].] *V. t. d.* e *p.* V. *afear:* "chama belas às belas e feias às feias, e não te esqueças de contar anedotas que *desfeiem* as belas" (Machado de Assis, *Esaú e Jacó,* p. 138); "*Desfeava-lhe* a testa uma grande cicatriz" (Aluísio Azevedo, *O Mulato,* p.38). [Conjug: v. frear. Cf. *desfiar.*]

desfechar. [De *des-* + *fechar.*] *V. t. d.* **1.** Tirar o fecho ou selo a. **2.** Disparar, descarregar (arma de fogo): *Trêmulo, mal conseguia desfechar a pistola;* "é quem escreve [a mão direita], quem segura o livro e o folheia, ... quem desembainha e vibra a espada, quem *desfecha* a arma de fogo" (Lúcio de Mendonça, *Horas do Bom Tempo,* p. 216). **3.** Dar, disparar (tiro). **4.** Descarregar, vibrar; desferir: *desfechar um murro, um golpe.* **5.** Abrir, descerrar: *desfechar os olhos; desfechar uma porta.* **6.** Dar, soltar: *desfechar uma gargalhada.* **7.** Exprimir com violência: *desfechar insultos, ofensas.* **8.** Lançar ou desencadear com ímpeto: *desfechar uma campanha.* **9.** Lançar, atirar (o olhar, a vista, etc.): *Encolerizado, desfechou uma terrível mirada. T. i.* **10.** Desafogar-se, desabafar-se: *Desfechou em sentido pranto.* **11.** Sair-se inopinadamente: *Desfechou com um palpite absurdo. Int.* **12.** Soltar-se, desencadear-se; romper: *Dentro de poucos instantes desfechou tremenda tempestade.* **13.** Ter desenlace; concluir, rematar: *O segundo ato da tragédia desfe-*

c h a *inesperadamente.* [Conjug.: v. *fechar.*]

desfecho (ê). [Dev. de *desfechar.*] *S. m.* **1.** Conclusão, remate, epílogo de um romance, drama, tragédia, etc. **2.** Desenlace, remate, conclusão: *Os amores de Inês de Castro e D. Pedro, o Cru, tiveram d e s f e c h o trágico.*

desfeita. [Fem. substantivado do adj. *desfeito.*] *S. f.* **1.** Ofensa, injúria, insulto. **2.** Derrota, desbarato (de exército). **3.** Iguaria feita de bacalhau desfiado, grão-de-bico, cebola, etc. [F. paral. (us. nesta acepç.): *desfeito.*]

desfeiteador (ô). *S. m.* Aquele que desfeiteia.

desfeitear. *V. t. d.* Fazer desfeitas a; insultar; desconsiderar. [Conjug.: v. *frear.*]

desfeiteira. [De *desfeita* + *-eira,* provavelmente.] *S. f. Bras., AM. Pop.* Brincadeira de salão em que a música pára de repente e o par que se acha mais perto dos instrumentistas deve cantar uma quadra, sob pena de ser vaiado e pagar prenda.

desfeito. [Part. de *desfazer.*] *Adj.* **1.** Que mudou inteiramente de forma. **2.** Desmanchado; destruído. **3.** Anulado, invalidado: *contrato d e s f e i t o.* **4.** Desvanecido; dissipado: *sonhos d e s f e i t o s.* **5.** Diluído, dissolvido. **6.** Alterado, transfigurado. **7.** Derrotado, desbaratado (exército). **8.** Diz-se de temporal violento, impetuoso: "Ouves? é o vento! é um temporal d e s f e i t o !" (Olavo Bilac, *Poesias,* p. 167.) ● *S. m.* **9.** *Pop.* Desfeita (3).

desferir. *V. t. d.* **1.** *Ant. Marinh.* Soltar, desfraldar (vela[1] [1]). **2.** Desfechar (4): *d e s f e r i r um golpe.* **3.** Fazer vibrar as cordas de (instrumento musical): "A casa, onde vivo, rodeiam-na pinhais gementes, que sob qualquer lufada d e s f e r e m suas harpas." (Camilo Castelo Branco, *Amor de Salvação,* p. 41.) **4.** Emitir (som): "Um bando de gralhas do cerrado .... passou alto d e s f e r i n d o seu grito intercadente, longo" (Afonso Arinos, *Pelo Sertão,* p. 81). **5.** Despedir, lançar: *d e s f e r i r o arco.* **6.** Abrir; levantar: *d e s f e r i r vôo.* **7.** Erguer, levantar, altear. [Irreg. Conjug.: v. *aderir.* Cf. *disferir.*]

desferrar. [De *des-* + *ferrar.*] *V. t. d.* **1.** Tirar a ferradura de. *P.* **2.** Perder as ferraduras (o animal). **3.** *Marinh.* Desatar os amarrilhos que sujeitam (a vela, o toldo) à verga, estai ou vergueiro, para pô-los em uso.

desfervoroso (ô). [De *des-* + *fervoroso.*] *Adj.* Falto de fervor; não fervoroso.

desfiado. [Part. de *desfiar.*] *Adj.* **1.** Desfeito em fios. **2.** Esmiuçado, explicado, analisado. ● *S. m.* **3.** Aquilo que se desfia. [Cf. *desfeado.*] ~ V. *desfiados.*

desfiados. [Pl. de *desfiado.*] *S. m. pl.* Espécie de franjas. ~ V. *desfiado.*

desfiadura. *S. f.* Ato ou efeito de desfiar(-se).

desfiar. [De *des-* + *fiar*[1].] *V. t. d.* **1.** Desfazer em fios; reduzir a fios: *d e s f i a r um tecido;* "tirou um cigarro, abriu-o, d e s f i o u o fumo com os dedos" (Machado de Assis, *Quincas Borba,* pp. 245-246). **2.** Soltar em fios ou vapores tênues: *O cigarro d e s f i a v a espirais de fumaça.* **3.** Referir ou narrar minudentemente: *D e s f i o u, durante horas, o acidente.* **4.** Referir ou expor em seqüência: *D e s f i a v a, um a um, os inconvenientes da viagem.* **5.** Passar (rosário) de conta em conta: "freiras sem idade d e s f i a n d o rosários longos" (Malu de Ouro Preto, *Siri na Noite sem Lua,* p. 8). **6.** Desenfiar (1). *Int.* **7.** Correr em fio. *P.* **8.** Desfazer-se em fios. [F. paral.: *esfiar.* Cf. *desfear.*]

desfibrado. [Part. de *desfibrar.*] *Adj.* **1.** A que se tiraram as fibras. **2.** Cujas fibras se separaram. **3.** Sem fibra, sem energia física; mole, fraco. **4.** Sem fibra, sem energia moral; de caráter pouco firme; mole, fraco, pusilânime. ● *S. m.* **5.** Indivíduo desfibrado.

desfibrador (ô). *Adj.* **1.** Que desfibra; desfibrante. ● *S. m.* **2.** *Bras., N.E.* Aquele que trabalha nas máquinas desidratadoras de uma desfibradora [q. v.]. **3.** *Ind. Pap.* Aparelho para converter a madeira em pasta mecânica, constituído por uma grande mó de arenito ou artificialmente preparada, que gira dentro de uma câmara e contra a qual os toros de madeira são premidos, em geral por meio de pistões ou de correntes, enquanto um jacto de água contínuo resfria a pedra e carreia para um depósito a madeira desintegrada; moinho de pasta.

desfibradora (ô). [Fem. substantivado do adj. *desfibrador.*] *S. f. Bras., N.E.* Usina de caroá.

desfibramento. *S. m.* **1.** Ato ou efeito de desfibrar(-se). **2.** Qualidade ou caráter de indivíduo desfibrado.

desfibrante. *Adj. 2 g.* Desfibrador (1).

desfibrar. [De *des-* + *fibrar* + *-ar*[2].] *V. t. d.* **1.** Tirar as fibras a. **2.** Esmiuçar, esmiudar, analisar: *d e s f i b r a r sentimentos.* **3.** *Ind. Pap.* Desintegrar (a madeira), reduzindo-a a pasta mecânica. *P.* **4.** Separarem-se as fibras.

desfibrável. *Adj. 2 g.* Que se pode desfibrar.

desfibrilador (ô). [De *des-* + *fibrila(ção)* + *-(d)or.*] *S. m. Med.* Instrumento empregado para combater fibrilação cardíaca, mediante choques elétricos no coração, aplicados diretamente ou por meio de eletrodos colocados na parede torácica.

desfibrinar. [De *des-* + *fibrina* + *-ar*[2].] *V. t. d.* Tirar as fibrinas de.

desfiguração. *S. f.* Ato ou efeito de desfigurar(-se).

desfigurado. [Part. de *desfigurar.*] *Adj.* **1.** Transtornado ou demudado de feições. **2.** Alterado, transtornado.

desfigurador (ô). *Adj.* e *s. m.* Que ou aquele que desfigura.

desfigurar. [De *des-* + *figurar.*] *V. t. d.* **1.** Alterar a figura ou o aspecto de; adulterar, deturpar. **2.** V. *afear* (1). *P.* **3.** Sofrer alteração ou modificação no aspecto; alterar-se.

desfigurável. *Adj. 2 g.* Que se pode desfigurar.

desfilada. *S. f.* V. *desfile.* ♦ **À desfilada.** V. *à disparada:* "enterrou as esporas no ventre do seu cavalo, que partiu à d e s f i l a d a" (Joaquim Manuel de Macedo, *Os Romances da Semana,* p. 182).

desfiladeiro. [De *desfilada* + *-eiro.*] *S. m.* **1.** Passagem estreita entre montanhas; garganta, passo, estreito: "No sopé da serrania, à esquerda, se abria o d e s f i l a d e i r o da direita, por onde se meteu atrevidamente, em disparada, o esquadrão de cavalaria." (Euclides da Cunha, *Os Sertões,* pp. 415-416.) **2.** *Fig.* Situação embaraçosa, dificilmente resolúvel; aperto, apertura.

desfilamento. *S. m. P. us.* V. *desfile.*

desfilante. *S. 2 g.* Pessoa que desfila [v. *desfilar* (3)].

desfilar. [De *des-* + *fila* + *-ar*[2].] *V. int.* **1.** Marchar em fila(s); passar um após outro. **2.** Seguir-se imediatamente um ao outro; suceder-se: *As candidatas a "miss" d e s f i l a r a m perante a multidão.* **3.** *Bras.* Sair dançando, cantando, ou em exibição, numa escola de samba (1). *T. d.* **4.** Ostentar com alarde; exibir: *Passou d e s f i l a n d o o vestido novo.*

desfile. [Dev. de *desfilar.*] *S. m.* Ação ou efeito de desfilar; desfilada, desfilamento.

desfilhar. [De *des-* + *filhar*[1].] *V. t. d.* **1.** Tirar os filhos ou rebentos demasiados a. **2.** Separar (parte das abelhas de uma colmeia). **3.** *P. us.* Despovoar (1). *P.* **4.** *P. us.* Despovoar (3).

desfitar. [De *des-* + *fitar.*] *V. t. d.* **1.** Não fitar; deixar de fitar: "Cristo abria um dos olhos e piscava para mim, deixando-me estática, apavorada, incapaz de retribuir o gesto ou d e s f i t a r a cabeleira rígida." (Maria Julieta Drummond de Andrade, *O Valor da Vida,* p. 39). *T. d.* e *i.* **2.** Desviar, despregar (os olhos, a vista): "Estupefatos, os velhos não d e s f i t a v a m a vista dela. Era a primeira vez que a viam chorando por tal forma." (Amando Fontes, *Os Corumbas,* p. 25); "D. Ana parecia não entender, e não d e s f i t a v a olhos do soldado" (Camilo Castelo Branco, *No Bom Jesus do Monte,* p. 70). **3.** Tirar; retirar.

desflegmação. [De *desflegmar* + *-ção.*] *S. f. Quím.* Deflegmação.

desflegmador (ô). [De *desflegmar* + *-(d)or.*] *S. m. Quím.* Deflegmador.

desflegmar. [De *des-* + *flegma* + *-ar*[2].] *V. t. d. Quím.* Deflegmar.

desfloração. [De *desflorar* + *-ção.*] *S. f.* **1.** Queda das flores. **2.** Violação da virgindade. [Sin. ger.: *desfloramento.* F. paral.: *defloração, defloramento.*]

desflorador (ô). *Adj.* e *s. m.* Que ou aquele que desflora; deflorador.

desfloramento. *S. m.* V. *desfloração.*

desflorar. [De *des-* + *flor* + *-ar*[2].] *V. t. d.* **1.** Tirar as flores a; deflorar: "O vento d e s f l o r a v a os laranjais em roda..." (Vicente de Carvalho, *Versos da Mocidade,* p. 81). **2.** V. *estuprar.* **3.** *Bras., RS.* Tirar a (o gado ou a tropa) as melhores reses. **4.** *Bras., S.* Maltratar ou cansar (o cavalo). *P.* **5.** Perder as flores: "No jardim as folhas caem, os arbustos s e d e s f l o r a m" (Afonso Arinos, *Histórias e Paisagens,* p. 221).

desflorescer. [De *des-* + *florescer.*] *V. int.* **1.** Perder as flores. **2.** Perder o viço; murchar. **3.** Perder o brilho, o frescor. [Sing. ger.: *desflorir.* Conjug.: v. *crescer.*]

desflorescido. [Part. de *desflorescer.*] *Adj.* Que desfloresceu; desflorido.

desflorescimento. *S. m.* Ação de desflorescer.

desflorestador (ô). *Adj.* e *s. m. Bras.* Que ou aquele que desfloresta.

desflorestamento. *S. m. Bras.* Ação ou efeito de desflorestar; desmatamento.

desflorestar. [De *des-* + *floresta* + *-ar*[2].] *V. t. d. Bras.* Derrubar árvores de (um terreno, uma região) em larga escala, desfazendo floresta; desmatar.

desflorido. [Part. de *desflorir.*] *Adj.* Que desfloriu; desflorescido: "Os d e s f l o r i d o s braços do arvoredo, / Que encruzados lá em cima o vento agita, / Falam de um dia que morreu bem cedo." (Alberto de Oliveira, *Poesias,* 1ª série, p. 223.)

desflorir. [De *des-* + *florir.*] *V. int.* **1.** V. *desflorecer.* *P.* **2.** Desvanecer-se; extinguir-se. [Conjug.: v. *florir.*]

desfolha (ó). [Dev. de *desfolhar.*] *S. f.* V. *desfolhação.*

desfolhação. *S. f.* Ato ou efeito de desfolhar; desfolhamento, desfolha, desfolhadura.

desfolhada. [Fem. substantivado de *desfolhado,* part. de *desfolhar.*] *S. f.* V. *descamisada.*

desfolhador (ô). *Adj.* e *s. m.* Que ou aquele que desfolha.

desfolhadura. *S. f.* V. *desfolhação.*

desfolhamento. *S. m.* V. *desfolhação.*

desfolhante. *Adj. 2 g.* Que provoca desfolhação; que desfolha.

desfolhar. [De *des-* + *folhar.*] *V. t. d.* **1.** Tirar as folhas ou as pétalas a. **2.** V. *descamisar* (2). **3.** *Bras., N.E.* Desembainhar (o facão). *P.* **4.** Perder as folhas, as pétalas. [Pres. ind.: *desfolho,* etc. Cf. *desfolho* (ô).]

desfolho (ô). [Dev. de *desfolhar.*] *S. m.* V. *descamisada.* [Pl.: *desfolhos* (ó). Cf. *desfolho,* do v. *desfolhar.*]

desfontaineácea. *S. f.* Espécime das desfontaineáceas.

desfontaineáceas. *S. f. pl. Bot.* Família de plantas superiores, que engloba pequenas plantas lenhosas dotadas de folhas opostas e espinhosas. Corola largamente tubulosa. Ovário qüinqüelocular e com muitos óvulos. Compreende apenas o gênero *desfontainea,* o qual encerra duas ou três espécies andinas.

desfontaineáceo. *Adj.* Pertencente ou relativo às desfontaineáceas.

desforçado. [Part. de *desforçar.*] *Adj.* **1.** Vingado, desafrontado, desagravado. **2.** Animoso, corajoso, esforçado, forte.

desforçar. [De *des-* + *forçar.*] *V. t. d.* **1.** Vingar, reparar (um agravo, uma afronta). **2.** Desagravar, desafrontar: *Viu insultarem-lhe o pai, e não teve coragem de o d e s f o r ç a r.* **3.** Tomar satisfação de; desafrontar. *P.* **4.** Tirar vingança; desforrar-se, vingar-se, desafrontar-se. [Conjug.: v. *laçar.* Pres. ind.: *desforço,* etc. Cf. *desforço* (ô).]

desforço (ô). [Dev. de *desforçar.*] *S. m.* **1.** Vingança, desforra, desafronta, desagravo: "Há quem se zangue quando recebe descomposturas sem nome de autor. O infeliz picado por um maribondo invisível ameaça Céus e Terra, procurando aquele de quem deva tirar d e s f o r ç o." (Constâncio Alves, *Figuras,* p. 148.) **2.** *Jur.* Ato judicial praticado por quem foi esbulhado de algum bem. [Pl.: *desforços* (ó). Cf. *desforço,* do v. *desforçar.*]

desformar. [De *des-* + *formar.*] *V. t. d.* **1.** V. *deformar.* **2.** *Mil.* Fazer sair da linha de formatura; tirar da forma. [Pres. subj.: *desforme,* etc. Cf. *disformar* e *disforme.*]

desforra (ó). [Dev. de *desforrar*[2].] *S. f.* Ato de desforrar[2]; vingança, desforço, despique. [F. paral., p. us.: *desforro* (ô).]

desforrado. [Part. de *desforrar*[1].] *Adj.* A que se tirou o forro ou a que este caiu: "Pelo teto d e s f o r r a d o, em surtos trôpegos, alguns morcegos erravam às tontas" (Hugo de Carvalho Ramos, *Tropas e Boiadas,* p. 68).

desforrar[1]. [De *des-* + *forro* (ô)[1] + *-ar*[2].] *V. t. d.* Tirar o forro[1] (1 e 2) a: *d e s f o r r a r um casaco.* [Pres. ind.: *desforro,* etc. Cf. *desforro* (ô).]

desforrar[2]. [De *des-* + *forrar*[1].] *V. t. d.* **1.** Vingar, desafrontar; despicar: *D e s f o r r o u a ofensa recebida.* **2.** Indenizar-se ou forrar-se de; ressarcir: *d e s f o r r a r um prejuízo. T. d.* e *i.* **3.** Vingar, desafrontar, despicar: *D e s f o r r o u a família da ofensa. P.* **4.** Tirar desforra; vingar-se de afronta; desafrontar-se, despicar-se. **5.** Indenizar-se ou forrar-se de; ressarcir-se de. [Pres. ind.: *desforro,* etc. Cf. *desforro* (ô).]

desforro (ô). [Dev. de *desforrar*[2].] *S. m. P. us.* Desforra. [Pl.: *desforros* (ó). Cf. *desforro,* do v. *desforrar.*]

desfortalecer. [De *des-* + *fortalecer.*] *V. t. d.* Tirar a fortaleza ou a força a. [Conjug.: v. *aquecer.*]

desfortuna. [De *des-* + *fortuna.*] *S. f.* Má fortuna; desgraça, desdita, infelicidade, infortúnio.

desfradar. [De *des-* + *frade* + *-ar*[2]] *V. t. d.* Tirar a qualidade de frade a. [Cf. *secularizar* (3).]

desfraldar. [De *des-* + *fralda* + *-ar*[2].] *V. t. d.* **1.** *Marinh.* Soltar ao vento, desferir, largar (as velas). **2.** Abrir, soltar: *d e s f r a l d a r bandeiras. P.* **3.** Agitar-se, tremular (a bandeira): "D e s f r a l d a m - s e os pendões ao claro céu do Oriente ..." (Gonçalves Crespo, *Obras Completas,* p. 278.)

desfrangir. [De *des-* + *frangir.*] *V. t. d.* e *p. Desus.* Desfranzir. [Conjug.: v. *dirigir.*]

desfranjar. [De *des-* + *franjar.*] *V. t. d.* Tirar a(s) franja(s) a.

desfranzido. [Part. de *desfranzir.*] *Adj.* A que se tirou o franzimento; desenrugado.

desfranzir. [De *des-* + *franzir.*] *V. t. d.* **1.** Alisar (aquilo que estava franzido). **2.** Desfazer as pregas ou rugas a;

desenrugar: desfranzir *a testa;* "Desfranze essas sobrancelhas / e empresta agora atenção" (Stella Leonardos, *Romanceiro do Bequimão*, p. 152). *P.* **3.** Desenrugar-se: *Com a boa notícia seu rosto se desfranziu.* **4.** Perder o franzimento: "o Viajante sem Porto foi mansamente deslizando sobre as águas escuras do rio, que à sua passagem se franziam, rasgadas pela quilha, para logo se desfranzirem e numa lâmina líquida e densa se alisarem." (Herberto Sales, *Os Pareceres do Tempo*, p. 68).

desfrechar. [De *des-* + *frechar.*] *V. t. d.* **1.** Atirar, arremessar (frechas, setas). **2.** Disparar, desfechar; dar: *desfrechar tiros.* [Conjug.: v. *flechar.*]

desfreqüentado. [De *des-* + *freqüentado.*] *Adj.* Não freqüentado, ou que o é pouquíssimo; deserto ou quase deserto: *bar desfreqüentado; rua desfreqüentada.*

desfruir. [De *des-*(q. v.) + *fruir.*] *V. t. d.* e *t. i.* V. *fruir: desfruir um bem; desfruir de privilégios.* [Conjug.: v. *fruir.*]

desfruta. [Dev. de *desfrutar.*] *S. f. Bras., PE.* Colheita de cocos.

desfrutador (ô). *Adj.* e *s. m.* Que, ou aquele que desfruta, que tem o uso, o gozo, a posse de alguma coisa; usufrutuário.

desfrutar. [De *des-* + *fruto* + *-ar*[2].] *V. t. d.* **1.** V. *usufruir* (2): *Agora desfruta benefícios prestados;* "E à cansada velhice é bem fagueiro / Esses restos da vida desfrutar." (Gonçalves Dias, *Obras Poéticas*, II, p. 99). **2.** Deliciar-se com; apreciar: *Sádico, desfrutou as cenas brutais do filme.* **3.** Viver à custa de. **4.** Zombar de; troçar, chacotear: "O primo Gamboa é um patarata sem juízo, que te diz essas coisas para te desfrutar." (Camilo Castelo Branco, *A Queda dum Anjo*, p. 185.) *T. i.* **5.** Fruir (4): *Desfruta de bom conceito no meio científico.*

desfrutável. *Adj. 2 g.* **1.** Que se pode desfrutar, usufruir. **2.** Que se presta a desfrute (2). **3** *Bras.* Diz-se de pessoa dada a desfrutes, a excessos ridículos, escandalosos ou levianos. ● *S. 2 g.* **4.** *Bras.* Pessoa desfrutável (3).

desfrute. [Dev. de *desfrutar.*] *S. m.* **1.** Ato de desfrutar; desfruto. **2.** Zombaria, chacota, troça, desfruto. **3.** *Econ.* Proveito máximo da produção. **4.** *Bras.* Ação ridícula, escandalosa ou leviana, própria de pessoa desfrutável (3).

desfruto. [Dev. de *desfrutar.*] *S. m.* V. *desfrute* (1 e 2).

desfundar. [De *des-* + *fundo* + *-ar*[2].] *V. t. d.* **1.** Tirar o fundo a. *P.* **2.** Ficar sem o fundo.

desgabado. [Part. de *desgabar.*] *Adj.* Que não é ou não foi objeto de gabo.

desgabar. [De *des-* + *gabar.*] *V. t. d.* Falar mal de; depreciar, deslouvar.

desgabo. [Dev. de *desgabar.*] *S. m.* Ato de desgabar; depreciação, deslouvor.

desgadelhado. [Part. de *desgadelhar.*] *Adj.* V. *desguedelhado.*

desgadelhar. *V. t. d.* e *p.* V. *desguedelhar.* [Conjug.: v. *aparelhar.*]

desgalante. [De *des-* + *galante.*] *Adj. 2 g.* Não galante; descortês.

desgalgar. [De *des-* + *galgar.*] *V. t. d.* **1.** Lançar por declive abaixo; despenhar. *Int.* **2.** Precipitar-se por declive. *P.* **3.** Lançar-se por declive abaixo; despenhar-se: "O mestre e as equipagens desgalgaram-se aos trancos, pelo escuro, sofrendo as rabanadas do sul que os açoitava de frente." (Xavier Marques, *Jana e Joel*, p. 18.) [Conjug.: v. *largar.*]

desgalhar. [De *des-* + *galho* + *-ar*[2].] *V. t. d.* Cortar os galhos de.

desgarrada. [Fem. substantivado de *desgarrado.*] *S. f.* Cantiga popular, geralmente improvisada e ao desafio. ◆ **À desgarrada.** Ao desafio.

desgarrado. *Adj.* **1.** Que se desgarrou; desviado do rumo; erradio, extraviado. **2.** Sem arrimo; só. **3.** Devasso, pervertido. **4.** *Fig.* Livre, solto; espontâneo: *Entoou uma cantiga desgarrada.*

desgarrão. *Adj.* **1.** Que desgarra [v. *desgarrar* (1)] com violência; esgarrão: *vento desgarrão.* ● *S. m.* **2.** Impulso, empurrão violento; esgarrão.

desgarrar. [De *des-* + *garrar.*] *V. t. d.* **1.** Desviar do rumo. **2.** Perverter; extraviar; desencaminhar: *As más companhias desgarraram o rapaz.* **3.** Tornar extravagante ou excêntrico. **4.** *Bras., RS.* Retirar as garras ou pontas de (o couro). *T. d.* e *i.* **5.** Dirigir para lugar, caminho, tendência oposta; desviar, esgarrar: *Más companhias desgarraram ao crime o bom rapaz. T. i.* **6.** Desviar-se, afastar-se: *desgarrar de um assunto. Int.* **7.** Perder o rumo; desgarrar-se. **8.** Desviar-se do rumo; desgarrar-se. *P.* **9.** Desgarrar (7 e 8): "vira uma pastora no caminho a tornar à manada uma cabra que se desgarrara" (Camilo Castelo Branco, *Noites de Lamego*, p. 88). **10.** Afastar-se do bom caminho; extraviar-se, desencaminhar-se.

desgarre. [Dev. de *desgarrar.*] *S. m.* **1.** Ato ou efeito de desgarrar(-se). **2.** Desplante, audácia, ousadia. **3.** Depravação, libertinagem. **4.** Elegância ou requinte exagerados; extravagância: "Bem entroncado, de porte esbelto, movimentos vivos e olhar inquieto, a sua pessoa tinha um desgarre natural" (Gastão Cruls, *4 Romances*, p. 40). **5.** Cantiga à desgarrada. [F. paral.: *desgarro.*]

desgarro. [Dev. de *desgarrar.*] *S. m.* V. *desgarre:* "amimada, acriançando-se em trejeitos e dizeres, descompondo os artifícios pueris com uns ares de desgarro e desenvoltura." (Camilo Castelo Branco, *Novelas do Minho*, I, p. 12).

desgarronar. [Do esp. plat. *desgarronar.*] *V. t. d. Bras., RS.* Cortar o garrão ou jarrete de (animal).

desgasar. [De *des-* + *gás* + *-ar*[2].] *V. t. d. Quím.* Provocar a desgaseificação de (um sistema); degasar.

desgaseificação. [De *des-* + *gaseificação.*] *S. f. Quím.* Eliminação de gás de um sistema, por aquecimento, ou por absorção, ou pela adição de substâncias apropriadas.

desgastante. *Adj. 2 g.* **1.** Que desgasta. **2.** *Fig.* Incômodo, tedioso, chato.

desgastar. [De *des-* (q. v.) + *gastar.*] *V. t. d.* Gastar ou consumir pelo atrito: *O tempo e o uso desgastaram os degraus da velha igreja.* **2.** Gastar; destruir: *Os anos que passou recluso desgastaram os seus hábitos de cortesia.* **3.** *Pop.* Digerir (1). *P.* **4.** Gastar-se ou destruir-se pouco e pouco.

desgaste. [Dev. de *desgastar.*] *S. m.* Ato ou efeito de desgastar(-se); desgasto.

desgasto. [Dev. de *desgastar.*] *S. m.* Desgaste.

desgelar. [De *des-* + *gelar.*] *V. t. d., int.* e *p.* Degelar.

desgorjado. [De *des-* + *gorja* + *-ado*[1].] *Adj.* Que traz o pescoço descoberto; esgorjado.

desgornir. [De *des-* + *gornir.*] *V. t. d. Marinh.* Fazer sair (o cabo) do gorne.

desgostar. [De *des-* + *gostar.*] *V. t. d.* **1.** Causar desgosto, aborrecimento, contrariedade, a; descontentar; contrariar: "Temendo a cada momento / Ofendê-la, desgostá-la, / Quer ler em seu pensamento / E balbucia, não fala..." (Manuel Bandeira, *Estrela da Vida Inteira*, p. 18.) **2.** Desagradar ao extremo a; mortificar. **3.** Fazer perder o gosto. *T. i.* **4.** Não gostar; desagradar-se, aborrecer-se: *Passou a desgostar da companhia do amigo. P.* **5.** Perder o gosto; descontentar-se. **6.** Magoar-se; melindrar-se: *Desgostou-se com aquelas palavras irônicas.* [Pres. ind.: *desgosto*, etc. Cf. *desgosto* (ô).]

desgosto (ô). [De *des-* + *gosto* (ô).] *S. m.* **1.** Ausência de gosto ou prazer; desprazer. **2.** Pesar, mágoa, tristeza, descontentamento. **3.** Nojo, aversão, repugnância. [Pl.: *desgostos* (ô). Cf. *desgosto*, do v. *desgostar.*]

desgostoso (ô). *Adj.* **1.** Que sente desgosto; descontente, penalizado, triste. **2.** Que denota desgosto, descontentamento: *Murmurou palavras desgostosas.* **3.** Que tem gosto ou sabor desagradável.

desgovernação. *S. f.* Falta de governo; desgoverno.

desgovernado. [Part. de *desgovernar.*] *Adj.* **1.** Que não sabe governar-se; desregrado. **2.** Gastador, perdulário, dissipador, dissipado, mãos-rotas. **3.** *Bras.* Desnorteado, desorientado, desarvorado.

desgovernar. [De *des-* + *governar.*] *V. t. d.* **1.** Governar mal; dar má direção a. **2.** Desviar do bom caminho. **3.** Gastar, desperdiçar; dilapidar: *Desgovernou a herança paterna em pouco tempo. Int.* **4.** Navegar sem governo (uma embarcação). *P.* **5.** Governar-se mal. **6.** Perder o governo ou domínio de si mesmo; portar-se mal; desregrar-se: *Desgovernou-se vergonhosamente na reunião.* **7.** *Bras.* Desnortear-se, desorientar-se. [Pres. ind.: *desgoverno*, etc. Cf. *desgoverno* (ê).]

desgoverno (ê). [De *des-* + *governo.*] *S. m.* **1.** Mau governo. **2.** Esbanjamento, desperdício. **3.** Excesso, intemperança, desregramento. **4.** *Bras.* Falta de governo, de orientação; desorientação, desgovernação; desnorteamento. [Pl.: *desgovernos* (ê). Cf. *desgoverno*, do v. *desgovernar.*]

desgraça. [De *des-* + *graça.*] *S. f.* **1.** Sucesso funesto; má sorte, infortúnio, desdita, infelicidade, desventura. **2.** Miséria, penúria: *A morte do velho deixou a família na desgraça.* **3.** Privação da graça de alguém; desfavor: *No governo de D. José I, em Portugal, os Távoras caíram em desgraça.* **4.** Aflição, ansiedade, angústia. **5.** *Pop.* Pessoa inábil, incapaz, inepta. [Cf. *calamidade.*]

desgraçadamente. *Adv.* **1.** De modo desgraçado; com desgraça. **2.** Na pior das hipóteses.

desgraçado. [Part. de *desgraçar.*] *Adj.* **1.** De má sorte; infeliz, desventurado, infausto. **2.** Muito pobre; miserável, indigente. **3.** Inábil, incapaz. **4.** Vil, desprezível, abjeto. **5.** *Fam.* Levado, arteiro, traquinas, travesso. [Sin. (bras., gír.): *desgranido.*] **6.** *Bras. Pop.* Admirável pela habilidade, astúcia, força, inteligência, etc., e até pela boa sorte; infeliz [q. v.]: *Ganhou 1 milhão na loteria? Puxa, que sujeito desgraçado!* ● *S. m.* **7.** Indivíduo desgraçado.

desgraçar. *V. t. d.* **1.** Causar a desgraça a; tornar desgraçado, desditoso: *O seu mau gênio desgraçou-o.* **2.** *Gír.* Deflorar, desvirginar. *P.* **3.** Tornar-se infeliz, desditoso. [Conjug.: v. *laçar.*]

desgraceira. *S. f. Bras.* **1.** Desgraça contínua. **2.** Sucessão de desgraças.

desgraciado. *Adj. P. us.* **1.** V. *desgraçado* (1):"— Essa tua amiga, ela sim, é uma desgraciada." (Dalton Trevisan, *Essas Malditas Mulheres*, p. 11.) **2.** V. *desgracioso.*

desgracioso (ô). [De *des-* + *gracioso.*] *Adj.* Que não tem graça; falto de elegância; desajeitado: "É [o sertanejo] desgracioso, desengonçado, torto." (Euclides da Cunha, *Os Sertões*, p. 114.)

desgramado. [De *desgraçado*, com eufemismo.] *Adj.* e *s. m. Bras. Pop.* Diz-se de, ou indivíduo desgraçado (6).

desgranido. *Adj. Bras. S. Gír.* **1.** V. *desgraçado* (5). **2.** Vivo, esperto, decidido.

desgravação. *S. f.* Ato ou efeito de desgravar.

desgravar. [De *des-* + *gravar*[1] (6).] *V. t. d.* Desfazer a gravação[1] (2) de: *Desgravou vários sambas para gravar sinfonias.*

desgravidar. [De *des-* + *gravidar.*] *V. t. d.* **1.** Tirar a gravidez a. *Int.* **2.** Dar à luz; parir.

desgraxamento. *S. m.* Ação de desgraxar.

desgraxar. [De *des-* + *graxa* + *-ar*[2].] *V. t. d.* Tirar a gordura a; desengordurar.

desgregar. *V. t. d., t. d.* e *i.* e *p. P. us.* Desagregar: "as beiras / do rio que em cachões das penhas se desgrega" (Antônio Feliciano de Castilho, *As Geórgicas de Virgílio*, p. 213). [Conjug.: v. *regar.*]

desgrenhado. [Part. de *desgrenhar.*] *Adj.* **1.** Diz-se do cabelo despenteado, revolto, emaranhado. [Sin., bras., N.E.: *alvoroçado.*] **2.** *P. ext.* Que tem o cabelo desgrenhado. **3.** *Fig.* Desordenado, irregular (no falar e/ou no escrever).

desgrenhamento. *S. m.* Ato ou efeito de desgrenhar(-se).

desgrenhar. [De *des-* + *grenha* + *-ar*[2].] *V. t. d.* **1.** Tornar revolto como grenha, emaranhar (os cabelos); despentear, desguedelhar. *P.* **2.** Despentear-se, desguedelhar-se.

desgrilhoar. *V. t. d.* Desagrilhoar. [Conjug.: v. *coroar.*]

desgrinaldar. [De *des-* + *grinaldar.*] *V. t. d.* e *p.* *desengrinaldar.*

desgrudar. [De *des-* + *grudar.*] *V. t. d.* **1.** Despegar (o que estava grudado); descolar: "acordou estrovinhado a desgrudar os olhos, que se haviam fechado com duas lágrimas" (Camilo Castelo Branco, *A Queda dum Anjo*, p. 154). *T. d.* e *i.* **2.** Tirar, afastar, desviar: "A mulher não desgrudava os olhos dela" (Maria Julieta Drummond de Andrade, *O Valor da Vida*, p. 158). *T. i.* **3.** Afastar-se, apartar-se: "Quando Paulinha descobriu a televisão, foi uma tragédia. Não queria mais desgrudar do aparelho." (Pedro Bloch, *Essas Crianças de hoje!*, p. 74.) *P.* **4.** Despegar-se, descolar-se.

desgrumar. [De *des-* + *grumar.*] *V. t. d.* Desfazer os grumos de.

desguampar. [De *des-* + *guampa* + *-ar*[2].] *V. t. d. Bras., RS.* Tirar as guampas ou cornos de (a rês), serrando-os ou usando de outro meio, para lhe permitir maior desenvolvimento físico.

desguardar. [De *des-* + *guardar.*] *V. t. d.* Não guardar; desacautelar.

desguaritar. [De *des-* + *guarita* + *-ar*[2].] *V. int.* e *p. Bras., SP* a *RS.* **1.** Perder-se; extraviar-se. **2.** Separar-se ou afastar-se dos companheiros de grupo, de bando. **3.** Desgarrar-se do rebanho ou da tropa (um animal).

desguarnecer. [De *des-* + *guarnecer.*] *V. t. d.* **1.** Privar de guarnição. **2.** Privar de forças militares ou de munições de guerra: *desguarnecer uma praça de guerra.* **3.** Tirar os ornatos, os enfeites, a; desornar: *desguarnecer uma toalete.* **4.** Tirar os móveis de; desmobiliar. **5.** *Tip.* Tirar a guarnição de (fôrma tipográfica). [Cf. (nesta acepç.) *despaginar.*] *P.* **6.** Privar-se de guarnição, de ornamentos, de enfeite, etc. [Conjug.: v. *aquecer.*]

desguedelhado. [Part. de *desguedelhar.*] *Adj.* **1.** Diz-se do cabelo em desalinho; desgrenhado, despenteado. **2.** *P. ext.* Diz-se da pessoa que traz o cabelo desguedelhado. [Tb. se diz *desgadelhado, esguedelhado* e *esgadelhado.*]

desguedelhar. [De *des-* + *guedelha* + *-ar*[2].] *V. t. d.* **1.** Pôr em desalinho (os cabelos), desgrenhar, despentear. *P.* **2.** Despentear-se, desgrenhar-se. [Tb. se diz *desgadelhar, esguedelhar* e *esgadelhar.* [Conjug.: v. *aparelhar.*]

desguiar. [De *des-* + *guiar.*] *V. int. Bras., RJ. Gír.* Ir embora; dar o fora.

➧**déshabillé** (dèzabiiê). [Fr.] *S. m.* Espécie de penhoar de luxo, feito de tecido leve, de rendas, etc.

desiderativo. [Do lat. *desiderativu.*] *Adj.* Que exprime desejo.

desiderato. [Do lat. *desideratu.*] *S. m.* Aquilo que se deseja, a que se aspira; aspiração: "Foi Camões o poeta que .... levou a cabo a epopéia, desiderato do Renascimento português" (Antônio José Saraiva e Oscar Lopes, *História da Literatura Portuguesa,* p. 334).

desídia. [Do lat. *desidia.*] *S. f.* **1.** Preguiça, indolência, inércia, negligência. **2.** Desleixo, descaso, incúria: "Julgo do meu dever consignar .... que há muita desídia, negligência e até, como me pesa dizê-lo, má vontade em atender a gente que quer vir para o Brasil." (Gilberto Amado, *Sabor do Brasil,* p. 80.)

desidioso (ô). *Adj.* Que tem, ou em que há desídia: *rapaz desidioso; procedimento desidioso.*

desidratação. *S. f.* **1.** Ato ou efeito de desidratar(-se). **2.** *Med.* Síndrome resultante de perda significativa ou excessiva, e não compensada, de água corporal. **3.** *Quím.* Perda ou remoção de água de uma substância ou de uma mistura, quer por processo ordinário de secagem ou aquecimento, quer por absorção, adsorção, reação química, condensação do vapor de água, quer por força centrífuga ou pressão hidráulica. [Não se aplica, em geral, o termo *desidratação* no caso de perda de água de uma solução aquosa por evaporação ou ebulição.]

desidratado. [Part. de *desidratar.*] *Adj.* e *s. m.* Que ou aquele que se desidratou, que sofre de desidratação (2).

desidratador (ô). *Adj.* Desidratante.

desidratante. *Adj. 2 g.* Que desidrata; que produz desidratação.

desidratar. [De *des-* + *hidratar.*] *V. t. d.* **1.** Extrair, pelo calor, pelo vácuo ou por substância higroscópica, a água de (um composto). **2.** *Med.* Causar desidratação (2) em. *P.* **3.** Apresentar desidratação (2).

desidremia. [De *des-* + *hidremia.*] *S. f. Med.* Redução da taxa de água no sangue.

desidrêmico. *Adj.* Relativo à desidremia.

desidrogenação. *S. f.* **1.** Ato ou efeito de desidrogenar. **2.** *Quím.* Processo pelo qual se remove o hidrogênio dos compostos, por meios químicos.

desidrogenar. [De *des-* + *hidrogenar.*] *V. t. d.* Tirar o hidrogênio a.

➧**design** (dizáin). [Ingl.] *S. m.* **1.** Concepção de um projeto ou modelo; planejamento. **2.** O produto deste planejamento. **3.** *Restr.* Desenho industrial. **4.** *Restr.* Desenho-de-produto. **5.** *Restr.* Programação visual.

designação. [Do lat. *designatione.*] *S. f.* **1.** Ato ou efeito de designar; indicação. **2.** Denominação, qualificação. **3.** Nomeação, indicação, escolha: *Estava a seu cargo a designação de um sucessor.*

designado. [Part. de *designar.*] *Adj.* e *s. m.* Que ou aquele que recebeu a designação.

designador (ô). [Do lat. *designatore.*] *Adj.* e *s. m.* Que ou aquele que designa ou indica; designante.

designante. *Adj. 2 g.* e *s. 2 g.* Designador.

designar. [Do lat. *designare.*] *V. t. d.* **1.** Dar a conhecer; nomear; indicar: *Substantivo é a palavra que designa os seres em geral.* **2.** Ser o sinal, o símbolo de: *A balança designa a Justiça.* **3.** Fixar, determinar; marcar, assinalar: *Ainda não designou a data da partida. T. d. e i.* **4.** Nomear (para cargo ou emprego): *O Presidente designou-o para um posto elevado.* **5.** Fixar, determinar; marcar, assinalar. *Transobj.* **6.** Qualificar; denominar; classificar: *Grande estadista, designaram-no como esteio da democracia em seu país.*

designatário. *S. m. Bras. Com.* O banco designado para receber a importância de um cheque cruzado.

designativo. *Adj.* Que designa, ou próprio para designar.

➧**designer** (dizáiner). [Ingl.] *S. 2 g.* **1.** Indivíduo que planeja ou concebe um projeto ou modelo. **2.** *Restr.* Desenhista-industrial. **3.** *Restr.* Desenhista-de-produto. **4.** *Rest.* Programador-visual.

desígnio. [Do lat. *designiu.*] *S. m.* Intento, intenção, plano, projeto, propósito: *os desígnios da Providência.*

desigual. [De *des-* + *igual.*] *Adj. 2 g.* **1.** Não igual; diferente, diverso. **2.** Variável, mutável, mudável; incerto: *tempo desigual.* **3.** Inconstante, instável, volúvel, voltário: *temperamento, caráter, índole desigual.* **4.** Não uniforme; irregular: *pulsações desiguais.* **5.** Em que não há equilíbrio de forças; desproporcional: *combate desigual.* **6.** Parcial; injusto. **7.** Acidentado[1] (1): *terreno desigual.* **8.** *P. us.* Extravagante, extraordinário, singular. **9.** *Ant.* Desconforme, impróprio. ~ V. *temperamento* —.

desigualar. [De *des-* + *igualar.*] *V. t. d.* **1.** Estabelecer a diferença ou distinção entre; fazer desigual: *A lei não deve desigualar os cidadãos de um país. T. d. e i.* **2.** *Fig.* Tornar desigual; distinguir, diferenciar, estremar: *A sorte desigualou-o dos companheiros. T. i.* **3.** Ser desigual, diferente. *P.* **4.** Tornar-se desigual; diferenciar-se.

desigualdade. *S. f.* **1.** Qualidade ou estado do que é desigual. **2.** *Astr.* Termo secular [q. v.], periódico ou irregular, que representa o afastamento entre a primeira aproximação do valor de uma grandeza astronômica e o valor exato dessa grandeza. **3.** *Mat.* Relação entre os membros de um conjunto, que envolve os sinais de "maior que" ou "menor que". ◆ **Desigualdade paraláctica.** *Astr.* Irregularidade no valor da longitude da Lua, resultante de a órbita ser excêntrica e deslocada em relação ao Sol, e que se traduz por variações na paralaxe da Lua na ordem de "1".

desiludido. [Part. de *desiludir.*] *Adj.* **1.** Que se desiludiu; desenganado, decepcionado. [Sin., p. us.: *desiluso.*] ● *S. m.* **2.** Aquele que se desiludiu: "Almas tristes, sinistras e angustiadas, / Almas sombrias dos desiludidos" (Da Costa e Silva, *Sangue,* p. 28).

desiludir. [De *des-* + *iludir.*] *V. t. d.* **1.** Tirar ilusões a: desenganar: *A resposta franca desiludiu-o.* **2.** Causar decepção a: *A real versão dos fatos desiludiu-a. T. d. e i.* **3.** Desenganar, dissuadir: "A infelicidade não o desiludiu [a Almeida Garrett] do amor, incapaz como é de viver sem a tepidez duma ternura feminina." (José Osório de Oliveira, *O Romance de Garrett,* p. 93.) *Int.* **4.** Fazer perder a ilusão: "Da falta de espírito é até desagradável falar. Ela põe a gente jururu. Desilude. Abate. Desanima." (Antônio de Alcântara Machado, *Cavaquinho e Saxofone,* p. 108.) *P.* **5.** Perder as ilusões; desesperançar-se, desenganar-se.

desilusão. [De *des-* + *ilusão.*] *S. f.* Ato ou efeito de desiludir(-se); desengano; decepção.

desiluso. [De *des-* + *iluso.*] *Adj. P. us.* V. *desiludido* (1).

desimaginar. [De *des-* + imaginar.] *V. t. d.* e *i.* **1.** Tirar ou apagar do espírito, da memória; tirar da imaginação; dissuadir: *Não conseguiram desimaginá-lo daquele intento. P.* **2.** Deixar de pensar; esquecer-se; dissuadir-se, despersuadir-se.

desimobilização. *S. f.* Ato ou efeito de desimobilizar.

desimobilizar. [De *des-* + *imobilizar.*] *V. t. d.* Fazer que se mobilize; fazer cessar a imobilidade ou imobilização de.

desimpedido. [Part. de *desimpedir.*] *Adj.* **1.** Livre, desembaraçado, desatravancado. **2.** Desembaraçado, franco. **3.** Livre de compromisso: *Pode aceitar o trabalho, pois está desimpedido; É rapaz solteiro, desimpedido.*

desimpedimento. *S. m.* Ação de desimpedir.

desimpedir. [De *des-* + *impedir.*] *V. t. d.* **1.** Tirar o impedimento, o obstáculo, a; desembaraçar; desobstruir: *desimpedir o tráfego.* **2.** Facilitar, removendo o que impede ou embaraça: *O funcionário prometeu desimpedir a tramitação do processo.* [Irreg. Conjug.: v. *medir.* Pres. ind.: *desimpeço,* etc.; pres. subj.: *desimpeça, desimpeças, desimpeçam,* etc. Cf. *desempeço, desempeças, desempeça, desempeçam,* do v. *desempeçar; desempeço* (ê), do v. *desempecer* e *s. m.;* e *desempeça* (ê), *desempeças* (ê), *desempeçam* (ê), do v. *desempecer.*]

desimplantar. [De *des-* + *implantar.*] *V. t. d.* Tirar o que estava implantado; extrair com violência: "A tudo investe, abala / desimplanta, / Destrói, derruba, na evulsão crescente" (Alberto de Oliveira, *Poesias,* I, p. 131).

desimplicar. [De *des-* + *implicar.*] *V. t. d.* Separar (o que estava implicado); simplificar, desenredar. [Conjug.: v. *trancar.*]

desimportante. [De *des-* + *importante.*] *Adj. 2 g.* De nenhuma ou pouca importância: "elemento episódico, fortuito e, em princípio, desimportante e desnecessário" (Mário de Andrade, *O Empalhador de Passarinho,* p. 125).

desimprensar. [De *des-* + *imprensar.*] *V. t. d.* **1.** Tirar da prensa. **2.** Tirar (um objeto que estava imprensado).

desimpressionar. [De *des-* + *impressionar.*] *V. t. d.* **1.** Apagar ou desvanecer uma impressão moral em: *Chocou-se com a grosseria do velho amigo, mas eu consegui desimpressioná-lo. T. d. e i.* **2.** Apagar ou desvanecer uma impressão moral: *Ninguém o desimpressiona do abalo sofrido com a morte do filho. P.* **3.** Deixar de sentir-se impressionado.

desinçar. [De *des-* + *inçar.*] *V. t. d. e i.* **1.** Livrar de coisas, animais ou pessoas prejudiciais ou nocivas; desinfestar: *desinçar as matas de animais daninhos; desinçar de ladrões a cidade.* **2.** Livrar; desembaraçar. [Conjug.: v. *laçar.*]

desinchação. *S. f.* Ação de desinchar; detumescência.

desinchar. [De *des-* + *inchar.*] *V. t. d.* **1.** Desfazer ou diminuir a inchação de; desintumescer. **2.** Abater o orgulho, a vaidade, a soberba, de; humilhar, vexar. *Int.* **3.** Deixar de estar inchado; desintumescer, desincharse. *P.* **4.** Desinchar (3). **5.** Perder o orgulho, a vaidade, a soberba.

desinclinação. *S. f.* Ato ou efeito de desinclinar.

desinclinar. [De *des-* + *inclinar.*] *V. t. d.* **1.** Endireitar, erguer ou aprumar (o que estava inclinado). *T. d. e i.* **2.** Tirar a inclinação, o gosto, a; desafeiçoar: *Seus conselhos desinclinaram o amigo da vadiagem.*

desincompatibilização. *S. f.* Ato ou efeito de desincompatibilizar(-se).

desincompatibilizar. [De *des-* + *incompatibilizar.*] *V. t. d.* **1.** Tirar a incompatibilidade a. *P.* **2.** Deixar de estar incompatibilizado.

desincorporação. *S. f.* Ação ou efeito de desincorporar(-se).

desincorporar. [De *des-* + *incorporar.*] *V. t. d.* **1.** Separar (o que estava incorporado). **2.** Tirar de uma corporação. **3.** Desunir, desligar. *P.* **4.** Separar-se; desligar-se; desmembrar-se.

desincumbir-se. [De *des-* + *incumbir* + *se*[1].] *V. p.* Dar cumprimento a uma incumbência.

desindexação (cs). [De *des-* + *indexação.*] *S. f.* Ato ou efeito de desindexar.

desindexar (cs). [De *des-* + *indexar.*] *V. t. d.* **1.** Desfazer a indexação de. **2.** Extinguir a relação entre (certos valores). **3.** Extinguir o reajuste de (certo valor), segundo determinado índice.

desindiciação. *S. f. Jur.* Ato ou efeito de desindiciar.

desindiciar. [De *des-* + *indiciar.*] *V. t. d. Jur.* Excluir (o indiciado) de um inquérito; livrar (o indiciado) de processamento criminal. [Cf. *impronunciar.*]

desindividualizar. [De *des-* + *individualizar.*] *V. t. d.* **1.** Não distinguir particularmente; generalizar. *P.* **2.** Perder a individualidade.

desinência. [Do lat. *desinentia.*] *S. f.* **1.** Extremidade, fim, termo. **2.** *Gram.* Elemento morfológico que, no português, indica nos nomes o gênero (*masculino* ou *feminino*) e o número (*singular* ou *plural*), e nos verbos, o número (*singular* ou *plural*) e a pessoa (*1ª 2ª* ou *3ª*), o tempo (*presente, passado* ou *futuro*) e o modo (*indicativo, subjuntivo* ou *imperativo*). Ex.: nova, terras; devo, devemos devido; deves, devas, deve. [Sin.: *sufixo flexional.* Cf. *afixo* (2) e *vogal temática.*]

desinencial. *Adj. 2 g.* Relativo ou pertencente a desinência.

desinente. *Adj. 2 g. Morfol. Veg.* Decorrente (2). ~ V. *folha* —.

desinfamar. [De *des-* + *infamar.*] *V. t. d.* Limpar de infâmia; reabilitar moralmente.

desinfeção. *S. f.* Var. de *desinfecção.*

desinfecção. [De *des-* + *infecção.*] *S. f.* Ato ou efeito de desinfeccionar. [Var.: *desinfeção.*]

desinfeccionar. [De *des-* + *infeccionar.*] *V. t. d.* **1.** V. *desinfetar* (1). **2.** Fazer desaparecer a infecção de. [Var.: *desinfecionar, desinficionar.*]

desinfecionar. [De *des-* + *infecionar.*] *V. t. d.* V. Desinfeccionar.

desinfelicidade. [De *des-* (q. v.) + *infelicidade.*] *S. f. Pop.* Infelicidade.

desinfeliz. [De *des-* (q. v.) + *infeliz.*] *Adj. 2 g.* e *s. 2 g. Pop.* Infeliz: "Nunca dantes me sentira / Tão desinfeliz assim: / É que ando dentro da vida / Sem vida dentro de mim." (Manuel Bandeira, *Estrela da Vida Inteira,* p. 354.)

desinfernar. [De *des-* + *infernar.*] *V. t. d.* Livrar daquilo que inferna, atormenta; tranqüilizar, acalmar.

desinfestar. [De *des-* + *infestar.*] *V. t. d. e i.* Livrar daquilo que infesta; desinçar.

desinfetador (ô). *Adj.* **1.** Desinfetante (1). ● *S. m.* **2.** Aquele que desinfeta. **3.** Aparelho para desinfetar.

desinfetante. *Adj. 2 g.* **1.** Que desinfeta; desinfetador. ● *S. m.* **2.** Substância desinfetante.

desinfetar. [De *des-* + *infetar.*] *V. t. d.* **1.** Livrar do que infeta; sanear, desinfeccionar. *Int.* **2.** Destruir os micróbios vivos. *O preparado contém uma substância que*

desinfeta. **3.** *Bras. Gír.* Retirar-se de um lugar.
desinfetório. *S. m. Bras.* Lugar onde se praticam desinfecções; posto de desinfecção.
desinficionar. [De *des-* + *inficionar.*] *V. t. d.* V. *desinfeccionar.*
desinflação. [De *des-* + *inflação.*] *S. f. Econ.* Política econômica que visa a remover as pressões inflacionárias e manter o valor da unidade monetária.
desinflacionar. [De *des-* + *inflacionar.*] *V. t. d. Econ.* Pôr em prática a desinflação em.
desinflamação. *S. f.* Ato de desinflamar(-se).
desinflamado. [Part. de *desinflamar.*] *Adj.* Em que ocorreu desinflamação.
desinflamar. [De *des-* + *inflamar.*] *V. t. d.* **1.** Fazer cessar a inflamação (3) de. ● *Int.* e *p.* **2.** Deixar de estar inflamado; desinchar.
desinfluir. [De *des-* + *influir.*] *V. t. d.* e *i.* Fazer cessar a influência ou entusiasmo a; desanimar. [Conjug.: v. *atribuir.*]
desinformação. *S. f.* **1.** Ato ou efeito de desinformar. **2.** Informação propositadamente desvirtuada, deformada ou falseada para induzir o adversário em erro de apreciação.
desinformado. [Part. de *desinformar.*] *Adj.* Não informado ou mal informado.
desinformar. [De *des-* + *informar.*] *V. t. d.* Deixar de informar, ou informar erroneamente.
desingurgitar. [De *des-* + *ingurgitar.*] *V. t. d.* Desfazer o ingurgitamento de.
desinibido. [Part. de *desinibir.*] *Adj.* **1.** Livre de inibições. **2.** Livre de acanhamento, de timidez; desembaraçado: "O carnaval carioca tem fama universal. Não há, provavelmente, outra cidade do mundo em que .... sejam mais buliçosos, alegres e desinibidos os participantes da folia." (Austregésilo de Ataíde, *Conversas na Barbearia Sol,* p. 247.)
desinibir. [De *des-* + *inibir.*] *V. t. d.* **1.** Fazer cessar a inibição (3 e 4) a. *P.* **2.** Tornar-se desinibido.
desinjuriar. [De *des-* + *injuriar.*] *V. t. d.* Desafrontar, desagravar.
desinquietação. *S. f.* Ato ou efeito de desinquietar.
desinquietador (ô). *Adj.* e *s. m.* Que ou aquele que desinquieta.
desinquietar. [De *des-* (q. v.) + *inquietar.*] *V. t. d.* **1.** Perturbar a paz, a tranqüilidade de; inquietar: *Tem um temperamento nervoso: qualquer novidade o desinquieta.* **2.** Tirar do sossego; importunar, incomodar: *Aquela prolongada visita desinquietou os donos da casa.* **3.** *Desus.* Induzir ao mal; desencaminhar.
desinquieto. [De *des-* (q. v.) + *inquieto.*] *Adj.* **1.** Inquieto, agitado, desassossegado. **2.** *Fam.* Traquinas, travesso, turbulento: *menino desinquieto.*
desinsetizador (ô). *Adj.* e *s. m.* Que ou aquele que desinsetiza.
desinsetizar. [De *des-* + *inseto* + *-izar.*] *V. t. d.* Eliminar os insetos de.
desinsofrido. [De *des-* (q. v.) + *insofrido.*] *Adj.* Muito impaciente; inquieto, insofrido.
desinsofrimento. *S. m.* Estado ou caráter de desinsofrido.
desintegração. *S. f.* **1.** Ato ou efeito de desintegrar(-se). **2.** *Fís. Nucl.* Processo, espontâneo ou provocado, em que um núcleo atômico emite uma partícula. ♦ **Desintegração alfa.** *Fís. Nucl.* Desintegração radioativa em que há emissão de uma partícula alfa. **Desintegração artificial.** *Fís. Nucl.* Desintegração radioativa provocada pela captura de uma partícula por um núcleo. **Desintegração beta.** *Fís. Nucl.* Desintegração radioativa em que há emissão de um elétron. **Desintegração espontânea.** *Fís. Nucl.* Desintegração natural. **Desintegração gama.** *Fís. Nucl.* Desintegração radioativa em que há emissão de raios gama. **Desintegração múltipla.** *Fís. Nucl.* Desintegração ramificada. **Desintegração natural.** *Fís. Nucl.* Desintegração radioativa de um núcleo atômico que é naturalmente instável; desintegração espontânea. **Desintegração ramificada.** *Fís. Nucl.* A que se pode realizar segundo diferentes reações de desintegração; desintegração múltipla.
desintegrador (ô). *Adj.* e *s. m.* Que ou aquele ou aquilo que desintegra.
desintegrar. [De *des-* + *integrar.*] *V. t. d.* **1.** Tirar a integração de; separar de um todo. **2.** Promover a desintegração (2) de. *T. d.* e *i.* **3.** Separar (de um todo): *Desintegrou do conjunto duas peças importantes.* **4.** Promover a desintegração (2). *P.* **5.** Perder a integridade; dividir-se; reduzir-se. **6.** Sofrer desintegração (2).
desinteirar. [De *des-* + *inteirar.*] *V. t. d. Bras.* Tirar algumas unidades, uma parte, a (uma quantidade ou quantia certa, em números redondos, ou especialmente reservada para algum fim): *Com os gastos do tratamento do filho desinteirou a quantia com que sonhava comprar uma casa.*
desinteiriçar-se. [De *des-* + *inteiriçar* + *se*[1].] *V. p.* Deixar de estar teso, inteiriçado. [Conjug.: v. *laçar.*]
desinteligência. [De *des-* + *inteligência.*] *S. f.* **1.** Divergência, desacordo. **2.** Inimizade, malquerença.
desintencional. [De *des-* + *intencional.*] *Adj. 2 g.* Não intencional; involuntário.
desinterditar. [De *des-* + *interditar.*] *V. t. d.* Levantar a interdição de: "O juiz .... desinterditou ontem a área do acidente" (*Jornal do Brasil,* 14.9.1982).
desinteressado. [Part. de *desinteressar.*] *Adj.* **1.** Que não tem interesse; que se desinteressou. **2.** Que mostra isenção; desapaixonado; desprendido. **3.** Abnegado, desprendido.
desinteressante. [De *des-* + *interessante.*] *Adj. 2 g.* Que não interessa; não interessante.
desinteressar. [De *des-* + *interessar.*] *V. t. d.* e *i.* **1.** Privar do interesse, dos lucros: *Resolveram afastá-lo da diretoria e desinteressá-lo da firma. P.* **2.** Cessar de ter interesse: *Desinteressou-se do trabalho, passando-o a outra pessoa;* "Desinteressei-me do carro de bois, igual a outros já vistos" (Graciliano Ramos, *Infância,* p. 36). **3.** Não se importar; ser indiferente: *Desde que enviuvou, desinteressou-se de seu aspecto pessoal.* [Pres. subj.: *desinteresse, desinteresses,* etc. Cf. *desinteresse* (ê) e pl. *desinteresses* (ê).]
desinteresse (ê). [De *des-* + *interesse* (ê).] *S. m.* **1.** Falta de interesse. **2.** Abnegação, desprendimento; generosidade. **3.** Isenção, imparcialidade. [Pl.: *desinteresses* (ê). Cf. *desinteresse* e *desinteresses,* do v. *desinteressar.*]
desinteresseiro. [De *des-* + *interesseiro.*] *Adj.* Que não é interesseiro; que tem ou mostra desinteresse.
desinternar. [De *des-* + *internar.*] *V. t. d.* **1.** Fazer sair do interior. **2.** Tirar a qualidade de interno (6) a: *Mudando-se para a cidade, resolveu desinternar o filho.*
desintimidar. [De *des-* + *intimidar.*] *V. t. d.* Fazer perder a timidez; animar.
desintoxicante (cs). *Adj. 2 g.* Que desintoxica.
desintoxicar (cs). [De *des-* + *intoxicar.*] *V. t. d.* **1.** Fazer passar a intoxicação a. **2.** V. *desenvenenar.* [Conjug.: v. *trancar.*]
desintricar. [De *des-* + *intricar.*] *V. t. d.* Tornar claro, simples; desenredar, desemaranhar, esclarecer: *desintricar um mistério.* [Var.: *desintrincar.* Conjug.: v. *trancar.*]
desintrincar. [De *des-* + *intrincar.*] *V. t. d.* V. *desintricar.* [Conjug.: v. *trancar.*]
desintumescer. [De *des-* + *intumescer.*] *V. t. d.* **1.** Tirar ou reduzir a intumescência de; desinchar, descongestionar. *Int.* **2.** Perder a intumescência; desinchar-se. [Conjug.: v. *crescer.*]
desinvernar. [De *des-* + *invernar.*] *V. int.* **1.** Deixar os quartéis de inverno. **2.** Perder (o tempo) a aspereza do inverno.
desinvestir. [De *des-* + *investir.*] *V. t. d.* e *i.* Tirar a investidura; destituir; exonerar: *Desinvestiram-no do cargo de ministro.* [Irreg. Conjug.: v. *aderir.*]
desionizar. [De *des-* + *íon* + *-izar.*] *V. t. Quím.* Eliminar (íons) de uma solução; deionizar.
despnotizar. [De *des-* + *hipnotizar.*] *V. t. d.* Fazer cessar o estado hipnótico em; fazer que deixe de estar hipnotizado: "Até que ficou decidido despnotizar o senhor Valdemar. Vieram os passes e a uma pergunta de um dos assistentes, o paciente exclamou: I — Pelo amor de Deus! Depressa! Depressa! Faça-me dormir..." (Guilherme Figueiredo, *Cobras & Lagartos,* p. 107.)
desipotecar. [De *des-* + *hipotecar.*] *V. t. d. Bras.* Levantar a hipoteca de. [Conjug.: v. *trancar.*]
desirmã. *Adj. (f.)* Fem. de *desirmão* [q. v.].
desirmanado. [Part. de *desirmanar.*] *Adj.* **1.** Separado de coisa ou pessoa com que estava emparelhado, irmanado; desunido. **2.** Não semelhante; desigual, diferente: *Não chegaram a acordo: seus pontos de vista eram desirmanados.*
desirmanar. [De *des-* + *irmanar.*] *V. t. d.* **1.** Tornar desirmanado. *P.* **2.** Desavir-se (quebrando os laços de amizade ou fraternidade).
desirmão. [De *des-* + *irmão.*] *Adj.* Desirmanado, desigual. [Flex.: *desirmã, desirmãos, desirmãs.*]
desiscar. [De *des-* + *iscar.*] *V. t. d.* Tirar a isca a. [Conjug.: v. *trancar.*]
desistência. [Do lat. *desistentia.*] *S. f.* Ato ou efeito de desistir.
desistente. [Do lat. *desistente.*] *Adj. 2 g.* Que desiste ou desistiu.
desistir. [Do lat. *desistere.*] *V. t. i.* **1.** Não prosseguir (num intento); renunciar: "sentindo a inutilidade de meu esforço, desisti de lutar." (Josué Montelo, *A Noite sobre Alcântara,* p. 159). *A oposição dos correligionários levou-o a desistir da candidatura. Int.* **2.** Não prosseguir num intento; renunciar: *As ameaças têm-no abalado, mas ainda assim não desistiu.* **3.** *Bras. Pop.* V. *defecar* (5).
desistivo. [De *desistir* + *-ivo.*] *Adj. Bras. Pop.* V. *purgante* (1).
desitivo. [Do lat. *desitu,* 'que cessou, cessado', + *-ivo.*] *Adj.* ~ V. *verbo* —.
desjarretar. [De *des-* + *jarretar.*] *V. t. d.* Cortar o jarrete a.
desjeito. [De *des-* + *jeito.*] *S. m.* V. *desajeitamento.*
desjeitoso (ô). [De *des-* + *jeitoso.*] *Adj.* V. *desajeitado.*
desjejua. [Dev. de *desjejuar.*] *S. f.* **1.** Ato de desjejuar. **2.** V. *desjejum.* [F. paral.: *dejejua.*]
desjejuar. [De *des-* + *jejuar.*] *V. int.* e *p.* Comer pela primeira vez no dia; quebrar o jejum: *Costuma desjejuar às 7 horas da manhã; Viajou sem se desjejuar. T. d.* **2.** Tirar o jejum a: *Não tem com que desjejuar o amigo.* [F. paral. *dejejuar.*]
desjejum. [De *des-* + *jejum.*] *S. m.* A primeira refeição do dia; dejejum, dejejuadouro, dejua, dejuação, café da manhã, pequeno almoço.
desjuizar (u-i). *V. t. d.* V. *desajuizar.* [Conjug.: v. *ajuizar.*]
desjungir. [De *des-* + *jungir.*] *V. t. d.* **1.** Desprender do jugo, da canga. **2.** *P. ext.* Desligar, desunir. [F. paral.: *dejungir.* Defect. Conjug.: v. *jungir.* Cf. *disjungir.*]
deslabiado. [De *des-* + *lábio* + *-ado*[1].] *Adj. Bras.* Sem lábios.
deslaçamento. *S. m.* Ato ou efeito de deslaçar(-se).
deslaçar. [De *des-* + *laçar.*] *V. t. d.* **1.** Desfazer o(s) laço(s) ou a(s) laçada(s) de; desenlaçar: "As roupas deslaçando, entra no banho / A lânguida sultana enamorada" (Gonçalves Crespo, *Obras Completas,* p. 215). **2.** Separar (o que estava enlaçado): *Deslaçou-lhe as mãos e beijou-as. P.* **3.** Soltar-se, desprender-se. [Cf. *deslassar.* Conjug.: v. *laçar.*]
deslacrar. [De *des-* + *lacrar.*] *V. t. d.* Partir ou tirar (o lacre que fecha ou sela): "deslacrou esta carta, leu oito folhas de papel, e lançou-as ao braseiro" (Camilo Castelo Branco, *Carlota Ângela,* p. 62).
deslado. [De *des-* (q. v.) + *lado.*] *S. m.* Parte lateral; banda, lado: "Não restava livre um só quarto. A deslado no Coburg-Hotel, tudo ocupado" (Aquilino Ribeiro, *Alemanha Ensangüentada,* p. 22).
desladrilhar. [De *des-* + *ladrilhar.*] *V. t. d.* Tirar os ladrilhos de.
deslajeamento. *S. m.* Ato ou efeito de deslajear.
deslajear. [De *des-* + *lajear.*] *V. t. d.* Tirar ou arrancar as lajes de. [Conjug.: v. *frear.*]
deslambido. *Adj. Bras.* **1.** Cínico, sem-vergonha. **2.** Sem graça, sem jeito; desenxabido, insulso, delambido.
deslanar. [De *des-* + lat. *lana,* 'lã', + *-ar*[2].] *V. t. d.* Tosquiar a lã a.
deslanchar. *V. int. Bras. Pop.* **1.** Dar partida; partir: *O automóvel deslanchou.* **2.** Ir para a frente; ter andamento: *A transação estava emperrada, mas afinal deslanchou.* **3.** *P. ext.* Ir (-se) embora; ir(-se), partir, abalar.
deslapar. [De *des-* + *lapa*[1] + *-ar*[2].] *V. t. d.* Tirar da lapa.
deslassar. [De *des-* + *lassar.*] *V. t. d.* Tornar lasso, frouxo; alargar. [Cf. *deslaçar.*]
deslastrador (ô). *S. m.* Aquele que deslastra.
deslastrar. [De *des-* + *lastrar.*] *V. t. d.* Tirar o lastro a; descarregar do lastro; deslastrear.
deslastre. [Dev. de *deslastrar.*] *S. m.* Ação de deslastrar; deslastro.
deslastrear. [De *des-* + *lastrear.*] *V. t. d.* Deslastrar. [Conjug.: v. *frear.*]
deslastro. [Dev. de *deslastrar.*] *S. m.* Deslastre.
deslavadamente. [Do fem. de *deslavado* + *-mente.*] *Adv.* De maneira deslavada; com deslavamento.
deslavado. [Part. de *deslavar.*] *Adj.* **1.** Desbotado, descolorido. **2.** Descarado, atrevido, petulante. ~ V. *mentira* —*a.*
deslavamento. *S. m.* **1.** Ato ou efeito de deslavar; desbotamento. **2.** *Fig.* Descaro, atrevimento.
deslavar. [De *des-* + *lavar.*] *V. t. d.* **1.** Fazer perder a cor; fazer desbotar; destingir, descolorir. **2.** *Fig.* Tornar descarado, atrevido, sem-vergonha: desavergonhar: *As más companhias deslavaram-no.* **3.** Tornar insulso ou insípido.
deslavrar. [De *des-* (q. v.) + *lavrar.*] *V. t. d.* Tornar a lavrar.
desleal. [De *des-* + *leal.*] *Adj. 2 g.* **1.** Falto de lealdade;

falso, traidor, infiel: *amigo desleal*. **2.** Que revela deslealdade: *ação, procedimento desleal*. [Sin., p. us.: *deslealdoso*. Pl.: *desleais*. Cf. *desliais*, do v. *desliar*.]

deslealdade. [De *des-* + *lealdade*.] *S. f.* **1.** Falta de lealdade; falsidade, traição. **2.** Qualidade de quem é desleal. **3.** Ato desleal.

deslealdar. [De *deslealdade* + *-ar*[2], com haplologia.] *V. t. d.* Ser desleal a; tratar com deslealdade; trair.

deslealdoso (ô). [De *des-* + *lealdoso*.] *Adj. P. us.* V. *desleal*.

deslealmente. [De *desleal* + *-mente*.] *Adv.* De maneira desleal; com deslealdade.

deslegitimar. [De *des-* + *legitimar*.] *V. t. d.* Tirar a qualidade de legítimo a; excluir a legitimidade de.

desleita. [Dev. de *desleitar*.] *S. f.* Ação de desleitar; desleitagem, desmama.

desleitagem. *S. f.* **1.** V. *desleita*. **2.** Operação de separar o leite da manteiga.

desleitar. [De *des-* + *leite* + *-ar*[2].] *V. t. d.* **1.** Tirar o leite a; desmamar. **2.** *Bras., BA.* Ordenhar, mungir.

desleixação. *S. f.* V. *desleixamento*.

desleixado. [Part. de *desleixar*.] *Adj. e s. m.* Descuidado; negligente.

desleixamento. *S. m.* Ato ou efeito de desleixar(-se); desleixação, desleixo.

desleixar. [De *des-* + *leixar*.] *V. t. d.* Descurar, descuidar: *desleixar a aparência pessoal*. *P.* **2.** Tornar-se negligente; descuidar-se.

desleixo. [Dev. de *desleixar*.] *S. m.* V. *desleixamento*.

deslembrado. [Part. de *deslembrar*.] *Adj.* **1.** Esquecido, desmemoriado: *Com a idade, ele, de tão boa memória, tornou-se deslembrado*. **2.** Que foi objeto de esquecimento; esquecido, olvidado: *Tão festejado quando poderoso, hoje vive deslembrado*; "duma harpa antiga / As deslembradas cordas" (Gonçalves Dias, *Obras Poéticas*, II, 101).

deslembrança. [De *des-* + *lembrança*.] *S. f.* Falta de lembrança; esquecimento.

deslembrar. [De *des-* + *lembrar*.] *V. t. d.* **1.** Não lembrar; esquecer. **2.** Omitir, por esquecimento: *Não foi convocado por lhe haverem deslembrado o nome*. *P.* **3.** Esquecer-se, olvidar-se.

deslembrativo. *Adj.* **1.** Que faz deslembrar. **2.** Que revela esquecimento.

deslendear. [De *des-* + *lêndea* + *-ar*[2].] *V. t. d.* Tirar as lêndeas de. [Conjug.: v. *frear*.]

desliar. [De *des-* + *liar*.] *V. t. d.* Desligar; separar; desatar. [Pres. ind.: *deslio*, ... *desliamos*, *desliais*, *desliam*. Cf. *desleais*, pl. de *desleal*.]

desligadão. [Aum. de *desligado*.] *S. m. Fam.* Indivíduo muito desligado (4). [Fem.: *desligadona*.]

desligado. [Part. de *desligar*.] *Adj.* **1.** Separado, desunido, desprendido. **2.** Afastado, longe, distante: *Separou-se de todos, vive desligado*. **3.** *Pop.* Voltado para si mesmo ou para suas ocupações; que se abstrai, que se alheia. **4.** *Pop.* Aéreo, desatento, distraído: *Não repara em nada, é um sujeito completamente desligado*; "Lia sem ler, desligado." (Oto Lara Resende, *As Pompas do Mundo*, p. 37). ● *S. m.* **5.** Indivíduo desligado (4).

desligadona. *S. f.* Fem. de desligadão.

desligador (ô). *Adj.* **1.** Que desliga. ● *S. m.* **2.** Aquele ou aquilo que desliga. ◆ **Desligador da pressão.** *Tip.* Salva-folhas.

desligadura. *S. f. P. us.* V. *desligamento*.

desligamento. *S. m.* **1.** Ato ou efeito de desligar(-se). **2.** Falta de ligação ou nexo. **3.** Distância, afastamento: *É notório o seu atual desligamento dos fatos cotidianos*. [Sin. ger. (p. us.): *desligadura*.]

desligar. [De *des-* + *ligar*.] *V. t. d.* **1.** Separar (o que estava ligado); desatar; desprender; soltar. **2.** Separar, desunir, desajuntar, apartar: "logo que eu houver feito de vós ambos uma só pessoa, nenhum outro poder vos desligará mais." (Machado de Assis, *Páginas Recolhidas*, p. 103); *Um desentendimento à-toa desligou-os*. **3.** Despedir, demitir; exonerar: *Desligaram-no por mau cumprimento de sua função*. **4.** Interromper a alimentação (4) de (aparelho elétrico). *T. d. e i.* **5.** Soltar, desprender, desatar: *Desligaram-no das algemas*. **6.** Desobrigar; libertar: *Desligaram o sacerdote do voto*. *P.* **7.** Desatar-se, desprender-se, soltar-se. **8.** Separar-se; afastar-se: *desligar-se de um partido*; *desligar-se de um amigo*. **9.** Desobrigar-se, livrar-se. [Conjug.: v. *largar*.]

deslindação. *S. f.* Ato ou efeito de deslindar; deslindamento, deslinde.

deslindador (ô). *S. m.* Aquele que deslinda.

deslindamento. *S. m.* V. *deslindação*.

deslindar. [De *des-* + *lindar*.] *V. t. d.* **1.** Estabelecer a demarcação de; demarcar; estremar, lindar: *deslindar uma propriedade*. **2.** Desenredar, destrinçar, aclarar: *deslindar um mistério*. **3.** Investigar, esmiuçar. **4.** Apurar, descobrir (coisa difícil ou complicada). *T. d. e. i.* **5.** Separar, apartar: *Conseguiu, enfim, deslindar a realidade da fantasia*.

deslindável. *Adj.* Que se pode deslindar.

deslinde. [Dev. de *deslindar*.] *S. m.* V. *deslindação*.

deslinguado. [Part. de *deslinguar*.] *Adj.* **1.** Sem língua. **2.** Solto da língua; falador, loquaz. **3.** Inconveniente no falar; desbocado.

deslinguar. [De *des-* + *língua* + *-ar*[2].] *V. t. d.* **1.** Tirar a língua a; privar da língua. *P.* **2.** *Fig.* Falar muito e sem acanhamento; desbocar-se.

deslisar. [De *des-* (q. v.) + *liso* + *-ar*[2].] *V. t. d. e p. P. us.* Tornar(-se) liso, plano; alisar(-se): "ora carregando o sobrolho, ora deslisando as rugas da fronte, repreendia ou aprovava com eloqüência muda os primores ou as imperfeições do artífice" (Alexandre Herculano, *Lendas e Narrativas*, I, p. 234); "duas rugas que lhe desciam da fronte e se uniam entre os sobrolhos, contraindo-se e deslisando-se rapidamente" (Id., *ib.*, p. 87). [Pres. subj.: *deslise*, etc. Cf. *deslizar* e *deslize*.]

deslisura. [De *des-* + *lisura*.] *S. f.* Falta de lisura (3).

deslizadeiro. [De *deslizar* + *-deiro*.] *S. m.* V. *resvaladouro* (1, 2, 3 e 5).

deslizador (ô). *Adj.* **1.** Deslizante (1). ~ V. *matriz* —a. ● *S. m.* **2.** Aquele que desliza. **3.** *Bras.* Prancha presa a uma embarcação, com a qual se desliza sobre a água. **4.** Barco de pequeno calado, que se usa nos rios de MT.

deslizamento. *S. m.* V. *deslize* (1 e 2).

deslizante. *Adj. 2 g.* **1.** Que desliza; deslizador. **2.** Em que se desliza; escorregadiço, escorregadio: *chão deslizante*. ~ V. *vector* —.

deslizar. *V. int.* **1.** Escorregar brandamente; derivar com suavidade; resvalar: *Os esquiadores deslizavam montanha abaixo*; "Saudade! Olhar de minha mãe rezando / E o pranto lento deslizando em fio..." (Da Costa e Silva, *Sangue*, p. 41). **2.** Cometer delize(s), falha(s); afastar-se do bom caminho: *É homem íntegro, nunca deslizou*. *T. i.* **3.** Afastar-se pouco a pouco; desviar-se: *Com o tempo, deslizou de suas antigas crenças*. **4.** Decorrer; passar: *O ano deslizara por entre acontecimentos felizes*. *T. d.* **5.** Passar em silêncio sobre; omitir: *Como a conversa se prolongava, deslizaram vários itens*. *P.* **6.** Escorregar de manso; passar de leve: "Sobre nuvem de perfumes / Te deslizas sonoroso" (Bernardo Guimarães, *Poesias Completas*, p. 21). **7.** Desviar-se, afastar-se. [Cf. *deslizar*.]

deslize. [Dev. de *deslizar*.] *S. m.* **1.** Ato ou efeito de deslizar; deslizamento. **2.** Escorregadela, deslizamento. **3.** Desvio do bom caminho; falha, falta. **4.** Quebra do bom procedimento; desaire. **5.** Engano involuntário; lapso. [Cf. *deslise*, do v. *deslisar*.]

deslocação. *S. f.* V. *deslocamento*.

deslocado. [Part. de *deslocar*.] *Adj.* **1.** Que mudou ou está fora do seu lugar. **2.** Luxado, desarticulado. **3.** Fora de propósito.

deslocador (ô). *Adj.* Que desloca.

deslocamento. *S. m.* **1.** Ato ou efeito de deslocar(-se). **2.** Mudança de um lugar para outro. **3.** Mudança de direção; desvio: *deslocamento de ar*. **4.** Desarticulação de osso; luxação. **5.** *Constr. Nav.* Peso da água deslocada pela embarcação flutuando em águas tranqüilas, o qual, de acordo com o princípio de Arquimedes (fís.), é igual ao peso da própria embarcação. [Cf. *tonelagem de arqueação*.] **6.** *Mec.* Cilindrada (2). [Sin. ger.: *deslocação*.] ◆ **Deslocamento Compton.** *Fís.* No efeito Compton, diferença entre o comprimento de onda dos fótons espalhados e o dos fótons iniciais. **Deslocamento Doppler.** *Fís.* Deslocamento Doppler-Fizeau. **Deslocamento Doppler-Fizeau.** *Fís.* Diferença entre a freqüência de uma onda emitida por uma fonte e a freqüência da mesma onda recebida por um observador quando existe um movimento relativo entre a fonte emissora e o observador. [Tb. se diz apenas *deslocamento Doppler*.] **Deslocamento einsteiniano.** *Fís.* Diminuição da freqüência de uma onda eletromagnética quando ela passa num campo gravitacional intenso. **Deslocamento elétrico.** *Eletr.* Vector igual ao produto do vector intensidade do campo elétrico pela permissividade do meio. **Deslocamento radioativo.** *Fís. Nucl.* Modificação do lugar ocupado por um nuclídeo radioativo na classificação periódica dos elementos em conseqüência da desintegração.

deslocar. [De *des-* + lat. *locare*, 'colocar'.] *V. t. d.* **1.** Tirar do lugar em que se encontrava: *Deslocou a estante que estorvava a passagem*. **2.** Fazer mudar de lugar; afastar; desviar: *A baleia movia-se deslocando enorme massa de água*. **3.** Afastar do lugar onde se encontrava; transferir: *deslocar um funcionário*. **4.** Desconjuntar, desarticular; luxar: *Com a queda deslocou o pé*. **5.** Transferir (6): *Adoentado, deslocou a cerimônia da posse*. *P.* **6.** Desconjuntar-se, desarticular-se. **7.** Desprender-se, despegar-se: *Deslocou-se da montanha enorme bloco de pedra*. [Cf. *desloucar*. Conjug.: v. *trancar*.]

deslodar. [De *des-* + *lodo* (ô) + *-ar*[2].] *V. t. d.* Limpar do lodo.

deslograr. [De *des-* + *lograr*.] *V. t. d.* Não lograr; deixar de lograr.

deslombar. [De *des-* + *lombo* + *-ar*[2].] *V. t. d.* **1.** Derrear os lombos de, com pancadas; bater muito em. **2.** *Fig.* Abater, vencer: *Deslombou o candidato concorrente com uma bela defesa de tese*.

desloucar. *V. t. d.* Gradar (a terra) ligeiramente. [Cf. *deslocar*. Conjug.: v. *trancar*.]

deslouvado. [Part. de *deslouvar*.] *Adj.* Não louvado; desgabado, depreciado: "Não faltaram aqui os cireneus para a cruzada higiênica — dedicações desveladas e deslouvadas se mostraram e continuam" (Ricardo Jorge, *Sermões dum Leigo*, p. 289).

deslouvar. [De *des-* + *louvar*.] *V. t. d.* Desgabar; depreciar.

deslouvor (ô). [De *des-* + *louvor*.] *S. m.* Ausência de louvor; desaplauso, depreciação.

deslumbrado. [Part. de *deslumbrar*.] *Adj.* **1.** Que tem ou teve deslumbramento. ● *S. m.* **2.** *Bras. Gír.* Pessoa que se deslumbra [v. *deslumbrar* (8)], que se entusiasma facilmente por qualquer coisa.

deslumbrador (ô). *Adj.* **1.** V. *deslumbrante*. ● *S. m.* **2.** Aquele que deslumbra, que fascina.

deslumbradoramente. [Do fem. de *deslumbrador* + *-mente*.] *Adv.* De modo deslumbrador; deslumbrantemente: "E nuas, deslumbradoramente nuas, no esplendor da tarde violácea, ... começam [as três graças atenienses], voluptuosamente, modulando nas flautas geminadas, a dançar o calínico" (Martins Fontes, *A Dança*, pp. 12-13).

deslumbramento. *S. m.* **1.** Ato ou efeito de deslumbrar (-se). **2.** *Fig.* Fascinação, encanto, maravilha. **3.** *Fig.* Cegueira, obcecação.

deslumbrante. *Adj. 2 g.* **1.** Que deslumbra, ofusca; ofuscante. **2.** *P. ext.* Luxuoso, suntuoso. [Sin. ger.: *deslumbrador*, *deslumbrativo*.]

deslumbrantemente. [De *deslumbrante* + *-mente*.] *Adv.* Deslumbradoramente.

deslumbrar. [Do esp. *deslumbrar*.] *V. t. d.* **1.** Ofuscar ou turvar a vista de, pela muita luz ou pelo brilho excessivo; encandear: *O sol deslumbrou-a*. **2.** Ofuscar ou turvar a vista de; translumbrar: "Enfunando os papos, / Saem da penumbra, / Aos pulos, os sapos. / A luz os deslumbra." (Manuel Bandeira, *Estrela da Vida Inteira*, p. 51.) **3.** Perturbar o entendimento de: *A audácia do inimigo deslumbrou-o a ponto de não entender toda a extensão dela*. **4.** Causar assombro a; maravilhar, fascinar: *A pompa do espetáculo deslumbrou-o*. **5.** Seduzir; fascinar: *As vantagens oferecidas pelo magnata deslumbraram-no*. *Int.* **6.** Causar deslumbramento: *Sua beleza deslumbra*. **7.** Ofuscar ou turvar a vista; translumbrar. *P.* **8.** Deixar-se fascinar ou seduzir.

deslumbrativo. *Adj.* V. *deslumbrante*.

deslustrador (ô). *Adj.* **1.** Que tira o lustre, que deslustra. **2.** *Fig.* Que desdoura, deslustra, desonra. ● *S. m.* **3.** Aquele ou aquilo que tira o lustre.

deslustrar. [De *des-* + *lustrar*.] *V. t. d.* **1.** Tirar ou diminuir o lustre de; embaciar, despolir. **2.** Empanar, obscurecer; desluzir: *Sua beleza deslustra as demais*. **3.** Infamar, macular, desonrar; desacreditar, conspurcar: *Tal infâmia deslustra um nome*. *P.* **4.** Perder o lustre ou o brilho. **5.** Poluir-se; macular-se; conspurcar-se.

deslustre. [Dev. de *deslustrar*.] *S. m.* **1.** Ato ou efeito de deslustrar. **2.** Desdouro, descrédito, desonra. [F. paral.: *deslustro*.]

deslustro. [Dev. de *deslustrar*.] *S. m.* V. *deslustre*.

deslustroso (ô). [De *des-* + *lustroso* (ô).] *Adj.* **1.** Falto de lustre. **2.** Que deslustra.

desluzido. [Part. de *desluzir*.] *Adj.* **1.** Que não tem brilho; embaciado. **2.** Minguado no peso ou na medida. **3.** *Fig.* Depreciado, apagado, modesto: "Pela terceira vez estou entre vós, ... a encher quinze minutos de vossa reunião semanal com a minha desluzida palavra." (Téo Brandão, *Folclore de Alagoas*, p. 16.)

desluzimento. *S. m.* **1.** Qualidade ou estado de desluzido. **2.** *Fig.* Vergonha, opróbrio.

desluzir. [De *des-* + *luzir.*] *V. t. d.* **1.** Tirar a luz, o brilho, a; deslustrar: *A ação do tempo d e s l u z as cores.* **2.** Apagar, extinguir: *d e s l u z i r suspeitas.* **3.** Empanar, obscurecer; deslustrar; embaciar. **4.** Diminuir o mérito a; depreciar, menoscabar, desdourar: *Certas revelações vieram d e s l u z i r a memória do estadista.* **5.** Tirar a luz, o entendimento, a; perturbar, desvairar. *P.* **6.** Perder o brilho, a luz; ofuscar-se. [Conjug.: v. *aduzir.*]

desmagnetização. *S. f.* **1.** Ato de desmagnetizar (1). **2.** *Fís.* Eliminação do campo magnético de uma amostra magnetizada. ♦ **Desmagnetização adiabática.** *Fís.* Desmagnetização de uma substância paramagnética, realizada em condições adiabáticas. [Quando efetuada em temperaturas baixas, provoca intenso resfriamento da substância desmagnetizada.]

desmagnetizado. [Part. de *desmagnetizar.*] *Adj.* Em que se operou desmagnetização.

desmagnetizador (ô). *S. m.* Instrumento com que se desmagnetizam corpos magnetizados.

desmagnetizar. [De *des-* + *magnetizar.*] *V. t. d.* **1.** Subtrair à ação magnética. **2.** Proceder à desmagnetização de.

desmagnetizável. *Adj. 2 g.* Que se pode desmagnetizar.

desmaiado. [Part. de *desmaiar.*] *Adj.* **1.** Que tem pouca viveza ou brilho; esmaecido, pálido, desbotado. **2.** Que perdeu os sentidos; desfalecido, amortecido.

desmaiar. [Do fr. ant. esmaiier.] *V. t. d.* **1.** Fazer perder a cor; descorar; desbotar: *A velhice d e s m a i o u - l h e a pele.* **2.** Empanar, deslustrar: *Pequenos defeitos não chegam a d e s m a i a r seu excelente caráter. Int.* e *p.* **3.** Perder a cor; descorar, desbotar: "Vivo há pouco, de púrpura, sangrento, / D e s m a i a agora o ocaso." (Olavo Bilac, *Poesias*, p. 94.) **4.** Perder os sentidos; desfalecer, esmorecer: *A dor, intensíssima, fê-lo d e s m a i a r.* **5.** Perder ou diminuir o brilho; obscurecer-se: "D e s m a i a v a m no azul as últimas estrelas..." (Guimarães Passos, *Versos de um Simples*, p. 1); "E o meu olhar se d e s m a i a, / Transido de te buscar." (Manuel Bandeira, *Estrela da Vida Inteira*, p. 26.) *T. i.* **6.** Desistir por desânimo ou desalento: *d e s m a i a r de uma resolução.* [F. paral.: *esmaiar.* Como pronominal, só é us. em ling. literária.]

desmaio. [Dev. de *desmaiar.*] *S. f.* **1.** Perda das forças, dos sentidos; desfalecimento. **2.** V. *síncope* (1). **3.** Abatimento, desânimo, desalento. **4.** Desvanecimento de cor, de brilho.

desmalhar. [De *des-* + *malha*[1] + *-ar*[2].] *V. t. d.* Tirar as malhas a.

desmalicioso (ô). [De *des-* + *malicioso.*] *Adj.* Que não tem, ou em que não há malícia: *um rapaz d e s m a l i c i o s o; maneiras d e s m a l i c i o s a s.*

desmama. [Dev. de *desmamar.*] *S. f.* Ação de desmamar; desmame, desleita.

desmamado. [Part. de *desmamar.*] *Adj.* Que se desmamou; exúbere.

desmamar. [De *des-* + *mama* + *-ar*[2].] *V. t. d.* **1.** Apartar do leite; desleitar. **2.** Fazer perder o costume de mamar. [Sin. ger.: *desamamentar, desaleitar.*]

desmame. [Dev. de *desmamar.*] *S. m.* V. *desmama.*

desmanar. [Talvez do esp. *desmanar.*] *V. t. d.* **1.** Separar da manada; tresmalhar. *P.* **2.** Desgarrar-se, tresmalhar-se.

desmancha. [Dev. de *desmanchar.*] *S. f. Bras.* **1.** Desmancho (1). **2.** Operação de reduzir a mandioca a farinha, da raspagem ao forno; farinhada.

desmanchadão. [Aum. de *desmanchado.*] *Adj.* e *s. m.* Diz-se de, ou indivíduo desajeitado, desmazelado. [Fem.: *desmanchadona.*]

desmanchadiço. *Adj.* Que se desmancha com facilidade.

desmanchado. [Part. de *desmanchar.*] *Adj.* Que se desmanchou.

desmanchadona. *Adj. (f.)* e *s. f.* Fem. de *desmanchadão.*

desmancha-prazeres. [De *desmanchar* + *prazer.*] *S. 2 g.* e *2 n. Fam.* Pessoa que estorva divertimento ou prazer alheio. [Sin., no RS: *trompeta.*]

desmanchar. [Do fr. *démancher*, 'tirar o cabo a'.] *V. t. d.* **1.** Desfazer (1 e 2): *d e s m a n c h a r o penteado; d e s m a n c h a r uma costura.* **2.** Tornar sem efeito; anular, desfazer; revogar, rescindir: *d e s m a n c h a r um compromisso; d e s m a n c h a r um contrato.* **3.** Destruir, demolir: *d e s m a n c h a r uma parede.* **4.** Frustrar, baldar: *d e s m a n c h a r um conluio.* **5.** *Bras.* Reduzir (a mandioca) a farinha. *P.* **6.** Alterar-se, desarranjar-se; inutilizar-se; desfazer-se. **7.** Ter atitudes, modos ou gestos não muito corretos ou elegantes, no andar, no falar, etc. **8.** Descomedir-se, desregrar-se.

desmancha-samba. [De *desmanchar* + *samba.*] *S. f.* **1.** *Bras. Pop.* V. *cachaça* (1). ● *S. m.* **2.** *Bras., CE. Pop.* Desmancha-sambas [q. v.]. [Pl.: *desmancha-sambas.*]

desmancha-sambas. *S. m. 2 n. Bras., CE. Pop.* V. *valentão* (3). [F. paral.: *desmancha-samba.*]

desmancho. [Dev. de *desmanchar.*] *S. m.* **1.** Ato ou efeito de desmanchar(-se); desmancha. **2.** Desarranjo, transtorno. **3.** *P. us.* Desregramento, descomedimento. **4.** *Fam.* V. *aborto* (1). **5.** *Bras.* Negócio malogrado.

desmandar. [De *des-* + *mandar.*] *V. t. d.* **1.** *P. us.* Mandar o contrário de (o que se tinha mandado); contramandar, contra-ordenar. **2.** Tirar o mando a; privar do mando. *P.* **3.** Não cumprir o que se ordenou; transgredir ordens. **4.** Exceder-se, descomedir-se, desmedir-se: *Era moderado no beber, mas, ultimamente, d e s m a n d o u - s e.* **5.** Tornar-se dissoluto; desregrar-se.

desmandibular. [De *des-* + *mandíbula* + *-ar*[2].] *V. t. d.* **1.** Tirar as mandíbulas a. **2.** Fazer abrir exageradamente a boca a (alguém) por espanto ou admiração. *P.* **3.** Abrir muito a boca: "foi-nos encarando um por um e d e s m a n d i b u l o u - s e num riso imenso e prenunciador de catástrofes." (Pedro Nava, *Chão de Ferro*, p. 11).

desmando. [Dev. de *desmandar.*] *S. m.* **1.** Ato ou efeito de desmandar(-se). **2.** Ato de indisciplina; transgressão de ordens; desobediência. **3.** Excesso; abuso; desregramento.

desmanear. [Do esp. plat. *desmanear.*] *V. t. d. Bras., RS.* Tirar a maneia de (animal). [Conjug.: v. *frear.*]

desmangolado. *Adj. Bras., N. E. Pop.* Malfeito de corpo; desajeitado.

desmanivado. [Part. de *desmanivar.*] *Adj. Bras., N.* e *N. E. Fig.* Extravagante, adoidado, estróina.

desmanivar. [De *des-* + *maniva* + *-ar*[2].] *V. t. d. Bras., N.* e *N. E.* **1.** Aparar a rama de (a mandioca) com o fim de melhorar o produto. **2.** Desembaraçar (um negócio). **3.** Vencer (uma dificuldade). **4.** Dissipar; desbaratar.

desmantelado. [Part. de *desmantelar.*] *Adj.* **1.** Derribado, demolido, arruinado: *Casas d e s m a n t e l a d a s empobreciam a paisagem verdejante do vale.* **2.** Desaparelhado, desmastreado (o navio). **3.** Desarranjado, desmanchado, desconsertado.

desmantelamento. *S. m.* Ato ou efeito de desmantelar (-se); desmantelo.

desmantelar. [De *des-* + *mantel* + *-ar*[2].] *V. t. d.* **1.** Demolir, arruinar, derribar (muralha, fortificação, parede, etc.) **2.** Separar as peças de, desarranjando o todo; *d e s m a n t e l a r um relógio; O guri d e s m a n t e l o u o brinquedo.* **3.** Desorganizar, desarranjar; transtornar: *A antecipação de sua chegada d e s m a n t e l o u os meus planos. P.* **4.** Vir abaixo; desmoronar-se, ruir: *A parede d e s m a n t e l o u - s e com as chuvas.* [Pres. ind.: *desmantelo*, etc. Cf. *desmantelo* (ê).]

desmantelo (ê). [Dev. de *desmantelar.*] *S. m.* **1.** Desmantelamento. **2.** *Bras., CE. Pop.* A época das regras da mulher. **3.** *Bras., CE. Pop.* Afecção ou enfermidade genital feminina. [Pl.: *desmantelos* (ê). Cf. *desmantelo*, do v. *desmantelar.*]

desmanto. [De *desmo-* + *-anto.*] *S. m.* V. *carrapicho* (3).

desmarcado. [Part. de *desmarcar.*] *Adj.* **1.** Fora das marcas. **2.** Desmedido, enorme: "Um velho vi, que andava passeando, / De d e s m a r c a d a e incógnita estatura" (Manuel de Santa Maria Itaparica, *ap.* Sérgio Buarque de Holanda, *Antologia dos Poetas Brasileiros da Fase Colonial*, I *p. 167).* **3.** Descompassado, irregular. **4.** Revogado, desfeito; cancelado: *encontro d e s m a r c a d o.*

desmarcar. [De *des-* + *marcar.*] *V. t. d.* **1.** Tirar as marcas a. **2.** Tirar os marcos a. **3.** Tornar enorme, desmedido. **4.** Revogar, cancelar, anular, desfazer (compromisso). **5.** Transferir, adiar (compromisso, solenidade): *Despedido do emprego, d e s m a r c o u o casamento.* [Conjug.: v. *trancar.*]

desmarcializar. [De *des-* + *marcializar.*] *V. t. d.* Tirar o caráter marcial a.

desmarear. [De *des-* + *marear.*] *V. t. d.* **1.** Tirar as manchas a (objetos de metal). *P.* **2.** *Ant. Marinh.* Perder (o navio) o governo, à falta de mareação adequada. [Conjug.: v. *frear.*]

desmarginar. [De *des-* + *marginar.*] *V. t. d.* Cortar ou mutilar a margem ou margens de.

desmascaramento. *S. m.* Ato ou efeito de desmascarar(-se).

desmascarar. [De *des-* + *mascarar.*] *V. t. d.* **1.** Descobrir, tirando a máscara: *d e s m a s c a r o u o rosto e deu-se a conhecer.* **2.** Tirar a máscara a: *D e s m a s c a r a r a m o bandido para identificá-lo.* **3.** Desmoralizar, revelando os desígnios ocultos de: *A oposição d e s m a s c a r o u o candidato a prefeito.* **4.** Dar a conhecer, tornar patente, descobrir (coisa que se ocultava): *A polícia pôde, finalmente, d e s m a s c a r a r o crime. P.* **5.** Tirar a si mesmo a máscara. **6.** Dar-se a conhecer tal qual é; revelar os próprios desígnios.

desmasia. *S. f. Ant.* e *pop.* Demasia.

desmastrar. [De *des-* + *mastro* + *-ear.*] *V t. d.* e *p.* Desmastrear.

desmastreado. [Part. de *desmastrear.*] *Adj.* **1.** A que se tiraram os mastros, ou que os perdeu. **2.** Sem rumo, ou orientação; desorientado, desarvorado.

desmastreamento. *S. m.* Ato ou efeito de desmastrear(-se).

desmastrear. [De *des-* + *mastrear.*] *V. t. d.* **1.** Tirar os mastros a; desaparelhar. *P.* **2.** Perder os mastros. [F. paral.: *desmastrar.* [Conjug.: v. *frear.*]

desmastreio. [Dev. de *desmastrear.*] *S. m. Bras. Pop.* **1.** Irregularidade menstrual. **2.** Distúrbios do aparelho geniturinário da mulher. **3.** Estorvo inesperado; contratempo.

desmatamento. *S. m. Bras.* Ato ou efeito de desmatar; desflorestamento.

desmatar. [De *des-* + *mato* + *-ar*[2].] *V. t. d. Bras. Desflorestar.*

desmaterialização. *S. f.* **1.** Ato ou efeito de desmaterializar(-se). **2.** *Fís. Nucl.* Processo em que uma partícula interage com a sua antipartícula e o par se transforma em energia; aniquilação, aniquilamento.

desmaterializado. [Part. de *desmaterializar.*] *Adj.* Que se desmaterializou.

desmaterializar. [De *des-* + *materializar.*] *V. t. d.* **1.** Tornar imaterial; imaterializar. *P.* **2.** Perder a forma material.

desmazelado. [Talvez do hebr. *mazzal*, 'destino, estrela'.] *Adj.* **1** Descuidado, desleixado, negligente. **2.** *Pop.* Adoentado, enfezado; raquítico. ● *S. m.* **3.** Indivíduo desmazelado.

desmazelar-se. [De *des-* + *mazela* + *-ar*[2] + *se*[1].] *V. p.* Tornar-se desmazelado; desleixar-se, descuidar-se. [Pres. ind.: *desmazelo-me*, etc. Cf. *desmazelo* (ê).]

desmazelo (ê). [Dev. de *desmazelar-se.*] *S. m.* **1.** Desleixo, descuido, negligência: "Sou o primeiro a reconhecer a falta de merecimento, a pobreza da ação, e os descuidos e d e s m a z e l o de estilo que amesquinham estes pobres romances que improvisei." (Joaquim Manuel de Macedo, *Os Romances da Semana*, p. V.) **2.** *Bras., MG.* Alfinete de mola. [Pl.: *desmazelos* (ê). Cf. *desmazelo-me*, do v. *desmazelar-se.*]

desmazorrar. [De *des-* + *mazorro* + *-ar*[2].] *V. t. d. Bras.* Tirar a qualidade de mazorro (3) a; fazer perder a tristeza.

desmedido. [Part. de *desmedir-se.*] *Adj.* **1.** Que excede as medidas. **2.** Enorme, incomensurável; excessivo. [Sin.: *desmesurado.*]

desmedir-se. [De *des-* + *medir* + *-se.*] *V. p.* Descomedir-se. [Irreg. Conjug.: v. *medir.*]

desmedra. [Dev. de *desmedrar.*] *S. f. Bras.* Ato ou efeito de impedir medrança ou o progresso e prosperidade.

desmedrado. [Part. de *desmedrar.*] *Adj.* **1.** Que não medrou, que desmedrou; enfezado. **2.** Pouco produtivo, pouco valioso.

desmedramento. *S. m.* Ato ou efeito de desmedrar.

desmedrança. *S. f.* Falta de medrança. [F. paral., p. us.: *desmedro* (ê).]

desmedrar. [De *des-* + *medrar.*] *V. int.* **1.** Não medrar; crescer pouco. **2.** Tornar-se raquítico; emagrecer, definhar; enfezar-se. *T. d.* **3.** Impedir a medrança de; tolher o desenvolvimento de. [Pres. ind.: *desmedro*, etc. Cf. *desmedro.* (ê).]

desmedro (ê). [Dev. de *desmedrar.*] *S. m. P. us.* Desmedrança. [Pl.: *desmedros* (ê). Cf. *desmedro*, do v. *desmedrar.*]

desmedroso (ô). [De *des-* + *medroso.*] *Adj.* Não medroso; que não tem medo; intrépido, corajoso.

desmedular. [De *des-* + *medula* + *-ar*[2].] *V. t. d.* Tirar a medula ou miolo a.

desmelancolizar. [De *des-* + *melancolizar.*] *V. t. d.* Tirar a melancolia a; alegrar.

desmelhorar. [De *des-* + *melhorar.*] *V. t. d. P. us.* Tolher o melhoramento a; piorar.

desmelindrar. [De *des-* + *melindrar.*] *V. t. d.* Livrar de melindres; desagravar.

desmembração. *S. f.* **1.** Desmembramento. **2.** Separação da parte de um todo. **3.** A parte desmembrada. **4.** Separação, desagregação. **5.** *Fig.* Partilha, divisão.

desmembrado. [Part. de *desmembrar.*] *Adj.* **1.** Que se desmembrou, separado, desapegado. **2.** *Fig.* Desfalecido, derreado.

desmembramento. *S. m.* **1.** Ato ou efeito de desmembrar(-se); desmembração. **2.** *Urb.* Parcelamento da terra em lotes [v. *lote*[1] (8)], não sendo necessária a abertura

de logradouros. [Cf *remembramento* e *loteamento.*]
desmembrar. [De *des-* + *membro* + *-ar*[2].] *V. t. d.* **1.** Cortar, amputar o(s) membro(s) de. **2.** Dividir em partes; separar uma ou mais partes de (um todo); dividir: *Morto Carlos Magno, seus filhos desmembraram o império por ele conquistado. P.* **3.** Separar-se, desligar-se. **4.** Desconjuntar-se, deslocar-se.
desmemória. [De *des-* + *memória.*] *S. f.* Falta de memória ou lembrança; esquecimento. [Cf. *desmemoria*, do v. *desmemoriar.*]
desmemoriado. [Part. de *desmemoriar.*] *Adj.* **1.** Falto de memória; esquecido. **2.** Sem atenção; distraído. **3.** Absolutamente esquecido. ● *S. m.* **4.** Aquele que por efeito de choque ou doença perdeu a memória da própria personalidade anterior a esse acidente.
desmemoriar. [De *des-* + *memória* + *-ar*[2].] *V. t. d.* **1.** Fazer perder a memória: *A comoção cerebral desmemoriou-o. T. d. e i.* **2.** Fazer esquecer: *A glória desmemoriou-o dos benefícios recebidos. P.* **3.** Perder a memória; tornar-se desmemoriado. **4.** Perder a memória; esquecer-se, olvidar-se. [Pres. ind.: *desmemorio, desmemorias, desmemoria*, etc. Cf. *desmemória.*]
desmentido. [Part. de *desmentir.*] *Adj.* **1.** Que foi contraditado. **2.** *Bras., N.* e *N. E.* Luxado, deslocado, desconjuntado. ● *S. m.* **3.** Declaração ou palavras com que se desmente. **4.** Negação ou contestação implícita: *Seu procedimento é um desmentido de suas declarações.*
desmentidor (ô). *Adj.* e *s. m.* Que ou aquele que desmente.
desmentidura. *S. f. Bras.* Ação ou efeito de desmentir (4 e 5).
desmentir. [De *des-* + *mentir.*] *V t. d .* **1.** Declarar que (alguém) não diz a verdade; contradizer; contestar: *Embora soubesse falsa a declaração do velho, não teve coragem de o desmentir.* **2.** Negar (o que outrem afirmara): *A testemunha desmentiu a afirmação do réu.* **3.** Não corresponder a; destoar de; discrepar de; desdizer: *Seu aspecto jovial desmentia a tristeza em que dizia viver; "começou a despencá-las e comê-las [as passas], mostrando duas fileiras de dentes que desmentiam as unhas."* (Machado de Assis, *Várias Histórias*, p. 16). **4.** *Bras.* Luxar, deslocar, desconjuntar: *desmentir um dedo; desmentir o braço.* **5.** *Bras.* sofrer, ou produzir em outrem, torcedura de (uma articulação), traumatismo de (músculo, ou tendão). *T. i.* **6.** Não corresponder; destoar; desdizer: "O estilo *desmentia* da pessoa, assaz rude e aparentemente alheia a locuções rebuscadas." (Machado de Assis, *Memórias Póstumas de Brás Cubas*, p. 65.) *P.* **7.** Contradizer-se. [Irreg. Conjug.: v. *aderir.*]
desmerecedor (ô). *Adj.* **1.** Que desmerece. **2.** Demérito (3).
desmerecer. [De *des-* + *merecer.*] *V. t. d.* **1.** Não merecer: ser indigno de: *Com tal deslealdade, desmerece a estima em que o tinha.* **2.** Apoucar, menoscabar; deslustrar; desfazer em: *Vaidoso, costuma desmerecer o talento alheio em benefício próprio. T. i.* **3.** Não estar à altura; não igualar em merecimento, em qualidade; ser inferior: *O rapaz desmerece da bela jovem;* "Os outros capítulos, salvo alguns compostos em dia menos propício, ... não *desmerecem* do primeiro." (Mário de Alencar, *Alguns Escritos*, p. 13). **4.** Rebaixar; apoucar, desfazer, deslustrar. *Int.* **5.** Perder o valor, o merecimento. **6.** Desbotar, descorar, desmaiar: *Logo à primeira lavagem a fazenda desmereceu; As cores desmereceram com o uso do vestido.* [Conjug.: v. *aquecer.*]
desmerecido. [Part. de *desmerecer.*] *Adj.* **1.** Que desmereceu. **2.** Desbotado, desmaiado, esmaecido. **3.** *Bras. Pop.* Abatido, fraco, emagrecido, anêmico.
desmerecimento. [De *des-* + *merecimento.*] *S. m.* **1.** Falta de mérito(s). **2.** Perda ou falta de merecimento. [Sin. ger.: *demérito.*]
desmérito. [De *des-* + *mérito.*] *Adj.* e *s. m.* V. *demérito.*
desmesura. [De *des-* + *mesura.*] *S. f.* Falta de cortesia; descortesia, indelicadeza.
desmesurado. [Part. de *desmesurar.*] *Adj.* V. *desmedido.*
desmesurar. [De *des-* + *mesura* + *-ar*[2].] *V. t. d.* **1.** Alargar demasiadamente; estender muito. **2.** Exceder as medidas de. *P.* **3.** Descomedir-se; desregrar-se.
desmesurável. [De *desmesurar* + *-vel.*] *Adj. 2 g.* Que não se pode medir; incomensurável.
desmilingüido. [Part. de *desmilingüir-se.*] *Adj. Bras. Gír.* Enfraquecido, debilitado.
desmilingüir-se. *V. p. Bras. Gír.* Perder a força, o vigor; enfraquecer, debilitar-se.
desmilitarização. *S. f.* Ato ou efeito de desmilitarizar(-se).
desmilitarizar. [De *des-* + *militarizar.*] *V. t. d.* **1.** Tirar o caráter militar a. **2.** Privar de armamentos. *P.* **3.** Perder o caráter militar.
desmineralização. *S. f.* **1.** Ato ou efeito de desmineralizar. **2.** *Tec.* Tratamento de água em que se retiram os íons de natureza mineral capazes de formar incrustações nos equipamentos.
desmineralizador (ô). *Adj.* Que desmineraliza.
desmineralizar. [De *des-* + *mineralizar.*] *V. t. d.* **1.** *Bras.* Tirar a mineralização de. **2.** *Tec.* Proceder à desmineralização (2) de.
desmiolado[1]. [De des- + miolo + -ado[1].] Adj. Que não tem miolos.
desmiolado[2]. [Part. de *desmiolar.*] *Adj.* **1.** Que perdeu o(s) miolo(s). **2.** *Fig.* Sem juízo; desajuizado, insensato. **3.** Desmemoriado, esquecido. ● *S. m.* **4.** Indivíduo desmiolado. [F. paral.: *esmiolado.*]
desmiolar. [De *des-* + *miolo* + *-ar*[2].] *V. t. d.* **1.** Tirar o(s) miolo(s) a. **2.** *Fig.* Fazer perder o juízo; tornar louco: *A paixão não correspondida desmiolou-a.* [F. paral.: *esmiolar.*]
desmistificação. *S. f.* Ato ou efeito de desmistificar. [Cf. *desmitificação.*]
desmistificar. [De *des-* + *mistificar.*] *V. t. d.* Livrar ou tirar da mistificação. [Conjug.: v. *trancar.* Cf. *desmitificar.*]
desmitificação. *S. f.* Ato ou efeito de desmitificar. [Cf. *desmistificação.*]
desmitificar. [De *des-* + *mitificar.*] *V. t. d.* Fazer cessar a mitificação existente a respeito de (pessoa ou coisa). [Conjug.: v. *trancar.* Cf. *desmistificar.*]
desmiudar (i-u). [De *des-* + *miúdo* + *-ar*[2]] *V. t. d.* Converter em miúdos. V. *esmiuçar.* [Conjug.: v. *saudar.*]
▲**desmo-.** [Do gr. *desmós, ou.*] *El. comp.* = 'laço', 'ligamento': *desmopexia, desmotomia.*
desmobilar. [De *des-* + *mobilar.*] *V. t. d.* V. *desmobiliar.*
desmobilhar. *V. t. d. Bras.* V. *desmobiliar.*
desmobiliar. [De *des-* + *mobiliar.*] *V. t. d.* Desguarnecer de mobília (casa, aposento, etc.). [Var. (bras.) *desmobilhar;* f. paral.: *desmobilar* Conjug.: v. *mobiliar.*]
desmobilização. *S. f.* Ato ou efeito de desmobilizar.
desmobilizado. [Part. de *desmobilizar.*] *Adj.* Que se desmobilizou.
desmobilizar. [De *des-* + *mobilizar.*] *V. t. d.* e *p.* Desfazer(-se) a mobilização de (um exército).
desmobilizável. *Adj. 2 g.* Que pode ser desmobilizado.
desmochar. [De *des-* + *mochar.*] *V. t. d.* **1.** Cortar os chifres a (animal); tornar mocho[2] (1). **2.** Cortar os ramos a; desramar. *T. d. e i.* **3.** Privar (de coisa ressaltada ou que serve de defesa).
desmoderar. [De *des-* + *moderar.*] *V. t. d.* **1.** Tirar a moderação a. *P.* **2.** Portar-se sem moderação; fazer excessos.
desmodontídeo. *S. m.* **1.** Espécime dos desmodontídeos. ● *Adj.* **2.** Pertencente ou relativo a eles.
desmodontídeos. *S. m. pl. Zool.* Animais quirópteros, da família *Desmodontidae*. Uropatágio ausente, reduzido a uma membrana estreita; cauda também ausente; um só par de incisivos superiores cortantes; a dentição completa tem 24 dentes apenas. São hematófagos ou vampiros verdadeiros.
desmodulação. [De *des-* + *modulação.*] *S. f. Eletrôn.* Em receptores de ondas eletromagnéticas, o processo de separar a informação original de uma onda modulada; detecção.
desmodulador (ô). *S. m. Eletrôn.* Circuito eletrônico destinado a desmodular um sinal eletromagnético; detector.
desmodular. *V. t. d. Eletrôn.* Efetuar a desmodulação de (uma onda modulada).
desmoita. [Dev. de *desmoitar.*] *S. f.* Ato ou efeito de desmoitar. [F. paral.: *desmouta.*]
desmoitador (ô). *Adj.* e *s. m.* Que ou aquele que desmoita. [F. paral.: *desmoutador.*]
desmoitar. [De *des-* + *moita* + *-ar*[2].] *V. t. d.* **1.** Desembaraçar ou limpar (um terreno) do mato e plantas silvestres, para cultivá-lo. **2.** Desbastar (árvores ou arbustos). **3.** *Fig.* Tornar culto, civilizado; instruir. [F. paral.: *desmoutar.*]
desmoldagem. *S. f.* Ato ou efeito de desmoldar.
desmoldar. [De *des-* + *molde* + *-ar*[2].] *V. t. d.* **1.** Tirar o molde de. **2.** V. *descimbrar.*
desmomiário. [Do gr. *desmós*, 'laço', + *-mio-* + *-ario.*] *S. m.* Salpa.
desmonetização. [Do fr. *démonétisation.*] *S. f.* Ato ou operação de desmonetizar: desmotização, desamoedação.
desmonetizar. [Do fr. *démonétiser.*] *V. t. d.* Tirar o valor ou o curso legal de moeda a; demonetizar, desamoedar: *O governo brasileiro desmonetizou o mil-réis.*
desmonopolizar. [De *des-* + *monopolizar.*] *V. t. d.* Libertar de monopólio.
desmontada. *S. f.* Ação de desmontar (10).
desmontado. [Part. de *desmontar.*] *Adj.* **1.** Apeado (da cavalgadura). **2.** Que perdeu a cavalgadura em que montava. **3.** Desorganizado, desarranjado. **4.** Desarmado (aparelho, máquina). **5.** Diz-se da ave que tem uma asa partida.
desmontar. [De *des-* + *montar.*] *V. t. d.* **1.** Fazer descer ou apear da cavalgadura; derrubar da cavalgadura; descavalgar: *Quando desmontou o inimigo, considerou ganha a batalha.* **2.** Retirar donde estava montado; tirar de cima: *Como o cavalo era perigoso, o pai desmontou o menino; Míope, para ler, desmonta os óculos.* **3.** Tirar do engaste (pedra preciosa). **4.** Pôr abaixo; destruir, arruinar: *Certos imprevistos desmontaram o planejamento financeiro da firma.* **5.** Pôr abaixo, arrasar (um morro). **6.** *Bras., S.* Humilhar, rebaixar (o contendor). **7.** *Bras., S.* Desmentir, contradizer. *T. d. e i.* **8.** Fazer descer ou apear: *Desmontei-o da égua. T. i.* **9.** Descer, apear(-se). *Int.* e *p.* **10.** Descer da cavalgadura; apear(-se), descavalgar.
desmontável. *Adj. 2. g.* Que pode ser desmontado.
desmonte. [Dev. de *desmontar.*] *S. m.* **1.** Ato de desmontar. **2.** Extração de minério das jazidas. **3.** Conjunto de seixos e areia. **4.** Arrasamento (de morro). ♦ **Desmonte hidráulico.** Desmonte (4) executado por meio de jactos de água.
desmopexia (cs). [Do gr. *desmós*, 'ligamento', + *pêxis*, 'fixação', + *-ia.*] *S. f. Cir.* Fixação dos ligamentos redondos à parede abdominal, ou à vaginal, a fim de corrigir deslocamento uterino.
desmoralização. *S. f.* **1.** Ato ou efeito de desmoralizar (-se). **2.** Falta ou perda de moralidade ou de força moral. **3.** Corrução, depravação.
desmoralizado. [Part. de *desmoralizar.*] *Adj.* **1.** Pervertido, depravado, corruto. **2.** Desacreditado, desconsiderado, desautorizado: *chefe desmoralizado.* **3.** Que perdeu a força moral; intimidado, atemorizado: *adversário desmoralizado.* ● *S. m.* **4.** Indivíduo desmoralizado.
desmoralizador (ô). *Adj.* **1.** Que desmoraliza; desmoralizante. ● *S. m.* **2.** Aquele ou aquilo que desmoraliza.
desmoralizante. *Adj. 2 g.* Desmoralizador (1).
desmoralizar. [De *des-* + *moralizar.*] *V. t. d.* **1.** Tornar imoral; perverter; corromper: *hábitos que desmoralizam a sociedade.* **2.** Tirar o bom nome de; desmerecer: *A revelação de certos fatos de sua vida pregressa desmoralizou-a.* **3.** Fazer perder a força moral; abater o moral de: *As sucessivas derrotas desmoralizaram o candidato. P.* **4.** Perder a moralidade, a moral; perverter-se, corromper-se; degredar-se.
desmoronadiço. *Adj.* Que desmorona com facilidade.
desmoronamento. *S. m.* **1.** Ato ou efeito de desmoronar(-se). **2.** Queda ou derrubamento de muro, edifício, etc.
desmoronar. [Do esp. *desmoronar.*] *V. t. d.* **1.** Fazer vir abaixo; derribar, derrubar; abater; demolir: *A ventania desmoronou o velho casarão; A inflação desmoronou seus planos de riqueza. P.* **2.** Vir abaixo; soltar-se; desabar.
desmorrer. [De *des-* + *morrer.*] *V. int. P. us.* Restabelecer-se após haver estado quase à morte.
desmortificar. [De *des-* + *mortificar.*] *V. t. d. Bras.* Tirar a mortificação a; aliviar: "Mortifica os pés, desgraçado, *desmortifica-os* depois" (Machado de Assis, *Memórias Póstumas de Brás Cubas*, p. 112). [Conjug.: v. *trancar.*]
desmotivado. [De *des-* + *motivado.*] *Adj.* **1.** Que não tem motivo ou fundamento; infundado, imotivado. **2.** Que não tem justificação. **3.** Desinteressado, desanimado: *Trabalha muito, embora às vezes se sinta desmotivado.*
desmotomia. [De *desmo-* + *-tom(o)-* + *-ia.*] *S. f. Cir.* Secção de ligamentos.
desmotropia. [De *desmo-* + *-trop(o)* + *-ia.*] *S. f. Quím.* Existência simultânea, em determinadas condições de duas formas isômeras de uma substância, em virtude da pequena velocidade com que se transforma uma na outra.
desmouta. [Dev. de *desmoutar.*] *S. f.* Desmoita.
desmoutador (ô). *Adj.* e *s. m.* Desmoitador.
desmoutar. [De *des-* + *mouta* + *-ar*[2].] *V. t. d.* V. *desmoitar.*
desmunhecado. [Part. de *desmunhecar.*] *Adj.* e *s. m. Bras. Gír.* Que ou aquele que desmunheca; efeminado,

afeminado, amaricado, maricas.
desmunhecar. [De *des-* + *munheca* + *-ar*[2]] *V. t. d. Bras.* **1.** Cortar a munheca a (o braço). **2.** Decepar ou quebrar a mão a. **3.** *Fig.* Tirar parte de (um todo). *Int.* **4.** *Bras. Gír.* Ser, mostrar-se ou tornar-se efeminado, afeminado, maricas: "suspeitíssimo, esse galã pelo qual as meninas perdiam o sono, desmunhecava com facilidade" (Jorge Amado, *Teresa Batista Cansada de Guerra*, p. 13). [Conjug.: v. *trancar.*]
desmurar. [De *des-* + *muro* + *-ar*[2]] *V. t. d.* Demolir os muros de.
desnacionalização. *S. f.* Ato ou efeito de desnacionalizar(-se).
desnacionalizado. [Part. de *desnacionalizar.*] *Adj.* e *s. m.* Que ou aquele que sofreu desnacionalização.
desnacionalizador (ô). *Adj.* Desnacionalizante.
desnacionalizante. *Adj. 2 g.* Que desnacionaliza; desnacionalizador.
desnacionalizar. [De *des-* + *nacionalizar.*] *V. t. d.* **1.** Tirar o caráter ou a feição nacional a. **2.** *Jur.* Impor perda de nacionalidade, originária ou adquirida, a. *P.* **3.** Abandonar ou perder o feitio nacional; desnaturalizar-se.
desnacionalizável. *Adj. 2 g.* Que pode ou deve ser desnacionalizado.
desnalgado[1]. [De *des-* + *nalga* + *-ado*[1].] *Adj.* **1.** Que tem ancas pequenas e magras. **2.** Esgalgado, escanzelado.
desnalgado[2]. [Part. de *desnalgar.*] *Adj.* Que se desnalgou ou desnalga.
desnalgar-se. [De *des-* + *nalga* + *-ar*[2] + *se*[1].] *V. p.* **1.** Mostrar as nalgas, suspendendo as vestes. **2.** Mover muito as nalgas (na dança); requebrar-se, saracotear-se, rebolar-se. [Conjug.: v. *largar.*]
desnarigado. [Part. de *desnarigar.*] *Adj.* Diz-se daquele a quem falta o nariz, ou que o tem demasiado pequeno.
desnarigar. *V. t. d.* Cortar ou arrancar o nariz a. [Conjug.: v. *largar.*]
desnasalação. *S. f.* Ato ou efeito de desnasalar; desnasalização.
desnasalar. [De *des-* + *nasalar.*] *V. t. d.* Tirar a nasalação a; desnasalizar.
desnasalização. *S. f.* Desnasalação.
desnasalizar. *V. t. d.* Desnasalar.
desnastrado. [Part. de *desnastrar.*] *Adj.* A que se tiraram os nastros; desentrançado, destrançado: "Recorda a água a cair desnastrados cabelos, / Paralelos cordões, finas teias de aranha..." (Goulart de Andrade, *Poesias*, p. 152).
desnastrar. *V. t. d.* e *p.* **1.** Tirar os nastros a. **2.** Desentrançar, destrançar: "os cabelos, as tranças que se desnastraram, as tranças que ela costumava fazer à tardinha" (Coelho Neto, *Sertão*, p. 105).
desnatação. *S. f.* Ato ou efeito de desnatar.
desnatadeira. *S. f.* Aparelho que desnata o leite, para se empregar a nata no fabrico da manteiga.
desnatado. *Adj.* ~ V. *leite* —.
desnatar. [De *des-* + *nata* + *-ar*[2].] *V. t. d.* Tirar a nata a (o leite).
desnaturação. *S. f.* Ato ou efeito de desnaturar(-se).
desnaturado. [Part de *desnaturar.*] *Adj.* **1.** Diz-se de substância cuja natureza foi alterada pela adição de outras substâncias: *álcool desnaturado.* **2.** Que não é conforme à natureza ou aos sentimentos naturais; desumano, cruel. • *S. m.* **3.** Indivíduo desnaturado.
desnatural. [De *des-* + *natural.*] *Adj. 2 g.* **1.** Que não é natural; contrário à ordem natural. **2.** Sem naturalidade; constrangido, contrafeito. **3.** Excêntrico, extravagante, esdrúxulo. **4.** Inverossímil; inacreditável.
desnaturalização. *S. f.* Ato ou efeito de desnaturalizar(-se).
desnaturalizar. [De *des-* + *naturalizar.*] *V. t. d.* **1.** Tirar os direitos de cidadão de um país a. **2.** Perverter ou corromper a natureza de. *P.* **3.** Renunciar aos direitos de natural de um país; desnaturar-se: *Desnaturalizou-se anos depois de haver-se naturalizado;* "Fernão de Magalhães desnaturalizou-se de português, e foi-se a Castela pedir que o inscrevessem ali como cidadão." (Latino Coelho, *Fernão de Magalhães*, p. 140).
desnaturante. *Adj. 2 g.* **1.** Que desnatura. **2.** Que altera ou adultera uma substância. • *S. m.* **3.** *Quím.* Aditivo com que se procura tornar imprópria ao consumo humano uma substância edível. ◆ **Desnaturante nuclear.** *Eng. Nucl.* Substância adicionada a um material físsil para o tornar impróprio ao uso nas armas atômicas, e que, por via de regra, é um isótopo não físsil do nuclídeo físsil contido no material.
desnaturar. [De *des-* + *natura* + *-ar*[2].] *V. t. d.* **1.** Alterar a natureza de. **2.** Fazer adquirir sentimentos opostos aos naturais ao homem; tornar cruel, desumano: *A vida em contato com gente primitiva o desnaturou.* **3.** Desfigurar, adulterar, deturpar: *Desnaturar a verdade.* **4.** *Fís. Nucl.* Contaminar (um material físsil), tornando-o impróprio para ser usado numa arma atômica. *P.* **5.** Desnaturalizar-se.
desnecessário. [De *des-* + *necessário.*] *Adj.* Não necessário; inútil, escusado; dispensável.
desnecessidade. [De *des-* + *necessidade.*] *S. f.* Falta de necessidade ou de utilidade; inutilidade.
desnegociar. [De *des-* + *negociar.*] *V. t. d.* Desfazer o negócio ou combinação acerca de. [Conjug.: v. *negociar.*]
desnervar. [De *des-* + *nervo* + *-ar*[2].] *V. t. d.* Enervar[1].
desnevada. *S. f.* **1.** Ação de desnevar (1). **2.** Época de desnevar (2).
desnevar. [De *des-* + *nevar.*] *V. t. d.* **1.** Derreter a neve de. *Int.* **2.** Ficar sem a neve de que estava coberto: *Com o sol intenso o monte vai desnevando.*
desniquelagem. *S. f.* Operação de desniquelar.
desniquelar. [De *des-* + *niquelar.*] *V. t. d.* Tirar ou separar o níquel de.
desnível. [De *des-* + *nível.*] *S. m.* Diferença de nível.
desnivelamento. *S. m.* Ato ou efeito de desnivelar.
desnivelar. [De *des-* + *nivelar.*] *V. t. d.* Tirar do nivelamento.
desnobilíssimo. *Adj.* Superl. abs. sint. de *desnobre;* desnobríssimo.
desnobre. [De *des-* + *nobre.*] *Adj. 2 g.* **1.** Que não é nobre; plebeu. **2.** Não nobre; vil. [Super. abs. sint.: *desnobilíssimo* e *desnobríssimo.*]
desnobrecer. [De *des-* + *nobrecer.*] *V. t. d.* e *p.* V. *desenobrecer.* [Conjug.: v. *aquecer.*]
desnobríssimo. *Adj.* Desnobilíssimo.
desnodoar. [De *des-* + *nodoar.*] *V. t. d.* V. *de senodar.* [Conjug.: v. *coroar.*]
desnodoso (ô). [De *des-* + *nodoso.*] *Adj.* Que não tem nós; que não é nodoso.
desnoivar. [De *des-* + *noivar.*] *V. t. d.* Apartar (noivos); dissolver os esponsais de.
desnorteado. [Part. de *desnortear.*] *Adj.* e *s. m.* **1.** Que ou aquele que perdeu o norte ou rumo; desorientado. **2.** Desorientado, tonto, desatinado.
desnorteador (ô). *Adj.* V. *desnorteante.*
desnorteamento. *S. m.* Ação ou efeito de desnortear (-se); desnorteio.
desnorteante. *Adj. 2 g.* Que desnorteia; desnorteador, desorientador.
desnortear. [De *des-* + *nortear.*] *V. t. d.* **1.** Desviar do norte, do rumo; fazer perder o rumo; desorientar: *A bruma desnorteou o navegante.* **2.** Perturbar, embaraçar; desorientar: *A pergunta capciosa desnorteou o aluno. Int.* **3.** Perturbar-se, embaraçar-se, desorientar-se; desnortear-se. *P.* **4.** Perder o rumo; desorientar-se. **5.** Perturbar-se, embaraçar-se, desorientar-se; desnortear. [Conjug.: v. *frear.*]
desnorteio. [Dev. de *desnortear.*] *S. m.* Desnorteamento.
desnotar. [De *des-* + *notar.*] *V. t. d.* Tirar a nota de.
desnovelar. *V. t. d.* e *p.* V. *desenovelar.*
desnu. [De *des-* (q. v.) + *nu.*] *Adj. Ant.* Nu, desnudo: "ao pescoço enrolado / Um lenço de xadrez, os pés desnus" (Alberto de Oliveira, *Póstuma*, p. 87). [Fem.: *desnua.*]
desnuar. [De *des-* (q. v.) + *nu* + *-ar*[2].] *V. t. d.* e *p.* V. *desnudar:* "E onde, ao cúpido olhar do amante, Vênus / Desnua o lácteo colo delicioso" (Raimundo Correia, *Poesias*, p. 43).
desnublado. [Part. de *desnublar.*] *Adj.* **1.** Limpo de nuvens; desanuviado. **2.** *Fig.* Esclarecido, aclarado.
desnublar. [De *des-* + *nublar.*] *V. t. d.* **1.** Dissipar as nuvens de; desanuviar, aclarar: *A ventania desnublara o horizonte. P.* **2.** Desobscurecer-se, aclarar-se.
desnucado. [Part. de *desnucar.*] *Adj.* A que se desarticulou a nuca: "e o negro caiu, como boi desnucado, de boca aberta, a língua pontuda, mexendo em tremura uma perna" (Simões Lopes Neto, *Contos Gauchescos e Lendas do Sul*, p. 136).
desnucar. [De *des-* + *nuca* + *-ar*[2].] *V. t. d.* **1.** Deslocar a cabeça de (a rês) pela nuca. **2.** *Bras., S.* Matar (a rês) introduzindo-lhe na região da nuca um estilete ou ponta de faca até atingir a medula. [Conjug.: v. *trancar.*]
desnudamento. *S. m.* Ato ou efeito de desnudar(-se); desnudamento.
desnudar. [De *desnudo* + *-ar*[2], ou do lat. *denudare.*] *V. t. d.* **1.** Pôr nu; despir. **2.** Pôr a descoberto; mostrar, revelar, patentear: *Em sua reportagem, desnuda a miséria da região.* **3.** Desembainhar: *desnudar a espada. P.* **4.** Ficar nu; despir-se. [Sin. ger.: *desnuar, denudar.*]
desnudez (ê). [De *des-* (q. v.) + *nudez.*] *S. f.* V. *nudez.*
desnudo. [De *des-* (q. v.) + lat. *nudu*, 'nu'.] *Adj.* Nu, despido: "Do casaquinho desfeito .... surdiam os ombros roliços, a pele dourada do torso, os seios duros, desnudos." (Herman Lima, *Tijipió*, p. 146.)
desnutrição. [De *des-* + *nutrição.*] *S. f.* Deficiência ou falta de nutrição; enfraquecimento.
desnutrido. [Part. de *desnutrir.*] *Adj.* **1.** Mal nutrido, ou não nutrido. **2.** Emagrecido, definhado. • *S. m.* **3.** Indivíduo desnutrido: "Um rapaz franzino, meio alto, de roupa clara, mostrando na magrez malsã de desnutrido um estranho constrangimento" (Gilberto Amado, *Depois da Política*, p. 145).
desnutrir. [De *des-* + *nutrir.*] *V. t. d.* **1.** Nutrir mal, ou não nutrir. *P.* **2.** Emagrecer(-se), definhar.
desobedecer. [De *des-* + *obedecer.*] *V. t. i.* **1.** Não obedecer. **2.** Não se submeter; transgredir, infringir, violar: *desobedecer à lei. Int.* **3.** Faltar à obediência; não obedecer. [Conjug.: v. *aquecer.*]
desobediência. [De *des-* + *obediência.*] *S. f.* Falta de obediência; inobediência.
desobediente. [De *des-* + *obediente.*] *Adj. 2 g.* **1.** Que desobedece; inobediente. • *S. 2 g.* **2.** Pessoa desobediente.
desobriga. [Dev. de *desobrigar.*] *S. f.* **1.** Desobrigação. **2.** Quitação de uma conta. **3.** *Rel.* Visita periódica feita a regiões desprovidas de clero por padres, com o fim de desobrigar (2) os fiéis.
desobrigação. *S. f.* Ato ou efeito de desobrigar(-se); desobriga.
desobrigado. [Part. de *desobrigar.*] *Adj.* **1.** Quite da obrigação. **2.** Que está ou anda à vontade; livre, desembaraçado.
desobrigar. [De *des-* + *obrigar.*] *V. t. d.* **1.** Desendividar (1). **2.** *Rel.* Proporcionar ocasião a (os fiéis católicos) de receber os sacramentos da Igreja, especialmente batismo e matrimônio. *T. d. e i.* **3.** Isentar, livrar (de obrigação): *O não comparecimento do amigo desobrigou-o do compromisso. P.* **4.** Cumprir a sua obrigação. **5.** Isentar-se; desencarregar-se. **6.** *Rel.* Cumprir o preceito pascal (comungar pela Páscoa e confessar-se ao menos uma vez ao ano). [Conjug.: v. *largar.*]
desobrigatório. *Adj.* Que desobriga.
desobscurecer. [De *des-* + *obscurecer.*] *V. t. d.* Dissipar as sombras de; aclarar, esclarecer, desentenebrecer. [Conjug.: v. *aquecer.*]
desobstrução. [De *des-* + *obstrução.*] *S. f.* Ato ou efeito de desobstruir; desimpedimento, desobstruência.
desobstruência. *S. f.* V. *desobstrução.*
desobstruente. *Adj. 2 g.* Desobstrutivo.
desobstruir. [De *des-* + *obstruir.*] *V. t. d.* Desimpedir, desembaraçar, removendo o que obstruía. [Conjug.: v. *atribuir.*]
desobstrutivo. [De *des-* + *obstrutivo.*] *Adj.* Que desobstrui; desobstruente.
desocupação. *S. f.* **1.** Ato ou efeito de desocupar(-se). **2.** Falta de ocupação; inocupação. **3.** Estado de quem se encontra desocupado. **4.** Ociosidade; indolência.
desocupado. [Part. de *desocupar.*] *Adj.* **1.** Que não tem ocupação; que não trabalha; ocioso. **2.** Livre de qualquer trabalho ou compromisso; livre, disponível: *Estando hoje desocupado, poderá dar-me um auxílio.* **3.** Em condições de ser utilizado; livre: *ter as mãos desocupadas; O telefone está desocupado.* **4.** Não preenchido por nenhuma tarefa ou obrigação; livre: *horas desocupadas.* **5.** Vago, vazio, desabitado; devoluto: *terreno desocupado; quarto desocupado.* **6.** Que não tem nada; vazio; *duas estantes desocupadas.* • *S. m.* **7.** Indivíduo desocupado.
desocupar. [De *des-* + *ocupar.*] *V. t. d.* **1.** Deixar de ocupar, sair de (lugar que ocupava). **2.** Livrar de ocupação; desimpedir: *desocupar um empregado.* **3.** Livrar, liberar, desembaraçar. **4.** Deixar devoluto. *P.* **5.** Desembaraçar-se, desimpedir-se. **6.** Livrar-se, liberar-se.
desodorante. *Adj. 2 g.* **1.** Que desodora; desodorizante. • *S.m.* **2.** Substância que desodora ou desodoriza; desodorizante. **3.** Preparado químico industrializado que contém esta substância.
desodorar. [De *des-* + *odor* + *-ar*[2].] *V. t. d. P. us.* Desodorizar.
desodorização. *S. f.* Ato ou efeito de desodorizar.
desodorizante. *Adj. 2 g.* **1.** Desodorante (1). • *S. m.* **2.** Desodorante (2).
desodorizar. [De *des-* + *odor* + *-izar.*] *V. t. d.* Tirar o odor, ou o mau odor, a; desodorar.
desoficialização. *S. f.* Ato ou efeito de desoficializar.

desoficializar. [De *des-* + *oficializar.*] *V. t. d.* Tirar o caráter oficial a.

desofuscar. [De *des-* + *ofuscar.*] *V. t. d.* **1.** Tornar claro; clarear, esclarecer, iluminar: *A luz do Sol desofuscou os salões sombrios; Não conseguiu desofuscar o entendimento. Int.* e *p.* **2.** Tornar-se claro; clarear, esclarecer-se; desanuviar-se. [Conjug.: v. *trancar.*]

desolação. [Do lat. *desolatione.*] *S. f.* **1.** Ato ou efeito de desolar(-se). **2.** Devastação, ruína, destruição. **3.** Isolamento, solidão; desamparo. **4.** Estrago causado por calamidade. **5.** Grande tristeza; consternação. [Sin. ger., p. us.: *desolamento.*]

desolado. [Do lat. *desolatu.*] *Adj.* **1.** Que apresenta aspecto de desolação (2 e 3): "No decurso da nossa viagem deixamos em claro as mortíferas baixas do Guadiana: nem vale a pena demorarmo-nos nesta região *desolada*" (Oliveira Martins, *História de Portugal*, I, p. 43). **2.** Muito triste, inconsolável.

desolador (ô). *Adj.* e *s. m.* Que desola, que causa desolação.

desoladoramente. [Do fem. de *desolador* + *-mente.*] *Adv.* De modo desolador; com desolação: "Almas *desoladoramente* frias" (Raul de Leoni, *Luz Mediterrânea*, p. 179).

desolamento. *S. m. P. us.* V. *desolação*: "O *desolamento* daquelas paradas grises .... enche-lhe a caixa de ar do seu pobre machete arcádico" (Vitorino Nemésio, *A Mocidade de Herculano*, II, p. 280).

desolar. [Do lat. *desolare.*] *V. t. d.* **1.** Despovoar (1): "A terrível epidemia tinha *desolado* povoações inteiras." (Franklin Távora, *O Cabeleira*, p. 180.) **2.** Devastar, arruinar, assolar. **3.** Tornar triste, melancólico, ao extremo; afligir, desgraçar: *A perda do filho desolou a pobre viúva. P.* **4.** Despovoar-se.

desolha. [Dev. de desolhar.] *S. f.* Ato ou efeito de desolhar (1).

desolhado¹. [De *des-* + *olho* (ô) + *-ado*¹.] *Adj.* Que tem olhos mortiços; com grandes olheiras.

desolhado². [Part. de *desolhar.*] *Adj.* **1.** Diz-se da planta a que se tiraram os olhos ou borbulhas. **2.** *Bras.* Diz-se daquele a quem se tirou o mau-olhado.

desolhar. [De *des-* + *olho* (ô) + *-ar*².] *V. t. d.* **1.** Tirar os olhos ou borbulhas de (a planta). **2.** *Bras.* Tirar o mau-olhado de.

desoneração. *S. f.* Ato ou efeito de desonerar¹; exoneração.

desonerar¹. [De *des-* + *onerar.*] *V. t. d., t. d. e i.* e *p.* V. *exonerar* (2 a 4).

desonerar². [Alter. de *degenerar.*] *V. t. d. Pop.* Liquefazer-se (o doce, a coalhada, etc.); degenerar.

desonestamente. [Do fem. de *desonesto* + *-mente.*] *Adv.* De modo desonesto; com desonestidade.

desonestar. [De *des-* + *honesto* + *-ar*².] *V. t. d.* e *p.* V. *desonrar* (1 e 3): "*Desonestavam* todas as cachopas destas três léguas em roda." (Camilo Castelo Branco, *Noites de Insônia*, IV, p. 9.)

desonestidade. [De *des-* + *honestidade.*] *S. f.* **1.** Falta de honestidade. **2.** Torpeza, indignidade.

desonesto. [De *des-* + *honesto.*] *Adj.* **1.** Que não tem honestidade. **2.** Indigno, torpe, desprezível. **3.** Impudico, devasso. ● *S. m.* **4.** Indivíduo desonesto.

desonra. [De *des-* + *honra.*] *S. f.* **1.** Falta de honra. **2.** Perda de honra; descrédito. **3.** Ação ou acontecimento que provoca a perda da honra de alguém.

desonradez (ê). [De *des-* + *honradez.*] *S. f.* Qualidade ou estado de desonrado.

desonrado. [Part. de *desonrar.*] *Adj.* Que não tem honra; que a perdeu.

desonrador (ô). *Adj.* **1.** V. *desonroso* (1). ● *S. m.* **2.** Aquele que desonra.

desonrante. *Adj.* 2 *g.* V. *desonroso* (1).

desonrar. [De *des-* + *honrar.*] *V. t. d.* **1.** Ofender a honra de; infamar, desacreditar, desonestar: *Aquela situação duvidosa o desonraria.* **2.** Deflorar, desflorar, desvirginar. *P.* **3.** Praticar ato desonesto ou desonroso; desonestar-se. **4.** Perder a mulher a honra, a virgindade.

desonroso (ô). [De *des-* + *honroso.*] *Adj.* **1.** Que desonra; desonrador, desonrante. **2.** Em que há desonra; que encerra desonra.

desopilação. *S. f.* **1.** Ato ou efeito de desopilar; desobstrução. **2.** Alívio; descarga: *O clima da reunião de ontem propiciou uma desopilação geral.*

desopilante. *Adj.* 2 *g.* Que desopila; desopilativo.

desopilar. [De *des-* + *opilar.*] *V. t. d.* Desobstruir; aliviar.

desopilativo. *Adj.* Desopilante.

desoportuno. [De *des-* + *oportuno.*] *Adj.* Inoportuno.

desopressão. [De *des-* + *opressão.*] *S. f.* **1.** Ato ou efeito de desoprimir(-se). **2.** Alívio, desafogo.

desopressar. [De *des-* + *opresso* + *-ar*².] *V. t. d. Desus.* Desoprimir (1).

desopressor (ô). [De *des-* + *opressor.*] *Adj.* **1.** Que desoprime; desoprimente. ● *S. m.* **2.** Aquele que desoprime.

desoprimente. *Adj.* 2 *g.* Desopressor (1).

desoprimir. [De *des-* + *oprimir*] *V. t. d.* **1.** Livrar da opressão; aliviar: *A notícia da impronúncia desoprimiu-lhe o coração.* [Sin. (desus.): *desopressar.*] *T. d.* e *i.* **2.** Libertar; aliviar: *Com a boa notícia desoprimi-o de sua angústia. P.* **3.** Libertar-se; aliviar-se.

desoras. [De *des-* + o pl. de *hora.*] *S. f. pl.* V. *horas mortas* (1): "E ouvirás, no silêncio das *desoras*, / Uma voz que transmite aos teus ouvidos / A legenda de tudo quanto ignoras" (José Oiticica, *Ode ao Sol).* ◆ **A desoras. 1.** Fora de horas; tarde; por desoras: "O viandante tresmalhado, ou o vaqueiro que se recolhia a *desoras*, ébrio das delícias do batuque, fugiria apavorado" (Afonso Arinos, *Pelo Sertão*, p. 125). **2.** Fora de propósito; inoportunamente. **Por desoras.** V. *a desoras* (1): "Lá por *desoras* de chuvosa noite / Soa um baque" (Alberto de Oliveira, *Poesias*, 3ª série, p. 137).

desorbitar. [De *des-* + *órbita* + *-ar*².] *V. t. d.* Tirar ou fazer sair da órbita; exorbitar.

desordeiro. [De *des-* + *ordeiro.*] *Adj.* e *s. m.* Que ou aquele que promove desordens; arruaceiro.

desordem. [De *des-* + *ordem.*] *S. f.* **1.** Falta de ordem; desarranjo, desarrumo, desorganização. **2.** Desconcerto, desalinho. **3.** Confusão, barulho, gritaria, algazarra. **4.** Confusão, tumulto, briga, motim. V. *rolo*¹ (16). **5.** Desvairamento, loucura, alucinação: *desordem da mente.*

desordenado. [Part. de *desordenar.*] *Adj.* Que não tem ordem; desarranjado.

desordenador (ô). *Adj.* e *s. m.* Que ou aquele que desordena.

desordenar. [De *des-* + *ordenar.*] *V. t. d.* **1.** Tirar da ordem; desarranjar; confundir. **2.** Amotinar, sublevar. *P.* **3.** Sair da ordem; desarranjar-se. **4.** Descomedir-se, exceder-se.

desorelhado. [Part. de *desorelhar.*] *Adj.* **1.** Diz-se daquele a quem tiraram as orelhas, ou as arrecadas das orelhas. ● *S. m.* **2.** *Ant.* Indivíduo condenado por crime infamante, a quem a justiça portuguesa mandava cumprir pena no Brasil.

desorelhamento. *S. m.* Ato de desorelhar.

desorelhar. [De *des-* + *orelha* + *-ar*².] *V. t. d.* **1.** Arrancar as orelhas a. **2.** *P. us.* Tirar as arrecadas das orelhas de. [Conjug.: v. *aparelhar.*]

desorganização. *S. f.* **1.** Falta de organização; desordem. **2.** Dissolução (3): *A desorganização de tão forte sociedade causou espanto na praça.*

desorganizado. [Part. de *desorganizar.*] *Adj.* Que não tem organização; desordenado.

desorganizador (ô). *Adj.* e *s. m.* Que ou aquele que desorganiza.

desorganizar. [De *des-* + *organizar.*] *V. t. d.* **1.** Destruir a organização de. **2.** Destruir a boa ordem de; desordenar, desarranjar; perturbar. *P.* **3.** Ficar com a organização destruída; dissolver-se: *A firma desorganizou-se.*

desorientação. *S. f.* **1.** Ato ou efeito de desorientar(-se). **2.** Falta de orientação, de critério. **3.** Insensatez, desnorteamento, desvairamento. [Sin. ger. p. us.: *desorientamento.*]

desorientado. [Part. de *desorientar.*] *Adj.* **1.** Falto de orientação, de critério. **2.** Embaraçado, confuso, desnorteado. **3.** Desequilibrado, desvairado, desatinado. ● *S. m.* **4.** Indivíduo desorientado.

desorientador (ô). *Adj.* Que desorienta; desnorteante. [q. v.].

desorientamento. *S. m. P. us.* V. *desorientação.*

desorientar. [De *des-* + *orientar.*] *V. t. d.* **1.** Fazer perder o rumo, a boa direção; desnortear. **2.** Perturbar, embaraçar, desnortear: *A chegada súbita do inimigo desorientou-o.* **3.** Desvairar, enlouquecer, endoidecer, ensandecer. *P.* **4.** Perder a direção, o rumo; desnortear-se. **5.** Perturbar-se, turbar-se, embaraçar-se, desnortear-se. **6.** Perder-se em conjeturas; atrapalhar-se.

desornado. [Part. de *desornar.*] *Adj.* Que não tem adorno ou ornato; singelo, desenfeitado, desataviado.

desornar. [De *des-* + *ornar.*] *V. t. d.* **1.** Tirar os ornatos ou enfeites a; desadornar, desenfeitar, desataviar. *P.* **2.** Tirar de si os enfeites, os adornos; desenfeitar-se, desataviar-se.

desossado. [Part. de *desossar.*] *Adj.* Que não tem ossos; a que se tiraram os ossos: *frango desossado.*

desossar. [De *des-* + *osso* + *-ar*².] *V. t. d.* Tirar os ossos a.

desova. [Dev. de *desovar.*] *S. f.* **1.** Ato de desovar; desovamento. **2.** *Bras. Gír. Fig.* Ato ou efeito de desovar (5): "*Desova* em Austin" *era a manchete da primeira página daquele jornal.*

desovamento. *S. m.* Desova (1).

desovar. *V. int.* **1.** Pôr os ovos. [Aplica-se especialmente aos peixes.] **2.** *Pop.* Dar à luz; parir. *T. d.* **3.** Fornecer em grande quantidade: "O governo começou ontem a *desovar* seus estoques de carne congelada para supermercados ...., com o objetivo de forçar a baixa dos preços do produto para o consumidor" (*Folha de S. Paulo*, 9.6.1985). **4.** *Bras.* Dizer; revelar; desembuchar: *Indiscreto, terminou desovando o segredo.* **5.** *Bras. Gír. Fig.* Deixar, em determinado lugar, cadáver de pessoa assassinada em outro: "Fanfarrão, chegou ao restaurante comentando que havia 'desovado um presunto'." (*Jornal do Brasil*, 5.7.1985.)

desoxidação (cs). *S. f.* Ato ou efeito de desoxidar.

desoxidado (cs). *Adj.* Que se desoxidou.

desoxidador (cs...ô). *Adj.* **1.** Desoxidante. ● *S. m.* **2.** *Quím.* Qualquer agente capaz de remover o oxigênio de um composto ou de um metal fundido.

desoxidante (cs). *Adj.* 2 *g.* Que desoxida; desoxidador.

desoxidar (cs). [De *des-* + *oxidar.*] *V. t. d.* **1.** Tirar o óxido a. **2.** Tirar a ferrugem a **3.** Desoxigenar.

desoxigenação (cs). *S. f.* Ato ou efeito de desoxigenar.

desoxigenante (cs). *Adj.* 2 *g.* Que desoxigena.

desoxigenar (cs). [De *des-* + *oxigenar.*] *V. t. d.* Tirar o oxigênio de; desoxidar.

desoxirribonucléico (cs). *Adj.* ~ V. *ácido* —.

desoxirribose. [De *desoxirribo(nucléico)* + *-ose.*] *S. f. Genét.* Açúcar componente da estrutura do ácido desoxirribonucléico.

despachadamente. [Do fem. de *despachado* + *-mente.*] *Adv.* De maneira despachada, com despacho; com desembaraço ou desenvoltura: "Pousada, não era costume dar-se ali; Alfenas ficava a uma légua, e os donos da casa diziam *despachadamente* que aquilo não era hospedaria." (Lúcio de Mendonça, *Horas do Bom Viver*, p. 222.)

despachadão. *Adj.* e *s. m. Bras.* Diz-se de, ou indivíduo muito despachado, de maneiras e palavras muito desembaraçadas, francas. [Fem.: *despachadona.*]

despachado. [Part. de *despachar.*] *Adj.* **1.** Que se despachou. **2.** Que obteve despacho (2). **3.** Expedito, ativo, desembaraçado, franco: "Minha avó tinha criado no sertão uma menina escurinha, órfã de pai e mãe. .... Era trabalhadeira e *despachada*." (Povina Cavalcanti, *Volta à Infância*, p. 147.) **4.** Valente, denodado, atrevido. V. *valentão* (1). **5.** *Fig.* Mandado para o outro mundo.

despachadona. *Adj. (f.)* e *s. f. Bras.* Fem. de *despachadão.*

despachador (ô). *Adj.* **1.** Despachante (1) **2.** Diz-se de homem expedito, rápido na execução de qualquer trabalho ● *S. m.* **3.** Indivíduo despachador (2).

despachante. *Adj.* 2 *g.* **1.** Que despacha; despachador. ● *S.* 2 *g.* **2.** Pessoa que despacha mercadorias. **3.** Agente comercial incumbido de desembaraçar negócios, mercadorias, pagar direitos e fretes, encaminhar papéis, etc., sobretudo junto às repartições fiscais, aduaneiras, policiais, etc.

despachar. [Do fr. ant. *despeechier*, atr. do prov. *despachar.*] *V. t. d.* **1.** Pôr despacho (2) em. **2.** Resolver, decidir: *Pela manhã despacha os negócios da firma.* **3.** Incumbir de serviço, missão, etc.: *Uma de suas tarefas é despachar diariamente os demais empregados.* **4.** Atender; servir: *O caixeiro demorou a despachar o freguês.* **5.** Expedir, remeter: *Despachou a mercadoria fora do prazo.* **6.** *Bras.* Dispensar os serviços de: mandar embora; despedir: *Despachou o empregado por ineficiência.* **7.** V. *matar* (1). *Transobj.* **8.** Nomear, designar (para um cargo): *Despachou o ministro. T. i.* **9.** Fazer ou acabar depressa: — *Ande, despache com este trabalho. Int.* **10.** Lavrar despacho (2). **11.** *Bras. S. Pop.* V. *defecar* (5). *P.* **12.** Fazer alguma coisa às pressas; aviar-se.

despacho. *S. m.* **1.** Ato ou efeito de despachar. **2.** Nota lançada por autoridade em petição ou requerimento, deferindo-o ou indeferindo-o. **3.** Nomeação para cargo público. **4.** Provimento em emprego público. **5.** *Diplom.* Carta ou ofício enviado por um ministro a outro, acerca de assuntos de interesse público. **6.** Rapidez na execução de um negócio. **7.** *Bras.* Desenvoltura, desembaraço. **8.** *Bras.* Pagamento antecipado do favor que se espera de Exu, que levará o recado ao orixá a quem está afeto aquilo que se deseja obter. [Cf. (nessa acepç.): *ebó* (1).] **9.** *Bras. P. ext.* V. *bruxaria* (1 e 2). **10.** *Bras. Gír.* V.

descompostura (2). ♦ **Despacho interlocutório.** *Jur.* Aquele em que o juiz não decide a demanda principal, mas apenas alguma questão de ponto incidente; interlocutória, interlocutório. **Despacho saneador.** *Jur.* Aquele em que o juiz se pronuncia, antes da sentença final, a respeito das irregularidades e nulidades, legitimidade das partes, sua representação, etc., mandando sanar o que for possível.

despadrar. [De *des-* + *padre* + *-ar*^{2}, e de *des-* + *padrar-se*.] *V. t. d.* **1.** Tirar a qualidade de padre a. *P.* **2.** Deixar de ser padre.

despaginar. [De *des-* + *paginar*.] *V. t. d. Tip.* Desfazer (composição tipográfica paginada), separando o material para distribuição; fazer a retranca de. [Cf. *desguarnecer* (5).]

despalatalização. *S. f. Gram.* Ação ou efeito de despalatalizar (um fonema); despalatização.

despalatalizar. [De *des-* + *palatalizar*.] *V. t. d. Gram.* Tirar o caráter palatal a (um fonema); despalatizar. Ex.: *compania* em vez de *companhia*.

despalatização. *S. f. Gram.* Despalatalização.

despalatizar. *V. t. d. Gram.* Despalatalizar.

despaletar. [De *des-* + *paleta* + *-ar*^{2}.] *V. t. d. Bras., RS.* Desarticular a paleta de (o animal); despaletear.

despaletear. *V. t. d. Bras. RS.* Despaletar. [Conjug.: v. *frear*.]

despalha. [Dev. de *despalhar*.] *S. f. Bras.* Ato de limpar a haste de cana-de-açúcar das palhas que a acompanham; despalhamento.

despalhamento. *S. m. Bras.* Despalha.

despalhar. [De *des-* + *palha* + *-ar*^{2}.] *V. t. d.* Tirar a palha a.

despalmar. [De *des-* + *palma* + *-ar*^{2}.] *V. t. d.* Cortar a (o cavalo) a palma (3).

despalmilhado. [Part. de *despalmilhar*.] *Adj.* **1.** Sem palmilha(s). **2.** *Bras., S.* Diz-se do cavalo molestado na parte mole do casco.

despalmilhar. [De *des-* + *palmilhar*.] *V. t. d.* **1.** Tirar a(s) palmilha(s) a. *Int.* e *p.* **2.** *Bras., S.* Molestar-se (o cavalo) na parte mole do casco.

despampanar. [De *des-* + *pâmpano* + *-ar*^{2}.] *V. t. d.* Tirar os pâmpanos a.

despapar. [De *des-* + *papo* + *-ar*^{2}.] *V. int.* e *p.* Erguer muito o focinho, ao andar (o cavalo); escapar.

desparafinação. *S. f. Eng. Ind.* Ato ou efeito de desparafinar.

desparafinador (ô). *S. m. Tec.* Equipamento destinado a recolher, por condensação, as parafinas de massa molecular elevada presentes no fluido de processo de uma refinaria de petróleo.

desparafinar. [De *des-* + *parafina* + *-ar*^{2}.] *V. t. d. Eng. Ind.* Retirar parafina de (petróleo bruto).

desparafusagem. *S. f.* Desaparafusagem.

desparafusar. [De *des-* + *parafusar*.] *V. t. d.* **1.** Desaparafusar. *P.* **2.** Desaparafusar-se. **3.** *Bras., PE.* Romper em explosões de irritação, de cólera.

desparamentar. [De *des-* + *paramentar*.] *V. t. d.* **1.** Tirar os paramentos a. *P.* **2.** Tirar os paramentos.

desparceirar. [De *des-* + *parceiro* + *-ar*^{2}.] *V. t. d.* Desemparceirar.

desparecer. [De *des-* + *parecer*.] *V. int. P. us.* Desaparecer: "E nas quebradas ínvias / Como um tufão veloz *desparecias*" (Bernardo Guimarães, *Poesias Completas*, p. 138). [Conjug.: v. *aquecer*.]

despargir. *V. t. d.* e *p.* V. *espargir*. [Conjug.: v. *dirigir*.]

desparramar. [Do esp. plat. *desparramar*.] *V. t. d. int. p.* V. *esparramar*.

desparrar. [De *des-* + *parra* + *-ar*^{2}.] *V. t. d.* Tirar as parras a.

despartir. [De *des-* + *partir*.] *V. t. d.* Apartar, separar. [Cf. *dispartir*.]

desparzir. *V. t. d.* e *p.* V. *espargir*: "Formosa virgem de cabelos d'ouro [a aurora], / Que prazenteira os passos antecedes / Do rei do firmamento, / Em seus caminhos flores *desparzindo*!" (Bernardo Guimarães, *Poesias Completas*, p. 19). [Us. preferentemente nas f. em que ao *z* se segue um *i*.]

despassar. [De *des-* + *passar*.] *V. t. d.* Passar além de; transpor, ultrapassar.

despastar. [De *des-* + *pastar*.] *V. t. d. Bras.* Tirar (o gado bovino) dum lugar de pastagem.

➧**despatch money** (dispétx mâni). [Ingl.] *Com.* e *jur.* Prêmio que o afretador ou destinatário do navio ajusta e paga pela redução de tempo de serviço de carga ou descarga.

despatriota. [De *des-* + *patriota*.] *Adj. 2 g.* e *s. 2 g.* Antipatriota.

despatriótico. [De *des-* + *patriótico*.] *Adj.* Antipatriótico.

despautério. [Do antr. *Despautère*, f. afrancesada do sobrenome de *Jean van Pauteren*, gramático flamengo (1460-1520), autor de obra difusa e obscura.] *S. m.* Grande disparate; asneira desmedida; desconchavo ou despropósito grave.

despavorido. [De *des-* + *espavorido*, com síncope.] *Adj.* Que perdeu o pavor; que deixou de ter medo ou pavor.

despavorir. [Do esp. *despavorir*.] *V. t. d.* Causar susto ou pavor a; espavorir, aterrar. [Defect., conjugável unicamente nas f. em que ao *r* se segue a vogal *i*.]

despear^{1}. [De *des-* + *peia* + *-ar*^{2}.] *V. t. d.* **1.** Tirar as peias a. *P.* **2.** Desprender-se das peias; libertar-se, livrar-se: "naqueles tempos turbados e revoltos, em que a humanidade, já cansada do seu diuturno cativeiro, fazia esforços inauditos para *se despear* de seus grilhões." (Latino Coelho, *Elogio Histórico de José Bonifácio de Andrada e Silva*, p. 138). [Conjug.: v. *frear*.]

despear^{2}. [De *des-* + *pé* + *-ar*^{2}.] *V. t. d.* **1.** Molestar muito os pés de. **2.** Gastar os cascos de (cavalgadura). *Int.* **3.** Gastar (a cavalgadura) os cascos. [Conjug.: v. *frear*.]

despedaçador (ô). *Adj.* e *s. m.* Que ou aquele que despedaça.

despedaçamento. *S. m.* Ato ou efeito de despedaçar(-se); dilaceração.

despedaçar. [De *des-* + *pedaço* + *-ar*^{2}.] *V. t. d.* **1.** Partir em pedaços; partir, quebrar, dilacerar: *Em sua ira, despedaçava o que via à frente.* **2.** Rasgar, esfrangalhar: *Despedaçou, na briga, o paletó do outro.* **3.** *Fig.* Lancinar, pungir: *Suas palavras despedaçaram o coração do amigo. P.* **4.** Quebrar-se, partir-se: "uma bulha de louças que *se despedaçam*" (Luís Edmundo, *De um Livro de Memórias*, III, p. 686). **5.** Quebrar-se com violência; rebentar(-se), arrebentar(-se): "Quando este mar embravece, vagalhões como montanhas *despedaçam-se* com fúria nas falésias maciças." (Raul Brandão, *As Ilhas Desconhecidas*, pp. 227-228.) [Conjug.: v. *laçar*.]

despedida. *S. f.* **1.** Ato de despedir(-se). **2.** *Fig.* Termo, conclusão, fim. ~ V. *despedidas*. ♦ **Por despedida.** Em conclusão; por fim.

despedidas. [Pl. de *despedida*.] *S. f. pl.* Expressões corteses ou saudosas usadas por quem se despede: *O viajante apresenta suas despedidas.* ~ V. *despedida*.

despedidas-de-verão. *S. f. pl.* V. *crisântemo*.

despedimento. *S. m.* Ação de despedir(-se).

despedir. [Do ant. *espedir*.] *V. t. d.* **1.** Fazer sair; dispensar a presença de; despachar: *Atendia aos que o procuravam, mas pouco depois os despedia.* **2.** Dispensar os serviços de; mandar embora; despachar: *Despediu os empregados faltosos.* **3.** Separar-se de (pessoa com quem se está). **4.** V. *expedir* (1): *Despediu um emissário para desempenhar a missão.* **5.** Lançar de si; lançar, soltar; expedir: "Diana acorda *despedindo* um grito / De intensa mágoa!..." (Luís Guimarães [filho], *Pedras Preciosas*, p. 74); *O fogo despedia faíscas.* **6.** Desfechar, desferir; dar: *despedir tiros, facadas.* **7.** Arremessar, atirar: *despedir setas, flechas.* **8.** Desprender, soltar, exalar: *despedir suspiros, gemidos.* **9.** Aviar, despachar: *Despediu com o secretário os assuntos mais urgentes. Int.* **10.** Cessar, terminar. **11.** Partir; ir-se. *P.* **12.** Ir-se embora, apartar-se, retirar-se, cumprimentando: "*Despedi-me* efusivamente do garçom e voltei para casa" (Lígia Fagundes Teles, *A Disciplina do Amor*, p. 93). **13.** Ir-se; acabar(-se): *O século despedia-se em meio a grandes festejos.* **14.** Deixar um emprego; demitir-se. **15.** *Turfe. Gír.* Passar (o cavalo) com toda a facilidade por um ou por vários competidores, e distanciar-se deles; dar adeus. [Irreg. Conjug.: v. *pedir*.]

despegar. [De *des-* + *pegar*.] *V. t. d.* **1.** Desunir, separar, despregar (o que estava pegado, unido, colado): *Despegou cuidadosamente as páginas coladas.* **2.** Tornar menos afeiçoado: *A distância da família despegou-o. T. d.* e *i.* **3.** Afastar, apartar, arredar: *Não conseguia despegar o pensamento daquela moça.* **4.** V. *desafeiçoar*^{2} (1). *P.* **5.** Descolar-se, desunir-se, desprender-se: "parte do seu corpo desfazia-se, a carne *despegava-se* dos ossos e caía ensangüentada" (Coelho Neto, *Sertão*, p. 358). **6.** V. *desafeiçoar*^{2} (2). [F. paral.: *desapegar*. Conjug.: v. *regar*. Pres. ind.: *despego*, etc. Cf. *despego* (ê).]

despego (ê). [Dev. de *despegar*.] *S. m.* V. *desapego* (ê). [Pl.: *despegos* (ê). Cf. *despego*, do v. *despegar*.]

despeitado^{1}. [De *des-* + *peito* + *-ado*^{1}.] *Adj.* **1.** Que tem o peito magro. **2.** *Bras. Joc.* Diz-se da mulher de seios muito pequenos.

despeitado^{2}. [Part. de *despeitar*.] *Adj.* **1.** Que tem despeito; ressentido, magoado. **2.** Desavindo, indisposto, desacorde. **3.** Irritado, zangado. ● *S. m.* **4.** Indivíduo despeitado.

despeitador (ô). *Adj.* e *s. m.* Que, ou aquele que despeita.

despeitamento. *S. m. P. us.* Despeito.

despeitar. *V. t. d.* **1.** Causar despeito a; tornar amuado, ressentido; irritar. **2.** Tratar com despeito. *P.* **3.** Amuar-se, irritar-se, zangar-se.

despeito. [Do lat. *despectu*.] *S. m.* Desgosto mesclado de raiva, provocado por uma decepção ou pelo amor-próprio ferido. [Sin. (p. us.): *despeitamento*.] ♦ **A despeito de.** Apesar de; não obstante, nada obstante: "A *despeito do* ódio que lhe votava, achava-o bonito" (Aluísio Azevedo, *O Mulato*, p. 65).

despeitorar. [De *des-* + lat. *pectus*, *oris*, 'peito', + *-ar*^{2}.] *V. t. d.* **1.** *Desus.* Dizer com franqueza; desabafar. *P.* **2.** Descobrir muito o peito; decotar-se. **3.** *Fig.* Demonstrar muita franqueza; abrir-se, desabafar-se.

despeitoso (ô). *Adj.* **1.** Que provoca despeito: *Seu comportamento despeitoso fá-lo antipático aos olhos de todos.* **2.** Que encerra despeito.

despejado. [Part. de *despejar*.] *Adj.* **1.** Desobstruído, desocupado. **2.** Evacuado, esvaziado. **3.** Sem pejo; sem-vergonha, impudente, descarado. **4.** Diz-se daquele contra quem se moveu uma ação de despejo (8). ● *S. m.* **5.** Indivíduo despejado (4).

despejamento. *S. m.* Ato de despejar; despejo.

despejar. *V. t. d.* **1.** Livrar de estorvo ou obstáculo; desobstruir, desembaraçar, desocupar: *despejar as vias públicas.* **2.** Desocupar; evacuar: *despejar um aposento.* **3.** Entornar, vazar: *Despejou a água nos copos.* **4.** Vazar o conteúdo de: *Despejou a garrafa de vinho.* **5.** *Bras. Gír.* Esvaziar bebendo: *Despejou, de uma vez, a garrafa de cerveja.* **6.** Tirar o pejo, a vergonha, os sentimentos de brio, a. **7.** Promover o despejo (8) de. *Int.* **8.** Deixar a casa, o lugar; sair. *P.* **9.** Ficar livre; desembaraçar-se. **10.** Perder o pejo, o acanhamento. [Conjug.: v. *pelejar*.]

despejo (ê). [Dev. de *despejar*?] *S. m.* **1.** Ato ou efeito de despejar (1 e 2). **2.** Aquilo que se despeja. **3.** Lixo, imundície; dejeção. **4.** Quarto ou aposento onde se guardam trastes velhos ou utensílios de pouco uso; quarto de despejo, casa de despejo. **5.** Falta de pejo; impudor, impudência, descaramento, despudor. **6.** Desenvoltura, desembaraço. **7.** Ousadia, intrepidez. **8.** *Jur.* Desocupação compulsória dum imóvel alugado, por decisão judicial.

despela. [Dev. de *despelar*.] *S. f.* Ação de despelar.

despelar. [De *des-* (q. v.) + *pelar*.] *V. t. d.* **1.** Tirar a pele a: "O Arcanjo acabou de *despelar* a leitoa no tacho de água quente, raspou-a a faca com caprichosa paciência" (Mário Palmério, *Chapadão do Bugre*, p. 290). **2.** Tirar a casca a; descortiçar.

despenar^{1}. [De *des-* + *pena*^{1} + *-ar*^{2}.] *V. t. d.* **1.** V. *depenar* (1). **2.** *Bras. Fig.* Tirar as folhas ou as raízes a (um vegetal).

despenar^{2}. [De *des-* + *penar*.] *V. t. d.* **1.** Livrar de pena^{2} (2); consolar. *T. d.* e *i.* **2.** Livrar, libertar (daquilo que causa pena ou pesar): *Peço a Deus que o despene de tal humilhação. Int.* e *p.* **3.** Deixar de penar; livrar-se de pena^{2} (2).

despencar. [De *des-* + *penca* + *-ar*^{2}.] *V. t. d.* **1.** *Bras.* Separar (especialmente bananas) da penca ou do cacho. **2.** Desprender do ramo ou da haste: "Ninhos cantando! Em flor a terra toda! O vento / *Despencando* os rosais, sacudindo o arvoredo..." (Olavo Bilac, *Poesias*, p. 170). *T. i.* e *int.* **3.** Cair desastradamente de grande altura: *Despencou do coqueiro; Subiu ao quinto andar e, distraído, despencou. P.* **4.** Deitar a correr precipitadamente e/ou desabaladamente: *Despencou-se atrás do ladrão;* "Desembainhou a espada, deu um — viva a Sua Majestade! — e *despencou-se*, firme nos estribos" (Simões Lopes Neto, *Contos Gauchescos e Lendas do Sul*, p. 193). [Conjug.: v. *trancar*.]

despendedor (ô). *S. m.* **1.** Aquele que despende. **2.** Indivíduo gastador, dissipador, esbanjador.

despender. [Do lat. *dispendere*.] *V. t. d.* **1.** Fazer despesa de; gastar: *Despendeu todo o ordenado em três dias.* **2.** Espalhar com liberalidade; prodigalizar: *Por onde passava, a moça despendia encanto e graça. T. d.* e *i.* **3.** Gastar; consumir. *Int.* **4.** Fazer despesas, dispêndios; gastar.

despendurar. [De *des-* + *pendurar*.] *V. t. d.* e *t. d.* e *c.* Tirar do seu lugar (o que estava pendurado). [Antôn.: *Pendurar, dependurar*.]

despenhadeiro. [De *despenhar* + *-deiro*.] *S. m.* **1.** Precipício, alcantil. **2.** *Fig.* Perigo, ou desgraça horrível.

despenhamento. *S. m.* Despenho (1).

despenhar. [De *des-* + *penha* + *-ar*[2].] *V. t. d.* **1.** Lançar ou precipitar de grande altura. **2.** Deitar abaixo; derribar, derrubar. **3.** Fazer cair na desgraça ou na ruína; arruinar. *P.* **4.** Lançar-se, precipitar-se em lugar profundo: "Sinto que vou despenhar-me num grande abismo ouriçado de cardos e piteiras" (Eugênio de Castro, *Obras Poéticas*, II, p. 163). **5.** Cair do alto. **6.** Cair na desgraça ou na ruína; arruinar-se. **7.** Correr precipitadamente; arremessar-se: *A correnteza despenhava-se por entre as pedras.*

despenho. [Dev. de *despenhar.*] *S. m.* **1.** Ação de despenhar(-se); despenhamento. **2.** Queda em um precipício. **3.** V. *queda-d'água.*

despenhoso (ô). [De *despenho* + *-oso.*] *Adj.* Cortado de despenhadeiros; alcantilado.

despenque. [Dev. de *despencar.*] *S. m. Bras., RS.* Ação de lançar-se a galope; disparada.

despensa. [Do lat. *dispensa.*] *S. f.* Repartimento da casa onde se guardam mantimentos. [Cf. *dispensa,* do v. *dispensar* e *s. f.*]

despenseiro. *S. m.* O encarregado da despensa; ecônomo. [Sin., ant.: *ovençal.*]

despentear. [De *des-* + *pentear.*] *V. t. d.* **1.** Desmanchar o penteado de: *O vento despenteou-a.* **2.** Desmanchar, desordenar (o cabelo que estava penteado): "O vento despenteava seus cabelos luminosos" (Lígia Fagundes Teles, *A Disciplina do Amor*, p. 54). *P.* **3.** Soltar-se, desordenar-se (o cabelo que estava penteado). **4.** Desfazer, ou dar lugar a que se desfaça, o próprio penteado. [Conjug.: v. *frear.*]

desperceber. [De *des-* + *perceber.*] *V. t. d.* **1.** Não perceber; não notar; não atentar em. *P.* **2.** Desprevenir-se, desacautelar-se; desaperceber-se: *Desperceбeu-se e repetiu o lapso.* [Conjug.: v. *aquecer.*]

despercebido. [Part. de *desperceber.*] *Adj.* **1.** Que não se viu ou não se ouviu; em que não se atentou; impercebido. 2. Desatento, distraído, desacautelado; desapercebido.

despercebimento. *S. m.* Ato ou efeito de desperceber(-se).

desperdiçado. [Part. de *desperdiçar.*] *Adj.* **1.** Gasto sem proveito; esbanjado, desbaratado, malbaratado. **2.** Que gasta muito sem necessidade; que desperdiça. ● *S. m.* **3.** Indivíduo desperdiçado; desperdiçador [q. v.].

desperdiçador (ô). *Adj.* e *s. m.* Que, ou aquele que desperdiça; gastador, esbanjador, pródigo, desperdiçado, esperdiçador.

desperdiçamento. *S. m.* Ato ou efeito de desperdiçar.

desperdiçar. [De *perder.*] *V. t. d.* Gastar sem proveito; esbanjar, desbaratar, malbaratar, desaproveitar, esperdiçar. [Conjug.: v. *laçar.*]

desperdício. *S. m.* **1.** Ato ou efeito de desperdiçar; esbanjamento, desbaratamento, desbarato, desbarate. **2.** Desaproveitamento, extravio; perda: *desperdício de talentos.* **3.** *Bras., PE.* Terra que se extraiu dos cortes das estradas e não foi aproveitada nos aterros; extravio. [F. paral.: *esperdício.*] ~ V. *desperdícios.*

desperdícios. *S. m. pl.* **1.** Restos, refugos, sobras. **2.** Fios inaproveitáveis para a tecelagem, utilizados na limpeza das máquinas. ~ V. *desperdício.*

desperecer. *V. int.* Deperecer. [Conjug.: v. *aquecer.*]

desperecimento. [De *desperecer* + *-i-* + *-mento.*] *S. m.* Ato ou efeito de desperecer; deperecimento.

desperfilamento. *S. m.* Ato ou efeito de desperfilar(-se).

desperfilar. [De *des-* + *perfilar.*] *V. t. d.* **1.** Tirar do alinhamento, desarranjar (o que estava perfilado). *P.* **2.** Sair do alinhamento.

despersonalização. *S. f.* Ato ou efeito de despersonalizar(-se).

despersonalizar. [De *des-* + *personalizar.*] *V. t. d.* **1.** Mudar a personalidade e caráter a; tirar ou reduzir as propriedades que formam a personalidade, o caráter de. *P.* **2.** Perder ou enjeitar a própria personalidade; proceder em desacordo com o seu caráter.

despersuadir. [De *des-* + *persuadir.*] *V. t. d.* **1.** Fazer mudar de opinião, de convicção, de intento, etc.; dissuadir: *Despersuadiu-o de sua posição política.* *T. d. e i.* **2.** Dissuadir; desaconselhar: *Despersuadi-o de sair à rua, pois estava doente.* *P.* **3.** Mudar de opinião ou resolução; dissuadir-se.

despersuasão. [De *des-* + *persuasão.*] *S. f.* Ato ou efeito de despersuadir(-se); dissuasão.

despertador (ô). *Adj.* **1.** Que desperta. ● *S. m.* **2.** Aquele ou aquilo que desperta. **3.** Relógio provido de dispositivo que se regula para soar em hora determinada, geralmente para acordar quem dorme. [Sin., nesta acepç. (bras., gír. de gat.): *alcagüete.*]

despertar. [De *espertar.*] *V. t. d.* **1.** Tirar do sono; acordar; espertar: *Nenhum barulho o desperta.* **2.** Excitar, estimular: *medicamento para despertar o apetite.* **3.** Fazer nascer; dar origem a: *despertar suspeita.* **4.** Dar ocasião a; provocar: *Aquela paisagem despertava reminiscências de sua infância.* *T. d. e i.* **5.** Tirar, arrancar: *A parada brusca do trem despertou-o daquele estado de letargia.* **6.** Causar, provocar, produzir: "Tinha-me vindo o pensamento de que os meus romances nenhum interesse despertariam àqueles homens" (Graciliano Ramos, *Viagem*, p. 47). *Pred.* **7.** Acordar em certo estado: *Despertou alegre;* "Sonhando, fora rei, mas despertou mendigo" (Eugênio de Castro, *Obras Poéticas*, III, p. 139). *Int.* **8.** Sair do sono; acordar, espertar: "O Homem desperta e sai cada alvorada / Para o acaso das cousas..." (Raul de Leoni, *Luz Mediterrânea*, p. 85). **9.** Aparecer, despontar, mostrar-se, revelar-se: *Seu velho ciúme novamente despertou.* *P.* *10.* Sair do sono; acordar, espertar. **11.** Sair do estado de torpor ou de inércia; readquirir força ou atividade. [Part.: *despertado* e (irreg.) *desperto.*] ● *S. m.* **12.** Ato de despertar: "Não! Durmo; e o despertar vai ser medonho!" (Raimundo Correia, *Poesias*, p 61.)

desperto. [Part. irreg. de *despertar.*] *Adj.* Que despertou; acordado.

despesa (ê). [Do lat. *dispensa.*] *S. f.* **1.** Ato ou efeito de despender. **2.** Tudo aquilo que se despende; dispêndio. **3.** V. *deflúvio* (3). ♦ **Despesa fluvial.** V. *deflúvio* (3). [Tb. se diz apenas *despesa.*]

despesca. [Dev. de *despescar.*] *S. f. Bras.* Ato de despescar (1).

despescar. *V. t. d. Bras.* **1.** Colher com a rede ou tarrafa (os peixes dos açudes, viveiros ou currais). **2.** Tirar a outrem (objetos de valor, jóias, roupas, etc.). [Conjug.: v. *trancar.*]

despetalado[1]. [Part. de *despetalar.*] *Adj.* A que se arrancaram as pétalas.

despetalado[2]. *Adj. Morfol. Veg.* Sem pétalas; apétalo.

despetalar. [De *des-* + *pétala* + *-ar*[2].] *V. t. d.* **1.** Arrancar as pétalas de: "Ao redor de nós, somente o vento selvagem, que dobra vergônteas, ondeia cidreiras e despetala flores." (Mário da Silva Brito, *Conversa Vai, Conversa Vem*, p. 12.) *Int.* e *p.* **2.** Perder as pétalas. [Sin. ger.: *espetalar.*]

despicador (ô). *S. m.* Aquele que despica.

despicar. [De *des-* + *picar.*] *V. t. d.* e *p.* Desforrar(-se), desagravar(-se), desafrontar(-se), vingar(-se): "Piedade assomou-se com a descompostura, quis despicar-se, chegou a arregaçar as mangas e sungar a saia" (Aluísio Azevedo, *O Cortiço*, p. 315). [Conjug.: v. *trancar.*]

despicativo. [De *despicar.*] *Adj.* V. *desprezativo.*

despiciendo. [Do lat. *despiciendu.*] *Adj.* Que merece desprezo; desprezível, desdenhável: "as questões mais altas e os casos mais ao parecer despiciendos revezam-se" (Euclides da Cunha, *À Margem da História*, p. 227).

despiciente. [Do lat. *despiciente.*] *Adj. 2 g.* Que despreza, desdenha.

despido. [Part. de *despir.*] *Adj.* **1.** Sem vestuário; nu: "Outros por outra parte vão topar / Com as deusas despidas, que se lavam" (Luís de Camões, *Os Lusíadas*, IX, 72). **2.** *Fig.* Livre, isento, desprovido: *É moça despida de vaidade.*

despiedade. [De *des-* + *piedade.*] *S. f.* Falta de piedade; desumanidade, crueldade.

despiedado. [Part. de *despiedar.*] *Adj.* V. *despiedoso* (1): "A amante despiedada e a mulher-mãe fecunda [Vênus], / Fonte de todo o bem, de todo o mal origem." (Raimundo Correia, *Poesias*, p. 186).

despiedar. *V. t. d.* e *p.* F. sincopada de *desapiedar.* [Irreg. Conjug.: v. *apiedar.*]

despiedoso (ô). [De *des-* + *piedoso.*] *Adj.* **1.** Que não tem piedade; desapiedado, despiedado. **2.** Em que não há piedade.

despigmentação. [De *des-* + *pigmentação.*] *S. f.* Ausência de pigmentação.

despigmentado. [De *des-* + *pigmentado.*] *Adj.* Desprovido de pigmento.

despilchar. [Do esp. plat. *despilchar.*] *V. t. d.* **1.** *Bras., RS.* Despojar (animal) de arreios de valor. **2.** *P. ext.* Despojar de jóias; roubar.

despimento. *S. m.* Ato de despir(-se).

despinçar. [De *des-* + *pinça* + *-ar*[2].] *V. t. d.* Tirar com pinça. [Conjug.: v. *laçar.*]

despinicar. *V. t. d. Bras. Pop.* **1.** Desfiar (principalmente carne). **2.** Separar as ramas dos frutos de (o amendoim). [Conjug.: v. *trancar.*]

despintar. [De *des-* + *pintar.*] *V. t. d.* **1.** Desfazer, apagar, borrar a pintura de; destingir. **2.** Desfigurar, adulterar, narrando: *Narrou o caso despintando os pormenores.* *P.* **3.** Perder o colorido.

despique. *S. m.* **1.** Ato de despicar(-se). **2.** Desagravo de injúria. **3.** Desforço, desforra, vingança.

despir. [Do arc. *espir* < lat. *expedire.*] *V. t. d.* **1.** Tirar o vestuário a. **2.** Tirar do corpo (o vestuário, ou parte dele): *Despiu o paletó, tirou a gravata;* "despe o teu gibão e embrulha-te neste manto." (Eugênio de Castro, *Obras Poéticas*, III, p. 94); "Abrindo a blusa, despi o porta-seios" (Osmã Lins, *Nove, Novena*, p. 66). **3.** Despojar de folhagem; *O inverno despe as árvores.* **4.** Descalçar (1): *Despiu as luvas.* **5.** Deixar ou pôr de lado; abandonar: *Despiu a velha prudência e aventurou o negócio.* **6.** Despojar; defraudar. **7.** Desembainhar (1): "Despiu tremendo a reluzente espada." (Álvares de Azevedo, *Obras Completas*, I, p. 174.) *T. d. e i.* **8.** V. *despojar* (2): *Despiram-no de seus bens.* *P.* **9.** Tirar as vestes; ficar nu; desnudar-se, desnuar-se: "Maria gostou de exibir o corpo e passou a despir-se sempre, no rio ou na praça." (Elias José, *Inquieta Viagem no Fundo do Poço*, p. 24.) **10.** Perder as folhas: "Já o sol da manhã rompia as névoas a custo e as árvores despiam-se das folhas" (Coelho Neto, *Treva*, p. 23). **11.** Largar, abandonar; despojar-se: *Despiu-se de todo o amor-próprio e rogou auxílio;* "Procuro despir-me do que aprendi" (Fernando Pessoa, *Poemas de Alberto Caeiro*, p. 66). [Irreg. Conjug.: v. *aderir.*]

despirocado. [Part. de *despirocar.*] *Adj. Bras. Gír.* Enlouquecido, desvairado; pirado.

despirocar. *V. int. Bras. Gír.* Enlouquecer, endoidar, desvairar; pirar. [Conjug.: v. *trancar.*]

despistador (ô). *Adj.* Que despista ou serve para despistar.

despistamento. *S. m.* Ato ou efeito de despistar.

despistar. [De *des-* + *pista* + *-ar*[2].] *V. t. d.* **1.** Fazer perder a pista; desnortear. **2.** Iludir, desfazendo as suspeitas: *Sabendo-o ciente da trama, conseguiu, a duras penas, despistá-lo.*

desplantar. [De *des-* + *plantar*[2].] *V. t. d.* **1.** Arrancar as plantas de. **2.** Arrancar a fim de plantar em outro lugar. **3.** *Fig.* Despovoar (1).

desplante. [Dev. de *desplantar.*] *S. m.* **1.** Posição de esgrima em que o peso do corpo cai sobre a perna esquerda, um tanto curva e com o pé firmado atrás da direita. **2.** *Fig.* Arrojo, ousadia, audácia, atrevimento.

desplumar. [De *des-* + *pluma* + *-ar*[2].] *V. t. d.* Tirar as plumas a; depenar.

despoético. [De *des-* + *poético.*] *Adj.* **1.** Não poético; apoético. **2.** Oposto à poesia.

despoetização. *S. f.* Ato de despoetizar(-se).

despoetizador (ô). *Adj.* e *s. m.* Que ou aquele que despoetiza.

despoetizar. [De *des-* + *poetizar.*] *V. t. d.* **1.** Tirar a poesia ou a feição poética a. *P.* **2.** Perder a poesia ou a feição poética.

despois. *Adv. Ant.* e *pop.* Depois: "Primeiro tratarei da larga terra, / Despois direi da sangüinosa guerra." (Luís de Camões, *Os Lusíadas*, III, 5.)

despojado. [Part. de *despojar.*] *Adj.* **1.** Que sofreu despojamento, ou a si mesmo se despojou. **2.** Despido de ambição; desprendido, desambicioso. **3.** *P. ext.* Diz-se do estilo despido de ornatos, simples, enxuto.

despojador (ô). *Adj.* e *s. m.* Que ou aquele que despoja; espoliador.

despojamento. *S. m.* Ato de despojar(-se).

despojar. [Do esp. *despojar.*] *V. t. d.* **1.** Roubar; saquear; defraudar: *Os invasores despojavam quantos encontravam em seu caminho.* *T. d. e i.* **2.** Privar da posse; espoliar, desapossar, despir. **3.** Privar: *A ventania despojou as árvores de suas folhas.* *P.* **4.** Despir (11). [Pres. ind.: *despojo*, etc. Cf. *despojo* (ô).]

despojo (ô). *S. m.* **1.** V. *presa* (2). **2.** O que caiu ou se arrancou, tendo servido de revestimento ou adorno. [Pl.: *despojos* (ó). Cf. *despojo*, do v. *despojar.*] ~ V. *despojos.*

despojos (ó). [Pl. de *despojo* (ô).] *S. m. pl.* Restos (2). ~ V. *despojo* (ô).

despolarização. [De *despolarizar* + *-ção.*] *S. f.* **1.** *Fís.-Quím.* Num eletrodo de uma pilha, eliminação de gás ou de outras substâncias que lhe possibilitam ou dificultam o funcionamento reversível. **2.** *Eletr.* Diminuição ou eliminação da polarização de um dielétrico.

despolarizante. [De *despolarizar* + *-nte.*] *Adj. 2 g. Fís.-Quím.* e *Eletr.* Diz-se da substância que na pilha elétrica impede a polarização.

despolarizar. [De *des-* + *polarizar.*] *V. t. d. Fís.-Quím.* e *Eletr.* Efetuar a despolarização de.

despolidez (ê). [De *des-* + *polidez.*] *S. f. P. us.* Impolidez.

despolir. [De *des-* + *polir.*] *V. t. d.* **1.** Tirar o polimento ou o brilho a; tornar fosco; deslustrar. *P.* **2.** Perder o polimento ou o brilho; deslustrar-se. [Irreg. Conjug.: v. *polir.*]

despolpador (ô). *S. m.* **1.** Aquele que despolpa. **2.** Aparelho ou instrumento para despolpar. **3.** *Restr.* Aparelho com que se despolpa o grão de café.

despolpamento. *S. m.* Ação de despolpar.

despolpar. [De *des-* + *polpa* + *-ar*[2].] *V. t. d.* Tirar a polpa a.

despoluente. [De *des-* + *poluente.*] *Adj. 2 g.* Que provoca despoluição.

despoluição (u-i). *S. f.* Ato ou efeito de despoluir.

despoluído. [Part. de *despoluir.*] *Adj.* Em que houve despoluição.

despoluir. [De *des-* + *poluir.*] *V. t. d.* Fazer cessar a poluição de: "FEEMA calcula que despoluir o ar do Rio custa Cr$ 17 bilhões" (*Jornal do Brasil*, 14.9.1980); "Um programa que vai investir Cr$ 65 bilhões para despoluir a baía de Guanabara vai ser anunciado dia 26, no Rio" (*Ib.*, 26.1.1982). [Conjug.: v. *atribuir.*]

desponderação. [De *des-* + *ponderação.*] *S. f.* Imponderação.

desponderado. [De *des-* + *ponderado.*] *Adj.* Imponderado.

desponderar. [De *des-* + *ponderar.*] *V. t. d.* Não ponderar; fazer sem ponderação.

desponsório. *S. m.* V. *desposório.*

despontado. [Part. de *despontar.*] *Adj.* **1.** A que se cortou ou tirou a ponta, ou as pontas. **2.** Que não tem ponta(s); embotado, rombo.

despontante. *Adj. 2 g.* Que desponta.

despontar. [De *des-* + *ponta* + *-ar*[2].] *V. t. d.* **1.** Gastar a ponta a; embotar: *despontar espinhos.* **2.** Cortar as pontas ou chifres a (o vacum). *T. i.* **3.** Ocorrer; lembrar: *Despontou-lhe de repente, a solução do problema. Int.* **4.** Começar a surgir; nascer: "O Sol desponta / Lá no horizonte, / Doirando a fonte, / E o prado e o monte / E o céu e o mar" (Gonçalves Dias, *Obras Poéticas*, II, p. 230). *P.* **5.** Ficar sem ponta; embotar-se na ponta.

desponte. [Dev. de *despontar.*] *S. m. Bras.* Operação agrícola de cortar o caule do milho acima da última espiga, a fim de fazer convergir para a espiga a soiva que seria absorvida pela parte amputada.

despontuar. [De *des-* + *pontuar.*] *V. t. d.* Tirar a pontuação a.

despopularizar. [De *des-* + *popularizar.*] *V. t. d. e p.* Impopularizar(-se).

desporte. *S. m.* V. *desporto.*

desportilhar. [De *des-* + *portilho* + *-ar*[2].] *V. t. d.* **1.** Derribar as portas de. **2.** *Veter.* Deteriorar o bordo inferior das tapas do casco de (cavalgadura).

desportismo. *S. m.* Gosto ou prática do desporte ou esporte; esportismo.

desportista. *Adj. 2 g.* e *s. 2 g.* Que ou quem pratica o desporte, ou, sem o praticar, por ele se interessa muito; esportista.

desportivo. *Adj.* Do, ou pertencente ou relativo ao desporte.

desporto (ô). [Do fr. ant. *desport.*] *S. m.* V. *esporte* (1 e 2). [Var.: *desporte.* Pl.: *desportos* (ó).]

desposado. [Part. de *desposar.*] *Adj.* **1.** Que contraiu esponsais; noivo, esposado. **2.** Unido; abraçado. • *S. m.* **3.** Indivíduo recém-casado, ou noivo.

desposar. [De *de-* + *esposar.*] *V. t. d.* **1.** Contrair esponsais com; esposar: "Ou eu não devo casar nunca, ou posso desposar um homem digno, que me ame." (Machado de Assis, *Helena*, p. 180.) **2.** Promover os esponsais, o casamento de; fazer casar: *Achava que já era tempo de desposar a filha. T. d. e i.* **3.** Contratar, ajustar, promover o casamento. *P.* **4**. Contrair esponsais; casar-se, esposar-se: "— Eu, disse ela, nasci de família nobre e desposei-me com Macário" (João Ribeiro, *Floresta de Exemplos*, p. 97). **5.** Contrair união íntima; esposar-se: *Disse que sua alma se desposara com Deus.*

desposório. [De *desposar.*] *S. m.* **1.** Esponsais, noivado. **2.** Casamento. [Sin. ger.: *desponsório.*]

despossar. [De *des-* + *posse* + *-ar*[2].] *V. t. d. e i. e p.* V. *desapossar.*

despossuir. [De *des-* + *possuir.*] *V. t. d. e i. e p.* V. *desapossar.* [Conjug.: v. *atribuir.*]

despostigar. [De *des-* + *postigo* + *-ar*[2].] *V. t. d.* Tirar o postigo a. [Conjug.: v. *largar.*]

déspota. [Do gr. *despótes.*] *S. 2 g.* **1.** Senhor absoluto e arbitrário; tirano, opressor. **2.** Dominador absoluto. **3.** Pessoa de tendências dominadoras. • *Adj. 2 g.* **4.** Que é senhor absoluto e arbitrário; despótico: *um rei déspota.*

despótico. [Do gr. *despotikós.*] *Adj.* **1.** Próprio de déspota (1 a 3). **2.** Déspota (4). **3.** Em que há despotismo; tirânico, opressivo.

despotismo. *S. m.* **1.** Autoridade de déspota. **2.** Poder absoluto e arbitrário. **3.** Sistema de governo que se funda no poder de dominação sem freios. **4.** Ato próprio de déspota; tirania. **5.** *Bras.* V. *quantidade* (3): "as cédulas espalharam-se no chão, uma infinidade, um despropósito, um despotismo." (Viriato Correia, *Novelas Doidas*, p. 223). **6.** *Bras.* Lugar inacessível, não sabido, oculto, no mato.

despotizar. *V. t. d.* **1.** Governar despoticamente; tiranizar: *Despotizou a nação durante um qüinqüênio. Int.* **2.** Governar despoticamente; tiranizar.

despovoação. *S. f.* Ato ou efeito de despovoar(-se); despovoamento.

despovoado. [Part. de *despovoar.*] *Adj.* **1.** Que não é povoado ou habitado. • *S. m.* **2.** Lugar sem casas ou habitantes.

despovoamento. *S. m.* Despovoação.

despovoar. [De *des-* + *povoar.*] *V. t. d.* **1.** Privar de habitantes; tornar despovoado; extinguir ou reduzir a população de; depopular, desolar. **2.** *Fig.* Tirar (os objetos que guarnecem ou adornam). *P.* **3.** Ficar sem habitantes; tornar-se deserto: "Mas as dívidas se avolumaram, a fazenda se despovoou" (Graciliano Ramos, *Infância*, p. 38). [Conjug.: v. *coroar.*]

despratear. [De *des-* + *pratear.*] *V. t. d.* Tirar a prata ou a cor de prata a. [Conjug.: v. *frear.*]

desprazer. [De *des-* + *prazer.*] *T. i.* e *int.* **1.** Desagradar, desaprazer: "estava chovendo. O mato de seu natural sombrio e ermo, desprazia antes do que convidava naquele momento a quem não fosse obrigado a buscá-lo por grande negócio." (Franklin Távora, *O Matuto*, p. 22). [Irreg. Conjug.: v. *aprazer.*] • *S. m.* **2.** Falta de prazer; desagrado, desprazimento.

desprazimento. *S. m.* V. *desprazer* (2).

desprazível. *Adj. 2 g.* Que despraz; desagradável.

desprecatado. [De *des-* + *precatado.*] *Adj.* Descuidado, desprevenido, desacautelado; incauto.

desprecatar-se. [De *des-* + *precatar* + *se*[1].] *V. p.* Descuidar-se, desprevenir-se, desacautelar-se.

desprecaver. [De *des-* + *precaver.*] *V. t. d.* e *p.* Desacautelar. [Defect. Conjug.: v. *precaver.*]

desprecavido. [Part. de *desprecaver.*] *Adj.* Não precavido [q. v.].

despregado. [Part. de *despregar.*] *Adj.* **1.** Que se despregou; solto. **2.** Desenfreado, solto. **3.** *Fig.* Insolente, atrevido.

despregadura. *S. f.* Ação ou operação de despregar(-se).

despregar[1]. [De *des-* + *pregar*[1].] *V. t. d.* **1.** Arrancar (aquilo que estava pregado); descravar *T. d. e i.* **2.** Desviar, apartar: *Não despregava os olhos do namorado*; "segurava o braço da prima, ... sem despregar a vista da paisagem" (Aluísio Azevedo, *O Mulato*, p. 145). *P.* **3.** Desprender-se, soltar-se. [Conjug.: v. *regar.*]

despregar[2]. [De *des-* + *pregar*[2].] *V. t. d.* **1.** Desfazer as pregas de; desenrugar. **2.** Desenrolar; desenvolver; estender. **3.** Soltar ao vento; largar, desfraldar. **4.** Despedir, desprender (vôo). [Conjug.: v. *regar.*]

despreguiçar. *V. t. d.* e *p.* V. *espreguiçar.* [Conjug.: v. *laçar.*]

despremiar. [De *des-* + *premiar.*] *V. t. d.* **1.** Deixar de premiar, de recompensar: *A má sorte despremiou os seus esforços.*

desprendado. [De *des-* + *prendado.*] *Adj.* Que não tem prendas, habilidade ou talento.

desprender. [De *des-* + *prender.*] *V. t. d.* **1.** Soltar (o que estava preso); desligar, desatar, desamarrar, despregar. **2.** Desencarcerar, libertar, soltar. **3.** Emitir, proferir: *Desprendia gemidos pungentes. T. d. e i.* **4.** Soltar, desligar, desatar, desamarrar, despregar: *Desprendi-o da corrente.* **5.** Afastar, apartar, desviar, demover: "nada o desprendia [a Cristóvão Colombo] da idéia .... de que precisamente as novas Índias, para onde o guiara a mão da Providência, se situavam na orla do Paraíso Terreal." (Sérgio Buarque de Holanda, *Visão do Paraíso*, p. 19). *P.* **6.** Soltar-se, desligar-se: "E desprendeu-se dos braços da mãe, com uma violenta expressão de pavor." (José de Alencar, *Encarnação*, p. 336.)

desprendido. [Part. de *desprender.*] *Adj.* Que tem ou denota desprendimento ou abnegação.

desprendimento. *S. m.* Ato ou efeito de desprender(-se); abnegação, altruísmo, independência. ♦ **Desprendimento de posse.** *Jur.* Constituto-possessório.

despreocupação. [De *des-* + *preocupação.*] *S. f.* Estado de quem se acha ou é despreocupado.

despreocupado. [De *des-* + *preocupado.*] *Adj.* Que não tem preocupação.

despreocupar. [De *des-* + *preocupar.*] *V. t. d.* **1.** Livrar ou isentar de preocupação. *P.* **2.** Livrar-se de preocupação; deixar de se preocupar.

despreparado. [De *des-* + *preparado.*] *Adj.* Que não tem preparo, não está preparado: *As tropas não puderam resistir ao inimigo: estavam despreparadas; Submeteu-se ao exame estando despreparado.*

despreparo. [De *des-* + *preparo.*] *S. m.* **1.** Falta de preparo, de cultura, de competência. **2.** Desarranjo, desarrumação.

despresilhar. [De *des-* + *presilha* + *-ar*[2].] *V. t. d.* Soltar das presilhas.

despressurização. *S. f.* Ato ou efeito de despressurizar.

despressurizado. [Part. de *despressurizar.*] *Adj.* Que sofreu despressurização.

despressurizar. [De *des-* + *pressurizar.*] *V. t. d.* Fazer cessar a pressurização (1) de.

desprestigiar. [De *desprestígio* + *-ar*[2].] *V. t. d.* **1.** Tirar o prestígio a; desacreditar: *Seus comentários maliciosos desprestigiaram o amigo. P.* **2.** Perder o prestígio. [Pres. ind.: *desprestigio*, etc. Cf. *desprestígio.*]

desprestígio. [De *des-* + *prestígio.*] *S. m.* Falta de prestígio. [Cf. *desprestigio*, do v. *desprestigiar.*]

despretensão. [De *des-* + *pretensão.*] *S. f.* Falta de pretensão; desambição, modéstia.

despretensioso (ô). [De *des-* + *pretensioso.*] *Adj.* Que não tem, ou em que não há pretensão ou pretensões; modesto; franco; desafetado: *Tão célebre que é, e tão despretensioso!; A todos cativou com as suas maneiras naturais, despretensiosas.*

desprevenção. [De *des-* + *prevenção.*] *S. f.* Falta de prevenção; imprevidência.

desprevenido. [De *des-* + *prevenido.*] *Adj.* **1.** Desacautelado, desapercebido. **2.** *Pop.* Sem dinheiro no bolso, ou disponível.

desprevenir. [De *des-* + *prevenir.*] *V. t. d. e i.* **1.** Não prevenir; desacautelar, desprecaver. *P.* **2.** Ser imprevidente; desacautelar-se, desprecaver-se, desprecatar-se. [Irreg. Conjug.: v. *agredir.*]

desprezador (ô). *Adj.* e *s. m.* Que ou aquele que despreza. [Sin., p. us.: *contemptor.*]

desprezar. [De *des-* + *prezar.*] *V. t. d.* **1.** Ter, sentir, testemunhar desprezo a: *Mau-caráter, despreza os humildes.* **2.** Não fazer caso de; não dar importância a; não prezar: "Despreza o que estimou" (Gonçalves Dias, *Obras Poéticas*, II, p. 149); *Os eremitas desprezam os bens materiais.* **3.** Recusar, rejeitar: *desprezar um oferecimento.* **4.** Não levar em conta, não meter em conta; não incluir no cômputo: *No cálculo das despesas, desprezou as frações. P.* **5.** Envergonhar-se de si mesmo; ter-se em má conta. **6.** Aviltar-se, envilecer-se, rebaixar-se. [Pres. ind.: *desprezo*, etc. Cf. *desprezo* (ê).]

desprezativo. *Adj.* Em que há, ou que revela desprezo; depreciativo, desprezivo, despicativo.

desprezilho. *S. m.* Indício de desprezo; desdém.

desprezível. *Adj. 2 g.* Digno de desprezo; vil, abjeto, miserável, vergonhoso.

desprezivo. *Adj.* V. *desprezativo.*

desprezo (ê). [Dev. de *desprezar.*] *S. m.* **1.** Falta de apreço; desconsideração, desdém. **2.** Repulsa com nojo. [Sin. ger., ant.: *contemptamento, contempto.* Pl.: *desprezos* (ê). Cf. *desprezo*, do v. *desprezar.*] ♦ **Dar-se ao desprezo.** Fazer-se desprezível; abandalhar-se, aviltar-se. **Ser o desprezo de.** Ser objeto de desprezo por parte de.

desprimor (ô). [De *des-* + *primor.*] *S. m.* **1.** Falta de primor. **2.** Descortesia, indelicadeza. [Pl.: *desprimores* (ô). Cf. *desprimores*, do v. *desprimorar.*]

desprimorar. [De *des-* + *primor* + *-ar*[2].] *V. t. d.* **1.** Tirar o primor a; deslustrar; depreciar. *P.* **2.** Perder o primor moral; desonrar-se, aviltar-se. [Pres. subj.: *desprimore, desprimores*, etc. Cf. *desprimores* (ô), pl. de *desprimor.*]

desprimoroso (ô). [De *des-* + *primoroso.*] *Adj.* **1.** Que não tem primor; imperfeito. **2.** Descortês, incivil, indelicado.

desprivar. [De *des-* + *privar.*] *V. t. d.* Tirar a privança ou o valimento a.

desprivilegiar. [De *des-* + *privilegiar.*] *V. t. d.* **1.** Tirar o privilégio a. **2.** Tornar comum; generalizar.

desprofanar. [De *des-* + *profanar.*] *V. t. d.* Fazer voltar ao estado anterior à profanação; purificar.

desprogramação. *S. f.* Ato ou efeito de desprogramar.

desprogramar. [De *des-* + *programar.*] *V. t. d.* Desfazer (o que estava programado).

despronúncia. [Dev. de *despronunciar.*] *S. f. Jur.* Ato ou efeito de despronunciar. [Cf. *despronuncia*, do v. *des-*

pronunciar.]
despronunciar. [De *des-* + *pronunciar.*] *V. t. d. Jur.* Anular a pronúncia de (um réu). [Pres. ind.: *despronuncio, despronuncias, despronuncia,* etc. Cf. *despronúncia.*]
despropério. [De *impropério,* talvez com infl. de *despropósito.*] *S. m. Bras., S.* **1.** Disparate, absurdo, contrassenso. **2.** Impropério, vitupério.
desproporção. [De *des-* + *proporção.*] *S. f.* **1.** Falta de proporção. **2.** Monstruosidade; desconformidade.
desproporcionação. [De *desproporcionar* + *-ção.*] *S. f. Quím.* Dismutação.
desproporcionado. [De *des-* + *proporcionado.*] *Adj.* **1.** Que não é proporcionado; desigual, desproporcional. **2.** Desconforme, descomunal.
desproporcional. [De *des-* + *proporcional.*] *Adj. 2 g.* Desproporcionado (1).
desproporcionalidade. *S. f.* Qualidade de desproporcional.
desproporcionar. [De *des-* + *proporcionar.*] *V. t. d.* Tirar ou alterar as proporções de; não proporcionar.
despropositado. [Part. de *despropositar.*] *Adj.* **1.** Que não tem propósito. **2.** Que não vem a propósito; inoportuno, desapropositado. **3.** Imprudente, estouvado, arrebatado.
despropositar. *V. int.* **1.** Proceder com despropósito; disparatar. **2.** Dizer despropósito(s); falar arrebatadamente. [Pres. ind.: *desproposito,* etc. Cf. *despropósito.*]
despropósito. [De *des-* + *propósito.*] *S. m.* **1.** Falta de propósito; desapropósito. **2.** Destempero; descomedimento; estouvamento. **3.** Dito ou ato sem propósito. **4.** *Bras.* V. *quantidade* (3). **5.** Grandeza ou excesso de qualquer coisa. [Cf. *desproposito,* do v. *despropositar.*]
desproteção. [De *des-* + *proteção.*] *S. f.* Falta de proteção; abandono, desamparo; desfavor.
desproteger. [De *des-* + *proteger.*] *V. t. d.* Faltar com, ou retirar a proteção a; não proteger; desamparar, desauxiliar, desassistir. [Conjug. v. *reger.*]
desproveito. [De *des-* + *proveito.*] *S. m.* **1.** Desperdício; desaproveitamento. **2.** Prejuízo, dano, detrimento: *favorecer alguns em d e s p r o v e i t o de muitos.*
desprover. [De *des-* + *prover.*] *V. t. d.* **1.** Tirar as provisões a. **2.** Recusar as provisões necessárias a. *T. d. e i.* **3.** Privar (de provisões ou coisas necessárias). [Irreg. Conjug.: v. *ver,* salvo no pret. perf. e m.-q.-perf. ind., imperf. subj., e part., que são regulares.]
desprovido. [Part. de *desprover.*] *Adj.* **1.** Falto de provisões. **2.** Privado de recursos; desprevenido.
desprovimento. [De *des-* + *provimento.*] *S. m.* **1.** Falta de provimento; não provimento. **2.** Carência de provisões, ou de coisas necessárias.
despucelar. [Do fr. *dépuceller.*] *V. t. d.* Fazer perder a condição de pucela; desvirginar, deflorar.
despudor (ô). [De *des-* + *pudor.*] *S. m.* Falta de pudor; impudor, impudência.
despudorado. [De *despudor* + *-ado*[1].] *Adj.* e *s. m.* Diz-se de, ou indivíduo sem pudor; impudente.
despundonor (ô). [De *des-* + *pundonor.*] *S. m.* Falta de pundonor.
despundonoroso (ô). *Adj.* Que tem ou revela despundonor.
desquadrar. [De *des-* + *quadrar.*] *V. t. d.* e *i.* Não quadrar; não condizer; divergir, destoar.
desquadrilhar. [Por *desquadrilar,* de *des-* + *quadril* + *-ar*[2].] *V. t. d.* **1.** Torcer, mexer, bambolear (os quadris). **2.** Derrear, derrengar, desancar, esquadrilhar.
desqualificação. *S. f.* Ato ou efeito de desqualificar(-se).
desqualificado. [Part. de *desqualificar.*] *Adj.* e *s. m.* **1.** Que ou aquele que perdeu as qualidades que o recomendavam à consideração pública. **2.** Que ou aquele que foi excluído de um torneio ou certame. [Sin. ger.: *desclassificado.*]
desqualificar. [De *des-* + *qualificar.*] *V. t. d.* **1.** Tirar ou fazer perder as boas qualidades a. **2.** Excluir de um torneio ou certame: *O juiz d e s q u a l i f i c o u o jogador que cometeu a falta.* **3.** *Jur.* Excluir a circunstância qualificadora de (um crime). *Transobj.* **4.** Tirar a qualificação a: *Disse à moça que aquele reparo não a d e s q u a l i f i c a v a de bela. P.* **5.** Tornar-se inapto, indigno; inabilitar-se. [Conjug · v. *trancar.*]
desqualificativo. *Adj.* Que desqualifica.
desquartado. [Part. de *desquartar.*` *Adj. Bras., S.* Diz-se do animal pobre de gordura ou músculos nos quartos.
desquartar. [De *des-* + *quarto* + *-ar*[2].] *V. int.* e *p. Bras., S.* **1.** Sofrer (o animal) desarticulação num dos quartos. **2.** Perder (o animal) a gordura, ficando de quartos finos.
desqueixado. [Part. de *desqueixar.*] *Adj.* Que não tem queixos ou os tem partidos.
desqueixador (ô). *S. m.* Aquele que desqueixa.
desqueixar. [De *des-* + *queixo* + *-ar*[2].] *V. t. d.* Deslocar, quebrar ou arrancar os queixos a.
desqueixelado. *Adj. Bras.* Que ficou de queixo caído; espantado, admirado, pasmado, boquiaberto. [Var. (pop.): *descaxelado.*]
desquerer. [De *des-* + *querer.*] *V. t. d.* Deixar de querer; não querer bem a; não amar; não prezar. [Irreg. Conjug.: v. *querer.*]
desquiciar. [De *des-* + *quício* + *-ar*[2].] *V. t. d.* **1.** Tirar dos quícios ou gonzos; desengonçar. *P.* **2.** Sair dos quícios; desencaixar-se.
desquietar. [De *des-* + *quieto* + *-ar*[2].] *V. t. d.* V. *inquietar* (1).
desquitação. *S. f. P. us.* Desquite [q. v.].
desquitado. [Part. de *desquitar.*] *Adj.* e *s. m.* Diz-se de, ou aquele que se separou por desquite.
desquitando. *Adj.* e *s. m.* Que ou aquele que vai desquitar-se, que está promovendo ação de desquite.
desquitar. [De *des-* (q. v.) + *quitar.*] *V. t. d.* **1.** Separar (os cônjuges) por desquite. **2.** *Lus. Pop.* Desmamar, destetar. *T. d. e i.* **3.** Desobrigar; libertar: *D e s q u i t o u - o de sua palavra. P.* **4.** Separar-se (os cônjuges) por desquite. **5.** Renunciar; deixar. **6.** *P. us.* Desforrar-se, vingar-se.
desquite. [Dev. de *desquitar.*] *S. m. Jur.* Dissolução da sociedade conjugal, pela qual se separam os cônjuges e seus bens, sem quebra do vínculo matrimonial. [Sin. (p. us.): *desquitação.* Cf. *divórcio* (1).]
desrabar. [De *des-* + *rabo* + *-ar*[2].] *V. t. d.* e *p.* Derrabar.
desraigar (a-i). *V. t. d.* e *t. d. e i.* V. *desarraigar.* [Conjug. v. largar.]
desraizar (a-i). [De *des-* + *raiz* + *-ar*[2].] *V. t. d.* e *t. d. e i.* V. *desarraigar.*
desramar. [De *des-* + *ramo* + *-ar*[2].] *V. t. d.* Cortar os ramos a; derramar: "e os negros, d e s r a m a n d o mangueiras, enfeitaram o terreiro com arcos de folhagem." (Coelho Neto, *Treva,* p. 183).
desratização. *S. f.* Ato ou efeito de desratizar.
desratizar. [De *des-* + *rato*[1] + *-izar.*] *V. t. d.* Extinguir os ratos de (algum lugar): *d e s r a t i z a r o sótão da casa.*
desrazão. [De *des-* + *razão.*] *S. f.* Falta de razão; semrazão.
desrefolhar. [De *des-* + *refolho* + *-ar*[2].] *V. t. d.* Devassar a parte mais íntima ou os refolhos de. [Pres. ind.: *desrefolho,* etc. Cf. *desrefolho* (ô).]
desrefolho (ô). [Dev. de *desrefolhar.*] *S. m.* Ação de desrefolhar. [Pl.: *desrefolhos* (ó). Cf. *desrefolho,* do v. *desrefolhar.*]
desregrado. [Part. de *desregrar.*] *Adj.* **1.** Que não é conforme à regra; descomedido. **2.** Irregular, desordenado. **3.** Perdulário, dissipador. **4.** Devasso, libertino. • *S. m.* **5.** Indivíduo desregrado.
desregramento. [De *desregrar* + *-mento.*] *S. m.* **1.** Falta de regularidade ou de regra; descomedimento. **2.** Abuso, desordem. **3.** Devassidão, libertinagem.
desregrar. [De *des-* + *regrar.*] *V. t. d.* **1.** Afastar da regra ou da ordem estabelecida. **2.** Tornar inconveniente, descomedido; fazer praticar excessos: *As más companhias d e s r e g r a r a m - no. P.* **3.** Sair da regra; exceder-se, descomedir-se.
desregulado. [Part. de *desregular.*] *Adj.* Que se desregulou: "Limpador de pára-brisas quebrado, folga na direção, freio d e s r e g u l a d o." (Fernando Sabino, *A Falta Que Ela Me Faz,* p. 94.)
desregular. [De *des-* + *regular*[2].] *V. t. d.* **1.** Fazer que deixe de estar regulado. *P.* **2.** Deixar de estar regulado.
desrelvar. [De *des-* + *relvar.*] *V. t. d.* Cortar a relva a.
desremediado. [De *des-* + *remediado.*] *Adj.* **1.** Falto de remédio. **2.** Desvalido, desprotegido; desgraçado.
desremediar. [De *des-* + *remediar.*] *V. t. d.* **1.** Não dar remédio ou solução a. **2.** Dificultar, complicar, agravar. [Irreg. Conjug.: v. *odiar.*]
desrepressão. [De *des-* + *repressão.*] *S. f.* Ato ou efeito de desreprimir.
desreprimir. [De *des-* + *reprimir.*] *V. t. d.* Fazer cessar a repressão existente contra.
desrepublicanizar. [De *des-* + *republicanizar.*] *V. t. d.* Tirar o caráter republicano a.
desrespeitador (ô). *Adj.* e *s. m.* Que ou aquele que desrespeita.
desrespeitar. [De *des-* + *respeitar.*] *V. t. d.* **1.** Faltar ao respeito a; desacatar. **2.** Perturbar, alterar: *d e s r e p e i t a r a ordem pública.*
desrespeito. [De *des-* + *respeito.*] *S. m.* Falta de respeito.
desrespeitoso (ô). [De *des-* + *respeitoso.*] *Adj.* Que não tem, ou em que não há respeito; não respeitoso.
desrevestir-se. [De *des-* + *revestir* + *se*[1].] *V. p.* **1.** Tirar (o sacerdote) as vestes que usa ao celebrar a missa. **2.** Despojar-se, privar-se, despir-se. [Irreg. Conjug.: v. *aderir.*]
desriçar. [De *des-* + *riçar.*] *V. t. d.* Desenriçar. [Conjug.: v. *laçar.*]
desrizar. [De *des-* + *rizar.*] *V. t. d. Ant. Marinh.* Tirar dos rizes (a vela). [F. paral.: *desenrizar.*]
desrolhar. [De *des-* + *rolhar.*] *V. t. d.* Desarrolhar[1].
desrugar. [De *des-* + *rugar.*] *V. t. d.* Desenrugar. [Conjug.: v. *largar.*]
dessaber. [De *des-* + *saber.*] *V. t. d.* **1.** Esquecer; desaprender. *Int.* **2.** Mostrar ignorância; proceder como ignorante. **3.** Esquecer-se do que sabia. [Irreg. Conjug.: v. *saber.*]
dessabor (ô). [De *des-* + *sabor.*] *S. m.* Falta de sabor. [Pl.: *dessabores* (ô). Cf. *dessabores,* do v. *dessaborar,* e *dissabor.*]
dessaborar. [De *des-* + *sabor* + *-ar*[2].] *V. t. d.* Tirar o sabor a; tornar insípido; dessaborear. [Pres. subj.: *dessabore, dessabores,* etc. Cf. *dessabores* (ô), pl. de *dessabor.*]
dessaborear. *V. t. i.* Dessaborar. [Conjug.: v. *frear.* Cf. *dissaborear.*]
dessaborido. [De *des-* + *saborido.*] *Adj.* **1.** Falto de sabor; insulso, insípido. **2.** De mau sabor. [Sin. ger.: *dessaboroso.* Cf. *dissaborido.*]
dessaboroso (ô). [De *des-* + *saboroso.*] *Adj.* V. *dessaborido.* [Cf. *dissaboroso.*]
dessaburrar. [De *des-* + *saburrar* + *-ar*[2].] *V. t. d.* Desensaburrar.
dessacralização. *S. f.* Ato ou efeito de dessacralizar.
dessacralizado. [Part. de *dessacralizar.*] *Adj.* A que se tirou o caráter sagrado.
dessacralizar. [De *des-* + *sacralizar.*] *V. t. d.* Tirar o caráter sagrado de.
dessagrar. [De *des-* + *sagrar.*] *V. t. d.* **1.** Tirar as ordens sacras a. **2.** Tirar a qualidade de sagrado a; profanar: "Não é oração aceitável a do ocioso; porque a ociosida de a d e s s a g r a." (Rui Barbosa, *Oração aos Moços,* p. 34.)
dessaibrar. [De *des-* + *saibrar.*] *V. t. d.* **1.** Tirar o saibro a. **2.** Enfraquecer, debilitar.
dessalgado. [Part. de *dessalgar.*] *Adj.* A que se tirou o sal; sem sal; insosso, insípido.
dessalgar. [De *des-* + *salgar.*] *V. t. d.* **1.** Tirar o sal (2) a; tornar insípido. **2.** Tornar sem sal (3); desengraçado. [Conjug.: v. *largar.*]
dessalinização. *S. f.* Ato ou processo de dessalinizar.
dessalinizar. [De *des-* + *salino* + *-izar.*] *V. t. d.* Separar o sal de (a água do mar), para dela obter água pura ou potável.
dessamoucar. [De *des-* + *samouco* (1) + *-ar*[2].] *V. t. d.* Tirar o samouco a. [Conjug.: v. *trancar.*]
dessangrar. [De *des-* + *sangrar.*] *V. t. d.* **1.** Tirar todo o sangue a. **2.** Debilitar, enfraquecer, entibiar; exaurir, esgotar. **3.** Privar de recursos, de meios; empobrecer: *Longos anos de guerra d e s s a n g r a r a m o país. P.* **4.** Esvair-se em sangue. **5.** Perder o que é necessário para a sua força, o seu sustento; empobrecer.
dessarroar. [De *des-* + *sarro* + *-ar*[2].] *V. t. d.* Tirar o sarro a. [Conjug.: v. *coroar.*]
dessarte. [De *dessa,* fem. de *desse,* + *arte.*] *Adv.* V. *destarte.*
dessaudar (a-u). [De *des-* + *saudar.*] *V. t. d.* Não saudar; desacatar. [Conjug.: v. *saudar.*]
dessaudoso (ô). [De *des-* + *saudoso.*] *Adj.* Que não é saudoso.
dessazonar. [De *des-* + *sazonar.*] *V. t. d.* Tirar o sabor a; destemperar.
desse (ê). Contr. da prep. *de* com o pron. dem. *esse.* [Flex.: *dessa, desses* (ê), *dessas.* Cf. *desse* e *desses,* do v. *dar.*]
dessecação. *S. f.* Ato ou efeito de dessecar(-se); desidratação, dessecagem, dessecamento. [*dissecação.*]
dessecador (ô). *S. m.* **1.** *Quím.* Recipiente de vidro, usado em laboratórios, provido de uma tampa com fecho estanque, e que contém substância dessecante. **2.** *Eng. Quím.* Máquina ou aparelho para dessecar frutas, leite e outros alimentos, em geral por intermédio de calor e vácuo.
dessecagem. *S. f.* V. *dessecação.*
dessecamento. *S. m.* V. *dessecação.*
dessecante. *Adj. 2 g.* **1.** Que desseca. • *S. m.* **2.** *Eng. Ind.* Qualquer agente de dessecação (como o ácido sulfúrico, sílica-gel, etc.); dessecativo.
dessecar. [Do lat. *desicare.*] *V. t. d.* **1.** Secar inteiramente; enxugar. **2.** Tornar seco, árido: *O longo verão d e s s e c o u o terreno.* **3.** Tornar insensível, duro, frio: *A miséria d e s s e c o u -lhe o coração.* **4.** *Eng. Ind.* Retirar

por inteiro, ou quase por inteiro, a umidade, não combinada quimicamente, de (um corpo ou substância). *P.* **5.** Tornar-se seco. **6.** Tornar-se frio, duro, insensível. [Conjug.: v. *trancar.* Cf. *dissecar.*]
dessecativo. *Adj.* **1.** Que tem a propriedade de dessecar. ● *S. m.* **2.** *Med.* Medicamento que promove a cicatrização das úlceras. **3.** *Eng. Ind.* Dessecante.
dessedentar. [De *des-* + *sedento* + *-ar*[2].] *V. t. d.* **1.** Matar a sede a. *P.* **2.** Saciar, matar a própria sede.
dessegredar. [De *des-* + *segredo* + *-ar*[2].] *V. t. d.* Tornar público (o que era segredo); divulgar. [Pres. ind.: *dessegredo*, etc. Cf. *dessegredo* (ê).]
dessegredo (ê). [De *des-* + *segredo.*] *S. m.* Falta de segredo; publicidade. [Pl.: *dessegredos* (ê); Cf. *dessegredo*, do v. *dessegredar.*]
desseguir. [De *des-* + *seguir.*] *V. t. d.* Deixar de seguir; desacompanhar. [Irreg. Conjug.: v. *seguir.*]
dessegurar. [De *des-* + *segurar.*] *V. t. d.* Tirar ou diminuir a segurança de.
desseivagem. *S. f. Eng. Ind.* Ato de desseivar (2).
desseivar. *V. t. d.* **1.** Retirar a seiva de. **2.** *Eng. Ind.* Retirar seiva de (madeira), mediante exposição a vapor de água, em ambiente confinado, como o de uma estufa.
desselar[1]. [De *des-* + *selar*[1].] *V. t. d.* Tirar a sela a.
desselar[2]. [De *des-* + *selar*[2].] *V. t.d.* Tirar o(s) selo(s) a.
dessemelhança. [De *des-* + *semelhança.*] *S. f.* Falta de semelhança; diferença, desigualdade.
dessemelhante. [De *des-* + *semelhante.*] *Adj. 2 g.* Não semelhante; diferente, desigual, dissímil.
dessemelhar. [De *des-* + *semelhar.*] *V. t. d.* **1.** Tornar dessemelhante. *T. d. e i.* **2.** Fazer dessemelhante; diferençar: *Vários traços de seu caráter dessemelham -na dos pais. P.* **3.** Diferençar-se. [Conjug.: v. *aparelhar.*]
dessemelhável. *Adj. 2 g.* Que se pode dessemelhar.
dessensibilização. *S. f.* Ato ou efeito de dessensibilizar.
dessensibilizador (ô). *Adj.* Dessensibilizante (1).
dessensibilizante. *Adj. 2 g.* **1.** Que dessensibiliza; dessensibilizador. ● *S. 2 g.* **2.** Substância que dessensibiliza.
dessensibilizar. [De *des-* + *sensibilizar.*] *V. t. d.* **1.** Fazer que cesse de estar sensibilizado. **2.** Insensibilizar. *P.* **3.** Insensibilizar-se.
dessentir. [De *des-* + *sentir.*] *V. t. d.* Perder o sentimento de; deixar de sentir; já não sentir. [Irreg. Conjug.: v. *aderir.* Cf. *dissentir.*]
dessepultar. [De *des-* + *sepultar.*] *V. t. d.* Tirar da sepultura; exumar.
dessepulto. [De *des-* + *sepulto.*] *Adj.* Insepulto.
desserviçal. [De *des-* + *serviçal.*] *Adj. 2 g.* **1.** Que não é serviçal. **2.** Que desserve.
desserviço. [De *des-* + *serviço.*] *S. m.* Mau serviço.
desservido. [Part. de *desservir.*] *Adj.* **1.** Mal servido. **2.** Privado, falto, desprovido.
desservir. [De *des-* + *servir.*] *V. t. d.* **1.** Fazer desserviço a; servir mal. *Int.* **2.** Não servir. [Irreg. Conjug.: v. *aderir.*]
dessexuado (cs). [De *des-* + *sexuado.*] *Adj.* **1.** Que perdeu as qualidades ou atributos próprios do seu sexo. **2.** Privado de sexo; assexuado. **3.** *Fig.* Que jamais conheceu apetites sexuais.
dessexualizar (cs). [De *des-* + *sexual* + *-izar.*] *V. t. d.* Dessexuar.
dessexuar (cs). [De *des-* + *sexo* + *-ar*[2].] *V. t. d.* **1.** Fazer (alguém) perder as qualidades próprias do seu sexo. **2.** Tornar dessexuado (2). [Sin. ger.: *dessexualizar.*]
dessimetria. [De *des-* + *simetria.*] *S. f.* V. *assimetria.* [F. paral.: *dissimetria.*]
dessimétrico. *Adj.* V. *assimétrico.* [F. paral.: *dissimétrico.*]
dessimpatizar. [De *des-* + *simpatizar.*] *V. t. i.* Não simpatizar; antipatizar: *Dessimpatizo com os pedantes.*
dessiso. [De *des-* + *siso.*] *S. m.* Falta de siso, de juízo, de bom senso.
dessisudo. [De *des-* + *sisudo.*] *Adj.* Que não é sisudo; estouvado.
dessitiar. [De *des-* + *sitiar.*] *V. t. d.* Livrar de sítio ou cerco; descercar.
dessoar. [De *des-* + *soar.*] *V. t. i.* Dissonar, destoar: *Seus costumes dessoam dos da maioria.* [Conjug.: v. *coroar.* Cf. *dessuar.*]
dessobraçar. [De *des-* + *sobraçar.*] *V. t. d.* Tirar ou largar (aquilo que estava sobraçado). [Conjug.: v. *lacar.*]
dessocar. *V. t. d. Bras., RS.* Fazer nas mãos de (animal matreiro) incisão dos tendões de certos músculos daqueles membros, para lhe dificultar a carreira. [Conjug.: v. *trancar.*]
dessociável. [De *des-* + *sociável.*] *Adj. 2 g.* [V. *insociável.* [Cf. *dissociável.*]
dessoçobrar. [De *des-* + *soçobrar.*] *V. t. d. Desus.* Fazer flutuar novamente (embarcação que soçobrou); livrar de soçobro ou naufrágio. [Pres. ind.: *dessoçobro*, etc. Cf. *dessoçobro* (ô).]
dessoçobro (ô). [Dev. de *dessoçobrar.*] *S. m. Desus.* Ato de dessoçobrar. [Pl.: dessoçobros (ô). Cf. *dessoçobro*, do v. *dessoçobrar.*]
dessocorrer. [De *des-* + *socorrer.*] *V. t. d.* Não socorrer, deixar de socorrer; desamparar, abandonar.
dessolar. [De *des-* + *solar*[5].] *V. t. d.* Tirar as solas a.
dessoldar. [De *des-* + *soldar.*] *V. t. d.* **1.** Tirar a solda a. *P.* **2.** Desunir-se, despregar-se (o que estava soldado).
dessolhar. [De *des-* + *solhar*[2].] *V. t. d.* Tirar ou arrancar o solho ou soalho a.
dessorado. [Part. de *dessorar.*] *Adj.* **1.** Convertido em soro (ô). **2.** *Fig.* Enfraquecido, entibiado; enlanguescido.
dessorar. [De *des-* + *soro (ô)* + *-ar*[2].] *V. t. d.* **1.** Converter em soro (ô). **2.** Tirar a substância a; enfraquecer, debilitar, entibiar: "*dessorado* pela influência debilitante de trezentos anos d'esmagadora educação jesuítica, perdeu a consciência nacional" (Ramalho Ortigão, *John Bull*, p. 14); "Assim a música amolecia a substância de um homem para as lidas, *dessorava* o rijo de se sobresser." (João Guimarães Rosa, *Corpo de Baile*, I, p. 210). *P.* **3.** Converter-se em soro (ô).
dessorção. [De *des-* + *sorção.*] *S. f. Fís.* Processo inverso da adsorção ou da absorção.
dessortear. [De *des-* + *sorte* + *-ar*[2].] *V. t. d. Tip.* Subtrair sortes a (caixa tipográfica). [Conjug.: v. *frear.*]
dessorver. *V. t. d. Fís.-Quím.* Libertar (uma substância adsorvida ou absorvida).
dessossegar. [De *des-* + *sossegar.*] *V. t. d. e p.* V. *desassossegar.* [Conjug.: v. *regar.* Pres. ind.: *dessossego*, etc. Cf. *dessossego* (ê).]
dessossego (ê). [De *des-* + *sossego* (ê).] *S. m.* V. *desassossego.* [Pl.: *dessossegos* (ê). Cf. *dessossego*, do v. *dessossegar.*]
dessoterrado. [Part. de *dessoterrar.*] *Adj.* Desenterrado.
dessoterrar. [De *des-* + *soterrar.*] *V. t. d.* V. *desenterrar.* [Antôn.: *soterrar* (q. v.).]
dessoutro. Contr. de *desse* com o pron. indef. *outro*; desse outro. [Flex.: *dessoutra, dessoutros, dessoutras.*]
dessuar. [De *des-* + *suar.*] *V. int.* **1.** Deixar de suar. *T. d.* **2.** Enxugar o suor a. [Cf. *dessoar.*]
dessubjugar. [De *des-* + *subjugar.*] *V. t. d.* Livrar do jugo ou da sujeição; libertar. [Conjug.: v. *largar.*]
dessubstanciar. [De *des-* + *substanciar.*] *V. t. d.* Tirar a substância a.
dessueto. [Do lat. *desuetu.*] *Adj.* Caído em dessuetude; desacostumado: "Fez [Coelho Neto] repousar todo seu talento na procura de vocábulos raros ou *dessuetos.*" (Fausto Cunha, *Situações da Ficção Brasileira*, p. 146).
dessuetude. [Do lat. *desuetudine.*] *S. f.* Falta de costume; descostume, desábito.
dessujar. [De *des-* + *sujar.*] *V. t. d.* Tirar a sujidade a; limpar.
dessujeito. [De *des-* + *sujeito.*] *Adj.* Não sujeito; liberto, livre.
dessulfurar. [De *des-* + *sulfurar.*] *V. t. d.* Tirar o enxofre a; separar o enxofre de.
dessulfurização. *S. f.* Ato ou efeito de dessulfurizar.
dessulfurizar. *V. t. d. Quím.* Eliminar, mediante reação apropriada, o enxofre presente em (um composto).
dessultório. [Do lat. *desultoriu.*] *Adj.* **1.** Que salta de um lado para outro; que volteia. **2.** *Fig.* Que não é persistente.
dessumir. [Do lat. *desumere.*] *V. t. d.* Inferir, deduzir, concluir. [Conjug.: v. *sumir.*]
dessurdo. [De *des-* + *surdo.*] *Adj.* Que não é surdo; que ouve bem.
destabocado. [Part. de *destabocar-se.*] *Adj. Bras. Fam.* **1.** Diz-se daquele que, sem respeito a conveniências, dá por paus e por pedras; adoidado, amalucado. **2.** Que não tem papas na língua; atrevido, audacioso. **3.** Desempenado, desembaraçado, desentalado, destalado; valente, destemido. **4.** Brincalhão; tagarela.
destabocar-se. [De *des-* + *taboca*[1] + *-ar*[2] + *se*[1].] *V. p. Bras. Fam.* Perder o acanhamento, a vergonha, deixando de respeitar conveniências; proceder como destabocado. [Conjug.: v. *trancar.*]
destacado[1]. [Part. de *destacar.*] *Adj.* **1.** Separado, apartado: *O escritor leu de seu romance capítulos destacados.* **2.** Que sobressai ou se destaca; relevante, eminente.
destacado[2]. [Do it. *staccato.*] *S. m. Mús.* Na técnica dos instrumentos musicais, sinal de intensidade representado por um pontinho ou uma espécie de acento agudo sobre ou sob as notas, e que indica que o som deve ser interrompido mediante um toque seco e breve; estacado. [Tb. se usa o it. *staccato.*]
destacamento. [De *destacar* + *-mento.*] *S. m. Exérc.* Grupamento de unidades, ou de partes de unidades, sob comando único, com atuação independente, em caráter temporário e missão tática definida. ♦ **Destacamento precursor.** *Mil.* Conjunto de elementos motorizados que precedem uma coluna e têm por missão reconhecer o terreno, facilitar o trânsito, desobstruir a estrada de marcha, e também guiar e repartir a tropa do comboio no estacionamento que se deve ocupar, e cuja preparação é também sua incumbência.
destacar. [Do fr. *détacher.*] *V. t. d.* **1.** Enviar ou fazer partir (um destacamento); enviar (tropas) em destacamento: *destacar um batalhão, um pelotão.* **2.** Separar, apartar: *Destacou três capítulos de suas memórias e deu-os a ler ao amigo.* **3.** Fazer sobressair; dar vulto ou relevo a: *O pintor soube destacar, no retrato, a tristeza do olhar do seu modelo.* **4.** *Mús.* Executar (notas sucessivas), separando-as bem umas das outras. **5.** *Bras.* Excluir das fileiras. **6.** V. *matar* (1). *T. d. e i.* **7.** Despedir, lançar: *Destacou para o interlocutor um olhar feroz. Int.* **8.** Destacar (11): *Sua enorme figura destaca entre os presentes.* **9.** Ir com o destacamento. *P.* **10.** Separar-se, desligar-se. **11.** Sobressair, salientar-se distinguir-se, avultar, destacar. [Cojung.: v. *trancar.*]
destacável. *Adj. 2 g.* Que pode ser destacado.
destalado. [Alter. de *desentalado* (q. v.).] *Adj.* V. *destabocado* (3).
destalar. [De *des-* + *talo* + *ar*[2].] *V. t. d. Bras., RS.* Retirar o talo de (a folha da palmeira).
destalingar. [De *des-* + *talingar.*] *V. t. d. Marinh.* Soltar o chicote (5) de (amarra, amarreta, virador do anete, arganéu ou olhal em que foi talingado). [Conjug.: v. *largar.*]
destampado. [Part. de *destampar.*] *Adj.* **1.** A que se tirou o tampo ou a tampa. **2.** *Fig.* Despropositado, desmedido; execessivo: *Os pequenos faziam um berreiro destampado.*
destampar. [De *des-* + *tampar.*] *V. t. d.* **1.** Tirar o tampo ou a tampa a: "o pai rodopiava por dentro de casa batendo pelas cadeiras, *destampando* latas, remexendo panelas" (Permínio Asfora, *O Amigo Lourenço*, p. 3). *T. i.* **2.** Começar, principiar, entrar, com desatino, despropositadamente: *Destampou a dizer impropérios.* **3.** Romper, prorromper: *Destampou em soluços convulsivos.* **4.** Redundar, culminar: *Sua filosofia destampa em conclusões absurdas.*
destampatório. [De *destampar.*] *S. m. Bras.* **1.** Despropósito, descomedimento. **2.** Discussão muito acesa. **3.** V. *descompostura* (2).
destapamento. *S. m.* Ato de destapar.
destapar. [De *des-* + *tapar.*] *V. t. d.* Descobrir (o que estava tapado).
destaque. *S. m.* **1.** Qualidade ou estado do que sobressai, do que se destaca. **2.** Realce, relevo. **3.** Figura ou assunto de destaque, relevante: *Gigi era destaque na Escola de Samba da Mangueira; Fernanda Montenegro é um grande destaque em nosso teatro; As eleições foram o destaque do noticiário do dia.* ♦ **Dar um destaque em.** *Bras. Gír.* Demonstrar a (alguém), por palavras e/ou gestos, ou por indiferença, que sua presença não é desejada ou apreciada.
destaquear. [Por **desestaquear*, de *des-* + *estaquear*, com haplologia.] *V. t. d. Bras., RS.* Retirar (a pessoa ou o couro) das estacas. [Conjug.: v. *frear.*]
destarte. [De *desta*, fem. de *deste*, + *arte.*] *Adv.* **1.** Por esta forma; deste modo; assim: "Responde a moça *destarte*: / — Teu pensamento quero eu!" (Manuel Bandeira, *Estrela da Vida Inteira*, p. 72.) **2.** Assim sendo; assim; diante disto. [Sin. ger.: *dessarte.*]
deste (ê). Contr. da prep. *de* e do pron. dem. *este.* [Flex.: *desta, destes* (ê) *destas.* Cf. *deste* e *destes*, do v. *dar.* Encontra-se *de este* (sem a contração) em escritores portugueses, como, p. ex., Afonso Lopes Vieira (*Nova Demanda do Gral*, pp. 137-138, e *Os Versos*, pp. 139, 266, 277) e Sílvio Lima (*Ensaio sobre a Essência do Ensaio*, p. 138).]
destecedura. *S. f.* Ação de destecer.
destecer. [De *des-* + *tecer.*] *V. t. d.* **1.** Desmanchar, desfazer (o tecido). **2.** *Fig.* Desenredar, destramar, desfazer, desmanchar. *P.* **3.** Desfazer-se, demanchar-se. [Conjug.: v. *aquecer.*]
destelhado (ê). [Part. de *destelhar.*] *Adj.* A que se tiraram ou arrancaram as telhas.
destelhamento. *S. m.* Ato ou efeito de destelhar.
destelhar. [De *des-* + *telhar.*] *V. t. d.* Tirar ou arrancar as

telhas de (um prédio). [Conjug.: v. *aparelhar.*]

destemer. [De *des-* + *temer.*] *V. t. d.* Não temer, não ter medo de.

destemeroso (ô). [De *des-* + *temeroso.*] *Adj.* Destemido, intrépido, impávido: *jovem audaz, destemeroso; "Saíram do mato em lombo de burro, destemerosos* dos cangaceiros em andanças na região" (Ciro de Matos, *Os Brabos,* p. 25).

destemidez (ê). *S. f.* Qualidade ou caráter de destemido. [Cf. *destimidez.*]

destemido. [Part. de *destemer.*] *Adj.* **1.** Que não tem temor; intrépido, impávido, arrojado, destemeroso: *lutador destemido.* **2.** Que denota coragem, audácia, intrepidez: *Os jovens levaram a cabo a destemida empresa.* **3.** V. *valentão* (1). [Cf. *destímido.*]

destemor (ô). [De *des-* + *temor.*] *S. m.* Falta de temor; arrojo, audácia, intrepidez.

destêmpera. [Dev. de *destemperar. S. f.* Operação de destemperar (o aço). [Cf. *destempera,* do v. *destemperar.*]

destemperado. [Part. de *destemperar.*] *Adj.* **1.** Imoderado, desregrado, descomedido. **2.** Despropositado, disparatado. **3.** Desordenado, desarranjado. **4.** Dissonante, desafinado. **5.** A que se adicionou água ou outro líquido, alterando o sabor, a tonalidade ou a temperatura; aguado: *molho destemperado; tinta destemperada; água destemperada.* ● *S. m.* **6.** Aquele que é destemperado (1).

destemperança. [De *des-* + *temperança.*] *S. f.* V. *intemperança.*

destemperar. [De *des-* + *temperar.*] *V. t. d.* **1.** Fazer perder a têmpera (2). **2.** Diminuir a têmpera ou a força a. **3.** Alterar o sabor de (algo), tornando-o menos acentuado: *destemperar o vinho.* **4.** Enfraquecer (tinta), diluindo-a em água. **5.** Desafinar: *A laringite destemperou -lhe a voz.* **6.** Desorganizar, descomedir; alterar. **7.** Tornar descomedido; desregrar. **8.** Causar distúrbio gastrintestinal em: *A feijoada destemperou -o. Int.* **9.** Destemperar (11). **10.** Praticar despropósito(s); exceder-se em palavras ou ações; descomedir-se, desatinar, desvairar; destemperar-se. *P.* **11.** Perder a têmpera (2); destemperar. **12.** Desafinar-se. **13.** V. *destemperar* (10). [Pres. ind.: *destempero, destemperas, destempera,* etc. Cf. *destempero* (ê) e *destêmpera.*]

destempero (ê). [Dev. de *destemperar.*] *S. m.* **1.** Disparate, desconchavo. **2.** Despropósito, destampatório. **3.** *Pop.* V. *diarréia.* **4.** *Bras. Fam.* V. *quantidade* (3): "sobrou muita comida. Seu avô apareceu na cozinha e exigiu que fizessem um destempero de assado, de frito e de paçoca." (O. G. Rego de Carvalho, *Somos Todos Inocentes,* p. 117). [Pl.: *destemperos* (ê). Cf. *destempero,* do v. *destemperar.*]

destempo. [De *des-* + *tempo.*] *El. s. m.* Us. na loc. adv. *a destempo.* ♦ **A destempo.** Fora de tempo; inoportunamente.

desteridade. [Do lat. *desteritate.*] *S. f.* V. *destreza.*

desterneirar. [De *des-* + *terneiro* + *-ar*^{2}.] *V. t. d. Bras., RS.* Separar de (as vacas), para engordá-las ou aliviá-las, os terneiros ou crias.

desterpenação. *S. F. Quím.* Operação a que se submetem certos óleos essenciais com o objetivo de eliminarem-se os terpenos e sesquiterpenos, com o que se melhoram a solubilidade e a estabilidade do material.

desterrado. [Part. de *desterrar.*] *Adj.* e *S. m.* Que ou aquele que foi banido da pátria; exilado, banido.

desterrador (ô). *Adj.* e *s. m.* Que ou aquele que desterra.

desterrar. [De *des-* + *terra* + *-ar*^{2}.] *V. t. d.* **1.** Fazer sair da terra, do país; exilar, banir. **2.** Condenar a desterro; deportar; degredar. **3.** Afastar; afugentar: *Pretendia desterrar as lembranças do passado. P.* **4.** Expatriar-se, emigrar: *Escapou à morte desterrando-se.* **5.** Apartar-se, distanciar-se. [Pres. ind.: *desterro,* etc. Cf. *desterro* (ê), s. m., e o ant. top. *Desterro* (ê).]

desterrense. *Adj. 2 g.* **1.** De, ou pertencente ou relativo a Desterro de Entre-Rios (MG). ● *S. 2 g.* **2.** Natural ou habitante de Desterro de Entre-Rios.

desterro (ê). [Dev. de *desterrar.*] *S. m.* **1.** Ato ou efeito de desterrar; degredo, banimento. **2.** Lugar onde vive o desterrado. **3.** Pena de degredo. **4.** Solidão, insulamento. [Pl.: *desterros* (ê). Cf. *desterro,* do v. *desterrar.*]

desterroador (ô). *S. m. Tec.* Máquina que se destina a quebrar em pequenos fragmentos material que se apresenta na forma de torrões.

desterroar. [De *des-* + *terrão* + *-ar*^{2}.] *V. t. d.* **1.** Desfazer os terrões a; esterroar, destorroar. **2.** Tirar terra de; destorroar. [Conjug.: v. *coroar.*]

destetadeira. [De *destetar* + *-deira.*] *S. f. Bras., RS.* Tabuleta (4).

destetar. [De *des-* + *teta* (ê) + *-ar*^{2}.] *V. t. d.* Desmamar, desleitar.

destilação. [Do lat. *destillatione.*] *S. f.* **1.** Ato de destilar. **2.** Estabelecimento onde se destila. **3.** *Quím.* Processo em que se evapora e condensa um líquido com o fim de obtê-lo puro ou de separá-lo de outro. ♦ **Destilação azeotrópica.** *Quím.* A que se aproveita da formação de um azeótropo para possibilitar a obtenção de um dos componentes da mistura destilada. **Destilação extrativa.** *Quím.* A que se realiza mediante a adição de um componente à mistura, visando a formar um azeótropo que irá arrastar a substância que se quer obter pura. **Destilação fracionada.** *Quím.* Procedimento em que se separam os componentes voláteis de uma mistura por vaporizações e condensações alternadas e repetidas.

destilado. [Part. de *destilar.*] *Adj.* **1.** Que sofreu destilação. ~ V. *água* —a. ● *S. m.* **2.** *Quím.* Líquido que, numa destilação, resulta de condensação de vapor.

destilador (ô). *Adj.* **1.** Que destila. ● *S. m.* **2.** Alambique.

destilar. [Do lat. *destillare.*] *V. t. d.* **1.** Passar (uma substância) diretamente do estado líquido ao gasoso, e depois de novo ao líquido, por condensação do vapor obtido; estilar. **2.** Deixar cair gota a gota; ressumar, gotejar, estilar. **3.** *Fig.* Instilar; insinuar: *Temia o veneno que tais palavras destilavam.* **4.** *Fig.* Provocar (3): "Mares engolidos nos céus, ilhas sumidas nos mares, e, nelas perdidos, os homens pequeninos, tudo isto destila tristeza e uma espécie de saudade do absurdo." (Vitorino Nemésio, *A Mocidade de Herculano,* II, p. 280.) *Int.* **5.** Cair gota a gota; gotejar, estilar. [Pres. ind.: *destilo,* etc. Cf. *distilo.*]

destilaria. *S. f.* Local ou estabelecimento onde se destila, se faz destilação.

destilatório. *Adj.* Que serve para destilar.

destimidez (ê). [De *des-* + *timidez.*] *S. f.* Qualidade ou estado de destímido. [Cf. *destemidez.*]

destímido. [De *des-* + *tímido.*] *Adj.* **1.** Que não é tímido. **2.** Que perdeu o temor. [Cf. *destemido.*]

destinação. [Do lat. *destinatione.*] *S. f.* **1.** Ato de destinar(-se). **2.** Direção, destino, fim.

destinador (ô). [Do lat. *destinatore.*] *Adj.* e *s. m.* Que ou aquele que destina ou remete algo.

destinar. [Do lat. *destinare.*] *V. t. d.* **1.** Determinar com antecipação; fixar previamente: *Acreditava poder destinar a sorte do filho.* **2.** Decidir, determinar, resolver: *Destinou afastar-se dali. T. d. e i.* **3.** Designar, reservar (para determinado fim ou destino): *Destinava aquele dinheiro para os gastos da viagem; Destinava o filho à carreira das armas;* "A posição geográfica de Portugal destinava -o à vida marítima" (J. Capistrano de Abreu, *Capítulos de História Colonial,* p. 67). *Transobj.* **4.** Reservar para certo fim: *Destinara -o seu sucessor. P.* **5.** Dedicar-se, consagrar-se: *Destinou-se a seguir a carreira paterna.*

destinatário. *S. m.* **1.** Aquele a quem se destina ou remete alguma coisa. **2.** *Teor. Inf.* Elemento terminal de um sistema de comunicação [q. v.]. [Cf. *receptor.*]

destingir. [De *des-* + *tingir.*] *V. t. d.* **1.** Tirar a cor ou a tinta a. **2.** Fazer desbotar; descorar. *Int.* e *p.* **3.** Perder a cor; descorar(-se), desbotar(-se). [Conjug.: v. *dirigir,* mas tem dois part.: *destingido* e *destinto.*]

destino^{1}. [Dev. de *destinar.*] *S. m.* **1.** Sucessão de fatos que podem ou não ocorrer, e que constituem a vida do homem, considerados como resultantes de causas independentes de sua vontade; sorte, fado, fortuna. **2.** *P. ext.* Aquilo que acontecerá a alguém; futuro. **3.** Fim ou objeto para que se reserva ou designa alguma coisa; aplicação, emprego. **4.** Lugar aonde se dirige alguém ou algo; direção.

destino^{2}. *S. m. Bras. Pop. F.* sincopada de *desatino.*

destintagem. *S. f. Tec.* Na indústria de papel, remoção da tinta de papéis usados, pela ação da soda, com o intuito de se obter pasta alvejada para posterior processamento.

destinto. [De *des-* + *tinto.*] *Adj.* Que se destingiu. [Cf. *distinto.*]

destituição (u-i). [Do lat. *destitutione.*] *S. f.* **1.** Ato ou efeito de destituir; demissão, deposição. **2.** Falta, carência, privação.

destituir. [Do lat. *destituere.*] *V. t. d.* **1.** Privar de autoridade, dignidade ou emprego; exonerar, demitir: *Em face da campanha da oposição, o Presidente destituiu o ministro. T. d. e i.* **2.** Demitir, exonerar: *Destituiu -o da função de chefe.* **3.** Privar (1): *Destituíram -no de seus bens. P.* **4.** Privar-se. [Conjug.: v. *atribuir.*]

destituível. *Adj. 2 g.* Que pode ser destituído.

destoante. *Adj. 2 g.* **1.** Que sai do tom, destoa, desafina; desentoado: *No coro havia uma voz destoante.* **2.** Que destoa ou discorda; discordante, divergente: *opiniões destoantes.* **3.** Que destoa ou não condiz; não condicente: *Suas maneiras são destoantes da posição que ocupa.*

destoar. [De *des-* + *toar.*] *V. int.* **1.** Sair do tom; desentoar, desafinar. **2.** Soar mal: *Seu nome, Francisca Gomes, destoa. T. i.* **3.** Discordar, divergir: *Excêntrico, apraz-se em destoar das normas sociais.* **4.** Não condizer; não ser próprio; discordar: *Aquele exagerado luxo destoava da modéstia de sua origem.* [Conjug.: v. *coroar.*]

destocador (ô). [De *destocar*^{1} + *-dor.*] *Adj.* **1.** Que destoca. ● *S. m.* **2.** *Bras.* Máquina que arranca os tocos das árvores após a derrubada da floresta; arranca-tocos.

destocamento. *S. m.* Ato ou operação de destocar^{1}.

destocar^{1}. [De *des-* + *toco* (ô) + *-ar*^{2}.] *V. t. d.* **1.** Arrancar os tocos ou cepos de (árvores). **2.** Limpar de tocos (um terreno), para fins de lavoura ou de construção. **3.** *Bras., MG.* Escanhoar (a barba). [Conjug.: v. *trancar.* Cf. *destoucar.*]

destocar^{2}. [De *des-* + *tocar*^{2}.] *V. t. d.* Desligar; separar; abrir. [Conjug.: v. *trancar.* Cf. *destoucar.*]

destocar^{3}. [De *des-* + *toca* + *-ar*^{2}.] *V. t. d. Bras.* Tirar (animal) da toca ou buraco onde se abrigara; desentocar. [Conjug. v. *trancar.* Cf. *destoucar.*]

destoldar. [De *des-* + *toldar.*] *V. t. d.* **1.** Tirar o toldo ou tolda a, descobrindo. **2.** *Fig.* Tornar claro, límpido; clarificar, desanuviar. *P.* **3.** Desanuviar-se, aclarar-se, clarificar-se.

destom. [De *des-* + *tom.*] *S. m.* O que destoa, que está fora do tom; desarmonia, divergência.

destombamento. *S. m.* Ato ou efeito de destombar.

destombar. [De *des-* + *tombar*^{2}.] *V. t. d.* Fazer cessar ou anular o tombamento^{2} de.

destopadeira. *S. f.* Máquina usada para cortar o topo de tábuas, regularizando-os ou atribuindo-lhes inclinação conveniente.

destopeteação. *S. f. Bras., RS.* Ato de destopetear.

destopetear. [De *des-* + *topete* + *-ar*^{2}.] *V. t. d.* **1.** Tirar o topete a. **2.** *Bras., RS.* Cortar a (o animal) as últimas crinas que existem entre as orelhas, as quais, por serem longas, lhe tapam a vista. [Conjug.: v. *frear.*]

destorar. [De *des-* + *toro*^{1} + *-ar*^{2}.] *V. t. d.* Cortar os toros a; detorar.

destorcedor (ô). [De *destorcer* + *-dor.*] *Bras., PE. S. m.* **1.** Pequena moenda, movida a braço, feita, em geral, de dois cilindros de madeira, e empregada para extrair o caldo da cana. ● *Adj.* **2.** Diz-se do indivíduo esperto, que logra sair das dificuldades ou se recusa a cumprir o prometido.

destorcer. [Do lat. *distorcere, por *distorquere.*] *V. t. d.* **1.** Desfazer a torcedura a; tornar direito (o que era torcido). **2.** Virar ou voltar para o lado oposto. **3.** *Bras., PE.* Fazer-se desentendido. **4.** *Bras., PE.* Mudar de (assunto em que não se pode ter razão). *T. d. e i.* **5.** Deviar com esforço: *A custo conseguiu destorcer o coração daquele afeto. Int.* **6.** Dar voltas em sentido contrário a outras. *P.* **7.** *Bras., S.* Proceder com desembaraço, obtendo resultado proveitoso. [Conjug.: v. *torcer.* Cf. *distorcer.*]

destorcido. [Part. de *destorcer.*] *Adj.* **1.** Que se destorceu. **2.** *Bras. Fam.* Desembaraçado, lépido, ligeiro, pronto, hábil. **3.** V. *valentão* (1). [Cf. *distorcido.*]

destorpecer. [De *des-* + *torpecer.*] *V. t. d., int.* e *p.* V. *desentorpecer.* [Conjug.: v. *aquecer.*]

destorroamento. *S. m.* Ação de destorroar.

destorroar. [De *des-* + *torrão* + *-ar*^{2}.] *V. t. d.* V. *desterroar.* [Conjug. v. *coroar.*]

destoucar. [De *des-* + *toucar.*] *V. t. d.* **1.** Tirar a touca da cabeça de. **2.** Desarranjar o toucado de. **3.** *Fig.* Desenfeitar, desadornar, desataviar. [Conjug.: v. *trancar.* C.f. *destocar.*]

destouтро. Contr. de *deste* com o pron. indef. *outro;* deste outro. [Flex.: *destoutra, destoutros, destroutras.*]

destra (ê). [Do lat. *dextera,* i. e., *dextera manus.*] *S. f.* A mão direita:" — Uma ova! explodia o farmacêutico, fazendo com a destra fechada um gesto indecoroso." (Ribeiro Couto, *Prima Belinha,* p. 3.) [Cf. *sinistra* e *sestra.*]

destraçar. [De *des-* + *traçar*^{1}.] *V. t. d.* Fazer que deixe de estar traçado; descruzar, desencruzar: "Depois destraçou as pernas, passou a esquerda para cima da direita" (Valentim Magalhães, *Vinte Contos,* p. 50); "pára em frente da escadaria do Tesouro, traça e destraça a capa espanhola" (Augusto Meyer, *No Tempo da Flor,* p. 14). [Conjug.: v. *laçar.*]

destramar. *V. t. d.* **1.** Desfazer a trama de; destecer. **2.** Desenredar, deslindar: *destramar uma intriga, uma fofoça.*

destrambelhado. [Part. de *destrambelhar.*] *Adj.* **1.** A que se tirou o trabelho que torce a corda; distorcido. **2.** Diz-se de indivíduo desordenado, desorganizado, disparatado. **3.** Diz-se de indivíduo adoidado, aloprado. ● *S. m.* **4.** Indivíduo destrambelhado (2 e 3).

destrambelhar. [De *des-* + *trambelho* + *-ar*[2].] *V. t. d.* **1.** Tirar o trambelho que torce a corda de; destorcer. *Int.* **2.** Desarranjar-se, escangalhar-se. **3.** Proceder como destrambelhado (4). [Conjug.: v. *aparelhar.*]

destrambelho (ê). [De *des-* + *trambelho.*] *S. m.* **1.** Desordem, desorganização, desarranjo. **2.** Disparate, despropósito.

destrançado. [Part. de *destrançar.*] *Adj.* A que se desfez a trança; que se destrançou; desentrançado: "Um lenço posto no liso / Dos teus ombros jaspeados, / Os cabelos destrançados..." (Gonçalves Crespo, *Obras Completas*, p. 316).

destrancar. [De *des-* + *trancar.*] *V. t. d.* Tirar a(s) tranca(s) a. [Conjug.: v. *trancar.*]

destrançar. [De *des-* + *trançar.*] *V. t. d.* **1.** Desfazer a trança a. **2.** Desmanchar (o que estava entrançado). [Sin. ger.: *desentrançar.* Conjug.: v. *laçar.*]

destranque. [Dev. de *destrancar?*] *S. m. Bras., SP.* **1.** Luta, briga, rixa. **2.** V. *rolo*[1] (16).

destratar. [De *detratar*, com mudança de prefixo.] *V. t. d. Bras.* Maltratar com palavras; descompor, insultar: *Destratou cruelmente a pobre senhora.* [Pres. ind.: *destrato*, etc.; pres. subj. *destrate*, etc. Cf. *distratar, distrate* e *distrato.*]

destravancar. [De *des-* + *travanca* + *-ar*[2].] *V. t. d.* Desatravancar. [Conjug.: v. *trancar.*]

destravar. [De *des-* + *travar.*] *V. t. d.* **1.** Desprender do travão ou das travas. **2.** Desembaraçar; soltar, desentravar: *Caladão, só a bebida lhe destrava a língua. P.* **3.** Desembaraçar-se, soltar-se.

destrelar. [De *des-* + *trela* + *-ar*[2].] *V. t. d.* V. *desatrelar.*

destrepar. [De *des-* + *trepar.*] *V. int.* **1.** Descer de lugar aonde se havia trepado: *Subiu à mangueira, mas logo depois destrepou. T. c.* **2.** Descer (de lugar aonde trepara): *Destrepou da árvore, com receio de cair.*

destreza (ê). *S. f.* **1.** Qualidade de quem é destro[2]. **2.** Agilidade de mãos e de todos os movimentos. **3.** Habilidade, aptidão. **4.** Sagacidade, astúcia. [Sin. ger.: *desteridade.*]

destribalização. *S. f.* Ato ou efeito de destribalizar.

destribalizar. [Do fr. *détribaliser.*] *V. t. d.* Tirar (o indígena) de sua tribo, de seu ambiente.

destribar-se. [Por **desestribar-se*, de *des-* + *estribar-se*, com haplologia.] *V. p.* Deixar que os pés se soltem dos estribos; perder os estribos.

destrimanismo. *S. m.* Qualidade ou condição de destrímano.

destrímano. [Do lat. *dextru*, 'destro' + *-i-* + o lat. *manu*, 'mão'.] *Adj.* Que se utiliza mais da mão direita que da esquerda.

destrinça. [Dev. de *destrinçar.*] *S. f.* Ato ou efeito de destrinçar.

destrinçador (ô). *Adj.* e *s. m.* Que ou aquele que destrinça.

destrincar. *V. t. d.* V. *estrincar.* [Conjug.: v. *trancar.*]

destrinçar. *V. t. d.* **1.** Separar os fios de; desenredar, desenlear. **2.** Desenredar, resolver: *destrinçar um assunto.* **3.** Dizer ou expor com minúcia; esmiuçar, minudenciar, particularizar: *Destrinçou o caso tintim por tintim.* **4.** Dividir proporcionalmente (um foro (ô) [1]). [Var. (bras.): *destrinchar*; sin. (p. us.): *estriçar.* Conjug.: v. *laçar.*]

destrinçável. *Adj. 2 g.* Que se pode destrinçar.

destrinchar. *V. t. d. Bras.* V. *destrinçar.*

destripar. [De *des-* + *tripa* + *-ar*[2].] *V. t. d.* V. *estripar.*

destripular. [De *des-* + *tripular.*] *V. t. d. Desus.* Tirar a tripulação a (um navio).

destristecer. [De *des-* + *triste* + *-ecer.*] *V. t. d., int.* e *p.* V. *desentristecer.* [Conjug.: v. *aquecer.*]

destro[1] (ê). *S. m. Ant.* Passal (2).

destro[2] (ê). [Do lat. *dextru.*] *Adj.* **1.** Direito (1). **2.** Que fica do lado direito. **3.** Dotado de destreza (2 a 4); hábil. **4.** Ágil, desembaraçado; rápido: *Nadador destro.*

destroca. [Dev. de *destrocar.*] *S. f.* Ato ou efeito de destrocar.

destroçador (ô). *Adj.* e *s. m.* Que ou quem destroça.

destrocar. [De *des-* + *trocar.*] *V. t. d.* Desfazer a troca de: "Nada mais tenho teu; é finda a troca, / Se o desejo não tens (ah! se o tivesses...) / De destrocar os beijos que trocamos..." (Eugênio de Castro, *Obras Poéticas*, V, p. 146.) [Conjug.: v. *trancar.*]

destroçar. [De *des-* + *troço* (ô) + *-ar*[2]]. *V. t. d.* **1.** Pôr em debandada; debandar; dispersar: *destroçar um batalhão.* **2.** Derrotar, destruindo; desbaratar: *O Almirante Nelson destroçou a frota franco-espanhola em Trafalgar.* **3.** Quebrar, despedaçar: *Em minutos a criança destroçou o brinquedo.* **4.** Arruinar, assolar, devastar: *As secas destroçaram toda a região.* **5.** Esbanjar, dissipar, malbaratar, malgastar: *Farrista, destroçou a herança.* [*Var.: estroçar.* Conjug.: v. *laçar.* Pres. ind.: *destroço*, etc. Cf. *destroço* (ô).]

destroço (ô). [Dev. de *destroçar.*] *S. m.* **1.** Ato ou efeito de destroçar. **2.** Aquilo que está destroçado, partido; ruínas. [Pl.: *destroços* (ó). Cf. *destroço*, do v. *destroçar.*]

destrógrado. [De *destro* + *-grado.*] *Adj. Paleogr.* Diz-se da escrita orientada da esquerda para direita. [Cf. *sinistrógrado.*]

destróier. [Do ingl. *destroyer.*] *S. m. Bras. Mar. G.* Contratorpedeiro. [Pl.: *destróieres.*]

destronado. [Part. de *destronar.*] *Adj.* Derribado do trono[1]; destituído da soberania: "E ela vaga nas praias rumorosas, / Triste como as rainhas destronadas" (Cesário Verde, *Obra Completa*, p. 47).

destronamento. *S. m.* **1.** Ação de destronar. **2.** Perda do trono[1]. **3.** Abdicação.

destronar. [De *des-* + *trono*[1] + *-ar*[2].] *V. t. d.* **1.** Derribar do trono[1]; destituir da soberania. **2.** *Fig.* Abater, humilhar, rebaixar, abaixar, aviltar: *Com a sua excepcional beleza, destronou as demais mulheres presentes.* [Sin. ger.: *desentronizar* e *destronizar.*]

destronável. *Adj. 2 g.* Que pode ser destronado.

destroncado. [Part. de *destroncar.*] *Adj.* **1.** Que está separado do tronco. **2.** Desmembrado, mutilado, decapitado. **3.** Desconjuntado, deslocado: *Seu pé destroncado doía muito.*

destroncar. [De *des-* + *tronco*[1] + *-ar*[2].] *V. t. d.* **1.** Separar do tronco; decepar, desmembrar. **2.** Separar do tronco; desgalhar, esgalhar, truncar. **3.** Fazer sair (um membro) da junta ou articulação; desarticular, deslocar, desconjuntar. [F. paral.: *estroncar.* Conjug.: v. *trancar.*]

destronização. *S. f.* Ato ou efeito de destronizar.

destronizar. [De *des-* + *trono*[1] + *-izar.*] *V. t. d.* V. *destronar.*

destruição (u-i). [Do lat. *destructione.*] *S. f.* Ato ou efeito de destruir.

destruidor (u-i...ô). *Adj.* **1.** Que destrói; destrutor, destrutivo, diruptivo. ● *S. m.* **2.** Aquele que destrói; destrutor.

destruir. [Do lat. *destruere.*] *V. t. d.* **1.** Demolir, arruinar, aniquilar (o que estava construído). **2.** Fazer desaparecer; dar cabo de; extinguir: *Destruiu a carta logo depois de a ler.* **3.** Assolar, arrasar, devastar, destroçar: *A epidemia destruiu a povoação.* **4.** Matar, exterminar. **5.** Desarranjar, desorganizar, transtornar, desfazer: *Um imprevisto destruiu todos os nossos planos. Int.* **6.** Ter efeito negativo; reduzir a nada: *São argumentos que destroem e nada constroem.* **7.** *Bras. Gír.* Apresentar ótimo desempenho em qualquer setor de atividade: *Pelé destruiu em muitos jogos.* [Conjug.: v. *atribuir.* V. *construir.*]

destrunfar[1]. [De *des-* + *trunfa* + *-ar*[2].] *V. t. d.* Tirar a trunfa a.

destrunfar[2]. [De *des-* + *trunfo* + *-ar*[2].] *V. t. d.* Obrigar (o parceiro) a jogar trunfo.

destrutibilidade. *S. f.* Qualidade do que é destrutível.

destrutível. [Do lat. *destructibile.*] *Adj. 2 g.* Que pode ser destruído.

destrutivo. [Do lat. *destructivu.*] *Adj.* V. *destruidor* (1).

destrutor (ô). [Do lat. *destructore.*] *Adj.* **1.** V. *destruidor* (1). ● *S. m.* **2.** Destruidor (2). **3.** *Astron.* Dispositivo que se coloca intencionalmente em míssil ou foguete espacial, e capaz de provocar-lhe a destruição.

desultrajar. [De *des-* + *ultrajar.*] *V. t. d.* e *i.* Desagravar, desafrontar.

desumanar. [De *des-* + *humanar.*] *V. t. d.* e *p.* Tornar(-se) desumano; desumanizar(-se): "A ignomínia que barbariza e desumana o escravo conspurca a família livre, escandaliza no lar doméstico a pureza das virgens e a castidade das mães." (Rui Barbosa, *Ensaios Literários*, p. 48.)

desumanidade. [De *des-* + *humanidade.*] *S. f.* **1.** Falta de humanidade; crueldade. **2.** Ato desumano.

desumanizador (ô). *Adj.* Que desumaniza: "convidou-me a fundar com ela um jornaleco .... em que combateríamos os males do progresso desumanizador." (Carlos Drummond de Andrade, *Jornal do Brasil*, 24.3.1980).

desumanizar. [De *des-* + *humanizar.*] *V. t. d.* e *p.* Desumanar(-se).

desumano. [De *des-* + *humano.*] *Adj.* **1.** Que não é humano; ferino, bestial, desnaturado: *indivíduo desumano.* **2.** Que denota desumanidade; bárbaro, cruel: *tratamento desumano.* [Sin. ger.: *anti-humano.*]

desumidificação. [De *des-* + *úmido* + *-i-* + *-ficar* + *-ção.*] *S. f. Quím.* **1.** Remoção da umidade (vapor de água) do ar. **2.** *Restr.* Designação dos processos análogos de remoção de vapor duma mistura gasosa.

desumidificado. [Part. de *desumidificar.*] *Adj.* Que sofreu desumidificação.

desumidificador (ô). *S. m. Tec.* Equipamento que, ao forçar a circulação do ar num ambiente fechado, elimina também a umidade, mediante a condensação do vapor-d'água.

desumidificar. [De *des-* + *úmido* + *-i-* + *-ficar.*] *V. t. d.* Efetuar a desumidificação de. [Conjug.: v. *trancar.*]

desunhar. [De *des-* + *unha* + *-ar*[2].] *V. t. d.* **1.** Arrancar as unhas a. **2.** Fazer andar muito; fadigar. **3.** *Bras.* Preparar, fazer (um trabalho) sofregamente ou empregando grande atividade. **4.** *Marinh.* Desprender do fundo a unha de (a âncora). *Int.* **5.** *Bras. Gír.* V. *fugir* (1 e 2). *P.* **6.** Rachar os cascos (o cavalo) por caminhar em excesso. **7.** Afadigar-se em trabalho manual.

desunião. [De *des-* + *união.*] *S. f.* **1.** Falta de união. **2.** Desavença; discordância, discórdia: *É antiga a desunião entre as duas famílias.* **3.** Separação, afastamento: *A desunião dos dois amantes era esperada.*

desunificar. [De *des-* + *unificar.*] *V. t. d.* Tirar a unificação a. [Conjug.: v. *trancar.*]

desunir. [De *des-* + *unir.*] *V. t. d.* **1.** Desfazer a união de; separar, desligar. **2.** Produzir discórdia entre; desarmonizar, desavir: *O mal-entendido desuniu as duas famílias.* **3.** Desmembrar; dividir. *P.* **4.** Separar-se, desligar-se.

desurdir. [De *des-* + *urdir.*] *V. t. d.* **1.** Desfazer ou desmanchar a urdidura de. **2.** *Fig.* Desfazer, desmanchar (urdidura, maquinação, trama); destramar.

desusado. [Part. de *desusar.*] *Adj.* **1.** Que está fora de uso. **2.** Que não é usado. [Sin. ger.: *insueto.*]

desusar. [De *des-* + *usar.*] *V. t. d.* **1.** Não usar; deixar de usar. *P.* **2.** Cair em desuso.

desuso. [De *des-* + *uso.*] *S. m.* **1.** Falta de uso, de emprego ou aplicação: *palavras, vestes, máquinas em desuso.* **2.** Falta de uso, de hábito, de costume; desábito, descostume: *Com o longo desuso de ensinar, foi esquecendo o que sabia.*

desútil. [De *des-* + *útil.*] *Adj. 2 g. P. us.* Inútil. [Pl.: *desúteis.*]

desutilidade. [De *des-* + *utilidade.*] *S. f. Econ.* Inaplicabilidade, eventual e temporária, de parte do capital ou doutros fatores de produção.

desvaecer. *V. t. d.* e *p.* V. *desvanecer.* [Conjug.: v. *aquecer.*]

desvaidade. [De *des-* + *vaidade.*] *S. f.* Ausência de vaidade; modéstia; simplicidade.

desvaidoso (ô). [De *des-* + *vaidoso.*] *Adj.* Que tem ou denota desvaidade; não vaidoso.

desvairadamente. [Do fem. de *desvairado* + *-mente.*] *Adv.* De maneira desvairada; com desvairamento.

desvairado. [Part. de *desvairar* (q. v.).] *Adj.* **1.** Que perdeu o juízo; alucinado: *A desvairada mulher foi internada no manicômio.* **2.** Desnorteado, desorientado, desatinado, estonteado: *Desvairado, o rapaz acabou errando a saída.* **3.** Que denota desvario, desatino: "Cabelos esparsos ao sopro dos ventos, / Olhar desvairado, sinistro, fatal" (Castro Alves, *Obra Completa*, p. 115). **4.** Variado; diferente: "As capas de desvairadas cores, orlada de lhama d'ouro ou de prata" (Alexandre Herculano, *O Monge de Cister*, II, p. 254). ● *S. m.* **5.** Aquele que está desvairado: *Só a muito custo o desvairado sossegou.* [Var.: *esvairado.*]

desvairador (ô). *Adj.* e *s. m.* Que ou aquele que desvaira, desatina, alucina.

desvairamento. [De *desvairar* (q. v.) + *-mento.*] *S. m.* **1.** Alucinação, desvario. **2.** V. *desorientação* (3).

desvairança. *S. f. P. us.* **1.** Desvairamento, desvario. **2.** Diferença, diversidade.

desvairar. [F. metatética de *desvariar.*] *V. t. d.* **1.** Fazer cair em desvario; causar alucinação a; alucinar, endoidecer, enlouquecer, desvariar: "Sei que tudo me alegra e me desvaira, / E a paz desfruto, suportando a guerra." (Olavo Bilac, *Poesias*, p. 125). **2.** Tornar exaltado; exasperar ao extremo; enfurecer: *A violência do insulto desvairou-o, levando-o à reação extrema.* **3.** Aconselhar mal; iludir, enganar: *Maus políticos, desvairam a opinião pública. T. i.* **4.** Discordar, discrepar: *Os meus princípios desvairam dos seus. Int.* **5.** Perder a cabeça; alucinar-se; endoidecer, desvariar. **6.** Praticar desatinos; desencaminhar-se, desorientar-se, desvariar. *P.* **7.** Errar, vagar, vaguear. **8.** Praticar ou dizer desatinos: desencaminhar-se, desorientar-se.

desvairo. [Dev. de *desvairar.*] *S. m. Ant.* **1.** Desvario: "São criaturas todas marcadas indelevelmente pelo sinete da tragédia, entregues ao delírio, ao *desvairo* e à obsessão" (Mário da Silva Brito, *Conversa Vai, Conversa Vem*, p. 12). 2. Discordância; desunião.

desvair-se. *V. p.* V. *esvair-se* (2 a 6). [Irreg. Conjug.: v. *sair.*]

desvalente. *Adj. 2 g.* Que desvale; que não acode ou ampara.

desvaler. [De *des-* + *valer.*] *V. t. d.* **1.** Não valer a; não acudir, não amparar; deixar de socorrer: *Desvaleu o amigo em hora difícil.* **2.** Fazer perder o valor: *Sua má vontade desvalia a ajuda que prestava. Int.* **3.** Perder o valor ou o valimento. [Irreg. Conjug.: v. *valer.*]

desvalia. [De *des-* + *valia.*] *S. f.* Falta de valia; desvalimento.

desvaliação. *S. f.* Ação ou efeito de desvaliar(-se).

desvaliar. [De *desvalia* + *-ar*[2].] *V. t. d.* **1.** Tirar a valia, o merecimento, a; avaliar mal. *P.* **2.** Perder a valia ou merecimento.

desvalidar. [De *des-* + *validar.*] *V. t. d.* e *p.* Invalidar.

desvalido. [Part. de *desvaler.*] *Adj.* **1.** Sem valimento ou valia. **2.** Desprotegido, desamparado: *É um ser desvalido da sorte.* **3.** Desgraçado, miserável: *A desvalida mulher cobria-se de trapos.* ● *S. m.* **4.** Aquele que não tem valimento ou valia: *O grupo de desvalidos engoliu a grave ofensa.* **5.** Indivíduo desvalido, miserável, desgraçado: *Mal tinha o que comer, o desvalido.*

desvalijar. [Do esp. *desvalijar.*] *V. t. d.* **1.** Roubar a mala ou os alforjes a. *T. d.* e *i.* **2.** Roubar; despojar.

desvalimento. [De *des-* + *valimento.*] *S. m.* **1.** Falta de valimento; desvalia: "a sua inocência e culpa [dos homens], o seu *desvalimento* e o esforço .... para a transcendência" (Mário da Silva Brito, *Conversa Vai, Conversa Vem*, p. 12). **2.** Perda de proteção. **3.** Desfavor; desprezo.

desvalioso (ô). [De *des-* + *valioso.*] *Adj.* Não valioso; sem valia.

desvalor (ô). [De *des-* + *valor.*] *S. m.* Falta de valor.

desvalorização. [De *desvalorizar* + *-ção.*] *S. f.* **1.** Perda de valor; depreciação. **2.** *Fin.* Baixa do valor da unidade monetária dum país em relação ao ouro. **3.** Imposição de novo sistema monetário, mediante a redução do peso do metal fino que define a unidade monetária. **4.** Abandono do padrão ouro como valor legal da unidade monetária.

desvalorizador (ô). *Adj.* e *s. m.* Que ou aquele que desvaloriza.

desvalorizar. [De *des-* + *valorizar.*] *V. t. d.* **1.** Tirar o valor a; depreciar: *Desvaloriza as ações alheias para exaltar as próprias. P.* **2.** Perder o valor; depreciar-se.

desvalvulado. [De *des-* + *valvulado.*] *Adj. Morfol. Veg.* Que não tem válvulas ou as perdeu.

desvanecedor (ô). *Adj.* Que desvanece.

desvanecer. [Do lat. *evanescere*, com mudança de prefixo.] *V. t. d.* **1.** Fazer passar ou desaparecer; dissipar, extinguir, expungir: *O sol veio desvanecer as trevas e os maus pressentimentos.* **2.** Extinguir, destruir: *Tentou desvanecer a má impressão.* **3.** Acalmar, aliviar (dor ou processo inflamatório). **4.** Causar vaidade a; tornar orgulhoso. *P.* **5.** Desaparecer, passar, apagar-se, sumir-se; esvanecer-se, esvaecer-se: *Suas esperanças desvaneceram-se.* **6.** Dissolver-se, desfazer-se: *Ao vento forte, as nuvens desvaneceram-se.* **7.** Esmorecer, desbotar: *Com as lavagens, a cor do tecido se desvaneceu.* **8.** Apagar-se, extinguir-se; desaparecer. **9.** Sentir-se ou mostrar-se vaidoso, orgulhoso; ufanar-se: *Desvaneceu-se com o êxito de seu livro.* [F. paral.: *desvaecer*; sin., desus.: *vanecer.* Conjug.: v. *aquecer.*]

desvanecido. [Part. de *desvanecer.*] *Adj.* **1.** Dissipado, extinto, desfeito. **2.** Desbotado, apagado: *A escrita, de tão desvanecida, mal permitia a leitura.* **3.** Vaidoso, orgulhoso: *Tão merecidos elogios o tornaram desvanecido, feliz.* **4.** *Bras., N.E. Fam.* Exagerado nas maneiras; saliente, espevitado, descomedido.

desvanecimento. *S. m.* **1.** Esmorecimento, desânimo: esvaecimento. **2.** Vaidade, orgulho, presunção. **3.** *Bras., N.E. Fam.* Exagero nos modos; saliência, espevitamento, descomedimento.

desvanecível. *Adj. 2 g.* Que se pode desvanecer.

desvantagem. [De *des-* + *vantagem.*] *S. f.* Falta de vantagem; inferioridade, prejuízo.

desvantajoso (ô). [De *des-* + *vantajoso.*] *Adj.* Não vantajoso; inconveniente.

desvão. [De *des-* + *vão.*] *S. m.* **1.** Espaço entre o telhado e o forro de uma casa: "O mundo era estreito para Alexandre; um *desvão* de telhado é o infinito para as andorinhas." (Machado de Assis, *Memórias Póstumas de Brás Cubas*, p. 193.) **2.** Pavimento superior de uma casa, logo abaixo da cobertura; mansarda, água-furtada. **3.** Recanto esconso; esconderijo: "é [a análise proustiana] uma redescoberta da alma humana, dos seus infinitos *desvãos*, dos seus meandros complicados como vielas de cidade árabe." (Fidelino de Figueiredo, *Últimas Aventuras*, p. 180). [Var.: *esvão.* Pl.: *desvãos.*]

desvariar. [De *des-* + *variar.*] *V. t. d.* **1.** Desvairar (1). **2.** Fazer variar, mudar: *Os costumes desvariam os valores morais. Int.* **3.** Desvairar (5 e 6).

desvario. [Dev. de *desvariar.*] *S. m.* Ato de loucura; delírio, alucinação, desacerto; desatino, extravagância; desvairamento.

desvelado[1]. [Part. de *desvelar*[1].] *Adj.* Cheio de desvelo; zeloso, cuidadoso, vigilante.

desvelado[2]. [Part. de *desvelar*[2].] *Adj.* **1.** Que deixou de estar velado (1). **2.** Não velado; despido; desnudo. **3.** Descoberto, patente, revelado.

desvelamento[1]. [De *desvelar*[1] + *-mento.*] *S. m.* Ato ou efeito de desvelar[1].

desvelamento[2]. [De *desvelar*[2] + *-mento.*] *S. m.* Ato ou efeito de desvelar[2].

desvelar[1]. [De *des-* + *velar*[3].] *V. t. d.* **1.** Provocar vigília em; não deixar dormir: *A ambição desvelava-o.* **2.** Passar ou fazer passar (o tempo) sem dormir, em claro: *Desvelava as noites a estudar*; "faleceu de ânimo para o ato. .... É que *desvelara* uma noite, cismando nas vantagens de ser rico" (Camilo Castelo Branco, *Noites de Lamego*, p. 25). *P.* **3.** Encher-se de zelo; ter muito cuidado; diligenciar. [Pres. ind.: *desvelo*, etc. Cf. *desvelo* (ê).]

desvelar[2]. [De *des-* + *velar*[2].] *V. t. d.* **1.** Tirar o véu a; descobrir, revelar: *desvelar o rosto; desvelar uma estátua.* **2.** Dar a conhecer; patentear, revelar: *desvelar um enigma, um mistério.* **3.** Aclarar, esclarecer, elucidar: *desvelar acontecimentos obscuros. P.* **4.** Mostrar-se, patentear-se, revelar-se. [Pres. ind.: *desvelo*, etc. Cf. *desvelo* (ê).]

desvelejar. [De *des-* + *velejar.*] *V. int. Náut. Ant.* Amainar as velas. [Conjug.: v. *pelejar.*]

desvelo (ê). [Dev. de *desvelar*[1].] *S. m.* **1.** Grande cuidado; carinho; vigilância, dedicação: *Tem para o filho todos os desvelos.* **2.** O objeto de tais sentimentos: *Seu desvelo era aquela criancinha doente.* [Pl.: *desvelos* (ê). Cf. *desvelo*, do v. *desvelar.*]

desvencilhar. [De *des-* + *vencilho* + *-ar*[2].] *V. t. d.* **1.** Soltar do vencilho. **2.** Soltar, desatar, desprender: *Em vão tentava desvencilhar as mãos, atadas por uma corda fortíssima. T. d. e i.* **3.** Soltar, desatar, desprender: *Conseguiu desvencilhar as mãos das algemas. P.* **4.** Livrar-se, desembaraçar-se. [F. paral.: *desenvencilhar.*]

desvendar. [De *des-* + *vendar.*] *V. t. d.* **1.** Tirar a venda dos olhos de: *Só desvendaram o raptado quando o trancafiaram num quarto.* **2.** Destapar, tirando a venda: *Vendaram-lhe os olhos, e só depois de algum tempo os desvendaram.* **3.** Tornar patente ou manifesto; revelar, manifestar: *desvendar uma opinião. T. d. e i.* **4.** Dar a conhecer; revelar: *Recusou-se a desvendar a um estranho sua vida íntima.*

desveneração. [De *des-* + *veneração.*] *S. f.* Falta de veneração; desrespeito, desacato.

desvenerar. [De *des-* + *venerar.*] *V. t. d.* Deixar de venerar; desrespeitar; desacatar.

desventoso (ô). [De *des-* + *ventoso.*] *Adj.* Não ventoso.

desventrar. [De *des-* + *ventre* + *-ar*[2].] *V. t. d.* Rasgar o ventre a; estripar.

desventura. [De *des-* + *ventura.*] *S. f.* Falta de venturas; desgraça, desdita, infortúnio, infelicidade.

desventurado. [Part. de *desventurar.*] *Adj.* e *s. m.* Infeliz, desgraçado, desditoso, desventuroso: *seres desventurados; desventurado amor; um desventurado.*

desventurar. [De *des-* + *ventura* + *-ar*[2].] *V. t. d.* Tirar a ventura a; tornar infeliz, desventurado.

desventuroso (ô). [De *des-* + *venturoso.*] *Adj.* e *s. m.* V. *desventurado.*

desverde (ê). [De *des-* + *verde.*] *Adj. 2 g.* Que perdeu o verdor, deixou de ser verde.

desverdecer. [De *des-* + *verdecer.*] *V. int.* **1.** Perder a cor verde. **2.** Perder o viço; murchar. [Conjug.: v. *aquecer.*]

desvergonha. [De *des-* + *vergonha.*] *S. f.* Falta de vergonha; descaramento, desfaçatez, impudência, desaforo, desvergonhamento.

desvergonhamento. [De *desvergonhar* + *-mento.*] *S. m.* **1.** Perda da vergonha. **2.** V. *desvergonha.*

desvergonhar. [De *des-* + *vergonha* + *-ar*[2].] *V. t. d.* e *p.* Desavergonhar(-se).

desverminação. *S. f.* Ato ou efeito de desverminar; everminação.

desverminar. [De *des-* + *verminar.*] *V. t. d. Zootec.* Combater ou erradicar os vermes gastrintestinais de; everminar.

desvestir. [De *des-* + *vestir.*] *V. t. d.* **1.** Despir, desnudar: *Desvestiu-a devagar, voluptuosamente.* **2.** Tirar do corpo (o vestuário ou parte dele); despir: "Nas residências os figurantes *desvestiam* os trajes animalescos, humanizando-se." (Pelópidas Soares, *Cordão dos Bichos*, p. 14.) *P.* **3.** Despir-se, desnudar-se: "Valeriano não tinha chegado a se *desvestir*, apenas tirara o cinturão" (Autran Dourado, *As Imaginações Pecaminosas*, p. 11). [Conjug.: v. *aderir.*]

desvezado. [Part. de *desvezar.*] *Adj.* Desacostumado, desavezado.

desvezar. [De *des-* + *vezar.*] *V. t. d.* Desacostumar, desabituar, desavezar.

desviado. [Part. de *desviar.*] *Adj.* Que fica longe, remoto, afastado, apartado.

desviar. [Do lat. *deviare*, com mudança de prefixo.] *V. t. d.* **1.** Mudar a direção de: *desviar o curso de um rio.* **2.** Afastar do ponto onde se encontrava; mudar a posição de; deslocar: *desviar um móvel.* **3.** Afastar, evitar; atalhar, esquivar: *Desviou a tempo o golpe do machado.* **4.** Alterar o destino ou a aplicação de; desencaminhar: *desviar verbas. T. d. e i.* **5.** Pôr em distância; afastar: *Conseguiu desviar o filho das más companhias.* **6.** Demover, dissuadir, despersuadir: *Desviou-o do intento sinistro. P.* **7.** Apartar-se, afastar-se, separar-se. **8.** Fugir; refugir; furtar-se; evitar: *Buscou sintetizar seu pensamento, desviando-se dos pormenores.*

desvidraçado. [Part. de *desvidraçar.*] *Adj.* A que se tiraram ou partiram as vidraças: "Através das janelas *desvidraçadas*, ... o ar entrava" (Eça de Queirós, *Contos*, pp. 109-110).

desvidraçar. [De *des-* + *vidraça* + *-ar*[2].] *V. t. d.* Tirar ou partir as vidraças a. [Conjug.: v. *laçar.*]

desvidrar-se. [De *des-* + *vidro* + *-ar*[2] + *se*[1].] *V. p.* **1.** Perder o vidrado. **2.** Perder o brilho ou a transparência; deslustrar-se.

desvigar. [De *des-* + *viga* + *-ar*[2].] *V. t. d.* Tirar as vigas, o vigamento, a. [Conjug.: v. *largar.*]

desvigiar. [De *des-* + *vigiar.*] *V. t. d.* Deixar de vigiar; não ter cuidado em.

desvigorar. [De *des-* + *vigorar.*] *V. t. d.* **1.** Tirar o vigor a. *P.* **2.** Perder o vigor; enfraquecer. [Sin. ger.: *desvigorizar.*]

desvigorizar. [De *des-* + *vigor* + *-izar.*] *V. t. d.* e *p.* Desvigorar.

desvincar. [De *des-* + *vincar.*] *V. t. d.* Tirar os vincos a; desenrugar, desrugar, alisar. [Conjug.: v. *trancar.*]

desvincilhar. *V. t. d., t. d. e i.* e *p.* V. *desvencilhar.*

desvinculação. *S. f.* Ato ou efeito de desvincular(-se).

desvinculado. [Part. de *desvincular.*] *Adj.* Que se desvinculou.

desvincular. [De *des-* + *vincular*[2].] *V. t. d.* **1.** Desatar ou desligar (o que estava vinculado). **2.** Liberar (bens que constituíam vínculo). *T. d. e i.* **3.** Desatar ou desligar (o que estava vinculado): "Empson [William Empson] conferiu ao vocábulo *ambigüidade* um significado bastante lato, procurando *desvincular* a palavra da conotação pejorativa que lhe anda adstrita (equívoco, falta de clareza)" (Vítor Manuel de Aguiar e Silva, *Teoria da Literatura*, p. 29). *P.* **4.** Desligar-se; libertar-se: *Desvinculou-se de todos os partidos políticos.*

desvinculável. *Adj. 2 g.* Que pode ser desvinculado.

desvio. [Part. de *desviar.*] *S. m.* **1.** Ato ou efeito de desviar(-se). **2.** Afastamento da direção ou da posição normal: *desvio do curso de um rio; desvio da coluna vertebral.* **3.** Volta, sinuosidade, curva: *O carro derrapou num desvio da estrada.* **4.** Ponto que se afasta do caminho principal; desvão, recanto: *A chácara está situada num desvio difícil de achar.* **5.** Desaparecimento, sumiço: *desvio de documentos comprometedores.* **6.** Subtração fraudulenta; roubo: *desvio de dinheiro; desvio de mercadorias.* **7.** Afastamento de uma linha (de conduta, de regras, etc.) tomada como base: *desvio moral; desvio de doutrina.* **8.** Falha, erro: *desvio de cálculo.* **9.** Concussão (3). **10.** Linha secundária das ferrovias, ligada à principal, e destinada a servir de abrigo ou de depósito de vagões, a dar passagem a outros carros, etc. **11.** *Automat.* Diferença entre o valor instantâneo da variável controlada e o valor da variável correspondente ao ponto quiescente. **12.** *Estat.* Afastamento (4). **13.** Chave (25). ◆ **Desvio da agulha.** *Geofís.* Desvio da bússola. **Desvio da bússola.** *Geofís.* Desvio da orientação dela, causado pelo magnetismo do ambiente, e que se mede pelo ângulo entre o meridiano magnético e a direção da agulha; desvio da agulha. **Desvio da vertical.** *Geofís.* Em um dado lugar da superfície terrestre, é o ângulo entre a direção da gravidade e a perpendicular, nesse ponto, à superfície do elipsóide terrestre. **Desvio mínimo.** *Ópt.* Ângulo de desvio mínimo. **Desvio padrão.** *Estat.* Afastamento médio quadrático tomado em relação à média aritmética ou à esperança matemática; afastamento padrão, afastamento quadrático médio da média, afastamento unitário. **Desvio para o azul.** *Cosm.* Desvio das linhas espectrais em direção aos comprimentos de onda mais curtos no espectro de uma fonte de radiação que se aproxima do observador; fuga para o azul. [Cf. *efeito Doppler-Fizeau.*] **Desvio para o vermelho.** *Cosm.* Desvio das linhas espectrais em direção aos comprimentos de onda mais longos no espectro de uma fonte de radiação em recessão, ou seja, que se afasta em relação ao observador; fuga para o vermelho. [Cf. *efeito Doppler-Fizeau.*] **Estar no desvio.** *Bras. Pop.* Estar desempregado. [Sin., no N.E.: *trabalhar na companhia do desvio.*]

desvirar. [De *des-* + *virar.*] *V. t. d.* Fazer voltar à posição normal (aquilo ou aquele que estava virado); virar do avesso.

desvirgar. [De *des-* + *virgo* + *-ar*^{2}.] *V. t. d.* V. *desvirginar.* [Conjug.: v. *largar.*]

desvirginamento. *S. m.* Ato de desvirginar.

desvirginar. [Do lat. *devirginare*, com troca de prefixo.] *V. t. d.* Tirar a virgindade a; deflorar, desvirginizar, desvirgar.

desvirginizar. [De *des-* + lat. *virgine*, 'virgem' + *-ar*^{2}.] *V. t. d.* V. *desvirginar.*

desvirgular. [De *des-* + *virgular.*]. *V. t. d.* Tirar ou omitir as vírgulas de.

desvirilizar. [De *des-* + *virilizar.*] *V. t. d.* Tirar a virilidade a.

desvirtuação. *S. f.* Desvirtuamento.

desvirtuamento. *S. m.* Ação ou efeito de desvirtuar; desvirtuação.

desvirtuar. [De *des-* + lat. *virtus*, 'virtude', + *-ar*^{2}.] *V. t. d.* **1.** Depreciar a virtude, o valor, o merecimento de: *O biógrafo, em certos passos da obra,* desvirtua *o biografado.* **2.** Privar de mérito ou prestígio; julgar desfavoravelmente. **3.** Tomar em mau sentido; torcer o sentido de; malsinar: *Distorceram a declaração do político,* desvirtuando *as suas palavras.*

desvirtude. [De *des-* + *virtude.*] *S. f.* **1.** Ausência de virtude. **2.** Defeito, imperfeição.

desvirtuoso (ô). [De *des-* + *virtuoso.*] *Adj.* Que não tem virtude; que não é virtuoso; invirtuoso.

desviscerado. [Part. de *desviscerar.*] *Adj.* A que se tiraram as vísceras.

desviscerar. [De *des-* + *víscera* + *-ar*^{2}.] *V. t. d.* V. *eviscerar.*

desvisgar. [De *des-* + *visgo* + *-ar*^{2}.] *V. t. d.* Tirar o visgo a. [Conjug.: v. *largar.*]

desvitalizado. [Part. de *desvitalizar.*] *Adj.* Privado da vitalidade.

desvitalizar. [De *des-* + *vitalizar.*] *V. t. d.* Privar da vitalidade.

desvitrificação. [De *desvitrificar* + *-ção.*] *S. f. Quím.* Processo de passagem de um vidro do estado amorfo para o estado cristalino. [Var.: *devitrificação.*]

desvitrificado. [Part. de *desvitrificar.*] *Adj.* Que sofreu desvitrificação. [Var.: *devitrificado.*]

desvitrificar. [De *des-* + *vitrificar.*] *V. t. d.* Fazer cessar a vitrificação de. [Var.: *devitrificar.* Conjug.: v. *trancar.*]

desviver. [De *des-* + *viver.*] *V. int.* Deixar de viver: morrer: "Sofrer não significa desviver, mas, pelo contrário, conhecer e sentir a vida." (Pontes de Miranda, *Obras Literárias*, p. 39.)

desvizinhar. [De *des-* + *vizinhar.*] *V. t. i.* Deixar de vizinhar; não ser vizinho.

deszelar. [De *des-* + *zelar.*] *V. t. d.* Não ter zelo por; descurar; desvigiar.

deszincicação. *S. f. Eng. Ind.* Deszincificação.

deszincificação. *S. f. Eng. Ind.* Forma de corrosão de latão, na qual o zinco é retirado da liga, deixando um resíduo esponjoso de cobre; deszincicação.

detalhamento. *S. m.* Ato ou efeito de detalhar.

detalhar. [Do fr. *détailler.*] *V. t. d.* **1.** Narrar minuciosamente; minudenciar; particularizar: *Referiu o caso com muita exatidão,* detalhando *aspectos mais significativos.* **2.** Planejar, planear; delinear. **3.** Repartir, distribuir (serviços militares). **4.** Reproduzir os detalhes de: "Isidro já desenhava um corpo nu ou um canto de bosque, detalhava, com a mesma perícia, os músculos de um braço rijo ou as árvores de um horto" (Coelho Neto, *Treva*, p. 16). **5.** *Arquit.* Desenhar os detalhes de uma obra.

detalhe. [Do fr. *détail.*] *S. m.* **1.** Particularidade, minudência, minúcia, pormenor. **2.** *Arquit.* Desenho de particularidade de obra projetada, elaborado em escala maior que a do projeto. **3.** *Lus. Mar.* Tabela-mestra.

detalhista. *Adj. 2 g.* Diz-se de, ou quem cuida muito dos detalhes, das minúcias.

detecção. [Do ingl. *detection.*] *S. f.* **1.** Ato ou efeito de detectar. **2.** *Eletrôn.* Desmodulação.

detectar. [Do lat. *detectu.* 'descoberto', + *-ar*^{2}.] *V. t. d.* **1.** Revelar ou perceber a existência do que está escondido. **2.** *Eletrôn.* Fazer a detecção ou desmodulação de. **3.** *Mar. G.* Perceber (um objeto buscado), ou com ele estabelecer contato por meio visual, ou de radar, de sonar, de rádio, etc.: Detectou *o inimigo às 10 horas.*

detectável. *Adj. 2 g.* Que pode ou deve ser detectado.

detective. [Do ingl. *detective.*] *S. m.* Agente investigador de crimes. [Var.: *detetive.*]

detector (ô). [Do ingl. *detector*; em lat. há *detector.*] *S. m.* **1.** *Eletrôn.* Desmodulador. **2.** Qualquer aparelho ou sistema capaz de revelar a existência dum fenômeno ondulatório em um meio e de, eventualmente, determinar-lhe a intensidade.

detença. [De *deter* + *-ença.*] *S. f.* Demora, dilação, delonga.

detenção. [Do lat. *detentione.*] *S. f.* **1.** Ato de deter. **2.** Possessão ilegítima. **3.** Prisão provisória; retenção. **4.** *Bras. Jur.* Pena que se cumpre com rigor penitenciário menor que o da reclusão.

➧**détente** (dêtant'). [Fr., 'descanso'.] *S. f.* Afrouxamento ou distensão nas relações tensas entre nações ou governos.

detento. [Do lat. *detentu.*] *S. m. Bras.* **1.** Aquele que se acha detido ou preso; preso, prisioneiro. **2.** *Jur.* Aquele que cumpre pena de detenção.

detentor (ô). [Do lat. *detentore.*] *S. m.* Aquele que detém; depositário.

deter. [Do lat. *detinere.*] *V. t. d.* **1.** Fazer parar, fazer cessar; não deixar ir por diante; impedir de avançar; interromper: *Uma barragem* detinha *o curso do rio; Quem consegue* deter *o curso do tempo?* **2.** Fazer demorar; reter: *O amigo* deteve-*o por meia hora.* **3.** Suspender, suster, reprimir: *A custo* deteve *o riso.* **4.** Adiar, espaçar, delongar: deter *uma resposta, uma decisão.* **5.** Reter ou conservar em seu poder: deter *um documento.* **6.** Determinar a detenção ou prisão provisória de; guardar em prisão ou em custódia. *P.* **7.** Cessar de andar, de mover-se; parar: "Pára! Uma terra nova ao teu olhar fulgura! / Detém-te!" (Olavo Bilac, *Poesias*, p. 239.) **8.** Deixar-se estar; ficar; demorar-se: Detinha-se *aqui e ali, matando o tempo.* **9.** Conter-se, reprimir-se: *Faminto, diante da comida mal conseguia* deter-se. **10.** Ocupar-se demoradamente: *Fez da obra uma apreciação sintética, sem se* deter *em pormenores.* [Irreg. Conjug.: v. *ter.*]

detergente. [Do lat. *detergente.*] *Adj. 2 g.* **1.** Que deterge; detersivo, detersório. ● *S. m.* **2.** Medicamento ou substância que deterge, purifica ou clareia. **3.** *Med.* Tópico ou substância que ativa a circulação das superfícies que cicatrizam e contribui para a limpeza das feridas.

detergir. [Do lat. *detergere.*] *V. t. d.* Limpar ou purificar por meio de substâncias ou ingredientes químicos. [Defect. Conjug.: v. *aderir*, mas geralmente só se usa nas 3as pess.]

deterioração. *S. f.* Ato ou efeito de deteriorar(-se); dano, ruína, degeneração.

deteriorante. [Do lat. *deteriorante.*] *Adj. 2 g.* Que deteriora.

deteriorar. [Do lat. *deteriorare.*] *V. t. d.* **1.** Danificar; estragar. **2.** Tornar degenerado; alterar, adulterar; estragar, corromper, danificar, arruinar: *O calor* deteriora *certos alimentos.* **3.** Dissipar, desperdiçar. *P.* **4.** Danificar-se, estragar-se, corromper-se, apodrecer. **5.** Agravar-se, complicar-se: Deterioraram-se *as relações entre os dois países.*

deteriorável. *Adj. 2 g.* Que se pode deteriorar.

determinação. [Do lat. *determinatione.*] *S. f.* **1.** Ato ou efeito de determinar(-se). **2.** Resolução, decisão: *É firme a sua* determinação *de viajar.* **3.** Capacidade de determinação ou decisão: *É homem de grande* determinação. **4.** Ordem superior: *Por* determinação *do reitor, todos voltaram às aulas.* **5.** *Bot.* Reconhecimento da família, gênero e espécie aos quais pertence uma planta. **6.** *Filos.* Especificação de características que distinguem um conceito de outro do mesmo gênero, aumentando-lhe a compreensão. **7.** *Filos.* Característica que serve a determinação: uma qualidade, um atributo, etc. [Cf., nas acepç. 6 e 7: *abstração* (2) e *generalização* (3).] **8.** *Quím.* Verificação da quantidade ou concentração de uma substância em uma amostra.

determinado. [Part. de *determinar.*] *Adj.* **1.** Que se determinou; definido, fixo, estabelecido: *A festa seria no dia* determinado. **2.** Dado, certo: *Em* determinado *instante ele chegou.* **3.** Resoluto, decidido: *Era de gente* determinada *o grupo invasor.* **4.** Expedito, diligente, rápido. ~ V. *sujeito* —. ● *S. m.* **5.** *Ling.* Elemento (10) que, junto com o determinante (3), forma um sintagma.

determinador (ô). [Do lat. *determinatore.*] *Adj.* **1.** Determinante (1). **2.** Que determina, decide, regula, estabelece. ● *S. m.* **3.** Aquele que determina, decide, regula, estabelece.

determinante. [Do lat. *determinante.*] *Adj. 2 g.* **1.** Que determina; determinador. ● *S. m.* **2.** *Álg.* Função algébrica racional inteira dos elementos de uma matriz quadrada de ordem n, que se obtém formando todos os produtos de n elementos de modo que em cada um deles apareça uma e somente uma vez um elemento de qualquer das linhas e qualquer das colunas, e atribuindo ao produto o sinal mais ou o sinal menos, conforme seja par ou ímpar o número de inversões na ordem dos elementos que constituem. **3.** *Ling.* Elemento (10) que modifica o determinado (5), e com ele forma um sintagma. ◆ **Determinante anti-simétrico.** *Álg.* Determinante em que são iguais, mas de sinais contrários, os termos simétricos em relação à diagonal principal, que, portanto, é nula; determinante hemissimétrico. **Determinante característico.** *Álg.* O que se obtém acrescentando ao determinante principal de um sistema de equações uma coluna formada pelos termos constantes e uma linha formada pelos coeficientes de uma equação que não tenha contribuído para o determinante principal. **Determinante funcional.** *Anál. Mat.* Aquele em que os elementos são funções de uma ou mais de uma variável. **Determinante hemissimétrico.** *Álg.* Determinante anti-simétrico. **Determinante infinito.** *Álg.* Determinante associado a uma matriz quadrada infinita. **Determinante menor.** *Álg.* O que se forma eliminando de outro determinante um número igual de linhas e de colunas. **Determinante principal.** *Álg.* O determinante de maior ordem e não-nulo que se pode formar com os coeficientes das incógnitas de um sistema de equações lineares de sorte que, em cada coluna, apareçam os coeficientes de uma só das incógnitas e em cada linha os coeficientes das incógnitas de uma só equação. **Determinante simétrico.** *Álg.* Aquele em que são iguais os elementos simetricamente colocados em relação à diagonal principal. **Determinante transposto.** *Álg.* Determinante que se obtém de outro quando neste se substitui cada elemento pelo seu simétrico em relação à diagonal principal. [Tb. se diz apenas *transposto.*] **Determinante triangular.** *Álg.* Aquele em que são nulos todos os elementos abaixo ou acima da diagonal principal.

determinar. [Do lat. *determinare.*] *V. t. d.* **1.** Marcar termo a; delimitar; fixar: *O Barão do Rio Branco, quando ministro das Relações Exteriores, conseguiu* determinar *definitivamente as fronteiras do Brasil com as Guianas.* **2.** Indicar com precisão; definir, precisar: determinar *a composição de um elemento químico; É impossível* determinar *bem a data do nascimento de Gil Vicente.* **3.** Prescrever, ordenar, estabelecer, decretar: *O chefe de serviço* determinou *que os funcionários trabalhassem horas extras.* **4.** Decidir, resolver: Determinou *antecipar a viagem.* **5.** Motivar, causar, ocasionar: *A Abolição foi uma das causas que* determinaram *a proclamação da República.* **6.** Distinguir; discriminar; especificar: *Um exame de laboratório* determinará *os bacilos da infecção.* **7.** Fixar, firmar, assentar: Determinou *dia e hora para o encontro.* *T. d. e i.* **8.** Persuadir, levar, mover; decidir: *Os conselhos do professor* determinaram-no *a estudar.* *T. i.* **9.** Fazer tenção; ter o propósito: Determinara *de conceder-lhes o perdão;* "Determinei por armas de tomá-la" (Luís de Camões, *Os Lusíadas*, V, 53). *P.* **10.** Resolver-se, decidir-se.

determinativo. *Adj.* **1.** Que determina. **2.** Que restringe; definitivo, restritivo. ~ V. *verbo* —.

determinável. *Adj. 2 g.* Que pode ser determinado.

determinismo. [De *determinar* + *-ismo.*] *S. m. Filos.* Relação entre os fenômenos pela qual estes se acham ligados de modo tão rigoroso que, a um dado momento, todo fenômeno está completamente condicionado pelos que o precedem e acompanham e condiciona com o mesmo rigor os que lhe sucedem. [Se relacionado a fenômenos naturais, o determinismo constitui o princípio da ciência experimental que fundamenta a possibilidade de busca de relações constantes entre os fenômenos; se se refere a ações humanas e a decisões da vontade, entra em conflito com a possibilidade da liberdade.] [Cf. *fatalismo* (1) e *indeterminação* (4).] ◆ **Determinismo econômico.** *Econ.* Tese defendida por Karl Marx [v. *marxismo*] no ensaio *Contribuição à Crítica da Economia Política*, publicado em 1850, segundo a qual os eventos históricos se acham determinados pelas condições econômicas da época em que ocorreram; materialismo histórico.

determinista. *Adj. 2 g.* **1.** Relativo ao, ou que é partidário do determinismo. • *S. 2 g.* **2.** Partidário do determinismo.

detersão. [Do lat. *detersione.*] *S. m.* **1.** Ato de detergir. **2.** *Med.* Purificação ou limpeza por meio de remédio.

detersivo. [Do lat. *detersu*, 'limpo', + *-ivo.*] *Adj.* V. *detergente* (1).

detersório. [Do lat. *detersu*, 'limpo', + *-ório.*] *Adj.* V. *detergente* (1).

detestação. [Do lat. *detestatione.*] *S. f.* Abominação, repulsão, ódio.

detestando. [Do lat. *detestandu*, gerundivo de *detestare.*] *Adj.* V. *detestável.*

detestar. [Do lat. *detestare.*] *V. t. d.* **1.** Ter horror a; abominar, aborrecer, odiar. **1.** Ter aversão a; antipatizar com; aborrecer. *P.* **3.** Ter aversão a si mesmo; aborrecer sua própria pessoa. **4.** Ter aversão recíproca; odiar-se: "Muito embora d e t e s t a n d o - s e mutuamente, trabalhavam ambos [Gonçalves Ledo e José Bonifácio] sob a mesma inspiração patriótica" (Afonso d'E, Taunay, *Grandes Vultos da Independência Brasileira*, p. 45).

detestável. *Adj. 2 g.* **1.** Que se deve detestar; abominável. **2.** Péssimo; insuportável: *Era pessoa de gênio d e t e s t á v e l.* [Sin. ger.: *detestando.*]

detetive. *S. m.* Var. de *detective.*

detido. [Part. de *deter.*] *Adj.* **1.** Retardado, demorado. **2.** Que está preso provisoriamente. • *S. m.* **3.** Aquele que está preso provisoriamente. **4.** *P. ext.* Prisioneiro, preso.

detonação. [De *detonar* + *-ção.*] *S. f.* **1.** Ato ou efeito de detonar; detono. **2.** Ruído súbito devido à explosão. **3.** *Expl.* Combustão com características semelhantes às da explosão, mas cuja velocidade de propagação atinge até 8500 m por segundo.

detonador (ô). [De *detonar* + *-(d)or.*] *Adj.* **1.** Que detona. ~ V. *máquina* —a. • *S. m.* **2.** *Expl.* Substância ou mecanismo destinado a provocar a detonação de cargas explosivas.

detonante. [Do lat. *detonante.*] *Adj. 2 g.* Que detona. ~ V. *cordel* —.

detonar. [Do lat. *detonare.*] *V. int.* **1.** Produzir detonação; estrondar explodindo: "entrou, apanhou o rifle, saiu ao meio da trilha e d e t o n o u." (Coelho Neto, *Banzo*, p. 93). *T. d.* **2.** Fazer explodir: *O bandido d e t o n o u a arma três vezes seguidas.*

detono. [Dev. de *detonar.*] *S. m.* Detonação (1).

detorar. [De *de-* + *torar.*] *V. t. d.* Destorar: "Que lhe importa que lá fora, aos urros da procela, d e t o r e o raio o cedro secular em deflagrar soturno" (Leôncio C. de Oliveira, *Vida Roceira*, p. 270).

detração. [Do lat. *detractione.*] *S. f.* Maledicência, difamação, murmuração. **2.** Menosprezo, depreciação.

detrair. [Do lat. *detrahere.*] *V. t. d.* **1.** Abater o crédito de; depreciar o mérito, a reputação ou a fama de; difamar, infamar; detratar. *T. i.* **2.** Dizer ou falar mal; murmurar: "E se são muitos os que se ajudam a d e t r a i r e maldizer do próximo, sucede-lhes espiritualmente o que sucedeu aos dous homens do seguinte caso bem raro." (P.ᵉ Manuel Bernardes, *Nova Floresta*, II, p. 247.) [Conjug.: v. *sair.*]

➧**détraqué** (dêtraquê). [Fr.] *S. m.* Indivíduo amalucado; desequilibrado.

detrás. [Do lat. tardio *detrans.*] *Adv.* **1.** Na parte posterior; posteriormente. **2.** Em seguida; depois.

detratar. [De *detrator?*] *V. t. d. Bras.* V. *detrair* (1).

detrativo. *Adj.* Que detrai.

detrator (ô). [Do lat. *detractore.*] *Adj.* e *s. m.* Que ou aquele que detrai ou detrata.

detrição. [De *detritu*, 'gasto pelo atrito', conforme o modelo de *attritio.*] *S. f.* Decomposição provocada por atrito.

detrimento. [Do lat. *detrimentu.*] *S. m.* Dano, perda, prejuízo; *agir em d e t r i m e n t o de outrem*; "O escândalo que lhe causou a superestimação dos méritos de Malvino Reis em d e t r i m e n t o dos de Zacarias não é senão uma reafirmação daquele sentimento" (R. Magalhães Júnior, *Machado de Assis Desconhecido*, p. 121).

detrítico. *Adj.* Relativo a detritos; alotígeno.

detrito. [Do lat. *detritu*, 'gasto pelo atrito'.] *S. m.* Resíduo de uma substância; restos.

detruncar. [Do lat. *detruncare.*] *V. t. d.* Truncar. [Conjug.: v. *trancar.*]

detuaná. *Bras. S. 2 g.* **1.** Indivíduo dos detuanás, tribo indígena que habita as margens do Apaporis (AM). • *Adj. 2 g.* **2.** Pertencente ou relativo a essa tribo.

detumescência. [Do lat. *detumescentia.*] *S. f.* Desinchação.

deturbação. *S. f.* Ato de deturbar; perturbação.

deturbar. [Do lat. *deturbare.*] *V. t. d.* Perturbar, alterar, abalar.

deturpação. *S. f.* Ato ou efeito de deturpar.

deturpador (ô). *Adj.* e *s. m.* Que ou aquele que deturpa.

deturpar. [Do lat. *deturpare.*] *V. t. d.* **1.** Tornar torpe, feio; desfigurar, afear, desfear, enfear: *Monumentos de mau gosto d e t u r p a m a cidade.* **2.** Manchar, conspurcar, poluir, inquinar: *Praticou baixezas que d e t u r p a m sua honra.* **3.** Viciar, corromper; estragar: *Uma vida libertina d e t u r p o u - l h e os hábitos.* **4.** Alterar, modificar, de maneira viciosa; adulterar: *O uso d e t u r p a muitas palavras. P.* **5.** Alterar-se, modificar-se, de maneira viciosa; adulterar-se: *O vocábulo cegara d e t u r p o u - s e muito feiamente, na primeira edição das* Poesias Completas *de Machado de Assis.*

déu. *El. s. m.* Us. na loc. adv. *de déu em déu.* [Cf. *deu*, do v. *dar.*] ◆ **De déu em déu.** *Bras.* e *prov. lus.* **1.** De casa em casa, de porta em porta, à procura de alguma coisa. **2.** Às cambalhotas.

Deus. [Do lat. *deus.*] *S. m.* **1.** Princípio supremo considerado pelas religiões como superior à natureza. **2.** Ser infinito, perfeito, criador do Universo. **3.** Nas religiões politeístas, divindade de personificação masculina, superior aos homens, e à qual se atribui influência especial, benéfica ou maléfica, nos destinos do Universo. **4.** *Fig.* Objeto de um culto ou de um desejo ardente, que se antepõe a todos os demais desejos ou afetos. **5.** *Filos.* Princípio supremo de explicação da existência, da ordem e da razão universais, e garantia dos valores morais. [Fem.: *deusa*; pl.: *deuses.*] ◆ **Deus e o mundo.** V. *todos*: *Ela namora com d e u s e o m u n d o.* **Deus louvado.** Expressão com que se dão graças por um acontecimento, uma circunstância feliz. **A Deus e à ventura.** V. *ao deus-dará*: "o onagro deixou-se enfrear e selar; e, a D e u s e à v e n t u r a, o mancebo cavalgou nele e deitou pela encosta abaixo." (Alexandre Herculano, *Lendas e Narrativas*, II, p. 28). **O deus cego.** V. *cupido* (1): "então vejo que o d e u s c e g o, / com semblante carregado, / assim me fala" (Tomás Antônio Gonzaga, *Marília de Dirceu*, p. 74). **Santo Deus.** V. *Nossa Senhora* (2). **Sozinho e Deus.** Absolutamente só; sem nenhuma companhia: "Como lhe interessasse acabar o serviço no menor tempo, ele entrava pela noite a trabalhar, s o z i n h o e D e u s." (Povina Cavalcanti, *Volta à Infância*, p. 18.)

deusa. [Fem. de *deus.*] *S. f.* **1.** Cada uma das divindades femininas do politeísmo. **2.** *Fig.* Mulher que é objeto de adoração: *Fez da simples companheira de todos os dias a sua d e u s a.* **3.** Mulher que personifica a suprema aspiração, os valores supremos de uma classe, um grupo social, etc.: *Marylin Monroe foi a d e u s a da década de cinqüenta.* **4.** Mulher muito atraente, ou de extraordinária beleza física.

deus-dará. *El. s. m.* Us. na loc. adv. *ao deus-dará.* ◆ **Ao deus-dará.** À toa; a esmo; ao acaso; à ventura; a Deus e à ventura.

➧**deus ex machina** (deus eks máquina). [Lat.] **1.** *Teat.* No antigo teatro greco-romano, ator que personificava um deus e que era trazido à cena por meio de mecanismos: "Eurípides baixa ao palco num eciclema, engenhoso que, nos espetáculos, servia para as divindades aparecerem milagrosamente nos desfechos, origem da expressão d e u s e x m a c h i n a." (Sábato Magaldi, *Temas da História do Teatro*, p. 35.) **2.** *Teat. Deprec.* Solução artificiosa dum problema dramático ou cênico. **3.** *Fig.* Personagem ou circunstância que propicia desfecho inesperado e feliz duma situação grave.

deus-me-livre. *S. m. 2 n. Bras., RJ.* V. *cafundó* (3): *Mora lá em d e u s - m e - l i v r e.*

deus-nos-acuda. *S. m.* Desordem, confusão, tumulto, balbúrdia. [Us. sempre antecedido do artigo *um*: *Foi um d e u s - n o s - a c u d a.*]

deuteragonista. [De *deuter(o)-* + gr. *agonistés*, 'ator'; 'competidor'.] *S. 2 g. Teat.* O segundo ator do drama grego, introduzido por Ésquilo [v. *esquiliano*]. [Cf. *protagonista* (1) e *tritagonista.*]

deutergia. [De *deut(o)-* + *erg*, de *érgon*, 'trabalho', + *-ia.*] *S. f. Med.* Conjunto dos efeitos secundários dum medicamento.

deutério. [Do gr. *deutérios*, pelo lat. *deuteriu.*] *S. m. Quím.* Isótopo do hidrogênio, com número de massa 2, gasoso, incolor. [Símb.: *D.*]

▲**deuter(o)-.** [Do gr. *deúteros, a, on.*] *El. comp.* = 'segundo': *deuterogamia.* [Equiv.: *deut(o)-*: *deutergia, deutoneurônio.*]

deuterogamia. [Do gr. *deuterogamía.*] *S. f.* Estado de deuterógamo.

deuterogâmico. *Adj.* Relativo à deuterogamia.

deuterógamo. [De *deuter(o)-* + *-gamo.*] *S. m.* Aquele que se casa pela segunda vez.

deuterologia. [Do gr. *deuterología.*] *S. f.* Discurso que, nos tribunais de Atenas, o defensor oficioso fazia após o discurso do acusado, que invariavelmente falava primeiro.

deuteromicetos. *S. m. pl. Micol.* Fungos imperfeitos.

dêuteron. *S. m. Fís. Nucl.* Núcleo de um átomo de deutério, constituído por um próton e um nêutron; dêuton. [Símb.: *D.*]

deuteronômico. *Adj.* Do Deuteronômio, ou relativo a ele.

deuteronômio. [Do gr. *deuteronómion*, "segunda lei', pelo lat. *Deuteronomion.*] *S. m.* O quinto livro do Pentateuco [q. v.].

deuterose. [Do gr. *deutérosis.*] *S. f.* **1.** Repetição ou reprodução de uma coisa. **2.** Tradição.

▲**deut(o)-.** Equiv. de *deuter(o)-.*

dêuton. *S. m. Fís. Nucl.* Dêuteron.

deutoneurônio. [De *deut(o)-* + *neurônio.*] *S. m. Anat.* O segundo neurônio de um arco reflexo.

deva (ê). [Do sânsc. *devas*, 'brilhante'.] *S. m. Filos.* Nas religiões do Oriente, cada uma das diversas divindades masculinas que se situam entre os seres divinos superiores e os homens. P. ex.: no zoroastrismo, os deuses atmosféricos; no bramanismo, deuses benéficos e imortais a quem se oferecem sacrifícios. [Fem.: *devi.*]

devagar. [De *de* + *vagar.*] *Adv.* Sem pressa; lentamente, vagarosamente. [Cf. *divagar.*]

devaneador (ô). *Adj.* e *s. m.* Que ou aquele que devaneia; sonhador, utopista.

devanear. [De *de-* + lat. *vanu*, 'vão', + *-ear.*] *V. t. d.* **1.** Pensar em (coisas vãs); fantasiar. **2.** Imaginar, fantasiar, sonhar: *D e v a n e a v a façanhas absurdas que o levassem à glória.* **3.** Pensar, meditar vagamente em. *T. i.* **4.** Cuidar, pensar: *Ora d e v a n e a v a nisto, ora naquilo — não se concentrava. Int.* **5.** Divagar com o pensamento; absorver-se em cogitações vagas: "Não divago, Srs. Senadores, não d e v a n e i o, não vos entretenho com abstrações minhas" (Rui Barbosa, *Obras Seletas*, V, p. 201). **6.** Dizer coisas sem nexo; delirar; desvairar: *Os sofrimentos, as dores, o faziam d e v a n e a r.* [Conjug.: v. *frear.*]

devaneio. [Dev. de *devanear.*] *S. m.* Capricho da imaginação; fantasia, sonho, quimera: "ela puxava-me para si e cobria-me de beijos, que me mergulhavam num longo d e v a n e i o" (Aquilino Ribeiro, *Cinco Réis de Gente*, p. 101).

devassa. [Fem. substantivado do adj. *devasso.*] *S. f.* **1.** Sindicância para apurar um ato criminoso. **2.** Processo que encerra as provas dum ato criminoso. **3.** *P. ext.* Sindicância, inquérito.

devassado. [Part. de *devassar.*] *Adj.* **1.** Diz-se de propriedade particular facilmente acessível ao público: *A falta de um muro torna d e v a s s a d o aquele terreno.* **2.** Diz-se de casa, compartimento, lugar aberto ou franqueado à vista: *Os apartamentos térreos são muito d e v a s s a d o s.* **3.** Que foi objeto de devassa; investigado, sindicado: *É homem de vida pregressa d e v a s s a d a.*

devassador (ô). *Adj.* e *s. m.* **1.** Que ou aquele que devassa. **2.** Divulgador.

devassamento. S. m. **1.** Ato ou efeito de devassar. **2.** Franqueamento ou invasão do que estava defeso ou resguardado.

devassante. *Adj. 2 g.* Que tira ou faz devassa.

devassar. [Talvez de *devasso* + *-ar*[2].] *V. t. d.* **1.** Invadir e pôr a descoberto (o que estava defeso ou vedado): *O espião d e v a s s o u os arquivos do Ministério do Exterior.* **2.** Ter vista para dentro de: *O novo edifício de apartamentos d e v a s s o u a ala direita do casarão.* **3.** Penetrar na essência de; descobrir: *d e v a s s a r mistérios.* **4.** Submeter a devassa (1). **5.** Olhar; perscrutar: *Seu olhar d e v a s s a v a o que lhe ia em volta.* **6.** Tornar relaxado, licencioso, devasso, dissoluto; corromper: *O ambiente libertino em que vive d e v a s s o u - l h e os hábitos. T. i.* **7.** Inquirir, indagar: *Procurou d e v a s s a r dos costumes daquele país.* **8.** Tirar ou abrir devassa (1). *P.* **9.** Fazer-se conhecer; publicar-se; divulgar-se. **10.** Generalizar-se, vulgarizar-se: *É um costume que já se d e v a s s o u.* **11.** Tornar-se devasso, dissoluto; corromper-se, prostituir-se.

devassável. *Adj. 2 g.* Que pode ser devassado.

devassidão. *S. f.* Caráter ou procedimento de devasso;

libertinagem, licenciosidade.
devasso. *Adj.* **1.** *Antiq.* Devassado. **2.** Dissoluto, libertino, licencioso. ● *S. m.* **3.** Homem dissoluto; libertino, licencioso.
devastação. [Do lat. *devastatione.*] *S. f.* **1.** Destruição vandálica. **2.** Ruína proveniente de grande desgraça. **3.** Assolação, destruição.
devastador (ô). [Do lat. *devastatore.*] *Adj.* e *s. m.* Que ou aquele que devasta.
devastar. [Do lat. *devastare.*] *V. t. d.* **1.** Destruir, assolar, talar: *A peste devastou o país.* **2.** Danificar, arruinar: *O cupim devasta a madeira.* **3.** Tornar deserto; despovoar.
deve. [Da 3ª pess. sing. do pres. ind. de *dever.*] *S. m.* **1.** Débito ou despesa que se lança no livro comercial chamado *razão.* **2.** Coluna desse livro na qual se registram as despesas feitas por alguém. **3.** Débito ou despesa já contabilizada de um estabelecimento mercantil.
devedor (ô). [Do lat. *debitore.*] *Adj.* **1.** Que deve. **2.** Que constitui ou apresenta débito: *saldo devedor.* ~ V. *conta* —a. ● *S. m.* **3.** Aquele que deve. **4.** Aquele que é reconhecido a outrem por favores ou benefícios recebidos: *Por tudo quanto dele recebi sou seu eterno devedor.* **5.** *Cont.* O titular de obrigação ou de conta devedora.
devenir. [Do fr. *devenir,* trad. do al. *das Werden.*] *V. int.* **1.** V. *devir.* (1). [Conjug.: v. *vir.* Defect., normalmente só conjugável nas 3ªs. pess.] ● *S. m.* **2.** *Filos.* Transformação incessante e permanente pela qual as coisas se constroem e se dissolvem noutras coisas; devir, vir-a-ser.
deventre. [De *de* + *ventre.*] *S. m. Zool.* Intestino dos animais.
dever. [Do lat. *debere.*] *V. t. d.* **1.** Ter obrigação de: *O estudante deve estudar.* **2.** Ter de pagar; estar na obrigação de restituir: *Não posso viajar porque devo muito dinheiro.* **3.** Ter de; precisar: *Devo partir dentro em pouco.* *T. d.* e *i.* **4.** Estar obrigado ao pagamento de: *Deve 50 cruzados ao irmão.* **5.** Estar obrigado; estar em agradecimento: *Deve todo o seu saber ao mestre.* *T. i.* **6.** Seguido da preposição *de* e de um verbo no infinitivo, indica probabilidade, suposição: "Às súplicas e às mágoas / Tua alma de mulher *deve de* palpitar" (Machado de Assis, *Poesias Completas,* p. 42); "As barcaças do cais estão cansadas, / *Devem de* estar muito cansadas" (Adelmar Tavares, *Poesias Completas,* p. 98); "Quando a manhã nasceu, / Eu *devia de* ter um vago olhar louco" (José Régio, *As Encruzilhadas de Deus,* p. 100); *Deve de chover hoje.* [O uso moderno da língua pouco atende a essa peculiaridade; assim, é mais comum que se diga, com a mesma acepç., *Deve chover hoje,* etc.] *Int.* **7.** Ter dívidas ou deveres. **8.** V. *dever* (6): *Amanhã deve chover.* *P.* **9.** Consagrar-se, dedicar-se, aplicar-se: *Atualmente, a grande atriz deve-se, apenas, à vida religiosa.* [Imperf. ind.: *devia,* etc.; m.-q.-perf.: *devera* (ê), *deveras* (ê), etc.; part.: *devido.* Cf. *dévia,* fem. de *dévio, deveras,* adv., e *divido,* do v. *dividir.*] ● *S.m.* **10.** Obrigação, tarefa; incumbência. **11.** *Ét.* Obrigação moral. **12.** *Ét.* Obrigação moral determinada, expressa numa regra de ação.
deveras. [De *de-* + *veras.*] *Adv.* A valer; verdadeiramente, realmente; muito, em alto grau: "Tu crês *deveras* nessas cousas?" (Machado de Assis, *Várias Histórias,* p. 4.) [Cf. *deveras* (ê), do v. *dever.*]
deverbal. *Adj.* 2 *g.* e *s. m. Gram.* Diz-se de, ou substantivo que é derivado regressivo de verbo; pós-verbal. Ex.: *apanha* (de apanhar); *compra* (de comprar); *rega* (de regar); *derrame* (de derramar); *arranca, arranque, arranco* (de arrancar).
devesa (ê). [Do lat. *defensa.*] *S. f.* **1.** Alameda que limita um terreno. **2.** Arvoredo ou terreno cercado ou murado: "Espalha-se a luz da lua / Pela poética *devesa* ..." (Gonçalves Crespo, *Obras Completas,* p. 315.)
devi. [Do sânscr. *devi;* fem. de deva (q. v.).] *S. f.* Cada uma das deusas indianas.
deviação. [De um **deviar* < *dévio.*] *S. f.* Desvio ou mudança de viagem.
devido. [Part. de *dever.*] *Adj.* **1.** Que se deve: *Trato-o com o respeito devido.* ● *S. m.* **2.** O que é de direito ou dever. **3.** Aquilo que se deve. **4.** O justo, o legítimo. **5.** *Bras., RS. Folcl.* Promessa a pagar com vela ou penitência. [Cf. *divido,* do v. *dividir.*] ◆ **Devido a.** Por causa de; em razão de; em virtude de: "Muitos tropeiros, *devido* à falta de pastos e a outras razões poderosas, preferiram não entrar na cidade." (Afonso Arinos. *Histórias e Paisagens,* p. 169.)
dévio. [Do lat. *deviu.*] *Adj.* **1.** Extraviado, tresmalhado. **2.** Intransitável, impérvio, ínvio. [Fem.: *dévia.* Cf. *devia,* do v. *dever.*]
devir. *V. int.* **1.** Vir a ser; tornar-se; devenir. ● *S. m.* **2.** *Filos.* V. *devenir* (2): "O Romantismo Alemão, observa Guido de Ruggiero, é um processo, um *devir* espiritual que dialeticamente emerge do impulso originário do *Sturm und Drang,* mediante as limitações do Classicismo." (Augusto Meyer, *A Chave e a Máscara,* p. 89.) [Irreg. Conjug.: v. *vir.*]
devisar. *V. t. d. Desus.* Planejar (2). [Cf. *divisar.*]
➧**de visu** (dé vízu). [Lat.] Por ter visto.
devitrificação. [De *devitrificar* + *-ção.*] *S. f. Crist.* Var. de *desvitrificação.*
devitrificado. [Part. de *devitrificar.*] *Adj.* Var. de *desvitrificado.*
devitrificar. [De *de-* + *vitrificar.*] *V. t. d.* Var. de *desvitrificar.* [Conjug.: v. *trancar.*]
devoção. [Do lat. *devotione.*] *S. f.* **1.** Ato de dedicar-se ou consagrar-se a alguém ou entidade. **2.** Sentimento religioso: *Era evidente a sua devoção ao rezar.* **3.** Culto, prática religiosa: *Cumpria suas devoções com todo o rigor.* **4.** Dedicação íntima; afeição, afeto: *É comovente sua devoção ao noivo enfermo.* **5.** Objeto de especial veneração: *Aquele não era santo de sua devoção.*
devocionário. *S. m.* Livro de orações.
devocionista. *Adj.* 2 *g.* e *s.* 2 *g.* Diz-se de, ou pessoa muito devota, freqüentadora assídua de igrejas.
devolução. [Do lat. tardio *devolutione.*] *S. f.* **1.** Ato ou efeito de devolver. **2.** *Jur.* Aquisição de propriedade por transferência. **3.** Restituição ao primeiro possuidor. **4.** *Com.* Retorno (6).
devolutivo. *Adj.* **1.** Que devolve. **2.** Que determina devolução; devolutório. **3.** *Jur.* Diz-se do efeito de um recurso que, embora interposto e processado, não impede a execução daquilo que foi julgado na decisão recorrida, e apenas entrega ao tribunal superior o pleno conhecimento da causa.
devoluto. [Do lat. *devolutu.*] *Adj.* **1.** Adquirido por devolução. **2.** Desocupado; desabitado, vago: "Entre uma e outra capitania havia grandes espaços *devolutos* de dezenas de léguas." (J. Capistrano de Abreu, *Ensaios e Estudos,* 1ª série, p. 324.) ~ V. *terras* —*as.*
devolutório. *Adj.* V. *devolutivo* (2).
devolver. [Do lat. *devolvere.*] *V. t. d.* **1.** Mandar ou dar de volta (o que havia sido entregue, remetido, esquecido, etc.); restituir: *Costuma devolver o que lhe emprestam.* **2.** Dizer em resposta; replicar, retrucar, redargüir: *Não teve ocasião de devolver a fala.* **3.** Não aceitar; recusar: *Devolveu a proposta por considerá-la desvantajosa.* **4.** Refletir, retratar: "O espelho *devolve* um rosto fino e apagado." (Maria Julieta Drummond de Andrade, *A Busca,* p. 71.) **5.** *Bras. Pop.* V. *vomitar* (1). *T. d.* e *i.* **6.** Mandar ou dar de volta; restituir: *Amanhã lhe devolverei o livro que me emprestou.* **7.** Transferir (a outrem, um direito ou propriedade). **8.** Reenviar, recambiar. **9.** Entregar; dar; conceder. **10.** Transferir; transmitir. *P.* **11.** Desenvolver-se, desdobrar-se.
devoniano. [Do ingl. *devonian,* 'do Devon'.] *Adj.* e *s. m.* ~ V. *período* —.
devoração. [Do lat. *devoratione.*] *S. f.* Ato de devorar.
devorador (ô). [Do lat. *devoratore.*] *Adj.* **1.** V. *devorante.* ● *S. m.* **2.** Aquele que devora.
devorante. [Do lat. *devorante.*] *Adj.* 2 *g.* **1.** Que devora ou traga. **2.** Que consome, corrói, destrói. **3.** Comilão, glutão. [Sin. ger.: *devorador, voraz.*]
devorar. [Do lat. *devorare.*] *V. t. d.* **1.** Engolir de uma só vez; comer avidamente; tragar: *Em segundos devorou o pastelão.* **2.** Destruir, consumir: *O fogo devorou o quarteirão inteiro.* **3.** Ler com avidez, muito rapidamente: *Devorou toda a obra de Machado de Assis.* **4.** Dissipar, desbaratar, malbaratar, malgastar: *Devorou, em poucos dias, milhões de cruzeiros.* **5.** Atormentar, consumir: *Devora-o velha paixão não correspondida; A ambição devora-o.* **6.** Percorrer velozmente: *O automóvel devorava a estrada.*
devorismo. [De *devor(ar)* + *-ismo.*] *S. m.* **1.** Despesa excessiva e injustificada. **2.** Dissipação dos dinheiros públicos em benefício próprio.
devorista. *Adj.* 2 *g.* e *s.* 2 *g.* Que ou quem pratica o devorismo.
devotação. *S. f.* V. *devotamento.*
devotado. [Part. de *devotar.*] *Adj.* **1.** Oferecido em voto (2). **2.** Afeiçoado; dedicado.
devotamento. [Do lat. *devotamentu.*] *S. m.* Ato de devotar(-se); dedicação, devotação.
devotar. [Do lat. *devotare.*] *V. t. d.* e *i.* **1.** Oferecer em voto (2). **2.** Dedicar; consagrar; tributar: *Devota grande amor às artes.* *P.* **3.** Dedicar-se, consagrar-se.
devoto. [Do lat. *devotu.*] *Adj.* **1.** Que tem devoção (2); piedoso, religioso; beato. **2.** Dedicado, devotado. ● *S. m.* **3.** Aquele que tem devoção (2). **4.** Amigo dedicado. **5.** Admirador, venerador; sectário: *É um devoto das letras.*
devulgar. *V. t. d.* e *p. Ant.* Divulgar(-se): "vereis um novo exemplo / De amor dos pátrios feitos valerosos / Em versos *devulgados* numerosos." (Luís de Camões, *Os Lusíadas,* I, 9.) [Conjug.: v. *largar.*]
dewattado (w=u). *Adj.* ~ V. *corrente* —a.
dextração. *S. f. Fís.-Quím.* Processo de extração em que se usam fluidos em estado supercrítico.
dextrina (ês). [Do fr. *dextrine.*] *S. f. Quím.* Produto intermediário formado na hidrólise do amido a açúcar, e que pode ter diferentes composições, usado como adesivo.
▲**dextr(o)-.** [Do lat. *dexter, tra, trum.*] *El. comp.* = 'lado direito': *dextrose, dextrogiro.*
dextrogiro (ês). [De *dextr(o)-* + lat. *gyrare.*] *Adj.* **1.** Que vira para a direita; dextrovolúvel. **2.** Diz-se, em grafologia, da letra que é inclinada para a direita. [Antôn., nessas acepç.: *sinistrogiro.*] **3.** *Quím.* Diz-se de qualquer composto que, em solução, tem a propriedade de girar o plano da luz polarizada para a direita, i. e., no sentido dos ponteiros de um relógio. [Representa-se pelo símbolo *D* (ou *d*), ou por um sinal de adição anteposto ao nome do composto. Antôn., nesta acepç.: *levogiro.*] ~ V. *curva* —a. ● *S. m.* **3.** *Quím.* Esse composto.
dextrorso. *Adj. Morfol. Veg.* Diz-se do caule volúvel que gira para a direita. [Cf. *sinistrorso.*]
dextrose (ês). *S. f. Quím. Glicose.*
dextrosuria. *S. f. Patol.* Var. pros. de *dextrosúria.*
dextrosúria. [De *dextrose* + *-úria.*] *S. f. Patol.* Presença de dextrose na urina. [Var. pros.: *dextrosuria.*]
dextrovolúvel. *Adj.* 2 *g.* Dextrogiro (1).
dez (é). [Do lat. *decem.*] *Num.* **1.** Cardinal dos conjuntos equivalentes a um conjunto de uma dezena de membros (em algarismos arábicos, *10;* em algarismos romanos, *X*). **2.** Décimo (1). ● *S. m.* **3.** Algarismo representativo do número dez. **4.** Aquilo ou aquele que numa série de dez ocupa o último lugar. **5.** Carta de jogar que tem dez sinais. **6.** A nota dez, em exame ou concurso.
dezanove. *Num.* e *s. m. P. us.* no Brasil. Var. de *dezenove:* "Contava *dezanove* primaveras" (Guerra Junqueiro, *Vibrações Líricas,* p. 13).
dezasseis. *Num.* e *s. m. P. us.* no Brasil. Var. de *dezesseis.*
dezassete. *Num.* e *s. m. P. us.* no Brasil. Var. de *dezessete:* "*Dezassete,* talvez dezóito anos franzinos, delicados, diáfanos, cheios de doçura e suavidade" (João da Silva Correia, *Farândola,* p. 25).
dez-de-queixo-caído. *S. m.* 2 *n. Bras., N.E. Pop. Liter.* Décima (5) que finda obrigatoriamente com o refrão "Nos dez-de-queixo-caído".
dezembrada. [De *dezembro* + *-ada*[1].] *S. f. Bras.* Série de combates e batalhas que permitiu ao então Marquês de Caxias, em 1868, destruir o exército do Paraguai e apossar-se de Assunção.
dezembrino. *Adj. P. us.* Relativo a, ou próprio de dezembro.
dezembro. [Do lat. *decembre.*] *S. m. Cronol.* O duodécimo e último mês dos calendários juliano e gregoriano, com 31 dias.
dezena. [Do lat. *decena.*] *S. f.* **1.** Conjunto de 10 quantidades. **2.** Espaço de dez dias; decêndio. **3.** *Mat.* Unidade de segunda ordem, no sistema decimal de numeração. [Cf. *dozena.*]
dezeno. *Num. P. us.* Que ocupa o último lugar em uma série de dez. [Cf. *dozeno.*]
dezenove. [Do lat. vulg. *decem et novem,* por *novemdecim.*] *Num.* **1.** Cardinal dos conjuntos equivalentes a um conjunto de uma dezena de membros mais nove membros (em algarismos arábicos, *19;* em algarismos romanos, *XIX*). **2.** Décimo nono. ● *S. m.* **3.** Algarismo representativo do número dezenove. **4.** Aquilo ou aquele que numa série de dezenove ocupa o último lugar. [Var.: *dezanove.*]
dezesseis. [Do lat. vulg. *decem et sex,* por *sedecim.*] *Num.* **1.** Cardinal dos conjuntos equivalentes a um conjunto de uma dezena de membros mais seis membros (em algarismos arábicos, *16;* em algarismos romanos, *XVI*). **2.** Décimo sexto. ● *S. m.* **3.** Algarismo representativo do número dezesseis. **4.** Aquilo ou aquele que numa série de dezesseis ocupa o último lugar. [Var.: *dezasseis.*]
dezessete. [Do lat. vulg. *decem et septem,* por *septemdecim.*] *Num.* **1.** Cardinal dos conjuntos equivalentes a

um conjunto de uma dezena de membros mais sete membros (em algarismos arábicos, *17;* em algarismos romanos, *XVII*). **2.** Décimo sétimo. ● *S. m.* **3.** Algarismo representativo do número dezessete. **4.** Aquilo ou aquele que numa série de dezessete ocupa o último lugar. [Var.: *dezassete.*]

dez-e-um. *S. 2 g.* e *2 n. Bras.* V. *onze-letras.*

dezoito. [Do lat. vulg. *decem et octo, por octodecim.*] *Num.* **1.** Cardinal dos conjuntos equivalentes a um conjunto de uma dezena de membros mais oito membros (em algarismos arábicos, *18;* em algarismos romanos, *XVIII*). **2.** Décimo oitavo. ● *S. m.* **3.** Algarismo representativo do número dezoito. **4.** Aquilo ou aquele que numa série de dezoito ocupa o último lugar. [Em Portugal, *dezóito.*]

dezóito. *Num.* e *s. m. Lus.* Dezoito: "Dezassete, talvez dezóito anos franzinos, delicados, diáfanos, cheios de doçura e suavidade" (João da Silva Correia, *Farândola*, p. 25).

dezoito-grande. *S. m. Bras., BA.* Certo instrumento de pesca. [Pl.: *dezoitos-grandes.*]

dezoito-pequeno. *S. m. Bras., BA.* Certo instrumento de pesca. [Pl.: *dezoitos-pequenos.*]

dez-pés-em-quadrão. *S. m. 2 n. Liter. Pop. Bras.* Décima (5) dialogada verso a verso pelos dois participantes da cantoria, e, obrigatoriamente, com o refrão final "lá vai dez pés em quadrão" ou "nas dez linhas do quadrão"

dez-réis. *S. m. 2 n.* Antiga moeda de Portugal e do Brasil deste valor. ♦ **Dez-réis de mel coado. 1.** Quantia ínfima. **2.** Insignificância, bagatela, ninharia.

■**DF.** Sigla do Distrito Federal.

■**dg.** Símb. de *decigrama.*

■**Di.** *Quím. Obsol.* Símb. de *didímio.*

▲**di-¹.** [Do gr. *dís.*] *El. comp.* = 'em dois': *dígrafo; dispermo.*

▲**di-².** [Do lat. *di.* e *dis.*] *Pref.* = 'separação', 'movimento para diversos lados', 'negação': *difícil* (< lat. *difficile*). [*Equiv.:* dir- e dis-: *dirimir* (< lat. *dirimire*), disjunto (lat. *disjunctu*), *dissidente* (< lat. *dissidente*).]

dia. [Do lat. vulg. **dia.*] *S. m.* **1.** Tempo em que a Terra está clara, ou o intervalo entre uma noite e outra. **2.** A claridade que o Sol envia à Terra. **3.** *Cronol.* Intervalo de tempo correspondente a duas passagens consecutivas de um dado ponto da esfera celeste pelo meridiano superior ou inferior do lugar. **4.** *P. ext.* Este intervalo (24 horas) considerado como unidade de medida de tempo. [Símb.: *d.*] **5.** Tempo, temperatura: *O dia está quente; Era um dia frio.* **6.** As horas ou período diariamente estabelecido pelo uso ou pela lei para o trabalho: *Meu dia no banco é de seis horas.* **7.** Ocasião própria; oportunidade: *Tudo tem seu dia.* **8.** Atualidade, momento; *o livro do dia; o homem do dia.* **9.** *Bras., Amaz.* Manso (5). ~ V. *dias.* ♦ **Dia a dia. 1.** Todos os dias; quotidianamente: *Não é trabalho para se fazer de supetão, mas dia a dia.* **2.** À proporção que os dias passam; com o correr dos dias: "Dia a dia eu me sentia mais e mais acuado." (Francisco Jorge Torres, *Bruxaxá*, p. 20); *Dia a dia nossa doente melhora.* [Cf. *dia-a-dia.*] **Dia alitúrgico.** O que não tem na Igreja ofício próprio. **Dia artificial.** *Cronol.* Dia solar médio. **Dia cheio. 1.** Aquele que se passa de modo muito agradável, regaladamente. **2.** Dia de muitas ocupações. **Dia D.** *Mil.* Dia escolhido para a realização ou o começo de determinada operação. **Dia da ficada.** V. *dia do fico.* **Dia de ano-bom.** O primeiro dia do ano; o 1º de janeiro. **Dia de anos.** Aniversário (5). **Dia de branco.** *Bras. Fam.* Dia útil. **Dia de finados.** O dia 2 de novembro, consagrado à memória dos mortos: "Passa gente de preto... É dia de Finados." (Ribeiro Couto, *Poesias Reunidas*, p. 65.) [Tb. se diz apenas *finados.*] **Dia de negro.** *Bras. Fam.* Domingo, dia de descanso. **Dia de Reis.** *Rel.* Comemoração da adoração do Menino Jesus pelos Reis Magos (Baltasar, Melchior e Gaspar). [Sin.: *epifania.* Tb. se diz apenas *Reis.*] **Dia de rosas.** Dia sereno, sem nuvens nem vento. **Dia de São Nunca.** Dia que nunca há de vir; calendas gregas: *Vou-me casar no dia de São Nunca.* [Us. às vezes com reforço: *dia de São Nunca, de tarde.*] **Dia de São Nunca, de tarde.** V. *dia de São Nunca.* **Dia de semana.** Qualquer dia, salvo os domingos. **Dia do fico.** O dia 9 de janeiro de 1822, quando o Príncipe Regente D. Pedro disse, perante os representantes da Câmara do Rio de Janeiro: "Como é para o bem de todos e felicidade geral da Nação, estou pronto; diga ao povo que fico." [Tb. se diz apenas *fico;* sin.: *dia da ficada.*] **Dia do juízo. 1.** Dia do julgamento final. **2.** Grande clamor ou confusão, desgraça ou pancadaria. **Dia enforcado.** *Bras.* O que fica entre um feriado ou dia santo e um domingo entre um feriado e um dia santo, etc.; dia imprensado. **Dia epagômeno.** *Cronol.* Dia que não pertence a nenhum mês, e que se introduz num calendário para fazer que um ano tenha 365 dias. **Dia feriado.** Dia em que, por determinação governamental, não há aula nem funcionam o comércio, a rede bancária, a indústria, as repartições públicas, etc.; feriado. [Cf. *dia útil* e *dia morto.*] **Dia gordo.** Dia em que a Igreja não prescreve abstinência de carne. **Dia imprensado.** *Bras.* Dia enforcado. **Dia judicial.** Período compreendido entre as seis e as 18 horas; dia legal. **Dia legal.** Dia judicial. **Dia letivo.** Aquele em que há aula. [Cf. *dia feriado* e *dia útil.*] **Dia magro.** Dia em que a Igreja proíbe o uso da carne. **Dia mais, dia menos.** V. *mais dia, menos dia:* "Envergonhava-os verem-se vencidos por este punhado de rebeldes ocidentais, corte subalterna que, dia mais, dia menos, havia de ser absorvida pelo movimento de expansão já declarado como destino ao velho trono reconquistador da Espanha, o trono de Leão e Castela." (Oliveira Martins, *A Vida de Nun'Álvares*, p. 314.) **Dia morto.** *Bras.* Aquele em que há pouca ou nenhuma atividade profissional. [Cf. *dia útil* e *dia feriado.*] **Dia profesto.** Entre os antigos romanos, dia que não era feriado nem solene, dia em que se trabalhava, dia útil. **Dia santificado.** V. *dia santo.* **Dia santo.** Dia consagrado ao culto, e em que a Igreja proíbe o trabalho; dia santificado; dia santo de guarda. **Dia santo de guarda.** V. *dia santo.* [Cf. *dia-santo.*] **Dia santo dispensado.** Dia que a Igreja consagra a certas solenidades, mas em que não proíbe que se trabalhe. **Dias decretórios.** *Med.* Aqueles em que a doença, por assim dizer, se define, seus sinais se tornam claros. **Dias de data.** *Com.* Prazo do vencimento de uma cambial, que se conta a partir de sua emissão; dias de vista. **Dias de vista.** Dias de data. **Dias gordos.** Os três dias do carnaval e os três próximos anteriores. **Dia solar.** *Cronol.* Intervalo de tempo que separa duas passagens consecutivas do Sol pelo meridiano. **Dia solar médio.** *Cronol.* Intervalo de tempo entre duas passagens consecutivas do Sol médio pelo meridiano superior ou inferior do lugar; dia artificial. **Dia solar verdadeiro.** *Astr.* Intervalo de tempo entre duas passagens consecutivas do Sol verdadeiro pelo meridiano superior ou inferior do lugar. **Dia útil.** Dia de trabalho. [Cf. *dia morto.* e *dia feriado.*] **Andar em dia.** Ter as contas saldadas ou reguladas. **Andar em dia com. 1.** Cumprir pontualmente: *Anda em dia com suas obrigações.* **2.** Estar a par de, ciente de: *Anda em dia com a moda.* **Claro como o dia.** Claro como água. **Com dia.** Antes de ser noite. **De dia.** Enquanto há luz do Sol. **De dias.** De pouco tempo, de alguns dias de vida: *uma criança de dias.* **De um dia para outro.** Quando menos se espera; de repente. **Do dia para a noite.** Em muito pouco tempo; muito rapidamente; de repente: *Ficou moça do dia para a noite.* **Em dia. 1.** Sem atraso; pontualmente: *Cumpre os seus compromissos sempre em dia.* **2.** Bem informado; atualizado. **Estar com os dias contados.** Ter pouco tempo de vida; estar prestes a morrer; ter os dias contados; estar por dias. **Estar contando os dias.** Esperar ansiosamente pela realização de um fato agradável ou feliz. **Estar por dias. 1.** V. *estar com os dias contados.* **2.** Estar prestes a dar à luz, a parir. **Foi um dia. 1.** Acabou-se, desapareceu, foi-se. **2.** Teve curta duração: *Foi um dia o seu entusiasmo: hoje é um céptico.* **Hoje em dia.** Nos tempos de agora; atualmente. **Mais dia, menos dia.** Quando menos se esperar; em futuro próximo; mais hoje, mais amanhã; dia mais, dia menos: "— E tenho meus longes de que, mais dia, menos dia, aí o temos pela proa com a Srª D. Madalena." (Rebelo da Silva, *Contos e Lendas*, p. 84.) **Olhar para o dia de amanhã.** Ser previdente; acautelar-se; pensar no dia de amanhã. **Pensar no dia de amanhã.** Olhar para o dia de amanhã. **Só ter de seu o dia e a noite.** Nada ter de seu; ser extremamente pobre. **Ter os dias contados.** V. *estar com os dias contados.* **Todo santo dia.** Todos os dias; diariamente. **Um belo dia.** Certo dia, quando menos se esperava (ou se espera) determinado fato: "Pois Raimundo .... um belo dia conduziu ao altar a mameluca bonita." (Artur Azevedo, *Contos Possíveis*, p. 49). **Um dia.** Em ocasião indeterminada, em certo dia. **Ver o dia. 1.** Vir ao mundo; nascer. **2.** Vir a lume.

▲**di(a)-.** [Do gr. *diá.*] *Pref.* = 'separação', 'através': *diáfano* (< gr. *diaphanés*), *diagnóstico* (< gr. *diagnostikós*), *diacronia, diencéfalo.*

diá. [F. eufêmica de *diabo.*] *S. m. Bras. Pop.* V. *diabo* (2).

dia-a-dia. *S. m.* A sucessão dos dias; o viver cotidiano; o labor de todos os dias: "Demover D. Glória da sua promessa é uma façanha que se apaga no dia-a-dia raso das vidinhas anônimas." (Augusto Meyer, *Machado de Assis*, pp. 145-146). [Pl.: *dias-a-dias* e *dia-a-dias.* Cf. *dia a dia.*]

diaba. *S. f.* Fem. de *diabo.* [F. paral.: *diáboa diabra.*]

diabada. *S. f. Bras.* **1.** Porção de diabos, de indivíduos maus, endiabrados. **2.** Cambada, récua, súcia. **3.** Os diabos.

diábase. [Do gr. *diábasis.*] *S. f. Geol.* Rocha magmática hipabissal, de textura ofítica, constituída essencialmente por plagioclásios básicos, piroxênio, magnetita e ilmenita; diabásio.

diabásio. *S. m. Geol.* Diábase.

diabete. *S. m.* e *f.* V. *diabetes.*

diabetes. [Do gr. *diabétes*, pelo lat. *diabetes.*] *S. m.* e *f. Patol.* **1.** Síndrome caracterizada por uma eliminação exagerada e permanente de urina. **2.** *Restr.* V. *diabetes melito.* [Var.: *diabete.*] ♦ **Diabetes açucarada.** *Patol.* V. *melitúria.* **Diabetes açucarado.** *Patol. V. melitúria.* **Diabetes insípida.** *Patol.* Diabetes insípido. *Patol.* Diabetes insípido. **Diabetes insípido.** *Patol.* Distúrbio do metabolismo da água, caracterizado por polidipsia e poliúria, sem aumento da glicemia e sem glicosúria; diabetes insípida. **Diabetes melito.** *Patol.* Distúrbio metabólico em que está prejudicada, em grau variável, a capacidade de metabolização de glicídios, surgindo, em conseqüência, hiperglicemia, glicosúria e poliúria, além de sintomas tais como sede, fome, fraqueza, e distúrbios do metabolismo de lipídios. [Sin.: *diabetes sacarino, diabates sacarina.* Tb. se diz apenas *diabetes.*] **Diabetes sacarina.** *Patol.* V. *diabetes melito.* **Diabetes sacarino.** *Patol.* V. *diabetes melito.*

diabetologia. [Do gr. *diabete* + *-o-* + *-log(o)-* + *-ia.*] *S. f.* Ramo da medicina que estuda o diabetes.

diabetológico. *Adj.* Referente à diabetologia.

diabetólogo. [De *diabete* + *-o-* + *-logo.*] *S. m.* Especialista em diabetes.

diabinho. [Dim. de *diabo.*] *S. m.* **1.** Diabrete. **2.** *Bras., N.E.* Um dos fogos de S. João; espécie de pequenino busca-pé [q. v.] sem bomba, usado pelas crianças.

diabinho-maluco. *S. m.* Busca-pé sem flecha, e que por isso ziguezagueia muito, mais do que os outros; bicha. [Pl.: *diabinhos-malucos.*]

diabo. [Do lat. *diabolu.*] *S. m.* **1.** V. *demônio* (2 a 7). **2.** *Restr.* O chefe dos demônios, geralmente representado, na tradição popular, como um ser meio homem e meio cabra, de orelhas pontudas, chifres, asas, braços, e com a ponta da cauda e as patas bifurcadas; Demônio, Satanás, Satã, Lúcifer, anjo rebelde, belzebu, bruxo do Inferno, dragão, espírito das trevas, espírito maligno, gênio das trevas, gênio do mal, pai da mentira, pai do mal, Príncipe da Treva, Príncipe das Trevas, príncipe do ar, príncipe dos demônios, serpente infernal, serpente maldita. [Para não enunciar o nome *diabo*, a superstição popular substituí-o por muitos outros, como: *anhangá, anhangüera, arrenegado, azucrim, beiçudo, bicho, bicho-preto, bode-preto, bute, cafuçu, cafute, caneco, canheta, canhim, canhoto, cão, cão-miúdo, cãotinhoso, capa-verde, capeta, capete, capirocho, capiroto, careca, carocho, cifé, coisa, coisa-à-toa, coisa-má, coisa-ruim, coxo, cujo, debo, decho* (este, ant. e pop.), *demo, diá, diabro, diacho, diale, dialho, diangas, dianho, diogo, droga, dubá, ele* (ê), *excomungado, exu, feio, figura, fute, futrico, galhardo, gato-preto, grãotinhoso, indivíduo, inimigo, mafarrico* ou *manfarrico, maioral, maldito, mal-encarado, maligno* ou *malino, malvado, mau, mofento, mofino, moleque, moleque-do-surrão, não-sei-que-diga, nem-sei-que-diga, pé-cascudo, pé-de-cabra, pé-de-gancho, pé-de-pato, pé-de-peia, pedro-botelho, pero-botelho* (ê), *porco, porco-sujo, que-diga, rabão, rabudo, rapaz, romãozinho, sapucaio, sarnento, satânico, sujo, temba, tendeiro, tentação, tentador, tição, tinhoso, tisnado.* [A palavra diabo, e bem assim a quase totalidade dos seus sinônimos, escreve-se comumente com inicial minúscula.] **3.** V. *jurupari* (1 e 2). **4.** Pessoa má, de mau gênio, feia, atrevida, petulante, importuna, etc. **5.** Pessoa esperta, sagaz, astuta: *Ela é um diabo — como ia deixar passar tal oportunidade?* **6.** Coisa indeterminada ou desconhecida: *Que diabo trazes aí?; Não sei que diabo ele me disse.* [Fem.: *diabra, diaba, diáboa.*] ● *Interj.* **7.** Exprime contrariedade, perplexidade, impaciência, raiva, etc.; diacho! *Diabo! O maldito rapaz não aparece!* **8.** Serve para suprir a enumeração de fatos, acontecimentos, coisas, etc.: *Disse o diabo; Fez o diabo; Aconteceu o diabo.* **8.** Usa-se como expletivo: *Aonde diabo vai você a estas horas?; Que diabo queres de mim?* **10.** Usa-se como partícula afetiva: *O diabo do menino não quer estudar!; O diabo do rapaz é muito engraçado.* ♦ **Comer o que o diabo enjeitou.** *Bras., CE. Pop.* V. *comer da banda* *podre.* **Como diabo.** Como o diabo. **Como o diabo.** Muito; extremamente; como quê; como diabo: "Quinhentos contos, seiscentos contos, nem sei, dinheiro como o diabo nas mãos de uma velha inútil." (Graciliano Ramos, *Caetés*, p. 90); *É forte como o diabo.* **Com os diabos!** Exprime espanto, irritação, zanga; com os demônios: *Com os diabos! Que tenho eu com isso?* **De todos os diabos.** V. *do diabo.* **Dizer o diabo.** Fazer acusações acerbas, censuras violentas, revelações íntimas, etc., a: *Disse o diabo da amiga; Disse-lhe o diabo, e ele nem abriu a boca para se defender.* **Do diabo. 1.** Incômodo, terrível, excessivo, medonho: *Estava um calor do diabo.* **2.** V. da peste (1 e 2). [Sin. ger.: *dos seiscentos diabos, dos seiscentos, de todos os diabos, dos diabos.*] **Dos diabos.** V. *do diabo.* **Dos seiscentos diabos.** *Fam.* V. *do diabo:* "Se não fosse ele, certamente teria levado uma carga de chumbo dos seiscentos diabos." (Adalberon Cavalcanti Lins, *Curral Novo*, p. 92.) **Enquanto o diabo esfrega um olho.** Num instante; num abrir e fechar de olhos. **Estar com o diabo no corpo.** Estar inquieto, alvoroçado, assanhado; ter o diabo no corpo; ter o diabo no couro: *Esta menina está com o diabo no corpo; não pára um segundo.* **Levado do diabo.** V. *levado da breca.* **Levado dos diabos.** V. *levado da breca.* **Levar o diabo. 1.** Perder-se, arruinar-se. **2.** Ter sumiço; morrer, acabar-se. **O diabo a quatro. 1.** Coisas espantosas: *Desde que saiu de casa, anda fazendo o diabo a quatro.* **2.** Grande balbúrdia; barafunda, desordem. **Passar o que o diabo enjeitou.** *Bras., CE. Pop.* V. *comer da banda podre.* **Pintar o diabo.** V. *pintar o sete.* **Ter o diabo no corpo.** V. *estar com o diabo no corpo.* **Ter o diabo no couro.** V. *estar com o diabo no corpo.* **Ter o diabo nos chifres.** Ser endiabrado.

diáboa. *S. f.* V. *diaba.*

diabólico. [Do gr. *diabolikós*, pelo lat. *diabolicu.*] *Adj.* **1.** Próprio do diabo ou relativo a ele: *maldade diabólica.* **2.** Infernal, terrível, atroz: *um ruído diabólico, alucinante.* **3.** Intricado, obscuro, emaranhado.

diabolismo. [Do gr. *diabolós*, 'diabo' + *-ismo.*] *S. m.* **1.** O culto do diabo; satanismo. **2.** Qualidade de diabólico; maldade.

diabolô.[Do fr. *diabolo.*] *S. m.* Brinquedo que consiste em aparar num cordel atado pelas pontas a duas varas uma espécie de carretel com o centro mais fino que o resto, que se atira no ar.

diabo-marinho. *S. m. Bras.* V. *peixe-pescador.* [Pl.: *diabos-marinhos.*]

diabra. *S. f. Ant.* V. *diaba.*

diabrete (ê). [De *diabro* + *-ete.*] *S. m.* **1.** Pequeno diabo. **2.** *Fig.* Criança travessa, irrequieta. **3.** *P. ext.* Animal de estimação travesso, irrequieto.

diabro. *S. m. Ant.* V. *diabo* (2).

diabrose. [Do gr. *diábrosis.*] *S. f. Patol.* Erosão numa parte do corpo, provocada por substância corrosiva.

diabrótico. [Do gr. *diabrotikós.*] *Adj.* Relativo a diabrose.

diabrura. [De *diabro* + *-ura.*] *S. f.* **1.** Coisa própria do diabo. **2.** *Fig.* Travessura de criança.

diacáustica. [Fem. substantivado de *diacáustico.*] *S. f. Geom. Anal.* V. *curva diacáustica.*

diacáustico. [De *di-* + *acáustico.*] *Adj.* ~ V. *curva* —*a* e *superfície* —*a.*

diacho. [F. eufêmica de *diabo.*] *S. m.* **1.** V. *diabo* (2). ● *Interj.* **2.** Diabo (6).

diacidrão. *S. m.* Casca de cidra em doce.

diáclase. [Do gr. *diáklasis*, 'fratura'.] *S. f. Geol.* Plano que separa ou tende a separar em duas partes uma unidade rochosa, sem haver separação dos bordos.

diacódio. [Do gr. *diakódio*, pelo lat. *diacodion.*] *S. m. Farm.* Xarope preparado com extrato de ópio.

diacomática. [De *di(a)-* + *kómma, atos*, 'pedaço (coma)', + fem. de *-ico*[2].] *S. f. Mús.* Transição harmônica de tom maior para menor, e vice-versa.

diaconado. *S. m.* V. *diaconato.*

diaconal. *Adj. 2 g.* Respeitante ou pertencente a diácono.

diaconato. [Do lat. *diaconatu.*] *S. m.* Dignidade e/ou função de diácono; diaconado, diaconia.

diaconia. *S. f.* **1.** V. *diaconato.* **2.** Serviço prestado ao próximo. **3.** *Ant.* Lugar onde a Igreja estabelecia diáconos para receberem e distribuírem esmolas.

diaconisa. [Do gr. *diakónissa*, pelo lat. tardio *diaconissa.*] *S. f.* **1.** Na Igreja primitiva, mulher de diácono. **2.** Mulher investida pela Igreja em funções análogas às cinco do diácono.

diácono. [Do lat. *diaconu.*] *S. m.* Clérigo no segundo grau das ordens maiores, imediatamente inferior ao presbítero, ou padre: "As rezas precipitaram-se, mais ardentes, entre soluços. .... E os diáconos perpassavam rapidamente, sofregamente" (Eça de Queirós, *A Relíquia*, p. 139). [Fem.: *diaconisa.*]

diácope. [Do gr. *diakopé.*] *S. f.* **1.** *Ret.* Figura pela qual se repete uma palavra, pondo outra(s) de permeio. Ex.: "Dargo, o valente Dargo, a quem na guerra / ninguém nunca jamais não viu as costas" (Almeida Garrett, *Obras Completas*, I, p. 143). **2.** *Cir.* Incisão feita no crânio por instrumento cortante.

diacraniano. *Adj. Anat.* Que se articula com o crânio.

diácrino. [De *di(a)-* + gr. *kríno.*] *Adj. Med.* Que expele secreção à semelhança de um filtro.

diacrítico. [Do gr. *diakritikós.*] *Adj.* **1.** Patognomônico. ~ V. *sinal* —. ● *S. m.* **2.** *Fon.* Sinal diacrítico.

diacromatopsia. [De *di(a)-* + *-cromato-* + *-ops(e)-* + *-ia.*] *S. f. Med.* Aberração visual que faz perceber cores inexistentes.

diacromiodo. *S. m. Zool.* Pássaro cujos músculos intrínsecos da siringe se fixam adiante e atrás, nos anéis brônquicos.

diacronia. [De *di(a)-* + *-cron(o)-* + *-ia.*] *S. f. Ling.* Caráter dos fenômenos lingüísticos, sociais, culturais, etc., observados quanto à sua evolução no tempo. [Cf. *sincronia.*]

diacrônico. *Adj.* Relativo à diacronia.

diacústica. *S. f.* Parte da física que estuda a refração dos sons.

díada. *S. f.* **1.** Var. de *díade* (1). **2.** *Cálc. Vect.* Operador formado pela justaposição de dois vectores, onde não se indica nem o produto escalar nem o produto vectorial; produto diático. [Cf., nesta acepç.: *tríada, políada* e *tétrada.*]

díade. [Do gr. *dyás, ados*, pelo lat. *dyade.*] *S. f.* **1.** Um par; grupo de dois. [Var.: *díada.*] **2.** *Morfol. Veg.* Par de partes ou órgãos vegetais, como ocorre, p. ex., nas flores de várias espécies do gênero *Psittacanthus*, das lorantáceas. **3.** *Citol.* Cada par de cromatídeos, na tétrade.

diadelfia. [De *diadelfo* + *-ia.*] *S. f. Morfol. Veg.* **1.** Soldadura dos estames pelos filetes em dois feixes. **2.** Classe do sistema sexual de Lineu [v. *lineano*] que se caracteriza pelas flores hermafroditas com estames diadelfos.

diadelfo. [De *di-*[1] + *-adelfo.*] *Adj. Morfol. Veg.* Que apresenta diadelfia (1): *estames diadelfos.*

diadema. [Do gr. *diádema*, pelo lat. *diadema.*] *S. m.* **1.** Faixa ornamental com que os soberanos cingem a cabeça: *diadema real.* [Cf. *coroa* (1).] **2.** Coroa, grinalda: "Na popa da galé, que varre com festões verdes as espumas, avulta em pé Anacreonte, manto de grã retinta a esvoaçar-se-lhe com as auras, diadema de bastas flores na cabeça, barbas perfumadas de essências, sobre o peito a lira" (Antônio Feliciano de Castilho, *A Lírica de Anacreonte*, p. 16). **3.** Jóia ou ornato circular que cinge os cabelos e/ou adorna a fronte. [Sin. ger.: *coroa.*]

diademado. [Part. de *diademar.*] *Adj.* **1.** Que tem diadema ou ornato semelhante. **2.** *Heráld.* Diz-se dos animais representados com diadema.

diademar. *V. t. d.* e *p.* Ornar(-se) com diadema.

diadema-real. *S. f.* Planta de bulbo grande, ornamental, da família das amarilidáceas (*Haemanthus katharinae*), dotada de flores com perianto e filamentos vermelho-escuros, dispostas em umbelas compactas, e cujo fruto é cápsula globulosa. [Pl.: *diademas-reais.*]

diádico. *S. m. Cálc. Vect.* **1.** A soma de duas ou mais díadas; polinômio diádico. ● *Adj.* **2.** ~ V. *polinômio* — e *produto* —.

diádoco. [Do gr. *diádokos*, 'sucessor'.] *S. m. Filos.* Escolarca.

diafaneidade. *S. f.* Qualidade do que é diáfono. [A f. rigorosa seria *diafanidade.*]

diafanidade. *S. f.* V. *diafaneidade.*

diáfano. [Do gr. *diaphanés.*] *Adj.* **1.** Que, sendo compacto, dá passagem à luz; transparente: "Iam correndo assim as horas sobre esses suspiros, doces como prelúdios de harpa, e sobre a magreza diáfana desse corpo que pesava uma folha de magnólia" (Fialho d'Almeida, *O País das Uvas*, p. 270). **2.** *Fig.* Muito magro; macérrimo.

diafanômetro. [De *diáfano* + *-metro*[2].] *S. m.* Instrumento com que se avaliam as variações da transparência do ar.

diafilme. [De *di(a)-* + *-filme.*] *S. m. Bras.* Fotografia positiva, em filme para projeção.

diáfise. [Do gr. *diaphysis.*] *S. f.* **1.** Separação. **2.** *Anat.* Porção mais estreita de osso longo, situada entre as duas extremidades deste, as quais são mais largas do que ela e, em geral, articulares.

diafonia. [Do gr. *diaphonía*, 'desacordo', 'dissonância', pelo lat. *diaphonia.*] *S. f. Mús.* **1.** Designação dada pelos gregos aos intervalos dissonantes, entre os quais incluíam os de terça e de sexta. **2.** Nos começos da polifonia escrita (séc. IX a XI), marcha simultânea de várias vozes por movimentos oblíquos ou paralelos. [Cf. (nessa acepç.) *órgano* e *descanto* (1).] **3.** Na Idade Média, a voz superior de uma polifonia.

diáfora. [Do gr. *diaphorá.*] *S. f. Ret.* Repetição duma palavra na frase, com sentidos diferentes; dialogia, dilogia. Ex.: "Com pena peguei na pena, / Com pena de te escrever" (de uma quadra popular).

diaforese. [Do gr. *diaphóresis*, pelo lat. *diaphorese.*] *S. f. Med.* Perspiração, sobretudo a abundante.

diaforético. [Do gr. *diaphoretikós*, pelo lat. *diaphoreticu.*] *Adj.* **1.** Em que há diaforese. **2.** V. *sudorífero* (1).

diafragma. [Do gr. *diáphragma*, pelo lat. *diaphragma.*] *S. m.* **1.** *Anat.* Largo músculo que separa a cavidade torácica da abdominal, mas que apresenta orifícios que permitem que várias estruturas (artéria aorta, esôfago, etc.) pertençam àquelas duas cavidades. **2.** *Anat.* Designação comum a várias formações que servem de elemento de separação entre estruturas diversas, em setores variados do corpo humano. **3.** Placa ou outro objeto que divide duas cavidades. **4.** Membrana da bomba injetora de combustível nos motores de veículos automóveis. **5.** Artefato contraceptivo circular, geralmente flexível, que se introduz na vagina para fechar o colo do útero e impedir a entrada de espermatozóides. **6.** *Bot.* Divisão transversal de fruto capsular. **7.** *Fís.* Membrana elástica usada para provocar ou para detectar e transmitir vibrações. **8.** *Ópt.* Anteparo opaco, provido de um orifício, utilizado para limitar a abertura de uma lente ou de um sistema óptico. ♦ **Diafragma de campo.** *Ópt.* Diafragma que limita o campo de um instrumento óptico. **Diafragma íris.** *Ópt.* O que dispõe de uma abertura circular de diâmetro continuamente regulável. [Tb. se diz apenas *íris.*]

diafragmático. *Adj.* Pertencente ou relativo ao diafragma.

diagênese. [De *di(a)-* + *gênese.*] *S. f. Petr.* Transformação em virtude da qual sedimentos incoerentes se tornam sedimentos consolidados.

diagnose. [Do gr. *diágnosis.*] *S. f.* **1.** Med. Diagnóstico[1] (2 e 3). **2.** *Hist. Nat.* Descrição minuciosa do animal e da planta, feita pelo seu classificador, geralmente em latim. **3.** *Bot.* Descrição, em geral abreviada, de uma família, gênero ou espécie. [Se um desses grupos estiver sendo descrito pela primeira vez, a diagnose só será considerada como válida se for redigida em latim. Apenas as bactérias escapam a esta determinação, universalmente aceita.]

diagnosticador (ô). *Adj.* **1.** Que diagnostica; indicador. ● *S. m.* **2.** Aquele que sabe diagnosticar.

diagnosticar. *V. t. d.* Fazer o diagnóstico[1] (2) de: *Doença misteriosa, ninguém até agora a diagnosticou.* **2.** Dar ou estabelecer como diagnóstico: "Frazão foi acometido de mal súbito ..... O médico diagnosticara enfarte." (Nestor de Holanda, *Memórias do Café Nice*, p. 185.) [Conjug.: v. *trancar.* Pres. ind.: *diagnostico*, etc. Cf. *diagnóstico.*]

diagnosticável. *Adj. 2 g.* Que pode ser diagnosticado.

diagnóstico[1]. [Do gr. *diagnostikós.*] *Adj.* **1.** Respeitante a diagnose. ● *S. m.* **2.** Conhecimento ou determinação duma doença pelo(s) sintoma(s) e/ou mediante exames diversos (radiológicos, laboratoriais, etc.). **3.** O conjunto dos dados em que se baseia essa determinação. [Cf. *diagnostico*, do v. *diagnosticar.*]

diagnóstico[2]. *S. m. Proc. Dados.* F. red. de *teste-diagnóstico.* [Cf. *diagnostico*, do v. *diagnosticar.*]

diagonal. [Do lat. *diagonale.*] *Adj. 2 g.* **1.** Oblíquo, inclinado. **2.** Diz-se da fazenda sulcada em sentido diferente do longitudinal ou do transversal da peça. ~ V. *matriz* —. ● *S. f.* **3.** Direção oblíqua, indireta. **4.** *Geom.* Num polígono, segmento de reta que une um vértice a outro não consecutivo. **5.** *Geom.* Num poliedro, segmento de reta que une um vértice a outro não situado numa face comum ao primeiro. **6.** *Alg.* Diagonal principal. **7.** *Astr.* Pequeno espelho existente nos refletores astronômicos do tipo newtoniano e que reflete a luz da objetiva para a ocular. ♦ **Diagonal principal.** *Álg.* Numa matriz quadrada ou num determinante, o conjunto dos elementos que têm iguais entre si a ordem da linha e da coluna. [Tb. se diz apenas *diagonal.*]

diagrama. [Do gr. *diágramma*, pelo lat. *diagramma.*] *S. m.* **1.** Representação gráfica de determinado fenômeno. **2.** Bosquejo; delineação. ♦ **Diagrama de Argand.** *Mat.* Representação gráfica de um complexo, no plano de Argand. **Diagrama de barras.** *Estat.* Representação gráfica de uma distribuição de freqüências, em que sobre as classes da distribuição representadas num eixo horizontal por intervalos apropriados se levantam retângulos cuja área é proporcional à freqüência da classe; gráfico de barras. **Diagrama de blocos.** *Eletrôn.* Representação esquemática de circuitos eletrônicos em que as partes do circuito são simbolizadas por figuras geométricas simples (geralmente retângulos), sem que se especifiquem as particularidades das ligações e dos componentes. **Diagrama de cromaticidade.** *Fís.* Diagrama utilizado para caracterizar a cor de uma radiação luminosa visível, e cujas coordenadas são os coeficientes tricromáticos. **Diagrama de energia.** *Fís.* **1.** Gráfico em que se representa a dependência funcional entre a energia de um sistema e uma coordenada deste sistema. **2.** Diagrama simbólico onde se representam, de maneira convencional, os níveis de energia de um sistema microscópico. **Diagrama de equilíbrio.** *Fís-Quím.* Gráfico onde estão locadas variáveis de um sistema físico-químico em equilíbrio, com a indicação das fases e da natureza das fases existentes; diagrama de fase. **Diagrama de estado.** *Fís-Quím.* Diagrama de equilíbrio dum sistema de um só componente. **Diagrama de fase.** *Fís.-Quím.* Diagrama de equilíbrio. **Diagrama de fluxo.** *Proc. Dados.* Fluxograma. **Diagrama de Hubble.** *Cosm.* Gráfico que representa a magnitude aparente das galáxias em relação ao seu desvio para o vermelho. **Diagrama Hertzprung-Russel.** *Astr.* Diagrama proposto pelos astrônomos H. N. Russel, norte-americano (1877-1957), e E. Hertzprung, dinamarquês (1873-1967), que estabelece a relação entre a magnitude absoluta e o tipo espectral, e permite distinguir as estrelas anãs das gigantes.

diagramação. [De *diagramar* + *-ção.*] *S. f.* Ato ou efeito de diagramar.

diagramador (ô). *S. m.* Programador-visual ou técnico que se ocupa de diagramação de impressos.

diagramar. *V. t. d. Edit.* **1.** Determinar a disposição de (os espaços a serem ocupados pelos elementos — textos, ilustrações, legendas, etc. — de livro, jornal, cartaz, anúncio, etc.), precisando o formato do impresso, os tipos a serem utilizados, as medidas das colunas, etc.: *diagramar um livro.* **2.** Dispor, de acordo com estrutura pré-determinada, os elementos que devem ser impressos: *diagramar um jornal.*

diagramático. *Adj.* Relativo a um diagrama.

dial[1]. *S. m. Radiotéc.* Dispositivo para girar o capacitor de sintonia num rádio receptor, e que é, por via de regra, associado a uma escala indicadora da freqüência sintonizada: "o rádio está ligado, todo o volume aberto, minhas mãos não alcançam o *dial*." (Manuel Lobato, *Os Outros São Diferentes*, p. 25).

dial[2]. *Adj. 2 g.* V. *diário* (1).

diale. [F. eufêmica de *diabo.*] *S. m. Bras., CE. Pop:* V. *diabo* (2).

dialelo. [Do gr. *diallelos.*] *S. m. Hist. Filos.* Argumento céptico contra qualquer demonstração em favor do valor da razão, demonstração essa que, diz o argumento, é um círculo vicioso, pois supõe justamente o que está em causa, i. e., o valor da razão.

dialetal. *Adj. 2 g.* Relativo ou pertencente a dialeto.

dialetalmente. [De *dialetal* + *-mente.*] *Adv.* De modo dialetal; usando linguagem dialetal: "embaraça-nos a aférese do v —, que, no entanto, se perdeu no pronome espanhol *os*, de *vos*, e na forma de tratamento *você*, reduzida *dialetalmente* em *ocê*." (Gladstone Chaves de Melo e Serafim da Silva Neto, *Conceito e Método da Filologia*, p. 49.)

dialética. [Fem. substantivado do adj. *dialético.*] *S. f.* **1.** *Filos.* Arte do diálogo ou da discussão, quer num sentido laudativo, como força de argumentação, quer num sentido pejorativo, como excessivo emprego de sutilezas. **2.** *Filos.* Desenvolvimento de processos gerados por oposições que provisoriamente se resolvem em unidades. **3.** *Hist. Filos.* Conforme Hegel [v. *hegelianismo*], a natureza verdadeira e única da razão e do ser que são identificados um ao outro e se definem segundo o processo racional que procede pela união incessante de contrários — *tese* e *antítese* — numa categoria superior, a *síntese.* **4.** *Hist. Filos.* Segundo Marx [v. *marxismo*], o processo de descrição exata do real.

dialético. [Do gr. *dialektikós*, pelo lat. *dialecticu.*] *Adj.* **1.** Respeitante à dialética. **2.** Que se caracteriza ou realiza pela dialética: *método dialético; raciocínio dialético.* ~ V. *lógica —a, materialismo —, momento —* e *silogismo —.* ● *S. m.* **3.** Bom argumentador.

dialeto. [Do gr. *diálektos*, pelo lat. *dialectu.*] *S. m.* **1.** Variedade regional ou social duma língua. **2.** *P. ext.* V. *linguajar* (2).

dialetologia. [Do gr. *diálektos*, 'dialeto', + *-log(o)-* + *-ia.*] *S. f.* Estudo lingüístico dos dialetos.

dialetológico. *Adj.* Referente à dialetologia.

dialetólogo. [Do gr. *diálektos*, 'dialeto' + *-logo.*] *S. m.* Especialista em dialetologia.

dialho. *S. m. Pop.* V. *diabo* (2).

dialicarpelar. *Adj. 2 g. Morfol. Veg.* Que apresenta carpelos livres: *ovário dialicarpelar.*

dialipetalantácea. *S. f. Bras.* Espécime das dialipetalantáceas.

dialipetalantáceas. *S. f. pl. Bras. Bot.* Família de plantas floríferas brasileiras que contém uma única espécie, amazônica, *Dialipetalanthus fuscessens*, Kuhlm. Árvore com folhas opostas, estipuladas, flores grandes, numerosos estames, fruto capsular, muitas sementes pequeninas, e que vive na floresta pluvial.

dialipetalantáceo. *Adj.* Pertencente ou relativo às dialipetalantáceas.

dialipétalo. [Do gr. *dialyo*, 'separar', + *pétala.*] *Adj. Morfol. Veg.* V. *coripétalo* (1).

dialisador (ô). *S. m.* Instrumento que serve para dialisar.

dialisar. [De *diálise* + *-ar[2].*] *V. t. d.* Submeter a processo de diálise. [Pres. subj.: *dialise*, etc. Cf. *diálise.*]

diálise. [Do gr. *diálysis.*] *S. f. Fís.-Quím.* Processo para separar um colóide de um soluto molecular ou iônico por meio de uma membrana permeável apenas ao soluto. [Cf. *dialise*, do v. *dialisar.*] ♦ **Diálise peritoneal.** *Med.* Aquela que se realiza através do peritônio, introduzindo-se e removendo-se da cavidade peritoneal, de modo contínuo ou intermitente, a solução a ser dialisada, depurando-se o organismo de substâncias nocivas.

▲-diálise. [Do gr. *dialysis, eos.*] *El. comp.* = 'separação', 'dissolução': *estafilodiálise, litodiálise.*

dialissépalo. *Adj. Morfol. Veg.* Com sépalas livres: *cálice dialissépalo.* [Opõe-se a *gamossépalo.*]

dialogado. [Part. de *dialogar.*] *Adj.* Exposto ou escrito em forma de diálogo; dialogal.

dialogador (ô). *S. m.* Aquele que dialoga.

dialogal. *Adj. 2 g.* **1.** Relativo a diálogo. **2.** Em forma de diálogo; dialogado. [Sin. ger.: *dialógico.*]

dialogar. *V. t. d.* **1.** Pôr em diálogo; dizer ou escrever em forma de diálogo. *Int.* **2.** Falar alternadamente; conversar: *Dialogaram demoradamente sem chegarem a conclusão.* **3.** Travar ou manter entendimento (duas ou mais pessoas, grupos, entidades, etc.) com vista à solução de problemas comuns; entender-se, comunicar-se: *Aquele casal vê agravados os seus problemas porque não dialoga; O vencedor recusa-se a dialogar com os vencidos.* [Conjug.: v. *largar.* Pres. ind.: *dialogo*, etc. Cf. *diálogo.*]

dialogia. *S. f. Ret.* V. *diáfora.*

dialógico. [Do gr. *dialogikós.*] *Adj.* V. *dialogal.*

dialogismo. [Do gr. *dialogismós.*] *S. m.* **1.** Arte do diálogo. **2.** *Ret.* Figura que reproduz em diálogo as idéias das personagens.

dialogista. [Do gr. *dialogistés*, pelo lat. *dialogista.*] *S. 2 g.* **1.** Escritor de diálogos. **2.** Pessoa que discute ou argumenta bem.

dialogístico. [Do gr. *dialogistikós.*] *Adj.* Pertencente a diálogo.

diálogo. [Do gr. *diálogos*, pelo lat. *dialogu.*] *S. m.* **1.** Fala entre duas ou mais pessoas; conversação, colóquio. **2.** Obra literária ou científica em forma dialogada. **3.** Troca ou discussão de idéias, de opiniões, de conceitos, com vista à solução de problemas, ao entendimento ou à harmonia; comunicação: *Sua maior dificuldade na vida vem de não ter diálogo com os filhos.* **4.** *Teat.* Colóquio dramático entre os atores, móvel da ação da peça, e que constitui o elemento básico do gênero teatral. [Cf. *dialogo*, do v. *dialogar.*]

diamagnético. [De *di(a)-* + *magnético.*] *Adj. Fís.* Diz-se do material que apresenta suscetibilidade magnética negativa, e que é repelido por um ímã.

diamagnetismo. *S. m. Fís.* Propriedade de diamagnético.

diamantário. *S. m. Bras. C.O.* Aquele que negocia com diamantes.

diamante. [Do gr. *adámas*, 'indomável' (pela dureza), atr. do lat. *adamante* (diamante no lat. tardio e no medieval), por infl. de *diadema* ou de *diáfano.*] *S. m.* **1.** *Min.* Mineral monométrico, carbono puro, a mais dura e brilhante das pedras preciosas. **2.** Utensílio formado de um fragmento de diamante ou doutro cristal de grande dureza, fixo num cabo, e utilizado para cortar vidro. **3.** *Bras.* Ferramenta de feitio variado, para tornear metais. **4.** *Bras.* Formão longamente biselado em ambas as faces, usado para tornear madeira. **5.** *Tip.* Tamanho de tipo equivalente a corpo entre 3 e 4 1/2 pontos. **6.** *P. ext. Ant.* V. *edição diamante.* ♦ **Diamante bruto.** O não lapidado.

diamante-rosa. *S. m.* Diamante (1) talhado por cima em facetas, e que por baixo apresenta uma superfície chata ou por lapidar. [Pl.: *diamantes-rosas* e *diamantes-rosa.*]

diamantífero. [De *diamante* + *-fero.*] *Adj.* Diz-se de terreno onde há diamantes.

diamantinense[1]. *Adj. 2 g.* **1.** De, ou pertencente ou relativo a Diamantina (MG). ● *S. 2 g.* **2.** Natural ou habitante de Diamantina.

diamantinense[2]. *Adj. 2 g.* **1.** De, ou pertencente ou relativo a Diamantino (MT). ● *S. 2 g.* **2.** Natural ou habitante de Diamantino.

diamantino. *Adj.* **1.** De diamante, ou que o lembra pela dureza e sobretudo pelo brilho: *lavras diamantinas.* **2.** Estimável em alto grau; precioso: *um poema diamantino.* [Sin. ger.: *adamantino.*]

diamantista. *S. 2 g.* Pessoa que trabalha em diamantes, ou que negocia com eles.

diamantizar. *V. t. d.* **1.** Dar brilho análogo ao do diamante a. **2.** *Fig.* Tornar precioso; valorizar.

diamão. *S. m. Ant.* Diamante. [Pl.: *diamães.*]

diamastigose. [Do gr. *diamastigosis.*] *S. f.* Festa dos lacedemônios, em honra de Diana, na qual se fustigavam crianças no altar dessa deusa.

diamba. [Var. de *liamba* < quimb. *liamba.*] *S. f.* V. *maconha.*

diambarana. [De *diamba* + *-rana.*] *S. f. Bras.* Planta polimorfa, de caule ereto, considerada medicinal, da família das gencianáceas (*Coutoubea ramosa*), cujas flores estão dispostas em racimo, e cujo fruto é cápsula com pequenas sementes ovais, de testa areolada.

diametral. *Adj. 2 g.* Relativo a diâmetro.

diametralmente. [De *diametral* + *-mente.*] *Adv.* **1.** No sentido do diâmetro; transversalmente. **2.** Diretamente; absolutamente, inteiramente: *concepções diametralmente opostas.*

diâmetro. [Do gr. *diámetros*, i. e., *gramme diámetros*, 'linha que mede a distância através do círculo', pelo lat. *diametros.*] *S. m.* **1.** *Mat.* Num conjunto de pontos, o supremo das distâncias entre os pontos. **2.** *Geom.* Numa curva, lugar geométrico dos pontos médios das cordas paralelas a uma dada direção. [Numa circunferência, o diâmetro é o comprimento de qualquer corda que lhe passe pelo centro.] **3.** Numa superfície, lugar geométrico dos centros das seções planas paralelas a um dado plano. ♦ **Diâmetro angular.** *Astr.* Ângulo subtendido pelo diâmetro de um astro, e com o vértice no observador. **Diâmetros conjugados.** *Geom.* Par de diâmetros de uma curva, em que cada um é paralelo às cordas que definem o outro.

diana. [Do lat. *Diana.*] *S. f.* **1.** *Poét.* A Lua. **2.** *Bras., N.E.* No pastoril (5), a pastorinha neutra, i. e., que não defende nem o encarnado nem o azul, e cuja indumentária é feita de ambas as cores.

diandro. [De *di-[1]* + *-andro.*] *Adj. Morfol. Veg.* Provido de dois estames: *flor diandra.*

dianética. [Do ingl. *dianetics*, marca registrada.] *S. f.* Ramo da cientologia [q. v.] dedicado ao estudo dos efeitos do espírito sobre o corpo.

diangas. *S. m. 2 n. Pop.* V. *diabo* (2).

dianho. *S. m. Pop.* V. *diabo* (2).

dianopolitano. *Adj.* **1.** De, ou pertencente ou relativo a Dianópolis (GO). ● *S. m.* **2.** O natural ou habitante de Dianópolis.

diante. [De *de* + o lat. tardio *inante.*] *Adv.* **1.** *Desus.* Adiante. ● *Prep.* **2.** *P. us.* Diante de: "A minha intrepidez .... vacilou diante a singular hospitalidade." (Alberto Rangel, *Inferno Verde*, p. 109.) ♦ **Diante de.** **1.** Na frente de; defronte de; em presença de; ante. **2.** Por efeito ou influxo de; ante: *Diante das razões expostas, teve de ceder.* **Por diante.** Para o futuro: *Espero que daqui por diante sejas mais atento.*

dianteira. [Fem. substantivado do adj. *dianteiro.*] *S. f.* **1.** O ponto mais avançado; frente, vanguarda. [Antôn.: *traseira.*] **2.** Rodapé (de cama). **3.** *Encad.* V. *corte[1] da abertura.*

dianteiro. *Adj.* **1.** Que está ou vai adiante, na frente ou em primeiro lugar. [Antôn.: *traseiro.*] **2.** *Bras., N.E. Pop.* Diz-se da mulher cujas partes genitais ficam sensivelmente proeminentes. ● *S. m.* **3.** Atacante (4).

diapalmo. [De *di(a)-* + *palma.*] *S. m. Farmac.* Ungüento dessecante.

diapasão. [Do gr. *dià pásōn*, i. e., *chordôn dià pásōn*, 'através de todas as cordas', pelo lat. *diapason.*] *S. m.* **1.** *Fís.* Instrumento gerador de audiofreqüências, constituído por uma haste de metal cuja freqüência própria de vibração pode ser excitada por um impulso ou po um sistema oscilante acoplado à haste. **2.** *Mús. Ant.* O intervalo de oitava. **3.** *Mús.* Âmbito ou extensão de uma voz ou de um instrumento. **4.** *Mús.* Altura relativa de um som na escala geral; tom. **5.** *Mús.* Pequena forqueta metálica, cuja vibração produz um som de altura determinada (geralmente o lá$_3$), e que serve para afinar os instrumentos e as vozes; afinador, lamiré, tonário. [Cf., nessa acepç.: *tipótono.*] **6.** *Mús.* A nota lá de 440 Hz por segundo, fixada por esse instrumento e que regula a altura absoluta dos sons musicais. **7.** *Mús.* Timbre ou registro. **8.** *Fig.* Padrão, medida. **9.** *Med.* Instrumento utilizado no diagnóstico[1] (2) de doenças do ouvido. **10.** *Fig. Bras.* Rojão[1] (3 e 4). **11.** *Bras., RJ. Gír.* Arma branca.

diapedese. [Do gr. *diapédesis.*] *S. f. Med.* Passagem de células sanguíneas para fora de um vaso sanguíneo intacto.

diapensales. *S. f. pl. Bot.* Ordem de dicotiledôneas metaclamídeas, dotadas de flores pentâmeras, diplostêmones, com estames epipétalos, e de anteras quadriloculares. Família única: diapensiáceas.

diapensiácea. *S. f.* Espécime das diapensiáceas.

diapensiáceas. *S. f. pl. Bot.* Família de plantas floríferas, formada por ervas perenes e subarbustos, dos quais só há umas 13 espécies, dos países boreais. Flores hermafroditas, simpétalas, com estames soldados à corola e gineceu tricarpelar; ovário súpero, trilocular; fruto capsular.

diapensiáceo. *Adj.* Pertencente ou relativo às diapensiáceas.

diápiro. *S. f. Geol.* Dobra anticlinal, cujo núcleo, em geral salino, perfura as camadas superiores.

diaporese. [Do gr. *diapóresis.*] *S. f. Ret.* Figura pela qual o orador se interrompe, como que a indagar de si mesmo o que deve dizer.

diapositivo. [De *di(a)-* + *positivo.*] *S. m.* **1.** *Fot.* Reprodução fotográfica em uma chapa transparente apropriada para projeção num diascópio [q. v.] ou num projetor. **2.** *Fot.* e *Art. Gráf.* V. *cromo* (3).

diaquilão. [Do gr. *dià chylôn*, 'por meio de sucos (de plantas)', pelo lat. *diactylon.*] *S. m.* Emplastro medicamentoso em que entram diversas substâncias: cera, terebintina, gálbano, etc.

diarca. *S. m.* Cada um dos soberanos duma diarquia.

diarco. *Adj. Anat. Veg.* Diz-se do xilema primário quando existem dois feixes vasculares.

diária. [Fem. do adj. *diário.*] *S. f.* **1.** Receita ou despesa de cada dia. **2.** *Bras.* Salário que se paga por dia de trabalho. **3.** Importância paga aos viajantes e funcionários públicos ou de firmas particulares em serviço fora de sua sede, para estada, alimentação, transporte, etc. **4.** Preço cobrado, nos hotéis e estabelecimentos congêneres, hospitais, etc., por dia de hospedagem ou internamento.

diário. *Adj.* **1.** Que se faz ou sucede todos os dias; cotidiano, dial, diurnal. ● *S. m.* **2.** Relação do que se faz ou sucede em cada dia. **3.** Obra em que se registram, diária ou quase diariamente, acontecimentos, impressões, confissões: *O D i á r i o de Miguel Torga já chegou ao 12º volume; O grande escritor vai publicar o seu d i á r i o.* **4.** Jornal que se publica todos os dias. **5.** *Fam.* Despesa diária. **6.** *Com.* Livro comercial de uso obrigatório, no qual se registram, em ordem cronológica, todas as operações ativas e passivas dos fatos econômicos constitutivos da atividade do comerciante, e bem assim o resumo do balanço geral. ◆ **Diário de obras.** Caderno que permanece no canteiro de obras e no qual o mestre, os engenheiros e o arquiteto fiscal anotam as ocorrências importantes de cada jornada de trabalho.

diarismo. *S. m.* Jornalismo diário.

diarista[1]. [De *diário* + *-ista.*] *S. 2. g.* Redator de um diário (4).

diarista[2]. [De *diária* + *-ista.*] *S. 2 g. Bras.* **1.** Trabalhador sem vencimentos fixos, que ganha somente nos dias em que trabalha. **2.** Empregado cujo salário é calculado por dia.

diarquia. [De *di-*[1] + *-arqui-* + *-ia.*] *S. f.* **1.** Estado governado simultaneamente por dois reis. **2.** Governo exercido por dois soberanos ao mesmo tempo.

diárquico. *Adj.* Respeitante à diarquia.

diarréia. [Do gr. *diárrhoia*, 'escoamento', pelo lat. *diarrhoea.*] *S. f. Patol.* Evacuação freqüente de fezes líquidas e abundantes; fluxo de ventre. [Sin. (quase todos pop. e muitos deles bras.): *afitamento, afito, borra, caganeira, câmaras ou cambras, carreirinha, caseira, corredeira, desarranjo, destempero, ligeira, piriri, reira, sedeca, soltura, soltura de ventre.*]

diarréico. *Adj.* **1.** Relativo à, ou que padece de diarréia. ● *S. m.* **2.** Indivíduo que dela padece.

diartrose. [Do gr. *diárthrosis.*] *S. f. Anat.* Articulação que permite o movimento dos ossos em todas as direções.

dias. [Pl. de *dia.*] *S. m. pl.* Tempo de vida, de existência, dias de vida, vida: *Amou-a até o fim de seus d i a s.* ~ V. *dia.*

dia-santo. *S. m. Bras.* e *prov. lus.* Buraco na meia ou noutra peça do vestuário. [Sin. (RJ): *feriado.* Pl.: *dias-santos.* Cf. *dia santo.*]

diascevasta. [Do gr. *diaskevastés.*] *S. m.* **1.** No antigo teatro grego, crítico que revia e corrigia as peças dos concorrentes aos certames dramáticos. **2.** Na Grécia antiga, crítico ou gramático encarregado de rever, discutir e verificar a autenticidade dos textos homéricos. **3.** *P. ext.* Crítico que revê e corrige obras alheias.

diascopia. [Do gr. *diaskopéo*, 'examinar ponto por ponto', + *-ia.*] *S. f. Ópt.* Projeção da imagem de objetos iluminados por luz transmitida através deles.

diascópico. *Adj.* Relativo à diascopia, ou ao diascópio.

diascópio. [De *dia-* + *-scop-* + *-io.*] *S. m. Ópt.* Instrumento óptico para projetar imagens estacionárias de objetos transparentes.

diascórdio. [De *dia-* + gr. *skórdion*, 'carvalhinha'.] *S. m. Farmac.* Certo remédio estomacal.

diaspídeo. *S. m.* **1.** Espécime dos diaspídeos. ● *Adj.* **2.** Pertencente ou relativo a eles.

diaspídeos. *S. m. pl. Zool.* Família de insetos da ordem dos homópteros. É a maior das famílias do grupo dos coccídeos, e nela se encontram parasitos das plantas, os quais lhes sugam a seiva e as aniquilam. São pragas de árvores frutíferas e palmáceas. V. *piolho-de-são-josé.*

diáspora. [Do gr. *diasporá*, 'dispersão'.] *S. f.* **1.** A dispersão dos judeus, no decorrer dos séculos. **2.** *P. ext.* Dispersão de povos por motivos políticos ou religiosos, em virtude de perseguição de grupos dominadores intolerantes: "Uma nova d i á s p o r a se iniciava. Os parentes estavam dispersos pelo mundo. Uns se adaptavam noutras terras aprendendo inglês, outros francês." (Orígenes Lessa, *Balbino, Homem do Mar*, p. 81.)

diaspório. [Do gr. *diasporá*, 'dispersão', + *-io.*] *S. m. Min.* Mineral ortorrômbico, hidróxido de alumínio.

diásporo. *S. m. Bot.* Unidade orgânica destinada à propagação das plantas superiores, e que consiste essencialmente no embrião, acompanhado de estruturas acessórias, podendo ser uma semente, um fruto, um bolbilho, etc.

diassintomia. *S. f. Biol.* Troca dos genes entre cromossomos análogos.

diassintômico. *Adj.* Referente à diassintomia.

diástase. [Do gr. *diástasis.*] *S. f.* **1.** Fermento ou outra substância produzida por células vivas, por seres vivos microscópicos ou por glândulas, e que decompõem os alimentos ou a matéria orgânica. **2.** Conjunto dos fermentos solúveis retirados da cevada germinada. **3.** *Patol.* Afastamento de duas estruturas que normalmente se apresentam em contato mediato ou imediato. ◆ **Diástase dos músculos retos abdominais.** Separação desses músculos na linha média. **Diástase óssea.** *Patol.* Afastamento de dois ossos que eram contíguos sem ocorrer propriamente luxação.

diastema. [Do gr. *diástema*, 'intervalo', pelo lat. *diastema.*] *S. m.* **1.** *Zool.* Espaço sem dentes, nas mandíbulas dos mamíferos. **2.** *Anat.* Poros pequenos que escapam a exame direto. **3.** *Geol.* Descontinuidade na sedimentação, de valor subsidiário com relação à discordância paralela.

diastilo. [Do gr. *diástylon*, pelo lat. *diastylon.*] *S. m. Arquit.* **1.** Intercolúnio correspondente a três diâmetros das colunas, ou seis módulos. **2.** Edifício cujas colunas estão ajustadas entre si de três diâmetros ou seis módulos.

diástole. [Do gr. *diastolé*, pelo lat. *diastole.*] *S. f.* **1.** *Med.* Movimento de dilatação do coração, após a fase de contração. [Cf. *sístole* (1).] **2.** *Gram.* V. *hiperbibasmo.* **3.** *Gram.* Éctase.

diastólico. *Adj.* Referente à diástole.

diastrofia. [Do gr. *diastrophé*, 'distorção', + *-ia.*] *S. f. Patol.* **1.** Luxação de ossos. **2.** Deslocamento de músculo ou tendão.

diastrofismo. [Do gr. *diastrophé*, 'distorção', + *-ismo.*] *S. m. Geol.* Designação comum aos movimentos orogênicos ou epirogenéticos.

diatérmano. [De *diatherman*, rad. do gr. *diathermaíno*, 'esquentar'.] *Adj.* Diatérmico (2).

diatermia. [De *dia-* + *-term(o)-* + *-ia.*] *S. f. Med.* Aplicação terapêutica da eletricidade, com base no desenvolvimento de calor, em virtude de correntes induzidas no interior dos tecidos, por aplicação dum campo externo de alta freqüência. ◆ **Diatermia cirúrgica.** *Med.* Formação de calor suficiente para coagular ou destruir tecido; diatermocoagulação. **Diatermia médica.** *Med.* Aquecimento dos tecidos sem destruição deles; termopenetração.

diatérmico. *Adj.* **1.** Referente à diatermia. **2.** Diz-se dos corpos que transmitem calor; diatérmano. [Quando separam dois sistemas a temperaturas diversas, estes acabam entrando em equilíbrio térmico.]

diatermocoagulação. [Do gr. *diáthermos*, 'impregnado de calor' + *coagulação.*] *S. f. Med.* Diatermia cirúrgica.

diátese. [Do gr. *diáthesis.*] *S. f.* **1.** *Med.* Disposição geral em virtude da qual um indivíduo reage de maneiras especiais a determinados estímulos extrínsecos, o que lhe confere uma tendência a ser mais suscetível do que o habitual a certas doenças. **2.** *Fig.* Disposição ou tendência moral mórbida: "Ao 'cabano', se ajuntariam no correr do tempo o 'balaio', no Maranhão, o 'ximango', no Ceará, o 'cangaceiro', em Pernambuco, nomes diversos de uma d i á t e s e social única." (Euclides da Cunha, *À margem da História*, p. 262.)

diatésico. *Adj.* V. *diatético.*

diatético. [Do gr. *diathetikós.*] *Adj.* Respeitante à diátese.

diátiro. *S. m.* Corredor entre a porta de entrada e a do pátio interno, nas antigas casas gregas.

diatomácea. [Do gr. *diatomé*, 'ato de cortar em dois, divisão, separação', + *-ácea.*] *S. f.* Espécime das diatomáceas; bacilariácea, bacilariofícea, bacilariófito.

diatomáceas. *S. f. pl. Bot.* Microrganismos autotróficos providos de uma rígida carapaça silicosa formada por duas valvas que se encaixam, e que, em algumas espécies, é ricamente ornamentada. Vivem na água doce e na salgada, formando, não raro, colônias gelatinosas. [Sin.: *bacilariáceas, bacilariofíceas, bacilariófitos.*]

diatomáceo. *Adj.* Pertencente ou relativo às diatomáceas; bacilariáceo, bacilariofíceo, bacilariófito.

diatomito. [De *diatom*, rad. de *diatomácea*, + *-ito*[2].] *S. m. Geol.* Rocha sedimentar constituída essencialmente de carapaças silicosas de diatomáceas.

diatônico. [Do gr. *diatonikós*, pelo lat. *diatonicu.*] *Adj. Mús.* Que procede conforme a sucessão natural dos tons e semitons. ~ V. *escala —a.*

diatribe. [Do gr. *diatribé*, pelo lat. *diatriba*, atr. do fr.] *S. f.* Crítica acerba; escrito ou discurso violento e injurioso: "Desde a mais desbragada d i a t r i b e, a sátira mais cruel, até a censura mais leve, a tudo se chama crítica." (Sílvio Romero, *Martins Pena*, p. 49.)

diau. *S. 2 g.* e *adj. 2 g. Bras.* V. *trio*[2].

diaulo[1]. [Do gr. *diaulos.*] *S. m. Mús.* **1.** Flauta dupla, usada entre os gregos. **2.** Música para esse instrumento. **3.** Tocador de díaulo.

diaulo[2]. [Do gr. *diaulos*, pelo lat. *diaulos.*] *S. m.* Medida itinerária grega, do valor de dois estádios.

diazo. *S. m. Quím.* Designação genérica de qualquer composto diazóico.

▲**diazo-.** *Quím. El. comp.* Indica a presença de grupamento diazônio na molécula.

diazóico. [De *diazo-* + *-óico.*] *Adj. Quím.* Diz-se de qualquer composto de fórmula ArNNX, onde Ar é um radical aromático e X uma hidroxila ou um radical ácido.

diazoma. [Do lat. *diazoma* gr. *diazome.*] *S. m. Teat.* **1.** Espaço estreito que separava os assentos, nos antigos teatros gregos e romanos. **2.** Círculo das bancadas, nesses teatros.

diazônio. *S. m. Quím.* Designação genérica dos cátions provenientes da dissociação iônica dos compostos diazóicos.

diazotação. *S. f. Quím.* Processo de obtenção de compostos de diazônio a partir de aminas aromáticas.

dibásico. [De *di-*[1] + *básico.*] *Adj.* ~ V. *ácido —.*

dibranquiado. [De *di-*[1] + *branquiado.*] *Adj. Zool.* Diz-se de animal aquático que apresenta um par de brânquias.

dibrânquio. *S. m.* **1.** Espécime dos dibrânquios. ● *Adj.* **2.** Pertencente ou relativo a eles.

dibrânquios. *S. m. pl. Zool.* Animais moluscos, cefalópodes, da ordem *Dibranchia*, providos de bolsa de tinta. Massa visceral nua; concha rudimentar e interna; um par de ctenídios; braços em número de oito a 10, com ventosas; um par de brânquias, e nefrídios. São os polvos, lulas e sépias.

dica. [Por *indica*, dev. de *indicar*?] *S. f. Bras. Gír.* Informação ou indicação nova ou pouco conhecida; pala, plá.

dicacidade. [Do lat. *dicacitate.*] *S. f.* Qualidade de dicaz; mordacidade.

dicacíssimo. [Do lat. *dicacissimu.*] *Adj.* Superl. abs. sint. de *dicaz.*

dicana. *Bras. S. 2 g.* **1.** Indivíduo dos dicanas, tribo indígena das margens do rio Içá, na Amaz. ◆ *Adj. 2 g.* **2.**

Pertencente ou relativo a esses indígenas.

dição. *S. f.* V. *dicção.*

dicapetalácea. *S. f.* Espécime das dicapetaláceas.

dicapetaláceas. *S. f. pl. Bot.* Família de plantas arbóreas, por vezes arbustivas ou trepadeiras, com folhas alternas e estipuladas, flores pequeninas, dispostas em cimeiras quase sempre inseridas sobre o pecíolo, e fruto drupáceo. Há umas 250 espécies, sobretudo africanas; o Brasil possui algumas, sem qualquer importância.

dicapetaláceo. *Adj.* Pertencente ou relativo às dicapetaláceas.

dicar. [Do lat. *dicare.*] *V. t. d. e i.* **1.** Dedicar, tributar, consagrar. [Conjug.: v. *trancar.*]

dicarboxílico (cs). [De *di-*[1] + *carboxila* + *-ico*[2].] *Adj. Quím.* Diz-se de substância que tem duas carboxilas por molécula.

dicarpelar. [De *di-* + *carpelo* + *-ar*[1].] *Adj. 2 g. Morfol. Veg.* Que tem dois carpelos.

dicásio. [Do lat. mod. *dichasium* < gr. *díchasis,* 'divisão pela 'metade'.] *S. m. Morfol. Veg.* Tipo de inflorescência cimosa em que abaixo da flor terminal surgem dois ramos laterais floríferos.

dicataléctico. [De *di-*[1] + *cataléctico.*] *Adj.* ~ V. *verso*—. [Var. *dicatalético.*]

dicatalético. *Adj.* Var. de *dicataléctico.*

dicaz. [Do lat. *dicace.*] *Adj. 2 g.* Severo em crítica; mordaz, satírico. [Superl. abs. sint.: *dicacíssimo.*]

dicção. [Do lat. *dictione.*] *S. f.* **1.** Maneira de dizer ou falar: *a dicção lusitana.* **2.** Arte de dizer, recitar, falar, com articulação e modulação apropriadas: "a companhia de D. Maria .... curou de bem servir o público, ..., cultivando a *dicção* com certo escrúpulo" (Fialho d'Almeida, *Vida Irônica,* p. 132). **3.** Vocábulo, palavra; período, frase. [Var.: *dição.*]

dicéfalo. [Do gr. *diképhalos.*] *Adj.* Que tem duas cabeças. [Sin. (poét.): *bicípite.*]

dicélia. [Do gr. *deikelon.*] *S. f. Teat.* No antigo teatro grego, comédia licenciosa, farsa, sátira.

dicelista. *S. m. Teat.* Autor de dicélias.

dicetona. *S. f. Quím.* Qualquer substância orgânica em cuja molécula estão presentes dois grupamentos cetona.

dichote. [Dim. espanholismo antiquado *dicho.*] *S. m.* Dito picante; motejo, gracejo, chufa.

dicíclico. *S. m.* **1.** Espécime dos dicíclicos. ● *Adj.* **2.** Pertencente ou relativo a eles.

dicíclicos. *S. m. pl. Zool.* Animais metazoários, equinodermos, crinóides, providos de placas basiliares e infrabasiliares.

diciêmio. *S. m.* **1.** Espécime dos diciêmios. ● *Adj.* **2.** Pertencente ou relativo a eles.

diciêmios. *S. m. pl. Zool.* Animais mesozoários, ordem *Dicyema,* de corpo nematóide, comprimento até oito mm, com apenas uma célula interna. É o mais simples dos metazoários e parasita de nefrídio de cefalópodes.

dicionariar. *V. t. d.* e *int.* V. *dicionarizar.* [Pres. ind.: *dicionário,* etc. Cf. *dicionário.*]

dicionário. [Do lat. medieval *dictionariu.*] *S. m.* **1.** Conjunto de vocábulos duma língua ou de termos próprios duma ciência ou arte, dispostos, em geral, alfabeticamente, e com o respectivo significado, ou a sua versão em outra língua. **2.** Obra ou livro que os consigna. [Sin., nesta acepç.: *pai-dos-burros.*] **3.** Exemplar de uma dessas obras. **4.** Dicionário vivo. [Cf. *dicionario,* do v. *dicionariar.*] ♦ **Dicionário vivo.** V. *enciclopédia* (3). [Tb. se diz apenas *dicionário.*]

dicionarista. *S. 2 g.* Autor de dicionário(s); lexicógrafo.

dicionarização. *S. f.* Ação de dicionarizar.

dicionarizado. [Part. de *dicionarizar.*] *Adj.* **1.** Incluído ou registrado em dicionário. **2.** Organizado em forma de dicionário. [Antôn.: *indicionarizado.*]

dicionarizar. *V. t. d.* **1.** Incluir ou registrar em dicionário: *Urge dicionarizar muitas palavras de largo emprego.* **2.** Organizar em forma de dicionário: *Aquele autor vai dicionarizar sua gramática. Int.* **3.** Escrever ou organizar dicionários. [Sin.: *dicionariar, lexicografar.*]

dicionarizável. *Adj. 2 g.* Que pode ou deve ser dicionarizado.

diclamídeo. [De *di-*[1] + *clâmide* + *-eo.*] *Adj. Morfol. Veg.* Que apresenta dois verticilos protetores: cálice e corola. [Opõe-se a *monoclamídeo.*]

diclidanterácea. *S. f.* Espécime das diclidanteráceas.

diclidanteráceas. *S. f. pl. Bot.* Família de plantas superiores, da ordem das ebenales, constituída de poucas espécies brasileiras de dois gêneros. São árvores de folhas alternas e flores em cachos axilares. Androceu com 10 estames, ordenados em dois verticilos; ovário qüinqüelocular; fruto bacáceo.

diclidanteráceo. *Adj.* Pertencente ou relativo às diclidanteráceas.

diclinia. *S. f. Bot.* Ocorrência de flores diclinas.

diclino. [De *di-*[2] + *-clino.*] *Adj. Bot.* Unissexual: *flor diclina.*

dicloreto (ê). [De *di-*[1] + *cloreto.*] *S. m. Quím.* Bicloreto.

▲**-(d)iço**[1]. [Do lat. *(t)iciu* ou *(t)itiu.*] *Suf. nom.* = 'possibilidade de praticar ou sofrer uma ação', 'relação': *alagadiço, quebradiço, acomodadiço.* [Equiv.: *-(t)ício: fictício* (< lat. *fictitiu* ou *ficticiu*), *acomodatício.* Alternam-se, às vezes: *acomodadiço, acomodatício.*]

▲**-diço**[2]. Equiv. de *-io*[2].

dicoco. *Adj. Morfol. Veg.* Com dois cocos: *fruto dicoco.*

dicogamia. [Do gr. *dícha,* 'separadamente', + *-o-* + *-gam(o)-* + *-ia.*] *S. f. Bot.* Fenômeno ocorrente em certas flores, e que consiste na maturação dos estames e do gineceu em épocas distintas, de modo que a flor, conquanto morfologicamente hermafrodita, é fisiologicamente unissexual.

dicogâmico. *Adj.* Referente à dicogamia.

diconroque. *S. m. Bras.* Árvore grande e lactescente, da família das moráceas *(Trophis brasiliensis),* cujo fruto é suculento e encerra uma semente carnosa que, cozida à maneira de feijão, era usada como alimento pelos aborígines; feijão-dos-caboclos.

dicopodia. *S. f. Morfol. Veg.* Dicotomia (5).

dicotilédone. *Adj. 2 g. Morfol. Veg.* V. *dicotiledôneo.*

dicotiledônea. *S. f.* Espécime das dicotiledôneas.

dicotiledôneas. *S. f. pl. Bot.* Classe de angiospermas caracterizada pelo embrião provido de dois cotilédones, e ainda pelos seguintes caracteres principais: raiz axial, estrutura secundária, feixes vasculares em círculo, folhas pecioladas com nervação penada, flores pentâmeras, etc. Divide-se em duas subclasses: *arquiclamídeas* e *metaclamídeas.*

dicotiledôneo. [De *di-*[1] + *cotilédone* + *-eo.*] *Adj. Morfol. Veg.* Portador de dois cotilédones; dicotilédone, dicotíleo.

dicotíleo. *Adj. Morfol. Veg.* V. *dicotiledôneo.*

dicotilídeo. *S. m.* **1.** Espécime dos dicotilídeos. ● *Adj.* **2.** Pertencente ou relativo a eles.

dicotilídeos. *S. m. pl. Zool.* Família de artiodáctilos suínos que têm só três dedos nas patas traseiras, e cujo tipo é o taiaçu.

dicotomia. [Do gr. *dichotomía.*] *S. f.* **1.** Método de classificação em que cada uma das divisões e subdivisões não contém mais de dois termos. [Cf. *politomia.*] **2.** Repartição dos honorários médicos, à revelia do doente, entre o médico assistente e outro chamado por este. **3.** *Astr.* Aspecto de um planeta ou de um satélite quando apresenta exatamente a metade do disco iluminada. [Ocorre na *quadratura.*] **4.** *Lóg.* Divisão lógica de um conceito em dois outros conceitos, em geral contrários, que lhe esgotam a extensão. Ex.: animal = vertebrado e invertebrado. **5.** *Morfol. Veg.* Tipo de ramificação vegetal em que a ponta do órgão (caule, raiz, etc.) se divide repetidamente em duas porções idênticas, e que é próprio dos telófitos e briófitos, sendo muito raramente observado nas plantas floríferas; dicopodia. **6.** *Teol.* Princípio que afirma a existência única, no ser humano, de corpo e alma.

dicotômico. [De *dicotomia* + *-ico*[2].] *Adj.* Dividido ou subdividido em dois; bifurcado, dicótomo. ~ V. *ramificação* —*a.*

dicotomizado. [Part. de *dicotomizar.*] *Adj.* **1.** Classificado por dicotomia. **2.** Dividido em dois. **3.** Astr. Diz-se de um planeta ou de um satélite em dicotomia.

dicotomizar. *V. t. d.* **1.** Classificar por dicotomia (1). **2.** Dividir em dois.

dicótomo. [Do gr. *dichótomos.*] *Adj.* V. *dicotômico.*

dicroísmo. [De *di-*[2] + gr. *chróa,* 'cor' + *-ismo.*] *S. m. Ópt.* Propriedade das substâncias anisotrópicas que têm diferentes coeficientes de absorção para a luz polarizada em planos diversos; pleocroísmo.

dicromático. [De *di-*[2] + *-cromat(o)-* + *-ico*[2].] *Adj. Quím.* Diz-se da propriedade característica de certos corantes e indicadores, segundo a qual eles se apresentam de diferentes cores, conforme a espessura da solução observada; dicrômico.

dicromato. *S. m. Quím.* Qualquer sal com o ânion $Cr_2O_7^{-2}$; bicromato.

dicrômico. [Do gr. *díchromos,* 'de duas cores'.] *Adj. Quím.* Dicromático.

dicroscópio. [De *dicro(ísmo)* + *-scop-* + *-io.*] *S. m. Ópt.* Instrumento para observar o dicroísmo de cristais.

dicrótico. [De *dícroto* + *-ico.*] *Adj.* ~ V. *pulso* —.

dicrotismo. *S. m. Med.* Aparecimento de duas ondas esfigmográficas a cada batimento do pulso.

dícroto. [Do gr. *díkrotos.*] *Adj.* V. *dicrótico.*

dicteríade. [Do gr. *deikterias, ádos.*] *S. f. Teat.* No antigo teatro grego, atriz que representava sátiras e pantomimas. [Var.: *diteríade.*]

dictério. [Do gr. *deiktérion,* pelo lat. *dicteriu.*] *S. m.* Troça, zombaria, motejo, escárnio, chufa; dichote: "Mas devera / Expor-te em público praça, / Como um alvo à populaça, / Um alvo aos *dictérios* seus?" (Gonçalves Dias, *Obras Poéticas,* I, p. 345.) [Var.: *ditério.*]

▲**dicti(o)-.** [Do gr. *diktyon, ou.*] *El. comp.* = 'rede': *dictiopsia, dictióide.*

dictióide. [De *dicti(o)-* + *-óide.*] *Adj. 2 g. Biol.* Reticulado (1 e 2).

dictiopsia. [De *dicti(o)-* + *-ops(e)-* + *-ia.*] *S. f. Patol.* Distúrbio visual em que o doente vê como que uma fina rede ou teia de aranha diante dos olhos.

dictióptero. *S. m.* e *adj.* Neuróptero.

dictiópteros. *S. m. pl. Zool.* Neurópteros.

dictiostelo. *S. m. Anat. Veg.* Sinfonostelo que tem o xilema reticulado em virtude da existência de numerosos interstícios.

dictite. [Do gr. *díktyon,* 'rede', + *-ite*[1].] *S. f. Patol.* Retinite.

didáctilo. [De *di-*[1] + *-da(c)tilo.*] *Adj. Zool.* Diz-se de animal que tem dois dedos em cada pé. [Var.: *didátilo.*]

didactologia. [Do gr. *didaktós,* 'ensinado' + *-log(o)-* + *-ia.*] *S. f.* **1.** Doutrina do ensino; pedagogia. **2.** O gênero didático em composições literárias. [Var.: *didatologia.*]

didactológico. *Adj.* Referente à didactologia. [Var.: *didatológico.*]

didascália. [Do gr. *didaskalía,* 'instrução'.] *S. f. Teat.* **1.** Na Grécia antiga, conjunto ordenado de preceitos e instruções relativos à representação teatral, de ordinário elaborados pelo autor dramático e dados aos atores que lhe representavam as obras. **2.** *P. ext.* Entre os antigos gregos, a representação dramática. **3.** Conjunto de preceitos e normas de uma arte ou ciência: "A Bela possui uma *didascália* grudada na parede, onde se lê, entre informações biográficas, uma frase poética" (Guilherme Figueiredo, *14 Tilsitt,* Paris, p. 176).

didascálico. [Do gr. *didaskalikós,* pelo lat. *didascalicu.*] *Adj.* **1.** *P. us.* Didático: "exposição lúcida do ensino no melhor feitio *didascálico*" (Ricardo Jorge, *Sermões dum Leigo,* p. 14). **2.** Relativo à didascália.

didata. [Do gr. *didaktós.*] *S. 2 g.* **1.** Pessoa que instrui. **2.** Autor de obra(s) didática(s).

didática. [Fem. substantivado de *didático.*] *S. f.* **1.** A técnica de dirigir e orientar a aprendizagem; técnica de ensino. **2.** O estudo dessa técnica.

didático. [Do gr. *didaktikós.*] *Adj.* **1.** Relativo ao ensino ou à instrução, ou próprio deles: *problemas didáticos.* **2.** Próprio para instruir; destinado a instruir: *livro didático.* **3.** Que torna o ensino eficiente: *Bom professor, recorre em suas aulas a todos os expedientes didáticos.* **4.** Típico de quem ensina, de professor, de didata: *Tem um modo didático de se exprimir.* [Sin. ger. (p. us): *didascálico.*] ~ V. *livro* —.

didátilo. *Adj. Zool.* Var. de *didáctilo.*

didatologia. *S. f.* Var. de *didactologia.*

didatológico. *Adj.* Var. de *didactológico.*

didélfida. *S. m.* e *adj. 2 g.* V. *didelfídeo.*

didélfidas. *S. m. pl. Zool.* V. *didelfídeos.*

didelfídeo. *S. m.* **1.** Espécime dos didelfídeos. ● *Adj.* **2.** Pertencente ou relativo a eles. [Sin. ger.: *pedímano.*]

didelfídeos. *S. m. pl. Zool.* Animais marsupiais, da família *Didelphidae,* de cauda total ou parcialmente nua, mais ou menos preênsil, e pés posteriores com o primeiro dedo desprovido de unha e oponível aos demais. São os gambás e as cuícas. [Sin.: *pedímanos.*].

didi-da-porteira. *S. f. Bras., N.E.* e *L.* Planta herbácea, ornamental e medicinal, da família das comelináceas *(Commelina pohliana),* dotada de flores de pétalas azulpálidas ou alvas, com sépalas amarelas, e cujo fruto é cápsula pequena; trapoeraba-azul. [Pl.: *didis-da-porteira.*]

didiereácea. *S. f.* Espécime das didiereáceas.

didiereáceas. *S. f. pl. Bot.* Família de plantas superiores, da ordem das sapindales, que engloba apenas sete espécies, de Madagáscar. Plantas lenhosas, dióicas, cactiformes, espinhosas, com folhas minutas e alternas, flores unissexuais, as masculinas com oito a 10 estames e as femininas com ovário trilocular e fruto indeiscente, monospérmico.

didiereáceo. *Adj.* Pertencente ou relativo às didiereáceas.

didimalgia. [De *didim(o)-* + *-alg(o)-* + *-ia.*] *S. f. Patol.* V. *orquialgia.*

didimálgico. *Adj.* Relativo à didimalgia.

didímio. *S. m. Quím. Obsol.* Mistura de neodímio e praseodímio que foi, durante algum tempo no passado, julgada substância elementar.

didimite. [De *didim(o)-* + *-ite*[1].] *S. f. Patol.* V. *orquite.*

▲didim(o)-. [Do gr. *dídymos, e, on.*] *El. comp.* = 'testículo': *didimalgia.*

dídimo. [Do gr. dídymos, 'gêmeo'.] *Adj.* **1.** Formado de duas partes. **2.** Subdividido em duas porções simétricas.

didimodinia. *S. f. Patol.* V. *orquialgia.*

didínamo. [De *di-*[1] + *-dinam(o).*] *Adj. Morfol. Veg.* Diz-se do androceu que tem quatro estames, dos quais dois são maiores.

didoniano. *Adj.* e *s. m. Tip.* Diz-se do, ou o tipo de obra de grande contraste de finos e grossos, e serifas em forma de filete. [É tradicionalmente denominado *romano moderno.*]

didução. [Do lat. *diductione.*] *S. f. Zool.* Movimento lateral da maxila inferior dos herbívoros quando mastigam e dos ruminantes quando ruminam. [Cf. *dedução.*]

diédrico. *Adj.* Respeitante aos ângulos diedros.

diedro. [De *di-*[1] + *-edro.*] *S. m.* **1.** Ângulo diedro. ● *Adj.* **2.** ~ V. *ângulo* —. ♦ **Diedro retângulo.** *Geom.* O que tem um ângulo plano de 90°.

dielétrico. [De *di(a)-* + *elétrico.*] *Adj.* **1.** Diz-se de substância ou objeto isolador da eletricidade. ~ V. *aquecimento* — e *rigidez* —*a.* ● *S. m.* **2.** Substância ou objeto isolador da eletricidade.

diencéfalo. [De *di(a)-* + *encéfalo.*] *S. m. Anat.* Porção posterior do prosencéfalo, que compreende hipotálamo e talamencéfalo.

diérese. [Do gr. *diaíresis*, pelo lat. *diaerese.*] *S. f.* **1.** *Gram.* Divisão do ditongo em duas sílabas. [Cf. *sinérese* (1).] **2.** Sinal ortográfico dessa divisão; trema. **3.** *Cir.* Separação dos tecidos orgânicos cuja contigüidade poderia ser nociva. **4.** *Cir.* Corte dos tecidos.

dierético. [Do gr. *diairetikós.*] *Adj.* Referente à, ou em que há diérese.

diese. [Do gr. *díesis*, pelo lat. *diese.*] *S. f. Mús.* **1.** *Ant.* Intervalo de quarto de tom. **2.** V. *meio-tom.* **3.** *Desus.* Sustenido.

➧diesel (dí). [De *Rudolf Diesel*, inventor alemão, 1858-1913.] *S. m.* V. *motor diesel.*

***diesel*elétrico.** *Adj.* Diz-se do processo de tração no qual um motor *diesel*, no próprio veículo, aciona um gerador que fornece energia elétrica às rodas motrizes: *locomotiva diesel-elétrica.* [Pl.: diesel-*elétricos.*]

➧dies irae (díeç íre). [Lat., 'o dia da ira', i. e., o dia do juízo final.] Primeiras palavras de um famoso hino atribuído a Thomas de Celano, monge da Ordem dos Frades Menores (séc. XIII).

dieta[1]. [Do gr. *díaita*, 'gênero de vida', pelo lat. *diaeta.*] *S. f.* **1.** *Med.* Ingestão habitual de alimento sólido e líquido, ou aquela que se faz visando preencher as necessidades específicas de um indivíduo, incluindo ou excluindo certos itens de sua alimentação. **2.** Conjunto de alimentos, sólidos e líquidos, prescritos pelo médico; regime. **3.** Privação total ou parcial de alimentação, prescrita pelo médico. **4.** Alimentação ou normas alimentares seguidas por um indivíduo ou por um grupo de indivíduos: *A dieta dos indígenas é frugal; A dieta muçulmana proíbe a carne de porco.* ♦ **Dieta balanceada.** Dieta (4) em que os alimentos entram nas proporções adequadas. **Dieta macrobiótica.** Dieta (4) que se baseia essencialmente no consumo de alimentos integrais preparados em óleo vegetal ou cozidos em água. [Tb. se diz apenas *macrobiótica.*] **Dieta zero.** Situação em que o paciente deve ser privado da ingestão de qualquer substância.

dieta[2]. [Do lat. medieval *diaeta.*] *S. f.* **1.** Assembléia política de alguns Estados. **2.** Pavilhão de recreio em parque ou jardim.

dietética. [Fem. substantivado do adj. *dietético.*] *S. f.* Ramo da medicina que se ocupa do estudo de dieta[1].

dietético. [Do gr. *diaitetikós*, pelo lat. *diaeteticu.*] *Adj.* **1.** Concernente a dieta[1]. **2.** Determinado ou orientado pela dietética: *alimentação dietética.*

dietista. [De *dieta* + *-ista.*] *S. 2 g.* Nutricionista.

difamação. [Do lat. *diffamatione.*] *S. f.* Ato de difamar; descrédito, calúnia.

difamador (ô). *Adj.* **1.** Que difama; difamante, difamatório. ● *S. m.* **2.** Aquele que difama. [Cf. *pasquineiro.*]

difamante. [Do lat. *diffamante.*] *Adj. 2 g.* V. *difamador* (1).

difamar. [Do lat. *diffamare.*] *V. t. d.* **1.** Tirar a boa fama ou o crédito a; desacreditar publicamente; infamar, detrair: *A cantora processou o jornal que a difamou em reportagem; O panfleto difama uma instituição pública.* **2.** *Jur.* Imputar a (alguém) um fato concreto e circunstanciado, ofensivo de sua reputação, conquanto não definido como crime. [Cf. *caluniar* (2) e *injuriar* (1).] *T. i.* **3.** Falar mal; detrair: *Difama até dos amigos. P.* **4.** Perder a reputação; desacreditar-se, infamar-se.

difamatório. *Adj.* **1.** V. *difamador* (1). **2.** Em que há difamação.

difásico. [De *di-*[1] + *fase* + *-ico*[2].] *Adj.* Bifásico.

difeomorfismo. *S. m. Mat.* Bijeção diferenciável cuja inversa também o é.

diferença. [Do lat. *differentia.*] *S. f.* **1.** Qualidade de diferente. **2.** Falta de semelhança ou igualdade; dessemelhança; dissimilitude: *Não há diferença entre os gêmeos.* **3.** Alteração, modificação: *Nota-se diferença na cor do leite.* **4.** Diversidade, disparidade, variedade: *Grande era a diferença das cores.* **5.** Desconformidade, divergência, desarmonia: *Notava-se no grupo uma viva diferença de opiniões.* **6.** Transtorno, prejuízo: *É claro que o resultado me faz diferença.* **7.** Distinção (1): *Não faz diferença entre os amigos: a todos trata muito bem.* **8.** Desproporção; desigualdade: *Era sensível a diferença no tratamento dispensado às filhas.* **9.** *Mat.* Resultado da subtração de duas quantidades. **10.** *Mat.* Conjunto de elementos que pertencem a um conjunto, mas não pertencem a outro nele contido. ~ V. *diferenças.* ♦ **Diferença de potencial.** *Eletr.* Trabalho necessário para levar de um ponto a outro (no espaço ou num circuito elétrico) uma unidade de carga elétrica. [Abrev.: *d.d.p.*]

diferençar. *V. t. d.* **1.** Estabelecer diferença ou distinção entre; tornar diverso; diversificar, distinguir: *São muito parecidos, mas há traços de caráter que os diferençam fundamentalmente.* **2.** Conhecer distintamente; discriminar, distinguir: *A distância, não conseguiu diferençar as pessoas presentes.* **3.** *Anal. Mat.* Calcular as diferenças finitas de (uma função ou seqüência). *T. d. e i.* **4.** Tornar diverso; distinguir. *P.* **5.** Distinguir-se por alguma diferença. [F. paral.: *diferenciar.* Conjug.: v. *laçar.*]

diferenças. [Pl. de *diferença.*] *S. f. pl.* Desavenças, dissensões, divergências: *Apesar de parecerem amigas, as duas famílias têm lá suas diferenças.* ~ V. *diferença.*

diferençável. *Adj. 2 g.* Que se pode diferençar.

diferenciação. *S. f.* **1.** Ato ou efeito de diferenciar(-se). **2.** *Anál. Mat.* Ato de calcular a diferencial de uma função.

diferencial. *Adj. 2 g.* **1.** Relativo a diferença. **2.** Que indica diferença: *acento diferencial.* ~ V. *biologia* —, *cálculo* — e *integral, corrosão por aeração* —, *equação* —, *equação* — *exata, equação* — *homogênea, equação* — *integrável, equação* — *linear, equação* — *linear homogênea, equação* — *ordinária, equação* — *ordinária linear, equação* — *parcial, equação* — *parcial linear, geometria* —, *limiar* —, *operador* —, *psicologia* — e *som* —. ● *S. m.* **3.** *Autom.* Aparelho que conserva o automóvel em equilíbrio na passagem das curvas, permitindo às rodas motrizes moverem-se com velocidade diferente uma da outra. ● *S. f.* **4.** *Anál. Mat.* O produto da derivada de uma função duma variável pelo acréscimo infinitesimal dessa variável. **5.** *Anál. Mat.* Diferencial total. ♦ **Diferencial exata.** *Anál. Mat.* Forma diferencial exata. **Diferencial parcial.** *Anál. Mat.* Produto da derivada parcial de uma função pelo acréscimo infinitesimal da variável em relação à qual foi derivada. **Diferencial total.** *Anál. Mat.* Somatório de todas diferenciais parciais de uma função de diversas variáveis. [Tb. se diz apenas *diferencial.*]

diferenciar. *V. t. d.* **1.** Diferençar (1 e 2). **2.** *Anál. Mat.* Determinar a diferencial de (uma função). *T. d. e i.* **3.** Diferençar (4). *P.* **4.** Diferençar (5) [Pres. ind.: *diferencio, diferencias, diferencia*, etc.]

diferente. [Do lat. *differente.*] *Adj. 2 g.* **1.** Que não é igual; que não coincide; que difere, diverge; divergente, diverso, desigual: *São diferentes as nossas opiniões; Nossas somas deram resultados diferentes.* **2.** Não semelhante: *fisionomias diferentes.* **3.** Variado, variegado: *fitas de diferentes cores.* **4.** Alterado, modificado: *A doença o deixou de gênio diferente.* **5.** *Bras. Pop.* De amizade abalada ou desfeita; de relações quase rotas, ou rotas: *Tão íntimas que eram, hoje estão diferentes.* [Cf. *deferente.*]

diferido. [Part. de *diferir.*] *Adj.* **1.** Adiado, retardado. **2.** *Com.* Diz-se da despesa ou renda cujo pagamento anual principia ao termo dum determinado prazo. **3.** *Com. P. ext.* Diz-se desse pagamento. [Cf. *deferido.*] ~ V. *título* —.

diferimento. *S. m.* Ato ou efeito de diferir; adiamento. [Cf. *deferimento.*]

diferir. [Do lat. **differere, por differre.*] *V. t. d.* **1.** Adiar, procrastinar, retardar. **2.** Demorar, delongar. *T. i.* **3.** Divergir, discordar: *Seu ponto de vista difere do meu.* **4.** Ser diferente; distinguir-se: *Esta tonalidade de azul difere daquela. Int.* **5.** Ser diferente; distinguir-se. **6.** Divergir, discordar, discrepar. [Irreg. Conjug.: v. *aderir.* Cf. *deferir.*]

dificerca. *Adj. 2 g.* Diz-se da cauda ou nadadeira caudal na qual a coluna vertebral é reta até a ponta e os dois lobos são simétricos.

difícil. [Do lat. *difficile.*] *Adj. 2 g.* **1.** Que apresenta dificuldade; árduo, custoso: *trabalho difícil.* **2.** Trabalhoso, duro: *vida difícil.* **3.** Penoso, triste: *horas difíceis.* **4.** Delicado, embaraçoso: *situação difícil.* **5.** Intricado, complicado, obscuro, confuso: *autor difícil; texto difícil.* **6.** Que não é fácil de contentar, exigente: *Tem um paladar difícil.* **7.** Intratável, insociável, áspero: *Sujeito difícil aquele: nem com a família se entende.* **8.** Que dificulta a aproximação, o entendimento, o convívio: *gênio difícil; caráter difícil.* **9.** Que não é certo, seguro ou provável; improvável: *É difícil chegarem cedo.* ~ V. *figura* — e *figurinha* —. ● *S. m.* **10.** Aquilo que é difícil; dificuldades: *O difícil do caso é a divergência entre os dois.* ● *Adv.* **11.** De maneira complicada ou requintada, difícil de ser entendida: *falar difícil; escrever difícil.* [Pl. (do adj.): *difíceis*; superl. abs. sint.: *dificílimo* e *dificilíssimo.* Antôn.: *fácil.*] ♦ **Bancar o difícil. 1.** Fazer-se de importante, superior, diferente dos outros. **2.** Procurar dar a impressão de que não se deixa render ou conquistar facilmente: *Aquela moça gosta de bancar a difícil.* [Sin. ger.: *fazer-se difícil.*] **Fazer-se difícil.** Bancar o difícil.

dificílimo. [Do lat. *difficillimu.*] *Adj.* Superl. abs. sint. de *difícil;* dificilíssimo.

dificilíssimo. *Adj.* Dificílimo.

dificuldade. [Do lat. *difficultate.*] *S. f.* **1.** Caráter ou qualidade do que é difícil: *a dificuldade de um empreendimento, de uma tarefa.* **2.** Aquilo que é difícil: *Tem o gosto da dificuldade.* **3.** Obstáculo, estorvo, impedimento: *Dificuldades materiais impedem-no de prosseguir.* **4.** Complexidade, complicação: *Não vejo dificuldade neste texto; parece-me, até, bem claro.* **5.** Oposição, objeção: *Não oporei dificuldades ao seu plano.* **6.** Relutância, repugnância: *Não tenho dificuldade em aceitar sua proposta.* **7.** Situação crítica; apuro, aperto, apertura: *Creio que sairá bem daquela dificuldade; Ganha pouco e passa dificuldade.* [Antôn.: *facilidade.*]

dificultação. *S. f.* Ato de dificultar(-se). [Antôn.: *facilitação.*]

dificultar. [Do lat. *difficultare.*] *V. t. d.* **1.** Tornar difícil ou custoso de fazer: *A escrita cerrada dificultava o entendimento do texto.* **2.** Pôr impedimento ou dificuldade a: *A má vontade do funcionário dificultou o andamento do processo. T. d. e i.* **3.** Tornar difícil ou custoso de fazer: *A vista fraca dificulta-lhe muito a leitura.* **4.** Representar como difícil: *Pela maneira como lhe falaram, viu que estavam a dificultar-lhe o caso. P.* **5.** Fazer-se difícil. **6.** Não condescender; recusar-se. [Antôn.: *facilitar.*]

dificultoso (ô). [De *dificult(ar)* + *-oso.*] *Adj.* Que apresenta dificuldade; difícil. [Antôn.: *fácil.*]

difidência. [Do lat. *diffidentia.*] *S. f. P. us.* Qualidade de difidente; desconfiança.

difidente. [Do lat. *diffidente.*] *Adj. 2 g. P. us.* Que tem pouca fé ou confiança; desconfiado.

difilídio. *S. m.* **1.** Espécime dos difilídios. ● *Adj.* **2.** Pertencente ou relativo a eles.

difilídios. *S. m. pl. Zool.* Animais platelmintos cestóideos, parasitas de elasmobrânquios, da ordem *Diphyllidea*, de escólex grande, lobado, com duas ventosas; pescoço com oito fileiras de ganchos.

difilo. [De *di-*[1] + *-filo*[1].] *Adj. Morfol. Veg.* Que tem duas folhas.

difilobotrídeo. *S. m.* **1.** Espécime dos difilobotrídeos. ● *Adj.* **2.** Pertencente ou relativo a eles.

difilobotrídeos. *S. m. pl. Zool.* Vermes achatados, da classe dos cestóideos, filo dos platelmintos, da família dos pseudofilídeos. Ex.: *Diphyllobothrium latum.*

difiodonte. [De *di-*[1] + gr. *phyo(mai)*, 'nascer', + *-odonte.*] *Adj. 2 g. Zool.* Que tem duas dentições.

difluência. [Do lat. *diffluentia.*] *S. f.* Qualidade ou estado do que é difluente. [Cf. *defluência.*]

difluente. [Do lat. *diffluente.*] *Adj. 2 g.* Que diflui. [Cf. *defluente.*] ~ V. *movimento* —.

difluir. [Do lat. *diffluere.*] *V. int.* Espalhar-se, difundir-se; derramar-se; correr. [Usa-se com relação a fluidos e ao que lhes é compossível. Conjug.: v. *atribuir.* Cf. *defluir.*]

difração. [De *di-*[2] + lat. *fractione*, 'ato de quebrar'.] *S. f. Fís.* Fenômeno que ocorre quando uma onda caminhante é limitada, em seu avanço, por um objeto opaco que deixa passar apenas uma fração das frentes de onda, e que pode ser observado como uma propagação da onda para regiões além do objeto e situadas na sombra deste em relação à direção da onda incidente, ou como a propagação da onda em direções preferenciais, etc.

difratar. [De *di*-[2] + lat. *fractu*, 'quebrado', + -*ar*[2].] *V. t. d.* Fazer difração de.

difrativo. *Adj.* Que pode originar difração.

difringente. [Do lat. *diffrigente*.] *Adj. 2 g.* Que difrata.

difteria. [Do gr. *diphtéria*.] *S. f. Med.* Doença infecto-contagiosa aguda, bacteriana, que incide, principalmente, de um aos quatro anos de idade, e cujas principais manifestações são febre, dispnéia, afonia e disfagia, entre outras; localmente, no nariz e na garganta, há formação de falsas membranas. ♦ **Difteria laríngea.** *Med.* V. *crupe diftérico*. **Difteria laringotraqueal.** *Med.* Forma grave de difteria em que a infecção se estende à laringe e traquéia, ocasionando, além de congestão e edema locais, a instalação de pseudomembrana, com sufocação.

diftérico. *Adj.* Relativo à difteria.

difundir. [Do lat. *diffundere*.] *V. t. d.* **1.** Espalhar ou derramar, liquefazendo: *O sol* difundiu *a camada de neve.* **2.** Irradiar, emitir: *A vela* difundia *uma luz fraca.* **3.** Espalhar, disseminar, espargir: difundir *um aroma.* **4.** Propagar, divulgar: difundir *uma notícia. P.* **5.** Espalhar-se, estender-se, liquefazendo-se. **6.** Espalhar-se, disseminar-se, espargir-se: "Aromas impoltos / Difundem-se no espaço" (Antônio Feijó, *Poesias Completas*, p. 100). **7.** Propagar-se, divulgar-se: "A notícia se difundira com rapidez, e cada qual que a transmitia acrescentava, por conta própria, novos detalhes." (Herberto Sales, *Cascalho*, p. 67.)

difusão. [Do lat. *diffusione*.] *S. f.* **1.** Derramamento de fluido. **2.** *Fig.* Propagação, divulgação. **3.** Prolixidade, redundância. **4.** *Fís.-Quím.* Processo espontâneo de transporte de massa num sistema físico-químico, por efeito de gradientes de concentração. **5.** *Ópt.* Espalhamento de um raio luminoso, determinado pela sua passagem através de um meio que contém pequenas partículas, ou irregularidades microscópicas. **6.** *Fís. Nucl.* V. *espalhamento* (3).

difusibilidade. *S. f.* Qualidade do que é difusível.

difusionismo. *S. m. Etnol.* Corrente etnológica que tenta explicar o desenvolvimento cultural como um processo de difusão de elementos culturais que se comunicariam de um povo a outro, ou de centros de determinadas áreas.

difusível. *Adj. 2 g.* Que se pode difundir; difusivo.

difusividade. [De *difusivo* + -*i*- + -*dade*.] *S. f. Fís.* Em uma substância condutora de calor, o cociente da condutividade térmica desta substância pela capacidade calorífica e pela massa específica.

difusivo. *Adj.* **1.** Que tem sobre o organismo ação rápida e enérgica. **2.** Difusível. **3.** V. *difuso* (2).

difuso. [Do lat. *diffusu*.] *Adj.* **1.** Em que há difusão; disseminado, divulgado. **2.** Prolixo, redundante; difusivo: *estilo* difuso; "O artigo de Lindolfo Xavier, 'O Ministério da Viação do Tempo de Machado de Assis e Artur Azevedo', ... é prolixo, difuso e pouco informativo, no que toca às tarefas desempenhadas pelo primeiro." (R. Magalhães Júnior, *Machado de Assis Desconhecido*, p. 178). **3.** *Med.* Não circunscrito: *lesão* difusa. ~ V. *luz* —*a* e *nebulosa* —*a*.

difusor (ô). *Adj.* **1.** Que difunde. ● *S. m.* **2.** Aquilo ou aquele que difunde. ♦ **Difusor de ar.** Aparelho de ventilação artificial, usado para difundir o ar injetado em um recinto. **Difusor perfeito.** *Ópt.* Corpo que não absorve luz, e cuja luminância é a mesma em todas as direções e independe da direção de incidência da luz que o ilumina.

dígamo. [Do gr. *dígamos*, pelo lat. *digamu*.] *Adj.* Que participa dos dois sexos. [Pl.: *dígamos*. Cf. *digamos*, do v. *dizer*.]

digástrico. [De *di*-[1] + -*gastr(o)*- + -*ico*[2].] *Adj.* ~ V. *músculo* —.

digêneo. *S. m.* **1.** Espécime dos digêneos. ● *Adj.* **2.** Pertencente ou relativo aos digêneos. [Sin. ger.: *malacocotíleo*.]

digêneos. *S. m. pl. Zool.* Animais platelmintos trematódeos, ordem *Digenea*, providos de duas ventosas, uma oral e uma ventral sem ganchos, e um poro excretor posterior. Um ou mais estádios larvares em hospedeiros intermediários antes de atingir a forma adulta; endoparasitos de vertebrados, larvas em invertebrados e peixes. [Sin.: *malacocotíleos*.]

digerido. [Part. de *digerir*.] *Adj.* **1.** Que se digeriu. **2.** Transformado pela digestão. [Sin. ger.: *digesto*.]

digerir. [Do lat. *digerere*.] *V. t. d.* **1.** Fazer a digestão de. [Sin., pop.: *desgastar*.] **2.** Suportar, sofrer, com resignação: digerir *insultos, afrontas.* **3.** Compreender, entender, perceber, assimilar, depois de estudo ou meditação atenta: *Só ao cabo de três horas de esforço* digeriu *o intricado texto.* **4.** Macerar em um líquido. *Int.* **5.** Realizar a digestão. **6.** Digerir (3): *Estuda muito, mas* digere *pouco.* [Irreg. Conjug.: v. *aderir*.]

digerível. *Adj. 2 g.* Que pode ser digerido, ou facilmente digerido; digestível.

digestão. [Do lat. *digestione*.] *S. f.* **1.** Transformação dos alimentos em substâncias assimiláveis. **2.** *Ind. Pap.* Cozimento (3).

digestibilidade. *S. f.* Qualidade do que é digerível.

digestir. [De *digestão*.] *V. t. d. Bras., RS.* Suportar, agüentar. [Cf. *digerir* (2).]

digestível. [Do lat. *digestibile*.] *Adj. 2 g.* Digerível.

digestivo. [Do lat. *digestivu*.] *Adj.* **1.** Relativo à digestão. **2.** Que facilita a digestão; digestor. **3.** *Irôn.* Leve, ligeiro, superficial: *Sobre assunto tão sério escreveu um artiguinho* digestivo; *Assisti a um filme* digestivo.

digesto. [Do lat. *digestu*.] *Adj.* **1.** Digerido. ● *S. m.* **2.** Coleção das decisões dos jurisconsultos romanos mais célebres, trasnformadas em lei por Justiniano, imperador romano do Oriente (cerca de 483-565), e que é uma das quatro partes do *Corpus Juris Civilis*; Pandectas. **3.** Publicação, especializada ou não, composta de artigos, livros, etc., condensados.

digestor. (ô) [Do lat. *digestore*.] *Adj.* **1.** Digestivo (2). ● *S. m.* **2.** Aparelho para cocção de certas substâncias. **3.** *Ind. Pap.* V. *cozinhador* (2).

digestório. [Do lat. *digestoriu*.] *Adj.* Que tem a propriedade ou o poder de digerir.

digitação. [Do lat. *digitu*, 'dedo', + -*ação*.] *S. f.* **1.** Movimento de exercício dos dedos. **2.** Qualidade do que é digitado. **3.** A forma digitada.

digitado. [Do lat. *digitatu*.] *Adj.* Que tem forma ou disposição de dedos; digitiforme. ~ V. *folha* —*a*.

digitador (ô). *S. m. Inform.* Operador que digita cartões.

digital. [Do lat. *digitale*.] *Adj. 2 g.* **1.** Dos, ou pertencente ou relativo aos dedos: *impressão* digital. **2.** Relativo a dígito (2): *relógio* digital. ~ V. *computador* —, *impressão* — e *simulador* —. ● *S. f.* **3.** *Desus.* V. *dedaleira* (1).

digitalina. *S. f. Quím.* Substância cristalina, que se usa como tônico cardíaco, extraída das folhas da *Digitalis purpurea* [v. *dedaleira* (1)]. [Fórm.: $C_{36}H_{56}O_{14}$.]

digitalismo. *S. m. Med.* Ação produzida pela digitalina.

digitar. [De *digit(i)*- + -*ar*[2].] *V. t. d.* **1.** Dar a forma de dedos a. **2.** Prover de dedos. **3.** *Inform.* Transpor para um cartão apropriado, que será posteriormente inserido numa máquina leitora de cartões, os dados ou instruções que se deseja transmitir a um processador automático.

▲**digit(i)-.** [Do lat. *digitus, i*.] *El. comp* = 'dedo'; 'digitado': *digitígrado*; *digitifoliado*, *digitiforme*.

digitifoliado. [De *digiti*- + -*foli*- + -*ado*[1].] *Adj. Morfol. Veg.* Que tem folhas digitadas.

digitiforme. [De *digiti*- + -*forme*.] *Adj. 2 g.* Digitado.

digitígrado. [De *digiti*- + -*grado*.] *Adj. Zool.* Que anda nas pontas dos dedos.

dígito. [Do lat. *digitu*, 'dedo'.] *S. m.* **1.** *Poét.* Dedo (1). **2.** *Arit.* Qualquer dos algarismos arábicos de 0 a 9. **3.** *Astron.* Cada uma das 12 partes iguais em que se dividem os diâmetros do Sol e da Lua, para o cálculo dos eclipses. **4.** *Proc. Dados.* Elemento de um conjunto de caracteres determinados que se usam como coeficientes de potências da raiz na notação posicional de números. ♦ **Dígito binário.** *Proc. Dados.* **1.** Em notação binária, qualquer dos caracteres 0 (zero) e 1 (um). **2.** V. *bit*.

digladiador (ô). *Adj.* e *s. m.* Que, ou aquele que (se) digladia.

digladiar. [Do lat. **digladiare*, por *digladiari*.] *V. int.* e *p.* **1.** Combater com espada, corpo a corpo. **2.** Discutir com calor; disputar, combater, contender, lutar: *Digladiam há meses, uma polêmica mal-criada*; "No decurso do século XVIII, correu uma polêmica agitada à volta do valor de Camões, digladiando-se, em luta apaixonada, inúmeros panegiristas e detratores do poeta." (Feliciano Ramos, *História da Literatura Portuguesa*, p. 446.) [Sin. ger.: *gladiar*.]

díglifo. [Do gr. *díglyphos*.] *S. m. Arquit.* **1.** Ornato composto de duas estrias ou caneluras, em modilhões ou cachorros. **2.** O modilhão ou o cachorro ornado com duas estrias.

dignação. *S. f. P. us.* **1.** Ato de dignar-se. **2.** Concessão, mercê.

dignar-se. [Do lat. *dignare* + -*se*[1].] *V. p.* Ter a bondade, a generosidade, a condescendência; fazer mercê, favor; haver por bem; ser servido: *Solicitou ao Presidente* se dignasse *de ouvi-lo por cinco minutos*; "De longe em longe é que se dignava [Alexandre Herculano] dar alguns conselhos aos novos" (Gomes Monteiro, *Vencidos da Vida*, p. 215). [Usa-se com a prep. *de* ou sem ela.]

dignidade. [Do lat. *dignitate*.] *S. f.* **1.** Cargo e antigo tratamento honorífico. **2.** Função, honraria, título ou cargo que confere ao indivíduo uma posição graduada: *Foi elevado à* dignidade *de reitor.* **3.** Autoridade moral; honestidade, honra, respeitabilidade, autoridade: *É pessoa de alta* dignidade. **4.** Decência, decoro: *Manteve-se em todo o incidente com perfeita* dignidade. **5.** Respeito a si mesmo; amor-próprio, brio, pundonor: *Empobrecido ao extremo, sabe conservar a* dignidade.

dignificação. *S. f.* Ato ou efeito de dignificar(-se).

dignificador (ô). *Adj.* **1.** Que dignifica; dignificante. ● *S. m.* **2.** Aquele que dignifica.

dignificante. *Adj. 2 g.* Dignificador (1).

dignificar. [De *digno* + -*i*- + -*ficar*.] *V. t. d.* **1.** Tornar digno. **2.** Elevar a uma dignidade. **3.** Honrar, distinguir; glorificar, enobrecer: *A presença daquele mestre* dignificava *a solenidade. P.* **4.** Tornar-se digno. **5.** Atingir o maior grau de dignidade; nobilitar-se. [Conjug.: v. *trancar*.]

dignitário. [De um **dignitatário* < lat. *dignitate*, com haplologia.] *S. m.* Aquele que exerce cargo elevado, que tem alta graduação honorífica, que foi elevado a alguma dignidade (2).

digno. [Do lat. *dignu*.] *Adj.* **1.** Merecedor: digno *de respeito*; "Quem abusa da vitória não é digno de tê-la alcançado." (Ernani Sátiro, *Sempre aos Domingos*, p. 123.) **2.** Apropriado, adequado: *resposta* digna *da pergunta.* **3.** Que tem, ou em que há dignidade: *homem* digno; *procedimento* digno.

digo. [Da 1ª pess. sing. do v. *dizer*.] Partícula corretiva, de sentido equivalente ao que têm, em certos casos, as loc. *ou seja* e *isto é*: *Comprei 8 livros,* digo, *nove.*

dígonal. [De *dígono* + -*al*.] *Adj. 2 g.* ~ V. *orbital* —.

dígono. [De *di*-[1] + -*gono*[1].] *Adj.* Que tem dois ângulos.

digráfico. *S. m. Álg. Mod.* Conjunto finito de pontos conectados dois a dois por segmentos orientados que podem ou não ligar todos os pontos.

dígrafo. [De *di*-[1] + -*grafo*.] *S. m. Gram. Bras.* Digrama.

digrama. [De *di*-[1] + -*grama*.] *S. m. Gram.* Grupo de duas letras que representa um único som ou articulação; dígrafo. Ex.: *lh, nh, rr, ss, ue* (em *guerra*, p. ex.), etc.

digressão. [Do lat. *digressione*.] *S. f.* **1.** Desvio de rumo ou de assunto: "Sem se perder em digressões inúteis, a autora vai às últimas conseqüências, na aplicação dos princípios adotados." (Aires da Mata Machado Filho, *Falar, Ler e Escrever*, p. 103.) **2.** Excursão, passeio. **3.** Subterfúgio, evasiva. **4.** *Liter.* Recurso literário utilizado com o fim de esclarecer ou criticar o assunto em questão.

digressionar. *V. int.* Fazer digressão ou digressões.

digressivo. *Adj.* **1.** Em que há, ou que envolve digressão: "Por vezes, a frase digressiva envereda por uma ramificação secundária e perde de vista o pensamento inicial." (Antônio José Saraiva e Óscar Lopes, *História da Literatura Portuguesa*, p. 719.) **2.** Que digressiona, se afasta, se desvia.

digresso. [Do lat. *digressu*.] *S. m.* Desvio, afastamento, digressão.

diguice. *S. f. Bras. Pop.* Disparate, asneira, tolice.

diicana. *S. 2. g. Bras.* Designação tucana dos índios tuiúcas do alto Tiquié (AM).

diidroxilado (cs). [De *di*-[1] + *hidroxila* + -*ado*[1].] *Adj. Quím.* Diz-se de substância que tem duas hidroxilas por molécula.

dilação. [Do lat. *dilatione*.] *S. f.* **1.** Adiamento, prorrogação: *O casamento teve uma* dilação *de 15 dias.* **2.** Demora, tardança, delonga: *Dê o recado sem* dilação. **3.** Prazo (2): *Teve uma* dilação *de 15 dias para efetuar o negócio.* [Cf. *delação*.]

dilaceração. [Do lat. *dilaceratione*.] *S. f.* Ação ou efeito de dilacerar(-se); despedaçamento, dilaceramento.

dilacerador (ô). *Adj.* **1.** V *dilacerante*. ● *S. m.* **2.** Aquele que dilacera.

dilaceramento. *S. m.* V. *dilaceração*.

dilacerante. [Do lat. *dilacerante*.] *Adj. 2 g.* **1.** Que dilacera. **2.** Que tortura; aflitivo, cruel. [Sin. ger.: *dilacerador, lacerante*.]

dilacerar. [Do lat. *dilacerare*.] *V. t. d.* **1.** Rasgar em pedaços; despedaçar com violência: *A fera assanhada* dilacerou *a presa.* **2.** Afligir muito; torturar, mortificar: "Dilacerem-te os pés urzes e cardos." (Da Costa e Silva, *Sangue*, p. 51); *Os ciúmes dilaceram-na.* **3.** Difamar, desacreditar; desdourar; atassalhar: *Os jornais dilaceraram o candidato. P.* **4.** Ferir-se; espedaçar-se. [Sin. ger.: *lacerar.*]

dilapidação. [Do lat. *dilapidatione.*] *S. f.* **1.** Ato ou efeito de dilapidar; desbarato, esbanjamento. **2.** Roubo, furto.

dilapidador (ô). *Adj.* e *s. m.* Que, ou quem dilapida.

dilapidar. [Do lat. *dilapidare.*] *V. t. d.* **1.** Destruir, arruinar, demolir. **2.** Gastar desmedidamente; dissipar, esbanjar, malbaratar, malgastar: *Dilapidou a fortuna em um ano;* "Não dando valor ao dinheiro, Nordeste *dilapidou* a pequena herança, com a imprevidência de um pródigo." (Vivaldo Coaraci, *91 Crônicas Escolhidas*, p. 159). [A f. *delapidar*, de largo uso, é menos boa.]

dilatabilidade. *S. f.* Propriedade do que é dilatável.

dilatação. [Do lat. *dilatatione.*] *S. f.* **1.** Aumento de dimensões. **2.** Aumento de volume. **3.** Alargamento, ampliação. **4.** Incremento, propagação, expansão. **5.** Prorrogação, alongamento, dilação. ◆ **Dilatação do tempo.** *Fís.* Efeito relativístico em virtude do qual o tempo medido por um relógio situado num corpo que se desloca em relação a um dado sistema de referência, com velocidade próxima da velocidade da luz, parece mais lento que o tempo medido por um relógio fixo no sistema de origem.

dilatado. [Part. de *dilatar.*] *Adj.* **1.** Amplo, largo, extenso. **2.** Desenvolvido, aumentado.

dilatador (ô). [Do lat. *dilatatore.*] *Adj.* **1.** Que serve ou é próprio para dilatar. ● *S. m.* **2.** *Cir.* Instrumento próprio para alargar um canal ou abertura.

dilatância. *S. f. Fís.* Propriedade de fluidos cuja viscosidade aumenta com o aumento da tensão de cisalhamento.

dilatar. [Do lat. *dilatare.*] *V. t. d.* **1.** Aumentar as dimensões ou o volume de: *O calor dilatou a madeira.* **2.** Estender, alargar, ampliar, amplificar: *Napoleão dilatou as fronteiras da França conquistando os países vizinhos.* **3.** Distender: *dilatar as narinas.* **4.** Propagar, divulgar, difundir: *dilatar a fé; dilatar uma doutrina.* **5.** Prolongar no tempo; fazer durar: *Rogo a Deus dilate a vida do velho mestre.* **6.** Retardar, adiar, delongar, diferir: *Dilatou de novo o encontro, já duas vezes adiado.* **7.** Alongar, desenvolver: *Dilatou excessivamente o discurso. P.* **8.** Estender-se; distender-se. **9.** Aumentar, crescer, alargar-se: "na face contorcida, onde os olhos *se dilatam* exageradamente e exageradíssimamente a boca se abre num grito de triunfo." (Euclides da Cunha, *Contrastes e Confrontos*, p. 43). **10.** Alongar-se, demorar-se: *Não se dilataram na visita.* **11.** Prolongar-se; estender-se: *A cidade dilata-se pelo vale.* [Cf. *delatar.*]

dilatável. *Adj. 2 g.* Que se pode dilatar. [Cf. *delatável.*]

dilatório. [Do lat. *dilatoriu.*] *Adj.* Que faz adiar; que retarda; moratório. [Cf. *delatório.*]

dileção. [Do lat. *dilectione.*] *S. f.* Afeição especial; estima.

dilema. [Do gr. *dílemma*, pelo lat. *dilemma.*] *S. m.* **1.** *Lóg.* Raciocínio (4) cuja premissa é alternativa, de sorte que qualquer dos seus termos conduz à mesma conseqüência. **2.** *Fig.* Situação embaraçosa com duas saídas difíceis ou penosas. [Cf., nesta acepç.: *trilema.*]

dilemático. *Adj.* Relativo a, ou que encerra dilema.

dilenácea. *S. f.* Espécime das dilenáceas.

dilenáceas. *S. f. pl. Bot.* Família de hepáticas, jungermaniales, anacrógenas, talosas, cujas folhas têm nervura central bem marcada. Órgãos sexuais dorsais; invólucro duplo, externamente laciniado; cápsula alongada, com deiscência irregular, gerando quatro valvas; não tem elateróforos.

dilenáceo. *Adj.* Pertencente ou relativo às dilenáceas.

dilênia. *S. f.* Flor-de-abril.

dileniácea. *S. f.* Espécime das dileniáceas.

dileniáceas. *S. f. pl. Bot.* Família de plantas floríferas, que engloba árvores, arbustos e trepadeiras com folhas alternas, cálice com três a cinco sépalas, corola com duas a cinco pétalas, estames, em geral, numerosos, e fruto capsular. Existem umas 300 espécies tropicais, bem representadas no Brasil.

dileniáceo. *Adj.* Pertencente ou relativo às dileniáceas.

diletante. [Do it. *dilettante.*] *Adj. 2 g.* e *s. 2 g.* **1.** Amador ou apreciador apaixonado de música; melômano. **2.** Que ou quem se ocupa de qualquer assunto, ou exerce uma arte por gosto, como amador, e não por ofício ou obrigação.

diletantismo. *S. m.* Qualidade, caráter, modos, atitude, procedimento de diletante.

dileto. [Do lat. *dilectu.*] *Adj.* Preferido na estima, na afeição; querido especialmente; amado: "Já que meu Deus foi tão misericordioso para com os homens, que os quis ensinar pela própria pessoa de seu *diletíssimo* Filho, ... eu quero, mediante a sua graça, aprender por este exemplar." (Pe. Manuel Bernardes, *Exercícios Espirituais*, I, p. 47.)

diligência[1]. [Do lat. *diligentia.*] *S. f.* **1.** Cuidado ativo; zelo, aplicação: *Sua diligência nos negócios trouxe-lhe a riqueza.* **2.** Atividade, rapidez, presteza: *Acudiu aos chamados com diligência.* **3.** Providência; medida: *Tomou as diligências que o caso reclamava.* **4.** Investigação, pesquisa, busca: *Inúteis foram as diligências para encontrar o fugitivo.* **5.** Execução de certos serviços judiciais fora dos respectivos tribunais ou cartórios: *as diligências da penhora.* [Cf. *diligencia*, do v. *diligenciar.*]

diligência[2]. [Do fr. *diligence.*] *S. f.* Carruagem puxada a cavalos, com suspensão de molas, que servia para o transporte coletivo de passageiros antes dos trens de ferro e do automóvel; carruagem. [Cf. *diligencia*, do v. *diligenciar.*]

diligenciador (ô). *Adj.* e *s. m.* Que, ou aquele que diligencia.

diligenciar. *V. t. d.* **1.** Esforçar-se por; empregar os meios para; empenhar-se por: *Em tão ilustre presença, diligenciou expressar-se com apuro de linguagem. T. i.* **2.** Esforçar-se, forcejar, empenhar-se: *Diligenciava por chegar cedo ao trabalho.* [Pres. ind.: *diligencio, diligencias, diligencia*, etc. Cf. *diligência.*]

diligente. [Do lat. *diligente.*] *Adj. 2. g.* **1.** Ativo; zeloso, aplicado: "Assim, naquela vastidão de areias, que ondulava do Egito até à Arábia, sob essa imensa curva do céu onde se cansava a asa das águias e dos ventos, se movia aquela forma solitária, única entre tanta imensidade, sempre *diligente* como uma abelha que faz o seu mel." (Eça de Queirós, *Últimas Páginas*, p. 227.) **2.** Ligeiro, rápido.

dilobulado. [De *di-*[1] + *lobulado.*] *Adj.* Que tem dois lóbulos.

dilogia. [Do gr. *dilogía*, pelo lat. *dilogia.*] *S. f. Ret.* V. *diáfora.*

dilogum. [Do ioruba.] *S. m. Bras., N.* e *N.E.* Opelê-ifá.

dilucidação. [Do lat. *dilucidatione.*] *S. f.* Ato de dilucidar; dilucidamento.

dilucidamento. *S. m.* Dilucidação.

dilucidar. [Do lat. *dilucidare.*] *V. t. d.* e *p.* Elucidar(-se): "Daquela centelha rompeu o clarão que *dilucidou* tudo: queriam-no obrigar a assentar praça como voluntário." (Aquilino Ribeiro, *Caminhos Errados*, p. 173.) [Pres. ind.: *dilucido*, etc. Cf. *dilúcido.*]

dilúcido. [Do lat. *dilucidu.*] *Adj.* Lúcido, claro. [Cf. *dilucido*, do v. *dilucidar.*]

dilucular. *Adj. 2 g.* Do, ou relativo ao dilúculo: "Já das assomadas raia / O clarão *dilucular*" (Manuel Bandeira, *Estrela da Vida Inteira*, p. 26).

dilúculo. [Do lat. *diluculu.*] *S. m.* Crepúsculo matutino; alvorada.

diluente. [Do lat. *diluente.*] *Adj. 2 g.* Que dilui.

diluição (u-i). *S. f.* Ação ou efeito de diluir(-se); diluimento. ◆ **Diluição isotópica.** *Quím.* Dosagem dum elemento numa amostra mediante a adição dum isótopo radioativo e a determinação subseqüente da sua atividade após uma separação conveniente.

diluimento (u-i). *S. m.* Diluição.

diluir. [Do lat. *diluere.*] *V. t. d.* **1.** Diminuir a concentração de (uma solução), mediante adição dum líquido conveniente. **2.** Misturar com água. **3.** Desfazer; diminuir; abrandar, suavizar: *A viagem diluiu a sua grande dor. P.* **4.** Desfazer-se em um líquido. **5.** Desfazer-se; diminuir; abrandar(-se), suavizar-se. **6.** Diminuir, atenuar-se, desfazer-se: "E dia a dia mais *se diluem* as fronteiras que separam os gêneros literários." (Nereu Correia, *O Canto do Cisne Negro e Outros Estudos.* p. 86.) [Conjug.: v. *atribuir.*]

diluto. [Do lat. *dilutu.*] *Adj.* **1.** Que se diluiu. **2.** *Bras., RS.* Diz-se do vinho ou de qualquer bebida misturada com água.

diluvial. [Do lat. *diluviale.*] *Adj. 2 g.* V. *diluviano.* ~ V. *época* —.

diluviano. *Adj.* **1.** Referente ao dilúvio universal, ou a qualquer dilúvio. **2.** Relativo a aluviões do plistoceno. **3.** *Fig.* Torrencial, abundantíssimo. [Sin. ger.: *diluvial.*]

diluvião. [Do lat. *diluvione.*] *S. m.* Terreno em que há vestígios de aluviões do plistoceno.

diluviar. [Do lat. *diluviare.*] *V. int.* Chover a cântaros.

dilúvio. [Do lat. *diluviu.*] *S. m.* **1.** Inundação universal; cataclismo. **2.** Grande chuva; inundação. **3.** V. *quantidade* (3).

diluvioso (ô). [De *dilúvio* + *-oso.*] *Adj. Poét.* Muito abundante de águas.

dimanação. [Do lat. *dimanatione.*] *S. f.* **1.** Emanação, proveniência, procedência. **2.** Curso brando de um líquido.

dimanante. [Do lat. *dimanante.*] *Adj. 2 g.* Que dimana.

dimanar. [Do lat. *dimanare.*] *V. int.* **1.** Brotar; derivar(se); fluir, correr: *O riacho dimanava entre pedregulhos. T. c.* **2.** Brotar; derivar(-se); fluir, correr: "Teu nome — água lustral que das fontes *dimana* — / É triste como uma canção napolitana." (Olegário Mariano, *Toda uma Vida de Poesia*, p. 29.) *T. i.* **3.** Derivar, provir, proceder, originar-se; emanar: "Hosanas / E aleluias a ti por sobre os mares, / A ti, branca açucena que *dimanas* / Dos celestes jardins que não têm pares." (Alphonsus de Guimaraens, *Obra Completa*, p. 167.)

dimensão. [Do lat. *dimensione.*] *S. f.* **1.** Sentido em que se mede a extensão para avaliá-la. **2.** V. *tamanho* (3). **3.** *Fig.* Importância, valor: *a dimensão universal da obra de Camões.* **4.** *Mat.* O número mínimo de variáveis necessárias à descrição analítica de um conjunto. **5.** *Geom. Anal.* Num espaço, o número mínimo de coordenadas necessárias à determinação unívoca de seus pontos. **6.** *Cálc. Vect.* Num espaço vectorial, o número de vectores de sua base. **7.** *Álg. Mod.* A ordem das matrizes na representação matricial de um grupo; grau. ◆ **Quarta dimensão.** *Fís.* A dimensão tempo no complexo tetradimensional espaço-tempo.

dimensional. *Adj. 2 g.* Referente a dimensão. ~ V. *análise* — e *fórmula* —.

dimensionalidade. *S. f. Mat.* O número de dimensões de uma grandeza.

dimensionamento. *S. m.* Ato ou efeito de dimensionar.

dimensionar. *V. t. d.* Calcular ou preestabelecer as dimensões ou proporções de.

dimensível. [Do lat. *dimensu*, 'medido', + *-ível.*] *Adj. 2 g.* V. *mensurável.*

dimensório. *Adj.* Relativo a dimensões.

dimerização. *S. f. Quím.* Reação de formação de um dímero.

dímero. [Do gr. *dimerés.*] *S. m.* **1.** *Quím.* Composto formado pela adição de duas moléculas de um monômero. ● *Adj.* **2.** *Biol.* Constituído de dois segmentos.

dímetro. [Do gr. *dímetros*, pelo lat. *dimetru.*] *S. m.* Verso grego ou latino de duas medidas ou quatro pés.

dimiário. *S. m.* **1.** Espécime dos dimiários. ● *Adj.* **2.** Pertencente ou relativo a eles.

dimiários. *S. m. pl. Zool.* **1.** Animais metazoários, moluscos, pelecípodes, com dois pares de músculos adutores iguais. **2.** Animais metazoários, nemertinos, com duas camadas musculares além dos músculos diagonais.

dimidiação. [Do lat. *dimidiatione.*] *S. f.* Ato ou efeito de dimidiar.

dimidiado. *Adj.* Que sofreu dimidiação. ~ V. *folha* —*a*.

dimidiar. [Do lat. *dimidiare.*] *V. t. d.* Dividir ou partir pelo meio; mear.

dimidiato. [Do lat. *dimidiatu.*] *Adj.* Dividido ou partido ao meio.

diminuendo[1]. [Do lat. *diminuendu*, gerundivo de *diminuere*, 'diminuir'.] *S. m. Ant.* Número de que se subtrai outro. [Sin., bras.: *minuendo.*]

➧**diminuendo**[2]. [It.] *Mús. Adv.* e *s. m.* Diminuindo [q. v.].

diminuente. [Do lat. *diminuente.*] *Adj. 2 g.* Que diminui.

diminuição (u-i). [Do lat. *diminutione.*] *S. f.* **1.** Ato ou efeito de diminuir. **2.** *Arit.* Subtração (3).

diminuidor (u-i...ô). *Adj.* **1.** Que diminui. ● *S. m.* **2.** *Arit.* Termo subtrativo da diminuição.

diminuindo. [Ger. de *diminuir.*] *Mús. Adv.* **1.** Enfraquecendo progressivamente a sonoridade de um trecho; decrescendo. ● *S. m.* **2.** Seqüência de notas executadas em diminuindo; decrescendo. [Tb. us., embora menos, a f. it., *diminuendo.*]

diminuir. [Do lat. *diminuere.*] *V. t. d.* **1.** Reduzir a menos (em dimensão, quantidade ou intensidade); tornar menor: *A descoberta dos antibióticos diminuiu o índice de mortalidade; As chuvas diminuíram o calor.* **2.** Fazer parecer menor: *A distância diminui os objetos.* **3.** Tornar raro ou mais raro; escassear: *O lançamento de detritos nos rios diminui a fauna ictiológica.* **4.** Tornar menos duradouro; abreviar, encurtar: *A desatenção aos conselhos médicos diminuiu-lhe a vida.* **5.** Abrandar, amortecer; remitir: *O remédio aplicado diminuiu a dor;* "Alma, dizia então comigo, chora, / Que o pranto *diminui* as agonias." (Félix Pacheco, *Poesias*, p. 15). **6.** Abater, abaixar, debilitar, deprimir: *Esta leviandade diminuiu seu valor perante os amigos. T. d.* e *i.* **7.** Subtrair, deduzir: *O comerciante diminuiu 10 cruzados no preço da mercadoria.* **8.** Subtrair (um número de outro): *Se de 100 diminuímos 15, restam 85. T. i.* **9.**

Decrescer, abater: *Diminuiu de peso. Int.* **10.** Tornar-se menor: *A carne diminuiu muito depois de cozida.* **11.** Decrescer; abrandar; enfraquecer: *Para sair, esperou que a chuva diminuísse.* **12.** Acalmar(-se), abrandar(-se), moderar-se: *Ao ter início o discurso, a agitação do público diminuiu. P.* **13.** Gastar-se, perder-se; estragar-se. **14.** Humilhar-se, rebaixar-se, apoucar-se: *Sentia que, se agisse com tolerância, se diminuiria.* [Sin. ger. (p. us.): *minuir.* Conjug.: v. *atribuir.*]

diminutivo. [Do lat. *diminutivu.*] *Adj.* **1.** Que dá ou adiciona idéia de pequenez (muitas vezes com implicação apreciativa ou depreciativa): *gatinho; criancinha linda; uma mulherzinha à-toa; um poetinha.* **2.** Tem, por vezes, valor intensivo, equivalendo, assim, ao superlativo: *Andam sempre agarradinhos; "eu é que vou aqui entre os dedos dela, unidinho a eles"* (Machado de Assis, *Várias Histórias*, p. 231). ~ V. *verbo* —. • *S. m.* **3.** Palavra formada de um radical e de um sufixo diminutivo (1): *mesinha é diminutivo de mesa; carinha é diminutivo de cara.* **4.** Nome próprio formado de igual modo, e que indica familiaridade ou carinho de quem o emprega: *Mariazinha* por *Maria; Carlinhos* por *Carlos.*

diminuto. [Do lat. *diminutu.*] *Adj.* **1.** Diminuído, apequenado. **2.** Muito pouco. **3.** Muito pequeno. **4.** Escasso, raro.

dimissórias. [Do lat. *dimissoriae*, i. e., *dimissoriae litterae.*] *S. f. pl.* Cartas dimissórias. [Cf. *demissórias*, fem. pl. de *demissório.*]

dimissório. [Do lat. *dimissoriu.*] *Adj.* ~ V. *cartas* — as.

dimorfia. [De *dimorfo* + *-ia.*] *S. f. Genét.* e *Min.* Dimorfismo.

dimórfico. [De *dimorfo* + *-ico*[2].] *Adj.* **1.** Diz-se de animal que apresenta dimorfismo sexual [q. v.]. **2.** Diz-se de animais com apêndices de tamanhos diferentes.

dimorfismo. [De *dimorfo* + *-ismo.*] *S. m.* **1.** *Genét.* Aparecimento de duas formas diferentes de uma determinada característica, dentro de um mesmo grupo. **2.** *Min.* Propriedade pela qual uma substância cristalina se pode apresentar sob duas fases diferentes de cristalização. [Sin. ger.: *dimorfia.*] ♦ **Dimorfismo sexual.** *Zool.* Fenômeno comum em insetos e aves onde, na mesma espécie, a fêmea difere do macho em tamanho, cor, etc.

dimorfo. [Do gr. *dímorphos.*] *Adj.* Que apresenta dimorfismo. [Cf. *biforme.*]

dimorfoteca. [De *dimorfo* + *-teca.*] *S. f. Bras. SP* e *RJ.* Subarbusto ornamental, da família das compostas (*Dimorphotheca aurantiaca*), dotado de flores amarelo-laranja, dispostas em capítulo solitário e terminal, e cujo fruto é aquênio rugoso.

dina. [Do gr. *dynamis*, 'força'.] *S. f. Fís.* Unidade de medida de força no sistema c.g.s., igual a 10^5 newtons. [Símb.: *dyn.*]

dinamarquês. *Adj.* **1.** Da, ou pertencente ou relativo à Dinamarca (Europa). **2.** Diz-se duma raça de cães grandes, de pêlo rente e malhado, originária desse país. • *S. m.* **3.** O natural ou habitante da Dinamarca. **4.** A língua desse país. V. *germânico* (3). **5.** Cão originário da Alemanha, de grande porte (entre 0,70 m e 0,80 m de altura), cabeça alongada, focinho largo, pescoço comprido e musculoso, orelhas pontudas e eretas, pêlo curto, aderente e lustroso, unicolor (ruivo, cinza ou negro) ou manchado (negro sobre fundo branco). [Flex.: *dinamarquesa* (ê), *dinamarqueses* (ê), *dinamarquesas* (ê). Sin., nas acepç. 1 e 3: *danês* (p. us.) e *dano* (ant.).]

dinamelétrico. *Adj.* Var. de *dinamoelétrico.* ~ V. *amplificador* —.

dinamia. [De *dinam(o)* + *-ia.*] *S. f. Med.* Fenômeno patológico dependente da exageração das propriedades orgânicas dos tecidos.

dinâmica. [Fem. substantivado do adj. *dinâmico.*] *S. f.* **1.** Parte da mecânica que estuda o movimento dos corpos, relacionando-os às forças que o produzem. [Cf. *cinemática.*] **2.** *Mús.* Graduação dos níveis de intensidade dos sons, durante a execução de um trecho musical, por meio de nuanças que vão do fortíssimo ao pianíssimo, quer em progressão mais ou menos lenta, quer em oposição brusca.

dinâmico. [Do gr. *dinamikós.*] *Adj.* **1.** Respeitante ao movimento e às forças, ou ao organismo em atividade. **2.** Ativo ou diligente em alto grau; muito empreendedor: *administrador honesto e dinâmico.* ~ V. *densidade* —a, *íleo* —, *leitura* —a, *paralaxe* —a, *pressão* —a, *viscosidade* —a e *universo* —.

▲**dinamio-.** Equiv. de *dinam(o)-*.

dinamiogenia. *S. f.* Dinamogenia.

dinamiogênico. *Adj.* Dinamogênico.

dinamiologia. [De *dinamio-* + *-log(o)-* + *-ia.*] *S. f. Mec.* Tratado das forças [v. *força* (18)].

dinamiológico. *Adj.* Relativo à dinamiologia.

dinamiometria. [De *dinamio-* + *metr(o)-*[2] + *-ia.*] *S. f.* Dinamometria.

dinamiométrico. *Adj.* Dinamométrico.

dinamiômetro. *S. m. Fís.* e *Eletr.* Dinamômetro.

dinamismo. [De *dinam(o)* + *-ismo.*] *S. m.* **1.** Atividade, energia. **2.** Diligência ou atividade intensa; espírito empreendedor: *Muitos melhoramentos deve a cidade ao dinamismo do prefeito.* [Nessas acepç., opõe-se a *estatismo.*] **3.** *Filos.* Doutrina que identifica a matéria com uma força ou energia primitiva, irredutível à massa ou ao movimento. [Cf. *vitalismo.*] **4.** *Filos.* Doutrina que considera que o ser se define por características do movimento.

dinamista. *Adj. 2 g.* **1.** Referente ao, ou que é partidário do dinamismo. • *S. 2 g.* **2.** Partidário do dinamismo.

dinamitar. *V. t. d.* Fazer ir pelos ares por meio da dinamite.

dinamite. [De *dinam(o)-* + *-ite*[2].] *S. f. Quím.* Explosivo à base de nitroglicerina a que se adiciona uma substância inerte.

dinamiteiro. *S. m.* Aquele que emprega a dinamite para atentados contra a sociedade.

dinamitista. *Adj. 2 g.* e *s. 2 g.* Que ou quem faz uso da dinamite e/ou a fabrica.

dinamização. *S. f.* **1.** Ato ou efeito de dinamizar (1). **2.** Concentração ou elevação da energia terapêutica dos medicamentos pelo sistema da homeopatia.

dinamizador (ô). *Adj.* e *s. m.* Diz-se de, ou aquele ou aquilo que dinamiza; incentivador.

dinamizar. *V. t. d.* **1.** Dar caráter dinâmico a. **2.** Aplicar os processos da dinamização (2) a.

▲**dinam(o)-.** [Do gr. *dýnamis, eos.*] *El. comp.* = 'força', 'potência': *dinamite, dinamogenia.* [Equiv.: *-dinam(o)-* e *dinamio-*: *aerodinâmica, dinamiometria.*]

dínamo. [Do fr. *dynamo*, abrev. de *dynamo-électrique* (subentende-se *machine.*)] *S. m. Eng. Elétr.* Máquina rotativa que converte energia mecânica em elétrica.

▲**-dinam(o)-.** Equiv. de *dinam(o)-*.

dinamoelétrico. [De *dinam(o)-* + *-elétrico.*] *Adj.* Diz-se de aparelho ou máquina que transforma a energia mecânica em energia elétrica. [Var.: *dinamelétrico.*]

dinamogenia. [De *dinam(o)-* + *-gen(o)-* + *-ia.*] *S. f.* Exaltação funcional dum órgão, sob a influência duma excitação. [F. paral.: *dinamiogenia.*]

dinamogênico. *Adj.* Relativo à dinamogenia. [F. paral.: *dinamiogênico.*]

dinamometria. [De *dinam(o)-* + *-metr(o)-*[2] + *-ia.*] *S. f.* Medida de forças feita pelo dinamômetro. [F. paral.: *dinamiometria.*]

dinamométrico. *Adj.* Referente à dinamometria. [F. paral.: *dinamiométrico.*]

dinamômetro. [De *dinam(o)-* + *-metro.*] *S. m.* **1.** *Fís.* Instrumento destinado a medir forças por meio da deformação causada por essas sobre um sistema elástico. [Os tipos mais usuais são constituídos por uma mola cuja deformação varia linearmente com a força que a produz.] **2.** *Eletr.* Instrumento com que se mede a potência de um motor elétrico, e baseado num processo de medida direta do momento da força tangencial que, aplicada ao eixo do motor, é capaz de pará-lo. [F. paral.: *dinamiômetro.*]

dinamotermal. [De *dinam(o)-* + *termal.*] *Adj. 2 g. Geol.* Diz-se do tipo de metamorfismo produzido pela deformação das rochas graças aos movimentos orogênicos em profundidades grandes, em que atuam, ao mesmo tempo, pressão orientada e temperatura alta. [As rochas características desse tipo de metamorfismo são os xistos.]

dinar. [Do lat. *denarius*, i. e., *munus denarius*, atr. do gr. bizantino *denarion*, do servo-croata *dinar* e do árabe-persa *dinar.*] *S. m.* **1.** Antiga unidade árabe de peso. **2.** Antiga moeda de ouro, cunhada pelos califas árabes. **3.** Unidade monetária, e moeda, do Iraque, Jordânia, Tunísia, Argélia, República Democrática Popular do Iêmen, Líbia, Bahrain, Coveite e Iugoslávia. **4.** Moeda divisionária do real[1] (4) iraniano.

dinasta. [Do gr. *dynástes*, pelo lat. *dynasta.*] *S. m.* **1.** Título dado outrora a príncipes reinantes. • *S. 2 g.* **2.** Partidário duma dinastia.

dinastia. [Do gr. *dynasteía.*] *S. f.* Série de soberanos pertencentes a uma mesma família: *D. Pedro II pertencia à dinastia dos Braganças;* "No tempo do Império, a magnanimidade do soberano, o empenho de dar pompa e luzimento à coroa, a necessidade de celebrar e perpetuar os fastos da dinastia eram outros tantos incentivos à munificência com que se liberalizavam graças e recompensas a artistas e homens de letras." (Alberto Ramos, *Prosas de Ariel*, p. 37.)

dinástico. [Do gr. *dynastikós.*] *Adj.* Respeitante a dinastia.

dinda. *S. f. Bras. Fam.* Der. regress. de *dindinha* (1). [V. *dindinho* (1).]

dindinha. *S. f.* **1.** *Bras. Fam.* Fem. de *dindinho.* **2.** *Bras. Pop.* V. *cachaça* (1).

dindinho. *S. m. Bras. Fam.* **1.** Dim. carinhoso de *padrinho.* **2.** Designação carinhosa de avô.

dingo. [De alguma língua australiana.] *S. m.* Cão selvagem da Austrália.

dinheirada. *S. f.* Porção considerável de dinheiro; dinheirama, dinheirame, dinheirão.

dinheirama. *S. f.* **1.** Grandes recursos de dinheiro. **2.** V. *dinheirada.*

dinheirame. *S. m.* V. *dinheirada.*

dinheirão. *S. m.* **1.** Grande porção, indeterminada, de dinheiro. **2.** V. *dinheirada.*

dinheirento. *Adj. Bras.* V. *dinheiroso.*

dinheiro. [Do lat. *denarius*, i. e., *numus denarius*, 'moeda de prata do valor de 10 asses'.] *S. m.* **1.** Mercadoria (geralmente representada por cédulas e moedas) que tem curso oficial, e cujo valor é estabelecido como o equivalente que permite a troca por outra(s) mercadoria(s), de cujo valor comparativo é a medida. [Cf. *moeda* (3) e *papel-moeda.*] **2.** *P. ext.* Tudo que representa dinheiro (1), ou nele pode ser convertido (cheques, títulos, ações, mercadorias negociáveis, etc.): *Tem dinheiro em imóveis.* **3.** Qualquer soma, definida ou indefinida, de dinheiro (1). [Sin. (na maioria pop. ou gír.): *arame, bagalhoça, bagarote, bago, bomba, borós, bronze, capim, caraminguá(s), caroço, changa, chapa, chelpa, cobre(s), cominho, erva, ferro, gaita, grana, guita, jabaculê, jibungo, jimbongo, jimbo* ou *jimbra, legume, luz, maquia, massa, metal, milho, mufunfa, níquel, numerário, óleo, ouro, pacotes, pataca, pecunia, pilcha, prata, tacho, teca, tostão, tusta, tutu, tuncum, unto, vento, verba, zinco.* Cf. *nota* (19) e *tubos.*] **4.** V. *moeda corrente: Esta loja só aceita pagamento em dinheiro.* **5.** Moeda (4): *Esse dinheiro já foi recolhido.* **6.** Recursos financeiros; abastança, numerário, riqueza, pataca(s): *Não tem dinheiro para custear a educação dos filhos.* ♦ **Dinheiro a risco.** V. *câmbio marítimo.* **Dinheiro de botija.** Dinheiro enterrado. **Dinheiro de contado.** O que é pago à vista ou por ocasião dos contratos, em moeda corrente. **Dinheiro de S. Pedro.** Esmolas que os fiéis dão para o Papa. **Dinheiro miúdo.** Dinheiro de pouco valor (sobretudo em moedas); dinheiro trocado; trocados, miúdos, quebrados. **Dinheiro vivo.** Dinheiro em moeda metálica ou papel-moeda. **Fazer dinheiro.** Ganhar muito dinheiro. **Ter dinheiro como bagaço.** Ser muito rico. **Trocar dinheiro.** **1.** Fazer troco. **2.** Fazer câmbio.

Dinheiro-em-penca. *S. m. Bras.* Pequena erva ornamental (*Parietaria officinalis*), da família das urticáceas, de ramos pendentes ou rasteiros e folhas circulares. [Pl.: *dinheiros-em-penca.*]

dinheiro-papel. *S. m.* V. *papel-moeda.* [Pl.: *dinheiros-papéis* e *dinheiros-papel.*]

dinheiroso (ô). *Adj.* Que tem muito dinheiro: "Os negociantes *dinheirosos* arregalavam olhos concupiscentes" (Artur Azevedo, *Contos Possíveis*, p. 25). [Sin.: *rico, endinheirado* e (bras.) *dinheirento, dinheirudo.*]

dinheirudo. *Adj.* V. *dinheiroso.*

dino. *Adj. Ant.* Digno: "Estava o Padre ali sublime e *dino*, / Que vibra os feros raios de Vulcano" (Luís de Camões, *Os Lusíadas*, I, p. 22).

dinodo. *S. m. Eletrôn.* Numa válvula, eletrodo que emite elétrons por meio do fenômeno da emissão secundária.

dinoflagelada. *S. f.* **1.** Espécime das dinoflageladas. • *Adj. 2 g.* **2.** Pertencente ou relativo às dinoflageladas. [Sin. ger.: *dinoflagelado, cilioflagelada, cistoflagelado, peridínea.*]

dinoflageladas. *S. f. pl. Bot.* Divisão do reino vegetal que compreende organismos unicelulares, flagelados e assimétricos, e cujas células, muito elaboradas, em geral se mostram cobertas por uma carapaça celulótica, não raro com aspecto de mosaico, e provida de dois sulcos. Têm dois flagelos, plastídeos escuros, manchas fotorreceptoras; o amido é a substância de reserva, ao lado de óleo. Reproduzem-se por divisão longitudinal, e vivem quase no plancto marinho; às vezes compõem colônias. Dividem-se em três classes: adniferídeas, diniferídeas e fitodiniformes. Também classificadas entre protozoários pelos zoólogos. [Sin.: *dinoflagelados, cilioflageladas, cistoflagelados, peridíneas.*]

dinoflagelado. *S. m.* e *adj.* V. *dinoflagelada.*

dinoflagelados. *S. m. pl. Bot.* V. *dinoflageladas.*

dinomídeo. *S. m.* Espécime dos dinomídeos.

dinomídeos. *S. m. pl. Zool.* Animais roedores histricomorfos, de cauda longa e peluda, próximos dos cunicúlídeos, dos quais diferem pelos dentes laminados e pela estrutura dos pés e mãos, uns e outros munidos de quatro dedos com unhas fortes. [Cf. *pacarana.*]

dinossauro. [Do gr. *deinós*, 'terrível', + *-sauro.*] *S. m.* Espécie fóssil de reptil marinho da era mesozóica, de dimensões gigantescas.

dinotério. [Do gr. *deinós* + *-tério*[1].] *S. m.* Mamífero proboscídeo fóssil da época miocena, característico da Europa e da Ásia.

dinotim. *S. m. Bras.* Pano hindu, semelhante ao fustão (séc. XVIII).

dintel. [Do fr. médio *lintel*, atr. do esp. *dintel.*] *S. m.* **1.** Verga de porta ou de janela, feita em diversas formas, e com pedra, tijolos, madeira ou metal. **2.** Apoio lateral de prateleiras, nas estantes; lintel. [Pl.: *dintéis.* Cf. *dentel*, pl. *dentéis*, e *denteis*, do v. *dentar.*]

▲-dio. Equiv. de *-io*[2].

diocesano. [Do lat. tardio *diocesanu.*] *Adj.* **1.** Respeitante a diocese. ● *S. m.* **2.** Aquele que é fiel a uma diocese, em relação a seu bispo.

diocese. [Do gr. *dioíkesis*, pelo lat. *diocese.*] *S. f.* Circunscrição territorial sujeita à administração eclesiástica de um bispo ou, por vezes, arcebispo, ou dum patriarca.

dioctofimatino. *Adj.* e *s. m.* V. *enoplídeo.*

dioctofimatinos. *S. m. pl. Zool.* V. *enoplídeos.*

diodense. *Adj. 2 g.* **1.** De, ou pertencente ou relativo a Dio (Índia). ● *S. 2 g.* **2.** Natural ou habitante de Dio.

diodo (ô). [De *di-*[1] + gr. *hodós*, 'caminho'.] *S. m. Eletrôn.* Válvula eletrônica que contém somente dois eletrodos: o catodo e a placa. [*Díodo* seria preferível, mas é p. us.] ◆ **Diodo a cristal.** *Eletrôn.* Componente eletrônico constituído por um cristal de semicondutor, e que pode ser utilizado, como um diodo, para retificar correntes alternadas. **Diodo a gás.** *Eletrôn.* Diodo que contém um gás ou vapor sob pressão reduzida. **Diodo de ponta.** *Eletrôn.* Diodo constituído por uma ponta metálica em contato com um cristal de semicondutor (usualmente germânio), e no qual existe uma junção n-p graças a um tratamento especial que sofre o sistema durante sua fabricação. **Diodo túnel.** *Eletrôn.* Semicondutor com resistência negativa numa parte da região de operação, e cujo funcionamento é baseado no efeito túnel. **Duplo diodo.** *Eletrôn.* Válvula que exerce as funções de dois diodos, constituída por dois catodos e duas placas, independentes, colocados num mesmo bulbo.

díodo. *S. m. Eletrôn.* V. *diodo.*

diodorense. *Adj. 2 g.* **1.** De, ou pertencente ou relativo a Marechal Diodoro (AL). ● *S. 2 g.* **2.** Natural ou habitante de Marechal Diodoro.

dioense. *Adj. 2 g.* **1.** De, ou pertencente ou relativo a Dio (Índia). ● *S. 2 g.* **2.** Natural ou habitante de Dio.

diofantino. *Adj.* ~ V. *análise* —*a* e *equação* —*a.*

diogo (ô). *S. m. Bras. Pop.* V. *diabo* (2).

dióico. [De *di-*[1] + *-óico.*] *Adj.* **1.** *Quím.* Diz-se dos diácidos orgânicos. **2.** *Bot.* Que apresenta órgãos sexuais masculinos e femininos em indivíduos distintos: *planta dióica.*

diomedeídeo. *S. m.* **1.** Espécime dos diomedeídeos. ● *Adj.* **2.** Pertencente ou relativo a eles.

diomedeídeos. *S. m. pl. Zool.* Aves procelariformes, da família *Diomedeidae*, estritamente oceânicas, de porte avantajado, narinas distantes uma da outra, uma de cada lado da maxila, asas estreitas e muito longas. São os albatrozes.

dionéia. [Do lat. bot. *Dionaea.*] *S. f.* Planta carnívora da família das sarraceniáceas, próprias de lugares úmidos, que ocorre na América do Norte.

dionisíacas. [Fem. pl. substantivado de *dionisíaco.*] *S. f. pl. Teat.* Entre os antigos gregos, festas rituais e dramáticas em honra ao deus Dioniso, constituídas de procissões, danças, recitativos e cantos corais ou ditirambos, a que vieram a associar-se os concursos de tragédias e comédias; dionísias. ◆ **Dionisíacas rurais.** *Teat.* Entre os antigos gregos, festas dramáticas celebradas em fins de dezembro nas aldeias da Ática; dionísias rurais. **Dionisíacas urbanas.** *Teat.* Festas dramáticas dos antigos gregos, celebradas, durante seis dias, na primavera, e cujo programa compreendia uma grande procissão e concursos de tragédias e de comédias; dionísias urbanas. [Cf. *leneanas.*]

dionisíaco. [Do gr. *dionysiakós*, pelo lat. *dionysiacu.*] *Adj.* **1.** Relativo a Dioniso, deus grego dos ciclos vitais, da alegria e do vinho, chamado Baco entre os romanos: "a tragédia, nascida do culto *dionisíaco*, faz-se, com Eurípides, veículo de crítica à religião tradicional." (Sábato Magaldi, *Temas da História do Teatro*, p. 108). **2.** Cuja natureza é semelhante à de Dioniso ou Baco, i.e., agitada, arrebatada, desinibida. [Antôn. (nesta acepç.): *apolíneo* (3).] **3.** Relativo ao entusiasmo, à inspiração criadora. **4.** Instintivo, natural, espontâneo. **5.** Tumultuário, confuso, desordenado. **6.** Concernente ao rei português D. Dinis (1261-1325), ou à sua época. ~ V. *espírito* —. [Sin. ger.: *dionísico.*]

dionisiano. *Adj.* **1.** De, ou pertencente ou relativo a Dionísio (MG). ● *S. m.* **2.** O natural ou habitante de Dionísio.

dionísias. *S. f. pl. Teat.* Dionisíacas. ◆ **Dionísias rurais.** *Teat.* Dionisíacas rurais. **Dionísias urbanas.** *Teat.* Dionisíacas urbanas.

dionísico. *Adj.* V. *dionisíaco.*

diopsídio. [De *di-*[1] + *-ops(e)* + *-ídeo.*] *S. m. Min.* Mineral monoclínico do grupo dos piroxênios, silicato de cálcio e magnésio.

dioptásio. [De *di(a)-* + gr. *optáxo*, 'ver', + *-io.*] *S. m. Min.* Mineral trigonal, verde-esmeralda, silicato de cobre hidratado.

dioptria. *S. f. Ópt.* Medida de convergência de uma lente, igual ao inverso da distância focal expressa em metros: "Usa óculos com tais *dioptrias* que, aproximando muito um livro ou a caderneta, as lentes lhe servem de espelho." (Aquilino Ribeiro, *Estrada de Santiago*, p. 104.) [Símb.: *dptr.*]

dióptrica. [Do gr. *dioptrikés*, i. e., *téchne dioptriké.*] *S. f.* Parte da física que estuda a refração da luz.

dióptrico. *Adj.* Referente à dióptrica.

diorama. [De *di(a)-* + *-orama.*] *S. m.* Quadro iluminado na parte superior por luz móvel, e que produz ilusão óptica.

diorâmico. *Adj.* Pertencente ou relativo a diorama.

diorito. [Do rad. do gr. *diorí o*, 'limitar, definir', + *-ito*[2].] *S. m. Geol.* Rocha de textura granular constituída essencialmente de oligoclásio ou andesita e de um mineral fêmico, de ordinário a hornblenda.

dioscoreácea. *S. f.* Espécime das dioscoreáceas.

dioscoreáceas. *S. f. pl. Bot.* Família de plantas monocotiledôneas, da ordem das liliifloras, composta de trepadeiras herbáceas, raramente ervas eretas, com rizomas tuberosos e ricos em amido, donde o valor alimentar de várias espécies. Flores pequeninas; folhas pecioladas; tépalas diminutas; ovário ínfero, trilocular, às vezes unilocular; fruto capsular ou bacáceo. Há umas 650 espécies das regiões quentes, sendo o Brasil rico em representantes; só o gênero *Dioscorea* abrange quase 600 espécies.

dioscoreáceo. *Adj.* Pertencente ou relativo às dioscoreáceas.

diósmea. [De *di(a)-* + *gr. osmé*, 'cheiro', + *-ea.*] *S. f. Bras., SP.* Subarbusto ornamental da família das rutáceas (*Coleonema album*), cujas folhas têm glândulas, e cujas flores são alvas, solitárias e terminais, com cálice e brácteas ciliadas.

diospirale. *S. f.* e *Adj. 2 g.* Espécime das diospirales; ebenale.

diospirales. *S. f. pl. Bot.* Ebenales.

dióspiro. *S. m. Lus.* V. *caqui.*

diostilo. [De *di(a)-* + *-o-* + *-stilo.*] *S. m. Arquit.* Fachada ou frontaria formada por colunas emparelhadas.

dioxana (cs). *S. f. Quím.* Líquido incolor, odoroso, usado como solvente. [Fórm.: $C_4H_8O_2$.]

dioxano (cs). *S. m. Quím.* Dioxana.

dióxido (cs). [De *di-*[1] + *óxido.*] *S. m. Quím.* Bioxido.

dioxina (cs). *S. f. Quím.* **1.** Designação genérica de compostos heterocíclicos com dois átomos de oxigênio num anel hexagonal. **2.** Nome comercial de uma dioxina (1) clorada, pulverulenta, amarela, muito tóxica, usada como desfolhante.

diperiantado. [De *di-*[1] + *periantado.*] *Adj. Morfol. Veg.* Provido de dois verticilos protetores (cálice e corola): *flor diperiantada.*

dipétalo. [De *di-*[1] + *pétala.*] *Adj. Bot.* Que tem duas pétalas.

dipladênia. *S. f. Bras., RJ e SC.* Arbusto ornamental, da família das apocináceas, pertencentes ao gênero *Dipladenia*, muito exótico, graças à magnífica e densa folhagem, e à beleza das flores, grandes e numerosas.

diplasiocelo. *S. m.* **1.** Espécime dos diplasiocelos. *Adj.* **2.** Pertencente ou relativo a eles.

diplasiocelos. *S. m. pl. Zool.* Animais cordados, anfíbios anuros, ordem *Diplasiocoela.* Cintura peitoral soldada ao esterno.

diple. *S. f. Paleogr.* Sinal em forma de V deitado com a abertura para a esquerda, que se usa para distinguir citações da Bíblia e de outros textos importantes. [Cf. *antilambda.*]

diplegia. [De *di-*[1] + *-pleg-* + *-ia.*] *S. f. Patol.* Paralisia que compromete partes iguais, de ambos os lados; paralisia bilateral.

diplégico. *Adj.* **1.** Referente à, ou que sofre de diplegia. ● *S. m.* **2.** Aquele que sofre de diplegia.

▲dipl(o)-. [Do gr. *diplóos, oûs.*] *El. comp.* = 'duplo': *diplopia, diplópode.*

díploa. *S. f. Anat.* Var. de *díploe.*

diploblástico. *Adj.* e *s. m.* Acelomado (2 e 3).

diploblásticos. *S. m. pl. Zool.* Acelomados.

diplococo. [De *dipl(o)-* + *coco.*] *S. m.* Cocos que se apresentam reunidos dois a dois.

díploe. [Do gr. *diploe.*] *S. f. Anat.* Tecido esponjoso existente entre as duas lâminas de tecido compacto que formam os ossos do crânio. [Var.: *díploa.*]

diplofonia. [De *dipl(o)-* + *-fone-* + *-ia.*] *S. f. Patol.* Perturbação da voz, caracterizada pela formação simultânea de dois sons na laringe.

diplofônico. *Adj.* Referente à diplofonia.

diploglossado. *S. m.* **1.** Espécime dos diploglossados. ● *Adj.* **2.** Pertencente ou relativo a eles. [Sin. ger.: *dermodermáptero e hemimerino.*]

diploglossados. *S. m. pl. Zool.* Animais artrópodes, da classe dos insetos, ordem *Diploglossata.* São de pequeno porte, corpo achatado, aparelho bucal mastigador, abdome com cercos longos e não segmentados, pernas robustas, com unhas. Vivíparos; vivem como ectoparasitos de roedores da África do Sul. [Sin.: *dermodermápteros e hemimerinos.*]

diplóide. [Do gr. *diplоís, ídos*, pelo lat. *diploide.*] *Adj. 2 g.* **1.** *Genét.* Que tem o dobro do número de cromossomos típicos dos gametas normais. ● *S. m.* **2.** Vestido ou manto que dava duas voltas ao corpo, e de uso entre os orientais antigos.

diploma. [Do gr. *díploma*, pelo lat. *diploma.*] *S. m.* **1.** Título ou documento oficial pelo qual se confere um cargo, dignidade, mercê ou privilégio; carta. **2.** Título que afirma as habilitações de alguém ou confere um grau. **3.** Título comprobatório de um direito ou de uma obrigação. **4.** Qualquer lei ou decreto.

diplomação. *S. f. Bras.* Ação de diplomar(-se).

diplomacia. [Do fr. *diplomatie.*] *S. f.* **1.** Ciência das relações exteriores ou negócios estrangeiros dos Estados. **2.** Ciência ou arte das negociações. **3.** O corpo dos representantes dos governos estrangeiros junto a um Estado. **4.** Circunspeção e gravidade nas maneiras. **5.** Delicadeza, finura. **6.** *Fig.* Astúcia ou consumada habilidade com que se trata qualquer negócio.

diplomaciar. *V. int.* **1.** Praticar a diplomacia; cuidar da diplomacia. *T. i.* **2.** Tratar com diplomacia, com delicadeza e finura: *Diplomaciou com os nativos para obter mantimentos.*

diplomado. [Part. de *diplomar.*] *Adj.* **1.** Que tem diploma ou título justificativo de certas habilitações científicas ou literárias, etc. ● *S. m.* **2.** Indivíduo diplomado.

diplomando. *S. m. Bras.* Aquele que está em via de se diplomar: "O Senhor se lembra, Coronel do dia em que teve de envergar o seu velho fraque e servir de padrinho às três *diplomandas*?" (Caci Cordovil, *Ronda de Fogo*, p. 42.)

diplomar. *V. t. d.* **1.** Conferir diploma a: "As nossas academias *diplomam* todos os anos centenas de novos bacharéis, que só excepcionalmente farão uso, na vida prática, dos ensinamentos recebidos durante o curso." (Sérgio Buarque de Holanda, *Raízes do Brasil*, p. 115.) *P.* **2.** Receber diploma de ciência ou arte que se estudou.

diplomata. [Do fr. *diplomate.*] *S. 2 g.* **1.** Pessoa que tem por profissão a diplomacia (1). **2.** Funcionário pertencente ao quadro do serviço diplomático de um país. **3.** Representante de um Estado junto a outro. **4.** *Fig.* Indivíduo de aspecto fino, porte distinto. **5.** *Fig.* Negociador hábil.

diplomática. [Do fr. *diplomatique.*] *S. f.* Arte de leitura e conhecimento dos diplomas antigos.

diplomático. [Do fr. *diplomatique.*] *Adj.* **1.** Da diplomacia, ou respeitante a ela. **2.** *Fig.* Grave, discreto, cortês. **3.** Referente a diploma. ~ V. *carreira* —*a*, *corpo* — e *edição* —*a.* ● *S. m.* **4.** Especialista em diplomática; diplomatista.

diplomatista. *S. 2 g.* Diplomático (4).

diplopia. [De *dipl(o)-* + *-ope-* + *-ia.*] *S. f. Med.* Visão dupla de um objeto.

diplópode. [De *dipl(o)-* + *-pode.*] *S. m.* **1.** Espécime dos diplópodes. ● *Adj. 2 g.* **2.** Pertencente ou relativo a eles. [Sin. ger.: *quilógnato.*]

diplópodes. *S. m. pl. Zool.* Animais miriápodes, progoniados, da subclasse *Diplopoda*, de corpo cilíndrico, tórax com quatro segmentos, cada um com um par de patas, e abdome com um número de segmentos que oscila entre 20 e mais de 100, cada um com dois pares de patas. São os embuás ou gongolôs. [Sin.: *quilógnatos.*]

diplostêmone. [De *dipl(o)-* + *-stemone.*] *Adj. 2 g. Morfol. Veg.* Que tem androceu provido de número duplo de estames em relação às peças da corola.

dipluro. *S. m.* **1.** Espécime dos dipluros. ● *Adj.* **2.** Pertencente ou relativo a eles. [Sin. ger.: *entotrofo, entógnato, campodeóideo.*]

dipluros. *S. m. pl. Zool.* Animais artrópodes, da classe dos insetos, apterigotos, da ordem *Diplura.* Ametábolos, desprovidos de olhos, antenas longas, abdome terminado por dois cercos articulados ou pinças, aparelho bucal entógnato, corpo geralmente desprovido de escamas. Atingem 50 mm, e vivem em matéria orgânica vegetal em decomposição. [Sin.: *entotrofos, entógnatos, campodeóideos.*]

dipnêumone. *S. m.* e *adj. 2 g.* **1.** V. *lepidossirenídeo.* **2.** V. *araneomorfa.*

dipnêumones. *S. m. pl. Zool.* **1.** V. *lepidossirenídeos.* **2.** V. *araneomorfas.*

dipneusta. *Adj.* e *s. m.* Dipnóico (2 e 3).

dipneustas. *S. m. pl. Zool.* Dipnóicos.

dipnóico. [De *di-*[1] + *pnóe,* 'respiração', + *-ico*[2].] *Zool. Adj.* **1.** Diz-se dos peixes que respiram por guelras e pulmões. **2.** Pertencente ou relativo aos dipnóicos; dipneusta. ● *S. m.* **3.** Espécime dos dipnóicos; dipneusta.

dipnóicos. *S. m. pl. Zool.* Animais da classe dos peixes, coanictes, crossopterígios, celacantinos, subordem *Dipnoi,* de corpo alongado, sem pré-maxila, ou maxila, dentes em duas placas no palatal e uma em cada maxilar inferior, situada na margem interna, bexiga natatória em forma de pulmão, e nadadeiras pares, estreitas. São os peixes ditos pulmonados. [Sin.: *dipneustas.*]

dípode. [Do gr. *dípous, odos.*] *Adj. 2 g.* Que tem dois pés; bípede.

dipodia. [Do gr. *dipodía.*] *S. f.* Reunião de dois pés de verso grego ou latino.

dipolar. *Adj. 2 g.* ~ V. *momento —.*

dipolo. [De *di-*[2] + *pólo.*] *S. m. Fís.* **1.** Sistema construído por duas cargas elétricas pontuais, do mesmo valor, mas de sinais opostos, separados por distância pequena; dipolo elétrico. **2.** Sistema constituído por dois pólos magnéticos iguais, mas de sinais opostos, separados por pequena distância; dipolo magnético. ◆ **Dipolo dobrado.** *Eng. Eletrôn.* Antena que consiste em dois condutores com as extremidades ligadas e separados por uma distância muito breve em relação ao comprimento de onda. **Dipolo elétrico. 1.** *Fís.* Dipolo (1). **2.** *Eng. Eletrôn.* Antena linear de pequenas dimensões, que irradia ondas esféricas. **Dipolo magnético. 1.** *Fís.* Dipolo (2). **2.** *Eng. Eletrôn.* Antena constituída por uma pequena bobina alimentada por uma tensão variável. **Dipolo oscilante. 1.** *Fís.* Dipolo em que a distância que separa as duas cargas varia periodicamente. **2.** *Eng. Eletrôn.* Antena emissora ou receptora constituída por um pequeno condutor metálico, ou por uma pequena bobina, acoplados a um circuito oscilante.

diprosopia. [De *diprosopo* + *-ia.*] *S. f. Ter.* Monstruosidade que se caracteriza pela duplicidade da face.

diprosópico. *Adj.* Referente à diprosopia.

diprosopo. [Do gr. *diprósopos.*] *S. m.* Aquele que apresenta diprosopia.

diprotodonte. *S. 2 g.* **1.** Espécime dos diprotodontes. ● *Adj. 2 g.* **2.** Pertencente ou relativo a eles.

diprotodontes. *S. m. pl. Zool.* Animais metazoários, cordados, mamíferos, metatérios, marsupiais, subordem *Diprotodontia.* Têm dois incisivos inferiores grandes e permanentes, e outros incisivos e caninos pequenos ou ausentes; molares com tubérculos ou quilhas transversais. São os marsupiais herbívoros

dipsacácea. *S. f.* Espécime das dipsacáceas.

dipsacáceas. *S. f. pl. Bot.* Família de plantas superiores herbáceas ou subarbustivas, com folhas opostas e flores congregadas em capítulos ou cimeiras, ambos circundados por invólucro. Flores, pentâmeras, hermafroditas e zigomorfas; quatro estames, no máximo; ovário bicarpelar e unilocular; um só óvulo, pêndulo. Somam as espécies perto de 155, que em sua grande maioria ocorrem no Mediterrâneo. Não existem no Brasil senão formas cultivadas hortenses.

dipsacáceo. *Adj.* Pertencente ou relativo às dipsacáceas.

dipsético. [Do gr. *dipsetikós.*] *Adj.* Que produz sede (ê).

dípsis. *S. m. Bras., RJ* e *SP.* Palmeira muito elegante, de espique alto e inerme, da família das palmáceas (*Areca madagascariensis*), originária de Madagáscar e introduzida no Brasil há muitos anos, que tem folhas pinadas, muito longas, inflorescência em espádice, e é protegida por espata dupla membranosa.

dipsomania. [Do gr. *dípsa,* 'sede' (ê), + *-mania.*] *S. f.* **1.** *Psiq.* Impulso mórbido periódico e irresistível que leva a ingerir grande porção de bebidas alcoólicas: "Vê-se .... o homem a abandonar-se desesperadamente às bebidas (d i p s o m a n i a)" (A. Austregésilo, *Patologia Mental,* p. 298). [Cf. *metomania.*] **2.** Alcoolismo (1).

dipsomaníaco. *Adj.* **1.** Relativo à, ou que sofre de dipsomania. ● *S. m.* **2.** Aquele que sofre de dipsomania.

dipteracanto. *S. m. Bras., N.* a *S.* Arbusto ornamental, da família das acantáceas (*Ruellia herbstii*), dotado de flores violáceas, pedunculadas, com limbo inferior alvacento, e cujo fruto é cápsula linear.

diptérico. *Adj.* Pertencente ou relativo a díptero (4).

dipterígio. [De *di-*[1] + *pterígio.*] *S. m. Zool.* Espécime dos dipterígios, peixes que têm duas barbatanas.

díptero. [Do gr. *dípteros.*] *Adj.* **1.** Que tem duas asas. **2.** Pertencente ou relativo aos dípteros; antliado, halterado, halteríptero, haustelado. ● *S. m.* **3.** Espécime dos dípteros; antliado, halterado, halteríptero, haustelado. **4.** Edifício com duas ordens de colunas à volta, construído principalmente na Grécia antiga.

dípteros. *S. m. pl. Zool.* Animais artrópodes, da classe dos insetos, ordem *Diptera.* Aparelho bucal haustelar, sugador ou lambedor; duas asas providas de nervuras variáveis; metatórax com um par de balancins. Holometabólicos, larvas terrestres ou aquáticas, vermiformes, ápodes; pupas livres, ou incluídas em estojo pela última pele larvária. São as moscas, mosquitos, mutucas, pernilongos e borrachudos. [Sin.: *antliados, halterados, halterípteros, haustelados.*]

dipterocarpácea. *S. f.* Espécime das dipterocarpáceas.

dipterocarpáceas. *S. f. pl. Bot.* Família de plantas floríferas, da ordem das parietales, formada por árvores e arbustos de folhas alternas e estipuladas, e com flores paniculadas, actinomorfas e hermafroditas, cujo perianto é pentâmero. Androceu com número variável de estames, acima de cinco; fruto nuciforme, monospérmico. Há 330 espécies, que habitam os trópicos asiáticos.

dipterocarpáceo. *Adj.* Pertencente ou relativo às dipterocarpáceas.

díptico. [Do gr. *díptychos,* pelo lat. *diptychu.*] *S. m. Paleogr.* V. *tábula* (2).

dique. [Do neerl. *dijk.*] *S. m.* **1.** Construção sólida, para represar águas correntes; represa, açude. **2.** Construção com comportas, para controlar ou confinar as águas: *os d i q u e s da Holanda.* **3.** *Mar.*Escavação em terra firme, à beira-mar ou beira-rio, revestida de cantaria ou concreto armado, e destinada a receber navios para reparação, limpeza ou vistoria, para o que é dotada de uma porta-batel [q. v.], que, uma vez alagada a escavação, é removida para entrarem e/ou saírem os navios; dique seco. **4.** *Geol.* Massa rochosa de forma tabular discordante, que preenche uma fenda aberta que seciona outra rocha preexistente. **5.** *Fig.* Obstáculo, estorvo, empecilho, barreira. ◆ **Dique flutuante.** *Bras. Mar.* Grande plataforma flutuante, dotada de grande variedade de oficinas e de compartimentagem estanque suscetível de ser parcialmente alagada e, depois, esgotada, destinada a erguer da água navios cujas carenas tenham de sofrer reparos, limpeza ou vistoria. **Dique seco.** *Mar.* Dique (3).

▲**dir-.** V. *di-*[2].

direção. [Do lat. *directione.*] *S. f.* **1.** Ato ou arte de dirigir. **2.** Ato de dirigir exercendo autoridade: governo, comando, administração, superintendência, etc. **3.** Cargo de diretor; diretoria, diretorado. **4.** Corporação presidida por um diretor; diretoria. **5.** Sede de serviços distribuídos por diversas repartições. **6.** Critério, norma, orientação. **7.** Banda ou lado para onde alguém se volta ou dirige; rumo. **8.** Alinhamento, ala, fileira: *edifícios situados na mesma d i r e ç ã o.* **9.** *Autom.* Conjunto de órgãos e mecanismos que permitem conduzir o veículo em qualquer direção. **10.** *P. ext.* Peça, de ordinário circular, com que se controla manualmente a direção (9); guidom, guidão. **11.** *Geom.* Relação entre dois pontos não dependente da distância entre eles. **12.** *Geom.* Ângulo que, num plano de coordenadas cartesianas, uma reta faz com o eixo dos xx. **13.** *Geom.* Qualquer dos ângulos que, no espaço, uma reta faz com os eixos de um sistema de coordenadas cartesianas. **14.** *Geom.* Num ponto de uma curva, direção da tangente à curva no ponto. ◆ **Direção de fabricação.** *Ind. Pap.* Sentido da folha de papel, paralelo aos bordos da mesa de fabricação; direção de máquina. [Cf. *direção transversal.*] **Direção de máquina.** *Ind. Pap.* Direção de fabricação [q. v.]. **Direção negativa.** *Geom. Anal. Impr.* Sentido negativo (1). **Direção positiva.** *Geom. Anal. Impr.* Sentido positivo (1). **Direção transversal.** *Ind. Pap.* Sentido da folha de papel, perpendicular aos bordos da mesa de fabricação. [Cf. *direção de fabricação.*] **Em direção a.** V. *rumo a:* "Lavínia transpõe a porta e m d i r e ç ã o a o quarto." (Ana Elisa Gregori, *Os Barões da Candeia,* p. 12.) **Em direção de.** V. *rumo a:* " — *Fica esta taba?* / — *N a d i r e ç ã o d o* sol, quando transmonta." (Gonçalves Dias, *Obras Poéticas,* II, p. 29.)

direcional. *Adj. 2 g.* **1.** Relativo a direção. **2.** Diz-se das lanternas (uma à direita e uma à esquerda) que indicam, com pisca-pisca, nos veículos automotores, a direção que eles vão tomar. **3.** Suscetível de ser orientado em determinada direção ou concentrado dentro de determinado setor: *luz d i r e c i o n a l ; som d i r e c i o n a l .* ~V. *derivada —* e *onda —.*

direcionar. *V. t. d.* Dar direção, orientação, a; encaminhar, conduzir, orientar, dirigir.

direita. [Fem. substantivado de *direito.*] *S. f.* **1.** A mão direita; destra: "E, travando de seu filho com a esquerda, fez no ar com a d i r e i t a , uma e outra vez, o sinal-da-cruz." (Alexandre Herculano, *Lendas e Narrativas,* II, p. 14.) **2.** Lado direito; ala direita. **3.** Lado direito de uma rua, de uma estrada, etc., sobre o qual devem andar os veículos, na maioria dos países: *Conservar a d i r e i t a é uma das regras do código de trânsito.* **4.** Grupo parlamentar que se senta ao lado direito do presidente da respectiva assembléia, e tradicionalmente constituído por elementos pertencentes aos partidos conservadores. **5.** Os diferentes partidos que compõem esse grupo. **6.** Os direitistas. **7.** Regime político de caráter conservador. **8.** *P. ext.* Parte conservadora da opinião pública. ◆ **Direita alta.** *Teat.* O lado direito e posterior da cena. [Sigla: *DA.*] **Direita baixa.** *Teat.* O lado direito e anterior da cena. [Sigla: *DB.*] **Direita hegeliana.** *Hist. Filos.* O conjunto dos filósofos, seguidores imediatos de Hegel [v. *hegelianismo*], que desenvolveram as tendências conservadoras do hegelianismo, procurando ajustá-lo à defesa da religião. Citam-se, entre outros, Karl Rosenkranz (1805-1879) e Johann Eduard Erdmann (1805-1892). [Cf. *esquerda hegeliana.*] **Às direitas. 1.** Pelo lado direito. **2.** Como convém ou é justo: *um homem à s d i r e i t a s .*

direiteiro. *S. m. Bras., S. Deprec.* Bacharel em direito.

direiteza (ê). *S. f. P. us.* V. *direitura.*

direitinho. [Dim. de *direito.*] *Adv. Bras.* **1.** V. *cuspido e escarrado.* **2.** Sem nenhum desvio; diretamente, direto: *Bom como é, quando morrer vai d i r e i t i n h o para o Céu.*

direitismo. *S. m.* **1.** Posição ou tendência política dos direitistas. **2.** Os direitistas. **3.** *P. ext.* Espírito conservador, rígido, reacionário, que lembra o dos direitistas: *Seu comportamento no grupo é de um d i r e i t i s m o atroz.*

direitista. *Adj. 2 g.* e *s. 2 g. Bras.* Partidário e/ou militante da direita (7).

direito. [Do lat. *directu.*] *Adj.* **1.** Do, ou pertencente ao lado do corpo humano em que a ação muscular é, no tipo normal, mais forte e mais ágil; destro. **2.** Correspondente a esse lado para um observador colocado em frente: *a ala d i r e i t a de um edifício.* **3.** Nos rios, diz-se do lado que fica à direita do observador que olha a parte para onde as águas descem. **4.** Que segue sempre a mesma direção; reto, direto. **5.** Que não é curvo. **6.** Aprumado, ereto. **7.** Íntegro, probo, justo, honrado. **8.** Leal, franco, sincero. ~ V. *canal hepático —, maré —a, margem —a, médio —, pá —a* e *primos —s.* ● *S. m.* **9.** Aquilo que é justo, reto e conforme à lei. **10.** Faculdade legal de praticar ou deixar de praticar um ato. **11.** Prerrogativa, que alguém possui, de exigir de outrem a prática ou abstenção de certos atos, ou o respeito a situações que lhe aproveitam; jus. **12.** Faculdade concedida pela lei; poder legítimo: *d i r e i t o de caça; d i r e i t o de pesca.* **13.** Ciência das normas obrigatórias que disciplinam as relações dos homens em sociedade; jurisprudência. **14.** O conjunto de conhecimentos relativos a esta ciência, ou que tem implicações com ela, ministrados nas respectivas faculdades: *estudante de d i r e i t o .* **15.** O conjunto das normas jurídicas vigentes num país. **16.** Complexo de normas não formuladas que regem o comportamento humano; lei natural: *d i r e i t o universal.* **17.** Taxa alfandegária; imposto: *d i r e i t o s de importação.* **18.** Regalia, privilégio, prerrogativa: *d i r e i t o de primogenitura.* **19.** O lado principal, ou mais perfeito, de um objeto, de um tecido, etc. (em oposição ao avesso) [v. *avesso* (3)]; anverso. **20.** *Bras.* Murro ou golpe do braço direito, no jogo do boxe. ● *Adv.* **21.** Em linha reta; diretamente, direto: "tirei a pistola da bolsa e, com ela na mão, corri como um louco *direito* à árvore onde tínhamos deixado o prisioneiro" (João Sarmento Pimentel, *Memórias do Capitão*, p. 219). **22.** Bem, normalmente, convenientemente; direitamente: *Vive direito; Trabalhou direito, apesar de adoentado.* ♦ **Direito adjetivo.** Conjunto de leis que determinam a forma por que se devem fazer valer os direitos; conjunto de leis reguladoras dos atos judiciários; direito processual, direito judiciário. **Direito administrativo.** Complexo de normas e princípios que presidem à organização e funcionamento dos serviços públicos. **Direito adquirido.** O que se constituiu de modo definitivo e se incorporou irreversivelmente ao patrimônio do seu titular. **Direito aéreo.** Complexo de normas e princípios, de caráter internacional, reguladores da navegação aérea, civil e comercial, e das atividades relacionadas com o espaço aéreo. **Direito assistencial.** Conjunto de normas com que o Estado provê às necessidades gerais do trabalhador, fazendo-o beneficiário da assistência e previdência social. **Direito autoral.** Direito exercido pelo autor ou por seus descendentes sobre suas obras, no tocante à publicação, tradução, venda, etc. **Direito cambiário.** Conjunto de normas que disciplinam as relações jurídicas entre as pessoas vinculadas em operações de natureza cambial. [Cf. *cambial* (2).] **Direito canônico.** O que estabelece a ordem jurídica da Igreja Católica Apostólica Romana. **Direito civil.** Conjunto de normas reguladoras dos direitos e obrigações de ordem privada atinentes às pessoas, aos bens e às suas relações. **Direito clássico.** Direito romano. **Direito comercial.** Complexo de normas que regem as operações comerciais e disciplinam os direitos e obrigações das pessoas que exercem profissional e habitualmente o comércio. **Direito constitucional.** Conjunto de normas e princípios fundamentais que regulam a organização política do Estado, forma de governo, atribuições e funcionamento dos poderes políticos, seus limites e relações, e bem assim os direitos individuais e a intervenção estatal na esfera social, econômica, intelectual e ética. **Direito consuetudinário.** Complexo de normas não escritas originárias dos usos e costumes tradicionais dum povo; direito costumeiro. **Direito costumeiro.** Direito consuetudinário. **Direito criminal.** Direito penal. **Direito das gentes.** Direito internacional público. **Direito de fundo. 1.** Aquilo que define a essência ou a matéria do direito objetivo. **2.** Conjunto de normas jurídicas abstratas, geradoras das relações concretas de direito (as disposições de direito civil, comercial, penal, etc.); direito substantivo. **Direito de petição.** Faculdade que tem o cidadão de representar aos poderes públicos acerca de providências de interesse do país, ou denunciar abusos ou iniqüidades de agentes da autoridade. **Direito de preferência.** Direito que a lei assegura aos titulares de certos créditos de serem satisfeitos com prioridade em relação aos outros. **Direito de regresso. 1.** Direito que cabe ao portador de título cambiário de exigir do sacador, endossadores e respectivos avalistas o pagamento não feito pelo sacado. **2.** Direito conferido por lei a quem satisfaz obrigação de outrem, ou a totalidade de obrigação comum, para haver das pessoas anteriormente vinculadas o ressarcimento que lhe couber. [Sin. ger.: *direito de retorno, direito regressivo de recurso.*] [V. *sub-rogação.*] **Direito de retorno.** V. *direito de regresso.* **Direito do trabalho.** Conjunto de normas que regem as relações de trabalho entre empregados e empregadores, e bem assim os direitos resultantes da condição jurídica dos trabalhadores. **Direito escrito.** O que se acha expresso na lei. **Direito falencial.** Conjunto de normas substantivas e adjetivas que disciplinam a falência e a concordata, e regulam a condição, responsabilidade e obrigações do falido ou concordatário, e os direitos dos credores destes; direito falimentar. **Direito falimentar.** Direito falencial. **Direito financeiro.** O que rege a economia estatal e fixa normas de aplicação dos fundos públicos às necessidades da administração. **Direito fiscal.** Conjunto de normas e princípios que regulam a arrecadação de tributos, obrigações dos tributários, constituição, atribuições e funcionamento dos órgãos fiscalizadores; direito tributário. **Direito individual.** O relativo a tudo quanto se refere à dignidade da pessoa humana, tal como a vida, a liberdade, a segurança, a propriedade, etc., garantido pela Constituição. **Direito industrial.** Conjunto de leis e regulamentos acerca de marcas de fábrica e de comércio, privilégios de invenção, e tudo que se relacione com a propriedade e o trabalho industrial. **Direito internacional privado.** Complexo de normas e princípios destinados a determinar qual é, dentre as leis conflitantes de dois ou mais países, a aplicável a certa relação jurídica de direito privado. **Direito internacional público.** Complexo de normas, princípios e doutrinas aceitos pelos Estados, para regular as suas relações recíprocas e bem assim os conflitos de direito público que entre eles surjam; direito das gentes. **Direito intertemporal.** Complexo de normas destinadas a resolver os conflitos de leis no tempo. **Direito judiciário.** V. *direito adjetivo.* **Direito líquido e certo.** Aquele cuja existência dispensa demonstração, i. e., que pode ser reconhecido de plano. **Direito marítimo.** Conjunto de princípios e leis reguladores da navegação marítima, fluvial e lacustre, bem como das relações jurídicas que nela têm origem. **Direito natural.** Complexo de regras e doutrinas baseadas no bom senso e na eqüidade, e que se impõem às legislações dos povos cultos. **Direito normativo.** Conjunto de normas de caráter obrigatório impostas pelo Estado, e que compreende o direito escrito e o consuetudinário; direito positivo, direito objetivo. **Direito objetivo.** V. *direito normativo.* **Direito penal.** Complexo de preceitos legais que definem os crimes e determinam as penas e medidas de segurança aplicáveis aos delinqüentes; direito criminal. **Direito personalíssimo.** O que é intransferível e inalienável, só podendo, pois, ser exercido pelo seu titular. **Direito pessoal.** Direito que tem uma pessoa de exigir de outra que dê, faça ou não faça alguma coisa. **Direito político.** O que tem por objeto as faculdades concedidas, e deveres impostos aos cidadãos, como, p. ex., votar, ser votado, exercer cargo público. [V. *direito constitucional.*] **Direito positivo.** V. *direito normativo.* **Direito privado.** Conjunto de normas que regulam a condição civil dos indivíduos e das pessoas jurídicas, inclusive o Estado e as autarquias, e bem assim os modos por que se adquirem, conservam e transmitem os bens (*direito civil* e *direito comercial*). **Direito processual.** V. *direito adjetivo.* **Direito público. 1.** Complexo de normas que disciplinam a constituição e a competência dos órgãos do Estado, assim como o exercício dos direitos e poderes políticos dos cidadãos e a estes concedem o gozo dos serviços públicos e dos bens do domínio público. **2.** Direito que dispõe sobre interesses ou utilidades imediatas da comunidade (*direito constitucional* ou *político, direito administrativo, direito criminal* ou *penal, direito judiciário* ou *processual*). **Direito real.** Poder que tem alguém sobre uma coisa específica, e que vincula esta coisa direta e imediatamente ao seu titular, o qual pode opor esse direito contra todos (propriedade, usufruto, hipoteca, anticrese, etc.). **Direito regressivo de recurso.** V. *direito de regresso.* **Direito romano.** Conjunto de regras jurídicas observadas pelos habitantes da antiga Roma, entre o séc. VIII a.C. e o séc. VI d.C.; direito clássico. **Direitos de estola.** Contribuições que os fregueses deviam aos vigários. [Sin.: *direitos de pé-de-altar, dízimos diretos, benesses* e (porque se pagavam por ocasião da Páscoa) *aleluias.*] **Direitos de mercê.** Aqueles que se pagavam por concessão de título honorífico ou provimento com certos cargos públicos. **Direitos de pé-de-altar.** V. *direitos de estola.* **Direito subjetivo.** Poder de ação assegurado pela ordem pública. **Direito substantivo.** Direito de fundo (2). **Direito tributário.** Direito fiscal. **Cortar direito.** Defender princípio justo; proceder com justiça. [Sin., bras., N.E., pop.: *cortar pelo direito.*] **Cortar pelo direito.** *Bras., N.E. Pop.* Cortar direito.

direitura. [Do lat. *directura.*] *S. f.* **1.** Qualidade do que é direito ou reto: *a direitura da estrada.* **2.** Direção retilínea: *a direitura das filas de um batalhão.* [Sin. ger., p. us.: *direiteza.*] ♦ **Em direitura a.** Na direção de; a caminho de; na direitura de: "Pela frente da igrejinha, *em direitura ao* alto de São Sebastião, seguem as ruas de ruínas." (Afonso Arinos, *Histórias e Paisagens*, p. 93). **Na direitura de.** V. *em direitura a*: "e logo o facão relampeou *na direitura do* coração de nhã Velinda!..." (Simões Lopes Neto, *Contos Gauchescos e Lendas do Sul*, p. 257).

dirém. *S. m.* Unidade monetária, e moeda, do Marrocos e dos Emirados Árabes Unidos.

direta. [Fem. substantivado do adj. *direto.*] *S. f.* Eleição direta [q. v.]: "Comício pela aprovação das *diretas* pára o Rio e reúne 800 mil pessoas na Candelária" (*Jornal do Brasil*, 11.4.1984).

diretiva. *S. f.* Diretriz (3 e 4).

diretividade. *S. f.* Capacidade que tem uma antena de concentrar energia em determinada direção.

diretivo. *Adj.* Que dirige; diretor. ~ V. *aconselhamento* —.

direto. [Do lat. *directu.*] *Adj.* **1.** Que vai em linha reta; reto, direito. **2.** Que segue determinada direção; que não se desvia: *caminho direto.* **3.** Em que não há intermediário; imediato: *contato direto.* **4.** Sem rodeios ou circunlóquios: *argumento direto.* **5.** Franco, desembaraçado, espontâneo. **6.** Relativo ao parentesco em linha reta: *primo direto.* **7.** Diz-se dá contribuição que incide imediatamente sobre pessoas ou bens. **8.** Que não pára, ou pára pouco: *trem direto.* ~ V. *apropriação —a, complemento —, corante —, discurso —, dízimos —s, domínio —, estilo —, função circular —a, impressão —a, mala —a, maré —a, método —, movimento —, objeto —, senhorio —, sentido —, tensão —a, tiro —, verbo transitivo — e verbo transitivo — e indireto.* • *S. m.* **9.** No jogo do boxe, golpe que se dá distendendo com violência o antebraço para a frente: *um direto de esquerda.* **10.** *Bras.* Soco que acerta em cheio. • *Adv.* **11.** Direito (21): "Pé ante pé, abafando a respiração, silencioso como o mais matreiro dos gatos, eu ia *direto* ao maço de cigarros sobre a mesinha-de-cabeceira" (Marques Rebelo, *A Guerra Está em Nós*, p. 317). **12.** Sem parar nem desviar-se; diretamente: "Às vezes não dava confiança nem de parar na estação: passava *direto.*" (Permínio Asfora, *Vento Nordeste*, p. 159.)

diretor (ô). [Do lat. tardio *directore.*] *Adj.* **1.** Que dirige; diretivo. [Fem.: *diretora* e *diretriz.*] ~ V. *cone* —. • *S. m.* **2.** Aquele que dirige; dirigente, administrador, superintendente. **3.** Guia, mentor. **4.** Cada um dos cinco membros do Diretório (8). **5.** Teat., Cin. e Telev. Dirigente de uma peça, filme ou outro espetáculo, e responsável artístico por essa produção. [Sin., em Teat.: *diretor de cena, encenador* e (fr.) *metteur-en-scène.*] ♦ **Diretor de antena.** *Eng. Eletrôn.* Elemento parasito de uma antena direcional, localizado na direção geral do maior lóbulo de radiação. **Diretor de cena.** *Teat.* V. *diretor* (5). **Diretor espiritual.** *Rel.* Padre ou eclesiástico que dirige certas pessoas em assuntos de moral e religião.

diretorado. *S. m.* **1.** Cargo de diretor; direção. **2.** O tempo de exercício desse cargo.

diretoria. *S. f.* V. *direção* (3 e 4).

diretorial. *Adj. 2 g.* Referente ou pertencente a diretório.

diretório. [Do lat. tardio *directoriu.*] *Adj.* **1.** Que dirige. • *Adj. 2 g.* e *2 n.* **2.** Próprio ou típico do diretório (9): *cômoda diretório; móveis diretório.* • *S. m.* **3.** Comissão diretora. **4.** Conselho encarregado da gerência de negócios públicos. **5.** Conselho que dirige alguma corporação, partido, associação, etc. **6.** Livro que contém as indicações necessárias para o desempenho de determinado cargo ou para a execução de certos negócios. **7.** Livro que indica os ofícios de cada dia do ano litúrgico. **8.** *Hist.* Conselho formado de cinco membros, que governou a França de 27 de outubro de 1795 a 9 de novembro de 1799, quando foi derrubado por Napoleão. **9.** *P. ext.* Período de tempo em que governou o diretório (8). ♦ **Diretório acadêmico. 1.** Grupo de estudantes universitários eleito em assembléia geral para, durante determinado período, defender os interesses dos alunos do estabelecimento a que pertencem. **2.** Local onde exercem suas atividades; centro acadêmico.

diretriz. *Adj. (f.)* **1.** Fem. de *diretor* (1) [q. v.]. ~ V. *velocidade* —. • *S. f.* **2.** Linha reguladora do traçado de um caminho ou de uma estrada. **3.** Conjunto de instruções ou indicações para se tratar e levar a termo um plano, uma ação, um negócio, etc.; diretiva. **4.** *Fig.* Norma de procedimento; diretiva. **5.** *Geom.* Numa superfície regrada, curva que é constantemente interceptada pela reta móvel que a gera. **6.** *Geom.* Numa cônica central, reta perpendicular ao eixo que contém os vértices, e cuja distância ao centro é o cociente entre o comprimento do semi-eixo e a excentricidade. **7.** *Geom.* Reta cuja distância aos pontos de uma parábola é igual à distância destes pontos ao foco da parábola.

dirigente. [Do lat. *dirigente.*] *Adj. 2 g.* e *s. 2 g.* Que ou quem dirige; diretor.

dirigibilidade. *S. f.* Qualidade do que é dirigível.

dirigido. [Part. de *dirigir.*] *Adj.* **1.** Administrado, gerido. **2.** Encaminhado, guiado, orientado. ~ V. *carga —a, economia —a, luz —a* e *projetil* —.

dirígio. *S. m. Bras., Amaz.* V. *maconha.*

dirigir. [Do lat. *dirigere.*] *V. t. d.* **1.** Dar direção a; administrar; gerir; governar: *dirigir uma empresa; dirigir um país.* **2.** Dar orientação a; comandar, superintender; conduzir: *Não se sabe ainda quem dirigiu o assalto.* **3.** Encaminhar, orientar; conduzir: *Dirigiu os primeiros passos do filho na vida profissional.* **4.** Operar o mecanismo e controles de (veículo, automóvel), fazendo-o seguir trajeto ou rumo. *T. d. e i.* **5.** Encaminhar; enviar; endereçar: *Dirigiu a petição ao Ministro.* **6.** Dizer, endereçar, lançar: "Nenhuma voz me *diriges!...* / Julgas-te acaso ofendida?" (Gonçalves Dias, *Obras Poéticas*, I, p. 344); "O desembargador aproximou-se dos dois, cumprimentou-os afetuosamente, dirigindo-lhes um gracejo" (J. F. da Costa Filho, *As Facetas do Diabo*, p. 78). **7.** Voltar, volver: *Dirigiu a atenção para o que lhe diziam. Int.* **8.** Operar o mecanismo e controles de veículo automóvel, fazendo-o seguir trajeto ou rumo: *Aquele chofer dirige bem;* "Olha, meu filho: eu dirijo na Paraíba há mais de ano e o meu carro está aí pra você ver. Não tem ferida." (Haroldo Maranhão, *A Estranha Xícara*, p. 140). *P.* **9.** Encaminhar-se; guiar: *Os rapazes dirigem-se ao colégio;* "As duas senhoras dirigiram-se para a casa do Masset." (José de Alencar, *A Pata da Gazela*, p. 280). **10.** Tender, propender: *Sua atividade dirige-se às letras; O seu maior esforço dirige-se para a ciência.* [Muda o *g* em *j* antes de *a* e de *o*: *dirijo, diriges, dirige,* etc.; *dirija, dirijas,* etc.]

dirigismo. *S. m.* Doutrina e prática da economia dirigida (pelo Estado).

dirigista. *S. 2 g.* Partidário da economia dirigida.

dirigível. *Adj. 2 g.* **1.** Que se pode dirigir. ● *S. m.* **2.** V. *aeróstato* (1).

dirijo. *S. m. Bras., Amaz.* V. *maconha.*

dirimente. [Do lat. *dirimente.*] *Adj. 2 g.* **1.** Que dirime. **2.** *Jur.* Que obsta ou anula de modo irremediável: *impedimento dirimente.* [Cf. *impediente* (2).] **3.** *Jur.* Que isenta de pena; isentivo. **4.** *Jur.* Que exclui a culpabilidade. **5.** Que resolve; decisivo, terminante. ● *S. f.* **6.** *Jur.* Causa de nulidade ou anulabilidade. **7.** *Jur.* Causa que isenta de pena. **8.** *Jur.* Causa excludente de culpabilidade. [Cf. *justificativa.*]

dirimir. [Do lat. *dirimere.*] *V. t. d.* **1.** Impedir de modo absoluto. **2.** Anular; dissolver; extinguir, suprimir: *O juiz dirimiu a sentença.* **3.** Fazer cessar; decidir, resolver: *dirimir uma questão;* "Nenhuma pessoa educada dirime as suas controvérsias a socos e bengaladas, com impropérios e violências." (Fidelino de Figueiredo, *O Medo da História*, p. 42).

dirimível. *Adj. 2 g.* Que se pode dirimir.

diro. [Do lat. *diru.*] *Adj. Ant.* e *poét.* Cruel, desumano.

diruir. [Do lat. *diruere.*] *V. t. d.* e *p.* V. *derruir.* [Irreg. Conjug.: v. *atribuir.*]

dirupção. [Do lat. *diruptione.*] *S. f.* **1.** Ruína, desmoronamento. **2.** Rompimento, ruptura.

diruptivo. *Adj.* **1.** Que arruína; destrutivo, destruidor. **2.** Que provoca ruptura.

▲**dis-^{1}.** V. *di-^{2}.*

▲**dis-^{2}.** [Do gr. *dys.*] *Pref.* = 'mau estado', 'dificuldade': *disopia, dislalia.*

disacusia. [De *dis-^{2}* + *-acus(i)-* + *-ia.*] *S. f. Med.* Dor, ou outro tipo de sensação desagradável, produzida por sons comuns. [Cf. *anacusia* e *hipacusia.*]

disacústico. *Adj.* Relativo à disacusia.

disafia. [De *dis-^{2}* + gr. *aphé*, 'tato', + *-ia.*] *S. f. Patol.* Perturbação no sentido do tato. [Cf. *desafia*, do v. *desafiar.*]

disáfico. *Adj.* Relativo à disafia.

disartria. [De *dis-^{2}* + *-artr(o)-* + *-ia.*] *S. f. Patol.* Dificuldade na articulação das palavras, resultante de perturbação nos centros nervosos.

disártrico. *Adj.* Referente à disartria.

disbasia. [De *dis-^{2}* + *-bas(i)-* + *-ia.*] *S. f. Patol.* Perturbação da marcha, de origem nervosa.

disbulia. [Do gr. *dysboulía.*] *S. f. Patol.* Fraqueza ou perversão da vontade.

disbúlico. *Adj.* **1.** Referente a disbulia. **2.** Que sofre disbulia; abúlico. ● *S. m.* **3.** Aquele que sofre disbulia; abúlico.

discagem. *S. f. Bras.* Ação ou possibilidade de discar: *Há discagem direta para quase todo o Brasil.*

discar. *V. int.* **1.** *Bras.* Fazer girar o disco do aparelho telefônico automático para estabelecer ligações. *T. d.* **2.** Marcar (um número) rodando esse disco: *Disque 266-7474.* [Conjug.: v. *trancar.*]

discente. [Do lat. *discente.*] *Adj. 2 g.* **1.** Que aprende. **2.** Relativo a alunos. [Antôn.: *docente.* Cf. *descente* e *decente.*] — V. *corpo* —.

disceptação. [Do lat. *disceptatione.*] *S. f.* Controvérsia, debate, discussão.

discernente. [Do lat. *discernente.*] *Adj. 2 g.* Que discerne; discernidor.

discernículo. [Do lat. *discerniculu.*] *S. m.* Agulha com que, em Roma, as mulheres apartavam o cabelo.

discernidor (ô). *Adj.* Discernente. ◆ **Discernidor de fontes.** *Tip.* Dispositivo da linotipo que impede o empastelamento de matrizes pertencentes a diferentes magazines.

discernimento. *S. m.* **1.** Faculdade de discernir. **2.** Faculdade de julgar as coisas clara e sensatamente; critério, tino; juízo. **3.** Apreciação, análise. **4.** Penetração, sagacidade, perspicácia.

discernir. [Do lat. *discernere.*] *V. t. d.* **1.** Conhecer distintamente; perceber claro por qualquer dos sentidos; apreciar; distinguir; discriminar: *Sabe discernir móveis antigos genuínos; Discerne como ninguém um bom vinho;* "Permaneceria alheio ou indiferente em face de tudo isso, numa posição passiva de quem sofria os choques e os repelões dos acontecimentos sem curiosidade para buscar discernir-lhes, superficialmente que fosse, as causas e os fins" (Otávio Tarqüínio de Sousa, *A Vida de D. Pedro I*, I, p. 142). *T. i.* **2.** Estabelecer diferença; separar, distinguir: *Não sabe discernir o amigo leal do falso amigo;* "Na sua inacreditável inexperiência, não discernia o bem do mal." (Patrícia Joyce, *Anúncio de Casamento*, pp. 123-124). *Int.* **3.** Fazer apreciação; julgar, decidir: *Pouco inteligente, é quase incapaz de discernir.* [Irreg. Conjug.: v. *aderir.*]

discernível. [Do lat. *discernibile.*] *Adj. 2 g.* Que se pode discernir.

disciforme. *Adj. 2 g.* Que tem forma de disco; discóide.

discinesia. [De *dis-^{2}* + *-cines(i)-* + *-ia.*] *S. f. Med.* Perturbação do poder de movimentação, que resulta no aparecimento de movimentos fragmentários ou insuficientes.

disciplina. [Do lat. *disciplina.*] *S. f.* **1.** Regime de ordem imposta ou livremente consentida. **2.** Ordem que convém ao funcionamento regular duma organização (militar, escolar, etc.). **3.** Relações de subordinação do aluno ao mestre ou ao instrutor. **4.** Observância de preceitos ou normas. **5.** Submissão a um regulamento. **6.** Qualquer ramo do conhecimento (artístico, científico, histórico, etc.). **7.** Ensino, instrução, educação. **8.** Conjunto de conhecimentos em cada cadeira dum estabelecimento de ensino; matéria de ensino. — V. *disciplinas.*

disciplinador (ô). *Adj.* **1.** Que disciplina; disciplinante. **2.** Que faz observar a disciplina. **3.** Amigo da disciplina. ● *S. m.* **4.** Aquele que disciplina.

disciplinamento. *S. m.* **1.** Ação ou efeito de disciplinar(-se). **2.** Flagelação com disciplinas.

disciplinante. [Do lat. *disciplinante.*] *Adj. 2 g.* **1.** Disciplinador (1). ● *S. m.* **2.** Penitente que se disciplina.

disciplinar^{1}. [Do lat. *disciplinare.*] *Adj. 2 g.* Respeitante à disciplina.

disciplinar^{2}. [Do lat. *disciplinare*, por *disciplinari.*] *V. t. d.* **1.** Sujeitar ou submeter à disciplina: *disciplinar uma tropa.* **2.** Fazer obedecer ou ceder; acomodar, sujeitar; corrigir: *Procurou disciplinar os instintos selvagens da criança.* **3.** Castigar com disciplinas. *P.* **4.** Tornar-se disciplinado. **5.** Castigar a si mesmo com disciplinas; açoitar-se.

disciplinas. [Pl. de *disciplina.*] *S. f. pl.* Correias com que frades e devotos se açoitam por penitência ou castigo. — V. *disciplina.*

disciplinável. *Adj. 2 g.* Que pode ser disciplinado.

discipulado. [Do lat. *discipulatu.*] *S. m.* **1.** Estado ou condição de discípulo. **2.** Conjunto dos alunos de uma escola. **3.** Aprendizado, tirocínio.

discipular. *Adj.* Referente a discípulo, à condição de discípulo.

discípulo. [Do lat. *discipulu.*] *S. m.* **1.** Aquele que recebe ensino de alguém. **2.** Aquele que aprende. **3.** Aquele que aprende ou estuda qualquer disciplina; aluno. **4.** Aquele que segue as idéias ou doutrinas de outrem.

disc-jóquei. [Do ingl. *disc-jockey.*] *S. m.* **1.** *Rád.* Comunicador (3) de programa de música popular. **2.** *P. ext. Bras.* Discotecário.

disclímax (cs). *S. m. Fitog.* Formação vegetal perturbada ou degradada por agentes externos desfavoráveis, como a seca e o fogo, tal o cerrado no Brasil.

disco. [Do gr. *dískos*, pelo lat. *discu.*] *S. m.* **1.** Objeto chato e circular. **2.** Chapa redonda, branca de um lado e vermelha de outro, que sinaliza as estradas de ferro. **3.** Chapa redonda, de ferro ou de pedra, para arremesso, e usada em atletismo. **4.** Chapa redonda, de ebonite ou de outro material, onde se gravam os sons para reproduzilos nos fonógrafos; gravação. **5.** Peça dos aparelhos telefônicos automáticos por meio da qual se faz a ligação com o número desejado. **6.** *Arquit.* Ornato que representa, em relevo, um conjunto de pequenos discos achatados ou ligeiramente abaulados, enfiados como contas de rosário, e geralmente empregado em molduras convexas. **7.** *Astr.* Projeção, sobre a esfera celeste, da superfície visível de um astro bastante próximo para que possa ser observado com forma aparente. **8.** *Morfol. Veg.* Excrescência anular, geralmente glandulífera, que se encontra sobre o receptáculo, dentro da flor. **9.** *Morfol. Veg.* Porção maciça e basal dos bolbos, que corresponde ao prato. **10.** *Pop.* Pessoa que fala sem parar. **11.** *Zool.* Área central da asa dos insetos. ◆ **Disco de moldes.** *Tip.* Roda dentada, numa face da qual ficam dispostos os moldes da linotipo; roda de moldes. **Disco final.** *Turfe.* **1.** *Ant.* O disco que havia sobre a linha de chegada. **2.** Espelho (9). **Disco galáctico.** *Astr.* Região da Galáxia, em forma de disco, onde se concentra a maior parte da matéria que a constitui. **Disco lunar.** *Astr.* Projeção da Lua sobre a esfera celeste, a qual contitui a imagem da Lua que observamos. **Disco magnético.** *Proc. Dados.* Dispositivo de armazenamento, na forma de uma placa circular plana, na qual as informações são registradas pela magnetização seletiva de porções da superfície plana. O disco magnético pode ser rígido ou flexível. **Disco planetário.** *Astr.* Projeção de um planeta sobre a esfera celeste, a qual constitui a imagem observável através de um telescópio. **Disco solar.** *Astr.* Projeção do Sol sobre a esfera celeste, que constitui a imagem do Sol que observamos. **Disco voador.** Objeto discóide observado por alguns a mover-se velocissimamente pela atmosfera terrestre, e cuja origem não foi identificada, conjeturando-se que seja fenômeno meteorológico, ou ilusão de óptica, ou engenho de guerra, ou aeronave extraterrestre, etc. **Mudar o disco.** *Pop.* Mudar de assunto; virar o disco, virar a folha. **Virar o disco.** *Pop.* **1.** V. *mudar o disco.* **2.** *Fig. Gír.* Tornar-se (um homem) homossexual.

discóbolo. [Do gr. *diskobólos*, pelo lat. *discobolu.*] *S. m.* Atleta lançador do disco (3) nos jogos da Grécia antiga.

discocéfalo. *S. m.* **1.** Espécime dos discocéfalos. ● *Adj.* **2.** Pertencente ou relativo aos discocéfalos.

discocéfalos. *S. m. pl. Zool.* Animais neopterígios, da classe dos peixes, ordem *Discocephali.* Nadadeira dorsal modificada em ventosa, situada sobre a cabeça, e formada por duas fileiras de lâminas que têm na borda livre uma série de pequenos espinhos agudos. São as rêmoras ou peixes-piolhos.

discófilo. [De *disco* + *-filo^{2}.*] *Adj.* e *s. m.* Diz-se de, ou amador e/ou colecionador de discos musicais.

discografia. [De *disco* + *-graf(o)-* + *-ia.*] *S. f.* Descrição metódica dos discos de uma coleção, de um executante, etc.

discográfico. *Adj.* Relativo à discografia.

discóide. [Do gr. *diskoeidés.*] *Adj. 2 g.* Disciforme.

discolíquen. [De *disco* + *líquen.*] *S. m. Bot.* Líquen cujos apotécios são disciformes e de apreciáveis dimensões, entre os ascoliquens. [Pl.: *discolinquens* e (p. us. no Brasil) *discolíquenes.*]

discólito. *S. m. Bot.* Pequena placa calcária imperfurada, do esqueleto de algumas cocolitofarales.

díscolo. [Do gr. *dyskolos*, pelo lat. *dyscolu.*] *Adj.* **1.** Áspero no trato; agressivo. **2.** Brigão, desordeiro. **3.** V. *dissidente* (2). ● *S. m.* **4.** Indivíduo díscolo: "Apeiam-se todos e o Imperador bate de modo particular à porta conhecida, a do 'Apostolado', coio de díscolos e enfáticos, refúgio da dissidência maçônica" (Alberto Rangel, *Dom Pedro Primeiro e a Marquesa de Santos*, pp. 324-325).

discolor (ô). [De *dis-^{1}* + lat. *-color.*] *Adj. 2 g. Morfol. Veg.* Cuja coloração difere de um lado para outro. [Pl.: *discolores* (ô). Cf. *descolores*, dos v. *descolorar* e *descolorir.*]

discomedusa. *S. f.* **1.** Espécime das discomedusas. ● *Adj. 2 g.* **2.** Pertencente ou relativo a elas.

discomedusas. *S. f. pl. Zool.* Animais celenterados, cifozoários, da ordem *Discomedusae*, na qual se inclui o maior número de medusas conhecidas, com os cantos da boca prolongados por quatro braços orais sulcados. Na maioria vivem em águas da costa.

discômetro. [De *disco* + *-metro^{2}.*] *S. m. Astr.* Micrômetro que determina o diâmetro dos planetas por meio de disco de diâmetro variável; micrômetro a disco.

discomiceto. [De *disco* + *-miceto.*] *S. m. Bot.* Fungo provido de apotécios discóides, visivelmente desenvolvidos, dos ascomicetos. [Sin., pop.: *chapéu.*]

discordância. [Do lat. *discordantia.*] *S. f.* **1.** Desacordo, divergência, discrepância, discórdia. **2.** Disparidade, desigualdade, discrepância. **3.** Incompatibilidade, inconciliação. **4.** Dissonância, desarmonia, desafinação. **5.** Diferença de opinião. **6.** *Geol.* Ocorrência do depósito das camadas em épocas distintas, não se havendo conservado o paralelismo ou a composição mineralógica das camadas; discordância de camadas. ◆ **Discordância angular.** *Geol.* Aquela em que as camadas posteriores formam um ângulo com as anteriores infracolocadas; inconformidade. **Discordância de camadas.** *Geol.* Discordância (6).

discordante. [Do lat. *discordante.*] *Adj. 2 g.* **1.** Que discorda; discorde. ● *S. 2 g.* **2.** Pessoa que discorda.

discordar. [Do lat. *discordare.*] *V. int.* **1.** Não concordar; estar em desarmonia; ser incompatível; divergir: *Discordamos com freqüência, raro estamos de acordo. T. i.* **2.** Não concordar; divergir, discrepar: *Discordo da sua opinião.* [Pres. ind.: *discordo*, etc. Cf. *discordo* (ô) e *descordo* (ô), s. m., *descordo*, do V. *descordar*, e este v.]

discorde. [Do lat. *discorde.*] *Adj. 2 g.* **1.** Discordante (1). **2.** Oposto, contrário; desconcordante. **3.** Incompatível, inconciliável, incompossível. **4.** Destoante, desafinado. [Cf. *descorde*, do v. *descordar.*]

discórdia. [Do lat. *discordia.*] *S. f.* **1.** V. *discordância* (1). **2.** Desarmonia, desentendimento, desinteligência, desavença. **3.** Desordem, luta.

discordo (ô). [Dev. de *discordar.*] *S. m. P. us.* V. *discordância* (1). [Pl.: *discordos* (ô). Cf. *discordo*, do v. *discordar; descordo* (ô), s. m., pl. *descordos* e *descordo*, do v. *descordar.*]

discorrer. [Do lat. *discurrere.*] *V. int.* **1.** Correr para diversos lados ou diferentes partes. **2.** Vaguear, vagar, errar: *Saiu a discorrer, e levou horas.* **3.** Falar, discursar: *Discorreu durante uma hora sem aparentar cansaço.* **4.** Meditar, raciocinar: *Discorre inseguradamente.* **5.** Decorrer; passar: *As horas discorriam, tristes, monótonas. T. d.* **6.** Percorrer, atravessar: *Discorreu toda a região;* "Em verde-negro, esconso lenho / *discorro* o mar, de além a além..." (Augusto de Lima, *Poesias*, p. 249). **7.** Examinar, analisar. **8.** Pensar, meditar. *T. i.* **9.** Falar, discursar: "Essa Rosaura das Bruxas e Joana Marreira .... nunca *discorriam* sobre coisa alguma" (Ciro dos Anjos, *A Menina do Sobrado*, p. 25).

discorrimento. *S. m.* **1.** Faculdade de discorrer. **2.** Análise, discernimento, raciocínio.

discoteca. [De *disco* + *-teca.*] *S. f.* **1.** Coleção de discos, dispostos ordenadamente para fins de estudo ou recreação. **2.** Móvel destinado à guarda de discos de fonógrafo. **3.** Edifício ou sala onde se colecionam discos, e que geralmente é equipado com aparelhagem de som para audições; fonoteca. **4.** *Bras.* Boate cuja música é apenas de gravação. [Cf. *fitoteca*[2] e *fonoteca.*]

discotecário. *S. m. Bras.* Indivíduo que superintende uma discoteca (4).

discotríquio. *S. m.* **1.** Espécime dos discotríquios. ● *Adj.* **2.** Pertencente ou relativo a eles.

discotríquios. *S. m. pl. Zool.* Designação comum aos animais protozoários ciliados que têm, abaixo da membrana, fibrilas contrácteis longitudinais, dispostas em várias camadas. São, em geral, fixos ao substrato.

discrasia. [Do gr. *dysdrasía*, pelo lat. *dyscrasia.*] *S. f.* **1.** *Med. Desus.* Alteração dos humores. **2.** *Patol.* Designação comum a condições patológicas, em especial as que apresentam desequilíbrio dos componentes. [Cf. *eucrasia.*] ◆ **Discrasia sanguínea.** *Patol.* Condição anormal ou patológica do sangue.

discrásico. *Adj.* **1.** Referente à, ou que padece discrasia. ● *S. m.* **2.** Aquele que a padece.

discrepância. [Do lat. *discrepantia.*] *S. f.* V. *discordância* (1 e 2).

discrepante. [Do lat. *discrepante.*] *Adj. 2 g.* Que discrepa; divergente, discordante.

discrepar. [Do lat. *discrepare.*] *V. t. i.* **1.** Ser diverso; diversificar, diferir: *Os dados estatísticos recentes discrepavam muito dos seus.* **2.** Divergir de opinião; discordar, dissentir: *Sua opinião discrepa do parecer do chefe;* "Atacava agora a maneira injusta com que eram tratados todos quantos *discrepassem* da opinião oficial e pugnassem pela felicidade do povo." (Albertino Moreira, *Gente de Serra Acima*, p. 250.)

discretamente. [Do fem. de *discreto* + *-mente.*] *Adv.* De maneira discreta; com discrição.

discreteador (ô). *Adj.* e *s. m.* Que ou aquele que discreteia.

discretear. [De *discreto* + *-ear.*] *V. int.* **1.** Discorrer com discrição ou discernimento, calmamente: *Saíram a passear pela rua sossegada, discreteando. T. c.* **2.** Discorrer com discrição ou discernimento sobre um assunto; falar a propósito e com circunspeção: "Quem o ouvia *discretear* de coisas de arte admirava-lhe o espírito culto e versado em todos os segredos da pintura, da poesia, da botânica, da numismática" (Lúcio de Mendonça, *Caricaturas Instantâneas*, p. 158); *Discreteiam sobre literatura.* [Conjug.: v. *frear.*]

discretivo. [Do lat. *discretivu.*] *Adj.* Que distingue; discernente. [Cf. *descritivo.*]

discreto. [Do lat. *discretu.*] *Adj.* **1.** Reservado em suas palavras e atos. **2.** Que tem ou revela discrição: *homem discreto; procedimento discreto.* **3.** Que sabe guardar um segredo. **4.** Prudente, circunspeto. **5.** Recatado, modesto. **6.** Que não se faz sentir com intensidade; brando: *dor discreta.* **7.** Que não avulta sensivelmente; pequeno, diminuto: *mancha discreta no pulmão.* **8.** Que exprime objetos distintos. ~ V. *conjunto* —.

discrição. [Do lat. *discretione.*] *S. f.* **1.** Qualidade ou caráter de discreto. **2.** Discernimento, sensatez. **3.** Qualidade de quem sabe guardar segredo. **4.** Prudência, reserva, circunspeção. **5.** Modéstia, recato, decência: *A dama veste-se com discrição.* [Cf. *descrição.*] ◆ **À discrição.** À vontade; sem restrições.

discricional. *Adj. 2 g.* V. *discricionário.*

discricionariedade. *S. f.* Qualidade ou natureza de discricionário.

discricionário. *Adj.* Que procede, ou se exerce, à discrição, sem restrições, sem condições; arbitrário, caprichoso, discricional: *indivíduo discricionário; poder discricionário.*

discrime. [Do lat. *discrimen.*] *S. m.* **1.** Ação de discriminar. **2.** Linha divisória. **3.** Lide, combate. **4.** Risco, perigo. [F. paral.: *discrímen.*]

discrímen. *S. m.* V. *discrime.* [Pl.: *discrimens* e (p. us. no Brasil) *discrímenes.*]

discriminação. [Do lat. *discriminatione.*] *S. f.* **1.** Ato ou efeito de discriminar. **2.** Faculdade de distinguir ou discernir; discernimento. **3.** Separação, apartação, segregação: *discriminação racial.* **4.** *Eletrôn.* Eliminação de todos os sinais que entram num circuito, exceto aqueles que têm uma determinada característica de fase, de freqüência ou de amplitude. [Cf. *descriminação.*] ◆ **Discriminação racial.** Segregação racial.

discriminador (ô). [Do lat. *discriminatore.*] *Adj.* **1.** Que discrimina; discriminante, discriminativo. ● *S. m.* **2.** Aquele que discrimina. **3.** *Eletrôn.* Circuito que pode transformar a freqüência ou a fase de um sinal na amplitude de outro sinal. [Cf. *descriminador.*]

discriminante. [Do lat. *discriminante.*] *Adj. 2 g.* **1.** V. *discriminador* (1). ● *S. m.* **2.** *Álg.* A resultante de uma equação a uma incógnita e da sua equação derivada. [Cf. *descriminante.*]

discriminar. [Do lat. *discriminare.*] *V. t. d.* **1.** Diferençar, distinguir; discernir: *Era quase impossível discriminar os caracteres no velho manuscrito; Cumpre discriminar os verdadeiros e os falsos valores.* **2.** Separar, especificar: *Discriminamos os prós e contras antes de aceitar a proposta. T. d. e i.* **3.** Diferençar, distinguir, discernir: *discriminar o bem do mal.* **4.** Separar, estremar. *T. i.* **5.** Estabelecer diferença; distinguir: *discriminar entre o bom senso e o absurdo.* [Cf. *descriminar.*]

discriminativo. *Adj.* V. *discriminador* (1).

discriminatório. *Adj.* Que estabelece ou implica discriminação: *medida discriminatória; procedimento discriminatório.*

discriminável. *Adj. 2 g.* Que se pode discriminar. [Cf. *descriminável.*]

discromatopsia. [De *dis-*[2] + *-cromat(o)-* + *-ops(e)-* + *-ia.*] *S. f. Med.* Estado em que a vista confunde certas cores com outras que distingue; discromopsia. [Cf. *daltonismo* (1 e 2).]

discromatópsico. *Adj.* Relativo à discromatopsia.

discromia. [De *dis-*[2] + *-crom(a)-* + *-ia.*] *S. f. Med.* Perturbação pigmentar da pele ou dos pêlos.

discromopsia. [De *dis-*[2] + *-crom(a)-* + *-ops(e)-* + *-ia.*] *S. f. Med.* V. *discromatopsia.*

discursador (ô). [Do lat. *discursatore.*] *Adj.* e *s. m.* Que ou aquele que discursa.

discursar. [Do lat. *discursare.*] *V. int.* **1.** Fazer discurso; falar em público. *T. i.* **2.** Discorrer, falar: *Costuma discursar sobre assuntos que desconhece.* **3.** Pensar, refletir, raciocinar, discorrer: "No fim da vida humana *discursando*, / Dos males e dos bens fiz conta certa" (Fr. Agostinho da Cruz, *Obras*, p. 217). *T. d.* **4.** Tratar ou expor com método; explicar: *O estudo discursa os pontos da doutrina.*

discurseira. *S. f. Bras.* **1.** Discurso longo e tedioso. **2.** Grande porção de discursos. **3.** Falação, verborragia. [Sin. ger.: *discursório.*]

discurseta (ê). [Dim. de *discurso.*] *S. f. p. us.* Discurso pequeno, curto.

discursista. *Adj. 2 g.* e *s. 2 g.* Que ou quem faz discursos.

discursivo. *Adj.* **1.** *Filos.* Diz-se de operação mental que se processa por uma série de operações intermediárias e parciais, como o raciocínio, a dedução e a demonstração. **2.** Que costuma discursar; falador, palrador.

discurso. [Do lat. *discursu.*] *S. m.* **1.** Peça oratória proferida em público ou escrita como se tivesse de o ser. **2.** Exposição metódica sobre certo assunto; arrazoado. **3.** Oração, fala. **4.** *Ling.* Qualquer manifestação concreta da língua. [Sin., nesta acepç.: *fala* e (fr.) *parole.*] **5.** *Ant.* Raciocínio, discernimento. **6.** *Fam.* Palavreado vão, e/ou ostentoso: *Nada de discurso, vá direto ao assunto.* **7.** *Fam.* Fala longa e fastidiosa, de natureza geralmente moralizante: *Toda vez que chega tarde, o pai faz-lhe um discurso.* **8.** *Liter.* Qualquer manifestação por meio da linguagem, em que há predomínio da função poética [q. v.]. ◆ **Discurso direto.** *Liter.* Reprodução das palavras de alguém nos termos exatos em que foram ditas: "— Não é sua filha que está doente, minha senhora?" (Eça de Queirós, *Os Maias*, II, p. 13.) **Discurso indireto.** *Liter.* Reprodução das palavras de alguém na terceira pessoa, quer atribuindo-as claramente a outra pessoa em orações subordinadas a um verbo *dicendi* [v. esta expr.], quer dizendo-as por sua própria conta em orações independentes: "Foi então que ela .... disse-lhe que havia muita cousa misteriosa e verdadeira neste mundo." (Machado de Assis, *Várias Histórias*, p. 4); *Perguntei-lhe se vai à Europa. Ele vai.* **Discurso indireto aparente.** *Liter.* Discurso indireto livre. **Discurso indireto livre.** *Liter.* Discurso indireto [q. v.] caracterizado pela ausência de verbo *dicendi*, e no qual o autor insere elementos da fala direta do personagem; discurso indireto aparente: "Sentei-a ao pé de mim, falei-lhe do marido, da filha, dos negócios, de tudo. Tudo ia bem; a filha estava linda como os amores." (Machado de Assis, *Memórias Póstumas de Brás Cubas*, pp. 217-218.) No trecho seguinte, como se vê, misturam-se o discurso direto (nos dois primeiros parágrafos e no último) e o indireto livre (no terceiro parágrafo): "— Bom café, Dona Zefinha!/ — Nada, doutor. O senhor aceita um biscoito? // O doutor não comia nada depois do jantar. Era hábito vindo dos pais. // — Mas não faz mal, doutor. É muito leve, de goma." (Bernardo Élis, *Ermos e Gerais*, p. 155.)

discursório. *S. m. Bras.* V. *discurseira.*

discussão. [Do lat. *discussione.*] *S. f.* **1.** Ação de discutir; debate, controvérsia; polêmica. **2.** Altercação, contenda, disputa.

discutição. *S. f. Bras. S. Pop.* Discussão.

discutidor (ô). *Adj.* e *s. m.* Que, ou aquele que discute ou gosta de discutir; questionador.

discutir. [Do lat. *discutere.*] *V. t. d.* **1.** Debater (questão, problema, assunto). **2.** Examinar, investigar, questionando: *Não consentiu em discutir os inconvenientes de sua atitude.* **3.** Pôr em debate, em discussão; contestar: *Impossível discutir os méritos daquele romance.* **4.** Defender ou impugnar (assunto controvertido); questionar: *O autor discute, no prólogo, a validade da sua tese. T. i.* **5.** Travar discussão; questionar: *Não costuma discutir com o pai;* "voltou-se para escutar melhor o Ega, que ao lado *discutia* com o Gouvarinho sobre mulheres." (Eça de Queirós, *Os Maias*, II, p. 85.) *Int.* **6.** Tomar parte em discussão: *Gosta de discutir.* **7.** Questionar, contender: *Nunca se entenderam: passam os dias a discutir.*

discutível. *Adj. 2 g.* **1.** Que se pode discutir. **2.** Problemático, incerto.

disemia. [De *dis-*[2] + *-(h)em(o)-* + *-ia.*] *S. f. Patol.* Alteração do sangue.

disêmico. *Adj.* Relativo à disemia.

disenteria. [Do gr. *dysentería*, pelo lat. *dysenteria.*] *S. f. Patol.* Síndrome decorrente de inflamação intestinal, especialmente cólica, e que inclui dor abdominal, tenesmo e defecações freqüentes, contendo sangue e muco. ◆ **Disenteria amebiana.** *Patol.* A produzida por *Entamoeba histolytica.* **Disenteria bacilar.** *Patol.* Doença infecciosa produzida por bactérias do gênero *Shigella.*

disentérico. [Do gr. *dysenterikós*, pelo lat. *dysentericu.*] *Adj.* **1.** Relativo à, ou que sofre disenteria. ● *S. m.* **2.** Aquele que a sofre.

diserto. [Do lat. *disertu.*] *Adj.* **1.** Que se exprime com facilidade, simplicidade e elegância: "O autor é talentoso, campeador, *diserto*, e li-o com interesse e simpatia espontânea" (Antônio Sérgio, *Ensaios*, IV, p. 247). **2.** Facundo, eloqüente. [Cf. *deserto*, do v. *desertar*, adj. e s. m.]

disestesia. [De *dis-*[2] + gr. *aísthesis*, 'sensação', + *-ia.*] *S. f. Med.* Perturbação de qualquer dos sentidos, em especial do tato.

disestésico. *Adj.* Relativo à disestesia.

disfagia. [De *dis-*[2] + *-fag(o)-* + *-ia.*] *S. f. Patol.* Dificuldade na deglutição.

disfágico. *Adj.* Relativo à disfagia.

disfaniácea. *S. f.* Espécime das disfaniáceas.

disfaniáceas. *S. f. pl. Bot.* Família de plantas floríferas, da ordem das centrospermas, caracterizada pelas flores cíclicas, hermafroditas ou unissexuais, com uma a três pétalas e um a três estames. Fruto monospérmico. Há somente o gênero *Dysphania*, composto de seis representantes australianos.

disfaniáceo. *Adj.* Pertencente ou relativo às disfaniáceas.

disfarçado. [Part. de *disfarçar.*] *Adj.* **1.** Que tem disfarce; encoberto, mascarado. **2.** Simulado, fingido, falso. [Cf. *desfaçado.*] ~ V. *desemprego* —.

disfarçar. [Do cat. *desfressar.*] *V. t. d.* **1.** Encobrir; tapar; ocultar: *O remendo disfarça o rasgão do paletó.* **2.** Reprimir, conter; dissimular, mascarar: *Não soube disfarçar a contrariedade.* **3.** Mudar, modificar, alterar, para tornar, ou fingir tornar, desconhecido: *Disfarçou a voz mas todos o conheceram; Escreveu com a mão esquerda para disfarçar a letra. T. d. e i.* **4.** Vestir de modo que não se conheça: *Disfarçaram o milionário em carregador. P.* **5.** Vestir-se de maneira diferente, a fim de parecer outro ou não ser conhecido. [Conjug.: v. *laçar.* Cf. *desfaçar-se.*]

disfarçável. *Adj. 2 g.* Que se pode disfarçar.

disfarce. [Dev. de *disfarçar.*] *S. m.* **1.** Ação de disfarçar (-se). **2.** Aquilo que serve para disfarçar. **3.** Fingimento, dissimulação. **4.** *Fig.* Máscara (15).

disfasia. [De *dis-*^{2} + *-fasia.*] *S. f. Med.* Qualquer dificuldade no falar. [Cf. *desfazia,* do v. *desfazer.*]

disfásico. *Adj.* Relativo à disfasia.

disfêmico. *Adj.* Referente a; ou que constitui disfemismo. [Antôn.: *eufêmico, eufemístico.*]

disfemismo. *S. m.* Expressão grosseira ou desagradavelmente direta usada em vez de outra indireta ou neutra. [Antôn.: *eufemismo.*]

disferir. *V. t. d.* Engrandecer; dilatar. [Irreg. Conjug.: v. *aderir.* Cf. *desferir.*]

disfonia. [Do gr. *dysphonía.*] *S. f. Med.* Alteração da voz e da palavra.

disfônico. *Adj.* **1.** Relativo à, ou que sofre de disfonia. • *S. m.* **2.** Aquele que dela sofre.

disforia. [Do gr. *dysphoría.*] *S. f. Patol.* Perturbação mórbida ou mal-estar provocado pela ansiedade. [Antôn.: *euforia.* Cf. *ansiedade* (2).]

disfórico. *Adj.* Relativo à, ou que tem disforia. [Antôn.: *eufórico.*]

disformar. *V. t. d.* Tornar disforme: deformar. [Cf. *desformar.*]

disforme. [De *dis-*^{2} + *-forme.*] *Adj. 2 g.* **1.** Desconforme, desmedido, descomunal. **2.** Monstruoso, horrendo. [Cf. *desforme,* do v. *desformar.*]

disfunção. [De *dis-*^{2} + *função.*] *S. f. Med.* Função (1) que se efetua de maneira anômala.

disga. *S. f. Bras. Gír.* V. *disgra.*

disgenesia. [Do gr. *dysgenés,* 'bastardo, degenerado' + *-ia.*] *S. f. Med.* **1.** Anomalia própria dos indivíduos que, infecundos entre si, são fecundos com indivíduos de outras raças. **2.** Perturbação da função reprodutora.

disgenésico. *Adj.* Disgenético.

disgenético. *Adj.* Que tem disgenesia; disgenésico.

disgenia. [De *dis-*^{2} + *-gen(o)-*^{1} + *-ia.*] *S. f. Genét.* Condição do caráter (11) que resultará em prejuízos para o patrimônio genético de gerações futuras.

disgênico. *Adj. Genét.* Relativo à disgenia, ou que a apresenta.

disgra. [F. eufêmica de *desgraça.*] *S. f. Bras. Gír.* Falta de dinheiro; quebradeira [q. v.]. [Var.: *disga.*]

disgregação. *S. f.* **1.** Ação de disgregar; desagregação. **2.** *Fís.* Em moléculas não rígidas, a propriedade que têm algumas de suas partes de se moverem sem que se rompam as ligações de valência.

disgregar. [Do lat. *disgregare.*] *V. t. d.* Separar, desagregar. [Conjug.: v. *regar.*]

disidria. [De *dis-*^{2} + *-(h)idr(o)-* + *-ia.*] *S. f. Patol.* Disidrose (1).

disidrose. [De dis-^{2} + *hidrose.*] *S. f. Patol.* **1.** Distúrbio da secreção sudoral; disidria. **2.** Afecção cutânea caracterizada por vesículas nas mãos e nos pés.

disjunção. [Do lat. *disjunctione.*] *S. f.* **1.** Ato de disjungir; separação. **2.** *Gram.* Supressão da conjunção aditiva entre várias frases. **3.** *Geol.* Separação numa rocha pelas juntas. **4.** *Lóg.* Alternativa (3).

disjungir. [Do lat. *disjungere.*] *V. t. d.* **1.** Soltar do jugo; desprender. **2.** Separar, desunir, desajuntar. [Defect. Conjug.: v. *jungir.* Cf. *desjungir.*]

disjuntiva. [Fem. substantivado de *disjuntivo.*] *S. f. Gram.* Conjunção disjuntiva.

disjuntivo. [Do lat. *disjunctivu.*] *Adj.* Próprio para disjungir, para separar. ~ V. *conjunção* —*a,* e *silogismo*—].

disjunto. [Do lat. *disjunctu.*] *Adj.* Não junto; separado, desunido.

disjuntor (ô). [De *disjunto* + *-or.*] *S. m.* Dispositivo destinado a desligar automaticamente um circuito elétrico sempre que ocorrer sobretensão da corrente. [Cf. *interruptor.*]

dislalia. [De *dis-*^{2} + *-lalia.*] *S. f. Med.* Perturbação da palavra, que se deve, geralmente, à lesão dos órgãos externos da linguagem. [Antôn.: *eulalia.*]

dislálico. *Adj.* Referente à dislalia.

dislate. *S. m.* V. *asneira* (1): "Aqui para nós, e o meu Reverendíssimo Prelado perdoe os meus *dislates*, a eternidade mete-me medo." (Aquilino Ribeiro, *Dom Frei Bertolameu*, p. 168.)

dislético. *Adj.* **1.** Relativo à, ou que sofre de dislexia. • *S. m.* **2.** Aquele que dela sofre. [Sin. ger.: *disléxico.*]

dislexia (cs). [De *dis-*^{2} + *-lex-* + *-ia.*] *S. f. Med.* **1.** Incapacidade, devida a lesão central, para ler compreensivelmente. **2.** Condição em que o paciente consegue ler, mas experimenta fadiga e sensações desagradáveis.

disléxico (cs). *Adj.* e *S. m.* Dislético.

dislogia. [De *dis-*^{2} + *-log(o)-* + *-ia.*] *S. f. Med.* **1.** Perturbação do poder de raciocínio. **2.** Perturbação da fala, devida a alterações mentais.

dislógico. Adj. Relativo à dislogia.

dismenorréia. [De *dis-*^{2} + *-men(o)-* + *-rreia.*] *S. f. Patol.* Menstruação dolorosa.

dismenorréico. *Adj.* Referente à dismenorréia.

dismnesia. *S. f.* Var. pros. de *dismnésia.*

dismnésia. [De *dis-*^{2} + *-mnésia.*] *S. f. Med.* Perturbação da memória. [Var. pros.: *dismnesia.*]

dismnésico. *Adj.* Relativo à dismnésia.

dismutação. *S. f. Quím.* Processo químico em que um elemento com um número de oxidação se transforma, originando compostos em que tem dois ou mais números de oxidação; desproporcionação.

disopia. [De *disp-*^{2} + *-ope-* + *-ia.*] *S. f. Med.* Visão defeituosa.

disópico. *Adj.* Relativo à disopia.

disorexia. (cs). [De dis-^{2} + gr. *órexis,* 'apetite', + *-ia.*] *S. f. Med.* Perturbação do apetite.

disoréxico (cs). *Adj.* Relativo à disorexia.

disosmia. [De *dis-*^{2} + -osm(o)-^{1} + -ia.] *S. f. Med.* Perturbação do sentido da olfação.

disósmico. *Adj.* Referente à disosmia.

díspar. [Do lat. *dispare.*] *Adj. 2 g.* Desigual, diferente, dessemelhante: "Eram flores diferentes, de perfumes *díspares*, mas harmoniosamente reunidas pelo mistério da adolescência, que é a idade mágica para a mulher." (Augusto Frederico Schmidt, *O Galo Branco*, p. 198.). [Pl.: *díspares.* Cf. *dispares,* do v. *disparar.*]

disparada. [Fem. substantivado do adj. *disparado.*] *S. f.* **1.** *Bras.* Desembestada (1). **2.** Dispersão do gado à desfilada em várias direções; estouro da boiada. ♦ **À disparada.** A toda a brida; à desfilada; a toda, em disparada; disparado: "Viu João aproximar-se um cavaleiro *à disparada*, e pouco depois esbarrar no terreiro." (José de Alencar, *O Gaúcho*, p. 126.) **Em disparada.** V. *à disparada.*

disparado. [Part. de *disparar.*] *Adj.* **1.** Arrojado, ousado, destemido, atrevido, audaz. **2.** *Bras.* Muito veloz; célere; desembestado. • *Adv.* **3.** *Bras.* Em grande velocidade; à disparada: *O automóvel ia disparado quando atropelou o pedestre.* **4.** *Bras.* Com enorme vantagem ou superioridade em relação a outro: *A égua Argentina vai ganhando disparado; No primeiro dia da apuração, o candidato ia à frente do rival disparado.* **5.** *Bras. Turfe.* A grande distância e dianteira dos outros (cavalos): *O vencedor do 4º páreo ganhou disparado.* **6.** *Bras. P. ext.* Com grande diferença sobre o adversário, em competições esportivas ou eleitorais.

disparador (ô). [De *disparar* + *-dor.*] *Adj.* **1.** *Bras.* Diz-se do cavalo acostumado a tomar o freio nos dentes, e que não obedece às rédeas. **2.** Diz-se do animal que foge quando perseguido. **3.** *Bras., S.* Medroso, covarde, pusilânime. • *S. m.* **4.** V. *gatilho* (1). **5.** *Fot.* Dispositivo que comanda o diafragma da máquina fotográfica e possibilita a exposição do filme; propulsor.

disparar. [Do lat. *disparare.*] *V. t. d.* **1.** Atirar, lançar, arremessar, arrojar, jogar: *Disparou uma pedra para defender-se da agressão.* **2.** Desfechar, descarregar (arma de fogo). **3.** Desfechar, dar [tiro(s)]. **4.** Soltar ou emitir com força: *Apavorado, disparou um grito lancinante.* **5.** Desfechar, lançar (o olhar, a vista): *Irritado, disparou uma mirada sarcástica. T. d. e i.* **6.** Atirar, lançar, arremessar, arrojar: *Disparou setas contra o inimigo.* **7.** Atirar (2): "chegou a *disparar* contra ela dois tiros" (Lúcio de Mendonça, *Horas do Bom Tempo*, p. 289). *T. i.* **8.** Desafogar-se, desabafar-se; desfechar: *Enciumada, disparou num choro convulso. Int.* **9.** *Bras.* Correr desabaladamente: "Seu filho Michel pôs-me um dia sobre o cavalo e chicoteou-o, fazendo-o *disparar* comigo". (Afonso Arinos Filho, *Primo Canto*, p. 31.) [Aplica-se em relação ao cavalo e outros animais, e, ainda, ao homem.] **10.** Dar partida; principiar a corrida. **11.** Repelir energicamente ofensas ou insinuações, depois de esgotada a paciência. **12.** Tresmalhar-se (uma manada). **13.** *Eletrôn.* Iniciar o funcionamento de (um circuito). [Pres. subj.: *dispare, dispares,* etc. Cf. *díspares,* pl. de *díspar.*]

disparatado. [Part. de *disparatar.*] *Adj.* **1.** Que diz ou comete disparates. **2.** Que revela ou em que há disparate.

disparatar. [Do lat. *disparatu,* 'contrário, oposto', 'desigual, diferente', + *-ar*^{2}.] *V. int.* Dizer ou cometer disparate(s).

disparate. [Dev. de *disparatar.*] *S. m.* **1.** Dito ou ação desarrazoada; absurdo. **2.** V. *asneira* (1). **3.** Desvario, desatino, despropósito. **4.** *Bras.* V. *quantidade* (3): *Herdou da avó um disparate de bens.* **5.** *Jog. Inf.* Jogo de salão, feito em roda, em que cada participante deve escutar uma pergunta segredada pelo vizinho de um lado e uma resposta cochichada pelo outro vizinho (que não ouviu a indagação), para só então anunciar ambas, em geral disparatadas.

dispareunia. [Do gr. *dyspáreunos,* 'funesto aos cônjuges', + *-ia.*] *S. f. Med.* Cópula dolorosa para a mulher.

disparidade. *S. f.* **1.** Qualidade do que é díspar; desigualdade; dessemelhança. **2.** *Bras., S.* Palavra ou expressão insensata; despropósito.

disparo. [Dev. de *disparar.*] *S. m.* **1.** Ato ou efeito de disparar. **2.** Carga desfechada por arma de fogo; tiro, detonação. **3.** *Astron.* Explosão inicial que lança um foguete de sua plataforma. **4.** *Proc. Dados.* V. *gatilho* (2). ♦ **Disparo em ponto fixo.** *Astron.* Verificação, em terra, do funcionamento do motor dum veículo espacial.

dispartir. [Do lat. *dispartire.*] *V. t. d.* **1.** Distribuir; repartir: *Dispartiu as horas de estudo de modo que atendesse ao horário de trabalho.* **2.** Separar ou dividir em diversas partes. *T. d. e i.* **3.** Distribuir; repartir: *Dispartiu seus bens aos pobres. P.* **4.** Partir ou seguir em direções diversas; dispersar-se: "todo o opaco / Das cousas se alongava, / Se *dispartia*, dava entrada àquela / Luz indecisa" (Alberto de Oliveira, *Poesias*, 1ª série, p. 231).

dispêndio. [Do lat. *dispendiu.*] *S. m.* **1.** V. *gasto* (6). **2.** *Fig.* Prejuízo, dano.

dispendioso (ô). *Adj.* Que obriga a grandes dispêndios; custoso, caro.

dispensa. [Dev. de *dispensar.*] *S. f.* **1.** Licença ou permissão para não fazer algo a que se estava obrigado; isenção de serviço, dever ou encargo. **2.** Documento em que se pede dispensa (1). **3.** Documento em que se concede desobrigação. ♦ **Dispensa de idade.** Permissão para praticar determinados atos antes da idade estabelecida em lei. [Cf. *despensa.*]

dispensabilidade. *S. f.* Qualidade ou estado do que ou de quem é dispensável.

dispensação. [Do lat. *dispensatione.*] *S. f.* **1.** Ato de dispensar; dispensa. **2.** Concessão, prestação: *dispensação de favores, de serviços.* **3.** *Rel.* Entre os protestantes, período em que o indivíduo é experimentado quanto à sua obediência a alguma revelação especial da vontade de Deus.

dispensado. [Part. de *dispensar.*] *Adj.* Que teve dispensa; desobrigado. ~ V. *dia santo* —.

dispensador (ô). [Do lat. *dispensatore.*] *S. m.* Aquele que dispensa ou concede.

dispensar. [Do lat. *dispensare.*] *V. t. d.* **1.** Dar dispensa (1) a; desobrigar: *Sendo espinhosa a missão, pediu que o dispensassem.* **2.** Não precisar de; prescindir de: *Fará sozinho o trabalho, dispensando qualquer ajuda;* "A verdade *dispensa* a verossimilhança." (José de Alencar, *A Viuvinha*, p. 128). **3.** Conceder, conferir, distribuir: *dispensar graças, mercês. T. d. e i.* **4.** Dar dispensa; desobrigar: *Dispensei -o da obrigação.* **5.** Conceder, conferir; prestar: *Dispensaram ao embaixador as honras de praxe.* **6.** Ceder provisoriamente; emprestar. *P.* **7.** Não se julgar obrigado, eximir-se: *Dispensou-se de cumprir a promessa.* [Pres. ind.: *dispenso, dispensas, dispensa,* etc. Cf. *despensa,* s. f.]

dispensário. [Do fr. *dispensaire.*] *S. m.* Estabelecimento de beneficência onde se trata gratuitamente dos enfermos pobres, dando-lhes remédios, alimentos, roupas, etc.

dispensatário. *S. m.* Aquele que concede dispensas.

dispensativo. [Do lat. *dispensativu.*] *Adj.* Que dispensa ou que é motivo para dispensar.

dispensatório. [Do lat. *dispensatoriu.*] *S. m.* **1.** Laboratório destinado à preparação de medicamentos. **2.** Código, farmacopéia. ◆ **Dispensatório farmacêutico.** Laboratório anexo às salas de aulas de farmácia, nas escolas de medicina e farmacologia, para demonstrações práticas.

dispensável. *Adj. 2 g.* Que pode ser dispensado.

dispepsia. [Do gr. *dyspepsía*, pelo lat. *dyspepsia.*] *S. f. Med.* Dificuldade de digerir.

dispéptico. [Do gr. *dyspeptos*, 'que digere mal', + *-ico.*] *Adj.* **1.** Referente à, ou que sofre de dispepsia. ● *S. m.* **2.** Aquele que dela sofre.

disperder. [Do lat. *disperdere.*] *V. t. d.* **1.** Deitar a perder; destruir, arruinar, aniquilar. *P.* **2.** Desabafar-se; desfazer-se: *Disperdeu-se em lágrimas.* [Irreg. Conjug.: v. *perder.*]

dispermático. *Adj.* V. *dispérmico.*

dispérmico. [De *dispermo* + *-ico.*] *Adj.* Que contém duas sementes; dispermático, dispermo.

dispermo. [De *di-*[1] + *-spermo.*] *Adj.* V. *dispérmico.*

dispersador (ô). *Adj.* **1.** Que dispersa. ● *S. m.* **2.** Aquele ou aquilo que dispersa.

dispersão. [Do lat. *dispersione.*] *S. f.* **1.** Ato ou efeito de dispersar(-se). **2.** Separação de pessoas ou de coisas em diferentes sentidos. **3.** Debandada, desbarato. **4.** *Estat.* Flutuação de uma variável aleatória num conjunto de observações; variação do resultado de uma experiência que visa a medir uma variável aleatória no decorrer de uma seqüência de observações. ◆ **Dispersão absoluta.** *Ópt.* Medida da dispersão da luz em um meio: diferença entre o índice de refração do meio para a raia. *F* e o índice de refração do meio para a raia C. **Dispersão anômala.** *Ópt.* A que ocorre quando o comprimento de onda da radiação que percorre um meio se aproxima de uma banda de absorção do meio, e que se traduz por um desvio anormal da onda. **Dispersão normal.** *Ópt.* A que ocorre num meio em que o índice de refração diminui monotonamente com o comprimento de onda da radiação, e que é observada como um desvio maior para as radiações de menor comprimento de onda. **Dispersão rotatória.** *Ópt.* Fenômeno decorrente da variação do poder rotatório duma substância opticamente ativa com o comprimento de onda, e que é observado como uma diferença de rotação do plano da luz polarizada quando o comprimento de onda desta é alterado.

dispersar. [De *disperso* + *-ar*[2].] *V. t. d.* **1.** Fazer ir para diferentes partes; pôr em debandada; espalhar: *Os tiros dispersaram os desordeiros.* **2.** Dissipar, desfazer: *A gargalhada dispersou a tensão nervosa geral.* **3.** Fazer sair, desviar, para diversos pontos: *Seus numerosos afazeres dispersam-lhe a atenção. Int.* **4.** Sair, espalhar-se, para diversos pontos; debandar(-se), espalhar-se, dispersar-se: *Terminado o comício, a multidão dispersou. P.* **5.** Sair, espalhar-se, para diversos pontos: debandar(-se), espalhar-se, dispersar. **6.** Sumir(-se), dissipar-se: *Aos poucos a visão se dispersou.*

dispersivo. *Adj.* **1.** Que causa dispersão; dispersor. **2.** Que se dispersa, que não se concentra no que faz. ● *S. m.* **3.** Indivíduo dispersivo (2).

disperso. [Do lat. *dispersu.*] *Adj.* **1.** Separado sem ordem; espalhado. **2.** Posto em debandada; desbaratado. **3.** Desordenado, desarrumado. ~ V. *fase —a.*

dispersor (ô). *Adj.* Dispersivo (1). ~ V. *fase—a e poder—.*

displasia. [De *dis-*[2] + gr. *plásis*, 'ação de modelar', 'formação' + *-ia.*] *S. f. Med.* Anormalidade no desenvolvimento.

displástico. *Adj.* Referente à displasia.

➡**display** (plei). [Ingl.] *S. m.* **1.** Em promoções de vendas, mostruário destinado a chamar a atenção do consumidor. **2.** Pequeno cartaz ou composição de objetos. **3.** Anúncio montado em cartão, para ser colocado em balcões, vitrinas, etc.

displicência. [Do lat. *displicentia.*] *S. f.* **1.** Predisposição de espírito para a tristeza ou o tédio. **2.** Descontentamento, desagrado, aborrecimento, desgosto. **3.** *Bras.* Descuido, ou mesmo desleixo, nas maneiras, no vestir, no proceder; descaso, desmazelo, negligência. **4.** *Bras.* Negligência, indiferença, desinteresse.

displicente. [Do lat. *displicente.*] *Adj. 2 g.* **1.** Que produz displicência, desagrado, aborrecimento. **2.** *Bras.* Que revela, ou em que há displicência, descuido, descaso; desleixado, desmazelado. ● *S. 2 g.* **3.** *Bras.* Pessoa displicente.

dispnéia. [Do gr. *dyspnoia*, pelo lat, *dyspnoea.*] *S. f. Med.* Dificuldade na respiração: "A voz custava-lhe muito; era arrancada com ânsia, nos intervalos da *dispnéia*" (Mário de Alencar, *Contos e Impressões*, p. 131). [Antôn.: *eupnéia.*]

dispnéico. [Do gr. *dyspnoikós.*] *Adj.* **1.** Relativo à, ou que sofre de dispnéia. ● *S. m.* **2.** Aquele que dela sofre.

disponente. [Do lat. *disponente.*] *Adj. 2 g.* e *s. 2 g. Jur.* Que ou quem dispõe (de bens a favor de alguém).

disponibilidade. *S. f.* **1.** Qualidade ou estado do que é disponível. **2.** Estado de espírito caracterizado pela predisposição a aceitar as solicitações do mundo exterior. **3.** Situação do funcionário público estável, do juiz de direito ou do militar que temporariamente não se acha em efetivo exercício. **4.** *P. ext.* Situação do indivíduo que está desempregado. **5.** Qualidade dos valores e títulos integrantes do ativo dum comerciante, que podem ser prontamente convertidos em numerário. **6.** *Fís.* Função termodinâmica definida como a soma da energia interna dum sistema com o produto da pressão externa pelo volume, menos o produto da temperatura externa pela entropia. **7.** *Jur.* Faculdade de dispor de seus bens. ◆ **Disponibilidade de caixa.** Dinheiro de contado, disponível.

disponível. *Adj. 2 g.* **1.** De que se pode dispor. **2.** Livre, desimpedido, desembaraçado. **3.** Que se pode negociar (títulos e mercadorias) e transferir imediatamente para o patrimônio do comprador. ~ V. *metade —.*

dispor. [Do lat. *disponere.*] *V. t. d.* **1.** Arrumar, colocar em lugar(es) próprio(s), adequados(s), conveniente(s), *dispor os livros de uma estante; dispor os móveis de uma casa.* **2.** Aplicar, assentar; arrumar: *Dispôs os tijolos em várias camadas.* **3.** Colocar em certa ordem; arrumar de determinado modo: *dispor os convidados de um banquete.* **4.** Preparar, arrumar, organizar: *Dispôs a tropa de maneira que cortasse a retirada do inimigo.* **5.** Pôr em ordem ou no devido andamento: *Antes de viajar, dispôs os seus negócios.* **6.** Planejar, planear, planificar, programar: *dispor uma viagem; dispor um itinerário.* **7.** Imaginar, criar, conceber: *Conseguiu, enfim, dispor o desfecho do drama.* **8.** Prescrever, determinar: *A lei dispõe que todo criminoso deve ir a julgamento.* **9.** Estabelecer, estatuir: *dispor normas.* **10.** Promover, ensejar; preparar: *O seu primeiro êxito dispôs o segundo.* **11.** Armar, urdir, maquinar, forjar: *dispor uma cilada.* **12.** Tornar benévolo; dispor favoravelmente: *Tudo fez para dispor os ânimos amotinados.* **13.** Plantar; transplantar: *dispor hortaliças. T. d.* e *i.* **14.** Preparar, predispor: *dispor o moribundo para a morte.* **15.** Empregar, aproveitar, utilizar: *Dispôs toda a sua inteligência para tal fim.* **16.** Pôr em boa ordem, em bom estado, em bom andamento, em boa disposição, etc.; dispor bem: *É preciso dispor-lhe o corpo e a mente.* **17.** Pôr de acordo; harmonizar, conciliar: *O jogo consiste em dispor as respostas com as perguntas adequadas.* **18.** Acostumar, habituar, afazer: *Conseguiu dispor os alunos ao novo método de ensino.* **19.** Fazer propender; inclinar, predispor: *O depoimento das testemunhas dispôs o júri à absolvição.* **20.** Induzir, incitar, aliciar: *Os maus tratos dispuseram os presos à sublevação.* **21.** Persuadir, convencer: *O médico conseguiu dispor o doente a submeter-se ao tratamento. T. i.* **22.** Usar livremente; fazer o que se quer (de alguém ou de algo): *Dispõe quando quer da casa do irmão; dispor de tempo;* "— Dispõe de mim, meu velho; estou às tuas ordens" (Artur Azevedo, *Contos fora da Moda*, p. 13). **23.** Desfazer-se (de alguma coisa). **24.** Ter a posse; ser senhor: *Dispõe de grande fortuna.* **25.** Dar aplicação a; despender: *Já dispôs do dinheiro que recebeu; Dispôs de tudo o que lhe restara.* **26.** Tratar, discorrer; doutrinar: *dispor acerca de um assunto. Int.* **27.** Resolver em caráter definitivo; resolver, decidir, determinar, deliberar: *O homem põe e Deus dispõe P.* **28.** Estar pronto ou resolvido: *Dispôs-se finalmente a estudar.* **29.** Preparar-se, aprestar-se: *Dispôs-se para a viagem.* **30.** Tencionar, projetar. **31.** Resolver-se, decidir-se; determinar-se: "Fui colocar a xícara na bandeja. E dispunha-me a sair, porque sentia acanhamento e não encontrava assunto para conversar." (Graciliano Ramos, *Caetés*, p. 85); *Dispôs-se a aceitar a proposta.* **32.** Dedicar-se, consagrar-se: *Dispôs-se à catequização de infiéis.* [Irreg. Conjug.: v. *pôr.*]

disposição. [Do lat. *dispositione.*] *S. f.* **1.** Colocação metódica; distribuição ordenada; arranjo: *A boa disposição dos móveis torna acolhedor o salão.* **2.** Estado de espírito ou de saúde; temperamento; humor: *Ótimo companheiro: está sempre com boa disposição para tudo.* **3.** Tendência, inclinação, propensão, vocação: *Desde cedo mostrava disposição para as letras.* **4.** Intento, propósito, desígnio, determinação: *Sua disposição é ser um grande médico.* **5.** Prescrição legal; determinação, preceito: *as disposições transitórias da lei.* **6.** Emprego, uso: *Fez da herança boa disposição.*. **7.** Subordinação, dependência: *Amanhã de manhã estarei à sua inteira disposição.* **8.** Situação: *A disposição do lugar era conveniente à construção do curral.*

dispositivo. *Adj.* **1.** Que contém disposição, ordem, prescrição. ● *S. m.* **2.** Regra, preceito, prescrição. **3.** Artigo de lei. **4.** Mecanismo disposto para se obter certo fim. **5.** Conjunto de meios planejadamente dispostos com vista a um determinado fim: *dispositivo de ataque; dispositivo de segurança; dispositivo de combate aos tóxicos.* **6.** *Jur.* Parte duma lei, declaração ou sentença que contém respectivamente a matéria legislada, a resolução ou decisão, distinta do preâmbulo, e exposição de razões ou motivos. **7.** *Jur.* Decisório. **8.** *Bras.* Modo peculiar como se acham dispostos os órgãos de um aparelho. ◆ **Dispositivo cênico.** *Teat.* V. *cenário* (1). **Dispositivo de entrada.** *Proc. Dados.* V. *input* (3). **Dispositivo de saída.** *Proc. Dados.* V. *output* (3). **Dispositivo prático de Briot.** *Álg.* Algoritmo de Briot-Ruffini.

disposto (ô). [Do lat. *dispositu.*] *Adj.* **1.** Posto de certa maneira: *batalhões dispostos em linha.* **2.** Arranjado, organizado, preparado: *Está tudo disposto para a sua chegada.* **3.** Inclinado, propenso, dado: *É pouco disposto a brincadeiras.* **4.** Ordenado, determinado, decidido: *disposto em testamento.* **5.** *Bras.* Que revela boa disposição de ânimo; vivo; animado. **6.** Trabalhador, laborioso, ativo. **7.** *Bras.* Pronto para o que der e vier; valente. ~ V. *valentão* (1). ● *S. m.* **8.** Aquilo que se dispôs ou determinou; regra, norma, preceito.

disprósio. [De *dysprós*, abrev. do gr. *dysprósitos*, 'de acesso difícil', + *-io.*] *S. m. Quím.* Elemento de número atômico 66, pertencente aos lantanídeos, metálico, com interesse apenas científico. [Símb.: *Dy.*]

disputa. [Dev. de *disputar.*] *S. f.* **1.** Altercação, briga, rixa, contenda. **2.** Discussão, debate, contestação. **3.** Competição, rivalidade, luta: *No II Festival da Canção foi renhida a disputa pelo primeiro lugar.*

disputador (ô). [Do lat. *disputatore.*] *Adj.* e *s. m.* Que ou aquele que disputa; disputante.

disputante. [Do lat. *disputante.*] *Adj. 2 g.* e *s. 2 g.* Disputador.

disputar. [Do lat. *disputare.*] *V. t. d.* **1.** Lutar ou esforçar-se por obter (algo ou alguém): *Os irmãos disputaram a posse da casa; As duas disputam o amor do mesmo homem; Muitos a disputam: é linda.* **2.** Concorrer a; pleitear: *Vários professores disputaram a cadeira.* **3.** Sustentar em discussão. *T. d. e i.* **4.** Procurar obter em concorrência: *Não quis disputar ao amigo a colocação;* "mil párias disputando aos cães um osso" (Raimundo Correia, *Poesias*, p. 230). *T. i.* **5.** Discutir, questionar, altercar: *Disputou com os amigos por uma tolice.* **6.** Rivalizar; competir: *Suas qualidades literárias disputam com as dos maiores escritores. Int.* **7.** Ter dissensão; contender, altercar.

disputativo. *Adj.* **1.** Que é dado a disputas; inclinado a disputar: *indivíduo disputativo; ânimo disputativo.* **2.** Que é objeto de discussão ou disputa: *assuntos disputativos.*

disputatório. *Adj.* Em que se disputa alguma coisa: *campanha disputatória.*

disputável. [Do lat. *disputabile.*] *Adj. 2 g.* Que pode ser objeto de disputa.

disquesia. [De *dis-* + *khezo*, 'evacuar', + *-ia.*] *S. f. Patol.* Perturbação na evacuação.

disquete (ê). [Dim. de *disco.*] *S. m. Proc. Dados.* Disco magnético flexível.

disquisição. [Do lat. *disquisitione.*] *S. f.* Pesquisa, investigação, indagação; exame: *disquisições filosóficas;* "E há a emoção como choque brusco da realidade coetânea do investigador, o conjunto de sensações de prazer ou desagrado, com que um grande acontecimento vem perturbar a meditação do pensador ou a disquisição do sábio." (Fidelino de Figueiredo, *Últimas Aventuras*, p. 10.)

disritmia. [De *dis-* + *ritmo* + *-ia.*] *S. f. Med.* Distúrbio do ritmo, como, p. ex., do ritmo cardíaco, do cerebral.

disrítmico. *Adj.* **1.** Relativo à, ou que tem disritmia. ● *S. m.* **2.** Aquele que a tem.

dissabor (ô). [De *dis-* + *sabor.*] *S. m.* **1.** Desgosto, mágoa, tristeza. **2.** Contrariedade, aborrecimento, desprazer, amolação. **3.** Sensaboria, insipidez. [Cf. *dessabor.*]

dissaborear. *V. t. d.* Causar dissabor a. [Conjug.: v.

frear. Cf. *dessaborear.*]

dissaborido. *Adj.* **1.** Que tem ou em que há dissabor; triste, desgostoso. **2.** Que dissaboreia. [Sin. ger.: *dissaboroso.* Cf. *dessaborido.*]

dissaboroso (ô). *Adj.* V. *dissaborido.* [Cf. *dessaboroso.*]

dissecação. [De *dissecar* + *-ção.*] *S. f.* **1.** Separação (com instrumento cirúrgico) das partes de um corpo ou órgão de animal morto, para estudo da respectiva anatomia; retalhação anatômica. **2.** *Fig.* Análise minuciosa; exame rigoroso. [F. paral.: *dissecção.* Cf. *dessecação.*]

dissecar. [Do lat. *dissecare.*] *V. t. d.* **1.** Fazer dissecação (1 e 2) de. **2.** Analisar minuciosamente: *dissecar um trecho literário.* [Conjug.: v. *trancar.* Cf. *dessecar.*]

dissecção. [Do lat. *dissectione.*] *S. f.* V. *dissecação.*

dissector (ô). *S. m.* **1.** Aquele que disseca. **2.** Instrumento para dissecar; bisturi, escalpelo.

disseminação. [Do lat. *disseminatione.*] *S. f.* **1.** Ato ou efeito de disseminar(-se). **2.** Espalhamento, derramamento, dispersão. **3.** Difusão, propagação, vulgarização.

disseminado. [Part. de *disseminar.*] *Adj.* **1.** Semeado ou espalhado por muitas partes. **2.** Difundido, divulgado. ~ V. *toxoplasmose —a.*

disseminador (ô). *Adj.* e *S. m.* Que ou aquele que dissemina.

disseminar. [Do lat. *disseminare.*] *V. t. d.* **1.** Semear ou espalhar por muitas partes: *disseminar o pólen; disseminar a seiva.* **2.** Difundir, divulgar, propagar; espalhar: *disseminar boatos. P.* **3.** Difundir-se, propagar-se.

disse-não-disse. [Da 3ª pess. sing. do pret. perf. do ind. do v. *dizer* + *não* + a mesma 3ª pess.] *S. m. 2 n. Bras.* V. *diz-que-diz-que.*

dissensão. [Do lat. *dissensione.*] *S. f.* **1.** Divergência de opiniões ou de interesses. **2.** Desavença, desinteligência, dissidência: "O ano de 1827 parecia .... destinado às primeiras dissensões entre os dois amantes. [D. Pedro I e a Marquesa de Santos]" (Tobias Monteiro, *O Primeiro Reinado,* II, p. 162). **3.** *Fig.* Discrepância, contraste, oposição. [Sin. ger.: *dissenso, dissentimento, dissídio.* Cf. *descensão.*]

dissenso. [Do lat. *dissensu.*] *S. m.* **1.** V. *dissensão.* **2.** Arrependimento de um dos contratantes antes de vencido o contrato. [Cf. *descenso.*]

dissentâneo. [Do lat. *dissentaneu.*] *Adj.* Que dissente.

dissentimento. *S. m.* V. *dissensão.*

dissentir. [Do lat. *dissentire.*] *V. t. i.* **1.** Estar em desacordo; discordar, discrepar, divergir: *Sempre dissente da opinião da maioria;* "Pode-se dissentir do seu parecer, ter uma opinião em contrário firmemente estabelecida" (Gonçalves Dias, *Meditação,* p. 267). **2.** Não combinar; estar em desarmonia: *Seu linguajar obsceno dissentia de suas boas maneiras.* [Irreg. Conjug.: v. *sentir.* Cf. *dessentir.*]

dissépalo. [De *dis-*[1] + *sépala.*] *Adj. Morfol. Veg.* Que tem duas sépalas distintas.

dissepimento. [Do lat. *dissepimentu.*] *S. m. Biol.* P. us. Septo.

disse-que-disse. [Da 3ª pess. sing. do pret. perf. do ind. do v. *dizer* + *que* + a mesma pess.] *S. m. 2 n.* V. *diz-que-diz-que:* "Em verdade sentia falta de Ilhéus, do seu escritório movimentado, das intrigas, dos disse-que-disse, de certas figuras locais." (Jorge Amado, *Gabriela, Cravo e Canela,* p. 64.)

dissertação. [Do lat. *dissertatione.*] *S. f.* **1.** Exposição desenvolvida, escrita ou oral, de matéria doutrinária, científica ou artística. **2.** Exposição, escrita ou oral, acerca de um ponto das matérias estudadas, que os estudantes apresentam aos professores. **3.** Discurso; conferência; preleção.

dissertador (ô). [Do lat. *dissertatore.*] *S. m.* **1.** Aquele que disserta ou é dado a fazer dissertações. **2.** Aquele que é prolixo na exposição de qualquer matéria.

dissertar. [Do lat. *dissertare.*] *V. t. i.* **1.** Fazer dissertação; tratar com desenvolvimento um ponto doutrinário ou um tema qualquer; discorrer: *Dissertou com brilho acerca da poesia de Jorge de Lima;* "Ia dissertando sobre as dificuldades da lavoura e sobre as conseqüências funestas das geadas últimas." (Rodrigo Otávio, *Contos de ontem e de hoje,* p. 79.) *Int.* **2.** Fazer dissertação. [Pres. ind.: *disserto,* etc. Cf. *decerto,* do v. *decertar* e adv., e esse verbo.]

dissidência. [Do lat. *dissidentia.*] *S. f.* **1.** V. *dissensão* (2). **2.** Parte dos membros de uma corporação que se separa desta por divergência de opiniões. **3.** Cisma, cisão.

dissidente. [Do lat. *dissidente.*] *Adj. 2 g.* **1.** Que diverge das opiniões de outrem ou da opinião geral. **2.** Que se separa de uma corporação por discordância de opiniões; separatista, cismático, díscolo. ● *S. 2 g.* **3.** Indivíduo dissidente.

dissidiar. [De *dissídio* + *-ar*[2].] *V. int.* Ser dissidente; divergir; dissidir: *Embora muitas vezes dissidiem, são excelentes amigos; Os dois técnicos dissidiam em vários pontos.* [Pres. ind.: *dissidio, dissidias, dissidia,* etc. Cf. *dissídio,* s. m., e *decidia,* do v. *decidir.*]

dissídio. [Do lat. *dissidiu.*] *S. m.* **1.** V. *dissensão:* "Isto tinha um importante sentido, que em breve se desvendaria com o espetacular dissídio havido na política baiana entre os grupos que obedeciam à chefia do Governador José Marcelino e do Ex-Governador Severino Vieira." (Afonso Arinos de Melo Franco, *Um Estadista da República,* II, p. 486.) **2.** *Jur.* Denominação comum às controvérsias individuais ou coletivas submetidas à Justiça do Trabalho. [Cf. *dissidio,* do v. *dissidiar.*]

dissidir. [Do lat. *dissidere.*] *V. int.* V. *dissidiar.* [Imperf. ind.: *dissidia,* etc. Cf. *decidia,* do v. *decidir,* e este v.]

dissilábico. *Adj.* **1.** V. *dissílabo* (1). **2.** Diz-se de certas línguas cujas palavras têm apenas duas sílabas.

dissilabismo. [De *dissílabo* + *-ismo.*] *S. m.* Caráter das línguas cujas palavras têm só duas sílabas.

dissílabo. [Do gr. *disyllabos,* pelo lat. *disyllabu.*] *Adj.* **1.** Que tem duas sílabas; dissilábico, bissílabo. ● *S. m.* **2.** Palavra de duas sílabas.

dissilano. *S. m. Quím.* Composto de silício análogo ao etano. [Fórm.: Si_2H_2.]

dissimetria. [De *dis-*[1] + *simetria.*] *S. f.* V. *assimetria.* [F. paral.: *dessimetria.*]

dissimétrico. [De *dissimetria* + *-ico*[2].] *Adj.* V. *assimétrico.* [F. paral.: *dessimétrico.*]

dissímil. [Do lat. *dissimile.*] *Adj. 2 g.* V. *dessemelhante.* [Pl.: *dissímeis.* Superl. abs. sint.: *dissimílimo.*]

dissimilação. [De *dissimilar* + *-ção.*] *S. f. Gram.* Supressão ou diferenciação fonética motivada pela influência de outros fonemas existentes no mesmo vocábulo. Ex.: *menhã* por *manhã; exprobar* por *exprobrar.* [Antôn.: *assimilação* (4).]

dissimilado. [Part. de *dissimilar*[2].] *Adj. Gram.* Em que ocorreu dissimilação: *Lantejoula é forma dissimilada de lentejoula; polvarinho é forma dissimilada de polvorinho.*

dissimilar[1]. [De *dissímil* + *-ar*[1].] *Adj. 2 g.* Que é de espécie ou gênero diferente; heterogêneo.

dissimilar[2]. [De *dissímil* + *-ar*[2].] *V. t. d.* **1.** Tornar dissímil; dessemelhar. **2.** Fazer a dissimilação de. *P.* **3.** Sofrer dissimilação.

dissimílimo. [Do lat. *dissimillimu.*] *Adj.* Superl. abs. sint. de *dissímil.*

dissimulação. [Do lat. *dissimulatione.*] *S. f.* **1.** Ato ou efeito de dissimular(-se). **2.** Encobrimento das próprias intenções. **3.** Disfarce, fingimento, hipocrisia, refolho. [Sin. (desus.): *dissímulo.*]

dissimulado. [Part. de *dissimular.*] *Adj.* **1.** Encoberto, disfarçado. **2.** Que tem por hábito dissimular; astucioso, fingido, hipócrita; simulado. ● *S. m.* **3.** Indivíduo dissimulado.

dissimulador (ô). [Do lat. *dissimulatore.*] *Adj.* e *s. m.* Que ou aquele que dissimula.

dissimular. [Do lat. *dissimulare.*] *V. t. d.* **1.** Ocultar ou encobrir com astúcia; disfarçar: "Dissimular erros no amigo, não é amor, é lisonja, não é prudência, é traição, ou quando menos pusilanimidade." (Pe Manuel Bernardes, *Nova Floresta,* I, p. 112.) *Procurou dissimular o seu erro para não o inculparem; Dissimulou a idade avançada usando vários artifícios.* **2.** Não dar a perceber; calar: *Dissimulou o agravo recebido.* **3.** Fingir, simular: *Dissimulou indiferença, quando tinha o coração apaixonado.* **4.** Atenuar o efeito de; tornar pouco sensível ou notável. *T. i.* **5.** Usar de dissimulação; proceder com fingimento, hipocrisia. *Int.* **6.** Ter reserva; não revelar os seus sentimentos ou desígnios: "Simular é fingir o que não é; dissimular é encobrir o que é." (Pe Manuel Bernardes, *Nova Floresta,* IV, p. 5.) *P.* **7.** Ocultar-se, esconder-se. [Pres. ind.: *dissimulo,* etc. Cf. *dissímulo.*]

dissimulável. *Adj. 2 g.* Que pode ser dissimulado.

dissímulo. [Dev. de *dissimular.*] *S. m. Desus.* V. *dissimulação.* [Cf. *dissimulo,* do v. *dissimular.*]

dissipação. [Do lat. *dissipatione.*] *S. f.* **1.** Ato ou efeito de dissipar(-se). **2.** Esbanjamento, desperdício. **3.** Desaparição; evaporação: *dissipação da umidade do ar.* **4.** Desregramento, devassidão, libertinagem. **5.** *Fís.* Processo de perda de energia dum sistema por uma emissão ou troca de natureza térmica; dissipação de energia. ◆ **Dissipação de energia.** *Fís.* Dissipação (5).

dissipado. [Part. de *dissipar.*] *Adj.* **1.** Que se dissipou; desfeito; desaparecido. **2.** Que dissipa; gastador, esbanjador. **3.** Desregrado, devasso, libertino. **4.** *Bras., N.E. Pop.* Sem método; desorganizado, desmazelado. ● *S. m* **5.** Indivíduo dissipado.

dissipador (ô). [Do lat. *dissipatore.*] *Adj.* e *s. m.* Que ou aquele que dissipa; perdulário, esbanjador, dissipado.

dissipar. [Do lat. *dissipare.*] *V. t. d.* **1.** Espalhar, dispersar; desfazer: *A ventania dissipou a cerração.* **2.** Fazer cessar ou desaparecer; pôr fim a: "a iluminação a gás dissipou de uma vez para sempre as trevas" (Joaquim Manuel de Macedo, *Os Romances da Semana,* p. 86); "A emoção de estar na velha casa da sua família dissipara a impressão desagradável da conferência eleitoral." (Conde de Ficalho, *Uma Eleição Perdida,* p. 28). **3.** Esbanjar, desperdiçar, malbaratar, malgastar; dilapidar: *Em poucos meses dissipou a fortuna.* **4.** Causar a ruína de; arruinar, estragar: *Dissipou a saúde. P.* **5.** Espalhar-se, dispersar-se; desvanecer-se, esvaecer-se; evaporar-se: "Sentia uma moleza preguiçosa, vendo o fumo branco do charuto dissipar-se em aroma." (Eça de Queirós, *A Capital,* p. 339.) **6.** Deixar de existir; desaparecer: "Não distinguindo perigos, supunha que eles se haviam dissipado inteiramente." (Graciliano Ramos, *Infância,* p. 82); "O passado para mim foi como um simples pesadelo que se dissipa com o dia." (Cordeiro de Andrade, *Anjo Negro,* p. 150.) **7.** *Fís.* Perder (energia) sob forma térmica.

dissipativo. [De *dissipar* + *-(t)ivo.*] *Adj.* ~V. *acoplamento —, campo —, força —a, processo —* e *sistema —.*

dissipável. [Do lat. *dissipabile.*] *Adj. 2 g.* **1.** Que se pode dissipar. **2.** Que se dissipa com facilidade.

dissistolia. [De *dis-*[1] + *sístole* + *-ia.*] *S. f. Med.* V. *assistolia.*

disso. Contr. da prep. *de* com o pron. dem. *isso.*

dissociabilidade. *S. f.* Qualidade do que é dissociável.

dissociação. [Do lat. *dissociatione.*] *S. f.* **1.** Ação de dissociar(-se). **2.** *Quím.* Processo de divisão duma molécula em partes menores.

dissocial. [Do lat. *dissociale.*] *Adj. 2 g.* **1.** V. *insociável.* **2.** Que não se pode associar, agregar, unir.

dissociar. [Do lat. *dissociare.*] *V. t. d.* **1.** Dissolver (o que estava associado); desagregar; desunir. **2.** Decompor quimicamente. *P.* **3.** Desunir-se; separar-se; desagregar-se.

dissociável. [Do lat. *dissociabile.*] *Adj. 2 g.* Que se pode ou deve dissociar. [Cf. *dessociável.*]

dissolubilidade. *S. f.* Qualidade do que é dissolúvel.

dissolução. [Do lat. *dissolutione.*] *S. f.* **1.** Ato ou efeito de dissolver; dissolvência. **2.** Decomposição de um organismo pela separação dos elementos constituintes: *dissolução das matérias vegetais.* **3.** Rompimento ou extinção de um contrato, de uma sociedade, de uma entidade ou órgão coletivo. **4.** Perversão de costumes; devassidão; libertinagem.

dissolutivo. *Adj.* Que dissolve.

dissoluto. [Do lat. *dissolutu.*] *Adj.* **1.** Dissolvido, desfeito. **2.** Devasso, corruto.

dissolúvel. [Do lat. *dissolubile.*] *Adj. 2 g.* Que pode ser dissolvido.

dissolvência. [Do lat. *dissolventia.*] *S. f.* Dissolução (1).

dissolvente. [Do lat. *dissolvente.*] *Adj. 2 g.* **1.** Que dissolve; solvente. **2.** *Fig.* Desorganizador, desmoralizador, corrutor. ● *S. m.* **3.** Aquilo que dissolve; solvente.

dissolver. [Do lat. *dissolvere.*] *V. t. d.* **1.** Fazer passar (uma substância) para a solução; desfazer; exsolver; solver: *dissolver cristais de cloreto de sódio.* **2.** Fazer evaporar: *O sol da manhã dissolve a neblina.* **3.** Desagregar, dispersar: *O vento dissolve a fumaça.* **4.** Tornar nulo; extinguir; invalidar: *O juiz dissolveu os laços matrimoniais do casal.* **5.** Fazer desaparecer; resolver; eliminar: *Aquela resposta clara dissolvia qualquer dúvida.* **6.** Desmembrar; separar; dispersar: *A polícia dissolveu o motim.* **7.** Tornar dissoluto; corromper: *As más companhias dissolveram-lhe o espírito. P.* **8.** Entrar em dissolução. **9.** Desmembrar-se; dissipar-se.

dissolvível. *Adj. 2 g.* Que se pode dissolver; dissolúvel.

dissonância. [Do lat. *dissonantia.*] *S. f.* **1.** Som ou conjunto de sons desagradáveis ao ouvido. **2.** *Fig.* Desarmonia, discordância (de cores, de estilos, de opiniões, de formas, etc.). **3.** *Mús.* Intervalo que não satisfaz a idéia de repouso e pede resolução em uma consonância.

dissonante. [Do lat. *dissonante.*] *Adj. 2 g.* **1.** Que provoca ou produz dissonância (1); ábsono, díssono, dissonoro. **2.** *Fig.* Destoante, discordante, desarmônico; ábsono: *Aquele sujeito era a nota dissonante da reunião.* **3.** *Mús.* Em que há dissonância (3): *acorde dissonante.*

dissonar. [Do lat. *dissonare.*] *V. int.* Produzir dissonância; soar desentoado. [Sin.: *absonar.* Pres. ind.: *dissono,* etc. Cf. *díssono.*]

díssono. [Do lat. *dissonu.*] *Adj.* V. *dissonante* (1). [Cf. *dissono,* do v. *dissonar.*]

dissonoro (nó). [Do lat. *dissonoru.*] *Adj.* V. *dissonante* (1).

dissuadir. [Do lat. *dissuadere.*] *V. t. d. e i.* **1.** Tirar de um propósito; despersuadir; desaconselhar: *Difícil dissuadi-lo de seu propósito. P.* **2.** Desistir, despersuadir-se. [Antôn.: *persuadir.*]

dissuasão. [Do lat. *dissuasione.*] *S. f.* Despersuasão. ◆ **Dissuasão pelo medo.** A que decorre do medo, receio ou temor das conseqüências de se cometer um ato que possa gerar represália muito violenta.

dissuasivo. *Adj.* Próprio para dissuadir; dissuasório: *argumentos dissuasivos; palavras dissuasivas.* [Antôn.: *persuasivo, persuasório.*]

dissuasor (ô). [Do lat. *dissuasore.*] *Adj.* e *s. m.* Que ou aquele que dissuade.

dissuasório. *Adj.* V. *dissuasivo.*

dissulfeto (ê). [De *di-*[1] + *sulfeto.*] *S. m. Quím.* Sulfeto com dois átomos de enxofre por molécula.

distal. [Do lat. *distans,* 'distante'.] *Adj. 2 g.* **1.** *Anat.* Diz-se do ponto em que uma estrutura ou um órgão fica afastado de seu centro ou de sua origem. **2.** *Anat.* Que fica voltado no sentido oposto ao da cabeça. [Cf., nessas acepç., *proximal* (1 e 2).] **3.** Longe do centro; periférico. **4.** Remoto, distante. — V. *falange* —.

distanasia. *S. f. Med.* Distanásia [q. v.].

distanásia. [De *dis-*[2] + *thanasia,* 'morte', segundo o modelo de *eutanásia.*] *S. f. Med.* Morte lenta, ansiosa e com muito sofrimento. [Var. pros.: *distanasia.* Antôn.: *eutanásia* ou *eutanasia.*]

distância. [Do lat. *distantia.*] *S. f.* **1.** Espaço entre duas coisas ou pessoas; intervalo. **2.** Intervalo de tempo entre dois momentos. **3.** Lonjura, longitude. **4.** Separação, apartamento, afastamento. **5.** Diferença entre categorias sociais. [Cf. *distância social.*] **6.** *Geom. Anal.* Comprimento do segmento de reta que une dois pontos. **7.** *Geom. Anal.* Num espaço riemaniano, integral da forma quadrática diferencial que caracteriza o afastamento infinitesimal entre dois pontos vizinhos. [Cf. *distancia,* do v. *distanciar.*] ◆ **Distância angular.** *Geom.* Ângulo entre duas retas que se interceptam. **Distância cosmológica.** *Cosm.* Distância estabelecida por intermédio de processos em que se aceita a validade da relação de Hubble [v. *lei de Hubble*] entre os desvios para o vermelho e as distâncias. **Distância focal.** *Ópt.* **1.** Numa lente delgada, a distância entre o foco principal e o centro da lente. **2.** Num sistema óptico, a distância entre o plano focal e o plano principal correspondente. **3.** *Geom. Anal.* Distância entre os dois focos de uma cônica central. **Distância geodésica.** *Geom. Anal.* Distância entre dois pontos de uma superfície, medida sobre uma geodésica que passa por eles. **Distância hiperfocal.** *Fot.* Distância entre a objetiva de uma máquina fotográfica focalizada para o infinito e um objeto de que ela forma uma imagem nítida sobre o filme. **Distância média.** *Astr.* Semi-eixo maior. **Distância periélia.** *Astr.* Distância de um astro do sistema solar ao Sol no instante da passagem desse astro pelo periélio. **Distância polar.** *Astr.* Arco de círculo horário de um dado astro, a começar do pólo celeste norte, ou do pólo celeste sul, até o astro, o que faz que seja o complemento da declinação [q. v.]. Conta-se também a distância polar só a partir do pólo celeste norte, de 0º a 180º. **Distância social.** *Sociol.* Noção que implica a de espaço social e designa a posição social (aproximação, afastamento) duma pessoa ou dum grupo em suas relações de superioridade e de inferioridade, com outros indivíduos ou outros grupos. **Distância zenital.** *Astr.* Complemento da altura. **A distância. 1.** Um tanto longe: *Ouvimos vagos rumores a distância.* **2.** Sem familiaridade: *Sua casmurrice mantinha todos a distância.* [Tb. se usa *à distância* (com acento no a): "Parede acima vais [a lagartixa]. E eu, à distância, / Olho as tuas pesquisas apressadas" (Fernando de Mendonça, *13 Decassílabos,* p. 8). **Tomar distância de.** Afastar-se de: *Ao avistar o inimigo tomou distância dele.*

distanciado. [Part. de *distanciar.*] *Adj.* Afastado, apartado, distante: "a evocação dos tempos distanciados é dos vultos de ébano submissos revigorou-lhe a alma". (Joaquim Paço d'Arcos, *Carnaval e Outros Contos,* p. 67.)

distanciamento. *S. m.* **1.** Ato ou efeito de distanciar(-se). **2.** *Teat.* Efeito que os dramaturgos e diretores [v. *diretor* (5)] da escola moderna do teatro épico [q. v.] visam a obter e que tem como objetivo afastar o envolvimento emocional do espectador. [Opõe-se à *catarse aristotélica* (q. v.). Sin. ger.: *afastamento.*]

distanciar. *V. t. d.* **1.** Pôr distante; afastar; apartar: *As vicissitudes da vida acabaram distanciando-os.* **2.** Colocar de distância em distância; colocar por intervalos: *Os técnicos aconselham a distanciar os sinais de trânsito. T. d. e i.* **3.** Afastar, apartar: *Tudo fiz para distanciá-lo do perigo. P.* **4.** Afastar-se, apartar-se. [Pres. ind.: *distancio, distancias, distancia,* etc. Cf. *distância.*]

distanciômetro. [De *distância* + *-o-* + *metro.*] *S. m.* Telêmetro.

distante. [Do lat. *distante.*] *Adj. 2 g.* **1.** Que dista; que está a certa distância. **2.** Afastado, remoto, longínquo: *terras distantes; época distante.* **3.** *Fig.* Sem calor humano; calado, reservado, frio. **4.** *Fig.* Alheado, absorto. ● *Adv.* **5.** Ao longe; a distância: "Distante, às vivas / Luzes da tarde, interrogando o vento, / Balançam-se as palmeiras pensativas." (Alberto de Oliveira, *Poesias,* 1ª série, p. 225); "Os rouxinóis ouviam-se distante." (Augusto Gil, *Luar de Janeiro,* p. 74.)

distar. [Do lat. *distare.*] *V. int.* **1.** Ser ou estar distante ou a certa distância: *A cidade não dista muito: estamos chegando lá; O Rio dista 402 km de São Paulo. T. i.* **2.** Distar (1): "Ficava [a fazenda São José] no distrito de São José da Bela Vista, que distava uma hora de forde de bigode da sede da comarca" (Francisco Ribeiro Sampaio, *Renembranças,* p. 11). **3.** Diferençar-se, divergir: *O orgulho dista muito da intolerância.* **4.** Ficar longe, muito abaixo, em plano de nítida inferioridade; ser visivelmente inferior: *Antônio Boto dista muito de um Fernando Pessoa; É bela, porém dista da sua rival.*

distelazia. [De *dis-*[2] + gr. *thelázo,* 'amamentar', + *-ia.*] *S. f. Med.* Incapacidade para amamentar.

disteleologia. [De *dis-*[1] + gr. *theleios,* 'perfeito', + *-log(o)-* + *-ia.*] *S. f.* **1.** Doutrina que prega a ausência de finalidade ou propósito no Universo. **2.** Estudo, nos seres vivos, dos órgãos ou partes inúteis.

disteleológico. *Adj.* Relativo à disteleologia.

distender. [Do lat. *distendere.*] *V. t. d.* **1.** Estender em diversos sentidos; estender muito. **2.** Desenvolver; alongar: *Os jornais muitas vezes distendem as notícias.* **3.** Retesar; estirar: *distender o arco.* **4.** Dilatar; inchar: *A umidade distende o reboco do muro.* **5.** *Med.* Sofrer distensão (2) em; estirar: *O jogador distendeu o músculo da perna direita. P.* **6.** Estender-se em diversos sentidos; estender-se muito: *A bolha de sabão foi-se distendendo até soltar-se do canudo.* **7.** Dilatar-se. **8.** Retesar-se, estirar-se. **9.** Afrouxar-se; relaxar-se: "Aquela carícia tão humilde, tão tocante, quebrou-a; os seus nervos distenderam-se" (Eça de Queirós, *O Primo Basílio,* p. 208).

distendido. [Part. de *distender.*] *Adj.* Distenso.

distênio. [De *di-*[1] + gr. *sthenós,* 'força', + *-io*[2].] *S. m. Min.* V. *cianita.*

distensão. [Do lat. *distentione.*] *S. f.* **1.** Ato de distender(-se). **2.** *Med.* Tração excessiva e/ou violenta que provoca deslocamento ou repuxo; estiramento: *distensão de um músculo, de um nervo, dos ligamentos de uma articulação.* **3.** Tensão demasiada; estiramento, retesamento: *distensão das cordas do violino.* **4.** Afrouxamento, relaxação. **5.** Prolongamento, continuação. **6.** *Fon.* V. *articulação* (5). **7.** *Pol.* V. *abertura* (17).

distenso. [Do lat. *distensu.*] *Adj.* Que sofreu distensão; distendido.

distensor (ô). *Adj.* **1.** Que distende. ● *S. m.* **2.** Aquele ou aquilo que distende.

dístico. [Do gr. *dístichon,* pelo lat. *distichon.*] *S. m.* **1.** Grupo de dois versos; parelha. **2.** Máxima de dois versos. **3.** Rótulo; letreiro. **4.** *Heráld. P. ext.* Divisa de um escudo. ● *Adj.* **5.** *Biol. Ger.* Ordenado em duas séries ou fileiras, porém no mesmo plano: *flores dísticas.* [Sin. (p. us.), nessa acepç.: *bifário.*]

distilo. *Adj. Morfol. Veg.* Que tem dois estiletes. [Cf. *destilo,* do v. *destilar.*]

distinção. [Do lat. *distinctione.*] *S. f.* **1.** Ato ou efeito de distinguir(-se); diferença, separação: "já Aristóteles, na *Poética,* fazia a distinção entre o historiador (conta o que aconteceu) e o narrador (conta o que poderia ter acontecido)." (Álvaro Lins, *Literatura e Vida Literária,* p. 224). **2.** Caracteres, características, qualidades, pelos quais uma pessoa ou uma coisa difere de outra: *Pouca distinção havia entre as duas irmãs.* **3.** Elegância e reserva no porte, nas maneiras: *É mulher de tato e rara distinção.* **4.** Correção de procedimento; dignidade. **5.** Prerrogativa, honraria, privilégio: *Recebeu do governo as mais altas distinções.* **6.** Classificação de distinto em provas ou exames: *O aluno obteve distinção em português.*

distinguibilidade. *S. f.* Qualidade de distinguível.

distinguidor (ô). *S. m.* Aquele que distingue.

distinguir. [Do lat. *distinguere.*] *V. t. d.* **1.** Diferençar; discriminar; discernir: *Na filosofia cumpre distinguir bem as categorias fundamentais.* **2.** Dividir; separar: *A origem não deve constituir razão para distinguir as pessoas.* **3.** Avistar, divisar: "no meio da folhagem distingue um camaleão." (Hélio Galvão, *Cartas da Praia,* pp. 56-57); *A escuridão impossibilitava distinguir os edifícios mais afastados.* **4.** Caracterizar; determinar; especificar: *A brandura é o traço que distingue o seu feitio;* "No vislumbre de suas reminiscências aparecia um vulto formoso e elegante; mas ela não conseguia distinguir-lhe as feições" (José de Alencar, *Encarnação,* p. 327). **5.** Perceber, ouvir: *Daqui é possível distinguir os ruídos da rua.* **6.** Tornar notável; pôr em evidência: *Não são as medalhas que o distinguem.* **7.** Mostrar preferência por, consideração especial a: *Onde quer que esteja, todos os distinguem.* **8.** Dar distinção (6) a. *T. d. e i.* **9.** Fazer distinção; discriminar: *distinguir o bem do mal. Int.* **10.** Fazer distinção: *Mau crítico, mistura os valores, não sabe distinguir. P.* **11.** Salientar-se, sobressair-se; relevar-se, evidenciar-se: *O artista distingue-se pela alta sensibilidade.* **12.** Diferençar (5): *O livro distingue-se dos similares pela massa de informações novas.* [Conjug.: v. *extinguir.* O part. irreg., *distinto,* hoje é apenas adjetivo.]

distinguível. *Adj. 2 g.* Que se pode distinguir.

distintivo. *Adj.* **1.** Próprio para distinguir. ● *S. m.* **2.** Coisa que distingue; emblema, insígnia.

distinto. [Do lat. *distinctu.*] *Adj.* **1.** Que não se confunde; diverso, diferente: *Versejador e poeta são coisas distintas.* **2.** Separado, isolado. **3.** Que sobressai; notável, ilustre, eminente, preeminente: *orador distinto.* **4.** Perceptível, claro: *Começou a falar em tom baixo, mas terminou com voz distinta.* **5.** Que tem distinção de porte e/ou de maneiras: *mulher bela e distinta.* **6.** Que teve classificação superior a bom em provas ou exames: *Foi aluno distinto em todo o curso.* **7.** Em cujas provas ou exames se obteve classificação superior a bom: *curso ou currículo distinto; ano distinto.* [Cf. *destinto.*]

distiquíase. [Do gr. *distichíasis.*] *S. f. Med.* Anomalia que se caracteriza pela existência de duas fileiras de cílios, uma delas, ou ambas, dirigidas para o globo ocular.

disto. Contr. da prep. *de* com o pron. dem. *isto.*

distocia. [De *dis-*[2] + *-toc(o)-* + *-ia.*] *S. f. Med.* Parto difícil; parodinia. [Antôn.: *eutocia.*]

distócico. *Adj.* Referente à, ou próprio da distocia. [Antôn.: *eutócico.*]

distomatose. [De *dis-*[2] + *stomato-* + *-ose.*] *S. f. Patol.* Distomíase.

distomíase. [Do lat. científico *Distomum* + *-íase.*] *S. f. Patol.* Infecção por vermes trematódeos, outrora incluídos no gênero *Distomum;* distomatose.

dístomo. [Do gr. *dístomos.*] *Adj.* **1.** Que tem duas bocas. **2.** Pertencente ou relativo aos dístomos. ● *S. m.* **3.** *Ter.* Monstro de duas bocas. **4.** Espécime dos dístomos.

dístomos. *S. m. pl. Zool.* Animais metazoários, platelmintos, trematódeos, possuidores de duas ventosas. São endoparasitos e possuem ciclo evolutivo complexo, com hospedeiro intermediário.

distonia. [De *dis-*[2] + *-ton(o)-* + *-ia.*] *S. f. Med.* Alteração de tonicidade muscular.

distônico. *Adj.* Relativo à, ou próprio da distonia.

distopia. [De *dis-*[2] + *-top(o)-* + *-ia.*] *S. f. Med.* Situação anômala de um órgão, em geral congênita.

distópico. *Adj.* Referente à, ou próprio da distopia.

distorção. [Do lat. *distortione.*] *S. f.* **1.** Ato de distorcer. **2.** *Ópt.* Aberração num sistema óptico, caracterizada por diferenças de ampliação para diferentes regiões do sistema e pelo fato de serem deformadas as imagens por ele produzidas. **3.** *Eletrôn.* Alteração da forma de uma corrente elétrica ao ser amplificada em um circuito.

distorcer. [De *dis-*[1] + *torcer.*] *V. t. d.* **1.** Mudar o sentido, a intenção, a substância de; desvirtuar; torcer: *distorcer uma declaração;* "Dispositivos legais que privilegiem um Partido ou um grupo distorcem a manifestação popular" (Carlos Castelo Branco, *Jornal do Brasil,* 27.6.1981). **2.** Mudar a direção, ou a posição normal, de: *distorcer um órgão.* [Conjug.: v. *torcer.* Cf. *destorcer.*]

distorcido. [Part. de *distorcer.*] *Adj.* Que se distorceu ou desvirtuou; desvirtuado: *Apresentou a respeito dos fatos uma versão distorcida.* [Cf. *destorcido.*]

distração. [Do lat. *distractione.*] *S. f.* **1.** Desatenção, descuido, irreflexão, inadvertência: *O erro proveio de pura distração.* **2.** Alheamento, abstração: *Seu ar* distante denota distração. **3.** Divertimento, recreação, entretenimento: *Queria uma* distração, *foi ao circo.* **4.** Palavras, modos, ato ou omissão proveniente de distração. **5.** *Pop.* Desvio de dinheiro ou de coisas. [Sin. ger. (p. us.): *distraimento.*]

distraimento (a-i). *S. m. P. us.* V. *distração.*

distrair. [Do lat. *distrahere*, 'puxar para diversas partes'.] *V. t. d.* **1.** Tornar desatento, esquecido: *A todo momento as preocupações o* distraíam. **2.** Atrair ou chamar a atenção de (alguém) para outro ponto ou objeto: *Os anúncios luminosos* distraem *os motoristas.* **3.** Desviar, fazer sair, daquilo em que estava concentrado ou fixo: *Não se fixa 10 minutos em uma tarefa: qualquer insignificância* distrai *sua atenção.* **4.** Divertir, recrear: *Qualquer brinquedo* distrai *uma criança.* **5.** Dar emprego diverso a; desencaminhar, extraviar. **6.** Livrar de preocupação, de idéia fixa; entreter: *Conversando com o doente, o médico procurava* distraí-lo. *T. d. e i.* **7.** Desviar, desencaminhar, afastar: *O convívio de amigos alegres não o* distrai *de suas obrigações.* **8.** Afastar o espírito de (um pensamento fixo, uma ocupação); fazer esquecer: "As palmas e aclamações não o distraíam .... do seu caso sentimental." (Afrânio Peixoto, *Castro Alves*, p. 37.) *P.* **9.** Descuidar-se; esquecer-se. **10.** Desencaminhar-se, desviar-se. **11.** Divertir-se, recrear-se. [Irreg. Conjug.: v. *sair.*]

distratar. *V. t. d.* Efetuar o distrato de, desfazer, anular, rescindir (pacto ou contrato). [Cf. *destratar.*]

distrate. *S. m.* Var. de *distrato.* [Cf. *destrate*, do v. *destratar.*]

distrativo. *Adj.* Que distrai; recreativo.

distrato. [Do lat. *distractu.*] *S. m.* Ato de distratar; rescisão ou anulação de contrato. [Var.: *distrate*, Cf. *destrato*, do v. *destratar.*]

distribuição (u-i). [Do lat. *distributione.*] *S. f.* **1.** Ato de distribuir; repartição: *Na* distribuição *das tarefas, couberam-lhe as mais árduas.* **2.** Classificação, disposição: *A* distribuição *da matéria segue uma ordem rigorosa.* **3.** Serviço de entrega da correspondência postal aos destinatários: *O correio alterou o horário da* distribuição. **4.** O arranjo, a disposição interior de uma casa. **5.** *Arquit.* Designação comum a certos vestíbulos ou corredores que distribuem a circulação, conduzindo a diversos compartimentos. **6.** *Tip.* Operação pela qual se reconduz às respectivas caixas, caixotins, magazines, etc., o material tipográfico já utilizado. **7.** *Econ.* Estudo da riqueza como fato econômico, sob o aspecto da sua repartição social por meio de salários, ordenados, aluguéis, juros e lucros. **8.** *Fitogeog.* Repartição das plantas sobre a superfície da Terra. **9.** *Estat.* Distribuição de freqüência. **10.** *Estat.* Distribuição de freqüência relativa. **11.** *Estat.* Distribuição de probabilidade. **12.** *Estat.* V. *função de distribuição.* ♦ **Distribuição de freqüência.** *Estat.* Função que estabelece uma correspondência entre subconjuntos do domínio de uma variável aleatória e o número de indivíduos que, numa população, apresentam a variável aleatória com valor pertencente a cada subconjunto. [Tb. se diz apenas *distribuição.*] **Distribuição de freqüência acumulada.** *Estat.* Função que relaciona a freqüência acumulada de uma variável aleatória numa distribuição ao valor da variável. Se a freqüência acumulada for a relativa, a função é idêntica à função de distribuição. **Distribuição de freqüência relativa.** *Estat.* Função que estabelece uma correspondência entre subconjuntos do domínio duma variável aleatória e a fração de indivíduos que, numa população, a apresentam com valor pertinente a cada subconjunto. [Tb. se diz apenas *distribuição.*] **Distribuição de probabilidade.** *Estat.* Distribuição de freqüência relativa numa população com um número muito grande de membros. [Tb. se diz apenas *distribuição.*]

distribuidor (u-i...ô). *Adj.* **1.** Que distribui. V. *fuso* — e *rolo* —. ● *S. m.* **2.** Aquele que distribui. **3.** Carteiro (1). **4.** Serventuário de justiça encarregado de distribuir os feitos aos juízes e escrivães. **5.** *Tip.* O gráfico encarregado do trabalho de distribuição (6). **6.** *Tip.* Conjunto de peças que, na linotipo e congêneres, tem por fim a recondução das matrizes aos canais do magazine.

distribuidora (u-i...ô). *S. f.* Entidade financeira que atua no mercado de ações e outros valores mobiliários, mas que não pode liquidar operações nos pregões da bolsa. [Cf. *corretora.*]

distribuir. [Do lat. *distribuere.*] *V. t. d.* **1.** Atirar, soltar, dar para diferentes partes, em diferentes direções: distribuir *sorrisos;* distribuir *golpes.* **2.** Conferir; atribuir: *O professor* distribuiu *as tarefas de acordo com a capacidade dos alunos.* **3.** Pôr em ordem; classificar: *o autor* distribuiu *os capítulos por ordem cronológica. T. d. e i.* **4.** Dar, entregar (a uns e outros); repartir: Distribuiu *todos os bens pelos amigos.* **5.** Levar; espalhar: *Os canais* distribuem *a água pelas plantações.* **6.** Dirigir; endereçar: *O laureado* distribuía *agradecimentos aos circunstantes.* **7.** *Tip.* Repor (o material tipográfico) nas respectivas caixas e caixotins, após a impressão. **8.** *Tip.* Fazer voltar (as matrizes da linotipo ou de similar) aos seus canais, depois de fundida a linha-bloco. [Conjug.: v. *atribuir.*]

distributividade. *S. f. Mat.* Propriedade duma operação A, em relação a uma operação B, que permite, indiferentemente, efetuar A sobre um conjunto de elementos combinados segundo B, ou combinar segundo B os mesmos elementos operados por A.

distributivo. [Do lat. *distributivu.*] *Adj.* **1.** Que distribui. **2.** Que indica distribuição.

distrição. [Do lat. *districtione.*] *S. f. P. us.* Embaraço, perturbação, dificuldade; aflição.

distrital. *Adj. 2 g.* Pertencente ou relativo a distrito.

distrito. [Do lat. medieval *districtu.*] *S. m.* **1.** Divisão administrativa de município ou cidade, compreendendo geralmente mais de um bairro. **2.** *Bras.* Distrito policial. ♦ **Distrito da culpa.** *Jur.* Lugar onde se consumou um delito ou se realizou o último ato de tentativa dele. **Distrito federal.** Território ou cidade onde se estabelece a sede do governo central ou a capital, numa república federativa.

distrofia. [De *dis-*[2] + *-trof(o)-* + *-ia.*] *S. f. Patol.* Perturbação grave da nutrição. [Antôn.: *eutrofia.* Cf. *cacotrofia.*]

distrofiado. [De *distrofia* + *-ado*[1].] *Adj.* Que padece de distrofia; distrófico.

distrófico. *Adj.* **1.** Relativo à distrofia. **2.** Distrofiado. [Antôn.: *eutrófico.*]

disturbar. [Do lat. *disturbare.*] *V. t. d.* Causar distúrbio a; perturbar.

distúrbio. *S. m.* **1.** Ato de disturbar; perturbação. **2.** *Automat.* Variável indesejada que, aplicada a um sistema, tende a afetar o valor da variável controlada.

disuria. *S. f. Patol.* Var. pros. de *disúria.*

disúria. [Do gr. *dysouría*, pelo lat. *dysuria.*] *S. f. Patol.* Dificuldade em urinar; emissão dolorosa e difícil da urina. [Var. pros.: *disuria.*]

disúrico. *Adj.* **1.** Relativo à, ou que sofre de disúria. ● *S. m.* **2.** Aquele que sofre de disúria.

disvitaminose. [De *dis-*[2] + *vitamina* + *-ose.*] *S. f. Med.* Perturbação que se deve a excesso ou deficiência de uma vitamina.

dita[1]. [Do lat. *dicta*, 'coisas ditas'.] *S. f.* Fortuna, sorte; boa sorte.

dita[2]. *S. f. Bras., RJ. Gír.* V. *cadeia* (3).

ditado. [Do lat. *dictatu.*] *S. m.* **1.** Aquilo que se dita ou se ditou para ser escrito. **2.** A escrita feita por ditado. **3.** V. *provérbio* (1).

ditador (ô). [Do lat. *dictatore.*] *S. m.* **1.** Aquele que concentra todos os poderes do Estado. **2.** *Fig.* Indivíduo despótico, autoritário.

ditadura. [Do lat. *dictadura.*] *S. f.* **1.** Forma de governo em que todos os poderes se enfeixam nas mãos dum indivíduo, dum grupo, duma assembléia, dum partido, ou duma classe. [Cf. *democracia* (2).] **2.** Qualquer regime de governo que cerceia ou suprime as liberdades individuais. **3.** *Fig.* Excesso de autoridade; despotismo, tirania. ♦ **Ditadura do proletariado.** Regime político, social e econômico desenvolvido teórica e praticamente por Lenin [v. *leninismo*], e que se baseia no poder absoluto da classe operária, como primeira etapa na construção do comunismo.

ditame. [Do lat. *dictamen.*] *S. m.* **1.** Aquilo que se dita. **2.** O que a consciência e a razão dizem que se deve ser: *Na dúvida, preferiu seguir os* ditames *da sua consciência.* **3.** Regra, aviso, ordem, doutrina: *Teve de executar os* ditames *da lei.*

ditar. [Do lat. *dictare.*] *V. t. d.* **1.** Pronunciar (o que outrem há de escrever): ditar *uma carta, um discurso;* "Nada mais curioso que ver Lamartine Babo ditando composições suas para serem escritas." (Nestor de Holanda, *Memórias do Café Nice*, p. 122). **2.** Sugerir; inspirar: *O ódio por vezes* dita *as mais cruéis vinganças.* **3.** Impor; prescrever: *Por vezes a honra* dita *resoluções extremas. T. d. e i.* **4.** Pronunciar em voz alta o que outrem há de escrever: Ditou *à secretária um ofício e uma carta;* "Ambos [Fernando Pessoa e Mário de Sá-Carneiro] demonstravam enorme curiosidade pelo autor [Camilo Pessanha] que não se preocupava em editar seus versos, sabendo-os de cor e ditando-os a amigos, nas eventuais visitas a Portugal." (Henriqueta Lisboa, *Vigília Poética*, p. 133). **5.** Sugerir; inspirar: *O amor tem* ditado *aos poetas um sem-número de sonetos.* **6.** Impor; prescrever: *A ambição* ditava*-lhe atitudes mesquinhas.*

ditatorial. [De *ditatório* + *-al.*] *Adj. 2 g.* **1.** Referente a ditador ou a ditadura. **2.** Promulgado em ditadura. [Sin. ger.: *ditatório.*]

ditatorialismo. *S. m.* **1.** Qualidade do que é ditatorial. **2.** Sistema de governo ditatorial. **3.** Mentalidade ditatorial.

ditatório. [Do lat. *dictatoriu.*] *Adj.* Ditatorial.

diteríade. *S. f. Teat.* Var. de *dicteríade.*

ditério. *S. m.* **1.** Var. de *dictério.* **2.** *Bras., S. Pop.* V. *dito* (5).

ditinho. *S. m.* V. *dito* (5).

ditirâmbico. [Do gr. *dithyrambikós*, pelo lat. *dithyrambicu.*] *Adj.* **1.** Referente a ditirambo. **2.** Em forma de ditirambo.

ditirambo. [Do gr. *dithyrambos*, pelo lat. *dithyrambu.*] *S. m.* **1.** *Teat.* e *Mús.* Nas origens do teatro grego, canto coral de caráter apaixonado (alegre ou sombrio), constituído de uma parte narrativa, recitada pelo cantor principal, ou corifeu, e de outra propriamente coral, executada por personagens vestidos de faunos e sátiros, considerados companheiros do deus Dioniso, em honra do qual se prestava essa homenagem ritualística. **2.** *P. ext.* Composição lírica que exprime entusiasmo ou delírio.

dito. [Do lat. *dictu.*] *Adj.* **1.** Que se disse; mencionado, referido. ● *S. m.* **2.** Palavra, expressão. **3.** Sentença, frase. **4.** Provérbio, ditado. **5.** Mexerico, enredo, ditinho. [Sin. (nessa acepç.): *ditinho* e (no S. do Brasil) *ditério.*] **6.** Aquilo que se disse. ♦ **Dar o dito por não dito. 1.** Considerar sem efeito o que se disse ou combinou: " — Já a Zulmira estava apalavrada para um ricaço de Carolina. Fui a ele, ... e consegui dar o dito por não dito." (Josué Montelo, *Noite sobre Alcântara*, p. 87.) **2.** Desdizer-se. **Dizer dito.** *Bras., N.E. Pop.* Proferir obscenidade.

▲**dito-.** [Do gr. ático *dittós.*] *El. comp.* = 'duplo': *ditografia, ditologia.*

dito-cujo. *S. m. Bras. Fam.* V. *cujo* (2). [Pl.: *ditos-cujos.*]

ditografia. [De *dito-* + *-graf(o)-* + *-ia.*] *S. f.* Erro de copista, que consiste em repetir o que devia escrever só uma vez.

ditográfico. *Adj.* Relativo à ditografia.

ditologia. [De *dito-* + *-log(o)-* + *-ia.*] *S. f.* Tratado das palavras de forma dupla duma língua.

ditológico. *Adj.* Referente à ditologia.

ditongação. *S. f.* Ação ou efeito de ditongar.

ditongal. *Adj. 2 g.* Referente a, ou que forma ditongo.

ditongar. *V. t. d.* Fazer ditongo de; converter em ditongo. [Conjug.: v. *largar.*]

ditongo. [Do gr. *díphtoggos*, pelo lat. *diphthongu.*] *S. m. Gram.* Grupo de duas vogais proferidas em uma só sílaba, e das quais uma funciona como consoante e se chama *semivogal.* ♦ **Ditongo crescente.** *Gram.* Aquele em que a semivogal soa antes que a vogal, como, p. ex., em *quando.* [Sin., p. us.: *semiditongo.*] **Ditongo decrescente.** *Gram.* Aquele em que a vogal soa primeiro que a semivogal, como, p. ex., em *mais, sei, réis, teu, boi.*

dítono. [Do gr. *dítonos.*] *S. m. Mús.* Intervalo de dois tons.

ditoso (ô). *Adj.* Que tem dita; feliz, venturoso.

ditríglifo. [De *di-*[1] + *tríglifo.*] *S. m. Arquit.* V. *métopa.*

ditroqueu. [Do gr. *ditróchaios.*] *S. m.* Pé de verso grego ou latino composto de dois troqueus.

diurese (i-u). [De *diá* + *-urese.*] *S. f. Med.* Secreção urinária, natural ou provocada.

diurético (i-u). [Do gr. *dioretikós*, pelo lat. *diureticu.*] *Adj.* **1.** Que facilita a diurese. ● *S. m.* **2.** Medicamento diurético.

diurnal (i-u). [Do lat. *diurnale.*] *Adj. 2 g.* **1.** Diurno (1 e 2). **2.** V. *diário* (1). ● *S. m.* **3.** Livro de orações cotidianas.

diurno (i-úr). [Do lat. *diurnu.*] *Adj.* **1.** Que se faz ou acontece num dia; diurnal. **2.** Que se faz ou acontece de dia; diurnal: *trabalho* diurno. [Antôn.: *noturno.* Cf. *diuturno.*] ~ V. *aberração —a, amplitude —a, arco —, círculo —, libração —a, marcha —a, movimento —, paralaxe —a, rapaces —as, com mão —a e noturna, com mão noturna e —a. S. m.* **3.** Livro de rezas dos eclesiásticos, que contém as horas menores do breviário.

diuturnidade (i-u). [Do lat. *diuturnitate.*] *S. f.* **1.** Largo espaço de tempo. **2.** Longa duração.

diuturno (i-u). [Do lat. *diuturnu.*] *Adj.* **1.** Que vive muito tempo. **2.** Que tem longa duração: "A sua vida é uma conquista arduamente feita, em faina diuturna." (Euclides da Cunha, *Os Sertões*, p. 121.) [Cf. *diurno.*]

■ **div.** *Cálc. Vect.* Símb. de *divergência* (4).

diva. [Do it. *diva*:] *S. f.* **1.** Deusa [q. v.]. **2.** Epíteto de cantora notável.
divã. [Do fr. *divan*.] *S. m.* **1.** Espécie de sofá sem encosto. **2.** Espécie de canapé que pode ser usado como cama. **3.** Na Turquia, edifício ou sala onde se reúne o Conselho de Estado.
divagação. *S. f.* **1.** Ato de divagar, de andar sem rumo certo. **2.** *Fig.* Digressão no seguimento de um discurso ou de um escrito. **3.** Produto de um espírito que divaga [v. *divagar* (3 e 4)]: *Nas divagações do louco há, por vezes, sensatez.*
divagador (ô). *Adj.* **1.** Que divaga; divagante. ● *S. m.* **2.** Aquele que divaga. **3.** Aquele que é dado a espraiar-se em divagações alheias ao assunto de que trata.
divagante. [Do lat. *divagante*.] *Adj. 2 g.* Divagador (1). ~ V. *curso* —.
divagar. [Do lat. **divagare*, por *divagari*.] *V. int.* **1.** Andar sem rumo certo; vaguear: "— Sim, demorei-me a divagar sem rumo, / Perdi-me nestas matas intrincadas" (Gonçalves Dias, *Obras Poéticas*, II, p. 27); *Derrotados, os guerreiros divagavam pelo campo.* **2.** Sair arbitrariamente do assunto que estava sendo tratado; desconversar: *Qualquer pergunta mais direta levava o entrevistado a divagar.* **3.** Discorrer sem nexo; desvairar; desvariar: *O doente divagava horas a fio.* **4.** Fantasiar; devanear: "E o seu espírito divagava, fixava-se em cousas indistintas, abstraindo-se .... da tragédia que o vitimava." (Braga Montenegro, *Uma Chama ao Vento*, p. 182.) *T. d.* **5.** Percorrer, correr, viajar: *Quantas vezes, outrora, divagara aqueles campos!* [Conjug.: v. *largar*. Cf. *devagar*.]
divalente. *Adj. 2 g. Quím.* Que tem duas valências.
divaricado. [Do lat. *divaricatu*.] *Adj.* **1.** Muito divergente. **2.** *Morfol. Veg.* Que forma ângulo muito aberto: *caule divaricado.*
divergência. *S. f.* **1.** Posição de linhas que se afastam progressivamente. **2.** Discordância, desacordo, discrepância, dissensão. **3.** *Anál. Mat.* Ato ou efeito de divergir (3). **4.** *Cálc. Vect.* Função escalar que resulta da multiplicação escalar do operador nabla por uma função vectorial de ponto. [Símb.: *div.*] ◆ **Divergência modal.** *Estat.* Diferença entre a média aritmética e a moda de uma distribuição de freqüência.
divergente. *Adj. 2 g.* **1.** Que diverge. **2.** Em que há divergência. ~ V. *formas* — *s*, *integral* —, *lente* —, *reação* —, *seqüência* — e *série* —.
divergir. [Do lat. *devergere*.] *V. int.* **1.** Afastar-se progressivamente; desviar-se: *Dali em diante os caminhos divergiam.* **2.** Estar em desarmonia; discordar: "Carregávamos destinos diferentes, mas respeitávamo-nos tanto que, se divergíamos, nenhuma de nós saía mais forte dessa divergência." (Eneida, *Cão da Madrugada*, p. 100.) **3.** *Anál. Mat.* Não ter limite (uma série infinita). *T. i.* **4.** Discordar, discrepar, dissentir: *Divirjo de sua opinião, ainda que a reconheça honesta.* **5.** Estar em desacordo; não se harmonizar, não se coadunar; discrepar: *Seus atos divergem de sua pregação.* [Irreg. Muda o *e* em *i* e o *g* em *j* na 1ª pess. do sing. do pres. ind.: *divirjo*, e, portanto, em todo o pres. subj.: *divirja, divirjas, divirja, divirjamos, divirjais, divirjam*.]
diversão. *S. f.* **1.** Mudança de direção para uma e outra parte; desvio, diversionismo. **2.** Divertimento, entretenimento, distração. **3.** *Mil.* V. *ação diversionária*.
diversicolor (ô). [Do lat. *diversicolore*.] *Adj. 2 g.* V. *versicolor*.
diversidade. [Do lat. *diversitate*.] *S. f.* **1.** Diferença, dessemelhança, dissimilitude. **2.** Divergência, contradição; oposição.
diversificação. *S. f.* Ato ou efeito de diversificar.
diversificado. [Part. de *diversificar*.] *Adj.* Que diversifica ou varia; diversificante.
diversificante. *Adj. 2 g.* Diversificado.
diversificar. [Do lat. tardio *diversificu*, 'variado', + *-ar*[2].] *V. t. d.* **1.** Tornar diverso; fazer variar: *O nosso século diversificou grandemente os meios de comunicação.* *T. d. e i.* **2.** Estabelecer diferença ou diversidade entre coisas ou pessoas: *Procurou diversificar os maus dos bons.* *T. i.* **3.** Ser diverso; diferençar-se: *A opinião do juiz diversifica da jurisprudência.* *Int.* **4.** Divergir; variar: *As regalias diversificam segundo a posição social.* [Conjug.: v. *trancar*.]
diversificável. *Adj. 2 g.* Que se pode diversificar.
diversifloro. [De *diverso* + *-i-* + *-floro*.] *Adj. Morfol. Veg.* Diz-se da inflorescência em que as flores do centro são de um tipo e as da circunferência de outro.
diversionário. [De *diversão* + *-ário*.] *Adj.* ~ V. *ação* — *a*.
diversionismo. *S. m.* **1.** V. *diversão* (1). **2.** Manobra usada nos órgãos legislativos ou deliberativos, e que consiste em desviar a atenção dos seus membros para matéria diversa daquela que se discute, com o fim de lhe impedir a aprovação.
diversionista. *Adj. 2 g.* e *s. 2 g.* **1.** Que ou quem promove diversão. **2.** Que, ou quem é agente do diversionismo (2).
diversivo. *Adj.* **1.** Em que há diversão. **2.** Revulsivo. [Sin. ger.: *diversório*.] ~ V. *ação* — *a*.
diverso. [Do lat. *diversu*.] *Adj.* **1.** Diferente, distinto: *duas fitas de cor diversa.* **2.** Vário, variado: *fitas de diversas cores.* **3.** Mudado, alterado: *É agora um homem diverso.* **4.** Discordante, divergente: *O resultado era diverso do anterior.* **5.** Que apresenta vários aspectos. ~ V. *diversos*.
diversório. *Adj.* **1.** Diversivo. ● *S. m.* **2.** Aquilo que diverte; diversão. **3.** *Ant.* Pousada, estalagem, hospedaria.
diversos. [Pl. de *diverso*.] *Pron. indef. pl.* Vários, alguns: *Diversos gostaram, outros não.* ~ V. *diverso*.
diverticulite. [De *divertículo* + *-ite*[1].] *S. f. Patol.* Inflamação no divertículo.
divertículo. [Do lat. *diverticulu*.] *S. m. Anat.* Estrutura circunscrita, em forma de bolsa ou de saco, de variáveis dimensões, produzida num órgão tubular com camadas musculares, através destas, por herniação, de parte do revestimento mucoso.
divertido. [Part. de *divertir*.] *Adj.* **1.** Alegre, pândego, folgazão: *pessoa divertida.* **2.** Recreativo, alegre: *espetáculo divertido.*
divertimento. *S. m.* **1.** Entretenimento, distração; recreio. **2.** *Mús.* Nos sécs. XVII e XVIII, pequena ópera com danças. **3.** *Mús.* Passagem modulante intercalada no episódio (6) de uma fuga. **4.** *Mús.* Pequena peça musical de caráter ligeiro. **5.** *Mús.* Conjunto de peças instrumentais do gênero suíte; partita, serenata. **6.** *Teat.* e *Mús.* Composição coreográfica que se intercalava nos atos das peças teatrais, óperas, óperas-balés, etc., ou se executava no final dos espetáculos.
divertir. [Do lat. *divertere*.] *V. t. d.* **1.** Recrear, distrair, entreter: *O palhaço divertiu a multidão.* **2.** Fazer mudar de fim, de objeto; distrair; desviar: *O chamado telefônico divertiu a atenção do vigia.* *T. d. e i.* **3.** dissuadir, despersuadir: *Diverti-o daqueles maus propósitos.* **4.** Fazer esquecer; distrair: *A contemplação da paisagem divertia-o das obrigações.* *P.* **5.** Recrear-se, distrair-se, entreter-se; folgar: *As crianças divertiam-se no parque*; "Com cerca de 200 mil habitantes, o Rio não se diverte" (Delso Renault, *O Rio Antigo nos Anúncios de Jornais*, p. 193). **6.** Desviar-se; afastar-se. [Irreg. Conjug.: v. *aderir*.]
divícia. [Do lat. *divitia*.] *S. f. Poét.* Riqueza: "Pois que direi daqueles que em delícias, / Que o vil ócio no mundo traz consigo, / Gastam as vidas, logram as divícias, / Esquecidos de seu valor antigo?" (Luís de Camões, *Os Lusíadas*, II, 8.)
dívida. [Do lat. *debita*, 'devida' (subentende-se *quantia*).] *S. f.* **1.** Aquilo que se deve: *A dívida vai a três mil cruzados.* **2.** Obrigação, dever: *É minha dívida para com ele a educação desta criança.* [Cf. *divida*, do v. *dividir*.] ◆ **Dívida amortizável.** Aquela que se convencionou amortizar, pagar em prestações. **Dívida ativa.** Aquela cujo pagamento se tem o direito de exigir. **Dívida certa.** A de existência comprovada e incontestável. **Dívida coberta.** A que está garantida por bens patrimoniais do devedor. **Dívida consolidada.** A de natureza pública, garantida por títulos do governo, cujo valor é inexigível, sendo a renda de juros perpétua; dívida fundada. [Cf. *dívida inscrita*.] **Dívida de honra.** A que está garantida apenas pela probidade do devedor; obrigação moral. **Dívida exigível.** Aquela cujo pagamento se pode pleitear em juízo. **Dívida flutuante.** Dívida contraída pelo Estado a prazo curto e certo, por dificuldades financeiras transitórias, e que é representada por títulos negociáveis (bônus, letras ou bilhetes do Tesouro). **Dívida fundada.** Dívida consolidada [q. v.]. **Dívida ilíquida.** A que depende de verificação, estando sujeita a controvérsia. **Dívida inscrita.** **1.** A dívida consolidada [q. v.], depois de registro nos livros do Tesouro. **2.** A dívida ativa federal, estadual ou municipal que se torna ajuizável, depois de registro em livros apropriados da repartição fiscal. **Dívida líquida.** A que é certa quanto à sua existência e determinada quanto ao seu objeto. **Dívida passiva.** Aquela a cujo pagamento se está obrigado. **Dívida portável.** A que deve ser paga na residência ou domicílio do credor. **Dívida privilegiada.** A que goza de preferência em relação a todos os demais credores do devedor comum. **Dívida pública.** Dívida contraída pelo Estado. **Dívida pública externa.** Dívida de um Estado para com outros países. **Dívida pública interna.** Dívida do Estado para com seus súditos. **Dívida quesível.** Dívida reclamável. **Dívida quirografária.** A que é desprovida de privilégio creditório ou direito de preferência. **Dívida reclamável.** Aquela que o credor deve receber cobrando-a na residência ou domicílio do devedor; dívida quesível. **Dívida solidária.** Aquela cuja importância total pode ser exigida de qualquer dos co-devedores, em conjunto ou separadamente, ficando todos eles desonerados pelo pagamento que um fizer.
dividendo. [Do lat. *dividendu*.] *Adj.* **1.** Que se há de, ou se deve dividir. ● *S. m.* **2.** *Arit.* Quantidade que, numa divisão, se divide por outra. **3.** *Com.* Parte dos lucros líquidos de uma empresa mercantil, correspondente a cada uma das ações formadoras do seu capital. **4.** *Com.* Cota-parte que, na liquidação de uma sociedade, cabe a cada sócio ou interessado, ou, no rateio falimentar, a cada credor.
dividido. [Part. de *dividir*.] *Adj.* Diviso.
dividimento. *S. m. Ant. Arquit.* V. *divisória* (2).
dividir. [Do lat. *dividere*.] *V. t. d.* **1.** Partir ou distinguir em diversas partes; separar as diversas partes de; desunir: *Os cientistas dividiram o átomo.* **2.** Estabelecer desavença entre; pôr em discórdia; desavir; indispor: *A notícia dividiu os legisladores.* **3.** Limitar, demarcar, estremar: *A cordilheira dos Andes divide vários países.* **4.** Cortar; sulcar: *O barco dividia as águas tranqüilas da lagoa.* **5.** Separar; apartar: *Um tabique de madeira divide os dois cômodos.* *T. d. e i.* **6.** Separar; apartar: *O arroio Xuí divide o Brasil do Uruguai.* **7.** Distribuir; repartir: *A cooperativa dividiu os lucros pelos associados*; "O próprio Alceu [Amoroso Lima] gosta de dividir a sua vida em três fases, a das formas, a das idéias, a dos acontecimentos." (Antônio Carlos Vilaça, *O Desafio da Liberdade*, p. 14.) **8.** Classificar; *Lineu dividiu os animais em seis classes.* **9.** Fazer com (um número) a operação da divisão: *dividir oito por dois.* *Int.* **10.** Efetuar operação de divisão: *O pequeno já sabe dividir.* **11.** Dispersar esforços em detrimento de um interesse comum: *A hora é de somar, e não de dividir.* *P.* **12.** Separar-se em diversas partes: desunir-se. **13.** Divergir, discordar, dissentir, discrepar: "Inconscientemente me divido / Entre mim e a missão que o meu ser tem" (Fernando Pessoa, *Obra Poética*, p. 128). [Pres.: ind. *divido*, etc.; pres. subj.: *divida*, etc. Cf. *devido*, do v. *dever*, *adj.* e s. m., e *dívida*, s. f.]
dividivi. *S. m. Bras., N.* a *S.* Árvore de caule tortuoso, da família das leguminosas (*Caesalpinia coriaria*), dotada de propriedades melíferas, de flores alvas, aromáticas, dispostas em racimos curtos, paniculadas, e cujo fruto é vagem séssil, curvada e contorcida, de polpa amarela, amarga e resinosa, que envolve as sementes e é considerada medicinal.
divíduo. [Do lat. *dividuu*.] *Adj.* Divisível (1).
divinação. [Do lat. *divinatione*.] *S. f.* **1.** Arte de adivinhar. **2.** Adivinhação (1). **3.** Pressentimento, palpite.
divinal. [Do lat. *divinale*.] *Adj. 2 g.* V. *divino* (4).
divina-pastorense. *Adj. 2 g.* **1.** De, ou pertencente ou relativo a Divina Pastora (SE). ● *S. 2 g.* **2.** Natural ou habitante de Divina Pastora. [Pl.: *divina-pastorenses*.]
divinatório. [Do lat. *divinatoriu*.] *Adj.* **1.** Relativo a divinação ou adivinhação. **2.** Que tem a faculdade de adivinhar: "Eu tenho que Isadora Duncan é um caso de gênio. Só o gênio, divinatório e subconsciente, podia assim com tão simples segurança penetrar sem guia no formoso mistério sem caminhos, e aí viver com a perfeição natural." (Tristão da Cunha, *Cousas do Tempo*, p. 130.)
divindade. [Do lat. *divinitate*.] *S. f.* **1.** Qualidade de divino. **2.** Natureza divina. **3.** *Deus.* **4.** Coisa ou pessoa que se adora: *Ela é tudo para ele, é a sua divindade.* **5.** Deidade: *Vênus é uma divindade pagã.*
divinense. *Adj. 2 g.* **1.** De, ou pertencente ou relativo a Divino (MG). ● *S. 2 g.* **2.** Natural ou habitante de Divino.
divinização. *S. f.* Ato ou efeito de divinizar(-se).
divinizado. [Part. de *divinizar*.] *Adj.* **1.** A que se atribui caráter divino. **2.** Tornado divino.
divinizador (ô). *Adj.* **1.** Que diviniza; divinizante. ● *S. m.* **2.** Aquele que diviniza.
divinizante. *Adj. 2 g.* Divinizador (1).
divinizar. *V. t. d.* **1.** Atribuir caráter divino a; considerar divino: "A Hélada, com a sua poderosa cultura estética, devia necessariamente divinizar a mulher." (Pardal Mallet, *Pelo Divórcio!*, p. 31); "Todas a mitologias divinizaram os ventos como seres alados" (Antônio de Pádua, *Aspectos Estilísticos da Poesia de Castro Alves*, p. 42). **2.** *Fig.* Tornar sublime; exaltar: *Os poetas divinizam as amadas.* *P.* **3.** Tornar-se divino; subli-

mar-se. **4.** Tornar-se pouco comunicativo, insociável. **5.** Exigir que se lhe tribute reverência, veneração, como se fora um deus; considerar-se divino: *Inebriado pelo poder, o ditador* divinizava-se.

divino. [Do lat. *divinu.*] *Adj.* **1.** Respeitante ou pertencente a Deus; deífico. **2.** Proveniente de Deus; concedido por Deus: a *graça* divina; "Prova. Olha. Toca. Cheira. Escuta. / Cada sentido é um dom divino." (Manuel Bandeira, *Estrela da Vida Inteira*, p. 20). **3.** Sobrenatural, sublime. **4.** Perfeito, encantador, divinal: *Era uma figura* divina. **5.** Bonito, lindo, maravilhoso: *Comprei um casaco* divino! ~V. *ofício* — e *Pessoas* — *as.* • *S. m.* **6.** *Bras.* Outro nome do Espírito Santo, especialmente usado na festa de Pentecostes e noutras solenidades populares.

divinolandense. *Adj. 2 g.* **1.** De, ou pertencente ou relativo a Divinolândia (SP). • *S. 2 g.* **2.** Natural ou habitante de Divinolândia.

divinopolitano. *Adj.* **1.** De, ou pertencente ou relativo a Divinópolis (MG). • *S. m.* **2.** O natural ou habitante de Divinópolis.

divisa. [Do fr. *dévise.*] *S. f.* **1.** Sinal divisório; marco, fronteira. **2.** V. *limite* (2). **3.** Sentença ou frase que simboliza a idéia ou sentimento de alguém, ou a norma dum partido. **4.** Cada um dos galões indicativos das patentes militares. **5.** *Econ.* Título que permite a um residente do país receber moeda ou mercadoria de um residente no exterior. **6.** *Bras.* Marca a fogo, usada pelos criadores. **7.** *Bras., Marajó.* Marca a fogo, que indica a fazenda secundária a que pertence a rês duma grande fazenda. ~ V. *divisas.*

divisa-novense. *Adj. 2 g.* **1.** De, ou pertencente ou relativo a Divisa Nova (MG). • *S. 2 g.* **2.** Natural ou habitante de Divisa Nova. [Pl.: *divisa-novenses.*]

divisão. [Do lat. *divisione.*] *S. f.* **1.** Ação de dividir. **2.** Segmentação, separação. **3.** Divisória (1). **4.** Porção, parcela. **5.** Compartimento, repartimento: *A gaveta tem duas pequenas* divisões. **6.** Separação (por categorias ou classes): *Fez-se a* divisão *entre os alunos adiantados e atrasados.* **7.** Partilha, repartição: *A* divisão *dos bens foi perfeita.* **8.** Discórdia, dissensão: *Houve* divisão *entre os sócios.* **9.** Subdivisão organizacional de departamento, diretoria ou chefia. **10.** Área de algumas jurisdições. **11.** *Arit.* Operação que tem por fim determinar o maior número de vezes que um número chamado *dividendo* contém outro que se chama *divisor.* **12.** *Arquit.* Divisória (2). **13.** *Arquit.* Compartimento, peça ou parte de uma casa: *A mansão tem 10* divisões. **14.** *Bot.* Na classificação das plantas segundo Engler, botânico alemão (1844-1930), a mais elevada categoria sistemática. Cada divisão do reino vegetal representa um grande grupo independente de plantas. Ex.: *divisão dos eumicetos.* **15.** *Exérc.* Unidade tática de combinação das armas do exército, que é a menor unidade composta de todas as armas e dos serviços essenciais para conduzir, por seus próprios meios, operações terrestres. **16.** *Mar. G.* Parte de esquadra, composta de diversos navios de guerra de um mesmo tipo. ♦ **Divisão de Cassini.** *Astr.* Intervalo aparentemente vazio entre os anéis A e B de Saturno, descoberto pelo astrônomo francês G. C. Cassini (1625-1714), em 1675. **Divisão de Encke.** *Astr.* Divisão do anel A de Saturno, menos nítida que a divisão de Cassini [q. v.[, descoberta pelo astrônomo alemão J. F. Encke (1791-1865), em 1837. **Divisão do trabalho.** *Sociol.* **1.** Processo de separação ou especialização das funções culturais de indivíduos ou grupos. **2.** Processo de organização específica do trabalho. **Divisão exata.** *Mat.* A que tem resto igual a zero. **Divisão geodésica.** *Jur.* Processo divisório de terras que estão em condomínio por força de partilha, promovido pelos herdeiros nos próprios autos do inventário. **Divisão harmônica.** *Geom.* A de um segmento orientado de reta que é dividido, na mesma razão, mediante um ponto que lhe é externo e outro que lhe é interno.

divisar. [Do lat. vulg. *divisare.] *V. t. d.* **1.** Avistar, distinguir: *Da estrada Rio-Petrópolis* divisamos *a baía de Guanabara*; "Tenho frio e não diviso / Luz na treva em que me vejo" (Olavo Bilac, *Poesias*, p. 93). **2.** Notar, observar; descobrir: *Nada o impediu de* divisar *o na ação dos homens.* **3.** Marcar, delimitar: divisar *um campo de futebol.* [Cf. *devisar.*]

divisas. [Pl. de *divisa.*] *S. f. pl.* Disponibilidade de cambiais que um Estado possui em praças estrangeiras. ~V. *divisa.*

divisibilidade. *S. f.* Qualidade do que é divisível.

divisional. *Adj. 2 g.* Relativo a divisão.

divisionário. *Adj.* Respeitante a divisão militar. ~ V. *moeda* —*a.*

divisionismo. [Do fr. *divisionnisme.*] *S. m. Art. Plást.* Técnica de pintura que consiste em justapor manchas ou traços de cores puras em vez de misturá-los previamente, e que foi adotado pelos adeptos do pontilhismo [q. v.].

divisionista. *Adj. 2 g.* **1.** Pertencente ou relativo ao divisionismo. • *S. 2 g.* **2.** Artista que adota o divisionismo.

divisível. *Adj. 2 g.* **1.** Que pode ser dividido; divíduo. **2.** *Arit.* Que se pode dividir exatamente.

diviso. [Do lat. *divisu.*] *Adj.* Que se dividiu; dividido. ~V. *bens* —*s.*

divisor (ô). [Do lat. *divisore.*] *Adj.* **1.** Que divide. ~ V. *linha* — *a de águas* e *máximo* — *comum.* • *S. m.* **2.** Aquilo ou aquele que divide. **3.** V. *partidor* (3). **4.** *Arit.* Número pelo qual se divide outro. ♦ **Divisor de águas.** Linha que limita as terras drenadas por uma bacia fluvial; linha divisória de águas. **Divisor de zero.** *Álg. Mod.* Elemento não-nulo cuja multiplicação por outro, também não-nulo, dá o resultado zero. **Divisor próprio.** *Mat.* Cada um dos divisores dum número menores que esse número, inclusive a unidade.

divisória. [Fem. substantivado do adj. *divisório.*] *S. f.* **1.** Linha que divide ou separa; divisão. **2.** *Arquit.* Tapume, parede, biombo, etc., que serve para dividir uma casa ou um espaço qualquer; divisão.

divisório. [Do lat. *divisoriu.*] *Adj.* **1.** Que divide. **2.** Que serve para delimitar. **3.** Relativo a divisão. ~ V. *linha* —*a.* •*S. m.* **4.** *Tip.* Haste de madeira com ponta de ferro, para fixar-se na caixa, e atravessada por um ou dois mordentes, para prender o original, durante a composição. **5.** *Tip.* Peça onde se coloca o original, nas máquinas compositoras; porta-original.

divo. [Do lat. *divu.*] *Adj. Poét.* **1.** Divino (1 e 2):"Ouvindo assim tocar, fui-me em demanda / Do divo tocador" (Eugênio de Castro, *Obras Poéticas*, V, p. 99). •*S. m.* **2.** Homem divinizado; Deus.

divorciar. *V. t. d.* **1.** Provocar ou decretar o divórcio (1) de. **2.** Separar, desunir: *As intrigas* divorciavam *as famílias. T. d. e i.* **3.** Separar, afastar; apartar: *Cumpre não* divorciar *o povo da arte. P.* **4.** Separar-se judicialmente (cônjuges). **5.** Separar-se, afastar-se, desviar-se: divorciar-se *da vida social.* **6.** Desunir-se, desligar-se. [Pres. ind.: *divorcio,* etc. Cf. *divórcio.*]

divórcio. [Do lat. *divortiu.*] *S. m.* **1.** Dissolução do vínculo matrimonial, ficando os divorciados livres para contraírem novas núpcias. [Cf. *desquite.*] **2.** *Fig.* Desunião, separação. [Cf. *divorcio,* do v. *divorciar.*]

divorcista. *Adj. 2 g.* e *s. 2 g.* Que ou quem é favorável ao divórcio.

divulgação. [Do lat. *divulgatione.*] *S. f.* Ação de divulgar(-se); vulgarização, propagação, difusão.

divulgador (ô). *Adj.* e *s. m.* Que ou aquele que divulga.

divulgar. [Do lat. *divulgare.*] *V. t. d.* **1.** Tornar público ou notório; publicar; propagar, difundir, vulgarizar: *Os jornais* divulgaram *o plano governamental*; "Em O *Constitucional* de 1883, Alberto Torres divulga diversos poemas" (Barbosa Lima Sobrinho, *Presença de Alberto Torres*, p. 37). *P.* **2.** Tornar-se público ou conhecido; propagar-se, difundir-se. [Conjug.: v. *largar.*]

divulsão. [Do lat. *divulsione.*] *S. f.* Separação violenta; arrancamento, ruptura, rotura.

dixe. *S. m.* **1.** Ornamento de ouro ou de pedraria. **2.** Enfeite, jóia: "fingia-se às vezes difícil, reclamando contra a falta de algum alfinete ou dixe encomendado para os outros" (Ricardo Jorge, *Canhenho dum Vagamundo*, p. XVI). **3.** Berloque para corrente de relógio. **4.** *P. ext.* Berloque.

dizedor (ô). *Adj.* e *s. m.* **1.** Falador, palrador. **2.** Diz-se de, ou indivíduo que conta anedotas, gracejos; gracejador.

dizer. [Do lat. *dicere.*] *V. t. d.* **1.** Exprimir por palavras; enunciar: "Ai! quem há de dizer as ânsias infinitas / Do sonho?" (Olavo Bilac, *Poesias*, p. 145); *A testemunha* disse *o que sabia.* **2.** Pronunciar, proferir: *O bêbado* dizia *palavras sem nexo.* **3.** Pronunciar (de certa maneira): *O menino* disse *pégada em vez de* pegada. **4.** Exprimir (de outra maneira que não por palavras): Disse *tudo por gestos; Aquela melodia* diz *a tristeza da solidão.* **5.** Enunciar ou declarar por escrito; escrever: Dizia, *na carta, que estava bem de saúde.* **6.** Exclamar, bradar: *Ao fim do excelente número, toda a platéia* disse *"bis!".* **7.** Ensinar, preceituar: *Os provérbios* dizem, *não raro, grandes verdades.* **8.** Asseverar, afirmar: *Por mais que o pressionassem,* dizia *sempre a mesma coisa.* **9.** Contar, narrar, referir: *O poema* dizia *uma história de amor.* **10.** Recitar, declamar: *dizer versos.* **11.** Proferir (oração). **12.** Celebrar (missa). **13.** Indicar, mostrar, denotar: *O rosto envelhecido* diz *bem o seu sofrimento.* **14.** Ordenar, mandar, determinar: Diz *o quinto mandamento: "Não matarás".* **15.** Significar (1): "Há em latim o verbo *fricare*, que diz 'esfregar'" (Sousa da Silveira, *Lições de Português*, p. 76). *T. d. e i.* **16.** Expor ou exprimir por palavras; enunciar: Disse-lhe *as últimas*; "Diga ao Fernando Pessoa que não tenho razão." (Fernando Pessoa, *Páginas de Doutrina Estética*, p. 87). **17.** Dirigir (palavras). **18.** Exclamar, bradar. **19.** Afirmar, assegurar. **20.** Ordenar, mandar, determinar: Disse-lhe *que obedecesse às minhas instruções!* **21.** Despertar interesse; exercer atração; interessar, atrair, seduzir: *O álcool não lhe* diz *nada; Pouquíssimo lhe* dizem *os poetas.* **22.** Dar conselho; aconselhar: *Bem lhe havia* dito *que não se comprometesse. Transobj.* **23.** Ter na qualidade de; considerar: "diziam-no intelectual do futebol" (Antônio Olinto, *Copacabana*, p. 32). *Todos o* dizem *paciente. T. i.* **24.** Alegar (de fato, de direito). **25.** Pronunciar-se a respeito; falar: *Convidaram-no a* dizer *da obra de Machado de Assis.* **26.** Importar, interessar: *Este caso não* diz *ao que tratamos agora.* **27.** Condizer, combinar, quadrar; harmonizar-se: *Aquelas maneiras não* dizem *bem com sua educação; Suas afirmações não* dizem *com a verdade; A cor azul* diz *bem com a amarela*; "Dizem bem os bandós com seu perfil de santa." (Félix Pacheco, *Poesias*, p. 13). **28.** Abrir; comunicar; dar: *A porta* dizia *para uma saleta*; "E, alegre como nunca, foi abrindo as janelas que diziam para a Rua da Misericórdia." (Adolfo Caminha, *Bom Crioulo*, p. 116). **29.** *Mar.* Ter a direção de: *A amarra* diz *para vante. Int.* **30.** Falar (1): — *Posso-lhe fazer uma pergunta?* — Diga! *P.* **31.** Ter-se na conta de: Diz-se *médico.* **32.** Afirmar ou declarar de si: *Eles* dizem-se *príncipes;* Diz-se *doente, bom pretexto para não trabalhar.* [Irreg. Pres. ind.: *digo, dizes, diz, dizemos, dizeis, dizem*; imperf.: *dizia, dizias, dizia, dizíamos, dizíeis, diziam*; pret. perf.: *disse, disseste, disse, dissemos, dissestes, disseram*; m. -q. -perf.: *dissera, disseras, dissera, disséramos, disséreis, disseram*; fut. pres.: *direi, dirás, dirá, diremos, direis, dirão*; fut. pret.: *diria, dirias, diria, diríamos, diríeis, diriam*; Imperat.: *dize* ou *diz, dizei,* etc.; pres. subj.: *diga, digas, diga, digamos, digais, digam*; imperf.: *dissesse, dissesses, dissesse, disséssemos, disséssseis, dissessem*; fut: *disser, disseres, disser, dissermos, disserdes, disserem*; ger.: *dizendo*; part.: *dito.* Cf. *dígamos,* pl. de *dígamo.*] • *S. m.* **33.** Expressão, dito: "Existem .... duas edições de *Os Lusíadas* datadas de 1572, com os mesmos dizeres na folha de rosto, sem que nenhuma declare ser nova edição." (José Honório Rodrigues, *Teoria da História do Brasil*, p. 389.) **34.** Linguagem falada; maneira de se exprimir; estilo; *o* dizer *do povo.* ♦ **Dizer com.** Condizer: "Tudo o que diz com a terra, até os sete palmos derradeiros, merecia-lhe carinho meticuloso." (Carlos Lacerda, *A Casa do Meu Avô*, p. 92.) **A bem dizer.** Falando com precisão; na realidade; em verdade: *Vem aqui todos os dias — a bem* dizer, *mora aqui.* **Até dizer basta.** *Bras. Pop.* Até dizer chega. **Até dizer chega.** *Bras. Pop.* Em grande quantidade ou intensidade; ao extremo; muito; até dizer basta: *É rico até* dizer *chega.* **Como diz o outro.** Segundo a maneira de ver de uma suposta pessoa: "Eram da primeira grandeza os fidalgos; mas, a cavalo, ficavam maiores, e sentiam-se eletrizados pelo fluido da admiração de todas aquelas Europas e Didos, como dizia o outro." (Camilo Castelo Branco, *Perfil do Marquês de Pombal*, pp. 34-35.) **Não dizer ao que veio.** Não se mostrar interessado; não dar conta de uma incumbência: *Está trabalhando aqui há dois meses e ainda* não disse ao que veio. **Para assim dizer.** V. *por assim dizer*: "D. Mécia não lia romances, mas estava impregnada, para assim dizer, da poesia do tempo." (Camilo Castelo Branco, *O Santo da Montanha*, p. 140.) **Por assim dizer.** Pouco mais ou menos; aproximadamente, quase; para assim dizer: *Tinha Flaubert,* por assim dizer, *a religião da forma, do estilo.* **Que dirá.** Quanto mais; muito menos: *Se eu não sei inglês,* que dirá ele!

dize-tu-direi-eu. *S. m. 2 n.* **1.** Discussão forte, acalorada; bate-boca. **2.** Altercação em que os dois contendores falam quase ao mesmo tempo.

dízima. [Fem. substantivado do adj. *dízimo.*] *S. f.* **1.** Imposto equivalente à décima parte do rendimento; décima, dízimo. **2.** *Mat.* Dízima periódica. ♦ **Dízima periódica.** *Mat.* Representação decimal de um número no qual um conjunto de um ou mais algarismos se repete indefinidamente, a começar de certa ordem decimal. [Tb. se diz apenas *dízima.*] **Dízima periódica composta.** *Mat.* Dízima periódica cujo período não começa logo após a vírgula decimal. **Dízima periódica**

simples. *Mat.* Dízima periódica cujo período começa logo após a vírgula decimal. [Cf. *dízima*, do v. *dizimar*.]

dizimação. [Do lat. *decimatione*.] *S. f.* **1.** Ato de dizimar. **2.** Cerceamento, destruição.

dizimador (ô). *Adj.* e *s. m.* Que ou aquele que dizima.

dizimar. [Do lat. *decimare*.] *V. t. d.* **1.** Matar (um soldado) em cada grupo de dez. **2.** Lançar dízima (1) sobre. **3.** Destruir ou exterminar em parte: "a seca dizimava uma grande parte desses rebanhos." (Adalberon Cavalcanti Lins, *Curral Novo*, pp. 25-26); "o senhor de engenho .... resistia bravamente, dizimando a tropa nas emboscadas preparadas nas matas" (Mendonça Junior, *O Anel de Brilhante e Outras Estórias*, p. 14). **4.** *Fig.* Desfalcar; dissipar, desbaratar: *Dizimou a herança paterna.* **5.** Fazer rarear; desfalcar; diminuir: *A massificação dizima a originalidade. Int.* **6.** Produzir devastação ou devastações; destruir, devastar: "Os anos matam e dizimam tanto / Como as inundações e como as pestes..." (Olavo Bilac, *Poesias*, p.180.) **7.** *Ant.* Cobrar dízimas. [F. paral.: *decimar.* Pres. ind.: *dizimo, dizimas, dizima*, etc. Cf. *dízimo* e *dízima*.]

dizimeiro. *S. m.* Cobrador de dízima ou de dízimo.

dízimo. [Do lat. *decimu*.] *S. m.* **1.** A décima parte. **2.** *Ant.* Dízima (1). [Cf. *dizimo*, do v. *dizimar*.] ♦ **Dízimos diretos.** V. *direitos de estola.*

dizível. *Adj. 2 g.* Que se pode dizer: "nada se passara dizível em palavras escritas ou faladas" (Clarice Lispector, *-Uma Aprendizagem ou O Livro dos Prazeres*, p. 11).

diz-que. [De *diz*, 3ª pess. sing. do pres. ind. de *dizer*, + *que*[7].] *S. m. 2 n. Bras.* V. *diz-que-diz-que.*

diz-que-diz. *S. m. 2 n. Bras.* V. *diz-que-diz-que.*

diz-que-diz-que. [Da 3ª pess. sing. do pres. ind. de *dizer*, + *que*[7], repetidos.] *S. m. 2 n. Bras.* Boato, falatório, intriga, mexerico, fofoca; diz-que-diz, diz-que, diz-que-me-diz-que, disse-que-disse, disse-não-disse: "isso .... fica entre nós. Já faz muito tempo, mas não convém levantar diz-que-diz-que sobre essas coisas." (Darci Azambuja, *Coxilhas*, p. 19).

diz-que-me-diz-que. *S. m. 2 n. Bras.* V. *diz-que-diz-que.*

djalmaíta. [Do antr. *Djalma*, de Djalma Guimarães, geólogo brasileiro (1894- —), + -ita[3].] *S. f. Min.* Mineral monométrico, óxido complexo de tântalo, cálcio, urânio e nióbio.

djibutiano. *Adj.* **1.** Da, ou pertencente ou relativo à República do Djibuti (África Oriental). ● *S. m.* **2.** O natural ou habitante da República do Djibuti.

djim. [Do ár. *jinn*.] *S. m.* Designação dada pelos árabes a entidades, benfazejas ou maléficas, superiores aos homens e inferiores aos anjos.

■ **dl.** Abrev. de decilitro.

■ **dm.** Abrev. de decímetro.

■ **DNA.** [Ingl., *deoxyribonucleic acid*.] *Genét.* ADN [q. v.].

do[1]. Contr. da prep. *de* e do art. *o*: *o livro do menino.* [Flex.: *da, dos, das.* Cf. *dó*.]

do[2]. Contr. da prep. *de* e do pron. dem. *o*; daquele: *A casa não é deste meu amigo, mas do que eu lhe apresentei ontem.* [Flex.: *da, dos, das.* Cf. *dó*.]

do[3]. Contr. da prep. *de* e do pron. neutro *o*; daquilo: *Minha decisão depende do que eu apurar na sindicância.* [Cf. *dó*.]

dó[1]. [Do lat. *dolu*.] *S. m.* **1.** Comiseração, lástima, compaixão. **2.** Tristeza, dor, luto. [Cf. *do*.]

dó[2]. [Do it. *dò*.] *S. m. Mús.* **1.** Desde o séc. XVII, o nome da nota correspondente ao 1º grau da escala diatônica ou natural. **2.** O sinal que representa essa nota na pauta. [Cf. *do*, *C* (2) e *ut*.]

doação. [Do lat. *donatione*] *S. f.* **1.** Ato ou efeito de doar. **2.** Aquilo que se doou. **3.** Documento que legaliza e assegura a doação. ♦ Doação inoficiosa. *Jur.* Aquela que excede a legítima e mais a metade disponível.

doado. [Part. de *doar*.] *Adj.* Transferido por doação.

doador (ô). [Do lat. *donatore*.] *S. m.* **1.** Aquele que doa, que faz doação. [Cf., nesta acepç., *donatário* (2).] ●*Adj.* **2.** Que doa. [Cf. *dador*.] ~ V. *nível* —.

doar. [Do lat. *donare*.] *V. t. d.* e *i.* **1.** Transmitir gratuitamente (bens, etc.) a outrem; fazer doação: *O poeta doou seus livros à Academia Brasileira de Letras.* **2.** Dar, conceder: *Põe nos seus livros todo o talento que a natureza lhe doou.* **3.** Consagrar, dedicar: *A mãe doou toda sua vida ao filho doente. T. d.* **4.** Fazer doação de: *Doou muitos de seus bens. P.* **5.** Consagrar-se, dedicar-se, devotar-se; dar-se: *Doou-se à Pátria.* [Conjug.: v. *coroar*. Pres. subj.: *doe* (ô), ... *doem* (ô). Cf. *dói, doem*, do v. *doer*.]

dobação. *S. f.* Dobagem.

dobadeira. *S. f.* Mulher que doba.

dobadoira. *S. f.* Dobadoura.

dobadoura. [Var. de *dobadoira*.] *S. f.* **1.** Aparelho para dobar, que em geral se compõe de quatro varas dispostas vertical e paralelamente em torno de um eixo, e em volta das quais se enrolam meadas, seguras duas a duas nas extremidades por meio de réguas dispostas em cruz. **2.** *Ftograv.* V. *torniquete* (7). **3.** *Fam.* Azáfama; roda-viva. **4.** *Ant. Mar.* Espécie de cabrestante destinado a, na praia, arrastar embarcação para o seco ou para a água.

dobagem. *S. f.* **1.** Ato de dobar. **2.** Oficina onde se doba ou enovela o fio da meada, nas fábricas de fiação. [Sin. ger.: *dobação*.]

dobalé. [Do ioruba.] *S. m. Bras., BA.* Saudação dos que têm orixás femininos, apoiando-se nos quadris e no antebraço, uma vez no lado direito, outra no esquerdo.

➧**dobermann** (dóberman). [Al.] *S. m.* Cão de guarda de origem alemã, com cerca de 0,70 m de altura, conformação esguia, musculosa e elegante, focinho alongado, crânio achatado, orelhas pontudas, pêlo curto, espesso e aderente, e cujas cores vão do negro ao castanho-avermelhado. Provém do cruzamento do *pinscher* [q. v.] com outras raças.

dobar. [Do lat. *depanare < *panus*, 'fio da trama posto na dobadoura'.] *V. t. d.* **1.** Envelar (o fio da meada), com dobadoura ou sem ela. **2.** *Fig.* Voltear; revolutear. *Int.* **3.** Fazer novelos. **4.** Cair dando voltas; rodopiar.

dobla. [Do esp. plat. *dobla*.] *S. f.* Dobra[2]: "em segredo lhe fez entrega de uma cinta de couro e uma caixa de pau pejadas de um bom par de doblas em ouro e prata" (Manuel Antônio de Almeida, *Memórias de um Sargento de Milícias*, p. 145.); "Ai, fortunas, ai, fortunas... / doblas, oitavas, cruzados, / vastos dinheiros antigos" (Cecília Meireles, *Obra Poética*, p. 884).

doble. [Do esp. *doble*.] *Adj. 2 g.* **1.** Dobrado, duplicado, dobre. **2.** Velhaco, fingido. ● *S. m.* **3.** *Bras., RS.* Dobro.

doblete (ê). [Do fr. *doublet*.] *S. m.* Pedaço de vidro, que imita pedra preciosa.

doblez (ê). *S. f.* Qualidade de doble (2); insinceridade, fingimento, hipocrisia: "Calisto Elói também não suscitou conversação relativa às senhoras, porque já a doblez do espírito lhe tolhia a usual franqueza e familiaridade." (Camilo Castelo Branco, *A Queda dum Anjo*, p. 160.) [F. paral.: *dobrez*.]

dobra[1]. [Dev. de *dobrar*.] *S. f.* **1.** Parte de um objeto que, voltada, fica sobreposta a outra. **2.** Vinco, prega. **3.** *Geol.* Encurvamento ou flexão que sofrem as rochas por diversas causas, que podem ou não ser tectônicas; plissamento. ♦ **Dobra seca.** *Art. Gráf.* Vinco (5).

dobra[2]. *S. f.* Antiga moeda portuguesa, cujo valor variou nos diferentes reinados. [F. paral.: *dobla*.]

dobração. *S. f.* **1.** V. *Dobradura*. **2.** *Bras., Marajó.* Operação que consiste em o vaqueiro percorrer os limites da fazenda, logradouros, etc., para reunir o gado na malhada.

dobrada. [Fem. substantivado do adj. *dobrado*.] *S. f.* **1.** *Bras., S.* Lugar onde, do alto de um morro, monte ou espigão, se começa a descer; ondulação ou depressão do terreno; quebrada. **2.** *Lus.* V. *dobradinha* (1 e 2).

dobradeira. *S. f.* **1.** *Encad.* Utensílio semelhante a um corta-papel, e comumente de osso ou madeira, usado para fazer dobras nas folhas de papel. **2.** *Art. Gráf.* Máquina para dobrar folhas impressas; dobradora, dobrador. **3.** *Art. Gráf.* Dispositivo que, nas rotativas, dobra as folhas impressas; dobrador.

dobradiça. [Fem. substantivado do adj. *dobradiço*.] *S. f.* **1.** Peça de metal formada de duas chapas unidas por um eixo comum, e sobre que gira a porta, janela, etc.; bisagra, mancal, missagra, gonzo, charneira. **2.** *Bras., PE.* Certo passo do frevo em que o homem, servindo de pino, leva uma dama em cada braço.

dobradiço. *Adj.* Que se dobra facilmente; flexível.

dobradinha. [Dim. do fem. substantivado do adj. *dobrado*.] *S. f. Bras.* **1.** A parte do intestino do boi usada na alimentação. **2.** *Cul.* Guisado feito com a dobradinha. [Sin., nessas acepç.: *tripa* e (lus.) *dobrada*.] **3.** *Turfe.* Dupla formada por dois cavalos da mesma chave [q. v.], de maneira que os algarismos que a compõem são sempre repetidos: 11, 22, 33 e 44. **4.** *Bras.* Dupla (1): "Ulisses [Guimarães] comentou que Dante [de Oliveira] e Rubem Ilgenfritz — presidente do Incra — 'formam uma boa dobradinha, gente nova para trabalhar'" (*Jornal do Brasil*, 27.6.1986).

dobrado. [Part. de *dobrar*.] *Adj.* **1.** Duplicado (1). **2.** Voltado sobre si; enrolado, virado. **3.** Fingido, falso, enganoso; dobre: "Sem oferecimentos verdadeiros, / E palavras sinceras, não dobradas, / As que o Rei manda aos nobres cavaleiros" (Luís de Camões, *Os Lusíadas*, II, 76). **4.** *Bras. Pop.* De compleição robusta; muito forte: *Fraquinho, lutou com um sujeito dobrado.* **5.** *Morfol. Veg.* diz-se de flor cujos estames e pistilos se transformam em pétalas: "Há rosadas dobradas / E há-as singelas" (Guerra Junqueiro, *A Musa em Férias*, p. 110). ~ V. *dipolo* —, *parede* —*a*, *partidas* —*as*, *rondó* —, *talha* —*a*, *tenções* —*as* e *vírgulas* —*as*. ● *S. m.* **6.** *Bras.* Música de marcha militar. **7.** *Bras., S.* e *MT.* Terreno acidentado, de altos e baixos, de morros e vales. ♦ **Cortar um dobrado.** V. *cortar volta.*

dobrador (ô). *S. m. Art. Gráf.* V. *dobradeira* (2 e 3).

dobradora (ô). *S. f. Art. Gráf.* V. *dobradeira* (2).

dobradura. *S. f.* Ato de dobrar; dobramento, dobração.

dobragem. *S. f.* Ato ou operação de dobrar.

dobramento. *S. m.* **1.** V. *dobradura*. **2.** *Geol.* Ação que provoca o aparecimento de dobras ou rugas nas rochas.

dobrão. [Aum. de *dobra*[2].] *S. m.* **1.** Antiga moeda portuguesa de ouro. **2.** Certa moeda espanhola. **3.** *Bras., N.* e *N.E.* Moeda antiga de cobre, do valor de 40 réis.

dobrar. [Do lat. *duplare*.] *V. t. d.* **1.** Tornar duas vezes maior; duplicar: *As chuvas dobraram o volume de água da represa.* **2.** Tornar maior; aumentar: *Sua tristeza, tão grande, dobrou com a morte do irmão.* **3.** Tornar mais completo, mais intenso: *A proximidade do perigo dobrava-lhe a coragem.* **4.** Voltar ou virar (um objeto) de modo que uma ou mais partes dele se sobreponham a outra(s): *Após a cerimônia os soldados dobraram a bandeira.* **5.** Fazer vergar; curvar; flexionar, flectir: *dobrar os joelhos*; "Ao redor de nós, o vento selvagem que dobra vergônteas, ondeia cidreiras e despetala flores." (Mário da Silva Brito, *Conversa Vai, Conversa Vem*, p. 12.) **6.** Abater, domar; amansar: *A idade dobrou o velho guerreiro.* **7.** Fazer ceder; levar a transigir; abalar, vergar, submeter: *Ameaça não o dobra.* **8.** Demover, dissuadir: *Ação diplomática dobrou o presidente.* **9.** Passar além de, circundando: *Vasco da Gama dobrou o cabo da Boa Esperança em 1498.* **10.** *Teat.* Interpretar dois ou mais papéis numa mesma peça. *Int.* **11.** Tornar-se duas vezes maior; duplicar: *De 1930 a 1960 a população do Brasil praticamente dobrou.* **12.** Vergar-se, curvar-se: *Com o vento a árvore dobrava até o chão.* **13.** Ceder, transigir. **14.** Soar (o sino) dando volta sobre o eixo (o que geralmente é sinal de morte): "Os sinos dobram por anjinho, / Lá no Minho!" (Antônio Nobre, *Só*, p. 69). **15.** Pôr-se (o Sol). **16.** *Bras.* Gorjear, cantar (pássaro). **17.** *Bras., Marajó.* Proceder a uma dobração (2). **18.** *Teat.* Interpretar dois ou mais papéis numa mesma peça. *P.* **19.** Tornar-se maior; aumentar(-se). **20.** Curvar-se, inclinar-se; vergar. **21.** Afrouxar(-se); ceder. [Pres. ind.: *dobro*, etc. Cf. *dobro* (ô).]

dobrável. *Adj. 2 g.* Que se pode dobrar.

dobre[1]. [Dev. de *dobrar*.] *S. m.* Ato ou efeito de dobrar (14): "A sineta da comida repicou três dobres compassados." (Rebelo da Silva, *Contos e Lendas*, p. 41.)

dobre[2]. *Adj. 2 g.* **1.** V. *doble* (1). **2.** V. *dobrado* (3). ● *S. m.* **3.** Repetição da mesma palavra ou expressão em certos lugares da estrofe.

dobrez (ê). *S. f.* Doblez: "propondo, argumentando, definindo sem fingimento, sem dobrezas, sem enganos, nem cavilações" (Fr. Luís de Sousa, *Vida de D. Fr. Bertolameu dos Mártires*, I, p. 358).

dobro (ô). [Do lat. *duplu*.] *S. m.* **1.** Duplo (2). **2.** Duplicação (1). [Sin. (RS): *doble.* Pl. *dobros* (ô). Cf. *dobro*, do v. *dobrar*.]

doca[1]. [Do ingl. *dock*.] *S. f.* **1.** Parte de um porto onde atracam os navios para carga e descarga. **2.** Dique para construção ou reparo de navios. **3.** Armazém de entreposto, para o comércio marítimo.

doca[2]. *Adj. 2 g. Bras.* Cego de um olho.

doçaina. [Do fr. ant. e medieval *douçaine*.] *S. f.* Espécie de charamela que se usou do séc. XII ao XVII: "Violas e doçainas acompanham as coplas dos trovadores." (Rebelo da Silva, *Contos e Lendas*, p. 37.)

docar. *V. t. d.* **1.** Pôr (o navio) na doca[1] (1 e 2). *Int.* **2.** Pôr o navio na doca[1] (1 e 2). [Conjug.: v. *trancar*.]

doçaria. *S. f.* **1.** Abundância de doces. **2.** Lugar onde se fabrica e/ou vende doce.

doce (ô). [Do lat. *dulce*.] *Adj. 2 g.* **1.** Que tem sabor como o do mel ou o do açúcar. **2.** Que tem sabor agradável. **3.** Que não é salgado, azedo nem picante. **4.** Meigo, terno, afável, afetuoso: *um ar doce; um semblante doce.* **5.** Suave, ameno: *luz, voz, cor doce.* **6.** Que não é escabroso. **7.** Brando, benigno. **8.** Ditoso, feliz: *Levam, na serenidade do campo, uma doce vida.* **9.** Encantador, atraente; delicioso: "Tal está morta a pálida donzela, / Secas do rosto as rosas, e perdida / A branca e viva cor, coa doce vida." (Luís de Camões, *Os Lusíadas*, III, 134). **10.** *Bras.* Diz-se da fechadura, cão de espingarda, etc., que não emperram. [Superl. abs. sint.: *dulcíssimo* e *docíssimo*.] ~ V. *aço*—, *ferro*—, *flauta* — e *vinho* —. ● *S. m.* **11.** Aquilo que é doce. **12.** Confeição culinária em que entra açúcar, mel ou outro adoçante. **13.** *Bras., BA, MG* e *MT.* Açúcar (1). ♦ **Dar um doce a.** Expressão de ameaça afetuosa ou irônica: "Agora sabe por que foi ao dicionário; mas dou-lhe um doce, se me disser o que é plebiscito sem se arredar dessa cadeira!" (Artur Azevedo, *Contos fora da Moda*, p. 67). **Um doce.** V. *um amor* (1).

doce-amarga. *S. f. Bras.* Subarbusto trepador e ornamental, da família das solanáceas (*Solanum dulcamara*), cujo caule contém o alcalóide solanina, estupefaciente enérgico, e cujas flores são roxas ou azuis, com máculas esverdeadas, dispostas em racimos corimbiformes, sendo o fruto uma baga ovóide, pequena, com sementes; dulcamara, maria-preta, uva-de-cão. [Pl.: *doce-amargas* e *doces-amargas.*]

doce-de-coco. *S. m. Bras.* Pessoa afável, boa, de trato fácil e agradável. [Pl.: *doces-de-doco.*] ♦ **Um doce-de-coco.** *Bras.* V. *um amor* (1).

doce-de-pimenta. *S. m. Bras. Cul.* Certo bolo feito de farinha de mandioca, açúcar e pimenta-da-índia; bonita, fruita. [Pl.: *doces-de-pimenta.*]

doceira. *S. f.* **1.** Mulher que faz ou vende doces. **2.** V. *confeitadeira.* **3.** Designação comum às formigas que se alimentam de doce e açúcar.

doceiro. *S. m.* Homem que faz ou vende doces; confeiteiro.

docemente. [De *doce* + *-mente.*] *Adv.* De maneira doce, com doçura; suavemente: "Sobre as ondas oscila o batel docemente ..." (Olavo Bilac, *Poesias*, p. 79.)

docência. *S. f.* **1.** Qualidade de docente. **2.** O exercício do magistério (1).

docência-livre. *S. f.* Atividade exercida por docente-livre. [Sin., bras.: *livre-docência.* Pl.: *docências-livres.*]

docente. [Do al. *dozente.*] *Adj. 2 g.* **1.** Que ensina. **2.** Respeitante a professores. ~ V. *corpo* —. ● *S. 2 g.* **3.** Professor, lente. [Antôn.: *discente.*]

docente-livre. *S. m.* **1.** Título, obtido mediante concurso, que habilita a reger certos tipos de curso e/ou a examinar em concursos para magistério superior. ● *S. 2 g.* **2.** Pessoa que obteve o docente-livre (1). ● *Adj. 2 g.* **3.** Que obteve o docente-livre (1). [Sin. ger., bras.: *livre-docente.* Pl.: *docentes-livres.*]

doceta. *S. 2 g. Rel.* Partidário do docetismo.

docetismo. *S. m. Rel.* Doutrina gnóstica do séc. II, segundo a qual o corpo de Cristo não era real, porém só aparente, ou que negava tivesse ele realmente nascido de Maria.

dócil. [Do lat. *docile.*] *Adj. 2. g.* **1.** *P. us.* Que se submete ao ensino; que aprende facilmente. **2.** Fácil de conduzir, de guiar. [Pl.: dóceis. Superl. abs. sint.: *docílimo* e *docilíssimo.*]

docilidade. [Do lat. *docilitate.*] *S. f.* Qualidade ou caráter do que é dócil.

docílimo. *Adj.* Superl. abs. sint. de *dócil; docilíssimo.*

docilíssimo. *Adj.* Docílimo.

docilizar. *V. t. d.* e *p.* Tornar(-se) dócil, submisso; submeter(-se).

docimasia. [Do gr. dokimasía.] *S. f.* **1.** Inquérito acerca das aptidões morais dos candidatos a uma função pública, entre os antigos gregos. **2.** Parte da química que procura determinar a proporção em que os metais entram nos minérios. **3.** *Med. Leg.* Exame, avaliação, para prova oficial e/ou judicial. ♦ **Docimasia hepática.** *Med. Leg.* Dosagem de glicose e glicogênio no fígado, para distinguir a morte súbita da agônica. **Docimasia pulmonar.** *Med. Leg.* Verificação para determinar se um feto chegou a respirar, ou não.

docimástico. [Do gr. *dokimastikós.*] *Adj.* Respeitante à docimasia.

docinho. [Dim. de *doce.*] *S. m. Bras., S.* Água do monte [q. v.].

docoglosso. *S. m.* **1.** Espécime dos docoglossos. ● *Adj.* **2.** Pertencente ou relativo a eles.

docoglossos. *S. m. pl. Zool.* Animais metazoários, moluscos, gastrópodes, estreptoneuros, aspidobrânquios, subordem *Docoglossa.* Olhos sem cristalino, em forma de cavidade aberta; dois osfrádios, um só maxilar, sem opérculo; massa visceral cônica.

docosaedro. *S. m. Geom.* Poliedro de 22 faces.

docoságono. *S. m. Geom.* Polígono de 22 lados.

doctiloqüente. *Adj. 2 g Poét.* V. *doctíloquo.*

doctiloquentíssimo. *Adj.* Superl. abs. sint. de *doctíloquo.*

doctilóquio. *S. m.* Qualidade de doctíloquo; eloqüência.

doctíloquo. [Do lat. *doctiloquu.*] *Adj. Poét.* Que fala doutamente; eloqüente; doctiloqüente. [Superl. abs. sint.: *doctiloqüentíssimo.*]

documentação. [De *documentar* + *-ção.*] *S. f.* **1.** Ato ou efeito de documentar. **2.** Conjunto de conhecimentos e técnicas que têm por fim a pesquisa, reunião, descrição, produção e utilização de documentos de qualquer natureza, abrangendo, assim, a bibliologia, a museologia, a arquivologia, a iconografia, a discografia, a filmografia e as coleções de história natural (herbários, jardins botânicos, jardins zoológicos, etc.); documentologia. **3.** *Restr.* Esse mesmo conjunto de conhecimentos e técnicas, mas objetivados apenas os documentos gráficos; documentologia. **4.** Conjunto de documentos destinado a esclarecer ou provar determinado assunto ou fato.

documentado. [Part. de *documentar.*] *Adj.* Fundado em documentos; provado com documentos; documental.

documental. *Adj. 2 g.* **1.** Relativo a documento. **2.** Documentado.

documentalista. *S. 2 g.* Pessoa especializada em documentação (2 e 3).

documentar. *V. t. d.* Juntar documento(s) a; provar com documento(s): *O advogado documentava cada afirmação que fazia.* [Fut. pret.: *documentaria*, etc. Cf. *documentária*, fem. do adj. *documentário.*]

documentário. *Adj.* **1.** Relativo a documentos. **2.** Que tem o valor de documento. [Fem.: *documentária.* Cf. *documentaria, do v. documentar.*] ● *S. m.* **3.** Aquilo que vale como documento. **4.** *Cin.* Filme, em geral de curta-metragem, que registra, interpreta e comenta um fato, um ambiente, ou determinada situação.

documentarista. *S. 2. g. Cin.* Cineasta ou técnico especializado em documentários.

documentativo. *Adj.* Que serve para documentar.

documentável. *Adj. 2 g.* Que pode ser documentado.

documento. [Do lat. *documentu.*] *S. m.* **1.** Qualquer base de conhecimento, fixada materialmente e disposta de maneira que se possa utilizar para consulta, estudo, prova, etc. **2.** Escritura destinada a comprovar um fato; declaração escrita, revestida de forma padronizada, sobre fato(s) ou acontecimento(s) de natureza jurídica. **3.** *Restr.* Qualquer registro gráfico. **4.** *Ant.* Recomendação; preceito.

documentologia. *S. f.* Documentação (2 e 3).

documentológico. *Adj.* Relativo à documentologia.

doçura. *S. f.* **1.** Qualidade do que é doce. **2.** Gosto do doce. **3.** *Fig.* Brandura, suavidade, serenidade. **4.** *Fig.* Meiguice, ternura.

▲**dodeca-.** [Do gr. *dódeka.*] *El. comp.* = 'doze': *dodecapétalo, dodecassílabo.*

dodecaédrico. *Adj.* Referente a, ou que tem forma de dodecaedro.

dodecaedro. [Do gr. *dodekáedros.*] *S. m. Geom.* Poliedro de 12 faces.

dodecafônico. *Adj.* Relativo ao dodecafonismo.

dodecafonismo. [De *dodeca-* + *-fone-* + *-ismo.*] *S. m. Mús.* Sistema de composição atonal, criado pelo compositor austríaco Arnold Schönberg (1874-1951) e baseado no livre emprego dos 12 semitons da escala temperada. [Cf. *atonalidade* e *série* (11).]

dodecágino. [De *dodeca-* + *-gino.*] *Adj. Morfol. Veg.* Diz-se da flor com 12 pistilos, estiletes ou estigmas sésseis.

dodecagonal. *Adj. 2 g.* Relativo a dodecágono.

dodecágono. [Do gr. *dodekágonos.*] *S. m. Geom.* Polígono de 12 lados.

dodecandro. [De *dodeca-* + *-andro.*] *Adj. Morfol. Veg.* Que tem 12 estames livres entre si.

dodecapétalo. [De *dodeca-* + *pétala.*] *Adj. Morfol. Veg.* Que tem 12 pétalas.

dodecarquia. [Do gr. *dodekárches* + *-ia.*] *S. f.* **1.** Sistema de governo em que o poder é exercido por um conselho de 12 membros. **2.** Governo de 12 reis do antigo Egito.

dodecassílabo. [De *dodeca-* + *sílaba.*] *Adj.* **1.** De 12 sílabas. ● *S. m.* **2.** Palavra ou verso de 12 sílabas.

dó-de-peito. [De *dó^2* + *de* + *peito.*] *S. m.* **1.** *Mús.* Nota agudíssima (dó4) que dão certos tenores. **2.** *Mús.* Tenor capaz de emitir essa nota. **3.** *Fig.* Aquilo que desperta louvor ou grande admiração. [Pl.: *dós-de-peito.*]

dodói. [Da 3ª pess. sing. do pres. ind. de *doer*, repetida, observando-se apócope na 1ª vez.] *S. m. Bras. Fam.* **1.** Doença (1). **2.** Dor^1 (1): "Às onze horas o menino voltou a gemer. I — Tem dodói, meu filho?" (Dalton Trevisan, *Novelas nada Exemplares*, p. 13.) **3.** Ferida; machucado. ● *Adj. 2 g.* e *2 n.* **4.** Doente, enfermo: *O pequeno está dodói.* ♦ **Ser cheio de dodóis.** *Turfe.* Ter (o cavalo) várias partes do corpo doloridas.

doença. [Do lat. *dolentia.*] *S. f.* **1.** Falta ou perturbação da saúde; moléstia, mal, enfermidade. **2.** *Fig.* Tarefa difícil, laboriosa. **3.** *Fig.* Mania, vício, defeito: *Sua paixão pela música é uma doença.* **4.** *Bras., MG.* Parto (1 e 2). ♦ **Doença de Boeck-Schaumann.** *Med.* Sarcoidose. **Doença de Carrión.** *Med.* Doença infecciosa, veiculada por artrópodo, produzida pela *Bartonella bacilliformis*, e que pode apresentar duas etapas: a primeira, aguda (a chamada *febre de Oroya*), e que se caracteriza por anemia e febre, e a segunda (chamada *verruga-peruana* ou *verruga-do-peru*), que surge várias semanas após, apresentando-se como uma erupção cutânea nodular. **Doença de Chagas.** *Bras. Med.* V. *tripanossomíase americana.* **Doença de descompressão.** *Med.* Conjunto de manifestações clínicas caracterizadas por artralgias, distúrbios respiratórios, lesões cutâneas e alterações neurológicas, que pode ser observado em aviadores que voam a grandes altitudes, bem como em pessoas que, respirando ar comprimido, sofrem redução brusca da pressão do ar, como sucede com aqueles que usam equipamentos de mergulho. **Doença de Filatow-Dukes.** *Med.* V. *quarta-doença.* **Doença de Heine-Medin.** *Med.* V. *paralisia infantil.* **Doença de Hodgkin.** *Med.* Doença maligna dos nodos linfáticos e tecido linfático extranodal, que se manifesta com o aumento indolor e progressivo dos nodos linfáticos, o qual, muitas vezes, se inicia no pescoço, e também com o aumento de baço e doutras formações linfóides. [Sin.: *linfogranuloma maligno, linfogranulomatose.*] **Doença de Marie.** *Med.* V. *acromegalia.* **Doença de Nicolas-Favre.** *Med.* V. *linfogranuloma venéreo.* **Doença de Paget.** *Med.* Afecção de caráter crônico, que se manifesta nos ossos, provocando-lhes deformações. **Doença de Parkinson.** *Med.* Moléstia nervosa caracterizada por tremores rítmicos, rigidez facial e festinação; moléstia de Parkinson, mal de Parkinson, paralisia agitante. [Cf. *parkinsonismo.*] **Doença do peito.** *Pop.* V. *tuberculose.* **Doença do sono.** *Med.* Doença causada por um protozoário, o tripanossomo, que se desenvolve no líquido cefalorraquiano, originando sono mortal, e que é introduzido no sangue pela picada da glossina; hipnosia. **Doença do soro.** *Med.* Qualquer dos acidentes mórbidos que aparecem após injeção de soro de origem animal. **Doença fibrocística do pâncreas.** *Med.* Mucoviscidose. **Doença ruim.** *Bras. Pop.* Doença incurável, ou de cura difícil, como, p. ex., o câncer, a lepra, a tuberculose. **Doença terminal.** *Med.* Denominação imprópria de etapa final de uma doença, e que leva à morte. **Doença tropical.** *Med.* Qualquer das doenças — a opilação, a malária, o beribéri, a febre amarela, a doença do sono, etc. — erroneamente atribuídas ao clima tropical por alguns autores europeus. **Doença venérea.** *Med.* Qualquer daquelas que se contraem, sobretudo, pelo contacto sexual: a sífilis, a blenorragia, etc. [Sin., bras., pop.: *doença-do-mundo.*]

doença-do-mundo. *S. f. Bras.* V. *doença-venérea:* "Como conseqüências naturais do regime de libertinagem ou do amor livre, ocorrem então as chamadas doenças-do-mundo, que não poupam sequer o governador Cunha Meneses" (Afonso Ávila, *Resíduos Seiscentistas em Minas*, I, p. 70). [Pl.: *doenças-do-mundo.*]

doençaria. *S. f. Pop.* Porção de doenças.

doente. [Do lat. *dolente.*] *Adj. 2 g.* **1.** Que tem doença; enfermo. **2.** Fraco, achacadiço; doentio. **3.** *P. ext.* Que sofre mal moral. **4.** *Bras.* Apaixonado, louco, maníaco, fanático: *Helena é flamengo doente.* ● *S. 2 g.* **5.** Pessoa doente. ♦ **Doente terminal.** *Med.* Denominação imprópria de doente que se encontra na etapa final de uma doença, i. e., próximo da morte.

doentio. [De *doente* + *-io^2.*] *Adj.* **1.** Que adoece com facilidade; débil: *É criança doentia.* **2.** Prejudicial ou nocivo à saúde: *clima doentio.* **3.** Que tem caráter de doença; mórbido: *É de um pessimismo doentio.*

doer. [Do lat. *dolere.*] *V. int.* **1.** Causar dor, sofrimento; fazer sofrer: "É [o amor] dor que desatina sem doer". (Luís de Camões, *Rimas*, p. 135); "Ah! como dói assim viver, sentindo / Asas nos ombros e grilhões nos pulsos!" (Olavo Bilac, *Poesias*, p. 125). **2.** Causar dó, pena: *A mendicância infantil é um espetáculo que dói;* "— Ah, como dói viver quando falta a esperança!" (Manuel Bandeira, *Estrela da Vida Inteira*, p. 46). **3.** Experimentar sensação dolorosa; estar dorido: *Doía-lhe todo o corpo. T. i.* **4.** Causar pena, dó; pesar: *A miséria do amigo doía-lhe.* P. **5.** Ressentir-se (física ou moralmente); magoar-se: *O artista doeu-se das críticas à sua obra.* **6.** Sentir remorsos; arrepender-se: *Velho, doía-se dos pecados da juventude.* **7.** Apiedar-se, compadecer-se, comiserar-se, amiserar-se, condoer-se: "Dói-te de mim que t'imploro / Perdão a teus pés curvado" (Gonçalves Dias, *Obras Poéticas*, I, p. 348). [Como int. e t. i., só se conjuga nas 3as pess. Pres. ind.: *dói, doem;* imperf.: *doía, doíam;* perf.: *doeu, doeram* (ê); m.-q.- perf.: *doera* (ê), *doeram* (è); fut. pres.: *doerá, doerão;* fut. do pret.: *doeria, doeriam;* pres. subj.: *doa* (ô), *doam* (ô); imperf.: *doesse* (ê), *doessem* (ê); fut.: *doer* (ê), *doerem* (ê); ger.: *doendo;* part.: *doído.* Como pron., conjuga-se em todas as pess.: *eu me dôo,* etc. Cf. *doe* (ô), *doem* (ô), do v. *doar,* e *doído.*] ◆ **De doer.** *Pej.* Extremamente; em excesso: *É feio de doer; São burros de doer.*

doestador (ô). *Adj.* e *s. m.* Que ou aquele que doesta.

doestar. [Do lat. *dehonestare.*] *V. t. d.* **1.** Dirigir doestos a; injuriar; insultar. *P.* **2.** Injuriar-se reciprocamente. [F. paral.: *adoestar.*]

doesto (é). [Dev. de *doestar.*] *S. m.* Acusação desonrosa; vitupério, insulto, injúria: "maltrataram ao licencioso monge, com doestos e pancadas, até a prisão." (João Ribeiro, *Crepúsculo dos Deuses,* pp. 40-41).

dogal. *Adj. 2 g.* Pertencente ou relativo a, ou próprio de doge.

dogaresa (ê). *S. f.* V. *dogesa.*

dogaressa (ê). [Do it. *dogaressa;* var.: *dogaresa.*] *S. f.* V. *dogesa.*

doge. [Do veneziano *doge.*] *S. m.* Magistrado supremo das antigas repúblicas de Veneza e Gênova: "Quanto à diversidade de materiais do templo [a igreja de S. Marcos, em Veneza], explicou-a um historiador na constante rapinagem de Veneza aos povos vizinhos e no fato de serem os navegantes da República obrigados, por decreto do doge, a trazer sempre, de onde quer que retornassem, um dom qualquer à futura catedral." (Agripino Grieco, *O Sol dos Mortos,* p. 138.) [Fem.: *dogesa, dogaresa* e *dogaressa.*]

dogesa (ê) *S. f.* Mulher do doge; dogaressa, dogaresa.

dogma. [Do gr. *dógma* pelo lat. *dogma.*] *S. m.* **1.** Ponto fundamental e indiscutível duma doutrina religiosa, e, p. ext., de qualquer doutrina ou sistema: "Segundo o dogma calvinista, o homem perdeu, pelo pecado original, todas as forças do bem" (Oto Maria Carpeaux, *A Cinza do Purgatório,* p. 302). **2.** *Rel.* Na Igreja Católica Apostólica Romana, ponto de doutrina já por ela definido como expressão legítima e necessária de sua fé.

dogmático. *Adj.* **1.** Respeitante a, ou próprio de dogma. **2.** *Fig.* Autoritário; sentencioso. ~ V. *realismo —.*

dogmatismo. *S. m.* **1.** *Filos.* doutrina que afirma a existência de verdades certas e que se podem provar indiscutíveis. [Cf. *agnosticismo* e *cepticismo.*] **2.** Adesão irrestrita a princípios aceitos como indiscutíveis. **3.** Atitude sistemática de afirmação ou de negação.

dogmatista. [Do gr. *dogmatistés,* pelo lat. *dogmatiste.*] *Adj. 2 g* e *s. 2 g.* **1.** Diz-se de, ou sectário do dogmatismo. **2.** *Fig.* Diz-se de, ou pessoa de idéias autoritárias.

dogmatizador (ô). *Adj.* e *s. m.* Que ou aquele que dogmatiza; dogmatizante.

dogmatizante. *Adj. 2 g.* e *s. 2 g.* Dogmatizador.

dogmatizar. [Do gr. *dogmatízo,* pelo lat. *dogmatizare.*] *V. t. d.* **1.** Proclamar como dogma; ensinar com autoritarismo: *Intolerante, dogmatiza sua concepção do mundo. Int.* **2.** Estabelecer dogma(s). **3.** Falar ou escrever em tom dogmático; atribuir às suas afirmações o valor de indiscutíveis: *Mau professor: antes dogmatiza do que dialoga.*

dogue. [Do ingl. *dog.*] *S. m.* Designação comum aos cães de diversas raças de pêlo raso, e que se caracterizam pela cabeça de focinho curto, face reduzida, maxilar inferior largo e forte, e pele enrugada.

doida. [Fem. de *doido.*] *S. f.* **1.** Mulher doida: "A doida partiu todos os candelabros glabros" (Fernando Pessoa, *Poesias de Fernando Pessoa,* p. 23). **2.** Moléstia que ataca os miolos do gado lanígero. [F. paral.: *douda.* Cf. *doída,* fem. de *doído.*] ◆ **À doida. 1.** Sem juízo; estouvadamente. **2.** V. *à toa* (1). **3.** Sem medida nem reflexão: "Era o homem dos asilos, das caixas de beneficência, dos hospitais, ... para onde dava dinheiro à doida" (Luís de Magalhães, *O Brasileiro Soares,* p. 23).

doidão. *Adj.* e *s. m.* Aum. de *doido;* doidarrão. [F. paral.: *doudão.* Fem.: *doidona.*]

doidaria. *S. f.* **1.** Os doidos. **2.** V. *doidice.* [F. paral.: *doudaria.*]

doidarrão. *Adj.* e *s. m.* **1.** Aum. de *doido.* **2.** Idiota; pateta, parvo. [Sin. ger.: *doidão.* F. paral.: *doudarrão.* Fem.: *doidarrona.*]

doidarrona. *Adj.* e *s. f.* Fem. de *doidarrão* [q. v.]. [F. paral.: *doudarrona.*]

doideira. *S. f.* V. *doidice:* "Doideira! Por que fizera a pergunta ao cuco, na presença daquelas trocistas?" (Garibaldino de Andrade, *O Sol e a Nuvem,* p. 163.) [F. paral.: *doudeira.*]

doidejante. *Adj. 2. g.* Que doideja. [F. paral.: *doudejante.*]

doidejar. *V. int.* **1.** Praticar doidices, loucuras, desatinos; disparatar: *Doidejou durante os três dias de carnaval.* **2.** Brincar; foliar; folgar: *As crianças doidejavam pelo parque.* **3.** Vagabundear, vadiar, vaguear; errar: *Alta noite, doidejava pelas ruas ermas.* [F. paral.: *doudejar.* Conjug.: v. *pelejar.*]

doidejo (ê). [Dev. de *doidejar.*] *S. m. Ato de doidejar.* [F. paral.: *doudejo.*]

doidelo. *S. m. Bras.* V. *doidivanas.* [F. paral.: *doudelo.*]

doidice. *S. f.* **1.** Ato ou palavras de doido. **2.** Ato impensado ou leviano; imprudência, maluquice: *Comete suas doidices, e quer passar por ajuizado.* **3.** Extravagância, excesso, exagero: *É uma doidice o que ela gasta em roupas.* **4.** Paixão, arrebatamento, alucinação. [F. paral.: *doudice;* sin. ger.: *doideira, doidaria, loucura.*]

doidivanas. [De *doido* + *vão?*] *S. 2 g.* e *2 n. Fam.* Indivíduo leviano, imprudente, estouvado; girolas, doidelo, adoidado. [F. paral.: doudivanas.]

doido. *Adj.* **1.** Louco, alienado, demente, **2.** Que age como doido; extravagante, insensato, imprudente, arrebatado, exagerado: *indivíduo doido.* **3.** Extravagante, exagerado: *moda doida; maneiras doidas;* "mordia-lhe o coração um ciúme doido" (Herman Lima, *Tijipió,* p. 144). **4.** Insensato, temerário: *coragem doida; pensamento doido.* **5.** Apaixonado, arrebatado, entusiasmado: *É doido por literatura.* **6.** Muito contente; encantado; envaidecido: *Está doido com o prêmio que recebeu.* ● *S. m.* **7.** Indivíduo doido. [F. paral.: *doudo.* Aum.: *doidão, doidarrão.* Cf. *doído.*] ◆ **Doido de pedra.** Muitíssimo doido; doido varrido. **Doido manso.** Pessoa amalucada, mas incapaz de atitudes agressoras. **Doido varrido.** Doido de pedra.

doído. [Part. de *doer.*] *Adj.* **1.** Dorido, sensibilizado, magoado. **2.** Que denota ou revela dor; dorido: *um grito doído.* **3.** Que causa dor; doloroso: *Tomei uma injeção muito doída.* **4.** *Bras. Turfe.* Baleado (2). [Fem.: *doída.* Cf. *doido* e *doida.*]

doidona. *Adj.* e *s. f.* Fem. de *doidão* [q. v.]. [F. paral.: *doudona.*]

doiração. *S. f.* V. *douração.*

doirada. *S. f.* V. *dourada.*

doiradão. *S. m.* V. *douradão.*

doiradilho. *Adj. Bras., S.* V. *douradilho.*

doiradinha. *S. f.* V. *douradinha.*

doirado. [Part. de *doirar.*] *Adj.* e *s. m.* V. *dourado:* "Sua trança doirada desdoirou-se" (Eugênio de Castro, *Obras Poéticas,* X, p. 191).

doirador (ô). *S. m.* V. *dourador.*

doiradura. *S. f.* V. *douradura.*

doiramento. *S. m.* V. *douramento.*

doirar. *V. t. d.* e *p.* V. *dourar:* "Doirara o sol de outubro a areia dos caminhos" (Olavo Bilac, *Poesias,* p. 227); "Pensa em mim, como em ti saudoso penso, / Quando a lua no mar se vai doirando" (Álvares de Azevedo, *Obras Poéticas,* I, p. 313).

▲-(d)oiro. V. *-(d)ouro.*

▲-doiro. Equiv. de *-douro.*

dois. [Var. de *dous* < lat. *duos.*] *Num.* **1.** Cardinal dos conjuntos equivalentes a um conjunto de dois membros (em algarismos arábicos, *2;* em algarismos romanos, *II).* **2.** Palavra que se usa para exprimir concordância com o que outrem acaba de dizer: Ex.: — *Eu detesto uísque.* | — *Dois.* [Fem., nessas acepç., *duas.*] **3.** Segundo[1](1). ● *S. m. 2. n.* **4.** Algarismo representativo do número dois. **5.** Aquilo ou aquele que numa série de dois ocupa o último lugar. **6.** Carta de jogar, face de dado ou pedra de dominó que tem dois sinais. **7.** A nota dois, em exame ou concurso.

dois-amigos. *S. m. 2 n. Bras.* V. *dois-irmãos* (1).

dois-amores. *S. m. 2 n. Bras., Amaz.* Arbusto ornamental da família das euforbiáceas *(Pedilanthus tithymaloides),* provido de látex, com flores vermelhas, pequenas, dispostas em circunferência, reunidas em cimeiras, sendo o fruto uma cápsula larga, com várias sementes; dois-irmãos, picão, sapatinho-de-judeu, sapatinho-do-diabo, sapatinho-dos-jardins.

dois-correguense. *Adj. 2 g.* **1.** De, ou pertencente ou relativo a Dois Córregos (SP). ● *S. 2 g.* **2.** Natural ou habitante de Dois Córregos. [Pl.: *dois-correguenses.*]

dois-de-paus. *S. m. 2 n. Bras.* Indivíduo insignificante, especialmente o incapaz de qualquer iniciativa.

dois-dois. *S. m. 2 n. Bras., BA. Pop.* Gêmeos, seja com referência a pessoas, seja quanto à personificação africana dos gêmeos, Ibeje, ou quanto aos santos Cosme e Damião.

dois-irmãos. *S. m. 2 n.* **1.** *Bras., BA* e *MG.* Arbusto ornamental, da família das euforbiáceas (*Euphorbia splendens*), cultivado em jardins e para cercas vivas, armado de numerosíssimos espinhos, e cujas flores são vermelhas, pedunculadas, com brácteas vermelho-vivas e dispostas em cimeiras terminais; bem-casados, dois-amigos, coroa-de-cristo. **2.** V. *dois-amores.*

dois-pontos. *S. m. 2 n.***1.** V. *sinal de pontuação.* ● **2.** *Joc.* Expressão que destaca o que se vai dizer em seguida: *O que eu quero dizer é o seguinte, dois-pontos, não vou sair.*

dois-quartos. *S. m. 2 n. Bras.* Apartamento de dois quartos.

dois-sem. *S. m. 2 n. Esport.* Modalidade, em competição de remo, em que não há um timoneiro.

dolabriforme. *Adj. 2 g.* ~ V. *folha —.*

dólar. [Do ingl. *dollar.*] *S. m.* **1.** Unidade monetária, e moeda, dos E.U.A., Canadá, Austrália, Baamas, Barbados, Belize, Bermudas, Brunei, Cingapura, Fiji, Guiana, Hong-Kong, Ilhas Salomão, Gilbert e Ellice, Jamaica, Libéria, Nauru, Nova Zelândia, Trinidad e Tobago, Samoa Ocidental, Zimbábue e China (Taiwan [Formosa]), igual a 100 cêntimos. **2.** *Bras. Gír.* Pacote de maconha para um cigarro. [Pl.: *dólares.*]

➧**dolce far niente** (dóltxe far niente). [It.] Agradável ociosidade.

dolé. *S. m. Bras., PR.* Picolé.

doleiro. [De *dól(ar)* + *-eiro.*] *S. m. Bras.* Aquele que se ocupa ilegalmente em compra e venda de dólares: "os doleiros foram multados em até 100% sobre o equivalente em cruzeiros dos dólares adquiridos." (*Jornal do Brasil,* 31.3.1983.)

dolência. [Do lat. *dolentia.*] S. f. Mágoa, lástima, dor.

dolente. [Do lat. *dolente.*] *Adj. 2 g.* Que manifesta dor; magoado; lamentoso; lastimoso: "E nas salas ressoam uns suspiros / Dolentes como as súplicas dos cegos." (Cesário Verde, *Obra Completa,* p. 47.)

dolero. *Adj. Bras., PE. Pop.* Bonito, formoso; bem-feito, bem-posto; elegante.

▲dolico-. [Do gr. *dolichós, é, ón.*] El. comp. = 'longo', 'comprido': dolicocéfalo.

dolicocefalia. *S. f.* Estado de dolicocéfalo.

dolicocéfalo. [De *dolico-* + *-céfalo.*] *Adj.* e *s. m.* Diz-se do, ou o tipo humano cujo crânio é oval, sendo o diâmetro transversal menor, em um quarto, do que o longitudinal. [Cf. *braquicéfalo* e *mesaticéfalo.*]

dolicópode. [Do gr. *dolichópodus, odos.*] Adj. 2 g. Zool. Que tem patas grandes.

dolicopsilídeo. *S. m.* **1.** Espécime dos dolicopsilídeos. ● *Adj.* **2.** Pertencente ou relativo a eles.

dolicopsilídeos. *S. m. pl. Zool.* Família de insetos da ordem dos sifonápteros (pulgas), largamente distribuídos, e que constituem a maior família da ordem. As pulgas apresentam duas ou mais fileiras de cerdas nos tergitos abdominais. Encontrada em roedores e aves.

dolina. [Do eslavo *dolina,* 'vale[1]'.] *S. f. Geol.* Depressão afunilada, produzida pela dissolução em regiões calcárias ou pelo desmoronamento resultante de tais dissoluções.

doliodido. *S. m.* **1.** Espécime dos doliodidos. ● *Adj.* **2.** Pertencente ou relativo a eles.

doliodidos. *S. m. pl. Zool.* Animais cordados, taliáceos, da ordem *Doliodida.* Corpo em forma de barril; bandas musculares completas, com oito anéis regulares; fendas branquiais curtas, poucas ou numerosas; larva com cauda.

dólmã. [Do fr. *dolman.*] *S. m.* Veste ou casaco militar que, em geral, leva alamares: "Usava farda cáqui, dólmã abotoado de modo irrepreensível." (Pedro Nava, *Beira-Mar,* p. 26.)

dólmen. [Do fr. *domen.*] *S. m.* Monumento druídico formado de uma grande pedra chata posta sobre duas outras verticais: "Gargântua é o herói de mil aventuras picarescas, ou maravilhosas. .... Aqui, as pedras conservam traços de suas mãos e de seus pés. Ali, montões de rochedos são os seus resíduos. Acolá, um menir é um de seus dentes, um dólmen é um de seus sapatos" (Gustavo Barroso, *Através dos Folclores,* pp. 68-69). [Pl.: *dolmens* e (p. us. no Brasil) *dólmenes.*] Cf. *anta*[1] (1) e *menir.*]

dolmênico. *Adj.* Relativo a dólmen.

dolo[1] (ó). [Do lat. *dolu.*] *S. m.* **1.** Qualquer ato consciente com que alguém induz, mantém ou confirma outrem em erro; má-fé, logro, fraude, astúcia; maquinação. **2.** Vontade conscientemente dirigida ao fim de obter um resultado criminoso ou de assumir o risco de o produzir. [Cf. *culpa* (6).]

dolo[2] (ó). *S. m.* Espécie de punhal usado outrora na Península Hispânica.

dolomia. *S. f. Min.* Dolomita.

dolomita. [Do antr. *Dolomieu*, de Déodat-Guy-Sylvian Gratet de Dolomieu, geólogo francês (1750-1802), + *-ita*[3].] *S. f. Min.* Mineral trigonal, carbonato duplo de cálcio e magnésio; dolomia.

dolomítico. *Adj.* Da natureza da dolomita, ou que a contém.

dolomito. [Do antr. *Dolomieu* (v. *dolomita*) + *-ito*[2].] *S. m. Geol.* Rocha constituída essencialmente de dolomita.

dolorido. [Part. de *dolorir*.] *Adj.* **1.** Que tem dor; dorido. **2.** Magoado, lastimoso, lamentoso, dolente; doloroso: "Rever-me em teu rosto amigo, / Pensar em quanto hei perdido, / E este pranto *dolorido* / Deixar correr a teus pés." (Gonçalves Dias, *Obras Poéticas*, I, p. 344.)

dolorífico. [Do lat. *dolorificu*.] *Adj.* Doloroso (1).

dolorosa. [Trad. do fr. *douloureuse*.] *S. f. Bras. Gír.* A conta que se deve pagar: Garçom, traga a *dolorosa*.

dolorosamente. [Do fem. de *doloroso* + *-mente*.] *Adv.* De modo doloroso; sentindo e/ou provocando dor.

doloroso (ô). [Do lat. *dolorosu*.] *Adj.* **1.** Que produz dor; dolorífico. **2.** Dorido, magoado, lastimoso. **3.** Amargurado, aflito. ~ V. *tique* —.

doloso (ô). [Do lat. *dolosu*.] *Adj.* **1.** Em que há dolo[1]. **2.** Que procede com dolo[1]. **3.** Causado por dolo[1]. ~ V. *crime* —.

dom[1]. [Do lat. *donu*.] *S. m.* **1.** Donativo, dádiva, presente: "Prova. Olha. Toca. Cheira. Escuta. / Cada sentido é um *dom* divino." (Manuel Bandeira, *Estrela da Vida Inteira*, p. 20.) **2.** Dote ou qualidade natural, inata. **3.** *Fig.* Mérito, merecimento, vantagem. **4.** Poder, virtude, privilégio: "D. Carmo possui o *dom* de falar e viver por todas as feições" (Machado de Assis, *Memorial de Aires*, p. 19).

Dom[2]. [Do lat. *dominu*, 'senhor'.] *S. m.* Forma de tratamento dada a reis, príncipes e nobres e dignitários da igreja católica, sempre seguida do nome de batismo: *Dom Pedro I, Dom Hélder Câmara.*

doma. [Dev. de *domar*.] *S. f. Bras.* Ato ou efeito de domar (1).

domabilidade. *S. f.* Qualidade ou caráter de domável.

domação. *S. f. Bras.* Ato de domar.

domácia. *S. f. Morfol. Veg.* Pequeninas estruturas que se encontram na face inferior de muitas folhas, no ângulo formado pela nervura central com as nervuras laterais, e que apresentam forma variada; tufos de pêlos, bolsas saciformes, etc.

domador (ô). [Do lat. *domatore*.] *Adj.* e *s. m.* Que, ou aquele que doma ou domestica.

domadora (ô). [Fem. de *domador*.] *S. f.* Fem. de *leão* (8) [q. v.].

domar. [Do lat. *domare*.] *V. t. d.* **1.** Amansar; domesticar: *O lenhador domou o lobo.* **2.** Vencer; subjugar; sujeitar: *domar os inimigos.* **3.** Refrear, reprimir, conter: *Os estóicos pretendiam domar as paixões. P.* **4.** Reprimir-se, refrear-se, conter-se.

domável. [Do lat. *domabile*.] *Adj. 2 g.* Que se pode domar.

dom-bernardo. *S. m. Bras., MG, SP* e *PR.* Arbusto da família das rubiáceas (*Psychotria tetraphylla*), de flores alvas, dispostas em panículas piramidais, terminais, pubescentes e fruto drupáceo, com sementes sulcadas. [Pl.: *dom-bernardos*.]

doméstica. [Fem. de *doméstico* (4).] *S. f.* Empregada doméstica; empregada, criada. [Cf. *domestica*, do v. *domesticar*.]

domesticação. *S. f.* Ato de domesticar(-se).

domesticador (ô). *Adj.* **1.** Que domestica ou serve para domesticar. ● *S. m.* **2.** Aquele que domestica. **3.** Aquilo que serve para domesticar.

domesticante. *Adj. 2 g.* Que domestica, amansa, doma: "ostentava, ao entrar para o meu serviço, uma brenha cerrada, um espinheiro, no qual pente tentaria em vão penetrar, e dentro do qual cosméticos, banhas, lanolinas se sumiriam sem produzir efeito amolecente ou *domesticante*." (Gilberto Amado, *Depois da Política*, p. 95.)

domesticar. *V. t. d.* **1.** Tornar doméstico; amansar; domar: *domesticar animais.* **2.** Civilizar; colonizar. *P.* **3.** Tornar-se doméstico; amansar-se. **4.** Tornar-se sociável; civilizar-se. [Conjug.: v. *trancar*. Pres. ind.: *domestico, domesticas, domestica*, etc. Cf. *doméstico* e *doméstica*.]

domesticável. *Adj. 2 g.* Que pode ser domesticado.

domesticidade. *S. f.* Estado, qualidade ou caráter daquele ou daquilo que é doméstico.

doméstico. [Do lat. *domesticu*.] *Adj.* **1.** Da, ou referente à casa, à vida da família; familiar: *vida doméstica*. **2.** Necessário ao funcionamento de uma casa, à saude ou ao conforto de seus moradores: *serviço doméstico; limpeza doméstica*. **3.** Diz-se do animal que vive ou é criado em casa. ~ V. *economia* —*a* e *prendas* —*as*. ● *S. m.* **4.** Empregado que executa o serviço doméstico; empregado, criado. [Cf. *domestico*, do v. *domesticar*.]

domiciliar[1]. *Adj. 2 g.* Domiciliário.

domiciliar[2]. *V. t. d.* **1.** Dar domicílio a; recolher em domicílio: *domiciliar os órfãos. P.* **2.** Fixar residência ou domicílio: *José Lins do Rego domiciliou-se no Rio em 1935.* [Pres. ind.: *domicilio*, etc.; fut. pret.: *domiciliaria*, etc. Cf. *domicílio*, s. m., e *domiciliária*, fem. de *domiciliário*.]

domiciliário. *Adj.* **1.** Relativo a domicílio. **2.** Feito no domicílio. [Sin. ger.: *domiciliar*. Fem. *domiciliária*. Cf. *domiciliaria*, do v. *domiciliar*.]

domicílio. [Do lat. *domiciliu*.] *S. m.* **1.** Casa de residência; habitação fixa. **2.** *Jur.* Lugar onde alguém reside com ânimo de permanecer. **3.** Lugar da sede da administração das pessoas jurídicas. [Cf. *domicilio*, do v. *domiciliar*.] ◆ **Domicílio convencional.** *Jur.* V. *domicílio especial.* **Domicílio eletivo.** *Jur.* V. *domicílio especial.* **Domicílio especial.** *Jur.* O que é estipulado em contrato escrito, para exercício dos direitos e cumprimentos das obrigações dele decorrentes; domicílio convencional, domicílio eletivo. **Domicílio necessário.** *Jur.* O que a lei impõe a determinadas categorias de pessoas, como, p. ex., os incapazes, os funcionários públicos, os militares, os oficiais e tripulantes da marinha mercante, os presos ou exilados.

dominação. [Do lat. *dominatione*.] *S. f.* **1.** Autoridade exercida soberanamente; autoridade, soberania. **2.** Exercício do poder sobre indivíduos ou grupos; domínio. ~ V. *dominações*.

dominações. [Pl. de *dominação*.] *S. f. pl.* Um dos nove coros de anjos admitidos pela teologia. ~ V. *dominação*.

dominador (ô). [Do lat. *dominatore*.] *Adj.* **1.** Que domina, exerce, grande poder ou influência; dominante: *mulher dominadora; espírito dominador.* **2.** Que infunde respeito; que se impõe: *Apesar da pequena estatura, é dominador; Tem um ar dominador.* ● *S. m.* **3.** Aquele que domina: *os dominadores do Ocidente.* **4.** Aquele que alcançou lugar de relevo no mundo das finanças, na política ou na sociedade, por esforço próprio.

dominância. [Do lat. *dominantia*.] *S. f.* **1.** Qualidade de dominante. **2.** Fenômeno em que um gene num determinado cruzamento consegue absorver o seu alelo. [Cf., nessa acepç., *recessividade*.]

dominante. [Do lat. *dominante*.] *Adj. 2 g.* **1.** Dominador (1). **2.** Que domina, prepondera, influi; influente: *a política dominante.* **3.** Que é mais geral, mais difundido; predominante: *O traço dominante de seu espírito é a capacidade de observar.* ~V. *gene* — e *valor* —. ● *S. f.* **4.** *Mús.* No sistema modal ou tonal, o quinto grau da escala, o qual é o som mais importante, depois da tônica, e constitui a base do acorde de sétima da dominante, o acorde tonal por excelência.

dominar. [Do lat. **dominare*.] *V. t. d.* **1.** Ter autoridade ou poder sobre: *Antônio Conselheiro dominava os fanáticos de Canudos.* **2.** Exercer influência ou domínio sobre: *Há mulheres que dominam os maridos;* "Em minha segunda adolescência *dominaram* meu espírito Shakespeare e Milton, assim como, acessoriamente, aqueles poetas românticos ingleses que são sombra irregulares deles" (Fernando Pessoa, *Obras em Prosa*, p. 68). **3.** Conter; reprimir: *dominar os instintos;* "O Cosme sentiu então uma grande vontade de chorar, mas remordendo os beiços *dominou-a*." (Trindade Coelho, *Os Meus Amores*, p. 96). **4.** Elevar-se acima de; ser ou estar sobranceiro a: *O Corcovado domina a cidade do Rio;* "Tinham ambos entrado em um terraço que *dominava* um belo jardim" (Joaquim Manuel de Macedo, *Os Romances da Semana*, p. 273). **5.** Preponderar, predominar, em: "Peças de Dumas pai *dominam*, por um momento, os cartazes de quase todos os teatros de Paris" (R. Magalhães Jr., *Artur Azevedo e Sua Época*. p. 30). **6.** Estender-se por; ocupar; tomar: *As tropas dominavam toda a planície. T. i.* **7.** Exercer domínio; ter grande influência: *Na década de 30 o cangaço dominava no Nordeste.* **8.** Preponderar, prevalecer, predominar: *O amarelo domina nas obras de Van Gogh. P.* **9.** Conter-se; moderar-se.

dominável. *Adj. 2 g.* Que pode ser dominado.

dominga. [Do lat. *dominica*, i. e., *dies dominica*, 'dia do Senhor'.] *S. f.* Domingo, em especial o do Advento, o da Quaresma e o doutras festividades da Igreja.

domingo. [Do lat. *dies dominicu*, 'dia do Senhor'.] *S. m.* O primeiro dia da semana, destinado ao descanso e à oração. ◆ **Domingo da rosa.** *Rel.* O que vem após a oitava da Assunção. **Domingo de Páscoa.** *Lit.* Páscoa (3). **Domingo de Ramos.** *Lit. Ramos.* **Domingo gordo.** O que antecede a quarta-feira de cinzas.

domingueira. *S. f. Bras.* Reunião festiva, desportiva, etc., realizada aos domingos.

domingueiro. *Adj.* **1.** Do domingo. **2.** Que se veste ou se usa aos domingos: *traje domingueiro.*

dominguinha. *S. f. Bras.* Arbusto da família das solanáceas (*Cestrum laevigatum*), de flores sésseis e fasciculadas, e fruto bacáceo.

dominial. *Adj. 2 g. Jur.* Referente a domínio; dominical.

dominical. [Do lat. *dominicale*.] *Adj. 2 g.* **1.** Relativo ao Senhor. **2.** Relativo ao domingo. **3.** *Jur.* Dominial. ~ V. *bens dominicais, escola* — e *letra* —.

dominicano. [Do antr. lat. *Dominicus*, 'Domingos', + *-ano*.] *Adj.* **1.** Pertencente ou relativo à Ordem de S. Domingos. **2.** Da, ou pertencente ou relativo à República Dominicana ou São Domingos (Antilhas). **3.** De, ou pertencente ou relativo a São Domingos (GO). ● *S. m.* **4.** Frade da ordem de S. Domingos. [F. red.: *domínico*.] **5.** O natural ou habitante da República Dominicana. **6.** O natural ou habitante de São Domingos (GO).

domínico. *S. m.* F. red. de *dominicano* (4).

domínio. [Do lat. *dominiu*.] *S. m.* **1.** Dominação, autoridade, poder. **2.** Posse, senhorio. **3.** Grande extensão territorial pertencente a um indivíduo. **4.** V. *colônia* (4). **5.** Âmbito de uma arte ou de uma ciência; pertença. **6.** Esfera de ação. **7.** *Anál. Mat.* Numa função, conjunto dos valores que as variáveis independentes podem tomar. [Cf. *campo de definição* e *contradomínio*.] **8.** *Anál. Mat.* Conjunto conexo aberto que contém pelo menos um ponto; região. **9.** *Fís.* Num sólido ferromagnético, conjunto de cristais vizinhos cujos momentos magnéticos são paralelos a uma mesma direção. ◆ **Domínio complexo.** *Anál. Mat.* Domínio cujos elementos são números complexos; domínio dos complexos. **Domínio de integridade.** *Álg. Mod.* Conjunto de elementos para os quais são definidas as operações de soma e de produto, com os seguintes postulados: **a)** o conjunto é fechado para a soma e para o produto; **b)** a soma e o produto são unívocos; **c)** a soma e o produto são comutativos; **d)** a soma e o produto são associativos; **e)** o produto é distributivo em relação à soma; **f)** o conjunto contém identidade para a soma; **g)** o conjunto contém a identidade para o produto; **h)** o conjunto contém o inverso aditivo; **i)** vale a lei do corte. **Domínio direto.** *Jur.* O domínio do senhorio, que recebe do enfiteuta um foro ou pensão anual, certa, invariável e perpétua. **Domínio dos complexos.** *Anál. Mat.* Domínio complexo. **Domínio dos reais.** *Anál. Mat.* Domínio real. **Domínio ordenado.** *Álg. Mod.* Domínio cujos elementos formam um conjunto ordenado. **Domínio real.** *Anál. Mat.* Aquele em que a variável só assume valores reais; domínio dos reais. **Domínios isomórficos.** *Álg. Mod.* Aqueles entre os quais se pode estabelecer isomorfismo. **Domínio útil.** *Jur.* O domínio do enfiteuta, que consiste no aproveitamento da utilidade das coisas aforadas e na percepção dos frutos delas.

dominiquês. *Adj.* **1.** Da, ou pertencente ou relativo à Dominica (Antilhas). ● *S. m.* **2.** O natural ou habitante da Dominica. [Flex.: *dominiquesa* (ê), *dominiqueses* (ê), *dominiquesas* (ê).]

dominó. [Do lat. *domino*, pronunciado à francesa.] *S. m.* **1.** Túnica, com capuz e mangas, para disfarce de mascarados pelo carnaval: "Os nossos *dominós* eram negros, e negras eram as nossas máscaras." (Manuel Bandeira, *Estrela da Vida Inteira*, p. 75.) **2.** Pessoa que veste esse traje. **3.** Conjunto de 28 peças (pedras) retangulares, de osso, marfim, plástico ou madeira, com pontos marcados de um a seis, formando várias combinações, e com o qual se joga o dominó. **4.** Jogo em que disputam dois, três ou quatro parceiros, entre os quais se distribuem igualmente as 28 peças referidas, e em que ganha quem faz dominó, ou se descarta primeiro de suas pedras.

dom-joão. [Do esp. *Don Juan*.] *S. m.* Homem a quem as mulheres não resistem; sedutor, conquistador. [v. *donjuanismo*.] [Pl.: *dom-joões*.]

dom-joaquinense. *Adj. 2 g.* **1.** De, ou pertencente ou relativo a Dom Joaquim (MG). ● *S. 2 g.* **2.** Natural ou habitante de Dom Joaquim. [Pl.: *dom-joaquinenses*.]

dom-juan. [Do esp. *Don Juan*.] *S. m.* V. *dom-joão*. [Pl.: *dom-juans*.]

domo. [Do it. *duomo*.] *S. m.* **1.** *Arquit.* Cobertura hemisférica de um edifício; o extradorso de uma cúpula; zimbório. **2.** *P. ext.* V. *catedral* (2). **3.** *Geol.* Dobra de comprimento e largura quase idênticos, cujas camadas mostram direção periclinalmente variável e mergulhos aproximadamente idênticos. Em secção transversal horizontal, apresenta forma circular ou elíptica, e é freqüentemente observada em jazidas de sal. [Sin. (nessa acepç.): *braquianticlinal*.] **4.** *Mar. G.* Estrutura de forma hidrodinâmica que envolve o transdutor do sonar (que é instalado para fora do costado da embarcação, junto à quilha), a fim de reduzir os ruídos provocados pelo turbilhonamento de filetes líquidos que por ele passam.

dom-pedrense. *Adj. 2 g.* **1.** De, ou pertencente ou relativo a Dom Pedro (MA). ● *S. 2 g.* **2.** Natural ou habitante de Dom Pedro. [Pl.: *dom-pedrenses*.]

dom-quixote. *S. m.* V. *quixote*. [Pl.: *dom-quixotes*.]

dom-quixotismo. *S. m.* V. *quixotismo*. [Pl.: *dom-quixotismos*.]

dom-silveriense. *Adj. 2 g.* **1.** De, ou pertencente ou relativo a Dom Silvério (MG). ● *S. 2 g.* **2.** Natural ou habitante de Dom Silvério. [Pl.: *dom-silverienses*.]

dom-viçosense. *Adj. 2 g.* **1.** De, ou pertencente ou relativo a Dom Viçoso (MG). ● *S. 2 g.* **2.** Natural ou habitante de Dom Viçoso. [Pl.: *dom-viçosenses*.]

dona. [Do lat. *domina*.] *S. f.* **1.** Senhora de alguma coisa; proprietária. **2.** Título de tratamento honorífico que antecede o nome próprio das mulheres pertencentes às famílias reais de Portugal e do Brasil. **3.** Título que precede o nome próprio das senhoras. [Com maiúscula, nas acepç. 2 e 3.] **4.** *Bras. Pop.* Mulher; esposa. **5.** *Bras. Pop.* Mulher, moça. ♦ **Dona de casa.** *Bras.* Mulher que dirige e/ou administra o lar.

dona-branca. *S. f.* **1.** *Bras.* V. *cachaça* (1). **2.** *Bras., SP.* V. *geada branca*. [Pl.: *donas-brancas*.]

donacídeo. *S. m.* **1.** Espécime dos donacídeos. ● *Adj.* **2.** Pertencente ou relativo a eles.

donacídeos. *S. m. pl. Zool.* Família de moluscos pelecípodes, caracterizados por um grande pé, manto, ornado de papilas, dois sifões e brânquias desiguais.

donadio. *S. m. Ant.* Donativo.

donaire. [Do esp. *donaire*.] *S. m.* **1.** Gentileza, elegância, garbo, graça. **2.** Adorno, enfeite, atavio.

donairear. [De *donaire* + *-ar*[2].] *V. t. d.* **1.** Dizer com donaire, graça, elegância. *Int.* **2.** Falar com chiste. **3.** Mostrar garbo e gentileza. [Conjug.: v. *frear*.]

donairoso (ô). *Adj.* Que tem donaire; gentil, garboso.

donataria. *S. f.* **1.** Jurisdição de um donatário. **2.** V. *capitania hereditária*. [Cf. *donatária*, fem. de *donatário*.]

donatário. [Do lat. *donatariu*.] *S. m.* **1.** Senhor de uma donataria. **2.** *P. ext.* Indivíduo que recebeu uma doação. [Cf. (nesta acepç.) *doador* (1). Fem.: *donatária*. Cf. *donataria*.]

donatismo. *S. m.* Heresia dos donatistas.

donatista. *S. 2 g.* Membro de uma seita religiosa fundada, no séc. IV, por Donato, bispo de Cartago.

donativo. [Do lat. *donativu*.] *S. m.* **1.** Dom, presente, dádiva. **2.** Esmola, oferta.

donato. [Do lat. *donatu*, 'que se deu, doado'.] *S. m.* Leigo que servia num convento e usava o hábito de frade.

donde. [Contr. da prep. *de* e do adv. *onde*.] **1.** Indica procedência, origem; do qual lugar; de que lugar: *D o n d e vem?*; "Era um homem não sei d o n d e ." (Carlos Lacerda, *A Casa do Meu Avô*, p. 173). **2.** Indica origem; causa; de quê: *D o n d e aquela magreza?* **3.** Indica conclusão; daí: *É autor de categoria, d o n d e a indicação de seu nome para o prêmio literário.*

dondoca. *S. f. Bras. Fam.* Mulher de boa situação social, ociosa e fútil.

dondom. *S. m. Bras., PR. Folcl.* Dança de fandango, valsada do começo ao fim, conservando todos o mesmo par.

doninha. [Dim. de *dona*.] *S. f.* Animal mamífero carnívoro da família dos mustelídeos (*Putorius vulgaris* L.), da Europa. Tem o aspecto do furão brasileiro.

➧**Don Juan.** [Esp.] *S. m.* V. *dom-joão*.

donjuanesco (ê). [Do esp. *donjuanesco*.] *Adj.* Que tem maneiras de Don Juan [v. *donjuanismo*]. **2.** Próprio de Don Juan. [V. *dom-joão*.]

donjuanismo. [Do esp. *donjuanismo*.] *S. m.* Mania de bancar Don Juan (tipo espanhol de galanteador), de conquistar todas as mulheres. [V. *dom-joão*.]

dono. [Do lat. *domnu*, f. sincopada de *dominu*.] *S. m.* **1.** Senhor; possuidor, proprietário. **2.** Chefe (de uma casa). ♦ **O dono da bola.** *Bras.* Aquele que tem o controle absoluto de uma situação. **O dono da verdade.** *Irôn.* Aquele que pretende estar sempre com a verdade, ter sempre razão.

dono-de-serra. *S. m. Bras., BA.* Proprietário de terreno diamantífero. [Pl.: *donos-de-serra*.]

donoso (ô). [Do esp. *donoso*.] *Adj.* **1.** Donairoso, gracioso, galante. **2.** Bonito, formoso, belo: "Castelã d o n o s a e gaia, / Acode ao meu suspirar / Antes que a luz se me esvaia..." (Manuel Bandeira, *Estrela da Vida Inteira*, p. 27.)

donzel. [Do cat. *donzell*.] *Adj.* **1.** Puro, ingênuo. ● *S. m.* **2.** Na Idade Média, moço que ainda não era armado cavaleiro. [Pl.: *donzéis*.]

donzela. [Do lat. vulg. *domnicilla*, dim. de *domna*, 'senhora'.] *S. f.* **1.** Primitivamente, mulher moça nobre. "D o n z e l a , deixa tua aia, / Tem pena do meu penar." (Manuel Bandeira, *Estrela da Vida Inteira*, p. 26.) **2.** Hoje, mulher virgem. **3.** Espécie de redoma de cristal ou vidro, de grandes dimensões, aberta também na parte de cima, e destinada a proteger o castiçal. **4.** *Ant.* Donzela-de-candeeiro (1). ● *Adj. (f)* **5.** Diz-se de mulher virgem. ~ V. *semana* —.

donzela-de-candeeiro. *S. f.* **1.** Peça de madeira torneada, com uma abertura no centro, sobre a qual se põe candeeiro ou castiçal. **2.** *Bras., PE.* Mulher que pretende passar por virgem sem o ser. [Pl.: *donzelas-de-candeeiro*.]

donzelaria. *S. f.* Comitiva de donzelas.

donzelice. *S. f.* Estado ou condição de donzela.

donzelinha. [Dim. de *donzela*.] *S. f.* V. *libélula*.

donzelo. [De *donzela*.] *S. m. Pop.* Homem que não teve relações sexuais; homem casto: "— E é d o n z e l o ... . Vai casar de branco e com flor de laranjeira na lapela!" (Antônio Celso Alves Pereira, *Rua do Quenta-Sol*, p. 209.)

donzelona. *S. f. Fam.* Solteirona.

dopado. [Part. de *dopar*.] *Adj. Bras.* **1.** Diz-se do cavalo em que se inoculou substância excitante ou estupefaciente. **2.** *P. ext.* Diz-se do atleta em quem se administrou substância excitante. **3.** Diz-se daquele que ingeriu droga (3).

dopar. *Bras. V. t. d.* **1.** Administrar substância excitante ou estupefaciente a (cavalo). **2.** *P. ext.* Administrar substância excitante a (atleta). **3.** Fazer ingerir droga (3). *P.* **4.** Intoxicar-se com droga (3).

dope. *S. m. Tec.* Na fabricação de fibras têxteis artificiais, líquido viscoso, que contém em solução o material polimerizado ou por polimerizar, e que é injetado nas filandeiras, de onde sai com a forma de longos filamentos.

➧**doping** (dópin). [Ingl.] *S. m.* **1.** *Turfe.* Aplicação ilegal de estimulante em um cavalo para lhe aumentar o rendimento. **2.** Emprego irregular de excitantes para melhorar o desempenho de um atleta.

doqueiro. *S. m. Bras.* Aquele que trabalha nas docas.

dor[1] (ô). [Do lat. *dolore*.] *S. f.* **1.** Sensação desagradável, variável em intensidade e em extensão de localização, produzida pela estimulação de terminações nervosas especializadas em sua recepção: *Sente no corpo uma d o r generalizada*; *Está com d o r de dentes.* **2.** Sofrimento moral; mágoa, pesar, aflição: *Grande foi sua d o r com a morte do pai.* **3.** Dó, compaixão, condolência: *sentir d o r da pobreza de alguém.* [Pl.: *dores* (ô). Cf. *dóris*, pl. de *dóri*, e Dóris, antr., mit. e top.] ♦ **Dor cansada.** Dor surda. **Dor ciática.** *Med.* A que se manifesta ao longo do trajeto do nervo ciático. **Dor fulgurante.** Designação comum a certas dores intensas e rápidas. **Dor surda.** Dor que nem é forte nem aguda; dor cansada. **Dor terebrante.** *Med.* Designação comum a certas dores que dão a impressão de que se está produzindo uma perfuração.

dor[2] (ô). *S. m.* Oração que os parses fazem ao meio-dia. [Pl.: *dores* (ô). Cf. *dóris*, pl. de *dóri*, e *Dóris*, antr. mit. e top.]

▲**-(d)or.** [Do lat. *(t)ore* e *(s)ore*.] *Suf. nom.* = 'ofício', 'profissão'; 'agente', 'instrumento de ação': *armador* <lat. *armatore*), *trabalhador*, *espectador* (< lat. *spectatore*), regador. [Fem.: *-(d)eira*: *arrumadeira*, *trabalhadeira*; e *-(d)ora*: *espectadora*.] Equiv.: *-(t)or* e *-(s)or*: *inspetor* (< lat. *inspectore*), *escritor* (< lat. *scriptore*); *leitor* (< lat. *lectore*), *interruptor* (< lat. *interruptore*); *confessor* (< lat. *confessore*); *agressor* (< lat. *aggressore*), *ascensor*.]

▲**-(d)ora.** *Suf. nom.* Fem. de *-(d)or* [q. v.].

doradídeo. *S. m.* **1.** Espécime dos doradídeos. ● *Adj.* **2.** Pertencente ou relativo a eles.

doradídeos. *S. m. pl. Zool.* Família de peixes da ordem dos cipriniformes, subordem dos siluriformes. Ex.: bacu-de-pedra.

doravante. [De *de* + *ora* + *avante*.] *Adv.* De agora em diante; para o futuro.

dor-de-canela. [De *dor*[1] + *de* + *canela*[2].] *S. f. Bras. Gír.* V. *dor-de-cotovelo*. [Pl.: *dores-de-canela*.]

dor-de-corno. *S. f. Bras. Gír.* V. *dor-de-cotovelo*: "não faz outra coisa senão chatear meio Rio de Janeiro com sua bebedeira e sua d o r - d e - c o r n o ." (Antônio Olinto, *Copacabana*, p. 24). [Pl.: *dores-de-corno*.]

dor-de-cotovelo. *S. f. Bras. Gír.* Ciúme ou despeito por motivo de amor; dor-de-canela, dor-de-corno, cabeça-inchada, cachorra, canela, canelagem. [Pl.: *dores-de-cotovelo*.]

dor-de-facão. *S. f.* Dor aguda e intensa. [Pl.: *dores-de-facão*.]

dor-de-tortos. [De *dor*[1] + *de* + *torto*; essa dor faz a parturiente torcer-se.] *S. f.* Cólicas uterinas que acometem as parturientes depois do parto. [Pl.: *dores-de-tortos*.]

dor-de-veado. *S. f. Bras., N.* e *N.E.* Dor forte que se manifesta do lado direito do abdome, resultante de uma árdua corrida. [Pl.: *dores-de-veado*.]

dor-de-viúva. *S. f. Bras. Pop.* Dor peculiar no cotovelo, resultante de contusão ou de batida. [Pl. *dores-de-viúva*.]

dor-d'olhos. *S. f. Bras. Pop.* Designação comum a diversas afecções oculares, como a conjuntivite, a blefarite, o tracoma, etc. [Pl.: *dores-d'olhos*.]

dorense[1]. *Adj. 2 g.* **1.** De, ou pertencente ou relativo a Dores do Indaiá (MG). ● *S. 2 g.* **2.** Natural ou habitante de Dores do Indaiá.

dorense[2]. *Adj. 2 g.* **1.** De, ou pertencente ou relativo a Nossa Senhora das Dores (SE). ● *S. 2 g.* **2.** Natural ou habitante de Nossa Senhora das Dores.

dorense[3]. *Adj. 2 g.* **1.** De, ou pertencente ou relativo a Dores de Campos (MG). ● *S. 2 g.* **2.** Natural ou habitante de Dores de Campos.

dorense[4]. *Adj. 2 g.* **1.** De, ou pertencente ou relativo a Dores do Turvo (MG). ● *S. 2 g.* **2.** Natural ou habitante de Dores do Turvo.

dóri. [Do ingl. *dory*.] *S. m. Lus.* Douro. [Pl.: *dóris*. Cf. *dores* (ô), pl. de *dor*, e *Dores* (ô), hier. e antr.]

dórico. [Do lat. *doricu*.] *Adj.* **1.** Dório (2). **2.** Diz-se de um grupo de dialetos falados na região ocidental da Grécia antiga. ~ V. *ordem* —a. ● *S. m.* **3.** O grupo dialetal dórico.

dorido. [De *dolorido*, por síncope.] *Adj.* **1.** Que tem ou em que há dor; magoado, dolorido: *Está com o braço d o r i d o .* **2.** *Fig.* Consternado, triste, magoado, dolorido: *alma d o r i d a* ; "Chorava continuamente, num choro lento, d o r i d o , monótono, que retalhava." (Maria Archer, *Fauno Sovina*, p. 99).

dorilaimino. *Adj.* e *s. m.* V. *enoplídeo*.

dorilaiminos. *S. m. pl. Zool.* V. *enoplídeos*.

dorilídeo. *S. m.* e *Adj.* Dorilíneo.

dorilídeos. *S. m. pl. Zool. Dorilíneos*.

dorilíneo. *S. m.* **1.** Espécime dos dorilíneos. ● *Adj.* **2.** Pertencente ou relativo a eles. [Sin. ger.: *dorilídeo*.]

dorilíneos. *S. m. pl. Zool.* Subfamília de insetos da ordem dos himenópteros; formigas popularmente denominadas *legionárias*. De hábitos nômades, mudam-se com freqüência em fileiras separadas. Extremamente predadoras. V. *formiga-correição*. [Sin.: *dorilídeos*.]

dório. *S. m.* **1.** Indivíduo dos dórios, uma das três principais divisões dos gregos antigos e que habitavam o Peloponeso. ● *Adj.* **2.** Pertencente ou relativo aos dórios; dórico.

dorme-dorme. [De *dormir* + *dormir*.] *S. m. Bras.* **1.** V. *traíra* (1). **2.** V. *dormideira* (3 a 6). [Pl.: *dormes-dormes* e *dorme-dormes*.]

dorme-maria. [De *dormir* + o antr. *Maria*.] *S. f. Bras., BA* a *SP* e *GO* e *MT*. Arbusto trepador, da família das leguminosas (*Mimosa vellosiana*), armado de acúleos recurvados, com folhas bipinadas, flores pequenas, sésseis, róseas, dispostas em capítulos globosos, e cujo fruto é vagem chata, glabra, setácea nas margens; dormideira-grande. [Pl.: *dorme-marias*.]

dormência. [De *dormente*.] *S. f. Bras.* **1.** Estado de quem dorme ou está entorpecido. **2.** Insensibilidade parcial ou total em qualquer parte do corpo, sobretudo nas extremidades. **3.** Estado de absoluto repouso; quietação.

dorme-nenê. [De *dormir* + *nenê*.] *S. m. Bras., SP. Pop.* V. *acalento* (2). [Pl.: *dorme-nenês*.]

dormente. [De *dormir* + *-ente*.] *Adj. 2 g.* **1.** Que dorme; adormecido. **2.** Entorpecido, insensível: *Estou com o braço d o r m e n t e .* **3.** *Fig.* Quieto, sereno, calmo: "Barcos de proa luzente, / Sem remos, sem remadores, / Dormindo na água d o r m e n t e" (Alberto de Oliveira, *Poesias*, 3ª série, p. 49). **4.** Estagnado, parado. **5.** *Bot.* Diz-se das plantas cujas folhas se enrolam ou se dobram de noite. **6.** *Bras., N.E.* Indiferente a conselhos; insensível, desavergonhado, deslavado. ~ V. *águas* —s. ● *S. m.* **7.** Peça fixa de marcenaria ou de serralharia, assim chamada em contraposição a outras do mesmo tipo ou aparência, porém móveis. **8.** Peça da atafona. **9.** Cada uma das peças de madeira em que se pregam as tábuas do soalho. **10.** *Constr. Nav.* Cada uma das fortes vigas de madeira que correm de proa à popa, sobre o topo das balizas, e sobre as quais se apóiam os topos dos vaus. **11.** *Constr. Nav.* Cada uma das vigas de madeira que correm de proa à popa, presas às cavernas de embarcação miúda, um pouco abaixo do alcatrate, e sobre as quais se apóiam as bancadas dos remadores. **12.** Peça, em geral de madeira, colocada transversalmente à via, e em que se assentam e fixam os trilhos das estradas de ferro: "Muito importantes eram os cassacos empilhando os dormentes para substituição sob os trilhos da estrada de ferro." (Povina Cavalcanti, *Volta à Infância*, pp. 25-26.) [Sin., nesta acepç.: *sulipa, chulipa* e (lus.) *travessa*.]

dorme-sujo. [De *dormir* + *sujo*.] *S. m. 2 n. Bras., BA.* Operário ou trabalhador cujo serviço deixa a pele impregnada de resíduos de graxa, de óleo e de pó.

dormião. *S. m. Bras.* V. *joão-bobo.*

dormida. *S. f.* **1.** Ato de dormir. **2.** Estado de quem dorme. **3.** O tempo durante o qual se dorme. **4.** Pousada para pernoitar, para dormir. **5.** *Bras.* Dormitório (5).

dormideira. *S. f.* **1.** Sonolência, modorra: *Depois do almoço foi tomado de irresistível dormideira.* **2.** *Bras., N.* a *S.* Designação comum a várias plantas da família das leguminosas, uma espécie das quais é ornamental, tem flores róseas, dispostas em capítulos, reunidas em racimos, sendo os frutos vagens espinescentes lateralmente; feijão-de-árvore, juquiri-rasteiro, morre-joão, malícia, malícia-de-mulher, sensitiva, vergonha, vergonhosa. **3.** *Bras.* Reptil ofídio, da família dos colubrídeos (*Sibon sibon* (L.)), das regiões oriental e setentrional; dorme-dorme, dorminhoca. **4.** Reptil ofídio da família dos colubrídeos (*Dipsas* Laur.), com quatro espécies; dorme-dorme, dorminhoca. **5.** Reptil ofídio, da família dos colubrídeos (*Sibynomorphus* Fitz.), com nove espécies. São cobras de pequeno tamanho, alimentam-se de insetos e moluscos sem concha. [Sin.: *come-dorme, dorme-dorme, dorminhoca.*] **6.** Reptil ofídio, da família dos colubrídeos (*Siphlophis cervinus* (Laur.)), da região tropical, de coloração amarelada, em cima, com manchas irregulares pardo-escuras, formando faixas transversais sobre o dorso, e ventre amarelado, salpicado de pardo; dorme-dorme, dorminhoca. [O fato de terem hábitos noturnos e passarem o dia dormindo motivou-lhes os nomes populares.]

dormideira-grande. *S. f. Bras.* Dorme-maria. [Pl.: *dormideiras-grandes.*]

dormido. [Part. de *dormir.*] *Adj.* V. *adormecido.* ~ V. *feijão— e pão—.*

dormidor (ô). *Adj.* e *s. m.* Que ou aquele que dorme muito; dorminhoco.

dorminhar. *V. int.* **1.** *Bras., PE,* e *prov. lus.* Fazer pouco caso; não ligar importância: *Repreendi-o, e ele ficou dorminhando.* **2.** Dormitar, cochilar, toscanejar: "Essa minha conversa no Petrópolis abrilino ...., Avenida Keller dorminhando num embalo de perfumes (o cheiro de flores em torno do Palácio era demais)" (Gilberto Amado, *Depois da Política*, p. 228).

dorminhoca. [Fem. de *dorminhoco.*] *S. f. Bras.* V. *dormideira* (3 a 6).

dorminhoco (ô). *Adj.* **1.** *Fam.* Que dorme muito; dormidor, napeiro. ● *S. m.* **2.** Aquele que dorme muito; dormidor. **3.** *Bras.* Ave ciconiforme, da família dos ardeídeos (*Nyctanassa violacea cayennensis* (Gmel.)), que ocorre da Colômbia ao Peru, e ao N. e L. do Brasil, de corpo cinzento com raias quase negras, cabeça preta, fronte branca, nas faces vértice e estria da mesma cor, e parte inferior cinzento-clara; tamatião, matirão, sabacu-decoroa, socó-criminoso. **4.** *Bras.* V. *prejereba.* **5.** *Bras., RS.* V. *taquiri.* [Flex.: *dorminhoca, dorminhocos* (ó), *dorminhocas.*]

dormir. [Do lat. *dormire.*] *V. int.* **1.** Estar entregue ao sono; descansar no sono: "O João dorme, o Inocente! / Dorme, dorme eternamente, / Teu calmo sono profundo!" (Antônio Nobre, *Só*, pp. 112-113.) [Sin. (inf.): *nanar* e (bras., SP) *fazer naná*, (bras.) *puxar palha, puxar uma palha, pregar olho, pregar olhos.*] **2.** Estar imóvel, quieto, sereno: "A capelinha — um céu silvestre e vivo — / dormia no sossego da montanha." (Alphonsus de Guimaraens Filho, *Poemas Reunidos*, p. 163.) **3.** Ficar sem ação ou sem eficácia; não se executar: *Se em diversos períodos da história a justiça dorme, a culpa é dos poderosos.* **4.** Não agir com a atenção ou a presteza devida; descuidar-se; distrair-se: *O revisor dormiu numa passagem importante do livro.* **5.** Descansar na eternidade; jazer morto: *Naquele monumento dormem heróis da Pátria.* **6.** Estar latente ou entorpecido: *As paixões juvenis ainda lhe dormem na alma.* **7.** *Bras.* Mover-se (um objeto) com tanta rapidez que parece estar parado: *A piorra dormia.* **8.** Moverem-se (os pés) com tanta rapidez que pareçam estar parados (como no sapateado miúdo dos sambadores). *T. i.* **9.** Ter relações sexuais; copular: *Passa dias sem dormir com a mulher. T. d.* **10.** Passar dormindo, em sono: *Dormi uma deliciosa noite.* **11.** Entregar-se a (o sono); descansar em (o sono): "Dorme, dorme teu sono, ó vã cidade" (Junqueira Freire, *Obras Poéticas*, I, p. 119); "Dorme, dorme eternamente, / Teu calmo sono profundo!" (Antônio Nobre, *Só*, pp. 112-113). *T. c.* **12.** Ficar, à noite, em lugar onde normalmente não deveria estar: *Meus óculos dormiram em cima do fogão.* [Irreg. na 1ª pess. sing. do pres. ind., *durmo*, e, portanto, em todo o pres. subj.: *durma, durmas*, etc.] ● *S. m.* **13.** O estado de quem dorme.

dormitar. [Do lat. *dormitare.*] *V. int.* **1.** Dormir levemente; passar pelo sono; estar ou ficar meio adormecido: *Exausto da noite passada em claro, vinha dormitando no ônibus.* **2.** Cabecear; toscanejar, tosquenejar; cochilar: *Os alunos dormitavam durante a aula.* **3.** Estar tranqüilo, sereno, por algum tempo, ou por tempo indeterminável; descansar: *O vulcão dormita. T. d.* **4.** Dormir levemente: "estirada numa velha cadeira de vime ...., dormitava a sesta." (Eça de Queirós, *O Primo Basílio*, p. 195).

dormitivo. *Adj.* Que provoca o sono, que faz dormir; narcótico.

dormitoreiro. *S. m. Bras., S.* Aquele que se ocupa com o arranjo de dormitórios.

dormitório. [Do lat. *dormitoriu.*] *S. m.* **1.** Pavilhão ou ala de edifício, com muitos quartos de dormir. **2.** Sala equipada com muitas camas. **3.** Quarto de dormir. **4.** Mobília de quarto de dormir. **5.** *Bras.* Lugar onde dormem os animais, sobretudo as aves; dormida.

dorna. *S. f.* Grande vasilha de aduelas, sem tampa, e destinada a pisar uvas. [Dim. irreg.: *dornacho.*]

dornacho. *S. m.* Pequena dorna.

dorneira. [De *dorna* + *-eira.*] *S. f.* Peça do moinho na qual se lança o grão para ser moído.

dorsal. *Adj. 2 g.* Relativo ou pertencente ao dorso (1). ~ V. *crista — e quilha —.* ♦ **Dorsal oceânica.** *Ocean.* Cordilheira submarina que se estende longitudinalmente no meio dos grandes oceanos, e cujos picos às vezes emergem como ilhas vulcânicas.

dorsífero. [Do lat. *dorsiferu.*] *Adj.* Que tem alguma coisa sobre o dorso.

dorsifixo (cs). *Adj.* Fixo no dorso.

dorsiventral. [De *dorso* + *-i-* + *ventral.*] *Adj. 2 g. Morfol. Veg.* Achatado ou laminar, donde um único plano de simetria: *estrutura dorsiventral.*

dorso (ô). [Do lat. *dorsu.*] *S. m.* **1.** As costas (do homem e dos animais). **2.** *Fig.* Parte posterior; reverso: "Estava de pé, sobrecasaca abotoada, a mão esquerda no dorso de uma cadeira" (Machado de Assis, *Dom Casmurro*, p. 338). **3.** Parte superior convexa. **4.** V. *lombada*[1] (2).

dorsolateral. *Adj. 2 g. Anat.* Situado ou existente na parte lateral do dorso.

dosagem. *S. f.* **1.** Operação de dosar; doseamento. **2.** Determinação do traço de um concreto ou argamassa. ♦ **Dosagem racional.** Dosagem de um concreto estabelecida de acordo com os materiais disponíveis, de modo que empreste ao concreto a resistência desejada.

dosar. *V. t. d.* **1.** Regular por dose, determinar a dose ou quantidade de (substância, medicamento, etc.). **2.** Combinar a mistura de; misturar nas devidas proporções: *Sabe dosar as poções a olho.* **3.** Graduar (5): *O professor dosa as lições segundo a capacidade dos alunos.* [F. paral.: *dosear.* Pres. subj.: *dose*, etc. Cf. *doze.*]

dose. [Do gr. *dosis.*] *S. f.* **1.** Quantidade fixa de uma substância que entra na composição de um medicamento, numa combinação química, etc. **2.** Porção de medicamento que se toma de uma vez. **3.** Porção de bebida servida de cada vez: *Tomou três doses de cachaça logo de manhã.* **4.** Quantidade, porção. **5.** *Fís. Nucl.* Exposição (10). [Cf. *doze.*] ♦ **Dose absorvida.** *Fís.* Energia absorvida por unidade de massa dum sistema sujeito à ação duma radiação ionizante. **Dose absorvida integral.** *Fís.* Quantidade total de energia absorvida por um sistema sujeito à ação duma radiação ionizante. **Ser dose.** *Bras. Fam.* e *pop.* V. *ser dose para leão.* **Ser dose para elefante.** *Bras. Fam.* e *pop.* V. *ser dose para leão.* **Ser dose para leão.** *Bras. Fam.* e *pop.* Ser muito árduo ou árido (um trabalho, uma tarefa), muito desagradável, tedioso, cacete, etc. (pessoa, coisa ou situação): *Traduzir 100 páginas num dia é dose para leão; Não agüento aquele chato: é dose para leão.* [Tb. se diz apenas *ser dose*; sin.: *ser dose para elefante.*]

doseamento. *S. m.* Dosagem (1).

dosear. *V. t. d.* Dosar. [Conjug.: v. *frear.*]

dosificar. *V. t. d.* Dividir em doses; reduzir a doses. [Conjug. v. *trancar.*]

dosimetria. [Do gr. *dosis*, 'dose', literalmente 'ação de dar' + *-metr(o)-*[2] + *-ia.*] *S. f.* **1.** *Med.* Sistema terapêutico baseado na ação dos alcalóides tomados em pequenas doses, sob a forma de grânulos, em intervalos certos. **2.** *Quím. Nucl.* Conjunto de técnicas de medição da atividade de amostras radioativas ou da intensidade de radiações ionizantes.

dosimétrico. *Adj.* Relativo à dosimetria.

dosímetro. *S. m. Fís. Nucl.* Qualquer medidor de radioatividade capaz de medir e registrar uma dose de radiação.

dossel. [Do cat. *dosser.*] *S. m.* **1.** Armação ornamental, saliente, forrada e franjada, que encima altar, trono, leito, etc.; sobrecéu: "Amplo dossel de seda levantina, / Por colunas de jaspe sustentado, / Cobre os cetins e a caxemira fina / Do régio leito de ébano lavrado." (Olavo Bilac, *Poesias*, p. 25.) **2.** Qualquer cobertura a meia altura no interior de um repartimento. **3.** *Fig.* Cobertura de flores; copa de verdura: "Alfredo aceitou com ares de contente um quarto que lhe deram, cuja janela enramada de trepadeiras parecia a graciosa avenida de uma gruta, abobadada externamente de dosséis de hidranjas e baunilhas." (Camilo Castelo Branco, *A Enjeitada*, p. 15.) **4.** Cobertura ornamental. [Pl.: *dosséis.*]

dossiê. [Do fr. *dossier.*] *S. m.* Coleção de documentos referentes a certo processo, a determinado assunto, ou a certo indivíduo, etc.

dotação. *S. f.* **1.** Ato de dotar. **2.** Renda destinada à manutenção de pessoa ou corporação. **3.** Coisa ou renda dotada. **4.** Quantia designada em orçamento para fazer face a determinado serviço público; verba. **5.** O destino consignado especificamente no orçamento para certas verbas. **6.** *Turfe.* Prêmio pago aos proprietários dos cavalos vencedores das corridas. **7.** *Bras. Mar. G.* Conjunto de complementos ou de sobressalentes que se levam a bordo para operar determinado equipamento, armamento, máquina, etc.

dotado. [Part. de *dotar.*] *Adj.* **1.** Que recebeu dote. **2.** Que tem dotes. [v. *dote* (5)]; prendado.

dotador (ô). *S. m.* Aquele que dota.

dotal. [Do lat. *dotale.*] *Adj. 2 g.* Relativo a dote; dotalício.

dotalício. *Adj.* Dotal.

dotalização. *S. f.* Ato ou efeito de dotalizar.

dotalizar. [De *dotal* + *-izar.*] *V. t. d. Jur.* Converter em dote (4).

dotar. [Do lat. *dotare.*] *V. t. d.* **1.** Dar dote a: *O pai dotou a filha.* **2.** Atribuir algum dom a; favorecer: *A natureza dotou-a muito bem. T. d.* e *c.* **3.** Dar em doação como dote ou prenda; consignar para dotação: *O industrial dotou a instituição com avultada soma.* **4.** Prendar, favorecer, beneficiar (com algum dom natural): "Alguns bons e generosos instintos de que o dotara a natureza, haviam-se apagado em seu coração." (Bernardo Guimarães, *A Escrava Isaura*, p. 33.) **5.** Prover, munir: "o importante é dotar o País de um instrumento processual que permita uma distribuição rápida da Justiça." (Ernâni Sátiro, *Sempre aos Domingos*, p. 115). *P.* **6.** Constituir dote para si.

dote. [Do lat. *dote.*] *S. m.* **1.** Conjunto de bens que leva a pessoa que se casa. **2.** Bens que a mulher recebe de ascendentes ou de terceiros ao casar-se. **3.** Bens que a freira leva para o convento. **4.** *Jur.* Bens incomunicáveis que a mulher, ou seus ascendentes ou terceiros, transfere ao marido, para com os frutos e rendimentos deles o ajudar na satisfação dos encargos econômicos do matrimônio, sob a cláusula de restituição de tais bens se houver dissolução da sociedade conjugal. **5.** *Fig.* Dom natural; merecimento; predicado moral, físico ou intelectual: *dotes do espírito; dote da beleza.* ♦ **Dote inoficioso.** *Jur.* Aquele que excede a legítima e mais a metade disponível. **Dotes proféticos.** *Jur.* V. *bens profetícios.* **Vender por um dote.** *Bras.* Vender (algo) muito caro.

dotriacontaedro. *S. m. Geom.* Poliedro de 32 faces.

dotriacontágono. *S. m. Geom.* Polígono de 32 lados.

doú. [Do ioruba.] *S. m. Bras., BA.* Terceiro irmão dos ibejis e protetor deles.

➡**doublé** (dublê). [Fr.] *S. m.* **1.** *Art. Gráf.* Impressão de uma estampa sobre fundo uniforme de outra cor. **2.** Bicromia.

➡**double-face** (dubl façc). [Fr.] *Adj.* Reversível (4). [A expr. tem em inglês a mesma grafia, mas pronúncia diferente = *dabl fêiç.*]

douda. *S. f.* V. *doida.*

doudão. *Adj.* e *s. m.* V. *doidão.* [Fem.: *doudona.*]

doudaria. *S. f.* V. *doidaria.*

doudarrão. *Adj.* e *s. m.* V. *doidarrão.* [Fem.: *doudarrona.*]

doudarrona. *Adj. (f.)* e *s. f.* Fem. de *doudarrão.* [q. v.].
doudeira. *S. f.* V. *doideira.*
doudejante. *Adj. 2 g.* Doidejante: "a multidão doudejante e inquieta, que atestava as vielas e torvelinhava nas praças" (Euclides da Cunha, *Contrastes e Confrontos*, p. 56).
doudejar. *V. int.* V. *doidejar.* [Conjug. v. *pelejar.*]
doudejo (ê). [Dev. de *doudejar.*] *S. m.* Doidejo.
doudelo. *S. m. Bras.* V. *doidelo.*
doudice. *S. f.* V. *doidice.*
doudivanas. *S. 2 g.* e *2 n.* V. *doidivanas.*
doudo. *Adj.* e *s. m.* V. *doido:* "Almas doudas de amor, martirizadas, / Almas errantes dos incompreendidos" (Da Costa e Silva, *Sangue*, p. 28). [Aum.: *doudão, doudarrão.*]
doudona. *Adj. (f.)* e *s. f.* Fem. de *doudão.* [q. v.]
douração. *S. f. Encad.* **1.** Ato ou efeito de dourar; douradura, dourado. **2.** A arte de ornamentar livros a ouro. [Var.: *doiração.*]
dourada. [Fem. substantivado do adj. *dourado.*] *S. f.* **1.** V. *douradão* (3). **2.** *Bras.* Peixe teleósteo, siluriforme, da família dos pimelodídeos (*Brachyplatistoma flavicans* (Cast.)), da Amaz., de coloração dourada, barbilhões que não ultrapassam as nadadeiras peitorais e carne excelente, estimadíssima na região; dourado. [Var.: *doirada.*]
douradão. [Aum. substantivado do adj. *dourado.*] *S. m.* **1.** V. *douradinha* (4). **2.** Espécie de jogo de cartas, semelhante ao truque. **3.** *Bras., AM* a *SP.* Arbusto glabro da família das rubiáceas (*Policourea rigida*), dotado de folhas muito grandes, rígidas e coriáceas, flores amareladas, pequenas, dispostas em grandes panículas terminais, cujo fruto drupáceo contém sementes sulcadas na face ventral, e que vegeta nos cerrados e campos; dourada, douradinha-do-campo, gritadeira. [Var.: *doiradão.*]
douradense[1]. *Adj. 2 g.* **1.** De, ou pertencente ou relativo a Dourado (SP). ● *S. 2 g.* **2.** Natural ou habitante de Dourado.
douradense[2] *Adj. 2 g.* **1.** De, ou pertencente ou relativo a Dourados (MS). ● *S. 2 g.* **2.** Natural ou habitante de Dourados.
douradilho. [Do esp. plat. *doradillo.*] *Adj. Bras., S.* Diz-se do cavalo de pêlo amarelado, com reflexos dourados quando exposto ao sol. [Var.: *doiradilho.*]
douradinha. [Dim. de *dourada*, fem. substantivado do adj. *dourado.*] *S. f.* **1.** Espécie de jogo de cartas. **2.** A dama de ouros, nesse jogo. **3.** Variedade de pêra. **4.** *Bras., N.* a *S.* Designação comum a várias espécies de plantas da família das polipodiáceas, dotadas de rizoma ereto, frondes oblongas com pontas estreitas, pinas horizontais, lanceoladas, arredondadas ou agudas, no ápice, e cujos soros são em forma de meia-lua, arredondados ou oblongos, numerosos, enchendo quase toda a página inferior; samambaia-douradinha, douradão. **5.** *Bras., PE. Gír.* Moeda de ouro. [Var.: *doiradinha.*]
douradinha-do-campo. *S. f. Bras.* V. *douradão* (3). [Pl.: *douradinhas-do-campo.*]
dourado. [Part. de *dourar.*] *Adj.* **1.** Da cor do ouro: *caneta dourada; luvas douradas; cabelos dourados.* **2.** Revestido de camada ou folha de ouro: *a imagem dourada do santo.* **3.** Enfeitado ou bordado a ouro: *Sua blusa era toda dourada.* **4.** *Fig.* Feliz, alegre, despreocupado: *os anos dourados da vida.* ~ V. *prata* —*a* e *sonho* —. ● *S. m.* **5.** Douradura (2): *O dourado da caixa era todo trabalhado.* **6.** A cor dourada: *o dourado do Sol.* **7.** *Bras.* Peixe teleósteo, caraciforme, da família dos caracídeos (*Salminus brevidens* (Cuv.)), do rio São Francisco, e *S. maxillosus* Val., da bacia do Paraná), carnívoros, de grande porte, coloração dourada tendente ao vermelho, muito apreciados para a pesca esportiva, e cuja carne é de primeira qualidade. Alcançam 1 m de comprimento e 20 kg de peso. [Sin.: *piraju, pirajuba, saijé.* Cf. *saipé.*] **8.** *Bras.* V. *dourada* (2). **9.** *Encad.* V. *douração* (1). [Var.: *doirado.*]
dourador (ô). [Do lat. *deauratore.*] *S. m. Encad.* Operário ou artista que se dedica à douração. [Var.: *doirador.*]
douradura. *S. f.* **1.** Arte ou operação de dourar. **2.** Camada ou folha de ouro que reveste um objeto; dourado. **3.** O objeto dourado: *Toda a douradura da igreja era da época colonial.* **4.** *Encad.* V. *douração* (1). [Var.: *doiradura.*]
douramento. *S. m.* Ação de dourar. [Var.: *doiramento.*]
dourar. [Do lat. *deaurare.*] *V. t. d.* **1.** Revestir com camada de ouro: *dourar um relógio, uma pulseira.* **2.** Dar cor de ouro a: "Uma larga planície o Sol dourava" (Alberto de Oliveira, *Poesias*, 1ª série, p. 224). **3.** Dar brilho a; realçar; enaltecer: *Os nobres sentimentos douram o destino mais miserável.* **4.** Tornar ditoso, feliz; alegrar: *Os netos douram a velhice.* **5.** Adornar, ataviar, com enfeites dourados. **6.** Encobrir (um fato desagradável) com aparências ou razões aceitáveis; sobredourar, disfarçar: *Os jornais douraram a catástrofe.* **7.** *Encad.* Estampar lombada, pastas ou corte de (livro, álbum, etc.) com ouro, ou com outros metais, por meio de ferros e tipos, letreiros e ornatos. *P.* **8.** Tornar-se brilhante; iluminar-se; resplandecer. [Var.: *doirar.*]
douro. [Var. de *dóri.* < ingl. *dory.*] *S. m. Lus.* Pequeno barco de fundo chato, empregado na pesca do bacalhau, nos mares do Norte, tripulado por um só homem; dóri.
▲**-(d)ouro.** [Var. de *-(d)oiro* < lat. *(t)oriu.*] *Suf. nom.* = 'ação', 'lugar da ação', 'instrumento da ação': *logradouro* (ou *logradoiro*), *suadouro* (ou *suadoiro*). [Equiv.: *-(t)ório: lavatório* (< lat. *lavatoriu*), *escritório* (< lat. *scriptoriu*), *vomitório* (< lat. *vomitoriu*).]
▲**-douro.** [Do lat. *turu.*] *Suf. nom.* = 'pertinência', 'ação': *vindouro* (< lat. *venturu*), *duradouro* (< lat. *duraturu*), *morredouro* (< lat. *morituru*), *vivedouro.* [Var.: *-doiro: vindoiro, duradoiro, morredoiro, vivedoiro.*]
dous. *Num.* e *s. m.* Dois [q. v.].
douto. [Do lat. *doctu.*] *Adj.* **1.** Que aprendeu muito; muito instruído; erudito, sábio: *o douto acadêmico.* **2.** Que denota erudição, sabedoria: *doutas palavras.*
doutor (ô). [Do lat. *doctore.*] *S. m.* **1.** Aquele que se formou numa universidade e recebeu a mais alta graduação desta após haver defendido tese em determinada disciplina literária, artística ou científica. **2.** *P. ext.* Aquele que se diplomou numa universidade. [Cf. *licenciado* (4) e *mestre* (13).] **3.** Médico, esculápio: *A doente sentiu-se melhor após a visita do doutor.* **4.** Homem muito douto; sábio; erudito. **5.** *Teat.* Personagem-tipo da *commedia dell'arte*, que representa um membro de qualquer profissão satirizada, em especial a medicina e a advocacia. **6.** *Bras.* V. *galo-branco* (2). [Flex.: *doutora* (ô), *doutores* (ô), *doutoras* (ô); aum. deprec.: *doutoraço.* Cf. *doutora, doutoras, doutores,* do v. *doutorar*] ◆ **Doutor da Igreja.** Teólogo de grande autoridade. **Doutor *honoris causa*.** Aquele que recebeu título universitário sem curso nem exame, como pura homenagem.
doutora (ô). *S. f.* **1.** Mulher que recebeu o grau de doutor. **2.** *Pej.* Mulher sabichona ou que fala sentenciosamente. [Pl.: *doutoras* (ô). Cf. *doutora* e *doutoras,* do v. *doutorar.*]
doutoraço. *S. m.* **1.** Aum. deprec. de *doutor.* **2.** *Pop.* Homem que, ridiculamente, presume de sábio.
doutorado. [Do lat. medieval *doctoratu.*] *S. m.* **1.** Graduação de doutor. **2.** Curso de pós-graduação para a especialização do graduado em um ramo de sua carreira e nas técnicas para a investigação; doutoramento. [Cf. *licenciatura* (2) e *mestrado* (5).]
doutoral. *Adj. 2 g.* **1.** De, ou relativo a doutor. **2.** *P. ext. Pej.* Próprio de doutor; pedante, pretensioso, pernóstico: *ar doutoral; tom doutoral.*
doutoramento. *S. m.* **1.** Ato de doutorar(-se). **2.** Doutorado (2).
doutorando. *S. m.* Aquele que se prepara para receber o grau de doutor, que está prestes a doutorar-se.
doutorar. *V. t. d.* **1.** Conferir o grau de doutor a: *Foi a Universidade Federal do Rio de Janeiro que o doutorou. P.* **2.** Receber o grau de doutor: "mandou-o estudar no Colégio Pio Brasileiro, em Roma, para se doutorar." (Lustosa da Costa, *Sobral do Meu Tempo*, p. 89). [Pres. ind.: *doutoro, doutoras, doutora,* etc.; pres. subj.: *doutore, doutores,* etc. Cf. *doutora* (ô) e pl. *doutoras* (ô), e *doutores* (ô), pl. de *doutor.*]
doutor-de-raiz. *S. m. Bras., AL.* V. *raizeiro.* [Pl.: *doutores-de-raiz.*]
doutorice. *S. f. Deprec.* **1.** Ares de doutor. **2.** Ditos de sabichão. **3.** Exibição de saber inútil ou falso: "a ortografia existente pura convenção de pedantes, reles doutorice, asquerosamente pretensiosa" (Ramalho Ortigão, *Figuras e Questões Literárias*, II, p. 119).
doutrina. [Do lat. *doctrina.*] *S. f.* **1.** Conjunto de princípios que servem de base a um sistema religioso, político, filosófico, científico, etc. **2.** Catequese cristã. **3.** Ensinamento, pregação. **4.** Opinião de autores. **5.** Texto de obras escritas. **6.** Regra, preceito, norma: *Tal procedimento fez doutrina.*
doutrinação. *S. f.* Ato de doutrinar [q. v.]; instrução em qualquer doutrina; prédica; catequese, catequização; doutrinamento.
doutrinado. [Part. de *doutrinar.*] *Adj.* Instruído, ensinado, amestrado.
doutrinador (ô). *Adj.* e *s. m.* Que ou aquele que doutrina; doutrinante.
doutrinal. [Do lat. *doctrinale.*] *Adj. 2 g.* **1.** Relativo a doutrina. **2.** Doutrinário (1).
doutrinamento. *S. m.* V. *doutrinação.*
doutrinante. *Adj. 2 g.* e *s. 2 g.* Doutrinador.
doutrinar. *V. t. d.* **1.** Instruir numa doutrina; ensinar: *O mestre doutrina paciente os discípulos. Int.* **2.** Pronunciar ou escrever doutrinas, ensinamentos; pregar: "O vigário domina-os com brandura, ... ensinando o catecismo, doutrinando sobre a virtude." (Coelho Neto, *Treva*, p. 86.) [F. paral.: *adoutrinar.* Fut. do pret.: *doutrinaria,* etc. Cf. *doutrinária,* fem. de *doutrinário.*
doutrinário. *Adj.* **1.** Que encerra doutrina; doutrinal. **2.** Que é partidário do doutrinarismo (2). ● *S. m.* **3.** Partidário do doutrinarismo (2). [Fem.: *doutrinária.* Cf. *doutrinaria,* do v. *doutrinar.*]
doutrinarismo. [De *doutrinário* + *-ismo.*] *S. m.* **1.** Qualidade ou caráter do que é doutrinário. **2.** Teoria e ação política do liberalismo francês na primeira metade do séc. XIX.
doutrinarista. *Adj. 2 g.* **1.** Relativo ao, ou que é partidário do doutrinarismo. ● *S. 2 g.* **2.** Partidário dele.
doutrinável. *Adj. 2 g.* Que se pode doutrinar.
doutrineiro. *S. m. Deprec.* **1.** Aquele que prega ou defende doutrinas extravagantes. **2.** *Pop.* Aquele que ensina a doutrina cristã.
doutro. Contr. da prep. *de* com o pron. indef. *outro:* "És doutro agora, e pra sempre!" (Gonçalves Dias, *Obras Poéticas*, I, p. 347.) [Flex.: *doutra, doutros, doutras.*]
doutrora. [Contr. da prep. *de* + o adv. *outrora.*] *Adv.* De outrora.
▲**dox(o)-.** [Do gr. *dóxa, es.*] *El. comp.* = 'glória'; 'crença', 'opinião': *doxomania.* [Equiv.: *-doxo: heterodoxo* (< gr. *heterodóxos*).]
▲**-doxo.** Equiv. de *dox(o)-.*
doxografia (cs). [De *dox(o)-* + *-graf(o)-* + *-ia.*] *S. f.* **1.** Arte do doxógrafo. **2.** Compilação filosófica.
doxográfico (cs). *Adj.* Relativo à doxografia.
doxógrafo (cs). *S. m.* Cada um dos compiladores gregos que coligiam estratos dos filósofos antigos.
doxologia (cs). [De *dox(o)-* + *-log(o)-* + *-ia.*] *S. f. Rel.* Fórmula litúrgica de louvor a Deus, geralmente ritmada.
doxológico (cs). *Adj.* Referente à doxologia.
doxomania (cs). [De *dox(o)-* + *-mania.*] *S. f.* Paixão de adquirir glória.
doxomaníaco (cs). *Adj.* **1.** Relativo à, ou que sofre de doxomania. ● *S. m.* **2.** Aquele que sofre de doxomania; doxômano.
doxômano (cs). *S. m.* Doxomaníaco (2).
doze (ô) [Do lat. *duodecim.*] *Num.* **1.** Cardinal dos conjuntos equivalentes a um conjunto de uma dezena de membros mais dois membros (em algarismos arábicos, 12; em algarismos romanos, *XII*). **2.** Décimo segundo, duodécimo. ● *S. m.* **3.** Algarismo representativo do número doze. **4.** Aquilo ou aquele que numa série de 12 ocupa o último lugar. [Cf. *dose,* do v. *dosar* e *s. f.*] ◆ **Cortar um doze.** *Bras., S.* e *C. O.* V. *cortar volta:* "— Ele corta um doze comigo." (José J. Veiga, *A Máquina Extraviada*, p. 16.)
dozena. [Fem. substantivado de *dozeno.*] *S. f.* **1.** Dúzia. **2.** *Mús.* Intervalo compreendido entre 12 graus conjuntos. [Cf. *dezena.*]
dozeno. [De *doze* + *-eno.*] *Num. Desus.* Duodécimo. [Cf. *dezeno.*]
■**dptr.** *Ópt.* Símb. de *dioptria.*
■**Dr.** Abrev. de *doutor.*
dracar. [Do nórdico *drakkar.*] *S. m. Ant.* Embarcação comprida, movida a remos e, ocasionalmente, por uma vela redonda que tinha como figura de proa uma cabeça de dragão e na popa um apêndice como se fora o rabo dele.
dracena. *S. f. Bras.* Designação comum a vários subarbustos ornamentais da família das liliáceas, de folhas coloridas e variegadas, flores alvas, amarelo-pálidas, alvo-esverdeadas ou purpúreas, exteriormente, e alvas interiormente, dispostas em panículas terminais; e cujos frutos são bagas carnosas, pequenas e alaranjadas; coqueiro-de-vênus.
dracenense. *Adj. 2 g.* **1.** De, ou pertencente ou relativo a Dracena (SP). ● *S. 2 g.* **2.** Natural ou habitante de Dracena.
dracma. [Do gr. *dráchmé,* pelo lat. *drachma.*] *S. f.* **1.** Moeda e peso da Grécia antiga. **2.** Unidade monetária, e moeda, da Grécia. **3.** Unidade de peso de alguns países. **4.** A oitava parte duma onça (3 gramas e 586 miligramas); oitava. ◆ **Dracma inglesa.** Medida de peso, equivalente a 1/6 da onça inglesa (1 grama e 772 miligramas).
dracocéfalo. *S. m. Bras.* Planta multicaule, ornamental, da família das labiadas (*Dracocephalum ruyschianum*),

de flores azuis, com corola duas vezes mais comprida que o cálice, reunidas em glomérulos dispostos em espigas compactas, terminais e curtas, e própria para embelezamento e revestimento de cascatas e rochedos naturais ou artificiais.

draconiano. *Adj.* **1.** Pertencente ou relativo a Drácon, legislador de Atenas (séc. VII a.C.), famoso pela dureza cruel das leis a ele atribuídas. **2.** Excessivamente rigoroso; cruelmente severo.

draconítico. *Adj.* Relativo aos nodos da órbita de um astro. ~ V. *mês* —, *período* — e *revolução* —*a*.

draga. [Do ingl. *drag.*] *S. f.* **1.** Aparelho com que se tira areia, lodo, entulho, etc., do fundo dos rios ou do mar. **2.** *Ocean.* Aparelho que os navios oceanográficos arrastam no fundo do mar para obter amostras de material geológico ou biológico.

dragado. [Part. de *dragar.*] *Adj.* Limpo ou desobstruído com draga.

dragador (ô). *S. m.* Aquele que trabalha com draga (1).

dragagem. *S. f.* Ação ou operação de dragar.

draga-minas. [De *dragar* + o pl. de *mina* (5).] *S. m. 2 n. Lus.* Navio-varredor.

dragão. [Do gr. *drákon*, pelo lat. *dracone.*] *S. m.* **1.** Monstro fabuloso representado, em geral, com cauda de serpente, garras e asas. **2.** *Fig.* Pessoa de má índole. **3.** V. *diabo* (2). **4.** Soldado de cavalaria. **5.** *Astr.* Constelação boreal, de grande área, a O. do Cefeu e do Cisne, a E. da Ursa Maior, ao N. de Hércules e ao S. da Ursa Menor. **6.** *Bras.* Ave passeriforme, insetívora, da família dos icterídeos (*Pseudoleistes virescens* (Vieil.)), do extremo S. do Brasil, muito parecida com o chupim-do-brejo, pardo-escura, com uma grande extensão de cor amarela na região abdominal.

dragão-fedorento. *S. m. Bras., N.* a *S.* Trepadeira lenhosa, ornamental, da família das aráceas (*Monstera pertusa*), com inflorescência em espádice, protegida por espata ovóide, côncava, amarela, e cujo fruto é baga amarelada; folha-furada, imbé-furado, timbó-manso. [Pl.: *dragões-fedorentos.*]

dragar. *V. t. d.* **1.** Limpar ou desobstruir com draga (1). **2.** Rocegar. [Conjug.: v. *largar.*]

drágea. [Do fr. *dragée.*] *S. f.* **1.** Comprimido ou pílula medicamentosa recoberta de substância endurecida, em geral doce. **2.** Certa guloseima: amêndoa recoberta de açúcar endurecido. [Cf. *grajéia.*]

drageia. *S. f. P. us.* no *Brasil.* V. *drágea.*

dragista. *S. 2 g.* Pessoa que prepara drágea(s): "Indústria farmacêutica necessita de um *dragista*, com experiência de pelo menos um ano na função e com prática de manipulação e compressão de produtos farmacêuticos." (*Jornal do Brasil*, anúncio.)

dragoeiro. *S. m.* Gênero de plantas liliáceas dos países quentes, das quais se extrai a resina dita *sangue-de-dragão.*

dragomano. *S. m.* V. *drogomano.*

dragona. [Do fr. *dragonne.*] *S. f.* **1.** Galão, com franjas ou sem elas, ou peça de metal amarelo, que os militares usam no ombro, como distintivo. **2.** *Bras., AM* a *SP* e *MG.* Trepadeira arbustiva e lenhosa, da família das marcgraviáceas (*Marcgravia polyantha*), de flores pequeninas, purpúreo-esverdeadas, dispostas em grandes racimos umbeliformes, multifloros, e cujo fruto é cápsula globosa, carnosa, purpúrea. **3.** *Bras.* V. *encontro*[2] (2).

dragonada. [Do fr. *dragonnade.*] *S. f.* Perseguição religiosa aos protestantes movida por Luís XVI de França, e na qual se empregou a cavalaria de dragões [v. *dragão* (4)].

dragonete (ê). *S. m. Heráld.* Símbolo que figura uma cabeça de dragão com a boca aberta.

dragontéia. [Do gr. *drakónteia*, pelo lat. *dracontea.*] *S. f.* V. *serpentária.*

dragontino. [Do gr. *drakóntinos.*] *Adj.* Relativo ou pertencente a dragão.

draino. *S. m.* V. *dreno.*

draiva. [Do gen. *draja.*] *S. m. Náut.* Uma das velas da ré.

drama. [Do gr. *drâma*, pelo lat. *drâma.*] *S. m.* **1.** *Teat.* Designação genérica de composição dialogada ou teatral; texto ou peça teatral; comédia. **2.** *Teat.* Peça teatral em que o cômico se mistura com o trágico. [Aum. deprec.: *dramalhão.*] **3.** *Teat. P. ext.* O gênero teatral; teatro. **4.** Série de episódios complicados ou patéticos. **5.** Acontecimento terrível, sinistro; catástrofe. ◆ **Drama lacrimoso.** *Teat. Deprec.* V. *melodrama* (1 a 3). **Drama lírico.** *Teat.* V. *ópera* (1). **Drama litúrgico.** *Teat.* Uma das primeiras manifestações dramáticas do teatro medieval, constituída de cenas dialogadas inseridas na liturgia da missa, a princípio faladas em latim e posteriormente nas línguas vernáculas. [Cf. *moralidade* (5).] **Drama musical.** *Teat.* V. *ópera* (1). **Drama sacro.** *Teat.* Drama de caráter religioso e moral, inspirado nos episódios bíblicos ou na vida dos santos. **Drama satírico.** *Teat.* No antigo teatro grego, drama de caráter cômico e licencioso, representado em seguida às trilogias trágicas, e em que o coro era constituído de atores que interpretavam sátiros. **Drama semilitúrgico.** *Teat.* Peça dramática dos primórdios do teatro medieval, cujo entrecho se constituía de elementos litúrgicos e seculares. **Drama sentimental.** *Teat.* V. *melodrama* (1 a 3). **Fazer drama.** Dramatizar (3). **Fazer drama de.** Dramatizar (2).

dramalhão. [Aum. deprec. de *drama.*] *S. m. Deprec.* Peça ou filme de valor escasso, mas cheio de lances trágicos e artificiosos, ou que expõe atos de perversidade requintada: "Todos somos atores, figurantes exóticos de insulsíssimos *dramalhões.*" (Geir Campos, *O Vestíbulo*, p. 17).

dramática. [Fem. substantivado de *dramático.*] *S. f. Teat. P. us.* O gênero dramático; drama, teatro.

dramaticidade. *S. f.* Qualidade de dramático.

dramático. [Do gr. *dramatikós*, pelo lat. *dramaticu.*] *Adj.* **1.** De, ou pertencente ou relativo a drama. **2.** Que representa dramas: *ator dramático.* **3.** Comovente, patético: *cena dramática.* ~ V. *ação* —*a*, *arte* —*a*, *conflito* —, *convenção* —*a*, *crise* —*a*, *dança* —*a*, *economia* —*a*, *estrutura* —*a*, *figura* —*a*, *força* —*a*, *jogo* —, *lance* —, *leitura* —*a* e *poema* —.

➧**dramatis personae.** [Lat.] *Teat.* Elenco (5).

dramatista. *S. 2. g. Bras. P. us.* Dramaturgo.

dramatização. *S. f.* Ato ou efeito de dramatizar.

dramatizado. [Part. de *dramatizar.*] *Adj.* Que se dramatizou; a que se deu a forma de drama.

dramatizar. [Do gr. *dramatízo.*] *V. t. d.* **1.** Dar a forma de drama a: *dramatizar uma narrativa.* **2.** Tornar ou procurar tornar dramático, interessante ou comovente como um drama; fazer drama de: *Dramatizou as suas desventuras. Int.* **3.** Tornar ou procurar tornar dramáticos, interessantes ou comoventes como um drama, sofrimentos, fatos, situações; fazer drama: *Exagerado, tem a mania de dramatizar. P.* **4.** Dar-se ares dramáticos.

dramatologia. [Do gr. *drâma, atos*, 'drama', + *-log(o)-* + *-ia.*] *S. f.* Dramaturgia.

dramatológico. *Adj.* Referente à dramatologia; dramatúrgico.

dramaturgia. [De *dramaturgo* + *-ia.*] *S. f.* **1.** Arte dramática; teatro: "Costuma-se mesmo datar deste lançamento [da peça *Vestido de Noiva*, de Nélson Rodrigues] o começo da moderna *dramaturgia* nacional" (Sábato Magaldi, *Panorama de Teatro Brasileiro*, p. 194). **2.** Arte e técnica de compor peças teatrais. [Sin. ger.: *dramatologia.*]

dramatúrgico. *Adj.* Referente à dramaturgia; dramatológico.

dramaturgo. [Do gr. *dramatourgós.*] *S. m.* **1.** Autor de dramas [v. *drama* (2)]. **2.** Escritor que compõe peças teatrais; teatrólogo. [Sin. ger., bras., p. us.: *dramatista.*]

drapê. [Do fr. *drapé.*] *Adj. 2 g.* e *s. m.* V. *drapeado.*

drapeado. [Part. de *drapear.*] *Adj.* **1.** Trabalhado ou disposto de modo que forme ondulações ou pregas graciosas e elegantes (falando-se de tecido ou vestimenta): *saia drapeada; cortina drapeada.* ● *S. m.* **2.** Disposição do tecido ou de vestimenta assim feita; drapeamento, drapejamento: *O drapeado da saia caía natural.* [Sin. ger.: *drapê.*]

drapeamento. *S. m.* **1.** Ato ou efeito de drapear; drapejamento. **2.** V. *drapeado* (2). **3.** Nas artes plásticas, representação do drapeado (2) nas vestes de figuras humanas; drapejamento: *o drapeamento das estátuas helenísticas.*

drapear. [Do fr. *draper.*] *V. t. d.* **1.** Dispor de maneira harmoniosa (as dobras de pano, ou de vestimenta). *Int.* **2.** Agitar-se, ondear, ondular. [Sin. ger.: *drapejar.* Conjug.: v. *frear.*]

drapejamento. *S. m.* **1.** Ato ou efeito de drapejar; drapeamento. **2.** V. *drapeado* (2). **3.** Drapeamento (3).

drapejar. [Do fr. *drapeau*, 'bandeira'.] *V. t. d.* e *int.* V. drapear. [Conjug.: v. *pelejar.*]

drapetomania. [Do gr. *drapetés*, 'fugitivo', + *-o-* + *-mania.*] *S. f. Med.* Mania de andar sem destino, a esmo. [Cf. *dromomania.*]

drapetomaníaco. Adj. Relativo à, ou próprio da drapetomania.

drástico. [Do gr. *drastikós.*] *Adj.* **1.** *Terap.* Diz-se de purgante enérgico. **2.** *P. ext.* Enérgico (em relação a medidas de depuração, economia, etc.): "Serpa, com medidas *drásticas* a que a própria índole boêmia de Patrocínio teve que se submeter, consertou as finanças da *Cidade do Rio.*" (Vivaldo Coaraci, *Todos Contam Sua Vida*, p. 214.) ● *S. m* **3.** Purgante enérgico.

drávida. [Do sânscr. *dràvida.*] *S. 2 g.* **1.** Indivíduo dos drávidas, população indígena do S. da Índia e do N. de Sri-Lanka (antigo Ceilão), de raça diferente da indo-européia e anterior a esta na região. ● *Adj. 2 g.* **2.** Pertencente ou relativo aos drávidas; dravídico. [Sin. ger.: *dravidiano.*]

dravidiano. *Adj.* e *s. m.* V. *drávida.*

dravídico. *Adj.* **1.** Drávida (2). **2.** Diz-se das línguas faladas na Índia antes de ocupação indo-européia, e hoje faladas ao S. da península índica e ao N. de Sri-Lanka (antigo Ceilão): o tâmil, o malaiala, etc.

➧**drawback** (dróbek). [Ingl] *S. m. Jur.* e *Com.* Devolução dos direitos alfandegários pagos na importação de matérias-primas, quando estas são reexportadas em forma de artefatos industriais.

➧**dreadnought** (drednót). [Ingl.] *S. m.* Espécie de encouraçado pesado.

drenagem. *S. f.* **1.** Ato ou efeito de drenar. **2.** Conjunto de operações e instalações destinadas a remover os excessos de água das superfícies e do subsolo. ◆ **Drenagem subterrânea.** Drenagem especial, destinada a evitar o excesso de umidade do solo, pelo rebaixamento e controle do nível dos lençóis de água subterrâneos.

drenar. [Do ingl. *to drain.*] *V. t. d.* **1.** Fazer a drenagem de. **2.** *Med.* Aplicar dreno (2) em.

dreno. [Do ingl. *drain.*] *S. m.* **1.** Tubo ou vala para drenagem. **2.** *Med.* Objeto, variável em natureza e em forma, com que se procura manter a saída de líquido de uma cavidade para o exterior, ou, muito raramente, para outra cavidade. ◆ **Dreno francês.** Vala cheia de pedras de diversos tamanhos, as maiores colocadas no fundo e as menores mais próximo à superfície, de modo que permita o escoamento da água pelos vãos que ficam entre elas.

drepanídio. *S. m. Morfol. Veg.* Drepânio.

drepânio. [Do gr. *drepánion*, 'foicinha'.] *S. m. Morfol. Veg.* Inflorescência cimosa unípara cujos ramos se situam, todos, do mesmo lado e no mesmo plano; drepanídio.

dresdense. *Adj. 2 g.* **1.** De, ou pertencente ou relativo à cidade de Dresde (República Democrática Alemã). ● *S. 2 g.* **2.** Natural ou habitante dessa cidade.

dresina. [Do fr. *drasienne.*] *S. f. Bras., PR.* Espécie de veículo de quatro rodas, com dois assentos, que corre sobre trilhos de estrada de ferro. [Cf. *trole* (1).]

dríada. *S. f.* Var. de *dríade:* "Vejo-a, e cuido uma *dríada* estar vendo, / Por entre os claros de uma selva basta, / Aparecendo e desaparecendo..." (Raimundo Correia, *Poesias*, p. 131.)

dríade. [Do gr. *dryás, ádos*, pelo lat. *dryade.*] *S. f.* **1.** Ninfa dos bosques. **2.** *Bras.* Uma das grandes divisões geográficas da flora brasileira, conforme o critério de Martius; drias. [Var.: *dríada.*]

drias. *S. f. Bras.* V. *dríade* (2).

driblar. [Do ingl. *to dribble.*] *V. t. d. Fut.* Enganar (o adversário) negaceando com o corpo e mantendo o controle da bola a fim de ultrapassá-lo; fintar.

drible. [Do ingl. *dribble.*] *S. m. Fut.* Ato ou efeito de driblar; finta, pincel.

driça. *S. f. Ant.* Adriça.

drinque. [Do ingl. *drink.*] *S. m.* Bebida alcoólica, especialmente aperitivo, tomada fora das refeições.

drofa. *S. f. Gír.* Vitrina.

droga. *S. f.* **1.** Qualquer substância ou ingrediente que se usa em farmácia, em tinturaria, etc. **2.** Medicamento. **3.** Produto oficinal (3), de origem animal ou vegetal, no estado em que se encontra no comércio. **4.** Medicamento ou substância entorpecente, alucinógena, excitante, etc. (como, p. ex., a maconha, a cocaína), ingeridos, em geral, com o fito de alterar transitoriamente a personalidade: "— Você só tomou bebida ou foi alguma *droga*? " (Antônio Olinto, *Copacabana*, p. 25.) **5.** *Fig.* Coisa de pouco valor. **6.** Coisa enfadonha, desagradável. ● *S. m.* **7.** *Bras., N.E. Pop.* V. *diabo* (2). ◆ **Drogas do sertão.** Designação genérica de certos produtos vegetais, entre os quais o urucu, a canela e o cravo indígenas, o cacau, a cochonilha, a castanha, a pimenta, que eram objeto de atividade extrativa na região amazônica no Brasil colonial, nos fins do século XVII e na primeira metade do seguinte. **Dar em droga. 1.** Não dar bom resultado ou lucro; malograr-se, frustrar-se, fracassar: "Casamentos com muito amor e pouco raciocínio .... *dão sempre em droga*" (Lauro Palhano, *O Gororoba*, p. 166). **2.** Desacreditar(-se); prostituir-se.

drogado. [Part. de *drogar.*] *Adj.* e *s. m.* Diz-se de, ou aquele que ingeriu droga (2 a 4).

drogar. *V. t. d.* **1.** Administrar droga (2) a; medicar: *O enfermeiro drogou o doente.* **2.** Fazer ingerir droga (4); dopar. *P.* **3.** Intoxicar-se com droga (4). [Conjug.: v. *largar.*]

drogaria. *S. f.* **1.** Estabelecimento onde se vendem drogas [v. *droga* (1 a 3)]. **2.** Porção de drogas [v. *droga* (5)].

drogomano. [Var. de *turgimão* < ár. *tarjumān.*] *S. m.* Intérprete das legações e consulados no Oriente; dragomano, trugimão ou turgimão.

droguete (ê). [Do fr. *droguet.*] *S. m.* Estofo ordinário, de lã, seda e algodão, ou só de lã.

droguista. *S. 2 g.* **1.** Pessoa que vende drogas [v. *droga* (1 a 3)]. **2.** Proprietário de drogaria. ● *S. m.* **3.** *Bras.* Penetrador da Amazônia, que nos sertões dela ia procurar as chamadas *drogas do sertão.* ● *Adj. 2 g.* **4.** *Bras.* Relativo a drogas: *comércio droguista.*

drolático. [Do fr. *drolatique.*] Adj. Que provoca o riso; que diverte; recreativo: "Numa noite de chuva e de tédio, ... , atraído pelos aplausos que reboavam na sala de *Moulin Rouge,* achei-me perdido no meio desse público drolático de huris eróticas, *cocottes* histéricas .... e *noceurs* devassos" (Elísio de Carvalho, *Five o'Clock,* pp. 78-79).

▲-droma. [Do gr. *domáios, a, on.*] *El. comp.* = 'aquilo ou aquele que corre'; 'relativo a corrida': *loxodroma.*

dromedário. [Do lat. *dromedariu.*] *S. m.* Espécie de camelo de pescoço curto e uma corcova. **2.** *Bras. Gír. de jornal.* Redator de banca.

dromeógnato. *Adj.* Diz-se do maxilar superior que apresenta os palatinos não articulados com os pterigóides separados pelo vômer.

▲dromo-. [Do gr. *drómos, ou.*] *El. comp.* = 'corrida' 'lugar para correr': *dromomania.* [Equiv.: *-dromo: autódromo.*]

▲-dromo. Equiv. de *dromo-*.

dromomania. [De *dromo-* + *-mania.*] *S. f.* Mania de vida errante, de vaguear, de andar. [Cf. *drapetomania.*]

dromomaníaco. Adj. Relativo à, ou próprio da dromomania.

dromórnito. [De *dromo-* + *-órnit(o).*] *S. m.* Nome comum às aves que não voam, mas correm.

dromoterapia. [De *dromo-* + *-terapia.*] *S. f. Med.* Emprego terapêutico da marcha.

dromoterápico. *Adj.* Relativo à dromoterapia.

dromunda. *S. f.* Galé de guerra, de grandes dimensões, usada pelos sarracenos no Mediterrâneo nos sécs. IX a XII, armada de esporão e com um alto castelo à proa, movida a remos e à vela.

drope. [Do ingl. *drop.*] *S. m. Bras.* Espécie de bala ou caramelo em forma de pequeno disco. [É m. us. a f. *dropes,* que a rigor é do pl.]

dropes. *S. m. 2 n. Bras.* V. *drope.*

drósera. [Do gr. *droserá,* 'coberta de orvalho'.] *S. f.* Designação comum a várias plantas carnívoras acaules ou com caules abreviadíssimos, da família das droseráceas, pertencentes ao gênero *Drosera,* dotadas de folhas alternas, rosuladas, coloridas de vermelho-purpúreo, cujas flores são actinomorfas, hermafroditas, dispostas em cimeiras, escorpióides ou racemiformes, raro cimoso-corimbosas, e cujo fruto é cápsula.

droserácea. *S. f.* Espécime das droseráceas.

droseráceas. *S. f. pl. Bot.* Família da ordem das serraceniales, composta de pequenas ervas insetívoras que habitam a maior parte do globo, com cerca de 90 espécies. Flores hermafroditas, pentâmeras ou tetrâmeras, com ovário unilocular; fruto capsular; as folhas, dispostas em roseta basal, apresentam pêlos glandulíferos conspícuos que segregam um líquido viscoso, capaz de prender pequenos insetos e digeri-los. [A despeito dessa nutrição animal, as plantas utilizam sobretudo a nutrição mineral, normal das plantas superiores terrestres.]

droseráceo. *Adj.* Pertencente ou relativo às droseráceas.

▲droso-. [Do gr. *drosós, óu.*] *El. comp.* = *'orvalho': drosômetro.*

drosometria. *S. f.* Medição por meio do drosômetro.

drosométrico. *Adj.* Relativo à drosometria.

drosômetro. [De *droso-* + *-metro.*] *S. m.* Instrumento para medir o orvalho que se forma cotidianamente.

druida. [Do lat. *druida.*] *S. m.* Antigo sacerdote, entre os gauleses e bretões. [Fem.: *druidesa* e (p. us.) *druidisa* (q. v.).]

druidesa (ê). [Fem. de *druida.*] *S. f.* Sacerdotisa céltica; druidisa. [Fem. de *druida.*]

druídico. *Adj.* Respeitante aos druidas ou ao druidismo.

druidisa. *S. f. P. us.* Druidesa: "Gemem os bardos. Triste, o olhar por céus em fora / Uma druidisa alonga, e os astros mira, e chora" (Olavo Bilac, *Poesias,* p. 235).

druidismo (u-i). *S. m.* Sistema religioso e filosófico dos druidas.

drupa. [Do gr. *drupa,* pelo lat. *druppa.*] *S. f. Morfol. Veg.* Fruto carnoso provido de um núcleo muito duro, como o pêssego e a manga. A drupa pode ser muito pequena, como a que constitui o verdadeiro fruto do figo. [Dim. irreg.: *drupéola.*]

drupáceo. *Adj. Morfol. Veg.* Que tem os caracteres da drupa; drupeolado: *fruto drupáceo.*

drupéola. *S. f. Morfol. Veg.* Pequena drupa.

drupeolado. [De *drupéola* + *-ado*[1].] *Adj. Morfol. Veg.* Drupáceo.

drusa. [Do al. *Drüse,* 'bolota', pelo fr. *druse.*] *S. f.* **1.** *Min.* Grupamento irregular de cristais sobre uma matriz. **2.** *Anat. Veg.* Macla globosa formada por cristais, que se encontra no interior de muitas células vegetais.

drusiforme. *Adj. 2 g.* Em forma de drusa.

druso. [Do ár. *Durūz* < Ismail al-*Darazi,* o fundador da seita, no séc. XI.] *Adj. e s. m.* Diz-se de, ou membro de determinada seita religiosa secreta na Síria e no Líbano cuja crença é basicamente maometana.

➧dry-farming (drái-fármin'). [Ingl., 'lavoura-seca'.] *S. m.* Processo de agricultura típico de regiões de chuvas escassas.

■ **DST.** *Med.* Sigla de *doenças sexualmente transmissíveis.* [São, algumas delas, a sífilis, a gonorréia, a clamidíase.]

dual. [Do lat. *duale.*] *Adj. 2 g.* **1.** Composto de duas partes. **2.** Relativo a dois. ~ V. *número* —. ● *S. m.* **3.** *Gram.* Divisão da categoria de número que existia, ao lado do singular e do plural, no indo-europeu e em certas línguas dele derivadas, como o grego, indicando um par de seres. Caracteriza-se, em latim, pelas desinências -o e -i, como em *duo, ambo, viginti* (duas dezenas). **4.** *Mat.* Número dual.

dualidade. *S. f.* Caráter do que é dual ou duplo.

dualismo. [De *dual* + *-ismo.*] *S. m.* **1.** *Filos.* Doutrina que, em qualquer ordem de idéias, admite a coexistência de dois princípios irredutíveis. Ex.: dualismo da alma e do corpo, do bem e do mal, da matéria e do espírito. **2.** *P. ext.* Coexistência de dois princípios ou posições contrárias, opostas: *Havia nele o dualismo do bem e do mal.* **3.** *Fís.* Existência de duas teorias e interpretações para os fenômenos luminosos ou, em geral, os fenômenos radiativos: uma admite que tais fenômenos sejam produzidos por ondas periódicas, e a outra os interpreta como produzidos por partículas discretas; dualismo onda-partícula. ◆ **Dualismo onda-partícula.** *Fís.* Dualismo (3).

dualista. *Adj. 2 g.* **1.** Dualístico. **2.** Que é sectário do dualismo. ● *S. 2 g.* **3.** Sectário dele.

dualístico. *Adj.* Referente ao dualismo, ou que tem os seus caracteres; dualista.

dualizador (ô). *Adj.* Que dualiza.

dualizar. *V. t. d.* **1.** Tornar dual. **2.** Referir a duas coisas ao mesmo tempo.

duartense. *Adj. 2 g. Bras.* **1.** De, ou pertencente ou relativo a Manuel Duarte (RJ). ● *S. g.* **2.** Natural ou habitante de Manuel Duarte.

duartinense. *Adj. 2 g.* **1.** De, ou pertencente ou relativo a Duartina (SP). ● *S. 2 g.* **2.** Natural ou habitante de Duartina.

duas. [Do lat. *duas.*] *Num.* Fem. de *dois.*

duas-peças. *S. m. 2 n.* Conjunto feminino composto de uma saia e uma blusa, e usado como vestido: *um duas-peças de seda pura.*

dubá. [F. eufêmica de *diabo.*] *S. m. Bras., ES. Pop. V. diabo* (2).

dubiedade. [Do lat. *dubietate.*] *S. f.* Qualidade de dúbio. [Sin. (p. us.): *dubiez.*]

dubiez (ê). *S. f. P. us.* Dubiedade.

dúbio. [Do lat. *dubiu.*] *Adj.* **1.** Duvidoso, incerto; ambíguo: *A análise ofereceu um resultado dúbio;* "Ministro é vocábulo de significado dúbio: é o que serve e o que governa." (Carlos de Laet, *Obras Seletas,* I, p. 34). **2.** Vacilante, indeciso, vago, hesitante: *caráter dúbio;* "Na sua alcova branca e silenciosa, à luz dúbia de uma lamparina de jaspe, vela uma criada" (Maria Amália Vaz de Carvalho, *Contos e Fantasias,* p. 233). **3.** Difícil de definir ou explicar: *Lançou-lhe um olhar dúbio.*

dubitação. [Do lat. *dubitatione.*] *S. f.* **1.** *Ant.* Dúvida. **2.** *Ret.* Figura pela qual o orador finge duvidar daquilo que pretende afirmar.

dubitativo. [Do lat. *dubitativu.*] *Adj.* **1.** Que exprime dúvida. **2.** Em que há dúvida.

dubitável. [Do lat. *dubitabile.*] *Adj. 2 g.* De que se pode duvidar; que pode ser posto em dúvida.

dublado. [Part. de *dublar.*] *Adj.* Em que se fez dublagem; que se dublou.

dublador (ô). *Adj. e s. m. Cin.* e *Telev.* Que ou aquele que dubla.

dublagem. [Do fr. *doublage.*] *S. f. Cin.* e *Telev.* **1.** Registro da parte falada ou cantada da trilha sonora de um filme, geralmente na língua original e pelo próprio ator, após a realização da filmagem. **2.** Substituição da parte falada ou cantada da trilha sonora original de um filme por outra, em idioma diferente.

dublar. *V. t. d. Cin.* e *Telev.* Fazer a dublagem de.

dublê. [Do fr. *double.*] *S. 2 g.* Pessoa que, pela semelhança com outra (ator, homem público, etc.) a substitui em determinadas circunstâncias: *Nas cenas de perigo, o dublê desempenha o papel do grande astro.*

dubleto (ê). [Do fr. *dublet.*] *S. m.* **1.** *Ópt.* Lente composta de duas lentes simples sem aberração cromática, e geralmente corrigida, também, para outra aberração. **2.** *Ópt.* Raia espectral constituída por dois componentes de comprimento de onda muito próximos. **3.** *Fís. Nucl.* Conjunto de duas partículas fundamentais com o mesmo número bariônico, massas quase iguais, mas cargas elétricas diferentes.

dublinense. *Adj. 2 g.* **1.** De, ou pertencente ou relativo à cidade de Dublin, capital da Irlanda. ● *S. 2 g.* **2.** Natural ou habitante dessa cidade.

duboisina. [Do lat. botânico *Duboisia (Duboisia myoporoides)* + *-ina.*] *S. f.* Alcalóide extraído de uma planta escrofulariácea e que tem, ainda mais que a atropina, a propriedade de dilatar as pupilas.

dubu. [De possível or. indígena.] *S. m. Bras.* Dundu.

ducado[1]. [Do lat. *ducatu.*] *S. m.* **1.** Território que constitui o domínio de um duque. **2.** Estado que tem por soberano um duque. **3.** Dignidade de duque.

ducado[2]. [Do esp. *ducado* < it. *ducato.*] *S. m.* Designação comum a diversas moedas de ouro, de vários países: "pede [Leão X] que lhe dêem 147 ducados de ouro para comprar o manuscrito do livro 33 de Tito Lívio" (Ramalho Ortigão, *Figuras e Questões Literárias,* I, p. 14).

ducal. [Do lat. *ducale.*] *Adj. 2 g.* Pertencente ou relativo a, ou próprio de duque.

ducatão. [Do it. *ducatone.*] *S. m.* **1.** Antiga moeda portuguesa mandada cunhar por D. Sebastião (séc. XV). **2.** Certa moeda castelhana.

ducentésimo. [Do lat. *ducentesimu.*] *Num.* **1.** Ordinal e multiplicativo correspondentes a duzentos. ● *S. m.* **2.** Cada uma das duzentas partes iguais em que se divide um todo. **3.** Aquele ou aquilo que ocupa o ducentésimo lugar.

ducha. [Do gr. *douche.*] *S. f.* **1.** Jorro de água dirigido sobre o corpo de alguém, com fins terapêuticos ou higiênicos. [Sin., lus.: *duche.*] **2.** Boxe para banho de ducha ou de chuveiro. **3.** *Fig.* Tudo quanto acalma uma excitação: *O resultado do exame foi uma ducha em seu entusiasmo.* **4.** *Fam.* V. *repreensão* (1). ~ V. *duchas.*

duchal. *Adj. 2 g.* De, ou relativo a ducha: *jacto duchal.*

duchar. *V. t. d. Bras.* Arremessar um jorro de água, uma ducha, sobre (alguém); aplicar duchas a.

duchas. [Pl. de *ducha.*] *S. f. pl.* Estabelecimento onde se aplicam duchas. ~ V. *ducha.*

duche. *S. f. Lus.* Ducha (1).

duchista. *S. 2 g. Bras.* Pessoa que administra duchas.

ducina. [Do fr. *doucine.*] *S. f. Arquit.* Moldura côncava na metade superior e convexa na inferior, geralmente aplicada em cornijas.

dúctil. [Do lat. *ductile.*] *Adj. 2 g.* **1.** Que se pode reduzir a fios, estirar, distender, sem se romper; flexível, elástico: "bolinha de massa dúctil como cera" (Ramalho Ortigão, *A Holanda,* p. 180); "na ânsia de agitar expressões marasmadas, de tornar rútilas as esmaecidas, e dúcteis as agrestes, desarticula [Camilo Castelo Branco] prefixos, muda desinências, divorcia partículas verbalmente casadas" (Antero de Figueiredo, *Jornadas em Portugal,* p. 179). **2.** *Fig.* Dócil, amoldável, contemporizador: *caráter dúctil.* [Pl: dúcteis. Superl. abs. sint.: *ductílimo* e *ductilíssimo.*]

ductilidade. *S. f.* Qualidade ou propriedade de dúctil.

ductílimo. *Adj.* Superl. abs. sint. de *dúctil;* ductilíssimo.

ductilíssimo. *Adj.* Ductílimo.

ducto. [Do lat. *ductu.*] *S. m.* **1.** *Anat.* Estrutura tubular, com paredes bem delimitadas, que dá passagem, de acordo com o aparelho ou sistema a que pertença, a matérias diversas (bile, sangue, suco pancreático, etc.) **2.** *Lit.* Cada uma das oscilações com que se movimenta o turíbulo para incensar. **3.** *Constr.* Qualquer tubulação (oleoduto, gasoduto, etc.) destinada a conduzir a grandes distâncias fluidos ou materiais fluidificados. [Var.: *duto.*]

ductor (ô). [Do lat. *ductore,* 'condutor, guia'.] *S. m.* V. *piloto* (8).

duelar[1]. *Adj. 2 g.* Relativo a duelo.

duelar[2]. [Do lat. *duellare.*] *V. int.* e *p.* Bater-se em duelo.

duelista. *S. 2 g.* Pessoa que se bate, ou tem o hábito de bater-se, em duelo.

duelístico. *Adj.* Relativo a duelo.

duelo. [Do lat. *duellu.*] *S. m.* **1.** Combate entre duas pessoas. **2.** Luta com armas iguais. **3.** *Fig.* Qualquer forma de combate: luta, desafio, oposição: *duelo de idéias; duelo entre tendências opostas; o duelo entre as nações pela conquista dos mares.*

duende. [Do esp. *duende.*] *S. m.* Entidade fantástica ou espírito sobrenatural que se acreditava aparecer de noite nas casas, fazendo travessuras.

duerno. [Do lat. *duo*, 'dois', + a term. de *caderno.*] *S. m.* Duas folhas de papel de impressão, uma dentro da outra.

duetista. *S. 2 g.* Pessoa que canta dueto com outra.

dueto (ê). [Do it. *duetto.*] *S. m.* **1.** Composição musical para duas vozes ou dois instrumentos. **2.** Canto a duas vozes. **3.** *Fam.* Conversação entre duas pessoas. [Sin. ger.: *duo.*]

▲dui-. [Do lat. *duo, ae, o.*] *El. comp.* = 'dois': *duípara.* [Equiv.: *du(o)-: duerno, duodécuplo.*]

duidade (u-i). [Do lat. *duitate.*] *S. f.* **1.** União de dois. **2.** O número dois.

duípara. [De *dui-* + *-para.*] *Adj.* (*f.*) e *s. f.* Diz-se daquela, ou aquela que dá à luz pela segunda vez; secundípara.

dulcamara. [Do lat. *dulcamara.*] *S. f.* V. *doce-amarga.*

dúlcido. *Adj.* Doce, brando, suave, meigo: "O teu olhar fez-se brando, / Tornou-se dúlcido e lento." (Augusto Gil, *O Craveiro da Janela*, p. 55.)

dulcificação. *S. f.* Ato ou efeito de dulcificar(-se); adoçamento.

dulcificado. *Adj.* **1.** Adoçado. **2.** *Fig.* Abrandado, mitigado.

dulcificante. *Adj. 2 g.* Que dulcifica.

dulcificar. *V. t. d.* **1.** Tornar doce; adoçar. **2.** Tornar agradável, ditoso, feliz; adoçar: *A amizade dulcifica a vida.* **3.** Suavizar, abrandar, mitigar, adoçar. *P.* **4.** Suavizar-se, abrandar(-se). [Conjug.: v. *trançar.* Pres. ind.: *dulcifico*, etc. Cf. *dulcífico.*]

dulcífico. *Adj.* **1.** Que dulcifica. **2.** Que é doce. [Cf. *dulcifico*, do v. *dulcificar.*]

dulcífluo. [Do lat. *dulcifluu.*] *Adj.* Que flui ou corre suavemente. [Cf. *melífluo* (1).]

dulcíloquo (co). [Do lat. *dulciloquu.*] *Adj.* Que fala docemente.

dulcinéia. [De *Dulcinea del Toboso*, personagem do *D. Quixote*, de Cervantes [v. *cervantino*], na qual o apaixonado cavaleiro se empenhava em descobrir todas as perfeições físicas e morais.] *S. f.* Namorada, conversada.

dulcíssimo. [Do lat. *dulcissimu.*] *Adj.* Superl. abs. sint. de *doce*; docíssimo: "Cantam as aves, em surdina, / Cantos dulcíssimos de amor." (Ricardo Gonçalves, *Ipês*, p. 60.)

dulcíssono. [Do lat. *dulcisonu.*] *Adj.* Que soa docemente, melodiosamente.

dulçor (ô). [Do esp. *dulzor.*] *S. m.* Doçura.

dulçoroso (ô). *Adj.* Cheio de dulçor.

dulia. [Do gr. *douleía.*] *S. f. Teol.* Culto prestado aos santos e aos anjos. [Cf. *hiperdulia* e *latria* (1).]

dulocracia. [Do gr. *doulokratía.*] *S. f.* Predomínio do elemento escravo.

duludi. *Bras. S. 2 g.* **1.** Indivíduo dos duludis, tribo indígena do rio Jaraucu, afluente do Acici, no município de Porto de Moz (PA). ● *Adj. 2 g.* **2.** Pertencente ou relativo a essa tribo.

dum. Contr. da prep. *de* e do num., art. e pron. *um:* "Esboçou .... o plano dum poema dramático" (Eça de Queirós, *A Capital*, p. 31). [Flex.: *duma, duns, dumas.*]

duma[1]. [Do russo *duma*, do v. *dumate*, 'refletir', 'julgar'.] *S. f.* Assembléia dos representantes do povo, na Rússia czarista.

duma[2]. Fem. de *dum.*

➨dumping (dâmpin'). [Ingl.] *S. m. Econ. Pol.* Sistema de economia protecionista que, para incentivar artificialmente a exportação, lança no mercado internacional produtos pelo preço do custo, ou abaixo do custo, elevando-os excessivamente no mercado interno, de forma que compense o prejuízo e favoreça aos trustes e cartéis a colocação dos excedentes.

duna. [Do neerl. *duin*, atr. do fr. *dune.*] *S. f.* **1.** Monte de areia movediça formado pela ação do vento: "praias longas, ondulando em dunas alvas" (Coelho Neto, *Turbilhão*, p. 10); "As dunas brancas se amontoam de um lado e de outro, tapando mar e sol." (Cecília Meireles, *Giroflê, Giroflá*, p. 41.) [Cf. *médão.*] **2.** *P. ext.* V. *cômoro.*

dundu. [De possível or. indígena.] *S. m. Bras.* Peixe teleósteo, siluriforme, da família dos pimelodídeos (*Pimelodella gracilis* (Val.)), largamente distribuído pelo País com uma lista negra ao longo da linha longitudinal, o primeiro raio da nadadeira dorsal acentuadamente mais longo que os demais, e comprimento de até 9 cm; dubu.

dundum. [Do top. *Dum-Dum*, de um acantonamento militar próximo de Calcutá.] *S. f.* Bala de cápsula modificada de maneira que produza ferimentos sempre muito graves.

dunga. [De or. afr. (= *'senhor'*), talvez.] *S. m. Bras. Pop.* **1.** Homem bravo, valente. V. *valentão* (3). **2.** V. *curinga* (1). **3.** *Bras., N.E.* O dois de paus, em certos jogos. **4.** *Bras., CE* e *PB.* Homem importante; chefe, cabeça, maioral.

dunguinha. [Dim. de *dunga.*] *S. m. Bras.* **1.** Criançola. **2.** Pessoa insignificante, de quem não se faz caso.

dunito. [Do top. *Dun* + *-ito*[2].] *S. m. Geol.* Peridotito constituído essencialmente de olivina, com pequena porção de espinélio cromífero.

dunquerque. [Do top. *Dunquerque.*] *S. m.* Pequeno armário de encostar, da altura de uma cômoda, com portas de vidro ou não, para exposição ou guarda de objetos: "— Tenho uma cômoda, que foi da vovó, que é um colosso! ... Tenho um dunquerque de jacarandá, com pés de garra, simplesmente primoroso!" (Marques Rebelo, *O Simples Coronel Madureira*, p. 119.)

duo. [Do it. *duo.*] *S. m.* Dueto.

▲du(o)-. Equiv. de *dui-.*

duodecimal. *Adj. 2 g* **1.** Que se divide ou se conta por séries de doze. **2.** Que tem por base o número doze. ~ V. *número* — e *sistema* —.

duodécimo. [Do lat. *duodecimu.*] *Num.* **1.** Décimo segundo. [Sin. (desus.): *dozeno.*] ● *S. m.* **2.** Cada uma das 12 partes em que se pode dividir um todo.

duodécuplo. [De *duo-* + lat. *decuplu*, 'décuplo'.] *Num.* **1.** Que é 12 vezes maior. ● *S. m.* **2.** Quantidade 12 vezes maior que outra.

duodenal. *Adj. 2 g.* Relativo ou pertencente ao duodeno. ~ V. *tubagem* —.

duodenário. [Do lat. *duodenariu.*] *Adj.* Disposto em séries de doze.

duodenite. [De *duodeno* + *-ite*[1].] *S. f. Patol.* Inflamação do duodeno.

duodeno. [Do lat. *duodeni*, 'de doze em doze'.] *S. m. Anat.* A primeira porção do intestino delgado, situada entre o piloro e o jejuno.

duodenotomia. [De *duodeno* + *-tom(o)-* + *-ia.*] *S. f. Cir.* Incisão no duodeno.

duodenotômico. *Adj.* Relativo à duodenotomia.

duodinamismo. *S. m. Filos.* Doutrina que admite, para a explicação do Universo, um princípio vital distinto do princípio racional. [Cf. *animismo* (1) e *vitalismo.*]

dupla. [Fem. substantivado do adj. *duplo.*] *S. f.* **1.** *Bras. Fam.* Grupo de duas pessoas que atuam em comum, andam sempre ou quase sempre juntas, etc. **2.** *Astr.* V. *estrela binária.* **3.** *Mat.* Conjunto, em geral ordenado, de dois elementos. **4.** *Turfe.* Modalidade de aposta, em que se combinam o vencedor e o segundo colocado de acordo com os números das respectivas chaves [v. *chave* (22)] em que se acham inscritos.

dupla-distância. *S. f.* Método utilizado pela primeira vez pelo astrônomo russo F. G. Struve (1793-1864) na determinação precisa da distância entre dois astros muito próximos; método de dupla-distância. [Pl.: *duplas-distâncias.*]

dupla-ligação. *S. f. Quím.* Espécie de ligação química na qual os átomos ligados compartilham dois pares de elétrons. [Pl.: *duplas-ligações.*]

dupleto (ê). *S. m. Fís.* Par de elétrons, comum a dois átomos que formam uma ligação covalente entre estes.

dúplex (cs). [Do lat. *duplex.*] *Num.* **1.** V. *dúplice* (1). ● *Adj. 2 g.* **2.** *Bras.* Diz-se de apartamento que se desenvolve em dois pavimentos. [Pronuncia-se correntemente como oxítono. [Pl.: *dúplices.*] V. *autotipia* —, *cartão* —, *cartolina* —, *operação* —, *papel* —, *prensa* — e *tinta* —. ● *S. m.* **3.** Apartamento dúplex. [Cf. *tríplex.*]

duplexor (csô). *S. m. Eng. Eletrôn.* Num radar, dispositivo que estabelece a ligação da antena ao circuito emissor durante a emissão e conecta a antena ao circuito receptor logo depois da emissão.

duplicação. [Do lat. *duplicatione.*] *S. f.* **1.** Ato ou efeito de duplicar; dobro, repetição **2.** *Tip.* Repetição (5).

duplicado. [Part. de *duplicar.*] *Adj.* **1.** Em dobro; dobrado. ● *S. m.* **2.** Reprodução, traslado, cópia; duplicata.

duplicador (ô). [Do lat. *duplicatore.*] *Adj.* **1.** Que duplica; duplicante. ● *S. m.* **2.** Aquele que duplica. **3.** Qualquer dos aparelhos, como o mimeógrafo ou o hectógrafo, usados para multigrafar textos ou desenhos executados em matrizes especiais. ◆ **Duplicador a álcool.** Hectógrafo.

duplicante. [Do lat. *duplicante.*] *Adj. 2 g.* Duplicador(1).

duplicar. [Do lat. *duplicare.*] *V. t. d.* **1.** Aumentar com outro tanto; tornar duas vezes maior; dobrar. **2.** Fazer em duplicado; fazer repetidas vezes. **3.** *P. ext.* Fazer crescer; aumentar: *O milagre duplicou sua fé.* **4.** *Mat.* Multiplicar (uma quantidade) pelo fator dois. *Int.* **5.** Tornar-se outro tanto maior; dobrar: *A ocorrência feliz fez que suas esperanças duplicassem.* ● [Conjug.: v. *trancar.*]

duplicata. [Do lat. *duplicata.*] *S. f.* **1.** Duplicado (2). **2.** Título de crédito formal, nominativo, emitido por negociante com a mesma data, valor global e vencimento da fatura, e representativo e comprobatório de crédito preexistente (venda de mercadoria a prazo), destinado a aceite e pagamento por parte do comprador, circulável por meio de endosso, e sujeito à disciplina do direito cambiário. [Cf. (nesta acepç.): *conta assinada, fatura* (2) e *triplicata* (2). V. *título de crédito.*]

duplicativo. *Adj.* Que duplica.

duplicatura. [Do lat. *duplicatu*, 'duplicado' + *-ura.*] *S. f.* Estado de coisa que se dobra sobre si mesma.

duplicável. *Adj. 2 g.* Que pode ser duplicado.

dúplice. [Do lat. *duplice.*] *Num. 2 g.* **1.** Duplo, duplicado. [F. paral.: *dúplex.*] **2.** *Fig.* Doble ou dobre; fingido.

duplicidade. [Do lat. *duplicitate.*] *S. f.* **1.** Qualidade daquilo que é dúplice. **2.** *Fig.* Qualidade ou procedimento daquele que é dúplice; doblez ou dobrez; fingimento.

duplo. [Do lat. *duplu.*] *Num.* **1.** Que equivale a duas vezes outro; dobrado. ~ V. *adaga —a, barra — a, bomba de ação —a, cruz —a, — diodo, estrela —a, falta —a, fólio —, ligação —a, mão —a, palimpsesto —, pneumonia —a, ponto —, raiz —a, —a refração, sal —* e *— tríodo.* ● *S. m.* **2.** Quantidade que equivale a duas vezes a outra; dobro. **3.** Pessoa ou coisa muito semelhante a outra, como se fosse uma réplica dessa outra: *O menino é o duplo do pai.*

duplo-fundo. *S. m. Constr. Nav.* Estrutura do fundo de alguns navios de aço, destinada a aumentar a resistência do casco e dificultar a entrada de água em caso de encalhe, e constituída pelo forro exterior da carena e por segundo forro cujas chapas assentam sobre a parte superior das cavernas. [Pl.: *duplos-fundos.*]

duque[1]. [Do lat. *dux*, 'guia, general', atr. do fr. ant. *duc.*] *S. m.* **1.** Primitivamente, título dado ao comandante militar das tropas romanas acampadas nas províncias. **2.** V. *barão* (1). [Fem. *duquesa.*] ~ V. *duques.*

duque[2]. *S. m.* **1.** Carta de jogar que tem dois pontos. **2.** Dois pontos, na víspora. **3.** *Bras. Pop. Obsol.* Nota de 10 cruzeiros. **4.** *Bras., N.E.* Vestuário masculino constituído de paletó e calças de igual fazenda e cor. [Usa-se em geral, impr., *terno.*] ~ V. *duques.*

duques. [Pl. de *duque.*] *S. m. pl. Bras.* No jogo do gamão, repetição do número dois em ambos os dados. ~ V. *duque.*

duquesa (ê). *S. f.* **1.** Mulher de duque[1]. **2.** Senhora que tem título de nobreza correspondente ao de duque. **3.** Espécie de cetim de seda.

dura[1]. [Dev. de *durar.*] *S. f.* Duração (1): *contentamento de pouca dura.*

dura[2]. [Fem. substantivado do adj. *duro.*] *El. s. f. Us.* na *loc. dar uma dura.* ◆ **Dar uma dura.** *Bras.* Dar um apertão: *O policial deu uma dura na rapaziada para ver se descobria algum tóxico.*

▲-(dura. [Do lat. *(t)ura* e *(s)ura.*] *Suf. nom.* = 'ação', 'instrumento de ação', 'resultado de ação': *semeadura, ligadura* (< lat. ligatura); *atadura.* Equiv.: *-(t)ura:* e *-(s)ura: tintura* (< *linctura*), *criatura* (< lat. *creatura*); *clausura* (< lat. *clausura*), *mensura.*

durabilidade. [Do lat. *durabilitate.*] *S. f.* Qualidade durável.

duração. *S. f.* **1.** O tempo que uma coisa dura; dura. **2.** Qualidade daquilo que dura. **3.** *Cin.* V. *tempo de projeção.* **4.** *Filos.* Segundo Henri Bergson [v. *bergsonismo*], a sucessão das mudanças qualitativas dos nossos estados de consciência, que se fundem sem contornos precisos e sem possibilidades de medição. **5.** *Fon.* V. *articulação* (5). ◆ **Duração de um pulso.** *Eletrôn.* Tempo decorrido entre o início e o término de um pulso; comprimento de um pulso.

duradoiro. *Adj.* V. *duradouro.*

duradouro. *Adj.* **1.** Que dura muito, ou pode durar muito; durável. **2.** *P. ext.* V. *vivedouro* (2). [Var.: *duradoiro.*]

dural[1]. *S. m. Quím.* F. red. de *duralumínio.*

dural[2]. *Adj. 2 g.* Respeitante à dura-máter.

duralumínio. [Do top. *Düren + alumínio.*] *S. m. Quím.* Liga metálica de alumínio (95%), cobre, manganês e magnésio. [F. red.: *dural.*]

dura-máter. [Do lat. *dura mater,* 'mãe dura': *mãe,* porque protege; *dura,* por ser consistente.] *S. f. Anat.* A mais externa e espessa das três camadas que envolvem o encéfalo e a medula espinhal. [V. *meninge.*]

durame. [Do lat. *duramen.*] *S. m. Anat. Veg.* V. *cerne* (1). [F. paral: *durâmen.*]

durâmen. *S. m. Anat. Veg.* Durame. [Pl.: *duramens e* (p. us. no Brasil) *durâmenes.*]

durante[1]. [De *durar + -nte.*] *S. m.* Tecido de lã lustroso como cetim.

durante[2]. [Do lat. *durante,* part. pres. de *durare,* 'durar'.] *Prep.* Exprime duração. **1.** No tempo de: *Durante o almoço choveu.* **2.** Pelo espaço de: *Calou-se durante uns minutos.*

durão. [Aum. substantivado do adj. *duro*[2] (10).] *S. m. Bras. Pop.* Homem forte e bravo; valente.

duraque. [Do top. *Durak.*] *S. m.* Tecido muito forte e consistente, que se utilizava de modo especial no calçado de senhoras: "um pé pequeno, bonito, muito apertado em botinas de duraque com ponteiras de verniz." (Eça de Queirós, *O Primo Basílio,* p. 12.)

durar. [Do lat. *durare.*] *V. int.* **1.** Ter duração; continuar a existir; prolongar-se: "A excursão durou seis semanas." (Machado de Assis, *Iaiá Garcia,* p. 125.) **2.** Persistir, perdurar: *Sentiu-se feliz enquanto durou aquela ilusão;* "O discurso dura mais de duas horas." (Lindolfo Collor, *Europa 1939,* p. 13.) **3.** Conservar-se em determinado estado, com as mesmas qualidades: *Decorrem séculos, e o ouro dura.* **4.** Viver; existir: *Desejaram-lhe durasse ainda por longos anos.* **5.** Ter resistência; não se gastar depressa; resistir: *Este tecido dura muito.*

durasnal. [Do esp. plat. *duraznal.*] *S. m. Bras., RS.* Pomar de pessegueiros.

durável. [Do lat. *durabile.*] *Adj. 2 g.* V. *duradouro* (1).

durázio. [Do lat. *duracinu.*] *Adj.* **1.** Diz-se de alguns frutos cuja casca é dura. **2.** *Fam.* Que já não é moço: "Meia dúzia de velhas e virgens, já durázias, seguiam o ritual." (Garibaldino de Andrade, *O Sol e a Nuvem,* p. 131.) ~ V. *trigo* —.

dureza (ê). [Do lat. *duritia.*] *S. f.* **1.** Qualidade ou estado de duro[2]; rijeza. **2.** Ação dura; crueldade: *A dureza do bandido era de arrepiar.* **3.** Severidade, rigor: *É notória a dureza de seu caráter.* **4.** *Quím.* Propriedade das águas que contêm sais de cálcio ou de magnésio, e que se evidencia pela dificuldade de formar espuma com os sabões. **5.** *Fís.* Em linguagem corrente, a energia de um raio X ou raio gama. [A dureza é grande quando o raio é muito energético, e pequena quando o raio é pouco energético.] **6.** *Min.* Resistência que o mineral oferece ao esforço exercido à sua superfície com o fim de o riscar. **7.** *Bras. Fam.* Aumento ou endurecimento de órgão interno, particularmente o baço. **8.** *Bras. Gír.* V. *pindaíba* (4).

durião. [Do malaio-javanês *durian.*] *S. m.* Árvore grande, da família das bombacáceas *(Durio zibethinus),* de flores hermafroditas, alvas, com cálice campanulado, frutos oblongos, grandes. esverdeados e espinescentes, com sementes envoltas em polpa alva e macia, comestíveis.

duriense. [Do lat. *duriense.*] *Adj. 2 g.* **1.** De, ou pertencente ou relativo ao Douro (Portugal). ● *S. 2 g.* **2.** Natural ou habitante do Douro.

durim-durim. [De *durinho,* dim. de *duro,* repetido.] *S. m. Bras., N.* e *N.E.* Brinquedo que se faz com os bebês, segurando-os de pé na palma da mão. [Pl.: *durim-durins.*]

durina. [De *duro, talvez.*] *S. f. Bras.* V. *mal-de-escancha.*

durindana. *S. f.* **1.** A espada do famoso paladino Roldão, um dos doze pares de Carlos Magno. **2.** *P. ext.* Espada grande; espada: "dir-se-ia um anjo vingador, armado de flamejante gládio, um herói manchego a brandir ferocíssima durindana" (Alphonsus de Guimaraens, *Obra Completa,* p. 459). **3.** *Bras. S.* Faca ou punhal.

duro[1]. [Do esp. *duro.*] *S. m.* Moeda espanhola, de prata.

duro[2]. [Do lat. *duru.*] *Adj.* **1.** Que não é tenro ou mole; rijo: *carne dura.* **2.** Difícil de penetrar ou de riscar; consistente, sólido: *pedra dura.* **3.** Desagradável ao ouvido; áspero: *som duro.* **4.** Árduo, trabalhoso, penoso: *vida dura.* **5.** Implacável, inexorável: *duras leis.* **6.** Forte, rigoroso: *inverno duro.* **7.** Firme, enérgico: *palavras duras; caráter duro.* **8.** Cruel, insensível, impassível, empedernido: "Inda conserva o pálido semblante / Um não sei quê de magoado e triste, / Que os corações mais duros enternece." (Basílio da Gama, *O Uruguai,* IV, p. 81.) **9.** *Bras.* Resistente, vigoroso: *É um velhinho ainda bem duro* ● **10.** *Bras.* Valente, corajoso, bravo: "Sê duro guerreiro, / Robusto, fragueiro" (Gonçalves Dias, *Obras Poéticas,* II, p. 43). **11.** V. *valentão* (1). **12.** *Bras. Pop.* V. *pronto* (10). **13.** *Bras.* Apinhado, cheio: *O teatro estava duro de gente.* ~V. *aço —, água —a, cancro —, capa —a, linha —a, madeira —a, palato —, raio X —, sabão — e verniz —.* ● *S. m.* **14.** V. *pronto* (12). **15.** *Bras. BA.* Local arenoso e firme sob as águas do mar. ♦ **Dar um duro.** *Bras.* Fazer grande esforço; trabalhar duramente, com afinco. **No duro.** *Bras. Pop.* Com toda a certeza; sem sombra de dúvida: "Era circo de cavalinhos dos antigos, dos bons, circo no duro." (Pedro Nava, *Balão Cativo,* p. 70.)

duro-a-fogo. *S. m. Bras. N.E.* **1.** Fumo de péssima qualidade, que arde a custo. **2.** *Fig.* Pessoa insensível às repreensões que lhe passam. **3.** Indivíduo velhaco, mau pagador, caloteiro. [Pl.: *duros-a-fogo.*]

duroaracnite. [De *duro,* por *dura-máter, + aracn(óide) + -ite*[1].] *S. f. Patol.* Inflamação das membranas dura-máter e aracnóide.

durômetro. *S. m.* Instrumento com que se mede a dureza de materiais.

duto. *S. m. Anat., Lit.* e *Constr.* Var. de *ducto.*

duunvirado. [Do lat. *duumviratu.*] *S. m.* **1.** Cargo de duúnviro. **2.** Governo de dois homens. **3.** A duração daquele cargo. [F. paral.: *duunvirato.*]

duunviral. [Do lat. *duumvirale.*] *Adj. 2. g.* Referente a duúnviro.

duunvirato. *S. m.* Duunvirado.

duúnviro. [Do lat. *duumviru.*] *S. m.* Cada um dos dois magistrados romanos que exerciam poder conjuntamente.

dúvida. [Dev. de *duvidar.*] *S. f.* **1.** Incerteza sobre a realidade de um fato ou verdade de uma asserção; hesitação, indecisão: *Estava em dúvida, indeciso quanto ao que lhe haviam dito.* **2.** Dificuldade em crer; descrença, cepticismo. **3.** Desconfiança, suspeita: *A dúvida corroía-lhe a alma.* **4.** Escrúpulo, receio: *Tinha dúvida em aceitar a oferta; era excessiva.* **5.** Obstáculo, objeção: *Gostava dela, sua dúvida era a família.* [Cf. *duvida,* do v. *duvidar.*] ♦ **Por sem dúvida.** V. *sem dúvida:* "Por sem dúvida a execução artística está muito longe da perfeição." (Bernardo Guimarães, *O Seminarista,* pp. 36-37.) **Sem dúvida.** Com certeza; indubitavelmente; por sem dúvida.

duvidador (ô). [Do lat. *dubitatore.*] *S. m.* Aquele que duvida; indivíduo desconfiado, céptico.

duvidança. *S. f. Ant.* Dúvida; incerteza.

duvidar. [Do lat. *dubitare.*] *V. t. d.* **1.** Ter dúvida ou estar em dúvida sobre; não saber: *Duvidava se tinha ante si um ente de carne e osso, ou uma visão.* **2.** Não acreditar, não admitir: *Duvidava que o amigo o houvesse traído. T. i.* **3.** Estar na dúvida: na incerteza; não confiar; não acreditar; desconfiar: *Segundo os Evangelhos, S. Tomé duvidou da ressurreição de Cristo.* **4.** Estar ou mostrar-se incerto; hesitar: *Duvidou em aceitar o convite. Int.* **5.** Não crer; ser céptico: "eu não duvido pelo mero prazer de duvidar, mas sim porque ambiciono uma certeza." (Rui Cinatti, *Anoitecendo, a Vida Recomeça,* p. 82). **6.** *Bras. SP.* Questionar (5). [Pres. ind.: *duvido, duvidas, duvida,* etc. Cf. *dúvida.*]

duvidoso (ô). *Adj.* **1.** Que oferece dúvida(s); incerto: *um texto de interpretação duvidosa.* **2.** Que inspira desconfiança; suspeito. **3.** Indeciso, hesitante. **4.** Indeciso, indeterminado, indistinto, dúbio: "o torso moreno e roliço brilhou nas sombras duvidosas da tarde, porque a noite já se intrometia com chiados de insetos no mato rasteiro." (Moreira Campos, *Portas Fechadas,* p. 13).

duzentão. *S. m. Bras. Pop.* Duzentos réis: "Dá aí duzentão de cachaça!" (Antônio de Alcântara Machado, *Novelas Paulistanas,* p. 100.)

duzentos. [Do lat. *ducentos.*] *Num.* **1.** Cardinal dos conjuntos equivalentes a um conjunto de duas centenas de membros (em algarismos arábicos, *200;* em algarismos romanos, *CC*). **2.** Ducentésimo (1). ● *S. m.* **3.** Algarismo representativo do número duzentos. **4.** Aquilo ou aquele que numa série de duzentos ocupa o último lugar.

dúzia. *S. f.* Conjunto de doze objetos da mesma natureza. ~V. *dúzias.* ♦ **Dúzia de frade.** Dúzia de treze. **Dúzia de treze.** Coleção ou grupo de treze objetos da mesma natureza que se vendem pelo preço de 12; dúzia de frade. **Das dúzias.** De pouco mérito; medíocre: *poeta das dúzias; doutor das dúzias.* **Meia dúzia. 1.** Metade de uma dúzia; seis. **2.** *Fig.* Pequena quantidade; poucos: *Na festa havia só meia dúzia de pessoas.*

Dúzias. [Pl. de *dúzia.*] *S. f. pl. Fam.* Grande quantidade; porção, quantidade: *Tem dúzias de livros.* ~V. *dúzia.*

duzu. *S. m. Cronol.* O quarto mês do calendário caldeu.

■**Dy.** *Quím.* Simb. do *disprósio.*

■**dyn.** *Fís.* Simb. de *dina.*

dzeta (ê) [Do gr. *zêta,* de or. semítica.]. *S. m.* A 6ª letra do alfabeto grego (Z, <), correspondente ao nosso z.

E

e¹ (é). *S. m.* **1.** A 5ª letra do nosso alfabeto, representada pela vogal anterior média aberta (pé) ou pela vogal anterior média fechada (lê). [V. *alfabeto fonético internacional.*] **2.** *Mús.* A nota mi, na antiga notação musical ainda hoje usada nos países germânicos e anglo-saxões. **3.** *Fís.* Símb. de *intensidade do campo elétrico.* **4.** *Fís.* Símb. de *elétron;* é. **5.** *Mat.* Símb. de *número e.* **6.** *Lóg.* *Símb. de proposição universal negativa.* **7.** Símb. de exa-. ● *Num.* **8.** O quinto, numa série indicada pelas letras do alfabeto: *fila E* (ou *fila e*). **9.** A quinta, num grupo de séries: *série E* (ou *série e*). [Cf. e², *é, eh* e *êh.* Com maiúscula, nas acepç. 2, 3, 6 e 7.]

e² (i). [Do lat. *et.*] **1.** *Conj.* Aditiva: une orações ou palavras: *Antônio viaja e Manuel estuda;* "Fernão Dias Pais Leme os olhos cerra. E morre." (Olavo Bilac, *Poesias,* p. 271); *ordem e progresso; cultura e talento.* **2.** Adversativa: mas, porém: *Quis falar, e teve de calar-se.* **3.** Adversativa: e no entanto, e contudo; e apesar disso: "O pior é que era coxa. Uns olhos tão lúcidos, uma boca tão fresca, uma compostura tão senhoril; e coxa! (Machado de Assis, *Memórias Póstuma de Brás Cubas,* p. 105). **4.** E ainda por cima; e além do mais; e além de tudo: "Não era bonita, não era gaiata, nem tinha fatos garridos; e pobre!... Era o pior, palavra." (Fialho d'Almeida, *A Cidade do Vício,* p.109.) [Cf. e¹, *é, eh* e *êh.*]

▲e-¹. [Do gr. *en-.*] *Pref.* = 'posição interior', 'dentro': *elíptico* (< gr. *elleiptikós*). [Equiv.: *em-¹* e *en-¹*: *embrião* (<fr. *embryon* < gr. *embryon*); < *encéfalo* (< gr. *egképhalos*).]

▲e-². [Do lat. *ex.*] *Pref.* = 'movimento para fora'; 'separação'; 'transformação', 'intensidade', etc.: *emigrar* (<lat. *emigrare*). [Equiv.: *es-* e *ex-¹*: *espernear; esfolhar; esbagaçar; escandescer* (<lat. *excandescere*); *extorsivo; excelso* (< lat. *excelsu*). [V. *des-.* Unido por um traço de união aos substantivos que designam estado, profissão ou emprego, ex indica o que alguém foi, ou o lugar ou posto que ocupou: *ex-tuberculoso; ex-deputado; ex-combatente.*]

▲e-³. V. *em-³.*

■é. *Fís.* E¹ (4).

é. *S. m.* Nome da letra e. [Pl.: *és* ou *ee.* Cf. *e, eh* e *êh.*]

■EA. Teat. Abrev. de *esquerda alta.*

▲-ea. [Do lat. *-ea.*] Equiv. de *-eo.*

▲-eado. Equiv. de *-ado¹*: *denteado, amorreado; boleado.*

Eah. Interj. de espanto ou admiração: "— E a h ! gritou a mucama que entrava, sinhazinha está com ataque!" (Júlio Ribeiro, *A Carne,* p. 83.)

▲-ear. *Suf. verbal* = 'ação durativa, freqüentativa'; 'transformação', 'mudança de estado'; *cabecear, balancear, verdear.* [Equiv.: *-ejar, gotejar; verdejar.* Alternam-se às vezes, entre si: *gotejar, gotear; bordejar, bordear;* ou com a f. *-ar: balancear, balançar.*]

■EB. **1.** *Mar. Ant.* e *lus.* Abrev. de *estibordo.* **2.** *Teat.* Abrev. de *esquerda baixa.*

ebâneo. *Adj. Bras.* Da cor do ébano (2).

ebanista. *S. 2 g.* **1.** Pessoa que trabalha em ébano. **2.** Marceneiro ensamblador ou entalhador.

ebanizar. *V. t. d.* Dar o aspecto e/ou a cor de ébano a.

ébano. [Do gr. *ébenos,* pelo lat. *ebenu.*] *S. m.* **1.** Árvore da família das ebenáceas (*Diospyros tesselaria*), que fornece madeira escura, pesada e muito resistente. **2.** Essa madeira. **3.** *Fig.* Aquilo que é negro como ébano (2).

ébano-oriental. *S. m.* Árvore da família das leguminosas (*Abizzia lebbeck*), de pedúnculo alongado, com glomérulos de muitas flores brevipediceladas e glabras, e cujas folhas são dotadas de glândulas grandes na base de pecíolo e, às vezes, menores entre as pinas superiores. [Pl.: *ébanos-orientais.*]

EBCDIC. [Do ingl. E(xtended) B(inary) Ç(oded) D(ecimal) I(nterchange) C(ode), 'código ampliado de caracteres decimais codificados em binário para intercâmbio de informação'.] *Proc. Dados.* Codificação que envolve um conjunto especificado de 256 caracteres, onde cada caráter é representado por um conjunto de 8 *bits.*

ebenácea. *S. f.* Espécime das ebenáceas.

ebenáceas. *S. f. pl. Bot.* Família de plantas superiores, arbóreas ou arbustivas, de folhas alternas e flores axilares, solitárias ou em cimeiras paucifloras, flores comumente unissexuais, com verticilos de três a sete elementos florais, cálice persistente e não raro acrescente, estamés numerosos, gineceu com dois até 16 carpelos, cada um levando um ou dois óvulos, e cujo fruto é baga, importante na espécie conhecida como *caqui.* Há umas 330 espécies, que habitam de preferência os países quentes.

ebenáceo. *Adj.* Pertencente ou relativo às ebenáceas.

ebenale. *S. f.* Espécime das ebenales; diospirale.

ebenales. *S. f. pl. Bot.* Ordem de plantas dicotiledôneas mataclamídeas, com flores diplostêmones ou triplostêmones, e ovário plurilocular, de placentação axial. Compreende plantas lenhosas de folhas simples. [Sin.: *diospirales.*]

eberthemia. [Do antr. *Eberth,* de Karl Joseph Eberth, médico e bacteriologista alemão (1835-1926), + *-(h)em(o)-* + *-ia.*] *S. f. Patol.* Presença do bacilo de Eberth [q. v.] ou tífico, no sangue.

eberthiano. [De *Eberth* (v. *eberthemia*).] *Adj.* Relativo ao bacilo de Eberth.

ébia. *El. s. f.* Us. na loc. v. *cair na ébia.* ◆ **Cair na ébia.** *Bras.* Cair na asneira, na tolice, no erro.

ebionita. *Adj. 2 g.* **1.** Diz-se do movimento judeu-cristão dos primeiros séculos de nossa era, que professava a continuação, no cristianismo, das prescrições e práticas da lei israelita. ● *S. 2 g.* **2.** Partidário desse movimento.

ebiratanha. *S. f. Bras.* V. *castanheiro-do-maranhão.*

ebó. [Do ioruba *egbó,* 'raiz'.] *S. m. Bras.* **1.** Oferenda de macumba. [Cf. *despacho* (8).] **2.** Iguaria feita de milho e azeite-de-dendê, à qual, às vezes, se acrescenta feijão-fradinho torrado. [Var.: *ebô.*]

ebô. *S. m.* Var. pros. de *ebó.*

ebomim. [Do ioruba.] *S. m. Bras.* Filha-de-santo após o sétimo ano de feita², com iniciação completa.

ebonite. [Do ingl. *ebonite.*] *S. f. Quím.* Substância dura e negra obtida pela vulcanização de borracha com excesso de enxofre: "colocou o vidro de goma-arábica, o tinteiro de duplo recipiente com tampas de e b o n i t e" (Pedro Nava, *Beira-Mar,* p. 33).

eborário. [Do lat. *eborariu.*] *S. m.* Aquele que trabalha em marfim.

eborense. [Do lat. *eborense.*] *Adj. 2 g.* **1.** De, ou pertencente ou relativo a Évora (Portugal). ● *S. 2 g.* **2.** Natural ou habitante de Évora.

ebóreo. [Do lat. *eboreu.*] *Adj.* Ebúrneo: "E abra-se em flores tua alvura e b ó r e a , / Ensangüentada pelo sacrifício, / Para a maternidade e para a glória!" (Olavo Bilac, *Tarde,* p. 147.)

ebracteado. *Adj. Morfol.* Desprovido de brácteas: *espiga e b r a c t e a d a .*

▲-ebre. *Suf. nom.* = 'diminuição': *casebre.*

ebriático. *Adj.* Que provoca ebriedade. [Sin., p. us.: *ebriativo.*]

ebriativo. *Adj.* P. us. Ebriático.

ebriedade. [Do lat. *ebrietate.*] *S. f.* V. *embriaguez.*

ebrifestante. *Adj. 2 g.* Ebrifestivo: "Nas ondas do prazer e b r i f e s t a n t e" (Gonçalves Dias, *Obras Poéticas,* II, p. 101).

ebrifestivo. [De *ébrio* + *festivo.*] *Adj.* **1.** Alegre de embriaguez. **2.** Que alegra, embriagando. [Sin. ger.: *ebrifestante.*]

ébrio. [Do lat. *ebriu.*] *Adj.* **1.** V. *embriagado* (1). **2.** Que se embriaga habitualmente; que é dado ao vício de beber; bêbedo ou bêbado, bebedor, beberrão, beberraz, bebum, biriteiro, borracho, cachaceiro, ebrioso, temulento, xilado. **3.** Aturdido, embriagado, estonteado, tonto: *é b r i o de sono.* **4.** *Fig.* Arrebatado por algo que enleva ou encanta; embriagado, extasiado: *é b r i o de poesia; é b r i o de prazer.* **5.** *Fig.* Que se acha em estado de anormalidade por efeito de paixão ou de qualquer intensa perturbação emocional; alucinado, embriagado: *é b r i o de ciúme; é b r i o de ódio.* **6.** *Fig.* Sedento, sequioso; ávido: *é b r i o de vingança.* ● *S. m.* **7.** Indivíduo que se embriagou ou alcoolizou; bêbado ou bêbedo, embriagado, bebum. **8.** Indivíduo ébrio (2). [Sin. (na maioria pop. ou de gír., e, em alguns casos, bras.): *bebaça* ou *bébaço, bêbedo* ou *bêbado, bebedor, beberrão, beberraz, beberrote, beribebum, biriteiro, borrachão, borracho, bruega, cachaça, cachaceiro, caixa d'água, chupa-rolha, chupista, chuva, esponja, gambá, gogoroba, gororoba, irmão-da-opa, jarreta, mamoeiro, mata-borrão, odre, pau-d'água, pé-de-cana, pipa, roedor, tonel, vinhote.*]

ebrioso (ô). [Do lat. *ebriosu.*] *Adj.* **1.** V. *ébrio* (2). **2.** Proveniente da embriaguez.

ebulição. [Do lat. *ebullitione.*] *S. f.* **1.** Fervura (1). **2.** Fermentação (2). **3.** *Fig.* Efervescência, agitação, excitação, exaltação, fermentação. **4.** *Fís.* Vaporização de um líquido sob pressão igual à sua pressão vapor. ◆ **Ebulição normal.** *Fís.* A que se realiza sob pressão constante de uma atmosfera.

ebulidor (ô). [De *ebulir* + *-(d)or.*] *S. m.* Aparelho constituído de um resistor elétrico, que se usa para esquentar pequenas quantidades de água. [Sin., no PR: *rabo quente.*]

ebuliente. [Do lat. *ebulliente.*] *Adj. 2 g.* Que ferve [v. *ebulir*]; ebulitivo, fervente.

▲ebulio-. [Do lat. *ebullire.*] *El. comp.* = 'ebulição': *ebuliômetro, ebulioscópio.*

ebuliômetro. [De *ebulio-* + *-metro.*] *S. m.* Aparelho com que se determina a massa molecular de uma substância, por meio da ebulioscopia; ebulioscópio.

ebulioscopia. [De *ebulio-* + *-scop-* + *-ia.*] *S. f. Fís.-*

Quím. Análise quantitativa de soluções, baseada na medida da elevação do ponto de ebulição de um solvente quando a ele se adiciona um soluto.

ebulioscópico. *Adj.* Referente à ebulioscopia. ~ V. *constante —a.*

ebulioscópio. [De *ebulio-* + *-scop-* + *-io.*] *S. m.* Ebuliômetro.

ebulir. [Do lat. *ebullire.*] *V. int.* Entrar em ebulição; ferver. [Defect.; não tem as f. em que ao *l* da raiz se seguiria *a* ou *o*. Conjug.: v. *acudir.*]

ebulitivo. *Adj.* **1.** Ebuliente, fervente. **2.** *Fig.* Exaltado, agitado.

eburnação. [De *ebúrneo.*] *S. f. Patol.* Transformação sofrida por um osso, da qual resulta apresentar-se ele mais duro e compacto, de superfície brilhante como a do marfim.

ebúrneo[1]. [Do lat. *eburneu.*] *Adj.* **1.** De marfim. **2.** Alvo e/ou liso como o marfim: "Os cabelos angélicos trazia / Pelos e b ú r n e o s ombros espalhados" (Luís de Camões, *Os Lusíadas,* III, 102). [Sin. ger.: *ebóreo.*]

ebúrneo[2]. *Adj.* **1.** Da, ou pertencente ou relativo à Costa do Marfim (África ocidental). ● *S. m.* **2.** O natural ou habitante da Costa do Marfim. [Sin. ger.: *marfiniano* e *marfinense.*]

▲**ec-.** [Do gr. *ék, éx.*] *Pref.* = 'movimento para fora': *eclipse* (< lat. *eclipse* < gr. *ekleípsis*). [Equiv.: ex-[2]: *êxodo* (< lat. *exodu* < gr. *exodos*). *Ec-* é us. antes de consoante, e ex- antes de vogal.]

eca. *S. f. Brasil., ES. Pop.* Porcaria, sujeira.

▲**-eca.** V. -eco[1].

ecar. [De eco + *-ar*[2].] *V. int. Bras., MG.* Dar aviso de algo em voz alta: "Os tocadores, pelo campo afora, e c a v a m um para outro, avisando o encontro de algum macho fujão." (Afonso Arinos, *Pelo Sertão,* p. 31.) [Conjug.: v. *trancar.*]

ecárdine. *S. m.* e *adj. 2 g.* Inarticulado (4 e 5).

ecárdines. *S. m. pl. Zool.* Inarticulados.

➧**écarté** (ècartê). [Fr.] *S. m.* Jogo entre dois parceiros, com 32 cartas.

écbase. [Do gr. *ekbasis,* 'saída', pelo lat. *ecbase.*] *S. f.* Digressão, no discurso.

ecbólico. [Do gr. *ekbolé,* 'aborto', + *-ico*[2].] *Adj. Med.* **1.** Evacuante, evacuativo, evacuatório. **2.** Que provoca o aborto; abortivo. **3.** Que acelera o parto.

ecceidade. *S. f. Filos.* V. *hecceidade.*

ecdemia. *S. f. Med.* Qualquer doença de caráter ecdêmico.

ecdêmico. [Do gr. *ékdemos,* 'estrangeiro', + *-ico*[2].] *Adj. Patol.* Diz-se de doença não epidêmica, nem edêmica, devida a causa originada à distância do local onde ocorre.

ecdise. [Do gr. *ékdysis,* 'ação de se despir'.] *S. f. Biol.* Mudança periódica da pele de certas larvas de insetos e do revestimento calcário de certos crustáceos.

ecdótica. [Do gr. *ékdotos,* 'entregue', + o fem. de *-ico*[2].] *S. f.* A arte de descobrir e corrigir os erros de um texto transmitido, preparando-lhe a edição que se diz *edição crítica* [q. v.]; crítica textual.

▲**-ecer.** [Do lat. *escere.*] *Suf. verbal* = 'ação incoativa'; 'transformação', 'mudança de estado': *amanhecer* (lat. *admanescere*), *amarelecer.* [Equiv.: *-escer: rejuvenescer, florescer* (< lat. *florescere*).]

ecfonema. [Do gr. *ekphónema.*] *S. m.* Elevação repentina da voz, com exclamação e frases incompletas em conseqüência de paixão ou de fato surpreendente.

écfora. [Do gr. *ekphora,* pelo lat. *ecphora.*] *S. f.* Ressalto de qualquer peça arquitetônica.

ecfrático. [Do gr. *ekphratikós.*] *Adj.* V. *aperitivo* (2).

echaporense. *Adj. 2 g.* **1.** De, ou pertencente ou relativo a Echaporã (SP). ● *S. 2 g.* **2.** Natural ou habitante de Echaporã.

echarpe. [Do fr. *écharpe.*] *S. f.* Faixa de tecido que se usa, em geral, ao redor do pescoço, como agasalho ou como adorno.

▲**-écia.** [Do gr. *oikía, as.*] *El. comp.* = 'casa', 'habitação': *monécia, zoécia.*

eciano. *Adj.* Pertencente ou relativo a Eça de Queirós, escritor português (1845-1900), ou próprio desse autor; queirosiano. [Cf. *hessiano.*]

eciclema. *S. m. Teat.* No antigo teatro grego, plataforma móvel situada ao fundo ou acima da cena, e que avançava ou descia até ela a fim de mostrar o resultado final do que, segundo a narração, ocorrera no interior (na tragédia, os corpos dos mortos), ou promover a aparição de entidades: "Eurípides baixa ao palco num e c i c l e m a , engenho que, nos espetáculos, servia para as divindades aparecerem milagrosamente nos desfechos, origem da expressão *deus ex machina.*" (Sábato Magaldi, *Temas da História do Teatro,* p. 35.)

ecídio. [Do gr. *oikídion.*] *S. m. Bot.* Espécie de esporângio dos fungos das uredinales.

ecidiósporo. [Do gr. *oikídion* + *-sporo.*] *S. m.* Esporo (3) que se forma no ecídio.

➧**éclair** (èclér). [Fr.] *S. m.* V. *ecler* (1).

eclampse. *S. f. Patol.* V. *eclampsia.*

eclampsia. [Do gr. *éklampsis,* 'brilho vivo, explosão', + *-ia.*] *S. f. Patol.* Forma convulsiva de toxemia gravídica, podendo, ou não, terminar em coma ou, até, em morte, e cuja tríade sintomática se compõe de edema, hipertensão e proteinúria. [A pronúncia corrente é *eclâmpsia.*]

eclâmpsia. *S. f.* V. *eclampsia.*

eclâmptico. *Adj.* Referente à, ou próprio da eclampsia.

eclegma. [Do gr. *ekleígma,* 'lambedor', pelo lat. *ecligma.*] *S. m.* Loque (1).

ecler. [Do fr. *éclair.*] *S. m.* **1.** Bomba[1] (7) geralmente de forma alongada. **2.** V. *fecho ecler.*

eclesial. [Do lat. *ecclesia,* 'igreja', + *-al.*] *Adj. 2 g.* Eclesiástico (1): "Uma Catedral no Rio de Janeiro que seja inteligentemente utilizada a serviço da comunidade e c l e s i a l ." (Dom Eugênio Sales, *Jornal do Brasil,* 31.7.1971.)

eclesiasticamente. [Do fem. de *eclesiástico* + *-mente.*] *Adv.* À maneira eclesiástica; segundo a Igreja.

eclesiástico. [Do gr. *ekklesiastikós,* pelo lat. *ecclesiasticu.*] *Adj.* **1.** Pertencente ou relativo à Igreja; eclesial: *ordens e c l e s i á s t i c a s ; arquivos e c l e s i á s t i c o s .* **2.** Pertencente ou relativo a eclesiástico (3): *vestes e c l e s i á s t i c a s .* ~V. *calendário—, canto—* e *cômputo —.* ● *S. m.* **3.** Membro da organização sociológica da Igreja; sacerdote, clérigo, padre.

eclético. [Do gr. *eklektikós.*] *Adj.* **1.** Relativo ao, ou que é partidário do ecletismo. **2.** Formado de elementos colhidos em diferentes gêneros ou opiniões: *gosto e c l é t i c o .* ● *S. m.* **3.** Sectário ou praticante do ecletismo.

ecletismo. [Do gr. *eklektismós.*] *S. m.* **1.** *Filos.* Método que consiste em reunir teses de sistemas diversos, ora simplesmente justapondo-as, ora chegando a uni-las em uma unidade superior, nova e criadora. [Cf. *sincretismo* (1 e 2).] **2.** *P. ext.* Posição intelectual ou moral caracterizada pela escolha, entre diversas formas de conduta ou opinião, das que parecem melhores, sem observância duma linha rígida de pensamento: *O e c l e t i s m o do novo partido político evidenciou-se no momento da crise.*

eclímetro. [Do fr. *éclimètre.*] *S. m.* Clinômetro [q. v.] que fornece o ângulo de inclinação do terreno. [Cf. *clisímetro.*]

eclipsado. [Part. de *eclipsar.*] *Adj.* **1.** *Astr.* Que fica oculto, em um eclipse. **2.** *Fig.* Que perdeu o brilho; apagado, empanado.

eclipsante. *Adj. 2 g. Astr.* Diz-se de astro que eclipsa outro, que provoca em outro um eclipse.

eclipsar. [De *eclipse* + *-ar*[2].] *V. t. d.* **1.** Interceptar a luz vinda de (um astro). **2.** Esconder, encobrir; obscurecer, ofuscar: *Seu brilhante discurso e c l i p s o u os demais.* **3.** Vencer; exceder; sobrepujar: *Com uma bela defesa de tese e c l i p s o u . P.* **4.** Esconder-se (um astro). **5.** Ocultar-se; desaparecer.

eclipse. [Do gr. *ekleípsis,* 'desmaio', pelo lat. *eclipse.*] *S. m.* **1.** *Astr.* Fenômeno em que um astro deixa de ser visível, totalmente ou em parte, ou pela interposição de outro astro entre ele e o observador, ou porque, não tendo luz própria, deixa de ser iluminado ao colocar-se no cone de sombra de outro astro. **2.** *Náut.* Período de obscuridade entre dois lampejos consecutivos duma luz ou dum farol de navegação. **3.** *Fig.* Obscurecimento intelectual ou moral. **4.** *Fig.* Ausência, desaparecimento. ◆ **Eclipse anular.** *Astr.* Eclipse solar em que a Lua está com um diâmetro aparente menor que o do Sol, apresentando-se, assim, como um disco negro no interior do disco solar, que se mostra sob a forma de um anel luminoso. **Eclipse apogeu.** *Astr.* Eclipse solar, ou lunar, que ocorre com a Lua no apogeu de sua órbita. **Eclipse central.** *Astr.* Aquele em que o centro do astro eclipsado e a do astro eclipsante coincidem num dado momento. **Eclipse da Lua.** *Astr.* Aquele em que a Lua penetra no cone de sombra da Terra, deixando de ser visível para todos os observadores terrestres que a têm acima do horizonte naquele intervalo de tempo; eclipse lunar. **Eclipse do primeiro gênero.** *Astr.* Aquele em que o astro eclipsante fica entre o observador e o astro eclipsado. **Eclipse do segundo gênero.** *Astr.* Aquele em que o astro eclipsado penetra no cone de sombra do astro eclipsante. **Eclipse do Sol.** *Astr.* Aquele em que o Sol deixa de ser total ou parcialmente visível, por haver a Lua ficado entre o Sol e os observadores terrestres situados em uma região interceptada pelo cone de sombra da Lua; eclipse solar. **Eclipse excêntrico.** *Astr.* Aquele em que o centro do astro eclipsado e o do astro eclipsante jamais coincidem. **Eclipse lunar.** *Astr.* Eclipse da Lua. **Eclipse parcial.** *Astr.* Eclipse em que o astro eclipsado não fica totalmente oculto. **Eclipse penumbral.** *Astr.* Eclipse da Lua no qual o satélite penetra unicamente no cone de penumbra da Terra, não chegando a atingir o cone de sombra, e a luz da Lua fica reduzida só de uma pequena fração, tornando-se levemente rósea. **Eclipse perigeu.** *Astr.* Eclipse do Sol ou da Lua em que o satélite está no perigeu de sua órbita. **Eclipse solar.** *Astr.* Eclipse do Sol. **Eclipse total.** *Astr.* Aquele em que o astro eclipsado fica totalmente oculto.

eclíptica. [Do gr. *ekleiptiké,* pelo lat. *ecliptica.*] *S. f. Astr.* **1.** Plano da órbita terrestre. **2.** Círculo máximo da esfera celeste, que é a interseção da eclíptica (1) com esta.

eclíptico. [Do gr. *ekleiptikós,* pelo lat. *eclipticu.*] *Adj.* Que se relaciona com os eclipses ou com a eclíptica. ~ V. *latitude —a, latidude —a geocêntrica, latitude —a heliocêntrica, longitude —a, longitude —a geocêntrica* e *longitude —a heliocêntrica.*

eclodir. [Do fr. *éclodir.*] *V. int.* **1.** Vir à luz; surgir, aparecer. **2.** Desabrochar, desabrolhar: "as rosas e c l o d e m nos jardins suburbanos" (José Carlos Oliveira, *Jornal do Brasil,* 8.6.1981). [Defect. normalmente só se conjuga nas 3as pess.]

écloga. [Do gr. eklogé, pelo lat. *ecloga.*] *S. f.* Poesia pastoril, em geral dialogada; bucólica, pastoral: "numa paisagem em que houvesse pastores de Teócrito, flautas de é c l o g a virgiliana e bíblicas Samaritanas" (Ronald de Carvalho, *Estudos Brasileiros,* 2ª série, p. 95). [Var.: *égloga.* Cf. *pastorela.*]

eclogito. [Do gr. *eklogé,* 'escolha', + *-ito*[2].] *S. m. Geol.* Rocha metamórfica constituída de um piroxênio esverdeado e de granada.

eclosão. [Do fr. *éclosion.*] *S. f.* **1.** Ato de vir à luz, de surgir; aparecimento: "Não resulta [a arte] de uma só causa, nem é fruto de um só momento. Caminhos longos conduzem à e c l o s ã o de suas obras." (Celso Kelly, *Portinari,* p. 15.) **2.** Ato de desabrochar, brotar, abrir. **3.** Crescimento, desenvolvimento.

eclusa. [Do fr. *écluse.*] *S. f.* Cada um dos diques que se sucedem em série de dois ou três, num trecho de rio ou canal onde há grande desnível do leito, para permitir a descida ou a subida de embarcações por esse trecho.

eco. [Do gr. *echó,* pelo lat. *echo.*] *S. m.* **1.** Fenômeno físico devido à reflexão de uma onda acústica por um obstáculo, e observado como a repetição de um som emitido por uma fonte: "A lufada intermitente traz da praia um e c o vibrante, que ressoa entre o marulho das vagas. / — Iracema!" (José de Alencar, *Iracema,* pp. 49-50.) **2.** *P. ext.* Ruído, rumor, som: *O menino acordou com os e c o s da fanfarra.* **3.** Repetição de palavras ou de sons. **4.** Pessoa ou entidade que repete ou propaga o que é dito por outrem. **5.** Palavras com terminação igual empregadas no discurso muito próximas umas das outras. **6.** *Fig.* Bom acolhimento; boa aceitação; repercussão: *Suas palavras não tiveram e c o .* **7.** *Fig.* Notícia vaga e tendenciosa; boato, rumor: *os e c o s do escândalo, do desfalque, da conspiração.* **8.** *Fig.* Novidade, notícia, repercussão, reflexo: *Os e c o s da coroação chegaram aos confins do império.* **9.** Lembrança, recordação, memória, vestígio: *Sua passagem não deixou e c o .* **10.** *Fig.* Fama, notícia: *Chegou a muitos países o e c o de seu talento.* **11.** *Astr.* Processo usado em radioastronomia, no qual a utilização da reflexão de radiofreqüências permite medir a distância de vários corpos celestes. **12.** *Fís.* Fenômeno que constitui a base do funcionamento de inúmeros dispositivos, entre os quais o radar, e que é provocado pela reflexão de uma onda eletromagnética e observado como a repetição de um pulso eletromagnético emitido por uma fonte. **13.** *Mús.* Repetição de um determinado desenho sonoro, à oitava superior ou inferior, ou em uníssono, por meio de diferenças de intensidade ou por meio de diferenças de timbre. **14.** *Mús.* Um dos teclados manuais do grande órgão. **15.** *Poét.* Pequeno verso que repete, no todo ou em parte, a(s) última(s) sílaba(s) do verso anterior, ou, caso esse verso acabe em monossílabo, a parte vocálica do monossílabo. Ex.: "Se sabes gemer assim, / Andas acaso penando? //E c o // Ando." (José Albano, *Rimas,* p. 30); "Pois quem por ordem do fado / Tem pesar igual ao meu? // E c o // Eu." (Id., *ib.,* p. 31.) **16.** *Bras. N.E. Pop.* Grito, brado: *dar um e c o ; soltar um e c o .* [Cf. *ecó.*] ◆ **Eco meteórico.** *Astr.* Sinal que, enviado de um instrumento terrestre, é refletido por um meteoro ao entrar na atmosfera terrestre. **Abrir o eco.** *Bras., N.E. Pop.* Gritar, bradar, berrar: "Outro dia a b r i u o e c o aí feito louco porque outro carreiro furou o boi com ferrão." (Permínio Asfora. *Vento Nordeste*, p. 42.) **Não encontrar eco.** Não achar apoio (idéia, empresa, iniciativa).

▲eco-¹. [Do gr. *oîkos, ou.*] *El. comp.* = 'casa', 'domicílio', 'habitat': *ecologia.* [Equiv.: *-eco²*, *-óico: meteco* (< gr. *métoikos*); *monóico* (q. v.), *trióico* (q. v.)].

▲eco-². [Do gr. *êchos, ou.*] *El. comp.* = 'som', 'eco': *ecolalia, ecômetro.*

▲-eco¹. *Suf. nom.* = 'diminuição', em geral com sentido pejorativo: *livreco, padreco.* [Equiv.: *-eca, -ico¹* e *-icas: padreca, burrico, abanico, namorico, maricas, barbicas.*]

▲-eco². V. *eco-¹*.

ecô. *Interj. Bras.* Brado com que os caçadores açulam os cães e os vaqueiros tangem o gado. [Cf. *eco.*]

ecoante. *Adj. 2 g.* Que ecoa.

ecoar. *V. int.* **1.** Fazer eco (1); ressoar. **2.** Reproduzir-se ou repercutir ao longe, no espaço ou no tempo: "Quando este mar embravece, vagalhões como montanhas despedaçam-se ... nas falésias maciças, e c o a m nas grutas e ribombam com um estrondo que apavora." (Raul Brandão, *As Ilhas Desconhecidas*, pp. 227-228); *O gênio de Dante e c o a através dos séculos.* **3.** Fazer eco; causar impressão; ter repercussão; repercutir, retinir; soar: *Palavras duras nem sempre e c o a m. T. d.* **4.** Repetir, reproduzir, repercutir: *As montanhas e c o a r a m os disparos do canhão.* **5.** Tornar a dizer; repetir: *Todos e c o a r a m as palavras ditas em louvor do poeta.* [Conjug.: v. *coroar.*]

ecobatímetro. [De *eco-²* + *batímetro.*] *S. m. Bras. Náut.* Aparelho de sondagem cujo funcionamento se baseia na medição do tempo decorrido entre a emissão de um pulso sonoro (de freqüência sônica ou ultra-sônica) e a recepção do eco refletido pelo fundo do mar; ecossondador.

ecocardiografia. [De *eco-²* + *-cardio-* + *-graf(o)-* + *-ia.*] *S. f. Med.* Método de diagnóstico de doenças do coração em que, mediante registro gráfico, se estuda a posição e movimentação das paredes ou das estruturas internas do coração e tecido vizinho, através de eco obtido por feixes de ondas ultra-sônicas, dirigidos através da parede torácica.

ecocardiográfico. *Adj.* Relativo à ecocardiografia.

ecocardiógrafo. [De *eco-²* + *-cardio-* + *-grafo.*] *S. m. Med.* Instrumento com que se registra o ecocardiograma.

ecocardiograma. [De *eco-²* + *-cardio-* + *-grama.*] *S. m. Med.* Registro obtido pelo ecocardiógrafo.

ecodidé. *S. m. Bras., BA. Pop.* Penas vermelhas da cauda de certo papagaio; icodidé.

ecofonia. [De *eco-²* + *-fon(o)-* + *-ia.*] *S. f. Med.* Som, semelhante a um eco, percebido pela ausculta torácica, após a emissão de som vocal.

ecofônico. *Adj.* Respeitante à ecofonia.

ecografia. [De *eco-²* + *-graf(o)-* + *-ia.*] *S. f.* **1.** *Med.* Condição em que o paciente pode copiar um escrito, mas não consegue escrever para exprimir suas idéias. **2.** *Radiol.* Ultra-sonografia.

ecográfico. *Adj.* Relativo à ecografia.

ecóico. [Do lat. *echoicu.*] *Adj.* ~ V. *verso* —.

ecolalia. [De *eco-²* + *-lalia.*] *S. f. Med.* **1.** Tendência a repetir automaticamente sons ou palavras ouvidas. **2.** Hábito ou mania de, falando e/ou escrevendo, aconsoantar palavras.

ecolálico. *Adj.* Referente à ecolalia.

ecologia. [De *eco-¹* + *-log(o)-* + *-ia.*] *S. f.* **1.** Parte da biologia que estuda as relações entre os seres vivos e o meio ou ambiente em que vivem, bem como as suas recíprocas influências; mesologia. **2.** Ramo das ciências humanas que estuda a estrutura e o desenvolvimento das comunidades humanas em suas relações com o meio ambiente e sua conseqüente adaptação a ele, assim como novos aspectos que os processos tecnológicos ou os sistemas de organização social possam acarretar para as condições de vida do homem: "O estudo da e c o l o g i a .... não poderia deixar de ter importância relevante no folclore, porquanto os seus fatos se produzem no espaço e a ele se condicionam." (Renato Almeida, *Inteligência do Folclore*, p. 208.)

ecológico. *Adj.* Pertencente ou relativo à ecologia. ~ V. *amplitude* —*a.*

ecologista. *S. 2 g.* Ecólogo.

ecólogo. *S. m.* Especialista em ecologia; ecologista.

ecometria. [De *eco-²* + *-metr(o)-²* + *-ia.*] *S. f.* Cálculo de distâncias e de posições com base no estudo do eco (1). [Cf. *econometria.*]

ecométrico. *Adj.* Relativo à ecometria.

ecômetro. [De *eco-²* + *-metro²*.] *S. m.* **1.** Régua graduada que se usa em ecometria. **2.** Aparelho para medir o tempo que decorre entre a emissão de um som e a recepção de seu eco.

econdroma. [De *ec-* + *-condr(o)-* + *-oma.*] *S. m. Patol.* Tumoração de natureza cartilaginosa, que se forma no exterior de cartilagem ou de osso.

economando. [De um suposto v. *economar; formação bárbara, como *economando, engenheirando*, etc., com infl. de vocábulos como, p. ex., *bacharelando* e *formando*, etc., tirados normalmente de *bacharelar, formar*, etc.] *S. m. Bras.* Aquele que vai formar-se em economia (4).

economato. *S. m.* Ofício ou profissão de ecônomo.

economês. *S. m. Deprec.* O linguajar tecnicista, rebarbativo e estrangeiro de certos economistas. [Pl.: *economeses* (ê).]

econometria. [De *econo*, abrev. de *econômico*, + *-metr(o)-²* + *-ia.*] *S. f.* **1.** Método de análise de dados estatísticos, que mede as grandezas econômicas. **2.** A técnica que emprega esse método. [Cf. *ecometria.*]

econométrico. *Adj.* Referente à econometria.

econometrista. *S. 2 g.* Especialista em econometria.

economia. [Do lat. *oeconomia.*]. *S. f.* **1.** A arte de bem administrar uma casa ou um estabelecimento particular ou público. **2.** Contenção ou moderação nos gastos; poupança. **3.** Ciência que trata dos fenômenos relativos à produção, distribuição, acumulação e consumo de bens materiais. [Sin., nessa acepç.: *economia política, ciência econômica* e *teoria econômica.*] **4.** O conjunto dos conhecimentos relativos à economia (3), ou que têm implicações com ela, ministrados nas respectivas faculdades; ciências econômicas. **5.** Organização dos diversos elementos de um todo. **6.** Organismo animal ou vegetal na plenitude de suas funções. **7.** *Fig.* Bom uso que se faz de qualquer coisa. **8.** *Fig.* Controle para evitar desperdício em qualquer serviço ou atividade: *e c o n o m i a de palavras, de gestos, de forças.* ~ V. *economias.* ◆ **Economia de escala.** *Econ.* Rendimento por unidade de capital investido quando se aumentam todos os fatores de produção em proporção igual. **Economia de guerra.** Conjunto de medidas controladoras e regulamentadoras da economia, geralmente aplicadas em tempo de guerra, e que consistem, sobretudo, no racionamento da procura, no congelamento dos preços e na obrigatoriedade do trabalho extraordinário. **Economia de mercado.** Sistema em que os meios de produção são de propriedade privada, sem intervenção do Estado na economia, e em que cada entidade age em função das oscilações dos preços. **Economia de palitos.** *Joc.* Economia ridícula, de coisas insignificantes. **Economia dirigida.** Conjunto de medidas adotadas pelos governos na atividade privada, e que se opõem, ou não, ao jogo das forças econômicas, mediante leis que fixam os preços, a taxa de juros, os salários, e o curso de câmbio. **Economia doméstica.** A arte e a técnica de administrar ou executar as tarefas do lar, ou de manipular seu orçamento. **Economia dramática.** *Teat.* Coordenação harmônica e econômica das convenções cênicas, de modo que com um mínimo de recursos de ambientação se obtenha o máximo efeito dramático. **Economia fechada.** Sistema econômico que se baseia na auto-suficiência da economia de um país, e em que não há importações, exportações, movimento internacional de capital, etc. **Economia invisível.** Atividade comercial ou industrial em que as transações mercantis são realizadas fora do controle fiscal, ocasionando distorções na economia nacional e/ou internacional. [Cf. *caixa dois* e *contabilidade paralela.*] **Economia mista.** Sistema econômico em que a administração de uma empresa é baseada no capital do governo e no capital privado. **Economia política.** V. *economia* (3). **Economia popular.** Conjunto de interesses econômicos do povo, sob a proteção jurídica do Estado.

economiário. *Bras.* **1.** *Adj.* Pertencente ou relativo à Caixa Econômica. ● *S. m.* **2.** Funcionário dela.

economias. [Pl. de *economia.*] *S. f. pl.* Bens acumulados por efeito de economia (2). ~ V. *economia.*

economicidade. *S. f.* Qualidade do que é econômico (6 e 7).

econômico. [Do lat. *oeconomicu.*] *Adj.* **1.** Referente à economia (1): *a capacidade e c o n ô m i c a de um gerente, de uma dona-de-casa.* **2.** Relativo aos meios materiais necessários à economia (1): *os problemas e c o n ô m i c o s de um chefe de família, da diretoria de um clube.* **3.** Que controla as despesas; parcimonioso nos gastos; poupado: *pessoa e c o n ô m i c a.* **4.** Que promove economia (2): a *Caixa E c o n ô m i c a Federal; tomar medidas e c o n ô m i c a s.* **5.** Relativo à economia (3 e 4), ou que dela decorre: *nível e c o n ô m i c o; recursos e c o n ô m i c o s; crise e c o n ô m i c a.* **6.** De baixo preço; barato: *aluguel e c o n ô m i c o.* **7.** Que consome pouco (em relação aos serviços prestados): *carro e c o n ô m i c o.* ~ V. *ano* —, *ciência —a, ciências —as, conjuntura —a, determinismo —, geografia —a, guerra —a, liberalismo —, malthusianismo —, modelo —, política —a, sociologia —a, teoria —a,* e *velocidade — a.*

econômico-financeiro. *Adj.* Relativo, ao mesmo tempo, à economia e às finanças. [Pl.: *econômico-financeiros.*]

economista. *S. 2. g.* **1.** Pessoa que trata especialmente de questões econômicas. **2.** *Bras.* Bacharel em ciências econômicas.

economizar. *V. t. d.* **1.** Administrar com economia (1). **2.** Gastar com parcimônia; poupar: *E c o n o m i z a a mesada para comprar livros.* **3.** Acumular ou guardar poupando: *E c o n o m i z o u alguns meses de ordenado para comprar a passagem. Int.* **4.** Fazer economia; gastar com moderação: "O padrasto não era rico mais vivia bem, mesa farta, tinha e c o n o m i z a d o durante os anos em que vivera só e sem encargo." (Carlos Heitor Cony, *A Verdade de Cada Dia*, p. 110.)

ecônomo. [Do gr. *oikonomos*, pelo lat. *oeconomu.*] *S. m.* **1.** Indivíduo encarregado da administração de uma casa grande, ou de uma instituição particular ou pública; mordomo. **2.** Eclesiástico incumbido da administração dos bens de uma abadia, um benefício, etc. **3.** Despenseiro.

ecopatia. [De *eco-²* + *-pat(a)-* + *-ia.*] *S. f. Patol.* Moléstia nervosa de que a ecolalia é um dos sintomas importantes.

ecopático. *Adj.* Relativo à ecopatia.

ecoporanguense. *Adj. 2 g.* **1.** De, ou pertencente ou relativo a Ecoporanga (ES). ● *S. 2 g.* **2.** Natural ou habitante de Ecoporanga.

ecosfera. [De *eco-¹* + *-sfera.*] *S. f. Geofís.* Região da atmosfera onde não há seres vivos.

ecossistema. [De *eco-¹* + *sistema.*] *S. m.* Conjunto dos relacionamentos mútuos entre determinado meio ambiente e a flora, a fauna e os microrganismos que nele habitam, e que incluem os fatores de equilíbrio geológico, atmosférico, metereológico e biológico.

ecossistêmico. *Adj.* Relativo a ecossistema.

ecossondador (ô). [De *eco-²* + *sondador.*] *S. m. Bras. Náut.* Ecobatímetro.

ecótipo. [De *eco-¹* + *-tipo.*] *Adj. Biol. Ger.* **1.** Relativo a um hábitat particular. ● *S. m.* **2.** Tipo ecológico.

ecotoxicologia (cs). [De *eco-¹* + *toxologia.*] *S. f.* Disciplina que estuda a ação dos agentes químicos tóxicos no meio ambiente.

ecotoxicológico (cs). *Adj.* Referente à ecotoxicologia.

ecoxupé. *Interj. Bras.* Voz com que o caçador manda os cães seguirem a caça; ecô.

ecpiema. [Do gr. *ekpyema.*] *S. m. Patol.* Supuração, abscesso.

ecpiesma (ê). [Do gr. *ekpíesma.*] *S. m. Med.* Fratura do crânio, quando ocorre compressão de meninge por esquírolas.

➧écran (ecrã). [fr.] *S. m.* **1.** Quadro branco onde se projeta a imagem dum objeto. **2.** Tela de cinema. **3.** Chapa de vidro diversamente colorida, que se usa para selecionar os raios luminosos da fotografia colorida.

ecrucru. [Do ioruba.] *S. m. Bras. Folcl.* Oferenda de alimentos no axexê, por intenção da alma dos mortos.

▲-ectas-. [Do gr. *éktasis, eos.*] *El. comp.* = 'alongamento', 'dilatação': *gastrectasia, enterectasia, angiectasia.*

éctase. [Do gr. *éktases*, pelo lat. *ectase.*] *S. f. Gram.* Alongamento de uma sílaba breve; diástole [q. v.].

ectasia. [Do gr. *éktases*, 'tensão', 'alongamento', + *-ia.*] *S. f. Med.* Dilatação de uma estrutura oca.

éctipo. [Do gr. *éktypon*, pelo lat. *ectypu.*] *S. m.* **1.** Cópia estampada de medalha, sinete, etc.; cunho. **2.** Tipo usado em ectipografia.

ectipografia. [De *ecto-* + *tipografia*, com haplologia.] *S. f.* Impressão tipográfica que deixa os caracteres em relevo, e destinada à leitura de cegos. [Cf. *anagliptografia.*]

ectipográfico. *Adj.* Relativo à ectipografia.

ectlipse. [Do gr. *ekthlípsis*, 'ação de esmagar', pelo lat. *ecthlipse.*] *S. f. Gram.* Elisão do *m* final de uma palavra antes de vogal: *coa* (*co'a*), em vez de *com a.*

▲-ecto-. [Do gr. *ektós.*] *Pref.* = 'fora', 'exterior': *ectozoário, ectoderma.*

ectocisto. [De *ecto-* + *-cisto.*] *S. m. Zool.* Camada externa da parede do corpo dos briozoários.

ectoderma. [De *ecto-* + *-derma.*] *S. m.* **1.** *Embr.* A mais externa das três camadas germinativas primárias do embrião, da qual derivam a epiderme, as unhas, os pêlos, o sistema nervoso, os órgãos externos dos senti-

dos e a membrana mucosa da boca e do ânus. [Cf. *mesoderma* e *endoderma* (1).] **2.** *Anat. Veg.* V. *exoderma.*
ectógnato. *S. m.* e *adj.* V. *tisanuro.*
ectógnatos. *S. m. pl. Zool.* V. *tisanuros.*
▲-ectom(e)-. [Do gr. *ektomé, ês.*] *El. comp.* = 'corte, entalhe, abertura, com ablação', 'excisão', 'extirpação': *histerectomia, gastrectomia, prostatectomia.*
▲-ectop-. [Do gr. *éktopos, os, on.*] *El. comp.* = 'posição anômala': *esplenectopia.*
ectoparasito. [De *ecto-* + *parasito.*] *S. m. Biol.* Parasito que vive na superfície do hospedeiro, como muitos fungos e as ervas-de-passarinho, que obtêm o alimento por meio de haustórios, os quais penetram no interior do organismo parasitado. [Opõe-se a *endoparasito.*]
ectopia. [De *ectop-* + *-ia.*] *S. f. Med.* Anomalia de posição de órgão, congênita por via de regra.
ectópico. *Adj. Med.* **1.** Referente à ectopia. **2.** Que se realiza ou funciona fora da localização normal.
ectoplasma. [De *ecto-* + *-plasma.*] *S. m.* **1.** *Biol.* Parte periférica do citoplasma. **2.** Na parapsicologia, substância visível que emana do corpo de certos médiuns.
ectoprocto. *S. m.* e *adj.* V. *briozoário.*
ectoproctos. *S. m. pl. Zool.* V. *briozoários.*
ectosporale. *S. f.* Espécime das ectosporales.
ectosporales. *S. f. pl. Micol.* Ordem de mixomicetos, da classe das mixogastrales, caracterizada pela presença de esporos externos.
ectotrofo. *S. m.* e *adj.* V. *tisanuro.*
ectotrofos. *S. m. pl. Zool.* V. *tisanuros.*
ectozoário. [De *ecto-* + *-zoário.*] *S. m.* **1.** Espécime dos ectozoários. ● *Adj.* **2.** Pertencente ou relativo a eles.
ectozoários. [Pl. de *ectozoário.*] *S. m. pl. Zool.* Animais parasitos que vivem sobre a pele do homem e doutros animais.
ectrópio. [Var. de *ectrópion.*] *S. m. Patol.* Eversão de borda ou margem, geralmente de uma pálpebra. [Pode também ocorrer em relação à úvea. Sin., pop. : *olho-de-sapiranga.*]
ectrópion. [Do gr. *ektrópion.*] *S. m. Patol.* V. *ectrópio.*
ectrótico. [Do gr. *ektrotikós.*] *Adj. Med.* **1.** Relativo a aborto. **2.** Abortivo (2). **3.** Que detém a progressão de doença.
ecúleo. [Do lat. *equuleu.*] *S. m.* **1.** Potro (2). **2.** *Fig.* Tormento, flagelo. [Cf. *acúleo.*]
éculo. *S. m. Zool.* Espécie de mocho[1] (1).
ecumênico. [Do gr. *oikoumenikós*, pelo lat. *oecumenicu.*] *Adj.* **1.** Relativo a toda a Terra habitada; universal: "Porque ao lado do homem universal, ... ao lado do homem chamado e c u m ê n i c o, pela Igreja, por habitar dispersamente todas as partes conhecidas do planeta, havia, ainda, no mundo, ... uma série de monstros horrendos e pavorosos" (Afonso Arinos de Melo Franco, *O Índio Brasileiro e a Revolução Francesa*, p. 9). **2.** Relativo ao ecumenismo. **3.** Diz-se do crente que manifesta disposição à convivência e diálogo com outras confissões religiosas. ~ V. *concílio* —.
ecumenismo. [De *ecumênico* + *-ismo*, com síncope.] *S. m.* **1.** Nos primórdios do cristianismo, todos os povos a quem se deveria dirigir a pregação do Evangelho. **2.** *Rel.* Movimento surgido nas igrejas protestantes e, posteriormente na Igreja Católica, originado da crença de terem uma identidade substancial a doutrina e a mensagem de Cristo. [Cf. *irenismo.*]
ecúmeno. [Do gr. *oikouménē*, 'habitada (a Terra)', com mudança de gênero.] *S. m.* **1.** A área habitável ou habitada da Terra. **2.** O universal, o geral.
ecuru. [Do ioruba.] *S. m. Bras.* Farofa de feijão-fradinho, comida de lansã.
eczema. [Do gr. *ékzema.*] *S. m. Patol.* Dermatose inflamatória caracterizada pela formação de vesículas confluentes, exsudatos e crostas, e provocada por diferentes causas.
eczematoso (ô). *Adj.* **1.** Que tem caráter de eczema. **2.** Atacado de eczema. ● *S. m.* **3.** Indivíduo atacado dessa doença.
edacidade. [Do lat. *edacitate.*]. *S. f. V. glutonaria.*
edacíssimo. [Do lat. *edacissimu.*] *Adj.* Superl. abs. sint. de *edaz.*
edáfico. [Do gr. *édaphos, 'solo'*, + *-ico*[2].] *Adj.* Pertencente ou relativo ao solo: *fator* e d á f i c o ; *formação* e d á f i c a .
edafologia. [Do gr. *édaphos 'solo'*, + *-log(o)-* + *-ia.*] *S. f.* Ciência que estuda os solos; pedologia.
edafológico. *Adj.* Relativo à edafologia; pedológico.
edafólogo. *S. m.* Especialista em edafologia; pedólogo.
edaz. [Do lat. *edace.*] *Adj. 2 g.* **1.** Voraz (1). **2.** V. *glutão* (1). [Superl. abs. sint.: *edacíssimo.*]
edeago. *S. m. Zool.* Órgão copulador dos insetos.
edeense (èên). *Adj. 2 g.* **1.** De, ou pertencente ou relativo a Edéia (GO). ● *S. 2 g.* **2.** Natural ou habitante de Edéia.
edéia. [Do gr. *oidoia*, 'vergonhosas' (subentende-se partes.] *S. f. Med.* Órgãos ou partes sexuais. [Cf. *idéia.*]
edelvais. [Do al. *Edelweiss.*] *S. m.* Planta ornamental da família das compostas (*Leontopodium alpinum*), própria das grandes altitudes, de flores alvas, em forma de estrela, reunidas em capítulos, dispostas em corimbos densos, com folíolos involucrais e escamas pretas, encontrando-se ambos no ápice.
edema. [Do gr. *oídema*, 'inchação'.] *S. m. Med.* Acúmulo anormal de líquido em espaço intersticial extracelular, havendo, entretanto, exceções, no caso do sistema nervoso central, em que se produz, também, em situação intracelular.
edemaciado. [Part. de *edemaciar.*] *Adj.* Em que se produziu edema.
edemaciar. [Do fr. *oedématier.*] *V. t. d.* Produzir edema em.
edemático. *Adj.* **1.** Relativo a edema. **2.** Edematoso
edematoso (ô). *Adj.* Que tem edema; edemático.
Éden. [Do top. *Eden.*] *S. m.* Paraíso (1 e 3). [Pl.: *edens.*]
edênico. *Adj.* Relativo ao, ou próprio do Éden: paradisíaco.
edentado. [Do lat. *edentatu.*] *Adj. P. us.* desdentado[1] (1).
▲edeo-. [Do gr. *aidolon, ou.*] *El. comp.* = 'partes *pudendas*, órgãos genitais': *edeologia, edeoscopia.*
edeologia. [De *edeo-* + *log(o)-* + *-ia.*] *S. f.* Estudo dos órgãos genitais. Cf. *ideologia.*]
edeológico. *Adj.* Referente à edeologia. [Cf. *ideológico.*]
edeoscopia. [De *edeo-* + *-scop-* + *-ia.*] *S. f. Med.* Inspeção ou exame das partes genitais.
edeoscópico. *Adj.* Relativo à edeoscopia.
ederé. *S. m. Bras., BA.* Toque (3) especial de Oxum e Iemanjá.
edesseno. [Do gr. *edessenós*, pelo lat. *edessenu.*] *Adj.* **1.** De, ou pertence ou relativo a Edessa (Ásia). ● *S. m.* **2.** O natural ou habitante de Edessa.
edição. [Do lat. *editione.*] *S. f.* **1.** Ato ou efeito de editar. **2.** Atividade ou empreendimento editorial. **3.** Publicação de textos, partituras, estampas, discos, etc., produzidos por quaisquer sistemas de compor, imprimir ou gravar, e que, incluindo ou não as fases da produção material e da distribuição, supõe sempre a responsabilidade do editor. **4.** *Edit.* Conjunto dos exemplares de um impresso tirados, uma ou mais vezes, da mesma fôrma, placa, cilindro ou filme para esse fim produzidos, ou ainda resultantes de composição originada da mesma fita perfurada inicialmente por máquina de compor. [V. *reedição, impressão* (8 e 9), *reimpressão* (2) e *tiragem* (4 e 5).] **5.** *P. ext.* Obra editada; lançamento: Grande Sertão: Veredas *foi uma das grandes* e d i ç õ e s *da José Olímpio.* **6.** *Jorn.* Conjunto de exemplares de uma mesma tiragem de jornal ou revista. **7.** *Rád.* e *Telev.* Cada transmissão de um determinado programa jornalístico. **8.** *Cin., Rád.* e *Telev.* Seleção e combinação de materiais gravados ou filmados, para feitura de um programa, filme documentário, videoclipe, montagem, etc, **9.** *Telev.* Seleção das imagens captadas simultaneamente por diferentes câmaras durante uma gravação ou transmissão; montagem. ◆ **Edição abreviada.** Aquela cujo texto foi parcialmente suprimido, ou resumido em trechos ou passagens supostamente não essenciais à sua compreensão. **Edição anotada.** Aquela cujo texto se faz acompanhar de notas destinadas a esclarecê-lo, completá-lo ou atualizá-lo. **Edição atualizada.** Aquela cujo texto sofreu acréscimos e/ou modificações em relação à anterior, no sentido de pôr em dia a matéria tratada. **Edição autorizada.** A que recebe aprovação expressa do autor, ou do detentor dos direitos editoriais, para distingui-la das fraudulentas. [Cf. *edição fraudulenta* e *edição definitiva.*] **Edição clássica.** Edição de texto antigo ou moderno feita de modo que se torne correntemente aceita como modelo. [Cf. *edição definitiva.*] **Edição compacta.** Aquela em que, para reduzir o número de páginas, se adotam caracteres pequenos e composição cerrada. [Cf. *edição popular.*] **Edição corrente.** Edição comum, feita para o grande público, e que contém o texto puro e simples da obra. **Edição crítica.** Aquela em que se procura estabelecer o texto perfeito de uma obra, mediante colação com o manuscrito ou com edição feita em vida do autor, correção dos erros tipográficos, modernização da maneira de compor e, tanto quanto possível, de particularidades ortográficas, acrescentando-se variantes de passagens, notas e comentários, que constituem o aparato crítico; edição exegética. **Edição de bibliófilo.** A que se destina a colecionadores, impressa em papel de qualidade, geralmente ilustrada, de tiragem reduzida e exemplares numerados e, quando possível, assinados pelo autor, ilustrador, etc. [Cf. *edição de luxo.*] **Edição definitiva.** Aquela cujo texto foi, pelo autor, considerado definitivamente estabelecido; edição *ne varietur.* [Cf. *edição clássica e edição autorizada.*]. **Edição de luxo.** Edição impressa em papel de alto preço, em formato quase sempre grande e com margens amplas, às vezes composta com tipos especiais, ornada de ilustrações e não raro suntuosamente encadernada. [Cf. *edição de bibliófilo.*] **Edição diamante.** A de formato minúsculo, impressa com tipos de ínfimo corpo, aos quais outrora se dava, em geral, o nome de *diamante;* [v. *diamante* (5)]; edição liliputiana, edição microscópica. **Edição diplomática.** A que reproduz fielmente outra edição, mediante composição com tipos de desenho igual ou quase igual e do mesmo corpo, conservação das mesmas medidas e estilo tipográfico, ortografia, abreviaturas, etc., e até dos erros de revisão porventura existentes. **Edição espúria.** V. *edição fraudulenta.* **Edição exegética.** Edição crítica. **Edição expurgada.** Aquela de que se eliminaram as passagens tidas como inconvenientes por motivos políticos, éticos ou religiosos. **Edição fac-similada.** Edição fac-similar. **Edição fac-similar.** A que reproduz outra por processo fotomecânico; edição fac-similada. **Edição fraudulenta.** A que é feita sem assentimento do autor ou do detentor dos direitos autorais; edição espúria, edição pirata. [Cf. *edição autorizada.*] **Edição integral.** Edição não abreviada ou não expurgada, ou que representa um texto só então integralmente estabelecido. **Edição liliputiana.** V. *edição diamante.* **Edição limitada.** A constituída de reduzido número de exemplares, usualmente numerados. **Edição microscópica.** V. *edição diamante.* **Edição *ne varietur*.** Edição definitiva [q. v.]. **Edição paleográfica.** A que transcreve fiel e exatamente um manuscrito, respeitando-lhe a grafia, pontuação, etc., e colocando entre colchetes os acréscimos julgados necessários. **Edição pirata.** V. *edição fraudulenta.* **Edição popular.** Edição compacta [q. v.], em papel barato, de certos textos publicados para grande divulgação. **Edição *princeps*** (î). A primeira edição de um livro; edição príncipe. **Edição príncipe.** Edição *princeps.* **Segunda edição.** *Fig.* Pessoa muito semelhante a outra, física e/ou psicologicamente: *Este menino é a* s e g u n d a e d i ç ã o *do pai;* "O companheiro, um jovem de vinte e um anos, s e g u n d a e d i ç ã o do primeiro, tendo de menos as suíças e as rugas e de mais a vivacidade própria da idade" (Cardoso de Oliveira, *Dois Metros e Cinco*, p. 80).
edícula. [Do lat. *aedicula.*] *S. f.* **1.** Pequena casa. **2.** Nicho para imagens; oratório. **3.** Pequena capela.
edificação. [Do lat. *aedificatione.*] *S. f.* **1.** Ato ou efeito de edificar(-se). **2.** Construção de edifício(s). **3.** Edifício, construção, casa, prédio. **4.** Aperfeiçoamento moral ou religioso. **5.** Esclarecimento, informação, instrução: *um programa de televisão para* e d i f i c a ç ã o *do público sobre assuntos de trânsito.* **6.** Criação, instituição: *a* e d i f i c a ç ã o *dum império.* ◆ **Edificação multifamiliar.** Conjunto de duas ou mais unidades residenciais em uma só edificação. **Edificação unifamiliar.** Aquela que abriga apenas uma unidade residencial.
edificador (ô). [Do lat. *aedificatore.*] *Adj.* **1.** Que edifica, que constrói ou funda. **2.** V. *edificante* (1). ● *S. m.* **3.** Aquele que edifica, que constrói ou funda.
edificante. [Do lat. *aedificante.*] *Adj. 2 g.* **1.** Que edifica moralmente; edificativo, edificador, moralizador. **2.** Instrutivo, esclarecedor. **3.** *Deprec.* Escandaloso, vergonhoso.
edificar. [Do lat. *aedificare.*] *V. t. d.* **1.** Construir; levantar: e d i f i c a r *uma casa, um templo,* e d i f i c a r *uma nova cidade.* **2.** Fundar, instituir, criar: e d i f i c a r *uma doutrina.* **3.** Induzir à virtude; infundir sentimentos religiosos em: *Procurava, com prédicas diárias,* e d i f i c a r *os fiéis;* "o misticismo truculento da raça espanhola a torturar a carne para* e d i f i c a r *o espírito" (Antero de Figueiredo, *Jornadas em Portugal*, p. 267). *Int.* **4.** Infundir sentimentos morais e religiosos: *Aconselhava leituras que* e d i f i c a s s e m. *P.* **5.** Receber impressões edificantes: E d i f i c o u - s e *com jejuns e abstinências.* [Conjug.: v. *trancar.*].
edificativo. *Adj.* V. *edificante* (1).
edifício. [Do lat. *aedificiu.*] *S. m.* **1.** Construção de alvenaria, madeira, etc., de caráter mais ou menos permanente, que ocupa certo espaço de terreno, é geralmente limitada por paredes e teto, e serve de abrigo, moradia, etc.; edificação, casa, prédio, imóvel:

"as mais soberbas pontes e *e d i f í c i o s*" (Carlos Drummond de Andrade, *Reunião*, p. 198). **2.** Edifício de certo vulto destinado à habitação, à recreação, ao exercício do culto, a serviços públicos ou particulares, etc.: o *e d i f í c i o de um ministério; um e d i f í c i o de apartamentos; As catedrais góticas são os e d i f í c i o s mais importantes da arquitetura medieval.* **3.** Prédio de vários andares. **4.** *Fig.* Coisas executadas, dispostas ou combinadas com arte: *Os penteados das mulheres eram e d i f í c i o s cuidadosamente elaborados.* **5.** *Fig.* Aquilo que resulta de um conjunto de planos ou idéias: *Ruiu o e d i f í c i o de seus sonhos.*

edifício-garagem. *S. m.* Edificação dotada de rampas e elevadores e que se destina, exclusivamente, a estacionamento de veículos. [Pl.: *edifícios-garagens* e *edifícios-garagem.*]

edil. [Do lat. *aedile.*] *S. m.* **1.** Antigo magistrado romano que se incumbia da inspeção e conservação dos edifícios públicos. **2.** Vereador. **3.** *Bras., N.E. Desus.* Prefeito (5).

edilício. [Do lat. *aedilitiu.*] *Adj.* **1.** Edílico. **2.** Concernente à edificação: *normas e d i l í c i a s; pesquisa e d i l í c i a.*

edílico. *Adj.* Referente a edil. [Cf. *idílico.*]

edilidade. [Do lat. *aedilitate.*] *S. f.* Cargo de edil; vereação.

edipiano. [Do mit. *édipo* + *-i-* + *-ano.*] *Adj.* **1.** Pertencente ou relativo a Édipo, ou às produções dramáticas por ele suscitadas. **2.** Pertencente ou relativo ao complexo de Édipo [q. v.]. ● *S. m.* **3.** Indivíduo que tem esse complexo.

editação. *S. f.* Ação de editar.

editado. [Part. de *editar.*] *Adj.* e *s. m.* Diz-se de, ou quem tem suas obras publicadas, em geral, por uma editora.

edital[1]. [Do lat. *edictale.*] *S. m.* **1.** Ato escrito oficial em que há determinação, aviso, postura, citação, etc., e que se afixa em lugares públicos ou se anuncia na imprensa, para conhecimento geral, ou de alguns interessados, ou, ainda, de pessoa determinada cujo destino se ignora. ● *Adj. 2 g.* **2.** Relativo a édito. **3.** Que se fez público por meio de editais.

edital[2]. *Adj. 2 g.* Relativo a edito.

editar. [Do fr. *éditer.*] *V. t. d.* **1.** Fazer a edição (3) de; dar a lume; publicar. **2.** *Cin., Rád.* e *Telev.* Fazer a edição (8 e 9) de. [Cf. *editorar.* Pres. ind.: *edito*, etc. Cf. *édito.*]

edítimo. [Do lat. *aeditimu.*] *S. m.* Entre os antigos romanos, guarda de um templo.

edito. [Do lat. *edictu.*] *S. m.* Parte de lei em que se preceitua alguma coisa; mandato, decreto, ordem. [Cf. *édito.*]

édito. *S. m.* Ordem judicial publicada por anúncios ou editais. [Cf. *edito*, do v. *editar* e s. m.]

editor (ô). [Do lat. *editore.*] *Adj.* **1.** Que edita. ~ V. *casa —a.* ● **2.** *S. m.* Aquele que edita. **3.** V. *editora* (1). **4.** O responsável pelo ato de publicar textos de qualquer natureza, estampas, partituras, discos, etc. **5.** *Neol.* O responsável pela supervisão e preparação de textos especializados numa publicação que abrange assuntos diversos (jornal, revista, obra de referência, etc.) **6.** O responsável pela editoração (1) de; editorador. [Flex.: *editora* (ô), *editores* (ô), *editoras* (ô). Cf. *editora, editoras* e *editores*, do v. *editorar.*] ◆ **Editor crítico.** Pessoa que organiza a edição crítica de um texto. **Editor de arte.** *Edit.* O responsável pelo projeto gráfico-visual de uma publicação. **Editor de som.** O responsável pela edição de materiais sonoros na produção de filme, programa de televisão ou de rádio, apresentação teatral, etc. **Editor de texto. 1.** Editorador. **2.** Editor literário. **3.** *Proc. Dados.* Classe de programas de computador que automatizam as operações relativas à redação, edição e arquivamento de textos. **Editor de ligação.** *Proc. Dados.* **Linkage editor. Editor de VT.** *Tel.* O responsável pela gravação, edição e reprodução de programas transmitidos em vídeoteipe. **Editor literário.** Pessoa que reúne, organiza e, em geral, também prefacia textos de um ou de vários autores para publicação; editor de texto. **Editor responsável. 1.** O coordenador de uma publicação periódica. **2.** Pessoa que responde, total ou parcialmente, para efeitos jurídicos, pelo conteúdo de uma publicação.

editora (ô). [Fem. substantivado do adj. *editor.*] *S. f.* **1.** Estabelecimento ou organização que edita; casa editora; editor. **2.** Título dado a estabelecimento dessa espécie; editorial. [Pl.: *editoras* (ô). Cf. *editora, editoras*, do v. *editorar.*]

editoração. *S. f.* **1.** Preparação técnica de originais [v. original (10)] para publicação, envolvendo revisão de forma e, em certos casos, de conteúdo. **2.** Conjunto organizado de atividades para edição de impressos, excluídas, eventualmente, ou em parte, aquelas relativas à produção gráfica. **3.** Ato ou efeito de editorar (2).

editorador (ô). *S. m.* Aquele que faz editoração (1); editor, editor de texto.

editorar. *V. t. d.* **1.** *P. us.* Editar. **2.** Reunir, organizar, anotar e, geralmente, também prefaciar ou posfaciar (textos de um ou vários autores), para publicação. **3.** Fazer a editoração (1) de. [Cf. *compilar.* Pres. ind. *editoro, editoras, editora*, etc.; pres. subj.: *editore, editores*, etc. Cf. *editora* (ô), *editores* (ô) e *editoras* (ô), flex. de *editor*, e s. f.]

editoria. *S. f.* Cada uma das seções (de órgão de imprensa, de obra de referência, etc.) que está a cargo de um editor (5): *e d i t o r i a de esportes; e d i t o r i a de pesquisas.*

editorial. [Do ingl. *editorial.*] *Adj. 2 g.* **1.** Relativo a editor ou editora. ● *S. m.* **2.** *Jorn.* Artigo que exprime a opinião do órgão, em geral escrito pelo redator-chefe, e publicado com destaque; artigo de fundo. ~ V. *encadernação —* e *produção —.* ● *S. f.* **3.** V. *editora* (2).

editorialista. *S. 2 g.* Pessoa que escreve o editorial dum órgão de imprensa.

edível. [Do lat. *edibile*] *Adj. 2 g.* V. *edule.*

▲**-edo.** [Do lat. *etu.*] *Suf. nom.* = 'plantação', 'lugar onde crescem vegetais'; 'noção coletiva'; 'objeto de grande vulto': *arvoredo* (< lat. *arboretu*), *vinhedo; passaredo; penedo, rochedo.*

edredão. *S. m.* V. *edredom.*

edredom. [Do fr. *édredon.*] *S. m.* Cobertura acolchoada para cama, com recheio de penugem, ou paina, ou algodão, etc.: "eu estava deitado sobre *e d r e d o n s* de Betânia, e ela se ergueu toda nua" (Gerardo Melo Mourão, *O Valete de Espadas.* p. 55). [F. paral.: *edredão;* sin., no RS e SP: *acolchoado.*]

edrioftalmo. *S. m.* **1.** Espécime dos edrioftalmos. ● *Adj.* **2.** Pertencente ou relativo a eles. [Sin. ger.: *artrostráceo.*]

edrioftalmos. *S. m. pl. Zool.* Animais metazoários, artrópodes, crustáceos, malacostráceos, de olhos sésseis. Compreendem os isópodes e os anfípodes. [Sin.: *artrostráceos.*]

▲**-edro.** [Do gr. *hédra, as.*] *El. comp.* = 'base', 'face': *pentaedro, poliedro.*

■ **EDTA.** *Quím.* Sigla do *ácido etilenodiamino tetracético.*

educabilidade. *S. f.* Qualidade de educável.

educação. [Do lat. *educatione.*] *S. f.* **1.** Ato ou efeito de educar(-se). **2.** Processo de desenvolvimento da capacidade física, intelectual e moral da criança e do ser humano em geral, visando à sua melhor integração individual e social: *e d u c a ç ã o da juventude; e d u c a ç ã o de adultos; e d u c a ç ã o de excepcionais.* **3.** Os conhecimentos ou as aptidões resultantes de tal processo; preparo: *É um autodidata: sua e d u c a ç ã o resultou de sério esforço pessoal.* **4.** O cabedal científico e os métodos empregados na obtenção de tais resultados; instrução, ensino: *É uma autoridade em e d u c a ç ã o, sendo seus livros largamente adotados.* **5.** Nível ou tipo de ensino: *e d u c a ç ã o primária; e d u c a ç ã o musical; e d u c a ç ã o sexual; e d u c a ç ã o religiosa; e d u c a ç ã o física.* **6.** Aperfeiçoamento integral de todas as faculdades humanas. **7.** Conhecimento e prática dos usos de sociedade; civilidade, delicadeza, polidez, cortesia: *Vê-se que é pessoa de muita e d u c a ç ã o.* **8.** Arte de ensinar e adestrar animais; adestramento: *a e d u c a ç ã o de um cão, de uma foca.* **9.** Arte de cultivar as plantas e de as fazer reproduzir nas melhores condições possíveis para se auferirem bons resultados.

educacional. *Adj. 2 g.* Referente à educação; educativo: *um plano e d u c a c i o n a l.* ~V. *orientação —* e *orientador —.*

educado. [Part. de *educar.*] *Adj.* **1.** Que se educou; que recebeu educação. **2.** Polido, cortês; bem-educado.

educador (ô). [Do lat. *educatore.*] *Adj.* e *s. m.* Que, ou aquele que educa.

educandário. [De *educando* + *-ário.*] *S. m.* Estabelecimento onde se ministra educação.

educando. [Do lat. *educandu.*] *S. m.* Aquele que recebe educação, que está sendo educado; aluno.

edução. [Do lat. *eductione.*] *S. f.* Ato de deduzir ou eduzir.

educar. [Do lat. *educare.*] *V. t. d.* **1.** Promover a educação (2 e 7) de. **2.** Transmitir conhecimentos a; instruir: *Bons professores e d u c a m o rapaz.* **3.** Domesticar, domar: *e d u c a r um cão.* **4.** Aclimar (1): *e d u c a r plantas.* *P.* **5.** Cultivar o espírito; instruir-se, cultivar-se. [Conjug.: v. *trancar.*]

educativo. *Adj.* **1.** Educacional. **2.** Que concorre para a educação: *filme e d u c a t i v o.*

educável. *Adj. 2 g.* Que pode ser educado.

edulcoração. *S. f.* Ato ou efeito de edulcorar.

edulcorante. *Adj. 2 g.* e *s. m.* Diz-se de, ou substância que edulcora ou adoça; adoçante.

edulcorar. [Do lat. *edulcorare.*] *V. t. d.* **1.** Tornar doce (1), adicionando açúcar, mel, xarope, ou outra substância adoçante; adoçar: *Gosta de e d u l c o r a r bem o café.* **2.** Tornar doce (1); adoçar: *Há muitos produtos modernos que e d u l c o r a m o café.* **3.** Tornar doce, suave; abrandar, suavizar, adoçar.

edule. [Do lat. *edule.*] *Adj. 2 g.* Que é próprio para comer; comestível, comível, comedouro, edível, edulo.

edulo. *Adj.* V. *edule.*

edutor (ô). *Adj.* **1.** Que eduz. ● *S. m.* **2.** Aquilo que eduz. **3.** *Tec. Mec.* Bomba[2] (1) do tipo jato, constituída essencialmente de um expansor, uma câmara de aspiração e um difusor: um fluido com pressão moderada é admitido no expansor, onde sua pressão diminui e sua velocidade aumenta muito; ao passar do expansor para a câmara de aspiração, em alta velocidade, arrasta, por atrito, o líquido a aspirar, e descarrega de mistura com este, para o difusor, onde a velocidade diminui e a pressão aumenta de novo. [Sin., nesta acepç.: *ejetor.*]

eduzir. [Do lat. *educere.*] *V. t. d. P. us.* Extrair, deduzir. [Conjug.: v. *aduzir.*]

efã. [Do ioruba.] *S. m. Bras.* V. *fom.*

efabulação. *S. f.* Ato ou efeito de efabular: "A matéria própria da *e f a b u l a ç ã o* entrou no teatro de Aristófanes por meio da influência da farsa do Peloponeso e da comédia siciliana, onde já existiam entrechos rudimentares." (Sábato Magaldi, *Temas da História do Teatro*, p. 51.)

efabular. *V. t. d., t. i.* e *int.* F. paral. de *fabular.*

efe. [Do valor de soletração que davam os romanos à letra *f.*] *S. m.* **1.** O nome da letra *f;* fê. [Pl.: *efes* ou *ff.*] **2.** *Mús.* Cada uma das aberturas longitudinais, talhadas em forma de efe, no tampo dos instrumentos de arco. [Pl.: *efes.*]

efebo (fê). [Do gr. *éphebos*, pelo lat. *ephebu.*] *S. m.* **1.** Na Grécia antiga, rapaz que atingiu a puberdade. [Em Atenas, especialmente, os mancebos entre 18 e 20 anos submetidos a educação especial.] **2.** Rapaz que chegou à puberdade. **3.** *P. ext.* Homem jovem; mancebo: "virgens de fronte luminosa e *e f e b o s* de corpos ágeis atropelavam-se pressurosos aos pórticos de bronze" (Aquilino Ribeiro, *Estrada de Santiago*, p. 336).

efedrina. *S. f. Quím.* Substância cristalina, encontrada em certas plantas *(Ephedra)* ou sintetizada, empregada como medicamento. [Fórm.: $C_{10}H_{15}ON$.]

efeito. [Do lat. *effectu.*] *S. m.* **1.** Produto necessário ou fortuito de uma causa. **2.** Resultado de um ato qualquer. **3.** Efetivação, execução, realização: *Levou a e f e i t o um bom negócio.* **4.** Resultado, conseqüência: *O exemplo do pai teve ótimo e f e i t o no menino.* **5.** Destino, fim, finalidade: *Usava água oxigenada para o e f e i t o de clarear os cabelos.* **6.** Eficácia, eficiência: *remédio de grande e f e i t o.* **7.** Aplicação com resultado prático: *Farei valer os e f e i t o s da lei.* **8.** Impressão, sensação: *A aula inaugural produziu excelente e f e i t o nos alunos.* **9.** Direção que toma uma bola (nos jogos de bilhar, futebol, tênis, etc.) afastando-se da trajetória normal, em conseqüência do modo excêntrico por que foi posta em movimento. **10.** Dano, prejuízo: *os e f e i t o s da guerra.* **11.** Valor negociável. **12.** Impressão que produz uma obra de arte graças ao emprego adequado de certos artifícios técnicos: *e f e i t o de perspectiva; e f e i t o pianístico.* **13.** *Filos.* V. *causa* (6). **14.** *Filos.* Termo de ação. **15.** *Fís.* V. *fenômeno* (1). **16.** *Cin., Rád.* e *Telev.* Impressão sonora ou visual produzida artificialmente. ◆ **Efeito a pagar.** *Com.* Título ou obrigação por pagar. **Efeito a receber.** *Com.* Título cujo valor constitui a dívida ativa dum comerciante. **Efeito azimutal.** *Geofís.* Efeito produzido pelo campo magnético terrestre sobre os raios cósmicos, de tal sorte que em conseqüência da atração magnética da Terra esses raios se desviam em *a z i m u t e.* **Efeito Doppler-Fizeau.** *Fís.* Decalagem da freqüência aparente de uma vibração em virtude do movimento relativo da fonte e do observador. [Com relação às radiações luminosas o efeito Doppler-Fizeau consiste na variação do comprimento de onda, observada quando o corpo que emite a luz se desloca. As raias espectrais deslocam-se para o azul, quando o corpo emissor se aproxima (*desvio para o azul* [q. v.]), e para o vermelho, quando se afasta (*desvio para o vermelho* [q. v.]). A medida desse desvio permite-nos calcular a velocidade com que o corpo se aproxima ou se afasta de nós.] **Efeito estufa.** *Geofís.* Efeito proveniente da absorção, pela atmosfera, da radiação solar que, aquecendo a superfície do planeta, produz irradiação que permanece nas camadas atmosféricas interiores, elevando, em conseqüência, o seu nível térmico. **Efeito fotelétrico.** *Fís.* A emissão de elétrons por uma superfície iluminada. **Efeito Sabatier.** *Fot.* Solarização. **Efeitos bancários.** *Com.* Títulos e valores negociáveis nos bancos. **Efeitos especiais.** *Cin.* Recursos técnicos utilizados para simular situações ou fenômenos impossíveis ou difíceis de serem filmados convencionalmente; para tanto se empregam lentes especiais, simuladores, computadores, etc. **Efeitos sobre o estrangeiro.** *Com.* Valores negociáveis em praças estrangeiras. **Armar ao efeito. 1.** Dispor as coisas para um resultado brilhante. **2.** Procurar atrair a atenção com aparências brilhantes. **Com efeito.** Efetivamente, realmente. **Fazer efeito.** Dar (um remédio) resultado positivo: *O supositório fez efeito: o doente sentiu-se muito aliviado.* **Levar a efeito.** Pôr em prática; levar a cabo; realizar, fazer. **Para todos os efeitos.** Para todos os fins, ainda que a causa não seja verdadeira.

efeituar. *V. t. d.* e *p. P. us.* Efetuar.

efélide. [Do gr. *éphelis*, pelo lat. *ephelide.*] *S. f. Med.* Mancha na pele, causada pelo sol; sarda.

efemérida. [Do gr. *ephémeron*, 'inseto que vive só um dia', + *-ida.*] *S. f.* Inseto neuróptero pertencente à ordem dos *Efemerópteros.* [Cf. *efeméride* e *efemérides.*]

efemeridade. *S. f.* Qualidade de efêmero.

efeméride. [Do gr. *ephemerís, ídos*, pelo lat. *ephemeride.*] *S. f.* **1.** *Astr.* Tabela que fornece, em intervalos de tempo regularmente espaçados, as coordenadas que definem a posição de um astro. [As efemérides constituem o elo entre as teorias sobre as quais são construídas e as observações posteriores, o que permite provar a validade daquelas.] **2.** V. *efemérides* (5). ~ V. *efemérides.* [Cf. *efemérida.*]

efemérides. [Pl. de *efeméride.*] *S. f. pl.* **1.** Diário, livro ou agenda em que se registram fatos de cada dia. **2.** Registro dos acontecimentos realizados no mesmo dia do ano em épocas diferentes. **3.** Anotação ou enumeração dos acontecimentos sujeitos a cálculos e a previsão durante o ano. **4.** Título dado na Antiguidade às obras que contam, dia por dia, a vida de uma figura ilustre. **5.** *Bras.* Notícia diária. [No último sentido é muito corrente (no Brasil, pelo menos) o uso do termo no sing.] ~ V. *efeméride.* [Cf. *efeméridas*, pl. de *efemérida*]

efemérido. *S. m.* e *adj.* V. *efemeróptero.*

efemérídos. *S. m. pl. Zool.* V. *efemerópteros.*

efemerina. [De *efêmero* + *-ina*[1]] *S. f.* Espécie de junco da América e da Índia.

efêmero. [Do gr. *ephémeros.*] *Adj.* **1.** Que dura um só dia. **2.** De pouca duração; passageiro, transitório: "todas as formas se mudam, decaem e perecem ou se transformam, são todas efêmeras e caducas, ao passo que a idéia ou substância é sempre viva, verde e eternal." (João Ribeiro, *Páginas de Estética*, p. 87). **3.** *Bot.* Diz-se da flor que fenece no próprio dia em que se abre. **4.** Pertencente ou relativo aos efêmeros. ● *S. m.* **5.** Espécime dos efêmeros.

efemeróideo. *S. m.* **1.** Espécime dos efemeróideos. ● *Adj.* **2.** Pertencente ou relativo a eles.

efemeróideos. *S. m. pl. Zool.* Insetos da ordem dos efemerópteros, subordem *Ephemeroidea.*

efemeróptero. [Do gr. *ephémeros*, 'efêmero, que dura um dia', + *-ptero.*] *S. m.* **1.** Espécime dos efemerópteros. ● *Adj.* **2.** Pertencente ou relativo a eles. [Sin. ger.: *ágnato, plectóptero, efemérido.*]

efemerópteros. *S. m. pl. Zool.* Animais artrópodes, da classe dos insetos, pterigotos, da ordem *Ephemeroptera*, com aparelho bucal mastigador, vestigial nos adultos, asas anteriores muito maiores que as posteriores, reticuladas, membranosas, e abdome com dois a três cercos longos, pluriarticulados. São hemimetabólicos. As formas jovens, campodeiformes, vivem na água, onde passam dois a três anos; os adultos vivem perto da água, mas têm apenas algumas horas a uma semana de vida. [Sin.: *ágnatos, plectópteros, efeméridos.*]

efêmeros. [Pl. de *efêmero.*] *S. m. pl. Zool.* Insetos da ordem dos efemerópteros, de vida curta, donde o nome, e que servem de alimento a pequenos peixes. Certas espécies vivem horas, apenas, e não se alimentam na fase adulta. As larvas são aquáticas e os imagos vivem próximos da água.

efeminação. [Do lat. *effeminatione.*] *S. f.* **1.** Ato ou efeito de efeminar. **2.** Aparências ou modos efeminados. [Sin.: *afeminação.*]

efeminado. [Part. de *efeminar.*] *Adj.* **1.** Diz-se do homem que adota a aparência feminina, ou é dado a modos, maneiras, ocupações, etc., femininas; adamado, amaricado, maricas, mulherengo. **2.** Diz-se do homem que é homossexual passivo; afrescalhado, aqualirado, aveadado, fresco, ventilado. **3.** Excessivamente delicado; mole, brando, pusilânime. **4.** Sensual, voluptuoso: *languidez efeminada; indolência efeminada.* ● *S. m.* **5.** Aquele que é efeminado (1); maricas, maricão, mariquinhas, mulherengo, mulherzinha. **6.** Homem efeminado (2); fresco, veado, ventilado, bicha, bichoca, bicharoca, bicha-louca, bichona, boneca, pirobo. [Sin. ger.: *afeminado.*]

efeminar. [Do lat. *effeminare.*] *V. t. d.* **1.** Fazer adquirir maneiras, gostos, tendências, caracteres femininos: *O convívio exclusivo com mulheres, na meninice, efeminou- o.* **2.** Tornar semelhante ao que é feminino: *A companhia de homossexuais está efeminando o seu comportamento.* **3.** Fazer perder a energia; enfraquecer; enervar; degenerar. *P.* **4.** Tornar-se efeminado. [Sin. ger.: *afeminar.*]

efêndi. [Do gr. *authéntes*, 'aquele que usa de suas próprias armas, chefe', pronunciado *aftêndis* no gr. mod., pelo turco *efendi.*] *S. m.* Título dos dignitários civis e religiosos e dos sábios na Turquia, o qual se põe depois do nome próprio.

eferente. [Do lat. *efferente.*] *Adj. 2 g.* **1.** Que conduz, que transporta. **2.** Que tira e conduz de dentro para fora. **3.** *Anat.* Diz-se de vaso que conduz o sangue que sai de um órgão, de canal excretor de um órgão, de nervo que conduz excitação vinda de centro nervoso, ou de vaso linfático que conduz a linfa saída de um gânglio linfático. [Cf. *aferente.*]

efervescência. [Do lat. *effervescentia.*] *S. f.* **1.** Evolução de um gás em bolhas dentro de um líquido, quer pela diminuição da pressão, quer pela ação de um agente químico. **2.** Ebulição, fervura. **3.** *Fig.* Agitação do espírito; excitação, exaltação; comoção, perturbação. **4.** *Fig.* Movimento; bulício; inquietação.

efervescente. *Adj. 2 g.* **1.** Que apresenta efervescência (1): *bebida efervescente.* **2.** *Fig.* Buliçoso, inquieto. **3.** *Fig.* Irritável, irascível: *temperamento efervescente.* **4.** *Fig.* Agitado, convulso; exaltado: *A disposição efervescente dos ânimos dificultou os trabalhos da assembléia.*

efervescer. [Do lat. *effervescere.*] *V. int.* **1.** Entrar em efervescência. **2.** Tornar-se efervescente, buliçoso, irrequieto; agitar-se, excitar-se: "Passei .... o dia inteiro a pelejar com aquelas idéias que efervesciam na minha cabeça." (Ciro dos Anjos, *Abdias*, p. 83.) [Conjug.: v. *crescer.*]

efes-e-erres. *El. s. m. pl.* Us. na loc. adv. *com todos os efes-e-erres.* ♦ **Com todos os efes-e-erres. 1.** Com absoluta exatidão. **2.** Caprichosamente, apuradamente.

efésio. [Do gr. *ephésios*, pelo lat. *ephesiu.*] *Adj.* **1.** De, ou pertencente ou relativo a Éfeso (Grécia). ~ V. *escola —a.* ● *S. m.* **2.** O natural ou habitante de Éfeso.

efetivação. *S. f.* Ato ou efeito de efetivar.

efetivar. *V. t. d.* **1.** Tornar efetivo (1); levar a efeito; realizar, efetuar: *efetivar medidas indispensáveis à boa solução de um problema.* **2.** Tornar efetivo (2): *O governo efetivou numerosos professores horistas.* [Pres. subj.: *efetive, ... efetiveis, efetivem.* Cf. *efetíveis*, pl. de *efetível.*]

efetível. *Adj. 2 g.* Que se pode efetuar ou efetivar. [Pl.: *efetíveis.* Cf. *efetiveis*, do v. *efetivar.*]

efetividade. *S. f.* **1.** Qualidade de efetivo. **2.** Atividade real; resultado verdadeiro: *a efetividade de um serviço, de um tratamento.* **3.** Realidade, existência.

efetivo. [Do lat. *effectivu.*] *Adj.* **1.** Que se manifesta por um efeito real; positivo: *negócio efetivo; promessa efetiva.* **2.** Permanente, estável, fixo: *funcionário efetivo.* **3.** Que merece confiança; seguro, firme: *caráter efetivo; prova efetiva.* ~ V. *abertura —a, demanda —a* e *temperatura —a.* ● *S. m.* **4.** O que existe realmente. **5.** O número de militares dos diversos graus que compõem uma formação terrestre, naval ou aérea. **6.** *Com.* O ativo líquido do comerciante.

efetuação. *S. f.* **1.** Ato de efetuar(-se). **2.** Execução, realização.

efetuar. [Do lat. *effectuare.] *V. t. d.* **1.** Levar a efeito; realizar, cumprir, executar: *Conseguiu efetuar antigos planos.* **2.** *Restr.*Fazer, executar (operação matemática): *A criança armou e efetuou a soma.* **3.** Perfazer, completar: *Economizou para efetuar determinada quantia. P.* **4.** Realizar-se, cumprir-se: "Este casamento efetua-se em condições muito singulares." (Artur Azevedo, *Contos Possíveis*, p. 10); *Todos os seus sonhos se efetuaram.* [F. paral., p. us.: *efeituar.*]

efetuoso (ô). *Adj. P. us.* V. *eficaz.* [Cf. *afetuoso.*]

eficácia. [Do lat. *efficacia.*] *S. f.* Qualidade ou propriedade de eficaz; eficiência.

eficacíssimo. [Do lat. *efficacissimu.*] *Adj.* Superl. abs. sint. de *eficaz.*

eficaz. [Do lat. *efficace.*] *Adj. 2 g.* **1.** Que produz o efeito desejado; que dá bom resultado: *medida eficaz; tratamento eficaz.* **2.** Que age com eficiência: *gerente eficaz.* ~V. *corrente —, seção —* e *valor —.* [Sin. ger.: *eficiente* e (p. us.) *efetuoso.* Super. abs. sint.: *eficacíssimo.*]

eficiência. [Do lat. *efficientia.*] *S. f.* **1.** Ação, força, virtude de produzir um efeito; eficácia. **2.** *Estat.* Medida da significação da estimativa dum parâmetro, obtida com base em uma amostra, e que é igual ao cociente de variância da estimativa pela variância de um estimador de eficiência máxima.

eficiente. [Do lat. *efficiente.*] *Adj. 2 g.* V. *eficaz.* ~ V. *causa —* e *complemento de causa —.*

efigiar. [Do lat. *effigiare.*] *V. t. d.* Representar a imagem de (alguém); pintar em efígie. [Pres. subj.: *efigie*, etc. Cf. *efígie.*]

efígie. [Do lat. *effigie.*] *S. f.* **1.** Representação plástica da imagem de uma pessoa real ou simbólica (especialmente em vulto ou relevo): "A sua efígie [da rainha Vitória], no cunho das suas moedas, é, em toda a Terra, a mais preciosa representação da riqueza" (Eduardo Prado, *Coletâneas*, I, p. 254). **2.** Representação da figura convencional de uma personagem real ou fictícia, de uma divindade, etc.: *Os romeiros adoravam a efígie da santa; A efígie de Judas é queimada no sábado de aleluia.* **3.** Imagem, figura, retrato (de pessoa). [Cf. *efigie*, do v. *efigiar.*]

efipídeo. *S. m.* **1.** Espécime dos efipídeos. ● *Adj.* **2.** Pertencente ou relativo a eles.

efipídeos. *S. m. pl. Zool.* Família de peixes teleósteos, de formas vizinhas das do gênero *Quetodon*, corpo achatado lateralmente, opérculo com grande dente, cores vivas. Ex.: a enxada.

eflorescência. [Do lat. *efflorescentia.*] *S. f. 1.* Formação e aparecimento da flor. **2.** *Bot.* Pó brancacento que reveste folhas, frutos ou hastes de algumas plantas. **3.** *Geol.* Depósito esbranquiçado e pulverulento de sais minerais que, nos climas áridos, se forma à superfície do solo e das rochas, em conseqüência da evaporação das águas. [Cf. *barreiro* (3).] **4.** *Patol.* Erupção cutânea. **5.** *Fig.* Aparecimento, nascimento. **6.** *Fís.-Quím.* Formação de cristalitos anidros na superfície de um cristal hidratado, numa atmosfera onde a pressão de vapor de água é menor que a pressão de vapor do cristal.

eflorescente. [Do lat. *efflorescente.*] *Adj. 2 g.* Que apresenta ou está em eflorescência.

eflorescer. [Do lat. *efflorescere.*] *V. int.* **1.** Começar a florescer. **2.** Apresentar eflorescência: "Todas as grandes árvores que em minhas / Terras, num sonho esplêndido, semeio, // Como aquela magnífica amendoeira, / Efloresçem nas chácaras vizinhas / E vão dar frutos no pomar alheio..." (Raul de Leoni, *Luz Mediterrânea*, p. 80). [Conjug.: v. *crescer.*]

efluência. [Do lat. *effluentia.*] *S. f.* V. *eflúvio* (1).

efluente. [Do lat. *effluente.*] *Adj. 2 g.* **1.** Que emana de certos corpos invisivelmente. **2.** Tec. Diz-se de corrente de fluido de processo que sai de um equipamento. [Cf., nesta acepç., *afluente*[1] (3).]

efluir. [Do lat. *effluere.*] *V. int.* e *t. i.* Emanar, correr. [Conjug.: v. *atribuir.*]

eflúvio. [Do lat. *effluviu.*] *S. m.* **1.** Emanação invisível que se desprende de um fluido; efluência, exalação. **2.** Emanação sutil que se exala dos corpos organizados: *o suave eflúvio de seus cabelos.* **3.** *Poét.* Aroma; perfume: "Todo eflúvio brando e ardente / No tenro peito resumes: / Sopre o vento levemente / E corram os teus perfumes." (José Albano, *Rimas*, p. 57.) **4.** *P. ext.* Miasma (1). **5.** *Ocult.* Emanação de energia ou de matéria. [M. us. no pl.]

efluvioso (ô). *Adj.* Que lança eflúvios.

efluxão (cs). [Do lat. *effluxione.*] *S. f. Med.* Eliminação de embrião, em geral despercebida, nos primeiros dias da gravidez.

efluxo (cs). [Do lat. *effluxu.*] *S. m.* Escoamento de um líquido para fora de uma cavidade.

efó. [De or. afr.] *S. m. Bras.* Prato típico da cozinha baiana, cuja consistência é dada por verduras como língua-de-vaca, taioba, mostarda, ou outras, preparadas com camarão seco, azeite-de-dendê, pimenta, etc., e às quais se pode acrescentar camarão fresco ou peixe: "Comer efó! / pimenta, jiló!" (Jorge de Lima, *Obra Completa*, I, p. 295.)

éforo. [Do gr. *éphorus*, pelo lat. *ephoru.*] *S. m.* Em Esparta, cada um dos cinco magistrados eletivos que representavam a classe aristocrática e contrabalançavam a autoridade dos reis.

efraimista (a-i). [De *Efraim* + *-ista*.] *Adj. 2 g. Rel.* **1.** Pertencente ou relativo à tribo de Efraim, o segundo filho de José. **2.** Diz-se de membro dessa tribo. ● *S. 2 g.* **3.** Membro dessa tribo.

efúgio. [Do lat. *effugiu.*] *S. m.* **1.** Escusa, escapatória, subterfúgio, fuga, tergiversação. **2.** Refúgio, abrigo.

efum. [Do ioruba.] *S. m. Bras., BA. Folcl.* Ritual da pintura da cabeça e da face da iaô, com riscos e disposição que recordam sua origem étnica.

efundir. [Do lat. *effundere.*] *V. t. d.* **1.** Derramar, entornar, verter. **2.** Transmitir, propagar; exalar. *P.* **3.** Difundir-se, espalhar-se: "Efundem-se nos ares / os perfumes panqueus das aras incendidas." (Antônio Feliciano de Castilho, *As Geórgicas de Virgílio*, p. 271.)

efusão. [Do lat. *effusione.*] *S. f.* **1.** Ato ou efeito de efundir(-se). **2.** Derramamento; escoamento, saída (de um líquido ou um gás). **3.** *Fig.* Demonstração clara e sincera de sentimentos íntimos; expansão; fervor, ímpeto, veemência: "Que pede do poeta o amante coração? / Viver como nasceste, ó beleza, ó primor, / De uma fusão do ser, de uma efusão do amor." (Machado de Assis, *Poesias*, p. 31.) **4.** *Fís.* Passagem de um gás através de pequeno orifício em uma parede, quando não é muito grande a diferença de pressão entre os dois lados da parede e o diâmetro do orifício é muito reduzido.

efusiômetro. [Do lat. *effusio*, 'efusão', + *-metro*^{2}.] *S. m. Fís.* Instrumento usado para observar a efusão de um gás e efetuar medidas do tempo de efusão.

efusividade. [De *efusivo* + *-i-* + *-dade.*] *S. f.* Qualidade ou estado de efusivo.

efusivo. *Adj.* **1.** Em que há efusão. **2.** Expansivo, comunicativo. **3.** Fervoroso, veemente. ~ V. *rocha* —*a*.

efuso. [Do lat. *effusu.*] *Adj.* **1.** Entornado; derramado. **2.** Que corre para fora de seus canais próprios.

egbá. *S. m. Bras.* Negro de cultura iorubana, vindo para o Brasil com o tráfico; eubá.

egéria. [Do mit. *Egéria*, ninfa que, segundo uma lenda romana, aconselhava o rei Numa.] *S. f.* **1.** Mulher que inspira, que aconselha. **2.** *Fig.* Inspiração.

égide. [Do gr. *aigís, ídos*, 'escudo de Palas', pelo lat. *aegide.*] *S. f.* **1.** *Fig.* Escudo; defesa, proteção. **2.** *Fig.* Abrigo, amparo, arrimo.

egipã. [Do gr. *aigípan*, pelo lat. *aegipan.*] *S. m. Mitol.* Sátiro.

egipcíaco. [Do lat. *aegyptiacu.*] *Adj.* e *s. m.* V. *egípcio* (1 e 2).

egipciano. *Adj.* e *s. m.* V. *egípcio* (1 e 2).

egípcio. [Do lat. *aegyptiu.*] *Adj.* **1.** Do, ou pertencente ou relativo ao Egito (África). ~ V. *calendário* —. ● *S. m.* **2.** O natural ou habitante do Egito. [Sin., nessas acepç.: *egipcíaco* e *egipciano.*] **3.** *Ling.* Língua camito-semítica do Egito antigo, que deixou de ser usada quando, iniciada a conquista do país pelos árabes, estes implantaram nele a sua língua. **4.** *Restr.* O dialeto árabe falado no Egito.

egiptologia. [Do gr. *Aígyptos*, 'Egito', + *-log(o)-* + *-ia.*] *S. f.* Ciência que trata de tudo quanto se relaciona com o antigo Egito.

egiptológico. *Adj.* Relativo à egiptologia.

egiptólogo. *S. m.* Especialista em egiptologia.

eglanduloso (ô). [De *e-*^{2} + *glândula* + *-oso.*] *Adj. Morfol. Veg.* Destituído de glândulas.

égloga. *S. f.* V. *écloga*: "Nem pastor de autos de amor, / De églogas frias e velhas, / Mas verdadeiro pastor / De verdadeiras ovelhas..." (Augusto Gil, *Luar de Janeiro*, p. 95).

ego. [Do lat. *ego.*] *S. m.* **1.** O eu de qualquer indivíduo. [Opõe-se a *álter.*] **2.** V. *egotismo* (1): *Seu ego torna-o cada dia mais insuportável.* **3.** *Psican.* A parte mais superficial do id, a qual, modificada, por influência direta do mundo exterior, por meio dos sentidos, e, em conseqüência, tornada consciente, tem por funções a comprovação da realidade e a aceitação, mediante seleção e controle, de parte dos desejos e exigências procedentes dos impulsos que emanam do id.

▲ego-^{1}. [Do lat. *ego.*] *El. comp.* = 'eu': *egolatria.* [Equiv.: *-ego*: *superego.*]

▲ego-^{2}. [Do gr. *aíx, aigós.*] *El. comp.* = 'cabra': *egofonia.*

▲-ego. Equiv. de *ego-*^{1}.

▲-ego (ê). *Suf.* = 'origem', 'procedência', e outras relações: *galego* (< lat. *gallaecu*), labrego, ninhego, borrego, rofego, etc.

egocêntrico. [De *ego-*^{1} + *centro* + *-ico*^{2}.] *Adj.* e *s. m.* Que ou aquele que refere tudo ao próprio eu, tomado como centro de todo o interesse; personalista.

egocentrismo. [De *ego-*^{1} + *centro* + *-ismo.*] *S. m.* Qualidade ou caráter de egocêntrico; egoísmo.

egocentrista. *S. 2 g.* Pessoa egocêntrica.

egofonia. [De *ego-*^{2} + *-fon(o)-* + *-ia.*] *S. f. Patol.* Ressonância especial da voz que os doentes afetados de derramamentos pleuríticos pouco abundantes apresentam, quando auscultados, e algo semelhante ao balido trêmulo de uma cabra.

egofônico. *Adj.* Referente à egofonia.

egoísmo. [De *ego-*^{1} + *-ismo.*] *S. m.* **1.** Amor excessivo ao bem próprio, sem consideração aos interesses alheios. **2.** Exclusivismo que faz o indivíduo referir tudo a si próprio; egocentrismo. [Antôn., nessas acepç.: *altruísmo* (1 e 2).] **3.** Filáucia, orgulho, presunção. **4.** *Ét.* Doutrina que considera como princípio explicativo dos preceitos morais, e como princípio diretor da conduta humana moral o interesse individual. [Cf. *altruísmo* (3).] **5.** *Ét.* Amor exclusivo e excessivo de si, implicado na subordinação do interesse de outrem ao seu próprio. [Cf. *amor-próprio* (1) e *egotismo.*]

egoísta. *Adj. 2 g.* **1.** Que demonstra egoísmo. **2.** Que trata só dos seus interesses. **3.** Que não prescinde de suas comodidades; comodista. ● *S. 2 g.* **4.** Indivíduo egoísta. [Antôn., nessas acepç.: *altruísta.*] **5.** *Bras. Pop.* Fio que tem numa das extremidades um pequeno dispositivo para ser adaptado ao ouvido e na outra um pino para ser ligado aos rádios transistores, e usado quando se deseja ouvir individualmente o som de um aparelho radiofônico. [Cf. *egotista.*]

egoístico. *Adj.* Referente a, ou em que se manifesta egoísmo. [Antôn.: *altruístico.*]

ególatra. [De *ego-*^{1} + *-latra.*] *S. 2 g.* Pessoa que tem o culto de si mesma, que pratica a egolatria: "Eu, ególatra céptico, cismava / Em meu destino!..." (Augusto dos Anjos, *Eu*, p. 99.)

egolatria. [De *ego-*^{1} + *-latria.*] *S. f.* Adoração de si mesmo; culto do eu; egotismo: "o que mais magoou o seu desprezo, foi a secura e a egolatria dos artistas." (Antônio Patrício, *Serão Inquieto*, p. 137). [Cf. *narcisismo* (1).]

egolátrico. *Adj.* Referente à egolatria.

ego sum qui sum (égo sum qüi sum). [Lat.] Eu sou quem sou. [Palavras de Deus a Moisés na tradução latina do Velho Testamento.]

egotismo. [Do ingl. *egotism.*] *S. m.* **1.** Sentimento excessivo da própria personalidade; importância no trato consigo mesmo; ego. **2.** Egolatria. **3.** Tendência a monopolizar a atenção, mostrando desconsideração pelas opiniões alheias. **4.** Método literário em que se toma o próprio eu por centro de investigações e experimentos psicológicos. [Cf. *egoísmo.*]

egotista. [Do ingl. *egotist.*] *Adj. 2 g.* e *s. 2 g.* Que ou quem tem exagerado sentimento do seu eu, da sua personalidade: "Todos nós, românticos na juventude, sensíveis, imaginosos, egotistas, acabamos, na idade madura, razoáveis, eruditos, reservados." (Afrânio Peixoto, *Ramo de Louro*. p. 245.) [Cf. *egoísta.*]

egrégio. [Do lat. *egregiu.*] *Adj.* **1.** Muito distinto; insigne; nobre, ilustre: "Era liberal como um dos mais egrégios romanos que morreram no templo de Diana, à beira de Caio Graco." (Camilo Castelo Branco, *Noites de Insônia*, II, p. 57.) **2.** Admirável, notável. **3.** Na linguagem forense, diz-se dos tribunais superiores e dos juízes que o compõem.

egressão. [Do lat. *egressione.*] *S. f.* Ato de sair, de afastar-se.

egresso. [Do lat. *egressu.*] *Adj.* **1.** Que saiu, que se afastou: "Espírito revoltado, ... egresso das enxovias" (Mário Sete, *Senhora de Engenho*, p. 49). **2.** Que deixou de pertencer a uma comunidade. ● *S. m.* **3.** Indivíduo que deixou o convento; ex-frade. **4.** Detento ou recluso que, tendo cumprido sua pena, ou por outra causa legal, se retirou do estabelecimento penal. **5.** Saída, retirada.

egreta. *S. f.* Egrete [q. v.].

egrete. [Do fr. *aigrette.*] *S. f.* **1.** Feixe ou conjunto de plumas compridas e retas que ornam a cabeça de certas aves, como as garças, e que caem periodicamente na época da muda, perdendo muito, então, de sua beleza característica; egreta. **2.** Enfeite confeccionado com egrete (1), usado em chapéus femininos, fantasias carnavalescas, trajes femininos de gala, etc.

égrio. *S. m. Bras., RJ* a *PR*, e *GO.* Erva glabra e ramosa, da família das crucíferas (*Nasturtium pumilum*), dotada de inflorescência em racimos terminais ou opostos às folhas, axilares, cujo fruto é síliqua, e valvas frágeis e membranosas, com sementes ovóides, pequeninas e escuras.

egro. [Do lat. *egru.*] *Adj. Desus.* Doente.

égua. [Do lat. *equa.*] *S. f.* **1.** A fêmea do cavalo. [No N.E. do Brasil, entre os sertanejos e a gente inculta, em geral, é palavra considerada mais ou menos obscena. V. *égua* (2). Sin. (bras., na maioria): *banguina, beroba, besta* (ê), *biscaia, brivana, guincha, munã, pichorra, piguancha.*] **2.** *Bras. Chulo.* V. *meretriz.* ● *Interj.* **3.** *Bras., MA. Gír.* Exprime espanto. ◆ **Égua madrinha.** *Bras., S.* **1.** Égua junto da qual se habitua a pastar uma manada de cavalos, e que por vezes, especialmente em viagem, traz ao pescoço um cincerro, ao som do qual seguem reunidos os cavalos e bestas; madrinha. **2.** *Fig.* Pessoa que à volta de si reúne outras, a quem dá conselhos e orienta nas normas de proceder. **Lavar a égua.** *Bras.* **1.** *Fut.* Alcançar vitória por contagem elevada. **2.** *Turfe.* Ganhar muito dinheiro. **3.** Desfrutar ao máximo uma situação vantajosa; fartar-se, saciar-se; lavar a burra.

eguada. [Do esp. plat. *yeguada.*] *S. f. Bras., MG* e *S.* Manada de éguas.

eguar. [De *égua* + *-ar*^{2}.] *V. int. Bras., CE. Pop.* Andar a esmo; bestar, lesar.

eguariço^1. [Do lat. *equariu*, 'tratador de cavalos', + *-iço.*] *Adj.* **1.** Relativo a éguas. **2.** Diz-se de muar resultante do cruzamento de égua com burro. ● *S. m.* **3.** Aquele que trata das éguas ou dos cavalos; eqüícola.

eguariço^2. [Do esp. plat. *yeguarizo.*] *Adj. Bras., RS.* **1.** Diz-se de cavalo que, na manada, só acompanha éguas. **2.** Diz-se do homem femeeiro, mulherengo.

egum. [Do ioruba.] *S. m. Bras.* **1.** Evocação ou aparição de um espírito nas cerimônias de candomblé. **2.** Espírito desencarnado.

egungum. [Do ioruba.] *S. m. Bras.* Espírito de uma pessoa morta que retorna à terra, muito poderoso em Ibadã, festejado em junho.

eh. *Interj.* **1.** Serve para animar, excitar: *Eh! é com você que estou falando!* **2.** Serve para fazer andar ou parar os animais, segundo a entoação: "Os bois atrelam ao arado / E ouve-se além no descampado / Num ímpeto, aos berros: — Eh! bois!" (Antônio Nobre, *Só*, p. 62). [Var. pros.: *êh.* Cf. *é*, do v. *ser* e s. m., e *e.*] ◆ **Eh puxa.** *Bras., RS.* Exprime admiração, espanto, pasmo, dor: êh puxa.

êh. *Interj.* Var. pros. de *eh*: "— êh, olha lá Neco chegando — gritou Ferreira." (José Godói Garcia, *O Caminho de Trombas*, p. 8.) [Cf. *é*, do v. *ser* e s. m., e *e.*] ◆ **Êh puxa.** *Bras., RS.* Eh puxa.

eh-eh. *Interj. Bras., S.* Exprime surpresa, espanto, receio, etc.; xi! [Var. pros.: *êh-êh.*]

êh-êh. *Inter. Bras. S.* Var. pros. de *eh-eh.*

ehu. *Interj.* Exprime alegria, surpresa, animação: "Ehu! ó Joana, acenou-lhe a mulata, bota a chaleira no fogo." (Hugo de Carvalho Ramos, *Tropas e Boiadas*, p. 70.)

ei. *Interj. Bras.* **1.** Para chamar a atenção. **2.** *Bras., MG.* Para cumprimentar.

eia. [Do lat. *eia.*] *Interj.* **1.** Serve para animar, excitar: "Eia, fora o temor" (Machado de Assis, *Poesias Completas*, p. 301). **2.** Designa espanto.

eiá. [T. onom.?] *S. m. Bras.* V. *macaco-da-noite.*

▲-éia. [Do lat. *-ea.*] *Suf. nom.*, fem. de *-eu*: *coroidéia, européia.*

eiconal. [Do al. *Eikonal*] *S. f. Ópt.* Função utilizada para calcular, em óptica geométrica, a trajetória de um raio luminoso através de uma lente ou de um sistema.

eicosânico. *Adj.* Referente ao eicosano. ~ V. *ácido* —.

eicosano. *S. m. Quím.* Hidrocarboneto saturado, sólido, incolor. [Fórm.: $C_{20}H_{42}$.]

eidético. [Do gr. *eidetikós.*] *Adj. Filos.* Segundo Edmund Husserl, filósofo alemão (1859-1938), relativo à essência das coisas e não à sua existência ou função.

eido. [Do lat. *aditu.*] *S. m.* **1.** Nas aldeias portuguesas, recinto para animais anexo à casa. **2.** Pequeno terreno junto de casa; quintal. **3.** Lugar que compete a uma pessoa ou coisa.

eigenfunção (aiguen). [Do al. *Eigenfunktion.*] *S. f. Anál. Mat.* V. *autofunção.*

eigenvalor (aiguen...ô). [Do al. *Eigenwert.*] *S. m. Anál. Mat.* **1.** V. *autovalor* (1). **2.** *Álg. Mod.* V. *autovalor* (2).

ei-lo. Comb. do adv. *eis* com o pron. *lo*: "Ei-la, a morte! e ei-lo, o fim!" (Olavo Bilac, *Poesias*, p. 268.) [Flex.: *ei-la, ei-los, ei-las.*]

▲-eima. *Suf.* = 'qualidade', 'aquilo que desperta, estimula uma qualidade': *toleima; guloseima.*

eiméria. *S. m. Zool.* Gênero de protozoários da classe dos esporozoários, subclasse *Coccidiomorpha* e ordem *Eucocidia*, parasitos das células epiteliais dos vertebrados, e causadores da eimeriose, afecção devastadora de aves domésticas. V. *coccídio.*

eimeríase. [De *eiméria* + *-íase.*] *S. f. Zool.* Doença parasitária das aves, causada por protozoário do gênero *Eimeria*, da classe dos esporozoários.

eimeriose. *S. f. Zool.* Afecção ou zoonose dos animais domésticos causada por protozoários telosporídeos, da

classe dos flagelados; coccidiose.
einstein (ainstáin). [Do antr. *Einstein* (v. einsteiniano).] *S. m. Fís.-Quím.* Medida de radiação utilizada em fotoquímica, igual a 6,02 x 10^{23} fótons.
einsteiniano (ainstai). *Adj.* Pertencente ou relativo a Albert Einstein (1879-1955), físico alemão naturalizado norte-americano, criador da teoria da relatividade, ou próprio dele. ~ V. *deslocamento* —.
einstéinio (ainstái). [Do antr. *Einstein* (v. *einsteiniano*), + *-io*[2].] *S. m. Quím.* Elemento de número atômico 99, artificial, radioativo, metálico. [Símb.: *Es*.]
eira. [Do lat. *area*.] *S. f.* **1.** Área de terra batida, lajeada ou cimentada, onde se malham, trilham, secam e limpam cereais e legumes. **2.** Terreno onde se junta o sal, ao lado das marinhas. **3.** Pátio, em algumas fábricas de tecido. **4.** *Bras.* Lugar anexo às fábricas de açúcar, onde se guardam as canas antes de serem utilizadas. ♦ **Sem eira nem beira.** Sem recursos; na miséria: "Logo um balseiro, um coitado sem eira nem beira, a filha fora escolher. E tanto moço bom, de futuro, sobejando por ali." (Guido Vilmar Sassi, *São Miguel*, p. 79); *Sem eira nem beira nem ramo de figueira*.
▲**-eira.** V. *-ário*.
eirá. *S. m. Bras.* V. *gato-mourisco*.
eirada. *S. f.* Porção de cereais ou de legumes que se deitam de uma vez na eira (1).
eirado[1]. [De *eira* (1) + *-ado*[1].] *S. m. P. us. no Brasil.* V. *terraço* (2 e 3).
eirado[2]. [Alter. de *erado*.] *Adj. Bras., SP, Pop.* Diz-se do porco na idade de engorda.
eiranta. *S. f.* Fem. de *eirante*.
eirante. *S. m.* Aquele que trabalha nas eiras [v. *eira* (1)]. [Fem.: *eiranta*.]
▲**-eirão.** V. *-ão*[1].
▲**-eiro.** V. *-ário*.
eiru. [Do ioruba.] *S. m. Bras.* Rabo de boi, um dos símbolos do orixá Oxóssi; eruquerê.
eirunepeense (èên). *Adj. 2 g.* **1.** De, ou pertencente ou relativo a Eirunepé (AM). ● *S. 2 g.* Natural ou habitante de Eirunepé.
eis. *Adv.* Aqui está: "Depois abre uma porta: eis a cama do filho." (Ribeiro Couto, *Poesias Reunidas*, p. 32); "Eis a cidade enfim" (Raimundo Correia, *Poesias*, p. 18). [Cf. *heis*, do v. *haver*.] ♦ **Eis senão quando.** Quando menos se esperava; subitamente, repentinamente.
eita. *Interj. Bras., N. E.* V. *eta* (ê).
eita-ferro. *Interj. Bras., N. E.* V. *eta* (ê).
eita-pau. *Interj. Bras., N. E.* V. *eta* (ê).
eito. [Do lat. *ictu*.] *S. m.* **1.** Seqüência ou série de coisas que estão na mesma direção ou linha. **2.** *Bras.* Limpeza de uma plantação por turmas que usam enxadas. **3.** *Bras.* Roça onde trabalhavam escravos: "Em alguns engenhos do Nordeste a cachaça era fornecida aos negros do eito logo com a primeira refeição do dia" (Mário Souto Maior, *Dicionário Folclórico da Cachaça*, p. 16). ♦ **A eito.** A fio; a seguir. **Tirar de eito.** *Bras., N.E.* Levar de vencida.
eiva. *S. f.* **1.** Falha, fenda, rachadura, em vidro ou em louça. **2.** Nódoa num fruto que principia a apodrecer. **3.** Estado das terras lavradas que, achando-se molhadas, ficam recobertas por uma camada de terra seca, revolvida. **4.** Actinomicose do pescoço do boi e do carneiro; papeira. **5.** *Fig.* Defeito físico ou moral.
eivar. [De *eiva* + *-ar*[2].] *V. t. d.* **1.** Produzir mancha em. **2.** Contaminar, infectar (física ou moralmente): *As más leituras eivaram o espírito do jovem*; "Desde os onze anos entrou a admitir-me às anedotas reais ou não, eivadas todas de obscenidades ou imundície." (Machado de Assis, *Memórias Póstumas de Brás Cubas*, p. 35). *Int.* **3.** Estar (a terra) com eiva (3). *P.* **4.** Principiar a apodrecer. **5.** Rachar-se (o vidro) **6.** Enfraquecer(-se), debilitar-se; decair.
eixo[1]. [Do gr. *áxon*, pelo lat. *axe*. **axu*.] *S. m.* **1.** Reta que passa pelo centro de um corpo e em volta da qual esse corpo executa movimento de rotação. **2.** Linha principal que divide um corpo em partes aproximadamente simétricas ou equilibradas: *o eixo do corpo humano; o eixo de uma planta; o eixo de um edifício; o eixo de um quadro*. **3.** Linha que corre na mesma direção de duas paralelas: *o eixo de uma estrada, de um cano*. **4.** Linha ou área de terreno que se estende entre dois pontos geográficos extremos: *Surgem povoações no eixo Belém—Brasília*. **5.** Peça destinada a articular uma ou mais partes de um mecanismo que em torno dela descrevem movimento circular: *o eixo de um ventilador*. **6.** Peça alongada, geralmente metálica, em cujas extremidades se fixam as rodas dum carro ou doutra máquina. **7.** *Astr.* Reta em torno da qual um astro executa o seu movimento de rotação. **8.** *Geom. Anal.* Reta sobre a qual se fixa um sentido positivo; reta orientada. **9.** *Geom.* Reta comum aos planos de um feixe. **10.** *Fig.* Idéia principal; essência: *o eixo de um discurso; o eixo de um programa político*. **11.** *Fig.* O ponto principal; o centro: *o eixo dos acontecimentos*. **12.** *Fig.* Apoio, suporte, sustentáculo: *Com a morte do pai desfez-se o eixo da família*. **13.** *Fig.* Aliança entre nações de sistema político idêntico. **14.** *Fig. Restr.* O pacto entre a Alemanha nazista e a Itália fascista, celebrado em 1936. **15.** O conjunto formado por esses países mais o Japão, o qual defendia princípios políticos idênticos aos daqueles países: *o eixo Berlim-Roma-Tóquio*. ♦ **Eixo cartesiano.** *Geom. Anal.* **1.** Qualquer das retas características das coordenadas cartesianas bidimensionais. **2.** Qualquer das retas formadas pela interseção dos planos característicos das coordenadas cartesianas tridimensionais. **Eixo coordenado.** *Geom. Anal.* Num sistema de coordenadas, qualquer reta na qual, ou em relação à qual, se determina uma das coordenadas; eixo de coordenadas. **Eixo cristalográfico.** *Min.* Linha imaginária que passa pelo centro de um cristal, e cujo fim é orientá-lo e defini-lo no espaço, podendo ou não coincidir com os eixos de simetria. **Eixo da esfera celeste.** *Astr.* Eixo do mundo. **Eixo de coordenadas.** *Geom. Anal.* Eixo coordenado. **Eixo de eclíptica.** *Astr.* Reta perpendicular ao plano da eclíptica, e que passa pela origem de um sistema de coordenadas eclípticas. **Eixo de geminação.** *Crist.* V. *macla*. **Eixo de zona.** *Crist.* V. *zona* (5). **Eixo do equador.** *Astr.* Reta perpendicular ao plano do equador, e que passa pela origem de um sistema de coordenadas equatoriais. **Eixo do mundo.** *Astr.* Reta que passa por um observador na superfície da Terra, paralelamente ao eixo de rotação terrestre, e em torno da qual a esfera celeste executa o movimento diurno; eixo da esfera celeste. **Eixo geomagnético.** *Geofís.* Eixo que passa pelo centro da Terra e é perpendicular ao plano médio dos pontos do equador magnético. [Como os pólos magnéticos não são diametralmente opostos, o eixo geomagnético não os contém necessariamente.] **Eixo horário.** *Astr.* Em uma equatorial, eixo paralelo ao eixo do mundo; eixo polar. **Eixo instantâneo.** *Fís.* Num movimento de um corpo, eixo ideal em torno do qual se realiza, em cada instante, uma rotação infinitesimal desse corpo. **Eixo óptico.** *Ópt.* **1.** Num instrumento óptico, reta sobre a qual estão os pontos focais, os pontos principais, os pontos nodais e os pólos das lentes do sistema. **2.** Num cristal anisotrópico, direção que é um eixo de simetria para a forma geométrica do cristal e para a disposição espacial das partículas constitutivas do cristal. **Eixo polar.** *Astr.* Eixo horário. **Eixo radical.** *Geom.* Lugar geométrico dos pontos do plano de igual potência em relação a duas circunferências desse plano. **Eixo transverso.** *Astr.* Distância entre as apsides, igual ao semi-eixo maior nas órbitas elípticas. **Entrar nos eixos.** **1.** Voltar a conduzir-se com juízo, bom senso, comedimento. **2.** Normalizar-se, regularizar-se: "as coisas entraram nos eixos. O almoxarife parecia não ter mais aborrecimentos" (Francisco de Assis Barbosa, *A Vida de Lima Barreto*, p. 49). **Fora dos eixos.** *Fig.* Fora do natural: perturbado, transtornado. **Pôr nos eixos.** *Fig.* Regular o andamento de (um assunto, um negócio); pôr em ordem; ordenar. **Sair dos eixos.** *Fig.* Perder o domínio de si mesmo; descomedir-se, exceder-se.
eixo[2]. *S. m. F.* red. de *eixo-badeixo* [q. v.].
eixo-badeixo. [De *eixo*[1] + *badeixo*, voc. expressivo calcado no primeiro.] *S. m. Bras., N.E.* Brinquedo de crianças, em que cada uma salta por cima das costas, encurvadas, das outras colocadas a distâncias iguais. [F. red.: *eixo*; sin.: *carniça*. Pl.: *eixo-badeixos*.]
eixu. *S. m. Bras.* V. *enxuí*.
ejá. [Do ioruba.] *S. m. Bras.* Peixe que serve de comida a Iemanjá.
ejaculação. *S. f.* **1.** Ato de ejacular. **2.** Derramamento com força, emissão, expulsão, jato (de um líquido). **3.** Ato ou efeito de emitir: *ejaculação de corpúsculos luminosos*; "Heródoto... Heródoto! que nome! só o escrevê-lo é uma ejaculação de sabedoria!" (Camilo Castelo Branco, *Noites de Lamego*, p. 13.) **4.** *Fig.* Abundância de palavras. **5.** *Restr.* Emissão ou ejaculação de esperma. [Cf. (nesta acepç.): *polução* (2).]
ejaculador (ô). *Adj.* **1.** Que ejacula. ● *S. m.* **2.** Aquilo que serve para ejaculação. **3.** *Morfol. Veg.* Excrescência funicular que nas cápsulas de numerosas acantáceas, serve para lançar à distância as sementes, favorecendo-lhes a disseminação.
ejacular. [Do lat. *ejaculare*.] *V. t. d.* **1.** Lançar de si; emitir (sêmen ou pólen); jacular. **2.** Derramar com força ou com abundância (líquido). **3.** Proferir, emitir: *Irritado, ejaculava impropérios*: "o Sr. Senador Pena, que .... ejaculou alguns discursos *notáveis*" (Machado de Assis, *Crônicas*, I, p. 53). *Int.* **4.** Estr. Emitir ou ejacular esperma; jacular.
ejaculatório. *Adj.* Que contribui para a ejaculação: *músculos ejaculatórios*.
▲**-ejar.** equiv. de *-ear*.
ejeção. [Do lat. *ejectione*.] *S. f.* Ação de expulsar ou expelir.
ejetado. [Part. de *ejetar*.] *Adj.* Que sofreu ejeção.
ejetamento. *S. m. Geol.* Ejeto.
ejetar. [Do lat. *ejectare*.] *V. t. d.* Produzir a ejeção de; expulsar, expelir.
ejeto. [Do lat. *ejectu*.] *S. m. Geol.* Designação comum aos produtos não gasosos lançados pelos vulcões; ejetamento.
ejetólito. [De *ejeto* + *-lito*.] *S. m. Geol.* Fragmento de rocha lançado pelos vulcões.
ejetor (ô). *Adj.* **1.** Que ejeta: *tubo ejetor*. ● *S. m.* **2.** *Tec. Mec.* Edutor (3). **3.** Bocal por onde se conduz um fluido sob pressão a fim de conseguir um escoamento a velocidade elevada. **4.** Peça com que se extraem das armas de fogo os cartuchos ou cápsulas detonadas. **5.** *Tip.* Expulsor (3).
▲**-ejo.** *Suf. nom.* = 'diminuição'; 'pendor', 'tendência'; 'aparência', 'relação'; 'procedência', 'residência': *animalejo, lugarejo; andejo; canejo; lunarejo; sertanejo*.
el. *Ant.* F. arc. do artigo o, subsistente apenas na expressão *el-rei*.
ela. [Do lat. *illa*, 'aquela'.] **1.** *Pron. pess.* fem. da 3ª pessoa. ● *S. f.* **2.** V. *cachaça* (1): "Tomava um trago, molhava as mãos com 'ela', antes de começar o serviço." (Francisco Julião, *Cachaça*, p. 64.) ♦ **Ela por ela.** A escolher, entre duas coisas iguais. **Elas por elas.** *Bras. Pop. Na mesma moeda: Se me desrespeitar, terá o troco: é elas por elas*. **Agora é que são elas.** Aqui é que está a dificuldade, o problema, o busílis. **Aí é que são elas.** Aí é que está a dificuldade; aí é que bate o ponto; aí é que a coisa fia fino.
▲**-ela.** [Do lat. *-ella-*.] *Suf. nom.* = 'diminuição': *rodela* (< lat. *rotella*), *ruela*.
elã. [Do fr. *élan*.] *S. m.* **1.** Arrebatamento súbito e efêmero; impulso. **2.** Entusiasmo, disposição: *Já não trabalha com o elã de antigamente*. **3.** Inspiração, estro. [F. paral.: *elance*.]
elaboração. [Do lat. *elaboratione*.] *S. f.* **1.** Ato ou efeito de elaborar; laboração. **2.** Preparo esmerado: *a elaboração de uma iguaria*. **3.** Trabalho do espírito que conduz a uma idéia, a um conceito, etc.: *a elaboração de uma teoria*. **4.** *Fisiol.* Ação vital e nutritiva dos seres organizados: *a elaboração de seiva*.
elaborador (ô). *Adj.* e *s. m.* Que ou aquele que elabora.
elaborar. [Do lat. *elaborare*.] *V. t. d.* **1.** Preparar gradualmente e com trabalho: *As aves elaboram pacientemente os seus ninhos; Elaborou, anos a fio, uma tese que revolucionou as teorias correntes*. **2.** Formar, organizar: *elaborar projetos*. **3.** Dispor as partes de; pôr ordem; ordenar. **4.** Tornar assimilável (os alimentos). *P.* **5.** Operar-se; formar-se.
elaborável. *Adj. 2 g.* Que pode ser elaborado.
elação. [Do lat. *elatione*.] *S. f.* **1.** Altivez, arrogância. **2.** Elevação, sublimidade: "e no garbo com que regia o seu fogoso cavalo, assomavam os realces de uma alma elevada que tem consciência de sua superioridade, e sente ao passar pela Terra a elação das asas celestes." (José de Alencar, *O Sertanejo*, p. 30). [Cf. *ilação*.]
elafebólen. *S. m. Cronol.* O décimo mês do calendário grego, com 30 dias, correspondente ao mês de março do calendário gregoriano.
elafiano. [De *elaf(o)-* + *-i-* + *-ano*.] *Adj.* Referente ou semelhante ao, ou próprio do veado[1] (1).
▲**elaf(o)-.** [Do gr. *élaphos, ou*.] *El. comp.* = 'veado': *elafiano, elafografia*.
elafografia. [De *elaf(o)-* + *-graf(o)-* + *-ia*.] *S. f.* Tratado a respeito dos veados.
elafográfico. *Adj.* Relativo à elafografia.
▲**elai(o)-.** [Do gr. *élaion, ou*.] *El. comp.* = 'azeite', 'óleo': *elaiúria*. [Equiv.: *ele(o)-*: *eleolita, eleídrica*.]
elaiuria. *S. f. Patol.* Elaiúria.
elaiúria. [De *elai(o)-* + *-ur(o)-* + *-ia*.] *S. f. Patol.* Alteração mórbida da urina, caracterizada por aspecto oleaginoso. [Var. pros.: *elaiuria*.]
elaiúrico. *Adj.* **1.** Relativo a, ou que sofre de elaiúria. ● *S. m.* **2.** Aquele que sofre de elaiúria.
➡**élan** (èlã). [Fr.] *S. m.* V. *elã*.
elance. *S. m.* V. *elã*.

elanguescente. [Do lat. *elanguescente.*] *Adj. 2 g.* **1.** Que elanguesce. **2.** Lânguido, fraco.
elanguescer. [Do lat. *elanguescere.*] *V. int. e p.* V. *enlanguescer.* [Conjug.: v. *crescer.*]
elapídeo. *S. m.* **1.** Espécime dos elapídeos. ● *Adj.* **2.** Pertencente ou relativo a eles.
elapídeos. *S. m. pl. Zool.* Família de ofídios venenosos na qual se reúnem as cobras corais, gênero *Micrurus.*
elaquistóideo. *S. m.* **1.** Espécime dos elaquistóideos. ● *Adj.* **2.** Pertencente ou relativo a eles.
elaquistóideos. *S. m. pl. Zool.* Superfamília de insetos da ordem dos lepidópteros.
elar. [De *elo* + *-ar*[2].] *V. t. d.* **1.** Prender com elo. **2.** *P. ext.* Prender, ligar, atar: "Ora em nastros não mais a parasita / Verde às colunas vegetais se enrola, / E o corpo e l a n d o, os píncaros enfita." (Alberto de Oliveira, *Poesias,* I, p. 223.)
elasípode. *S. m.* **1.** Espécime dos elasípodes. ● *Adj. 2 g.* **2.** Pertencente ou relativo a eles.
elasípodes. *S. m. pl. Zool.* Animais pelágicos, equinodermos, holoturóides, da ordem *Elasipoda,* de corpo provido de tentáculos peltados e boca geralmente ventral.
elasmobrânquio. [Do gr. *elasmós,* 'lâmina', + *-brânquio.*] *S. m.* e *adj.* Condricte.
elasmobrânquios. [Pl. de *elasmobrânquio.*] *S. m. pl. Zool.* Condrictes.
elastecer. [De *elástico,* apocopado sob a f. *elast,* + *-ecer.*] *Bras., N.E. V. t. d.* **1.** Dilatar, alargar (qualquer objeto), como se fosse elástico. *Int.* **2.** Dilatar-se, alargar-se, quando puxado, ou em conseqüência do tempo e/ou do uso. [Conjug.: v. *aquecer.*]
elastério. [Do gr. *elastés,* 'o que impele', + *-erio.*] *S. m.* **1.** *P. us.* Elasticidade (1). **2.** *Fig.* Força moral; energia, vigor.
elasticidade. *S. f.* **1.** Propriedade que apresentam certos corpos de retornar à sua forma primitiva ao cessar a ação que neles produziu uma deformação. [Sin., p. us.: *elastério.* Cf., nesta acepç.: *plasticidade.*] **2.** *P. ext.* Flexibilidade, maleabilidade: *a e l a s t i c i d a d e de um bailarino, de um caniço; e l a s t i c i d a d e de espírito.* **3.** *Fig.* Falta de escrúpulos; dobrez; doblez: *e l a s t i c i d a d e de consciência.*
elástico. [Do gr. *elastés,* 'o que impele', + *-ico*[2].] *Adj.* **1.** Que tem elasticidade (1). **2.** Que se pode esticar, comprimir ou curvar; flexível: *tecido e l á s t i c o ; colchão e l á s t i c o.* **3.** *Fig.* Flexível, dócil, complacente; pouco escrupuloso: *consciência e l á s t i c a.* **4.** *Fig.* Que se alarga, cresce, aumenta: *paciência e l á s t i c a ; fortuna e l á s t i c a.* ~ V. *acoplamento —, cartilagem —a, choque —, deformação —a* e *meia —a.* ● *S. m.* **5.** Tira de borracha, ordinariamente circular, usada para cintar objetos que se deseja manter unidos. **6.** Cordão de borracha envolvido em fio de linha, usado no vestuário. **7.** Tecido, galão ou fita, tramado com fio de borracha e algodão, seda ou fibra sintética, usado na fabricação de suspensórios, ligas, cintas, etc.
elastômero. [Do gr. *elastés,* 'o que impele', + *-o-* + *-mero*[1].] *S. m. Quím.* Polímero com propriedades físicas parecidas com as da borracha.
élate. *S. m. Bot.* Gênero de palmeiras, muito semelhante ao da que produz tâmaras.
elaterídeo. *S. m.* **1.** Espécime dos elaterídeos. ● *Adj.* **2.** Pertencente ou relativo a eles.
elaterídeos. *S. m. pl. Zool.* Família de insetos da ordem dos coleópteros, besouros saltadores, que produzem, ao movimentarem-se, um ruído característico (clique).
elaterina. [Do gr. *elatérion,* 'pepino bravo', + *-ina.*] *S. f. Quím.* Pó cristalino, branco, venenoso, purgativo, extraído de uma espécie de pepino *(Ecballium elaterium);* elatério. [Fórm.: $C_{28}H_{38}O_7$.]
elatério[1]. [Do gr. *elatérion.*] *S. m. Bot.* **1.** Fruto que lança as sementes com violência, como as cápsulas do beijo-de-frade. **2.** Célula alongada, morta, provida de uma hélice interna, que se acha misturada com os esporos das hepáticas e os arroja a distância. [Var.: *elátero.*]
elatério[2]. [Do gr. *elatérion,* pelo lat. *elateriu.*] *S. m.* **1.** Pepino bravo *(Ecballium elaterium* A. Rich.*).* **2.** Elaterina.
elaterite. [Do gr. *elatér,* 'o que impele', + *-ite*[2].] *S. f.* Espécie de betume (1) que, exposto ao ar, se torna duro e quebradiço.
elátero. *S. m. Bot.* Var. de *elatério*[1].
elaterômetro. [Do gr. *elatér,* 'o que impele', + *-metro*[2].] *S. m.* Instrumento com que se mede a elasticidade atmosférica.
elatina. [Do gr. *elatine,* pelo lat. *elatina.*] *S. f.* Pimenteira aquática *(Antirrhinon elatina).*
elatinácea. *S. f.* Espécime das elatináceas.
elatináceas. [De *elatina* + *-áceas,* f. pl. de *-áceo.*] *S. f. pl. Bot.* Família de plantas superiores, da ordem das parietales, composta de plantinhas providas de folhas opostas ou verticiladas, estipuladas, e de flores solitárias ou cimosas, inconspícuas. Cálice e corola com duas a cinco peças; androceu haplostêmone ou diplostêmone; ovário com uma, três ou cinco lojas. Há umas 40 espécies aquáticas, das regiões boreais.
elatináceo. *Adj.* Pertencente ou relativo às elatináceas.
elator (ô). [Do lat. *elatore.*] *Adj.* **1.** Que eleva; elevador. **2.** Que erige; eretor. ● *S. m.* **3.** Aquilo que eleva; eretor.
eldoradense. *Adj. 2 g.* **1.** De ou pertencente ou relativo à cidade de Eldorado Paulista (SP). ● *S. 2 g.* **2.** Natural de Eldorado Paulista.
eldorado. *S. m.* **1.** País imaginário que se dizia existir na América meridional. **2.** Lugar pródigo em delícias e riquezas.
ele. *S. m.* Nome da letra *l;* lê. [Pl.: *eles* ou *ll.* Cf. *ele* (ê), pl. *eles* (ê) e o antr. *Élis, e l.*]
ele (ê). [Do lat. *ille.*] **1.** *Pron. pess.* Designa a 3ª pess. do masc. sing.: "E l e [Deus], ao mais pobre de alma, há tributado / Desvelo e amor" (Antero de Quental, *Sonetos,* p. 187); "Tudo em X... me dominava. A figura primeiro. E l e robusto, eu franzino" (Machado de Assis, *Relíquias de Casa Velha,* p. 62); "Besouro ou moscardo, o que é certo é que todos os militares estavam voltados para e l e" (José Cardoso Pires, *Jogos de Azar,* p. 33); "Bebeste para esquecer / As mágoas do coração; / Mas e l e é que não se esquece" (João de Deus, *Campo de Flores,* I, p. 201). Na fase arcaica da língua, empregou-se como objeto direto, uso que persiste no Brasil, entre pessoas incultas e na fala de pessoas cultas descuidadas: *Vi e l e.* No português moderno, ainda pode ser usado com esta função, desde que antecedido da prep. *a,* constituindo, com ela, o objeto direto preposicionado (como sucede, aliás, com *nós* e *vós*): "Nem ele entende a nós, nem nós a e l e" (Luís de Camões, *Os Lusíadas,* V, 28). Usa-se com preposições ("Mal com e l e, pior sem e l e" — prov.), e aglutina-se com *de* e *em,* assumindo as f. *dele* e *nele.* Aparece, às vezes, como sujeito fictício de verbos impessoais ou unipessoais, ao jeito do francês, do inglês e do alemão, uso ainda observável, sobretudo na linguagem do povo, em Portugal (o exemplo, que adiante se vê, de Machado de Assis — além de mais uns três que se poderiam citar —, constitui, parece-nos, mero traço lusitano entre vários outros da linguagem desse autor) "Que e l e há neuroses dum preço!" (Fialho d'Almeida, *Lisboa Galante,* p. 37); "E l e havia coisas..." (Antunes da Silva, *O Aprendiz de Ladrão,* p. 211); "— E l e água há em toda a parte, sr. compadre" (Brito Camacho, *Gente Rústica,* p. 35); "E l e há duas espécies de fome" (Domingos Monteiro, *Histórias Castelhanas,* p. 59); "Que e l e também há eleições no Amazonas" (Machado de Assis, *Relíquias de Casa Velha,* p.145). Tem, às vezes, caráter expletivo, servindo para realçar o sujeito dantes expresso: "o sangue de Xavier com ímpetos de mais acelerado, e ardente, e como .... mais adelgaçado no fogo do amor, e l e por si se desfechou das veias." (Pe Antônio Vieira, *Sermões,* VIII, p. 122); "E o melro, no entretanto, / ...... / Mal vinha no oriente / A madrugada clara, / Já e l e andava jovial, inquieto, / Comendo alegremente, honradamente, / Todos os parasitas da seara" (Guerra Junqueiro, *A Velhice do Padre Eterno,* p.156). Outras vezes, sem perder esse caráter, apresenta-se (no falar lusitano) contaminado de afetividade mais ou menos intensa e despido de qualquer conteúdo lógico: "E l e já lhe constara que iam ser extintos muitos postos da guarda republicana" (Manuel Ribeiro, *A Planície Heróica,* p. 95); "o povo ala-se nos matos, e l e vá de queimar, arrotear, desmoitar..." (Id., *ib.,* p. 104); "— Pensar eu, sr. prior, que desde que me entendo .... ando aí a afocinhar na terra, e que abri léguas de charneca arrebentando com trabalhar, e l e de dia e de noite, e l e à chuva e à estorreira do sol" (Id., *ib.,* p. 106); "Eu criei amizade ao sr. prior, que e l e tudo se agrada dele porque tem bonitas maneiras" (Id., *ib.,* p.238). Cf. *ele,* o pl. *eles* e *si*[2]. ● *S. m.* **2.** V. *diabo* (2). ◆ **Que só ele.** *Bras.* Como ele só; como ninguém mais: *Bobo que s ó e l e , acredita em tudo quanto lhe dizem, É ruim que s ó e l e (é muito ruim).*
eleagnácea. *S. f.* Espécime das eleagnáceas.
eleagnáceas. *S. f. pl. Bot.* Família de plantas superiores, da ordem das mirtifloras, que compreende 16 espécies temperadas de arbustos, os quais têm folhas alternas ou opostas e dotadas de pêlos escamiformes ou estrelados. Flores haploclamídeas, tetrâmeras, hermafroditas, ordenadas em racemos. Fruto: noz encerrada no eixo floral carnoso.
eleagnáceo. *Adj.* Pertencente ou relativo às eleagnáceas.
eleata. [Do gr. *eleátes,* pelo lat. *eleata.*] *Adj. 2 g.* **1.** De, ou pertencente ou relativo a Eléia, cidade grega na Itália meridional (Magna Grécia). **2.** *Filos.* Relativo ou pertencente ao eleatismo. **3.** *Filos.* Diz-se de partidário do eleatismo. ● *S. 2 g.* **4.** Natural ou habitante de Eléia. **5.** Partidário do eleatismo. [Sin. ger.: *eleático.*]
eleático. *Adj.* **1.** Eleata (1 a 3). ~ V. *escola —a.* ● *S. m.* **2.** Eleata (4 e 5).
eleatismo. [De *eleata* + *-ismo.*] *S. m. Hist. Filos.* Doutrina dos filósofos pré-socráticos da escola de Eléia, ou escola eleática, fundada por Xenófanes de Cólofon, filósofo grego (séc. VI a. C.), e cujo representante principal, Parmênides de Eléia (séc. V a. C.), defendeu a tese da unidade e imobilidade absolutas do ser, tese reafirmada por seu discípulo Zenão de Eléia (séc. V a. C.) com argumentos que ficaram famosos, as *aporias de Zenão.*
electracústica. *S. f. Fís.* V. *eletracústica.*
electracústico. *Adj. Fís.* e *Mús.* Eletracústico.
electrão. *S. m. Lus. Fís.* V. *elétron.* [Var.: *eletrão.*]
electrencefalografia. *S. f. Med.* Eletrencefalografia.
electrencefalográfico. *Adj.* Eletrencefalográfico.
electrencefalógrafo. *S. m.* Eletrencefalógrafo.
electrencefalograma. *S. m. Med.* V. *eletrencefalograma.*
electrímã. *S. m. Fís.* V. *eletroímã.*
eléctrio. *S. m. Fís.* V. *elétron.* [Var.: *elétrio.*]
▲**ele(c)tr(o)-.** [De *elétrico.*] *El. comp.* = 'eletricidade': *ele(c)trocardiograma.* [Equiv.: *eletri-*: *eletrificar.*]
electro[1]. [Do lat. *electru.*] *S. m.* **1.** *Ant.* Âmbar amarelo. **2.** Liga de ouro e prata. [Var.: *eletro.*]
electro[2]. *S. m. Med.* V. *eletro*[2].
electro[3]. *S. m. Med.* V. *eletro*[3].
electroacústica. *S. f. Fís.* V. *eletracústica.*
electroacústico. *Adj. Fís.* e *Mús.* V. *eletracústico.*
electrobalança. *S. f.* Eletrobalança.
electrobomba. *S. f. Mec.* Eletrobomba.
electrocapilar. *Adj. Fís.-Quím.* Eletrocapilar.
electrocardiografia. *S. f. Med.* Eletrocardiografia [q. v.].
electrocardiográfico. *Adj.* Eletrocardiográfico.
electrocardiógrafo. *S. m. Med.* Eletrocardiógrafo.
electrocardiograma. *S. m. Med.* V. *eletrocardiograma.*
electrochoque. *S. m. Med.* Eletrochoque.
electrocinético. *Adj. Fís.-Quím.* Eletrocinético.
electrocoagulação. *S. f. Med.* Eletrocoagulação.
electrocópia. *S. f.* Eletrocópia.
electrodeposição. *S. f. Quím.* Eletrodeposição.
electrodinâmica. *S. f. Fís.* Eletrodinâmica.
electrodinâmico. *Adj. Fís.* Eletrodinâmico.
electrodinamômetro. *S. m. Eletr.* Eletrodinamômetro.
electródio. *S. m. Eletr., Eletrôn., Fís.* e *Fís.-Quím.* V. *eletródio.*
electrodo (ô). *S. m. Eletr., Eletrôn., Fís.* e *Fís.-Quím.* V. *eletrodo.*
eléctrodo. *S. m. Eletr., Eletrôn., Fís.* e *Fís.-Quím.* V. *eletrodo.*
electrodoméstico. *Adj.* e *s. m.* Eletrodoméstico.
electrodótico. *Adj. Fís.-Quím.* Eletrodótico.
electroemissão. *S. f. Fís.* Eletroemissão.
electroencefalograma. *S. m. Med.* V. *eletroencefalograma.*
electroendosmose. *S. f. Fís.-Quím.* V. *eletroendosmose.*
electroerosão. *S. f. Tec. Quím.* Eletroerosão.
electrofílico. *Adj. Fís.-Quím.* Eletrofílico.
electrofluorescência. *S. f. Fís.* Eletrofluorescência.
electroforese. *S. f. Fís.-Quím.* Eletroforese.
electroforídeo. *S. m.* **1.** Espécime dos electroforídeos ● *Adj.* **2.** Pertencente ou relativo a eles.
electroforídeos. *S. m. pl. Zool.* Designação comum dos peixes da família *Gymnotidae,* de corpo angüiliforme e pele lisa, e cujo organismo produz fortes descargas elétricas. Ex.: o poraquê.
electroformação. *S. f. Tec. Quím.* Eletroformação.
electróforo. *S. m. Eletr.* Eletróforo.
electrogalvânico. *Adj. Fís.* Eletrogalvânico.
electrogalvanismo. *S. m. Fís.* Eletrogalvanismo.
electrogêneo. *Adj. Fís.* Eletrogêneo.
electrografia. *S. f. Eletr.* Eletrografia.
electrográfico. *Adj.* Eletrográfico.
electrogravura. *S. f.* Eletrogravura.
electroímã. *S. m. Fís.* V. *eletroímã.*
electrolito. *S. m. Fís.* V. *eletrolito.*
electrólito. *S. m. Fís.* V. *eletrólito.*
electrologia. *S. f. Fís.* Eletrologia.
electroluminescência. *S. f. Fís.* Eletroluminescência.
electroluminescente. *Adj. Fís.* Eletroluminescente.

electromagnético. *Adj.* Eletromagnético.
electromagnetismo. *S. m. Fís.* Eletromagnetismo.
electromagneto. S. m. Fís. Eletromagneto.
electromecânico. *Adj.* Eletromecânico.
electrométrico. *Adj.* Eletrométrico.
electrômetro. *S. m. Eletr.* Eletrômetro.
electromotância. *S. f. Eletr.* Eletromotância.
eléctron. *S. m. Fís.* V. *elétron.*
electronação. *S. f. Quím.* Eletronação.
electronegatividade. *S. f. Fís.-Quím.* Eletronegatividade.
electronegativo. *Adj. Eletrôn.* e *Fís.-Quím.* Eletronegativo.
electrônica. *S. f. Fís.* Eletrônica.
electrônico. *Adj.* Eletrônico.
eléctron-volt. *S. m. Fís.* V. *elétron-volt.* [Pl.: *eléctrons-volt.*]
electroóptica. *S. f. Fís.* Eletroóptica.
electroplessão. *S. f.* Eletroplessão.
electroquímica. *S. f. Fís.-Quím.* Eletroquímica.
electroquímico. *Adj.* Eletroquímico.
electroscopia. *S. f. Fís.* Eletroscopia.
electroscópico. *Adj.* Eletroscópico.
electroscópio. *S. m. Eletr.* e *Fís.* Eletroscópio.
electrosmose. *S. f. Fís.-Quím.* V. *eletrosmose.*
electrossiderurgia. *S. f.* Eletrossiderurgia.
electrossiderúrgico. *Adj.* Eletrossiderúrgico.
electrossono. *S. m. Med.* Eletrossono.
electrostática. *S. F. Fís.* Eletrostática.
electrostático. *Adj.* Eletrostático.
electrostegia. *S. f. Eletr.* Eletrostegia.
electrostenólise. *S. f. Fís.-Quím.* Eletrostenólise.
electrostrição. *S. f. Fís.* Eletrostrição.
electrotaxia (cs). *S. f.* Eletrotaxia.
electroterapia. *S. f. Terap.* Eletroterapia.
electroterápico. *Adj.* Eletroterápico.
electrotermia. *S. f. Med.* Eletrotermia.
electrotérmica. *Adj.* (*f.*) *Quím.* Eletrotérmica.
electrotérmico. *Adj.* Eletrotérmico.
electrotipar. *V. t. d.* Eletrotipar.
electrotipia. *S. f. Eletr.* Eletrotipia.
electrótipo. *S. m. Tip.* Eletrótipo.
electrótono. *S. m. Med.* V. *eletrótono.*
electrotônus. *S. m. 2 n. Med.* V. *eletrótono.*
electrovalência. *S. f. Quím.* Eletrovalência.
electuário. [Do lat. *electuariu.*] *S. m. Farm.* Sacaróleo pastoso feito com pós, com polpas ou com extratos medicamentosos. [Var.: *eletuário.*]
eledê. [Do ioruba.] *S. m. Bras.* Porco que serve de animal votivo, dedicado a Oxóssi ou a Omolu, conforme o terreiro.
elefanta. *S. f.* Fem. de *elefante* [q. v.].
elefante. [Do gr. *eléphas, antos,* pelo lat. *elephante.*] *S. m.* **1.** Mamífero de grande porte, da ordem dos proboscídeos, família dos elefantídeos, do qual há três espécies no mundo atual, duas africanas e uma asiática: "O rusgoso elefante pousa as patas cuidadoso nas pedras" (Cecília Meireles, *Obra Poética,* p. 720). **2.** *Bras.* No jogo do bicho [q. v.], o 12º grupo (8), que abrange as dezenas 45, 46, 47 e 48, e corresponde ao número 12. **3.** *Bras. Pej.* Pessoa muito gorda. [Fem.: *elefanta.* Há também, em Sri-Lanka (antigo Ceilão), a palavra *aliá* para a fêmea do elefante. Não existe o fem. *elefoa.*] ♦ **Elefante branco. 1.** Presente que, não sendo mau, dá muito trabalho, muita importunação. **2.** Coisa de pouca ou nenhuma importância prática.
elefantíase. [Do gr. *elephantíasis,* pelo lat. *elephantiase.*] *S. f. Med.* **1.** Hipertrofia e espessamento da pele, por qualquer causa. **2.** Hipertrofia da pele e tecido subcutâneo, cuja circulação linfática está obstruída por infecção de evolução crônica. As partes principalmente afetadas são pernas e genitália externa. [Sin. ger.: *paquidermia.*]
elefantíase-dos-árabes. *S. f. Patol.* A elefantíase produzida por filariose. [Pl.: *elefantíases-dos-árabes.*]
elefantíase-dos-gregos. *S. f.* V. *lepra* (1). [Pl.: *elefantíases-dos-gregos.*]
elefântico. *Adj.* Elefantino.
elefântida. *S. m.* e *adj. 2 g.* V. *elefantídeo.*
elefântidas. *S. m. pl. Zool.* V. *elefantídeos.*
elefantídeo. *S. m.* **1.** Espécime dos elefantídeos. ● *Adj.* **2.** Pertencente ou relativo a eles.
elefantídeos. *S. m. pl. Zool.* Família de mamíferos proboscídeos que inclui os mais poderosos mamíferos terrestres, nos quais o nariz e o lábio superior se unem para formar uma longa tromba preênsil.
elefantino. [Do lat. *elephantinu.*] *Adj.* **1.** Relativo a, ou próprio de elefante (1): "Poucos lhe conheciam a flama interior e lhe adivinhavam sob a calma elefantina dos movimentos a palpitação que ia lá dentro." (Gilberto Amado, *Depois da Política,* p. 96.) **2.** Relativo à elefantíase. [Sin. ger.: *elefântico.*]
elefantófago. [Do gr. *elephantophágos.*] *Adj.* Que come carne de elefante (1).
elefantografia. [Do gr. *eléphas, antos,* 'elefante', + -*graf(o)*- + -*ia.*] *S. f.* Tratado ou história dos elefantes.
elefantográfico. *Adj.* Referente à elefantografia.
elefantóide. [De *elefante* + -*óide.*] *Adj. 2 g.* Semelhante ao elefante.
elefantópode. [Do gr. *elephantópous, odos.*] *Adj. 2 g.* Cujos pés são comparáveis aos do elefante.
elegância. [Do lat. *elegantia.*] *S. f.* **1.** Distinção de porte, de maneiras; donaire: *elegância natural.* **2.** Graça, encanto, garbo: *Tem elegância no andar.* **3.** Gosto; bom gosto: *elegância no trajar.* **4.** Gentileza, finura, amabilidade: *elegância no trato, nos gestos.* **5.** Delicadeza de expressão; cortesia: *Disse umas duras verdades com elegância.* **6.** Apuro, correção, graça: *elegância no estilo e no falar.* **7.** Proporção adequada entre os elementos de uma composição artística; harmonia: *elegância de forma.* **8.** V. *simplicidade* (2). **9.** V. *simplicidade* (4).
elegante. [Do lat. *elegante.*] *Adj. 2 g.* **1.** Que tem elegância, encanto; donairoso, gracioso: *porte elegante; andar elegante.* **2.** Diz-se de pessoa requintada, chique: *dama formosa e elegante.* **3.** Que denota boa educação e se caracteriza por boas maneiras; distinto, correto: *procedimento elegante.* **4.** Correto, apurado: *estilo elegante; falar elegante.* **5.** Harmonioso, proporcionado: *forma elegante.* ~ V. *capital* —. ● *S. 2 g.* **6.** Pessoa elegante: *A elegante geralmente é sensata no vestir.*
elegendo. [Do lat. *elegendu,* gerundivo de *eligere,* 'eleger'.] *S. m.* Aquele que vai ser eleito.
eleger. [Do lat. *eligere.*] *V. t. d.* **1.** Preferir entre dois ou mais; escolher: *Elegeu a carreira de médico para ser útil à humanidade.* **2.** Escolher por meio de votação: *O povo elege seus representantes à Câmara e ao Senado.* **3.** Mudar de: *eleger estado; eleger domicílio.* *Transobj.* **4.** Escolher ou nomear, em geral, por meio de votos: *O povo o elegeu presidente.* **5.** Dar preferência; escolher: "Eu .... ignoro por que os elegi companheiros de narrativa" (Nélida Piñon, *A Força do Destino,* p. 17). [Conjug.: v. *reger,* mas tem dois particípios: *elegido* e *eleito.*]
elegia. [Do gr. *elegeía,* i. e., *odé elegeía,* 'canto plangente', pelo lat. *elegia.*] *S. f.* **1.** Entre os gregos e latinos, poema formado de versos hexâmetros e pentâmetros alternados. **2.** Poema lírico, cujo tom é quase sempre terno e triste. [Cf. *epicédio* e *nênia.*]
elegíaco. [Do gr. *elegeiakós,* pelo lat. *elegiacu.*] *Adj.* **1.** Relativo a, ou próprio de elegia. **2.** Em que há tristeza; lamentoso. **3.** Que chora muito; chorão.
elegíada. *S. f.* Poema elegíaco.
elegibilidade. *S. f.* Qualidade de elegível; capacidade de ser eleito.
elegido. [Part. de *eleger.*] *Adj.* Escolhido, eleito.
elegível. [Do lat. *elegibile.*] *Adj. 2 g.* Que pode ser eleito. [Cf. *ilegível.*]
eleição. [Do lat. *electione.*] *S. f.* **1.** Ato de eleger; escolha, opção. **2.** Preferência, predileção. **3.** *Restr.* Escolha, por meio de sufrágios ou votos, de pessoa para ocupar um cargo ou desempenhar certas funções; pleito; pleito eleitoral. ♦ **Eleição direta.** Eleição (3) em que o eleitor vota diretamente no seu candidato. [Tb. se diz apenas *direta.*] **Eleição indireta.** Aquela em que o presidente e o vice-presidente da República são eleitos por um Colégio Eleitoral. [Tb. se diz apenas *indireta.*]
eleiçoeiro. *Adj. Eleitoreiro.*
eleídrica. [De *elai(o)*- + -*hidr(o)*- + -*ica*[2].] *Adj.* (*f.*). Diz-se de uma pintura feita de óleo e água; eludórica.
eleito. [Do lat. *electu.*] *Adj.* **1.** Escolhido, preferido: *O povo de Israel considerava-se o povo eleito.* **2.** Que foi escolhido ou designado por votação: *O presidente eleito foi entrevistado pelos jornalistas.* ● *S. m.* **3.** Indivíduo eleito.
eleitor (ô). [Do lat. *electore.*] *S. m.* **1.** Aquele que elege. **2.** Aquele que tem direito de eleger (2). **3.** Na Alemanha antiga, príncipe ou bispo que tomava parte na eleição do imperador. ♦ **Eleitor de cabresto.** O que vota sem independência, por interesse e/ou medo.
eleitorado. *S. m.* **1.** Direito de eleger. **2.** Conjunto de eleitores [v. *eleitor* (2)]. **3.** Os eleitores. **4.** Dignidade de antigos príncipes alemães que se denominavam eleitores. ♦ **Conhecer o seu eleitorado.** *Bras. Fam.* Conhecer as manhas ou astúcias de alguém; saber com quem trata.
eleitoral. *Adj. 2 g.* Respeitante a eleições [v. *eleição* (3)] ou ao direito de eleger. ~ V. *cabo* —, *chapa* — e *pleito* —.
eleitoreiro. *Adj. Bras. Deprec.* Diz-se dos atos e proposições emanados dos membros dos poderes públicos com vista à captação de votos em eleição próxima e não ao real interesse da comunidade; eleiçoeiro.
elemental. *Adj. 2 g. P. us.* V. *elementar.*
elementar. *Adj. 2 g.* **1.** Relativo ou pertencente a elemento(s). **2.** De composição ou funcionamento simples; primário, rudimentar: *mecanismo elementar; idéias elementares.* **3.** Referente às primeiras noções de uma arte ou ciência. **4.** *P. ext.* Simples, fácil, claro. **5.** Que está na base, essência, origem; essencial, fundamental, básico: *aspectos elementares do comportamento humano.* [Sin. ger. (p. us): *elementário* e *elemental.*] ~ V. *arco* —, *astronomia* —, *carga* —, *função* —, *geometria* —, *matemática* —, *operação* —, *partícula* — e *reação* —. ● *S. f.* **6.** *Jur.* Ciscunstância ou fato integrativo da definição legal dum crime.
elementário. *Adj. P. us.* V. *elementar.*
elemento. [Do lat. *elementu.*] *S. m.* **1.** Na ciência antiga, a terra, o ar, a água e o fogo. **2.** Estas mesmas substâncias consideradas como forças da natureza ou como a própria natureza: *Era a tempestade, os elementos em fúria.* **3.** Tudo que entra na composição dalguma coisa: *Os elementos da decoração eram de evidente bom gosto.* **4.** Cada parte de um todo: *os elementos de um aparelho.* **5.** Meio ou grupo social; meio, ambiente, círculo: *Via-se que o rapaz estava fora de seu elemento.* **6.** Pessoa, indivíduo, considerado como parte de um todo social ou de um grupo, de um conjunto qualquer: *Não se meta com ele: é mau elemento; É tido por bom elemento na sua repartição; Para o trabalho de lexicografia, Laura é um elemento de primeira ordem.* [Costuma, como nos exemplos dados, vir acompanhado de palavra ou expressão depreciativa ou apreciativa.] **7.** Meio, recurso ou informação: *Não sei que elementos tem ele para afirmar semelhante coisa; Com que elementos contou para alcançar os seus fins?* **8.** *Geom.* V. *elemento geométrico.* **9.** *Fís.-Quím.* Pilha eletroquímica que faz parte de uma bateria. **10.** *Ling.* Parte de um todo lingüístico (palavra, frase, som, etc.) que se pode separar ou conceber separada deste, mediante a análise. [Numa palavra, p. ex., o *morfema,* o *semantema,* o *fonema,* o *acento,* etc., são elementos que se podem separar.] **11.** *Mús. Concr.* Um ou cada um dos componentes de um objeto sonoro (ataque, extinção, retalho do corpo de uma nota complexa, por ex.), que se consegue isolar quando se analisa o objeto. **12.** *Quím.* Substância que não pode ser decomposta, mediante os processos químicos ordinários, em outras substâncias mais simples; substância constituída por átomos com a mesma carga nuclear. ~ V. *elementos.* ♦ **Elemento arquitetônico.** *Arquit.* Cada uma das partes da edificação, como o piso, a parede, a coluna, o pilar, a escada, o forro, o teto, etc. **Elemento conjugado.** *Álg. Mod.* **1.** Num corpo, elemento obtido de outro pela conjugação deste por um terceiro. **2.** Num determinante ou numa matriz, elemento simétrico de outro em relação à diagonal principal. [Tb. se diz apenas *conjugado.*] **Elemento de arco.** *Anál. Mat.* Comprimento da corda que, numa curva, une dois pontos infinitamente próximos; arco elementar. **Elemento geométrico.** *Geom.* **1.** Um ponto, uma reta ou um plano. **2.** Qualquer das partes de uma configuração geométrica. [Tb. se diz apenas *elemento.*] **Elemento idempotente.** *Álg. Mod.* Elemento inalterável quando multiplicado por si mesmo. O zero e a unidade são idempotentes. [Tb. se diz apenas *idempotente.*] **Elemento identidade.** *Álg. Mod.* Numa operação binária definida sobre um conjunto, elemento que reproduz outro, qualquer que seja este outro; elemento neutro. [Tb. se diz apenas *identidade.*] **Elemento neutro.** *Álg. Mod.* V. *elemento identidade.* **Elemento nilpotente.** *Álg. Mod.* Elemento que tem uma potência enésima igual a zero. [Tb. se diz apenas *nilpotente.*] **Elemento principal.** *Mat.* Qualquer dos elementos da diagonal de um determinante ou de uma matriz. **Elementos de uma órbita.** *Astr.* Parâmetros que definem a órbita de um astro, determinando a sua posição no espaço. **Estar no seu elemento. 1.** Estar no meio que lhe convém. **2.** Estar como quer, a seu gosto: "mudemos de assunto. / — Pois muda tu, que nisso de mudar, as mulheres estão no seu elemento." (José de Alencar, *Sonhos d'Ouro,* p. 121.)
elementos. [Pl. de *elemento.*] *S. m. pl.* Noções rudimentares; rudimentos, princípios: *elementos de psiquiatria.* ~ V. *elemento.*
elemi. [De or. oriental, atr. do ár. *el-lemi* e do fr. *élémi.*]

S. m. **1.** V. *icica*. **2.** Designação comum ao óleo e à resina, medicinais, extraídos dessa planta.

elena. *S. f. Ant.* V. *santelmo*. [Cf. *helena*, fem. de *heleno*, e *Helena*, antr.]

elenco. [Do gr. *élegchos*, 'índice de livro', pelo lat. *elenchu*.] *S. m.* **1.** Lista, rol: "Enquanto a família, para alguns temperamentos, aparece como um elenco de monstros de que é necessário fugir, ... no atelier da Avenida Mem de Sá o melhor impulso à obra de Visconti emanava de uma corrente de ternura a circular sempre entre o pintor, sua mulher e seus filhos" (Carlos Drummond de Andrade, *Fala, Amendoeira*, p. 223). **2.** Catálogo, índice. **3.** O conjunto das personagens e atores de um espetáculo de teatro, cinema, rádio, televisão, etc. **4.** *Teat.* O conjunto dos membros de uma companhia dramática. **5.** *Teat.* O conjunto dos atores de uma peça, e suas respectivas personagens. [Sin., lat. nesta acepç.: *dramatis personae*.]

▲**ele(o)-.** Equiv. de *elai(o)-*.

eleocarpácea. *S. f.* Espécime das eleocarpáceas.

eleocarpáceas. *S. f. pl. Bot.* Família de plantas floríferas, da ordem das malvales, que encerra árvores de folhas alternas e estipuladas. Os carpelos soldam-se e têm numerosos óvulos; fruto capsular ou drupáceo. Existem cerca de 120 espécies, mais comuns nas zonas temperadas austrais; o Brasil possui muitas nas florestas pluviais.

eleocarpáceo. *Adj.* Pertencente ou relativo às eleocarpáceas.

eleoceróleo. [De *ele(o)-* + *-cero-* + *óleo*.] *S. m.* Emplastro feito à base de cera e óleo.

eleóleo. [De *ele(o)-* + *óleo*.] *S. m.* Medicamento que tem por excipiente o óleo.

eleolita. [De *ele(o)-* + *-ita*[3].] *S. f. Min.* Variedade de nefelita que tem brilho graxo.

eleotrídeo. *S. m.* **1.** Espécime dos eleotrídeos. ● *Adj.* **2.** Pertencente ou relativo a eles.

eleotrídeos. *S. m. pl. Zool.* Família de peixes actinopterígios, da subordem *Gobioidea*. Ex.: o peixe-macaco.

elepê. *S. m.* V. *long-play*.

elesbonense. *Adj. 2 g.* **1.** De, ou pertencente ou relativo a Elesbão Veloso (PI). ● *S. 2 g.* **2.** Natural ou habitante de Elesbão Veloso.

eletividade. *S. f.* Qualidade de eletivo, do que é feito por eleição, por escolha.

eletivo. [Do lat. tardio *electivu*.] *Adj.* **1.** Relativo a, ou que envolve eleição, escolha: *afinidades eletivas*. **2.** Relativo a, ou próprio de eleição (3): *processo eletivo*. **3.** Que se preenche por eleição: *cargo eletivo*. ~ V. *domicílio* —.

eletracústica. [Var. de *electracústica* < *ele(c)tr(o)-* + *acústica*.] *S. f.* Parte da física que estuda a transformação de energia elétrica em energia sonora, e vice-versa.

eletracústico. [Var. de *electracústico*, < *ele(c)tr(o)-* + *acústico*.] *Adj. Fís.* **1.** Relativo à eletracústica. **2.** *Mús.* Diz-se de cada um dos diferentes tipos de música compostos para fita magnética, como, p. ex., a música eletrônica e a música concreta.

eletrão. [Var. de *electrão*.] *S. m. Lus. Fís.* V. *elétron*.

eletrencefalografia. [Var. de *electrencefalografia* < *ele(c)tr(o)-* + *encéfalo* + *-graf(o)-* + *-ia*.] *S. f. Med.* Estudo do registro gráfico das correntes elétricas que se originam no encéfalo, mediante eletrodos colocados no couro cabeludo, na superfície encefálica, ou dentro da substância encefálica, constituindo valioso método auxiliar de diagnóstico de numerosas doenças nervosas.

eletrencefalográfico. [Var. de *electrencefalográfico*.] *Adj.* Relativo à eletrencefalografia.

eletrencefalógrafo. [Var. de *electrencefalógrafo* < *ele(c)tr(o)-* + *encéfalo* + *-grafo*.] *S. m. Med.* Instrumento com que se realiza o eletrencefalograma.

eletrencefalograma. [Var. de *electrencefalograma* < *ele(c)tr(o)-* + *encefalograma*.] *S. m. Med.* Traçado ou registro obtido mediante o uso de eletrencefalógrafo. [V. *eletrencefalografia*.] [F. red.: *eletro*.]

eletreto (ê). [Do ingl. *electret*.] *S. m. Fís.* Dielétrico sólido que tem polarização elétrica permanente.

▲**eletri-.** Equiv. de *ele(c)tr(o)-*.

eletricidade. [Do fr. *électricité*.] *S. f. Fís.* Designação comum aos fenômenos em que estão envolvidas cargas elétricas em repouso ou em movimento.

eletricismo. *S. m.* O conjunto dos fenômenos elétricos.

eletricista. *S. 2 g.* **1.** Pessoa que trabalha em aparelhos elétricos, especialista em eletricidade. **2.** *Cin.; Teat.* e *Telev.* Técnico especializado em eletricidade e iluminação, e que se incumbe dos efeitos luminosos; iluminador. ● *Adj. 2 g.* **3.** Diz-se de especialista em eletricidade: *engenheiro eletricista*.

elétrico. [Do gr. *élektron*, 'âmbar amarelo', + *-ico*[2].] *Adj.* **1.** Relativo ou pertencente à eletricidade. **2.** Que se move ou se põe em funcionamento pela eletricidade: *motor elétrico; trem elétrico*. **3.** *Fig.* Rapidíssimo: *Fez-me uma visita elétrica*. **4.** *Fig.* Fulgurante, cintilante: *olhar elétrico*. **5.** *Fig.* Diz-se do indivíduo preso de nervosismo, de agitação: *Hoje o homenzinho está elétrico*. ~V. *acoplamento —, arco —, birrefringência —a, bisturi —, cabo —, cadeira —a, campo —, capacidade —a, carga —a, carga —a negativa, carga—a positiva, circuito —, condutor —, corrente —a, descarga —a, deslocamento —, dipolo —, filtro —, guitarra —a, intensidade —a, intensidade do campo —, lâmpada —a, motor —, ônibus —, polarização —a, potencial —, resistência —a, solda —a, tensão —a* e *trabalho —*. ● *S. m.* **6.** Bonde (1).

eletrificação. *S. f.* Ato ou efeito de eletrificar.

eletrificado. [Part. de *eletrificar*.] *Adj.* Que se eletrificou; provido de instalação elétrica.

eletrificar. *V. t. d.* **1.** Tornar elétrico (2). **2.** Prover de instalação elétrica. [Conjug.: v. *trancar*.]

eletrificável. *Adj. 2 g.* Que pode ser eletrificado.

eletrimã. [Var. de *electrimã*.] *S. m. Fís.* V. *eletroímã*.

eletrino. [Do lat. *electrinu*.] *Adj.* **1.** Respeitante a alambre[1] (1). **2.** Feito de alambre[1] (1).

elétrio. [Var. de *eléctrio*.] *S. m. Fís.* V. *elétron*.

eletriz. [Do lat. *electrice*.] *S. f. Desus.* Mulher que elege; eleitora.

eletrização. *S. f.* Ato ou efeito de eletrizar(-se).

eletrizado. [Part. de *eletrizar*.] *Adj.* **1.** Diz-se dos corpos cujas propriedades elétricas foram desenvolvidas ou excitadas. **2.** Carregado de eletricidade. **3.** *Fig.* Encantado, entusiasmado, arrebatado, inflamado, exaltado.

eletrizador (ô). *Adj.* **1.** Que eletriza; eletrizante. **2.** Aquele ou aquilo que eletriza.

eletrizante. *Adj. 2 g.* Eletrizador (1).

eletrizar. *V. t. d.* **1.** Desenvolver ou excitar propriedades elétricas em (os corpos). **2.** Carregar de eletricidade. **3.** *Fig.* Encantar, entusiasmar, arrebatar, inflamar, exaltar: *O ator eletrizou a platéia; Rui Barbosa, ao discursar, eletrizava os ouvintes. P.* **4.** Saturar-se de eletricidade. **5.** *Fig.* Entusiasmar-se, excitar-se, inflamar-se.

eletrizável. *Adj. 2 g.* Sujeito a eletrizar-se.

eletro[1]. *S. m.* Var. de *electro*[1].

eletro[2]. [Var. *electro*[2].] *S. m. Med.* F. red. de *eletrencefalograma* [q. v.]

eletro[3]. [Var. de *electro*[3].] *S. m.* F. red. de *eletrocardiograma* [q. v.].

eletro[4]. *S. m. Tip.* V. *galvanótipo*.

eletroacústica. *S. f. Fís.* V. *eletracústica*.

eletroacústico. *Adj. Fís.* e *Mús.* V. *eletracústico*.

eletrobalança. [Var. de *electrobalança* < *ele(c)tr(o)-* + *balança*.] *S. f.* Balança analítica em que o equilíbrio se faz mediante a ação das forças geradas por uma corrente elétrica que passa por um solenóide.

eletrobomba. [Var. de *electrobomba* < *ele(c)tr(o)-* + *bomba*.] *S. f. Mec.* Bomba rotativa acoplada a um motor elétrico destinado a acioná-la.

eletrocapilar. [Var. de *electrocapilar* < *ele(c)tr(o)-* + *capilar*.] *Adj. Fís.-Quím.* Diz-se de fenômeno que envolve interfaces líquidas num capilar e cargas elétricas adsorvidas nestas interfaces.

eletrocardiografia. [Var. de *electrocardiografia* < *ele(c)tr(o)-* + *-cardio-* + *-graf(o)-* + *-ia*.] *S. f. Med.* Estudo do registro gráfico das correntes elétricas originadas do músculo cardíaco que constitui valioso auxiliar de diagnóstico de numerosas doenças cardíacas.

eletrocardiográfico. [Var. de *electrocardiográfico*.] *Adj.* Relativo à eletrocardiografia.

eletrocardiógrafo. [Var. de *electrocardiógrafo* < *ele(c)tr(o)-* + *-cardio-* + *-grafo*.] *S. m. Med.* Instrumento com que se efetua o eletrocardiograma.

eletrocardiograma. [Var. de *electrocardiograma* < *ele(c)tr(o)+* *-cardio-* + *-grama*.] *S. m. Med.* Registro gráfico obtido mediante o uso de eletrocardiógrafo. [V. *eletrocardiografia*. F. red.: *eletro*.]

eletrochoque. [Var. de *electrochoque* < *ele(c)tr(o)-* + *choque*.] *S. m. Med.* Método utilizado no tratamento de algumas doenças mentais, que consiste na aplicação, por período curto, de corrente elétrica ao encéfalo, através da calota craniana, originando perda de consciência e, em seguida, convulsões.

eletrocinético. [Var. de *electrocinético* < *ele(c)tr(o)-* + *cinético*.] *Adj. Fís.-Quím.* Diz-se de fenômenos que envolvem o deslocamento de uma fase e campos elétricos existentes na superfície da fase. Compreendem a eletroforese, a eletrosmose, o potencial de escoamento e o potencial de sedimentação.

eletrocoagulação. [Var. de *electrocoagulação* < *ele(c)- tr(o)-* + *coagulação*.]. *S. f. Med.* Coagulação de tecido (5) obtida mediante a ação de corrente elétrica de alta freqüência.

eletrocópia. [Var. de *electrocópia* < *ele(c)tr(o)-* + *cópia*.] *S. f. Cópia de documento obtida por qualquer processo que empregue a atração de partículas de pigmento por meio da aplicação de carga eletrostática.*

eletrocussão. *S. f.* Ação de eletrocutar.

eletrocutar. [Do ingl. *eletrocute*.] *V. t. d.* **1.** Proceder à execução de (um condenado) em cadeira elétrica [q. v.] **2.** Matar por meio de choque elétrico.

eletrocutor (ô). *S. m.* Indivíduo encarregado de eletrocussão.

eletrodeposição. [Var. de *electrodeposição* < *ele(c)tr(o)-* + *deposição*.] *S. f. Quím.* Deposição de metal, liga ou composto químico, por eletrólise.

eletrodinâmica. [Var. de *electrodinâmica* < *ele(c)tr(o)-* + *dinâmica*.] *S. f.* Parte da física que estuda as propriedades, comportamento e efeitos de cargas elétricas em movimento, e investiga os campos eletromagnéticos.

eletrodinâmico. [Var. de *electrodinâmico* < *ele(c)tr(o)-* + *dinâmico*.] *Adj. Fís.* Que produz corrente elétrica, ou é por ela produzido. ~ V. *instrumento — e potencial —*.

eletrodinamômetro. [Var. de *electrodinamômetro* < *ele(c)tr(o)-* + *dinamômetro*.] *S. m. Eletr.* Instrumento que se usa para medir corrente, tensão ou potência, em circuitos CC ou CA, e baseado na interação de dois campos magnéticos: um gerado numa bobina fixa, e outro formado numa bobina móvel.

eletródio. [Var. de *electródio*.] *S. m. Eletr., Eletrôn., Fís.* e *Fís.-Quím.* V. *eletrodo*.

eletrodo (ô). [Var. de *electrodo* (*ele(c)tr(o)-* + *-odo*) < ingl. *electrode*.] *S. m. Fís.* **1.** Condutor metálico por onde uma corrente elétrica entra num sistema ou sai dele. **2.** *Eletr.* Qualquer das placas de um capacitor; armadura, placa. **3.** *Eletrôn.* Qualquer componente metálico situado no interior duma válvula eletrônica. **4.** *Fís.-Quím.* Condutor metálico imerso em uma solução que contém íons. [Var. pros.: *elétrodo*; f. paral.: *eletródio*.]

elétrodo (ô). [Var. de *eléctrodo*.] *S. m. Eletr., Eletrôn., Fís.* e *Fís.-Quím.* V. *eletrodo*.

eletrodoméstico. [Var. de *electrodoméstico* < *ele(c) tr(o)-* + *doméstico*.] *Adj.* e *s. m.* Diz-se de, ou aparelho elétrico de uso caseiro, tal como aspirador de pó, televisor, ferro elétrico, etc.

eletrodótico. [Var. de *electrodótico* < *ele(c)tr(o)-* + gr. *dotikos*, 'que tende a dar'.] *Adj. Fís.-Quím.* Relativo a reagente ou radical que apresenta tendência a receber elétrons.

eletroemissão. [Var. de *electroemissão* < *ele(c)tr(o)-* + *emissão*.] *S. f. Fís.* Emissão de elétrons.

eletroencefalograma. [Var. de *electroencefalograma*.] *S. m. Med.* V. *eletrencefalograma*.

eletroendosmose. [Var. de *electroendosmose* < *ele(c)tr(o)-* + *endosmose*.] *S. f. Fís.-Quím.* V. *eletrosmose*.

eletroerosão [Var. de *electroerosão* < *ele(c)tr(o)-* + *erosão*.] *S. f. Tec. Quím.* Técnica de modelagem de peças mediante o ataque controlado efetuado numa eletrólise.

eletrofílico. [Var. de *electrofílico* < *ele(c)tr(o)-* + *-fil(o)-*[2] + *-ico*[2].] *Adj.* **1.** *Fís.-Quím.* Diz-se de reagente ou radical que apresenta tendência a receber elétrons. **2.** *Quím.* Diz-se de um ataque, ou de uma reação, em que uma molécula com dupla ligação interage com um íon que se fixa nesta dupla ligação.

eletrofluorescência. [Var. de *electrofluorescência* < *ele(c)tr(o)-* + *fluorescência*.] *S. f. Fís.* Fluorescência provocada em um sólido pela conversão direta de energia elétrica em eletromagnética.

eletroforese. [Var. de *electroforese* < *ele(c)tr(o)-* + gr. *phóresis*, 'ação de levar'.] *S. f. Fís.-Quím.* Migração das partículas de uma solução coloidal sob a influência de um campo elétrico; anaforese.

eletroformação. [Var. de *electroformação* < *ele(c)tr(o)-* + *formação*.] *S. f. Tec. Quím.* Obtenção de tubos ou folhas metálicas mediante processo eletrolítico.

eletróforo. [Var. de *electróforo* < *ele(c)tr(o)+* *-foro*.] *S. m Eletr.* Antigo instrumento empregado para gerar eletricidade estática.

eletrogalvânico. [Var. de *electrogalvânico* < *ele(c)tr(o)-* + *galvânico*.] *Adj. Fís.* Relativo à pilha eletroquímica ou aos seus efeitos.

eletrogalvanismo. [Var. de *electrogalvanismo* < *ele(c)tr(o)-* + *galvanismo*.] *S. m. Fís.* O conjunto dos fenômenos eletrogalvânicos.

eletrogêneo. [Var. de *electrogêneo* < *ele(c)tr(o)-* + *-gen(o)-*[1] + *-eo*.] *Adj. Fís.* Que produz eletricidade.

eletrografia. [Var. de *electrografia* < *ele(c)tr(o)-* + *-graf(o)-* + *-ia*.]. *S. f.* Galvanografia.

eletrográfico. [Var. de *electrográfico*.] *Adj.* Respeitante à eletrografia.

eletrogravura. [Var. de *electrogravura* < *ele(c)tr(o)-* + *gravura.*] *S. f.* V. *galvanogravura.*

eletroímã. [Var. de *electroímã* < *ele(c)tr(o)-* + *ímã.*] *S. m. Fís.* Instrumento empregado para produzir campos magnéticos por meio de uma corrente elétrica que magnetiza um material ferromagnético; eletromagneto.

eletrola. *S. f.* Vitrola (1).

eletrolisação. [De *eletrolisar* + *-ção.*] *S. f. Quím. P. us. Eletrólise.*

eletrolisar. *V. t. d.* Efetuar eletrólise de. [Pres. subj.: *eletrolise,* etc. Cf. *eletrólise.*]

eletrólise. [De *ele(c)tr(o)-* + *-lise.*] *S. f. Quím.* Conjunto de fenômenos químicos ocorrentes nos eletrodos imersos numa solução condutora, provocados pela passagem da corrente elétrica, e que podem ser decomposições, deposições, combinações, desprendimentos gasosos, oxidações ou reduções. [Sin., p. us.: *eletrolisação.* Cf. *eletrolise,* do v. *eletrolisar.*]

eletrolítico. *Adj.* Referente à eletrólise. ~ V. *banho* — e *deposição* —a.

eletrolito. [Var. de *electrolitro.*] *S. m. Fís.* V. *eletrólito.*

eletrólito. [Var. de *electrólito* < *ele(c)tr(o)-* + *-lito.*] *S. m. Fís.* Condutor de eletricidade, sólido ou líquido, no qual o transporte de carga se realiza por meio de íons. [Var. pros.: *eletrolito.*] ◆ **Eletrólito forte.** *Quím.* Substância que em solução se dissocia totalmente em íons. **Eletrólito fraco.** *Quím.* Substância que, em solução, se dissocia parcialmente em íons.

eletrologia. [Var. de *electrologia* < *ele(c)tr(o)-* + *-log(o)-* + *-ia.*] *S. f. Fís.* Estudo dos fenômenos elétricos e magnéticos.

eletroluminescência. [Var. de *electroluminescência* < *ele(c)tr(o)-* + *luminescência.*] *S. f. Fís.* Luminescência provocada por uma descarga elétrica.

eletroluminescente. [Var. de *electroluminescente* < *ele(c)tr(o)-* + *luminescente.*] *Adj. 2 g.* Que tem a propriedade da eletroluminescência.

eletromagnético. [Var. de *electromagnético* < *ele(c)tr(o)-* + *magnético.*] *Adj.* Relativo ao eletromagnetismo ou que dele decorre. ~ V. *bomba* —a, *campo* —, *espectro* —, *indução* —a, *onda* —a, *radiação* —a, *sistema c.g.s.* — e *unidade* —a.

eletromagnetismo. [Var. de *electromagnetismo* < *ele(c)tr(o)-* + *magnetismo.*] *S. m.* Parte da física que investiga as propriedades dos campos elétricos, fundamentalmente a partir das equações estabelecidas por J. C. Maxwell (1831-1879).

eletromagneto. [Var. de *electromagneto* < *ele(c)tr(o)-* + *magneto.*] *S. m. Fís.* V. *eletroímã.*

eletromecânico. [Var. de *electromecânico* < *ele(c)tr(o)-* + *mecânico.*] *Adj.* Diz-se de dispositivo em que comandos elétricos provocam efeitos mecânicos, ou vice-versa.

eletrométrico. [Var. de *electrométrico* < *ele(c)tr(o)-* + *-metr(o)-* + *-ico*[2].] *Adj.* ~ V. *válvula* —a.

eletrômetro. [Var. de *electrómetro* < *ele(c)tr(o)-* + *-metro.*] *S. m. Eletr.* Instrumento destinado a medir cargas elétricas, voltagens ou correntes muito fracas, e baseado na deformação que um sistema mecânico apropriado sofre quando sujeito a um campo elétrico.

eletromotância. [Var. de *electromotância* < *ele(c) tr(o)-* + *-mot(o)-* + *-ância.*] *S. f. Eletr.* Força eletromotriz.

eletromotriz. [De *ele(c)tr(o)-* + *motriz.*] *Adj. (f.)* ~ V. *força* —.

elétron. [Var. de *eléctron* < ingl. *electron,* t. criado pelo cientista inglês G. Johnstone Stoney em 1881 com o gr. *élektron,* 'âmbar-amarelo'.] *S. m. Fís.* Partícula fundamental na constituição dos átomos e moléculas, portadora da menor quantidade de carga elétrica livre que se conhece, com massa igual a 1/1837 vezes a massa do próton, spin 1/2 e carga igual a $1,60 \times 10^{-19}$C. [F. paral. (lus.): *electrão* e *eletrão.* Simb.: *e, é.*] ◆ **Elétron de valência.** *Fís.-Quím.* Aquele que normalmente está na camada eletrônica mais externa dum átomo e participa na determinação das propriedades ópticas, químicas e condutoras desse átomo; elétron óptico. **Elétron óptico.** *Fís.-Quím.* Elétron de valência.

eletronação. [Var. de *electronação* < *eléctron* + *-a-* + *-ção.*] *S. f. Quím.* Incorporação de um elétron a um átomo, ou íon, ou molécula, provocando-lhe a redução.

eletronegatividade. [Var. de *electronegatividade* < *ele(c)tr(o)-* + *negatividade.*] *S. f. Fís.-Quím.* Tendência dum átomo para receber elétrons e formar um íon negativo.

eletronegativo. [Var. de *electronegativo* < *ele(c)tr(o)-* + *negativo.*] *Adj.* **1.** *Eletrôn.* Diz-se de um eletrodo que tem potencial negativo em relação a outro. **2.** *Fís.-Quím.* Diz-se de um elemento cujos átomos têm acentuada eletronegatividade.

eletrônica. [Var. de *electrónica,* fem. substantivado do adj. *electrónico.*] *S. f.* Parte da física dedicada ao estudo do comportamento de circuitos elétricos que contenham válvulas, semicondutores, transdutores, etc., ou à fabricação de tais circuitos.

eletrônico. [Var. de *electrónico* < *eléctron* + *-ico*[2].] *Adj.* Relativo à eletrônica. ~ V. *acoplamento* —, *caixa* —, *camada* —a, *canhão* —, *cérebro* —, *chave* —a, *computador* —, *contador* —, *espelho* —, *jogo* —, *lente* —a, *microscópio* —, *música* —a, *navegação* —a, *óptica* —a, *porteiro* —, *secretária* —a, *tubo* — e *válvula* —a.

elétron-volt. [Var. de *eléctron-volt* < *eléctron* + *volt.*] *S. m. Fís.* Unidade de medida de energia, igual à energia adquirida por um elétron quando é acelerado por uma diferença de potencial de um volt. Equivale a $1,6020 \times 10^{-19}$ J. [Símb.: *eV.* Pl.: *elétrons-volt.*]

eletroóptica. [Var. de *electroóptica* < *ele(c)tr(o)-* + *óptica.*] *S. f.* Parte da física que estuda a influência de campos elétricos sobre a emissão, absorção, refração e espalhamento da luz.

eletroplessão. [Var. de *electroplessão* < *ele(c)tr(o)-* + *-pless(o)-* + *-ão*[3].] *S. f.* Morte ocorrida em conseqüência de descarga elétrica.

eletropositivo. [De *ele(c)tr(o)* + *positivo.*] *Adj.* **1.** *Eletrôn.* Diz-se dum eletrodo que tem potencial positivo em relação a outro. **2.** *Fís.-Quím.* Diz-se dum átomo que tende a ceder elétrons e formar íon positivo.

eletroquímica. [Var. de *electroquímica* < *ele(c)tr(o)-* + *química.*] *S. f.* Parte da físico-química que estuda as propriedades elétricas das soluções, o comportamento dos íons em meios líquidos, a produção de energia elétrica nas reações em fase líquida que ocorrem nas pilhas, e as propriedades elétricas das soluções coloidais.

eletroquímico. [Var. de *electroquímico.*] *Adj.* Relativo à eletroquímica. ~ V. *corrosão* —a, *equivalente* — e *pilha* —a.

eletroscopia. [Var. de *electroscopia* < *ele(c)tr(o)-* + *-scop-* + *-ia.*] *S. f. Fís.* Observação e estudo das manifestações elétricas por meio de eletroscópios.

eletroscópico. [Var. de *electroscópico.*] *Adj.* Relativo à eletroscopia.

eletroscópio. [Var. de *electroscópio* < *ele(c)tr(o)-* + *-scop* + *-io.*] *S. m.* **1.** *Fís.* Instrumento para observação de fenômenos eletrostáticos, baseado no movimento de peças metálicas sob a influência de forças elétricas atrativas ou repulsivas. **2.** *Eletr.* Aparelho destinado a revelar cargas eletrostáticas muito pequenas.

eletrosmose. [Var. de *electrosmose* < *ele(c)tr(o)-* + *osmose.*] *S. f. Fís.-Quím.* Movimento de um líquido através duma membrana semipermeável, provocado por uma diferença de potencial elétrico entre as suas faces; eletroendosmose.

eletrossiderurgia. [Var. de *electrossiderurgia* < *ele(c)tr(o)-* + *siderurgia.*] *S. f.* Preparação do ferro e do aço por meio de eletricidade.

eletrossiderúrgico. [Var. de *electrossiderúrgico* < *ele(c)tr(o)-* + *siderúrgico.*] *Adj.* Relativo à eletrossiderurgia.

eletrossono. [Var. de *electrossono* < *ele(c)tr(o)-* + *sono*] *S. m. Med.* Método terapêutico que utiliza o sono produzido por eletricidade.

eletrostática. [Var. de *electrostática,* fem. substantivado de *electrostático.*] *S. f.* Parte da física que estuda as propriedades e o comportamento de cargas elétricas em repouso.

eletrostático. [Var. de *electrostático.*] *Adj.* Referente à eletrostática. ~ V. *acelerador* —, *campo* —, *indução* —a, *lente* —a, *potencial* — e *sistema c. g. s.* —.

eletrostegia. [Var. de *electrostegia* < *ele(c)tr(o)-* + *-steg (o)-* + *-ia.*] *S. f. Eletr.* Galvanostegia.

eletrostenólise. [Var. de *electrostenólise* < *ele(c)tr(o)-* + *-sten(o)-* + *-lise.*] *S. f. Fís.-Quím.* Separação de um metal de uma solução que contenha o cátion correspondente, quando esta flui através dum capilar em que existe uma diferença de potencial elétrico.

eletrostrição. [Var. de *electrostrição* < ingl. *electrostriction.*] *S. f. Fís.* Tensão mecânica ou modificação de forma que ocorre num dielétrico sólido sujeito a um campo elétrico.

eletrotaxia (cs). [Var. de *electrotaxia* < *ele(c)tr(o)-* + *-tax(i)(o)-* + *-ia.*] *S. f.* Movimento de células, no organismo, sob a influência da eletricidade.

eletroterapia. [Var. de *electroterapia* < *ele(c)tr(o)-* + *-terapia.*] *S. f. Terap.* Tratamento de doenças pela eletricidade.

eletroterápico. [Var. de *electroterápico.*] *Adj.* Relativo à eletroterapia.

eletrotermia. [Var. de *electrotermia* < *ele(c)tr(o)-* + *-term(o)-* + *-ia.*] *S. f.* **1.** *Med.* Produção de calor pela eletricidade. **2.** *Terap.* Utilização da eletrotermia (1) para alívio de dores, mediante aplicação à pele de instrumento gerador de calor. **3.** *Quím.* Designação genérica da técnica de obtenção de certas substâncias (carbeto de silício, carbeto de boro, p. ex.) em forno elétrico, a alta temperatura.

eletrotérmica. [Var. de *electrotérmica.*] *Adj. (f.) Quím.* Diz-se de indústria química que utiliza procedimentos de eletrotermia (3).

eletrotérmico. [Var. de *electrotérmico.*] *Adj.* Relativo à eletrotermia.

eletrotipar. [Var. de *electrotipar* < *ele(c)tr(o)-* + *-tip(o)*[2] + *-ar*[2].] *V. t. d.* Galvanotipar.

eletrotipia. [Var. de *electrotipia* < *ele(c)tr(o)-* + *-tip(o)-*[2] + *-ia.*] *S. f.* **1.** *Eletr.* V. *galvanoplastia.* **2.** *Tip.* V. *galvanotipia.* **3.** *Tip.* V. *galvanótipo.*

eletrótipo. [Var. de *electrótipo.*] *S. m. Tip.* V. *galvanótipo.*

eletrótono. [Var. de *electrótono* < *ele(c)tr(o)-* + *-tono.*] *S. m. Med.* Estado de excitabilidade e condutividade observado em nervo ou músculo, estando um destes situado além e entre os dois eletrodos, quando é aplicada uma corrente galvânica.

eletrotônus. *S. m. 2 n. Med.* V. *eletrótono.*

eletrovalência. [Var. de *electrovalência* < *ele(c)tr(o)-* + *valência.*] *S. f. Quím.* Modo de ligação entre dois grupos de átomos no qual há transferência de um elétron de um para outro grupo e a formação de um laço polar entre os íons assim formados.

eletuário. *S. m.* Var. de *electuário.*

eleusínias. [Do gr. *eleusínia,* pelo lat. *eleusinia.*] *S. f. pl.* Festas em honra de Ceres, que se realizavam em Elêusis (Grécia antiga).

eleuterado. *S. m.* e *adj.* V. *coleóptero.*

eleuterados. *S. m. pl. Zool.* V. *coleópteros.*

eleuterantéreo. [De *eleuter(o)-* + *antera* + *-eo.*] *Adj. Morfol. Veg.* Diz-se dos estames quando as anteras são livres.

eleutérias. [Do gr. *eleuthería,* pelo lat. *eleutheria.*] *S. f. pl.* Festas em honra de Zeus Libertador (Eleutério), que se celebravam em Platéia (Grécia antiga) para comemoração da vitória de Pausânias sobre os persas.

▲**eleuter(o)-.** [Do gr. *eleútheros, a, on.*] *El. comp.* = 'livre': *eleuterógino.*

eleuterógino. [De *eleuter(o)-* + *-gino.*] *Adj. Morfol. Veg.* Diz-se da flor quando o ovário está livre, i. e., não concresce com outro verticilo floral.

eleutorozoário. *S. m.* **1.** Espécime dos eleutorozoários. ● *Adj.* **2.** Pertencente ou relativo a eles.

eleutorozoários. *S. m. pl. Zool.* Animais equinodermos, do sub-ramo *Eleutherozoa,* que abrange todas as espécies do ramo que têm vida livre, sem órgãos especiais para fixação, nas quais se incluem os equinóides, asteróides, ofiuróides e holoturóides.

elevação. [Do lat. *elevatione.*] *S. f.* **1.** Ato ou efeito de elevar(-se); ascensão, subida, levantamento: *elevação duma parede; Foi lenta a elevação do corpo do atleta.* [Sin., p. us.: *elevamento.*] **2.** Ato de ser promovido, alçado; ascensão: *Sua elevação ao cargo de ministro foi merecida.* **3.** Alta posição social: *Lutou para conseguir a elevação em que se encontra.* **4.** Distinção, nobreza, grandeza: *elevação de caráter.* **5.** Superioridade, altura, distinção: *elevação de estilo.* **6.** Alta, aumento: *elevação de preços; a elevação da temperatura.* **7.** Ponto elevado, alto: *O terreno tem pequenas elevações.* **8.** *Arquit.* Representação gráfica das fachadas de uma edificação; alçado. **9.** *Lit.* Ato de o sacerdote católico elevar, durante a missa, a hóstia e o vinho para a consagração. **10.** *Lit. P. ext.* O momento da elevação. **11.** *Mil.* Ângulo que o eixo do tubo-alma da boca de fogo faz com o plano horizontal no instante de atirar.

elevado. [Part. de *elevar.*] *Adj.* **1.** Que tem elevação; que se eleva ou elevou: *teto elevado; voz elevada; terreno elevado.* **2.** Transcendente, alto, superior: *estilo elevado.* **3.** Grande, nobre: *espírito elevado.* ~ V. *abóbada* —a. ● *S. m.* **4.** Via urbana, para tráfego rodoviário ou ferroviário, em nível superior ao do solo. **5.** *Tip.* Letra, número ou outro sinal de olho menor que o de sua fonte e fundido ao alto, usado em abreviaturas ou como expoente matemático; subido. [Cf. *descido* e *letra superior.*]

elevador (ô). [Do lat. *elevatore.*] *Adj.* **1.** Que eleva;

elator. • *S. m.* **2.** Máquina elevatória; ascensor. **3.** V. *eretor* (3). **4.** *Tip.* Cada uma das duas peças móveis da linotipo (primeiro-elevador e segundo-elevador *ou guindaste*) que servem para conduzir as linhas de matrizes do carro despachador ao molde de fundição e à caixa de transferência, e desta ao distribuidor (6).

elevamento. *S. m. P. us.* V. *elevação* (1).

elevar. [Do lat. *elevare.*] *V. t. d.* **1.** Pôr em plano superior; levantar, erguer, alçar: *Elevou o embrulho para as crianças não o alcançarem; O padre elevou a hóstia.* **2.** Dirigir para cima; levantar, erguer: *Elevou os olhos para ver o balão que subia.* **3.** Aumentar em número, preço, valor, etc.; fazer subir: *Os pecuaristas elevaram o preço da carne; O professor elevou a nota do aluno.* **4.** Aumentar o tom de (a voz). **5.** Exaltar, engrandecer: *O corajoso feito eleva-lhe as virtudes.* **6.** Construir; erguer: *elevar um monumento. T. d. e i.* **7.** Fazer subir (a posição elevada); promover: "A rainha da Inglaterra eleva-o [a Tennyson] a poeta laureado" (Constâncio Alves, *Figuras*, p. 161). **8.** Fazer sair (de lugar inferior). **9.** Erguer, alçar: *Elevou o pensamento às alturas. P.* **10.** Estar sobranceiro; alçar-se. "A donzela, em sua humildade torna-se grande; / Eleva-se acima da condição humana" (Manuel Bandeira, *Estrela da Vida Inteira*, p. 224). **11.** Engrandecer-se, exaltar-se. **12.** Erguer-se, alçar-se: "Chega o homem ao grau definitivo de superioridade quando pode elevar-se acima da sua própria fé." (Pontes de Miranda, *Obras Literárias*, p. 45.)

elevatória. [Fem. substantivado de *elevatório.*] *S. f. Bras.* Estação de um sistema de esgotos ou de abastecimento de água, na qual o líquido é levado, por meio de bombas, para um reservatório situado em nível superior ao terreno circundante, ou à tubulação que traz o líquido; estação elevatória.

elevatório. *Adj.* **1.** Que serve para elevar. **2.** Relativo a elevação. ~ V. *estação* —*a*.

elfa. *S. f.* Cova para plantar bacelo.

elfo. [Do ingl. *elf.*] *S. m.* Gênio aéreo da mitologia escandinava, que simboliza o ar, o fogo, a Terra, etc.: "Elfos de Lua, gnomos, rondas fluidas, andavam no ar com o pólen dos jardins" (Antônio Patrício, *Serão Inquieto*, p. 69).

▲-elha (ê). [Do esp. *-ella.*] Equiv. de *-elho*.

▲-elho (ê). [Do esp. *-ello.*] *Suf. nom.* = 'diminuição': *rapazelho*. [Tem, por vezes, conotação pejorativa: *literatelho*. Equiv.: *-elha*: *figurelha*.]

eliano. *Adj.* Que segue a doutrina do patriarca Elias.

elias-faustense. *Adj. 2 g.* **1.** De, ou pertencente ou relativo a Elias Fausto (SP). • *S. 2 g.* **2.** Natural ou habitante de Elias Fausto. [Pl.: *elias-faustenses.*]

eliciar. [Do lat. *elicere.*] *V. t. d.* **1.** Fazer sair; expulsar. **2.** Desviar com conjuro; conjurar. [Pres. ind.: *elicio*, etc. Cf. *Elício*, mit. e antr.]

elícito. [Do lat. *elicitu.*] *Adj.* Atraído; aliciado. [Cf. *ilícito.*]

elidente. [Do lat. *elidente.*] *Adj. 2 g.* Que tem força de elidir.

elidir. [Do lat. *elidere.*] *V. t. d.* Fazer elisão de; eliminar, suprimir. [Cf. *ilidir.*]

elidível. *Adj. 2 g.* Que pode ser elidido. [Cf. *ilidível.*]

eliense. *Adj. 2 g.* **1.** De, ou pertencente ou relativo a Doutor Elias (RJ). • *S. 2 g.* **2.** Natural ou habitante de Doutor Elias.

eligimento. *S. m. Arquit.* Nivelamento dos alicerces um pouco abaixo da superfície do solo mediante aplicação de um revestimento chamado *soco*.

eliminação. *S. f.* **1.** Ato ou efeito de eliminar(-se). **2.** *Álg.* Supressão de uma ou mais incógnitas de um sistema de equações, mediante operações adequadas e com o fim de determinar a solução do sistema.

eliminador (ô). *Adj.* Que elimina; eliminante.

eliminante. *Adj. 2 g.* **1.** Eliminador. • *S. m.* **2.** *Álg.* Relação entre os coeficientes das variáveis de um sistema de equações que deve ser identicamente satisfeita para que o sistema tenha solução; resultante.

eliminar. [Do lat. *eliminare.*] *V. t. d.* **1.** Fazer sair; tirar, suprimir, excluir: *A reforma ortográfica elimina as consoantes geminadas.* **2.** Fazer sair do organismo (2); expulsar, natural ou artificialmente: *Os diuréticos eliminam o excesso de água; O doente eliminou o catarro que o sufocava.* **3.** Matar; suprimir. **4.** *Álg.* Efetuar a eliminação (2) de. *T. d. e i.* **5.** Fazer sair; pôr fora; expulsar, banir: *Eliminaram-no do clube. P.* **6.** Matar-se, suicidar-se.

eliminatória. [Fem. substantivado de *eliminatório.*] *S. f.* Matéria, prova ou competição eliminatória.

eliminatório. *Adj.* **1.** Que se destina ou tem por efeito eliminar, suprimir, excluir: *processo eliminatório; método eliminatório.* **2.** Diz-se de matéria, prova ou exame que tem por fim eliminar os candidatos menos aptos, que não hajam alcançado determinada nota preestabelecida. **3.** Diz-se das competições, em determinados jogos, destinadas a selecionar os que vão disputar campeonato(s).

eliminável. *Adj. 2 g.* Que pode ser eliminado.

▲-élio. Equiv. de *héli(o)-*.

elipóptero. *S. m.* e *adj.* V. *anopluro*.

elipópteros. *S. m. pl. Zool.* V. *anopluros*.

elipse. [Do gr. *élleipsis*, 'omissão', pelo lat. *ellipse.*] *S. f.* **1.** *Gram.* Omissão de palavra(s) que se subentende(m). Ex.: "Onde pode, põe a mão. Onde não, põe os seus olhos" (Audálio Alves, *Antologia Poética*, p. 85); "Cheguei. Chegaste." (Olavo Bilac, *Poesias*, p. 127.) **2.** *Geom.* Lugar geométrico dos pontos de um plano cujas distâncias a dois pontos fixos desse plano têm soma constante; interseção de um cone circular reto com um plano que faz com o eixo do cone um ângulo maior que o do vértice. ♦ **Elipse paraláctica.** *Astr.* Trajetória elíptica de uma estrela, que esta parece descrever em conseqüência da paralaxe ânua. **Elipse tangencial de transferência.** *Astron.* Elipse osculatriz de duas órbitas de um satélite artificial, que este percorre ao passar de uma para outra órbita.

elipsógrafo. [De *elipse* + *-o-* + *-grafo.*] *S. m.* Instrumento com que se traçam elipses.

elipsoidal. *Adj. 2 g.* Elipsóide (1). ~ V. *coordenadas elipsoidais*.

elipsóide. [De *elipse* + *-óide.*] *Adj. 2 g.* **1.** Que tem forma da elipse; elipsoidal. • *S. m.* **2.** *Geom.* Superfície do segundo grau em que todas as seções retas são elipses ou circunferências de círculo. ♦ **Elipsóide achatado.** *Geom.* Elipsóide oblato. **Elipsóide de revolução.** *Geom.* O que resulta da rotação de uma elipse em torno de um dos seus eixos; o que tem dois eixos iguais. [Sin.: *esferóide.*] **Elipsóide oblato.** *Geom.* Elipsóide de revolução obtido por meio da rotação de uma elipse em torno do seu eixo menor; elipsóide achatado. **Elipsóide oblongo.** *Geom.* Elipsóide prolato. **Elipsóide prolato.** *Geom.* Elipsóide de revolução resultante da rotação de uma elipse em torno do seu eixo maior; elipsóide oblongo. **Elipsóide terrestre.** *Astr.* Elipsóide de revolução convencional, ao qual se relacionam os pontos da superfície terrestre.

elipsospermo. [Do gr. *élleipsis*, 'elipse', + *-sperma.*] *Adj. Morfol. Veg.* Que tem sementes elípticas.

elipsóstomo. [Do gr. *élleipsis*, 'elipse', + *-stomo.*] *Adj. Zool.* Cuja boca ou abertura é elíptica.

elíptico. [Do gr. *elleiptikós.*] *Adj.* **1.** Que contém, ou em que há elipse(s) (1): *estilo elíptico; Miguel Torga é muito dado às construções elípticas.* **2.** Pertencente ou relativo à elipse. **3.** Que tem forma de elipse: *figura elíptica*. [Var.: *elítico.*] ~ V. *charada* —*a*, *cometa* —, *coordenadas* —*as*, *folha* —*a*, *função* —*a* e *polarização* —*a*.

elisabetano. *Adj.* De, ou pertencente ou relativo à rainha Elisabete I (ou Isabel) da Inglaterra (1533-1603), ou à sua época; elisabetiano, isabelino: *Foi no período elisabetano que o teatro inglês — com Lyly, Marlowe, Shakespeare e muitos outros — alcançou o seu apogeu.* ~ V. *palco* —.

elisabetiano. *Adj.* V. *elisabetano*.

elisão. [Do lat. *elisione.*] *S. f.* **1.** Ato ou efeito de elidir; eliminação, supressão. **2.** *Gram. Restr.* Supressão da vogal final de um vocábulo quando o seguinte principia por vogal. Ex.: *dalgum* (= de algum). **3.** *Mús.* Em harmonia, a não resolução de qualquer nota de movimento obrigado, ascendente ou descendente, ou a sua marcha melódica em salto.

eliseu. *S. m.* Elísio (1 e 2).

elísio. [Do gr. *elysios*, pelo lat. *elysiu.*] *S. m.* **1.** *Mitol.* A Morada dos heróis e dos justos após a morte; campos elísios, eliseu. **2.** *P. ext.* Lugar de delícias; a bem-aventurança; eliseu. • *Adj.* **3.** Pertencente ou relativo ao, ou próprio do elísio: *paz elísia*.

elite. [Do fr. *élite.*] *S. f.* **1.** O que há de melhor em uma sociedade ou num grupo; nata, flor, fina flor, escol. [Cf. *flor* (5).] **2.** *Sociol.* Minoria prestigiada e dominante no grupo, constituída de indivíduos mais aptos e/ou mais poderosos.

elítico. *Adj.* Var. de *elíptico* [q. v.].

elitismo. [De *elite* + *-ismo.*] *S. m.* **1.** Sistema que favorece as elites [v. *elite* (2)], com prejuízo da maioria. **2.** Ideal ou concepção de vida fundada em tal sistema.

elitista. *Adj. 2 g.* **1.** Relativo ao elitismo, ou próprio dele. **2.** Que é adepto do elitismo. • *S. 2 g.* **3.** Pessoa elitista.

elitrite. [De *elitr(o)-* + *-ite*[1].] *S. f. Patol.* Inflamação da vagina; vaginite, colpite.

▲elitr(o)-. [Do gr. *élytron*, *ou.*] *El. comp.* = 'envoltório', 'vagina': *elitrite*, *elitrorragia*.

élitro. [Do gr. *élytron*, 'estojo'.] *S. m. Zool.* Asa anterior dos coleópteros, sem nervuras e de consistência córnea: "ouviam-se leves frêmitos d'élitros d'insetos que esvoaçavam tontos, de ramo em ramo." (Coelho Neto, *Sertão*, p. 137).

elitrocele. [De *elitr(o)-* + *-cele.*] *S. f. Patol.* Hérnia na vagina; colpocele.

elitróide. [De *elitr(o)-* + *-óide.*] *S. f. Patol.* Túnica vaginal ou serosa que envolve os testículos.

elitroplastia. [De *elitr(o)-* + *-plast-* + *-ia.*] *S. f. Cir.* Operação plástica realizada na vagina.

elitróptero. [De *elitr(o)-* + *-ptero.*] *S. m.* e *adj.* V. *coleóptero*.

elitrópteros. *S. m. pl. Zool.* V. *coleópteros*.

elitrorragia. [De *elitr(o)-* + *-rragia.*] *S. f. Patol.* Hemorragia vaginal.

elitrorrágico. *Adj.* Relativo à elitrorragia.

elitrotomia. [De *elitr(o)-* + *-tom(o)-* + *-ia.*] *S. f.* Colpotomia.

elitrotômico. *Adj.* Relativo à elitrotomia.

elixir. [Do gr. *xerós*, 'seco (ê)', pelo ár. *al-iksir* e pelo fr. *élixir.*] *S. m.* **1.** Confeição farmacêutica de xaropes com alcoolatos. **2.** Bebida deliciosa, balsâmica ou confortadora. **3.** *Fig.* Aquilo que tem efeito mágico ou miraculoso; filtro. **4.** *Bras. Pop.* V. *cachaça* (1). ♦ **Elixir da longa vida.** Na Idade Média, substância procurada pelos alquimistas e que, segundo a crença então corrente, tinha a propriedade de rejuvenescer o corpo humano e assegurar a longevidade. [V. *alquimia*.] **Elixir paregórico.** *Farm.* Tintura de ópio, cânfora, ácido benzóico e outros componentes, usada como sedativo intestinal.

elmo (é). [Do al. *Helm.*] *S. m.* **1.** Armadura antiga para a cabeça; espécie de capacete; gálea: "A viseira do elmo de diamante / Alevantando um pouco, mui seguro, / Por dar seu parecer se pôs diante / De Júpiter, armado, forte e duro" (Luís de Camões, *Os Lusíadas*, I, 37). **2.** *Fig.* Crosta escura que se forma na cabeça das crianças por falta de limpeza. [Var. pop., nesta acepç.: *ermo.*]

elo (é). [Do lat. *annellu*, 'anel'.] *S. m.* **1.** Argola de cadeia (1): "Eis-me livre, qual ave nos espaços! / Quebrei os elos da fatal cadeia!" (João Penha, *Rimas*, p. 35.). **2.** V. *gavinha*. **3.** *Fig.* Ligação, união, continuação. [Cf. *elo* (ê) e o top. *Helo.*] ♦ **Elo perdido.** Elemento que falta para completar uma série, numa classificação científica. [Na teoria evolucionista de Darwin, é, particularmente, o espécime que seria o intermediário entre o macaco e o homem — o *Pithecanthropus erectus* (v. *pitecantropo*).]

elo (ê). [Do lat. *illu.*] *Pron. Arc.* Isto; isso; aquilo. [Cf. *elo* (é).]

elocução. [Do lat. *elocutione.*] *S. f.* **1.** Maneira de exprimir-se, oralmente ou por escrito. **2.** Escolha de palavras ou frases; estilo.

eloendro. [Do gr. *rhodódendron*, pelo lat. *lorandru.*] *S. m.* V. *espirradeira*.

elogiar. *V. t. d.* Fazer elogio(s) a; louvar, gabar; enaltecer: *elogiar um escritor, um romance, um filme.*

elogiável. *Adj. 2 g.* Que pode ou deve ser elogiado.

elogio. [Do lat. *elogiu.*] *S. m.* **1.** Louvor, encômio, gabo. **2.** Discurso em louvor de alguém. ♦ **Elogio de corpo presente.** Elogio feito em presença do elogiado. **Elogio fúnebre.** Aquele que se faz em honra de um morto.

elogioso (ô). *Adj.* Que encerra ou envolve elogio; encomiástico.

eloiense (ói). *Adj. 2 g.* **1.** De, ou pertencente ou relativo a Elói Mendes (MG). • *S. 2 g.* **2.** Natural ou habitante de Elói Mendes. [Sin. ger.: *elói-mendense.*]

elói-mendense. *Adj. 2 g.* e *s. 2 g.* Eloiense. [Pl.: *elói-mendenses.*]

eloísta. [Do hebr. *elohim*, pl. de *Eloha*, 'Deus', + *-ista.*] *Adj. 2 g.* Diz-se de alguns fragmentos do Pentateuco em que a Deus é dado o nome de *El* ou *Eloim*, e que os críticos distinguem, quanto à época e quanto à origem, dos fragmentos jeovistas, deuteronômicos e sacerdotais.

elongação. [Do lat. *elongatu*, 'afastado'.] *S. f.* **1.** *Fís.* No movimento periódico de uma partícula, o seu afastamento instantâneo em relação à posição de equilíbrio. **2.** *Med.* Processo mediante o qual se procura conseguir alongamento de algumas estruturas anatômicas. ♦ **Elongação geocêntrica.** *Astr.* Elongação dum planeta em relação ao centro da Terra. **Elongação topocêntrica.** *Astr.* Elongação de um planeta em relação ao observador, situado na superfície da Terra.

elopídeo. *S. m.* **1.** Espécime dos elopídeos. • *Adj.* **2.**

Pertencente ou relativo a eles.

elopídeos. *S. m. pl. Zool.* Família de peixes actinopterígios, da ordem dos isospôndilos, relacionados com os arenques. Ex.: a ubarana.

eloqüência. [Do lat. *eloquentia.*] *S. f.* **1.** Capacidade de falar e exprimir-se com facilidade. **2.** A arte e o talento de persuadir, convencer, deleitar ou comover por meio da palavra. **3.** *P. ext.* Qualidade de persuasivo, expressivo, convincente, eloqüente: *a* eloqüência *do olhar; a* eloqüência *dos fatos.* **4.** *Ret.* A arte de bem falar.

eloqüente. [Do lat. *eloquente.*] *Adj. 2 g.* **1.** Que tem eloqüência; facundo, magníloquo. **2.** *Fig.* Expressivo, significativo, persuasivo, convincente.

elóquio [Do lat. *eloquiu.*] *S. m. P. us.* Fala, discurso.

elosiídeo. *S. m.* **1.** Espécime dos elosiídeos. ● *Adj.* **2.** Pertencente ou relativo a eles.

elosiídeos. *S. m. pl. Zool.* Família de anfíbios da ordem dos anuros, na qual se classificam várias rãs da América do Sul. Ex.: a rã-cachorro (*Megaëlosia bufonia).*

elucidação. *S. f.* Ato de elucidar(-se).

elucidar. [Do lat. *elucidare.*] *V. t. d.* **1.** Tornar compreensível; esclarecer; explicar: *O filósofo* elucidou *pontos controversos da sua doutrina.* **2.** Fazer ver ou conhecer: *Jeitosamente* elucidei *a minha discordância de sua idéia. P.* **3.** Esclarecer-se; informar-se. [Sin. ger.: *dilucidar.*]

elucidário. *S. m.* **1.** Livro que explica ou elucida coisas ininteligíveis ou obscuras. **2.** Glossário (1).

elucidativo. *Adj.* Que elucida.

elucu. [Do ioruba.] *S. m.* Espírito dos mortos, muito poderoso entre os ijebu.

elucubração. [Do lat. *elucubratione.*] *S. f.* Lucubração [q. v.].

eludir. [Do lat. *eludere.*] *V. t. d.* Evitar ou esquivar com destreza; furtar-se com habilidade ou astúcia, ao poder ou influência de: "a Natureza sabe eludir todos os nossos estudos e conceitos; não é mais fácil no que mostra, do que no que esconde" (Matias Aires, *Reflexões sobre a Vaidade dos Homens*, p. 287). [Cf. *iludir.*]

eludórica. *Adj. (f.) Adj.* V. *eleídrica.*

eluição (u-i). [Do ingl. *elution* < lat. *elutione.*] *S. f. Fís. Quím.* Dessorção provocada por um fluxo de líquido ou de gás através de um adsorvente.

eluir. [Do lat. *eluere.*] *V. t. d. Fís-Quím.* Provocar a eluição de. [Conjug.: v. *atribuir.*]

elul. [Do hebr. *elul.*] *S. m. Cronol.* O duodécimo mês do calendário israelita, com 29 dias.

eluô. [Do ioruba.] *S. m. Bras., BA.* Ledor do futuro; adivinho.

elusivo. [Do ingl. *elusive.*] *Adj.* **1.** Que tende a escapulir, a furtar-se (em geral por meio de argúcia); que se mostra arisco, esquivo, evasivo. **2.** Indefinido, vago, de difícil compreensão. [Cf. *ilusivo.*]

elutriação. [Do lat. **elutriatione*, de *elutriare*, 'limpar, lavando; enxaguar' (tecidos, etc.).] *S. f.* **1.** *Quím.* Processo por meio do qual se separa uma mistura de partículas de diferentes tamanhos em frações mais ou menos homogêneas mediante a sedimentação numa corrente de fluido. **2.** *P. ext.* Arraste diferenciado das frações separadas numa coluna cromatográfica por meio de passagens sucessivas de diferentes solventes através da coluna.

eluviação. [Do lat. *eluvies*, 'enxurrada'.] *S. f. Pedol.* Movimento descendente de soluções várias, ou suspensões coloidais, num solo. [Antôn.: *iluviação.*]

eluvial. *Adj.* ~ V. solo —.

eluvião. [Do lat. *eluvies*, 'enxurrada'.] *S. f. Geol.* Material residual, não transportado, resultante do intemperismo. [Cf. *aluvião* (1).]

elzevir. *S. m.* **1.** *Bibliog.* Livro produzido pelos Elzevires, família de impressores, editores e livreiros holandeses dos sécs. XVI e XVII. **2.** *Tip.* Designação dada pelos franceses, no séc. XIX, a certos tipos da classe dos garaldinos.

elzeviriano. *Adj.* Relativo aos Elzevires [v. *elzevir* (1)], ou às produções de suas oficinas.

em. [Do lat. *in.*] *Prep.* **1.** Entra na composição de adjuntos adverbiais que exprimem idéia de: **a)** lugar onde se está, ou onde sucede alguma coisa: " 'Stamos em pleno mar..." (Castro Alves, *Poesias Escolhidas*, p. 325); *Encontra-se* em *Paris; A greve eclodiu* em *Nova Iorque;* **b)** tempo em que algo sucede, ou em que se faz alguma coisa: *Tudo aconteceu* em *três dias; Dará conta da tarefa* em *seis meses;* Em *[= quando] moço, trabalhou muito;* **c)** modo de ser; estado: *Na primavera os jardins ficam* em *flor; Vive* em *êxtase; São parecidos* em *tudo;* **d)** o modo por que se pratica uma ação: *Trabalham* em *perfeita harmonia;* **e)** o destino ou fim de uma ação: *Abanou o lenço* em *despedida; Trajou-se de negro,* em *luto;* **f)** divisão, distribuição: *As árvores dispõem-se* em *fileiras.* **2.** Entra na composição de adjuntos adnominais que especificam ou delimitam o significado do substantivo: *ferro* em *brasa; estrada* em *construção; objetos* em *uso.* **3.** Precede às vezes o gerúndio, em orações temporais e condicionais: "Vós, poderoso Rei, cujo alto Império / O Sol logo em nascendo vê primeiro" (Luís de Camões, *Os Lusíadas*, I, p. 8); "Carolina em os vendo exaltava-se" (Fialho d'Almeida, *Contos*, p. 21); Em *chegando a hora, saberei como agir.* **4.** À maneira de; como: "Traz um bigodão colado ao beiço, o qual se despenha em catarata, té lhe ocultar o queixo e o colarinho." (Fialho d'Almeida, *Pasquinadas*, p. 10.) [Cf. *hem.*]

▲**em-**^{1}. V. *e-*^{1}.

▲**em-**^{2}. [Do lat. *in.*] *Pref.* = 'movimento para dentro': *embarcar.* [Equiv.: *en-*^{2}, *in-*^{1}; *im-*^{1}, *i-*^{1} *ir-*^{1}: *engarrafar; ingerir* (< lat. *ingerire); implicar* (< lat. *implicare); imigrar* (< lat. *immigrare); irromper* (< lat. *irrumpere*).]

▲**em-**^{3}. *Pref.* = 'transformar', 'guarnecer'; 'prover', 'encher'; etc.: *embelezar, empedrar.* [Equiv.: *en-*^{3}, *e-*^{3}: *encruar; emalhar.* Às vezes tem função apenas pleonástica: *empiorar, embaralhar.*]

ema^{1}. [De or. oriental, molucana talvez.] *S. f.* **1.** Ave reiforme, da família Rheidae (*Rhea americana* (L.)), dos campos e cerrados brasileiros, de dorso bruno-cinzento, parte inferior mais clara, e com três dedos nos pés. Vive em bandos, alimenta-se de frutos e grãos, e de toda sorte de pequenos animais, e atinge 1,30 m de altura. O macho é quem choca os ovos postos por várias fêmeas, em ninhadas de até 40 ovos. [Sin.: *nhandu, nandu, guaripé, xuri.* No RS recebe a designação impr. de *avestruz.*] **2.** *Bras.* Personagem animal do bailado popular bumba-meu-boi [q. v.].

ema^{2}. *S. f.* **1.** *Bras., N.* e *N.E.* Masca de fumo. **2.** V. *bebedeira* (1). ◆ **Montado na ema.** *Bras., N.* e *N.E.* V. *embriagado* (1).

▲**-ema.** [Do gr. *-emat-, -ema,* < *-e-*, vogal temática de *phoné*, 'som' + *-mat-, -ma,* suf. nom.] *El. comp.* = unidade de estrutura significativamente distinta, de qualidade específica, numa língua ou dialeto: *morfema, semantema.*

emaçar. [De *em-*^{3} + *maço* + *-ar*^{2}.] *V. t. d.* **1.** Reunir em maço(s): emaçar *cartas.* **2.** Envolver em papel; embrulhar. [Conjug.: v. *laçar.* Cf. *emassar.*]

emaciação. [De *emaciar* + *-ção.*] *S. f. Med.* Emagrecimento; extenuação.

emaciado. [Part. de *emaciar.*] *Adj.* Emagrecido; macilento; extenuado.

emaciar. [Do lat. *emaciare.*] *V. t. d.* **1.** Tornar magro ou macilento; emagrecer; extenuar: *As noites de farra* emaciavam-no. *Int.* e *p.* **2.** Tornar-se magro ou macilento; emagrecer(-se), extenuar-se.

emadeirado. [Part. de *emadeirar.*] *Adj.* Em que se pôs emadeiramento; amadeirado: "Semelham-se a gaiolas, com viveiros, / As edificações somente emadeiradas" (Cesário Verde, *Obra Completa*, p. 103).

emadeiramento. [De *emadeirar* + *-mento.*] *S. m.* O conjunto de madeiras de um edifício, ou de parte dele; madeiramento.

emadeirar. [De *e-*^{3} + *madeira* + *-ar*^{2}.] *V. t. d.* Pôr emadeiramento em; amadeirar.

emadeixar. [De *e-*^{3} + *madeixa* + *-ar*^{2}.] *V. t. d.* Formar madeixas com; dispor em madeixas.

emagotar. [De *e-*^{3} + *magote* + *-ar*^{2}.] *V. t. d.* e *p.* Reunir (-se) em magotes.

emagrecer. [Do lat. *emacrescere.*] *V. t. d.* **1.** Tornar magro; definhar, emagrentar: *A secura dos campos* emagrecia *o gado. Int.* **2.** Tornar-se magro; definhar: *Com o regime,* emagrecia *a olhos vistos;* "Emagreci; as longas vigílias fizeram-me pálido." (Machado de Assis, *Helena*, p. 262). **3.** Diminuir de riqueza, importância ou valor: *Enquanto particulares engordam, o País* emagrece. *P.* **4.** Tornar-se magro. [Conjug.: v. *aquecer.*]

emagrecido. [Part. de *emagrecer.*] *Adj.* Tornado magro; definhado: "O rosto emagrecido do asceta .... tem singular expressão de melancolia." (Afonso Arinos, *Histórias e Paisagens*, p. 151.)

emagrecimento. *S. m.* **1.** Ação ou efeito de emagrecer (-se). **2.** Definhamento, enfraquecimento.

emagrentar. [De *e-*^{3} + *magro* + *-entar.*] *V. t. d.* V. *emagrecer* (1).

emalado. [Part. de *emalar.*] *Adj.* Guardado ou arrumado em mala.

emalar. [De *e-*^{3} + *mala* + *-ar*^{2}.] *V. t. d.* Guardar ou arrumar em mala.

emalhar. [De *e-*^{3} + *malha*^{1} + *-ar*^{2}.] *V. t. d.* **1.** Prender ou colher em malhas [v. *malha*^{1} (1)]. **2.** Cobrir com armadura de malha [v. *malha*^{1} (4)]. **3.** Enredar, emaranhar.

emalhetamento. *S. m.* Ato ou operação de emalhetar; ensamblagem.

emalhetar. [De *e-*^{3} + *malhete* + *-ar*^{2}.] *V. t. d.* Unir ou reunir por malhetes, fazer travamento de (tábuas, madeiras); encaixar, ensamblar, malhetar.

emanação. [Do lat. *emanatione.*] *S. f.* **1.** Ato ou efeito de emanar. **2.** Proveniência, origem. **3.** Eflúvio (1). **4.** *Filos.* Processo pelo qual os múltiplos seres que constituem o Universo dimanam de um ser único. [Tal processo é característico de algumas doutrinas panteístas, como, p. ex., o neoplatonismo e o bramanismo.]

emanacionismo. *S. m. Filos.* Emanatismo.

emanante. [Do lat. *emanante.*] *Adj. 2 g.* Que emana.

emanar. [Do lat. *emanare.*] *V. t. i.* **1.** Provir, proceder, sair, originar-se; manar, dimanar: *Para Freud, os fantasmas* emanam *da vida inconsciente; Seus males* emanam *de maus parentes.* **2.** Desprender-se; exalar-se: *Um perfume inebriante* emanava *do jasmim.* [Pres. subj.: *emane*, etc. Cf. *imanar* e *imane.*]

emanatismo. *S. m. Filos.* Doutrina ou sistema que admite a emanação; emanacionismo.

emancipação. [Do lat. *emancipatione.*] *S. f.* **1.** Ação ou efeito de emancipar(-se). **2.** Alforria, libertação. **3.** *Dir.* Instituto jurídico pelo qual, no Brasil, o menor de 21 anos e maior de 18 adquire o gozo dos direitos civis.

emancipado. [Part. de *emancipar.*] *Adj.* **1.** Civilmente capaz por efeito de emancipação. **2.** *P. ext.* Que é senhor de seus próprios atos, de sua pessoa; livre, independente.

emancipar. [Do lat. *emancipare.*] *V. t. d.* **1.** Eximir do pátrio poder ou da tutela: *O pai* emancipou *a filha.* **2.** Tornar independente; dar liberdade a: *A Princesa Isabel* emancipou *os escravos em 13 de maio de 1888. T. d.* e *i.* **3.** Tornar livre; livrar, libertar (de jugo, tutela, etc.): *D. Pedro I* emancipou *o Brasil de Portugal. P.* **4.** Livrar-se do pátrio poder ou de tutela. **5.** Tornar-se livre; libertar-se

emancipável. *Adj. 2 g.* Que se pode emancipar.

emanocar. [De *e-*^{3} + *manoca* + *-ar*^{2}.] *V. t. d. Bras.* Reunir em manocas. [Conjug.: v. *trancar.*]

emanquecer. [De *e-*^{3} + *manco* + *-ecer.*] *V. t. d.* e *int.* Tornar(-se) coxo ou manco. [Conjug.: v. *aquecer.*]

emantar. [De *e-*^{3} + *manta* + *-ar*^{2}.] *V. t. d.* Cobrir com manta. [Cf. *imantar.*]

emaranhado. [Part. de *emaranhar.*] *Adj.* **1.** Embaraçado, enredado. ● *S. m.* **2.** Trecho de vegetação emaranhada: "por entre touceiras de bromélias hirsutas e emaranhados de cipós espinecentes" (Padre Antônio Vieira, *Sertão Brabo*, p. 105). **3.** Aquilo que é emaranhado, inextricável, ínvio: "o emaranhado de caminhos e picadas e a falta de orientação podem dificultar a visita [à Floresta da Tijuca]." (*Jornal do Brasil*, "Revista de Domingo", 5.9.1982.)

emaranhamento. *S. m.* Ato ou efeito de emaranhar(-se).

emaranhar. [De *e-*^{3} + *maranha* + *-ar*^{2}.] *V. t. d.* **1.** Misturar em confusão; embaraçar, enredar: *Ali a natureza* emaranhou *tanto a vegetação que é impossível abrir caminho.* **2.** Confundir, complicar: *O professor* emaranhou *as questões da prova. P.* **3.** Misturar-se, confundir-se. **4.** Envolver-se (em embaraços). [F. paral.: *maranhar.*]

emarar-se. [De *e-*^{2} + *mar*^{1} + *-ar*^{2} + *se*^{1}.] *V. p.* Fazer-se ao mar; afastar-se da costa.

emarelecer. [De *e-*^{3} + *amarelo* + *-cer*, com síncope.] *V. t. d.* e *int.* Tornar(-se) amarelo; amarelecer(-se), amarelar(-se). [Conjug.: v. *aquecer.*]

emarginado. *Adj. Morfol. Veg.* Provido de pequena chanfradura apical: *pétala* emarginada.

emartilhar. [Talvez do esp. *martillo*, 'martelo'.] *V. t. d. Bras., S.* Engatilhar (a espingarda); martilhar.

emascarar. [De *e-*^{3} + *máscara* + *-ar*^{2}.] *V. t. d.* e *p.* V. *mascarar.*

emasculação. *S. f.* Ato de emascular(-se); castração.

emascular. [Do lat. *emasculare.*] *V. t. d.* **1.** Tirar a virilidade, o caráter de másculo, a; desvirilizar, castrar: "Não se tente emascular a crítica em nome duma discrição farisaica, grotesca de todo, que tal magistratura só viril e livre pode tornar-se fecunda e suscitadora de beleza." (Aquilino Ribeiro, *Luís de Camões*, I, p. 19.) **2.** Tirar o vigor a; debilitar: *Os vícios* emasculam *a vontade. P.* **3.** Perder a virilidade, o vigor; mostrar-se fraco.

emassar. [De *e-*^{3} + *massa*^{1} + *-ar*^{2}.] *V. t. d.* **1.** Converter em massa; empastar. **2.** *Bras.* Revestir ou cobrir (uma superfície) com massa (8): *O pintor* emassou *a parede.* **3.** *Bras.* Aplicar massa de vidraceiro em. [Sin. bras., nesta acepç.: *emassilhar.* Cf. *emaçar.*]

emassilhar. [Do esp. plat. *enmasillar.*] *V. t. d. Bras., RS.* Emassar (3).

emastrar. [De *e-*^{3} + *mastro* + *-ar*^{2}.] *V. t. d.* V. *mastrear.*

emastrear. [De *e-*^{3} + mastro + -ear.] *V. t. d.* V. *mastrear.* [Conjug.: v. *frear.*]

emateína. *S. f. Quím.* V. *campeche.*

embaçadela. [De *embaçar* + *-dela.*] *S. f.* **1.** Engano, logro, burla, intrujice. **2.** Amuo, enfado.

embaçado. [Part. de *embaçar.*] *Adj.* V. *embaciado* (1).

embaçador (ô). *Adj e s. m.* Que, ou aquele que embaça.

embaçar. [De *em-*^{3} + *baço*^{2} + *-ar*^{2}.] *V. t. d.* **1.** Tornar baço; empanar, embaciar: *O vapor embaça os espelhos;* "A neblina do anoitecer embaça os vidros coloridos das velhas janelas-guilhotina." (Antônio Celso, *A Porta de Jerusalém,* p. 11.) **2.** Tirar ou reduzir o prestígio a; ofuscar, empanar: *Muitas vezes os falsos talentos embaçam os verdadeiros.* **3.** Fazer embatucar; privar da fala; encavacar, amuar: *A negativa embaçou a criança.* **4.** Lograr, enganar, burlar, intrujar: "não se joga sem baralhar as cartas; de outro modo é embaçar os parceiros." (Machado de Assis, *A Semana,* I, p. 152). *Int.* **5.** Perder a fala (de susto ou de surpresa). *P.* **6.** Enganar-se: iludir-se. **7.** Tornar-se baço: "Puseram-lhe espelho colado à boca, não se embaçou" (Haroldo Maranhão, *As Peles Frias,* p. 19). [Conjug.: v. *laçar.*]

embacelar. [De *em-*^{3} + *bacelo* + *-ar*^{2}.] *V. t. d.* Plantar de bacelos.

embaciado. [Part. de *embaciar.*] *Adj.* **1.** Sem brilho; baço, bacento, embaçado. **2.** Diz-se da superfície de vidro, plástico, metal, etc., recoberta de gotículas de vapor de água.

embaciar. *V. t. d.* **1.** Fazer perder o brilho ou a transparência; embaçar, empanar: *A velhice embaciava-lhe os olhos; A água gelada embaciou o copo.* **2.** Ofuscar, apagar: *Impossível embaciar as obras dos gregos.* **3.** Deslustrar; desonrar: "Crime é que não podia ser o achado; nem crime, nem desonra, nem nada que embaciasse o caráter de um homem." (Machado de Assis, *Memórias Póstumas de Brás Cubas,* p. 151.) *Int.* **4.** Tornar-se baço; perder o brilho; ofuscar-se.

embaidor (a-i...ô). *Adj. e s. m.* **1.** Impostor, enganador, embusteiro. **2.** Sedutor.

embaimento (a-i). [De *embair* + *-mento.*] *S. m.* **1.** Engano, logro, embuste, impostura. **2.** Sedução (1).

embainhado (a-i). [Part. de *embainhar.*] *Adj.* Que se embainhou.

embainhar (a-i). [De *em-*^{3} + *bainha* + *-ar*^{2}.] *V. t. d.* **1.** Meter na bainha (1): *embainhar a espada* **2.** V. *abainhar* (2): *embainhar uma calça. T. d. e c.* **3.** Meter, introduzir, como em bainha (1): "e o criminoso herói, voltando a espada, / no coração zeloso a embainha." (Alvarenga Peixoto, *ap.* M. Rodrigues Lapa, *Vida e Obra de Alvarenga Peixoto,* p. 3). *Int.* **4.** Fazer bainhas; [v. *bainha* (2)]: *A costureira sabe embainhar muito bem.* [Pres. ind.: *embainho* (a-í), *embainhas* (a-í), *embainha* (a-í), *embainhamos* (a-i), etc.]

embair. [Do lat. *invadere,* 'invadir'.] *V. t. d.* Enganar, iludir; seduzir: *A demagogia visa a embair o povo;* "esses homens chãos e despidos, quando pilham termos gregos por onde os há, saem logo a campo para embair os incautos e ignorantes." (João Ribeiro, *Páginas de Estética,* pp. 12-13). [Defect., só conjugável nas f. em que a vogal da terminação é *i.*]

embaixada. [Do fr. *ambassade* < it. *ambasciata.*] *S. f.* **1.** Função de embaixador. **2.** Missão junto de um governo ou soberano. [Sin.; p. us., nessas acepç.: *embaixatura.*] **3.** O séquito do embaixador. **4.** A residência ou o local de trabalho do embaixador. **5.** Comissão, encargo, incumbência. **6.** *Fig.* Mensagem particular. **7.** *Bras. Fut.* Virtuosismo do jogador que domina plenamente a bola, podendo fazer inúmeras jogadas sucessivas, sozinho, passando-a do pé para a cabeça, o joelho, o peito, a coxa, sem deixar que ela vá ao chão nem uma vez: "Em seguida não se vê mais a figura de Vadico, mas se ouve a sua voz, enquanto mostram ele chutando, driblando, fazendo embaixada." (Edilberto Coutinho, *Sangue na Praça,* p. 22.)

embaixador (ô). [Do fr. *ambassadeur* < it. *ambasciatore.*] *S. m.* **1.** A categoria mais alta de representante diplomático de um Estado junto de outro Estado ou de um organismo internacional. **2.** Título de ministro de primeira classe. [V. *carreira diplomática.*] **3.** Chefe de embaixada (2). **4.** Qualquer pessoa incumbida de missão pública ou particular; emissário. [Fem., nas acepç. 1 e 2: *embaixadora* (representante diplomática) e *embaixatriz* (mulher de embaixador).]

embaixadora (ô). *S. f.* **1.** V. *embaixador* (1 e 2). **2.** *Pop.* Mulher encarregada de missão particular.

embaixatriz. *S. f.* V. *embaixador* (1 e 2).

embaixatura. *S. f. P. us.* Embaixada (1 e 2).

embaixo. [De *em* + *baixo.*] *Adv.* **1.** Em ponto ou plano inferior (no espaço): *A portaria deste prédio fica embaixo.* **2.** *Fig.* Em posição inferior; por baixo: *Perdeu as eleições, e agora está embaixo.* [Antôn.: *em cima.*] ◆ **Embaixo de.** Em ponto ou plano inferior a (no espaço); debaixo de; sob: *Escondeu a carta embaixo do livro.* [Antôn.: *em cima de.*]

embala. *S. f.* **1.** Senzala. **2.** Cubata onde vive um soba, entre algumas tribos africanas.

embaladeira^{1}. [De *embalar*^{1} + *-deira.*] *S. f.* Cada uma das peças curvas na parte inferior do berço, destinadas a dar-lhe balanço.

embaladeira^{2}. [De *embalar*^{2} + *-deira.*] *S. f.* Mulher que faz embalagem de mercadorias, objetos, etc.

embalado^{1}. [Part. de *embalar*^{2}.] *Adj.* Que foi acondicionado em embalagem^{1} (2).

embalado^{2}. [Part. de *embalar*^{3}.] *Adj.* **1.** Diz-se dos projetis de arma de caça que, disparada de perto, faz que os tiros atinjam o alvo juntos: *tiro embalado.* **2.** *Bras.* Carregado com bala: *fuzis embalados.*

embalado^{3}. [Part. de *embalar*^{1}.] *Bras. Adj.* **1.** Que adquiriu aceleração; acelerado: *carro embalado.* **2.** Que está sob ação de entorpecentes. *Adv.* **3.** *Pop.* Às carreiras; desabaladamente: *O menino passou por aqui embalado.* **4.** *Fig.* Aceleradamente; em disparada, à disparada: *O carro ia embalado.*

embalador^{1} (ô). [De *embalar*^{1} + *-dor.*] *Adj.* **1.** Que embala; acalentador. **2.** Enganador, ilusivo, ilusório, embalante. ● *S. m.* **3.** Aquele que embala.

embalador^{2} (ô). [De *embalar*^{2} + *-dor.*] *Adj. e s. m.* Que ou aquele que faz embalagem de mercadorias, objetos, etc. [Fem.: *embaladeira.*]

embalagem^{1}. [Do fr. *emballage.*] *S. f.* **1.** Ato ou efeito de embalar^{2}: *A empresa de mudança encarregou-se da embalagem de todos os móveis e pertences da família.* **2.** O invólucro ou recipiente usado para embalar^{2}: *embalagem de luxo; a embalagem dos medicamentos.* **3.** Seção de lojas, fábricas, etc., onde se embalam mercadorias.

embalagem^{2}. [De *embalar*^{1} + *-agem*^{2}.] *S. f. Bras.* **1.** Marcha, andamento ou movimento acelerado. **2.** Impulso ou ímpeto intenso. ◆ **Pegar embalagem.** Acelerar a corrida.

embalançar. [De *em-*^{3} + *balanço* + *-ar*^{2}.] *V. t. d. e p.* Dar balanços em; balouçar, balançar: "Um instante o rapaz embalançou o corpanzil sobre o precipício" (José de Alencar, *O Sertanejo,* p. 83); "Em seus alegres verdores, / Se embalança o passarinho" (Gonçalves Dias, *Obras Poéticas,* II, p. 46); "verdes, na verde mata, embalançam-se as ramas" (Olavo Bilac, *Poesias,* p. 769). [Conjug.: v. *laçar.*]

embalante. *Adj. 2 g.* V. *embalador*^{1} (2).

embalar^{1}. [Da raiz *bal,* que existe em balança.] *V. t. d.* **1.** Balançar no berço (a criança), para adormecê-la; ninar. **2.** Balançar (a criança), aconchegando-a ao peito; acalentar, acalantar; ninar. **3.** Imprimir movimento ritmado em; balançar: "Iracema cantava docemente, embalando a rede para acalentar o filho." (José de Alencar, *Iracema,* p. 148); "Morosa cantilena, em voz baixa e em tom brando, / De mãe que embala o berço onde repousa o filho." (Vicente de Carvalho, *Poemas e Canções,* p. 170); *As ondas embalam o barco.* **4.** Fazer vir a alguém, provocar (o sono), como se o acalentasse: "As aves meu sono, cantando, embalavam..." (Luís Delfino, *Poesias Líricas,* p. 30). **5.** Acarinhar, afagar: *Embalava no coração grandiosos sonhos.* **6.** Entreter; iludir; encantar; embair: *As promessas utópicas embalavam os ouvintes.* **7.** Impulsionar, acelerar: *A descida de ladeira embalava o carro. Int.* **8.** Adquirir velocidade; acelerar-se. *P.* **9.** *Bras., Gír.* Tomar entorpecente ou estimulante. **10.** V. *balançar* (7): "Na rede, armada pela mãe, embalou-se, embalou-se" (Dalcídio Jurandir, *Ponte do Galo,* p. 49).

embalar^{2}. [Do fr. *emballer.*] *V. t. d.* Acondicionar (mercadorias ou objetos) em pacotes, fardos, caixas, etc., para protegê-los de riscos ou facilitar o seu transporte.

embalar^{3}. [De *em-*^{3} + *bala* + *-ar*^{2}.] *V. t. d. Bras.* Carregar (uma arma) com bala.

embalçar. [De *em-*^{2} + *balça* + *-ar*^{2}.] *V. t. d.* Meter em balça. [Conjug.: v. *laçar.* Cf. *embalsar.*]

embalde. *Adv.* V. *debalde:* "Há dois mil anos te mandei meu grito / Que embalde desde então corre o infinito..." (Castro Alves, *Obra Completa,* p. 290.)

embalete (ê). *S. m.* Alavanca de dar à bomba.

embalo. [Dev. de *embalar*^{1}.] *S. m.* **1.** Balouço, balanço. **2.** *Bras.* Impulso, ímpeto, precipitação. **3.** *Bras. Gír.* Prática ou hábito de tomar entorpecentes: *É um viciado, vive no embalo.* **4.** *P. ext. Bras. Gír.* Estado de euforia decorrente dessa prática ou hábito. **5.** *Bras. Gír.* Festa muito movimentada e barulhenta; festa de embalo. ◆ **Entrar no embalo.** *Bras. Gír.* Adquirir o vício de tomar entorpecentes.

embalonurídeo. *S. m.* **1.** Espécime dos embalonurídeos. ● *Adj.* **2.** Pertencente ou relativo a eles.

embalonurídeos. *S. m. pl. Zool.* Animais quirópteros, da família *Emballonuridae,* de pequeno porte. São os morcegos de cauda livre cujo uropatágio, embora bem desenvolvido, não abrange toda a extensão dela.

embalsamação. *S. f.* Embalsamamento.

embalsamado. [Part. de *embalsamar.*] *Adj.* **1.** Impregnado de aromas; perfumado: "E as trompas a soar vão agitando / O remanso da noite embalsamada ..." (Raimundo Correia, *Poesias,* p. 111.) **2.** Diz-se do cadáver em que se introduziram substâncias capazes de o isentar de decomposição (6).

embalsamador (ô). *Adj. e s. m.* Que ou aquele que embalsama.

embalsamamento. *S. m.* Ato ou efeito de embalsamar; embalsamação.

embalsamar. [De *em-*^{3} + *bálsamo* + *-ar*^{2}.] *V. t. d.* **1.** Impregnar de aromas; perfumar: "Oh! eu quero viver, beber perfumes / Na flor silvestre, que embalsama os ares" (Castro Alves, *Poesias Escolhidas,* p. 37); "Cheiro acre, de manjerona, / Lá fora embalsama o ar" (Paulo Setúbal, *Alma Cabocla,* p. 38). **2.** Introduzir em (um cadáver) substâncias que o isentem da decomposição (6). *Int.* **3.** *Bras. Mar. G.* Tornar-se incapacitado de qualquer atividade em virtude do abatimento provocado por enjôo. *P.* **4.** Encher-se de aromas; perfumar-se.

embalsamento. *S. m.* Ato de embalsar.

embalsar. [De *em-*^{2} + *balsa* + *-ar*^{2}.] *V. t. d.* **1.** Meter (o vinho ou o mosto) em balsa (2). **2.** *Bras., RS.* Pôr (o peixe) na salga. *P.* **3.** Meter-se em balsa (4). [Cf. *embalçar.*]

embama. [Do gr. *émbamma,* pelo lat. *embamma.*] *S. f. Desus.* Tempero de iguarias.

embamata. [De *embama.*] *S. f. Desus.* Molho grosso.

embambecer. [De *em-*^{3} + *bambo* + *-ecer.*] *V. t. d. Bras.* Tornar bambo; bambear. [Conjug.: v. *aquecer.*]

embananado. [Part. de *embananar.*] *Adj. Bras. Gír.* **1.** Confuso, embaraçado, complicado. **2.** Que se embananou; metido em sérias dificuldades ou complicações, em bananosa.

embananamento. *S. m. Bras. Gír.* Situação de quem está embananado; bananosa.

embananar. [De *em-*^{3} + *banana* + *-ar*^{2}.] *V. t. d. e p. Bras. Gír.* **1.** Tornar(-se) confuso, embananado; complicar(-se), embaraçar(-se). **2.** Meter(-se) em complicações ou dificuldades sérias, em bananosa.

embanda. *S. f. Bras., RJ. Folcl.* V. umbanda.

embandar^{1}. [De *em-*^{3} + *banda* + *-ar*^{2}.] *V. t. d.* Pôr bandas em; bandar.

embandar^{2}. [De *em-*^{2} + *bando* + *-ar*^{2}.] *V. t. d. e p.* Unir(-se) em bando: "julgou-se de todos .... abandonado como uma pobre andorinha que não pudesse embandar-se à revoada das companheiras." (Aluísio Azevedo, *O Coruja,* p. 17).

embandeirado. [Part. de *embandeirar.*] *Adj.* **1.** Ornado de bandeiras; abandeirado. **2.** *Bras. Gír.* Alegre, animado, festivo: *Veio para mim todo embandeirado.* **3.** *Bras., RJ. Gír.* Um tanto embriagado; alegre, alegrete.

embandeiramento. *S. m.* Ato ou efeito de embandeirar (-se). ◆ **Embandeiramento em arco.** *Mar. G.* Aquele em que as bandeiras do Código Internacional de Sinais são presas a um cabo que vai do bico da proa ao tope do mastro de vante, daí ao mastro de ré, e daí à popa da embarcação. **Embandeiramento nos topes.** Aquele em que apenas se içam bandeiras nacionais nos topes de todos os mastros da embarcação.

embandeirar. [De *em-*^{3} + *bandeira* + *-ar*^{2}.] *V. t. d.* **1.** Ornar com bandeiras [v. *bandeira* (1)]; abandeirar: *A Prefeitura embandeirou a cidade.* **2.** *Bras. Fig.* Engrandecer, enaltecer, exaltar: *O bajulador costuma embandeirar os poderosos.* **3.** *Bras. BA.* Juntar em bandeiras [v. *bandeira* (22)] (o cacau colhido) *P.* **4.** Cobrir-se de bandeiras; abandeirar-se. **5.** *Bras. Gír.* Entusiasmar-se, animar-se.

embaraçador (ô). *Adj. e s. m.* Que, ou aquele que embaraça, dificulta, estorva.

embaraçar. [De *em-*^{3} + *baraço* + *-ar*^{2}.] *V. t. d.* **1.** Pôr embaraço(s) ou impedimento(s) a; impedir, estorvar, tolher: *A censura embaraça a criação artística.* **2.** Tornar intrincado; intrincar, complicar: *Aquele porme-*

nor embaraçava *a história.* **3.** Perturbar, confundir, enlear, enredar: *Regras em demasia* embaraçam *os alunos.* **4.** Impedir com obstáculos; obstruir: *Os desabamentos* embaraçam *a estrada. P.* **5.** Sentir embaraços; estorvar-se. **6.** Embrulhar-se, complicar-se [Conjug.: v. *laçar.*]

embaraço. [Dev. de *embaraçar.*] *S. m.* **1.** Impedimento, obstáculo, estorvo, dificuldade. **2.** Perturbação, atrapalhação. **3.** V. *gravidez.* **4.** *Pop.* V. *menstruação* (1). ♦ **Embaraço gástrico.** Alteração das funções digestivas.

embaraçoso (ô). *Adj.* **1.** Que causa embaraço, que perturba: *problema* embaraçoso. **2.** Em que há embaraço, dificuldade: *situação* embaraçosa.

embarafustar. [De *em-*^{3} + *barafustar.*] *V. t. i.* e *p. Bras.* Entrar de tropel, desordenadamente, ou com ímpeto; barafustar: *Muito afobado,* embarafustou *pela casa dentro;* Embarafustaram-se *pelo quarto sem pedir licença.*

embaralhar. [De *em-*^{3} + *baralhar.*] *V. t. d.* **1.** Misturar, confundir; baralhar: Embaralhou *as instruções recebidas.* **2.** Misturar (as cartas do baralho); baralhar. *Int.* **3.** Misturar as cartas do baralho: *Agora é a sua vez de* embaralhar. *P.* **4.** Misturar-se, confundir-se; baralhar-se: "trançam-se e alteiam-se fisgando vivamente o espaço, e inclinam-se, e embaralham-se milhares de chifres." (Euclides da Cunha, *Os Sertões*, p. 128).

embarbar. [De *em-*^{3} + *barba* + *-ar*^{2}.] *V. t. d.* Encasar; encaixar.

embarbascar. [De *em-*^{3} + *barbasco* + *-ar*^{2}.] *V. t. d.* **1.** Entontecer (o peixe) com barbasco. **2.** Provocar tontura em; entontecer. *Int.* **3.** Ficar tonto; entontecer. **4.** Embaraçar-se no lodo. [Conjug.: v. *trancar.*]

embarbecer. [De *em-*^{3} + *barba* + *-ecer.*] *V. int.* Criar barba; barbar. [Conjug.: v. *aquecer.*]

embarbelar. [De *em-*^{3} + *barbela* + *-ar*^{2}.] *V. int.* **1.** Encornar-se (o pegador do touro), agarrando-se à barbela. *P.* **2.** *Bras., PE.* Ver-se em apuros, em dificuldades. **3.** *Bras., PE.* Ser enganado, logrado, ludibriado.

embarbilhar. [De *em-*^{3} + *barbilho* + *-ar*^{2}.] *V. t. d.* Pôr barbilho em (cabra, cabrito, etc.).

embarcação. *S. f.* **1.** *P. us.* V. *embarque* ● **2.** *Ant.* e *bras.* Designação comum a toda construção destinada a navegar sobre água. **3.** *Lus. Restr.* Em geral, qualquer embarcação de pequeno porte.

embarcadiço. *S. m.* Aquele que costuma andar embarcado; marinheiro, marítimo.

embarcado. [Part. de *embarcar.*] *Adj.* Que embarcou [v. *embarcar* (4)]. ~ V. *aviação* —*a.*

embarcadoiro. *S. m.* V. *embarcadouro.*

embarcador (ô). *S. m.* Aquele que embarca mercadorias ou valores, que os entrega para serem transportados por via marítima.

embarcadouro. [Var. de *embarcadoiro.*] *S. m.* Lugar onde se embarca; lugar de embarque; cais; porto.

embarcamento. *S. m. P. us.* V. *embarque.*

embarcar. [De *em-*^{2} + *barco* + *-ar*^{2}.] *V. t. d.* **1.** Pôr ou meter dentro de uma embarcação: embarcar *pessoas;* embarcar *mercadorias. T. i.* **2.** Entrar (em embarcação, trem, avião, etc.) para viajar. **3.** *Bras., Gír.* Deixar-se levar (por embuste); cair (em esparrela): Embarcaram *na conversa do charlatão e acabaram roubados. Int.* **4.** Entrar numa embarcação para seguir viagem; embarcar-se. **5.** *Bras. Pop.* V. *morrer* (1). *P.* **6.** Embarcar (4). [Conjug.: v. *trancar.*]

embaré. *S. f.* V. *barriguda* (4).

embargado. [Part. de *embargar.*] *Adj.* **1.** Que sofreu embargo(s). [Cf. *recorrido* (1 e 2).] ● *S. m.* **2.** Aquele que sofreu embargo(s).

embargador (ô). *Adj.* e *s. m.* Que ou aquele que embarga; embargante.

embargante. *Adj. 2 g.* e *s. 2 g.* Embargador.

embargar. [Do lat. vulg. **imbarricare*, de *barra.*] *V. t. d.* **1.** Pôr embargo a: *O fiscal* embargou *a obra.* **2.** Pôr obstáculos a; estorvar; tolher: *A chuva* embargou *o avanço das tropas.* **3.** Reprimir, conter: embargar *a voz. T. d.* e *i.* **4.** Impedir, estorvar: Embargou *a entrada ao desconhecido.* [Conjug.: v. *largar.*]

embargável. *Adj. 2 g.* Que pode ser embargado, ser objeto de embargo (1).

embargo. [Dev. de *embargar.*] *S. m.* **1.** Impedimento, estorvo, obstáculo, embaraço, empecilho. **2.** *Jur.* Arresto. **3.** *Jur.* Impedimento judicial à execução de obra capaz de causar prejuízo a prédio vizinho. ~ V. *embargos.* ♦ **Embargo de terceiro.** *Jur.* Meio defensivo utilizado por quem intervém na ação de outrem por haver sofrido turbação ou esbulho na sua posse ou direito, em virtude de arresto, depósito, penhora, seqüestro, venda judicial, arrecadação, partilha, etc. **Sem embargo.** Não obstante; nada obstante.

embargos. [Pl. de *embargo.*] *S. m. pl. Jur.* **1.** Recurso impetrado ao próprio juiz ou tribunal prolator da sentença ou do acórdão, para que os declare, reforme ou revogue. **2.** Defesa do executado, oposta aos efeitos da sentença e destinada a impedir ou desfazer a execução requerida pelo exeqüente. **3.** Defesa do executado por dívida fiscal, equivalente à contestação. ~ V. *embargo.*

embarque. [Dev. de *embarcar.*] *S. m.* Ato de embarcar (-se). [Sin. (p. us.): *embarcamento, embarcação.*]

embarrador (ô). *S. m.* Pedreiro especializado em aplicar reboco, em embarrar^{1}; emboçador, rebocador.

embarramento. *S. m.* **1.** Ato ou efeito de embarrar^{1}. **2.** *Bras.* Terra argilosa posta nos interstícios das paredes de taipa.

embarrancar. [De *em-*^{2} + *barranco* + *-ar*^{2}.] *V. t. d.* **1.** Fazer cair em barranco. **2.** Atravancar, embaraçar. *Int.* **3.** Ir de encontro a um barranco. *P.* **4.** Embaraçar-se; atolar-se. [Conjug.: v. *trancar.*]

embarrar^{1}. [De *em-*^{3} + *barro* + *-ar*^{2}.] *V. t. d.* **1.** Cobrir com barro; rebocar, emboçar. **2.** Sujar com barro; enlamear. **3.** *Bras.* Encher com barro (os intervalos duma parede de taipa). [Sin. ger. (bras., N.E.): *embarrear.*]

embarrar^{2}. [De *em-*^{3} + *barra* + *-ar*^{2}.] *V. t. d.* **1.** Ir de encontro a; topar, esbarrar. **2.** Bater contra algo. **3.** *Bras.* Pôr barra em.

embarrear. [De *em-*^{3} + *barro* + *-ear.*] *V. t. d. Bras., N.E.* V. *embarrar*^{1}. [Conjug.: v. *frear.*]

embarreirar. [De *em-*^{3} + *barreira* + *-ar*^{2}.] *V. t. d.* **1.** Meter em barreiras. **2.** *Bras.* Travar (um carro de bois) para que não resvale. *P.* **3.** Meter-se entre barreiras.

embarrelar. [De *em-*^{2} + *barrela* + *-ar*^{2}.] *V. t. d.* **1.** Meter em barrela. **2.** Dar barrela a. [Cf. *embarrilar.*]

embarricar. [De *em-*^{2} + *barrica* + *-ar*^{2}.] *V. t. d.* **1.** Meter em barrica(s): embarricar *bacalhau.* **2.** Defender com barricada(s). **3.** Meter em barricada(s). *P.* **4.** Defender-se com obstáculos contra um assalto. [Conjug.: v. *trancar.*]

embarrigar. [De *em-*^{3} + *barriga* + *-ar*^{2}.] *V. int.* **1.** *Bras., S.* Criar barriga (animal), principiar a engordar, por efeito do bom trato. **2.** Ficar grávida; engravidar, gravidar. **3.** Enriquecer-se à custa alheia. [Conjug.: v. *largar.*]

embarrilagem. *S. f.* Ato de embarrilar.

embarrilar. [De *em-*^{2} + barril + *-ar*^{2}.] *V. t. d.* **1.** Meter em barril. **2.** *Pop.* Atrapalhar, embaraçar. **3.** *Pop.* Enganar, lograr, intrujar. [Cf. *embarrelar.*]

embasamento. *S. m.* **1.** *Arquit.* Base de um edifício ou de uma construção. **2.** Base, ordinariamente simples, larga e sem ornatos, que sustenta pedestais de colunas ou de estátuas. **3.** *Fig.* Base, fundamento; razão, motivo: embasamento *teórico.*

embasar. [De *em-*^{3} + *base* + *-ar*^{2}.] *V. t. d.* **1.** Fazer o embasamento de. *P.* **2.** Fundar-se, fundamentar-se, basear-se.

embasbacar. [De *em-*^{3} + *basbaque* + *-ar*^{2}.] *V. int.* **1.** Ficar boquiaberto, estupefato; pasmar: *Ao vê-la assim bonita,* embasbacou. *T. d.* **2.** Causar admiração, pasmo, espanto, a: *Suas roupas* embasbacavam *os transeuntes. P.* **3.** Ficar boquiaberto; pasmar: "embasbacava-me, alucinava-me, diante das maravilhas novas" (Ciro dos Anjos, *Explorações no Tempo*, p. 45). [Sin. ger.: *abasbacar.* Conjug.: v. *trancar.*]

embastar. [De *em-*^{3} + *basta*^{1} + *-ar*^{2}.] *V. t. d.* Segurar com bastas; acolchoar.

embastecer. [De *em-*^{3} + *basto*^{2} + *-ecer.*] *V. t. d.* **1.** Tornar basto, espesso, compacto. [Sin., bras.: *embastir.*] *P.* **2.** Fazer-se basto, espesso, compacto. [Conjug.: v. *aquecer.*]

embastir. [De *em-*^{3} + *basto*^{2} + *-ir.*] *V. t. d. Bras.* Embastecer (1).

embate. [Dev. de *embater.*] *S. m.* **1.** Choque impetuoso; encontro violento; colisão: *o* embate *dos exércitos.* **2.** *Fig.* Oposição, resistência: *O* embate *da maioria enfraqueceu o governo.* **3.** *Fig.* Choque ou abalo violento, profundo: *Não resistindo ao* embate *da crise econômica, a firma pediu concordata.* ~ V. *embates.*

embater. [De *em-*^{3} + *bater.*] *V. t. c.* **1.** Produzir choque; encontrar-se; esbarrar: *As vagas* embatiam *na praia. P.* **2.** Encontrar-se; chocar-se.

embates. [Pl. de *embate.*] *S. m. pl. Fig.* Lances adversos do destino: *os* embates *da vida.* ~ V. *embate.*

embatocar. [De *em-*^{3} + *batoque* + *-ar*^{2}.] *V. t. d.* Pôr batoque em; batocar. [Conjug.: v. *trancar.* Cf. *embatucar.*]

embatucar. [Var. de *embatocar* (q. v.).] *V. t. d.* **1.** Fazer calar; embuchar: *A pergunta do juiz* embatucou *o réu. Int.* **2.** Não poder falar; calar-se; embuchar, emperrar. [Conjug.: v. *trancar.*]

embatumar. *V. t. d. Bras.* Encher demais; acumular.

embaucador (a-u...ô). *Adj.* e *s. m.* Que, ou aquele que embaúca, ilude, embai.

embaucar (a-u). *V. t. d.* e *i.* Enganar com artifício; iludir, embair, atrair. [Conjug.: v. *trancar;* e quanto à acentuação tônica, *saudar.*]

embaular (a-u). [De *em-*^{2} + *baul* + *-ar*^{2}.] *V. t. d.* **1.** Meter em baú(s). **2.** Esconder; guardar. [Conjug.: v. *saudar.*]

embeaxió. [Do tupi *mẽ'bi vaxi'ó*, 'gaita chorar'.] *S. m. Bras., N.* Flauta de taboca, de som plangente.

embebecer. *V. t. d.* e *P. us.* V. *embevecer.* [Conjug.: v. *aquecer.*]

embebedar. [De *em-*^{3} + *bêbedo* + *-ar*^{2}.] *V. t. d.* **1.** Tornar bêbedo; embriagar: *O excesso de vinho acabou* embebedando *os convivas.* **2.** Inebriar, alucinar; perturbar: *A glória* embebedou*-o. Int.* **3.** Inebriar, alucinar, perturbar alguém: "Tu és a flor da Jurema, / Flor que embebeda e alucina" (Luís Murat, *Ondas*, II, p. 65). *P.* **4.** Tornar-se bêbedo; embriagar-se. **5.** Inebriar-se, alucinar-se.

embeber. [Do lat. *imbibere.*] *V. t. d.* **1.** Sorver pelos poros (2); recolher em si; absorver: *O solo resseco* embebia *toda a água da chuva.* **2.** Consumir, absorver, devorar: *O luxo* embebeu *a sua fortuna. T. d.* e *c.* **3.** Ensopar, encharcar: embeber *um lenço em água.* **4.** Encravar, introduzir; fincar: Embebeu *o punhal no opositor.* **5.** Fazer penetrar por (um líquido): *Enquanto falava, ia* embebendo *no lenço as gotas de suor.* **6.** Insinuar, infiltrar: Embebia *nos filhos as idéias que sempre o guiaram. P.* **7.** Ensopar-se, encharcar-se. **8.** Penetrar, introduzir-se. **9.** Infiltrar-se, insinuar-se. **10.** Absorver-se, concentrar-se. **11.** Enlevar-se, arrebatar-se. **12.** Compenetrar-se; impregnar-se: "Sua expressão melancólica embebeu-se de um júbilo sereno como o alvor da manhã" (José de Alencar, *Til*, p. 240).

embeberar. [De *embeber* + *-ar*^{2}.] *V. t. d., t. d.* e *i.* e *p.* V. *abeberar.*

embebição. *S. f.* **1.** Ação ou efeito de embeber(-se). **2.** *Fís.-Quím.* Penetração dum líquido em um sólido poroso.

embecado. [De *em-*^{3} + *beca* + *-ado*^{1}.] *Adj.* Vestido com roupa nova, com apuro; enfatiotado, entonado.

embeiçado. [Part. de *embeiçar.*] *Adj.* **1.** Preso por amor ou sujeição dos sentidos. **2.** Enlevado; encantado. **3.** Apaixonado, enamorado. **4.** *Bras. Pop.* Que tem os bordos ondulados por deformação: *manga* embeiçada; *panela* embeiçada.

embeiçamento. *S. m.* Situação de quem se embeiçou; sujeição amorosa; cabeça-inchada.

embeiçar. [De *em-*^{3} + *beiço* + *-ar*^{2}.] *V. t. d.* **1.** Prender por amor ou sujeição dos sentidos; trazer pelo beiço, trazer preso pelo beiço: *A mulata sestrosa o tinha* embeiçado. **2.** Enlevar; encantar: *Florença* embeiçou*-o T. i.* **3.** Unir-se; tocar, entestar: *A casa* embeiça *com o rio. P.* **4.** Apaixonar-se, enamorar-se, namorar-se: "Até hoje ninguém sabe por que Tiotônia se embeiçou pelo cujo" (Nélson de Faria, *Tiziu e Outras Estórias*, p. 48). [Conjug.: v. *laçar.*]

embelecador (ô). *Adj.* e *s. m.* Que ou aquele que embeleca.

embelecar. [Do ár. *baliq* (vulgarmente *beleq*), 'aturdir-se'?] *V. t. d.* **1.** Enganar com boas aparências; engodar, embair, lograr, embaçar: *Com o seu palavrório* embelecava *os ouvintes. P.* **2.** Deixar-se enganar; iludir-se. [Conjug.: v. *trancar.* Pres. ind.: *embeleco.* etc. Cf. *embeleco* (ê).]

embelecer. [De *em-*^{3} + *belo* + *-ecer.*] *V. t. d.* Tornar belo; aformosear, formosear, alindar; embelezar: "os cabelos grisalhos, se o não embeleceram, não o afearam de todo." (Artur Azevedo, *Contos Cariocas*, p. 101). [Conjug.: v. *aquecer.*]

embeleco (ê). [Dev. de *embelecar.*] *S. m.* **1.** Embuste, engodo, impostura. **2.** *Bras. N.E.* Estorvo, obstáculo, empecilho. **3.** *Bras., BA.* Ligação amorosa irregular; caso. **4.** V. *namoro* (1). [Pl.: *embelecos* (ê). Cf. *embeleco*, do v. *embelecar.*]

embelezador (ô). *Adj.* **1.** Que embeleza. ● *S. m.* **2.** Aquele ou aquilo que embeleza.

embelezamento. *S. m.* Ato ou efeito de embelezar(-se). [Sin.: *aformoseamento, alindamento* e (desus.) *embelezo* (ê).]

embelezar. [De *em-*^{3} + *beleza* + *-ar*^{2}.] *V. t. d.* **1.** Tornar belo; aformosear, embelecer: *O bronzeado do sol* embeleza *as pessoas.* **2.** Ornamentar; abrilhantar: *As obras de arte não devem servir apenas para* embelezar *ambientes.* **3.** Enlevar; arrebatar; encantar: *Até hoje Sófocles* embeleza *o espírito humano. P.* **4.** Tornar-se belo; aformosear-se. **5.** Enlevar-se, encantar-se, maravi-

lhar-se. [Pres. ind: *embelezo*, etc. Cf. *embelezo* (ê).]
embelezo (ê). [Dev. de *embelezar.*] *S. m. Desus.* V. *embelezamento.* [Pl.: *embelezos* (ê). Cf. *embelezo*, do v. *embelezar.*]
embernar. [De *em-*[3] + *berne*[1] + *-ar*[2].] *V. int. Bras.* Criar berne[1].
embespinhar. [De *em-*[3] + *bespa* + *-inhar.*] *V. t. d.* e *p.* V. *abespinhar(-se).*
embestar. [De *em-*[3] + *besta* (ê) + *-ar*[2].] *V. t. d.* **1.** Tornar estúpido; bestificar. *Int.* **2.** Obstinar-se; teimar.
embetara. *S. f. Bras.* V. *choca*[4].
embetesgar. [De *em-*[3] + *betesga* + *-ar*[2].] *V. t. d.* e *i.* **1.** Encurralar, meter (em betesga ou beco). *P.* **2.** Encantoar-se, encurralar-se. [Conjug.: v. *largar.*]
embevecer. [Var. de *embebecer*, incoativo de *embeber!*] *V. t. d.* **1.** Causar enlevo, êxtase, a: *A contemplação de A Gioconda* e m b e v e c e u - o. *P.* **2.** Ficar absorto, enlevado, extasiado, extático. [Conjug.: v. *aquecer.*]
embevecido. [Part. de *embevecer.*] *Adj.* Extasiado, extático, enlevado: "quando os seus olhos se encontraram com os meus, havia já duas horas que eu o contemplava e m b e v e c i d a, extasiada" (Artur Azevedo, *Contos Possíveis*, p. 86).
embevecimento. *S. m.* Ato ou efeito de embevecer(-se).
embezerrado. [Part. de *embezerrar.*] *Adj. Pop.* **1.** Amuado, zangado, carrancudo. **2.** Que não se afasta de uma linha de conduta ou de opinião; obstinado.
embezerrar. [De *em-*[3] + *bezerro* + *-ar*[2].] *V. int.* e *p. Pop.* e *fam.* **1.** Zangar-se, amuar, emburrar. **2.** Teimar, obstinar-se.
embiara. [Do tupi *mbi'ara.*] *S. f. Bras., AM.* Aquilo que se apanhou na caça, na pesca ou na guerra; presa.
embiário. *S. m.* e *adj.* V. *embióptero.*
embiários. *S. m. pl. Zool.* V. *embiópteros.*
embicado. [Part. de *embicar.*] *Adj.* **1.** Que forma bico. **2.** Que termina em bico. **3.** *Mar. Ant.* V. *afocinhado.*
embicador (ô). *Adj.* e *s. m.* Diz-se de, ou cavalo que embica ou tropeça.
embicar. [De *em-*[3] + *bico* + *-ar*[2].] *V. t. d.* **1.** Dar a forma de bico a; tornar bicudo: E m b i c o u *o chapéu e saiu.* **2.** *Bras., N.E.* Deitar às goelas; beber: e m b i c a r *um cálice de conhaque. T. i.* **3.** Esbarrar; encostar: *A certa altura a estrada* e m b i c a v a *numa pedreira.* **4.** Parar; estacar: E m b i c a v a *em problemas de geometria.* **5.** Ter rixa; contender; implicar: *Depois que* e m b i c o u *com o primo, nunca mais o quis ver.* **6.** Dar com empecilho ou obstáculo inesperado; tropeçar: *A mula* e m b i c o u *em um tronco caído.* **7.** Dirigir-se, encaminhar-se: "A proa e m b i c o u rápido pra ponte carcomida do modesto porto." (João Alphonsus, *Pesca da Baleia*, p. 12.) *Int.* **8.** Ficar confuso, enleado; encontrar embaraço. **9.** Tropeçar (o cavalo). **10.** Encaminhar negócio. *P.* **11.** Dirigir-se, encaminhar-se. [Conjug.: v. *trancar.* Cf. *imbicar.*]
embigada. [De *embigo* + *-ada*[1].] *S. f. Pop.* Umbigada: "Fez o seu sapateado, ... atirou uma e m b i g a d a na rapariga que lhe ficava mais perto" (Franklin Távora, *O Matuto*, p. 87); "tomando por sua parceira de batuque a própria fogueira, atirou-lhe tais e m b i g a d a s, que a pilha de lenha derriou" (José de Alencar, *Til*, p. 252).
embigo. *S. m. Ant.* e *pop.* Var. assimilada de *umbigo*: "E com seus subtis dedos num instante / O seu e m b i g o brando lhe cortou" (Fr. Agostinho da Cruz, *Obras*, p. 267); "a contemplação do e m b i g o" (João Ribeiro, *Notas de um Estudante*, p. 266); "Trazia .... as mãos enclavinhadas sobre o e m b i g o" (Godofredo Rangel, *Vida Ociosa*, p. 170); "o corpo que tem dois seios / e tem um e m b i g o também." (Carlos Drummond de Andrade, *Reunião*, p. 40).
embigo-de-freira. *S. f. Bras., BA.* Espécie de biscoitos doces. [Pl.: *embigos-de-freira.*]
embigueira. *S. f. Bras., N.E.* Var. de *umbigueira.*
embiídeo. *S. m.* **1.** Espécime dos embiídeos. ● *Adj.* **2.** Pertencente ou relativo a eles.
embiídeos. *S. m. pl. Zool. Bras.* Família de insetos embiópteros, cuja fêmea é áptera, sendo o macho alado, e tendo, ambos, os tarsos anteriores dilatados, providos de glândulas sericígenas. Constroem teias com a forma de galerias, onde vivem, no tronco das árvores e pedras, e alimentam-se de matéria orgânica de natureza vegetal.
embiídino. *S. m.* e *adj.* V. *embióptero.*
embiídinos. *S. m. pl. Zool.* V. *embiópteros.*
embilocar. *V. int.* Barafustar; meter-se. [Conjug.: v. *trancar.*]
embiocar. [De *em-*[3] + *bioco* + *-ar*[2].] *V. t. d.* **1.** Dar feição de bioco a (xale, manto, etc.). **2.** Envolver, ocultar (em bioco ou coisa parecida). **3.** Esconder, ocultar. *P.* **4.** Vestir a cabeça com bioco ou algo semelhante **5.** Esconder-se; abrigar-se. [Conjug.: v. *trancar.*]
embiódeo. *S. m.* e *adj.* V. *embióptero.*
embiódeos. *S. m. pl. Zool.* V. *embiópteros.*
embióideo. *S. m.* e *adj.* V. embióptero.
embióideos. *S. m. pl. Zool.* V. *embiópteros.*
embióptero. *S. m.* **1.** Espécime dos embiópteros. ● *Adj.* **2.** Pertencente ou relativo a eles. [Sin. ger.: *embiário, embiídino, embiódeo, embióideo, oligoneuro, nético.*]
embiópteros. *S. m. pl. Zool.* Animais artrópodes, da classe dos insetos, pterigotos, ordem *Embioptera.* Aparelho bucal mastigador; tarsos anteriores fortemente dilatados, que alojam glândulas produtoras de seda; machos alados, fêmeas ápteras. Em troncos de árvores ou pedras constroem túneis de seda, onde vivem. [Sin.: *embiários, embiídinos, embiódeos, embióideos, oligoneuros, néticos.*]
embira. [Do tupi *ẽ'bira.*] *S. f. Bras.* **1.** Designação comum a várias espécies arbustivas da família das timeleáceas e do gênero *Daphnopsis*, de flores inconspícuas, e que se caracterizam por produzir boa fibra na entrecasca. Ocorrem nas matas úmidas. **2.** A casca da embira-branca. **3.** Qualquer casca ou cipó usado para amarrar. [Var.: *envira.*] ♦ **Lamber embira.** *Bras., SP.* Passar miséria; não ter o que comer. **Meter nas embiras.** *Bras., S.* Passar nas embiras. **Passar nas embiras.** *Bras., S.* Recolher preso, ou amarrar (um criminoso); meter nas embiras.
embira-branca. *S. f.* Designação comum a dois arbustos ou arvoretas da família das timeleáceas (*Daphnopsis brasiliensis* e *D. sellowiana*), de folhas lanceoladas e acuminadas, e flores pequeninas, produtoras de fibra útil para a confecção de cordas. Ocorrem na floresta atlântica, em MG e em SP. [Pl.: *embiras-brancas.*]
embira-da-mata-branca. *S. f. Bras.* Árvore da família das esterculiáceas (*Helicteres baruensis*). [Pl.: *embiras-da-mata-branca.*]
embira-de-caçador. *S. f. Bras.* Árvore da família das anonáceas (*Gualteria vilosissima*); embiratanha. [Pl.: *embiras-de-caçador.*]
embira-do-mangue. *S. f. Bras.* Planta da família das malváceas (*Hibiscus tiliaceus*). [Pl.: *embiras-do-mangue.*]
embiraém. [Do tupi.] *S. m. Bras.* V. *buranhém* (1).
embirar. *V. t. d. Bras., N.E.* **1.** Atar com embira. **2.** *P. ext.* Atar, ligar, prender. **3.** Unir-se pelo casamento; casar-(se): "Os pais faziam o arranjo, vinha o padre e e m b i r a v a o casal de trouxas." (Graciliano Ramos, *Caetés*, p. 231.) *P.* **4.** *P. ext.* Atar-se, ligar-se, prender-se.
embirataí. [De *embira* + tupi *a'tã*, 'dura', + *i*, 'pequena'.] *S. f. Bras.* Árvore da família das anonáceas (*Duguetia riparia*). [Var.: *envirataí.*]
embiratanha. [De *embira* + tupi *a'tã*, 'dura'.] *S. f. Bras.* Embira-de-caçador.
embira-toicinheira. *S. f. Bot.* V. *feijão-cru.* [Pl.: *embiras-toicinheiras* e *embiras-toicinheira.*]
embiri. [Do tupi *ẽbira'i*, 'embira pequena'.] *S. m. Bras.* **1.** V. *araruta* (1). **2.** V. *biru-manso.*
embiricica. [Do tupi *mbiriri'si.*] *S. f. Bras., N.* Porção de coisas dispostas em fileira ou série; enfiada.
embirra. [Dev. de *embirrar.*] *S. f.* V. *embirração.*
embirração. *S. f.* **1.** Ato de embirrar; antipatia; aversão. **2.** Teima, insistência; obstinação. [Sin.: *embirra* e (bras.) *embirrância.*]
embirrância. *S. f. Bras.* V. *embirração.*
embirrante. *Adj. 2 g.* e *s. 2 g.* Que ou quem embirra; birrento, teimoso.
embirrar. [De *em-*[3] + *birra*[1] + *-ar*[2].] *V. t. i.* **1.** Teimar com ira e pertinácia, ou enfado; insistir muito: E m b i r r o u *em derrubar as árvores.* **2.** Ter aversão; antipatizar: *A criança* e m b i r r o u *com o brinquedo novo*; "Eu e m b i r r o solenemente com o centro da minha cidade natal." (Antônio de Alcântara Machado, *Cavaquinho e Saxofone*, p. 6). *Int.* **3.** Ficar ou mostrar-se birrento.
embirrativo. *Adj.* **1.** Que embirra; birrento: *pessoa* e m b i r r a t i v a. **2.** Que causa birra, antipatia: *atitude* e m b i r r a t i v a. [Sin. ger.: *embirrento.*]
embirrento. *Adj.* V. *embirrativo.*
embiruçu. [Do tupi *imbirwa'su*, 'embira grande'.] *S. m. Bras.* Árvore da família das bombacáceas (espécie do gênero *Bombax*].
embirutar. [De *em-*[3] + *biruta* + *-ar*[2].] *V. int. Bras. Gír.* V. *amalucar* (2).
embiú. [De possível or. tupi.] *S. m. Bras.* Árvore da família das anonáceas (*Guateria alba*); embiú-branco.
embiú-branco. *S. m. Bras.* Embiú. [Pl.: *embiús-brancos.*]
emblema. [Do gr. *émblema*, 'ornato em relevo', pelo *lat. emblema.*] *S. m.* **1.** Figura simbólica; insígnia, símbolo. **2.** *P. ext.* Distintivo ou insígnia de instituição, sociedade, associação, etc., que se usa na roupa, ou em objetos a ela pertencentes: *A enfermeira usava na lapela o* e m b l e m a *da Cruz Vermelha; O envelope traz impresso o* e m b l e m a *do clube.*
emblemar. *V. t. d.* **1.** Simbolizar (1): *Há personagens literários que* e m b l e m a m *um povo. T. d.* e *i.* **2.** Simbolizar, exprimir, por meio de um emblema (1): *Os povos antigos gregos* e m b l e m a v a m *em Atenas a sabedoria.*
emblemático. [Do gr. *émblema, atos*, 'emblema', + *-ico*[2].] *Adj.* **1.** Que tem caráter de emblema. **2.** Representado por um emblema.
emboaba. [Do tupi.] *S. 2 g. Bras.* Nos tempos coloniais, alcunha que os descendentes dos bandeirantes paulistas davam, especialmente na região das minas, aos forasteiros portugueses, e brasileiros de outras origens, que entravam no sertão à busca de ouro e pedras preciosas, e, p. ext., aos portugueses em geral. V. *galego* (4). [Var.: *emboava.* Cf. *boaba.*]
emboança. *S. f.* **1.** *Bras., AL. Pop.* Conversa fiada; lorota: "escutando as e m b o a n ç a s de mestre Antônio Justino, eu via, no outro lado da rua, uma casa que tinha sempre a porta escancarada mostrando a sala" (Graciliano Ramos, *Angústia*, p. 15). **2.** V. *fanfarrice* (2).
emboava. *S. 2 g. Bras.* Var. de *emboaba* [q. v.].
emboca. [Dev. de *embocar.*] *S. m. Bras., N.E.* Sujeito intrometido, sem escrúpulos, que vai a festas, que nelas entra ou emboca, sem o convidarem; penetra.
emboçador (ô). *S. m.* Pedreiro que emboça ou reboca.
embocadura. *S. f.* **1.** Ato ou efeito de embocar. **2.** Parte do freio que entra na boca da besta. **3.** A foz de um rio, ou entrada de rua, estrada, etc. **4.** *Fig.* Tendência, inclinação, propensão, queda: *Tem* e m b o c a d u r a *para as artes.* **5.** *Mús.* A parte superior dos instrumentos de sopro, que o executante introduz na boca. [V. *boquilha* (4), *bocal* (6) e *palheta* (8).]
emboçamento. *S. m.* Ato ou efeito de emboçar (2); emboço.
embocar. [De *em-*[2] + *boca* (ô) + *-ar*[2].] *V. t. d.* **1.** Aplicar a boca a (um instrumento), para dele tirar sons; chegar (um instrumento) à boca: "E m b o c a a tuba lúgubre, estridente, / Em que aprendeste a rebramir teus brados!" (Castro Alves, *Poesias Escolhidas*, p. 312.) **2.** Pôr o freio a (cavalgadura). **3.** Entrar na foz de (um rio). **4.** Esvaziar, bebendo: e m b o c a r *um copo de água. T. d.* e *c.* **5.** Fazer entrar por (abertura estreita): *Apesar da distância, conseguiu* e m b o c a r *a bola na cesta. T. c.* **6.** *Bras. Pop.* Entrar, abocar: "E m b o c o u pela porta da rua, saindo pela dos fundos, a fim de alcançar o portão." (Adalberon Cavalcanti Lins, *Curral Novo*, p. 247.) *Int.* **7.** Introduzir-se; entrar. [Conjug.: v. *trancar.*]
emboçar. [De um lat. *vulg.* **imbucciare* < *bucca*, 'bochecha'.] *V. t. d.* **1.** Pôr emboço (1) em. **2.** Assentar com argamassa (as telhas côncavas ou de cumeeira). [Conjug.: v. *laçar.* Pres. ind.: *emboço*, etc. Cf. *emboço* (ô) e *embuçar.*]
emboço (ô). [Dev. de *emboçar.*] *S. m.* **1.** A primeira camada de argamassa, ou de cal, na parede, e que serve de base ao reboco. **2.** Emboçamento. [Pl.: *emboços* (ô). Cf. *emboço*, do v. *emboçar.*]
embodegar. [De *em-*[3] + *bodega* + *-ar*[2].] *V. t. d.* Tornar imundo; sujar, enlambuzar, emporcalhar. [Conjug.: v. *regar.*]
embodocar-se. [De *em-*[3] + *bodoque* + *-ar*[2] + *se*[1].] *V. p. Bras., RS.* **1.** Curvar-se tomando a forma do arco do bodoque. **2.** Ficar (o cavalo) de lombo duro, para corcovear. [Conjug.: v. *trancar.*]
embófia. [Cruz. de *empáfia* com *bazófia*?] *S. f.* **1.** Embuste, ardil, impostura. **2.** V. *empáfia*: "O amor dos jovens rejuvenesce os velhos quando correspondido sem e m b ó f i a s" (João Gaspar Simões, *Crítica, II*, I, p. 324).
emboizar (o-i). [De *em-*[3] + *boiz* + *-ar*[2].] *V. t. d. Ant.* Tornar curvo como o arco da boiz. [Conjug.: v. *ajuizar.* Cf. *embuizar.*]
embolação. *S. f.* Ato de embolar[1] (2 e 4).
embolada. Fem. substantivado do part. de embolar[1].] *S. f. Bras., N.E.* Forma poético-musical, improvisada ou não, em compasso binário, cuja melodia é declamatória, em valores rápidos e intervalos curtos, e que é usada pelos solistas nas peças com refrão coral ou dialogadas (como cocos e desafios).
embolador (ô). [De *embolada* + *-(d)or.*] *S. m.* Autor e/ou cantador de embolada.
embolar[1]. [De *em-*[3] + *bola* + *-ar*[2].] *V. t. d.* **1.** Pôr bolas nos cornos de (touro ou vaca). *Int.* **2.** *Bras.* Cair, rolando como uma bola. **3.** *Bras. Fam.* V. *encaroçar* (2). **4.** Engalfinhar-se com o adversário, rolando por terra. *P.* **5.**

Entrelaçar-se (os corpos); engalfinhar-se. **6.** *Bras. Fam.* V. *encaroçar* (2). [Pres. ind.: *embolo*, etc. Cf. *êmbolo*.]

embolar[2]. [De *em-*[3] + *bolo* (ô) + *-ar*[2].] *V. t. d.* **1.** Reduzir a bolo (ô) (1). **2.** *P. ext.* Enrolar; emaranhar. **3.** Reduzir (o ouro em pó) a bolo, por meio da fusão. [Pres. ind.: *embolo*, etc. Cf. *êmbolo*.]

emboléu. [De *em-*[3] + *boléu;* forma reforçada.] *El. s. m.* Us. na loc. v. *andar aos emboléus.* ♦ **Andar aos emboléus.** *Bras., N.E.* Andar à matroca, ao léu, à toa, sem destino certo.

embolia. [Do gr. *embolé*, 'choque, ato de arremessar alguma coisa em algum lugar', + *-ia*.] *S. f. Patol.* Obliteração dum vaso sanguíneo por um êmbolo (2).

embolísmico. *Adj.* Relativo ao embolismo. ~ V. *ano* —.

embolismo. [Do gr. *embolismós*, 'intercalação'.] *S. m.* **1.** Acréscimo de tempo ao ano lunar para que ele coincida com o ano solar. **2.** *Patol.* Embolia.

êmbolo. [Do gr. *émbolos*, 'alavanca, esporão', pelo lat. *embolu*.] *S. m.* **1.** Disco ou cilindro móvel das seringas, das bombas e doutros maquinismos; pistom. **2.** *Med.* Qualquer massa anormal de matéria sólida, líquida ou gasosa veiculada pelo sangue, e com dimensões suficientes para ser detida, e causar oclusão, em um local do sistema vascular. [Cf. *embolo*, do v. *embolar*.]

embolorar. *V. t. d.* e *int.* V. *abolorecer.*

embolorecer. *V. t. d.* e *int.* V. *abolorecer.* [Conjug.: v. *aquecer*.]

embolotar. [De *em-*[3] + *bolota* + *-ar*[2].] *V. int.* e *p. Bras. Fam.* V. *encaroçar* (2).

embolsar. [De *em-*[2] + *bolsa* + *-ar*[2]] *V. t. d.* **1.** Meter no bolso ou na bolsa: *O empregado embolsou o troco.* **2.** Entrar na posse de; receber: *embolsar uma herança.* **3.** Pagar o que se deve a. **4.** Pagar, indenizar: *O Governo embolsou os que foram desapropriados.* [Pres. ind.: *embolso*, etc. Cf. *embolso* (ô).]

embolso (ô). [Dev. de *embolsar*.] *S. m.* **1.** Ato de embolsar. **2.** Recebimento; pagamento. [Pl.: *embolsos* (ô). Cf. *embolso*, do v. *embolsar*.]

embonar. *V. t. d. Constr. Nav.* Colocar embono em (uma embarcação).

embondeiro. [Do quimb. *mbondo* + *-eiro*.] *S. m.* Baobá.

embondo. *S. m. Bras., MG* e *RJ. Pop.* Dificuldade, embaraço.

embonecar. [De *em-*[3] + *boneca* + *-ar*[2].] *V. t. d.* **1.** Enfeitar muito como se faz a uma boneca: *Tinha gosto em embonecar as filhas.* **2.** Enfeitar pretensiosamente. *Int.* **3.** *Bras.* Criar bonecas ou espigas (o milho); bonecar: "Os milhos nessa época *embonecavam*" (Alberto Rangel, *Sombras n'Água*, p. 214). *P.* **4.** Enfeitar-se, adornar-se, ataviar-se. [Conjug.: v. *trancar*.]

embonecramento. *S. m. Bras. S.* Aparecimento das bonecas do milho.

embonecrar. [Alter. de *embonecar*.] *V. t. d., int.* e *p. Bras., S.* V. *embonecar.*

embono. [Do esp. *embono*.] *S. m.* **1.** *Ant. Constr. Nav.* Revestimento de madeira, aplicado sobre o casco de embarcação, desde o fundo até à linha-d'água, quando ela mostra grande tendência para se inclinar. **2.** *Ant. Constr. Nav.* Revestimento suplementar com estrutura celular que, em navios metálicos, corria a um e outro bordo, ao longo do costado, desde um pouco acima da linha-d'água até certa profundidade, e destinado a melhorar a proteção do navio contra as explosões de torpedos ou minas; contracarena. [Cf., nesta acepç., *coferdã*(2).] **3.** *Bras., N.* e *N.E.* Grande viga de pau de jangada ou de outra madeira leve, presa ao longo da borda de algumas embarcações de boca estreita com o fim de aumentar-lhes a estabilidade e amortecer-lhes o balanço lateral.

emboque. [Dev. de *embocar*.] *S. m.* **1.** Ato de embocar. **2.** Passagem duma coisa por alguma parte estreita.

embora. [Contr. de *em boa hora*.] *Adv.* **1.** Em boa hora: "Paio Vaz se queres gado / dá ó demo essa pastora / paga-lho seu, vá-se *embora* / ou má hora / e põe o teu em recado." (Gil Vicente, *Obras Completas*, f. XXIII); "Tinha vontade de ir *embora* e de ficar." (Machado de Assis, *Várias Histórias*, p. 45). [Esta acepç. (comparem-se os dois exemplos, um do séc. XVI e outro do séc. XIX) aparece, hoje, não raro, com caráter afetivo, como partícula de realce, ou, em alguns casos, totalmente esvaziada de conteúdo semântico, como neste exemplo: *Foi embora, e no caminho o mataram.* Cf. *mandar embora*.] ● *Conj.* **2.** Ainda que; bem que; se bem que; conquanto: *Prosseguiu a viagem, embora cansado;* "*Embora* confesse que não, ... o memorialista [Machado de Assis] procura em *Dom Casmurro* 'atar as duas pontas da vida e restaurar na velhice a adolescência'." (José Augusto Guerra, *Testemunhos de Crítica*, p. 87). ● *Prep.* **3.** A despeito de; apesar de: "Bela, *embora* o ar triste, a aparência doentia, / Uma prece na boca, uma prece no olhar, / Era pálida e fria, / Como vela de altar." (Alberto de Oliveira, *Póstuma*, p. 46.) [É censurado (e nenhum outro dicionário o registra) esse uso de *embora* como preposição, apesar de existirem várias ocorrências dele.] ● *Interj.* **4.** Seja assim; não me importa; que importa?; tanto faz; ora: "Arrependem-se? *Embora!* O amor não finda" (Raimundo Correia, *Poesias*, p. 22); "Sofra o coração, *embora!* / Sofra! Mas viva!" (Id., *ib.*, p. 7). ~ V. *emboras.*

emboras. [Pl. substantivado de *embora*.] *S. m. pl.* Parabéns, felicitações: "Recebei-me, e dai-me *emboras*, / pelo que o sino adivinha, / ó poderosa Rainha." (Antônio Feliciano de Castilho, *Camões*, I, p. 111.) ~ V. *embora.*

emborcação. *S. f.* **1.** Ato ou efeito de emborcar; emborco, emborque. **2.** *Med.* Ato de colocar o paciente de borco ou de bruços. [Cf. *embrocação*.]

emborcar. [De *em-*[2] + *borcar*.] *V. t. d.* **1.** Pôr de boca para baixo, virar de borco (uma vasilha, uma canoa, etc.). [Sin.: *emborquilhar* (bras., S) e *borcar* (lus.).] **2.** Entornar na boca, bebendo; beber com sofreguidão: "Os bebedores aglomeram-se à volta dos carros de vinho, *emborcando* as canecas, grulhando, sapateando." (José Vieira, *Sol de Portugal*, p. 155). **3.** Despejar; vazar; derramar. *Int.* **4.** Cair de borco. **5.** Virar de borco: *O aeroplano caiu e emborcou.* **6.** *Bras. Gír.* Cair no chão; levar um tombo. *P.* **7.** Levar queda; cair [Conjug.: v. *trancar*. Pres. ind.: *emborco*, etc. Cf. *emborco* (ô).]

emborco (ô). [Dev. de *emborcar*.] *S. m.* V. *emborcação* (1). [Pl.: *emborcos* (ô). Cf. *emborco*, do v. *emborcar*.]

embornal[1]. [De *em-*[3] + *bornal*.] *S. m.* **1.** Saco que se põe no focinho das bestas; cevadeira, bornal. **2.** *Bras.* Saco ou bolsa, geralmente usada a tiracolo, para transportar alimentos, ferramentas, etc.; bornal.

embornal[2]. [Do it. *imbrunali*, *s. m. pl.*] *S. m. Constr. Nav.* Abertura que se faz no costado de embarcação, rente com o convés, para escoamento das águas da baldeação ou da chuva.

embornalar. [De *embornal*[1] + *-ar*[2].] *V. t. d.* **1.** Meter em bornal ou embornal. **2.** Colher para si; guardar. **3.** Economizar, poupar, aforrar, forrar. [Sin. ger.: *abornalar*.]

emborque. [Dev. de *emborcar*.] *S. m.* V. *emborcação* (1).

emborquilhar. *V. t. d.* **1.** *Bras., S.* V. *emborcar* (1). **2.** Virar (a terra) com a pá ou com o arado, para o cultivo.

emborrachar. [De *em-*[3] + *borracho* + *-ar*[2].] *V. t. d.* **1.** Embebedar, embriagar. *Int.* **2.** Ir engrossando para dar espiga (trigo ou centeio). *P.* **3.** Embebedar-se, embriagar-se.

emborralhar. [De *em-*[3] + *borralho* + *-ar*[2].] *V. t. d.* Cobrir ou sujar com borralho; enfarruscar.

emborrar. [De *em-*[3] + borra (ô) + *-ar*[2].] *V. t. d.* Dar a primeira carda a (a lã). [Cf. *emburrar*.]

emborrascar. [De *em-*[3] + borrasca + *-ar*[2].] *V. t. d.* **1.** Tornar borrascoso. **2.** Agitar tempestuosamente: *As recordações emborrascam seu espírito.* **3.** Irritar, irar, encolerizar: *O que mais o emborrasca é o desleixo.* *P.* **4.** Adquirir (o céu, o mar) aspecto borrascoso. [Conjug.: v. *trancar*.]

emboscada. [Do it. *imboscata*.] *S. f.* **1.** Ato de esperar às escondidas o inimigo para assaltá-lo; espera, tocaia. **2.** Cilada (1).

emboscar. *V. t. d.* **1.** Pôr de emboscada: *O comandante emboscou as tropas.* **2.** Esconder, ocultar: *A folhagem emboscava a mansão.* *P.* **3.** Pôr-se em emboscada; esconder-se para assaltar. [Conjug.: v. *trancar*.]

embostar. [De *em-*[3] + *bostar*.] *V. t. d.* V. *bostar.*

embostear. *V. t. d.* V. *bostar.* [Conjug.: v. *frear*. Cf. *embustear*.]

embostelar. [De *em-*[3] + *bostela* + *-ar*[2].] *V. t. d.* e *p.* **1.** Encher(-se) de bostelas. **2.** Sujar(-se), enxovalhar(-se), emporcalhar(-se).

embotadeira. *S. f.* Espécie de meia que se usa por baixo do canhão da bota e vai até acima do joelho.

embotador (ô). *Adj.* Que embota.

embotadura. *S. f.* Embotamento.

embotamento. *S. m.* Ato ou efeito de embotar(-se); embotadura.

embotar. [De *em-*[3] + *boto*[3] (ô) + *-ar*[2].] *V. t. d.* **1.** Engrossar o fio de corte a; tirar o gume a; rebotar: *embotar uma lâmina.* **2.** *Fig.* Tirar a energia a; enfraquecer: *O álcool embota o raciocínio.* **3.** *Fig.* Fazer perder a sensibilidade; insensibilizar: *A longa experiência da guerra embotou-o.* *P.* **4.** Perder o fio, o gume. **5.** Perder a energia; enfraquecer(-se). **6.** Perder a sensibilidade; insensibilizar(-se).

embotelhar. [De *em-*[2] + *botelha* + *-ar*[2].] *V. t. d.* Pôr em botelha ou em garrafa; engarrafar. [Conjug.: v. *aparelhar*.]

embotijar. [De *em-*[2] + *botija* + *-ar*[2].] *V. t. d.* **1.** Meter em botija. **2.** *Marinh.* Fazer uma botija ou embotijo em (um cabo, um balaústre, um pé de carneiro, uma garrafa, etc.). **3.** *Bras., N. E. Pop.* Fazer calar, deixar embatucado, com a boca na botija.

embotijo. [Dev. de *embotijar*.] *S. m. Marinh.* Botija (2).

embrabar. [De *em-*[3] + *brabo* + *-ar*[2].] *V. int.* e *p. Bras., S.* V. *embrabecer.*

embrabecer. [De *em-*[3] + *brabo* + *-ecer*.] *V. int.* e *p.. Bras.* Tornar-se bravo; embravecer, enfurecer-se. [Sin., no S.: *embrabar*. [Conjug.: v. *aquecer*.]

embraçadeira. [De *embraçar* + *-deira*.] *S. f.* V. *braçadeira* (12).

embraçadura. *S. f.* **1.** Ato e efeito de embraçar. **2.** V. *braçadeira* (1, 2, 5, 6 e 7).

embraçar. [De *em-*[3] + *braço* + *-ar*[2].] *V. t. d.* **1.** Suspender ou suster, metendo na braçadeira. **2.** Suster com o braço; sobraçar. [Conjug.: v. *laçar*.]

embrace. [Dev. de *embraçar*.] *S. m.* Braçadeira (3).

embragueira. *S. f. Bras.* Reentrância no eixo dos carros de bois, à qual se adaptam o chumaço e a cheda.

embramar. [De *em-*[3] + *bramar*.] *V. int. Bras, S.* Enraivecer-se, irar-se, embravecer.

embrancar. [De *em-*[3] + *branco* + *-ar*[2].] *V. t. d.* **1.** Tornar branco; branquear, embranquecer. *P.* **2.** Fazer-se branco; branquear(-se), embranquecer(-se). [Conjug.: v. *trancar*.]

embrandecer. [De *em-*[3] + *brando* + *-ecer*.] *V. t. d.* **1.** Tornar brando, flexível; amolecer; abrandecer. **2.** Enternecer, comover: *O sorriso do guri embrandeceu aquele duro coração.* *Int.* **3.** Fazer-se brando; abrandar. [Conjug.: v. *aquecer*.]

embranquecer. [De *em-*[3] + *branco* + *-ecer*.] *V. t. d.* **1.** Tornar branco; branquear, embrancar: *A neblina embranquecia o campo.* *Int.* **2.** Tornar-se branco; encanecer: *Seus cabelos embranqueceram aos vinte anos.* *P.* **3.** Tornar-se branco. [Conjug.: v. *aquecer*.]

embranquecimento. *S. m.* Ato ou efeito de embranquecer(-se).

embravear. [De *em-*[3] + *bravo* + *-ear*.] *V. t. d., int.* e *p.* V. *embravecer.* [Conjug.: v. *frear*.]

embravecer. [De *em-*[3] + *bravo* + *-ecer*.] *V. t. d.* **1.** Tornar bravo, cruel, feroz: *O alarido embraveceu o cão.* *Int.* **2.** Enfurecer-se; embrabecer-se. **3.** Encapelar-se, encrespar-se (o mar): "Quando este mar *embravece*, vagalhões como montanhas despedaçam-se com fúria nas falésias maciças" (Raul Brandão, *As Ilhas Desconhecidas*, pp. 227-228). **4.** Irritar-se, enfurecer-se. [Sin. ger., p. us.: *embravear*. Conjug.: v. *aquecer*.]

embravecimento. *S. m.* Ato ou efeito de embravecer (-se).

embreadura. *S. f.* Ato de embrear[1]; breadura.

embreagem. [Do fr. *embrayage*.] *S. f. Autom.* Dispositivo instalado entre o motor e a caixa de mudanças, e que permite ligar e desligar o motor da transmissão por intermédio de discos de fricção.

embrear[1]. [De *em-*[3] + *breu* + *-ar*[2].] *V. t. d.* Cobrir ou untar de breu (1); alcatroar; brear. [Conjug.: v. *frear*.]

embrear[2]. [Do fr. *embrayer*.] *V. t. d.* **1.** Acionar a embreagem de; debrear. *Int.* **2.** Acionar a embreagem; debrear. [Conjug.: v. *idear*.]

embrechado. [Part. substantivado de *embrechar*.] *S. m.* **1.** Ornato constituído de conchas, pedacinhos de louça, cristais, pedras, etc., incrustados nas paredes e cascatas de jardins. **2.** *Fam.* Pessoa importuna; empecilho.

embrechar. *V. t. d.* **1.** Ornamentar com embrechado (1). *T. d.* e *i.* **2.** Meter; introduzir. [Conjug.: v. *flechar*.]

embrenhar. [De *em-*[2] + *brenha* + *-ar*[2].] *V. t. d.* **1.** Meter, esconder (nas brenhas, no mato). *P.* **2.** Meter-se internar-se (nos matos, nas brenhas): "Simplício e Olavo *embrenharam-se* na catinga." (Adalberon Cavalcanti Lins, *Curral Novo*, p. 95.)

embretada. *S. f. Bras.* **1.** Ação de embretar. **2.** Situação complicada, difícil; apuros, enrascada: *Em que embretada se meteu você!*

embretar. [De *em-*[3] + *brete* (ê) + *-ar*[2].] *V. t. d.* **1.** *Bras., S.* Meter (animais) em brete ou curral; enrinconar. **2.** Sitiar ou assediar apertadamente (o inimigo), na guerra; encurralar. *P.* **3.** *Fig.* Meter-se em negócios difíceis; enrascar-se.

embriagado. [Part. de *embriagar*.] *Adj.* **1.** Que se embriagou ou alcoolizou. [Sin. (na maioria pop. ou gír., e, em alguns casos, bras.): *bêbedo* ou *bêbado, alto, avinhado, azul, bicudo, biritado, caneado, chumbado, chumbeado, ébrio, envernizado, floreado, fumado, me-*

lado, milhado, molhado, montado na ema, mordido, pegado, pingado, pilecado, pinguço, porrado, pregado, quente, roído, tomado, tonto, torrado, triscado, trolado, troviscado, xambregado, xumbergado, zarro.] **2.** Aturdido, ébrio, tonto. **3.** *Fig.* V. *ébrio* (3 e 4). • *S. m.* **4.** Indivíduo embriagado; bêbedo ou bêbado. V. *ébrio* (7).

embriagador (ô). *Adj.* Que embriaga ou inebria; embriagante.

embriagamento. *S. m.* Ato ou efeito de embriagar(-se).

embriagante. *Adj. 2 g.* Embriagador.

embriagar. [Do ant. *embriago.*] *V. t. d.* **1.** Causar embriaguez a; tornar ébrio; embebedar; alcoolizar, inebriar: *O vinho* embriagou *o rapaz.* **2.** Inebriar, extasiar, maravilhar, enlevar: *Os elogios* embriagam-no. *Int.* **3.** Causar ou produzir embriaguez: "Nesse dia terás o maior prazer da vida, porque não há vinho que embriague como a verdade." (Machado de Assis, *Quincas Borba*, p. 11). *P.* **4.** Ingerir bebidas alcoólicas; embebedar-se: "Os convidados embriagavam-se bebendo cerveja quente, vinho branco e de jurubeba." (Adalberon Cavalcanti Lins, *Curral Novo*, p. 320.) [Sin., pop. ou gír., nesta acepç.: *acender a lamparina, alertar as idéias, amarrar a cabra, amarrar o gato, encatrinar-se, encharcar-se, conversar com a garrafa, dar uma chamada, encher a cara, encher a caveira, encher a cuca, esquentar o peito, molhar o bico, molhar o peito, pôr óleo, quebrar a munheca, suspender um pileque, tomar um porco, tomar uma jorna.*] **5.** Extasiar-se, transportar-se, enlevar-se. [Conjug.: V. *largar.*]

embriaguez (ê). *S. f.* **1.** Estado de indivíduo embriagado; bebedeira, ebriedade. **2.** *Fig.* Inebriamento, êxtase, enlevação, ebriedade.

embrião. [Do gr. *émbryon*, 'feto', atr. do fr. *embryon.*] *S. m.* **1.** *Biol. Ger.* Nos animais, organismo em seus primeiros estágios do desenvolvimento, desde as primeiras divisões do zigoto até antes de deixar o organismo materno, ou o ovo (1); nos vegetais, organismo rudimentar que se forma na semente, ou no arquegônio. **2.** O ser humano nos primeiros estágios de desenvolvimento, até o início do terceiro mês da vida intra-uterina. **3.** *Fig.* Princípio, começo, origem. [Cf. (nas acepçs. 1 e 2) *feto*^{1}.]

embridar. [De *em-*^{3} + *brida* + *-ar*^{2}.] *V. t. d.* **1.** Pôr brida a; bridar: "Selaram, embridaram um cavalo para mim." (Antônio Justa, *Praia do Desterro*, p. 9.) Levantar a cabeça com elegância (o cavalo). *P.* **3.** Mostrar-se arrogante, insolente.

embrincar. [De *em-*^{3} + *brinco* + *-ar*^{2}.] *V. t. d.* Adornar, enfeitar, ataviar, engalanar, alindar. [Conjug.: V. *trancar.*]

▲**embri(o)-.** [Do gr. *émbryon*, ou.] *El. comp.* = 'feto', 'embrião': *embrioma, embriocardia.*

embriocardia. [De *embri(o)-* + *-cardia.*] *S. f. Med.* Ritmo cardíaco que lembra, pela ausculta, o ritmo do coração do feto.

embriocárdico. *Adj.* Relativo à embriocardia.

embriófito. [De *embri(o)-* + *-fito.*] *S. m.* Vegetal que produz um embrião, em conseqüência da fecundação.

embriófitos. *S. m. pl. Bot.* Divisão do reino vegetal caracterizada pela presença de um embrião originário da fecundação.

embriogenia. [De *embri(o)-* + *-genia.*] *S. f. Med.* A produção ou origem do embrião.

embriogênico. *Adj.* Relativo à embriogenia.

embriologia. [De *embri(o)-* + *-log(o)-* + *-ia.*] *S. f.* **1.** Ciência que trata da formação e do desenvolvimento do embrião. **2.** *P. ext.* Ramo da ciência que se ocupa do estudo do organismo desde a etapa de formação do ovo à do feto.

embriológico. *Adj.* Referente à embriologia.

embrioma. [De *embri(o)-* + *-oma.*] *S. m. Patol.* Tumor constituído por dois ou mais tipos de tecido, cujos graus de diferenciação histológica, e mesmo funcional, podem ser elevados, embora sem organização. [É comum encontrarem-se, nesses tumores, cabelos e dentes.]

embrionado. [De *embri(o)* + *-n-* + *-ado*^{1}.] *Adj.* Que contém embrião.

embrionário. *Adj.* **1.** Relativo a embrião. **2.** Que está em embrião. **3.** *Fig.* Que está em via de formação. ~ V. *saco* — e *tubo neural* —.

embrionia. *S. f. Biol. Ger.* Formação do embrião.

embrionífero. *Adj. Bot.* e *Zool.* Que encerra embrião ou embriões.

embriopatia. [De *embri(o)-* + *-pat-* + *-ia.*] *S. f. Patol.* Afecção resultante de lesão ocorrida durante o desenvolvimento do embrião (2).

embriopático. *Adj.* Relativo à embriopatia.

embriotomia. [Do gr. *embryotomía.*] *S. f. Cir.* Operação consistente em fragmentar o feto no útero para tornar possível extraí-lo.

embriotômico. *Adj.* Referente à embriotomia.

embriótomo. [De *embri(o)-* + *-tomo.*] *S. m. Cir.* Instrumento com que se faz a embriotomia.

embriulco (i-úl). [Do gr. *embryoulkós.*] *S. m. Cir.* Gancho com que se tira do útero o feto morto.

embrocação. [Do lat. medieval *embrocatione.*] *S. f.* **1.** Aplicação de líquido medicamentoso em parte doente do corpo. **2.** Líquido para embrocação. [Cf. *emborcação.*]

embroma. [Dev. de *embromar.*] *S. f. Bras. Gír.* Embromação.

embromação. *S. f. Bras.* Ato e efeito de embromar; embroma.

embromador (ô). *Adj.* e *s. m. Bras.* Que ou aquele que embroma; embromeiro.

embromar. [Do esp. plat. *embromar.*] *V. t. d.* **1.** *Bras.* Protelar a resolução de um negócio (de alguém) por meio de embuste(s); retardar a execução de um serviço (de alguém): *O construtor* embromou-o *durante um ano, antes de entregar a obra.* **2.** *Bras.* Calotear, abusando da credulidade de outrem por meio de lábias; enganar: *O vendedor* embromou-a, *vendeu-lhe gato por lebre.* **3.** *Bras.* Zombar, troçar, motejar. *Int.* **4.** *Bras.* Contar falsidades encomiásticas de si mesmo; blasonar. **5.** *Bras.* Muito prometer e nada cumprir, ou cumprir dificilmente; gastar muito tempo para decidir um negócio, afirmando sempre que o vai realizar. **6.** *Bras., S.* Andar devagar, com displicência. **7.** *Bras., S.* Brincar, caçoar, gracejar. [Cf. *embrumar.*]

embromeiro. *Adj.* e *s. m. Bras.* Embromador.

embruacado. [Part. de *embruacar.*] *Adj. Bras.* Metido em bruaca.

embruacar. [De *em-*^{3} + *bruaca* + *-ar*^{2}.] *V. t. d. Bras.* Arrecadar (coisas) em bruaca. [Conjug.: v. *trancar.*]

embrulhada. [Fem. substantivado de *embrulhado.*] *S. f.* **1.** Confusão, trapalhada, desordem, embrulho [v. *rolo*^{1} (16)]: *Que* embrulhada *os dois arranjaram!* **2.** Embaraço, dificuldade, embrulho: *Surgiu uma* embrulhada, *e não podemos ir.*

embrulhado. [Part. de *embrulhar.*] *Adj.* **1.** Metido em um invólucro. **2.** Confuso, intri(n)cado: *história* embrulhada. **3.** Complicado, difícil: *sujeito* embrulhado. **4.** Nauseado, enjoado: *estômago* embrulhado.

embrulhador (ô). *Adj.* e *s. m.* Que ou aquele que embrulha ou faz embrulhadas.

embrulhamento. *S. m.* Ação de embrulhar(-se).

embrulhar. [Do it. *imbrogliare?*] *V. t. d.* **1.** Envolver em papel, pano, etc., formando pacote, volume ou maço; empacotar; emaçar: embrulhar *as compras.* **2.** Enrolar, dobrar: *Os soldados* embrulharam *a bandeira.* **3.** Confundir, complicar; embaraçar: "Estava pálida, com os olhos quebrados, e falava precipitadamente, embrulhando tudo" (Graciliano Ramos, *Caetés*, p. 244). **4.** Engrolar (3): "olhava no alto o céu sempre azulíneo e ofuscante de luz, cerrava um canto d'olho, mão alçada a atenuar a crueza dos raios solares, e embrulhava uma escusa tola, dando tempo à própria incerteza" (Afonso Arinos, *Pelo Sertão*, pp. 15-16). **5.** Causar enjôo a, indispor, nausear (o estômago). **6.** *Bras.* Abusar da confiança de (outrem) em negócios; enganar, lograr, intrujar. *P.* **7.** Complicar-se, embaraçar-se. **8.** Confundir-se, atrapalhar-se. **9.** Gaguejar, tartamudear.

embrulho. [Dev. de *embrulhar.*] *S. m.* **1.** Coisa embrulhada; pacote, volume. **2.** Coisa confusa, intricada; embrulhada. **3.** *Bras.* V. *logro* (2). **4.** Confusão intencional em uma negociação, com o fim de abusar da inexperiência ou da confiança de outrem.

embrumar. [De *em-*^{3} + *bruma* + *-ar*^{2}.] *V. t. d.* e *p.* Tornar(-se) brumoso; encher(-se) de bruma. [Cf. *embromar.*]

embruscado. [Part. de *embruscar.*] *Adj.* Que se embruscou: "os doze vultos escuros, recortados contra um céu embruscado e soturno, adquirem proporções .... de gigantes." (Fernando Sabino, *O Grande Mentecapto*, p. 165).

embruscar. [De *em-*^{3} + *brusco* + *-ar*^{2}.] *V. t. d.* **1.** Tornar carregado, brusco: *Nuvens escuras* embruscaram *o céu.* **2.** Tornar triste, sombrio: embruscar *o ânimo. Int.* **3.** Toldar-se, anuviar-se. **4.** Agastar-se, irritar-se, enfadar-se. *P.* **5.** Anuviar-se, toldar-se, escurecer(-se): "Pelo beirar das onze o céu embruscou-se, soprou um vento quente, grossos pingos começaram a cair, prenunciando chuvarada." (Hugo de Carvalho Ramos, *Tropas e Boiadas*, p. 58.) **6.** Agastar-se, irritar-se. [Conjug.: v. *trancar.*]

embrutar. [De *em-*^{3} + *bruto* + *-ar*^{2}.] *V. t. d., int.* e *p.* V. *embrutecer.*

embrutecer. [De *em-*^{3} + *bruto* + *-ecer.*] *V. t. d.* **1.** Tornar bruto, estúpido: *A guerra* embrutece *o homem. Int.* **2.** Causar embrutecimento. **3.** Tornar-se bruto, estúpido; embrutecer(-se). *P.* **4.** Embrutecer (3). [Sin.: *embrutar.* Conjug.: v. *aquecer.*]

embrutecimento. *S. m.* Ato ou efeito de embrutecer(-se).

embruxar. [De *em-*^{3} + *bruxa* + *-ar*^{2}.] *V. t. d.* Fazer bruxarias a; enfeitiçar, encarochar.

embuá. [Do tupi *äbo'á*, 'os pêlos erguidos'.] *S. m. Bras.* Designação comum a vários miriápodes das famílias dos júlidas e polidésmidas; ambuá, bicho-bola, bicho-de-ouvido, caramuji, gongolo ou gongolô, piolho-de-cobra, surrupeio.

embuçadela. [Por *embuçaladela, de *embuçalar*, com síncope.] *S. f. Bras., S.* Ato de embuçalar.

embuçado. [Part. de *embuçar.*] *Adj.* Rebuçado (3).

embuçalador (ô). *S. m. Bras., S.* **1.** Aquele que embuçala, que põe o buçal no cavalo de montaria. **2.** *Fig.* Velhaco; embaçador.

embuçalar. [Do esp. plat. *embozalar.*] *V. t. d.* **1.** *Bras., S.* Buçalar. **2.** Enganar, iludir, lograr, burlar.

embuçar. *V. t. d.* **1.** Cobrir (o rosto) até aos olhos; rebuçar. **2.** Disfarçar; encobrir: *Tentava* embuçar *a feiúra com mil artifícios. P.* **3.** Envolver-se em capa ou em capote. **4.** Disfarçar-se; encobrir-se: "Apesar da aversão que tenho ao crime, / Inteiro me embucei nos seus andrajos" (Gonçalves Dias, *Obras Poéticas*, I, p. 270). [Conjug.: v. *laçar.* Cf. *emboçar.*]

embuchado. [Part. de *embuchar.*] *Adj.* **1.** Que tem o estômago cheio em demasia; empachado: *Comeu tanto que ficou* embuchado. **2.** *Bras.* Que permanece calado por não saber ou não poder dizer o que pensa ou sente.

embuchar^{1}. [De *em-*^{2} + *bucho* + *-ar*^{2}.] *V. t. d.* **1.** Meter no bucho; encher o bucho com: embuchar *uma feijoada.* **2.** Fartar, saciar: *A mãe* embuchou *a criança.* **3.** Embutir (uma peça) no interior de outra, para diminuir-lhe o espaço interno. **4.** *Bras.* Embatucar (1). *Int.* **5.** V. *embatucar* (2): *As provas eram tão esmagadoras que o réu* embuchou. **6.** Andar amuado, descontente, desgostoso. **7.** Sufocar-se por não poder engolir a comida.

embuchar^{2}. [De *em-*^{2} + *bucha* + *-ar*^{2}.] *V. t. d.* Colocar bucha em.

embuço. [Dev. de *embuçar.*] *S. m.* **1.** A parte da capa com que se cobre o rosto. **2.** Disfarce, dissimulação.

embudar. *V. t. d.* **1.** Lançar embude a (peixes). *Int.* **2.** Fixar-se (o peixe) às pedras pela boca.

embude. *S. m.* **1.** Substância que se lança na água para entontecer o peixe e apanhá-lo com a mão. **2.** V. *cicuta.*

embuizar (u-i). *V. t. d.* Embutir; imbuir. [Conjug.: v. *ajuizar.* Cf. *emboizar.*]

emburacar. [De *em-*^{2} + *buraco* + *-ar*^{2}.] *V. int.* **1.** *Bras., N.* Meter-se em buraco. **2.** Desaparecer, sumir(-se). **3.** *Bras., S.* Sofrer sérios prejuízos. [Conjug.: v. *trancar.*]

emburrado. [Part. de *emburrar.*] *Adj.* **1.** Amuado, zangado, aborrecido. **2.** Carrancudo, trombudo. • *S. m.* **3.** *Bras.* Nas regiões diamantíferas, lugar pedregoso, de grandes e numerosos pedrouços rolados e descobertos. **4.** *Bras.* Informação (11) de diamante.

emburramento. *S. m.* Estado de quem se emburra; agastamento, casmurrice, burrão.

emburrar. [De *em-*^{3} + *burro* + *-ar*^{2}.] *V. t. d.* **1.** Tornar estúpido; embrutecer. *Int.* **2.** Parar, empacar (como um burro). **3.** Amuar(-se), embezerrar(-se). [Cf. *emborrar.*]

emburricar. [De *em-*^{3} + *burrico* + *-ar*^{2}.] *V. t. d.* **1.** Embruxar, enfeitiçar. **2.** Iludir, lograr, burlar. [Conjug.: v. *trancar.*]

embuste. *S. m.* **1.** Mentira artificiosa; impostura, ardil, engano, intrujice, embustice, embusteirice: "E ela, só pelo acento quase gutural das palavras, começou a perceber quando havia verdade e quando havia embuste" (José Geraldo Vieira, *A Mulher Que Fugiu de Sodoma*, p. 11). **2.** V. *armadilha* (2).

embustear. *V. t. d.* Usar de embuste(s) com; enganar, lograr, burlar. [Conjug.: v. *frear. Cf. embostear.*]

embusteirice. *S. f. Bras.* V. *embuste* (1).

embusteiro. *Adj.* e *s. m.* Que ou aquele que usa de embustes; mentiroso, intrujão, impostor.

embustice. *S. f.* V. *embuste* (1).

embutideira. [De *embutir* + *-deira.*] *S. f.* Peça com que se fazem botões em relevo.

embutido. [Part. de *embutir.*] *Adj.* **1.** Introduzido à força. **2.** Marchetado ou tauxiado. • *S. m.* **3.** Obra marchetada, incrustada, encaixada, etc., que supõe certa habilidade técnica. **4.** V. *abáculo* (1). ~ V. *armário* —.

embutidor (ô). *Adj.* **1.** Que embute. • *S. m.* **2.** Aquele que embute. **3.** Aquele que faz embutidos.

embutidura. *S. f.* Ação ou efeito de embutir.

embutir. [Do it. *imbottire.*] *V. t. d.* **1.** Meter à força. **2.** Meter (peça de madeira, pedra, metal, etc.) em: *embutir um brilhante; embutir mosaicos coloridos.* **3.** Inserir, fixando; encravar, engastar; pregar. **4.** *Fig.* Fazer acreditar, pregar, impingir. *T. d. e i.* **5.** Marchetar ou tauxiar. **6.** Embutir (1) uma peça em outra de modo que a ela se ajuste, em geral sem deixar interstícios: *Embutiu um aquário na parede.* **7.** Impingir; pregar, ferrar.

embuziar. *V. t. d.* **1.** Lambuzar, emporcalhar, embuzinar. *Int.* **2.** Enfadar-se, aborrecer-se; embezerrar(-se). **3.** Irar-se, enfurecer-se, encolerizar-se. *P.* **4.** Ficar macambúzio; aborrecer-se, amuar(-se), embezerrar(-se). **5.** Irar-se, enfurecer-se, encolerizar-se.

embuzinado[1]. [De *em-*[3] + *buzina* + *-ado*[1].] *Adj.* Diz-se de som semelhante ao da buzina.

embuzinado[2]. [Part. de *embuzinar*[1].] *Adj.* Diz-se de som emitido como por buzina.

embuzinar[1]. [De *em-*[3] + *buzina* + *-ar*[2].] *V. t. d.* Emitir (som) como por buzina.

embuzinar[2]. *V. t. d.* V. *embuziar* (1).

eme. *S. m.* **1.** Nome da letra *m*; *mê*. [Pl.: *emes* ou *mm.*] **2.** *Tip.* Quadratim, no sistema anglo-norte-americano. [Pl.: *emes.* Cf. *m.*]

emebé. [Do quimb.] *S. m. Bras.* Sacrifício de animal nos terreiros angola-congueses.

emedar. [De *em-*[3] + *meda* + *-ar*[2].] *V. t. d.* Dispor em medas [v. *meda* (1)]; emparvar.

emedebismo. *Bras. S. m.* **1.** O ideário do M.D.B. (Movimento Democrático Brasileiro), agremiação política surgida em 1965, e extinta em 1979; o programa, o espírito desse partido. **2.** Filiação a esse partido, ou simpatia por ele.

emedebista. *Bras. Adj. 2 g.* **1.** Relativo ao M.D.B., ou ao emedebismo (1). **2.** Que é partidário ou simpatizante do M.D.B. ● *S. 2 g.* **3.** Partidário ou simpatizante dele.

emelar. [De *em-*[3] + *mel* + *-ar*[2].] *V. t. d.* **1.** Adoçar, melar: *emelar o café, o chá.* **2.** Tornar agradável; adoçar. *P.* **3.** Cobrir-se com mel.

emelia. [Do gr. *emmeleia.*] *S. f. Teat.* Dança grave e solene executada pelos coros trágicos do antigo teatro grego.

emenagogo (ô). [De *emen(o)-* + *-agogo.*] *Adj. e s. m.* Diz-se de, ou medicamento que faz vir o mênstruo.

emenda. [Dev. de *emendar.*] *S. f.* **1.** Ato de emendar, de corrigir falta ou defeito; correção: *emenda de um texto; Saiu a emenda pior que o soneto.* **2.** Ato ou efeito de emendar-se, de melhorar a própria conduta, de corrigir-se; regeneração: *Apesar das promessas de emenda, comete os mesmos erros.* **3.** Ato de ligar uma peça a outra. **4.** Peça que se junta a outra para aumentar-lhe as dimensões, corrigir defeito, etc.; remendo: *Soldaram o cano, mas a emenda ficou péssima.* **5.** Sambladura: *emenda de uma moldura.* **6.** Lugar onde se ligam ou juntam duas peças ou dois objetos, ou parte deles: *A emenda do tecido ficou malfeita.* **7.** *Tip.* Correção, na fôrma dos erros assinalados na revisão. **8.** *Tip.* Cada um dos erros indicados na prova pelo revisor; correção. ♦ **Sob emenda.** Salvo emenda; com dependência de emenda.

emendador (ô). [Do lat. *emendatore.*] *Adj. e s. m.* Que ou aquele que emenda.

emendar. [Do lat. *emendare.*] *V. t. d.* **1.** Alterar, modificar: *Cumpria emendar tudo quanto escrevera.* **2.** Tirar defeito(s) a; melhorar; corrigir; rever: *Não cessava de emendar a própria obra.* **3.** Reparar, indenizar: *Urge emendar as injustiças.* **4.** Acrescentar, ajuntar, para formar um todo: *Emendou os retalhos e fez uma colcha.* *P.* **5.** Arrepender-se; corrigir-se: *Era um glutão, mas, com a idade, emendou-se.*

emendável. [Do lat. *emendabile.*] *Adj. 2 g.* Que se pode emendar; suscetível de emenda.

▲**emen(o)-.** [Do gr. *émmenos, os, on.*] *El. comp.* = 'mênstruo': *emenagogo.*

ementa. [Do lat. *ementa,* pl. *ementum,* 'idéia, pensamento'.] *S. f.* **1.** Apontamento, rol, lembrança. **2.** Sumário, resumo. **3.** *Lus.* V. *cardápio.*

ementar. *V. t. d.* **1.** Fazer ementa ou apontamento de. **2.** Fazer menção de; relembrar.

ementário. *S. m.* Livro ou caderno de ementas; rol.

emerenhom. *Bras. S. 2 g.* **1.** Indivíduo dos emerenhons, tribo tupi da bacia do rio Oiapoque, extremo norte do AP. ● *Adj. 2 g.* **2.** Pertencente ou relativo a essa tribo. [Var.: *emerilhom;* sin.: *teco.*]

emergência. [Do lat. *emergentia.*] *S. f.* **1.** Ação de emergir. **2.** Nascimento (do Sol). **3.** Situação crítica; acontecimento perigoso ou fortuito; incidente: *A emergência obrigou-os a agir rapidamente.* **4.** Caso de urgência, de emergência: *emergências médicas; emergências cardíacas.* **5.** *Morfol. Veg.* Produção da superfície de um órgão vegetal em cuja formação entram elementos celulares subepidérmicos. Os vulgares acúleos de muitas plantas são emergências. **6.** *Biol. Ger.* Excrescência de uma parte, que não forma órgão definido. **7.** *Bras., N.E. Pop.* Discussão acesa; altercação. [Cf. *imergência.*]

emergencial. *Adj. 2 g.* Relativo a, ou que tem caráter de emergência.

emergente. [Do lat. *emergente.*] *Adj. 2 g.* **1.** Que emerge. **2.** Que procede ou resulta. [Antôn.: *imergente.*] ~ V. *ano* — e *dano* —.

emergir. [Do lat. *emergere.*] *V. int.* **1.** Sair de onde estava mergulhado: *Com a baixa da maré, os rochedos emergiam.* **2.** Manifestar-se, mostrar-se, patentear-se: *A verdade acaba sempre emergindo.* **3.** Elevar-se como se saísse das ondas: *A lua emergia no horizonte.* *T. d.* **4.** Fazer sair de onde estava mergulhado: *Utilizam-se bolsas de ar para emergir navios afundados.* [Defect.: faltam-lhe as f. em que ao radical (com o g transformado, obviamente, em *j*) se seguiria o ou a. Part.: *emergido* e *emerso.* Antôn.: *imergir.*]

emerilhom. *S. 2 g.* e *Adj. 2 g. Bras.* V. *emerenhom.*

emeritense. [Do lat. *emeritense.*] *Adj. 2 g.* **1.** De, ou pertencente ou relativo à cidade de Mérida (Espanha). ● *S. 2 g.* **2.** Natural ou habitante de Mérida. [Sin. ger.: *meridense.*]

emérito. [Do lat. *emeritu.*] *Adj.* **1.** Jubilado. **2.** Muito versado em uma ciência ou arte; sábio, insigne: *mestre emérito.* [Cf. *imérito.*]

êmero. [Do lat. *emeru.*] *S. m.* Planta leguminosa (*Coronilla emerus*).

▲**-êmero.** Equiv. de *hemero-.*

emersão. [De um *emersione, f. calcada em *emersu,* 'emerso'.] *S. f.* **1.** Ato de emergir, de sair de um líquido. [Antôn.: *imersão.*] **2.** *Astr.* Fenômeno da saída de um astro eclipsado de detrás do disco aparente do astro eclipsante.

emerso. [Do lat. *emersu.*] *Adj.* Que emergiu. [Antôn.: *imerso.*]

emeticidade. *S. f.* Propriedade de provocar vômito, de ser emético.

emético. [Do gr. *emetikós.*] *Adj.* **1.** Que provoca vômito: "O animal desconforme .... expelia insípido cheiro de água quente, cortado de exalações eméticas de óleos lubrificantes." (Xavier Marques, *A Cidade Encantada,* p. 6.) ~ V. *tártaro* —. ● *S. m.* **2.** V. *vomitório* (2).

emetina. *S. f. Quím.* Alcalóide extraído da ipecacuanha, utilizado como medicamento e poderoso emético. [Fórm.: $C_{29}H_{40}O_4N_2$.]

emetizar. *V. t. d.* **1.** Aplicar substância emética a. **2.** Misturar com emético.

▲**emet(o)-.** [Do gr. *emétos, ou.*] *El. comp.* = 'vômito': *emetizar, emetofobia.*

emetofobia. [De *emet(o)-* + *-fob(o)-* + *-ia.*] *S. f.* Horror ao vômito.

emetologia. [De *emet(o)-* + *-log(o)-* + *-ia.*] *S. f.* Estudo das substâncias eméticas e do vômito.

emetológico. *Adj.* Referente à emetologia.

▲**emetr(o)-.** [Do gr. *émetros.*] *El. comp.* = 'de justa medida': *emetrope.*

emetrope. [De *emetr(o)-* + *-ope.*] *S. f. Med.* Normalidade da visão no tocante às condições de refração do olho.

emigração. [Do lat. *emigratione.*] *S. f.* **1.** Ato de emigrar: *A emigração do povo judeu é um fato histórico.* **2.** *P. ext.* Conjunto de pessoas que emigram. **3.** Mudança voluntária de país; expatriação. **4.** Mudança periódica de certos animais de uma região para outra. [Cf. *imigração* e *migração.*]

emigrado. [Part. de *emigrar.*] *Adj. e s. m.* Que ou aquele que emigrou; emigrante. [Cf. *imigrado* e *migrado.*]

emigrante. [Do lat. *emigrante.*] *Adj. 2 g. e s. 2 g.* Que ou quem emigra; emigrado. [Cf. *imigrante* e *migrante.*]

emigrar. [Do lat. *emigrare.*] *V. int.* **1.** Deixar um país para ir estabelecer-se em outro: *Os ciganos emigram constantemente.* **2.** Mudar anualmente de terra (certos animais): *As andorinhas emigram.* *T. c.* **3.** Sair (da pátria) para residir em outro país: *Bem cedo emigrou da França, fixando-se no Brasil.* [Cf. *imigrar* e *migrar.*]

eminência. [Do lat. *eminentia.*] *S. f.* **1.** Elevação, altura, proeminência. **2.** Saliência, relevo. **3.** *Fig.* Superioridade, excelência. **4.** Tratamento que se dá aos cardeais. [Cf. *iminência.*]

eminente. [Do lat. *eminente.*] *Adj. 2 g.* **1.** Alto, elevado: *morro eminente.* **2.** Que excede os outros; excelente, sublime. [Cf. *iminente.*]

eminentemente. [De *eminente* + *-mente.*] *Adv.* No mais alto grau.

eminentíssimo. [Do lat. *eminentissimu.*] *Adj.* **1.** Superl. abs. sint. de *eminente.* **2.** Tratamento dado a um cardeal.

emir. [Do ár. *amír,* 'chefe, príncipe', pelo fr. *émir.*] *S. m.* **1.** Descendente de Maomé. **2.** Título dos chefes de certas tribos ou províncias muçulmanas: "Não apenas os reis e os príncipes, os emires e os potentados orientais, mas também os homens de recursos enfrentam o problema da poligamia." (Davi Nasser, *O Velho Capitão,* p. 58.) [F. paral., erudita: *amir.*]

emirado. *S. m.* **1.** Estado ou região governada por um emir. **2.** Dignidade de emir.

emiraém. [Do tupi.] *S. m. Bras.* V. *buranhém* (1).

emiraúna. [Do tupi.] *S. f. Bras.* V. *cabiúna-do-campo.*

emissão. [Do lat. *emissione.*] *S. f.* **1.** Ação de emitir ou expelir de si; pôr em circulação, fazer ouvir: *emissão de voz; emissão de humores; emissão de papel-moeda; emissão de um programa radiofônico.* **2.** *Fís.* Desprendimento de energia dum sistema sob forma de energia radiante ou de partículas. **3.** *Fís. Nucl.* Ejeção de partículas por núcleo, um átomo, ou um sistema atômico. **4.** *Fís.* As ondas ou partículas emitidas por um sistema qualquer. [Antôn.: *imissão.* Cf. *imisção.*] ♦ **Emissão atmosférica.** *Astr. Airglow.*

emissário. [Do lat. *emissariu.*] *Adj.* **1.** Que é enviado em missão. ● *S. m.* **2.** Aquele que é enviado em missão; mensageiro. **3.** *Bras.* Parte de uma rede de esgotos sanitários e/ou pluviais que se destina a conduzir, da galeria final ao local (único) de lançamento, os materiais recolhidos pela rede. ♦ **Emissário lacustre.** Curso de água que serve de escoadouro a um lago.

emissionismo. [Do lat. *emissione,* 'emissão', + *-ismo.*] *S. m.* Tendência para o abuso de emissão de papel-moeda.

emissividade. [De *emissivo* + *-i-* + *-dade.*] *S. f. Fís.* Cociente da radiança de um corpo a uma temperatura pela radiança de um radiador perfeito à mesma temperatura.

emissivo. *Adj.* **1.** Que tem a propriedade de emitir. **2.** Que pode ser emitido. ~ V. *poder* —.

emissor (ô). [Do lat. *emissore.*] *S. m.* **1.** Aquele que emite ou envia alguém ou algo; emitente. **2.** *Teor. Inf.* Um dos elementos básicos do processo de comunicação: aquele que codifica a mensagem original produzida pela fonte (17) e emite os sinais codificados ao receptor (6) (eventualmente, emissor e fonte constituem um só elemento, para efeito de análise do processo de comunicação). V. *sistema de comunicação.* ● *Adj.* **3.** Diz-se de banco ou estabelecimento de crédito que emite moeda-papel; emitente.

emissora (ô). [Fem. substantivado do adj. *emissor.*] *S. f.* **1.** Estação transmissora de programas de rádio ou televisão. **2.** Empresa que produz e transmite tais programas.

emitância. [Do ingl. *emittance.*] *El. s. f.* Us. nas loc. *emitância energética, emitância luminosa* e *emitância radiante.* ♦ **Emitância energética.** *Fís.* Quantidade de energia radiante emitida por uma fonte na unidade de tempo, por unidade de área; emitância radiante, densidade de fluxo radiante, farosagem radiante. **Emitância luminosa.** *Fotom.* Quantidade de energia luminosa emitida por uma fonte na unidade de tempo e por unidade de área; radiância luminosa. [Unid.: lm/m^2.] **Emitância radiante.** *Fís.* V. *emitância energética.*

emitente. [Do lat. *emittente.*] *Adj. 2 g.* **1.** Emissor (3). ● *S. 2 g.* **2.** Emissor (1). **3.** *Cont.* e *Com.* Aquele que emite cheque, nota promissória, duplicata. **4.** *Cont.* e *Com.* Sacador(3).

emitir. [Do lat. *emittere.*] *V. t. d.* **1.** Lançar fora de si: *O violino emitia sons langorosos;* "Cada gota de orvalho, tremeluzindo nas folhinhas tenras dos vegetais, emitia cintilações de brilhantes, multicores, aos primeiros raios do sol." (Adalberon Cavalcanti Lins, *Curral Novo,* p. 168). **2.** Pôr em circulação: *emitir dinheiro.* **3.** Enviar, expedir: *Emitiu o vale pelo correio.* **4.** Exprimir, pronunciar, enunciar: "Uma boca enorme que se fecha sem emitir palavras" (Raul Brandão, *Húmus,* p. 113). **5.** Soltar, lançar, desferir: "Todas as manhãs, antes de a aurora anunciar o dia, o galo-de-campina punha-se a cantar emitindo notas maviosas, ritmadas." (Adalberon Cavalcanti Lins, *Curral Novo,* p. 167). **6.** Exprimir, enunciar, verbalmente ou por escrito: *emitir uma opinião.* *Int.* **7.** Pôr dinheiro em circulação: *Fala-se contra a inflação, e só se faz emitir.* [Cf. *imitir.*]

emoção. [Do fr. *émotion.*] *S. f.* **1.** Ato de mover

(moralmente). **2.** Abalo moral; comoção. **3.** *Psicol.* Reação intensa e breve do organismo a um lance inesperado, a qual se acompanha dum estado afetivo de conotação penosa ou agradável.

emocional. *Adj. 2 g.* **1.** Relativo a emoção. **2.** Emotivo (2). **3.** V. *emocionante*: "Noites emocionais, saudosas, enluaradas..." (Hermes-Fontes, *Gênese*, p. 62.). ~ V. *tensão* —.

emocionante. *Adj. 2 g.* Que emociona; comovente, emocional.

emocionar. [Do fr. *émotionner.*] *V. t. d.* **1.** Causar emoção (2 e 3) em; impressionar, perturbar; comover: *O espetáculo emocionou -a.* *Int.* **2.** Provocar emoção; impressionar: *O futebol emociona.* *P.* **3.** Sentir emoção; impressionar-se; comover-se.

emoldar. [De e-^{3} + *molde* + *-ar*^{2}.] *V. t. d.* **1.** V. *emoldurar* (1 e 2). *T. d. e i.* **2.** Moldar, amoldar.

emoldurar. [De e-^{3} + *moldura* + *-ar*^{2}.] V. t. d. **1.** Meter em moldura; encaixilhar, engastar; emoldar: *emoldurar uma tela, uma estampa.* **2.** Guarnecer, ornar em volta; emoldar: *Uma parreira emoldurava a entrada do jardim.* **3.** Adornar, enfeitar, ataviar. [F. paral.: *moldurar.*]

emoliente. [Do lat. *emolliente.*] *Adj. 2 g.* e *s. m. Med.* Que, ou substância ou medicamento que amolece ou abranda uma inflamação; demulcente.

emolir. [Do lat. *emollire.*] *V. t. d. Med.* Desfazer a dureza de; abrandar; amolecer. [Defect., só conjugável nas f. em que a vogal da terminação é *i.*]

emolumento. [Do lat. *emolumentu.*] *S. m.* **1.** Lucro, proveito. **2.** Retribuição, gratificação. **3.** Rendimento dum cargo, além do ordenado fixo. ~ V. *emolumentos.*

emolumentos. [Pl. de *emolumento.*] *S. m. pl.* Lucros eventuais. ~ V. *emolumento.*

emonar-se. [De *em-*^{3} + *mono* + *-ar*^{2} + *se*^{1}.] *V. p. Pop.* Arrufar-se, amuar(-se), embezerrar(-se).

emordaçar. [De *em-*^{3} + *mordaça* + *-ar*^{2}.] *V. t. d.* Tapar a boca com mordaça a; amordaçar. [Conjug.: v. *laçar.*]

emortecer. [De *em-*^{3} + *morte* + *-ecer.*] *V. t. d.* V. *amortecer.* [Conjug.: v. *aquecer.*]

emostar. [De *em-*^{3} + *mosto* + *-ar*^{2}.] *V. t. d.* **1.** Tornar doce, fazer sazonar (a uva). **2.** Meter no mosto. *Int.* **3.** Tornar-se doce; sazonar, emostar-se. **4.** Transformar-se em mosto. *P.* **5.** V. *emostar* (3). **6.** Transformar-se em mosto.

emotividade. *S. f.* Qualidade ou estado de emotivo: "Temas e formas era natural que convergissem a dar expressão — avivando-a — à emotividade profundamente perturbada daquele grande momento de crise social e espiritual." (Hernâni Cidade, *in* João Gaspar Simões, *Perspectiva da Literatura Portuguesa do Século XIX*, p. 106.)

emotivo. [Do fr. *émotif.*] *Adj.* **1.** Propenso a emoções: *homem sensível, emotivo.* **2.** Próprio de emotivo (1); emocional: *comportamento emotivo.* ~ V. *função* —a. ● *S. m.* **3.** Indivíduo emotivo.

emouquecer. [De e-^{3} + *mouco* + *-ecer.*] *V. t. d. e int.* Tornar(-se) mouco; ensurdecer. [Conjug.: v. *aquecer.*]

empa. [Dev. de *empar.*] *S. f.* **1.** Ação ou efeito de empar. **2.** Estaca a que se liga ou em que se ampara a videira.

empacador (ô). *Adj.* **1.** *Bras.* Diz-se do cavalo ou burro dado a empacar^{2} (1). **2.** *Bras.*; *S. Fig.* Que costuma empacar^{2} (3); gago, tartamudo.

empacar^{1}. [Do esp. *empacar.*] *V. t. d. P. us.* V. *empacotar.* [Conjug.: v. *trancar.*]

empacar^{2}. [Do esp. amer. *empacarse.*] *V. int.* **1.** *Bras.* Emperrar, parar (o cavalo ou o burro), firmando manhosamente as patas, sem que possa o cavaleiro obrigá-lo a prosseguir viagem: "Vai então, empacou o jumento em que eu vinha montado" (Machado de Assis, *Memórias Póstumas de Brás Cubas*, p. 72). **2.** *Bras. Fam.* Não continuar, não prosseguir; não ir adiante; parar ou manter-se parado: "Quis empurrá-lo docemente para o caixão, mas Deco fincou os pés no assoalho e empacou." (Macedo Miranda, *Pequeno Mundo outrora*, p. 42); *O orador ia muito bem, mas de repente empacou; Os negócios, tão promissores, agora empacaram.* **3.** *Bras., S.* Gaguejar, tartamudear. [Conjug.: v. *trancar.*]

empacavirado. [Part. de *empacavirar.*] *Adj.* Envolvido (o fumo de rolo) em folhas de pacavira para o conservar.

empacavirar. [De *em-*^{3} + *pacavira* + *-ar*^{2}.] *V. t. d. Bras., PE* e *AL.* Envolver (o fumo de rolo) em folhas de pacavira, para o conservar.

empachado. [Part. de *empachar.*] *Adj.* **1.** Diz-se do estômago muito cheio, sobrecarregado, obstruído. **2.** *P. ext.* Que tem o estômago empachado. **3.** *Bras., S.* Diz-se de pessoa de ventre volumoso, rotundo. **4.** *Bras., RS.* Diz-se do cavalo que, embora manso, costuma corcovear antes de começar a marcha.

empachamento. *S. m.* V. *empacho.*

empachar. [Do provenç. *empachar.*] *V. t. d.* **1.** Encher muito; obstruir, impedir. **2.** Sobrecarregar (o estômago); abarrotar, empanturrar, empanzinar. *P.* **3.** Sobrecarregar-se; obstruir-se. **4.** Abarrotar-se, empanturrar-se, empanzinar-se.

empache. [Dev. de *empachar.*] *S. m. Bras., PB. Pop.* Impertinência, rabugice. [Cf. *empacho.*]

empacho. [Dev. de *empachar.*] *S. m.* **1.** Ação ou efeito de empachar(-se); embaraço, estorvo, empecilho, obstrução. **2.** Sensação desagradável produzida por obstrução ou abarrotamento do estômago. [Sin. ger.: *empachamento. Cf. empache.*]

empaçocar. [De *em-*^{3} + *paçoca* + *-ar*^{2}.] *V. t. d. Bras.* **1.** Dar aspecto de paçoca a. **2.** Amarfanhar, amarfalhar, amarrotar. **3.** Enredar, emaranhar. [Conjug.: v. *trancar.*]

empacotadeira. *S. f.* Empacotadora.

empacotado. [Part. de *empacotar.*] *Adj.* Colocado em pacote.

empacotador (ô). *Adj.* e *s. m.* Que ou aquele que empacota.

empacotadora (ô). [Fem. substantivado do adj. *empacotador.*] *S. f.* Máquina agrícola para empacotar palha, feno, etc.; empacotadeira.

empacotamento. *S. m.* Ato de empacotar (1).

empacotar. [De *em-*^{3} + *pacote* + *-ar*^{2}.] *V. t. d.* **1.** Colocar em pacote(s): *empacotar livros.* [Sin.: *enfardar, enfardelar, embalar, embrulhar* e (p. us.) *empacar.*] *Int.* **2.** *Gír.* V. *morrer* (1).

empada. [De *empanada*, com desnasalação e crase.] *S. f.* **1.** Iguaria de massa com recheio de carne, camarão, palmito, etc., geralmente com tampa da própria massa, e assada em fôrmas ao forno; empadão. [Aum. irreg.: *empanada*; dim. irreg.: *empanadilha.*] **2.** Empada (1) assada em fôrmas pequenas para consumo individual; empadinha. **3.** *Fam.* Pessoa importuna.

empadão. *S. m.* Empada (1) [q. v.].

empadinha. [Dim. de *empada.*] *S. f.* Empada (2).

empadroar. *V. t. d.* **1.** Alistar, registrar, como contribuinte. **2.** Inscrever em padrão^{1} (5). *P.* **3.** Alistar-se; recensear-se; incluir-se. [Conjug.: v. *coroar.*]

empáfia. *S. f.* Orgulho vão; soberba, altivez, embófia; páfia: "o tal Sr. Augusto, como toda a empáfia de um semidoutor, decidiu magistralmente que a moça tinha todos os defeitos possíveis." (Joaquim Manuel de Macedo, *A Moreninha*, p. 64.)

empaiolar. [De *em-*^{2} + *paiol* + *-ar*^{2}.] *V. t. d. Bras., S.* Arrecadar ou guardar em paiol.

empalação. [De *empalar* + *-ção.*] *S. f.* Suplício antigo, que consistia em espetar o condenado em uma estaca, pelo ânus, deixando-o assim até morrer.

empalamado. *Adj.* **1.** Coberto de emplastros. **2.** Doente, achacadiço, mazelado. **3.** *Bras.* Pálido, anêmico, como os opilados, os hidrópicos, ou de uma gordura frouxa e descorada. [F. paral.: *empalemado*; var. (bras., N.), nesta acepç.: *empambado.*]

empalamar-se. *V. p. Bras., S.* Tornar-se empalamado (2).

empalar. [Do esp. *ampalar.*] *V. t. d.* Submeter ao suplício da empalação.

empalecer. *V. t. d.* e *int. P. us.* Empalidecer (1 e 4): "nos espaços pestanejavam as estrelas...., ao passo que fina e amarelada névoa empalecia o tênue segmento iluminado do argênteo astro" (Visconde de Taunay, *Inocência*, pp. 213-214). [Conjug.: v. *aquecer.*]

empalemado. *Adj. Bras.* V. *empalamado.*

empaletar. [De *em-*^{3} + *paleta* (ê) + *-ar*^{2}.] *V. t. d. Mar. Merc.* Colocar (volumes ou objetos) sobre paleta.

empalhação. *S. f.* Ação ou efeito de empalhar; empalhamento.

empalhador (ô). *S. m.* **1.** Aquele que empalha. **2.** Aquele que tece com palhinha (2); palheireiro. ● *Adj.* **3.** *Bras., S.* Que demora muito a concluir um trabalho; preguiçoso.

empalhamento. *S. m.* Empalhação.

empalhar. [De *em-*^{3} + *palha* + *-ar*^{2}.] *V. t. d.* **1.** Forrar ou cobrir com palhas ou vimes: *Empalhavam as garrafas de vinho antes de vendê-las.* **2.** Empalheirar (1). **3.** Acondicionar com palha a fim de que não se quebre ou pise (vidro, louça, fruta, etc.). **4.** Encher de palha (a pele de um animal morto), para conservar-lhe as formas. **5.** Tecer com palhinha (2); empalheirar (2). **6.** *Fig.* Entreter; demorar; paliar: *empalhar uma pessoa.* **7.** *Bras. Pop..* Embaraçar, atrapalhar. **8.** *Bras., S.* Retardar a conclusão de (trabalho ou negócio); embromar.

empalheirar. [De *em-*^{3} + *palheiro* + *-ar*^{2}.] *V. t. d.* **1.** Recolher em palheiro; empalhar. **2.** Empalhar (5).

empalidecer. [De *em-*^{3} + *pálido* + *-ecer.*] *V. t. d.* **1.** Fazer perder a cor; tornar pálido: *O susto empalideceu -a.* [Sin., p. us: *empalecer.*] **2.** Fazer perder o viço; amarelecer. **3.** Desmerecer, deslustrar. *Int.* **4.** Perder a cor; fazer-se pálido: "Emagrecia e empalidecia a olhos vistos." (Machado de Assis, *Contos sem Data*, p. 94); "Empalideço, tremo e caio, como um morto" (Luís Delfino, *Algas e Musgos*, p. 209); "Empalidece sobre o caule um lírio / e morre" (Maranhão Sobrinho, *Papéis Velhos*, p. 21). [Sin, p. us., nesta acepç.: *empalecer.*] **5.** Perder o brilho: "No céu, as últimas estrelas já empalideciam." (Lígia Fagundes Teles, *Seminário dos Ratos*, p. 9.) **6.** *Fig.* Perder, de todo ou em parte, o brilhantismo, a expressão, a importância, o relevo, etc.: *Sua glória empalidece ante a de Castro Alves; Com a idade, o seu talento vai empalidecendo.* [Conjug.: v. *aquecer.*]

empalmação. [De *empalmar* + *-ção.*] *S. f.* **1.** Roubo artificioso; escamoteação. **2.** *P. ext.* Furto; roubo.

empalmador (ô). *Adj.* e *s. m.* Diz-se de, ou aquele que empalma.

empalmar. [De *em-*^{3} + *palma* + *-ar*^{2}.] *V. t. d.* **1.** Esconder na palma da mão; escamotear: *O prestidigitador empalmava os objetos e repunha-os em locais diferentes.* **2.** Furtar com destreza; surripiar, surrupiar; abafar: *empalmar uma carteira. T. d. e i.* **3.** Assenhorear-se de; apossar-se de: *Empalmou o relógio do tio.* [Sin.: ger.: *palmar.*]

empambado. *Adj. Bras., N.* V. *empalamado.*

empampanar. [De *em-*^{3} + *pâmpano* + *-ar*^{2}.] *V. t. d. e p.* Cobrir(-se) ou coroar(-se) de pâmpanos; emparrar(-se).

empanada^{1}. [Do esp. *empanada.*] *S. f.* Empada (1) grande. [Dim. irreg.: *empanadilha.*]

empanada^{2}. [Fem. substantivado do adj. *empanado.*] *S. f.* **1.** Caixilho de janela tapado com pano ou com papel, em vez de vidro. **2.** V. *estore.* **3.** *Bras., N.E.* Toldo de casas comerciais.

empanadilha. *S. f.* Pequena empada (1).

empanado. [Part. de *empanar*^{1}.] *Adj.* **1.** Coberto com pano(s). **2.** Embaciado, embaçado, baço. **3.** Deslustrado; maculado. **4.** *Bras., N.E.* Diz-se de indivíduo vestido com roupa de brim, casimira, etc., ou seja, de pano, ao contrário do vaqueiro, cujas vestes, de couro, lhe valem o epíteto de *encourado.* ● *S. m.* **5.** *Bras., N.E.* Indivíduo empanado (4).

empanamento. *S. m.* Ato ou efeito de empanar(-se) [v. *empanar*^{1}].

empanar^{1}. [De *em-*^{3} + *pano* + *-ar*^{2}.] *V. t. d.* **1.** Cobrir com pano(s). **2.** Encobrir, esconder, ocultar: *A densa folhagem empanava a mansão.* **3.** Tirar o brilho a; embaciar, embaçar, ofuscar: *O vapor de água empana o espelho.* **4.** Deslustrar; macular; conspurcar: *Os solecismos empanavam o discurso.* **5.** Escurecer, obscurecer, turvar: *As sombras iam empanando o salão.* **6.** Impedir, embaraçar, obstar. *P.* **7.** Perder o brilho; embaciar-se. **8.** Deslustrar-se; macular-se, conspurcar-se: *Meteu-se em negociatas, e sua reputação se empanou.*

empanar^{2}. [De *em-*^{3} + lat. *pane*, 'pão', + *-ar*^{2}.] *V. t. d. Cul.* Passar (carne, peixe, etc.) na farinha de trigo e no ovo, fritando-os em seguida.

empancar. [De *em-*^{3} + *panca* + *-ar*^{2}.] *V. t. d.* **1.** Segurar com panca. **2.** Suster; represar; vedar. **3.** Empachar, enfartar. [Conjug.: v. *trancar.*]

empandeiramento. *S. m.* Ato ou efeito de empandeirar.

empandeirar. [De *em-*^{3} + pando + *-ar*^{2}, talvez com infl. de *pandeiro.*] *V. t. d.* **1.** Tornar pando; enfunar. **2.** Inchar; enfartar. **3.** Lograr, enganar, burlar. **4.** Desfazer-se ou descartar-se de. **5.** Dar cabo de; matar. **6.** Esbanjar, desperdiçar, malgastar.

empandilhar. [De *em-*^{3} + *pandilha* + *-ar*^{2}.] *V. t. d.* **1.** Trapacear no jogo de conluio com um ou mais parceiros; fazer marreta. **2.** Furtar com destreza. *P.* **3.** Combinarem-se (os parceiros), ao jogo, para roubar outros. **4.** *Bras., RS.* Reunir-se em pandilha.

empaneirar. [De *em-*^{3} + *paneiro*^{1} + *-ar*^{2}.] *V. t. d. Bras.* Pôr (cereais) em paneiro^{1} (6) forrado de folhas.

empanemar. [De *em-*^{3} + *panema* + *-ar*^{2}.] *V. t. d. Bras. N.* Tornar panema; azarar, encaiporar.

empangar. *V. int. Bras., S.* Ficar inerte, friorento, sem ânimo. [Conjug.: v. *largar.*]

empanque. [Dev. de *empancar.*] *S. m.* Qualquer substância com que se vedam as juntas das máquinas.

empantanar. [De *em-*^{3} + *pântano* + *-ar*^{2}.] *V. t. d.* **1.** Tornar pantanoso; alagar; apaular. **2.** Meter em pântano; atolar. *P.* **3.** Meter-se em pântano; atolar-se.

empantufar-se. [De *em-*^{3} + *pantufo*^{1} + *-ar*^{2} + *se*^{1}.] *V.*

p. **1.** Calçar pantufas. **2.** Empavonar-se, ensoberbecer-se; encher-se.
empanturrar. [De *em-*[3] + *panturra* + *-ar*[2].] *V. t. d.* **1.** Encher (alguém) de comida; empanzinar, empachar, abarrotar. *T. d. e c.* **2.** Encher em demasia; fartar: *Empanturrou as crianças de sorvete. P.* **3.** Encher-se de comida; abarrotar-se, empanzinar-se, encher-se. **4.** *Fig.* Encher-se de orgulho, de soberba; ensoberbecer-se, enfatuar-se.
empanzinador (ô). *S. m.* **1.** Aquele que empanzina ou empanturra. **2.** Aquele que empanzina, ilude, burla, embaça.
empanzinamento. *S. m.* Enfartamento, enfartação.
empanzinar. *V. t. d.* **1.** V. *empanturrar* (1): *Empanzinou os convivas.* **2.** Surpreender com alguma notícia má ou com alguma pancada. **3.** Iludir, enganar, lograr, burlar, embaçar. *P.* **4.** V. *empanturrar* (3).
empapar. [De *em-*[3] + *papa*[2] + *-ar*[1].] *V. t. d.* **1.** Cobrir de papas. **2.** Tornar mole; encharcar; ensopar: *A chuva empapava a terra;* "O suor *empapava* os cabelos da doente." (Moreira Campos, *Os Doze Parafusos*, p. 93). **3.** Diminuir a intensidade de embate ou pancada. **4.** Seduzir, engodar. **5.** Imbuir, incutir. *T. d. e c.* **6.** Embeber, ensopar, mergulhar: *Empapou a camisa na água. P.* **7.** Ensopar-se, embeber-se: "Seu vestido branco *se empapava* do meu suor amarelo-verde" (Lígia Fagundes Teles, *Antes do Baile Verde*, p. 11); *Suava, a camisa empapava-se.* **8.** *Bras.*, *N.E.* Pop. V. *locupletar* (5).
empapelado. *Adj. Bras. Turfe.* Diz-se do cavalo que passou por um período de tratamento e volta a correr sem condições satisfatórias, por força da apresentação de atestados que o dão inexatamente como curado.
empapelar. [De *em-*[3] + *papel* + *-ar*[2].] *V. t. d.* **1.** Envolver em papel; embrulhar. **2.** Revestir (parede) com papel. **3.** Guardar com muito cuidado; agasalhar. [Pres. ind.: *empapelo*, etc. Cf. *empapelo* (ê).]
empapelo (ê). [Dev. de *empapelar.*] *S. m.* **1.** Ato de empapelar fumo, nas respectivas fábricas. **2.** Invólucro de papel. [Pl.: *empapelos* (ê). Cf. *empapelo*, do v. *empapelar.*]
empapuçado. [Part. de *empapuçar.*] *Adj.* **1.** Cheio de papos ou pregas: *Sua blusa está empapuçada.* **2.** Inchado, opado; papudo: *olhos empapuçados.*
empapuçamento. *S. m.* Ato ou efeito de empapuçar(-se).
empapuçar. *V. t. d.* **1.** Encher de papos ou pregas. *P.* **2.** Tornar-se opado; inchar-se. **3.** *Bras. Gír.* Tomar drogas em excesso. [Conjug.: v. *laçar.*]
empaquetamento. *S. m. Bras. RS.* Ação de empaquetar-se.
empaquetar-se. [Do esp. *empaquetarse*] *V. p. Bras., RS.* Vestir-se com luxo ou com a roupa melhor; endomingar-se.
empar. [Do lat. **impalare*, de *palu*, 'pau'.] *V. t. d.* Suster (a videira) com estacas ou varas. [Cf. *impar.*]
emparceirar. [De *em-*[3] + *parceiro* + *-ar*[2].] *V. t. d.* **1.** Juntar, ajuntar, ligar, unir. *T. d. e i.* **2.** Juntar como parceiro; emparelhar; unir: *Não o emparceiraram com os demais rapazes. P.* **3.** Unir-se em parceria; ligar-se.
empardar. [Do esp. plat. *empardar.*] *V. t. d. Bras. RS.* Reunir em parelhas ou pares. **2.** Igualar, irmanar.
empardecer. [De *em-*[3] + *pardo*[2] + *-ecer.*] *V. t. d. e int.* Tornar(-se) pardo[2], escuro. [Conjug.: v. *aquecer.*]
emparedado. [Part. de *emparedar.*] *Adj.* **1.** Encerrado em parede: *Viam-se os ossos de um homem emparedado.* **2.** Encerrado entre quatro paredes; preso, enclausurado: *Vive entregue aos estudos, emparedado, sem pôr os pés na rua.* ● *S. m.* **3.** *Bras. BA.* Garganta entre rochas a pique, muitas vezes atravessada de rios, e onde se estreitam grotas.
emparedar. [De *em-*[3] + *parede* + *-ar*[2].] *V. t. d.* **1.** Encerrar entre paredes; enclausurar: *O rei mandou emparedar seus inimigos.* **2.** Ladear de paredes. **3.** Impedir a passagem de; bloquear. *P.* **4.** Encerrar-se entre paredes. **5.** Levantar-se ou ficar perpendicular, ao modo de parede ou muralha; aprumar-se.
emparelhado. [Par. de *emparelhar.*] *Adj.* Que forma parelha com outra coisa, animal ou pessoa; jungido, igualado, irmanado. ~ V. *rimas* —*as.*
emparelhamento. *S. m.* Ato ou efeito de emparelhar(-se).
emparelhar. [De *em-*[3] + *parelha* + *-ar*[2].] *V. t. d.* **1.** Pôr de par a par; jungir: *emparelhar cavalos; emparelhar bois.* **2.** Unir, ligar. **3.** Tornar igual; irmanar: *Os mesmos gostos emparelhavam-nos. T. d. e i.* **4.** Comparar; nivelar, equiparar: *O mau estadista emparelha a ambição pessoal com interesses de Estado. T. i.* **5.** Ser igual; condizer: *Sua atitude emparelha com o cargo que ocupava.* **6.** Ser semelhante; igualar-se, equiparar-se. **7.** Estar ao nível de; equiparar-se, ombrear, rivalizar: *Camões emparelha com os maiores poetas mundiais. Int.* **8.** Ficar lado a lado; correr parelhas. *P.* **9.** Tornar-se igual; equiparar-se, ombrear. [Conjug.: v. *aparelhar.*]
emparrar. [De *em-*[3] + *parra* + *-ar*[2].] *V. t. d. e p.* Cobrir (-se) de parras ou pâmpanos; empampanar(-se).
emparreirar. [De *em-*[3] + *parreira* + *-ar*[2].] *V. t. d.* **1.** Cobrir de parreiras ou videiras. **2.** Suspender em estacas, em forma de parreira.
emparvamento. *S. m. Bras. RS.* Ato de emparvar[2].
emparvar[1]. [De *em-*[3] + *parvo* + *-ar*[2].] *V. t. d. e p.* V. *emparvoecer.*
emparvar[2]. [De *em-*[3] + *parva*[2] + *-ar*[2].] *V. t. d. Bras., RS.* Fazer a parva[2]; emedar.
emparvecer. [De *em-*[3] + *parvo* + *-ecer.*] *V. t. d.e int.* V. *emparvoecer.* [Conjug.: v. *aquecer.*]
emparvoecer. [De *em-*[3] + *parvo* + *-ecer.*] *V. t. d. e int.* Tornar(-se) parvo ou idiota; emparvecer, emparvar(-se). [Conjug.: v. *aquecer.*]
empasma. [Do gr. *émpasma.*] *S. m. Desus.* Pó que serve para enxugar o suor e/ou atenuar-lhe o cheiro.
empastado. [Part. de *empastar.*] *Adj.* **1.** Que forma pasta. **2.** Diz-se do cabelo colado, unido.
empastamento. *S. m.* **1.** Ato ou efeito de empastar(-se); empaste. **2.** Disposição em pasta; empaste. **3.** *Med.* Estado de parte edemaciada, o qual dá a sensação a quem a examina, de tocar uma pasta. **4.** *Encad.* Empaste (2).
empastar. [De *em-*[3] + *pasta* + *-ar*[2].] *V. t. d.* **1.** Converter ou transformar em pasta. **2.** Ligar, unir, como pasta. **3.** Cobrir de pasta. **4.** *Pint.* Aplicar (tintas) em grande quantidade **5.** *Encad.* Prender as pastas a (livro), em geral por meio de cordas ou cadarços. *P.* **6.** Formar pasta.
empaste. [Dev. de *empastar.*] *S. m.* **1.** *V. empastamento* (1 e 2). **2.** *Encad.* Ato ou efeito de pôr as pastas num livro; empastamento.
empastelado. [Part. de *empastelar.*] *Adj.* Que sofreu, ou em que houve empastelamento. ~ V. *letra* —*a.*
empastelamento. *S. m. Tip.* Ação ou efeito de empastelar(-se).
empastelar. [De *em-*[3] + *pastel* + *-ar*[2].] *V. t. d.* **1.** *Tip.* Misturar (caracteres ou outro material tipográfico) com os de diferente caixa ou caixotim. **2.** *Tip.* Inutilizar as oficinas de (um jornal). **3.** Amassar, machucar, estragar. *P.* **4.** *Tip.* Desfazer-se (fôrma, granel ou linha de tipos). **5.** *Tip.* Cair (matriz de linotipo) em magazine ou canal errado.
empata. [Dev. de *empatar.*]. *S. 2 g. Gír.* Pessoa que empata ou embaraça um negócio, divertimento, namoro, etc.
empatar. [Do it. *impattare.*] *V. t. d.* **1.** Tolher o seguimento de; embaraçar; sustar, atalhar: *A falta de material empatou o serviço.* **2.** Ocupar, tomar: *A família empatava todo o seu tempo.* **3.** Aplicar (dinheiro) em circunstâncias não lucrativas. **4.** Igualar (votações opostas, ou tentos, no jogo). *T. d. e i.* **5.** Empregar, aplicar: *Empatou uma fortuna em ações. T. i.* **6.** Chegar ao fim de uma competição sem haver vencedor; igualar: *O Vasco empatou com o Flamengo.* **7.** Encontrar obstáculo(s); esbarrar. *Int.* **8.** No jogo de xadrez, chegar a uma posição em que é impossível dar xeque-mate.
empate. [Dev. de *empatar.*] *S. m.* **1.** Ato ou efeito de empatar. **2.** Conclusão de jogo ou disputa sem que haja vencedor. **3.** Indecisão, irresolução. **4.** *Bras.* Obstrução do tubo gastrintestinal em conseqüência da não digestão de alimentos acumulados.
empatia. [Do gr. *empátheia.*] *S. f. Psicol.* Tendência para sentir o que sentiria caso se estivesse na situação e circunstâncias experimentadas por outra pessoa.
empático. *Adj.* Relativo à, ou próprio da empatia.
empavesar. [De *em-*[3] + *pavês* + *-ar*[2].] *V. t. d.* **1.** Guarnecer com paveses; ornar de paveses; pavesar. *Int.* **2.** Guarnecer de paveses; empavesar-se. *P.* **3.** Guarnecer-se de paveses; empavesar. **4.** Enfeitar-se, adornar-se, ataviar-se. **5.** Pavonear-se, ensoberbecer-se. [Sin. ger.: *apavesar.*].
empavonar. [De *em-*[3] + arc. *pavon*, 'pavão', + *-ar*[2].] *V. t. d.* **1.** Tornar cheio de vaidade, inchado, como um pavão; ensoberbecer. *P.* **2.** Pavonear-se, ensoberbecer-se. [F. paral.: *apavonar.*]
empeçar[1]. [Do esp. plat. *empezar.*] *V. t. d.* **1.** Enredar, emaranhar; empecer. **2.** Pôr obstáculos a. **3.** Tornar obscuro, confuso. *T. i.* **4.** Encontrar obstáculo(s); embaraçar-se. *Int.* **5.** Embaraçar-se, enredar-se. [Conjug. v. *começar.* Pres. ind.: *empeço, empeças, empeça, empeçamos, empeçais, empeçam.* Cf. *empeço* (ê), do v. *empecer* e *s. m.*: *empeças* (ê), *empeça* (ê), *empeçam* (ê), do mesmo v.; e *impeço, impeças, impeça, impeçamos, impeçais, impeçam,* do v. *impedir.*]
empeçar[2]. *V. t. d. e int. Bras., RS,* e *prov. lus.* Começar, principiar. [Conjug.: v. *começar.* Pres. ind.: *empeço, empeças, empeça, empeçamos, empeçais, empeçam.* Cf. *empeço* (ê), do v. *empecer* e *s. m.*; *empeças* (ê), *empeça* (ê), *empeçam* (ê), do mesmo v.; e *impeço, impeças, impeça, impeçamos, impeçais, impeçam,* do v. *impedir.*]
empecer. [Do lat. **impediscere*, incoativo de *impedire.*] *V. t. d.* **1.** Causar dano a; prejudicar; transtornar. **2.** Impedir, estorvar. *T. d. e i.* **3.** Dificultar, estorvar: "O que Francisco muito queria em sua casa era amor e paz. Se a mãe lhe *empecia* o gozo desses bens, justo era que ele se apartasse." (Camilo Castelo Branco, *Mistérios de Fafe*, p. 34.) *T. i.* **4.** Criar obstáculo(s); dificultar. **5.** Encontrar obstáculo(s); embaraçar-se; empeçar. *Int.* **6.** Causar dano. [Conjug.: v. *aquecer.* Pres. ind.: *empeço* (ê), *empeces*, etc. Pres. subj.: *empeça* (ê), *empeças* (ê), *empeça* (ê), *empeçamos, empeçais, empeçam* (ê). Cf. *empeço, empeças, empeça, empeçam,* do v. *empeçar*, e *impeço, impeças, impeça, impeçamos, impeçais, impeçam,* do v. *impedir.*]
empecilho. *S. m.* **1.** Aquilo que empece ou estorva; impedimento, estorvo, obstáculo, empecimento, empeço. **2.** Pessoa que empece ou estorva.
empecimento. *S. m.* **1.** Ato de empecer. **2.** V. *empecilho* (1).
empecível. *Adj. 2. g.* Empecivo.
empecivo. *Adj.* Que empece; empecível.
empeço[1] (ê). [Dev. de *empecer.*] *S. m.* V. *empecilho* (1). [Pl.: *empeços* (ê). Cf. *empeço*, do v. *empeçar*, e *impeço*, do v. *impedir.*]
empeço[2] (ê). [Do esp. plat. *empiezo.*] *S. m. Bras., RS.* Começo, princípio. [Pl.: *empeços* (ê). Cf. *empeço*, do v. *empeçar*, e *impeço*, do v. *impedir.*]
empeçonhar. [De *em-*[3] + *peçonha* + *-ar*[2].] *V. t. d.* **1.** Dar peçonha a; envenenar. **2.** Pôr peçonha em. **3.** Corromper, perverter, estragar, envenenar: "Um veneno subtil, vago, disperso, / *Empeçonhou* a criação divina." (Antero de Quental, *Sonetos*, p. 271.) [F. paral.: *empeçonhentar.*]
empeçonhentar. *V. t. d.* V. *empeçonhar.*
empedernecer. *V. t. d. e p.* V. *empedernir.* [Conjug.: v. *aquecer.*]
empedernido. [Part. de *empedernir.*] *Adj.* **1.** Que se tornou duro como pedra; petrificado; endurecido. **2.** Insensível, duro: *alma empedernida;* "convertendo relapsos e embrandecendo muito coração *empedernido.*" (Vitorino Nemésio, *A Mocidade de Herculano*, I, p. 103).
empedernir. [Do lat. **impetrinire*, calcado no lat. tardio *petrinu*, 'pétreo'.] *V. t. d.* **1.** Tornar em pedra; petrificar. **2.** Tornar duro como pedra; endurecer, empedrar. **3.** Tornar frio e insensível como pedra; tornar desumano, cruel; desumanar, desumanizar; empedrar: *A vida rude que levou empederniu-o. P.* **4.** Tornar-se insensível, desumano, cruel; empedrar-se. [Sin. ger.: *empedernecer.* Defect., só conjugável nas f. em que ao *n* se segue a vogal *i* da terminação.]
empedocliano. *Adj.* **1.** *Filos.* Pertencente ou relativo ao filósofo, médico e taumaturgo grego Empédocles de Agrigento (483-423 a.C.), ou próprio dele. ● *S. m.* **2.** *Filos.* Partidário de Empédocles.
empedrado. [Part. de *empedrar.*] *Adj.* **1.** Que levou pedra ou foi calcetado; pedrado. ● *S. m.* **2.** A parte das estradas que tem pedra britada; chão calcetado.
empedrador (ô). *S. m.* Aquele que empedra; calceteiro.
empedradura. *S. f.* **1.** Empedramento. **2.** Doença nos cascos das cavalgaduras.
empedramento. *S. m.* Ato ou efeito de empedrar(-se); empedradura.
empedrar. [De *em-*[3] + *pedra* + *-ar*[2].] *V. t. d.* **1.** Calçar ou revestir (o solo) com pedras. **2.** Tapar com pedras. **3.** V. *empedernir* (2 e 3). *Int.* **4.** Tornar-se imóvel como pedra; petrificar-se. *P.* **5.** Empedernir (4).
empedrouçado. [De *em-*[2] + *pedrouço* + *-ado*[1].] *Adj. Bras.* V. *pedregoso:* "Fomos levando o cadáver pela rua *empedrouçada*, trôpegos, revezando-nos" (Lima Barreto, *Vida e Morte de M. J. Gonzaga de Sá*, p. 125).
empegar. [De *em-*[3] + *pego* + *-ar*[2].] *V. t. d.* **1.** Meter no pego; engolfar. *T. d. e c.* **2.** Engolfar, abismar. *P.* **3.** Meter-se no pego; engolfar-se. [Conjug.: v. *largar.*]
empeireirado. [Part. de *empeireirar.*] *Adj. Bras., N.* Que se desenvolve devagar; enfezado, raquítico.
empeireirar. *V. t. d. Bras., N.* **1.** Suspender o crescimento de. *Int.* **2.** Tornar-se raquítico; atrofiar-se, enfezar-se.
empeiticação. *S. f.* **1.** *Bras., N. e N. E.* Ato de empeiticar.

2. Birra, teimosia, obstinação.
empeiticar. [De *em-*^{3} + *peitica* + *-ar*^{2}.] *V. t. i. Bras., N.* e *N.E.* Embirrar, teimar: *Por qualquer tolice põe-se a empeiticar com a mulher.* [Conjug.: v. *trancar.* Cf. *impeticar.*]
empelamar. [De *em-*^{3} + *pelame*^{2} + *-ar*^{2}.] *V. t. d.* Lançar (as peles) no pelame.
empelicado. [De *em-*^{3} + *pelico* + *-ado*^{2}.] *Adj.* **1.** Diz-se da criança que nasce com a cabeça envolta no pelico (2). **2.** Que tem muita sorte; afortunado, ditoso. [É crendice popular que quem nasce envolto em pelico terá sorte na vida. Us. mais comumente na expr. *nascer empelicado.*]
empelicar. [De *em-*^{2} + *pelica* + *-ar*^{2}.] *V. t. d.* **1.** Preparar (as peles finas). **2.** Cobrir de pelicas. [Conjug.: v. *trancar.*]
empelo (ê). *S. m.* **1.** Porção de massa antes de se converter em pão. **2.** Ervas cozidas com que se prepara o esparregado. [Pl.: *empelos* (ê).]
empelota. [Por **ampulota*, dim. de *ampula.*] *S. f.* **1.** Pequeno frasco ou garrafa; âmbula. **2.** Redoma (3).
empena. *S. f.* **1.** Deformação da madeira nova, pela ação da umidade ou do calor. **2.** Parede lateral ou cabeceira de um edifício. **3.** Peça de madeira que vai do frechal à cumeeira. **4.** Parte superior duma parede, com a forma de triângulo isósceles.
empenachar. [De *em-*^{3} + *penacho* + *-ar*^{2}.] *V. t. d.* **1.** Pôr penacho em. **2.** Enfeitar com penachos. **3.** Tornar garrido; enfeitar, adornar.
empenado. [Part. de *empenar*^{2}.] *Adj.* **1.** Que empenou; deformado, torcido, torto: *madeira empenada.* **2.** Que se desviou da linha de prumo: *muro empenado.*
empenagem. [Do fr. *empennage.*] *S. f.* Conjunto constituído pelos lemes e estabilizadores horizontais e verticais, situados no extremo de ré da fuselagem de uma aeronave.
empenamento. *S. m.* Ação ou efeito de empenar^{2}; empeno.
empenar^{1}. [De *em-*^{3} + *pena* + *-ar*^{2}.] *V. t. d.* **1.** Enfeitar com penas. *Int.* **2.** Criar penas; emplumar-se. *P.* **3.** Cobrir-se de penas. [Pres. ind.: *empeno*, etc. Cf. *empino*, do v. *empinar*, e s. m., e este verbo.]
empenar^{2}. [De *empena* + *-ar*^{2}.] *V. t. d.* **1.** Fazer torcer ou entortar pela ação do calor ou da umidade. *Int.* **2.** Torcer-se, deformar-se (a madeira). *P.* **3.** Desviar-se da linha de prumo. [Pres. ind.: *empeno*, etc. Cf. *empino*, do v. *empinar*, e s. m., e este verbo.]
empencado. [De *em-*^{3} + *penca* + *-ado*^{1}.] *Adj. Bras.* Junto, unido, que nem bananas em penca.
empendoar. [De *em-*^{3} + *pendão* + *-ar*^{2}.] *V. int. Bras.* Desabotoar ou desabrochar (o pendão do milho); pendoar, apendoar. [Conjug. v.: *coroar.* Defect., só us. nas 3as pess.]
empenha. [Do fr. *empeigne.*] *S. f. Ant.* **1.** Couro para um sapato. **2.** Remendo lateral dum sapato. **3.** A parte superior do sapato.
empenhamento. *S. m. P. us.* Empenho (1).
empenhar. [Do b.-lat. **impegnare.*] *V. t. d.* **1.** Dar em penhor; hipotecar, empenhorar. **2.** Empregar, aplicar com diligência: *Empenhou todo o seu prestígio para conseguir um despacho favorável.* **3.** Comprometer, obrigar promessa: *Não faltará ao prometido, pois empenhou sua palavra.* **4.** Atrair, dominar; tomar: *O assunto empenhava a atenção dos circunstantes. T. d.* e *i.* **5.** Forçar, compelir, impelir: *Sua violência empenhou o inimigo a uma reação.* **6.** Empregar, aplicar: *Empenhou todas as energias na absolvição do réu.* **7.** Imputar uma dívida da administração pública ao respectivo crédito orçamentário. *P.* **8.** Endividar-se, dando penhor. **9.** Pôr todo o empenho (4); fazer toda a diligência. **10.** Ficar obrigado por compromisso ou promessa.
empenho. [Dev. de *empenhar.*] *S. m.* **1.** Ato de empenhar (1): *empenho de um objeto.* [Sin., p. us.: *empenhamento.*] **2.** Ato de dar a palavra em penhor; compromisso, obrigação. **3.** Grande interesse: *Tenho muito empenho em que o Neves seja eleito.* **4.** Porfia, diligência, insistência. **5.** Influência de alguém para alcançar determinado fim: *Serviu-se do empenho do pai para obter emprego.* **6.** Pessoa influente ou poderosa; pistolão: *O senador Valadão é um bom empenho* **7.** *Bras.* Verba destinada a certa despesa preestabelecida no orçamento de uma repartição pública.
empenhorar. [De *em-*^{3} + *penhor* + *-ar*^{2}] *V. t. d.* V. *empenhar* (1).
empeno. [Dev. de *empenar*^{2}.]. *S. m.* **1.** Empenamento. **2.** *Pop.* Diferença, inexatidão, nas contas. **3.** *Fig.* Obstáculo, dificuldade, óbice. [Cf. *empino*, do v. *empinar*, e s. m.]
empepinar. [De *em-*^{3} + *pepino* + *-ar*^{2}.] *V. t. d.* Tornar semelhante a um pepino.
emperador (ô). *S. m. Ant.* Imperador.
emperiquitado. [Part. de *emperiquitar-se.*] *Adj. Bras.* Que se enfeita em demasia; perequeté: "Tanto tinha minha tia de *emperiquitada* quanto minha avó .... de desmazelada consigo mesma." (Pedro Nava, *Balão Cativo*, p. 15)
emperiquitar-se. [De *em-*^{3} + *periquito* + *-ar*^{2} + *se*^{1}.] *V. p. Bras.* Enfeitar-se, ataviar-se, em demasia.
emperlar. [De *em-*^{3} + *perla* + *-ar*^{2}.] *V. t. d.* **1.** Pôr pérolas em. **2.** Dar forma de pérolas a; perlar. **3.** Cobrir ou adornar com pérolas. *P.* **4.** Ataviar-se com pérolas.
empernar. [De *em-*^{3} + *perna* + *-ar*^{2}.] *V. int.* Cruzar as pernas.
emperramento. *S. m.* **1.** Ação ou efeito de emperrar(-se). **2.** Teimosia, perrice, teima. [Sin. ger.: *emperro* (ê).]
emperrar. [De *em-*^{3} + *perro* + *-ar*^{2}.] *V. t. d.* **1.** Tornar perro (3), difícil de mover; entravar: *A umidade emperrou as portas.* **2.** Tornar difícil, tolher, a articulação ou o movimento de: *O reumatismo emperrou-lhe as pernas.* **3.** Provocar a teima ou obstinação em. **4.** Tornar duro, insensível; endurecer, empedernir. *Int.* **5.** Tornar-se perro (3); não querer ou não poder mover-se. **6.** V. *embatucar* (2) *P.* **7.** Enraivecer-se; obstinar-se. [Pres. ind.: *emperro*, etc. Cf. *emperro* (ê).]
emperro (ê). [Dev. de *emperrar.*] *S. m.* V. *emperramento.* [Pl.: *emperros* (ê). Cf. *emperro*, do v. *emperrar.*]
empertigado. [Par. de *empertigar.*] *Adj.* **1.** Teso, direito, aprumado: *Tem um andar empertigado;* "A seu lado, conspícuo, empertigado, fato novo a pear-lhe os gestos, o marido tentava vãmente sofrear-lhe o choro com um gaguejar de palavras de consolação." (José Gomes Ferreira, *O Mundo dos Outros*, p. 128). **2.** Orgulhoso, vaidoso, altivo.
empertigar. [De *em-*^{3} + *pértiga* + *-ar*^{2}.] *V. t. d.* **1.** Tornar teso, direito: *O colete de gesso empertigava-o. P.* **2.** Aprumar-se, endireitar-se: *O sargento empertigou-se diante do tenente.* **3.** Tomar ares altivos ou soberbos. [Conjug.: v. *largar.*]
empesgadura. *S. f.* Ato ou efeito de empesgar.
empesgar. [De *em-*^{3} + *pesga*(ê) + *-ar*^{2}.] *V. t. d.* Untar com pez; empezar, empezinhar. [Conjug.: v. *largar.*]
empestado. *Adj.* Que se empestou.
empestante. *Adj. 2 g.* Que empesta: *Estava um mau cheiro empestante no quarto.*
empestar. [De *em-*^{3} + *peste* + *-ar*^{2}.] *V. t. d.* **1.** Infetar com peste; tornar pestilento; pestear. **2.** Infeccionar; contaminar; pestear. **3.** Corromper; depravar; desmoralizar: *Quantos vícios empestam as grandes cidades!* **4.** *Fig.* Tornar desagradável pela contaminação do ambiente com elementos nocivos: *Os fumantes empestaram o salão. P.* **5.** Infetar-se com peste; tornar-se pestilento. [Sin. ger.: *apestar* e *empestear.*]
empestear. [De *em-*^{3} + *peste* + *-ar*^{2}.] *V. t. d.* e *p.* V. *empestar.* [Conjug.: v. *frear.*]
empetecar. [De *em-*^{3} + *petecar.*] *Bras. V. t. d.* e *p.* Enfeitar(-se), ornar(-se) ou vestir(-se) de modo exagerado e inestético; petecar(-se): *Empetecou as filhas para o casamento; Empetecou-se para a cerimônia da posse.* [Conjug.: v. *trancar.*]
empetrácea. *S. f.* Espécime das empetráceas.
empetráceas. *S. f. pl. Bot.* Família de plantas floríferas, da ordem das sapindales, que compreende arbustos com pequenas flores solitárias ou em capítulos, flores unissexuais e actinomorfas, com perianto e androceu dímeros ou trímeros, e gineceu com dois a nove carpelos; fruto drupáceo. Há somente umas seis espécies, nas zonas frias.
empetráceo. *Adj.* Pertencente ou relativo às empetráceas.
empezar. [De *em-*^{3} + *pez* + *-ar*^{2}.] *V. t. d.* **1.** V. *empesgar.* **2.** Defumar com pez para preservar da corrução.
empezinhar. [De *em-*^{3} + *pez*(ê) + *-inhar.*] *V. t. d.* **1.** V. *empesgar.* **2.** Sujar com pez.
empicotado. [Part. de *empicotar.*] *Adj.* **1.** Que se empicotou. ● *S. m.* **2.** Preso que foi posto na picota ou pelourinho: "Numa nobre estadela, Pedro [o Cru] inquire / De cada empicotado a grave culpa" (Eugênio de Castro, *Obras Poéticas*, V, p. 41).
empicotar. [De *em-*^{3} + *picota*^{1} ou *picoto* + *-ar*^{2}.] *V. t. d.* **1.** Colocar no pico, no picoto. **2.** Prender na picota ou no pelourinho.
empiema. [Do gr. *empyema.*] *S. m.* **1.** *Patol.* Coleção purulenta limitada dentro de cavidade natural (visceral ou serosa), como, p. ex., cavidade pleural, vesícula biliar, apêndice vermiforme, antro maxilar.
empiemático. [Do gr. *émpyema, atos,* 'empiema', + *-ico*^{2}.] *Adj.* Que tem empiema.
empilchar. [Do esp. plat. *empilchar.*] *V. t. d. Bras., RS.* **1.** Cobrir de pilchas ou adornos. *P.* **2.** Cobrir-se de pilchas ou adornos. **3.** Encher-se de dinheiro. **4.** Conseguir boa situação; arranjar-se; arrumar-se.
empilhadeira. *S. f.* Máquina automóvel destinada a empilhar e arrumar carga em armazéns, parques ferroviários, portos etc.
empilhamento. *S. m.* Ato ou efeito de empilhar(-se).
empilhar. [De *em-*^{3} + *pilha*^{1} + *-ar*^{2}.] *V. t. d.* **1.** Pôr em pilha; amontoar, acumular, apinhar. *P.* **2.** Amontoar-se, acumular-se, apinhar-se.
empinado. [Part. de *empinar.*] *Adj.* Direito, erguido, levantado.
empinar. *V. t. d.* **1.** Pôr a pino; pôr direito; erguer. **2.** Fazer avultar, ressair ou sobressair; tornar proeminente; ressaltar: "O sujeito avançava para o meio da roda, os braços apartados em cruz, *empinando* e retraindo a barriga" (Herman Lima, *Garimpos*, p. 22). **3.** Fazer subir; elevar. **4.** *Bras.* Fazer subir aos ares (o brinquedo chamado *papagaio*): "foi-se tornando.... a figura apagada que corria pelos pastos, tomava banho no rio, *empinava* papagaios." (Fernando Sabino, *A Falta Que Ela Me Faz*, p. 27). **5.** Vazar, bebendo, emborcar (copo, garrafa, etc.). *P.* **6.** Pôr-se a pino; pôr-se em lugar elevado. **7.** Ensoberbecer-se, enfatuar-se, empavonar-se. **8.** Erguer-se sobre as patas traseiras (cavalgaduras); encabritar-se. [Pres. ind.: *empino*, etc. Cf. *empeno*, do v. *empenar*, e s. m., e este verbo.]
empino. [Dev. de *empinar.*] *S. m.* **1.** Ato ou efeito de empinar(-se). **2.** *Fig.* Soberba, altivez. [Cf. *empeno*, do v. *empenar*, e s. m.]
▲**empi(o)-** [Do gr. *émpyos, os, on.*] *El. comp.* = 'purulento': *empiose, empiônfalo.*
empiônfalo. [De *empi(o)-* + *-ônfalo.*] *S. m. Patol.* Abscesso no umbigo.
empiorar. [De *em-*^{3} + *piorar.*] *V. t. d.* **1.** Tornar pior; agravar; piorar. *Int* e *p.* **2.** Tornar-se pior; piorar: "chegou e passou a coresma sem que o doente nem *empiorasse*, nem melhorasse." (Bernardo Élis, *Veranico de Janeiro*, p. 26).
empiose. [De *empi(o)-* + *-ose.*] *S. f. Patol.* Formação de empiema.
empipocar. [De *em-*^{3} + *pipoca* + *-ar*^{2}.] *V. int. Bras.* Criar pústulas ou borbulhas. [Cf. *pipoca* (2). Conjug.: v. *trancar.* Normalmente é defect., us. só nas 3as. pess.]
empíreo. [Do gr. *empyrios*, pelo lat. *empyriu.*] *S. m.* **1.** *Mitol.* Morada dos deuses. **2.** A morada dos santos e bem-aventurados; o Céu. ● *Adj.* **3.** Pertencente ou relativo ao Céu; celeste. **4.** Supremo, superior.
empireuma. [Do gr. *empyreuma.*] *S. m.* Cheiro e sabor acres contraídos por uma substância orgânica submetida à ação de fogo violento.
empírico. [Do gr. *empeirikós*, pelo lat. *empiricu.*] *Adj.* **1.** Relativo ao, ou próprio do empirismo. **2.** Baseado apenas na experiência e, pois, sem caráter científico: "as calamidades ou os simples dissabores nas relações do coração provinham de que o amor era praticado de um modo *empírico*; faltava-lhe a base científica." (Machado de Assis, *Histórias sem Data*, p. 193). **3.** *Filos.* Diz-se de conhecimento que provém, sob perspectivas diversas, da experiência. [Cf., nesta acepç., *racional* (4).] — V. *conhecimento —, curva — a, fórmula —* e *realismo —.* ● *S. m.* **4.** Indivíduo empírico (2); charlatão.
empiriocriticismo. [De *empiri(smo)* + *-o-* + *criticismo.*] *S. m. Hist. Filos.* Designação comum às doutrinas de Richard Avenarius (1843-1896) e Ernst Mach (1878-1916), filósofos alemães, caracterizadas sobretudo pela concepção da experiência como soma de impressões e sensações subjetivas, do quê resulta a negação do valor da ciência; machismo.
empirismo. [Por *empiricismo* < de *empírico* + *-ismo.*] S. m. **1.** *Filos.* Doutrina ou atitude que admite, quanto à origem do conhecimento, que este provenha unicamente da experiência, seja negando a existência de princípios puramente racionais, seja negando que tais princípios, existentes embora, possam, independentemente da experiência, levar ao conhecimento da verdade. [Opõe-se a *racionalismo.*] **2.** *P. ext.* Certo tipo de charlatanismo. ◆ **Empirismo lógico.** *Filos.* V. *positivismo lógico.*
empirista. *Adj. 2 g. Filos.* **1.** Pertencente ou relativo a empirismo. **2.** Diz-se de partidário do empirismo. ● *S. m.* **3.** Partidário dele.
empirrear. *V. t. d. Bras., GO.* V. *chocar*^{2} (1). [Conjug.: v. *frear.* Normalmente é defect.]
empirreio. [Dev.: de *empirrear.*] *S. m. Bras., GO.* V. *choco*^{1} (1).
empistolado. [Part. de *empistolar.*] *Adj.* e *s. m. Bras.*

Diz-se de, ou aquele que tem pistolão^{2} (1 e 2) ou pistolões: *candidato* empistolado.
empistolar. [De em-^{3} + pistola (por *pistolão*) + *-ar*^{2}.] *V. t. d. Bras.* Dar pistolão^{2} (1 e 2) a.
emplacador (ô). [De *emplacar* (1) + *-(d)or.*] *S. m. Bras.* Aquele que emplaca [v. *emplacar* (1)].
emplacamento. *S. m. Bras.* Ação de emplacar (1).
emplacar. [De *em-*^{3} + *placa* + *-ar*^{2}.] *V. t. d. Bras.* **1.** Pôr placa ou chapa em. **2.** *Gír.* Viver até; chegar a; atingir, alcançar (determinado ano ou idade): *F. cuida mal da saúde: não* emplaca *1987; Como* Emplacar *100 Anos* (título de um livro de Mário Filizzola). [Conjug.: v. *trancar.*]
emplasmado. [Part. de *emplasmar.*] *Adj.* **1.** Coberto de emplastros. **2.** Coberto ou cheio de feridas. **3.** Enfermiço, achacadiço.
emplasmar. *V. t. d.* Cobrir com emplastro.
emplastação. *S. f.* Ato de emplastar; emplastagem, emplastamento e emplastramento.
emplastagem. *S. f.* V. *emplastação.*
emplastamento. *S. m.* V. *emplastação.*
emplastar. *V. t. d.* Var. de *emplastrar.*
emplasto. *S. m.* V. *emplastro.*
emplastramento. *S. m.* V. *emplastação.*
emplastrar. [Do lat. *emplastrare.*] *V. t. d.* **1.** Pôr emplastro em. **2.** Cobrir com emplastro(s). [Var.: *emplastar.*]
emplástrico. *Adj.* **1.** Que serve para emplastro. **2.** Relativo a emplastro.
emplastro. [Do gr. *émplaston*, pelo lat. *emplastru.*] *S. m.* **1.** Medicamento que amolece ao calor e adere ao corpo. **2.** Conserto malfeito; remendo. **3.** Pessoa enfermiça ou imprestável, inútil: *Não se pode contar com ele: é um* emplastro. **4.** *Pop.* Pessoa cacete, importuna, aborrecida: *Que* emplastro *você nos trouxe para jantar!* [Var.: *emplasto.*]
emplumação. *S. f.* Ato de emplumar(-se).
emplumado. [Part. de *emplumar.*] *Adj.* **1.** Que tem plumas; penado. **2.** Ornado com plumas: *chapéu* emplumado.
emplumar. [De *em-*^{3} + *pluma* + *-ar*^{2}.] *V. t. d.* **1.** Ornar de plumas ou penas. **2.** Encher ou cobrir de penas; empenar. *P.* **3.** Cobrir-se de penas; empenar-se. **4.** Enfeitar-se; pavonear-se.
empoado. [Part. de *empoar.*] *Adj.* Coberto de pó: "Quando voltou ao quarto já ela estava de quimono, o cabelo composto, a face empoada, exalando um perfume fresco." (Maria Archer, *Fauno Sovina*, p. 209.)
empoar. [De *em-*^{3} + *pó* + *-ar*^{2}.] *V. t. d.* **1.** Cobrir de pó; polvilhar. **2.** Cobrir de poeira; empoeirar. *P.* **3.** Aplicar pó-de-arroz no rosto. [Conjug.: v. *coroar.*]
empobrecer. [De *em-*^{3} + *pobre* + *-ecer.*] *V. t. d.* **1.** Tornar pobre; fazer cair em pobreza: *Suas dívidas de jogo* empobreceram *a família.* **2.** Fazer perder a fertilidade: *Aquelas plantações* empobrecem *o solo.* **3.** Esgotar, exaurir, depauperar. *Int.* **4.** Tornar-se pobre; cair em pobreza; empobrecer-se. **5.** Perder a fertilidade (a terra). *P.* **6.** Empobrecer (4). [Conjug. v. *aquecer.*]
empobrecido. [Part. de *empobrecer.*] *Adj.* Tornado pobre.
empobrecimento. *S. m.* Ato ou efeito de empobrecer (-se).
empoçado. [Part. de *empoçar.*] *Adj.* **1.** Metido em poço ou poça. **2.** Que formou poça. [Cf. *empossado.*]
empoçar. [De *em-*^{3} + *poço* ou *poça* + *-ar*^{2}.] *V. t. d.* **1.** Meter em poço ou poça. *Int.* **2.** Formar poça; empoçar-se. *P.* **3.** Empoçar (2). **4.** Cair em poça; atolar-se. [Conjug.: v. *laçar.* Pres. subj.: *empoce*, etc. Cf. *empossar* e *emposse.*]
empocilgar. [De *em-*^{3} + *pocilga* + *-ar*^{2}.] *V. t. d.* **1.** Meter em pocilga. **2.** Encurralar, prender (em lugar acanhado ou infeto). [Conjug.: v. *largar.*]
empoeirar. [De *em-*^{3} + *poeira* + *-ar*^{2}.] *V. t. d.* **1.** Cobrir de poeira; empoar. **2.** Escurecer, obscurecer: empoeirar *a inteligência. P.* **3.** Cobrir-se de poeira.
empofe. *S. m. Bras., CE. Pop.* Embófia, prosápia.
empola (ô). [Var. de *ampola* (q. v.).] *S. f.* **1.** Vesícula (2). **2.** Bolha de água fervendo. **3.** Elevação de terreno. [Pl.: *empolas* (ô). Cf. *empola* e *empolas*, do v. *empolar.*]
empoláceo. *Adj.* Que tem forma de empola (1) ou de vesícula; empolar.
empolado. [Part. de *empolar*^{2}.] *Adj.* **1.** Cheio de empolas [v. *empola* (1)]. **2.** Muito pomposo; bombástico: *linguagem* empolada.
empolamento. *S. m.* **1.** Ação ou efeito de empolar^{2}(-se). **2.** *Pint.* Defeito em película de tinta, caracterizado pela formação de empolas na superfície pintada. **3.** Aumento de volume verificado, em trabalhos de terraplenagem, nos materiais resultantes de escavação.
empolar^{1}. *Adj. 2 g.* Empoláceo.
empolar^{2}. [De *empola*^{1} + *-ar*^{2}.] *V. t. d.* **1.** Fazer ou causar empolas em. **2.** Tornar pomposo, bombástico: empolar *as frases;* empolar *o estilo. Int.* **3.** Criar empolas; empolar-se. *P.* **4.** Empolar.(3). **5.** Encapelar-se, avolumar-se: *As ondas* empolaram-se *na maré-cheia.* **6.** Tornar-se soberbo, ostentoso. [Pres. ind.: *empolo, empolas, empola*, etc. Cf. *empola* (ô) e pl. *empolas* (ô).]
empoleirar. [De *em-*^{2} + *poleiro* + *-ar*^{2}.] *V. t. d.* **1.** Pôr em poleiro. **2.** Colocar como em poleiro: empoleirou *a criança num galho de árvore.* **3.** Nomear (para bom emprego); pôr em boa posição. *P.* **4.** Colocar-se sobre o poleiro. **5.** Elevar-se, alcandorar-se.
empolgação. *S. f.* **1.** Ato ou efeito de empolgar(-se). **2.** *Bras.* Grande animação; vivo entusiasmo.
empolgadeira. [De *empolgar* + *-deira.*] *S. f.* Buraco existente nas extremidades do arco da besta, e onde se enfia a corda.
empolgadura. *S. f.* Ato de empolgar. ~ V. *empolgaduras.*
empolgaduras. [Pl. de *empolgadura.*] *S. f. pl.* Furos na extremidade da besta ou da flecha. ~ V. *empolgadura.*
empolgante. *Adj. 2 g.* Que empolga, que prende irresistivelmente a atenção: *relato* empolgante.
empolgar. [De um lat. vulgar **impollicare*, 'meter o polegar.] *V. t. d.* **1.** Tomar com a mão; lançar mão de; segurar: Empolgou *a bengala para defender-se.* **2.** Prender com as garras; agarrar: *A fera* empolgou *a presa, dilacerando-a.* **3.** Tomar, arrebatar, por meios violentos ou ardilosos: Empolgou *os bens que não lhe pertenciam.* **4.** Prender a atenção, o interesse de; comover, impressionar: *O pianista* empolgou *a platéia;* "Parece claro que a idéia republicana nunca chegara mesmo a empolgar o povo." (Abelardo Duarte, *Três Ensaios*, p. 32). **5.** Atrair, absorver, ocupar: *A astronáutica* empolga *a atenção dos jovens. T. d. e i.* **6.** Tomar ou arrebatar por meios violentos ou ardilosos: Empolgou *o punhal ao adversário. P.* **7.** Impressionar-se; entusiasmar-se: Empolgou-se *com a novidade.* [Conjug.: v. *largar.*]
empolhar. [Do esp. *empollar.*] *V. t. d.* **1.** V. *chocar*^{2} (1). **2.** Fazer germinar. *Int.* **3.** Criar pinto (o ovo). [Cf. *empulhar.*]
empolmar. [De *em-*^{3} + *polme* + *-ar*^{2}.] *V. t. d.* Reduzir a polme.
empomadar. [De *em-*^{3} + *pomada* + *-ar*^{2}.] *V. t. d. e p.* Aplicar pomada (1) em; perfumar (o cabelo): *Depois de pintar-se,* empomadou-se *demoradamente.*
empombação^{1}. *S. f.* **1.** *Tip.* Operação em que se abastece de chumbo o crisol da linotipo.
empombação^{2}. *S. f. Gír.* Perseguição, importunação, impertinência; zanga.
empombar. *V. t. i. Bras. Gír.* Zangar-se, irritar-se, abespinhar-se: Empombou *comigo sem razão.*
empopar. [De *em-*^{3} + *popa* (ô) + *-ar*^{2}.] *V. int. Bras., AM.* Ficar (a embarcação) com mais calado a ré que a vante, por se achar na popa a maior parte da carga.
emporcalhar. [De *em-*^{3} + *porco* + *-alhar.*] *V. t. d.* **1.** Tornar porco, imundo; sujar; enxovalhar. *P.* **2.** Sujar-se; enodoar-se. **3.** Degradar-se; envilecer-se, aviltar-se: *Acedendo a tão vis condições,* emporcalhou-se *aos olhos dos amigos.*
empório. [Do gr. *empórion*, pelo lat. *emporiu.*] *S. m.* **1.** Centro de comércio internacional. **2.** Mercado (2). **3.** *Bras.* Loja de secos e molhados; armazém.
empós. [De *em* + *pós.*] *Prep.* e *adv.* Após, depois; atrás: *O pequeno correu* empós *a bola; O carro ia a toda, deixando uma nuvem de poeira* empós. ♦ **Empós de.** **1.** Depois de; após. **2.** No encalço de: "Tenho ido empós do ideal que me alumia" (Alberto de Oliveira, *Poesias*, 4ª série, p. 7).
empossado. [Part. de *empossar.*] *Adj.* Investido na posse. [Cf. *empoçado.*]
empossar. [De *em-*^{3} + *posse* + *-ar*^{2}.] *V. t. d.* **1.** Dar posse a; investir na posse: *O Presidente da República* empossou *o sucessor. T. d. e i.* **2.** Dar posse; investir na posse: *O Ministro* empossou-o *no cargo de chefe de gabinete. P.* **3.** Tomar posse; apossar-se, apoderar-se, assenhorear-se. [Cf. *empoçar.*]
emposse. [Dev. de *empossar.*] *S. m.* Ato ou efeito de empossar(-se). [Cf. *empoce*, do v. *empoçar.*]
emposta. *S. f.* **1.** A última pedra sobre o pilar, ou a pilastra, e da qual nasce a volta do arco. **2.** Coisa posta de permeio; estorvo. [Cf. *imposta*, do v. *impostar*, s. f. e adj. (f.), flex. de *imposto.*]
empostação. *S. f.* V. *impostação.*
empostado. [Part. de *empostar.*] *Adj.* Impostado.
empostar. *V. t. d.* V. *impostar.*
empostemar. [De *em-*^{3} + *postema* + *-ar*^{2}.] *V. t. d., int.* e *p.* V. *apostemar.*
emprateleirar. [De *em-*^{3} + *prateleira* + *-ar*^{2}.] *V. t. d.* Dispor em prateleiras: "Na vidraça, por trás deles, emprateleirava-se uma exposição de garrafas de malvasia" (Eça de Queirós, *O Primo Basílio*, p. 184).
emprazado. [Part. de *emprazar.*] *Adj.* V. *enfiteuticado.*
emprazador (ô). *Adj.* e *s. m.* Que ou aquele que empraza.
emprazamento. *S. m.* **1.** Ato de emprazar(-se). **2.** V. *enfiteuse.*
emprazar. [De *em-*^{3} + *prazo* + *-ar*^{2}.] *V. t. d.* **1.** Citar para comparecer em juízo ou perante qualquer autoridade em prazo certo. **2.** Convidar ou convocar a comparecer em certo e determinado tempo: Emprazou *os convidados para a semana seguinte.* **3.** Desafiar; intimar: Emprazou-o *para que se justificasse.* **4.** Ceder por, contrato de enfiteuse; aforar. *P.* **5.** Ajustar (duas ou mais pessoas) prazo e lugar para se encontrarem.
empreendedor (ô). *Adj.* **1.** Que empreende; ativo, arrojado, cometedor. ● *S. m.* **2.** Aquele que empreende; cometedor.
empreender. [Do lat. * *imprendere.*] *V. t. d.* **1.** Deliberar-se a praticar, propor-se, tentar (empresa laboriosa e difícil). **2.** Pôr em execução: *Só* empreende *os seus projetos quando a família os aprova;* "Oswald Spengler tentou empreender um estudo comparativo da morfologia das culturas." (José Honório Rodrigues, *Teoria da História do Brasil*, p. 117). [Sin., p. us.: *interprender* e *interpresar.*]
empreendimento. *S. m.* **1.** Ato de empreender; empresa. **2.** Efeito de empreender; aquilo que se empreendeu e levou a cabo; empresa; realização; cometimento.
empregada. [Fem. de *empregado* (4).] *S. f. Bras.* Criada de servir.
empregado. [Part. de *empregar.*] *Adj.* **1.** Que se empregou [v. *empregar* (9)]: *mulher* empregada. **2.** Usado, aplicado: *Tem todo o seu dinheiro* empregado. [Sin., lus., nessas acepç.: *empregue.*] ● *S. m.* **3.** Aquele que exerce emprego ou função; funcionário. **4.** V. *criado* (2). **5.** *Jur.* Pessoa física que presta serviços de caráter não eventual a um empregador, sob a dependência dele e mediante salário. ♦ **Empregado para todo o serviço.** Pessoa que mantém relações sexuais com o chefe.
empregador (ô). *Adj.* **1.** Que emprega [v. *empregar* (2)]: *firma* empregadora. ● *S. m.* **2.** Aquele que emprega. **3.** *Bras.* Chefe de firma ou de estabelecimento, em relação aos empregados; patrão. **4.** *Jur.* Empresa, individual ou coletiva, que admite, assalaria e dirige a prestação pessoal de serviços.
empregar. [Do lat. *implicare.*] *V. t. d.* **1.** Dar emprego, uso ou aplicação a: empregar *palavras raras;* empregar *dinheiro.* **2.** Dar colocação ou emprego a. **3.** Fazer uso de; servir-se de; aproveitar: *Resolveu* empregar *o pouco tempo que lhe resta.* **4.** Lançar mão de; usar de: Empregando *astúcia, alcançou o seu intento. T. d. e i.* **5.** Fazer uso de; utilizar: Empregou *na construção material de primeira qualidade.* **6.** Aplicar, ocupar: Emprega *o seu tempo em coisas úteis.* **7.** Gastar, despender; aplicar: Empregou *a herança em obras de caridade.* **8.** Aproveitar os serviços, a atividade (de alguém). *P.* **9.** Ser admitido a emprego, público ou particular. **10.** Aplicar o tempo; ocupar-se. [Conjug.: v. *regar.* Pres. ind.: *emprego*, etc.; part.: *empregado* e (lus.) *empregue.* Cf. *emprego* (ê).]
empregatício. *Adj.* Relativo a emprego (2): *vínculo* empregatício.
emprego (ê). [Dev. de *empregar.*] *S. m.* **1.** Ato de empregar; aplicação, uso: *bom* emprego *do tempo;* emprego *de um objeto, de um vocábulo.* **2.** Cargo, função, ocupação em serviço particular, público, etc.; colocação: *Tem excelente* emprego *no Ministério da Saúde.* **3.** Lugar onde se exerce emprego: *Faltou ontem ao* emprego, *por doença:* "Ritinha da Luz, dezesseis anos, solteira, ... ao sair do emprego, dirigiu-se à casa de sua irmã Julieta" (Dalton Trevisan, *O Vampiro de Curitiba*, p. 76). [Pl.: *empregos* (ê). Cf. *emprego*, do v. *empregar.*] ♦ **Agradecer o emprego.** Demitir-se, exonerar-se; agradecer o trabalho.
empregomania. [De *emprego* + *-mania.*] *S. f.* Mania de recorrer a empregos públicos de preferência a outro qualquer meio de vida.
empregomaníaco. *Adj.* **1.** Relativo à, ou que tem empregomania. ● *S. m.* **2.** Aquele que tem empregomania.
empregue. [Part. de *empregar.*] *Adj. 2 g. Lus.* Empregado (1 e 2).
empreguiçar. [De *em-*^{3} + *preguiça* + *-ar*^{2}.] *V. t. d.* **1.** Tornar preguiçoso. **2.** Causar preguiça a. [Conjug.: v. *laçar.*]

empreguismo. *S. m. Bras.* Tendência a dar empregos públicos à farta, por conveniências políticas.

empreguista. *Adj. 2 g. Bras.* **1.** Relativo ao, ou próprio do empreguismo: *política empreguista.* **2.** Que é partidário ou defensor do empreguismo. ● *S. 2 g.* **3.** Partidário ou defensor dele.

empreita[1]. [De *em-*[3] + **preita* (do gr. *plekté*), 'corda entrelaçada', pelo lat. vulg. *plecta.*] *S. f.* Tira de esparto com que se fazem esteiras, alcofas, etc. ◆ **Empreita de pau.** V. *cincho*[1].

empreita[2]. [Dev. de *empreitar.*] *S. f.* V. *empreitada*[2].

empreitada[1]. [De *empreita*[1] + *-ada*[1].] *S. f.* Obra de empreitas; trabalho de esparteiro.

empreitada[2]. [De *em-*[3] + *preito* (3) + *-ada*[1].] *S. f.* **1.** Obra por conta de outrem, mediante retribuição previamente ajustada; tarefa. **2.** Trabalho ajustado para pagamento global, e não a dias. [Sin. ger.: *empreita.*]

empreitar. *V. t. d.* Fazer ou tomar por empreitada[2].

empreiteira. [Fem. substantivado de *empreiteiro* (2).] *S. f. Bras.* Empresa, firma, organização que ajusta obras de empreitada[2].

empreiteiro. *S. m.* **1.** Aquele que ajusta obra de empreitada[2]. ● *Adj.* **2.** Que ajusta obras de empreitada[2]: *firma empreiteira.*

empreito. [Dev. de *empreitar.*] *S. m. Bras.* Ato de empreitar.

emprenhar. [De *em-*[3] + *prenhe* + *-ar*[2], ou do lat. **impregnare.*] *V. t. d.* **1.** Tornar prenhe (mulher ou outra fêmea); fazer conceber: "Vem Vicente Celestino, com bigodinho e fala mansa, bota casa para Arminda, emprenha a pobre." (Fran Martins, *Dois de Ouros*, p. 19.) [Sin., pop.: *encher.*] *Int.* **2.** Tornar-se prenhe; conceber; engravidar.

empresa (ê). [Do it. *impresa.*] *S. f.* **1.** Aquilo que se empreende; empreendimento: *Apesar dos obstáculos, não desistiu da empresa.* **2.** Organização particular, governamental, ou de economia mista, que produz e/ou oferece bens e serviços, com vista, em geral, à obtenção de lucros: *empresa comercial; empresa teatral; empresa industrial; empresa de transportes; Empresa de Correios e Telégrafos.* **3.** Empresa (2) como organização jurídica; firma, sociedade: *O empregado não chegou a acordo com a empresa.* [Pl.: *empresas* (ê). Cf. *empresa* e *empresas*, do v. *empresar.*] ◆ **Empresa aberta.** Empresa de capital aberto. **Empresa de capital aberto.** Aquela que tem seus títulos negociados nas bolsas de valores; empresa aberta. **Empresa de capital fechado.** Aquela cujo capital é constituído por subscrição entre determinado número de sócios, e cujos títulos não podem ser livremente negociados nas bolsas de valores; empresa fechada. **Empresa fechada.** Empresa de capital fechado.

empresar[1]. [De *em-*[3] + *preso* + *-ar*[2].] *V. t. d.* Represar; apresar. [Pres. ind.: *empreso, empresas, empresa*, etc.; fut. pret.: *empresaria*, etc. Cf. *empresa* (ê), pl. *empresas* (ê), e *empresária*, fem. de *empresário.*]

empresar[2]. [De *empresa* (ê) + *-ar*[2].] *V. t. d. Teat.* **1.** Produzir, financiar (espetáculos teatrais). *Int.* **2.** Participar de espetáculos teatrais como empresário ou produtor; produzir. [Pres. ind.: *empreso, empresas, empresa*, etc.; fut. pret.: *empresaria*, etc. Cf. *empresa* (ê), pl. *empresas* (ê), e *empresária*, fem. de *empresário.*]

empresariado. [De *empresário* + *-ado*[2].] *S. m.* A classe dos homens de empresa (2).

empresarial. *Adj. 2 g.* Relativo a empresa (2): *a classe empresarial.*

empresário. [Do it. *impresario.*] *S. m.* **1.** Aquele que é responsável pelo bom funcionamento de uma empresa (2): *um empresário teatral.* **2.** *P. ext.* Aquele que se ocupa da vida profissional e dos interesses de pessoas que se distinguem por seu desempenho perante o público: *o empresário de um pianista, de um boxeador.* **3.** Homem de empresa (2 e 3). ● *Adj.* **4.** Referente a empresa. [Fem.: *empresária*. Cf. *empresaria*, do v. *empresar.*]

empressada. *S. f. Bras., SP* e *PR.* Doce de polvilho e trigo.

emprestadar. [Cruz. de *emprestar* e *dar.*] *V. t. d. Bras. Gír.* Emprestar com a certeza de não reaver (o que equivale a dar).

emprestador (ô). *S. m.* Aquele que dá uma coisa em empréstimo; mutuante.

emprestar. [De *em-*[3] + *prestar.*] *V. t. d.* **1.** Confiar a alguém (certa soma de dinheiro, ou certa coisa), gratuitamente ou não, para que faça uso delas durante certo tempo, restituindo-as depois ao dono; ceder: *Empresta o que é seu com boa vontade.* **2.** Dar a juros (dinheiro). **3.** Dar, prestar: "Desfranze essas sobrancelhas / e empresta agora atenção" (Stella Leonardos, *Romanceiro do Bequimão*, p. 152). *T. d.* e *i.* **4.** Emprestar (1): "João Vasconcelos / emprestava aos pobres / o dinheiro dos ricos." (H. Dobal, *A Serra das Confusões*, "O Candidato".) **5.** *Bras., S.* e *C. O.* Tomar emprestado: *Emprestou do sogro dois milhões.* **6.** Dar, conferir, prestar: *Aquele amor emprestou sentido à sua vida;* "Madrugada — a cerração empresta à Travessa das Acácias um mistério de cidade submersa." (Érico Veríssimo, *Caminhos Cruzados*, p. 5). *P.* **7.** Auxiliar-se reciprocamente.

empréstimo. [Do arc. *empréstido*, com infl. de *préstimo.*] *S. m.* **1.** Ato de emprestar. **2.** A coisa emprestada. **3.** *Mús.* Em harmonia, cessão de acordes a modos diferentes do modo principal, feita geralmente pelo modo menor ao seu homônimo maior. **4.** *Constr.* Escavação feita no terreno para dele retirar material destinado a aterro. **5.** *Ling.* Adoção de traços lingüísticos diferentes dos de sistema tradicional.

emprisionar. *V. t. d.* V. *aprisionar.*

emproado. [Part. de *emproar* (2).] *Adj.* Orgulhoso, pretensioso, vaidoso.

emproar. [De *em-*[3] + *proa* + *-ar*[2].] *V. t. d.* e *i.* e *t. i.* **1.** V. *aproar.* *P.* **2.** Tornar-se emproado; ensoberbecer-se. **3.** *Bras., AM.* Estar a proa de (uma embarcação) metida em excesso na água, por se achar a carga em maior quantidade de a vante: *O gaiola emproou-se.* [Conjug.: v. *coroar.*]

emprostótono. [Do gr. *emprosthótonos.*] *S. m. Patol.* Contração espasmódica em que cabeça e pés se encurvam para a frente e o corpo se torna tenso.

empubescer. [De *em-*[3] + lat. *pubescere* 'tornar-se púbere'.] *V. int.* e *p.* **1.** Tornar-se púbere. **2.** Criar pêlos. [Conjug.: v. *crescer.*]

empulhação. *S. f.* **1.** Ato ou efeito de empulhar. **2.** *Bras.* Tapeação, embuste, logro.

empulhador (ô). *Adj.* e *s. m. Bras.* Que ou aquele que tapeia, ilude, logra, empulha; tapeador, embusteiro.

empulhar. [De *em-*[3] + *pulha* + *-ar*[2].] *V. t. d.* **1.** Dizer pulhas a; troçar ou zombar de. **2.** Enganar; iludir; lograr: *O malandro diz-se capaz de empulhar qualquer pessoa.* [Cf. *empolhar.*]

empunhadura. *S. f.* **1.** Punho (da espada). **2.** Lugar por onde se empunha (a arma, geralmente).

empunhar. [De *em-*[3] + *punho* + *-ar*[2].] *V. t. d.* **1.** Segurar pelo punho ou pela empunhadura: *empunhar uma espada, um facão.* **2.** Pegar em; tomar: *empunhar a pena;* "Rápido, Chico Bento empunha o rifle e dispara duas vezes." (José Potiguara, *Terra Caída*, p. 63). [Sin. ger.: apunhar. Pres. ind.: *empunho, empunhas, empunha, empunhamos, empunhais, empunham.* Cf. o imperf. ind. do v. *impor.*]

empurpurar. [De *em-*[3] + *purpurar.*] *V. t. d., int.* e *p.* V. *purpurear.*

empurra. [Dev. de *empurrar.*] *S. f.* V. *empurrão.*

empurra-empurra. [Da 3ª pess. do sing. do pres. ind. de *empurrar*, repetida.] *S. m. Bras.* Acotovelamento de multidão que quer sair de ou entrar em algum lugar: "os torcedores chegaram a dificultar o embarque nos carros por causa do empurra-empurra." (*Jornal do Brasil*, 21.1.1982). [Pl.: *empurras-empurras* e *empurra-empurras.*]

empurrão. *S. m.* Ato de empurrar; empurra, empurro, empuxão.

empurrar. [Do esp. *empujar.*] *V. t. d.* **1.** Impelir com violência; empuxar. **2.** Dar encontrões em; empuxar: *Empurrou os vizinhos com violência, para abrir caminho.* *T. d.* e *i.* **3.** Introduzir à força: *Empurrou a faca no peito do assaltante.* **4.** Obrigar ou forçar a aceitar; impingir: *Empurrou no freguês a mercadoria defeituosa; Gosta de empurrar comida nos filhos.* *P.* **5.** Dar empurrões reciprocamente: "A expectativa é grande demais, ... e os garotos pulam, se empurram, se beliscam, dão pontapés nas paredes, às gargalhadas." (Maria Julieta Drummond de Andrade, *O Valor da Vida*, p. 47.)

empurro. [Dev. de *empurrar.*] *S. m. Bras.* V. *empurrão.*

emputecer. [De *em-*[3] + *puto* + *-ecer.*] *V. t. d., int.* e *p. Chulo.* Tornar(-se) emputecido. [Conjug.: v. *aquecer.*]

emputecido. [Part. de *emputecer.*] *Adj. Chulo.* Muito aborrecido; colérico, furioso, furibundo.

empuxador (ô). *S. m.* Aquele que empuxa.

empuxão. *S. m.* **1.** Ato de empuxar; repelão, abanão, puxão, empuxo: *Chamou-a a si com um empuxão.* **2.** V. *empurrão.*

empuxar. [De *em-*[3] + *puxar.*] *V. t. d.* **1.** Empurrar (1 e 2). **2.** Sacudir; abalar. **3.** Arrastar; induzir: *Não resistiu às forças que o empuxavam.*

empuxo. [Dev. de *empuxar.*] *S. m.* **1.** Ato de empuxar. V. *empuxão* (1). **2.** Pressão exercida por um arco ou uma abóbada sobre os encontros ou por um maciço terroso sobre uma muralha de sustentação. **3.** *Astron.* Força exercida em um veículo à reação na direção de seu movimento, e resultante da ejeção de gases da combustão, ou de íons, ou de fótons. **4.** *Fís.* Num corpo imerso em um fluido, sujeito à ação da gravidade, força que age para cima com módulo igual ao peso do volume do fluido deslocado pelo corpo, e cujo ponto de aplicação é o centro de gravidade desse volume; empuxo arquimediano. ◆ **Empuxo arquimediano.** *Fís.* Empuxo (4). **Empuxo específico.** *Astron.* V. *impulso específico.*

emudecer. [Do lat. *immutescere.*] *V. t. d.* **1.** Tornar mudo: *O pavor emudeceu-o.* **2.** Fazer calar; tornar silencioso: *A mestria do ator emudeceu a platéia; Permanecendo imperturbável em face dos boatos, emudeceu as más-línguas.* *Int.* **3.** Tornar-se mudo: "Talvez um anjo emudece / Quando ela fala." (Machado de Assis, *Poesias Completas*, p. 57.) **4.** Tornar-se silencioso; calar-se: *Envergonhado, o rapaz emudeceu;* "De repente o padre silenciava e todos emudeciam" (Maria Julieta Drummond de Andrade, *O Valor da Vida*, p. 27). **5.** Deixar de fazer-se ouvir; calar-se: *De repente, o alto-falante emudeceu.* [Conjug.: v. *aquecer.*]

emulação. [Do lat. *aemulatione.*] *S. f.* **1.** Sentimento que nos incita a igualar ou superar outrem. **2.** Competição, rivalidade, concorrência. **3.** Estímulo, incentivo. **4.** *Jur.* Rivalidade que leva alguém a, abusando de seu direito, recorrer à justiça, só com o fim de satisfazer sentimentos inferiores e infligir vexames a outrem.

emular. [Do lat. *aemulare.*] *V. t. d.* **1.** Ter emulação com; rivalizar ou competir com; disputar preferência a: *Grande ambicioso, não se impõe limites: emula amigos e inimigos.* **2.** Pôr-se par a par de; igualar: *O jovem poeta procura emular Carlos Drummond de Andrade.* **3.** Seguir o exemplo de; imitar. *T. i.* **4.** Ter emulação; competir, rivalizar: *Não emula aos estúpidos.* **5.** Empenhar-se na mesma pretensão: *Devemos todos emular em preservar os direitos do homem.* *Bit. i.* **6.** Competir, emparelhar: *emula com o irmão em inteligência e simpatia.* *P.* **7.** Competir; porfiar. [Pres. ind.: *emulo, emulas, emula*, etc. Cf. *êmulo* e as flex. *êmula, êmulas.*]

emulgente. [Do lat. *emulgente.*] *Adj. 2 g.* **1.** *Med.* Que efetua um processo esvaziador ou purificante. **2.** *Anat.* Diz-se das veias e das artérias dos rins. ● *S. m.* **3.** *Med.* Agente que aumenta a secreção urinária e a biliar; purificador.

êmulo. [Do lat. *aemulu.*] *Adj.* e *s. m.* Que ou aquele que tem emulação; competidor, rival, adversário: "À roda do monarca [Afonso, o Sábio], organizador da atividade espiritual da Espanha, como D. Dinis, seu êmulo em poesia e letras, o foi em Portugal, modulava-se o idioma galego-português" (Ricardo Jorge, *Sermões dum Leigo*, p. 163). [Flex.: *êmula, êmulos, êmulas.* Cf. *emulo, emulas, emula*, do v. *emular.*]

emulsão. [Do lat. **emulsione*, pelo fr. *émulsion.*] *S. f.* **1.** Divisão dum corpo líquido ou mole em finos glóbulos, no seio dum veículo também líquido. **2.** Preparação farmacêutica, de uso, em geral, interno, que contém substâncias gordurosas, extremamente divididas em suspensão. **3.** *Fís.-Quím.* Colóide (2) em que as fases dispersora e dispersa são líquidas. **4.** *Fís. Nucl.* Emulsão nuclear. **5.** *Fot.* Emulsão fotográfica. ◆ **Emulsão fotográfica.** *Fot.* Camada de gelatina que contém halogenetos de prata, sensível à ação de radiação luminosa e utilizada em chapas e filmes fotográficos. [Tb. se diz apenas *emulsão.*] **Emulsão nuclear.** *Fís. Nucl.* Emulsão fotográfica especialmente preparada para ser impressionada pela passagem de partículas. [Tb. se diz apenas *emulsão.*]

emulsificador (ô). *S. m. Fís-Quím.* Substância utilizada para estabilizar uma emulsão, e que provoca, em geral, a diminuição da tensão interfacial entre as duas fases líquidas.

emulsificar. *V. t. d. Fís-Quím.* V. *emulsionar.* [Conj.: v. *trancar.*]

emulsina. [Do lat. *emulsu*, 'ordenhado', + *-ina.*] *S. f. Quím.* **1.** Diástase extraída do óleo de amêndoa, e que hidrolisa glicosídeos. **2.** Mistura à base de sabão, óleo vegetal, perfume e emulsificante que em água forma emulsão leitosa.

emulsionar. *V. t. d.* Fazer emulsão de.

emulsivo. [Do lat. *emulsu*, 'ordenhado', + *-ivo.*] *Adj.* **1.** Que tem óleo que pode ser extraído por pressão. **2.** Diz-se de certas substâncias capazes de tomar o estado de emulsão.

emulsóide. [De *emulsão* + *-óide.*] *S. m. Fís-Quím.* Colóide (2) cuja fase dispersa é líquida.

emunctório. [Sing. do lat. *emunctoria*.] *S. m. Anat.* Órgão, abertura ou canal por onde se eliminam os produtos excrementícios do organismo.

emundação. [Do lat. *emundatione*.] *S. f. P. us.* Ato de emundar; limpeza, purificação.

emundar. [Do lat. *emundare*.] *V. t. d. P. us.* Tornar mundo ou limpo; limpar, purificar.

emurchecer. [De *em-*^{3} + *murcho* + *-ecer*.] *V. t. d.* **1.** Tornar murcho; fazer perder o viço, o frescor; murchecer. *Int.* **2.** Tornar-se murcho; murchar(-se); murchecer. [Conjug.: v. *aquecer*.]

▲en-^{1}. V. *e-*^{1}.

▲en-^{2}. V. *em-*^{2}.

▲en-^{3}. V. *em-*^{3}.

▲en-^{4}. Pref. expletivo, que pode apresentar certa relação com *en-*^{2}: *enfitar, enfincar.*

▲-ena. Fem. de *-eno*.

enação. [Do ingl. *enation*.] *S. f. Bot.* Excrescência superficial dos vegetais. [Cf. *inação*.]

enágua. *S. f.* V. *anágua*.

enaipar. [De *e-*^{3} + *naipe* + *-ar*^{2}.] *V. t. d.* **1.** Juntar por ordem de naipes. **2.** Separar por ordem dos naipes.

enálage. [Do gr. *enallagé*.] *S. f. Gram.* Troca de classe gramatical, gênero, número, caso, pessoa, tempo, modo ou voz de uma palavra por outra classe, gênero, número, etc.

enaltar. [De *en-*^{3} + *alto*^{2} + *-ar*^{2}.] *V. t. d. P. us.* V. *enaltecer*.

enaltecer. [De *en-*^{3} + *alto*^{2} + *-ecer*.] *V. t. d.* **1.** Tornar alto; elevar. **2.** Exaltar, engrandecer: *A luta pela liberdade enaltece um povo.* [Sin. ger. p. us.: *enaltar*. Conjug.: v. *aquecer*.]

enaltecimento. *S. m.* Ato de enaltecer.

enamorar. [De *en-*^{3} + *amor* + *-ar*^{2}.] *V. t. d.* **1.** Inspirar amor em; tornar apaixonado; encantar, enfeitiçar, apaixonar: *Rezam as lendas que as sereias do rio Reno enamoravam os marinheiros. P.* **2.** Deixar-se possuir de amor; apaixonar-se; enlevar-se.

enantal. [Do gr. *oinánthe*, 'flor da vinha', + *-al*.] *S. m.* Substância orgânica, aldeído heptílico.

enantema. [De *en-*^{1} + gr. *ánthema*, 'inflorescência'.] *S. m. Patol.* Erupção na face interna das cavidades naturais.

enantese. [De *en-*^{1} + gr. *ánthesis*, 'anteu, floração'.] *S. f. Patol.* Erupção da pele, resultante de doença interna.

enântico. [De *oinánthe*, 'flor da vinha', + *-ico*^{2}.] *Adj.* Relativo ao aroma dos vinhos. ~ V. *ácido* —.

▲enantio-. [Do gr. *enántios*.] *El. comp.* = 'oposto', 'contrário': *enantiomorfo, enantiotropia.*

enantiomorfo. [De *enantio-* + *-morfo*.] *Adj.* Diz-se de duas formas ou figuras que não se podem sobrepor, simétricas em relação a um plano, como, p. ex., um objeto e sua imagem refletida no espelho.

enantiopatia. [De *enantio-* + *-pat(o)-* + *-ia*.] *S. f. Patol.* **1.** Doença que se considera antagônica de outra. **2.** V. *alopatia*. **3.** Cura de uma doença pela indução de outra, oposta à primeira.

enantiopático. *Adj.* **1.** Relativo à enantiopatia; alopático [q. v.]. **2.** Diz-se do agente que atua opostamente à doença.

enantiose. [Do gr. *enántíosis*.] *S. f.* **1.** *Terap.* Tratamento enantiopático das doenças. **2.** *Ret.* Antítese (1).

enantiotropia. [De *enantio-* + *-trop(o)-* + *-ia*.] *S. f. Fís.-Quím.* Polimorfismo de uma substância que tem mais duma forma cristalina estável, em equilíbrio com o respectivo vapor, em diferentes domínios de temperatura e de pressão.

enanto. [Do gr. *oinánthe*, pelo lat. *oenanthe*.] *S. m.* Planta da família das umbelíferas.

enapupês. [De *enapupé*, cacografia de Spix, por *inhambu pé*, i. e., *inhambu pewa*.] *S. m. Bras.* Espécie de perdiz grande, de longo bico. [Pl.: *enapupeses* (ê).]

enargia. [Do gr. *enárgeia*, pelo lat. *enargia*.] *S. f. Ret.* Representação ou descrição muito ao vivo, em um discurso.

enarmonia. [De *enarmônico*?] *S. f. Mús.* **1.** Entre os gregos antigos, sucessão melódica por intervalos de quartos de tom. **2.** No sistema temperado, relação entre duas notas de som igual e nomes diferentes. **3.** Nos sistemas não temperados, relação entre duas notas consecutivas, fá sustenido e sol bemol, p. ex., que diferem entre si apenas por uma coma. [Cf. *inarmonia*.]

enarmônico. [Do gr. *enarmonikós*, pelo lat. *enharmonicu*.] *Adj.* Relativo à enarmonia. [Cf. *inarmônico*.]

enarrar. [Do lat. *enarrare*.] *V. t. d., t. d. e i. e t. i. P. us.* Narrar.

enartrodial. *Adj. 2 g.* Relativo à enartrose.

enartrose. [Do gr. *enárthrosis*.] *S. f. Anat.* Articulação móvel formada por uma eminência óssea arredondada encaixada em uma cavidade profunda.

enase. [Do gr. *oinos*, 'vinho', + *-ase*^{2}.] *S. f.* Fermentação de vinho, em forma de pastilhas.

enastrar. [De *en-*^{3} + *nastro* + *-ar*^{2}.] *V. t. d.* **1.** Ornar ou tecer com fitas de nastro. **2.** Entrelaçar, entrançar; encanastrar.

enatar. [De *en-*^{3} + *-ar*^{2}.] *V. t. d.* Cobrir de nata ou de nateiros; enateirar.

enateirar. [De *en-*^{3} + *nateiro* + *-ar*^{2}.] *V. t. d.* Cobrir de nateiros; enatar.

enausear. [De *en-*^{3} + *náusea* + *-ar*^{2}.] *V. t. d., int. e p.* V. *nausear*. [Conjug.: v. *frear*.]

▲-ença. [Do lat. *entia*.] *Suf.* = 'ação ou resultado da ação', 'estado': *diferença* (< lat. *differentia*), *parecença, querença*. [Equiv.: *-ência*: *ocorrência* (< lat. *occurrentia*), *dolência* (< lat. *dolentia*).]

encabado. [Part. de *encabar*.] *Adj.* Em que se meteu cabo; que se encabou.

encabadoiro. *S. m.* Encabadouro [q. v.].

encabadouro. [Var. de *encabadoiro*.] *S. m.* Abertura em que entra o cabo de qualquer instrumento de metal.

encabar. [De *en-*^{3} + *cabo*^{2} + *-ar*^{2}.] *V. t. d.* Meter o cabo de (instrumento) em abertura adequada; encabeirar: *Encabou a enxada nova e pôs-se a cavar.*

encabeçamento. *S. m.* **1.** Ato ou efeito de encabeçar. **2.** *Tip.* V. *cabecel* (2).

encabeçar. [De *en-*^{3} + *cabeça* + *-ar*^{2}.] *V. t. d.* **1.** Vir à testa ou à frente de: *Crianças encabeçavam o desfile.* **2.** Ser o cabeça, o chefe de; dirigir, chefiar: *Tiradentes encabeçou a Conjuração Mineira.* **3.** Unir (duas coisas) pelo topo. **4.** Principiar, começar, encetar, iniciar: "Vasconcelos sentou-se e procurou encabeçar a conversa especial que ali o levava." (Machado de Assis, *Contos Fluminenses*, p. 161.) **5.** Fazer o título de (um escrito). **6.** Designar (a cota que cada um deve pagar). **7.** Distribuir (os tributos) pelos contribuintes. **8.** Fazer (uma terra) cabeça de morgadio. **9.** Remendar nas extremidades. **10.** Ordenar (cédulas [v. *cédula* (3)]) de maneira que todas as efígies fiquem superpostas. **11.** V. *cabecear* (8). *T. d. e i.* **12.** Meter na cabeça; persuadir, convencer: *Conseguiu encabeçá-lo a continuar os estudos. P.* **13.** Meter na cabeça; convencer-se. [Conjug.: v. *laçar*. Pres. ind.: *encabeço*, etc. Cf. *encabeço* (ê).]

encabeço (ê). [Dev. de *encabeçar*.] *S. m. Marinh.* Pedaço de pano usado para encabeçar as velas. [Pl.: *encabeços* (ê). Cf. *encabeço*, do v. *encabeçar*.]

encabeira. *S. f. Carp.* Cabeira (2).

encabeirar^1. [De *encabeira* + *-ar*^{2}.] *V. t. d. Carp.* Pôr cabeira (2) ou encabeira em.

encabeirar^2. [De *en-*^{3} + *cabeira* + *-ar*^{2}.] *V. t. d. Carp.* Forrar ou assoalhar com cabeira.

encabeirar^3. [De *cabo*^{2}.] *V. t. d.* V. *encabar*.

encabelado^1. [De *en-*^{3} + *cabelo* + *-ado*^{1}.] *Bras. S. m.* **1.** Indivíduo dos encabelados, designação das tribos dos antigos tapuias do PA. ● *Adj.* **2.** Pertencente ou relativo a essas tribos.

encabelado^2. [Part. de *encabelar*.] *Adj.* **1.** Que criou cabelo. **2.** Coberto de cabelo novo.

encabeladura. *S. f.* **1.** Ato ou efeito de encabelar. **2.** V. *cabeleira*^{1} (1).

encabelar. [De *en-*^{3} + *cabelo* + *-ar*^{2}.] *V. int.* **1.** Criar cabelo. **2.** Cobrir-se de cabelo novo.

encabelizar. [De *en-*^{3} + *cabelo* + *-izar*.] *V. t. d.* **1.** Cobrir de cabelos. **2.** Fazer nascer cabelos em.

encabrestadura. [De *encabrestar* + *-(d)ura*.] *S. f. Veter.* Chaga nas quartelas das bestas, produzida pelo atrito do cabresto.

encabrestamento. *S. m.* Ato de encabrestar(-se).

encabrestar. [De *en-*^{3} + *cabresto* + *-ar*^{2}.] *V. t. d.* **1.** Pôr cabresto a. **2.** Ter preso; subjugar. *P.* **3.** Prender-se no cabresto (a besta).

encabritar-se. [De *en-*^{3} + *cabrito* + *-ar*^{2}.] *V. p.* **1.** Alçar-se, empinar-se (como o cabrito). **2.** Empinar (8): *A égua com medo, encabritou-se relinchando.* **3.** Subir, trepar, marinhar.

encabruado. [De *en-*^{3} + *cabro* + *-ado*^{1}.] *Adj.* Teimoso como os bodes.

encabulação. *S. f. Bras.* Efeito de encabular(-se); constrangimento, acanhamento, encalistramento, vexação, vexame.

encabulado. [Part. de *encabular*.] *Bras. Adj.* **1.** Acanhado, envergonhado, vexado. ● *S. m.* **2.** Aquele que é encabulado.

encabular. [De *en-*^{3} + *cábula* + *-ar*^{2}.] *V. t. d. Bras.* **1.** Envergonhar, acanhar, encalistrar: "Ela sabe que Simplício está de amores recentes com a copeira da casa do Dr. Abílio, e entra em alusões brejeiras que encabulam o preto." (Valdemar Versiani dos Anjos, *Simplício*, p. 21.) **2.** Dar má sorte a; encaiporar. **3.** Intrigar; preocupar: *Aquele repentino excesso de zelo encabulava-o.* **4.** Aborrecer, amuar. *Int.* **5.** Envergonhar-se, acanhar-se, encabular-se. **6.** Encafifar; encalistrar. *P.* **7.** V. *encabular* (5). **8.** Agastar-se; irritar-se.

encaçapar. [De *en-*^{3} + *caçapa* + *-ar*^{2}.] *V. t. d.* **1.** Meter (bola de sinuca) na caçapa, acertando-a com a jogadeira; matar. **2.** *Gír.* Bater em; surrar.

encachaçado. [Part. de *encachaçar-se*.] *Adj. Bras.* **1.** Embriagado ou embebedado com cachaça; bêbado, ébrio. **2.** Enfeitiçado, enrabichado.

encachaçar-se. [De *en-*^{3} + *cachaça* + *-ar*^{2} + *se*^{1}.] *Bras. V. p.* **1.** Embriagar-se com cachaça; encher-se de cachaça ou aguardente. **2.** *Pop.* Ficar com cachaça (5) por alguém; enfeitiçar-se, engraçar-se, enrabichar-se. [Conjug.: v. *laçar*.]

encachar. [De *en-*^{3} + *cachar*^{1}.] *V. t. d.* Cobrir (o corpo) com encacho. [Pres. ind.: *encacho*, etc.; pres. subj.: *encache*. etc. Cf. *encaixo*, do v. *encaixar* e s. m.; *encaixe*, do v. *encaixar*, s. m., e este verbo.]

encache. [Var. de *encacho*.] *S. m.* V. *tanga*^{1} (1): "De espaço em espaço, o Sol, desanuviando um raio, fulgurava aceso nas manchas brancas dos encaches e camisas de algodão dos tropeiros negros." (Xavier Marques, *As Voltas da Estrada*, p. 147.)

encacho. [Dev. de *encachar*.] *S. m.* V. *tanga*^{1} (1) [Var.: *encache*. Cf. *encaixo*, do v. *encaixar* e s. m.]

encachoeirado. [De *en-*^{3} + *cachoeira* + *-ado*^{1}.] *Adj. Bras.* **1.** Que tem cachoeira: *rio encachoeirado.* **2.** Semelhante a cachoeira: *A água da bica jorrava encachoeirada e fria.*

encachoeiramento. [De *encachoeirar* + *-mento*.] *S. m. Bras.* Formação de cachoeira.

encachoeirar. [De *en-*^{3} + *cachoeira* + *-ar*^{2}.] *V. t. d. e p.* Transformar(-se) em cachoeira.

encacholar. [De *en-*^{3} + *cachola* + *ar*^{2}.] *V. t. d. Bras.* Meter na cachola.

encadeação. *S. f.* V. *encadeamento* (1).

encadeado. [Part. de *encadear*.] *Adj.* **1.** Ligado ou preso com cadeia. **2.** Ligado, preso, sujeito. **3.** Diz-se do que está disposto em série, em cadeia. ~ V. *rimas* —*as*.

encadeamento. [De *encadear* + *-mento*.] *S. m.* **1.** Dependência de coisas homogêneas; conexão, união, encadeação, concatenação. **2.** Sucessão ou seriação de idéias, de fatos, que tenham correlação: *Naquele inverno houve um encadeamento de desgraças.* **3.** *Liter.* Repetição de verso a verso ou de estrofe a estrofe, de fonema(s), palavra(s) ou frase(s). **4.** V. *enjambement*.

encadear. [Do lat. *incatenare*.] *V. t. d.* **1.** Ligar ou prender com cadeia; agrilhoar. **2.** Ligar, coordenar (idéias, argumentos, frases, etc.): "encadeava frases com suma elegância, elegância de ironia, de sátira" (Camilo Castelo Branco, *No Bom Jesus do Monte*, p. 27). **3.** Ligar por afeto; cativar, afeiçoar, prender. **4.** Tirar a ação a; sujeitar. *T. d. e i.* **5.** Prender, cativar: *Encadeou-o a seu culto. P.* **6.** Ligar-se ou prender-se a outros; seguir-se conforme a ordem natural: *As montanhas encadeavam-se a começar dali; Suas idéias já não se encadeiam.* [Conjug.: v. *frear*. Cf. *encandear*.]

encadeirada. [De *en-*^{3} + *cadeira* + *-ada*^{1}.] *Adj. (f.) Bras., MG. Pop.* Diz-se de mulher grávida.

encadeirar. [De *en-*^{3} + *cadeira* + *-ar*^{2}.] *V. t. d.* **1.** Pôr em cadeira; fazer sentar em cadeira. **2.** Guarnecer com cadeiras.

encadernação. *S. f.* **1.** Ato ou efeito de encadernar (2). **2.** A capa de um livro encadernado. **3.** Livro encadernado. **4.** *Fig.* O vestuário. ◆ **Encadernação aldina.** Encadernação no estilo próprio da oficina tipográfica de Aldo Manuzio [v. *aldino*], e em que se nota influência mourisca, com douração, a ferrosplenos, de fôrmas vegetais estilizadas, e cercaduras de filetes simples ou duplos. **Encadernação armoriada.** A que traz o escudo de armas ou brasão do possuidor estampado nas pastas, em geral a ouro; encadernação brasonada. **Encadernação brasonada.** Encadernação armoriada. **Encadernação editorial.** Encadernação produzida em série pelo próprio editor da obra, e que se caracteriza, de um lado, pela preparação, em máquinas distintas, da capa e do bloco de cadernos mecanicamente cosidos, para junção por meio de colagem de entretela ao dorso desse bloco e à margem interna das pastas, reforçada pela subseqüente colagem das guardas, e de outro lado, pela cobertura de tecido especial, que pode ter efeito decorativo graças à sua própria textura e colorido, e é impressa ou dourada no dorso, ou também nas pastas. **Encadernação em meio-couro.** V. *meia-encadernação*. **Encadernação em meio-pano.** V. *meia-encadernação*. **Encadernação inteira.** Aquela em que toda a cobertura, lombada e pastas, é feita de uma só peça do mesmo material. [Tb. se diz apenas *inteira*. Cf. *meia-encadernação*.]

encadernado. [Part. de *encadernar*.] *Adj.* ~ V. *livro* —.

encadernador (ô). *Adj.* **1.** Que encaderna. • *S. m.* **2.** Operário que trabalha em oficina de encadernação. **3.** Artista que faz encadernações.

encadernar. [De *en*-^{3} + *caderno* + -*ar*^{2}.] *V. t. d.* **1.** Formar caderno(s) com. **2.** Juntar os cadernos ou folhas de (livros), formando, manual ou mecanicamente, um volume, ao qual se liga, mais ou menos solidamente, uma capa, em geral rígida, coberta de couro, pano, etc. [Cf., nesta acepç., *brochar*^{2}.] *P.* **3.** Vestir-se com roupa nova.

encafifar. [De *en*-^{3} + *cafife* + -*ar*^{2}.] *V. t. d. Bras. Fam.* **1.** Envergonhar, encabular, vexar: *Encafifava-o ter de cobrar a dívida ao amigo.* **2.** Desgostar; desagradar; mortificar. *Int.* **3.** Envergonhar-se, vexar-se; encabular-se. **4.** Não conseguir êxito. **5.** Cafifar (1 e 2). [Var., em AL: *encanfinfar*. Sin. ger.: *califar*.]

encafuar. [De *en*-^{2} + *cafua* + -*ar*^{2}.] *V. t. d.* **1.** Meter em cafua. **2.** Esconder, ocultar: *Encafuou o dinheiro dentro do colchão. P.* **3.** Esconder-se, ocultar-se. [Sin. ger.: *encafurnar*.]

encafurnar. [De *en*-^{2} + *cafurna* + -*ar*^{2}.] *V. t. d.* e *p.* V. *encafuar*.

encagaçado. [Part. de *encagaçar*.] *Adj. Bras.* Amedrontado; acovardado.

encagaçar. [De *en*-^{3} + *cagaço* + -*ar*^{2}.] *Bras. V. t. d.* **1.** Provocar medo em; amedrontar. *Int.* **2.** Ficar com medo; acovardar(-se). [Conjug.: v. *laçar*.]

encaibramento. *S. m.* Ato ou efeito de encaibrar.

encaibrar. [De *en*-^{3} + *caibro* + -*ar*^{2}.] *V. t. d.* Pôr os caibros em (um edifício).

encaieirar. [De *en*-^{3} + *caieira* + -*ar*^{2}.] *V. int. Bras.* Formar uma caieira, com os tijolos por cozer.

encaipirar-se. [De *en*-^{3} + *caipira* + -*ar*^{2} + *se*^{1}.] *V. p. Bras.* V. *acaipirar-se*.

encaiporar. [De *en*-^{2} + *caipora* + -*ar*^{2}.] *V. t. d. Bras.* **1.** Tornar infeliz; influir nocivamente na sorte de (alguém); encalistar. *Int.* e *p.* **2.** Ficar com azar; tornar-se caipora, azarento.

encaixamento. *S. m.* Ato ou efeito de encaixar(-se).

encaixante *Adj. 2 g.* Que (se) encaixa.

encaixar. [De *en*-^{2} + *caixa* + -*ar*^{2}.] *V. t. d.* **1.** Meter em caixa ou caixote; encaixotar. **2.** Recolher em caixa (4). **3.** Meter uma peça em outra preparada para recebê-la; meter no encaixe; emalhetar, ensamblar, encasar: **4.** *Fig.* Colocar entre outras coisas ou pessoas; intercalar, inserir, interserir: *Fez uma antologia, e não se acanhou de encaixar poemas seus; Conseguiu encaixar o filho na firma do amigo. Int.* **5.** Entrar no encaixe; encaixar-se. **6.** Entrar sem custo; entrar facilmente; entrar. **7.** Vir a propósito; ser oportuno; calhar: *O seu aparte encaixou. P.* **8.** Entrar no encaixe; encaixar. **9.** Introduzir-se, intrometer-se: *Sem que o solicitassem encaixou-se na conversa.* [Pres. ind.: *encaixo*, etc; pres. subj.: *encaixe*, etc. Cf. *encacho*, do v. *encachar* e s. m., encache, do v. *encachar*, e este verbo.]

encaixe. [Dev. de *encaixar*.] *S. m.* **1.** Ato ou efeito de encaixar(-se). **2.** Cavidade ou vão destinado a uma peça saliente. **3.** Juntura, união. [F. paral., nessas acepç.: *encaixo*.] **4.** *Bras. Cont.* Disponibilidade monetária imediata; dinheiro em caixa. **5.** *Encad.* Cada um dos sulcos formados pelas duas saliências laterais do lombo, depois de batido e arredondado, e onde se encaixam as pastas. [Cf. *encache*, do v. *encachar*.] ◆ **Encaixe metálico.** *Fin.* Ouro ou outros metais conversíveis em moeda, destinados a garantir a circulação fiduciária dos bancos emissores.

encaixilhar. [De *en*-^{2} + *caixilho* + -*ar*^{2}.] *V. t. d.* **1.** Meter em caixilho. **2.** Guarnecer de caixilhos; emoldurar; enquadrar.

encaixo. [Dev. de *encaixar*.] *S. m.* V. *encaixe* (1 a 3). [Cf. *encacho*, do v. *encachar* e s. m.]

encaixotado. [Part. de *encaixotar*.] *Adj.* Metido em caixote ou caixa.

encaixotador (ô). [De *encaixotar* + -*(d)or*. *S. m.* Operário encarregado de encaixotar mercadorias.

encaixotar. [De *en*-^{2} + *caixote* + -*ar*^{2}.] *V. t. d.* e *p.* **1.** Meter em caixote(s) ou em caixa(s); encaixar. **2.** *Fig.* Entrar; introduzir-se: "desse jeito entrajada *se encaixotou na liteira*" (Camilo Castelo Branco, *A Queda dum Anjo*, p. 266).

encalacração. *S. f.* Ação ou efeito de encalacrar(-se). [Sin., fam.: *encalacradela*.]

encalacradela. *S. f. Fam.* Encalacração.

encalacrar. [De *en*-^{3} + *calacre* + -*ar*^{2}.]. *V. t. d. Pop.* **1.** Meter em empresa prejudicial, meter em embaraços, em dificuldades; entalar: *Fez o amigo entrar num péssimo negócio, e encalacrou-o. P.* **2.** Meter-se em embaraços, em dificuldades. **3.** Endividar-se.

encalamechar. *V. t. d. Bras., N.E.* Meter, introduzir. [Conjug.: v. *flechar*.]

encalamistrar. [De *en*-^{3} + *calamistrar*.] *V. t. d.* Calamistrar.

encalamoucar. *V. t. d.* **1.** Calotear, fintar. **2.** Meter em dificuldade; encalacrar, entalar. [Conjug.: v. *trancar*.]

encalcadeira. *S. f.* Peça para encalcar^1.

encalcar^1. *V. t. d.* Vedar as juntas de (duas peças de ferro). [Conjug.: v. *trancar*.]

encalcar^2. [De *en*-^{3} + *calcar*.] *V. t. d. Bras., N.E. Pop.* Calcar, comprimir. [Conjug.: v. *trancar*.]

encalçar. *V. t. d.* Ir no encalço de; seguir de perto: "uma escolta de cavalaria de polícia, armada de revólveres e espadas, *encalçava* criminosos." (Afonso Arinos, *Pelo Sertão*, p. 79). [Conjug.: v. *laçar*.]

encalço. [Dev. de *encalçar*.] *S. m.* **1.** Ato de encalçar. **2.** Rasto, pista, pegada.

encaldeiração. *S. f. Agr.* Ato ou efeito de encaldeirar.

encaldeirar. [De *en*-^{3} + *caldeira* + -*ar*^{2}.] *V. t. d. Agr.* Cercar (árvore) com caldeira ou cova a fim de juntar água que a regue.

encalecer. [De *en*-^{3} + *calo* + -*ecer*.] *V. int.* Criar calos; tornar-se caloso; calejar. [Conjug.: v. *aquecer*. Normalmente é defect., us. só nas 3as pess.]

encaleirar. [De *en*-^{3} + *caleira*^{1} + -*ar*^{2}.] *V. t. d.* Meter em caleira; dirigir por caleira.

encalhação. *S. f.* V. *encalhe* (1 e 2).

encalhado. [Part. de *encalhar*.] *Adj.* Que encalhou.

encalhamento. *S. m.* V. *encalhe* (1 e 2).

encalhar. [Do esp. *escallar*.] *V. t. d.* **1.** Fazer dar em seco (a embarcação). *Int.* **2.** Ficar em seco (embarcação). **3.** Não ter seguimento; ficar detido ou embaraçado; parar: *O processo encalhou na seção de pessoal.* **4.** *Bras.* Não ter saída, não obter venda (livros, jornais, revistas, quaisquer mercadorias), [Sin., nesta acepç. (bras., BA): *enfusar*.] **5.** *Bras. Pop.* Ficar solteiro, por não ter achado casamento; encravar. [Sin., nesta acepç. (quando se trata de mulher): *ficar para tia*. (q. v.).]

encalhe. [Dev. de *encalhar*.] *S. m.* **1.** Ato ou efeito de encalhar. **2.** Falta de andamento; obstrução, obstáculo, estorvo. [Sin., nestas acepç.: *encalhação, encalhamento, encalho*.] **3.** *Bras.* Exemplares de livros, jornais ou revistas não vendidos, e devolvidos ao editor. **4.** Mercadorias que não obtiveram venda, que ficaram encalhadas.

encalho. [Dev. de *encalhar*.] *S. m.* **1.** Lugar onde o navio encalha. **2.** V. *encalhe* (1 e 2). ~ V. *encalhos*.

encalhos. [Pl. de *encalho*.] *S. m. pl.* Parte da ferradura onde descansa o casco. ~ V. *encalho*.

encaliçar. [De *en*-^{3} + *caliça* + -*ar*^{2}.] *V. t. d.* Cobrir com caliça. [Conjug.: v. *laçar*.]

encalidela. *S. f.* Ato de encalir.

encalir. *V. t. d.* **1.** Assar ou cozer levemente (carne), para se conservar. **2.** *Bras., AL.* Submeter (os intestinos do boi) a uma fervura preparatória, a fim de os limpar melhor.

encalistar. [De *en*-^{3} + *calisto*^{1} + -*ar*^{2}.] *V. t. d. Fam.* **1.** Causar agouro a; encaiporar. **2.** Fazer perder no jogo. [Cf. *encalistrar*.]

encalistramento. *S. m. Bras.* Ato ou efeito de encalistrar.

encalistrar. [De *encalistar*, com epêntese.] *V. t. d. Bras.* **1.** Envergonhar, vexar; encabular. *Int.* **2.** Envergonhar-se, vexar-se; encabular(-se). **3.** Embirrar; encavacar. [Cf. *encalistar*.]

encalmadiço. *Adj.* Que encalma com facilidade; calorento: *tempo encalmadiço*.

encalmado. [Part. de *encalmar*.] *Adj.* V. *encalorado*.

encalmamento. *S. m.* Ato ou efeito de encalmar(-se).

encalmar. [De *en*-^{3} + *calma* + -*ar*^{2}.] *V. t. d.* **1.** Causar calor a; tornar calmoso; aquecer: *O sol do meio-dia encalmava os caminhantes.* **2.** Zangar, irritar, apoquentar; esquentar. *Int.* **3.** Sentir calma (4); tranqüilizar-se, encalmar-se. **4.** Abrandar, acalmar. *P.* **5.** Encalmar (3). **6.** Zangar-se, afrontar-se.

encalombado. [Part. de *encalombar*.] *Adj.* Que encalombou.

encalombar. [De *en*-^{3} + *calombo* + -*ar*^{2}.] *V. int. Bras.* Criar calombo, inchação, por pancada ou mordedura.

encalorado. [De *en*-^{3} + *calor* + -*ado*^{1}.] *Adj.* Cheio de calor (1); acalorado, encalmado.

encalvecer. [De *en*-^{3} + *calvo* + -*ecer*.] *V. int.* Tornar-se calvo; calvejar. [Conjug.: v. *aquecer*.]

encalvecido. [Part. de *encalvecer*.] *Adj.* **1.** Calvo (1). **2.** *Fig.* Sem vegetação; escalvado, calvo.

encamaçar. [Cruz. de *encamar* e *maçar*.] *V. t. d. Bras., N.* Preparar (um baralho de cartas) para lograr os parceiros. [Conjug.: v. *laçar*.]

encamar. [De *en*-^{3} + *cama* + -*ar*^{2}.] *V. t. d.* **1.** Dispor em camadas; acamar. *Int.* **2.** Cair de cama (doente); acamar.

encamarotar. [De *en*-^{2} + *camarote* + -*ar*^{2}.] *V. t. d.* Meter em camarote.

encambar. [De *en*-^{3} + *cambo*^{1} + -*ar*^{2}.] *V. t. d.* **1.** Enfiar num cambo^1. **2.** Juntar (peixes, cebolas, etc.) por atilho; encambulhar. **3.** Entrançar, formando réstia.

encambitação. *S. f. Bras.* Ato de encambitar (1).

encambitar. [De *en*-^{3} + *cambito* + -*ar*^{2}.] *V. int.* **1.** *Bras.* Levantar (o cavalo) a cauda durante a marcha. **2.** *Bras.* Virar sobre os pés, sobre os cambitos. **3.** *Bras.* Correr em perseguição de alguém. *T. d.* **4.** *Bras., MG.* Levantar pelo rabo (uma rês).

encamboar. [De *en*-^{3} + *cambão* + -*ar*^{2}.] *V. t. d. Bras.* **1.** Amarrar ao cambão. **2.** Amarrar (uma rês adulta) pelo pescoço a uma árvore ou estaca. **3.** Ajuntar (dois cavalos) amarrando-os juntos pelo pescoço, ou para impedir que vão longe, ou para obrigar um deles a acompanhar o lote. [F. paral.: *encambonar*. Conjug.: v. *coroar*.]

encambonar. *V. t. d. Bras.* V. *encamboar*.

encambulhada. [De *en*-^{3} + *cambulhada*.] *S. f.* V. *cambada* (2).

encambulhar. *V. t. d.* **1.** Juntar de cambulhada. [Sin. pop.: *encangalhar*.] **2.** Encambar (2). *T. d. e i.* **3.** Ligar; unir, prender. *P.* **4.** Enredar-se, enlear-se.

encame. *S. m.* **1.** Malhada de javalis. **2.** Covil de feras.

encaminhador. (ô). *Adj.* e *s. m.* Que ou aquele que encaminha.

encaminhamento. *S. m.* Ato de encaminhar(-se).

encaminhar. [De *en*-^{3} + *caminho* + -*ar*^{2}.] *V. t. d.* **1.** Mostrar o caminho a; guiar; dirigir; conduzir: *Contam os Evangelhos que a Estrela de Belém encaminhou os três reis magos.* **2.** Conduzir, dirigir, orientar: *Encaminhou a conversa com habilidade.* **3.** Conduzir pelos meios competentes: *Prometeram-lhe encaminhar a sua pretensão.* **4.** Pôr no bom caminho; aconselhar para o bem; conduzir: *Sensatíssimo, é muito solicitado para encaminhar os jovens.* **5.** Fazer seguir os trâmites legais: *encaminhar um processo. T. d. e i.* **6.** Conduzir, dirigir, orientar: "Reconhecendo sua inaptidão para alguma das carreiras literárias, Emília lembrara-se de *encaminhá-lo* à vida mercantil." (José de Alencar, *Senhora*, p.190.) **7.** Fazer seguir os trâmites legais: *Encaminhei seus papéis ao funcionário competente. P.* **8.** Dirigir-se; guiar-se: "O mancebo namorado / Para ela [a mangueira] *se encaminha*". (Gonçalves Dias, *Obras Poéticas*, II, p. 47); *As crianças encaminhavam-se para a escola.* **9.** Tender para um fim: *Os assuntos encaminharam-se de modo satisfatório.* **10.** Dispor-se, resolver-se: *Encaminhou-se a ajudar a família.*

encamisada. [Fem. substantivado do adj. *encamisado*.] *S.f.* **1.** *Ant.* Assalto noturno em que os soldados vestiam camisolas para se disfarçarem. **2.** Confusão, trapalhada, embrulhada. **3.** *Bras.* Diversão popular em que os homens saíam com uma espécie de albornoz. **4.** *Bras., SP* e *GO. Folcl.* Grupo de mascarados que, a cavalo, envolvidos em amplos e longos camisolões brancos que lhes caíam até os pés, saíam durante o dia, ou à noite, com archotes, anunciando festas populares locais. Ainda existe nas cavalhadas dramáticas.

encamisado. [Part. de *encamisar*.] *Adj.* **1.** Que veste camisa. • *S.m.* **2.** Mascarado que se disfarça em grande camisa ou camisola. **3.** *Bras.* Indivíduo que toma parte numa encamisada (3 e 4).

encamisar. [De *en*-^{3} + *camisa* + -*ar*^{2}.] *V. t. d.* Nas olarias, cobrir (caieiras, carvoeiras ou montes de tijolos crus) com palha e barro, a fim de evitar irradiação do calor no fabrico da cal, do carvão e dos tijolos, respectivamente.

encampação. *S. f.* Ato ou efeito de encampar.

encampador (ô). *Adj.* e *s. m.* Que ou aquele que encampa.

encampar. [De *en*-^{3} + *campo* + -*ar*^{2}.]. *V. t. d.* **1.** *Jur.* Rescindir (contrato de arrendamento). **2.** Tomar (o governo) posse de (uma empresa) depois de acordo em que se combina a indenização que deve ser paga. **3.** Restituir ou abandonar a outrem, por motivo de lesão de interesses. *T. d. e i.* **4.** Passar por venda ou por outro ajuste, com prejuízo do comprador: *Conseguiu encampar a propriedade ao velho capitalista.*

ençampar. [Do esp. *enzampar*?] *V. t. d. Bras., MG* e *SP. Pop.* Enganar, lograr, embair, intrujar.

encamurçar. [De *en*-^{3} + *camurça* + -*ar*^{2}.] *V. t. d.* **1.** Revestir de camurça (os martelos do piano). *Int.* **2.** Constr. Empenar (a madeira). [Conjug.: v. *laçar*.]

encanação. *S. f. Bras.* **1.** Ato de colocar canos. **2.** V. *encanamento*.

encanado^1. [Part de *encanar*.] *Adj.* **1.** Canalizado. ~ V.

ar —. ● *S. m.* **2.** *Bras.* Trecho de um rio onde a largura normal deste se reduz de súbito à décima parte, ou menos; angustura, apertado, estreito.

encanado[2]. [Part. de *encanar*[2].] *Adj. Bras. Gír.* Metido em cana[1] (5); preso.

encanador (ô). [De *encanar*[1] + *-dor*.] *S. m. Bras.* **1.** Consertador de encanamentos. **2.** Aquele que nas construções faz o assentamento dos canos de distribuição de água e de gás, e bem assim o de filtros, pias, lavatórios, aparelhos sanitários. [Sin. ger., no S.: *bombeiro*.]

encanamento. *S. m.* **1.** Ação ou efeito de encanar[1]. **2.** Conjunto de canos; canalização. [Sin. ger.: *encanação*.]

encanar[1]. [De *en-*[3] + *cano* + *-ar*[2].] *V. t. d.* **1.** Conduzir por cano ou canal; canalizar: *encanar as águas pluviais*. **2.** Abrir raias longitudinais em (uma coluna). [Pres. ind.: *encano*, etc. Cf. *incano*.]

encanar[2]. [De *en-*[3] + *cana* + *-ar*[2].] *V. t. d.* **1.** *Cir.* Pôr (o osso fraturado) em talas, ou canas, em direção para se soldar. **2.** *Bras. Gír.* Meter em cana[1] (5); prender. *Int.* **3.** Criar canas [v. *cana*[1] (1)]: *O milharal já encanou* [Pres. ind.: *encano*, etc. Cf. *incano*.]

encanastrado. [Part. de *encanastrar*.] *Adj.* **1.** Que foi tecido como o entrançado da canastra. ● *S. m.* **2.** Tecido semelhante ao de uma canastra.

encanastrar. [De *en-*[2] + *canastra* + *-ar*[2].] *V. t. d.* **1.** Meter em canastra. **2.** Tecer como o entrançado da canastra; entrançar. **3.** *Teat. Gír.* Tornar canastrão: *O sucesso comercial encanastrou aquele ator. Int.* e *p.* **4.** *Teat. Gír.* Perder (o ator) o bom desempenho artístico; tornar-se canastrão.

encancerar. [De *en-*[3] + *cancerar*.] *V. int.* **1.** Criar cancro ou câncer; cancerar. **2.** Gangrenar (2): "as matérias que se haviam de purgar [na confissão] se encruam, e ficam dentro solapando e *encancerando* a consciência." (P[e]. Manuel Bernardes, *Vários Tratados*, II, p. 348). *P.* **3.** Tornar-se em cancro; apodrecer.

encandear. [De *en-*[3] + *candeio* + *-ar*[2].] *V. t. d.* **1.** Ofuscar, atrair (o peixe ou a caça) com o candeio. **2.** Deslumbrar (a vista). **3.** *Fig.* Estontear, deslumbrar, alucinar; cegar: *As pregações de Antônio Conselheiro encandeavam os fanáticos que o seguiam. Int.* **4.** Turvar a vista; ofuscar: "O mormaço *encandeia*. Os olhos se fecham, o corpo se abandona." (Lúcia Miguel Pereira, *Cabra-Cega*, p. 193.) *P.* **5.** Ficar deslumbrado, com a vista confusa. [Conjug.: v. *frear*. Cf. *encadear*.]

encandilar. [De *en-*[3] + *candil*[3] + *-ar*[2].] *V. t. d.* **1.** Cristalizar (o açúcar), transformando-o em açúcar-cande. *P.* **2.** Converter-se em açúcar-cande; cristalizar-se. **3.** Apurar-se, aperfeiçoar-se, aprimorar-se.

encanecer. [Do lat. *incanescere*.] *V. t. d.* **1.** Tornar branco a pouco e pouco (o cabelo, a barba). **2.** Fazer criar cãs: *As preocupações o encaneceram antes do tempo. Int.* **3.** Fazer-se branco: *Há muito que seus cabelos encaneceram.* **4.** Criar cãs; envelhecer: *Encaneceu por volta dos cinqüenta.* [Conjug.: v. *aquecer*.]

encanelar. [De *en-*[3] + *canela* + *-ar*[2].] *V. t. d.* **1.** Dobar (fios) em canelas. **2.** Fazer canela[3] em; acanelar.

encanfinfar. *V. t. d. Bras., AL. Fam.* V. *encafifar*.

encangalhar. [De *en-*[3] + *cangalha* + *-ar*[2].] *V. t. d.* **1.** Pôr cangalha em (besta de carga); arrear com cangalha. **2.** *Pop.* Encambulhar. (1). *P.* **3.** *Deprec.* Unir-se, ligar-se, amarrar-se (a alguém).

encangar. [De *en-*[3] + *canga*[1] + *-ar*[2].] *V. t. d.* Pôr a canga em; jungir; cangar. [Conjug.: v. *largar*.]

encangotar. [De *en-*[3] + *cangote* + *-ar*[2].] *V. t. d. Bras., N. E.* Encapotar (4).

encanhotado. [De *en-*[3] + *canhoto* (6) + *-ado*[1].] *Adj.* Que tem enguiço, mau-olhado; enfeitiçado.

encaniçar. [De *en-*[3] + *caniço* + *-ar*[2].] *V. t. d.* Cercar ou rodear com caniço ou canas. [Conjug.: v. *laçar*.]

encanoamento. *S. m. Bras.* Ato ou efeito de encanoar.

encanoar. [De *en-*[3] + *canoa* + *-ar*[2].] *V. int. Bras.* Empenar-se (uma tábua) no sentido transversal, tomando a forma duma canoa. [Conjug.: v. *coroar*.]

encantação. *S. f.* V. *encantamento*.

encantadense. *Adj.* 2 *g.* **1.** De, ou pertencente ou relativo a Encantado (RS). ● *S.* 2 *g.* **2.** Natural ou habitante de Encantado.

encantado. [Part. de *encantar*.] *Adj.* **1.** Que tem ou sofreu encantamento, sortilégio: *casa encantada*. **2.** Seduzido, enlevado, arrebatado: *Está amando — é um homem encantado.* **3.** Muito contente; satisfeitíssimo. **4.** *Bras. Gír.* Entre ladrões, diz-se do cofre cujo segredo se desconhece. ● *S. m.* **5.** *Folcl.* V. *orixá*. **6.** *Bras., BA* e *RJ. Folcl.* V. *caboclo* (7).

encantador (ô). [Do lat. *incantatore*.] *Adj.* **1.** Que faz encantamentos; mágico. **2.** Que atrai, arrebata; sedutor: *mulher fascinante, encantadora.* **3.** Que causa satisfação; deleitoso: *espetáculo encantador.* ● *S. m.* **4.** Aquele que faz encantamentos; mágico.

encantamento. *S. m.* **1.** Ato ou efeito de encantar(-se). **2.** Feitiçaria, magia. **3.** Coisa maravilhosa; delícia: *Sua vida, outrora infeliz, é hoje um encantamento.* **4.** Sedução, encanto: *Não resistiu aos encantamentos da namorada.* [Sin. ger.: *encantação*.]

encantar. [Do lat. *incantare*.] *V. t. d.* **1.** Lançar encantamento ou magia sobre; enfeitiçar: *Na história da Bela Adormecida a feiticeira encanta a princesa.* **2.** Transformar (pessoa) em outro ser, por artes mágicas. **3.** Seduzir, cativar; maravilhar, arrebatar: *A atuação do ator encantava os espectadores.* **4.** Causar extremo prazer a; deliciar: *A boa notícia encantou a família.* **5.** Tornar invisível; fazer desaparecer. *P.* **6.** Tomar-se de encantos; maravilhar-se, arrebatar-se: "foi tirando a roupa, até ficar nua. As mulheres se horrorizaram, os homens se *encantaram*." (Elias José, *Inquieta Viagem no Fundo do Poço*, p. 23); *Encantou-se da graça e beleza da moça.* **7.** Tornar-se invisível; desaparecer: *Que é feito dele? encantou-se?* **8.** Transformar-se em outro ser, por efeito de encantamento ou sortilégio: "engrandeceu-se, mesmo, aos olhos dos dois fazendeiros, como se, de inopino, se *encantasse* num príncipe." (José Vieira, *Vida e Aventura de Pedro Malasarte*, p. 274).

encantatório. *Adj.* Mágico, maravilhoso, fascinante.

encanteirar. [De *en-*[3] + *canteiro*[1] + *-ar*[2].] *V. t. d.* **1.** Pôr canteiros em. **2.** Plantar em canteiro. **3.** Dividir em canteiros.

encanto. [Dev. de *encantar*.] *S. m.* **1.** Coisa que delicia, enleva, encanta: *os encantos da vida*. **2.** V. *encantamento* (4): *pessoa de grande encanto.* ◆ **Um encanto.** V. *um amor* (1).

encantoar. [De *en-*[3] + *canto*[1] + *-ar*[2].] *V. t. d.* **1.** Pôr em um canto; meter num canto. **2.** Afastar do convívio; apartar do trato social. *P.* **3.** Pôr-se a um canto; fugir do mundo. [Conjug.: v. *coroar*.]

encanudado. *Adj.* **1.** Que tem forma de canudo. **2.** Engomado formando canelura. **3.** Encastelado (cavalo). **4.** *Bras.* Diz-se do gado intoxicado por haver ingerido em excesso a planta chamada *canudo*.

encanudamento. *S. m.* Ato ou efeito de encanudar.

encanudar. [De *en-*[3] + *canudo* + *-ar*[2].] *V. t. d.* **1.** Dar a forma de canudo a. **2.** Meter em canudo. **3.** Enfiar, vestindo ou calçando: *encanudar as meias.*

encanzinamento. *S. m.* Ato de encanzinar(-se).

encanzinar. [De cã[1].] *V. t. d.* **1.** Fazer zangar; enfobiar. *P.* **2.** Teimar, obstinar-se. **3.** Enraivecer-se, enfurecer-se. [Sin. ger.: *encanzoar*.]

encanzoar. [De *cão*[1].] *V. t. d* e *p.* V. *encanizar*. [Conjug.: v. *coroar*.]

encapachar. [De *en-*[3] + *capacho* + *-ar*[2].] *V. t. d.* **1.** Cobrir com capacho. **2.** Meter em capacho. *P.* **3.** Humilhar-se com servilismo; abaixar-se, rebaixar-se.

encapado. [Part. de *encapar*.] *Adj.* **1.** Que se encapou; coberto com, ou envolvido em capa: *livro encapado.* ● *S. m.* **2.** *Bras.* Mercadoria expedida dentro de aniagem.

encapar. [De *en-*[3] + *capa*[1] + *-ar*[2].] *V. t. d.* **1.** Cobrir com capa. **2.** Meter ou envolver em capa. **3.** Proteger (livro, folheto, etc.) com capa de papel. [Cf. *capear*[1] (1).]

encapelado[1]. [Part. de *encapelar*[1].] *Adj.* Que tem o encargo de mestre-de-capela.

encapelado[2]. [Part. de *encapelar*[2].] *Adj.* **1.** Agitado, levantado, encrespado (o mar, as ondas). **2.** *Ant.* Que traz capelo[1] (1 e 2). ~ V. *mar* —.

encapeladura. *S. f.* **1.** Ação de encapelar[2] (2, 3 e 6). **2.** *Marinh.* Lugar onde assentam e encapelam as enxárcias.

encapelar[1]. [De *en-*[3] + *capela* + *-ar*[2].] *V. t. d.* **1.** Dar o encargo de mestre-de-capela a.

encapelar[2]. [De *en-*[3] + *capelo*[1] + *-ar*[2].] *V. t. d.* **1.** Conceder o capelo de doutor a. **2.** Levantar, erguer, encrespar (o mar, as ondas, etc.). *Int.* **3.** Encrespar-se, agitar-se (o mar); encapelar-se. **4.** *Marinh.* Introduzir no calcês ou lais a enxárcia, a alça, etc. *P.* **5.** Receber o capelo; doutorar-se, formar-se. **6.** V. *encapelar* (3): "E as vagas do oceano que ameaçava tragá-los *encapelavam-se* aos pés deles" (Alexandre Herculano, *Lendas e Narrativas*, I, p. 147).

encapetado. [Part. de *encapetar*.] *Adj. Bras.* Endiabrado, traquina(s), traquino, travesso.

encapetar-se. [De *en-*[3] + *capeta* + *-ar*[2] + *se*[1].] *V. p. Bras.* Fazer travessuras, estripulias; tornar-se traquinas; endiabrar-se.

encapoeirar. [De *en-*[2] + *capoeira*[1] + *-ar*[2].] *V. t. d.* Meter em capoeira[1] (1).

encapotado. [Part. de *encapotar*.] *Adj.* **1.** Envolto em capote. **2.** Encoberto, disfarçado. **3.** Diz-se do cavalo que, quando esquipa, encosta a cabeça ao peito, ficando-lhe o pescoço elegantemente curvo. ● *S. m.* **4.** Indivíduo encapotado. **5.** *Bras.* Espécie de almôndega.

encapotar. [De *en-*[3] + *capote*[1] + *-ar*[2].] *V. t. d.* **1.** Cobrir com capa ou capote. **2.** *Fig.* Disfarçar, esconder, encobrir: *Encapotava parte do dinheiro que recebia; Tentou encapotar o seu prazer. Int.* **3.** V. *encapotar* (6). **4.** Curvar o pescoço (o cavalo), com garbo, ao esquipar. [Sin., no N.E.: *encangotar*.] **5.** *Bras., CE. Pop.* Baixar a cabeça, enfiado; encalistrar-se. *P.* **6.** Anuviar-se, nublar-se; encapotar.

encaprichar-se. [De *en-*[3] + *capricho* + *-ar*[2] + *se*[1].] *V. p.* Encher-se de capricho (7).

encapsulação. *S. f.* Ação ou processo de encapsular.

encapsulado. [Part. de *encapsular*.] *Adj.* Incluído ou encerrado em cápsula (1).

encapsular. [De *en-*[3] + *cápsula* + *-ar*[2].] *V. t. d.* Incluir ou encerrar em cápsula(s).

encapuchar. [De *en-*[3] + *capucha*[1] + *-ar*[2].] *V. t. d.* Cobrir ou vestir com capucha: "Alguém lhe tirara o capote de cima dos ombros, e da cabeça o bioco de burel que a *encapuchava*." (Fialho d'Almeida, *Aves Migradoras*, pp. 84-85.)

encapuzar. [De *en-*[3] + *capuz* + *-ar*[2].] *V. t. d.* e *p.* Cobrir(-se) com capuz.

encaração. *S. f.* **1.** *Bras.* Ato de encarar. **2.** *Bras., RJ. Gír.* Entrada gratuita. **3.** *Bras:, RJ. Gír.* Provocação, desafio.

encaracolado. [Part. de *encaracolar*.] *Adj.* Enrolado em espiral, em forma de caracol: "era dotado de basta cabeleira *encaracolada* e negra" (Pedro Nava, *Beira-Mar*, p. 46); "Caminham os búfalos mansos, de chifres *encaracolados*." (Cecília Meireles, *Obra Poética*, p. 702).

encaracolar. [De *en-*[3] + *caracol* + *-ar*[2].] *V. t. d.* **1.** Dar forma de caracol a; enrolar em espiral. *Int.* e *p.* **2.** Enrolar-se em forma de caracol, em espiral: *Após a febre tifóide seus cabelos encaracolaram; A hera encaracola-se no muro;* "aqui a estrada / Se *encaracola*, ali desce, / Sobe acolá" (Raimundo Correia, *Poesias*, p. 86).

encaramelar. [De *en-*[3] + *caramelo* + *-ar*[2].] *V. t. d.* **1.** Converter em gelo ou caramelo (1); fazer gelar; congelar, regelar, gelar. **2.** Tornar sólido; coagular, coalhar. **3.** Dar consistência de caramelo (2) a. *Int.* **4.** Tomar consistência de caramelo (2); encaramelar-se: *A calda encaramelou. P.* **5.** Tornar-se em caramelo (1); congelar-se, regelar-se, gelar-se. **6.** Encaramelar (4).

encaramonar. [De *en-*[3] + *cara* + *mono* + *-ar*[2].] *V. t. d. Pop.* **1.** Tornar triste, amuado, embezerrado. *P.* **2.** Pôr-se triste; zangar(-se), amuar(-se), embezerrar-se.

encaramujado. [Part. de *encaramujar-se*.] *Adj. Bras.* **1.** Encolhido, retraído: "Solitário, *encaramujado*, pessimista, andava [Machado de Assis] sempre metido em sociedades e cenáculos literários." (Astrogildo Pereira, *Machado de Assis*, p. 13.) **2.** Abatido, tristonho.

encaramujar-se. [De *en-*[3] + *caramujo* + *-ar*[2] + *se*[1].] *V. p. Bras.* **1.** Encolher-se, retrair-se, tal como o caramujo. **2.** Entristecer-se, magoar-se.

encarangação. *S. f. Bras.* Estado reumático em que os movimentos ficam tolhidos; estado de encarangado.

encarangado. [Part. de *encarangar*.] *Adj.* **1.** Entrevado, anquilosado. **2.** *Bras.* Encolhido, entanguido, engelhado. **3.** *Bras.* Raquítico, franzino.

encarangar. [De *en-*[3] + *carango* + *-ar*[2].] *V. t. d.* **1.** Deixar sem movimento, paralisar (pela ação do frio ou em decorrência de reumatismo, etc.): *A umidade encarangou-lhe as pernas.* **2.** Tornar adoentado, achacadiço. **3.** *Bras.* Engelhar; encolher. *Int.* **4.** Perder o movimento, ficar tolhido ou encolhido pelo frio ou reumatismo; encaranguejar-se, encarangar-se, entrevar-se. *P.* **5.** V. *encarangar* (4). **6.** Tornar-se adoentado, achacadiço. [Conjug.: v. *largar*.]

encaranguejar. [De *en-*[3] + *caranguejo* + *-ar*[2].] *V. int.* e *p. Bras.* Ficar com os membros contraídos por efeito de reumatismo ou doutra doença; encarangar(-se), entrevar(-se). [Conjug.: v. *pelejar*.]

encarapelar. [De *en-*[3] + *carapela*, por carpela, + *-ar*[2].] *V. t. d., int.* e *p.* V. *encarapinhar*.

encarapinhado. [Part. de *encarapinhar*.] *Adj.* Diz-se da carapinha, do cabelo lanoso como o dos pretos e de alguns mestiços. [Sin.: *carapinho* e (bras.) *pixaim, batumado, agastado, bosta-de-rola, bosta-de-rolinha, mal-com-cristo, mal-com-deus, mastigado*.]

encarapinhar. [De *en-*[3] + *carapinha* + *-ar*[2].] *V. t. d.* **1.** Fazer carapinha em; frisar, encrespar. *Int.* **2.** Tornar-se (o cabelo) crespo, lanudo, encarapinhar-se. **3.** Começar a congelar-se (o sorvete). *P.* **4.** Encarapinhar (2). [Sin. ger.: *acarapinhar, encarapelar.*]

encarapitar. [Var. de *encarrapitar.*] *V. t. d.* **1.** Pôr ou colocar no alto. *P.* **2.** Pôr-se no alto ou em cima, instalando-se comodamente.

encarapuçar. [De *en-*^{3} + *carapuça* + *-ar*^{2}.] *V. t. d.* **1.** Pôr carapuça em. *P.* **2.** Pôr a carapuça na cabeça; cobrir-se [Conjug.: v. *laçar.*]

encarar. [De *en-*^{2} + *cara* + *-ar*^{2}.] *V. t. d.* **1.** Olhar de frente, de cara; fitar os olhos em; olhar com atenção; enfrentar, afrontar, arrostar, acarar: *Encarou firmemente o acusado, compelindo-o a confessar.* **2.** Considerar, analisar: *Não encarou o assunto com seriedade.* **3.** Enfrentar, defrontar: *Encara destemidamente as situações difíceis. T. i.* **4.** Fitar os olhos, olhando direito; arrostar: "Desanuviava o rosto, encarava em mim, interrogativo." (Antero de Figueiredo, *Miradouro,* p. 85); "longe de fugir, encarou com o sujeito, receando que se sumisse, antes de o pai chegar." (José de Alencar, *O Gaúcho,* p. 129). **5.** Achar-se frente a frente; topar: Ao dobrar a esquina, *encarou com o amigo. P.* **6.** Arrostar-se, defrontar-se.

encarcerado. [Part. de *encarcerar.*] *Adj.* **1.** Encerrado ou preso em cárcere. **2.** Enclausurado, isolado. ~ V. *hérnia* —*a*.

encarceramento. *S. m.* Ato ou efeito de encarcerar(-se).

encarcerar. [Do lat. *incarcerare.*] *V. t. d.* **1.** Encerrar ou prender em cárcere. **2.** Separar do trato social; enclausurar: *Encarcerou o filho para fazê-lo estudar. P.* **3.** Encerrar-se, isolar-se *Encarcerou-se na fazenda dum amigo para escrever seu livro.*

encardido. [Part. de *encardir.*] *Adj.* **1.** Que se encardiu; que adquiriu cor acinzentada ou amarelada por haver sido mal lavado, ou pela velhice; roupa *encardida; papel encardido.* **2.** *P. ext.* Diz-se da pele que, por doença, velhice ou falta de asseio, perdeu o brilho, o aspecto saudável. **3.** Sujo, imundo: casa *encardida.* **4.** *Bras.* Carregado, ameaçador: *rosto encardido, céu encardido.* **5.** Algo sujo, pouco honesto (negócio, transação, etc.). **6.** *Bras.* Diz-se de coisa sobre a qual é difícil opinar. **7.** *Bras., RS.* Feio (1).

encardimento. *S. m.* **1.** Estado de encardido. **2.** Incrustação de sujeira.

encardir. [De *en-*^{3} + *cárdeo* + *-ir.*] *V. t. d.* **1.** Cobrir, ou fazer com que se cubra, de cardina; sujar ou fazer que se suje: *A fuligem encardiu a roupa; O abandono encardiu a imagem.* **2.** Não lavar bem, deixando resquícios de sujeira: *A lavadeira encardiu a roupa. Int.* **3.** Ficar mal lavado; conservar parte da sujeira que tinha.

encardumar. [De *en-*^{3} + *cardume* + *-ar*^{2}.] *V. int. Bras.* Formar cardume(s).

encarecedor (ô). *Adj.* e *s. m.* Que ou aquele que encarece.

encarecer. [De *en-*^{3} + *caro* + *-ecer.*] *V. t. d.* **1.** Tornar caro; subir o preço de: *A longa estiagem encareceu os legumes e frutas.* **2.** Louvar, elogiar, exaltar. *Em sua crítica, encarece as qualidades do poeta.* **3.** Descrever ou referir com exageração: *encarecer as dificuldades dum trabalho.* **4.** Recomendar com interesse ou empenho: *Encareceu a realização urgente da obra. Int.* **5.** Tornar-se caro; subir de preço: *Os gêneros alimentícios encarecem dia a dia.* [Conjug.: v. *aquecer.*]

encarecimento. *S. m.* **1.** Ato ou efeito de encarecer. **2.** Instância, empenho, interesse.

encaretado. [Part. de *encaretar-se.*] *Adj.* **1.** V. *mascarado* (1). **2.** *Bras., N.E.* Cheio de cascões, de manchas de sujeira, pelo corpo.

encaretar. [De *en-*^{3} + *careta* + *-ar*^{2}.] *V. int.* **1.** *Bras.* Tornar-se careta (6). *P.* **2.** Mascarar (4 e 5). **3.** *Bras., N. E.* Encher-se de manchas de sujo.

encargar. [De *en-*^{3} + *carga* + *-ar-*^{2}.] *V. t. d.* **1.** Acomodar a carga dentro de. **2.** *Bras.* Encher, carregar. *T. d.* e *i.* **3.** Encarregar: *Encargueio-o de missão difícil.* [Conjug.: v. *largar.*]

encargo. [Dev. de *encargar.*] *S. m.* **1.** Responsabilidade, incumbência, obrigação: *A educação dos filhos é para ele duro encargo.* **2.** Ocupação, cargo: *encargo oficial.* **3.** Sentimento de culpa; remorso: *ter encargo na consciência.* **4.** Condição onerosa, ou restritiva de vantagem; peso, fardo: *Aquelas aulas eram-lhe um encargo.* **5.** *Jur.* V. *modo* (14). ♦ **Encargos sociais.** *Econ.* Ônus imposto pelo governo às empresas para a constituição de fundos destinados ao financiamento de atividades sociais estatais ou parestatais, e também certas obrigações pecuniárias que a empresa deve aos seus empregados.

encarijar. [De *en-*3 + *carijo* + *-ar*^{2}.] *V.t.d. Bras.* Dispor (a erva-mate) em folhas sobre o jirau ou carijo, onde é chamuscada.

encarna. [Dev. de *encarnar.*] *S. f.* **1.** Ato de encarnar, introduzir, engaste. **2.** Abertura em peça para encaixar outra; encaixe. **3.** *Bras.* Pequena depressão ou escavação: "os sinais [da bexiga], grandes e muitos, faziam saliências e encarnas, declives e aclives" (Machado de Assis, *Memórias Póstumas de Brás Cubas,* p. 117). [Cf. *encarne.*]

encarnação. [Do lat. *incarnatione.*] *S. f.* **1.** Ato de encarnar, de tornar semelhante, na cor ou no aspecto, à carne. **2.** Ato de encarnar imagens. **3.** *Teol.* Mistério pelo qual Deus se fez homem. **4.** Cada uma das existências do espírito materializado, segundo a crença espiritista. **5.** Ato pelo qual os seres a quem se atribui divindade se materializam. **6.** *Fig.* Consubstanciação, concretização: *Aquela criatura é a encarnação do pecado.*

encarnado. [Part. de *encarnar.*] *Adj.* **1.** Que encarnou. **2.** Que foi objeto de encarnação (2): *imagem encarnada.* **3.** Da cor da carne[1] (2); vermelho escarlate; *rosa encarnada.* **4.** Diz-se dessa cor, gravata de cor encarnada. • *S. m.* **5.** Essa cor: vermelho. **6.** Encarnação (de imagem): *O encarnado deste santo precisa de restauração.*

encarnador [ô]. *Adj.* e *s. m.* Que ou aquele que encarna figuras ou imagens.

encarnar. [Do lat. *incarnare.*] *V.t.d.* **1.** Dar cor de carne a (imagens, estátuas ou outros objetos) **2.** *P. ext.* Pintar (imagens de santo) de modo que pareçam reais. **3.** Dar rubor a; avermelhar. **4.** Encarniçar (1). **5.** Ser a personificação, o modelo, a imagem de: *Martin Luther King encarnava aqueles que lutam pela igualdade racial* **6.** Teat. Representar ou personificar (uma personagem, um papel): *Lawrence Olivier encarnou Hamlet excelentemente. T. i.* **7.** *Esp.* Penetrar (o espírito em um corpo); encarnar-se. **8.** Tomar vulto ou forma: *A violência encarnava nos chefes nazistas.* **9.** Entranhar-se enraizar-se **10.** *Bras. Gír.* Perseguir, importunar, assediar (alguém), como se tivesse o espírito encarnado em seu corpo [V. acepç. 7.] *Int.* **11.** Tornar ou criar carne; converter-se em carne; cicatrizar-se: *O ferimento encarnou.* **12.** Tornar-se em carne humana; fazer-se homem; humanizar-se, humanar-se. *P.* **13.** Introduzir-se profundamente. **14.** *Esp.* Encarnar (7).

encarne. [Dev. de *encarnar.*] *S. m.* **1.** Ato de encarnar. **2.** A caça que se dá a comer aos cães para acostumá-los ao gosto e cheiro dela. [Cf. *encarna.*]

encarneirado. *Adj.* Que(se) encarneirou. ~ V. *mar* —.

encarneirar. [De *en-*^{3} + *carneiro* + *-ar*^{2}.] *V. int.* e *p.* **1.** Encrespar-se (o mar) em pequenas ondas espumosas que lembram um rebanho de carneiros. **2.** Povoar-se (a atmosfera) de numerosas nuvens pequenas.

encarniçado. [Part. de *encarniçar.*] *Adj.* **1.** Que se ceva com carniça. **2.** *Fig.* Feroz, assanhado, sanguinário: *tigres encarniçados.* **3.** Cruento, cruel: luta *encarniçada.* **4.** Intenso, aceso, inflamado: *discussão encarniçada.* **5.** Obstinado, pertinaz: *inimigo encarniçado.* **6.** Diz-se dos olhos avermelhados, injetados.

encarniçamento. *S. m.* **1.** Ato de encarniçar-se o animal sobre a presa; sanha, fúria. **2.** Aferro em perseguir; pertinácia, obstinação, temosia, teima. **3.** *Fig.* Animosidade, rancor.

encarniçar. [De *en-*^{3} + *carniça* + *-ar*^{2}.] *V.t.d.* **1.** Deitar o encarne a (os cães) para os tornar ferozes; encarnar. **2.** Açular, incitar (um animal), na briga contra a presa. **3.** Excitar, incitar, açular: *Os revolucionários encarniçaram o povo. P.* **4.** Cevar-se na carniça. **5.** Encher-se de sanha; enraivecer-se, irar-se. [Conjug.: v. *laçar.*]

encaro. [Dev. de *encarar.*] *S. m.* Ato de encarar.

encaroçada. [Fem. substantivado do adj. *encaroçado.*] *S. f. Bras., S.* Certa qualidade de terra roxa abundante em pequenos conglomerados.

encaroçado. [Part. de *encaroçar.*] *Adj.* **1.** *Bras.* Cheio de caroços [v. *caroço* (6)]. **2.** *Bras., N. E.* e *S. Pop.* Coberto de caroços [V. *encaroçar* (4).]

encaroçar. [De *en-*^{3} + *caroço* + *-ar*^{2}.] *V. int.* e *p. Bras., S.* **1.** Criar caroço (4). **2.** *Bras. Pop.* Encher-se de caroços [v. *caroço* (6); embolar, embolotar. **3.** *Bras.* Não ter fluência na pronunciação de um discurso. **4.** *Bras.,* N.E. e *S. Pop.* Cobrir-se (a pele) de tumores ou erupções cutâneas, genericamente denominados *caroços: Sua pele encaroçou; O braço do menino encaroçou todinho. [Conjug.: v. laçar.]*

encarochar. [De *en-* + *carocha* + *-ar*^{2}.] *V.t.d.* **1.** V. *embruxar.* **2.** *Ant.* Pôr mitra de papel em (condenados da Inquisição).

encarpo. [Do gr. *égkarpa,* pelo lat *encarpa.*] *S. m.* Grinalda arquitetônica que contém folhas, flores e frutos.

encarquilhado. [Part. de *encarquilhar.*] *Adj.* **1.** Cheio de rugas ou pregas, rugoso, enrugado: *rosto encarquilhado; uma velha encarquilhada.* **2.** *P.* ext. Ressequido, *fruta encarquilhada.*

encarquilhar. [De *en-*^{3} + *carquilha* + *-ar-*^{2}.] *V. t. d.* e p. Encher(-se) de carquilhas ou rugas; tornar (-se) rugoso; enrugar(-se), arrugar(-se): *A idade já lhe encarquilhou o rosto;* "O sol destas terras semiáridas é paradoxal e caprichoso: acelerando a reprodução das sementes atrasa o surto dos ramos, encarquilha as folhas e obriga as raízes a lurarem o subsolo em busca de reservas de seiva." (Vitorino Nemésio, *Caatinga e Terra Caída,* p. 89); *Sua pele encarquilha-se a olhos vistos.*

encarrancar. [De *en-*^{3} + *carrança* +*-ar*^{2}.] *V. t. d.* **1.** Tornar carrancudo, mal-humorado. **2.** Adornar grotescamente (com carrancas ou objetos análogos). *Int.* **3.** Tornar-se carrrancudo. **4.** Toldar-se, anuviar-se (o tempo). [Conjug.: v. *trancar.*]

encarrapichar-se. [De *en-*^{3} + *carrapicho* + *-ar*^{2} + *se*^{1}.] *V. p. Bras.* Encher-se de carrapichos.

encarrapitar. [De *en-*^{3} + *carrapito* + *ar*^{2}.] *V.t.d.* e *p.* V. *encarapitar.*

encarrar. [De *en-*^{3} + *carro* + *-ar*^{2}.] *V.t.d.* Pôr em carro ou carreta; carregar o carro com.

encarrascar-se. [de *en-*^{3} + *carrascão*^{1} (q.v.) + *-ar*^{2} + se^{1}] *V. p.* **1.** Embriagar-se com vinho carrascão **2.** *P.* ext. Embriagar-se, embebedar-se, esborrachar-se. [Conjug. v. *trancar.*]

encarraspanar-se. [De *en-*^{3} + *carraspana* + *-ar*^{2} + *se*^{1}.] *V. p.* Meter-se em carraspana; embebedar-se, embriagar-se.

encarregado. [Part. de *encarregar.*] *Adj.* **1.** Que está incumbido de qualquer cargo [Sin.; lus.: *encarregue.*] • *S. m.* **2.** Aquele que está incumbido de qualquer serviço ou negócio. **3.** Indivíduo que tem o encargo de vigiar os operários numa obra em substituição ao mestre-de-obras. ♦ **Encarregado de negócios.** *Diplom.* Agente diplomático a quem compete, por falta de embaixador ou de ministro, representar seu governo junto a uma nação estrangeira.

encarregar. [De *en-*^{3} + *carregar.*] *V.t.d.* e *i.* **1.** Dar como cargo, ocupação, comissão, missão, emprego etc.: *Encarreguei-o da administração da fazenda.* **2.** Dar como incumbência, incumbir, cometer, confiar: *Encarregaram-no da redação da proposta.* **3.** Recomendar, encomendar. **4.** Carregar, sobrecarregar, onerar: *Encarregou a criança de obrigações.* P. **5.** Tomar obrigação ou encargo. [Conjug.: v. *regar,* mas tem dois part.: *encarregado* e (lus.) *encarregue,* pres. ind.: *encarrego,* etc. Cf. *encarrego* (ê).]

encarrego (ê). [Dev. de *encarregar.*] *S. m.* Ato de encarregar. [Pl.: *encarregos* (ê). Cf. *encarrego,* do v. *encarregar.*]

encarregue. [Part. de *encarregar.*] *Adj. 2 g. Lus.* Encarregado (1).

encarreirar. [De *en-*^{3} + *carreira* +*-ar*^{2}.] *V.t.d.* **1.** Abrir caminho a; encaminhar, dirigir: *Encarreirou os negócios do irmão.* **2.** Fazer seguir bom caminho. *P.* **3.** Encaminhar-se, dirigir-se.

encarretar. [De *en-*^{3} + *carreta* + *-ar*^{2}] *V.t.d.* Pôr em carreta, encarrar.

encarrilar. [De *en-*^{3} + *carril* + *-ar*^{2}.] *V.t.d., t.i.* e *int.* V. *encarrilhar.*

encarrilhado. [Part. de *encarrilhar.*] *Adj. Bras. N.* e *N. E.* Seguido, ininterrupto: *Choveu três dias encarrilhados.*

encarrilhar. [De *encarrilar,* com infl. de *carrilho.*] *V. t. d.* **1.** Pôr nos carris ou trilhos, nas calhas. **2.** Pôr em bom caminho; encaminhar, orientar. *T.i.* **3.** Atinar, acertar, dar: *Não encarrilhava com sentido daquelas palavras. Int.* **4.** Ir pelo bom caminho.

encartação. *S. f.* Ato de encartar; encartamento.

encartadeira. [De *encartar* + *-deira.*] *S. f.* Aparelho dos retorces [v. *retorce* (2)], no qual entra a urdidura para juntar-se a dois fios e penetrar nos torcedores.

encartamento. *S. m.* Encartação.

encartar. *V. t. d.* **1.** Conceder carta, diploma, licença, a (alguém), para exercer certo ofício. **2.** *Art. Gráf.* Fazer o encarte de. *Int.* **3.** Jogar carta sobre outra do mesmo naipe, fazendo vaza. 4. Tirar carta ou diploma do seu emprego, pagando os competentes direitos.

encarte. [Dev. de *encartar.*] *S. m.* **1.** Ato de encartar-se num emprego. **2.** Os direitos que se pagam pelo respectivo diploma. **3.** O fazer vaza com carta do mesmo naipe. **4.** *Art. Gráf.* Operação de intercalar, entre os cadernos de uma publicação, uma ou mais folhas, em geral de cor diferente, e que constituem espécimes, avisos especiais, etc. **5.** *Art. Gráf.* Cada uma das folhas assim intercaladas.

encartolado. [De *en-*[3] + *cartola* + *-ado*[1].] *Adj.* Que usa cartola ou está de cartola: "Vai cortando o azul noturno do museu deserto a sua bela silhueta encartolada" (Augusto Meyer, *No Tempo da Flor,* p. 36).

encartuchar. [De *en-*[3] + *cartucho* + *-ar*[2].] *V. t. d.* **1.** Meter em cartucho. **2.** Dar forma de cartucho a.

encarvoar. [De *en-*[3] + *carvão* + *-ar*[2].] *V. t. d.* **1.** Sujar de, ou com carvão; encarvoejar. *P.* **2.** Sujar-se de carvão. **3.** Converter-se em carvão. [Conjug.: v. *coroar.*]

encarvoejar. [De *en-*[3] + *carvão* + *-ejar.*] *V. t. d.* **1.** Encarvoar (1). **2.** Tornar escuro; escurecer, denegrir. [Conjug.: v. *pelejar.*]

encasacado. [Part. de *encasacar.*] *Adj.* Vestido de casaco ou casaca: "Já passavam dez minutos das cinco horas quando eu saí do teatro — perfeitamente enluvado e encasacado" (Artur Azevedo, *Contos Possíveis,* p. 13).

encasacar-se. [De *en-*[3] + *casaco* ou *casaca* + *-ar*[2] + *se*[1].] *V. p.* **1.** Vestir-se com casaco ou casaca. **2.** Pôr traje cerimonioso. [Conjug.: v. *trancar.*]

encasado. [Part. de *encasar.*] *S. m. Art. Gráf.* Caderno metido dentro de outro, para completar determinado conjunto de páginas. [Sin., ant.: *enforcado.*]

encasamento. *S. m.* **1.** Ato de encasar(-se). **2.** Entalhe, encaixe.

encasar. [De *en-*[2] + *casa*(12) + *-ar*[2].] *V. t. d.* **1.** Pôr no seu lugar. **2.** Meter na respectiva casa: "Pombinha acabava de encasar o último botão do corpinho" (Aluísio Azevedo, *O Cortiço,* p. 197). **3.** Meter no encaixe; encaixar. **4.** Fazer harmonizar; acomodar; conciliar; combinar. **5.** Insinuar, sugerir, insuflar: *encasar uma idéia, um sentimento.* **6.** *Art. Gráf.* Meter (folhas impressas e dobradas) dentro de outras; intercalar.

encascar[1]. [De *en-*[2] + *casca* + *-ar*[2].] *V. int.* **1.** Criar casca (a árvore). **2.** Endurecer à superfície. [Conjug.: v. *trancar.*]

encascar[2]. [De *en-*[2] + *casco* + *-ar*[2].] *V. t. d.* **1.** Meter em casco; envasilhar: *encascar bebidas.* **2.** Forrar (a parede) de argamassa; rebocar. *Int.* **3.** Criar casco (o cavalo). [Conjug.: v. *trancar.*]

encasmurrar. [De *en-*[3] + *casmurro* + *-ar*[2].] *V. t. d. e p.* Tornar(-se) casmurro.

encasque. [Dev. de *encascar*[2].] *S. m.* **1.** Ato ou efeito de encascar[2]. **2.** *Bras.* Enchimento de fragmentos de pedras, tijolos e telhas, com argamassa, com o fim de regularizar o paramento da parede.

encasquetado. [Part. de *encasquetar.*] *Adj.* Obstinado, obcecado.

encasquetar. [De *en-*[3] + *casquete* + *-ar*[2].] *V. t. d.* **1.** Cobrir com casquete ou barrete. **2.** Meter na cabeça, no juízo, no casco: *Quando encasqueta determinada idéia, dela não abre mão. T. d. e. i.* **3.** Persuadir, induzir: *Encasquetou o rapaz a deixar o emprego. P.* **4.** Cobrir a cabeça com casquete ou barrete. **5.** Persuadir-se; obstinar-se.

encasquilhar[1]. [De *en-*[3] + *casquilha* + *-ar*[2].] *V. t. d.* Cobrir com casquilhas de metal.

encasquilhar[2]. [De *en-*[3] + *casquilho* + *-ar*[2].] *V. t. d. e p.* Tornar(-se) casquilho, janota; aperaltar-se, ajanotar-se.

encastelado. [Part. de *encastelar.*] *Adj.* **1.** Acastelado (2). **2.** Sobreposto, acumulado, amontoado; acastelado. **3.** V. *acastelado* (3). **4.** *Veter.* Diz-se dos cascos dos eqüídeos que se contraem para a parte inferior.

encastelamento. *S. m.* **1.** Ato ou efeito de encastelar(-se): "ao fundo do horizonte, para sul, o encastelamento fantástico das grandes nuvens plúmbeas" (Trindade Coelho, *Os Meus Amores,* p. 157). **2.** *Veter.* Alteração dos cascos dos eqüídeos, representada pela aproximação dos quartos e talões.

encastelar. [De *en-*[2] + *castelo* + *-ar*[2].] *V. t. d.* **1.** Construir à maneira de castelo; acastelar. **2.** Fortificar com castelo(s); acastelar. **3.** Pôr em lugar alto. **4.** Amontoar, acumular, empilhar; acastelar. *Int.* **5.** *Bras., C.O.* e *S.* Passar (a perdiz levantada) da direção vertical para a horizontal, voando sem grande esforço. *P.* **6.** Recolher-se ou encerrar-se em castelo ou lugar forte para se defender; acastelar-se. **7.** Amontoar-se, acumular-se; acastelar-se: *Nuvens encastelavam-se no horizonte.* **8.** *Fig.* Fazer-se forte; fortalecer-se, fortificar-se. **9.** *Fig.* Apoiar-se, estribar-se, fundamentar-se.

encastoar. [De *en-*[3] + *castão* + *-ar*[2].] *V. t. d.* **1.** Pôr castão em. **2.** Engastar; embutir. [Conjug.: v. *coroar.*]

encastramento. *S. m.* Ato de encastrar.

encastrar. [Do fr. *encastrer.*] *V. t. d.* Encaixar; engranzar, endentar.

encasular. [De *en-*[2] + *casulo* + *-ar*[2].] *V. t. d.* **1.** Meter dentro do casulo. **2.** *Fig.* Encerrar, enclausurar.

encataplasmar. [De *en-*[3] + *cataplasma* + *-ar*[2].] *V. t. d.* **1.** Cobrir de cataplasmas. **2.** Tornar doentio, achacadiço. [F. paral.: *cataplasmar.*]

encatarrado. [Part. de *encatarrar-se.*] *Adj.* V. *acatarrado.*

encatarrar-se. [De *en-*[3] + *catarro* + *-ar*[2] + *se*[1].] *V. p.* **1.** Adoecer com catarro. **2.** Endefluxar-se, constipar-se. **3.** Enrouquecer. [F. paral.: *encatarroar-se.*]

encatarroado. [Part. de *encatarroar-se.*] *Adj.* V. *acatarrado.*

encatarroar-se. *V. p.* V. *encatarrar-se.* [Conjug.: v. *coroar.*]

encatrinar-se. [De *Catrina,* por *Catarina*?] *V. p. Pop.* Embebedar-se, embriagar-se [q. v.].

encauchado. [Part. de *encauchar.*] *S. m. Bras.* **1.** Saco de borracha. **2.** Saco impermeabilizado com caucho.

encauchar. [De *en-*[3] + *caucho* + *-ar*[2].] *V. t. d. Bras.* Tornar (um saco ou um pano) seco e impermeável por meio de caucho.

encauma. [Do gr. *égkauma,* 'queimadura'.] *S. m. Med.* Cicatriz de queimadura, úlcera, não superficial, da córnea.

encausta. [Do gr. *egkaústes,* pelo lat. *encausta.*] *S. 2 g.* Pessoa que trabalhava em encáustica.

encaustes. *S. 2 g. e 2 n.* V. *encausta.*

encáustica. [Do gr. *egkaustiké,* i. e., *téchne egkaustiké,* pelo lat. *encaustica.*] *S. f.* **1.** *Art. Plást.* Técnica de pintura baseada no uso de pigmentos e cera tratados a quente, conhecida desde a Antigüidade, e caracterizada pelo efeito translúcido que produz. **2.** Preparado de cera e essência de terebintina, usado para dar brilho a móveis e soalhos. [Cf. *encaustica,* do v. *encausticar.*] ◆ **Encáustica a frio.** *Art. Plást.* Técnica de pintura baseada no emprego de pigmentos, como o guache, sobre os quais se espalha uma camada de cera diluída com terebintina, para se obter um efeito translúcido e suave.

encausticar. *V. t. d.* Passar encáustica em. [Conjug.: v. *trancar.* Pres. ind.: *encaustico, encausticas, encaustica,* etc. Cf. *encáustico* e *encáustica.*]

encáustico. [Do gr. *egkaustikós,* pelo lat. *encausticu.*] *Adj.* Referente à encáustica. [Cf. *encaustico,* do v. *encausticar.*]

encava. [Dev. de *encavar.*] *S. f. Arquit.* Peça com que se unem dois corpos.

encavacado. [Part. de *encavacar.*] *Adj.* Que deu o cavaco; amuado, zangado.

encavacar. [De *en-*[3] + *cavaco* + *-ar*[2].] *V. int.* **1.** Dar o cavaco; amuar-se, embezerrar-se. **2.** Envergonhar-se, vexar-se. [Conjug.: v. *trancar.*]

encavalar. [De *en-*[3] + *cavalo* + *-ar*[2].] *V. t. d.* **1.** V. *cavalgar* (1 e 2). **2.** Sobrepor, acavalar. *P.* **3.** Pôr-se sobre; montar-se, escanchar-se.

encavalgamento. *S. m.* **1.** Ação ou efeito de encavalgar; cavalgamento. **2.** V. *enjambement.*

encavalgar. [De *en-*[3] + *cavalgar.*] *V. t. d.* V. *cavalgar* (1 e 2). [Conjug.: v. *largar.*]

encavar. [De *en-*[2] + *cava* + *-ar*[2].] *V. t. d.* **1.** Meter na cava ou cavidade. **2.** Abrir cava em; escavar.

encavernar. [De *en-*[2] + *caverna* + *-ar*[2].] *V. t. d.* **1.** Meter em caverna; encovilar. *P.* **2.** Esconder-se; ocultar-se.

encavilhar. [De *en-*[3] + *cavilha* + *-ar*[2].] *V. t. d.* Cavilhar.

encavo. [Dev. de *encavar.*] *S. m.* Parte cavada; o côncavo; encaixe.

encedrar. [De *en-*[3] + *cedra (alter. de cédula)* + *-ar*[2].] *V. t. d. Bras., PE. Pop.* Aumentar (o dinheiro) no jogo, de maneira que tenha valor igual ao de uma cédula.

encefalalgia. [De *encéfalo* + *-alg(o)-* + *-ia.*]. *S. f. Patol.* Dor no encéfalo.

encefalálgico. *Adj.* Relativo à encefalalgia.

encefálico. *Adj.* Relativo ou pertencente ao encéfalo. — V. *vesículas —as primitivas.*

encefalite. [De *encéfalo* + *-ite*[1].] *S. f. Patol.* Inflamação no encéfalo. ◆ **Encefalite letárgica.** *Patol.* Doença que produz alterações inflamatórias e degenerativas no sistema nervoso central, e cuja sintomatologia é diversificada, em casos diferentes e em fases sucessivas do mesmo caso.

encéfalo. [Do gr. *egképhalos.*] *S. m. Anat.* Parte do sistema nervoso central contida na cavidade do crânio, e que abrange o cérebro, o cerebelo, pedúnculos, a protuberância e o bulbo raquiano.

encefalocele. [De *encéfalo* + *-cele.*] *S. f. Patol.* Hérnia encefálica.

encefalograma. [De *encéfalo* + *-grama.*] *S. m. Med.* Imagem radiográfica do encéfalo.

encefalóide. [De *encéfalo* + *-óide.*] *Adj. 2 g.* Que se assemelha ao encéfalo.

encefalólito. [De *encéfalo* + *-lito.*] *S. m. Patol.* Cálculo ou concreção encefálica.

encefalologia. [De *encéfalo* + *-log(o)-* + *-ia.*] *S. f.* O conjunto dos conhecimentos relativos ao encéfalo.

encefalológico. *Adj.* Relativo à encefalologia.

encefaloma. [De *encéfalo* + *-oma.*] *S. m. Patol.* Tumor ou hérnia do encéfalo.

encefalopatia. [De *encéfalo* + *-pat(o)-* + *-ia.*] *S. f. Patol.* V. *amaurose.*

enceguecer. [De *en-*[3] + *cego* + *-ecer.*] *V. int.* Ficar cego; cegar. [Conjug.: v. *aquecer.*]

enceguecimento. *S. m.* Ação ou efeito de enceguecer.

encegueirado. [De *en-*[3] + *cegueira* + *-ado*[1].] *Adj. Bras., CE* e *BA,* e *prov. lus.* Aferrado a um sentimento, uma idéia, um vício; obcecado.

encelado. [Part. de *encelar.*] *Adj.* Metido em cela; enclaustrado. [Cf. *encélado,* s. m., *Encélado,* mit., e *ensilado,* part. do v. *ensilar.*]

encélado. *S. m.* Gênero de insetos coleópteros da Guiana. [Cf. *encelado,* part. de *encelar* e adj.]

encelar. [De *en-*[2] + *cela* + *-ar*[2].] *V. t. d.* Meter em cela; enclaustrar. [Part.: *encelado.* Cf. *encélado,* s. m., *Encélado,* mit., e *ensilado.*]

enceleirar. [De *en-*[2] + *celeiro* + *-ar*[2].] *V. t. d.* **1.** Recolher em celeiro. **2.** Fazer depósito ou provisão de; armazenar. **3.** Acumular, amontoar; entesourar.

encélia. [Do gr. *egkoília.*] *S. f.* Planta da família das compostas, freqüente em desertos da América do Norte.

encelialgia. [Do gr. *egkoília,* 'entranhas', + *-alg(o)-* + *-ia.*] *S. f. Patol.* Dor em víscera abdominal.

enceliálgico. *Adj.* Referente à encelialgia.

encelite. [Do gr. *egkoília,* 'entranhas', + *-ite*[1].] *S. f. Patol.* Inflamação de víscera abdominal.

encenação. *S. f.* **1.** *Teat.* Ato ou efeito de encenar; direção teatral. **2.** *Teat.* Espetáculo teatral; montagem. **3.** *Gír.* Prosápia; fingimento. **4.** Conjunto de providências e/ou atitudes, etc., tendentes a impressionar ou iludir a outrem.

encenador (ô). *S. m. Teat.* V. *diretor* (5): "Modificando o panorama brasileiro, em que o intérprete principal assegurava o prestígio popular da apresentação, independentemente do texto, do resto do elenco e dos acessórios, *Os Comediantes* transferiram para o encenador o papel de vedeta." (Sábato Magaldi, *Panorama do Teatro Brasileiro,* p. 193.)

encenar. [De *en-*[3] + *cena* + *-ar*[2].] *V. t. d.* **1.** *Teat.* Coordenar, ensaiar e levar à cena (um espetáculo); pôr em cena: *O diretor encenou* Hamlet *com ótimo elenco.* **2.** Ostentar; exibir: *Gosta de encenar autoridade. Int.* **3.** Coordenar, ensaiar e levar à cena um espetáculo. **4.** Agir com encenação (4); fingir, simular.

encendrar. *V. t. d.* V. *acendrar* (2).

encentrar. [De *en-*[2] + *centrar.*] *V. t. d.* V. *concentrar* (1).

encepar. [De *en-*[2] + *cepo* + *-ar*[2].] *V. t. d.* **1.** Pôr em cepo. **2.** *Marinh.* Pôr o cepo de (uma âncora) perpendicularmente à haste, quando ela é desmontável. *Int.* **3.** *Marinh.* Enrolar-se no cepo da âncora.

enceradeira. *S. f. Bras.* Aparelho para encerar soalhos.

encerado. [Part. de *encerar.*] *Adj.* **1.** Coberto de cera. **2.** Que adquiriu a cor da cera. **3.** *Bras.* Diz-se do cavalo de pêlo baio-escuro. ● *S. m.* **4.** Oleado (2). **5.** *Bras., Amaz.* Saco de algodão, estopa, etc., impermeabilizado manualmente com látex natural: "Não fossem os encerados, que cobrem nossos mosquiteiros à noite, já teríamos todos morrido." (Edilson Martins, *Makaloba,* p. 145.)

encerador (ô). *S. m. Bras.* Aquele que encera soalhos. [Cf. *enseirador.*]

enceradura. *S. f.* Enceramento [q. v.].

enceramento. *S. m.* Ato ou efeito de encerar(-se); enceradura. [Cf. *enseiramento.*]

encerar. [De *en-*[3] + *cera* + *-ar*[2].] *V. t. d.* **1.** Untar ou cobrir de cera (tecido ou madeira). **2.** Dar a cor de cera a. **3.** Misturar com cera. *P.* **4.** Tornar-se da cor da cera. [Pres. subj.: *encere, enceres, ..., encerem.* Cf. *enseirar* e *insere, inseres, ..., inserem,* do v. *inserir.*]

encerebração. [De *en-*[3] + *cerebração.*] *S. f.* **1.** Desenvolvimento intelectual. **2.** Maneira de pensar; orientação.

encerebrar. [De *en-*[2] + *cérebro* + *-ar*[2].] *V. t. d.* Meter no cérebro; fixar na memória; fixar, decorar; aprender.

enceroilar. *V. t. d.* Var. de *enceroular.*

enceroular. [De *en-*[3] + *ceroula* + *-ar*[2].] *V. t. d.* **1.** Dar forma de ceroulas a. **2.** Usar como ceroulas. [Var.: *enceroilar.*]

encerra. [Dev. de *encerrar.*] *S. f. Bras., RS.* **1.** Ato de recolher o gado ao curral. **2.** Espécie de curral de feitio muito semelhante ao dos currais-de-peixe, feito no meio do campo para apanhar baguais.

encerramento. *S. m.* Ato ou efeito de encerrar(-se); encerro.

encerrar. [De *en-*[3] + *cerrar.*] *V. t. d.* **1.** Meter ou guardar (em lugar que se fecha): *Encerrou no cofre as jóias e o dinheiro; Encerrou o prisioneiro na solitária.* **2.** Conter, incluir: *O telegrama encerrava os cumprimentos de toda a família; A obra derradeira do autor encerra todo o seu pensamento filosófico.* **3.** Pôr termo a; concluir, terminar, rematar: *Encerrou a discussão com um argumento irrefutável.* **4.** *Bras., S.* Prender (o gado) na encerra. *T. d. e i.* **5.** Guardar ou fechar dentro de (algo ou, fig., alguém): "Encerra em ti tua tristeza inteira." (Manuel Bandeira, *Estrela da Vida Inteira*, p. 46.) *P.* **6.** Não sair à rua; fechar-se; enclausurar-se: "Encerrou-se no seu quarto José Macário. Deitou-se." (Camilo Castelo Branco, *História e Sentimentalismo*, p. 187.) **7.** Limitar-se, resumir-se. [Pres. ind.: *encerro*, etc. Cf. *encerro* (ê).]

encerro (ê). [Dev. de *encerrar.*] *S. m.* **1.** Encerramento. **2.** Lugar onde se encerra alguém ou algo. [Pl.: *encerros* (ê). Cf. *encerro*, do. v. *encerrar.*]

encervejar. [De *en-*[3] + *cerveja* + *-ar*[2].] *V. t. d.* **1.** Dar cerveja a. *P.* **2.** Tomar cerveja. [Conjug.: v. *pelejar.*]

encestar. [De *en-*[2] + *cesto* (ê) + *-ar*[2].] *V. t. d.* **1.** *Bras.* Arrecadar (qualquer objeto) em cesto. **2.** *Basq.* Fazer que entre (a bola) na cesta de malha. **3.** *Gír.* Bater em; espancar. *Int.* **4.** *Basq.* Converter (9). [Pres. ind.: *encesto*, etc. Cf. *incestar*, v., e *incesto*, deste verbo e s. m.]

encetadura. *S. f.* Encetamento.

encetamento. *S. m.* Ato de encetar; encetadura. [Cf. *incitamento.*]

encetar. [Do lat. *inceptare.*] *V. t. d.* **1.** Começar, principiar, iniciar: *encetar uma conversa;* "Ia e vinha, trêmula, ... encetando serviços que deixava em meio" (Xavier Marques, *Jana e Joel*, p. 110). **2.** Começar a gastar ou a cortar. **3.** Tirar parte de (coisa que estava inteira). **4.** Experimentar pela primeira vez; estrear. *P.* **5.** Fazer algo em primeiro lugar ou pela primeira vez; estrear-se. [Pres. ind.: *enceto*, etc. Cf. *inseto* e *incitar.*]

enchacotar. [De *en-*[3] + *chacota* (v. *louça de chacota*) + *-ar*[2].] *V. t. d.* Dar a primeira cozedura a (a louça) antes de vidrá-la e pintá-la.

enchafurdar. [De *en-*[4] + *chafurdar.*] *V. t. i., t. d. e p.* V. *chafurdar.*

enchamboado. [De *en-*[3] + *chambão* + *-ado*[1].] *Adj. Bras.* **1.** Gordo a ponto de ter a cintura tão larga quanto os ombros. **2.** Malfeito de corpo. **3.** Vestido com roupa de mau gosto e/ou malfeita; achamboado. **4.** Esfarrapado, maltrapilho.

enchapelado. [Part. de *enchapelar-se.*] *Adj.* Coberto com chapéu: "E ali estava ela agora, enchapelada e contente, ... a caminho da igreja" (Josué Montelo, *Cais da Sagração*, p. 17).

enchapelar-se. [De *en-*[3] + *chapéu* + *-ar*[2] + *se*[1].] *V. p.* **1.** Cobrir-se com chapéu. **2.** Pôr (uma mulher) o chapéu, especialmente para ir a uma festa ou solenidade.

enchapinado. *Adj.* Diz-se dos cascos das bestas muito endurecidos e defeituosos.

encharcadiço. *Adj.* Sujeito a encharcar(-se); alagadiço.

encharcamento. *S. m.* Ação ou efeito de encharcar(-se).

encharcar. [De *en-*[3] + *charco* + *-ar*[2].] *V. t. d.* **1.** Converter em charco, pântano, paul; empantanar, apaular. **2.** Encher de água; alagar, inundar. **3.** Molhar muito; ensopar: *A chuvarada encharcou-o. P.* **4.** Converter-se em pântano, charco, paul; empantanar-se, apaular-se. **5.** Meter-se em charco ou atoleiro; atolar-se, atascar-se. **6.** Molhar-se inteiramente; ensopar-se. **7.** V. *embriagar* (4). V. *ensopar* (5). [Conjug.: v. *trancar.*]

encharolar. [De *en-*[3] + *charola* + *-ar*[2].] *V. t. d.* Pôr em charola.

enchavetar. [De *en-*[3] + *chaveta* + *-ar*[2].] *V. t. d.* Segurar com chaveta.

enche-cabresto. [De *encher* + *cabresto.*] *S. m. Bras., SP. Pop.* Ladrão de animais. [Pl.: *enche-cabrestos.*]

encheção. *S. f. Bras. Gír.* Ato ou efeito de encher (10); amolação, aborrecimento, chateação, maçada.

enchedeira. *S. f.* Pequeno funil com que se enchem os chouriços.

enche-mão. [De *encher* + *mão*[1].] *El. s. m.* Us. na loc. adj. *de enche-mão.* ♦ **De enche-mão. 1.** De mão-cheia: *uma empregada de enche-mão.* **2.** Perfeito, ótimo, primoroso: *um serviço de enche-mão.*

enchente. [Do lat. *implente.*] *S. f.* **1.** Cheia, torrente, inundação: *enchente de rio; Anteontem houve tal enchente que ninguém podia andar.* **2.** Excesso, superabundância, exabundância: *Grande safra, a deste ano: houve enchente de frutas; A enchente de veranistas matou o sossego de Petrópolis.* **3.** Afluência extraordinária de gente a um teatro, cinema ou qualquer casa de espetáculos, sala de conferências, etc. [Sin. (bras., gír.): *chuá.*] ♦ **Enchente da Lua.** O tempo em que a Lua vai para cheia. **Enchente da maré.** *Geofís.* Fase da maré entre a baixa-mar e a preamar seguinte. [Antôn.: *vazante da maré.*]

encher. [Do lat. *implere.*] *V. t. d.* **1.** Ocupar o vão, a capacidade ou superfície de; tornar cheio (1) ou repleto: *encher o cachimbo, o copo; encher a barriga;* "Sonho que um verso meu tem claridade / Para encher todo o mundo!" (Florbela Espanca, *Sonetos Completos*, p. 22.) **2.** Ocupar, tomar, preencher: *As pesquisas enchem o seu tempo.* **3.** Satisfazer, cumprir, desempenhar: *encher as obrigações.* **4.** Saciar; fartar: "Queriam forçar-me a excessivo alimento, encher-me .... o estômago fraco." (Graciliano Ramos, *Viagem*, p. 33.) **5.** Espalhar-se, espargir-se, difundir-se por: *O aroma de rosas enchia todo o quarto; O som da trompa enche o vale.* **6.** Existir ou mostrar-se em grande quantidade em; abundar em: *Os turistas enchiam a cidade.* **7.** *Bras. Pop.* Emprenhar (1). *T. d. e i.* **8.** Cobrir, cumular: *enche os filhos de presentes; Encheram-no de insultos;* "Por entre os trigos as mondadeiras / Enchem as várzeas de cantorias." (Conde de Monsaraz, *Musa Alentejana*, p. 15.) *Int.* **9.** Tornar-se gradualmente cheio: *A maré encheu.* **10.** *Bras. Gír.* Encher o saco [q. v.]. *P.* **11.** Tornar-se cheio: "Todo o mosteiro encheu-se de tristeza" (Maranhão Sobrinho, *Papéis Velhos*, p. 24). **12.** Abarrotar-se, fartar-se, saciar-se. **13.** Acumular riquezas; enriquecer por meios ilícitos. **14.** Aborrecer-se, chatear-se; amolar-se. [Part.: *enchido* e *cheio.*]

enchido. [Part. de *encher.*] *Adj.* **1.** Cheio, repleto. ● *S. m.* **2.** Chumaço; almofada. **3.** Designação genérica de preparações alimentícias, domésticas ou industriais, constituídas de carne picada de diversas naturezas, metida em tripas, e assim consumida, como, p. ex., o paio, a lingüiça, a salsicha, etc. [Cf., nesta acepç.: *salsicharia.*]

enchimento. *S. m.* **1.** Ato ou efeito de encher(-se). **2.** Coisa com que se enche; recheio. **3.** *Bras. AM.* V. *enxameação.* **4.** *Bras., PE.* Armazém que compra e vende álcool e aguardente em grosso.

enchiqueirador (ô). [De *enchiqueirar* + *-dor.*] *S. m.* **1.** *Bras., RS.* Relho de açoiteira longa usado pelo campônês para tocar o gado. [Cf. *chiqueirador.*] **2.** Indivíduo encarregado de recolher os animais ao chiqueiro.

enchiqueirar. [De *en-*[2] + *chiqueiro* + *-ar*[2].] *V. t. d.* **1.** *Bras.* Meter no chiqueiro. **2.** *Bras., RS.* Meter (alguém), por força ou por manha, em beco sem saída; cercar. *Int.* **3.** *Bras.* Entrar (o peixe) no repartimento do curral de pescaria chamado *chiqueiro.*

enchocalhação. *S. f.* Ato de enchocalhar.

enchocalhar. [De *en-*[3] + *chocalho* + *-ar*[2].] *V. t. d.* Pôr chocalho em (animal).

enchoçar. [De *en-*[2] + *choça* + *-ar*[2].]. *V. t. d.* **1.** Meter em choça. **2.** Encurralar, encerrar. *P.* **3.** Recolher-se em choça; ocultar-se. [Conjug.: v. *laçar.*]

enchoiriçado. [Part. de *enchoiriçar.*] *Adj.* V. *enchouriçado.*

enchoiriçar. *V. t. d. e p.* V. *enchouriçar.* [Conjug.: v. *laçar.*]

enchouriçado. [Part. de *enchouriçar.*] *Adj.* Altivo, orgulhoso, arrogante. [Var.: *enchoiriçado.*]

enchouriçar. [De *en-*[3] + *chouriço* + *-ar*[2]] *V. t. d.* **1.** Dar a configuração de chouriço a. *P.* **2.** Tornar-se espesso; espessar-se, engrossar(-se). **3.** Encrespar-se; ouriçar-se. [Var.: *enchoiriçar.* Conjug.: v. *laçar.*]

enchova (ô). [Var. de *anchova* < gen. *anciua.*] *S. f. Bras.* **1.** Peixe teleósteo, percomorfo, da família dos gempilídeos (*Pomatomus saltatrix* (L.)), distribuído do PA a SC, de coloração olivácea no dorso e brancacenta no abdome, comprimento de até 1 m. peso até 12 kg. Nada em cardumes e alimenta-se de outros peixes e de crustáceos; sua pesca é feita com linha de mão, arrastão de praia, corrico e engodo. A espécie acha-se distribuída em todos os mares quentes e temperados, exceto o Pacífico. [Sin.: *enchovinha.*] **2.** Qualquer peixe das espécies da família dos engraulídeos, gêneros *Anchoa* Jord. & Everm., *Anchovia* Jord. & Everm. e *Anchoviella* Fowl; manjuba, piquitinga, pititinga. [Cf. enxova.]

enchova-preta. [Var. de *anchova-preta.*] *S. f. Bras.* Peixe teleósteo, percomorfo, da família dos gempilídeos (*Ruvettus pretiosus* Cocco), do Atlântico e Mediterrâneo, de coloração vermelho-escura, com espinhos brancos semelhantes a pontos, de carne venenosa, e que atinge 2 m de comprimento; cavala-africana, pescada-de-angola, peixe-purgativo, peixe-prego. [Pl.: *enchovas-pretas.*]

enchovinha. [Var. de *anchovinha.*] *S. f. Bras.* Enchova (1).

enchumaçar. [De *en-*[3] + *chumaço* + *-ar*[2].] *V. t. d.* **1.** Pôr chumaço em; chumaçar. **2.** Estofar, acolchoar; chumaçar. [Conjug.: v. *laçar.*]

▲-ência. Equiv. de *-ença.*

enciclia. [Do gr. *égkyklos*, 'circular' + *-ia.*] *S. f.* Ondulação circular na água, produzida pela queda de um corpo como, p. ex., uma pedra.

encíclica. [Fem. substantivado de *encíclico.*] *S. f.* Carta circular pontifícia.

encíclico. [Do gr. *égkyklos*, 'circular', + *-ico*[2].] Adj. **1.** Circular, orbicular. **2.** Diz-se das cartas circulares do Papa.

enciclopédia. [Do gr. *egkyklopaideía.*] *S. f.* **1.** Conhecimentos relativos a todas as ciências humanas. **2.** Qualquer obra que abrange todos os ramos do conhecimento. **3.** Indivíduo de vastos conhecimentos, de muito saber; enciclopédia viva; enciclopédico; dicionário vivo; dicionário. ♦ **Enciclopédia viva.** V. *enciclopédia* (3).

enciclopédico. *Adj.* **1.** Pertencente ou relativo a enciclopédia. **2.** Que abrange todo o saber. ● *S. m.* **3.** V. *enciclopédia* (3).

enciclopedismo. *S. m.* **1.** O sistema dos enciclopedistas. **2.** Conjunto de conhecimentos enciclopédicos: *o enciclopedismo da Renascença.* **3.** Qualidade de enciclopédico: *O quase enciclopedismo de sua cultura por vezes o desorienta.*

enciclopedista. *S. 2 g.* Autor ou colaborador de enciclopédia. ~ V. *enciclopedistas.*

enciclopedistas. [Pl. de *enciclopedista.*] *S. m. pl.* Os filósofos e escritores, franceses — Montesquieu, D'Alembert, Diderot, Voltaire, etc. —, que elaboraram a Enciclopédia do séc. XVIII. ~ V. *enciclopedista.*

encilhada. *S. f. Bras., RS.* Ato de encilhar e montar o animal; encilhadela: *Aquele poldro tem quatro encilhadas.*

encilhadela. *S. f. Bras., RS.* **1.** Encilhada. **2.** Porção de erva-mate que se sobrepõe à que já foi usada para o mate ficar mais forte.

encilhador (ô). *S. m. Bras., S.* Aquele que encilha um animal.

encilhamento. *S. m.* **1.** Ato de encilhar. **2.** *Bras.* Movimento extraordinário de especulação bolsista que houve nos primeiros anos da República: "O encilhamento estonteava. Fechavam-se diariamente na bolsa.... negócios fabulosos, subindo a milhares de contos de réis." (Leôncio Correia, *A Boêmia do Meu Tempo*, p. 139.)

encilhar. [De *en-*[3] + *cilha* + *-ar*[2].] *V. t. d.* **1.** Apertar com cilha (a cavalgadura). **2.** Arrear (a cavalgadura). **3.** *Bras., RS.* Pôr uma porção de (erva-mate) sobre outra na cuia, a fim de tornar o mate mais forte.

encimado. [Part. de *encimar.*] *Adj.* **1.** Elevado, alçado. ● *S. m.* **2.** *Heráld.* Remate sobre o escudo de armas.

encimar. [De *en-*[2] + *cima* + *-ar*[2].] *V. t. d.* **1.** Colocar em cima de: *Procurou uma bela frase para encimar a escultura.* **2.** Estar situado acima de: "Levantando-se da poltrona, foi até à prateleira de mármore, que encima a lareira, e dali trouxe revista e papéis." (Ciro dos Anjos, *Abdias*, p. 71.) **3.** Ser o remate de; rematar, coroar: *Uma coroa heráldica encimava a figura. T. d. e i.* **4.** Elevar, alçar: *O Príncipe D. Pedro foi encimado ao trono do Brasil com o título de imperador.*

encinchar. [De *en-*[2] + *cincho*[1] + *-ar*[2].] *V. t. d.* Pôr (a coalhada) no cincho para fazer queijo.

encintar. [De *en-*[4] + *cinta* + *-ar*[2].] *V. t. d.* **1.** Guarnecer de cinta; cintar. **2.** Rodear, cingir, circundar.

encinzar. [De *en-*[3] + *cinza* + *-ar*[2].] *V. t. d.* **1.** Cobrir de cinza. **2.** Sujar com cinza.

encistado. [Part. de *encistar.*] *Adj.* V. *enquistado.*

encistamento. *S. m.* V. *enquistamento.*

encistar. [De *en-*[2] + *cisto* + *-ar*[2].] *V. t. d, t. d. e i., int.* e *p.* V. *enquistar.*

enciumar (i-u). [De *en-*[3] + *ciúme* + *-ar*[2].] *V. t. d.* e *p.* Tornar(-se) ciumento; encher(-se) de ciúme(s): "olhos bonitos de enciumar princesas... / olhos bonitos de enciumar serralhos!" (Maranhão Sobrinho, *Papéis Velhos*, p. 39); *Enciumou-se ao ver o marido sorrir para outra mulher.* [Conjug.: v. *amiudar.*]

enclaustrado. [Part. de *enclaustrar.*] *Adj.* Recolhido em claustro ou convento; enclausurado.

enclaustramento. *S. m.* Ato ou efeito de enclaustrar(-se); clausura.

enclaustrar. [De *en-*^{2} + *claustro* + *-ar*^{2}.] *V. t. d.* **1.** Meter no convento; enclausurar. **2.** Prender, enclausurar, encarcerar, encerrar. *P.* **3.** Meter-se em convento; enclausurar-se.
enclausura. [Dev. de *enclausurar.*] *S. f. P. us.* Clausura.
enclausurado. [Part. de *enclausurar.*] *Adj.* Que se enclausurou; enclaustrado.
enclausuramento. *S. m.* Ato ou efeito de enclausurar (-se).
enclausurar. [De *en-*^{2} + *clausura* + *-ar*^{2}] *V. t. d.* **1.** Pôr em clausura; enclaustrar. **2.** Afastar do convívio social; encarcerar, encerrar; enclaustrar: *Temendo as ameaças de revolução, enclausurou a família numa chácara. P.* **3.** Encerrar-se em clausura; enclaustrar-se. **4.** Afastar-se do convívio social. [F. paral.: *clausurar.*]
enclave. [Do fr. *enclave.*] *S. m.* Encrave [q. v.].
enclavinhar. *V. t. d.* **1.** Meter (os dedos) uns por entre os outros. **2.** Meter os dedos de (a mão) uns por entre os outros.
enclenque. [Do esp. plat. *enclenque.*] *Adj. 2g. Bras., S.* **1.** Adoentado, enfraquecido ou ferido. **2.** Impossibilitado de sair. **3.** *Fig.* Covarde, mole, fraco.
ênclise. [Do gr. *égklisis*, 'inclinação'.] *S. f.* **1.** *Gram.* Fenômeno fonético pelo qual se incorpora, na pronúncia, um vocábulo átono ao que o precede, subordinando-se o átono ao acento tônico do outro. [Cf. *mesóclise, próclise* e *síncl ise.*] **2.** *Med.* Feto cuja cabeça apresenta os planos de referência inclinados em relação aos da bacia materna.
enclítica. [Fem. substantivado do adj. *enclítico.*] *S. f. Gram.* Palavra que, juntando-se a outra que a antecede, perde o acento próprio, parecendo formar com essa outra uma só palavra.
enclítico. [Do gr. *egklitikós*, pelo lat. *encliticu.*] *Adj. gram.* Diz-se do vocábulo que está em ênclise. [Cf. *mesoclítico, proclítico* e *sinclítico.*]
encloacar. [De *en-*^{2} + *cloaca* + *-ar*^{2}.] *V. t. d.* Meter em cloaca. [Conjug.: v. *trancar.*]
encoadura. *S. f.* Depósito provisório, de água, para peixes ainda vivos.
encobardar. [De *en-*^{3} + *cobarde* + *-ar*^{2}.] *V. t. d.* e *p. P. us.* V. *acovardar.*
encoberta. [Fem. substantivado de *encoberto.*] *S. f.* **1.** Abrigo, esconderijo, escaninho. **2.** Pretexto, desculpa, subterfúgio.
encobertar. [De *en-*^{3} + *coberto* + *-ar*^{2}.] *V. t. d.* e *p.* V. *acobertar.*
encoberto. [Part. irreg. de *encobrir.*] *Adj.* **1.** Oculto, escondido. **2.** Incógnito, disfarçado, dissimulado, clandestino. **3.** Diz-se do tempo enevoado.
encobridor (ô). *Adj.* **1.** Que encobre. ● *S. m.* **2.** Aquele que encobre, **3.** *Restr.* Aquele que encobre [v. *encobrir* (6)]; receptador.
encobrimento. *S. m.* Ação ou efeito de encobrir(-se).
encobrir. [De *en-*^{3} + *cobrir.*] *V. t. d.* **1.** Fazer que não seja visto; esconder, ocultar: *As abas descidas do chapéu encobriam-lhe o rosto.* **2.** Disfarçar, dissimular: *Procura encobrir sua preocupação.* **3.** Guardar em si; não dizer; não revelar: *Encobriu por longos anos o segredo do suicida.* **4.** Não deixar ver ou ouvir: *As nuvens encobriam o cimo da montanha; O barulho da música encobriu os rumores da conversação.* **5.** Acolher, agasalhar: *Encobriu os fugitivos em sua casa.* **6.** Recolher, guardar (coisas de procedência criminosa): receptar. *T. d.* e *i.* **7.** Não dizer; ocultar: *Encobriu seus pecados ao confessor. Int.* **8.** Cobrir-se de nuvens; toldar-se. *P.* **9.** Esconder-se, ocultar-se; disfarçar-se. [Irreg. Conjug.: v. *cobrir.*]
encocurutar. [De *en-*^{3} + *cocuruto* + *-ar*^{2}.] *V. t. d. Bras.* Pôr no cocuruto, no alto; encarapitar, encarrapitar.
encodeamento. *S. m.* **1.** Ação de encodear. **2.** Crosta, côdea.
encodear. [De *en-*^{3} + *côdea* + *-ar*^{2}.] *V. t. d.* **1.** Cobrir de côdea. *Int.* **2.** Criar côdea; cobrir-se de côdea. [Conjug.: v. *frear.*]
encofar. [De *en-*^{2} + *cofo*^{3} + *-ar*^{2}.] *V. t. d.* Guardar em cofo ou cesto.
encofrar. [De *en-*^{2} + *cofre* + *-ar.*] *V. t. d.* Guardar em cofre.
encoifar. [De *en-*^{3} + *coifa* + *-ar*^{2}.] *V. t. d.* Pôr coifa em.
encoimar. [De *en-*^{4} + *coima* + *-ar*^{2}.] *V. t. d.*, *t d.* e *i. transobj., int.* e *p.* V. *acoimar.*
encoiraçado. *Adj.* e *s. m.* Encouraçado.
encoiraçar. *V. t. d.* V. *encouraçar.* [Conjug.: v. *laçar.*]
encoirado. [Part. de *encoirar.*] *Adj.* e *s. m. Bras., N.E.* Encourado.
encoirar. *V. t. d., int.* e *p.* V. *encourar.*
encoivaração. *S. f. Bras.* Encoivaramento.
encoivaramento. *S. m. Bras.* Ato de encoivarar; encoivaração.
encoivarar. [De *en-*^{3} + *coivara* + *-ar*^{2}.] *V. t. d. Bras.* Juntar (o resto do mato mal queimado) em coivaras, nos preparativos dum roçado, para queimá-lo de novo; coivarar.
encolado. [Part. de *encolar*^{1}.] *Adj.* Que se encolou [v. *encolar*^{1}].
encolamento. *S. m. Bras. PE* e *AL.* Bandas de canoa, ou paus que têm essa forma, com as concavidades voltadas para dentro, e que servem de fôrma às canoas de embono ou barcacinhas.
encolar^1. [De *en-*^{3} + *cola*^{1} + *-ar*^{1}.] *V. t. d.* **1.** Pôr cola^1 (1) em. **2.** Preparar, cobrindo com cola.
encolar^2. [De *en-*^{3} + *colo*^{1} + *-ar*^{2}.] *V. t. d.* **1.** Trazer (uma criança) ao colo^1 (5). **2.** Amimar, acariciar.
encoleirar. [De *en-*^{3} + *coleira*^{1} + *-ar*^{2}.] *V. t. d.* Pôr coleira em.
encolerizar. [De *en-*^{3} + *cólera* + *-izar.*] *V. t. d.* **1.** Causar cólera a; irar; irritar, enfurecer. *P.* **2.** Zangar-se, irar-se, irritar-se, enfurecer-se.
encolha (ô). [Dev. de *encolher.*] *S. f.* Encolhimento. ◆ **Meter-se nas encolhas. 1.** Não dar sinal de si; retrair-se. **2.** Calar-se, emudecer; meter-se nas encóspias.
encolher. [De *en-*^{3} + *colher* (ê).] *V. t. d.* **1.** Retrair; contrair: *As aves pernaltas encolhem a perna quando em repouso.* **2.** Dar pouco espaço a; estreitar; acanhar, apoucar. **3.** Reprimir, acanhar: *Ao sentir as dificuldades, encolheu o entusiasmo. Int.* **4.** Estreitar, apertar: *Perto da curva, o rio encolhe* **5.** Diminuir de dimensão; contrair-se: *Esta fazenda encolhe ao lavar.* **6.** V. *encolher* (8). **7.** Retrair-se, contrair-se: *Encolheu-se junto ao fogo, tiritando.* P. **8.** Mostrar-se tímido, acanhado; humilhar-se, rebaixar-se, encolher. **9.** Restringir-se, refrear-se, limitar-se: *encolher-se nos gastos.*
encolhido. [Part. de *encolher.*] *Adj.* **1.** Que se encolheu; diminuído, contraído, encurtado. **2.** Que se encolhe; tímido, acanhado, retraído, humilde. ● *S. m.* **3.** Indivíduo acanhado, tímido, retraído, ou sem energia.
encolhimento. *S. m.* Ato ou efeito de encolher(-se); encolha.
encolocar. [De *en-*^{3} + *colocar.*] *V. t. d.* e *i., t. d.* e *p. Bras., AL. Pop.* V. *colocar.* [Conjug.: v. *trancar.*]
encólpio. [Do gr. *egkólpion.*] *S. m.* Pequeno relicário.
encolpismo. [De *en-*^{1} + *-colp(o)-* + *-ismo.*] *S. m. Med.* Ato de medicar pela vagina.
encomenda. [Dev. de *encomendar.*] *S. f.* **1.** Ato de encomendar; encomendação. **2.** Aquilo que se encomenda; incumbência, encargo, comissão. **3.** *Bras. Chulo.* As partes pudendas do homem. [M. us. no pl., nesta acepç.] **4.** *Bras.* Feitiço, mandinga, serviço. ◆ **Encomenda das almas.** *Bras.* Encomendação das almas. **De encomenda.** *Fam.* e *irôn.* A calhar. **Adeus minhas encomendas!** *Fam.* Babau!; foi-se!; adeus, viola!
encomendação. *S. f.* **1.** Encomenda (1). **2.** Recomendação; advertência. **3.** Administração interina de uma paróquia. **4.** *Lit.* Oração por um defunto, feita antes da inumação do corpo; encomendação do corpo. ◆ **Encomendação das almas.** *Bras.* Procissão de penitentes que pela quaresma, a horas mortas, percorre as ruas até o cruzeiro ou adro de igreja, homens e mulheres totalmente cobertos de branco, orando em voz alta pelas almas do Purgatório, e à qual ninguém que não faça parte do grupo deve assistir, pois atrai malefícios; encomenda das almas. **Encomendação do corpo.** Encomendação (4).
encomendado. [Part. de *encomendar.*] *Adj.* **1.** Feito de encomenda. **2.** Recomendado, confiado. — V. *sermão*—. ● *S. m.* **3.** Pároco por encomendação, amovível.
encomendar. [De *en-*^{3} + lat. *commendare*, 'confiar'.] *V. t. d.* **1.** Mandar fazer (obra, compra, etc.) **2.** Orar pela salvação de (corpo ou alma de um defunto). *T. d.* e *i.* **3.** Encarregar, incumbir: *Encomendaram-lhe o relato do acontecimento;* "já encomendara ao seu arquiteto, em Paris, o plano perfeito duma escola" (Eça de Queirós, *A Cidade e as Serras*, p. 309). **4.** Recomendar, confiar: *Encomendaram o rapaz à proteção do Ministro.* **5.** Confiar, comissionar. *P.* **6.** Entregar-se ou confiar-se à proteção de. **7.** Fazer os seus cumprimentos; recomendar-se.
encomendeiro. *S. m.* Pessoa a quem se fazem encomendas; comissário.
encomiar. *V. t. d.* Dirigir encômios a; gabar, louvar, elogiar. [Pres. ind.: *encomio*, etc. Cf. *encumear* e *encômio.*]
encomiasta. [Do gr: *egkomiastés.*] *Adj. 2 g.* e *s. 2 g.* Que ou quem faz discursos laudatórios; panegirista.
encomiástico. [Do gr. *egkomiastikós.*] *Adj.* **1.** Referente a encômio. **2.** Em que há, ou que envolve encômio; laudatório.
encômio. [Do gr. *egkómion.*] *S. m.* Louvor, elogio, gabo. [Cf. *encomio*, do v. *encomiar.*]
encomissar. [De *en-*^{3} + *comisso* + *-ar*^{2}.] *V. int.* Cair em comisso.
encomoroçar. *V. t. d.* **1.** Pôr em monte; amontoar. **2.** Pôr em lugar alto. [Conjug.: v. *laçar.*]
encompridar. [De *en-*^{3} + *comprido* + *-ar*^{2}.] *V. t. d.* **1.** Tornar mais comprido; aumentar o comprimento a; acompridar. **2.** *Bras., PE.* Fazer durar (alguma coisa).
enconcar. [De *en-*^{3} + *conca* + *-ar*^{2}.] *V. t. d.* **1.** Dar a forma de telha ou de conca a; tornar curvo. *Int.* e *p.* **2.** Tomar forma de telha ou de conca; encurvar-se. [Conjug.: v. *trancar.*]
enconchado. [Part. de *enconchar.*] *Adj.* **1.** Metido em concha. **2.** Coberto de conchas. **3.** Recolhido, abrigado, escondido.
enconchar. [De *en-*^{2} + *concha* + *-ar*^{2}.] *V. t. d.* **1.** Meter em concha. **2.** Cobrir de conchas. *P.* **3.** Recolher-se; abrigar-se, esconder-se.
encondar. [De *en-*^{3} + *conde* + *-ar*^{2}.] *V. t. d.* Dar o título de conde a; fazer conde.
encondroma. [De *en-*^{3} + *-condr(o)-* + *-oma.*] *S. m. Patol.* Tumor cartilaginoso que surge no interior do osso. [Embora localizado em osso, origina-se, na maior parte dos casos, de tecido cartilaginoso que ficou mal colocado por defeito de desenvolvimento.]
encontrada. *S. f.* V. *encontrão.*
encontradiço. *Adj.* Que se encontra com freqüência; fácil de encontrar.
encontrado. [Part. de *encontrar.*] *Adj.* **1.** Que se encontra com outro; aproximado, junto. **2.** Contrário, oposto; desencontrado: "A melhor lança dos hospitalários portugueses morria vítima da violência das rudes e encontradas paixões que durante as últimas vinte e quatro horas o tinham tempestuosamente atormentado." (Arnaldo Gama, *O Balio de Leça*, p. 190.)
encontrão. *S. m.* Esbarrão forte; embate, choque; empurrão, repelão; encontrada, encontroada, encontro.
encontrar. [Do lat. medieval *incontrare.*] *V. t. d.* **1.** Deparar com; achar: *Após longa busca, encontrou o objeto perdido.* **2.** Defrontar-se, deparar com; dar de cara com: *Encontrei-o na Avenida, quando menos esperava.* **3.** Dar com; atinar com; descobrir: *Encontrou, enfim, a solução desejada.* **4.** Ir de encontro a; topar, chocar-se com; encontrar-se com: *Na carreira precipitada, encontrou um obstáculo e feriu-se.* **5.** Achegar, unir: *A natureza encontrou, ali, o rio e o mar.* **6.** Opor-se a; contrariar; chocar-se com: *Seu procedimento encontra as leis. Transobj.* **7.** Achar (em determinado estado ou condição): Encontrei-o doente. T. d. e *i.* **8.** Compensar (3): *encontrar o débito com o crédito. T. i.* **9.** Dar de frente; ir de encontro; chocar: *O automóvel encontrou com o ônibus P.* **10.** Chocar-se, entrechocar-se; embater-se: *Os dois carros encontraram-se na curva.* **11.** Topar por acaso; deparar fortuitamente. **12.** Ir ter com alguém. **13.** Estar em oposição; contrariar-se; contradizer-se, chocar-se.
encontrável. *Adj. 2 g.* Que pode ser encontrado; achável.
encontro^1. [Dev. de *encontrar.*] *S. m.* **1.** Ato de encontrar(-se): *o encontro dos dois amigos; o encontro das águas do rio com as do mar.* **2.** V. *encontrão.* **3.** Luta, briga, recontro. **4.** Conjuntura, lance. **5.** *Com.* Compensação, desconto: *encontro de contas.* **6.** *Constr.* Extremidade de uma ponte onde esta se encontra com a estrada, e em que se apóiam as vigas principais da estrutura. Serve para suster o aterro de acesso. [Sin., lus.: *pegão.*]**7.** *Arquit.* Cada um dos maciços que neutralizam os empuxos laterais de arcos, abóbadas, etc.; contraforte, encontro de abóbada, pé-direito de abóbada. **8.** *Bras.* Confluência de rios. **9.** *Bras., CE.* Comparação das marcas de gado que os vaqueiros riscam para ter notícia dos animais sumidos ou fugidos. **10.** *Bras., BA.* Cada uma das malhas intermediárias do calão^2 (5). **11.** *Bras., S.* O peito dos animais, entre as espáduas. **12.** Reunião (3). — V. *encontros.* ◆ **Encontro de abóbada.** *Arquit.* V. *encontro (7).* **Encontro de contas.** *Cont.* **1.** Compensação de débitos e créditos, para liquidação do saldo. **2.** V. *ajuste de contas* (1). **Ao encontro de. 1.** Em busca de. **2.** Em favor de: *A sua resolução veio ao encontro dos meus desejos.* **3.** Na direção de: *Caminhou ao encontro do amigo.* **De encontro a. 1.** No sentido oposto a. **2.** Em contradição com; contra.
encontro^2. *S. m. Bras.* **1.** Ave passeriforme, da família dos icterídeos *(Icterus cayenensis pyrrhopterus* (Vieil.)), do S. do País, de coloração geral preta, bico preto, e o

encontro da asa alaranjado-escuro. **2.** Ave passeriforme, da família dos icterídeos (*Icterus cayenensis tibialis* Sw.), que ocorre do MA ao RJ, muito estimada como ave canora, e dada a freqüentar bananeiras. [Sin. ger.: *dragona, soldado, soldado-do-bico-preto, soldado-pago, xexéu-de-bananeira, pega* (ê).] ~ V. *encontros.*
encontroada. *S. f. Bras.* V. *encontrão.*
encontroar. *V. t. d.* **1.** Dar encontrões em. *P.* **2.** Andar aos encontrões. [Conjug.: v. *coroar.*]
encontro-d'água. *S. m. Bras., PA.* Ponto onde colidem, num determinado furo, as correntezas de maré do rio Amazonas e do estuário do Pará. São zonas mais ou menos extensas, em virtude do nível das águas. [Pl.: *encontros-d'água.*]
encontros. [Pl. de *encontro*^{1}.] *S. m. pl.* **1.** Os ombros. **2.** A parte dos cascos do cavalo entre os talões e as pinças. **3.** *Zool.* Ponto de articulação do úmero com o rádio e o cúbito, nas aves. ~ V. *encontro.*
encontros-verdes. *S. m. 2 n. Bras.* V. *papagaio-do-mangue.*
encopar. [De *en-*^{3} + *copa* + *-ar*^{2}.] *V. t. d.* **1.** Aparar (árvore) para que forme copa; copar. **2.** Tornar pando; enfunar: "De improviso flutuaram todas [as canoas], com rangidos de adriças e palpitações do velame, que o vento *encopava* e propelia." (Xavier Marques, *Jana e Joel*, p. 53.)
encoquinar. *V. t. d.* V. *encoquinhar.*
encoquinhar. [Var. de *encoquinar* < lat. *coquina*, 'cozinha', + *-ar*^{2}.] *V. t. d.* **1.** Meter na cozinha. **2.** Esconder, ocultar.
encorajamento. *S. m.* Ato ou efeito de encorajar(-se).
encorajar. [De *en-*^{3} + *coragem* + *-ar*^{2}.] *V. t. d.* **1.** Dar coragem a; animar; estimular. *P.* **2.** Tomar coragem; animar-se.
encorcundar. [De *en-* + *corcunda* + *-ar*^{2}.] *V. t. d., int. e p.* V. *acorcundar.*
encórdio. [Do esp. *encordio.*] *S. m. Patol.* V. *bubão.*
encordoamento. *S. m.* **1.** Ato de encordoar. **2.** *Bras.* O conjunto das cordas de um instrumento de música.
encordoar. [De *en-*^{3} + *cordão* + *-ar*^{2}.] *V. t. d.* **1.** Prover de cordas; pôr cordas ou cordões em. *Int.* **2.** Zangar-se, amuar(-se), encavacar. *P.* **3.** *Bras., RS.* Seguir um atrás de outro, na marcha, formando filas. [Aplica-se a animais e, figuradamente a pessoas. [Conjug.: v. *coroar.*]
encornar. [De *en-*^{3} + *corno* + *-ar*^{2}.] *V. int. Gír.* Meter a cabeça no travesseiro; dormir. [Cf. *escornar.*]
encoronhado. *Adj. Veter.* Doente dos cascos.
encoronhar. [De *en-*^{3} + *coronha* + *-ar*^{2}.] *V. t. d.* Pôr coronha em (arma de fogo).
encorpado. [Part. de *encorpar.*] *Adj.* **1.** Que tem muito corpo; forte, corpulento, desenvolvido, alentado: *homem encorpado.* **2.** Consistente, espesso: *tecido encorpado; papel encorpado.* ~ V. *vinho* —.
encorpadura. *S. f.* Qualidade de encorpado; grossura, espessura, consistência.
encorpante. *Adj. 2 g.* e *S. 2 g.* Que ou aquilo que encorpa, que serve para encorpar.
encorpar. [De *en-*^{3} + *corpo* + *-ar*^{2}.] *V. t. d.* **1.** Dar mais corpo a; tornar mais grosso: *encorpar um tecido.* **2.** Fazer maior; ampliar: *encorpar uma obra literária. Int.* **3.** Deitar corpo; crescer; engrossar.
encorreado. [Part. de *encorrear.*] *Adj.* Que adquiriu aspecto e/ou consistência de couro; *pele encorreada.*
encorreadura. [De *encorrear* + *-dura.*] *S. f.* Conjunto de correias para determinado fim.
encorreamento. *S. m.* Ação ou efeito de encorrear(-se).
encorrear. [De *en-*^{3} + *correia* + *-ar*^{2}.] *V.t.d.* **1.** Prender com correia. *Int.* **2.** Adquirir o aspecto e/ou a consistência do couro. *P.* **3.** Tomar a rijeza própria do couro. **4.** Enrugar-se; engelhar-se, encorrilhar-se. [Conjug. v. *frear.* Cf. *encorriar.*]
encorrentado. [Part. de *encorrentar.*] *Adj.* **1.** *P. us.* V. *acorrentado.* **2.** *Heráld.* Diz-se do urso que tem uma corrente nas ventas.
encorrentar. [De *en-*^{3} + *corrente* + *-ar*^{2}.] *V. t. d., t. d. e i.* e *p. P. us.* V. *acorrentar.*
encorriar. *V. t. d.* **1.** *Bras.* Amansar mal, incompletamente (o gado). *Int.* **2.** Ficar (o gado) mal amansado, com manhas. [Cf. *encorrear.*]
encorrilhar^1**.** [De *en-*^{2} + *corrilho* + *-ar*^{2}.] *V. t. d. e p.* Meter(-se) em corrilho.
encorrilhar^2**.** [Certamente de **encorriar* encorrear, com ultracorreção.] *V. t. d. e p.* **1.** Enrugar(-se), encarquilhar(-se), engelhar(-se), encorrear(-se). **2.** Tornar(-se) murcho; murchar.
encorrugir. *V. t. d.* **1.** *Bras.* Enrugar, engelhar, encarquilhar. **2.** Enregelar, entanguir. [Conjug.: v. *dirigir.*]
encortelhar. [De *en-*^{2} + *cortelho* + *-ar*^{2}.] *V. t. d.* Meter em cortelho; encurralar. [Conjug.: v. *aparelhar.*]
encortiçar. [De *en-*^{2} + *cortiço* + *-ar*^{2}.] *V. t. d.* **1.** Meter em cortiço. **2.** Cobrir com cortiça. **3.** Dar a aparência de cortiça a. *Int.* **4.** Criar cortiça. **5.** Tomar a aparência de cortiça. *P.* **6.** Criar casca ou cortiça. [Conjug.: v. *laçar.*]
encortinar. [De *en-*^{3} + *cortina* + *-ar*^{2}.] *V. t. d.* Pôr cortinas em.
encorujar-se. [De *en-*^{3} + *coruja* + *-ar*^{2} + *se*^{1}.] *V. p. Bras.* **1.** Emudecer e fugir à convivência e trato social; retrair-se, isolar-se, insular-se. **2.** Ficar triste, melancólico; entristecer. **3.** Ficar triste (a ave) por frio. [Cf. *engurujar-se.*]
encoscorado. [Part. de *encoscorar.*] *Adj.* **1.** Que se tornou duro como o coscorão. **2.** Enrugado, encarquilhado: "Era uma coisa *encoscorada*, muxibenta, toda espichada." (Albertino Moreira, *Boca-Pio*, p. 126.)
encoscorar. [De *en-*^{3} + *coscoro* + *-ar*^{2}.] *V. t. d.* **1.** Tornar duro como o coscorão. **2.** Encarquilhar, enrugar; encrespar. *Int.* **3.** Criar coscoros; encrespar-se.
encóspias. [Do lat. *cuspis*, 'ponta'?] *S. f. pl.* Fôrmas de madeira usadas pelos sapateiros para alargar o calçado. ♦ **Meter-se nas encóspias.** Meter-se nas encolhas (2).
encosta. [Dev. de *encostar.*] *S. f.* V. *vertente (3).*
encostadela. *S. f. Pop.* Ato de encostar (7).
encostado. [Part. de *encostar.*] *Adj.* **1.** Arrimado, amparado, apoiado. **2.** Que não tem procura, uso ou aplicação: *A loja tem muita mercadoria encostada; Vários quartos do casarão estão cheios de móveis encostados.* **3.** Que não se casou; solteirão: *Tão bonita moça, e ficou encostada.* **4.** Importunado com pedidos, especialmente de dinheiro. **5.** Desempregado: *A fábrica fechou, e a cidade está cheia de operários encostados.* **6.** *Bras. Fam.* Que não gosta de trabalhar; que não se esforça; mandrião, preguiçoso. ● *S. m.* **7.** Aquele que vive à custa de outrem; agregado, apaniguado. **8.** *Bras.* Empregado que faz serviços inferiores e avulsos.
encostador. (ô). *Adj.* e *s. m.* Que ou aquele que faz encostadelas.
encostalar. [De *en-*^{2} + *costal*^{1} + *-ar*^{2}.] *V. t. d.* Pôr em costal (2) ou costais; enfardelar.
encostamento. *S. m.* Ato ou efeito de encostar(-se).
encostão. *Adj.* e *s. m. Bras., PB. Pop.* Diz-se de, ou indivíduo encostado (6). [Fem.: *encostona.*]
encostar. [De *en-*^{2} + *costa* + *-ar*^{2}.] *V. t. d.* **1.** Apoiar, arrimar, firmar: *Encostou a escada na parede.* **2.** Pôr junto; aproximar: *Encostou as duas camas.* **3.** Reclinar, deitar; recostar: *Encostou a cabeça e logo adormeceu.* **4.** Fechar, cerrar (porta, janela, etc.). **5.** Triunfar de; vencer: *No concurso, o adversário encostou-o.* **6.** Pôr de lado, de parte; não fazer caso de; abandonar: "Embora anuncie [Monteiro Lobato] aos amigos, desde 1916, que anda a preparar um livro de contos .... o certo é que hesita, e indeciso *encosta* os originais" (Edgard Cavalheiro, *Monteiro Lobato*, I, p. 176). **7.** Importunar pedindo favores ou, principalmente, dinheiro: *Aproximou-se do milionário, e encostou-o; Encostou o amigo com 100 cruzados.* **8.** *Bras.* Cotejar (cavalos) em corrida . *T. d. e i.* **9.** Castigar, esbordoar com (relho, cacete, bengala, mão, etc.): *Saiu-se mal da briga: encostaram-lhe o cacete.* **10.** Fazer aproximar (a fêmea) com o reprodutor para ser coberta. *P.* **11.** Firmar-se, apoiar-se, arrimar-se. **12.** Recostar-se, reclinar-se. **13.** Deitar-se, por algum tempo. **14.** Acostar-se, estribar-se, ater-se: *Em coisas de linguagem, sempre se encosta aos clássicos.* **15.** Ficar sob a proteção, amparo, arrimo, de alguém: *Encostou-se no tio ricaço e não quer saber de trabalhar.* **16.** *Bras. Fam.* Não mostrar-se com disposição para o trabalho; fugir ou tentar fugir dele; esforçar-se o mínimo possível. [Pres. ind.: *encosto*, etc. Cf. *encosto* (ô).]
encoste. [Dev. de *encostar.*] *S. m. Bras., S.* **1.** Ato de encostar a fêmea ao reprodutor para que este a cubra. **2.** Confronto entre dois parelheiros ou entre galos de briga. ~V. *encostes.*
encostelar. [De *en-*^{3} + *costela* + *-ar*^{2}.] *V. t. i. Bras., RS.* Ficar rente com outrem; emparelhar.
encostes. [Pl. de *encoste*, dev. de *encostar.*] *S. m. pl.* **1.** Contrafortes, em construção. **2.** Sustentáculos de um arco. **3.** *Fig.* Proteção, encosto. ~ V. *encoste.*
encosto (ô). [Dev. de *encostar.*] *S. m.* **1.** Lugar ou objeto a que alguém ou alguma coisa se encosta; costas: *encosto de cadeira.* **2.** *Fig.* Amparo, proteção, arrimo, sustentáculo, apoio, acosto. **3.** Entre os espíritas, espírito que está ao lado de um ser vivo para protegê-lo ou prejudicá-lo. **4.** *Pop.* Amante^2 (6): *Mesmo casado, conservou o encosto.* **5.** *Bras. Língua de campo cercada de matos e brejos, com uma única entrada.* **6.** *Bras.* Local onde a água do rio se empoça nas margens. **7.** *Bras., MT.* Parte do campo conveniente à pastagem dos animais durante certo tempo. [Sin. (nesta acepç.), em Marajó: *encosto-de-gado.* Pl.: *encostos* (ô). Cf. *encosto.* do v. encostar.]
encosto-de-gado. *S. m. Bras., Ilha de Marajó.* Encosto (7). [Pl.: *encostos-de-gado.*]
encostona. *Adj.* (*f*) e s. f. Bras. PB. Pop. Fem. de *encostão.*
encouchar. *V. t. d.* **1.** Curvar, inclinar. **2.** Abater, deprimir; humilhar. *P.* **3.** Agachar-se; abaixar-se.
encouraçado. [Part. de *encouraçar;* var. de *encoiraçado.*] *Adj.* **1.** Couraçado (1 e 2). ● *S. m.* **2.** *Bras. Mar. G.* Navio de combate, armado de canhões de grosso calibre, e fortemente protegido por couraças e por uma compartimentagem estanque particularmente eficaz. [Cf. *couraçado* (3).] ♦ **Encouraçado de bolso.** *Bras.* Designação que a imprensa deu a cada um dos três cruzadores de batalha — *Almirante Graf Spee, Almirante Scheer* e *Deutschland* (este rebatizado *Lutzow* em 1940) — construídos pela Alemanha antes da II Guerra Mundial.
encouraçar. [De *en-*^{3} + *couraça* + *-ar*^{2}; var. de *encoiraçar.*] *V. t. d.* e *p.* V. *couraçar.* [Conjug.: v. *laçar.*]
encourado. [Part. de encourar; var. de *encoirado.*]. *Adj.* e *s. m. Bras., N.E.* Diz-se de, ou aquele que se veste com roupa de couro, conforme o uso dos vaqueiros no sertão. ~ V. *capas* — *as.*
encourar. [De *en-*^{3} + *couro* + *-ar*^{2}; var. de *encoirar.*] *V. t. d.* **1.** Forrar, cobrir de couro ou pele. **2.** *Bras.* Meter o couro (9) em; surrar, espancar. *Int. e p.* **3.** Cicatrizar-se.
encovado. [Part. de *encovar.*] *Adj.* **1.** Metido em cova ou buraco. **2.** *Fig.* Escondido, oculto. **3.** Diz-se dos olhos que ficam muito dentro das órbitas, como que sumidos, ou do rosto que apresenta olhos assim.
encovar. [De *en-*^{2} + *cova* + *-ar*^{2}.] *V. t. d.* **1.** Meter em cova; enterrar. **2.** Tornar encovado (3). **3.** Armazenar; enceleirar. **4.** Obrigar a fugir, a recolher-se ao covil; encovilar. **5.** Esconder, ocultar: *Encovou tudo o que sabia. Int.* **6.** Não saber o que replicar. *P.* **7.** Retirar-se; esconder-se, ocultar-se. **8.** Tornar-se encovado (3): "Ei-lo! seu rosto pálido *se encova*" (Gonçalves Dias, *Obras Poéticas*, p. 149).
encovardar. [De *en-*^{3} + *covarde* + *-ar*^{2}.] *V. t. d. e p. P. us.* V. *acovardar.*
encovilar. [De *en-*^{2} + *covil* + *-ar*^{2}.] *V. t. d. e p.* Meter(-se) em covil.
encoxilhado. [De *en-*^{3} + *coxilha* + *-ado*^{1}.] *Adj. Bras., RS.* ~ V. *campo* —.
encrassar. [Do lat. *incrassare.*] *V. int.* Tornar-se crasso, denso; adensar-se; engrossar.
encrava. [Dev. de *encravar.*] *S. f.* V. *encravamento.*
encravação. *S. f.* **1.** V. *encravamento.* **2.** *Fig.* Engano, logro,mentira.
encravado. [Part. de *encravar.*] *Adj.* **1.** Fixado com cravos [v. *cravo*^{2} (1 e 2)]; cravado, cravejado. **2.** Encaixado, embutido, engastado, cravado, cravejado. **3.** Diz-se de prédio ou propriedade menor que fica dentro de outra maior e de outro dono. **4.** Diz-se da unha cujos cantos, ao crescerem, penetram na carne, machucando-a. **5.** *Bras. Pop.* Encalhado. (2).
encravadoiro. *S. m.* Encaravadouro. [q. v.].
encravadouro. [Var. de *encravadoiro.*] *S. m.* Lugar onde se encrava uma coisa.
encravadura. [De *encravar* + *-dura.*] *S. f.* **1.** Cravos de ferradura. **2.** Ferimento produzido pelos cravos da ferradura.
encravamento. *S. m.* **1.** Ato ou efeito de encravar(-se). **2.** Aquilo que está encravado. [Sin. ger.: *encravação, encrava.*]
encravar. [De *en-*^{3} + *cravo* + *-ar*^{2}.] *V. t. d.* **1.** Fixar, pregar (cravo, prego). **2.** Segurar com cravo ou prego: *Encravaram-no na cruz.* **3.** Embutir, engastar (pedras preciosas, etc.). **4.** Fazer parar; travar. **5.** Embair, enganar, lograr. **6.** *Veter.* Introduzir mal um cravo em. **7.** *Artilh.* Meter prego no ouvido (4) de (uma peça). *Int.* **8.** *Tip.* Entupir-se com tinta ou sujeira (o olho do tipo). **9.** *Bras. Pop.* V. *encalhar* (5). P. **10.** Fixar-se, penetrando. **11.** Embeber-se, embutir-se. **12.** Estar metido no interior de. **13.** Envolver-se em dificuldades, em dívidas; encalacrar-se, atolar-se.
encrave. [Dev. de *encravar.*] *S. m* **1.** Encravo. **2.** Terreno ou território encravado noutro. **3.** *Geol.* Xenólito.
encravelhação. *S. f.* Ato ou efeito de encravelhar(-se).
encravelhar. [De *en-*^{2} + *cravelha* + *-ar*^{2}.] *V. t. d.* **1.** Pôr cravelhas em. **2.** Colocar em situação difícil; embaraçar, entalar. *P.* **3.** Ficar em situação difícil; comprometer-se; endividar-se. [Conjug.: v. *aparelhar.*]
encravilhar. *V. t. d.* e *p.* V. *encravelhar.*

encravo. [Dev. de *encravar* (6).] *S. m.* Machucadura que alguém produz no animal ao encravar-lhe o casco. [F. paral.: *encrave*.]

encrenca. *S. f. Bras. Gír.* **1.** Coisa ou situação difícil, complicada, perigosa. **2.** Briga, desordem, conflito. **3.** Intriga, enredo.

encrencar. *V. t. d. Bras., Gír.* **1.** Tornar difícil ou complicada (uma situação). **2.** Pôr em dificuldade; embaraçar, complicar: *Com tão mau conselho, terminou encrencando o amigo. T. i.* **3.** Armar encrenca, dificuldade, conflito: *Por uma tolice encrenca com os amigos. Int.* **4.** Armar encrenca, dificuldade, conflito: *Gosta de encrencar, seja pelo que for.* **5.** V. *enguiçar* (5): *Com o vazamento do carburador, o automóvel encrencou, mal deu saída. P.* **6.** Complicar-se, embaraçar-se: *A situação política do Oriente Médio encrencou-se nos últimos tempos.* [Conjug.: v. *trancar*.]

encrenqueiro. *Adj. e s. m. Bras. Gír.* Que ou aquele que arma encrencas.

encrespação. *S. f.* V. *encrespamento*.

encrespado. [Part. de *encrespar*.] *Adj.* Crespo, frisado, anelado: *cabelo encrespado*.

encrespador (ô). *Adj.* **1.** Que encrespa. ● *S. m.* **2.** Ferro de encrespar o cabelo.

encrespadura. *S. f.* V. *encrespamento*.

encrespamento. *S. m.* Ato ou efeito de encrespar(-se); encrespadura, encrespação.

encrespar. [De *en*-^{3} + *crespo* + -*ar*^{2}.] *V. t. d.* **1.** Tornar crespo; enrugar. **2.** Tornar riço; eriçar, erriçar. **3.** Agitar, encarneirar (o mar, as ondas, etc.). *P.* **4.** Fazer-se crespo; enrugar-se. **5.** Arrepiar-se, ouriçar-se (animais). **6.** Agitar-se, encarneirar-se (o mar); franzir-se. **7.** Irritar-se, irar-se; alterar-se. **8.** Ensoberbecer-se, enfatuar-se, enfunar-se.

encrisar. [De *en*-^{3} + *cris*^{2} + -*ar*^{2}.] *V. int. Bras., N. e N. E. Pop.* **1.** Escurecer (o Sol). **2.** Anuviar-se (o dia).

encristar-se. [De *en*-^{3} + *crista* + -*ar*^{2} + *se*^{1}.] *V. p.* **1.** Levantar a crista. **2.** *Fig.* Ensoberbecer-se, enfatuar-se, enfunar-se, encrespar-se.

encrostar. [De *en*-^{3} + *crosta* + -*ar*^{2}.] *V. int.* Criar crosta.

encruamento. *S. m.* **1.** Ação ou efeito de encruar(-se). **2.** Má digestão.

encruar. [De *en*-^{3} + *cru* + -*ar*^{2}.] *V. t. d.* **1.** Tornar cru, fazer endurecer, enrijar (o que estava quase cozido). **2.** Dificultar ou retardar as funções de (o estômago). **3.** Tornar cruel; endurecer, empedernir: *O sofrimento encruou-lhe o coração.* [Sin., nessas acepç.: *encruecer*.] **4.** Exasperar, irritar. *Int.* **5.** Tornar-se cru. **6.** Tornar-se insensível, cruel. **7.** Não ter crescimento. **8.** Não progredir; não ter seguimento. **9.** *Bras.* Não queimar totalmente (o roçado). *P.* **10.** Exacerbar-se, encarniçar-se.

encrudelecer. [De *en*-^{3} + lat. *crudele*, 'cruel', + -*ecer*.] *V. t. d.* **1.** Tornar cruel. *P.* **2.** Tornar-se cruel. **3.** Irritar-se, enfurecer-se. [F. paral.: *encruelecer*. Conjug.: v. *aquecer*.]

encruecer. [Do lat. *incrudescere*.] *V. t. d.* **1.** V. *encruar* (1 a 3). *Int.* **2.** Tornar-se cruento, feroz, sanguinolento. [Sin. ger.: *encruentar*. [Conjug.: v. *aquecer*.]

encruelecer. [De *en*-^{3} + *cruel* + -*ecer*.] *V. t. d. e p.* Encrudelecer. [Conjug.: v. *aquecer*.]

encruentar. [De *en*-^{3} + *cruento* + -*ar*^{2}.] *V. t. d. e int.* V. *encruecer*.

encruza. *S. f. Bras. Folcl.* Ritual em que o chefe do terreiro, antes do início das sessões, traça cruzes nas mãos, na testa e na nuca dos médiuns.

encruzada. *S. f.* V. *encruzilhada* (1).

encruzado. [Part. de *encruzar*.] *Adj.* Disposto em cruz; cruzado, encruzilhado.

encruzamento. *S. m.* **1.** Ato ou efeito de encruzar(-se). **2.** Lugar onde as coisas se cruzam. [Sin. *ger.*: *cruzamento*.]

encruzar.]De *en*-^{3} + *cruz* + -*ar*^{2}.] *V. t. d.* **1.** Dispor em forma de cruz; encruzilhar. **2.** Atravessar; cruzar; encruzilhar. *P.* **3.** Sentar-se sobre os calcanhares com as pernas encruzadas.

encruzilhada. [Fem. substantivado de *encruzilhado*.] *S. f.* **1.** Lugar onde se cruzam estradas ou caminhos; ambívio, cômpito, encruzada, cruzamento. **2.** *Cap.* Rasteira semelhante ao corta-capim, mas que se completa com um pé dando calço no adversário.

encruzilhadense^1. *Adj. 2 g.* **1.** De, ou pertencente ou relativo a Encruzilhada (BA). ● *S. 2 g.* **2.** Natural ou habitante de Encruzilhada.

encruzilhadense^2. *Adj. 2 g.* **1.** De, ou pertencente ou relativo a Encruzilhada do Sul (RS). ● *S. 2 g.* **2.** Natural ou habitante de Encruzilhada do Sul.

encruzilhado. [Part. de *encruzilhar*.] *Adj.* V. *encruzado*.

encruzilhar. *V. t. d.* Encruzar (1 e 2).

encubação. *S. f.* Ato de encubar. [Cf. *incubação*.]

encubar. [De *en*-^{2} + *cuba*^{1} + -*ar*^{2}.] *V. t. d.* Recolher em cuba; envasilhar. [Cf. *incubar*.]

encucação. *S. f. Bras. Gír.* Ato ou efeito de encucar.

encucado. [Part. de *encucar*.] *Adj. Bras. Gír.* Cuja cuca está fundida; baratinado.

encucar. [De *en*-^{2} + *cuca*^{3} + -*ar*^{2}.] *V. int. Bras. Gír.* V. fundir a cuca: "o Conde começou .... a namorar a torto e a direito, viajando aos menores pretextos, bebendo, fazendo farras, num barato de encucar." (Cora Rónai Vieira e Paulo Rónai, *Aventuras de Fígaro*, p. 59.) [Conjug.: v. *trancar*.]

encucharrar. [De *en*-^{3} + *cucharra* + -*ar*^{2}.] *V. t. d.* Dar a forma de cucharra a.

encumeada. *S. f.* Cumeada.

encumear. [De *en*-^{3} + *cume* + -*ar*^{2}.] *V. t. d.* **1.** Pôr no cume, no cimo de um monte. **2.** Elevar, exaltar; glorificar: *encumear personalidades ilustres.* [Conjug.: v. *frear*. Cf. *encomiar*.]

encurralamento. *S. m.* Ato ou efeito de encurralar.

encurralar. [De *en*-^{2} + *curral* + -*ar*^{2}.] *V. t. d.* **1.** Meter no curral. **2.** Encerrar em lugar estreito e sem saída; encantoar. **3.** Pôr cerco a; cortar as possibilidades de retirada de. *P.* **4.** Refugiar-se em lugar sem saída.

encurtador (ô). *Adj. e s. m.* Que ou aquele que encurta.

encurtamento. *S. m.* Ato ou efeito de encurtar; diminuição, limitação.

encurtar. [De *en*-^{3} + *curto* + -*ar*^{2}.] *V. t. d.* **1.** Tornar curto ou mais curto: *encurtar as saias.* **2.** Fazer menor; diminuir, reduzir: *encurtar o passo; encurtar um prazo.* **3.** Restringir, limitar, reduzir: *Suas muitas ocupações encurtam-lhe o tempo disponível.*

encurvação. [Do lat. *incurvatione*.] *S. f.* V. *encurvamento*.

encurvadura. *S. f.* V. *encurvamento*.

encurvamento. *S. m.* Ato ou efeito de encurvar(-se); arqueamento, curvatura; encurvação, encurvadura.

encurvar. [Do lat. *incurvare*.] *V. t. d.* **1.** Tornar curvo; curvar: *encurvar o arco.* **2.** Dar a forma de arco a; arquear: *encurvar o corpo.* **3.** *Fig.* Abater; humilhar. **4.** Virar de borco; emborcar. *Int.* **5.** Tornar-se curvo; dobrar-se; encurvar-se. *P.* **6.** Encurvar (5). **7.** Humilhar-se, rebaixar-se.

endameba. *S. f. Zool.* Espécie de animal protozoário, sarcodíneo, rizópode, amebino, do gênero *Endamoeba Leidy (Entamoeba* Cas. & Barb.). São parasitos obrigatórios, com formas vegetativas ou trofozoítos e formas de reprodução ou cistos, que têm geralmente quatro ou oito núcleos. A espécie *E. Histolytica Schaudinn* é agente etiológico da disenteria amebiana no homem. [Sin.: *entameba*.]

endartéria. [De *end(o)*- + *artéria*.] *S. f. Anat.* Túnica interna das artérias. [Var.: *endartério*.]

endartério. *S. m. Anat.* Var. de *endartéria*.

endaspidiano. *S. m. Zool.* O tarso das aves passeriformes, quando os escudos da face anterior do tarso se estendem por toda a face interior deste, deixando descoberta só uma parte externa.

endecha (ê). [Do esp. *endecha*.] *S. f.* **1.** Composição formada de estâncias de quatro versos de cinco sílabas. **2.** Poesia fúnebre, muito triste. [Cf., nesta acepç.: *nênia*.] **3.** Canção melancólica.

endechador (ô). [De *endechar* + -*(d)or*.] *S. m.* **1.** *Ant.* Autor ou cantor de endechas. **2.** Compositor de fados.

endechar. *V. int. Ant.* Cantar endechas ou cânticos fúnebres. [Conjug.: v. *fechar*.]

endefluxar-se (ss). [De *en*-^{2} + *defluxo* + -*ar*^{2} + *se*^{1}.] *V. p.* Contrair defluxo; constipar-se: "apanhei um ar na cabeça, endefluxei-me." (Machado de Assis, *Contos sem Data*, p. 131).

endemia. [Do gr. *endemía*.]. *S. f.* Doença que existe constantemente em determinado lugar e ataca número maior ou menor de indivíduos.

endemicidade. *S. f.* Qualidade de endêmico.

endêmico. *Adj.* **1.** Pertencente ou relativo a endemia. **2.** Peculiar a determinada população ou região.

endemismo. [De *endêm(ico)* + -*ismo*.] *S. m. Bot.* Ocorrência de uma dada espécie em área restrita, como, p. ex., numa ilha ou montanha.

endemoninhado. [Part. de *endemoninhar*.] *Adj.* **1.** Que tem o Demônio no corpo; possesso: *Recitaram um exorcismo para acalmar a freira endemoninhada.* **2.** Diabólico, demoníaco, endiabrado: *um espírito endemoninhado.* **3.** *Fig.* Travesso, levado, endiabrado. ● *S. m.* **4.** Aquele que está, ou é endemoninhado.

endemoninhar. [Do lat. *endemoniare*.] *V. t. d.* **1.** Meter o Demônio no corpo de (pessoa ou animal). **2.** Enfurecer, enraivecer. *P.* **3.** Enfurecer-se, enraivecer-se.

endentação. *S. f.* **1.** Ato de endentar. **2.** Entrosa (1).

endentar. [De *en*-^{2} + *dente* + -*ar*^{2}.] *V. t. d.* **1.** Travar os dentes de (uma roda) com os de outra; engranzar. *T. i.* **2.** Travar-se; engranzar-se; encaixar-se.

endentecer. [De *en*-^{3} + *dente* + -*ecer*] *V. int.* Principiar a ter dentes. [Conjug.: v. *aquecer*.]

endereçamento. *S. m.* **1.** Ato de endereçar. **2.** *Proc. Dados.* Atribuição de um endereço (4) a uma informação (9).

endereçar. [Do lat. **indirectiare*.] *V. t. d.* **1.** Pôr sobrescrito em; sobrescritar: *endereçar um ofício, uma carta. T. d. e i.* **2.** Enviar, encaminhar; dirigir: *Endereçou um comunicado ao jornal. P.* **3.** Dirigir-se, encaminhar-se. [Conjug.: v. *começar*. Pres. ind.: *endereço*, etc. Cf. *endereço* (ê).]

endereço (ê). [Dev. de *endereçar*.] *S. m.* **1.** Inscrição do nome e residência em sobrecarta, bilhete, etc.; sobrescrito. **2.** Residência de alguém: *Carlos mudou de endereço.* **3.** *Fig.* Destinatário: *Claro que essa ofensa tem endereço certo.* **4.** *Proc. Dados.* Expressão, em geral numérica, que identifica e permite achar uma informação armazenada na memória de um computador. [Pl.: *endereços* (ê). Cf. *endereço*, do v. *endereçar*.]

endérmico. [De *en*-^{1} + *derma* -*ico*^{2}.]. *Adj. Med.* Que atua por absorção através da pele.

endeusação. *S. f.* V. *endeusamento*: "esse culto, muitas vezes farisaicos, dado a uns textos desinterrados do passado; essa quase endeusação de um homem elevado às proporções de símbolo" (Oliveira Martins, *A Vida de Nun'Álvares*, p. 350).

endeusado. [Part. de *endeusar*.] *Adj.* Divinizado, deificado.

endeusador (ô). *Adj.* Que endeusa ou diviniza; deificador.

endeusamento. *S. m.* **1.** Deificação, apoteose. **2.** *Fig.* Orgulho, altivez. **3.** *Fig.* Êxtase, enlevo, arroubo. [Sin. ger.: *endeusação*.]

endeusar. [De *en*-^{3} + *deus* + -*ar*^{2}.] *V. t. d.* **1.** Incluir entre os deuses; deificar: *Os antigos endeusavam os fenômenos naturais.* **2.** Atribuir dotes divinos a; divinizar: *endeusar o ser amado.* **3.** *Fig.* Extasiar, enlevar, arroubar. *P.* **4.** Atribuir a si mesmo qualidades divinas. **5.** Extasiar-se, enlevar-se, maravilhar-se. [Sin. ger., p. us.: *adeusar*.]

endexina (z). [De *end(o)* + *exina*.] *S. f. Morfol. Veg.* Camada interna da exina do grão de pólen.

endez (ê). *S. m.* V. *indez*.

endiabrado. [Part. de *endiabrar*.] *Adj.* **1.** V. endemoniado (2 e 3). **2.** Mau, terrível, furioso: *gênio endiabrado; Faz um tempo endiabrado.* ● *S. m.* **3.** Aquele que é mau, travesso, traquina(s).

endiabrar. [De *en*-^{3} + *diabro* + -*ar*^{2}.] *V. t. d. e p.* Tornar(-se) endiabrado; encapetar-se.

endiche. *S. f.* Rede vertical que guarnece a boca duma armação de pesca; andiche.

endinheirado. [Part. de *endinheirar*.] *Adj.* Que tem dinheiro; abastado, rico, opulento, dinheiroso, adinheirado.

endinheirar. [De *en*-^{3} + *dinheiro* + -*ar*^{2}.] *V. t. d e p.* Encher(-se) de dinheiro; enriquecer.

endireita. [Dev. de *endireitar*.] *S. m.* **1.** Aquele que sem ser médico, nem sequer técnico, compõe fraturas e deslocações de ossos. **2.** Charlatão, impostor.

endireitado. [Part. de *endireitar*.] *Adj.* Direito, aprumado, empertigado.

endireitar. [De *en*-^{3} + *direito* + -*ar*^{2}.] *V. t. d.* **1.** Pôr direito (o que estava torto, dobrado, ou desviado da linha reta): "Custódio endireitou o busto, que até então inclinara um pouco." (Machado de Assis, *Papéis Avulsos*, p. 195.) **2.** Corrigir, retificar, emendar: *A professora endireitou a letra do aluno. T. i.* **3.** Encaminhar ou navegar direito ou direto (a algum lugar): "alugando uma cavalgadura endireitou para a aldeia em que nascera." (Maria Amália Vaz de Carvalho, *Contos e Fantasias*, p. 194); *Endireitou para casa.* **4.** Atinar, acertar. *Int.* **5.** Corrigir-se, emendar-se. **6.** Tomar boa direção; ficar direito. *P.* **7.** Tornar-se direito (o que estava torto, curvado, dobrado). **8.** Retomar o bom caminho. **9.** Resistir; entesar-se.

endiva. *S. f.* V. *endívia*.

endívia. [Do egípcio *tybi*, atr. do gr. medieval *entybi* (pronunciado endívi) e do lat. tardio *endivia*.] *S. f.* Variedade de chicória de folhas frisadas, que pode ser consumida crua, em salada, ou cozida; escarola, chicarola. [Var.: *endiva*.]

endividado. [Part. de *endividar*.] *Adj.* Que contraiu dívidas; cheio de dívidas.

endividamento. *S.m.* Ato ou efeito de endividar (-se).

endividar. [De *en*-^{3} + *dívida* + -*ar*^{2}.] *V. t. d.* **1.** Fazer contrair dívidas; tornar devedor: *Os gastos com a doença* e n d i v i d a r a m - *no*. **2.** Penhorar, empenhar. *P.* **3.** Contrair dívidas. **4.** Contrair obrigação ou obrigações; tornar-se obrigado ou reconhecido; empenhar-se: *Cada dia recebe novos favores do amigo, e portanto cada vez mais com ele se* e n d i v i d a.

▲**end(o)-.** [Do gr. *éndon*.] *Pref.* = 'movimento para dentro', 'posição interior': *endobiose, endartéria.*

endoado. [De *en*-^{3} + *dó*^{1} + -*ado*^{1}.] *Adj.* Enlutado; triste, dorido.

endobiose. [De *end(o)*- + -*bio*- + -*ose*.] *S. f. Biol.* Vida parasitária no interior dum ser.

endobiótico. *Adj.* **1.** Relativo à endobiose. **2.** Que vive no interior dos seres.

endocanibalismo. [De *end(o)*- + *canibalismo*] *S. m. Etnol.* Canibalismo praticado dentro da própria tribo.

endocárdico. *Adj. Anat.* Relativo ao endocárdio.

endocárdio. [De *end(o)*- + *cárdio*.] *S. m. Anat.* Membrana que forra interiormente o coração.

endocardite. [De *endocárdio* + -*ite*^{1}.] *S. f. Patol.* Inflamação do endocárdio.

endocárpio. *S. m. Morfol. Veg.* Var. de *endocarpo*.

endocarpo. [De *end(o)*- + *carpo*] *S. m. Morfol Veg.* Camada interna do pericarpo dos frutos, que pode ser ou muito fina, ou grossa e pétrea, como nas drupas. [Var.: *endocárpio*.]

endocéfalo. [De *end(o)*- + -céfalo.] *Adj. Hist. Nat.* Que não tem cabeça aparente.

endocraniano. *Adj. Anat.* Relativo ou pertencente ao, ou situado no endocrânio.

endocrânio. [De *end(o)*- + *crânio*.] *S. m. Anat.* A porção da dura-máter que reveste o encéfalo.

endocrínico. *Adj. Anat.* Referente às glândulas de secreção interna; endócrino.

endócrino. [De *end(o)*- + gr. *krin*, raiz de *krino*, 'separar', 'segregar'.] *Adj. Anat.* Endocrínico. ~ V. *glândula* —*a*.

endocrinologia. [De *endócrino* + -*log(o)*- + -*ia*.] *S. f.* Parte da medicina que trata das glândulas de secreção interna.

endocrinológico. *Adj.* Respeitante à endocrinologia.

endocrinologista. *S. 2 g.* Especialista em endocrinologia; endocrinólogo.

endocrinólogo. *S. m.* Endocrinologista.

endocrinopatia. [De *endócrino* + -*pat(o)*- + -*ia*.] *S. f. Patol.* Afecção de glândula de secreção interna.

endocrinopático. *Adj.* Relativo à endocrinopatia.

endocruzamento. [De *end(o)*- + *cruzamento*.] *S. m. Genét.* Cruzamento entre indivíduos geneticamente semelhantes, com alto grau de parentesco.

endoderma. [De *end(o)*- + -*derma*.] *S. m.* **1.** *Embr.* A mais interna das três camadas germinativas primárias do embrião, da qual derivam o epitélio da faringe e o resto do tubo digestivo, a bexiga, a uretra, etc. [Cf. *mesoderma* e *ectoderma* (1). **2.** *Anat. Veg.* Camada celular localizada entre o córtex e o cilindro central, principalmente observada na raiz nova, e cujas células se caracterizam pela presença de espessamentos suberizados nas paredes radiais, ditos *espessamentos de Caspary*. ◆ **Endoderma externo.** *Anat. Veg. V. exoderma.*

endoderme. *S. f. Embr.* e *Anat. Veg.* V. *endoderma.*

endodérmico. *Adj.* Do, ou relativo ao endoderma.

endodontia. [De *end(o)*- + -*odont(e)*- + -*ia*.] *Odont.* A parte da odontologia que trata das causas, diagnóstico, terapêutica e profilaxia das lesões de polpa dentária e de raiz dentária, bem como dos tecidos que circundam a extremidade terminal desta última.

endodôntico. *Adj.* Pertencente ou relativo à endodontia.

endodontista. *S. 2 g.* Especialista em endodontia.

endoenças. [Do lat. *indulgentias*.] *S. f. pl.* Solenidades religiosas da quinta-feira santa.

endoérgico. *Adj. Fís.-Quím.* Diz-se de efeito em que há absorção de energia.

endofauna. [De *end(o)*- + *fauna*.] *S. f. Ocean. Biol.* A fauna bêntica embutida no corpo do substrato, ou em cavidades, fissuras interstícios dele.

endófito. [De *end(o)*- + -*fito*.] *S. m. Bot.* Vegetal que vive no interior de outro organismo, podendo ser parasito ou saprófito.

endofleódico. *Adj. Bot.* Diz-se dos liquens que vivem no interior das cascas das árvores. São espécies de pequeno tamanho e talo fino.

endoflora. [De *end(o)*- + *flora*.] *S. f. Ocean. Biol.* A flora bêntica embutida no corpo do substrato, ou em cavidades, fissuras e interstícios dele.

endogamia. [De *end(o)*- + -*gamo*- + -*ia*.]. *S. f.* Regime pelo qual o indivíduo se casa no interior de sua classe, e que implica um sistema de castas. [Antôn.: *exogamia*.]

endogâmico. *Adj.* Relativo à, ou próprio da endogamia.

endógamo. [De *end(o)*- + -*gamo*.] *Adj.* **1.** Concernente à endogamia. ● *S. m.* **2.** Aquele que, para conservação de raça ou de nobreza, só se casa com membros de sua própria tribo ou classe. [Antôn.: *exógamo*.]

endógene. *Adj. 2 g.* V. *endógeno.*

endógeno. [Do gr. *endogenés*.] *Adj.* Originado no interior do organismo, ou por fatores internos; endógene. [Antôn.: *exógeno*.]

endoidante. *Adj. 2 g.* Que endoida: "Mas sinto planar sobre ele todo [o Ribatejo], monocórdico, contínuo, e n d o i d a n t e, um imenso gemido de dor — como que um grito de mulher torturada." (Maria Archer, *Fauno Sovina*, p. 134.)

endoidar. [De *en*-^{3} + *doido* + -*ar*^{2}.] *V. t. d.* e *int.* V. *endoidecer*: "E então perdeu a cabeça, e n d o i d o u mesmo." (Odilo Costa, filho, *História de Seu Tomé Meu Pai e Minha Mãe Maria*, p. 13) [F. paral.: *endoudar*.]

endoidecer. [De *en*-^{3} + *doido* + -*ecer*.] *V. t. d.* **1.** Tornar doido; enlouquecer; endoidar, adoidar: *O sofrimento* e n d o i d e c e u - *a*. **2.** Desvairar, alucinar, endoidar, adoidar. *Int.* **3.** Tornar-se doido; enlouquecer; endoidar, adoidar. [F. paral.: *endoudecer*. *Conjug.*: v. *aquecer*.]

endoidecimento. *S. m.* Ato ou efeito de endoidecer. [F. paral.: *endoudecimento*.]

endolinfa. [De *end(o)*- + *linfa*.] *S. f. Anat.* Líquido que enche o labirinto membranoso [q. v.].

endolítico. [De *end(o)*- + -*lit(o)*- + -*ico*^{2}.] *Adj. Biol. Ger.* Que vive nas rochas.

endométrico. *Adj.* Relativo ao endométrio.

endométrio. [De *end(o)*- + -*metr(o)*-^{1} + -*io*.] *S. m. Anat.* A mucosa uterina.

endometrite. [De *endométrio* + -*ite*^{1}.] *S. f. Patol.* Inflamação do endométrio.

endomingado. [Part. de *endomingar*.] *Adj.* Vestido com a roupa melhor; garrido, casquilho, adomingado.

endomingar. [De *en*-^{3} + *domingo* + -*ar*^{2}.] *V. t. d.* **1.** Vestir (alguém) com roupa domingueira, com o melhor traje. **2.** Enfeitar, adornar. *P.* **3.** Vestir-se bem, com roupa domingueira. [Sin. ger.: *adomingar*. Conjug.: v. *largar*.]

endomorfismo. [De *end(o)*- + -*morf(o)*- + -*ismo*.] *S. m.* **1.** *Álg. Mod.* Homomorfismo de um grupo em si mesmo. **2.** *Geol.* Modificação que sofre uma rocha eruptiva por efeito do contato com a rocha encaixante, a qual pode ser total ou parcialmente absorvida pelo magma.

endoparasito. [De *end(o)*- + *parasito*.] *S. m. Biol.* Parasito que vive no interior do organismo de outro animal. [Opõe-se a *ectoparasito*.]

endoplasma. [De *end(o)*- + *plasma*.] *S. m. Biol.* Porção interna do citoplasma, bem visível nas amebas.

endopleura. [De *end(o)*- + *pleura*.] *S. f. Morfol. Veg.* O tegumento interno das sementes. [V. *episperma*.]

endopódito. [De *end(o)*- + -*pod(o)*- + -*ito*^{2}.] *S. m. Zool.* Ramo interno das patas ou apêndices dos crustáceos, formado basicamente por seis ou sete segmentos unidos.

endoprocto. *S. m.* **1.** Espécime dos endoproctos. ● *Adj.* **2.** Pertencente ou relativo a eles.

endoproctos. *S. m. pl. Zool.* Animais pseudocelomados, do ramo *Entoprocta*, solitários ou coloniais, de porte minúsculo. Cada indivíduo é formado por um pedúnculo que contém um cálice provido de uma coroa de tentáculos ciliados; tubo digestivo em forma de U; boca e ânus dentro do círculo de tentáculos. Vivem fixos em animais ou objetos, e são marinhos ou de água doce.

endopterigoto. *S. m.* e *adj.* Holometabólico (2 e 3).

endopterigotos. *S. m. pl. Zool.* Holometabólicos.

endorsamento. *S. m. Encad.* Operação de endorsar livros.

endorsar. [De *en*-^{2} + *dorso* + -*ar*^{2}.] *V. t. d. Encad.* V. *alombar*^{2}.

endoscopia. *S. f. Med.* Exploração visual por meio de endoscópio.

endoscópico. *Adj.* Referente à endoscopia.

endoscópio. [De *end(o)*- + -*scop*- + -*io*.] *S. m.* Instrumento médico para exame de várias cavidades do corpo.

endosmômetro. [De *endosmo(se)* + -*metro*.] *S. m. Fís.* Aparelho com que se apreciam os fenômenos da endosmose.

endosmose. [De *end(o)*- + -*osm(o)*-^{2} + -*ose*.] *S. f. Fís.* Corrente de fora para dentro, entre dois líquidos de densidades diversas separados por uma membrana ou placa porosa. [Antôn.: *exosmose*.]

endosmótico. *Adj.* Concernente à endosmose. [Antôn.: *exosmótico*.]

endosperma. [De *end(o)*- + -*sperma*.] *S. m. Morfol. Veg.* Albume (2). [Var.: *endospermo*.]

endospérmico. *Adj.* Diz-se do embrião que tem endosperma.

endospermo. *S. m. Morfol. Veg.* Var. de *endosperma*.

endósporo. [De *end(o)*- + -*sporo*.] *S. m. Morfol. Veg.* Esporo que se forma no interior da célula, como nos ascomicetes. [Antôn.: *exósporo*.]

endossabilidade. *S. f.* Qualidade de endossável.

endossado. [Part. de *endossar*.] *Adj.* **1.** Em que há endosso. ● *S. m.* **2.** Aquele a quem se endossou uma letra; endossatário.

endossador (ô). *Adj.* e *s. m.* Endossante.

endossamento. *S. m.* Ato de endossar.

endossante. *Adj. 2 g.* e *s. 2 g.* Que ou quem endossa; endossador.

endossar. [Do fr. *endosser*.] *V. t. d.* **1.** Pôr endosso em (letra, ordem, etc.). **2.** Transferir a outrem a responsabilidade de (um encargo, um incômodo). **3.** Solidarizar-se com; apoiar; defender: E n d o s s o u *as idéias do filósofo. T. d. e i.* **4.** Passar a responsabilidade a outrem: E n d o s s e i - *lhe a incumbência.* [Pres. ind.: *endosso*, etc. Cf. *endosso* (ô).]

endossatário. *S. m.* Endossado (2).

endossável. *Adj. 2 g.* Que pode ser transferido por endosso. ~ V. *ação* —.

endosse. [Dev. de *endossar*.] *S. m.* Endosso.

endosso (ô). [Dev. de *endossar*.] *S. m.* **1.** Ato de endossar. **2.** *Jur.* Transferência da propriedade dum título nominativo com a cláusula "à ordem", mediante declaração, escrita, em geral, no verso dele. [F. paral.: *endosse*. Pl.: *endossos* (ô). Cf. *endosso*, do v. *endossar*.] ◆ **Endosso completo.** *Jur.* V. *endosso em preto.* **Endosso em branco.** *Jur.* O que não contém o nome da pessoa em favor da qual é feito, e consiste na simples assinatura do endossante. **Endosso em caução.** *Jur.* V. *endosso pignoratício.* **Endosso em garantia.** *Jur.* V. *endosso pignoratício.* **Endosso em penhor.** *Jur.* V. *endosso pignoratício.* **Endosso em preto.** *Jur.* O que traz mencionado o nome daquele em favor de quem é feito; endosso pleno, endosso nominativo, endosso completo. **Endosso mandatício.** *Jur.* V. *endosso procuratório.* **Endosso nominativo.** *Jur.* V. *endosso em preto.* **Endosso pignoratício.** *Jur.* O que sujeita o endossante ao pagamento de outra obrigação, dando ao endossatário o direito de retenção até que se efetue aquele pagamento; endosso em garantia, endosso em penhor, endosso em caução, endosso-caução. **Endosso pleno.** *Jur.* V. *endosso em preto.* **Endosso por procuração.** *Jur.* O que alguém faz em nome do endossante, como seu procurador. **Endosso póstumo.** *Jur.* O que se faz depois de vencido o título, valendo apenas como cessão regulada pelo direito civil. **Endosso procuratório.** *Jur.* O que não transfere a propriedade do título, mas apenas confere ao endossatário poderes procuratórios, mediante declarações como: "pague-se", "por procuração a", ou "valor em cobrança"; endosso mandatício, endosso-mandato.

endosso-caução. *S. m. Jur.* V. *endosso pignoratício.* [Pl.: *endossos-cauções* e *endossos-caução*.]

endosso-mandato. *S. m. Jur.* V. *endosso procuratório.* [Pl.: *endossos-mandatos* e *endossos-mandato*.]

endoteca. [De *end(o)*- + -*teca*.] *S. f. Morfol. Veg.* Camada interna das lojas da antera.

endotelial. *Adj. 2 g.* Relativo ou pertencente ao endotélio.

endotélio. [De *end(o)*- + -*tel(e)*-^{3} + -*io*.] *S. m. Anat.* Camada de células epiteliais que reveste internamente as estruturas do aparelho circulatório, incluído o coração.

endotelioma. [De *endotélio* + -*oma*.] *S. m. Patol.* Tumor formado de células endoteliais.

endotérmico. [De *end(o)*- + *térmico*.] *Adj. Fís.* Diz-se de sistema, transformação ou processo em que há absorção de calor. [Antôn.: *exotérmico*.]

endotraqueal. [De *end(o)*- + *traquéia* + -*al*.] *Adj. 2 g. Anat.* Relativo ao, ou que se realiza no interior da traquéia.

endoudar. [De *en*-^{3} + *doudo* + -*ar*^{2}.] *V. t. d.* e *int.* V. *endoidecer.*

endoudecer. [De *en*-^{3} + *doudo* + -*ecer*.] *V. t. d.* e *int.* V. *endoidecer*: "O cais deserto, o Mondego de uma formosura incomparável, o luar de e n d o u d e c e r." (Gonçalves Crespo, *Obras Completas*, p. 397.) [Conjug.: v. *aquecer*.]

endoudecimento. *S. m.* Endoidecimento [q. v.].

endovenoso (ô). [De *end(o)*- + *venoso*.] *Adj.* V. *intravenoso.*

endrão. *S. m.* Endro.

endríaco. *S. m.* Endríago [q. v.]

endríago. [Do esp. *endriago* < **hidriago*, cruz. de

hidria, 'hidra, serpente', com *drago*, 'dragão'.] *S. m.* Monstro fabuloso que, segundo se dizia, devorava as virgens. [F. paral.: *endríaco*.]

endro. [Do lat. **anethulu*, dim, de *anethu*.] *S. m.* Planta da família das umbelíferas, semelhante ao funcho; endrão.

endrômina. *S. f.* Artimanha, intrujice, impostura; andrômina.

enduape. [Do tupi *yãdu'á ñadu'ab*, 'plumas de nhandu'.] *S. m. Bras.* Rodela de penas que os tupinambás usavam nas nádegas.

enduração. *S. f.* **1.** *P. us.* Ato de endurar ou endurecer; endurecimento. **2.** Teima ou persistência no mal. **3.** *Med.* Endurecimento de tecidos orgânicos.

endurado. [Part. de *endurar*.] *Adj. P. us.* **1.** Endurecido. **2.** Contumaz, pertinaz.

endurar. [De *en-*^{3} + *duro* + *-ar*^{2}.] *V. t. d. int.* e *p. P. us.* V. *endurecer*.

endurecedor (ô). *Adj.* **1.** Que endurece. ● *S. m.* **2.** Substância que provoca o endurecimento.

endurecer. [De *en-*^{3} + *duro* + *-ecer*.] *V. t. d.* **1.** Tornar duro, rijo; enrijar, enrijecer: *O calor endurece o barro.* **2.** Fortificar, fortalecer: *A ginástica endurece os músculos.* **3.** Tornar cruel, insensível; empedernir: *O exercício da violência endurece o coração dos homens. Int.* **4.** Tornar-se duro; enrijar(-se), enrijecer(-se), endurecer-se. **5.** Tornar-se cruel, insensível; empedernir-se, endurecer-se *P.* **6.** V. *endurecer* (4 e 5). **7.** Tornar-se incorrigível; inveterar-se. **8.** Habituar-se a fadigas. [Sin. ger. (p. us.): *endurar* e *endurentar*. Conjug.: v. *aquecer*.]

endurecido. [Part. de *endurecer*.] *Adj.* Que (se) endureceu; duro, rijo.

endurecimento. *S. m.* **1.** Ato ou efeito de endurecer (-se). **2.** Tumor duro; calo.

endurentar. [De *en-*^{3} + *duro* + *-entar*.] *V. t. d., int.* e *p. P. us.* V. *endurecer*.

enduro. [Do ingl. *endurance*, com infl. de *duro*.] *S. m. Esport.* Prova de motociclismo, de resistência, realizada em terreno acidentado. [Cf. *cross-country*.]

ene. *S. m.* **1.** Nome da letra *n*. [Pl.: *enes* ou *nn*.] **2.** *Tip.* Meio-quadratim, no sistema anglo-americano. [Pl.: *enes*. Cf. *n*.]

■**E.N.E.** Abrev. de *és-nordeste*.

▲**ene(a)-.** [Do gr. *ennéa*.] *El. comp.* = 'nove': *eneandro, eneágono*.

eneacórdio. [De *ene(a)-* + *cord(e)-* + *-io*.] *S. m. Mús.* Cítara de nove cordas.

eneágino. [De *ene(a)-* + *-gino*.] *Adj. Morfol. Veg.* Provido de nove estiletes ou nove estigmas.

eneagonal. [De *eneágono* + *-al*.] *Adj. 2 g. Geom.* Que tem nove ângulos.

eneágono. [De *ene(a)-* + *-gono*.] *S. m. Geom.* Polígono de nove lados.

eneandro. [De *ene(a)-* + *-andro*.] *Morfol. Veg.* Que tem nove estames.

eneassépalo. [De *ene(a)-* + *sépala*.] *Adj. Morfol. Veg.* Que tem nove sépalas.

eneassilábico. *Adj.* Eneassílabo (1).

eneassílabo. [Do gr. *enneasyllabos*.] *Adj.* **1.** Diz-se de vocábulo ou verso que tem nove sílabas; eneassilábico. ● *S. m.* **2.** Verso de nove sílabas.

enegésimo. [De *ene-* + *gésimo*, terminação das dezenas dos ordinais (vigésimo, etc.).] *Adj. Mat.* Enésimo (1) [q. v.].

enegrecer. [De *en-*^{3} + *negro* + *-ecer*.] *V. t. d.* **1.** Tornar negro; escurecer; denegrir: "A umidade enegreceu o papel pintado das paredes" (Cesário Verde, *Obra Completa*, p. 226); "Negra, imensa, disforme / Enegrecendo a noute, a desdobrar-se pelas / amplidões do horizonte, a cordilheira dorme." (Vicente de Carvalho, *Poemas e Canções*, p. 53). **2.** Difamar; deslustrar; caluniar; desacreditar: *O crime enegreceu sua reputação. Int.* **3.** Tornar-se negro; fazer-se escuro; escurecer(-se), enegrecer-se: "O dia enegreceu; era noite já." (José de Alencar, *Iracema*, p. 76.) **4.** *Bras., S.* Ajuntar-se uma multidão (de pessoas, animais, coisas); encher-se. *P.* **5.** V. *enegrecer* (3). [Conjug.: v. *aquecer*.]

enegrecido. [Part. de *enegrecer*.] *Adj.* Que (se) enegreceu: "longas melenas empastadas de sal e de coalhos de sangue enegrecido." (Alberto Rangel, *Quando o Brasil Amanhecia*, p. 313).

enegrecimento. *S. m.* **1.** Ato ou efeito de enegrecer(-se); escurecimento. **2.** *Fig.* Difamação, calúnia.

enema. [Do gr. *énema*, pelo lat. *enema*.] *S. m.* **1.** Injeção de substância (contraste radiológico, medicamento, etc.) pelo reto. [V. *clister*.] **2.** *Ant.* Medicamento de ação tópica e secante, empregado outrora em feridas com hemorragia.

éneo. [Do lat. *aeneu*.] *Adj.* **1.** De bronze; brônzeo: "nas hasteadas cruzes, nos êneos candelabros" (Carlos Magalhães de Azeredo, *Odes e Elegias*, p. 47). **2.** Referente ou semelhante ao bronze; brônzeo. [Cf. *Ênio*, antr.]

eneorema. [Do gr. *enaiórema*.] *S. m. Med.* Substância brancacenta que aparece à superfície da urina guardada por certo tempo.

enequim. *S. m. Bras.* Var. de *anequim*.

energéia. [Do gr. *enérgeia*.] *S. f. Filos.* Energia (4).

energética. [Fem. substantivado de *energético*.] *S. f. Filos.* **1.** Ciência da energia. **2.** Dinamismo puro; espiritualismo.

energético. [Do gr. *energetikós*.] *Adj.* **1.** Relativo à energética. **2.** Relativo à energia. ~ V. *emitância —a, intensidade —a* e *radiância —a*.

energia. [Do gr. *enérgeia*, pelo lat. *energia*.] *S. f.* **1.** Maneira como se exerce uma força. **2.** Força moral; firmeza: *Notável a energia de seu caráter; Tem agido com grande energia.* **3.** Vigor, força: *Com a idade, perdeu a energia.* **4.** *Filos.* Segundo Aristóteles [v. *aristotélico*], o exercício mesmo da atividade, em oposição à potência da atividade e, pois, à forma; energéia. **5.** *Fís.* Propriedade de um sistema que lhe permite realizar trabalho. [A energia pode ter várias formas (calorífica, cinética, elétrica, eletromagnética, mecânica, potencial, química, radiante), transformáveis umas nas outras, e cada uma capaz de provocar fenômenos bem determinados e característicos nos sistemas físicos. Em todas as transformações de energia há completa conservação dela, i. e., a energia não pode ser criada, mas apenas transformada (primeiro princípio da termodinâmica). A massa de um corpo pode-se transformar em energia, e a energia sob forma radiante pode transformar-se em um corpúsculo com massa.] ◆ **Energia atômica.** *Fís. Nucl.* Energia nuclear. **Energia calorífica.** *Fís.* Energia térmica. **Energia cinética.** *Fís.* A energia que um corpo possui por estar em movimento. **Energia de permuta.** *Fís.* A que está associada às forças de permuta de um sistema. **Energia de repouso.** *Fís.* A que um corpo em repouso possui num determinado referencial, e que é igual ao produto da sua massa em repouso pelo quadrado da velocidade da luz. **Energia interna.** *Fís.* Função de estado de um sistema, que cresce quando este recebe calor do exterior e decresce quando o sistema fornece trabalho ao exterior. A sua variação é igual à diferença entre o calor recebido e o trabalho cedido, e só depende do estado final e do estado inicial do sistema. **Energia livre.** *Fís.-Quím.* V. *função de Helmholtz*. **Energia livre de Gibbs.** *Fís.-Quím.* V. *função de Gibbs*. **Energia livre de Helmholtz.** *Fís.-Quím.* V. *função de Helmholtz*. **Energia nuclear.** *Fís. Nucl.* A que é produzida nas reações nucleares, especialmente nas de fissão nuclear, e se origina da transformação de parte da massa das partículas e núcleos reagentes em energia; energia atômica. **Energia potencial.** *Fís.* Energia de um corpo, ou de um sistema de corpos, a qual só depende da posição do corpo ou da configuração do sistema. **Energia radiante.** *Fís.* A que pode ser transmitida de um ponto a outro do espaço sem a presença de meios materiais, propagando-se como onda. **Energia térmica.** *Fís.* A que se manifesta sob a forma de calor; energia calorífica.

enérgico. *Adj.* Que tem energia; vigoroso, caloroso.

enérgide. [De *energia*.] *S. f. Morfol. Veg.* O núcleo com certa porção de protoplasma.

energismo. [De *energia* + *-ismo*.] *S. m. Ét.* Teoria segundo a qual o fim das ações humanas é a realização perfeita das disposições dadas.

energização. *S. f.* Ato ou efeito de energizar.

energizado. [Part. de *energizar*.] *Adj.* Que contém energia; que foi objeto de energização.

energizar. *V. t. d.* **1.** Dar energia a. **2.** Fazer (uma corrente elétrica) circular num circuito.

energúmeno. [Do gr. *energóumenos*, 'trabalhado, possuído' (por demônio).] *S. m.* Endemoninhado; fanático; possesso: "redemoinhar sempre em fantásticos corrupios, como um doido, como um energúmeno, sempre, sempre, sempre" (Ramalho Ortigão, *Crônicas Portuenses*, p. 29).

enervação. [Do lat. *enervatione*.] *S. f.* **1.** Ação de enervar^{1}; enervamento. **2.** *Med.* Enfraquecimento ou esgotamento nervoso. **3.** *Med.* Secção de nervo(s), ou retirada de inervação de uma estrutura ou de uma área. [Cf. *inervação*.]

enervador (ô). *Adj.* Enervante.

enervamento. *S. m.* Enervação (1).

enervante. [Do lat. *enervante*.] *Adj. 2 g.* Que enerva [v. *enervar*^{1} (1 a 3)]; enervador: "Há no teu corpo em flor, que o outono simboliza, / A volúpia enervante e morna das surdinas." (Félix Pacheco, *Poesias*, p. 137); *É de uma teimosia enervante.* ~ V. *tiro —*.

enervar^{1}. [Do lat. *enervare*.] *V. t. d.* **1.** Tirar a força física ou moral de; enfraquecer, debilitar; afrouxar. **2.** Privar do vigor, da energia; enlanguescer, molificar, efeminar, afeminar: *A opressão enerva o homem.* **3.** Irritar, apoquentar, exacerbar: *A preguiça do filho enerva -o. Int.* **4.** Causar ou produzir enervação (2). *P.* **5.** Perder a força, a energia; debilitar-se. **6.** Irritar-se, apoquentar-se, exacerbar-se: "Este mormaço / Não me deixa escrever... Sazão daninha... / Enervo -me." (Judas Isgorogota, *Cantos da Visitação*, p. 18.) [Var.: *desnervar*. Cf. *inervar*.]

enervar^{2}. [De *en-*^{3} + *nervo* + *-ar*^{2}.] *V. t. d.* **1.** Forrar com nervo (7). **2.** Cobrir com couro cru (algumas peças da sela). **3.** Fazer nervuras em. **4.** Comunicar atividade ou faculdade motriz a. [Cf. *inervar*.]

enerve. [Do lat. *enerve*.] *Adj. 2 g.* **1.** Enfraquecido, debilitado. **2.** Efeminado, afeminado. [Cf. *inerve*, do v. *inervar*.]

enérveo. *Adj. Morfol. Veg.* Diz-se do órgão vegetal cujas nervuras são indistintas, ou por muito delicadas ou por se acharem mergulhadas em excesso de parênquima; aneuro.

enesgar. [De *en-*^{3} + *nesga* + *-ar*^{2}.] *V. t. d.* **1.** Dar o feitio de nesga a. **2.** Dar a forma triangular a. *Int.* **3.** Adquirir o aspecto de nesga. [Conjug.: v. *largar*.]

enésimo. [De *ene-* + *(gé)simo*; v. *enegésimo*.] *Mat.* **1.** *Adj.* Diz-se do que ocupa a ordem *n*; enegésimo. ~ V. *derivada —a* e *raiz —a*. **2.** *Num.* Ordinal correspondente ao número inteiro *n*.

enevoado. [Part. de *enevoar*.] *Adj.* Coberto de névoa; obscurecido, nublado; nevoado: *tempo enevoado; vista enevoada.*

enevoar. [De *en-*^{3} + *névoa* + *-ar*^{2}.] *V. t. d.* **1.** Cobrir de névoa; anuviar, nublar: *A fumaça enevoou a cidade.* **2.** Obscurecer, sombrear: *Densas nuvens enevoam o céu.* **3.** Tornar baço, opaco; embaciar: *A idade enevoa -lhe os olhos.* **4.** Tornar sombrio; entristecer: *A ausência de liberdade enevoa uma nação. P.* **5.** Cobrir-se de nevoeiro; turvar-se. [F. paral.: *nevoar*. Conjug.: v. *coroar*.]

enfadadiço. *Adj.* Que se enfada com facilidade; rabugento, impaciente, agastadiço, zangadiço, irascível.

enfadamento. *S. m.* V. *enfado*.

enfadar. *V. t. d.* **1.** Causar aborrecimento a; enfastiar; entediar: *Longas descrições costumam enfadar o leitor.* **2.** Cansar, incomodar, molestar; irritar: *A conversa do vendedor enfadava -o. P.* **3.** Desgostar-se, aborrecer-se, agastar-se.

enfado. [Dev. de *enfadar*.] *S. m.* **1.** Impressão desagradável; mal-estar, incômodo. **2.** Zanga, aborrecimento, agastamento. [Sin. ger.: *enfadamento*.]

enfadonho. *Adj.* **1.** Que enfada, cansa, aborrece; cansativo, aborrecido, maçante, fastidioso: *indivíduo enfadonho; conversa enfadonha.* **2.** Que enfada, incomoda, molesta; incômodo, molesto: *situação enfadonha.* [Sin. ger.: *enfadoso*.]

enfadoso (ô). *Adj.* V. *enfadonho*.

enfaixar. [De *en-*^{3} + *faixa* + *-ar*^{2}.] *V. t. d.* Envolver ou atar com faixas: *enfaixar a perna.*

enfaixe. [Dev. de *enfaixar*.] *S. m.* Ato ou efeito de enfaixar.

enfanicar-se. [De *en-*^{3} + *fanico* + *-ar*^{2} + *se*^{1}.] *V. p. Fam.* Ter fanico^{1}; desmaiar. [Conjug.: v. *trancar*.]

➡**enfant gâté** (anfã gatê). [Fr.] *S. m.* **1.** Criança mimada. **2.** Aquele que é objeto de grande predileção por parte de seu superior, a ponto de se tornar deficiente em suas atividades, por abuso de confiança.

➡**enfant terrible** (anfã terribl'). [Fr.] *S. 2 g.* Criança que, por indiscreta, causa embaraços contínuos a seus pais.

enfaramento. *S. m.* V. *enfaro*.

enfarar. *V. t. d.* **1.** Causar enfaro a; enfastiar, entediar: *As leituras o atraem, a música enfara -o.* **2.** Ter enjôo a; tomar aborrecimento a; enfadar. *P.* **3.** Aborrecer-se, entediar-se, enfadar-se: "Nunca me acostumei àqueles momentos de capela, depois do jantar. Houve mesmo um tempo em que me enfarei de todo" (Renard Pérez, *Os Sinos. O Tombadilho*, p. 21).

enfardadeira. *S. f.* Máquina agrícola que serve para enfardar o trigo ceifado, outros cereais, ou palha.

enfardado. [Part. de *enfardar*.] *Adj.* De que se fez fardo; empacotado, embrulhado.

enfardador (ô). *Adj.* e *s. m.* Que ou aquele que enfarda.

enfardamento. *S. m.* Ato ou efeito de enfardar.

enfardar. [De *en-*^{2} + *fardo* + *-ar*^{2}.] *V. t. d.* **1.** Fazer fardo de; empacotar, embrulhar, entrouxar. **2.** Enfardelar. **3.** Guardar, arrecadar: *Enfardou a sobrecasaca.*

enfardelar. [De *en-*^{2} + *fardel* + *-ar*^{2}.] *V. t. d.* Meter em fardel; enfardar.

enfarelado. [Part. de *enfarelar.*] *Adj.* **1.** Misturado com farelo. **2.** Sobre o que se espalhou farelo.

enfarelar. [De *en-*^{3} + *farelo* + *-ar*^{2}.] *V. t. d.* **1.** Misturar farelos a. **2.** Espalhar farelos sobre.

enfarinhadela. *S. f. Fam.* Ato de enfarinhar.

enfarinhar. [De *en-*^{3} + *farinha* + *-ar*^{2}.] *V. t. d.* **1.** Polvilhar com farinha; cobrir com farinha; empoar: *Enfarinhou o tabuleiro para fazer os biscoitos.* **2.** Transformar em farinha ou pó; esfarelar: *enfarinhar a mandioca.* **3.** *Pint.* Esbranquiçar. *T. d.* e *i.* **4.** Dar noções gerais a; iniciar: *Em poucos meses o enfarinhei na matemática. P.* **5.** Cobrir-se de farinha; empoar-se. **6.** Adquirir conhecimentos superficiais sobre alguma coisa.

enfaro. [Dev. de *enfarar.*] *S. m.* **1.** Ato ou efeito de enfarar ou enjoar; fastio, asco, repugnância, enjôo; enfaramento. **2.** Aborrecimento, enfado, tédio: "a voz do próprio tédio, do irremediável enfaro de viver..." (Olavo Bilac, *Ironia e Piedade*, p. 123.)

enfaroso (ô). *Adj. Bras., PE.* Cheio de enfaro; enfastiado, enjoado, aborrecido.

enfarpelar. [De *en-*^{3} + *farpela* + *-ar*^{2}.] *V. t. d.* e *p.* Vestir(-se) com roupa nova ou domingueira.

enfarrapar. [De *en-*^{3} + *farrapo* + *-ar*^{2}.] *V. t. d.* Envolver em, ou vestir de farrapos.

enfarruscar. [De *en-*^{3} + *farrusca* + *-ar*^{2}.] *V. t. d.* **1.** Fazer farruscas em; sujar com carvão, fuligem, etc; emborralhar, encarvoar; mascarrar. **2.** Dar aspecto amuado, zangado, a: *enfarruscar o semblante. Int.* **3.** *Bras.* Zangar-se, amuar-se, arrufar-se, enfarruscar-se. *P.* **4.** Sujar-se de fuligem; encarvoar-se. **5.** *Bras.* Enevoar-se, anuviar-se. **6.** *Bras.* V. *enfarruscar* (3). [Conjug.: v. *trancar.*]

enfartação. *S. f.* V. *enfarte* (1).

enfartado. [Part. de *enfartar.*] *Adj.* Farto, cheio, repleto.

enfartamento. *S. m.* V. *enfarte* (1).

enfartar. *V. t. d.* **1.** Causar enfarte a; encher de comida; fartar. **2.** Entupir, obstruir, obturar.

enfarte. *S. m.* **1.** Ato ou efeito de enfartar; ingurgitamento; inchação; enfartação, enfartamento, fartação. **2.** *Patol.* V. *infarto.*

enfarto. *S. m. Patol.* V. *infarto.*

ênfase. [Do gr. *émphasis*, pelo lat. *emphase.*] *S. f.* **1.** Modo empolado, afetado, de se exprimir. **2.** Energia excessiva na gesticulação ou na fala. **3.** Ostentação, soberba, arrogância: "Ninguém lhe achará [em Raimundo Correia] ênfase lacrimosa nem grandiloqüência vaga." (Tristão da Cunha, *Cousas do Tempo*, p. 189.) **4.** Realce, destaque, relevo. **5.** Entonação especial para fazer ressaltar alguma palavra ou expressão.

enfastiadiço. *Adj.* Que enfastia, aborrece, enfada; maçante, enfadonho, tedioso.

enfastiamento. *S. m.* Ato ou efeito de enfastiar(-se).

enfastiante. *Adj. 2 g.* V. *enfastioso.*

enfastiar. [De *en-*^{3} + *fastio* + *-ar*^{2}.] *V. t. d.* **1.** Causar fastio ou aborrecimento a; entediar, enfadar, enfarar: *O orador prolixo enfastia os ouvintes.* **2.** Incomodar, molestar, irritar, enfadar: *O barulho enfastiava-o.* **3.** Tornar fastidioso, tedioso: "A tristeza / Da garoa a cair, fina como farinha, / Quando o inverno vinha enfastiar a natureza..." (Ribeiro Couto, *Poesias Reunidas*, p. 92.) *Int.* **4.** Causar ou produzir tédio, enfado, fastio. *P.* **5.** Aborrecer-se; enfadar-se, enfarar-se.

enfastioso (ô). *Adj.* Que causa fastio ou tédio; enfastiante, fastidioso.

enfático. [Do gr. *emphatikós.*] *Adj.* Que tem, ou em que há ênfase. ~ V. *acento* —.

enfatiotar-se. [De *en-*^{2} + *fatiota* + *-ar*^{2} + *se*^{1}.] *V. p. Bras.* **1.** Vestir-se em fatiota. **2.** Vestir-se com apuro.

enfatismo. *S. m.* **1.** Qualidade ou caráter de enfático. **2.** Uso imoderado da ênfase.

enfatizar. [De *enfát(ico)* + *-izar.*] *V. t. d.* Dar ênfase, destaque, relevo especial, a; salientar; ressaltar; acentuar: *O orador enfatizou a questão dos direitos humanos;* "Se demoramos na análise das principais composições incluídas no *Áureo Trono*, não tivemos com isso a intenção de enfatizar qualidades que .... não chegam a definir, no caráter circunstancial das peças, uma personalidade literária ou considerável contribuição criativa." (Afonso Ávila, *Resíduos Seiscentistas em Minas*, I, p. 59.)

enfatuação. *S. f.* Ato ou efeito de enfatuar(-se); enfatuamento.

enfatuado. [Part. de *enfatuar.*] *Adj.* Cheio de si; presumido, vaidoso, arrogante, fátuo.

enfatuamento. *S. m.* Enfatuação.

enfatuar. [Do lat. *infatuare.*] *V. t. d.* **1.** Tornar fátuo; encher de vaidade ou presunção: *A vitória enfatuou o general.* **2.** Tornar imprudente, ignorante. *P.* **3.** Envaidecer-se, orgulhar-se.

enfeado. [Part. de *enfear.*] *Adj.* Que se tornou feio; afeado. [Cf. *enfiado*, do v. *enfiar* e *enfiada* do mesmo v., e s. f.]

enfear. [De *en-*^{3} + *feio* + *-ar*^{2}.] *V. t. d.* e *p.* V. *afear.* [Conjug.: v. *frear.* Part.: *enfeado*, fem. *enfeada.* Cf. *enfiado*, fem. *enfiada*, do v. *enfiar*, este v., e *enfiada*, s. f.]

enfebrecer. [De *en-*^{3} + *febre* + *-ecer.*] *V. int.* **1.** Passar a estado febril; criar febre. *T. d.* **2.** Criar febre em. [Conjug.: v. *aquecer.*]

enfeirar. [De *en-*^{3} + *feira* + *-ar*^{2}.] *V. int.* **1.** Fazer negócio na feira. *T. d.* **2.** Comprar, adquirir, na feira ou como em feira: "O dinheiro enfeirou corpos de mulheres, sem condicionar a existência d'almas bem-formadas nesses corpos" (Camilo Castelo Branco, *A Mulher Fatal*, p. 28).

enfeitado. [Part. de *enfeitar.*] *Adj.* Ornado de enfeites; adornado, alindado, ataviado. ~ V. *bomba* —a e *calouro*—.

enfeitador (ô). *Adj.* e *s. m.* Que ou aquele que enfeita.

enfeitar. [Do ant. *afeitar.*] *V. t. d.* **1.** Pôr enfeites em; encher de atavios; adornar, ornamentar, ataviar: *enfeitar a árvore de Natal.* **2.** Dar boa aparência a: *enfeitar o rosto.* **3.** Desculpar, colorir ou disfarçar (defeitos). **4.** Pôr farpas em (touros). *Int.* **5.** *Bras.* Ficar bonito (quem não o era); enfeitar-se. **6.** *Bras., S.* Entrar (moça) no período da puberdade, tornando-se garrida; enfeitar-se. **7.** Começar (a franga) a ficar adulta, cacarejando como sinal de que se aproxima a primeira postura; enfeitar-se. *P.* **8.** V. *enfeitar* (5 a 7). **9.** Adornar-se, ornamentar-se, ataviar-se, embelezar-se. **10.** *Bras.* Esquecer-se de sua posição inferior; tomar confiança; atrever-se: "Andava-se enfeitando para uma roxinha, noiva dum vaqueiro." (Coelho Neto, *Treva*, p. 74.)

enfeite. [Dev. de *enfeitar.*] *S. m.* Ornamento, ornato, adorno, atavio.

enfeitiçado. [Part. de *enfeitiçar.*] *Adj.* **1.** Que se enfeitiçou; que está sob a ação do feitiço. **2.** Seduzido, fascinado, maravilhado, arrebatado.

enfeitiçamento. *S. m.* Ato ou efeito de enfeitiçar(-se).

enfeitiçante. *Adj. 2 g.* Que prende, encanta, alicia, enfeitiça: "Bom garfo, consciente do valor das comidas, ... fruía as doçuras irrestritas e as graças numerosas de um tratamento enfeitiçante." (Gilberto Amado, *Depois da Política*, p.18.)

enfeitiçar. [De *en-*^{3} + *feitiço* + *-ar*^{2}.] *V. t. d.* **1.** Sujeitar à ação do feitiço; encantar, embruxar: *Nas histórias infantis as bruxas enfeitiçam os príncipes.* **2.** Fazer mal a, por meio de artes diabólicas; embruxar: *Há cultos em que as pessoas procuram enfeitiçar seus inimigos.* **3.** Seduzir, fascinar, maravilhar, arrebatar: *O amor enfeitiçava-o. P.* **4.** Deixar-se vencer pelo feitiço; deixar-se cativar. [Conjug.: v. *laçar.*]

enfeixamento. *S. m.* Ato de enfeixar.

enfeixar. [De *en-*^{3} + *feixe* + *-ar*^{2}.] *V. t. d.* **1.** Atar em feixe; faxinar: *enfeixar gravetos.* **2.** Ajuntar, juntar, reunir: *Enfeixou os seus papéis; Enfeixou todas as energias para a resistência.* **3.** Entrouxar, embrulhar, enfardar.

enfeltrar. [De *en-*^{3} + *feltro* + *-ar*^{2}.] *V. t. d.* **1.** Transformar em feltro. **2.** Envolver em feltro.

enfelujar. [De *en-*^{3} + *felugem* + *-ar*^{2}.] *V. t. d.* Sujar com felugem; mascarrar.

enfenecer. [De *en-*^{4} + *fenecer.*] *V. int.* V. *fenecer.* [Conjug.: v. *aquecer.*]

enfermagem. *S. f.* **1.** A arte ou função de cuidar dos enfermos. **2.** Os serviços de enfermaria. **3.** O tratamento dos enfermos. **4.** Os enfermeiros.

enfermar. *V. t. d.* **1.** Tornar doente; fazer adoecer: *O golpe de ar enfermou-a.* **2.** Tirar o vigor a: *A intolerância enferma a cultura de uma nação.* **3.** Afligir, mortificar: *A insegurança enfermava-o. Int.* **4.** Tornar-se enfermo; adoecer. [Pres. ind.: *enfermo, enfermas, enferma*, etc. Cf. *enfermo* (ê) e as flex. *enferma* (ê) e *enfermas* (ê).]

enfermaria. *S. f.* **1.** Casa, ou peça(s) de uma casa, destinada(s) ao tratamento de enfermos. **2.** Casa onde se recolhem animais para serem tratados.

enfermeira. *S. f.* **1.** Mulher diplomada em enfermagem (1) e/ou profissional dessa arte. **2.** *P. ext.* Mulher que cuida de enfermos. **3.** *P. ext.* Mulher carinhosa com os doentes.

enfermeiro. *S. m.* **1.** Homem diplomado em enfermagem (1) e/ou profissional dessa arte. **2.** *P. ext.* Homem que cuida de enfermos.

enfermiço. *Adj.* Que anda sempre enfermo; achacadiço, achacoso, doentio, valetudinário.

enfermidade. *S. f.* **1.** Doença, achaque. **2.** *Fig.* Qualquer vício ou mania. **3.** *Bras., AL. Pop.* Ferida de mau caráter: "Ferida crônica, de mau caráter, diziam. Nada a fazia cicatrizar, ... Não faltou pomada, banha, azeite de botica, remédio brabo do mato, que o velho não botasse na enfermidade." (De Araújo Costa, *O Menino e o Tempo*, p. 251.)

enfermo (ê). [Do lat. *infirmu.*] *Adj.* **1.** Doente, achacado. **2.** Que não funciona bem; imperfeito, anormal. ● *S. m.* **3.** Aquele que está enfermo; doente. [Flex.: *enferma* (ê), *enfermos* (ê), *enfermas* (ê). Cf. *enfermo, enfermas, enferma*, do v. *enfermar.*]

enferrujamento. *S. m.* **1.** Ato ou efeito de enferrujar. **2.** *Quím.* Processo de corrosão do ferro.

enferrujar. [De *en-*^{3} + *ferrugem* + *-ar*^{2}.] *V. t. d.* **1.** Fazer criar ferrugem; oxidar: *A umidade enferruja o ferro. Int.* **2.** Criar ferrugem; encher-se ou cobrir-se de ferrugem: *As facas enferrujaram.* **3.** Cair em desuso: *Numa língua, certas palavras resistem ao tempo e outras enferrujam. P.* **4.** Cobrir-se ou encher-se de ferrugem; oxidar-se.

enfesta. *S. f.* **1.** Cume, pico; assomada. **2.** *Fig.* Fastígio, auge, cume. [Cf. *infesta*, do v. *infestar* e fem. de *infesto.*]

enfestação. *S. f. Bras.* Ato de enfestar[1] (4). [Cf. *infestação.*]

enfestado[1]. [Part. de *enfestar*[1].] *Adj.* **1.** Diz-se do pano dobrado ao meio, no sentido da largura, e assim enrolado na peça. **2.** *Bras. Fig.* De compleição robusta; dobrado, reforçado. [Cf. *infestado.*]

enfestado[2]. [De *enfesta* + *-ado*[1].] *Adj. Ant.* Voltado para cima; empinado. [Cf. *infestado.*]

enfestador (ô). [De *enfestar*[1] (4).] *S. m. Bras.* Indivíduo acostumado a enfestar, a furtar no jogo. [Cf. *infestador.*]

enfestar[1]. [De *en-*^{3} + *festo* (ê) + *-ar*^{2}.] *V. t. d.* **1.** Fazer festo em; dobrar pelo meio na sua largura. **2.** Aumentar (uma conta). **3.** Aumentar (qualquer coisa). *Int.* **4.** *Bras.* Furtar no jogo, marcando mais pontos do que o devido. **5.** *Bras.* Exagerar; mentir. [Pres. ind.: *enfesto, enfestas, enfesta*, etc. Cf. *enfesto* (ê), as flex. *enfesta* (ê), *enfestas* (ê), e o v. *infestar.*]

enfestar[2]. *V. t. d. Bras., S.* Aborrecer, enfastiar, entediar. [Pres. ind.: *enfesto, enfestas, enfesta*. etc. Cf. *enfesto* (ê), as flex. *enfesta* (ê), *enfestas* (ê), e o v. *infestar.*]

enfesto (ê). [De *enfesta.*] *Adj.* Íngreme, empinado; ladeirento. [Flex.: *enfesta* (ê), *enfestos* (ê), *enfestas* (ê), Cf. *enfesto, enfestas, enfesta*, do v. *enfestar; infesto, infestas, infesta*, do v. *infestar; infesto*, adj., e as flex. *infesta, infestos, infestas.*]

enfestoar. [De *en-*^{3} + *festão* + *-ar*^{2}.] *V. t. d.* e *p.* V. *afestoar.* [Conjug.: v. *coroar.*]

enfeudação. *S. f.* Ato de enfeudar(-se).

enfeudar. [De *en-*^{3} + *feudo* + *-ar*^{2}.] *V. t. d.* **1.** Dar ou constituir em feudo (terra, cidade, Estado). *P.* **2.** Entregar-se (uma pessoa a outra, a um partido, etc.).

enfezado. [Part. de *enfezar.*] *Adj.* **1.** Raquítico, acanhado, pequeno. **2.** *Fig.* Irritadiço; impertinente. **3.** *Fig.* Aborrecido, amolado, irritado.

enfezamento. *S. m.* **1.** Raquitismo, atrofiamento. **2.** Aborrecimento, enfado, irritação.

enfezar. [De *en-*^{3} + *fez* + *-ar*^{2}.] *V. t. d.* **1.** Tolher o movimento de; fazer que não cresça normalmente; tornar raquítico. **2.** Enfadar, impacientar; irritar, amolar: *A admoestação enfezou-o. Int.* **3.** *Bras.* Enfadar-se, impacientar-se, irritar-se; enfezar-se. *P.* **4.** Entrar em decadência, definhar; decair. **5.** V. *enfezar* (3).

enfia. [Dev. de *enfiar.*] *S. m. Bras., MA* e *CE.* V. *cadarço* (3).

enfiação. *S. f.* V. *enfiamento* (1 e 4).

enfiada. *S. f.* **1.** Conjunto de objetos enfiados em linha, fio ou coisa semelhante; sarta, fieira, fiada: *enfiada de peixes.* **2.** Porção de objetos dispostos em linha; fila, fileira. **3.** Série ou seqüência de acontecimentos, ações, palavras, etc. **4.** *Bras. Gír. Fut.* Goleada. [Cf. *enfeada*, fem. do part. de *enfear* e do adj. *enfeado.* ◆ **De enfiada.** Sem solução de continuidade; consecutivamente.

enfiador (ô). [De *enfiar* + *-(d)or.*] *S. m. Bras., MA, PE* e *AL.* V. *cadarço* (3).

enfiadura. *S. f.* **1.** Porção de linha que duma vez se enfia na agulha. **2.** Orifício (da agulha, de contas; de pérolas) por onde se introduz um fio. **3.** V. *enfiamento* (1).

enfiamento. *S. m.* **1.** Ato de enfiar(-se); enfiadura, enfiação. **2.** Direção retilínea. **3.** Desmaio, desfalecimento. **4.** Vexame, vergonha; enfiação.

enfiar. [De *en-*^{2} + *fio* + *-ar*^{2}.] *V. t. d.* **1.** Introduzir, meter (um fio) num orifício: *A vista não lhe permite enfiar uma linha.* **2.** Meter em fio (pérolas, contas, etc.); engranzar. **3.** Fazer entrar; introduzir; meter: *Não sabe enfiar um prego.* **4.** Vestir, ou calçar: *enfiar a* *camisa; enfiar os sapatos;* "Duarte enfiou um chambre e dirigiu-se para a sala" (Machado de Assis, *Papéis Avulsos*, p. 102). **5.** Atravessar (alguém) de lado a lado, com espada, lança, etc.; traspassar, transpassar, transfixar: *O inimigo, implacável, enfiou -o.* **6.** Entrar por: *Enfiou a porta sem fazer-se anunciar.* **7.** Retomar o fio de (discurso). **8.** Narrar, contar, sem interrupção, de enfiada: *Enfiou várias histórias.* **9.** Andar por; percorrer: *enfiar um caminho.* **10.** Continuar ininterruptamente: *enfiar um sono.* **11.** Beber sucessivamente: *Enfiou vários cálices de cachaça.* **12.** *Náut.* Projetar pontos de referência (bóias, balizas, acidentes geográficos, etc.) uns sobre outros, com o fim de obter um alinhamento que permite localizar a embarcação na carta ou orientar-lhe a navegação. *T. d.* e *i.* **13.** Bater com algo; meter: *A polícia enfiou o pau nos manifestantes. T. d.* e *c.* **14.** Introduzir fio num orifício: "enfiou a linha na agulha, e entrou a coser." (Machado de Assis, *Várias Histórias*, p. 231). **15.** Fazer entrar; introduzir, meter: *Enfiou várias tachas na tábua. T. c.* **16.** Entrar, meter-se, enfiar-se: "disse ao cocheiro que esperasse, e rápido enfiou pelo corredor, e subiu a escada." (Machado de Assis, *Várias Histórias*, p. 14). **17.** Encaminhar-se, dirigir-se, enfiar-se: *Enfiou para casa.* **18.** Encanar-se, coar-se, enfiar-se: *O vento enfia pelas frinchas das janelas. Int.* **19.** Empalidecer; desmaiar: *Após a acusação, o réu enfiou;* "No rosto macerado, que enfiava, / O lagrimoso pranto reluzia" (Correia Garção, *Obras Poéticas e Oratórias*, p. 55). **20.** *Bras.* Encabular, encafifar, encavacar, envergonhar-se. **21.** Seguir-se um após outro; enfiar-se. *P.* **22.** Enfiar (16): "Na maioria dos casos, o cientista sobe o Amazonas ou o Tocantins, enfia-se no aranhol hidrográfico, vai até às vertentes donde brotam os rios, mas não sai das margens" (Raimundo Morais, *País das Pedras Verdes*, p. 289). **23.** V. *enfiar* (17 e 18). **24.** Enfiar (21). [Part.: *enfiado*, fem. *enfiada*. Cf. *enfeado*, fem. *enfeada*, do v. *enfear* e adj., e este verbo.]

enfileirado. [Part. de *enfileirar.*] *Adj.* Disposto ou ordenado em fileiras; alinhado.

enfileiramento. *S. m.* Ato de enfileirar(-se).

enfileirar. [De *en-*^{3} + *fileira* + *-ar*^{2}.] *V. t. d.* **1.** Dispor ou ordenar em fileiras; alinhar: *O menino enfileirou os soldadinhos de chumbo. P.* **2.** Entrar na fileira; alinhar-se.

enfim. [De *em* + *fim.*] *Adv.* **1.** Finalmente, afinal; por fim. ● *Interj.* **2.** Vá lá!; afinal de contas, admite-se: "Que quem já é pecador / Sofra tormentos, enfim! / Mas as crianças, Senhor, / Por que lhes dais tanta dor?!..." (Augusto Gil, *Luar de Janeiro*, p. 29.)

enfincar. [De *en-*^{4} + *fincar.*] *V. t. d. Bras. Pop.* Fincar (1). [Conjug.: v. *trancar.*]

enfisema. [Do gr. *emphysema.*] *S. m. Patol.* Presença de ar nos interstícios do tecido conjuntivo de um órgão. ◆ **Enfisema pulmonar.** *Patol.* Condição mórbida que se caracteriza pelo aumento permanente do volume dos espaços aéreos distais, localizados além dos bronquíolos terminais não respiratórios, com lesões destrutivas das paredes alveolares.

enfisemático. *Adj.* Relativo a, ou próprio de enfisema; enfisematoso.

enfisematoso (ô). *Adj.* **1.** Enfisemático. **2.** Que sofre de enfisema. ● *S. m.* **3.** Aquele que sofre de enfisema.

enfistular. [De *en-*^{3} + *fístula* + *-ar*^{2}]. *V. t. d.* **1.** Tornar fistuloso. *Int.* e *p.* **2.** Criar fístula; degenerar em fístula.

enfitado. [Part. de *enfitar*^{1}.] *Adj.* Em que se puseram fitas; adornado com fitas. "Anália a cana enfitada, / Com a mão leve, a um leve aceno, / Porá da máquina rude / Entre os cilindros de ferro." (Alberto de Oliveira, *Poesias*, 3ª série, p. 114.)

enfitar^{1}. [De *en-*^{3} + *fita*^{2} + *-ar*^{2}] *V. t. d.* Pôr fitas em; adornar com fitas; afitar: "Ora em nastros não mais a parasita / Verde às colunas vegetais se enrola, / E o corpo elando, os píncaros enfita." (Alberto de Oliveira, *Poesias*, 1ª série, p. 223.)

enfitar^{2}. [De *en-*^{4} + *fitar.*] *V. t. d.* **1.** Olhar fixamente; fitar. *P.* **2.** Fixar a vista.

enfiteuse. [Do gr. *emphyteusis*, pelo lat. *emphyteuse.*] *S. f. Dir. Civ.* Direito real alienável e transmissível aos herdeiros, e que confere a alguém o pleno gozo do imóvel mediante a obrigação de não deteriorá-lo e de pagar um foro anual, em numerário ou em frutos; aforamento, emprazamento, fateusim.

enfiteuta. [Do gr. *emphyteútes*, pelo lat. *emphyteuta.*] *S. 2 g.* Pessoa que tem ou recebe por enfiteuse o domínio útil de um prédio.

enfiteuticação. *S. f.* Ato ou efeito de enfiteuticar.

enfiteuticado. [Part. de *enfiteuticar.*] *Adj.* Transferido por enfiteuse; aforado, emprazado.

enfiteuticar. *V. t. d.* Ceder por enfiteuse; aforar. [Conjug.: v. *trancar.* Pres. ind.: *enfiteutico*, etc. Fut. pret.: *enfiteuticaria*, etc. Cf. *enfitêutico*, adj., e *enfiteuticária*, fem. de *enfiteuticário.*]

enfiteuticário. [Do lat. *emphyteuticariu.*] *Adj.* Enfitêutico. [Fem.: *enfiteuticária.* Cf. *enfiteuticaria*, do v. *enfiteuticar.*]

enfitêutico. [Do gr. *emphyteutikós*, pelo lat. *emphyteuticu.*] *Adj.* Concernente a enfiteuse; fateusim. [Cf. *enfiteutico*, do v. *enfiteuticar.*]

enfivelamento. *S. m.* Ato de enfivelar.

enfivelar. [De *en-*^{3} + *fivela* + *-ar*^{2}.] *V. t. d.* **1.** Pôr fivela(s) em. **2.** Guarnecer ou adornar com fivelas. [Cf. *afivelar.*]

enfixar (cs). [De *en-*^{3} + *fixa* + *-ar*^{2}.] *V. t. d. Bras.* **1.** Pôr fixas [v. *fixa* (2 e 3)] em (portas e janelas). **2.** Unir com fixas [v. *fixa* (4)] as extremidades de (trilhos consecutivos).

enflanelar. [De *en-*^{3} + *flanela* + *-ar*^{2}.] *V. t. d.* Revestir ou cobrir de flanela.

enflorado. [Part. de *enflorar.*] *Adj.* **1.** Que se tornou florido. **2.** Ornado de flores. **3.** Embelezado, alindado. **4.** Cheio de alegria. [F. paral.: *enfloreado.*]

enfloragem. [Do fr. *enfleurage.*] *S. f. Quím.* Extração dos óleos essenciais de flores mediante o contato entre as pétalas e uma substância graxa, com o que se obtém o concreto.

enflorar. [De *en-*^{3} + *flor* + *-ar*^{2}]. *V. t. d.* **1.** Fazer nascer flores em; tornar florido. **2.** Ornar de flores; engrinaldar. **3.** Embelezar, alindar, adornar. **4.** Tornar próspero; encher de alegria. *Int.* **5.** Criar flores; enflorescer, enflorar-se *P.* **6.** V. *enflorar* (5). [F. paral.: *enflorear.*]

enfloreado. [Part. de *enflorear.*] *Adj.* V. *enflorado.*

enflorear. [De *en-*^{3} + *flor* + *-ear.*] *V. t. d., int.* e *p.* V. *enflorar.* Conjug.: v. *frear.*]

enflorescer. [De *en-*^{4} + *florescer.*] *V. int.* e *t. d.* V. *florescer.* [Conjug.: v. *crescer.*]

enflorestado. [De *en-*^{3} + *floresta* + *-ado*^{1}.] *Adj.* Que tem floresta(s).

enfobiar. [De *en-*^{3} + *fobia* + *-ar*^{2}.] *V. t. d.* Causar viva irritação a; encanzinar.

enfocação. *S. f.* Ato de enfocar.

enfocar. [De *en-*^{3} + *focar.*] *V. t. d.* V. *focalizar.* [Conjug.: v. *trancar.*]

enfogar. [De *en-*^{3} + *fogo* + *-ar*^{2}.] *V. t. d.* Pôr em fogo; afoguear; abrasar. [Conjug.: v. *largar.*]

enfolhado. [Part. de *enfolhar.*] *Adj.* Coberto ou revestido de folhas.

enfolhamento. *S. m.* Ato ou efeito de enfolhar(-se).

enfolhar. [De *en-*^{3} + *folha* + *-ar*^{2}.] *V. int.* e *p.* Criar folhas; cobrir-se ou revestir-se de folhas.

enfolipar. [De *en-*^{3} + *folipo* + *-ar*^{2}.] *V. t. d.* Produzir folipo, formar seio ou fole, em (peça de vestuário mal costurada).

enfoque. [Dev. de *enfocar.*] *S. m. Bras.* Maneira de enfocar ou focalizar um assunto, uma questão: *Se o problema não tem bom enfoque, dificilmente há de ter boa solução.*

enforcadinho. [Dim. de *enforcado.*] *S. m. Bras.* Espécie de orquídea.

enforcado. [Part. de *enforcar.*] *Adj.* **1.** Supliciado na forca. **2.** Que se enforcou. **3.** Diz-se de parreira enleada a árvores. **4.** *Bras.* Que se acha em apuros financeiros; apertado. ~ V. *dia — e linha —a.* ● *S. m.* **5.** Indivíduo supliciado na forca. **6.** Aquele que se enforcou. **7.** *Ant. Art. Gráf.* Encasado.

enforcamento. *S. m.* Ato de enforcar(-se).

enforcar. [De *en-*^{3} + *forca* + *-ar*^{2}.] *V. t. d.* **1.** Supliciar na forca; suspender pelo pescoço em lugar alto, asfixiando; colgar: *Tiradentes foi enforcado a 21 de abril de 1792.* **2.** Estrangular; asfixiar: *O assaltante enforcou o velho com um cachecol.* **3.** Vender muito barato. **4.** Esbanjar, dissipar, malbaratar, malgastar. **5.** *Bras.* Deixar de trabalhar ou de ir ao colégio em (dia imprensado). **6.** Renunciar a; desistir de. **7.** *Tip.* Iniciar (página) com linha quebrada. **8.** *Tip.* Colocar (linha) em posição destoante das normas tipográficas. *P.* **9.** Suicidar-se por estrangulação, suspendendo-se pelo pescoço. **10.** Vender por preço muito baixo, prejudicando-se. **11.** *Gír.* Casar(-se), matrimoniar-se. [Conjug.: v. *trancar.*]

enforjar. [De *en-*^{2} + *forja* + *-ar*^{2}.] *V. t. d.* Meter na forja.

enformação. *S. f.* Ato de enformar^{1}. [Cf. *informação.*]

enformador (ô). [De *enformar*^{1} (1) + *-(d)or.*] *S. m.* Aquele que enforma. [Cf. *informador.*]

enformagem. [De *enformar*^{1} (1) + *-agem*^{2}.] *S. m.* Ato ou efeito de enformar.

enformar^{1}. [De *en-*^{2} + *fôrma* + *-ar*^{2}.] *V. t. d.* **1.** Meter na fôrma. **2.** *Fam.* Comer em abundância. [Pres. subj.: *enforme*, etc. Cf. *informar* e *informe.*]

enformar^{2}. [De *en-*^{3} + *forma* + *-ar*^{2}.] *V. t. d.* **1.** Dar forma a: *O soneto já enformou os mais belos sentimentos;* "Os homens amassavam lodo, enformavam adobes, tocavam fogo nos tijolos" (Afrânio Peixoto, *Maria Bonita*, p. 108). *Int.* **2.** Crescer; encorpar; desenvolver-se. [Pres. subj.: *enforme*, etc. Cf. *informar* e *informe.*]

enfornar. [De *en-*^{2} + *forno* + *-ar*^{2}.] *V. t. d.* **1.** Introduzir no forno. **2.** Comer com avidez. [Cf. *enfurnar.*]

enforquilhar. [De *en-*^{3} + *forquilha* + *-ar*^{2}.] *V. t. d.* **1.** *Bras., S.* Prender na forquilha. **2.** Dar forma de forquilha a. *P.* **3.** Sentar-se mal, sem elegância, quando a cavalo.

enforro (ô). [De *en-*^{4} + *forro*^{1}.] *S. m. P. us.* Forro^{1} (1 e 2). [Pl.: *enforros* (ô).]

enfortir. [De *en-*^{3} + *forte* + *-ir*^{2}.] *V. t. d.* Dar fortaleza, consistência, a (panos), no pisão (1). [V. *pisoar.*]

enfragar. [De *en-*^{3} + *fraga* + *-ar*^{2}.] *V. int.* Ir dar ou parar em fraga (uma mina, um caminho, etc.). [Conjug.: v. *largar.*]

enfranque. *S. m.* **1.** Curva do calçado, correspondente aos selados laterais do pé. **2.** Curva na roupa, onde esta se adapta às ilhargas.

enfranquear. *V. t. d.* Fazer o(s) enfranque(s) em. [Conjug.: v. *frear.*]

enfraquecer. [De *en-*^{3} + *fraco* + *-ecer.*] *V. t. d.* **1.** Fazer perder as forças; tornar fraco; debilitar: *A doença enfraqueceu-o.* **2.** Desanimar; desalentar: *Os insucessos enfraqueciam-na. Int.* **3.** Tornar-se fraco; debilitar-se, enfraquecer-se. **4.** Perder, total ou parcialmente, a energia das virtudes tônicas, alcoólicas, etc.: *A aguardente enfraqueceu. P.* **5.** Enfraquecer (3). [Sin. ger. (p. us.): *enfraquentar.* Conjug.: v. *aquecer.*]

enfraquecido. [Part. de *enfraquecer.*] *Adj.* Fraco, debilitado.

enfraquecimento. *S. m.* Fraqueza, debilidade.

enfraquentar. *V. t. d., int.* e *p. P. us.* V. *enfraquecer.*

enfrascar. [De *en-*^{2} + *frasco* + *-ar*^{2}.] *V. t. d.* **1.** Meter no frasco: *enfrascar o vinho. P.* **2.** Impregnar-se (de perfumes ou substâncias aromáticas). **3.** Embebedar-se, embriagar-se. **4.** Enredar-se, envolver-se. [Conjug.: v. *trancar.*]

enfreado. [Part. de *enfrear.*] *Adj.* **1.** Que tem freio. **2.** Reprimido, refreado. [Cf. *enfriado*, part. de *enfriar.*]

enfreador (ô). *Adj.* e *s. m.* Que ou aquele que enfreia.

enfreamento. *S. m.* Ação de enfrear(-se).

enfrear. [De *en-*^{3} + *freio* + *-ar*^{2}.] *V. t. d.* **1.** Pôr freio a; sujeitar ao freio: *enfrear uma cavalgadura.* **2.** Apertar o freio de (veículo automóvel); frear. **3.** Reprimir, conter, refrear: "As ondas, que se estendem pela areia... / Os peixes, que no mar o sono enfreia..." (Luís de Camões, *Rimas*, p. 185.) **4.** Domar, dominar. *Int.* **5.** Erguer a cabeça com garbo (o cavalo). *P.* **6.** Reprimir-se, conter-se, refrear-se. [Conjug.: v. *frear.* Cf. *enfriar.*]

enfrechadura. *S. f. Constr. Nav.* O conjunto de enfrechates duma enxárcia.

enfrechate. *S. m. Constr. Nav.* Cada um dos degraus, feitos de cabo, madeira ou ferro, presos aos ovéns, formando escada, para que por ela possa subir ao mastro o pessoal empregado na manobra de um veleiro.

enfrenar. [Do esp. *enfrenar.*] *V. t. d. Bras., S.* **1.** V. *enfrear* (1 a 4). **2.** Substituir o bocal pelo freio em (animais que se amansam). *Int.* **3.** Enfrear (5).

enfrenesiar. [De *en-*^{3} + *frenesi* + *-ar*^{2}.] *V. t. d., int.* e *p.* V. *frenesiar.*

enfrentamento. *S. m.* Ato ou efeito de enfrentar, de arrostar.

enfrentar. [De *en-*^{3} + *frente* + *-ar*^{2}.] *V. t. d.* **1.** Pôr ou estar defronte de; defrontar, confrontar. **2.** Atacar de frente: *O exército enfrentou as tropas inimigas;* "D. Ana Lins enfrenta .... bravamente na sua propriedade rural em S. Miguel as forças legais." (Carlos Pontes, *Tavares Bastos*, p. 9). **3.** Encarar; arrostar; afrontar: *O advogado de defesa soube enfrentar o promotor com valentia.* **4.** Lutar com, em competição esportiva: *O Flamengo enfrentou o Fluminense. T. i.* **5.** Defrontar-se; confrontar-se: *Enfrentou com o inimigo sem se alterar.*

enfrestar. [De *en-*^{3} + *fresta* + *-ar*^{2}.] *V.t. d.* Fazer frestas em; separar por frestas.

enfriar. [De *en-*^{3} + *frio* + *-ar*^{2}.] *V. t. d.* Tornar frio; deixar esfriar. [Part.: *enfriado.* Cf. *enfrear* e *enfreado.*]

enfroixecer. *V. t. d.* V. *enfrouxecer.* [Conjug.: v. *aquecer.*]

enfronhado. [Part. de *enfronhar.*] *Adj.* **1.** Metido em fronha. **2.** Instruído, informado, versado.

enfronhar. [De *en-*^{2} + *fronha* + *-ar*^{2}.] *V. t. d.* **1.** Meter em fronha (travesseiro, almofada, etc.). **2.** Revestir; encapar. **3.** Vestir; calçar. *T. d. e i.* **4.** Tornar versado, instruído: *Enfronhou as filhas no negócio. P.* **5.** Tomar conhecimento de um assunto; instruir-se.

enfrouxecer. [De *en-*^{3} + *frouxo* + *-ecer.*] *V. t. d.* Tornar frouxo; debilitar. [Var.: *enfroixecer.* Conjug.: v. *aquecer.*]

enfrutecer. [De *en-*^{3} + *fruto* + *-ecer.*] *V. int.* Dar fruto; frutificar. [Conjug.: v. *aquecer.* Normalmente é defect., conjugável só nas 3as. pess.]

enfueirada. [Fem. substantivado de *enfueirado.*] *S. f.* Carro cheio até acima dos fueiros; grande carrada.

enfueirado. [Part. de *enfueirar.*] *Adj.* **1.** Provido de fueiros. **2.** Elevado até à altura dos fueiros (carrada).

enfueirar. [De *en-*^{3} + *fueiro*^{1} + *-ar*^{2}.] *V. t. d.* **1.** Pôr fueiros em. **2.** Elevar (a carrada) até à altura dos fueiros.

enfulijar. [De *en-*^{3} + *fuligem* + *-ar*^{2}.] *V. t. d.* Sujar com fuligem; mascarrar.

enfumaçado. [Part. de *enfumaçar.*] *Adj.* Cheio ou toldado de fumaça.

enfumaçar. [De *en-*^{3} + *fumaça* + *-ar*^{2}.] *V. t. d.* Encher ou toldar de fumaça. [Sin.: *enfumar, enfumarar* e (bras.) *fumaçar.* Conjug.: v. *laçar.*]

enfumagem. *S. f.* **1.** Ato de enfumar. **2.** *Grav.* Operação pela qual se enegrece com fumo a superfície envernizada de uma placa, para que os traços feitos no metal pela ponta, etc. fiquem mais visíveis.

enfumar. [De *en-*^{3} + *fumo* + *-ar*^{2}.] *V. t. d.* V. *enfumaçar.*

enfumarar. [De *en-*^{3} + *fumar* + *-ar*^{2}.] *V. t. d.* V. *enfumaçar.*

enfunação. [De *enfunar* + *-ção.*] *S. f. Bras.* Presunção, prosápia.

enfunado. [Part. de *enfunar.*] *Adj.* **1.** Cheio, inflado, pando: "Vela *enfunada*, o saveiro corta o mar da Bahia." (Jorge Amado, *Teresa Batista Cansada de Guerra,* p. 461.) **2.** Envaidecido, vaidoso, inchado.

enfunar. *V. t. d.* **1.** Tornar pando; encher, inflar, inchar: *O vento enfunava-lhe a camisa;* "Uma leve aragem *enfuna* suavemente as cortinas do amplo dormitório." (Edgard Cavalheiro, *Monteiro Lobato,* I, p. 15); "*Enfunando* os papos, / Saem da penumbra, / Aos pulos, os sapos." (Manuel Bandeira, *Estrela da Vida Inteira,* p. 51). **2.** *Fig.* Tornar orgulhoso; envaidecer; ensoberbecer. *P.* **3.** Encher-se de vento, tornar-se bojuda (a vela). **4.** Encher-se de vaidade; ensoberbecer-se. **5.** Amuar-se, irritar-se, zangar-se.

enfunilado. [Part. de *enfunilar.*] *Adj.* V. *afunilado* (1).

enfunilamento. *S. m.* Ato ou efeito de enfunilar; afunilamento.

enfunilar. [De *en-*^{3} + *funil* + *-ar*^{2}.] *V. t. d.* **1.** Dar a forma de funil a; afunilar. **2.** Encher ou vazar por funil.

enfurecer. [De *en-*^{3} + *fúria* + *-ecer.*] *V. t. d.* **1.** Causar fúria a; tornar furioso; irar; enraivecer: *Sua deslealdade enfureceu o velho amigo. Int.* **2.** Ficar furioso; irado. **3.** Delirar, tresvariar. *P.* **4.** Tornar-se furioso: "Senhor, as tropas começam a revoltar-se, o povo *se enfurece*, dizem que os espanhóis se aproximam da cidade!" (Gonçalves Dias, *Teatro,* p. 505.) **5.** *Fig.* Encapelar-se (o mar). [Sin. ger.: *enfuriar.* Conjug.: v. *aquecer.*]

enfurecido. [Part. de *enfurecer.*] *Adj.* **1.** Raivoso, furioso: *Vi-o indignado, enfurecido.* **2.** Agitado, encapelado: *mar enfurecido.*

enfuriado. [Part. de *enfuriar.*] *Adj.* Que tem fúria; muito irritado; irado.

enfuriar. [De *en-*^{3} + *fúria* + *-ar*^{2}.] *V. t. d., int.* e *p.* V. *enfurecer:* "Ei-la em pé, com a serpente da soberba a *enfuriar-lhe* os gestos." (Camilo Castelo Branco, *Amor de Salvação,* p. 198.)

enfurnar. [De *en-*^{2} + *furna* + *-ar*^{2}.] *V. t. d.* **1.** Meter em furna. **2.** Encafuar, encafurnar, esconder. **3.** *Constr. Nav.* Introduzir o pé de (um mastro) no lugar próprio. *P.* **4.** *Fam.* Ausentar-se do convívio social, ou humano; isolar-se, insular-se, retrair-se: "*Enfurnava-se* em casa, fechava a porta e a janela, apagava as luzes." (Cordeiro de Andrade, *Anjo Negro,* p. 117.) [Cf. *enfornar.*]

enfusar. [De *fuso?*] *V. int. Bras., BA.* Encalhar (4). [Cf. *infusar.*]

enfusca. [Dev. de *enfuscar.*] *S. f. Bras., N.E.* Esconderijo, cafundó.

enfuscar. [De *en-*^{3} + *fusco* + *-ar*^{2}.] *V. t. d.* **1.** Tornar fusco; escurecer, enegrecer. **2.** Obscurecer; ofuscar. [Conjug.: v. *trancar.*]

enfusta. [De *en-*^{3} + *fuste*, provavelmente.] *S. f. Bras., PE.* Espeque ou esbirro oblíquo, em forma de cavalete.

enfustar. *V. t. d. Bras., PE.* Especar ou escorar (traves) com enfustas.

enfuste. *S. m.* Preparo que se dá às peles para intumescê-las.

engabelação. [Var. de *engambelação.*] *S. f. Bras.* **1.** Ato de engabelar. **2.** Palavras ou promessas para engabelar. [Var.: *engrambelação;* sin.: *engabelo* (ê), *engambelo* (ê) ou *engrambelo* (ê).]

engabelador (ô). [Var. de *engambelador.*] *Adj.* e *s. m. Bras.* Que ou aquele que engabela. [Var.: *engrambelador.*]

engabelar. [Var. de *engambelar,* cruz. do quimb. *ngmbular,* 'fazer adivinhações', com *enganar.*] *V. t. d. Bras.* **1.** Enganar com falsas promessas; jeitosamente; enrolar: *O vendedor engabelou a compradora.* [Sin. Bras., PE: *engarapar.*] **2.** Distrair; embalar: *O balanço engabelava a criança.* [Var.: *engrambelar, gambelar.* Pres. ind.: *engabelo,* etc. Cf. *engabelo* (ê).]

engabelo (ê). [Dev. de *engabelar;* var. de *engambelo.*] *S. m. Bras.* **1.** V. *engabelação.* **2.** Embeleco, engodo, embuste. [Var.: *engrambelo* (ê). Pl.: *engabelos* (ê). Cf. *engabelo,* do v. *engabelar.*]

engaçar. *V. t. d.* Quebrar (torrões) com engaço ou ancinho. [Conjug.: v. *laçar.*]

engaço^{1}. *S. m.* **1.** Ramificação dos cachos de uva. **2.** Haste ou pedúnculo do fruto. **3.** Bagaço (1).

engaço^{2}. *S. m. Lus.* Ancinho.

engadanhar-se. [De *en-*^{3} + *gadanho* + *-ar*^{2} + *se*^{1}.] *V. p.* **1.** Ter as mãos hirtas ou tolhidas pelo frio. **2.** Ficar perplexo; embaraçar-se.

engadelhar. [De *en-*^{3} + *gadelha* + *-ar*^{2}.] *V. t. d.* Transformar em gadelhas, desordenar (o cabelo). [Conjug.: v. *aparelhar.*]

engafecer. [De *en-*^{3} + *gafa*^{1} + *-ecer.*] *V. t. d.* **1.** Causar gafeira a. *Int.* **2.** Encher-se de gafeira. [Conjug.: v. *aquecer.*]

engaiar. *V. t. d. Marinh.* Enrolar linha, merlim ou arrebém em torno de (um cabo fixo), seguindo-lhe as cochas, a fim de tornar mais lisa a sua superfície, antes de o percintar.

engaifonar. [De *en-*^{4} + *gaifona* + *-ar*^{2}.] *V. int.* V. *gaifonar.*

engaio. [Dev. de *engaiar.*] *S. m. Marinh.* **1.** Linha, merlim ou arrebém com que se engaia um cabo. **2.** Ato ou efeito de engaiar.

engaiolar. [De *en-*^{2} + *gaiola* + *-ar*^{2}.] *V. t. d.* **1.** Meter na gaiola (1): *engaiolar um pássaro.* **2.** *Pop.* Meter na gaiola ou cadeia; prender: *A polícia engaiolou o ladrão.* **3.** *Bras.* Construir em (as estradas de ferro), para diversos fins, gaiolas ou fogueiras. *P.* **4.** Viver solitário; acantoar-se

engajado. [Part. de *engajar.*] *Adj.* e *s. m.* **1.** Diz-se de, ou aquele que é contratado para certos serviços. **2.** Diz-se de, ou aquele que se engajou no serviço militar. **3.** Diz-se de, ou aquele que se engajou, se filiou a uma linha política, filosófica, etc. [v. *engajar* (4)].

engajador (ô). *Adj.* e *s. m.* Diz-se de, ou aquele que engaja.

engajamento. *S. m.* **1.** Ato ou efeito de engajar(-se). **2.** Contrato para certos serviços. **3.** Aliciação, alistamento. **4.** *Filos.* Situação de quem sabe que é solidário com as circunstâncias sociais, históricas e nacionais em que vive, e procura, pois, ter consciência das conseqüências morais e sociais de seus princípios e atitudes. **5.** *Filos.* Situação de filósofo que admite ser impossível começar um sistema sem pressuposição, tendendo, pois, a levar em conta a situação concreta que o cerca.

engajar. [Do fr. *engager.*] *V. t. d.* **1.** Aliciar para serviço pessoal, ou para emigração. *P.* **2.** Obrigar-se a serviço por engajamento. **3.** Alistar-se ou profissionalizar-se em força armada. **4.** Filiar-se a uma linha ideológica, filosófica, etc., e bater-se por ela; pôr-se a serviço de uma idéia, de uma causa, de uma coisa. **5.** Empenhar-se em dada atividade ou empreendimento: *O navio engajou-se no combate.*

engala. *S. f. Bras., BA.* Costura das peças da rede de pesca.

engalanado. [Part. de *engalanar.*] *Adj.* Ornado, enfeitado, garrido, agalanado.

engalanar. [De *en-*^{3} + *gala* + *-n-* + *-ar*^{2}.] *V. t. d.* **1.** Pôr galas em; enfeitar de galas: *Os moradores engalanaram o bairro para a festa.* **2.** Embelezar, alindar, adornar, ornar: *O orador engalanou o discurso. P.* **3.** Vestir-se de galas. **4.** Embelezar-se, alindar-se; adornar-se, ornar-se: "Os meus átomos se ufanam / De pertencer-te, oh! Dor, ancoradouro / Dos desgraçados, sol do cérebro, ouro / De que as próprias desgraças se *engalanam*!" (Augusto dos Anjos, *Eu,* 30ª ed., p. 199.) [F. paral.: *agalanar.*]

engalar. [De *en-*^{3} + *galo*^{1} + *-ar*^{2}.] *V. int.* **1.** Levantar o pescoço, arqueando-o. [Us. com relação ao cavalo.] *P.* **2.** Ensoberbecer-se, envaidecer-se.

engalfinhar. *V. t. d.* **1.** Segurar, agarrar, empolgar. *P.* **2.** Agarrar-se (dois ou mais adversários) em luta corporal; atracar-se: *Depois de forte discussão engalfinharam-se;* Vestidos rasgados, mulheres *engalfinhavam-se.*" (Adalberon Cavalcanti Lins, *Curral Novo,* p. 272). **3.** Agarrar-se (ao adversário ou adversários) em luta corporal; atracar-se: *Engalfinhou-se com o inimigo, e só a muito custo alguém os apartou.* **4.** Travar discussão ou polêmica muito acesa: *Engalfinhou-se com o velho colega por questões gramaticais; Por causa de política os dois se engalfinharam.*

engalgar. [De *en-*^{3} + *galgo* + *-ar*^{2}.] *V. t. d.* Mostrar (a lebre) aos galgos. [Conjug.: v. *largar.*]

engalhar. [De *en-*^{3} + *galho* + *-ar*^{2}.] *V. T. d.* e *p. Emaranhar(-se), atrapalhar(-se).*

engalhardetar. [De *en-*^{3} + *galhardete* + *-ar*^{2}.] *V. t. d.* Ornar de galhardetes; embandeirar, abandeirar.

engalicado. [De *en-*^{3} + *gálico* + *-ado*^{1}.] *Adj.* Que tem gálico^{2} (2); sifilítico.

engalinhar. [De *en-*^{3} + *galinha* + *-ar*^{2}.] *V. t. d.* Ser mau agouro para; encalistrar, encaiporar, azarar.

engalispar-se. [De *en-*^{3} + *galispo* + *-ar* + *se*^{1}.] *V. p.* Empavonar-se ou encrespar-se como o galispo.

engambelação. *S. f. Bras.* V. *engabelação.*

engambelador (ô). *Adj.* e *s. m. Bras.* V. *engabelador.*

engambelar. *V. t. d. Bras.* V. *engabelar.* [Pres. ind.: *engambelo,* etc. Cf. *engambelo* (ê).]

engambelo (ê). [Dev. de *engambelar.*] *S. m. Bras.* V. *engabelo* (ê). [Pl.: *engambelos* (ê). Cf. *engambelo* do v. *engambelar.*]

engambitar. *V. t. d. Bras.* Transpor a pé, galgar, atravessar (fosso, vala).

enganadiço. *Adj.* Fácil de ser enganado.

enganado. [Part. de *enganar.*] *Adj.* **1.** Que está em engano ou erro; iludido. **2.** Atraiçoado pela esposa ou pela amante: *São muitos os maridos enganados.*

enganador (ô). *Adj.* e *s. m.* Que ou aquele que engana.

enganar. [Do lat. vulg. **ingannare.*] *V. t. d.* **1.** Induzir em erro: *As aparências o enganaram.* **2.** Iludir, burlar, lograr, embaçar, embair: *Os malandros enganaram a polícia.* **3.** Disfarçar, esconder: *Tentava enganar seus sentimentos.* **4.** Seduzir, desonrar (mulher). **5.** Minorar (dor); aliviar, mitigar. **6.** Praticar adultério contra; trair. *Int.* **7.** Induzir em erro, em engano: "As aparências enganam" (prov.) *P.* **8.** Cometer um erro, um engano; cair em erro; não acertar. **9.** Crer no que não existe; iludir-se.

engana-tico. [Var. de *engana-tico-tico.*] *S. m. Bras.* V. *chupim* (1). [Pl.: *engana-ticos.*]

engana-tico-tico. [De *enganar* + *tico-tico;* var.: *engana-tico.*] *S. m. Bras.* V. *chupim* (1). [Pl.: *engana-tico-ticos.*]

engana-tolo. [De *enganar* + *tolo.*] *S. f. Bras.* Borboleta da família dos ninfalídeos (*Victorino steneles* L.). [Pl.: *engana-tolos.*]

engana-vista. [De *enganar* + *vista.*] *S. m.* Coisa ou objeto que ilude a vista, que engana, apresentando-se melhor, mais belo, do que é na realidade. [Pl.: *engana-vistas.*]

enganchar. [De *en-*^{3} + *gancho* + *-ar*^{2}.] *V. t. d.* **1.** Segurar ou prender com gancho: *O açougueiro enganchou a carne.* **2.** Apanhar ou pegar com gancho; ganchar. **3.** Dar a forma de gancho a. *P.* **4.** Travar-se; enlaçar-se.

engangorrado. [De *en-*^{3} + *gangorra* + *-ado*^{1}.] *Adj. Bras., PI* e *CE.* Diz-se do animal preso em gangorra (6).

enganjento. [De *en-*^{4} + *ganjento.*] *Adj. Bras., PE, AL* e *BA.* Cheio de si; presumido, orgulhoso; ganjento.

engano. [Dev. de *enganar.*] *S. m.* **1.** Falta de verdade naquilo que se diz, faz, crê ou pensa; ilusão, erro, logro, fraude. **2.** V. *armadilha* (2). ◆ **Cair num engano. 1.** Deixar-se enganar. **2.** *Ant.* Verificar que se enganou.

enganoso (ô). *Adj.* **1.** Que engana; ilusório, falaz. **2.** Artificioso, simulado.

engar. [Do lat. *iniquare,* 'importunar'.] *V. t. d.* **1.** Habituar (a caça) a algum pasto. *T. i.* **2.** Discutir ardorosamente; altercar. **3.** Teimar, recalcitrar. *Int.* **4.** Habituar-se, acostumar-se. [Conjug.: v. *largar.*]

engarantar. [De *en-*^{3} + *garante* + *-ar*^{2}.] *V. int. Bras.* Criar (a cana-de-açúcar) novos gomos.

engarapar. [De *en-*^{3} + *garapa* + *-ar*^{2}.] *V. t. d. Bras., PE.* **1.** Dar garapa a. **2.** *Fig.* V. *engabelar* (1).

engaravitado. [Part. de *engaravitar-se.*] *Adj.* Tolhido de frio.

engaravitar-se. [Por *engaravetar-se,* de *graveto* + *-ar*^{2} + *se*^{1}?] *V. p.* Ficar tolhido de frio.

engarfar. [De *en-*^{3} + *garfo* + *-ar*^{2}.] *V. int.* Entroncar (2).

engargantar. [De *en-*^{2} + *garganta* + *-ar*^{2}.] *V. t. d.* **1.**

Meter pela garganta. **2.** Meter (o pé) no estribo até o peito do pé. *P.* **3.** Emperrar-se (a bala) no cano da espingarda. **4.** Endentar; engranzar.

engarrafadeira. *S. f.* **1.** Máquina usada para engarrafar líquidos e certos sólidos. **2.** Mulher que engarrafa: engarrafadora.

engarrafado. [Part. de *engarrafar.*] *Adj.* **1.** Acondicionado em garrafas. **2.** *Fig.* Bloqueado, obstruído: *trânsito engarrafado.* ~ V. *espírito* —.

engarrafador (ô). *S. m.* Aquele que engarrafa.

engarrafadora (ô). *S. f.* Engarrafadeira (2).

engarrafagem. *S. f.* Engarrafamento (1).

engarrafamento. *S. m.* **1.** Ato ou efeito de engarrafar; engarrafagem. **2.** Congestionamento (2).

engarrafar. [De *en-*^{2} + *garrafa* + *-ar*^{2}] *V. t. d.* **1.** Meter em garrafa(s). **2.** Provocar engarrafamento (2) em. *Int.* **3.** Provocar engarrafamento (2).

engarupar-se. [De *en-*^{3} + *garupa* + *-ar*^{2} + *se*^{1}.] *V. p.* Montar na garupa.

engasgado. [Part. de *engasgar.*] *Adj.* Que se engasgou; entalado.

engasga-gato. [De *engasgar* + *gato.*] *S. m.* **1.** *Bras. Gír.* V. *cachaça* (1). **2.** *Bras., AL. Pop.* Designação comum a camarões muito miúdos. **3.** *Bras., S.* Farofa de carne ou charque guisados em pedaços graúdos. [Pl.: *engasga-gatos.*]

engasgalhar-se. *V. p.* **1.** Engasgar-se, entalar-se. **2.** Ficar preso. **3.** Lutar corpo a corpo; engalfinhar-se.

engasgamento. *S. m.* V. *engasgo* (1 e 2).

engasgar. [De um rad. expressivo *gasg*, que dá a idéia de garganta (cf. *gasganete*).] *V. t. d.* **1.** Produzir engasgo a: *A farinha engasgou-o.* **2.** Impedir a fala de: *As vaias engasgaram-no; A ira engasgou-o. Int.* **3.** Ficar com a garganta obstruída; sufocar, engasgar(-se). **4.** *Marinh.* Embaraçar-se (o tirador de um aparelho de laborar), de modo que não possa correr nos gornes. *P.* **5.** Engasgar (3). **6.** Ficar entalado; embaraçar-se. **7.** Atrapalhar-se; estacar: *O orador engasgou-se com o aparte.* **8.** *Marinh.* Enrascar-se ou prender-se (o tirador de um aparelho de laborar). [Conjug.: v. *largar.*]

engasga-vaca. [De *engasgar* + *vaca.*] *S. f. Bras.* Planta da família das sapotáceas (*Lucuma montana*). [Pl.: *engasga-vacas.*]

engasgo. [Dev. de *engasgar.*] *S. m.* **1.** Ato de engasgar; engasgamento. **2.** Aquilo que impede a fala; atrapalhação, engasgamento. [Sin., bras.: *caroço.*] **3.** *Bras. Pop.* V. *mal-de-engasgo.*

engasgue. [Dev. de *engasgar.*] *S. m.* **1.** V. *engasgo.* **2.** *Bras., MT.* Certa afecção de origem palustre.

engastador (ô). *Adj.* e *s. m.* Que ou aquele que engasta.

engastalhar. [De *en-*^{3} + *gastalho* + *-ar*^{2}.] *V. t. d.* Apertar com gastalho; travar.

engastar. [Do lat. vulg. **incastrare.*] *V. t. d.* e *t. d.* e *c.* **1.** Embutir ou encravar em ouro, prata, etc. **2.** Encaixar, encastoar: *Engastou a casa entre dois rochedos.* **3.** Intercalar, inserir: *Engasta palavras raras na conversa mais corriqueira.*

engaste. [Dev. de *engastar.*] *S. m.* **1.** Ato ou efeito de engastar. **2.** Aro ou guarnição de metal que segura a pedraria nas jóias.

engatar. [De *en-*^{3} + *gato* + *-ar*^{2}.] *V. t. d.* **1.** Prender com gato(s) ou engaste(s); atrelar: *engatar os vagões do trem.* **2.** Segurar com gato(s) de ferro. **3.** Encetar, iniciar, entabular; engrenar. **4.** *Autom.* Engrenar (2). *T. d.* e *i.* **5.** Ligar ou prender com engate(s): *Engatou a carreta ao caminhão.*

engate. [Dev. de *engatar.*] *S. m.* Aparelho com que se ligam entre si os carros ou as parelhas de tiro.

engatilhar. [De *en-*^{3} + *gatilho* + *-ar*^{2}.] *V. t. d.* **1.** Armar o gatilho de; preparar (arma de fogo) para atirar: *O soldado engatilhou o revólver.* **2.** *Fig.* Preparar, compor, com vista a determinado fim ou efeito: *Engatilhou um sorriso; Engatilhou uma resposta.*

engatinhar. [De *en-*^{3} + *gatinhas* + *-ar*^{2}.] *V. int.* **1.** Andar de gatinhas; agatinhar, gatinhar, gatear: *A criança engatinha por volta dos oito meses. T. i.* **2.** Iniciar-se em (arte, ciência, etc.); ser principiante: *Ainda engatinhava em matemática, e já era bom poeta.*

engavelar. [De *en-*^{3} + *gavela* + *-ar*^{2}.] *V. t. d.* **1.** Formar gavela de. **2.** *P. ext.* Atar, enfeixar. [Sin. ger.: *agavelar.*]

engavetamento. *S. m.* Ato ou efeito de engavetar(-se).

engavetar. [De *en-*^{2} + *gaveta* + *-ar*^{2}.] *V. t. d.* **1.** Meter em gaveta(s): *Engavetou os documentos. P.* **2.** *Bras.* Meter-se ou deixar-se meter, sobretudo um vagão por dentro de outro, em uma colisão de trens: "já nos engavetáramos definitivamente na retaguarda de um pelotão de viaturas." (Fernando Sabino, *O Homem Nu*, p. 21).

engazopador (ô). [De *engazopar* + *-(d)or.*] *Adj.* e *s. m. Bras.* Embusteiro, mentiroso, embaçador. [Em Portugal, *engazupador.*]

engazopamento. *S. m. Bras.* Ato ou efeito de engazopar. [Em Portugal, *engazupamento.*]

engazopar. *V. t. d.* **1.** *Bras.* Enganar, mentir a; lograr; embair. **2.** Meter em prisão. [Em Portugal, *engazupar.*]

engazupador (ô). *Adj.* e *s. m. Lus.* V. *engazopador.*

engazupamento. *S. m. Lus.* V. *engazopamento.*

engazupar. *V. t. d. Lus.* V. *engazopar.*

engelhado. [Part. de *engelhar.*] *Adj.* **1.** Que tem gelhas; enrugado. **2.** *Fig.* Encolhido; enleado.

engelhamento. *S. m.* Ato ou efeito de engelhar(-se).

engelhar. [De *en-*^{3} + *gelha* + *-ar*^{2}.] *V. t. d.* **1.** Produzir gelhas em; enrugar, encarquilhar: *O sol engelha a pele dos pescadores.* **2.** Contrair, murchar: *O frio engelhava as plantas. Int.* **3.** Criar gelhas; enrugar-se, engelhar-se. **4.** Murchar(-se); secar, encolher, engelhar-se. *P.* **5.** V. *engelhar* (3 e 4). [Conjug.: v. *aparelhar.*]

engendrar. [Do lat. *ingenerare.*] *V. t. d.* **1.** Dar origem a; gerar, produzir: "tratou de casar logo e engendrar filhos" (Valdemar Versiani dos Anjos, *Jornal de Serra Verde*, p. 72); *A violência engendra a violência.* **2.** Inventar, imaginar, engenhar: *Vive a engendrar utopias.*

engenhador (ô). *Adj.* e *s. m.* Que ou aquele que engenha ou inventa.

engenhar. [De *engenho* + *-ar*^{2}.] *V. t. d.* **1.** Idear, inventar, engendrar: *Dostoiévski engenhou personagens imortais;* "E consigo, para explicar a demora ao amigo, engenhou qualquer cousa" (Machado de Assis, *Várias Histórias*, p. 18). **2.** Traçar, maquinar, armar: *engenhar um levante.* **3.** Fabricar ou construir artificiosamente. *P.* **4.** Industriar-se.

engenharia. [De *engenho* + *-aria.*] *S. f.* **1.** Arte de aplicar conhecimentos científicos e empíricos e certas habilitações específicas à criação de estruturas, dispositivos e processos que se utilizam para converter recursos naturais em formas adequadas ao atendimento das necessidades humanas. **2.** Arma (3) do exército, constituída pelas unidades de sapadores e pontoneiros. ♦ **Engenharia civil.** Ramo da engenharia relativo a construções, tais como estruturas, estradas, obras hidráulicas e urbanas. **Engenharia genética.** *Genét.* Clonagem (2).

engenheirando. [De *engenheiro* + *-ando;* formação modelada, anormalmente, por *bacharelando* e *doutorando.*] *S. m. Bras.* Estudante que está no último ano do curso de engenharia.

engenheiro. [De *engenho* + *-eiro.*] *S. m.* **1.** Indivíduo diplomado em engenharia e/ou profissional dessa arte: *engenheiro civil; engenheiro eletrônico; engenheiro químico.* **2.** *Bras., SP, PR* e *MT.* Proprietário de engenho (8 e 11). ♦ **Engenheiro de obras feitas.** Pessoa que se mete a opinar a respeito de tudo quando sua opinião não é ou já não é necessária.

engenheiro-residente. *S. m.* Engenheiro responsável por um trecho de ferrovia ou por parte de uma rede rodoviária, em construção ou em tráfego. [Tb. se diz apenas *residente.* Pl.: *engenheiros-residentes.*]

engenho. [Do lat. *ingeniu.*] *S. m.* **1.** Faculdade inventiva; talento. **2.** Habilidade, destreza. **3.** Sutileza, argúcia. **4.** Pessoa engenhosa, que tem talento e saber. **5.** Qualquer máquina ou aparelho: *um engenho de café; engenho bélico.* **6.** *Encad.* V. *costurador* (2). **7.** *Bras.* Moenda (1) de cana-de-açúcar. **8.** *Bras.* Estabelecimento agrícola destinado à cultura da cana e à fabricação do açúcar. **9.** *Bras., PE.* Aparelho que consiste numa manivela fixada a uma tábua, e destinado ao fabrico da corda de caroá. **10.** *Bras., PE.* Área cultivada com cana-de-açúcar. **11.** *Bras., PR.* Estabelecimento dotado de máquinas e aparelhos próprios para moer a congonha com que se fabrica o mate. ♦ **Engenho copeiro.** *Bras., N.E.* Engenho (7) cuja roda se move com a água nos cubos ou copos que estão no alto, na copa. **Engenho copeiro rasteiro.** *Bras., N.E.* Engenho (7) cuja roda é movida pela água, que, correndo, bate nas palhetas ou copos inferiores. **Engenho de bangüê.** *Bras., N.E.* Engenho de açúcar primitivo, anterior à usina. **Engenho de serra.** *Bras., S.* Serraria mecânica. **Engenho meio-copeiro.** *Bras., N.E.* Engenho (7) de roda movido pela água que cai nos copos que estão a meia altura, ou seja, no nível do eixo. **Engenho rasteiro.** *Bras., N.E.* Engenho (7) movido por água procedente de um nível muito baixo. **Ir para o engenho do Pestana.** *Bras., N.E. Fam.* Pegar no sono; adormecer.

engenhoca. *S. f.* **1.** Aparelho de fácil invenção. **2.** Artimanha, ardil. **3.** *Bras., N.E.* Pequeno engenho que, destinado sobretudo à fabricação de aguardente, também serve para a de açúcar e rapadura.

engenhosidade. *S. f. Bras.* Qualidade de engenhoso; engenho.

engenhoso (ô). *Adj.* **1.** Que tem engenho. **2.** Feito com engenho.

engessado. [Part. de *engessar.*] *Adj.* Que se engessou; gessado.

engessador (ô). *Adj.* e *s. m.* Que ou aquele que engessa.

engessar. [De *en-*^{3} + *gesso* + *-ar*^{2}.] *V. t. d.* **1.** Cobrir de gesso; gessar. **2.** Branquear com gesso. **3.** Colocar gesso sobre, para atar fratura; gessar: *engessar uma perna, um braço.* [Conjug.: v. *começar.*]

➡**english spoken** (inglix spôkn). [Ingl., 'fala-se inglês'.] Palavras que se escrevem nas vitrinas de lojas, etc., para indicar que existe ali alguém que fala esse idioma.

englobar. [De *en-*^{3} + *globo* + *-ar*^{2}.] *V. t. d.* **1.** Reunir em um todo; juntar; conglomerar: *Sua atividade literária engloba numerosos gêneros.* **2.** Dar a forma de globo a.

englobular. [De *en-*^{3} + *glóbulo* + *-ar*^{2}.] *V. t. d.* Converter em glóbulo(s).

▲**-engo.** [Do ant. al. *-ing.*] *Suf. nom.* = 'relação', 'pertinência', 'posse': *mulherengo, solarengo.* [Equiv.: *-eng(o)-: ajudengar.*]

▲**-eng(o)-.** Equiv. de *-engo.*

engobo (ô). *S. m. Quím.* Pasta cerâmica que se superpõe à superfície de uma peça a fim de modificar, depois da queima, a cor e o aspecto da superfície.

engodado. [Part. de *engodar.*] *Adj.* **1.** Atraído com engodo. **2.** Seduzido com aparências vãs; iludido, enganado.

engodamento. *S. m.* Ato ou efeito de engodar.

engodar. *V. t. d.* **1.** Atrair com engodo: *engodar a caça.* **2.** Enganar com promessas vãs; engabelar: *O malandro engodou várias pessoas.* [Pres. ind.: *engodo*, etc. Cf. *engodo* (ô).]

engodativo. *Adj.* **1.** Próprio para engodar. **2.** Em que há, ou que implica engodo.

engodilhar. [Por **engodilhonar*, de *en-*^{3} + *godilhão* + *-ar*^{2}.] *V. t. d.* **1.** Encher de godilhões. **2.** Emaranhar, enredar, atrapalhar. *Int.* **3.** Criar grumos.

engodo (ô). *S. m.* **1.** Isca ou ceva com que se apanham peixes, aves, etc. **2.** Coisa com que se engoda ou seduz alguém. **3.** Adulação astuciosa. [Pl.: *engodos* (ô). Cf. *engodo*, do v. *engodar.*]

engoiado. [Part. de *engoiar-se.*] *Adj.* Magro, enfezado.

engoiar-se. *V. p.* **1.** Tornar-se triste. **2.** Tornar-se magro; enfezar-se, definhar.

engole-ele. [Da 3ª pess. sing. do pres. ind. de *engolir* + o pron. pess. *ele.*] *Bras. Pop. S. m. 2 n.* **1.** Roupa folgada em excesso. • *Adj. 2 g.* e *2 n.* **2.** Diz-se dessa roupa.

engole-espada. [Da 3ª pess. sing. do pres. ind. de *engolir* + *espada.*] *S. m.* Pederasta passivo. [Pl.: *engole-espadas.*]

engole-vento. [Da 3ª pess. sing. do pres. ind. de *engolir* + *vento.*] *S. m. Bras.* V. *curiango.* [Pl.: *engole-ventos.*]

engolfar. [De *en-*^{2} + *golfo* + *-ar*^{2}.] *V. t. d.* **1.** Meter (embarcação) em golfo. **2.** Encaminhar para o mar alto. *T. d.* e *c.* **3.** Meter (em voragem, abismo); abismar. **4.** Entranhar, enterrar, acravar. *P.* **5.** Penetrar, meter-se, entranhar-se: *Engolfou-se na neblina;* "O vale de pedra, nu de árvores, engolfa-se na noite, ameaçador." (Cornélio Pena, *Fronteira*, p. 7). **6.** Mergulhar(-se), embeber-se: *engolfar-se na devassidão.* **7.** Absorver-se, enlevar-se: *engolfar-se nos estudos.*

engolição. *S. f.* Ato de engolir.

engolideiras. [De *engolir* + *-deira.*] *S. f. pl. Pop.* Gorgomilos, goelas.

engolipar. [F. expressiva de *engolir.*] *V. t. d. Pop.* V. *engolir.*

engolir. [Do lat. **ingulare.*] *V. t. d.* **1.** Passar da boca ao estômago; deglutir: "tomou a sopa, engoliu um comprimido." (José Carlos Cavalcanti Borges, *O Assassino*, p. 23); "Engoliu um copo de cerveja de uma só vez" (Pelópidas Soares, *Cordão dos Bichos*, p. 11). **2.** Sorver, tragar; subverter: *A enchente engoliu as casas.* **3.** Devorar, consumir: *O lobo engoliu o cordeiro.* **4.** Aceitar como verdadeiro; Acreditar em: *engolir mentiras.* **5.** Sofrer em segredo, ou sem protesto; dissimular: *Discreto, engole as mágoas;* "João, homem de não engolir um desaforo, viverá sem ganho certo" (Osmã Lins, *Nove, Novena*, p. 88). **6.** Subverter; revolucionar. **7.** *Fig.* Transpor, ultrapassar, num percurso: *O automóvel ia engolindo os marcos da quilometragem.* [Irreg. Muda o o da raiz em u na 1ª pess. sing. do pres. ind.: *engulo*, e, pois, em todas as pess. do pres. subj.: *engula, engulas, engula, engulamos, engulais, engulam.*]

engoma. [Do quimb.] *S. m. Bras., BA.* Atabaque dos candomblés dos congos e dos angolas.

engomadaria. *S. f.* Casa ou estabelecimento onde se engoma roupa; lavanderia.

engomadeira. *S. f.* **1.** Mulher que engoma e/ou passa roupa a ferro. **2.** *Bras.* Certa máquina usada na indústria da tecelagem.

engomadela. *S. f.* Ato de engomar uma vez, ou de leve.

engomador (ô). *S. m. Bras.* Ferro de engomar, ferro de passar.

engomadura. *S. f.* Ato ou efeito de engomar; engomagem.

engomagem. *S. f.* **1.** Engomadura. **2.** Colagem (dos vinhos).

engomar. [De *en-*^{3} + *goma* + *-ar*^{2}.] *V. t. d.* **1.** Meter em goma e alisar depois com o ferro de engomar: *engomar a roupa.* **2.** *P. ext.* Alisar (a roupa) com ferro de engomar; passar. **3.** Molhar em goma. **4.** Engrossar; avolumar: *engomar a voz. Int.* **5.** Exercer a profissão de engomadeira: "Como a mãe era engomadeira, ela engomava também" (Bernardo Pinheiro, Pindela, *Azulejos*, p. 42). **6.** Alisar a roupa com ferro de engomar; passar: "A Margarida trabalhava para fora, cozia, engom'ava, fazia renda." (Conde de Ficalho, *Uma Eleição Perdida*, p. 39.) **7.** *Bras., N.E. Fam.* Andar a custo, arrastando os pés, em geral por idade avançada: *O velhinho já está engomando.* [Pres. subj.: *engome*, etc. Cf. *ingome*.]

engonatão. [Do lat. *engonaton*.] *S. m.* Espécie de antigo relógio solar.

engonçar. *V. t. d.* Segurar com engonços; pôr engonços em. [Conjug.: v. *laçar*.]

engonço. *S. m.* Espécie de dobradiça; gonzo.

engorda. [Dev. de *engordar*.] *S. f.* **1.** Ato ou efeito de engordar animais; ceva, engorda. **2.** *Bras. P. ext.* Pasto para a engorda do gado.

engordar. [De *en-*^{3} + *gordo* + *-ar*^{2}.] *V. t. d.* **1.** Tornar gordo: *engordar suínos.* **2.** Dar gordura a. **3.** Cevar, nutrir. *Int.* **4.** Tornar gordo: "Açúcar engorda — era para mim mesmo que eu falava, em cima da mulher." (Ledo Ivo, *A Morte do Brasil*, p. 14.) **5.** Nutrir-se, alimentar-se; desenvolver-se. **6.** Enriquecer, prosperar. [Pres. ind.: *engordo*, etc. Cf. *engordo* (ô).]

engorde. [Dev. de *engordar*.] *S. m. Bras.* V. *engorda* (1).

engordo (ô). [Dev. de *engordar*.] *S. m. Bras.* Certa gramínea forraginosa. [Pl.: *engordos* (ô). Cf. *engordo*, do v. *engordar*.]

engordurado. [Part. de *engordurar*.] *Adj.* Que se engordurou; gordurento.

engorduramento. *S. m.* **1.** Ato de engordurar(-se). **2.** Certa doença dos vinhos.

engordurar. [De *en-*^{3} + *gordura* + *-ar*^{2}.] *V. t. d. e p.* Untar(-se) ou sujar(-se) com gordura; besuntar(-se).

engorovinhado. [De *en-*^{3} + *gorovinhas* + *-ado*^{1}.] *Adj.* Que tem gorovinhas ou rugas; enrugado.

engorrar-se. [De *en-*^{3} + *gorra*^{1} + *-ar*^{2} + *se*.^{1}.] *V. p.* **1.** Meter-se de gorra. **2.** Unir-se a um bando; bandear-se.

engoteirado. [De *en-*^{3} + *goteira* + *-ado*^{1}.] *Adj. Bras.* Que tem goteiras [v. goteira (3)]; cheio de goteiras.

engra. *S. f.* Canto^{1} formado por duas paredes; quina.

engraçado. [De *en-*^{3} + *graça* + *-ado*^{1}.] *Adj.* **1.** Que tem graça ou espírito; espirituoso, jovial: *Chico Anísio é muito engraçado.* **2.** Que denota ou revela graça, chiste; jocoso, divertido: *dito engraçado; situação engraçada.* ● *S. m.* **3.** Indivíduo engraçado.

engraçamento. *S. m. Bras.* **1.** Ato de engraçar-se, simpatizar, gostar. **2.** Galantaria, galanteio. **3.** *Fam.* Confiança, atrevimento: *Deixe de engraçamento para o meu lado!*

engraçar. [De *en-*^{3} + *graça* + *-ar*^{2}.] *V. t. d.* **1.** Dar graça a; tornar gracioso: *As flores engraçavam o casebre.* **2.** Dar esplendor a; realçar: *A inteligência engraça as pessoas. T. i.* **3.** Simpatizar; agradar-se: *Engraçou com a moça e pediu-a em casamento*; "o lente engraçara com ele e chamava-o invariavelmente a toda sabatina" (Lúcio de Mendonça, *Horas do Bom Tempo*, p. 65). *P.* **4.** Meter-se nas boas graças de; congraçar-se. **5.** *Bras.* Simpatizar, agradar-se, gostar: *Engraçou-se do rapaz*; "um dia ele foi ao povo, / e se engraçou / numa china, que viu lá pra esse lado" (Vargas Neto, *Tropilha Crioula e Gado Xucro*, p. 68). **6.** *Gír.* Tomar confiança indevida; desrespeitar. [Conjug.: v. *laçar*.]

engradação. *S. f. Tip.* V. *engradamento* (4).

engradado. [Part. de *engradar*.] *Adj.* **1.** A que se deu forma de grade. **2.** Cercado de grade: *terreno engradado.* ● *S. m.* **3.** *Bras.* Armação de sarrafos com que se protege um objeto qualquer durante o seu transporte de um ponto a outro. [Sin., no CE, nesta acepç.: *grade*.]

engradagem. *S. f. Tip.* V. *engradamento* (4).

engradamento. *S. m.* **1.** Ato ou efeito de engradar. **2.** Obra engradada. **3.** V. *grade* (1): "Em vez de verdadeiros balcões tinham os sobrados engradamentos de madeira de maior ou menor altura, e com *gelosias* abrindo para a rua" (Joaquim Manuel de Macedo, *Memórias da Rua do Ouvidor*, p. 103). **4.** *Tip.* Ato ou efeito de engradar (5); engradação, engradagem, enramação, enramamento.

engradar. [De *en-*^{3} + *grade* + *-ar*^{2}.] *V. t. d.* **1.** Dar a forma de grade a. **2.** Cercar de grades. **3.** Pregar (uma tela) na grade. **4.** *Artilh.* Ajuntar (as falcas) por meio das respectivas cavilhas. **5.** *Tip.* Pôr as guarnições e os cunhos em (chapa ou fôrma tipográfica colocada na rama); guarnecer a fôrma de; enramar.

engradecer. [De *en-*^{3} + *grado*^{3} + *-ecer*.] *V. int.* Fazer-se grado. [Conjug.: v. *aquecer*.]

engraecer. [De *en-*^{3} + *grão*^{1} + *-ecer*.] *V. int.* Formar grão ou semente. [Aplica-se em relação a cereais e legumes. Conjug.: v. *aquecer*. Defect., só conjugável nas 3as pess.]

engrambelação. *S. f. Bras.* V. *engabelação*.

engrambelador (ô). *Adj. e s. m. Bras.* V. *engabelador*.

engrambelar. *V. t. d. Bras.* V. *engabelar*. [Pres. ind.: *engrambelo*, etc. Cf. *engrambelo* (ê).]

engrambelo (ê). [Dev. de *engrambelar*.] *S. m. Bras.* V. *engabelo* (ê). [Pl.: *engrambelos* (ê). Cf. *engrambelo*, do v. *engrambelar*.]

engrampador (ô). *S. m.* Aquele que engrampa.

engrampar. [De *en-*^{3} + *grampo* + *-ar*^{2}.] *V. t. d.* **1.** Lograr, burlar, embaçar. **2.** Atrair com embustes.

engramponar-se. [Alter. de *engrimponar-se*.] *V. p.* Envaidecer-se; ensoberbecer-se; engrimpar-se.

engrandecer. [De *en-*^{3} + *grande* + *-ecer*.] *V. t. d.* **1.** Tornar grande; elevar em dignidade, riqueza, etc.: *A prática da democracia engrandece uma nação.* **2.** Tornar maior; aumentar. *T. i.* **3.** Adquirir ou conquistar mais; crescer: *engrandecer em prestígio, em glória. Int. e p.* **4.** Tornar-se maior; elevar-se; ilustrar-se. [Conjug.: v. *aquecer*.]

engrandecimento. *S. m.* Ato ou efeito de engrandecer (-se).

engranzador (ô). *Adj. e s. m.* Que ou aquele que engranza.

engranzagem. *S. f.* Engranzamento.

engranzamento. *S. m.* Ato ou operação de engranzar; engranzagem.

engranzar. [De *en-*^{3} + *grão* + *-z-* + *-ar*^{2}.] *V. t. d.* **1.** Enfiar (contas) em fio de metal ou de outra matéria. **2.** Enganchar, encadear. **3.** Endentar, engrenar. **4.** Enganar, lograr, embair, iludir. [Var.: *engrazar*.]

engraulídeo. *S. m.* **1.** Espécime dos engraulídeos. ● *Adj.* **2.** Pertencente ou relativo a eles.

engraulídeos. *S. m. pl. Zool.* Família de peixes actinopterígios, vulgarmente conhecidos por *anchova, enchova, anchoa, manjuba, changô, pitinga*, etc.

engravatar-se. [De *en-*^{3} + *gravata* + *-ar*^{2} + *se*^{1}.] *V. p.* **1.** Pôr gravata; engravatizar-se. **2.** Apresentar-se bem vestido, apresentar-se bem; enfeitar-se.

engravatizar-se. [De *en-*^{3} + *gravata* + *-izar* + *se*^{1}.] *V. p.* Engravatar-se (1).

engravescer. [De *en-*^{3} + lat. *gravescere*.] *V. t. d.* **1.** Tornar mais grave; piorar; agravar. *Int.* **2.** Tornar-se grave; agravar-se; piorar; engravescer-se. *P.* **3.** Engravescer (2). [Conjug.: v. *crescer*.]

engravidar. [De *en-*^{3} + *grávido* + *-ar*^{2}.] *V. t. d. e int.* Gravidar: "A professora casou, engravidou, botou filho no mundo" (Lustosa da Costa, *Sobral do Meu Tempo*, p. 47).

engravitar-se. [De *en-*^{3} + *gravito* + *-ar*^{2} + *se*^{1}.] *V. p.* **1.** Endireitar-se, aprumar-se, empertigar-se. **2.** Reagir, recalcitrar, respingar.

engraxadela. *S. f.* **1.** Ato isolado de engraxar. **2.** Engraxamento ligeiro, superficial.

engraxador (ô). *S. m.* Aquele que engraxa sapatos. [Sin.: *limpa-botas* e (bras.) *engraxate*.]

engraxamento. *S. m.* Ato de engraxar.

engraxar. [De *en-*^{3} + *graxa* + *-ar*^{2}.] *V. t. d.* **1.** Passar graxa em e esfregar, para que fique lustroso; lustrar: "O homem engraxando os sapatos." (Lígia Fagundes Teles, *A Disciplina do Amor*, p. 92.) **2.** *Fig.* Bajular, adular, lisonjear.

engraxataria. *S. f. Bras., PR, SC* e *RS*. Engraxateria.

engraxate. *S. m. Bras.* V. *engraxador*.

engraxateria. [De *engraxate* + *-eria*.] *S. f. Bras., PR, SC* e *RS*. Lugar onde se engraxam sapatos; engraxataria.

engrazar. *V. t. d.* Var. de *engranzar*.

engrelar. [De *en-*^{3} + *grelo* (ê) + *-ar*^{2}.] *V. int. e p.* **1.** Deitar grelo; endireitar-se, aprumar-se. **2.** Pôr-se (a criança) em pé, ao começar a andar. [Cf. *engrilar*.]

engrenagem. [Do fr. *engrenage*.] *S. f.* **1.** Jogo de rodas denteadas para transmissão de movimentos e força, nos maquinismos. **2.** Roda denteada que gira sobre carril denteado ou em cremalheira. **3.** Endentação. **4.** *Fig.* Organização; organismo: *Não conheço a engrenagem deste hospital; A engrenagem burocrática o absorve de todo.*

engrenar. [Do fr. *engrener*.] *V. t. d.* **1.** Endentar, entrosar, engranzar. **2.** *Autom.* Fazer que as engrenagens da marcha de um veículo automóvel engatem com as do eixo do motor, na caixa de marcha, dando início a (uma marcha); engatar: *engrenar a terceira marcha.* **3.** *Fig.* Encetar, iniciar, entabular: *engrenar uma conversação, um namoro. Int.* **4.** Pôr-se em condições; preparar-se: *A seleção brasileira engrena para enfrentar os ingleses.*

engrenhamento. *S. m. Desus.* Ato de engrenhar.

engrenhar. [De *en-*^{3} + *grenha* + *-ar*^{2}.] *V. t. d. Desus.* **1.** Consertar ou atar (o cabelo). **2.** Atar (o linho) na roca.

engrifar. [De *en-*^{3} + *grifa*^{2} + *-ar*^{2}.] *V. t. d.* **1.** Dar a forma de garra ou grifa a. **2.** Apoderar-se de; empolgar: *A alegria engrifou-a P.* **3.** Dispor as garras para combater; assanhar-se. **4.** Agarrar-se, prender-se.

engrilado. [De *en-*^{3} + *grilo*^{1} (6) + *-ado*^{1}.] *Adj. Bras.* Grilento.

engrilar. [De *engrelar*.] *V. t. d.* **1.** Pôr direito ou reto; endireitar: *O cão engrilou as orelhas. P.* **2.** Pôr-se reto; endireitar-se. **3.** Arrebitar-se, levantar-se. **4.** Agastar-se, aborrecer-se. [Cf. *engrelar*.]

engriguilhado. *Adj. Bras., SP. Gír.* Complicado, encrencado.

engriguilho. *S. m. Bras., SP. Gír.* Complicação, encrenca.

engrimanço. *S. m.* **1.** Afetação ridícula nas ações ou palavras. **2.** Modo confuso de falar. **3.** Figuras sem justas proporções, na pintura ou no desenho. **4.** Astúcia, artimanha.

engrimpar-se. [De *en-*^{3} + *grimpa* + *-ar*^{2} + *se*^{1}.] *V. p.* **1.** Subir às grimpas; encarapitar-se, elevar-se. **2.** *Fig.* Ensoberbecer-se, envaidecer-se. [Var.: *engrimpinar-se* e *engrimponar-se*.]

engrimpinar-se. *V. p.* V. *engrimpar-se*.

engrimponar-se. *V. p.* V. *engrimpar-se*.

engrinaldado. [Part. de *engrinaldar*.] *Adj.* **1.** Ornado de grinaldas; agaloado, afestoado. **2.** Adornado, enfeitado, ataviado.

engrinaldar. [De *en-*^{3} + *grinalda* + *-ar*^{2}.] *V. t. d.* **1.** Enfeitar com grinalda(s); coroar: *A mãe engrinaldou a noiva.* **2.** Adornar, enfeitar, alindar, ataviar: *As flores engrinaldavam a casa. P.* **3.** Enfeitar-se com grinalda; coroar-se. **4.** Adornar-se, enfeitar-se, alindar-se. [Sin. ger.: *agrinaldar, enguirlandar*.]

engrolador (ô). *Adj. e s. m.* Que ou aquele que engrola.

engrolar. *V. t. d.* **1.** Cozer ou assar mal. **2.** Fazer mal (um serviço). **3.** Pronunciar mal, indistintamente: *engrolar ave-marias.* **4.** Não completar; deixar inacabado. **5.** Iludir, enganar, embair: *Engrolou o pobre velho. Int.* **6.** Ficar mal cozido ou mal assado; engrolar-se: *A carne engrolou. P.* **7.** Engrolar (6).

engrossador (ô). *Adj.* **1.** Que engrossa. **2.** *Bras. Gír.* Que engrossa ou bajula [v. *engrossar* (7)]. ● *S. m.* **3.** *Bras. Gír.* V. *bajulador* (2).

engrossamento. *S. m.* **1.** Ato ou efeito de engrossar(-se). **2.** Aumento de diâmetro da coluna até o segundo terço. **3.** *Bras. Gír.* Adulação, bajulação.

engrossante. [De *engrossar* + *-nte*.] *S. m. Bras., N.E.* Espécie de mingau que se dá às criancinhas.

engrossar. [De *en-*^{3} + *grosso* + *-ar*^{2}.] *V. t. d.* **1.** Tornar grosso, espesso: *engrossar a sopa.* **2.** Aumentar em massa, volume ou quantidade: *As chuvas engrossaram o riacho.* **3.** Aumentar a grossura de. **4.** Fazer crescer; aumentar: *O bom êxito engrossava-lhe o orgulho.* **5.** Fazer aumentar o número de; tornar mais numeroso: *Novas adesões vinham engrossar aquele exército.* **6.** Fertilizar, adubar. **7.** *Bras. Gír.* Adular, bajular, lisonjear. **8.** Dar timbre mais grave a (a voz). *T. i.* **9.** Tratar com descortesia; mostrar-se grosseiro: *O patrão engrossou com o empregado. Int. e p.* **10.** Tornar-se grosso ou mais grosso. **11.** Aumentar em riqueza e prosperidade. **12.** Tornar-se mais forte, mais numeroso. **13.** Assumir (a voz) timbre mais grave. **14.** *Bras. Gír.* Tratar alguém com descortesia; mostrar-se grosseiro com alguém: *É um estúpido: por qualquer motivo engrossa.* **15.** *Bras. Gír.* Mostrar-se grosso, sem finura, sem tato, praticando ou dizendo graves inconveniências, ou até indecências.

engrouvinhado. *Adj.* V. *esgrouviado*.

engrujado. *Adj. Bras., N.E. F.* sincopada de *engurujado* [q. v.].

engrujar-se. *V. p. Bras., N.E. F.* sincopada de *engurujar-se* [q. v.].

engrumar. [De *en-*^{3} + *grumo* + *-ar*^{2}.] *V. t. d., int. e p.* V. *grumar*.

engrunação. [De *gruna*.] *S. f. Bras., BA.* Trecho subterrâneo de um rio.

engrunado. [De *en-*[3] + *gruna* + *-ado*[1].] *S. m. Bras., N.* Gruna.

engrunhido. [Part. de *engrunhir.*] *Adj.* **1.** Entorpecido, enfraquecido. **2.** Preguiçoso, indolente.

engrunhir. *V. t. d.* Tornar hirto ou encolhido com frio ou por doença; entorpecer.

engrupir. *V. t. d. Bras. Gír.* Ludibriar, enganar, tapear.

enguaxumado. [De *en-*[3] + *guaxuma* + *-ado*[1].] *Adj. Bras.* Coberto de guaxumas.

enguia. [Do lat. **anguila*, por *anguilla.*] *S. f.* **1.** Designação comum às várias espécies de peixes ápodes, serpentiformes, na maior parte marinhos. A verdadeira enguia é a espécie *Anguilla anguilla* L., da América do Norte, cujos adultos vão desovar no mar e aí morrem, realizando migrações atualmente bem conhecidas. [Sin. (bras.): *moréia.*] **2.** V. *Bras.* V. *caramuru* (1).

enguia-d'água-doce. *S. f. Bras.* V. *muçum.* [Pl.: *enguias-d'água-doce.*]

enguia-elétrica. *S. f. Bras.* V. *poraquê.* [Pl.: *enguias-elétricas.*]

enguiçador (ô) *Adj.* e *s. m.* Que ou aquele que enguiça.

enguiçamento. *S. m.* Ato ou efeito de enguiçar.

enguiçar. [Do lat. **iniquitiare*, 'enfeitiçar'.] *V. t. d.* **1.** Tornar peco, enfezado; impedir que medre. **2.** Pôr enguiço (1) em: "O primo Afonso de Gamboa esteve cá há dias, e a modo de caçoada foi-me dizendo que lá na capital as mulheres *enguiçam* os homens, e fazem deles gato-sapato." (Camilo Castelo Branco, *A Queda dum Anjo*, p. 182.) **3.** Fazer mal a; encalistar, encaiporar. **4.** *Bras., N.* e *N.E.* e *prov. lus.* Passar ou saltar por cima de. **5.** *Bras., S.* Causar desarranjo em (máquina, automóvel, relógio); encrencar. *Int.* **6.** *Bras., S.* Parar por desarranjo (a máquina, o automóvel, o relógio, etc.); encrencar: "De vez em quando o carro parava no meio da rua. *Enguiçava.*" (Francisco de Assis Barbosa, *Santos Dumont Inventor*, p. 21.) [Conjug.: v. *laçar.*]

enguiço. [Dev. de *enguiçar.*] *S. m.* **1.** Mau-olhado, quebranto. **2.** Má sorte, caiporismo. **3.** Obstáculo, estorvo, empecilho: *Surgiu um enguiço, e adeus festa!* **4.** Desarranjo, desconcerto: *Deu um enguiço no meu carro.*

enguirlandar. [De *en-*[3] + *guirlanda* + *-ar*[2].] *V. t. d.* e *p.* V. *engrinaldar.*

engulhado. [Part. de *engulhar.*] *Adj.* Que tem engulho; nauseado.

engulhar. *V. t. d.* **1.** Causar engulho (1) a; nausear. *Int.* **2.** Ter engulhos, náuseas. **3.** Ter ânsias; desejar ardentemente.

engulhento. *Adj.* V. *engulhoso.*

engulho. *S. m.* **1.** Ânsia, náusea. **2.** *Fig.* Desejo, tentação.

engulhoso (ô). *Adj.* Que causa engulho; asqueroso; engulhento.

engulosinar. [De *en-*[3] + *gulosina* + *-ar*[2].] *V. t. d.* **1.** Tornar guloso. **2.** Estimular o apetite de. *P.* **3.** Costumar-se a guloseimas.

engundada. *Adj. (f.) Bras., BA.* Engunlada: "outros vinham simplesmente vestidos, de calças arregaçadas e saias '*engundadas*'" (Afrânio Peixoto, *Maria Bonita*, p. 54).

engunhar. *V. t. d.* Secar; passar. [Us. com relação a frutas.]

engunlada. *Adj. (f.) Bras., MG.* Diz-se da saia arregaçada até meia perna e presa acima das ancas por um xale ou um pano; engundada: "as anáguas e saia *engunladas*, mostrando os joelhos ossudos" (Nélson de Faria, *Tiziu e Outras Estórias*, p. 102).

engurujado. [Part. de *engurujar-se.*] *Adj. Bras., N.E.* e *S.* **1.** Encolhido com frio, ou por doença. **2.** De penas ou pêlo arrepiados. **3.** Retraído, reservado. [Var.: *engrujado.*]

engurujar-se. [De *encorujar-se*, por sonorização.] *V. p.* **1.** *Bras., N.E.* e *S.* Encolher-se com frio ou por doença; retrair-se, embiocar-se. **2.** Estar com as penas ou pêlo arrepiados. [Var.: *engrujar-se.* Cf. *encorujar-se.*]

enho. *S. m.* A cria do veado.

▲**-enho.** [Do lat. **-eneu, ignu.*] *Suf. nom.* = 'semelhança', 'procedência', 'origem': *ferrenho, portenho.*

▲**eni-.** [Do gr. *oínos, ou.*] *El. comp.* = 'vinho': *enícola.* [Equiv.: *eno-*: *enologia.*]

enícola. [De *eni-* + *-cola.*] *Adj. 2. g.* Que trata de vinhos, comercia com vinhos.

enigma. [Do gr. *aínigma*, pelo lat. *aenigma.*] *S. m.* **1.** V. *adivinha*[1] (1): *Édipo decifrou o enigma da Esfinge.* **2.** Descrição obscura, ambígua, de alguma coisa, para que seja difícil adivinhá-la ou decifrá-la. **3.** Aquilo que é difícil compreender; coisa obscura. **4.** Pessoa de comportamento arbitrário, caprichoso, imprevisível.

enigmar. *V. t. d.* Tornar obscuro, enigmático.

enigmático. [Do gr. *ainigmatikós*, pelo lat. *aenigmaticu.*] *Adj.* **1.** Relativo a, ou que contém enigma: *carta enigmática.* **2.** Obscuro, misterioso: *atitude enigmática.* **3.** Difícil de compreender, ou interpretar: *o sorriso enigmático da Gioconda.*

enigmatista. [Do gr. *ainigmatistés*, pelo lat. *aenigmatista.*] *S. 2 g.* Enigmista.

enigmista. *S. 2 g.* **1.** Pessoa que faz e/ou decifra enigmas. **2.** Pessoa que fala por enigmas. [Sin. ger.: *enigmatista.*]

➡**Enjambement** (anjamb'mã). [Fr.] *S. m.* Processo poético de pôr no verso seguinte uma ou mais palavras que completam o sentido do verso anterior. Ex.: "Já pelo espesso ar os *estridentes* / *Farpões*, setas e vários tiros voam; / Debaixo dos pés duros dos *ardentes* / *Cavalos* treme a terra, os vales soam" (Camões, *Os Lusíadas*, IV, 31.) [Há várias palavras portuguesas — todas, entretanto, de emprego restrito — para substituir esse termo francês: *cavalgamento, encavalgamento, encadeamento, ensamblamento, transbordamento, quebra de verso, terminação falsa.*]

enjambrar. *V. int.* **1.** Torcer-se ou empenar (uma tábua): *Duas das prateleiras da estante enjambraram. P.* **2.** *Bras., PE.* Ficar confuso, envergonhado; confundir-se; acanhar-se.

enjangar. [F. sincopada de um **enjangadar*, de *jangada* + *-ar*[2].] *V. t. d.* **1.** Transformar em jangada. **2.** Ligar como se ligam os paus de uma jangada. [Conjug.: v. *largar.*]

enjaular. [De *en-*[2] + *jaula* + *-ar*[2].] *V. t. d.* **1.** Meter em jaula. **2.** Prender, encarcerar.

enjeitado. [Part. de *enjeitar.*] *Adj.* **1.** Rejeitado, abandonado. ● *S. m.* **2.** Criança que foi abandonada pelos pais; exposto.

enjeitador (ô). *Adj.* e *s. m.* Que ou aquele que enjeita.

enjeitamento. *S. m.* Ato ou efeito de enjeitar(-se).

enjeitar. [Do lat. *ejectare*, 'lançar fora'.] *V. t. d.* **1.** Não aceitar; recusar; rejeitar: *A moça enjeitou o noivo.* **2.** Abandonar, rejeitar (filhos ou crianças). **3.** Desprezar; repelir, repudiar: *A honradez enjeita a calúnia.* **4.** Reprovar, condenar: *A dignidade enjeita a submissão ao tirano. P.* **5.** Recusar ou rejeitar a si mesmo: "Quem não se enfeita, por si se *enjeita*" (prov.).

enjerido. [Part. de *enjerir-se*] *Adj.* **1.** Engelhado, enrugado. **2.** Encolhido de frio. [Cf. *ingerido*, part. de *ingerir.*]

enjerir-se. *V. p.* Encolher-se com frio ou por doença. [Cf. *ingerir.*]

enjica. [Dev. de *enjicar.*] *S. f. Bras., PE* e *AL. Pop.* **1.** Birra, implicância. **2.** Aborrecimento, amolação.

enjicar. *V. t. i. Bras., N.E. Pop.* Ter implicância ou birra com alguém ou alguma coisa; embirrar, implicar: "— Quando *enjico* com uma coisa sou pior que jumento." (Permínio Asfora, *Vento Nordeste*, p. 42.) [Conjug.: v. *trancar.*]

enjoadiço. *Adj.* Sujeito a enjôos.

enjoado. [Part. de *enjoar.*] *Adj.* **1.** Que é vítima de enjôo. **2.** Que provoca enjôo ou aborrecimento; intolerável. **3.** Diz-se do peixe que não está bem seco. **4.** *Bras.* Mal-humorado, desagradável, antipático.

enjoamento. *S. m. P. us.* V. *enjôo.*

enjoar. [De *enojar*, por metátese.] *V. t. d.* **1.** Causar enjôo a: *A comida gordurosa o enjoa.* **2.** Repugnar a; enojar: *A injustiça enjoa a consciência.* **3.** Causar tédio, aborrecimento, a; entediar; aborrecer; enfastiar: *A repetição enjoa o leitor.* **4.** Sentir enjôo por. *Int.* **5.** Ter enjôos, náuseas. **6.** Causar enjôo. **7.** Ter cheiro enjoativo. *P.* **8.** Aborrecer-se, enfadar-se, enfastiar-se. [Conjug.: v. *coroar.*]

enjoativo. *Adj.* **1.** Que causa enjôo, nojo, repugnância; nauseabundo, nauseante, nauseoso, enjooso. **2.** Que causa enjôo ou tédio; aborrecido, tedioso.

enjôo. [Dev. de *enjoar.*] *S. m.* **1.** V. *náusea* (2). **2.** Sofrimento do estômago e da cabeça, que experimentam algumas pessoas que viajam em navio, carro, etc. **3.** Náusea que acompanha às vezes o estado de gravidez. **4.** *Fig.* Aborrecimento, amolação. **5.** Nojo, repugnância. **6.** *Bras.* Abuso (7). [Sin. ger., p. us.: *enjoamento.*]

enjooso (ô). *Adj.* V. *enjoativo* (1).

enjugamento. *S. m.* Ato ou efeito de enjugar.

enjugar. [De *en-*[3] + *jugo* + *-ar*[2].] *V. t. d.* Pôr o jugo em (bois). [Conjug.: v. *largar.*]

enlabiar. [De *en-*[3] + *lábia* + *-ar*[2].] *V. t. d.* Persuadir com lábias.

enlabirintar. [De *en-*[3] + *labirinto* + *-ar*[2].] *V. t. d.* Converter em labirinto; confundir, desordenar.

enlaçado. [Part de *enlaçar.*] *Adj.* **1.** Unido, entrelaçado. **2.** Abraçado.

enlaçador (ô). *Adj.* **1.** Que enlaça. ● *S. m.* **2.** Aquele que enlaça. **3.** *Bras. Restr.* Indivíduo que enlaça ou laça animais.

enlaçadura. *S. f.* **1.** V. *enlace* (1 e 2). **2.** Peça com que se enlaça o elmo.

enlaçamento. *S. m.* V. *enlace* (1 e 2).

enlaçar. [De *en-*[3] + *laço* + *-ar*[2].] *V. t. d.* **1.** Prender com laços; atar; enlear: *enlaçar os cabelos.* **2.** Prender com laço ou laçada; laçar: *enlaçar bois.* **3.** Prender nos braços; abraçar: "teu corpo se avizinha / Do meu, e o *enlaça* como uma serpente..." (Olavo Bilac, *Poesias*, p. 86). **4.** Prender, segurar, apertar: "Deu-lhe um beijo, *enlaçou-a* com os braços, e ambos choraram com as primeiras saudades." (Coelho Neto, *Treva*, p. 24.) **5.** Envolver, enredar, cingir: "trepadeiras *enlaçavam* as grades." (Graciliano Ramos, *Caetés*, p. 242). **6.** Prender, atrair, cativar: *Há leituras que enlaçam o espírito.* **7.** Combinar, conciliar, harmonizar: *Tentava enlaçar os contrários. T. d. e i.* **8.** Ligar, unir: *Os heróis enlaçam o seu destino ao do povo. T. i.* **9.** Ter conexão ou relação; prender-se: *Várias disciplinas enlaçam com a sociologia. P.* **10.** Unir-se, formando laços ou laçadas. **11.** Ligar-se, atar-se, enlear-se. [Conjug.: v. *laçar.*]

enlaçarotado. [Part. de *enlaçarotar.*] *Adj.* Ornado com laçarote(s).

enlaçarotar. [De *en-*[3] + *laçarote* + *-ar*[2].] *V. t. d.* Ornar com laçarote(s).

enlace. [Dev. de *enlaçar.*] *S. m.* **1.** Ato ou efeito de enlaçar(-se); união. **2.** Concatenação, relacionamento. [Sin. (nessas acepç.): *enlaçamento, enlaçadura.*] **3.** Enlace matrimonial. ◆ **Enlace matrimonial.** V. *casamento* (1). [Tb. se diz apenas *enlace.*]

enladeirado. [Part. de *enladeirar.*] *Adj.* Inclinado, declivoso, ladeirento.

enladeirar. [De *en-*[3] + *ladeira* + *-ar*[2].] *V. t. d.* Tornar inclinado ou declivoso.

enlaivar. [De *en-*[3] + *laivo*[1] + *-ar*[2].] *V. t. d.* **1.** Cobrir de laivos; sujar, manchar. *P.* **2.** Manchar-se aos laivos. **3.** Macular-se.

enlambujar. [De *en-*[3] + *lambujem* + *-ar*[2].] *V. int.* Andar à lambujem (1); mostrar-se guloso.

enlambuzar. [De *en-*[4] + *lambuzar.*] *V. t. d.* e *p.* V. *lambuzar.*

enlameado. [Part. de *enlamear.*] *Adj.* **1.** Sujo de lama. **2.** Manchado, conspurcado, desacreditado, vilipendiado.

enlameadura. *S. f.* Ação e efeito de enlamear(-se).

enlamear. [De *en-*[3] + *lama*[1] + *-ear.*] *V. t. d.* **1.** Sujar com lama; enlodar: "uma chuvinha irritante, alagadora e fácil, *enlameia* o asfalto da Avenida" (Mateus de Albuquerque, *Da Arte e do Patriotismo*, pp. 189-190). **2.** Enodoar a reputação de; deslustrar; deprimir, conspurcar; manchar: *A injustiça enlameia a honra de uma nação. P.* **3.** Sujar-se; enlodar-se. **4.** Aviltar-se, envilecer-se, rebaixar-se. [Conjug.: v. *frear.*]

enlaminar. [De *en-*[3] + *lâmina* + *-ar*[2].] *V. t. d.* Forrar de lâminas ou chapas de metal.

enlanguescer. [De *en-*[3] + *languescer.*] *V. int.* e *p.* Tornar-se lânguido; perder as forças; enfraquecer(-se), debilitar(-se); elanguescer(-se); alanguidar-se; languescer, languir. [Conjug.: v. *crescer.*]

enlanzar. [De *en-*[3] + *lã* + *-z-* + *-ar*[2].] *V. t. d. Bras. Fam.* Vestir, abafar com agasalhos de lã.

enlapado. [Part. de *enlapar.*] *Adj.* **1.** Metido em lapa; alapado. **2.** Escondido, oculto.

enlapar. [De *en-*[2] + *lapa*[1] + *-ar*[2].] *V. t. d.* **1.** Meter em lapa; esconder; alapar. **2.** Fazer sumir; fazer desaparecer; sumir: *O assassino enlapou sua vítima. P.* **3.** Esconder-se, refugiar-se.

enlatado. [Part. de *enlatar*[1].] *Adj.* **1.** Metido ou conservado em lata. ~ V. *filme* —. ● *S. m.* **2.** *Bras.* Comestível enlatado. **3.** *Bras. Pej.* Filme enlatado.

enlatamento. *S. m.* Ato de enlatar[1].

enlatar[1]. [De *en-*[2] + *lata* + *-ar*[2].] *V. t. d.* Meter ou conservar em lata.

enlatar[2]. [De *en-*[3] + *latada* + *-ar*[2], com síncope.] *V. t. d.* Dispor ou suster em latadas.

enleado. [Part. de *enlear.*] *Adj.* **1.** Entrelaçado, enredado, emaranhado. **2.** *Fig.* Perturbado, indeciso, confuso.

enleamento. *S. m.* V. *enleio.*

enleante. *Adj. 2 g.* Que enleia.

enlear. [Do lat. *illigare.*] *V. t. d.* **1.** Ligar, atar, prender com liames: *enlear os cabelos.* **2.** Embaraçar, confundir: *As dificuldades enleavam-no.* **3.** Prender a atenção de; enlevar: *enlear o espírito. T. d. e c.* **4.** Envolver, implicar: *Enleou-me na polêmica sem meu consentimento. P.* **5.** Envolver-se; prender-se: "Grandioso e lindo / Quadro em que a vista se *enleia*: / Nascera, do mar saindo, / O globo da lua cheia." (Alberto de Oliveira, *Poesias*, 3ª série, p. 46); "*Enleava-se* nas cismas de outros tempos" (José de Alencar,

Til, p. 182). [Conjug.: v. *frear*.]

enleio. [Dev. de *enlear*.] *S. m.* **1.** Ato ou efeito de enlear(-se). **2.** Laço, enlace, enredo. **3.** Confusão, perplexidade, dúvida: "os ultra-românticos, caem numa espécie de enleio religioso" (Jacinto do Prado Coelho, *Introdução ao Estudo da Novela Camiliana*, p. 63). **4.** Embaraço, acanhamento, acanho. **5.** Atrativo irresistível; encanto, deleite; êxtase: "E vamos por esses prados, / Por esses campos extensos, / Como dous enamorados / No mesmo enleio suspensos!" (João Penha, *Rimas*, p. 95.) [Sin. ger.: *enleamento*.]

enleitado. [De *en-*^{2} + *leito* + *-ado*^{1}.] *Adj.* Bem assente. (Diz-se de pedra para construções.)

enleivamento. *S. m.* Ato ou efeito de enleivar. [Cf. *enlevamento*.]

enleivar. [De *en-*^{3} + *leiva* + *-ar*^{2}.] *V. t. d.* **1.** Revestir (um terreno) com leiva. **2.** Mover (terras para terraplanagem). [Cf. *enlevar*.]

enlerdar. [De *en-*^{3} + *lerdo* + *-ar*^{2}.] *V. t. d.* e *p.* Tornar(-se) lerdo.

enlevação. *S. f.* Ato ou efeito de enlevar(-se); enlevamento.

enlevamento. *S. m.* Enlevação. [Cf. *enleivamento*.]

enlevar. [De *en-*^{4} + *levar*.] *V. t. d.* **1.** Causar arroubamento ou êxtase a; encantar; arrebatar, arroubar: *As obras dos antigos gregos ainda enlevam a humanidade.* **2.** Deliciar, deleitar: *A música de Bach enleva o espírito.* **3.** Cativar; absorver: *A pesquisa enleva-o.* *Int.* **4.** Causar êxtase; arrebatar: *A arte enleva;* "Mistério ideal que enleva e que aniquila / Num doce abraço enérgico de polvo." (Da Costa e Silva, *Sangue*, p. 60). *P.* **5.** Ficar suspenso, absorto; extasiar-se, maravilhar-se. [Pres. ind.: *enlevo*, etc. Cf. *enlevo* (ê) e *enleivar*.]

enlevo (ê). [Dev. de *enlevar*.] *S. m.* Encanto, deleite; êxtase, arrebatamento, arroubo: *Ela era o enlevo de sua vida;* "A menina, interrompendo os enlevos do devoto moço que se deleitava em conjecturar a zanga do Conde de Merles, perguntou-lhe .... quando viria o dia suspirado de sua união." (Camilo Castelo Branco, *A Queda dum Anjo*, p. 170). [Pl.: *enlevos* (ê). Cf. *enlevo*, do v. *enlevar*.]

enliçador (ô). *Adj.* e *s. m.* Que ou aquele que enliça.

enliçar. [De *en-*^{3} + *liço* + *-ar*^{2}.] *V. t. d.* **1.** Pôr os liços em; tramar com fio que se desenrola da lançadeira; tecer. **2.** *Fig.* Enredar, prender, enlear. **3.** *Fig.* Enganar, lograr, burlar, embair. *P.* **4.** Embaraçar-se, enredar-se. [Conjug.: v. *laçar*.]

enliço. [Dev. de *enliçar*.] *S. m.* **1.** Má urdidura. **2.** *Fig.* Engano, fraude; enredo.

➧**Enlightenment** (enláitnment). [Ingl.] *Filos.* V. *filosofia das luzes.*

enlocar. [De *en-*^{2} + *loca* + *-ar*^{2}.] *V. t. d.* **1.** Meter na loca; enlurar. **2.** Esconder, ocultar, encafuar. [Conjug.: v. *trancar*.]

enlodaçar. [De *en-*^{3} + *lodo* (ô) + *-açar*.] *V. t. d.* Transformar em lodaçal. [Conjug.: v. *laçar*.]

enlodado. [Part. de *enlodar*.] *Adj.* Coberto de lodo (ô); enlameado.

enlodar. [De *en-*^{3} + *lodo* (ô) + *-ar*^{2}.] *V. t. d.* e *p.* **1.** Sujar(-se) com lodo (ô); enlamear(-se). **2.** *Fig.* Conspurcar(-se), aviltar(-se).

enloirado *Adj.* V. *enlourado*.

enloirar^{1}. *V. t. d.* V. *enlourar*^{1}.

enloirar^{2}. *V. t. d. int.* e *p.* V. *enlourar*^{2}.

enloirecer. *V. t. d.* e *int.* V. *enlourecer.* [Conjug.: v. *aquecer*.]

enloisamento. *S. m.* Var. de *enlousamento.*

enloisar. *V. t. d.* V. *enlousar.*

enlojamento. *S. m.* Ato ou efeito de enlojar.

enlojar. [De *en-*^{2} + *loja* + *-ar*^{2}.] *V. t. d.* **1.** Pôr em loja; armazenar. **2.** Enlouçar, envasilhar.

enlombar. [De *en-*^{3} + *lombo* + *-ar*^{2}.] *V. t. d. Encad.* V. *alombar*^{2}.

enlouquecer. [De *en-*^{3} + *louco* + *-ecer*.] *V. t. d.* **1.** Tirar o uso da razão a; desvairar; endoidecer; aloucar: *O sofrimento enlouqueceu-a.* *Int.* **2.** Ficar louco; perder a razão; aloucar-se. [Conjug.: v. *aquecer*.]

enlouquecimento. *S. m.* Ato ou efeito de enlouquecer.

enlourado. [Part. de *enlourar*^{1}.] *Adj.* **1.** Ornado ou coroado de louros. **2.** *Fig.* Aclamado, vitoriado. [Var.: *enloirado*.]

enlourar^{1}. [De *en-*^{3} + *louro*^{1} + *-ar*^{2}.] *V. t. d.* Enfeitar ou coroar de louros. [Var.: *enloirar*.]

enlourar^{2} [De *en-*^{3} + *louro*^{3} + *-ar*^{2}.] *V. t. d., int.* e *p.* V. *alourar.* [F. paral.: *enloirar*.]

enlourecer. [De *en-*^{3} + *louro*^{3} + *-ecer*.] *V. t. d.* **1.** V. *alourar* (1). *Int.* **2.** Tornar-se louro; amarelecer: "Na messe, que enlourece, estremece a quermesse..." (Eugênio de Castro, *Obras Poéticas*, I, p. 58.) [F. paral.: *enloirecer*. Conjug.: v. *aquecer*.]

enlousamento. *S. m.* Ato ou efeito de enlousar. [Var.: *enloisamento*.]

enlousar. [De *en-*^{3} + *lousa* + *-ar*^{2}.] *V. t. d.* **1.** Cobrir ou fechar com lousa. **2.** Forrar de lousa. **3.** Enganar, embair. [Var.: *enloisar*.]

enluarado. [De *en-*^{3} + *luar* + *-ado*^{1}.] *Adj.* Banhado de luar: *ruas enluaradas;* "Noites emocionais, saudosas, enluaradas ..." (Hermes-Fontes, *Gênese*, p. 62); "Entre os salgueiros, andam névoas brancas, / Enluaradas..." (Eugênio de Castro, *Obras Poéticas*, III, p. 133).

enluarar-se. [De *en-*^{3} + *luar* + *-ar*^{2} + *se*^{1}.] *V. p.* Cobrir-se ou banhar-se de luar: "Enluaram-se os jardins de crisântemos brancos" (Gilca da Costa Melo Machado, *Poesias*, p. 174).

enludrar. [De *en-*^{3} + *ludro* + *-ar*^{2}.] *V. t. d.* Tornar ludro, sujo, torvo.

enlurar. [De *en-*^{2} + *lura* + *-ar*^{2}.] *V. t. d.* e *p.* Meter(-se) em lura; encovar(-se), entocar(-se).

enlutar. [De *en-*^{3} + *luto*^{2} + *-ar*^{2}.] *V. t. d.* **1.** Cobrir de luto. **2.** Causar grande mágoa a; consternar: *O desastre enlutou a família inteira;* "A sanhuda cobiça dos tiranos / Veio enlutar teus venturosos dias..." (Machado de Assis, *Poesias*, p. 17). **3.** Envolver em trevas; escurecer: *A aproximação do temporal enlutou a cidade.* *P.* **4.** Cobrir-se de luto. **5.** Sofrer grande mágoa; consternar-se. **6.** Toldar-se, escurecer-se.

enluvado. [Part. de *enluvar*.] *Adj.* Calçado de luvas: "Já passavam dez minutos das cinco horas quando eu saí do teatro — perfeitamente enluvado e engravatado" (Artur Azevedo, *Contos Possíveis*, p. 13).

enluvar. [De *en-*^{3} + *luva* + *-ar*^{2}.] *V. t. d.* **1.** Calçar luvas em. *P.* **2.** Calçar luvas.

▲**eno-.** Equiv. de *eni-*.

▲**-eno.** *Suf. nom.* = 'referência', 'origem': *terreno* (< lat. *terrenu*), *chileno.* [Em química, indica os hidrocarbonetos não saturados com dupla ligação: *eteno, propeno*.]

enobrecedor (ô) *Adj.* **1.** Que enobrece. • *S. m.* **2.** Aquele ou aquilo que enobrece.

enobrecer. [De *en-*^{3} + *nobre* + *-ecer*.] *V. t. d.* **1.** Tornar nobre; fazer ilustre; dignificar, nobilitar, nobrecer: *Seus feitos o enobreceram.* **2.** Enriquecer, aformosear: *As obras enobreceram a cidade.* *Int.* **3.** Tornar alguém nobre; dignificar: "Só a dor enobrece e é grande e é pura." (Manuel Bandeira, *Estrela da Vida Inteira*, p. 46.) *P.* **4.** Fazer-se ilustre, nobre. **5.** Tornar-se famoso; engrandecer-se. [Conjug.: v. *aquecer*.]

enobrecimento. *S. m.* Ato ou efeito de enobrecer(-se).

enodar. [Do lat. *innodare*.] *V. t. d.* **1.** Atar com um ou mais nós. **2.** Encher de nós.

enodo. [Do lat. *enode*.] *Adj.* Que não tem nós; que não é nodoso.

enodoado. [Part. de *enodoar*.] *Adj.* **1.** Manchado; sujo. **2.** *Fig.* Difamado, maculado, desonrado.

enodoar. [De *en-*^{3} + *nódoa* + *-ar*^{2}.] *V. t. d.* **1.** Pôr nódoa(s) em; manchar. **2.** *Fig.* Difamar, macular; desonrar: *Seu comportamento enodoou o nome da família.* *P.* **3.** Desonrar-se, macular-se. [F. paral.: *enodar.* Conjug.: v. *coroar*.]

enofilia. *S. f.* Qualidade de enófilo. [Antôn.: *enofobia*.]

enófilo. [De *eno-* + *filo*^{2}.] *Adj.* e *s. m.* Amigo do vinho. [Antôn.: *enófobo*.]

enofobia. [De *eno-* + *fob(o)-* + *-ia*.] *S. f.* Horror ou aversão ao vinho. [Antôn.: *enofilia*.]

enófobo. [De *eno-* + *-fobo*.] *Adj.* e *s. m.* Que ou aquele que tem enofobia. [Antôn.: *enófilo*.]

enóforo. *S. f.* V. *enóforo.*

enóforo. [Do gr. *oinophóros*, pelo lat. *oenophoru*.] *S. m.* Vaso para vinho, entre os romanos.

enoftalmia. [De *en-*^{1} + *-oftalm(o)-* + *-ia*.] *S. f. Med.* Retração anormal do olho para dentro da órbita. [Antôn.: *exoftalmia*.]

enoftálmico. *Adj.* Relativo à enoftalmia.

enoiriçar. *V. t. d.* V. *enouriçar.* [Conjug.: v. *laçar*.]

enoitar. [De *en-*^{3} + *noite* + *-ar*^{2}.] *V. t. d.* V. *enoitecer* (1 e 2): "Vinha caindo a tarde. Era um poente de agosto. / A sombra já enoitava as moitas." (Manuel Bandeira, *Estrela da Vida Inteira*, p. 43); "O teu mal, teu sofrer me enoita a vida..." (Alberto de Oliveira, *Poesias*, 1ª série, p. 22). [F. paral.: *enoutar*.]

enoitecer. [De *en-*^{3} + *noite* + *-ecer*.] *V. t. d.* **1.** Tornar escuro; cercar de trevas; escurecer; enoitar: *Nuvens espessas enoiteceram o vale.* **2.** Enlutar, entristecer; enoitar. *Int.* **3.** Anoitecer. [F. paral.: *enoutecer*. Conjug.: v. *aquecer*.]

enojadiço. *Adj.* **1.** Fácil de enojar(-se). **2.** De gênio difícil; estranho, esquisito. quizilento.

enojado. [Part. de *enojar*.] *Adj.* **1.** Que tem nojo ou náusea; nauseado. **2.** Aborrecido, enfadado, enfastiado, entediado.

enojamento. *S. m.* Ato ou efeito de enojar(-se).

enojar. [De *en-*^{3} + *nojo* + *-ar*^{2}.] *V. t. d.* **1.** Causar nojo ou náusea a; enjoar: *A carne putrefata enojou-o.* **2.** Causar enfado, tédio, a; molestar, incomodar: *O calor enojava-o.* **3.** Ofender, injuriar. *P.* **4.** Enjoar-se, nausear-se. **5.** Enfadar-se, enfarar-se, aborrecer-se. [Pres. ind.: *enojo*, etc. Cf. *enojo* (ô).]

enojo (ô). [Dev. de *enojar*.] *S. m.* **1.** Náusea, enjôo, nojo. **2.** Aborrecimento, enfado, enjôo, tédio. [Pl.: *enojos* (ô). Cf. *enojo*, do v. *enojar*.]

enol. [De *eno* + *-ol*.] *S. m.* **1.** Vinho tido como excipiente medicinal. **2.** *Quím.* Álcool que tem a hidroxila ligada a um carbono de dupla ligação, e que é um tautômero de um aldeído ou de uma cetona. [Pl.: *enóis*.]

enóleo. [De *enol* + *-eo*.] *S. m. Farm.* Preparado medicamentoso em que o veículo é o vinho.

enólico. *Adj.* Relativo a enol, ou a enóleo.

enolina. [De *enol* + *-ina*.] *S. f.* Substância corante do vinho tinto.

enologia. [De *eno-* + *-log(o)-* + *-ia*.] *S. f.* Estudo do que toca aos vinhos.

enológico. *Adj.* Relativo à enologia.

enologista. *S. 2 g.* Pessoa versada em enologia; enólogo.

enólogo. *S. m.* Enologista.

enomancia (cí). [De *eno-* + *-mancia*.] *S. f.* Adivinhação baseada na cor e substância do vinho.

enomante. [De *eno-* + *-mante*.] *S. 2 g.* Pessoa dada ao estudo e prática da enomancia.

enomântico. *Adj.* Relativo à enomancia, ou a enomante.

enomania. [Do gr. *oinomanía*.] *S. f.* **1.** Paixão pelo vinho. **2.** Doença causada pelo abuso do vinho.

enomaníaco. *Adj.* **1.** Referente à, ou que sofre de enomania. • *S. m.* **2.** Aquele que sofre de enomania.

enomel. [Do gr. *oinómeli*.] *S. m.* Xarope cuja base é o vinho e no qual o açúcar é substituído por mel. [Pl.: *enoméis*.]

enometria. *S. f.* Aplicação do enômetro.

enométrico. *Adj.* Referente à enometria.

enômetro. [De *eno-* + *-metro*.] *S. m.* Instrumento com que se avalia o peso específico dos vinhos, e, em geral, a riqueza em álcool de outros líquidos.

enoplídeo. *S. m.* **1.** Espécime dos enoplídeos. • *Adj.* **2.** Pertencente ou relativo a eles. [Sin. ger.: *dioctofimatino, dorilaimino*.]

enoplídeos. *S. m. pl. Zool.* Animais asquelmintos, nemertinos, afasmídios, ordem *Enoplida*, cujo esôfago se divide em duas partes: uma anterior, muscular, e outra posterior, glandular; dioctofimatinos, dorilaiminos.

enoplos. *S. m. pl. Zool.* Nemertinos cuja tromba é armada em estilete.

enora. *S. f. Constr. Nav.* Abertura feita num convés, e por onde enfurna um mastro ou eixo de um cabrestante.

enorme. [Do lat. *enorme*.] *Adj. 2 g.* **1.** Que sai da norma; que ultrapassa as regras; muito grande; extraordinário, desmarcado, descompassado. **2.** Muito grave; monstruoso, atroz: *um delito enorme.*

enormidade. [Do lat. *enormitate*.] *S. f.* **1.** Qualidade de enorme. **2.** Ação ou dito descabido, absurdo; barbaridade: *No seu governo praticou enormidades; Proferiu enormidades.*

enosteose. [De *en-*^{1} + *-óste(o)-* + *-ose*.] *S. f. Patol.* Crescimento patológico de osso, o qual se desenvolve ou dentro da cavidade óssea ou na superfície interna da córtice óssea.

enostose. *S. f. Patol.* V. *enosteose.*

enoterácea. *S. f.* Espécime das enoteráceas; onagrácea.

enoteráceas. *S. f. pl. Bot.* Família da ordem das mirtales, que compreende ervas de folhas alternas ou opostas, sem estípulas, e grandes flores coloridas, dispostas em racemos ou nas axilas foliares. Cálice e corola com dois ou quatro segmentos; androceu diplostêmone; ovário ínfero; fruto capsular ou bacciforme. Há perto de 500 espécies nas terras temperadas, poucas no Brasil. [Sin.: *onagráceas*.]

enoteráceo. *Adj.* Pertencente ou relativo às enoteráceas; onagráceo.

enouriçar. [De *en-*^{4} + *ouriçar*.] *V. t. d.* Ouriçar. [Var.: *enoiriçar*. Conjug.: v. *laçar*.]

enoutar. *V. t. d.* V. *enoitar.*

enoutecer. *V. t. d.* e *int.* V. *enoitecer.*

enoveladeira. [De *enovelar* + *-deira*.] *S. f.* Aparelho com que, nas fábricas de fiação, se formam os novelos.

enovelado. [Part. de *enovelar*.] *Adj.* **1.** Feito em novelo

(1). **2.** *Fig.* Enrolado, emaranhado, enredado. [F. paral.: *anovelado.*]

enovelamento. *S. m.* Ato ou efeito de enovelar(-se).

enovelar. [De *en-*^{3} + *novelo* + *-ar*^{2}.] *V. t. d.* **1.** Converter em novelos; dobar. **2.** Dar o feitio de novelo a. **3.** Enrolar, enroscar. **4.** Tornar confuso; enredar, emaranhar; intricar, intrincar: *Dados recentes enovelaram a questão. P.* **5.** Fazer-se em novelo; enrolar-se. [F. paral.: *anovelar.*]

➧**en passant** (ã passã). [Fr.] Incidentemente; de passagem.

enquadramento. *S. m.* Ato ou efeito de enquadrar(-se).

enquadrar. [De *en-*^{3} + *quadro* + *-ar*^{2}.] *V. t. d.* **1.** Meter em quadro; encaixilhar; emoldurar. **2.** Tornar quadrado. **3.** Guarnecer em volta: *A parreira enquadra o portão.* **4.** *Bras. Gír. Mil.* Castigar, punir: *O tenente enquadrou o cabo. T. i.* **5.** Harmonizar-se, combinar(-se), condizer, quadrar: *O estilo enquadra com o tema. P.* **6.** Ajustar-se; quadrar-se.

enquadrilhamento. *S. m. Bras., RS.* Ação ou efeito de enquadrilhar(-se).

enquadrilhar. [De *en-*^{3} + *quadrilha* + *-ar*^{2}.] *V. t. d. Bras., RS.* **1.** Reunir, ajuntar (animais) em quadrilha ou tropa. *P.* **2.** Reunir-se (muita gente).

enquanto. [De *em* + *quanto.*] *Conj.* **1.** No tempo em que: *Enquanto era jovem, viveu intensamente.* **2.** Ao passo que; durante o tempo em que: "Dorme enquanto eu velo..." (Fernando Pessoa, *Poesias de Fernando Pessoa,* p. 99); *Eu trabalhava enquanto ele dormia a sono solto.* **3.** Ao passo que; à medida que: *João enriquece, enquanto o irmão cai na miséria.* **4.** Sob o aspecto de; considerado como: "A gramática é o estudo da língua enquanto sistema, independentemente da mentalidade do grupo ou da do sujeito falante." (Sílvio Elia, *Orientações da Lingüística Moderna,* p. 25); *É grande homem, não enquanto político, mas enquanto escritor.* [Cf. *em quanto,* na loc. prep. *em quanto a.*] ♦ **Por enquanto.** Por ora, por agora.

enquartado. [De *en-*^{3} + *quarto* + *-ado*^{1}.] *Adj. Bras. RS.* **1.** Diz-se do vacum ou cavalar de quartos fortes, bem providos de carne ou de músculos. **2.** Diz-se da mulher de quartos largos; quartuda, cadeiruda, ancuda, bunduda.

enquartar. [De *en-*^{3} + *quarto* + *-ar*^{2}.] *V. int. Bras., RS.* Criar gordura ou músculos nos quartos.

enque. *S. m. Marinh. Ant.* Estai que se passa no mastro do traquete, ou como reforço, ou quando é preciso reparar o outro estai. [Nele enverga a polaca^{2} (1).]

enqueijar. [De *en*^{4} + *queijo* + *-ar*^{2}.] *V. t. d.* **1.** Pôr em forma de queijo. **2.** Coalhar (o leite) para fazer queijo.

➧**enquête** (anquet'). [Fr.] *S. f.* Reunião de testemunhos sobre determinado assunto, geralmente organizada por jornal, rádio, etc.

enquimose. [Do gr. *egchymosis.*] *S. f. Med.* Súbito afluxo de sangue aos vasos cutâneos em resultado de emoções intensas.

enquistado. [Part. de *enquistar.*] *Adj.* **1.** Transformado em quisto^{1}, ou envolvido por membrana parecida com a de um quisto. **2.** Circunscrito, restringido. **3.** Diz-se do que está incluso em outra coisa, à maneira de quisto.

enquistamento. *S. m.* Ação ou efeito de enquistar(-se).

enquistar. [De *en-*^{2} + *quisto*^{1} + *-ar*^{2}.] *V. t. d.* **1.** Incluir em saco ou cápsula. *T. d. e i.* **2.** Encaixar, entalhar: *Enquistou uma lâmpada na parede. Int.* **3.** Formar quisto. *P.* **4.** Cercar-se de membranas como a do quisto. **5.** Encaixar-se, introduzir-se. **6.** Formar núcleo ou quisto.

enquitar. *V. t. d. Bras., SP.* Obstar, impedir.

enquizilado. [Part. de *enquizilar.*] *Adj.* Cheio de quizilas; quizilento.

enquizilar. [De *en-*^{3} + *quizila* + *-ar*^{2}.] *V. t. d., int.* e *p.* V. *quizilar.*

enrabar. [De *en-*^{3} + *rabo* + *-ar*^{2}.] *V. t. d.* **1.** *Bras., S.* Perseguir de perto, na carreira: *O vaqueiro enrabou o animal, até que o laçou.* **2.** *Bras., S. P. ext.* Acompanhar (outrem) persistentemente; andar no encalço de. **3.** *Bras.* Prender o cabresto de (um animal) à cauda de outro, a fim de o conduzir. **4.** *Bras.* Amarrar com um atilho especial — um relho ou qualquer matéria têxtil vegetal, com que se arrasta qualquer objeto: canoa pelo campo alagado, madeira, etc. — à parte mais grossa da cauda do boi de sela. **5.** *Bras.* Amarrar (um veículo) à parte trazeira do outro. **6.** *Bras. Chulo.* Praticar ativamente o coito anal com. **7.** *Bras. Chulo.* Prejudicar; enganar, ludibriar.

enrabichado. [Part. de *enrabichar.*] *Adj.* **1.** Que tomou a forma de rabicho. **2.** Enamorado, namorado, apaixonado; gamado.

enrabichar. [De *en-*^{3} + *rabicho* + *-ar*^{2}.] *V. t. d.* **1.** Dar a forma de rabicho a; atar em forma de rabicho. **2.** Pôr em dificuldades; entalar; encalacrar. **3.** Suscitar amor em; enamorar: *Enrabichou a mocinha. P.* **4.** Apaixonar-se, enamorar-se, namorar-se.

enradicado. [De *en-*^{3} + *radicado.*] *Adj.* Arraigado, enraizado.

enraiar. [De *en-*^{3} + *raio* + *-ar*^{2}.] *V. t. d.* **1.** Pôr os raios em (uma roda). **2.** Fazer parar (a roda).

enraivado. [Part. de *enraivar.*] *Adj.* V. *enraivecido.*

enraivar. [De *en-*^{3} + *raiva* + *-ar*^{2}.] *V. t. d. int.* e *p.* V. *enraivecer.*

enraivecer. [De *en-*^{3} + *raiva* + *-ecer.*] *V. t. d.* **1.** Causar raiva a; tornar raivoso; encolerizar, irar; enraivar: *A ofensa enraiveceu-o. Int.* e *p.* **2.** Encolerizar-se, irar-se, enraivar-se. [Conjug.: v. *aquecer.*]

enraivecido. [Part. de *enraivecer.*] *Adj.* Irado, encolerizado, colérico, enraivado.

enraizado (a-i). [Part. de *enraizar.*] *Adj.* **1.** Que se enraizou ou se arraigou; que deitou raízes. **2.** *Fig.* Que se fixou; radicado: *vícios enraizados.* **3.** *Fig.* Entranhado, inveterado: *bebedor enraizado.*

enraizar (a-i). [De *en-*^{3} + *raiz* + *-ar*^{2}.] *V. t. d.* **1.** Prender ou fixar pela raiz; arraigar. *Int.* **2.** Criar ou deitar raízes. *P.* **3.** Prender-se ou fixar-se pela raiz; arraigar-se. **4.** Formar ligações ou relações; prender-se, fixar-se, estabelecer-se: *Depois de um ano na cidade, ali se enraizou.* [Conjug.: v. *ajuizar.*]

enramação. *S. f. Tip.* Ato ou efeito de enramar^{2}; enramamento, engradamento.

enramada. [Fem. substantivado de *enramado.*] *S. f.* Cobertura de ramos de árvores, para sombra e/ou para abrigo; ramada.

enramado. [Part. de *enramar.*] *Adj.* **1.** Que tem ramos. **2.** Formado de ramos.

enramalhar. [De *en-*^{3} + *ramalho* + *-ar*^{2}.] *V. t. d.* Ornar com ramos; enramar.

enramalhetar. [De *en-*^{3} + *ramalhete* + *-ar*^{2}.] *V. t. d.* **1.** Juntar em ramalhete. **2.** Ornar de ramalhetes. [F. paral.: *enramilhetar.*]

enramamento. *S. m. Tip.* V. *enramação.*

enramar^{1}. [De *en-*^{3} + *ramo* + *-ar*^{2}.] *V. t. d.* **1.** Cobrir ou ornar de ramos; enramalhar: *Enramou o caramanchão.* **2.** Juntar em ramos; enramalhetar. **3.** Atapetar de ramos. *T. i.* **4.** Ligar-se, unir-se: *O fugitivo enramou com outros marginais para roubar.*

enramar^{2}. [De *en-*^{3} + *rama* + *-ar*^{2}.] *V. t. d. Tip.* Dispor na rama (composição tipográfica); engradar.

enramilhetar. [De *en-*^{3} + *ramilhete* + *-ar*^{2}.] *V. t. d.* V. *enramalhetar.*

enrançar. [De *en-*^{3} + *ranço*^{1} + *-ar*^{2}.] *V. t. d.* **1.** Tornar rançoso. *Int.* e *p.* **2.** Tornar-se rançoso; rançar, rancescer. [Conjug.: v. *laçar.*]

enranchar. [De *en-*^{3} + *rancho* + *-ar*^{2}.] *V. t. d.* **1.** Juntar ao rancho; meter em rancho; bandear; arranchar. *P.* **2.** Agrupar-se; reunir-se.

enrarecer. [De *en-*^{3} + *raro* + *-ecer.*] *V. t. d.* **1.** Tornar raro ou ralo; rarefazer, rarear. *Int.* e *p.* **2.** Tornar-se raro ou ralo; rarefazer-se, rarear. [Conjug.: v. *aquecer.*]

enrascada. *S. f. Bras.* V. *enrascadela.*

enrascadela. *S. f.* Efeito de enrascar(-se); entalação, aperto, embaraço, apuros. [Sin.: *enrascadura* e (bras.) *enrascada.*]

enrascadura. *S. f.* **1.** Ato de enrascar(-se). **2.** V. *enrascadela.*

enrascar. [De *en-*^{3} + *rasca* + *-ar*^{2}.] *V. t. d.* **1.** Apanhar em rasca ou rede: *O pescador enrascou sardinhas.* **2.** *Marinh.* Enredar, embaraçar (cabos, velas, bandeiras). **3.** Fazer cair em cilada; lograr, enganar. **4.** Emaranhar, enredar, embaraçar, complicar. *P.* **5.** Emaranhar-se, enredar-se, embaraçar-se, complicar-se. [Conjug.: v. *trancar.*]

enredadeira. *S. f.* **1.** Mulher que enreda, que faz enredos; mexeriqueira, enredadora. **2.** *Bras., RS.* Trepadeira anual, da família das convolvuláceas *(Polygonum convolvulus),* invasora de plantações, cujas flores, alvas, são dispostas em racimos corimbiformes simples, e cujo cálice, quando maduro, envolve o fruto, um aquênio, finamente estriado, granuloso e triangular.

enredadela. *S. f.* Enredo, intriga.

enredado^{1}. [De *en-*^{3} + *rede* + *-ado*^{1}.] *Adj.* Que tem aparência de rede. [Cf. *reticulado* (1 e 2).]

enredado^{2}. [Part. de *enredar.*] *Adj.* **1.** Emaranhado, embaraçado, enleado, implexo: *vegetação enredada.* **2.** Confuso, complicado, enrolado; enredoso.

enredador (ô). *Adj.* e *s. m.* Que ou aquele que enreda. [Fem.: *enredadora, enredadeira.*]

enredadora (ô). *S. f.* V. *enredadeira* (1).

enredamento. *S. m.* Ato ou efeito de enredar(-se).

enredar. [De *en-*^{3} + *rede* + *-ar*^{2}.] *V. t. d.* **1.** Colher ou prender na rede. **2.** Entrelaçar (os ramos) uns pelos outros. **3.** Enredear. **4.** Prender, cativar, apanhar. **5.** Armar intrigas, enredos, a; intrigar: *A inveja enredou-o.* **6.** Tecer, elaborar, travar o enredo de (obra literária). **7.** Emaranhar, enlear. **8.** Complicar, embaraçar: *Novos quesitos vinham enredar o problema. T. d. e i.* **9.** Prender, ligar, atar: *São problemas que o enredam a novos problemas. Int.* **10.** Fazer enredo ou mexerico; intrigar, mexericar. *P.* **11.** Embaraçar-se, emaranhar-se, enlear-se. [Pres. ind.: *enredo,* etc. Cf. *enredo* (ê).]

enredear. [De *en-*^{3} + *rede* + *-ear.*] *V. t. d.* Formar rede em; entretecer, enredar. [Conjug.: v. *frear.*]

enredeiro. *Adj.* e *s. m. Bras.* Que ou aquele que é dado a enredos ou intrigas; intrigante, mexeriqueiro.

enrediça. [Fem. substantivado de *enrediço.*] *S. f.* Planta cujos ramos são muito emaranhados.

enrediço. *Adj.* **1.** Que é dado a fazer enredos; intrigante. **2.** Emaranhado, enredado, intricado: *vegetação enrediça.*

enredo (ê). [Dev. de *enredar.*] *S. m.* **1.** Ato ou efeito de enredar(-se). **2.** Intriga, mexerico, confusão. **3.** Manha, ardil, maquinação. **4.** Mentira que ocasiona aborrecimentos, inimizades. **5.** Conjunto dos incidentes que constituem a ação de uma obra de ficção; entrecho, intriga, urdidura, fábula. **6.** *Teat.* V. *intriga* (4). [Pl.: *enredos* (ê). Cf. *enredo,* do v. *enredar.*]

enredoiçar. *V. t. d.* Var. de *enredouçar.* [Conjug.: v. *laçar.*]

enredoso (ô). *Adj.* **1.** Cheio de enredos [v. *enredo* (3)]. **2.** V. *enredado*^{2} (2).

enredouçar. [De *en-*^{3} + *redouça* + *-ar*^{2}.] *V. t. d.* Balançar na redouça. [Var.: *enredoiçar.* Conjug.: v. *laçar.*]

enregelado. [Part. de *enregelar.*] *Adj.* Excessivamente frio; congelado, regélido: "Que frio está! as mãos sinto-as enregeladas" (Alberto de Oliveira, *Poesias,* 4ª série, p. 162).

enregelamento. *S. m.* Ato ou efeito de enregelar(-se).

enregelar. [De *en-*^{4} + *regelar.*] *V. t. d.* Provocar sensação intensa de frio em; resfriar: *O vento enregelou-o;* "Já sinto da geada dos sepulcros / O pavoroso frio enregelar-me ..." (Laurindo Rabelo, *Poesias Completas,* p. 72).

enrelhar. [De *en-*^{3} + *relho* (ê) + *-ar*^{2}.] *V. t. d. Bras., Marajó.* Amarrar (uma rês nova) com um relho ou corda, pelo pescoço, a uma estaca. [Conjug.: v. *aparelhar.* Cf. *enrilhar.*]

enremissar. [De *en-*^{3} + *remissa* + *-ar*^{2}.] *V. t. d.* **1.** Deixar de remissa. **2.** Demorar com remissas (o jogo do voltarete ou outros).

enrenquear. [De *en-*^{3} + *renque* + *-ar*^{2}.] *V. t. d.* Dispor em fileira ou renque; enfileirar, alinhar. [Conjug.: v. *frear.*]

enresinar. [De *en-*^{3} + *resina* + *-ar*^{2}.] *V. t. d.* **1.** Esfregar ou untar com resina; aplicar resina a. **2.** Misturar com resina. **3.** Tornar consistente como a resina; endurecer. *Int.* e *p.* **4.** Tomar a consistência ou o aspecto da resina. **5.** Cobrir-se de resina.

enresmar. [De *en-*^{3} + *resma* + *-ar*^{2}.] *V. t. d.* Resmar. [Conjug.: v. *aparelhar.*]

enrestado. [Part. de *enrestar-se.*] *Adj. Bras., RS.* Saciado, farto.

enrestar-se. [De *en-*^{3} + *resto*^{1} + *-ar*^{2} + *se*^{1}.] *V. p. Bras., RS.* Fartar-se de comida; saciar-se, encher-se. [Cf. *enristar.*]

enricar. [De *en-*^{3} + *rico* + *-ar*^{2}.] *V. t. d., int.* e *p.* V. *enriquecer:* "Eu não sei como ainda há quem vá para padre. Dantes sim, que eles enricavam." (Manuel Ribeiro, *A Planície Heróica,* p. 47.) [Conjug.: v. *trancar.*]

enriçar. [De *en-*^{3} + *riço* + *-ar*^{2}.] *V. t. d.* Tornar riço ou crespo; encrespar, emaranhar, riçar. [Conjug.: v. *laçar.*]

enrijar. [De *en-*^{3} + *rijo* + *-ar*^{2}.] *V. t. d.* **1.** Tornar rijo, forte; endurecer; robustecer. *Int.* e *p.* **2.** Tornar-se rijo, duro; entesar-se. **3.** Fortalecer-se, enrobustecer-se. [Sin. ger.: *enrijecer, arrijar.*]

enrijecimento. *S. m.* Ato ou efeito de enrijecer(-se).

enrijecer. [De *en-*^{3} + *rijo* + *-ecer.*] *V. t. d., int.* e *p.* V. *enrijar:* "o cadáver de um velho que enrijecera com os braços levantados." (Adélia Prado, *Cacos para um Vitral,* p. 71). [Conjug.: v. *aquecer.*]

enrilhar. *V. int.* Endurecer, encorrear-se, enrijar. [Cf. *enrelhar.*]

enrinconar. [De *en-*^{3} + *rincão* + *-ar*^{2}.] *V. t. d. Bras., RS.* Pôr (animais) a pastar em rincão (1).

enripamento. *S. m. Bras.* Ato ou efeito de enripar.

enripar. [De *en-*^{3} + *ripa* + *-ar*^{2}.] *V. t. d. Bras.* Colocar as ripas de (um telhado).

enriquecer. [De *en-*^{3} + *rico* + *-ecer.*] *V. t. d.* **1.** Tornar rico ou opulento, dar riqueza a: *As indústrias de base* enriquecem *as nações;* "O que não tenho e desejo / É que melhor me enriquece." (Manuel Bandeira, *Estrela da Vida Inteira*, p. 173). **2.** Aumentar; desenvolver, melhorar: *A pesquisa científica visa a* enriquecer *a cultura.* **3.** Aformosear, ornar, ornamentar, abrilhantar: *O uso adequado das palavras* enriquece *a cultura. Int.* e *p.* **4.** Tornar-se rico ou opulento: "Nunca enriqueceu com os seus livros" (Joaquim Ribeiro, *9 Mil Dias com João Ribeiro*, p. 45); "Fábio é pobre; conta porém enriquecer pelo trabalho" (Joaquim Manuel de Macedo, *Os Romances da Semana*, p. 261); *Acertou na loteria, e* enriqueceu-se. [Sin. ger.: *enricar*. Conjug.: v. *aquecer*.]

enriquecido. [Part. de *enriquecer*.] *Adj.* Que se enriqueceu. ~ V. *combustível* —.

enriquecimento. *S. m.* Ato ou efeito de enriquecer(-se).

enristar. [De *en-*^{3} + *riste* + *-ar*^{2}.] *V. t. d.* **1.** Pôr em riste (a lança): "O guerreiro chefe enrista desdenhosamente a lança e caminha para Jaguarê." (José de Alencar, *Ubirajara*, p. 21.) *T. i.* **2.** Acometer com a lança; investir: *Rápido,* enristou *com o inimigo.* [Cf. *enrestar-se*.]

enrizar. [De *en-*^{3} + *rizes* + *-ar*^{2}.] *V. t. d. Marinh.* Meter (velas) nos rizes; rizar.

enrocado. [Part. de *enrocar*^{3}.] *Adj.* Côberto de rocas; rochoso.

enrocamento. [De *enrocar*^{3} + *-mento*.] *S. m.* Maciço de pedras arrumadas ou jogadas, destinado a proteger aterros ou estruturas dos efeitos da erosão.

enrocar^{1}**.** [De *en-*^{3} + *roca*^{1} + *-ar*^{2}.] *V. t. d.* **1.** Dar forma de roca^{1} (1) a. **2.** Pôr na roca^{1} (1). **3.** Guarnecer de rocas [v. *roca*^{1} (2)] (os vestidos). **4.** *Ant. Marinh.* Fazer roca^{1} (4) em. [Conjug.: v. *trancar*.]

enrocar^{2}**.** [De *en-*^{3} + *rocar*.] *V. int.* Rocar. [Conjug.: v. *trancar*.]

enrocar^{3}**.** [De *en-*^{3} + *roca*^{2} + *-ar*^{2}.] *V. t. d.* **1.** Encher ou cobrir de rocas ou penhascos. **2.** Fazer enrocamento em. *P.* **3.** Encher-se ou cobrir-se de rocas ou penhascos. [Conjug.: v. *trancar*.]

enrodelar. [De *en-*^{3} + *rodela* + *-ar*^{2}.] *V. t. d.* Abroquelar ou armar com rodela^{1}.

enrodilhar. [De *en-*^{3} + *rodilha*^{1} + *-ar*^{2}.] *V. t. d.* **1.** Fazer em rodilha: enrodilhar *uma toalha.* **2.** Enrolar, torcer. **3.** Enredar, emaranhar, intricar, intrincar. **4.** Enganar, lograr, burlar, ludibriar. *P.* **5.** Enrolar-se, ligar-se. **6.** *Bras., S.* Embaraçar-se, encolher-se. [F. paral.: *rodilhar*.]

enrola. [Dev. de *enrolar*.] *S. f. Bras. Pop.* **1.** Ato ou efeito de enrolar (9). ● *S. m.* Confusão, desordem, barulho, rolo. **3.** Tapeação, engabelação.

enrola-cabelo. [De *enrolar* + *cabelo*.] *S. f. Bras.* V. *torce-cabelo*. [Pl.: *enrola-cabelos*.]

enrolada. [Fem. substantivado de *enrolado*.] *S. f. Bras., Amaz.* Estrada do seringal que não obedece a nenhum rumo certo.

enroladeira. [De *enrolar* + *-deira*.] *S. f. Ind. Pap.* Aparelho colocado no fim da máquina de papel para dispor a folha num rolo provisório ou bobinão. [V. *rebobinadeira*.]

enroladinho. [Dim. substantivado do adj. *enrolado*.] *S. m.* Prato de carne, de peixe, de verdura, de massa, etc., em que esses são enrolados em torno de um recheio: enroladinho *de peixe, de carne, de couve, de batata.*

enrolado. [Part. de *enrolar*.] *Adj.* **1.** Que forma rolo; arqueado. **2.** *Gír.* Complicado, embrulhado, enredado, confuso: *F. é mais* enrolado *que bobina; Mas que livro* enrolado! ~ V. *bife* —. ● *S. m.* **3.** Pessoa complicada, enrolada, enredada.

enroladoiro. *S. m.* V. *enroladouro*.

enrolador (ô). *Adj.* **1.** Que enrola [v. *enrolar* (2)]. **2.** *Bras. Pop.* Diz-se de indivíduo que gosta de complicar as coisas; confuso, complicado, enredado, enrolão. **3.** *Bras. Pop.* Tapeador, engabelador, enrolão. ● *S. m. Bras. Pop.* **4.** Indivíduo enrolador; enrolão.

enroladouro. [Var. de *enroladoiro*.] *S. m.* Caroço do novelo, ou aquilo em que se enrola o fio para formar o novelo.

enrolamento. *S. m.* **1.** Ato de enrolar(-se). **2.** *Eng. Elét.* Bobinado. ◆ **Enrolamento secundário.** *Eletr.* Secundário (9).

enrolão. *Adj.* e *s. m. Bras. Pop.* V. *enrolador* (2 a 4).

enrolar. [De *en-*^{3} + *rolo*^{1} + *-ar*^{2}.] *V. t. d.* **1.** Dar a forma de rolo a; tornar roliço. **2.** Dobrar em rolo ou espiral; encaracolar: enrolar *o cabelo.* **3.** Envolver, cingir: *Tomou de um papel,* enrolou *a mercadoria.* **4.** Envolver em agasalho(s); agasalhar, abrigar: *Como o frio era duro, a mãe* enrolou *bem o pequeno.* **5.** Embrulhar, entrouxar, empacotar. **6.** Esconder, ocultar. **7.** *Bras. Pop.* Expor de maneira confusa: Enrolou *uma desculpa qualquer.* **8.** *Bras. Pop.* Tornar complicado, confuso; complicar, enredar. **9.** *Bras. Pop.* Lograr, enganar, tapear, engabelar. **10.** *Bras., CE.* Derrubar (a rês) de modo que vire uma cambalhota. *Int.* **11.** Dobrar uma esquina; fazer curva com um veículo. *P.* **12.** Fazer-se em rolos. **13.** Encapelar-se, revolutear. **14.** Envolver-se, cingir-se: *Vestiu-se,* enrolou-se *em lãs e saiu.* **15.** Envolver-se em agasalho(s); agasalhar-se: *Como ventava muito,* enrolou-se *bem ao sair de casa.* **16.** *Bras. Pop.* Confundir-se, atrapalhar-se, embaraçar-se.

enrolo (ô). [Dev. de *enrolar*.] *S. m. Bras. Pop.* Complicação, trapalhada.

enroscado^{1}**.** [De *en-*^{3} + *rosca* (ô) + *-ado*^{1}.] *Adj.* Que tem forma de rosca.

enroscado^{2}**.** [Part. de *enroscar*.] *Adj.* **1.** Contornado em espiral. **2.** Enrolado, enrodilhado.

enroscadura. *S. f.* **1.** Curva, volta, ondulação, em forma de rosca. **2.** Enroscamento.

enroscamento. *S. m.* Ato ou efeito de enroscar(-se); enroscadura.

enroscar. [De *en-*^{3} + *rosca* (ô) + *-ar*^{2}.] *V. t. d.* **1.** Pôr em forma de rosca; torcer: enroscar *uma corda.* **2.** Envolver à maneira de rosca ou espiral: *A jibóia* enroscou *a vítima.* **3.** Mover em forma de rosca. **4.** Dar voltas com; enrolar: enroscar *um lenço no pescoço. P.* **5.** Mover em espiral. **6.** Dobrar-se, formando roscas. **7.** Dobrar-se; encolher-se. [Conjug.: v. *trancar*.]

enroupado. [Part. de *enroupar*.] *Adj.* **1.** Vestido; agasalhado; arroupado. **2.** *Fam.* Que está bem servido de roupas.

enroupar. [De *en-*^{3} + *roupa* + *-ar*^{2}.] *V. t. d.* **1.** Cobrir ou prover de roupas; vestir; agasalhar. *P.* **2.** Prover-se de roupas; agasalhar-se. [F. paral.: *arroupar, roupar*.]

enrouquecer. [De *en-*^{3} + *rouco* + *-ecer*.] *V. t. d., int.* e *p.* Tornar(-se) rouco. [Conjug.: v. *aquecer*.]

enrouquecimento. [De *enrouquecer* + *-i-* + *-mento*.] *S. m.* V. *rouquidão*.

enroxar-se. [De *en-*^{3} + *roxo* + *-ar*^{2} + *se*^{1}.] *V. p.* Tornar-se roxo; arroxear-se, arroxar-se, roxear-se.

enrubescer. [De *en-*^{3} + lat. *rubescere*.] *V. t. d.* **1.** Tornar vermelho ou corado: "Aquele sangue que enrubescia a terra era o mesmo sangue brioso que lhe ardia nas faces de vergonha." (José de Alencar, *Iracema*, p. 97.) *Int.* e *p.* **2.** Corar, ruborizar-se. **3.** Perturbar-se, atrapalhar-se. [F. paral.: *enrubescer, rubescer*. Conjug.: v. *crescer*.]

enrubescimento. *S. m.* V. *rubor* (3).

enruçar. [De *en-*^{3} + *ruço* + *-ar*^{2}.] *V. t. d., int.* e *p.* V. *ruçar*. [Conjug.: v. *laçar*.]

enrudecer. [De *en-*^{3} + *rude* + *-ecer*.] *V. t. d.* e *int.* Tornar(-se) rude; embrutecer(-se). [Conjug.: v. *aquecer*.]

enrufar-se. *V. p.* Zangar-se, irritar-se, arrufar-se.

enrugado. [Part. de *enrugar*.] *Adj.* Que se enrugou; arrugado, corrugado, rugado, rugoso: "Há no meu crânio enrugado / O fundo sulco traçado / Pela c'roa imperial." (Castro Alves, *Obra Completa*, p. 102.)

enrugamento. *S. m.* **1.** Ação ou efeito de enrugar(-se); arrugamento, corrugação. **2.** *Geol.* Dobramento, quando intensivo e realizado em grande escala, e determinado por forças tectônicas.

enrugar. [De *en-*^{3} + *ruga* + *-ar*^{2}.] *V. t. d.* **1.** Fazer rugas em: enrugar *a testa.* **2.** Encrespar; encarneirar. **3.** Tornar rugoso; encarquilhar. *P.* **4.** Fazer-se rugoso. [Sin. ger.: *arrugar, corrugar* e *rugar*. Conjug.: v. *largar*.]

enrugável. *Adj. 2 g.* Que se enruga.

enrustido. [Part. de *enrustir*.] *Adj. Bras. Pop.* Diz-se do indivíduo muito introvertido: "procurei iniciar uma conversa, trazê-la a Manfredo. Meu primo ouviu desatento, enrustido" (Ricardo Ramos, *Terno de Reis*, pp. 140-141).

enrustir. [De *en-*^{3} + *rustir*.] *V. t. d. Bras. Gír.* **1.** Praticar o rusto (2); enganar os companheiros na partilha do roubo. **2.** V. *surripiar*.

ensaboadela. *S. f.* **1.** Ação de ensaboar de leve, superficialmente. **2.** Rudimentos ou noções sobre algum assunto, ciência ou arte. **3.** *Fam.* V. *repreensão* (1).

ensaboado. [Part. de *ensaboar*.] *Adj.* **1.** Untado, esfregado ou lavado com sabão. ● *S. m.* **2.** Ensaboadura.

ensaboadura. *S. f.* Ato de ensaboar; lavagem com sabão; ensaboado.

ensaboar. [De *en-*^{3} + *sabão*^{1} + *-ar*^{2}.] *V. t. d.* **1.** Untar ou lavar com sabão desfeito em água. **2.** Repreender; castigar. *P.* **3.** Lavar-se com sabão. [Conjug.: v. *coroar*.]

ensaburrar. [De *en-*^{3} + *saburra* + *-ar*^{2}.] *V. t. d.* **1.** Sujar com saburra; saburrar. **2.** Encher (a língua) de saburra. *P.* **3.** Encher-se de saburra.

ensaca. [Dev. de *ensacar*.] *S. f. Desus.* Ensacamento.

ensacadinha. [De *ensacar*, talvez.] *S. f. Bras., N.* a *S.* Trepadeira muito alta, ornamental, da família das sapindáceas (*Cardiospermum grandiflorum*), de caule sulcado e gavinhas vigorosas, flores pedunculadas, alvas, grandes, muito vistosas, dispostas em falsas umbelas terminais, sendo fruto uma cápsula oblonga, vesiculosa, pubescente, verde-amarela, com sementes pretas, luzidias, envoltas em arilo branco, e as folhas recortadas, dando ao vegetal um belo aspecto; balãozinho, chumbinho.

ensacado. [Part. de *ensacar*.] *Adj.* **1.** Metido em saco. **2.** Diz-se da carne metida em tripa. ● *S. m.* **3.** Tipo de enchido (3) feito com carne não migada antes de ser introduzida na tripa. [Cf., nesta acepç., *salsicharia*.]

ensacador (ô). *S. m.* **1.** Aquele que ensaca. **2.** *Bras., RJ.* Negociante em grosso de café. **3.** *Bras., RJ.* Exportador de café.

ensacamento. *S. m.* Ação ou efeito de ensacar. [Sin. (desus.): *ensaca*.]

ensacar. [De *en-*^{2} + *saco*^{1} + *-ar*^{2}.] *V. t. d.* **1.** Meter em saco(s). **2.** Guardar, arrecadar. **3.** Fazer chouriços ou paios de (a carne). **4.** *Marinh.* Ficar (a embarcação a vela) numa reentrância da costa, tal que não receba ação eficaz do vento para daí safar-se. [Conjug.: v. *trancar*.]

ensaiador (ô). *Adj.* **1.** Que ensaia. ● *S. m.* **2.** Aquele que ensaia. **3.** *Restr. Teat.* Aquele que dirige ensaios [v. *ensaio*^{1} (5).]

ensaiamento. *S. m. P. us.* V. *ensaio*^{1} (4).

ensaiar. [De *ensaio*^{1} + *-ar*^{2}.] *V. t. d.* **1.** Provar, experimentar (alguma coisa): *Os técnicos* ensaiaram *um novo tipo de motor;* "As armas ensaia, / Penetra na vida: / Pesada ou querida, / Viver é lutar." (Gonçalves Dias, *Obras Poéticas*, II, p. 45). **2.** Pôr em prática; tentar, experimentar: Ensaiou *todos os meios, e nada obteve.* **3.** Repetir (uma ação) várias vezes a fim de exercitar-se ou tornar-se destro; estudar; treinar: *O golfista* ensaiou *a jogada várias vezes; O ator* ensaiou *seu papel.* **4.** Habilitar para a função ou papel: *O professor* ensaiou *os alunos.* **5.** Dirigir ensaio^{1} (5) ou submeter-se a ensaio^{1} (5) de (comédia, drama, etc.). *T. d.* e *i.* **6.** Pôr à prova; experimentar: Ensaiou *a imaginação em diversas atividades. P.* **7.** Dispor-se preparar-se, exercitar-se.

ensaibramento. *S. m.* Ato ou efeito de ensaibrar.

ensaibrar. [De *en-*^{3} + *saibro* + *-ar*^{2}.] *V. t. d.* Cobrir com saibro.

ensaio^{1}**.** [Do lat. tardio *exagiu*.] *S. m.* **1.** Prova, experiência: *O novo avião falhou logo no* ensaio. **2.** Exame, estudo. **3.** Tentativa, experiência: *Fez um* ensaio *de falar, mas não pôde.* **4.** Treino, treinamento: *Hoje há* ensaio *das escolas de samba.* [Sin., p. us., nessa acepç.: *ensaiamento*.] **5.** *Teat.* Treinamento das falas e marcações dos atores para adestrá-los e aprimorá-los no desenvolvimento dos seus papéis, e/ou repetição dos movimentos cenográficos, de iluminação, de sonoplastia, etc., objetivando a unidade, o aprimoramento e a perfeita execução da montagem.

ensaio^{2}**.** [Do fr. *essai*.] *S. m. Liter.* Estudo sobre determinado assunto, porém menos aprofundado e/ou menor que um tratado formal e acabado.

ensaísmo. [De *ensaio*^{2} + *-ismo*.] *S. m. Liter.* A atividade literária que se manifesta pelo ensaio^{2}.

ensaísta. [Do fr. *essayiste*.] *S. 2 g.* Escritor autor de ensaios [v. *ensaio*^{2}].

ensalada. [Do esp. *ensalada*.] *S. f.* **1.** Salada (1). **2.** *Ant.* Composição poética destinada ao canto, na qual figuravam versos com rimas variadas, métricas diferentes e, até, em diversas línguas e dialetos, e se misturavam por vezes o sacro e o profano, o cômico e o dramático.

ensalmador (ô). *Adj.* e *s. m.* Diz-se de, ou aquele que ensalma; benzilhão, curandeiro; ensalmeiro.

ensalmar. [De *en-*^{3} + *salmo* + *-ar*^{2}.] *V. t. d.* **1.** Tratar com ensalmos. **2.** Curar com paliativos.

ensalmeiro. *Adj.* e *s. m.* V. *ensalmador*.

ensalmo. [Dev. de *ensalmar*.] *S. m.* **1.** Maneira de curar com orações e benzeduras. **2.** Bruxedo, feitiçaria.

ensalmoirar. *V. t. d.* Ensalmourar [q. v.].

ensalmourar. [Var. de *ensalmoirar*, de *en-*^{2} + *salmoira* + *-ar*^{2}.] *V. t. d.* Meter ou conservar em salmoura.

ensamambaiado. [De *en-*^{3} + *samambaia* + *-ado*^{1}.] *Adj. Bras.* Cheio de samambaias.

ensamarrar. [De *en-*^{2} + *samarra* + *-ar*^{2}.] *V. t. d.* Vestir de samarra.

ensambenitar. [De *en-*^{3} + *sambenitar*.] *V. t. d.* Pôr o sambenito a; sambenitar.

ensamblado. [Part. de *ensamblar*.] *Adj.* Que se ensamblou; em que se fez ensambladura.

ensamblador (ô). *Adj.* **1.** Que ensambla. • *S. m.* **2.** Marceneiro que ensambla.

ensambladura. *S. f.* Ato ou efeito de ensamblar; encaixe, ensamblagem, ensamblamento, sambladura.

ensamblagem. *S. f.* V. *ensambladura.*

ensamblamento. *S. m.* **1.** V. *ensambladura.* **2.** V. *enjambement*: "É certo que .... aparece na feitura do verso o abuso do ensamblamento (*enjambement*)" (João Ribeiro, *Crítica*, IX, p. 117).

ensamblar. [Do fr. *ensambler.*] *V. t. d.* Reunir (peças de madeira); encaixar, embutir, entalhar, emalhetar, malhetar, samblar.

ensancha. [Dev. de *ensanchar.*] *S. f.* **1.** Porção de pano que se deixa a mais, na costura de peça do vestuário, para se poder alargar quando se quiser. **2.** Sobejo; sobra. ~ V. *ensanchas.*

ensanchar. [Do lat. vulg. *examplare*, der. de *amplus*, 'amplo'.] *V. t. d.* **1.** Alargar, aproveitando as ensanchas. **2.** Dilatar, ampliar, alargar.

ensanchas. [Pl. de *ensancha.*] *S. f. pl.* Oportunidade, ensejo. ~ V. *ensancha.*

ensandalar. [De *en-*^{3} + *sândalo* + *-ar*^{2}.] *V. t. d.* **1.** Aromatizar com sândalo. **2.** Dar o cheiro de sândalo a.

ensandecer. [De *en-*^{3} + *sandeu* + *-ecer*, com síncope.] *V. t. d.* **1.** Tornar sandeu; apatetar, emparvoecer, emparvecer. **2.** Enlouquecer, endoidecer: *O sofrimento ensandeceu-o. Int.* **3.** Tornar-se sandeu, pateta. **4.** Perder a razão; enlouquecer, endoidecer. [Conjug.: v. *aquecer.*]

ensanefar. [De *en-*^{3} + *sanefa* + *-ar*^{2}.] *V. t. d.* Ornar com sanefas.

ensangüentado. [Part. de *ensangüentar.*] *Adj.* **1.** Coberto ou manchado de sangue. **2.** Em que há cenas de sangue; sanguinolento: *drama ensangüentado.*

ensangüentar. [De *en-*^{3} + *sangüento* + *-ar*^{2}.] *V. t. d.* **1.** Encher ou manchar de sangue: "Mas atrás desse amor, trilhando agro caminho, / ensangüentou seus pés" (Eugênio de Castro, *Obras Poéticas*, III, p. 155). **2.** Dar cor de sangue a: *A aurora ensangüentava o céu.* **3.** Macular, manchar, enodoar: *A violência ensangüentava a honra da nação. P.* **4.** Cobrir-se ou manchar-se de sangue. [Sin., p. us., nas acepç. 1 a 3: *ensanguinhar.* Sin. ger.: *cruentar.*]

ensanguinhar. *V. t. d. P. us.* V. *ensangüentar* (1 a 3).

ensapezado (pè). [De *en-*^{3} + *sapé* + *-z-* + *-ado*^{1}.] *Adj. Bras.* **1.** Invadido pelo sapé (1). **2.** Coberto de sapé (1): *rancho ensapezado.*

ensaque. [Dev. de *ensacar.*] *S. m.* Ato de ensacar.

ensarilhar. [De *en-*^{3} + *sarilho* + *-ar*^{2}.] *V. t. d.* **1.** Dobrar em sarilho. **2.** Formar sarilho com. **3.** Emaranhar, embaraçar, enredar. **4.** Colocar (espingardas) de pé no chão, apoiando-as umas nas outras pelas baionetas. *Int.* **5.** Andar sem descanso de um lado para outro.

ensarnecer. [De *en-*^{3} + *sarna* + *-ecer.*] *V. int.* Tornar-se sarnento (1); encher-se de sarna. [Conjug.: v. *aquecer.*]

ensarrafar. [De *en-*^{3} + *sarrafo* + *-ar*^{2}.] *V. t. d.* Pregar sarrafos em; reforçar com sarrafos: *ensarrafar um cenário.*

ensartar. [Do lat. *insertare.*] *V. t. d.* Enfiar (contas, pérolas, etc.); engranzar, engrazar, sartar.

▲**-ense.** [Do lat. *ense.*] *Suf.* = 'relação', 'procedência', 'origem': *castrense* (< lat. *castrense*), *piauiense.* [Equiv.: *-ês*: *pedrês, português* (< lat. *portucalense*).]

enseada. [Substantivação do fem. do part. *enseado, dum v. *ensear, 'meter no seio' (seio = golfo).] *S. f.* **1.** Pequeno porto ou baía; angra. **2.** Recôncavo (2). **3.** *Bras.* Entrada de campo alagadiço. **4.** *Bras., Marajó.* Área de campo entre dois igarapés ou numa volta de rio, quase naturalmente cercada, orlada de mato e fechada por todos os lados, menos um. **5.** *Bras., GO.* Margens sombrias dos córregos e dos rios.

ensebado. [Part. de *ensebar.*] *Adj.* **1.** Coberto ou untado de sebo: *mastro ensebado.* **2.** Sujo, gorduroso: *gola ensebada.*

ensebar. [De *en-*^{3} + *sebo* + *-ar*^{2}.] *V. t. d.* **1.** Untar ou sujar com sebo; engordurar. **2.** Pôr nódoas em. **3.** Sujar pelo uso. [Conjug.: v. *chegar.*]

ensecadeira. [De *ensecar* + *-deira.*] *S. f.* Estrutura provisória destinada a manter a seco o local de uma obra.

ensecar. [De *en-*^{3} + *seco* + *-ar*^{2}.] *V. t. d.* **1.** Pôr (a embarcação) em seco; varar; secar. **2.** Esgotar, exaurir. [Conjug.: v. *trancar.*]

enseio. [Der. de *enseio*, de **ensear* (v. *enseada*).] *S. m.* **1.** Pequena depressão entre dois montes; quebrada, entresseio. **2.** Pequena enseada.

enseirador (ô). *S. m.* Aquele que enseira figos passados, nos armazéns onde se preparam estes para o comércio. [Cf. *encerador.*]

enseiramento. *S. m.* **1.** Ato de enseirar. **2.** Porção de seiras. [Cf. *enceramento.*]

enseirar. [De *en-*^{2} + *seira* + *-ar*^{2}.] *V. t. d.* Meter em seira. [Cf. *encerar.*]

ensejar. [Do lat. **insidiare.*] *V. t. d.* **1.** Dar ensejo a. **2.** Esperar a oportunidade de: *Desde muito ensejava aquele momento feliz.* **3.** Tentar, ensaiar. *T. d. e i.* **4.** Deparar ou oferecer ocasião de: *Ensejaram-lhe honrarias, que ele, modesto, recusou. P.* **5.** Oferecer-se ou deparar-se: *Ainda não se lhe ensejou ocasião de defesa.* [Conjug.: v. *pelejar.*]

ensejo (ê). [Dev. de *ensejar.*] *S. m.* Ocasião propícia; oportunidade, lance.

➧**ensemble** (ansambl'). [Fr.] *S. m.* **1.** Vestuário de senhora, composto de vestido e casaco (ou capa) que combinam. **2.** *Fís.* Conjunto de numerosos subsistemas idênticos a um subsistema de um sistema dado, todos no mesmo estado macroscópico, porém cada um em diferente estado microscópico, e cujo comportamento estatístico permite analisar o comportamento do subsistema inicial.

ensementar. [De *en-*^{3} + *semente* + *-ar*^{2}.] *V. t. d. Bras.* Semear (1).

ensenhorear-se. [De *en-*^{3} + *senhor* + *-ear* + *se*^{1}.] *V. p.* V. *assenhorear* (2). [Conjug.: v. *frear.*]

▲**ensi-.** [Do lat. *ensis, is.*] *El. comp.* = 'espada': *ensiforme.*

ensífero. [Do lat. *ensiferu.*] *Adj.* **1.** Que traz espada. **2.** V. *tetigoniódeo* (2). • *S. m.* **3.** V. *tetigoniódeo* (1).

ensíferos. *S. m. pl. Zool.* V. *tetigoniódeos.*

ensiforme. [De *ensi-* + *-forme.*] *Adj. 2 g.* Que tem forma de espada: "folhas ensiformes, lisas e lustrosas" (Euclides da Cunha, *Os Sertões*, p. 41).

ensilado. [Part. de *ensilar.*] *Adj. Bras.* Diz-se do cereal guardado em silos. [Cf. *encelado.*]

ensilagem. *S. f. Bras.* Ação ou efeito de ensilar; silagem.

ensilar. [De *en-*^{2} + *silo* + *-ar*^{2}.] *V. t. d. Bras.* Armazenar (cereais) em silos. [Part. *ensilado.* Cf. *encelado.*]

ensimesmado. [Part. de *ensimesmar-se* (q. v.).] *Adj.* Metido consigo mesmo; introvertido, concentrado, absorto.

ensimesmamento. *S. m.* Ação ou efeito de ensimesmar-se: "E ali fiquei embriagado numa plenitude de ensimesmamento, de quietude ioguista" (Padre Antônio Vieira, *Sertão Brabo*, p. 35).

ensimesmar-se. [Do esp. *ensimismarse.*] *V. p.* Meter-se consigo mesmo; concentrar-se, absorver-se: "Não foi para outra coisa que se inventaram pescarias de caniço ou linha, senão para devaneios e sonhos sem sono, para a gente ensimesmar-se, afundada nos prórpios pensamentos." (Nélson de Faria, *Tiziu e Outras Estórias*, p. 28.)

ensinação. *S. f. P. us.* V. *ensinamento.*

ensinadela. *S. f.* **1.** Castigo, ensino: *Recebeu uma ensinadela do pai pela má-criação.* **2.** V. *repreensão* (1). **3.** Lição à própria custa: *A perda do cargo serviu-lhe de ensinadela.*

ensinamento. *S. m.* **1.** Ato ou efeito de ensinar; ensino. **2.** Doutrina, preceito, mandamento. **3.** Exemplo, lição: *Que o caso lhe sirva de ensinamento.* [Sin. ger., p. us.: *ensinação* e *ensinança.*]

ensinança. *S. f. P. us.* V. *ensinamento.*

ensinar. [Do lat. *insignare.*] *V. t. d.* **1.** Ministrar o ensino de; transmitir conhecimentos de; instruir; lecionar: "a Henriqueta ensinava primeiras letras." (Conde de Ficalho, *Uma Eleição Perdida*, p. 38); *ensinar boas maneiras.* **2.** Transmitir conhecimentos a; instruir, educar: *Prefere ensinar o filho em casa a pô-lo num colégio.* **3.** Dar ensino (6) a; adestrar, treinar. **4.** Dar a conhecer; indicar: *ensinar um caminho.* **5.** Dar ensino (7) a; castigar, punir: *Ensinou o filho, dando-lhe boas palmadas. T. d. e i.* **6.** Ministrar ensino; transmitir conhecimentos; lecionar: "o capelão de D. Angelina .... ensinou-lhe o latim, a doutrina, o horror à maçonaria" (Eça de Queirós, *A Correspondência de Fradique Mendes*, p. 15); "Ensino-lhes português e francês, falando com eles e brincando." (Aquilino Ribeiro, *Estrada de Santiago*, p. 101). **7.** Dar ou mostrar como ensinamento; fazer conhecer: "Agora tu, Calíope, me ensina / O que contou ao Rei o ilustre Gama" (Luís de Camões, *Os Lusíadas*, III, 1); "Só a mulher desgraçada sabe ensinar uma criança, que não é sua, a chamar-lhe mãe." (Camilo Castelo Branco, *Livro Negro de Padre Dinis*, p. 19). *Bit. i.* **8.** Ensinar (7): "Um custodista ensinara ao filho a gritar 'Viva Custódio José de Melo'" (R. Magalhães Júnior, *Artur Azevedo e Sua Época*, p. 239). *Int.* **9.** Ministrar ensino; dar aulas; lecionar: *Formou-se no ano passado, e já está ensinando.* **10.** Pregar, doutrinar. *P.* **11.** Aprender por si.

ensino. [Dev. de *ensinar.*] *S. m.* **1.** Transmissão de conhecimentos, informações ou esclarecimentos úteis ou indispensáveis à educação (2) ou a um fim determinado; instrução: *ensino público; ensino técnico; ensino religioso.* **2.** Os métodos empregados para se ministrar o ensino (1): *uma reforma do ensino.* **3.** V. *magistério* (2). **4.** Esforço orientado para a formação ou a modificação da conduta humana; educação: *Esqueceu o ensino que os pais lhe deram.* **5.** Polidez, urbanidade, educação; boas maneiras: "Homem mesmo escandaloso, / Pois não mata, / Pois não furta, / Pois não mente, / Não engana, nem intriga. / Tem preceito, tem ensino" (Manuel Bandeira, *Estrela da Vida Inteira*, p. 329). **6.** Adestramento, treinamento: *O ensino de animais.* **7.** Castigo, ensinadela: *Recebeu um bom ensino por não ter ido à aula.* ◆ **Ensino de primeiro grau.** O que se destina, segundo a Lei de 11/8/1971, à formação da criança e do pré-adolescente e tem a duração de oito anos letivos. [Tb. se diz apenas *primeiro grau.* Cf. *ensino primário.*] **Ensino de segundo grau.** O que se destina, segundo a Lei de 11/8/1971, à formação integral do adolescente, após a conclusão do ensino de primeiro grau, e consta de três ou quatro séries anuais, habilitando o aluno a ingressar em curso superior. [Tb. se diz apenas *segundo grau.* Cf. *ensino médio.*] **Ensino médio.** O que corresponde, hoje, ao ensino de segundo grau [q. v.]. **Ensino primário.** O que corresponde, hoje, ao ensino de primeiro grau [q. v.]. **Ensino superior.** Ensino universitário. **Ensino supletivo.** O que se destina, segundo a Lei de 11/8/1971, a suprir a escolarização regular para os adolescentes e adultos que não a tenham concluído na idade própria, ou a proporcionar estudos de aperfeiçoamento ou atualização aos que hajam seguido, no todo ou em parte, o ensino regular, e que é ministrado em classes ou por meio de rádio, televisão, correspondência, etc., concluindo-se mediante a prestação de exames no nível de primeiro e segundo grau, conforme o caso. [Tb. se diz apenas *supletivo.*]

ensirrostro. [De *ensi-* + *-rostro.*] *Adj. Zool.* Que tem o bico ensiforme.

ensoado. [Part. de *ensoar*^{1}.] *Adj.* **1.** Enfraquecido pelo calor. **2.** Flácido, frouxo. **3.** Diz-se do fruto que ensoou [v. *ensoar*^{1} (1).]

ensoamento. [De *ensoar*^{1} + *-mento.*] *S. m.* **1.** Ato ou efeito de ensoar. **2.** *Bot.* Estiolamento (1).

ensoar^1. [Do lat. *insolare.*] *V. int.* **1.** Recozer-se por efeito do calor (a fruta, antes de madura). **2.** Murchar com o calor do sol. *P.* **3.** Ficar extenuado, abatido, lânguido. [Conjug.: v. *coroar.*]

ensoar^2. [De *en-*^{3} + *som* + *-ar*^{2}.] *V. t. d. Ant.* **1.** Pôr em música. **2.** Entoar (2). [Conjug.: v. *coroar.*]

ensoberbecer. [De *en-*^{3} + *soberba* + *-ecer.*] *V. t. d.* **1.** Tornar soberbo, orgulhoso. **2.** Orgulhar (1). **3.** Elevar, engrandecer. *P.* **4.** Envaidecer-se, envaidar-se, enfatuar-se. [Conjug.: v. *aquecer.*]

ensobradar. [De *en-*^{3} + *sobrado*^{1} + *-ar*^{2}.] *V. t. d.* Assobradar (1).

ensofregar. [De *en-*^{3} + *sôfrego* + *-ar*^{2}.] *V. t. d.* **1.** Tornar sôfrego. **2.** Excitar, provocar, açular. **3.** Tornar-se sôfrego. [Conjug.: v. *regar.*]

ensolarado. [De *en-*^{3} + *solar*^{3} + *-ado*^{1}.] *Adj.* Batido pelo sol; assoalhado: *casa ensolarada.*

ensolteirar-se. [De *en-*^{3} + *solteiro* + *-ar*^{2} + *se*^{1}.] *V. p.* Conservar-se solteiro; não se casar: "sentira necessidade de alguém ao seu lado; mas se perguntou: 'Para que ligar uma vida à minha?' E ia se ensolteirando, não deixando que o coração se afeiçoasse a nenhuma mulher." (Rui Santos, *Teixeira Moleque*, p. 68).

ensolvar. [De *insalivar.*] *V. t. d. Ant. Artilh.* Impedir (a peça) de disparar, umedecendo a pólvora.

ensombrado. [Part. de *ensombrar.*] Adj. **1.** Coberto de sombra; escurecido. **2.** Cheio de tristeza; entristecido.

ensombrar. [De *en-*^{3} + *sombra* + *-ar*^{2}.] *V. t. d.* **1.** Cobrir de sombras; escurecer, assombrar: "A noite já ensombrava o velho sítio quando ali chegamos." (Antônio Justa, *Praia do Desterro*, p. 25.) **2.** Causar tristeza a; entristecer, atristar. *P.* **3.** Cobrir-se de sombras; escurecer. **4.** Ficar triste; entristecer(-se), atristar-se: "O vaqueiro ensombrava-se com a idéia de que se dirigia a terras onde talvez não houvesse gado para tratar." (Graciliano Ramos, *Vidas Secas*, p. 147.)

ensombrear. *V. t. d. e p.* Escurecer, sombrear(-se), ensombrar(se), ensombrecer(-se): "um certo ar de vício a ensombrear-lhe os olhos pestanudos." (Jaime Adour da Câmara, *Oropa, França e Bahia*, p. 17). [Conjug.: v. *frear.*]

ensombrecer. *V. t. d. e p.* V. *ensombrear*: "A casa se ensombrecia nos aniversários. A mãe apagava a metade das luzes." (Nélida Piñon, *O Calor das Coisas*,

p. 188.) [Conjug.: v. *aquecer.*]
ensombrecido. [Part. de *ensombrecer.*] *Adj.* Que ensombreceu; escurecido: "Os olhos perderam o brilho, fundos e ensombrecidos" (Autran Dourado, *As Imaginações Pecaminosas*, p. 79).
ensombro. [Dev. de *ensombrar.*] *S. m.* **1.** Coisa que dá sombra; toldo. **2.** *Fig.* Abrigo, proteção, amparo.
ensopadinho. *S. m.* Ensopado (3).
ensopado. [Part. de *ensopar.*] *Adj.* **1.** Muito molhado; encharcado. ● *S. m.* **2.** Prato de carne picada, galinha, peixe, camarão, etc., ensopados em molho abundante; guisado: "o ensopado de peixe, farto, em travessas e pratos estanhados" (Hugo de Carvalho Ramos, *Tropas e Boiadas*, p. 23). **3.** Prato de carne picada ensopada com legumes; ensopadinho: *ensopado de vagem; ensopado de abóbora.*
ensopar. [De *en-*^{3} + *sopa* + *-ar*^{2}.] *V. t. d.* **1.** Converter em sopa. **2.** Embeber em líquido. **3.** Molhar muito; empapar, encharcar: *O sangue do ferimento ensopou-lhe a camisa.* **4.** *Cul.* Preparar (carne, peixe, verduras, etc.) refogando com diversos temperos e cozinhando a fogo lento em água, caldo de carne, vinho, etc.; guisar. *P.* **5.** Embeber-se, empapar-se, impregnar-se, encharcar-se. **6.** Ficar inteiramente molhado; encharcar-se: *Pegaram uma chuva forte, e ensoparam-se.* **7.** *Gír.* Vencer fácil, por grande contagem.
ensornar. [De *en-*^{3} + *sorna* + *-ar*^{2}.] *V. int. Bras., MG. Pop.* Tardar a cumprir uma ordem; remanchar.
ensovacar. [De *en-*^{3} + *sovaco* + *-ar*^{2}.] *V. t. d.* Pôr ou trazer sob o sovaco: "Dito e muito bem feito. Lá se vai Max ensovacando a sua presa" (Augusto Meyer, *No Tempo da Flor*, p. 36). [Conjug.: v. *trancar.*]
enstatita. [Do gr. *enstátes*, 'que resiste, que se opõe', + *-ita*^{3}.] *S. f. Min.* Mineral ortorrômbico do grupo dos piroxênios, silicato de magnésio.
ensumagrar. [De *en-*^{3} + *sumagre* + *-ar*^{2}.] *V. t. d.* Preparar ou curtir com sumagre.
ensurdecedor (ô). *Adj.* Que ensurdece; atroador: "a gritaria recomeçou, ensurdecedora." (Fernando Sabino, *A Falta Que Ela Me Faz*, pp. 47-48).
ensurdecência. [De *ensurdecer* + *-ência.*] *S. f.* Surdez.
ensurdecer. [De *en-*^{3} + *surdo* + *-ecer.*] *V. t. d.* **1.** Tornar surdo; fazer perder o sentido da audição; emouquecer. **2.** Atordoar, estontear, aturdir, atroar: *A balbúrdia das crianças ensurdecia os presentes.* **3.** Amortecer ou abafar o ruído de: *O espesso tapete ensurdecia os passos. T. d. e i.* **4.** Não prestar ouvidos; não dar atenção: *Ensurdeceu aos apelos do candidato. Int.* **5.** Tornar-se surdo; perder o sentido da audição; emouquecer. **6.** Produzir surdez; emouquecer: "E o trem passava como um raio, num estrondo de ensurdecer" (Fernando Sabino, *O Grande Mentecapto*, p. 15). [Conjug.: v. *aquecer.*]
ensurdecimento. *S. m.* Ato ou efeito de ensurdecer; surdez.
ensurroar-se. [De *en-*^{2} + *surrão* + *-ar*^{2} + *se*^{1}.] *V. p. Bras., RS.* Comer até ficar cheio; fartar-se. [Conjug.: v. *coroar.*]
entablamento. [Do fr. *entablement*, ou f. sincopada de *entabulamento.*] *S. m. Arquit.* O conjunto da arquitrave, friso e cornija; cimalha.
entabocar. [De *en-*^{3} + *taboca*^{1} + *-ar*^{2}.] *V. t. d. Bras.* Apertar; entalar. [Conjug.: v. *trancar.*]
entabuamento. *S. m.* **1.** Ato ou efeito de entabuar(-se). **2.** Sobrado, tabuado.
entabuar. [De *en-*^{2} + *tábua* + *-ar*^{2}.] *V. t. d.* **1.** Guarnecer de tábuas; assobradar, entabular. *P.* **2.** Tornar-se rijo, duro; endurecer.
entabulamento. *S. m. Arquit.* Cercadura de tábuas, que se prega junto ao teto, em paredes de salas ou de outro compartimento, para cobrir a junta do forro com a parede; aba, cimalha, entalhamento.
entabular. *V. t. d.* **1.** V. *entabuar* (1). **2.** Preparar, dispor, pôr em ordem. **3.** *Fig.* Encetar, iniciar (conversa, negociação, entendimento). **4.** Empreender (negócio). **5.** Estabelecer (relações). **6.** Pôr em bom caminho. **7.** *Bras., RS.* Acostumar (um garanhão) a certo número de éguas, para formar uma manada.
entaipaba. *S. f. Bras., MT.* V. *itupava.*
entaipado. [Part. de *entaipar.*] *S. m.* Obra feita com taipais.
entaipamento. *S. m.* Ação ou efeito de construir taipais.
entaipar. [De *en-*^{3} + *taipa* + *-ar*^{2}.] *V. t. d.* **1.** Cobrir de taipas ou de taipais. **2.** Emparedar; encerrar; enclausurar.
entalação. *S. f.* **1.** Ato ou efeito de entalar(-se). **2.** Embaraço, aperto, apuros, dificuldades, comprometimento; entaladela, entalada. **3.** *Bras., Pop.* V. *mal-de-engasgo.* **4.** *Bras., C.O. Pop.* Certa doença nervosa.
entalada. *S. f. Bras.* V. *entalação* (2).
entaladela. *S. f.* V. *entalação* (2).
entalado. [Part. de *entalar.*] *Adj.* **1.** Que se acha entre talas; apertado: *Está com o braço entalado; Ficou com a perna entalada entre a cama e a porta.* **2.** Envolvido, comprometido: *Meteu-se na política, está entalado.* **3.** Engasgado [v. *engasgar* (2, 3 e 5)]: "Em pouco, entalado de farinha, pedi água." (Fernando Sabino, *O Homem Nu*, p. 25.) ● *S. m.* **4.** *Bras. Pop.* Indivíduo que sofre de entalação (3).
entalar. [De *en-*^{2} + *tala*^{2} + *-ar*^{2}.] *V. t. d.* **1.** Meter ou apertar entre talas. **2.** Meter em passagem estreita. **3.** *Fig.* Meter em embaraços, em dificuldades, em talas; enredar; encalacrar, encravelhar, enrascar. *Int.* **4.** V. *engasgar* (3). *P.* **5.** Meter-se em lugar apertado. **6.** Meter-se em dificuldades; enredar-se, encalacrar-se, encravelhar-se, enrascar-se. **7.** V. *engasgar* (3).
entalecer. [De *en-*^{3} + *talo*^{1} + *-ecer.*] *V. int.* Criar talos. [Conjug.: v. *aquecer.*]
entaleigar. [De *en-*^{2} + *taleiga* + *-ar*^{2}.] *V. t. d.* **1.** *Desus.* Meter em taleiga. **2.** Fartar, enfartar, empachar, empanturrar. *P.* **3.** Fartar-se, enfartar-se, empachar-se, empanturrar-se. [Conjug.: v. *largar.*]
entalha. [Dev. de *entalhar.*] *S. f.* Abertura ou corte feito na madeira pelo entalhador; entalhe.
entalhador (ô). *Adj.* **1.** Que entalha. ● *S. m.* **2.** Aquele que faz obra de talha. **3.** Aquele que entalha ou grava [v. *gravar*^{1} (2)]; gravador. **4.** Instrumento de entalhar.
entalhadura. *S. f.* Ato ou efeito de entalhar; entalhe, entalhamento, talha.
entalhamento. *S. m.* V. *entalhadura.*
entalhar. [De *en-*^{3} + *talha* + *-ar*^{2}.] *V. t. d.* **1.** Abrir cortes em (madeira ou objetos de madeira) a fim de criar uma escultura, ou a matriz de uma xilogravura; esculpir, insculpir, gravar: *O Aleijadinho entalhou os altares das igrejas de Minas com grande riqueza de detalhes decorativos. Int.* **2.** Abrir cortes em madeira ou objetos de madeira a fim de criar uma escultura, ou a matriz de uma xilogravura; esculpir, gravar: *Goeldi entalhava primorosamente.*
entalhe. [Dev. de *entalhar.*] *S. m.* **1.** V. *entalhadura.* **2.** Entalha. **3.** V. *entalho.*
entalho. [Dev. de *entalhar.*] *S. m.* **1.** Gravura ou escultura em madeira. **2.** Peça com figuras entalhadas. [F. paral.: *entalhe.*]
entaliscar. [De *en-*^{2} + *talisca* + *-ar*^{2}.] *V. t. d.* **1.** Meter em talisca. **2.** *Bras.* Ligar (tábuas) longitudinalmente por meio de taliscas. *P.* **3.** Meter-se em talisca. [Conjug.: v. *trancar.*]
entalo. [Dev. de *entalar.*] *S. m. Bras. Pop.* V. *mal-de-engasgo.*
entaloado. [De *en-*^{3} + *talão*^{1} + *-ado*^{1}.] *Adj.* Diz-se da ferradura mais alta do lado de trás, do talão.
entalpia. *S. f. Fís.* Função termodinâmica de estado, igual à soma da energia interna com o produto da pressão pelo volume do sistema. ◆ **Entalpia de fusão.** *Fís.* V. *calor de fusão.* **Entalpia de sublimação.** *Fís.* V. *calor de sublimação.* **Entalpia livre.** *Fís.-Quím.* V. *função de Gibbs.*
entálpico. *Adj.* Relativo à entalpia.
entameba. *S. f. Zool.* Endameba.
entancar. [De *en-*^{2} + *tanque*^{1} + *-ar*^{2}.] *V. t. d. Bras.* Represar (água). [Conjug.: v. *trancar.*]
entanguecer. *V. int. e p.* Inteiriçar-se com frio; encolher-se; entanguir-se. [Conjug.: v. *aquecer.*]
entanguido. [Part. de *entanguir.*] *Adj.* **1.** Tolhido de frio; inteiriçado, hirto. **2.** Encolhido, contraído. **3.** *Fig.* Acanhado, enfezado, raquítico, insignificante. [Sin. ger. (bras.): *entanguitado.*]
entanguir. *V. t. d. e p.* **1.** Tornar(-se) tolhido de frio, entanguido (1). **2.** Encolher(-se); contrair(-se). **3.** Tornar(-se) enfezado, raquítico, acanhado. [Defect. Conjug.: v. *languir.*]
entanguitado. *Adj. Bras.* V. *entanguido.*
entaniçar. [De *en-*^{2} + *taniça* + *-ar*^{2}.] *V. t. d. Bras.* Enrolar (folhas de fumo), formando molhos. [Conjug.: v. *laçar.*]
entanto. [Do lat. *intantum.*] **1.** *Adv.* Neste meio tempo, neste ínterim; entretanto, entrementes, no entanto. ● *Conj.* **2.** Todavia, contudo, entretanto, no entanto: "Gosto das coisas ásperas, e entanto / vivo deitado à sombra dos teus olhos." (Odilo Costa, filho, *Boca da Noite*, p. 83); "O céu que ofendes e de que maldizes, / basta-me entanto: amo-o com seus fulgores" (Alberto de Oliveira, *Poesias*, 4ª série, p. 42). ◆ **No entanto. 1.** *Loc. adv.* Neste meio tempo; no entretanto; entretanto, entanto: "Nas curvas lanchas dormem os barqueiros. / O poeta, no entanto, o eterno pária, / Escuta a voz de Inês entre os salgueiros." (Gonçalves Crespo, *Obras Completas*, p. 164.) **2.** *Loc. conj.* Todavia, contudo, entretanto; ainda assim: "Há quem diga que não estamos mais em época de acreditar em bruxas. No entanto, elas ainda existem." (Dias Gomes, *in* Samira Campadelli, *Dias Gomes*, p. 25); "Era já [Goethe] um homem importante. Casou no entanto com uma antiga operária florista" (Eduardo Frieiro, *O Alegre Arcipreste*, p. 44).
então. [Do lat. *intunc.*] *Adv.* **1.** Nesse ou naquele tempo, momento ou ocasião: "O mundo era então luz — hoje é só trevas!" (Gonçalves Dias, *Obras Poéticas*, II, p. 101); *Você ontem me quis falar, e não pude atendê-lo então. Que deseja?* **2.** Nesse caso: *Se você me atender, então tudo se fará.* ● *Interj.* **3.** Serve para animar e denota espanto: *Então, menino, não vai estudar?; Então, foi isso mesmo o que se passou?* ● *S. m.* **4.** Tempo passado; época, antanho: *Nesse então viviam como príncipes.*
entapetar. [De *en-*^{3} + *tapete* + *-ar*^{2}.] *V. t. d. e p.* V. *atapetar.*
entapizar. [De *en-*^{3} + *tapizar.*] *V. t. d. e p.* V. *atapetar.*
▲**-entar.** *Suf. verbal* = 'ação factitiva': *adormentar, afugentar, aformosentar.*
entaramelado. [Part. de *entaramelar.*] *Adj.* Diz-se daquele que se entaramela ao falar, que pronuncia as palavras a custo; tartamudo.
entaramelar. [De *en-*^{3} + *taramela* + *-ar*^{2}.] *V. t. d.* **1.** Embaraçar a fala, a língua de; fazer titubear. **2.** Enredar, emaranhar, enlear. *P.* **3.** Embaraçar-se (a língua ou a fala). **4.** Enredar-se, emaranhar-se, enlear-se.
entardecer. [De *en-*^{3} + *tarde* + *-ecer.*] *V. int.* **1.** Ir caindo a tarde; fazer-se tarde: "Entardecia, e o céu era transparente, entre nuvens azuladas." (Maria Julieta Drummond de Andrade, *O Valor da Vida*, p. 143); "Escutem bem... Quando entardece, / Na meia-luz crepuscular / Tem a toada de uma prece / A voz tristíssima do mar..." (Vicente de Carvalho, *Poemas e Canções*, p. 38). [Conjug.: v. *aquecer*, mas é impess., us. só na 3ª pess. sing.] ● *S. m.* **2.** O cair da tarde; o ocaso: "Campos no entardecer, mares ao meio-dia" (Odilo Costa, filho, *Boca da Noite*, p. 86).
entarraxar. [De *en-*^{3} + *tarraxa* + *-ar*^{2}.] *V. t. d.* Apertar ou segurar com tarraxa; aparafusar; atarraxar, tarraxar.
entas. *S. f. pl.* V. *casa dos entas.*
ente. [Do lat. *ente*, part. pres. de *sum*, separado dos der. *absens*, *praesens.*] *S. m.* **1.** Aquilo que existe; coisa, objeto, matéria, substância, ser. **2.** *Restr.* Pessoa: *ente amado.* **3.** Aquilo que supomos existir. **4.** *Filos.* Tudo que é de maneira concreta, fática ou atual independentemente de, em qualquer nível, tornar-se objeto de reflexão. [Cf., nessa acepç.: *ser* (25).] ◆ **Ente de Deus.** *Bras., N.E. Pop.* Pessoa (1). **Ente de razão.** Aquele que só existe na imaginação, no espírito. **Ente real.** O que tem existência real. **Ente Supremo.** Deus.
▲**-ente.** [Do lat. *ente.*] *Suf. nom.* = 'agente'; 'ação', 'qualidade', 'estado': *combatente, agente* (< lat. *agente*); *crescente* (< lat. *crescente*), poente (< lat. *ponente*), doente (< lat. *dolente*).
enteado. [Do lat. *antenatu*, 'nascido antes' (do segundo casamento).] *S. m.* O filho de matrimônio anterior com relação ao cônjuge atual de seu pai ou de sua mãe.
entear. [De *en-*^{3} + *teia* + *-ar*^{2}.] *V. t. d.* **1.** Converter em teia; tecer. **2.** *Fig.* Entrelaçar, enlear, enredar. [Conjug.: v. *frear.* Pres. ind.: *enteio, enteias, enteia*, etc. Cf. *entéia*, fem. de *enteu.*]
entebense. *Adj. 2 g.* **1.** De, ou pertencente ou relativo à cidade de Entebe (Uganda). ● *S. 2 g.* **2.** Natural ou habitante de Entebe.
entecar. [Do esp. plat. *entecarse.*] *V. int. e p. Bras., RS.* **1.** Ficar imóvel, sem ação. **2.** Enfermar, debilitar. [Conjug.: v. *trancar.* Cf. *enticar.*]
entecer. *V. t. d.* V. *entretecer* (1 e 2). [Conjug.: v. *aquecer.*]
entediado. [Part. de *entediar.*] *Adj.* Que está com tédio; enfadado, amolado, chateado.
entediante. *Adj. 2 g.* Que entedia ou causa tédio; cansativo [q. v.].
entediar. [De *en-*^{3} + *tédio* + *-ar*^{2}.] *V. t. d.* **1.** Causar tédio a; aborrecer, chatear, enjoar, enfastiar, enfarar: *A vida na roça o entedia.* **2.** Ter tédio de; entediar-se com; aborrecer: *Entedia até os antigos prazeres. P.* **3.** Sentir tédio; aborrecer-se, chatear-se, enfastiar-se, enfarar-se, enfadar-se. [Sin. ger., p. us.: *atediar.*]
entéia. *Adj.* Fem. de *enteu.* [Cf. *enteia*, do v. *entear.*]
entejar. [De *entejo* + *-ar*^{2}.] *V. t. d. e p. Desus.* V. *entediar.* [Conjug.: v. *pelejar.*]
entejo (ê). [Do lat. *taediu*, 'tédio'.] *S. m.* Aversão, tédio, nojo, antojo.

entelar. [De *en-*[3] + *tela* + *-ar*[2].] *V. t. d.* Telar (1) [q. v.].

enteléquia. [Do gr. *entelécheia*, pelo lat. *entelechia*.] *S. f. Filos.* **1.** Segundo Aristóteles [v. *aristotelismo*], o resultado ou a plenitude ou a perfeição de uma transformação ou de uma criação, em oposição ao processo de que resulta tal criação ou transformação. **2.** A forma ou a razão que determinam a transformação ou a criação de um ser. **3.** Mônada (2).

entendedor (ô). *Adj.* **1.** Que entende; inteligente. **2.** Sabedor, entendido: *É homem* e n t e n d e d o r *de muitas matérias.* ● *S. m.* **3.** Aquele que entende ou compreende: "A bom e n t e n d e d o r meia palavra basta" (prov.).

entender. [Do lat. *intendere*.] *V. t. d.* **1.** Ter idéia clara de; compreender, perceber: *Sua resposta exata mostra que* e n t e n d e u *minha explicação.* **2.** Ter experiência ou conhecimento de; ser perito ou prático em: *Conta-se que S. Francisco de Assis* e n t e n d i a *a linguagem dos animais.* **3.** Inferir, deduzir, concluir, depreender: *Pelos gestos do amigo* e n t e n d e u *que devia calar-se.* **4.** Crer, achar, pensar: E n t e n d i a *que, resolvido aquele problema, tudo lhe correria bem.* **5.** Julgar; interpretar. **6.** Alcançar a significação, o sentido, a idéia de: *É hermético: não* e n t e n d o *sua poesia.* **7.** Ter intento, propósito, tenção de: E n t e n d e *fazer longa viagem.* **8.** Ouvir; perceber: *A balbúrdia não me permitiu* e n t e n d e r *o conferencista. T. i.* **9.** Meditar, cogitar: *Com o seu invento,* e n t e n d i a *em revolucionar a humanidade.* **10.** Ocupar-se; cuidar: *Desde criança* e n t e n d e *nestes estudos.* **11.** Ter conhecimento e/ou prática; ser hábil ou perito: "Você talvez não e n t e n d a disso, mas o talento está muito desvalorizado." (Joraci Camargo, *Anastácio*, p. 87); "Nunca e n t e n d i de móveis, nem então me preocupei com isto." (Gerardo Melo Mourão, *O Valete de Espadas*, p. 11.) **12.** Dizer respeito; relacionar-se: *Resolveu tudo o que* e n t e n d i a *com a sua especialidade.* **13.** Contender; altercar: "sentado à porta da rua, e n t e n d i a com quem passava e com quem estava pelas janelas, de maneira que ninguém por ali gostava dele." (Manuel Antônio de Almeida, *Memórias de um Sargento de Milícias*, p. 120.) *Int.* **14.** Exercer mando ou vigilância: *Ausente o capataz, é ele quem* e n t e n d e *na fábrica. P.* **15.** Saber o que faz. **16.** Aplicar-se em; ocupar-se. **17.** Travar e/ou manter entendimento; comunicar-se; dialogar: *Quis* e n t e n d e r - m e *com ele, e não o consegui; Não podem continuar juntos, pois há muito não se* e n t e n d e m. ● *S. m.* **18.** Juízo, opinião, parecer: *No meu* e n t e n d e r, *Paulo não tem razão.* [Cf. *intender.*]

entendido. [Part. de *entender.*] *Adj.* **1.** Compreendido, acertado, certo; combinado: *Voltarei amanhã, é coisa* e n t e n d i d a. **2.** Saludor, douto: *homem* e n t e n d i d o *em matemática.* **3.** *Bras. Gír.* Que aceita, entende e/ou pratica variantes do comportamento sexual, em particular do homossexualismo. ● *S. m.* **4.** Aquele que é sabedor, douto: *Os* e n t e n d i d o s *aprovaram sua exposição.* **5.** *Bras. Gír.* Indivíduo entendido (3). ♦ **Bem entendido.** Sem dúvida.

entendimento. *S. m.* **1.** *Filos.* Faculdade de compreender, de pensar ou de conhecer. [Define-se esta faculdade ora como a fonte do conhecimento verdadeiro, e então é oposta ou à sensação ou à imaginação, ora como a faculdade de conhecimento discursivo, e neste caso opõe-se à razão, que cumprirá uma etapa superior de conhecimento.] **2.** Juízo, opinião: *No meu* e n t e n d i m e n t o, *Cruz e Sousa é um grande poeta.* **3.** Combinação, acordo, ajuste: *Irei amanhã, conforme o nosso* e n t e n d i m e n t o.

entendível. *Adj. 2 g.* Que se pode entender ou compreender; inteligível: "Stein monologava agora, naquele solilóquio sem palavras e n t e n d í v e i s, aquela pergunta angustiosa que joga a alma ao chão" (Vicente Licínio Cardoso, *Pensamentos Brasileiros*, p. 174).

entenebrecer. [De *en-*[3] + lat. *tenebrescere*.] *V. t. d.* **1.** Cobrir de trevas; escurecer; obscurecer. **2.** *Fig.* Entristecer, afligir. *Int.* e *p.* **3.** Encher-se de sombras; tornar-se escuro. [Conjug.: v. *aquecer*, mas em geral só se usa na 3ª pess.]

entenrecer. [De *en-*[3] + *tenro* + *-ecer*.] *V. t. d.* **1.** Tornar tenro; amolecer, abrandar; atenrar. *Int.* **2.** Fazer-se tenro; amolecer, abrandar(-se). [Conjug.: v. *aquecer.*]

➧**entente cordiale** (antânt' cordial'). [Fr.] **1.** Entendimento amigável entre duas ou mais nações sobre questões de política internacional. **2.** *Hist.* A aliança militar concluída antes da I Guerra Mundial entre a Inglaterra, a França e a Rússia.

enteomania. [Do gr. *éntheon*, 'inspiração ou furor divino', + *-mania*.] *S. f.* Mania religiosa, em que o paciente se crê inspirado por Deus.

enteralgia. [De *enter(o)-* + *-alg(o)-* + *-ia*.] *S. f. Patol.* Neuralgia intestinal.

enterálgico. *Adj.* Relativo à enteralgia.

enterectasia. [De *enter(o)-* + *-ectas-* + *-ia*.] *S. f. Patol.* Dilatação ou distensão do intestino.

entérico. [Do gr. *enterikós*.] *Adj. Anat.* Relativo ao intestino; intestinal.

enterite. [De *enter(o)-* + *-ite*[1].] *S. f. Patol.* Inflamação no intestino. [Us., em especial, em relação ao intestino delgado.]

enternecedor (ô). *Adj.* Que enternece.

enternecer. [De *en-*[3] + *terno*[2] + *-ecer*.] *V. t. d.* **1.** Tornar terno, brando, amoroso; abrandar. **2.** Tornar compassivo; mover à compaixão; sensibilizar. *P.* **3.** Tornar-se terno, brando, amoroso; abrandar-se. **4.** Sensibilizar-se; condoer-se, compadecer-se. [Conjug.: v. *aquecer.*]

enternecidamente. [Do fem. de *enternecido* + *-mente*.] *Adv.* De maneira enternecida; com enternecimento: "Nabuco se refere e n t e r n e c i d a m e n t e ao rio Lima." (Antônio Carlos Vilaça, *O Desafio da Liberdade*, p. 15.)

enternecido. [Part. de *enternecer.*] *Adj.* **1.** Tornado terno, brando, amoroso: *coração* e n t e r n e c i d o. **2.** Repassado ou impregnado de ternura: *palavras* e n t e r n e c i d a s. **3.** Condoído, compadecido.

enternecimento. [De *enternecer* + *-mento*.] *S. m.* **1.** Ternura, meiguice. **2.** Compaixão, dó, comiseração.

▲**enter(o)-.** [Do gr. *énteron, ou*.] *El. comp.* = 'intestino': *enteralgia, enterogastrite.*

enterocele. [Do gr. *enterokéle*, pelo lat. *enterocele*.] *S. f. Patol.* Hérnia intestinal.

enterocistocele. [De *enter(o)-* + *-cisto-* + *-cele*.] *S. f. Patol.* Hérnia da bexiga, complicada com enterocele.

enteróclise. [De *enter(o)-* + *-clise*[3].] *S. f.* Enteroclisma (1).

enteroclisma. [De *enter(o)-* + *-clisma*.] *S. m.* **1.** Lavagem intestinal; enteróclise. **2.** *Med.* Injeção no intestino, de substância nutritiva ou medicinal.

enterodelo. [De *enter(o)-* + *-delo*.] *Adj. Zool.* Que tem visível ou distinto um tubo intestinal.

enterodinia. [De *enter(o)-* + *-odin(o)-* + *-ia*.] *S. f. Patol.* Dor intestinal.

enterogastrite. [De *enter(o)-* + *gastrite*.] *S. f. Patol. P. us.* Gastrenterite.

enterógono. *S. m.* **1.** Espécime dos enterógonos. ● *Adj.* **2.** Pertencente ou relativo a eles.

enterógonos. *S. m. pl. Zool.* Animais cordados, tunicados, ascidiáceos, da ordem *Enterogona*. Corpo às vezes dividido em tórax e abdome; glândula neural geralmente ventral em relação ao gânglio; gônada única, situada na curva do intestino ou abaixo dela; larva com dois órgãos sensoriais na cabeça.

enterografia. [De *enter(o)-* + *-graf(o)-* + *-ia*.] *S. f.* **1.** Estudo dos movimentos intestinais, mediante enterograma. **2.** Descrição dos intestinos.

enterográfico. *Adj.* Relativo à enterografia.

enterógrafo. [De *enter(o)-* + *-grafo*.] *S. m.* Instrumento com que se efetua o enterograma.

enterograma. [De *enter(o)-* + *-grama*.] *S. m.* Registro gráfico que se obtém mediante o uso de enterógrafo. [V. *enterografia*.]

enterólito. [De *enter(o)-* + *-lito*.] *S. m.* Concreção intestinal.

enterologia. [De *enter(o)-* + *-log(o)-* + *-ia*.] *S. f.* Tratado do intestino e das suas funções.

enterológico. *Adj.* Relativo à enterologia.

ênteron. [Do gr. *énteron*.] *S. m. Zool.* Designação usual para cavidade gástrica de animais rudimentares, como os poríferos e cnidários, bem como para estruturas embrionárias; intestino.

enteropneusto. [De *enter(o)-* + gr. *pneústes*, 'que respira'.] *S. m.* **1.** Verme cuja respiração é interior. **2.** Espécime dos enteropneustos; falanoglosso. ● *Adj.* **3.** Pertencente ou relativo aos enteropneustos; falanoglosso.

enteropneustos. *S. m. pl. Zool.* Animais cordados, acrânios, hemicordados, vermiformes, da classe *Enteropneusta*, com numerosas fendas branquiais; falanoglossos.

enteroquínase. [De *enter(o)-* + *quin*, do gr. *kinetikós*, 'que agita', + *-ase*.] *S. f.* Diástase do suco entérico ou intestinal, a qual, atuando sobre o tripsinogênio, o converte em tripsina ativa.

enterorragia. [De *enter(o)-* + *-ragia*.] *S. f. Med.* Hemorragia de origem intestinal.

enterose. [De *enter(o)-* + *-ose*.] *S. f. Patol.* Qualquer doença intestinal.

enterotomia. [De *enter(o)-* + *-tom(o)-* + *-ia*.] *S. f. Cir.* Incisão, de extensão e direção variáveis, realizada no intestino.

enterotômico. *Adj.* Relativo à enterotomia.

enterótomo. [De *enter(o)-* + *-tomo*.] *S. m.* Instrumento com que se faz a enterotomia.

enterozoário. [De *enter(o)-* + *-zoário*.] *S. m.* **1.** Espécime dos enterozoários. ● *Adj.* **2.** Pertencente ou relativo a eles.

enterozoários. *S. m. pl. Zool.* Animais metazoários que têm cavidade digestiva. São todos os animais, com exceção dos protozoários, mesozoários e parazoários.

enterrada. [Fem. substantivado do part. de *enterrar*.] *S. f. Bras. Basq.* Ato ou efeito de enterrar (15).

enterrador (ô). *S. m.* Aquele que enterra ou sepulta; coveiro, sepultureiro.

enterramento. *S. m.* **1.** Ato ou efeito de enterrar(-se); enterro. **2.** V. *funeral* (2).

enterrar. [De *en-*[2] + *terra* + *-ar*[2].] *V. t. d.* **1.** Pôr debaixo da terra; soterrar: e n t e r r a r *uma semente.* **2.** Pôr debaixo da terra; encerrar em túmulo; sepultar, inumar: e n t e r r a r *um cadáver.* **3.** Esconder ou ocultar debaixo da terra: E n t e r r o u *o dinheiro, temendo os ladrões.* **4.** *P. ext.* Esconder, ocultar. **5.** Causar a morte de: *A recaída da tuberculose* e n t e r r o u *-o.* **6.** Comparecer ao enterro de: *Fomos ontem* e n t e r r a r *o nosso amigo X, vítima dum enfarte;* "Um por um, na verdade, ela ia e n t e r r a n d o os parentes, sem mostra especial de lástima. Ao tempo da peste bubônica, em menos de dois meses levara oito ao cemitério" (Josué Montelo, *O Labirinto de Espelhos*, p. 73). **7.** Sobreviver a: *Já* e n t e r r o u *duas mulheres, e vai casar de novo.* **8.** Celebrar o fim de: E n t e r r a m o s *a quaresma com um lauto almoço.* **9.** Fazer cair em descrédito; abalar a reputação de: *Suas patranhas o* e n t e r r a r a m. **10.** Pôr termo a (assunto ou questão desagradável, constrangedora); liquidar. **11.** Levar à ruína, à derrota, ao insucesso: *O arrojo excessivo dos seus empreendimentos industriais acabou* e n t e r r a n d o *-o; A péssima atuação do meia-direita* e n t e r r o u *o time; A peça é ótima, porém a má representação* e n t e r r o u *-a.* **12.** *Teat. Gír.* Celebrar o fim da temporada de (uma peça), em geral modificando-lhe com irreverência o texto e as marcações: *Hoje os atores vão* e n t e r r a r O Avarento, *de Molière. T. d.* e *i.* **13.** Cravar ou espetar profundamente: E n t e r r o u *a faca no adversário.* **14.** Aplicar (dinheiro, bens, etc.) numa transação de que resulta prejuízo ou lucro inferior ao que se esperava: E n t e r r o u *um dinheirão naquela propriedade. Int.* **15.** *Bras. Basq.* Fazer passar a bola com a(s) mão(s), com força, pelo aro da cesta, de cima para baixo. *P.* **16.** Penetrar, introduzir-se, internar-se: *A flecha* e n t e r r o u - s e *na árvore.* **17.** Retirar-se do convívio social; isolar-se, insular-se. **18.** Cair em descrédito; perder a reputação; desacreditar-se. **19.** Encher-se de dívidas; arruinar-se financeiramente. **20.** Aplicar-se com paixão; entregar-se; absorver-se: e n t e r r a r - s e *em uma tarefa.* **21.** Encher-se, empanturrar-se: E n t e r r o u - s e *na feijoada.* [Pres. ind.: *enterro*, etc. Cf. *enterro* (ê).]

enterreirar. [De *en-*[3] + *terreiro* + *-ar*[2].] *V. t. d.* **1.** Aplanar ou limpar (o terreno) para a eira; converter em terreiro (1). *P.* **2.** Reunir-se em terreiro (4). **3.** *P. ext.* Desafiar-se, digladiar-se.

enterro (ê). [Dev. de *enterrar*.] *S. m.* **1.** Enterramento (1). **2.** O ato de enterrar (2) um cadáver. **3.** V. *funeral* (2). **4.** *Teat. Gír.* O último espetáculo de uma peça, em que os atores com improvisações de falas e atitudes, modificam de propósito e com irreverência o texto e as marcações. **5.** *Bras., RS.* Dinheiro ou objetos de valor enterrados. [Pl.: *enterros* (ê). Cf. *enterro*, do v. *enterrar*.]

enterro-dos-ossos. *S. m.* **1.** *Bras.* Sobras de refeição que se comem no dia seguinte ao de uma festa lauta. **2.** *Bras., MT. Pop.* Antiga brincadeira de Corumbá, no primeiro domingo após o carnaval: grupos de foliões, com roupas de luto, saíam à rua executando marchas fúnebres e conduzindo caixões mortuários, que na realidade estavam repletos de comidas e bebidas, consumidas, entre risos e galhofa, em determinados pontos da cidade. [Pl.: *enterros-dos-ossos*.]

enterroar. [De *en-*[3] + *terrão* + *-ar*[2].] *V. t. d.* e *p. P. us.* Entorroar. [Conjug.: v. *coroar*.]

entesado. [Part. de *entesar*.] *Adj.* Teso, retesado.

entesamento. *S. m.* Ato ou efeito de entesar(-se).

entesar. [De *en-*[3] + *teso* + *-ar*[2].] *V. t. d.* **1.** Fazer teso ou tenso; retesar. **2.** Tornar direito, reto; esticar, endireitar. **3.** Endurecer, enrijar, enrijecer. [Sin., nessas acepç.: *tesar*.] *Int.* **4.** Fazer-se teso ou tenso. *P.* **5.** Tornar-se teso ou tenso; estirar-se. **6.** Não ceder; resistir; teimar. [Sin. ger.: *atesar*.]

entesoirador (ô). *Adj.* e *s. m.* Var. de *entesourador*.

entesoiramento. *S. m.* Var. de *entesouramento.*
entesoirar. *V. t. d.* Var. de *entesourar.*
entesourador (ô). *Adj. e s. m.* Que ou aquele que entesoura. [Var.: *entesoirador.*]
entesouramento. *S. m.* Ato de entesourar. [Var.: *entesoiramento.*]
entesourar. [De *en-*^{3} + *tesouro* + *-ar*^{2}.] *V. t. d.* **1.** Juntar, ajuntar, acumular, amontoar (dinheiro, riqueza, etc.). **2.** Arrecadar ou guardar em tesouro ou como em tesouro (dinheiro, bens, etc.): "vendo, pela primeira vez na vida, dinheiro grosso, achou de bom aviso entesourá-lo para se resguardar de futuros apertos" (Antônio Versiani, *Viola de Queluz,* p. 11). [Var.: *entesoirar.*]
entestar^{1}. [De *en-*^{3} + *testa* + *-ar*^{2}.] *V. t. i.* **1.** Fazer frente; confrontar, defrontar: "Chegou ao muro de pedra solta que entestava com o caminho." (José Rodrigues Miguéis, *Onde a Noite Se Acaba,* p. 42); *A casa entesta com a praia.* **2.** Ser limítrofe; ser contíguo; confinar, limitar-se: *O Rio Grande do Sul entesta com a Argentina.* **3.** Encostar, tocar, roçar: *A alta torre parecia entestar nas nuvens.*
entestar^{2}. [De *en-*^{3} + testo (ê) + *-ar*^{2}.] *V. t. d.* Pôr testo a; cobrir com testo.
enteu. [Do gr. *éntheos,* pelo lat. *entheu.*] *Adj.* **1.** Inspirado por Deus. **2.** Cheio de amor divino. [Fem.: *entéia* (q. v.).]
entibecer. [De *en-*^{3} + *tíbio* + *-ecer.*] *V. t. d., int.* e *p.* V. *entibiar.* [Conjug.: v. *aquecer.*]
entibiamento. *S. m.* V. *tibieza.*
entibiar. [De *en-*^{3} + *tíbio* + *-ar*^{2}.] *V. t. d.* **1.** Tornar tíbio, frouxo, morno: *A doença entibiou-lhe a vontade. Int.* e *p.* **2.** Tornar-se tíbio, frouxo, morno; enfraquecer-se. **3.** Perder a energia, o entusiasmo. [Sin. ger.: *entibecer.*]
entica. [Dev. de *enticar.*] *S. f. Bras.* Provocação, implicância.
enticador (ô). *Adj. Bras.* V. *enticante.*
enticante. *Adj. 2 g. Bras.* Que entica; implicante, provocante; enticador.
enticar. *V. t. i. Bras., prov. lus.,* e *açor.* Mexer com alguém por prevenção; implicar; provocar, aborrecer, importunar: *Gosta de enticar com todo o mundo.* [Conjug.: v. *trancar.* Cf. *entecar.*]
entidade. [Do lat. *entitate.*] *S. f.* **1.** Aquilo que constitui a essência de uma coisa; existência; individualidade; ente, ser. **2.** Tudo quanto existe ou pode existir. **3.** *Bras.* Sociedade ou grupo que dirige as atividades duma classe.
entijolamento. *S. m.* Ação de entijolar.
entijolar. [De *en-*^{3} + *tijolo* + *-ar*^{2}.] *V. t. d.* Cobrir de tijolos.
entijucado. [Part. de *entijucar.*] *Adj. Bras.* Sujo de barro, ou enlameado com tijuco. [Var.: *entujucado.*]
entijucar. [De *en-*^{3} + *tijuco* + *-ar*^{2}.] *V. t. d.* e *p. Bras.* Sujar(-se) de lama ou de barro; enlamear(-se), embarrear(-se): "Secam os igapós, delineiam-se os 'sacados', a terra firme encharca-se, a várzea entijuca-se, as ilhas dilatam-se" (Alberto Rangel, *Sombras n'Água,* p. 26). [Var.: *entujucar.* Conjug.: v. *trancar.*]
entimema. [Do gr. *enthymema,* 'concepção', pelo lat. *enthymema.*] *S. m. Lóg.* Silogismo em que se subentende uma premissa; silogismo truncado, incompleto.
entintador (ô). [De *entintar* + *-(d)or.*] *Adj.* ~V. *rolo* —.
entintamento. *S. m. Art. Gráf.* Ato ou efeito de entintar; atintamento, tintagem.
entintar. [De *en-*^{3} + *tinta* + *-ar*^{2}.] *V. t. d. Tip.* Recobrir (fôrma de qualquer natureza) com tinta, manual ou mecanicamente, por meio de bala, rolo, etc., para tirar provas ou imprimir; atintar, tintar.
entisicar. [De *en-*^{3} + *tísico* + *-ar*^{2}] *V. t. d.* **1.** Tornar tísico. **2.** Importunar, apoquentar, aborrecer, incomodar. *Int.* **3.** Ficar tísico: "Só lhes digo que com outra noite como a de hoje entisico. Estou com os pulmões em estado lastimável." (Coelho Neto, *A Conquista,* p. 437); "Entisicara depois de uma chuvada que levou ao sair de uma casa de farinha." (José Lins do Rego, *Meus Verdes Anos,* p. 131). **4.** Emagrecer; definhar; entibiar-se. *P.* **5.** Tornar-se tísico. **6.** Exaurir-se, esgotar-se, minguar. [Conjug.: v. *trancar.*]
entivação. *S. f.* Ato de entivar.
entivar. *V. t. d.* Revestir de tábuas; entabuar.
▲**ent(o)-.** [Do gr. *entós.*] *Pref.* = 'posição interior', 'dentro': *entoptoscopia, entófito.*
▲**-ento.** Equiv. de *-(l)ento.*
entoação. *S. f.* **1.** Ato ou efeito de entoar. **2.** Modulação na voz de quem fala ou recita; inflexão, entonação. [Sin. ger.: *entoamento.*]
entoado. *Adj.* Que tem entoação (2): "andava sempre lendo a Bíblia .... e cantando hinos protestantes, em voz alta e entoada, que perturbava o trabalho alheio." (Maria Julieta Drummond de Andrade, *Um Buquê de Alcachofras,* p. 27).
entoador (ô). *Adj.* e *s. m.* Que ou aquele que entoa.
entoamento. *S. m.* V. *entoação.*
entoar. [De *en-*^{3} + *tom* + *-ar*^{2}.] *V. t. d.* **1.** Fazer soar; fazer ouvir, cantando. **2.** Começar, principiar, iniciar (um canto); ensoar. **3.** Dar o tom (13) para se cantar ou tocar instrumento. **4.** Pôr no tom (12). **5.** Proferir, enunciar: *Entoou os motivos que ali o traziam.* **6.** Dar direção a; dirigir, encaminhar: *entoar um negócio. T. d.* e *i.* **7.** Dirigir, cantando: *Entoaram hinos ao Senhor. T. i.* **8.** Descobrir pelo tino ou por conjetura; atinar: *Não entôo com a razão daquele rompimento.* **9.** *Bras. Pop.* Agradar, aprazer: *Aquela resposta não lhe entoou, e resolveu reagir.* [Conjug.: v. *coroar.* Cf. *entonar.*]
entocar. [De *en-*^{2} + *toca* + *-ar*^{2}.] *V. t. d. Bras.* **1.** Meter em toca. *P.* **2.** Sumir-se num buraco ou cova; encafuar-se. [Conjug.: v. *trancar.* Cf. *entoucar.*]
entocéfalo. [De *ent(o)-* + *-céfalo.*] *S. m. Zool.* Uma das peças da cabeça dos hexápodes.
entófito. [De *ent(o)-* + *-fito.*] *Adj. Morfol. Veg.* Que se desenvolve no próprio tecido de uma planta.
entogástrio. [De *ent(o)-* + *-gastr(o)-* + *-io*^{2}.] *S. m. Zool.* Uma das peças do abdome dos insetos.
entógnato. [De *ent(o)-* + *-gnato.*] *Adj.* **1.** Diz-se do inseto que tem as peças bucais inclusas na cabeça. **2.** V. *dipluro* (2). ● *S. m.* **3.** V. *dipluro* (1).
entógnatos. *S. m. Pl. Zool.* V. *dipluros.*
entoiçar. *V. int.* Var. de *entouçar.* [Conjug.: v. *laçar.*]
entojado. [Part. de *entojar.*] *Adj.* **1.** Que experimenta entojo; repugnado, anojado, enjoado. **2.** *Bras., MG* e *SP. Pop.* Cheio de si; vaidoso.
entojar. [De *entojo* (ô) + *-ar*^{2}.] *V. t. d.* **1.** Causar nojo a; repugnar. **2.** Aborrecer, entediar, amolar. *Int.* **3.** *Bras.* Sentir entojo. [Pres. ind.: *entojo,* etc. Cf. *entojo* (ô).]
entojo (ô). *S. m.* **1.** Var. de *antojo*^{2}. **2.** Nojo que a mulher experimenta no período de gravidez. **3.** Desejos extravagantes que lhe advêm nesse período. [Pl.: *entojos* (ô). Cf. *entojo,* do v. *entojar.*]
entômico. *Adj.* Relativo ou pertencente a insetos.
▲**entom(o)-.** [Do gr. *éntomos, os, on.*] *El. comp.* = 'inseto'; 'dividido': *entomofilia; entomostráceo, entomozoário.*
entomobriomorfo. *S. m.* **1.** Espécime dos entomobriomorfos. ● *Adj.* **2.** Pertencente ou relativo a eles.
entomobriomorfos. *S. m. pl. Zool.* Insetos da ordem dos colêmbolos, subordem *Symphypleona,* seção *Entomobryomorpha,* nos quais o tergo do protórax é sempre membranoso e sem pêlos.
entomofilia. [De *entom(o)-* + *-fil(o)*^{2} + *-ia.*] *S. f. Bot.* Modalidade de polinização em que os grãos de pólen são transportados pelos insetos, que, ao visitarem as flores de néctar, se empoam com o pólen e vão depositá-lo noutra flor.
entomófilo. *Adj. Bot.* Diz-se da planta polinizada por entomofilia.
entomógeno. [De *entom(o)-* + *-geno*^{1}.] *Adj. Bot.* Que se gera sobre um inseto.
entomologia. [De *entom(o)-* + *log(o)-* + *-ia.*] *S. f.* Parte da zoologia que trata dos insetos; insetologia.
entomológico. *Adj.* Relativo à entomologia; insetológico.
entomologista. *S. 2 g.* Especialista em entomologia; entomólogo, insetologista.
entomólogo. *S. m.* V. *entomologista.*
entomostráceo. [De *entom(o)-* + *-ostrac(o)-* + *-eo.*] *S. m.* **1.** Espécime dos entomostráceos. ● *Adj.* **2.** Pertencente ou relativo a eles.
entomostráceos. *S. m. pl. Zool.* Animais metazoários, artrópodes, crustáceos, caracterizados pelo pequeno tamanho, número variável de somitos, situação da glândula excretora no segundo segmento maxilar, ausência de mó gástrica, e presença de coração singelo.
entomozoário. [De *entom(o)-* + *-zoário.*] *S. m.* **1.** Espécime dos entomozoários. ● *Adj.* **2.** Pertencente ou relativo a eles.
entomozoários. *S. m. pl. Zool.* Designação usada por Blainville, naturalista francês (1777-1850), para abranger um grande grupo de animais, no qual seriam incluídos os anelídeos e os artrópodes das atuais classificações.
entonação. [De *en-*^{3} + *tono* + *-ação.*] *S. f.* **1.** V. *entoação* (2). **2.** Canto em tom (13) dado. **3.** Tom (5) que se toma falando ou lendo.
entonado. *Adj.* V. *embecado.*
entonar. [De *en-*^{3} + *tono* + *-ar*^{2}.] *V. t. d.* **1.** Erguer altivamente, ostentar majestosamente (a fronte). *P.* **2.** Mostrar-se altivo, arrogante, soberbo; ensoberbecer-se. [Cf. *entoar.*]
entonce. [Do lat. vulg. **intunce.*] *Adv. Bras., pop.,* e *arc.* Então. [Var.: *entonces.*]
entonces. *Adv. Bras., pop.,* e *arc.* Var. de *entonce.*
entono. [Do esp. *entono.*] *S. m.* **1.** Altivez, majestade. **2.** Soberba, arrogância; orgulho; vaidade.
entontecedor (ô). *Adj.* Que entontece, estonteante, estonteador.
entontecer. [De *en-*^{3} + *tonto* + *-ecer.*] *V. t. d.* **1.** Causar tonturas ou vertigens a; tornar tonto. **2.** Tornar tonto, tolo, idiota. **3.** Enlouquecer, endoidecer, desvairar, estontear. *Int.* **4.** Ficar tonto, ter vertigens. **5.** Ficar tonto, tolo, imbecil. **6.** Perder a razão, enlouquecer, ensandecer, desvairar, estontear. **7.** Causar tonturas ou vertigens; tornar tonto: "O perfume e os vinhos entontecem." (Manuel Bandeira, *Estrela da Vida Inteira,* p. 68.) [Sin. ger.: *atontar.* Conjug.: v. *aquecer.*]
entontecimento. *S. m.* Ato ou efeito de entontecer.
entóptico. [De *ent(o)-* + *óptico.*] *Adj.* **1.** Referente a fenômenos visuais cuja sede é intra-ocular. [Var.: *entótico.*]
entoptoscopia. [De *ent(o)-* + *opt,* rad. do gr. *óptomai,* 'ver', + *-scop-* + *-ia.*] *S. f. Med.* Observação do interior do olho para examinar seus meios e avaliar sua transparência. [Var.: *entotoscopia.*]
entoptoscópico. *Adj.* Relativo à entoptoscopia. [Var.: *entotoscópico.*]
entoptoscópio. [De *ent(o)-* + *opt,* rad. do gr. *óptomai,* 'ver', + *-scop-* + *-io.*] *S. m.* Instrumento com que se realiza a entoptoscopia. [Var.: *entotoscópio.*]
entornado. [Part. de *entornar.*] *Adj.* Espalhado; derramado.
entornadura. *S. f.* Ato ou efeito de entornar(-se); derramamento.
entornar. [De *en-*^{4} + lat. *tornare,* 'voltar', 'volver'.] *V. t. d.* **1.** Voltar, inclinar, emborcar (um vaso), para despejá-lo; emborcar, despejando: *Entornou a vasilha de leite.* **2.** Derramar, despejar (líquido, grânulos, objetos pequenos, etc.): "o candeeiro de petróleo caiu, entornando o conteúdo." (Domingos Monteiro, *Histórias das Horas Vagas,* p. 110); *Entornou o chá, sujando a toalha: Entornei o açúcar na lata.* **3.** Fazer extravasar; deitar fora: *Encheu a xícara até entornar o café.* **4.** Difundir, espalhar (som, luz, etc.). **5.** Dar profusamente; prodigalizar, prodigar; esbanjar. **6.** Tomar (bebida alcoólica): *Entornou três copos de cerveja. Int.* **7.** Ingerir bebidas alcoólicas em quantidade; embriagar-se. *P.* **8.** Derramar-se, extravasar, transbordar. **9.** Transtornar-se, perturbar-se; turvar-se: *Entornou-se a longa amizade.* **10.** Espalhar-se, propagar-se.
entorno. [De *em torno.*] *S. m.* **1.** *Mat.* Região que se situa em torno de um determinado ponto. **2.** Circunvizinhança. **3.** *Arquit.* Área, de extensão variável, vizinha de um bem tombado [v. *tombar*^{2} (2)]: "O Secretário da Cultura, do Ministério da Educação e Cultura, ... resolve: I — Considerar como de entorno dos conjuntos, paisagens e edificações situados na Cidade Imperial de Petrópolis e inscritos nos Livros do Tombo ...., as áreas compreendidas (abrangidas) pelos seguintes logradouros e sítios" (da Portaria nº 05, de 24.6.1981). **4.** *P. ext. Arquit.* Área vizinha de um bem a ser tombado [v. *tombar*^{2} (2)]. **5.** *P. ext.* Toda a área circundante de uma construção. **6.** *P. ext.* O conjunto de todos os elementos (área verde, construções vizinhas, anexas, etc.), que interferem na paisagem do entorno (3 e 4).
entorpecente. *Adj. 2 g.* **1.** Que entorpece. ● *S. m.* **2.** Substância tóxica que produz estado agradável de embriaguez, e a que o organismo se habitua, vindo a tolerar doses grandes, mas que provocam a necessidade de seu uso, o qual acarreta progressivas perturbações físicas e morais; estupefaciente.
entorpecer. [De *en-*^{4} + *torpecer.*] *V. t. d.* **1.** Causar torpor a. **2.** Tirar a energia a; enfraquecer; debilitar, entibiar, enervar. **3.** Retardar ou suspender o movimento ou a ação de: *O calor excessivo entorpece as faculdades mentais. Int.* e *p.* **4.** Estar ou ficar em torpor. **5.** Desalentar-se; desfalecer, esmorecer. [Sin. ger.: *torpecer.* Conjug.: v. *aquecer.*]
entorpecido. [Part. de *entorpecer.*] *Adj.* **1.** Que está em torpor; mole, enfraquecido. **2.** Desanimado, desalentado. [Sin. ger.: *tórpido.*]
entorpecimento. *S. m.* **1.** Falta de ação; paralisia. **2.** Desânimo, desalento; preguiça. [Sin. ger.: *torpor.*]
entorroar. [De *en-*^{3} + *torrão* + *-ar*^{2}.] *V. t. d.* e *p.* Converter(-se) em torrões [Sin., p. us.: *enterroar.* Conjug.: *coroar.*]

entorse. [Do fr. *entorse*.] *S. f. Patol.* Série de lesões, variáveis segundo o tipo de articulação e a intensidade do traumatismo, que se produzem numa articulação que sofreu movimento que não chega a ocasionar luxação, resultando, pois, de traumatismo ligamentar. [Cf. *luxação* (2).]
entortadura. *S. f.* Ato ou efeito de entortar(-se); torção, torcedura.
entortar. [De *en-*³ + *torto* + *-ar*²] *V. t. d.* **1.** Tornar torto (1); empenar. **2.** Desviar da linha reta, do eixo; curvar; arquear. **3.** Desviar ou afastar do bom caminho. *Int.* e *p.* **4.** Tornar-se torto; empenar-se. **5.** *Fam.* Embriagar-se, embebedar-se. **6.** Arruinar-se; perder-se.
entótico¹. [De *ent(o)-* + gr. *otikós*, 'auricular'.] *Adj.* Que se origina do ouvido, ou está situado dentro dele.
entótico². *Adj.* Var. de *entóptico*.
entotoscopia. *S. f. Med.* Var. de *entoptoscopia*.
entotoscópico. *Adj.* Var. de *entoptoscópico*.
entotoscópio. *S. m.* Var. de *entoptoscópio*.
entotrofo. *S. m.* e *adj.* V. *dipluro*.
entotrofos. *S. m. pl. Zool.* V. *dipluros*.
entoucar. *V. int. Mar.* Enrolar-se a amarra em torno do(s) braço(s) ou da(s) pata(s) de uma âncora fundeada: *A amarra entoucou no ferro.* [Cf. *entocar*.]
entouçar. [De *en-*³ + *touça* + *-ar*².] *V. int.* **1.** Criar touça. **2.** Espessar-se; engrossar. **3.** *Fig.* Tornar-se forte, robusto; robustecer(-se). [Var.: *entoiçar*. Conjug.: v. *laçar*.]
➧**entourage** (anturráj). [Fr.] *S. m.* As pessoas que nos rodeiam, com quem convivemos; esfera ou meio em que se vive; roda.
entourar. [De *en-*³ + *touro* + *-ar*².] *V. t. d. Bras., SC.* Pôr o touro em (o rebanho) na época da reprodução ou monta.
entozoário. [De *ent(o)-* + *-zoário*.] *Zool. S. m.* **1.** Animal parasito; verme intestinal. ● *Adj.* **2.** Zoóbio.
entrabrir. *V. t. d., int.* e *p. P. us.* V. *entreabrir*.
entrada. *S. f.* **1.** Ato de entrar. **2.** Ingresso, admissão, introdução. **3.** Abertura, boca: *a entrada do poço.* **4.** Porta, portão: *entrada da casa.* **5.** Começo, princípio, início: *Na entrada do inverno ele passa mal.* **6.** Ocasião, oportunidade, ensejo, azo: *Falastrão como é, não me deu entrada para falar.* **7.** Investida, arremetida. **8.** Boas relações, intimidade, familiaridade. **9.** Parte da cabeça, acima das fontes, destituída de cabelo: "sua larga fonte de utopista se prolongava em fundas *entradas*, sob tufos de fios ruivos." (Ciro dos Anjos, *A Menina do Sobrado*, p. 133). **10.** Quantia com que se começa um jogo ou um negócio. **11.** Bilhete que dá direito ao ingresso em espetáculo ou outra diversão qualquer; ingresso: *Você tem as entradas para o chá de caridade?* **12.** *Bibliogr.* V. *folhas preliminares.* **13.** *Cul.* O primeiro prato, em almoço, ceia ou jantar: *O jantar constou de uma entrada de peixe e uma carne assada.* **14.** *Eletrôn.* Parte de um circuito eletrônico que recebe um sinal externo para transformá-lo. **15.** *Eletrôn.* Sinal externo recebido por um circuito; pulso de entrada. **16.** *Mec.* V. *admissão* (4). **17.** *Proc. Dados.* Transferência de uma informação externa para o processador central ou para um dispositivo de armazenamento intermediário. **18.** *Proc. Dados. P. ext.* Qualquer informação externa. **19.** *Tip.* Espaço em branco que se deixa ao alto da página, em começo de capítulo. **20.** *Tip.* V. *recolhido* (4). **21.** Expressão ou palavra que, encabeçando uma notícia bibliográfica, iconográfica, etc., ou uma ficha catalográfica, indica o aspecto (autoria, título, assunto, etc.) sob o qual um assunto entra em índice, catálogo, bibliografia, iconografia, etc. [Quando se trata de ficha, diz-se tb. *cabeçalho*.] **22.** *Bras.* Expedição organizada, no período colonial, pelas autoridades ou por particulares, e que geralmente partia dum ponto do litoral, para explorar o interior, apresar indígenas destinados à escravidão, ou procurar minas. [Cf. *bandeira* (12).] ◆ **Entrada de autor. 1.** *Bibliogr.* A que consiste em um nome de autor. **2.** *Bibliot.* Cabeçalho de autor. **Entrada de máquina.** *Art. Gráf.* Cada uma das vezes em que se põe a(s) fôrma(s) na prensa para efetuar determinada tiragem.
entrada-de-barra. *S. f. Bras., MA. Pop.* Gole de bebida espirituosa; pinga. [Pl.: *entradas-de-barra*.]
entradista. *S. m. Bras.* Aquele que participava de entradas [v. *entrada* (22)].
entrado. [Part. de *entrar*.] *Adj.* **1.** Que entrou. **2.** V. *entrado em anos.* **3.** Um tanto embriagado. **4.** *Bras., S.* Diz-se do indivíduo que gosta de tomar liberdade com outrem; ousado, confiado. ~ V. *composição* —*a*.
entra-e-sai. [De *entrar* + *e* + *sair*.] *S. m. 2 n. Bras.* Movimento ininterrupto de entrada e saída de pessoas: "naquele pórtico aparatoso, diante da aglomeração festeira, no enfervilhamento do *entra-e-sai* do povo" (Gilberto Amado, *Depois da Política*, p. 54).
entrajar. [De *en-*³ + *traje* + *-ar*².] *V. t. d.* **1.** Pôr traje a: enroupar. *P.* **2.** Prover-se de traje; enroupar-se.
entraje. [Dev. de *entrajar*.] *S. m.* **1.** Ato de entrajar. **2.** V. *traje*.
entralhar. [De *en-*³ + *tralha* + *-ar*²] *V. t. d.* **1.** Tecer as tralhas [v. *tralha* (2)] de. **2.** Prender na tralha (1); enredar. **3.** *Marinh.* Coser tralha (3 e 4) em (vela, bandeira, toldo). *Int.* **4.** Ficar preso; prender-se; enredar-se, embaraçar-se.
entralho. [Dev. de *entralhar*.] *S. m. Pesc.* Fio ou cabo delgado com que se cose a rede à tralha (3).
entrançado. [Part. de *entrançar*.] *Adj.* **1.** Que forma trança. **2.** Entrelaçado, enleado. ● *S. m.* **3.** V. *entrançamento*.
entrançadura. *S. f.* V. *entrançamento*.
entrançamento. *S. m.* Ato ou efeito de entrançar(-se); entrançado, entrançadura.
entrançar. [De *en-*³ + *trança* + *-ar*.²] *V. t. d.* **1.** Pôr em trança, trançar. **2.** Dar a forma de trança a. **3.** Entretecer; entrelaçar; trançar: *entrançar a palha.* *Int.* **4.** Vagabundar, vadiar. *P.* **5.** Entretecer-se, entrelaçar-se. [Conjug.: v. *laçar*.]
entrância. [De *entrar*.] *S. f.* Lugar de ordem das circunscrições judiciárias, na classificação que delas se faz para vários efeitos legais.
entranha. [Do lat. tardio *interanea*.] *S. f.* Qualquer víscera do abdome ou do tórax. ~ V. *entranhas*.
entranhado. [Part. de *entranhar*.] *Adj.* **1.** Que se entranhou ou introduziu; cravado. **2.** Arraigado, inveterado: *hábito entranhado.* **3.** V. *entranhável* (2): *entranhada paixão.* **4.** Dedicado, devotado; denodado: *entranhado defensor da liberdade.*
entranhar. *V. t. d.* **1.** Introduzir nas entranhas. *T. d.* e *i.* **2.** Cravar profundamente; fazer penetrar; enfiar: *Entranhou a faca no peito do adversário; Entranhou o punhal no agressor.* *P.* **3.** Penetrar; embrenhar-se; avançar: *Os bandeirantes entranharam-se sertões adentro.* **4.** Introduzir-se, arraigar-se: *As raízes destas plantas entranharam-se a grande profundidade.* **5.** Dedicar-se profundamente; concentrar-se, embrenhar-se, mergulhar(-se), absorver-se: *entranhar-se no estudo; entranhar-se no trabalho.*
entranhas. [Pl. de *entranha*.] *S. f. pl.* **1.** O ventre materno. **2.** Caráter, índole. **3.** Sentimento, coração: *homem mau, sem entranhas.* **4.** Profundidade, profundeza: *as entranhas da terra.* ~ V. *entranha*.
entranhável. *Adj. 2 g.* **1.** Que penetra nas entranhas. **2.** Íntimo, profundo; entranhado: *amor entranhável.*
entranqueirar. [De *en-*³ + *tranqueira* + *-ar*².] *V. t. d.* **1.** Guarnecer de tranqueira; entrincheirar. **2.** Guardar com cuidado. *P.* **3.** Fortificar-se; entrincheirar-se; defender-se.
entrante. [Do lat. *intrante*.] *Adj. 2 g.* **1.** Que entra. **2.** Que está para entrar ou começar: *mês entrante.*
entrapar. [De *en-*³ + *trapo* + *-ar*².] *V. t. d.* **1.** Cobrir com trapos; embrulhar em trapos. **2.** Cobrir com emplastro (2); remendar. *P.* **3.** Cobrir-se de trapos.
entrar. [Do lat. *intrare*.] *V. int.* **1.** Passar de fora para dentro; ir ou vir para dentro: *Tarde da noite, entrou, pé ante pé; Pode entrar: a casa é sua; Entraram na palhoça, fugindo à chuva.* **2.** Penetrar, introduzir-se: *A parede era de cimento: o prego não entrava; A faca entrou até o cabo.* "E a pele nua; o espinho *entrando* a carne" (Vicente de Carvalho, *Poemas e Canções*, p. 57); *O punhal entrou no peito da vítima.* **3.** Profundar; arraigar-se. *T. c.* **4.** Desembocar; desaguar: *O rio Negro banha Manaus e, logo abaixo, entra no Amazonas.* **5.** Comparecer em lugar onde se cumpre um dever, se desempenha um cargo, etc.: *Os funcionários deste ministério entram às 12 horas.* **6.** Iniciar-se; principiar: *O verão entrou tarde.* **7.** Encaixar (6). **8.** Entrar (1): "O egresso *entrou* à alcova de Balbina." (Camilo Castelo Branco, *Vulcões de Lama*, p. 270.) *T. i.* **9.** Passar de fora para dentro; penetrar: "Calisto *entrou* à sala" (Camilo Castelo Branco, *A Queda dum Anjo*, p. 71). **10.** Ser parte componente: *Tal elemento não entra nesta fórmula.* **11.** Fazer parte; ser do número; estar incluído: *Seu nome não entrou na lista dos convidados.* **12.** Inscrever-se como contribuinte; contribuir, subscrever: *Entrou com a maior parte do dinheiro.* **13.** Matricular-se: *entrar para um colégio.* **14.** Ser admitido em corporação, grupo, etc.: *entrar para um partido.* **15.** Alistar-se: *entrar para o exército.* **16.** Começar, principiar, pegar: *Desapontada, a menina entrou a chorar;* "Até que .... o rio safou-o de repente para um lado onde as águas se contorciam em remoinho, e *entrou* de girar com ele, violentamente." (Trindade Coelho, *Os Meus Amores*, p. 196). **17.** Envolver-se; meter-se: *entrar numa briga.* **18.** Meter-se, intrometer-se: *Prudente, não quis entrar na questão.* **19.** Levar em conta; deter-se a examinar; considerar; ponderar, apreciar: *Estudou o assunto por alto, não entrando em pormenores.* **20.** Resolver; decifrar: *Não conseguiu entrar no problema.* **21.** Simpatizar; ir: *Não entra com a cara do novo colega.* **22.** Atinar; deparar: *Afinal, entrou com a solução ideal.* **23.** Dar boa impressão; agradar: *Este assunto não lhe entra.* **24.** Apoderar-se, apossar-se: *Entrou em nós um grande desânimo.* **25.** Ter cópula: "Deu-lhe [Raquel] .... a Bala por mulher, a qual, depois que Jacó *entrou* a ela, concebeu, e pariu um filho." (Antônio Pereira de Figueiredo, trad. da *Bíblia Sagrada*.) **26.** Comer ou beber em demasia: *Interrompeu o regime, e entrou na feijoada e na cerveja.* **27.** *Tip.* Fazer o recolhido: *entrar com um quadratim.* [Cf. (nesta acepç.): *recolher* (13).] **28.** Começar a fruir, a gozar: *entrar de férias, de licença.* *T. d.* **29.** Passar para dentro de; introduzir-se ou internar-se em: *entrar a casa, o quarto;* "O vaqueiro *entra* o sertão vestido de couro" (Jorge de Lima, *Obra Completa*. I, p. 1058). **30.** Transpor: *Entraram solenemente as portas da cidade.* **31.** Entrar à força em; invadir. *P.* **32.** Deixar-se dominar; possuir-se: *Entrou-se de pânico;* "*Entrou-se* Rosa então dum pensamento honesto e brioso" (Camilo Castelo Branco, *Mistérios de Fafe*, p. 55). ◆ **Entrar bem.** *Bras. Gír.* Sair-se mal; malograr-se.
entravar. [De *en-*³ + *trave* + *-ar*².] *V. t. d.* **1.** Pôr entraves a; embaraçar, obstruir, atravancar, travar. **2.** Tornar impraticável; impedir.
entrave. [Dev. de *entravar*.] *S. m.* **1.** Travão, peia. **2.** Obstáculo, empecilho, estorvo.
entre. [Do lat. *inter*.] *Prep.* Indica, além de outras coisas: **a)** relação de lugar ou de estado no espaço que separa duas pessoas ou coisas: *Sentou-se entre nós dois; A biblioteca fica entre o salão e o quarto principal.* **b)** espaço que vai de um lugar a outro: *Viaja muito entre o Paraná e Santa Catarina.* **c)** intervalo que separa as coisas umas das outras: *A casa-grande fica entre o rio e a colina;* "tirou quatro charutos da algibeira, comparou-os, apertou-os *entre* os dedos" (Machado de Assis, *Várias Histórias*, p. 44). **d)** espaço limitado em que uma pessoa ou coisa se encontra: *Vive encerrado entre quatro paredes;* "*Entre* os troncos da brenha hirsuta, — o Bandeirante / Jaz por terra, à feição de um tronco derribado..." (Olavo Bilac, *Poesias*, p. 267). **e)** meio-termo; intermédio: "à espádua lhe caía / Lustrosa trança *entre* castanha e flava" (Alberto de Oliveira, *Poesias*, 3ª série, p. 256); "Então o camponês, vendo o lar exaurido, / Estende a mão à esmola, *entre* altivo e abatido." (Bulhão Pato, *Livro do Monte*, p. 21). **f)** intervalo de tempo que separa dois fatos ou duas épocas: *entre a Independência e a República; Entre 1831 e 1840 o Brasil esteve sob a Regência.* **g)** escolha de, ou preferência por uma forma conjunto com outros: "Perdi-te... E eras a graça, alta *entre* as altas santas, / A sombra, a força, o aroma, a luz..." (Olavo Bilac, *Tarde*, p. 192); *Entre os nossos escritores, prefiro Machado de Assis.* **h)** diferenciação de caracteres ou qualidades: *Há pouca diferença entre Paulo e João.* **i)** situação em que se apresentam duas coisas ou realidades contrárias para que se escolha uma delas: *Viu-se ante o problema de escolher entre o bem e o mal; Ficou perplexo entre abdicar e resistir.* **j)** circunstância, fato, pormenor, que mal se observa em meio a manifestação ruidosa: *Quase não se ouviam, entre os brados entusiásticos, alguns queixumes.* **l)** relação de duas ou mais pessoas ou coisas, afirmada por laços de união ou por outras características: "Paz *entre* os homens!" (Raimundo Correia, *Poesias*, p. 260.) **m)** parte de uma totalidade, ou inclusão de pessoa(s) ou coisa(s) num total: *Entre assistentes, secretários, dactilógrafos e contínuos, tem mais de 50 auxiliares; Ele figura entre os meus melhores amigos.* **n)** o número aproximado de que se compõe uma quantidade: *Há em sua biblioteca entre 1.000 e 1.100 volumes.* **o)** deliberação tomada por diversas pessoas conjuntamente, ou por uma com o seu íntimo, consigo mesma: *Resolvemos entre nós dar um passeio; Jurou entre si uma gança exemplar contra aquela traição.* [Cf. *dentre*.]
▲**entre-.** Equiv. de *inter-*.
entreaberta. [Fem. substantivado de *entreaberto*.] *S. f.* Ato de entreabrir.
entreaberto. [Part. de *entreabrir*.] *Adj.* Aberto incompletamente: semi-aberto: "*Entreaberto* botão, entrefechada rosa, / Um pouco de menina e um pouco de mulher." (Machado de Assis, *Poesias* (ed. Jackson), p.

220).

entreabrir. [De *entre-* + *abrir.*] *V. t. d.* **1.** Abrir um pouco; abrir em parte: "Entreabrindo uma janela, / Às vezes, com modos esquivos, / Olhas..." (Ribeiro Couto, *Poesias Reunidas*, p. 95.) **2.** Abrir de manso, de leve; soabrir: "Entreabri penosamente as pálpebras, pesadas do narcótico." (Andrade Murici, *A Festa Inquieta*, p. 11.) *Int. e p.* **3.** Começar a desabrochar: *As rosas entreabriram com o sol; Sua boca entreabriu-se num sorriso.* **4.** Desanuviar-se, aclarar-se (o tempo); descerrar-se [F. paral., p. us.: *entrabrir.* Irreg. Conjug.: v. *abrir.*]

entreato. [De *entre-* + *ato.*] *S. m. Teat.* **1.** Intervalo entre os atos de uma peça; intervalo. **2.** Pequena cena dramática ou musical que se representa nesse intervalo. [Sin., (nesta acepç.): *entrecena, interlúdio, intermédio, intervalo* e (it.) *intermezzo.*]

entrebater-se. [De *entre-* + *bater* + *se*¹.] *V. p.* **1.** Bater um no outro, ou uns em outros; entrechocar-se, embater-se: "Entrebatem-se, enredam-se, trançam-se .... e embaralham-se milhares de chifres." (Euclides da Cunha, *Os Sertões*, p. 128) **2.** Combater; digladiar-se.

entrebranco. [De *entre-* + *branco.*] *Adj.* Quase branco; esbranquiçado.

entrecambado. [De *entre-* + *cambado.*] *Adj. Heráld.* Diz-se das figuras em que a parte que entra por outra é em cor diversa.

entrecana. [De *entre-* + *(meia-)cana.*] *S. f.* Espaço que separa as estrias duma coluna.

entrecasa. *S. f. Lus. Arquit.* Pátio de uma casa; átrio.

entrecasca. [De *entre-* + *casca.*] *S. f.* A parte interna da casca das árvores; entrecasco, samo: "José Inácio se dizia curado do diabete com o chá da entrecasca do cajueiro e os poderes de Nossa Senhora de Fátima." (Moreira Campos, *Os Doze Parafusos*, p. 37.)

entrecasco. [De *entre-* + *casco.*] *S. m.* **1.** A parte superior do casco dos animais. **2.** V. *entrecasca.*

entrecena. [De *entre-* + *cena.*] *S. f. Teat.* **1.** Intervalo entre duas cenas; intervalo. **2.** V. *entreato* (2).

entrecerrar. [De *entre-* + *cerrar.*] *V. t. d.* Cerrar em parte, não inteiramente.

entrechar. *V. t. d.* Fazer o entrecho de; urdir. [Conjug.: v. *fechar.*]

➧ **entrechat** (antrexá). [Fr.] *S. m.* Na dança, salto durante o qual os pés se chocam diversas vezes antes de tocarem novamente o solo.

entrecho (ê). [Do it. *intreccio.*] *S. m.* V. *enredo* (5).

entrechocar-se. [De *entre-* + *chocar* + *se*¹.] *V. p.* **1.** Embater um no outro, ou uns em outros; chocar-se ou bater-se mutuamente: "subitamente, com o estalido de lanças entrechocando-se, caiu o granizo." (Eça de Queirós, *Últimas Páginas*, p. 87). **2.** *Fig.* Estar em contradição; contrariar-se: *opiniões que se entrechocam.* [Conjug.: v. *trancar.*]

entrechoque. *S. m.* **1.** Ação de entrechocar-se. **2.** Embate entre duas ou mais pessoas ou animais, ou entre dois ou mais grupos.

entrecilhas. [De *entre-* + o pl. de *cilha.*] *S. f. pl.* Parte do cavalo situada entre o sovaco e as cilhas.

entrecobertas. [De *entre-* + o pl. de *coberta.*] *S. f. pl. Lus. Constr. Nav.* Espaço entre as cobertas do navio.

entrecolúnio. *S. m. Arquit.* Intercolúnio.

entreconhecer. [De *entre-* + *conhecer.*] *V. t. d.* **1.** Conhecer um pouco, imperfeitamente; lembrar-se vagamente de. *P.* **2.** Conhecer-se mutuamente; ter relações. [Conjug.: v. *aquecer.*]

entrecoro (ô). [De *entre-* + *coro* (ô).] *S. m. Espaço entre o coro e o altar-mor.* [Pl.: *entrecoros* (ó).]

entrecorrer. [Do lat. *intercurrere.*] *V. t. d.* **1.** Correr entre. *Int.* **2.** Suceder (um fato) no intervalo de outro(s).

entrecortado. [Part. de *entrecortar.*] *Adj.* Cortado ou interrompido a intervalos: *soluços entrecortados;* "Aquela estranha voz pela floresta ecoava / Num confuso rumor entrecortado, insano..." (Olavo Bilac, *Poesias*, p. 11).

entrecortar. [De *entre-* + *cortar.*] *V t d.* **1.** Cruzar com cortes. **2.** Interromper a espaços: *A comoção entrecortava-lhe as palavras. P.* **3.** Cruzar-se reciprocamente; cortar-se mutuamente.

entrecorte. [De *entre-* + *corte.*] *S. m. Arquit.* Espaço entre abóbadas sobrepostas.

entrecosto (ô). [Do fr. *entrecôte*, com infl. de *costas.*] *S. m.* **1.** Espinhaço com a carne e parte das costelas da rês. **2.** Carne entre as costelas da rês, junto do espinhaço. [Pl.: *entrecostos* (ó).]

entrecozer. [De *entre-* + *cozer.*] *V. t. d.* Cozer levemente; aferventar.

entrecruzado. [Part. de *entrecruzar.*] *Adj.* Que se entrecruzam; em que há entrecruzamento.

entrecruzamento. *S. m.* Ato ou efeito de entrecruzar-se.

entrecruzar-se. [De *entre-* + *cruzar* + *se*¹.] *V. p.* Cruzar-se mutuamente.

entrededo (ê). [De *entre-* + *dedo.*] *S. m. Anat.* A região interdigital.

entredilacerar-se. [De *entre-* + *dilacerar* + *se*¹.] *V. p.* Dilacerar-se reciprocamente.

entredizer. [De *entre-* + *dizer.*] *V. t. d.* **1.** Dizer entre si, ou para consigo mesmo; monologar em voz baixa. *P.* **2.** Dizer-se reciprocamente. [Irreg. Conjug.: v. *dizer.*]

entredormido. [De *entre-* + *dormido.*] *Adj.* Que não adormeceu de todo; que está meio a dormir e meio acordado: "Posso sentir-te em fogo, escandescida, / De faces cor-de-rosa e vermelhão, / Junto a mim com langor, entredormida, / Nas noites de verão." (Cesário Verde, *Obra Completa*, p. 156.)

entrefala. [De *entre-* + *fala.*] *S. f. P. us.* V. *entrevista* (1 e 2).

entrefalar. [De *entre-* + *falar.*] *V. t. d. Bras.* Entredizer (1): "as bocas entrefalavam *saudades.*" (Mário de Alencar, *Contos e Impressões*, p. 152).

entrefechado. [Part. de *entrefechar.*] *Adj.* Fechado incompletamente; meio fechado: "Entreaberto botão, entrefechada rosa, / Um pouco de menina e um pouco de mulher." (Machado de Assis, *Poesias Completas* [ed. Jackson], p. 220).

entrefechar. [De *entre-* + *fechar.*] *V. t. d.* Fechar pouco; fechar incompletamente; entrecerrar. [Conjug.: v. *fechar.*]

entreferro. [De *entre-* + *ferro.*] *S. m. Eng. Elét.* Pequena interrupção da parte ferromagnética de um circuito magnético.

entrefilete (ê). [De *entre-* + *filete.*] *S. m. Encad.* Espaço entre dois filetes, na lombada de um livro. [Cf. *entrenervo.*]

entrefino. [De *entre-* + *fino.*] *Adj.* Que não é fino nem grosso; de espessura regular.

entrefolha (ô). [De *entre-* + *folha.*] *S. f. Art. Gráf.* **1.** Folha em branco que se intercala entre as páginas impressas de certos livros para anotações. **2.** Intercalação (4). [Pl.: *entrefolhas* (ô). Cf. *entrefolha* e *entrefolhas*, do v. *entrefolhar.*]

entrefolhado. [Part. de *entrefolhar.*] *Adj.* Interfoliado.

entrefolhar. *V. t. d.* Interfoliar². [Pres. ind.: *entrefolho, entrefolhas, entrefolha*, etc. Cf. *entrefolho* (ô), s. m., e *entrefolha* (ô), s. f., pl. *entrefolhas* (ô).]

entrefolho¹ (ô). [De *entre-* + *folho*¹.] *S. m.* Escaninho, esconderijo. [Pl.: *entrefolhos* (ó). Cf. *entrefolho*, do v. *entrefolhar.*]

entrefolho² (ô). [De *entre-* + *folho*².] *S. m.* Indigestão crônica no folhoso dos ruminantes. [Pl.: *entrefolhos* (ó). Cf. *entrefolho*, do v. *entrefolhar.*]

entreforro (ô). [De *entre-* + *forro.*] *S. m.* **1.** Entretela (1). **2.** Guarda-pó (1), feito de madeira, por baixo do telhado. [Pl.: *entreforros* (ô).]

entrega. [Dev. de *entregar.*] *S. f.* **1.** Ato ou efeito de entregar(-se). **2.** Rendição, capitulação. **3.** Transmissão, cessão. **4.** Traição, perfídia. **5.** Comprometimento, enrascadela, encalacração. **6.** *Bras., PI* a PE. Porção de gado vacum que um vaqueiro tem sob sua guarda: "Se lhe tivesse ido logo no rasto, ... a novilha não havia de sumir-se. Mas ele nem conhece o gado de sua entrega!" (José de Alencar, *O Sertanejo*, p. 185.)

entregadeira. [Fem. substantivado do adj. *entregador.*] *S. f. Bras.* Certa máquina utilizada na indústria da fiação.

entregador (ô). *Adj.* **1.** Que entrega. **2.** Traiçoeiro, pérfido, desleal. ● *S. m.* **3.** Aquele que entrega. **4.** Indivíduo pérfido, traiçoeiro, desleal. **5.** Distribuidor de jornais. **6.** Caixeiro (2).

entregar. [Do lat. *integrare.*] *V. t. d.* **1.** Passar às mãos ou à posse de alguém: *O vendedor entregou a encomenda no dia aprazado.* **2.** Atraiçoar, trair; denunciar, delatar: *Joaquim Silvério dos Reis foi quem entregou Tiradentes. T. d. e i.* **3.** Passar às mãos, ou à posse: *Não entregaram as mercadorias ao comprador;* "Santa Maria Egipcíaca despiu / O manto, e entregou ao barqueiro / A santidade da sua nudez." (Manuel Bandeira, *Estrela da Vida Inteira*. p. 81); "Deus, entregando ao Diabo a metade do mundo, / Deu-lhe a parte pior, como era de razão." (Vicente de Carvalho, *Poemas e Canções*, p. 25). **4.** Restituir; devolver: *Entregaram os objetos roubados ao legítimo dono.* **5.** Confiar (5): *Viajou depois de entregar a casa a um amigo. P.* **6.** Dedicar-se, consagrar-se, dar-se: "Alfredo entregou-se novamente às ocupações diárias." (Rodrigo Otávio, *Contos de ontem e de hoje*, p. 65.) **7.** Dar-se por vencido; render-se: *Depois de luta cruenta os inimigos entregaram-se.* **8.** Submeter-se, render-se: *entregar-se ao sofrimento, à dor.* **9.** Deixar-se dominar por vício, paixão, etc.: *entregar-se ao álcool; entregar-se a uma vida dissoluta.* **10.** Deixar-se possuir sexualmente. **11.** *Bras., RS.* Perder (o animal) todo o sestro, em conseqüência da doma. [Conjug.: v. *regar;* mas tem dois part.: *entregado* e *entregue.*]

entregue. [Part. de *entregar.*] *Adj.* 2 *g.* **1.** Dado por entrega. **2.** Aplicado, dedicado. **3.** Satisfeito, contente.

entreguismo. [De *entrega* + *-ismo.*] *S. m. Bras.* Ideologia, ou interesse político, que preconiza entregar à exploração de capital estrangeiro os recursos naturais do país.

entreguista. *Adj.* 2 *g.* **1.** Relativo ao entreguismo, ou que o denota: *grupos entreguistas; idéias entreguistas.* ● *S.* 2 *g.* **2.** Adepto do entreguismo.

entre-hostil. [De *entre-* + *hostil.*] *Adj.* 2 *g.* Diz-se de pessoas, facções, etc., que fazem hostilidade mútua, que se hostilizam. [Pl.: *entre-hostis.*]

entrelaçado. [Part. de *entrelaçar.*] *Adj.* **1.** Enlaçado um no outro; enleado. **2.** *Heráld.* Diz-se das peças que passam umas pelas outras com anéis triangulares. ● *S. m.* **3.** Conjunto de coisas entrelaçadas; entrelaçamento.

entrelaçamento. *S. m.* **1.** Ato ou efeito de entrelaçar(-se); entrelace, entrelaço. **2.** Entrelaçado (3). **3.** *Arquit.*Ornato de molduras ou letras entrelaçadas.

entrelaçar. [De *entre-* + *laçar.*] *V. t. d. e t. d. e i.* **1.** Prender, ligar, enlaçando um no outro: *entrelaçar coroas de flores; entrelaçar fios de ouro com fios de prata.* **2.** Entretecer, entrançar, enastrar: *entrelaçar madeixas; entrelaçar fitas verdes com amarelas.* **3.** Confundir, misturar. *P.* **4.** Entrançar-se, enastrar-se, entretecer-se, tecer-se: "As flores entrelaçando-se formam coroas suspensas ao bico de dois pássaros." (Ana Elisa Gregori, *Os Barões da Candeia*, p. 7.) **5.** Ligar-se, enlear-se; confundir-se, misturar-se. [Sin., p. us.: *interlaçar.* Conjug.: v. *laçar.*]

entrelace. [Dev. de *entrelaçar.*] *S. m.* V. *entrelaçamento* (1).

entrelaço. [Dev. de *entrelaçar.*] *S. m.* V. *entrelaçamento* (1).

entrelembrar-se. [De *entre-* + *lembrar* + *se*¹.] *V. p.* Lembrar-se vagamente.

entrelinha. [De *entre-* + *linha.*] *S. f.* **1.** Espaço entre duas linhas. **2.** O que se escreve nesse espaço. **3.** *Fig.* Comentário, comento. **4.** Distância entre os trilhos mais próximos de duas vias férreas adjacentes. **5.** *Tip.* Lâmina, geralmente de metal, mais baixa que os tipos, e de corpo inferior a seis pontos, usada na separação de linhas da composição; faia. [Cf. (nessa acepç.): *lingote* (4).] ~ V. *entrelinhas.*

entrelinhado. [Part. de *entrelinhar.*] *Adj. Tip.* Escrito em entrelinhas. ~ V. *composição* —*a.*

entrelinhamento. *S. m. Tip.* Ato ou efeito de entrelinhar.

entrelinhar. *V. t. d.* **1.** Escrever em entrelinhas [v. *entrelinha* (1)]; pôr entrelinha (2) em. **2.** *Tip.* Aumentar os claros entre as linhas de (uma composição) com entrelinhas; abrir, faiar. [Cf. (nesta acepç.): *espacejar* (2).]

entrelinhas. [Pl. de *entrelinha.*] *S. f. pl. Fig.* **1.** Sentido implícito. **2.** Ilação, dedução mental. ~ V. *entrelinha.*

entrelopo (ô). [Do ingl. *interloper.*] *S. m.* **1.** Contrabandista, aventureiro. **2.** *Bras.* Comerciante marítimo que, no período colonial, infringia os monopólios de Portugal e Espanha. [Sin. ger.: *interlope.* Pl.: *entrelopos* (ô).]

entreluzir. [De *entre-* + *luzir.*] *V. int.* **1.** Começar a luzir. **2.** Luzir fracamente: "Água não vejo, nem sumido fio / Entreluz sob as pedras fugidio, / Nem gota brilha ao Sol!" (Alberto de Oliveira, *Poesias*, 2ª série, p. 313.) **3.** Entremostrar (2). *T. d.* **4.** Perceber; divisar: *entreluzir esperanças. P.* **5.** Entremostrar (2). [Conjug.: v. *luzir.*]

entremaduro. [De *entre-* + *maduro.*] *Adj.* Que está quase maduro; de vez: "a polpa dos frutos do cuitê entremaduros ou verdoengos" (Leôncio C. de Oliveira, *Vida Roceira*, p. 29).

entremanhã. [De *entre-* + *manhã.*] *S. f.* O crepúsculo matinal.

entremastro. [De *entre-* + *mastro.*] *S. m.* Numa embarcação à vela, espaço compreendido entre dois mastros consecutivos.

entrematar-se. [De *entre-* + *matar* + *se*¹.] *V. p.* Matar-se reciprocamente: "as populações escravas, os irmãos entrematando-se" (Martins Fontes, *Terras da Fantasia*, p. 225).

entremear. [De *entre-* + *meio* + *-ar*².] *V. t. d.* **1.** Pôr de permeio. *T. d. e i.* **2.** Meter de permeio; misturar, entressachar; intermeter, intermediar: *entremear trigo com cevada;* "uma certa maneira de exprimir as idéias, entremeando calemburgos com palavrões sonoros" (Inglês de Sousa, *O Missionário*, p. 80). **3.**

Intercalar, interpor. *Int.* e *p.* **4.** Estar ou meter-se de permeio; intermediar. *P.* **5.** V. *entremear* (4). [Conjug.: v. *frear.*]

entremeio. [De *entre-* + *meio.*] *S. m.* **1.** Aquilo que está de permeio; intermédio. **2.** Espaço, ou espaço de tempo, entre dois extremos; intervalo. **3.** Renda ou tira bordada entre duas peças lisas. **4.** Renda sem bicos ou pontas [v. *ponta* (21)]: *A gola tem em volta um entremeio e uma ponta.*

entrementes. *Adv.* Naquela ocasião; neste ou naquele intervalo de tempo; entretanto, no entanto. ♦ **Entrementes que.** V. *entretanto que:* "Entrementes que a multidão rezava a ladainha, os tristes e pusilânimes .... afluíam ao largo." (Aquilino Ribeiro, *Estrada de Santiago*, p. 253.)

entremês. [De *en-*[4] + *tremês.*] *S. m. Prov. lus.* Trigo tremês. [Pl.: *entremeses* (ê). Cf. *entremez.*]

entremesa (ê). [De *entre-* + *mesa.*] *S. f.* Tempo que se fica à mesa; o tempo de uma refeição.

entremesclar. [De *entre-* + *mesclar.*] *V. t. d.* e *p.* Confundir(-se), misturar(-se), entremisturar(-se), mesclar(-se): "um sopro de volúpia / Morno e acariciador, aquelas vozes, / A voz dele e a voz dela, entremesclava / Num só desejo" (Alberto de Oliveira, *Poesias*, 3ª série, p. 136).

entremeter. [Do lat. *intermittere.*] *V. t. d.* e *i.* **1.** Meter de permeio; intrometer. *P.* **2.** Tomar parte; influir, intervir, interferir. **3.** Meter-se de permeio; introduzir-se. **4.** Meter-se (onde não o chamam); intrometer-se.

entremetimento. *S. m.* Ato ou efeito de entremeter(-se); intrometimento.

entremez (ê). [Do lat. *intermissu*, 'entremetido'. atr. do fr. ant. *entremes*, hoje *entremets*, 'prato metido entre dois principais'.] *S. m. Teat.* **1.** Pequena farsa de um só ato, burlesca e jocosa, de caráter popular ou palaciano, a qual termina, geralmente, por um número musical cantado, e cujas origens remontam ao séc. XII: "Em Portugal é provável começassem as representações cênicas pelo mesmo tempo em que principiaram na Espanha ..... O que é certo é que já nos fins do século XIV havia em Portugal entremezes." (Alexandre Herculano, *Opúsculos*, IX, p. 79.) **2.** *Fig.* V. *entremezada.* **3.** Ator cômico que representava, cantava ou dirigia entremezes. [Cf. *entremês.*]

entremezada. *S. f.* Coisa ou ação ridícula; farsada, entremez.

entremezista. *S. 2 g.* **1.** *Teat.* Autor de entremezes: *Cervantes foi um grande entremezista.* **2.** *Teat.* Ator que representa entremezes; farsante. **3.** *P. ext.* Chocarreiro, truão.

entremisturar. [De *entre-* + *misturar.*] *V. t. d.* e *p.* Confundir(-se), mesclar(-se), misturar(-se).

entremodilhão. [De *entre-* + *modilhão.*] *S. m. Arquit.* Espaço entre dois modilhões.

entremontano. [De *entre-* + *monte* + *-ano.*] *Adj.* Situado entre montes.

entremostrar. [De *entre-* + *mostrar.*] *V. t. d.* e *t. d.* e *i.* **1.** Mostrar incompletamente; deixar entrever: *O véu entremostrava um belo rosto; O estudo vai entremostrando-lhe novos caminhos. P.* **2.** Deixar-se entrever; entreluzir(-se).

entremurmurar. [De *entre-* + *murmurar.*] *V. int.* Murmurar confusamente, mal distintamente: "— És minha! és minha! entremurmuram, falam" (Alberto de Oliveira, *Poesias*, 3ª. série, p. 209).

entrenervo (ê). [De *entre-* + *nervo.*] *S. m. Encad.* Espaço entre dois nervos; casa, casela. [Cf. *entrefilete.*]

entrenó. [De *entre-* + *nó.*] *S. m. Morfol. Veg.* Porção do caule situada entre dois nós; meritalo.

entrenoite. [De *entre-* + *noite.*] *Adv.* No decurso da noite. [F. paral.: *entrenoute.*]

entrenoute. *Adv.* Entrenoite [q. v.].

entrenublado. [Part. de *entrenublar.*] *Adj.* **1.** Que se cobriu parcialmente de nuvens; meio nublado; um tanto nublado. **2.** Que está entre nuvens.

entrenublar-se. [De *entre-* + *nublar* + *se*[1].] *V. p.* **1.** Mostrar-se entre nuvens. **2.** Cobrir-se de nuvens leves ou transparentes.

entreolhar-se. [De *entre-* + *olhar* + *se*[1].] *V. p.* Olhar-se mutuamente: "a outra tardava, e as raparigas entreolhavam-se incessantemente, aflitas" (Virgílio Várzea, *Mares e Campos*, p. 27).

entreouvir. [De *entre-* + *ouvir.*] *V. t. d.* Ouvir de modo vago, indistinto, confuso. [Irreg. Conjug.: v. *ouvir.*]

entrepano. [De *entre-* + *pano.*] *S. m.* Divisória vertical do armário ou de estante.

entreparar. [De *entre-* + *parar.*] *V. int.* Parar por um momento; deter-se um pouco.

entrepausa. [De *entre-* + *pausa.*] *S. f.* Pausa intermediária; interrupção.

entrepelado. [Do esp. plat. *entrepelado.*] *Adj. Bras., RS.* **1.** Diz-se do eqüino cujos pêlos são de tal modo misturados que é impossível saber qual a cor dominante. **2.** *Fig.* Diz-se daquele que muda facilmente de opinião política ou abraça ao mesmo tempo idéias contraditórias.

entrepensado. [Part. de *entrepensar.*] *Adj.* Pensado vagamente, imprecisamente, indeterminadamente: "Como será, quando vier, / a palavra entrepensada, / necessária e suficiente / para minha construção / de lápis, papel e vento?" (Abgar Renault, *A Outra Face da Lua*, p. 31.)

entrepensar. [De *entre-* + *pensar.*] *V. int., t. i.* e *t. d.* Pensar vagamente, imprecisamente, indeterminadamente.

entreperna[1]. [De *entre* + *perna.*] *S. f.* A parte das calças onde se juntam as pernas. [Tb. us. no pl.]

entreperna[2]. [Do esp. plat. *entrepierna.*] *S. f. Bras., S.* **1.** A carne da região de entrepernas da rês, que serve para assado ou churrasco. **2.** Assado ou churrasco feito dessa carne. ~ V. *entrepernas.*

entrepernas. [De *entre* + o pl. de *perna.*] *S. f. pl.* **1.** Entreperna[1]. ● *Adv.* **2.** Entre uma perna e outra. ~ V. *entreperna.*

entrepilastras. [De *entre-* + o pl. de *pilastra.*] *S. f. 2 n. Arquit.* Espaço entre pilastras.

entrepiso. [De *entre-* + *piso.*] *S. m.* Piso (3) intercalado entre dois outros.

entrepor. [De *entre-* + *pôr.*] *V. t. d.* e *p.* V. *interpor:* "Amava-a sempre que o passado se entrepunha entre nós" (João Gaspar Simões, *A Unha Quebrada*, p. 61). [Irreg. Conjug.: v. *pôr.*]

entrepósito. [Do lat. *interpositu.*] *S. m. P. us.* Entreposto: "É em Nápoles, na helênica Partênope, na cidade de Ulisses, e dos argonautas; entrepósito dos piratas fenícios" (Martins Fontes, *A Dança*, p. 40).

entreposto (ô). [Do lat. *interpositu.*] *S. m.* **1.** Empório. **2.** Vasto depósito de mercadorias. [Sin., nestas acepç.: *interposto*] **3.** Armazém onde se guardam ou vendem unicamente as mercadorias dum estado ou duma companhia. [F. paral. (p. us.): *entrepósito.*]

entrepresa (ê). [De *entre-* + *presa.*] *S. f.* Interpresa (1).

entrequerer-se. [De *entre-* + *querer* + *se*[1].] *V. p.* Querer-se ou estimar-se mutuamente. [Conjug.: v. *querer.* Defect., conjugável só nas pess. do pl.]

entrerriano[1]. *Adj.* **1.** De, ou pertencente ou relativo a Entre-Rios (República Argentina). ● *S. m.* **2.** O natural ou habitante de Entre-Rios.

entrerriano[2]. *Adj.* De, ou pertencente ou relativo a Entre-Rios de Minas (MG). ● *S. m.* **2.** O natural ou habitante de Entre-Rios de Minas.

entrerriense. *Adj. 2 g.* **1.** De, ou pertencente ou relativo à cidade de Entre-Rios (BA). ● *S. 2 g.* **2.** Natural ou habitante de Entre-Rios.

entrescolher. [De *entre-* + *escolher.*] *V. t. d.* Escolher ao acaso, vagamente, sem grande apuro.

entresilhado. [De *entre-* + esp. *trasijado*, com haplologia.] *Adj.* Magro, esgrouviado, escanifrado: "E toda a negrada, malcomida, ... vivia faminta, entresilhada" (Coelho Neto, *Treva*, p. 252).

entresilhar. [De *estresilhado.*] *V. t. d.* Tornar magro, descarnado; escanifrar.

entressachar. [De *entre-* + *sachar.*] *V. t. d.* e *i.* **1.** Meter (entre outras coisas); misturar, mesclar, intercalar, intervalar: "O anadel começou a protestar, entressachando as suas manifestações oficiais com um chuveiro de pragas e ameaças" (Alexandre Herculano, *O Monge de Cister*, II, p. 299). *P.* **2.** Entremeter-se, entremear-se: "Desse prefácio, como a generalidade se entressacha na teia espiritual das relações entre ele [Eça de Queirós] e Camilo, recortamos as passagens essenciais." (Aquilino Ribeiro, *Camões, Camilo, Eça e Alguns mais*, p. 195.)

entressafra. [De *entre* + safra.] *S. f.* Período intermediário entre uma safra e outra de determinado produto.

entresseio. [De *entre-* + *seio.*] *S. m.* **1.** Vão, cavidade, depressão. **2.** Espaço ou intervalo entre duas elevações; enseio.

entressemear. [De *entre-* + *semear.*] *V. t. d.* e *i.* **1.** Semear de permeio. **2.** Entremear, intercalar. **3.** Salpicar; sarapintar. [Conjug.: v. *frear.*]

entressola. [De *entre-* + *sola.*] *S. f.* Peça entre a palmilha e a sola do calçado.

entressolhar. *V. t. d.* Fazer entressolho em; prover de entressolho. [Pres. ind.: *entressolho*, etc. Cf. *entressolho* (ô).]

entressolho (ô). [De *entre-* + *solho.*] *S. m.* **1.** Vão entre o pavimento da loja e o do primeiro andar; sobreloja. **2.** Espaço entre o chão e o solho. [Pl.: *entressolhos* (ô). Cf. *entressolho*, do v. *entressolhar.*]

entressonhar. [De *entre-* + *sonhar.*] *V. t. d.* e *int.* Sonhar vagamente; imaginar, fantasiar, devanear.

entressonho. [De *entre-* + *sonho.*] *S. m.* Ato ou efeito de entressonhar; devaneio, fantasia.

entretalhadura. [De *entretalhar* + *-(d)ura.*] *S. f.* **1.** *P. us.* Baixo-relevo. **2.** Lavor em pele, papel, pano recortado. [Sin. ger.: *entretalho.*]

entretalhar. [De *entre-* + *talhar.*] *V. t. d.* **1.** Abrir ou fazer entretalhos em; cortar lavores e figuras em. *Int.* **2.** Abrir entretalhos; cortar lavores e figuras.

entretalho. [De *entre-* + *talho.*] *S. m.* V. *entretalhadura.*

entretanto. [De *entre-* + *tanto.*] *Adv.* **1.** Neste ou naquele intervalo de tempo; entrementes, no entanto: "Ajoelhou no primeiro degrau da escada, e confessou-se por espaço de 50 minutos. Entretanto martelava-se no cadafalso." (Camilo Castelo Branco, *Perfil do Marquês de Pombal*, p. 16.) ● *Conj.* **2.** Todavia, contudo; no entanto: "Porque o amor, tal como eu o estou amando, / É espírito, é éter, é substância fluida, / É assim como o ar que a gente pega e cuida, / Cuida, entretanto, não estar pegando!" (Augusto dos Anjos, *Eu*, p. 87.) ● *S. m.* **3.** Intervalo de tempo. ♦ **Entretanto que.** Durante o tempo em que; entrementes que; enquanto: "Entretanto que pregava, irmãos leigos faziam correr a bandeja pela assistência" (Aquilino Ribeiro, *Caminhos Errados*, p. 147). **Neste entretanto.** Neste ínterim; neste entremeio; entretanto: "sentei-me no lajedo, / Quis voltar a chorar e já não pude. / Neste entretanto a Lua alvorecia a medo" (José Régio, *As Encruzilhadas de Deus*, p. 100). **No entretanto.** V. *no entanto* (1): "No entretanto, o professor, concluída a reforma do Calepino, andava por portas dos sócios da Academia Real das Ciências" (Camilo Castelo Branco, *Noites de Lamego*, p. 30).

entretecedor (ô). *Adj.* e *s. m.* Que ou aquele que entretece.

entretecedura. *S. f.* Entretecimento.

entretecer. [De *entre-* + *tecer.*] *V. t. d.* **1.** Tecer, entremeando; entrelaçar, entecer. **2.** Armar, urdir, tramar, entecer: *entretecer uma intriga. T. d.* e *i.* **3.** Meter, intercalar, inserir, interserir: *Entreteceu inúmeras citações em sua tese.* **4.** Sobretecer. *P.* **5.** Entrelaçar-se, entrançar-se, tecer-se. [Sin. ger.: *intertecer.* Conjug.: v. *aquecer.*]

entretecimento. *S. m.* Ato ou efeito de entretecer(-se); entretecedura.

entretela. [De *entre-* + *tela.*] *S. f.* **1.** Pano que se mete entre o forro e a fazenda de uma peça de vestuário, para lhe dar consistência, ou uma boa queda, ou para torná-la armada; entreforro. **2.** *P. ext.* Contraforte de muro.

entretelado. [Part. de *entretelar.*] *Adj.* Que tem entretela.

entretelar. *V. t. d.* Pôr entretela em.

entretém. *S. m. Pop.* V. *entretenimento* (2).

entretempo. [De *entre-* + *tempo.*] *S. m.* Tempo intermédio. ♦ **Nesse entretempo.** Nesse meio tempo; nesse ínterim.

entretenimento. [Do esp. *entretenimiento.*] *S. m.* **1.** Ato de entreter; entretimento. **2.** Aquilo que entretém; divertimento, distração, entretimento, entretém: "Amar era um entretenimento do espírito, como passear a cavalo, freqüentar o teatro, jogar uma partida de bilhar." (José de Alencar, *A Pata da Gazela*, p. 177.)

entreter. [De *entre-* + *ter.*] *V. t. d.* **1.** Deter, fazer demorar ou esperar com promessas ou conversas vãs, etc., para desviar a atenção; distrair: *A mulher entreteve o policial enquanto os assaltantes praticavam o roubo.* **2.** *P. ext.* Iludir, enganar. **3.** Proporcionar entretenimento a; divertir com distração ou recreação: *A dona da casa entreteve os convidados com excelente música.* **4.** Ocupar; encher: *Não tem tarefa que entretenha suas horas vagas.* **5.** Manter, conservar: *entreter uma necessidade, um hábito. Transobj.* **6.** Manter, conservar: *Entreteve o cliente iludido por longo tempo. Int.* **7.** Servir de distração: *É obra medíocre, mas a sua leitura entretém P.* **8.** Divertir-se, recrear-se. **9.** Preencher o próprio tempo; ocupar-se. **10.** Demorar-se, retardar-se, delongar-se. [Irreg. Conjug.: v. *ter.*]

entretido. [Part. de *entreter.*] *Adj.* **1.** Que se entreteve ou entretém. **2.** Que entretém, recreia, diverte; divertido: "São [as memórias de Pío Baroja] vivas, incitantes, entretidas." (Eduardo Frieiro, *O Alegre Arcipreste*, p. 226.) ~ V. *som* —.

entretimento. *S. m.* V. *entretenimento:* "E o bom Religioso andava tão embebido no santo entretimento, que não tinha outra vida" (Fr. Luís de Sousa,

História de S. Domingos, II, pp. 57-58); "Chama infantil ao meu entretimento" (João de Araújo Correia, *Sem Método*, p. 79).

entretinho. *S. m.* Comida de ave.

entretom. [De *entre-* + *tom.*] *S. m.* Nuança, matiz.

entretrópico. [De *entre-* + *trópico.*] *Adj.* Situado entre os trópicos; intertropical.

entreturbado. [Part. de *entreturbar.*] *Adj.* Levemente perturbado.

entreturbar. [De *entre-* + *turbar.*] *V. t. d.* Turbar ou perturbar de leve, um tanto.

entrevação. *S. f.* Ato ou efeito de entrevar^{1}; entrevecimento.

entrevado. [Part. de *entrevar*^{1}.] *Adj.* e *s. m.* Diz-se de, ou aquele que não se pode mover; tolhido, paralítico.

entrevar^{1}. [De *entravar.*] *V. t. d.* **1.** Tolher os movimentos das articulações de; tornar paralítico: " — Passei mais de um ano *entrevado* no fundo da cama..." (Cordeiro de Andrade, *Anjo Negro*, p. 96). *Int.* e *p.* **2.** Ficar paralítico; ter tolhidos os movimentos das articulações. [Sin. ger.: *entrevecer.*]

entrevar^{2}. [De *entre-* + *treva* + *-ar*^{2}.] *V. t. d.* **1.** Cobrir de trevas; escurecer; entenebrecer; obumbrar. *P.* **2.** Cobrir-se de trevas; obscurecer; obumbrar-se. [Sin.: *entrevecer*^{2}.]

entrevecer^{1}. [De *entrevar*^{1}.] *V. t. d. int.* e *p.* V. *entrevar*^{1}. [Conjug.: v. *aquecer.*]

entrevecer^{2}. [De *en-*^{3} + *treva* + *-ecer.*] *V. t. d.* e *p.* V. *entrevar*^{2}. [Conjug.: v. *aquecer.*]

entrevecimento. *S. m.* Entrevação.

entreveiro. *S. m. Bras., RS.* V. *entrevero.*

entrever. [De *entre-* + *ver.*] *V. t. d.* **1.** Ver confusamente ou de maneira imperfeita; distinguir mal: *Entreviu, do outro lado do rio, índios que se ocultavam entre as árvores.* **2.** Perceber antecipadamente; pressentir; prever: *Não entrevira as dificuldades que veio a enfrentar. P.* **3.** Ver-se reciprocamente. **4.** Ver-se de passagem; avistar-se: *Entreviram-se quando o avião fez escala naquela cidade.* **5.** Ter entrevista. [Sin. ger., p. us.: *interver.* Irreg. Conjug.: v. *ver.* Inf. pess.: *entrever* (ê), *entreveres* (ê), etc. Cf. *entreveres*, do v. *entreverar.*]

entreverar. [Do esp. plat. *entreverar-se.*] *V. t. d. Bras., RS.* **1.** Misturar, confundir. *P.* **2.** Confundir-se, em conseqüência de misutra: "numa descida de canhada, ... os lotes de eguariços iam se encontrando, *entreverando-se*" (Simões Lopes Neto, *Contos Gauchescos e Lendas do Sul*, p. 166). **3.** Encontrar-se com alguém num entrevero. [Pres. ind.: *entrevero*, etc.; pres. subj.: *entrevere, entreveres*, etc. Cf. *entrevero* (ê), s. m., e *entreveres* (ê), do v. *entrever.*]

entrevero (ê). [Do esp. plat. *entrevero.*] *S. m. Bras.* **1.** Mistura, desordem, confusão, entre pessoas, animais ou objetos. **2.** Recontro em que, no aceso da peleja, as tropas beligerantes se misturam em desordem, lutando individualmente. [Pl.: *entreveros* (ê). Cf. *entrevero*, do v. *entreverar.*]

entrevia. [De *entre-* + *via.*] *S. f. Bras.* A menor distância medida de centro a centro, entre duas vias férreas adjacentes.

entrevinda. [De *entre-* + *vinda.*] *S. f.* Vinda súbita, inesperada.

entrevisão. [De *entre-* + *visão.*] *S. f.* **1.** Ato de entrever. **2.** Aspecto ou visão confusa, indistinta.

entrevista. [De *entre-* + *vista*] *S. f.* **1.** Vista e conferência entre duas ou mais pessoas em local predeterminado. **2.** Encontro combinado. [Sin. (p. us.), nessas acepç.: *entrefala.*] **3.** Comentário ou opinião fornecida a entrevistadores para ser divulgado em jornal, revista, ou por meio de rádio ou televisão.

entrevistador (ô). *S. m.* Aquele que entrevista.

entrevistar. *V. t. d.* **1.** Ter entrevista com: *O repórter entrevistou o novo acadêmico. P.* **2.** Ter entrevista: *Entrevistou-se com o médico.*

entrezar. [Do it. *intrecciare.*] *V. t. d.* Entretecer, entrelaçar.

entrincheirado. [Part. de *entrincheirar.*] *Adj.* Defendido com trincheiras ou com outras obras de defesa; fortificado, defeNdido.

entrincheiramento. *S. m.* **1.** Ato de entrincheirar(-se). **2.** Trincheira ou conjunto de trincheiras.

entrincheirar. [De *en-*^{3} + *trincheira* + *-ar*^{2}.] *V. t. d.* **1.** Fortificar com trincheiras ou barricadas; defender. *P.* **2.** Fortificar-se com trincheiras: *Os insurretos entrincheiraram-se nos subúrbios.* **3.** Firmar-se; fortificar-se: *O orador entrincheirou-se em sofismas.*

entristecedor (ô). *Adj.* Que entristece.

entristecer. [De *en-*^{3} + *triste* + *-ecer.*] *V. t. d.* **1.** Tornar triste; afligir; penalizar: *A doença entristece-o* **2.** Estiolar, emurchecer, murchecer, murchar: *O excesso de sol entristece as flores. Int.* e *p.* **3.** Tornar-se triste; sentir pesar, mágoa: *Falei do passado, e ele entristeceu; "O negro entristeceu-se. Vida dura, a do garoto."* (João Clímaco Bezerra, *A Vinha dos Esquecidos*, p. 41.) **4.** Estiolar(-se), murchar(-se), emurchecer. [Sin., p. us.: *atristar.* Conjug.: v. *aquecer.*]

entristecimento. *S. m.* Ato ou efeito de entristecer (-se); tristeza.

entrita. [Do lat. *intrita*, 'triturada'.] *S. f.* Papa feita com migalhas de pão.

entroixar. *V. t. d.* e *p.* V. *entrouxar.*

entroixo. *S. m.* V. *entrouxo.*

entronar. [De *en-*^{3} + *trono* + *-ar*^{2}.] *V. t. d.* e *p.* V. *entronizar.*

entroncado. [Part. de *entroncar.*] *Adj.* **1.** Que se entroncou, engrossou; engrossado; grosso: *mata virgem, de árvores entroncadas.* **2.** Diz-se de indivíduo corpulento, espadaúdo e, em geral, de estatura mediana.

entroncamento. *S. m.* Ponto de junção de dois ou mais caminhos, de duas ou mais coisas.

entroncar. [De *en-*^{3} + *tronco* + *-ar*^{2}.] *V. int.* **1.** Criar ou adquirir tronco; engrossar; robustecer; entronquecer. **2.** Reunir-se a um tronco principal (árvore genealógica); engarfar. **3.** Reunir(-se) (um caminho a outro). *T. d.* e *i.* **4.** Fazer entroncar ou reunir. **5.** Inserir, interserir, introduzir. **6.** Reunir-se (um caminho a outro); convergir. *P.* **7.** Ligar-se por parentesco. **8.** Criar o tronco; engrossar o tronco. [Conjug.: v. *trancar.*]

entronchado. [Part. de *entronchar.*] *Adj.* Que entronchou; tronchudo.

entronchar. [De *en-*^{3} + troncho + *-ar*^{2}.] *V. int.* **1.** Ficar tronchudo ou troncho. *T. d.* **2.** *Bras., N.E.* Tornar troncho ou torto.

entronização. *S. f.* Ato ou efeito de entronizar(-se).

entronizar. [Do lat. *inthronizare.*] *V. t. d.* **1.** Elevar ao trono, à suprema dignidade. **2.** Pôr em altar (imagem de santo), ou pendurar na parede (quadro com estampa de santo). **3.** Elevar muito; exaltar, sublimar. *P.* **4.** Sentar-se no trono, ou ocupá-lo. **5.** Tomar o mando; dominar. [Sin. ger., p. us.: *entronar.*]

entronquecer. [De *en-*^{3} + *tronco* + *-ecer.*] *V. int.* Criar tronco; entroncar. [Conjug.: v. *aquecer.*]

entronquecido. [Part. de *entronquecer.*] *Adj. Morfol. Veg.* Diz-se da planta provida de tronco.

entropia. [Do gr. *entropé*, 'volta', + *-ia.*] *S. f.* **1.** *Fís.* Função termodinâmica de estado, associada à organização espacial e energética das partículas de um sistema, e cuja variação, numa transformação deste sistema, é medida pela integral do quociente da quantidade infinitesimal do calor trocado reversivelmente entre o sistema e o exterior pela temperatura absoluta do sistema. **2.** Medida da quantidade de desordem dum sistema.

entropicar. [De *en-*^{4} + *tropicar.*] *V. int. Bras., N.E. Pop.* Tropeçar, tropicar. [Conjug.: v. *trancar.*]

entrópico. *Adj.* Relativo à entropia.

entropigaitar. *V. t. d.* e *p. Bras. Pop.* Var. de *entupigaitar.*

entropilhar. [Do esp. plat. *entropillar.*] *V. t. d. Bras., S.* **1.** Formar tropilha de (animais que têm, de ordinário, o mesmo pelame). *P.* **2.** Reunir-se, juntar-se, ajustar-se.

entrópio. [Do gr. *entropé*, 'reviramento, volta', + *-io.*] *S. m. Med.* Reviramento do bordo livre das pálpebras para o globo ocular.

entrópion. S. m. Med. V. *entrópio.*

entrós. [Do lat. *introrsu.*] *S. m.* V. *entrosa.* [Pl.: *entroses.*]

entrosa. [De *entrós.*] *S. f.* **1.** Roda dentada que engrena em outra; endentação. **2.** Cada um dos espaços entre os dentes da roda. [Sin. ger.: *entrós.*]

entrosado. [Part. de *entrosar.*] *Adj.* **1.** Que se entrosou. **2.** Organizado, ordenado. **3.** Que adquiriu o necessário à boa execução de uma tarefa, ao bom exercício de um cargo, desempenho de um papel, etc.

entrosagem. *S. f.* Entrosamento (1).

entrosamento. *S. m.* **1.** Ato ou efeito de entrosar(-se); entrosagem. **2.** *Fig.* Coincidência de pontos de vista, de opiniões etc.; entendimento, acordo: *Com o bom entrosamento entre eles tudo chegará a bom termo.* **3.** *Fig.* Adaptação, ajuste: *Foi fácil o seu entrosamento no grupo.*

entrosar. [De *entrós* + *-ar*^{2}.] *V. t. d.* **1.** Meter os dentes de (uma roda) pelos vãos de outra; endentar, engranzar, engrazar. **2.** *Bras.* Pôr em ordem; organizar. **3.** Adaptar a um meio ou uma situação; ambientar: *O chefe procurou entrosar os novos funcionários. T. d.* e *c.* **4.** Encaixar, introduzir: *Entrosar uma peça em outra.* **5.** Fazer adquirir amizades; relacionar: *O professor tentava entrosar o novo aluno com a turma. Int.* e *p.* **6.** Encaixar-se, adaptar-se. **7.** *Bras.* Harmonizar-se, afinar-se; sintonizar.

entrouxar. [De *en-*^{3} + *trouxa* + *-ar*^{2}.] *V. t. d.* **1.** Fazer trouxa de; meter em trouxa. **2.** *Bras.* Embrulhar, empacotar, enfardelar. **3.** Pôr em ordem; arrumar. **4.** Arrecadar; acumular. *P.* **5.** Vestir-se às pressas. [Var.: *entroixar.*]

entrouxo. [Dev. de *entrouxar.*] *S. m.* Enchimento exato; chumaço. [Var.: *entroixo.*]

entroviscada. [Fem. substantivado do part. de *entroviscar.*] *S. f.* Pesca de peixes na qual estes são envenenados com trovisco.

entroviscar. [De *en-*^{3} + *trovisco* + *-ar*^{2}.] *V. t. d.* **1.** Espalhar trovisco em (água) para matar peixe. **2.** Enublar, nublar, anuviar. *P.* **3.** Perturbar-se, complicar-se. **4.** Nublar-se (o céu) ameaçando chuva. [Conjug.: v. *trancar.*]

entrudada. *S. f. P. us.* Brincadeira de entrudo; folguedos carnavalescos.

entrudar. *V. int.* **1.** Celebrar entrudo ou carnaval, divertindo-se ou banqueteando-se. **2.** Jogar o entrudo, pregando peças. **3.** Brincar sem intenção de ofender. *T. d.* **4.** Dirigir graças carnavalescas a; caçoar com.

entrudesco (ê). *Adj.* Relativo ao, ou próprio do entrudo.

entrudo. [Do lat. *introitu.*] *S. m. P. us.* **1.** Carnaval (1 e 2). **2.** *Bras.* Folguedo carnavalesco antigo, que consistia em lançar uns aos outros água, farinha, tinta, etc.

entubação. *S. f.* Ato de entubar. [Cf. *intubação.*]

entubar. [De *en-*^{2} + *tubo* + *-ar*^{2}.] *V. t. d.* Dar feição de tubo a. [Cf. *intubar.*]

entuberácea. *S. f.* Espécime das entuberáceas.

entuberáceas. *S. f. pl. Micol.* Família de fungos (cogumelos) crassos, de vida subterrânea, que engloba as afamadas trufas. Provenientes das florestas européias, hoje, são cultivadas por toda parte.

entuberáceo. *Adj.* Pertencente ou relativo às entuberáceas.

entuchamento. *S. m. Bras.* Ato ou efeito de entuchar.

entuchar. [Alter. de *atochar?*] *V. t. d. Bras.* **1.** Suportar calado uma afronta; engolir. *Int.* **2.** Calar-se, emudecer.

entufado. [Part. de *entufar.*] *Adj.* **1.** Empolado; vaidoso, arrogante. **2.** *Bras.* Amuado, zangado.

entufar. [De *en-*^{4} + *tufar.*] *V. t. d.* **1.** Tornar inchado; intumescer, tufar, bolsar. **2.** Tornar arrogante, vaidoso. *P.* **3.** *Bras.* Zangar-se, amuar-se.

entujucado. [Part. de *entujucar.*] *Adj. Bras.* Var. de *entijucado.*

entujucar. [De *en-*^{3} + *tujuco* (q. v.) + *-ar*^{2}.] *V. t. d. Bras.* Var. de *entijucar.* [Conjug.: v. *trancar.*]

entulhar. [De *en-*^{2} + *tulha* + *-ar*^{2}.] *V. t. d.* **1.** Meter em tulha (trigo, azeitonas, etc.) **2.** Encher até não caber mais; abarrotar, entupir, atulhar: *A multidão entulhava a praça.* **3.** Acumular, amontoar, atulhar. *P.* **4.** Encher-se, abarrotar-se, entupir-se, atulhar-se.

entulho. [Dev. de *entulhar.*] *S. m.* **1.** Caliça, pedregulhos, areia, terra, tudo quanto sirva para entupir, aterrar, nivelar depressão de terreno, escavação, fossa, vala, etc. **2.** Conjunto de fragmentos ou restos de tijolo, argamassa, madeira, etc., provenientes da construção de um prédio. **3.** Materiais inúteis resultantes de demolição; escombros, ruínas. **4.** Lixo (1). **5.** Coisa(s) sem valor ou sem préstimo; bagulho: *Eram móveis quebrados, feios, não passavam de entulho.* **6.** *Bras. Fam.* Comida que dá a impressão de encher demasiado o estômago, pelo volume e/ou por ser pesada: *Vai comer feijoada? Isso é um entulho!* **7.** *Bras. Fam. Cul. P. ext.* Os ingredientes que dão volume ao prato, como os legumes da sopa, a farofa do recheio das aves, as peças da feijoada, etc.

entuna. [De *tuna*^{1}.] *S. f. Bras., RS.* **1.** O andar pelos montes caçando ou vadiando. **2.** *P. ext.* A caça.

entunicado. [De *en-*^{3} + *túnica* + *-ado*^{1}.] *Adj. Morfol. Veg.* Que tem túnicas concêntricas, à feição da cebola; tunicado. [Diz-se dos *bulbos.*]

entupido. [Part. de *entupir.*] *Adj.* **1.** Obstruído, tapado. **2.** *Fig.* Sem saber ou sem ter o que responder; embatucado, atrapalhado.

entupigaitação. [De *entupigaitar* + *-ção.*] *S. f. Bras. Pop.* Mudez momentânea, causada por falta de argumentos; atrapalhação, embaraço, confusão.

entupigaitado. [Part. de *entupigaitar.*] *Adj. Bras.* Confundido, desnorteado, desorientado: "Não reagiu o covarde, *entupigaitado*, sem saber onde meter as mãos e esconder a cara" (Jorge Amado, *Teresa Batista Cansada de Guerra*, p. 61).

entupigaitar. [De *entupir* + *gaita* + *-ar*^{2}?] *Bras. Pop. V. t. d.* **1.** Atrapalhar, embaraçar, confundir, desnortear, desorientar. *P.* **2.** Atrapalhar-se, confundir-se; calar-se. [Var.: *entropigaitar.*]

entupimento. *S. m.* Ato ou efeito de entupir(-se).

entupir. [Da onom. *tup!*] *V. t. d.* **1.** Obstruir, atulhar, entulhar: *Os detritos entupiram o cano.* **2.** Fazer calar; embatucar. *Int.* **3.** Ficar embatucado; embatucar, calar(-se), emudecer(-se). *P.* **4.** Obstruir-se: *O tubo entupiu-se.* **5.** Encher-se, fartar-se; empanturrar-se. [Irreg. Pres. ind.: *entupo, entopes ou entupes, entope ou entupe, entupimos, entupis, entopem ou entupem.*]

entupitivo. *Adj.* Que entope ou farta, ou serve para entupir. [Diz-se especialmente de alimentos pesados ou ingeridos em demasia.]

enturbar. [De *en-*[4] + *turbar.*] *V. t. d.* Turbar; enturvar: "Aqui, nem tênue lágrima a esmeralda / Do olhar lhe *enturbe* mais" (Raimundo Correia, *Poesias*, p. 184).

enturmar. [De *en-*[3] + *turma* + *-ar*[2].] *V. t. i.* e *p. Bras.* Reunir-se, formando turma (7).

enturvação. *S. f.* Ato ou efeito de enturvar(-se).

enturvado. [Part. de *enturvar.*] *Adj.* Que se tornou turvo.

enturvar. [De *en-*[4] + *turvar.*] *V. t. d.* **1.** Tornar turvo; turvar; ensombrar. **2.** Embaraçar, perturbar, confundir: *A complexidade do questionário enturvou-o.* **3.** Tornar triste; entristecer. *P.* **4.** Tornar-se turvo, escuro; enturvar-se. **5.** Tornar-se obscuro, ininteligível; enturvar-se. **6.** Zangar-se, amuar-se.

enturviscar-se. [De *en-*[3] + *turvo* + *-iscar* + *se*[1].] *V. p.* Tornar-se turvo (o tempo); nublar-se, enublar-se, anuviar-se. [Conjug.: v. *trancar.*]

entusiasmado. [Part. de entusiasmar.] *Adj.* **1.** Que se entusiasmou; cheio de entusiasmo; arrebatado. **2.** Animado por bom êxito conseguido: *Anda entusiasmada com os estudos.* **3.** *Bras. Fam.* Orgulhoso, vaidoso: *Não dá confiança a ninguém, é muito entusiasmado.*

entusiasmar. *V. t. d.* **1.** Causar entusiasmo a; encher de entusiasmo; animar, arrebatar. *P.* **2.** Encher-se de entusiasmo.

entusiasmo. [Do gr. *enthousiasmós*, pelo fr. *enthousiasme.*] *S. m.* **1.** Na Antiguidade, exaltação ou arrebatamento extraordinário daqueles que estavam sob inspiração divina, como as sibilas, etc.; transe, transporte. **2.** Veemência, vigor, no falar ou no escrever; flama. **3.** Exaltação criadora; inspiração, estro. **4.** Admiração, arrebatamento: *O desempenho do artista provocou o entusiasmo do público.* **5.** Dedicação ardente; ardor, paixão: *Grande era o entusiasmo do advogado pela causa que abraçara.* **6.** Viva alegria; júbilo: *Recebeu com entusiasmo a notícia do prêmio.*

entusiasta. [Do gr. *enthousiástes*, pelo fr. *enthousiaste.*] *Adj. 2 g.* e *s. 2 g.* Que ou quem se dedica vivamente a alguma coisa, ou por ela se exalta, se toma de arrebatamento, se entusiasma.

entusiástico. [Do gr. *enthousiastikós*, pelo ingl. *enthusiastic.*] *Adj.* **1.** Que tem ou denota entusiasmo: *jovens entusiásticos; expressões entusiásticas.* **2.** Acompanhado de manifestações de entusiasmo: *homenagem entusiástica.*

entuviada. [Do esp. *antuviada?*] *S. f. Ant.* Desordem, briga. ♦ **De entuviada.** Depressa; desordenadamente.

enublar. [De *en-*[4] + *nublar.*] *V. t. d.* Nublar, anuviar, enuviar.

enucleação. *S. f.* Ação ou efeito de enuclear.

enuclear. [Do lat. *enucleare.*] *V. t. d.* **1.** Extirpar (um tumor). **2.** Tirar o núcleo ou caroço de (fruta). **3.** Explicar, elucidar, esclarecer, aclarar. [Conjug.: v. *frear.*]

ênula. *S. f. Bot.* Erva medicinal (*Inula helenium*), da família das compostas.

enumerabilidade. *S. f. Mat.* Propriedade de numerável.

enumeração. [Do lat. *enumeratione.*] *S. f.* **1.** Indicação de coisas uma por uma. **2.** Exposição ou relação metódica. **3.** Conta, cômputo. [Sin. ger.: *adnumeração.*]

enumerador (ô). *Adj.* e *s. m.* Que ou aquele que enumera.

enumerar. [Do lat. *enumerare.*] *V. t. d.* **1.** Fazer enumeração de (coisas, uma por uma). **2.** Indicar por números; numerar. **3.** Relacionar metodicamente. **4.** Contar; especificar. [Sin. ger.: *adnumerar.*]

enumerável. *Adj. 2 g.* **1.** Que se pode numerar. ~ V. *conjunto* —. ● *S. m.* **2.** *Mat.* V. *conjunto numerável.* [Cf. *inumerável.*]

enunciação. [Do lat. *enuntiatione.*] *S. f.* **1.** Ato ou efeito de enunciar(-se). **2.** Expressão, declaração, proposição.

enunciado. [Part. de *enunciar.*] *Adj.* **1.** Expresso, declarado. ● *S. m.* **2.** Proposição; exposição. **3.** Elocução. **4.** Qualquer texto, oral ou não, produzido por emissor.

enunciar. [Do lat. *enuntiare.*] *V. t. d.* **1.** Exprimir, declarar, expor, manifestar: *Enunciou uma opinião abalizada.* *P.* **2.** Exprimir-se, manifestar-se.

enunciativo. *Adj.* Que enuncia.

ênupla. *S. f. Mat.* Conjunto de *n* quantidades, onde *n* é um inteiro.

enurese. [De *en-*[3] + *urese.*] *S. f. Patol.* Incontinência de urina; enuresia.

enuresia. *S. f. Patol.* Enurese.

enuviar. *V. t. d.* Nublar, enublar, anuviar: "Brumoso véu o infinito *enuvia.*" (Gilca da Costa Melo Machado, *Poesias*, p. 136)

envaidar. [De **envaidadar*, com haplologia.] *V. t. d.* e *p. P. us.* V. *envaidecer.*

envaidecedor (ô). *Adj.* Que envaidece.

envaidecer. [De *en-*[3] + *vaidade* + *-ecer*, com haplologia.] *V. t. d.* **1.** Tornar vaidoso; encher de vanglória; enfatuar: *Os elogios envaideciam-no.* *P.* **2.** Tornar-se vaidoso; ensoberbecer-se. [Sin. ger., p. us.: *envaidar.* Conjug: v. *aquecer.*]

envalar. [De *en-*[3] + *vala* + *-ar*[2].] *V. t. d.* Cercar de valas ou fosso; entrincheirar.

envarar. [De *en-*[3] + *vara*[1] + *-ar*[2].] *V. t. d.* Colocar varas, ou ripas, horizontalmente, prendendo-as, quer por meio de pregos, quer por atilhos, aos enxaiméis das casas de taipa, ou às estacas das cercas.

envaretado. [Part. de *envaretar.*] *Adj.* **1.** *Bras., S.* Encabulado, encalistrado, desapontado. **2.** Diz-se do galo que enxerga pouco.

envaretar. [De *en-*[3] + *vareta* + *-ar*[2].] *V. int.* **1.** *Bras., S.* Ficar zangado ou atrapalhado com uma caçoada ou gracejo de outrem; encalistrar, enfiar; desapontar-se. **2.** Levar (o galo de briga) pancada ou golpe nos olhos, cegando, ou reduzindo-se-lhe a visão.

envasadura. *S. f.* Envasamento (1 e 2). **2.** *Arquit.* V. *vão* (10).

envasamento. *S. m.* **1.** Ação ou efeito de envasar[1]; envasadura. **2.** Plantação em vasos; envasadura. **3.** *Arquit.* Base de uma coluna ou pilastra.

envasar[1]. [De *en-*[3] + *vaso* + *-ar*[2].] *V. t. d.* **1.** Meter em vaso; envasilhar. **2.** Dar forma de vaso a. **3.** Plantar em vasos. **4.** *Arquit.* Fazer o envasamento (3) de.

envasar[2]. [De *en-*[3] + *vasa* + *-ar*[2].] *V. t. d.* Meter em vasa, lodo, lama; atolar.

envasilhamento. *S. m.* Ato ou efeito de envasilhar.

envasilhar. [De *en-*[2] + *vasilha* + *-ar*[2].] *V. t. d.* **1.** Meter em vasilha. **2.** Meter em pipas, tonéis ou garrafas.

envelhacar. [De *en-*[3] + *velhaco* + *-ar*[2].] *V. t. d.* e *p.* Tornar(-se) velhaco. [Conjug.: v. *trancar.*]

envelhecer. [De *en-*[3] + *velho* + *-ecer.*] *V. t. d.* **1.** Tornar velho; avelhentar, avelhantar. *Int.* **2.** Tornar-se velho; avelhentar-se, avelhantar-se: "*Envelhecera.* O espelho mostrava-lhe os cabelos brancos, as rugas." (Herberto Sales, *Histórias Ordinárias*, p. 107); "Foram-se passando os anos. Fui *envelhecendo.*" (José Leventhal, *A Terceira Base*, p. 18). **3.** Parecer velho. **4.** Perder a frescura, o viço. **5.** Durar muito tempo; permanecer: *Há livros que envelhecem nas livrarias.* **6.** Tornar-se desusado ou inútil. [Conjug.: v. *aquecer.*]

envelhecido. [Part. de *envelhecer.*] *Adj.* **1.** Que envelheceu. **2.** Decadente, declinante.

envelhecimento. *S. m.* Ato ou efeito de envelhecer.

envelhentar. [De *en-*[3] + *velho* + *-entar.*] *V. t. d.* Avelhentar, envelhecer.

envelopamento. *S. m. Bras.* Ato ou efeito de envelopar.

envelopar. *V. t. d. Bras.* Meter ou guardar em envelope.

envelope. [Do fr. *enveloppe.*] *S. m.* **1.** Invólucro para remessa ou guarda de correspondência, documento ou impresso de qualquer natureza; sobrecarta, sobrescrito. **2.** *Bras.* Placa fina, de ferro, que forma o invólucro externo das caldeiras das locomotivas e recobre uma camada de asbesto ou de outra substância atérmana. ♦ **Envelope de janela.** *Art. Gráf.* V. *janela* (5). **Envelope de madeira.** *Bras. Gír.* V. *paletó de madeira.*

envencilhado. [Part. de *envencilhar.*] *Adj.* Emaranhado, enleado, enredado, complicado.

envencilhar. [De *en-*[3] + *vencilho* + *-ar*[2].] *V. t. d.* **1.** Atar com vencilho; enredar, enlear, emaranhar. *P.* **2.** Enredar-se, enlear-se, emaranhar-se.

envenenado. [Part. de *envenenar.*] *Adj.* **1.** Que tem veneno. **2.** Que ingeriu veneno. **3.** *Fig.* Que envolve intenções más; malicioso, malévolo: *comentário envenenado.* **4.** *Bras. RJ. Gír.* Cheio de bossa (8) prafrente: *vestido envenenado; festa envenenada.* **5.** *Bras., RJ. Gír.* Diz-se do carro que foi preparado para desenvolver velocidade maior que a dos outros de sua série.

envenenador (ô). *Adj.* **1.** Que envenena. ● *S. m.* **2.** Aquele que envenena. **3.** *Fís.-Quím.* Numa catálise, substância que impede a ação do catalisador.

envenenamento. *S. m.* **1.** Ato ou efeito de envenenar(-se); intoxicação. **2.** *Fís. Nucl.* Diminuição do rendimento de um combustível nuclear pelo acúmulo de venenos nucleares.

envenenar. [De *en-*[3] + *veneno* + *-ar*[2].] *V. t. d.* **1.** Misturar veneno em: *envenenar um alimento.* **2.** Ministrar veneno a; intoxicar: *O assasino envenenou a vítima.* **3.** Estragar, corromper; perverter: *A mentira envenena os sentimentos.* **4.** Dar mau sentido a; deturpar; desvirtuar; distorcer, torcer: *Intrigante, quis envenenar a declaração do companheiro.* **5.** *Autom.* Efetuar modificações mecânicas em (um veículo automóvel), com o fim de obter melhor desempenho do motor. *Int.* **6.** Causar envenenamento (1): *O gás de cozinha envenena.* *P.* **7.** Tomar veneno para suicidar-se. **8.** Intoxicar-se.

enventanar. [De *en-*[2] + *ventana*[1] + *-ar*[2].] *V. t. d.* **1.** Meter (a bola de bilhar) na ventanilha. *P.* **2.** Engasgar-se (a bola de bilhar) na ventanilha.

enverdecer. [De *en-*[3] + *verde* + *-ecer.*] *V. t. d.* **1.** Dar a cor verde a; tornar verde: *A clorofila enverdece o vegetal;* "A chuva *enverdecia* os bananais." (Alberto Da Costa e Silva, *As Linhas da Mão*, p. 122). **2.** Cobrir de verdura: *Após a estiagem, a chuva enverdeceu os campos.* **3.** Rejuvenescer, juvenescer, remoçar. *Int.* **4.** Fazer-se verde: "já as macieiras tinham flor, ... e os prados *enverdeciam.*" (Eça de Queirós, *Últimas Páginas*, p. 87). **5.** Cobrir-se de verdura. **6.** Adquirir vigor; rejuvenescer, juvenescer. *P.* **7.** Tornar-se verde. [Sin. ger.: *enverdejar.* Conjug.: v. *aquecer.*]

enverdejar. [De *en-*[3] + *verde* + *-ejar.*] *V. t. d., int.* e *p.* V. *enverdecer.* [Conjug.: v. *pelejar.*]

enveredar. [De *en-*[2] + *vereda* + *-ar*[2].] *V. int.* **1.** Tomar caminho; dirigir-se, encaminhar-se, seguir: *Enveredou ladeira abaixo.* **2.** *Bras.* Seguir com destino exclusivo a certo e determinado lugar. *T. d.* **3.** Guiar, conduzir, encaminhar (alguém). *T. c.* **4.** Enveredar (1): "Os mais fortes *enveredavam* logo para a cacimba pouco distante" (Euclides da Cunha, *Os Sertões*, p. 481).

envergadura. *S. f.* **1.** V. *envergamento.* **2.** Capacidade, aptidão, competência: *O poeta não tinha envergadura para a epopéia.* **3.** A distância de uma à outra ponta das asas abertas de uma ave. **4.** Dimensão máxima transversal de uma ponta à outra das asas dum avião. **5.** *P. ext.* Importância, peso: *obra de larga envergadura.*

envergamento. *S. m.* Ação ou efeito de envergar(-se); curvatura; envergadura.

envergar. [De *en-*[3] + *verga* + *-ar*[2].] *V. t. d.* **1.** *Marinh.* Atar (vela) a uma verga ou a um estai. **2.** Curvar, arquear: *Envergou o bambu.* **3.** Vestir, trajar: *envergar um fraque.* *Int.* e *p.* **4.** Vergar-se, curvar-se. [Conjug.: v. *largar.*]

envergonhar. [De *en-*[3] + *vergonha* + *-ar*[2].] *V. t. d.* **1.** Encher de vergonha, de pejo, de timidez; fazer corar; confundir: *O procedimento do amigo envergonhava-o.* **2.** Fazer vergonha ou desonra a; humilhar, aviltar: *Costuma envergonhar os subalternos.* **3.** Deslustrar, comprometer: *A violência e a injustiça envergonham uma nação.* *P.* **4.** Ficar envergonhado; ter acanhamento, pejo; acanhar-se, pejar-se: "*envergonhou-se* de confessar o que lhe parecia uma fraqueza" (Artur Azevedo, *Contos Cariocas*, p. 59). [Sin. (p. us.): *avergonhar.*]

envergues. [Dev. de *envergar.*] *S. m. pl. Marinh.* Cabos ou cordas que prendem a vela à verga.

envermelhar. [De *en-*[3] + *vermelho* + *-ar*[2].] *V. t. d.* e *p.* V. *envermelhecer.* [Conjug.: v. *aparelhar.*]

envermelhecer. [De *en-*[3] + *vermelho* + *-ecer.*] *V. t. d.* e *p.* Tornar(-se) vermelho; enrubescer(-se); avermelhar(-se), envermelhar(-se). [Conjug.: v. *aquecer.*]

envernizado. [Part. de *envernizar.*] *Adj.* **1.** Que se envernizou. **2.** Polido, lustrado. **3.** *Pop.* V. *embriagado* (1). ● *S. m.* **4.** *Bras., MG.* Canela-de-veado (1).

envernizador (ô). *S. m.* Aquele que tem por profissão envernizar.

envernizar. [De *en-*[3] + *verniz* + *-ar*[2].] *V. t. d.* **1.** Cobrir ou lustrar com verniz. **2.** Polir, lustrar. *P.* **3.** *Pop.* Embebedar-se, embriagar-se.

enverrugado. [Part. de *enverrugar.*] *Adj.* **1.** Que criou verrugas. **2.** Enrugado, engelhado, encarquilhado.

enverrugar. [De *en-*[3] + *verruga* + *-ar*[2].] *V. t. d.* **1.** Fazer criar verrugas. **2.** Encher de rugas; enrugar, encarquilhar, engelhar. **3.** Amarrotar, amarfanhar, amarfalhar. *Int.* **4.** Criar verrugas. **5.** Encarquilhar-se, engelhar(-se). [Conjug.: v. *largar.*]

envesar. *V. t. d.* Var. de *envessar.*

envesgar. [De *en-*[3] + *vesgo* + *-ar*[2].] *V. t. d.* **1.** Tornar vesgo, oblíquo, enviesado (os olhos, a vista); enviesar, torcer, entortar. *T. d.* e *i.* **2.** Dirigir (os olhos), torcendo-

os: "retardava o passo diante de uma casa baixa, envesgava o olhar para as janelas." (Graciliano Ramos, *Infância*, p. 243). [Conjug.: v. *regar.*]
envessado. [Part. de *envessar.*] *Adj.* Virado do avesso.
envessar. *V. t. d.* **1.** Pôr para fora o avesso de (pano, tecido). **2.** Inverter a ordem de. [Var.: *envesar.* Pres. ind.: *envesso*, etc. Cf. *envesso* (ê). Conjug.: v. *começar.*]
envesso (ê). [Do lat. *inversu.*] *S. m.* V. *avesso* (3). [Pl.: *envessos* (ê). Cf. *envesso*, do v. *envessar.*]
enviada. *S. f.* Barco que recebe de outros o produto de pesca e o leva ao porto; andaina.
enviado. [Part. de *enviar.*] *Adj.* **1.** Mandado, remetido. • *S. m.* **2.** Portador, mensageiro. **3.** *Diplom.* Encarregado de negócios. ♦ **Enviado especial.** Jornalista vinculado a uma empresa de comunicação que viaja a outro lugar com a missão de cobrir (15) determinado acontecimento. [Cf. *correspondente* (7).]
enviar. [Do lat. *inviare.*] *V. t. d.* **1.** Expedir, remeter, endereçar. **2.** Encaminhar, conduzir. **3.** Mandar (alguém) em missão. *T. d. e i.* **4.** Dirigir, remeter, expedir, endereçar: *Enviou uma carta aos amigos*; "Pálido, o Sol do céu se despedia, / Enviando à Terra o derradeiro beijo." (Olavo Bilac, *Poesias*, p. 83). **5.** Encaminhar, conduzir, guiar. *T. d. e i.* **6.** Mandar (alguém ou algo): *O governo enviou novo embaixador a Londres.*
enviatura. *S. f.* **1.** Ato de enviar alguém em missão diplomática. **2.** *Diplom.* O cargo de enviado (3). **3.** *Diplom.* Missão diplomática.
envidar. [Do lat. *invitare.*] *V. t. d.* **1.** Parar mais, i. e., apostar quantia maior e provocar (o parceiro) para que aceite a parada, quando se supõe ter maior jogo que ele. **2.** Desafiar, provocar. **3.** Empregar com muito empenho: *Envidou todos os esforços para obter uma vaga. P.* **4.** Esforçar-se, empenhar-se.
envide[1]. *S. m. Pop.* V. *vide* (4).
envide[2]. [Dev. de *envidar.*] *S. m.* Ato de envidar.
envidilha. *S. f. Pop.* V. *vide* (4).
envidilhar. [De *en-*[3] + *vide* + *-ilhar.*] *V. t. d.* Enroscar (a vide [1]).
envidraçado. [Part. de *envidraçar.*] *Adj.* **1.** Que tem vidraça; guarnecido de vidros: "A imensa varanda envidraçada levou uma lavagem de panos molhados" (Belmiro Braga, *Cantos* e *Contos*, p. 43). **2.** Embaciado, embaçado, vidrado.
envidraçamento. *S. m.* Ato, operação ou efeito de envidraçar(-se).
envidraçar. [De *en-*[3] + *vidraça* + *-ar*[2].] *V. t. d.* **1.** Cobrir ou guarnecer de vidros. **2.** Meter em compartimento envidraçado. **3.** Dar aparência de vidro a; tornar vítreo. *P.* **4.** Empanar-se, embaciar-se: *Ao ouvir a triste notícia, seus olhos se envidraçaram de lágrimas.* [Conjug.: v. *laçar.*]
enviés. *S. m.* Viés. [Pl.: *envieses.*]
enviesado. [Part. de *enviesar.*] *Adj.* **1.** Posto ao viés; cortado obliquamente; esconso. *S. m.* **2.** *Tip.* Cunho formado por peça dentada onde engrenam carretos, para dar o aperto. [V. *cunho* (8).]
enviesar. [De *en-*[3] + *viés* + *-ar*[2].] *V. t. d.* **1.** Pôr ao viés, ou de esguelha; cortar obliquamente. **2.** Torcer (os olhos); envesgar. **3.** Dirigir mal; dar má direção a. **4.** Entortar (o corpo). *P.* **5.** Ser ou tornar-se torto, enviesado.
envilecer. [Do lat. *invilescere.*] *V. t. d.* **1.** Tornar vil; deslustrar, desonrar, aviltar: *A submissão à injustiça envilece o homem.* **2.** Vender por preço vil; baratear. *Int.* e *p.* **3.** Tornar-se vil, desprezível; aviltar-se, rebaixar-se. **4.** Perder o valor, a valia. [Conjug.: v. *aquecer.*]
envilecido. [Part. de *envilecer.*] *Adj.* **1.** Tornado vil; aviltado, desonrado. **2.** Vendido por preço vil.
envilecimento. *S. m.* Ato ou efeito de envilecer(-se); aviltamento.
envinagrado. [Part. de *envinagrar.*] *Adj.* **1.** Que tem vinagre, ou sabor de vinagre. **2.** Irritado, azedo. [F. paral.: *avinagrado.*]
envinagrar. [De *en-*[3] + *vinagre* + *-ar*[2].] *V. t. d.* **1.** Temperar ou misturar com vinagre. **2.** Pôr vinagre em: *envinagrar a carne.* **3.** Dar sabor de vinagre a. **4.** Transformar em vinagre; acetificar. **5.** *Fig.* Agravar, acirrar (uma questão). **6.** *Fig.* Impacientar, irritar, exasperar; azedar. *P.* **7.** Azedar-se, acetificar-se. **8.** Irritar-se, exasperar-se; azedar-se. [F. paral.: *avinagrar, vinagrar.*]
envincilhar. *V. t. d.* e *p.* V. *envencilhar.*
envio. [Dev. de *enviar.*] *S. m.* **1.** Ato de enviar. **2.** Remessa, expedição. **3.** V. *tornada*[1] (2).
enviperado. [Part. de *enviperar.*] *Adj.* **1.** Assanhado como víbora. **2.** Irritado, encolerizado.
enviperar. [De *en-*[3] + lat. *vipera*, 'víbora', + *-ar*[2].] *V. t. d.* **1.** Tornar assanhado como a víbora. **2.** Irritar, enfurecer, encolerizar. *P.* **3.** Assanhar-se, irritar-se.
envira. *S. f. Bras.* Var. de *embira.*
envirataí. *S. f. Bras.* Var. de *embirataí.*
envirense. *Adj. 2 g.* **1.** De, ou pertencente ou relativo a Envira (AM e RJ). • *S. 2 g.* **2.** Natural ou habitante de Envira.
enviscar. [Do lat. *inviscare.*] *V. t. d.* **1.** Untar com visco. **2.** Prender com visco. **3.** Enganar com astúcia; engodar. *P.* **4.** Ficar preso no visco. **5.** Deixar-se prender, seduzir. [Conjug.: v. *trancar.*]
enviuvar (i-u). [De *en-*[3] + *viúvo* + *-ar*[2].] *V. t. d.* **1.** Tornar viúvo; lançar na viuvez. *Int.* **2.** Ficar viúvo; viuvar: "Tertuliano acabava de enviuvar. Havia meia hora que Dona Xandoca .... fechara os olhos para nunca mais abri-los." (Artur Azevedo, *Contos fora da Moda*, p. 11.) *T. d.* e *i.* **3.** Privar, despojar: *Bem cedo a morte o enviuvou do carinho dos pais.* [Conjug.: v. *amiudar.*]
enviveirar. [De *en-*[3] + *viveiro* + *-ar*[2].] *V. t. d.* **1.** Recolher ou criar em viveiro. **2.** Plantar (mudas) em viveiros.
envolta. [Fem. substantivado do adj. *envolto.*] *S. f.* Confusão, desordem, tumulto. [Pl.: *envoltas.* Cf. *envolta* (ô), fem. de *envolto* (ô), e pl. *envoltos* (ô).] ♦ **De envolta. 1.** De mistura; de tropel; de companhia. **2.** Ao mesmo tempo; conjuntamente. **3.** Confusamente.
envolto (ô). [Do lat. **involvitu.*] *Adj.* Envolvido, embrulhado. [Flex.: *envolta* (ô), *envoltas* (ô). Cf. *envolta* e pl. *envoltas.*]
envoltória. *S. f. Geom. Anal.* **1.** Curva tangente a cada curva de uma família monoparamétrica de curvas. **2.** Superfície tangente a cada superfície de uma família monoparamétrica de superfícies.
envoltório. *S. m.* Coisa que envolve, que serve para envolver; capa, embrulho, invólucro, involutório.
envoltura. *S. f.* **1.** Envolvimento. **2.** Manta em que se envolvem as crianças.
envolvedor (ô). *Adj.* **1.** Envolvente (1). • *S. m.* **2.** Aquilo que envolve. **3.** *Fig.* Indivíduo intrigante.
envolvência. [De *envolvente.*] *S. f.* Qualidade de envolvente.
envolvente. [Do lat. *involvente.*] *Adj. 2 g.* **1.** Que envolve ou abarca; envolvedor. **2.** Que envolve, prende, atrai, alicia, encanta; atraente, aliciante, sedutor, encantador. ~ V. placa —.
envolver. [Do lat. *involvere.*] *V. t. d.* **1.** Abranger, abarcar: *O silêncio envolvia a cidade.* **2.** Trazer em si; encerrar, conter: *Tais palavras envolvem toda uma concepção de vida.* **3.** Implicar, importar: *Aquela resposta envolvia uma acusação.* **4.** Seduzir, cativar, prender, enlear, aliciar, atrair, encantar: "Sua beleza envolvia os homens e dava espanto e mágoa nas mulheres." (Elias José, *Inquieta Viagem no Fundo do Poço*, p. 23.) **5.** Cercar, rodear: *A mãe envolveu a criança carinhosamente.* **6.** Enredar; comprometer: *As intrigas envolveram toda a família.* **7.** Trazer como conseqüência; originar: *A supressão da liberdade envolve a violência.* **8.** Cobrir, toldar: *As sombras envolvem a cidade.* **9.** Confundir; misturar. *P.* **10.** Tomar parte; intrometer-se. **11.** Embrulhar-se; ocultar-se. **12.** Toldar-se, anuviar-se, turvar-se; cobrir-se. **13.** Misturar-se, mesclar-se, confundir-se. [Part.: *envolvido* e *envolto.*]
envolvimento. *S. m.* **1.** Ação ou efeito de envolver(-se); envoltura. **2.** Caso, aventura (particularmente amorosa): *É notório seu envolvimento com a prima.*
enxabidez (ê). *S. f.* V. *desenxabidez.*
enxabido. [Por **enxábido* < lat. **insapidu*, com hiperbibasmo.] *Adj.* V. *desenxabido.*
enxacoco (ô). *Adj.* **1.** Que fala mal uma língua estrangeira, entremeando nela palavras da sua. **2.** Estranho, exótico: *linguagem enxacoca.* • *S. m.* **3.** Aquele que fala mal uma língua estrangeira, entremeando nela palavras da sua.
enxada. [Do lat. *asciata.*] *S. f.* **1.** Instrumento de capinar ou revolver a terra. [Sin., em SP e MG.: *guatambu.*] **2.** *Fig.* Ofício, profissão, ganha-pão. **3.** *Bras.* Peixe teleósteo, percomorfo, da família dos efipídeos (*Chaetodipterus faber* (Brous.)), do Atlântico, de coloração plúmbea tirante ao cinza ou prateado, com cinco faixas negras transversais sobre o corpo, mais visíveis nos jovens. Costuma ser confundido com as espécies do gênero *Pomacanthus* Lac. V. *paru* (3). ♦ **Dar de mamar à enxada.** *Bras. PB. Pop.* Apoiar-se, descansando, no cabo da enxada.
enxadada. *S. f.* **1.** Golpe com enxada. **2.** Ato ou efeito de cavar a terra com a enxada; cavadela.
enxadão. *S. m.* **1.** Enxada grande. **2.** Instrumento encabado, de ferro, com uma extremidade larga terminada em gume e a outra estreita como o bico da picareta, usado na agricultura ou no desaterro; alvião, marraco.
enxada-verde. *S. f. Bras.* V. *falso-oró.* [Pl.: *enxadas-verdes.*]
enxadear. *V. int.* Trabalhar com enxada: "E lá deixavam o filho pequeno, às vezes dois, e iam enxadear na roça, longe, sem os atropelos de uma criança às costas." (Ilza do Espírito Santo Porto, in *Contos Alagoanos de Hoje*, p. 67.)
enxadeiro. *S. m. Bras.* Trabalhador, ou bom trabalhador, de enxada.
enxadrez (ê). *S. m. Ant.* Xadrez (1).
enxadrezado. [Part. de *enxadrezar.*] *Adj.* Dividido em quadrados, à feição de tabuleiro de xadrez. [Sin.: *axadrezado* e (em heráld.) *enxaquetado* ou *enxequetado.* Cf. *xadrez.*]
enxadrezar. *V. t. d.* Dividir em quadrados, à feição do tabuleiro de xadrez. [Sin.: *axadrezar, xadrezar* e (em heráld.) *enxaquetar* ou *enxequetar.*]
enxadrismo. [Por **enxadrezismo*, de *enxadrez* + *-ismo*, com síncope.] *S. m.* A arte ou gosto do jogo do xadrez (1).
enxadrista. [Por **enxadrezista*, de *enxadrez* + *-ista*, com síncope.] *Adj. 2 g.* **1.** Relativo ao xadrez (1). • *S. m.* **2.** Jogador de xadrez; xadrezista, problemista: "então daria para poeta ou, quem sabe, charadista. Ou enxadrista." (Rubem Braga, *Ai de Ti, Copacabana!*, p. 167).
enxadrístico. *Adj.* Relativo ao enxadrismo.
enxaguada. *S. f.* V. *enxaguadura.*
enxaguadura. *S. f.* Ato ou efeito de enxaguar; enxaguada, enxágüe.
enxaguar. [Do lat. **exaquare.*] *V. t. d.* **1.** Lavar ligeiramente. **2.** Passar em segunda água, ou segunda água em, para tirar o sabão: "Comecei a enxaguar a face ensaboada." (Solange Lajes, *Passagem*, p. 63.) [Conjug.: v. *aguar.*]
enxágüe. [Dev. de *enxaguar.*] *S. m.* V. *enxaguadura.*
enxaimear. *V. t. d. Bras.* V. *enxamear*[2]. [Conjug.: v. *frear.*]
enxaimel. [De provável or. ár.] *S. m.* Cada uma das estacas ou grossos caibros que, juntamente com as varas, constituem o engradado das paredes de taipa, destinado a receber e manter o barro amassado. [Pl.: *enxaiméis.*]
enxalço. *S. m.* Pequeno arco, sob a verga de porta ou de janela.
enxalmar. *V. t. d.* Aparelhar ou cobrir com enxalmo.
enxalmo. *S. m.* **1.** Manta que se coloca por cima da albarda para lhe aplanar o assento. **2.** *Pop.* Pessoa inútil, sem préstimo.
enxama. *S. f.* Cavilha de madeira, na borda da canoa, onde joga o remo; tolete.
enxambeque. *S. m.* Var. de *xaveco* (1).
enxambrado. [Part. de *enxambrar.*] *Adj.* Mal enxuto; meio úmido. [Var. de *enxombrado*; outra var.: *enxumbrado.*]
enxambrar. [Var. de *enxombrar* < lat. **exhumorare*, 'tirar a umidade'. Outra var.: *enxumbrar.*] *V. t. d.* **1.** Enxugar ligeiramente. **2.** Enxugar (a roupa) o bastante para engomar. *Int.* e *p.* **3.** Enxugar(-se) incompletamente.
enxame. [Do lat. *examen.*] *S. m.* **1.** Conjunto das abelhas duma colmeia. **2.** *P. ext.* Multidão de gente ou de animais. **3.** Grande quantidade; quantidade, multidão, abundância: "E um enxame de sonhos se levanta / Do seu olhar constantemente" (Luís Murat, *Ondas*, II, p. 97). ♦ **Enxame de cometas.** *Astr.* Grupo numeroso de cometas que têm aproximadamente a mesma órbita. **Enxame de meteoros.** *Astr.* V. *chuva de meteoros.*
enxameação. *S. f. Bras.* Ato ou efeito de enxamear[2]. [Sin.: *enxameamento*, e, no AM, *enchimento.* A boa f. seria *enxaimeação.*]
enxameamento. *S. m. Bras.* V. *enxameação.* [A boa f. seria *enxaimeamento.*]
enxamear[1]. [De *enxame* + *-ear.*] *V. t. d.* **1.** Reunir (as abelhas) em cortiço. **2.** Encher (o cortiço) com abelhas de outra colônia. **3.** Encher como um enxame; inundar com grande número. *Int.* **4.** Formar enxame. **5.** Andar em grande número; pulular, formigar: "O povo enxameando em baixo, na azáfama do transporte dos materiais, estremecia muita vez ao vê-lo passar" (Euclides da Cunha, *Os Sertões*, p. 197). *P.* **6.** Apinhar-se, aglomerar-se. [Conjug.: v. *frear.*]
enxamear[2]. [Por *exaimear*, de *enxaimel.*] *V. t. d. Bras.* Colocar os enxaiméis em. [A boa f. seria *enxaimear.*

Conjug.: v. *frear.*]

enxaqueca (ê). [Do ár. *ax-xaqiqâ.*] *S. f. Med.* Síndrome constituída por cefaléias periódicas, muitas vezes unilaterais, e que se acompanham de náusea, vômito, e perturbações sensoriais variáveis. [Sin., bras., pop.: *mururu.*]

enxaquetado. [Part. de *enxaquetar.*] *Adj. Heráld.* V. *enxadrezado.*

enxaquetar. [Var. de *enxequetar.*] *V. t. d. Heráld.* V. *enxadrezar.*

enxara. [Do ár. *ax-xāra'a.*] *S. f. Ant.* **1.** Matagal. **2.** Charneca.

enxaravia[1]. *S. f. Ant.* Espécie de tamanco.

enxaravia[2]. *S. f. Ant.* Toucado de mulheres.

enxárcia. [Do gr. bizantino *exártia*, atr. do it. ou do cat.] *S. f. Marinh.* O conjunto de ovéns e enfrechates, nos navios à vela. [As enxárcias eram usadas em todos os veleiros de maior porte, mas foram abolidas nos navios modernos de propulsão a *hélice.* Cf. *enxarcia*, do v. *enxarciar.*]

enxarciar. *V. t. d. Ant.* e *desus.* **1.** Guarnecer de enxárcias. **2.** Aparelhar (o navio). [Pres. ind.: *enxarcio, enxarcias, enxarcia*, etc. Cf. *enxárcia.*]

enxaropar. [De *en-*[3] + *xarope* + *-ar*[2].] *V. t. d.* **1.** Transformar em xarope. **2.** Mezinhar com xarope. *P.* **3.** *Pop.* Embebedar-se, embriagar-se.

enxequetado. [Part. de *enxequetar;* var.: *enxaquetado.*] *Adj. Heráld.* V. *enxadrezado.*

enxequetar. [De *en-*[3] + *xeque*[1] + *-t-* + *-ar*[2]; var. de *enxaquetar.*] *V. t. d. Heráld.* V. *enxadrezar.*

enxerca. [Do ár. *ax-xarq*, pelo arc. *eixerca.*] *S. f. Ant.* Operação que consistia em retalhar a carne das reses e pô-la a secar ao sol ou ao fumeiro.

enxercar. [De *enxerca* + *-ar*[2].] *V. t. d.* **1.** Secar (a carne cortada das reses); charquear. *Int.* **2.** Charquear. [Conjug.: v. *trancar.* Pres. ind.: *enxerco*, etc. Cf. *enxerco* (ê).]

enxerco (ê). *S. m. Bras.* V. *erva-de-passarinho.* [Pl.: *enxercos* (ê). Cf. *enxerco*, do v. *enxercar.*]

enxerga (ê). [De *en-*[3] + lat. *serica*, pl. de *sericum*, 'estofo de seda'.] *S. f.* **1.** Colchão rústico. **2.** Cama pobre; catre: "Josefa perscrutando o leito do mago viu cintilar, entre a tábua da cabeceira e a e n x e r g a, o ouro de um bracelete." (Xavier Marques, *O Feiticeiro*, p. 155.) [Pl.: *enxergas* (ê). Cf. *enxerga* e *enxergas*, do v. *enxergar.*]

enxergão. [De *enxerga* + *-ão*[1].] *S. m.* **1.** Espécie de colchão de palha muito apertada, que se coloca por baixo do colchão da cama. **2.** Estrado de arame (nas camas). **3.** *Bras., RS.* Suadouro que se põe sobre o lombo do cavalo, por baixo dos arreios.

enxergar. *V. t. d.* **1.** Ver a custo; entrever, divisar. **2.** Descortinar, avistar. **3.** Notar, perceber, observar: *E n x e r g o u - l h e nos olhos os sentimentos ocultos.* **4.** Pressentir, adivinhar. **5.** *Fam.* Entender de (um assunto). **6.** *Fam.* Julgar ou considerar: *Sem razão muitos e n x e r g a m a pena de morte como um excelente meio para repressão da criminalidade.* *T. d. e i.* **7.** Pressentir; adivinhar: *E n x e r g o u naquela arma a possibilidade da vitória.* [Conjug.: v. *regar.* Pres. ind.: *enxergo, enxergas, enxerga*, etc. Cf. *enxerga* (ê) e pl. *enxergas* (ê).] ◆ **Não se enxergar.** *Fam.* Não conhecer o seu lugar.

enxerido. [Part. de *enxerir.*] *Adj. Bras., N.* e *N.E.* **1.** Que se intromete naquilo que não lhe diz respeito; intrometido. **2.** Metido a conquistador, a namorador. ● *S. m.* **3.** Indivíduo enxerido: "Safado, e n x e r i d o. Veio meter-se onde não fora chamado." (Adalberon Cavalcanti Lins, *Curral Novo*, p. 250.)

enxerimento. *S. m. Bras., N.* Ação ou comportamento próprio de um enxerido.

enxerir. [De *inserir.*] *V. t. d. e i.* **1.** *Ant.* Inserir, intercalar. **2.** *Ant.* Interceder. *P.* **3.** *Bras., N.* e *N.E.* Tomar parte no que não lhe diz respeito; intrometer-se. **4.** Procurar namorar; arrastar a asa a alguém. [Conjug.: v. *aderir.*]

enxertadeira. *S. f.* Faca para fazer enxertos.

enxertador (ô). *Adj.* e *s. m.* Que ou aquele que enxerta.

enxertadura. *S. f.* Ato ou efeito de enxertar; enxertia, enxerto.

enxertar. [Do lat. *insertare.*] *V. t. d.* **1.** Fazer enxerto em. *T. d. e i.* **2.** Fazer enxerto: *e n x e r t a r limeira em laranjeira; e n x e r t a r num discurso numerosas citações.* **3.** Introduzir, inserir. *P.* **4.** Introduzir-se. [Pres. ind.: *enxerto*, etc. Cf. *enxerto* (ê).]

enxertário. [De *enxert(ar)* + *-ário.*] *S. m. Marinh. Ant.* Conjunto de cabos do navio que seguram as vergas aos mastros e permitem arriá-las e içá-las.

enxertia. *S. f.* V. *enxertadura.*

enxerto (ê). [Dev. de *enxertar.*] *S. m.* **1.** Operação que consiste em introduzir uma parte viva dum vegetal em outro vegetal, para que neste se desenvolva como se desenvolveria na planta de onde saiu. **2.** A planta enxertada. **3.** Ato de enxertar ou inserir. **4.** Aquilo que se enxerta ou insere. [Pl.: *enxertos* (ê). Cf. *enxerto*, do v. *enxertar.*]

enxerto-de-passarinho. *S. m. Bras.* V. *erva-de-passarinho.* [Pl.: *enxertos-de-passarinho.*]

enxó. [Do lat. *asciola.*] *S. f.* **1.** Instrumento de cabo curto e com chapa de aço cortante, usado por carpinteiros e tanoeiros para desbastar madeira. **2.** *Bras., BA.* Escavação retangular em uma trilha, com alçapão dissimulado na superfície, para apanhar preás e outros pequenos roedores.

enxoada. *S. f.* Tumor que se forma nos cascos das bestas.

enxofradeira. [De *enxofrar* + *-deira.*] *S. f.* Máquina com que se pulveriza flor-de-enxofre nas plantas atacadas por moléstias parasitárias.

enxofrado[1]. [De *enxofre* + *-ado*[1].] *Adj.* Que tem cheiro de enxofre.

enxofrado[2]. [Part. de *enxofrar.*] *Adj.* **1.** Polvilhado, misturado, preparado ou desinfetado com enxofre. **2.** Impregnado de enxofre. **3.** *Fig. Pop.* Zangado, irritado, agastado. **4.** *Bras., N.E.* Pálido, amarelado; empalamado; empalemado: "Pálido, e n x o f r a d o, parecia um homem que vivia sempre doente." (De Araújo Costa, *O Menino e o Tempo*, p. 123); "Está doente. Repare na sua cara e n x o f r a d a, empalemada." (Id., *ib.*, p. 19).

enxoframento. *S. m.* Ação de enxofrar(-se); enxofria.

enxofrar. *V. t. d.* **1.** Polvilhar, misturar, preparar ou desinfetar com enxofre. **2.** Impregnar de enxofre. *P.* **3.** *Fig.* Irritar-se, zangar-se. [Pres. subj.: *enxofre, enxofres*, etc. Cf. *enxofre* (ô) e pl. *enxofres* (ô).]

enxofre (ô). [Do lat. *sulfure*, com infl. moçárabe.] *S. m. Quím.* Elemento número 16, não metálico, cristalino, amarelo, com odor característico, utilizado em diversas indústrias. [Símb.: *S.* Pl.: *enxofres* (ô). Cf. *enxofre* e *enxofres*, do v. *enxofrar.*]

enxofreira. [De *enxofre* + *-eira.*] *S. f.* **1.** V. *solfatara.* **2.** *Bras.* Aparelho produtor de açúcar.

enxofrento. *Adj.* Que tem enxofre.

enxofria. *S. f.* **1.** Enxoframento. **2.** *Mar.* Pulverização da água do mar, resultante da arrebentação das vagas, e que às vezes se mostra fosforescente.

enxombrado. [Part. de *enxombrar.*] *Adj. Bras.* V. *enxambrado.*

enxombrar. *V. t. d., int.* e *p. Bras.* V. *enxambrar.*

enxota-cães. [De *enxotar* + o pl. de *cão*[1].] *S. m. 2 n. Fam.* Aquele que nas igrejas enxota os cães para a rua, perreiro.

enxota-diabos. [De *enxotar* + o pl. de *diabo.*] *S. m. 2 n. Pop.* **1.** Exorcista (2). **2.** Benzedeiro.

enxotadura. *S. f.* Enxotamento.

enxotamento. *S. m.* Ato ou efeito de enxotar; enxotadura.

enxota-moscas. [De *enxotar* + o pl. de *mosca* (ô).] *S. m. 2 n.* Utensílio para afugentar moscas; abana-moscas.

enxotar. [De *en-*[3] + *xô!* + *-t-* + *-ar*[2].] *V. t. d.* **1.** Afugentar, empurrando, batendo ou gritando; afastar. **2.** Pôr fora; fazer retirar; expulsar: *Cristo e n x o t o u os vendilhões do templo.*

enxova. *S. f. Ant.* Enxovia. [Cf. *enchova* (ô).]

enxoval[1]. [Do ár. *ax-xauā*, 'dote'.] *S. m.* Conjunto de roupas e de certos complementos, em geral úteis, de quem se casa, de recém-nascido, de jovem que se interna em colégio, etc.

enxoval[2]. *S. m.* Enxovedo.

enxovalhado. [Part. de *enxovalhar.*] *Adj.* **1.** Que se enxovalhou; manchado, sujo, emporcalhado. **2.** Desacreditado; injuriado. **3.** *Mar.* Diz-se de embarcação que se deixa facilmente invadir pelas vagas.

enxovalhamento. *S. m.* Ato ou efeito de enxovalhar(-se).

enxovalhar. *V. t. d.* **1.** Sujar, manchar, emporcalhar, enodoar: *e n x o v a l h a r a roupa.* **2.** Amarrotar, amarfanhar, amarfalhar. **3.** Desconsertar, desarranjar. **4.** Macular, deslustrar, desconsertar, desarranjar. **5.** Injuriar, insultar, afrontar. **6.** *Mar.* Molhar (a embarcação, ou uma parte dela, como, p. ex., o convés), em conseqüência do choque das vagas: *A água e n x o v a l h o u o navio.* **7.** *Mar.* Fazer entrar a água do mar em (a embarcação). *P.* **8.** Cometer ação baixa, indecorosa; desacreditar-se. **9.** Tornar-se pouco asseado nos trajes. **10.** *Mar.* Molhar-se (a embarcação, ou uma parte dela, como, p. ex., convés), em conseqüência do choque das vagas: *Com o temporal, o barco e n x o v a l h o u - s e.*

enxovalho. [Dev. de *enxovalhar.*] *S. m.* **1.** Enxovalhamento. **2.** *Mar.* A água que as vagas atiram dentro da embarcação.

enxovedo (ê). *S. m. Fam.* Pateta, pacóvio, tolo [q. v.]; enxoval.

enxovia. [Do ár. *al-jubb*, 'aljube', + *-ia.*] *S. f.* Cárcere térreo ou subterrâneo, escuro, úmido e sujo: "Enquanto isto dura, o paciente anda de e n x o v i a em e n x o v i a, nos calabouços das fortalezas" (Eduardo Prado, *Fastos da Ditadura Militar no Brasil*, p. 324). [Sin., ant.: *enxova.*]

enxu. [Do tupi *ei'xu.*] *Bras. S. f.* **1.** V. *enxuí.* ● *S. m.* **2.** A casa ou colmeia dessa vespa.

enxu-da-beira-do-telhado. *S. m. Bras.* Inseto himenóptero, da família dos vespídeos (*Polybia scutellaris*), de coloração preta, com dois traços amarelos, transversais, quase unidos, no meio do dorso. Constrói o ninho, esférico, com quase dois palmos de diâmetro, nos beirais das casas ou nas janelas. [Sin.: *camoati, camoatim, canguaxi, cabamoatim.* Pl.: *enxus-da-beira-do-telhado.*]

enxuga. [Dev. de *enxugar*, talvez.] *S. f. Bras., N.* a *S.* Arbusto da família das compostas (*Vernonia scorpioides*), dotado de flores de corola purpúrea, reunidas em capítulos sésseis, dispostos em panículas alongadas, escopióides, e cujo fruto é aquênio, piloso, com papo branco e cerdas.

enxugadoiro. *S. m.* V. *enxugadouro.*

enxugador (ô). *S. m.* **1.** Aparelho ou estufa para enxugar roupa. **2.** *Fam.* Toalha de banho.

enxugadouro. [Var. de *enxugadoiro.*] *S. m.* Lugar onde se põe algo a enxugar; enxugo.

enxuga-gelo. [De *enxugar* + *gelo* (ê).] *S. 2 g. Bras., PE. Gír.* V. *bajulador* (2). [Pl.: *enxuga-gelos.*]

enxugar. [Do lat. tardio *exsucare*, 'tirar o suco'.] *V. t. d.* **1.** Tirar a umidade a; secar, desensopar: "Tudo a narração dele ia lembrando, / E eu a ver tudo! ao lenço ocultamente / A e n x u g a r minhas lágrimas." (Alberto de Oliveira, *Poesias*, 3ª série, p. 256.) **2.** Beber até a última gota; esgotar: "encanta-se com os lombos de porco, os churrascos, e n x u g a largos copos de vinho" (Marcos Vinícios Vilaça, *Em torno da Sociologia do Caminhão*, p. 25). **3.** Fazer cessar (as lágrimas, o pranto) a. **4.** *Bras. Fig.* Eliminar de um texto aquilo que é supérfluo, para dotá-lo de maior clareza, elegância, simplicidade: "o exuberante linguajar nativista de Mário de Andrade resultaria fatalmente hermético se transposto, tal qual, para o diálogo da realização cênica. Então, os adaptadores e n x u g a r a m consideravelmente — sem descaracterizá-lo — o vocabulário do diálogo" (Yan Michalski, *Jornal do Brasil*, 17.10.1978). **5.** *Bras., RS.* Cometer homicídio; assassinar. *Int.* e *p.* **6.** Perder a umidade; secar(-se). [Part.: *enxugado* e *enxuto.* Conjug.: v. *largar.*]

enxugo. [Dev. de *enxugar.*] *S. m.* **1.** Ato de enxugar. **2.** V. *enxugadouro.*

enxuí. [De *enxu* + tupi *-i*, 'pequeno'.] *S. f. Bras.* Inseto himenóptero, da família dos vespídeos (*Nectarina lecheguana* Latr.), de índole bravia, coloração preta com a extremidade do abdome amarela e as asas castanhas. Constrói ninhos quase esféricos, e fornece mel de boa qualidade. [Var.: *eixu, enxu, exu;* sin.: *lechiguana, lichiguana, lecheguana, siçuíra, cabamirim.*]

enxumbrado. [Part. de *enxumbrar.*] *Adj.* V. *enxambrado.*

enxumbrar. *V. t. d., int.* e *p.* V. *enxambrar.*

enxúndia. [Do lat. *axungia.*] *S. f.* **1.** Gordura[1] (1) do porco e das aves. **2.** *P. ext.* Gordura, banha, unto. [Cf. *enxundia*, do v. *enxundiar.*]

enxundiar. [De *enxúndia* + *-ar*[2].] *V. t. d.* Engordar; cevar; alimentar. [Pres. ind.: *enxundio, enxundias, enxundia*, etc. Cf. *enxúndia.*]

enxundioso (ô). [De *enxúndia* + *-oso.*] *Adj.* **1.** Cheio de enxúndia; gorduroso, untuoso. **2.** Muito gordo; obeso.

enxurdar-se. [Por *enchurdar-se < *en-*[2] + *churdo* + *-ar*[2] + *se*[1].] *V. p.* Revolver-se na lama; atolar-se no lodo; chafurdar.

enxurdeiro. *S. m.* **1.** V. *lamaçal* (1). **2.** V. *pântano.* **3.** Chiqueiro (1).

enxurrada. [Fem. substantivado do part. de *enxurrar.*] *S. f.* **1.** Volume de água que corre com grande força, e resultante de grandes chuvas; águas selvagens, aguaça, enxurro. **2.** Jorro de imundícies. **3.** *Fig.* Grande quantidade; série; chorrilho: *Soltou uma e n x u r r a d a de bobagens.*

enxurrar. [Por *enchurrar*, de *en-*[3] + *chorro* + *-ar*[2], talvez.] *V. t. d.* **1.** Alagar com enxurro. *Int.* **2.** Produzir enxurro; correr de enxurrada. **3.** Cair à maneira de enxurro. **4.** Alastrar-se, propagar-se, grassar.

enxurreira. *S. f.* V. *enxurreiro.*

enxurreiro. *S. m.* Enxurdeiro, lamaçal, enxurreira.

enxurro. [Dev. de *enxurrar.*] *S. m.* **1.** V. *enxurrada* (1). **2.** *Fig.* V. *ralé* (1).

enxuto. [Do lat. *exsuctu*, 'sem suco'.] *Adj.* **1.** Que não está molhado ou não tem umidade; seco: *Apesar da chuva, ali estava enxuto.* **2.** Sem lágrimas: "E vou de olhos enxutos e alma leve / à galharda conquista do teu beijo." (Vicente de Carvalho, *Poemas e Canções*, p. 4). **3.** Sem chuva: *tempo enxuto.* **4.** Diz-se do indivíduo que não é gordo nem magro, que é bem conformado de corpo, ou bonito. **5.** Diz-se do estilo literário elegante, sem excessos, sem derramamentos, sem redundâncias: *O estilo de Graciliano Ramos é enxuto.* **6.** Diz-se do vegetal ou da iguaria que ficou, pela ação do fogo, com pouco ou sem nenhum líquido: *arroz enxuto.* • *S. m.* **7.** *Bras. Chulo.* Pederasta passivo.

enzampa. [Dev. de *enzampar*.] *S. 2 g.* V. *maçante* (2).

enzampar. [De *en-*[4] + *zampar*.] *V. t. d.* **1.** V. *zampar.* **2.** Burlar, lograr, ludibriar.

enzima. [Do médio gr. *énzymos*, 'levedado'.] *S. f.* **1.** Diástase, fermento solúvel. **2.** *Quím.* Proteína com propriedades catalíticas específicas.

enzimático. *Adj. Med.* ~ V. *desbridamento* —.

enzímico. *Adj.* Referente à enzima.

enzinha. *S. f. Pop.* V. *azinha.*

enzinheira. [De *enzinha* + *-eira*.] *S. f. Pop.* V. *azinheira.*

▲**eo-.** [Do gr. *eós*.] *El. comp.* = 'aurora', 'início': *eoceno.*

▲**-eo.** [Do lat. *eu*.] *Suf. nom.* = 'relação', 'semelhança', 'matéria': *róseo* (< lat. *roseu*), *argênteo* (< lat. *argenteu*). [Equiv.: *-ea*: *rósea* (< lat. *rosea*), *diósmea*.]

eocantocéfalo. *S. m.* **1.** Espécime dos eocantocéfalos. • *Adj.* **2.** Pertencente ou relativo a eles.

eocantocéfalos. *S. m. pl. Zool.* Animais asquelmintos, acantocéfalos, da ordem *Eocanthocephala*. Espinhos da probóscida distribuídos radialmente; protonefrídias ausentes.

eocênico. [De *eoceno* + *-ico*[2].] *S. m. Desus.* Época eocena.

eoceno. [De *eo-* + *-ceno*.] *Adj.* e *s. m.* ~ V. *época* —*a*.

eólico[1]. [Do gr. *aiolikós*, pelo lat. *aeolicu*.] *Adj.* **1.** Pertencente ou relativo à Eólia (Grécia antiga) ou aos eólios. **2.** Diz-se do grupo de dialetos falados na região central da Grécia antiga. [Sin. ger.: *eólio*.] • *S. m.* **3.** O grupo dialetal eólico.

eólico[2]. [De *Éolo*, deus dos ventos, + *-ico*.] *Adj.* Diz-se daquilo que se relaciona com o vento; eólio. ~ V. *corrosão* —*a*, *depósito* —, *erosão* —*a*, *estratificação* —*a* e *rocha* —*a*.

eolina. [Do mit. *Éolo*, deus dos ventos, + *-ina*[1], provavelmente.] *S. f.* Antigo e pequeno instrumento de palhetas livres, considerado um dos precursores do harmônio.

eólio[1]. [Do gr. *aiólios*, pelo lat. *aeoliu*.] *S. m.* **1.** Indivíduo dos eólios, tribo helênica que, expulsa do Peloponeso pelos dórios, se foi estabelecer na Eólia. • *Adj.* **2.** V. *eólico*[1]. ~ V. *harpa* —*a*.

eólio[2]. [Do gr. *aiólios*, pelo lat. *aeoliu*.] *Adj.* **1.** Eólico[2]. **2.** Diz-se de motor acionado pela força do vento. ~ V. *acumulação* —*a*.

eolípila. [Do lat. *aeolipila*.] *S. f.* **1.** Instrumento constituído por uma bola oca e metálica que se faz girar por meio do vapor de água que se aquece dentro dela. **2.** Antigo aparelho empregado para se conhecer a direção do vento.

eolítico. [De *eo-* + *-lit(o)-* + *-ico*[2].] *Adj.* ~ V. *período* —.

éolo. [Do lat. *Aeolu*, 'rei dos ventos'.] *S. m. Poét.* Vento forte.

eosina. [Do gr. *eós*, 'aurora', + *-ina*[1].] *S. f. Quím.* Designação genérica de corantes derivados, halogenados de ftaleínas, fluoresceínas, etc. Uma eosina, a tetrabromoftaleína de potássio, é usada como corante de seda, corante alimentar e anti-séptico.

eosinofilia. *S. f. Patol.* Formação e aparecimento no sangue, verificável pelo hemograma, de quantidade anormal de leucócitos eosinófilos. [Cf. *eosinopenia*.]

eosinofílico. *Adj.* Relativo à eosinofilia.

eosinófilo. [De *eosin(a)* + *-o-* + *-filo*[2].] *Adj.* **1.** *Med.* Que se cora pela eosina. • *S. m.* **2.** *Histol.* Qualquer célula, e mais particularmente o leucócito que se cora pela eosina.

eosinopenia. *S. f. Patol.* Baixa anormal, verificável pelo hemograma, de leucócitos eosinófilos. [Cf. *eosinofilia*.]

epacmástica. [Do gr. *epakmastikós*.] *Adj.* (*f.*). ~ V. *febre* —.

epacridácea. *S. f.* Espécime das epacridáceas.

epacridáceas. *S. f. pl. Bot.* Família de plantas superiores, composta de arbustos e subarbustos providos de folhas alternas e flores racemosas. Corola gamopétala, com cinco estames concrescentes a ela; ovário súpero; fruto capsular ou drupáceo. Existem cerca de 340 espécies no hemisfério austral, particularmente na Austrália. Não ocorrem no Brasil.

epacridáceo. *Adj. Bot.* Pertencente ou relativo às epacridáceas.

epacta. [Do gr. *epaktaí*, i. e., *hemérai epaktaí*, 'dias intercalares', pelo lat. *epactae*, i. e., *dies epactae*.] *S. f. Cronol.* Número de dias que deve ser adicionado ao ano lunar [q. v.] para fazê-lo igual ao ano solar [q. v.], e correspondente à idade da Lua em 31 de dezembro do ano anterior ao considerado. [O cálculo de seu valor é feito para um dado ano subtraindo-se 1 ao número áureo (q. v.), multiplicando-se a diferença por 11 e dividindo-se o resultado por 30; o resto da divisão é a epacta do ano em apreço.]

epactal. [Do gr. *epaktós*, 'ajuntado; intercalado', + *-al*.] *Adj.* ~ V. *osso* —.

epagoge. [Do gr. *epagogé*, pelo lat. *epagoge*.] *S. f. Filos.* Indução completa [q. v.].

epagógico. [Do gr. *epagogikós*.] *Adj.* Relativo à epagoge.

epagogo (ô). [Do gr. *epagogós*.] *S. m.* Magistrado grego que decidia sumariamente as questões de direito comercial marítimo.

epagômeno. *Adj.* ~ V. *dia* —.

epanadiplose. [Do gr. *epanadíplosis*, pelo lat. *epanadiplose*.] *S. f. Ret.* Emprego repetido de uma palavra no começo e no fim de um verso ou de uma frase. Ex.: "Rosa a desabrochar, botão de rosa" (Alberto de Oliveira, *Poesias*, 2ª série, p. 155).

epanáfora. [Do gr. *epanaphorá*, pelo lat. *epanaphora*.] *S. f. Ret.* Anáfora (1). Ex.: "Sonharei em Mariana, / sonharei no trem de ferro, / sonharei no Acaba-Mundo" (Alphonsus de Guimaraens Filho, *Poemas Reunidos*, p. 60).

epanafórico. *Adj.* anafórico.

epanalepse. [Do gr. *epanálepsis*, pelo lat. *epanalepse*.] *S. f. Ret.* Repetição de uma palavra(s) no meio de frases seguidas. Ex.: "Divertem-nos a atenção os pensamentos, suspendem-nos a atenção os cuidados, prendem-nos a atenção os desejos, roubam-nos a atenção os afetos" (Pe Antônio Vieira, *Sermões*, I, p. 645).

epanástrofe. [Do gr. *epanastrophé*.] *S. f. Ret.* Repetição, no começo dum período, de um membro de frase, ou de um verso, da(s) última(s) palavra(s) do período, do membro da frase ou do verso antecedente. Ex.: "Nuvens e aves, adeus! adeus, feras e flores!" (Olavo Bilac, *Poesias*, p. 267.)

epânodo. [Do gr. *epánodos*, pelo lat. *epanodos*.] *S. m. Ret.* Repetição em separado de palavras que primeiro se proferiram ou escreveram juntas. Ex.: "A prudência é filha do tempo e da razão: da razão pelo discurso, do tempo pela experiência." (Pe Antônio Vieira, *Sermões*, XIII, p. 27.)

epanortose. [Do gr. *epanórthosis*, pelo lat. *epanorthose*.] *S. f. Ret.* Correção que o orador finge dar a uma palavra ou frase pronunciada.

eparquia. [Do gr. *eparchía*.] *S. f.* Diocese de um bispo ou de um arcebispo, no império bizantino.

epêndima. [De *ep(i)-* + gr. *éndyma*, 'vestuário'.] *S. m. Anat.* Membrana que reveste os ventrículos cerebrais e o canal central da medula espinhal.

epêntese. [Do gr. *epenthesis*, pelo lat. *epenthese*.] *S. f. Gram.* Desenvolvimento de fonema(s) no meio de uma palavra: *barata* (animal) por **brata*; *coronha* por *cronha*; *garalhada* por *gralhada*. [Cf. *suarabácti*.]

epentético. [Do gr. *epenthetikós*.] *Adj.* **1.** Relativo à epêntese. **2.** Resultante de epêntese: *Em garalhada o primeiro a é epentético.* ~ V. *charada* —*a*.

eperua. *S. f. Bras.* V. *espadeira.*

▲**ep(i)-.** [Do gr. *epí*.] *Pref.* = 'posição superior'; 'sobre'; 'movimento para'; 'posterioridade': *epêndima*, *epicarpo*, *epidemia* (gr. *epidemía*), *episporo.*

epiblema. [Do gr. *epíblema*.] *S. m. Bot.* Epiderme da raiz e doutros órgãos subterrâneos dos vegetais.

épica. [Fem. substantivado do adj. *épico*.] *S. f.* A poesia épica: "Na segunda metade do século XVIII, a épica [brasileira] encontrará cultores como José Basílio da Gama (1741-1795), autor de *O Uraguai*, de 1769." (Gilberto Mendonça Teles, *Camões e a Poesia Brasileira*, p. 114.)

epicanto. [Do gr. *epikanthís*, com adaptação.] *S. m. Med.* Prega cutânea, em sentido vertical, de cada lado do nariz, e que chega, por vezes, a cobrir o canto[1] (7) interno. Pode aparecer ou como característica normal, em certas raças, ou, algumas vezes, como anomalia congênita, em outras.

epicárpico. *Adj.* Relativo ou pertencente ao epicarpo.

epicarpo. [De *ep(i)-* + *-carpo*.] *S. m. Morfol. Veg.* Camada externa do pericarpo dos frutos.

epicaule. [De *ep(i)-* + *caule*.] *Adj. 2 g. Bot.* Diz-se do vegetal, parasito ou não, que cresce sobre o caule doutros vegetais.

epicédio. [Do gr. *epikédeios*, i. e., *odé epikédeios*, 'canto fúnebre', pelo lat. *epicedion*.] *S. m.* Composição poética, ou sinfônica, ou discurso, em memória de alguém. [Cf. *elegia* (2) e *nênia*.]

epiceno. [Do gr. *epikoinós*, pelo lat. *epicoenu*.] *Adj. Gram.* Diz-se do substantivo de um só gênero, masculino ou feminino, o qual gênero designa a espécie de um animal e, portanto, se aplica a indivíduos de ambos os sexos. Ex.: *a cobra*, *a borboleta*, *o quati*. [Sendo necessário particularizar o sexo, recorre-se aos termos *macho* e *fêmea*: *cobra macha* e *cobra fêmea*, etc.]

epicentral. *Adj. 2 g.* Relativo a epicentro.

epicentro. [Do gr. *epíkentron*, 'central'.] *S. m. Geofís.* O ponto da superfície terrestre mais próximo ao centro de um abalo sísmico.

epiciclo. [Do gr. *epíkyklos*, pelo lat. *epicyclu*.] *S. m. Astr.* Nos sistemas cosmológicos de Ptolomeu [v. *ptolemaico*], o círculo imaginário que cada planeta descrevia em torno do deferente enquanto este girava em torno da Terra.

epicicloidal. *Adj. 2 g.* Referente a epiciclóide.

epiciclóide. [De *epiciclo* + *-óide*.] *S. f. Geom.* Curva plana descrita por um ponto fixo de uma circunferência que rola, sem deslizar, sobre a circunferência fixa no mesmo plano e externamente a ela.

epiclese. [Do gr. *epikleiss*.] *S. f. Rel.* Invocação ao Espírito Santo, na missa, após a consagração, especialmente nas liturgias orientais.

epiclino. [De *ep(i)-* + *-clino*.] *Adj. Bot.* Diz-se de qualquer órgão posto sobre o receptáculo da flor.

epicloridrina. [De *ep(i)-* + *clor(o)-* + *idr*, de *hidrogênio*, + *-ina*[1].] *S. f. Quím.* Líquido incolor, tóxico, usado como solvente de resinas. [Fórm.: C_3H_5OCl.]

épico. [Do gr. *epikós*, pelo lat. *epicu*.] *Adj.* **1.** Respeitante à epopéia e aos heróis. **2.** Digno de epopéia: *feitos épicos.* **3.** *Fam.* Fora do comum; incomum, extraordinário, homérico: *O marido da Lúcia deu-lhe uma surra épica.* ~ V. *teatro* —. • *S. m.* **4.** Autor de epopéia: *Camões é um dos maiores épicos universais.*

epicondiliano. *Adj.* Pertencente ou relativo ao epicôndilo.

epicôndilo. [De *ep(i)-* + *côndilo*.] *S. m. Anat.* Eminência existente acima de cada côndilo umeral ou femoral.

epicótilo. [De *ep(i)* + *cótilo*.] *Adj. Morfol. Veg.* **1.** Situado acima do nó cotiledonar. • *S. m.* **2.** O primeiro entrenó formado acima do nó cotiledonar.

epicraniano. *Adj.* Pertencente ou relativo ao epicrânio; epicrânico.

epicrânico. *Adj.* Epicraniano.

epicrânio. [Do gr. *epíkranon*.] *S. m. Anat.* **1.** Conjunto das estruturas que recobrem externamente o crânio, e que compreende periósteo, tecido conjuntivo frouxo, músculo occipito-frontal e aponeurose epicraniana. **2.** A parte superior da cabeça dos vertebrados.

epícrise. [Do gr. *epíkrisis*.] *S. f. Med. Ant.* **1.** Apreciação crítica das causas, andamento e conseqüências de uma enfermidade. **2.** Qualquer fenômeno mórbido importante que isoladamente sobrevém a uma crise e de certo modo a corrobora.

epicrítico. *Adj.* Referente à epícrise.

epicuréia. *Adj.* (*f.*) e *s. f.* Fem. de *epicureu.*

epicureu. [Do gr. *epikoúreios*, pelo lat. *epicureu*.] *Adj.* **1.** Epicurista (1). **2.** Sensual, voluptuoso. • *S. m.* **3.** Epicurista (3). **4.** Homem sensual. [Fem.: *epicuréia*.]

epicurismo. *S. m.* **1.** *Filos.* Doutrina de Epicuro, filósofo grego (341-270 a. C.), e de seus seguidores, entre as quais se distingue Lucrécio, poeta latino (98-55 a. C.), caracterizada, na física, pelo atomismo, e na moral, pela identificação do bem soberano com o prazer, o qual, concretamente, há de ser encontrado na prática da virtude e na cultura do espírito. [É errôneo identificar o *epicurismo* com o *hedonismo*.] **2.** Sensualidade, luxúria. **3.** Saúde do corpo e sossego do espírito.

epicurista. *Adj. 2 g.* **1.** Relativo ao, ou que é partidário do epicurismo; epicureu [q. v.]. **2.** Diz-se de pessoa dada aos deleites da mesa e do amor. • *S. 2 g.* **3.** Partidário do epicurismo; epicureu. **4.** Pessoa dada aos deleites da mesa e do amor.

epidemia. [Do gr. *epidemía*.] *S. f.* **1.** Doença que surge rápida num lugar e acomete simultaneamente grande número de pessoas. **2.** Surto de agravação duma endemia. **3.** *Fig.* Uso generalizado de alguma coisa que está em moda: *Há uma epidemia de pantalonas e coletes.*

epidemiar. *V. t. d. P. us.* Comunicar epidemia a; contagiar.

epidemicidade. *S. f.* Qualidade de epidêmico.

epidêmico. *Adj.* Relativo a, ou que tem caráter de epidemia. ~ V. *parotidite* —*a* e *pleurodinia* —*a*.

epidemiologia. [Do gr. *epidemía* + *-log(o)-* + *-ia*.] *S. f. Med.* Estudo das relações dos diversos fatores que determinam a freqüência e distribuição de um processo ou doença infecciosa numa comunidade.

epidemiológico. *Adj.* Relativo à epidemiologia.

epidemiologista. *S. 2 g.* Especialista em epidemiologia; epidemiólogo.

epidemiólogo. *S. m.* Epidemiologista.

epidendro. [Do gr. *epidéndrios*.] *S. m.* **1.** Designação comum a várias plantas epífitas ou terrestres, muito ornamentais, da família das orquidáceas, pertencentes ao gênero *Epidendrum*, que apresentam inúmeras espécies brasileiras, cujas flores são carnosas e aromáticas, muito vistosas, e cujo fruto é cápsula. ● *Adj.* **2.** Que cresce sobre árvores.

epiderme. [Do gr. *epidermís*, pelo lat. *epiderme*.] *S. f.* **1.** *Anat.* Camada celular superficial, não vascularizada, que reveste a derme e com ela constitui a pele. **2.** *Anat. Bot.* Camada de células que reveste os órgãos vegetais novos ou macios. [Cf., nesta acepç., *baganha*.]

epidérmico. *Adj.* **1.** Referente à epiderme. **2.** *Fig.* Sem profundidade; superficial (tratando-se, em geral, de sentimentos): *amor* e p i d é r m i c o.

epidiascópio. [De *ep(i)-* + *dia-* + *-scop-* + *-io*.] *S. m. Ópt.* Aparelho de projeção de imagens, que pode funcionar por transparência *(diascópio)* e por reflexão *(episcópio)*.

epidíctico. [Do gr. *epideiktikós*, pelo lat. *epidicticu*.] *Adj. Ret.* **1.** Aparatoso, ostentoso. **2.** Demonstrativo. [Var.: *epidítico*.]

epididimite. [De *epidídimo* + *-ite*[1].] *S. f. Patol.* Inflamação do epidídimo.

epidídimo. [Do gr. *epididymós*, 'sobre os gêmeos', i. e., os testículos.] *S. m. Anat.* Pequeno corpo oblongo situado na parte superior de cada testículo e que dali conduz o esperma ao canal deferente.

epidítico. *Adj. Ret.* Var. de *epidíctico*.

epídoto. [Do gr. *epidótes*.] *S. m. Min.* Designação comum aos minerais do grupo dos epídotos, minerais ortorrômbicos ou monoclínicos, silicatos básicos de cálcio e alumínio ou ferro, ou ambos, e que podem conter, ainda, manganês. [Sin. (bras.): *bagageiro*.]

epifania. [Do gr. *epiphaneí*, pelo lat. *epiphania*.] *S. f.* **1.** *Rel.* Aparição ou manifestação divina. **2.** Festividade religiosa com que se celebra essa aparição. **3.** V. *dia de Reis*. [V. *ano litúrgico*. Cf. *Epifânia*, antr. f.]

epifauna. [De *ep(i)-* + *fauna*.] *S. f. Ocean. Biol.* A fauna bêntica que vive à superfície do substrato.

epifenomenalismo. [De *epifenômeno* + *-al-* + *-ismo*.] *S. m. Psic.* Doutrina segundo a qual os fenômenos psíquicos são mero acessório dos movimentos nervosos.

epifenômeno. [De *ep(i)-* + *fenômeno*.] *S. m. Filos.* Fenômeno cuja presença ou ausência não altera o fenômeno que se toma principalmente em consideração.

epifilo. [Do lat. bot. *epiphyllum*.] *Adj. Bot.* **1.** Diz-se dos fungos e doutros vegetais que nascem e vivem no limbo das folhas. ● *S. m.* **2.** Gênero de cactáceas ao qual pertence a flor-de-maio.

epifisário. *Adj. Anat.* e *Patol.* Relativo à epífise óssea ou à glândula epífise. ~ V. *cartilagem* —*a*.

epífise. [Do gr. *epíphysis*.] *S. f. Anat.* **1.** Extremidade de osso longo, em geral mais larga do que a diáfise, e que ou é inteiramente cartilaginosa, ou está separada da diáfise por peça cartilaginosa. **2.** Corpúsculo oval situado no cérebro, por cima e atrás das camadas ópticas, e ao qual se atribuem funções endócrinas; glândula pineal.

epifítico. *Adj. Bot.* Epífito (2).

epifitismo. *S. m. Ecol.* Modo de vida das plantas epífitas.

epífito. [De *ep(i)-* + *-fito*.] *S. m.* **1.** *Bot.* O vegetal que vive sobre um outro sem retirar nutrimento, apenas apoiando-se nele. [As orquídeas são plantas epífitas, e não parasitas, como usualmente se diz.] ● *Adj.* **2.** Diz-se de tais vegetais; epifítico.

epifleódico. *Adj. Bot.* Diz-se do líquen que vive sobre a casca das árvores, tal a maioria dos líquens foliáceos.

epiflora. *S. f. Ocean. Biol.* A flora bêntica fixada à superfície do substrato.

epifonema. [Do gr. *epiphónema*, pelo lat. *epiphonema*.] *S. m. Ret.* Exclamação sentenciosa com que se fecha um discurso ou uma narrativa.

epífora. [Do gr. *epiphorá*, pelo lat. *apiphora*.] *S. f. Med.* Escoamento das lágrimas pela face, devido a obstáculo existente nos canais lacrimais.

epífrase. [De *ep(i)-* + *frase*.] *S. f. Ret.* Acrescentamento feito a uma frase que parecia concluída, a fim de se desenvolverem idéias acessórias.

epigastralgia. [De *epigástrio* + *-alg(o)-* + *-ia*.] *S. f. Patol.* Dor no epigástrio.

epigastrálgico. *Adj.* Relativo à epigastralgia.

epigástrico. *Adj.* Relativo ao epigástrio.

epigástrio. [Do gr. *epigástrion*, pelo lat. tardio *epigastrion*.] *S. m. Anat.* A parte superior do abdome, entre os dois hipocôndrios.

epigéia. *Adj. (f.)* Fem. de *epigeu*.

epigênese. [De *ep(i)-* + *-gênese*.] *S. f. Fisiol.* Epigenesia.

epigenesia. [De *ep(i)-* + *-genes(e)-* + *-ia*.] *S. f. Fisiol.* Teoria segundo a qual a constituição dos seres se inicia a partir de célula sem estrutura e se faz mediante sucessiva formação e adição de novas partes que, previamente, não existem no ovo fecundado; epigênese.

epigenesista. *Adj. 2 g.* e *s. 2 g.* Partidário da epigenesia.

epigenético. *Adj.* Referente à epigenesia, ou à epigenia[2].

epigenia[1]. [De *ep(i)-* + *-gen(o)-*[1] + *-ia*.] *S. f. Genét.* Situação genética em que ocorrem mudanças durante o processo de desenvolvimento, influenciando o fenótipo sem alterar o genótipo. [Cf. *epiginia*.]

epigenia[2]. [Do gr. *epigenés*, 'que sobrevém', + *-ia*.] *S. f. Min.* Alteração da composição química dum mineral sem que se lhe altere a forma anterior. [Cf. *epiginia*.]

epigênico. *Adj. Genét.* Relativo à epigenia[1], ou que a apresenta.

epigenizado. [Part. de *epigenizar*.] *Adj.* Em que se operou a epigenia.

epigenizar. *V. t. d.* Provocar a epigenia em.

epígeno. [Do gr. *epigenés*, 'que sobrevém'.] *Adj.* Que apresenta o fenômeno da epigenia. [Cf. *epígino*.]

epigeu. [Do gr. *epígaios*.] *Adj. Bot.* **1.** Que está sobre a terra, acima do solo: *raízes* e p i g é i a s. **2.** Diz-se dos cotilédones quando, na fase da germinação, são arrastados pelo caulículo para fora da terra, como sucede aos feijões. [Fem.: *epigéia*.]

epiginia. *S. f. Bot.* Caráter da flor epígina. [Cf. *epigenia*.]

epígino. [De *ep(i)-* + *-gino*.] *Adj. Bot.* Diz-se da flor ou da peça floral que se acha por cima do ovário. [Opõe-se a *hipógino*. Cf. *epígeno*.]

epiglote. [Do gr. *epiglottís*, pelo lat. *epiglotte*.] *S. f. Anat.* Válvula que fecha a glote no momento da deglutição.

epiglótico. *Adj.* Relativo ou pertencente à epiglote.

epiglotite. [De *epiglote* + *-ite*[1].] *S. f. Patol.* Inflamação da epiglote.

epignatia. [De *epígnato* + *-ia*.] *S. f. Ter.* Monstruosidade dupla, em que um monstro está implantado sobre o maxilar superior do outro.

epígnato. [De *ep(i)-* + *-gnato*.] *Adj.* **1.** Que apresenta epignatia. **2.** *Zool.* Diz-se do bico das aves quando a parte superior se projeta em relação à inferior, ou a recobre.

epígono. [Do gr. *epígonos*, pelo lat. *epigonu*.] *S. m.* **1.** Aquele que pertence à geração seguinte. **2.** Discípulo de um grande mestre nas letras, artes, ciências, etc. [Opõe-se a *prógono*.]

epigrafar. *V. t. d.* **1.** Pôr epígrafe em. *Transobj.* **2.** Intitular, titular, denominar. [Pres. ind.: *epigrafo*, etc.; pres. subj.: *epigrafe*, etc. Cf. *epígrafo* e *epígrafe*.]

epígrafe. [Do gr. *epigraphé*, pelo lat. *epigraphe*.] *S. f.* **1.** V. *inscrição* (2). **2.** Título ou frase que serve de tema a um assunto; mote. **3.** Sentença ou divisa posta no frontispício de livro, capítulo, princípio de discurso, conto, composição poética, etc.: *Cada capítulo do romance* Inocência, *do Visconde de Taunay, vem antecedido de pelo menos uma* e p í g r a f e. [Cf. *epigrafe*, do v. *epigrafar*.]

epigrafia. [De *epígrafe* + *-ia*.] *S. f.* Parte da paleografia que estuda as inscrições, i. e., a escrita antiga em material resistente (pedra, metal, argila, cera, etc.), incluindo sua decifração, datação e interpretação. [Sin., p. us.: *lapidária*.]

epigráfico. *Adj.* Referente à epigrafia.

epigrafista. *S. 2 g.* Pessoa que se dedica à epigrafia.

epígrafo. *S. m.* Na antiga Atenas, funcionário encarregado da contabilidade das contribuições. [Cf. *epigrafo*, do v. *epigrafar*.]

epigrama. [Do gr. *epígramma*, pelo lat. *epigramma*.] *S. f.* **1.** Poesia breve, satírica; sátira. **2.** Dito mordaz e picante.

epigramático. [Do lat. *epigrammaticu*.] *Adj.* Referente a, ou que tem caráter de epigrama; satírico.

epigramatista. [Do lat. *epigrammatista*.] *S. 2 g.* Pessoa que faz epigramas.

epigramatizar. [Do gr. *epigrammatízo*.] *V. t. d.* **1.** Criticar com epigrama; satirizar. *Int.* **2.** Fazer epigrama.

epilação. [Do fr. *épilation*.] *S. f.* Ato de arrancar os pêlos; depilação.

epilatório. [Do fr. *epilatoire*.] *Adj.* e *s. m.* Depilatório.

epilepsia. [Do gr. *epilepsía*, pelo lat. *epilepsia*.] *S. f. Patol.* Afecção de que há alguns tipos, que incide no homem e em vários animais (alguns quadrúpedes e certas aves), e consiste em acessos recidivantes de distúrbios de consciência ou de outras funções psíquicas, movimentos musculares involuntários e perturbações do sistema nervoso autônomo. Estes sintomas de repetição são concomitantes a descargas disrítmicas de neurônios encefálicos registráveis por eletrencefalograma. [Em termos de distúrbio funcional, a epilepsia é uma disritmia cerebral paroxística sintomática.] [Sin.: *hieranose, opilência, gota-coral, mal comicial* e (pop.) *gota, mal-de-gota, mal-caduco, mal-de-terra*.]

epiléptico. [Do gr. *epileptikós*, pelo lat. *epilepticu*.] *Adj.* **1.** Relativo à, ou que sofre de epilepsia. ~ V. *crise* —*a*, *crise* —*a generalizada, crise* —*a parcial, descarga* —*a*, *descarga* —*a crítica* e *manifestação* —*a crítica*. ● *S. m.* **2.** Aquele que sofre de epilepsia. [Var.: *epilético*.]

epileptiforme. [Do lat. *epilepti(cu)*, 'epiléptico', + *-forme*.] *Adj. 2 g.* Que se assemelha à epilepsia, às suas manifestações.

epilético. *Adj.* e *s. m.* Var. de *epiléptico*.

epilogação. *S. f.* Ato de epilogar.

epilogador (ô). *S. m.* Aquele que epiloga.

epilogar. *V. t. d.* **1.** Recapitular; resumir, compendiar. **2.** Resumir, condensar, sintetizar. **3.** Concluir, encerrar, rematar. *P.* **4.** Resumir-se, condensar-se: *Nela se* e p i l o g a m, *a meus olhos, todos os encantos*. [Pres. ind.: *epilogo*, etc. Cf. *epílogo*. Conjug.: v. *largar*.]

epílogo. [Do gr. *epílogos*, pelo lat. *epilogu*.] *S. m.* **1.** Conclusão, resumo, remate, fecho: "Dói-me muito a morte de Belinha. .... Mas, pensando bem chego a invejar o trágico e p í l o g o da sua existência." (Eduardo Frieiro, *O Cabo das Tormentas*, p. 276.) **2.** *Teat.* Fala final, escrita para um ou mais atores, e freqüentemente destinada a explanar as intenções do autor e/ou o resultado final da ação dramática. **3.** *Teat.* O último ato ou cena de uma peça. [Cf. *epilogo*, do v. *epilogar*.]

epimácio. *S. m. Morfol. Veg.* Excrescência mais ou menos carnosa que se forma em torno do óvulo como se fosse pequena cúpula, e que se observa em algumas gimnospermas, tal como *Podocarpus*.

epimênides. [Do antr. *Epimênides*, filósofo e poeta cretense (séc. VII a. C.).] *S. m. pl. Filos.* Variante incorreta da antinomia 'o mentiroso' [q. v.].

epimítio. [Do gr. *epimythion*.] *S. m.* Moralidade duma fábula.

epinastia. [Do gr. *epinastós*, 'calcado', + *-ia*.] *S. f. Bot.* Curvatura resultante do maior crescimento da face superior do pecíolo da folha.

epinefrina. [De *ep(i)-* + *-nefro-* + *-ina*[1].] *S. f. Quím.* V. *adrenalina*.

epinema. [De *ep(i)-* + *-nema*.] *S. m. Morfol. Veg.* A parte superior do filete dos estames das plantas que dão flores sinantéreas.

epinício. [Do gr. *epiníkion*, pelo lat. *epinicion*.] *S. m.* **1.** Hino triunfal: Forceja o vento, explui o raio, o embate é rudo, / Mas vencem afinal as árvores. Olhai! / Um e p i n í c i o aos céus de seus píncaros sai" (Alberto de Oliveira, *Poesias*, 4ª série, pp. 192-193). **2.** Cântico ou poema em que é celebrada uma vitória.

epiódia. [De *ep(i)-* + *ode* + *-ia*.] *S. f.* Marcha fúnebre, entre os gregos antigos.

epioolítico. [De *ep(i)-* + *oolítico*.] *Adj. Geol.* Diz-se do terreno cuja formação é posterior à do oolítico.

epiórnis. [Do gr. *aipys*, 'alto', + *-ornis*.] *S. f. 2 n.* Antiga ave de Madagáscar, de grande porte, da qual só se descobriram ovos petrificados, cada um deles com a capacidade de cerca de oito litros.

epipelágico. [De *ep(i)-* + *pelágico*.] *Adj.* ~V. *zona* —*a*.

epipétalo. [De *ep(i)-* + *pétalo*.] *Adj. Morfol. Veg.* Diz-se dos estames que nascem unidos à corola.

epipigma. [De *ep(i)-* + *gr. pigmé*, 'punho'.] *S. m.* Instrumento cirúrgico antigo, usado para reduzir as luxações do braço.

▲**epiplo(o)-.** [Do gr. *epíploon*.] *El. comp.* = 'epíploo': *epiploíte, epiplocele*.

epiplocele. [De *epipl(o)-* + *cele*.] *S. f. Patol.* Hérnia do epíploo.

epiploíte. [De *epipl(o)-* + *-ite*[1].] *S. f. Patol.* Inflamação do epíploo.

epíploo. [Do gr. *epíploon*, 'flutuante'.] *S. m. Anat.* Prega do peritôneo que se estende entre dois órgãos viscerais abdominais, existindo, assim, em vários locais: o epíploo gastropancreático, o gastrepático (também chamado *pequeno epíploo*), o gastrocólico (também chamado *grande epíploo*), etc. [Sin.: *omento, redenho.*] ◆ **Grande epíploo.** *Anat.* V. *epíploo.* **Pequeno epíploo.** *Anat.* V. *epíploo.*

epíploon. *S. m. Anat.* V. *epíploo.*

epipterado. [De *ep(i)-* + *-pter(o)-* + *-ado*[1].] *Adj. Morfol. Veg.* Diz-se do fruto ou do grão provido de uma espécie de asa no ápice.

epiquéia. *S. f.* **1.** Interpretação razoável de lei ou preceito. **2.** *Fig.* Meio-termo; moderação.

epiquilo. *S. m. Morfol. Veg.* Porção superior do labelo de determinadas orquídeas, separada do resto por meio de uma constricção. O epiquilo é a parte mais vistosa do labelo, com coloração viva e distinta.

epiquirema. [Do lat. *epicheirema.*] *S. m. Lóg.* **1.** Silogismo dialético. **2.** Silogismo cujas premissas são acompanhadas de demonstração.

epiquiremático. [Do gr. *epicheirematikós.*] *Adj.* Relativo a epiquirema.

epirogênese. [Do gr. *épeiros*, 'continente', + *-gênese.*] *S. f. Geol.* Processo diastrófico de grande amplitude, graças ao qual se formam os continentes.

epirogenético. *Adj.* Relativo à epirogênese.

epirogenia. [Do gr. *épeiros*, 'continente', + *-gen(o)-*[1] + *-ia.*] *S. f. Geol.* Movimentação vertical, lenta, que sofrem as massas continentais, as quais sobem e descem com relação ao nível do mar.

epirogênico. *Adj.* Relativo à epirogenia.

epirota. [Do gr. *epeirótes*, pelo lat. *epirota.*] *Adj. 2 g.* **1.** Do, ou pertencente ou relativo ao Epiro (Grécia antiga); epirótico. ● *S. 2 g.* **2.** Natural ou habitante do Epiro.

epirótico. [Do gr. *eperotikós*, pelo lat. *epiroticu.*] *Adj.* Epirota (1).

episcênio. [Do lat. *episceniu.*] *S. m. Teat.* Nos antigos teatros gregos, o pavimento superior da cena (1).

episclerite [De *ep(i)-* + *(e)scler(ótica)*+ *-ite*[1].] *S. f. Patol.* Inflamação dos tecidos suprajacentes à esclerótica.

episcopado. [Do lat. *episcopatu.*] *S. m.* **1.** V. *bispado*[1]. **2.** Conjunto de bispos.

episcopal. [Do lat. *episcopale.*] *Adj. 2 g.* **1.** Relativo ou pertencente a bispo. [Sin., p. us.: *bispal.*] **2.** *Rel.* Diz-se de um ramo dos anglicanos, sobretudo nos E. U. A.; episcopaliano. ~ V. *cadeira* —.

episcopaliano. *Adj. Rel.* Episcopal (2).

episcópio. [De *ep(i)-* + *-scop-* + *-io.*] *S. m. Ópt.* Aparelho para projetar imagens de objetos opacos (gravuras, fotografias, etc.), que utiliza a luz refletida no objeto e um sistema óptico de projeção constituído por uma colimadora e uma objetiva.

episcopisa. [Do gr. *epískopos*, 'bispo', + *-isa.*] *S. f.* Mulher que nos primeiros tempos do cristianismo exercia certas funções sacerdotais, sem jurisdição episcopal.

episodiar. *V. t. d.* **1.** Alongar (uma narrativa), introduzindo-lhe episódios; adornar com episódios. **2.** Inserir em forma de episódio. [Pres. ind.: *episodio*, etc. Cf. *episódio.*]

episódico. *Adj.* **1.** Introduzido como episódio. **2.** Que tem a natureza de episódio.

episódio. [Do gr. *epeisódion.*] *S. m.* **1.** Ação incidente, ligada à ação principal (em obra literária ou artística); incidente, acessório. **2.** Fato notável relacionado com outros. **3.** Fato, caso, sucesso: *A ligação dos dois foi para ele um* e p i s ó d i o *insignificante.* **4.** Cena (8). **5.** *Mús.* Nas formas musicais clássicas, desenvolvimento rigoroso que se segue à exposição dos temas. **6.** *Mús.* Parte da fuga[2] [q. v.] em que o tema é apresentado nos tons vizinhos. V. *divertimento* (3). **7.** *Teat.* Na tragédia e comédia clássicas, cada uma das ações parciais do argumento dramático, mais ou menos equivalente aos atos do teatro moderno, entre as quais se intercalavam os cânticos e intervenções do coro. [Cf. *episodio*, do v. *episodiar.*]

epispádias. [De *ep(i)-* + gr. *spân*, 'puxar, arrancar'; formação irregular.] *S. f. pl. Med.* Vício de conformação de que resulta a uretra abrir-se no dorso do pênis.

epíspase. [Do gr. *epíspasis.*] *S. f. Med.* Erupção local, determinada por um tratamento, que indica modificação geral no organismo.

epispástico. [Do gr. *epispastikós.*] *Adj.* Que irrita a pele, empolando a epiderme.

episperma. [De *ep(i)-* + *-sperma.*] *S. m. Morfol. Veg.* Envoltório seminal composto de duas camadas, *testa* e *endopleura*, a primeira externa e a segunda interna.

epispermático. [De *ep(i)-* + gr. *spermatikós*, 'relativo a semente'.] *Adj.* Relativo ou pertencente ao episperma.

episporo. [De *ep(i)-* + *-sporo.*] *S. m. Morfol. Veg.* A membrana externa do esporo.

epissépalo. [De *ep(i)-* + *sépala.*] *Adj. Morfol. Veg.* Que nasce ou cresce sobre as sépalas do cálice.

epissoma. [De *ep(i)-* + *-soma.*] *S. m. Genét.* Molécula de ácido desoxirribonucléico, com características semelhantes às de um plasmídeo, mas que dele difere em sua capacidade de se apresentar integrada ao cromossomo ou, sob a forma livre, no citoplasma de células bacterianas.

epistação. *S. f.* Ato de epistar.

epistaminal. [De *ep(i)-* + *-stamine-* + *-al.*] *Adj. 2 g. Morfol. Veg.* Que cresce sobre os estames.

epistaminia. [De *ep(i)-* + *-stamine-* + *-ia.*] *S. f. Morfol. Veg.* Propriedade dos vegetais cujos estames são inseridos no pistilo.

epistar. [De *e-*[3] + lat. *pistare*, 'pilar', 'pisar'.] *V. t. d.* Reduzir (uma substância) a massa, depois de pisá-la em almofariz.

epistase. [Do gr. *epístasis.*] *S. f. Med.* **1.** Detenção de eliminação de qualquer matéria, como sangue, lóquios, menstruação. **2.** Escória ou película, como a que se observa na superfície de uma amostra de urina.

epistasia. [Do gr. *epistasía.*] *S. f. Genét.* Supressão da expressão de um gene por outro gene situado num lócus diferente do correspondente ao alelo do gene suprimido.

epistaxe (cs). [Do gr. *epístaxis.*] *S. f. Med.* Derramamento de sangue pelas fossas nasais; hemorrinia, coanorragia.

epistemologia. [Do gr. *epistéme*, 'ciência', + *-o-* + *-log(o)-* + *-ia.*] *S. f. Filos.* Estudo crítico dos princípios, hipóteses e resultados das ciências já constituídas, e que visa a determinar os fundamentos lógicos, o valor e o alcance objetivo delas; teoria da ciência. [Cf. *teoria do conhecimento* e *metodologia* (2).]

epistemológico. *Adj.* Relativo à epistemologia.

epistílio. [Do gr. *epistylion*, pelo lat. *epistyliu.*] *S. m. Arquit.* Arquitrave (2).

epístola. [Do gr. *epistolé*, pelo lat. *epistola.*] *S. f.* **1.** Cada uma das cartas dos apóstolos e comunidades cristãs primitivas: *as* e p í s t o l a s *de S. Paulo.* **2.** V. *carta* (1). **3.** Composição poética em forma de carta. **4.** Parte da missa em que o celebrante lê trecho das Epístolas dos apóstolos. **5.** O lado direito do altar, em relação aos assistentes, onde o celebrante da missa lê a epístola, e que se opõe ao lado do Evangelho; lado da Epístola; "Padre futuro, estavas assim diante dela como de um altar, sendo uma das faces a E p í s t o l a e a outra o Evangelho." (Machado de Assis, *Dom Casmurro*, p. 42.) [Cf. *epistola*, do v. *epistolar.*]

epistolar[1]. [Do lat. *epistolare.*] *Adj. 2 g.* Relativo a, ou próprio de epístola.

epistolar[2]. [De *epístola* + *-ar*[2].] *V. t. d.* Narrar (um acontecimento) em epístola(s). [Pres. ind.: *epistolo, epistolas, epistola*, etc. Cf. *epístola.*]

epistolário. [De *epístola* + *-ário.*] *S. m.* **1.** Coleção de epístolas; epistoleiro. **2.** *Lit.* Livro que contém as epístolas que se lêem na missa.

epistoleiro. *S. m.* **1.** Epistolário (1). **2.** Epistológrafo.

epistolografia. [De *epístola* + *-o-* + *-graf(o)-* + *-ia.*] *S. f.* **1.** O gênero literário respeitante a cartas. **2.** Arte de escrever cartas.

epistolográfico. [Do gr. *epistolographikós.*] *Adj.* Relativo à epistolografia.

epistológrafo. [Do gr. *epistolográphos.*] *S. m.* Aquele que cultiva a epistolografia; epistoleiro.

epistoma. [De *ep(i)-* + *-stoma.*] *S. m.* Placa que protege a boca dos briozoários.

epístrofe. [Do gr. *epistrophé*, pelo lat. *epistrophe.*] *S. f. Ret.* Repetição de palavra no fim de frases seguidas. Ex.: "Nunca morrer assim! Nunca morrer num dia — Assim! de um sol assim!" (Olavo Bilac, *Poesias*, p. 170).

epitaciano. *Adj.* **1.** De, ou pertencente ou relativo a Presidente Epitácio (SP). ● *S. m.* **2.** O natural ou habitante de Presidente Epitácio.

epitáfio. [Do gr. *epitáphion*, pelo lat. *epitaphiu.*] *S. m.* **1.** Inscrição tumular. **2.** *P. ext.* Lápide ou tabuleta com epitáfio (1). **3.** Elogio fúnebre. **4.** Espécie de poesia satírica (em geral uma quadra) feita sobre um vivo como se se tratasse de um morto.

epitafista. [Do lat. *epitaphista.*] *S. 2. g.* Pessoa que compõe epitáfios.

epitalâmico. *Adj.* **1.** Relativo a epitalâmio. **2.** *Anat.* Suprajacente ao tálamo (4). **3.** *Anat.* Relativo ao epitálamo.

epitalâmio. [Do gr. *epithalámion*, i. e., *âsma epithalámion*, 'canto nupcial', pelo lat. *epithalamiu.*] *S. m.* Canto ou poema nupcial: "era preciso entulhar .... de rimadores d' e p i t a l â m i o s e de elegias, d'oradores academicamente impenitentes, o insondável sorvedouro das inutilidades públicas." (Alexandre Herculano, *Opúsculos*, VIII, p. 71).

epitálamo. [De *ep(i)* + *tálamo* (4).] *S. m. Anat.* Porção do talamencéfalo que está em posição superior e posterior ao tálamo.

epitalo. *S. m. Bot.* Porção exterior da camada cortical dos liquens.

epítase. [Do gr. *epítasis.*] *S. f. Teat.* A parte do poema dramático que se segue à prótase e antecede a catastase, e na qual se desenvolvem os incidentes principais da intriga. [Cf. *epítese.*]

epitécio. *S. m. Bot.* O conjunto das pontas das paráfises que, sendo maiores do que os ascos, cobrem o himênio. É peculiar aos liquens.

epitelial. *Adj. 2 g.* **1.** Relativo ou pertencente ao epitélio. **2.** Que aparece no epitélio.

epitélio. [De *ep(i)-* + *-tel(e)-*[3] + *-io*[2].] *S. m.* **1.** *Anat.* Tecido, de que há alguns tipos, que cobre superfícies interna e externa do corpo, inclusive vasos e outras pequenas cavidades. Constitui-se de células ligadas por pequenas quantidades de substância semelhante a cemento, e seus vários tipos são classificados segundo o número de camadas e a forma das células da camada mais superficial. **2.** *Anat. Veg.* Espécie de epiderme ou revestimento, formado de células minutíssimas e delicadas, que se encontra em alguns órgãos vegetais especiais, como, p. ex., os canais de mucilagem.

epitelioma. [De *epitélio* + *-oma.*] *S. m. Patol.* Tumor maligno derivado do tecido epitelial.

epitérmico. *Adj.* ~ V. *nêutron* —.

epítese. [Do gr. *epíthesis*, pelo lat. *epithese.*] *S. f. Gram.* Paragoge. [Cf. *epítase.*]

epitetar. *V. t. d.* Pôr epíteto a; cognominar, alcunhar, apelidar. [Pres. ind.: *epiteto*, etc. Cf. *epíteto*, s. m., e *Epicteto*, antr.]

epitético. [Do gr. *epithetikós.*] *Adj.* Que tem caráter de epíteto.

epitetismo. [De *epíteto* + *-ismo.*] *S. m. Ret.* Figura consistente na modificação da expressão duma idéia principal pela expressão duma idéia acessória.

epíteto. [Do gr. *epítheton*, i. e., *ónoma epítheton*, 'nome acrescentado', pelo lat. *epithetu.*] *S. m.* **1.** Palavra ou frase que qualifica pessoa ou coisa. **2.** V. cognome: "Os calvinistas atraídos ao seio da sua tirania [de Villegagnon] na América, puseram-lhe o infame e p í t e t o de Caim, para significar que assassinou os seus irmãos." (João Ribeiro, *História do Brasil*, p. 114.) [Cf. *epiteto*, do v. *epitetar*, e *Epicteto*, antr.]

epitetomania. *S. f.* Abuso ou mania dos epítetos.

epítoga. [Do lat. *epitogiu.*] *S. f.* Capa que os romanos usavam sobre a toga.

epitomar. [Do lat. *epitomare.*] *V. t. d.* **1.** Reduzir a ipítome. *T. d. e i.* **2.** Compendiar, resumir; condensar: E p i t o m a *sua grande produção poética em um volume de 400 páginas.* [Pres. subj.: *epitome*, etc. Cf. *epítome.*]

epítome. [Do gr. *epitomé*, pelo lat. *epitome.*] *S. m.* **1.** Resumo de livro, especialmente livro de estudo; compêndio. **2.** Resumo, abreviação, compêndio, sinopse, síntese: "Era [D. Pedro II], para a civilização tão distraída por infinitos assuntos mais urgentes e mais sérios, um índice abreviado onde ela aprendia de um lance os aspectos capitais de nossa vida: o e p í t o m e vivo do Brasil." (Euclides da Cunha, *Contrastes e Confrontos*, p. 166.) [Cf. *epitome*, do v. *epitomar.*]

epitróclea. [De *ep(i)-* + *tróclea.*] *S. f. Anat.* Eminência arredondada situada em cada úmero, em sua parte interna, acima da tróclea.

epitrocóide. [De *ep(i)-* + *-troc(o)-* + *-óide.*] *S. f. Geom.* Curva plana descrita por um ponto rigidamente ligado a um círculo que rola, sem deslizar, sobre outro círculo fixo no mesmo plano e externamente a este círculo.

epítrope. [Do gr. *epitropé.*] *S. f. Ret.* Figura pela qual se aceita algo que poderia ser contestado, a fim de dar mais força àquilo que se quer provar.

epituitário (u-i). [Por *epipituitário (de *ep (i)-* + *pituitário*), com haplologia.] *Adj. Anat.* Situado sobre a pituitária.

epíxilo (cs). [De *ep(i)-* + *-xilo.*] *Adj. Bot.* Que cresce sobre o lenho. [Diz-se de plantas parasitas.]

epizeuxe (cs). [Do gr. *epízeuxis*, pelo lat. *epizeuxe.*] *S. f. Ret.* Figura pela qual se repete seguidamente a mesma palavra, para amplificar, para exprimir compaixão, ou para exortar. Ex.: "Já, já me vai, Marília, branquejando / loiro cabelo, que circula a testa" (Tomás Antônio Gonzaga, *Marília de Dirceu*. p. 85); "e eu vos darei tudo, tudo, tudo, tudo, tudo, tudo..." (Machado de Assis, *Histórias sem Data*, p. 6); "Nize? Nize? onde estás? aonde? aonde?" (Cláudio Manuel da Costa, *Obras Poéticas*, I. p. 109).

epizêuxis (cs). *S. f. 2 n. Ret.* V. *epizeuxe.*

epizoário. [De *ep(i)-* + *-zoário.*] *Adj.* e *s. m. Zool.* Diz-se de, ou parasito que vive sobre a pele do homem e doutros animais.

epizona. [De *ep(i)-* + *zona.*] *S. f. Petr.* A zona mais superficial do metamorfismo dinâmico. [Cf. *mesozona* e *catazona.*]

epizootia. [De *ep(i)-* + *zo(o)-* + *-t-* + *-ia.*] *S. f.* Doença, contagiosa ou não, que ataca numerosos animais ao mesmo tempo e no mesmo lugar.

época. [Do gr. *epoché.*] *S. f.* **1.** Faixa cronológica para a qual se toma como base um acontecimento notável, geralmente de caráter social, histórico, cultural, etc.; tempo: *a época do nascimento de Cristo; a época da Independência; a época do impressionismo.* **2.** Qualquer período (1), numa seqüência cronológica de mudanças (naturais, sociais, etc.); fase: *as épocas da vida; as épocas da história.* **3.** Período (2), de maior ou menor duração, com características definidas ligadas a um indivíduo, a um grupo, a um projeto, etc.; tempo; data: *Por essa época o edifício já estará construído; Naquela época morávamos no Rio.* **4.** Período (2) que sobressai pela predominância de um fato, de uma personalidade, de certas conjunturas, etc; era, idade, período: *a época das grandes navegações, a época vitoriana; a época das glaciações.* **5.** Período, século (relativamente a um personagem ou a um fato notável): *a época de Péricles; a época da máquina a vapor.* **6.** Período, fase, quadra: *Está na época dos namoros.* **7.** Estação, quadra, tempo, período: *época de trovoadas; a época dos banhos de mar.* **8.** Tempo (6): *a época de nossos avós; a época da minha infância.* **9.** V. *tempo* (7): É homem muito avançado para sua *época*. **10.** *Astr.* Instante de referência para uma série de observações astronômicas, ou para uma série de elementos de um catálogo astronômico; data. **11.** *Fís.* Na equação de um movimento harmônico simples, valor do argumento quando o tempo é igual a zero. **12.** *Geol.* Subdivisão dos períodos [v. *período* (9)], de característi-cas mais restritas e duração acentuada decrescente. Sob o aspecto cronológico assim se classificam as épocas: § no período terciário: **a)** *época paleocena:* a que se caracteriza pelo desenvolvimento dos mamíferos primitivos; **b)** *época eocena:* aquela em que prossegue a expansão dos mamíferos e surge o cavalo, com o porte de uma lebre atual; **c)** *época oligocena:* núcleo do terciário com o aparecimento dos primeiros símios antropomorfos; **d)** *época miocena:* a que se caracteriza pelo grande desenvolvimento dos antropóides; **e)** *época pliocena:* aquela em que surgem os primeiros hominídas; § no período quaternário: **f)** *época plistocena:* aquela em que ocorrem glaciações, dilúvios e períodos interglaciários, em que no final aparece o homem com suas característi-cas físicas atuais; **g)** *época holocena:* aquela em que as geleiras se restringem às regiões polares e ocorre o desenvolvimento e a expansão da civilização humana (data de cerca de 12 000). ◆ **Época atual.** *Geol.* V. *época holocena.* **Época de um planeta.** *Astr.* Longitude média heliocêntrica de um planeta numa determinada data. **Época diluvial.** *Geol.* V. *época plistocena.* **Época eocena.** *Geol.* V. *época* (12). [Tb. se diz apenas *eoceno.*] **Época glacial.** *Geol.* V. *época plistocena.* **Época holocena.** *Geol.* V. *época* (12). [Tb. se diz apenas *holoceno.* Sin.: *época atual* e *época recente.*] **Época miocena.** *Geol.* V. *época* (12). [Tb. se diz apenas *mioceno.*] **Época oligocena.** *Geol.* V. *época* (12). [Tb. se diz apenas *oligoceno.*] **Época paleocena.** *Geol.* V. *época* (12). [Tb. se diz apenas *paleoceno.*] **Época plistocena.** *Geol.* V. *época* (12). [Tb. se diz apenas *plistoceno.* Sin.: *época diluvial* e *época glacial.*] **Época pliocena.** *Geol.* V. *época* (12). [Tb se diz apenas *plioceno.*]. **Época recente.** *Geol.* V. *época holocena.* **Fazer época.** Ter sido notável por conduta inovadora ou extravagante: *Os Beatles fizeram época na música da década de 60.*

epódico. [Do gr. *epodikós,* pelo lat. *epodicu.*] *Adj.* Relativo a epodo.

epodo. [Do gr. *epodós,* pelo lat. *epodu.*] *S. m.* **1.** A terceira estância da ode grega. [Cf. *estrofe* (2) e *antístrofe* (1).] **2.** Poema lírico latino constituído de versos jâmbicos, alternadamente trímetros e dímetros. **3.** Qualquer poema lírico em que haja, alternadamente, um verso grande seguido de um pequeno. **4.** Pequeno poema satírico de Horácio [v. *horaciano*].

epônimo. [Do gr. *epónymos.*] *Adj.* **1.** Que dá ou empresta seu nome a alguma coisa: *herói epônimo.* ~ V. *arconte* —. ● *S. m.* **2.** Aquele que dá ou empresta seu nome a alguma coisa: "Velha palmeira solitária, testemunha sobrevivente do drama da conquista, que de majestade e de tristura não exprimes, venerável *epônimo* dos campos!" (Afonso Arinos, *Pelo Sertão,* p. 61.)

epopéia. [Do gr. *epopoiía.*] *S. f.* **1.** Poema de longo fôlego acerca de assunto grandioso e heróico. **2.** *Fig.* Ação ou série de ações heróicas.

epopéico. [Do gr. *epopoiikós.*] *Adj.* **1.** Referente a, ou próprio de epopéia. **2.** Heróico, grandioso.

epóxi (cs). [Do ingl. *epoxy.*] *S. m.* **1.** *Quím.* Grupamento constituído por dois átomos de carbono de uma cadeia que se ligam, pelo exterior da cadeia, a um átomo de oxigênio. **2.** Resina que contém este grupamento e que forma um adesivo forte e resistente, usado em colas, esmaltes, etc.

epsilão. *S. m.* V. *epsilo.*

epsilo. *S. m.* A 5ª letra do alfabeto grego (Ε, ϵ). [F. paral.: *epsilão* e *epsílon.*]

epsílon. *S. m.* V. *epsilo.*

epsomita. [Do top. *Epsom* + *-ita*³.] *S. f. Min.* Mineral ortorrômbico, sulfato de magnésio hidratado.

epular. [Do lat. *epulares.*] *Adj. 2 g.* Respeitante a épulas.

epulário. *S. m. Arquit.* Aquele que tomava parte em épulas [v. *épulas* (1)]; conviva, comensal.

épulas. [Do lat. *epulas.*] *S. f. pl.* **1.** Festas ou banquetes sagrados públicos por ocasião de funeral ou cerimônia triunfal, na Roma antiga. **2.** *Desus.* Iguarias, comidas, manjares, etc.

epúlida. *S. f. Patol.* Epúlide.

epúlide. [Do gr. *epoulís, ídos.*] *S. f. Patol.* Designação comum a qualquer tumor gengival. [F. paral.: *epúlida.*]

epulótico. [Do gr. *epoulotikós.*] *Adj.* Que facilita a cicatrização.

épura. [Do fr. *épure.*] *S. f. Geom. Descr.* Representação no plano, mediante projeções, de uma figura do espaço.

epuxa. *Interj.* **1.** *Bras., MG* e *SP.* Exclamação de gabolice. **2.** *Bras., RS.* Exprime admiração.

equabilidade. [Do lat. *aequabilitate.*] *S. f.* Qualidade de equável.

equação. [Do lat. *equatione.*] *S. f. Mat.* Qualquer igualdade entre seres matemáticos que só é satisfeita para alguns valores dos respectivos domínios. [Cf. *identidade* (5).] ◆ **Equação algébrica.** *Mat.* A que só contém operações algébricas. **Equação algébrica irracional.** *Álg.* Equação algébrica que não é racional. [Tb. se diz apenas *equação irracional.*] **Equação algébrica racional.** *Álg.* Equação algébrica que só contém funções racionais. [Tb. se diz apenas *equação racional.*] **Equação algébrica racional inteira.** *Álg.* A que pode ser escrita como um polinômio igualado a zero. **Equação ânua.** *Astr.* Equação anual. **Equação anual.** *Astr.* Irregularidade do movimento da Lua, produzida pelo fato de a distância da Terra ao Sol variar no decorrer do ano; equação ânua. **Equação bilinear.** *Álg.* A que resulta quando se iguala a zero uma forma bilinear. **Equação binômia.** *Álg.* Equação algébrica em que o primeiro membro é um binômio constituído pela potência enésima da incógnita e por um termo constante. **Equação biquadrada.** *Álg.* Equação algébrica racional inteira do quarto grau e que só contém as potências pares da variável. [Tb. se diz apenas *biquadrada.*] **Equação cúbica.** *Álg.* Equação algébrica racional inteira do terceiro grau. [Tb. se diz apenas *cúbica.*] **Equação da continuidade.** *Fís. Mat.* Expressão analítica que traduz a conservação de massa ao longo de um circuito no qual ocorre o escoamento de um fluido. **Equação da difusão.** *Fís. Mat.* Equação diferencial parcial linear e homogênea que rege os fenômenos da difusão num meio isotrópico e da condução de calor num sólido. **Equação da luz.** *Astr.* Tempo que é necessário acrescentar à hora de um dado fenômeno para levar em conta o tempo que a luz gasta para percorrer a distância Sol-Terra. **Equação de congruência.** *Álg.* Relação de congruência que se estabelece entre incógnitas, ou entre uma incógnita e uma constante. **Equação de derivadas.** *Anál. Mat.* Equação diferencial. **Equação de diferenças.** *Anál. Mat.* Equação de diferenças finitas. **Equação de diferenças finitas.** *Anál. Mat.* Relação entre uma ou mais variáveis independentes e as diferenças finitas duma função dessas variáveis. [Tb. se diz apenas *equação de diferenças.*] **Equação de estado.** *Fís.* Relação analítica entre as variáveis de estado de um sistema, que é satisfeita para qualquer condição física de existência dele. **Equação derivada.** **1.** *Álg.* Equação obtida de outra por meio de operações algébricas. **2.** *Anál. Mat.* Equação resultante da derivação de ambos os membros de uma equação. **Equação diferencial.** *Anál. Mat.* A que envolve duas ou mais variáveis e as derivadas de umas em relação às outras; equação de derivadas. **Equação diferencial exata.** *Anál. Mat.* Equação diferencial total que resulta de se igualar a zero uma forma diferencial exata. **Equação diferencial homogênea.** *Anál. Mat.* **1.** Equação diferencial total em que os coeficientes das diferenciais são funções homogêneas de mesmo grau. **2.** Equação diferencial linear homogênea. **Equação diferencial integrável.** *Anál. Mat.* **1.** Equação diferencial cuja solução pode ser obtida sob forma fechada. **2.** Equação diferencial que possui um fator integrante. **Equação diferencial linear.** *Anál. Mat.* **1.** Equação diferencial ordinária linear. **2.** Equação diferencial parcial linear. **Equação diferencial linear homogênea.** *Anál. Mat.* Equação diferencial linear em que são nulos os termos que não contêm as variáveis dependentes. [Tb. se diz apenas *equação diferencial homogênea.*] **Equação diferencial ordinária.** *Anál. Mat.* Equação diferencial que só contém duas variáveis e as derivadas ordinárias da dependente em relação à independente. **Equação diferencial ordinária linear.** *Anál. Mat.* Equação diferencial ordinária em que a variável dependente e todas as suas derivadas aparecem na primeira potência. [Tb. se diz apenas *equação diferencial linear.*] **Equação diferencial parcial.** *Anál. Mat.* Equação diferencial que contém mais de uma variável independente e as derivadas parciais em relação a elas. **Equação diferencial parcial linear.** *Anál. Mat.* Equação diferencial parcial em que todas as derivadas aparecem elevadas à primeira potência, enquanto a potência da variável dependente pode ser qualquer. [Tb. se diz apenas *equação diferencial linear.*] **Equação diofantina.** *Álg.* A que é objeto da análise diofantina. [Usualmente é uma equação algébrica racional em mais de uma variável, e da qual se procuram as soluções inteiras.] **Equação do centro.** *Astr.* Ângulo que representa a diferença entre a longitude verdadeira e a longitude média do sol aparente. **Equação do tempo.** *Astr.* Diferença entre o tempo solar médio e o tempo solar aparente. **Equação homogênea.** *Mat.* A que se obtém igualando a zero uma função homogênea. [Cf. *equação diferencial homogênea* e *equação integral homogênea.*] **Equação integral.** *Anál. Mat.* A que contém incógnitas sob o sinal de integração. **Equação irracional.** *Álg.* Equação algébrica irracional. **Equação linear.** *Álg.* A que resulta de se igualar a zero uma forma linear. **Equação lunar.** *Astr.* Fator de correção que serve para referir as observações ao baricentro do sistema Terra-Lua. **Equação paramétrica.** *Geom. Anál.* Qualquer das equações associadas a uma figura geométrica, expressa em termos de um ou mais parâmetros. Se a figura é uma curva, um parâmetro é suficiente; se é uma superfície, são necessários dois parâmetros. **Equação racional.** *Álg.* Equação algébrica racional. **Equação recíproca.** *Mat.* **1.** A que se obtém de outra equação quando nesta se substituem as variáveis independentes por suas recíprocas. **2.** A que não se altera quando se substituem as variáveis por suas recíprocas. **Equação reduzida.** *Mat.* A equação de uma reta na forma $y = ax + b$. **Equação transcendente.** *Mat.* A que não é algébrica. **Equação trinômia.** *Álg.* A que se obtém igualando um trinômio a zero. **Equações compatíveis.** *Mat.* As que são satisfeitas por um ou mais conjuntos de valores das variáveis; equações consistentes. **Equações consistentes.** *Mat.* Equações compatíveis.

equacionamento. *S. m.* Ato ou efeito de equacionar.

equacionar. *V. t. d.* Dispor, na prática ou mentalmente, os dados de (um problema, uma questão qualquer), a fim de encaminhar-lhe a solução; pôr em equação: "em 1924, algumas figuras das mais representativas do Recife, no plano cultural, movimentaram-se no sentido de *equacionar* e debater os seus problemas regionais" (Carlos Moliterno, *Notas sobre Poesia Moderna em Alagoas,* p. 31).

equador (ô). [Do lat. *aequatore.*] *S. m.* **1.** O círculo máximo da esfera terrestre, perpendicular à linha que une os pólos. **2.** *Mat.* Circunferência descrita pelo vértice de uma elipse que gera um elipsóide de revolução. ◆ **Equador celeste.** Círculo perpendicular ao eixo do mundo, que passa pelo centro da esfera celeste e dista igualmente de ambos os pólos celestes. **Equador galáctico.** *Astr.* Interseção do plano galáctico com a esfera celeste. **Equador magnético.** *Geofís.* Lugar geométrico dos pontos da superfície da Terra em que a inclinação magnética é nula.

equalização. [Do ingl. *equalization.*] *S. f. Eletrôn.* Diminuição da distorção de um sinal por meio de circuitos que compensem as deformações, reforçando a intensidade de algumas freqüências e diminuindo a de outras.

equalizador (ô). *S. m.* Dispositivo que permite a equalização.

equalizar. *V. t. d.* Uniformizar, igualar.

equânime. [Do lat. *aequanime.*] *Adj. 2 g.* Que tem ou denota equanimidade: *varão equânime; procedimento equânime;* "D. Pedro era um espírito liberal e e q u â n i m e; procedimento e q u â n i m e; "D. Pedro era um espírito liberal e e q u â n i m e, puro homem de bem, sem gosto nenhum pela política e as suas agitações." (Oliveira Viana, *O Ocaso do Império*, p. 39).

equanimidade. [Do lat. *aequanimitate.*] *S. f.* **1.** Igualdade de ânimo tanto na desgraça quanto na prosperidade. **2.** Serenidade de espírito; moderação. **3.** Eqüidade em julgar; imparcialidade, retidão, eqüidade.

equatorial. *Adj. 2 g.* **1.** De, ou pertencente ou relativo ao equador: *clima e q u a t o r i a l; fauna e q u a t o r i a l.* **2.** Situado no equador: *zona e q u a t o r i a l.* V. *faixa* —, *luneta* —, *mesa* —, *satélite* —, *telescópio* — e *zona* —. ● *S. f.* **3.** *Astr.* Designação abreviada de todo instrumento astronômico cuja montagem comporta um eixo paralelo ao eixo do mundo, de modo que permita acompanhar o movimento diurno dos astros: telescópio equatorial, luneta equatorial, etc.

equatoriano. [Do esp. *ecuatoriano.*] *Adj.* **1.** Do, ou pertencente ou relativo ao Equador (América do Sul). ● *S. m.* **2.** O natural ou habitante do Equador.

equável. [Do lat. *aequabile.*] *Adj. 2 g. P. us.* **1.** Igual, uniforme. **2.** V. *eqüitativo.*

equê. [Do ioruba.] *S. m.* Pai-de-santo ou mãe-de-santo sem iniciação, que não fez a cabeça, e que dirige um candomblé.

equede. [Do ioruba.] *S. f. Bras.* Zeladora dos orixás, correspondente ao ogã.

equeneido. *S. m.* **1.** Espécime dos equeneidos. ● *Adj.* **2.** Pertencente ou relativo a eles.

equeneidos. *S. m. pl. Zool.* Família de peixes actinopterígios da ordem dos discocéfalos, fusiformes, e deprimidos na parte anterior; escamas pequenas e simples; disco elipsoidal sobre a cabeça. Ex.: a rêmora, o piolho-de-cação, o peixe-pegador.

eqüestre. [Do lat. *equestre.*] *Adj. 2 g.* Referente a cavalaria ou cavaleiros. ~ V. *estátua* —.

eqüevo (ê). [Do lat. *aequaevu.*] *Adj.* Da mesma idade que outro; coevo, coetâneo, contemporâneo.

▲**equi-.** [Do lat. *aequus, a, um.*] *El. comp.* = 'igual': *equivalência.* [Equiv.: *eqüi-*: *eqüivalência, eqüiângulo.*]

▲**eqüi-.** Equiv. de *equi-.*

eqüiângulo. [De *eqüi-* + *ângulo.*] *Adj. Geom.* Que tem os ângulos iguais. ~ V. *polígono* — e *triângulo*—.

eqüícola. [De *eqüi-* + *-cola.*] *S. m.* Eguariço[1] (3).

equidade. *S. f.* V. *eqüidade.*

eqüidade. [Do lat. *aequitate.*] *S. f.* **1.** Disposição de reconhecer igualmente o direito de cada um. **2.** Conjunto de princípios imutáveis de justiça que induzem o juiz a um critério de moderação e de igualdade, ainda que em detrimento do direito objetivo. **3.** Sentimento de justiça avesso a um critério de julgamento ou tratamento rigoroso e estritamente legal. **4.** Igualdade, retidão, equanimidade. [Var. pros.: *equidade.*]

éqüidas. *S. m. pl. Zool.* Família de ungulados perissodáctilos com um só dedo funcional, da qual é tipo o cavalo. [V. *eqüídeo* (2).]

eqüídeo. [Do lat. *equus,* 'cavalo', + *-ídeo.*] *Adj.* **1.** Relativo ou semelhante ao cavalo. ● *S. m.* **2.** Espécime dos éqüidas.

eqüidiferença. [De *eqüi-* + *diferença.*] *S. f. Mat.* Igualdade entre duas diferenças.

eqüidiferente. [De *eqüi-* + *diferente.*] *Adj. 2 g. Mat.* Que oferece diferenças iguais entre si.

eqüidilatado. [De *eqüi-* + *dilatado.*] *Adj. Morfol. Veg.* Diz-se de certos órgãos vegetais que em todo o seu comprimento apresentam a mesma largura.

eqüidistância. *S. f.* Qualidade ou situação de eqüidistante.

eqüidistante. [Do lat. *aequidistante.*] *Adj. 2 g.* Que dista igualmente. ~ V. *projeção zenital* —.

eqüidistar. [De *eqüi-* + *distar.*] *V. t. i.* Distar igualmente (de dois ou mais pontos): *A casa do Roberto e q ü i d i s t a da minha e da tua.*

eqüidna. [Do gr. *échidna,* 'serpente', pelo lat. *echidna.*] *S. f. Zool.* Gênero de mamíferos peculiar à Nova Guiné, à Austrália e à Tasmânia, e pertencente à ordem dos monotremados.

equídnico. *Adj.* Relativo à, ou próprio da víbora; viperino [q. v.].

equidnina. [Do gr. *échidna,* 'víbora', + *-ina.*] *S. f.* Substância orgânica que é o princípio do veneno da víbora.

equidoso (ô). *Adj.* Var. pros. de *eqüidoso* [q. v.].

eqüidoso (ô). [Por **eqüidadoso,* de *eqüidade,* + *-oso,* com haplologia.] *Adj.* Que tem eqüidade; eqüitativo. [Var. pros.: *equidoso.*]

eqüífero. [Do lat. *equiferu.*] *S. m.* Cavalo selvagem.

eqüilateral. [Do lat. *aequilaterale.*]. *Adj. 2 g. Geom.* Eqüilátero [q. v.].

eqüilátero. [Do lat. *aequilateru.*] *Adj. Geom.* Que tem os lados iguais entre si; eqüilateral. ~ V. *cone* —, *hipérbole* —a, *polígono* — e *triângulo* —.

equilibração. *S. f.* **1.** Ato de equilibrar. **2.** *P. us.* Equilíbrio.

equilibrado. [Do lat. *aequilibratu.*] *Adj.* **1.** Posto ou mantido em equilíbrio. **2.** Compensado; contrabalançado. **3.** Que tem ou denota equilíbrio (5 e 6); prudente, moderado, comedido: *É pessoa muito e q u i l i b r a d a, incapaz de excessos; Seus julgamentos são honestos e e q u i l i b r a d o s.*

equilibrador (ô). *Adj.* Que equilibra; equilibrante.

equilibrante. *Adj. 2 g.* Equilibrador.

equilibrar. *V. t. d.* **1.** Pôr em equilíbrio (1). **2.** Manter em equilíbrio (2): *Os garçons, ágeis, e q u i l i b r a v a m bandejas.* **3.** Conservar o equilíbrio (2) de, ou restituir o equilíbrio a. **4.** Contrabalançar, compensar: *e q u i l i b r a r as forças combatentes.* **5.** Pôr em equilíbrio (4); harmonizar: *e q u i l i b r a r sentimentos. T. d. e i.* **6.** Compensar; contrabalançar: *e q u i l i b r a r tristezas com prazeres. P.* **7.** Manter-se em equilíbrio (2). **8.** Sustentar-se, agüentar-se: "a madrugada ia encontrá-lo na baderna, de onde saía bêbedo para casa, mal e q u i l i b r a n d o - s e no cavalinho manso" (Pelópidas Soares, *Cordão dos Bichos,* p. 11); *e q u i l i b r a r - s e em um pé só.*

equilibrável. *Adj. 2 g.* Que pode ser equilibrado.

equilíbrio. [Do lat. *aequilibriu.*] *S. m.* **1.** *Fís.* Estado de um sistema (15) que é invariável com o tempo. **2.** Manutenção de um corpo na sua posição ou postura normal, sem oscilações ou desvios: *o e q u i l í b r i o dos pratos de uma balança; o e q u i l í b r i o do corpo humano; O ciclista perdeu o e q u i l í b r i o ao desviar-se de um pedestre.* **3.** Igualdade, absoluta ou aproximada, entre forças opostas: *Os boxeadores lutam em e q u i l í b r i o; Há e q u i l í b r i o comercial; Nota-se e q u i l í b r i o político.* **4.** *Fig.* Boa proporção; harmonia: *o e q u i l í b r i o entre os elementos de um todo; e q u i l í b r i o arquitetônico; e q u i l í b r i o de talento.* **5.** *Fig.* Estabilidade mental e emocional: *É pessoa de raro e q u i l í b r i o.* **6.** *Fig.* Moderação, prudência, comedimento; autocontrole, autodomínio, controle: *Soube agir com e q u i l í b r i o.* **7.** *Fig.* Estado inalterável: *o e q u i l í b r i o do dólar, dos preços.* **8.** *Fisiol.* Função que assegura a projeção do centro de gravidade do corpo humano no interior do polígono de sustentação, tanto em condições estáticas quanto dinâmicas. ◆ **Equilíbrio hídrico.** *Bot.* Balanço-d'água. **Equilíbrio hidrostático.** *Fís.* O equilíbrio de um corpo imerso num líquido. **Equilíbrio mecânico.** *Fís.* Estado de um sistema (15) no qual a resultante de todas as forças que atuam sobre ele é nula e o par resultante de todos os binários é, também, igual a zero. **Equilíbrio químico.** *Fís.-Quím.* Estado de um sistema (15) em que não existem diferenças de potencial químico dos diversos componentes e em que, portanto, não ocorrem fenômenos de difusão, nem reações químicas. **Equilíbrio térmico.** *Fís.* Estado de um sistema (15) em que, por não existirem fluxos de calor, há igualdade de temperatura em todos os pontos de qualquer de suas fases cujas fronteiras são permeáveis ao calor. **Equilíbrio termodinâmico.** *Fís.* Estado de um sistema (15) em que existe equilíbrio mecânico, químico e térmico, e em que não há transporte de cargas elétricas nem variações de grandezas magnéticas.

equilibrismo. *S. m.* Arte ou habilidade de equilibrista.

equilibrista. *S. 2 g.* **1.** Pessoa que se conserva em equilíbrio, em posição difícil. **2.** *Fig.* Malabarista (2). **3.** *Teat.* V. *malabarista* (3).

equimiída. *S. m.* e *adj. 2 g.* V. *equimiídeo.*

equimiídas. *S. m. pl. Zool.* V. *equimiídeos.*

equimiídeo. *S. m.* **1.** Espécime dos equimiídeos. ● *Adj.* **2.** Pertencente ou relativo a eles.

equimiídeos. *S. m. pl. Zool.* Animais roedores, histricomorfos, de grande porte, providos de pêlos aristiformes, aculeados, geralmente dominantes na superfície dorsal. Pés e orelhas pequenos e largos. São os ratos-de-espinho e ratão-do-banhado.

eqüimolecular. *Adj. 2 g. Quím.* Diz-se de substância constituída por igual número de moléculas de duas ou mais de duas substâncias.

equimosar-se. *V. p.* Encher-se ou cobrir-se de equimoses.

equimose. [Do gr. *ekchymosis.*] *S. f. Med.* Pequena mancha, de natureza hemorrágica, que se pode observar na pele ou em membrana mucosa como placa não saliente, arredondada ou irregular, de matiz azul ou púrpura: "era uma ossada nodosa e cheia de vergões por sobre a flacidez da pele que a revestia, às e q u i m o s e s roxas pelo dorso" (Fialho d'Almeida, *O País das Uvas,* p. 283).

equimótico. *Adj.* Que tem caráter de equimose; da natureza da equimose.

eqüimultíplice. [De *eqüi-* + *multíplice.*] *Adj. 2 g. ant.* *Eqüimúltiplo.*

eqüimúltiplo. [De *eqüi-* + *múltiplo.*] *Adj. Arit.* Diz-se dos números resultantes do produto de outros números pelo mesmo fator; eqüimultíplice.

equinado. *Adj. Morfol. Veg.* Diz-se do órgão ou parte vegetal que se apresenta revestido de espinhos ou acúleos, recordando um ouriço-do-mar.

▲**equini-.** Equiv. de *equin(o)-.*

equinípede. [De *equini-* + *-pede.*] *Adj. 2 g. Zool.* Cujas patas são revestidas de pêlos ásperos.

equino. [Do lat. *echinu.*] *S. m. Arquit.* Moldura curva ou arredondada, sob o ábaco do capitel dórico. [Cf. *eqüino.*]

▲**equin(o)-.** [Do gr. *echínos, ou.*] *El. comp.* = 'ouriço', 'espinho': *equinococo.* [Equiv.: *equini-*: *equinípede.*]

eqüino. [Do lat. *equinu.*] *Adj.* **1.** Pertencente ou relativo ao cavalo; cavalar. ● *S. m.* **2.** Animal eqüino. [Cf. *equino.*]

equinocarpo. [De *equin(o)-* + *-carpo.*] *Adj. Bot.* Que produz frutos eriçados, de pontas ásperas.

equinocial. [Do lat. *aequinoctiale.*] *Adj. 2 g.* Relativo a equinócio.

equinócio. [Do lat. *aequinoctiu.*] *S. m.* **1.** Ponto da órbita da Terra em que se registra uma igual duração do dia e da noite, o que sucede nos dias 21 de março e 23 de setembro. **2.** *Astr.* Qualquer das duas interseções do círculo da eclíptica com o círculo do equador celeste: *equinócio da primavera,* ou *ponto vernal,* e *equinócio do outono,* ou *ponto de Libra.* **3.** *Astr.* Instante em que o Sol, no seu movimento anual aparente, corta o equador celeste. ◆ **Equinócio da primavera.** *Astr.* Ponto vernal. **Equinócio do outono.** *Astr.* Ponto de Libra. **Equinócio médio da data.** *Astr.* Equinócio fictício cuja posição é a do ponto vernal em certa data, sem se levar em conta o efeito da nutação.

equinococo. [De *equin(o)-* + *-coco.*] *S. m. Med.* Forma larvar cística da tênia equinococo (*Echinococcus granulosus* Batsch), que, na forma adulta, é parasito do cão.

equinococose. [De *equinococo* + *-ose.*] *S. f. Patol.* Hidatidose.

eqüinocultor (ô). *S. m.* Aquele que pratica a eqüinocultura.

eqüinocultura. *S. f.* Criação de cavalos, em especial os de raça.

equinodermo. [De *equin(o)-* + *-dermo.*] *S. m.* **1.** Espécime dos equinodermos. ● *Adj.* **2.** Pertencente ou relativo a eles.

equinodermos. *S. m. pl. Zool.* Animais enterozoários, com simetria radial superposta à bilateral, formada por um eixo longitudinal da boca à extremidade distal. São do ramo *Echinodermata;* têm o corpo revestido de placas calcárias, formando um esqueleto de espinhos externos; sistema vascular aqüífero, e tubos externos em forma de pés para locomoção.

equinodero. *S. m.* e *adj.* Quinorrinco.

equinoderos. *S. m. pl. Zool.* Quinorrincos.

equinóforo. [De *equin(o)-* + *-foro.*] *Adj. Bot.* Que tem espinhos.

equinoftalmia. [De *equin(o)-* + *-oftalmia.*] *S. f. Patol.* Inflamação das pálpebras, na qual os cílios se eriçam.

equinoftálmico. *Adj.* Relativo à equinoftalmia.

equinóide. [De *equin(o)-* + *-óide.*] *S. m.* **1.** Espécime dos equinóides. ● *Adj. 2 g.* **2.** Pertencente ou relativo a eles.

equinóides. *S. m. pl. Zool.* Animais equinodermos, da classe *Echinoidea,* de corpo globular, hemisférico, discóide ou ovóide, carapaça formada por placas grandes, fundidas, revestidas por pedicelárias e espinhos móveis, e boca com a lanterna-de-aristóteles. São conhecidos pelo nome popular de *ouriços-do-mar.*

equinorrinco. [De *equin(o)-* + *-rinco.*] *S. m.* Entozoário pertencente ao ramo dos acantocéfalos e que na fase adulta é encontrado no intestino de diversos animais inclusive, acidentalmente, o homem.

equinospermo. [De *equin(o)-* + *-spermo.*] *Adj. Bot.* Que tem sementes cobertas de pêlos ásperos.

equióide. [Do gr. *échis,* 'víbora', + *-óide.*] *Adj. 2 g.* **1.** Semelhante à víbora ou à cabeça de víbora. ● *S. m.* **2.** *Bot.* Planta cuja semente se assemelha à cabeça da víbora.

equipagem. [Do fr. *équipage.*] *S. f.* **1.** *Mar. Merc.* Conjunto de pessoas empregadas, em caráter permanente e exclusivo, nos serviços que se realizam a bordo de uma embarcação mercante; tripulação. [Sin., ant.: *companha.* Cf. *guarnição.*] **2.** Os tripulantes de um avião. **3.** Comitiva, séquito. **4.** *Desus.* Equipamento (2).

5. *Bagagem (1).*
equipamento. *S. m.* **1.** Ato de equipar(-se). **2.** Tudo aquilo de que o militar necessita para entrar em serviço, além do fardamento e das armas; equipagem. **3.** *P. ext.* O conjunto de tudo aquilo que serve para equipar, prover, abastecer: *equipamento de caça; equipamento de mergulho.*
equipar. [Do fr. *équiper.*] *V. t. d.* **1.** *Mar.* Guarnecer ou prover (uma embarcação) do necessário para a manobra, defesa, sustentação do pessoal, etc.; aprestar. **2.** Prover do necessário (o soldado, o caçador, etc.). *P.* **3.** Prover-se dos apetrechos necessários; aprestar-se, apetrechar-se. **4.** Abastecer-se, prover-se.
equiparação. [Do lat. *aequiparatione.*] *S. f.* Ato ou efeito de equiparar(-se).
equiparar. [Do lat. *aequiparare.*] *V. t. d.* **1.** Comparar (pessoas ou coisas), considerando-as iguais; pôr em paralelo; igualar: *O professor equiparou os dois alunos.* **2.** Conceder paridade (1) a: *equiparar funcionários. T. d. e i.* **3.** Comparar (pessoas ou coisas) considerando-as iguais; igualar: *Na saudação que lhe fiz, equiparei-os aos maiores mestres.* **4.** Conceder a pessoa ou entidade determinadas regalias já usufruídas por outra pessoa ou entidade: *equiparar funcionários autárquicos a funcionários civis.* **5.** *Bras. P. ext.* Dar (a estabelecimentos particulares de ensino) as regalias dos institutos oficiais de instrução. *P.* **6.** Comparar-se, igualando-se.
equiparável. [Do lat. *aequiparabile.*] *Adj. 2 g.* Que pode ser equiparado.
equipe. [Do fr. *équipe.*] *S. f.* **1.** Grupo de duas ou mais pessoas que juntas participam numa competição esportiva. **2.** Conjunto ou grupo de pessoas que se aplicam a uma tarefa ou trabalho.
eqüípede. [Do lat. *aequipede.*] *Adj. 2 g. Zool.* Cujas patas têm comprimento igual.
eqüipendência. [De *eqüi-* + *pendência.*] *S. f.* Igualdade de peso; eqüiponderância.
eqüipendente. [De *eqüi-* + *pendente.*] *Adj. 2 g.* **1.** Equilibrado, eqüiponderante; igual. **2.** Equivalente, eqüipolente: "Povo forte e povo rico são expressões *eqüipendentes.*" (Alberto Torres, *O Problema Nacional Brasileiro,* p. 188.)
equipo. *S. m.* **1.** *Radiotéc.* Conjunto de circuitos. **2.** O conjunto constituído pela cadeira e acessórios dos dentistas.
eqüipolência. [Do lat. *aequipollentia.*] *S. f.* Qualidade de eqüipolente.
eqüipolente. [Do lat. *aequipollente.*] *Adj. 2 g.* **1.** Que tem poder igual. **2.** Que tem a mesma acepção; equivalente. **3.** *Mat.* Diz-se de um vector em relação a outro quando pode com este coincidir por um movimento de translação.
eqüiponderância. *S. f.* Qualidade de eqüiponderante; eqüipendência.
eqüiponderante. [De *eqüi-* + *ponderante.*] *Adj. 2 g.* Que tem peso igual; eqüipendente.
eqüiponderar. [De *eqüi-* + *ponderar.*] *V. t. d.* **1.** Pesar por igual; equilibrar; contrabalançar. *Int. e p.* **2.** Ter o mesmo peso; equilibrar-se. **3.** Tornar-se equivalente; igualar-se.
eqüipotencial. [De *eqüi-* + *potencial.*] *Adj. 2 g. Fís.* Diz-se de qualquer região em cujos pontos o potencial assume o mesmo valor. ~ V. *superfície* —.
eqüiprobabilismo. *S. m. Rel.* Doutrina moral concernente aos casos dúbios, que só aceita uma maneira de agir como lícita caso esteja fundamentada em probabilidades de igual valor aos fundamentos da atitude oposta.
equiprovável. *Adj. 2 g.* ~ V. *números equiprováveis.*
eqüírios. [Do lat. *equiria,* s. neutro pl., 'corridas de cavalos'.] *Adj. (pl.) e s. m. pl.* ~ V. *jogos* —.
eqüissetácea. [De *eqüisseto* + *-ácea.*] *S. f.* Espécime das eqüissetáceas.
eqüissetáceas. [De *eqüisseto* + *-áceas.*] *S. f. pl. Bot.* Família de pteridófitos, da ordem das eqüissetales, providos de rizoma e de caule sulcado, rígido. Folhas reduzidas a escaminhas, as quais são concrescentes em bainha; esporângios dispostos em pequenas espigas; esporos com uma faixa enrolada ou separada deles. Compreende apenas o gênero *Equisetum,* com umas 25 espécies amplamente disseminadas, das quais o Brasil possui algumas.
eqüissetáceo. *Adj.* Pertencente ou relativo às eqüissetáceas.
eqüissetale. *S. f.* Espécime das eqüissetales.
eqüissetales. *S. f. pl. Bot.* Subclasse das articuladas, que se caracteriza pelas folhas escamiformes organizadas em bainhas verticiladas. Engloba uma única família: eqüissetáceas; as demais são fósseis.
eqüisseto. [Do lat. *equisetu.*] *S. m. Bot.* Vegetal criptogâmico aparentado aos fetos e pertencente ao gênero *Equisetum;* cavalinha.
eqüíssimo. [Do lat. *aequissimu.*] *Adj. Desus.* Muito eqüitativo ou équo; justíssimo.
eqüissonância. [Do lat. *aequisonantia.*] *S. f. Mús.* Consonância de sons semelhantes.
eqüissonante. [De *eqüi-* + *sonante.*] *Adj. 2 g.* Em que há eqüissonância.
equitação. [Do lat. *equitatione.*] *S. f.* Arte ou exercício de andar a cavalo.
equitador (ô). [Do lat. *equitare,* 'cavalgar', + *-dor.*] *S. m.* **1.** Aquele que sabe equitação. **2.** Bom cavaleiro.
eqüitativo. [Do lat. *equitate,* 'eqüidade', + *-ivo.*] *Adj.* Que tem, ou em que há eqüidade; reto, justo. [Sin.: *equável* e (desus.) *équo.*]
équite. [Do lat. *equite.*] *S. m. P. us.* Cavaleiro (3).
equiurídeo (u-i). *S. m.* **1.** Espécime dos equiurídeos. • *Adj.* **2.** Pertencente ou relativo a eles.
equiurídeos (i-u). *S. m. pl. Zool.* Filo de metazoários que até o séc. XIX foi unido ao filo dos sipunculídeos, formando o chamado *filo dos gefirianos.* Próximos aos anelídeos, não mostram segmentação, mas apresentam um par de cerdas na extremidade anterior. Habitam os fundos marinhos lamacentos e rochosos. Enterozoários de simetria bilateral, do ramo *Echiuroidea.* Tem o corpo dividido em uma porção anterior, não retrátil, em forma de tromba elástica, e outra posterior, mais desenvolvida, globulosa; um par de cerdas ventrais abaixo da boca; ânus posterior. Os adultos não são segmentados, o macho é muito menor que a fêmea, e vivem enterrados na areia ou na lama.
equivalência. [De *eqüi-* + *valência.*] *S. f.* **1.** Qualidade de equivalente. **2.** *Mat.* Relação de equivalência. [Var. pros.: *eqüivalência.*]
eqüivalência. *S. f.* V. *equivalência.*
equivalente. [Do lat. *aequivalente.*] *Adj. 2 g.* **1.** De igual valor. ~ V. *condutância*—. • *S. m.* **2.** Aquilo que equivale. **3.** *Quím.* Equivalente-grama. [Var. pros.: *eqüivalente.*] ◆ **Equivalente eletroquímico.** *Quím.* A massa, em gramas, de um íon que, numa eletrólise, é transformada pela passagem de um coulomb de carga elétrica. É dado pelo quociente do equivalente-grama do íon pelo valor do *faraday.* **Equivalente espacial.** *Astron.* Conjunto de condições obtidas na superfície da Terra, capaz de representar as condições no espaço exterior.
eqüivalente. *Adj. 2 g. e s. m.* V. *equivalente.*
equivalente-grama. *S. m. Quím.* O quociente da massa atômica ou da massa molecular de um íon pela sua valência. [Tb. se diz apenas *equivalente.* Pl.: *equivalentes-gramas.*]
equivaler. [Do lat. *aequivalere.*] *V. t. i. e p.* Ser igual no valor, no peso ou na força; ser equivalente: *Um cruzado equivale a 1000 cruzeiros antigos. Os dois autores equivalem-se; Eram dois atletas que se equivaliam.* [Var. pros.: *eqüivaler.* Conjug.: v. *valer.*]
eqüivaler. *V. t. i. e p.* Equivaler [q. v.]. [Conjug.: v. *valer.*]
eqüivalve. [De *eqüi-* + *valva.*] *Adj. 2 g. Zool.* Que tem as duas valvas iguais.
equivocação. [Do lat. *aequivocatione.*] *S. f.* Erro em tomar ou ter uma coisa por outra; engano, confusão.
equivocado. [Part. de *equivocar.*] *Adj.* Que se equivocou; que tomou uma coisa por outra; enganado, errado.
equivocar. [Do lat. tardio *aequivocare.*] *V. t. d.* **1.** Induzir em equívoco ou engano. *T. d. e i.* **2.** Tomar (uma coisa ou pessoa por outra): *equivocar um livro por outro; Equivocou o desconhecido pelo amigo. Int.* **3.** Equivocar (4). *P.* **4.** Confundir-se, enganar-se; equivocar. **5.** *Bras., AM* e *PA.* Aborrecer-se, irritar-se. [Pres. ind.: *equivoco,* etc. Cf. *equívoco.* Conjug.: v. *trancar.*]
equivocidade. *S. f.* Qualidade de equívoco (1 a 3).
equívoco. [Do lat. *aequivocu.*] *Adj.* **1.** Que tem mais de um sentido ou se presta a mais de uma interpretação; ambíguo: *palavras equívocas.* **2.** Difícil de classificar, de perceber pelos sentidos: *cor equívoca.* **3.** Que dá margem a suspeita: *procedimento equívoco.* • *S. m.* **4.** Efeito de equivocar-se; engano. **5.** Interpretação ambígua. **6.** *Lóg.* Palavra, locução ou proposição que tem mais de um significado. **7.** *Lóg.* Sofisma verbal que consiste em dar sentidos diferentes a uma palavra dentro de um mesmo raciocínio. **8.** V. *trocadilho* (1). [Cf. *equivoco,* do v. *equivocar.*]
equivoquista. *S. 2 g.* Pessoa que faz equívocos, ou que é dada a equívocos na linguagem.
équo. [Do lat. *aequu.*] *Adj. Desus.* V. *eqüitativo.*
equóreo. [Do lat. *aequoreu.*] *Adj. Poét.* Relativo ou pertencente ao mar alto, ou ao mar.
■**Er.** *Quím.* Símb. do *érbio.*
▲**-er.** Desin. do infinitivo dos v. de tema em -e, originária do lat. *-ere* ou *-ere,* ou, por analogia, de formação vernácula: *haver* (<lat. *habere*), *ler* (<lat. *legere*); *anoitecer* (<*noite*), *amanhecer* (<*manhã*). [No v. *pôr* (do lat. *ponere*) e em seus compostos houve perda do e desinencial.]
era. [Do lat. *aera.*] *S. f.* **1.** Ponto determinado no tempo, que se toma por base para a contagem dos anos: *a era cristã; a era da Hégira.* **2.** Período (2) geralmente longo, que principia com um fato marcante ou que dá origem a uma nova ordem de coisas: *a era da imprensa; a era espacial.* **3.** Época (4) histórica; idade: *a era dos Césares; a era de Napoleão.* **4.** O número que indica um determinado ano: *Na era de 89 [1889] foi proclamada a República no Brasil.* **5.** Época, século, tempo: *Você pertence a outra era.* **6.** *Cronol.* Período contado segundo as regras da astronomia. **7.** *Geol.* Divisão básica do tempo geológico, a qual abrange vários períodos [v. *período* (9)]. [Cronologicamente as eras classificam-se em: **a)** *era proterozóica:* a que vai desde a solidificação da crosta terrestre até o aparecimento dos primeiros sinais de vida (duração: cerca de 4 bilhões de anos); **b)** *era paleozóica:* na fauna, a que se caracteriza pelo surgimento dos animais de organização celular rudimentar (foraminíferos, celenterados, equinodermos), pelo desenvolvimento dos invertebrados, e pelo aparecimento dos vermes, insetos, cefalópodes, peixes, batráquios e reptis, e na flora pelo surgimento dos criptógamos vasculares, dos fanerógamos e dos gimnospermas (duração: cerca de 380 milhões de anos); **c)** *era mesozóica:* aquela em que, na fauna, certos reptis, os dinossauros, atingem grandes dimensões, começa a transição para anfíbios e pássaros, e, já no fim, aparecem os primeiros mamíferos, os marsupiais, e, na flora, se nota grande desenvolvimento dos gimnospermas, principiam a surgir os angiospermas mono e dicotiledôneos, e se encontram nas rochas consideráveis reservas de carvão-de-pedra (duração: cerca de 150 milhões de anos); **d)** *era cenozóica:* a que se caracteriza pela extinção dos reptis gigantes, por notável desenvolvimento dos vertebrados, pelo aparecimento dos símios antropomorfos e, no último período, do homem (no começo desta era, que tem a duração de 71 milhões de anos, o clima é muito quente, modificando-se a partir do quaternário).] **8.** *Bras. Pop.* Idade (1): *Pedro e Paulo são da mesma era.* [Cf. *hera,* s. f. *Hera,* mit., e *Heras,* antr.] ◆ **Era agnostozóica.** *Geol. Obsol.* Era proterozóica. [Tb. se diz apenas *agnostozóico.*] **Era antropozóica.** *Geol.* Período quaternário [v. *período* (9)] em que surgiu o homem na Terra. [Tb. se diz apenas *antropozóico.*] **Era arqueozóica.** *Geol. Obsol.* Era proterozóica. [Tb. se diz apenas *arqueozóico.*] **Era cenozóica.** *Geol.* V. *era* (7). [Tb. se diz apenas *cenozóico.*] **Era cristã.** A que principia com o nascimento de Jesus Cristo. **Era da nucleossíntese.** *Cosm.* A que se seguiu à era leptônica, entre um segundo e mil segundos após o bigue-bangue, quando se produziram os nêutrons, e o hélio e o deutério foram sintetizados. **Era da radiação.** *Cosm.* A que vai de 1 segundo a 3×10^5 anos após o bigue-bangue, quando a radiação foi o principal constituinte do Universo. **Era de desdobramento.** *Cosm.* Era de cerca de 3×10^5 anos após o bigue-bangue, quando a radiação cósmica do corpo negro atinge a derradeira dispersão de matéria. **Era hadrônica.** *Cosm.* O mais duradouro intervalo de tempo da ordem de 10^{-4} de segundo após o bigue-bangue, quando o Universo era dominado pela matéria que continha muitos hádrons em equilíbrio com o campo de radiação. **Era leptônica.** *Cosm.* Era seguinte à era hadrônica, quando o Universo era constituído sobretudo de léptons e prótons. **Era mesozóica.** *Geol.* V. *era* (7). [Tb. se diz apenas *mesozóico.*] **Era neozóica.** *Geol. Obsol.* Era cenozóica. [Tb. se diz apenas *neozóico.*] **Era paleozóica.** *Geol.* V. *era* (7). [Tb. se diz apenas *paleozóico.*] **Era primária.** *Geol. Obsol.* Era paleozóica. [Tb. se diz apenas *primário.*] **Era proterozóica.** *Geol.* V. *era* (7). [Tb. se diz apenas *proterozóico.*] **Era secundária.** *Geol. Obsol.* Era mesozóica. [Tb. se diz apenas *secundário.*] **Era terciária.** *Geol. Obsol.* Era cenozóica. [Tb. se diz apenas *terciário.*]
erado. [Part. de *erar.*] *Adj. Bras.* **1.** Diz-se do animal adulto próprio para reprodução ou para corte. **2.** Diz-se de animal bovino gordo, bom para o corte.
eramá. *Adv. Ant.* Em hora má; em má hora. [F. paral.: *aramá, ieramá.*]
erar. [De *era* + *-ar*[2].] *V. t. d.* **1.** *Bras., MG.* Manter (garrotes de um ano) no pasto, em recria, até à idade da

engorda. **2.** *Bras., MT.* Comprar garrotes de ano, ou pouco mais, aos fazendeiros necessitados de numerário, ou que não têm campos para os conservar, e vendê-los daí a dois anos, como novilhos, para exportação. [Pres. ind.: *ero, eras, era, eramos,* etc.; pres. subj.: *ere, ... ereis,* etc. Cf. *hera,* s. f., pl. *heras; Hera,* mit.; *Heras,* antr.; *éramos* e *éreis,* do v. *ser.*]

erário. [Do lat. *aerariu.*] *S. m.* **1.** V. *fazenda* (5). **2.** V. *fisco.*

erasmiano. *Adj.* **1.** Pertencente ou relativo a Erasmo de Roterdão, humanista holandês (1467-1536), ou próprio dele. **2.** Diz-se da pronúncia do grego antigo conforme a teoria desse humanista, que se recusava a pronunciar o grego antigo como o fazem os gregos modernos. [Nessa acepç. opõe-se a *reuchliniano.* Sin. ger.: *erásmico.*]

erásmico. *Adj.* V. *erasmiano.*

eratataca. *S. f. Bras.* Manacá.

erbina. *Min.* Hidróxido de érbio.

érbio. [Do lat. científico *erbium.*] *S. m. Quím.* Elemento de número atômico 68, pertencente à família dos lantanídeos. [Símb.: *Er.*]

erê[1]. [Do ioruba.] *S. m. Bras., BA.* Designação genérica de espírito inferior, representado sobretudo pelos gêmeos Ibejis.

erê[2]. *Interj. Bras., Amaz.* Usual entre os índios e caboclos, exprime espanto, surpresa, alegria ou troça.

érebo. [Do gr. *Érebos,* pelo lat. *Erebu.*] *S. m.* **1.** *Mitol.* Região tenebrosa que ficava por baixo da Terra e por cima do Inferno. **2.** *P. ext.* O Inferno.

ereção. [Do lat. *erectione.*] *S. f.* **1.** Ato e efeito de erguer(-se) ou de erigir. **2.** Inauguração, criação, instituição. **3.** *Restr.* Levantamento do pênis; estado do pênis ereto.

eréctil. *Adj. 2 g.* Erétil [q. v.]. [Pl.: *eréctеis.*]

erectilidade. *S. f.* Eretilidade.

erecto. *Adj.* V. *ereto.*

erector (ô). *Adj.* e *s. m.* V. *eretor.* [Fem.: *erectriz.*]

erectriz. *Adj. (f.)* e *s. f.* V. *eretriz.*

erefuê. [Do ioruba.] *S. m. Bras.* Fluido negativo, oriundo de espíritos sem luz.

eremita. [Do gr. *eremítés,* pelo lat. *eremita.*] *S. 2. g.* **1.** Pessoa que vive no ermo por penitência: "a natureza cedia passiva às preces dos santos *e r e m i t a s,* ao clamor piedoso das vítimas inocentes, rebentando em milagres." (Coelho Neto, *Treva,* p. 103). **2.** V. *solitário* (9). [Sin. ger.: *ermitão;* var.: *ermita.*]

eremita-bernardo. *S. m.* V. *paguro.* [Pl.: *eremitas-bernardos.*]

eremitério. *S. m.* **1.** Lugar onde vivem eremitas; retiro de eremita. **2.** V. *convento* (1). **3.** *P. ext.* Lugar retirado, ermo, solitário, calmo, silencioso: *Aquela casa era um e r e m i t é r i o; Seu sítio é um e r e m i t é r i o.* [Var.: *ermitério.*]

eremítico. *Adj.* **1.** De, ou respeitante a eremita, ou a ermo: *vida e r e m í t i c a.* **2.** *P. ext.* Solitário, ermo: *montes e r e m í t i c o s.*

éreo. [Do lat. *aereu.*] *Adj.* Feito de cobre, de bronze ou de arame; eril.

erepsina. [Do lat. *eripere,* 'arrebentar', com infl. de *pepsina.*] *S. f.* Diástase do suco intestinal que, em meio neutro ou alcalino, converte as peptonas em ácidos aminados, completando, assim, a ação da tripsina.

ereptase. *S. f. Bioquím.* Uma das enzimas presente no levedo, na cevada ou no malte.

erequê. [Do ioruba.] *S. m. Bras.* Evocação de Santo Antônio, no ritual guineense.

erétil. [Var. de *eréctil* < lat. *erectu,* 'erguido', + *-il.*] *Adj. 2 g.* **1.** Suscetível de ereção. **2.** Capaz de ereção (3), de manter-se em estado de ereção. [Pl.: *eréteis.*]

eretilidade. [Var. de *erectilidade.*] *S. f.* Qualidade de erétil.

eretismal. *Adj. 2 g.* Referente ao, ou próprio do eretismo.

eretismo. [Do gr. *erethismós.*] *S. m.* Estado de excitação, de exaltação: "A tonicidade nervosa, o *e r e t i s m o,* o orgasmo manifestava-se em tudo, no palpitar dos lábios túmidos, nos bicos dos selos cupidamente retesados." (Júlio Ribeiro, *A Carne,* p. 22.)

eretizontídeo. *S. m.* **1.** Espécime dos eretizontídeos. ● *Adj.* **2.** Pertencente ou relativo a eles.

eretizontídeos. *S. m. pl. Zool.* Animais roedores, histricomorfos, arborícolas, com pés desprovidos de hálux, que é substituído por uma grande calosidade preensora; pelagem com pêlos setiformes e aristiformes, estes rígidos e vulnerantes; cauda fortemente preensora, enrolando-se pela superfície dorsal. São os ouriços-cacheiros ou cuandus.

ereto. [Var. de *erecto,* do lat. *erectu.*] *Adj.* **1.** Erguido, levantado: *caminhar de cabeça e r e t a.* **2.** Aprumado, direito. **3.** Endurecido, túrgido: *falo e r e t o.*

eretor (ô). [Var. de *erector,* do lat. *erectore.*] *Adj.* **1.** Que erige; elator. **2.** *Anat.* Destinado a levantar ou tornar ereto: *músculo e r e t o r.* ● *S. m.* **3.** Aquilo que erige; elator, elevador. [Fem.: *eretriz,* var. de *erectriz.*]

erétria. [Do lat. *eretria,* i. e., *greda eretria;* 'greda da Erétria'.] *S. f.* Espécie de alvaiade.

eretriz. [Var. de *erectriz.*] *Adj. (f.)* e *s. f.* Fem. de *eretor* [q. v.].

ereutofobia. [Do gr. *éreuthos;* 'rubor', + *-fob(o)-* + *-ia.*] *S. f. Med.* Medo de enrubescer na presença de outrem.

ereutofóbico. *Adj.* Relativo à ereutofobia.

erexinense. *Adj.* **1.** De, ou pertencente ou relativo a Erexim (RS). ● *S. 2 g.* **2.** Natural ou habitante de Erexim.

erg. [Do gr. *érgon,* 'trabalho'.] *S. m. Fís.* Unidade de medida de energia do sistema c.g.s.: energia igual ao trabalho de uma força, de intensidade constante igual a um dina, que desloca de um centímetro, na sua própria direção, o seu ponto de aplicação. Um erg é igual a 10^{-7} joules.

➧**erga omnes.** [Lat., 'perante todos'.] *Jur.* Diz-se de ato, lei ou decisão que a todos obriga, ou é oponível contra todos, ou sobre todos tem efeito.

ergasiotiquerologia. [Do gr. *ergásimos, ergasion,* 'de trabalho', + *tucherós, a, ón,* 'que vem por acaso', 'acidental' + *-log(o)-* + *-ia.*] *S. f.* Infortunística.

ergasiotiquerológico. *Adj.* Relativo à ergasiotiquerologia.

ergastenia. [De *erg(o)-*[1] + *-astenia.*] *S. f. Patol.* Astenia conseqüente a excesso de trabalho. [Cf. *estafa* (3).]

ergastênico. *Adj.* Relativo à ergastenia.

ergástulo. [Do lat. *ergastulu.*] *S. m.* Cárcere, calabouço, enxovia, masmorra: "Partiu grilhões, abriu o *e r g á s t u l o* fatal / E voltou livre, livre! ao seu torrão natal!..." (Guerra Junqueiro, *Pátria,* p. 62.)

▲**erg(o)-**[1]. [Do gr. *érgon, ou.*] *El. comp.* = 'trabalho': *ergofobia, ergógrafo.*

▲**erg(o)-**[2]. [Do fr. *ergot.*] *El. comp.* = 'esporão do centeio': *ergosterol.*

▲**erg(o)-**[3]. [Do lat. *ergo.*] *El. comp.* = 'portanto': *ergotismo*[1].

ergobasina. *S. f. Quím.* Alcalóide presente no esporão do centeio; ergometrina. [Fórm.: $C_{19}H_{23}O_2N_3$.]

ergódigo. *Adj.* ~ V. *hipótese* —*a.*

ergofobia. [De *erg(o)-*[1] + *-fob(o)-* + *-ia.*] *S. f.* Horror ao trabalho.

ergofóbico. *Adj.* Relativo à ergofobia.

ergografia. [De *erg(o)-*[1] + *-graf(o)-* + *-ia.*] *S. f. Med.* Estudo do ergograma.

ergógrafo. [De *erg(o)-*[1] + *-grafo.*] *S. m.* Instrumento com que se realiza o ergograma.

ergograma. [De *erg(o)-*[1] + *-grama.*] *S. m. Med.* Registro gráfico do trabalho muscular, obtido mediante o uso do ergógrafo.

ergologia. [De *erg(o)-*[1] + *-log(o)-* + *-ia.*] *S. f.* Parte da etnologia que trata da cultura material.

ergológico. *Adj.* Relativo à ergologia.

ergometria. [De *erg(o)-*[1] + *-metr(o)-*[2] + *-ia.*] *S. f.* Medição do trabalho pelo ergômetro ou por outra maneira de avaliação.

ergométrico. *Adj.* Relativo à ergometria, ou ao ergômetro.

ergometrina. *S. f. Quím.* Ergobasina.

ergômetro. [De *erg(o)-*[1] + *-metro.*] *S. m.* Aparelho com que se mede o trabalho produzido por um homem ou por um animal.

ergonomia. [De *erg(o)-* + *-nom(o)-* + *-ia.*] *S. f.* Conjunto de estudos que visam à organização metódica do trabalho em função do fim proposto e das relações entre o homem e a máquina.

ergonômico. *Adj.* Relativo à ergonomia.

ergosterol. [De *erg(o)-*[2] + *esterol.*] *S. m. Quím.* Esterol encontrado em certos fungos e fermentos, do qual se formam, mediante irradiação, diversos compostos, inclusive a vitamina D_2. [Fórm.: $C_{28}H_{44}O$. Pl.: *ergosteróis.*]

ergotamina. *S. f. Quím.* Alcalóide do esporão do centeio, cristalino, com uma complexa constituição, usado em medicina.

ergoterapia. [De *erg(o)-*[1] + *-terapia.*] *S. f. Psiq.* V. *terapia ocupacional.*

ergoterápico. *Adj.* Relativo à ergoterapia.

ergotina. *S. f. Quím.* Mistura não muito definida de alcalóides, extraída do esporão do centeio, pardo-avermelhada, com ação anti-hemorrágica e oxitócica.

ergotinina. *S. f. Quím.* Alcalóide cristalino, extraído do esporão do centeio. [Fórm.: $C_{35}H_{41}O_6N_5$.]

ergotismo[1]. [De *erg(o)-*[3] + *-t-* + *-ismo.*] *S. m.* Mania de argumentar por silogismo.

ergotismo[2]. [Do fr. *ergotisme.*] *S. m. Med.* Envenenamento crônico pela ergotina.

ergotoxina (cs). *S. f. Quím.* Alcalóide do esporão do centeio, cristalino, usado em medicina para estimular contrações uterinas. [Fórm.: $C_{35}H_{39}O_5N_5$.]

erguer. [Do lat. vulg. **ergere,* por *erigere.*] *V. t. d.* **1.** Levantar, elevar, alçar: *Quando o sacerdote e r g u e a hóstia, os fiéis ajoelham.* **2.** Levantar, erigir, edificar: *E r g u e r a m a catedral em poucos meses.* **3.** Tornar ereto; endireitar, levantar: *e r g u e r a cabeça.* **4.** Dirigir para o alto (os olhos, a vista). **5.** Fazer soar alto, elevar, aumentar o timbre de (a voz). **6.** Tornar sobranceiro; fazer dominar. **7.** Animar, alentar: *e r g u e r o ânimo. P.* **8.** Pôr-se em pé; levantar-se: "Pela manhã, quando m e *e r g u i,* dormiam ainda." (Artur Azevedo, *Contos Possíveis,* p. 40.) **9.** Estar sobranceiro; elevar-se. **10.** Aparecer, surgir: "Por trás da serra, ia se *e r g u e n d o* a Lua..." (Raimundo Correia, *Poesias,* p. 110.) **11.** Mostrar-se ou apresentar-se erguido, ereto, levantado: "A estátua do filósofo Giambattista Vico *e r g u e - s e* na Villa Nazionale, o parque municipal de Nápoles." (Otto Maria Carpeaux, *A Cinza do Purgatório,* p. 49.) **12.** Fazer-se ouvir; soar alto: "Seria injusto e mesmo imperdoável, deixar de lado Carolina Michaëlis de Vasconcelos, a primeira voz a *e r g u e r - s e* contra a enxurrada de sonetos incluídos por Juromenha e Teófilo Braga, quando se faz um levantamento dos principais estudos para a fixação de um cânone camoniano." (Cleonice Seroa da Mota Berardinelli, *Sonetos de Camões,* p. 33.) **13.** *Bras., RJ.* Ir-se embora (o hóspede). [Perde o *u* antes de *o* e *a.* Pres. ind.: *ergo* (ê), *ergues, ergue,* etc.; pres. subj.: *erga* (ê), *ergas* (ê), *erga* (ê), etc.]

erguido. [Part. de *erguer.*] *Adj.* **1.** Levantado, elevado, alçado: *andar de fronte e r g u i d a.* **2.** Alto, elevado, eminente: *as e r g u i d a s montanhas.* ~V. *de cabeça* —*a.*

▲**-eria.** Equiv. de *-aria.*

erica. *S. f.* Erice.

ericácea. *S. f.* Espécime das ericáceas.

ericáceas. *S.f. pl. Bot.* Família da ordem das ericales, composta de plantas lenhosas, em geral arbustivas, e providas de vistosas flores coloridas, solitárias ou racemosas. Flores hermafroditas, com androceu que parte de um disco conspícuo; fruto: baga, drupa ou cápsula. Há quase 1.500 espécies, que habitam sobretudo os países temperados; o Brasil possui bom número em suas montanhas.

ericáceo. *Adj.* Pertencente ou relativo às ericáceas.

eriçado. [Part. de *eriçar.*] *Adj.* Encrespado, arrepiado, ouriçado: *cabelos e r i ç a d o s.* [Var.: *erriçado.*]

ericale. *S. f.* Espécime das ericales.

ericales. *S. f. pl. Bot.* Ordem de plantas dicotiledôneas metaclamídeas, tetrâmeras ou pentâmeras, com androceu diplostêmone, corola actinomorfa bem desenvolvida, pólen em tétradas, e gineceu de quatro ou cinco carpelos. Compreende duas subordens: *ericíneas* e *epacridíneas.*

eriçamento. *S. m.* Ato ou efeito de eriçar(-se). [Var.: *erriçamento.*]

eriçar. [Do lat. vulg. **ericiare,* de *ericiu,* 'ouriço'.] *V. t. d.* **1.** Fazer erguer; tornar hirto; arrepiar, ouriçar (o cabelo). *P.* **2.** Tornar-se hirto; arrepiar-se, ouriçar-se. [Var.: *erriçar* e *arriçar.* [Conjug.: v. *laçar.*]

erice. [Do lat. *erice.*] *S. f.* Espécie de urze; erica.

ericóide. [Do lat. *erice,* 'urze' + *-óide.*] *Adj. 2 g. Morfol. Veg.* Diz-se do vegetal, ou de parte dele, que apresenta folhas pequeninas, estreitas e muito aproximadas.

erídano. [Do lat. *Eridanu.*] *S. m. Astr.* Constelação austral, de vasta área, ao S. do Touro e de Órion, a O. do Lobo, do Buril e do Relógio, a E. da Baleia, do Forno e de Fênix, e ao N. da Hidra.

erigir. [Do lat. *erigere.*] *V. t. d.* **1.** Erguer, levantar a prumo: *e r i g i r um mastro.* **2.** Erguer, levantar: "Trezentos e sessenta e seis mil braços / *e r i g e m* as pirâmides do Egito" (Jorge de Lima, *Obra Completa,* I, p. 197). **3.** Fundar, constituir, instituir, criar. *T. d. e i.* **4.** Erguer, levantar: *Devem e r i g i r uma estátua a Machado de Assis. Transobj.* **5.** Transformar, elevando; arvorar: *e r i g i r um distrito em município P.* **6.** Atribuir a si mesmo direito ou qualidade; constituir-se; fazer-se: *E r i g i u - s e em amigo dos pobres.* [Conjug.: v. *dirigir,* mas tem dois part.: *erigido* e *ereto* ou *erecto.*]

eril. [Do lat. *aes, aeris,* 'bronze', + *-il.*] *Adj. 2 g.* Éreo. [Cf. *heril.*]

érina. [Do fr. *érigne.*] *S. f. Cir.* Instrumento cirúrgico e anatômico para prender, levantar e afastar tecidos, e que consta de um gancho de ferro ou de aço, com

cabos.
erináceo. [Do lat. *erineceu.*] *Adj. Zool.* Semelhante ao ouriço (3).
erinácidas. *S. m. pl. Zool.* Família de mamíferos da ordem dos insetívoros, cujo tipo é o ouriço.
erinacídeo. *Adj.* **1.** Pertencente ou relativo aos erinácidas. ● *S. m.* **2.** Espécime dos erinácidas.
▲**-ério.** V. *-ário.*
eriocaulácea. *S. f.* Espécime das eriocauláceas.
eriocauláceas. *S. f. pl. Bot.* Família de plantas monocotiledôneas, que compreende pequeninas ervas cujo aspecto é característico graças às inflorescências esféricas e alvas. Perianto duplo; androceu com seis a dois estames; ovário com três a dois lóculos, cada um com um óvulo. Fruto: cápsula loculicida; folhas graminiformes. Há umas 600 espécies, em geral habitantes de lugares úmidos nos países cálidos; o Brasil é rico em representantes.
eriocauláceo. *Adj.* Pertencente ou relativo às eriocauláceas.
eriofilo. *Adj. Morfol. Veg.* Provido de folhas com pêlos longos e copiosos.
eriômetro. *S. m. Tec.* Aparelho para medição do diâmetro de fibras têxteis.
erisifácea. *S. f.* Espécime das erisifáceas.
erisifáceas. *S. f. pl. Micol.* Família de fungos ascomicetos, dotados de micélio aéreo e branco. Aparelho esporífero esférico e sem ostíolo. Ascos formados mediante fecundação. Parasitam plantas, cobrindo-as de uma camada pulverulenta ou farinácea.
erisifáceo. *Adj.* Pertencente ou relativo às erisifáceas.
erisipela. [Do gr. *erysípelas*, 'enrubescimento da pele', pelo lat. *erysipelas.*] *S. f. Patol.* Doença infecciosa contagiosa, estreptocócica, que atinge pele e plano subcutâneo, e se caracteriza, clinicamente, pelo rubor e tumefação das áreas lesadas, além de acarretar sintomas constitucionais. [Sin. (pop.): *mal-do-monte* ou *mal-de-monte* e (bras.) *mal-da-praia, maldita* e *esipra.*]
erisipelar. *V. int.* Adoecer de erisipela.
erisipeloso (ô). *Adj.* **1.** Que tem caráter de erisipela. **2.** Que sofre de erisipela. ● *S. m.* **3.** Aquele que sofre desse mal.
erística. [Do gr. *eristiké*, i. e., *téchne eristiké*, 'a arte da controvérsia'.] *S. f. Filos.* Arte das discussões sutis, das argumentações sofísticas.
erístico. [Do gr. *eristiké* (v. *erística*).] *Filos. Adj.* **1.** Pertencente ou relativo à escola de Mégara. **2.** Diz-se de partidário dessa escola. ~ V. *escola* —a e *silogismo* —. ● *S. m.* **3.** Partidário da escola de Mégara.
eritema. [Do gr. *erythema.*] *S. m. Patol.* Rubor congestivo da pele, por via de regra temporário, que desaparece momentaneamente à pressão do dedo. ◆ **Eritema nodoso.** *Patol.* Lesão aguda da pele, de natureza inflamatória, caracterizada por nódulos macios, provenientes da exsudação de sangue e soro, e acompanhados de intenso prurido e sensação de queimação.
▲**-eritema.** Equiv. de *eritemat(o)-.*
eritemático. [De *eritemat(o)-* + *-ico*[2].] *Adj.* Relativo a eritema.
▲**eritemat(o)-.** [Do gr. *eríthema, atos.*] *El. comp.* = 'rubor': *eritemático.* [Equiv.: *-eritema: uleritemia.*]
eritematoso (ô). *Adj.* **1.** Que sofre de eritema. **2.** Que tem o caráter de eritema. ~ V. *lúpus* —.
eritremia. [De *eritr(o)-* + *-hem(o)-* + *-ia.*] *S. f. Med.* Grande aumento do número de glóbulos vermelhos do sangue.
eritrêmico. *Adj.* Relativo à eritremia.
eritrina. *S. f.* Designação científica de duas árvores, a corticeira (*Erythrina crista-galli*) e a flor-de-coral (*Erythrina coraelodendron*).
eritríneo. *S. m.* **1.** Espécime dos eritríneos. ● *Adj.* **2.** Pertencente ou relativo a eles.
eritríneos. *S. m. Pl. Zool.* Subfamília de peixes teleósteos, da família dos caracídeos, de formas arredondadas, cabeça grande, terminada por um focinho obtuso. Habitam as águas doces da América.
▲**eritr(o)-.** [Do gr. *erythrós, á, ón.*] *El. comp.* = 'vermelho': *eritremia, eritrodermo.*
eritroblasto. *S. m.* Célula nucleada que dá origem ao eritrócito.
eritrocarpo. [De *eritr(o)-* + *-carpo.*] *Adj. Bot.* Que tem frutos vermelhos.
eritrócero. [De *eritr(o)-* + *-cero*[1].] *Adj. Zool.* Que tem antenas vermelhas.
eritrócito. [De *eritr(o)-* + *-cito.*] *S. m.* Glóbulo vermelho do sangue.
eritrodáctilo. [De *eritr(o)-* + *-da(c)tilo.*] *Adj. Zool.* Que tem dedos vermelhos. [Var.: *eritrodátilo.*]
eritrodátilo. *Adj. Zool.* Var. de *eritrodáctilo.*
eritrodermia. [De *eritrodermo* + *-ia.*] *S. f. Patol.* Alteração cutânea, habitualmente generalizada, que se caracteriza por vermelhidão intensa e uniforme, e que pode ser acompanhada de descamação e dessoramento.
eritrodermo. [De *eritr(o)-* + *-dermo.*] *Adj. Zool.* Que tem a pele vermelha.
eritrofila. [De *eritr(o)-* + *-fila.*] *S. f. Bot.* Substância corante, vermelha, de certos órgãos vegetais.
eritrofilo. *Adj.* [De *eritr(o)-* + *-filo*[1].] *Adj. Bot.* Que tem folhas vermelhas. [Cf. *eritrófilo.*]
eritrófilo. [De *eritr(o)-* + *-filo*[2].] *Adj.* Que tem predileção pela cor vermelha. [Cf. *eritrofilo.*]
eritrogástreo. [De *eritr(o)-* + *-gastr(o)-* + *-eo.*] *Adj. Zool.* V. *rufigástreo.*
eritróide. [Do gr. *erythroeidés.*] *Adj. 2 g.* Que tem cor vermelha.
eritrol. [De *eritr(o)-* + *(álco)ol.*] *S. m. Quím.* Qualquer dos álcoois derivados de uma eritrose. [Fórm.: $C_4H_{10}O_4$. Pl.: *eritróis.*]
eritrólofo. [De *eritr(o)-* + *-lofo.*] *Adj. Zool.* Que tem penacho avermelhado.
eritrópode. [De *eritr(o)-* + *-pode.*] *Adj. 2 g. Zool.* Cujos pés são vermelhos.
eritropoese. [De *eritr(o)-* + *-poese.*] *S. f. Med.* Formação de hemácias.
eritropsia. [De *eritr(o)-* + *-cps-* + *-ia.*] *S. f. Patol.* Estado mórbido de quem vê tudo vermelho.
eritróptero. [De *eritr(o)-* + *-ptero.*] *Adj. Zool.* Cujas asas são vermelhas.
eritróptico. [De *eritr(o)-* + *-óptico.*] **1.** Respeitante à, ou que tem eritropsia. ● *S. m.* **2.** Aquele que tem eritropsia.
eritrose. [De *eritr(o)-* + *-ose.*] *S. f. Quím.* Tetrose líquida de que existem três isômeros. [Fórm.: $C_4H_8O_4$.]
eritrospermo. [De *eritr(o)-* + *-spermo.*] *Bot. Adj.* **1.** Que tem grãos vermelhos. ● *S. m.* **2.** Certo gênero de plantas.
eritróstomo. [De *eritr(o)-* + *-stomo.*] *Adj. Zool.* Cuja boca é vermelha.
eritrotórace. [De *eritr(o)-* + *-torace.*] *Adj. 2 g. Zool.* Eritrotórax.
eritrotórax (cs). [De *eritr(o)-* + *-tórax.*] *Adj. 2 g.* e *2 n. Zool.* Que tem peito vermelho; eritrotórace.
eritroxilácea (cs). *S. f.* Espécime das eritroxiláceas.
eritroxiláceas (cs). *S. f. pl. Bot.* Família da ordem das geraniales, caracterizada por dois verticilos estaminais e frutos drupáceos. São plantas lenhosas, geralmente arbustos ou pequenas árvores, e englobam cerca de 200 espécies tropicais, muitas brasileiras.
eritroxiláceo (cs). *Adj.* Pertencente ou relativo às eritroxiláceas.
eritróxilo (cs). [De *eritr(o)-* + *-xilo.*] *Adj. Bot.* Gênero de plantas (*Erytroxylum*) que dá madeira vermelha.
erlenmeyer (erlenmáier). [Do antr. *Erlenmeyer*, de E. Erlenmeyer, químico alemão.] *S. m. Quím.* Frasco de laboratório com forma troncocônica.
ermamento. *S. m.* Ato de ermar(-se).
ermar. *V. t. d.* **1.** Tornar ermo ou deserto; despovoar: *A epidemia ermou a região. Int.* **2.** Andar ou viver no ermo, na solidão, no campo. *P.* **3.** Tornar-se ermo, deserto; despovoar-se. [Pres. ind.: *ermo, ermas, erma,* etc.: pres. subj.: *erme, ermes,* etc. Cf. *ermo* (ê), as flex. *erma* (ê) e *ermas* (ê), o top. *Ermo* (ê), o s. f. *herma,* pl. *hermas,* o s. m. *hermes,* e o mit. e antr. *Hermes.*]
ermida. [Do lat. tardio *eremita.*] *S. f.* **1.** Capela fora do povoado. **2.** Pequena igreja: "Do alto da ermida caíram as sete horas que um momento ficaram reboando pelo campo." (Adelaide Félix, *Cada qual com Seu Milagre...*, p. 142.)
ermita. *S. m.* Var. sincopada de *eremita* [q. v.].
ermitã. *S. f.* Ermitoa.
ermitágio. *S. m. Ant.* Ermitério, eremitério.
ermitania. *S. f.* Cargo de ermitão.
ermitão. [Do b.-lat. *ermitane.*] *S. m.* **1.** V. *eremita.* **2.** Aquele que cuida de uma ermida. **3.** V. *paguro.* [Fem.: *ermitã, ermitoa.* Pl.: *ermitãos, ermitães, ermitões.*]
ermitério. *S. m.* V. *eremitério.*
ermitoa (ô). *S. f.* Mulher que se ocupa da limpeza e arranjo de uma ermida; ermitã.
ermo[1] (ê). [Do gr. *éremos,* pelo lat. *eremu.*] *S. m.* **1.** Lugar sem habitantes; deserto, descampado: "Mergulha-se em angústias lacrimosas / Nos ermos dum castelo abandonado" (Cesário Verde, *Obra Completa,* p. 49). ● *Adj.* **2.** Solitário; desabitado, deserto. [Pl. do s. m.: *ermos* (ê). Flex. do adj.: *erma* (ê), *ermos* (ê), *ermas* (ê). Cf. *ermo, ermas, erma,* do v. *ermar,* e *herma,* pl. *hermas.*]
ermo[2] (ê). *S. m. Pop.* V. *elmo* (2). [Pl.: *ermos* (ê). Cf. *ermo,* do v. *ermar.*]
erodente. [Do lat. *erodente.*] *Adj. 2 g.* V. *erosivo.*
eroder. *V. t. d.* Erodir [q. v.].
erodido. [Part. de *erodir* ou *eroder.*] *Adj.* Que sofreu erosão.
erodir. [Do lat. *erodere.*] *V. t. d.* Causar erosão em; eroder.
erógeno. [Do gr. *eros, erotos,* 'amor', + *-geno.*] *Adj. Med.* Erotógeno.
Eros. [Do gr. *Éros.*] *S. m.* **1.** *Mitol.* Entre os gregos, filho de Vênus, o deus do Amor. V. *cupido*[1] (1). **2.** *Psican.* Princípio de ação, símbolo do desejo, cuja energia é a libido. [Cf., nesta acepç., *Tanatos.*]
erosão. [Do lat. *erosione.*] *S. f.* **1.** Ato de carcomer e corroer a pouco e pouco. **2.** Trabalho mecânico de desgaste realizado pelas águas correntes, e que também pode ser feito pelo vento (*erosão eólica*), pelo movimento das geleiras e, ainda, pelos mares. ◆ **Erosão eólica.** *Geol.* V. *erosão* (2).
erosivo. [Do lat. *erosu,* 'corroído', + *-ivo.*] *Adj.* Corrosivo; erodente.
eroso (ô). [Der. regress. de *erosão.*] *Adj. Morfol. Veg.* Diz-se do órgão ou parte vegetal cujos bordos são irregularmente recortados, como se tivessem sido roídos: *pétala erosa.*
erótico. [Do gr. *erotikós,* pelo lat. *eroticu.*] *Adj.* **1.** Relativo ao amor. **2.** Inspirado pelo amor; que tem o caráter de lirismo amoroso: *O livro* Glaura, *de Silva Alvarenga, tem por subtítulo* "poemas eróticos". **3.** Inspirado ou provocado pelo erotismo: *delírio erótico.* **4.** Sensual, lascivo.
erotismo. [De *erot(o)-* + *-ismo.*] *S. m.* **1.** *P. us.* Paixão amorosa. **2.** Amor lúbrico; lubricidade.
erotização. *S. f.* Ato ou efeito de erotizar(-se).
erotizado. [Part. de *erotizar.*] *Adj.* Que se erotizou.
erotizar. [De *erot(o)-* + *-izar.*] *V. t. d.* **1.** Provocar erotismo em. *P.* **2.** Provocar erotismo em si mesmo.
▲**erot(o)-.** [Do gr. *éros, otos.*] *El. comp.* = 'amor': *erotismo, erotofobia.*
erotofobia. [De *erot(o)-* + *-fob(o)-* + *-ia.*] *S. f. Med. Leg.* Horror ao ato sexual.
erotofóbico. *Adj.* Relativo à erotofobia.
erotógeno. [De *erot(o)-* + *-geno.*] *Adj. Med.* Que causa excitação sexual; erógeno.
erotomania. [Do gr. *erotomanía.*] *S. f. Med.* **1.** Mania amorosa. **2.** Delírio produzido pelo amor sensual.
erotomaníaco. *S. m.* **1.** Erotômano. ● *Adj.* **2.** Que sofre de erotomania.
erotômano. [Do gr. *erotomanés.*] *S. m.* Aquele que sofre de erotomania; erotomaníaco.
erotopatia. [De *erot(o)-* + *-pat-* + *-ia.*] *S. f. Med.* Qualquer anormalidade do impulso sexual.
erotopático. *Adj.* Concernente à erotopatia.
erpe. *Adj. 2 g. Bras., SP. Pop.* Gabola, gabolas. [Pl.: *erpes.* Cf. *herpes.*]
errabundo. [Do lat. *errabundu.*] *Adj.* V. *errante* (1): "E, em fundos / Céus longínquos, sem órbitas, fugindo, / Passa o bando dos astros errabundos..." (Humberto de Campos, *Poesias Completas,* p. 22.)
errada. *S. f.* **1.** *Bras.* e *ant.* Desvio de caminho ou encruzilhada que faz errar o caminho; perdida. **2.** *Bras.* Erro, engano. **3.** *Bras., RS.* Caminho que pode levar o viajante a perder-se ou transviar-se.
erradicação. [Do lat. *eradicatione.*] *S. f.* Ato de erradicar; desarraigamento.
erradicante. [Do lat. *eradicante.*] *Adj. 2 g.* Que erradica; erradicativo.
erradicar. [Do lat. *eradicare.*] *V. t. d.* e *t. d. e i.* V. *desarraigar: É meta prioritária do governo erradicar o analfabetismo;* "Quanto vos odeio, ó homens que demolis sem poder construir; e quanto vos amo, ó vós que ides plantar e erradicais do nosso espírito e dos nossos sentimentos quanto nos prenda ao que deve morrer!" (Pontes de Miranda, *Obras Literárias,* p. 210.) [Conjug.: v. *trancar.*]
erradicativo. *Adj.* **1.** Erradicante. **2.** *Med.* Que cura radicalmente.
erradicável. *Adj. 2 g.* Que pode ou deve ser erradicado.
erradio. [Do lat. *errativu.*] *Adj.* **1.** V. *errante* (1): "Durante algum tempo vaguei, erradio, entre os pares, acompanhando, sem parecer, a caçula das três irmãs" (Afonso Arinos de Melo Franco, *Planalto,* p. 8). **2.** Perdido no caminho; desnorteado, transviado. ● *S. m.* **3.** Indivíduo errante, erradio, vagabundo: "Eu sou um erradio. No dia em que parar de vez, jurem que estou morto." (Machado de Assis, *Páginas Recolhidas,* p. 32.)
errado. [Part. de *errar.*] *Adj.* **1.** Que tem erro(s): *conta errada; linguagem errada.* **2.** Que não segue a boa direção: *caminho errado.* **3.** Malcomportado. **4.** Que não é o certo, o adequado, o conveniente, o próprio; que se segue, toma, usa, etc., por engano ou erro: *caminho errado; bonde errado; Saiu pela porta*

errada; Estava com uma chave errada, e não pôde entrar. **5.** *Bras. Gír.* Diz-se de quem comete erros, deslizes, gafes, de quem é desajeitado, desastrado, sem tato. ~ V. *mulher —a.* ● *S. m.* **6.** *Bras. Gír.* Indivíduo errado (5).

erraí. *S. f. Astr.* Nome tradicional da estrela gama do Cefeu. [Cf. *errai*, do v. *errar.*]

errante. [Do lat. *errante.*] *Adj. 2 g.* **1.** Que erra, que vagueia; vagabundo; erradio; errabundo, nômade: "Da tribo pujante, / Que agora anda errante / Por fado inconstante, / Guerreiros, nasci" (Gonçalves Dias, *Obras Poéticas*, II, p. 22). **2.** Pertençente ou relativo aos errantes; fanerocéfalo. ~ V. *judeu —.* ● *S. m.* **3.** Espécime dos errantes; fanerocéfalo.

errantes. *S. m. pl. Zool.* Animais anelídios, poliquetas, da ordem *Errantia*, que têm somitos semelhantes, exceto na cabeça e região anal, e parápodes idênticos em toda a extensão do corpo. Levam vida livre, ou em tubos livres ou fixos, e são freqüentemente predadores, sendo algumas espécies pelágicas. [Sin.: *fanerocéfalos.*]

errar. [Do lat. *errare.*] *V. t. d.* **1.** Cometer erro, enganar-se, em: *errar a conta.* **2.** Não acertar em: *errar o alvo.* **3.** Vagabundear por; percorrer: *Errou todo o norte do País.* *T. i.* **4.** Cometer erro; enganar-se: *Nunca erra em ortografia.* **5.** *Ant.* Ofender, injuriar: *Errou ao pai.* *Int.* **6.** Cometer erro(s); enganar-se; falhar: "Lutero, como vários grandes homens, acertou errando." (Vicente Licínio Cardoso, *Pensamentos Brasileiros*, p. 52.) **7.** Cair ou incorrer em culpa: *Há perdão para aqueles que erram.* **8.** Vaguear, vagabundear, vagabundar. **9.** Espalhar-se em várias direções; dissipar-se; flutuar: "Nos campos cheios de água e de umidade / Erra um cheiro de lírios." (Ronald de Carvalho, *Poemas e Sonetos*, p. 58.) [Pres. ind.: *erro*, etc.; imperat.: *erra, errai*, etc. Cf. *erro* (ê) e *errai.*]

errata. [Do lat. *errata*, 'coisas erradas'.] *S. f. Tip.* **1.** Lista dos erros tipográficos de uma obra, ou, às vezes, de parte deles, com indicação das correções, impressa em página final ou em retalho separado de papel; corrigenda. [Cf. *ressalva* (2).] **2.** Cada um dos erros assim assinalados.

errático. [Do lat. *erraticu.*] *Adj.* V. *errante* (1): "Mas no meu coração, ardente lava, / Uma nuvem errática poisava" (Camilo Pessanha, *Clepsidra e Outros Poemas*, p. 280). ~ V. *bloco — e febre —a.*

erre. *S. m.* Nome da letra *r.* [Pl.: *erres* e *rr.* Cf. *r.*]

erriçado. [Part. de *erriçar.*] *Adj.* V. *eriçado*: "os ginetes sem donos, nitrindo de terror e de cólera, com as crinas erriçadas" (Alexandre Herculano, *Eurico, o Presbítero*, p. 96).

erriçamento. *S. m.* Var. de *eriçamento.*

erriçar. V. t. d. e p. V. *eriçar*: "soltou uma destas risadas que fazem erriçar os cabelos, tão tristes, soturnas e dolorosas são elas" (Alexandre Herculano, *Eurico, o Presbítero*, p. 293); "Parece .... que o ligeiro buço que lhe cobre a pele acetinada se erriça." (José de Alencar, *Lucíola*, p. 86.) [Conjug.: v. *laçar.*]

errino. [Do gr. *érrhinon.*] *Adj.* **1.** Diz-se do medicamento que se introduz nas narinas. **2.** V. *esternutatório* (1). ● *S. m.* **3.** Medicamento que se introduz nas narinas.

erro (ê). [Dev. de *errar.*] *S. m.* **1.** Ato ou efeito de errar. **2.** Juízo falso; desacerto, engano. **3.** Incorreção, inexatidão. **4.** Desvio do bom caminho; desregramento, falta. **5.** *Fís.* Qualquer medida da flutuação ou da incerteza associada a uma medição. [Pl.: *erros* (ê). Cf. *erro*, do v. *errar.*] ◆ **Erro acidental.** *Estat.* Medida da flutuação dos resultados das medidas iteradas de uma grandeza realizada por um processo isento de vício. **Erro constante.** *Estat.* Erro sistemático. **Erro da excentricidade.** *Astr.* Erro sistemático existente nas graduações dos círculos astronômicos, por não serem coincidentes os centros do círculo e da sua graduação. **Erro de aproximação.** *Mat.* Módulo de diferença entre o limite de uma sucessão e o valor que se aceita para representá-lo. **Erro de arredondamento.** *Mat.* Erro que se comete num cálculo aproximado quando se efetua um arredondamento. **Erro de imprensa.** *Tip.* V. *erro tipográfico.* **Erro de primeira espécie.** *Estat.* Erro de tipo I. **Erro de revisão.** *Tip.* V. *erro tipográfico.* **Erro de segunda espécie.** *Estat.* Erro de tipo II. **Erro de tipo I.** *Estat.* No julgamento de uma hipótese estatística, erro que se comete ao rejeitar a hipótese sendo ela verdadeira; erro de primeira espécie. **Erro de tipo II.** *Estat.* No julgamento de uma hipótese estatística, erro que se comete ao aceitar a hipótese sendo ela falsa; erro de segunda espécie. **Erro médio.** *Estat.* Média dos valores absolutos de um conjunto de erros acidentais ou de um conjunto de estimativas de erros acidentais. **Erro padrão.** *Estat.* Desvio padrão de um conjunto de erros acidentais ou de um conjunto de estimativas de erros acidentais. **Erro relativo.** *Estat.* Cociente de uma estimativa do erro de uma medida pelo valor dessa medida ou por uma estimativa desse valor. **Erro sistemático.** *Estat.* O que decorre de um vício no processo de medida, não tendo, por isso, caráter aleatório; erro constante. **Erro tipográfico.** *Tip.* Engano cometido pelo tipógrafo, linotipista, etc., na composição do original; erro de imprensa, erro de revisão, gato. [Cf. *piolho* (3).] **Cair num erro. 1.** Ser vítima de erro. **2.** *Ant.* Verificar que errou.

errônea. [Fem. substantivado de *errôneo.*] *S. f. P. us.* V. *erronia.*

erroneamente. [Do fem. de *errôneo* + *-mente.*] *Adv.* De modo errôneo.

errôneo. [Do lat. *erroneu.*] *Adj.* **1.** Que contém erro; falso. **2.** Contrário à verdade.

erronia. *S. f.* **1.** Erro enraizado. **2.** Aquilo que é errôneo; erro, desacerto. [Sin. ger. (p. us.): *errônea.*]

error (ô). [Do lat. *errore.*] *S. m.* **1.** Viagem sem rumo, ou de rumo e duração indeterminados. **2.** *Desus.* Erro; culpa: "Será Fortuna, mesmo, que me oprime / A alma cheia de errores, ou serão / Essas ondas geladas, caprichosas, / Que andam boiando em vosso coração?" (Ronald de Carvalho, *Poemas e Sonetos*, p. 135.)

➧ **Ersatz** (erzáts). [Al.] *S. m.* Sucedâneo.

erse. [Var. do ingl. *Irish*, 'irlandês'.] *Adj.* **1.** De, ou pertencente ou relativo aos habitantes da Alta Escócia. **2.** Diz-se da língua dos primitivos irlandeses e escoceses, pertencente ao grupo gaélico, e falada ainda hoje na Alta Escócia. ● *S. m.* **3.** Essa língua.

erubescer. [Do lat. *erubescere.*] *V. t. d., int.* e *p.* V. *enrubescer.*

eruciforme. [Do lat. *eruca*, 'lagarta', + *-i-* + *-forme.*] *Adj. 2 g.* Que tem forma de lagarta.

eructação. [Do lat. *eructatione.*] *S. f.* Arroto (1).

erudição. [Do lat. *eruditione.*] *S. f.* **1.** Instrução vasta e variada, adquirida sobretudo pela leitura. **2.** Qualidade de erudito.

eruditismo. *S. m.* **1.** Ostentação de erudição. **2.** Mania da erudição.

erudito (dí). [Do lat. *eruditu.*] *Adj.* **1.** Que tem erudição (1). **2.** Que revela erudição (1): *obra erudita.* ● *S. m.* **3.** Aquele que sabe muito, que tem erudição (1).

eruginoso (ô). [Do lat. *aeruginosu.*] *Adj.* **1.** Que tem azebre; oxidado. **2.** Da cor do azebre; esverdeado.

erupção. [Do lat. *eruptione.*] *S. f.* **1.** Saída com ímpeto. **2.** *Patol.* Alteração cutânea caracterizada por vermelhidão, ou saliência, ou por ambos. **3.** *Restr.* Erupção vulcânica. ◆ **Erupção ígnea.** Designação indistinta das rochas efusivas e das rochas consolidadas em profundidade. **Erupção vulcânica.** Emissão impetuosa de fumaças, cinzas, matérias inflamáveis e lavas pela cratera de um vulcão. [Tb. se diz apenas *erupção.*]

eruptivo. *Adj.* **1.** Que provoca erupção. **2.** Respeitante a erupção. ~ V. *arco —, cone —, estrela —a, protuberância —a* e *rocha —a.* [Cf. *irruptivo.*]

eruquerê. [Do ioruba.] *S. m. Bras.* Eiru.

erva. [Do lat. *herba.*] *S. f.* **1.** Planta não lenhosa, cujas partes aéreas vivem menos de um ano, o que limita o seu tamanho, podendo as partes subterrâneas ser vivazes. **2.** Quantidade mais ou menos considerável de plantas herbáceas dispostas proximamente entre si. **3.** *Bras.* Qualquer planta venenosa que nasce em pastagens e que, comida pelos animais, pode causar-lhes a morte. **4.** *Bras.* V. *hortaliça.* **5.** *Bras. Gír.* V. *dinheiro* (3). **6.** *Bras. Gír.* V. *maconha.* ~ V. *ervas.* ◆ **Erva daninha.** Erva (1) que nasce no meio de certas culturas, prejudicando-as. **Erva mãe-boa.** V. *batata-brava* (2). **Erva santa-maria.** *Bras.* V. *erva-de-santa-maria.*

ervaçal. *S. m.* **1.** Terra onde há erva em abundância. **2.** Pastagem, pasto, ervagem.

erva-caparrosa. *S. f.* Caparrosa-do-campo. [Pl.: *ervas-caparrosas* e *ervas-caparrosa.*]

erva-capitão. *S. f. Bras.* Acariçoba. [Pl.: *ervas-capitães* e *ervas-capitão.*]

erva-castelhana. *S. f.* V. *azevém.* [Pl.: *ervas-castelhanas.*]

erva-cidreira. *S. f.* **1.** Planta da família das labiadas (*Melissa officinalis*); apiastro, melissa. **2.** *Bras., PE.* Planta da família das verbenáceas (*Lippia geminata*). [Pl.: *ervas-cidreiras.*]

erva-da-guiné. *S. f.* V. *capim-guiné.* [Pl.: *ervas-da-guiné.*]

erva-das-bermudas. *S. f.* V. *capim-de-burro.* [Pl.: *ervas-das-bermudas.*]

erva-da-trindade. *S. f. Lus.* Raça cultivada de amor-perfeito-bravo (*Viola tricolor*), cujas flores têm corola pequena, e que é comum em terrenos cultos e incultos da Europa. [Pl.: *ervas-da-trindade.*]

erva-de-bicho. *S. f. Bras.* **1.** V. *caraxixu.* **2.** V. *cruz-de-malta* (2). [Pl.: *ervas-de-bicho.*]

erva-de-botão. *S. f.* Agrião-do-brejo. [Pl.: *ervas-de-botão.*]

erva-de-cabrita. *S. f. Bras.* V. *amarelinha*[1] (1). [Pl.: *ervas-de-cabrita.*]

erva-de-cardo-amarelo. *S. f.* V. *cardo-santo.* [Pl.: *ervas-de-cardo-amarelo.*]

erva-de-cobra. *S. f. Bras., BA.* Caacambuí. [Pl.: *ervas-de-cobra.*]

erva-de-gelo. *S. f. Bras.* V. *folha-de-gelo.* [Pl.: *ervas-de-gelo.*]

erva-de-jabuti. *S. f. Bras.* V. *aperta-ruão* (2). [Pl.: *ervas-de-jabuti.*]

erva-de-louco. *S. f. Bras.* Louco[1] [q. v.]. [Pl.: *ervas-de-louco.*]

erva-de-nossa-senhora. *S. f. Bras.* V. *cipó-de-cobra* (1). [Pl.: *ervas-de-nossa-senhora.*]

erva-de-passarinho. *S. f. Bras.* Designação comum a diversas plantas da família das lorantáceas, que parasitam as árvores, por disseminação feita pelos pássaros, ávidos dos pequenos frutos dessas espécies; enxerto-de-passarinho, guirarepoti. [Pl.: *ervas-de-passarinho.*]

erva-de-rato. *S. f. Bras.* Designação comum a diversas espécies de plantas rubiáceas, gêneros *Psychotria* e *Homelia.* [Cf. *oficial-de-sala.* Pl.: *ervas-de-rato.*]

erva-de-santa-lúcia. *S. f. Bras.* Planta da família das comelináceas (*Commelina sulcata*). [Pl.: *ervas-de-santa-lúcia.*]

erva-de-santa-luzia. *S. f. Bras.* V. *flor-d'água.* [Pl.: *ervas-de-santa-luzia.*]

erva-de-santa-maria. *S. f. Bras.* Planta da família das quenopodiáceas (*Chenopodium ambrosioides*), de caule herbáceo e decumbente, cujas folhas são ovais, sinuosas e serradas, de cheiro muito ativo, sabor acre, consideradas vermífugas, sendo as flores esverdeadas, reunidas em glomérulos; caperiçoba; erva santa-maria. [Pl.: *ervas-de-santa-maria.*]

erva-de-santana. *S. f. Bras.* **1.** Folha-de-santana. **2.** V. *fura-paredes* (2). [Pl.: *ervas-de-santana.*]

erva-de-santo-estêvão. *S. f.* Circéia. [Pl.: *ervas-de-santo-estêvão.*]

erva-de-são-cristóvão. *S. f. Bras.* Cimicífuga. [Pl.: *ervas-de-são-cristóvão.*]

erva-de-são-joão. *S. f. Bras.* V. *catinga-de-bode.* [Pl.: *ervas-de-são-joão.*]

erva-de-são-lourenço. *S. f. Bras.* V. *brígula.* [Pl.: *ervas-de-são-lourenço.*]

erva-de-sapo-vermelha. *S. f. Bras.* Begônia-sangue. [Pl.: *ervas-de-sapo-vermelhas.*]

erva-de-veado. *S. f. Bras.* V. *faxina-vermelha.* [Pl.: *ervas-de-veado.*]

ervado. [Part. de *ervar.*] *Adj.* **1.** Cheio de erva. **2.** Impregnado de suco de erva venenosa: "Onde um arco, que atirasse / Mais célere, a zunir, a fina flecha ervada?" (Olavo Bilac, *Poesias*, p. 10); *Estácio de Sá foi ferido por uma flecha ervada.* **3.** *Bras.* Diz-se do animal que comeu erva (3). **4.** *Bras.* Que está sob os efeitos da erva (6).

erva-do-brejo. *S. f. Bras.* V. *chapéu-de-couro* (1). [Pl.: *ervas-do-brejo.*]

erva-doce. *S. f.* **1.** V. *anis* (1). **2.** V. *funcho.* [Pl.: *ervas-doces.*]

erva-do-pântano. *S. f.* V. *chapéu-de-couro* (1). [Pl.: *ervas-do-pântano.*]

erva-do-pará. *S. f. Bras.* V. *capim-do-pará.* [Pl.: *ervas-do-pará.*]

erva-dos-gatos. *S. f.* Gatária. [Pl.: *ervas-dos-gatos.*]

erva-do-sumidouro. *S. f. Bras.* V. *gervão* (1). [Pl.: *ervas-do-sumidouro.*]

ervadura. *S. f. Bras.* V. *curare.* (1).

erva-dutra. *S. f. Bras.* Cipó-cabeludo. [Pl.: *ervas-dutras* e *ervas-dutra.*]

erva-férrea. *S. f. Bras.* V. *brígula.* [Pl.: *ervas-férreas.*]

ervagem[1]. [De *erva* + *-agem.*] *S. f.* **1.** Conjunto de ervas. **2.** V. *ervaçal* (2). **3.** *Bras.* V. *curare* (1).

ervagem[2]. *S. f.* Ato ou efeito de ervar.

erva-gervão. *S. f.* V. *gervão* (1). [Pl.: *ervas-gervões* e *ervas-gervão.*]

erva-gigante. *S. f.* V. *acanto* (1). [Pl.: *ervas-gigantes.*]

erva-gorda. *S. f. Bras.* V. *folha-gorda.* [Pl.: *ervas-gordas.*]

erval. [Do esp. plat. *yerbal.*] *S. m. Bras. PR* e *RS.* Mata em que domina a erva-mate ou congonha.

erva-lanceta. *S. f. Bras.* **1.** V. *flor-das-almas.* **2.** Mbuí. [Pl.: *ervas-lancetas* e *ervas-lanceta.*]

ervalense[1]. *Adj. 2 g.* **1.** De, ou pertencente ou relativo a Erval (RS). ● *S. 2 g.* **2.** Natural ou habitante de Erval.

ervalense[2]. *Adj. 2 g.* **1.** De, ou pertencente ou relativo a Erval d'Oeste (SC). ● *S. 2 g.* **2.** Natural ou habitante de

Erval d'Oeste.
ervalense[3]. *Adj. 2 g.* **1.** De, ou pertencente ou relativo a Ervália (MG). ● *S. 2 g.* **2.** Natural ou habitante de Ervália.
erva-lombrigueira. *S. f.* V. *arapabaca* (2). [Pl.: *ervas-lombrigueiras* e *ervas-lombrigueira.*]
erva-mate. *S. f.* Planta da família das aquifoliáceas *(Ilex paraguariensis),* de cujas folhas se faz um chá saboroso e muito apreciado e saudável; mate. [Sin., bras., S.: *congonha.* Pl.: *ervas-mates* e *ervas-mate.*]
erva-mate-amarga-de-mato-grosso. *S. f. Bras.* V. *caami* (2). [Pl.: *ervas-mates-amargas-de-mato-grosso.*]
erva-missioneira. *S. f. Bras.* O mate que cresce nos terrenos das antigas missões jesuíticas do PR e do Uruguai. [Pl.: *ervas-missioneiras.*]
erva-moira. *S. f. Bras.* V. *erva-moura.*
erva-molarinha. *S. f.* V. *fel-da-terra* (1). [Pl.: *ervas-molarinhas.*]
erva-moura. *S. f.* V. *caraxixu.* [Pl.: *ervas-mouras.* Var.: *erva-moira.*]
ervanaria. [De *erva.*] *S. f. Bras., SP.* V. *herbanário* (1).
ervanário. *S. m.* **1.** V. *herbanário.* **2.** Herbolário (2). ● *Adj.* **3.** Herbolário (2).
ervançal. *S. m.* Plantação de ervanços.
ervanço. [De *gravanço,* por infl. de *erva?*] *S. m.* V. *grão-de-bico.*
erva-pinheira-de-rosa. *S. f.* V. *brilhantina* (3). [Pl.: *ervas-pinheiras-de-rosa.*]
erva-pipi. *S. f. Bras.* V. *guiné* (1). [Pl.: *ervas-pipis* e *ervas-pipi.*]
erva-pombinha. *S. f. Bras.* V. *arrebenta-pedra.* [Pl.: *ervas-pombinhas* e *ervas-pombinha.*]
ervar. *V. t. d.* **1.** Impregnar com suco de planta venenosa. *Int.* **2.** *Bras.* Apanhar erva. **3.** *Bras.* Comer a erva-de-rato, que é venenosa.
ervas. [Pl. de *erva.*] *S. f. pl.* Legumes. ~ V. *erva.*
erva-santa. *S. f. Bras.* V. *cipó-capador.* [Pl.: *ervas-santas.*]
ervatário. *S. m. Bras.* Indivíduo que nos campos e matas colhe ervas medicinais para vender nos herbanários ou a retalho.
ervateiro. [De *erva* + *-t-* + *-eiro.*] *S. m.* **1.** *Bras. S.* Aquele que negocia com erva-mate ou se entrega à colheita e preparação desse vegetal. ● *Adj.* **2.** Pertencente ou relativo ao cultivo, colheita, preparo e exportação da erva-mate: *indústria* ervateira.
erva-tostão. *S. f. Bras.* V. *agarra-pinto.* [Pl.: *ervas-tostões* e *ervas-tostão.*]
ervecer. [Do lat. *herbescere.*] *V. int.* Criar erva. [Conjug.: v. *aquecer.*]
erveira. [De *erva* + *-eira.*] *S. f.* Designação genérica das plantas herbáceas, consideradas isoladamente.
ervicida. [De *erva* + *-i-* + *-cida.*] *Adj. 2 g.* Herbicida.
ervilha. [Do lat. *ervilia.*] *S. f.* **1.** Trepadeira anual, da família das leguminosas *(Psum sativum),* dotada de flores grandes, solitárias, róseas, de corola alva, azulada ou roxa, e cujos frutos são vagens oblongas, lisas ou rugosas, com numerosas sementes comestíveis. **2.** O fruto da ervilha.
ervilhaca. [De *ervilha* + *-aca[2].*] *S. f. Bras., L.* e *S.* Trepadeira forraginosa, da família das leguminosas, *(Viccia sativa),* de flores vermelhas, violáceas, azuladas ou alvas, solitárias e grandes, e cujo fruto é vagem com sementes de cor azeitonada.
ervilhaca-peluda. *S. f.* Planta prostrada ou trepadora, da família das leguminosas *(Viccia villosa),* originária da Alemanha, de flores grandes, violáceas com máculas alvas, dispostas em racimos pêndulos, e cujo fruto é vagem pêndula, linear, glabra, que contém sementes globosas, opacas, manchadas de escuro. [Pl.: *ervilhacas-peludas.*]
ervilhaca-de-narbona. *S. f.* Planta anual, da família das leguminosas *(Viccia narbonenesis),* de flores grandes, purpúreas, dispostas em racimos pedicelados, mais curtos que as folhas, e cujo fruto é vagem escura, glabra, que contém sementes castanhas. Fornece boa forragem. [Pl.: *ervilhacas-de-narbona.*]
ervilha-de-cheiro. *S. f. Bras.* Trepadeira herbácea, ornamental, da família das leguminosas *(Lathyrus adoratus),* de flores grandes, aromáticas, azuladas ou alvacentas, e cujos frutos são vagens mais largas que compridas. [Pl.: *ervilhas-de-cheiro.*]
ervilha-de-pombo. *S. f.* V. *cola[2].* [Pl.: *ervilhas-de-pombo.*]
ervilha-de-vaca. *S. f.* V. *feijão-de-vaca.* [Pl.: *ervilhas-de-vaca.*]
ervilhal. *S. m.* Quantidade mais ou menos considerável de ervilhas dispostas proximamente entre si.
ervinha. [Dim. de *erva.*] *S. f. Bras.* Urzela.
ervoeira. [De *erva* + *-o-* + *-eira.*] *S. f.* V. *meretriz.*
ervoso (ô). [Do lat. *herbosu.*] *Adj.* Cheio de ervas; herboso.
■**Es.** *Quím.* Símb. de *einstéinio.*
■**ES.** Sigla do Estado do Espírito Santo.
▲**es-.** V. e-[2].
▲**ês.** Equiv. de *-ense.*
esbaforido. [Part. de *esbaforir.*] *Adj.* **1.** Com a respiração entrecortada pelo cansaço ou pela pressa; ofegante, esbofado. **2.** Apressado, apressurado: "O cozinheiro, esbaforido, organizava a remessa de fornalhas, geleiras, bocais de trufas, latas de conservas, bojudas garrafas de águas minerais." (Eça de Queirós, *A Cidade e as Serras,* pp. 176-177.)
esbaforir-se. [De *bafo,* ou *bofe.*] *V. p.* Ficar esbofado, ofegante, anelante, arfante, sem alento; esbofar-se.
esbagaçar. [De *es-* + *bagaço* + *-ar[2].*] *V. t. d. Bras.* e *açor.* Fazer em cacos ou em bagaços; despedaçar, espedaçar, escacar, espatifar, arrebentar. [Conjug.: v. *laçar.*]
esbagachado. [Part. de *esbagachar.*] *Adj.* Posto à mostra: "Punha uma grande confiança no maciço dos seios, na largueza roliça, nédia, dos ombros esbagachados" (Camilo Castelo Branco, *Sentimentalismo e História,* p. 252).
esbagachar. *V. t. d.* **1.** Descobrir até aos peitos. **2.** Deixar à mostra; pôr à vista (os peitos); esgargalar.
esbaganhar. [De *es-* + *baganha* + *-ar[2].*] *V. t. d.* Limpar da baganha (o linho).
esbagoar. [De *es-* + *bago[1]* + *-ar[2].*] *V. t. d.* **1.** Tirar os bagos a; desbagoar. *Int.* e *p.* **2.** Deixar cair os bagos ou grãos. [Conjug.: v. *coroar.*]
esbagulhar. [De *es-* + *bagulho* + *-ar[2].*] *V. t. d.* Tirar o bagulho (1) a.
esbaldar-se. [Voc. express.] *V. p.* **1.** Atirar-se com fervor, por vezes até o cansaço, a um divertimento, a uma brincadeira. **2.** Fazer alguma coisa em excesso.
esbambeado. [Part. de *esbambear.*] *Adj.* V. *bambeado:* "Que oceanos de luz e de harmonia / Dormem-te ainda n'harpa esbambeada, / Como no seio do profundo espaço / Os orbes invisíveis!" (Bernardo Guimarães, *Poesias Completas,* p. 305).
esbambear. [De *es-* + *bambo* + *-ear.*] *V. t. d.* e *int.* V. *bambear.* [Conjug.: v. *frear.*]
esbamboar. [De *es-* + *bambo* + *-ar[2].*] *V. t. d., int.* e *p.* V. *bambolear.* [Conjug.: v. *coroar.*]
esbandalhado. [Part. de *esbandalhar.*] *Adj.* **1.** Roto, esfarrapado. **2.** Descomposto, desfeito, despedaçado, destruído. **3.** Separado do bando; tresmalhado.
esbandalhar. [De *es-* + *bandalho* + *-ar[2].*] *V. t. d.* **1.** Fazer em bandalhos ou em trapos; esfarrapar, farrapar. **2.** Fazer em pedaços; despedaçar, espedaçar, destruir, desbaratar. *P.* **3.** Pôr-se em debandada; dispersar. **4.** Perverter-se, corromper-se.
esbandeirar. [De *es-* + *bandeira* + *-ar[2].*] *V. t. d.* **1.** Cortar a bandeira a (o milho). *P.* **2.** *Bras., AL. Pop.* Atirar-se, lançar-se, precipitar-se: *Esbandeirou-se rua abaixo.*
esbandulhar. [De *es-* + *bandulho* + *-ar[2].*] *V. t. d.* Rasgar o bandulho de; esbarrigar.
esbanjador (ô). *Adj.* e *s. m.* Que ou aquele que esbanja; gastador, dissipador, perdulário.
esbanjamento. *S. m.* Ato ou efeito de esbanjar; dissipação.
esbanjar. *V. t. d.* Gastar em excesso; dissipar, desbaratar, malbaratar, malgastar.
esbaralhar. [De *es-* + *baralhar.*] *V. t. d. Desus.* Baralhar[1] (1 e 2).
esbarbar. [De *es-* + *barba* + *-ar[2].*] *V. t. d.* Tirar as barbas ou rebarbas a.
esbarbotar. [De *es-* + *barbote* + *-ar[2].*] *V. t. d.* Tirar os barbotes a (pano de lã).
esbarrada. *S. f. Bras.* **1.** V. *esbarro* (1). **2.** Parada repentina da cavalgadura montada por alguém, que a faz escorregar sobre as patas traseiras; assentada.
esbarrancada. [Fem. substantivado do adj. *esbarrancado.*] *S. f. Bras., MG, RS* e *GO.* V. *quebrada* (3). [F. paral.: *esbarrancado.*]
esbarrancado. [Part. de *esbarrancar.*] *Bras., MG, RS* e *GO. Adj.* **1.** Em que se fizeram barrancos. **2.** De que se desfizeram barrancos. ● *S. m.* **3.** V. *esbarrancada.*
esbarrancar. [De *es-* + *barranco* + *-ar[2].*] *V. t. d. Bras.* **1.** Fazer barrancos em; desbarrancar. **2.** Desfazer barrancos de; desbarrancar. [Conjug.: v. *trancar.*]
esbarrão. *S. m. Bras.* Encontrão, tropeção, esbarro, esbarrada.
esbarrar. [De *es-* + *barra* + *-ar[2].*] *V. t. i.* **1.** Ir de encontro; topar, embarrar: *Entrando às pressas,* esbarrou *nos que saíam.* **2.** Dar com o pé; tropeçar. **3.** Encontrar por acaso: *Passeando no Leme,* esbarrou *com a amiga que não via desde anos.* **4.** Deter-se (ante dificuldade): *Sabia que tarde ou cedo* esbarraria *com o problema. T. d.* **5.** *Bras.* Fazer parar (o cavalo), colhendo as rédeas de modo que ele carregue sobre as patas sem produzir choque violento. *T. d.* e *i.* **6.** Atirar, lançar, arremessar: Esbarrou *o agressor ao muro. P.* **7.** Acotovelar-se.
esbarrigar. [De *es-* + *barriga* + *ar[2].*] *V. t. d.* **1.** Rasgar a barriga de. **2.** *Lus.* Parir. [Conjug.: v. *largar.*]
esbarro. [Dev. de *esbarrar.*] *S. m.* **1.** Ação de esbarrar; choque, topada, encontrão, esbarrada, esbarrão. **2.** Degrau inclinado, diminuindo de espessura, formado por uma parede. **3.** Ressalto ou outro dispositivo que limita a amplitude de movimento de uma porta, uma peça de máquina, etc. **4.** *Bras.* V. repreensão (1). ◆ **Caçar de esbarro.** Modo de caçar que consiste em progredir (o caçador) por uma trilha, sem ruído, a fim de surpreender a caça.
esbarroada. [Cruz. de *esbarro* com *marrada?*] *S. f. Bras., Marajó.* Chifrada que, embora seja dada com a ponta do chifre, apenas contunde e escalavra, ou produz um lanho na pele.
esbarroar. [Cruz. de *esbarro* com *marrar?*] *V. int. Bras., Marajó.* Dar esbarroada. [Conjug.: v. *coroar.*]
esbarrocamento. *S. m.* **1.** Ato ou efeito de esbarrocar. **2.** Derrocada, ruína.
esbarrocar. [De *es-* + *barroca* + *-ar[2].*] *V. int.* Cair, formando barroca; desmoronar-se; despenhar-se; esbarrondar-se. [Conjug.: v. *trancar.*]
esbarrondadeiro. [De *esbarrondar* + *-deiro.*] *S. m.* Barranco, precipício, despenhadeiro.
esbarrondar. *V. t. d.* **1.** Romper, desmoronar, esboroar. *T. i.* **2.** Dar com ímpeto; investir. *P.* **3.** Desmoronar-se; esboroar-se: "na hora da missa, um bloco de barro esbarrondava-se em plena nave, espavorindo o povo" (Coelho Neto, *Treva,* p. 57). **4.** Precipitar-se; cair. **5.** Malograr-se; falhar.
esbater. [Do it. *sbattere.*] *V. t. d.* **1.** Atenuar os contrastes de cor ou tom de, passando gradualmente do mais forte ao mais fraco, ou vice-versa: Esbatendo *o céu, Portinari criou, em muitas de suas telas, efeitos de grande profundidade. P.* **2.** Apresentar-se com as cores ou tons esbatidos: *O colorido* esbate-se *docemente, em certos quadros de Turner;* "E, enviando à terra o derradeiro beijo, / Esbatia-se a luz pelo arvoredo." (Olavo Bilac, *Poesias,* p. 83).
esbatido. [Part. de *esbater.*] *Adj.* **1.** Desmaiado, atenuado, suavizado: "ali, àquela luz tênue e esbatida, ele exalava a sua paixão crescente" (Eça de Queirós, *Contos,* p. 28); "Pela abertura do vale, a vista alongava-se aos tons dos planos distantes, esfumados, esbatidos" (Conde de Ficalho, *Uma Eleição Perdida,* pp. 30-31). ● *S. m.* **2.** Efeito de esbater. **3.** Impressão de relevo obtida com o emprego do claro-escuro.
esbatimento. [Do it. *sbattimento.*] *S. m.* Ato ou efeito de esbater(-se).
esbeatado. *Adj. Bras., N.* Diz-se dos tecidos que têm alguns fios destramados; desfiado.
esbeatar. [De *es-* + *beato[2]* + *-ar[2]?*] *V. t. d. Bras., N.* Destramar os fios de (um tecido); desfiar.
esbeiçar. [De *es-* + *beiço* + *-ar[2].*] *V. t. d.* **1.** Arrancar os beiços, os bordos, a; desbeiçar. **2.** Estender ou descair (os beiços). *P.* **3.** Desmoronar(-se), descair (os beiços ou bordos). [Conjug.: v. *laçar.*]
esbeltar. *V. t. d.* **1.** Tornar esbelto: *Era gorda, mas o regime* esbeltou*-a.* **2.** *Art. Plást.* Dar formas esbeltas e boa atitude a (uma figura). *P.* **3.** Apresentar-se com garbo.
esbeltez (ê). *S. f.* V. *esbelteza.*
esbelteza (ê). [Do it. *sveltezza.*] *S. f.* **1.** Qualidade de esbelto; graça; elegância; donaire. **2.** *Constr.* Característica de colunas e pilares cujas seções transversais são pequenas em relação à altura. [F. paral.: *esbeltez,* m. us. na acepç. 2.]
esbelto. [Var. de *esvelto,* do it. *svelto.*] *Adj.* **1.** Garboso, airoso, elegante, gentil. **2.** Fino de corpo, magro e elegante; esgalgado; esguio: "e é teu vulto triunfal, longo, heráldico, esgalgo, / coleante como um cisne e esbelto como um galgo!" (Menotti del Picchia, *As Máscaras,* p. 11); *A menina gordinha transformou-se numa moça* esbelta. **3.** Elegante; distinto: "Para os romancistas é como se perdêssemos [com a morte de Eça de Queirós] o melhor da família, o mais esbelto e o mais válido." (Machado de Assis, *Outras Relíquias,* p. 91.)
esbilhotar. [De *bisbilhotar,* com dissimilação.] *V. t. d.* e *int. Bras. Pop.* V. *bisbilhotar.*
esbirrar. *V. t. d. Bras.* Colocar esbirro[2] em.
esbirro[1]. [Do it. *sbirro.*] *S. m.* **1.** Empregado menor dos tribunais. **2.** V. *beleguim.*

esbirro[2]. *S. m. Bras.* Escora de madeira aplicada para auxiliar a sustentação de um travejamento.

esboçado. [Part. de *esboçar*.] *Adj.* **1.** Delineado, bosquejado, tracejado. **2.** Planejado, projetado. — V. *fronteira —a*.

esboçar. [Do it. *sbozzare*.] *V. t. d.* **1.** Traçar os contornos de; delinear, bosquejar, tracejar: *esboçar um desenho*. **2.** Planejar, projetar; traçar: *esboçar um plano*. **3.** Deixar entrever; entremostrar: *Constrangido, esboçou um sorriso de aprovação*. [Conjug.: v. *laçar*. Pres. ind.: *esboço*, etc. Cf. *esboço* (ô) e *esbouçar*.]

esboceto (ê). *S. m.* Pequeno esboço.

esboço (ô). [Do it. *sbozzo*.] *S. m.* **1.** Delineação inicial de uma obra de pintura, desenho, gravura, escultura, etc.; bosquejo, delineamento. **2.** Obra em estado de esboço (1): "Lembra-me também uma gravura do *Juízo Final* e dois esboços holandeses." (Eça de Queirós, *Prosas Bárbaras*, p. 147.) **3.** Primeira noção de alguma coisa; rudimento. **4.** Ação apenas iniciada e logo interrompida: *Ante a violência, teve apenas um esboço de protesto*. **5.** Figura indistinta; vulto, sombra. **6.** *Fig.* Resumo, síntese, sumário. [Pl.: *esboços* (ó); dim.: *esboceto*. Cf. *esboço*, do v. *esboçar*.]

esbodegação. *S. f. Bras. Pop.* Ato ou efeito de esbodegar.

esbodegado. [Part. de *esbodegar*.] *Adj.* **1.** Que se esbodegou ou estragou; estragado, escangalhado: "o umbigo indecente à mostra, os dedos abertos nas alpercatas esbodegadas." (Moreira Campos, *Os Doze Parafusos*, p. 30). **2.** *Bras., S.* Cansado, exausto, esbaforido.

esbodegar. [De *es-* + *bodega* + *-ar*[2].] *V. t. d.* **1.** *Bras. Pop.* Arruinar, estragar, escangalhar. **2.** *Bras. Pop.* Gastar perdulariamente. *P.* **3.** *Bras. Pop.* Desmazelar-se, desleixar-se. **4.** *Bras., PB. Pop.* Agastar-se, enfadar-se; irritar-se. **5.** *Bras., S. Pop.* Cansar-se; esbaforir-se. [Conjug.: v. *regar*.]

esbofado. [Part. de *esbofar*.] *Adj.* Cansado; esbaforido.

esbofamento. *S. m.* Ato ou efeito de esbofar(-se); esfalfamento, exaustão.

esbofar. [De *es-* + *bofe* + *-ar*[2].] *V. t. d.* **1.** Causar grande fadiga a; esfalfar. *Int.* e *p.* **2.** Cansar-se, esbaforir-se, esbodegar-se, esfalfar-se: "O velho que dirigia o caminhão se esbofou escada acima, sob o peso dos colchões" (Fernando Sabino, *A Inglesa Deslumbrada*, p. 47). **3.** Arquejar, ofegar.

esbofetear. [De *es-* + *bofete* + *-ear*.] *V. t. d.* Dar bofetadas em; bofetear, estapear: "esbofeteia-o, cospe-lhe insultos sobre insultos." (José Cardoso Pires, *O Delfim*, p. 290). [Conjug.: v. *frear*.]

esboiçar. *V. t. d.* Var. de *esbouçar* [q. v.]. [Conjug.: v. *laçar*.]

esbombardear. [De *es-* + *bombarda* + *-ear*.] *V. t. d.* Bombardear: "Não se contenta a gente portuguesa, / Mas seguindo a vitória estrui, e mata; / A povoação sem muro, e sem defesa, / Esbombardeia, acende, e desbarata." (Luís de Camões, *Os Lusíadas*, I, 90.) [Conjug.: v. *frear*.]

esborcelar. *V. t. d.* V. *esborcinar*.

esborcinar. *V. t. d.* **1.** Partir as bordas de; cortar pela borda. **2.** Golpear (1). [F. paral.: *desborcinar;* sin. ger.: *esborcelar*.]

esbordar. [De *es-* + *borda* + *-ar*[2].] *V. int., t. i., t. d.* e *p.* V. *desbordar*.

esbordoar. [De *es-* + *bordão*[1] + *-ar*[2].] *V. t. d.* Dar bordoadas em; desancar com bordão. [Conjug.: v. *coroar*.]

esbórnia. [Do it. *sbornia*.] *S. f. Bras.* V. *orgia* (1). [Cf. *esbornia*, do v. *esborniar*.]

esborniador (ô). *S. m. Bras.* Aquele que esbornia, que é dado a esbórnias; farrista.

esborniar. *V. int. Bras.* Viver em orgias, esbórnias, ou nelas tomar parte. [Pres. ind.: *esbornio, esbornias, esbornia*, etc. Cf. *esbórnia*.]

esboroamento. *S. m.* Ato ou efeito de esboroar(-se); esborôo.

esboroar. [De *es-* + *boroa* + *-ar*[2].] *V. t. d.* **1.** Reduzir a pó; desfazer; esterroar. **2.** Derribar, desmoronar, esbarrondar. *Int.* e *p.* **3.** Reduzir-se a pó: "alongavam-se sinuosamente pelas colinas as courelas ceifadas, cujos torrões secos dos calores tropicais esboroavam ao menor atrito." (Fialho d'Almeida, *Contos*, p. 264). **4.** Esbarrondar-se, desmoronar-se: "Pelos salões vazios, ... cujo estuque, lagarteado de fendas, esboroa à força de goteiras, paira o bafio da morte." (Monteiro Lobato, *Urupês, Outros Contos e Coisas*, p. 137); "Olhei: o Calpe esboroava-se ao redor de mim, e os rochedos sobre que eu estava assentado vacilavam nos seus fundamentos." (Alexandre Herculano, *Eurico*, o Presbítero, p. 53); "A Pátria entrou no período da decomposição de que só pode salvá-la a República. — O Império esboroa-se." (Antônio da Silva Jardim, *Propaganda Republicana*, p. 252). [Conjug.: v. *coroar*. Var.: *esbroar, desboroar*.]

esborôo. [Dev. de *esboroar*.] *S. m.* Esboroamento.

esborrachado. [Part. de *esborrachar*.] *Adj.* **1.** Espalmado, achatado, calcado. **2.** Pisado, esmagado, rebentado.

esborrachar. [De *es-* + *borracha*[1] + *-ar*[2].] *V. t. d.* **1.** Fazer rebentar, apertando ou achatando. **2.** Pisar; espezinhar; esmagar; comprimir: *Esborrachou o inseto com o sapato*. **3.** Esbofetear; esmurrar: *Insultado, esborrachou o rosto do ofensor*. *P.* **4.** Estatelar-se no chão; cair.

esborralhada. *S. f.* **1.** Ato ou efeito de esborralhar. **2.** *P. ext.* Desmoronamento, esboroamento.

esborralhadoiro. *S. m.* Var. de *esborralhadouro*.

esborralhadouro. *S. m.* Vassoura com que se esborralha, se varre o borralho. [Var.: *esborralhadoiro*.]

esborralhar. [De *es-* + *borralho* + *-ar*[2].] *V. t. d.* **1.** Desmanchar ou desfazer (borralho). **2.** Destroçar; dispersar: *O disparo esborralhou os assaltantes*. **3.** Desmoronar, derribar, derrubar. *P.* **4.** Desmoronar-se; abater(-se), aluir(-se), ruir.

esborrar[1]. [De *es-* + *borra* (ô) + *-ar*[2].] *V. t. d. Bras., N. E.* Tirar as borras de. [Pres. ind.: *esborro*, etc. Cf. *esborro* (ô).]

esborrar[2]. [Alter. de *esbordar*?] *V. int.* Esbordar, desbordar, transbordar, extravasar. [No sentido próprio é unipess.; fig., pode-se usar em todas as pess. Pres. ind.: *esborro*, etc. Cf. *esborro* (ô).]

esborratadela. *S. f.* **1.** Ato de esborratar. **2.** Borrão de tinta em papel.

esborratar. [De *borrão*.] *V. t. d.* Deixar cair borrão em; borrar. [Var.: *esborretar*.]

esborregar. *V. t. d.* Sacudir ou bater (peles), depois de enxambrar. [Conjug.: v. *regar*.]

esborretar. *V. t. d.* Var. de *esborratar*.

esborrifar. [De *es-* + *borrifo* + *-ar*[2].] *V. t. d.* Borrifar (1 e 2).

esborrifo. [Dev. de *esborrifar*.] *S. m.* Ato de esborrifar; borrifo.

esborro (ô). [Dev. de *esborrar*.] *S. m.* **1.** Ato ou efeito de esborrar. **2.** *Bras., N.E.* Desbordo, transbordamento (especialmente dos produtos da fermentação e/ou das impurezas expelidas pela ebulição). [Pl.: *esborros* (ô). Cf. *esborro*, do v. *esborrar*.]

esbouçar. [De *es-* + *bouçar*.] *V. t. d.* Surribar, para o plantio de bacelos. [Var.: *esboiçar*. Conjug.: v. *laçar*. Cf. *esboçar*.]

esbrabejado. [De *es-* + **brabeja*, por *brabeza*, + *-ado*[1].] *Adj. Bras., CE. Pop.* Que perdeu a brabeza; amansado, domado.

esbracejar. [De *es-* + *bracejar*.] *V. t. d., t. i.* e *int.* V. *bracejar*. [Conjug.: v. *pelejar*.]

esbraguilhado. [De *es-* + *braguilha* + *-ado*[1].] *Adj.* Que tem a braguilha desabotoada.

esbranquiçado. [De *es-* + *branco* + *-iço* + *-ado*[1].] *Adj.* **1.** Tirante a branco; alvacento, alvadio. **2.** Desbotado, descorado, deslavado: "D. Leonor, ... cujos lábios esbranquiçados revelavam mais ódio que terror, lançou-lhe um olhar de desprezo" (Alexandre Herculano, *Lendas e Narrativas*, I, pp. 82-83).

esbraseado. [Part. de *esbrasear*.] *Adj.* **1.** Posto em brasa. **2.** Quente ao extremo. **3.** *Fig.* Corado, avermelhado. **4.** Afogueado, esfogueado, incendido. [F. paral.: *abraseado*.]

esbraseamento. *S. m.* Ato ou efeito de esbrasear(-se).

esbrasear. [De *es-* + *brasa* + *-ear*.] *V. t. d.* **1.** Pôr em brasa. **2.** Esquentar muito. **3.** Afoguear, ruborizar: *A discussão esbraseou-lhe as faces;* "Esbraseia o ocidente na agonia / O Sol..." (Raimundo Correia, *Poesias*, p. 107). **4.** Inflamar, excitar, acalorar: *esbrasear os ânimos*. *Int.* **5.** Fazer-se da cor de brasa. **6.** Ficar como em brasa. *P.* **7.** Fazer-se em brasa; inflamar-se, acender-se. **8.** Ficar da cor de brasa: *Ao crepúsculo, as nuvens esbraseavam-se no horizonte*. [F. paral.: *abrasear*. Conjug.: v. *frear*.]

esbravear. [De *es-* + *bravo* + *-ear*.] *V. int.* **1.** V. *esbravecer*. **2.** Gritar, bradar, vociferar com ira; esbravejar. [Conjug.: v. *frear*.]

esbravecer. [De *es-* + *bravo* + *-ecer*.] *V. int.* Tornar-se bravo; enfurecer-se; esbravear, esbravejar, bravejar. [Conjug.: v. *aquecer*.]

esbravejar[1]. [De *es-* + *bravo* + *-ejar*.] *V. int.* **1.** V. *esbravear* (2). **2.** V. *esbravecer*. *T. i.* **3.** Bradar, vociferar, gritar com ira: *Esbravejou contra a desordem em que encontrou a sala de aula*. *T. d.* **4.** Proferir irritadamente: *esbravejar ameaças*. [Conjug.: v. *pelejar*.]

esbravejar[2]. [De um **desbravejar* < *des-* + *bravo* + *-ejar*.] *V. t. d. Bras., N.* e *N.E.* Começar a amansar, a domesticar. [Conjug.: v. *pelejar*.]

esbregue. *S. m. Bras.* **1.** *Pop.* V. *descompostura* (2). **2.** *Pop.* V. *repreensão* (1). **3.** *Gír. Bras., RJ.* V. *rolo*[1] (16).

esbroar. [De *esboroar*, por síncope.] *V. t. d., int.* e *p.* V. *esboroar:* "Sentado o Brás num torrão de argila, que esbroara da barranca, entregou-se a uma singular ocupação." (José de Alencar, *Til*, p. 154); "as paredes esbroavam-se; o teto de fasquias de taquara caía aos pedaços" (Id., *ib.*, p. 96). [Conjug.: v. *coroar*.]

esbrugar. *V. t. d.* Var. de *esburgar*. [Conjug.: v. *largar*.]

esbugalhado. [Part. de *esbugalhar*.] *Adj.* Diz-se dos olhos muito salientes ou arregalados.

esbugalhar. [De *es-* + *bugalho* + *-ar*[2].] *V. t. d.* **1.** Tirar os bugalhos a. **2.** Abrir muito (os olhos).

esbulhado. [Part. de *esbulhar*.] *Adj.* **1.** Privado da posse, por fraude ou violência; espoliado, despojado. ● *S. m.* **2.** Indivíduo esbulhado.

esbulhador (ô). *Adj.* e *s. m.* Que ou aquele que esbulha; usurpador.

esbulhar. [Do lat. tardio *spoliare*.] *V. t. d.* **1.** V. *espoliar* (1). *T. d.* e *i.* **2.** V. *espoliar* (2). [Var.: *desbulhar*.]

esbulho. [Dev. de *esbulhar*.] *S. m.* Ato de esbulhar; despojo, espoliação.

esburacado. [Part. de *esburacar*.] *Adj.* **1.** Que tem buracos. **2.** Roto, esfarrapado, esfrangalhado. [Sin. (bras.), nesta acepç.: *esburaquento*.]

esburacar. [De *es-* + *buraco* + *-ar*[2].] *V. t. d.* **1.** Encher de buracos: *O tiroteio esburacou o muro*. **2.** Fazer buraco em; furar: *O menino esburacou o bolo com o dedo*. *P.* **3.** Encher-se de buracos. [Conjug.: v. *trancar*.]

esburaquento. *Adj. Bras.* V. *esburacado* (2).

esburgado. [Part. de *esburgar*.] *Adj.* **1.** A que se tirou a casca. **2.** A que se tirou a carne dos ossos: "Tragicamente silencioso, olhando / O corpito esburgado e miserando / Da filha morta, resolveu tranqüilo / Pentear-lhe os cabelos e vesti-lo" (Conde de Monsaraz, *Musa Alentejana*, pp. 241-245).

esburgar. [Do lat. *expurgare*.] *V. t. d.* **1.** Tirar a casca a. **2.** Tirar a carne de (os ossos). [Var.: *esbrugar*. Conjug.: v. *largar*.]

esburnir. *V. t. d. Bras.* Dar contra vontade, ou de má vontade.

esbuxar. *V. t. d. Desus.* Deslocar, desarticular (um membro).

escabecear. [De *es-* + *cabecear*.] *V. int.* V. *cabecear* (2 e 3). [Conjug.: v. *frear*.]

escabeche (é). [Do ár. *iskabaj*.] *S. m.* **1.** Molho ou conserva de temperos refogados (especialmente cebola), aos quais se adiciona vinagre, para carne ou peixe. **2.** *Fig.* Ornato para encobrir defeito; disfarce. **3.** *Pop.* Algazarra, confusão, banzé.

escabela. [Dev. de *escabelar*.] *S. f.* Ação de arrancar o pêlo aos couros, antes do curtimento.

escabelado[1]. [De *es-* + *cabelo* + *-ado*[1].] *Adj.* Descabelado[1].

escabelado[2]. [Part. de *escabelar*.] *Adj.* V. *descabelado*[2] (2 e 3).

escabelar. [De *es-* + *cabelo* + *-ar*[2].] *V. t. d.* e *p.* Descabelar. [Pres. ind.: *escabelo*, etc. Cf. *escabelo* (ê).]

escabelo (ê). [Do lat. *scabellu*.] *S. m.* **1.** Banco com espaldar, comprido e largo, e cujo assento serve de tampa a uma caixa formada pelo mesmo móvel; escano. **2.** Pequeno banco: "uma vasta banca de pinho e muitos assentos rasos ou escabelos" (Alexandre Herculano, *Lendas e Narrativas*, I, p. 54). **3.** Banco pequeno para descanso dos pés: "E aqueles dois homens bem refestelados em estofos do antigo estilo, o anfitrião com o pé amparado, familiarmente, sobre um escabelo, ambos velhos e sem darem-se conta da escassez da vida que tinham pela frente" (Braga Montenegro, *As Viagens*, p. 35). [Pl.: *escabelos* (ê). Cf. *escabelo*, do v. *escabelar*.]

escabichador (ô). *Adj.* e *s. m.* Que ou aquele que escabicha.

escabichar. *V. t. d.* **1.** Investigar ou examinar com paciência (coisas miúdas); escarafunchar. **2.** Sondar, examinar; investigar. **3.** Esgaravatar, esgravatar; escarafunchar: "Escabichando um dente, a baronesa / Limpa o suor que escorre do pescoço" (Raimundo Correia, *Poesia Completa e Prosa*, p. 392). [Cf. *escambichar*.]

escabino. [Do germ. *skapins*.] *S. m.* **1.** Nos Países Baixos, magistrado adjunto ao burgomestre. **2.** Na França, magistrado municipal, antes de 1789. **3.** *Bras.* Durante a dominação dos holandeses, membro de câmaras municipais por eles criadas.

escabiosa. [Do lat. *scabiosa.*] *S. f.* V. *saudade* (3). [Cf. *escabiose.*]

escabiose. [Do lat. *scabie,* 'sarna', + *-ose.*] *S. f. Med.* V. *sarna* (1). [Cf. *escabiosa.*]

escabioso (ô). [Do lat. *scabiosu.*] *Adj. Med.* Que tem erupções semelhantes às da sarna.

escabreação. *S. f.* **1.** Ato ou efeito de escabrear(-se): zanga, irritação, enfurecimento. **2.** *Bras., BA.* Acanhamento, encabulamento.

escabreado. [Part. de *escabrear.*] *Adj.* **1.** Zangado, irritado, agastado. **2.** Agitado, movimentado, encabritado. **3.** *Bras.* Desconfiado, retraído, ressabiado, esquivo. **4.** *Bras., BA.* Acanhado, encabulado. **5.** *Bras., S.* Escarmentado, arrependido.

escabrear. [De *es-* + *cabra*[1] + *-ear.*] *V. t. d.* **1.** Irritar; enfurecer. **2.** *Bras., BA.* Encabular, acanhar. *Int.* e *p.* **3.** Enfurecer-se; zangar-se, encabritar-se. **4.** *Bras.* Desconfiar, duvidar. **5.** *Bras., BA.* Encabular-se, envergonhar-se. **6.** *Bras., S.* Arrepender-se; ressabiar-se. [Conjug.: v. *frear.*]

escabro. *Adj.* ~ V. *folha —a.*

escabrosidade. *S. f.* **1.** Qualidade de escabroso; ingremidade, aspereza: *As e s c a b r o s i d a d e s do caminho retardaram-lhe a marcha.* **2.** *Fig.* Dificuldade, aspereza. **3.** *Fig.* Falta de decoro; inconveniência.

escabroso (ô). [Do lat. *scabrosu.*] *Adj.* **1.** Pedregoso, escapado, áspero. **2.** Difícil, árduo, **3.** Oposto às conveniências, ou ao decoro.

escabujar. *V. int.* Debater-se com os pés e com as mãos; espernear, esbracejar, estrebuchar: "mulheres alucinadas tombavam e s c a b u j a n d o nas contorções violentas da histeria" (Euclides da Cunha, *Os Sertões,* p. 203); "Um garoto naquelas circunstâncias devia e s c a b u j a r , chamar pela mãezinha, avermelhar-se de gritos de aflição" (José Gomes Ferreira, *O Mundo dos Outros,* p. 166).

escabulhar. *V. t. d.* **1.** Tirar o escabulho a; descascar, expurgar. **2.** Escarafunchar, escabichar.

escabulho. [De *es-* + *cabulho,* por *capulho.*] *S. m.* Invólucro de algumas sementes; cascabulho.

escacar. [De *es-* + *caco* + *-ar*[2].] *V. t. d.* Fazer em cacos; pôr em pedaços; despedaçar, espedaçar. [Conjug.: v. *trancar.*]

escacha. *El. s. f.* Us. na loc. *de escacha.* ♦ **De escacha.** Extraordinário; de arromba: "Ele, o pai, tenho eu ouvisto / que é materialão d'e s c a c h a.'' (Antônio Feliciano de Castilho, *O Médico à força,* pp. 25-26).

escachar. [Do lat. **exquassiare,* talvez.] *V. t. d.* **1.** Abrir à força; fender, partir, rachar. **2.** Separar meio a meio; rachar ao meio. **3.** Fazer embatucar; confundir.

escachoante. *Adj. 2 g.* Que escachoa.

escachoar. [De *es-* + *cachão*[1] + *-ar*[2].] *V. int.* Rebentar ou ferver em cachão; borbotar, borbulhar, acachoar: *"As águas do ribeirão, sob a ponte, / E s c a c h o a m* nas pedras solitárias." (Ribeiro Couto, *Poesias Reunidas,* p. 201.) [Conjug. : v. *coroar.*]

escacholar. [De *es-* + *cachola* + *-ar*[2].] *V. t. d.* Partir a cachola de; quebrar a cabeça a.

escachôo. [Dev. de *escachoar.*] *S. m.* Ação de escachoar.

escada. [Do b. -lat. *scalata.*] *S. f.* **1.** Série de degraus [v. *degrau* (1 e 2)] por onde se sobe ou desce: *e s c a d a de pedra, de madeira, de corda.* [Sin.: *escaleira* (p. us.) e *escala* (ant.).] **2.** *Fig.* Meio de alguém vencer ou se elevar: *Seu curso no estrangeiro serviu-lhe de e s c a d a para o cargo que hoje ocupa.* **3.** *Bras., BA.* Entre os baleeiros, o ventre da baleia. **4.** *Bras. Turfe.* Processo, usado por alguns apostadores, de ir subindo de uma unidade as apostas após cada perda e, por outro lado, diminuir de uma unidade as apostas depois de cada uma acertada. ♦ **Escada de caracol.** Aquela em que a superfície tangente aos degraus se desenvolve em espiral, em torno dum eixo. **Escada rolante.** Aquela cujos degraus se movem, subindo ou descendo, acionados mecanicamente, e que funciona como ascensor.

escada-de-jabuti. *S. f.* **1.** *Bras., N.E.* e *C.O.* Designação comum a dois cipós arbustivos da família das leguminosas (*Bauhinia alata* e *Bauhinia rutilans*), de flores alvas, dispostas em racimos corimbosos e alongados, e cujos frutos são vagens coriáceas; unha-de-boi. **2.** V. *cipó-escada.* [Pl.: *escadas-de-jabuti.*]

escadaria. *S. f.* **1.** Série de escadas em lanços seguidos, separados por patins ou patamares. **2.** Escada ampla e/ou longa. [Sin. ger.: *escadório, escadós.*]

escádea. *S. f.* Ramificação dum cacho de uvas; esgalha, esgalho.

escadear. *V. t. d.* Dar feição de escada a.[Conjug.: v. *frear.*]

escadeirar. [De *es-* + *cadeira* + *-ar*[2].] *V. t. d.* **1.** V. *descadeirar* (1 e 2). **2.** Abrir a bacia abdominal e torácica a (a rês). *P.* **3.** V. *descadeirar* (3).

escadelecer, *V. int. Pop.* Dormitar, cochilar, toscanejar, tosquenejar. [Conjug.: v. *aquecer.*]

escadense. *Adj. 2 g.* **1.** De, ou pertencente ou relativo a Escada (PE). ● *S. 2. g.* **2.** Natural ou habitante de Escada.

escadinha. [Dim. de *escada.*] *S. f.* Porção de filhos pequenos cujas idades são próximas entre si, o que faz que as alturas difiram pouco: *Casou-se há oito anos, e já tem uma e s c a d i n h a.*

escadório. *S. m.* V. *escadaria.*

escadós. *S. m.* V. *escadaria.* [Pl.: *escadoses.*]

escadote. *S. m.* Pequena escada portátil, com quatro pernas: "Subia e s c a d o t e s , descia e s c a d o t e s ; ia e vinha; .... bradava ordens ao pessoal; ralhava" (João da Silva Correia, *Farândola,* p. 49).

escafandrista. *S. 2 g.* Mergulhador que utiliza o escafandro.

escafandro. [Do fr. *scaphandre.*] *S. m.* Vestimenta impermeável e hermeticamente fechada, provida de um aparelho respiratório, e própria para o mergulhador permanecer muito tempo no fundo da água.

escafeder-se. *V. p. Pop.* Fugir às pressas; safar-se, esgueirar-se.

▲**escaf(o)-.** [Do ger. *skáphos, eos-ous.*] *El. comp.* = 'quilha', 'barco': *escafocéfalo.*

escafocefalia. *S. f.* Qualidade de escafocéfalo.

escafocéfalo. [De *escaf(o)-* + *-céfalo.*] *Adj.* Que tem cabeça escafóide.

escafóide. [Do gr. *skaphoeidés.*] *Adj. 2 g.* **1.** Que tem forma de quilha. ● *S. m.* **2.** *Anat.* Osso do carpo. **3.** *Anat.* Osso do tarso.

escafópode. *S. m.* **1.** Espécime dos escafópodes. ● *Adj. 2 g.* **2.** Pertencente ou relativo a eles.

escafópodes. *S. m. pl. Zool.* Animais moluscos, da classe *Scaphopoda.* Têm corpo protegido por uma concha tubo-cônica; tentáculos retráteis e pé cônico, presentes na extremidade anterior. Vivem enterrados no fundo do mar até a profundidade de 5.000 m.

escaiola. [Do it. *scagliuola.*] *S. f.* Preparação de gesso e cola que imita pedra ou mármore, própria para revestir paredes, estátuas, colunas, etc.

escaiolador (ô). *S. m.* Operário que escaiola.

escaiolar. *V. t. d.* Cobrir ou revestir de escaiola.

escala. [Do lat. *scala.*] *S. f.* **1.** *Ant.* V. *escada* (1). **2.** Linha graduada, dividida em partes iguais, que indica a relação das dimensões ou distâncias marcadas sobre um plano com as dimensões ou distâncias reais: *e s c a l a de um mapa; e s c a l a de um gráfico estatístico.* **3.** Porto aonde acorrem navios em grande número, para efeitos de comércio ou de embarque e desembarque de passageiros. **4.** Tempo que os navios permanecem no porto. **5.** *P. ext.* Lugar de parada de qualquer meio de transporte de viajantes. **6.** *P. ext.* Tempo que dura em parada: *Durante a e s c a l a no Recife os passageiros não saíram do avião.* **7.** Tabela de serviço. **8.** *Fig.* Hierarquia (3): *e s c a l a social; e s c a l a de valores.* **9.** *Fís.* Seqüência ordenada de marcas (traços, pontos, etc.) mediante a qual se estabelece, num instrumento de medida, a correspondência entre a sua resposta e a grandeza que ele mede. **10.** *Fís.* Correspondência funcional, expressa por uma relação analítica, por uma tabela, ou por um gráfico, entre uma grandeza e uma variável arbitrária que, em geral, se pode determinar experimentalmente. **11.** *Mús.* Sons que se sucedem por certo número de graus conjuntos, ascendentes ou descendentes, dentro da oitava. ♦ **Escala absoluta de temperatura.** *Fís.* V. *escala internacional de temperatura.* **Escala Celsius.** Escala de medida de temperatura com dois pontos fixos: o *0,* na temperatura de fusão do gelo sob pressão de uma atmosfera, e o *100* , na temperatura de ebulição da água sob pressão de uma atmosfera. [A sua unidade é o grau Celsius (°C). Sin.: *escala centesimal* e (impr.) *escala centígrada.*] **Escala centesimal.** *Fís.* V. *escala Celsius.* **Escala centígrada.** *Impr.* V. *escala Celsius.* **Escala cromática.** *Mús.* Escala formada por uma sucessão de semitons diatônicos e cromáticos. **Escala diatônica.** *Mús.* Escala formada por uma sucessão de tons e semitons diatônicos. **Escala do acomodador.** *Tip.* Regreta graduada em cíceros e meios cíceros, que serve para estabelecer a medida da linha no acomodador da linotipo. **Escala do componedor.** *Tip.* Peça da linotipo, análoga à escala do acomodador, mas numerada em sentido inverso, e que indica a medida da linha composta. **Escala do expulsor.** *Tip.* Régua numerada que indica a medida para a qual se acha regulado o expulsor da linotipo. **Escala Fahrenheit.** Escala de medida de temperatura, ainda usada em países de língua inglesa, em que o 32 corresponde à temperatura de fusão da água e o 212 à temperatura de ebulição normal da água. [A sua unidade é o grau Fahrenheit. Tb. se diz apenas Fahrenheit.] **Escala internacional de temperatura.** *Fís.* Escala de temperatura baseada nos dois princípios da termodinâmica, com um ponto fixo: o ponto triplo da água, que é fixado em 273,16. Com essa escolha, o tamanho do grau coincide com o tamanho do grau na escala Celsius. [Sin.: *escala absoluta de temperatura* e *escala Kelvin. Cf. Kelvin.*] **Escala Kelvin.** *Fís.* V. *escala internacional de temperatura.* **Escala técnica.** A que se faz necessária por motivos outros que não o embarque e desembarque, p. ex., para reabastecimento. **Em grande escala.** Em grande quantidade. **Fazer escala em.** Entrar em (porto, aeroporto, etc., situado entre o de partida e o de destino); escalar.

escalabitano. [Do lat. *scalabitanu.*] *Adj.* e *s. m.* V. *santareno.*

escalação. *S. f. Bras.* Ato ou efeito de escalar[2].

escalada. [Do lat. *scalata.*] *S. f.* **1.** Ação de escalar[2]; escalamento. **2.** Aumento progressivo de uma atividade guerreira. **3.** Introdução progressiva de armas cada vez mais potentes numa guerra. **4.** Remessa progressiva de maior número de contingentes a uma guerra.

escalador[1] (ô). [De *escalar*[3] + *-(d)or.*] *S. m.* Indivíduo que escala peixe, em fábricas de conservas.

escalador[2]. (ô). [De *escalar*[2] + *-(d)or.*] *Adj.* e *s. m.* **1.** Que ou aquele que escala montanhas. **2.** *P. us.* Que ou aquele que escala [v. *escalar*[2] (4)]; assaltante.

escalafobético. *Adj. Bras. Gír.* **1.** Esquisito, extravagante, estrambótico, excêntrico. **2.** Desajeitado, desengonçado. **3.** Escangalhado, afolozado.

escalafrio. [Do esp. *escalafrío.*] *S. m.* V. *calafrio.* [M. us. no pl.]

escalamento. *S. m.* Escalada(1).

escalão. [De *escala.*] *S. m.* **1.** Cada um dos pontos sucessivos de uma série; nível, grau, degrau: "para não descer um a um todos os e s c a l õ e s desta degradação higiênica, apontemos o último dos últimos" (Ricardo Jorge, *Sermões dum Leigo,* pp. 293-294). **2.** *Fig.* Conjunto de elementos distribuídos em escalão: *O primeiro e s c a l ã o do Governo é formado pelos seus auxiliares mais importantes, como os ministros, e em grau de importância se seguem os auxiliares que compõem gradativamente o 2º, o 3º escalão, etc.* ♦ **Em escalão.** Diz-se da maneira de dispor tropas umas por detrás de outras a fim de que possam sustentar-se mutuamente: o primeiro escalão é o que está mais próximo do inimigo; o segundo escalão é o encarregado de reforçar o ataque do primeiro; etc.

escalar[1]. *Fís. Adj. 2 g.* **1.** Diz-se de qualquer grandeza que pode ser caracterizada exclusivamente por um número, dimensional ou não. ~ V. *campo —, matriz —, potencial —, produto —* e *velocidade —.* ● *S. m.* **2.** Grandeza escalar.

escalar[2]. [De *escala.*] *V. t. d.* **1.** Assaltar, subindo por escadas. **2.** Subir a (algum lugar) usando escadas; trepar a. **3.** *Mont.* Subir a (montanha íngreme, em geral de formação rochosa): "Aos sábados, e s c a l a v a m as montanhas da Gávea." (Nélida Piñón, *O Calor das Coisas,* p. 39.) **4.** Saquear, roubar. **5.** Assolar, destruir. **6.** Galgar, atingir: *E s c a l o u todos os postos.* **7.** Graduar por escala. **8.** Acutilar, golpear. **9.** *Bras.* Designar (pessoas) para serviços ou tarefas em horas ou lugares diferentes. **10.** *Bras.* Escolher ou designar (pessoa, grupo de pessoas, comissão, equipe, etc.) levando em conta o grau de eficiência, aptidão ou adequação ao desempenho de determinada função ou tarefa. *T. c.* **11.** Fazer escala em: *O navio e s c a l a em numerosos portos.*

escalar[3]. [De *es-* + *calar*[2].] *V. t. d.* Estripar e salgar (peixe).

escalavradura. [De *escalavrar* + *-(d)ura.*] *S. f.* Ferimento leve; escoriação, esfoladela.

escalavramento. *S. m.* Ato ou efeito de escalavrar.

escalavrar. [Do esp. *descalabrar.*] *V. t. d.* **1.** Golpear, esfolar, arranhar: *O banhista e s c a l a v r o u as costas no rochedo.* **2.** Danificar, esburacar, o revestimento de (paredes). **3.** Arruinar, deteriorar: *O álcool e s c a l a v r a as vísceras.*

escalda. [Dev. de *escaldar.*] *S. f.* Ato ou efeito de escaldar(-se); escaldadura.

escaldadela. *S. f.* **1.** V. *escaldadura.* **2.** Escaldadura ligeira. **3.** *Fig.* Dura lição da experiência.

escaldadiço. *Adj.* **1.** Que se escalda com facilidade. **2.** Muito sensível ao calor; queimadiço. **3.** *Fig.* Muito impressionável.

escaldado. [Part. de *escaldar.*] *Adj.* **1.** Que foi posto em água fervente: *ovos e s c a l d a d o s.* **2.** Em que se jogou água fervente: *bule e s c a l d a d o.* **3.** *Fig.* Que sofreu escaldadela (3); escarmentado. ● *S. m.* **4.** *Bras.* Espécie de pirão feito com o caldo a ferver e farinha, sem ser mexido.

escaldador (ô). *Adj.* **1.** Escaldante. ● *S. m.* **2.** Aquele ou aquilo que escalda.

escaldadura. *S. f.* **1.** Ato ou efeito de escaldar(-se), escalda. **2.** Queimadura (2) por líquido quente ou vapor. **3.** *P. ext.* Ferimento, machucado. **4.** *Fig.* Correção, castigo; escarmento. **5.** *Fig.* V. *repreensão* (1). [Sin. ger.: *escaldão* e *escaldadela.*]

escalda-mar. [De *escaldar* + *mar.*] *S. f. Bras. Pop.* **1.** Designação comum aos exemplares jovens, de pequeno porte, da sororoca, assim chamados por causa da agitação que fazem na água, semelhante a efervescência. **2.** V. *sororoca* (2). [Pl.: *escalda-mares.*]

escaldante. *Adj. 2 g.* Que escalda; escaldador.

escaldão. *S. m.* **1.** V. *escaldadura.* **2.** Escaldadura forte.

escalda-pés. [De *escaldar* + o pl. de *pé.*] *S. m. 2 n.* Pedilúvio com água muito quente: "atirei com a casaca para um lado, arregacei as mangas da camisa e fui dar o escalda-pés à criança." (Joaquim Manuel de Macedo, *Os Romances da Semana*, p. 26).

escaldar. [Do lat. *excaldare.*] *V. t. d.* **1.** Queimar com líquido quente ou vapor. **2.** Queimar com metal quente. **3.** Meter em água fervendo; lavar com água muito quente. **4.** Causar excessivo calor a; aquecer muito: *A febre escalda-lhe o corpo.* **5.** Ressecar, esterilizar: *O excesso de sol escalda a terra.* **6.** Refogar, guisar. **7.** Escarmentar, castigar. **8.** Inflamar, excitar: *O amor escaldava sua mente. Int.* **9.** Ser muito quente; produzir muito calor: "Depois, a pino, o sol escalda" (Ricardo Gonçalves, *Ipês*, p. 60). **10.** Tornar-se quente, febril. *P.* **11.** Sofrer queimadura; queimar-se. **12.** Escarmentar-se, punir-se.

escalda-rabo. [De *escaldar* + *rabo.*] *S. m. Pop.* **1.** V. *descompostura* (2). **2.** V. *repreensão* (1). [Pl.: *escalda-rabos.*]

escaldo¹. [Dev. de *escaldar.*] *S. m. Bras.* Amadurecimento prematuro do trigo, sob a ação escaldante do sol.

escaldo². [Do escand. *skald.*] *S. m.* Designação genérica dos antigos bardos escandinavos.

escaleira. [Do lat. *scalaria.*] *S. f.* **1.** *P. us* V. *escada* (1). **2.** Escada de alvenaria ou cantaria. **3.** Degrau de escada.

escaleno. [Do gr. *skalenós*, pelo lat. *scalenu.*] *Adj.* ~ V. *músculos* —*s* e *triângulo*—.

escalenoedro. [De *escaleno* + *-edro.*] *S. m.* **1.** *Geom.* Poliedro cujas faces são triângulos escalenos. ● *Adj.* **2.** Que tem faces desiguais.

escaler (é). *S. m. Mar. G.* Embarcação miúda, de proa fina e popa chata, boca aberta, impelida a remo ou a vela, e destinada a executar serviços de um navio ou repartição marítima.

escaleta (ê). [De *escala* + *-eta.*] *S. f. Ant. Artilh.* Cada um dos cortes, em forma de degraus, nas falcas das carretas de bordo.

escalete (ê). [De *escaleto*, alter. de *esqueleto.*] *S. m. Pop.* Indivíduo extremamente magro; escaleto.

escaleto (ê). *S. m. Pop.* V. *escalete.*

escalfador (ô). [De *escalfar* + *-(d)or.*] *S. m.* Vaso em que se conserva água quente para o chá, café, mate, ponche, etc.

escalfar. [Do lat. *excalefacere.*] *V. t. d.* **1.** Aquecer no escalfador. **2.** Passar por água quente.

escalfeta (ê). [De *escalfar* + *-eta.*] *S. f.* **1.** Braseiro em forma de caixa, com tampa de metal, gradeada, para aquecer os pés. **2.** Abafo, geralmente feito de peles, para aquecer os pés.

escaliçar. [De *es-* + *caliça* + *-ar².*] *V. t. d.* Descaliçar. [Conjug.: v. *laçar.*]

escalinata. [Do it. *scalinata.*] *S. f.* Lanços de escada.

escalo. [Do lat. *squalu.*] *S. m.* V. *robalinho.*

escalonado. [Part. de *escalonar.*] *Adj.* **1.** A que se deu forma de escada. **2.** Disposto em escalão. **3.** Que é objeto de escalonamento. ~ V. *coluna* —*a.*

escalonamento. *S. m.* Ato ou efeito de escalonar(-se).

escalonar. [De *escalão* + *-ar².*] *V. t. d.* **1.** Dar a forma de escada (1) a. **2.** Dispor (as tropas) em escalão. **3.** Subir por degraus ou etapas; escalar. *P.* **4.** Dispor-se ou agrupar-se em escalão. **5.** *P. ext.* Dispor-se, agrupar-se: "Os destemperos da nossa vida escalonam-se dentro de limites muito próximos" (Fernanda Botelho, *Lourenço É Nome de Jogral*, p. 127).

escalônia. *S. f.* Planta saxifragácea, aromática.

escalope. [Do fr. *escalope.*] *S. m.* Pequena fatia de filé (1), geralmente de vitela, cortada no sentido transversal à fibra da carne, batida com faca ou martelo apropriado, e preparada como bife (1) ou à milanesa.

escalpação. *S. f.* Escalpamento.

escalpamento. *S. m.* Ato de escalpar; escalpação.

escalpar. [De *escalpo* + *-ar².*] *V. t. d.* Arrancar a pele do crânio a; escalpelar. [Cf. *escalpelar¹.*]

escalpelar¹. *V. t. d.* **1.** Rasgar ou dissecar com escalpelo; dissecar. **2.** Analisar profundamente; criticar; escalpelizar. [Pres. ind.: *escalpelo.* etc. Cf. *escalpelo* (ê) e *escalpar.*]

escalpelar². *V. t. d.* Escalpar [q. v.].

escalpelizar. *V. t. d.* V. *escalpelar¹* (2).

escalpelo (ê). [Do lat. *scalpellu.*] *S. m. Cir.* Bisturi de um ou dois gumes, utilizado em dissecações: "Não contentes de dissecarmos os outros, ... vamos também pondo a nu pelo escalpelo o nosso organismo, víscera a víscera, nervo a nervo e vaso a vaso" (Fialho d'Almeida, *A Cidade do Vício*, p. 15). [Pl.: *escalpelos* (ê). Cf. *escalpelo*, do v. *escalpelar.*]

escalpo. [Do ingl. *skalp.*] *S. m.* Cabeleira arrancada do crânio com a pele, troféu de guerra para algumas tribos de índios americanos.

escalrachar. *V. int.* Tirar o escalracho da terra.

escalracho. *S. m.* **1.** Gramínea nociva às searas. **2.** *Náut.* Agitação que o navio produz na água ao movimentar-se.

escalrichado. *Adj.* Sem sabor; insípido, insosso.

escalvação. *S. f.* Ato ou efeito de escalvar.

escalvado. [Part. de *escalvar.*] *Adj.* **1.** Sem cabelos; calvo, careca. **2.** *Fig.* Falto de vegetação; árido, estéril, calvo: "Uma encosta escalvada / Seca, deserta e nua, à beira duma estrada." (Guerra Junqueiro, *in Agostinho de Campos, Junqueiro*, p. 123.) [F. paral.: *descalvado.*] ● *S. m.* **3.** *Bras., Marajó.* Pastagem de bom capim, entre dois aningais ou pirizais.

escalvar. [De *es-* + *calvo* + *-ar².*] *V. t. d.* **1.** Tornar calvo, careca. **2.** Tirar a vegetação a; tornar estéril, calvo. [F. paral.: *descalvar.*]

escama. [Do lat. *squama.*] *S. m.* **1.** Cada uma das pequenas lâminas que revestem o corpo de alguns peixes e reptis. **2.** Cada uma das crostas ou películas que se separam da epiderme em conseqüência de certas moléstias. **3.** Qualquer objeto escamiforme: *manto recamado de escamas de prata; armadura coberta de escamas.* **4.** *Morfol. Veg.* Órgão laminar, pequenino e seco, não verde, que freqüentemente se encontra em diferentes partes das plantas. **5.** *Bras.* Designação vulgar da secreção, em geral escamiforme, dos insetos homópteros da família dos coccídeos, sob a qual permanecem durante toda a existência ou parte dela. **6.** *P. ext.* V. *cochonilha.* [Dim. irreg.: *escâmula.*]

escamação. *S. f.* **1.** Ato ou efeito de escamar; escamadura. **2.** Doença de certas plantas. **3.** *Fig.* Zanga, ira, irritação.

escama-chinesa. *S. f. Bras.* V. *piolho-de-são-josé.* [Pl.: *escamas-chinesas.*]

escamadeira. *S. f.* Mulher que escama peixe.

escama-de-são-josé. *S. f. Bras.* V. *piolho-de-são-josé.* [Pl.: *escamas-de-são-josé.*]

escamado. [Part. de *escamar.*] *Adj.* **1.** Privado de escamas. **2.** *Fig.* Zangado, irritado, amuado, aborrecido, enfadado. **3.** Pertencente ou relativo aos escamados; saurofídio. ● *S. m.* **4** Espécime dos escamados; saurofídio.

escamador (ô). *Adj.* e *s. m.* Que ou o que escama.

escamados. *S. m. pl. Zool.* Reptis cordados, ordem *Squamata*, de pele revestida por escamas ou placas córneas, sem costelas abdominais, e abertura anal transversa. São os sáurios e os ofídios. [Sin.: *saurofídios.*]

escamadura. *S. f.* Escamação (1).

escamalhoar. [De *es-* + *camalhão¹* + *-ar².*] *V. t. d.* **1.** Fazer camalhões em (um terreno). *Int.* **2.** Fazer camalhões. [Conjug.: v. *coroar.*]

escamante. *Adj. 2 g.* Descamante.

escamar. [Do lat. *squamare.*] *V. t. d.* **1.** Tirar as escamas a; descamar. *P.* **2.** Perder ou largar as escamas, ou algo semelhante a elas, como, p. ex., a casca; descamar-se. **3.** *Fig.* Zangar-se, irritar-se. **4.** V. *fugir* (1 e 2). [Pres. subj.: *escame*, ... *escameis, escamem.* Cf. *escaméis*, pl. de *escamel.*]

escama-verde. *S. f. Bras.* V. *cochonilha-verde.* [Pl.: *escamas-verdes.*]

escambador (ô). *S. m.* Aquele que escamba.

escambar. [De *escambo* + *-ar².*] *V. t. d.* Trocar, permutar; cambiar.

escambichar. *V. t. d. Bras.* Descadeirar, escadeirar, desancar, derrengar. [Cf. *escabichar.*]

escambinhado. *Adj. Bras., N.E. Pop.* Esbandalhado, esbodegado, arrebentado.

escambo. [Por *escambio + *es-* + *câmbio.*] *S. m.* **1.** Troca direta de mercadorias, sem interveniência da moeda. **2.** *P. ext.* Troca, permuta; câmbio.

escambroeiro. *S. m.* Planta ramnácea (*Rhamnus catharticus).*

escameado. [De *escama* + *-eado.*] *Adj.* Revestido de escamas.

escamel. [Do lat. *scamellu*, var. de *scamnellu.*] *S. m.* **1.** Banco sobre o qual os espadeiros pulem as espadas. **2.** Aquele que brune (sobretudo espadas). **3.** *Fig.* Brunimento, acabamento, aperfeiçoamento. [Pl.: *escaméis.* Cf. *escameis*, do v. *escamar.*]

escamento. *Adj.* V. *escamoso* (1 e 2).

escamífero. [Do lat. *squamiferu.*] *Adj.* **1.** V. *escamoso* (1 e 2). **2.** Reptil (2). ● *S. m.* **3.** Reptil (3).

escamíferos. [Pl. de *escamífero.*] *S. m. pl. Zool.* Reptis.

escamiforme. [De *escama* + *-i-* + *-forme.*] *Adj. 2 g.* Que tem forma de escama. ~ V. *folha*—.

escamígero. [Do lat. *squamigeru.*] *Adj.* V. *escamoso* (1 e 2).

escamisada. [De *escamisar* + *-ada¹.*] *S. f.* V. *descamisada.*

escamisadela. [De *escamisada* + *-ela.*] *S. f.* V. *descamisada.*

escamisar. [De *es-* + *camisa* + *-ar².*] *V. t. d.* V. *descamisar.*

escamônea. [Do gr. *skamonía*, pelo lat. *scamonea.*] *S. f.* **1.** Planta trepadeira (*Convolvulus ammonea*). **2.** Resina purgativa extraída dessa planta.

escamoso (ô). [Do lat. *squamosu.*] *Adj.* **1.** Coberto de escamas. **2.** *Morfol. Veg.* Provido de escamas [v. *escama* (4)]; lepidoto. [Sin., nessas acepç.: *escamento, escamífero, escamígero.*] **3.** *Bras., SP. Fam.* Diz-se de indivíduo enjoado, seco, intratável, insociável.

escamotar. *V. t. d., int.* e *p.* V. *escamotear.*

escamoteação. *S. f.* **1.** Ato de escamotear; empalmação. **2.** Furto hábil.

escamoteador (ô). *S. m.* **1.** Aquele que escamoteia. **2.** Gatuno hábil.

escamotear. [Do fr. *escamoter.*] *V. t. d.* **1.** Fazer desaparecer sem que se perceba; empalmar. **2.** Furtar com habilidade; surripiar, surrupiar. **3.** Encobrir com subterfúgios: *Os jornais escamotearam a catástrofe. Int.* **4.** Fazer escamoteação. *P.* **5.** Fugir sorrateiramente. [F. paral: *escamotar.* Conjug.: v. *frear.*]

escampado. [Part. de *escampar¹.*] *Adj.* **1.** Descampado (1). **2.** Largo, vasto: *testa escampada.* **3.** Diz-se de tempo sereno, estiado, desanuviado; escampo. ● *S. m.* **4.** Descampado (2).

escampar¹. [De *es-* + *campo* + *-ar².*] *V. int.* **1.** Serenar (o tempo) [como se no céu se abrisse um campo, separando as nuvens]; deixar de chover. **2.** Aclarar-se (o céu).

escampar². [De *escapar*, por nasalação?] *V. int.* Escapar, fugir.

escampo. [Dev. de *escampar¹.*] *Adj.* V. *escampado* (3).

escâmula. [Do lat. *squamula.*] *S. f.* Pequena escama.

escamurrengar. [De *casmurro.*] *V. int. Bras., RS.* Tornar-se casmurro, sorumbático. [Conjug.: v. *largar.*]

escanado. [De *es-* + *cano¹* + *-ado¹.*] *Adj.* **1.** Diz-se das aves que, por serem adultas, já não têm matéria sangüínea nas penas. **2.** *Fig.* Adulto, experiente; velho.

escanção. [Do gót. *skankja*, genitivo, *skanjans*, 'copeiro'.] *S. m.* **1.** *Ant.* Aquele que punha o vinho na copa e a apresentava ao rei. **2.** Aquele que dá a beber aos convidados. [Cf. *escansão.*]

escançar. [De *escanç(ão)* + *-ar².*] *V. t. d.* **1.** Servir ou repartir (o vinho); escancear. **2.** *Restr.* Repartir, partilhar, aquinhoar. [Conjug.: v. *laçar.*]

escâncara. [Dev. de *escancarar.*] *S. f.* Estado daquilo que está à vista, a descoberto, patente. [Cf. *escancara* e *escancaras*, do v. *escancarar.*] ◆ **Às escâncaras.** A descoberto; à vista de todos.

escancarado. [Part. de *escancarar.*] *Adj.* **1.** Patente, claro, descoberto, evidente. **2.** Aberto de par em par: *portas escancaradas.*

escancarar. [De *es-* + *cancro*, 'grampo de ferro', + *-ar²*, com suarabácti.] *V. t. d.* **1.** Abrir de par em par: "Outono. Em frente ao mar. Escancaro as janelas / Sobre o jardim calado" (Olavo Bilac, *Poesias*, p. 203). **2.** Abrir inteiramente: *escancarar a boca.* **3.** Expor à vista; mostrar; exibir: *Os jornais escancararam a negociata. T. d. e i.* **4.** Abrir, franquear: *Escançarou seus negócios à devassa pública. P.* **5.** Abrir-se de par em par: "Nisso nos gonzos range a velha porta, / Ri-se, escancara-se." (Alberto de Oliveira, *Poesias*, 1ª série, p. 278.) [Sin. ger.: *espamparar.* Pres. ind.: *escancaro, escancaras, escancara*, etc. Cf. *escâncara* e o pl. *escâncaras.*]

escancear. *V. t. d.* Escançar (1). [Conjug.: v. *frear.*]

escancelar. [De *es-* + *cancelo* + *-ar².*] *V. t. d. Bras.* Abrir muito, escancarar (a boca, os olhos, etc): "O negro, escancelando a boca, mirava o patrão." (Coelho

Neto, *Banzo*, p. 94.)

escancha[1]. [Dev. de *escanchar*.] *S. f.* Ato de escanchar.

escancha[2]. *S. f. Bras.* F. red. de *mal-de-escancha* [q. v.].

escanchar. [De *escachar*, por nasalação.] *V. t. d.* **1.** Separar de meio a meio; escachar. **2.** Abrir, alargar (as pernas), quando monta a cavalo, ou à maneira de quem o faz. *P.* **3.** Escarranchar (3).

escandalização. *S. f.* Ato ou efeito de escandalizar(-se); escandalizamento.

escandalizador (ô). *Adj.* **1.** Escandalizante. ● *S. m.* **2.** Aquele que escandaliza.

escandalizamento. *S. m.* Escandalização.

escandalizante. *Adj. 2 g.* Que escandaliza; escandalizador.

escandalizar. [Do gr. *skandalízo*, pelo lat. *scandalizare*.] *V. t. d.* **1.** Causar escândalo (3) a: *O crime* escandalizou *a opinião pública.* **2.** Ofender, melindrar: *Os palavrões* escandalizaram *a velha dama.* **3.** Agravar (um ferimento). *Int.* **4.** Fazer escândalo (1); proceder mal. *P.* **5.** Levar a mal; ofender-se, melindrar-se.

escandalizável. *Adj. 2 g.* Propenso a escandalizar-se; que se escandaliza facilmente.

escândalo. [Do gr. *skándalon*, pelo lat. *scandalu*.] *S. m.* **1.** Aquilo que é causa de erro ou de pecado. **2** Aquilo que resulta de erro ou pecado. **3.** Indignação provocada por um mau exemplo. **4.** Desordem, tumulto, cena, alvoroço, escarcéu: *Fez um* escândalo *à porta do cinema porque não o deixaram entrar.* **5.** Grave acontecimento que abala a opinião pública: *o* escândalo *do petróleo.* **6.** Fato imoral, revoltante: *A fome de muitos é um dos maiores* escândalos *do nosso século.*

escandaloso (ô). [Do lat. *scandalosu*.] *Adj.* **1.** Que produz escândalo. **2.** Que incita a pecar. **3.** Que dá mau exemplo. **4.** Indecoroso, vergonhoso, indecente.

escândea. [Do lat. tardio *scandala*, atr. de **scandela*.] *S. f.* Certo tipo de trigo muito branco e duro; trigo durázio.

escandente. *Adj. 2 g. Morfol. Veg.* Trepador (2): *caule* escandente.

escandescência. [Do lat. *excandescentia*.] *S. f.* **1.** Ato de escandescer. **2.** Estado de escandescente. **3.** *Fig.* Entusiasmo, animação. **4.** *Bras., S.* V. *prisão de ventre.*

escandescente. [Do lat. *excandescente*.] *Adj. 2 g.* Que escandesce.

escandescer. [Do lat. *excandescere*.] *V. t. d.* **1.** Fazer em brasa; inflamar; incandescer. **2.** Tornar vermelho; fazer corar; afoguear, ruborizar. **3.** Excitar, estimular, inflamar. **4.** Exaltar, irritar, encolerizar. *Int.* **5.** Tornar-se candente; inflamar-se; incandescer, escandescer-se. **6.** Ruborizar-se; corar. **7.** *Bras., MG* e *S.* Produzir prisão de ventre, peso de cabeça, etc. *P.* **8.** V. *escandescer* (5). **9.** Excitar-se, inflamar-se, entusiasmar-se. [Conjug.: v. *crescer*.]

escandescido. [Part. de *escandescer*.] *Adj.* Que escandesceu: "Posso sentir-te em fogo, escandescida, / De faces cor-de-rosa e vermelhão" (Cesário Verde, *Obra Completa*, p. 156).

escandido. *Adj.* **1.** Que se escandiu. **2.** *P. ext.* Excessivamente minucioso e destacado: *gestos* escandidos.

escandinavo. *Adj.* **1.** Da ou pertencente ou relativo à Escandinávia (Suécia, Noruega, Islândia e Dinamarca). [Cf. *nórdico*.] ● *S. m.* **2.** O natural da Escandinávia.

escândio. [Do lat. científico *scandium*, lat. *Scandia*, o sul da Península Escandinava.] *S. m. Quím.* Elemento de número atômico 21, metálico, leve, muito raro. [Símb.: *Sc*.]

escandir. [Do lat. *scandere*.] *V. t. d.* **1.** Decompor (um verso) em seus elementos métricos. **2.** Destacar bem na pronúncia as sílabas de (um verso) ou de (uma palavra).

escanelado. [De *es-* + *canela*[2] + *-ado*[1].] *Adj.* **1.** Que tem pernas ou canelas esguias. **2.** Magro, escanzelado.

escangalhado. [Part. de *escangalhar*.] *Adj.* **1.** Desarranjado, desconjuntado, rebentado, arrebentado. **2.** Estragado, arruinado, destruído.

escangalhar. [De *es-* + *cangalho*[1] + *-ar*[2].] *V. t. d.* **1.** Desarranjar, desconjuntar, arrebentar: *O pequeno* escangalhou *a televisão.* **2.** Estragar, arruinar, destruir: escangalhar *um brinquedo;* escangalhar *a saúde. P.* **3.** Desarranjar-se, desconjuntar-se; romper-se **4.** Rir muito, descompostamente.

escangalho[1]. [Dev. de *escangalhar*.] *S. m. Bras., N.* Desordem, confusão, desmantelo.

escangalho[2]. *S. m. Bras., RJ.* Parede escarpada, que serve para escorar as terras de um monte.

escanganhadeira. *S. f.* Tabuleiro para escanganhar, cujo fundo é de rede.

escanganhar. [De *es-* + *canganho* + *-ar*[2].] *V. t. d.* Separar (os bagos das uvas) do engaço[1] (2).

escanganho. [Dev. de *escanganhar*.] *S. m.* Ato ou operação de escanganhar.

escangotar. [De *es-* + *cangote* + *—ar*.] *V. t. d. Bras. Pop.* Segurar ou sacudir pelo cangote.

escanhoamento. *S. m.* Ato ou efeito de escanhoar(-se).

escanhoar. [De *es-* + *canhão* + *-ar*[2].] *V. t. d.* e *p.* Barbear(-se) com apuro, passando a navalha uma segunda vez a contrapêlo: "Começou então a rapar toda a barba, que ele próprio escanhoava todas as manhãs" (Virgílio Várzea, *Nas Ondas*, p. 14); "Entre os novos arrebanhados, apareceu o Sr. Comendador José Furtado da Rocha, velhote bem-disposto, orçando pelos cinqüenta, mas dando tinta ao cabelo e escanhoando-se com muita perfeição." (Aluísio Azevedo, *O Homem*, p. 58). [Conjug.: v. *coroar*.]

escanifrado. [Part. de *escanifrar*.] *Adj.* **1.** Muito magro; descarnado; escanzelado: "Estava escanifrado, de olhos fundos, ... desenhando-se-lhe a ossatura acidentada sob a colcha de retalhos." (Godofredo Rangel, *Vida Ociosa*, p. 217.) **2.** Desengonçado, desajeitado, desconjuntado.

escanifrar. *V. t. d.* Tornar muito magro, descarnado, escanifrado.

escaninho. [Dim. de *escano*.] *S. m.* **1.** Pequeno compartimento, geralmente secreto, em caixa, gaveta, cofre, secretária, etc.: "Há ocasiões em que a carta deve ficar mesmo à nossa espera, nos escaninhos do escritório do hotel" (João Alphonsus, *Pesca da Baleia*, p. 65). **2.** Recanto, esconderijo, esconso: "Que este mau coração meu / Nos secretos escaninhos / Tem venenos tão daninhos / Que o seu poder só sei eu." (Almeida Garrett, *Folhas Caídas*, p. 71.)

escano. [Do lat. *scamnu*.] *S. m.* **1.** Escabelo (1). **2.** *Ant.* Estrado alto.

escansão. [Do lat. *scansione*.] *S. f.* **1.** Ato ou modo de escandir. **2.** *Mús.* Subida de tom. **3.** Elevação de ritmo em verso. [Cf. *escanção*.]

escanteio. [Dev. de **escantear*.] *S. m. Bras. Fut.* V. *córner* (2 e 3). ♦ **Chutar para escanteio.** Chutar para córner.

escantilhado. [Part. de *escantilhar*.] *Adj. Bras.* Diz-se da peça de carpintaria cujos cantos não foram cortados em ângulo reto.

escantilhão. [Do fr. *échantillon*.] *S. m.* **1.** Medida para regular distância em vários serviços. **2.** Medida que serve de padrão para aferimento de outras. **3.** *Lus. Constr. Nav.* Xeura. **4.** *Bras. Mar. Merc.* Espessura da seção transversal das peças estruturais do casco de navio mercante (tais como balizas, longarinas, vaus, chapas, etc.), que devem obedecer a regras estabelecidas pelas sociedades de classificação marítimas. ♦ **De escantilhão.** De roldão; em tropel; aos tombos. **De escantilhão completo.** *Bras. Mar. Merc.* Diz-se do navio cujas peças estruturais do casco até o convés mais alto obedecem às máximas espessuras preconizadas pelas companhias de classificação marítimas.

escantilhar. [De *es-* + *canto*[2] + *-ilho* + *-ar*[2].] *V. t. d. Bras. Carp.* Cortar (uma peça) de jeito que os ângulos não sejam retos.

escanzelado. [De *cão*[1].] *Adj.* Magro como um cão faminto; escanifrado.

escanzelo (ê). *S. m.* Estado de escanzelado; magreza extrema.

escanzinado. *Adj. Bras.* Escanzurrado.

escanzurrado. [Part. de *escanzurrar*.] *Adj. Bras., S.* Cansado, estafado, sovado; escanzinado.

escanzurrar. [De *cão*[1], provavelmente.] *V. t. d.* e *p. Bras., S.* Tornar(-se) escanzurrado, por efeito de trabalho excessivo.

escapada. *S. f.* V. *escapadela.*

escapadela. [De *escapar* + *-dela*.] *S. f.* **1.** Fuga precipitada e às ocultas; escapulida. **2.** Fuga temporária; escapulida. **3.** Ato de fugir a um dever. V. *escapatória.* **4.** Ato leviano, imprudente, irrefletido. **5.** Escorregadela, falta, deslize. [Sin. ger.: *escapada*.]

escapadiço. *Adj.* **1.** Que escapou de alguma coisa. **2.** Que anda fugido.

escapamento. *S. m.* V. *escape*[1] (1). **2.** V. *escapo*[1] (1). **3.** *Tip.* Mecanismo que regula a saída das matrizes do magazine da linotipo.

escapar. [Do lat. vulg. **excappare*.] *V. t. i.* **1.** Livrar-se ou salvar-se de perigo ou acidente funesto, desagradável, incômodo, etc.: "respirou desafogadamente como se houvesse escapado a um perigo" (Coelho Neto, *Turbilhão*, p. 272); Escapou *de grave acidente automobilístico.* **2.** Esquivar-se, furtar-se, subtrair-se; livrar-se: "Desanimado de ver-me atendido, escapei à vigilância do guarda e voltei depressa ao meu lugar" (Geir Campos, *O Vestíbulo*, p. 24); Escapou *habilmente a uma incumbência desagradável; Conseguimos* escapar *do importuno.* **3.** Livrar-se ou fugir de situação ou condição perigosa, humilhante, etc.; fugir; refugir: *A muito custo* escaparam *de morrer; Os prisioneiros andaram léguas pelo mato para* escapar *à escravidão.* **4.** Fugir; escapulir-se, safar-se, livrar-se: *Não conseguiu* escapar *às garras do inimigo: Não* escapou *dos policiais.* **5.** Passar despercebido: *A conversa sigilosa não* escapou *aos seus ouvidos atentos.* **6.** Sair, ser proferido, exalado, etc., por descuido, irreflexão, incapacidade de autodomínio, etc.: *Palavras comprometedoras* escaparam *ao réu;* Escapou-lhe *um gemido, apesar do esforço para contê-lo.* **7.** Não ser compreendido, percebido, avaliado ou sentido: *A observação sutil* escapou *à sua perspicácia.* **8.** Ser omitido; esquecer: Escaparam-lhe *algumas questões da prova.* **9.** Soltar-se, cair: *O objeto* escapou-lhe *das mãos. Int.* **10.** Não morrer; sobreviver. **11.** Fugir, escapulir-se, safar-se. **12.** Não merecer censura; ser sofrível. *T. d.* **13.** Salvar, livrar. *T. d.* e *i.* **14.** *P. us.* Salvar, livrar: Escapou-o *do perigo. P.* **15.** Fugir, escapulir-se, safar-se. **16.** Livrar-se, libertar-se. **17.** Subtrair-se a um compromisso. [Part.: *escapado*, *escapo, escape*.]

escaparate[1]. [Do hol. ant. *schaprade*.] *S. m.* **1.** Redoma de vidro. **2.** Armário envidraçado. **3.** *Lus.* Vitrina.

escaparate[2]. *S. m.* V. *escapatória.*

escapatória. *S. f.* Ato ou efeito de escapar (2 e 17); escusa, desculpa, subterfúgio, escapadela, escapula, escaparate.

escapável. *Adj. 2 g.* Que pode escapar.

escape[1]. [Dev. de *escapar*.] *S. m.* **1.** Ação ou efeito de escapar(-se); escapamento, salvação. **2.** Saída, fuga escapadela, escapula, escapulida. **3.** Orifício ou tubo por onde os gases, provenientes da explosão, são expelidos para o ar: *tubo de* escape.

escape[2]. *S. m.* **1.** Var. de *escapo*[1] (1). **2.** *Tip.* Cada um dos trincos oscilantes que, correspondendo aos canais do magazine, determinam a queda da matriz quando comprimidos pelas teclas respectivas. ♦ **Escape dos espaços.** *Tip.* Cada uma das lâminas que regulam a queda dos espaçadores da linotipo.

escape[3]. [Part. irreg. de *escapar*.] *Adj. 2 g.* V. *escapo*[2].

escapelada. [De *escapelar* + *-ada*[1].] *S. f.* **1.** Ato de escapelar. **2.** V. *descamisada.*

escapelar. [De *es-* + *capela* (9) + *-ar*[2].] *V. t. d.* Descamisar (o milho).

Escapino. [Do fr. *Scapin* it. *Scapino*.] *S. m. Teat.* Uma das mais importantes personagens da *commedia dell'arte* [q. v.], levada ao teatro francês do séc. XVII por Molière, [V. *molieresco*] em sua comédia *As Artimanhas de Escapino*, e que representa o jovem astuto, matreiro e intrigante, as mais das vezes desempenhando o papel de criado.

escapismo. [Do ingl. *escapism*.] *S. m.* **1.** Tendência para fugir ou escapar a qualquer coisa ou situação que seja ou pareça difícil, desagradável, molesta. **2.** Ato ou procedimento resultante dessa tendência: "É uma espécie de escapismo, muito comum no ensino da redação, fixarem-se o professor e os alunos nos problemas secundários." (J. Matoso Câmara Jr., *Manual de Expressão Oral e Escrita*, p. 74.)

escapo[1]. [Do lat. *scapu*.] *S. m.* **1.** Maquinismo que regula o movimento dos relógios; escapamento. [Var.: *escape*.] **2.** O eixo da pena, em sua totalidade. **3.** Peça importante do mecanismo do piano, a qual obriga o martelo a recuar assim que percute a nota. **4.** *Morfol. Veg.* Ramo portador de flores, que se origina de um rizoma ou bolbo, i. e., de caules subterrâneos. É próprio das monocotiledôneas.

escapo[2]. [Part. irreg. de *escapar*.] *Adj.* Fora de perigo; livre, salvo, safo, escápole. [F. paral.: *escape*.]

escápole. [Do cat. ant. *escapol*.] *Adj. 2 g.* **1.** Livre de obrigações. **2.** V. *escapo*[2]. [Cf. *escapole*, do v. *escapulir*.]

escapula. [Dev. de *escapulir*.] *S. f.* **1.** V. *escape*[1] (2). **2.** V. *escapatória.* [Cf. *escápula* e o antr. *Escápula*.]

escápula. [Do lat. *scapula*, sing. de *scapulae*, 'espáduas', 'ombros'.] *S. f.* **1.** Prego de cabeça dobrada em ângulo reto para suspensão dum objeto: "Na sala, presa das escápulas, roçagante, pendia a larga rede cuiabana" (Hugo de Carvalho Ramos, *Tropas e Boiadas*, p. 70). **2.** *Fig.* Arrimo; apoio, esteio. **3.** *Anat.* Omoplata. **4.** *Anat.* A parte mais superior do membro superior, formada pelo omoplata, cabeça do úmero e clavícula, conectados entre si por ligamentos. [Cf. *escapula*, do v. *escapulir* e s. f.]

escapulal. *Adj. 2 g. Anat.* Escapular.

escapular. [Do lat. tardio *scapulare*.] *Adj. 2 g. Anat.*

Referente a escápula, a ombro e a omoplata. [F. paral.: *escapulal.*] ~ V. *cintura* —.

escapulário. [Do lat. tardio *scapularia.*] *S. m.* **1.** Tira de pano que os frades e freiras de certas ordens usam pendentes sobre o peito: "Mas quantas freiras, antes dela, escreveram deliciosas cartas, — desde Soror Inês de Jesus, uma das 'décimas musas', até .... Soror Maria das Saudades, ... que trazia bordado no seu *escapulário* de estamenha um banco de pinchar de oiro de três pendentes!" (Júlio Dantas, *O Amor em Portugal no Século XVIII*, p. 181.) **2.** V. *bentinhos.* **3.** Atadura larga, para comprimir emplastros ou parches.

escapulida. [De *escapulir* + *-ida.*] *S. f. Bras.* V. *escapadela* (1 e 2).

escapulir. [Do lat. vulg. **excapulare*, com infl. de *escapar.*] *V. int.* **1.** Fugir, escapar (de prisão, do poder, de alguém, etc.) [v. *fugir* (1 e 2)]. *T. i.* **2.** Fugir, escapar: *Conseguiu escapulir das mãos que o agarraram. T. d.* **3.** Deixar fugir; deixar escapar: *O menino escapuliu a presa. P.* **4.** V. *fugir* (1 e 2). [Irreg. Conjug.: v. *acudir.* Pres. ind.: *escapulo, escapoles, escapole,* etc.; pres. subj.: *escapula,* etc. Cf. *escápole, escápula,* e o antr. *Escápula.*]

escaque. [Do persa *xâh*, 'rei', atr. do ár. *xâh* e do esp. *escaque* ou do cat. *escacs.*] *S. m.* **1.** Cada uma das divisões quadradas do tabuleiro do xadrez. **2.** *Heráld.* Cada uma das divisões quadradas do escudo, em cores alternadas.

escaquear. *V. t. d.* Dividir em escaques. [Conjug.: v. *frear.*]

escaqueirar. *V. t. d.* Fazer em cacos; escacar; despedaçar.

escara. [Do gr. *eschára*, pelo lat. *eschara.*] *S. f. Med.* Crosta resultante da mortificação de tecido, devida a causas diversas (compressão ou traumatismos repetidos, cáusticos, queimaduras, etc.): "Caíra, decerto, derreando-se à violenta pancada que lhe sulcara a fronte, manchada de uma *escara* preta." (Euclides da Cunha, *Os Sertões*, p. 30.)

escarabeídeo. *S. m.* **1.** Espécime dos escarabeídeos. ● *Adj.* **2.** Pertencente ou relativo a eles. [Sin. ger.: *escarabídeo.*]

escarabeídeos. *S. m. pl. Zool.* Família de insetos da ordem dos coleópteros, a maior das famílias dos besouros lamelicórnios, com mais de 20 000 espécies conhecidas, de cor metálica ou escura, como os grandes besouros do gênero *Dynastes.* Têm larvas brancas, moles, e freqüentemente daninhas à agricultura. [Sin.: *escarabídeos.*]

escarabeiforme. [De *escarabe(u)* + *-i-* + *-forme.*] *Adj. 2 g.* **1.** Semelhante ao escaravelho ou escarabeu. ● *S. 2 g. Zool.* **2.** Animal que tem forma de besouro ou escaravelho. **3.** Designação comum das larvas dos coleópteros moles e arqueadas; melolontóide.

escarabeu. [Do lat. *scarabaeu.*] *S. m.* V. *escaravelho.*

escarábidas. *S. m. pl. Zool.* Família de insetos coleópteros que tem por tipo o escaravelho.

escarabídeo. [De *escarab(eu)* + *-ídeo.*] *S. m.* e *adj. Zool.* Escarabeídeo.

escarabídeos. *S. m. pl. Zool.* Escarabeídeos.

escarabocho (ô). [Do it. *scarabocchio.*] *S. m.* Desenho muito imperfeito; rabisco, garatuja, gatafunhos. [Pl.: *escarabochos (ó).*]

escarafunchador (ô). *Adj.* e *s. m.* Que ou aquele que escarafuncha.

escarafunchar. [Do lat. **scariphunculare.*] *V. t. d.* **1.** Esgaravatar, escabichar. **2.** Procurar ou investigar com paciência. **3.** Remexer ou bulir em; revolver em: "Escarafunchando os escombros do forno, achou mais moedas e com estas encheu o chapéu." (Afonso Arinos, *Pelo Sertão*, p. 40).

escarambada. *S. f.* Ato de escarambar-se.

escarambar-se. *V. p.* Secar-se muito e gretar-se (a terra) por efeito de calor intenso.

escaramuça. [Do it. *scaramuccia.*] *S. f.* **1.** Combate pouco importante. **2.** Briga, conflito, contenda, desordem. **3.** *Bras.* Trecho de rio onde se nota súbito desvio das águas, causado por obstáculos rochosos. **4.** *Bras., RS.* Movimento súbito de rédea, que obriga o cavalo a mudar de marcha. **5.** *Bras., RS.* Combate simulado, em jogos. **6.** *Bras., RS.* Gestos de quem se dispõe a praticar um ato; menção; tentativa: *Fez uma escaramuça para ir-se embora, mas terminou ficando.* [Sin. (nas acepç. (4 a 6): *escaramuçada, escaramuceada, escaramuceio.*]

escaramuçada. [De *escaramuça* + *-ada*[1].] *S. f. Bras., RS.* V. *escaramuça* (4 a 6).

escaramuçador (ô). [De *escaramuça* + *-(d)or.*] *Adj.* **1.** Que faz escaramuças, ou é dado a elas. **2.** *Bras., RS.* Diz-se do cavalo fogoso que se presta a escaramuças. ● *S. m.* **3.** Indivíduo escaramuçador.

escaramuçar. *V. int.* **1.** Travar escaramuça(s). *T. d.* **2.** *Bras., RS.* Obrigar (o cavalo) a dar muitas voltas. *T. i.* **3.** Lutar, combater em escaramuças. [F. paral.: *escaramucear.* Conjug.: v. *laçar.* Cf. *escramuçar.*]

escaramuceada. [Do esp. plat. *escaramuceada.*] *S. f. Bras., RS.* V. *escaramuça* (4 a 6).

escaramucear. *V. int., t. d.* e *t. i.* V. *escaramuçar.* [Conjug.: v. *frear.*]

escaramuceio. [Dev. de *escaramucear.*] *S. m. Bras., RS.* V. *escaramuça* (4 a 6).

escarapela. [Dev. de *escarapelar.*] *S. f.* Briga em que os adversários se escarapelam ou arranham.

escarapelar. [De *es-* + *carapela* + *-ar*[2].] *V. t. d.* **1.** Rasgar com as unhas: arranhar, agatanhar. **2.** Desgrenhar, arrepelar. *Int.* **3.** Brigar, escarapelando. *P.* **4.** Desgrenhar-se, arrepelar-se.

escaravelhar. *V. int.* Mexer-se como escaravelho. [Conjug.: v. *aparelhar.*]

escaravelho (ê). [Do lat. vulg. **scarafaiu*, var. de *scarabaeu.*] *S. m.* **1.** Inseto coleóptero, coprófago, da família dos escarabeídeos, em especial os escarabeíneos, que vivem de excrementos de mamíferos herbívoros. [As fêmeas de certas espécies preparam uma bolinha de excremento, na qual põem o ovo, e que enterram depois de empurrá-la a certa distância, o que lhes motivou o nome popular. [Var. de *escarabéu;* sin.: *carocha, rola-bosta, capitão, coró, bicho-bolo, bicho-carpinteiro.*] **2.** Marfim (1) antes de manufaturado. **3.** Representação do escaravelho (1) em geral esculpida em pedra preciosa ou semipreciosa.

escarça. *S. f. Veter.* Doença na palma do casco das cavalgaduras.

escarção. *S. m.* Arquit. Arco por trás e por cima da padieira, para que esta fique aliviada do peso da construção superior; arco de escarção.

escarçar[1]. [Do lat. vulg. *excarptiare.*] *V. t. d.* Tirar a cera de (colmeias). [Conjug.: v. *laçar.*]

escarçar[2]. *V. int.* Sofrer de escarça. [Conjug.: v. *laçar.*]

escarçar[3]. *V. t. d., int.* e *p.* V. *esgarçar.* [Conjug.: v. *laçar.*]

escarcavelar. *V. t. d. Pop.* Abrir; desmanchar; desconjuntar.

escarceada. [Do esp. plat. *escarceada.*] *S. f. Bras., S.* Ato de escarcear[2].

escarceador (ô). [Do esp. plat. *escarceador.*] *Adj. Bras., S.* **1.** Diz-se do cavalo que escarceia [v. *escarcear*[2]]. **2.** *Fig.* Diz-se daquele que escarceia, que tem o costume de dar com a cabeça.

escarcear[1]. *V. int.* **1.** Levantar escarcéu (1). **2.** Bramir e abalar com escarcéu (1). [Conjug.: v. *frear.*]

escarcear[2]. [Do esp. plat. *escarcear.*] *V. int. Bras., S.* **1.** Levantar e abaixar briosamente a cabeça (o cavalo). **2.** *Fig.* Menear a cabeça; cabecear. [Conjug.: v. *frear.*]

escarcela. [Do it. *scarsella*, pelo fr. *scarcelle.*] *S. f.* **1.** Bolsa de couro que se prendia à cintura: "as caras terrosas e os cabelos embranquecidos, na cinta a *escarcela* vazia de dinheiro e de punhal" (Antero de Figueiredo, *D. Pedro e D. Inês*, p. 169). **2.** Parte da armadura, da cinta ao joelho: "Chamava-se couraça às [armaduras] que revestiam o tronco, assentes sobre um corpete de couro, até à cintura, donde pendia a *escarcela*, fraldão, ou tonelete, feito de malhas pendentes como saio, ou de chapas que se articulavam nas peças inferiores do arnês ou armadura completa." (Oliveira Martins, *A Vida de Nun' Álvares*, p. 154.)

escarcéu. *S. m.* **1.** Vaga que se forma quando o mar está revolto; vagalhão. **2.** *Fig.* Gritaria, alarido, alvoroço; banzé. **3.** Exaltação; escândalo.

escarcha. [Do esp. *escarcha.*] *S. f.* **1.** V. *geada branca.* **2.** Fio áspero de ouro ou de prata tecido em seda. **3.** Coisa áspera.

escarchado. [Part. de *escarchar.*] *Adj.* **1.** Coberto de escarchas, de flocos de neve. **2.** Crespo, áspero. **3.** Diz-se da aguardente de anis adoçada com excessiva quantidade de açúcar, o qual, por não se dissolver de todo, cristaliza no fundo da garrafa.

escarchar. [Do esp. *escarchar.*] *V. t. d.* **1.** Cobrir de escarcha (1). **2.** Adoçar muito com açúcar, que, por excessivo, se cristaliza. **3.** Tornar áspero; encrespar.

escarço. [Dev. de *escarçar*[1].] *S. m.* Ato de escarçar[1].

escardado. [De *es-* + *cardado*, part. de *cardar.*] *S. m.* Chifre que se desfia quando embate sobre objeto duro ou resistente.

escardear[1]. [De *es-* + *cardo* + *-ear.*] *V. t. d.* **1.** Limpar de cardos. **2.** Varrer ou cortar ervas daninhas em (sementeiras). **3.** *P. ext.* Limpar (1). **4.** Roçar (a pele), ferindo-a. [Conjug.: v. *frear.*]

escardear[2]. *V. int. Ven.* Explodir com muita força (o tiro), espalhando o chumbo em vez de o concentrar no alvo. [Conjug.: v. *frear.*]

escardilhar. *V. t. d.* Limpar (o terreno) com o escardilho.

escardilho. [Do esp. *escardillo.*] *S. m.* Sacho para escardear[1] (2).

escarduçado. [Part. de *escarduçar.*] *Adj.* Cardado com a carduça (a lã).

escarduçador (ô). *Adj.* e *s. m.* Que ou aquele que escarduça.

escarduçar. [De *es-* + *carduça* + *-ar*[2].] *V. t. d.* Cardar (a lã) com a carduça. [Conjug.: v. *laçar.*]

escareador (ô). *S. m.* Ferramenta própria para escarear.

escarear. *V. t. d.* Alargar, em geral chanfrando (buraco ou abertura onde se vai introduzir prego ou parafuso), de maneira que fiquem com as cabeças niveladas com a peça onde se cravam. [Conjug.: v. *frear.*]

escarificação. [Do lat. *scarificatione.*] *S. f.* **1.** Ato ou efeito de escarificar. **2.** *Med.* Produção de pequenas incisões simultâneas e superficiais na pele. V. *sarja*[1].

escarificador (ô). *Adj.* **1.** Que escarifica ou serve para escarificar. ● *S. m.* **2.** Instrumento cirúrgico para fazer escarificações. **3.** Dispositivo constituído de um conjunto de dentes ou de discos, que se adapta a um trator para escarificar (2). **4.** Ferramenta usada para rebaixar as bordas de um orifício.

escarificar. [Do gr. *skariphâomai*, 'raspar com objeto pontudo', pelo lat. *scarificare.*] *V. t. d.* **1.** Sarjar, golpear, para produzir escoamento de humores. **2.** Desagregar e revolver (a terra) a fim de arejar as raízes das plantas ou intensificar a ascensão da umidade pelos capilares do solo, ou, ainda, facilitar a escavação. [Conjug.: v. *trancar.*]

escarioso (ô). *Adj.* **1.** Que tem escaras. **2.** *Morfol. Veg.* De consistência membranácea, mais ou menos seco, e geralmente translúcido: *escamas escariosas.*

escarlata. *S. f.* Var. de *escarlate* (3 a 5): "*Escarlata* purpúrea, cor ardente" (Luís de Camões, *Os Lusíadas*, II, 77).

escarlate. [Do fr. ant. *escarlate*, hoje *écarlate.*] *Adj 2 g.* ou *2 g.* e *2 n.* **1.** De cor vermelha muito viva, e rutilante: "o buço lourejando como seda fina sobre os lábios *escarlates* e cheios de seiva" (Eça de Queirós, *Cartas Inéditas de Fradique Mendes e Mais Páginas Esquecidas*, p. 148); "Que é desses cabelos de oiro / Do mais subido quilate, / Desses lábios *escarlate*, / Meu tesoiro!" (João de Deus, *Campo de Flores*, I, p. 206). **2.** Diz-se dessa cor: *Brocados de cor escarlate.* ● *S. m.* **3.** Essa cor [v. *de cor* (3)]. **4.** Certo tecido de seda ou lã, dessa cor. **5.** Certa tinta vermelha, usada em pintura: *Ticiano empregou muito em seus quadros o escarlate.* [Var. (nas acepç. 3 a 5): *escarlata.*]

escarlatim. *S. m.* Tecido vermelho, menos fino do que o escarlate (4).

escarlatina. [Do fr. *scarlatine* (subentende-se *febre*).] *S. f. Patol.* Doença infecciosa estreptocócica, aguda, que incide preferentemente em crianças e se caracteriza por febre, exantema de pequenos pontos vermelhos, albuminúria, e descamação em largas placas.

escarmentado. [Part. de *escarmentar.*] *Adj.* **1.** Repreendido; castigado. **2.** Sabedor por experiência custosa; experimentado, experiente, escaldado. **3.** Desesperançado, desiludido.

escarmentar. [De *escarmento* + *-ar*[2].] *V. t. d.* **1.** Corrigir, castigar, punir. **2.** Repreender com rigor. **3.** Tornar experiente, avisado, mediante escarmento. *P.* **4.** Ficar advertido pelo dano ou castigo recebido, para não se expor novamente a ele.

escarmento. [Por **escarnimento*, de *escarnir*, com síncope.] *S. m.* **1.** Correção, castigo, punição; escaldadura. **2.** V. *repreensão* (1). **3.** Prática da vida; experiência, lição, exemplo: "Outro soldado indignado com o seu tenente, esperando-o em uma encruzilhada, o derrubou de um cravinaço. Mandou o Conde que não enterrassem senão ambos juntos. Esteve o cadáver esperando até colherem o homicida, e pagando com a vida, foram ambos a enterrar, deixando fora tão vivo o *escarmento*, que ninguém ousou mais perder o respeito aos seus cabos." (P[e] Manuel Bernardes, *Nova Floresta*, V, p. 466.) **4.** Desilusão, desengano.

escarna. [Deriv. de *escarnar.*] *S. f.* Escarnação.

escarnação. *S. f.* Ato ou efeito de escarnar (1); escarna.

escarnador (ô). *S. m.* Instrumento próprio para escarnar (1).

escarnar. [De *es-* + *carne* + *-ar*[2].] *V. t. d.* **1.** Descobrir (um osso) tirando a carne; descarnar, esburgar, esbrugar. **2.** Rapar (a pele). **3.** *Fig.* Investigar, esquadrinhar, perquirir. **4.** *Bras., N.* e *N.E.* Preparar para usar, engatilhando (arma de fogo) ou desembainhando (arma branca). *Int.* **5.** Deixar (a maré) meio a descoberto parcéis e margens.

escarnecedor (ô). *Adj.* e *s. m.* Que ou aquele que escarnece.

escarnecer. [Incoativo de *escarnir.*] *V. t. d.* **1.** Fazer escárnio de; troçar de; zombar de; ludibriar. *T. i.* **2.** Zombar, mofar: *Escarneceu do pobre moço.* [Sin.: *escarnir.* Conjug.: v. *aquecer.*]

escarnecido. [Part. de *escarnecer.*] *Adj.* **1.** Que sofreu escárnio ou zombaria. **2.** Iludido; ludibriado. [Sin. ger.: *escarnido.*]

escarnecimento. [De *escarnecer* + *-mento.*] *S. m.* V. *escárnio.*

escarnecível. *Adj. 2 g.* Digno de ser escarnecido, de escárnio.

escarnicação. *S. f.* Ação de escarnicar.

escarnicador (ô). *Adj.* e *s. m.* Que ou aquele que escarnica.

escarnicar. [Incoativo de *escarnir.*] *V. int.* Escarnecer muito. [Conjug.: v. *trancar.*]

escarnido. [Part. de *escarnir.*] *Adj.* V. *escarnecido.*

escarnificação. *S. f.* Ação de escarnificar.

escarnificar. [Do lat. *excarnificare.*] *V. t. d.* Lacerar as carnes de; martirizar. [Conjug.: v. *trancar.*]

escarninho. *Adj.* **1.** Em que há escárnio. **2.** Escarnecedor, trocista, sarcástico: "o moço orgulhoso, de olhos azul-de-aço, motejadores e *escarninhos*" (Raquel de Queirós, *As Três Marias*, p. 11).

escárnio. [Dev. de *escarnir.*] *S. m.* **1.** V. *zombaria.* **2.** Menosprezo, desprezo, desdém. [Sin.: *escarnecimento.*]

escarnir. [Do germ. *skirnjan*, 'zombar'.] *V. t. d.* e *t. i.* V. *escarnecer.*

escaro. [Do gr. *skáros*, pelo lat. *scaru.*] *S. m.* Certo peixe acantopterígio.

escarola. [Do esp. *escarola.*] *S. f.* V. *endívia.*

escarolado. [Part. de *escarolar.*] *Adj.* **1.** Diz-se do milho esbagoado, tirado do carolo. **2.** *Fig.* Asseado, limpo. **3.** *Pop.* Desavergonhado, descarado, atrevido, impudente. **4.** *Pop.* Malicioso, brejeiro.

escarolador (ô). *S. m.* Instrumento agrícola para escarolar o milho; debulhadora.

escarolar. [De *es-* + *carolo* ou *carola*[1] + *-ar*[2].] *V. t. d.* **1.** Limpar do grão (o carolo); esbagoar. **2.** Tornar calvo; encalvecer. **3.** Escasquear (1). **4.** Tornar apurado, catita. *P.* **5.** Tirar o chapéu da cabeça; desbarretar-se.

escarótico. *Adj.* e *s. m.* Que ou medicamento que produz escaras.

escarpa. [Do it. *scarpa.*] *S. f.* **1.** Ladeira íngreme, alcantilada: "O cavaleiro .... apeara de um salto e, galgando com a rapidez de um relâmpago as *escarpas* do rochedo, rasgara com o punho da espada um largo rombo no muro maciço da torre, onde o seu amor jazia trancado." (Raimundo Correia, *Poesia Completa e Prosa*, p. 600.) **2.** Talude dum fosso junto de um parapeito.

escarpado. [Part. de *escarpar.*] *Adj.* Talhado a pique; íngreme, alcantilado.

escarpadura. [De *escarpar* + *-dura.*] *S. f.* V. *talude* (2).

escarpamento. [De *escarpar* + *-mento.*] *S. m.* V. *talude* (2).

escarpar. *V. t. d.* Cortar (o terreno) em escarpa, ou quase a prumo; tornar íngreme; dar declividade a.

escarpelado. *S. m. Arquit.* Reentrância ou concavidade nos espelhos dos degraus de algumas escadarias.

escarpelar. [De *es-* + *carpelo* + *-ar*[2].] *V. t. d.* **1.** Desfolhar, descamisar (o milho). **2.** Raspar com as unhas. **3.** Arrepelar (1).

escarpes. [Do it. *scarpe*, 'sapato'.] *S. m. pl.* Sapatos de ferro com que outrora se torturavam os réus nos tribunais.

escarpeteador (ô). *Adj. Bras., RS.* Escrapeteador [q. v.].

escarpetear. *V. int. Bras., RS.* Escrapetear [q. v.]. [Conjug.: v. *frear.*]

escarpim. [Do it. *scarpino.*] *S. m.* Sapato de sola muito fina, que cobria apenas o peito do pé; peal.

escarpina. [Do fr. *escarpine.*] *S. f.* Antiga peça de artilharia, semelhante ao arcabuz.

escarradeira. *S. f.* Vaso onde se escarra; escarrador, cuspideira: "Cair doente e passar a vida inteira / Com a boca junto de uma *escarradeira*, / Pintando o chão de coágulos sanguíneos." (Augusto dos Anjos, *Eu*, p. 53.)

escarrado. [Part. de *escarrar.*] *Adj.* **1.** Cuspido, expectorado. **2.** V. *cuspido e escarrado.* ◆ **Escarrado e cuspido.** V. *cuspido e escarrado.*

escarrador (ô). *S. m.* **1.** Aquele que escarra muito. **2.** V. *escarradeira.*

escarradura. *S. f.* **1.** Ação de escarrar. **2.** V. *escarro* (1).

escarranchado. [Part. de *escarranchar.*] *Adj.* Montado ou sentado com as pernas muito abertas; escarrapachado.

escarranchar. [Alter. de *escanchar*?] *V. t. d.* **1.** Abrir muito (as pernas), como quem monta a cavalo; escanchar. *T. d.* e *c.* **2.** Montar ou fazer assentar de pernas muito abertas: *Escarranchou o menino em cima do muro.* *P.* **3.** Montar ou sentar-se abrindo muito as pernas; escanchar.

escarrapachado. [Part. de *escarrapachar.*] *Adj.* **1.** Escarranchado. **2.** Estatelado (2).

escarrapachar. *V. t. d.* **1.** Abrir muito (as pernas); escarranchar. *P.* **2.** Abrir demasiado as pernas. **3.** Cair de bruços; estatelar-se. **4.** Sentar-se muito à vontade, geralmente com descompostura; esparramar-se: "Com a alegria simples de quem ama / a vida assim vivida ao natural, / *nos escarrapachamos* pela grama / que nem bois amassando o capinzal." (Geir Campos, *Cantar de Amigo ao Outro Homem da Mulher Amada*, p. 29.) [Cf. *escarrapichar.*]

escarrapiçar. *V. t. d.* V. *escarrapichar.* [Conjug.: v. *laçar.*]

escarrapichar. [De *es-* + *carrapicho* + *-ar*[2]?] *V. t. d.* Desenredar, desembaraçar, penteando. [Var.: *escarrapiçar.* Cf. *escarrapachar.*]

escarrar. [Do lat. *screare.*] *V. int.* **1.** Expelir o escarro; expectorar. *T. d.* **2.** Expelir da boca (escarro, sangue).

escarro. [Dev. de *escarrar.*] *S. m.* **1.** Matéria que se expele da boca após a expectoração; escarradura, esputo. **2.** *Pop.* Coisa ou pessoa vil, desprezível.

escarva. [Dev. de *escarvar.*] *S. f.* **1.** Encaixe na madeira, por onde se unem duas peças de carpintaria. **2.** Abertura feita nos montantes da veneziana para o encaixe das palhetas. **3.** *Bras.* Lesão produzida por enxoadas nos cascos dos eqüídeos. **4.** *Bras.* Cada uma das costuras do navio, de alto a baixo.

escarvador (ô). *Adj.* **1.** Que escarva. ● *S. m.* **2.** Instrumento para escavar.

escarvalho. [De *escarvar.*] *S. m.* Falha ou cavidade formada na parede interior de um canhão pela expansão dos gases provenientes da inflamação da pólvora e pela fusão de pequenos fragmentos de metal.

escarvar. [Do gr. *skaripháomai*, 'raspar com objeto pontudo', pelo lat. tardio *scarifare.*] *V. t. d.* **1.** Abrir escarva em. **2.** Cavar superficialmente. **3.** Solapar; minar, aluir, abalar: *As chuvas escarvaram o solo.*

escarvoar. [De *es-* + *carvão* + *-oar.*] *V. t. d.* Esboçar ou desenhar a carvão. [Conjug.: v. *coroar.*]

escascar. [De *es-* + *casca* + *-ar*[2].] *V. t. d.* V. *descascar* (1). [Conjug.: v. *trancar.*]

escasquear. [De *es-* + *casco* + *-ear*[2].] *V. t. d.* **1.** Lavar ou limpar o casco ou cabeça de; escarolar. **2.** Limpar; desencardir. **3.** Aperaltar, aperalvilhar. *P.* **4.** Lavar-se; assear-se. [Conjug.: v. *frear.*]

escassear. *V. t. d.* e *t. d.* e *i.* **1.** Dar com escassez, com parcimônia; não prodigalizar: *Não escasseia presentes; S. M. não escasseia mercês aos que o servem.* *Int.* **2.** Fazer-se escasso; tornar-se diminuto; minguar, rarear: *Com a seca os gêneros alimentícios escassearam.* [Conjug.: v. *frear.*]

escassez (ê). *S. f.* **1.** Qualidade de escasso; pouca abundância. **2.** Falta, míngua, carência, privação.

escassilhador (ô). *S. m.* Tipo de escopro de ponta em gume utilizado na regularização das pedras de cantaria.

escassilho. [De *escasso* + *-ilho.*] *S. m.* Pequeno fragmento de coisa partida.

escasso. [Do lat. vulg. *excarsu.*] *Adj.* **1.** De que há pouco; parco, raro: *dinheiro escasso.* **2.** Falto, carente, carecente, desprovido, privado: *Homem escasso de carnes.* **3.** V. *avaro* (1). — V. *vento* —.

escatel. *S. m. Constr. Nav.* Fenda ou furo na extremidade de uma cavilha, para receber chaveta que não a deixe sair do lugar. [Pl.: *escatéis.*]

escatelar. *V. t. d. Constr. Nav.* **1.** Abrir escatel em (uma cavilha). **2.** Introduzir a chaveta no escatel de (uma cavilha).

▲**escat(o)-.** [Do gr. *skór, atós*, 'excremento'.] *El. comp.* = 'excremento': *escatófilo, escatologia, escatol.*

▲**escato-.** [Do gr. *éschatos*, 'último'.] *El. comp.* = 'último', 'fim': *escatologia*

escatofagia. [De *escatófago* + *-ia.*] *S. f.* Coprofagia.

escatofágico. *Adj.* Relativo à escatofagia.

escatófago. [Do gr. *skatophágos.*] *Adj.* e *s. m.* Que ou o que se alimenta de excrementos; coprófago.

escatófilo. [De *escat(o)-* + *-filo*[2].] *Adj.* e *s. m.* **1.** Que ou o que cresce ou vive nos excrementos. **2.** Que gosta de excrementos. [Sin. ger.: *coprófilo.*]

escatol. [De *escat(o)-* + *-ol.*] *S. m. Quím.* Substância cristalina, volátil, com odor característico de fezes humanas, onde é encontrada. [Fórm.: C_9H_9N. Pl.: *escatóis.*]

escatologia[1]. [De *escat(o)-* + *-log(o)-* + *-ia.*] *S. f.* Tratado acerca dos excrementos.

escatologia[2]. [De *escato-* + *-log(o)-* + *-ia.*] *S. f.* **1.** Doutrina sobre a consumação do tempo e da história. **2.** Tratado sobre os fins últimos do homem.

escatológico[1]. *Adj.* Relativo à escatologia[1].

escatológico[2]. *Adj.* Referente à escatologia[2].

escavacação. *S. f.* **1.** *Bras., N.E.* Ato ou efeito de escavacar[3]. **2.** Escavação (2).

escavacado[1]. [Part. de *escavacar*[1].] *Adj.* **1.** Feito em cavacos; espedaçado, quebrado. **2.** *Fig.* Muito magro ou avelhentado por doença ou por idade; escaveirado.

escavacado[2]. [Part. de *escavacar*[3].] *Adj. Bras., N. E.* Cavado, escavado.

escavação. [Do lat. *excavatione.*] *S. f.* **1.** Ato ou efeito de escavar. **2.** Trabalho de desaterro ou desentulho para nivelar, terraplenar ou abrir cortes em um terreno; escavacação. **3.** Buraco (2). **4.** *Fig.* Investigação, pesquisa.

escavacar[1]. [De *es-* + *cavaco*[1] + *-ar*[2].] *V. t. d.* **1.** Fazer em cavacos; despedaçar; quebrar. **2.** Arruinar; destruir; esbandalhar. **3.** Tornar magro, abatido, alquebrado. [Conjug.: v. *trancar.*]

escavacar[2]. [De *es-* + *cavaco*[2] + *-ar*[2].] *V. int. Bras., N.* Dar o cavaco; encavacar, amuar(-se), zangar-se. [Conjug.: v. *trancar.*]

escavacar[3]. [De *es-* + *cavacar.*] *V. t. d. Bras., N.E.* Cavar, escavar, cavoucar. [Conjug.: v. *trancar.*]

escavaçar. *V. t. d.* **1.** Dar segunda cava a (a vinha). **2.** V. *esterroar.* [Conjug.: v. *laçar.*]

escavadeira. *S. f.* Designação comum aos vários tipos de máquinas de escavar, de revolver terra ou de retirar aterro; escavador, escavadora.

escavado. [Part. de *escavar.*] *Adj.* V. *côncavo* (1).

escavador (ô). *Adj.* **1.** Que escava. ● *S. m.* **2.** Aquele que escava. **3.** V. *escavadeira.* **4.** *Fig.* Investigador, pesquisador.

escavadora (ô). [Fem. substantivado do adj. *escavador.*] *S. f.* V. *escavadeira.*

escavalinho. [De *os cavalinhos.*] *S. m. Bras. Pop.* Circo de cavalinhos.

escavar. [Do lat. *excavare.*] *V. t. d.* **1.** Formar cavidades ou escavações em. **2.** Cavar em roda. **3.** Tirar terra de; fazer escavação (2); escavacar. **4.** Tornar cavo, côncavo, oco. **5.** *Fig.* Investigar, pesquisar; escarafunchar: *Escavou o assunto até descobrir o que desejava.* *P.* **6.** Tornar-se oco. **7.** Formar (um terreno) cova ou cavidade.

escaveirado. [Part. de *escaveirar.*] *Adj.* **1.** Semelhante a uma caveira. **2.** De rosto muito magro, descarnado: "Velhos abaçanados, *escaveirados*, cabelos hirsutos, chapéu de coco à cabeça, ... não se moviam." (Coelho Neto, *A Conquista*, pp. 361-362). **3.** Muito magro e alquebrado; macilento, escavacado.

escaveirar. [De *es-* + *caveira* + *-ar*[2].] *V. t. d.* Tornar semelhante a caveira; tornar magro; descarnar; escavacar.

escaxelado. [Var. de *desqueixelado*, com alter. semântica.] *Adj. Bras. Pop.* Alquebrado, abatido, avelhentado, avelhantado.

▲**-escer.** Equiv. de *-ecer.*

escindir. [Do lat. *scindere.*] *V. t. d.* **1.** Cortar, separar. **2.** Desavir, indispor. **3.** Romper, anular; rescindir.

esciofilia. [Do gr. *skiá*, 'sombra', + *-o-* + *-fil(o)-*[2] + *-ia.*] *S. f. Ecol.* Necessidade que uma planta ou comunidade vegetal tem de sombra para se desenvolver. [Opõe-se a *heliofilia.*]

esciófilo. *Adj. Ecol.* Que apresenta esciofilia.

esciófito. *S. m. Bot.* Vegetal esciófilo.

escirpo. [Do lat. *scirpu.*] *S. m.* Junco[1] (1).

escitamínea. *S. f.* Espécime das escitamíneas; citamínea.

escitamíneas. *S. f. pl. Bot.* Ordem de monocotiledôneas caracterizadas pelo androceu reduzido, não raro petalóide, ovário ínfero e flores zigomorfas ou assimétricas, estas quase sempre amplas e vivamente coloridas. Engloba as musáceas, zingiberáceas, canáceas e marantáceas. [Sin.: *citamíneas.*]

escitamíneo. *Adj.* Pertencente ou relativo às escitamíneas; citamíneo.

escitopetalácea. *S. f.* Espécime das escitopetaláceas.

escitopetaláceas. *S. f. pl. Bot.* Família da ordem das malvales, composta de plantas lenhosas de folhas alternas e sem estípulas, estames em número indefinido, corola valvar, e fruto monospermo, seco ou drupáceo. Há só umas 10 espécies, da África Ocidental.

escitopetaláceo. *Adj.* Pertencente ou relativo às escitopetaláceas.

esclarecedor (ô). *Adj.* Que esclarece; que torna compreensível; que alarga o conhecimento.

esclarecer. [De *es-* + *claro* + *-ecer.*] *V. t. d.* **1.** Tornar claro; iluminar, alumiar; aclarar; clarear: *A luz forte do lampião* esclarecia *todo o ambiente.* **2.** Tornar claro, compreensível; elucidar, aclarar: *Sua explicação* esclareceu *o mistério.* **3.** Dar ou prestar explicação, esclarecimento, a: *Partiu de repente, sem* esclarecer *a família.* **4.** Ilustrar, iluminar, abrilhantar: esclarecer *o espírito.* **5.** Fazer nobre, ilustre. *T. d. e i.* **6.** Dar ou prestar explicação, esclarecimento: Esclareci-*lhe o sentido da frase. Int.* **7.** Tornar-se claro; iluminar-se; alvorecer: *o dia* esclareceu. *P.* **8.** Obter esclarecimentos; informar-se. **9.** Ilustrar-se, enobrecer-se. **10.** Acender-se, iluminar-se: "o oriente foi-se esclarecendo de gradação em gradação, até que deixou ver o disco luminoso do sol." (José de Alencar, *Cinco Minutos*, p. 67). [Conjug.: v. *aquecer.*]

esclarecido. [Part. de *esclarecer.*] *Adj.* **1.** Claro, alumiado, iluminado. **2.** Elucidado, explicado, desvendado. **3.** Dotado de ilustração, saber, cultura. **4.** Nobre, ilustre, preclaro.

esclarecimento. *S. m.* **1.** Ação ou efeito de esclarecer(-se). **2.** Explicação, aclaração, elucidação. **3.** Anotação ou comentário a (um texto); escólio: *A lírica medieval, para ser bem compreendida, exige muitos* esclarecimentos. **4.** Informação, dado: *A circular contém* esclarecimentos *a respeito dos novos cursos.* **5.** Ilustração, enobrecimento.

esclareia. *S. f.* Planta medicinal da família das labiadas (*Salvia sclarea*).

esclavão. *Adj.* e *s. m.* V. *eslavônio* (1 e 2).

esclavina. [Do gr. bizantino *sklavenos*, vestuário dos peregrinos eslavos que iam a Santiago de Compostela.] *S. f.* Murça ou romeira que os peregrinos usavam sobre a túnica.

esclavônio. *Adj.* e *s. m.* V. *eslavônio* (1 e 2).

escleral. [De *escler(o)-* + *-al.*] *Adj. 2 g.* **1.** Endurecido, rijo. **2.** Diz-se do tecido orgânico fibroso.

esclerectasia. [De *escler(o)-* + *ectasia.*] *S. f. Patol.* Dilatação da esclerótica.

esclerectomia. [De *escler(o)-* + *-ectom-* + *-ia.*] *S. f. Cir.* **1.** Ressecção, por meio de técnicas variáveis, da esclerótica. **2.** Ressecção das porções esclerosadas do ouvido médio, após otite média.

esclerectômico. *Adj.* Relativo à esclerectomia.

esclereide. [De *escler(o)-* + *-eide.*] *S. f. Anat. Veg.* Célula endurecida por deposição de lignina, e mais ou menos isodiamétrica; braquiesclereide, esclerócito.

esclerema. [De *escler(o)-* + *-ema.*] *S. m. Patol.* Endurecimento da pele correspondente a alterações físicas do tecido subcutâneo, e que pode incidir em adultos e em neonatos; nesses últimos, ocorre quando há perturbações mórbidas com resfriamento e insuficiência circulatória periférica.

esclerênquima. [De *escler(o)-* + gr. *égchima*, 'parênquima'.] *S. m. Anat. Veg.* Tecido constituído por células do tipo esclereide, que têm paredes grossas e duras, sendo o esclerênquima, pois, um tecido de sustentação, que confere rigidez ao caule e à raiz. [Forma-se no curso da estrutura primária. Quando as células são alongadas, chamam-se *fibras esclerenquimáticas.*]

esclerenquimático. *Adj. Anat. Veg.* Esclerenquimatoso. ~ V. *fibras* —*as.*

esclerenquimatoso (ô). *Adj. Anat. Veg.* Referente ao, ou próprio do esclerênquima; esclerenquimático.

esclerito. [De *escler(o)-* + *-ito*[2].] *S. m. Zool.* Placa endurecida (quitinosa) que caracteriza a superfície do corpo de um inseto. [Os escleritos constituem numerosas placas separadas por suturas ou áreas membranosas.]

▲**escler(o)-.** [Do gr. *sklêros, á, ón.*] *El. comp.* = 'duro': *esclerômetro, esclerema.*

esclerócio. *S. m. Micol.* Corpo duro, formado pelo micélio de determinados fungos e composto de hifas densamente entrelaçadas e revestidas por uma camada cortical. Armazena substâncias nutritivas e pode perdurar longamente em estado de latência. [Sin.: *escleródio.*]

esclerócito. [De *escler(o)-* + *-cito.*] *S. m. Anat. Veg.* V. *esclereide.*

esclerodermia. [De *escler(o)-* + *-derm(o)-* + *-ia.*] *S. f. Patol.* Doença sistêmica que pode comprometer os tecidos conjuntivos de qualquer parte do corpo, razão por que se podem observar lesões em órgãos e estruturas os mais diversos (pele, esôfago, rins, coração, etc.).

esclerodérmico. *Adj.* Referente à esclerodermia.

escleródio. [Do gr. *skleróides*, 'que parece duro', + *-io.*] *S. m. Micol.* Esclerócio.

esclerofilia. [De *escler(o)-* + *-fil(o)-*[1] + *-ia.*] *S. f. Ecol.* Ocorrência de folhas duras, coriáceas, em virtude do grande desenvolvimento do esclerênquima. Observa-se caracteristicamente nos climas secos e quentes.

esclerofilo. [De *escler(o)-* + *-filo*[1].] *Adj. Ecol.* Que apresenta esclerofilia.

escleroma. [Do gr. *skléroma.*] *S. m. Patol.* Área de endurecimento vista, sobretudo, em estruturas nasais e laríngeas.

esclerômetro. [De *escler(o)-* + *-metro.*] *S. m. Min.* Aparelho para medir a natureza de um mineral quanto à sua resistência ao risco.

escleronomia. *S. m. Fís.* Propriedade dum sistema em que existem vínculos esclerônomos.

esclerônomo. [De *escler(o)-* + *-nomo.*] *Adj.* ~ V. *vínculo* —.

escleropáreo. *S. m.* **1.** Espécie dos escleropáreos. ● *Adj.* **2.** Pertencente ou relativo aos escleropáreos.

escleropáreos. *S. m. pl. Zool.* Animais de classe dos peixes, neopterígios, da ordem *Scleroparei.* Marinhos, carniceiros, de dentes pontiagudos; um dos ossos suborbiculares alcança o pré-opérculo. Algumas espécies têm espinhos extranumerários na cabeça e no corpo. Ocorrem geralmente no fundo do mar.

esclerosado. [Part. de *esclerosar.*] *Adj.* **1.** Que se esclerosou. **2.** *Pop.* Diz-se de pessoa atingida por esclerose no sistema nervoso central. **3.** V. *de miolo mole.*

esclerosamento. *S. m.* Ação ou efeito de esclerosar(-se).

esclerosar. *V. t. d.* **1.** Fazer adquirir esclerose. *P.* **2.** Adquirir esclerose.

esclerose. [Do gr. *sklérosis.*] *S. f. Patol.* Endurecimento, sobretudo o ocorrente em estrutura ou órgão que sofreu processo inflamatório, ou outro que tenha acometido tecido conjuntivo intersticial. ◆ **Esclerose arterial.** *Patol.* Arteriosclerose.

esclerótica. [Do gr. *sklerótes*, 'dureza', + *ica*[2].] *S. f. Anat.* Membrana branca e fibrosa que reveste os globos oculares e, em sentido posterior, se continua com a bainha externa de nervo óptico; albugínea ocular; branco do olho; clara, alva, alvo: "É que aqueles belos olhos, muito negros sobre uma esclerótica muito branca, não tinham nunca visto nos outros olhos essa estima que se percebe instintivamente." (Domício da Gama, *Histórias Curtas*, p. 138).

eclusa. [Do esp. *esclusa.*] *S. f.* Eclusa.

▲**-esco** (ê). *Suf. nom.* = 'relação', 'referência', 'qualidade': *quixotesco, parentesco, gigantesco.* [Equiv.: *-isco*[2]: *mourisco, flandrisco.*]

escoa (ô). [Do cat. *escoa.*] *S. f. Constr. Nav.* **1.** Cada uma das carreiras de tabuado do forro interior do navio, de maior espessura, destinadas a consolidar a ligação dos braços às cavernas. [Em geral são três ou quatro carreiras, colocadas até junto à sobrequilha.] **2.** Cada uma das cantoneiras longitudinais dispostas paralelamente à sobrequilha, e assentes nos pontos onde as cavernas começam a subir, para consolidação interna da ossada do navio.

escoação. *S. f.* **1.** V. *escoamento* (1). **2.** *Bras., Marajó.* Apartação do gado, na malhada, segundo a qualidade; coação. **3.** Apartação preliminar quando há muito gado alheio numa fazenda; coação.

escoadoiro. *S. m.* Escoadouro [q. v.].

escoadouro. [Var. de *escoadoiro.*] *S. m.* Lugar ou cano destinado a por ele se escoarem águas, outros líquidos, ou dejetos.

escoadura. *S. f.* **1.** V. *escoamento.* **2.** V. *escorralho* (1).

escoalha. [De *escoar* + *-alha.*] *S. f. Pop.* V. *ralé* (1).

escoamento. *S. m.* **1.** Ato de escoar. [Sin.: *escoadura, escoação* e (p. us.) *escó.*] **2.** Declive, plano inclinado, por onde escoam as águas. **3.** Maneira como flui uma corrente. **4.** Deformação rápida e irreversível de um corpo, sem aumento apreciável da tensão que a causa. ◆ **Escoamento forçado.** Aquele em que o fluido se acha totalmente em contato com as paredes internas do conduto, nelas exercendo certa pressão. [Cf. *escoamento livre* e *escoamento superficial.*] **Escoamento laminar.** *Fís.* Escoamento de um fluido em que as linhas de corrente são perfeitamente definidas e onde não existem turbulências, i. e., variações bruscas e irregulares da velocidade. **Escoamento livre.** Aquele em que o fluido se acha total ou parcialmente em contato com a atmosfera, como canal, curso de água, e até tubulação em que o escoamento não se faça forçado, etc. [Cf. *escoamento forçado* e *escoamento superficial.*] **Escoamento plástico.** *Fís.* O de uma substância em que só se estabelece um gradiente de velocidade entre duas camadas vizinhas se a tensão de cisalhamento exceder um determinado valor. **Escoamento potencial.** *Fís.* O escoamento irrotacional dum fluido ideal para o qual existe, univocamente definido, um potencial velocidade. **Escoamento superficial.** A parcela das águas pluviais que se escoa sobre o terreno sem nele se infiltrar. [Cf. *escoamento forçado e escoamento livre.*] **Escoamento turbilhonar.** *Fís.* Escoamento dum fluido no seio do qual existe um turbilhonamento e as linhas de corrente não são paralelas. **Escoamento viscoso.** *Fís.* Qualquer escoamento de um fluido em que a viscosidade é diferente de zero.

escoar. [Do lat. *excolare.*] *V. t. d.* **1.** Fazer correr lentamente (um líquido). **2.** Deixar escorrer. **3.** Fazer sair por orifício, abertura. **4.** *Bras., Marajó.* Retirar da malhada (o gado alheio à fazenda). *Int.* **5.** Esvair-se, dissipar-se: *Com a vida irregular que levava, a sua robustez não tardou a* escoar. **6.** Fugir furtivamente; desaparecer, sumir(-se), escoar-se. *P.* **7.** Correr, escorrer (em geral, esvaziando o recipiente); esvair-se: *A água da represa* escoou-se. **8.** Esvair-se, exaurir-se: *O sangue* escoava-se *pelo ferimento.* **9.** Decorrer; passar(-se): *Os anos* se escoavam *monotonamente.* **10.** V. *escoar* (6): "O vulto marinhou lesto escada acima, cavalgou o peitoril sem lhe tocar com os pés, ... e escoou-se para o interior da casa." (Camilo Castelo Branco, *A Mulher Fatal*, p. 49.) [Conjug.: v. *coroar.*]

escocês. *Adj.* **1.** Da, ou pertencente ou relativo à Escócia (Europa). **2.** Diz-se de fazendas de lã, seda, linho, algodão ou de material sintético, tecidas em riscas cruzadas de várias cores vivas, como notadamente usam os habitantes da Escócia. ~ V. *escola* —*a.* ● *S. m.* **3.** O natural ou habitante da Escócia. **4.** A língua falada pelos escoceses. [Flex.: *escocesa* (ê), *escoceses* (ê), *escocesas* (ê).]

escocesa (ê). [Fem. substantivado do adj. *escocês.*] *S. f.* V. *xote.*

escócia. [Do gr. *skotía*, 'lugar escuro', pelo lat. *scotia.*] *S. f.* Nacela[1] (1).

escoda. [Do esp. *escoda.*] *S. f.* Martelo dentado que os canteiros utilizam para lavrar e alisar pedra.

escodar. [Do esp. *escodar.*] *V. t. d.* **1.** Lavrar ou alisar com escoda. **2.** Alisar (peles) para tingi-las. [Cf. *escudar.*]

escodear. [De *es-* + *côdea* + *-ar*[2].] *V. t. d.* Tirar ou arrancar a côdea a; descascar. [Conjug.: v. *frear.*]

escoiceador (ô). [Var. de *escouceador.*] *Adj.* e *s. m.* Que, ou aquele que escoiceia; escoicinhador.

escoicear. [De *es-* + *coice* + *-ear*; var. de *escoucear.*] *V. t. d.* **1.** Dar coice em. **2.** *Fig.* Tratar brutalmente; insultar. *Int.* **3.** Dar coice. [Sin.: *escoicinhar, coicinhar, coicear.* Conjug.: v. *frear.*]

escoicinhador (ô). [De *escoicinhar* + *-(d)or*; var. de *escoucinhador.*] *Adj.* e *s. m.* V. *escoiceador.*

escoicinhar. [Var. de *escoucinhar.*] *V. t. d.* e *int.* V. *escoicear:* "galopa [o burro], escoicinha, orneia estridentemente" (Ramalho Ortigão, *Banhos de Caldas e Águas Minerais*, p. 193).

escoimar. [De *es-* + *coima* + *-ar*[2].] *V. t. d.* **1.** Livrar de coima. *T. d. e i.* **2.** Livrar (de impurezas ou, fig., de falhas); limpar: escoimar *o vinho das fezes;* escoimar *o estilo das repetições e ambigüidades. P.* **3.** Furtar-se; livrar-se; escapar: *Grande estudioso, não* se escoima, *no entanto, de algumas inexatidões.*

escol. [De *escolha.*] *S. m.* **1.** V. *elite* (1). **2.** Conjunto das pessoas mais cultas. [Pl.: *escóis.*] ◆ **De escol.** De alta qualidade.

escola. [Do gr. *scholé*, pelo lat. *schola.*] *S. f.* **1.** Estabelecimento público ou privado onde se ministra, sistematicamente, ensino coletivo: escola *primária;* escola *de medicina;* escola *de corte e costura.* **2.** Estabelecimento onde se recebe ensino primário: *Tenho saudades da* escola *onde aprendi a ler.* **3.** Alunos, professores e pessoal de uma escola. **4.** Edifício onde funciona a escola. **5.** Sistema ou doutrina de pessoa notável em qualquer dos ramos do saber: *A* escola *de Freud é o fundamento de todas as correntes de psicoterapia analítica.* **6.** Conjunto de adeptos e/ou seguidores de um mestre ou de uma doutrina ou sistema: escola *hegeliana;* escola *estóica.* **7.** Determinada concepção técnica e estética de arte, seguida por muitos artistas: *a* escola *de pintura flamenga.* **8.** Ensinamento; exemplo, lição: *As comunidades* hippies *procuram seguir a* escola *dos pensadores hindus.* **9.** Estudo, conhecimento, saber: *Coitada: não tem beleza, nem* escola, *nem dinheiro.* **10.** O que é próprio para instruir, para dar experiência: *A disciplina doméstica é boa* escola *para fazer homens responsáveis.* **11.** Experiência, vivência:

Sua compreensão e generosidade demonstram que teve boa escola. **12.** Seguidores, imitadores: *Sua boêmia criou escola entre os companheiros.* **13.** *Bras., RJ. Gír.* Casa de jogo. ♦ **Escola cínica.** *Hist. Filos.* V. *cinismo* (1). **Escola cirenaica.** *Hist. Filos.* V. *cirenaísmo.* **Escola condoreira.** *Liter.* Escola literária da fase final da poesia romântica brasileira, cujos principais representantes são Castro Alves e Tobias Barreto, e cujas características principais são a grandiloqüência, o gosto das antíteses e hipérboles, etc., à maneira de Vítor Hugo, seu modelo, e o aspecto social e político. **Escola de Alexandria.** *Hist. Filos.* **1.** Conjunto de escolas filosóficas e eruditas que floresceram na cidade de Alexandria, do séc. III a. C. ao séc. III de nossa era. **2.** Algumas das tendências do pensamento neoplatônico dessa mesma época. **Escola de Atenas.** *Hist. Filos.* O último período da Academia (1), no séc. V, fim do qual, em 529, foi fechada por Justiniano. **Escola de Cirene.** *Hist. Filos.* V. *cirenaísmo.* **Escola de Éfeso.** *Hist. Filos.* V. *heraclitismo.* **Escola de Eléia.** *Hist. Filos.* V. *eleatismo.* **Escola de Mégara.** *Hist. Filos.* Escola fundada por Euclides, o Socrático, filósofo grego (c. 450-380 a. C.), e influenciada por Sócrates e pelo eleatismo. (Discípulos de Euclides — entre outros, Eubúlides [séc. IV. a. C.] — desenvolveram, com os estóicos, uma lógica formalística das proposições.) [Sin.: *escola erística* e *escola megárica.*] **Escola de Mileto.** *Hist. Filos.* V. *milésio* (4). **Escola de samba. 1.** *Bras.* Sociedade musical e recreativa, composta de sambistas, passistas, compositores, músicos, figurinistas, etc., e que promove festejos, espetáculos e desfiles (especialmente durante o carnaval). **2.** A sede duma dessas sociedades, onde em geral se praticam as músicas e danças carnavalescas, ensaiando para os desfiles do carnaval. **Escola dominical.** Instituição essencialmente protestante, que ministra às crianças, aos domingos, educação religiosa e cívica. **Escola efésia.** *Hist. Filos.* V. *heraclitismo.* **Escola eleática.** *Hist. Filos.* V. *eleatismo.* **Escola erística.** *Hist. Filos.* V. *escola de Mégara.* **Escola escocesa.** *Hist. Filos.* Corrente de pensamento representada pelos filósofos escoceses Thomas Reid (1710-1796), Dugald Stewart (1753-1828) e Thomas Brown (1778-1820), entre outros, que se opunha ao fenomenismo de Locke e Hume, apelando para o senso comum. **Escola hedonística.** *Hist. Filos.* V. *cirenaísmo.* **Escola itálica.** *Hist. Filos.* V. *pitagorismo.* **Escola maternal.** Escola para crianças abaixo de 4 anos [Cf. *jardim-de-infância.*] **Escola megárica.** *Hist. Filos.* V. *escola de Mégara.* **Escola milésia.** *Hist. Filos.* V. *milésio* (4). **Escola mineira.** *Liter.* V. *grupo mineiro.* **Escola normal.** *Obsol.* Aquela que se destina à preparação de professores. **Escola peripatética.** *Hist. Filos.* V. *peripatetismo.* **Escola pitagórica.** *Hist. Filos.* V. *pitagorismo.* **Escolas socráticas.** *Hist. Filos.* V. *socratismo* (2). **Fazer escola.** Criar adeptos: *Com as suas idéias, rapidamente fez escola.*

escolado. [De *escola* + *-ado*[1].] *Adj. Bras.* **1.** Esperto, vivo, sabido, ladino. **2.** Experimentado, ensinado.

escolágio. *S. m.* Quantia que paga o aluno para freqüentar a escola.

escola-modelo. *S. f.* Estabelecimento de ensino cuja organização e métodos servem ou podem servir de modelo. [Pl.: *escolas-modelos* e *escolas-modelo.*]

escolar. [Do lat. *scholare.*] *Adj. 2 g.* **1.** Relativo à escola: *problemas escolares.* **2.** Próprio para ser usado em escola, no ensino: *material escolar.* **3.** Próprio para se freqüentar a escola: *idade escolar.* **4.** Destinado especialmente às escolas: *uma edição escolar de* Os Lusíadas. ~ V. *grupo —, inspetor —, orientação —* e *orientador —.* ● *S. m.* **5.** Estudante, aluno; escolástico.

escolarca. [Do gr. *scholárches.*] *S. m. Filos.* Fundador ou chefe de escola de filosofia da Antiguidade grega; diádoco.

escolarcado. [De *escolarca* + *-ado*[2].] *S. m. Filos.* Período de duração da chefia de um escolarca.

escolaridade. *S. f.* **1.** Tirocínio escolar. **2.** Rendimento escolar: *A professora queixou-se da fraca escolaridade do aluno.*

escolarização. *S. f.* Ação ou efeito de escolarizar: "a escolarização de menores ainda apresenta problemas nesses municípios, em especial nos do Paraná e Santa Catarina" (Clóvis Caldeira, *Menores no Meio Rural*, p. 138).

escolarizado. [Part. de *escolarizar.*] *Adj.* Submetido ao ensino escolar.

escolarizar. *V. t. d.* Submeter ao ensino escolar.

escolarizável. *Adj. 2 g.* Em idade ou condições de ser escolarizado.

escolástica. [Fem. substantivado do adj. *escolástico.*] *S. f. Hist. Filos.* Doutrinas teológico-filosóficas dominantes na Idade Média, dos séc. IX ao XVII, caracterizadas sobretudo pelo problema da relação entre a fé e a razão, problema que se resolve pela dependência do pensamento filosófico, representado pela filosofia greco-romana, da teologia cristã. Desenvolveram-se na escolástica inúmeros sistemas que se definem, do ponto de vista estritamente filosófico, pela posição adotada quanto ao problema dos universais [q. v.], e dos quais se destacam os sistemas de Santo Anselmo [v. *anselmiano*], de São Tomás [v. *tomismo*] e de Guilherme de Occam [v. *occamismo*]. [Sin. ger.: *escolasticismo.*]

escolasticismo. *S. m.* V. *escolástica.*

escolástico. [Do gr. *scholastikós*, pelo lat. *scholasticu.*] *Adj.* **1.** Relativo a escola(s). **2.** Próprio de estudantes. **3.** Relativo ou pertencente à escolástica. **4.** Que é partidário da escolástica. ~ V. *letra —a.* ● *S. m.* **5.** Escolar (5). **6.** Partidário da escolástica.

escólece. *S. m.* Escólex [q. v.].

escolecita. [Do gr. *skólex, kos*, 'verme', + *-ita*[3].] *S. f. Min.* Mineral monoclínico, silicato hidratado de cálcio e alumínio.

escólex (cs). [Do gr. *skólex.*] *S. m.* Porção de fixação da tênia, em geral provida de ventosas; escólece.

escolha (ô). [Dev. de *escolher.*] *S. f.* **1.** Ato, operação ou efeito de escolher. **2.** Preferência, dileção, predileção: *Gostava de todos os irmãos, mas a sua escolha recaía sobre o mais velho.* **3.** Preferência, opção: *Foi difícil a escolha entre as duas soluções que lhe apresentaram.* **4.** Eleição (1): *A escolha do presidente tumultuou a reunião do partido.* **5.** Senso de escolha; capacidade de escolher bem; discernimento: *Não tem escolha nas suas amizades, e por isso algumas são péssimas.* [Sin. (p. us.) nessas acepç.: *escolhimento.*] **6.** *Bras.* Café de qualidade inferior. **7.** *Bras.* Refugo ou resto, de qualidade inferior, de cereais e outros produtos agrícolas. ♦ **Múltipla escolha.** Sistema de aferição de conhecimentos em concursos, provas ou testes, no qual se apresentam, para cada questão formulada, várias respostas (entre as quais apenas uma é considerada válida), devendo o candidato, ou o aluno, assinalar a que lhe parecer correta.

escolhedor (ô). *Adj.* e *s. m.* Que ou aquele que escolhe.

escolher. [Do lat. **excolligere.*] *V. t. d.* **1.** Dar preferência a; eleger, preferir: *Cristo escolheu Pedro para o primeiro chefe de sua igreja; Escolheu aquele sítio para construir sua morada.* **2.** Fazer seleção de; joeirar: *Escolheu os melhores grãos.* **3.** Optar (entre duas ou mais pessoas ou coisas): "Escolhe entre nós dois..." (Menotti del Picchia, *As Máscaras*, p. LV); *Entre as duas soluções, escolheu a que mais lhe convinha.*

escolhido. [Part. de *escolher.*] *Adj.* **1.** Que se escolheu; selecionado, seleto. **2.** Preferido, dileto, predileto. **3.** *P. ext.* Apurado; seleto: *arroz escolhido; páginas escolhidas.* ● *S. m.* **4.** O que se escolheu. **5.** Namorado ou noivo; eleito.

escolhimento. *S. m. P. us.* V. *escolha* (1 a 5).

escolho (ô). [Do it. *scoglio.*] *S. m.* **1.** Rochedo à flor da água; recife, abrolho. **2.** *Fig.* Dificuldade, obstáculo. **3.** *Fig.* Perigo, risco. [Pl.: *escolhos* (ó).]

escólia. *S. f.* Gênero de insetos himenópteros. [Cf. *escolia*, do v. *escoliar.*]

escoliador (ô). *S. m.* V. *escoliasta.*

escoliar. *V. t. i.* **1.** Tirar escólios. **2.** Formar escólios. [Pres. ind.: *escolio, escolias, escolia*, etc. Cf. *escólio* e *escólia.*]

escoliasta. [Do gr. *skoliastés.*] *S. 2 g.* Autor de escólios; comentador, explicador, escoliador.

escólio. [Do gr. *skólion.*] *S. m.* **1.** Comentário destinado a tornar inteligível um autor clássico; esclarecimento. **2.** Explicação ou interpretação de um texto. [Cf. *escolio*, do v. *escoliar.*]

escoliose. [Do gr. *skolíosis.*] *S. f. Patol.* Desvio da coluna vertebral para um lado; raquioscoliose. [Cf. *cifose* e *lordose* (3).]

escolitídeo. *S. m.* **1.** Espécime dos escolitídeos. ● *Adj.* **2.** Pertencente ou relativo a eles.

escolitídeos. *S. m. pl. Zool.* Família de insetos coleópteros onde se reúnem besouros pequenos, alguns até com 0,5 mm de comprimento, e os maiores, com cerca de 1 cm; corpo cilíndrico, cor preta ou marrom escura. Habitam o interior da casca das árvores, e chegam a atingir a estrutura interna. Compreendem duas subfamílias *Scolytinae* e *Ipinae.*

escolmar. [De *es-* + *colmo* + *-ar*[2].] *V. t. d.* **1.** Privar do colmo; descolmar. **2.** Apartar o colmo de.

escolopacídeo. *S. m.* **1.** Espécime dos escolopacídeos. ● *Adj.* **2.** Pertencente ou relativo a eles.

escolopacídeos. *S. m. pl. Zool.* Aves caradriiformes, da família *Scolopacidae*, caracterizadas por terem o tarso de comprimento inferior ao dobro do dedo médio, e revestido anteriormente (e quase sempre também posteriormente) de placas transversais dispostas em série única. Hálux presente, em geral. São os maçaricos, batuíras, narcejas, agachadas.

escolopendra. [Do gr. *skolópendra*, pelo lat. *scolopendra.*] *S. f.* V. *lacraia.*

escolopêndrio. [Do gr. *skolopéndrion.*] *S. m.* Feto medicinal, próprio das regiões temperadas.

escolopendromorfo. *S. m.* **1.** Espécime dos escolopendromorfos. ● *Adj.* **2.** Pertencente ou relativo a eles.

escolopendromorfos. *S. m. pl. Zool.* Artrópodes miriápodes, quilópodes, ordem *Scolopendromorpha*, de pernas em número de 21 ou 23 pares. Algumas espécies atingem até 26 cm.

escolta. [Do it. *scorta*, atr. do esp. *escolta.*] *S. f.* Policiais, corpo de tropas, embarcações, aviões, etc., destacados para acompanhar, guardar ou defender pessoas ou coisas: *O avião que trouxe os campeões da Copa do Mundo chegou ao Rio acompanhado de uma escolta de caças da FAB.*

escoltar. [De *escolta* + *-ar*[2].] *V. t. d.* **1.** Acompanhar para defender ou guardar: *Os policiais escoltaram os presos até a cadeia.* **2.** Ir ou seguir junto de; acompanhar: *Escoltou gentilmente a namorada, deixando-a em casa.*

escômbridas. *S. m. pl. Zool.* Família de peixes à qual pertence o atum.

escombrídeo. *Adj.* **1.** Pertencente ou relativo aos escômbridas. ● *S. m.* **2.** Espécime dos escômbridas.

escombro. [Do gr. *skombros.*] *S. m. Zool.* Gênero de peixes que tem por tipo a cavala. ~ V. *escombros.*

escombros. [Do esp. *escombros.*] *S. m. pl.* Entulhos, destroços, ruína(s): "Gorani chegou alguns anos depois do terremoto, mas ainda viu os escombros da grande eversão." (João Ribeiro, *Cartas Devolvidas*, p. 240.) ~ V. *escombro.*

escomunal. *Adj. 2 g.* V. *descomunal.*

escondedoiro. *S. m.* V. *escondedouro.*

escondedor (ô). *Adj.* e *s. m.* **1.** Que ou aquele que esconde. **2.** V. *receptador.*

escondedouro. [Var. de *escondedoiro.*] *S. m.* Esconderijo.

escondedura. [De *esconder* + *-(d)ura.*] *S. f.* Escondimento.

esconde-esconde. [Da 3ª pess. sing. do pres. ind. do v. *esconder*, repetida.] *S. m. 2 n.* Jogo infantil em que uma criança deve sair à procura das demais, que se esconderam; jogo das escondidas, escondidas, escondido, manja, pegador, tempo-será, bacondê.

esconder. [Do lat. *abscondere.*] *V. t. d.* **1.** Pôr em lugar oculto; encobrir, ocultar: *Escondeu cuidadoso o dinheiro.* **2.** Guardar consigo; não revelar; não enunciar; reservar: *Escondeu o que sentia a respeito do amigo.* **3.** Não manifestar; disfarçar, encobrir, dissimular: *Riu, procurando esconder o ódio.* *T. d. e i.* **4.** Furtar às vistas; ocultar: *Escondeu da polícia a arma do crime.* **5.** Não revelar; não enunciar; reservar, guardar: *Escondeu da família o desfalque cometido.* *P.* **6.** Subtrair-se às vistas alheias; ocultar-se: "Em que mundo, em qu'estrela tu t'escondes / Embuçado nos céus?" (Castro Alves, *Poesias Escolhidas*, p. 339.) **7.** Disfarçar-se, mascarar-se: *Sua tristeza se escondia sob uma máscara de indiferença.* **8.** Proteger-se, resguardar-se: *Procurou esconder-se contra os raios solares.*

esconderijo. *S. m.* Lugar onde alguém ou algo se esconde; escondedouro.

escondidas[1]. [F. red. de *jogo das escondidas.*] *S. f. pl.* V. *esconde-esconde*: "— Não é nada. São os rapazes do feitor jogando as escondidas." (Rebelo da Silva, *Contos e Lendas*, p. 54.)

escondidas[2]. [Do fem. pl. substantivado de *escondido.*] *El. s. f. pl.* Us. na loc. adv. *às escondidas.* ♦ **Às escondidas.** Ocultamente; às ocultas, a ocultas; às esconsas.

escondido. [Part. de *esconder.*] *Adj.* **1.** Oculto, encoberto, recôndito, abscôndito. ● *S. m.* **2.** V. *esconde-esconde.* **3.** *Bras., BA.* V. *grunado.*

escondimento. *S. m.* Ato de esconder(-se); escondedura.

esconjuração. *S. f.* V. *esconjuro.*

esconjurar. [De *es-* + *conjurar.*] *V. t. d.* **1.** Tomar juramento a; fazer prometer ou jurar. **2.** Exorcismar, conjurar: *esconjurar o Demônio.* **3.** Fazer imprecações contra; apostrofar, amaldiçoar. **4.** Fazer desaparecer; afastar. *T. d. e i.* **5.** Determinar, ordenar: *Esconjurou-lhe que se retirasse.* *P.* **6.** Lamentar-se, queixar-se: *Vive a esconjurar-se de sua triste sorte.* [F. paral.: *desconjurar.*]

esconjurativo. *Adj.* Esconjuratório (1).

esconjuratório. *Adj.* **1.** Que encerra esconjuro; esconjurativo. **2.** Próprio para esconjurar.

esconjuro. [Dev. de *esconjurar.*] *S. m.* **1.** Juramento com imprecações. **2.** Praga, maldição. **3.** Exorcismo. [Sin. ger.: *esconjuração.*]

esconsas. [Fem. pl. substantivado do adj. *esconso.*] *El. s. f. pl.* Us. na loc. adv. *às esconsas.* ♦ **Às esconsas.** V. *às escondidas.*

esconsidade. [De *esconso* + *-i-* + *-dade.*] *S. f.* Complemento do ângulo formado pelas direções de uma ponte, ou de um viaduto, e do obstáculo transposto.

esconso[1]. [Do fr. ant. **escoinz.*] *Adj.* **1.** Inclinado, oblíquo, enviesado, absconso. ~ V. *ponte —a.* ● *S. m.* **2.** Qualidade de esconso. **3.** Ângulo; canto; desvão. ♦ **De esconso.** De esguelha; de través; de soslaio.

esconso[2]. [Do lat. *absconsu.*] *Adj.* **1.** Oculto, escondido: *lugar esconso*; "desde o contrabandista que, da sua malhada, espreitava os caminhos esconsos e nela se acoitava como um malfeitor, ao ganhão que .... vencia léguas com o pequeno negócio do seu jerico." (Fernando Namora, *Retalhos da Vida de um Médico,* p. 107). ● *S. m.* **2.** V. *recesso* (1): "os tristes e pusilânimes que se tinham acaçapados nos esconsos do mosteiro, nas covas .... escuras, afluíam ao largo." (Aquilino Ribeiro, *Estrada de Santiago,* p. 253.)

escôo. [Dev. de *escoar.*] *S. m. P. us.* V. *escoamento* (1).

escopa (ô). [Do it. *scopa.*] *S. f. Bras., MG* e *SP.* Certo jogo de cartas.

escopear. [Por *escoprear,* de *escopro* + *-ear.*] *V. t. d. Bras.* Acertar preliminarmente, com o escopro, os cortes em (grandes peças de ferro, como chapas, varões, etc.). [Conjug.: v. *frear.*]

escopeiro. [Do lat. *scopariu.*] *S. m.* **1.** Pequena vassoura com que se molha o carvão na forja quando aceso em demasia. **2.** *Bras., BA.* Instrumento empregado na calafetagem de barcos.

escopeta (ê). [Do it. ant. *scoppietta* ou *scoppietto,* hoje *schioppetto.*] *S. f.* Espingarda de repetição, leve, de cano curto: "viu, impassivelmente e sem uma palavra, a busca, as gavetas arrombadas pela coronha das escopetas" (Eça de Queirós, *Os Maias,* I, p. 24).

escopetear. *V. t. d.* **1.** Disparar escopeta contra. *Int.* **2.** Dar tiros de escopeta. [Conjug.: v. *frear.*]

escopeteiro. *S. m.* **1.** *Ant.* Soldado armado de escopeta. ● *Adj.* **2.** *Bras., N.E.* Diz-se do atirador que não erra o alvo. **3.** *Bras.* Hábil, jeitoso, vivo, esperto.

escopo (ô). [Do gr. *skoppós,* pelo lat. *scopu.*] *S. m.* Alvo, mira, intuito; intenção: "A expressão do sentimento religioso .... só atinge o verdadeiro escopo quando não se afasta da simplicidade do eterno ideal." (Carlos de Laet, *O Frade Estrangeiro e Outros Escritos,* p. 64.) [Cf. *escopro* (ô).]

escopolamina. *S. f. Quím.* Alcalóide existente em diversas solanáceas, líquido, viscoso, tóxico, usado como sedativo cerebral e hipnótico; hioscina. [Fórm.: $C_{17}H_{21}O_4N$.]

escopro (ô). [Do lat. *scalpru.*] *S. m.* **1.** Instrumento de ferro e aço com que se lavram madeiras, pedras, etc.; cinzel. **2.** *Cir.* Instrumento cirúrgico de aço, com extremidade cortante, empregado em operações ósseas. [Cf. *escopo* (ô).]

escora. [Do neerl. *schoor,* atr. do fr. ant. *escore* ou do esp. *escora.*] *S. f.* **1.** Peça para amparar e suster; espeque, esteio, estronca. **2.** Arquit. V. *botaréu.* **3.** *Fig.* Amparo, arrimo. **4.** *Bras.* Espera com o fim de atacar; cilada, tocaia.

escorador (ô). *S. m. Bras., S.* Indivíduo valente, disposto, que não recua na luta, que escora o inimigo.

escoramento. *S. m.* **1.** Ato ou efeito de escorar(-se). **2.** Conjunto de escoras para arrimar parede que ameaça ruir. **3.** *Arquit.* Medida de caráter provisório, de emergência, que visa a evitar o avanço do processo de desabamento ou desarticulação de uma edificação. [Cf., nesta acepç., *consolidação* (9).]

escorão. [Aum. de *escora.*] *S. m. Bras. Folcl.* No jogo da capoeira, variante do golpe chapa-de-pé, quando o capoeirista ataca com a planta do pé o ventre do adversário.

escorar. *V. t. d.* **1.** Pôr escora(s) a; segurar com escora(s); especar, amparar. **2.** *Bras.* Fazer frente a; arrostar, enfrentar, detendo: *O policial escorou os assaltantes.* **3.** *Bras.* Esperar (alguém) de espreita, protegido por escora ou, amparo; armar cilada, emboscada ou tocaia a; tocaiar. **4.** *Bras.* Resistir a; suportar. *T. i.* **5.** Amparar-se, estribar-se; encostar-se: *Escorou no pai, não quer saber de trabalho. P.* **6.** Firmar-se, apoiar-se. **7.** Amparar-se, estribar-se, estear-se, ater-se, fundamentar-se: *Para pensar como pensa escora-se nas maiores autoridades.*

escorbútico. *Adj.* **1.** Relativo a, ou da natureza do escorbuto. **2.** Que sofre dessa doença. ● *S. m.* **3.** Aquele que sofre de escorbuto.

escorbuto. [De uma antiga f. neerlandesa, hoje *scherbuik,* atr. do fr. *scorbut.*] *S. m. Patol.* Doença devida à carência de vitamina C, e que se caracteriza por tendência às hemorragias; mal-de-luanda.

escorçar. *V. t. d.* Fazer o escorço de. [Conjug.: v. *laçar.* Pres. ind.: *escorço,* etc. Cf. *escorço* (ô).]

escorchado. [Part. de *escorchar.*] *Adj.* **1.** Sem corcha; descascado. **2.** Arranhado, esfolado. **3.** *Fig.* Despojado, espoliado; explorado.

escorchador (ô). *Adj.* e *s. m.* Que, ou aquele que escorcha.

escorchamento. *S. m.* **1.** Ação de escorchar. **2.** Esfoladela, arranhadura, escoriação.

escorchar. [Do esp. *escorchar.*] *V. t. d.* **1.** Tirar a casca ou cortiça de; descascar, descortiçar. **2.** Tirar a pele ou o revestimento externo de (animal, planta ou qualquer objeto). **3.** Crestar (colmeias). **4.** Escangalhar, desconjuntar; destruir: *Escorchou, com um pontapé, o belo arranjo de flores.* **5.** Ferir, maltratar. **6.** Cometer erro em; estropiar: *escorchar versos; escorchar o idioma.* **7.** Roubar, despojar: *Os piratas escorcharam o navio.* **8.** Cobrar preço(s) exorbitante(s) a; esfolar: *O comerciante escorcha a freguesia.* **9.** Onerar muito pesadamente; esfolar: *O prefeito escorchou os contribuintes. T. d.* e *i.* **10.** Roubar, despojar: *Escorcharam a casa de seus móveis.*

escorcioneira. [Do cat. *escurçonera,* talvez pelo esp. *escorzonera.*] *S. f. Bras., RJ* a *RS.* Erva da família das compostas *(Scorzonera hispanica),* dotada de raiz comprida, cônica e carnosa, flores grandes, amarelas, compostas de semiflorões férteis, hermafroditos, dispostas no ápice das ramificações, e cujo fruto é aquênio, com sementes lisas, compridas e brancas; salsifi-negro.

escorço (ô). [Do it. *scorcio.*] *S. m.* **1.** *Art. Plást.* Desenho ou pintura que representa objeto de três dimensões em forma reduzida ou encurtada, segundo as regras da perspectiva. **2.** As figuras assim representadas. **3.** Qualquer figura menor que o natural. **4.** *Fig.* Resumo, síntese. [Cf. *escorço,* do v. *escorçar.*]

escordar[1]. *V. t. d. Desus.* Tirar do sono, acordar, despertar.

escordar[2]. *V. t. d., t. d.* e *i.* e *p. Pop.* Recordar (1, 3 e 5).

escore. [Do ingl. *score.*] *S. m.* Resultado de uma partida esportiva, expresso em números; contagem, placar: *A partida terminou por um escore de 5 x 2.*

escória. [Do gr. *skoría,* pelo lat. *scoria.*] *S. f.* **1.** Resíduo silicoso que se forma juntamente com a fusão dos metais; fezes: "Esse metal nobre, ... na incandescência da sua ebulição, não deixa escória." (Rui Barbosa, *Oração aos Moços,* p. 22.) **2.** Coisa desprezível. **3.** V. *ralé* (1): "A escória, a gentalha é que exerce o império." (Ramalho Ortigão, *Correio de hoje,* II, p. 115.) [Cf. *escoria,* do v. *escoriar.*] ♦ **Escória ácida.** *Metal.* Escória com teor elevado de sílica. **Escória básica.** *Metal.* Escória de forno com teor elevado de óxidos básicos, como, p. ex., a magnésia. **Escória social.** V. *ralé* (1).

escoriação. *S. f.* Ato ou efeito de escoriar[1](-se).

escoriar[1]. [Do lat. *excoriare.*] *V. t. d.* e *p.* Ferir(-se) superficialmente; esfolar(-se). [Pres. ind.: *escorio, escorias, escoria,* etc. Cf. *escória.*]

escoriar[2]. *V. t. d.* Limpar (metais) de escórias; purificar; limpar, esporificar. [Pres. ind.: *escorio, escorias, escoria,* etc. Cf. *escória.*]

escorificar. *V. t. d.* Purificar, limpar, escoriar. [Conjug.: v. *trancar.*]

escorificatório. *Adj.* **1.** Que escorifica. ● *S. m.* **2.** Vaso para escorificar metais.

escorinhote. [Duplo dim. de *escora.*] *S. m. Bras.* Escora que reforça, nos engenhos de açúcar, a comporta dos açudes.

escorjar. [Do it. *scorciare.*] *V. t. d.* **1.** Dar posição forçada a; torcer; constranger. *Int.* e *p.* **2.** Estorcer-se de dor ou de aflição; confranger-se.

escornado. [Part. de *escornar.*] *Adj.* **1.** Ferido com os cornos; marrado. **2.** *Fig.* Tratado com desprezo; escorraçado. **3.** *Bras. Gír.* Esfalfado, extenuado, exausto (por excesso de trabalho, falta de sono, noitadas, etc.): "o pai bêbado, escornado por cima de caixas no celeiro" (Moreira Campos, *Os Doze Parafusos,* p. 59).

escornador (ô). *Adj.* e *s. m.* Que, ou aquele que escorna.

escornar. [De *es-* + *corno* + *-ar*[2].] *V. t. d.* **1.** Ferir ou agredir com os cornos; marrar, chifrar. **2.** *Fig.* Tratar com desprezo; escorraçar, repudiar. *Int.* **3.** *Bras. Gír.* Ficar sem ação, inerte, por esfalfamento, extenuação, exaustão. *P.* **4.** Ferir-se ou agredir-se reciprocamente; com os chifres; marrar-se mutuamente. [Cf. *encornar* e *descornar.*]

escorneador (ô). *Adj.* e *s. m.* Que ou aquele que escorneia.

escornear. [De *es-* + *corno* + *-ear.*] *V. t. d.* Ter o hábito de escornar; escornar amiúde; escornichar. [Conjug.: v. *frear.*]

escornichar. [De *es-* + *cornicho* + *-ar*[2].] *V. t. d.* Escornear.

escoroar. [De *es-* + *coroa* + *-ar*[2].] *V. t. d.* Descoroar. [Conjug.: v. *coroar.*]

escorpenídeo. *S. m.* **1.** Espécime dos escorpenídeos. ● *Adj.* **2.** Pertencente ou relativo a eles.

escorpenídeos. *S. m. pl. Zool.* Família de peixes actinopterígios, da ordem dos escleropáreos. Têm corpo subclaviforme, com a cabeça fortemente armada de espinhos, o mesmo ocorrendo nos opérculos. Ex.: o mangangá, o peixe-escorpião.

escorpiano. *S. m. Astrol.* **1.** Indivíduo nascido sob o signo de Escorpião (3). ● *Adj.* **2.** Diz-se de, ou pertencente ou relativo a esse indivíduo.

escorpião. [Do lat. *scorpione.*] *S. m.* **1.** *Zool.* Designação comum aos animais artrópodes, escorpionídeos, providos de 12 segmentos abdominais, dos quais os cinco posteriores formam com o telso uma cauda terminada em aguilhão, através do qual é inoculada a peçonha. [Sin.: *carangonço, lacrau, rabo-torto.*] **2.** *Astr.* A oitava constelação do Zodíaco, situada no hemisfério sul, a 16h30min de ascensão reta e 30º de declinação sul. **3.** *Astrol.* O oitavo signo do Zodíaco, relativo aos que nascem entre 23 de outubro e 21 de novembro.

escorpião-d'água. *S. m.* Designação comum às baratas-d'água, hemípteros aquáticos da família dos belostomatídeos. [Pl.: *escorpiões-d'água.*]

escorpião-grande. *S. m. Bras.* Designação dada à espécie de escorpião *Tytius cambridgei* Pocock, de colorido uniforme, com cerca de 120 mm de comprimento. Ocorre na Amazônia. [Sin.: *saraiú.* Pl.: *escorpiões-grandes.*]

escorpióide. [Do gr. *skorpioeidés.*] *Adj. 2 g.* Semelhante à cauda do escorpião.

escorpionídeo. *S. m.* **1.** Espécime dos escorpionídeos. ● *Adj.* **2.** Pertencente ou relativo a eles.

escorpionídeos. *S. m. pl. Zool.* Artrópodes aracnídeos da ordem *Scorpionida,* de corpo alongado, abdome com 12 segmentos, os cinco posteriores formando com o telso uma cauda; quelíceras trissegmentadas, palpos com robustas quelas terminais, e quatro pares de pulmões. São vivíparos e noturnos, conhecidos popularmente como *escorpiões.*

escorpionismo. [Do lat. *scorpione,* 'escorpião', + *-ismo.*] *S. m. Med.* Envenenamento produzido pela ferroada de escorpião: "A ele [Otávio Coelho de Magalhães] devemos a solução do problema do escorpionismo em Belo Horizonte" (Pedro Nava, *Beira-Mar,* p. 151).

escorraçado. [Part. de *escorraçar.*] *Adj.* **1.** Afugentado, expulso, rejeitado com desprezo ou com maus tratos. **2.** *Bras., MT,* e *prov. lus.* Arisco, arredio.

escorraçar. *V. t. d.* **1.** Pôr para fora, expulsar, com desprezo; correr: *Escorraçou o empregado desonesto;* "escorraçada de quantos lhe deviam respeito e amparo, abandonada no isolamento de uma insignificante propriedade já roída de hipotecas, via-se esbulhada do grande patrimônio, que legitimamente lhe pertencia." (M. Teixeira-Gomes, *Gente Singular,* p. 22). **2.** Afugentar, batendo. **3.** Afugentar, fazer desaparecer: "Esta impressão era tão estranha, tão inquietante, ... que Leonel se esforçava por a escorraçar" (José Régio, *O Príncipe com Orelhas de Burro,* p. 145). **4.** Não fazer caso de; rejeitar: *Escorraçou uma oportunidade de ser feliz.* [Conjug.: v. *laçar.*]

escorralhas. *S. f. pl.* V. *escorralho.*

escorralho. [De *escorrer.*] *S. m.* **1.** Resíduo de líquido que ficou no fundo das vasilhas; fundagem, lia, escoadura. **2.** *Pop.* V. *ralé* (1). [Var.: *escorralhas.*]

escorredoiro. *S. m.* V. *escorredouro.*

escorredor (ô). *S. m. Bras., RS.* Pequeno curral anexo ao banheiro carrapaticida, e onde, após o banho neste, se deixa o gado até que a água lhe escorra do corpo.

escorredouro. [Var. de *escorredoiro.*] *S. m.* Lugar por onde escorre água; escorredura.

escorredura. *S. f.* V. *escorredouro.*

escorrega. [Dev. de *escorregar.*] *S. m.* V. *escorregador* (3).

escorregadela. *S. f.* **1.** Ato de escorregar ou resvalar. **2.** Erro, falta, lapso, deslize. [Sin. ger.: *escorregadura,*

escorregamento, escorregão, escorrego.]
escorregadiço. *Adj.* **1.** V. *escorregadio* (1). **2.** Que escorrega facilmente; escorregável.
escorregadio. *Adj.* **1.** Em que se escorrega facilmente; resvaladio; escorregadiço, escorregável; lúbrico: "Levou a mão à maçaneta fria, leitosa, escorregadia, e girou." (Autran Dourado, *As Imaginações Pecaminosas*, p. 27.) **2.** Diz-se de pessoa dada a evasivas, subterfúgios: *Não chegamos a conhecer suas verdadeiras intenções: é muito escorregadio.*
escorregador (ô). *Adj.* **1.** Que escorrega. **2.** *Bras.* Exagerado, mentiroso. ● *S. m.* **3.** Plano inclinado, geralmente de madeira ou de metal, destinado ao divertimento de crianças; escorrega, escorregão, escorrego.
escorregadura. *S. f.* V. *escorregadela.*
escorrega-macaco. *S. m. Bras.* Árvore alta (*Vochysia haenkeana*), voquisiácea, comum em áreas silvestres de GO, de tronco liso, coberto de copioso pó de cor ocre que se desprende com extrema facilidade e que, vista de longe, exibe aspecto único graças à cor lútea do tronco brilhante ao sol. [Pl.: *escorrega-macacos.*]
escorregamento. *S. m.* V. *escorregadela.*
escorregão. *S. m.* **1.** V. *escorregadela.* **2.** Escorrego violento. **3.** V. *escorregador* (3).
escorregar. [Talvez de *correr.*] *V. int.* **1.** Deslizar com o próprio peso; resvalar: *Embriagado, pisou em falso e escorregou.* **2.** *Fig.* Cometer erro, falta: *Escorregou ao alcançar no dinheiro da firma, mas é provável que se regenere.* **3.** Passar, decorrer com velocidade: *As horas escorregavam, felizes.* **4.** *Bras.* Exagerar um fato, levado pelo entusiasmo da narração dele. **5.** Alterar a verdade em pormenores, mentir. *T. i.* **6.** Resvalar, deslizar, cair: *Quando menos se esperava, escorregou por caminhos escusos.* **7.** Incorrer, cair: *Escorregou em solecismos.* **8.** Errar, claudicar: *Costuma escorregar na crase e em ortografia.* [Conjug.: v. *regar.* Pres. ind.: *escorrego*, etc. Cf. *escorrego* (ê).]
escorregável. *Adj. 2 g.* **1.** V. *escorregadio* (1). **2.** Escorregadiço (2).
escorrego (ê). [Dev. de *escorregar.*] *S. m.* **1.** V. *escorregadela.* **2.** *Bras., N.E.* V. *escorregador* (3). [Pl.: *escorregos* (ê). Cf. *escorrego*, do v. *escorregar.*]
escorreito. [Do lat. **excorrectu*, part. pass. de **excorrigere* corrigere, 'corrigir'.] *Adj.* **1.** Que não tem defeito ou lesão: "Logo ali prometeu à Senhora da Rocha levantar-lhe um nicho no portão da quinta, se seu futuro genro tornasse sãozinho e escorreito para a sua companhia." (Camilo Castelo Branco, *Cenas da Foz*, p. 76.) **2.** Que tem bom aspecto; bem-apessoado: "O vaqueiro velho não saiu então como de costume, ferrão em punho, perneiras e guarda-peito, escorreito e desempenado, no rosilho campeador, a dar a mão de ajuda àqueles forasteiros" (Carvalho Ramos, *Tropas e Boiadas*, p. 12). **3.** Apurado; correto: *Fala e escreve um português escorreito*; "desenvolvendo as questões mais transcendentes com uma lógica inamolgável e através de uma linguagem escorreita e fluente" (João Neves da Fontoura, *Memórias*, I, p. 129).
escorrência. [Do lat. *excurrentia*, de *excurrere*, 'correr para fora'.] *S. f.* **1.** Qualidade do que escorre. **2.** Facilidade, rapidez, no escorrer. **3.** Aquilo que escorre. **4.** V. *menstruação* (1).
escorrer. [Do lat. *excurrere.*] *V. t. d.* **1.** Fazer correr ou esgotar (o líquido). **2.** Tirar a (alguma coisa) o líquido com que se achava misturada, fazendo-o correr gota a gota. **3.** Deixar sair; deitar, verter: *O ferimento escorria um líquido sanguinolento. Int.* **4.** Correr em fio; gotejar, pingar: *Transpirava muito, o suor escorria; A água escorria-lhe da roupa encharcada.* **5.** Descair, pender: *O manto escorre-lhe dos ombros.* **6.** Suar em bica: *Com aquele calor de 40 graus, chegava a casa escorrendo.*
escorrido. [Part. de *escorrer.*] *Adj.* **1.** Que se escorreu [v. *escorrer* (1)]. **2.** A que se tirou o líquido; que se enxugou: *roupa escorrida*; "o mucunzá com coco da praia, a coalhada escorrida e os fofos manuês assados em folha de bananeira!..." (Domingos Olímpio, *Luzia-Homem*, p. 66). **3.** Liso, corredio: *cabelo escorrido.* **4.** Desbotado, deslavado: *Trazia um vestido com desenhos já escorridos de tantas lavagens.* **5.** Vazio, esvaziado: *Viajou tanto que voltou com o bolso escorrido.* **6.** Exausto, esgotado.
escorrimento. *S. m.* **1.** Ato ou efeito de escorrer. **2.** *Bras.* Operação destinada a separar o leite da manteiga.
escorropichadela. *S. f.* Ato de escorropichar.
escorropicha-galhetas. [De *escorropichar* + *galheta.*] *S. m. 2 n. Pop.* e *deprec.* V. *sacristão.*
escorropichar. [De *escorrer.*] *V. t. d.* **1.** Beber até à última gota; esgotar: *Escorropichou a aguardente num instante.* **2.** Beber as últimas gotas de líquido contido em (um vaso): *Escorropichou as garrafas de champanha.*
escortinar. [De *es-* + *cortina* + *-ar*[2].] *V. t. d. Ant.* Guarnecer (fortaleza) de cortinas.
escorva. [Do it. ant. *scroba.*] *S. f.* **1.** *Expl.* Dispositivo com que se dá início à explosão de uma carga principal, geralmente constituído por um cordel detonante, uma espoleta elétrica ou um detonador, ou pelo conjunto de um estopim e uma espoleta comum. **2.** Porção de pólvora para comunicar fogo à carga de um foguete ou de um tiro de uma mina. **3.** *Bras., GO. Pop.* V. *batata-inglesa.*
escorvador (ô). *S. m.* Instrumento para escorvar.
escorvamento. *S. m. Expl.* Ação de conjugar uma escorva a uma carga explosiva.
escorvar. *V. t. d.* **1.** Pôr escorva em. **2.** Preparar a escorva de. **3.** Preparar para algum fim.
escota (ô). [Do frâncico **skôta*, pelo fr. ant. *escote*, atual *écoute.*] *S. f. Marinh.* Cabo de laborar fixo no punho da escota [q. v.], e que permite caçar o pano, i. e., estender a vela pelo punho respectivo, de modo que apresente ao vento toda a sua superfície. [A escota irá mais ou menos folgada ou entrada, de acordo com a mareação. Nas velas redondas há duas escotas, uma por barlavento e outra por sotavento; nas latinas, apenas uma.]
escote[1]. [Do frâncico *skot*, atr. do fr. ant. *escot*, atual *écot.*] *S. m.* **1.** Cota-parte (1). **2.** A quantia que cada um subscreve; contribuição. **3.** Parte que deve ser paga por cada um daqueles que fizeram uma despesa. **4.** *P. ext.* Qualquer despesa.
escote[2]. [Do antr. *Scott*, inventor ou fabricante do primeiro dispositivo de sinais luminosos usado na Marinha Brasileira.] *S. m. Bras. Mar. G.* Dispositivo para fazer sinais à noite, constituído de lâmpadas, dispostas geralmente nos dois laises de uma verga, cujo acendimento é comandado à distância por um manipulador do tipo telegráfico; pisca-pisca.
escoteira. *S. f. Ant. Constr. Nav.* Armação constituída de duas colunas fixas no convés por ante a vante dos mastros, ligadas por um travessão no qual se enfiavam malaguetas onde davam volta as escotas das gáveas; escotel.
escoteirismo. [De *escoteiro*[2] + *-ismo.*] *S. m.* Escotismo.
escoteiro[1]. [Adapt. do ingl. *boy-scout.*] *S. m.* **1.** Membro componente de qualquer unidade de escotismo [q. v.]. ● *Adj.* **2.** Pertencente ou relativo ao escotismo.
escoteiro[2]. [De *escote* + *-eiro.*] *Adj.* **1.** Que viaja sem bagagem. **2.** Só, desacompanhado. **3.** *Bras., N.* e *N.E.* Sem mistura; puro: *comer arroz escoteiro.* ● *S. m.* **4.** Aquele que viaja sem bagagem. **5.** *Bras., BA.* Tripulante encarregado da manobra da baleeira. ♦ **De escoteiro.** *Bras.* Sem bagagem.
escotel. *S. m.* Escoteira. [Pl.: *escotéis.*]
escotilha. [Do esp. *escotilla* ou do fr. *escotille.*] *S. f. Constr. Nav.* Abertura de grande ou médio tamanho, feita em qualquer pavimento de uma embarcação, para trânsito de pessoal, aeração ou iluminação das cobertas, ou passagem de carga. [Dim. irreg.: *escotilhão.*]
escotilhão. *S. m. Constr. Nav.* Pequena escotilha.
escotismo. [De *escot(eiro)*[2] + *-ismo.*] *S. m.* Organização mundial masculina de educação extra-escolar, voluntária, fundada pelo general inglês Baden-Powell (1857-1941), que visa a desenvolver, entre meninos e rapazes, um comportamento baseado em valores éticos, por meio da vida em equipe, do espírito comunitário, da liberdade responsável e do estímulo ao aprimoramento da personalidade, quer no campo individual, quer no campo coletivo. [Sin.: *escoteirismo.* Cf. *bandeirantismo* (2).]
escotoma. [Do gr. *skótoma*, pelo lat. tardio *scotoma.*] *S. m. Med.* Área, dentro de campo visual, em que a visão está prejudicada, circundada por zona em que a visão é normal ou menos perturbada. ♦ **Escotoma cintilante.** *Med.* Mancha brilhante que se move dentro do campo visual, e ocorrente em casos de enxaqueca; moscas volantes.
escouceador (ô). *Adj.* e *s. m.* V. *escoiceador.*
escoucear. *V. t. d.* e *int.* V. *escoicear.* [Conjug.: v. *frear.*]
escoucinhador (ô). *Adj.* e *s. m.* V. *escoicinhador.*
escoucinhar. *V. t. d.* e *int.* V. *escoicinhar.*
escova. [Dev. de *escovar.*] *S. f.* V. *escovadela.* [Pl.: *escovas.* Cf. *escova* (ô) e pl. *escovas* (ô).]
escova (ô). [Do lat. *scopa.*] *S. f.* **1.** Utensílio para limpar, lustrar, alisar, etc., que consta de uma placa onde são inseridos, muito próximos, filamentos flexíveis de cerda, fio sintético, metal, etc.: *escova de roupa, de dentes, de chão, de cavalo.* **2.** *Bras. Gír.* V. *maçante* (2). **3.** *Eng. Eletr.* Parte de um motor ou gerador elétrico que efetua o contato elétrico entre o rotor e condutores de corrente, e destinada a conduzir corrente para o motor ou coletar a corrente produzida no gerador. [Pl.: *escovas* (ô). Cf. *escova, escovas*, do v. *escovar*, e *escova*, s. f., pl. *escovas.*]
escova-botas. [De *escovar* + *bota*[1].] *S. 2 g.* e *2 n. Bras.* V. *bajulador* (2).
escovação. *S. f.* V. *escovadela.*
escovadeira. [De *escovar* + *-deira.*] *S. f.* Espécie de brossa, nas fábricas de lanifícios.
escovadela. *S. f.* **1.** Ato de escovar. **2.** *Fig.* Castigo, punição. **3.** *Fig.* V. *repreensão* (1). [Sin. ger.: *escovação* e *escova.*]
escovado. [Part. de *escovar.*] *Adj.* **1.** Limpo com escova. **2.** *P. ext. Pop.* Diz-se do indivíduo bem vestido, bem-posto, arrumado, limpo. **3.** *Bras. Fam.* Diz-se do indivíduo esperto, ladino, manhoso.
escovador (ô). *Adj.* **1.** Que escova. ● *S. m.* **2.** Aquele que escova. **3.** Máquina de limpar trigo.
escovalho. [De *escova* (ô) + *-alho.*] *S. m.* Vassoura com que se varre a cinza do lar, do forno, etc.
escovão. *S. m.* **1.** Escova grande. **2.** Escova grande e provida de longo cabo, para encerar assoalho.
escovar. *V. t. d.* **1.** Limpar com escova (ô) (1) ou escovador (3): "penteei os cabelos e .... fui escovar os dentes." (Solange Lajes, *Passagem*, p. 63). **2.** *Fig.* Repreender fortemente; censurar. **3.** Bater em; surrar. [Pres. ind.: *escovo, escovas, escova*, etc.; pres. subj.: *escove, escoves, ... escovem.* Cf. *escova* (ô), pl. *escovas* (ô), e *escovém.*]
escoveira. *S. f.* Lugar ou objeto apropriado para se guardarem escovas; escoveiro.
escoveiro. *S. m.* **1.** Fabricante ou vendedor de escovas. **2.** Escoveira. **3.** *Pop.* Intrujão; mentiroso.
escovém. [Do cat. ant. *escova*, atual *escoa.*] *S. m. Constr. Nav.* Tubo ou manga de ferro por onde passa a amarra da âncora, para ir do convés ao costado, de onde desce ao mar. [Cf. *escovem*, do v. *escovar.*]
escovilha. [Do provenç. *escovilh* ou do esp. *escobilla.*] *S. f.* **1.** Ato de escovilhar. **2.** Resíduos de ouro ou de prata.
escovilhão. [Do fr. *écouvillon.*] *S. m.* **1.** *Artilh.* Escova grande, cilíndrica, usada para limpar as bocas dos canhões. **2.** *Tip.* Haste de ferro com esfregador de amianto, destinada a limpar a boca do crisol da linotipo.
escovilhar. [Do esp. *escobillar.*] *V. t. d.* Limpar de impurezas (ouro ou prata).
escovilheiro. *S. m.* Aquele que aproveita a escovilha (2).
escovinha. [Dim. de *escova* (ô).] *S. f.* V. *centáurea.* ♦ **À escovinha.** Diz-se do cabelo cortado muito rente: "O Rafael tinha apenas um ligeiro bigode e usava o cabelo à escovinha." (Artur Azevedo, *Contos Possíveis*, p. 68.)
escrachado. [Part. de *escrachar.*] *Adj. Bras. Gír.* **1.** Que tem ficha na polícia. **2.** Claro, patente, evidente, declarado, manifesto; desmascarado. **3.** Diz-se de pessoa depravada, pervertida. **4.** Desleixado, descuidado no vestir.
escrachar. *V. t. d. Bras. Gír.* **1.** Fotografar e fichar (na polícia). **2.** Desmoralizar (alguém), revelando-lhe as intenções ocultas; desmascarar. **3.** Descompor injuriosamente; esculachar, esculhambar.
escrachetar. *V. t. d. Bras., RS.* Rebentar; destruir; acabar.
escracho. [Dev. de *escrachar.*] *S. m. Bras. Gír.* Ato ou efeito de escrachar (2 e 3).
escramuçar. *V. int. Bras., N.E.* V. *corcovear.* [Conjug.: v. *laçar.* Cf. *escaramuçar.*]
escrapeteador (ô). [F. metatética de *escarpeteador.*] *Adj. Bras., RS.* Que escrapeteia.
escrapetear. [De *escarpetear*, por metátese.] *V. int. Bras., RS.* **1.** Correr à roda, ou de um ponto a outro, pateando, quando perseguido ou acossado. **2.** Dar pinotes, corcovear (animal de rédea). **3.** Relutar em fazer alguma coisa, zangando-se, vociferando. [Conjug.: v. *frear.*]
escrava. *S. f.* **1.** Fem. de *escravo.* **2.** Bracelete largo e roliço, geralmente feito de metal.
escravagista. [Do fr. *esclavagiste.*] *Adj. 2 g.* e *s. 2 g.* V. *escravocrata* (2 e 3).
escravaria. *S. f.* **1.** Grande porção de escravos. **2.** V. *escravidão* (1).
escravatura. *S. f.* **1.** Tráfico de escravos. **2.** V. *escravidão.* **3.** Os escravos. ♦ **Escravatura branca.** Tráfico de mulheres para a prostituição.
escravidão. *S. f.* **1.** Estado ou condição de escravo; escravatura, escravaria, cativeiro, servidão. **2.** Falta de liberdade; sujeição, dependência, submissão, servidão,

escravatura: *Os empregados daquela usina queixavam-se de viver na* escravidão. **3.** Regime social de sujeição do homem e utilização de sua força, explorada para fins econômicos, como propriedade privada; escravatura.

escravismo. *S. m.* **1.** Sistema dos escravistas. **2.** Influência do sistema da escravatura.

escravista. *Adj. 2 g.* **1.** Respeitante a escravos. **2.** Escravocrata (2). ● *S. 2 g.* **3.** Escravocrata (3).

escravização. *S. f.* Ato de escravizar(-se).

escravizador (ô). *Adj.* e *s. m.* Que ou aquele que escraviza, subjuga, sujeita.

escravizar. *V. t. d.* **1.** Reduzir à condição de escravo; tornar escravo. **2.** Dominar moralmente; oprimir, subjugar: *Tirânico,* escraviza *os que dele se aproximam.* **3.** Encantar, enlevar, prender, cativar: *Seus modos gentis* escravizam *quantos a cercam; "A mulatinha selvagem, ... com os seus dengues lascivos, havia-o* escravizado." (Coelho Neto, *Treva,* p. 51.) *T. d. e i.* **4.** Tornar dependente; submeter: *A sociedade* escraviza *o homem a preconceitos. P.* **5.** Fazer-se escravo.

escravo. [Do gr. bizantino *sklábos,* atr. do lat. med. *sclavu,* 'eslavo'.] *Adj.* **1.** Que está sujeito a um senhor, como propriedade dele: *homens* escravos. **2.** Que está inteiramente sujeito a outrem, ou a alguma coisa: *É um espírito fraco,* escravo *dos vícios.* **3.** Próprio de, ou produzido por escravo (4): *vida* escrava; "Em 1884, ... o trabalho livre mostrava-se bastante mais lucrativo do que o trabalho escravo." (Alberto Passos Guimarães, *Quatro Séculos de Latifúndio,* p. 145.) ● *S. m.* **4.** Aquele que está sujeito a um senhor, como propriedade dele: "O bom escravo é o pior senhor" (prov.). **5.** *Fig.* Criado, servo. **6.** Aquele que está inteiramente sujeito a outrem, ou a alguma coisa cativo: *É um* escravo *da noiva; É um* escravo *do dever.* **7.** Aquele que trabalha em demasia: *Os afazeres não o deixam livre um momento: é um* escravo. **8.** Amigo ou amante muito dedicado, muito fiel.

escravocrata. [De *escravo* + *-crata.*] *Adj. 2 g.* **1.** Em que há escravidão: *países* escravocratas. **2.** Que é partidário da escravatura; escravista. ● *S. 2 g.* **3.** Partidário da escravatura; escravista. **4.** Senhor, dono de escravos.

escravocrático. *Adj.* Relativo à escravocrata ou à escravatura.

escrete. [Do ingl. *scratch.*] *S. m.* V. *seleção* (4).

escrevedor (ô). *S. m.* **1.** Aquele que escreve. **2.** *Fam.* V. *escrevinhador.*

escrevedura. *S. f.* **1.** *Fam.* Escrita (6). **2.** Composição de pouco ou nenhum mérito.

escrevente. [Do lat. *scribente.*] *S. 2 g.* Pessoa que copia o que outrem escreve ou dita; escriturário, copista. ◆ **Escrevente juramentado.** Auxiliar do serventuário de justiça, que legalmente o substitui em seus eventuais impedimentos.

escrever. [Do lat. *scribere.*] *V. t. d.* **1.** Representar por meio de escrita (3): *Tomou de um papel e* escreveu *algumas palavras.* **2.** Redigir ou compor (obra literária, científica, etc.): *Coelho Neto* escreveu *mais de 100 obras;* "Goethe escreveu as *Afinidades Eletivas* em 1809, com 60 anos de idade." (Oto Maria Carpeaux, *Presenças,* p. 113). **3.** Exprimir-se por escrito em: Escreve *excelentemente a sua língua.* **4.** Gravar, insculpir, inscrever: "Propunha-me dormir no teu regaço / as quentes horas da comprida sesta, / escrever teus louvores nos olmeiros" (Tomás Antônio Gonzaga, *Marília de Dirceu,* p. 107); "andava .... a escrever com um pau carbonizado o seu nome nas lajes polidas" (Camilo Castelo Branco, *O Bem e o Mal,* p. 85). **5.** Descrever ou narrar por escrito: Escreve, *em seu belo poema, a história duma paixão.* **6.** *Proc. Dados.* Comunicar ou introduzir (informações) em alguma parte da memória, seja em fitas magnéticas, seja em discos magnéticos. **7.** Lançar multa (2) a (infrator de trânsito), escrevendo num papel o número da placa de seu veículo e a natureza da infração. *T. d. e i.* **8.** Dirigir carta(s), ou bilhete(s), etc.: "Raro dia deixavam de escrever algumas linhas à Ladislau e Peregrina" (Camilo Castelo Branco, *O Bem e o Mal,* p. 218). **9.** Dizer ou contar em carta ou bilhete, etc.: E escrevia a reclusa à sua amiga que Ernesto fazia versos sensibilizadores" (Camilo Castelo Branco, *A Enjeitada,* p. 218). *T. i.* **10.** Dirigir carta, ou bilhete, etc.: "Carlota deu sinal de alegrar-se com a sua vingança. Escreveu logo a Flávia, contando-lha" (*Id., ib., A Enjeitada,* p. 215); Escreve *diariamente a várias pessoas.* **11.** Colaborar com matéria escrita: Escreve *em diversos jornais.* **12.** Exprimir-se por escrito: "Ameníssimo dia para escrever dum primeiro amor!" (Camilo Castelo Branco, *A Mulher Fatal,* p. 19.) *Int.* **13.** Representar por meio de escrita (3): "abriu a sua carteira de viagem, dela tirou papel, penas e um tinteiro, e pôs-se a escrever." (Joaquim Manuel de Macedo, *Os Romances da Semana,* p. 202). **14.** Redigir ou compor obra(s) literária(s), científica(s), etc.: "Podia haver prêmios literários conferidos a escritores para que não escrevessem." (Afonso Lopes Vieira, *Nova Demanda do Graal,* p. 319); *Vicente de Carvalho passou anos e anos sem* escrever. **15.** Exercer a profissão de escritor; ser escritor: — *De que vive aquele homem?* — Escreve. **16.** Fazer riscos, rabiscos, garatujas; rabiscar, garatujar: *O pequeno pegou lápis e um caderno, e pôs-se a* escrever. **17.** *Bras. Pop.* Andar aos ziguezagues; ziguezaguear, cambalear: *Depois de tomar umas e outras, lá se foi rua fora* escrevendo. **18.** *Bras. Pop.* Dirigir veículo dando guinadas, por imperícia, nervosismo, ou embriaguez. *P.* **19.** Inscrever-se, alistar-se. **20.** Cartear-se, corresponder-se: "As duas meninas escreviam-se diariamente." (Camilo Castelo Branco, *A Enjeitada,* p. 212.) [Part. irreg.: *escrito.*]

escrevinhação. *S. f.* Ato ou efeito de escrevinhar.

escrevinhadeiro. *S. m. Fam.* V. *escrevinhador.*

escrevinhador (ô). *S. m. Fam.* Escritor sem ou de muito pouco merecimento; escrevinhadeiro, escrevedor, escriba, rabiscador, borrador.

escrevinhadura. *S. f.* Ato de escrevinhar.

escrevinhar. *V. t. d.* **1.** Escrever (coisas fúteis, de pouco valor), sem proveito, para encher o tempo. *Int.* **2.** Escrever mal; rabiscar. **3.** Escrever futilidades.

escriba. [Do lat. *scriba.*] *S. m.* **1.** Doutor da lei, entre os judeus. **2.** Oficial das antigas chancelarias ou secretarias. **3.** Aquele que tinha por profissão copiar manuscritos, muitas vezes mediante ditado; copista. ● *S. 2 g.* **4.** *Pop.* V. *escrevinhador.*

escrínio. [Do lat. *scriniu.*] *S. m.* **1.** Escrivaninha (3). **2.** Pequeno cofre estofado, para guardar jóias; guarda-jóias; estojo: "Especialmente, os pequenos lavradores e os pequenos comerciantes estão nitidamente fixados nas páginas de Deledda [Grazia Deledda], sempre orgulhosos dos seus trigais, ... da brancura dos linhos domésticos e do escrínio de jóias hereditárias." (Agripino Grieco, *Estrangeiros,* p. 79.)

escrita. *S. f.* **1.** Representação de palavras ou idéias por meio de sinais; escritura: escrita *em caracteres alfabéticos;* escrita *ideográfica;* escrita *musical.* **2.** Tipo de caracteres adotado em um determinado sistema de escrita; alfabeto: escrita *árabe;* escrita *cirílica.* **3.** *Fon.* V. *grafia (2).* **4.** *P. ext.* Qualquer sistema mnemônico usado para registrar mensagens ou fixar a memória de acontecimentos. **5.** Ato de escrever. **6.** Aquilo que se escreve; escrevedura. **7.** Exercício escolar de caligrafia: *O pequeno tem boa nota em* escrita. **8.** Maneira pessoal de escrever; escritura, letra, caligrafia: *Sua* escrita *é bonita.* **9.** Escrituração mercantil. **10.** *Gír.* Negócio escuso. **11.** Maneira de exprimir-se por escrito; estilo: *É prosador de excelente* escrita. **12.** *Pop.* Caso amoroso. **13.** *Bras.* Aquilo que constitui uma rotina, ou como que uma rotina: "O América conseguiu sua primeira vitória na Taça de Ouro ao derrotar o Bahia por 2 a 0, ontem à noite, na Fonte Nova, confirmando a escrita de que dificilmente perde seus jogos na Bahia." (*Jornal do Brasil,* 14.2.1985.) ◆ **Escrita alfabetizante.** Escrita em processo de evolução para o sistema alfabético. **Escrita analítica.** *Paleogr.* A do estágio em que cada sinal, figurativo ou geométrico, constitui a notação de uma palavra, como a chinesa; escrita ideográfica. [Cf. *ideografia.*] **Escrita consonântica.** *Paleogr.* A que, como a hebraica e a árabe, possui apenas consoantes, sendo as palavras representadas pelos seus radicais. [Cf. *escrita fonética.*] **Escrita cuneiforme.** Escrita analítica, inventada pelos sumerianos e depois adotada por acadianos, assírios, etc., constituída de sinais em forma de cunhas, em geral, produzidos pela impressão, sobre ladrilhos ainda úmidos, de ponteiro talhado em bisel; cuneiformes. **Escrita demótica.** Escrita egípcia de uso comum, constituída por simplificação da escrita hierática, e com ligaturas, que nesta não havia. **Escrita fonética.** *Paleogr.* Aquela em que os sinais correspondem a sílabas ou a letras; escrita fônica. [Cf. *escrita consonântica.*] **Escrita fônica.** *Paleogr.* V. *escrita fonética.* **Escrita hierática.** Escrita egípcia de caráter religioso, usada em papiros, mais livre e mais rápida que a hieroglífica. **Escrita hieroglífica.** Escrita analítica, de ordinário monumental, constituída de sinais figurativos, e cujo protótipo é a egípcia primitiva. [Cf. *hieróglifo.*] **Escrita ideográfica.** *Paleogr.* V. *escrita analítica.* **Escrita linear.** *Mús.* A que caracteriza o estilo contrapontado, e cujo interesse se concentra na horizontalidade das linhas melódicas. **Escrita silábica.** *Paleogr.* Aquela em que cada sinal corresponde a uma sílaba, como a japonesa. [V. *silabismo, silabário* e *silabograma.*] **Acertar a escrita.** Resolver diferenças; tomar satisfação por desavenças; ajustar contas.

escritinho. [Dim. adverbializado do adj. *escrito.*] *Adv. Fam.* V. *cuspido e escarrado.*

escrito. [Do lat. *scriptu.*] *Adj.* **1.** Representado ou expresso por letras ou pela escrita: *linguagem* escrita. **2.** Redigido, composto: *livro bem* escrito. ~ V. *direito— e imprensa —a.* ● *S. m.* **3.** Papel com escrita. **4.** Pequena comunicação por escrito; bilhete. **5.** Documento; título; escritura: escrito *de venda.* **6.** Tudo o que está expresso por sinais gráficos, em papel ou noutro veículo apropriado. **7.** Composição literária ou científica. **8.** Pedaço de papel em branco para indicar que uma casa se vende ou aluga. [Cf. *exscrito.*] ◆ **Escrito e escarrado.** V. *cuspido e escarrado.*

escritor (ô). [Do lat. *scriptore.*] *S. m.* Autor de composições literárias ou científicas. [Deprec.: *escrevedor, escrevinhador, escrevinhadeiro, escriba, plumitivo.*]

escritório. [Do lat. *scriptorin.*] *S. m.* **1.** Compartimento de uma casa destinado à leitura e à escrita, ao trabalho intelectual; gabinete. **2.** V. *escrivaninha* (2). **3.** Lugar onde se faz o expediente relativo a qualquer administração, obra, etc., se tratam negócios, se recebem clientes, etc.

escritura. [Do lat. *scriptura.*] *S. f.* **1.** Documento autêntico de um contrato, feito por oficial público. **2.** Escrita (1 e 8). **3.** A Bíblia. ~ V. *escrituras.* ◆ **Sagrada Escritura.** A Bíblia.

escrituração. *S. f.* **1.** Ato de escriturar nos livros competentes os fatos administrativos duma azienda. **2.** O conjunto dos livros e registros de contabilidade duma azienda. **3.** Arte de os escriturar. **4.** V. *escrituração mercantil.* ◆ **Escrituração mercantil.** A contabilidade praticada, segundo métodos usuais, nas empresas mercantis. [Tb. se diz apenas *escrituração.* Sin.: *escrita.*]

escritural. *Adj. 2 g.* **1.** *Com.* Relativo a escrituração. **2.** *Tip.* Diz-se do tipo de ostensão [v. esta loc.] que imita formas caligráficas clássicas ou grafismos pessoais livres, com ligaturas ou sem elas; manuscrito. [Cf. *manuário.* V. *letra inglesa e rondo*] ~ V. *moeda* —● *S. m.* **3.** Tipo escritural.

escriturar. *V. t. d.* **1.** Registrar sistematicamente (contas comerciais). **2.** Lavrar (documento autêntico). **3.** Contratar por meio de escritura pública. *P.* **4.** Contratar-se ou obrigar-se por meio de escritura. [Fut. do pret.: *escrituraria,* etc. Cf. *escriturária,* fem. de *escriturário.*]

escriturário. [De *escritura* + *-ário.*] *S. m.* **1.** Aquele que faz escrituração. **2.** V. *escrevente.* [Fem.: *escriturária.* Cf. *escrituraria,* do v. *escriturar.*]

escrituras. [Pl. de *escritura.*] *S. f. pl.* A Bíblia. ~ V. *escritura.*

escrivã. *S. f.* **1.** Fem. de *escrivão* (1). **2.** Freira incumbida da escrituração do convento.

escrivania. *S. f.* Cargo de escrivão; escrivaninha.

escrivaninha. *S. f.* **1.** Mesa que contém aprestos para escrever. **2.** Mesa própria para escritório; escritório; secretária. **3.** Armário ou cofre onde se guardam papéis e objetos de escrita; escrínio. **4.** Peça de metal, de vidro ou de madeira que contém tinteiro e outros aprestos para escrever. **5.** Escrivania.

escrivão. *S. m.* **1.** Oficial público que escreve autos, termos de processo, atas e outros documentos de fé pública. **2.** *Bras.* V. *carapicuaçu.* ◆ **Escrivão da pena larga.** *Bras.* Varredor de rua; gari.

escrobiculado. *Adj. Morfol. Veg.* Provido de pequeninas fossas ou cavidades: *testa* escrobiculada.

escrófula. [Do lat. *scrofula.*] *S. f. Patol.* **1.** *Desus.* Designação imprecisa de estado constitucional, que se observa nos jovens, caracterizado por falta de resistência, predisposição à tuberculose, eczema, catarros respiratórios, etc.; estruma. **2.** Tuberculose ganglionar linfática e, eventualmente, óssea e articular, com supuração e fistulização, estando as estruturas lesadas sujeitas à caseificação. Ocorre sobretudo em crianças e jovens. [Sin. (pop) nesta acepç.: *alporca.*]

escrofulária. [Do lat. bot. *scrofularia,* de *escrófula.*] *S. f.* Planta vivaz, da família das escrofulariáceas (*Scrophularia aquatica* L.), outrora usada em farmácia para a manipulação de medicamento contra a escrófula (1).

escrofulariácea. *S. f.* Espécime das escrofulariáceas.

escrofulariáceas. *S. f. pl. Bot.* Família da ordem das tubifloras, caracterizada pelas flores marcadamente zigomorfas, quatro estames didínamos, e ovário bilocular com numerosos óvulos. Fruto: cápsula ou baga. Plantas herbáceas, com folhas alternas e grandes flores vistosas, ornamentais. Há umas 2 000 espécies, em sua imensa

maioria das regiões mais frias, possuindo o Brasil modesto número.
escrofulariáceo. *Adj.* Pertencente ou relativo às escrofulariáceas.
escrofulose. [De *escrófula* + *-ose*.] *S. f. Med.* Diátese escrofulosa.
escrofuloso (ô). *Adj.* **1.** Relativo a, ou da natureza da escrófula. **2.** Que sofre de escrófulas. ● *S. m.* **3.** Aquele que sofre de escrófulas.
escrópulo. [Do lat. *scrupulu*.] *S. m.* Unidade de medida de peso para pedras preciosas, que tem seis quilates e vale 1 grama e 125 miligramas.
escroque. [Do fr. *escroc*.] *S. m.* Indivíduo que se apodera de bens alheios por manobras fraudulentas: "Menos convincentes as histórias [do escritor Lima Barreto] onde aparecem especuladores, novos-ricos, escroques estrangeiros" (Paulo Rónai, *Encontros com o Brasil*, p. 45).
escrotal. *Adj. 2 g.* Relativo ou pertencente ao escroto (1).
escrotear. [De *escroto* (ô) + *-ear*.] *V. int. Chulo.* Agir com desonestidade. [Conjug.: v. *frear*.]
escroto (ô). [Do lat. *scrotu*.] *S. m.* **1.** Bolsa que contém testículo e seus órgãos acessórios. ● *Adj.* **2.** *Bras. Chulo.* Reles, ordinário, baixo. **3.** *Bras. Chulo.* Ruim, malfeito, grosseiro.
escrotocele. [De *escroto* + *-cele*.] *S. f. Patol.* Hérnia escrotal.
escrunchante. [Do esp. plat. *escruchante*.] *S. m. Bras. Gír.* Ladrão que escruncha.
escrunchar. *V. int. Bras. Gír.* Ser escrunchante; praticar o escruncho.
escruncho. [Dev de *escrunchar*.] *S. m. Bras. Gír.* Roubo com arrombamento, escalamento ou chave falsa.
escrupularia. *S. f.* Escrúpulos exagerados.
escrupulear. *V. t. d., t. i.* e *int.* Escrupulizar. [Conjug.: v. *frear*.]
escrupulizar. *V. t. d.* **1.** Causar escrúpulos a; encher de escrúpulos. **2.** Sentir escrúpulos em, ou de. *T. i.* **3.** Ter escrúpulos: "escrupulizara em a submeter aos sacramentos, pela irresponsabilidade do pecado" (Camilo Castelo Branco, *Vulcões de Lama*, p. 144). **4.** Fazer escrúpulos. *Int.* **5.** Sentir escrúpulos. [Sin. ger.: *escrupulear*.]
escrúpulo. [Do lat. *scrupulu*.] *S. m.* **1.** Hesitação ou dúvida de consciência; inquietação de consciência; remorso: *Sabia o que estava fazendo: não me ficaram escrúpulos.* **2.** Cuidado, zelo; meticulosidade: *Releu com todo o escrúpulo a carta do amigo.* **3.** Delicadeza de caráter; senso moral: *Homem sem escrúpulo.*
escrupulosidade. [Do lat. *scrupulositate*.] *S. f.* Qualidade ou procedimento de escrupuloso.
escrupuloso (ô). [Do lat. *scrupulosu*.] *Adj.* **1.** Que tem escrúpulos. **2.** Cuidadoso, zeloso, rigoroso, meticuloso. **3.** Reto, íntegro: *juiz escrupuloso.* **4.** Que exige escrúpulo: "Vede quão arriscado ofício é o de ũa pena na mão. Ofício que com mudar um ponto ou ũa vírgula, da heregia pode fazer Fé, e da Fé pode fazer heregia. Oh que escrupuloso ofício!" (P^e^. Antônio Vieira, *Sermões*, I, col. 519.)
escrutador (ô). [Do lat. *scrutatore*.] *Adj.* e *s. m.* Que ou aquele que escruta.
escrutar. [Do lat. *scrutare*.] *V. t. d.* Investigar; pesquisar; sondar: "o primeiro avanço é pô-la [a sociedade] nua, escrutar-lhe as lepras, lavrar grandes atas das chagas encontradas" (Camilo Castelo Branco, *Sentimentalismo é História*, p. 158).
escrutável. [Do lat. *scrutabile*.] *Adj. 2 g.* Que pode ser escrutado.
escrutinação. *S. f.* Ato de escrutinar.
escrutinador (ô). *S. m.* Aquele que escrutina.
escrutinar. [Do lat. *scrutinare*.] *V. int.* Verificar os votos, apurar o número deles e recolher esse número, após devidamente conferido.
escrutínio. [Do lat. *scrutiniu*.] *S. m.* **1.** Votação em urna. **2.** Apuramento dos vótos: "Apenas se concluíra o escrutínio e o camerlengo anunciara o resultado da votação, viu-se uma cena inaudita, que, no entanto, nada tinha de miraculosa." (Alphonsus de Guimaraens, *Obra Completa*, p. 433.) **3.** Urna onde se recolhem os votos: "outros julgavam que sem rendas efetivas não podia conservar-se uma companhia de homens sábios, porque sem um escrutínio de prata se não deviam eleger árcades" (Correia Garção, *Obras Poéticas e Oratórias*, p. 537). **4.** Exame atento, minucioso.
escudar. *V. t. d.* **1.** Cobrir ou defender com escudo: *Temendo o ataque, escudou o corpo.* **2.** Defender, proteger: *Pouco lhe interessava escudar aquela ideologia, que não era a sua. T. d.* e *i.* **3.** Defender, proteger: *Escudou os amigos contra os agressores. P.* **4.** Cobrir-se (com o escudo ou coisa que proteja como ele). **5.** Estribar-se, apoiar-se: *Escuda-se na influência do pai.* [Cf. *escodar*.]
escudeirar. *V. t. d.* **1.** Acompanhar na qualidade de escudeiro. *Int.* **2.** Servir de escudeiro; exercer o ofício de escudeiro.
escudeirice. *S. f.* **1.** Ação própria de escudeiro. **2.** Maneiras de escudeiro.
escudeiro. [Do lat. *scutariu*.] *S. m.* **1.** Na Idade Média, pajem que servia como doméstico a um cavaleiro, carregava-lhe o escudo, e o acompanhava à guerra. **2.** O primeiro título de nobreza. **3.** Criado-grave de graduação superior, que acompanha os patrões; criado particular.
escudela. [Do lat. *scutella*.] *S. f.* Tigela de madeira, pouco funda.
escudelar. *V. t. d.* **1.** Servir (comida) em escudelas. **2.** Deitar em escudelas.
escuderia. [Do fr. *scudérie*.] *S. f. Autom.* Organização proprietária de carros de corrida fabricados para disputar grandes prêmios e provas automobilísticas, que trabalha com pilotos de alta qualificação e com equipe técnica habilitada a dar assistência aos seus carros.
escudete (ê). *S. m.* **1.** Escudo (2) pequeno. **2.** Espelho de fechadura.
escudilho. [Dim. irreg. de *escudo*.] *S. m. Morfol. Veg.* Receptáculo nas frondes e troncos dos liquens.
escudo. [Do lat. *scutu*.] *S. m.* **1.** Arma defensiva para proteger dos golpes de espada ou de lança. **2.** Peça em que se representam as armas nacionais, municipais, ou os brasões de nobreza. [Dim. irreg.: *escudete*.] **3.** *Fig.* Amparo, proteção, defesa. **4.** *Bras.* Disposição característica do úbere das vacas. **5.** Unidade monetária, e moeda, de Portugal, dividida em 100 centavos. **6.** Prato da balança (1). **7.** Borbulha de plantas para enxerto. **8.** Designação comum a certas células dos anterídios de algumas algas. **9.** *Morfol. Veg.* Tip de pêlo que recobre a epiderme das folhas de certas plantas. **10.** *Zool.* Peça triangular córnea situada no mesotórax dos insetos coleópteros. **11.** *Constr. Nav.* Placa de aço, de espessura variável, destinada a proteger o pessoal que guarnece uma boca-de-fogo isolada. **12.** *Astr.* Constelação austral, de pequena área, a O. e S. da Águia, a E. e S. da Cauda da Serpente, e ao N. de Sagitário.
esculachado. [Part. de *esculachar*.] *Bras. Gír. Adj.* **1.** Desmoralizado, anarquizado, avacalhado, esculhambado. **2.** Descuidado, desleixado, negligente, esculhambado. ● *S. m.* **3.** Indivíduo esculachado.
esculachar. *V. t. d. Bras. Gír.* **1.** Espancar, esbordoar. **2.** V. *esculhambar* (1 a 3).
esculacho. [Dev. de *esculachar*.] *S. m. Bras. Gír.* **1.** Ato ou efeito de esculachar. **2.** V. *repreensão* (1).
esculápio. [De *Esculápio*, deus da medicina na mitol. greco-romana.] *S. m. P. us.* Médico. [Cf. *escolápio*.]
esculca. [Do lat. tardio *sculca*.] *S. m.* **1.** *Ant.* Sentinela (1). **2.** Vigia ou guarda avançada.
esculência. *S. f.* **1.** Qualidade de esculento. **2.** Comida, alimentação.
esculento. [Do lat. *esculentu*.] *Adj.* **1.** Que alimenta; alimentício, nutritivo. **2.** Que serve de alimento.
esculhambação. *S. f. Bras. Chulo.* **1.** Ato ou feito de esculhambar. **2.** Desmoralização, avacalhação; anarquia, desordem, confusão. [Sin. ger.: *esculhambo*.]
esculhambado. [Part. de *esculhambar*.] *Bras. Chulo. Adj.* **1.** Esculachado ao extremo. **2.** Estragado, arrebentado, escangalhado. ● *S. m.* **3.** Indivíduo esculhambado.
esculhambar. [De *colhão*.] *V. t. d. Bras. Chulo.* **1.** Desmoralizar, avacalhar, esculachar. **2.** Criticar ou repreender com violência; descompor, esculachar. **3.** Criticar com mordacidade; zombar, escarnecer, ridicularizar, esculachar. **4.** Estragar, danificar, deteriorar: *Em poucos minutos o pequeno esculhambou o carrinho.*
esculhambo. [Dev. de *esculhambar*.] *S. m. Bras. Chulo.* V. *esculhambação*.
esculpido. [Part. de *esculpir*.] *Adj.* **1.** Que se esculpiu. **2.** *Bras., MG* e *SP.* Semelhante ao extremo.
esculpidor (ô). *S. m. Desus.* Escultor.
esculpir. [Do lat. *sculpere*.] *V. t. d.* **1.** Trabalhar (pedra, madeira, barro, etc.), imprimindo-lhe uma forma particular: *Esculpe edifícios de areia com grande habilidade.* **2.** *Art. Plást.* Ferir (a pedra, ou material semelhante) com instrumentos apropriados para desbastá-la, segundo a técnica da escultura: *Miguelângelo esculpiu no mármore a figura de Moisés. T. d.* e *i.* **3.** Imprimir, gravar: *As fundas angústias esculpiram no seu semblante aquele ar de alucinação. Int.* **4.** Trabalhar como escultor: "Durante os anos seguintes Bernini esculpiu, principalmente, para a família papal." (Afonso Arinos de Melo Franco, *Amor a Roma*, p. 255.)
escultado. [Part. de *escultar*.] *Adj. Desus.* Que se escultou; esculpido, esculturado: "entre vinhedo e sebe / Corre uma linfa, e ele no seu de faia / De ao pé do Alfeu tarro escultado bebe" (Alberto de Oliveira, *Poesias*, 2ª série, p. 111).
escultar. *V. t. d.* e *int. Desus.* Esculturar.
escultor (ô). [Do lat. *sculptore*.] *S. m.* **1.** Artista que esculpe. **2.** Artista que faz escultura (1). **3.** *Astr.* Constelação austral, ao S. da Baleia, ao N. de Fênix, a O. do Forno e a E. do Peixe Austral.
escultórico. *Adj.* Escultural.
escultura. [Do lat. *sculptura*.] *S. f.* **1.** *Art. Plást.* A arte e a técnica de plasmar a matéria entalhando a madeira, modelando o barro, cinzelando a pedra ou o mármore, fundindo o metal, etc., a fim de representar em relevo, ou em três dimensões, estátuas, figuras, formas abstratas, etc. **2.** A obra de arte assim realizada, especialmente a de três dimensões que constitui uma estrutura, em geral estática, integrada no espaço. [Cf. (nesta acepç.) *móbile*.] **3.** O conjunto de tais obras de arte: *uma exposição de escultura.* **4.** *Restr.* Estatuária. ◆ **Escultura de ornamentos.** *Arquit.* Aquela que produz ornatos para obras de arquitetura.
esculturado. [Part. de *esculturar*.] *Adj.* Que se esculturou; esculpido. [Sin., desus.: *escultado*.]
escultural. *Adj. 2 g.* **1.** Concernente à escultura. **2.** Que tem formas perfeitas, podendo servir de modelo a um escultor: *corpo escultural.* **3.** Digno de ser representado pela escultura: *formas esculturais.* [Sin. ger.: *escultórico*.]
esculturar. *V. t. d.* **1.** Fazer a escultura de. *Int.* **2.** Trabalhar em escultura. [Sin. (desus.): *escultar*.]
escuma. [Do germ. *skuma*.] *S. f.* **1.** V. *espuma*: "Da branca escuma os mares se mostravam / cobertos" (Luís de Camões, *Os Lusíadas*, I, 19). **2.** *Fig.* V. *ralé* (1).
escumadeira. [De *escumar* + *-deira*.] *S. f.* Colher crivada de orifícios, para tirar a escuma dos líquidos; espumadeira.
escumado. [Part. de *escumar*.] *Adj.* **1.** A que se tirou a escuma: *leite escumado e desnatado.* ● *S. m.* **2.** A escuma que se tira com a escumadeira.
escumador (ô). *Adj.* **1.** V. *espumante* (2). **2.** Que tira a escuna. ● *S. m.* Aquilo que serve para tirar escuma.
escumalha. [De *escuma* + *-alha*.] *S. f.* **1.** V. *ralé* (1): "A Guarda Republicana, encerrada nos quartéis, velava pela segurança dos governos, bem mais relevante que a tranqüilidade dos povos. E a rua pertencia por inteiro à escumalha, a cujo mérito, na apreciável e voluntária limitação das suas depredações, os historiadores terão de render, por inteiro, homenagem." (Joaquim Paço d'Arcos, *Carnaval e Outros Contos*, p. 274.) **2.** Escória de metal em fusão; escumalho: "em meio século, será difícil empresa desagregar o bronze, estreme do chumbo e da escumalha de ferro." (Camilo Castelo Branco, *Perfil do Marquês de Pombal*, p. VIII).
escumalho. [De *escuma* + *-alho*.] *S. m.* Escumalha (2).
escumana. *S. f. Bras.* V. *bitu*[1].
escumante. [De *escumar* + *-ante*.] *Adj. 2 g.* V. *espumante*.
escumar. [De *escuma* + *-ar*[2].] *V. t. d.* e *int.* V. *espumar*: "Mastigam os cavalos escumando / Os áureos freios, com feroz semblante" (Luís de Camões, *Os Lusíadas*, VI, 61); "os cavalos nitriam e escumavam de impaciência." (Álvares de Azevedo, *Obras Completas*, II, p. 138).
escumilha. [De *escuma*, provavelmente.] *S. f.* **1.** Chumbo miúdo para caçar pássaros. **2.** Tecido muito fino e transparente, de lã ou de seda; gaza, gaze. **3.** Extremosa.
escumilhar. *V. int. Bras.* Bordar sobre escumilha (2).
escumoso (ô). [De *escuma* + *-oso*.] *Adj.* V. *espumoso*: "O vento silva, as ondas escumosas / Me combatem de um lado, e de outro lado." (Domingos dos Reis Quinta, *Obras*, II, p. 88.)
escuna. [Do ingl. *schooner*.] *S. f. Mar.* Antigo navio à vela, de mastreação constituída de gurupés e dois mastros: o de vante, mastro de escuna, o qual enverga também vela latina quadrangular, e o de ré, mastro de lúgar.
escurão. [Aum. de *escuro*.] *S. m. Bras.* O fim do crepúsculo; o anoitecer.
escuras. [Fem. pl. substantivado do adj. *escuro*.] *El. s. f. pl.* Us. na loc. adv. *às escuras.* ◆ **Às escuras.** **1.** Sem luz: *A casa, às escuras, fazia-lhe medo;* "Houve um sopro forte e súbito, a sala ficou às escuras." (Povina Cavalcanti, *Volta à Infância*. p. 18). **2.** Ocultamente; às escondidas, às ocultas: *Pérfido, gosta de agir às escu-*

ras. **3.** Com absoluta ignorância do assunto ou do negócio; no escuro; às cegas.

escurecedor (ô). *Adj.* **1.** Que escurece. ● *S. m.* **2.** Aquele ou aquilo que escurece.

escurecer. *V. t. d.* **1.** Fazer escuro; privar de luz: *O corte de energia escureceu todo o bairro.* **2.** Fazer diminuir a luz de; apagar o brilho ou esplendor de; obumbrar, toldar, escurentar: *O Sol escondeu-se escurecendo o dia.* **3.** Toldar, anuviar, escurentar: *A nuvem de chuva escureceu o Sol.* **4.** Fazer diminuir a brancura de: "Sua pele escurece os puros alabastros / Da Lacônia" (Eugênio de Castro, *Obras Poéticas,* VI, p. 42). **5.** Apagar o brilho, a fama, a glória de. **6.** Tornar obscuro, ininteligível: *O abuso da ordem inversa escureceu o período.* **7.** Turvar, turbar, perturbar, transtornar: *O sofrimento escureceu-lhe a razão. Int.* **8.** Tornar-se escuro, sem luz: *O dia escureceu;* "A tarde cai. O vento abranda. O ar escurece." (Olavo Bilac, *Poesias,* p. 213.) **9.** Perder, a pouco e pouco, a claridade ou o brilho. **10.** Anoitecer (1). *P.* **11.** Tornar-se escuro, privado de luz. **12.** Toldar-se, anuviar-se, ofuscar-se, empanar-se. [Conjug.: v. *aquecer.*]

escurecimento. *S. m.* Ação ou efeito de escurecer(-se). ♦ **Escurecimento de limbo.** *Astr.* Efeito observado próximo ao bordo do disco solar, que aparece mais escuro que o centro, por absorção mais intensa das radiações. [Supõe-se efeito semelhante nas estrelas, o que seria a causa de certos efeitos observáveis nas binárias cerradas.]

escurecível. *Adj. 2 g.* Que pode ser escurecido.

escurejar. *V. int.* **1.** Tornar-se ou mostrar-se escuro; escurecer: *A noite foi avançando e escurejando cada vez mais.* **2.** Aparecer, mostrar-se, em sua cor escura: *Ao longe escurejava um bando de urubus.* [Conjug.: v. *pelejar.*]

escurentar. *V. t. d.* Escurecer (2 e 3).

escureza (ê). *S. f.* V. *escuridão:* "Como será a escureza / Desse mato virgem do Acre?" (Mário de Andrade, *Poesias Completas,* p. 151.)

escuriço. *Adj. Bras.* De cor um tanto escura, ou escura.

escuridade. [Do lat. *obscuritate.*] *S. f.* **1.** Qualidade do que é escuro: *A escuridade do mármore tornava mais bela a estátua.* **2.** V. *escuridão* (1). **3.** *Fig.* Qualidade do que é obscuro, difícil de compreender.

escuridão. [Do lat. **obscuritudine.*] *S. f.* **1.** Estado do que é escuro; falta de luz; trevas, escuridade: *A escuridão da noite impediu-nos de passear.* **2.** Negrume, negridão, trevas, escuro. **3.** *Fig.* Ausência de conhecimento; ignorância, cegueira. **4.** *Fig.* Mágoa profunda; tristeza, solidão. [Sin. ger.: *escureza.*]

escurinho. [Dim. de *escuro.*] *S. m. Bras. Fam.* Homem escuro (7).

escuro. [Do lat. *obscuru,* com mudança de prefixo.] *Adj.* **1.** Falta de luz; pouco claro; sombrio, tenebroso: *quarto escuro.* **2.** Tirante a negro: *roupa escura; pele escura.* **3.** Melancólico, tristonho, triste. **4.** *Fig.* Misterioso, escuso, suspeito: *Está sempre às voltas com negócios escuros.* **5.** *Fig.* Que não é claro; pouco inteligível; difícil, intrincado: *É escuro no expressar-se.* **6.** *Fig.* Que se distingue mal; que não tem sonoridade; surdo: *voz escura.* **7.** *Bras.* Diz-se de pessoa preta ou mulata. ~ V. *bordo —, câmara —a* e *campo —.* ● *S. m.* **8.** Escuridão (2). **9.** *Fig.* Lugar sombrio, recôndito. **10.** *Bras.* Pessoa preta ou mulata. ♦ **No escuro.** *Bras.* V. *às escuras* (3).

escurra. [Do lat. *scurra.*] *S. 2 g. Ant.* **1.** Bobo, truão. **2.** Pessoa chocarreira, reles, desprezível.

escurril. [Do lat. *scurrile.*] *Adj. 2 g. P. us.* Próprio de escurra; reles, torpe.

escurrilidade. [Do lat. *scurrilitate.*] *S. f. P. us.* Qualidade de escurra.

escusa. [Dev. de *escusar.*] *S. f.* **1.** Ato ou efeito de escusar(-se). **2.** Desculpa, justificativa; escusação.

escusação. [Do lat. *excusatione.*] *S. f.* **1.** Ato ou efeito de escusar(-se). **2.** V. *escusa* (2).

escusado. [Part. de *escusar.*] *Adj.* Inútil, desnecessário, supérfluo: *É escusado falar do seu talento, pois todos o conhecem.*

escusador (ô) [Do lat. *excusatore.*] *Adj.* e *s. m.* Que ou aquele que escusa.

escusar. [Do lat. *excusare.*] *V. t. d.* **1.** Admitir escusas ou desculpas de; desculpar, perdoar: *Reconhecendo o seu arrependimento, escusou-o com magnanimidade.* **2.** Desculpar, perdoar; tolerar: *escusar um erro.* **3.** Servir de escusa ou justificativa a; justificar: *Sua ausência forçada escusa o não cumprimento do contrato.* **4.** Não precisar de, dispensar: *Um bom prosador escusa o uso excessivo de adjetivos.* **5.** Poupar; evitar. *T. d.* e *i.* **6.** Isentar, dispensar: *Escusaram-no do trabalho.* **7.** Poupar, evitar. *T. i.* **8.** Não precisar, não necessitar: *Escusas de explicar: o que dizes é por demais inverossímil. P.* **9.** Justificar-se, desculpar-se. **10.** Deixar, por desnecessário; dispensar-se: *Julgando-se inocente, escusou-se de prestar esclarecimentos.* **11.** Negar-se, recusar-se: *Escusou-se a aceitar explicações.*

escusatório. [Do lat. *excusatoriu.*] *Adj.* Que serve para escusar ou desculpar.

escusável. [Do lat. *excusabile.*] *Adj. 2 g.* Que se pode escusar, dispensar ou desculpar.

escuso[1]. [Do lat. *absconsu.*] *Adj.* **1.** Esconso; escondido, recôndito. **2.** Suspeito, misterioso; ilícito: *transações escusas.*

escuso[2]. [De *escusar.*] *Adj.* Que foi objeto de escusa.

escuta. [Dev. de *escutar.*] *S. f.* **1.** Ato de escutar. **2.** Lugar onde se escuta. ● *S. 2 g.* **3.** Pessoa que escuta; escutador. **4.** Pessoa encarregada de escutar as conversas dos outros. ♦ **À escuta.** Em estado, postura ou atitude de atenção, de vigilância: *Ficou horas à escuta, mas não percebeu nenhum rumor estranho.*

escutador (ô). *Adj.* e *s. m.* Que ou aquele que escuta.

escutar. [Do lat. *auscultare.*] *V. t. d.* **1.** Tornar-se ou estar atento para ouvir; dar ouvidos a: *Escutou durante horas as lamúrias do enfermo.* **2.** Aplicar o ouvido com atenção para perceber ou ouvir: *Em meio à balbúrdia, tentava escutar o que lhe diziam.* **3.** Ouvir (2): *Dormitava, e pôs-se a escutar o ressonar do filho.* **4.** Atender aos conselhos de: *Já não escuta os pais: leva a vida que bem entende.* **5.** Espiar, espionar. **6.** *Pop.* Auscultar (1). *Int.* **7.** Prestar atenção para ouvir alguma coisa: *Houve um rumor estranho: escute.* **8.** Não seguir senão as suas próprias opiniões; ser indiferente a conselhos: *Tudo faz por sua cabeça: jamais escuta.* **9.** Exercer ou aplicar o sentido da audição: "Prova. Olha. Toca. Cheira. Escuta, / Cada sentido é um dom divino." (Manuel Bandeira, *Estrela da Vida Inteira,* p. 20); "Escuta e lhe ouvirás [à concha] um burburinho estranho / de águas batendo ao longe em criptas de granito." (Alberto Ramos, *Poemas,* p. 77.)

escutelarídeo. *S. m.* **1.** Espécime dos escutelarídeos. ● *Adj.* **2.** Pertencente ou relativo a eles. [Sin. ger.: *fitófago.*]

escutelarídeos. *S. m. pl. Zool.* Família de insetos da ordem dos hemípteros, que apresentam grande escutelo, o qual se estende até o ápice do abdome; fitófagos.

escutelo. [Do lat. **scutellu.*] *S. m.* **1.** *Morfol. Veg.* Rudimento de cotilédone da semente das gramíneas. **2.** *Zool.* Esclerito de um noto torácico, nos insetos.

escutiforme. [Do lat. *scutu,* 'escudo', + *-forme.*] *Adj. 2 g.* Que tem forma ou aparência de escudo.

escutigeromorfo. *S. m.* **1.** Espécime dos escutigeromorfos. ● *Adj.* **2.** Pertencente ou relativo a eles.

escutigeromorfos. *S. m. pl. Zool.* Artrópodes miriápodes, quilópodes, da ordem *Scutigeromorpha,* de corpo com espiráculos mesodorsais, pernas longas, em número de 15 pares. Predadores, movem-se com rapidez; costumam freqüentar habitações humanas.

esdruxular. *V. int.* Versejar com esdrúxulos; esdruxulizar. [Pres. ind.: *esdruxulo,* etc. Cf. *esdrúxulo.*]

esdruxularia. *S. f.* Coisa extravagante, esquisita, esdrúxula; singularidade, extravagância.

esdruxulizar. *V. t. d.* **1.** Tornar esdrúxulo. **2.** Tornar exótico, extravagante, esquisito, esdrúxulo. *Int.* **3.** Esdruxular.

esdrúxulo. [Do it. *sdrucciolo.*] *Adj.* **1.** *Gram. Desus.* Proparoxítono. **2.** *Pop.* Esquisito, extravagante, excêntrico. ~ V. *verso —.* ● *S. m.* **3.** Vocábulo esdrúxulo (1). [Cf. *esdruxulo,* do v. *esdruxular.*]

■**E.S.E.** Abrev. de *és-sueste.*

eserê. *S. f. Bras.* Fava-de-calabar.

eserina. *S. f. Quím.* Alcalóide extraído da fava-de-calabar, usado como hipotônico; fisiostigma. [Fórm.: $C_{15}H_{21}O_2N_3$.]

esfacelado. [Part. de *esfacelar.*] *Adj.* **1.** *Med.* Atacado de esfácelo; gangrenado. **2.** Despedaçado, esmigalhado, arrebentado, destruído. **3.** *Fig.* Desmantelado, arruinado, destruído, decadente.

esfacelamento. *S. m.* Ato ou efeito de esfacelar(-se); esfacelo.

esfacelar. *V. t. d.* **1.** Causar esfácelo a; gangrenar. **2.** Arruinar, destruir; estragar: *A tempestade esfacelou a embarcação. P.* **3.** Arruinar-se; gangrenar(-se). **4.** Desfazer-se, corromper-se (instituições, privilégios, etc.). [Pres. ind.: *esfacelo,* etc. Cf. *esfacelo* (ê) e *esfácelo.*]

esfácelo. [Do gr. *sphákelos.*] *S. m. Patol.* Gangrena que se estende por toda a espessura de um membro ou todos os tecidos de um órgão. [Cf. *esfacelo,* do v. *esfacelar,* e *esfacelo* (ê).]

esfacelo (ê). [Dev. de *esfacelar.*] *S. m.* Ato ou efeito de esfacelar(-se); destruição, estrago, ruína; esfacelamento. [Pl.: *esfacelos* (ê). Cf. *esfacelo,* do v. *esfacelar,* e *esfácelo.*]

esfachear. [Alter. de *esfacelar.*] *V. t. d. Bras.* Esfacelar, lascar. [Conjug.: v. *frear.*]

esfaimado. [Part. de *esfaimar.*] *Adj.* V. *faminto* (1).

esfaimar. [Por **esfamear,* de *es-* + *fame,* f. arc. de *fome,* + *-ar*[2], com metátese.] *V. t. d.* **1.** Obrigar a ter fome. **2.** Matar à fome. **3.** Privar de alimento, causando fome a; esfomear.

esfalecente. *Adj. 2 g.* Que esfalece ou desfalece: "há cores que são ecos de outras cores, / cores sem vibração, cores esfalecentes "(Gilca da Costa Melo Machado, *Poesias,* p. 161).

esfalecer. *V. t. d.* e *int.* V. *desfalecer:* "Feliz de mim que, a esfalecer, diviso / um gozo doce, delicioso, manso." (Gilca da Costa Melo Machado, *Poesias,* p. 231). [Conjug.: v. *crescer.*]

esfalerita. [Do gr. *sphalerós,* 'enganoso, incerto', + *-ita*[3].] *S. f. Min.* Blenda.

esfalfado. [Part. de *esfalfar.*] *Adj.* **1.** Cansado, estafado, extenuado. ● *S. m.* **2.** *Bras.* Certo peixe baiano.

esfalfamento. *S. m.* **1.** Ato ou efeito de esfalfar(-se). **2.** *Pop.* Anemia, consunção, definhamento.

esfalfar. *V. t. d.* e *p.* Enfraquecer(-se) em conseqüência de trabalho ou qualquer esforço excessivo, ou de doença; fatigar(-se), esgotar(-se), estafar(-se), extenuar(-se).

esfanicado. [Part. de *esfanicar;*] *Adj.* **1.** Partido em fanicos/despedaçado. **2.** Delgado; magro.

esfanicar. [De *es-* + *fanico* + *-ar*[2].] *V. t. d.* Reduzir a fanicos; despedaçar. [Conjug.: v. *trancar.*]

esfaqueado. [Part. de *esfaquear.*] *Adj.* Ferido ou morto a facadas.

esfaquear. [De *es-* + *faca*[1] + *-ear.*] *V. t. d.* **1.** Ferir ou matar com faca. *P.* **2.** Ferir-se reciprocamente às facadas. [Conjug.: v. *frear.*]

esfarelado. [Part. de *esfarelar.*] *Adj.* **1.** Reduzido a farelo; esfarinhado. **2.** Reduzido a pó, a migalhas. **3.** *Fig.* Esmigalhado, esfanicado, esfacelado.

esfarelamento. *S. m.* Ato ou efeito de esfarelar(-se).

esfarelar. [De *es-* + *farelo* + *-ar*[2].] *V. t. d.* **1.** Converter em farelo; reduzir a migalhas; desfarelar. **2.** Esfacelar, esboroar, esmiolar, esfarinhar: *É homem violento, capaz de esfarelar os ossos de um inimigo. P.* **3.** Esboroar-se, esbarrondar-se, desmoronar-se.

esfarelita. *S. f. Min.* V. *esfalerita.*

esfarinhado. [Part. de *esfarinhar.*] *Adj.* **1.** Esfarelado (1). **2.** *Bras., N.E. Pop.* Muito conhecedor; versado.

esfarinhar. [De *es-* + *farinha* + *-ar*[2].] *V. t. d.* Reduzir a farinha; esfarelar.

esfarpado. [Part. de *esfarpar.*] *Adj.* **1.** Rasgado em farpas. **2.** Lascado, rachado; estilhado, estilhaçado.

esfarpar. [De *es-* + *farpa* + *-ar*[2].] *V. t. d.* Rasgar em farpões ou em farpas; lascar.

esfarrapadeira. [De *esfarrapar* + *-deira.*] *S. f.* Máquina dentada, para desfazer os fios ou farrapos de lã, nos lanifícios.

esfarrapado. [Part. de *esfarrapar.*] *Adj.* **1.** Cujas vestes estão em farrapos; roto. V. *maltrapilho* (1). **2.** *Bras.* Sem consistência ou coerência: *explicação esfarrapada; desculpas esfarrapadas.* ● *S. m.* **3.** Aquele que tem a roupa em farrapos. V. *maltrapilho* (2).

esfarrapamento. *S. f.* Ato de esfarrapar.

esfarrapar. [De *es-* + *farrapo* + *-ar*[2].] *V. t. d.* **1.** Reduzir a farrapos; esfrangalhar. **2.** Rasgar, dilacerar. **3.** Consumir, arruinar. [Sin. ger.: *farrapar.*]

esfarripado. [Part. de *esfarripar.*] *Adj.* Disposto em farripas.

esfarripar. [De *es-* + *farripo* + *-ar*[2].] *V. t. d.* Fazer ou dividir em farripas.

esfatiar. [De *es-* + *fatia* + *-ar*[2].] *V. t. d.* Partir, cortar em fatias.

esfazer. *V. t. d.* e *p.* V. *desfazer:* "Como cansado arbusto os ares olha, / Sem mais ver primavera, e folha a folha / Se esfaz em folhas, eu me esfaço em versos." (Alberto de Oliveira, *Poesias,* 3ª série, p. 167). [Irreg. Conjug.: v. *fazer.*]

esfecídeo. *S. m.* **1.** Espécime dos esfecídeos. ● *Adj.* **2.** Pertencente ou relativo a eles.

esfecídeos. *S. m. pl. Zool.* Família de insetos da ordem dos himenópteros. São vespas solitárias, sendo os adultos normalmente encontrados em torno das flores.

esfênio. [De *esfen(o)-* + *-io.*] *S. m. Min.* V. *titanita.*

esfeniscídeo. *S. m.* **1.** Espécime dos esfeniscídeos. ● *Adj.* **2.** Pertencente ou relativo a eles.

esfeniscídeos. *S. m. pl. Zool.* Aves esfenisciformes, da família *Spheniscidae,* exclusivamente aquáticas, marinhas, com asas desprovidas de rêmiges, transformadas em paletas natatórias. Alimentam-se de peixes, moluscos e crustáceos. São os pingüins.

esfenisciforme. *S. m.* **1.** Espécime dos esfenisciformes. ● *Adj. 2 g.* **2.** Pertencente ou relativo a eles. [Sin. ger.: *impene.*]

esfenisciformes. *S. m. pl. Zool.* Aves neórnites, neógnatas, da ordem *Sphenisciformes.* Marinhas, freqüentam as regiões austrais. Asas curtas, recurvas, usadas como remos, cobertas de penas chatas, escamiformes; pernas com quatro dedos, dirigidos para a frente, sendo o hálux livre e os três restantes unidos por uma membrana; patas inseridas muito atrás. São os pingüins. [Sin.: *impenes.*]

▲**esfen(o)-.** [Do gr. *sphén, sphenós.*] *El. comp.* = 'cunha'; *esfênio, esfenocéfalo.*

esfenocéfalo. [De *esfen(o)-* + *-céfalo.*] *Adj.* Cuja cabeça é pontiaguda.

esfenoedro. [De *esfen(o)-* + *-edro.*] *S. m. Geom.* Poliedro com algum ou alguns ângulos agudos.

esfenoidal. *Adj. 2 g.* Relativo ou pertencente ao esfenóide.

esfenóide. [Do gr. *sphenoeidés.*] *S. m. Anat.* Osso ímpar encravado no meio dos ossos da base do crânio.

esfera. [Do gr. *sphaîra,* pelo lat. *sphaera.*] *S. f.* **1.** *Geom.* Região do espaço limitada por uma superfície esférica [q. v.]. **2.** *Geom.* Superfície esférica. **3.** Qualquer corpo redondo; bola, globo. **4.** Esfera terrestre; globo. **5.** Moeda portuguesa de ouro, do tempo de D. Manuel (1469-1521), na qual havia gravada uma esfera armilar. **6.** *Fig.* Meio, ambiente; círculo: *É restrita a sua* esfera *de relações.* **7.** *Fig.* Campo, setor, ou ramo dentro do qual se exerce uma atividade; meio: *Said Ali foi mestre notável na* esfera *da filologia.* **8.** Extensão de poder, ou autoridade, ou gênio, ou talento, ou saber, etc.: *É enorme a* esfera *de sua influência, e maior a de seu saber.* [Dim. irreg.: *esférula.*] ♦ **Esfera armilar.** *Astr.* Instrumento astronômico antigo, constituído de numerosos anéis metálicos, que representam os principais círculos da esfera celeste. **Esfera celeste.** *Astr.* Esfera fictícia, cujo centro é o observador, e de raio indeterminado, porém muito grande, à qual se supõem ligados todos os astros. **Esfera oblíqua.** *Astr.* Aspecto da esfera celeste quando observada de um ponto da superfície terrestre situado entre o equador e os pólos. **Esfera paralela.** *Astr.* Aspecto da esfera celeste quando observada de um dos pólos terrestres. Nesta situação os círculos diurnos aparentes dos astros são almocântaras. **Esfera reta.** *Astr.* Aspecto da esfera celeste quando observada de um ponto do equador terrestre. Nesta situação os círculos diurnos aparentes dos astros estão em planos verticais, perpendiculares ao plano do meridiano. **Esfera terrestre.** A Terra.

esfericidade. *S. f.* Qualidade de esférico: *a* esfericidade *da Terra.*

esférico. [Do gr. *sphairikós,* pelo lat. *sphaericu.*] *Adj.* **1.** Que tem forma de esfera (1). **2.** Redondo, globoso. ~ V. *aberração —a, abóbada —a, ângulo —, calota —a, cone —, coordenadas —as, cunha —a, curva —a, espaço —, excesso —, fuso —, loxodrômia —a, onda —a, pêndulo —, polígono —, segmento —, setor —, simetria —a, superfície —a, triângulo —, trigonometria —a* e *zona —a.*

esferista. [Do gr. *sphairistés,* pelo lat. *sphaerista.*] *S. 2 g.* **1.** Entre os gregos, pessoa que ensinava os diversos jogos em que se utilizavam bolas. **2.** Jogador de péla.

esferistério. [Do gr. *sphairistérion,* pelo lat. *sphaeristeriu.*] *S. m.* Lugar destinado ao jogo da péla ou bola, nos antigos ginásios.

esferística. [Fem. substantivado de *esferístico.*] *S. f.* Arte de jogar a péla.

esferístico. [Do gr. *sphairistikós,* pelo lat. *sphaeristicu.*] *Adj.* Relativo ao jogo da péla, ou à esferística.

▲**esfer(o)-.** [Do gr. *sphaîra, as.*] *El. comp.* = 'esfera': *esferográfica, esferômetro.* [Equiv.: *-sfera: pirosfera.*]

esferográfica. [De *esfer(o)-* + gr. *graphikós,* 'gráfica'.] *Adj. (f.)* e *s. f. Bras.* Diz-se da, ou a caneta em cuja ponta há uma esfera metálica que regula a saída da tinta.

esferoidal. *Adj. 2 g.* Que tem forma de esferóide; esferóideo. ~ V. *coordenadas esferoidais.*

esferóide. [Do gr. *sphairoeidés.*] *S. m. Geom.* Elipsóide de revolução.

esferóideo. *Adj.* Esferoidal.

esferométrico. *Adj.* Concernente ao esferômetro.

esferômetro. [De *esfer(o)-* + *-metro*[2].] *S. m.* Instrumento com que se mede a curvatura das superfícies esféricas.

esferorradiano. *S. m. Quím.* Unidade de medida de ângulo sólido, igual ao ângulo sólido, com vértice no centro de uma esfera, que subtende na superfície desta esfera uma área medida pelo quadrado do raio da esfera. [A esfera toda corresponde a um ângulo sólido de 4 π esferorradianos.]

esférula. [Do lat. *sphaerula.*] *S. f.* Pequena esfera.

esfervilhação. *S. f.* Ato de esfervilhar.

esfervilhamento. *S. m.* V. *fervilhamento* (2): "naquele pórtico aparatoso, diante da aglomeração festeira, no esfervilhamento do entra-e-sai do povo" (Gilberto Amado, *Depois da Política,* p. 54).

esfervilhar. [De *es-* + *fervilhar.*] *V. int.* Remexer-se muito; revolver-se com rapidez; fervilhar.

esfiampar. *V. t. d., int.* e *p.* V. *esfiapar.*

esfiapar. [De *es-* + *fiapo* + *-ar*[2]] *V. t. d.* **1.** Desfazer em fiapos; desfiar. *Int.* e *p.* **2.** Desfazer(-se) em fiapos; desfiar(-se). [Var. (p. us. ou desus. no Brasil): *esfiampar.*]

esfiar. *V. t. d., t. d.* e *i., int.* e *p.* V. *desfiar.*

esfigmismo. [De *esfigmo-* + *-ismo.*] *S. m. Med. Desus.* Estado que se caracteriza pelas contínuas modificações da forma e intensidade de pulsação.

▲**esfigmo-.** [Do gr. *sphygmós, oû.*] *El. comp.* = 'palpitação', 'pulsação': *esfigmômetro.*

esfigmográfico. *Adj.* Referente a esfigmógrafo.

esfigmógrafo. [De *esfigmo-* + *-grafo.*] *S. m.* V. *pulsógrafo.*

esfigmomanômetro. [De *esfigmo-* + *manômetro.*] *S. m. Med.* Instrumento, de que há vários tipos, utilizado na medição da pressão arterial.

esfigmômetro. [De *esfigmo-* + *-metro*[2].] *S. m.* Pulsímetro.

esfíncter. [Do gr. *sphigktér.*] *S. m. Anat.* Designação comum a diversos músculos anulares, existentes em diversas estruturas ocas (bexiga, estômago, etc.) que, ao relaxarem-se ou contraírem-se, regulam o trânsito do conteúdo delas. [Pl.: *esfíncteres.* Var. pros.: *esfincter.*]

esfincter (tér). *S. m. Anat.* Var. pros. de *esfíncter.*

esfinge. [Do gr. *sphígx, gós,* pelo lat. *sphinge.*] *S. f.* **1.** Monstro fabuloso, leão alado com cabeça e busto humanos, que matava os viajantes quando não decifravam o enigma que ele lhes propunha. **2.** Na arte egípcia, estátua de leão, deitada, com cabeça de homem, de carneiro ou de ave de rapina, e que representa uma divindade. **3.** *Fig.* Pessoa calada, misteriosa, enigmática. **4.** Certa borboleta noturna.

esfingético. *Adj.* V. *esfíngico.*

esfíngico. *Adj.* De, ou próprio de esfinge; enigmático, misterioso, esfingético.

esfíngidas. *S. m. pl. Zool.* Família de mariposas de corpo cilindrocônico.

esfingídeo. *Adj.* **1.** Pertencente ou relativo aos esfíngidas. ● *S. m.* **2.** Espécime dos esfíngidas.

esfiraenídeo. *S. m.* e *adj.* Esfirenídeo.

esfiraenídeos. *S. m. pl. Zool.* Esfirenídeos.

esfirenídeo. *S. m.* **1.** Espécime dos esfirenídeos. ● *Adj.* **2.** Pertencente ou relativo a eles. [Sin. ger.: *esfiraenídeo.*]

esfirenídeos. *S. m. pl. Zool.* Família de peixes teleósteos, da ordem dos percesoces. Ex.: a barracuda. [Sin.: *esfiraenídeos.*]

esfirnídeo. *S. m.* **1.** Espécime dos esfirnídeos. ● *Adj.* **2.** Pertencente ou relativo a eles.

esfirnídeos. *S. m. pl. Zool.* Família de peixes elasmobrânquios, ordem dos pleurotremados, subordem dos eusseláquios. Ex.: o peixe-martelo.

esflorar. [De *es-* + *flor* + *-ar*[2].] *V. t. d.* **1.** Tirar a flor a; desflorar. **2.** Passar à superfície ou à flor de, agitando; encrespar; esfrolar: "A asa do vento esflora as camélias e as rosas." (Manuel Bandeira, *Estrela da Vida Inteira,* p. 22.)

esfogueado. [Part. de *esfoguear.*] *Adj. Bras.* **1.** V. *afogueado* (1 a 4). **2.** Apressado, sôfrego, azougado.

esfoguear. [De *es-* + *fogo* + *-ear.*] *V. t. d.* **1.** V. *afoguear. P.* **2.** V. *afoguear.* **3.** *Bras.* Apressar-se; atarantar-se; perder a calma. [Conjug.: v. *frear.*]

esfogueteado. [Part. de *esfoguetear.*] *Bras. Adj.* **1.** Doidivanas, estouvado, estabanado, travesso, turbulento, irrequieto. **2.** Diz-se da caça que se tornou arisca. ● *S. m.* **3.** Indivíduo esfogueteado.

esfogueteamento. *S. m. Bras.* Qualidade, modos ou ação de esfogueteado; foguetice.

esfoguetear. [De *es-* + *foguete* + *-ear.*] *V. t. d.* **1.** Festejar com foguetes. **2.** Repreender com acrimônia. **3.** *Bras.* Fazer fogo com (espingarda), para experimentá-la ou tirar-lhe a umidade interior. **4.** Fazer fogo contra, para afugentar: *A polícia* esfogueteou *os assaltantes. Int.* **5.** Soltar foguetes. [Conjug.: v. *frear.*]

esfola. [Dev. de *esfolar.*] *S. f.* V. *esfoladura.*

esfoladela. *S. f.* **1.** V. *esfoladura.* **2.** *Fig.* Logro; extorsão; comedela.

esfolado. [Part. de *esfolar.*] *Adj.* **1.** A que se tirou a pele. ● *S. m.* **2.** *Bras.* Manequim (1) que representa uma pessoa despojada completamente da pele.

esfoladoiro. *S. m. Bras.* Esfoladouro.

esfolador (ô). *Adj.* e *s. m.* Que ou aquele que esfola.

esfoladouro. [Var. de *esfoladoiro.*] *S. m. Bras.* Lugar, nos matadouros, onde se esfolam as reses.

esfoladura. *S. f.* Ato ou efeito de esfolar(-se); esfoladela, esfolamento, esfola.

esfolamento. *S. m.* V. *esfoladura.*

esfolar. [Do lat. vulg. hispânico **exfollare.*] *V. t. d.* **1.** Tirar a pele de. **2.** Ferir superficialmente; arranhar. escoriar. **3.** *Fig.* V. *escorchar* (8 e 9). *P.* **4.** Ficar escoriado; arranhar-se.

esfolegar. [De *es-* + *fôlego* + *-ar*[2].] *V. int.* **1.** Tomar fôlego. **2.** V. *resfolegar* (1). [Conjug.: v. *resfolegar.*]

esfolhada. *S. f.* **1.** Ato de esfolhar. **2.** V. *descamisada.* [Sin. ger.: *esfolhadela.*]

esfolhadela. *S. f.* V. *esfolhada.*

esfolhar. [De *es-* + *folha* + *-ar*[2].] *V. t. d.* **1.** Tirar as folhas a. **2.** Descamisar (o milho). **3.** Fazer desprender-se (folhas): "um pé de milho isolado esfolhava as suas espadanas verdes" (Coelho Neto, *Treva,* p. 75). [Cf. *esfoliar* e *esfolhear.*]

esfolhear. [De *es-* + *folha* + *-ear.*] *V. t. d.* **1.** Folhear[2] (1) de maneira despreocupada, inconsciente. **2.** Folhear[2] (1) os livros de: *Bibliófilo, leva o tempo a* esfolhear *livrarias.* [Conjug.: v. *frear.* Cf. *esfoliar* e *esfolhar.*]

esfolhoso (ô). [De *es-* + *folhoso.*] *Adj. Morfol. Veg.* Que não tem folhas ou estípulas.

esfoliação. *S. f.* **1.** Ato ou efeito de esfoliar. **2.** *Geol.* Descamação (2).

esfoliado. [Part. de *esfoliar.*] *Adj.* Que se esfoliou.

esfoliar. [Do lat. *exfoliare.*] *V. t. d.* Separar em folhas ou lâminas. [Cf. *esfolhar* e *esfolhear.*]

esfoliativo. *Adj.* Que esfolia ou provoca esfoliação.

esfomeação. *S. f.* **1.** Ato de esfomear. **2.** Estado de esfomeado.

esfomeado. [Part. de *esfomear.*] *Adj.* e *s. m.* Que, ou aquele que tem fome; esfaimado, faminto, famélico.

esfomear. [De *es-* + *fome* + *-ear.*] *V. t. d.* **1.** Causar fome a. **2.** Encher subitamente de fome; provocar vivo apetite em. **3.** Privar de alimentação, causando fome a; esfaimar. [Conjug.: v. *frear.* Cf. *esfumear.*]

esforçado. [Part. de *esforçar.*] *Adj.* **1.** Vigoroso, forte, enérgico. **2.** Denodado, valoroso, corajoso. **3.** Que se esforça para conseguir algo; trabalhador, diligente. **4.** Diz-se de pessoa (em geral de inteligência curta) que se empenha vivamente para bem realizar as suas tarefas. ● *S. m.* **5.** Indivíduo esforçado.

esforçar. [De *es-* + *força* + *-ar*[2].] *V. t. d.* **1.** Dar forças a; avigorar, robustecer, reforçar. **2** Dar valor ou ânimo a; animar, estimular, encorajar: *Encontrando-o desalentado, procurou* esforçá-*lo com palavras de encorajamento.* **3.** Dar maior volume, tamanho, densidade, etc. a; aumentar: *As chuvas* esforçaram *as águas do rio.* **4.** Corroborar, confirmar, acrescentando argumentos ou provas; reforçar: Esforçou *as suas palavras de maneira convincente. Int.* **5.** Ter ânimo, coragem; animar-se, esforçar-se. **6.** Cobrar força, vigor, coragem, ânimo. *P.* **7.** Ter ânimo, coragem; animar-se; esforçar. **8.** Empregar todas as forças, toda a energia e diligência, para conseguir alguma coisa: "Esforço-me por desviar o pensamento dessas coisas. Não sou um rato, não quero ser um rato." (Graciliano Ramos, *Angústia,* p. 8); "Esforçavam-se...: em imitar aquele tipo de milionário improvisado." (José de Alencar, *Sonhos d'Ouro,* p. 125); Esforçou-se *em vão para conseguir o emprego.* [Conjug.: v. *laçar.* Pres. ind.: *esforço,* etc. Cf. *esforço* (ô).]

esforço (ô). [Dev. de *esforçar.*] *S. m.* **1.** Atividade de um ser que mobiliza todas as suas forças, físicas ou morais, para atingir algum fim: *Com o* esforço *que fez, rebentou a porta; Fez* esforço, *mas não conseguiu passar nos exames.* **2.** Contração muscular. **3.** Vigor, energia, força. **4.** Valor, ânimo, coragem: *Enfrentaram o inimigo com grande* esforço. **5.** Dificuldade (1): *Inteligentíssimo, aprendeu a ler sem* esforço. [Pl.: *esforços* (ó). Cf. *esforço,* do v. *esforçar.*]

esfragista. *S. 2 g.* Pessoa versada em esfragística.

esfragística. [Fem. substantivado de *esfragístico.*] *S. f.* Ciência que trata dos selos, sinetes e carimbos.

esfragístico. [Do gr. *sphragistikós.*] *Adj.* Relativo à esfragística.

esfraldar. [De *es-* + *fralda* + *-ar*[2].] *V. t. d. Bras.* **1.** Desfraldar (1 e 2). **2.** Estender, alargar.

esfrançar. [De *es-* + *franças* + *-ar*[2].] *V. t. d.* **1.** Cortar as franças ou ramos de; desgalhar, esgalhar. **2.** Limpar (árvore), cortando-lhe os ramos secos ou os mais antigos. [Conjug.: v. *laçar.*]

esfrangalhar. [De *es-* + *frangalho* + *-ar*[2].] *V. t. d.* Reduzir a frangalhos, a farrapos; esfarrapar; dilacerar, rasgar, frangalhar.

esfrega. [Dev. de *esfregar.*] *S. f.* **1.** Ato de esfregar; esfregação, esfregadura. **2.** *Fig.* Trabalho grande e cansativo. **3.** V. *repreensão* (1). **4.** V. *surra* (1 e 2).

esfregação. *S. f.* **1.** V. *esfrega* (1). **2.** *Pop.* V. *bolinagem.*

esfregaço. [De *esfregar.*] *S. m.* **1.** *Med.* Preparação para estudo microscópico, que se obtém pela distensão, sobre uma lâmina de uma camada delgada de matéria orgânica. **2.** *Pint.* Camada leve, de tinta ou verniz transparente, aplicada sobre uma pintura.

esfregadela. *S. f.* Ato de esfregar de leve.

esfregador (ô). *Adj.* **1.** Que esfrega. ● *S. m.* **2.** Aquele que esfrega. **3.** V. *esfregão* (1 e 2).

esfregadura. *S. f.* V. *esfrega* (1).

esfregalho. *S. m.* V. *esfregão* (2).

esfregão. *S. m.* **1.** Pano de esfregar; esfregador, rodilhão. **2.** Qualquer outro objeto próprio para esfregar; esfregador, esfregalho. **3.** *Bras.* V. *bucha-dos-paulistas* (2). **4.** O fruto dessa planta, usado para limpeza doméstica.

esfregar. [Do lat. *exfricare.*] *V. t. d.* **1.** Passar repetidas vezes a mão, ou objeto mais ou menos apropriado, pela superfície de (um corpo), para produzir ou aumentar o calor, para limpar, etc.; friccionar. **2.** Roçar (uma coisa com outra): *Esfregou as mãos de contente.* **3.** Limpar; lavar: *esfregar o assoalho.* **4.** Coçar; friccionar. *P.* **5.** Roçar-se. **6.** Coçar-se, friccionar-se. **7.** *Bras. Chulo.* Roçar-se com intuito libidinoso. [Conjug.: v. *regar.*]

esfria[1]. [Dev. de *esfriar.*] *S. 2 g. Bras. Gír. jorn.* Pessoa que, sabendo de uma notícia, não a quer dar ao repórter.

esfria[2]. *S. m. Bras., PE.* V. *esfria-verruma.*

esfriadoiro. *S. m.* Esfriadouro [q. v.].

esfriadouro. [Var. de *esfriadoiro.*] *S. m.* Vaso onde se põe algo a esfriar.

esfriamento. *S. m.* Ato ou efeito de esfriar(-se).

esfriar. [De *es-* + *frio* + *-ar*[2].] *V. t. d.* **1.** Tornar frio; fazer perder o calor; arrefecer. **2.** Tornar frio, insensível, indiferente; esmorecer: *Nada lhe esfria o ânimo.* **3.** Afrouxar; enfraquecer, entibiar. *Int.* e *p.* **4.** Tornar-se frio; perder o calor; arrefecer: "O jantar esfriava na mesa posta." (Afonso Celso, *Notas e Ficções*, p. 17.) **5.** Tornar-se frio, insensível, indiferente; perder o entusiasmo; esmorecer.

esfria-verruma. [De *esfriar* + *verruma.*] *S. 2 g. Bras., PE.* **1.** Pessoa que sempre acompanha outra para prestar-lhe serviços; acólito, ajudante. **2.** Adulador, adulão, bajulador. [F. red.: *esfria.* Pl.: *esfria-verrumas.*]

esfrolar. [De *es-* + ant. *frol* + *-ar*[2].] *V. t. d.* **1.** Escoriar, esfolar. **2.** V. *esflorar* (2): "Afla a brisa, cheia de ternura ousada, / Esfrolando as ondas, provocando nelas / Bruscos arrepios de mulher beijada..." (Vicente de Carvalho, *Poemas e Canções*, p. 252).

esfulinhar. [De *fuligem.*] *V. t. d.* **1.** Limpar a fuligem de (chaminé). **2.** Limpar do pó e das teias de aranha.

esfumaçado. [Part. de *esfumaçar.*] *Adj.* **1.** Cheio de fumaça; esfumarado. **2.** *Bras.* Diz-se de alimento defumado.

esfumação. *S. f.* Ato ou efeito de esfumar(-se).

esfumaçar. [De *es-* + *fumaça* + *-ar*[2].] *V. t. d.* **1.** Encher de fumaça. **2.** Enegrecer de fumaça. **3.** *Bras.* Defumar (alimentos). [Conjug.: v. *laçar.*]

esfumado. [Do it. *sfumato.*] *Adj.* e *s. m.* Diz-se do, ou o desenho que tem as sombras esbatidas. ~ V. *autotipia* —a.

esfumador (ô). [De *esfumar* + *-(d)or.*] *S. m.* Pincel usado para unir as tintas dum quadro, esbatendo-as.

esfumar. [Do it. *sfumare.*] *V. t. d.* **1.** Desenhar a carvão. **2.** Esbater com esfuminho. **3.** Sombrear com esfuminho. **4.** Desfazer em fumo. **5.** Enegrecer com fumo; esfumaçar. *P.* **6.** Desfazer-se em fumo. **7.** Desaparecer a pouco e pouco.

esfumarado. [Part. de *esfumarar.*] *Adj.* Esfumaçado (1).

esfumarar. *V. t. d.* **1.** Cobrir de fumaça. **2.** Tornar semelhante à fumaça.

esfumatura. [Do it. *sfumatura.*] *S. f.* Conjugação das sombras, em um desenho.

esfumear. [De *es-* + *fumo* + *-ear.*] *V. int.* e *t. d.* V. *fumegar.* [Conjug.: v. *frear.* Cf. *esfomear.*]

esfuminho. [Do it. *sfumino.*] *S. m.* Rolo de pelica, feltro, papel, etc., aparado em ponta, para esbater desenho a lápis, a carvão, etc.

esfuracar. *V. t. d.* Furar, esburacar, furacar. [Conjug.: v. *trancar.*]

esfuziada. *S. f.* Descarga de fuzilaria; tiroteio.

esfuziante. *Adj. 2 g.* **1.** Que esfuzia; sibilante: *rajada esfuziante.* **2.** Muito alegre; muito vivo e comunicativo; muito vivaz; radiante, irradiante: *moça graciosa, saudável, esfuziante.* **3.** Próprio de pessoa esfuziante (2); irradiante: *alegria esfuziante; maneiras esfuziantes.*

esfuziar. [De *esfuzilar*, com síncope.] *V. int.* **1.** Zunir como os projetis da fuzilaria: *A serra esfuzia, cortando a madeira.* **2.** Soprar rijo e forte; sibilar: "O próprio vento tinha ali uma voz diferente, a esfuziar no velame, a correr por cima das ondas." (Josué Montelo, *Cais da Sagração*, p. 160.) **3.** Fuzilar, cintilar; esfuzilar: "no caso, a ironia de Chesterton esfuzia, brincalhona, irreverente, mas inócua" (Eugênio Gomes, *D. H. Lawrence e Outros*, p. 223). *T. d.* **4.** Lançar, dardejar; atirar: *Esfuziou comentários mordazes ao ver o adversário.*

esfuzilar. [De *es-* + *fuzil* + *-ar*[2].] *V. int.* Lançar faíscas; cintilar, fuzilar, esfuziar.

esfuziote. [De *esfuziar.*] *S. m.* **1.** *Pop.* Saraivada de invectivas, de insultos. **2.** V. *repreensão* (1). ♦ **De esfuziote.** Com extrema rapidez; às pressas, à pressa; apressuradamente: *Entrou de esfuziote, pegou o chapéu e saiu.*

esgaçar. *V. t. d., int.* e *p.* V. *esgarçar*: "Duas tábuas cederam, ele furou através, esgaçando a quinzena num prego." (Eça de Queirós, *A Ilustre Casa de Ramires*, p. 192); "aquele cismar começou a quebrar-se a cada momento como uma tela que se esgaça em rasgões largos" (Id., *O Primo Basílio*, p. 170). [Conjug.: v. *laçar.*]

esgadanhar. [De *es-* + *gadanho* + *-ar*[2].] *V. t. d.* e *p.* Ferir(-se) com as unhas; arranhar(-se).

esgadelhado. [Part. de *esgadelhar.*] *Adj.* V. *desguedelhado.*

esgadelhar. [De *es-* + *gadelha* + *-ar*[2].] *V. t. d.* e *p.* V. *desguedelhar.* [Conjug.: v. *aparelhar.*]

esgaivar. [De *es-* + *gaiva* + *-ar*[2].] *V. t. d.* Abrir barrancos em; cavar, escavar.

esgaivotado. [De *es-* + *gaivota* + *-ado*[1].] *Adj.* **1.** Semelhante à gaivota. **2.** Esgrouviado, esgalgado.

esgalamido. *Adj. Bras., N.E. Pop.* Glutão, comilão; esgalopado.

esgaldripado. *Adj.* Diz-se do cacho de uvas longo, mas com poucos bagos.

esgaldripar. *V. t. d.* Tornar esgaldripado.

esgalgado. [De *es-* + *galgo* + *-ado*[1].] *Adj.* **1.** Magro como um galgo; escanzelado. **2.** V. *esgalgo*: "cristais cantantes na joalheria dos reflexos, ânforas esgalgadas e a gorgolejar capitosos odores." (João Ribeiro, *Floresta de Exemplos*, p. 224). **3.** Que anda caindo de lazeira. **4.** *Fig.* Estreito e comprido: *São pitorescas as ruas e vielas esgalgadas da Alfama e da Mouraria.*

esgalgar. [De *es-* + *galgo* + *-ar*[2].] *V. t. d.* Tornar magro; esbeltar. [Conjug.: v. *largar.*]

esgalgo. [Dev. de *esgalgar.*] *Adj.* Alto e delgado; esgalgado; esbelto: "Esta é lívida, esgalga e fina" (Olegário Mariano, *Toda uma Vida de Poesia*, I, p. 256).

esgalha. [Dev. de *esgalhar.*] *S. f.* **1.** Ato ou efeito de esgalhar(-se). **2.** Ramo cortado de árvore. **3.** V. *esgalho* (2). **4.** V. *escádea.*

esgalhado. [Part. de *esgalhar.*] *Adj.* **1.** Que tem galhos ou ramos cortados. **2.** Que tem ramos muito separados.

esgalhar. [De *es-* + *galho* + *-ar*[2].] *V. t. d.* **1.** Dividir em galhos ou em ramos; desgalhar. **2.** Cortar os ramos a; desgalhar. *Int.* e *p.* **3.** Dividir-se em ramos ou lançamentos novos; abrir a copa (4).

esgalho. [Dev. de *esgalhar.*] *S. m.* **1.** Renovo vegetal que pouco se desenvolve. **2.** Resto do ramo que fica no tronco; esgalha, galho. **3.** A ramificação dos galhos do veado. **4.** V. *escádea.* **5.** Ramificação, divisão.

esgalopado. *Adj. Bras., N.E. Pop.* V. *esgalamido.*

esgana. [Dev. de *esganar.*] *S. f. Pop.* **1.** Ato de esganar, **2.** Tosse convulsa. **3.** Doença nas vias respiratórias do cão. **4.** Gana, fome.

esganação. *S. f.* **1.** Ato de esganar; esganadura. **2.** Gana, avidez, sofreguidão. **3.** *Fig.* Avareza (1).

esganado. [Part. de *esganar.*] *Adj.* **1.** Estrangulado, sufocado. **2.** Faminto, famélico, esfomeado, esfaimado. **3.** Ávido, sôfrego, voraz. **4.** V. *avaro* (1). ● *S. m.* **5.** Indivíduo esganado. **6.** V. *avaro* (3). ~ V. *volta* —a.

esganadura. *S. f.* Esganação (1).

esganar. [De *es-* + *gana* + *-ar*[2].] *V. t. d.* **1.** Matar por sufocação; estrangular, sufocar, esgoelar. **2.** *Marinh.* Dar voltas em cruz, comprimindo outras já dadas, em (botão, cosedura ou outra qualquer obra de marinheiro). *P.* **3.** Suicidar-se por estrangulação; estrangular-se. **4.** *Fig.* Mostrar-se sôfrego, avarento. **5.** Morder-se de inveja.

esganiçar. [De *ganir.*] *V. t. d.* **1.** Tornar (a voz) aguda, à imitação do cão. *P.* **2.** Soltar vozes como o ganir do cão. **3.** Cantar com som agudo, estridente. [Conjug.: v. *laçar.*]

esgar. *S. m.* **1.** Gesto de escárnio. **2.** V. *careta* (1). **3.** V. *carantonha.*

esgarabulhão. [De *esgarabulhar*] *S. m.* **1.** Pião que roda aos saltos. **2.** *Fig.* Indivíduo irrequieto.

esgarabulhar. *V. int.* **1.** Andar (o pião) aos pulos. **2.** *Fig.* Andar aos pulos, sem sossego; mexer-se muito.

esgarapatana. *S. f. Bras.* Esgaravatana (2).

esgaratujar. *V. t. d.* e *int.* V. *garatujar*: "O escrivão esgaratujou rapidamente duas ou três siglas no caderno que tinha na mão." (Alexandre Herculano, *O Monge de Cister*, II, p. 15.)

esgaravatador (ô). *Adj.* **1.** Que esgaravata. ● *S. m.* **2.** Palito de limpar os dentes. **3.** Instrumento com que se limpa o ouvido das armas. **4.** Instrumento para remexer as brasas da forja. [Var.: *esgravatador.*]

esgaravatana. *S. f.* **1.** *Ant.* Porta-voz (1). **2.** *Bras.* Zarabatana de uso entre os indígenas americanos; esgarapatana.

esgaravatar. [De *es-* + *garavato* + *-ar*[2].] *V. t. d.* **1.** Tirar ou limpar com o esgaravatador. **2.** Remexer ou escarafunchar com as unhas. **3.** Coçar ou limpar (o nariz, as orelhas, etc.). **4.** *Fig.* Inquirir; esmiuçar; pesquisar: *Tanto esgaravatou o caso que terminou descobrindo o mistério.* [Var.: *esgravatar*; sin. ger.: *esgaravatear.*]

esgaravatear. *V. t. d.* V. *esgaravatar.* [Var.: *esgravatear.* Conjug.: v. *frear.*]

esgaravatil. *S. m.* Instrumento para fazer encaixes na madeira.

esgarçadura. *S. f.* Ato ou efeito de esgarçar(-se).

esgarçar. [Do lat. *exquartiare*, 'esquartejar'?] *V. t. d.* **1.** Dividir (o pano), apartando os fios; desfiar, escarçar. **2.** Ferir, lanhar. **3.** Romper a casca de (fruto). *Int.* e *p.* **4.** Abrir-se (o tecido); desfiar-se; romper-se. **5.** Desfazer-se, fragmentar-se. [Var.: *esgaçar.* Tb. se diz *escarçar.* Conjug.: v. *laçar.*]

esgardunhar. *V. t. d.* Arranhar, como o gardunho.

esgargalar. [De *es-* + *gargalo* (2) + *-ar*[2]] *V. t. d.* Descobrir (todo o pescoço); esgorjar, decotar; esbagachar.

esgargalhar-se. [De *es-* + *gargalhar* + *se*[1].] *V. p.* Rir às gargalhadas.

esgarrão. *Adj.* e *s. m.* V. *desgarrão.*

esgarrar. [F. intensiva de *garrar.*] *V. t. d.* **1.** Fazer (o navio) mudar de rumo. **2.** Desviar do caminho; transviar. *T. d.* e *i.* **3.** V. *desgarrar* (5). *T. i.* **4.** Apartar-se, separar-se. *Int.* e *p.* **5.** Desviar-se da rota; transviar-se. **6.** Seguir mau caminho; proceder mal.

esgatanhar. [De *esgadanhar*, com infl. de *gato.*] *V. t. d.* e *p.* **1.** V. *agatanhar.* **2.** Puxar, arrancar (pêlos, penas, etc.); arrepelar.

esgazeado. [Part. de *esgazear.*] *Adj.* **1.** Diz-se das cores alvadias, deslavadas. **2.** Diz-se dos olhos inquietos nas órbitas, com expressão de espanto, desnorteamento, desvairamento ou ira, como os olhos dos loucos. **3.** Afogueado; esbaforido.

esgazear. [De *es-* + *gázeo* + *-ar*[2].] *V. t. d.* **1.** Pôr (os olhos) em branco. **2.** Volver (os olhos) com expressão desvairada. **3.** *Pint.* Tornar clara ou desmaiada (a cor de um quadro). [Conjug.: v. *frear.*]

esgoelamento. *S. m.* Ato ou efeito de esgoelar(-se): "Despertado por um esgoelamento maior de donzelinha, chego à janela do meu quarto" (Gilberto Amado, *Depois da Política*, p. 156).

esgoelar. [De *es-* + *goela* + *-ar*[2].] *V. t. d.* **1.** Proferir gritando; bradar: "um rapazola esgoelou: / — Aí vem ele!" (Coelho Neto, *A Conquista*, p. 431); "(Setenta vezes esgoelar o nome dela com gargarejo de cravo e de canela.)" (Gilberto Mendonça Teles, *Plural de Nuvens*, p. 27). **2.** Estrangular; esganar. *Int.* **3.** Gritar muito; goelar. *P.* **4.** Abrir muito as goelas e gritar; goelar-se: "Os seus gritos me entravam na cabeça, nunca ninguém se esgoelou de semelhante maneira." (Graciliano Ramos, *Infância*, p. 32.)

esgorjado. [Part. de *esgorjar.*] *Adj.* Desgorjado.

esgorjar. [De *es-* + *gorja* + *-ar*[2].] *V. t. d.* **1.** V. *esgargalar.* *T. i.* **2.** Ter desejo intenso, avidez; desejar muito.

esgotado. [Part. de *esgotar.*] *Adj.* **1.** Que se esgotou. **2.** Depauperado, exausto, exangue.

esgotadoiro. *S. m.* Esgotadouro [q. v.].

esgotadouro. [Var. de *esgotadoiro.*] *S. m.* Cano para esgoto.

esgotadura. *S. f.* Ato ou efeito de esgotar(-se); esgotamento, esgote, esgoto.

esgotamento. *S. m.* **1.** V. *esgotadura.* **2.** *Restr.* Depauperamento, exaustão, extenuação. **3.** *Astron.* Instante em

que termina a queima do propelente de um foguete, ou de um míssil.
esgotante. *Adj. 2 g.* **1.** Que esgota. **2.** Cansativo, extenuante.
esgotar. [De *es-* + *gota*[1] + *-ar*[2].] *V. t. d.* **1.** Tirar até a última gota de; vazar completamente: *esgotar um barril.* **2.** Beber ou engolir até a última gota. **3.** Enxugar, secar, exaurir: *esgotar um lodaçal.* **4.** Privar de todo o conteúdo. **5.** consumir, gastar: *Esgotou a herança.* **6.** Aplicar com empenho; empregar totalmente: *Esgotou os meios possíveis.* **7.** Tornar exausto; cansar, extenuar: *O excesso de trabalho esgotou-a.* **8.** Tratar por inteiro (um assunto). **9.** Colocar esgoto (4) em. *Int.* **10.** Secar-se, exaurir-se, esgotar-se. *P.* **11.** V. *esgotar* (10). **12.** Gastar-se por inteiro; consumir-se. **13.** Ser vendido, vender-se (um livro, ou edição dele), até o último exemplar: *O romance esgotou-se em dois meses; Em menos de um mês se esgotou a primeira edição da obra.* **14.** Perder as forças; enfraquecer(-se), debilitar-se, extenuar-se. [Pres. ind.: *esgoto*, etc. Cf. *esgoto* (ô).]
esgotável. *Adj. 2 g.* Que se pode esgotar.
esgote. [Dev. de *esgotar.*] *S. m.* **1.** V. *esgotadura.* **2.** *Bras., AM.* Abertura, nos barcos e canoas, reservada para esgotar a água que neles entra.
esgoto (ô). [Dev. de *esgotar.*] *S. m.* **1.** V. *esgotadura.* **2.** Cano ou orifício destinado a dar vazão a qualquer líquido. **3.** Escoadouro aonde vão ter as águas servidas e dejetos das casas. **4.** Sistema subterrâneo de canalizações destinado a receber as águas pluviais e os detritos de um aglomerado populacional, e levá-los para lugar afastado. [Pl.: *esgotos* (ô). Cf. *esgoto*, do v. *esgotar.*]
esgrafiar. [Do it. *sgraffiare.*] *V. t. d.* Pintar ou desenhar a esgrafito.
esgrafito. [Do it. *sgraffito.*] *S. m.* Pintura ou desenho que se obtém riscando com um estilete a camada superior da tinta, de sorte que fique descoberta a camada inferior.
esgraminhar. [De *es-* + lat. *gramine*, 'grama[1]', + *-ar*[2], com palatalização.] *V. t. d.* Tirar a grama a.
esgravatador (ô). *Adj.* e *s. m.* Var. de *esgaravatador.*
esgravatar. *V. t. d.* V. *esgaravatar.*
esgravatear. *V. t. d.* V. *esgaravatear.* [Conjug.: v. *frear.*]
esgrima. [Do provenç. *escrima.*] *S. f.* **1.** Arte de jogar as armas brancas: espada, sabre e florete. **2.** Ato de esgrimir; esgrimidura. **3.** Jogo de armas brancas.
esgrimidor (ô). *Adj.* **1.** Que esgrime. ● *S. m.* **2.** Esgrimista (1).
esgrimidura. *S. f.* Esgrima (2).
esgrimir. [Do frâncico **skermjan*, 'defender, proteger', pelo cat. *esgrimir.*] *V. t. d.* **1.** Jogar ou manejar (armas brancas). **2.** Vibrar, agitar, brandir: *Caminhava esgrimindo a bengala.* **3.** Agitar com intenção hostil: *esgrimir o punhal. T. i.* **4.** Brigar, contender, lutar: *Já esgrimiu contra poderosos opositores. Int.* **5.** Jogar armas. **6.** Brigar, lutar. **7.** Discutir, contender, argumentar.
esgrimista. *S. 2 g.* **1.** Pessoa que esgrime; esgrimidor. **2.** Pessoa que esgrime com destreza.
esgrouviado. [De *grou.*] *Adj.* **1.** Magro e alto como um grou. **2.** Que tem o cabelo revolto, desgrenhado. [Var.: *esgrouvinhado.*]
esgrouvinhado. *Adj.* V. *esgrouviado.*
esguardar. *V. t. d.* **1.** Ter em consideração; respeitar. **2.** Olhar ou considerar com atenção. *Int.* **3.** Olhar atentamente. *P.* **4.** Acautelar-se, resguardar-se.
esguedelhado. [Part. de *esguedelhar.*] *Adj.* V. *desguedelhado:* "um criado de jaquetão, estremunhado e esguedelhado, cabeceava de sono." (Eça de Queirós, *O Primo Basílio*, p. 185).
esguedelhar. [De *es-* + *guedelha* + *-ar*[2].] *V. t. d.* e *p.* V. *desguedelhar.* [Conjug.: v. *aparelhar.*]
esgueirar. *V. t. d.* e *i.* **1.** *P. us.* Subtrair com habilidade; desviar. **2.** Dirigir ou volver cautelosamente. *P.* **3.** Retirar-se sorrateiramente, à socapa; escapulir-se, safar-se: "Os caminhos estavam intransitáveis, mas o menino esgueirava-se pelos atalhos" (Santos Morais, *Menino João*, p. 14); *O ladrão esgueirou-se pela janela.*
esguelha (ê). *S. f.* **1.** Soslaio, través, viés; obliqüidade. **2.** Pedaço de pano cortado em viés. ♦ **De esguelha.** De soslaio; de través; de revés; obliquamente: "Meu primo tocou-me no pé. Aguardei olhando de esguelha os dedos grossos que seguravam o livro" (Ricardo Ramos, *Terno de Reis*, pp. 140-141).
esguelhar. *V. t. d.* **1.** Pôr de esguelha; atravessar; enviesar. **2.** Cortar de esguelha. [Conjug.: v. *aparelhar.*]
esguião. *S. m.* Tecido fino de linho ou de algodão.
esguichadela. *S. f.* Ato ou efeito de esguichar rapidamente.
esguichar. *V. t. d.* **1.** Expelir com força (um líquido) por um tubo, ou por um orifício. *Int.* **2.** Sair por abertura estreita, com ímpeto: *O champanha esguichou.* **3.** Sair em repuxo: "os homens rindo e sangrando, o sangue esguichando e molhando as mãos, os braços deles" (José J. Veiga, *A Máquina Extraviada*, p. 124). **4.** Sair ou entrar em jacto.
esguicho. [Dev. de *esguichar.*] *S. m.* **1.** Ato ou efeito de esguichar. **2.** Jacto ou repuxo de um líquido. **3.** *Desus.* Seringa de entrudo; bisnaga. **4.** *Bras.* Certa combinação em jogos de azar, principalmente na roleta. **5.** *Bras.* Dispositivo colocado na extremidade de um tubo ou mangueira para esguichar água ou outro líquido.
esguiez (ê). *S. f.* Qualidade de esguio: "Sobem, na longa esguiez dos galhos ressequidos, / estes sons para os quais meu pensamento externo..." (Gilca da Costa Melo Machado, *Poesias*, p. 150.)
esguio. *Adj.* **1.** Alto e delgado: *um jovem esguio;* "a torre esguia da igreja" (Bernardo Pinheiro, Pindela, *Azulejos*, p. 100). **2.** Comprido e delgado: "fitei-os [os olhos].... nos ponteiros esguios do grande relógio sonolento" (Alphonsus de Guimaraens, *Obra Completa*, p. 403).
esguitar. *V. int.* Dar muxoxo(s).
esguncho. *S. m. Ant.* Pá, cavada e curta, utilizada para aguar exteriormente os barcos.
esgurido. *Adj. Bras. Pop.* Esfomeado, esfaimado, faminto, esganado.
esipra. *S. f. Bras., N. Pop.* V. *erisipela.*
eslabão. [Do esp. *eslabón.*] *S. m.* Tumor nos joelhos da cavalgadura.
esladroar. [De *es-* + *ladrão* (5) + *-ar*[2].] *V. t. d.* Tirar os rebentos novos, ou os ladrões, a (plantas). [Conjug.: v. *coroar.*]
eslagartar. [De *es-* + *lagarta* + *-ar*[2].] *V. t. d.* Limpar (as plantas) de lagartas.
eslaide. [Do ingl. *slide.*] *S. m. Fot.* Cromo (3), de 35 mm, emoldurado para projeção.
eslávico. *Adj.* Eslavo (3).
eslavo. [Da raiz *slav*, 'glória'.] *S. m.* **1.** Grupo étnico e lingüístico da família indo-européia (Europa central e oriental), que se divide em três grandes subgrupos: *eslavos ocidentais* (poloneses e tcheco-eslovacos), *eslavos meridionais* (búlgaros, servo-croatas e eslovenos) e *eslavos orientais* (russos e ucranianos). **2.** Indivíduo pertencente a esse grupo étnico. ● *Adj.* **3.** Pertencente ou relativo aos eslavos; eslávico.
eslavônio. *Adj.* **1.** Da, ou pertencente ou relativo à Eslavônia ou Esclavônia (Iugoslávia); esclavônio, esclavão. ● *S. m.* **2.** Natural ou habitante da Eslavônia ou Esclavônia; esclavônio, esclavão. **3.** Na Idade Média, língua litúrgica dos eslavos ortodoxos.
eslinga. [Do ingl. *sling.*] *S. f. Marinh. Ant.* Linga[1].
eslingar. [De *eslinga* + *-ar*[2].] *V. t. d. Ant.* Lingar. [Conjug.: v. *largar.*]
eslovaco. [De *eslavo*, com alter. da raiz, + *-ak*, suf. pátrio vernáculo, talvez pelo fr. *slovaque.*] *Adj.* **1.** Da, ou pertencente ou relativo à Eslováquia (região da Tchecoslováquia). ● *S. m.* **2.** O natural ou habitante da Eslováquia.
esloveno. [De *eslavo*, com alter. da raiz, + *-eno*, talvez pelo fr. *slovène.*] *Adj.* **1.** Da, ou pertencente ou relativo à Eslovênia (região da Iugoslávia). ● *S. m.* **2.** O natural ou habitante da Eslovênia. V. *eslavo* (1). **3.** *Ling.* A língua dos eslovenos. V. *eslavo* (1).
esmadrigado. [Part. de *esmadrigar.*] *Adj.* Tresmalhado, separado, dispersado.
esmadrigar. [Talvez do lat. **exmatricare*, calcado em *matrice*, 'matriz'.] *V. t. d.* **1.** Tirar do rebanho. *Int.* **2.** Tresmalhar-se, dispersar-se [Conjug.: v. *largar.*]
esmaecer. [Incoativo de *esmaiar.*] *V. int.* **1.** Perder a cor; desmaiar; desbotar: "Imaginou um retrato, em tamanho grande, à vista de todos no mostruário. Que amarelando não esmaecesse." (Ricardo Ramos, *Memórias de Setembro* p. 73.) **2.** Desvanecer-se, esvanecer-se, apagar-se: *O horizonte esmaecia;* "A natureza apática esmaece..." (Raimundo Correia, *Poesias*, p. 108). **3.** Enfraquecer, esmorecer. *P.* **4.** Perder a cor, o vigor; desmaiar(-se). [Conjug.: v. *aquecer.*]
esmaecido. [Part. de *esmaecer.*] *Adj.* Que esmaeceu; pouco nítido: "É como se eu estivesse folheando agora, neste momento, um álbum de retratos: nenhum amarelado, nenhum esmaecido — todos nítidos, tirados há pouco." (Maria Julieta Drummond de Andrade, *O Valor da Vida*, p. 30.)
esmaecimento. *S. m.* Ato ou efeito de esmaecer(-se).
esmagação. *S. f.* V. *esmagamento* (1).
esmagador (ô). *Adj.* **1.** Que esmaga. **2.** Opressivo, tirânico. **3.** Indiscutível, irretorquível, irrefutável: *São esmagadoras as provas contra o réu.* ● *S. m.* **4.** Qualquer máquina para esmagar (uvas no lagar, cana-de-açúcar no engenho, etc.). **5.** *Bras.* O primeiro terno de moendas, onde se faz o quebramento das canas-de-açúcar.
esmagadura. *S. f.* V. *esmagamento* (1).
esmagamento. *S. m.* **1.** Ação ou efeito de esmagar(-se); esmagação, esmagadura. **2.** *Fig.* Destruição, aniquilação, ruína.
esmagar. [Do lat. vulg. **exmagare.*] *V. t. d.* **1.** Comprimir até rebentar ou achatar; calcar, pisar; esmigalhar: *Enraivecido, esmagou a barata.* **2.** Triturar, macerar, quebrar: *A máquina esmagava o milho.* **3.** Machucar, amarfanhar, amarfalhar. **4.** Prostrar, abater, exterminar: *Esmagou os inimigos.* **5.** Levar vantagem a; vencer, suplantar: *Esmagou seu oponente.* **6.** Oprimir, tiranizar, escravizar: *Aqueles que suprimem a liberdade esmagam o povo.* **7.** Afligir, angustiar, torturar. *Int.* **8.** Discutir com argumentação irrespondível. *P.* **9.** Ficar muito comprimido, calcado, pisado. [Conjug.: v. *largar.*]
esmagrecer. [De *es-* + *magro* + *-ecer.*] *V. t. d.* e *int. Bras., N.E. Pop.* Emagrecer (1 e 2). [Conjug.: v. *aquecer.*]
esmaiar. *V. t. d., int.* e *p.* V. *desmaiar:* "às faces te acendi aquelas duas rosas, / Que ora ao frio da morte acabam de esmaiar." (Alberto de Oliveira, *Poesias*, 2ª série, p. 46); "Em jarras de Corinto esmaiam belas flores" (Gonçalves Crespo, *Obras Completas*, p. 148).
esmaleitado. [De *es-* + *maleita* + *-ado*[1].] *Adj.* Que sofre de maleitas.
esmalhar. [De *es-* + *malha*[1] + *-ar*[2].] *V. t. d. Ant.* Cortar as malhas de (armadura).
esmaltação. *S. f.* **1.** Esmaltagem. **2.** *Fot.* Tratamento de uma cópia fotográfica para lhe tornar brilhante a superfície, o qual geralmente se realiza prensando-se a cópia, durante a secagem, contra uma superfície polida.
esmaltado. [Part. de *esmaltar.*] *Adj.* **1.** Coberto ou ornado de esmalte. **2.** Matizado, ornado, enfeitado.
esmaltador (ô). *Adj.* **1.** Que esmalta. ● *S. m.* **2.** Aquele que se ocupa no trabalho de esmaltagem. **3.** *Fotograv.* Estufa para esmaltagem de clichês.
esmaltagem. *S. f.* Ato ou efeito de esmaltar; esmaltação.
esmaltar. *V. t. d.* **1.** Cobrir ou ornar de esmalte. **2.** Enfeitar, adornar; ataviar; matizar: *Lindas cores esmaltavam a natureza;* "Esmalta ao fundo a costa a verdura de um parque." (Manuel Bandeira, *Estrela da Vida Inteira*, p. 57). **3.** Dar cores diversas a; tornar variegado, versicolor; variegar, matizar. **4.** Abrilhantar, ilustrar. **5.** *Fotograv.* Aquecer (placa de metal) para transformar em uma espécie de esmalte acidorresistente a camada de cola de peixe ou de goma-laca que reveste as partes correspondentes à imagem, no processo de fotogravura em relevo. *P.* **6.** Ornar-se, adornar-se, ataviar-se. **7.** Tornar-se variegado.
esmalte. [Do frâncico *smalt*, pelo provenç. ant. ou pelo cat. *esmalt.*] *S. m.* **1.** Substância transparente, colorida com óxidos metálicos, aplicável em estado líquido, e que, após a secagem, produz película brilhante, dura e aderente, de aspecto vítreo. **2.** Obra revestida de esmalte (1). **3.** Substância que reveste a coroa dos dentes. **4.** Tinta azul, em cuja composição entra o cobalto, usada pelos pintores. **5.** Cada uma das diversas cores usadas nos brasões de armas. **6.** *Fig.* Esplendor, brilho, realce. **7.** *Fotograv.* Camada de cola de peixe sensibilizada com bicromato de amônio, ou de goma-laca sensibilizada com bicromato, que, no processo de fotogravura em relevo, se faz aquecer, em maior ou menor grau, para que se torne acidorresistente e proteja, durante a mordaçagem, as partes da placa correspondentes à imagem. [Se a camada é de cola de peixe (caso em que o aquecimento se faz em maior grau), chama-se *esmalte quente;* se é de goma-laca (fazendo-se o aquecimento em menor grau), diz-se *esmalte frio.*] ♦ **Esmalte frio.** *Fotograv.* V. *esmalte* (7). **Esmalte quente.** *Fotograv.* V. *esmalte* (7).
esmamaçada. [De *es-* + *mama* + *-aça* + *-ada*[1].] *Adj. (f.)* Esmamalhada.
esmamalhada. [De *es-* + *mama* + *-alha* + *-ada*[1].] *Adj. (f.)* Diz-se da mulher de mamas grandes, moles e pendentes; esmamaçada.
esmaniado. [Part. de *esmaniar.*] *Adj.* Que esmania; adoidado.
esmaniar. [Do it. *smaniare.*] *V. int.* **1.** Ter manias. **2.** Proceder como doido.
esmar. [Do lat. *aestimare.*] *V. t. d.* **1.** Calcular, computar, estimar. **2.** Conjeturar, prognosticar: "Ele vacila um momento no seu pedestal flutuante, fustigado a tiros, indeciso, como a esmar um rumo, durante alguns minutos, até se reaviar ao sentido geral da correnteza." (Euclides da Cunha, *À margem da História*, p. 91.) *T. d.*

e *i.* **3.** Orçar, avaliar, estimar, computar: *Esmaram a biblioteca em 10 milhões;* "Na Grécia, o arconte epônimo .... esmava o dispêndio de cada uma [das representações teatrais] em dois talentos" (Camilo Castelo Branco, *A Queda dum Anjo,* p. 44). [Pres. ind.: *esmo,* etc. Cf. *esmo* (ê).]

esmarelido. *Adj.* Tirante a amarelo; amarelado, amareiento.

esmarrido. [Do it. *smarrito.*] *Adj.* **1.** Seco, ressequido, resseco. **2.** *Desus.* Desanimado, desalentado.

esmechada. [Fem. substantivado do part. de *esmechar*^{1}.] *S. f.* Golpe na cabeça.

esmechar^{1}. *V. t. d.* **1.** Ferir na cabeça. **2.** Ferir, machucar. [Conjug.: v. *flechar.*]

esmechar^{2}. *V. int.* Estar (o sol) muito quente; abrasar. [Conjug.: v. *flechar.* Defect., só conjugável nas 3as. pess.]

esmegma. [Do gr. *smégma,* 'sabão', pelo lat. *smega.*] *S. m. Med.* Secreção espessa, caseosa, malcheirosa, formada por células epiteliais descamadas, que se encontra, sobretudo, em torno da genitália externa. [Sin., bras., GO: *sebo-de-vênus.*]

esmerado. [Part. de *esmerar.*] *Adj.* Em que há esmero; aprimorado, apurado, elegante; bem-acabado, acabado.

esmeralda. [Do gr. *smáragdos,* pelo lat. *smaragdu.*] *S. f.* **1.** *Min.* Pedra preciosa, geralmente verde, variedade de berilo transparente. **2.** A cor dessa pedra; o verde-esmeralda [v. *de cor* (3)]. **3.** Uma das variedades da ave-do-paraíso. ● *Adj. 2 g. e 2 n.* **4.** Que tem a cor da esmeralda; esmeraldino: *olhos esmeralda.* **5.** Diz-se dessa cor: *olhos de cor esmeralda.*

esmeralda-do-brasil. *S. f. Bras.* Turmalina verde. [Pl.: *esmeraldas-do-brasil.*]

esmeraldear. *V. t. d.* **1.** Dar cor de esmeralda a. **2.** Tornar esverdeado. [Conjug.: v. *frear.*]

esmeraldense. *Adj. 2 g.* **1.** De, ou pertencente ou relativo a Esmeraldas (MG). ● *S. 2 g.* **2.** Natural ou habitante de Esmeraldas.

esmeraldino. *Adj.* Que tem a cor da esmeralda; esmeralda.

esmeraldite. [De *esmeralda* (1), por alusão à pedra do anel de grau do médico, + *-ite*^{1}.] *Med. Gír.* Dificuldade, muitas vezes inesperada, que sobrevém no curso de tratamento de paciente médico ou parente de médico, freqüentemente em caso tido como de resolução tranqüila.

esmerar. [Do lat. **exmerare.*] *V. t. d.* **1.** Adquirir ou mostrar esmero em; aperfeiçoar; polir, apurar: *esmerar a inteligência. P.* **2.** Esforçar-se por fazer as coisas com perfeição; trabalhar com esmero; ser o mais correto possível. **3.** Aplicar-se, aperfeiçoar-se. [Pres. ind.: *esmero,* etc. Cf. *esmero* (ê).]

esmeril. [Do gr. bizantino *smerí,* atr. do cat. *esmeril.*] *S. m.* **1.** Variedade compacta de coríndon que contém óxido de ferro e, pulverizada, serve para polir metais, vidros, pedras preciosas, etc. **2.** Pedra de amolar; amoladeira. **3.** *Bras., MA.* Lama ou vasa que cobre a margem dos igarapés e dos mangais da costa, e os bancos dos estuários. **4.** *Bras., BA.* Resíduo encontrado no fundo das bateias, e que se compõe de minerais mais pesados que o quartzo. **5.** *Bras., S.* Óxido de ferro originário da decomposição das terras roxas, e semelhante a uma areia negra. **6.** *Bras., RS.* Motorista que estraga todo automóvel que lhe cai nas mãos; mau chofer.

esmerilação. *S. f.* **1.** Ato de esmerilar(-se). **2.** *Fig.* Pesquisa minuciosa. [Var.: *esmerilhação.*]

esmerilado. [Part. de *esmerilar.*] *Adj.* **1.** Polido com esmeril. **2.** Despolido com esmeril; tornado fosco. **3.** Aperfeiçoado, apurado. [Var.: *esmerilhado.*]

esmerilador (ô). *Adj.* **1.** Que esmerila. **2.** *Fig.* Que investiga minuciosamente. ● *S. m.* **3.** Indivíduo esmerilador. **4.** Polidor com esmeril. [Var.: *esmerilhador.*]

esmerilamento. *S. m.* Ação ou efeito de esmerilar(-se). [Var.: *esmerilhamento.*]

esmerilar. *V. t. d.* **1.** Polir com esmeril. **2.** Despolir com esmeril; tornar fosco. **3.** Pesquisar, investigar; esquadrinhar. **4.** Aperfeiçoar, apurar. *P.* **5.** Aperfeiçoar-se, apurar-se. [Var.: *esmerilhar.*]

esmerilhação. *S. f.* V. *esmerilação.*

esmerilhado. [Part. de *esmerilhar.*] *Adj.* V. *esmerilado.*

esmerilhador (ô). *Adj. e s. m.* V. *esmerilador.*

esmerilhamento. *S. m.* V. *esmerilamento.*

esmerilhão. [Do fr. *émerillon.*] *S. m.* **1.** Espingarda comprida, de grande alcance. **2.** Pequena ave de rapina *(Falco oesalon).*

esmerilhar. [Do it. *smerigliare.*] *V. t. d. e p.* V. *esmerilar.*

esmero (ê). [Dev. de *esmerar.*] *S. m.* **1.** Cuidado excepcional em qualquer serviço: *Trabalha com todo o esmero.* **2.** Apuro, correção, perfeição, requinte: *escritor com esmeros de estilo.* **3.** Asseio, alinho; elegância: *Veste-se com esmero.* [No Brasil é comuníssima a pronúncia *esmero* (é). Pl.: *esmeros* (ê). Cf. *esmero,* do v. *esmerar.*]

esmético. *Adj. Fís.-Quím.* Diz-se de cristal líquido em que as moléculas estão ordenadas em camadas paralelas.

esmigalhador (ô). *Adj.* **1.** Que esmigalha. ● *S. m.* **2.** Aquele que esmigalha. **3.** *Bras.* Certa máquina agrícola.

esmigalhadura. *S. f.* Esmigalhamento.

esmigalhamento. *S. m.* Ato ou efeito de esmigalhar(-se); esmigalhadura.

esmigalhar. [De *es-* + *migalha* + *-ar*^{2}.] *V. t. d.* **1.** Reduzir a migalhas: *esmigalhar o pão.* **2.** Despedaçar, espedaçar, fragmentar: *O golpe esmigalhou os ossos da mão.* **3.** Esmagar, calcar. *P.* **4.** Fazer-se em migalhas. **5.** Despedaçar-se, espedaçar-se, fragmentar-se. [Sin. ger.: *migar* e *migalhar.*]

esmiolado. [Part. de *esmiolar.*] *Adj.* V. *desmiolado*^{2}.

esmiolar. [De *es-* + *miolo* + *-ar*^{2}.] *V. t. d.* Desmiolar.

esmirrar-se. [De *es-* + *mirrar* + *se*^{1}.] *V. p.* **1.** Secar, emurchecer-se, mirrar-se. **2.** Esgueirar-se, escapulir-se.

esmiuçado (i-u). [Part. de *esmiuçar.*] *Adj.* **1.** Dividido em partes miúdas; muito dividido. **2.** *Fig.* Analisado, pesquisado, investigado minuciosamente.

esmiuçador (i-u...ô). *Adj. e s. m.* Que ou aquele que esmiúça, que pesquisa com minúcia exagerada.

esmiuçar (i-u). [De *es-* + *miúça* + *-ar*^{2}.] *V. t. d.* **1.** Dividir em partes miúdas; esmigalhar. **2.** Reduzir a pó; pulverizar. **3.** Examinar, investigar, esquadrinhar, analisar: *O crítico esmiuçou vários aspectos da obra.* **4.** Explicar minuciosamente, com todas as particularidades: *esmiuçar um poema.* [Sin. ger.: *esmiudar, desmiudar.* Conjug.: v. *laçar;* e, quanto à acentuação, v. *amiudar.*]

esmiudar (i-u). [De *es-* + *miúdo* + *-ar*^{2}.] *V. t. d.* V. *esmiuçar.* [Conjug.: v. *amiudar.*]

esmo (ê). [Dev. de *esmar.*] *S. m.* Cálculo aproximado; estimativa, conjetura. [Pl.: *esmos* (ê). Cf. *esmo,* do v. *esmar.*] ◆ **A esmo. 1.** Ao acaso; à toa; sem rumo: *Andou a esmo horas a fio;* "E eu penso em tudo e em nada / Todas as vezes que passeio a esmo, / Por dar alívio à mente atribulada" (Artur Azevedo, *Contos em Verso,* p. 3). **2.** Sem certeza; sem fundamento; superficialmente: *Falar a esmo é muito de seu feitio.*

esmocar. [De *es-* + *moca*^{2} + *-ar*^{2}.] *V. t. d.* **1.** Bater com moca; bater; esmurrar; espancar. **2.** Quebrar com pancada uma parte de. [Conjug.: v. *trancar.* Cf. *esmoucar.*]

esmochar. [De *es-* + *mocho* + *-ar*^{2}.] *V. t. d.* Tirar os cornos a, tornando mocho; descornar.

esmoedor (ô). *Adj. e s. m.* Que ou aquele que esmói.

esmoer. [De *es-* + *moer.*] *V. t. d.* **1.** Triturar com os dentes; mastigar; remoer. **2.** Fazer a digestão de; digerir: "Depois da missa, ... passou à casa do mestre. Foi encontrá-lo a esmoer uma bacalhoada, à sombra das macieiras." (Coelho Neto, *Treva,* p. 18.) *Int.* **3.** Remastigar os alimentos; ruminar. [Conjug.: v. *roer.*]

esmola. [Do gr. *eleemosyne,* 'compaixão, piedade', pelo lat. *eleemosyna.*] *S. f.* **1.** O que se dá aos necessitados, por caridade ou filantropia; óbolo, espórtula. **2.** Auxílio, amparo, socorro; benefício. **3.** Donativo em dinheiro, que se faz ao padre durante a celebração da missa. **4.** *Fig.* Graça, favor. **5.** *Fig. Pop.* V. *surra* (1). ◆ **Comer de esmola.** *Bras. Pop.* Acontecer em grande quantidade: "Um ou outro quis se rir. Beliscão comeu de esmola." (Chico Anísio, *Teje Preso,* p. 21.)

esmolador (ô). *Adj.* **1.** V. *esmoler* (1). **2.** Que pede esmolas; pedinte. ● *S. m.* **3.** Indivíduo esmolador.

esmolambado. [Part. de *esmolambar.*] *Adj. e s. m. Bras.* Que ou aquele cuja roupa está em molambos. V. *maltrapilho.*

esmolambador (ô). *Adj. e s. m. Bras.* Que ou aquele que esmolamba, acanalha, achincalha.

esmolambar. [De *es-* + *molambo* + *-ar*^{2}.] *Bras. V. int.* **1.** Arrastar molambos. **2.** Andar esfarrapado, maltrapilho. *T. d.* **3.** *Fig.* Achincalhar, acanalhar.

esmolar. *V. t. d.* **1.** Dar esmola a; socorrer com esmola: *Compassivo, não deixava de esmolar os pedintes.* **2.** Dar como esmola: *Era capaz de esmolar a própria camisa.* **3.** Pedir como esmola: "Aquele moço pobre partia .... pronto a esmolar o seu pão pelos mosteiros" (Eça de Queirós, *Últimas Páginas,* p. 411). *T. d. e i.* **4.** Dar de esmola: *Esmolou alimentos aos órfãos.* **5.** Pedir por esmola: *Esmolou ao soberano a liberdade do filho. Int.* **6.** Dar esmolas; ser caritativo. **7.** Pedir esmola; mendigar: "Em moço ganhava a vida [Lutero] esmolando, pelo canto, na via pública, como era de hábito fazer-se em seu tempo." (Vicente Licínio Cardoso, *Pensamentos Brasileiros,* p. 26.)

esmolaria. *S. f.* **1.** Cargo ou ofício de esmoler (3). **2.** Casa onde se distribuem esmolas. **3.** Qualidade ou condição de esmoler.

esmoleira. *S. f.* **1.** Fem. de *esmoleiro* (3). **2.** Bolsa ou alforje de mendigo.

esmoleiro. *Adj.* **1.** Dizia-se de frade que pedia esmolas para o convento. ● *S. m.* **2.** Frade esmoleiro. **3.** Mendigo, pedinte. [Sin., nesta acepç. (bras. pop.): *esmoler.*]

esmolento. *Adj.* V. *esmoler* (1).

esmoler (lér). *Adj. 2 g.* **1.** Que dá muitas esmolas; caridoso, caritativo, esmolador, esmolento. ● *S. 2 g.* **2.** Indivíduo esmoler; esmolador. **3.** Pessoa encarregada de distribuir esmolas. **4.** *Bras. Pop.* Esmoleiro (3).

esmoncar. [De *es-* + *monco* + *-ar*^{2}.] *V. t. d.* **1.** Tirar o monco de (o nariz); assoar. *P.* **2.** Assoar-se; moncar. [Conjug.: v. *trancar.*]

esmondar. [De *es-* + *mondar.*] *V. t. d.* **1.** Limpar da casca; mondar. **2.** Emendar, corrigir.

esmordaçar. [De *morder,* com infl. de *mordaça.*] *V. t. d.* Cortar com os dentes; abocanhar; morder; remorder; esmordicar. [Conjug.: v. *laçar.*]

esmordicar. [De *es-* + *mordicar.*] *V. t. i.* **1.** Morder; abocanhar. *T. d.* **2.** V. *esmordaçar.* [Conjug.: v. *trancar.*]

esmorecer. *V. t. d.* **1.** Tirar o ânimo a; desalentar; afrouxar, entibiar. **2.** Deslustrar, empanhar. *T. i.* **3.** Desejar vivamente; anelar, ansiar: *esmorecer pelo bem dos seus semelhantes. Int.* **4.** Perder o ânimo, as forças, o entusiasmo, a coragem; desanimar(-se). **5.** Perder os sentidos; desfalecer, desmaiar. **6.** Afrouxar-se; diminuir; definhar; extinguir-se. **7.** Diminuir de intensidade; apagar-se. **8.** Aproximar-se do fim; ir morrendo; declinar, cair: "A tarde esmorecia serenamente, na vastidão do céu límpido, azulado." (Virgílio Várzea, *Histórias Rústicas,* p. 165.) [Conjug.: v. *aquecer.*]

esmorecido. [Part. de *esmorecer.*] *Adj.* **1.** Desanimado, desalentado, abatido, triste. **2.** Atenuado, esbatido, esvaído, abatido: *Mal chegavam ali os acordes esmorecidos das violas.*

esmorecimento. [De *esmorecer* + *-mento.*] *S. m.* **1.** Desânimo, desalento, abatimento; consternação. **2.** Enfraquecimento; desfalecimento, desmaio. **3.** Falta de luz, de brilho.

esmorraçar. *V. t. d.* Tirar o morrão a; espevitar, esmorrar. [Conjug.: v. *laçar.* Cf. *esmurraçar.*]

esmorrar. *V. t. d.* V. *esmorraçar.* [Cf. *esmurrar.*]

esmoucar. [De *esmocar.*] *V. t. d.* Danificar (louças, móveis, etc.) com pancadas nas bordas; esborcinar, esborcelar. [Conjug.: v. *trancar. Cf. esmocar.*]

esmurraçar. *V. t. d.* V. *esmurrar.* [Conjug.: v. *laçar.* Cf. *esmorraçar.*]

esmurrador (ô). *Adj. e s. m.* Que ou aquele que esmurra.

esmurrar. [De *es-* + *murro* + *-ar*^{2}.] *V. t. d.* **1.** Dar murros em: *Indignado com a proposta, esmurrou a mesa;* "Conheço muito patife que não sai de junto do altar, a esmurrar os peitos e a engolir hóstias." (Coelho Neto, *Treva,* p. 38). **2.** *Fig.* Golpear; maltratar. **3.** Dobrar o fio a; tornar embotado. [Sin.: *esmurraçar.* Cf. *esmorrar.*]

esmurregar. *V. t. d.* **1.** *Bras., S.* Esmurrar muito; esmurrar. **2.** Machucar, amachucar, amarfanhar. [Conjug.: v. *regar.* Var.: *esmurrengar.*]

esmurrengar. *V. t. d. Bras., S.* V. *esmurregar.* [Conjug.: v. *largar.*]

És-não-és. [Da 2ª pess. do sing. do pres. do ind. do v. *ser,* repetida, + *não.*] *S. m. 2 n.* Um quase nada; um tudo-nada; insignificância. ◆ **Por um és-não-és.** V. *por um triz* (1): "Teve tamanho nó na garganta, ao virar do espigão, deixando para trás a vila, que por um és-não-és não se pôs a soluçar." (Valdomiro Silveira, *Os Caboclos.* p. 146.)

esnobação. *S. f. Bras.* Ação ou efeito de esnobar.

esnobar. *Bras. V. int.* **1.** Proceder como esnobe. *T. d.* **2.** Mostrar-se esnobe com: *esnobou o velho amigo.*

esnobe. [Do ingl. *snob.*] *Adj. 2 g.* **1.** Diz-se de quem demonstra esnobismo. **2.** Próprio de esnobe: *atitude esnobe; maneiras esnobes;* "Nesta discreta estaçãozinha sinto / não os tédios esnobes de Jacinto, / mas a alegria sã de Zé Fernandes." (Valdemar Lopes, *Sonetos de Portugal,* p. 61). ● *S. 2 g.* **3.** Pessoa que demonstra esnobismo.

esnoberia. [De *esnobe* + *-eria.*] *S. f.* Grupo de esnobes; os esnobes: "Sentávamo-nos num dos bancos do campo de golfe enquanto a esnoberia universal,

macha e fêmea, mandava bola para o ar à procura de um buraco longínquo." (Gilberto Amado, *Depois da Política*, p. 130.)
esnobismo. [De *esnobe* + *-ismo.*] *S. m.* **1.** Tendência a desprezar relações humildes, a aferir os méritos pelas exterioridades, e, pois, a admirar e/ou respeitar exageradamente os que têm grande prestígio ou alta posição social **2.** Exacerbado sentimento de superioridade. **3.** Afetação de gosto e/ou admiração excessiva ao que está em voga.
esnocar. [De *desnocar*, com mudança de prefixo.] *V. t. d.* Quebrar ou cortar (ramos ou galhos); amputar. [Conjug.: v. *trancar.*]
esnoga. *S. f.* Sinagoga (1 a 3).
és-nordeste. *S. m.* **1.** *Astr.* Ponto do horizonte a meia distância angular do E. e do N. E. [Abrev.: *E.N.E.*] **2.** Vento que sopra desse ponto. [Var.: *lés-nordeste.*]
▲**eso-.** [Do gr. *éso.*] *Pref.* = 'para dentro', 'interior': *esoforia, esoderma.*
esócidas. *S. m. pl. Zool.* Família de peixes malacopterígios, cujo tipo é o lúcio.
esocídeo. *Adj.* **1.** Pertencente ou relativo aos esócidas. ● *S. m.* **2.** Espécime dos esócidas.
esoderma. [De *eso-* + *-derma.*] *S. m. Zool.* Membrana inferior dos insetos.
esofagectomia. [De *esôfago* + *-ectom-* + *-ia.*] *S. f. Cir.* Ressecção, de extensão variável, do esôfago.
esofagectômico. *Adj.* Relativo à esofagectomia.
esofagiano. *Adj.* Relativo ou pertencente ao esôfago; esofágico.
esofágico. *Adj.* Esofagiano.
esofagismo. *S. m. Patol. Desus.* Espasmo do esôfago.
esofagite. [De *esôfago* + *-ite*[1].] *S. f. Patol.* Inflamação do esôfago.
esôfago. [Do gr. *oisophágos.*] *S. m. Anat.* Canal musculomembranoso que comunica a faringe com o estômago. [Sin., fam.: *golelha.*]
esofagoscopia. [De *esôfago* + *-scop-* + *-ia.*] *S. f. Med.* Exame por meio de esofagoscópio.
esofagoscópio. [De *esôfago* + *-scop-* + *-io.*] *S. m. Med.* Aparelho para exame da parte interna do esôfago.
esofagotomia. [De *esôfago* + *-tom(o)-* + *-ia.*] *S. f. Cir.* Incisão do esôfago com o fim, entre outros, de extrair qualquer corpo.
esofagotômico. *Adj.* Referente à esofagotomia.
esoforia. [De *eso-* + *-foro-* + *-ia.*] *S. f. Patol.* Tendência anormal dos eixos visuais à convergência; estrabismo convergente.
esofórico. *Adj.* Relativo à esoforia.
esópico. [Do lat. *aesopicu.*] *Adj.* Pertencente ou relativo a Esopo, fabulista grego (séc. V. a. C.), ou próprio dele.
esotérico. [Do gr. *esoterikós.*] *Adj.* **1.** *Filos.* Diz-se do ensinamento que, em escolas filosóficas da antiguidade grega, era reservado aos discípulos completamente instruídos. **2.** *P. ext.* Todo ensinamento ministrado a círculo restrito e fechado de ouvintes. **3.** *Filos.* Diz-se de ensinamento ligado ao ocultismo. **4.** *Fig.* Compreensível apenas por poucos; obscuro, hermético. [Cf. *exotérico.*]
esoterismo. [Por *esotericismo*, de *esotérico*, + *-ismo.*] *S. m.* **1.** *Filos.* Doutrina ou atitude de espírito que preconiza que o ensinamento da verdade (científica, filosófica ou religiosa) deve reservar-se a número restrito de iniciados, escolhidos por sua inteligência ou valor moral. **2.** *P. ext.* Ocultismo (3). [Cf. *exoterismo.*]
espaçadamente. [Do fem. de *espaçado* + *-mente.*] Adv. De modo espaçado; com espaços ou interrupções.
espaçado. [Part. de *espaçar.*] *Adj.* **1.** Intervalado quanto ao tempo ou ao espaço: *Toma o remédio em doses muito* e s p a ç a d a s; *Havia na estrada umas casas* e s p a ç a d a s; "os objetos imersos em penumbra e mal definidos pela luz difusa do posteamento e s p a ç a d o lhe despertavam o interesse, como tudo o que era vago." (Samuel Rawet, *Os Setes Sonhos*, pp. 115-116). **2.** Vagaroso, lento, demorado: *Seu andar é* e s p a ç a d o. **3.** Adiado, prorrogado.
espaçador (ô). [De *espaçar* + *-(d)or.*] *S. m. Tip.* Espaço automático, constituído de duas peças ajustáveis que formam uma espécie de cunha e determinam os espaços variáveis na composição linotípica. [V. *cursor* (5).]
espaçamento. *S. m.* Ato ou efeito de espaçar.
espaçar. *V. t. d.* **1.** Abrir intervalos entre; deixar espaço entre: E s p a ç o u *os móveis da sala.* **2.** Prolongar, dilatar; adiar, demorar: *Aquelas manobras visavam a* e s p a ç a r *a resolução do problema.* **3.** Alargar, ampliar: *O fazendeiro queria* e s p a ç a r *os limites de suas terras.* **4.** Interromper por algum tempo. **5.** Aumentar o espaço ou intervalo de tempo entre: e s p a ç a r *as viagens;* e s p a ç a r *as saídas de casa;* "Depois que papai morreu, compadre Freires ainda apareceu algumas vezes, mas aos poucos e s p a ç o u as visitas, e acabou sumindo" (Malu de Ouro Preto, *Siri na Noite sem Lua*, p. 24). [Sin. ger.: *espacear, espacejar.* Conjug.: v. *laçar.*]
espaçaria. [De *espaço* + *-aria.*] *S. f. Tip.* Conjunto de brancos.
espacear. *V. t. d.* V. *espaçar.* [Conjug.: v. *frear.*]
espacejamento. *S. m.* Ato ou efeito de espacejar [q. v.].
espacejar. *V. t. d.* **1.** V. *espaçar.* **2.** *Tip.* Colocar espaços entre (palavras ou letras); abrir. [Conjug.: v. *pelejar.* Cf. *entrelinhar* (2) e *interespacejar.*]
espacial. *Adj. 2. g.* Relativo ou pertencente ao espaço. ~ V. *canal* —, *complexo* —, *curva* —, *equivalente* —, *estação* —, *lixo* —, *música* —, *nave* —, *plataforma* —, *simulador* —, *sonda* — e *traje* —.
espacialização. [De um *espacializar.] *S. f.* Disposição no espaço de elementos sonoros, visuais, táteis, etc., com o fim de obter certos efeitos estéticos ou de percepção: e s p a c i a l i z a ç ã o *musical; A poesia concreta vale-se da* e s p a c i a l i z a ç ã o *visual.*
espácio. *Adj.* e *s. m. Bras.* Diz-se de, ou rês cujos chifres são muito abertos; espaço. [Cf. *boi-espaço.*]
espaço. [Do lat. *spatiu.*] *S. m.* **1.** Distância entre dois pontos, ou a área ou o volume entre limites determinados: *O acidente com o pedestre resultou do estreito* e s p a ç o *da calçada; A casa foi construída num* e s p a ç o *pequeno* **2.** Lugar mais ou menos bem delimitado, cuja área pode conter alguma coisa; lugar: *Na casa há* e s p a ç o *para cinco pessoas; O artigo não desenvolve bem o tema por falta de* e s p a ç o. **3.** Extensão indefinida: *Falava do passado com os olhos perdidos no* e s p a ç o, *como que revivendo-o.* **4.** A extensão onde existe o sistema solar, as estrelas, as galáxias; o Universo: *As viagens pelo* e s p a ç o *são uma conquista do séc. XX.* **5.** Período ou intervalo de tempo: *Falou durante o* e s p a ç o *de 20 minutos; Entre os dois fatos há um* e s p a ç o *de 10 anos.* **6.** Vagar, demora, delonga: *A preparação da aula demanda maior* e s p a ç o. **7.** Mec. Trajetória descrita por um ponto em movimento. **8.** *Mús.* Intervalo de uma linha a outra, na pauta musical. **9.** *Tip.* Material branco empregado na separação das palavras e uma linha ou das letras de uma palavra. [V. *quadratim* (1).] **10.** *Tip.* O claro que constitui a separação entre as palavras e, às vezes, também entre as letras de uma palavra. **11.** *Fig.* Meio, âmbito que lembra o espaço material: e s p a ç o *cultural;* e s p a ç o *psicológico.* **12.** *Bras.* Espácio [q. v.] ● *Adj.* **13.** *Bras.* Espácio [q. v.]. ◆ **Espaço aberto.** *Cosm.* Espaço de volume infinito sem nenhum limite, no contexto cosmológico. **Espaço aéreo. 1.** O que está sobreposto ao território dum Estado, que nele exerce direitos de soberania. **2.** O que se sobrepõe ao terreno de alguém e por isso lhe pertence até onde lhe seja útil. **3.** *Astron.* Região que inclui a atmosfera terrestre e o espaço exterior. **Espaço alternativo.** Local aproveitado para manifestações culturais diversificadas, renovadoras e independentes. **Espaço arquitetônico.** *Arquit.* Aquele que é gerado e limitado pelos elementos arquitetônicos, e no qual se manifestam, para quem nele demora, as diferentes dimensões da forma arquitetônica (visual, táctil, auditiva, odorífica). **Espaço cislunar.** *Astron.* Espaço entre a Terra e a órbita da Lua. [Sin. (p. us.): *região cislunar.*] **Espaço cósmico.** *Astron.* V. *espaço exterior.* **Espaço de ar.** *Constr. Nav.* V. *cóferdã* (1). **Espaço de fase.** *Fís.* Domínio das coordenadas de posição e momento das partículas de um sistema. **Espaço de segurança.** *Constr. Nav.* V. *cóferdã* (1). **Espaço esférico.** *Cosm.* Espaço tridimensional cuja geometria se assemelha à da superfície duma esfera, e se diz que possui curvatura positiva. **Espaço euclidiano.** *Geom. Anal.* Espaço riemanniano em que a curvatura riemanniana é constante e igual a zero. **Espaço exterior.** *Astron.* Região do espaço que exclui a Terra e sua atmosfera; espaço cósmico, espaço extra-atmosférico, espaço superior. **Espaço extra-atmosférico.** *Astron.* V. *espaço exterior.* **Espaço intergaláctico.** *Astr.* Espaço que fica além do espaço galáctico. **Espaço interno.** *Arquit.* Aquele que é limitado por elementos edificados e coberto, como as salas, quartos, varandas, alpendres, etc. **Espaço interplanetário.** *Astr.* Região do espaço definida em relação à Terra e que vai do espaço translunar até alguns bilhões de quilômetros além do sistema solar. **Espaço interstelar.** *Astr.* Região do espaço contida em nossa galáxia, e compreendida entre o espaço interplanetário e o espaço intergaláctico. **Espaço intersticial.** *Histol.* O que se situa entre parede capilar sanguínea e membrana celular. **Espaço lunar.** *Astron.* Espaço próximo à Lua, e onde predomina a atração gravitacional deste satélite. **Espaço não-euclidiano.** *Geom. Anal.* Qualquer espaço riemanniano em que a curvatura não seja nula. **Espaço n-dimensional.** *Mat.* Espaço em que cada ponto é univocamente caracterizado por um conjunto de n números . **Espaço no ar.** *Tip.* **1.** O que, por defeito da composição, quando esta é manual, fica à altura dos tipos e deixa mancha na impressão. **2.** A mancha assim produzida. **Espaço retroperitoneal.** *Anat.* Espaço compreendido entre a parede abdominal posterior e seu revestimento peritoneal, e em que se situam órgãos como, p. ex., os rins e as glândulas supra-renais; retroperitônio. **Espaço riemanniano.** *Geom. Anal.* Espaço n-dimensional em que um elemento infinitesimal de distância entre dois pontos se exprime por uma forma quadrática diferencial das coordenadas desses pontos. **Espaço superior.** *Astron.* V. *espaço exterior.* **Espaço translunar.** *Astron.* Espaço que se estende de uma esfera concêntrica à Terra, e de raio igual à distância entre os centros da Terra e da Lua, até algumas centenas de milhares de quilômetros. **Espaço tridimensional.** *Mat.* Aquele em que os pontos são caracterizados por três coordenadas. **Espaço vital.** Território a cuja possessão e controle um país se considera com direito, para satisfação de suas necessidades econômicas. [Equiv., em al.: *Lebensraum.*] **A espaços.** De tempos em tempos; de espaço a espaço: *Ouviam-se, a* e s p a ç o s, *notas longínquas de uma serenata;* "a e s p a ç o s o olhar empanado por tênue lágrima cai sobre o jirau" (José de Alencar, *Iracema*, p. 50). **De espaço.** Sem pressa; devagar, lentamente, pausadamente: *Conversemos* d e e s p a ç o: *é tão mais agradável!* **De espaço a espaço.** V. *a espaços:* "As vacas, separadas das crias, remoíam deitadas, com os grandes olhos mansos fitos na treva; outras mugiam d e e s p a ç o a e s p a ç o" (Afonso Arinos, *Histórias e Paisagens*, p. 64).
espaço-imagem. *S. m. Ópt.* Num sistema óptico, região do espaço que contém todos os raios luminosos, reais ou virtuais, que emergem do sistema. [Pl.: *espaços-imagens* e *espaços-imagem.*]
espaçonave. *S. f. Astron.* V. *nave espacial.*
espaço-objeto. *S. m. Ópt.* Num sistema óptico, região do espaço que contém todos os raios luminosos, reais ou virtuais, que incidem no sistema. [Pl.: *espaços-objetos* e *espaços-objeto.*]
espaçosamente. [Do fem. de *espaçoso* + *-mente.*] *Adv.* De maneira espaçosa; com grande espaço.
espaçoso (ô) [Do lat. *spatiosu.*] *Adj.* **1.** Que tem espaço; extenso, amplo, largo. **2.** Lento, pausado, vagaroso.
espada[1]. [Do gr. *spáthe*, pelo lat. *spatha.*] *S. f.* **1.** Arma branca, formada de uma lâmina comprida e pontiaguda, de um ou dois gumes. [Aum.: *espadão;* aum. irreg.: *espadagão;* dim. irreg.: *espadim.*] **2.** *Fig.* Poder militar. ● *S. m.* **3.** Em touradas, o toureiro que deve matar o touro com a espada; matador. ~ V. *espadas.* ◆ **Boa espada.** Pessoa exímia na esgrima de espada. **Entre a espada e a parede.** V. *entre a cruz e a caldeirinha:* "Posto e n t r e a e s p a d a e a p a r e d e, Estácio não soube logo que respondesse" (Machado de Assis, *Helena*, p. 190). **Passar à espada.** Matar com espada.
espada[2]. *S. f. Bras.* V. *peixe-espada* (4 e 5).
espadachim. [Do it. *spadaccino.*] *S. m.* **1.** Aquele que briga com espada. **2.** *P. ext.* Duelista. **3.** Brigão, brigalhão, valentão.
espadachinar. *V. int.* **1.** Ser espadachim. **2.** Atuar ou proceder como espadachim.
espadada. *S. f.* Golpe de espada; espadeirada.
espada-de-são-jorge. *S. f.* Planta herbácea da família das agaváceas *(Sansevieria zeylanica)*, que se multiplica por fragmentos do rizoma ou das próprias folhas, e muito usada para fins ornamentais. [Pl.: *espadas-de-são-jorge.*]
espadagão. *S. m.* **1.** V. *espada* (1). **2.** Chanfalho (1).
espadana. *S. f.* **1.** Coisa em forma de espada: "um pé de milho isolado esfolhava as suas e s p a d a n a s verdes" (Coelho Neto, *Treva*, p. 75). **2.** Jacto de líquido em forma de lâmina de espada: "O riso que revoluteia as tormentas dos impérios, e abisma tronos e espuma e s p a d a n a de lama" (Camilo Castelo Branco, *A Mulher Fatal*, p. 108). **3.** Cauda de cometa. **4.** Língua de fogo; labareda. **5.** Barbatana de peixe. **6.** *Bras., PA.* Planta herbácea, ornamental, aquática ou palustre, da família das alismatáceas *(Sagittaria acutifolia)*, de flores pediceladas, actinomorfas, dispostas em espigas, e cujo fruto, carpelo, é inteiramente comprimido.
espadanado. *Adj.* Diz-se de líquido que cai espadanando.
espadanal. [De *espadana* (6) + *-al.*] *S. m.* Quantidade mais ou menos considerável de espadanas dispostas proximamente entre si.
espadanar. *V. t. d.* **1.** Cobrir de espadanas [v. *espadana*

(6)]. **2.** Deixar cair em borbotões; soltar, lançar. *Int.* **3.** Jorrar ou rebentar em espadanas; sair em borbotões; repuxar.

espadâneo. *Adj. Morfol. Veg.* Que se assemelha à folha da espadana (6); ensiforme.

espadão. *S. m.* **1.** V. *espada* (1). **2.** Espada larga e pesada que se manejava com ambas as mãos.

espadar. [De *espada*[1] + *-ar*[2].] *V. t. d.* V. *estomentar.*

espadarte. [Do fr. ant. *espaart*, com infl. de *espada*.] *S. m.* Peixe teleósteo, percomorfo, da família dos xifídeos (*Xiphias gladius* L.), do Atlântico, raro em águas territoriais brasileiras, de dorso cinzento tirante ao verde-azulado, e abdome branco. Comprimento até 4 m, peso até 308 kg. Muito apreciado na pesca esportiva pela sua valentia e tamanho. Alimenta-se de outros peixes, inclusive de cações, havendo lendas segundo as quais ataca a baleia. Tem a maxila prolongada em forma de uma lâmina de espada cortante. [Sin.: *peixe-espada, araguaguá, aguilhão.*]

espadas. [Pl. de *espada*.] *S. f. pl.* Um dos quatro naipes [v. *naipe* (1)], preto, que se figura com o desenho do ferro duma lança ~ V. *espada.*

espadaúdo. *Adj.* Que tem espáduas largas; largo de ombros: "cruzara com um caboclo espadaúdo e rijo" (Herman Lima, *Garimpos*, p. 142).

espadeira. [De *espada* + *-eira*.] *S. f. Bras., PA.* Árvore grande, da família das leguminosas (*Eperua falcata*), de flores vermelhas, dispostas em racimos axilares e terminais, e cujo fruto é vagem falciforme, de tamanho grande. Fornece madeira avermelhada, muito durável. [Sin.: *apá, apazeiro, eperua.*]

espadeirada. *S. f.* Ação de espadeirar; espadada. [Var., ant. e bras.: *espaldeirada.*]

espadeirão. *S. m.* Espada longa e estreira, destinada a ferir como estoque.

espadeirar. *V. t. d.* Dar espadeiradas em.

espadeiro. *S. m.* **1.** V. *alfageme* (2). **2.** Aquele que maneja bem a espada.

espadela. [Do lat. **spathella*, por *spathula*.] *S. f.* **1.** Instrumento de madeira, em forma de cutelo, para separar os tomentos do linho; tasquinha. **2.** *Marinh.* V. *esparrela* (3 e 4). **3.** *Bras.* Bolina (4).

espadeladeira. *S. f.* Mulher que tasca ou espadela o linho; tascadeira.

espadelador (ô). *S. m.* **1.** Aquele que espadela. **2.** Peça de madeira sobre a qual se forma o linho que se está espadelando.

espadelagem. *S. f.* **1.** Operação de espadelar ou estomentar. **2.** *Bras. P. ext.* Operação de separar a celulose de outras plantas têxteis.

espadelar. [De *espadela* (1) + *-ar*[2].] *V. t. d.* V. *estomentar.*

espádice. [Do gr. *spádix*, pelo lat. *spadice*.] *S. f. Morfol. Veg.* Tipo de inflorescência, mais comum nas aráceas, formado por uma espiga de flores unissexuais e eixo carnoso, e envolvida por uma bráctea ampla, não raro colorida.

espadilha. [Do lat. *espadilla*.] *S. f.* **1.** O ás de espadas, em certos jogos. **2.** Certa ferramenta própria de tecelão, *S. m.* **3.** *Fig.* Chefe (1).

espadim. *S. m.* **1.** Pequena espada; faim. [V. *espada* (1).] **2.** Antiga moeda portuguesa.

espadista. *S. 2 g. Bras.* Jogador de espada.

espadongado. *Adj. Bras.* Var. desnasalada de *espandongado.*

espádua. [Do lat. *spathula*.] *S. f. Anat.* Omoplata com a carne que a reveste; ombro, espalda. [V. *ombro*. Cf. *espadua*, do v. *espaduar.*]

espaduar. *V. t. d.* **1.** Deslocar a espádua de; distender os músculos da espádua de. *Int.* e *p.* **2.** Ficar com a espádua deslocada. [Pres. ind.: *espaduo, espaduas, espadua, etc. Cf. espádua.*]

espagíria. [Do gr. *spáo*, 'arrancar' + *ageíro*, 'reunir', + *-ia*.] *S. f.* Alquimia.

espaguete. [Do it. *spaghetti*.] *S. m.* **1.** Pasta alimentar, à base de sêmola de trigo, desidratada e dura, apresentada sob a forma de fino bastão maciço; macarronete. **2.** *Eletrôn.* Fio cilíndrico, de matéria plástica flexível, que serve para isolar fios condutores descobertos, encapando-os.

espairecer. [De *es-* + *pairar* + *-ecer*.] *V. t. d.* **1.** Distrair, recrear, entreter: *A música espairece o espírito;* "Espairecendo os olhos satisfeitos / Por céus, por mares, por montanhas, prados" (Almeida Garrett, *Camões*, V. p. 11). **2.** Desanuviar, desassombrar: *Aquelas palavras espaireceram-lhe as feições. T. d. e i.* **3.** Distrair, divertir: *A leitura espairece-o das preocupações. Int.* **4.** Desoprimir-se, desafogar(-se). **5.** Recrear-se, distrair-se: "lá, de roupas diáfanas vestida, / Pousa em mole relvado, ou folhas brandas; / Já na várzea espairece, e colhe flores." (Antônio Feliciano de Castilho, *As Metamorfoses*, p. 190.) *P.* **6.** Recrear-se, distrair-se, entreter-se: "Pode a vista espairecer-se ainda na verde paisagem dos morros de Alcobaça" (Afonso Arinos, *Histórias e Paisagens*, p. 211). [Conjug.: v. *aquecer.*]

espairecimento. *S. m.* Ato ou efeito de espairecer(-se); recreio, divertimento, distração.

espalação. [Do ingl. *spallation*.] *S. m. Fís. Nucl.* Reação nuclear em que uma partícula de alta energia provoca a emissão de várias outras, geralmente prótons e nêutrons de um núcleo por ela atingido.

espalda. [Do lat. tardio *spatula*.] *S. f.* **1.** Espádua: "a espalda, o busto / E as torres de marfim das pomas nuas, / De fresca e rija carnadura, ostenta" (Raimundo Correia, *Poesias*, p. 75). **2.** V. *espaldar* (1).

espaldão. [Aum. de *espalda*.] *S. m.* Anteparo de fortificação.

espaldar. *S. m.* **1.** As costas da cadeira; respaldo, espalda: "Sentado em uma cadeira de grande espaldar, ... o Barão me receberia de cara fechada." (Humberto de Campos, *Memórias Inacabadas*, p. 32.) **2.** A parte superior do dossel.

espaldear. [De *espalda* + *-ear*.] *V. t. d.* **1**. Atacar pela popa (uma embarcação). **2.** Fazer recuar. [Conjug.: v. *frear.*]

espaldeira. *S. f.* **1.** Pano para cobrir a espalda ou espaldar da cadeira ou do dossel. **2.** Fila ou renque de árvores junto de uma parede.

espaldeirada. [De *espaldeirar* + *-ada*[1].] *S. f. Ant.* e *bras.* v. *espadeirada.*

espaldeirar. *V. t. d.* Espancar pelas espaldas: "A Brigada Policial veio em seguida, espaldeirando o povo" (Francisco de Assis Barbosa, *Lima Barreto*, p. 194).

espalha. [Dev. de *espalhar*.] *S. m.* **1.** Homem muito falador. **2.** Indivíduo estouvado e alegre.

espalha-brasas. [De *espalhar* + *brasa*.] *S. 2 g.* e *2 n. Bras.* Pessoa espalhafatosa, estouvada, desordeira.

espalhada. *S. f.* **1.** Ato de espalhar. **2.** Espalhafato, estardalhaço.

espalhadeira. *S. f.* Tipo de forcado [q. v.] próprio para abrir e separar a palha; espalhadoura.

espalhado. [Part. de *espalhar*.] *Adj.* **1.** Que se espalhou. **2.** Separado, intervalado; disperso. **3.** Derramado, espargido, esparso. **4.** Difundido, divulgado, propalado. ● *S. m.* V. *espalhafato* (1).

espalhadoira. *S. f.* V. *espalhadoura.*

espalhador (ô). *Adj.* e *s. m.* Que ou aquele que espalha.

espalhadoura. *S. f.* V. *espalhadeira.* [Var.: *espalhadoira.*]

espalhafatar. *V. int.* Fazer espalhafato.

espalhafato. [De *espalhar* + *fato*[3].] *S. m.* **1.** Barulho, balbúrdia, estardalhaço, confusão; espalhado. **2.** Ostentação ruidosa e exagerada; luxo.

espalhafatoso (ô). *Adj.* **1.** Que faz espalhafato. **2.** Que dá muito na vista; extravagante, espampanante.

espalhagar. *V. t. d.* Limpar da palha (o trigo). [Conjug.: v. *largar.*]

espalhamento. *S. m.* **1.** Ato de espalhar(-se). **2.** *Ópt.* Modificação da trajetória de um raio luminoso que atravessa um meio que contém pequenas partículas capazes de difratar a luz, e que resulta da interferência das ondas difratadas por essas partículas. [É fenômeno especialmente conspícuo com partículas cujas dimensões se aproximem das do comprimento de onda da radiação luminosa.] **3.** *Fís. Nucl.* Modificação da trajetória duma partícula quando esta interage com outra partícula, e que pode ou não ser acompanhada de variação da energia da partícula espalhada; difusão.

espalhar. [De *es-* + *palha* + *-ar*[2].] *V. t. d.* **1.** Separar a palha de (os cereais); despalhar. **2.** Lançar para diferentes lados; dispersar; espargir: *O vento espalha as sementes.* **3.** Tornar público; divulgar, apregoar, vulgarizar, propalar: *Os jornais espalharam a novidade.* **4.** Difundir, irradiar, emitir: "Os teus olhos espalham luz divina" (Tomás Antônio Gonzaga, *Marília de Dirceu*, p. 2). *O lampião espalhou a luz pela sala.* **5.** Dissipar, rarefazer; dispersar: *O vento espalhou as nuvens.* **6.** Infundir, incutir, inspirar: *Tais ameaças espalham o medo entre a população.* **7.** Apartar, desunir. **8.** Distrair, recrear. **9.** Desafogar, desoprimir. *Int.* **10.** Distrair-se, espairecer. **11.** Dissipar-se, desvanecer-se. **12.** Dispersar-se, rarear. *P.* **13.** Dispersar-se, debandar. **14.** Brotar; difundir-se. **15.** Comunicar-se, estender-se; propagar-se: "Um silêncio tristíssimo por tudo / Se espalha." (Olavo Bilac, *Poesias*, p. 94);"Espalha-se a luz da lua / Pela poética devesa..." (Gonçalves Crespo, *Obras Completas*, p. 315). **16.** Propalar-se, divulgar-se. **17.** *Bras. Gír.* Dispor-se a briga: *O cabra espalhou-se, e foi um rolo dos diabos.* **18.** *Bras. Gír.* Pôr-se muito à vontade.

espalho. [Dev. de *espalhar*.] *S. m. Artilh.* Espaço entre as falcas do reparo da peça.

espalmado. [Part. de *espalmar*.] *Adj.* **1.** Plano ou aberto como a palma de mão: *folhas espalmadas.* **2.** Diz-se da mão aberta e estendida: *Com a mão espalmada, esmolava à porta da igreja.* **3.** Diz-se do metal reduzido a lâmina.

espalmar. [De *es-* + *palma* + *-ar*[2].] *V. t. d.* **1.** Tornar plano como a palma da mão; aplanar, achatar, alisar. **2.** Dilatar, calcando. **3.** Abrir, distender: *espalmar a mão;* "Larvas e vampiros, íncubos e súcubos, espalmam pelo ar as suas asas negras" (Alphonsus de Guimaraens, *Obras Completas*, p. 476). **4.** Reduzir (o metal) a lâminas ou chapas. *Int.* **5.** *Fut.* Aparar a bola com as palmas das mãos. *P.* **6.** Alisar-se, aplanar-se.

espalto. [Do al. *Spalt*.] *S. m.* **1.** Tinta ou verniz escuro e transparente, hoje em desuso, aplicada sobre escarlate (5). **2.** Pedra empregada na fundição dos metais. [Cf. *esparto.*]

espampanante. *Adj. 2. g.* V. *espalhafatoso* (2).

espamparar. *V. t. d.*, *t. d. e i.* e *p.* V. *escancarar.*

espanador (ô). *S. m.* Tipo de vassoura feita de penas ou de tiras de pano, com que se limpa ou sacode o pó; espanejador.

espanar. [De *es-* + *pano* + *-ar*[2].] *V. t. d.* **1.** Sacudir o pó de; espanejar: "Podia andar para lá e para cá sem encontrar ninguém varrendo o chão ou espanando os móveis" (Fernando Sabino, *A Falta Que Ela Me Faz*, p. 42). **2.** Agitar, sacudir.

espanascar. [De *es-* + *panasco* + *-ar*[2].] *V. t. d.* Limpar o terreno do panasco (1). [Conjug.: v. *trancar.*]

espancador (ô). *Adj.* e *s. m.* **1.** Que ou aquele que espanca. **2.** Valentão, brigão.

espancamento. *S. m.* Ato ou efeito de espancar.

espancar. [De *es-* + *panca* + *-ar*[2].] *V. t. d.* **1.** Agredir com pancadas; desancar. V. *surrar* (2). **2.** Afastar, afugentar: "às vezes passava as mãos arrebatadamente pela fronte como para espancar uma obsessão do espírito." (José de Alencar, *O Gaúcho*, p. 247). **3.** Dissipar, dissolver: "É noite. O fogo flameja / No rancho, espancando a treva" (Ricardo Gonçalves, *Ipês*, p. 28). **4.** Fugir de; renegar. [Conjug. v. *trancar.*]

espaNdongado. [Part. de *espandongar*.] *Adj.* **1.** *Bras.* Desalinhado, relaxado, desleixado no vestir. **2.** Amarfanhado, amarrotado, machucado. **3.** Roto, esfrangalhado, esfarrapado. **4.** Estragado, rebentado, arrebentado. **5.** Diz-se de indivíduo de ombros caídos, bamboleantes, e de andar desengonçado. **6.** Metido a valente. [Var.: *espadongado.*]

espandongamento. [De *espandongar* + *-mento*.] *S. m.* **1.** *Bras.* Desordem, relaxação, desleixo. **2.** Desalinho no vestir.

espandongar. *V. t. d. Bras.* Pôr em desordem; estragar; machucar; esfrangalhar. [Conjug.: v. *largar.*]

espanéfico. *Adj. Pop.* **1.** Afetado nos gestos, nas palavras ou no vestir; presumido. **2.** Muito enfeitado; garrido, janota.

espanejado. [Part. de *espanejar*.] *Adj.* Limpo de pó com o espanador.

espanejador (ô). [De *espanejar* + *-(d)or*.] *S. m.* Espanador.

espanejar. [De *es-* + *pano* + *-ejar*.] *V. t. d.* **1.** Espanar (1). *P.* **2.** Sacudir (a galinha) o pó das asas, batendo-as. **3.** Agitar (a mulher) as roupas ao andar. **4.** *Irôn.* Espalhar, difundir: *espanejar suas bazófias.* [Conjug.: v. *pelejar.*]

espanhol. [Do lat. **hispanione*, calcado em *hispanus*.] *Adj.* **1.** Da, ou pertencente ou relativo à Espanha (Europa). ~ V. *guitarra —a, parágrafo — e triângulo —.* ● *S. m.* **2.** O natural ou habitante da Espanha. **3.** Língua oficial, românica, da Espanha, do México, de todos os países centro ou sul-americanos, e do Caribe, que constituíram o antigo império espanhol. É a continuação histórica do dialeto de Castela, pelo quê também é chamada castelhano. [Flex.: *espanhola, espanhóis, espanholas.*]

espanhola. *Adj. (f.)* **1.** Fem. de *espanhol* (1). **2.** *Bras., N. E.* Diz-se da vaca de chifres grandes e de feitio esquisito. ● *S. f.* **3.** Fem. de *espanhol* (2). **4.** Designação dada à gripe [q. v.] na pandemia de 1918: "Além da espanhola, outro sucesso dramático assinalou o ano de 1918 — o tiroteio com que o Largo de Baixo recebeu a gente de Cima, que, em passeata política, celebrava uma vitória eleitoral." (Ciro dos Anjos, *A Menina do Sobrado*, p. 131.)

espanholada. *S. f.* **1.** Porção de espanhóis. **2.** Expressão ou manifestação exagerada, hiperbólica, em geral jactanciosa. **3.** V. *fanfarrice* (2).

espanholado. [De *espanhol* + *-ado*[1].] *Adj.* **1.** Diz-se do estrangeiro que pelo aspecto, trajes e/ou costumes parece espanhol. **2.** Diz-se da obra literária, artística, etc., em que se nota influência de autores espanhóis.

espanholismo. *S. m.* **1.** Palavra, locução ou construção própria da língua espanhola; hispanismo, castelhanismo. **2.** Palavra ou locução própria do espanhol e transportada para outra língua; hispanismo, castelhanismo. **3.** Emprego de palavras, locuções ou construções espanholas em idioma estrangeiro; hispanismo, castelhanismo. **4.** Caráter distintivo do povo espanhol e/ou da Espanha. **5.** Sentimento de amor ou apreço à Espanha ou às coisas espanholas.

espanta-boiada. [De *espantar* + *boiada*.] *S. m. Bras., BA.* V. *quero-quero.* [Pl.: *espanta-boiadas*.]

espanta-coió. [De *espantar* + *coió*.] *S. m. Bras.* Brinquedo pirotécnico infantil, que produz estalos e faíscas, usado especialmente nos folguedos juninos. [Pl.: *espanta-coiós*.]

espantadão. *Adj.* e *s. m. Bras.* Que ou aquele que facilmente se espanta e acredita em tudo quanto lhe dizem; simplório. [Fem.: *espantadona*.]

espantadiço. *Adj.* Que se espanta facilmente; arisco.

espantado. [Part. de *espantar*.] *Adj.* **1.** Que se espantou; assustado. **2.** Surpreendido, admirado, maravilhado. **3.** Pasmado, atônito. **4.** *Bras. Fam.* V. *berrante* (2 e 3): "Chapéu inexistente em cima, só tem aba, que é de três cores bem espantadas." (Carlos Drummond de Andrade, *Jornal do Brasil*, 16.11.72.)

espantadona. *Adj.* (*f.*) e *s. f. Bras.* Fem. de *espantadão.*

espantador (ô). *Adj.* **1.** Que espanta; espantoso, espantável. ● *S. m.* **2.** Aquele que espanta.

espantalho. *S. m.* **1.** Boneco ou qualquer objeto que se põe no campo para espantar e afugentar aves ou roedores. **2.** Pessoa feia e/ou mal vestida. [Sin. bras. (nessas acepç.): *marmota* (N.E. e C.O.) e *estandarte* (S.)] **3.** Indivíduo inútil, sem préstimo; paspalho.

espanta-lobos. [De *espantar* + *lobo* (ô).] *S. 2 g.* e *2 n. Pop.* Pessoa muito faladora; tagarela.

espanta-patrulha. [De *espantar* + *patrulha*.] *S. 2 g.* V. *valentão* (3). [Pl.: *espanta-patrulhas*.]

espanta-porco. [De *espantar* + *porco*.] *S. m. Bras.* V. *tovaca.* [Pl.: *espanta-porcos*.]

espanta-tesão. [De *espantar* + *tesão*.] *S. 2 g. Bras. Pop.* Pessoa muito feia, sem nenhum atrativo. [Pl.: *espanta-tesões*.]

espantar. [Do lat. **expaentare*, por **expaventare*.] *V. t. d.* **1.** Causar espanto, susto ou medo a; assombrar. **2.** Afugentar, repelir, enxotar, afastar, desviar: *A fumaça espanta os insetos.* **3.** Surpreender, admirar, maravilhar: *As conquistas científicas espantam a humanidade.* **4.** Fazer perder (o sono). *Int.* **5.** Ser espantoso; causar espanto, admiração: *A resistência daquele octogenário espanta. P.* **6.** Admirar-se, maravilhar-se: "viu Laura, falou-lhe, ouviu-a, e espantou-se de ter ousado falar-lhe." (Camilo Castelo Branco, *A Mulher Fatal*, p. 32). **7.** Tomar medo ou susto; assustar-se.

espanta-ratos. [De *espantar* + *rato*[1].] *S. 2 g.* e *2 n.* **1.** Pessoa estouvada, estabanada. **2.** Pessoa que faz espalhafato por qualquer coisa.

espantável. *Adj. 2 g.* V. *espantoso* (1).

espanto. [Dev. de *espantar*.] *S. m.* **1.** Assombro, pasmo, admiração. **2.** Sobressalto, susto, medo. **3.** Terror, pavor, assombro. **4.** Admiração, enleio, maravilha. **5.** Sucesso imprevisto; surpresa.

espantoso (ô). *Adj.* **1.** Que causa espanto; espantável, assombroso. **2.** Admirável, surpreendente, extraordinário, maravilhoso.

espapaçar. [De *es* + *papa*[2] + *-açar*.] *V. t. d.* **1.** Dar a forma de papa a; amolecer. **2.** Tornar insípido, insosso, desenxabido. *P.* **3.** Tornar-se mole, desengonçado. **4.** Tornar-se insípido, insosso, desenxabido. [Conjug.: v. *laçar*.]

espapar. [De *es-* + *papo* + *-ar*[2].] *V. int.* e *p.* Despapar.

esparadrapo. [Do it. *sparadrappo*.] *S. m.* Tira de material aderente, de largura variável, que se usa para manter curativos no lugar, ajudar a conter pacientes em certas posições, em mesas de operação, e para efetuar determinadas imobilizações, em casos traumatológicos. [Sin., bras.: *ponto falso*.]

esparavão. *S. m. Veter.* Tumor ossificado que nasce na curva da perna do cavalo; sobrecana, solandre.

esparavel. [Do frâncico **sparwâri*, 'gavião', pelo cat. *esparaver*.] *S. m.* **1.** Rede de pescar. **2.** Franja de chapéu-de-sol ou cortinado. **3.** Sobrecéu de leito. **4.** V. *desempenadeira* (1). [Pl.: *esparavéis*.]

esparavonado. [De *esparavão* + *-ado*[1].] *Adj.* Que tem esparavão.

espardeque. [Do ingl. *spardeck*.] *S. m. Bras. Const. Nav.* Superestrutura central de navio.

esparganiácea. *S. f.* Espécime das esparganiáceas.

esparganiáceas. *S. f. pl. Bot.* Família de monocotiledôneas caracterizada pelas flores com perianto de três a seis peças, tendo as masculinas três a seis estames. O ovário é unilocular ou trilocular, e o fruto é noz ou drupa. São plantas herbáceas de folhas dísticas e flores reunidas em glomérculos, das quais há umas 15 espécies. Habitam lugares úmidos nos países frios e temperados.

esparganiáceo. *Adj.* Pertencente ou relativo às esparganiáceas.

espargido. [Part. de *espargir*.] *Adj.* **1.** Que se espargiu; esparso. ● *S. m.* **2.** *Grav.* Técnica litográfica que consiste em borrifar a pedra com tinta, por meio de tela metálica e escova. **3.** *Encad.* Decoração do corte do livro executada com tinta colorida borrifada com tela e escova.

espargimento. *S. m.* **1.** Ato ou efeito de espargir(-se). **2.** Aspersão, borrifo, respingo.

espargir. [Do lat. *spargere*.] *V. t. d.* **1.** Espalhar ou derramar (um líquido). **2.** Irradiar, difundir: "Se rides, anjos mil espargem flores" (Maciel Monteiro, *Poesias*, p. 67); "Bailavam as chamas como dançarinos sombrias espargindo sombras para os flancos" (Fernando Ramos, *Os Enforcados*, p. 14). **3.** Espalhar em borrifos ou pequenas porções: *O sacerdote espargiu água benta sobre a multidão.* **4.** Disseminar, espalhar. *P.* **5.** Derramar-se, difundir-se. [Var.: *esparzir, despargir, desparzir.* Conjug.: v. *dirigir.* Para alguns autores, só se deve conjugar nas f. em que ao *g* se seguir *e* ou *i*; para outros (e é a tendência entre nós), deve-se conjugar em todas as f. Contudo, é raramente us. na 1ª pess. sing. do pres. ind. e, pois, no pres. subj. Part.: *espargido* e *esparso*.]

espargo. *S. m.* V. *aspargo.*

espargo-de-jardim. *S. m.* V. *aspargo-de-jardim.* [Pl.: *espargos-de-jardim*.]

esparguta. [Do fr. *spargoutte*.] *S. f. Bras., S.* Planta calcífuga da família das cariofiláceas (*Spergula arvensis*), com um ou muitos caules, ramosos, pubescentes e viscosos, flores alvas, dispostas em panículas frouxas e terminais, sendo o fruto uma cápsula arredondada, deiscente, que contém sementes aladas, pretas ou amarelas, e fornecendo a planta, além de feno macio e aromático, bastante forragem apropriada para todos os animais.

esparídeo. *S. m.* **1.** Espécime dos esparídeos. ● *Adj.* **2.** Pertencente ou relativo a eles.

esparídeos. *S. m. pl. Zool.* Família de peixes teleósteos, da ordem dos percomorfos. Ex.: a canhanha, o pargo, o peixe-pena.

esparóide. *S. m.* **1.** Espécime dos esparóides. ● *Adj. 2 g.* **2.** Pertencente ou relativo a eles.

esparóides. *S. m. pl. Zool.* Família de peixes esquamodermos à qual pertence a boga.

esparolação. [De *parola*.] *S. f. Bras.* **1.** Falta de critério; leviandade, arrebatamento. **2.** Loquacidade, tagarelice. **3.** Gabolice, jactância; mentira.

esparolado. [De *parola*.] *Bras. Adj.* **1.** Diz-se de indivíduo leviano. sem critério. **2.** Loquaz, tagarela, falador. **3.** Gabola, jactancioso, mentiroso. ● *S. m.* **4.** Indivíduo esparolado.

esparralhar. *V. t. d.* Espalhar ao acaso; derramar; esparramar.

esparramação. *S. f.* **1.** Ato e efeito de esparramar(-se). **2.** *Bras., SP.* Operação que consiste em espalhar o cisco do café ou outro adubo colocado nas plantações de cafeeiros, após a colheita.

esparramado. [Part. de *esparramar*.] *Adj.* **1.** Que se esparramou; espalhado, disperso: *Folhas esparramadas cobriam o chão.* **2.** Estouvado, estabanado, doidivanas. **3.** Desordenado, desregrado. **4.** Mal-amanhado, mal-arranjado, desalinhado. **5.** Achatado, chato: *nariz esparramado.*

esparramar. [Do esp. *desparramar*.] *V. t. d.* **1.** Separar (coisas que estavam unidas); espalhar, dispersar, esparralhar, desparramar. **2.** Entornar, derramar, desparramar. **3.** *Bras., N.* Tornar chato (1); achatar. **4.** *Bras., SP.* Praticar a esparramação (2) de: *esparramar o cisco do café. Int.* e *p.* **5.** Espalhar-se, dispersar-se, desparramar-se. **6.** Estatelar-se, esparrar-se, escarrapachar-se, desparramar-se. **7.** *Bras.* Dispersar-se (tropas de animais pouco adestrados) pelo campo, em vez de seguirem os animais reunidos em determinada direção. **8.** *Bras. Fam.* Sentar-se muito à vontade, em geral de maneira descomposta; escarrapachar-se. **9.** *Bras., S.* Cair do cavalo.

esparrame. [Dev. de *esparramar*.] *S. m. Bras.* **1.** Ato e efeito de esparramar(-se); espalhamento, dispersão, debandada. **2.** Ostentação, espalhafato, aparato. **3.** Barulho, briga. V. *rolo*[1] (16). [F. paral.: *esparramo*.] ◆ **Fazer um esparrame.** *Bras., S. Gír.* **1.** Ficar admirado. **2.** Dar importância exagerada a coisa insignificante.

esparramo. [Dev. de *esparramar*.] *S. m. Bras.* V. *esparrame.*

esparrar-se. *V. p. Bras.* **1.** Cair redondamente; estatelar-se, esparramar-se. **2.** Enganar-se, iludir-se. **3.** Dizer sandices; asneirar.

esparregado. [Part. substantivado de *esparregar*.] *S. m.* Guisado de ervas, depois de cozidas, picadas e espremidas.

esparregar. *V. t. d.* Guisar (espargos, couves, etc.), depois de cozidos, cortados miudamente e espremidos. [Conjug.: v. *regar*.]

esparrela. *S. f.* **1.** Armadilha de caça. **2.** *Fig.* Logro, cilada, engano, arriosca. **3.** *Marinh.* Remo comprido que se usa à popa da embarcação, com função de leme; espadela. **4.** *Marinh.* Dispositivo provisório que se arma na popa de embarcação para substituir o leme, quando este se perde ou se avaria; leme de fortuna, espadela. ◆ **Cair na esparrela.** Deixar-se lograr; deixar-se pegar; cair no logro; cair no anzol; cair na ratoeira; ir na onda.

esparrinhar. [De *esparralhar*?] *V. t. d.* **1.** Entornar (líquido), fazendo-o saltar; espargir. *Int.* **2.** Sair em borrifos.

esparro[1]. *S. m.* **1.** Ato de esparrar(-se); queda. **2.** Gabolice, tolice.

esparro[2]. [Do *lunfardo*.] *S. m. Bras. Gír.* Gatuno que ajuda o punguista, dando esbarro na vítima, ou entretendo-a, ou escondendo o objeto furtado.

esparro[3]. *S. m. Bras.* V. *esporro* (1).

esparsa. [Do cat. *esparsa*, i. e., *cobla esparsa*, 'copla ou estrofe isolada'.] *S. f.* **1.** Composição poética antiga, em versos de seis sílabas. **2.** Pequena composição lírica.

esparso. [Do lat. *sparsu*.] *Adj.* **1.** Derramado, entornado, espalhado, espargido. **2.** Solto, disperso: "Cai-lhe, espáduas abaixo, a cabeleira esparsa..." (Olavo Bilac, *Poesias*, p. 78.) **3.** Vulgarizado, difundido.

espartal. *S. m.* Quantidade mais ou menos considerável de espartos dispostos proximamente entre si.

espartanidade. *S. f.* Qualidade, ação ou procedimento de espartano (2): "Único menino, cercado de meninas, o pai temia que ficasse maricas. E o tratava com uma certa espartanidade." (Antônio Carlos Vilaça, *O Desafio da Liberdade*, p. 19.)

espartano. [Do lat. *spartanu*.] *Adj.* **1.** De, ou pertencente ou relativo a Esparta (Grécia); lacedemônio. **2.** *Fig.* Que tem ou lembra a severidade da educação e costumes espartanos; sóbrio, rigoroso, austero, severo, virtuoso: *varão espartano; austeridade espartana.* ● *S. m.* **3.** O natural ou habitante de Esparta; lacedemônio. **4.** Indivíduo espartano (2).

espartaria. *S. f.* **1.** Estabelecimento onde se fabricam e/ou vendem obras de esparto. **2.** Obras de esparto, como, p. ex., cordas, esteiras, cestas, etc.

esparteína. [De *esparto* + *-e-* + *-ina*.] *S. f.* Alcalóide extraído do *Custicus scoparius*, da família das leguminosas, e que é um líquido oleoso, pouco solúvel na água, com ponto de ebulição a 188ºC.

esparteiro. *S. m.* Aquele que faz e/ou vende obras de esparto.

espartenhas. [Do esp. *esparteñas*.] *S. f. pl.* Alpercatas de esparto.

espartilhado. [Part. de *espartilhar*.] *Adj.* **1.** Apertado ou cingido com espartilho: "um quarentão muito espartilhado e tingido" (Valentim Magalhães, *Vinte Contos*, p. 42). **2.** *Fig.* Elegante, airoso.

espartilhar. *V. t. d.* e *p.* Apertar(-se) ou cingir(-se) com espartilho.

espartilheiro. *S. m.* Fabricante e/ou vendedor de espartilhos.

espartilho. [De *esparto* + *-ilho*; os primeiros espartilhos eram de esparto.] *S. m.* Colete com barbatanas de baleia ou lâminas de aço, que era usado justo ao corpo, em geral por mulheres, para comprimir a cintura e dar elegância ao tronco.

esparto. [Do gr. *spártos*, pelo lat. *spartu*.] *S. m.* Planta medicinal, da família das gramíneas (*Stipa tenacissima* L.), cujas folhas se empregam no fabrico de cestas, cordas, esteiras, etc. [Cf. *espalto*.]

esparzeta (ê). [Do provenç., atr. do fr. *esparcette*.] *S. f.* Planta erecta, de caule vigoroso, da família das leguminosas (*Onobrichys sativa*), de flores róseas com estrias vermelhas, dispostas em racimos multifloros, densos e com pedúnculos mais compridos que as folhas, e cujo fruto é vagem pequena, armada de espinhos curtos ou de tubérculos. Fornece forragem de alto valor nutritivo. [Sin.: *fenossão, sanfeno.*]

esparzir. *V. t. d.* e *p.* V. *espargir:* "Desfolho rosas, esparzo aromas" (Mário de Sá-Carneiro, *Céu em Fogo,* p. 263). [Us. sobretudo nas f. em que ao *z* da raiz se segue *e* ou *i.*]

espasmar. *V. t. d.* **1.** Causar espasmo a *Int.* e *p.* **2.** Cair em espasmo.

espasmo. [Do gr. *spasmós,* pelo lat. *spasmu.*] *S. m.* **1.** *Med.* Contração súbita, de duração variável, de musculatura lisa ou estriada, acompanhada de dor e prejuízo funcional, podendo haver distorção e movimentação involuntária. [Cf. *convulsão* (4).] **2.** *Fig.* Êxtase, enlevo, arroubo, arroubamento. **3.** *Bras., CE. Pop.* Meningite.

espasmódico. [Do gr. *spasmódes,* 'convulsivo', + *-ico*[2].] *Adj.* **1.** Dar natureza do espasmo. **2.** Que se manifesta por espasmos seguidos.

espasmofilia. [Do gr. *spasmós,* 'espasmo', + *-fil(o)-*[2] + *-ia.*] *S. f. Patol.* Estado mórbido em que a excitabilidade dos nervos periféricos aumenta, apresentando o paciente tendência a espasmos, convulsões, tetania, acidentes respiratórios, etc.

espástico. *Adj. Med.* **1.** Da natureza do espasmo, ou que se caracteriza por ele. **2.** Diz-se de estado em que a musculatura comprometida está contraída e a movimentação é difícil; hipertônico.

espata. [Do gr. *spáthe,* pelo lat. *spatha.*] *S. f.* **1.** *Morfol. Veg.* Bráctea ampla que envolve as espigas de muitas plantas, como as aráceas e palmeiras: "Pelos bambus, em bamboleios lentos, / E na espata e nas palmas dos coqueiros / Remexiam-se os ventos..." (Raimundo Correia, *Poesias,* p. 49). **2.** *Ant.* Espada larga, de dois gumes e sem ponta.

espatáceo. *Morfol. Veg. Adj.* **1.** Contido numa espata (1). **2.** Semelhante a espata (1): *bráctea espatácea.*

espatangóide. *S. m.* **1.** Espécime dos espatangóides. • *Adj.* **2.** Pertencente ou relativo a eles.

espatangóides. *S. m. pl. Zool.* Animais equinodermos, equinóides, irregulares, da ordem *Spatangoida,* de carapaça em geral ovóide, e desprovidos de lanterna-de-aristóteles.

espatela. [Do lat. *spatella, por *spathula.*] *S. f.* **1.** Espécie de espátula com que se abaixa a língua a fim de poder ver melhor a garganta. **2.** *Morfol. Veg.* Pequena bráctea que, à feição de uma espata, envolve as flores em perianto das podostemonáceas. **3.** *Morfol. Veg.* As glumas e glumelas das gramíneas.

espático. *Adj. P. us.* Relativo ao espato.

espatifado. [Part. de *espatifar.*] *Adj.* **1.** Feito em pedaços. **2.** *Fig.* Dissipado, consumido.

espatifar. *V. t. d.* **1.** Fazer em cacos, em pedaços; despedaçar, espedaçar: *Na queda, espatifou os pratos.* **2.** Fazer em retalhos, em pedaços; romper, rasgar. **3.** Dissipar, esbanjar malbaratar (os bens). *P.* **4.** Fazer-se em cacos, em pedaços; despedaçar-se, espedaçar-se. **5.** Fazer-se em retalhos; romper-se, rasgar-se.

espatifloras. *S. m. pl. Bot.* Ordem de monocotiledôneas cujas flores, em espiga e unissexuais, às vezes bissexuais, são protegidas por uma grande bráctea, denominada espata. Compreende as famílias das aráceas e das lemnáceas.

espato. [Do al. *Spath.*] *S. m. Desus.* Qualquer dos minerais de clivagem muito fácil.

espatódea. [Do lat. bot. *Spathodea.*] *S. f.* Árvore da família das bignoniáceas, que dá grandes flores vermelhas *(Spathodea campanulata);* tulipa-da-áfrica.

espato-de-islândia. *S. m. Min.* V. *calcita.* [Pl.: *espatos-de-islândia.*]

espato-pesado. *S. m. Min.* V. *baritina.* [Pl.: *espatos-pesados.*]

espátula. [Do lat. *spathula.*] *S. f.* **1.** Espécie de faca de madeira, de metal ou de outro material, utilizada para abrir livros ou para espalmar e amolecer preparações farmacêuticas: "abrindo com a espátula páginas e páginas de livros que vinha de comprar" (Maria Helena Cardoso, *Vida — Vida,* p. 5). **2.** Parte extrema das chaves dos instrumentos de sopro, sobre a qual se apóia o dedo do executante. [Dim. irreg.: *espatuleta.*]

espatulado. [De *espátula* + *-ado*[1].] *Adj.* Que tem forma de espátula, i. e., alargado no ápice e gradualmente atenuado na direção da base: *pétala espatulada; folha espatulada.*

espatuleta (ê). *S. f.* Pequena espátula.

espaventar. [Do it. *spaventare.*] *V. t. d.* **1.** Espantar, assustar, sobressaltar. **2.** Ensoberbecer, envaidecer, inchar, inflar. *P.* **3.** Espantar-se, assustar-se. **4.** Engalanar-se; ostentar-se.

espavento. [Do it. *spavento.*] *S. m.* **1.** Espanto, susto. **2.** Aparato, luxo, ostentação, pompa: "O Santo Amaro fora festejado com espavento na freguesia da sua invocação. Vésperas, missa cantada, duplo sermão, e procissão à volta da igreja, nada faltara para solenizar a festa." (Júlio Dinis, *A Morgadinha dos Canaviais,* p. 252.) ◆ **De espavento.** V. *espaventoso* (2): "Passa um rei com o seu cortejo de espavento: / Elmos, lanças, clarins, trinta pendões ao vento." (Guerra Junqueiro, ap. Agostinho de Campos, *Junqueiro,* p. 123.)

espaventoso (ô). *Adj.* **1.** Que espaventa, assusta. **2.** Aparatoso, luxuoso, pomposo, de espavento. **3.** Soberbo, inchado.

espavorecer. [De *es-* + *pavor* + *-ecer.*] *V. t. d.* e *p.* V. *espavorir.* [Conjug.: v. *aquecer.*]

espavorido. [Part. de *espavorir.*] *Adj.* Cheio de pavor; aterrado, apavorado.

espavorir. [De *es-* + *pavor* + *-ir*[2].] *V. t. d.* e *p.* Amedrontar(-se), assustar(-se), aterrar(-se), apavorar(-se), espavorecer(-se), espavorizar(-se). [Defect., conjugável somente nas f. em que o *r* da raiz vem seguido de *i.*]

espavorizar. [De *es-* + *pavor* + *-izar.*] *V. t. d.* e *p.* V. *espavorir.*

especar. *V. t. d.* **1.** Suster com espeque; amparar, escorar. *Int.* **2.** Ficar parado; estacar. *P.* **3.** Escorar-se, encostar-se. [Conjug.: v. *trancar.*]

espeçar. *V. t. d. Marc.* Tornar mais comprido (uma peça à qual se junta outra longitudinalmente). [Conjug.: v. *começar.* Pres. ind.: *espeço, espeças, espeça, ... espeçam;* pres. subj. *espece, especes, espece, especemos, especeis, especem.* Cf. o pres. ind. e o pres. subj. do v. *espessar;* este v.; expeço, expeça, expeças, ... expeçam, do v. *expedir* e *espesso* (ê), adj., flex. *espessa* (ê), *espessas* (ê).]

espécia. [Var. de *espécie.*] *S. f.* V. *especiaria.*

especiação. *S. f.* **1.** Formação de espécies. **2.** Mecanismo evolutivo que leva à formação das espécies. **3.** *Biol. Ger.* Processo que se compõe de muitas fases, e decorre ao longo de enorme lapso de tempo, segundo o qual as espécies vivas se diferenciam umas a partir de outras.

especial. [Do lat. *speciale.*] *Adj. 2 g.* **1.** Relativo a uma espécie; próprio, peculiar, específico, particular. **2.** Fora do comum; distinto, excelente. **3.** Exclusivo, reservado. ~ V. *botânica —, carga —, cheque —, domicílio —, efeitos especiais, enviado —, licença —* e *obra-de-arte —.* • *S. m.* **4.** Mensageiro, próprio. **5.** *Bras., NE. Fam.* V. *repreensão* (1).

especialidade. [Do lat. *specialitate.*] *S. f.* **1.** Qualidade ou caráter de especial; particularidade. **2.** Coisa superior, fora do comum, muito fina ou rara: *Estas frutas-do-conde são uma especialidade.* **3.** Trabalho, profissão (ou ramo dentro de uma profissão), de cada um: *A especialidade daquele médico é a cirurgia plástica.* **4.** *P. est.* Habilidade ou interesse particular de cada um: *A especialidade de Pedro é colecionar quadros.*

especialista. [De *especial* + *-ista.*] *S. 2 g.* **1.** Pessoa que se consagra com particular interesse e cuidado a certo estudo. **2.** Pessoa que se dedica a um ramo de sua profissão. **3.** Pessoa que tem habilidade ou prática especial em determinada coisa. **4.** Conhecedor, perito: *especialista em vinhos.* • *Adj. 2. g.* **5.** Que é especialista. ~ V. *sistema —.*

especialização. *S. f.* **1.** Ato ou efeito de especializar(-se). **2.** *Sociol.* Diferenciação resultante da divisão do trabalho. **3.** *Sociol.* Processo de divisão do trabalho encarado do ângulo individual. **4.** *Jur.* Ato preliminar da inscrição da hipoteca legal ou judicial, o qual consiste em fixar o valor da responsabilidade do devedor e em precisar o imóvel dado em garantia.

especializar. *V. t. d.* **1.** Mencionar ou tratar à parte, de modo especial; particularizar, singularizar, especificar. **2.** *Jur.* Promover a especialização (4) de (a hipoteca legal ou judicial). *P.* **3.** Distinguir-se, assinalar-se, singularizar-se. **4.** Adotar uma especialidade, dedicando-se a ela: Especializou-se em eletrônica.

especiaria. [De *espécia* + *-aria.*] *S. f.* Qualquer droga aromática (cravo, canela, pimenta, noz-moscada, etc.) usada para condimentar iguarias; espécia, espécie: "Além dos carregamentos de pimenta e de arroz, vinham as especiarias: o cravo das Molucas, a noz e massa de Banda, o gengibre de Kollam, a canela de Simhala." (Oliveira Martins, *História de Portugal,* II, p. 24).

espécie. [Do lat. *specie.*] *S. f.* **1.** Gênero, natureza, qualidade, sorte: *indivíduos, objetos da mesma espécie.* **2.** Condição, caráter, casta: *Na festa havia gente de toda espécie.* **3.** Aparência, simulacro: *Usou de astúcia sob a espécie de amizade.* **4.** Aquilo que, não podendo definir precisamente, comparamos com outra coisa, por aproximação: *uma espécie de seda.* **5.** V. *especiaria.* **6.** *Bibliol.* Designação comum às entidades bibliológicas. **7.** *Biol.* Conjunto de indivíduos muito semelhantes entre si e aos ancestrais, e que se entrecruzam. A espécie é a unidade biológica fundamental. Várias espécies constituem um gênero: *espécie vegetal; espécie animal; a espécie humana (o gênero humano).* **8.** *Com.* e *Econ. Ant.* Moeda metálica. **9.** *Lóg.* V. gênero (1). **10.** *P. ext.* V. *dinheiro: Pagou a conta em espécie.* **11.** *Jur.* Ponto especial em litígio. **12.** *Mat.* Quantidade da mesma natureza. ◆ **Espécie alopátrica.** *Biol. Ger.* Cada uma das várias espécies que, por umas excluírem as outras, não podem ocupar a mesma área. **Espécie jordaniana.** *Biol. Ger.* V. *jordanion.* **Espécie simpátrica.** *Biol. Ger.* Cada uma das várias espécies que, por serem afins, ocupam a mesma área. **Causar espécie.** Causar estranheza; surpreender; fazer espécie. **Fazer espécie.** Causar espécie. **Santas espécies.** *Teol.* Aparência do pão e do vinho após a transubstanciação.

especieiro. [De *espécie* (5) + *-eiro.*] *S. m.* Aquele que vende especiarias.

especificação. *S. f.* **1.** Ato ou efeito de especificar. **2.** Descrição rigorosa e minuciosa das características que um material, uma obra ou um serviço deverão apresentar. **3.** Cada item de tal descrição. [Tb. se usa no pl.] **4.** *Jur.* Modalidade de aquisição de propriedade, de coisa móvel alheia, que, por força de trabalho ou indústria de alguém, se transforma em espécie nova, irreversível à forma anterior. ~ V. *especificações.*

especificações. [Pl. de *especificação.*] *S. f. pl.* Especificação (3).

especificado. [Part. de *especificar.*] *Adj.* Que se especificou; pormenorizado, individualizado.

especificador (ô). *Adj.* **1.** Especificativo. • *S. m.* **2.** Aquele que especifica.

especificar. [Do lat. medieval *specificare.*] *V. t. d.* **1.** Indicar a espécie de; ser a característica especial de. **2.** Explicar miudamente; esmiuçar: *O relatório especifica todas as particularidades.* **3.** Apontar individualmente; especializar: *O réu especificou todos os seus crimes.* [Conjug.: v. *trancar.* Pres. ind.: *especifico,* etc. Cf. *específico.*]

especificativo. *Adj.* Que especifica ou envolve especificação; especificador.

especificidade. *S. f.* **1.** Qualidade do que é específico. **2.** Qualidade típica de uma espécie. **3.** *Med.* Propriedade duma doença cujos caracteres são nítidos e constantes, e cuja causa é sempre semelhante.

específico. [Do lat. *specificu.*] *Adj.* **1.** Relativo a, ou próprio de espécie. **2.** Exclusivo, especial. **3.** Diz-se de medicamento que tem ação especial contra determinada doença. **4.** *Lóg.* Diz-se do que pertence à espécie. [Opõe-se a genérico (4).] ~ V. *calor —, calor de vaporização —a, calor — médio, condutância —a, consumo — de propelente, empuxo —, impulsão —a, impulso —, massa —a, peso —, resistência —a, viscosidade —a* e *volume —.* • *S. m.* **5.** *Bras.* Medicamento homeopático em comprimidos. [Cf. *especifico,* do v. *especificar.*]

especilho. [Do lat. *specillu.*] *S. m. Ant.* Tenta (1).

espécime. [Do lat. *specimen.*] *S. m.* **1.** Modelo, amostra, exemplo, tipo. **2.** *Bot.* e *Zool.* Indivíduo representativo de uma classe, de um gênero de uma espécie, etc.

espécimen. [Do lat. *specimen.*] *S. m.* V. *espécime.* [Pl.: *espécimens* e (p. us. no Brasil) *especímenes.*]

especiosidade. [Do lat. *speciositate.*] *S. f.* Qualidade de especioso.

especioso (ô). [Do lat. *speciosu.*] *Adj.* **1.** De aparências enganadoras; ilusório, enganoso: "Onde não havia sentido, a frase era mais especiosa ou retumbante." (Machado de Assis, *Várias Histórias,* p. 182.) **2.** Que, com aparência de verdade, induz em erro: *argumentos especiosos.* **3.** Formoso, belo, atraente, sedutor: "E estamos a ver a especiosa Bárbara [uma das amadas de Camões] com as ancas bailadeiras, cinta bem torneada, ... tez levemente dourada dos trópicos, avançar com a travessa do arroz de caril na palma da mão" (Aquilino Ribeiro, *Luís de Camões,* II, p. 109).

espectador (ô). [Do lat. *spectatore.*] *S. m.* **1.** Aquele que vê qualquer ato; testemunha. **2.** Aquele que assiste a qualquer espetáculo. [Cf. *expectador.*]

espectável. [Do lat. *spectabile.*] *Adj. 2 g.* **1.** Digno de ser visto. **2.** Notável. [Cf. *expectável.*]

espectral. *Adj. 2 g.* **1.** Relativo ou semelhante a espectro ou fantasma. **2.** *Fís.* Relativo a um espectro (6 e 7) **3.** *Fís.* Diz-se de uma propriedade ou característica associada a um nível de energia, ou a uma grandeza ligada a um nível de energia num espectro. [Var.: *espetral.*] ~ V. *análise —, cor —, lâmpada —, linha —, raia —, série —*

e *termo* —.

espectro. [Do lat. *spectru.*] *S. m.* **1.** V. *fantasma* (3): *As revelações do* e s p e c t r o *do Hamlet desencadeiam a ação da tragédia.* **2.** Figura imaterial, real ou imaginária que povoa o pensamento; sombra, fantasma: *Sentia-se vigiado pelos* e s p e c t r o s *dos antepassados.* **3.** Aparência vã de uma coisa: *Corre, desde moço, atrás do* e s p e c t r o *da glória.* **4.** Aquilo que constitui ameaça: o e s p e c t r o *da fome.* **5.** Pessoa esquelética, esquálida; fantasma: *Quem é este* e s p e c t r o *que entrou na sala?* **6.** *Fís.* Função que caracteriza a distribuição de energia numa onda, ou num feixe de partículas, e que exprime essa distribuição em termos de variáveis apropriadas (comprimentos de onda, freqüências, etc.). **7.** *Fís.* Resultante de um processo, ou de um fenômeno, em que se observa ou registra um efeito proveniente da distribuição de energia numa onda ou num feixe de partículas. [Var.: *espetro.*] ♦ **Espectro antibiótico.** *Med.* Variedade de germes sobre o qual atua o antibiótico, dizendo-se deste, conforme seja tal número, que é de curto *espectro* ou de *largo espectro.* **Espectro de banda.** *Fís.* Aquele em que a energia é distribuída em intervalos mais ou menos estreitos de comprimentos de onda. É o espectro emitido, p. ex., pelos gases moleculares quando excitados eletricamente. **Espectro de linhas.** *Fís.* Espectro de raias. **Espectro de raias.** *Fís.* Aquele em que só existe energia para comprimentos de onda muito bem determinados; espectro de linhas. **Espectro eletromagnético.** *Fís.* A distribuição das radiações eletromagnéticas em função do comprimento de onda [v. *espectro* (7)], desde os raios gama, de menor comprimento, até as ondas longas de rádio. **Espectro solar.** O espectro visível [q. v.], observado inicialmente por Isaac Newton (1642-1727), e que se pode obter pela decomposição da luz solar ao incidir sobre uma das faces de um prisma triangular transparente (ou outro meio de refração ou de difração), atravessando-o e projetando-se sobre um meio ou um anteparo branco. **Espectro visível.** Campo do espectro eletromagnético que abrange uma pequena faixa capaz de ser captada pela vista humana, faixa esta situada entre os raios infravermelhos e os ultravioleta, e que compreende as seguintes cores, em gradação contínua: vermelho, alaranjado, amarelo, verde, azul e roxo. **De curto espectro.** *Med.* V. *espectro antibiótico.* **De largo espectro.** *Med.* V. *espectro antibiótico.*

espectrofotografia. [De *espectro* + *fotografia.*] *S. f. Quím.* Espectrografia. [Var.: *espetrofotografia.*]

espectrofotográfico. *Adj.* Referente à espectrofotografia. [Var.: *espetrofotográfico.*]

espectrofotometria. [De *espectro* + *fotometria.*] *S. f. Fís.* Conjunto de métodos e técnicas de medida da intensidade de radiação luminosa, em função do comprimento de onda, num espectro de emissão ou de absorção. [Var.: *espetrofotometria.*]

espectrofotométrico. *Adj.* Relativo à espectrofotometria ou ao espectrofotômetro. [Var.: *espetrofotométrico.*]

espectrofotômetro. [De *espectro* + *fotômetro.*] *S. m. Ópt.* Instrumento com que se obtém o espectro de uma radiação e se pode medir a intensidade de cada componente monocromático que o constitui. [Var.: *espetrofotômetro.*]

espectrografia. [De *espectro* + *-grafo-* + *-ia.*] *S. f. Quím.* Conjunto de técnicas de análises baseadas na obtenção e estudo de fotografias dos espectros de emissão de substâncias. [Var.: *espetrografia.*]

espectrográfico. *Adj.* Referente à espectrografia, ou ao espectrógrafo. [Var.: *espetrográfico.*]

espectrógrafo. [De *espectro* + *-grafo.*] *S. m. Ópt.* Instrumento destinado a separar os componentes de uma radiação policromática e registrá-los em uma chapa fotográfica. [Var.: *espetrógrafo.*]

espectrologia. [De *espectro* + *-log(o)-* + *-ia.*] *S. f. Fís.* Tratado dos fenômenos espectrais. [Var.: *espetrologia.*]

espectrológico. *Adj.* Relativo à espectrologia. [Var.: *espetrológico.*]

espectrometria. [De *espectro* + *-metro-* + *-ia.*] *S. f. Quím.* Técnica de análise qualitativa e quantitativa baseada na obtenção e estudo do espectro de emissão de substâncias. [Var.: *espetrometria.*] ♦ **Espectrometria de chama.** *Quím.* Fotometria de chama.

espectrométrico. *Adj.* Relativo à espectrometria. [Var.: *espetrométrico.*]

espectrômetro. [De *espectro* + *-metro.*] *S. m.* **1.** *Ópt.* Instrumento que separa uma radiação policromática nos seus componentes monocromáticos e permite medir os comprimentos de onda destes sem registrá-los numa chapa fotográfica. **2.** *Fís. Nucl.* Instrumento que permite separar, de um feixe de partículas com várias energias, aquelas que têm uma determinada energia, e analisar, assim, a constituição energética do feixe. [Var.: *espetrômetro.*]

espectroscopia. [De *espectro* + *-scop-* + *-ia.*] *S. f. Quím.* Conjunto de técnicas de análise qualitativa baseado na observação de espectros de emissão ou absorção de substâncias. [Var.: *espetroscopia.*]

espectroscópico. *Adj.* Relativo ao espectroscópio, ou à espectroscopia. ~ V. *paralaxe* —*a.* [Var.: *espetroscópico.*]

espectroscópio. [De *espectro* + *-scop-* + *-io.*] *S. m. Ópt.* Instrumento destinado a formar espectros de radiação eletromagnética, baseado na dispersão desta por um prisma ou por uma rede de difração. [Var.: *espetroscópio.*]

especula. [Dev. de *especular*[2].] *S. 2 g. Bras., MG* e *SP. Fam.* Pessoa abelhuda: "Um pau-de-arara forte .... satisfazia a curiosidade dos perguntadores e e s p e c u l a s que sempre afluem nessas ocasiões." (Alaor Barbosa, *Picumãs,* p. 36.)

especulação. [Do lat. *speculatione.*] *S. f.* **1.** Ato ou efeito de especular[2]. **2.** Investigação teórica; exploração. **3.** Negócio em que uma das partes abusa da boa-fé da outra.

especulador (ô). [Do lat. *speculatore.*] *Adj.* **1.** Que especula. ● *S. m.* **2.** Aquele que especula. **3.** Indivíduo que age de má-fé, procurando tirar proveito de uma situação, de determinada coisa.

especular[1]. [Do lat. *speculare.*] *Adj. 2 g.* **1.** Referente a, ou próprio de espelho. **2.** Transparente, diáfano. **3.** Diz-se de uma superfície refletora. **4.** *Med.* Diz-se de exame realizado com o espéculo. [Cf. *espicular.*] ~ V. *brilho* —, *nuclídeos* —*es* e *simetria* —.

especular[2]. [Do lat. *speculare.*] *V. t. d.* **1.** Examinar com atenção; averiguar minuciosamente; observar; indagar; pesquisar: *E s p e c u l a a causa dos males atuais. T. i.* **2.** Informar-se minuciosamente de algo: *E s p e c u l o u sobre a situação financeira do novo cliente.* **3.** Valer-se de certa posição, de circunstância, de qualquer coisa, para auferir vantagens; explorar: *Há autoridades que* e s p e c u l a m *com seus cargos. Int.* **4.** Meditar, raciocinar, refletir, considerar. **5.** Meter-se em negócios mirando lucros; agenciar, traficar, negociar. **6.** Operar na bolsa jogando na alta ou na baixa dos títulos. [Pres. ind.: *especulo,* etc.; part.: *especulado.* Cf. *espéculo, espiculado* e *espicular.*]

especularita. [De *especular*[1] + *-ita*[3].] *S. f. Min.* Forma de hematita [q. v.] que tem aspecto folheado e brilhante.

especulativo. [Do lat. *speculativu.*] *Adj.* **1.** Em que há especulação, ou caracterizado por ela; teórico: *estudos* e s p e c u l a t i v o s. **2.** Relativo a, ou que envolve especulação, lucro, interesse: *atividade* e s p e c u l a t i v a.

espéculo [Do lat. *speculu.*] *S. m. Med.* Instrumento tubiforme com que se observam certas cavidades do corpo. [Cf. *especulo,* do v. *especular.*]

espedaçar. [De *es-* + *pedaço* + *-ar*[2].] *V. t. d.* e *p.* Fazer(-se) em pedaços; despedaçar(-se): "Mar que regouga e estronda, e s p e d a ç a n d o diques" (Olavo Bilac, *Poesias,* p. 234); "o coração, que não tem para dar senão suspiros, no fundo do peito se confrange todo, e s e e s p e d a ç a." (Antônio Feliciano de Castilho O, *Presbitério da Montanha,* I, p. 109). [Conjug.: v. *laçar.*]

espedregar. *V. t. d.* Expedrar. [Conjug.: v. *largar.*]

espeleologia. [Do gr. *spéleos,* 'caverna', + *-o-* + *-log(o)-* + *-ia.*] *S. f. Geol.* Estudo e exploração das cavidades naturais do solo: grutas, cavernas, fontes, etc.

espeleológico. *Adj.* Relativo à espeleologia.

espeleologista. *S. 2 g.* Especialista em espeleologia; espeleólogo.

espeleólogo. *S. m.* Espeleologista.

espelhação. *S. f.* Espelhamento.

espelhado. [De *espelho* + *-ado*[1].] *Adj.* Polido ou liso como espelho.

espelhamento. *S. m.* Ato ou efeito de espelhar(-se); espelhação.

espelhante. *Adj. 2 g.* V. *espelhento.*

espelhar. *V. t. d.* **1.** Converter em espelho; tornar liso, polido. **2.** Refletir como um espelho; deixar ver; refletir, retratar: *As águas do lago* e s p e l h a m *o castelo;* "*És belo, és forte, impávido colosso, / E o teu futuro* e s p e l h a *essa grandeza*". (Osório Duque-Estrada, *Hino Nacional Brasileiro*). **3.** Consertar as margens de (estampa, página de livro, etc.), pondo-as em moldura de papel, de sorte que fique visível a parte impressa. [V. *solfar*[2] (1).] *Int.* **4.** Refletir a luz como um espelho; brilhar: "O mar azul, muito claro e s p e l h a n d o ao sol das três." (Herman Lima, *Garimpos,* p. 12); *Gotas de orvalho* e s p e l h a m *nas árvores. P.* **5.** Ver-se em espelho. **6.** Refletir-se, brilhar. "A lua e s p e l h a - s e nas águas." (Anrique Paço d'Arcos, *Estrada sem Fim,* p. 63.) **7.** Tornar-se evidente; patentear-se. **8.** Comprazer-se em ver alguém ou algo; rever-se, mirar-se. [Conjug.: v. *aparelhar.*]

espelharia. *S. f.* Fábrica ou loja de espelhos.

espelheiro. *S. m.* Fabricante, vendedor ou consertador de espelhos.

espelhento. *Adj.* Que reflete como um espelho; polido, claro, cristalino, espelhante.

espelhim. [De *espelho* + *-im.*] *S. m.* Gesso branco lustroso: "Meus anjos suaves! / Um de asas brancas como e s p e l h i m / e um de asas roxas de goivo, graves, / tristes enfim." (Murilo Araújo, *Poemas Completos,* I, p. 36.)

espelho (ê). [Do lat. *speculu.*] *S. m.* **1.** *Ópt.* Superfície refletora constituída por uma película metálica depositada sobre um dielétrico (geralmente vidro) polido, ou pela superfície de um corpo metálico polido. **2.** Objeto que serve para refletir as imagens das pessoas e das coisas. **3.** *Fig.* Modelo, exemplo: e s p e l h o *de virtudes.* **4.** *Fig.* Imagem, representação, reflexo: *Os olhos são o* e s p e l h o *da alma.* **5.** *Arquit.* A parte vertical do degrau da escada. **6.** *Art. Gráf.* Desenho ou esquema que orienta a paginação de um impresso em conformidade com a diagramação estabelecida. **7.** *Encad.* Charneira (5). **8.** *Tip.* Planilha (1). **9.** *Turfe.* Linha de chegada das corridas de cavalos, assim chamada porque nela realmente existe um espelho, através do qual se pode observar na fotografia a chegada pelos dois lados e dirimir possíveis dúvidas quanto ao vencedor ou às colocações posteriores; disco final. **10.** *Bras.* Nas máquinas a vapor, a parte do cilindro sobre a qual desliza o sulaque. **11.** *Bras.* Designação comum às placas anterior e posterior das caldeiras, às quais são presos os cabos. **12.** *Zool.* Mancha ou área transparente nas asas de alguns lepdópteros. **13.** *Zool.* Mancha nas asas de certas aves, formada por penas de colorido brilhante. **14.** *Tec.* Num trocador de calor, peça onde se soldam os tubos. ♦ **Espelho da falha.** *Geol.* A face polida da falha, resultante da fricção das faces opostas da rocha que sofreu o falhamento. **Espelho de fechadura.** Chapa exterior da fechadura, que contém os buracos para a chave e para a maçaneta; escudete. **Espelho eletrônico.** *Eletrôn.* Campo eletromagnético estabelecido entre eletrodos de forma apropriada, e capaz de refletir elétrons que o atinjam. **Espelho magnético.** *Fís.* Campo magnético no espaço, capaz de refletir íons de um plasma gasoso que nele incidam. **Espelho parabólico.** Aquele cuja superfície refletora é um parabolóide de revolução. [Tem a propriedade de refletir num feixe luminoso direcional a luz que se acende no seu foco.] **Espelho retrovisor.** *Autom.* V. *retrovisor.* **Espelho sem aço.** *Fam.* Pessoa que se põe na frente de outra obstruindo-lhe a visão.

espelho-de-vênus. *S. m. Bras.* Designação comum a várias plantas herbáceas e ornamentais da família das escrofulariáceas, pertencentes ao gênero *Mimulus,* dotadas de folhas onduladas, verde-acinzentadas, flores de cor azul ou violeta, grandes e dispostas em racimos terminais e frutos que são cápsulas. [Pl.: *espelhos-de-vênus.*]

espelina. *S. f. Bras., CE, MG, SP, GO* e *MT.* Planta de caule trepador ou rasteiro, da família das cucurbitáceas *(Cayaponia espelina),* dotada de propriedades medicinais, que tem flores solitárias, alvacentas, cujo cálice e corola femininos são menores que os masculinos, e cujo fruto é pepônio pequeno, cilíndrico, carnoso e avermelhado, com sementes brancas e glabras; carijó, purga-de-carijó, tomba.

espeloteado. [De *es-* + *pelota*[1] + *-ear-* + *-ado*[1].] *Adj.* e *s. m. Bras., S.* Diz-se de, ou indivíduo sem critério, tonto, estouvado, adoidado, desmiolado.

espeloteamento. *S. m. Bras., S.* Procedimento ou modos de espeloteado; falta de critério; estouvamento. [Sin. (no S.): *Espeloteio.*]

espelotear. *V. int. Bras., S.* Proceder estouvadamente, como espeloteado; dar por paus e por pedras. [Conjug.: v. *frear.*]

espeloteio. [Dev. de *espelotear.*] *S. m. Bras., S.* V. *espeloteamento.*

espelta. [Do cat. *espelta.*] *S. f.* Espécie de trigo de qualidade inferior. *(Titricum spelta* (Lin.))

espelunca. [Do lat. *spelunca.*] *S. f.* **1.** Caverna, antro. **2.** Lugar escuro e imundo. **3.** Local sujo e/ou esconso onde se joga.

espenda. *S. f.* Parte da sela em que assenta a coxa do cavaleiro: "se sofreia o animal para trocar duas palavras com um conhecido, cai logo [o sertanejo] sobre um dos estribos, descansando sobre a *espenda* da sela." (Euclides da Cunha, *Os Sertões*, p. 114).

espenejar. [Var. de *espanejar.*] *V. t. d.* **1.** Espanejar, espanar. *P.* **2.** Sacudir a roupa que se traz vestida. **3.** Adornar-se, alindar-se, enfeitar-se, ataviar-se. [Conjug.: v. *pelejar.*]

espenicar. [De *es-* + *pena* + *-icar.*] *V. t. d.* **1.** Arrancar ou cortar as penas a (uma ave); depenar, desplumar, deplumar. **2.** *Fig.* Vestir com apuro; enfeitar. *P.* **3.** Catarse (a ave), compondo as penas com o bico. **4.** Ataviar-se com apuro; ataviar-se, enfeitar-se, ornar-se. [Conjug.: v. *trancar.* Cf. *espinicar-se.*]

espenifrar. *V. int.* Ganhar no espenifre.

espenifre. *S. m.* Antigo jogo de cartas em que o dois de paus era a carta de maior valor.

espeque. [Do neerl. antiq. *handspaecke*, hoje *handspaak*, 'pau de mão', atra. do fr. *anspect.*] *S. m.* **1.** V. *escora* (1). **2.** *Fig.* Apoio, arrimo, amparo. **3.** *Bras., N.E.* Torno de madeira das jangadas, no qual se amarram, na proa, a corda do tauaçu, que serve de âncora, e na popa, a escota da vela.

espera[1]. [Dev. de *esperar.*] *S. f.* **1.** Ato ou efeito de esperar. **2.** Expectativa, esperança. **3.** Demora, dilação. **4.** Ponto ou lugar marcado para se esperar ou aguardar alguém ou alguma coisa. **5.** Emboscada, cilada, tocaia. **6.** Prazo marcado ou concedido para a execução de algo. **7.** Peça na qual se apóia ou se fixa por meio de parafuso de pressão a ferramenta do torno (1). **8.** Armadilha com cepo ou espingarda para caça grossa. **9.** *Arquit.* V. *dentilhão* (2). **10.** *Bras.* Correia da sela onde se abotoam as cilhas. **11.** *Bras., AM* e *MT.* Lugar remansoso, em rio ou baía, onde se abrigam as embarcações que estão à espera de monção para prosseguir viagem. **12.** *Bras., PA.* Lugar abrigado do vento ou, graças à sua profundidade, garantido da pororoca, e onde se espera a maré seguinte para continuar a viagem.

espera[2]. *S. f. Ant.* Esfera.

esperado. [Part. de *esperar.*] *Adj.* **1.** Que se espera. **2.** Provável; previsto: *Verificou-se a esperada catástrofe.* ● *S. m.* **3.** Aquele que é esperado ou desejado.

esperadoiro. *S. m.* Esperadouro [q. v.].

esperadouro. [Var. de *esperadoiro.*] *S. m.* Lugar onde se espera.

espera-felizense. *Adj. 2 g.* **1.** De, ou pertencente ou relativo a Espera Feliz (MG). ● *S. 2 g.* **2.** Natural ou habitante de Espera Feliz. [Pl.: *espera-felizenses.*]

esperagana. *S. f.* Certo tecido antigo.

espera-marido. [De *esperar* + *marido.*] *S. m. Bras.* Doce de ovos e açúcar queimado. [Pl.: *espera-maridos.*]

esperança. [Do lat. *sperantia*, do v. *sperare.*] *S. f.* **1.** Ato de esperar o que se deseja. **2.** Expectativa, espera. **3.** Fé, confiança em conseguir o que se deseja. **4.** Aquilo que se espera ou deseja: *Minha esperança é que ele chegue logo.* **5.** *Rel.* A segunda das três virtudes teologais, simbolizada por uma âncora. **6.** *Bras.* Inseto ortóptero, da subordem *Tettigoniodea*, de antena setácea, geralmente mais longa que o corpo, pernas espinhosas, e ovipositor ensiforme. Tem, de ordinário, cor verde. ♦ **Esperança matemática.** *Estat.* A média de uma função de uma variável aleatória sobre uma distribuição desta variável. [Correntemente a função é a própria variável.] **Estar de esperanças.** Achar-se grávida (a mulher). **Que esperança!** *Bras.* Qual o quê!; qual nada!; nunca!: — *Será que ele vem agora?* — *Que esperança!*

esperançado. [Part. de *esperançar.*] *Adj.* Que tem esperança.

esperançar. *V. t. d.* **1.** Dar esperança(s) a; animar, estimular. *P.* **2.** Ter ou adquirir esperança. [Conjug.: v. *laçar.*]

esperancense. *Adj. 2 g.* **1.** De, ou pertencente ou relativo a Esperança (PB). ● *S. 2 g.* **2.** Natural ou habitante de Esperança.

esperançoso (ô). *Adj.* **1.** Que tem esperança. **2.** Que dá esperança; prometedor.

esperantinense. *Adj. 2 g.* **1.** De, ou pertencente ou relativo a Esperantina (PI). ● *S. 2 g.* **2.** Natural ou habitante de Esperantina.

esperantinopolitano. *Adj. 2 g.* **1.** De, ou pertencente ou relativo a Esperantinópolis (MA). ● S. 2 g. **2.** Natural ou habitante de Esperantinópolis.

esperantista. *Adj. 2 g.* **1.** Relativo ao esperanto. **2.** Que faz propaganda dessa língua: *um professor esperantista; liga esperantista.* ● *S. 2 g.* **3.** Especialista e/ou propagandista do esperanto.

esperanto. [Do rad. *sper*, do lat. *sperare*, 'esperar' + a desin. *-ant*, própria dos particípios presentes, + a desin. *-o*, dos substantivos: 'o que espera'.] *S. m.* Língua auxiliar de comunicação internacional, elaborada pelo médico judeu-polonês Ludwig Lazar Zamenhof (1859-1917) e por ele divulgada em 1887.

esperar. [Do lat. *sperare.*] *V. t. d.* **1.** Ter esperança em; contar com: *Os fiéis esperavam um milagre.* **2.** Estar ou ficar à espera de; aguardar: *Esperou o amigo horas a fio;* "O Rio moderno *espera*, afinal, o seu romancista." (Brito Broca, *Horas de Leitura*, p. 163.) **3.** Supor, conjeturar, presumir, imaginar: *Jamais poderiam esperar aquele procedimento.* **4.** Ter esperança em; contar com a realização de (coisa desejada ou prometida): *Esperava encontrá-lo dentro de poucos dias.* **5.** Estar reservado ou destinado a: *Sabia que ali o esperava a fama.* **6.** Aguardar em emboscada. *T. d.* e *i.* **7.** Contar obter: *Costuma esperar tudo de seus amigos. T. i.* **8.** Ter fé; confiar: *esperar em Deus.* **9.** Ter esperança; contar com a realização (de coisa desejada): "Nuvens que vêm, / nuvens que vão... / *Esperar* por um bem, / ai, esperar em vão!" (Onestaldo de Pennafort, *Poesias*, p. 216.) *Int.* **10.** Estar na expectativa: "ante os seus olhos, cravados na penumbra, fatigados de *esperar*, surgiam, então, imagens estranhas." (Eça de Queirós, *Últimas Páginas*, pp. 264-265). **11.** Ter fé; confiar: "Quem *espera* sempre alcança" (prov.). [Pres. ind.: *espero*, etc. Cf. *Héspero*, mit. e antr.]

esperável. [Do lat. *sperabile.*] *Adj. 2 g.* Que se pode esperar; provável, presumível: *resultado esperável.*

esperdiçador (ô). [De *esperdiçar* + *-(d)or.*] *Adj.* e *s. m.* V. *desperdiçador.*

esperdiçar. [De *desperdiçar*, com mudança de prefixo.] *V. t. d.* **1.** V. *desperdiçar.* **2.** *Bras., N.E.* Perder (a rês, o gado) no mato. [Conjug.: v. *laçar.*]

esperdício. [Dev. de *esperdiçar.*] *S. m.* V. *desperdício.*

esperlina. *S. f. Bras., L.* e *S.* Planta de caule prostrado, da família das leguminosas *(Phaseolus prostratus)*, dotada de flores amarelo-limão, dispostas em racimos mais compridos que as folhas, e cujos frutos são vagens com algumas sementes; feijão-do-mato.

esperma. [Do gr. *sperma*, 'semente', pelo lat. *sperma.*] *S. m.* Líquido fecundante produzido pelos órgãos genitais dos animais machos. [Sin.: *sêmen, semente* e (chulo) *langanho, esporro, porra.*]

espermacete. [Do lat. *sperma ceti*, 'semente de cetáceo'.] *S. m.* Substância branca e oleosa que se extrai do cérebro dos cachalotes, e com que se fabricam velas; cetina.

espermácia. *S. f.* **1.** *Micol.* Nas rodofíceas, gameta masculino nu, imóvel e incolor. **2.** *Bot.* Nos liquens, pequena célula acicular oriunda do espermagônio. [F. paral.: *espermácio.*]

espermácio. *S. m. Micol.* e *Bot.* Espermácia.

espermáfito. *S. m. Bot.* Var. de *espermatófito.*

espermáfitos. *S. m. pl. Bot.* Var. de *espermatófitos.*

espermagônio. [De *esperma* + *gon(o)-* + *io*[3].] *S. m. Bot.* Cavidade em que se formam as espermácias.

espermateca. [De *esperma* + *-teca.*] *S. f. Zool.* Nas fêmeas de muitos invertebrados, bolsa na qual ficam guardados os espermatozóides que mais tarde irão servir para a fecundação.

espermático. [Do gr. *spermatikós*, pelo lat. *spermaticu.*] *Adj.* Relativo ao esperma, ao espermatozóide ou à semente: *núcleo espermático.*

espermatizar. [Do gr. *spermatízo.*] *V. t. d.* Fecundar com o esperma.

▲**espermato-.** [Do gr. *spérma, atos.*] *El. comp.* = 'semente': *espermatologia, espermatogênese.* [Equiv.: *-sperma, -sperm(o)—, -spermo* e *-spermot(o)—: aspidosperma; gimnospermia; liospermo, aspermatismo.*]

espermatocele. [De *espermato-* + *cele.*] *S. f. Patol.* Distensão cística do epidídimo e da rede testicular, que contêm espermatozóides; gonocele.

espermatófito. [De *espermato* + *-fito.*] *S. m.* Espécime dos espermatófitos. [Var.: *espermáfito.*]

espermatófitos. *S. m. pl. Bot.* Grupo de plantas vasculares que têm sementes. Equivale às plantas floríferas, também ditas plantas superiores. [Var.: *espermáfitos.*]

espermatóforo. [De *espermato-* + *-foro.*] *S. m. Zool.* Cavidade onde se alojam, nos machos, os espermatozóides. [Freqüente em insetos e moluscos.]

espermatogênese. [De *espermato-* + *gênese.*] *S. f.* Origem e formação dos espermatozóides.

espermatogenético. *Adj.* Respeitante à espermatogênese.

espermatografia. [De *espermato-* + *-graf(o)-* + *-ia.*] *S. f.* Descrição das sementes.

espermatográfico. *Adj.* Referente à espermatografia.

espermatologia. [De *espermato-* + *-log(o)-* + *-ia.*] *S. f.* Tratado acerca do esperma.

espermatológico. *Adj.* Referente à espermatologia.

espermatorréia. [De *espermato-* + *-réia.*] *S. f. Patol.* Derramamento involuntário de esperma.

espermatorréico. *Adj* Referente à espermatorréia.

espermatozóide. [De *espermato* + *-zo(o)-* + *-óide.*] *S. m. Citol.* Célula móvel sexual masculina; gameta masculino, microgameta.

espermicida. *Adj. 2 g.* e *s. m. Farmac.* Diz-se de, ou substância que destrói espermatozóide. [Os agentes espermicidas têm reduzida eficiência no homem.]

espernear. [De *es-* + *perna* + *-ear.*] *V. int.* **1.** Agitar convulsivamente as pernas; pernear, espernegar. **2.** Não obedecer a imposição; revoltar-se; insubordinar-se. [Conjug.: v. *frear.*]

espernegar. [Do lat. vulg. * *expernicare.*] *V. int.* **1.** V *espernear* (1). *P.* **2.** Estender-se ao comprido; estatelar-se. [Conjug.: v. *regar.*]

esperneio. [Dev. de *espernear.*] *S. m.* Ato ou efeito de espernear(-se).

espertador (ô). *Adj.* **1.** Que esperta. ● *S. m.* **2.** Aquele ou aquilo que esperta.

espertalhão. *Adj.* **1.** Diz-se de homem esperto, finório, velhaco, astuto, malicioso; esperto. ● *S. m.* **2.** Indivíduo espertalhão; esperto. [Fem.: *espertalhona.*]

espertalhona. *Adj. (f.)* e *s. f.* Fem. de *espertalhão.*

espertamento. *S. m.* Ato de espertar(-se).

espertar. *V. t. d.* **1.** Tornar esperto (1); acordar, despertar. **2.** Estimular, animar; reanimar: *Estava abatido, mas aquelas palavras espertaram-no;* "sorvemos longos goles de cerveja, até *espertar* o corpo." (Lima Barreto, *Vida e Morte de M. J. Gonzaga de Sá*, p. 159). **3.** Excitar, provocar: *Os acontecimentos espertaram antigos desejos seus.* **4.** Avivar, ativar: *espertar o fogo.* **5.** *Mar.* Tesar (um cabo). **6.** *Mar.* Apertar (uma cunha de mastro ou mastaréu). *T. d.* e *i.* **7.** Dirigir, chamar: *Os amigos espertaram sua atenção para o problema familial. Int.* e *p.* **8.** Sair do sono ou do torpor; despertar. **9.** Cobrar ânimo; animar-se, alentar-se. [Pres. ind.: *esperto*, etc. Cf. *experto.*]

esperteza (ê). *S. f.* **1.** Ação, modos ou dito de pessoa esperta. **2.** Habilidade maliciosa; malícia, manha, astúcia.

espertina. [De *esperto* (1) + *-ina.*] *S. f.* V. *insônia:* "o sono tarda, os relógios da vizinhança continuam a comentar ironicamente a minha *espertina*" (José Gomes Ferreira, *O Mundo dos Outros*, p. 51).

espertinar. *V. t. d.* **1.** Causar espertina ou insônia a; não deixar dormir. *Int.* **2.** Ter insônia.

esperto. [Do lat. *expergitu*, part. pass. de *expergiscere*, 'acordar'.] *Adj.* **1.** Acordado, desperto. **2.** Inteligente, fino, arguto: *Nada lhe escapa: é muito esperto.* **3.** Enérgico, ativo, vivo: *fogo esperto.* **4.** Espertalhão (1). **5.** Quase quente: *Estranhou a água do banho, que estava esperta.* **6.** *Bras. Gír.* V. *bacana* (1). ● *S. m.* **7.** Espertalhão (2): *O mundo é dos espertos.* [Cf. *experto.*]

espescoçar. [De *es-* + *pescoço* + *-ar*[2].] *V. t. d.* **1.** Cavar (a terra) em torno da vide, e a certa distância. *P.* **2.** Alongar o pescoço. [Conjug.: v. *laçar.*]

espessado. [Part. de *espessar.*] *Adj.* Tornado espesso ou grosso.

espessamento. [Do lat. *spissamentu.*] *S. m.* Ação ou efeito de espessar(-se). ♦ **Espessamento de Caspary.** *Anat. Veg.* V. endoderna (2).

espessar. [Do lat. *spissare.*] *V. t. d.* **1.** Tornar espesso, grosso ou denso; engrossar; condensar. *P.* **2.** Tornar-se espesso, denso. [Pres. ind.: *espesso, espessas, espessa, ... espessam;* pres. subj.: *espesse, espesses, espesse, espessemos, espesseis, espessem.* Cf. o pres, ind. e o pres. subj. do v. *espeçar;* este v.; *expeço, expeça, expeças, ..., expeçam*, do v. *expedir*, e *espesso* (ê), adj., flex. *espessa* (ê), *espessas* (ê).]

espessartita. [Do top. *Sperssart* + *-ita*[3].] *S. f. Min.* Mineral monométrico, do grupo das granadas, silicato de manganês e alumínio, pedra semipreciosa, avermelhada.

espessidão. [Do lat. *spessitudine*, com mudança de sufixo.] *S. f.* Espessura, grossura.

espesso (ê). [Do lat. *spissu.*] *Adj.* **1.** Grosso, denso: *calda espessa; tecido espesso.* **2.** Basto, cerrado: *arvoredo espesso.* **3.** Compacto, sólido: *uma espessa camada de tinta.* **4.** Opaco, turvo: *ar espesso.* ~V. *lente* —a. [Flex.: *espessa* (ê), *espessos* (ê), *espessas* (ê). Cf. *espesso, espessa, espessas*, do v. *espessar; espeço, espeças, espeça*, do v. *espeçar;* e *expeço, expeça, expeças*, do v. *expedir.*]

espessura. *S. f.* **1.** Qualidade do espesso, grossura: a *espessura da madeira, do tecido.* **2.** Densidade: a *espessura do melado;* a *espessura do ar.* **3.** Bastidão: a *espessura do matagal.* **4.** Mata cerrada; bosque. **5.** *Ind. Pap.* Grossura da folha de papel, cartolina, etc.; corpo.

espeta-caju. [De *espetar* + *caju.*] *Bras. S. 2 g.* **1.** Tapuio ou mestiço de cabelos duros e eriçados. ● *S. m.* **2.** *P.*

ext. Cabelo duro e eriçado. [Pl.: *espeta-cajus.*]

espetacular. *Adj. 2 g. Bras.* **1.** Que constitui espetáculo (1); espetaculoso. **2.** Muito bom; excelente: *um filme espetacular.*

espetáculo. [Do lat. *spectaculu.*]. *S. m.* **1.** Tudo o que chama a atenção, atrai e prende o olhar: *A parada foi um belo espetáculo.* **2.** Contemplação, vista: *Alegrou-me o espetáculo daquela felicidade.* **3.** Representação teatral, exibição de cinema, televisão, etc., ou qualquer demonstração pública de canto, dança, interpretação musical, etc.; função. **4.** Cena ridícula e/ou escandalosa. ♦ **Dar espetáculo. 1.** Ser objeto de zombaria, mofa ou escândalo; servir de espetáculo. **2.** Provocar escândalo: "A menina rica pediu-me que não desse espetáculo, pois havia gente passando" (Augusto Frederico Schmidt, *As Florestas*, p. 48). **Servir de espetáculo.** Dar espetáculo (1). **Um espetáculo.** Pessoa ou coisa excepcionalmente bonita e/ou vistosa, que impressiona vivamente; um *show:* "Apanhou um broto de fechar farmácia de plantão, um mulheraço de um metro e oitenta, um espetáculo" (Rubem Fonseca, *A Coleira do Cão*, p. 169).

espetaculosidade. *S. f.* Qualidade ou procedimento de espetaculoso.

espetaculoso (ô). *Adj.* **1.** Que dá muito na vista; espetacular. **2.** Ostentoso, aparatoso, pomposo. **3.** Que é dado a espetáculos, a cenas ridículas e/ou escandalosas; espalhafatoso.

espetada. *S. f.* **1.** Ato de espetar. **2.** Golpe de espeto. **3.** Enfiada de coisas para assar no espeto.

espetadela. *S. f.* **1.** Ato de espetar, ou de espetar levemente. **2.** Entalação, entaladela, aperto. **3.** Logro, fraude, engano. [Sin. (gír.), nas acepç. 2 e 3: *espetanço.*]

espetado. [Part. de *espetar.*] *Adj.* **1.** Enfiado em espeto; atravessado por espeto. **2.** *Fig.* Atravessado, traspassado (por arma). **3.** *Fig.* Ereto, teso; empertigado

espetalar. [De *es-* + *pétala* + *-ar*[2].] *V. t. d., int.* e *p.* V. *despetalar:* "Entrevistas, a medo, pelo outono, / à noite, entre rosais a espetalar..." (Austro-Costa, *Mulheres e Rosas*, p. 55); "uma longa e sombria alameda / de laranjais em flor se espetalando ao luar." (Gilca da Costa Melo Machado, *Poesias*, p. 147).

espetanço. *S. m. Gír.* V. *espetadela* (2 e 3).

espetão. *S. m.* **1.** Instrumento de ferro com a extremidade de anzolada, usado para se tirar da forja o cadinho. **2.** Ferro aguçado com que os artilheiros desmancham revestimentos de argila. **3.** Designação de outros objetos semelhantes ao espeto e maiores que ele.

espetar. *V. t. d.* **1.** Furar ou atravessar com espeto: *espetar a carne para assar.* **2.** Traspassar, perfurar, transfixar; cravar: *O artista lançou a faca, que foi espetar o animal na parede.* **3.** Fixar, atentar (a vista). **4.** *Fam.* Comprometer; encalacrar. **5.** *Bras. Gír.* Prejudicar (o adversário) no jogo. **6.** *Bras. MA. Gír.* Deixar de comparecer a (trabalho, aula, etc.). *T. d. e i.* **7.** Impingir, pespegar: *Por qualquer motivo espeta sonetos a amigos e conhecidos. P.* **8.** Cravar-se, atravessar-se; enfiar. **9.** Ferir-se, machucar-se. **10.** Arrepiar-se, eriçar-se, encrespar-se. **11.** Encontrar dificuldades. **12.** Ficar em má situação. [Pres. ind.: *espeto*, etc. Cf. *espeto* (ê) e *espetar.*]

espetinho. [Dim. de *espeto.*] *S. m. Bras.* V. *churrasquinho.*

espeto (ê). [Do got. **spitus*, 'assador'.] *S. m.* **1.** Utensílio de ferro ou de pau com que se assa carne ou peixe. **2.** Pau aguçado em uma das extremidades. **3.** Pequeno cascudo[1] (2). **4.** *Fig.* Pessoa muito alta e magra. **5.** *Bras., S.* Coisa complicada, difícil de fazer, ou inconveniente, ou maçadora. **6.** Complicação; contratempo; espiga. [Pl.: *espetos* (ê). Cf. *espeto*, do v. *espetar.*]

espetral. *Adj. 2 g.* Var. de *espectral* [q. v.].

espetro. *S. m.* V. *espectro.*

espetrofotografia. *S. f.* Var. de *espectrofotografia.*

espetrofotográfico. *Adj.* Var. de *espectrofotográfico.*

espetrofotometria. *S. f. Fís.* Var. de *espectrofotometria.*

espetrofotométrico. *Adj.* Var. de *espectrofotométrico.*

espetrofotômetro. *S. m. Ópt.* Var. de *espectrofotômetro.*

espetrografia. *S. f. Quím.* Var. de *espectrografia.*

espetrográfico. *Adj.* Var. de *espectrográfico.*

espetrógrafo. *S. m. Ópt.* Var. de *espectrógrafo.*

espetrologia. *S. f. Fís.* Var. de *espectrologia.*

espetrológico. *Adj.* Var. de *espectrológico.*

espetrometria. *S. f. Quím.* Var. de *espectrometria.*

espetrométrico. *Adj.* Var. de *espectrométrico.*

espetrômetro. *S. m. Ópt.* Var. de *espectrômetro.*

espetroscopia. *S. f. Quím.* Var. de *espectroscopia.*

espetroscópico. *Adj.* Var. de *espectroscópico.*

espetroscópio. *S. m. Ópt.* Var. de *espectroscópio.*

espevitadeira. *S. f.* Tesoura para espevitar (1); espevitador.

espevitado. [Part. de *espevitar.*] *Adj.* **1.** Diz-se do morrão cortado com a espevitadeira. **2.** *Fig.* Vivo; loquaz; petulante. **3.** *Fig.* Afetado, pretensioso.

espevitador (ô). *S. m.* **1.** Aquele ou aquilo que espevita. **2.** Espevitadeira. **3.** Atiçador (3).

espevitamento. *S. m.* **1.** Ação ou efeito de espevitar(-se). **2.** Qualidade ou modos de pessoa espevitada.

espevitar. *V. t. d.* **1.** Aparar o morrão de (candeeiro, vela, etc.); esmorraçar, esmorrar: "espevitou a candeia do velador, a cuja luz contava e tornava a contar as malhas da meia que ia fazendo" (Trindade Coelho, *Os Meus Amores*, p. 264). **2.** Tornar afetado, pretensioso, espevitado. **3.** Estimular, avivar, espertar. **4.** Observar, espiar. *P.* **5.** Mostrar-se afetado nos modos e/ou no falar. **6.** Irritar-se, agastar-se, zangar-se, enfadar-se.

espezinhado. [Part. de *espezinhar.*] *Adj.* **1.** Calcado aos pés. **2.** Oprimido, tiranizado. **3.** Tratado com desprezo ou desdém; humilhado, rebaixado.

espezinhador (ô). *Adj.* e *s. m.* Que ou aquele que espezinha.

espezinhar. *V. t. d.* **1.** Calcar aos pés; pisar. **2.** Oprimir, tiranizar, vexar. **3.** Tratar com desprezo, ou desdém; humilhar, rebaixar. [Sin. ger.: *apezinhar.*]

espia[1]. [Dev. de *espiar*[1].] *S. 2. g.* **1.** Pessoa que às escondidas observa ou espreita as ações de alguém; espião. **2.** Sentinela, vigia. **3.** *Bras.* Lugar, na costa, onde os pescadores sabem que hão de passar os cardumes de peixes, em suas migrações. [Cf. *curral-de-peixe.*] ● *S. m.* **4.** *Bras.* Pescador que espia ou espreita o cardume para cercá-lo com as redes. [Cf. *expia*, do v. *expiar.*]

espia[2]. [Do gót. **spaíha.*] *S. f.* **1.** *Marinh.* Cabo que se passa de um navio para um cais, uma bóia ou outro navio, a fim de segurá-lo. **2.** Designação comum a cabos que, amarrados no alto dos mastros e postes, e fixados ao solo, servem para mantê-los em equilíbrio. [Cf. *expia*, do v. *expiar.*]

espiã. *S. f.* Fem. de *espião.*

espiada. *S. f. Bras.* **1.** Ato de espiar[1] (3); olhada, espiadela. **2.** Ato de espiar ou olhar ligeiramente; olhadela, olhadura, espiadela.

espiadela. *S. f. Bras.* V. *espiada.*

espia-maré. [De *espiar*[1] + *maré.*] *S. m.* **1.** V. *maregrafista.* **2.** V. *marégrafo.* **3.** *Bras.* Espécie de crustáceo decápode, braquiúro, da família dos ocipodídeos (*Ocypode albicans* Bosc.), distribuído desde Nova Jérsei (E.U.A.) até o RJ. Tem carapaça quadrada, coloração branco-amarelada, e vive em praias arenosas, na zona da maré enchente, onde cava buracos, nos quais se oculta. [Sin.: (nesta acepç.): *vaza-maré, aguarauçá, guaruçá, guriçá, maria-farinha.* Pl.: *espia-marés.*]

espiantador (ô). [De *espiantar* + *-(d)or.*] *S. m. Bras. Gír.* Ladrão que furta o que está exposto, à mostra, e corre.

espiantar. [Do it. *spiantare*, pelo lunfardo.] *V. int.* e *p. Bras. Gír.* Fugir (o ladrão de amostras).

espião. [Do it. *spione* ou do fr. *spion.*] *S. m.* **1.** Agente secreto encarregado de recolher informações acerca de uma potência estrangeira e fornecê-las ao governo por cujo interesse trabalha. **2.** Indivíduo que denuncia, com intuito de prejudicar alguém, aquilo que observou e/ou escutou; denunciador, dedo-duro: *Havia em nosso grupo um espião, e os nossos planos foram frustrados.* [Fem.: *espiã.*]

espiar[1]. [Do gót. *spaíhôn.*] *V. t. d.* **1.** Observar secretamente; procurar descobrir, com o fim de fazer danos, as ações de; espionar. **2.** Esperar, aguardar (ensejo, ocasião); espreitar. **3.** *Bras.* Observar, olhar: "entrou no café da esquina, espiou as horas e teve desejo de tomar uma bebida." (Graciliano Ramos, *Insônia*, p. 20). *Int.* **4.** Observar secretamente; espionar. **5.** Observar, olhar. [Cf. *expiar.*]

espiar[2]. [Do gót. **spinnan.*] *V. t. d.* Segurar (o navio, um ferro, etc.) com espia. [Cf. *expiar.*]

espicaçado. [Part. de *espicaçar.*] *Adj.* **1.** Picado pelos pássaros. **2.** Ferido ou picado com instrumento agudo. **3.** *Fig.* Incitado, desafiado. **4.** *Fig.* Torturado, magoado.

espicaçar. [De *es-* + *pico* + *-açar.*] *V. t. d.* **1.** Ferir com bico (falando-se de aves). **2.** Picar com instrumento agudo. **3.** Esburacar, furar. **4.** Instigar, animar, estimular incitar: *espicaçar a curiosidade.* **5.** Afligir, magoar, torturar: *Aquela triste lembrança espicaçava-o.* [Sin. ger. (p. us.): *apicaçar.* Conjug.: v. *laçar.*]

espicha. *S. f.* **1.** Enfiada de peixes miúdos. **2.** *Marinh.* Haste de madeira ou de metal, cônica, com a ponta em bico, destinada a abrir as cochas dos cabos para neles fazer os trabalhos marinheiros. **3.** *Marinh.* Vara de madeira que se dispõe transversalmente em uma vela de espicha, entre o punho da amura e o punho da pena, para mantê-la aberta ao vento. **4.** *Bras. Fam.* V. *espicho* (3).

espichado. [Part. de *espichar.*] *Adj.* **1.** Diz-se do peixe enfiado pelas guelras. **2.** Diz-se do couro esticado para secar. **3.** Alongado, estendido, esticado: "Era uma coisa encoscorada, muxibenta, toda espichada." (Albertino Moreira, *Boca-Pio*, p. 126.)

espichar. [De *espicho* + *-ar*[2].] *V. t. d.* **1.** Enfiar (peixe) pelas guelras. **2.** Furar (pipa ou barril) para extrair o líquido. **3.** Esticar (couro) para secar. **4.** Esticar, estender, alongar: *espichar o pescoço.* **5.** Espetar, furar. **6.** *Bras.* Fazer errar ou calar-se (o estudante) nas lições ou exames. **7.** *Bras.* Vencer, em uma discussão. *Int.* **8.** *Pop.* V. *morrer* (1). *P.* **9.** Deitar-se, estirando-se; refestelar-se, repoltrear-se: *Espichou-se na espreguiçadeira e adormeceu.* **10.** *Bras.* Enganar-se, errar. **11.** Não responder às perguntas do examinador. **12.** Ser malsucedido; fazer fiasco.

espicharétur. *S. m. Bras. Gír.* V. *espicho* (3). [Pl.: *espicharétures.*]

espiche[1]. *S. m. Pop.* **1.** Espicho (1 e 2). **2.** *Bras. Fam.* V. *espicho* (3).

espiche[2]. [Do ingl. *speech.*] *S. m. Fam.* Alocução, discurso, brinde.

espicho. [Do lat. *spiculu.*] *S. m.* **1.** Pau aguçado para tapar o suspiro (7) de barril ou tonel; espiche. **2.** *Fig.* Pessoa muito alta e magra; espiche. **3.** *Bras. Fam.* Má figura de estudante em exames, por ignorância ou por atrapalhação; fiasco, espicha, espiche, espicharétur.

espiciforme. [Do lat. *spica*, 'espiga', + *-i-* + *-forme.*] *Adj. 2 g. Morfol. Veg.* Que tem forma de espiga; espiculado, espicular, espigoso: *inflorescência espiciforme.*

espicilégio. [Do lat. *spicilegiu.*] *S. m.* **1.** Coleção metódica de documentos, diplomas, etc. **2.** V. *antologia* (2).

espícula. [Do lat. *spica*, 'espiga' + *-ula.*] *S. f.* **1.** Pequena espiga [q. v.]. **2.** *Morfol. Veg.* Espigueta (2). **3.** *Astr.* Ponto brilhante na superfície solar. **4.** Qualquer ponta fina, carnosa, ereta, semelhante à espiga (1). **5.** *Zool.* Parte do esqueleto dos espongiários cuja forma lembra agulhas singelas ou entrecruzadas, de natureza calcária ou silicosa. [Cf. *espicula*, do v. *espicular.*]

espiculado. [De *espícula* + *-ado*[1].] *Adj. Morfol. Veg.* V. *espiciforme.* [Cf. *especulado*, do v. *especular.*]

espicular[1]. [Do lat. *spiculare.*] *Adj. 2 g. Morfol. Veg.* V. *espiciforme.* [Cf. *especular.*]

espicular[2]. [De *espícula* + *-ar*[2].] *V. t. d.* **1.** Dar a forma de espiga a. **2.** Tornar agudo; aguçar. [Pres. ind.: *espiculo, espiculas, espicula*, etc. Cf. *especular, espículo* e *espícula.*]

espículo. [Do lat. *spiculu.*] *S. m.* **1.** Ponta, pua, aguilhão, ferrão. **2.** *Zool.* Órgão copulador de certos invertebrados. [Cf. *espiculo*, do v. *espicular.*]

espiga. [Do lat. *spica.*] *S. f.* **1.** *Morfol. Veg.* Tipo de inflorescência caracterizado pela presença de flores sésseis dispostas ao longo do eixo ou raque. É dos mais difundidos no reino vegetal. [Dim. irreg.: *espícula.*] **2.** Parte de uma peça que entra no furo de outra. **3.** Película levantada, junto à raiz das unhas. **4.** *Fig.* Contratempo; maçada. **5.** *Gír.* Prejuízo; logro. **6.** *Astr.* Nome tradicional da estrela alfa da Virgem. **7.** *Bras., MA.* Alcunha zombeteira que os maranhenses dão aos piauienses; capa-garrote.

espiga-de-ferrugem. *S. f. Bras., S.* Planta de espique variável no tamanho, da família das esquizeáceas (*Aneimia tomentosa*), cujo rizoma é revestido de pêlos compridos e cor de ferrugem, e cujas pinas são incisadas, oblongas e obtusas. [Pl.: *espigas-de-ferrugem.*]

espiga-de-sangue. *S. f. Bras., Amaz., MT, RJ* e *SP.* Planta parasita, subterrânea, da família das balanoforáceas (*Helosis guianensis*), cujo rizoma é tuberoso, revestido de casca pardacenta, sem folhas e sem caule, e que tem haste ereta que emite pedúnculos avermelhados terminados em capítulos de flores vermelhas. [Pl.: *espigas-de-sangue.*]

espigado. [Part. de *espigar.*] *Adj.* **1.** Que criou espiga. **2.** Desenvolvido; alto, crescido: "Minha tia era alta, magra, espigada" (Pedro Nava, *Baú de Ossos*, p. 336). **3.** *Bras.* Eriçado, arrepiado: "Pelos cabelos lisos e espigados de Nonato (que provocaram agitação na platéia, ainda em plena fase de cachinhos e permanentes)." (Iesa Rodrigues, *Jornal do Brasil*, 29.6.1982.)

espigaitado. *Adj. Bras.* **1.** Levemente embriagado. V. *embriagado* (1). **2.** Excitado, animado.

espigame. *S. m.* Grande porção de espigas.

espigão. *S. m.* **1.** Espiga grande. **2.** Peça pontiaguda, pua, ferrão, espículo. **3.** Pico de serra, de monte ou de rochedo. **4.** Construção oblíqua destinada a desviar uma corrente. **5.** Divisor de águas. **6.** *Constr.* Aresta de telhado, saliente e inclinada, que, quando horizontal, se denomina *cumeeira.* **7.** *Bras.* Edifício com muitos andares. ◆ **Espigão mestre.** *Bras.* O maior espigão (3) dos que formam uma cordilheira.

espigar. [Do lat. *spicare.*] *V. int.* **1.** Criar espiga (o milho, o trigo, etc.). **2.** Desenvolver-se, crescer, medrar: "Para quem e s p i g o u no corpo mas não teve tempo de trocar de alma, as cousas parecem desajustadas." (Augusto Meyer, *No Tempo da Flor,* p. 40.) **3.** Germinar, grelar. *T. d.* **4.** Causar prejuízo a (alguém), metendo-o em mau negócio; lograr, burlar, intrujar. *P.* **5.** Comprometer-se; prejudicar-se. [Conjug.: v. *largar.*]

espigélia. *S. f.* V. *arapabaca* (2).

espigelina. *S. f.* Princípio anti-helmíntico que se tira de certas variedades de espigélia.

espigo [Do lat. *spiculu.*] *S. m.* Ponta de ferro ou de madeira.

espigoso (ô). *Adj.* **1.** Que tem espigas. **2.** *Morfol. Veg.* V. *espiciforme.*

espigueiro. *S. m.* Casa ou lugar onde se guardam espigas de milho.

espigueta (ê). *S. f.* **1.** Espiga pequena, parcial de outra; locusta. **2.** *Morfol. Veg.* Inflorescência característica das gramíneas, em forma de espiga muito curta, e em cuja constituição entram umas poucas flores e várias brácteas e bractéolas, de aspecto seco; espícula.

espigueto (ê). *S. m.* Som muito agudo do órgão.

espiguilha. [De *espiga* + *-ilha.*] *S. f.* Renda estreita de bico; pontilha: "saiote de cetim ou cetineta .... adornado de barras ou gregas de e s p i g u i l h a dourada ou prateada" (Téu Brandão, *Folguedos Natalinos de Alagoas,* p. 69).

espiguilhado. [Part. de *espiguilhar.*] *Adj.* Guarnecido ou ornado com espiguilha.

espiguilhar. *V. t. d.* Guarnecer ou ornar com espiguilha.

espim. *Adj. 2 g. Desus.* V. *espinhoso.* [Cf. *porco-espim* e *uva-espim.*]

espinafração. [De *espinafrar* + *-ção.*] *S. f. Bras.* V. *descompostura* (2).

espinafrar. [De *espinafre* + *-ar*[2].] *V. t. d. Bras. Gír.* **1.** Repreender com dureza; descompor. **2.** Dizer muito mal de; criticar asperamente; tesourar, pichar. **3.** Ridicularizar, ridiculizar, desmoralizar.

espinafre. [Do ár. *isbinakh.*] *S. m.* Planta glabra, da família das quenopodiáceas (*Spinacia oleracea*), de folhas verdes, pecioladas, terminadas em pontas, sinuado-dentadas, comestíveis, flores pequenas e verdes, e bractéolas frutíferas. [V. *armolão.*]

espinafre-da-guiana. *S. m. Bras., Amaz.* Arbusto ereto e glabro, da família das fitolacáceas (*Phytolaca iconsandra*), cujas folhas não são muito usadas como alimento, e cujas flores são alvas, esverdeadas ou amareladas, sendo o fruto uma baga vermelho-escura. [Pl.: *espinafres-da-guiana.*]

espinafre-de-cuba. *S. m.* Beldroega-de-cuba. [Pl.: *espinafres-de-cuba.*]

espinal. [Do lat. *spinale.*] *Adj. 2 g.* Espinhal[2].

espinça. [Dev. de *espinçar.*] *S. f.* **1.** Ato de espinçar. **2.** Instrumento para espinçar.

espinçar. [De *es-* + *pinça* + *-ar*[2].] *V. t. d.* **1.** Limpar (o pano), cortando-lhe fios, nós, argueiros, etc. **2.** Arrancar com pinça. [Conjug. v. *laçar.*]

espinel. [Do fr. ant. ou do provenç. *espinel.*] *S. m.* Espinhel. [Pl.: *espinéis.*]

espinélio. *S. m. Min.* Designação comum aos minerais do grupo dos espinélios, monométricos, constituídos essencialmente de aluminatos de magnésio, podendo o magnésio ser substituído, em proporções variáveis, por ferro, manganês ou zinco, e o alumínio, parcialmente, por ferro ou cromo.

espíneo. [Do lat. *spineu.*] *Adj.* **1.** Que tem espinhos. **2.** Feito de espinhos.

espinescente. [Do lat. *spinescente.*] *Adj. 2 g. Morfol. Veg.* **1.** Que cria espinhos: "por entre touceiras de bromélias hirsutas e emaranhados de cipós e s p i n e s c e n t e s" (Padre Antônio Vieira, *Sertão Brabo,* p. 105). **2.** Que toma a forma de espinho.

espinescido. [Part. de um *espinescer < lat. *spinescere,* 'cobrir-se de espinhos'.] *Adj. Morfol. Veg.* Que termina em espinhos.

espineta (ê). [Do it. *spinetta.*] *S. f.* Antigo instrumento de cordas percutíveis e teclado, cuja mecânica e técnica são iguais às do cravo: "Vivia .... a contar novelas e a dedilhar uma e s p i n e t a, cantando a 'Dona Lizarda' ou o 'Cristão Cativo'." (Alberto Rangel, *Quando o Brasil Amanhecia,* p. 259).

espingarda. [Do fr. ant. *espringarde, espingarde.*] *S. f.* **1.** Arma de fogo, portátil, de cano longo **2.** *Bras., N.E.* V. *concubina* (1).

espingardada. *S. f.* Tiro de espingarda.

espingardão. [Aum. de *espingarda*] *S. m.* **1.** Arcabuz. **2.** Pequena peça antiga de artilharia usada nas muralhas.

espingardaria. *S. f.* **1.** Tropa armada de espingardas. **2.** Grande porção de espingardas.

espingardeamento. *S. m.* Ato ou efeito de espingardear.

espingardear. *V. t. d.* Ferir ou matar com espingarda; arcabuzar: fuzilar. [Conjug.: v. *frear.*]

espingardeira. *S. f.* Buraco ou seteira em uma muralha, de onde se dispara a espingarda.

espingardeiro. *S. m.* **1.** Fabricante, vendedor ou consertador de espingardas. **2.** *Ant.* Soldado armado de espingarda. **3.** Autor e/ou mandante de crime(s); pistoleiro.

espingolado. *Adj. Bras., N.E. Pop.* Diz-se de pessoa alta, magricela e desajeitada.

espinha. [Do lat. *spina.*] *S. f.* **1.** *Anat. Pop.* Série de apófises da coluna vertebral. **2.** *Anat. Pop.* A coluna vertebral. **3.** Osso de peixe. **4.** Designação comum a certas borbulhas da pele, principalmente às do rosto. **5.** Instrumento usado nas fundições para passagem do metal fundido. **6.** Determinado acessório das peças de artilharia. **7.** *Fig.* Dificuldade, espinho. ◆ **Espinha bífida.** *Med.* Condição em que se verifica presença de brecha no estojo ósseo vertebral que contém a medula espinhal, podendo, por esta brecha, ocorrer herniamento do conteúdo do canal vertebral. **Dar à espinha.** V. *morrer* (1). **Estar na espinha. 1.** Estar muito magro. **2.** Estar muito pobre.

espinhaço. [De *espinha* + *-aço.*] *S. m.* **1.** Coluna vertebral. **2.** *Pop.* Costas, dorso. **3.** Aresta de monte; serro. **4.** Cordilheira (1).

espinhado. [Part. de *espinhar.*] *Adj.* **1.** Picado com espinho. **2.** *Pop.* Irritado, exacerbado.

espinhal[1]. [De *espinho* + *-al.*] *S. m.* Espinheiral.

espinhal[2]. [De *espinha* + *-al.*] *Adj. 2 g.* **1.** Relativo ou pertencente à espinha (1 a 3). **2.** Semelhante a espinha. [F. paral.: *espinal.*] ~ V. *medula — e nervo —.* ● *S. m.* **3.** *Anat.* Nervo espinhal.

espinhar. *V. t. d.* **1.** Picar ou ferir com espinho. **2.** Irritar, incomodar; ofender, melindrar. [Pres. subj.: *espinhe, ... espinheis, espinhem.* Cf. *espinhéis,* pl. de *espinhel.*]

espinheira. *S. f. Bras.* V. *espinho-de-maricá.*

espinheiral. *S. m.* Quantidade mais ou menos considerável de espinheiros dispostos proximamente entre si; espinhal.

espinheiro. *S. m. Bras., Amaz.* Arbusto da família das rutáceas *(Fagara pterota),* de casca fina, com saliências corticentas, flores verde-amareladas, pequenas, dispostas em espigas axilares, e fruto e folhas considerados condimentícios.

espinheiro-bravo. *S. m. Bras., L.* Designação de vários arbustos da família das leguminosas, pertencentes aos gêneros *Acacia* e *Piptadenia,* armados de acúleos esparsos, e cujos frutos são vagens. [Pl.: *espinheiros-bravos.*]

espinheiro-da-virgínia. *S. f.* Árvore grande e ornamental, da família das leguminosas *(Gleditschia triacantos),* cujo caule e ramos são armados de espinhos rígidos, cujas flores são pequenas, verde-amareladas, hermafroditas, dispostas em racimos paniculados, axilares ou terminais, sendo o fruto vagem plana, coriácea, indeiscente, contendo muitas sementes pardacentas, verrucosas, envolta em polpa adocicada e comestível. Fornece madeira rósea, compacta, pesada e forte. [Sin.: *espinho-de-cristo, acácia-meleira.* Pl.: *espinheiros-da-virgínia.*]

espinheiro-de-ameixa. *S. m.* V. *ameixeira-do-brasil.* [Pl.: *espinheiros-de-ameixa.*]

espinheiro-de-cristo. *S. m. Bras.* Paliúro. [Pl.: *espinheiros-de-cristo.*]

espinheiro-preto. *S. m.* Viburno. [Pl.: *espinheiros-pretos*]

espinhel. [De *espinel,* com infl. de *espinha.*] *S. m.* Aparelho de pesca formado por uma extensa corda na qual se prendem de espaço em espaço, linhas armadas de anzóis. [Var. de *espinel.* Pl.: *espinhéis.* Cf. *espinheis,* do v. *espinhar.*]

espinhela. [De *espinha* + *-ela.*] *S. f.* Designação vulgar do apêndice cartilagíneo do esterno. ◆ **Espinhela caída.** *Bras. Pop.* Designação comum a numerosas doenças atribuídas pelo povo à queda da espinhela.

espinhento. *Adj.* Que tem ou cria espinhos; espinhoso.

espinho[1]. [Do lat. *spinu.*] *S. m.* **1.** *Morfol. Veg.* Órgão duro e pungente que existe comumente nas plantas e se caracteriza por estar profundamente inserido. Provém de ramos ou de folhas reduzidas, e distingue-se do acúleo por ser este superficialmente ligado à planta, da qual se desprende facilmente. **2.** Pua, ferrão, espigão. **3.** Pico, ponta. **4.** Cerda do ouriço ou do porco-espinho. **5.** *Fig.* Dificuldade, embaraço, espinha. **6.** *Fig.* Cuidado, preocupação, aflição. **7.** *Bras., S.* Faca de ponta. V. *lambedeira* (3). **8.** *Bras., SC* e *MT.* Árvore regular, da família das ramnáceas *(Carmonema spinosum),* cuja casca, pardo-escura, é fina e tem espinhos grossos, sendo as flores alvas e axilares, e os frutos cápsulas esféricas. Fornece madeira parda, elástica e leve.

espinho[2]. *Bras. S. 2 g.* **1.** Indivíduo dos espinhos, tribo indígena que habitava as margens do rio Curumaá, afluente esquerdo do Purus (AC). ● *Adj. 2 g* **2.** Pertencente ou relativo a essa tribo.

espinho-amarelo. *S. m. Bras., PI* e *GO.* Arbusto regular e ornamental, da família das leguminosas *(Cassia aculeata),* armado de espinhos esparsos nos ramos, no pecíolo e nos pedúnculos, cujas flores são amarelas, com pétalas distintamente nervadas, dispostas em racimos terminais ou axilares, e cujo fruto é vagem plana. Vegeta de preferência em lugares úmidos. [Pl.: *espinhos-amarelos.*]

espinho-de-agulha. *S. m. Bras., L., S* e *C. O.* Designação comum a vários arbustos armados de espinhos, da família das compostas, pertencentes aos gêneros *Barnadesia, Chuquiragua* e *Acanthospermum,* com algumas espécies ornamentais, e outras que fornecem madeira. Os frutos são aquênios. [Pl.: *espinhos-de-agulha.*]

espinho-de-bananeira. *S. m. Bras. SP. Pop.* V. *bicho-de-pé.* [Pl.: *espinhos-de-bananeira.*]

espinho-de-carneiro. *S. m. Bras., BA* a *RS,* e *MT.* Designação comum a várias plantas da família das compostas e das gramíneas, pertencentes aos gêneros *Xanthium* e *Cenchrus,* respectivamente; amores-de-negro, carrapicho-grande, capim-roseta, roseta. [Pl.: *espinhos-de-carneiro.*]

espinho-de-cerca. *S. m.* **1.** *Bras., RJ* e *SP.* Trepadeira arbustiva e ornamental, da família das leguminosas *(Caesalpinia sepiaria),* excelente para cercas vivas, de espinhos fortes e em forma de anzol, flores amarelas, dispostas em racimos terminais e axilares, e cujos frutos são vagens sésseis, com sementes matizadas de castanho e preto; espinho-lastrador. **2.** V. *espinho-de-maricá.* [Pl.: *espinhos-de-cerca.*]

espinho-de-cristo. *S. m.* **1.** *Bras., RS.* Árvore regular, da família das leguminosas (*Gleditschia amorphoides*), armada de espinhos ramificados, grandes e de cor pretoavermelhada, cujas flores são verde-alvacentas, pequenas, reunidas em racimos dispostos nas axilas das folhas ou sobre os nós velhos, cujo fruto é vagem grossa, rígida, contendo poucas sementes, ovóides e duras, envoltas em polpa seca, e que fornece madeira de alburno amarelo-esverdeado e cerne róseo; coronilha, espinilho, jaruva. **2.** V. *espinheiro-da-virgínia.* [Pl.: *espinhos-de-cristo.*]

espinho-de-cruz. *S. m. Bras., RS.* Planta de caule ereto, da família das compostas *(Centaurea tweediei),* de folhas caulinares e ásperas, flores róseo-avermelhadas, e frutos pretos, que são aquênios. [Pl.: *espinhos-de-cruz.*]

espinho-de-judeu. *S. m. Bras., L.* e *S.* Árvore pequena, da família das flacurtiáceas *(Xylosma salzmanni),* armada de numerosos espinhos fortes, grandes e agrupados na casca, que é fina e aromática, de cor verde-amarelada. Flores pálidas, pequenas e dispostas em umbelas; os frutos são bagas pequenas, preto-avermelhadas, com algumas sementes. [Sin.: *guaiapá, quaiapá, quarenta-feridas, sessenta-feridas.* Pl.: *espinhos-de-judeu.*]

espinho-de-maricá. *S. m. Bras., N.O., L.* e *S.* Arbusto de caule tortuoso, da família das leguminosas *(Mimosa sepiaria),* dotado de propriedades melíferas, cujas flores são alvas, numerosas, dispostas em capítulos, e cujos frutos são vagens; espinheira, espinho-de-cerca, espinho-roxo, maricá. [Pl.: *espinhos-de-maricá.*]

espinho-de-roseta. *S. m. Bras.* V. *carrapicho-da-praia.* [Pl.: *espinhos-de-roseta.*]

espinho-de-santo-antônio. *S. m.* **1.** *Bras., L.* e *S.* Arbusto ramoso, da família das compostas *(Chuquiragua spinescens),* armado de finos e agudíssimos espinhos, que tem poucos capítulos, pedunculados, dispostos em corimbos, e cujos frutos são aquênios; não-me-toque, sucará. **2.** *Bras., CE.* V. *lambedeira* (3). [Pl.: *espinhos-de-santo-antônio.*]

espinho-de-são-joão. *S. m. Bras., L.* e *S.* Arbusto pequeno, da família das berberidáceas *(Berberis laurina),* revestido de epiderme acinzentada, com espinhos foliculares, cujas flores são amarelo-pálidas, dispostas em racimos, sendo os frutos bagas pequenas, roxo-escuras, com sementes pardacentas; quina-cruzeiro, uva-de-espinho. [Pl.: *espinhos-de-são-joão*.]

espinho-de-vintém. *S. m. Bras., litoral.* Árvore pequena, da família das rutáceas (*Xanthoxylum rhifolium*), de propriedades melíferas, cujas flores, polipétalas, pequenas, esverdeadas, são dispostas em panículas terminais, sendo os frutos bagas pequenas, escuras e com glândulas avermelhadas de óleo. Fornece madeira leve, dura, amarelada, própria para marcenaria. [Sin.: *betaru-amarelo, laranjinha, maminha-de-cadela, maminha-de-porca, tembetaru-de-espinho, tinguaciba.* Pl.: *espinhos-de-vintém*.]

espinho-lastrador. *S. m. Bras., RJ* e *SP.* Espinho-de-cerca (1). [Pl.: *espinhos-lastradores*.]

espinho-mariana. *S. m. Bras., RJ.* Arbusto sarmentoso, da família das esterculiáceas (*Buttneria hirsuta*), armado de acúleos pequenos e agudíssimos, que dá uma inflorescência composta de flores castanhas, dispostas em umbelas, e cujo fruto é cápsula espinescente. [Pl.: *espinhos-marianas* ou *espinhos-mariana*.]

espinho-roxo. *S. m.* **1.** *Bras., RJ.* Árvore da família das leguminosas (*Piptadenia polyptera*), armada de acúleos pequenos, cujas flores são glabras, dispostas em espigas axilares, e que fornece madeira própria para carpintaria. **2.** V. *espinho-de-maricá.* [Pl.: *espinhos-roxos*.]

espinhoso (ô). *Adj.* **1.** Que tem ou cria espinhos ou espinhas: *caule espinhoso; rosto espinhoso.* **2.** *Fig.* Difícil, dificultoso, embaraçoso: *missão espinhosa.* [Sin. ger, desus.: *espim*.]

espinicar-se. *V. p.* Apurar-se muito no trajar; ajanotar-se, janotar. [Conjug.: v. *trancar.* Cf. *espenicar*.]

espiniforme. [Do lat. *spina*, 'espinha', + *-i-* + *-forme*.] *Adj. 2 g.* Que tem forma de espinho ou de espinha.

espinilho. [Do esp. plat. *espinillo*.] *S. m. Bras.* **1.** V. *espinho-de-cristo* (1): "o meu [coração] .... estava como um espinilho ao sol, num descampado, no pino do meio-dia: era luz de Deus por todos os lados!..." (Simões Lopes Neto, *Contos Gauchescos e Lendas do Sul*, p. 129). **2.** V. *esponjeira* (2).

espinosense. *Adj. 2 g.* **1.** De, ou pertencente ou relativo a Espinosa (MG). ● *S. 2 g.* **2.** Natural ou habitante de Espinosa.

espinosismo. *S. m. Filos.* **1.** O conjunto das doutrinas de Espinosa [v. *espinosista*], que constituem uma metafísica e uma ética que procuram conciliar a concepção materialista e determinista da natureza com a possibilidade de uma existência perpassada pelo bem. **2.** Influência de Espinosa na filosofia.

espinosista. *Adj. 2 g.* **1.** Pertencente ou relativo a Baruch de Espinosa, filósofo holandês (1632-1677), ou próprio dele. **2.** Que é partidário do espinosismo . ● *S. 2 g.* **3.** Partidário do espinosismo.

espinoteado. [Part. de *espinotear*.] *Adj. Bras.* Estouvado, espeloteado; leviano, inconsiderado.

espinotear. [De *es-* + *pinote* + *-ear*.] *V. int.* **1.** Dar pinotes; pinotear. **2.** Mover-se ou agitar-se em desordem: bracejar, espernear, debater-se, barafustar. **3.** Esbravejar; esbravecer, encolerizar-se. [Conjug.: v. *frear*.]

espintariscópio. [Do gr. *spintarís*, 'centelha', + *-scop-* + *-io*.] *S. m. Fís. Nucl.* Instrumento provido de uma lupa e de uma película de sulfeto de zinco, com o qual se podem observar as cintilações provocadas pelo impacto de partículas alfas sobre o sulfeto.

espíntria. [Do lat. *spintria*.] *S. 2 g.* Pessoa que inventa atos de luxúria, requintes de volúpia.

espinuloso (ô). *S. m.* **1.** Espécime dos espinulosos. ● *Adj.* **2.** Pertencente ou relativo a eles.

espinulosos. *S. m. pl. Zool.* Animais equinodermos, asteróides, da ordem *Spimulosa*, com placas marginais pequenas, pedicelárias raras, esqueleto aboral formado por placas contíguas ou superpostas ou por uma rede de bastonetes, e providos de espinhos isolados ou grupados.

espiolhar. [De *es-* + *piolho* + *-ar*[2].] *V. t. d.* **1.** Limpar de piolhos. **2.** Examinar minuciosamente, esmiuçar, investigar; pesquisar, perquirir.

espionagem. *S. f.* **1.** Ato de espionar. **2.** Encargo ou ofício de espião. **3.** Conjunto de espiões.

espionar. *V. t. d.* **1.** Espreitar ou investigar como espião. **2.** Espiar (1). *Int.* **3.** Exercer atividade própria de espião. **4.** Espiar (4).

espipar. [De *es-* + *pipa* + *-ar*[2].] *V. int.* **1.** Sair de jacto; jorrar; repuxar. **2.** Estalar-se, romper-se. *T. d.* **3.** Romper, furar.

espipocar. [De *es-* + *pipocar*.] *V. int. Bras.* V. *pipocar* (1). [Conjug.: v. *trancar.* Normalmente só é conjugável nas 3as pess.]

espique. [De *espeque*?] *S. m. Bot.* O caule das palmeiras.

espiqueado. [De *espique* + *-ado*[1].] *Adj. Morfol. Veg.* Que tem espique, ou caule semelhante a espique.

espira. [Do gr. *speíra*, pelo lat. *spira*.] *S. f.* **1.** Configuração da espiral. **2.** Cada volta da espiral. **3.** Cada rosca de um parafuso. **4.** *Eng. Elétr.* Parte elementar de um enrolamento, cujas extremidades são, em geral, muito próximas uma da outra. [Cf. *expira*, do v. *expirar*.]

espiração. [Do lat. *spiratione*.] *S. f.* Ato de espirar; alento, respiração. [Cf. expiração.]

espiráculo. [Do lat. *spiraculu*.] *S. m.* V. *respiradouro* (1).

espiral. [Do lat. *spirale*.] *Adj. 2 g.* **1.** Que tem forma de espira ou caracol. ~ V. *galáxia* —. ● *S. f.* **2.** *Geom.* Qualquer curva plana gerada por um ponto móvel que gira em torno de um ponto fixo, ao mesmo tempo que dele se afasta ou se aproxima segundo uma lei determinada. **3.** Curva, sinuosidade, ondulação: "Que bom ficar assim, horas inteiras, / Fumando.... e olhando as lentas espirais ...." (Mário Quintana, *A Rua dos Cata-Ventos*, p. 142). **4.** Mola de aço no centro do volante de um relógio. **5.** *Citol.* Volteamento ou enrolamento dos cromatídeos, na divisão celular. **6.** *Morfol. Veg.* Denominação empregada clássica, mas impropriamente, em lugar do helicóide. **7.** *Expl.* Dispositivo pirotécnico em espiral que, ao ser inflamado, sobe, rodando e soltando lágrimas coloridas. ♦ **Espiral barrada.** *Astr.* Tipo de galáxia espiral que apresenta, a partir do núcleo, duas regiões em forma de barras. **Espiral de Arquimedes.** *Geom.* Lugar geométrico plano de um ponto que se move com velocidade constante ao longo de uma reta que, por sua vez, gira com movimento uniforme em volta de um ponto fixo, sempre em um mesmo plano. **Espiral de Cornu.** *Geom. Anal.* Curva plana transcendente que tem importância na teoria da difração de ondas eletromagnéticas por uma fenda; clotóide. **Espiral de Fermat.** *Geom.* Lugar geométrico plano de um ponto que se move com velocidade constante ao longo de uma reta que, por sua vez, gira com movimento uniformemente acelerado em torno de um ponto fixo, sempre em um mesmo plano; espiral parabólica. **Espiral parabólica.** *Geom.* Espiral de Fermat.

espiralado. [De *espiral* (2) + *-ado*[1].] *Adj.* Que tem forma de espiral; espiróide.

espiralar. *V. t. d.* **1.** Dar forma de espiral (2) a. *Int.* e *p.* **2.** Subir em espiral (2) **3.** Tomar a forma de espiral (2): "Da paisagem subia, espiralando, o incenso / que me fazia ter o coração suspenso." (Marcelo Gama, *Via-Sacra e Outros Poemas*, p. 31).

espirante. [Do lat. *spirante*.] *Adj. 2 g.* Que espira; que está vivo. [Cf. *expirante*.]

espirar. [Do lat. *spirare*.] *V. t. d.* **1.** Exalar, desprender, emanar: *As flores espiram perfumes.* *Int.* **2.** Emitir sopro; bafejar, soprar; respirar. **3.** Estar ou parecer vivo. [Cf. *expirar*.]

espirema. [Do gr. jônico *speírema*.] *S. m.* Disposição do filamento de cromatina, em forma de novelo.

espirilácea. *S. f.* Espécime da família das espiriláceas.

espiriláceas. *S. f. pl. Bact.* Família de bactérias cujas células são torcidas em hélice ou recurvadas, e providas de flagelos, com os quais se movem.

espiriláceo. *Adj.* Pertencente ou relativo às espiriláceas.

espirilo. [Do lat. *spirillu*.] *S. m.* Bactéria de forma helicoidal ou de segmento de espiral.

espirilose. [De *espirilo* + *-ose*.] *S. f. Patol.* Enfermidade causada por espirilo.

espirita. *Adj 2 g.* e *s 2 g.* V. *espírita.*

espírita. [Do fr. *spirite*.] *Adj. 2 g.* **1.** Relativo ou pertencente ao espiritismo. **2.** Que é partidário ou cultor do espiritismo. ● *S. 2 g.* **3.** Partidário ou cultor do espiritismo. [Var. pros.: *espirita.* sin. ger.: *espiritista.* Cf. *espirita*, do v. *espiritar*.]

espiritar. [De *espírito* + *-ar*[2].] *V. t. d.* **1.** Meter o Demônio no corpo de; endemoninhar. **2.** Tornar inquieto, travesso, endiabrado. **3.** Inspirar, insuflar. **4.** *P. us.* Espiritualizar (1) *T. d.* e *i.* **5.** *P. us.* Incutir, insuflar: *O amigo espiritou-lhe ânimo para a luta.* **6.** *P. us.* incitar, estimular, animar: *Espiritei-o ao estudo.* [Pres. ind.: *espirito, espiritas, espirita*, etc. Cf. *espírito* e *espírita*.]

espiriteira. *S. f. Bras.* Vaso onde se deita espírito de vinho ou álcool para arder.

espiritismo. [Do fr. *spiritisme*.] *S. m.* Doutrina baseada na crença da sobrevivência da alma e da existência de comunicações, por meio da mediunidade, entre vivos e mortos, entre os espíritos encarnados e os desencarnados.

espiritista. [Do fr. *espiritiste*.] *Adj. 2 g.* e *s 2 g.* V. *espírita.*

espírito. [Do lat. *spiritu*.] *S. m.* **1** A parte imaterial do ser humano; alma. **2.** Entidade sobrenatural ou imaginária, como os anjos, o Diabo, os duendes. **3.** Pessoa dotada de inteligência ou bondade acima do comum: *É um grande espírito.* **4.** Imaginação, engenho, inteligência, finura. **5.** Ânimo, índole: *Tem o espírito forte.* **6.** Graça, humor, sainete: *anedota sem espírito.* **7.** Idéia predominante; significação, sentido: *O espírito da obra está claro.* **8.** Faculdade de entender, de conhecer, de aceitar as coisas: *homem de espírito aberto.* **9.** Idéia, pensamento; cabeça: *Não tiro este caso do espírito.* **10.** Líquido obtido pela destilação; álcool. **11.** *Filos.* O pensamento em geral, o sujeito da representação, com suas atividades próprias, e que se opõe às coisas representadas; à matéria ou à natureza. **12.** *Bras. Pop.* V. *cachaça* (1). [Cf. *espirito*, do v. *espiritar*.] ♦ **Espírito apolíneo** *Filos.* Princípio gerador de criações artísticas caracterizadas pela perfeição, harmonia e equilíbrio da forma. [Loc. popularizada por F. Nietzsche [v. *nietzschiano*] que atribuía ao espírito apolíneo a criação das artes plásticas gregas. Cf. *espírito dionisíaco*.] **Espírito das trevas.** V. *diabo* (2). **Espírito de aventura.** Amor ao perigo, ao desconhecido, às situações imprevistas, arriscadas. **Espírito de contradição.** O de quem se compraz em contradizer tudo quanto se diz. **Espírito de porco.** *Bras.* Pessoa que interfere em qualquer negócio ou assunto, criando embaraços ou agravando os já existentes. **Espírito de sistema.** Tendência para reduzir tudo a sistema, para atuar com juízo preconcebido. **Espírito de vinho.** Produto alcoólico resultante da destilação do vinho, e que contém de 65° para cima de álcool puro. **Espírito dionisíaco.** *Filos.* Princípio gerador da exaltação e embriaguez resultantes da afirmação dos valores ligados à vida e aos instintos. [Loc. popularizada por F. Nietzsche (v. *nietzschiano*), que atribui ao espírito dionisíaco a origem da tragédia, da comédia e, sobretudo, da inspiração musical. Cf. *espírito apolíneo*.] **Espírito engarrafado.** *Irôn.* Falta de graça, de espírito. **Espírito forte.** **1.** Pessoa que se põe acima das opiniões e máximas recebidas; livre-pensador. **2.** Aquele que alardeia incredulidade em matéria de religião. **3.** *Gram.* Sinal que indica aspiração, no grego. **Espírito fraco.** **1.** Pessoa que se deixa levar pelos outros, dominar pelos vícios, pelos maus exemplos. **2.** *Gram.* Sinal que indica ausência de aspiração, no grego. **Espírito gaulês.** O que se caracteriza por uma alegria um pouco libertina. **Espírito maligno.** V. *diabo* (2). **Espíritos animais.** Segundo a fisiologia antiga, espíritos muito sutis que levavam a vida do coração e do cérebro ao resto do corpo; espíritos vitais. **Espírito Santo.** *Teol.* A terceira pessoa da Santíssima Trindade. [v. *trindade* (1)]. **Espírito santo de orelha.** *Fam.* Em prova de exame ou concurso, pessoa que sopra. [v. *soprar* (7).]. **Espíritos vitais.** Espíritos animais. **Em espírito.** Mentalmente; em idéia; em pensamento; sem participação do corpo: *Não podendo ir à festa, lá estarei, contudo, em espírito.* **Render o espírito.** V. *morrer* (1).

espírito-santense[1]. *Adj. 2 g.* **1.** De, ou pertencente ou relativo ao ES. ● *S. 2 g.* **2.** Natural ou habitante desse Estado. [Sin. ger.: *capixaba.* Pl.: *espírito-santenses*.]

espírito-santense[2]. *Adj. 2 g.* **1.** De, ou pertencente ou relativo a Cruz do Espírito Santo (PB). ● *S. 2 g.* **2.** Natural ou habitante de Cruz do Espírito Santo. [Pl. *espírito-santenses*.]

espiritual. [Do lat. *spirituale*.] *Adj. 2 g.* **1.** Relativo ou pertencente ao espírito (por oposição a matéria): *vida espiritual.* [Opõe-se a *temporal* (2).] **2.** Incorpóreo, imaterial: *Macérrima, adquiriu um ar espiritual.* **3.** Da, ou relativo à religião, ou próprio dela; devoto: *exercícios espirituais.* **4.** Místico, sobrenatural. ~ V. *diretor* —, *médico* —, *pai* —, *poder* — e *retiro* —.

espiritualidade. *S. f.* **1.** Qualidade ou caráter de espiritual. **2.** *Rel.* Doutrina acerca do progresso metódico na vida espiritual.

espiritualismo. *S. m. Filos.* Doutrina que admite, quer quanto aos fenômenos naturais, quer quanto aos valores morais, a independência e o primado do espírito com relação às condições materiais, afirmando que os primeiros constituem manifestações de forças anímicas ou vitais, e os segundos criações de um ser superior ou de um poder natural e eterno, inerente ao homem.

espiritualista. *Adj. 2 g.* **1.** Relativo ao espírito, ou ao espiritualismo. **2.** Que é seguidor do espiritualismo. ● *S. 2 g.* **3.** Seguidor dessa doutrina.

espiritualização. *S. f.* **1.** Ato ou efeito de espiritualizar (-se). **2.** Interpretação em sentido espiritual.

espiritualizar. *V. t. d.* **1.** Converter em espírito; espiritar.

2. Assimilar ao espírito: *A poesia espiritualiza a natureza.* **3.** Interpretar em sentido alegórico: *Certos críticos espiritualizam as passagens mais cruas de um livro.* **4.** Destilar, alambicar. **5.** Animar, excitar, estimular. *P.* **6.** Despir-se de afeições terrenas. **7.** Readquirir energia; reanimar-se.

espirituosamente. [Do fem. de *espirituoso* (1) + *-mente.*] *Adv.* De modo espirituoso; com espírito (4).

espirituoso (ô). *Adj.* Que tem ou denota espírito, graça, vivacidade: *indivíduo espirituoso; dito espirituoso.* **2.** Que contém álcool; alcoólico: *bebida espirituosa.*

espirógrafo. [Do lat. *spiro*, de *spirare*, 'suspirar, respirar', + *-grafo.*] *S. m.* Aparelho que registra os movimentos respiratórios.

espiróide. [Do gr. *espeiroidés.*] *Adj. 2 g.* Espiralado.

espirometria. *S. f.* Medição da capacidade respiratória dos pulmões; emprego do espirômetro.

espirômetro. [Do lat. *spiro*, de *spirare*, 'espirar, respirar', + *-metr(o)-*[2].] *S. m.* Instrumento que mede o ar inalado e exalado dos pulmões.

espiroqueta (ê). [Do gr. *speîra*, 'espiral', + *-queta.*] *S. m. Méd.* Bactéria do gênero *Spirochaeta*, da ordem das *Spirochaetales*, cujo representante mais conhecido é o *Treponema pallidum*, causador da sífilis. [Var.: *espiroqueto.*]

espiroqueto (ê). *S. m Med.* Var. de *espiroqueta.*

espirotríquio. *S. m.* **1.** Espécime dos espirotríquios. ● *Adj.* **2.** Pertencente ou relativo a eles.

espirotríquios. *S. m. pl. Zool.* Animais protozoários euciliados, da ordem *Spirotricha*, que ocorrem no intestino de vários animais, parasitos ou comensais. Corpo com uma fileira de membranelas adorais, cujo início se dá à direita do peristômio, dirigindo-se para a esquerda.

espirra-canivetes. [De *espirrar* + *canivete.*] *S. 2 g. e 2 n. Pop.* Pessoa de mau gênio, facilmente irritável.

espirradeira. [De *espirrar* + *-deira.*] *S. f. Bras.* Arbusto ornamental, da família das apocináceas *(Nerium oleander)*, considerado tóxico, cujas flores são hermafroditas, róseas, dispostas em cimeiras corimbiformes, e cujos frutos são folículos duplos, com numerosas sementes aveludadas; eloendro, aloendro, loendro, oleandro, adelfa.

espirradeira-do-campo. *S. f. Bras., MG, RS, GO* e *MT.* Planta herbácea, ornamental, da família das apocináceas *(Dipladenia spigeliae-flora)*, dotada de racimos com várias flores vermelho-vivas, glabras, com pétalas torcidas para a esquerda, e cujo fruto é folículo. Vegeta nos campos. [Sin.: *jalapinha.*]

espirrar. [Do lat. *expirare.*] *V. t. d.* **1.** Lançar fora de si; expelir: *O poço espirrou petróleo.* **2.** Dar, soltar, emitir. *Int.* **3.** Dar espirro. **4.** Crepitar, estalar: *No fogão, a madeira espirrava.* **5.** Esguichar, jorrar: *O sangue espirrou fortemente.* **6.** Irromper, romper. **7.** Irritar-se, agastar-se, encolerizar-se. **8.** *Bras.* Sair súbita e inesperadamente de um esconderijo ou de um aperto de multidão.

espirro. [Dev. de *espirrar.*] *S. m.* Expiração violenta e estrepitosa, resultante de comichão ou excitação da membrana pituitária; esternutação.

espirurídeo. *S. m.* **1.** Espécime dos espirurídeos. ● *Adj.* **2.** Pertencente ou relativo a eles.

espirurídeos. *S. m. pl. Zool.* Animais asquelmintos, nematódios, fasmídeos, da ordem *Spirurida*, cujo esôfago é dividido em duas regiões: uma anterior, muscular, e outra posterior, glandular. Os adultos vivem no intestino ou tecidos de vertebrados.

esplanada. [Do it. *spianata.*] *S. f.* **1.** Terreno plano e descoberto em frente de um edifício. **2.** Lugar elevado e descoberto donde se tem boa perspectiva.

esplanadense. *Adj. 2 g.* **1.** De, ou pertencente ou relativo a Esplanada (BA). ● *S. 2 g.* **2.** Natural ou habitante de Esplanada.

esplâncnico. [Do gr. *splagchnikós.*] *Adj. Anat.* Pertencente ou relativo às vísceras; visceral, visceroso.

▲**esplancn(o)-.** [Do gr. *splágchnon, ou.*] *El. comp.* = 'entranhas, vísceras': *esplancnografia, esplancnotomia.*

esplancnografia. [De *esplancn(o)-* + *-graf(o)* + *-ia.*] *S. f.* Descrição das vísceras.

esplancnográfico. *Adj.* Relativo à esplancnografia.

esplancnologia. [De *esplancn(o)-* + *-log(o)-* + *-ia.*] *S. f.* Parte da anatomia que trata das vísceras.

esplancnológico. *Adj.* Referente à esplancnologia.

esplancnotomia. [De *esplancn(o)-* + *-tom(o)-* + *-ia.*] *S. f. Anat.* Dissecção das vísceras.

esplancnotômico. *Adj.* Referente à esplancnotomia.

esplandecer. *V. int.* V. *resplandecer* (1 a 3). [Conjug.: v. *aquecer.*]

esplenalgia. [De *esplen(o)-* + *-alg(o)-* + *-ia.*] *S. f. Patol.* Dor no baço.

esplenálgico. *Adj.* Referente à esplenalgia.

esplendecência. [Do lat. *splendescentia*, do v. *splendescere*, 'esplendecer'.] *S. f.* Ato ou efeito de esplendecer; resplandecência.

esplendecer. [Do lat. *splendescere.*] *V. int.* V. *resplandecer* (1 a 3): "De greda formada, / a carne perece, / mas a alma no céu / eterna esplendece." (Maciel Monteiro, *Poesias*, p. 80.) [Conjug.: v. *aquecer.*]

esplendência. [Do lat. *splendentia.*] *S. f.* Brilho, esplendor, esplendecência: "Subi, de conjectura em conjectura, / Às esplendências do que fui e fiz." (José Oiticica, *Fonte Perene*, p. 36.)

esplendente. [Do lat. *splendente.*] *Adj. 2 g.* V. *resplandecente.*

esplender. [Do lat. *splendere.*] *V. int.* V. *resplandecer.* (1 a 3): "Cai do teto, inflamando os espelhos estáticos, / Um fino orvalho de ouro... O chão esplende e cega." (Eugênio de Castro, *Obras Poéticas*, III, p. 141.)

esplendidez (ê). *S. f.* Qualidade de esplêndido; esplendor.

esplêndido. [Do lat. *splendidu.*] *Adj.* **1.** Que tem esplendor (1); brilhante, luzente. **2.** Admirável, grandioso: *inteligência esplêndida.* **3.** Pomposo, suntuoso. **4.** Maravilhoso, deslumbrante: *É uma esplêndida mulher.* **5.** *Fam.* Excelente, delicioso: *um vatapá esplêndido.* [Superl. abs. sint.: *esplendidíssimo* e *esplendíssimo.*]

esplendíssimo. [Por *esplendidíssimo*, com haplologia.] *Adj.* Superl. abs. sint. de *esplêndido;* esplendidíssimo: "Quem sabe que esplendíssimos altares / Terás do ouro e da luz, que lá se apinha?!" (Luís Delfino, *Íntimas e Aspásias*, p. 181).

esplendor (ô). [Do lat. *splendore.*] *S. m.* **1.** Brilho intenso; fulgor, resplendor: *O esplendor das luzes ofuscava.* **2.** Suntuosidade, pompa: *o esplendor da festa.* **3.** Grandeza, intensidade: *Brilhava-lhe a inteligência em todo o seu esplendor.* [Sin. ger.: resplendor. Pl.: *esplendores* (ô). Cf. *esplendores*, do v. *esplendorar.*]

esplendorar. [De *esplendor* + *-ar*[2].] *V. int.* V. *resplandecer* (1 a 3): "O dia é claro, esplendorando, / áureo de rendas, / áureo de antífonas e de hinos / e oferendas." (Murilo Araújo, *Poemas Completos*, I, p. 159.) [Pres. subj.: *esplendore, esplendores*, etc. Cf. *esplendores* (ô), pl. de *esplendor.*]

esplendoroso (ô). *Adj.* Cheio de esplendor. V. *resplandecente.*

esplenectomia. [De *esplen(o)-* + *ectom-* + *-ia.*] *S. f. Cir.* Extirpação ou ablação, em extensão variável, do baço.

esplenectômico. *Adj.* Concernente à esplenectomia.

esplenectopia. [De *esplen(o)-* + *-ectop-* + *-ia.*] *S. f. Patol.* Ectopia do baço[1].

esplenectópico. *Adj.* Relativo à esplenectopia.

esplenético. [Do lat. *spleneticu.*] *Adj.* e *s. m.* Que ou aquele que tem esplenopatia.

▲**espleni-.** V. *esplen(o)-.*

esplênico. [Do gr. *splenikós*, pelo lat. *splenicu.*] *Adj.* Relativo ou pertencente ao baço[1]; lienal.

esplenificação. [De *espleni-* + *ficar* + *-ção.*] *S. f. Patol.* Transformação do tecido do fígado ou dos pulmões, por efeito de endurecimento, em substância parecida com a do baço[1].

esplênio. [Do gr. *splénion*, pelo lat. *pleniu.*] *S. m. Anat.* Músculo par, fino e longo, que ocupa toda a altura da nuca, estendendo-se das cinco primeiras vértebras torácicas e sétima cervical do áxis, atlas, apófise mastóide e osso occipital.

esplenite. [De *esplen(o)-* + *-ite*[1].] *S. m. Patol.* Inflamação do baço[1].

▲**esplen(o)-.** [Do gr. *splén, splenós.*] *El. comp.* = 'baço[1]': *esplenalgia, esplenopatia.* [Equiv. *espleni-* e *splen-*: *esplenificação; megalosplenia.*]

esplenocele. [De *esplen(o)-* + *-cele.*] *S. f. Patol.* Saliência herniária produzida pelo baço[1].

esplenografia. [De *esplen(o)-* + *-graf(o)-* + *-ia.*] *S. f.* Descrição do baço[1].

esplenográfico. *Adj.* Relativo à esplenografia.

esplenóide. [De *esplen(o)-* + *-óide.*] *Adj. 2 g.* Semelhante ao baço[1].

esplenologia. [De *esplen(o)-* + *-log(o)-* + *-ia.*] *S. f. Anat.* Estudo acerca do baço[1].

esplenológico. *Adj.* Concernente à esplenologia.

esplenomegalia. [De *esplen(o)-* + *-megal(o)-* + *-ia.*] *S. f. Patol.* Hipertrofia do baço[1]; megalosplenia.

esplenomegálico. *Adj.* Referente à esplenomegalia; megalosplênico.

esplenopatia. [De *esplen(o)-* + *-pat-* + *-ia.*] *S. f. Patol.* Doença do baço[1].

esplenopático. *Adj.* Relativo à esplenopatia.

esplenotomia. [De *esplen(o)-* + *-tom(o)-* + *-ia.*] *S. f. Cir.* **1.** Dissecção do baço[1]. **2.** Incisão no baço[1].

esplenotômico. *Adj.* Relativo à esplenotomia.

esplim. [Do ingl. *spleen.*] *S. m.* Tédio de tudo; melancolia.

espoar. [De *es-* + *pó* + *-ar*[2].] *V. t. d.* **1.** Peneirar (farinha) pela segunda vez. **2.** Tirar o pó a; espanar, espanejar. [Conjug.: v. *coroar.*]

espocar. [De *es-* + tupi *poka*, ger. de *pog.* 'arrebentar' (t. onom.), + *-ar*[2].] *V. int. Bras.* **1.** V. *pipocar* (1): "Na festa do Javali, quando os foguetes espocaram, houve um ar de interrogação." (José Sarney, *Norte das Águas*, p. 208.) **2.** *Fig.* Desabrochar, desabotoar impetuosamente, como que estourando: "Avançando quentes, cachaça subindo, desejos nascendo, ciúmes crescendo, amores aflorando, moças espocando para a vida, e o dançar firme no rodopiado lento ....: é baile na roça." (Id., *ib.*, p. 194.) [Conjug.: v. *trancar.* Comumente é defect., us. só nas 3as. pess. Encontram-se numerosos empregos da f. *espoucar*, menos correta. Curioso é que o mesmo não se dá com os cognatos *pocar, empipocar, espipocar, papocar, pipocar.*]

espodumênio. [Do gr. *spodoúmenos*, 'coberto de cinza', + *-io*[2].] *S. m. Min.* Mineral monoclínico, silicato de alumínio e lítio.

espojadoiro. *S. m.* V. *espojadouro.*

espojadouro. [Var. de *espojadoiro.*] *S. m.* Lugar onde se espojam animais; espojeiro.

espojar. [De *pó.*] *V. t. d.* **1.** Reduzir a pó; pulverizar. **2.** Fazer cair na terra. *P.* **3.** Estender-se e rebolar-se no chão; espolinhar-se, rojar-se.

espojeiro. *S. m.* **1.** V. *espojadouro.* **2.** *Bras.* Pequeno cercado ao redor da casa. **3.** *Bras., N.E.* Pequeno roçado.

espoldra. [Dev. de *espoldrar.*] *S. f.* A segunda poda das vinhas; poda ligeira.

espoldrar. [De *es-* + *poldro* + *-ar*[2].] *V. t. d.* Podar (a videira) segunda vez; desramar (a videira) depois da vindima.

espoleta (ê). [Do it. *spoletta.*] *S. f.* **1.** Artefato pirotécnico destinado a produzir a inflamação da carga de arrebentamento dos projéteis, no momento conveniente. [Cf. *estopilha.*] ● *S. 2 g.* **2.** *Bras.* V. *leva-e-traz.* **3.** *Bras.* Intrigante assalariado de um poderoso. ● *S. m.* **4.** *Bras. Pop.* v. *capanga* (3). **5.** *Bras Pop.* Indivíduo servil, bajulador: "Entregou-se como um banana e passou a ser um espoleta da quadrilha a ponto de ouvir gritos de um sujeito como Paulo Nunes." (Adonias Filho, *Luanda Beira Bahia*, p. 70.) [Cf. *espoletas, espoleta*, do v. *espoletar.*]

espoletar. *V. t. d.* Pôr espoleta em. [Pres. ind.: *espoleto, espoletas, espoleta*, etc. Cf. *espoleta* (ê), pl. *espoletas* (ê), e *Espoleto* (ê), top.]

espoletear. *V. int. Bras.* Ficar tonto; entontecer. [Conjug.: v. *frear.*]

espoliação. [Do lat. *spoliatione.*] *S. f.* Ato ou efeito de espoliar; esbulho.

espoliado. [Part. de *espoliar.*] *Adj.* Despojado, esbulhado.

espoliador (ô). [Do lat. *spoliatore.*] *Adj.* **1.** Que espolia; espoliante, espoliativo. ● *S. m.* **2.** Aquele que espolia. [Sin. ger.: *despojador.*]

espoliante. [Do lat. *spoliante.*] *Adj. 2 g.* V. *espoliador* (1).

espoliar. [Do lat. *spoliare.*] *V. t. d.* **1.** Privar de alguma coisa ilegitimamente, por fraude ou violência; roubar, despojar, esbulhar. *T. d. e i.* **2.** Privar de algo ilegitimamente, por fraude ou violência; esbulhar, despojar: *O desonesto funcionário espolia o povo de seus bens.* [Pres. ind.: *espolio*, etc. Cf. *espólio.*]

espoliativo. *Adj.* **1.** V. *espoliador* (1). **2.** *Med.* Diz-se de medicamento que, aplicado na pele, a faz sair. ● *S. m.* **3.** *Med.* Esse medicamento.

espolim. [Do fr. *espoulin.*] *S. m.* Lançadeira pequena, para florear estofos.

espolinar. *V. t. d.* Tecer e lavrar com o espolim.

espolinhar-se. [De *pó.*] *V. p.* V. *espojar* (3).

espólio. [Do lat. *spoliu.*] *S. m.* **1.** Bens que alguém, morrendo, deixou: "À volta daquele cadáver travou-se uma briga de peito a peito, um cortar de ferros e ressaltar de sangue que espirrava à face do morto: eram os três assassinos a defenderem o espólio das presas duns que subiam, e doutros que desciam acossados pelas chamas." (Camilo Castelo Branco, *O Judeu*, II, p. 257.) **2.** Aquilo de que alguém foi espoliado. **3.** Despojos, restos: "São essas parcelas redivivas, espólio dum exemplo e dum nome, as que promovem a mais sólida e benéfica imortalidade àquele que se finou, cortejado pela saudade e pela admiração de tantos." (Ricardo Jorge, *Sermões dum Leigo*, p. 6.) [Cf. *espolio*, do v. *espoliar*.]

espondaico. [Do gr. *spondaikós*, pelo lat. *spondaicu*.] *Adj.* Que tem espondeus.

espondeu. [Do gr. *spondeîos*, pelo lat. *spondeu*.] *Adj.* e *s. m.* Diz-se de, ou pé de verso, grego ou latino, constituído por duas sílabas longas.

espondílico. *Adj.* Referente a espôndilo.

espondilite. [De *espondil(o)-* + *-ite*^{1}.] *S. f. Patol.* Inflamação do espôndilo.

espôndilo. [Do gr. *spóndylos*, pelo lat. *spondylu*.] *S. m. Anat.* Vértebra.

▲espondil(o)-. [Do gr. *spóndylos, ou*.] *El. comp.* = 'vértebra': *espondilose, espondilozoário.*

espondilodiscite. [De *espondil(o)-* + *discite*.] *S. f. Patol.* Osteíte vertebral, infecciosa, que compromete o disco intervertebral e corpos vertebrais adjacentes.

espondilose. [De *espondil(o)-* + *-ose*.] *S. f. Patol.* Ancilose vertebral.

espondilozoário. [De *espondil(o)-* + *-zoário*.] *S. m.* Animal provido de coluna vertebral.

espongiário. [Do lat. *spongia*, 'esponja', + *-ário*.] *Adj.* e *s. m.* Porífero (2 e 3).

espongiários. *S. m. pl. Zool.* Poríferos.

espongilídeo. *S. m.* **1.** Espécime dos espongilídeos. ● *Adj.* **2.** Pertencente ou relativo a eles.

espongilídeos. *S. m. pl. Zool.* Família de esponjas [v. *esponja* (1)] de água doce, encontradas em rios, canais e lagos.

espongina. [Do lat. *spongia*, 'esponja', + *-ina*^{1}.] *S. f. Zool.* Substância constituída de fibras orgânicas, que forma, no todo ou em parte, o esqueleto das esponjas [v. *esponja* (1)], dispondo-se em rede de malhas irregulares. [A esponja natural, usada para banho, é de espongina.]

espongíolo. [Do lat. *spongiolu*.] *S. m. Bot. Obsol.* Órgão que se supunha existir na extremidade das raízes, e cuja função seria absorver água e sais, função que, sabe-se hoje, é realizada por pêlos absorventes.

espongólito. [Do gr. *spógos*, 'sponja', + *-lito*.] *S. m. Geol.* Rocha sedimentar formada essencialmente por espículas de esponjas.

esponja. [Do gr. *spoggiá*, pelo lat. *spongia*.] *S. f.* **1.** Designação comum aos animais metazoários poríferos, marinhos ou de água doce, cujo corpo é provido de numerosos poros, canais e câmaras pelos quais penetra e sai a água. **2.** Substância porosa e leve, proveniente desse animal. **3.** Objeto de aspecto análogo à esponja (2): *esponja de borracha.* **4.** *Fig.* V. *ébrio* (8). **5.** V. *parasito* (3). **6.** *Bras.* V. *esponjeira* (2). **7.** *Veter.* Epizootia que ataca os eqüídeos. ♦ **Passar uma esponja em. 1.** Tirar da memória; esquecer. **2.** Perdoar, desculpar. [Sin. ger.: *passar uma esponja sobre*.] **Passar uma esponja sobre.** Passar uma esponja em.

esponja-d'água-doce. *S. f. Bras.* V. *cauxi.* [Pl.: *esponjas-d'água-doce*.]

esponja-de-raiz. *S. f. Bras., RJ, MG* e *SP.* Parasito acaule, da família das balanoforáceas *(Scybalium fungiforme)*, desprovido de folhas, com rizoma tuberoso, grande, avermelhado, flores grandes, numerosas e vermelhas, e frutos drupáceos; cogumelo-de-caboclo, cogumelo-de-sangue, fel-da-terra. [Pl.: *esponjas-de-raiz*.]

esponja-do-mato. *S. f. Bras., L.* e *S.* Designação comum a vários arbustos pequenos, da família das saxifragáceas, pertencentes ao gênero *Escallonia*, cujas flores, alvas, estão dispostas em panículas ou racimos paniculados, cujas folhas florais têm glândulas nas margens, e cujos frutos são cápsulas, coroadas por um ou dois estilos compridos. [Pl.: *esponjas-do-mato*.]

esponjar. [Do lat. *spongiare*.] *V. t. d.* **1.** Apagar com esponja: *esponjar o quadro-negro.* **2.** Absorver ou embeber, como esponja: *A terra seca esponjou toda a água.* **3.** Verter, ressudar, ressumar, transudar. **4.** Eliminar, extinguir, apagar, expungir. **5.** Dar aspecto esponjoso a. **6.** Surripiar, surrupiar, subtrair: *O gatuno esponjou todo o dinheiro.*

esponjeira. *S. f.* **1.** Vaso ou lugar onde se guardam esponjas. **2.** *Bras. AM* e *MT.* Arbusto grande, da família das leguminosas (*Acacia farnesiana*), dotado de propriedades medicinais, cujas flores são hermafroditas, aromáticas, de cor amarelo-viva e dispostas em capítulos axilares, e cujos frutos, vagens indeiscentes, com polpa carnosa e sementes pardas, duras, são considerados venenosos; coroa-crísti, coronácris, coronha, esponja, espinilho.

esponjinha. [Dim. de *esponja*.] *S. f. Bras.* **1.** Caliandra. **2.** V. *mandaravê.*

esponjosidade. *S. f.* Qualidade de esponjoso.

esponjoso (ô). [Do lat. *spongiosu*.] *Adj.* **1.** Que tem a natureza ou a aparência da esponja (2). **2.** Diz-se, em geral, do que é leve, poroso e/ou absorvente. ~ V. *osso* —.

esponsais. [Do lat. *sponsalia*.] *S. m. pl.* **1.** Contrato ou promessa recíproca de casamento; noivado. **2.** Cerimônia ou convenções antenupciais. [Sin. ger.: *esponsálias; esposório*.] ~ V. *esponsal.*

esponsal. [Do lat. *sponsale*.] *Adj. 2 g.* Relativo ou pertencente a esposos. ~ V. *esponsais.*

esponsálias. [Do lat. *sponsalia*.] *S. f. pl.* V. *esponsais.*

esponsalício. [Do lat. *sponsaliciu*.] *Adj.* Relativo a esponsais.

espontaneidade. *S. f.* Qualidade de espontâneo: *Tem um sorriso forçado, sem espontaneidade.*

espontâneo. [Do lat. *spontaneu*.] *Adj.* **1.** De livre vontade; voluntário: *Todos lhe notam os modos espontâneos, nada contrafeitos.* **2.** Que se desenvolveu sem cultura; natural. **3.** *Ecol.* Que vegeta sem intervenção humana: *espécie espontânea.* [Opõe-se, nesta acepç., a *cultivado*.] ~ V. *combustão* —*a*, *desintegração* —*a* e *geração* —*a*.

espontar. [De *es-* + *ponta* + *-ar*^{2}.] *V. t. d.* **1.** Aparar, cortar as pontas a: "Ainda pegou no sacho, ainda mexeu na terra, chegou a espontar alguns arbustos" (João de Araújo Correia, *Cinza do Lar*, p. 85). **2.** Cortar rebentos ou medranças a (plantas); capar. *Int.* **3.** Começar a surgir; desp ntar.

esponto. *S. m. Bras.* Estreitamento de calibre das armas de fogo.

espora. [Do gót. **spaúra*.] *S. f.* **1.** Instrumento de metal que se põe no tacão do calçado para incitar o animal que se monta. [Sin. (bras., SP): *mutuca*. Dim. irreg.: *esporim*.] **2.** Incitamento, estímulo. **3.** *Bras.* Designação de várias plantas exóticas e ornamentais da família das ranunculáceas, pertencentes ao gênero *delphinium*, que são dotadas de numerosas flores azuis com máculas alvas ou violeta, dispostas em espigas compridas e frouxas, ou em racimos densos; esporinha, esporeira. **4.** *Morfol. Veg.* Prolongamento corniforme de uma sépala ou pétala, a qual é, por isso, bem maior que as demais. ● *Adj. 2 g.* **5.** *Bras. Pop.* Ordinário, reles, ruim, sem valor. **6.** *Bras. Pop.* Mal trajado, mal-amanhado. **7.** *Bras. RS.* Intrometido, metido. ♦ **Chamar nas esporas.** *Bras.* **1.** Picar (o cavalo) com as esporas. **2.** *Bras., S. Fig.* Censurar ou repreender (alguém). [Sin. ger.: *procurar nas esporas*.] **Lamber as esporas de.** *Bras., BA.* Ser subserviente a. **Procurar nas esporas.** *Bras.* Chamar nas esporas.

esporada. *S. f.* **1.** Picada com espora. **2.** *Fig.* Incitamento, estímulo, espora. **3.** *Fam.* V. *descompostura* (2).

esporadicidade. *S. f.* Qualidade de esporádico.

esporádico. [Do gr. *sporadikós*.] *Adj.* **1.** Disperso, espalhado. **2.** Acidental, casual, raro: "O nosso governo constituíra-se muito mais decentemente, ainda que de assalto, pela intervenção esporádica de uma elite de intelectuais" (Ramalho Ortigão, *Últimas Farpas*, p. 29). **3.** *Med.* Diz-se das doenças não endêmicas nem epidêmicas, que atacam acidentalmente um ou outro indivíduo.

esporangiado. [De *esporângio* + *-ado*^{1}.] *Adj.* Provido de esporângio.

esporângio. [De *esporo* + *-ângio*.] *S. m. Biol. Ger.* Célula ou corpo onde se formam esporos.

esporão. [Do ant. alto-al. *sporos*, modernamente *Sporn*, atr. do provenç. *esporon*.] *S. m.* **1.** *Zool.* Saliência córnea do tarso de alguns machos galináceos. **2.** *Bot.* V. *cravagem.* **3.** *Arquit.* Contraforte de uma parede. **4.** *Constr. Nav.* Protuberância muito resistente que certos navios de guerra antigos tinham na parte exterior da roda de proa, para romper a carena de navios adversários, quando contra eles investissem; aríete.

esporão-de-galo. *S. m. Bras., RJ, MG* e *SP.* Arbusto ou trepadeira grande, da família das nictagináceas *(Pisonia aculeata)*, armada de numerosos espinhos fortes e recurvados, cujas flores, tanto as femininas quanto as masculinas, são verde-amareladas ou pardacentas e estão reunidas em cimeiras, dispostas em pequenas panículas axilares, e cujos frutos são arredondados no ápice e têm glândulas viscosas, que os tornam pegajosos; cipó-mole, tapaciriba. [Pl.: *esporões-de-galo*.]

esporar. *V. t. d., t. d. e i.* e *int.* V. *esporear.*

esporear. *V. t. d.* **1.** Ferir, picar, excitar com espora: "O regedor esporeou a égua e partiu a galope" (Bernardo Pinheiro, Pindela, *Azulejos*, p. 82). **2.** Estimular, excitar, incitar, animar: *A ambição de glória esporeia-o.* **3.** Sacudir ou agitar violentamente. *T. d. e i.* **4.** Estimular, incitar, compelir, levar: *A ânsia de riqueza o esporeia a trabalhar cada vez mais. Int.* **5.** Picar a cavalgadura com espora. [F. paral.: *esporar*. Conjug.: v. *frear*.]

esporeira. *S. f.* V. *espora* (3).

esporífero. [De *espora* + *-i-* + *-fero*.] *Adj.* Que tem esporos; esporígeno: *talo esporífero.* ~ V. *aparelho*,—.

esporígeno. [De *espora* + *-i-* + *-geno*^{1}] *Adj.* Esporífero. ~V. *aparelho* —.

esporim. [De *espora* + *-im*.] *S. m.* Espora pequena, sem roseta e geralmente sem arco.

esporinha. [Dim. de *espora*.] *S. f. Bras.* V. *espora* (3).

espório. *S. m.* V. *esporo.*

esporo. [Do gr. *sporá*.] *S. m.* **1.** *Biol. Ger.* Célula reprodutora capaz de germinar, dando novo organismo. **2.** *Zool.* Célula resultante da divisão múltipla dos protozoários. **3.** *Citol.* Corpúsculo reprodutivo de fungos e algumas bactérias. [Dim. irreg.: *espórulo*.]

▲espor(o)-. [Do gr. *sporá, âs*.] *El. comp.* = 'semente': *esporângio, esporozoário.* [Equiv.: *-spor(o)-, -sporo: gimnosporado heterósporo*.]

esporoblasto. *S. m. Zool.* Estrutura esporular em formação, encontrada em protozoários e alguns metazoários incipientes.

esporocarpo. *S. m. Bot.* Corpo globoso ou reniforme dentro do qual se acham os esporângios, em certos pteridófitos. Pode-se subdividir em compartimentos, e abre-se quando atinge a maturidade.

esporocisto. *S. m. Zool.* **1.** Forma resultante do desenvolvimento do zigoto e em cujo interior se produzem numerosos esporozoítos. **2.** Estrutura unicelular que produz esporos assexuados.

esporofilo. [De *esporo* + *-filo*^{1}.] *S. m. Bot.* Órgão foliáceo que conduz esporos.

esporófito. [De *esporo* + *-fito*.] *S. m. Bot.* Indivíduo ou planta que apresenta esporos. [Nos casos em que há alternância de gerações, o esporófito representa a geração assexuada. A planta verde comum das samambaias e avencas é o esporófito.]

esporóforo. [De *esporo* + *-foro*.] *Adj.* **1.** *Bot.* Que possui esporos. ● *S. m.* **2.** *Bot.* Órgão portador de esporos. **3.** *Citol.* Parte do talo dos fungos que se destina à reprodução.

esporogônio. [De *esporo* + *-gon(o)-* + *-io*.] *S. m. Bot.* Esporófito dos musgos, cuja parte essencial é a cápsula, à qual se unem a coifa e a seta. No seu interior formam-se os esporos.

esporopolenina. [De *esporo* + *pólen* + *-ina*^{1}.] *S. f. Bot.* Substância química muito complexa, e resistente à putrefação, típica do revestimento externo de polens e esporos vegetais.

esporozoário. [De *esporo* + *-zoário*.] *S. m.* **1.** Espécime dos esporozoários. ● *Adj.* **2.** Pertencente ou relativo a eles.

esporozoários. *S. m. pl. Zool.* Animais do sub-ramo dos plasmódromos, classe *Sporozoa*, desprovidos de organelas locomotoras e vacúolos contráteis. São as eimerias, os plasmódios e outras formas, todos parasitos.

esporozoíto. *S. m. Zool.* Forma ativa de animal protozoário, que se reproduz por esporulação. Ex.: o plasmódio, causador da malária.

esporrar. [De *es-* + *porra* (3) + *-ar*^{2}.] *V. p.* e *int. Bras. Chulo.* Emitir esperma. [Pres. ind.: *esporro*, etc. Cf. *esporro* (ô).]

esporro (ô). *S. m. Bras. Chulo.* **1.** Barulho, desordem, assuada, esparro. **2.** V. *rolo*^{1} (16). **3.** Censura acre, violenta; estrilo. V. *descompostura* (2). **4.** V. *esperma.* [Pl.: *esporros* (ô). Cf. *esporro*, do v. *esporrar*.]

esporta. [Do lat. *sporta*.] *S. f. Ant.* Alcofa, seira. [Dim. irreg.: *esportela*.]

esporte. [Do ingl. *sport*.] *S. m.* **1.** O conjunto dos exercícios físicos praticados com método, individualmente ou em equipes; desporte, desporto: *Tem a paixão do esporte.* **2.** Qualquer desses exercícios; desporte, desporto: *O seu único esporte é o remo; Não cultiva nenhum esporte.* **3.** Entretenimento, entretimento; prazer: *Riquíssimo, trabalha apenas como esporte.* ● *Adj. 2 g.* e *2 n.* **4.** Diz-se de roupa ou artigo de vestuário simples e confortável, não convencional ou formal: "O mais novo deve ter uns trinta anos, é gordo, cabelo cortado baixo, camisa esporte." (Luís Vilela, *Tremor de Terra*, p. 71.) **5.** *P. ext.* Diz-se de reuniões sociais em que se usa essa roupa. ~ V. *camisa* — e *carro* —. ♦ **Por esporte.** De maneira amadorística.

esportela. [Do lat. *sportella*.] *S. f.* Pequena esporta.

esportismo. [De *esporte* + *-ismo*.] *S. m.* Desportismo.

esportista. [De *esporte* + *-ista*.] *Adj. 2 g.* e *s. 2 g.* Desportista.

esportiva. [Fem. substantivado de *esportivo*.] *S. f. Bras.*

Espírito esportivo [v. *esportivo* (3)]: "Fiz força pra não perder a *esportiva*, já que isso só podia complicar mais as coisas." (Luís Vilela, *Tremor de Terra*, p. 85); "Até que o pobre Onassis agüentou a parada com uma certa *esportiva*." (Marisa Raja Gabaglia, *Milho pra Galinha, Mariquinha*, pp. 17-18).

esportividade. *S. f.* Qualidade ou procedimento de esportivo.

esportivo. *Adj.* **1.** Relativo ou pertencente ao esporte. **2.** Que é dado à prática do esporte ou por ele se interessa. **3.** Que aceita as regras do jogo, ou de outra atividade normal ou ocasional, e age com lisura em qualquer circunstância. **4.** Próprio de quem é esportivo (3): *espírito esportivo; atitudes esportivas.* ~ V. *loteria —a.*

espórtula. [Do lat. *sportula.*] *S. f.* **1.** V. *gorjeta* (2): "Mostrou o forasteiro desejo de demorar-se alguns dias por ali a caçar, e, mediante uma insignificante *espórtula*, obteve hospedagem em casa do lavrador." (Camilo Castelo Branco, *Doze Casamentos Felizes*, p. 231.) **2.** V. *esmola* (1). [Cf. *esportula*, do v. *esportular.*]

esportular. [Do lat. *sportulare.*] *V. t. d.* **1.** Dar espórtula a; gratificar. **2.** Dar como espórtula. *P.* **3.** Despender em espórtulas ou presentes. **4.** Ser generoso, liberal. [Pres. ind.: *esportulo, esportulas, esportula*, etc. Cf. *espórtula.*]

esporulação. *S. f. Bot.* Formação de esporos.

esporular. *Adj. 2 g. Zool.* Que tem forma ou constituição de espórulo.

espórulo. [De *esporo* + *-ulo.*] *S. m.* Pequeno esporo.

esposa (ô). [Do lat. *sponsa.*] *S. f.* **1.** Mulher que está prometida para o casamento; noiva. **2.** Mulher (em relação ao marido). V. *esposo.* [Pl.: *esposas* (ô). Cf. *esposa* e *esposas*, do v. *esposar.*]

esposado. [Part. de *esposar.*] *Adj.* **1.** *P. us.* Desposado (1). **2.** Casado (1).

esposar. [Do lat. *sponsare.*] *V. t. d.* **1.** Unir em casamento; casar, matrimoniar: *O juiz esposou-os.* **2.** Receber por esposa ou esposo; desposar: *O rapaz queria esposá-la.* **3.** Tomar a seu cuidado: *esposar um encargo.* **4.** Suster, amparar. **5.** Defender com interesse; adotar, abraçar: *esposar uma causa. T. d. e i.* **6.** Unir em matrimônio; matrimoniar: *O juiz acaba de esposar este rapaz com aquela moça. P.* **7.** Unir-se em matrimônio; casar-se, matrimoniar-se, desposar-se. [Pres. ind.. *esposo, esposas, esposa*, etc. Cf. *esposo* (ô) e as flex. *esposa* (ô), *esposas* (ô).]

esposo (ô). [Do lat. *sponsu.*] *S. m.* **1.** O que prometeu casar ou está para casar; noivo. **2.** Marido. [Modernamente quase só é.us. nesta última acepç. Pl.: *esposos* (ô). Cf. *esposo*, do v. *esposar.*]

esposório. [De *espos(ar)* + *-ório.*] *S. m.* **1.** V. *esponsais.* **2.** *Ant.* Presente de núpcias.

espostejado. [Part. de *espostejar.*] *Adj.* Partido em postas; retalhado, esquartejado.

espostejamento. *S. m.* Ato ou efeito de espostejar.

espostejar. [De *es-* + *posta* + *-ejar.*] *V. t. d.* **1.** Cortar em postas; esquartejar, retalhar: *O açougueiro espostejou a carne.* **2.** Espatifar, esbandalhar. [Conjug.: v. *pelejar.*]

espote[1]. [Do ingl. *spot.*] *S. m. Propag.* **1.** Anúncio comercial de rádio cujo texto é falado integralmente, usando-se música apenas como introdução e/ou efeito de fundo. **2.** Fração de tempo destinada à transmissão de um comercial, dentro da programação de emissora de rádio ou televisão: *Ainda há vários espotes vagos no horário da tarde.*

espote[2]. [Aport. do ingl. *spot(-light).*] *S. m. Spot* [q. v.].

espotrejar. [De *es-* + *potro* + *-ejar.*] *V. t. d.* Ensinar ou domar (potros, cavalos): "Tinham os marqueses um filho .... que cantava bem à viola tonadilhos espanhóis e *espotrejava* cavalos como um mestre de picaria." (Júlio Dantas, *Abelhas Doiradas*, p. 89.) [Conjug.: v. *pelejar.*]

espoucar. *V. int. Bras.* V. *espocar.* [Conjug.: v. *trancar.*]

espragatar-se. [De *es-* + *pragata* + *-ar*[2] + *se*[1].] *V. p. Bras., PB. Pop.* Ficar estendido no chão, como uma alpercata.

espraiado. [Part. de *espraiar.*] *Adj.* **1.** Que se espraiou. **2.** Que se alastrou ou se estendeu. **3.** Espalhado, expandido, dilatado. ● *S. m.* **4.** Espaço que a maré deixa ao vazar. [Nesta acepç., cf. *estirâncio.*] **5.** *Bras., Amaz.* Alargamento ou expansão do leito de um rio que, em geral, é pouco profundo e de margens arenosas. **6.** *Bras., SP.* Ribeirão que corre em leito raso, de areia.

espraiamento. *S. m.* **1.** Ação ou efeito de espraiar(-se). **2.** Prolixidade no falar ou no escrever.

espraiar. [De *es-* + *praia* + *-ar*[2].] *V. t. d.* **1.** Lançar à praia: *O mar espraiava os destroços do barco.* **2.** Derramar, estender, alastrar: *Com a represa, o rio espraiou suas águas pelo vale.* **3.** Irradiar, emitir. **4.** Desenvolver, dilatar. **5.** Alongar ou estender (os olhos, a vista): "Primeiramente espraiou os olhos, como a ver se estava só." (Machado de Assis, *Memorial de Aires*, p. 7.) **6.** Espairecer, distrair, divertir: *Foi ao cinema espraiar suas mágoas. Int.* **7.** Deixar (o mar, o rio) a praia a descoberto: *A vazante da maré espraiava extensamente.* **8.** Estender-se pela praia, pelas margens; espraiar-se. *P.* **9.** Espraiar (8). **10.** Lançar-se para diferentes lados; espalhar-se. **11.** Expandir-se, dilatar-se. **12.** Estender-se, espalhar-se: "a narrativa [no romance de costumes do século XVIII] é sujeita a contínuas interrupções, espraiando-se em pequenos capítulos quase independentes, comprazendo-se num acúmulo de episódios" (Paulo Rónai, *Encontros com o Brasil*, p. 19). **13.** Propagar-se, alastrar-se, grassar. **14.** Mostrar-se; desenhar-se. **15.** Alargar-se (em favores, promessas). **16.** Divagar sobre um assunto.

espreguiçadeira. [De *espreguiçar* + *-deira.*] *S. f.* **1.** Camilha onde se dorme a sesta; espreguiçador, preguiceiro. **2.** Cadeira de encosto reclinado ou reclinável, e com lugar para se estenderem as pernas. [Sin. (nesta acepç.): *espreguiçador, preguiceira* e (bras.) *cadeira preguiçosa, preguiçosa.*] **3.** *Bras.* Cadeira que consiste numa armação de madeira à qual se adapta um pedaço retangular de pano, ou de couro, que serve de assento e encosto; preguiçosa: "Damião espichado na espreguiçadeira de pano, na calçada." (José Carlos Cavalcanti Borges, *O Assassino*, p. 21.)

espreguiçador (ô). [De *espreguiçar* + *-(d)or.*] *S. m.* V. *espreguiçadeira* (1 e 2).

espreguiçamento. *S. m.* Ato de espreguiçar(-se); estiramento.

espreguiçar. [De *es-* + *preguiça* + *-ar*[2].] *V. t. d.* **1.** Tirar a preguiça a; despertar, espertar. **2.** Estirar (os membros) de modo preguiçoso. **3.** Alongar, desenvolver, como que preguiçosamente: *espreguiçar as palavras.* **4.** Mostrar ou exibir preguiçosamente, languidamente: "Cem mulheres em flor, cem nairas superfinas, / Aos pés dele, no liso chão, / Espreguiçam sorrindo as suas graças finas, / E todo o amor que têm lhe dão." (Machado de Assis, *Poesias Completas*, p. 315.) *P.* **5.** Estirar os membros em conseqüência de sono ou de moleza, bocejando; despreguiçar(-se). **6.** Espraiar-se, alastrar-se, expandir-se. [F. paral. (menos us.): *despreguiçar.* Conjug.: v. *laçar.*]

espreita. [Dev. de *espreitar.*] *S. f.* **1.** Ato de espreitar. **2.** Observação, vigia, atalaia, espionagem. ◆ **À espreita.** De atalaia; em observação ou espreitando, a fim de avistar: *O detective ficou dias à espreita, até que fez o flagrante.*

espreitadeira. *Adj. (f.)* **1.** Diz-se de mulher que espreita, que é curiosa. ● *S. f.* **2.** Abertura por onde se espreita.

espreitadela. *S. f.* Ato de espreitar rapidamente.

espreitador (ô). *Adj.* e *s. m.* Que, ou aquele que espreita; espreitante.

espreitante. *Adj. 2 g.* e *s. 2 g.* Espreitador.

espreitar. [De um lat. *explic'tare, por explicitare?] *V. t. d.* **1.** Andar à espreita de; observar ocultamente; espiar: *Os agentes espreitavam o criminoso.* **2.** Olhar atentamente; contemplar; observar: *Antes da invenção da bússola, os navegantes guiavam-se espreitando o céu.* **3.** Investigar minuciosamente; indagar, perquirir, perscrutar: *Desconfiado, espreitou algum, emoção no rosto do amigo.* **4.** Analisar, estudar. **5.** Prever intuitivamente; adivinhar. **6.** Procurar (ocasião para algo). *Int.* **7.** Observar o que alguém faz. *P.* **8.** Ter cuidado em si; observar-se.

espremedor (ô). *Adj.* **1.** Que espreme. ● *S. m.* **2.** Aquele ou aquilo que espreme.

espremedura. [De *espremer* + *-(d)ura.*] *S. f.* Ato ou efeito de espremer(-se).

espreme-gato. [De *espremer* + *gato.*] *S. m. Bras., SP.* V. *gata-parida* (1). [Pl.: *espreme-gatos.*]

espremer. [Do lat. *exprimere.*] *V. t. d.* **1.** Comprimir ou apertar para extrair o suco, o líquido: *espremer frutas.* **2.** Comprimir, apertar: *Ao cair, a caixa espremeu-lhe as pernas.* **3.** Lançar de si; expelir. **4.** Não omitir coisa alguma de; apurar bem: *espremer uma questão.* **5.** Oprimir, vexar, afligir: *É iníquo o poder que espreme o povo dizendo salvá-lo.* **6.** Interrogar insistentemente; mungir. **7.** Reprimir, conter, suster: *espremer o choro.* **8.** Fazer sair ou brotar: *espremer lágrimas. P.* **9.** Apertar-se, comprimir-se. **10.** Fazer força para expulsar de si alguma coisa. [Part.: *espremido* (q. v.). Cf. *exprimido*, do v. *exprimir.*]

espremido. [Part. de *espremer.*] *Adj.* **1.** Extraído mediante pressão. **2.** Apertado, premido: *cidadezinha entre montes, pequenina, espremida.* **3.** *Fig.* Apurado, averiguado; liquidado. **4.** *Fig.* Pretensioso, presumido, afetado. [Cf. *exprimido*, do v. *exprimir.*]

espringue. [Do ingl. *spring*, 'mola'.] *S. m. Bras., Marinh.* Espia[2] (1) dirigida para ré na proa e para vante na popa, e que constitui parte da amarração de uma embarcação ao cais ou a outra embarcação. [Cf. *lançante* (2) e *través* (5).]

espritado. [Part. de *espritar-se.*] *Adj. Bras., N.E. Pop.* **1.** Digno de admiração. **2.** V. *valentão* (1). **3.** Extremamente enfurecido. ~ V. *cachorro —.*

espritar-se. [De *esprito* + *-ar*[2] + *se*[1].] *V. p. Bras., N.E. Pop.* Enfurecer-se, irritar-se, exceder-se.

esprito. [De *espírito*, por síncope.] *S. m.* **1.** *Ant.* e *pop.* Espírito. **2.** *Bras., N.E. Pop.* Qualquer bebida espirituosa.

espru. [Do ingl. *sprue.*] *S. m. Patol.* Doença que se caracteriza por má absorção, real ou potencial, de, virtualmente, todas as substâncias nutritivas, lesão na mucosa intestinal, que é, ao menos, característica, e resposta clínica favorável e imediata à retirada da dieta de certos cereais que contenham glúten. [No seu quadro clínico figuram diarréia, perda de peso, fraqueza, anemia, osteomalacia, distúrbios neurológicos, glossite, quilose, etc.]

espulgação. *S. f.* Ação de espulgar(-se); espulgamento.

espulgamento. *S. m.* Espulgação.

espulgar. [De *es-* + *pulga* + *-ar*[2].] *V. t. d.* **1.** Tirar pulgas de; catar: *espulgar a cama.* **2.** Roubar, surripiar, surrupiar. *P.* **3.** Limpar-se das pulgas. [Conjug.: v. *largar.*]

espuma. [Do lat. *spuma.*] *S. f.* **1.** Conjunto de bolhas que se formam à superfície dum líquido que se agita, que fermenta ou que ferve. **2.** Baba[1] (1) espumante. **3.** Bolhas esbranquiçadas formadas pelo suor na pele dos cavalos. **4.** Suspensão de um gás num líquido, por vezes com caráter coloidal. [F. paral.: *escuma.* No Brasil, *espuma* é a f. de maior uso entre pessoas cultas.]

espumadeira. [De *espumar* + *-deira.*] *S. f.* Escumadeira.

espuma-do-mar. *S. f. Min.* Designação vulgar da sepiolita, cuja composição química é silicato de magnésio, hidratado, e que pode conter cobre e níquel. [Pl.: *espumas-do-mar.*]

espumante. [Do lat. *spumante.*] *Adj. 2 g.* **1.** Que forma espuma: *baba espumante.* **2.** Que lança espuma; espumoso ou escumoso, espumígero, escumador: *boca espumante.* **3.** *Fig.* Raivoso, furioso, enfurecido, excitado. [F. paral.: *escumante.*] ~ V. *vinho —.*

espumar. [Do lat. *spumare.*] *V. t. d.* **1.** Tirar a espuma (1) de. **2.** Cobrir de espuma. *Int.* **3.** Fazer espuma; deitar espuma: *Abriu a garrafa, e o champanha espumou.* **4.** *P. ext.* V. *ferver* (4 e 6). [F. paral.: *escumar.*]

espumarada. *S. f.* Espuma abundante: "aves pesadas sulcavam o céu, baixando às vezes até molhar as penas na espumarada do oceano." (Xavier Marques, *A Cidade Encantada*, p. 64).

espumejar. *V. t. d.* **1.** Lançar como em espuma: *espumejar imprecações. Int.* **2.** Lançar espuma. **3.** Enraivecer-se, irar-se. [Conjug.: v. *pelejar.*]

espumento. *Adj. Bras.* V. *espumoso* (1).

espúmeo. [Do lat. *spumeu.*] *Adj.* Espumífero: "O espúmeo chipre as faces dos convivas / Acendia." (Olavo Bilac, *Poesias*, p. 135.)

espumífero. [Do lat. *spumiferu.*] *Adj.* Que traz espuma; espúmeo.

espumígero. [Do lat. *spumigeru.*] *Adj.* **1.** V. *espumoso* (1). **2.** V. *espumante* (2).

espumosense. *Adj. 2 g.* **1.** De, ou pertencente ou relativo a Espumoso (RS). ● *S. 2 g.* **2.** Natural ou habitante de Espumoso.

espumoso (ô). [Do lat. *spumosu.*] *Adj.* **1.** Que tem espuma; espumento, espumígero. **2.** V. *espumante* (2). [F. paral.: *escumoso.*]

espurcícia. [Do lat. *spurcitia.*] *S. f.* **1.** Imundície; sujidade, porcaria. **2.** Indecência, ignomínia, torpeza: "Sem dúvida alguma, a espurcícia e a obscenidade têm tido os seus analistas e escritores." (João Ribeiro, *Crítica*, IX, p. 300.)

espurco. [Do lat. *spurcu.*] *Adj.* **1.** Imundo, sujo, porco. **2.** Sórdido, torpe.

espuriedade. *S. f.* Qualidade de espúrio.

espúrio. [Do lat. *spuriu.*] *Adj.* **1.** Não genuíno; suposto, hipotético. **2.** Que não é do autor ao qual se atribui: *romance espúrio.* **3.** Que não é castiço; não vernáculo: *expressão espúria.* **4.** Adulterado, modificado, falsificado: *contrato espúrio.* **5.** Ilegítimo, ilegal: "assim aquele comércio espúrio trata de se desfazer da mercadoria que açambarcara, de afogadilho e por qualquer preço." (João da Silva Correia, *Os Outros*, p. 247). **6.** *Med.* Diz-se de enfermidade falsa, não genuína, a que faltam os sintomas característicos: *pleuropneumonia espúria; febre espúria.* ~ V. *edição —a e filho —.*

esputação. *S. f.* Ato ou efeito de esputar.

esputar. [Do lat. *sputare.*] *V. int.* Salivar com freqüência; cuspir muito.

esputinique. [Do rus. *Sputnik,* 'satélite'.] *S. m. Astron.* V. *satélite artificial.*

esputo. [Do lat. *sputu.*] *S. m.* **1.** Ação de esputar. **2.** Saliva, cuspo. **3.** V. *escarro* (1).

esquadra. [Do it. *squadra.*] *S. f.* **1.** A totalidade dos navios de guerra de um país. **2.** *Mar. G.* O maior grupamento orgânico de navios de guerra, destinado a efetuar as operações principais da guerra naval, que culminam na batalha. **3.** Seção de uma companhia de infantaria. **4.** Posto policial. **5.** Instrumento usado pelos artilheiros para graduar as peças.

esquadrado. [Part. de *esquadrar.*] *Adj.* **1.** Posto ou cortado em ângulo reto; esquadriado. **2.** Riscado em quadrinhos. ~ V. *papel —.*

esquadrão. [Do it. *squadrone.*] *S. m.* **1.** Seção de um regimento de cavalaria. **2.** Grupamento administrativo de navios de guerra, ou de aeronaves, do mesmo tipo.

esquadrar. [De *esquadro* + *-ar*[2].] *V. t. d.* **1.** Dispor ou cortar em ângulo reto; esquadriar. **2.** *Mil.* Formar (as tropas) em esquadrão.

esquadrejamento. *S. m.* Ato ou efeito de esquadrejar.

esquadrejar. *V. t. d.* Serrar ou cortar em esquadria. [Conjug.: v. *pelejar.*]

esquadriado. [Part. de *esquadriar.*] *Adj.* Esquadrado (1).

esquadria. [De *esquadro* + *-ia.*] *S. f.* **1.** Ângulo reto. **2.** Corte em ângulo reto. **3.** V. *acuta.* **4.** Pedra de cantaria. **5.** *Constr.* Designação genérica de portas, caixilhos, venezianas, etc.

esquadriar. [De *esquadria* + *-ar*[2].] *V. t. d.* Esquadrar (1).

esquadrilha. [Do esp. *escuadrilla.*] *S. f.* **1.** *Ant.* Flotilha. **2.** Grupamento de duas a quatro aeronaves, para fins operativos.

esquadrilhado. [Part. de *esquadrilhar*[2].] *Adj.* **1.** Derreado, desancado. **2.** Que tem os quadris baixos.

esquadrilhar[1]. [De *es-* + *quadrilha* + *-ar*[2].] *V. t. d.* Pôr fora da quadrilha.

esquadrilhar[2]. [De *es-* + *quadril* + *-ar*[2], com palatalização.] *V. t. d.* Partir os quadris a; desancar, derrear; desquadrilhar.

esquadrinhador (ô). *Adj.* e *s. m.* Que ou aquele que esquadrinha, investiga, pesquisa.

esquadrinhadura. *S. f.* V. *esquadrinhamento.*

esquadrinhamento. *S. m.* Ato de esquadrinhar; pesquisa, investigação; esquadrinhadura.

esquadrinhar. [Do lat. vulg. **scrutiniare* < *scrutiniu,* 'ação de sondar'.] *V. t. d.* **1.** Examinar minuciosamente; vigiar com cuidado; investigar, pesquisar, perscrutar: "Ansioso *esquadrinhava* os recantos do céu / De onde devíeis vir" (Alberto de Oliveira, *Poesias,* 4ª série, p. 83). **2.** Estudar, analisar.

esquadro. [Do it. *squadro.*] *S. m.* **1.** Instrumento usado para formar ou medir ângulos e tirar linhas perpendiculares; corta-mão. [Cf. *acuta.*] **2.** *Art. Gráf.* Barra móvel que regula a posição do papel em máquinas de cortar, de picotar, etc. **3.** *Tip.* V. *baliza* (9).

esqualídeo. *S. m.* **1.** Espécime dos esqualídeos. ● *Adj.* **2.** Pertencente ou relativo a eles.

esqualídeos. *S. m. pl. Zool.* Família de peixes elasmobrânquios, da subordem *Squaloidea,* com cinco aberturas branquiais. Ex.: os seláquios, os tubarões, os cações, os anequins, o tintureiro.

esqualidez (ê). *S. f.* Qualidade ou estado de esquálido.

esquálido. [Do lat. *squalidu.*] *Adj.* **1.** Sórdido, sujo, desalinhado: "Não acabava, quando ũa figura / Se nos mostra no ar, robusta e válida, / De disforme e grandíssima estatura, / O rosto carregado, a barba *esquálida*" (Luís de Camões, *Os Lusíadas,* V, 39). **2.** Descorado e fraco; macilento.

esqualo. [Do lat. *squalu.*] *S. m.* e *adj.* V. *pleurotremado.*

esqualóideo. [De *esqualo* + *-óide-* + *-eo.*] *S. m.* e *adj.* V. *pleurotremado.*

esqualóideos. *S. m. pl. Zool.* V. *pleurotremados.*

esqualos. *S. m. Zool. pl.* V. *pleurotremados.*

esquaroso (ô). [Do lat. *squarrosu.*] *Adj.* **1.** Coberto de escamas e/ou asperezas; áspero. **2.** *Morfol. Veg.* Coberto de brácteas rígidas e divergentes: *espiga esquarrosa.*

esquartejado. [Part. de *esquartejar.*] *Adj.* Partido em quartos; retalhado, espostejado.

esquartejamento. *S. m.* **1.** Ato ou efeito de esquartejar (1 a 3). **2.** Antigo suplício que consistia em prender um cavalo a cada um dos pés e a cada um dos braços do condenado, obrigando em seguida os quatro animais a puxar em direções opostas até separarem-se do tronco os membros do supliciado.

esquartejar. [De *es-* + *quarto* + *-ejar.*] *V. t. d.* **1.** Partir em quartos. **2.** Retalhar, espostejar: *esquartejar o boi.* **3.** Fazer padecer o suplício do esquartejamento (2). **4.** Desacreditar, difamar, desonrar. [Sin. ger., p. us.: *quartejar.* Conjug.: v. *pelejar.*]

esquartelar. [De *es-* + *quartel*[1] + *-ar*[2].] *V. t. d. Heráld.* Dividir (o escudo) em quatro partes ou quartéis.

esquatinídeo. *S. m.* **1.** Espécime dos esquatinídeos. ● *Adj.* **2.** Pertencente ou relativo a eles.

esquatinídeos. *S. m. pl. Zool.* Família de peixes elasmobrânquios, ordem dos pleurotremados, subordem *Squaelodea.* Ex.: o cação-anjo.

esquecer. [Do lat. vulg. * *excadescere,* incoativo de *excadere,* 'cair', atr. das f. *escaecer* e *esqueecer.*] *V. t. d.* **1.** Deixar sair da memória; perder da lembrança: *A humanidade jamais esquecerá os crimes do nazismo;* "tentei aprender coisas e acabei por *esquecer* umas poucas que sabia." (Geir Campos, *O Vestíbulo,* p. 26). **2.** Pôr de lado; desprezar; olvidar: *É homem de bem, incapaz de esquecer os amigos.* **3.** Perder o amor, a estima, a: "a sua máxima era não *esquecer* o amante presente, não recordar o amante passado, nem se preocupar com o amante futuro." (Machado de Assis, *Ressurreição,* p. 49). **4.** Deixar por inadvertência: *Esqueceu o guarda-chuva.* **5.** Procurar não lembrar-se; tirar da memória: *Tudo fazia para esquecer o passado.* **6.** Pôr de lado temporariamente; distrair-se de; largar: *O juiz esqueceu a sua posição e abraçou o réu.* **7.** Descuidar, descurar: *Nem doente ele esquecia as obrigações. T. i.* **8.** Sair da lembrança: *Esqueceram-lhe os dias felizes;* "*Esquece-me* o seu nome; apenas me recordo de que era ainda novo." (Mário de Sá-Carneiro, *A Confissão de Lúcio,* p. 154); "Era... Também o mês *esquece* agora / À infiel memória minha!" (Alberto de Oliveira, *Poesias,* 2ª série, p. 271); "Nunca me há de *esquecer* .... a santa velha da tia Jerônima." (Alexandre Herculano, *Lendas e Narrativas,* II, p. 127). **9.** Passar despercebido; escapar: "Tinham *esquecido* de fechar os olhos ao cadáver." (Machado de Assis, *Várias Histórias,* p. 204). *Int.* **10.** Escapar da memória; ficar no esquecimento; ser esquecido: "A auréola momentânea do libelista de partido passou e *esqueceu.*" (Latino Coelho, *Cervantes,* p. 186); "Tudo *esquece* neste mundo." (Camilo Castelo Branco, *Serões de S. Miguel de Ceide,* I, p. 33). **11.** Não ser mencionado; ser omitido. **12.** Perder a sensibilidade; ficar tolhido. **13.** Distrair-se de coisas desagradáveis. *P.* **14.** Perder a lembrança; deixar sair da memória; olvidar-se: "Se eu de ti me *esquecer,* nem uma lágrima / Caia sobre o sepulcro, em que eu jazer." (Bernardo Guimarães, *Poesias Completas,* p. 295). **15.** Não se lembrar; descuidar-se, descurar-se, distrair-se: "D. Bibas .... seguia de perto o cavaleiro, rindo e fazendo visagens e momos, sem se *esquecer* de distribuir golpes de palheta à direita e à esquerda" (Alexandre Herculano, *O Bobo,* p. 282). **16.** Perder a habilidade adquirida. **17.** Estar absorto; enlevar-se. [Conjug.: v. *aquecer.*]

esquecidiço. *Adj.* Que se esquece facilmente; muito sujeito a esquecer-se; esquecido.

esquecido. [Part. de *esquecer.*] *Adj.* **1.** Que se esqueceu, que saiu da memória; olvidado: *velhos amores, já esquecidos; clássicos esquecidos.* **2.** Esquecidiço: *Já não se lembrava do compromisso: que sujeito esquecido!* **3.** *Pop.* Lesado, leso, paralítico: *A doença deixou-o com a perna esquecida; É esquecido de um braço.* **4.** Diz-se do galo adulto sem esporões, ou que os tem atrofiados. **5.** *Bras., RS.* Diz-se do cavalo a que, por anomalia da dentição, faltam os colmilhos. ~ V. *horas —as.* ● *S. m.* **6.** Indivíduo esquecidiço, ou que sempre se esquece: *Não adianta recomendar-lhe nada: é um esquecido.*

esquecimento. *S. m.* **1.** Ato ou efeito de esquecer(-se); olvido: *Partiu há poucos meses, e caiu já no esquecimento.* **2.** Falta de memória, de lembrança: *Não fui vê-lo por puro esquecimento.* **3.** Omissão, descuido. ◆ **Cair no esquecimento.** Sair da memória; ser esquecido; cair no rol do esquecimento, cair no rol dos esquecidos.

esquecível. *Adj. 2 g.* Que pode ser esquecido.

esquelético. [De *esqueleto* + *-ico*[2].] *Adj.* **1.** Referente ou imitante a esqueleto. **2.** *Fig.* Extremamente magro; macérrimo.

esqueleto (ê). [Do gr. *skeletós,* i. e., *ánthropos skeletós,* 'homem seco, múmia'.] *S. m.* **1.** Conjunto de ossos, cartilagens e ligamentos que se interligam para formar o arcabouço do corpo dos animais vertebrados; ossatura, ossamenta. **2.** O conjunto dos ossos de um vertebrado morto, descarnado e na sua posição natural. [Sin., nesta acepç.: *ossada, cavername* e (bras., S.) *corpo-seco.*] **3.** V. *estrutura* (3). **4.** Armação de uma máquina; arcabouço, carcaça. **5.** V. *cavername* (1). **6.** *Fig.* Esboço, delineamento, arcabouço. **7.** *Fig.* Pessoa extremamente magra, descarnada, esquelética.

esquema. [Do gr. *schêma,* pelo lat. *schema.*] *S. m.* **1.** Figura que representa, não a forma dos objetos, mas as suas relações e funções. **2.** Sinopse, resumo, esboço: o *esquema de um livro.* **3.** Plano, programa: *O esquema da viagem fora feito minuciosamente.*

esquemático. [Do gr. *schema, atos* + *-ico*[2].] *Adj.* **1.** Referente a esquema. **2.** Feito por esquema. **3.** Que registra o plano do objeto, mas não a forma dele.

esquematização. *S. f.* Ação ou efeito de esquematizar.

esquematizar. [Do gr. *schematízo.*] *V. t. d.* **1.** Fazer ou desenhar o esquema de; representar por meio de esquema. **2.** Tornar esquemático (3).

esquentação. *S. f.* **1.** Ato ou efeito de esquentar(-se); esquentamento. **2.** Calor intenso. **3.** *Fig.* Discussão acalorada; contenda.

esquentada. [Fem. substantivado de *esquentado.*] *S. f.* A hora de maior calor.

esquentado. [Part. de *esquentar.*] *Adj.* **1.** Aquecido, aquentado, quentado; requentado: *café esquentado.* **2.** Que se esquentou, se encalmou. **3.** *Fig.* Excitado, exaltado, irritado: *É sempre calmo, mas hoje está meio esquentado.* **4.** *Fig.* Irritadiço, irascível: *É um sujeito esquentado, não o provoquem.*

esquentador (ô). [De *esquentar* + *-(d)or.*] *S. m.* Instrumento ou aparelho destinado a produzir calor.

esquentamento. *S. m.* **1.** Esquentação (1). **2.** *Pop.* V. *gonorréia.*

esquenta-mulher. [De *esquentar* + *mulher.*] *S. m. Bras., AL. Folcl.* V. *terno de zabumba.* [Pl.: *esquenta-mulheres.*]

esquenta-por-dentro. [De *esquentar* + *por* + *dentro.*] *S. m. 2 n. Bras. Pop.* V. *cahaça* (1).

esquentar. [Do lat. vulg. **sxcalentare,* de *calens, tis,* 'quente'.] *V. t. d.* **1.** Causar calor a, ou aumentar o calor de; acalorar, aquentar, encalmar, aquecer: *O álcool esquenta o corpo.* **2.** Tornar quente ou mais quente; aquecer, aquentar: *esquentar água.* **3.** Irritar, encolerizar, enfurecer: *A disputa esquentou-o. P.* **4.** Tornar-se quente; aquecer-se, encalmar-se. **5.** Irritar-se, encolerizar-se, enfurecer-se. **6.** Acirrar-se, agravar-se. *Int.* **7.** Tornar-se quente ou mais quente: *O dia agora esquentou.* **8.** Aquecer: *Este casaco esquenta bem.* **9.** *Fam.* Esquentar a cabeça.

esquerda (ê). [Fem. substantivado do adj. *esquerdo.*] *S. f.* **1.** O lado oposto ao direito. **2.** Mão ou lado esquerdo: *Usa o anel na esquerda;* "E, travando de seu filho com a *esquerda,* fez no ar com a direita, uma e outra vez, o sinal-da-cruz." (Alexandre Herculano, *Lendas e Narrativas,* II, p. 14); *Chegando ao fim da rua, dobre à esquerda.* **3.** Parte de uma assembléia que fica à esquerda do presidente. **4.** A oposição parlamentar. **5.** *Ciênc. Pol.* Conjunto de indivíduos ou grupos políticos partidários de uma reforma ou revolução socialista. **6.** *Ciênc. Pol.* Esquerdas. [Opõe-se a *direita,* aos conservadores.] ~ V. *esquerdas.* ◆ **Esquerda alta.** *Teat.* O lado esquerdo e posterior da cena. [Abrev.: EA.] **Esquerda baixa.** *Teat.* O lado esquerdo e anterior da cena. [Abrev.: EB.] **Esquerda festiva.** Grupo da esquerda (5) que procede mais por exibição do que por convicção. [Tb. se diz apenas *festiva.*] **Esquerda hegeliana.** *Filos.* O conjunto dos filósofos seguidores imediatos de Hegel que desenvolveram as tendências críticas do hegelianismo, sobretudo no domínio religioso, procurando opor essa doutrina a qualquer forma de religião. Citam-se, entre outros, David Friedrich Strauss (1808-1874) e Ludwig Feuerbach (1804-1872). [Cf. *direita hegeliana.*] **De esquerda.** Esquerdista (1 e 2).

esquerdas (ê). [Pl. de *esquerda.*] *S. f. pl. Ciênc. Pol.* As diversas facções ou correntes políticas socialistas. [Tb. us. no sing.] ~ V. *esquerda.*

esquerdismo. *S. m.* **1.** Partido, posição política ou tendência da esquerda (5). **2.** Os esquerdistas.

esquerdista. *Adj. 2 g.* **1.** Relativo à esquerda (5), ou ao esquerdismo; de esquerda. **2.** Que é partidário ou simpatizante do esquerdismo; de esquerda. ● *S. 2 g.* **3.** Partidário ou simpatizante do esquerdismo.

esquerdizante. *Adj. 2 g.* Comunizante.

esquerdo (ê). [Do vasc. *ezquer.*] *Adj.* **1.** Que está do lado oposto ao direito (1), ou seja, à esquerda [q. v.]. **2.** Oblíquo, atravessado, torto, torcido: *Lançou-lhe um olhar meio esquerdo.* **3.** Diz-se de invidíduo canhoto. **4.** Desajeitado, desastrado. **5.** Desagradável, incô-

modo, constrangedor: *Viu-se numa situação esquerda.* ~ V. *canal hepático* —, *médio* — e *margem* —*a.*
esquésito. *Adj. Bras. Joc.* Esquisito, estranho, excêntrico.
esquete. [Do ingl. *sketch.*] *S. m. Teat.* Pequena cena de revista teatral, ou de programa de rádio ou televisão, quase sempre de caráter cômico. [Equiv. ao fr. *pochade* (q. v.).]
esqui. [Do nor. *ski.*] *S. m.* **1.** Longo patim de madeira, metal ou material sintético, para andar ou deslizar sobre a neve. **2.** O esporte praticado com os esquis: *campeonato de esqui.* **3.** Esqui aquático. ◆ **Esqui aquático.** Esporte em que o executante, firmado em um ou dois esquis, é rebocado sobre as águas por uma lancha em alta velocidade. [Tb. se diz apenas *esqui.*]
esquiação. *S. f.* Ato de esquiar; prática do esqui.
esquiador (ô). *Adj.* e *s. m.* Que ou aquele que esquia.
esquiar. *V. int.* Praticar o esqui (2 e 3): *Gosto de esquiar;* "Fui esquiar para as montanhas, sozinha." (Urbano Tavares Rodrigues, *Estrada de Morrer,* p. 74).
esquiça. *S. f.* Batoque para tapar o suspiro (7) que se faz nos barris ou tonéis.
esquifar[1]. *V. int.* Fazer esquifes, caixões.
esquifar[2]. *V. t. d., int.* e *p.* Var. de *esquipar.*
esquife. [Do lombardo *skif,* 'barco', pelo it. antiq. *schifo* e pelo cat. *esquif.*] *S. m.* **1.** V. *caixão* (2). **2.** *Ant.* Embarcação miúda, semelhante à baleeira, usada nos serviços das naus, galeões, etc.: "E os pequeninos esquifes agora se aproximam e avançam para o vapor." (Jaime Adour da Câmara, *Oropa, França e Bahia,* p. 49.)
esquila. [Do esp. plat. *esquila.*] *S. f. Bras., RS.* Tosquia (1).
esquilar. [Do esp. plat. *esquilar.*] *V. t. d. Bras., RS.* V. *tosquiar* (1 e 2). [Pres. ind.: *esquilo,* etc. Cf. *Ésquilo* (v. *esquiliano*).]
esquiliano. *Adj.* **1.** Relativo ou pertencente ao grego Ésquilo (525-456 a.C.), poeta dramático, ou próprio dele, ou de seu estilo. ● *S. m.* **2.** Grande admirador e/ou profundo conhecedor da sua obra. [Cf. *esquilo,* do v. *esquilar,* e s. m.]
esquilo. [Do gr. *skioúros,* atr. de uma f. metatética **squirus.*] *S. m.* **1.** V. *caxinguelê.* **2.** V. *quatipuru.* [Cf. *Ésquilo* (v. *esquiliano*).]
esquimau. *S. 2 g., s. m.* e *adj. 2 g.* V. *esquimó.*
esquimó. *S. 2 g.* **1.** Indivíduo dos esquimós, povo nativo da Groenlândia, da costa setentrional da América e das Ilhas árticas vizinhas. *S. m.* **2.** *Ling.* Cada uma das duas línguas faladas pelos esquimós, cujas características se aproximam às das línguas aleútes, e que parecem estar relacionadas com as altaicas. ● *Adj. 2 g.* **3.** Pertencente ou relativo aos esquimós ou às suas línguas.
esquina. [Do germ. **skina.*] *S. f.* **1.** V. *cunhal.* **2.** V. *aresta* (1). **3.** Lugar situado em qualquer dos cantos formados por duas ou mais ruas que se cruzam: "Uma das quatro esquinas que formam as ruas do Ouvidor e da Quitanda, cortando-se mutuamente, chamava-se nesse tempo — *O canto dos meirinhos*" (Manuel Antônio de Almeida, *Memórias de um Sargento de Milícias,* p. 107). **4.** *P. ext.* Lugar de cruzamento de duas ruas, na pista de rolamento: *Houve um acidente na esquina da Assembléia com a Avenida Rio Branco.*
esquinado. [Part. de *esquinar.*] *Adj.* **1.** Que tem ou faz esquina; anguloso, facetado. ● *S. m.* **2.** *Bras. Fut.* V. *córner* (2 e 3).
esquinar. *V. t. d.* **1.** Dar forma de esquina a; cortar em ângulo. **2.** Pôr obliquamente. **3.** Facetar, lapidar.
esquindilese. [Do gr. *schindylesis.*] *S. f. Anat.* Articulação em que um osso se encaixa na fenda de outro, como a lâmina do etmóide com o vômer.
esquinência. [Do gr. *kyhagche,* atr. do it. *schinanzia.*] *S. f. Patol.* V. *amigdalite.*
esquipação. *S. f.* **1.** *Ant.* Ato ou efeito de esquipar(-se); esquipamento. **2.** O vestuário completo.
esquipado. [Part. de *esquipar.*] *Adj.* **1.** *Ant.* Aparelhado, provido. **2.** *Fig.* Adornado, enfeitado. **3.** *Bras.* Diz-se de certa andadura do cavalo na qual este levanta simultaneamente o pé e a mão do mesmo lado. ● *S. m.* **4.** *Bras.* Essa andadura.
esquipador (ô). *Adj.* e *s. m. Bras.* Diz-se de, ou cavalo que esquipa.
esquipamento. *S. m. Ant.* Esquipação (1).
esquipar. [Do fr. ant. *esquiper,* atualmente *équiper.*] *V. t. d.* **1.** *Ant.* Aparelhar, aprestar, aprontar, equipar. **2.** Prover de roupas. **3.** Enfeitar, adornar, ornar, ataviar. *Int.* **4.** *Bras.* Executar (o cavalo) o passo que se chama *esquipado.* **5.** *Bras.* Andar a cavalo no passo a que chamam *esquipado.* **6.** Ir-se embora às pressas. V. *fugir* (1 e 2). *P.* **7.** Enfeitar-se, adornar-se, ornar-se, ataviar-se. [Var.: *esquifar.*]
esquipático. [Cruz. de *esquisito* com *antipático*?] *Adj.* Extravagante, esquisito, excêntrico, singular: "Figura não só extraordinária como esquipática, estranhíssima." (Gilberto Amado, *Depois da Política,* p. 30). "Com surpresa vemos que, à volta de janeiro de 1913, Fernando Pessoa compõe uma poesia com o título esquipático de 'sinfonia em X'." (João Gaspar Simões, *Vida e Obra de Fernando Pessoa,* p. 150.)
esquírola. [Do gr. *skiros,* 'lasca de pedra'?] *S. f.* **1.** Lasca de osso: "Era .... possível que algum fragmento de osso da parte interna do crânio, quebrada na ocasião, estivesse voltado para o cérebro. No momento em que essa lasquinha, essa esquírola o irritava, vinham-me os ataques epilépticos." (Medeiros e Albuquerque, *Mãe Tapuia,* pp. 123-124.) **2.** Lâmina pequena de objeto duro; fragmento de qualquer coisa dura: "Um homem levanta às mãos ambas um machado; brande-o alto acima da cabeça; entranha-se o gume na casca dum roble; .... pelos lanhos da cortiça sai em esquírolas a macerada febra do madeiro." (Ramalho Ortigão, *Figuras e Questões Literárias,* I, pp. 96-97.)
esquisitão. *Adj.* e *s. m.* Diz-se de, ou indivíduo arredio, pouco expansivo, excêntrico, muito esquisito. [Fem.: *esquisitona.*]
esquisitice. *S. f.* Qualidade, maneira, atitude, modo de pensar de quem é esquisito; extravagância, excentricidade, singularidade.
esquisito. [Do lat. *exquisitu.*] *Adj.* **1.** Não usual; fora do comum; raro: "um dos homens [Rodolfo Dantas] mais completos que eu jamais vi pela peregrina bondade do coração, pela esquisita retidão de caráter" (José Veríssimo, *Que É Literatura? e Outros Escritos,* p. 198). **2.** Raro, precioso, fino, invulgar: "Ela andou por aqui; andou. Primeiro, / Porque há traços de suas mãos; segundo, / Porque ninguém, como ela, tem no mundo / Este esquisito, este suave cheiro." (Luís Delfino, *Íntimas e Aspásias,* p. 11.) **3.** Excelente, delicioso, requintado: *vinhos esquisitos;* "e foi logo empurrado para uma grande sala que a vastidão de uma mesa opípara enchia com esquisitos manjares, faisões, cristais cantantes" (João Ribeiro, *Floresta de Exemplos,* p. 224). **4.** Delicado, apurado, requintado: *Sua sala está decorada com esquisito gosto.* **5.** Excêntrico, estranho, extravagante: *indivíduo esquisito; pessoa de gênio esquisito.* **6.** *Bras. Fam.* De mau aspecto; feio e/ou malvisto. ● *S. m.* **7.** *Bras.* Lugar deserto, ermo: "Deixara a prima no esquisito das moitas de cabreira e corri .... para que não me vissem no gesto impudico." (José Lins do Rego, *Meus Verdes Anos,* p. 110.) **8.** *Bras., PR.* Caminho difícil e escabroso.
esquisitona. *Adj. (f.)* e *s. f.* Fem. de *esquisitão.*
esquisto. [Do gr. *schistós,* 'fendido'.] *S. m.* V. *xisto*[1].
▲**esquisto-.** [Do gr. *schistós, ó, ón.*] *El. comp.* = 'fendido', 'separado': *esquistossomo.* [V. *-xisto.*]
esquistoquilácea. *S. f.* Espécime das esquistoquiláceas.
esquistoquiláceas. *S. f. pl. Bot.* Família de hepáticas, jungermaniales, acróginas, cujas folhas apresentam o lobo anterior sempre menor e unido ao posterior, formando uma quilha. Têm rizóides pluricelulares, e perianto com invólucro e caliptra soldada, ou ausente.
esquistoquiláceo. *Adj.* Pertencente ou relativo às esquistoquiláceas.
esquistosomíase. *S. f.* V. *esquistossomíase.*
esquistosomídeo. *S. m.* e *adj.* V. *esquistossomídeo.*
esquistosomídeos. *S. m. pl. Zool.* V. *esquistossomídeos.*
esquistosomo. *S. m.* V. *esquistossomo.*
esquistosomóideo. *S. m.* e *adj.* V. *esquistossomóideo.*
esquistosomóideos. *S. m. pl. Zool.* V. *esquistossomóideos.*
esquistosomose. *S. f.* V. *esquistossomose.*
esquistossomíase. *S. f. Patol.* V. *esquistossomose.*
esquistossomídeo. *S. m.* **1.** Espécime dos esquistossomídeos. ● *Adj.* **2.** Pertencente ou relativo a eles.
esquistossomídeos. *S. m. pl. Zool.* Família de vermes platelmintos, da classe dos trematódeos. Sexos separados, testículos múltiplos, intestino fundido e anastomosado; fêmea delgada e cilíndrica, macho enrolado no sentido longitudinal. São causadores da esquistossomose.
esquistossomo. [De *esquisto-* + *-soma*.] *S. m. Zool.* Verme platelminto, da classe dos trematódeos, família dos esquistossomídeos. Existem três espécies principais: *Schistosoma mansoni, S. japonicum* e *S. haematobium.* São causadores da esquistossomose. No Brasil, a primeira das espécies parasita o intestino e a veia porta, causando infestação endêmica no N.E., MG e outras regiões; no seu ciclo evolutivo o embrião hospeda-se em moluscos gastrópodes do gênero *Australorbis.*
esquistossomóideo. *S. m.* **1.** Espécime dos esquistossomóideos. ● *Adj.* **2.** Pertencente ou relativo a eles.
esquistossomóideos. *S. m. pl. Zool.* Subordem de vermes platelmintos, da classe dos trematódeos. Sexos separados, testículos múltiplos, intestino fundido e anastomosado; fêmea delgada e cilíndrica, macho enrolado no sentido longitudinal. São causadores da esquistossomose.
esquistossomose. [De *esquisto-* + *-som(a)-* + *-ose.*] *S. f. Patol.* Infecção produzida por cada uma das três espécies de esquistossomo (*haemotobium, japonicum* e *mansoni*), e que tem, conforme o esquistossomo causador, características próprias e dependentes da localização deste; esquistossomíase, bilharziose.
esquistostegácea. *S. f.* Espécime das esquistostegáceas.
esquistostegáceas. *S. f. pl. Bot.* Família de musgos da ordem das esquistostegales, que contam uma única espécie: *Schistostega osmundacea,* pequenino musgo habitante de rochas sombreadas, e cujo talo leva folhas inseridas em um único plano e confluentes na base. O protonema é persistente e flutuante, assemelhando-se a uma alga.
esquistostegáceo. *Adj.* Pertencente ou relativo às esquistostegáceas.
esquistostegale. *S. f.* Espécime das esquistostegales.
esquistostegales. *S. f. pl. Bot.* Ordem de musgos que engloba a família única das esquistostegáceas.
esquiva. [Dev. de *esquivar.*] *S. f.* **1.** Ato de esquivar ou evitar um golpe, desviando o corpo ou a parte do corpo ameaçada. **2.** *Bras. Cap.* Movimento defensivo em que o jogador se abaixa e desloca do lugar apoiado em braços e pernas flectidos. [Nesta acepç., cf. *negativa* (4).]
esquivança. [De *esquivar* + *-ança.*] *S. f.* **1.** Desapego acompanhado de um tudo-nada de aborrecimento ou desprezo em relação à pessoa que procura agradar-nos. **2.** Desdém, desamor, desprezo, recusa; estranheza, esquisitice. **3.** Recusa negativa: "Em tom irônico *Pois sim* significa naturalmente a esquivança em realizar o desejo de outrem." (M. Said Ali, *Meios de Expressão e Alterações Semânticas,* p. 61.) [Sin. ger.: *esquivez, esquiveza.*]
esquivar. [De *esquivo* + *-ar*[2].] *V. t. d.* **1.** Evitar (pessoa ou coisa que nos ameaça ou desagrada): *esquivar problemas.* **2.** Tratar com desdém: *Todos o esquivam.* **3.** Evitar o trato, a conversação de: *O homem digno esquiva os opressores.* **4.** Tolher, atalhar, afastar, desviar: *esquivar a má sorte. T. d. e i.* **5.** Afastar, desviar, arredar: *Sua boa estrela esquiva-o de acidentes. Int.* **6.** Ser escusado. *P.* **7.** Retirar-se ou afastar-se dissimuladamente. **8.** Furtar-se, eximir-se: *Não se esquiva dos seus deveres.* **9.** Evitar (coisa ou pessoa desagradável); fugir. **10.** Deixar de fazer alguma coisa. **11.** Escapar, livrar-se, safar-se.
esquivez (ê). [De *esquivo* + *-ez.*] *S. f.* V. *esquivança.*
esquiveza (ê). [De *esquivo* + *-eza.*] *S. f.* V. *esquivança.*
esquivo. [Do gót. **Skiuh?*] *Adj.* **1.** Que mostra esquivança; áspero, rude, desdenhoso: *natureza esquiva; gênio esquivo;* "Não lhe sejas esquivo em paga de te ser afeiçoado" (Rodrigues Lobo, *Corte na Aldeia,* p. 303). **2.** Arisco, intratável. **3.** Que rejeita ou evita afetos, carinhos, ou mesmo o trato, a conversação. [Sin. ger.: *esquivoso.*]
esquivoso (ô). *Adj.* V. *esquivo.*
esquizeácea. *S. f.* Espécime das esquizeáceas.
esquizeáceas. *S. f. pl. Bot.* Família de pteridófitos, da ordem das eufilicales, que se caracteriza pelos esporângios não agregados em soros e com anel apical completo. Há quase 120 espécies, em sua grande maioria intertropicais e americanas.
esquizeáceo. *Adj.* Pertencente ou relativo às esquizeáceas.
▲**esquiz(o)-**[1]. [Do gr. *schízo.*] *El. comp.* = 'fender', 'separar': *esquizofrenia, esquizocéfalo.*
▲**esquiz(o)-**[2]. [De *esquizofrênico.*] *El. comp.* = 'esquizofrenia': *esquizotimia.*
esquizocarpo. [De *esquiz(o)-*[1] + *-carpo.*] *S. m. Morfol. Veg.* Fruto resultante de um ovário multicarpelar que, ao alcançar a maturidade, se decompõe em partes independentes.
esquizocárpico. *Adj. Morfol. Veg.* Relativo a, ou da natureza do esquizocarpo.
esquizocéfalo. [De *esquiz(o)-*[1] + *-céfalo.*] *S. m. Ter.* Monstro que apresenta uma divisão longitudinal na cabeça.
esquizofasia. [De *esquiz(o)-*[2] + *-fasia.*] *S. f. Med.* Falar confuso, incompreensível, entrecortado, característico de indivíduos esquizofrênicos.
esquizofíceas. *S. f. pl. Bot.* Classe de algas da divisão

dos esquizófitos, cujas células são isoladas e sem flagelos, ou formam como que um talo ao reunirem-se em colônias simples. Há também formas filamentosas. [Equivalem às cianofíceas de outros autores.]

esquizófitos. *S. m. pl. Bot.* A primeira divisão do reino vegetal, a qual compreende as plantas unicelulares mais simples quanto à organização; não têm núcleo individualizado, são incolores ou pigmentados, e sua reprodução se processa por divisão direta ou formação de endósporos. Dividem-se em duas classes: esquizomicetos (bactérias) e esquizofíceas (cianofíceas).

esquizóforo. *S. m.* **1.** Espécime dos esquizóforos. ● *Adj.* **2.** Pertencente ou relativo a eles.

esquizóforos. *S. m. pl. Zool.* Divisão que compreende os insetos dípteros, muscóides (moscas comuns), em número muito elevado, cerca da metade de espécies da ordem.

esquizofrenia. [De *esquiz(o)*[1] + *-fren(o)-*[1] + *-ia.*] *S. f. Psiq.* Afecção mental caracterizada pelo relaxamento das formas usuais de associação de idéias, baixa de afetividade, autismo e perda de contato vital com a realidade; demência precoce.

esquizofrênico. [De *esquiz(o)-*[1] + *-fren(o)-*[1] + *-ico*[2].] *Adj.* **1.** Referente à, ou próprio da esquizofrenia. **2.** Que sofre de esquizofrenia. ● *S. m.* **3.** Aquele que dela sofre.

esquizogênese. [De *esquiz(o)-*[1] + *-gênese.*] *S. f. Genét.* e *Bot.* Modalidade de reprodução vegetativa dos seres unicelulares em que ocorre a divisão direta das células; cissiparidade, fissiparidade.

esquizogenético. *Adj.* Relativo à esquizogênese; cissíparo, fissíparo.

esquizógnato. [De *esquiz(o)-*[1] + *-gnato.*] *Adj.* Diz-se da maxila superior das aves quando o vômer é pequeno e pontudo na parte posterior e as apófises não se unem entre si nem com o vômer.

esquizogônico. [De *esquiz(o)-*[1] + *-gon(o)-* + *-ico*[2].] *Adj. Biol.* Diz-se da reprodução dos seres unicelulares por esquizogênese.

esquizóide. [De *esquiz(o)-*[2] + *-óide.*] *Adj. 2 g.* e *s. 2 g.* Que ou aquele que sofre de esquizoidia.

esquizoidia. [De *esquizóide* + *-ia.*] *S. f. Psiq.* Constituição mental em que se observa tendência à solidão, autismo, devaneio, má adaptação às realidades exteriores.

esquizomiceto. *S. m.* Espécime dos esquizomicetos.

esquizomicetos. *S. m. pl. Bot.* Classe de esquizófitos que compreende células muito pequenas, aclorofiladas, e cuja membrana é péctica, ao invés de celulósica. Movimentam-se por meio de flagelos, e podem ser aeróbias ou anaeróbias. Englobam duas sérias: eubactérias e tiobactérias.

esquizonte. *S. m.* Trofozóito dos esporozoários que se multiplica assexuadamente no corpo do hospedeiro.

esquizópode. *S. m.* **1.** Espécime dos esquizópodes. ● *Adj.* **2.** Pertencente ou relativo a eles.

esquizópodes. *S. m. pl. Zool.* Animais metazoários, artrópodes, crustáceos, malacostráceos, providos de patas torácicas com exopodito e endopodito bem desenvolvidos.

esquizotimia. [De *esquiz(o)-*[2] + *-tim(o)-* + *-ia.*] *S. f. Psiq.* Temperamento não patológico a partir do qual se desenvolve, de preferência, a esquizofrenia. [Caracteriza-se por maior ou menor grau de interiorização, timidez, reações inapropriadas às situações e tendência ao idealismo.]

esquizotímico. *Adj.* **1.** Referente à, ou que apresenta esquizotimia. ● *S. m.* **2.** Aquele que a apresenta.

essa[1]. *S. f.* **1.** Estrado que se ergue numa igreja para nele se colocar um cadáver enquanto se efetuam as cerimônias fúnebres; catafalco: "o crucifixo de marfim .... somente saía do oratório da alcova para ficar à cabeceira das essas nos velórios de família." (Josué Montelo, *A Noite sobre Alcântara*, p. 202). **2.** Espécie de túmulo vazio erguido em um templo enquanto se sufraga a alma do defunto; cenotáfio. [Cf. *Eça*, antr.]

essa[2]. [Do lat. *ipsa.*] *Pron. dem.* Fem. sing. de esse (ê) [q. v.]. [Us. (com a elipse da palavra coisa) em exclamações de descontentamento ou surpresa: *Ora essa; Essa é boa; Corta essa.* Cf. *Eça*, antr.] ♦ **Sem essa.** *Gír.* Não concordo; não vem, que não tem.

esse. *S. m.* **1.** Nome da letra *s.* [Pl.: *esses* ou *ss.*] **2.** Certo biscoito em forma de *s.* **3.** *Bras., Amaz.* Gancho em forma de *s*, usado para pendurar a rede (16), ficando uma das pontas enfiada no armador e a outra no punho. **4.** *Bras., SP* a *RS.* A parte do facão entre o cabo e a lâmina, com a forma de *s*: "levantou a velha, estorcendo-se, atravessada no facão, até o esse ..." (Simões Lopes Neto, *Contos Gauchescos e Lendas do Sul*, p. 136). [Pl. (nas três últimas acepç.): esses. Cf. esse (ê) e pl. *esses* (ê).] ♦ **Andar aos esses.** *Bras. Pop.* Andar ziguezagueando, em conseqüência de embriaguez.

esse (ê). [Do lat. *ipse.*] *Pron. dem.* **1.** Aplica-se a pessoa ou coisa próxima daquela com quem falamos ou a quem escrevemos, ou que ela traz consigo, ou traja, etc., ou que com essa pessoa ou coisa tem relação: *Onde encontraste esse menino?; Quanto custou essa gravata?* **2.** Diz-se do lugar onde a pessoa está ou mora: *Que tal essa cidade — é boa?* **3.** Usa-se com relação a sentimento ou sensação que a pessoa experimenta: *Como podes suportar, a 1.500 metros de altitude, esse frio terrível?* **4.** Aplica-se a pessoa ou coisa distante, ou desaparecida, à qual se fez referência clara ou implícita, ou que não tem relação nem com a pessoa que fala nem com aquela com quem se fala: *Revia, na imaginação, esse filho tão querido; Quanto sofrem essas pessoas pobres!* **5.** Diz-se de coisa pertencente ou relativa à pessoa com quem falamos (podendo, não raro, como se verá nas duas últimas abonações, ter valor de possessivo): "Marinheiro triste / Que voltas para bordo / Que pensamentos são / Esses que te ocupam!" (Manuel Bandeira, *Estrela da Vida Inteira*, p. 137); "— Que susto me pregou, entrando aqui com essa cara de alma do outro mundo!" (Ciro dos Anjos, *O Amanuense Belmiro*, p. 27); "Afonso de Teive... o senhor?! Essas barbas... essa nutrição... / — E estes óculos... — atalhou ele. / — É verdade ... Esses óculos..." (Camilo Castelo Branco, *Amor de Salvação*, p. 13); "Donzelinha, donzelinha, / fecha esses olhos sombrios." (Cecília Meireles, *Obra Poética*, p. 678); *Que tens nesse coração?* **6.** Designa coisas afastadas da primeira pessoa, ou que se vão estendendo para longe: "O bando de máscaras femininas, mais ou menos imperfeitas, que enxameiam por esse mundo" (Antônio Feliciano de Castilho, *Amor e Melancolia*, p. 400); "Fazem ver jardins nos matos, / Andar as caças aos pulos, / E dançar por esses ares / Os bosques e os Caramulos" (Id., *Escavações Poéticas*, p. 102); "No penhasco mais a pico me assentei, olhando por essas pradarias fora" (Camilo Castelo Branco, *No Bom Jesus do Monte*, p. V); "Arroja a locomotiva / Por essas campinas fora" (Guerra Junqueiro, *A Musa em férias*, p. 40); "— Pois eu me admiro muito, porque é a Bicha mais horrorosa e conhecida por todo esse mundo velho, por aí fora!" (Ariano Suassuna, *A Pedra do Reino*, p. 236); "E por onde eu me vou, por todo esse infinito, / Sempre diante de mim, há uma surpresa, um grito." (Emiliano Perneta, *Poesias Completas*, II, p. 6). **7.** Usa-se determinando um aposto: "Vi o teu rosto lindo, / Esse rosto sem-par" (João de Deus, *Campo de Flores*, I, p. 83). **8.** Emprega-se com referência a palavra, oração, trecho citado (podendo ser substituído por este): "Veio um médico do Porto, o Fortunato Martins da Cruz. Esse, sem a interrogar, ... disse ao egresso que a mandassem para Rilhafoles" (Camilo Castelo Branco, *Vulcões de Lama*, p. 181); "Cândido Neves .... cedeu à pobreza, quando adquiriu o ofício de pegar escravos fugidos. Tinha um defeito grave esse homem, não agüentava emprego nem ofício, carecia de estabilidade" (Machado de Assis, *Relíquias de Casa Velha*, p. 5); "— Veneno! interrompeu Duarte. — Vulgarmente é esse o nome" (Id., *Papéis Avulsos*, p. 114). **9.** É de rigor, ou, pelo menos, recomendável, o seu emprego (em lugar de este), quando serve para pôr em destaque um termo da oração já referido: "Fr. Joanne, esse olhou fito para o cego" (Alexandre Herculano, *Lendas e Narrativas*, I, p. 240); "A podenga negra, essa corria pelo aposento viva e inquieta" (Id., *ib.*, II, p. 12). **10.** Usa-se com referência a tempo mais ou menos longínquo, passado ou futuro, podendo, no caso de tempo passado, substituir-se por *aquele* e, com menor freqüência, por *este*: "Foi isto, creio eu, em 1862 ou 1863. .... Nesse tempo ele [Antero de Quental] era em Coimbra, e nos domínios da inteligência, o Príncipe da Mocidade." (Eça de Queirós, *Notas Contemporâneas*, p. 371); "— Dize-lhe que me viste, uma tarde, chorando... / Nessa tarde parti." (Vicente de Carvalho, *Poemas e Canções*, p. 280); "Um dia um cisne morrerá por certo: / Quando chegar esse momento incerto, / No lago, onde talvez a água se tisne, // Que o cisne vivo, cheio de saudade, / Nunca mais cante, nem sozinho nade, / Nem nade nunca ao lado de outro cisne." (Júlio Salusse, *ap.* Manuel Bandeira, *Antologia dos Poetas Brasileiros da Fase Parnasiana*, p. 275). [Cf. *este* (ê) e *aquele* (ê), (onde se encontram, sobretudo no primeiro, várias acepções que são as mesmas, *mutatis mutandis*, do esse); *esse*, pl. *esses* e *s* (1).]

essedário. [Do lat. *essedariu.*] *S. m.* Gladiador romano que combatia sentado em carro.

éssedo. [Do gaul., atr. do lat. *essedu.*] *S. m.* Carro de duas rodas, empregado em campanhas por bretões e gauleses.

essência. [Do lat. *essentia.*] *S. f.* **1.** Aquilo que constitui a natureza das coisas; substância. **2.** A existência. **3.** Idéia principal: *a essência de um artigo, de um ensaio.* **4.** Significação especial; espírito: *a essência duma lei.* **5.** *Filos.* O que constitui o cerne de um ser; natureza. [Cf. *acidente* (8) e *substância* (9)]. **6.** *Filos.* O que constitui a natureza de um ser, independentemente de este existir de fato ou atualmente. **7.** Espécie (falando-se das árvores de uma floresta). **8.** Óleo fino e aromático extraído de determinados vegetais. [Cf. *óleo essencial.*] ♦ **Essência de amêndoas amargas.** Óleo essencial extraído, a vapor, da amêndoa, e que contém benzaldeído e ácido cianídrico. **Essência de bergamota.** A que se extrai principalmente da casca dos frutos maduros do *Citrus bergamia.* **Essência de citronela.** Essência extraída das folhas de *Andropogon* (sp.), usada em perfumaria, e que contém o citronelal e o geraniol. **Essência de eucalipto.** Óleo essencial que se extrai, pelo vapor de água, das folhas do eucalipto, e contém o eucaliptol, álcool isoamílico e vários aldeídos. **Essência de flor de laranjeira.** A que se extrai, por destilação a vapor, das flores de espécie do gênero *Citrus*, usada em perfumaria. **Essência de gerânio.** Substância oleosa que se extrai, pelo vapor de água, das folhas do gerânio, contendo esteres do geraniol e do citronelol. **Essência de jasmim.** Essência extraída por enfloragem das flores do jasmim, contendo linalol e acetato de benzila. **Essência de rosa.** Substância oleosa obtida pela enfloragem das pétalas de rosa, e que contém geraniol e citronelol. **Essência de terebintina.** *Quím.* Líquido incolor, com cheiro característico, obtido pela destilação a baixa temperatura da resina de certas coníferas, usado na fabricação de tintas, de linóleos, em produtos farmacêuticos, e em inseticidas, constituído por mistura complexa de pinenos, canfenos e outros compostos. **Essência de vetiver.** Substância oleosa extraída das raízes de um capim (*Vetiveria zizanioides*), que contém vetivenol e vetiveno.

essencial. [Do lat. *essentiale.*] *Adj. 2 g.* **1.** Relativo a essência. **2.** Que constitui a essência **3.** Indispensável; necessário, importante: *É essencial a presença dele na reunião.* ~ V. *constituinte —, descontinuidade —, mineral —, óleo —* e *singularidade —.* **4.** *Med.* Cuja origem é desconhecida; idiopático. ● *S. m.* **5.** O ponto mais importante; o fundamental: *O essencial é que ele seja bom.*

essencialidade. *S. f.* Qualidade ou estado de essencial.

essênio. *S. m.* **1.** Membro de uma das seitas religiosas judaicas, que constituía um grupo fechado, coeso, que vivia em comum. **2.** *Fig.* Aquele que vive afastado, livre de contaminação, que é puro.

essexito (cs). [Do top. *Essex* + *-ito*[2].] *S. m. Geol.* Rocha magmática intrusiva, formada de plagioclásio cálcico, ortoclásio, e de um ou mais minerais fêmicos.

essoutro. Contr. do pron. dem. esse com o pron. indef. *outro.* [Flex.: *essoutra, essoutros, essoutras.* É lícito usar, em vez da contração, a loc. correspondente *esse outro.*]

és-sudeste. *S. m.* V. *és-sueste.* [Var.: *lés-sudeste.*]

és-sueste. [Var. de *és-sudeste* < de *es(te)* + *sudeste.*] *S. m.* **1.** *Astr.* Ponto do horizonte a meia distância angular do E. e do S.E. [Abrev.: *E. S. E.*] **2.** Vento que sopra desse ponto. [Var.: *lés-sueste.*]

esta. [Do lat. *ista.*] *Pron. dem.* Fem. de este (ê) [q. v.]

estabanado. [Var. de *estavanado* < *es* + *tavão* + *-ado*[1].] *Adj.* **1.** Que tem maneiras precipitadas; desassossegado, imprudente, adoidado, doidivanas. **2.** Desajeitado, desastrado: *Menina estabanada, quebra tudo em que toca.*

estabelecedor (ô). *Adj.* e *s. m.* Que ou aquele que estabelece.

estabelecer. [Do lat. *stabiliscere, incoativo de *stabilire*, 'fazer firme'.] *V. t. d.* **1.** Fazer estável, firme; fixar; estabilizar: *Esforçava-se por estabelecer uma sólida reputação.* **2.** Criar, instituir, fundar: *A Semana de Arte Moderna, em 1922, procurou estabelecer uma visão nacional da literatura.* **3.** Instalar, alojar: *estabelecer residência.* **4.** Determinar, assentar; fixar: *A Constituição estabelece que todos são iguais perante a lei.* **5.** Dar forma regular e estável a; organizar, dispor: *É função da O.N.U. estabelecer a paz entre os povos.* **6.** Dar estabilidade a; dar meios de vida a: *Muitos se valem dos cargos públicos para estabelecer os parentes.* **7.** Demonstrar, provar; assentar. **8.** Ordenar, mandar, determinar. **9.** Pôr em vigor; vulgarizar. *T. d. e i.* **10.** Firmar, celebrar: *Estabeleceu um acordo com o inimigo. P.* **11.** Fixar residência; alojar-se, instalar-se, colocar-se, fixar-se. **12.** Tomar forma estável e permanente; organizar-se. **13.** Abrir estabelecimento comercial ou industrial. **14.** Pôr casa; tomar estado; casar(-se). [Conjug.: v. *aquecer.*]

estabelecido. [Part. de *estabelecer.*] *Adj.* **1.** Que se estabeleceu, fundou, instituiu; instituído: *normas estabelecidas.* **2.** Que tem estabelecimento industrial ou comercial seu: *negociante estabelecido.*

estabelecimento[1]. *S. m.* **1.** Ato ou efeito de estabelecer (-se). **2.** Fundação; instituição. **3.** Colocação, emprego. **4.** Casa comercial. **5.** Instituto (8). **6.** *Ant.* Lei; ordem; estatuto. ♦ **Estabelecimento do porto.** Intervalo médio entre o trânsito meridiano da Lua e a próxima preamar, referente a um dado ponto de uma costa. **Estabelecimento pio.** Aquele que abriga obras de caridade, como, p. ex., os asilos, hospícios e casas da misericórdia. **Estabelecimento público.** O que tem por fim a utilidade ou o recreio do público em geral (hospitais, museus, galerias de pintura, etc.).

estabelecimento[2]. [Do ingl. *establishment.*] *S. m.* **1.** Conjunto dos grupos dominantes, dentro de uma sociedade. **2.** Corpo de idéias filosóficas, sociais, econômicas, políticas e religiosas, preconizadas e impostas, mediante lei ou, como costume, pelos grupos dominantes duma sociedade.

estabilidade. [Do lat. *stabilitate.*] *S. f.* **1.** Qualidade de estável; firmeza, solidez, segurança. **2.** *Fís.* Propriedade geral dos sistemas mecânicos, elétricos e aerodinâmicos, pela qual o sistema retorna ao estado de equilíbrio após sofrer uma perturbação. **3.** *Jur.* Garantia que tem o funcionário público efetivo, depois de certo tempo de exercício, de não ser demitido senão por sentença judicial ou mediante processo administrativo. **4.** *Jur.* Garantia que o empregado adquire após 10 anos de serviço na mesma empresa, de não ser despedido, exceto por falta grave apurada mediante inquérito, no juízo trabalhista. **5.** Regime válido, no Brasil, até o estabelecimento da lei que institui o Fundo de Garantia do Tempo de Serviço, e vigente para os que não optaram por essa lei. [Cf. *vitaliciedade.*]

estabilização. *S. f. Bras.* **1.** Ato ou efeito de estabilizar (-se). **2.** Tratamento a que se submete um solo ou uma construção para melhorar-lhes as características de resistência. **3.** Conjunto de medidas de caráter permanente que visam, quer pela consolidação (9), quer pela reestruturação (2), a recuperar a situação estática de uma edificação. ♦ **Estabilização da moeda.** Fixação do seu poder aquisitivo. **Estabilização mecânica.** Processo de estabilização pela mistura, em proporções adequadas e sob condições especificadas, de solos de diferentes tipos, sem adição doutros materiais.

estabilizado. [Part. de *estabilizar.*] *Adj.* Que se estabilizou. ~ V. *solo* —.

estabilizador (ô). [De *estabilizar* + *-(d)or.*] *S. m.* **1.** Substância que torna estável uma solução. **2.** *Fís.* Dispositivo que serve para assegurar a constância do valor eficaz da corrente em um circuito ou da diferença de potencial entre dois pontos.

estabilizar. *V. t. d. e p.* Tonar(-se) estável, fixo; estabelecer(-se): *estabilizar a moeda; A situação, que era incerta, por fim se estabilizou.*

estabilizável. *Adj. 2 g.* Que se pode estabilizar.

estabulação. [Do lat. *stabulatione.*] *S. f.* Criação de animais em estábulo, para engorda.

estabular[1]. [De *estábulo* + *-ar[1].*] *Adj. 2 g.* Relativo ou pertencente a estábulo.

estabular[2]. [Do lat. *stabulare.*] *V. t. d.* **1.** Criar ou engordar em estábulo. **2.** Meter em estábulo. [Pres. ind.: *estabulo*, etc. Cf. *estábulo.*]

estábulo. [Do lat. *stabulu.*] *S. m.* Lugar coberto onde se recolhe o gado vacum; estala. [Cf. *estabulo*, do v. *estabular.*]

estaca. [Do gót. **stakka.*] *S. f.* **1.** Peça estrutural alongada, de madeira, aço ou concreto, que se crava no solo para transmitir-lhe a carga de uma construção, como parte da fundação; palanca. **2.** Marco, geralmente de madeira, que, em trabalhos topográficos, se crava no terreno para assinalar temporariamente um ponto da superfície. **3.** Pau que se finca no terreno para marcar, suster, etc. **4.** *Bot.* Porção de um ramo que se planta para reproduzir a árvore ou o arbusto de origem. **5.** *Bras.* Distância horizontal de 20 m, que é o intervalo entre duas estacas topográficas designadas por números inteiros consecutivos. ♦ **Estaca flutuante.** Estaca de fundação que transmite as cargas de estrutura pelo atrito lateral do solo, sem precisar atingir uma camada resistente. **Estaca inteira.** A que marca um ponto do terreno cuja distância de percurso à origem de um caminhamento topográfico é um múltiplo exato de 20m, e designada pelo número inteiro representativo desse múltiplo. **Estaca intermediária.** A que marca um ponto situado entre duas estacas inteiras consecutivas de um caminhamento topográfico. **Estaca zero.** Estaca inicial de um caminhamento topográfico. **Voltar à estaca zero.** *Bras.* **1.** Voltar ao ponto de partida. **2.** Recomeçar tudo.

estacada. [Fem. substantivado de *estacado.*] *S. f.* **1.** Lugar defendido por estacas dispostas uma ao lado da outra. **2.** Campo onde se travavam justas e torneios; baila, liça, valo. **3.** Fileira de estacas; estacaria. **4.** Curral, estábulo.

estacado. [Part. de *estacar.*] *Adj.* Parado; imóvel.

estação. [Do lat. *statione.*] *S. f.* **1.** Paragem ou pausa em um lugar; estada, estância, parada. **2.** Lugar em que se processa embarque e desembarque de passageiros e/ou carga de trem, navio, ônibus, avião, etc. **3.** Posto policial. **4.** Posto meteorológico. **5.** Centro transmissor de rádio ou televisão. **6.** Local escolhido para determinada pesquisa ou observação, para se colocar um marco, uma baliza, etc. **7.** Cada um dos quatro períodos do ano que constam de três meses, dos quais dois começam nos solstícios e dois nos equinócios, e que se distinguem entre si pelas características climáticas: primavera, verão, outono e inverno. [Sin., nesta acepç., *quadra do ano, estação do ano, sazão.*] **8.** Ocasião, oportunidade. **9.** Época, temporada, quadra: *a estação das chuvas.* **10.** *Restr.* Época em que se apresentam as grandes companhias de teatro, de balé, os conjuntos orquestrais, etc.: *A peça foi levada fora da estação e por isso não teve público.* **11.** Época em que se faz determinada cultura ou colheita: *a estação das cerejas.* **12.** Período que se passa em estação de águas [q. v.], em praia, em montanha, etc.: *Vou fazer uma estação em Caxambu.* **13.** *Ecol.* Local onde um vegetal vive ou foi colhido. **14.** *Rel.* Cada uma das 14 pausas na via-sacra (1). **15.** *Rel.* Seqüência de sermões pregados sobre determinado acontecimento litúrgico. **16.** *Teat.* Cada um dos palcos destinados às cenas contínuas dos milagres [v. *milagre* (7)] e mistérios [v. *mistério* (8)] do teatro medieval, particularmente nas representações da morte e ressurreição de Cristo. **17.** *Bras.* Centro telefônico. ♦ **Estação de águas.** **1.** Temporada que se passa, em geral para cura, numa estância hidromineral [q. v.]: *Normalmente se aconselha uma estação de águas de 21 dias.* **2.** *P. ext.* V. *estância hidromineral: as estações de águas do Sul de Minas.* **Estação de monta.** *Zootecn.* Posto de monta. **Estação do ano.** V. *estação* (7). **Estação elevatória.** Elevatória. **Estação espacial.** *Astron.* Laboratório espacial orbitante que contém acomodações suficientes para um período relativamente longo de permanência no espaço; plataforma espacial. **Estação rodoviária.** Rodoviária (1).

estaca-prancha. *S. f.* Peça alongada, plana ou ondulada, de madeira, aço, ou concreto armado, a qual, articulada com outras do mesmo tipo e com elas engastada verticalmente no solo, compõe cortinas resistentes e estanques, utilizadas em ensecadeiras, muralhas de cais e muros de arrimo. [Pl.: *estacas-pranchas.*]

estacar. *V. t. d.* **1.** Segurar com estacas; amparar, escorar. **2.** Interromper, sustar, suspender: *estacar o passo. Int.* **3.** Parar de repente; ficar parado, imóvel: "Queria estacar e não podia: as pernas o impulsionavam para a frente" (Fran Martins, *Dois de Ouros*, p. 10). **4.** Ficar perplexo, confuso, embasbacado; hesitar, vacilar. [Conjug.: v. *trancar.*]

estacaria. *S. f.* **1.** Grande porção de estacas. **2.** Conjunto de estacas que formam os alicerces de um prédio ou de um dique. **3.** Estacada (3).

estaca-testemunha. *S. f.* Pequena estaca numerada que identifica ponto importante de um levantamento topográfico. [Pl.: *estacas-testemunhas.*]

estacional. [Do lat. *stationale.*] *Adj. 2 g.* **1.** V. *sazonal.* **2.** Estacionário (1 e 2). **3.** *Ecol.* Que está sujeito a uma estação (9) seca: *floresta estacional.*

estacionalidade. [De *estacional* + *-i-* + *-dade.*] *S. f.* Capacidade de produção agrícola conforme a estação ou época do ano em que se fez o plantio e a colheita.

estacionamento. *S. m.* **1.** Ato de estacionar. **2.** Lugar delimitado onde se estacionam veículos; parqueamento.

estacionar. [Do lat. *statione*, 'parada', + *-ar[2].*] *V. int.* **1.** Fazer estação (1); parar, deter-se: "Numerosíssimo concurso oficial e popular precedia e acompanhava ao príncipe regente e à família real transmigrantes de Lisboa; multidão imensa estacionava, movia-se, ou precipitava-se curiosa e entusiasmada" (Joaquim Manuel de Macedo, *Memórias da Rua do Ouvidor*, p. 102); *Os táxis estacionam na esquina.* **2.** Permanecer estacionário; não progredir: *A doença estacionou. T. c.* **3.** Ser freqüentador assíduo: *Aquela senhora estaciona nesta casa de chá. T. d.* **4.** Deter, fazer parar (um veículo), por tempo mais ou menos longo; parquear: "era esta a conclusão a que acabava de chegar o Encarregado dos Negócios do Brasil, quando .... Manrique, depois de muito haver estacionado o carro junto a bares e cafés-cantantes, estacionou-o diante de um soturno casarão assobradado" (Viana Moog, *Tóia*, p. 47). [Fut. do pret.: *estacionaria*, etc. Cf. *estacionária.* fem. de *estacionário.*]

estacionário. [Do lat. *stationariu.*] *Adj.* **1.** Que estaciona; imóvel, parado; estacional. **2.** Que não progride nem retrocede; estacional. **3.** *Fís.* Diz-se de um processo em que, apesar da existência de fenômenos de transporte (de massa, de enegia, etc.), não existem modificações nas variáveis macroscópicas do sistema onde ele ocorre. **4.** *Bras.* Encarregado de estação meteorológica. [Fem.: *estacionária.* Cf. *estacionaria*, do v. *estacionar.*] ~ V. *campo* —, *onda* —a, *ponto* —, *satélite* — e *série* —a.

estacionável. *Adj. 2 g.* **1.** Em que se pode estacionar. **2.** Suscetível ao estacionamento, estacionário.

estackousiácea. *S. f.* Espécime das estackousiáceas.

estackousiáceas. *S. f. pl. Bot.* Família de plantas floríferas, composta de ervas perenes, de folhas sem estípulas e flores em espigas ou glomérulos, perianto pentâmero, gamopétalo na parte superior, estames em número de cinco, e dois a cinco carpelos, cada um com um só óvulo. Habita a Austrália e terras adjacentes, e conta cerca de 20 espécies.

estackousiáceo. *Adj.* Pertencente ou relativo às estackousiáceas.

estada. *S. f.* Ato de estar; demora, permanência, estância: "Depois de sua estada na prisão, Oscar Wilde dizia — oh! — que a sua rota era a de São Francisco de Assis..." (Álvaro Lins, *Literatura e Vida Literária*, p. 39.)

estadão. [Aum. de *estado.*] *S. m.* Pompa, luxo, fausto, magnificência: "toda a corte celestial, enfim, em trajes domingueiros, a fazer estadão de riquezas e ouropéis." (João da Silva Correia, *Farândola*, p. 27).

estadear. [De *estado* + *-ear.*] *V. t. d.* **1.** Mostrar com enfatuamento; ostentar, alardear, pompear: "O homem transfigura-se. Empertiga-se, estadeando novos relevos, novas linhas na estatura e no gesto" (Euclides da Cunha, *Os Sertões*, p. 115). *P.* **2.** Mostrar-se com ostentação; alardear pompa; pompear. **3.** Enfatuar-se, ensoberbecer-se, envaidecer-se. **4.** Mostrar-se de maneira grandiosa; ostentar-se: "O Sol desaparecera cá debaixo: estadeava-se, agora, na parte superior dos prédios" (Ferreira de Castro, *A Tempestade*, p. 242). [Conjug.: v. *frear.*]

estadela. [De *estado* + *-ela.*] *S. f. Ant.* Cadeira alta onde se sentavam os reis e os magistrados: "De cenho carregado, as mãos convulsas, / Numa nobre estadela, Pedro inquire / De cada empicotado a grave culpa" (Eugênio de Castro, *Obras Poéticas*, V, p. 41).

estadia. [Do lat. *stativa.*] *S. f.* **1.** *Mar. Merc.* Prazo concedido para carga e descarga do navio surto em um porto; estalia. **2.** Estada, permanência. [Muitos condenam o uso, freqüentíssimo, da palavra nesta última acepção. Cf. *estádia.*]

estádia. [De *estádio* (2).] *S. f. Geom.* Instrumento destinado a avaliar distâncias. [Cf. *estadia.*]

estádio. [Do gr. *stádion*, pelo lat. *stadiu.*] *S. m.* **1.** Campo de jogos esportivos. **2.** Antiga unidade de medida itinerária, equivalente a 125 passos [v. *passo*[2] (4)], ou seja, 206,25 m. **3.** Fase, período, época, estação.

estadismo. *S. m.* Doutrina que aceita a onipotência do Estado. [Cf. *estatismo.*]

estadista. *S. 2 g.* Pessoa de atuação notável nos negócios políticos e na administração de um país; homem ou mulher de Estado.

estadística. [De *estadista* + *-ica.*] *S. f.* Ciência dos negócios políticos; ciência de governar. [Cf. *estatística.*]

estadístico. *Adj.* Referente à estadística. [Cf. *estatístico.*]

estado. [Do lat. *statu.*] *S. m.* **1.** Modo de ser ou estar. **2.** Situação ou disposição em que se acham as pessoas ou as coisas: *estado de saúde; estado de espírito; estado de abandono;* "A tudo se habitua o homem, a todo o estado se afaz" (Almeida Garrett, *Viagens na Minha Terra*, p. 178). **3.** Modo de existir na sociedade; situação social ou profissional; condição: *estado militar; estado eclesiástico; estado de escravidão;* "Eu sou Lereno, / De baixo estado, / Choça nem gado / Dar poderei." (Domingos Caldas Barbosa, *ap.* Sérgio Buarque de Holanda, *Antologia dos Poetas Brasileiros da Fase Colonial*, I, p. 296). **4.** Conjunto das condições físicas e morais de uma pessoa: *No seu estado, a jovem só pensava no filho que ia nascer.* **5.** Luxo, pompa, fausto, ostentação, magnificência: *O magnata vivia em grande estado.* **6.** Lista enumerativa; inventário; registro: *o estado das despesas, dos bens.* **7.** Antiga classificação dos indivíduos, em uma sociedade constituída, segundo sua condição política (o clero, a nobreza e o povo). **8.** O conjunto dos poderes políticos de uma nação; governo: *estado republicano; estado democrático; estado totalitário.* **9.** Divisão territorial de certos países: *O Brasil tem 23 estados, três territórios e um distrito federal.* **10.** *Dir.* Nação politicamente organizada. [Neste sentido, escreve-se com inicial maiúscula.] **11.** Organismo político administrativo que, como nação soberana ou divisão territorial, ocupa um território determinado, é dirigido por governo próprio e se constitui pessoa jurídica de direito público, internacionalmente reconhecida. **12.** Sociedade politicamente organizada. **13.** *Cronol.* Estado absoluto de um relógio. **14.** *Fís.* Estado de agregação. **15.** *Fís.* Conjunto de valores das grandezas físicas de um sistema, necessário e suficiente para caracterizar univocamente a situação física deste sistema. **16.** *Grav.* Cada uma das fases da execução de uma gravura, de que se tira prova para verificação do trabalho: *primeiro estado, segundo estado, etc.* **17.** *Ant.* Situação estacionária; parada. **18.** *Ant.* Altura ordinária de um homem. **19.** *Ant.* Ofício de defuntos. ♦ **Estado absoluto de um relógio.** *Cronol.* Intervalo de tempo que se deve adicionar algebricamente à hora marcada por um relógio para se ter a hora correta. [Tb. se diz apenas *estado.*] **Estado civil.** Situação jurídica de uma pessoa em relação à família ou à sociedade, considerando-se o nascimento, filiação, sexo, etc. (solteiro,. casado, desquitado, viúvo, filho natural, etc.) **Estado coloidal.** *Fís.-Quím.* Estado de subdivisão das partículas da fase dispersa de um colóide. **Estado de agregação.** *Fís.* Uma das formas de agregação (sólida, líquida ou gasosa) que pode apresentar uma substância. [Tb. se diz apenas *estado.*] **Estado de coisas.** Circunstâncias, conjunturas. **Estado de coma.** Coma[2]. **Estado de graça.** O de inocência, oposto ao de pecado. **Estado de inocência.** Desconhecimento do bem e do mal. **Estado de necessidade.** *Jur.* Situação em que se acha alguém que sacrifica direito alheio para salvar direito próprio ou alheio de um perigo atual, ao qual não deu causa, e que não pôde evitar. **Estado de sítio.** Suspensão temporária de certos direitos e garantias individuais. **Estado excitado.** *Fís.* Estado de um sistema em que a energia é superior à do estado fundamental. **Estado fundamental.** *Fís.* Em um átomo ou num grupamento de átomos, a configuração correspondente à energia potencial mínima. **Estado gasoso.** *Fís.* Estado de agregação de uma substância no qual as moléculas ou os átomos estão relativamente distantes uns dos outros e as forças atrativas ou repulsivas são, em média, pequenas. **Estado interessante.** A gravidez. **Estado líquido.** *Fís.* Estado de agregação de uma substância no qual as moléculas ou os átomos estão, em média, muito mais próximos uns dos outros que no estado gasoso, havendo uma ordenação espacial local e transitória, e uma interação relativamente intensa das partículas vizinhas. **Estado metaestável.** **1.** *Fís.* Estado em que uma substância ou um sistema pode permanecer, apesar de não ser estável nas condições físicas em que se encontra. **2.** *Fís. Nucl.* Estado excitado do núcleo ou do átomo que tem uma vida média apreciável. **Estado político.** Situação jurídica da pessoa em relação ao Estado (cidadania e nacionalidade). **Estado religioso.** Na religião católica, a ligação, mediante os três votos, de pobreza, castidade e obediência, com uma congregação, instituto ou ordem religiosa. **Estado sólido.** *Fís.* Estado de agregação de uma substância cujas partículas constitutivas (moléculas, íons, átomos) se acham arrumadas ordenadamente no espaço, formando uma rede cristalina, e em que há uma forte interação das partículas vizinhas. **Em estado de graça.** Estado em que se encontra quem goza ou como que goza da graça divina, ou por ela foi tocado. **Mudar de estado.** Tomar estado (1). **Terceiro estado.** Designação dada outrora ao povo, em relação aos outros dois estados, que eram o clero e a nobreza. **Tomar estado.** **1.** Casar-se, matrimoniar-se; mudar de estado: "Casou-se, não por amor, mas para *tomar estado*, para casar-se, como todas." (Mário Donato, *A Parábola das 4 Cruzes*, p. 71.) **2.** Pôr casa. **3.** Tomar um modo de vida. **4.** *Bras., S.* Ficar em boas condições. [Us. nesta acepç. especialmente com relação ao cavalo de corrida ou ao galo de rinha que se tornaram aptos para os respectivos esportes.]

estado-maior. *S. m.* **1.** *Mil.* Grupo de oficiais que assessoram um comandante, no planejamento e no controle de execução de operações militares. **2.** *Fig.* O conjunto das pessoas mais eminentes de um grupo, de uma classe, de uma profissão: *Antônio Austregésilo e Francisco de Castro foram vultos do estado-maior da medicina brasileira.* **3.** *Fig.* Grupo de pessoas que acompanham uma personalidade de destaque. [Pl.: *estados-maiores.*]

estados-gerais. *S. m. pl.* Assembléia dos representantes dos três estados [v. *estado* (7)], no antigo regime da França.

estado-tampão. *S. m.* Estado ou país localizado entre dois países antagônicos ou rivais na sua política expansionista. [Pl.: *estados-tampões* e *estados-tampão.*]

estadual. *Adj. 2 g. Bras.* De, ou pertencente ou relativo a estado ou estados de federação: *constituição estadual; terreno estadual.* [Cf. *estatal.*]

estadualização. *S. f.* Ato ou efeito de estadualizar: "O Governo ficou sabendo .... que, se a tendência da *estadualização* e da municipalização do voto for mantida, o seu partido terá condições de fazer um mínimo de 220 dos 469 novos deputados federais" (Rogério Coelho Neto, *Jornal do Brasil*, 28.8.1982).

estadualizar. [De *estadual* + *-izar.*] *V. t. d. e p.* Dar o caráter de estadual a; tornar estadual.

estadulho. [De *estar.*] *S. m.* Fueiro[1] (2).

estadunidense. [Do top. *Estados Unidos.*] *Adj. 2 g. e s. 2 g. Bras.* V. *norte-americano.*

estafa. [Dev. de *estafar.*] *S. f.* **1.** Cansaço, canseira, fadiga: *Após a corrida, foi grande a sua estafa.* **2.** Trabalho fatigante; esforço: *O pianista impunha-se a estafa de estudar 10 horas por dia.* **3.** A fadiga resultante de um trabalho muscular ou intelectual intenso e prolongado; esgotamento nervoso. [Sin. (fr.): *surmenage.* Cf. *ergastenia.*] **4.** Trabalho enfadonho; maçada: *O professor cumpria com paciência a estafa de corrigir as provas de 600 alunos.* [Sin., nessas acepç., *estafamento.*] **5.** *Fig. Pop.* Roubo audacioso; logro.

estafado. [Part. de *estafar.*] *Adj.* Cansado, fatigado.

estafamento. *S. m.* V. *estafa* (1 a 4).

estafante. *Adj. 2 g.* Que estafa ou fatiga; fatigante, fadigoso, cansativo.

estafar. [Do it. *staffare.*] *V. t. d.* **1.** Cansar, fatigar, afadigar: *Nada era capaz de estafá-lo.* **2.** Cansar, importunar, maçar, enfadar, enfastiar. **3.** Espancar, surrar, bater, moer. **4.** Reproduzir, imitando; repetir; contrafazer. **5.** *Gír.* Esbanjar, desperdiçar. *Int.* e *P.* **6.** Cansar-se, fatigar-se, afadigar-se.

estafe[1]. *S. m. Arquit.* Massa composta de gesso-cré, gesso-estuque e estopa, consolidada por armação de madeira, e empregada na confecção de elementos decorativos ou na construção de edifícios temporários para exposição, festas, etc.

estafe[2]. [Do ingl. *staff.*] *S. m.* V. *staff.*

estafermo (ê). [Do it. *stà fermo,* 'está firme'.] *S. m.* **1.** boneco móvel em torno de um eixo vertical, usado outrora nos exercícios de cavalaria: "Vão arrancar do combatente o sentimento que o alenta e a razão que o excita e domina. Ele cairá nas linhas feito um *estafermo*, aumentando apenas as filas do bando apassivado pelos vexames da classe, onde impera o medo dos chefes e a opinião relaxante da desvalia dos brios de cada um." (Alberto Rangel, *Quinzenas de Campo e Guerra*, pp. 211-212.) **2.** *Fam.* Pessoa parada e embasbacada; basbaque. **3.** *Fam.* Pessoa sem préstimo, inútil; espantalho. **4.** *Fam.* Jagodes (2). **5.** *Fam.* Estorvo, empecilho.

estafeta (ê). [Do it. *staffetta,* dim. de *staffa,* 'estribo'.] *S. m.* **1.** Correio a cavalo: "Um dia, o *estafeta* sertanejo trouxe-me uma carta anunciando a próxima chegada da família de um amigo." (Coelho Neto, *Sertão*, p. 110). **2.** *Bras.* Entregador de telegramas, cartas, etc. [Pl. *estafetas* (ê). Cf. *estafeta, estafetas,* do v. *estafetar.*]

estafetamento. *S. m. Bras.* Ato ou efeito de estafetar. [Us. pilhericamente por Monteiro Lobato, nos *Urupês.*]

estafetar. *V. t. d.* **1.** *Bras.* Fazer de (alguém) estafeta; tornar estafeta. *P.* **2.** Ter vida de estafeta. [Us. pilhericamente por Monteiro Lobato, nos *Urupês.* Pres. ind.: *estafeto, estafetas, estafeta,* etc. Cf. *estafeta* (ê) e pl. *estafetas* (ê).]

estafileácea. *S. f.* Espécime das estafileáceas.

estafileáceas. *S. f. pl. Bot.* Família de plantas superiores, constituída de árvores e arbustos com folhas compostas penadas e flores racemosas. Caracteriza-se pelo gineceu com dois a três carpelos, cada um dos quais contém vários óvulos. Fruto bilocular ou trilocular, monospermo ou dispermo. Há umas 20 espécies, que vegetam nos países temperados e subtropicais do hemisfério boreal.

estafileáceo. *Adj.* Pertencente ou relativo às estafileáceas.

estafilectomia. [De *estafil(o)-* + *-ectom-* + *-ia.*] *S. f. Cir.* Excisão da úvula.

estafilectômico. *Adj.* Relativo à estafilectomia.

estafilinídeo. *S. m.* **1.** Espécime dos estafilinídeos. ● *Adj.* **2.** Pertencente ou relativo a eles.

estafilinídeos. *S. m. pl. Zool.* Família de insetos da ordem dos coleópteros. São besouros de corpo alongado, élitros curtos, encontrados no esterco e na carniça.

estafilino. [Do gr. *staphylînos.*] *Adj. Med.* Relativo ou pertencente à úvula.

▲**estafil(o)-.** [Do gr. *staphylé, ês.*] *El comp.* = 'úvula', 'cacho': *estafilectomia, estafilodiálise; estafilococo.*

estafilocócico. *Adj.* Relativo ao estafilococo.

estafilococo. [De *estafil(o)-* + *-coco.*] *S. m. Med.* Bactéria que se apresenta em aglomerados semelhantes a um cacho de uvas, e pertencente ao gênero *Staphylococcus*, habitualmente patogênico.

estafilodiálise. [De *estafil(o)-* + *-diálise.*] *S. f. Cir.* Abertura ou separação da úvula.

estafiloma. [Do gr. *staphyloma,* pelo lat. *staphyloma.*] *S. m. Patol.* Saliência da córnea ou da esclerótica, resultante de processo inflamatório.

estagflação. [Do ingl. *stag(nation)* + *(in)flation,* 'estag(nação)' + '(in)flação'.] *S. f.* Palavra sugida nos E.U.A. no início da década de 70 para designar a situação de um país caracterizada pela estagnação das atividades econômicas e da produção, e pela inflação dos preços.

estagiar. *V. int.* Fazer estágio (1 e 3). [Pres. ind.: *estagio,* etc.; fut. pret.: *estagiaria,* etc. Cf. *estágio,* s. m., e *estagiária,* fem. de *estagiário.*]

estagiário. *Adj.* **1.** Relativo a estágio: *período estagiário; tarefa estagiária.* ● *S. m.* **2.** Aquele que faz estágio (1 e 3). [Fem.: *estagiária.* Cf. *estagiaria,* do v. *estagiar.*]

estágio. [Do fr. *stage.*] *S. m.* **1.** Aprendizado, exercício, prática, tirocínio (de advogado, médico, dentista, etc.). **2.** Situação transitória, de preparação. **3.** Aprendizado de especialização que alguém, especialmente um funcionário público, faz numa repartição ou em qualquer organização, pública ou particular. **4.** Cada uma das sucessivas etapas nas quais se realiza determinado trabalho. **5.** *Astron.* Unidade de propulsão de um foguete ou veículo espacial. **6.** *Eletrôn.* Parte de um circuito eletrônico que efetua uma função determinada, como, p. ex., uma amplificação, uma retificação, uma filtragem, etc.; etapa. [Cf. *estagio,* do v. *estagiar.*]

estagirita. [Do gr. *stageirítes,* pelo lat. *stagirita.*] *Adj. 2 g.* **1.** De, ou pertencente ou relativo a Estagira (Macedônia antiga), pátria de Aristóteles, filósofo grego (384-322 a. C.). ● *S. 2 g.* **2.** Natural ou habitante de Estagira. ● *S. m.* **3.** Antonomásia de Aristóteles [v. *aristotélico*].

estagnação. *S. f.* **1.** Estado de estagnado. **2.** *Fig.* Falta de movimento, de atividade; inércia, paralisação [Sin. ger.: *restagnação.*]

estagnado. [Part. de *estagnar.*] *Adj.* **1.** Que se estagnou, que não corre; parado: *água estagnada.* **2.** *Fig.* Inativo, inerte, parado, paralisado.

estagnante. *Adj. 2 g.* Que causa estagnação.

estagnar. [Do lat. *stagnare.*] *V. t. d.* **1.** Impedir o corrimento de, fazer estancar (um líquido). **2.** Tornar inerte; paralisar: *É impossível estagnar o curso da História.* *Int.* **3.** Ficar (a água) presa, empoçada. *P.* **4.** Perder a fluidez; não circular; não correr. **5.** Ficar em estado estacionário; não progredir; paralisar(-se).

estagnícola. [Do lat. *stagnu,* 'água estagnada', + *-i-* + *-cola.*] *Adj. 2 g.* Que vive na água estagnada.

estai. [Do frâncico **stâg,* atr. do fr. ant. *estay,* atual *étai.*] *S. m. Marinh.* **1.** Qualquer dos cabos que agüentam a mastreação para vante. **2.** *Marinh.* Qualquer cabo destinado a suportar em posição vertical um turco, chaminé, balaústre ou qualquer outra peça do equipamento da embarcação. **3.** *Bras. Constr. Nav.* Haste metálica geralmente cilíndrica, que serve para manter em posição qualquer parte ou peça da embarcação. [Cf. *brandal.*]

estaiar. *V. t. d. Marinh.* Agüentar com estai(s). [Cf. *estear.*]

estala. [Do gót. *stalla.*] *S. f.* **1.** Estábulo. **2.** *Ant.* Cadeira de monge ou de cônego, na igreja.

estalactífero. *Adj.* Que tem estalactites.

estalactite. [Do gr. *stalaktós,* 'que cai gota a gota', + *-ite[2].*] *S. f. Min.* Precipitado mineral, alongado, que se forma nos tetos das cavernas ou dos subterrâneos. [Cf. *estalagmite.*]

estalactítico. *Adj.* Semelhante a estalactite.

estalada. *S. f.* **1.** Som de coisas que estalam. **2.** *P. ext.* Grande ruído; rumor, barulho, estralada. **3.** *Fig.* Desordem, motim; pancadaria. V. *rolo*[1] (16). **4.** *Fam.* Bofetada, estalo. **5.** *Bras., MA.* Espécie de mutirão [q. v.] organizado para a cobertura de uma casa com folhas de babaçu, as quais devem ser de antemão estaladas. [Cf., nesta acepç., *suta* (3) e *traição* (5).]

estaladeira. [De *estalar* + *-deira.*] *S. f. Bras. RJ.* Certo pássaro da família dos furnariídas.

estalador (ô). *Adj.* **1.** Que estala; estalante. ● *S. m.* **2.** Árvore da família das auranciáceas.

estalagem. [Do arc. *hostalage,* 'casa para hóspedes', der. do provenç. ant. *ostalatge,* 'pousada'.] *S. f.* **1.** V. *hospedaria.* **2.** *Bras.* Conjunto de casinhas pobres com saída comum para a rua.

estalagmite. [Do gr. *stalagmós,* 'destilação', + *-ite*[2].] *S. f. Min.* Precipitado alongado mineral, formado no solo duma caverna ou subterrâneo, e resultante dos respingos caídos do teto. [Cf. *estalactite.*]

estalagmometria. *S. f.* Emprego do estalagmômetro.

estalagmométrico. *Adj.* Referente à estalagmometria, ou ao estalagmômetro.

estalagmômetro. [Do gr. *stalagmós,* 'destilação', + *-metro.*] *S. m. Fís.* Instrumento para medir a tensão superficial de líquidos, baseado na medida do peso de uma gota que se descola, sob a ação do próprio peso, da ponta de um capilar de diâmetro conhecido como um conta-gotas.

estalajadeiro. *S. m.* Dono ou administrador de estalagem.

estalante. *Adj. 2 g.* Estalador (1).

estalão. [Do fr. ant. *estalon,* atual *ètalon.*] *S. m.* **1.** Medida, padrão, craveira: "O Minga comia por si e por dois iguais a ele, cotados pelo *estalão* normal." (Aquilino Ribeiro, *Volfrâmio,* p. 435). **2.** Padrão adotado como base de valor ou de medida. ♦ **Estalão radioativo.** *Fís. Nucl.* Fonte radioativa em que se conhece a natureza e o número dos átomos radioativos presentes num instante determinado, e que é utilizada para a calibração de detectores de radiação.

estalar. [De *astelar, com metátese.] *V. t. d.* **1.** Partir, quebrar, espedaçar. **2.** Produzir estalido em; fazer que estale; estalejar: *estalar os dedos. Int.* **3.** Fender se, rachar, fraturar-se: *O vidro estalou na sala.* **4.** Produzir-se de súbito, como estalo: *Uma risada estalou na sala.* **5.** Rebentar com fragor; estourar: *Um relâmpago estalou no céu.* **6.** Produzir estalido; crepitar, estalejar: "o lume de lenha úmida *estalava* jovialmente." (Eça de Queirós, *O Conde d'Abranhos,* p. 2); "Os fogos de artifício *estalavam* por todo o ar." (Id., *Notas Contemporâneas,* p. 17). **7.** Latejar, palpitar: *Sentia a cabeça estalar de dor.* **8.** Estar ou apresentar-se novo, perfeito. **9.** Estar cheio (de sede, fome). **10.** Provocar explosão; explodir. **11.** *Bras.* Cantar (o canário-da-terra) emitindo um som característico, a modo de estalo; cantar de estalo: "As cajazeiras acordavam com os canários *estalando.*" (José Lins do Rego, *Bangüê,* p. 41.)

estalecido. *Adj. Bras. BA.* **1.** V. *asmático* (2). **2.** Tuberculoso (1). [Cf. *estilicídio.*]

estaleirar. [De *estaleiro* + *-ar*[2].] *V. t. d. Bras., S.* Reunir em um determinado lugar (as toras de madeira retiradas da mata), antes de transportá-las para a serraria.

estaleiro. [F. metatética de *asteleiro* < *astela,* lat. **astella,* por **astula,* por *assula,* 'lasca'.] *S. m.* **1.** Lugar onde se constroem e/ou consertam embarcações. **2.** *Bras. N.E.* Leito de paus sobre altas forquilhas, que é uma epécie de jirau onde se põe a secar milho, carne, etc.

estalejar. *V. t. d.* **1.** Estalejar (2). **2.** Fazer estalar: *Tiritava, estalejando os dentes. Int.* **3.** Dar estalos ou estalidos repetidos. **4.** Estalar (6). [Conjug.: v. *pelejar.*]

estalia. [Do it. *stallia.*] *S. f.* Estadia (1).

estalicar[1]. *V. int. Pop.* Dar estalos com os dedos. [Conjug.: v. *trancar.*]

estalicar[2]. [De *estalar?*] *V. int. Pop.* Emagrecer, enfraquecer, definhar. [Conjug.: v. *trancar.*]

estalicídio. [Var. de *estilicídio,* por dissimilação.] *S. m. Bras.* e *ant. Pop.* V. *estilicídio* (3).

estalidante. *Adj. 2 g.* Que dá estalido(s), que estalida: "pendurou-a [a chaleira] dum gancho sobre a fogueira *estalidante.*" (Vieira Pires, *Querência,* p. 39).

estalidar. *V. int.* **1.** Dar estalido(s): "Em breve um ruflo, um galho que *estalida,* / Um tiro." (Ricardo Gonçalves, *Ipês,* p. 72). *T. d.* **2.** Dar estalido(s) com: "Os índios bebiam com avidez, *estalidando* a língua." (Gastão Cruls, *4 Romances,* p. 36). **3.** Fazer soar ou soar como que estalidando: "As três, de chinelinhas de couro, *estalidavam* na calçada os passinhos miúdos." (Godofredo Rangel, *Os Humildes,* p.39.)

estalido. *S. m.* **1.** Estalo (1), em geral de pouca intensidade: *o estalido do chicote; Provou o vinho, e com um estalido da língua manifestou sua aprovação.* **2.** Estalo (2) estridente; estampido: *o estalido do trovão.* **3.** V. *crepitação: Ouvia-se o estalido dos ramos secos que ardiam;* "de repente estrepitou um *estalido* seco." (Coelho Neto, *Treva,* p. 382). **4.** Série de estalos [v. *estalo* (1 a 3)]: *o estalido dos foguetes.*

estalo. [Dev. de *estalar.*] *S. m.* **1.** Som breve e seco produzido por uma coisa que se racha, quebra ou rebenta de súbito, ou pelo choque ou atrito momentâneo e impetuoso de uma coisa com outra: *Dando um estalo, a arquibancada desabou; Deu um estalo com os dedos.* **2.** Rumor súbito e forte; estouro: *o estalo das bombas de S. João.* [Cf. (nessa acepç.) *estalido.*] **3.** V. *crepitação.* **4.** *Bras., RJ* e *SP.* Artefato pirotécnico, assim chamado porque dá um estalo quando arremessado contra um corpo duro. [Sin.: em AL, *traque de chumbo;* na BA, *traque de massa;* no RJ, *chumbinho.*] **5.** *Bras. Fig.* Luz súbita no espírito; iluminação: *o estalo do P*[e]. *Antônio Vieira.* **6.** *Pop.* Bofetada(s). ♦ **Cantar de estalo.** *Bras.* Estalar (11): "Um dia o canarinho amanhecera corruchiando, *cantando de estalo.*" (Gilvã Lemos, *Jutaí Menino,* p. 95.) **De estalo. 1.** De repente; de súbito; inesperadamente: *Chegou de estalo;* "Quando chegou mais ou menos na altura de Piedade, ... faltou energia e o trem parou *de estalo.*" (Stanislaw Ponte Preta, *Febeapá 2,* p. 111). **2.** Ótimo, excelente: *um jantar de estalo.*

estambrado. [Part. de *estambrar.*] *Adj.* Convertido em estambre (1).

estambrar. *V. t. d.* Converter (a lã) em estambre.

estambre. [Do esp. *estambre.*] *S. m.* Estame (1 e 2).

estame. [Do lat. *stamine,* 'fio'.] *S. m.* **1.** Fio de tecelagem; estambre. **2.** *Fig.* Fio da existência; estambre: *os estames da vida.* **3.** *Morfol. Veg.* Órgão masculino da flor, formado pelo filete que sustenta a antera, na qual, por sua vez, se formam os grãos de pólen. [Dim. irreg.: *estamínulo.*] ♦ **Estame anantero.** *Morfol. Veg.* Estame reduzido ao filete. **Estame antepétalo.** *Morfol. Veg.* Estame localizado em frente às pétalas. [Opõe-se a *alternipétalo.*] **Estame ante-sépalo.** *Morfol. Veg.* Estame localizado em frente às sépalas; estame oposissépalo. **estame opositissépalo.** *Morfol. Veg.* Estame ante-sépalo.

estamenha. [Do lat. *staminea,* i. e., *texta staminea,* 'tecidos filamentosos'.] *S. f.* **1.** Tecido comum de lã: "Corporação útil, execra todos os ornamentos; veste pura *estamenha,* sem grande roda, nem cauda, nem folhos." (Machado de Assis, *A Semana,* I, pp. 345-346.) **2.** Hábito, burel de frade: "Ao romper da manhã caía aos pés do monge como a Madalena arrependida, ... banhando de lágrimas a fímbria da *estamenha* do monge." (João Ribeiro, *Crepúsculo dos Deuses,* pp. 35-36.)

estamento. [Do esp. *estamento.*] *S. m.* **1.** Estado em que pode cada um subsistir ou permanecer. **2.** Assembléia, congresso, parlamento. **3.** Cada um dos grupos da sociedade com *status* jurídico próprio. Ex.: os burocratas, os militares.

estamináceo. *Adj. Bot.* Relativo ou pertencente a estame; estaminal.

estaminado[1]. [Part. de *estaminar.*] *Adj.* Reduzido a estame (1).

estaminado[2]. [De *estamin(i)-* + *-ado*[1].] *Adj. Morfol. Veg.* Que tem estame; estaminífero, estaminoso.

estaminal. [De *estamin(i)-* + *-al.*] *Adj. 2 g. Bot.* Estamináceo.

estaminar. [Do lat. *estamin(i)-* + *-ar*[2].] *V. t. d.* Torcer até fazer estame (1). [Fut. pret.: *estaminaria,* etc. Cf. *estaminária,* fem. de *estaminário.*]

estaminário. [De *estamin(i)-* + *-ário.*] *Morfol. Veg.* Formado pela transformação dos estames. [Fem.: *estaminária.* Cf. *estaminaria,* do v. *estaminar.*]

▲**estamin(i)-.** [Do lat. *stamen, inis.*] *El. comp.* = 'estame': *estaminífero.* [Equiv.: *-stamin(e): epistaminal.*]

estaminífero. [De *estamin(i)-* + *-fero.*] *Adj. Morfol. Veg.* V. *estaminado*[2].

estaminódio. *S. m. Morfol. Veg.* Estame estéril, quase sempre reduzido ao filete.

estaminóide. [De *estamin(i)-* + *-óide.*] *Adj. 2 g. Morfol. Veg.* Semelhante a estame.

estaminoso (ô). [De *estamin(i)-* + *-oso.*] *Adj. Morfol. Veg.* V. *estaminado*[2].

estamínulo. [De *estamin(i)-* + *-ulo.*] *S. m. Morfol. Veg.* Estame rudimentar.

estampa. [Do fr. *estampe* < it. *stampa.*] *S. f.* **1.** Figura impressa. [Dim. irreg.: *estampilha.*] **2.** Figura, ilustração: *A menina folheava um livro de estampas.* **3.** Impressão, vestígio: *estampa do pé; estampa do sinete.* **4.** *Fig.* Coisa perfeita, formosa. **5.** *Bras. Fig.* Aparência, aspecto: *Esta moça tem uma bela estampa.* **6.** Martelo próprio para ferreiro. **7.** *Grav.* Cada um dos exemplares tirados de uma placa ou prancha gravada **8.** *Bibliogr.* Ilustração fora do texto, em folha de papel especial, geralmente impressa de um lado só, não incluída na paginação, e não raro com numeração própria. **9.** *Bibliogr.* A arte de imprimir: *dar um livro à estampa.* ♦ **Dar à estampa.** V. *publicar* (5).

estampado. [Part. de *estampar.*] *Adj.* **1.** Que se estampou [v. *estampar* (1)]. **2.** Que se publicou [v. *publicar* (5)]. ~ V. *selo* —. ● *S. m.* **3.** *Bras.* Tecido estampado (1); estamparia.

estampador (ô). *Adj.* e *s. m.* Que ou aquele que estampa.

estampagem. *S. f.* **1.** Ato ou efeito de estampar. **2.** Processo industrial de imprimir padrão em (tecido, plástico, etc.). **3.** Processo que consiste em marcar por pressão figuras, ornatos ou letras sobre material resistente ou plástico, a entalhe ou em relevo, por meio de molde, ou de molde e contramolde combinados. [A cunhagem de moedas e a impressão de sinete em lacre são processos de estampagem. Cf. *impressão a seco, timbragem* (2) e *gofragem.*]

estampar. [Do frâncico **stampôn,* pelo fr. *estamper.*] *V. t. d.* **1.** Imprimir letras, dísticos, figuras, etc., servindo-se de molde ou matriz, sobre (tecido, metal, papel, plástico, etc.), e obtendo cópias isoladas ou repetições sucessivas: *O italiano Emilio Pucci estampa seus tecidos com padrões de grande originalidade; O embalador estampou nos caixotes o dístico "frágil".* **2.** Fazer estampas; gravar: *Os mestres japoneses estamparam as primeiras obras em cor a partir do séc. XVIII. T. d.* e *c.* **3.** Deixar vestígio ou marca de; marcar, assinalar: *estampar os pés na areia da praia.* **4.** Mostrar, patentear: *Estampava no rosto a alegria de viver.* **5.** Abrir com o buril; insculpir, gravar, inscrever. **6.** Retratar, espelhar: *Estampa na face a dor do coração.* **7.** Desenhar, pintar. **8.** *Pop.* Pespegar (uma bofetada). *P.* **9.** Deixar sinal; gravar-se, imprimir-se; fixar-se. **10.** Mostrar-se, patentear-se. ♦ **Estampar a frio.** *Encad.* V. *gofrar* (3). **Estampar a seco.** *Encad.* V. *gofrar* (3).

estamparia. *S. f.* **1.** Oficina impressora de estampas. **2.** Depósito ou loja de estampas. **3.** Fábrica ou seção de fábrica onde se estampam tecidos, plásticos, folhas-de-flandres, etc. **4.** Estampado (3).

estampeiro. *S. m.* Impressor e/ou vendedor de estampas.

estampido. [Do gót. *stampjan,* pelo provenç. *estampida.*] *S. m.* **1.** Som forte e súbito como o da detonação de uma arma de fogo; estouro, explosão: "O *estampido* estupendo das queimadas / Se enrola de quebradas em quebradas, / Galopando no ar." (Castro Alves, *Poesias Escolhidas,* p. 258.) **2.** Grande ruído; estrondo. **3.** Tiro, disparo, detonação.

estampilha. [Do esp. *estampilla.*] *S. f.* **1.** V. *estampa* (1). **2.** Lâmina ou chapa de metal destinada a estampar; chapa. **3.** A marca feita pela estampilha (2). **4.** *Bras.* Selo do Tesouro (4).

estampilhado. [Part. de *estampilhar.*] *Adj.* Franqueado ou selado com estampilhas.

estampilhar. *V. t. d.* Pôr estampilha(s) em; selar ou franquear com estampilha(s).

estanato. [Do lat. *stannu,* 'estanho', + *-ato.*] *S. m. Quím.* Designação comum aos compostos que encerram o anionte bivalente $Sn(OH)_6$.

estança. [Do it *stanza.*] *S. f.* V. *estância*[1] (9).

estancamento. *S. m.* Ato ou efeito de estancar.

estancar. *V. t. d.* **1.** Impedir o corrimento de (um líquido); vedar, deter; estagnar: *estancar o sangue.* **2.** Pôr fim a; fazer cessar: *A boa notícia estancou as lágrimas do rapaz; O remédio estancou a dor.* **3.** Saciar, satisfazer, matar: *estancar a sede.* **4.** Instituir (o Estado) o estanco (1) de. **5.** Fazer perder: *Os empecilhos estancaram sua vontade de lutar.* **6.** Tornar (embarcação) estanque (1). *T. d. e i.* **7.** Exaurir, esgotar, depauperar: *Com tantos impostos, estancaram os contribuintes. Int.* **8.** Deixar de correr; deter-se, vedar-se. **9.** Esgotar-se, secar. **10.** Paralisar-se, estacionar. *P.* **11.** Deixar de correr; vedar-se. **12.** Exaurir-se, esgotar-se; findar. **13.** Ficar estagnado. **14.** Paralisar-se, estacionar. [Conjug.: v. *trancar.*]

estanca-rios. [De *estancar* + *rios.*] *S. m. 2 n.* Engenho composto de rodas dentadas, engrenadas umas nas outras, e que serve para extrair, com abundância, água de poços ou de rios.

estancável. *Adj. 2 g.* Que pode ser estancado.

estanceiro. *S. m.* Var. de *estancieiro.*

estância[1]. [Do lat. *stantia.*] *S. f.* **1.** Lugar onde se está ou se permanece por algum tempo: *estância do acampamento; estância de turistas.* **2.** Aposento; morada, residência, mansão. **3.** Recinto; paragem. **4.** Parada, paragem, estação. **5.** Armazém onde se depositam e/ou vendem madeiras de construção, carvão, lenha, etc. **6.** *Bras., MG.* V. *estância hidromineral.* **7.** *Bras.,* N. V. *cortiço* (2). **8.** Tábua em que os pedreiros colocam a argamassa de que se vão servir. **9.** Grupo de versos que apresentam, comumente, sentido completo; estança, estrofe: *Tem Os Lusíadas 1.102 estâncias.* **10.** *Mil.* Baluarte ou reduto de gente e artilharia pouco numerosa. [Cf. *estancia,* do v. *estanciar.*] ♦ **Estância hidromineral.** Cidade dotada de fontes de águas ricas em partículas radioativas ou compostas de substâncias minerais diversas, utilizadas com fim medicinal. [Sin.: *estação de águas, águas* e (bras., MG) *estância.*]

estância². [Do esp. plat. *estancia.*] *S. f.* **1.** *Bras., RS.* Fazenda (2). [Dim. irreg.: *estanciola.* Cf. *estancia,* do v. *estanciar.*]

estanciano. *Adj.* **1.** De, ou pertencente ou relativo a Estância (SE). ● *S. m.* **2.** O natural ou habitante de Estância.

estanciar. [De *estância¹.*] *V. t. c.* e *int.* **1.** Fazer estância¹; parar para descanso: *Chegando aos arredores da vila, o andarilho estanciou; A tropa estanciou na colina.* **2.** Residir, habitar. **3.** Demorar-se, deter-se: *Estanciou ali durante um mês.* **4.** Freqüentar habitualmente; estacionar. *P.* **5.** *P. us.* Alojar-se, instalar-se. [Pres. ind.: *estancio, estancias, estancia,* etc. Cf. *estância,* s. f., e o top. *Estância.*]

estancieiro. [Do esp. plat. *estanciero.*] *S. m. Bras. S.* Proprietário de estância². [Var.: *estanceiro.*]

estanciola. *S. f. Bras., RS.* Pequena estância²; estanciazinha.

estanco. [Dev. de *estancar.*] *S. m.* **1.** Monopólio comercial instituído pelo Estado: "foi concedido à Companhia Geral de Comércio do Brasil o *estanco* de todo o vinho, azeite, farinha e bacalhau necessários para o consumo do Brasil" (Manuel Diegues Júnior, *Ocupação Humana e Definição Territorial do Brasil,* p. 110). **2.** *Lus.* Tabacaria. [F. paral.: *estanque.*]

estandardização. *S. f.* Ato ou efeito de estandardizar; padronização [q. v.].

estandardizado. [Part. de *estandardizar.*] *Adj.* Padronizado.

estandardizar. [Do ingl. *standard,* 'padrão', atr. do fr. *standardiser.*] *V. t. d.* Padronizar.

estandarte¹. [Do fr. ant. *estandart,* atual *étandart.*] *S. m.* **1.** Bandeira de guerra. **2.** *P. ext.* V. *bandeira* (1). **3.** Insígnia de corporação militar, religiosa ou civil. **4.** Grupo de soldados que formam guarda à bandeira. **5.** *Morfol. Veg.* Vexilo (2) **6.** *Mús.* Peça de madeira, em forma de leque, situada abaixo do cavalete, e na qual se prendem as cordas dos instrumentos de arco. **7.** *Bras., S.* V. *espantalho* (1 e 2). ♦ **Levantar o estandarte.** Declarar-se chefe de um partido, de uma facção. **Levantar o estandarte da revolta.** Incitar à revolta, à rebelião.

estandarte². [Alter. de *estendal,* por infl. de *estandarte¹.*] *S. m. Bras. Pop.* V. *quantidade* (3).

estande. [Do ingl. *stand.*] *S. m.* **1.** Local fechado para o tiro ao alvo. **2.** Espaço reservado a cada participante de uma exposição. **3.** *Biol.* Número de indivíduos (plantas) aproveitados em um experimento ou seleção.

estanga. *S. f. Ind. Pap.* **1.** V. *sabugo* (8). **2.** Tubo de ferro, de madeira ou de papelão, usado para enrolar o papel na enroladeira e nas máquinas de acabamento; bucha.

estanhado. [Part. de *estanhar.*] *Adj.* **1.** Coberto ou revestido de estanho. **2.** *Fig.* Liso, sereno e de brilho acinzentado: *lago estanhado.* **3.** *Fam.* Sem vergonha; descarado. **4.** *Bras. PE* e *AL.* Zangado, arreliado. ~ V. *papel* —.

estanhadura. *S. f.* Estanhagem.

estanhagem. *S. f.* Ato ou efeito de estanhar; estanhadura.

estanhar. *V. t. d.* **1.** Cobrir com camada de estanho, ou de estanho e chumbo. **2.** *Bras. S.* Atirar contra (alguém); balear. *P.* **3.** Arrojar-se, atirar-se, lançar-se: "Bem como serpentes que o frio / Em nós emaranha, — salgados / As ondas *s'estanham,* pesadas / Batendo no frouxo areal." (Gonçalves Dias, *Obras Poéticas,* II, p. 231.) **4.** *Bras., PE* e *AL. Fam.* Zangar-se, irritar-se, arreliar-se.

estanho¹. [Do lat. *stanneu.*] *S. m.* **1.** *Quím.* Elemento de número atômico 50, metálico, branco-prateado, mole, dúctil, maleável, pouco tenaz, com inúmeras aplicações práticas. [Símb.: *Sn.*] **2.** Qualquer liga em que esse metal entra como elemento principal. **3.** Objeto feito dessa liga: *Comprou no leilão um lote de estanhos antigos.*

estanho². [Do lat. *stagnu.*] *S. m. Poét.* O mar, quando calmo.

▲**estan(i)-.** [Do lat. *stannum, i.*] *El. comp.* = 'estanho': *estânico, estanífero.*

estânico. [De *estan(i)-* + *-ico².*] *Adj. Quím.* Referente a, ou próprio de compostos de estanho tetravalente.

estanífero. [De *estan(i)-* + *-fero.*] *Adj.* Que contém estanho.

estanita. [De *estan(i)-* + *-ita³.*] *S. f. Min.* Mineral tetragonal, sulfoestanato de cobre ou ferro.

estanito. [De *estan(i)-* + *-ito².*] *S. m. Quím.* Designação dos sais que encerram o íon monovalente $S_n(OH)_3$.

estanoso (ô). *Adj. Quím.* Próprio dos sais de estanho divalente.

estanque. [Dev. de *estancar.*] *Adj. 2 g.* **1.** Sem fenda ou abertura por onde entre ou saia líquido; tapado, vedado: *compartimento estanque.* **2.** Que não corre; parado, estagnado. **3.** Esvaziado, esgotado; enxuto, seco. ● *S. m.* **4.** O trabalho de estancar; estancamento. **5.** Estanco (1). **6.** local onde se recolhem os gêneros obtidos por estanco (1). **7.** *Lus.* Estanco (2). **8.** *Ant.* Parada, ponto, fim.

estanqueidade. *S. f.* Var. de *estanquidade.*

estanqueiro. *S. m.* **1.** Aquele que usufrui de estanco (1). **2.** *Lus.* Proprietário de estanco (2).

estanquidade. *S. f.* Qualidade de estanque (3). [Var.: *estanqueidade.*]

estante. [Do lat. *stante.*] *Adj. 2 g.* **1.** *Desus.* Que está, vive, reside; residente. ● *S. f.* **2.** Móvel com prateleiras, onde se colocam livros, papéis, etc. **3.** Armário com portas de vidro e prateleiras, onde se guardam livros. **4.** Suporte de madeira inclinado, que pode ser dotado de pé ou usado sobre a mesa, e onde se põem livros ou documentos para facilitar a leitura; atril, leitoril. **5.** Móvel portátil, em geral desmontável, onde se coloca a música que o regente, o executante de um instrumento ou o cantor deve ler.

estanteado. *Adj.* Provido de estantes [v. *estante (2)*]: *gabinete estanteado.*

estapafúrdio. *Adj.* Diz-se de pessoa ou coisa extravagante, esquisita, esdrúxula, excêntrica, singular: "Achava-me em situação realmente singular, ... e isto não me vexava, talvez por julgar aquilo *estapafúrdio,* talvez por estimar a franqueza nua." (Graciliano Ramos, *Memórias do Cárcere,* I, p. 83.)

estape. *S. f. Bras., AM.* Árvore pequena, da família das bignoniáceas *(Jacaranda intermedia),* de flores vermelho-escuras, pediceladas e grandes, e cujo fruto são cápsulas arredondadas na base.

estapear. [De *es-* + *tapa²* + *-ear.*] *V. t. d. Bras.* Maltratar com tapas; esbofetear [q. v.]. [Conjug.: v. *frear.*]

estapedectomia. [Do lat. tardio *stapede,* 'estribo', + *-ectom-* + *-ia.*] *S. f. Cir.* Intervenção no estribo (3) para tratamento da surdez resultante de otosclerose.

estapedectômico. *Adj.* Relativo à estapedectomia.

estapédio. *Adj.* ~ V. *músculo* —.

estaqueação. *S. f.* V. *estaqueamento* (1).

estaqueadoiro. *S. m. Bras., RS.* V. *estaqueadouro.*

estaqueador¹ (ô). [Do esp. plat. *estaqueador.*] *S. m. Bras., RS.* Aquele que estaqueia [v. *estaquear¹* (3)].

estaqueador² (ô). *S. m. Bras., RS.* V. *estaqueadouro.*

estaqueadouro. [Do esp. plat. *estaqueadero.*] *S. m. Bras., S.* Lugar onde se estaqueiam couros. [Var.: *estaqueadoiro* e *estaqueador.*]

estaqueamento. *S. m.* **1.** Ato ou efeito de estaquear¹ (1 e 2); estaqueação. **2.** O conjunto das estacas de um caminhamento topográfico. **3.** *Bras., RS.* Ato ou efeito de estaquear¹ (3 e 4); estaqueio. **4.** *Bras., RS.* Operação de estaquear¹ (5).

estaquear¹. [De *estaca* + *-ear.*] *V. t. d.* **1.** Segurar ou firmar com estacas; estacar; firmar. **2.** *Bras.* Colocar estacas a pique para construção de (cercas). **3.** *Bras., RS.* Estender (um couro) e entesá-lo por meio de estacas fincadas no chão, para fazer que seque. **4.** Marcar pontos de (o terreno) com estacas. **5.** *Bras., RS.* Atar (alguém) a estacas pelos quatro membros, deixando-o suspenso do solo e de rosto voltado para cima, castigo infligido outrora a bandidos e soldados. [Conjug.: v. *frear.*]

estaquear². [De *es-* + *taco* + *-ear.*] *V. t. d. Bras.* Reduzir a tacos ou pedaços; tirar pedacinhos de; estracinhar, estraçalhar. [Conjug.: v. *frear.*]

estaqueio. [Do esp. plat. *estaqueo.*] *S. m. Bras., RS.* Estaqueamento (3).

estaqueira. [De *estaca* + *-eira.*] *S. f. Bras.* V. *cabide* (1).

estaquia. *S. f.* Processo de multiplicação de vegetais no qual se utilizam segmentos *(estacas)* de caules, raízes, e, mais raramente, folhas, nas plantas que pegam de galho.

estáquida-do-japão. *S. f.* Planta alimentar, da família das labiadas *(Stachys affinis),* cujo rizoma, tuberculado, moniliforme, é branco, saboroso e muito nutritivo, e cujas flores estão dispostas em verticilos no ápice dos caules. [Pl.: *estáquidas-do-japão.*]

estaquiurácea (i-u). *S. f.* Espécime das estaquiuráceas.

estaquiuráceas (i-u). *S. f. pl. Bot.* Família de vegetais superiores, formada por arbustos de folhas alternas e pequenas flores racemosas. Estas são hermafroditas ou unissexuais, e tetrâmeras. Androceu diplostêmone. Ovário quadrilocular e multiovulado. Fruto baciforme. Possui apenas um gênero *(Stachyurus),* com cinco espécies do Extremo Oriente.

estaquiuráceo (i-u). *Adj.* Pertencente ou relativo às estaquiuráceas.

estar. [Do lat. *stare.*] *V. pred.* **1.** Ser em um dado momento; achar-se (em certa condição): *O tempo está chuvoso.* **2.** Achar-se, encontrar-se (em certo estado ou condição): *Está doente.* **3.** Manter-se (em certa posição): *As crianças estavam sentadas.* **4.** Ficar, permanecer, conservar-se: *A polícia esteve de prontidão toda a noite; Está de plantão.* **5.** Vestir, trajar: *Estava de camisa azul.* **6.** Achar-se em circunstância transitória: *Está em perigo.* **7.** Ter atingido determinado momento ou estado: *Está numa fase feliz de sua vida; Está em idade de casar.* **8.** Dedicar-se, consagrar-se, envolver-se durante certo tempo: *Esteve meses a fio em profundos estudos; Entre 1939 e 1945 esteve a Europa em guerra. T. c.* **9.** Achar-se, encontrar-se (em dado lugar, em dado momento); ser presente: *Há dois meses esteve em São Paulo; Bocage esteve no Brasil; Eu moro aqui, porém meus pais há muitos anos estão na fazenda.* **10.** Seguir (uma profissão): *F. está no exército.* **11.** Comparecer; presenciar: *F. esteve na solenidade.* **12.** Ter disposição: *Não estou para conversas.* **13.** Ficar, esperar: *Esteja aí um momento, que eu já volto.* **14.** Haver, existir: *Não estava ninguém lá. T. i.* **15.** Intentar ação judicial; comparecer: *estar em juízo.* **16.** Consistir, residir, basear-se, cifrar-se: *O problema está na seleção do material.* **17.** Atingir certo preço ou custo (em determinado momento): *O prédio está em cinco milhões.* **18.** Concordar, anuir: *Estou pela sua proposta.* **19.** Ser favorável a: *O juiz está pelo reclamante.* **20.** Assentar, ajustar-se, ficar, condizer: *O vestido está-lhe muito bem; Essa atitude está-lhe mal.* **21.** Ter relações sexuais; copular: *Em um só dia esteve com duas mulheres. Impess.* **22.** Fazer (30): "Está muito calor." (Machado de Assis, *Memórias Póstumas de Brás Cubas,* p. 144.) *P.* **23.** Achar-se, permanecer: *Eles se foram, e eu cá me estou.* **24.** Seguido da prep. *para* (ou, menos freqüentemente, *em*) e de um verbo no infinitivo, exprime a proximidade imediata de um acontecimento, a intenção, possibilidade ou probabilidade de ocorrer, naturalmente ou por ação de alguém, o que esse infinitivo indica: *Está para chover; Estavam para sair;* "Nem vale mesmo um real de fumo em rama / essa tropilha feia e mal domada. / *Estou* em dizer que toda a matungama / não vale a poeira que bulir na estrada." (Vargas Neto, *Tropilha Crioula e Gado Xucro,* p. 79). **25.** Seguido da prep. *por* e de um verbo no infinitivo, indica não ter ainda sido executada a ação expressa por esse verbo: *O trabalho está por fazer.* **26.** Seguido de gerúndio, ou de infinitivo regido de prep. *a,* funciona como auxiliar e expressa uma ação que se prolonga por algum tempo: *Está fazendo um livro; Esteve a ler toda a noite.* **27.** Seguido da prep. *a* e de um verbo no infinitivo, exprime futuro próximo: *O ano está a expirar.* **28.** Seguido da prep. *por* e de um substantivo ou advérbio, exprime a proximidade dum acontecimento: *A nomeação está por dias; Sua morte está por pouco.* [Irreg. Pres. ind.: *estou, estás, está, estamos, estais, estão;* imperf.: *estava, estavas,* etc.; perf.: *estive, estiveste, esteve* (ê), *estivemos, estivestes, estiveram;* m.-q.-perf.: *estivera, estiveras,* etc.; fut. pres.: *estarei, estarás,* etc.; fut. do pret.: *estaria, estarias,* etc.; imperat.: *está, estai,* etc.; pres. subj.: *esteja* (ê), *estejas* (ê), etc.; imperf.: *estivesse, estivesses,* etc.; fut. subj.: *estiver, estiveres,* etc.; inf. pess.: *estar, estares, estar,* etc.; ger.: *estando;* part.: *estado.* Cf. *esteve,* do v. *estevar.*] ♦ **Estar amarelo de.** *Bras. Fam.* Estar careca de. **Estar bem. 1.** Gozar saúde. **2.** Ter boa situação financeira. **Estar bem com.** Ter boas relações com (alguém). **Estar cagando para.** *Bras. Chulo.* Não dar a menor importância a. **Estar careca de.** *Bras. Fam.* Estar cansado, ou como que cansado, de (ter ido a um lugar, visto alguém ou algo, sabido de alguma coisa, etc.), pela freqüência com que tais fatos se repetiram; estar amarelo de: *Estou careca de ir a Petrópolis; Estamos carecas de conhecê-lo; Estou careca de saber dessas fofocas.* **Estar com alguém e não abrir.** *Bras. Gír.* Estar irreversivelmente solidário com alguém e/ou ser admirador desta pessoa. **Estar condenado.** Estar com doença de muita gravidade ou incurável. **Estar cru em.** Não ter conhecimentos suficientes de (alguma matéria ou assunto). **Estar de cima.** Estar em situação excelente e/ou muito bem de vida. **Estar de mal.** Encontrar-se zangado com (alguém). **Estar de virar e romper.** *Bras., RS. Gír.* Estar apto para um fim, em excelentes condições. **Estar em.** Depender de: *Todo o problema está em você aceitar a proposta.* **Estar em si.** Estar em seu juízo. **Estar em todas.** *Irôn.* Estar em grande evidência, freqüentando vários meios sociais, muitas vezes por iniciativa própria. **Estar estribado.** *Bras.* Estar com muito dinheiro; estar em boa situação financeira. **Estar frio.** *Fam.* Estar longe a verdade ou o objeto que se procura. **Estar frito.** Achar-se em má situação. **Estar mais pra lá do que pra cá.** Estar mais perto da morte do que da vida. **Estar para nascer.** Não existir. **Estar por. 1.** Concordar com (alguma coisa); acertar (algo). **2.** Ser a favor de. **Estar por cima.** *Bras.* Estar por cima da carne-seca. **Estar por tudo.** Dispor-se a fazer o que outros querem. **Estar pouco somando com.** *Bras. Gír.* Ligar pouco ou nenhuma importância a; pouco ou nada importar-se com: *Teimoso, está pouco somando com a opinião alheia, faz sempre o que deseja.* **Estar pronto.** Encontrar-se sem dinheiro; estar quebrado. **Estar quebrado.** Estar pronto. **Estar sozinho.** Ser o maior, o melhor ou o único em alguma coisa: *Em matéria de briga ele está sozinho; Em inglês ela está sozinha.* **Estar sujo com.** Não gozar da confiança de (alguém). **Estar sobre si.** Estar alerta, seguro, senhor de si. **Não estar nem aí.** *Bras.* Não dar importância; não ligar a mínima: "Conversando com a prefeita sobre a nomeação dos ex-maridos, coloquei minhas preocupações. Maria Luísa não estava nem aí. Disse que em Fortaleza os dois são conhecidos pelo seu trabalho." (Marta Suplici, *Folha de S. Paulo*, 2.1.1986.) **Só estar.** *Bras., N.E. Fam.* Espantar-se ou admirar-se de; estranhar: *Só estou o Carlos, tão orgulhoso, sujeitar-se a essa humilhação.*

estardalhaçante. *Adj. 2 g. Bras.* Que estardalhaça; estardalhante.

estardalhaçar. *V. int. Bras.* Fazer estardalhaço (1); estardalhar: "E só, trevoso e largo, o mar estardalhaça / No indizível horror de uma noite vazia..." (Olavo Bilac, *Poesias*, p. 242.) [Conjug.: v. *laçar.*]

estardalhaço. *S. m.* **1.** Grande bulha; ruído, estrondo. **2.** Jactância, ostentação. [Sin. ger.: *espalhafato.*]

estardalhante. *Adj. 2 g. Bras.* Estardalhaçante.

estardalhar. *V. int. Bras.* Estardalhaçar.

estardiota. *S. m.* V. *estradiota.*

estaroste. [Do pol. *starosta.*] *S. m.* **1.** Chefe de comunidade, na Rússia. **2.** Na Polônia, fidalgo que tinha o feudo de um domínio da coroa e pagava ao rei um tributo.

estarostia. *S. f.* Feudo ou dignidade de estaroste.

estarrecer. [Var. de *esterrecer* < lat. **exterrescere*, incoativo de *exterrere*, 'aterrorizar'.] *V. t. d.* **1.** Assustar, apavorar, aterrar, aterrorizar: *A guerra estarrece os povos. Int.* e *p.* **2.** Ficar desfalecido; desmaiar. **3.** Aterrar-se, apavorar-se: "— Aquele *mata-a!* zumbia-me nos miolos! Estarreci!..." (Camilo Castelo Branco, *Boêmia do Espírito*, p. 143); "Salustiano redobrou os uivos, mas estarreceu-se logo, pois dois tiros de calibre grosso zuniram nos seus ouvidos" (Bariani Ortêncio, *Vão dos Angicos*, p. 41). [Conjug.: v. *aquecer.*]

estase. [Do gr. *stásis*, 'parada'.] *S. f.* **1.** *Patol.* Estagnação, no organismo, de matérias de consistência diversa, como urina, sangue, fezes, etc.: "Fica o sangue venoso dormindo nas veias, produzindo, por obra de estases múltiplas, enxaquecas, hemorróidas, flebites, varizes, moléstias da pele" (Gilberto Amado, *Depois da Política*, p. 67). **2.** *Fig.* Entorpecimento, paralisia. [Cf. *êxtase.*]

estásimo. *S. m. Teat.* Cada um dos cantos e evoluções do coro executados nos intervalos dos episódios, na antiga tragédia grega.

estasiofobia. [Do gr. *stásis*, 'ato de ficar em pé' + *-o-* + *-fob(o)-* + *-ia.*] *S. f.* Medo mórbido de se pôr de pé.

estasiofóbico. *Adj.* Referente à estasiofobia.

estatal. [Do lat. *statu*, 'estado', + *-al.*] *Adj. 2 g.* **1.** Pertencente ou relativo ao Estado [v. *estado* (10)]. [Cf. *estadual.*] ● *S. f.* **2.** Empresa (3) estatal.

estatelado. [Part. de *estatelar.*] *Adj.* **1.** Que se estatelou. **2.** Estirado ou estendido ao comprido; escarrapachado: *Caiu estatelado no chão.* **3.** Espantado, admirado, atônito. **4.** Parado, hirto, imóvel; estático: *Aquela notícia deixou-o estatelado.*

estatelamento. *S. m.* Ato ou efeito de estatelar(-se).

estatelar. *V. t. d.* **1.** Atirar ao chão; deitar por terra; estender no solo. **2.** Bater com; estender-se com. **3.** Causar grande admiração ou espanto a; tornar atônito: *A notícia estatelou-o P.* **4.** Estender-se ao comprido no chão, por efeito de queda; cair de chapa: "verga-se-lhe uma perna, verga-se-lhe a outra, e estatela-se no lajedo." (José Cardoso Pires, *O Delfim*, p. 291).

estática. [Fem. substantivado de *estático.*] *S. f.* **1.** Parte da mecânica que estuda o equilíbrio dos corpos sob a ação de forças. [Cf., nesta acepç., *cinemática* e *dinâmica* (1).] **2.** *Radiotéc.* Ruído produzido nos radiorreceptores por impulsos elétricos espúrios, proveniente de atividade elétrica na atmosfera terrestre. [Cf. *extática*, fem. de *extático.*]

estático. [Do gr. *statikós.*] *Adj.* **1.** Imóvel como estátua; sem movimento; parado, hirto: *Olhava, estática, os destroços espalhados pelo chão:* "D. Frei Bertolameu mantinha-se estático diante dele, lábios vincados, aqueles lábios finos pregados um no outro a exprimir a sua vontade incoercível" (Aquilino Ribeiro, *Dom Frei Bertolameu*, p. 73): "Usa cachos compridos e o rosto exibe essa expressão estática das antigas bonecas de luxo". (Maria Julieta Drummond de Andrade, *O Valor da Vida*, p. 147.) **2.** Que se acha em estado de repouso (em oposição a dinâmico); parado. **3.** *Fís.* Relativo ao equilíbrio dos corpos sob a ação de forças. [Cf. *estático.*] ~ V. *acoplamento —, densidade —a, pressão —a* e *universo —.*

estatismo[1]. *S. m.* Sistema político em que o Estado intervém diretamente no campo econômico. [Cf. *estadismo.*]

estatismo[2]. [De *estát(ico)* + *-ismo.*] *S. m.* Imobilismo, inércia; falta de atividade, de iniciativa. [Opõe-se a *dinamismo* (1 e 2).]

estatística. [Do gr. *statistós*, de *statízo*, 'estabelecer', 'verificar' + *-ica*[2].] *S. f.* **1.** Parte da matemática em que se investigam os processos de obtenção, organização e análise de dados sobre uma população ou sobre uma coleção de seres quaisquer, e os métodos de tirar conclusões e fazer ilações ou predições com base nesses dados. **2.** Qualquer parâmetro de uma amostra, como, p. ex., a sua média, o seu desvio-padrão, a sua variância. **3.** Conjunto de elementos numéricos respeitantes a um fato social. **4.** Representação e explicação sistemática, por observações quantitativas de massa, dos acontecimentos e das leis da vida social que deles se podem deduzir. **5.** Método que objetiva o estudo dos fenômenos de massa, i. e., os que dependem de uma multiplicidade de causas, e tem por fim representar, sob forma analítica ou gráfica, as tendências características limites desses fenômenos. [Cf. *estadística.*]

estatístico. *Adj.* **1.** Relativo à estatística. ~ V. *biometria —a, dado —, dependência —a, física —a, mecânica —a*, e *paralaxe —a.* ● *S. m.* **2.** Aquele que se ocupa da estatística. [Cf. *estadístico.*]

estatização. *S. f.* Ato ou efeito de estatizar.

estatizado. [Part. de *estatizar.*] *Adj.* Que se estatizou; que sofreu estatização.

estatizante. *Adj. 2 g.* Que estatiza ou denota estatização.

estatizar. [Do lat. *statu*, 'estado', + *-izar.*] *V. t. d.* **1.** Transformar empresas particulares em organizações de propriedade do Estado. **2.** Reservar (recurso natural, ramo da atividade econômica, etc.) à exploração exclusiva do Estado. [Sin. ger.: *nacionalizar.*]

estatocisto. *S. m. Zool.* Órgão rudimentar encarregado de estabelecer o equilíbrio em animais celenterados, como ocorre nos hidróides.

estator (ô). [Do ingl. *stator.*] *S. m. Eng. Eletr.* Parte de um motor ou gerador elétrico que não gira durante o funcionamento da máquina e é responsável pela criação de um campo magnético que influencia o rotor.

estatorreator (ô). [De *estat*, abrev. de *estático* + *-o-* + *reator.*] *S. m. Astron.* Motor à reação, sem compressor nem turbina, no qual a compressão do ar é obtida pelo deslocamento do conjunto para a frente, em alta velocidade. [V. *pulsorreator.*]

estátua. [Do lat. *statua.*] *S. f.* **1.** Peça de escultura, em três dimensões, que representa figura inteira de homem, mulher, divindade ou animal. **2.** Pessoa de formas admiráveis. **3.** *Fig.* Pessoa imóvel, parada, impassível: *O medo fez dela uma estátua.* **4.** *Fig.* Pessoa incapaz de decisão ou arbítrio. **5.** *Fig.* Imagem, figura, representação, símbolo: "Na praia essa mulher ficou chorando, / No doloroso aspecto figurando / A lacrimosa estátua da amargura." (Gonçalves Crespo, *Obras Completas*, p. 331.) **6.** *Fig. Fam.* Pessoa sem ação ou movimento, sem expressão. **7.** *Fig. Fam.* Pessoa que por qualquer motivo embasbaca; imbecil. [Dim. irreg.: *estatueta.* Cf. *estatua*, dos v. *estatuar* e *estatuir.*] ◆ **Estátua alegórica.** Aquela que, pela expressão, pelo traje, ou por atributos vários, simboliza ou evoca uma idéia, um ser moral ou coletivo, ou um acontecimento: *estátua da Justiça estátua da Liberdade.* **Estátua curul.** A que representa uma pessoa num carro. **Estátua eqüestre.** A que representa uma personagem a cavalo: "Sobre uma das portas da cerca velha da cidade conserva-se a antiga estátua eqüestre de um homem armado" (Ramalho Ortigão, *Banhos de Caldas e Águas Minerais*, p. 254). **Estátua icônica.** Qualquer daquelas que se erigiam aos indivíduos três vezes vencedores nos jogos sagrados. **Estátua jacente.** A que representa uma pessoa deitada. **Estátua pedestre.** A que representa uma pessoa de pé. **Estátua pérsica.** Qualquer figura que serve de coluna ou de entablamento. **Estátua sagrada.** Imagem, em vulto, de Cristo, da Virgem ou de um santo. **Estátua sedestre.** A que representa uma pessoa sentada.

estatuar. *V. t. d.* **1.** Fazer a estátua de. *P.* **2.** Erigir estátua a si mesmo. [Pres. Ind.: *estatuo, estatuas, estatua*, etc. Fut. pret.: *estatuaria*, etc. Cf. *estátua*, s. f., e *estatuária*, fem. do adj. e s. m. *estatuário* e s. f.]

estatuaria. *S. f.* Coleção de estátuas. [Cf. *estatuária*, s. f. e fem. do adj. e s. m. *estatuário.*]

estatuária. [Do lat. *statuaria.*] *S. f.* Arte de fazer estátuas; escultura. [Cf. *estatuaria*, do v. *estatuar* e s. f.]

estatuário. [Do lat. *statuariu.*] *S. m.* **1.** Aquele que faz estátuas; escultor. ● *Adj.* **2.** Relativo a estátuas. [Fem. *estatuária.* Cf. *estatuaria*, do v. *estatuar*, e s. f.]

estatucional. *Adj. 2 g. Desus.* Estatutário (1).

estatueta (ê). *S. f.* Pequena estátua.

estatuir. [Do lat. *statuere.*] *V. t. d.* **1.** Determinar em estatuto; resolver; estabelecer, decretar, deliberar. **2.** Estabelecer como preceito; expor como regra: *estatuir normas gramaticais.* [Conjug.: v. *atribuir.* Pres. subj.: *estatua*, etc. Cf. *estátua.*]

estatura. [Do lat. *statura.*] *S. f.* **1.** Medida, da cabeça aos pés, duma pessoa em posição rigorosamente vertical; altura. **2.** Tamanho, dimensão de um ser vivo: *a estatura de um homem, de um cão, de uma palmeira.* **3.** *Fig.* Altura, grandeza, altitude: *homem de grande estatura moral e intelectual.* ◆ **Estatura alta.** A que é superior a 1,69m. **Estatura baixa.** A que é inferior a 1,60m. **Estatura mediana.** A que está compreendida entre 1,60 e 1,69m.

estatutário. *Adj.* **1.** Relativo a, ou contido em estatuto(s): *disposição estatutária.* [Sin. (desus.): *estatucional.*] **2.** Diz-se de funcionário cujo vínculo empregatício é regido por estatuto próprio do poder público a que serve. ● *S. m.* **3.** Funcionário estatutário (2).

estatuto. [Do lat. *statutu*, 'estatuído'.] *S. m.* **1.** Lei orgânica de um Estado, sociedade ou associação; constituição, ordenação, regra; regulamento. **2.** *P. ext.* Conjunto de leis, de regras; código. **3.** *Bras. CE. Pop.* Uso, costume, hábito.

estau. *S. m.* **1.** *Ant.* Casa onde se hospedavam a corte e os embaixadores. **2.** Estalagem, pousada, hospedaria.

estaurolita. [Do gr. *staurós*, 'cruz', + *-lita.*] *S. f. Min.* Mineral ortorrômbico, silicato básico de alumínio e ferro.

estauromedusa. *S. f.* **1.** Espécime das estauromedusas. *Adj. (f.)* **2.** Pertencente ou relativo a elas. [Sin. ger.: *lucernárida.*]

estauromedusas. *S. f. pl. Zool.* Animais celenterados cifozoários, da ordem *Stauromedusae*, corpo piramidal, bordas desprovidas de órgão sensorial, boca cruciforme, com margem provida de oito lobos. São sedentários e vivem presos em algas por um pedúnculo oral; freqüentam os mares frios. [Sin. *lucernáridas.*]

estavanado. [De *es-* + *tavão* + *-ado*[1].] *Adj.* V. *estabanado.*

estável. [Do lat. *stabile.*] *Adj. 2 g.* **1.** Assente, firme; fixo. **2.** Sólido, permanente, duradouro. **3.** Que não varia; inalterável. **4.** Que adquiriu estabilidade (3 e 4): *funcionário estável.* **5.** *Fís.* Diz-se do estado de equilíbrio de um sistema em que toda perturbação tende a aumentar sua energia potencial, de sorte que, passada a perturbação, o sistema tende a volver às condições primitivas. ~ V. *nuclídeo —.* [Antôn.: *instável.*]

estazado. [Part. de *estazar.*] *Adj.* Cansado, estafado, esfalfado: *cavalo estazado.*

estazador (ô). *Adj.* e *s. m.* Que ou aquele que estaza.

estazamento. *S. m.* Ato ou efeito de estazar.

estazar. *V. t. d.* Cansar, fatigar, esfalfar (o cavalo ou outro animal).

este. [Do anglo-saxônio *east* (ingl. *east*), pelo fr. *est.*] *S. m.* **1.** *Astr.* Ponto da esfera celeste [q. v.] situado do lado do nascer dos astros, e que é a interseção do primeiro vertical com o horizonte real. **2.** *Geog.* Ponto cardeal situado à direita do observador voltado para o norte (2).

[Sin., nessas acepç.: *oriente, levante, nascente.*] **3.** Região ou regiões situadas a este. **4.** O vento que sopra do este. ● *Adj. 2 g.* e *2 n.* **5.** Relativo ao este (1 e 2), ou dele procedente: *vento* e s t e. **6.** Situado a este (1 e 2): *região* e s t e. [Var.: *leste.* Abrev.: *E.* Pl.: *estes.* Cf. este (ê), pl. *estes* (ê).]

▲-este. [Do lat. *este.*] *Suf. nom.* = 'relação' = *agreste* (< lat. *agreste*), *celeste* (< lat. *caeleste*).

-este (ê). [Do lat. *iste.*] *Pron. dem.* **1.** Designa pessoa ou coisa presente e próxima de quem fala: "— Meu caro doutor, e s t a é a noiva." (Machado de Assis, *Papéis Avulsos*, p. 114); "E s t e é o rio, a montanha é e s t a, / E s t e s os troncos, e s t e s os rochedos." (Cláudio Manuel da Costa, *Obras Poéticas*, I, p. 106); "As águas não eram e s t a s, / há um ano, há um mês, há um dia..." (Cecília Meireles, *Obra Poética*, p. 404); "Meia-noite. Ao meu quarto me recolho. / Meu Deus! E s t e morcego!" (Augusto dos Anjos, *Eu*, p. 13); "E s t e livro o vai naturalmente encontrar em seu pitoresco sítio da várzea." (José de Alencar, prólogo de *Iracema*, p. 45); "E s t e foi o meu primeiro romance." (Machado de Assis, *Ressurreição*, p. I). **2.** Designa o lugar onde se está, onde se mora, onde se nasceu: *E s t a sala é ampla;* "E s t e *Engenho Pau-d'Arco* é muito triste..." (Augusto dos Anjos, *Eu*, p. 123); "Vão demolir e s t a casa. / Mas meu quarto há de ficar." (Manuel Bandeira, *Estrela da Vida Inteira*, p. 170); "Criança! não verás nenhum país como e s t e!" (Olavo Bilac, *Poesias Infantis*, p. 123). **3.** Designa a estação do ano, o estado ou fenômeno atmosférico, etc., decorrente ou ocorrente quando a pessoa fala ou escreve: "Há dias, por uma das raras tardes d e s t e fusco inverno, ... um amigo meu .... desejou que eu o acompanhasse ao Centro Espírita, em Paris." (Eça de Queirós, *Notas Contemporâneas*, p. 297); "Queria dizer-te o que penso / E o que faço e premedito, / Mas posso lá ser extenso / Com e s t e frio maldito!" (Augusto Gil, *Luar de Janeiro*, p. 146); *Quem pode trabalhar com* e s t e *calor?* **4.** Indica espaço de tempo no qual se inclui o momento em que se fala: *Chegou* e s t e *mês; Voltará* e s t a *semana; E s t e s dias que vivemos são turbulentos;* "Prove deste queijo que está tão fresquinho! É o primeiro d e s t e ano." (José de Alencar, *O Sertanejo*, p. 101); *Esta noite (na noite passada) eu não dormi; Iremos ao baile* e s t a *noite* [na noite de hoje]. **5.** Também com relação a tempo, o este, embora a rigor deva referir-se ao presente, pode, por afetividade, indicar o tempo pretérito: "Já a e s t e tempo cristãos e mouros se haviam descido dos cavalos e pelejavam a pé." (Alexandre Herculano, *Lendas e Narrativas*, II, p. 100.) **6.** Designa a pessoa ou coisa à qual nos referimos por último; o último: "Uma das razões que desviavam da gentil menina os olhos de Meneses era que e s t e os trazia namorados da viúva." (Machado de Assis, *Ressurreição*, p. 138); "Redelvim convidou-me com um olhar malicioso, a prestar atenção ao filósofo. I — Hem? indaguei, voltando-me para e s t e." (Ciro dos Anjos, *O Amanuense Belmiro*, p. 5); "Estela olhou para o papel e para o marido .... I — Lê; é curioso, disse e s t e" (Machado de Assis, *Iaiá Garcia*, p. 162). [Em casos assim pode aparecer ao lado de *aquele* (ou, muito raramente, de *esse*), referindo-se, então, o *aquele* (ou *esse*) à primeira das pessoas ou coisa referidas: "Como o céu se enche de estrelas, / Enche-se a terra de flores / Talvez ainda mais belas... / São duma só cor aquelas / E e s t a s de todas as cores." (Conde de Monsaraz, *Musa Alentejana*, p. 49); "Vai conhecer a terra; / Prova dos seus deleites. / Prova do mal que encerra. / Desses e d e s t e esgota / A taça muitas vezes." (Alexandre Herculano, *Poesias*, p. 157).] **7.** Serve de chamar a atenção para o que se vai citar ou enumerar em seguida (caso em que o seu emprego é de regra) ou para o que foi citado ou enumerado antes (caso em que também se usa *esse*), equivalendo a o *seguinte:* "E, em vão lutando contra o metro adverso, / Só lhe saiu e s t e pequeno verso: / 'Mudaria o Natal ou mudei eu?' " (Machado de Assis, *Poesias Completas*, p. 330); "Na campa, rodeado de ciprestes, / lerão e s t a s palavras os pastores: / Quem quiser ser feliz nos seu amores, / siga os exemplos, que nos deram e s t e s." (Tomás Antônio Gonzaga, *Marília de Dirceu*, p. 4). **8.** Combina-se, às vezes, com *esse(s)* e/ou *aquele(s), essoutro(s), estoutro(s), aqueloutro(s)*, e/ou com indefinidos *(um, uns, algum, alguns, outro(s)*, etc.), dos quais, em tais casos, adquire o caráter: "E s t e o indigita, e s t e outro o apupa..." (Manuel Bandeira, *Estrela da Vida Inteira*, p. 76); "Fui de um... Fui de outro... E s t e era médico... / Um, poeta... Outro, nem sei mais!" (Id., *ib.*, p. 55); "Uns compõem .... sobre os ombros as dobras da capa, outros .... retesam a meia a estalar na perna, e alguns apertam com enfado a fivela do sapato .... E s t e ajeita apressado as pregas da túnica, e aquele endireita o escapulário." (Rebelo da Silva, *De noite Todos os Gatos São Pardos*, p. 270). **9.** Embora com referência à pessoa com quem se fala deva preferir-se, normalmente, o demonstrativo *esse*, não raro se encontra o emprego de *este* para denotar a proximidade grande entre as duas pessoas e/ou o interesse do falante pelo ouvinte: "agora vejo / Que tu me vens buscar. Beijo e s t a s mãos / Reais tão piadosas" (Antônio Ferreira, *Obras Completas*, II, pp. 260-261); "Estela riu, e bateu-lhe na testa com a ponta do dedo. I — E s t a cabecinha!" (Machado de Assis, *Iaiá Garcia*, p. 174). **10.** Sugerindo em princípio a noção de proximidade em relação à pessoa que fala, também se usa, na linguagem animada (como observa Said Ali), para dar a impressão de que alguma pessoa, coisa, lugar, embora afastados, nos interessam de perto: "Mainéis rendados, peças dos fustes, capitéis góticos, laçarias de bandeiras, ... aí estavam tombados sobre grossas zorras ou ainda no chão, endurecidos pelo contínuo perpassar de trabalhadores, oficiais e mais obreiros d e s t a maravilhosa fábrica." (Alexandre Herculano, *Lendas e Narrativas*, I, p. 232.) [O normal seria *essa* ou *aquela*, pois a 'fábrica' (= 'construção de edifício' — no caso uma abóbada) é coisa afastada de quem fala, como se vê do advérbio *aí*, anteriormente empregado, e como se vê, também pelo demonstrativo *aquele*, usado imediatamente após o trecho transcrito: "Quem de longe olhasse para aquele extenso campo .... julgara ver o assento de uma cidade antiqüíssima."] **11.** Pode também, tratando-se de tempo, empregar-se em lugar de *esse* ou *aquele:* "E partiram todos juntos para a corte no começo do ano de 1653. I Por e s t e mesmo tempo os jesuítas conseguiram fazer-se receber nesta última capitania." (João Francisco Lisboa, *Obras*, II, p. 414); "Devíamos ter feito uma solene e festiva paragem no ano de 1735. N e s t e ano, aos 5 d'outubro, Leonor foi mãe." (Camilo Castelo Branco, *O Judeu*, II, p. 125). [A presença da idéia do ano no espírito de quem escreve, e a proximidade, no contexto, entre o ano decorrido e o demonstrativo, levaram os autores à preferência por e s t e.] **12.** Assume, em certos casos, o valor de possessivo: "Pintei-lhe [a Amor] outra vez o estado, / em que estava e s t a alma posta." (Tomás Antônio Gonzaga, *Marília de Dirceu*, p. 6); "E s t e s braços, Amor, com quanta glória / Foram trono feliz da formosura!" (Cláudio Manuel da Costa, *Obras Poéticas*, I, p. 120); "A luz dos olhos meus e o aroma d e s t a pele." (Eugênio de Castro, *Obras Poéticas*, VI, p. 155); "e s t e orgulho, esta cabeça baixa..." (Carlos Drummond de Andrade, *Reunião*, p. 45). [Pl.: *estes* (ê). Cf. este, pl. *estes; esse (ê)* e *aquele (ê).*]

estear. *V. t. d.* **1.** Suster com esteios ou escoras; escorar. **2.** Amparar, sustentar; proteger: *As autoridades na matéria* e s t e i a m - n o. **3.** Apoiar, basear, estribar. *T. d.* e *i.* **4.** Firmar, apoiar, basear, estribar: *E s t e i a sua acusação em argumentos sólidos. P.* **5.** Basear-se, apoiar-se. [Conjug.: v. *frear.* Part.: *esteado*, fem. *esteada.* Cf. *estiado, estiada*, fem. de *estiado*, e s. f., e os v. *estiar* e *estaiar.*]

▲estear-. [Do gr. *stear, stéatos.*] *El. comp.* = 'gordura': *esteárico.* [Equiv.: *esteat(o)-: esteatite, esteatopigia.*]

estearato. *S. m. Quím.* Designação comum aos sais e ésteres do ácido esteárico.

estearia. [De *esteio* + *-aria.*] *S. f. Bras., MA.* Vestígios das palafitas de habitações lacustres, de indígenas, no lago Cajari. [Cf. *estiaria*, do v. *estiar.*]

esteárico. [De *estear-* + *-ico*[2].] *Adj. Quím.* Referente a, ou próprio da estearina [q. v.]. ~ *V. ácido* —.

estearina. [De *estear-* + *-ina.*] *S. f.* **1.** *Quím.* Mistura de ácidos esteárico e palmítico, branca, usada na fabricação de velas [v. *vela*[3] (3)]. **2.** Vela de estearina (1): "Luís viu-lhe então, à luz das e s t e a r i n a s, alguma vermelhidão nos olhos" (Machado de Assis, *A Mão e a Luva*, p. 3).

estearinaria. *S. f.* Fábrica de velas de estearina.

esteatita. [De *esteat(o)-* + *-ita*[3].] *S. f. Min.* Variedade compacta do talco. [Cf. *esteatite.*]

esteatite. [De *esteat(o)-* + *-ite*[1].] *S. f. Patol.* Inflamação do tecido adiposo. [Cf. *esteatita.*]

▲esteat(o)-. Equiv. de *estear.*

esteatoma. [Do gr. *steátoma*, pelo lat. *steatoma.*] *S. m. Patol.* **1.** Quisto sebáceo. **2.** *V. lipoma.*

esteatomático. *Adj.* Relativo ou pertencente a esteatoma.

esteatomatoso (ô). *Adj.* Da natureza do esteatoma.

esteatopigia. [De *esteat(o)-* + *-pig(o)-* + *-ia.*] *S. f. Med.* Acúmulo excessivo de gordura nas nádegas, que ocorre especialmente nas mulheres e é freqüente nos hotentotes, boximanes e pigmeus.

esteatopígico. *Adj.* **1.** Relativo à esteatopigia, ou que a tem. ● *S. m.* **2.** Aquele que tem esteatopigia.

esteatorréia. [De *esteat(o)-* + *-reia.*] *S. f.* **1.** Seborréia. **2.** Eliminação de fezes com gordura.

esteatose. [De *esteat(o)-* + *-ose.*] *S. f. Med.* Degeneração gordurosa.

esteense. *Adj. 2 g.* **1.** De, ou pertencente ou relativo a Esteio (RS). ● *S. 2 g.* **2.** Natural ou habitante de Esteio.

estefânia. *S. f.* Trepadeira originária do México, da família das polemoniáceas (*Cabola scandens*), que constitui a única espécie com as folhas terminadas em gavinhas, de flores pêndulas, purpúreas, com o tubo da corola interiormente piloso, e fruto capsular, coriáceo; cabacinha.

estefanote. [Do gr. *stephanotís*, 'próprio para fazer coroas'.] *S. m.* Trepadeira arbustiva, ornamental, da família das asclepiadáceas (*Stephanotis floribunda*), espécie belíssima, originária de Madagáscar, dotada de flores alvas, numerosas, dispostas em grandes cimeiras, axilares, umbeliformes e aromáticas, e muito usada para revestir caramanchões ou enrolar colunas: "Acabaram-se os longos passeios ao cemitério, no macio da tarde, quando os e s t e f a n o t e s da sepultura da moça espalhavam o seu cheiro no meio dos outros túmulos" (Raquel de Queiróz, *As três Marias*, p. 10).

estégano. [Do gr. *steganós.*] *Adj.* Diz-se do pé da ave cujos quatro dedos são unidos por membrana.

▲estegano-. [Do gr. *steganós, é, on.*] *El. comp.* = 'oculto', 'misterioso': *esteganografia.*

esteganografia. [De *estegano-* + *-graf(o)-* + *-ia.*] *S. f.* Escrita em cifra em caracteres convencionais ou especiais.

esteganográfico. *Adj.* Referente à esteganografia.

esteganógrafo. *S. m.* Aquele que sabe esteganografia.

estegofilíneo. *S. m.* **1.** Espécime dos estegofilíneos. ● *Adj.* **2.** Pertencente ou relativo a eles.

estegofilíneos. *S. m. pl. Zool.* Subfamília de peixes teleósteos, siluriformes, de água doce. Pequenos, de 3 a 5cm, sugam o sangue de outros animais. [V. *candiru.*]

estegomia. [Do lat. cient. *Stegomya fasciatta.*] *S. m.* Mosquito transmissor da febre amarela africana e asiática.

esteio. *S. m.* **1.** V. *escora* (1). **2.** *Fig.* Amparo, apoio, arrimo, auxílio, proteção. ~ V. *esteios.*

esteios. [Pl. de *esteio.*] *S. m. pl. Morfol. Veg.* Partes acessórias das plantas. ~ V. *esteio.*

esteira[1]. [Do lat. *aestuaria*, pl. de *aestuaria*, 'agitação do mar'.] *S. f.* **1.** *Mar.* Porção revolvida de água que a embarcação deixa atrás de si, em conseqüência da sua translação; águas. **2.** *Bras.* Ravina de praia. **3.** *Fig.* Rumo, caminho, direção: *Em 1888 o povo seguiu com entusiasmo a* e s t e i r a *do abolicionismo.* **4.** *Fig.* Modelo, exemplo: *Aquele jovem segue a* e s t e i r a *do pai.* **5.** *Fig.* Vestígio, sinal, marca; rasto, trilha: *Foram-se formando em Minas várias povoações na* e s t e i r a *que deixavam os bandeirantes.* ● *S. m.* **6.** *Bras., N.E.* Vaqueiro que, tangendo a boiada, segue atrás dos cabeceiras. ♦ **Ir na esteira de.** Seguir ou acompanhar de perto.

esteira[2]. [Do esp. *estera.*] *S. f.* **1.** Tecido de junco, tábua, esparto, taquara, etc., feito de hastes entrelaçadas, usado para tapete, revestimento de paredes, etc. [Sin. (bras., N.E.): *sofá-de-arrasto, sofá-rasteiro.*] **2.** *Marinh.* A parte inferior de uma vela. [Cf. (nesta acepç.) *gurutil, testa (4)* e *valuma.*] **3.** *Bras.* Tapete rolante movido por engrenagem, destinado a conduzir objetos, mercadorias, etc., *No porto de Santos se instalaram* e s t e i r a s *para o embarque das sacas de café; Nos engenhos do Nordeste as* e s t e i r a s *transportam a cana para as moendas.* **4.** *Bras., Marajó.* Espécie de albardão feito de molhos de junco amarrados e justapostos, sobre o qual se prende a cangalha depois de quebrada, i. e., vergada, a fim de que tome a forma do dorso do animal. ♦ **Fazer esteira.** *Bras., N.E.* Seguir a rês, emparelhando com ela o cavalo para que outro perseguidor a derrube por outro lado; fazer parede.

esteira-de-ifá. *S. f. Bras., BA.* Pequena esteira usada pelos babalaôs para advinhar o futuro de alguém. [Pl.: *esteiras-de-ifá.*]

esteirado. [Part. de *esteirar.*] *Adj.* Coberto de esteira[2] (1): *parede* e s t e i r a d a.

esteirame. *S. m.* Conjunto ou porção de esteiras [v. *esteira*[2] (1)].

esteirão. *S. m.* Esteira[2] (1) grande.

esteirar. *V. t. d.* **1.** Cobrir ou adornar com esteira[2] (1). **2.** Tapetar, atapetar, tapizar, alfombrar. [Pres. ind.: *esteiro*, etc. Cf. *estero* (ê).]

esteiraria. *S. f.* Lugar onde se fazem e/ou vendem

esteiras [v. *esteira*[2] (1)].

esteireiro. [De *esteira*[2] (1) + *-eiro.*] *S. m.* Fabricante e/ou vendedor de esteiras [v. *esteira*[2] (1)].

esteiro[1]. [Do lat. **aestariu, por aestuariu.*] *S. m.* Parte estreita de rio ou de mar, que penetra terra adentro; braço, estuário. [Cf. *estero.*]

esteiro[2]. *S. m. Bras., S.* V. *estero.*

estela. [Do gr. *stéle,* pelo lat. *stela.*] *S. f.* **1.** Monólito (2). **2.** Espécie de coluna destinada a ter uma inscrição: *estela funerária;* "é [o túmulo] obra de arte mortuária, ... com o bronze das letras na lisa *estela*" (Marques Rebelo, *O Trapicheiro,* p. 286). **3.** Marco, baliza.

estelante. [Do lat. *stellante.*] *Adj. 2 g.* Que tem estrelas; ornado de estrelas; estrelado, estrelante.

estelar. [Do lat. *stellare.*] *Adj. 2 g.* Referente às estrelas. — V. *aglomerado —, astronomia —, cicatriz —, corrente —, cosmogonia —, cúmulo —, fotosfera —, grupo —, nuvem —* e *população —.*

estelecópode. *S. m.* e *adj.* Malacópode.

estelecópodes. *S. m. pl. Zool.* Malacópodes.

estelífero. [Do lat. *stelliferu.*] *Adj.* **1.** Em que há estrelas. **2.** Estrelado (1).

estelionatário. *S. m.* Autor de estelionato.

estelionato. [Do lat. *stellionatu.*] *S. m.* Ato de obter, para si ou para outrem, vantagem patrimonial ilícita, em prejuízo alheio, induzindo ou mantendo em erro alguém mediante artifício, ardil ou qualquer outro meio fraudulento.

estelo. [Do gr. *stéele.*] *S. m. Morfol. Veg.* Cilindro central das plantas superiores, no qual se acham localizados os vasos condutores das seivas que circulam no organismo vegetal.

estema. [Do gr. *stémma,* pelo lat. *stema.*] *S. m.* **1.** Coroa, grinalda, diadema: "os heráldicos *estemas* das antigas gerações." (Latino Coelho, *Elogio Histórico de José Bonifácio,* p. 474.) **2.** Árvore genealógica; linhagem, estirpe. **3.** *Zool.* Olho simples dos artrópodes adultos, especialmente o dos insetos; olho simples, ocelo.

este-meridional. *Adj. 2 g.* Relativo ao este e ao sul. [Pl.: *este-meridionais.*]

estemonácea. *S. f.* Espécime das estemonáceas.

estemonáceas. *S. f. pl. Bot.* Família de monocotiledôneas lilifloras, constituída de ervas perenes providas de folhas lanceoladas ou cordiformes e pecioladas, flores dímeras e hermafroditas, cujo perianto é bracteiforme, ovário unilocular, e fruto capsular, bivalve. São próprias do hemisfério boreal.

estemonáceo. *Adj.* Pertencente ou relativo às estemonáceas.

estêncil. [De *Stencil,* nome comercial.] *S. m. Bras.* Folha de papel recoberta por substância gelatinosa e gravada ou perfurada por estilete ou por máquina dactilográfica, de jeito que, quando passa entre um rolo de tinta e uma folha de papel em branco, nesta reproduz fielmente as letras ou desenhos traçados; matriz. [Pl.: *estênceis.* Cf. *mimeógrafo.*]

estendal. [De *estender.*] *S. m.* **1.** V. *tendal*[2] (3). **2.** Porção de coisas estendidas ou espalhadas em algum lugar: *um estendal de roupa.* **3.** *Fig.* Superfície ampla, extensa. **4.** *Fig.* Larga explanação de assuntos geralmente enfadonha.

estendedoiro. *S. m.* V. *estendedouro.*

estendedouro. [Var. de *estendedoiro.*] *S. m.* V. *tendal*[2] (3).

estender. [Do lat. *extendere.*] *V. t. d.* **1.** Dar maior superfície a; alargar, espalhar, alastrar: *Os bandeirantes estenderam os limites do Brasil.* **2.** Desdobrar, desenrolar; estirar, esticar: *estender os lençóis.* **3.** Alongar, abrir, distender: *estender os braços.* **4.** Prolongar, prorrogar, dilatar: *A questão política estendeu a discussão por toda a noite.* **5.** Lançar ao chão; derribar, derrubar, prostrar: *O bofetão estendeu -o.* **6.** Derrotar ou suplantar, em discussão. **7.** Tornar mais amplo: *Não se deve estender o sentido de frases isoladas.* **8.** Lançar para diferentes lados; espalhar: *A cozinheira estendeu a massa de pastel.* **9.** Divulgar, vulgarizar, apregoar, propalar: *estender boatos.* **10.** Tornar prolixo; prolongar: *O padre estendeu o sermão em demasia.* **11.** *Bras., S.* Preparar (o cavalo) para correr tiro longo. **12.** Arremessar (o laço) para enlaçar a rês. *T. d.* e *i.* **13.** Oferecer, apresentando: *O mordomo estendeu -lhe uma cadeira,* "Caminhei para ela, *estendi* -lhe as mãos, ela deu-me as suas" (Machado de Assis, *Relíquias de Casa Velha,* p. 101); " — Obrigado, Senhor Arnaldo — disse D. Isolina, *estendendo*-lhe uma nota de mil escudos." (Domingos Monteiro, *Histórias das Horas Vagas,* p. 92); "E primo Emerenciano *estendeu* para os quatro .... um prato cheio de sequilhos." (Ribeiro Couto, *Caboclas,* p. 39.) **14.** Fazer chegar; levar: *Estendeu a crítica a todos os presentes. Int.* **15.** Tornar-se comprido; dilatar-se em comprimento. *P.* **16.** Alargar-se, dilatar-se. **17.** Ir até; adiantar-se; prolongar-se. **18.** Alastrar-se, espalhar-se: "A nossos pés *se estende* todo o vale." (Odilo Costa, filho, *Boca da Noite,* p. 85.) **19.** Grassar, lavrar. **20.** Divulgar-se, propalar-se. **21.** Pôr-se deitado; estirar-se. **22.** Prolongar-se, durar: "A vida de Cairu, José da Silva Lisboa, Visconde de Cairu, se estendeu por 79 anos, de 1756 a 1835" (José Soares Dutra, *Cairu,* p. 15). **23.** Ser aplicável. **24.** Abranger, abarcar. **25.** Escrever ou discorrer longamente (acerca de um assunto). **26.** Fazer má figura; dar-se mal.

estenderete (ê). [De *estender* + *-ete.*] *S. m.* **1.** Resposta errada, extensa ou mal formulada, em aula, exame ou ato público. **2.** Pergunta capciosa que visa a confundir alguém: *O examinador armou um estenderete para os alunos.* **3.** Jogo de cartas no qual se estendem as cartas quando não se têm semelhantes às que se acham na mesa. **4.** *Bras., S.* Pequeno tendal[2] (3) onde se põe a secar a roupa lavada.

estendido. [Part. de *estender.*] *Adj.* **1.** Que se estendeu ou abriu. **2.** V. *extenso.* ● *S. m.* **3.** *Art. Gráf.* Estampa, mapa, tabela, etc., de tamanho maior que o da página, e que se imprime em folha solta, para ser inserida, dobrada, no volume.

estendível. *Adj. 2 g.* Que pode ser estendido.

estenia. [De *esten(o)-* + *-ia.*] *S. f. Med.* Estado de atividade, de força física. [Antôn.: *astenia.*]

▲**esten(o)-.** [Do gr. *stenós, é, ón.*] *El. comp.* = 'estreito'; 'breve', 'abreviado': *estenia; estenocardia; estenografia.*

estenocardia. [De *esten(o)-* + *-cardia.*] *S. f. Patol.* V. *angina do peito.*

estenocardíaco. *Adj.* Referente à estenocardia.

estenocefalia. *S. f.* Qualidade ou caráter de estenocéfalo.

estenocefálico. *Adj.* Relativo à estenocefalia.

estenocéfalo. [De *esten(o)-* + *-céfalo.*] *Adj.* e *s. m.* Que ou aquele que tem a cabeça estreita.

estenodactilografia. [De *esteno(grafia)* + *dactilografia.*] *S. f.* Uso combinado de estenografia e dactilografia. [Var.: *estenodatilografia.*]

estenodactilográfico. *Adj.* Relativo à estenodactilografia. [Var.: *estenodatilográfico.*]

estenodactilógrafo. [De *estenó(grafo)* + *dactilógrafo.*] *S. m.* **1.** Aquele que é, a um tempo, estenógrafo e dactilógrafo. **2.** Aquele que dactilografa originais estenografados. [Var.: *estenodatilógrafo.*]

estenodatilografia. *S. f.* Var. de *estenodactilografia.*

estenodatilográfico. *Adj.* Var. de *estenodactilográfico.*

estenodatilógrafo. *S. m.* Var. de *estenodactilógrafo.*

estenografado. [Part. de *estenografar.*] *Adj.* Que se estenografou; taquigrafado.

estenografar. *V. t. d.* Escrever estenograficamente; taquigrafar. [Pres. ind.: *estenografo,* etc. Cf. *estenógrafo.*]

estenografia. [De *esten(o)-* + *-graf(o)-* + *-ia.*] *S. f.* Escrita abreviada e simplificada, na qual se empregam sinais que permitem escrever com a mesma rapidez com que se fala; taquigrafia, logografia.

estenográfico. *Adj.* Relativo à estenografia; taquigráfico, logográfico.

estenógrafo. [De *esten(o)-* + *-grafo.*] *S. m.* Indivíduo versado em estenografia; taquígrafo, logógrafo. [Cf. *estenografo,* do v. *estenografar.*]

estenograma. [De *esten(o)-* + *-grama.*] *S. f.* V. *taquigrama.*

estenolemado. *S. m.* **1.** Espécime dos estenolemados. ● *Adj.* **2.** Pertencente ou relativo a eles.

estenolemados. *S. m. pl. Zool.* Animais metazoários briozoários, da subclasse *Stenolaemata,* de lofóforo circular, e desprovidos de lábio, com zoóides dentro de um saco membranoso e zoécios cilíndricos, calcários.

estenomídeo. *S. m.* **1.** Espécime dos estenomídeos. ● *Adj.* **2.** Pertencente ou relativo a eles.

estenomídeos. *S. m. pl. Zool.* Família de insetos lepidópteros; mariposas maiores que a maioria dos microlepidópteros, de asas largas. As lagartas são brocas caulinares que causam prejuízos graves às plantas.

estenosado. [De *estenose* + *-ado*[1].] *Adj. Med.* Que sofreu estenose.

estenosar. *V. t. d. Med.* Provocar estenose em.

estenose. [Do gr. *sténosis.*] *S. f. Patol.* Estreitamento de qualquer canal ou orifício.

estenotérmico. [De *esten(o)-* + *térmico.*] *Adj. Ecol.* Intolerante às variações de temperatura: *espécie estenotérmica.*

estenotipar. *V. t. d.* Estenografar com o auxílio do estenótipo.

estenotipia. *S. f.* Estenografia mecânica, por meio de estenótipo.

estenotípico. *Adj.* Relativo à estenotipia.

estenotipista. *S. 2 g.* Pessoa que trabalha com estenótipo.

estenótipo. [De *esteno-* + *-tipo.*] *S. m.* Máquina dotada de teclas, destinada à estenotipia.

estentor (ô). [Do antr. *Estentor,* arauto grego cuja voz valia por cinqüenta.] *S. m.* **1.** Pessoa que tem voz muito forte. **2.** Voz muito forte.

estentóreo. [Do lat. *stentoreu.*] *Adj.* **1.** Relativo a estentor. **2.** Que tem a voz muito forte. **3.** Diz-se de voz ou ruído muito forte. [Sin. ger.: *estentórico, estentoroso.*]

estentórico. [De *estentor* + *-ico*[2].] *Adj.* V. *estentóreo.*

estentoroso (ô). [De *estentor* + *-oso.*] *Adj.* V. *estentóreo.*

estepe[1]. [Do russo *step.* atr. do fr. *steppe.*] *S. f. Fitogeog.* Tipo de vegetação ou de paisagem dominado por plantas pequenas, sobretudo gramíneas, que se encontra em zonas frias e secas. A estepe é característica do N. da Europa, sendo comum também na Ásia, e aparece nos pampas sul-americanos. As plantas anuais são freqüentes nas estepes, crescendo e florescendo na época das chuvas. A xerofilia é peculiar às plantas estépicas.

estepe[2]. [Do ingl. *step.*] *S. m. Bras.* Pneu sobressalente.

estépico. *Adj.* De, ou pertencente ou relativo a estepe[1]: *vegetação estépica; clima estépico.*

estequiometria. *S. f.* **1.** Parte da química em que se investigam as proporções dos elementos que se combinam ou dos compostos que reagem. **2.** A proporção dos elementos num composto, ou dos compostos numa reação.

estequiométrico. *Adj.* Próprio da estequiometria.

éster. [De *éter,* com a inicial do t. *salino* infixa.] *S. m. Quím.* Classe de substâncias resultantes da condensação de um ácido orgânico com um álcool. [Pl.: *ésteres,* Cf. *Ester,* antr., pl. *Esteres,* e *hester,* pl. *hesteres.*]

estercado. [Part. de *estercar.*] *Adj.* Que levou esterco; adubado, estrumado.

estercar. *V. t. d.* **1.** V. *estrumar* (1). *Int.* **2.** V. *defecar* (5). [Conjug.: v. *trancar.* Pres. ind.: *esterco,* etc. Cf. *esterco* (ê).]

esterco (ê). [Do lat. *stercu.*] *S. m.* **1.** Excremento animal: "já nos tempos coloniais se usava pôr *esterco* de jumento nos cortes que sangravam muito" (Mário de Andrade, *Namoros com a Medicina,* p. 75). **2.** V. *estrume.* **3.** Sujidade, imundice, lixo. **4.** *Chulo.* Pessoa ou coisa vil. [Pl.: *estercos* (ê). Cf. *esterco,* do v. *estercar.*]

esterco-de-trovão. *S. m. Bras., AL.* Entre os matutos, a mica ou malacacheta, que, após as trovoadas acompanhadas de aguaceiros, lavada pelas águas do enxurro e rebrilhando ao sol, dá a impressão de haver sido recém-depositada no solo. [Pl.: *estercos-de-trovão.*]

estercoral. *Adj. 2 g.* Relativo a esterco. ~ V. *úlcera —.*

estercorarídeo. *S. m.* **1.** Espécime dos estercorarídeos. ● *Adj.* **2.** Pertencente ou relativo a eles.

estercorarídeos. *S. m. pl. Zool.* Aves caradriiformes, da família *Stercoraridae,* com unhas longas, recurvas e pontiagudas, bico muito adunco, ganchoso e com ceroma. São as gaivotas-rapineiras.

estercorário. [Do lat. *stercorariu.*] *Adj.* Que cresce ou vive no esterco; esterqueiro: *insetos estercorários.*

estercoremia. [Do lat. *stercore* + *-(h)em(o)-* + *-ia.*] *S. f. Patol.* Intoxicação do sangue com substâncias fecais.

estercoroso (ô). *Adj.* Imundo, nojento, abjeto, repulsivo, à maneira do esterco.

estercúlia. *S. f. Bot.* Gênero de plantas tropicais característico da família das esterculiáceas.

esterculiácea. *S. f.* Espécime das esterculiáceas.

esterculiáceas. *S. f. pl. Bot.* Família de plantas floríferas constituída de árvores, arbustos ou ervas de folhas alternas e comumente recortadas, flores caracterizadas pelo androginóforo, e que podem ser unissexuais, numerosos estames, soldados pelos filetes em coluna, e fruto capsular ou bacáceo. Há umas 700 espécies tropicais; entre as muitas brasileiras se distingue o cacaueiro.

esterculiáceo. *Adj.* Pertencente ou relativo às esterculiáceas.

estere. *S. m.* V. *estéreo*[1].

estéreo[1]. [Do gr. *stereón.*] *S. m.* Medida de volume para lenha, equivalente a um metro cúbico.

estéreo[2]. *S. m. Tip.* F. red. de *estereótipo* (1). ◆ **Estéreo**

plástico. *Tip.* V. *plastotipia* (2).
estéreo³. *Adj.* F. red. de *estereofônico.*
▲estere(o)-. [Do gr. *stereós, á, on.*] *El. comp.* = 'sólido', 'duro': *estereotipia, estereofonia, estereodonte.*
estereóbata. *S. m. Arquit.* Soco contínuo, sem base nem cornija, para sustentação de edifício.
estereocromia. [De *estere(o)-* + *-crom(o)-* + *-ia.*] *S. f.* Método de fixar cores em corpos sólidos.
estereocrômico. *Adj.* Relativo à estereocromia.
estereodinâmica. [De *estere(o)-* + *dinâmica.*] *S. f. Fís. P. us.* Parte da dinâmica que estuda os movimentos dos corpos sólidos.
estereodinâmico. *Adj.* Relativo à estereodinâmica.
estereodonte. [De *estere(o)-* + *-odonte.*] *S. m.* Aparelho ortodôntico para consolidar a posição dos dentes, depois de trazidos à posição normal.
estereofonia. [De *estere(o)-* + *-fon(e)-* + *-ia.*] *S. f.* Técnica de reproduzir sons registrados ou produzidos pelo rádio, a qual se caracteriza por reconstituir a distribuição espacial das fontes sonoras.
estereofônico. *Adj.* **1.** Diz-se do sistema acústico que funciona pelo princípio da estereofonia. **2.** Diz-se do som obtido por essa técnica, o qual transmite a sensação de distribuição espacial. [F. red.: estéreo.]
estereografia. [De *estere(o)-* + *-graf(o)-* + *-ia.*] *S. f.* **1.** Arte de representar os sólidos em um plano. **2.** Qualquer dos processos gráficos em que a impressão se dá pelo relevo, como, p. ex., a tipografia, a estereotipia, a xilogravura.
estereográfico. *Adj.* Relativo à estereografia. ~ V. *gravura* —*a.*
estereoisomeria (o-i). *S. f. Quím.* O isomerismo caracterizado exclusivamente pela diferença de orientação espacial dos átomos na molécula.
estereoisômero (o-i). *S. m. Quím.* **1.** Qualquer dos compostos de um conjunto de substâncias que têm estereoisomeria. ● *Adj.* **2.** Referente à estereoisomeria.
estereologia. [De *estere(o)-* + *-log(o)-* + *-ia.*] *S. f.* Estudo das partes sólidas dos seres vivos.
estereológico. *Adj.* Relativo à estereologia.
estereoma. [Do gr. *steréoma.*] *S. m. Morfol. Veg.* Conjunto de tecidos e células de função mecânica que constituem o sistema de suporte da planta: esclerênquima, colênquima; o próprio conjunto dos vasos lenhosos, etc.
estereometria. [Do gr. *stereometría.*] *S. f.* Cálculo do volume dos sólidos.
estereométrico. *Adj.* Relativo à estereometria.
estereômetro. [De *estere(o)-* + *-metro.*] *S. m.* Instrumento usado em geometria para a medição de sólidos.
estereoquímica. [De *estere(o)-* + *química.*] *S. f.* Parte da química que investiga a disposição espacial dos átomos nas moléculas.
estereoquímico. *Adj.* Relativo à estereoquímica.
estereoscópico. *Adj.* Referente ao estereoscópio.
estereoscópio. [De *estere(o)-* + *-scop-* + *-io.*] *S. m. Ópt.* Instrumento binocular, com aumento não muito grande e profundidade de foco relativamente elevada, e que permite observações microscópicas de objetos em relevo.
estereostática. [De *estere(o)-* + *estática.*] *S. f. P. us.* Parte da física que estuda o equilíbrio dos corpos sólidos.
estereostático. *Adj. P. us.* Relativo à estereostática.
estereotipado. [Part. de *estereotipar.*] *Adj.* **1.** Que se estereotipou. **2.** *Fig.* Que é sempre o mesmo, que não varia; invariável, fixo, inalterável: *frase e s t e r e o t i p a - d a; sorriso e s t e r e o t i p a d o.*
estereotipagem. *S. f.* **1.** Ato de estereotipar. **2.** Obra impressa estereotipada. [Sin. p. us.: *clichagem.*]
estereotipar. *V. t. d.* **1.** Imprimir por estereotipia. **2.** *Tip.* Converter em estereótipo. **3.** *Tip.* Imprimir com estereótipos. **4.** Reproduzir fielmente. **5.** Tornar fixo, inalterável: *Para se popularizar, conseguiu e s t e r e o t i p a r o sorriso. P.* **6.** Tornar-se fixo, inalterável: *De tão repetida, a frase e s t e r e o t i p o u - s e.* [Pres. ind.: *estereotipo,* etc. Cf. *estereótipo.*]
estereotipia. [De *estere(o)-* + *-tip(o)-*² + *-ia.*] *S. f.* **1.** *Tip.* Processo pelo qual se duplica uma composição tipográfica, transformando-a em fôrma compacta, por meio de moldagem de uma matriz, usualmente o flã, sobre a qual se vaza metal-tipo. [Cf. *plastotipia.*] **2.** *Tip.* V. *estereótipo* (1). **3.** *Med.* Repetição de gestos amaneirados, permanência em posições estranhas, etc., que constituem um dos sintomas não essenciais da esquizofrenia. ◆ **Estereotipia curva.** *Tip.* **1.** Processo de estereotipagem para prensas rotativas, pelo qual se produzem clichês adaptáveis aos cilindros; estereotipia rotativa, rotoestereotipia. **2.** O clichê semicilíndrico assim obtido; estereótipo curvo, telha. **Estereotipia rotativa.** *Tip.* V. *estereotipia curva* (1).
estereotípico. *Adj.* Relativo à estereotipia.
estereotipista. *S. 2 g.* Gráfico que trabalha em estereotipia.
estereótipo. [De *estere(o)-* + *-tipo.*] *S. m.* **1.** *Tip.* Fôrma compacta obtida pelo processo estereotípico; estereotipia, clichê. [F. red.: *estéreo.*] **2.** *Fig.* Lugar-comum (2); clichê, chavão. [Cf. *estereotipo,* do v. *estereotipar.*] ◆ **Estereótipo curvo.** *Tip.* V. *estereotipia curva* (2).
estereotomia. [De *estere(o)-* + *-tom(o)-* + *-ia.*] *S. f.* Arte de dividir e cortar com rigor os materiais de construção.
estereotômico. *Adj.* Relativo à estereotomia.
estereozoário. *S. m. Zool.* Animal do filo dos sipunculídeos.
esterigma. [Do gr. *stérigma.*] *S. m. Micol.* Dilatação terminal do basídio de certos fungos, a qual suporta os esporos.
estéril. [Do lat. *sterile.*] *Adj. 2 g.* **1.** Que não produz; árido, improdutivo, improlífico, improlífero, infecundo, infrutífero, infrutuoso, maninho, sáfaro: *árvore, mulher, terra e s t é r i l.* **2.** Em que nada se produziu ou realizou: *Ano e s t é r i l foi aquele para o grande escritor; Para os cafeicultores este ano foi e s t é r i l, por causa da geada.* **3.** Que não traz vantagem ou resultado; inútil: *discussão e s t é r i l.* **4.** *Med.* Livre de micróbios vivos ou dos seus esporos vivedouros. ● *S. m.* **5.** Material estéril (1). [Pl.: *estéreis.* Antôn.: *fértil, fecundo, produtivo, úbere.*]
esterilecer. *V. t. d. e p. P. us.* V. *esterilizar.* [Conjug.: v. *aquecer.*]
esterilidade. [Do lat. *sterilitate.*] *S. f.* **1.** Qualidade de estéril; improdutividade, infecundidade. **2.** Escassez, falta, penúria: *e s t e r i l i d a d e de recursos, e s t e r i l i d a d e de talento.* [Antôn.: *fecundidade.*]
esterilização. *S. f.* **1.** Ato ou efeito de esterilizar(-se). **2.** Estrago, destruição, assolação. **3.** Embrutecimento: *e s t e r i l i z a ç ã o da inteligência.*
esterilizado. [Part. de *esterilizar.*] *Adj.* **1.** Que se tornou estéril. **2.** Que foi submetido a esterilização.
esterilizador (ô). *Adj.* **1.** Que esteriliza; esterilizante. ● *S. m.* **2.** Aquele que esteriliza. **3.** Aparelho para esterilizar. **4.** Autoclave (1).
esterilizante. *Adj. 2 g.* Esterilizador (1).
esterilizar. [Do lat. tardio *sterilizare.*] *V. t. d.* **1.** Tornar estéril, infecundo, improdutivo (o animal, a planta, a terra); amaninhar. **2.** *Fig.* Tornar inútil, improfícuo; inutilizar, baldar: "Concluiu que o casamento e s t e r i l i z a r a uma vocação que só tinha ambiente na liberdade do celibato." (Machado de Assis, *Páginas Recolhidas,* p. 53.) **3.** Destruir os germes deletérios de (substância alimentícia). **4.** *Cir.* Impedir a fecundação a, mediante seção ou ligadura das vias de excreção das células sexuais, com conservação da função endócrina das glândulas respectivas. *P.* **5.** Tornar-se estéril, improdutivo. [Sin. ger. (p. us.): *esterilecer.*]
esterlino. [Do ingl. *sterling.*] *S. m.* **1.** O padrão da liga de ouro ou de prata das moedas inglesas. **2.** A libra, moeda inglesa: *Baixou a cotação do e s t e r l i n o na Bolsa.* ● *Adj.* **3.** Relativo ao dinheiro inglês: *valor e s t e r l i n o.* ~ V. *libra* —*a.*
esternal. *Adj. 2 g. Anat.* Relativo ou pertencente ao esterno.
esternalgia. [De *esterno* + *-alg(o)-* + *-ia.*] *S. f. Med.* Algia na região do esterno. [É uma dor provocada por pressão digital sobre o esterno, outrora considerada sintomática da sífilis.]
esternálgico. *Adj.* Relativo à esternalgia.
estérnebra. [De *esterno* + *(vért)ebra.*] *S. f. Anat.* Cada um dos elementos do esterno.
esternebral. *Adj. 2 g.* Relativo ou pertencente à estérnebra.
esternegue. *S. m. Bras., PB. Gír.* Barulho, discussão, bate-boca.
esternito. *S. m. Zool.* Esclerito [q. v.] que ocupa o meio da face ventral de cada um dos segmentos do corpo dos animais artrópodes.
esterno. [Do gr. *stérnon,* pelo b.-lat. *sternu.*] *S. m.* **1.** *Anat.* Osso ímpar, situado na parte anterior do tórax, e com o qual se articulam as clavículas e as cartilagens costais das sete primeiras costelas. **2.** *Zool.* Porção ventral do tórax dos insetos. **3.** *Zool.* Lâmina ventral do tórax dos aracnídeos. [Cf. *hesterno* e *externo.*]
esternoclidomastóideo. [Do gr. *stérnon,* 'esterno', + *-clido-* + *mastóide* + *-eo.*]. *Adj.* ~ V. *músculo* —.
esternorrinco. *S. m.* **1.** Espécime dos esternorrincos. ● *Adj.* **2.** Pertencente ou relativo a eles. [Sin. ger.: *gularrostro.*]
esternorrincos. *S. m. pl. Zool.* Inseto homóptero da subordem *Sternorrhyncha,* cujo rostro surge aparentemente no tórax, a partir do esterno, entre as coxas anteriores. [Sin.: *gularrostros.*]
esternutação. [Do lat. *sternutatione.*] *S. f.* Espirro.
esternutatório. [Do lat. *sternutatoriu.*] *Adj. Med.* **1.** Que provoca espirro ou esternutação; errino, ptármico. ~ V. *gás* —. ● *S. m.* **2.** Aquilo que provoca espirros.
estero (ê). [Do esp. plat. *estero.*] *S. m. Bras., S.* Terreno baixo e pantanoso, junto aos rios, lagos e lagoas, ou nas imediações deles, total ou parcialmente coberto de plantas aquáticas; esteiro. O nome é us. nas fronteiras com a Argentina e o Paraguai. [Cf. *esteiro,* do v. *esteirar* e s. m.]
esteróide. *S. m. Quím.* Designação de compostos naturais ou artificiais, derivados do ciclopentanofenantreno, que exercem importantes funções bioquímicas nos organismos, como, p. ex., o colesterol, a cortisona, os hormônios sexuais humanos, e seus análogos usados em pílulas anticoncepcionais.
esterol. *S. m. Quím.* Qualquer álcool não-saturado com uma estrutura com diversos anéis, encontrado nos organismos vivos, vegetais e animais, onde exercem importantes funções fisiológicas. [Pl.: *esteróis.*]
esterqueira. [De *esterco* (ê) + *-eira.*] *S. f.* V. *estrumeira.* [Var.: *esterqueiro.*]
esterqueiro. *S. m.* **1.** V. *esterqueira.* ● *Adj.* **2.** Que vive no esterco; estercorário.
esterquilínio. [Do lat. *sterquiliniu.*] *S. m.* V. *estrumeira.*
esterrecer. *V. t. d., int.* e *p.* V. *estarrecer.* [Conjug.: v. *aquecer.*]
esterroada *S. f.* **1.** Ato de esterroar. **2.** *Fig.* Barulho, ruído, bulha.
esterroador (ô). *S. m.* Instrumento usado para esterroar.
esterroar. [De *es-* + *terrão* + *-ar*².] *V. t. d.* Desfazer os torrões a; desterroar, estorroar; escavaçar: *e s t e r r o a r a terra.* [Conjug.: v. *coroar.*]
estertor (ô). [Do lat. *stertore,* deduzido do v. *stertere,* 'roncar dormindo'.] *S. m.* **1.** *Med.* Ruído de que há mais de um tipo, adventício à ausculta pulmonar normal, e que está relacionado à mobilização de secreções patológicas brônquicas ou bronco-alveolares; pieira, piado, piada, piadeira, rala, ralo. **2.** Respiração rouca e crepitante dos moribundos, e daqueles que sofrem de certas doenças respiratórias ou têm a respiração opressa; vasca: "A respiração da mulher estava rouca e ruidosa como um e s t e r t o r de moribundo" (Lia Correia Dutra, *Navio sem Porto,* p. 104). [Pl.: *estertores* (ô). Cf. *estertores,* do v. *estertorar.*]
estertorante. *Adj. 2 g.* **1.** Que estertora; estertoroso: *convulsão e s t e r t o r a n t e.* **2.** Que está em estertor; agonizante: *Ouvia-se a respiração dos soldados e s t e r t o r a n t e s.*
estertorar. *V. int.* **1.** Ter estertor: "emaciada, lívida, ... comprimia o peito, e s t e r t o r a v a sufocada." (Júlio Ribeiro, *A Carne,* p. 13). **2.** Agonizar (1): "a moribunda .... continuava a e s t e r t o r a r abrindo muito a boca para a respiração." (Coelho Neto, *Turbilhão,* p. 318). **3.** Bruxulear, extinguir-se (a luz): "a chama [da vela] crepitava e s t e r t o r a n d o. (Id., *Sertão,* p. 45). [Pres. subj.: *estertore, estertores,* etc. Cf. *estertores* (ô), pl. de *estertor.*]
estertoroso (ô). *Adj.* Diz-se da respiração de quem está em estertor; estertorante: "Agora a respiração era angustiada, e s t e r t o r o s a." (Olavo Bilac, *Crítica e Fantasia,* p. 296.)
estese. [Do gr. *aísthesis.*] *S. f.* V. *estesia.*
▲-estes(i)-. Equiv. de *estes(i)(o)-.*
estesia. [De *estese* + *-ia.*] *S. f.* **1.** Sentimento do belo. **2.** Sensibilidade, sentimento: "Ver árvores é um grande lenitivo / Para a e s t e s i a de um contemplativo." (Olegário Mariano, *Toda uma Vida de Poesia,* I, p. 51); "Suas telas de uma e s t e s i a diferente, evocavam assuntos espirituais" (Luís Edmundo, *De um Livro de Memórias,* III, p. 723). [Sin. ger.: *estese.*]
▲estes(i)(o)-. [Do gr. *aísthesis, eos.*] *El. comp.* = 'sensação': *estesia.* [Equiv.: *-estes(i)-: hipestesia.*]
esteta. [Do gr. *aisthetés,* 'aquele que sente'.] *S. 2 g.* **1.** Pessoa que adota uma atitude exclusiva e requintada com relação à arte e à vida, colocando os valores estéticos acima de todos os outros. **2.** Pessoa versada em estética.
estética. [Fem. substantivado do adj. *estético.*] *S. f.* **1.** *Filos.* Estudo das condições e dos efeitos da criação artística. **2.** *Filos.* Tradicionalmente, estudo racional do belo, quer quanto à possibilidade da sua conceituação, quer quanto à diversidade de emoções e sentimentos que ele suscita no homem. **3.** Caráter estético; beleza: *a e s t é t i c a de um monumento, de um gesto.* **4.** *Fam.* Beleza física; plástica: *Ia à praia para apreciar a e s t é t i c a das garotas.*
esteticismo. *S. m.* Maneira de ser esteta (1). [Cf. *estetismo.*]
esteticista. *Adj. 2 g.* **1.** Relativo ao esteticismo. ● *S. 2 g.* **2.** Pessoa com tendências esteticistas. **3.** *Bras.* Especia-

lista em assuntos de beleza (maquilagem, penteado, vestuário, emagrecimento, etc.).
estético. [Do gr. *aisthetikós*, 'sensível, sensitivo'.] *Adj.* **1.** Relativo à estética, ao sentimento do belo: *gosto* e s t é t i c o; *senso* e s t é t i c o; *emoção* e s t é t i c a. **2.** Que tem características de beleza; belo, harmonioso: *decoração* e s t é t i c a. ~ V. *cirurgia* —*a.*
estetismo. *S. m.* Doutrina ou escola baseada na estética (2), especialmente aquela que, no fim do séc. XIX, reuniu grande número de estetas (pré-rafaelitas, simbolistas, decadentes, etc.) [Cf. *esteticismo*.]
estetizar. *V. t. d.* Estudar ou considerar do ponto de vista estético.
▲esteto-. [Do gr. *stêthos, eos-ous.*] *El. comp.* = 'peito': *estetoscópio.*
estetoscopia. *S. f.* Emprego do estetoscópio.
estetoscópico. *Adj.* Relativo à estetoscopia.
estetoscópio. [De *esteto-* + *-scop-* + *-io.*] *S. m.* Instrumento, de que há alguns tipos, com que se realiza a ausculta em diferentes setores do corpo, e que se utiliza em diversas especialidades médicas (cardiologia, pneumologia, gastrenterologia, angiologia, obstetrícia, etc.): "Avental branco, ... ei-lo, grave, aplicando sobre o peito descoberto duma criancinha o e s t e t o s c ó p i o" (Paulo Mendes Campos, *O Cego de Ipanema*, p. 27).
esteva[1] (ê). [Do lat. *stipa*, 'colmo'.] *S. f.* Planta da família das cistáceas (*Cistus ladaniferus*), arbusto de folhas grandes, flores também grandes, brancas, terminais, geralmente solitárias, e fruto capsular tomentoso. Segrega resina aromática utilizada em farmácia por suas propriedades sedativas. [Sin.: *xara.* Pl.: *estevas* (ê). Cf. *esteva* e *estevas*, do v. *estevar*.]
esteva[2] (ê). [Do lat. **steva.*] *S. f.* Rabiça do arado. [Pl.: *estevas* (ê). Cf. *esteva* e *estevas*, do v. *estevar*.]
esteval. [De *esteva*[1] (ê) + *-al.*] *S. m.* Grande quantidade de estevas dispostas proximamente entre si.
estevão. [Aum. de *esteva*[1] (ê).] *S. m.* **1.** Variedade de esteva (*Cistus populifolius*); lada. **2.** *Bras., BA.* V. *trincaferro.* [Cf. *Estêvão*, antr. m., e *estevam*, do v. *estevar*.]
estevar. *V. int.* Governar a esteva[2] (ê). [Pres. ind.: *estevo, estevas, esteva, ... estevam*; pres. subj.: *esteve, esteves*, etc. Cf. *esteva* (ê), s. f., e pl. *estevas* (ê); *esteve* (ê), do v. *estar*; *estevão*, s. m.; *Estêvão* e *Esteves* (ê), antr.; e o v. *estivar*.]
estia. *S. f. Bras. Gír.* Belisária.
estiada. [Fem. substantivado de *estiado*.] *S. f.* **1.** Estiagem (1 a 3). **2.** Aberta (3). [Cf. *esteada*, do v. *estear*.]
estiado. [Part. de *estiar*.] *Adj.* Diz-se do tempo sereno e seco. [Cf. *esteado*, do v. *estear*.]
estiagem. [Do fr. *étiage*.] *S. f.* **1.** Tempo sereno ou seco em seguida a tempo chuvoso ou tempestuoso. **2.** Falta ou cessação de chuva. **3.** Abaixamento máximo da água em rios, fontes, etc. [Sin. ger.: *estiada*.]
estiar. [De *estio* + *-ar*[2].] *V. int.* **1.** Cessar de chover; serenar (o tempo): "Das nuvens que marcham, quando e s t i a, vão surgindo .... monstruosos avejões e carniceiros" (Xavier Marques, *A Cidade Encantada*, p. 177). *P.* **2.** Relaxar(-se); afrouxar(-se). [Fut. pret.: *estiaria*, etc. Cf. *estear*, v., e *estearia*, do v. *estear* e s. f.]
estibiado. [De *estíbio* + *-ado*[1].] *Adj.* Que tem estíbio.
estibina. [De *estíbio* + *-ina*.] *S. f.* **1.** *Min.* Antimonita. **2.** *Quím.* Hidrogeneto de antimônio, gasoso, incolor, de cheiro desagradável. [Fórm.: SbH_3.]
estíbio. [Do egípcio, atr. do gr. *stibi* e do lat. *stibiu.*] *S. m. Quím.* Antimônio.
estibordo. [Do neerl. *stierboord*, pelo fr. ant. *estribord*, hoje *tribord*, e pela f. arcaica *estribordo*, dissimilada.] *S. m. Mar.* V. *boreste.*
estica[1]. [Dev. de *esticar*.] *S. f.* **1.** Saúde precária; magreza. **2.** Pessoa magra. **3.** Miséria extrema; penúria. **4.** Pedaço de pau que serve para tapar um buraco; espicho, estucha. ♦ **Estar na estica. 1.** *Bras., N. E. Pop.* Estar na miséria. **2.** *Bras., S.* Estar bem vestido.
estica[2]. *S. f.* Variedade de videira.
esticada. *S. f. Bras.* Ato ou efeito de esticar (4).
esticadela. *S. f.* Ato de esticar(-se).
esticado. [Part. de *esticar*.] *Adj.* **1.** Que sofreu esticamento ou esticão. **2.** *Fig.* Bem trajado.
esticador (ô). *Adj.* **1.** Que estica. ● *S. m.* **2.** *Bras., MG* e *SP.* Mourão principal, que serve para manter esticados os fios de arame duma cerca.
esticamento. *S. m.* Ato ou efeito de esticar(-se).
esticão. *S. m.* Esticadela forte.
esticar. *V. t. d.* **1.** Puxar, segurando com força; distender: e s t i c a r *uma corda, um cordão.* **2.** Estender, alongar, espichar: e s t i c a r *as pernas, o pescoço. Int.* **3.** *Pop.* V. *morrer* (1). **4.** *Bras.* Prolongar um encontro ou reunião festiva, indo a outro lugar com o mesmo fim: *Ontem à noite* e s t i c a m o s *na casa da Margarida. — Foi ótimo. P.* **5.** Estender-se, espichar-se. [Conjug.: v. *trancar*.]
esticometria. [Do gr. *stíchos*, 'linha', 'verso', + *-metr(o)-* + *-ia.*] *S. f.* **1.** Divisão de uma obra em partes muito pequenas, em linhas ou em versículos: a e s t i c o m e t r i a *da Bíblia.* **2.** Numeração das linhas de um texto, para facilitar colações e citações.
esticométrico. *Adj.* Relativo à esticometria.
estígio. [Do gr. *stýgios*, pelo lat. *stygiu.*] *Adj.* Relativo ao Estige, rio do Inferno, da mitologia grega.
estigma. [Do gr. *stígma*, pelo lat. *stigma.*] *S. m.* **1.** Cicatriz, marca, sinal: *os* e s t i g m a s *da varíola.* **2.** Sinal infamante; ferrete. **3.** Sinal natural no corpo. **4.** As marcas das cinco chagas de Cristo: *os* e s t i g m a s *de S. Francisco.* **5.** *Fig.* Aquilo que marca, que assinala: *os* e s t i g m a s *da arte.* **6.** *Fig.* Marca infamante, vergonhosa; labéu. **7.** *Morfol. Veg.* Porção terminal do gineceu, destinada a recolher o pólen, e sobre a qual ele germina. Pode ser punctiforme, capitado ou ramoso. **8.** *Zool.* Órgão da respiração dos insetos.
estigmar. *V. t. d.* e *transobj. Bras.* V. *estigmatizar*: "A pele .... aparecia-me agora amarela, e s t i g m a d a pelo mesmo flagelo, que devastara o rosto da espanhola." (Machado de Assis, *Memórias Póstumas de Brás Cubas*, p. 124.)
▲estigmati-. V. *estigmat(o)-.*
estigmático. [De *estigmat(o)-* + *-ico*[2].] *Adj. Ópt.* Diz-se do sistema óptico que faz corresponder a um objeto uma imagem pontual.
estigmatífero. [De *estigmati-* + *-fero.*] *Adj. Morfol. Veg.* Diz-se do órgão que traz o(s) estigma(s).
estigmatismo. *S. m. Ópt.* Propriedade que tem um sistema óptico de ser estigmático.
estigmatizado. [Part. de *estigmatizar*.] *Adj.* **1.** Marcado com estigma. **2.** Censurado, verberado. ● *S. m.* **3.** Aquele que apresenta no corpo a marca das chagas de Jesus Cristo.
estigmatizar. [Do gr. *stigmatízo.*] *V. t. d.* **1.** Marcar com ferrete, por pena infamante. **2.** Acusar como autor de ação infame; censurar, verberar: E s t i g m a t i z o u *o governo pelos erros cometidos.* **3.** Censurar, acoimar, condenar: "para e s t i g m a t i z a r não só a hipertrofia militarista, mas a própria instituição da guerra." (Ricardo Jorge, *Sermões dum Leigo*, p. 132). *Transobj.* **4.** Qualificar pejorativamente; apodar, tachar: E s t i g m a t i z o u - *o de infame.* [Sin., bras.: *estigmar*.]
▲estigmat(o)-. [Do gr. *stígma, atos.*] *El. comp.* = 'marca', 'ponto': *estigmatizar, estigmatóforo.* [Equiv. *estigmati-, estigm(o)-: estigmatífero; estigmológico.*]
estigmatóforo. [De *estigmat(o)-* + *-foro.*] *Adj. Morfol. Veg.* Que tem estigma (7).
estigmatografia. [De *estigmat(o)-* + *-graf(o)-* + *-ia.*] *S. f.* Arte de escrever ou desenhar com auxílio de pontos.
estigmatográfico. *Adj.* Relativo à estigmatografia.
estigmatose. [De *estigmat(o)-* + *-ose.*] *S. f. Patol.* Dermatose que se caracteriza por partes ulceradas.
▲estigm(o)-. V. *estigmat(o)-.*
estigmologia. [De *estigmat(o)-* + *-log(o)-* + *-ia.*] *S. f.* Tratado ou complexo dos vários sinais, como o til, a cedilha, a vírgula, etc., que, com as letras, se usam na escrita.
estigmológico. [De *estigm(o)-* + *-log(o)-* + *-ico*[2].] *Adj.* Relativo à estigmologia.
estigmonímico. *Adj.* Relativo a estigmônimo.
estigmônimo. [De *estigm(o)-* + *-onimo.*] *S. m.* Vocábulo ou nome que é substituído por pontos.
estila. *S. f.* V. *estilha.*
estilar[1]. [De *estilo-*[2] + *-ar*[1].] *Adj. 2 g. Morfol. Veg.* Relativo ao estilete: *ramos estilares.*
estilar[2]. [De *estil(i)-* + *-ar*[2].] *V. t. d.* **1.** V. *estilizar* (1).
estilar[3]. [De *estilo-*[2] + *-ar*[2].] *V. t. d.* **1.** Picar ou ferir com estilete. **2.** *Fig.* Ferir; torturar; espicaçar.
estilar[4]. [Do lat. *stillare.*] *V. t. d.* **1.** V. *destilar* (1 e 2). **2.** Derramar, verter, chorar: e s t i l a r *lágrimas. Int.* **3.** Destilar (4). **4.** Consumir-se a pouco e pouco de dor, febre, etc.
estilbita. [Do gr. *stílbe*, 'brilho', + *-ita*[3].] *S. f. Min.* Mineral monoclínico do grupo das zeólitas, silicato hidratado de alumínio, sódio e cálcio.
estilete (ê). [Do fr. *stylet.*] *S. m.* **1.** Punhal de lâmina fina. **2.** Tenta cirúrgica para sondar feridas. **3.** *Autom.* Pino metálico localizado na tampa do carburador e que funciona como uma válvula, abrindo e vedando a entrada de gasolina na cuba de nível constante; agulha. **4.** *Morfol. Veg.* Porção filamentosa que prolonga o ovário para cima, e na ponta da qual se acha o estigma. Através do estilete desce o tubo polínico para penetrar no ovário e operar a fecundação.
estiletear. *V. t. d. Bras.* Ferir com estilete. [Conjug.: v. *frear*.]
estilha. [Do esp. *astilha.*] *S. f.* **1.** Lasca de madeira; cavaco. **2.** Fragmento, pedaço, estilhaço: "Era um terror e uma agitação por toda a cidade, ao ouvirem o ribombar da artilheria, e ao verem no ar a trajetória de fogo das bombardas, que vinham sem piedade rebentar em e s t i l h a s no meio da gente" (Oliveira Martins, *História de Portugal*, I, p. 277). [Var. *estila.*]
estilhaçar. *V. t. d.* **1.** Partir em estilhaços; despedaçar. **2.** Manifestar ou demonstrar com ruído. *P.* **3.** Fazer-se em estilhaços; despedaçar-se: "O carro freia bruscamente numa esquina e a fruteira, grande como era, perde o equilíbrio e, solta, s e e s t i l h a ç a." (Maria Julieta Drummond de Andrade, *O Valor da Vida*, p. 168.) [Conjug.: v. *laçar*.]
estilhaçável. *Adj. 2 g.* Que pode ser estilhaçado: "enquanto, pelas esquadrias dos janelões vetustos, existiu um pedaço de vidro e s t i l h a ç á v e l." (Luís Edmundo, *De um Livro de Memórias*, III, p. 725.)
estilhaço. [De *estilha* + *-aço.*] *S. m.* **1.** Fragmento de qualquer objeto despedaçado e projetado com violência: e s t i l h a ç o *de granada;* e s t i l h a ç o *de pedra.* **2.** Pedaço, fragmento, lasca.
estilhar. *V. t. d.* e *p.* Partir(-se) em estilhas; romper(-se), despedaçar(-se).
▲estil(i)-. [Do lat. *stilus, i.*] *El. comp.* = 'estilo (ponteiro)'; 'estilo (expressão)': *estiliforme, estilista.* [Equiv.: *estilo-: estilógrafo.*]
estilicídio. [Do lat. *stillicidiu.*] *S. m.* **1.** O gotejar de um líquido. **2.** A queda da chuva dos beirais do telhado. **3.** *Fig.* Fluxo aquoso do nariz. [Sin., nesta acepç.: *coriza, defluxo* e (bras., ant. e pop.): *estalicídio.* Cf. *estalecido.*]
estilidácea. *S. f.* Espécime das estilidáceas.
estilidáceas. *S. f. pl. Bot.* Família de plantas superiores, composta de subarbustos e ervas. Flores zigomorfas, hermafroditas ou unissexuais com androceu formado por dois ou três estames, geralmente concrescidos com o estilete. Ovário unilocular ou bilocular. Fruto seco, deiscente ou indeiscente. Compreendem cerca de 120 espécies, em sua maioria australianas; não ocorrem no Brasil.
estilidáceo. *Adj.* Pertencente ou relativo às estilidáceas.
estiliforme. [De *estil(i)-* + *-forme.*] *Adj. 2 g.* Que tem forma de estilete.
estilingue. [Do ingl. *sling*, com *t* epentético.] *S. m. Bras., MG, C.O.* e *S.* V. *atiradeira*: "Quando tinha seus dez anos e ainda não servia para serviço nenhum, pegava um e s t i l i n g u e e ficava matando passarinho aí pelo mato." (Rute Guimarães, *Água Funda*, pp. 152-153.)
estilismo. *S. m.* Apuro exagerado no estilo ou na linguagem.
estilista. *S. 2 g.* **1.** Pessoa que escreve com estilo apurado, elegante: "Fora até amigo de Théophile Gautier, ... o e s t i l i s t a impecável" (Visconde de Taunay, *Ao Entardecer*, p. 138). **2.** Escritor que tem estilo próprio. **3.** *Bras.* Pessoa que se ocupa em estudar e adaptar novas soluções em matéria de estilo (16): "A maquilagem [da princesa Caroline de Mônaco] foi confiada ao e s t i l i s t a Olivier d'Echaude-Maison" (*Jornal do Brasil*, 28.6.1978). [Cf. *designer.*] ● *Adj. 2 g.* **4.** Que escreve com estilo apurado.
estilística. *S. f.* **1.** Disciplina lingüística que estuda a expressividade duma língua, i. e., a sua capacidade de sugestionar e emocionar mediante determinados processos e efeitos de estilo. **2.** Tratado ou compêndio dessa disciplina. **3.** Exemplar de um desses tratados ou compêndios.
estilístico. *Adj.* Relativo ou pertencente à estilística, ou ao estilo.
estilita. [Do gr. tardio *stylítes.*] *S. m.* Anacoreta que fazia a sua cela no cimo de pórticos ou de colunas em ruína.
estilização. *S. f.* Ato ou efeito de estilizar (2).
estilizado. [Part. de *estilizar*.] *Adj.* Que sofreu estilização.
estilizador (ô). *Adj.* e *s. m.* Que, ou aquele que estiliza.
estilizar. *V. t. d.* **1.** Dar estilo (3) a; aprimorar, aperfeiçoar; estilar: *Frei Luís de Sousa* e s t i l i z o u *os manuscritos de Frei Luís de Cácegas.* **2.** Modificar, suprimindo, substituindo e/ou acrescentando elementos para obter determinado(s) efeito(s) estético(s): *Simões Lopes Neto* e s t i l i z o u *muitas lendas gaúchas; A escola de samba* e s t i l i z o u *os trajes dos bandeirantes.*
estilizável. *Adj. 2 g.* Que pode ser estilizado.
estilo. [Do lat. *stilu.*] *S. m.* **1.** Espécie de ponteiro de osso, metal, etc., usado para escrever sobre a camada de cera das tábulas, e com uma extremidade em forma de espátula para anular os erros; gráfio. **2.** *Fig.* Maneira

de exprimir os pensamentos, falando ou escrevendo: *estilo natural; estilo afetado; estilo prolixo*. **3.** *Fig.* Maneira de escrever correta e elegante; linguagem aprimorada: *Lamentável que os conceitos do autor não estejam à altura de seu estilo*. **4.** *Fig.* Maneira de escrever caracterizada pelo emprego de expressões e fórmulas próprias de uma classe, profissão, ou grupo: *estilo publicitário; estilo forense; estilo didático; estilo militar*. **5.** *Fig.* Feitio, tom, orientação de um texto ou de uma alocução: *Dirigiu-se aos consócios em estilo protocolar, distante*. **6.** *Fig.* Afetação no falar ou no escrever: *Não é preciso fazer estilo, vamos ao que interessa*. **7.** *Ling.* Registro (12). **8.** *Liter.* O aspecto formal duma obra literária, levando-se em conta o tratamento dispensado à língua como meio de expressão: *estilo subjetivo; estilo tenso; estilo colorido; estilo conceituoso*. **9.** *Liter.* O modo de expressar-se de um escritor, ou de um grupo ou período literário: *o estilo de Machado de Assis; o estilo dos poetas do Grupo Mineiro; o estilo da fase modernista*. **10.** *Art. Plást.* e *Mús.* O conjunto de elementos capazes de imprimir diferentes graus de valor às criações artísticas, pelo emprego dos meios apropriados de expressão, tendo em vista determinados padrões estéticos: *Embora a mais nova das artes, o cinema já apresenta grande variedade de estilos*. **11.** *Art. Plást.* e *Mús.* A feição especial típica de um artista, de um gênero, de uma escola, de uma época, de um tipo de cultura: *um quadro no estilo de Rembrandt; o estilo rigoroso de uma sonata clássica; a tendência espiritual do estilo gótico; o estilo inimitável da Pavlova; o estilo dos desenhos das grutas de Altamira*. **12.** Conjunto de características da forma e dos motivos ornamentais que distinguem determinados grupos de objetos de acordo com a época e o modo de fabricação: *móveis em estilo D. João V; artigos de couro em estilo rústico*. **13.** Uso, costume, prática, praxe: "Quincas Borba registrou o testamento, com as formalidades do *estilo*" (Machado de Assis, *Quincas Borba*, p. 15). **14.** Gênero, feição, espécie, qualidade; jaez: *Respondem às injúrias com expressões do mesmo estilo*. **15.** Maneira de tratar, de viver; procedimento, conduta, modos: *Saudou a todos com seu estilo comedido*. **16.** Moda (2) quando encarada do ponto de vista do bom gosto, da estética. **17.** O ponteiro ou agulha do relógio de sol. **18.** *Bras.*, *N.E. Pop.* Boas maneiras, bom comportamento: *É um rapaz sem estilo*. **19.** *Zool.* Ovopositor dos dípteros. **20.** *Zool.* Arista espessa, segmentada, perto da ponta do terceiro segmento antenal. **21.** Maneira ou traço pessoal no agir, na prática dum esporte, na dança, etc.: *Pelé jamais chutou uma bola fora de seu estilo; O estilo de Fred Astaire marcou época*. **Estilo asiático.** Estilo empolado e prolixo; asiatismo. **Estilo barroco. 1.** *Arquit.* e *Art. Plást.* Estilo surgido na Itália, no séc. XVI, caracterizado pelo dinamismo das curvas e ornatos, pela forma de expressão suntuosa e dramática. **2.** *Liter.* Estilo que floresceu paralelamente ao movimento plástico e arquitetônico acima descrito, e no qual predomina a ordem imaginativa sobre a lógica, e a pompa verbal, o uso abundante de imagens literárias, comparações, paradoxos, jogos mentais, etc. **3.** *Mús.* Estilo caracterizado pela riqueza de ornatos e pelo emprego do baixo contínuo, quer em obras camerísticas, quer em obras dramáticas e grandiosas, de caráter sacro ou profano. [Tb. se diz, nessas três acepç., apenas *barroco*.] **Estilo direto.** *Liter.* V. *discurso direto*. **Estilo fraldoso.** *Liter.* Estilo prolixo, redundante. **Estilo gótico. 1.** *Arquit.* O que se desenvolveu na Europa ocidental aproximadamente do séc. XIII ao séc. XV, caracterizado em especial pelo emprego das ogivas, as quais permitiam a construção de estruturas elevadas, e pela presença de elementos decorativos nas fachadas e portais; estilo ogival. **2.** *Art. Plást.* Estilo que floresceu no mesmo período, e que se manifesta em obras de caráter essencialmente religioso e de tendência em geral realista, entre as quais se destacam os vitrais e as tapeçarias, além das pinturas de retábulos, das miniaturas, das grandes esculturas de fachadas e portais. [Tb. se diz apenas *gótico*.] **Estilo indireto.** *Liter.* V. *discurso indireto*. **Estilo indireto livre.** *Liter.* V. *discurso indireto livre*. **Estilo manuelino.** *Arquit.* e *Art. Plást.* Estilo decorativo que surgiu em Portugal no fim do séc. XV e floresceu durante o reinado de D. Manuel I (1469-1521), e que constitui uma adaptação do gótico flamejante [q. v.], pela introdução de elementos novos, de diversas origens, inspirados nas viagens marítimas portuguesas. [Tb. se diz apenas *manuelino*.] **Estilo ogival.** *Arquit.* Estilo gótico (1). **Estilo oral.** *Liter.* Estilo muito próximo da linguagem falada. **Estilo românico. 1.** *Arquit.* O que, depois da fase primitiva do cristianismo, se desenvolveu na Europa ocidental, do séc. IX ao XII, e em que as formas romanas e bizantinas aparecem, adaptadas e absorvidas pelos povos bárbaros, sobretudo em construções religiosas, nas quais se usavam elementos decorativos para divulgar temas do Antigo e do Novo Testamento. **2.** *Art. Plást.* Estilo que floresceu no mesmo período, de inspiração religiosa e forte carga expressiva, de técnica rudimentar, freqüentemente ingênua e de inspiração popular, e que se manifestou especialmente em afrescos, mosaicos, e esculturas e ornatos de portais e capitéis. [Tb. se diz apenas *românico*.] **De estilo.** Diz-se de um objeto pertencente a um estilo (12) definido e consagrado pelo tempo: *móveis de estilo; roupas de estilo*. **Em grande estilo.** Com solenidade, pompa, aparato, ou solene, pomposo, aparatoso: *O Ministro foi recebido em grande estilo; festa em grande estilo*.

▲estilo-[1]. Equiv. de *estil(i)-*.

▲estilo-[2]. [Do gr. *stylos, ou.*] *El. comp.* = 'coluna', 'estilete': *estilômetro*. [Equiv.: *-stilo: gamostilo*.]

▲estilo-[3]. [De *estilóide*.] *El. comp.* = 'apófise estilóide': *estiloglosso*.

estilofaríngeo. [De *estilo-*[3] + *-faring(o)-* + *-eo*.] *Adj.* ~ V. *músculo* —.

estiloglosso. [De *estilo-*[3] + *-glosso*.] *S. m.* ~ V. *músculo* —.

estilográfico. *Adj.* Próprio de estilógrafo: *tinta estilográfica*.

estilógrafo. [De *estilo-*[1] + *-grafo*.] *S. m.* V. *caneta-tinteiro*.

estilóide. [Do gr. *styloeidés*.] *Adj. 2 g.* Semelhante a estilete (1). ~ V. *apófise* —.

estilomatóforo. *S. m.* **1.** Espécime dos estilomatóforos. ● *Adj.* **2.** Pertencente ou relativo a eles.

estilomatóforos. *S. m. pl. Zool.* Animais metazoários, moluscos, gastrópodes, pulmonados, terrestres, providos de quatro tentáculos, dos quais os dois maiores sustentam os olhos.

estilometria. [De *estilo-*[2] + *-metr(o)*[2]*-* + *-ia*.] *S. f.* Arte de medir colunas.

estilométrico. *Adj.* Relativo à estilometria, ou ao estilômetro.

estilômetro. [De *estilo-*[2] + *-metro*.] *S. m.* Instrumento usado para medir colunas.

estima. [Dev. de *estimar*.] *S. f.* **1.** Sentimento da importância ou do valor de alguém ou de alguma coisa; apreço, consideração, respeito: *O gerente gozava da estima de todos os empregados*. **2.** Afeição, afeto; amizade: *A professora tinha grande estima àquelas crianças*. **3.** V. estimativa (1): *As medidas foram tomadas de acordo com a estima dos peritos*. [Sin. ger.: *estimação*.]

estimação. [Do lat. *aestimatione*.] *S. f.* V. *estima*. ♦ **De estimação.** Diz-se de um bem (animal ou coisa) a que se vota especial predileção ou estima: *cãozinho de estimação; caneta de estimação*. [Us. às vezes ironicamente: *Pisou o meu calo de estimação*.]

estimado. [Part. de *estimar*.] *Adj.* Que se estima ou se estimou. ~ V. *navegação —a* e *posição —a*.

estimador (ô). [Do lat. *aestimatore*.] *Adj.* **1.** Que estima; avaliador. ● *S. m.* **2.** Aquele que estima. **3.** *Estat.* Função dos membros de uma amostra que permite avaliar ou calcular um parâmetro da população de onde ela se originou. Geralmente, a essa função está associada uma medida da confiança que se pode atribuir à validade da avaliação ou do cálculo realizado. [Sin., nesta acepç.: *estimativa*.] ♦ **Estimador coerente.** *Estat.* O que tende estocasticamente para o parâmetro estimado quando o número de membros da amostra tende para o número de membros da população; estimador consistente. **Estimador consistente.** *Estat.* Estimador coerente. **Estimador não-viciado.** *Estat.* Aquele que tem a esperança matemática igual ao parâmetro que estima, independentemente do tamanho da amostra. Ex.: a média de uma amostra é um estimador não-viciado da média da população. **Estimador viciado.** *Estat.* O que tem a esperança matemática diferente do parâmetro que estima. Ex.: o desvio padrão de uma amostra.

estimar. [Do lat. *aestimare*.] *V. t. d.* **1.** Ter em estima (1) apreciar, prezar: *Estima as artes: tem em casa valiosíssima pinacoteca*. **2.** Ter estima (2) a: *Estima-o, porém nunca o amou*. **3.** Determinar por cálculo ou avaliação o preço ou o valor de; fazer a estima (3) de: *O ourives estimou a velha jóia de família*. **4.** Regozijar-se por ter; prazer em: " — Está bom... Queira perdoar... *Estimarei* que passe muito bem." (Camilo Castelo Branco, *A Mulher Fatal*, p. 59); *Estimo que estejas com saúde*. **5.** Dar por perceber. *T. d.* e *i.* **6.** Avaliar, calcular o preço ou valor: *Estimaram o quadro em três milhões de cruzeiros*. *P.* **7.** Ter-se em grande estima (1). **8.** Ter estima (1) recíproca: "passou logo a falar dos colégios europeus, do modo pelo qual aí se tratavam entre si os estudantes, ... do modo .... pelo qual se protegiam e se *estimavam*." (Aluísio Azevedo, *O Coruja*, pp. 26-27). **9.** Ter-se em conta de; agir como: *Estima-se um grande ator*. **10.** Ter consciência da própria dignidade; prezar-se: *Não agiu como um homem que se estima*.

estimativa. [Fem. substantivado de *estimativo*.] *S. f.* **1.** Avaliação, cálculo; cômputo; juízo; estima: *Ainda não temos uma estimativa exata de nossos prejuízos*. **2.** *Estat.* Estimador (3). **3.** *Estat.* Valor de um estimador calculado a partir de uma amostra. ♦ **Estimativa de custo.** Orçamento preliminar, geralmente baseado em anteprojeto.

estimativo. *Adj.* **1.** Que sabe estimar, apreciar, avaliar: *olhar estimativo*. **2.** Fundado no apreço que se dá: *preço estimativo*. **3.** Fundado em probabilidades: *juízo estimativo*. ~ V. *valor* —.

estimatório. [Do lat. *aestimatoriu*.] *Adj.* Relativo a estimação; avaliatório.

estimável. [Do lat. *aestimabile*.] *Adj. 2 g.* **1.** Digno de estima (1). **2.** Que se pode estimar (3): *prejuízo estimável em um milhão de cruzeiros*.

estimulação. [Do lat. *stimulatione*.] *S. f.* Ato ou efeito de estimular(-se).

estimulante. [Do lat. *stimulante*.] *Adj. 2 g.* **1.** Que estimula ou incita: *comportamento estimulante*. **2.** Que ativa ou excita; excitante: *exercício estimulante*. **3.** Ofensivo, agressivo; irritante: *Aos comentários estimulantes dos colegas reagiu com fúria*. **4.** *Pop.* Diz-se de substância ou de medicamento que estimula o exercício de uma função orgânica ou psíquica. ● *S. m.* **5.** Aquilo que estimula ou incita. **6.** Aquilo que excita ou ativa a ação orgânica dos diferentes sistemas da economia animal; estímulo. **7.** *Pop.* Medicamento estimulante (4): *estimulante do apetite; estimulante sexual*.

estimular. [Do lat. *stimulare*.] *V. t. d.* **1.** Excitar, incitar, instigar; picar, espicaçar, ativar: *Os temperos estimulam o apetite; As novas estradas estimularam o desenvolvimento do estado*. **2.** Animar, encorajar: "Nunca deixa [Almeida Garrett] de assistir à primeira representação de qualquer peça dum novo autor, *estimulando*-o com os seus aplausos" (José Osório de Oliveira, *O Romance de Garrett*, p. 167). **3.** Excitar o brio, a emulação de: *O belo comportamento do irmão estimulou-o*. **4.** Aguilhoar, picar, pungir: *estimular a montaria*. *T. d.* e *i.* **5.** Levar, compelir; incitar: *Os bons resultados estimularam-no a perseverar*; "*Estimulou* .... o seu ardido filho .... a guerrear Henrique II" (Antero de Figueiredo, *Leonor Teles*, p. 144). *P.* **6.** Ofender-se; ressentir-se. [Pres. ind.: *estimulo*, etc. Cf. *estímulo*.]

estímulo. [Do lat. *stimulu*.] *S. m.* **1.** Aguilhão, pua. **2.** Estimulante (5). **3.** *Fig.* Incitamento. **4.** *Fig. Fam.* Brio, pundonor. [Cf. *estimulo*, do v. *estimular*.]

estingar. *V. t. d. Marinh. Ant.* Colher (as velas) com os estingues. [Conjug.: v. *largar*. Ind. pres.: *estingo, estingas, estinga*, etc.; pres. subj.: *estingue, estingues*, etc. Cf. *extingo, extingas, extinga, extingue, extingues*, do v. *extinguir*.]

estingue. [Do ingl. *sting*.] *S. m. Marinh.* Cada um dos cabos com que se carregam os punhos das velas redondas e dos toldos, e que podem ser singelos ou dobrados. Nas velas executam operação contrária à das escotas, colhendo o pano para os terços como preliminar para ferrá-lo. [Cf. *extingue*, do v. *extinguir*.]

estinha. [Dev. de *estinhar*.] *S. f.* A segunda cresta das colmeias.

estinhar. [De *es-* + *tinha* + *-ar*[2].] *V. t. d.* Tirar de (a colmeia) o segundo mel das abelhas.

estio. [Do lat. *aestivu*, i. e., *tempus aestivum*, 'tempo de forte calor'.] *S. m.* **1.** Verão. ● *Adj.* **2.** V. *estival*.

estiolamento. [De *estiolar* + *-mento*.] *S. m.* **1.** *Bot.* Alteração mórbida das plantas que vegetam em lugar escuro ou são privadas da luz, e que se caracteriza pelo descoramento e amolecimento dos tecidos ao atingirem certo grau de crescimento; ensoamento. **2.** *Fisiol.* Descoramento e enfraquecimento dos indivíduos que vivem privados da influência da luz e do ar puro. **3.** *P. ext.* Definhamento, enfraquecimento, fraqueza.

estiolar. [Do fr. *étioler*.] *V. t. d.* **1.** Causar estiolamento (1 e 2) a. *Int.* e *p.* **2.** Sofrer estiolamento (1 e 2): "A viúva envelhece de lágrimas e *estiola* como uma trepadeira queimada" (Fialho d'Almeida, *Contos*, p. 230). **3.** *P. ext.* Sofrer estiolamento (3); debilitar-se, enfraquecer-se; definhar, finar-se: "Para que não crescesse [o anarquismo], como planta bem regada, e ao contrário se estiolasse, seria necessário que ele próprio se persuadisse, se não já da falsidade da sua idéia, ao menos da inutilidade das suas práticas." (Eça de Queirós, *Ecos de Paris*, p. 189).

estiômeno. [Do gr. *esthiómenos*, i. e., *hérpes esthiómenos*, 'dartro que corrói'.] *S. m. Patol.* Úlcera vulvar com elefantíase da região.

estipe. [Do lat. *stipes.*] *S. m. Morfol. Veg.* **1.** Caule das palmeiras e fetos arborescentes, que é indiviso e termina por uma coroa de folhas; estípite. **2.** Haste que sustenta certos frutos, como os legumes das leguminosas e o píleo dos fungos agaricales.

estipela. [Do lat. **stipella.*] *S. f. Morfol. Veg.* Pequena estípula que se localiza na base das pinas de certas folhas penadas.

estipendiar. [Do lat. **stipendiare*, por *stipendiari.*] *V. t. d.* Dar ou marcar estipêndio a; assalariar, assoldadar: "aventei uma idéia que me pareceu fecunda: estipendiar os jurados. Todo o serviço merece recompensa, ... e se o juiz de direito é pago, por que o não será o juiz de fato?" (Machado de Assis, *A Semana*, II, pp. 197-198.) [Pres. ind.: *estipendio*, etc.; fut. pret.: *estipendiaria*, etc. Cf. *estipêndio*, s. m., e *estipendiária*, fem. de *estipendiário*.]

estipendiário. [Do lat. *stipendiariu.*] *Adj.* e *s. m.* Diz-se de, ou aquele que recebe estipêndio. [Fem.: *estipendiária*. Cf. *estipendiaria*, do v. *estipendiar*.]

estipêndio. [Do lat. *stipendiu.*] *S. m.* **1.** Salário, soldada, paga; remuneração: "O oiro destinado ao estipêndio dos exércitos e das trirremes em defensão da pátria ameaçada, é desviado para pagar as suntuosas festas do teatro." (Latino Coelho, *A Oração da Coroa*, p. CDVI.) **2.** *Ant.* Tributo, contribuição. [Cf. *estipendio*, do v. *estipendiar*.]

estípida. *S. f.* Coluna abalaustrada ou invertida.

estipitado. [De *estípite* + *-ado*[1].] *Adj.* Que tem estípite.

estípite. [Do lat. *stipite.*] *S. m.* **1.** *Morfol. Veg.* Estipe (1). **2.** *Fig.* Tronco de uma geração; raça.

estíptico. [Do gr. *styptikós.*] *Adj.* **1.** *Med.* Adstringente (2). **2.** *Fig.* Apertado, escasso. [Var.: *estítico*.]

estípula. [Do lat. *stipula.*] *S. f. Morfol. Veg.* Apêndice, quase sempre pequenino e em número de dois, que se encontra junto à base da folha. [Cf. *estipula*, do v. *estipular*.]

estipulação. [Do lat. *stipulatione.*] *S. f.* **1.** Ato ou efeito de estipular[2]. **2.** Ajuste, convenção, contrato. **3.** Condição de um ajuste ou contrato; cláusula.

estipulado[1]. [De *estípula* + *-ado*[1].] *Adj. Morfol. Veg.* Que tem estípulas; estipuloso. [Cf. *exstipulado*.]

estipulado[2]. [Part. de *estipular*[2].] *Adj.* **1.** Ajustado, combinado, assentado, convencionado. ● *S. m.* **2.** Aquilo que se estipulou, se combinou. [Cf. *exstipulado*.]

estipulador (ô). [Do lat. *stipulatore.*] *Adj.* e *s. m.* Estipulante.

estipulante. [Do lat. *stipulante.*] *Adj. 2 g.* e *s. 2 g.* Que ou quem estipula; estipulador.

estipular[1]. [Do lat. *stipulare.*] *Adj. 2 g.* Relativo ou pertencente à estípula.

estipular[2]. [Do lat. **stipulare*, por *stipulari.*] *V. t. d.* **1.** *Jur.* Ajustar ou convencionar por meio de contrato ou de promessa jurídica, estabelecendo condições ou cláusulas propostas e aceitas de parte a parte. **2.** Determinar, estabelecer, fixar: *Estipulou as condições que lhe convinham.* [Pres. ind.: *estipulo*, *estipulas*, *estipula*, etc.; part.: *estipulado*. Cf. *estípula* e *exstipulado*.]

estipuliforme. *Adj. 2 g.* Que tem forma de estípula.

estipuloso (ô). *Adj. Morfol. Veg.* Estipulado[1].

estique-pôquer. *S. m. Bras.* Pôquer aberto. [Pl.: *estique-pôqueres*.]

estiracácea. *S. f.* Espécime das estiracáceas.

estiracáceas. *S. f. pl. Bot.* Família de vegetais floríferos, composta de árvores e arbustos de folhas alternas e flores minutas, hermafroditas, pentâmeras e diplostêmones, ovário súpero ou semi-ínfero, com vários óvulos, fruto capsular, drupáceo, ou seco e indeiscente. Existem umas 110 espécies, dos países temperados e tropicais, várias das quais produzem resinas aromáticas; no Brasil ocorrem algumas dezenas.

estiracáceo. *Adj.* Pertencente ou relativo às estiracáceas.

estiraçar. *V. t. d.* **1.** Estirar muito; estender ao comprido, esticando. **2.** Estirar (4). *P.* **3.** Espreguiçar-se. [Conjug.: v. *laçar*. Pres. subj.: *estirace*, etc. Cf. *estirasse*, do v. *estirar*.]

estirada. [Fem. substantivado de *estirado*.] *S. f.* **1.** *Bras.* e *prov. lus.* Caminhada longa; estirão. **2.** *Bras.*, *S.* Distância longa. ◆ **De uma estirada.** *Bras.* De um só fôlego; sem interrupção.

estirado. [Part. de *estirar*.] *Adj.* **1.** Estendido ao comprido: *Encontrou-o no chão, estirado, sem sentidos.* **2.** Puxado com força para que não fique frouxo, esticado, tenso, retesado: *corda estirada.* **3.** Extenso, longo, dilatado: "Quem se coloca em posição horizontal, depois de vencidas umas estiradas léguas, adormece com certeza." (Visconde de Taunay, *Inocência*, p. 44); "Na manhã seguinte, abrindo o jornal, encontrou uma estirada correspondência da Mata Funda" (Coelho Neto, *Treva*, pp. 126-127); *Merecia um estirado período de descanso.* **4.** Muito demorado; prolixo; tedioso, enfadonho: *explicação estirada.* **5.** *Fig.* Sem naturalidade; forçado: *comparação estirada.*

estirador (ô). *S. m.* Tábua ou mesa sobre a qual se estira ou assenta o papel em que se desenha ou pinta.

estiramento. *S. m.* **1.** Ato ou efeito de estirar(-se); estirão. **2.** Tensão demasiada; distensão. **3.** Espreguiçamento. **4.** *Med.* Distensão (2).

estirâncio. *S. m.* Faixa do litoral coberta e descoberta pela maré, e que é delimitada pelos batentes de preamar e de baixa-mar; estrão. [Cf. *espraiado* (4).]

estirão. *S. m.* **1.** Estiramento (1). **2.** Estirada (1). **3.** *Bras.*, *Amaz.* Trecho de rio que corre em linha reta.

estirar. [De *es-* + *tirar*.] *V. t. d.* **1.** Estender, puxando; esticar: *Estirou o fio para medir a distância.* **2.** Estender, alongar; esticar: *estirar as pernas.* **3.** Colocar em sentido retilíneo; alinhar, enfileirar. **4.** Estender ao comprido; deitar por terra; estiraçar: *Reagiu de pronto ao ataque, estirando os atacantes.* **5.** Tornar longo, dilatar prolixamente (um discurso, uma narrativa). **6.** Exceder os limites de. **7.** Violentar, forçar (a aplicação de uma lei, a interpretação de um texto, etc.). **8.** *Med.* Distender (5). *P.* **9.** Estender-se ao comprido: "Glória chegou da rua e se estirou na cama" (Adélia Prado, *Cacos para um Vitral*, p. 73). **10.** Abater-se, humilhar-se, prostrar-se. **11.** Prolongar-se, alongar-se. [Imperf. subj.: *estirasse*, etc. Cf. *estirace*, do v. *estiraçar*.]

estireno. *S. m. Quím.* Hidrocarboneto aromático não saturado, líquido incolor que pode ser polimerizado facilmente. [Fórm.: $C_6H_5CHCH_2$.]

estirodonte. *S. m.* **1.** Espécime dos estirodontes. ● *Adj. 2 g.* **2.** Pertencente ou relativo a eles.

estirodontes. *S. m. pl. Zool.* Animais equinodermos, equinóides, regulares, ordem *Stirodonta*, carapaça rígida, brânquias externas e dentes carenados, epífises da lanterna-de-aristóteles separadas.

estirpe. [Do lat. *stirpe.*] *S. f.* **1.** *Morfol. Veg.* Raiz (1). **2.** *P. ext.* Origem, tronco, linhagem, raça, ascendência, cepa: "Quero falar da parteira Matilde Durocher, cujas mãos peritas trouxeram à luz .... a preclara descendência de uma estirpe régia." (Silva Ramos, *Pela Vida fora...*, p. 31.)

estítico. *Adj.* Var. de *estíptico*: "o seu peito é estreito e côncavo, as suas pernas estíticas e frágeis" (Ramalho Ortigão, *As Farpas*, VI, p. 7).

estiva. [Do lat. *stiva.*] *S. f.* **1.** A primeira porção de carga do navio. **2.** Armação do tabuleiro duma ponte de madeira. **3.** Pavimento gradeado dalgumas cavalariças. **4.** Taxa municipal do preço de certos gêneros. **5.** *Bras. Mar. Merc.* Serviço de movimentação de carga a bordo dos navios nos portos, o qual compreende a retirada e a arrumação desta nos porões e nos conveses. [Cf., nesta acepç., *resistência* (9).] **6.** *Bras. p. ext.* O conjunto dos estivadores [v. *estivador* (2).]. **7.** *Bras.* Os gêneros que formam a base do comércio de secos e molhados, especialmente os gêneros em grosso. **8.** Pesagem dos gêneros ou mercadorias estivadas. **9.** *Bras.*, Ponte feita de um só pau, sobre forquilhas, em terrenos alagadiços ou pantanosos. [Cf., nesta acepç., *estivado* (2).] **10.** *Bras.*, *MG* e *RS.* Ponte tosca, feita de varas ou paus atravessados sobre um córrego.

estivação[1]. *S. f.* Ato ou efeito de estivar.

estivação[2]. *S. f.* O botão da flor.

estivado. [Part. de *estivar*.] *Adj.* **1.** *Bras.* Cheio, repleto. ● *S. m.* **2.** *Bras.*, *AM.* Ponte rústica, espécie de estiva (9). **3.** *Bras.*, *AM.* Revestimento de um terreno acidentado, feito com paus roliços ou com varas.

estivador (ô). [De *estivar* + *-(d)or*.] *Adj.* **1.** *Mar. Mec.* Diz-se daquele que se emprega profissionalmente em estiva e desestiva de embarcação mercante. ● *S. m.* **2.** *Mar. Merc.* Aquele que se emprega profissionalmente neste trabalho. **3.** *Bras.* Comerciante de estiva (7).

estivagem. [De *estiva* + *-agem*.] *S. f. Mar. Merc.* Conjunto de operações destinadas à movimentação de mercadorias de terra para bordo, ou de uma embarcação para outra, ou de bordo para terra.

estival. [Do lat. *aestivale.*] *Adj. 2 g.* Referente ao, ou próprio do estio; calmoso, estivo, estio.

estivar. [Do it. *stivare*.] *V. t. d.* **1.** Arrumar a estiva em (embarcação). **2.** Fazer a estiva (8) de; pesar. **3.** Despachar na alfândega. **4.** *Bras.*, *N.* Construir estiva (9) sobre (terreno alagadiço). [Cf. *estevar*.]

estivo. [Do lat. *aestivu.*] *Adj.* V. *estival*: "Como o prazer, é o chorar preciso: / Mas breve passa — qual a chuva estiva" (Casimiro de Abreu, *Obras*, p. 168).

esto. [Do lat. *aestu.*] *S. m.* **1.** Grande calor. **2.** Ardor, paixão. **3.** Enchente preamar. **4.** Ondulação ruidosa, agitação, ruído. [Cf. *esto* (ê).]

esto (ê). *Pron. Ant.* Isto. [Cf. *esto*.]

estocada. *S. f.* **1.** Golpe com estoque[1]. **2.** Golpe com a ponta de espada ou florete. **3.** *Fig.* Surpresa desagradável. **4.** *Fig.* Astúcia para causar dano. [Cf. *estucada*, fem. do part. de *estucar*.]

estocado. [Part. de *estocar*[2].] *Adj.* De que se fez estoque[2]: *mercadoria estocada.* [Cf. *estucado*.]

estocagem. *S. f. Bras.* V. *estoque*[2].

estocar[1]. *V. t. d.* Golpear (alguém) com estoque[1]. [Conjug.: v. *trancar*. Cf. *estucar*.]

estocar[2]. *V. t. d. Bras. Com.* Formar estoque[2] de. [Conjug.: v. *trancar*. Cf. *estucar*.]

estocástico. *Adj.* **1.** *Mús.* Diz-se de um estilo e de uma técnica de composição musical lançados pelo grego Yannis Xenakis (1922) a fim de opor-se ao formalismo da música serial, e nos quais o compositor introduz a teoria matemática das probabilidades. **2.** V. *aleatório*. ~ V. *dependência —a*, *independência —a*, *processo —* e *variável —a*.

estocável. *Adj. 2 g. Bras.* Que se pode ou deve estocar[2].

estofa[1] (ô). [Do fr. ant. *estofe*, 'material de qualquer classe', atual *étoffe*, 'fazenda'.] *S. f.* **1.** Estofo[1] (1). **2.** *Fig.* V. *laia*[1] [Pl.: *estofas* (ô). Cf. *estofa* e *estofas*, do v. *estofar*.]

estofa[2] (ô). [Fem. substantivado de *estofo*[2] (ô).] *S. f.* Período em que o nível do mar fica estacionário, sem oscilação de maré, e que ocorre na preamar (*estofa de enchente*) e na baixa-mar (*estofa de vazante*). [Pl.: *estofas* (ô). Cf. *estofa* e *estofas*, do v. *estofar*.] ◆ **Estofa de enchente.** V. *estofa* (ô). **Estofa de vazante.** V. *estofa* (ô).

estofado. [Part. de *estofar*.] *Adj.* **1.** Guarnecido ou coberto de estofo[1] (1 e 2). **2.** V. *acolchoado*[2] (1). ~ V. *capa —a*. [Cf. *estufado*, do v. *estufar*, adj. e s. m.]

estofador (ô). *S. m.* **1.** Aquele que tem por ofício estofar móveis. **2.** Aquele que vende móveis estofados, cortinas e outros adornos para interior de casas.

estofamento. *S. m.* **1.** Ato de estofar. **2.** Estrutura interior (estofo, molas, etc.) de um móvel estofado. **3.** Estofo[1] (2).

estofar. *V. t. d.* **1.** Guarnecer ou cobrir de estofo; acolchoar. **2.** Acolchoar[2] (2). **3.** Tornar encorpado. [Pres. ind.: *estofo*, *estofas*, *estofa*, etc. Cf. *estofa* (ô), s. f., pl. *estofas* (ô); *estofo* (ô), s. m. e adj., flex. *estofa* (ô), *estofas* (ô), e o v. *estufar*.]

estofo[1] (ô). [De *estofa* (ô).] *S. m.* **1.** Tecido, em geral lavrado, de lã, seda, algodão, etc., usado especialmente para decoração; estofa. **2.** Algodão, lã, crina, espuma, etc., com que se revestem interiormente sofás, cadeiras, etc.; estofamento. **3.** *Fig. Bras.* Fibra, energia, firmeza. [Pl.: *estofos* (ô). Cf. *estofo*, do v. *estofar*.]

estofo[2] (ô). *Adj.* **1.** Estagnado, parado. **2.** Que não sobe nem desce: *maré estofa.* [Flex.: *estofa* (ô), *estofos* (ô), *estofas* (ô). Cf. *estofo*, *estofas*, *estofa*, do v. *estofar*.]

estoicidade. *S. f.* Qualidade de estóico (4 e 5); estoicismo.

estoicismo. *S. m.* **1.** *Filos.* Designação comum às doutrinas dos filósofos gregos Zenão de Cício (340-264) e seus seguidores Cleanto (séc. III a.C.), Crisipo (280-208) e os romanos Epicteto (?-125) e Marco Aurélio (121-180), caracterizadas sobretudo pela consideração do problema moral, constituindo a ataraxia o ideal do sábio. **2.** Austeridade de caráter; rigidez moral. **3.** Impassibilidade em face da dor ou do infortúnio.

estóico. [Do gr. *stoikós*, pelo lat. *stoicu*.] *S. m.* **1.** Partidário do estoicismo (1). **2.** Indivíduo estóico. ● *Adj.* **3.** Relativo ao estoicismo. **4.** Austero, rígido. **5.** Impassível ante a dor e a adversidade.

estoirada. *S. f.* V. *estourada*.

estoirado. *Adj.* V. *estourado*.

estoirar. *V. int.* e *t. d.* V. *Estourar*.

estoira-vergas. *S. m. 2 n.* Estoura-vergas.

estoiraz. *Adj. 2 g.* V. *estouraz*.

estoiro. *S. m.* V. *estouro*.

estojar. [Do lat. vulg. **studiare*, *'guardar com cuidado'*, *de studiu*, 'zelo'.] *V. t. d.* Guardar em estojo. [Pres. ind.: *estojo*, etc. Cf. *estojo* (ô).]

estojo (ô). [Dev. de *estojar*.] *S. m.* **1.** Caixa cuja forma e disposição interna se adaptam ao que nela se guarda:

estojo de desenho; estojo cirúrgico; estojo de violino. 2. Escrínio (2). 3. Capa, invólucro ou bainha destinada a guardar e proteger objetos delicados ou finamente trabalhados: estojo de óculos, de faca. [Pl.: *estojos* (ô). Cf. *estojo*, do v. *estojar*.]
estol. [Do ingl. *stall*.] *S. m. Av.* e *Aer.* Redução da velocidade relativa ao ar, de um avião ou de um aeromodelo, a ponto de o fazer cair, por ser o seu peso maior que a força de sustentação das asas; perda. [Pl.: *estóis*.]
estola. [Do gr. *stolé*, pelo lat. *stola*.] *S. f.* **1.** Fita larga que os sacerdotes põem por cima da alva. **2.** Espécie de xale comprido, geralmente retangular, que as mulheres usam como agasalho ou como adorno.
estolão. *S. m.* Estola grande.
estolho (ô). [Do lat. *stolo, onis*, 'pimpolho'.] *S. m. Morfol. Veg.* Caule rastejante que emite regularmente de espaço a espaço raízes para baixo e ramos para cima. Pode ser superficial ou subterrâneo, assegura rápida propagação das plantas que o possuem, e é comum nas monocotiledôneas.
estolhoso (ô). *Adj. Morfol. Veg.* Que tem estolho; estolonífero: *rizoma* estolhoso.
estolidez (ê). *S. f.* Qualidade ou ação de estólido.
estólido. [Do lat. *stolidu*.] *Adj.* **1.** Tolo, parvo, estúpido, astuto: "aplaudiu a minha franca lealdade, modificando para melhor a sua opinião impressa a respeito das minhas parvoiçadas líricas, muito acentuadas na estólida pretensão de fazer-me mestre de estética portuguesa." (Camilo Castelo Branco, *Serões de São Miguel de Ceide*, II, p. 13.) **2.** Disparatado, estabanado, estouvado.
estolonífero. [Do lat. *stolo, onis*, 'estolho', + *-i-* + *-fero*.] *Adj.* **1.** *Morfol. Veg.* Estolhoso. **2.** Pertencente ou relativo aos estoloníferos. ● *S. m.* Espécime dos estoloníferos.
estoloníferos. *S. m. pl. Zool.* Animais celenterados, alcionários, da ordem *Stolonífera*, cujos pólipos surgem separadamente de uma matriz comum. Esqueleto de espículas separadas, às vezes fundidas em tubos.
estoma. [Do gr. *stóma*, 'boca'.] *S. m. Morfol. Veg.* Estômato.
estomacal. [Do lat. *stomachu*, 'estômago', + *-al*.] *Adj. 2 g.* **1.** Do, ou relativo ou pertencente ao estômago. **2.** Bom para o estômago. [Sin. ger.: *estomáquico*.]
estomagado. [Part. de *estomagar*.] *Adj.* Que se estomagou; irritado, escandalizado.
estomagar. [Do lat. **stomachare*, por *stomachari*.] *V. t. d.* **1.** Zangar; irritar; indignar, agastar: *As censuras o* estomagaram. **2.** Ofender; escandalizar. *P.* **3.** Irritar-se, zangar-se, indignar. **4.** Ofender-se; escandalizar-se. [Conjug.: v. *largar*. Pres. ind.: *estomago*, etc. Cf. *estômago*.]
estômago. [Do gr. *stómachos*, pelo lat. *stomachu*.] *S. m.* **1.** *Anat.* Víscera na qual se faz parte da digestão dos alimentos, situada entre o esôfago e o duodeno. **2.** *P. ext.* A parte externa do corpo que corresponde à região estomacal. **3.** *Fig.* Disposição, ânimo; apetite: *Embora jovem, mostrou que tinha* estômago *para lutar*. **4.** *Fig.* Capacidade de agüentar situações desagradáveis; paciência. **5.** *Fig.* Interesse pecuniário; ambição sórdida. [Cf. *estomago*, do v. *estomagar*.] ♦ **Estômago de avestruz.** Pessoa que come muito sem selecionar os alimentos. **Forrar o estômago.** Ingerir certa porção de alimento muito menor que a da refeição habitual.
estomáquico. [Do lat. *stomachu*, 'estômago', + *-ico*².] *Adj.* Estomacal. ~V. *coronária* —a.
estomático. [Do gr. *stomatikós*.] *Adj.* **1.** Diz-se dos medicamentos que combatem as afecções da boca. **2.** Relativo ao estômato. ~ V. *cripta* —a.
estomatite. [De *estomat(o)-* + *-ite*¹.] *S. f. Patol.* Inflamação da membrana mucosa da boca.
estômato. [Do fr. *stomate*.] *S. m. Morfol. Veg.* Pequenina abertura na epiderme foliar e caulinar, que se abre, internamente, num sistema de canais aeríferos, que permitem as trocas gasosas necessárias à vida das plantas. É formado por duas células reniformes, que se afastam ou se aproximam, abrindo ou fechando, assim, o ostíolo [q. v.] [Sin.: *estoma*.]
▲**estomat(o)-.** [Do gr. *stóma, atos*.] *El. comp.* = 'boca', 'orifício': *estomatite*. [Equiv.: *-stom(a)-* e *-stomo*: *colostomia, laringóstomo*.]
estomatonoma. [De *estomat(o)-* + *noma*.] *S. f. Patol.* Estomatite gangrenosa noma.
estomatópode. [De *estomat(o)-* + *-pode*.] *S. m.* **1.** Espécime dos estomatópodes. ● *Adj. 2 g.* **2.** Pertencente ou relativo a eles.
estomatópodes. *S. m. pl. Zool.* Animais artrópodes, crustáceos, malacostráceos, hoplocarídios da ordem *Stomatopoda*, com três pares de pernas ambulatórias, cinco pares de maxilípedes, olhos pedunculados, abdome grande e muito comprido, telso em forma de placa denteada. Marinhos, vivem no fundo do mar, na areia ou em cavidades. São as tamburutacas.
estomatoscópio. [De *estomat(o)-* + *-scop-* + *-io*.] *S. m. Cir.* Instrumento que permite conservar a boca aberta para ser examinada ou nela se fazer alguma operação.
estomentar. [De *es-* + *tomento* + *-ar*².] *V. t. d.* Tirar os tomentos a (o linho), batendo-o com a espadela; espadelar, espadar, tascar, tasquinhar.
estomodeu. *S. m. Zool.* Tubo esofagiano dos actiniários, que funciona como canal alimentar e pode ou não apresentar sulcos denominados sifonóglifos.
estonado. [Part. de *estonar*.] *Adj.* Que se estonou; descascado.
estonar. [De *es-* + *tona*¹ + *-ar*².] *V. t. d.* Tirar a tona¹ ou casca a; descascar.
estoniano. *Adj.* **1.** Da, ou pertencente ou relativo à Estônia (Europa). ● *S. m.* **2.** O natural ou habitante da Estônia.
estonteado. [Part. de *estontear*.] *Adj.* **1.** Aturdido, atordoado; desorientado, desnorteado. **2.** Cansado, estremunhado. **3.** Que tem a razão perturbada; aloucado, adoidado. [Sin. ger.: *tonto*.]
estonteador (ô). *Adj.* V. *estonteante*.
estonteamento. *S. m.* **1.** Ato ou efeito de estontear(-se). **2.** Estado de quem se acha estonteado; atordoamento, aturdimento, desorientação, perturbação.
estonteante. *Adj. 2 g.* Que estonteia; estonteador entontecedor.
estontear. [De *es-* + *tonto* + *-ear*.] *V. t. d.* e *int.* **1.** Fazer perder o tino, o acordo; tornar tonto; aturdir, atordoar, perturbar, entontecer, atontar: "Principiou a sentir um zunido áspero nos ouvidos, que o estonteava." (Alberto Braga, *Novos Contos*, p. 125); "O encilhamento estonteava. Fechavam-se diariamente na bolsa .... negócios fabulosos, subindo a milhares de réis." (Leôncio Correia, *A Boêmia do Meu Tempo*, p. 139.) **2.** Tornar tonto ou atônito; perturbar, deslumbrar, maravilhar: *A grandiosidade do espetáculo* estonteou*-o*. *P.* **3.** Ficar tonto; aturdir-se, perturbar-se, entontecer, atontar-se. [Conjug.: v. *frear*.]
estopa (ô). [Do gr. *styppe*, pelo lat. *stuppa*.] *S. f.* **1.** Na indústria da tecelagem, o resíduo da fibra depois de penteada, com o qual se elabora o fio cardado. **2.** Sobras de fio não aproveitado na tecelagem. **3.** Aproveitamento comercial de tais sobras (especialmente as de algodão) para uso em operações de limpeza de motores, automóveis, etc. **4.** Tecido fabricado com os filamentos de estopa. [Pl.: *estopas* (ô). Cf. *estopa* e *estopas*, do v. *estopar*.]
estopada. *S. f.* **1.** Porção de estopa. **2.** Pasta de estopa. **3.** *Fam.* Coisa enfadonha; maçada, cacetada, caceteação, chateação. **4.** *Fam.* Erro, cincada, asneira.
estopador (ô). [De *estopar*² (2) + *-(d)or*.] *Adj.* V. *maçante* (1).
estopante. [De *estopar*² (2) *-nte*.] *Adj. 2 g.* V. *maçante* (1).
estopar¹. *Adj. 2 g.* ~ V. *prego* —.
estopar². *V. t. d.* **1.** Calafetar com estopa; enchumaçar. **2.** *Fam.* Enfadar, maçar, cacetear amolar chatear. [Pres. ind.: *estopo, estopas, estopa*, etc. Cf. *estopa* (ô) e pl. *estopas* (ô).]
estopento. *Adj.* **1.** Filamentoso como a estopa. **2.** V. *maçante* (1).
estopetar. [De *es-* + *topete* + *-ar*².] *V. t. d.* Desmanchar o topete a; desgrenhar, despentear.
estopilha. *S. f. Bras. Mil.* Artefato pirotécnico destinado a produzir a inflamação da carga de projeção dos projetis. [Cf. *espoleta*.]
estopim. [De *estopa* + *-im*.] *S. m.* **1.** Acessório de explosivo destinado a transmitir a chama para ignição de uma espoleta ou de outro dispositivo congênere, e constituído por um núcleo de pólvora negra, com um envoltório para contê-lo. **2.** *Fig.* Elemento deflagrador de uma série de acontecimentos: *A queda do Ministério foi o* estopim *da revolução*. ♦ **Estopim comum.** *Expl.* Estopim constituído por um núcleo de pólvora negra revestido de uma capa de fios tecidos. **Estopim de segurança.** *Expl.* Estopim à prova de água, usado em destruições militares e constituído por um núcleo de pólvora negra, à base de nitrato de potássio, revestido de uma capa de material plástico. **Estopim hidráulico.** *Expl.* Estopim comum, cujo capeamento, formado por três ou mais camadas de fios sobrepostos, é revestido de uma capa de guta-percha que o impermeabiliza e permite seu emprego debaixo de água. [Cf. *cordel detonante*.]
estopinha. [Dim. de *estopa*.] *S. f.* A parte mais fina do linho antes de fiado.
estoque¹. [Do fr. ant. *stoc*.] *S. m.* **1.** Espécie de espada, comprida e reta, com lâmina triangular ou quadrangular, que só fere de ponta. **2.** *Bras.* Faca rústica.
estoque². [Do ingl. *stock*.] *S. m.* **1.** Porção armazenada de mercadorias para venda, exportação, ou uso. **2.** Porção disponível de mercadoria. [Sin. ger. (Bras.): *estocagem*.]
estoquear. *V. t. d.* Ferir com estoque¹; dar estocada em. [Conjug.: v. *frear*.]
estoquésia. *S. f. Bras., RJ.* Planta ornamental da família das compostas (*Stokesia cyanea*), de flores azuis-ou azul-purpúreas, tubulosas, dispostas em capítulos terminais, e cujo fruto é aquênio, coroado por palhetas.
estoquista. *S. 2 g. Bras.* **1.** Pessoa que tem estoque² de qualquer mercadoria. **2.** Depositário de mercadoria para venda ou exportação. **3.** Empregado de casa comercial incumbido da escrituração do livro de estoque.
estoraque. [Do semita, atr. do gr. *styrax* e do lat. tardio *storace*.] *S. m.* **1.** Arbusto ornamental, de origem asiática, da família das estiracáceas (*Styrax benjoin*), que produz o benjoim (1). **2.** Benjoim (1). **3.** *Bras.* V. *benjoeiro* (1 e 2). **4.** Resina odorífera, extraída do estoraque (1) e empregada em farmácia.
estoraque-do-campo. *S. m. Bras.* Cuia-do-brejo. [Pl.: *estoraques-do-campo*.]
estorcegão. [De *estorcegar* + *-ão*.] *S. m.* **1.** Torcedela rápida e violenta. **2.** Beliscão enérgico.
estorcegar. [De *estorcer*.] *V. t. d.* **1.** Torcer com força; estorcer. **2.** Contorcer, contrair: "a atmosfera carregada de aromas estontecia-o, e a fome estorcegava-lhe o estômago, fazendo-lhe escorrer pelas costas e os membros um suor de vertigem." (Júlia Lopes de Almeida, *Ânsia Eterna*, p. 233). **3.** Beliscar (1). **4.** Magoar; pisar. *P.* **5.** Estorcer (6): "em casa, rompera em uivos, estorcegando-se num dos seus ataques de nervos." (José Régio, *Histórias de Mulheres*, p. 311). [Var.: *estortegar*. Conjug.: v. *regar*.]
estorcer. [Do lat. **extorcere*, por *extorquere*.] *V. t. d.* **1.** Torcer com força ou com violência; estorcegar. **2.** Torcer muito; contorcer. **3.** Agitar tumultuosamente ou em torvelinho. **4.** Dirigir, torcendo; torcer: *Estorceu a vista na direção dos recém-chegados*. *Int.* **5.** Mudar de direção: *Com o choque a embarcação* estorceu. *P.* **6.** Torcer-se, retorcer-se, contorcer-se, estorcegar-se: *O ferido* estorcia-se *de dor*; "O amor, Senhora, vede: / Prendeu-me. Em vão me estorço, e me debato, e grito" (Olavo Bilac, *Poesias*, p. 125); "Estorcem-se os leques dos verdes palmares, / Volteiam, rebramam" (Gonçalves Dias, *Obras Poéticas*, II, p. 232). [Conjug.: v. *torcer*. Pres. ind.: *estorço* (ô), etc. Cf. *extorso*.]
estorço (ô). [Dev. de *estorcer*.] *S. m.* Postura pouco natural, contrafeita. [Cf. *extorso*.]
estore. [Do fr. *store*.] *S. m.* Cortina para janelas, que se enrola e desenrola por meio de mecanismo apropriado; empanada, corrediça.
estorga. [De *torga*.] *S. f.* V. *urze* (1).
estória. *S. f.* V. *história*. [Recomenda-se apenas a grafia *história*, tanto no sentido de ciência histórica, quanto no de narrativa de ficção, conto popular, e demais acepções.]
estornar. *V. t. d.* **1.** *Com.* Lançar em conta de débito (aquilo que se tinha lançado em crédito), ou vice-versa. **2.** Dissolver (contrato, particularmente de seguro marítimo). [Pres. ind.: *estorno*, etc. Cf. *estorno* (ô).]
estornicado. [De *es-* + **tornico*, der. regress. de *torniquete*, + *-ado*¹.] *Adj. Bras., RS.* Diz-se do traje apertado a ponto de tolher os movimentos.
estorninho. [Do lat. *sturnu*, 'ave', + *-inho*.] *S. m.* **1.** Pequeno pássaro conirrostro (*Sturnus vulgaris*), de plumagem negra, lustrosa, malhada de branco com reflexos verdes e purpúreos. **2.** Animal zaino com pequenas manchas brancas.
estorno (ô). [Do it. *storno*.] *S. m. Com.* **1.** Retificação de erro cometido pelo lançamento indevido de uma parcela em crédito ou débito e assentamento de quantia igual na conta oposta. **2.** A verba que se estorna. **3.** Rescisão de contrato, em especial o de seguro marítimo. [Pl.: *estornos* (ô). Cf. *estorno*, do v. *estornar*.]
estorrador (ô). [Por **estorroador*, de *estorroar* + *-(d)or*.] *S. m. Bras.* Máquina agrícola para quebrar os torrões de terra escavada.
estorricado. [Part. de *estorricar*.] *Adj.* **1.** Muito seco. **2.** Muito assado; quase torrado. [Var.: *esturricado*.]
estorricar. [De *es-* + *um *torricar*, v. dim. de *torrar*.] *V. t. d.* **1.** Secar demasiadamente, torrando ou quase

queimando: *A longa estiagem estorricou a plantação. Int.* **2.** Secar em excesso; queimar-se quase. [Var.: *esturricar.* Conjug.: v. *trancar.*]
estorroar. [De es- + *torrão* + *-ar*[2].] *V. t. d.* V. *esterroar.* [Conjug.: v. *coroar.*]
estortegar. *V. t. d. e p.* Var. de *estorcegar:* "— Fica queta, demoninho! — rugiu a criatura, *estortegando-lhe a nádega.*" (Godofredo Rangel, *Vida Ociosa,* p. 170). [Conjug.: v. *regar.*]
estorva. [Dev. de *estorvar.*] *S. f.* Ato de estorvar.
estorvador (ô). *Adj. e s. m.* Que ou aquele que estorva.
estorvamento. *S. m.* V. *estorvo* (1).
estorvar. [Do lat. *exturbare.*] *V. t. d.* **1.** Fazer estorvo a; importunar, incomodar: *Afixou um aviso na porta pedindo que não o estorvassem.* **2.** Embaraçar, dificultar; impedir: *Aquele banco à entrada estorva-va a passagem.* **3.** Impedir ou tolher a liberdade de movimentos a; embaraçar: *Aquelas vestes estorva-vam-lhe os passos. T. d. e i.* **4.** Não permitir; impedir: *A doença estorvou-a de aproveitar melhor as férias.* [Pres. ind.: *estorvo,* etc. Cf. *estorvo.* (ô).]
estorvilho. *S. m.* **1.** Pequeno estorvo. **2.** Embaraço, empecilho, estorvo.
estorvo (ô). [Dev. de *estorvar.*] *S. m.* **1.** Embaraço, dificuldade, obstáculo, estorvamento. **2.** Coisa ou pessoa que estorva. [Pl.: *estorvos* (ô). Cf. *estorvo,* do v. *estorvar.*]
estou-fraca. [Voc. onom.] *S. f. 2 n.* V. *galinha-d'angola.*
estourada. *S. f.* **1.** Ruído de muitos estouros simultâneos. **2.** *Fam.* Pancadaria, sova, surra [q. v.]. [F. paral.: *estoirada.*]
estourado. [Part. de *estourar.*] *Adj.* **1.** Que estourou; rebentado. **2.** Que diz o que quer, sem medir conveniências; adoidado. **3.** Turbulento, buliçoso, estouvado. **4.** V. *valentão* (1). **5.** *Bras. Pop.* Exausto, esgotado, rebentado. **6.** *Bras. Pop.* V. *pronto* (10).
estourar. *V. int.* **1.** Dar estouro; rebentar com estrondo; explodir, ribombar: *Os foguetes estouraram, espantando a multidão.* **2.** Soar com estrépito; estrugir, atroar, estrondear: *Trovões estouravam, anunciando tempestade.* **3.** Fazer-se em pedaços; rebentar: *A caldeira estourou por excesso de pressão.* **4.** Rebentar (3): *A I Guerra Mundial estourou em 1914, e a II em 1939.* **5.** Latejar de dor; estalar: *Sentia a cabeça a estourar: tinha febre alta.* **6.** Verberar em altos brados, com fúria; vociferar: *Provocado, estourou, sem atentar para os circunstantes.* **7.** Expandir-se; desabafar: *Naquela situação cômica, não se conteve: estourou; Estourou de riso.* **8.** Debandar ou dispersar-se intempestivamente: "Vibra uma trepidação no solo; e a boiada *estoura* ..." (Euclides da Cunha, *Os Sertões,* p. 128.) **9.** Vir à tona; tornar público; explodir: *O escândalo, apesar de tão abafado, estourou.* **10.** *Bras.* Aparecer, chegar, surgir, de repente: "Estamos aqui para montar guarda. Imagina se logo esta noite *estoura* uma revolução!" (Fernando Sabino, *O Homem Nu,* p. 150); *Estávamos conversando, quando o Carlos estourou lá em casa.* **11.** *Bras.* Muito prestes a vir ou chegar: "as coisas encomendadas no Rio ainda não chegaram. Mas estão *estourando* por aí." (Jorge Amado, *Gabriela, Cravo e Canela,* p. 406). **12.** Ficar além ou aquém do previsto ou do imaginável: *O carro só espera até 10 horas, estourando, 10 e meia.* [Nesta acepç., us. apenas no gerúndio.] *T. i.* **13.** *Bras.* Ter ou conter em grande abundância, em excesso: *A sala estava estourando de gente. T. d.* **14.** Fazer rebentar com estrondo; explodir: *estourar uma bomba.* **15.** Acabar com; extinguir, destruir: *A polícia estourou um ponto de jogo do bicho.* [F. paral.: *estoirar.*]
estoura-vergas. [De *estourar* + o pl. de *verga* (ê).] *S. m. 2 n.* **1.** Indivíduo estourado, estouvado, turbulento, rixoso. [F. paral.: *estoira-vergas.*]
estouraz. *Adj. 2 g.* **1.** Que estoura. **2.** *Fig.* Ruidoso, estrondoso. [F. paral.: *estoiraz.*]
estouro. *S. m.* **1.** Ruído de coisa que estoura, semelhante à detonação de granada, bomba, etc.; estampido; explosão. **2.** *Fig.* Acontecimento imprevisto. **3.** *Fig.* Discussão violenta; espalhafato. **4.** *Fig.* Pancada; bofetada. **5.** *Bras.* Repreensão súbita e violenta. **6.** *Bras. Gír.* Arrombamento de cofre. **7.** *Bras. Gír.* Aquilo ou aquele que é excelente, espetacular: *A moça é um estouro; É um estouro de filme.* [F. paral.: *estoiro.*] ♦ **Estouro da boiada.** *Bras.* Debandada de boiada ou rebanho em marcha. **Dar um estouro na praça.** *Bras.* Falir causando à praça grande prejuízo. **De estouro.** De arromba; excelente, notável.
estoutro. Contr. do pron. dem. este com o pron. indef. *outro.* [Flex.: *estoutra, estoutros, estoutras.* É lícito usar, em vez da contração, a loc. correspondente. Há numerosos exemplos de *este outro,* como o seguinte, de Manuel Bandeira: "Este o indigita, *este outro* o apupa ..." (Estrela da Vida Inteira, p. 76.).]
estouvado. [De *estavanado.*] *Adj.* **1.** Que pensa pouco; sem juízo, leviano, doidivanas; imprudente. **2.** Que faz as coisas sem cuidado; estabanado. [Sin.: *estabanado.*] **3.** Travesso, brincalhão. ● *S. m.* **4.** Indivíduo estouvado.
estouvamento. *S. m.* **1.** Qualidade de estouvado. **2.** Ação própria de pessoa estouvada. [Sin. ger.: *estouvanice* e (pop.) *estouvice.*]
estouvanice. *S. f.* V. *estouvamento.*
estouvice. *S. f. Pop.* V. *estouvamento.*
estovaína. [Do ingl. *stove,* 'estufa', trad. do fr. *Fourneau,* nome do descobridor francês, + *-a-* + *-ina*[1].] *S. f.* Substância anestésica, que é o cloridrato de amilênio.
estrabada. [De *estrabo* + *-ada*[1].] *S. f.* V. *estrabo.*
estrabão. [Do lat. *strabone.*] *Adj. e s. m. Desus.* V. *estrábico* (2 e 4).
estrabar. [Do lat. **stabulare,* por *stabulari,* 'habitar num estábulo'.] *V. int.* Defecar (bestas de carga e outros animais). [Var.: *estravar.*]
estrábico. [Do adj. lat. *strabu* + *-ico*[2].] *Adj.* **1.** Relativo ao, ou próprio do estrabismo (1). **2.** Diz-se de indivíduo atacado de estrabismo (1). [Sin.: *caolho, caraolho, estrabão* (este, desus.), *mirolho, olhizaino, peto, tortelos, torto, vasqueiro, vesgo, vesgueiro, zäibo* ou *zâimbo, zambaio, zanaga, zanago, zanolho, zarolho, zerê.*] **3.** Que tem, ou em que há estrabismo (2); vesgo: *Houve críticos estrábicos que não souberam ver a grandeza de Baudelaire; Só a um julgamento estrábico poderia escapar a importância de um Fernando Pessoa.* ● *S. m.* **4.** Indivíduo atacado de estrabismo [Sin.: *caolho, caraolho, estrabão* (este, desus.), *mirolho, olhizaino, tortelos, vesgo, zambaio, zanaga, zanago, zanolho, zarolho, zerê.*]
estrabismo. [Do gr. *strabismós.*] *S. m.* **1.** Desvio de um dos olhos, de modo que os dois não fixam o mesmo ponto no espaço. **2.** *Fig.* Maneira errada, defeituosa, de ver, de julgar, de raciocinar. [Sin. ger.: *vesguice.*] ♦ **Estrabismo convergente.** *Patol.* Esoforia.
estrabo. [Dev. de *estrabar.*] *S. m.* **1.** Ato de estrabar. **2.** Excremento das bestas de carga e de outros animais. [Sin. ger.: *estrabada.*]
▲**estrab(o)-.** [Do gr. *strabós.*] *El. comp.* = 'vesgo': *estrabômetro, estrábico.*
estrabometria. *S. f.* Aplicação do estrabômetro.
estrabométrico. *Adj.* Relativo à estrabometria, ou ao estrabômetro.
estrabômetro. [De *estrab(o)-* + *-metro.*] *S. m.* Instrumento com que se mede o grau de estrabismo.
estrabotomia. [De *estrab(o)-* + *-tom(o)-* + *-ia.*] *S. f. Cir.* ~ Secção de tendão de músculo do olho para tratar estrabismo.
estrabotômico. *Adj.* Relativo à estrabotomia.
estrabulega. *S. m. Bras., S.* **1.** Doido, insensato. **2.** Pródigo, esbanjador, dissipador. **3.** Desordeiro, traquinas, turbulento. [F. paral.: *estrabulegas.*]
estrabulegas. *S. m. 2 n. Bras., S.* V. *estrabulega.*
estrabuleguice. *S. f. Bras., S.* Ação de ou própria de estrabulega; doidice; desordem; pândega; extravagância.
estraçalhar. [De es- + *traçar*[2] + *-alhar.*] *Bras. V. t. d. e p.* Fazer(-se) em pedaços; espedaçar(-se), despedaçar(-se), estraçoar(-se), estracinhar(-se), estrafegar(-se): *Tomado de fúria, estraçalhou o assasino; Nervoso, estraçalhou o cigarro que tinha entre os dedos.*
estracinhar. [De es- + *traçar*[2] + *-inhar.*] *V. t. d. e p.* V. *estraçalhar.*
estraçoar. [De es- + *traçar*[2] + *-oar.*] *V. t. d. e p.* V. *estraçalhar.* [Conjug.: v. *coroar.*]
estrada. [Do lat. *strata,* i. e., *via strata,* 'caminho empedrado, calçado'.] *S. f.* **1.** Caminho, relativamente largo, destinado ao trânsito de pessoas, animais e veículos. **2.** Qualquer via de transporte terrestre; caminho, vereda, via. **3.** Direção, rumo; rota. **4.** *Fig.* Modo de proceder; caminho moral; meio ou expediente para alcançar algum fim: *estrada do bem, da glória do crime.* **5.** *Bras., Amaz.* Grupo de 100 a 150 seringueiras que um homem entalha por dia. **6.** *Bras., CE.* Marcha curta e cômoda dos cavalos de viagem. ♦ **Estrada carroçável.** Caminho apropriado ao tráfego de carroças e veículos semelhantes. **Estrada de arrasto.** *Bras., RS.* A que é especialmente destinada ao gênero de transporte chamado arrasto. **Estrada de ferro.** *Bras.* V. *ferrovia.* **Estrada de rodagem.** *Bras.* V. *rodovia.* **Estrada de Santiago.** *Astr. Pop.* V. *Via Láctea* (1). **Estrada de São Tiago** *Astr. Pop.* V. *Via Láctea* (1). **Estrada mestra.** *Bras.* **Estrada real.** A estrada principal de uma região; estrada mestra. **Comer estrada.** Andar ou caminhar com rapidez: "Saía aos sábados para as suas famosas excursões, *comendo estrada* a passo largo, entre Porto Alegre e a costa do Mar." (Augusto Meyer, *No Tempo da Flor,* p. 53.) **Mandar-se dizer na estrada.** *Bras., RS. Pop.* **1.** Ir embora; partir. **2.** V. *fugir* (1 e 2). **Riscar estrada.** *Bras., RS.* Tocar a galope em viagem.
estrada-novino. *Adj.* **1.** De, ou pertencente ou relativo a Estrada Nova (RJ). ● *S. 2 g.* **2.** Natural ou habitante de Estrada Nova. [Pl.: *estrada-novinos.*]
estradão. *S. m. Bras.* Estradona.
estradar[1]. *V. t. d.* **1.** Abrir estradas em. *T. i.* **2.** Dirigir-se: encaminhar-se.
estradar[2]. *V. t. d.* **1.** Cobrir ou guarnecer com estrado. **2.** V. *assoalhar*[1]. (1). **3.** Alcatifar (1).
estradeirice. *S. f. Bras.* Ação própria de indivíduo estradeiro (3); esperteza, trapaça.
estradeiro. *Adj. Bras.* **1.** Que está sempre ou quase sempre fora de casa, circulando pelas estradas. **2.** Diz-se de eqüídeo que tem boa marcha: "alcançou o alpendre à banda, desamarrou a mula *estradeira* e voltou montado ao oitão da casa" (Hugo de Carvalho Ramos, *Tropas e Boiadas,* p. 8). **3.** Diz-se do indivíduo trapaceiro. ● *S. m.* **4.** V. *canguncheiro.*
estradiol. [Do gr. *oístros,* 'paixão violenta'.] *S. m.* Hormônio segregado pelo folículo ovariano, e que determina o desenvolvimento dos caracteres sexuais da fêmea. [Pl.: *estradióis.*]
estradiota. [Do gr. *stradiotés.*] *S. f.* **1.** Maneira de montar em que o cavalgante estire as pernas e se firma nos estribos. ● *S. m.* **2.** Soldado de cavalaria ligeira originário da Grécia e da Albânia (sécs. XV e XVI). [Var.: *estardiota.*]
estradioto. [Do ant. it. *stradiotto.*] *S. m.* Ladrão de estradas.
estradivário. [Do antr. *Stradivari,* de Antonio Stradivari, cremonense (1644-1737), famoso fabricante de violinos.] *S. m.* Violino que se caracteriza pela excepcional qualidade do som.
estrado. [Do lat. *stratu.*] *S. m.* **1.** Estrutura plana construída acima do nível do chão, formando um piso mais elevado, com o fim de colocar em destaque alguém ou alguma coisa. **2.** Supedâneo (2). **3.** Armação larga e rasa, em geral de madeira, onde se pisa, ou se assenta alguma coisa; tablado. **4.** A parte da cama sobre a qual assenta o colchão. **5.** *Ant.* Tribunal.
estradona. *S. f. Bras., N.E.* Estrada de largura incomum; estradão.
estrafegar. [De *trasfegar,* com metátese e prótese?] *V. t. d.* **1.** V. *estraçalhar.* **2.** *Pop.* Estorcegar, estortegar. *P.* **3.** V. *estraçalhar.* [Conjug.: v. *regar.* Pres. ind.: *estrafego,* etc. Cf. *estrafego* (ê).]
estrafego (ê). [Dev. de *estrafegar.*] *S. m. Bras.* **1.** Ato ou efeito de estrafegar(-se). **2.** Dilaceramento, despedaçamento. [Pl.: *estrafegos* (ê). Cf. *estrafego,* do v. *estrafegar.*] ♦ **Estar no estrafego.** *Bras., RS. Pop.* Estar em uso (uma peça de vestuário, um objeto).
estraga-albardas. [De *estragar* + o pl. de *albarda.*] *S. m. 2 n.* Homem estouvado, extravagante, dissipador; doidivanas.
estragado. [Part. de *estragar.*] *Adj.* **1.** Em mau estado; danificado, arruinado. **2.** Deteriorado, podre: *fruta estragada.* **3.** Pródigo, esbanjador, dissipador, perdulário. **4.** Corrupto, viciado, devasso: *Os amigos estragados foram a causa de sua ruína.* **5.** Que já não vale nada; vencido; derrotado: *É homem física e moralmente estragado.* **6.** Cheio de vontades; tratado com excessiva tolerância; muito mimado: *criança estragada.* **7.** Estragador. ~ V. *gosto* — e *zona* — a.
estragador (ô). *Adj.* **1.** Que estraga; estragoso. ● *S. m.* **2.** Aquele que estraga.
estragão. [Do ár. *tarkhon,* atr. do fr. *estragon.*] *S. m.* Planta de caule herbáceo, da família das compostas (*Artemisia dracunculus*), de folhas condimentares, de sabor forte e picante, muito aromáticas, flores pequenas, alvas, estéreis, dispostas em panícula alongada, compostas de pequenas espigas axilares, com florões amarelados, e cujos frutos são aquênios, desprovidos de cerdas.
estragante. *Adj. 2 g.* Que estraga: "a velhinha linda .... passa a investigar amorosamente .... com os seus olhos apreensivos e inquisidores, a figura do filho querido, que retorna, para ver se nele há novos sinais *estragantes* da vida para o penso do seu cuidado e do seu amor." (Francisco Ribeiro Sampaio, *Relembranças,* p. 8).
estragar. [Do lat. vulg. **stragare.*] *V. t. d.* **1.** Fazer estrago em; arruinar, avariar, danificar, deteriorar. **2.** Fazer mau uso de; desperdiçar, esbanjar: *Não calculou*

bem, e *estragou metade do material adquirido.* **3.** Viciar, corromper, depravar, perverter: *Os entorpecentes estragam a juventude de hoje.* **4.** Destruir, assolar: *A guerra estragou todo o país.* **5.** Tirar o prazer de: *O mau tempo estragou o piquenique. P.* **6.** Arruinar-se, avariar-se, danificar-se. [Conjug.: v. *largar.*]

estrago. [Dev. de *estragar.*] *S. m.* **1.** Prejuízo, dano, avaria; ruína, perda, destruição, devastação; deterioração: *O incêndio causou um estrago total.* **2.** Dano moral; prejuízo, desastre; malefício: *São notáveis as gravuras de Goya sobre os estragos da guerra.* **3.** Mau uso; desperdício, esbanjamento: *o estrago de um patrimônio, da saúde, do talento.* **4.** Depravação, dissipação; corrupção: *A vida de estragos da nobreza foi a causa da queda do regime.* **5.** Vestígio de sofrimentos físicos ou morais: *os estragos da doença.* **6.** *Fam.* Ação de efeito exagerado: *As crianças fizeram um estrago no bolo.* **7.** *Bras. Gír.* Despesa, gasto. **8.** *Bras. Gír.* V. *rolo*[1] (16).

estragoso (ô). [De *estrago* + *-oso.*] *Adj.* Estragador (1): "O *estragoso* calor que tudo assola" (Alberto de Oliveira, *Poesias,* I, p. 224).

estralaçada. [De *estralada.*] *S. f. Bras., RS.* **1.** Estralada (2). **2.** Rumor produzido pelo animal ao correr por dentro do mato quebrando os galhos das árvores. **3.** Descompostura em voz alta.

estralada. *S. f.* **1.** Ato de estralar. **2.** Grande ruído ou gritaria; estralaçada, estalada. **3.** *Bras.* V. *rolo*[1] (16).

estralante. *Adj. 2 g.* Que estrala; estalante, estalador: "Na adarga tresdobrada / .... / Bate e rebate, em vão, / a carga da *estralante* saraivada" (Bulhão Pato, *Livro do Monte,* p. 110).

estralar. [Var. de *estalar.*] *V. int.* **1.** Dar muitos estalos; estralejar. **2.** V. *estalar:* "*estralam* gargalhadas no ar" (Raimundo Correia, *Poesias,* p. 42).

estralejar. *V. int.* Estralar (1): "*Estralejavam* foguetes e morteiros." (Antônio Nobre, *Só,* p. 33.) [Conjug.: v. *pelejar.*]

estralheira. [Do it. *straglio?*] *S. f. Marinh.* Aparelho de laborar, constituído de um cadernal de dois gornes e outro de três, ou de dois cadernais de três gornes, ligados por uma beta.

estrambólico. *Adj. Fam.* V. *estrambótico.*

estrambote. [Var. de *stramboto* < it. *strambotto.*] *S. m.* Acréscimo de um ou mais versos, mais comumente de três, aos 14 do soneto. [V. *soneto estrambótico.*]

estrambótico. [De *estramboto* + *-ico*[2].] *Adj.* **1.** Que não é comum; esquisito; extravagante, original, excêntrico: *comportamento estrambótico; roupas estrambóticas.* **2.** De mau gosto; ridículo. [Var., fam.: *estrambólico.*] ~ V. *soneto* —.

estrambotismo. [De *estrambót(ico)* + *-ismo.*] *S. m.* Qualidade de estrambótico: "Mas a Caveira vem se aproximando, / Vem exótica e nua, vem dançando, / No *estrambotismo* lúdico vem vindo." (Cruz e Sousa, *Últimos Sonetos,* p. 56.)

estramboto (ô). *S. m.* V. *estrambote.* [Pl.: *estrambotos* (ô).]

estramonina. [De *estramônio* + *-ina*[1].] *S. f.* Princípio ativo que se extrai do estramônio.

estramônio. [Do lat. mod. bot. *stramonium.*] *S. m. Bras., N.* a *S.* Planta herbácea, da família das solanáceas (*Datura stramonium*), de propriedades tóxicas e medicinais, folhas grandes, irregularmente sinuadodentadas, com dentes compridos e agudos, flores alvas ou azuladas, solitárias, que brotam do ângulo de bifurcação dos ramos, e cujos frutos são cápsulas ovóides, eriçadas de grossos espinhos, que contêm sementes amareladas, e, quando maduras, de cor preta; figueira-brava, figueira-do-inferno, mamoninho-bravo, zabumba ou zambumba.

estramontado. [De *es-* + *tramontana* + *-ado*[1], com síncope.] *Adj.* **1.** Que perdeu a tramontana; desorientado. **2.** Muito zangado; encolerizado: "— Que é o que eu ouço? (exclama *estramontado* / O velho habitador daquela brenha)" (Filinto Elísio, *Obras Completas,* II, p. 14).

estraneidade. [Do lat. *extraneu,* 'estranho', + *-i-* + *-dade.*] *S. f.* Situação jurídica do estrangeiro no país onde se acha domiciliado.

estrangeirada. *S. f. Deprec.* Chusma de estrangeiros.

estrangeirado. [De *estrangeiro* + *-ado*[1].] *Adj.* **1.** Que imita ou lembra o estrangeiro. **2.** Que tem modos ou fala de estrangeiro. **3.** Que prefere as coisas do estrangeiro.

estrangeirar. *V. t. d.* Tornar ou fazer parecer estrangeiro (1 e 4): "Um pau-de-arara forte, calçado de alpercatas, que o *estrangeiravam* na cidade, satisfazia a curiosidade dos perguntadores e especulas que sempre afluem nessas ocasiões." (Alaor Barbosa, *Picumãs,* p. 36.)

estrangeirice. *S. f.* **1.** Coisa feita ou dita ao gosto e costume dos estrangeiros [v. *estrangeiro* (7)]. **2.** Afeição excessiva às coisas estrangeiras [v. *estrangeiro* (1)]. [Sin.: *estrangeirismo.*]

estrangeirismo. *S. m.* **1.** Emprego de palavra, frase ou construção sintática estrangeira; peregrinismo. **2.** Estrangeirice (2).

estrangeiro. [Do fr. ant. *estranger,* atual *étranger.*] *Adj.* **1.** De nação diferente daquela a que se pertence: *romancista estrangeiro; língua estrangeira.* **2.** Relativo ou pertencente a, ou próprio de estrangeiro (7): *Tem na pronúncia um acento estrangeiro; Seus hábitos são nitidamente estrangeiros.* **3.** Diz-se de país que não é o nosso: *O Brasil tem comércio com quase todas as nações estrangeiras;* "O país *estrangeiro* mais belezas / Do que a pátria, não tem." (Casimiro de Abreu, *Obras,* p. 72). **4.** *P. us.* Que é de outra região, de outra parte, ainda que pertencente ao mesmo país; ádvena, forasteiro, estranho. ● *S. m.* **5.** A(s) terra(s) estrangeira(s) [v. *estrangeiro* (3)]; a estranja: *Passou dois anos no estrangeiro, e finge haver esquecido o português.* **6.** Qualquer nação estrangeira (3): *Em 1808 D. João VI abriu os portos do Brasil ao estrangeiro.* **7.** Indivíduo que não é natural do país onde mora ou se encontra. [Sin. (bras., pop.), nesta acepç.: *estranja, gringo* e *lordaça.*] **8.** Indivíduo estrangeiro (1): *Existem leis especiais que regulam o direito dos estrangeiros no Brasil.* **9.** Indivíduo estrangeiro (4); ádvena, forasteiro, estranho.

estrangulação. [Do lat. *strangulatione.*] *S. f.* **1.** Ato ou efeito de estrangular (1). **2.** Constrição, aperto. **3.** Sufocação, asfixia. [Sin. ger.: *estrangulamento.*]

estrangulado. [Part. de *estrangular.*] *Adj.* Que sofreu estrangulamento. ~ V. *hérnia* —*a.*

estrangulador (ô). [Do lat. *strangulatore.*] *Adj.* e *s. m.* Que ou aquele que estrangula.

estrangulamento. *S. m.* V. *estrangulação.*

estrangular. [Do lat. *strangulare.*] *V. t. d.* **1.** Apertar o pescoço de, dificultando-lhe ou impedindo-lhe a respiração; matar por sufocação; sufocar, enforcar, esganar, afogar. **2.** Apertar muito; comprimir: *As roupas apertadas estrangulavam-lhe as veias.* **3.** Conter, reprimir: *estrangular um soluço.* **4.** Asfixiar, sufocar. *P.* **5.** Suicidar-se por estrangulação; abafar-se, esganar-se, asfixiar-se, afogar-se. **6.** Tornar-se estreito; apertar-se. **7.** Congestionar-se por constrição.

estranguria. *S. f. Med.* V. *estrangúria.*

estrangúria. [Do gr. *stranggouria,* pelo lat. *stranguria.*] *S. f. Med.* Eliminação lenta e dolorosa da urina em conseqüência de espasmo uretral ou vesical. [Var. pros.: *estranguria.*]

estranhado. [Part. de *estranhar.*] *Adj.* **1.** Que se estranhou. **2.** *Pop.* Tímido ou acanhado em presença de pessoas desconhecidas ou pouco conhecidas.

estranhamento. *S. m.* Ato de estranhar(-se).

estranhão. *Adj.* e *s. m. Fam.* **1.** Diz-se de, ou criança que estranha [v. *estranhar* (8)]. **2.** Esquivo, acanhado, bisonho. [Fem. *estranhona.*]

estranhar. *V. t. d.* **1.** Achar extraordinário, oposto aos costumes, ao hábito; achar estranho: *Os navegantes europeus estranhavam a vida dos indígenas.* **2.** Achar diferente do que seria natural esperar-se: *Estranhou as maneiras do amigo.* **3.** Causar espanto, admiração, a; surpreender. **4.** Achar censurável; censurar, repreender: *O magistrado estranhou as palavras do advogado.* **5.** Reparar em; notar. **6.** Não se conformar com; não se familiarizar com: *Os detentos estranharam a nova alimentação.* **7.** Tratar com esquivança, com descortesia. **8.** *Fam.* Esquivar-se de (pessoa desconhecida); manifestar timidez em presença de, ou repulsão a: *A criança estranhou os visitantes. P.* **9.** Esquivar-se; afastar-se. **10.** *Bras., S.* Desavir-se, entrando em luta (duas ou mais pessoas).

estranhável. *Adj. 2 g.* **1.** Que causa estranheza. **2.** Censurável, repreensível.

estranheza (ê). *S. f.* **1.** Qualidade de estranho (1 a 4). **2.** Pasmo, surpresa, espanto. **3.** Esquivança. **4.** *Fís. Nucl.* Na teoria das partículas elementares, número quântico introduzido para caracterizar o comportamento de certas partículas.

estranho. [Do lat. *extraneu.*] *Adj.* **1.** Fora do comum; desusado, novo; anormal: *acontecimento estranho; atitude estranha.* **2.** Que é de fora; externo, exterior; estrangeiro, alheio: *A música popular tem sofrido influências estranhas.* **3.** Singular, esquisito; extraordinário; extravagante; excêntrico. **4.** Misterioso, enigmático, desconhecido: *Não entendi a razão daqueles estranhos sinais.* ~ V. *corpo* — e *partícula* —*a.* ● *S. m.* **5.** Indivíduo que não conhecemos. **6.** Indivíduo que não pertence a uma corporação ou a uma família. **7.** *P. us.* Indivíduo estrangeiro (1 e 4).

estranhona. *Adj.* (*f.*) e *s. f.* Fem. de *estranhão* [q. v.].

estranja. [Der. regress. de *estrangeira,* i. e., *terra* —.] *S. f.* **1.** Estrangeiro (5). ● *S. 2 g.* **2.** *Bras.* V. *estrangeiro* (7).

estransilhar-se (zi). [Certamente de *transir.*] *V. p. Bras., RS.* Estafar-se, fatigar-se (o cavalo).

estrão. *S. m.* Estirâncio.

estrapada. [Do it. *strappata.*] *S. f.* **1.** Suplício que consiste em içar a vítima do alto de uma verga e deixá-la cair diversas vezes ao mar. **2.** Suplício parecido a esse, em terra, que consistia em amarrar as mãos e os pés do paciente nas costas, içando-o a um poste, de onde era precipitado até perto do chão várias vezes seguidas. **3.** O poste que servia para tal suplício.

estrapilhar. [De *es-* + *trapo* + *-ilhar.*] *V. t. d. Bras., RS.* Tornar (a roupa) em trapos.

estrapilho. [De *es-* + *trapo* + *-ilho.*] *Adj.* e *s. m. Bras., RS.* V. *maltrapilho.*

estrasburguês. *Adj.* **1.** De, ou pertencente ou relativo a Estrasburgo (França). ● *S. m.* **2.** O natural ou habitante de Estrasburgo. [Flex.: *estrasburguesa* (ê), *estrasburgueses* (ê), *estrasburguesas* (ê).]

estratagema. [Do gr. *stratégema, pelo lat. strategema.*] *S. m.* **1.** Ardil empregado na guerra para burlar o inimigo. **2.** *Fig.* Manha, astúcia, artifício; ardil, sutileza; estratégia: *O comerciante usou de ótimo estratagema para atrair a freguesia;* "Com dois *estratagemas,* destruía os receios mais fundados" (Vitorino Nemésio, *Mau Tempo no Canal,* p. 316). **3.** V. *armadilha* (2).

estratégia. [Do gr. *strategía,* pelo lat. *strategia.*] *S. f.* **1.** Arte militar de planejar e executar movimentos e operações de tropas, navios e/ou aviões, visando a alcançar ou manter posições relativas e potenciais bélicos favoráveis a futuras ações táticas sobre determinados objetivos. **2.** Arte militar de escolher onde, quando e com que travar um combate ou uma batalha. [Cf. *tática* (2).] **3.** *P. ext.* Arte de aplicar os meios disponíveis com vista à consecução de objetivos específicos. **4.** *P. ext.* Arte de explorar condições favoráveis com o fim de alcançar objetivos específicos. **5.** *Fig. Fam.* V. *estratagema* (2).

estratégico. [Do gr. *strategikós.*] *Adj.* **1.** Relativo a estratégia (1 e 2): *retirada estratégica; ponto estratégico.* **2.** Em que há ardil; ardiloso, astucioso, manhoso: *atitude estratégica.* ~ V. *indústria* —*a, retirada* —*a* e *satélite* —. ● *S. m.* **3.** Estrategista.

estrategista. *S. 2 g.* Pessoa que sabe estratégia; estratégico.

estratego (é). [Do gr. *strategós.*] *S. m.* General superior, ou generalíssimo, entre os gregos antigos.

▲estrati-. [Do lat. *stratum, i.*] *El. comp.* = 'coberta', 'camada': *estratificar.* [Equiv.: *estrato-: estratosfera.*]

estratificação. [De *estratificar* + *-ção.*] *S. f.* **1.** *Geol.* Acamamento (4). **2.** *Fig.* Disposição por camadas; ou como que por camadas: *a estratificação de lembranças da infância.* **3.** *Fig.* Sedimentação; fixação, estabilização: *estratificação de opiniões, de idéias.* **4.** *Sociol.* Processo social que leva à superposição de camadas sociais, i. e., à formação de um sistema social, mais ou menos fixo e rígido, de estados, classes ou castas. ◆ **Estratificação cruzada.** *Geol.* A que mostra ângulos entre os estratos rochosos em conseqüência de diferentes inclinações tomadas por estes. **Estratificação eólica.** *Geol.* A verificada nas dunas, sendo característicos os ângulos e a disposição dos estratos.

estratificado. [Part. de *estratificar.*] *Adj.* Que sofreu estratificação. ~ V. *rocha* —*a.*

estratificar. [De *estrati-* + *-ficar.*] *V. t. d.* **1.** Dispor em camadas ou estratos; acamar. *P.* **2.** Formar-se em camadas sobrepostas. **3.** *Fig.* Permanecer em um mesmo estado; não experimentar mudança; cristalizar-se: *É infenso a inovações: suas idéias se estratificaram.* [Conjug.: v. *trancar.*]

estratiforme. [De *estrati-* + *-forme.*] *Adj. 2 g.* **1.** Semelhante a estrato. **2.** Composto de camadas.

estratigrafia. [De *estrati-* + *-graf(o)-* + *-ia.*] *S. f.* **1.** *Geol.* Estudo da seqüência, no tempo e no espaço, das rochas da litosfera, e bem assim de suas relações genéticas, suas condições pretéritas de formação e sua paleogeografia. **2.** *Med.* V. *tonografia.*

estratigráfico. *Adj.* Relativo à estratigrafia.

estratígrafo. *S. m.* Indivíduo versado em estratigrafia.

▲estrato-[1]. Equiv. de *estrati-.*

▲estrato-[2]. [Do gr. *stratós, oû.*] *El. comp.* = 'exército', 'armada': *estratocracia, estratografia.*

estrato. [Do lat. *stratu.*] *S. m.* **1.** *Geol.* Cada uma das camadas das rochas estratificadas. **2.** *Meteor.* Nuvem que se apresenta como uma camada horizontal, de base bem definida, em altitudes menores que as do alto-estrato (geralmente abaixo de 2.500 m): "Já os horizontes .... começavam a se encher de sangue e os duros cúmulos de alabastro iam se desfazendo em cirros, se alongando em *estratos*." (Pedro Nava, *Baú de Ossos*, p. 313.) **3.** *Bot.* Camada de células, em referência à estrutura vegetal. **4.** *Bot.* Porção de uma comunidade vegetal em dado limite de altura. [Cf. *extrato*, do v. *extratar*, e s. m.]

estrato-cirro. *S. m. Meteor.* Cirro-estrato. [Pl.: *estratos-cirros* e *estratos-cirro*.]

estratocracia. [De *estrato-*[2] + *-cracia*.] *S. f.* **1.** Governo militar. **2.** Supremacia do elemento militar.

estrato-cúmulo. *S. m. Meteor.* Nuvem constituída de massas escuras, arredondadas, geralmente dispostas em grupos, linhas ou ondulações, maiores do que as do alto-cúmulo, e situadas a uma altitude mais baixa (geralmente abaixo de 2.500 m). [Sin.: *cúmulo-estrato*. Pl.: *estratos-cúmulos* e *estratos-cúmulo*.]

estratografia. [De *estrato*[2] + *-graf(o)-* + *-ia*.] *S. f.* Descrição do exército e do que lhe pertence ou do que lhe é afeto.

estratográfico. *Adj.* Relativo à estratografia.

estrato-nimbo. *S. m. Meteor.* Nimbo-estrato. [Pl.: *estratos-nimbos* e *estratos-nimbo*.]

estratosfera. [De *estrato-*[1] + *-sfera*.] *S. f. Geofís.* Camada atmosférica situada acima de 12.000 m de altitude, e onde há principalmente nitrogênio. ◆ Na estratosfera. No mundo da Lua: *viver, andar, estar na estratosfera.*

estratosférico. *Adj.* Relativo à estratosfera.

estravar. *V. int.* Var. de *estrabar* [q. v.].

▲-estre. [Do lat. *estre*.] *Suf. nom.* = 'relação': *pedestre* (< lat. *pedestre*), *terrestre* (< lat. *terrestre*).

estreante. *Adj. 2 g.* e *s. 2 g.* Que ou quem estréia.

estrear. [De *estréia* + *-ar*[2].] *V. t. d.* **1.** Usar pela primeira vez; inaugurar: "*Estreei* vestido e chapéu novo" (Raquel de Queirós, *As Três Marias*, p. 67). **2.** Começar, iniciar, principiar, inaugurar: *Monteiro Lobato estreou sua carreira literária em 1918.* **3.** Pôr em exercício ou em função pela primeira vez; inaugurar: *Estrearam o novo teatro há poucos meses. P.* **4.** Fazer alguma coisa pela primeira vez: *Estreou-se como atriz com enorme sucesso:* [Conjug.: v. *idear*. Cf. *estriar*.]

estrebaria. [De **estrebaria*, do ant. *estrabo*, **estrabo*, lat. *stabulu*.] *S. f.* Lugar onde se recolhem bestas e arreios. V. *cavalariça*. [Cf. *estribaria*, do v. *estribar*.]

estrebuchamento. *S. m.* Movimento de pessoa ou de animal que estrebucha.

estrebuchar. *V. int.* e *p.* **1.** Agitar muito os pés e as mãos; mexer muito; não estar quieto; debater-se: *O animal ferido estrebuchou até perder as forças; Estrebuchou-se antes de morrer. T. d.* **2.** Agitar com violência.

estrecer-se. [De um lat. * *strigescere*, analógico do part. *strictus*.] *V. p. Ant.* Diminuir; minguar; desvanecer-se, desvanecer. [Conjug.: v. *aquecer*.]

estréia. [Do lat. *strena*.] *S. f.* **1.** Ato ou efeito de estrear (-se). **2.** O primeiro uso que se faz de uma coisa: *a estréia de um automóvel, de um vestido.* **3.** Fato que marca o início de uma série de acontecimentos de certa importância: *Sempre recordava o dia de sua estréia na escola.* **4.** A primeira vez que o artista (ator, músico, bailarino, etc.) ou um conjunto se apresenta ao público: *A estréia de Toscanini como regente deu-se no Rio de Janeiro em 1875.* **5.** A primeira apresentação de um espetáculo teatral ou de um filme. [Sin., fr., *première*.] **6.** A primeira obra de um escritor, de um artista ou de um cientista: Sagarana *foi a estréia de Guimarães Rosa.* **7.** A abertura de um estabelecimento de recreio ou de utilidade; inauguração, fundação. **8.** A primeira venda que um negociante faz ao público. **9.** *Bras. Pop.* Disfarce, simulação, embuste.

estreitado. [Part. de *estreitar*.] *Adj.* Que se tornou estreito.

estreitamento. *S. m.* **1.** Ato ou efeito de estreitar(-se). **2.** Diminuição da grossura de um corpo em determinado ponto; aperto: *estreitamento de uma veia, de um cano.* **3.** *Fig.* Redução, diminuição: *estreitamento de gastos, de privilégios.* **4.** *Fig.* Consolidação, fortalecimento: *estreitamento de relações.*

estreitar. *V. t. d.* **1.** Tornar estreito ou apertado; diminuir a largura, a área ou o espaço de: *A prefeitura estreitou a calçada para alargar a rua; Mandei estreitar a roupa.* **2.** Encurtar, diminuir: *As linhas aéreas estreitaram as distâncias.* **3.** Reduzir, diminuir, restringir: *Estreitou os gastos, a fim de poder manter-se.* **4.** Unir, ligar: *O convívio diário estreitou-os.* **5.** Apertar contra si; abraçar: *Emocionado, estreitou o amigo.* **6.** Tornar mais íntimo, mais ligado: *estreitar uma amizade.* **7.** Tornar mais estrito, mais rigoroso, mais apertado: *estreitar um cerco; estreitar o cumprimento de uma lei. Int.* e *p.* **8.** Tornar-se estreito; diminuir, de largura: *Depois da curva, a estrada estreitava; No fim do curso o rio estreita-se.* **9.** Diminuir, encurtar. **10.** Tornar-se mais íntimo: *Suas relações estreitam dia a dia; Com o tempo, aquela amizade estreitou-se.* **11.** Tornar-se mais estrito, rigoroso, severo. **12.** Limitar-se, restringir-se.

estreiteza (ê). *S. f.* **1.** Qualidade de estreito, de apertado; falta de largura, de espaço; aperto, estreitura: *a estreiteza de uma rua, de uma saia.* **2.** *Fig.* Cautela excessiva reserva acanhamento; mesquinhez: *estreiteza de pontos de vista.* **3.** *Fig.* Escassez, carência, falta: *estreiteza de inteligência.* **4.** Rigor, severidade, rigidez: *a estreiteza do regulamento.* **5.** Recursos limitados; parcimônia, aperto: *Mantinha aparência decente, embora vivesse com estreiteza.* **6.** Situação penosa; aflição, penúria; miséria: *a estreiteza dos mendigos.* **7.** Intimidade, familiaridade; confiança; firmeza: *a estreiteza da afeição.*

estreito. [Do lat. *strictu*.] *Adj.* **1.** Que tem pouca largura; apertado: *A travessa é uma rua estreita.* **2.** Delgado, fino: *fita estreita.* **3.** Pouco folgado; justo: *calças estreitas.* **4.** Restrito, limitado: *espírito estreito.* **5.** Mesquinho, acanhado; miserável: *sentimentos estreitos.* **6.** Rigoroso; apertado; estrito: *significado estreito.* **7.** Parco, poupado: *vida estreita.* **8.** Exato, miúdo, minucioso, escrupuloso: *averiguação estreita; apontamentos estreitos.* **9.** Difícil, penoso, árduo: *tempos estreitos.* **10.** Íntimo, profundo: *relações estreitas.* **11.** Diz-se de abraço que estreita muito ao peito o abraçado. **12.** Diz-se do estilo conciso, tenso. **13.** *Tip.* Diz-se do caráter tipográfico que apresenta a largura bem menor que a altura. [Antôn. (nas acepç. 1 a 5): *largo*.] ~ V. *bitola*—*a.* ● *S. m.* **14.** Braço de mar que liga dois mares ou duas partes do mesmo mar; canal: "Breve breve muito breve / pelos *estreitos* de Breves / minha igara vogará." (Stella Leonardos, *Geolírica*, p. 23.) **15.** V. *desfiladeiro* (1). **16.** *Bras.* V. *encanado*[1] (2).

estreitura. *S. f.* V. *estreiteza* (1).

estrela (ê). [Do lat. *stella*.] *S. f.* **1.** *Astr.* Denominação comum aos astros luminosos que mantêm praticamente as mesmas posições relativas na esfera celeste, e que, observados à vista desarmada, apresentam cintilação, o que os distingue dos planetas. Dispõem-se segundo grupos localizados em regiões convencionalmente delimitadas do céu, as constelações [v. *constelação* (1)]. Constituem o elemento fundamental da formação do Universo, grupando-se em aglomerados, associações, correntes, grupos, galáxias. A olho desarmado o seu brilho aparente é definido pela magnitude [q. v.] **2.** *P. ext.* Qualquer astro. **3.** Figura convencional que tem, geralmente, cinco ou seis pontas, as quais se irradiam de um centro. **4.** Qualquer objeto que apresenta essa forma. **5.** *Fig.* Destino, sorte, fado, fadário: *Tem boa estrela.* **6.** *Fig.* Guia, direção, fim, alvo: *Desalentado, buscava sua estrela.* **7.** *Fig.* Pessoa eminente, insigne: *Era uma das estrelas do seu país.* **8.** Pessoa jovem muito bonita. **9.** Pessoa a quem se quer muito. **10.** Mancha branca na testa dos cavalares ou dos bovinos. **11.** *Tip.* Roseta[1] (7). **12.** *Teat., Cin.* e *Telev.* Atriz notável, de alta categoria: "ela [Cacilda Becker] era não só uma verdadeira *estrela*, uma protagonista nata, uma das poucas atrizes contemporâneas capazes de se transformarem num mito; ela era também uma magnífica personalidade humana" (Yan Michalski, *Jornal do Brasil*, 15.6.1969). **13.** *Teat., Cin.* e *Telev.* Atriz (1). **14.** *Bras.* e *prov. lus.* Variedade de papagaio (5). **15.** *P. us.* Asterisco. [Pl.: *estrelas* (ê). Cf. *estrela* e *estrelas*, do v. *estrelar*.] ◆ **Estrela anã.** *Astr.* Estrela de pequeno volume, e que pode ter grande ou pequena massa. No primeiro caso estão as anãs brancas; no segundo, as anãs vermelhas. [Tb. se diz apenas anã.] **Estrela binária.** *Astr.* Duas estrelas muito próximas, ligadas gravitacionalmente entre si, e que, à vista desarmada ou com pequeno aumento, não são distintas. [Tb. se diz apenas *binária*. Sin.: *estrela dupla, dupla*.] **Estrela cadente.** *Astr.* Fragmento de matéria do espaço interplanetário que ao penetrar na atmosfera se aquece, tornando-se luminoso. [Sin.: *meteoro, estrela fugaz, estrela filante* (gal.), *exalação, zelação* (bras., N.E., e pop.), *carretilha* (bras., AL).] **Estrela cataclísmica.** V. *estrela nova.* **Estrela circumpolar.** *Astr.* Estrela cujo círculo diurno fica sempre ou acima ou abaixo do horizonte. **Estrela companheira.** *Astr.* Companheiro (5). **Estrela da manhã.** *Astr.* V. *Vênus* (2). **Estrela da tarde.** *Astr.* V. *Vênus* (2). **Estrela de nêutrons.** *Astr.* Estrela cujo núcleo se compõe sobretudo de nêutrons, como se espera que ocorra numa densidade de 10^{14}g cm^{-3}. Tal estado é atingido por uma estrela no ponto final de sua evolução, quando o seu suprimento nuclear já foi todo utilizado e ela é tão maciça que pode transformar-se numa estrela de nêutrons. **Estrela de planos.** *Geom. Anal.* O conjunto de todos os planos que passam por um ponto, próprio ou impróprio. [Cf. *feixe de planos*.] **Estrela do pastor.** *Astr.* V. *Vênus* (2). **Estrela dupla.** *Astr.* V. *estrela binária.* **Estrela eruptiva.** V. *estrela nova.* **Estrela explosiva.** V. *estrela nova.* **Estrela filante.** *Astr. Gal.* V. *estrela cadente.* **Estrela fixa.** *Astr.* Designação comum às estrelas propriamente ditas. **Estrela fugaz.** V. *estrela cadente.* **Estrela fundamental.** *Astr.* Aquela cuja posição e movimento próprio são bem determinados. **Estrela matutina.** *Astr.* V. *Vênus* (2). **Estrela múltipla.** *Astr.* Grupo de estrelas muito próximas, ligadas gravitacionalmente entre si, e que, a olho desarmado ou com pequeno aumento, não são distintas. Exemplo comum é o trapézo de Órion. **Estrela nova.** *Astr.* Estrela que de súbito se torna muito luminosa e cintila com intensidade durante alguns dias, enfraquecendo lenta e gradualmente até atingir o seu brilho primitivo. [Tb. se diz apenas *nova*. Sin., desus.: *estrela temporária*.] **Estrela nuclear.** *Fís. Nucl.* Conjunto de partículas emitidas por um núcleo quando interage com uma partícula de grande energia ou captura um méson negativo lento. **Estrela polar.** *Astr.* Designação tradicional da estrela alfa da Ursa Menor, que é, das estrelas visíveis à vista desarmada, a mais próxima do pólo norte; alrucabá. [Tb. se diz apenas *polar*.] **Estrela temporária.** *Astr. Desus.* V. *estrela nova.* [Expressão muito us. no séc. XIX.] **Estrela variável.** *Astr.* Aquela cujo brilho varia com o tempo, tendo essa variação, em geral, caráter periódico, embora em algumas estrelas variáveis, como as novas e as supernovas, o brilho varie de repente, diminuindo após curto período. [Tb. se diz apenas *variável*.] **Estrela variável nova.** *Astr.* V. *estrela nova.* **Estrela Vésper.** *Astr.* V. *Vênus* (2): "Lírio-do-vale oriental, brilhante! / *Estrela Vésper* do pastor errante!" (Castro Alves, *Poesias Escolhidas*, p. 19). **Estrela vespertina.** *Astr.* V. *Vênus* (2). **Ler nas estrelas.** Tirar horóscopo. **Levantar-se com as estrelas.** Levantar-se da cama muito cedo. **Pôr entre as estrelas.** Fazer a apoteose de; divinizar; pôr nos cornos da Lua. **Ver estrelas ao meio-dia.** Sentir uma dor muito viva, um atordoamento, sobretudo em conseqüência de pancada na cabeça.

estrela-azul. *S. f. Bras., RJ.* Erva da família das liliáceas *(Scilla amoena)*, originária da Europa, de bulbo arredondado, com túnicas roxo-escuras, brácteas coloridas, curtas, geminadas ou solitárias, e flores azuis, dispostas em racimos frouxos, com pedicelos também azuis. [Pl.: *estrelas-azuis*.]

estrela-d'alva. [De *estrela* + *de* + *alva*[1] (1).] *S. f. Astr.* V. *Vênus* (2). "No céu .... / *A estrela-d'alva*, triste e magoada, / Brilhava" (Francisco Mangabeira, *Poesias*, p. 7). [Pl.: *estrelas-d'alva*.]

estrela-d'alvense. *Adj. 2 g.* **1.** De, ou pertencente ou relativo a Estrela-d'Alva (MG). ● *S. 2 g.* **2.** Natural ou habitante de Estrela-d'Alva. [Pl.: *estrela-d'alvenses*.]

estrela-da-república. *S. f.* V. *flor-de-couro* (1). [Pl.: *estrelas-da-república*.]

estrela-de-davi. *S. f.* Estrela de seis pontas, ou hexagrama, formada pela união de dois triângulos eqüiláteros entrelaçados ou superpostos, considerada atualmente símbolo judaico; signo-de-salomão [q. v.]. [Pl.: *estrelas-de-davi*.]

estreladeira. *S. f.* Frigideira para estrelar ovos.

estrela-de-jerusalém. *S. f. Bras., RJ.* Planta ornamental, da família das cariofiláceas *(Cerastium tomentosum)*, de flores alvo-puras, dispostas em racimos paniculados, com sépalas alvas, agudas, e pétalas três vezes mais compridas que o cálice. [Pl.: *estrelas-de-jerusalém*.]

estrela-demônio. *S. f. Astr.* Algol[1].

estrela-de-ouro. *S. f. Bras. litoral.* Planta glabra, ereta e ornamental, da família das compostas *(Chrysanthemum segetum)*, originária da Europa, dotada de capítulos solitários, compostos de discos e lígulas amarelo-ouro, e cujos aquênios marginais são bialados, sendo os dos discos cilíndricos. [Pl.:*estrelas-de-ouro*.]

estrela-de-rabo. *S. f. Bras., Pop.* Cometa (1). [Pl.: *estrelas-de-rabo*.]

estrelado. [Part. de *estrelar*.] *Adj.* **1.** Coberto, cheio, semeado, juncado de estrelas; estelífero: *céu estrelado.* **2.** Recamado, enfeitado, ornado: *manto estrelado.* **3.** Diz-se de ovos fritos sem serem mexidos. ~ V.

folha —*a* e *polígono* —.

estrela-do-mar. *S. f.* Animal equinodermo, asteróideo, de corpo achatado, em forma de estrela ou pentagonal, com cinco a 50 braços, duas a quatro fileiras de pés ambulacrários, madreporita aboral, e boca situada na face inferior. São conhecidas atualmente cerca de 2 000 espécies vivas e 300 fósseis. [Sin.: *astéria.* Pl.: *estrelas-do-mar.*]

estrela-do-norte. *S. f. Bras., N., L.* e *S.* Designação comum a plantas ornamentais da família das rubiáceas *(Randia formosa)*, de flores alvas e aromáticas, e cujos frutos são bagas, com muitas sementes. [Pl.: *estrelas-do-norte.*]

estrelante. *Adj. 2 g.* **1.** Ornado de estrelas; estelante. **2.** Brilhante; refulgente.

estrelar. [De *estrela* + *-ar*[2].] *V. t. d.* **1.** Encher ou ornar de estrelas. **2.** Ornar com lavores estrelários: *Estrelou com pedrarias o manto real.* **3.** Dar forma de estrela a. **4.** Matizar, ornar, enfeitar: "Vejo o crespo crisântemo e a açucena / Estrelando a verdura dos canteiros." (Humberto de Campos, *Poesias,* p. 14.) **5.** Frigir (ovos) sem os mexer. **6.** *Bras.* Trabalhar em (filme, peça teatral) como estrela ou astro. *Int.* **7.** Cobrir-se de estrelas; estrelar-se: *Passada a tempestade, o céu estrelou.* **8.** Brilhar, cintilar. *P.* **9.** Cobrir-se de estrelas; estrelar. **10.** Matizar-se; enfeitar-se: *Na primavera os campos estrelam-se de flores;* "horas mortas, a lua o véu desata, / E em cheio brilha; a solidão se estrela / Toda de um vago cintilar de prata." (Alberto de Oliveira, *Poesias,* 2ª série, p. 123). [Pres. ind.: *estrelo, estrelas, estrela,* etc.; fut. pret.: *estrelaria,* etc. Cf. *estrela* (ê), s. f., pl. *estrelas* (ê), *Estrela* (ê), antr. e top., pl. *Estrelas* (ê), *estrelo* (ê), adj.; e estrelária, fem. de *estrelário.*]

estrelário. *Adj.* Que tem forma de estrela; asteróide. [Fem.: *estrelária.* Cf. *estrelaria,* do v. *estrelar.*]

estrelato. *S. m. Bras. Neol.* Situação brilhante desfrutada por pessoa que sobressai pelo valor, prestígio, popularidade, em especial as estrelas e astros de teatro e de cinema.

estreleiro. [De *estrela* + *-eiro.*] *Adj.* Diz-se do cavalo que à menor pressão do freio, ao andar, levanta muito a cabeça.

estrelejar. *V. int.* **1.** Cobrir-se ou começar a cobrir-se (o céu, a esfera celeste) de estrelas: *O céu ia estrelejando.* **2.** Começar o céu a cobrir-se de estrelas: "Os pirilampos bailam... Corre / A alígera farândola. Estreleja ..." (Olegário Mariano, *Toda uma Vida de Poesia,* I, p. 316.) *T. d.* **3.** Cobrir de estrelas. **4.** Espalhar como estrelas: "A lenha crepitava estrelejando faíscas." (Coelho Neto, *Banzo,* p. 90.) **5.** Espalhar-se à maneira de estrelas por: "algum vaga-lume estrelejava os pastos" (Fialho d'Almeida, *O País das Uvas,* p. 192). *T. c.* **6.** Cobrir ou adornar de coisas de determinada cor, como se fossem estrelas: "As açucenas gostam dos velhinhos, / Estrelejam de branco os seus martírios..." (Alphonsus de Guimaraens, *Obra Completa,* p. 333.) [Conjug.: v. *pelejar.* Normalmente é defect., conjugável só nas 3ª pess.]

estrelense[1]. *Adj. 2 g.* **1.** De, ou pertencente ou relativo a Estrela (RS). ● *S. 2 g.* **2.** Natural ou habitante de Estrela.

estrelense[2]. *Adj. 2 g.* **1.** De, ou pertencente ou relativo a Estrela do Indaiá (MG). ● *S. 2. g.* **2.** Natural ou habitante de Estrela do Indaiá.

estrelense[3]. *Adj. 2 g.* **1.** De, ou pertencente ou relativo a Estrela d'Oeste (SP). ● *S. 2 g.* **2.** Natural ou habitante de Estrela d'Oeste.

estrelinha. [Dim. de *estrela.*] *S. f.* **1.** V. *asterisco.* **2.** Massa para sopa, em forma de estrelas. **3.** Certo fogo de artifício de salão. **4.** *Bras.* V. *periquito-estrela.*

estrelismo. [De *estrela* (13) + *-ismo.*] *S. m. Bras.* Maneira de ser e agir daqueles que aspiram ao estrelato, ou desejam conservá-lo, em qualquer atividade artística ou social; vedetismo.

estrelo (ê). [De *estrela.*] *Adj.* **1.** *Bras., N.* e *N.E.* Diz-se do boi que tem uma mancha branca na testa. **2.** *P. ext. N.* e *N.E.* Diz-se de quem tem na região frontal um molho de cabelos brancos. ● *S. m.* **3.** *Bras. Deprec.* Ator principal; astro. [Pl.: *estrelos* (ê). Cf. *estrelo,* do v. *estrelar.*]

estrema. [Do lat. *extrema.*] *S. f.* **1.** V. *limite* (2). **2.** Marco divisório de propriedades rústicas. **3.** Sulco ou rego que demarca terras. [Pl.: *estremas.* Cf. *extrema, extremas,* do v. *extremar* e. fem. de *extremo.*]

estremadela. *S. f. Pop.* Ato de estremar.

estremado. [Part. de *estremar.*] *Adj.* Demarcado; dividido. [Cf. *extremado.*]

estremadura. [De *estremar* + *-dura*] *S. f.* V. *fronteira* (1).

estremar. *V. t. d.* **1.** Demarcar por meio de estrema (2); delimitar, demarcar. **2.** Separar, apartar, discernir, distinguir: *Era-lhe difícil estremar os seus sentimentos.* **3.** Escolher entre várias pessoas ou coisas. *T. d.* e *i.* **4.** Separar, apartar; distinguir: *estremar o bom do mau.* **5.** Tornar distinto; distinguir, discernir, diferençar: *Seus méritos o estremam dos demais. P.* **6.** Separar-se, apartar-se: *Estremavam-se ali os caminhos.* **7.** Diferençar-se, diferenciar-se, distinguir-se. [Pres. ind.: *estremo, estremas, estrema,* etc. Cf. *extremar,* v., e *extrema,* do v. *extremar* e adj.]

estreme. [Der. regress. de *estremar.*] *Adj. 2 g.* Sem mistura; puro; genuíno: "Sua inspiração, pura como a água que brota do seio da rocha viva, pura e estreme se conserva." (Aloísio de Castro, *Excertos,* p. 123.) [Cf. *extreme,* do v. *extremar,* e o adj. *extremo.*]

estremeção. *S. m.* **1.** Tremor rápido; estremecimento. **2.** Sacudidura, abalo. **3.** *P. ext.* Convulsão (4).

estremecer. [De *es-* + lat. *tremiscere,* incoativo de *tremere,* 'tremer'.] *V. t. d.* **1.** Causar tremor a; fazer tremer, sacudir, abalar. "Febril delírio lhe estremece o corpo" (José Bonifácio, o Moço, *Poesias,* p. 35); "Eram .... gritos penetrantes que pareciam rasgar o silêncio da rua e estremecer as casas" (Leonardo Arroio, *Absalão e o Rei,* p. 53). **2.** Fazer tremer de medo, espanto ou surpresa; fazer tremelicar: *O pavor estremeceu-a da cabeça aos pés.* **3.** Meter medo a; assustar: *Sua ira estremecia os que dele se acercavam.* **4.** Estimar com grande afeto; amar enternecidamente: *Estremecia aquele menino como se lhe fora filho. Int.* **5.** Tremer subitamente de medo, espanto ou surpresa. **6.** Sofrer abalo rápido: *À passagem do pesado veículo, toda a casa estremeceu.* **7.** Vibrar, soar. *P.* **8.** Sofrer tremor, abalo; sacudir-se, abalar-se. **9.** Assustar-se, horrorizar-se. [Conjug.: v. *aquecer.*]

estremecido. [Part. de *estremecer.*] *Adj.* **1.** Tremido, assustado, sobressaltado. **2.** Muito amado: *filho estremecido; terra estremecida.* **3.** Pouco firme; abalado: *amizade estremecida.*

estremecimento. *S. m.* **1.** Ação de estremecer(-se). **2.** Tremor; estremeção. **3.** *Fig.* Afeição íntima e profunda; amor.

estremenho. [Do esp. *estremeño.*] *Adj.* **1.** Confinante, limítrofe. **2.** Da, ou pertencente ou relativo à Estremadura (Portugal). ● *S. m.* **3.** Natural ou habitante da Estremadura.

estremunhado. [Part. de *estremunhar.*] *Adj.* Que se estremunhou; estrovinhado, mal acordado.

estremunhar. *V. t. d.* **1.** Despertar de repente (quem dorme). *Int.* **2.** Despertar de repente, ainda estonteado de sono; estremunhar-se. *P.* **3.** Estremunhar (2). **4.** Estontear-se, aturdir-se, atarantar-se; desnortear-se, desorientar-se. [Sin. ger.: *estrovinhar.*]

estrênuo. [Do lat. *strenuu.*] *Adj.* **1.** Valente, corajoso, denodado: "Ela perdeu um excelente marido e o partido legitimista um estrênuo defensor." (Camilo Castelo Branco, *A Queda dum Anjo,* p. 268.) **2.** Ativo, diligente, zeloso. **3.** Esforçado, forte, firme; tenaz, porfiado: "No fundo do desassossego que não permitiu ao trabalhador estrênuo umas férias tranqüilas, verificando, Dario deparou Ana Emília a agir por sobrevivência." (José Vieira, *Espelho de Casados,* p. 211.)

estrepada. [Fem. substantivado part. de *estrepar.*] *S. f.* Ferida causada por estrepe.

estrepar. *V. t. d.* **1.** Guarnecer com estrepes. **2.** Ferir com estrepes. *P.* **3.** Ferir-se com estrepes. **4.** *Bras.* Sair-se mal: *Pensou que fazia bom negócio, e estrepou-se.*

estrepe. [Do lat. *stirpe,* 'tronco', atr. da f. ant. *esterpe.*] *S. m.* **1.** Espinho; abrolho. **2.** Pua de madeira ou ferro. **3.** *P. ext.* Ponta aguda. **4.** Antiga peça militar, de ferro, com pontas, que se cravava no chão para dificultar o avanço da infantaria e da cavalaria; abrolho. **5.** Cana de milho cortada obliquamente. **6.** *Fig.* Dificuldade, embaraço, espinho. **7.** *Fig. Deprec.* Pessoa incômoda, importuna, má. **8.** *Bras. Gír.* Mulher muito feia. ~ V. *estrepes.*

estrepeiro. [De *estrepe* + *-eiro.*] *S. m.* Pilriteiro.

estrepes. [Pl. de *estrepe.*] *S. m. pl.* Pedaços de vidro partido, puas de ferro, etc., que encimam os muros para impedir que sejam escalados. ~ V. *estrepe.*

estrepitante. [Do lat. *strepitante.*] *Adj. 2 g.* Que faz estrépito: "Um rancho de negritos / Luzidios e nus, / Enchendo o ar de estrepitantes gritos, / O pátio cruzam rápido" (Gonçalves Crespo, *Obras Completas,* p. 192).

estrepitar. [Do lat. *strepitare.*] *V. int.* Soar, vibrar, com estrépito; estrondar: "estrepitam, britando e esfarelando as pedras, torrentes de cascos pelos tombadores" (Euclides da Cunha, *Os Sertões,* p. 128); "de repente estrepitou um estalido seco." (Coelho Neto, *Treva,* p. 282). [Pres. ind.: *estrepito,* etc. Cf. *estrépito.*]

estrépito. [Do lat. *strepitu.*] *S. m.* **1.** Ruído forte; fragor, estrondo: "Dos cavalos o estrépito parece / Que faz que o chão debaixo todo treme" (Luís de Camões, *Os Lusíadas,* VI, 64). **2.** Barulho, agitação, tumulto. **3.** Pompa, ostentação. [Cf. *estrepito,* do v. *estrepitar.*]

estrepitoso (ô). *Adj.* **1.** Que produz estrépito: ovação estrepitosa. **2.** Que dá brado; muito notório; sensacional: *Os estrepitosos sucessos daquele ano.*

estrepsíptero. [Do gr. *strépsis,* 'ação de gerar', + *-ptero.*] *S. m.* **1.** Espécime dos estrepsípteros. ● *Adj.* **2.** Pertencente ou relativo a eles. [Sin. ger.: *ripíptero.*]

estrepsípteros. *S. m. pl. Zool.* Animais artrópodes, da classe dos insetos, ordem *Strepsiptera,* providos de aparelho bucal mastigador, com asas anteriores coriáceas e torcidas, muito pequenas, e posteriores membranosas e muito grandes. Fêmeas ápteras. São parasitos de outros insetos. [Sin.: *ripípteros.*]

estreptobacilo. [Do gr. *streptós,* 'revirado', 'entortado', + *bacilo.*]. *S. m.* Bacilo composto de cadeias de segmentos em forma de bastonetes.

estreptococcia. [De *estreptococo* + *-ia.*] *S. f. Med.* Qualquer infecção produzida por estreptococo.

estreptocócico. *Adj.* **1.** Relativo ou pertencente a estreptococo. **2.** Provocado por ele.

estreptococo. [Do gr. *streptós,* 'revirado', 'entortado', + -coco.] S. m. Bactéria do gênero *Streptococcus,* e que se apresenta como cadeia de esférulas.

estreptofiúro. *S. m.* **1.** Espécime dos estreptofiúros. ● *Adj.* **2.** Pertencente ou relativo a eles.

estreptofiúros. *S. m. pl. Zool.* Animais metazoários, equinodermos, ofiuróides, cujos ossículos ambulacrários se unem por meio de articulações cotilóides.

estreptomicina. *S. f.* Antibiótico poderoso, pulverulento, branco, obtido do *Streptomyces griseus,* usado em medicina para combater a tuberculose e outras doenças infecciosas.

estreptoneuro. *S. m.* **1.** Espécime dos estreptoneuros. ● *Adj.* **2.** Pertencente ou relativo a eles. [Sin. ger.: *prosobrânquio.*]

estreptoneuros. *S. m. pl. Zool.* Animais metazoários, moluscos, gastrópodes, subclasse *Streptoneura.* Sexos separados; a massa visceral e a comissura nervosa mostram o máximo de torção; dois tentáculos; ctnídeos anteriores ao coração; a cavidade do manto abre-se anteriormente. [Sin.: *prosobrânquios.*]

estresir. *V. t. d.* **1.** *Grav.* Copiar (imagens, letras, etc.) em papel, placa para gravar, etc., picando as linhas do desenho com furador ou com roldana dentada e passando sobre ele um pó colorido, ou seguindo-lhe o contorno com um ponteiro, para decalcá-lo sobre a outra superfície; contratirar. **2.** *Fig.* Copiar fielmente; reproduzir. **3.** Imitar, copiar, reproduzir.

estressante. *Adj. 2 g. Med.* Que provoca ou é provocado por estresse; que estressa: *Os ruídos da cidade são estressantes; O calmante que tomou aliviou seu estado estressante.*

estressar. [Do ingl. *stress.*] *V. t. d. Med.* Produzir estresse em.

estresse. [Do ingl. *stress.*] *S. m. Med.* Conjunto de reações do organismo a agressões de ordem física, psíquica, infecciosa, e outras, capazes de perturbar-lhe a homeostase; estricção.

estressor (ô). *S. m. Med.* Agente produtor de estresse.

estreto (ê). [Do it. *stretto.*] *S. m. Mús.* Parte final da fuga[2] [q. v.] e de formas derivadas, na qual o tema se apresenta em imitações [v. *imitação* (2).]

estria[1]. [Do lat. tardio *stria,* do clássico *striga.*] *S. f.* **1.** Linha fina que forma um sulco, uma aresta ou um traço colorido na superfície de um corpo. **2.** *P. ext.* Qualquer linha ou filete existente na pele. **3.** *Arquit.* Parte saliente que fica entre as acanaladuras das colunas. [Cf. *craca* (1).] **4.** *Artilh.* Cada sulco ou raia na alma da peça, ou na superfície interior do cano de qualquer arma de fogo.

estria[2]. [Do lat. tardio *stria,* do clássico *striga.*] *S. f.* Vampiro ou bruxa que, segundo a crendice popular, suga o sangue às crianças.

estriado. [Part. de *estriar.*] *Adj.* **1.** Que tem estrias. **2.** *Morfol. Veg.* Diz-se do órgão ou parte vegetal provida de estrias, muitas vezes apenas indicadas por uma coloração diferente do fundo. ~ V. *arma* —*a* e *músculo* —.

estriamento. *S. m.* **1.** Ato ou efeito de estriar. **2.** Disposição das estrias nas peças de artilharia.

estriar. [Do lat. *striare.*] *V. t. d.* **1.** Ornar ou guarnecer com estria[1] (3). **2.** Riscar; canelar. **3.** *Expl.* Amolgar (5). [Cf. *estréar.*]

estribado. [Part. de *estribar.*] *Adj.* **1.** Seguro ou apoiado em estribo. **2.** Firmado ou apoiado em qualquer objeto. **3.** *Fig.* Fundamentado, apoiado, baseado. **4.** *Bras. Gír.* Que tem muito dinheiro ou muitos bens; rico.

estribar. *V. t. d.* **1.** Firmar (os pés) nos estribos. *T. d.* e *i.* **2.** Firmar, assentar, apoiar: *Estribou a casa sobre alicerces sólidos; Estribou sua tese em abalizadas opiniões. T. i.* **3.** Suster-se, firmar-se, fundamentar-se. *Int.* **4.** Firmar as pernas, metendo os pés nos estribos. *P.* **5.** Firmar-se ou apoiar-se nos estribos. **6.** Apoiar-se, basear-se, fundar-se, fundamentar-se. **7.** *Bras. Gír.* Obter ou arranjar dinheiro. [Fut. pret.: *estribaria*, etc. Cf. *estrebaria*.]

estribeira. *S. f.* **1.** Estribo de montar à gineta. **2.** *Ant.* Estribo de carruagem. ♦ **Perder as estribeiras.** *Fam.* Praticar despropósitos; despropositar, desnortear-se, desorientar-se, descomedir-se; perder os estribos.

estribeiro. [De *estribo* + *-eiro*.] *S. m.* Aquele que tem a seu cargo cavalariças, coches, arreios, etc.

estribilhar. *V. t. d. Bras.* **1.** Repetir como estribilho. *Int.* **2.** Cantar ou pipilar (ave) repetidamente, como em estribilho.

estribilhas. [De *estribar*.] *S. f. pl. Encad.* V. *costurador* (2).

estribilho. [Do esp. *estribillo*.] *S. m.* **1.** Verso(s) repetido(s) no fim de cada estrofe de uma composição; refrão, refrém, ritornelo. **2.** *Fig.* Palavra ou expressão que alguém repete muito na conversa ou na escrita; bordão.

estribo. [Do gót. **striup(s)?*] *S. m.* **1.** Peça de metal, de madeira ou de sola, em forma de aro, caixa ou sapato, presa ao loro, de cada lado da sela, e na qual o cavaleiro firma o pé **2.** Degrau ou plataforma das viaturas. **3.** *Anat.* Ossículo do ouvido médio. **4.** *Bras.* Ponto de uma linha ferroviária onde é autorizada a parada eventual dos trens, para embarque e desembarque de passageiros. [Cf. *parada* (5) e *estação* (2).] **5.** *Marinh.* Cabo cujos chicotes são presos aos laises de uma verga e cujo seio é, a espaços, agüentado à verga por meio de pedaços de cabos denominados *andorinhos.* Serve de apoio aos pés dos marinheiros que trabalham na verga. [Tb. o pau da bujarrona e, por vezes, a retranca têm estribo.] **6.** Peça de aço colocada transversalmente a uma armadura longitudinal num concreto, para mantê-la em posição ou para resistir a certos esforços. **7.** *Fig.* Arrimo, apoio, esteio. ♦ **Dar estribo.** *Bras.* Dar confiança. **Negar o estribo.** *Bras., RS.* **1.** Negar-se (o cavalo) a ser montado, afastando-se quando o cavaleiro procura alcançar o estribo. **2.** *Fig.* Faltar a compromisso. **3.** *Fig.* Negar o concurso para alguma coisa. **4.** *Fig.* Mostrar-se esquivo. **Perder os estribos.** V. *perder as estribeiras*: "Fabiano perdeu os estribos. .... Estava direito aquilo? Trabalhar como negro, e nunca arranjar carta de alforria!" (Graciliano Ramos, *Vidas Secas*, p. 114).

estrição. *S. f.* Var. de *estricção* [q. v.].

estriçar. *V. t. d. P. us.* V. *destrinçar.* [Conjug.: v. *laçar*.]

estricção. [Da raiz do lat. *strictu*, part. de *stringere*, 'apertar, comprimir', + *-ção*.] *S. f.* **1.** *Eng.* Propriedade que têm certos materiais de apresentar grandes deformações plásticas antes de se romperem. [Esse fenômeno é observável quando se realizam ensaios de tração, e é expresso pela redução percentual do diâmetro do corpo-de-prova após romper-se, em relação ao diâmetro original.] **2.** *Med.* Estresse. [Var.: *estrição*.]

estricnina. [Do lat. *strycknos*, 'erva-moura', + *-ina*.] *S. f. Quím.* Alcalóide da noz-vômica, cristalino, incolor, estimulante nervoso, venenoso. [Fórm.: $C_{21}H_{22}O_2N_2$.]

estricnismo. [De *estricnina* + *-ismo*, com haplologia.] *S. m. Med.* Intoxicação por uso inadequado de estricnina.

estricto. *Adj.* V. *estrito.*

estridência. [Do lat. *stridentia*.] *S. f.* Qualidade de estridente.

estridente. [Do lat. *stridente*.] *Adj. 2 g.* Que faz estridor; agudo, sibilante, penetrante; estridulante, estrídulo, estriduloso.

estrídeo. *S. m.* **1.** Espécime dos estrídeos. ● *Adj.* **2.** Pertencente ou relativo a eles.

estrídeos. *S. m. pl. Zool.* Família de insetos dípteros, parasitos dos animais domésticos, e caracterizados pelo grande tamanho e aspecto semelhante ao de abelhas. Do mesmo modo que a mosca-do-berne [q. v.], os estrídeos põem ovos sob a pele de animais, nas narinas de carneiros (como ocorre na Europa), e raramente infestam o homem. As espécies mais comuns são *Hypoderma bovis* e *H. lineatum*, pragas do gado.

estridor (ô). [Do lat. *stridore*.] *S. m.* **1.** Ruído forte, penetrante e desagradável; estrondo: "Ésquilo estrugirá aos ouvidos num caos de sons, mesclando o estridor das armas ao ruir das montanhas" (Mendes Leal, *in* Antônio Feliciano de Castilho, *O Médico à Força, de Molière*, p. 220). **2.** Silvo.

estridulação. [De *estridular* + *-ção*.] *S. f.* Som áspero e agudo semelhante ao provocado pelo atrito das partes quitinosas do corpo dos insetos, como, p. ex., a cigarra e o grilo.

estridulante. *Adj. 2 g.* **1.** Que estridula. V. *estridente.* ● *S. m.* **2.** Espécime dos estridulantes.

estridulantes. *S. m. pl. Zool.* Insetos que estridulam, como a cigarra.

estridular. *V. int.* **1.** Fazer estridor; produzir som agudo e penetrante. **2.** Cantar com som estrídulo: "em Lauraguais, ainda hoje, quando a cigarra começa a estridular, dizem que ela proclama o momento da ceifa" (Alberto Faria, *Acendalhas*, pp. 59-60); "No olho do coqueiro um chupim estridulava." (Vieira Pires, *Querência*, p. 133). *T. d.* **3.** Dizer ou cantar com som estrídulo. [Pres. ind.: *estridulo*, etc. Cf. *estrídulo*.]

estrídulo. [Do lat. *stridulu*.] *Adj.* **1.** V. *estridente*: "o grito estrídulo e doloroso da Úrsula estrugiu." (Pedro Rabelo, *A Alma Alheia*, p. 29). ● *S. m.* **2.** Som estrídulo; estridor: "retiniam os clamores das maracanãs, os estrídulos das arapongas" (José de Alencar, *O Sertanejo*, p. 206). [Cf. *estridulo*, do v. *estridular*.]

estriduloso (ô). [De *estrídulo* + *-oso*.] *Adj.* V. *estridente*: "Rompe em meio da estranha languidez / O silvo estriduloso da serpente." (Gonçalves Crespo, *Obras Completas*, p. 293.)

estriga. [Do lat. *striga*.] *S. f.* **1.** Porção de linho que se põe duma vez na roca para fiar. **2.** *P. ext.* Filamentos de outras plantas com que também se pode fiar. **3.** *Fig.* Madeixa de cabelos.

estrigado. [Part. de *estrigar*.] *Adj.* **1.** Feito em estriga. **2.** Acetinado como estriga; macio, sedoso.

estrigar. *V. t. d.* **1.** Separar e atar em estrigas. **2.** Enastrar. **3.** Tornar macio, sedoso, como a estriga. [Conjug.: v. *largar*.]

estrige. [Do gr. *strix*, 'coruja':, pelo lat. *strige*.] *S. f.* **1.** Vampiro (1). **2.** Coruja (1). **3.** V. *feiticeira* (1).

estrigídeo. *Adj.* **1.** Pertencente ou relativo aos estrigídeos. ● *S. m.* **2.** Espécime dos estrigídeos. [Sin. ger.: *bubônida, bubonídeo*.]

estrigídeos. *S. m. pl. Zool.* Aves estrigiformes, da família *Strigidae*, com o dedo médio mais comprido que o dedo interior. Em sua maioria, têm penachos na cabeça, que lembram pequenas orelhas; são rapineiros noturnos, de plumagem mole, e alimentam-se de pequenos vertebrados e artrópodes. São os mochos, corujas e caburés. [Sin.: *bubônidas* e *bubonídeos*.]

estrigiforme. *S. m.* **1.** Espécime dos estrigiformes. ● *Adj.* **2.** Pertencente ou relativo a eles.

estrigiformes. *S. m. pl. Zool.* Aves neórnites, neógnatas, da ordem *Strigiformes*, noturnas, de bico fortemente ganchoso e provido de ceroma; olhos contornados por um círculo de penas diferenciadas; abertura auricular grande e geralmente com tufos de penas; pés zigodáctilos, preensores, e com unhas aduncas; plumagem mole. São as corujas, os mochos e os caburés. [Sin.: *rapaces noturnas*.]

estrigir. [Do lat. *stridere*.] *V. int.* Estrugir, estrondar, estrondear. [Conjug.: v. *dirigir*.]

estrigoso (ô). *Adj.* ~ V. *folha* —a.

estrilador (ô). *Adj. Bras. Gír.* Que é dado a estrilar; malhumorado e/ou violento.

estrilar. [De *estrilo* + *-ar*[2].] *V. int. Bras. Gír.* **1.** Vociferar, deblaterar, bradar, por zanga, exasperação, enfurecimento. **2.** Protestar, reclamar. **3.** *Fig.* Cricrilar: "Os grilos estrilavam em rumorejo" (Coelho Neto, *Banzo*, p. 90).

estrilo. [Do it. *strillo*.] *S. m. Bras. Pop.* **1.** Grito irritado, ou de protesto. **2.** Zanga, indignação, fúria; protesto.

estrincar. *V. t. d.* **1.** Torcer (os dedos), fazendo-os estalar. **2.** *Bras.* Apertar estreitamente; estringir: "Seus dedos encarangados estrincavam ainda o cabo da faca" (Afonso Arinos, *Pelo Sertão*, p. 37). [Var.: *destrincar.* Conjug.: v. *trancar*.]

estrinchar. *V. int. Pop.* Saltar, correr, brincar.

estringir. [Do lat. *stringere*.] *V. t. d. Bras.* Apertar, circundar, cingir estreitamente. [Conjug.: v. *dirigir*.]

estriol. *S. m.* Hormônio sexual feminino existente na urina das mulheres grávidas. [Pl.: *estrióis*.]

estripação. *S. f.* Ato ou efeito de estripar. [Cf. *extirpação*.]

estripado. [Part. de *estripar*.] *Adj.* **1.** A que se tiraram as tripas. **2.** Que tem o ventre roto, deixando sair as tripas.

estripar. [De *es-* + *tripa* + *-ar*[2].] *V. t. d.* **1.** Tirar as tripas a. **2.** Fazer carnificina em. **3.** Desventrar. [F. paral.: *destripar.* Cf. *extirpar*.]

estripulento. *Adj. Bras. Fam.* Que faz estripulia.

estripulia. *S. f. Bras. Fam.* **1.** Bulha, travessura, tropelia. **2.** Embrulhada, desordem, conflito. V. *rolo*[1] (16).

estritamente. [Do fem. de *estrito* + *-mente*.] *Adv.* De maneira estrita; precisamente; com exatidão; à risca: "A menina cumpria estritamente a obrigação que se tinha imposto; mostrava-se para ser cobiçada e atrair um noivo." (José de Alencar, *Senhora*, p. 194.)

estrito. [Var. de *estricto*, do lat. *strictu*.] *Adj.* **1.** Rigoroso, exato. **2.** Que não comporta extensão ou analogia; preciso, restrito.

estritura. [De *estrito* + *-ura*.] *S. f. Patol.* Estreitamento anormal de ducto ou canal; aperto, compressão.

estro. [Do gr. *oístros*, 'tavão', pelo lat. *oestru*.] *S. m.* **1.** Engenho poético; imaginação criadora, inspiração, talento: "E Virgílio para viver necessitou que Augusto o violentasse pela sua generosidade criminosa a profanar o seu estro e a deslustrar o seu nome, comprando pela adulação o pão de cada dia." (Latino Coelho, *Cervantes*, p. 154.) **2.** Desejo sexual [v. *cio* (1)]: "A puberdade, a menstruação, a gravidez, a amamentação, os estros, o erotismo, ... demonstram como se tornam delicadas as questões de origem psicológica e ética que se relacionam ao instinto reprodutor." (A. Austregésilo, *Obras Completas*, I, pp. 152-153.)

estróbilo. [Do gr. *stróbilos*, 'pinha', pelo lat. *strobilu*.] *S. m. Morfol. Veg.* Estrutura florífera, e depois frutífera, das coníferas, como, p. ex., a pinha do pinheiro-do-paraná. Segundo alguns autores, corresponde à única flor feminina; segundo outros, a uma inflorescência. O estróbilo é grande, duro, e composto de brácteas ou escamas e óvulos, ambos inseridos em torno de um eixo grosso. [Sin.: *cone*.]

estroboscópio. [Do gr. *stróbos* + *-scop-* + *io*[2].] *S. m.* Dispositivo destinado à iluminação ou à observação periódica dum sistema vibrante, e com o auxílio do qual se podem reconhecer diferentes características do movimento.

estroçar. *V. t. d.* V. *destroçar.* [Conjug.: v. *laçar. Pres. ind.*: *estroço*, etc. Cf. *estroço* (ô).]

estroço (ô). [Dev. de *estroçar*.] *S. m.* **1.** Destroço (ô): "Montão de estroços, desabado mundo, // Roto arcabouço, rota escadaria" (Alberto de Oliveira, *Poesias*, 3ª. série, p. 267). **2.** *Bras.* Enxame (1) que se mudou para outro cortiço. [Pl.: *estroços* (ó). Cf. *estroço*, do v. *estroçar*.]

estrofantina. *S. f. Bioquím.* Heterosídeo extraído de vegetais do gênero *Strophantus*, semelhante à ouabaína.

estrofanto. *S. m.* Planta medicinal da família das apocináceas (*Strophanthus gratus*).

estrofe. [Do gr. *strophé*, pelo lat. *strophe*.] *S. f.* **1.** V. *estância*[1] (9). **2.** A primeira parte da antiga ode grega. [Cf. *antístrofe* (1) e *epodo* (1).]

estrófico. *Adj.* Relativo ou pertencente a estrofe.

estrofoqueilídeo. *S. m.* **1.** Espécime dos estrofoqueilídeos. ● *Adj.* **2.** Pertencente ou relativo a eles.

estrofoqueilídeos. *S. m. pl. Zool.* Família de moluscos gasterópodes, pulmonados, de concha grande, sendo a espécie mais comum o *Strophocheilus ovatus.* Ex.: o bulimo.

estrófulo. [Do lat. **strophulu*.] *S. m. Patol.* Dermatose papulosa e pruriginosa, freqüente nas crianças.

estrogênio. *S. m. Bioquím.* Grupo de hormônios sexuais que estimulam caracteres femininos secundários.

estrógeno. *S. m. Bioquím.* Designação genérica dos hormônios sexuais femininos responsáveis pelo desenvolvimento dos caracteres secundários.

estrogonofe. [Do antr. *(Paul) Stroganoff*, conde e diplomata russo (séc. XIX).] *S. m.* Guisado, geralmente de carne ou de galinha picadas, feito em molho de creme de leite, *ketchup* e vinho.

estróina. *Adj. 2 g.* e *s. 2 g.* **1.** Extravagante, doidivanas, boêmio. **2.** Gastador, dissipador, perdulário.

estroinar. *V. int.* **1.** Fazer estroinices; viver como estróina. **2.** Divertir-se; folgar.

estroinice. *S. f.* Ação ou procedimento de estróina; extravagância, dissipação.

estroma. [Do gr. *strôma*, 'tapete', pelo lat. *stroma*.] *S. m.* **1.** *Micol.* Corpo constituído de hifas estreitamente entrelaçadas, razão por que é muito compacto. **2.** *Anat. Veg.* Trama que constitui o cloroplasto, e sobre cujas malhas se acham os grãos de clorofila. **3.** *Anat.* Arcabouço conjuntivo de um órgão. [Sin. ger.: *estrômato*.]

estromateida. *S. m.* e *adj. 2 g.* V. *estromateídeo.*

estromateidas. *S. m. pl. Zool.* V. *estromateídeos.*

estromateídeo. *S. m.* **1.** Espécime dos estromateídeos. ● *Adj.* **2.** Pertencente ou relativo a eles.

estromateídeos. *S. m. pl. Zool.* Família de peixes teleósteos, dos mares quentes e temperados, e cujo gênero-tipo é o *Stromateus.*

estromático. *Adj.* Relativo a estroma.

estrômato. [Do gr. *strôma, atos*, 'tapete'.] *S. m. Micol.*,

Anat. Veg. e *Anat.* Estroma.

estrombídeo. *S. m.* **1.** Espécime dos estrombídeos. ● *Adj.* **2.** Pertencente ou relativo a eles.

estrombídeos. *S. m. pl. Zool.* Família de moluscos gasterópodes, marinhos, sendo o *Strombus* o gênero mais comum. Ex.: o preguari.

estrompa. *Adj. 2 g. Bras., N.E. Pop.* **1.** Grosseiro, rude, violento. **2.** Sem habilidade; desajeitado, desazado.

estrompado. [Part. de *estrompar.*] *Adj.* **1.** Gasto, estragado, deteriorado. **2.** Muito cansado; esfalfado. **3.** *Bras., S.* Bronco, estúpido, obtuso.

estrompar. *V. t. d.* **1.** Gastar; deteriorar; estragar; romper. **2.** Obrigar a trabalho longo e penoso; esfalfar, fatigar: "Com tal sistema o Barão [Barão do Rio Branco] .... estrompava o pessoal de seu gabinete, que andava tresnoitado e lasso." (Rodrigo Otávio, *Minhas Memórias dos Outros,* Nova Série, p. 141.) **3.** *Bras., CE. Pop.* Perturbar (jogo ou negócio), cometendo erro intencional.

estrompido. [Cruz. de *estrondo* com *estampido?*] *S. m.* Estrépito, estampido, estrupido.

estronca. [Dev. de *estroncar.*] *S. f.* **1.** Espécie de forquilha com que se levantam grandes pesos. **2.** V. *escora* (1). **3.** Pau que sustenta o cabeçalho do carro e impede que este, quando se retira a carga, encoste no chão.

estroncamento. *S. m.* Ato ou efeito de estroncar.

estroncar. *V. t. d.* V. *destroncar.* [Conjug.: v. *trancar.*]

estroncianita. [Do top. *Strontian* + *-ita*[3].] *S. f. Min.* Mineral ortorrômbico, carbonato de estrôncio, empregado na preparação dos sais de estrôncio.

estrôncio. [Do lat. mod. *strontium.*] *S. m. Quím.* Elemento de número atômico 38, metálico, branco-prateado, leve. [Simb.: *Sr.*]

estrondar. *V. int.* **1.** Fazer estrondo, ruído; soar com força; estrepitar. **2.** Clamar, vociferar, deblaterar. **3.** Causar sensação; ser notório: *A falência da firma estrondou na praça.* [F. paral.: *estrondear.*]

estrondeante. *Adj. 2 g.* Que estrondeia.

estrondear. *V. int.* V. *estrondar:* "Bate, arrebenta, assobia, / Retumba, estrondeia o mar." (Raimundo Correia, *Poesias,* p. 273.) [Conjug.: v. *frear.*]

estrondo. [T. onom.] *S. m.* **1.** Grande ruído; estampido, estrugido, fragor, barulho: *o estrondo do trovão; o estrondo das armas na batalha.* **2.** Ostentação ruidosa; alarde, aparato, pompa: *festa de estrondo.*

estrondoso (ô). *Adj.* **1.** Que faz estrondo (1); estrepitoso: *trovão muito estrondoso; Recebeu estrondosa ovação.* **2.** *Fig.* Que causa sensação; que é muito falado; famoso: *sucesso estrondoso.* **3.** Pomposo, suntuoso, faustoso, faustuoso.

estropalho. [Do esp. *estropajo.*] *S. m.* Pano para limpar a louça; esfregão, rodilha.

estropeada. [De *estropear* + *-ada*[1].] *S. f.* V. *estrupido.* [Cf. *estropiada,* fem. de *estropiado.*]

estropear. [Do it. *stroppiare,* atr. do esp. *estropear.*] *V. int.* Fazer tropel: "Os animais estropearam na cerca, assustados." (Coelho Neto, *Banzo,* p. 91.) [Conjug.: v. *frear.* Cf. *estropiar.*]

estropiado. [Part. de *estropiar.*] *Adj.* **1.** Que se estropiou; aleijado, mutilado. **2.** Diz-se do cavalo muito cansado por haver sido submetido a trabalhos pesadíssimos ou a longa viagem. [Fem.: *estropiada.* Cf. *estropeada.*]

estropiar. [Var. de *estropear.*] *V. t. d.* **1.** Cortar algum membro a; aleijar, mutilar. **2.** Fatigar muito; cansar em demasia: *O longo passeio a pé estropiou-o.* **3.** Interpretar mal o sentido de; alterar, adulterar: *Não deu atenção ao recado, e, ao transmiti-lo, estropiou-o.* **4.** Tirar o essencial a; mutilar: *estropiar uma aula, um discurso.* **5.** Não copiar bem (um texto). **6.** Ler ou pronunciar mal. **7.** Executar mal, cantando ou tocando. **8.** Alterar o metro ou medida de (um verso): *Ao ler os decassílabos, estropiou um deles, transformando-o em octossílabo. P.* **9.** Mutilar-se, aleijar-se. **10.** Invalidar-se; inabilitar-se. [Pres. ind.: *estropio, estropias,* etc. Cf. *estropear.*]

estropício. [Do it. *stropicio.*] *S. m.* Dano, prejuízo, malefício. [Cf. *estrupício.*]

estropo (ô). [Do gr. *stróphos,* 'corda', pelo lat. *struppu.*] *S. m.* **1.** *Marinh.* Dispositivo de cabo, corrente ou lona com que se envolve um peso para içá-lo. **2.** *Bras.* Braçadeira de ferro fixada por parafusos às extremidades do braço conector e motor da locomotiva. [Pl.: *estropos* (ô).]

estrosca. *S. m. Bras., MG. Pop.* Aperto, embaraço, enrascadela, enrascada.

estrotejar. [De *es-* + *trote* + *-ejar.*] *V. int. Pop.* Andar a trote. [Conjug.: v. *pelejar.*]

estrouxar. *V. t. d. Bras., RS.* Colher todos os favos de (uma colmeia).

estrouxo. [Dev. de *estrouxar.*] *S. m. Bras., RS.* Ato de estrouxar.

estrovenga. *S. f.* **1.** *Bras., N.E.* Estrupício (4) **2.** *Bras., PE* e *AL.* Coisa complicada, misteriosa, fora do comum, que não se pode definir com precisão. **3.** *Bras., BA, MG* e *GO.* Implemento agrícola: pequena foice de dois gumes: "foices que roçam, capinam, / ferros de cova, estrovengas" (João Cabral de Melo Neto, *Duas Águas,* p. 264). **4.** *Bras., BA, MG* e *GO. Chulo.* O pênis.

estrovinhado. [Part. de *estrovinhar.*] *Adj.* V. *estremunhado:* "o homem acordou estrovinhado a desgrudar os olhos" (Camilo Castelo Branco, *A Queda dum Anjo,* p. 154).

estrovinhar. *V. t. d., int.* e *p.* V. *estremunhar.*

estrovo (ô). [Do gr. *stróphos,* pelo lat. *strupu.*] *S. m.* **1.** Fio que prende o anzol à linha de pesca. **2.** Peça de ferro que, nos carros puxados por mais de uma junta de bois, prende a segunda junta à canga da primeira. **3.** *Bras., N.* Chicote de couro. **4.** *Bras., CE.* As partes que constituem a cabeçada do cabresto. [Pl.: *estrovos* (ô).]

estrugido. [Part. substantivado de *estrugir.*] *S. m.* **1.** Estrondo (1). **2.** *Fig. Cul.* Refogado.

estrugidor (ô). *Adj.* Que estruge.

estrugimento. *S. m.* Ato ou efeito de estrugir.

estrugir. [Do lat. **exturgere.*] *V. t. d.* **1.** Fazer estremecer com estrondo; atroar; estrondear: "Eram eles uma escala cromática de sons os mais diversos e estranhos estrugindo os ares" (Nélson de Faria, *Tiziu e Outras Estórias,* p. 95). **2.** Refogar. *Int.* **3.** Vibrar fortemente; estrondear: "Introduzido o Ministro no recinto, estrugiram palmas." (R. Magalhães Júnior, *Artur Azevedo e Sua Época,* p. 130); "estrugiam palmadas enérgicas nas nádegas de algum menino que levava um tombo ou entrava em casa sujo de lama." (Ribeiro Couto, *Uma Noite de Chuva e Outros Contos,* p. 249). [Conjug.: v. *dirigir,* mas em geral só se usa nas 3as pess.]

estruir. [De *destruir,* com troca de prefixo.] *V. t. d.* **1.** *P. us.* V. *destruir* (1 a 5). **2.** *Bras., N.E. Pop.* Gastar à toa; desperdiçar, malgastar, malbaratar. **3.** *Bras., N.E. Pop.* Consumir apenas um pouco de algo que se tem à mão ou na mão (em particular, alimento), deixando o restante impróprio para ser utilizado por outrem: *Não encha demais o prato, para não estruir a comida. Int.* **4.** *P. us.* Destruir (6): "Não se contenta a gente portuguesa: / Mas seguindo a vitória estrui, e mata. / A povoação sem muro, e sem defesa, / Esbombardeia, acende, e desbarata." (Luís de Camões, *Os Lusíadas,* I, p. 90.) [Conjug.: v. *atribuir.*]

estruma. [Do lat. *struma.*] *S. f.* **1.** Escrófula (1). **2.** *Med.* V. *bócio.*

estrumação. *S. f.* **1.** Ato de estrumar. **2.** Porção de estrume com que se aduba a terra.

estrumada. *S. f.* Meda de estrume.

estrumar. *V. t. d.* **1.** Deitar estrume em (terra ou cultura); adubar, estercar. *Int.* **2.** Fazer estrumeira.

estrume. [Do lat. **strumen.*] *S. m.* Adubo (2) constituído em geral de esterco, ramos ou folhas apodrecidas. [Sin. (como adubo animal): *esterco.*]

estrumeira. *S. f.* **1.** Lugar onde se deposita estrume e/ou onde ele fermenta. **2.** V. *monturo* (2). **3.** Sujidade, imundície, esterco. [Sin. ger.: *esterqueira, esterquilínio.*]

estrumoso (ô). *Adj.* Que tem estruma; escrofuloso.

estrupada. *S. f.* **1.** *Ant.* Rajada de vento. **2.** *Ant.* Trapeada. **3.** *P. us.* Escaramuça (1).

estrupício. [Var. de *estropício.*] *S. m. Bras. Pop.* **1.** Conflito, motim, algazarra. V. *rolo*[1] (ô) (16). **2.** Grande quantidade; despropósito, despotismo. **3.** Coisa de grandes dimensões. **4.** Coisa esquisita, complicada, fora do comum; estrovenga. **5.** Asneira, sandice, asnidade, tolice. [Cf. *estropício.*]

estrupidante. *Adj. 2 g.* Que estrupida.

estrupidar. *V. int.* Fazer estrupido: "Para os fundos da casa, estrupidando no chão duro das cozinhas, algazarreavam pretos em contínuo vaivém" (Afonso Arinos, *Pelo Sertão,* p. 138).

estrupido. [De *estrompido,* com desnasalação.] *S. m.* Grande estrondo; estrépito, estampido, estrompido, estropeada, tropel: "ouvia-se, ao esmorecer das vozes do trovão, um tilintar de correntes, cadenciado, rítmico, acompanhando o estrupido de passos fortes." (Afonso Arinos, *Pelo Sertão,* p. 125).

estrutioniforme. *S. m.* **1.** Espécime dos estrutioniformes. ● *Adj.* **2.** Pertencente ou relativo a eles.

estrutioniformes. *S. m. pl. Zool.* Aves neórnites, paleógnatas, da ordem *Struthioniformes,* de grande porte e com apenas dois dedos nos pés. Apresentam sínfise pubiana e são desprovidas de pigóstilo; têm cabeça, pescoço e pernas esparsamente cobertos de penas; terrestres, e desprovidas da faculdade do vôo. São as avestruzes da África e da Arábia.

estrutura. [Do lat. *structura.*] *S. f.* **1.** Disposição e ordem das partes de um todo. **2.** Disposição e ordem de uma obra literária; composição. **3.** O conjunto das partes de uma construção que se destinam a resistir a cargas; armação, esqueleto, arcabouço. **4.** *Bot.* Ordenação e distribuição dos tipos celulares no organismo vegetal, que se aprecia ao microscópio. **5.** *Citol.* Disposição linear dos genes no cromossomo. **6.** *Ling.* Sistema (17) que compreende elementos ordenados e relacionados entre si de forma dinâmica. **7.** *Mús. Concr.* O conjunto dos materiais sonoros (células, notas complexas, notas comuns) que o compositor coleciona para a execução da obra planejada. **8.** *Med.* Um todo, considerada a forma por que se dispõem as partes que o constituem. ◆ **Estrutura anômala.** *Bot.* Tipo de lenho secundário em que o câmbio produz tecidos secundários de maneira diferente da comum nas plantas lenhosas, o que resulta num arranjo diferente do observado na grande maioria das plantas. **Estrutura colunar.** *Geol.* Formação de colunas prismáticas na rocha, comumente perpendiculares à superfície de resfriamento. **Estrutura cristalina. 1.** *Min.* Conjunto de átomos ou de agrupamentos de átomos em disposição espacial regular, que constituem a substância cristalizada. **2.** *Fís.* Sistema de pontos considerados os centros de gravidade das partículas materiais (átomos ou moléculas), dispostos de maneira que constituem um retículo de três dimensões. **Estrutura da rocha.** *Geol.* Designação comum aos caracteres megascópicos, tais como juntas, porosidades, etc., e que implica, em geral, as condições extrínsecas à rocha. **Estrutura dramática.** *Teat.* Em dramaturgia, a ordenação do enredo dentro do processo que principia pela exposição, seguindo-se-lhe a intriga, o clímax e o desenlace. **Estrutura estaticamente indeterminada.** Estrutura hiperestática. **Estrutura hiperestática.** Estrutura (1) para o cálculo de cujas solicitações são insuficientes as leis da estática; estrutura estaticamente indeterminada. **Estrutura isostática.** Estrutura (1) cujas solicitações podem ser calculadas com o auxílio exclusivo das leis da estática. **Estrutura social. 1.** *Sociol.* Tipo de sistema ou forma social, econômica ou política, variável segundo as condições de tempo e de lugar. **2.** Qualquer das formas sociais, estratificadas ou não, que uma sociedade, em sua evolução, pode assumir. **Estrutura xistosa.** *Min.* Estrutura que os xistos apresentam, caracterizada pela disposição paralela dos minerais lamelares ou aciculares. **Estrutura zonada.** *Min.* Estrutura dos minerais que em lâmina delgada apresentam camadas concêntricas, de composição e caracteres diversos; estrutura zonar. **Estrutura zonar.** *Min.* Estrutura zonada.

estruturação. *S. f.* Ato ou efeito de estruturar.

estruturado. [Part. de *estruturar.*] *Adj.* De que se formou ou fez a estrutura (1).

estrutural. *Adj. 2 g.* Relativo a estrutura. — V. *bacia —, desemprego —, fórmula —, gene —, gramática —, lingüística —,* e *psicologia —.*

estruturalismo. [Do fr. *structuralisme.*] *S. m. ling.* **1.** Denominação dada, em geral, aos estudos lingüísticos compreendidos entre o início do séc. XX e o advento, em 1957, da gramática gerativo-transformacional. **2.** Todo estudo lingüístico baseado no pressuposto metodológico de que qualquer ciência deve optar pela observação rigorosa do maior número possível de fatos, com vista a bem fundamentar suas proposições e generalizações, viabilizando, assim, a descoberta da estrutura (6).

estruturar. *V. t. d.* Fazer ou formar a estrutura (1) de: "Montaigne, graças ao livre espírito do ensaísmo, aguça o juízo, ... mas não estrutura um método" (Sílvio Lima, *Ensaio sobre a Essência do Ensaio,* p. 101).

estuação. [Do lat. *aestuatione.*] *S. f.* **1.** Grande calor; agitação. **2.** V. *náusea* (2).

estuante. [Do lat. *aestuante.*] *Adj. 2 g.* Que estua; que ferve; ardente, febril; estuoso: *estuante de entusiasmo, de vida.*

estuar. [Do lat. *aestuare.*] *V. int.* **1.** Estar muito quente; estar fervente. **2.** Aquecer muito. **3.** Agitar-se em ondas (o mar). **4.** Agitar-se, vibrar, pulsar: *No seu entusiasmo, sentia o sangue a estuar-lhe nas veias.*

estube. [Do ingl. *stub.*] *S. m. Eletr.* Pequena peça metálica, com o aspecto de um toco, que se acopla a um guia de onda com o fim de alterar as características de ressonância.

estuário. [Do lat. *aestuariu,* 'lugar onde a água ferve'.] *S. m.* **1.** Tipo de foz em que o curso de água se abre mais ou menos largamente. **2.** Esteiro[1].

estucado. [Part. de *estucar.*] *Adj.* Revestido de estuque. [Cf. *estocado.*] ~ V. *papel* —.

estucador (ô) *S. m.* Operário que estuca, que trabalha em estuque.

estucar. *V. t. d.* **1.** Revestir de estuque. *Int.* **2.** Trabalhar em estuque. [Conjug.: v. *trancar.* Fem. do part.: *estucada.* Cf. *estocada* e *estocar.*]

estucha. *S. f.* **1.** Peça de ferro ou de madeira que serve de cunha. **2.** *Bras.* Coisa estranha, extravagante, excepcional. ◆ **Esta é de estucha.** Esta é forte, é extravagante, é excepcional.

estuchado. [Part. de *estuchar.*] *Adj.* Que tem estucha; tapado.

estuchar. *V. t. d.* Meter com força estucha em (um orifício).

estudado. [Part. de *estudar.*] *Adj.* **1.** Que se estudou; observado. **2.** *Fig.* Afetado, artificioso.

estudantaço. *S. m. Fam.* Bom estudante; estudantão.

estudantada. *S. f.* **1.** Grande porção de estudantes: "atirou a sua guarda montada, num atropelo certeiro, contra a incauta estudantada" (Augusto Meyer, *No Tempo da Flor*, p. 17). **2.** Brincadeira de estudantes.

estudantado. *S. m.* **1.** Conjunto de estudantes. **2.** Os estudantes.

estudantão. *S. m. Fam.* Estudantaço.

estudante. *S. 2 g.* Pessoa que estuda; discípulo; aluno, escolar.

estudantil. *Adj. 2 g.* De, ou próprio de estudante.

estudantina. *S. f.* **1.** Grupo de estudantes, ou de indivíduos trajados como os estudantes, que cantam e/ou tocam juntos. **2.** Cantiga de estudantes, ou feita ao gosto deles: *Gonçalves Crespo é autor de uma famosa estudantina.*

estudar. [De *estudo* + *-ar*[2].] *V. t. d.* **1.** Aplicar a inteligência a, para aprender: *estudar um idioma, uma ciência.* **2.** Dedicar-se à apreciação, análise ou compreensão de; examinar, analisar: *Estudou com atenção o regulamento para melhor enquadrar o seu caso.* **3.** Observar atentamente: *Estudou a fisionomia do interlocutor.* **4.** Procurar fixar na memória; esforçar-se para saber de cor: *estudar a lição; O ator estudou bem o papel.* **5.** Freqüentar o curso de; cursar: *Estudou letras, sem chegar a diplomar-se.* **6.** Examinar ou observar atentamente: *Estudou o local onde deveria construir a casa, e achou-o impróprio.* **7.** Exercitar-se ou adestrar-se em: *estudar um passo de balé.* **8.** Ensaiar previamente (uma atitude, um gesto, um acessório, a posição dum objeto, etc.), para ter idéia do efeito: *estudar um sorriso; estudar a colocação da floreira. Int.* **9.** Aplicar o espírito, a memória, a inteligência, para saber, ou adquirir instrução ou conhecimentos. **10.** Exercitar-se, adestrar-se. **11.** Ser estudante: *Tem 15 anos e estuda.* **12.** Ser estudioso: *Faz excelentes provas porque, além de ser inteligente, estuda.* **13.** Meditar, pensar; assuntar: *Falei-lhe, e não me ouviu: tinha o olhar vago de quem está estudando...* **14.** *Bras., N.E.* Ficar em pé, diante da manjedoura, sem comer (o animal cavalar ou bovino). *P.* **15.** Aprender a conhecer-se; observar-se; analisar-se.

estúdio. [Do ingl. *studio.*] *S. m.* **1.** Ateliê (2). **2.** Local próprio para a realização de filmagens cinematográficas, gravações para rádio e televisão, gravações sonoras em geral, etc. **3.** Local destinado a certas atividades artísticas tais como aulas de dança e de teatro e exibição de espetáculos ou filmes selecionados.

estudiosamente. [Do fem. de *estudioso* + *-mente.*] *Adv.* À maneira de estudioso; com interesse ou paixão própria de estudioso: "Chegou [Alceu Amoroso Lima] a organizar e ler estudiosamente uma pequena bibliografia sobre a loucura, em plena década de 20." (Antônio Carlos Vilaça, *O Desafio da Liberdade*, p. 20.)

estudiosidade. *S. f.* Qualidade de quem é estudioso.

estudioso (ô). [Do lat. *studiosu.*] *Adj.* e *s. m.* **1.** Diz-se de, ou aquele que é aplicado ao estudo, que gosta de estudar: *aluno estudioso.* **2.** Cultor, apreciador: *É um estudioso de antiguidades gregas.*

estudo. [Do lat. *studiu,* 'aplicação zelosa, ardor'.] *S. m.* **1.** Ato de estudar. **2.** Aplicação do espírito para aprender. **3.** Conhecimentos adquiridos à custa dessa aplicação: *É pessoa de muito estudo.* **4.** Trabalhos que precedem a execução de um projeto: *Só os estudos para a construção da obra levarão muitos meses.* **5.** Trabalho literário ou científico acerca de um dado assunto: *estudo sobre arte poética.* **6.** Exame, análise: *O estudo posterior da matéria deu-lhe razão.* **7.** *Fig.* Atenção ou cuidado especial: *O caso requer estudo, para dar algum resultado.* **8.** Dissimulação, artifício: *Era de notar o estudo com que agia.* **9.** Apuro num trabalho. **10.** *Mús.* Peça musical, de forma qualquer, que visa a um determinado desenvolvimento técnico ou estético do executante. ◆ **De estudo.** De caso pensado; de tenção feita; de indústria; de propósito.

estufa. [Do it. *stufa.*] *S. f.* **1.** Fogão para aquecer as casas. **2.** Parte do fogão, em geral acima ou abaixo do forno, que recebe o calor indiretamente. **3.** Galeria envidraçada na qual se aquece artificialmente a atmosfera para cultura de plantas de climas quentes. **4.** Aparelho de laboratório para esterilizar instrumentos científicos, para cultura de bactérias, etc. **5.** *Fig.* Casa ou quarto muito quente. ◆ **Estufa fria.** Galeria envidraçada na qual se produz temperatura baixa para cultivo de plantas de climas frios. **Estufa seca.** *Arquit.* Câmara ou caixa cuja temperatura elevada e atmosfera seca fazem enxugar as substâncias que nela se introduzem. **Estufa úmida.** *Arquit.* Quarto cuja atmosfera é umedecida e aquecida por meio de vapor de água, para banhos de vapor; sauna.

estufadeira. *S. f.* Panela para estufar (2).

estufado. [Part. de *estufar.*] *Adj.* **1.** Metido ou seco em estufa. ● *S. m.* **2.** Prato de carne estufada, com molho feito com o líquido que dessora da própria carne. [Cf. *estofado,* do v. *estofar* e adj.]

estufagem. *S. f.* Ato de estufar.

estufar. *V. t. d.* **1.** Meter ou aquecer em estufa. **2.** *Cul.* Preparar (a carne) com refogado, cozinhando a fogo lento em panela tampada. [Cf. *estofar.*]

estufeiro. *S. m.* Aquele que faz estufas.

estufilha. [De *estufa* + *-ilha.*] *S. f.* Cárcere estreito, abafado.

estufim. *S. m.* **1.** Estufa pequena. **2.** Redoma ou caixilho envidraçado para cobrir plantas.

estugado. [Part. de *estugar.*] *Adj.* **1.** Apressado, aligeirado (o passo): "Seu passo estugado e militar devorou as ladeiras porto-alegrenses durante sessenta e tantos anos" (Augusto Meyer, *No Tempo da Flor*, p. 53). **2.** Instigado, excitado.

estugar. *V. d.* **1.** Apressar, aligeirar (o passo): "Nós o passo estugávamos; mas, decerto, / Foi em vão que estugamos, Ema, o passo; / Em vão, pois, por desgraça tua e minha, / Era tarde!" (Raimundo Correia, *Poesias*, p. 53.) **2.** Instigar, incitar: "O amor de corrigir provas estugava-o [a Silva Túlio] no desejo de corrigir tudo" (Ramalho Ortigão, *As Farpas*, III, p. 49). [Conjug.: v. *largar.*]

estultice. *S. f.* Estultícia: "Seria estultice desconhecer-lhe o mérito e a excelência." (Vivaldo Coaraci, *Todos Contam Sua Vida*, p. 61.)

estultícia. [Do lat. *stultitia.*] *S. f.* Qualidade ou procedimento de estulto; estultice: "S. Alexandre convertendo ao Prefeito de Roma foi Hermes do mesmo Hermes, e este o foi também do tribuno Quirino; que a princípio se escandalizava da sua conversão, como de estultícia clara; mas depois o seguiu como sabedoria verdadeira." (P.[e] Manuel Bernardes, *Nova Floresta*, II, p. 92.)

estultificação. *S. f.* Ato de estultificar(-se).

estultificar. [Do lat. *stultu* + *-ficar.*] *V. t. d.* e *p.* Tornar (-se) estulto; estupidificar(-se). [Conjug.: v. *trancar.*]

estultilóquio. [Do lat. *stultiloquiu.*] *S. m.* Palavras estultas.

estulto. [Do lat. *stultu.*] *Adj.* Tolo, néscio, imbecil, insensato, inepto; estúpido.

estumar. [De *estimular?*] *V. t. d.* e *t. d.* e *i. Bras.* Assanhar, excitar, incitar, acirrar, açular (cães).

estuoso (ô). [Do lat. *aestuosu.*] *Adj.* **1.** Estuante. **2.** Que está em cachão[1] (1).

estupefação. [De *stupe,* rad. do lat. *stupere.* 'entorpecer-se', + lat. *factione.* 'poder de fazer'.] *S. f.* **1.** Adormecimento de uma parte do corpo. **2.** *Fig.* Pasmo, assombro, espanto.

estupefaciente. [Do lat. *stupefaciente.*] *Adj. 2 g.* **1.** Que causa estupefação. **2.** Diz-se de droga estupefaciente; estupefativo. ● *S. m.* **3.** Entorpecente (2).

estupefacto. *Adj.* Estupefato.

estupefativo. *Adj. Med.* Estupefaciente (2).

estupefato. [Var. de *estupefacto* lat. *stupefactu.*] *Adj.* **1.** Entorpecido. **2.** *Fig.* Pasmado, assombrado, atônito.

estupefator (ô). *Adj.* V. *estupeficador.*

estupefazer. [Do lat. *stupefacere.*] *V. t. d.* **1.** Pôr em estado de inércia física ou moral; entorpecer. **2.** Causar grande pasmo, grande espanto, a; maravilhar. [Sin. ger.: *estupeficar.* Conjug.: v. *fazer.*]

estupeficador (ô). *Adj.* Que estupefica; estupeficante, estupefator.

estupeficante. *Adj. 2 g.* V. *estupeficador.*

estupeficar. *V. t. d.* V. *estupefazer.* [Conjug.: v. *trancar.*]

estupendo. [Do lat. *stupendu.*] *Adj.* **1.** Admirável, maravilhoso. **2.** Espantoso, monstruoso. **3.** Fora do comum; extraordinário: "O estampido estupendo das queimadas" (Castro Alves, *Poesias Escolhidas*, p. 258).

estupidarrão. *Adj.* e *s. m.* Que ou aquele que é muito estúpido. [Fem.: *estupidarrona.*]

estupidarrona. *Adj.* (*f*) e *s. f.* Fem. de *estupidarrão.*

estupidez (ê). *S. f.* **1.** Qualidade de estúpido; falta de inteligência, de discernimento. **2.** Palavra, ação, procedimento, que denota estupidez; asneira. **3.** *Bras.* Grosseria, descortesia, incivilidade, indelicadeza.

estupidificar. *V. t. d.* e *p.* Tornar(-se) estúpido; estultificar(-se), bestializar(-se), embrutecer(-se), bestificar(-se). [Conjug.: v. *trancar.*]

estúpido. [Do lat. *stupidu.*] *Adj.* **1.** Diz-se de indivíduo falto de inteligência; bruto, alarve, estulto. **2.** *Bras.* Grosseiro, incivil, brutal. **3.** Que denota estupidez: *modos estúpidos; expressões estúpidas; Sua fisionomia mostrou-se estúpida.* **4.** Muito tedioso; árido; pesado: *um trabalho estúpido.* **5.** Exagerado, excessivo; insuportável: *Fazia um calor estúpido.* ● *S. m.* **6.** Indivíduo estúpido (1 e 2). [Aum.: *estupidarrão.*]

estupor (ô). [Do lat. *stupore.*] *S. m.* **1.** *Psiq.* e *Med.* Condição em que, estando a consciência desperta o paciente não reage nem a perguntas nem a estímulos externos, permanecendo imóvel na mesma posição. **2.** *Pop.* Qualquer paralisia repentina. **3.** *Fig.* Pessoa de más qualidades, ou muito feia. [Pl.: *estupores* (ô). Cf. *estupores,* do v. *estuporar.*] ◆ **Estupor dos dentes.** Sensação de estarem eles embotados.

estuporado. [Part. de *estuporar.*] *Adj.* **1.** Atacado de estupor. **2.** Que tem más qualidades e/ou é muito feio. **3.** Estragado, arruinado

estuporar. *V. t. d.* **1.** Fazer cair em estupor. **2.** Assombrar, assustar: *Aquela súbita aparição estuporou a pobre mulher. Int.* **3.** *Pop.* V. *morrer* (1). *P.* **4.** Tornar-se desprezível, abjeto. **5.** Estragar-se, deteriorar-se; apodrecer. **6.** *Pop.* V. *morrer* (1). [Pres. subj.: *estupore, estupores,* etc. Cf. *estupores* (ô), pl. de *estupor.*]

estuprador. (ô). [Do lat. *stupratore.*] *Adj.* e *s. m.* Que ou aquele que estupra.

estuprar. [Do lat. *stuprare.*] *V. t. d.* Cometer estupro contra; violar, ofender, deflorar, desflorar: "Gênios caprípedes e broncos / Estrupram virgens hamadríades." (Manuel Bandeira, *Estrela da Vida Inteira*, p. 64.)

estupro. [Do lat. *stupru.*] *S. m.* Crime que consiste em constranger mulher, de qualquer idade ou condição, a conjunção carnal, por meio de violência ou grave ameaça; coito forçado; violação.

estuque. [Do it. *stucco,* atr. do fr. *stuc.*] *S. m.* **1.** Massa preparada com gesso, água e cola. **2.** Revestimento ou ornatos feitos com essa massa. **3.** *Bras.* V. *taipa* (1).

estúrdia. [De *estúrdio.*] *S. f.* Estroinice, travessura, extravagância. [Cf. *esturdia,* do v. *esturdiar.*]

esturdiar. *V. int.* Fazer estúrdia. [Pres. ind.: *esturdio, esturdias, esturdia,* etc. Cf. *estúrdio* e *estúrdia.*]

estúrdio. *Adj.* **1.** Extravagante, estróina, leviano, doidivanas. **2.** *Bras.* Esquisito, excêntrico, extravagante. **3.** *Bras., MG* e *SP.* Diz-se de coisa fora do comum. **4.** *Bras., RS.* Trajado de maneira extravagante, ou fora da moda. [Cf. *esturdio,* do v. *esturdiar.*]

esturjão. [Do ant. alto-al. *sturio,* pelo b.-lat. *sturione.*] *S. m.* Gênero de peixes ganóides de cuja ova se faz o caviar.

esturrado. [Part. de *esturrar.*] *Adj.* **1.** Muito torrado; quase queimado. **2.** Ardente, exaltado. **3.** Intransigente, radical.

esturrar. [Por *estorrar,* de *torrar.*] *V. t. d.* **1.** Torrar; estorricar; queimar. **2.** Exaltar, inflamar. *Int.* **3.** Secar-se a ponto de parecer queimado; tostar-se; torrar, esturrar-se. **4.** *Bras.* Dar esturro (5); rosnar. **5.** *Bras.* Resmungar, resmonear. *P.* **6.** V. *esturrar* (3).

esturricado. [Part. de *esturricar.*] *Adj.* V. *estorricado.*

esturricar. *V. t. d.* V. *estorricar.* [Conjug.: v. *trancar.*]

esturrinho. [Dim. de *esturro.*] *S. m.* Tabaco muito torrado; esturro.

esturro. [Dev. de *esturrar.*] *S. m.* **1.** Estado de coisa esturrada, quase queimada. **2.** A coisa esturrada: *Que esturro é este aqui, na panela?* **3.** Torrefação. **4.** Esturrinho. **5.** *Bras.* Urro de onça. **6.** Estouro, estrondo, estampido.

esturvinhado. [De *turvar.*] *Adj. Pop.* Atordoado, aturdido, estonteado.

ésula. [Do lat. medieval *esula.*] *S. f.* Planta da família das euforbiáceas (gênero *Tithymalus*).

esurino. [Do rad. do lat. *esurire,* 'ter fome'.] *Adj. Med.* Que excita a fome.

esvaecer. [De *es-* + *vão* + *-ecer.*] *V. t. d.* **1.** Apagar, delir, desvanecer: *esvaecer uma mancha.* **2.** Desfazer; dissipar: *esvaecer um projeto*. **3.** Fazer perder as forças; enfraquecer, debilitar. **4.** Causar vaidade ou desvanecimento a; enfatuar; desvanecer: *Elogios costumam esvaecê-lo*. *Int.* **5.** Perder o ânimo ou as forças; esmorecer, desmaiar; desvanecer-se, esvaecer-se. *P.* **6.** Desvanecer-se, evaporar-se; esvair-se: *A bolha de sabão esvaeceu-se no ar; Suas esperanças esvaeceram-se*. **7.** Diminuir de intensidade; enfraquecer-se. **8.** V. esvaecer (5). [Sin. ger.: *esvanecer*. Conjug.: v. *aquecer*.]

esvaecido. [Part. de *esvaecer*.] *Adj.* **1.** Que se esvaeceu; desfeito; dissipado. **2.** Esmorecido, desanimado, enfraquecido.

esvaecimento. [De *esvaecer* + *-i-* + *-mento*.] *S. m.* **1.** Desvanecimento, enfatuamento. **2.** Enfraquecimento, desânimo, desalento. **3.** Desmaio, desfalecimento, delíquio.

esvair. [De um der. regress. de *esvaecer*.] *V. t. d.* **1.** Fazer evaporar; dissipar, desvanecer: *A forte fragrância do jasmim esvaía o perfume das violetas*. *P.* **2.** Evaporar-se, dissipar-se, desvanecer-se, desvair-se: "A vida é sonho tão leve / Que se desfaz como a neve / E como o fumo se esvai" (João de Deus, *Campo de Flores*, I, p. 209). **3.** Desfazer-se, desaparecer, desvair-se: *Sua lembrança esvaiu-se com o tempo*. **4.** Desmaiar, desfalecer, esmorecer, desvair-se. **5.** Esgotar-se; exaurir-se, desvair-se: "Com um tiro certeiro fez Justiniano rolar por terra, esvaindo-se em sangue" (Fran Martins, *Dois de Ouros*, p. 11). **6.** Passar com rapidez; decorrer; escoar-se; desvair-se: *Esvaíram-se as horas sem que ninguém o notasse*. [Conjug.: v. *sair*. Modernamente, quase só é us. como pronominal.]

esvairado. *Adj.* Desvairado [q. v.]: "Ao ler estas palavras Seixas tornou-se lívido; e lançou um olhar esvairado para o reposteiro da câmara" (José de Alencar, *Senhora*, p. 266).

esvanecer. [Do lat. *esvanescere*.] *V. t. d.*, *int.* e *p.* V. esvaecer. [Conjug.: v. *aquecer*.]

esvão. [De *desvão*, com troca de prefixo.] *S. m.* Desvão. [Pl.: *esvãos*.]

esvarar. [De *es-* + *varar*.] *V. int. Bras.*, *BA*. Entrar sem pedir licença.

esvazar. *V. t. d.* e *p. Bras.* V. *esvaziar*.

esvaziamento. *S. m.* Ato ou efeito de esvaziar(-se); vaziamento.

esvaziar. [De *es-* + *vazio* + *-ar*[2].] *V. t. d.* **1.** Tornar vazio; evacuar, desocupar: *Mandaram que os alunos esvaziassem o pátio*. **2.** Despejar, esgotar; vaziar: *O operário esvaziou o caminhão de areia junto à construção*. **3.** Esgotar, bebendo o conteúdo de: *De um só trago esvaziou o copo*. **4.** Tirar a importância, a significação, o conteúdo, a razão de ser de (algo): *Tentaram esvaziar a candidatura de X ao governo do Acre*. *P.* **5.** Tornar-se vazio. [Sin. ger. (bras.): *esvazar*.]

esvelto. *Adj.* V. *esbelto*: "Era, na realidade, bonita: alta, esvelta, morena, olhos lânguidos" (Artur Azevedo, *Contos Possíveis*, p. 95).

esventar. [De *es-* + *vento* + *-ar*[2].] *V. t. d. Artilh. Ant.* Enxugar (uma boca-de-fogo) queimando dentro dela alguma pólvora.

esverdeado. [Part. de *esverdear*.] *Adj.* Tirante a verde; verdacho, verdeal, verdoengo, verdolengo, verdoso.

esverdear. [De *es-* + *verde* + *-ear*.] *V. t. d.* **1.** Dar cor verde ou tirante a verde a; tornar verde ou tirante a verde: "As tílias, os carvalhos e os amieiros agigantados são de um verde carregado, intensíssimo, que se refrange e diluí no ar, esverdeando tudo" (Ramalho Ortigão, *A Holanda*, p. 161). *Int.* **2.** Tomar cor verde ou esverdeada. **3.** Mostrar-se na sua cor verde: "Em grandes manchas de umidade, rente ao chão, / Esverdeiam musgos e avencas." (Ribeiro Couto, *Poesias Reunidas*, p. 191.) [Conjug.: v. *frear*.]

esverdido. [De *es-* + *verde* + *-ido*.] *Adj.* V. *esverdeado*: "E neste ondulante mar esverdido de montes vagueiros e baldios, ... sobe aos céus, contra os homens, a queixa amargurada das terras que querem ser mãe de florestas úteis e belas" (Antero de Figueiredo, *Jornadas em Portugal*, p. 206).

esverdinhado. [Part. de *esverdinhar*.] *Adj.* **1.** Verde-claro. **2.** Um tanto verde: "Um pouco de sangue subira à sua face esverdinhada." (Eça de Queirós, *A Relíquia*, p. 78.)

esverdinhar. [De *es-* + *verde* + *-inhar*.] *V. t. d.* **1.** Dar cor esverdinhada a. *Int.* e *p.* **2.** Adquirir cor esverdinhada.

esvidar. [De *es-* + *vide* + *-ar*[2].] *V. t. d.* Esvidigar.

esvidigar. *V. t. d.* Limpar (as vinhas) das vides e sarmentos que se podaram; esvidar. [Conjug.: v. *largar*.]

esviscerado. [Part. de *esviscerar*.] *Adj.* **1.** A que se arrancaram as vísceras; que está sem elas; estripado. **2.** *Fig.* Impiedoso, cruel, insensível, desalmado.

esviscerar. [De *es-* + *víscera* + *-ar*[2].] *V. t. d.* **1.** V. *eviscerar*. **2.** Tornar cruel; encruar, encruecer, encrudelecer.

esvoaçante. *Adj. 2 g.* Que esvoaça: "sempre tinham tido o gosto das rendas, dos veludos, dos falbalás esvoaçantes, dos mantos de rainha" (Pedro Nava, *Balão Cativo*, p. 12).

esvoaçar. *V. int.* e *p.* **1.** Bater as asas com força; adejar, voejar, esvoejar, volatear, volitar, voltear, volutear: "E, enquanto há vida ainda, esvoaça [a borboleta], esvoaça, / Como um leve papel solto à mercê do vento" (Raimundo Correia, *Poesias*, p. 9); "Rompia a aurora quando a passarada do arvoredo se esvoaçou piando" (Camilo Castelo Branco, *A Brasileira de Prazins*, p. 155). **2.** Agitar-se, revolver-se: *Uma idéia sinistra esvoaçou-lhe no espírito*. **3.** *Fig.* Flutuar ao vento: "esvoaçando, esparsas, as cambraias / De subtis, tênues, rendilhados lenços" (Alberto de Oliveira, *Poesias*, 3ª série, p. 76). [Sin. ger.: *avoaçar* e *avoejar*. Conjug.: v. *laçar*.]

esvoejar. *V. t. d.* V. *esvoaçar* (1): "A mariposa vermelha esvoejando sobre a lenha, mal poisando, depois mordendo a madeira seca, e já abrindo as asas quentes para o bailado exótico." (Caci Cordovil, *Ronda de Fogo*, p. 23.) [Conjug.: v. *pelejar*.]

esvurmar. [De *es-* + *vurmo* + *-ar*[2].] *V. t. d.* **1.** Limpar (a ferida) do vurmo ou pus, espremendo-a: "o primeiro avanço é pô-la [a sociedade] nua, escrutar-lhe as lepras, lavrar grandes atas das chagas encontradas, esvurmar as bostelas que cicatrizaram em falso" (Camilo Castelo Branco, *Sentimentalismo e História*, p. 158). **2.** Fazer supurar: *Preparados emolientes esvurmam a chaga*. **3.** *Fig.* Pôr a descoberto e criticar (defeito ou paixão de alguém).

eta. [Do fenício, atr. do gr. *eta* e do lat. *eta*.] *S. m.* **1.** A 7ª letra do alfabeto grego (H, η), correspondente ao nosso e. **2.** *Fís. Nucl.* Méson de massa igual a 0,588 unidades de massa atômica, spin nulo, paridade negativa e carga nula; méson eta. [Cf. *eta* (ê).]

eta (ê). *Interj. Bras.* Exprime alegria, incitamento, surpresa, espanto: *Eta! o homem chegou!*; "O banqueiro Celestino dissera cada uma de arrepiar, eta português de boca suja" (Jorge Amado, *Dona Flor e Seus Dois Maridos*, p. 327). [Tb. se usam as f. reforçadas *eta-pau* e *eta-ferro*. F. paral.: eita. Cf. eta.]

▲-eta. V. *-ete*.

eta-ferro. *Interj. Bras.* V. eta (ê). [F. paral.: *eita-ferro*.]

➧étagère (êtagér'). [Fr.] *S. f.* Móvel com prateleiras; aparador.

etal. *S. m. Quím.* Designação do álcool cetílico impurificado, extraído do espermacete.

➧étamine (êtamin'). [Fr.] *S. f.* Tecido de algodão transparente, usado principalmente para cortinas.

etanal. [De *etano* + *al(deído)*.] *S. m. Quím.* V. *aldeído-acético*.

etano. [De *et*, abrev. de *éter*, + *-ano*.] *S. m. Quím.* Hidrocarboneto saturado, gasoso, incolor e inodoro. [Fórm.: C_2H_6.]

etanol. [De *etano* + *-ol*.] *S. m. Quím.* V. *álcool* (2). [Pl.: *etanóis*.]

etapa. [Do fr. *étape*.] *S. f.* **1.** Ração diária dos soldados e bestas de um exército em marcha. **2.** *Gal.* Lugar onde pára a tropa em marcha. **3.** *Gal.* Distância de um a outro de tais lugares. **4.** Cada uma das partes em que pode ser dividido o desenvolvimento de um negócio, obra, campanha, carreira, etc. **5.** *P. ext.* Fase, estágio: *as etapas da doença, de uma campanha*. **6.** *Eletrôn.* Estágio (6).

eta-pau. [De *eta* (ê) + *pau*.] *Interj. Bras. Fam.* V. eta (ê). [F. paral.: *eita-pau*.]

etário. [Talvez de um *etatário, calcado no lat. *aetate*, 'idade', com haplologia.] *Adj.* Relativo à idade; etático: *estatística etária; faixa etária*; "O grupo etário de zero a 14 anos completos quase não concorre para a produção econômica." (Castro Barreto, *Povoamento e População*, II, p. 500.)

etático. [Do lat. *aetate*, 'idade', + *-ico*[2].] *Adj.* Etário.

etc. [Do lat. *et coetera*.] Abrev. de *et cetera*, 'e as demais coisas', us. no latim medieval como fórmula em certos atos jurídicos, e modernamente para evitar uma longa enumeração: *Comprou na feira legumes, verduras, frutas, etc.* [Embora normalmente se devesse usar apenas com referência a coisas, como se vê do seu sentido etimológico, aparece freqüentes vezes, inclusive nos melhores autores, aplicado a pessoas.]

▲-ete. [Do it. *-etto* e *-etta*.] *Suf. nom.* = 'diminuição'; *joguete* (< it. *giochetto*), *lembrete*. [Equiv.: *-eto*[1] e *-eta*: *verseto* (< it. *versetto*), *esboceto*; *banqueta* (< it. *banchetto*), *vareta*. Às vezes passa ao port. atr. do francês: *estilete* (< fr. *-stylet* < it. *stiletto*.)]

eteno. *S. f. Quím.* Hidrocarboneto não-saturado, gasoso, incolor; etileno. [Fórm.: C_2H_4.]

éter. [Do gr. *aithér*.] *S. m.* **1.** *Fís.* Meio elástico hipotético em que se propagariam as ondas eletromagnéticas, e cuja existência contradiz os resultados de inúmeras experiências, já não sendo, por isso, admitida pelas teorias físicas. **2.** *P. ext.* O espaço celeste: "Bóia [a borboleta] do sol na morna e rutilante vaga; / Em grandes doses bebe o azul; tonta espairece / No éter." (Raimundo Correia, *Poesias*, p. 8). **3.** *Quím.* Classe de composto orgânico cuja molécula é constituída por dois radicais hidrocarbônicos ligados a um mesmo átomo de oxigênio. [Fórm.: ROR'.] **4.** *Quím.* Éter sulfúrico. [Pl.: *éteres*.] ◆ **Éter de petróleo.** *Quím.* Mistura de hidrocarbonetos que se obtém na destilação do petróleo. **Éter óxido.** *Quím.* O que provém teoricamente da desidratação de um álcool ou fenol. **Éter sulfúrico.** *Quím.* Líquido incolor, volátil, com cheiro característico, inflamável. [Tb. se diz apenas *éter*. Fórm.: $C_2H_5OC_2H_5$.]

etereal. *Adj. 2 g. P. us.* Etéreo [q. v.]: "Seu corpo virginal, etereal, minúsculo, / Repousa imóvel, como os mármores das campas." (Eugênio de Castro, *Obras Poéticas*, I, p. 48.)

etéreo. [Do gr. *aithérios*, pelo lat. *aethereu*.] *Adj.* **1.** Relativo ao, ou da natureza do éter. **2.** Sublime; puro, elevado. **3.** Celeste, celestial: "Se lá no assento etéreo, onde subiste, / memória desta vida se consente, / não te esqueças daquele amor ardente / que já nos olhos meus tão puro viste." (Luís de Camões, *Rimas*, p. 172.) ~V. *assento* —.

eterificação. *S. f.* Ação de eterificar.

eterificar. *V. t. d.* Transformar (um álcool ou fenol) em éter. [Conjug.: v. *trancar*.]

eterismo. [De *éter* + *-ismo*.] *S. m.* Insensibilidade resultante da aplicação do éter, ou devida a outra causa.

eterização. *S. f.* Ato ou efeito de eterizar(-se).

eterizado. [Part. de *eterizar*.] *Adj.* **1.** Que se eterizou; misturado com éter. **2.** *Fig.* Tornado fluido; desfeito, disperso: "Pairam no ambiente claríssimo, bailando no ar, ... eterizadas, névoas translúcidas, das quais saem mínimas piscas cintilantes, irisações sutis, gotículas fúlgidas." (Martins Fontes, *Arlequinadas*, p. 24.)

eterizar. *V. t. d.* **1.** Misturar com éter. **2.** Insensibilizar por meio do éter. **3.** *P. ext.* Tornar insensível: *O sofrimento eterizou-o*. *P.* **4.** Desfazer-se; evaporar-se.

eternal. [Do lat. *aeternale*.] *Adj. 2 g. Poét.* V. *eterno* (1): "Minha garupa sangra, a dor poreja, / Quando o chicote do simum dardeja / O teu braço eternal." (Castro Alves, *Poesias Escolhidas*, p. 340.)

eternamente. [Do fem. de *eterno* + *-mente*.] *Adv.* Sempre, para sempre; por toda a eternidade: "Dorme o teu sono, coração liberto, / Dorme na mão de Deus eternamente!" (Antero de Quental, *Sonetos*, p. 183.)

eternidade. [Do lat. *aeternitate*.] *S. f.* **1.** Qualidade ou caráter de eterno. **2.** A vida que, para crentes, principia após a morte; a vida eterna. **3.** Imortalidade (2). **4.** Demora indefinida.

eternizar. *V. t. d.* **1.** Tornar eterno; prolongar indefinidamente: *Com a fórmula mágica pretende eternizar a vida humana*; "Gravei de mim perpetuadores traços. / Hão de cem povos repetir meu grito, / e o mundo inteiro eternizar meus passos." (Jorge de Lima, *Obra Completa*, I, p. 197.) **2.** Dar glória ou fama imorredoura a; tornar para sempre célebre; imortalizar: "E, eternizando o povo americano, / Vives eterna em teu poema ingente." (Olavo Bilac, *Poesias*, p. 15); *A Divina Comédia eternizou o nome de Dante*. **3.** Prolongar, delongar: *O tema polêmico veio eternizar o debate*. *P.* **4.** Adquirir glória ou fama imorredoura; imortalizar-se. **5.** Prolongar-se indefinidamente; durar muito.

eterno. [Do lat. *aeternu*.] *Adj.* **1.** Que não tem princípio nem fim; que dura sempre. [Sin. (poét.): *eternal*.] **2.** V. *imortal* (1). **3.** Que não tem fim; constante, incessante: *brigas eternas*. **4.** Imutável, inalterável: *verdade eterna*. **5.** De duração indefinida: *guerra eterna*. **6.** Desmedido, excessivo. ~ V. *chamas* —*as*, *cidade* —*a*, e *retorno* —. ● *S. m.* **7.** Deus: "Filha do céu, foi formada por um sorriso do Eterno, brincou, com as asas dos querubins." (Casimiro de Abreu, *Obras*, p. 409.)

eteromania. [De *éter* + *-o-* + *-mania*.] *S. f.* O vício de tomar éter (4).

eteromaníaco. *Adj.* e *s. m.* Eterômano.

eterômano. [De *éter* + *-o-* + *-mano*.] *Adj.* e *s. m.* Que ou aquele que tem o vício de tomar éter; eteromaníaco.

etésios. [Do gr. *etésios*, i. e., *ánemos etésios*, 'vento que sopra no Arquipélago pela canícula', pelo lat. *etesiu.*] *Adj.* (*pl.*) ~ V. *ventos* —*s.*

ética. [Fem. substantivado do adj. *ético.*] *S. f.* Estudo dos juízos de apreciação referentes à conduta humana suscetível de qualificação do ponto de vista do bem e do mal, seja relativamente a determinada sociedade, seja de modo absoluto. [Cf. *moral* (1) e *hética.*]

ético. [Do gr. *ethikós*, pelo lat. *ethicu.*] *Adj.* Pertencente ou relativo à ética. ~ V. *dativo* —. [Cf. *hético.*]

etil. [De *et*, abrev. de *éter.* + *-il.*] *Quím.* Elemento de composição designativo do radical C_2H_5-.

etileno [De *etil* + *-eno.*] S. m. Quím. Eteno.

etilenodiamino. Adj. ~ V. *ácido* — *tetracético.*

etilenoglicol. *S. m. Quím.* Líquido incolor, viscoso, inodoro, com largo emprego industrial. [Fórm.: $C_2H_4(OH)_2$. Tb. se diz apenas *glicol*. Pl.: *etilenoglicóis.*]

etílico. [De *etil(o)-* + *-ico*[2].] *Adj.* Diz-se de substâncias orgânicas que encerram o radical etilo ~ V. *álcool* —.

etilismo. [Por *etilicismo*, de *etílico* + *-ismo.*] *S. m.* Alcoolismo.

etilista. [Por *etilicista*, de *etílico* + *-ista.*] *S. 2 g.* V. *alcoólatra.*

etilo. [De *et*, abr. de *éter*, + *-il* + desin. *-o.*] *S. m.* Radical monovalente C_2H_5.

étimo. [Do gr. *étymos*, pelo lat. *etymon.*] *S. m.* **1.** Origem filológica; etimologia. **2.** Vocábulo que é a origem imediata de outro.

etimologia. [Do gr. *etymología*, pelo lat. *etymologia.*] *S. f.* **1.** Origem de uma palavra. **2.** Parte da gramática que trata da origem das palavras.

etimológico. [Do gr. *etymologikós*, pelo lat. *etymologicu.*] *Adj.* **1.** Relativo à etimologia: *questões etimológicas.* **2.** Que trata das etimologias, dos étimos; que os registra: *dicionário etimológico.* **3.** Que tem apoio ou fundamento na etimologia; resultante dela: *Outrora se escrevia hontem, com um agá não etimológico.* ~V. *ortografia* —*a.*

etimologismo. *S. m.* Processo ou maneira de explicar a etimologia.

etimologista. *S. 2 g.* **1.** Pessoa que se ocupa da etimologia; etimólogo. **2.** Partidário da ortografia etimológica.

etimologizar. *V. t. d.* **1.** Determinar a etimologia de (uma palavra). *Int.* **2.** Dar-se ao estudo da etimologia, à pesquisa etimológica.

etimólogo. [Do gr. *etymólogos*, pelo lat. *etymologu.*] *S. m.* Etimologista (1).

etino. *S. m. Quím.* Acetileno.

etiologia. [Do gr. *aitiología*, pelo lat. *aetiologia.*] *S. f.* **1.** Estudo sobre a origem das coisas: "a verdade é que, no tocante à etiologia do absenteísmo [absenteísmo eleitoral], a fraude é apenas um epifenômeno; as causas reais, íntimas, fundamentais, são outras muito diversas." (Oliveira Viana, *Pequenos Estudos de Psicologia Social*, p. 73). **2.** A parte da medicina que trata da causa das doenças: "Possuo .... um *Larousse Médical*, onde me guio na etiologia de meus lumbagos e que me tem ensinado até mesmo a técnica de pequenas intervenções cirúrgicas por meio de lâminas de barbear." (Costa Rego, *Águas Passadas*, p. 246.)

etiológico. *Adj.* Relativo à etiologia.

etíope. [Do gr. *aithíops*, pelo lat. *aethiope.*] *Adj. 2 g.* **1.** De, ou pertencente ou relativo à Etiópia (África); etiópico. ● *S. 2 g.* **2.** Natural ou habitante da Etiópia.

etiópico. [Do gr. *aithiopikós*, pelo lat. *aethiopicu.*] *Adj.* **1.** Etíope (1). ● *S. m.* **2.** *Ling.* Grupo de línguas semíticas pouco estudadas, e das quais a mais importante é o amárico, falado na parte central do planalto abissínio.

etiqueta (ê). [Do fr. *étiquette.*] *S. f.* **1.** Conjunto de cerimônias que se usam na corte ou na casa de um chefe de Estado. **2.** *Fig.* Formas cerimoniosas de trato entre particulares; cerimonial: *Faz questão fechada de que se observe a etiqueta.* **3.** Regra, normas, estilo. **4.** *Gal.* Letreiro ou rótulo que se põe sobre alguma coisa para designar o que é ou o que contém. **5.** *Gal.* Pedacinho de fazenda, cosido no interior de uma roupa, de um chapéu, etc., e que contém o nome do fabricante. [Pl.: *etiquetas* (ê). Cf. *etiqueta* e *etiquetas*, do v. *etiquetar.*]

etiquetagem. *S. f.* Ato de etiquetar.

etiquetar. *V. t. d. Gal.* Pôr etiqueta (4) em. [Pres. ind.: *etiqueto, etiquetas, etiqueta*, etc. Cf. *etiqueta* (ê) e pl. *etiquetas* (ê).]

etmoidal. *Adj. 2 g. Anat.* Relativo ou pertencente ao etmóide; etmóideo.

etmóide. [Do gr. *ethmoeidés.*] *S. m. Anat.* Osso craniano situado entre o frontal e o esfenóide, e que concorre para a formação da base do crânio, das órbitas e das fossas nasais. Através de uma de suas lâminas passam os filetes terminais do nervo olfativo.

etmóideo. [De *etmóide* + *-eo.*] *Adj. Anat.* Etmoidal.

etnarca. [Do gr. *ethnárches.*] *S. m.* Governador de província, no Baixo-Império.

etnia. [De *etn(o)-* + *-ia.*] *S. f. Etnol.* Grupo biológico e culturalmente homogêneo.

etnicismo. [De *étnico* + *-ismo.*] *S. m.* V. *gentilidade* (1).

étnico. [Do gr. *éthnikos*, pelo lat. *ethnicu.*] *Adj.* **1.** Relativo ou pertencente a povo ou raça. ~ V. *grupo* —. ● *S. m.* **2.** Idólatra, pagão (nos autores eclesiásticos).

▲**etn(o)-.** [Do gr. *éthnos, eous-ous.*] *El. comp.* = 'raça', 'nação', 'povo'; *etnologia, etnogenia, etnia.*

etnocêntrico. [De *etn(o)-* + *centr(o)-* + *-ico*[2].] *Adj.* Relativo ao, ou próprio do etnocentrismo.

etnocentrismo. [De *etn(o)-* + *centr(o)-* + *-ismo.*] *S. m.* Tendência para considerar a cultura de seu próprio povo como a medida de todas as demais.

etnodicéia. [De *etn(o)-* + gr. *dikaía*, 'justiça'.] *S. f.* Direito das gentes.

etnogenealogia. [De *etn(o)-* + *genealogia.*] *S. f.* Genealogia dos povos.

etnogenealógico. *Adj.* Relativo à etnogenealogia.

etnogenia. [De *etn(o)-* + *-gen(o)-*[1] + *-ia.*] *S. f.* Ciência que estuda a origem dos povos.

etnogênico. *Adj.* Relativo à etnogenia.

etnografia. [De *etn(o)-* + *-graf(o)-* + *-ia.*] *S. f.* **1.** Disciplina que tem por fim o estudo e a descrição dos povos, sua língua, raça, religião, etc., e manifestações materiais de sua atividade. **2.** Parte ou disciplina integrante da etnologia. **3.** Descrição da cultura material dum determinado povo.

etnográfico. *Adj.* Relativo à etnografia.

etnógrafo. *S. m.* Especialista em etnografia.

etnolingüística. [De *etn(o)-* + *lingüística.*] *S. f. Ling.* O estudo da linguagem das sociedades ditas primitivas. [Cf. *sociolingüística.*]

etnolingüístico. *Adj.* Relativo à etnolingüística.

etnologia. [De *etn(o)-* + *-ia.*] *S. f.* **1.** Ramo da antropologia que estuda a cultura dos chamados povos naturais. **2.** V. *antropologia cultural.*

etnológico. *Adj.* Relativo à etnologia.

etnologista. *S. 2 g.* Etnólogo.

etnólogo. *S. m.* Especialista em etnologia; etnologista.

etnônimo. [De *etn(o)-* + *-onimo.*] *S. m.* Nome de povos, de tribos, de castas, e, p. ext., de comunidades políticas ou religiosas, quando a designação destas últimas possa ser tomada em sentido étnico.

▲**eto-.** [Do gr. *éthos, eous-ous.*] *El. comp.* = 'costume', 'uso': *etocracia, etognosia.*

▲**-eto**[1]. V. *-ete.*

▲**-eto**[2]. V. *-ato*[2].

▲**-eto**[3]. [Do it. *-etto.*] Suf. nom. = 'formado de': *quinteto* (< it. *quintetto*), *sexteto* (< it. *sestetto*).

etocracia. [De *eto-*[1] + *-cracia.*] *S. f.* Forma de governo fundada na moral.

etocrático. *Adj.* Relativo à etocracia.

etogenia. [De *eto-*[1] + *-gen(o)-* + *-ia.*] *S. f. Filos.* Ciência que estuda a origem dos costumes, paixões e caracteres dos homens. [Cf. *etografia.*]

etogênico. *Adj.* Relativo à etogenia.

etognosia. [De *eto-*[1] + *-gnos(i)(o)-* + *-ia.*] *S. f. Filos.* Conhecimento profundo dos costumes, paixões e caracteres do homem. [Cf. *etografia.*]

etognóstico. *Adj.* Relativo à etognosia.

etografia. [De *eto-*[1] + *-graf(o)-* + *-ia.*] *S. f. Filos.* Descrição dos costumes, paixões e caracteres humanos. [Cf. *etogenia* e *etognosia.*]

etográfico. *Adj.* Relativo ou pertencente à etografia.

etólio. [Do gr. *aitólios*, pelo lat. *aetoliu.*] *Adj.* **1.** Da, ou pertencente ou relativo à Etólia (Grécia antiga). ● *S. m.* **2.** O natural ou habitante da Etólia.

etologia [De *eto-* + *-log(o)-* + *-ia.*] *S. f.* **1.** Tratado dos costumes, usos e caracteres humanos. **2.** Estudo dos hábitos dos animais e da sua acomodação às condições do ambiente: "Os cientistas Karl von Frisch e Konrad Lorenz, austríacos, e Nikolas Tinbergen, holandês, ganharam o Prêmio Nobel de Medicina e Fisiologia de 1973 por terem criado uma nova ciência, a Etologia, que faz o estudo comparado do comportamento dos animais." (*Jornal do Brasil*, 12.10.73.) **3.** Parte da botânica que estuda as adaptações observadas nos vegetais.

etológico. *Adj.* Pertencente ou relativo à etologia.

etologista. *S. 2 g.* Etólogo.

etólogo. *S. m. Especialista em etologia; etologista.*

etopéia. [Do gr. *ethopoiía*, pelo lat. *aethopoeia.*] *S. f.* Descrição dos costumes e paixões dos homens: "Era a dança a ciência das paixões, etopéia prodigiosa capaz de exprimir os sentimentos mais recônditos" (Martins Fontes, *A Dança*, p. 14).

etopeu. [Do gr. *ethopoiós*, pelo lat. *aethopoeu.*] *S. m.* Aquele que descreve paixões e costumes humanos.

etos. [Do gr. *éthos*, 'costume', 'uso', 'característica'.] *S. m. 2 n.* Disposição, caráter ou atitude peculiar a determinado povo, cultura, ou grupo, que o(s) distingue de outro(s) povo(s), cultura(s) ou grupo(s).

➧**et pour cause** (ê pur côz'). [Fr.] E não sem motivo.

➧**et reliqua** (ét réliqua). [Lat., 'e o restante'.] Usa-se para encerrar uma enumeração.

etrioscópio. [Do gr. *aithria*, 'o ar livre', + *-o-* + *-scop-* + *-io.*] *S. m.* Instrumento com que se mede o calor irradiado da Terra.

etrusco. [Do lat. *etruscu.*] *Adj.* **1.** Da, ou pertencente ou relativo à Etrúria ou Tirrênia (Itália antiga); tirreno, tirrênio. **2.** *Tip.* V. lineal (2). ● *S. m.* **3.** O natural ou habitante da Etrúria; tirreno, tirrênio. **4.** A língua dos etruscos.

etruscologia. [De *etrusco* + *-log(o)-* + *-ia.*] *S. f.* Estudo da língua e da arqueologia dos etruscos.

etruscológico. *Adj.* Relativo à etruscologia.

etruscólogo. *S. m.* Especialista em etruscologia.

➧**e tutti quanti** (é túti quânti). [It., 'e todos quantos' (forem); 'e os demais'.] Palavras empregadas para encerrar uma enumeração; *tutti quanti.*

eu. [Do lat. vulg. *eo*] **1.** Pron. pess. da 1ª pessoa singular. ● *S. m.* **2.** A personalidade de quem fala. **3.** A individualidade metafísica da pessoa: "No momento em que ela [a inspiração do poeta romântico] se lhe revela .... , inspiração e expressão vão de par, indivíduo e universo consubstanciam-se, e u e não-eu integram-se." (João Gaspar Simões, *Liberdade do Espírito*, p. 34.) [Cf. *heu.*]

■**eu.** *Quím.* Símb. de *európio.*

▲**eu-.** [Do gr. *eu.*] *Pref.* = 'bem', 'bom': *eucinesia.* [Equiv.: *ev-*: *evangelho* (< lat. *evangeliu*, < gr. *euaggelikós*).]

▲**-eu.** [Do lat. *-aeu-.*] *Suf. nom.* = 'relação', 'origem', 'procedência': *judeu* (< lat. judaeu); *europeu* (< lat. europaeu), *giganteu* (< lat. *gigantaeu*).

euartrópode. *S. m.* **1.** Espécime dos euartrópodes. ● *Adj. 2 g.* **2.** Pertencente ou relativo a eles.

euartrópodes. *S. m. pl. Zool.* Designação comum aos animais invertebrados, artrópodes, cujo aparelho bucal é provido de quelíceras ou mandíbulas, sendo o corpo dividido em três lobos por dois sulcos longitudinais, e o abdome desprovido de apêndices locomotores birremes. São todos os artrópodes atuais.

euauaçu (a-u). [Do tupi.] *S. m. Bras.* Planta gramínea de cujos caules se fazem coberturas de casas.

eubá. [Do ioruba.] *S. m. Bras.* Egbá.

eubactéria. *S. f. Biol. Desus.* Bactéria cuja estrutura é típica do grupo, sem afastamento da norma.

eubage. [Do gaulês, atr. do lat. *eubage.*] *S. m.* Antigo sacerdote gaulês que se dedicava à adivinhação e à astrologia.

eubéia. *Adj.* (*f.*) e *s. f.* Fem. de *eubeu.*

eubeu. [Do lat. *euboeu.*] *Adj.* **1.** Da, ou pertencente ou relativo à Eubéia (Grécia). ● *S. m.* **2.** O natural ou habitante da Eubéia. [Sin.: *eubóico*. Fem.: *eubéia.*]

eubiótica. [Do gr. *eubíotos*, 'que vive bem', + *-ica*[2].] *S. f.* Arte de bem viver.

eubiótico. *Adj.* Relativo à eubiótica.

eubóico. [Do gr. *euboikós*, pelo lat. *euboicu.*] *Adj.* e *s. m.* Eubeu.

eucaliptal. *S. m.* Quantidade mais ou menos considerável de eucaliptos dispostos proximamente entre si.

eucalipto. [De *eu-* + gr. *kalyptós*, 'coberto'.] *S. m.* Designação comum a arbustos ou árvores enormes, da família das mirtáceas, com propriedades medicinais, de folhas coriáceas, lanceoladas, com glândulas oleíferas, flores pequenas e geralmente agrupadas em umbelas, e fruto que é uma cápsula com muitas sementes de testa escura, lisa e fina. Fornecem madeira de alburno delgado, claro, de cerne cuja cor vai do amarelo ao pardo, pardo-avermelhado e vermelho, sendo mais ou menos pesado e com depósitos de goma.

eucaliptol. *S. m. Quím.* Substância complexa, líquida, incolor, com cheiro de cânfora, encontrada no óleo de eucalipto e usada como expectorante e antiinflamatório. [Fórm.: $C_{10}H_{18}O$. Pl.: *eucaliptóis.*]

eucarídio. *S. m.* **1.** Espécime dos eucarídios. ● *Adj.* **2.** Pertencente ou relativo a eles.

eucarídios. *S. m. pl. Zool.* Crustáceos caracterizados por possuírem carapaça soldada ao tórax, cobrindo-o completamente, olhos pedunculados e brânquias torácicas.

eucarionte. *S. m. Genét.* Eucarioto.

eucariote. *S. m.* Espécime dos eucariotes.

eucariotes. *S. m. pl. Bot.* Seres vivos providos de núcleo individualizado.

eucariótico. *Adj.* **1.** Relativo aos eucariotes. **2.** *Genét.* Do, ou relativo ao eucarioto.

eucarioto. [De *eu-* + *-cari(o)-* + a term. *-oto*, como em *zigoto.*] *S. m. Genét.* Organismo composto por células que possuem um núcleo envolvido por uma membrana nuclear; eucarionte.

eucaristia. [Do gr. *eucharistía*, pelo lat. *eucharistia.*] *S. f. Rel.* **1.** Um dos sete sacramentos da Igreja Católica, no qual, segundo a crença, Jesus Cristo se acha presente, sob as aparências do pão e do vinho, com seu corpo, sangue, alma e divindade; banquete sagrado, comunhão, ceia do Senhor, memorial do Senhor, pão dos anjos, pão da alma. **2.** Ação de graças.

eucarístico. *Adj.* Relativo ou pertencente à eucaristia.

eucaritídeo. *S. m.* **1.** Espécime dos eucaritídeos. ● *Adj.* **2.** Pertencente ou relativo a eles.

eucaritídeos. *S. m. pl. Zool.* Família de insetos da ordem dos himenópteros; insetos grandes, de cor preta ou azul, ou ainda verde-metálica, cujas larvas (*planídias*) se nutrem de pupas de formigas.

eucelomado. *S. m.* **1.** Espécime dos eucelomados. ● *Adj.* **2.** Pertencente ou relativo a eles.

eucelomados. *S. m. pl. Zool.* Animais enterozoários, de simetria bilateral pelo menos em uma fase da vida, desprovidos de celoma verdadeiro e geralmente revestidos de camada de células mesodérmicas. São todos os animais, dos briozoários aos cordados.

eucestóideo. *S. m.* **1.** Espécime dos eucestóideos. ● *Adj.* **2.** Pertencente ou relativo a eles. [Sin. ger.: *tenióide, merozoário, polizoário.*]

eucestóideos. *S. m. pl. Zool.* Animais metazoários, platelmintos, cestóideos, subclasse *Eucestoda.* Têm o corpo dividido em escólex e proglótide, cujo número varia de quatro até 4000, e embrião com seis ganchos. [Sin.: *tenióides, merozoários, polizoários.*]

euciliado. *S. m.* **1.** Espécime dos euciliados. ● *Adj.* **2.** Pertencente ou relativo a eles.

euciliados. *S. m. pl. Zool.* Subclasse de protozoários da classe dos ciliados. Possuem dois núcleos (*macronúcleo* e *micronúcleo*), reproduzem-se por conjugação.

eucinesia. [De *eu-* + *-cines(i)-* + *-ia.*] *S. f. Med.* Movimento regular dos órgãos.

euclásio. [De *eu-* + gr. *klásis*, 'fratura', + *-io.*] *S. m. Min.* Mineral monoclínico, silicato de glucínio e alumínio.

eucleídeo. *S. m.* **1.** Espécime dos eucleídeos. ● *Adj.* **2.** Pertencente ou relativo a eles.

eucleídeos. *S. m. pl. Zool.* Família de insetos da ordem dos lepidópteros; conhecidos como lagartas-lesmas por serem as larvas curtas e brilhantes, muito semelhantes às lesmas. Atacam principalmente laranjeiras, tendo a mariposa adulta cerca de 0,4 m de envergadura.

euclidense[1]. *Adj. 2 g.* **1.** De, ou pertencente ou relativo a Euclidelândia (RJ). ● *S. 2 g.* **2.** Natural ou habitante de Euclidelândia.

euclidense[2]. *Adj. 2 g.* **1.** De, ou pertencente ou relativo a Euclides da Cunha (BA). ● *S. 2 g.* **2.** Natural ou habitante de Euclides da Cunha.

euclidiano[1]. *Adj.* Pertencente ou relativo a Euclides, geômetra da Grécia antiga (séc. III a. C.), ou próprio dele. ~ V. *espaço* — e *geometria* —*a*.

euclidiano[2]. *Adj.* **1.** De, ou pertencente ou relativo a Euclides da Cunha, escritor brasileiro (1866-1909), ou próprio dele. **2.** Que é seu admirador e/ou conhecedor profundo de sua obra. ● *S. m.* **3.** Admirador de Euclides da Cunha e/ou conhecedor profundo de sua obra.

eucológio. [Do gr. *euchologion.*] *S. m.* Livro que encerra orações, entre elas o ofício dos domingos e das festas principais. [Cf. *eucólogo.*]

eucólogo. *S. m.* Oração do ofício dos domingos e dias santos. [Cf. *eucológio.*]

eucolóide. *S. m. Fís.-Quím.* Colóide em que as partículas coloidais são macromoléculas. Formam-no polímeros de elevado peso molecular, p. ex., proteínas. [Sin.: *colóide molecular.*]

eucomiácea. *S. f.* Espécime das eucomiáceas.

eucomiáceas. *S. f. pl. Bot.* Família de plantas floríferas, cujo único representante é a árvore chinesa *Eucomia ulmoides*, de flores aclamídeas, unissexuais e actinomorfas, tendo as masculinas quatro a 10 estames. Fruto: sâmara.

eucomiáceo. *Adj.* Pertencente ou relativo às eucomiáceas.

eucopépode. *S. m.* **1.** Espécime dos eucopépodes. ● *Adj.* **2.** Pertencente ou relativo a eles.

eucopépodes. *S. m. pl. Zool.* Animais artrópodes, crustáceos, copépodes, da ordem *Eucopepoda*, de olhos simples, corpo com patas torácicas, sem flagelo e com abertura genital no sétimo somito torácico.

eucrasia. [Do gr. *eukrasía.*] *S. f. Med.* Bom temperamento; organização robusta. [Cf. *discrasia.*]

eucrásico. *Adj.* Referente a eucrasia.

eucrifiácea. *S. f.* Espécime das eucrifiáceas.

eucrifiáceas. *S. f. pl. Bot.* Família de plantas superiores, composta de árvores e arbustos com folhas opostas e flores solitárias, axilares, alvas. Perianto tetrâmero; androceu multistaminado, fruto esquizocárpico, com sementes aladas. Engloba o gênero *Eucryphia*, com quatro espécies, chilenas e australianas.

eucrifiáceo. *Adj.* Pertencente ou relativo às eucrifiáceas.

eucromatina. [De *eu-* + *cromatina.*] *S. f. Genét.* Região que compreende todo o genoma nuclear na interfase, exceto a região da heterocromatina.

eudemonismo. [Do gr. *eudaimonismós* < *eudaimon*, 'feliz'.] *S. m. Ét.* Doutrina que admite ser a felicidade individual ou coletiva o fundamento da conduta humana moral, i. e., que são moralmente boas as condutas que levam à felicidade.

eudemonista. *S. 2 g.* Partidário do eudemonismo.

eudemonístico. *Adj.* Relativo ao eudemonismo.

eudiapneustia. [De *eu-* + rad. gr. *diapneust* < *diapnéo*, 'transpirar', + *-ia.*] *S. f. Med.* Facilidade de transpiração.

eudiapnêustico. *Adj.* Referente à eudiapnestia.

eudiometria. *S. f.* Aplicação do eudiômetro.

eudiométrico. *Adj.* Concernente à eudiometria, ou ao eudiômetro.

eudiômetro. [Do gr. *eudía*, 'tempo bom, ar sereno', + *-o-* + *-metro.*] *S. m. Quím.* Tubo de vidro fechado numa extremidade, provido de dois eletrodos de platina, e que serve para observar modificações de volume de gases em processos de combustão ou de solubilização em líquidos.

eudista. *Adj. 2 g. Rel.* **1.** Pertencente ou relativo à congregação religiosa fundada por S. João Eudes, em 1643. ● *S. 2 g.* **2.** Membro dessa congregação.

euemia. [De *eu-* + *-(h)em(o)-* + *-ia.*] *S. f.* V. *evemia.*

eu-eu. *S. m. 2 n. Bras., BA.* Saudação feita a Ossanhe.

eufausiáceo. *S. m.* **1.** Espécime dos eufausiáceos. ● *Adj.* **2.** Pertencente ou relativo a eles.

eufausiáceos. *S. m. pl. Zool.* Animais artrópodes, crustáceos, malacostráceos, eucarídios, marinhos, da ordem *Euphausiacea*, com apêndices torácicos birremes e desprovidos de maxilípedes. São abundantes nos marés frios, onde constituem o alimento principal das baleias.

eufemia. [Do gr. *euphemia.*] *S. f.* Reza, oração, prece. [Cf. *Eufêmia*, antr. f.]

eufêmico. *Adj.* Relativo a, ou em que há eufemismo; eufemístico. [Antôn.: *disfêmico.*]

eufemismo. [Do gr. *euphemismós.*] *S. m.* **1.** Ato de suavizar a expressão duma idéia substituindo a palavra ou expressão própria por outra mais agradável, mais polida. **2.** Palavra ou expressão usada por eufemismo (1): *Dianho é um* e u f e m i s m o *de diabo; Empregou o* e u f e m i s m o *'descuidado' para não chamá-lo 'grosseiro'.* [Antôn.: *disfemismo.*]

eufemístico. *Adj.* Eufêmico. [Antôn.: *disfêmico.*]

eufilicale. *S. f.* Espécime das eufilicales.

eufilicales. *S. f. pl. Bot.* Ordem de filicíneas leptosporangiadas, com esporângios isosporados, circundados por um anel nítido, e prótalo bem desenvolvido.

euflagelado. *S. m.* **1.** Espécime dos euflagelados. ● *Adj.* **2.** Pertencente ou relativo a eles.

euflagelados. *S. m. pl. Zool.* Animais protozoários, flagelados, típicos, que em seu estado normal nunca têm pseudópodes, locomovendo-se exclusivamente por flagelos.

eufonia. [Do gr. *euphonía*, pelo lat. *euphonia.*] *S. f.* **1.** Som agradável ao ouvido. **2.** Escolha feliz de sons; sucessão harmoniosa de vogais e consoantes: "Nada tem que soe mal a sucessão do *u* ao *ó*, nem a articulação do *só* ao *pu* ocasiona atentado à e u f o n i a , ridículo, ou torpeza, que a leve ao rol dos cacófatons." (Rui Barbosa, *Réplica*, pp. 73-74.) **3.** Elegância e suavidade na pronúncia.

eufônico. *Adj.* **1.** Em que há eufonia; agradável ao ouvido; suave, melodioso: *frase* e u f ô n i c a ; *período* e u f ô n i c o . ● *S. m.* **2.** *Mús.* Instrumento que reunia as sonoridades da harpa e os recursos técnicos do piano. **3.** *Mús.* Espécie de órgão de lâminas vibrantes.

eufônio. [De *eu-* + *-fon(o)-* + *-io.*] *S. m.* **1.** Instrumento muito semelhante ao bombardino. **2.** Copofone inventado por B. Franklin (1706-1790), e que substituiu os copos por cilindros. **3.** Registro de órgão de palheta batente.

eufonização. *S. f.* Ato ou efeito de eufonizar.

eufonizar. *V. t. d.* Tornar eufônico.

eufono. *Adj.* Var. pros. de *êufono.*

êufono. [Do gr. *eúphonos.*] *Adj.* **1.** Que tem voz bela, melodiosa. **2.** Diz-se de som bem timbrado, forte e vibrante. [Var. pros.: *eufono.*]

euforbiácea. *S. f.* Espécime das euforbiáceas.

euforbiáceas. *S. f. pl. Bot.* Grande, complexa e multiforme família de plantas floríferas, composta de árvores, arbustos e ervas, freqüentemente lactíciferas, com folhas alternas e estipuladas, flores pequeninas, unissexuais ou hermafroditas, monoclamídeas ou diclamídeas, e cujo fruto é tricoca. Há perto de 7 200 espécies espalhadas pelo globo; o Brasil é rico em representantes, entre eles a seringueira.

euforbiáceo. *Adj.* Pertencente ou relativo às euforbiáceas.

euforbiale. *S. f.* Espécime das euforbiales.

euforbiales. *S. f. pl. Bot.* Ordem de plantas superiores, da qual as euforbiáceas constituem o tipo, e que se caracteriza pelos frutos chamados *tricocas.*

euforia. [Do gr. *euphoría.*] *S. f.* **1.** Sensação de perfeito bem-estar. **2.** Alegria intensa e, por via de regra, expansiva: *Ganhou muito dinheiro na loteria, e está numa* e u f o r i a *louca.* **3.** Boa disposição de ânimo: "o espanto, o susto, a dor .... se confundem e misturam num sentimento vasto e bom, numa e u f o r i a demorada, envolvente, cândida" (Carlos Drummond de Andrade, *Confissões de Minas*, p. 149). [Antôn.: *disforia.*]

eufórico. *Adj.* **1.** Que traz euforia, ou que por ela se caracteriza: *estado* e u f ó r i c o . **2.** Que sente euforia: *Encontrei-o risonho,* e u f ó r i c o .

euforizante. *Adj. 2 g.* Que provoca euforia; que torna eufórico.

eufótico. *Adj. (f.)* ~ V. *zona* —*a*.

eufrático. *Adj.* De, ou pertencente ou relativo ao rio Eufrates (Ásia).

eufuísmo. [De *Euphues, or the Anatomy of Wit*, romance do inglês John Lyly (1554?-1606), + *-ismo.*] *S. m.* Estilo literário afetado, amaneirado, semelhante ao gongorismo, que se usou na Inglaterra ao tempo da rainha Isabel I.

eufuísta. *S. 2 g.* Pessoa que praticava o eufuísmo.

eufuístico. *Adj.* Relativo ao, ou próprio do eufuísmo.

euge. [Do gr. *eûge*, pelo lat. *euge.*] *P. us. Interj.* **1.** Indica aprovação, incitamento, estímulo. ● *S. m.* **2.** Exclamação de admiração, aplauso, encômio.

eugenesia. [Do gr. *eugenés*, 'nobre', + *-ia.*] *S. f.* Qualidade de eugenético.

eugenésico. *Adj.* Eugenético.

eugenético. *Adj.* Diz-se dos mestiços que apresentam eugenesia, que são direta e indefinidamente fecundos; eugenésico.

eugenia. [Do gr. *eugéneia.*] *S. f.* Ciência que estuda as condições mais propícias à reprodução e melhoramento da raça humana. [Cf. *eugênia*, s. f., e *Eugênia*, antr.]

eugênia. *S. f. Bot.* Gênero de plantas da família das mirtáceas, ao qual pertence a pitanga. [Cf. *eugenia.*]

eugênico. *Adj.* **1.** Relativo à, ou próprio da eugenia. **2.** Que favorece o aperfeiçoamento da reprodução humana. **3.** Que, pelo seu bom desenvolvimento, atende às exigências da eugenia: *um tipo* e u g ê n i c o .

eugenol. [De *eugen*, abrev. de *Eugenia (Eugenia caryophyllata)*, designação genérica do cravo-da-índia, + *-ol.*] *S. m. Quím.* Substância encontrada no óleo de cravo, líquido, incolor, aromático, usado como anti-séptico. [Fórm.: $C_{10}H_{12}O_2$. Pl.: *eugenóis.*]

eugenopolitano. *Adj.* **1.** De, ou pertencente ou relativo a Eugenópolis (MG). ● *S. m.* **2.** O natural ou habitante de Eugenópolis.

euglena. *S. f. Zool.* Designação comum aos animais protozoários, mastigóforos, euglenoidinos, do gênero *Euglena* Ehremberg, providos de um flagelo anterior, cromatóforos verdes, de forma alongada e núcleo central. Vivem em água doce, sobretudo nas paradas ou de pouca correnteza. São holofíticas.

euglenoidino. *S. m.* **1.** Espécime dos euglenoidinos. ● *Adj.* **2.** Pertencente ou relativo a eles.

euglenoidinos. *S. m. pl. Zool.* Animais protozoários, fitomastiginos, da ordem *Euglenoidina*, que têm forma geralmente definida, corpo com membrana rígida ou mole, um ou dois flagelos situados próximo do vacúolo contrátil e dentro do citóstoma. A maioria vive em água doce.

êugrafo. *S. f. Fís.* Espécie de câmara escura.

euipnia (eu-i). [De *eu-* + *-(h)ipn(o)-* + *-ia.*] *S. f.* Sono normal.

euípnico. *Adj.* e *s. m.* Diz-se de, ou substância que provoca a euipnia, que faz dormir bem.

eulalia. [De *eu-* + *-lalia.*] *S. f.* Boa maneira de falar; boa dicção, dicção fácil. [Antôn.: *dislalia.* Cf. *eulália*, s. f., *Eulália*, antr.]

eulália. [Do antr. fem. *Eulália,* provavelmente.] *S. f.* Planta ornamental, da família das gramíneas *(Miscanthus sinensis),* dotada de inflorescência em panículas grandes, terminais, e flores avermelhadas. [Cf. *eulalia.*]
eulamelibrânquio. *S. m.* **1.** Espécime dos eulamelibrânquios. ● *Adj.* **2.** Pertencente ou relativo a eles.
eulamelibrânquios. *S. m. pl. Zool.* Animais moluscos pelecípodes, da ordem *Eulamellibranchia,* que têm as brânquias em forma de *W,* com as lamelas de cada metade reunidas por ligações firmes.
eumatia. [De *eu-* + gr. *mathein,* 'aprender'.] *S. f.* Facilidade de aprender.
eumático. *Adj.* Referente à eumatia.
eumecóptero. *S. m.* **1.** Espécime dos eumecópteros. ● *Adj.* **2.** Pertencente ou relativo a eles.
eumecópteros. *S. m. pl. Zool.* Insetos da ordem dos mecópteros, subordem *Eumecoptera,* de terminália de tipo mais complexo, com gonocócitos alargados.
eumenídeo. *S. m.* **1.** Espécime dos eumenídeos. ● *Adj.* **2.** Pertencente ou relativo a eles.
eumenídeos. *S. m. pl. Zool.* Família de insetos da ordem dos himenópteros; vespas de tamanho médio que constroem ninhos de barro aderentes aos ramos, semelhantes às jarras.
eumolpídeo. *S. m.* **1.** Espécime dos eumolpídeos. ● *Adj.* **2.** Pertencente ou relativo aos eumolpídeos.
eumolpídeos. *S. m. pl. Zool.* Família de insetos da ordem dos coleópteros: besouros oblongos e convexos, em geral de coloração metálica. Constituem pragas importantes do cacaueiro, goiabeira e algodoeiro.
eunuco. [Do gr. *eunoûchos,* pelo lat. *eunuchu.*] *S. m.* **1.** Homem castrado que, no Oriente, era guarda dos haréns. **2.** *Fig.* Homem impotente, ou fraco.
eunucóide. [Do gr. *eunouchoeidés.*] *Adj. 2 g.* Semelhante a, ou próprio de eunuco.
euortosia. [De *eu-* + *-orto(s)-* + *-ia.*] *S. f. Med.* Regulação fisiológica perfeita, que permite bom funcionamento do organismo.
eupatia. [Do gr. *eupátheia.*] *S. f.* Resignação, conformação; paciência.
eupático. *Adj.* Referente à eupatia.
eupatório. *S. m. Bras., MG* e *SP.* Subarbusto, pequeno, de caule ereto e tomentoso, da família das compostas *(Eupatorium ascendens),* de flores roxas ou alvas, reunidas em capítulos sésseis, aglomerados ou fasciculados, dispostos em corimbos, e cujo fruto é aquênio, com cerdas brancas, flexuosas e persistentes.
eupepsia. [Do gr. *eupepsía.*] *S. f. Med.* Facilidade de digestão; boa digestão.
eupéptico. *Adj.* **1.** Relativo à eupepsia. **2.** Que facilita a digestão. ● *S. m.* **3.** Medicamento que facilita a digestão. [Cf. *dispéptico.*]
euplástico. [De *eu-* + *-plast-* + *-ico*[2].] *Adj.* Relativo às boas formas plásticas.
euplecóptero. *S. m.* e *adj.* V. *dermáptero.*
euplecópteros. *S. m. pl. Zool.* V. *dermápteros.*
euplexóptero (cs). *S. m.* e *adj.* V. *dermáptero.*
euplexópteros (cs). *S. m. pl. Zool.* V. *dermápteros.*
euplócamo. [Do gr. *euplókamos.*] *Adj.* e *s. m. Antrop.* Que ou aquele que tem cabelo fino e encaracolado. [Cf. *lissótrico, eutícomo* e *ulótrico.*]
eupnéia. [Do gr. *eúpneia.*] *S. f. Med.* Facilidade de respiração. [Antôn.: *dispnéia.*]
êupode. [De *eu-* + *-pode.*] *S. m.* **1.** Espécime dos êupodes. ● *Adj.* **2.** Pertencente ou relativo a eles.
êupodes. *S. m. pl. Zool.* Animais metazoários, equinodermos, holoturóides, providos de pés ambulacrários e sexos separados.
eupomaciácea. *S. f.* Espécime das eupomaciáceas.
eupomaciáceas. *S. f. pl. Bot.* Família de plantas superiores, formada pelo gênero *Eupomatia,* de flores aclamídeas, polistêmones, multicarpelares, cujos carpelos são embutidos no receptáculo e providos de numerosos óvulos. Pertence à série ranales, e é própria do hemisfério norte.
eupomaciáceo. *Adj.* Pertencente ou relativo às eupomaciáceas.
eupterotídeo. *S. m.* **1.** Espécime dos eupterotídeos. ● *Adj.* **2.** Pertencente ou relativo a eles.
eupterotídeos. *S. m. pl. Zool.* Família de insetos da ordem dos lepidópteros, mariposas com asas transparentes perto do ápice das nervuras anteriores, e cujas larvas alimentam-se de arbustos.
euquimo. [Do gr. *eúchymos,* 'suculento'.] *S. m. Bot.* Suco nutriente dos vegetais.
euquinina. [De *eu-* + *quinina.*] *S. f. Quím.* Carbonato de etilo e de quinina.
eurafricano. [De *eur(o)-* + *africano.*] *Adj.* e *s. m.* Mestiço de pai europeu e mãe africana, ou vice-versa.
eurasiano. [De *eur(o)-* + *asiano.*] *Adj.* **1.** V. *eurásico.* **2.** Eurasiático (2). ● *S. m.* **3.** Eurasiático (3).
eurasiático. [De *eur(o)-* + *asiático.*] *Adj.* **1.** V. *eurásico.* **2.** Mestiço de pai europeu e mãe asiática, ou vice-versa; eurasiano. ● *S. m.* **3.** Mestiço de pai europeu e mãe asiática, ou vice-versa; eurasiano.
eurásico. [De *eur(o)-* + *Ásia,* top. f., + *-ico*[2].] *Adj.* De, ou pertencente ou relativo à Eurásia, designação dada ao conjunto de terras da Europa e da Ásia; eurasiano, eurasiático, eurásio.
eurásio. [De *eur(o)-* + *Ásia,* top. f., + *-io.*] *Adj.* **1.** V. *eurásico.* ● *S. m.* **2.** O natural ou habitante da Eurásia.
eureca. *Interj.* V. *heureca.*
▲**euri-.** [Do gr. *eurýs, eureîa, eurý.*] *El. comp.* = 'largo': *euricero, eurígnato.*
euriáleo. *S. m.* **1.** Espécime dos euriáleos. ● *Adj.* **2.** Pertencente ou relativo a eles.
euriáleos. *S. m. pl. Zool.* Animais equinodermos, ofiuróides, da ordem *Euryalae,* de braços contráteis, em geral ramificados, capazes de levar objetos até a boca. Disco e braços revestidos de pele grossa.
euricéfalo. [De *euri-* + *-céfalo.*] *Adj.* Que tem cabeça larga.
eurícero. [De *euri-* + *-cero*[1].] *Adj. Zool.* Que tem cornos ou antenas largas.
eurígnato. [De *euri-* + *-gnato.*] *Adj.* e *s. m. Antrop.* Diz-se de, ou indivíduo ou tipo humano em que sobressai a parte média da cabeça ou a região superior do rosto.
euripidiano. *Adj.* **1.** De, ou pertencente ou relativo ao poeta dramático grego Eurípides (480-406 a. C.), ou à sua obra. ● *S. m.* **2.** Grande admirador e / ou profundo conhecedor de sua obra.
euripigídeo. *S. m.* **1.** Espécime dos euripigídeos. ● *Adj.* **2.** Pertencente ou relativo a eles.
euripigídeos. *S. m. pl. Zool.* Família de aves da ordem das gruiformes. Constituída de uma única espécie, *Eurypyga helias,* habitante da América do Sul e Central nas regiões pantanosas, voa pouco e tem movimentos lentos.
euripo. [Do gr. *eúripos,* pelo lat. *euripu.*] *S. m.* **1.** Fosso que, nos circos romanos, separava as feras dos espectadores. **2.** Movimento irregular. **3.** Parte de um estreito na qual abundam os escolhos e o mar é agitado.
eurístomo. [Do gr. *eurystomos.*] *Adj.* Que tem boca larga.
euritmia. *S. f.* V. *eurritmia.*
eurítmico. *Adj.* V. *eurrítmico.*
euro. [Do gr. *euros,* pelo lat. *euru.*] *S. m.* Entre os antigos, vento de leste: "Onde vão estes flocos de neblina / Que o e u r o arrasta nas geladas asas?" (Fagundes Varela, *Poesias Completas.* I, p. 268.) [Cf.: *zéfiro.*]
▲**eur(o)-.** [F. red. de *europeu.*] *El. comp.* = 'europeu': *Europa, eurodólar, eurasiático, eurásico.*
euroafricano. [De *eur(o)-* + *africano.*] *Adj.* Relativo ou pertencente ao continente europeu e ao africano, ou à Europa e à África.
eurocomunismo. [De *eur(o)-* + *comunismo.*] *S. m.* O comunismo adaptado à situação política dos países da Europa ocidental.
eurocomunista. *Adj. 2 g.* **1.** Referente ao eurocomunismo. **2.** Que é partidário ou seguidor do eurocomunismo. ● *S. 2 g.* **3.** Partidário ou seguidor dele.
eurodólar. [De *eur(o)-* + *dólar.*] *S. m.* Dólar que um estrangeiro saca de um banco americano e deposita num banco europeu, fora dos E.U.A. [Pl.: *eurodólares.*]
europa. [Do top. *Europa.*] *S. f. Astr.* O primeiro satélite de Júpiter, descoberto por Galileu [v. *galileano*] em 1610.
européia. *Adj.* (*f.*) e *s. f.* Fem. de *europeu.*
europeiamente. [Do fem. de *europeu* + *-mente.*] *Adv.* À maneira européia; como os europeus; ao modo e gosto europeus.
europeização (e-i). *S. f.* Ato ou efeito de europeizar(-se).
europeizado (e-i). [Part. de *europeizar.*] *Adj.* Que se europeizou.
europeizar (e-i). *V. t. d.* e *p.* Tornar(-se) europeu; adaptar(-se) ao temperamento, maneira ou estilo europeu.
europeizável (e-i). *Adj. 2 g.* Que se pode europeizar.
europeu. [Do gr. *europaîos,* pelo lat. *europaeu.*] *Adj.* **1.** Da, ou pertencente ou relativo à Europa. ● *S. m.* **2.** O natural ou habitante da Europa. [Fem.: *européia.*]
európio. [De *Europa,* top., + *-io.*] *S. m. Quím.* Elemento de número atômico 63 pertencente aos lantanídeos, metálico. [Símb.: *Eu.*]
eurritmia. [Do gr. *eurythmía,* pelo lat. *eurythmia.*] *S. f.* **1.** Justa proporção, regularidade entre as partes de um todo. **2.** *Med.* Regularidade da pulsação. **3.** *Med.* Normalidade de ritmo. [Antôn.: *arritmia* e *disritmia.*]
eurrítmico. *Adj.* Em que há eurritmia.
eusporangiado. *Adj. Bot.* Provido de esporângios bem desenvolvidos, completos.
eusseláquio. *S. m.* **1.** Espécime dos eusseláquios. ● *Adj.* **2.** Pertencente ou relativo a eles.
eusseláquios. *S. m. pl. Zool.* Animais metazoários, cordados, peixes, condrictes, pleurotremados, com espiráculo e cinco fendas branquiais, e coluna vertebral parcial ou totalmente calcificada.
eussemia. [Do gr. *eusemía.*] *S. f. Med.* O conjunto das ocorrências favoráveis, em uma doença; manifestações de bom augúrio.
eussêmico. *Adj.* Relativo à eussemia.
eustasia. [De *eu-* + gr. *stásis,* 'parada' + *-ia.*] *S. f.* Variação do nível dos mares, causada pelo aumento da quantidade de água (degelo nos pólos), ou por motivos tectônicos do fundo do mar, ou pelo acúmulo progressivo dos sedimentos.
eustático. *Adj.* Referente à eustasia.
eustomia. [De *eu-* + *-stom(a)-* + *-ia.*] *S. f.* Facilidade de pronúncia.
eustômico. *Adj.* Relativo à eustomia.
eutanasia. *S. f.* Var. pros. de *eutanásia* [q. v.].
eutanásia. [Do gr. *euthanasía.*] *S. f.* **1.** Morte serena, sem sofrimento. **2.** Prática, sem amparo legal, pela qual se busca abreviar, sem dor ou sofrimento, a vida de um doente reconhecidamente incurável. [Var. pros.: *eutanasia.* Antôn.: *distanásia* ou *distanasia.*]
eutaxia (cs). [Do gr. *eutaxía.*] *S. f.* Justa proporção, disposição harmoniosa, entre as diferentes partes do corpo de um animal.
eutério. [De *eu-* + *-tério*[1].] *S. m.* **1.** Espécime dos eutérios. **2.** *Zool.* Placentário. ● *Adj.* **3.** Pertencente ou relativo aos eutérios.
eutérios. *S. m. pl. Zool.* Animais mamíferos térios da seção *Eutheria,* que têm todos os caracteres gerais de sua classe, especialmente a placenta, o que exclui os marsupiais e os monotremados.
euterpe. [Do gr. *Eutérpe,* pelo lat. *Euterpe.*] *S. f.* **1.** *Mitol.* Deusa da música e da poesia lírica. **2.** *Bot.* Gênero de palmáceas.
eutético. [Do gr. *eúthetos,* 'bem colocado', + *-ico*[2].] *S. m. Fís-Quím.* Mistura de componentes sólidos que, ao fundir-se, fica em equilíbrio com um líquido da mesma composição que a sua, e cuja temperatura de fusão é um mínimo na curva, ou na superfície de fusão do sistema.
eutícomo. [Do gr. *euthys,* 'direito, liso', + *-como.*] *Adj.* e *s. m. Antrop.* Que, ou aquele que tem o cabelo grosso, comprido e pendente. [Cf. *lissótrico, euplócamo* e *ulótrico.*]
eutimia. [Do gr. *euthymía.*] *S. f.* Perfeito sossego de espírito; tranqüilidade, serenidade. [Cf. *apatia* (3), *atambia* e *ataraxia* (1).]
eutímico. *Adj.* Relativo à eutimia.
eutiquianismo. *S. m. Rel.* Doutrina herética de Eutíquio (c. 512-582), monge de Constantinopla que negava uma verdadeira natureza humana em Cristo.
eutiquianista. *Adj. 2 g.* **1.** Pertencente ou relativo ao eutiquianismo. **2.** Que é partidário dele. ● *S. 2 g.* **3.** Partidário do eutiquianismo.
eutoca. *S. f. Bras., RJ* e *SP.* Planta ornamental, da família das hidrofiláceas *(Phacelia viscida),* originária da Califórnia (E.U.A.), dotada de glândulas, e cujas flores são azuis com o centro alvo e roxo, dispostas em racimos escorpióides simples.
eutocia. [Do gr. *eutokía.*] *S. f.* Parto normal. [Antôn.: *distocia.*]
eutócico. [Do gr. *eútocos,* 'de parto fácil', + *-ico*[2].] *Adj.* Relativo à eutocia. [Antôn.: *distocíaco.*]
eutrapelia. [Do gr. *eutrapelía.*] *S. f.* Jocosidade inofensiva, delicada; maneira chistosa de zombar: "Digo às vezes que os leio [aos filósofos brasileiros] por ' e u t r a - p e l i a ', ou por mentira piedosa (João Ribeiro, *Crítica,* IV, p. 218).
eutrapélico. *Adj.* Referente à eutrapelia.
eutrofia. [Do gr. *eutrophía.*] *S. f.* Boa nutrição. [Antôn.: *distrofia* (q. v.).]
eutrófico. *Adj.* Relativo à eutrofia. [Antôn.: *distrófico.*]
euxenita (cs). [Do gr. *eúxenos,* 'hospitaleiro', + *-ita*[2].] *S. f. Min.* Mineral monométrico, pseudoortorrômbico, pardo-negro, nióbio-titanato de ítrio, érbio, cério e urânio.
▲**ev-.** Equiv. de *eu-.*
■**eV.** *Fís.* Símb. de *elétron-volt.*
evacuação. [Do lat. *evacuatione.*] *S. f.* **1.** Ação ou efeito de evacuar(-se). **2.** *Med.* Ação de esvaziar órgão, cavidade; dejeção.
evacuante. *Adj. 2 g.* e *s. m.* V. *evacuatório.*

evacuar. [Do lat. *evacuare.*] *V. t. d.* **1.** Sair de, deixando livre, vazio; esvaziar; desocupar: *Com o alarma, toda a platéia evacuou o cinema.* **2.** Sair de (uma praça de guerra) por haver capitulado. **3.** Fazer sair do corpo; expelir: *evacuar sangue.* **4.** Fazer o vácuo (3) em. *Int.* **5.** V. *defecar* (5). *P.* **6.** Sair espontaneamente.

evacuativo. [Do lat. *evacuativu.*] *Adj.* V. *evacuatório* (1).

evacuatório. [Do lat. *evacuatoriu.*] *Adj.* **1.** Que faz evacuar; evacuativo, evacuante ● *S. m.* **2.** Aquilo que faz evacuar; evacuante.

evadir. [Do lat. *evadere.*] *V. t. d.* **1.** Escapar de; fugir a; evitar, desviar: *evadir uma responsabilidade, um perigo.* **2.** Eludir; sofismar: *Procurou evadir a questão, por falta de argumentos convincentes. P.* **3.** Fugir às ocultas; escapar-se, furtivamente. **4.** Desaparecer, sumir-se, desvanecer-se, esvaecer-se. **5.** *Restr.* Fugir da prisão.

evagação. [Do lat. *evagatione.*] *S. f.* Distração; divagação.

evaginar. [De e-[2] + lat. *vagina*, 'bainha', + *-ar*[2].] *V. int.* e *p.* Projetar-se para fora (asas): *Em alguns insetos as asas se evaginam do mesotórax.*

evalve. [De e-[2] + lat. *valva*, 'batente de porta'.] *Adj. 2 g. Morfol. Veg.* Diz-se do fruto que não se abre; indeiscente.

evanescente. [Do lat. *evanescente.*] *Adj. 2 g.* Que se esvaece, se esvai; que desaparece: "oscilavam, recuavam, sumiam-se, fantasmas evanescentes. (Alberto Ramos, *Prosas de Ariel*, p. 16).

evangelho. [Do gr. *euaggélion*, 'boa nova', pelo lat. *evangeliu.*] *S. m.* **1.** Doutrina de Cristo. **2.** Cada um dos quatro livros principais do Novo Testamento. **3.** Trechos desses livros que se lêem na celebração da missa. **4.** *Fig.* Coisa que se tem por verdadeira, ou que é digna de crédito: *Para mim, a palavra dele é um evangelho*. **5.** Conjunto de preceitos por que se regula uma seita, um partido político; doutrina. **6.** *P. ext.* Norma de proceder; preceito: *Seus conselhos serão meu evangelho.* ◆ **Evangelho pequenino.** *Fam.* Máxima, sentença, provérbio [q. v.].

evangeliário. [Do lat. *evangeliu*, 'evangelho', + *-ário.*] *S. m.* Livro que encerra fragmentos dos Evangelhos para a missa de cada dia.

evangélico. [Do gr. *euaggelikós*, pelo lat. *evangelicu.*] *Adj.* Relativo ao Evangelho (1 e 2), ou conforme aos seus ditames. ~ V. *bem-aventuranças —as.*

evangelismo. *S. m.* Sistema ou política, moral e religiosa, fundada no Evangelho.

evangelista. [Do gr. *euaggelistés*, pelo lat. *evangelista.*] *S. m.* **1.** Autor de qualquer dos quatro livros do Evangelho. **2.** Sacerdote que na missa canta o Evangelho (3). ● *S. 2 g.* **3.** Pessoa que evangeliza, que preconiza uma doutrina; evangelizador. **4.** *Bras.* V. *Protestante* (6).

evangelistano. *Adj. 2 g.* **1.** De, ou pertencente ou relativo a São João Evangelista (MG). ● *S. 2 g.* **2.** O natural ou habitante de São João Evangelista.

evangelização. *S. f.* Ação de evangelizar.

evangelizador (ô). [Do lat. *evangelizatore.*] *Adj.* **1.** Que evangeliza; evangelizante. ● *S. m.* **2.** Evangelista (3).

evangelizante. [Do lat. *evangelizante.*] *Adj. 2 g.* Evangelizador (1).

evangelizar. [Do gr. *euaggel*, ízo, pelo lat. *evangelizare.*] *V. t. d.* **1.** Pregar o Evangelho a; apostolar: *Anchieta evangelizou várias tribos selvagens.* **2.** Difundir o Evangelho em: *Os jesuítas evangelizaram o Brasil até 1759, quando o Marquês de Pombal os expulsou.* **3.** Preconizar (uma idéia ou doutrina).

evaporação. [Do lat. *evaporatione.*] *S. f.* **1.** Ato de evaporar(-se). **2.** Transformação de um líquido em vapor, efetuada a qualquer temperatura, e na qual a tensão dos vapores do líquido é inferior à pressão exercida sobre este. **3.** *Quím.* Eliminação, por vaporização, do solvente de uma solução líquida.

evaporadeira. [De *evaporar* + *-deira.*] *S. f. Bras.* Certa máquina de indústria açucareira, e onde se concentra o caldo.

evaporado. [Part. de *evaporar.*] *Adj.* **1.** Reduzido a vapor. **2.** *Fig.* Leviano, imprudente, doidivanas.

evaporar. [Do lat. *evaporare.*] *V. t. d.* **1.** *Quím.* Realizar a evaporação de. **2.** Tornar (um líquido) mais denso, por meio da evaporação. **3.** Emitir, exalar (vapores): *Os cursos de água evaporam umidade.* **4.** Dissipar, consumir, gastar. *Int.* **5.** Converter-se em vapor (1). *P.* **6.** Passar ao estado de vapor (1); vaporar-se, vaporizar-se. **7.** Desaparecer; desvanecer-se, evolar-se: "Agora me achava mais ou menos tranqüilo: as apoquentações da chegada evaporaram-se." (Graciliano Ramos, *Viagem*, p. 14.) **8.** Dissipar-se, consumir-se: *Sua herança evaporou-se em poucos meses; Seus esforços se evaporaram sem qualquer resultado.* **9.** Perder a parte espirituosa. [Sin. ger.: *evaporizar.*]

evaporativo. [Do lat. *evaporativu.*] *Adj.* Que facilita ou produz evaporação; evaporatório.

evaporatório. *Adj.* **1.** Evaporativo. ● *S. m.* **2.** Aparelho destinado a facilitar a evaporação. **3.** Orifício que serve para dar saída ao vapor.

evaporável. *Adj. 2 g.* Que se pode evaporar.

evaporígrafo. [De *evapor*, rad. do lat. *evaporare*, 'evaporar', + *-i-* + *-grafo.*] *S. m. Met.* Instrumento empregado para registrar a evaporação de superfícies líquidas relativamente pequenas.

evaporimétrico. *Adj.* Relativo a evaporímetro.

evaporímetro. [De *evapor*, rad. do lat. *evaporare*, 'evaporar', + *-i-* + *-metro.*] *S. m. Met.* Instrumento para medir evaporação de superfícies líquidas relativamente pequenas. [F. paral.: *evaporômetro.*]

evaporizar. *V. t. d.*, *int.* e *p.* V. *evaporar*: "E, de ti perto, toda esta ânsia se resume / em ter a persuasão de que te evaporizas, / em ficar a absorver-te, a gozar-te em perfume." (Gilca da Costa Melo Machado, *Poesias*, p. 185.)

evaporômetro. *S. m.* V. *evaporímetro.*

evasão. [Do lat. *evasione.*] *S. f.* **1.** Ato de evadir-se; fuga. **2.** *Fig.* Evasiva.

evasê. [Do fr. *évasé.*] *Adj. 2 g.* Diz-se de saia (ou outra peça de vestuário) de forma aproximadamente cônica e que se alarga para baixo.

evasiva. [Fem. substantivado de *evasivo.*] *S. f.* Desculpa ardilosa; subterfúgio, escapatória: "O ministro escutava-os torcendo a boca espirituosa em sorrisos ácidos, respondendo a estes com o ombro derrubado, àqueles com uma promessa dos olhos maliciosos, e a todos com evasivas e monossílabos consoladores" (Rebelo da Silva, *De Noite Todos os Gatos São Pardos*, p. 94).

evasivo. [Do lat. *evasu* + *-ivo.*] *Adj.* **1.** Que facilita a evasão. **2.** Argucioso, sutil. **3.** Que serve de subterfúgio: *resposta evasiva.*

evecção. [Do lat. *evectione.*] *S. f. Astr.* A maior irregularidade do movimento da Lua, e a primeira que foi descoberta. Origina-se da variação de excentricidade da órbita lunar, e provoca mudança na direção da força de atração solar. [Cf. *evicção.*]

evemia. [De *ev-* + *-(h)em(o)-* + *-ia.*] *S. f.* Normalidade do sangue; euemia.

evencer. [Do lat. *evincere.*] *V. t. d. Jur.* **1.** Despojar; desapossar. **2.** Promover a evicção (2) de. [Conjug.: v. *vencer.*]

evento. [Do lat. *eventu.*] *S. m.* **1.** Sucesso, acontecimento: "A sexualidade é, e sempre foi .... a causa .... de grandes e pequenos eventos da vida corrente." (Eduardo Frieiro, *O Brasileiro Não É Triste*, p. 40.) **2.** V. *eventualidade* (2). **3.** *Estat.* Ocorrência, num fenômeno aleatório, de um membro de um determinado conjunto que se define *a priori*; acontecimento. **4.** *Cosm.* Um ponto no espaço-tempo de quatro dimensões.

eventração. *S. f.* **1.** *Med.* Hérnia que ocorre na parede abdominal, em seus aspectos anteriores laterais, com protrusão visceral, e que pode ser pós-operatória, traumática, ou devida a outras causas, em decorrência das quais as paredes anterolaterais do abdome não podem conter os elementos do interior dessa cavidade. **2.** *Cir.* Saída das vísceras abdominais para o exterior; evisceração.

eventrar. [De e-[2] + *ventre* + *-ar*[2].] *V. t. d.* Promover a saída de estruturas abdominais de.

eventuais. [Pl. substantivado de *eventual.*] *S. m. pl.* Despesas previstas mas não classificadas. ~ V. *eventual.*

eventual. [De *evento* + *-u-* + *-al.*] *Adj. 2 g.* Que depende de acontecimento incerto; casual, fortuito, acidental. ~ V. *eventuais.*

eventualidade. *S. f.* **1.** Qualidade de eventual. **2.** Acontecimento incerto; acaso, contingência, evento.

everminação. *S. f. Zootec.* Desverminação.

everminar. [De e-[2] + *verminar.*] *V. t. d. Zootec.* Desverminar.

eversão. [Do lat. *eversione.*] *S. f.* **1.** Destruição, ruína: "Na horrorosa eversão, dos templos arrancado, / Vibra o mármore, salta" (Olavo Bilac, *Poesias*, p. 36). **2.** Reviramento para fora.

eversivo. [Do lat. *eversu*, 'virado', + *-ivo.*] *Adj.* Que everte; subversivo.

eversor (ô). [Do lat. *eversore.*] *Adj.* e *s. m.* Destruidor, subversor.

everter. [Do lat. *evertere.*] *V. t. d.* Virar de pernas para o ar; subverter.

evicção. [Do lat. *evictione.*] *S. f. Jur.* **1.** Ato ou efeito de evencer. **2.** *Jur.* Perda, parcial ou total, que sofre o adquirente duma coisa em conseqüência da reivindicação judicial promovida pelo verdadeiro dono ou possuidor. [Cf. *evecção.*]

evicto. [Do lat. *evictu.*] *Jur. Adj.* **1.** Que está sujeito à evicção (coisa ou pessoa). ● *S. m.* **2.** Aquele que está obrigado à evicção.

evictor (ô). [Do lat. *evictu*, 'evicto', + *-or.*] *S. m. Jur.* O proprietário ou possuidor reivindicante da coisa evicta.

evidência. [Do lat. *evidentia.*] *S. f.* **1.** Qualidade do que é evidente; certeza manifesta. **2.** *Filos.* Caráter de objeto de conhecimento que não comporta nenhuma dúvida quanto à sua verdade ou falsidade. [A evidência acompanha os diversos tipos de assentimento, ligando-se, contudo, de maneira mais completa, à certeza.] [Cf. *evidencia*, do v. *evidenciar.*]

evidenciar. *V. t. d.* **1.** Tornar evidente; mostrar com clareza; comprovar: *Conseguiu com poucas palavras evidenciar o seu ponto de vista. P.* **2.** Aparecer com evidência; mostrar-se, patentear-se. [Pres. ind.: *evidencio, evidencias, evidencia*, etc. Cf. *evidência.*]

evidente. [Do lat. *evidente.*] *Adj. 2 g.* Que não oferece dúvida; que se compreende prontamente, dispensando demonstração; claro, manifesto, patente.

evidentemente. [De *evidente* + *-mente.*] *Adv.* De modo evidente; claramente, manifestamente.

evisceração. [Do lat. *evisceratione.*] *S. f. Cir.* Eventração.

eviscerado. [Part. de *eviscerar.*] *Adj.* A que se tiraram as vísceras; estripado, desviscerado, esviscerado: "Só ele [o poeta] poderá entender .... a glória dos tomates, o espanto de pedra no olho dos peixes eviscerados " (Rubem Braga, *A Cidade e a Roça*, p. 110).

eviscerar. [Do lat. *eviscerare.*] *V. t. d.* Tirar as vísceras de; estripar, desviscerar, esviscerar.

evitação. [Do lat. *evitatione.*] *S. f.* **1.** Ato de evitar. **2.** Desculpa, escusa.

evitar. [Do lat. *evitare.*] *V. t. d.* **1.** Fugir a; desviar-se de, evadir (coisa nociva ou desagradável): *Evitou aquele encontro por saber que o acusariam.* **2.** Esquivar-se ao encontro, ao trato ou convivência de: *Evita pessoas que conheçam o seu triste passado.* **3.** Impedir, atalhar: *evitar uma desgraça.* **4.** Poupar: *evitar gastos. T. d.* e *i.* **5.** Impedir, atalhar: *Evitei-lhe sérios prejuízos.*

evitável. [Do lat. *evitabile.*] *Adj. 2 g.* Que deve ou pode ser evitado.

eviternidade. *S. f.* Qualidade de eviterno.

eviterno. [Do lat. *aeviternu.*] *Adj.* Que não há de ter fim; eterno: "A Morte não me espanta, eu sei que a Vida / transforma-se e renasce de mil modos; / pássaro ou flor .... nesta eviterna lida / vivem, morrendo, os organismos todos." (Venceslau de Queirós, *Poesias Escolhidas*, p. 53.)

▲-evo. [Do lat. *aevum, i.*] *El. comp.* = 'idade': *longevo* (< lat. *longaevu*), *medievo.*

evo (é). [Do lat. *aevu.*] *S. m. Poét.* Duração sem fim; eternidade. [M. us. no pl.]

evocação. [Do lat. *evocatione.*] *S. f.* Ação de evocar.

evocar. [Do lat. *evocare.*] *V. t. d.* **1.** Chamar de algum lugar. **2.** Fazer aparecer, chamando por meio de esconjuros, invocações ou exorcismos (as almas do outro mundo, os demônios). **3.** *Jur.* Transferir (uma causa) dum tribunal para outro. **4.** Trazer à lembrança, à imaginação: *evocar o passado.* [Conjug.: v. *trancar.*]

evocativo. *Adj.* Que serve para evocar; evocatório.

evocatório. [Do lat. *evocatoriu.*] *Adj.* Evocativo.

evocável. *Adj. 2 g.* Que pode ou deve ser evocado.

evoé. [Do gr. *euoî*. pelo lat. *evoe.*] *Interj.* Grito festivo com que, na Antiguidade, se evocava Baco durante as orgias: "Se perguntarem: Que mais queres, / Além de versos e mulheres?... / — Vinhos! ... o vinho que é o meu fraco!... / Evoé Baco!" (Manuel Bandeira, *Estrela da Vida Inteira*, p. 50.)

evolar-se. [Do lat. *evolare* + *se*[1].] *V. p.* **1.** Elevar-se voando. **2.** Desaparecer no espaço; desaparecer; desvanecer-se, dissipar-se; desfazer-se: *Sua paixão evolou-se como um aroma.* **3.** Exalar-se; emanar: "Da ebúrnea palidez doentia do teclado [do cravo] / Manso e manso evolou-se o aroma do passado" (Gonçalves Crespo, *Obras Completas*, p. 267); "Que aroma de sua trança / Voluptuoso se evola!" (Olavo Bilac, *Poesias*, p. 110).

evolução. [Do lat. *evolutione.*] *S. f.* **1.** Desenvolvimento progressivo duma idéia, acontecimento, ação, etc.: *A evolução do caso veio a mostrar que ele estava certo.* **2.** Movimento progressivo. [Antôn. (nesta acepç.): *involução* (1).] **3.** Cada um de uma série de determinados movimentos harmônicos, ou que determinem a passagem de uma posição a outra: *As evoluções do dançarino suscitaram aplausos; O aviador fez evoluções audaciosas.* **4.** Movimento regular de tropas em manobras, ou de esquadras de navios. **5.** *Biol. Ger.* Teoria que admite a transformação dum agregado de partes homogêneas em outro mais complexo, ou dum conjunto de elementos homogêneos em um agregado de elementos mais diferenciados. **7.** *Fís.* Processo (4). ♦ **Evolução social.** *Sociol.* Processo de desenvolvimento de uma determinada sociedade, das suas formas e instituições, ou das suas funções culturais.

evolucional. *Adj. 2 g.* Evolutivo.

evolucionar. *V. int.* **V.** *evolver* (1). **2.** Fazer evoluções [v. *evolução* (3)]. *T. i.* **3.** V. *evolver* (2). *T. d.* **4.** Fazer passar por transformações; alterar, modificar. [Fut. pret.: *evolucionaria*, etc. Cf. *evolucionária*, fem. de *evolucionário*.]

evolucionário. *Adj.* Relativo a evoluções [v. *evolução* (3)]. [Fem.: *evolucionária*. Cf. *evolucionaria*, do v. *evolucionar*.]

evolucionismo. [Do fr. *évolutionisme*.] *S. m.* **1.** Doutrina filosófica ou científica baseada na idéia da evolução (6). **2.** *Biol.* Designação comum às doutrinas (darwinismo, lamarckismo) que ensinam a mutabilidade das espécies.

evolucionista. [Do fr. *évolutioniste*.] *Adj. 2 g.* **1.** Referente ao, ou que é partidário do evolucionismo. ● *S. 2 g.* **2.** Partidário dele.

evoluir. [Do fr. *évoluer*.] *V. int.* e *t. i.* V. *evolver* (1 e 2). [Embora condenado pelos puristas como galicismo, este verbo é muito m. us. que *evolver* e *evolucionar*. Conjug.: v. *atribuir*.]

evoluta. [Do lat. *evoluta*, 'desenrolada' (subentende-se *curva*).] *S. f. Geom. Anal.* **1.** Lugar geométrico dos centros de curvatura de uma curva plana ou reversa; curva cujas tangentes são normais a outra curva. [Cf. *evolutóide*.] **2.** O conjunto das duas superfícies focais de uma superfície.

evolutivo. *Adj.* Relativo a evolução; evolucional. ~ V. *cadeia* —*a* e *psicologia* —*a*.

evolutóide. [De *evoluta* + *-óide*.] *S. f. Geom. Anal.* Curva cujas tangentes cortam outra curva sob um ângulo constante não-reto. [Cf. *evoluta* (1).]

evolvente. [Do lat. *evolvente*.] *S. f. Geom. Anal.* **1.** Lugar geométrico de um ponto fixo sobre uma tangente que rola, sem deslizar, em torno de uma curva fixa, plana ou reversa; curva cujas normais são tangentes a outra curva. **2.** Superfície de cuja evoluta outra superfície é um dos dois ramos; involuta.

evolver. [Do lat. *evolvere*.] *V. int.* **1.** Passar por evoluções ou transformações sucessivas; evolucionar, evoluir, evolverse: *O homem muito* e v o l v e u *desde a Idade da Pedra*; "O português nessa larga época .... e v o l v e segundo os próprios caracteres da história interna." (João Ribeiro, *História do Brasil*, p. 172). *T. i.* **2.** Sofrer evoluções; modificar-se; evolucionar, evoluir, evolver-se: *O latim vulgar falado entre os rios Minho e Douro* e v o l v e u *para o português*. *P.* **3.** Evolver (1 e 2).

evonimina. [De *evônimo* + *-ina*[1].] *S. f.* Substância que se extrai do evônimo.

evônimo. [Do gr. *euónymos*, 'de bom nome, célebre', pelo lat. *evonymos*.] *S. m.* Planta medicinal da família das celastráceas *Evonymus atropurpureus*.

evônimo-da-américa. *S. m. Bras., SP.* Arbusto pequeno, ornamental, da família das celastráceas (*Evonymus americanus*), originário dos E.U.A., de flores pequenas, alvas e amareladas e fruto capsular, verrucoso, vermelho-vivo, com sementes brancas. [Pl.: *evônimos-da-américa*.]

evônimo-da-europa. *S. m.* Árvore pequena, ornamental, da família das celastráceas (*Evonymus europaeus*), originária da Europa, de flores pequenas, hermafroditas, verde-amareladas, dispostas em racemos sobre pedúnculos opostos que partem da axila, e fruto capsular, vermelho, contendo sementes ósseas envoltas em arilo espesso, cor de laranja, com albume oleaginoso. Fornece madeira amarelo-clara, de grão fino, compacta, própria para marcenaria. [Pl.: *evônimos-da-europa*.]

evônimo-do-japão. *S. m.* Arbusto ornamental, da família das celastráceas (*Evonymus japonicus*), originária do Japão, de flores alvas ou esverdeadas, hermafroditas, fruto capsular, amarelo-laranja, com sementes brancas envoltas em arilo vermelho. É a mais bela espécie do gênero. [Pl.: *evônimos-do-japão*.]

evulsão. [Do lat. *evulsione*.] ● *S. f.* Ato de arrancar, de extrair violentamente; avulsão, ablação: "A tudo investe, abala, desimplanta, / Destrói, derruba, na e v u l s ã o crescente" (Alberto de Oliveira, *Poesias*, I, p. 131).

evulsivo. [Do lat. *evulsu*, 'arrancado! + *-ivo*.] *Adj.* Que facilita a evulsão, ou serve para fazê-la.

▲**ex-**[1]. V. *e-*[2]

▲**ex-**[2]. Equiv. de *ec-*.

▲**exa-.** Pref. que, anteposto ao nome duma unidade de medida, forma o nome de unidade derivada 10^{18} vezes maior que a primeira. P. ex.: exâmetro = 10^{18} m. [Símb.: *E*.]

➨**ex-abrupto** (ékç-abrupto). [Lat.] De súbito; sem preparação; intempestivamente.

exabundância (z). [Do lat. *exabundantia*.] *S. f.* V. *superabundância*.

exabundante (z). [Do lat. *exabundante*.] *Adj. 2 g.* V. *superabundante*.

exação (z) [Do lat. *exactione*.] *S. f.* **1.** Cobrança rigorosa de dívida ou de impostos. **2.** Exatidão, pontualidade, correção: *Agiu com* e x a ç ã o. **3.** Exatidão, precisão; justeza: "Aqui tem V. Exª, na substância, e com a possível e x a ç ã o ...., o sucesso que desejou lhe relatasse" (Antônio Feliciano de Castilho, Ou Eu ou Eles. Tosquia de um Camelo, pp. 25-26).

exacerbação (z). [Do lat. *exacerbatione*.] *S. f.* **1.** Ato ou efeito de exacerbar(-se). **2.** Irritação; aflição. **3.** *Med.* Agravamento de doença.

exacerbador (z...ô). *Adj.* Que exacerba; exacerbante.

exacerbante. (z). *Adj. 2 g.* Exacerbador.

exacerbar (z). [Do lat. *exacerbare*.] *V. t. d.* **1.** Tornar mais acerbo, mais áspero. **2.** Tornar mais intenso, mais veemente, mais violento, etc.; agravar, avivar: e x a c e r b a r *um sentimento, um procedimento*; "Será preciso lembrar que o sentimento católico, ... mais o e x a c e r b a r i a m, neste momento histórico, as circunstâncias que o ameaçavam, ... ou seja a alarmante recrudescência islamítica, trazida pelo turcos à Europa?" (Hernâni Cidade, *Luís de Camões. O Lírico*, p. 18). **3.** Irritar, exasperar: *As críticas* e x a c e r b a r a m*-no*. *P.* **4.** Tornar-se mais acerbo, mais áspero. **5.** Tornar-se mais intenso; agravar-se.

➨**ex adverso** (ékç advérso). [Lat., do adversário.] *Jur. Diz-se do advogado da parte contrária*.

➨**ex aequo** (ékç équo). [Lat., 'com igualdade'.] *Jur.* Segundo os princípios da eqüidade.

exageração (z). [Do lat. *exaggeratione*.] *S. f.* **1.** Ato de exagerar(-se). **2.** Abuso, excesso. [Sin., nesta acepç.: *exagero*.] **3.** *Ret.* V. *hipérbole* (1).

exagerado (z). [Part. de *exagerar*.] *Adj.* **1.** Em que há exageração: *A euforia é um estado de alegria* e x a g e r a d a. **2.** Que exagera, que é dado a exagerar: *Sujeito* e x a g e r a d o: *faz de um argueiro um cavaleiro*. **3.** Cujas dimensões ou formas ultrapassam o natural ou o ordinário; extraordinário; excessivo:"estava enorme, gingando por efeito das ancas e x a g e r a d a s." (Ribeiro Couto, *Cabocla*, p. 39). ● *S. m.* **4.** Aquele que exagera: *Suas afirmações são de um* e x a g e r a d o.

exagerador (z...ô). [Do lat. *exaggeratore*.] *Adj.* e *s. m.* Que, ou aquele que exagera; exagerado.

exagerar (z). [Do lat. *exaggerare*.] *V. t. d.* **1.** Dar ou atribuir a (coisa ou fato) proporções maiores que as reais: E x a g e r o u *sua pobreza para auferir vantagens*. **2.** Encarecer em demasia: *Costuma* e x a g e r a r *a beleza de suas conterrâneas*. **3.** Aparentar mais do que sente: E x a g e r o u *os seus sentimentos, procurando impressionar os circunstantes*. **4.** Ampliar, aumentar. *Int.* **5.** Fazer ou dizer algo com excesso, com exagero. *P.* **6- = rSer exagerado nos gestos e/ou na maneira de dizer. [Pres. ind.:** exagero, etc. Cf. *exagero* (ê).]

exagero (z...ê). [Dev. de *exagerar*.] *S. m.* **1.** V. *exageração* (1 e 2). **2.** Aquilo que encerra exageração. [Pl.: *exageros* (ê). Cf. *exagerado*, do v. *exagerar*.]

exagitado (z). [Part. de *exagitar*.] *Adj.* **1.** Muito agitado. **2.** Irritado, exasperado.

exagitar (z). [Do lat. *exagitare*.] *V. t. d.* **1.** Agitar em demasia. **2.** Irritar, exasperar. *P.* **3.** Irritarse, exasperarse, enfurecer-se.

exalação (z). [Do lat. *exhalatione*.] *S. f.* **1.** Ato de exalar(-se). **2.** Emanação aeriforme de um corpo sólido ou líquido, nociva, por via de regra, à economia animal. **3.** Luz meteórica, rápida, produzida por substâncias gasosas que emanam do solo e se inflamam ao contato com o ar: "os instantes que diminuem a vida à propor ção que passam, também diminuem a fermosura, até que a gastam, e desfazem; semelhante a uma e x a l a ç ã o, que em breve espaço se dissipa." (Matias Aires, *Reflexões sobre a Vaidade dos Homens, p. 209*). **4.** *Astr. Bras., N.E.* e *pop.* V. *estrela cadente*.

exalante (z) *Adj. 2 g.* Que exala.

exalar (z). *V. t. d.* **1.** Emitir, espirar, lançar de si (vapores, odores, etc.): "A carta, escrita com letra de mulher, em papel finíssimo, não tinha aasinatura, e e x a l a v a um delicioso perfume aristocrata." (Artur Azevedo, *Contos fora de Moda*, p. 26.) **2.** Dar livre expansão a; soltar; expandir: e x a l a r *suspiros, gemidos, inquietações*. **3.** Dar livre curso a: manifestar: *Não ousou* e x a l a r *a sua cólera*. **4.** Proferir, soltar: *Não* e x a l o u *a menor queixa*. *P.* **5.** Emanar, evolar-se. **6.** Dissipar-se, desvanecer-se, extinguir-se.

exalbuminado. *Adj.* Inalbuminado.

exalbuminoso (z...ô). *Adj. Morfol. Veg.* Desprovido de albume ou endosperma: *Semente* e x a l b u m i n o s a. [Opõe-se a *albuminoso*.]

exalçamento (z). *S. m.* Ato de exalçar(-se); exaltação.

exalçar (z). [Do lat. **exaltiare*.] *V. t. d.* e *p.* V. *exaltar*. [Conjug.: v. *laçar*.]

exaltação (z). [Do lat. *exaltatione*.] *S. f.* **1.** Ato ou efeito de exaltar(-se). **2.** Excitação nas funções orgânicas ou nos sentidos; sobreexcitação do espírito. **3.** Estado de pessoa irritada, encolerizada: *Grande foi a* e x a l t a ç ã o *com que repreendeu o subalterno*. **4.** Glorificação (1).

exaltado (z). [Part. de *exaltar*.] *Adj.* **1.** Exagerado, excessivo: *imaginação* e x a l t a d a. **2.** Vivo, ardente: *um amor* e x a l t a d o. **3.** Fanático, apaixonado: *torcedor* e x a l t a d o. **4.** Facilmente irritável: *gênio* e x a l t a d o. ● *S. m.* **5.** Indivíduo que se exalta facilmente. **6.** *Bras.* Membro de um partido político também chamado *farroupilha* ou *jurujuba*, que existiu no tempo das Regências.

exaltar (z). [Do lat. *exaltare*.] *V. t., d.* **1.** Tornar alto; erguer, levantar, elevar. **2.** Tornar alto, sublime, grandioso; erguer, elevar, sublimar, engrandecer: e x a l t a r *uma virtude*. **3.** Louvar, elogiar; celebrar, afamar, decantar: E x a l t o u *com justiça o nome do grande sábio*. **4.** Levar ao mais alto grau de energia, atividade, intensidade, etc.: *A guerra* e x a l t a *os instintos sanguinários*. **5.** Estimular, excitar. **6.** Agastar, exasperar, irritar, enfurecer: *A desobediência às suas instruções* e x a l t o u*-o*. *P.* **7.** Atingir o grau mais alto de energia, atividade ou intensidade; elevar-se. **8.** Irritar-se, exasperar-se, enfurecer-se. **9.** Vangloriar-se, gloriar-se, gabar-se, envaidecer-se, jactar-se. [F. paral.: *exalçar*.]

exalviçado (z). [De *ex-* + **alviço* (de *alvo* + *-iço*), + *-ado*[1].] *Adj.* Alvacento, esbranquiçado.

exame (z). [Do lat. *examen*.] *S. m.* **1.** Ato de examinar; interrogatório. **2.** Prova a que alguém é submetido e pela qual demonstra sua capacidade em determinado assunto ou matéria: e x a m e *de francês;* e x a m e *oral;* e x a m e *escrito*. **3.** Inspeção, revista, vistoria: *Levei o carro para* e x a m e, *pois está com defeito*. **4.** Investigação, pesquisa, observação ou análise dalguma coisa, dum fato: *Fizeram o* e x a m e *do local, e nada encontraram*. **5.** Observação minuciosa feita pelo médico, para avaliar o estado de saúde física ou mental do paciente: *O* e x a m e *revelou grave doença*. ♦ **Exame de madureza.** Exame final de todas as disciplinas dum curso secundário, exigido como preparatório para cursos superiores. [Sin., bras.: *exame de maturidade*.] **Exame de maturidade.** *Bras.* Exame de madureza. **Exame vestibular.** Exame de admissão a qualquer escola de nível superior.

examinador (z...ô). [Do lat. *examinatore*.] *Adj.* **1.** Que examina. ~ *V. banca* —*a*. ● *S. m.* **2.** Aquele que examina [v. *examinar* (2)].

examinando (z). [Do lat. *examinandu*, 'gerundivo de *examinare*'.] *S. m.* Aquele que está sendo ou vai ser examinado.

examinar (z). [Do lat. *examinare*.] *V. t. d.* **1.** Analisar com atenção e minúcia; fazer o exame (4) de; pesquisar: E x a m i n a n d o *as contas, nelas encontrou irregularidades*; "O meu binóculo e x a m i n a v a todos os camarotes com uma tenção meticulosa" (José de Alencar, *Cinco Minutos*, p. 25.). **2.** Sujeitar a exame (2): E x a m i n a r a m *os candidatos que se apresentaram a concurso*. **3.** Ponderar ou miditar sobre; estudar: e x a m i n a r *uma lei*. **4.** Submeter a exame (5). **5.** Observar, ver, sondar. *P.* **6.** Observar ou analisar a própria consciência.

examinável (z). *Adj. 2 g.* Que pode ser examinado.

exangue (z). [Do lat. *exsangue*.] *Adj. 2 g.* **1.** Sem sangue: "Raia-lhe a farda o sangue. / De braços estendidos, / Alvo, louro, e x a n g u e, / Fita com olhar langue / E cego os céus perdidos." (Fernando Pessoa, *Posias de Fernando Pessoa*, p. 219.) **2.** Sem forças; débil, exausto.

exania. (z). [De *ex-*[2] + *ânus* + *-ia*.] *S. f. Patol.* Prolapso do reto.

exanimação (z). [Do lat. *exanimatione*.] *S. f.* **1.** Desfalecimento, desmaio, delíquio. **2.** Morte aparente.

exânime (z). [Do lat. *exanime*.] *Adj. 2 g.* **1.** Desmaiado, desfalecido. **2.** Aparentemente morto.

exantema (z). [Do gr. *exánthema*.] *S. m. Patol.* Eflorescência (4) peculiar às febres eruptivas. ~ **Esantema súbito.** *Patol.* .V. *quarta-doença*.

exantemático (z). [Do gr. *exánthema, atos*, 'exantema', + *-ico*[2].] *Adj.* Da natureza do exantema; exantematoso. —V. *tifo* —.

exantematoso (z...ô). *Adj.* Exantemático.

exarar (z). [Do lat. *exarare.*] *V. t. d.* **1.** Abrir, lavrar, talhar, lapidar, gravar: *Exararam na pedra uma inscrição comemorativa.* **2.** Consignar ou registrar por escrito; lavrar: *exarar um despacho;* "Estas circunstâncias certo é que não atenuavam o crime, nem convinha exará-lhas na sentença" (Camilo Castelo Branco, *A Filha do Regicida,* p. 10).

exarca (z). *S. m.* V. *exarco.*

exarcado (z). [De *exarco* + *-ado*².] *S. m.* **1.** Dignidade de exarco. **2.** Território governado por um exarco.

exarco (z). [Do gr. *éxarchos,* pelo lat. *exarchu.*] *S. m.* **1.** Delegado dos imperadores de Bizâncio na Itália ou na África. **2.** Legado do patriarca grego.

exarticulação (z). *S. f.* Ato ou efeito de exarticular; desarticulação.

exarticular (z). [De *ex-* + *articular*².] *V. t. d.* e *p.* Desarticular.

exartrema (z). [Do gr. *exárthrema.*] *S. m. Med.* Exartrose.

exartrose (z). [Do gr. *exárthrosis.*] *S. f. Med.* Luxação de dois ossos reunidos por diartrose; exartrema.

exasperação (z). [Do lat. *exasperatione.*] *S. f.* **1.** Ato de exasperar(-se). **2.** Irritação, exacerbação. [Sin. ger.: *exaspero* (ê).]

exasperado (z). [Part. de *exasperar.*] *Adj.* Muito irritado; enfurecido, encolerizado.

exasperador (z...ô). *Adj.* **1.** Que exaspera; exasperante. • *S. m.* **2.** Aquele ou aquilo que exaspera.

exasperante (z). *Adj. 2 g.* Exasperador (1).

exasperar (z). [Do lat. *exasperare.*] *V. t. d.* **1.** Tornar áspero, enfurecido; irritar muito; encolerizar, enfurecer. **2.** Tornar mais vivo ou mais intenso; agravar, exacerbar: *O remédio, em vez de aliviar, exasperou as dores. P.* **3.** Irritar-se, encolerizar-se, enfurecer-se. **4.** Agravar-se, exacerbar-se. [Pres. ind.: *exaspero,* etc. Cf. *exaspero* (ê).]

exaspero (z...ê). [Dev. de *exasperar.*] *S. m.* V. *exasperação.* [Pl.: *exasperos* (ê). Cf. *exaspero,* do v. *exasperar.*]

exaspidiano (z). *S. m. Zool.* Tarso das aves passeriformes quando os escudos da face anterior do tarso se estendem por toda a face exterior do mesmo, deixando descoberta só uma parte da face interna.

exatidão (z). *S. f.* **1.** Qualidade de exato. **2.** Observância ou cumprimento rigoroso. **3.** Precisão, rigor. **4.** Perfeição, esmero.

exatificar (z). *V. t. d.* **1.** Tornar exato. **2.** Verificar; deslindar. [Conjug.: v. *trancar.*]

exato (z). [Do lat. *exactu.*] *Adj.* **1.** Certo, correto: *conta exata; resposta exata.* **2.** Preciso, rigoroso: *medida exata.* **3.** Perfeito, esmerado: *É exato em tudo que faz.* ~ V. *algarismo —, ciências —as, diferencial —a, divisão —a,* e *equação diferencial —a.*

exator (z...ô). [Do lat. *exactore.*] *S. m.* Cobrador ou arrecadador de impostos e contribuições; coletor: "vítimas da ganância dos exatores régios, sofrendo já a rivalidade com reinóis — os filhos da capitania [Minas Gerais] pensaram em independência" (Afonso Arinos, *Notas do Dia,* p. 27).

exatoria (z). *S. f. Bras.* **1.** Cargo ou funções de exator. **2.** Repartição fiscal para cobrança de impostos; coletoria.

exaurir (z). [Do lat. *exhaurere.*] *V. t. d.* **1.** Esgotar completamente; despejar até a última gota. **2.** Fazer secar; ensecar; ressecar: *O calor exauria-lhe a umidade dos lábios.* **3.** Gastar ou dissipar inteiramente: *Em pouco tempo exauriu as finanças paternas.* **4.** Empobrecer; depauperar; esgotar: *As guerras exauriram o erário público. P.* **5.** Esgotar-se completamente; esgotar-se: "Arde o sol. Nem gota de água escassa / Chora impiedoso o céu. Exaurem-se as correntes." (Alberto de Oliveira, *Poesias,* 2ª série, p. 210.) **6.** Cansar-se, extenuar-se, esgotar-se. [F. paral.: *exaustar.* Defect.; faltam-lhe as f. em que o *r* da raiz viria seguido de *o* ou de *a,* i. e., a 1ª pess. sing. do pres. ind., e, derivado desta, todo o pres. subj. Part.: *exaurido* e *exausto.*]

exaurível (z). *Adj. 2 g.* Que se pode exaurir.

exaustão (z). [Do lat. *exhaustione.*] *S. f.* Ato ou efeito de exaustar(-se) ou exaurir(-se); esgotamento.

exaustar (z). [Do lat. *exhaustare.*] *V. t. d.* e *p.* V. *exaurir.*

exaustivo. (z). *Adj.* **1.** Que se destina a esgotar (8); que esgota: *Escreveu exaustivo tratado sobre direito civil.* **2.** Que esgota [v. *esgotar* (7)] completamente; esgotante: *trabalho exaustivo.*

exausto (z). [Do lat. *exhaustu.*] *Adj.* V. *esgotado* (2).

exaustor (z...ô). *S. m.* Aparelho que aspira o ar viciado e/ou renova o ar de um ambiente.

exautoração (z). *S. f.* Ação de exautorar.

exautorar (z). [Do lat. *exauctorare.*] *V. t. d.* **1.** Privar (alguém) da autoridade que tinha. **2.** Tirar cargo, insígnias e honras a; desautorar. *T. d.* e *i.* **3.** Privar (de honras, dignidade, posto); desautorar.

➧**ex autoritate legis** (ékç autoritáte légiç). [Lat.] *Jur.* Por força da lei.

excarcerar. [De *ex-* + *cárcere* + *-ar*².] *V. t. d.* Tirar ou livrar do cárcere; libertar, desencarcerar.

➧**ex cathedra** (ékç cátedra). [Lat.] **1.** Em virtude de autoridade decorrente do título. **2.** *Irôn.* Em tom doutoral.

➧**ex causa** (ékç cauza). [Lat., 'pela causa'.] *Jur.* Diz-se das custas que são pagas pelo requerente, nos processos cíveis que não admitem defesa e nos de jurisdição meramente graciosa.

exceção. [Do lat. *exceptione.*] *S. f.* **1.** Ato ou efeito de excetuar. **2.** Desvio da regra geral: *Seu caso constitui exceção.* **3.** Aquilo que se exclui da regra. **4.** Exclusão (1): *Com exceção dele, foram todos à festa.* **5.** Privilégio, prerrogativa: *Procura sempre valer-se das exceções.* **6.** Indivíduo cujo modo de agir ou de pensar difere do agir ou pensar comum. **7.** *Jur.* Defesa indireta (relativamente à contestação, que é direta), em que o réu, sem negar o fato afirmado pelo autor, alega direito seu com o intento de elidir ou paralisar a ação (suspeição, incompetência, litispendência, coisa julgada, etc.).

excecional. *Adj. 2 g.* e *s. 2 g.* Var. de *excepcional* [q. v.].

excecionalidade. *S. f.* Var. de *excepcionalidade.*

excecionar. *V. t. d. Jur.* Var. de *excepcionar.*

excecionável. *Adj. 2 g. Jur.* Var. de *excepcionável.*

excedente. [Do lat. *excedente.*] *Adj. 2 g.* **1.** Que excede, que sobeja. **2.** *Bras.* Diz-se do estudante que, embora aprovado em exame seletivo, deixou de ingressar em escola por serem as vagas em número inferior ao dos alunos qualificados. ~ V. *demanda —.* • *S. m.* **3.** Excesso, sobejo, sobra. • *S. 2 g.* **4.** Aluno excedente.

exceder. [Do lat. *excedere.*] *V. t. d.* **1.** Ser superior a, ir além de (em peso, valor, extensão, etc.): *Aquela empresa excede as suas forças.* **2.** Levar vantagem a; ser superior a; superar, ultrapassar. *T. i.* **3.** Ultrapassar em valor, peso, extensão, tamanho, etc.: *As despesas excediam às suas posses; Os convidados não excediam de cinqüenta. P.* **4.** Ir além do que é natural, justo, conveniente. **5.** Enfurecer-se, irritar-se, exasperar-se, externando-o sem comedimento. **6.** Fatigar-se, afadigar-se, cansar-se. **7.** Esmerar-se, apurar-se.

excedível. *Adj. 2 g.* Que pode ser excedido.

excelência. [Do lat. *excellentia.*] *S. f.* **1.** Qualidade de excelente; primazia. **2.** Tratamento das pessoas de alta hierarquia social, dado também a senhoras. [Abrev.: *Exª.*] **3.** *Bras.* Cantiga de velório em uníssono, sem acompanhamento instrumental: "Até o dia amanhecer ainda cantavam benditos e excelências, que falavam no Padre Cícero." (Adalberon Cavalcanti Lins, *Curral Novo,* p. 38.) [Var. (bras., N.E., pop.), nesta acepç.: *incelência.*] ♦ **Por excelência.** No grau mais alto; com primazia; acima de tudo: *É escritor por excelência.*

excelente. [Do lat. *excellente.*] *Adj. 2 g.* Que é muito bom; que excele: *indivíduo excelente; excelente caráter; vinho excelente.*

excelentíssimo. [Do lat. *excellentissimu.*] *Adj.* Superl. abs. sint. de *excelente.* [Tratamento dado a certos indivíduos de alta hierarquia social. Abrev.: *Ex.mo*]

exceler. [Do lat. *excellere.*] *V. int.* Estremar-se de outros, ou entre outros, ou acima de outros; ser excelente, avantajar-se; excelir. Defect. Faltam-lhe as f. em que ao *l* do radical se seguiria o ou *a:* a 1ª. pess. do sing. do pres. ind. e todo o pres. subj.; nas demais, conjuga-se como regular: pres. ind.: *excele, exceles, excele, excelemos, exceleis, excelem,* e assim por diante.]

excelir. *V. int.* V. *exceler.* [Defect., como *exceler.* Faltam-lhe as mesmas f. que a este, e nas demais é, também, conjugado como regular: pres. ind.: *excele, exceles, excele, excelimos, excelis, excelem,* e assim por diante.]

excelsitude. *S. f.* Qualidade de excelso.

excelso. [Do lat. *excelsu.*] *Adj.* **1.** Alto, elevado; sublime: "E de onda em onda cada vez mais larga, / De brisa em brisa cada vez mais pura, / O nome dessa excelsa criatura [a Virgem Maria] / Por todo aquele imenso mar se alarga" (João de Deus, *Campo de Flores,* I, p. 171); "todas as horas ferventemente consagradas às cousas sumas da sabedoria e às cogitações excelsas" (Aloísio de Castro, *Excertos,* p. 19). **2.** Excelente, admirável.

excentricidade¹. [Do lat. medieval *excentricitate.*] *S. f.* **1.** Desvio ou afastamento do centro. **2.** *Astr.* No sistema de Ptolomeu, a distância entre o centro do mundo e do excêntrico [q. v.] do astro considerado. **3.** *Astr.* Excentricidade da órbita. **4.** *Geom.* Cociente da distância de um ponto de uma cônica ao seu foco pela distância desse ponto à sua diretriz. Se a cônica é central, é o quociente da distância do centro ao foco pela distância do centro ao vértice. ♦ **Excentricidade da órbita.** *Astr.* Relação entre a distância dos focos e o eixo maior da órbita de um astro. [Tb. se diz apenas *excentricidade.*]

excentricidade². [Do ingl. *eccentricity.*] *S. f.* Qualidade, modos ou procedimento de excêntrico²; originalidade, extravagância, esquisitice.

excêntrico¹. [Do lat. medieval *excentricu.*] *Adj.* **1.** Que desvia ou afasta do centro. **2.** Que não tem o mesmo centro. ~ V. *ângulo —, círculo —, eclipse —a* e *fundação —a.* • *S. m.* **3.** *Astr.* No sistema cosmológico de Ptolomeu, o círculo cujo centro, um pouco afastado do centro da Terra, era descrito, com movimento uniforme, por um móvel fictício, em torno do qual girava o planeta, descrevendo o deferente; círculo excêntrico. **4.** Peça de máquina que gira em torno de um ponto situado fora do seu centro geométrico e que, por isso, transforma um movimento de rotação em outro de diversa natureza.

excêntrico². [Do ingl. *eccentric.*] *Adj.* e *s. m.* Diz-se de, ou indivíduo original, extravagante, esdrúxulo, esquisito.

excepcional. *Adj. 2 g.* Em que há, ou que constitui ou envolve exceção: *lei excepcional.* **2.** Que goza de exceção; privilegiado: *Na firma, dirigida pelo tio, ocupa um cargo excepcional.* **3.** Excêntrico, extravagante. **4.** Excelente; incomum; extraordinário: "A abertura das *Memórias de Lázaro* é de uma perfeição estilística excepcional" (Fausto Cunha, *Situação da Ficção Brasileira,* p. 38); *Apesar do mau tempo, fez uma viagem excepcional.* **5.** Diz-se do indivíduo que tem deficiência mental (índice de inteligência significativamente abaixo do normal), deficiência (mutilação, deformação, paralisia, etc.), ou deficiência sensorial (cegueira, surdez, etc.), e, por isso, incapacitado de participar em termos de igualdade do exercício de atividades normais. ~ V. *aluno —.* • *S. 2 g.* **6.** Indivíduo excepcional (5). [Var.: *excecional.*]

excepcionalidade. *S. f.* Qualidade de excepcional. [Var.: *excecionalidade.*]

excepcionar. [Do lat. *exceptione,* 'exceção', + *-ar*².] *V. t. d. Jur.* Opor exceção a, em juízo. [Var.: *excecionar.*]

excepcionável. *Adj. 2 g. Jur.* Que pode ser excepcionado. [Var.: *excecionável;* sin.: *excetuável.*]

➧**exceptis excipiendis** (ekcéptiç ekcipiêndiç). [Lat.] Exceto o que deve ser excetuado.

exceptiva. [Fem. substantivado de *exceptivo.*] *S. f.* Cláusula ou condição exceptiva. [Var.: *excetiva.*]

exceptivo. [Do lat. *exceptu,* 'tirado', + *-ivo.*] *Adj.* Que encerra exceção. [Var.: *excetivo.*]

excerto. [Do lat. *excerptu.*] *S. m.* Trecho, fragmento; extrato: *De pensadores clássicos apenas conhece alguns excertos.*

excessivo. *Adj.* Que é em excesso; exagerado, demasiado, desmedido.

excesso. [Do lat. *excessu.*] *S. m.* **1.** Diferença para mais entre duas quantidades. **2.** Aquilo que excede ou ultrapassa o permitido, o legal, o normal: *excesso de barulho; excesso de gordura.* **3.** Sobra, sobejo. **4.** Redundância (1). **5.** Violência, desmando: *Vive, impunemente, cometendo excessos.* **6.** Extremo, cúmulo: *excesso de bondade, de pobreza.* ♦ **Excesso de cor.** *Astr.* Modificação do índice de cor [q. v.] de uma estrela, provocada pela absorção interstelar. **Excesso de massa.** *Fís. Nucl.* Diferença entre a massa atômica de um nuclídeo e o número de massa do nuclídeo. **Excesso esférico.** *Geom.* Diferença entre a soma dos ângulos de um triângulo esférico e 180°.

excetiva. *S. f.* Var. de *exceptiva.*

excetivo. *Adj.* Var. de *exceptivo.*

exceto. [Do lat. *exceptu.*] *Prep.* **1.** Com exclusão ou à exceção de; afora, salvo, menos: *Trabalha rudemente, exceto aos domingos;* "Eu, constantemente de relógio, exceto no chuveiro para não molhá-lo." (Solange Lajes, *Passagem,* p. 60). • *S. m.* **2.** *Jur.* Indivíduo contra o qual se opõe exceção em juízo.

excetuar. *V. t. d.* **1.** Fazer exceção de; isentar, excluir: *Atacou os inimigos, sem excetuar nenhum. T. d.* e *i.* **2.** Livrar, isentar, excluir: *Excetuou da pena os seus protegidos. Int.* **3.** *Jur.* Opor exceção em juízo. *P.* **4.** Excluir-se, isentar-se.

excetuável. *Adj. 2 g. Jur.* V. *excepcionável.*

excídio. [Do lat. *excidiu.*] *S. m. Poét.* Destruição, ruína, subversão.

excipiente. [Do lat. *excipiente.*] *S. m.* **1.** Substância líquida ou mole, usada para ligar, dissolver ou modificar o gosto de outra, que serve de medicamento. ● *S. 2 g.* **2.** *Jur.* Pessoa que, em juízo, opõe exceção.

excípulo. *S. m. Morfol. Veg.* Porção basal diferenciada do apotécio sobre a qual está o himênio.

excisão. [Do lat. *excisione.*] *S. m. Cir.* Retirada, resseção, amputação, separação.

excitabilidade. *S. f.* **1.** Qualidade de excitável. **2.** Irritabilidade.

excitação. [Do lat. *excitatione.*] *S. f.* **1.** Ação ou efeito de excitar(-se). **2.** Grande agitação; exaltação: *O discurso, incendiário, provocou excitação.* **3.** Irritação, exacerbação: *Perdera a calma: era todo excitação.* **4.** Estímulo, incitamento. [Sin. ger. (menos us.): *excitamento.*] ◆ **Excitação luminosa.** *Fotom.* Quantidade de luz.

excitado. [Part. de *excitar.*] *Adj.* Que sofre ou sofreu excitação. ~ V. *estado* — e *nível* —.

excitador (ô). [Do lat. *excitatore.*] *Adj.* e *s. m.* V. *excitante.*

excitamento. *S. m.* V. *excitação.*

excitante. [Do lat. *excitante.*] *Adj. 2 g.* **1.** Que excita; excitador, excitativo. ● *S. m.* **2.** Aquele ou aquilo que excita; excitador.

excitar. [Do lat. *excitare.*] *V. t. d.* **1.** Ativar a ação de: *excitar os nervos.* **2.** Estimular, instigar, incitar: *A ambição intelectual excitava-o.* **3.** Animar, estimular, exortar: *A presença do comandante excitava os soldados.* **4.** Dar origem a; despertar, avivar, mover, causar: *O conhecimento excita a curiosidade;* "O aleijão *excita* geralmente uma invencível repugnância, repassada de terror." (José de Alencar, *A Pata da Gazela,* p. 208). **5.** Irritar, provocar, enraivecer, encolerizar. **6.** Promover, provocar, suscitar. **7.** Promover o desenvolvimento de; fomentar. **8.** Produzir erotismo em. *T. d. e i.* **9.** Mover, exortar; incitar, concitar: *O professor excita os alunos ao estudo. Int.* **10.** Produzir erotismo, lascívia; excitar-se. *P.* **11.** Estimular-se, animar-se. **12.** Irritar-se, encolerizar-se, enraivecer-se, enfurecer-se. **13.** Exaltar-se, inflamar-se. **14.** Excitar (10).

excitativo. *Adj.* V. *excitante* (1).

excitatriz. [Fem. substantivado do adj. *excitador.*] *S. f.* Pequena máquina elétrica destinada a produzir a corrente necessária à alimentação dos enrolamentos indutores de uma máquina principal.

excitável. [Do lat. *excitabile.*] *Adj. 2 g.* Que se pode excitar, ou que facilmente se excita.

éxciton. [Do ingl. *exciton.*] *S. m. Fís.* Num semicondutor, par formado por um elétron e por um buraco, e por meio do qual é possível haver transporte de carga elétrica.

exclamação. [Do lat. *exclamatione.*] *S. f.* **1.** Ato de exclamar; voz, grito ou brado de prazer, alegria, raiva, tristeza, dor **2.** V. *ponto de exclamação.*

exclamador (ô). *Adj.* e *s. m.* Que, ou aquele que exclama.

exclamar. [Do lat. *exclamare.*] *V. t. d.* **1.** Pronunciar em voz muito alta; bradar. *T. i.* **2.** Bradar, gritar, vociferar, clamar: *Os detentos exclamaram contra os maus tratos. Int.* **3.** Vociferar, bradar, gritar: "entre a turba Hipérides assoma, / Defende-lhe a inocência, *exclama,* exora, pede, / Suplica, ordena, exige..." (Olavo Bilac, *Poesias,* p. 78).

exclamativamente. [Do fem. de *exclamativo* + *-mente.*] *Adv.* De modo ou em tom exclamativo; com exclamação.

exclamativo. *Adj.* **1.** Que exprime ou denota exclamação; admirativo: *oração exclamativa; ponto exclamativo.* **2.** Próprio de quem exclama; *Falou em tom exclamativo.* [Sin. ger.: *exclamatório.*]

exclamatório. *Adj.* V. *exclamativo.*

excludente. [Do lat. *excludente.*] *Adj. 2 g.* Que exclui. ~ V. *circunstância* —.

excluído. [Part. de *excluir.*] *Adj.* Que é objeto de exclusão.

excluir. [Do lat. *excludere.*] *V. t. d.* **1.** Ser incompatível com: *A justiça exclui a comiseração;* "O amor, querida, não *exclui* o pejo..." (Olavo Bilac, *Poesias,* p. 169). **2.** Afastar, desviar, eliminar: *Aquela hipótese excluía todas as demais.* **3.** Pôr de lado; abandonar, recusar. *T. d. e i.* **4.** Não admitir; omitir: *Excluíram-no da lista dos laureados.* **5.** Pôr fora; expulsar. **6.** Privar, despojar: *Excluíram-no do pagamento. P.* **7.** Pôr-se ou lançar-se fora; isentar-se, privar-se. [Conjug.: v. *atribuir.*]

exclusão. [Do lat. *exclusione.*] *S. f.* **1.** Ato de excluir (-se); exceção: *Não se fez exclusão de ninguém.* [Antôn.: *inclusão.*] **2.** *Jur.* Ato pelo qual alguém é privado ou excluído de determinadas funções; exclusiva.

exclusiva. [Fem. substantivado de *exclusivo.*] *S. f. Jur.* Exclusão (2).

➧**exclusive.** [Lat.] *Adv.* Excluindo. [Antôn.: *inclusive.*]

exclusividade. *S. f.* Qualidade ou caráter de exclusivo.

exclusivismo. [De *exclusivo* + *-ismo.*] *S. m.* Sistema ou espírito de exclusão.

exclusivista. *Adj.* **1.** Relativo ao exclusivismo. **2.** Que repele tudo quanto é contrário à sua opinião. **3.** Que quer tudo só para si, para seu uso ou gozo pessoal; individualista. ● *S. 2 g.* **4.** Partidário do exclusivismo. **5.** Pessoa exclusivista (2).

exclusivo. [Do lat. escolástico *exclusivu.*] *Adj.* **1.** Que exclui, põe à margem ou elimina. **2.** Privativo, restrito: *carro para uso exclusivo do dono.*

excluso. [Do lat. *exclusu.*] *Adj.* Fora da conta ou do lugar.

excogitação. [Do lat. *excogitatione.*] *S. f.* Ato de excogitar.

excogitador (ô). [Do lat. *excogitatore.*] *Adj.* e *s. m.* Que, ou aquele que excogita.

excogitar. [Do lat. *excogitare.*] *V. t. d.* **1.** Inventar, idear, imaginar, cogitar: "O Cristóvão de Holanda *excogitava* já um meio de sair com honra da situação em que se via" (Franklin Távora, *O Cabeleira,* p. 274). **2.** Esquadrinhar, pesquisar, perscrutar. *Int.* **3.** Refletir, meditar, imaginar.

excogitável. *Adj. 2 g.* Que pode ser excogitado.

excomungado. [Part. de *excomungar.*] *Adj.* **1.** Que sofreu excomunhão. **2.** Péssimo; detestável; amaldiçoado: *indivíduo excomungado; Que máquina excomungada, que não funciona!* ● *S. m.* **3.** Indivíduo que sofreu excomunhão (2). **4.** Indivíduo excomunhado (2). **5.** V. *diabo* (2).

excomungadoiro. *Adj. Desus.* V. *excomungadouro.*

excomungadouro. *Adj. Desus.* Merecedor de excomunhão; excomungável. [Var.: *excomungadoiro.*]

excomungar. [Do lat. *excommunicare.*] *V. t. d.* **1.** Separar da Igreja Católica (qualquer dos seus membros), expulsando-o; anatematizar. **2.** Tornar maldito; esconjurar, exorcizar, exorcismar. **3.** Condenar, reprovar. [Conjug.: v. *largar.*]

excomungável. *Adj. 2 g.* Que deve ser excomungado: digno de excomunhão; excomungadouro.

excomunhão. *S. f.* **1.** Ato de excomungar. **2.** Pena eclesiástica que exclui do gozo de todos os bens espirituais comuns aos fiéis, ou de alguns desses bens.

➧**ex corde** (ékç córde). [Lat., 'do coração'.] Us. especialmente no fecho de cartas dirigidas a pessoas íntimas.

excreção. [Do lat. tardio *excretione.*] *S. f.* **1.** Ação pela qual, normalmente, se expelem do corpo os resíduos inúteis à economia animal. **2.** Matéria excretada; excreto, excreta.

excremental. *Adj. 2 g.* P. us. V. *excrementício.*

excrementício. *Adj.* **1.** Relativo ao, ou da natureza do excremento. **2.** Referente a excreção. [Sin. ger.: *excrementoso* e (p. us.) *excrementicial.*]

excremento. [Do lat. *excrementu.*] *S. m.* **1.** Tudo quanto os animais expelem do corpo pelas vias naturais. **2.** Matérias fecais; fezes.

excrementoso (ô). *Adj.* V. *excrementício.*

excrescência. [Do lat. *excrescentia.*] **1.** Saliência, proeminência: *as excrescências de um terreno.* **2.** Demasia, excesso, superfluidade. **3.** *Patol.* Tumor, mais ou menos volumoso, sobre a superfície de qualquer órgão.

excrescente. [Do lat. *excrescente.*] *Adj. 2 g.* Que excresce; supérfluo.

excrescer. [Do lat. *excrescere.*] *V. int.* **1.** Crescer muito, em demasia. **2.** Formar excrescência. **3.** Intumescer, tumescer, inchar. [Conjug.: v. *crescer.*]

excreta. *S. f.* V. *excreção* (2).

excretar. [Do lat. **excretare.*] *V. t. d.* Segregar, expelir, evacuar.

excreto. [Do lat. *excretu.*] *Adj.* **1.** Excretado, expelido, evacuado. ● *S. m.* **2.** V. *excreção* (2).

excretor (ô). *Adj.* Excretório.

excretório. *Adj.* Que excreta; excretor.

excruciante. [Do lat. *excruciante.*] *Adj. 2 g.* Que excrucia; pungente, doloroso, aflitivo, cruciante.

excruciar. [Do lat. *excruciare.*] *V. t. d.* **1.** Afligir muito; torturar, martirizar, cruciar: "Para nós, meu amor, nessa hora de agonia / Não houve o padecer que as almas *excrucia*" (Gonçalves Crespo, *Obras Completas,* p. 255). *P.* **2.** Atormentar-se, afligir-se.

exculpação. *S. f.* Ação de esculpar; desculpa.

exculpar. *V. t. d., t. d. e i.* e *p.* V. *desculpar.*

excurrente. [Do lat. *excurrere,* 'correr para fora', + *-ente.*] *Adj. 2 g.* **1.** *Bot.* Diz-se de caules e troncos contínuos até o cimo. Ex.: o pinheiro. **2.** *Zool.* Diz-se dos apêndices que se fazem contínuos para fora.

excursão. [Do lat. *excursione.*] *S. f.* **1.** Passeio de instrução ou de recreio, pelos arredores. **2.** *P. ext.* Viagem de recreio, às vezes em grupo e com guia [Cf., nesta acepç., *turnê.*] **3.** Correria em território inimigo; incursão, invasão. **4.** *Fig.* Divagação, digressão. **5.** *Met.* Limites máximos e mínimos que a temperatura do ar pode atingir, em determinada região e num período de tempo qualquer (dia, década, mês, ano, etc.). [Cf. *excussão.*]

excursionar. *V. int.* Fazer excursão, ou excursões: "fabricava [Paroissien] manteiga para o Príncipe Regente, praticava a botânica, ... *excursionava,* recebia visitas de D. João e de D. Pedro" (José Honório Rodrigues, *Vida e História,* p. 194).

excursionismo. *S. m.* Gosto e prática das excursões [v. *excursão* (1 e 2)].

excursionista. [Do fr. *excursioniste.*] *S. 2 g.* Pessoa que faz excursões para se recrear e/ou instruir.

excurso. [Do lat. *excursu.*] *S. m.* Excursão, divagação, digressão.

➧**excusez du peu!** (ecsquizê di pê). [fr.] Pouquinha coisa! [Diz-se ironicamente para exprimir que se acha exagerada, excessiva, alguma coisa.]

excussão. [Do lat. *excussione.*] *S. f.* Ato de excutir. [Cf. *excursão.*]

excutir. [Do lat. *excutere.*] *V. t. d. Jur.* Executar judicialmente os bens de (um devedor principal).

exe (êche). *Interj. Bras.; AM,* Exprime tédio ou repugnância ante algum fato ou dito desagradável; ixe.

execração (z). [Do lat. *exsecratione.*] *S. f.* **1.** Ato de execrar; aversão, horror ou ódio ilimitados: *Sua conduta vil provoca execração unânime.* **2.** Maldição, imprecação. **3.** Aquele ou aquilo que se execra. **4.** *Teol.* Perda da qualidade ou condição de ungido.

execrador (z ... ô). [Do lat. *exsecratore.*] *Adj.* e *s. m.* Que ou aquele que execra.

execrando (z). [Do lat. *exsecrandu.*] *Adj.* V. *execrável.*

execrar (z) [Do lat. *exsecrare.*] *V. t. d.* **1.** Detestar, abominar, amaldiçoar: "todos os povos, orientais ou ocidentais, ... têm direito a comer e a beber, ... a *execrar* a guerra e as formas várias do mal" (Fidelino de Figueiredo, *O Medo da História;* p. 174). **2.** Desejar mal a (alguém). *P.* **3.** Ter aversão a si mesmo; detestar-se.

execratório (z). *Adj.* Que encerra execração.

execrável (z). [Do lat. *exsecrabile.*] *Adj. 2 g.* Que merece execração; abominável, abominando, execrando.

execução (z). [Do lat. *exsecutione.*] *S. f.* **1.** Ato ou efeito de executar: *A execução da obra levara dois anos; Foi notável a execução do pianista.* **2.** Cumprimento de pena de morte. **3.** Dom particular de tocar um instrumento musical. **4.** *Jur.* A fase do processo judicial na qual se promove a efetivação das sanções, civis ou criminais, constantes de sentenças condenatórias. **5.** *Jur.* Ajuizamento de dívida líquida e certa representada por documentos públicos ou particulares a que a lei atribui força executória.

executado (z). [Part. de *executar.*] *Adj.* **1.** Que foi objeto de execução (2) [v. *executar* (9)]. ● *S. m.* **2.** *Jur.* Réu num processo de execução.

executante (z). *Adj. 2 g.* **1.** Que executa. ● *S. 2 g.* **2.** Músico que executa a sua parte. **3.** *Jur.* Autor num processo de execução.

executar (z). [Do lat. *exsecutu,* 'seguido até o fim', + *-ar*[2].] *V. t. d.* **1.** Levar a efeito; efetuar, efetivar, realizar: *Os engenheiros executaram o projeto governamental.* **2.** Tornar efetivas as prescrições de; cumprir: *executar uma tarefa.* **3.** Fazer construir. **4.** Tocar[2] (6): *O organista executou peças de Bach.* **5.** Cantar (3): *A soprano executou a ária com muita vibração.* **6.** Representar, interpretar, encenar: *O ator executou bem seu papel.* **7.** *Jur.* Promover a execução de (uma sentença judicial ou de documento de dívida que legitime a ação executiva). **8.** Supliciar em nome da lei; justiçar. **9.** Supliciar (2): *Pombal fez executar os Távoras.*

executável (z). *Adj. 2 g.* V. *exeqüível.*

executiva (z). *S. f.* Comissão executiva.

executivo[1] (z). [Do ingl. *executive.*] *S. m.* Diretor ou alto funcionário que atua na área financeira, comercial, administrativa ou técnica de uma empresa.

executivo[2] (z). [Do lat. *exsecutu,* 'seguido até o fim', + *-ivo.*] *Adj.* **1.** Que executa; executor. **2.** Ativo, resoluto, decidido: *Será bom diretor, tem espírito executivo.* **3.** Que está encarregado de executar as leis. **4.** Que procede à execução judicial. **5.** Que faz cumprir a lei. ~ V. *ação —a, força —a, poder —* e *sistema —.* ● *S. m.* **6.**

O poder executivo. ♦ **Executivo fiscal.** Ação executiva de dívida ativa da Fazenda Pública.

executor (z...ô). [Do lat. *exsecutore.*] *Adj.* **1.** Executivo[2] (1). ● *S. m.* **2.** Aquele que executa [v. *executar* (9)]; carrasco, verdugo, algoz.

executória (z). [Fem. substantivado de *executório.*] *S. f.* Repartição que se encarrega da cobrança dos créditos de certa comunidade.

executoriedade (z). *S. f.* Qualidade de executório.

executório (z). *Adj.* Que se pode ou há de executar. ~ V. *força —a.*

êxedra (z). [Do gr. *exédra*, pelo lat. *exedra.*] *S. f.* Pórtico circular com assentos, onde os antigos filósofos se reuniam para discutir: "ao sair do ginásio, ... Platão parou no intercolúnio da ê x e d r a batida das sombras deliciosas das romãzeiras floridas." (Alberto Rangel, *Livro de Figuras*, p. 7í.

exegese (z...gé). [Do gr. *exégesis.*] *S. f.* **1.** Comentário ou dissertação para esclarecimento ou minuciosa interpretação de um texto ou de uma palavra. [Aplica-se de modo especial em relação à Bíblia, à gramática, às leis.] **2.** *P. ext.* Explicação ou interpretação de obra literária ou artística, de um sonho, etc.: "Não juntou à sua música uma só palavra de explicação ou e x e g e s e, não se interrompeu sequer na transição dos movimentos ou dos cantos do poema" (Fidelino de Figueiredo, *Um Colecionador de Angústias*, p. 294); "Nem todos os sonhos .... são contraditórios. Os intérpretes são latitudinários e liberais na sua e x e g e s e, que não é menos complicada que a dos sábios" (João Ribeiro, *O Folclore*, p. 144).

exegeta (z...gé). [Do gr. *exegetés.*] *S. 2 g.* Pessoa que faz exegese(s): "Os seus biógrafos e e x e g e t a s [de Machado de Assis] são acordes em incluí-lo na classificação dos indivíduos de tipo sensual" (Astrogildo Pereira, *Machado de Assis*, p. 13).

exegética (z). [Fem. substantivado de *exegético.*] *S. f.* Parte da teologia que se ocupa da exegese bíblica.

exegético (z). [Do gr. *exegetikós.*] *Adj.* Relativo a exegese. ~ V. *edição —a.*

exempção (z). [Do lat. *exemptione.*] *S. f.* V. *isenção* (1 a 4).

exemplar[1] (z). [Do lat. *exemplare.*] *Adj. 2 g.* **1.** Que serve ou pode servir de exemplo, de modelo: *comportamento* e x e m p l a r; "Em Luís Feijó, identifica-se uma figura e x e m p l a r de médico e de professor de medicina" (Clementino Fraga Filho, *Idéias e Ideais*, p. 122). ● *S. m.* **2.** Modelo original que deve ser imitado ou copiado; exemplo: *Joana constitui um* e x e m p l a r *das virtudes cristãs.* **3.** Peça (3): e x e m p l a r *marajoara raro; Esta moeda é um* e x e m p l a r *único.* **4.** Cada indivíduo de certa espécie ou variedade: *Este peixe é um* e x e m p l a r *dos lagos africanos.* **5.** *Bibliol.* Cada um dos impressos (folha volante, prospecto, estampa, folheto, fascículo, livro, etc.) pertencentes à mesma tiragem; número.

exemplar[2] (z). [De *exemplo* + *-ar*[2].] *V. t. d.* **1.** *Bras.* Castigar exemplarmente, sobretudo espancando. **2.** *Ant.* Dar exemplo de. **3.** *Ant.* Mostrar com ostentação.

exemplaridade (z). *S. f.* Qualidade ou caráter de exemplar[1] (1).

exemplário (z). [Do lat. *exemplariu.*] *S. m.* Livro ou coleção de exemplos.

exemplificação (z). *S. f.* **1.** Ato de exemplificar. **2.** Porção de exemplos [v. *exemplo*[1] (3)]: *Expõe o fato gramatical e ministra larga* e x e m p l i f i c a ç ã o.

exemplificar (z). *V. t. d.* **1.** Mostrar com exemplos [v. *exemplo*[1]]; explicar, elucidar: *O professor* e x e m p l i f i c o u *a lição.* **2.** Aplicar como exemplo; citar ou mencionar como exemplo. [Conjug.: v. *trancar.*]

exemplificativo (z). *Adj.* Que exemplifica.

➧**exempli gratia** (eczêmpli grácia). [Lat.: v. 'por exemplo'.] Abrev.: e. g.

exemplo[1] (z). [Do lat. *exemplu.*] *S. m.* **1.** Tudo quando pode ou deve ser imitado; modelo: *os bons* e x e m p l o s *dos antepassados.* **2.** Fato de que se pode tirar proveito ou ensino; lição: *Que isto lhe sirva de* e x e m p l o. **3.** Frase ou passagem de um autor, que se menciona para estabelecer uma opinião, confirmar uma regra, ou demonstrar uma verdade. **4.** Exemplar[1] (2): *Ela é um* e x e m p l o *de bondade.* **5.** Repreensão, castigo. **6.** V. *provérbio* (1) ♦ **A exemplo de.** Segundo o exemplo dado por. **Fazer exemplo em.** Castigar (alguém) para exemplo a outros. **Sem exemplo.** Nunca visto antes; sem igual; único.

exemplo[2] (z). *S. m.* Espécie de crustáceo (*Inachus scorpio* Fabricius).

exenteração (z). [Do lat. *exenterare*, 'tirar os intestinos', + *-ção.*] *S. f. Cir.* Excisão radical do conteúdo de uma cavidade, como, p. ex., a pelve ou a órbita.

➧**exequatur** (eksequátur). [Lat., 'execute-se'.] *S. m. Jur.* **1.** Autorização concedida por um soberano a um cônsul estrangeiro para este exercer suas funções no país. **2.** Fórmula que manda executar uma sentença de justiça estrangeira ou certa diligência em carta rogatória. **3.** Fórmula pela qual se autoriza a execução duma sentença pronunciada por árbitros.

exeqüendo (z). [Do lat. *exsequendu*, gerundivo de *exsequi*, 'seguir até o fim'.] *Adj. Jur.* Diz-se do documento ou sentença que está em execução.

exeqüente (z). [Do lat. *exsequente.*] *Adj. 2 g.* e *s. 2 g. Jur.* Que ou quem intenta ou promove execução judicial.

exequial (z). [Do lat. *exsequiale.*] *Adj. 2 g.* Relativo a exéquias, ou que, por fúnebre, as lembra.

exéquias (z). [Do lat. *exsequias.*] *S. f. pl.* Cerimônias ou honras fúnebres. [Cf. *Ezequias*, antr.]

exeqüibilidade (z). *S. f.* Qualidade de exeqüível.

exeqüível (z). [Do lat. **exsequibile*, moldado em *exsequi*, 'seguir até o fim'.] *Adj. 2 g.* Que se pode executar (1); executável, factível; possível: "não me seria e x e q ü í v e l arranjar aquela soma sem recorrer a expedientes vergonhosos" (M. Teixeira-Gomes, *Gente Singular*, p. 89).

exercer (z). [Do lat. *exercere.*] *V. t. d.* **1.** Preencher os deveres, as funções ou obrigações inerentes a (um cargo). **2.** Desempenhar, cumprir: e x e r c e r *uma função.* **3.** Pôr em ação; praticar: e x e r c e r *influência.* **4.** adestrar, exercitar. **5.** Levar a efeito; fazer sentir: *As águas* e x e r c e r a m *forte pressão sobre o dique.* [Conjug.: v. *aquecer.*]

exercício (z). [Do lat. *exercitiu.*] *S. m.* **1.** Ato de exercer; prática, uso, exercitação: *O pleno* e x e r c í c i o *dos direitos.* **2.** Desempenho de função ou profissão; atividade: *o* e x e r c í c i o *da medicina.* **3.** Atividade física: O e x e r c í c i o dá agilidade ao corpo. **4.** Adestramento, treinamento: e x e r c í c i o *de ginástica;* e x e r c í c i o *ocular.* **5.** Trabalho escolar cujo fim é adestrar ou treinar o aluno em determinada matéria. **6.** Período de execução dos serviços de um orçamento (4), o qual compreende o ano e alguns meses complementares. **7.** *Com.* Período compreendido entre dois balanços sucessivos duma empresa. **8.** *Mil.* Manobra; evolução; treinamento.

exercitação (z). [Do lat. *exercitatione.*] *S. f.* Ato de exercitar; prática, uso, exercício.

exercitador (z...ô). [Do lat. *exercitatore.*] *Adj.* e *s. m.* Que ou aquele que exercita.

exercitante (z). [Do lat. *exercitante.*] *Adj. 2 g.* **1.** Que se exercita. ● *S. 2 g.* **2.** *Restr.* Pessoa que faz exercícios espirituais.

exercitar (z). [Do lat. *exercitare.*] *V. t. d.* **1.** Praticar, professar, exercer: e x e r c i t a r *a profissão de médico.* **2.** Pôr em ação; fazer valer: *Todo cidadão deve* e x e r c i t a r *os seus direitos.* **3.** Adestrar, habilitar: e x e r c i t a r *os músculos.* **4.** Fazer, praticar. **5.** Dedicar-se a; cultivar. *T. d. e i.* **6.** Adestrar, habilitar: *O amigo* e x e r c i t o u*-o no manejo do florete. P.* **7.** Adestrar-se mediante estudo ou exercício. [Pres. ind.: *exercito*, etc. Cf. *exército.*]

exército (z). [Do lat. *exercitu.*] *S. m.* **1.** As tropas de uma nação. **2.** As tropas que entram num combate. **3.** *Fig.* Grande porção de pessoas; multidão: *Rico, tem um* e x é r c i t o *de criados a servi-lo.* **4.** *Bras.* A força armada que, como instituição nacional, permanente e regular, organizada com base na hierarquia e na disciplina, e sob a autoridade do presidente da República, tem a seu cargo a defesa da pátria e a garantia dos poderes constituídos, da lei e da ordem. [Cf. *exercito*, do v. *exercitar.*] ♦ **Exército ativo.** *Mil.* V. *exército regular.* **Exército de ocupação.** *Mil.* Exército cuja missão é conservar e defender o território de país conquistado ou invadido no decorrer de uma guerra. **Exército permanente.** *Mil.* V. *exército regular.* **Exército regular.** *Mil.* **1.** Exército permanente mantido tanto na paz como na guerra, e que representa uma das forças armadas nacionais. **2.** O exército nacional, nas condições de dotação, em pessoa e material, em que se encontra. [Sin. ger.: *exército permanente, exército ativo.*]

exercitor (z...ô). [Do lat. *exercitore.*] *S. m.* Aquele que administra por tempo determinado um navio ou a carga de um navio.

exerdação (z). [Do lat. *exheredatione.*] *S. f.* Ação ou efeito de exerdar; deserdação.

exerdar (z). [Do lat. *exheredare.*] *V. t. d.* e *p.* Deserdar. [q. v.].

exérese (z). [Do gr. *exaíresis.*] *S. f. Cir.* Extirpação cirúrgica.

exergo (zér). [De *ex-* + gr. *érgon*, 'obra'.] *S. m.* **1.** Espaço, em moeda ou medalha, onde se grava a data e/ou qualquer legenda. **2.** Essa data e/ou legenda: "O mesmo sucede com as moedas, onde a par dum e x e r g o sibilino ou quase monossilábico, o buril descreveu uma cabeça vigorosa de Astarte ou de sufeta" (Aquilino Ribeiro, *Os Avós de Nossos Avós*, p. 57).

➧**exeunt** (ékseunt). [Lat.] *V. int.* V. *exit.*

exfetação. [De *ex-* + **fetação*, moldado no lat. *fetare*, 'fecundar'.] *S. f. Patol.* Gravidez extra-uterina.

exfoliação. [Do lat. *exfoliare*, 'tirar as folhas'; + *-ção.*] *S. f. Med.* Desprendimento, sob forma de escamas ou camadas.

exfoliado. *Adj. Morfol. Veg.* Subdividido em lâminas, como a casca de muitas árvores.

exibição (z). [Do lat. *exhibitione.*] *S. f.* Ato de exibir(-se).

exibicionismo (z). *S. m.* **1.** Mania ou gosto de ostentação ou exibição. **2.** *Psicol.* Mania de exibir as partes sexuais.

exibicionista (z). *Adj. 2 g.* **1.** Que é amante do exibicionismo (1). [Sin., fam.: *exibido.*] ● *S. 2 g.* **2.** Amante do exibicionismo (1). [Sin., fam.: *exibido.*] **3.** *Psicol.* Pessoa dada à prática do exibicionismo (2).

exibido (z). [Part. de *exibir.*] *Adj.* **1.** De que se faz ou fez exibição. **2.** *Fam.* Exibicionista (1). ● *S. m.* **3.** *Fam.* Exibicionista (2): *Não sabe ser discreto: é um* e x i b i d o.

exibidor (z...ô). [Do lat. *exhibitore.*] *Adj.* **1.** Que exibe algo ou alguém. ● *S. m.* **2.** Aquele que exibe algo ou alguém. **3.** *Bras. Restr.* Proprietário de cinema.

exibir (z). [Do lat. *exhibere.*] *V. t. d.* **1.** Mostrar, apresentar, expor: *Gosta de* e x i b i r *seus títulos.* **2.** Expor, patentear: *Não se devem temer os livros que* e x i b e m *as nossas mazelas.* **3.** Alardear, ostentar: e x i b i r *conhecimento. P.* **4.** Mostrar-se, apresentar-se. **5.** Mostrar-se com ostentação; alardear-se, ostentar-se.

exibitório (z). [Do lat. *exhibitoriu.*] *Adj.* **1.** Relativo a exibição. **2.** *Jur.* Que apresenta ou representa em juízo.

exibível (z). *Adj. 2 g.* Que pode ser exibido.

exicial (z). [Do lat. *exitiale.*] *Adj. 2. g.* **1.** Relativo a exício. **2.** Que produz ruína e/ou morte. **3.** Funesto; pernicioso.

exício (z). [Do lat. *exitiu.*] *S. m.* **1.** Perdição, ruína. **2.** A morte humana; a morte: "Em vós os olhos tem o mouro frio, / Em quem vê seu e x í c i o afigurado" (Luís de Camões, *Os Lusíadas*, I, 16).

exido (ch). *S. m. Prov. lus.* **1.** Terreno baldio. **2.** Quintal, horta.

exigência (z). [Do lat. *exigentia.*] *S. f.* **1.** Ato de exigir. **2.** Pedido impertinente. **3.** Pedido urgente; instância.

exigente (z). [Do lat. *exigente.*] *Adj. 2 g.* **1.** Que exige. **2.** Que faz exigências; que pede com instância ou impertinência; difícil de contentar, de satisfazer; impertinente.

exigibilidade (z). *S. f.* **1.** Qualidade de exigível. **2.** *Com.* O conjunto de valores do passivo, representados por obrigações exigíveis em certos prazos, ou conforme determina a sua natureza.

exigir (z). [Do lat. *exigere.*] *V. t. d.* **1.** Reclamar em função de direito legítimo ou suposto: e x i g i r *prestação de contas; "*E x i g e todos os cuidados, que lhe tragam água, sabão, café, a qualquer hora do dia." (Nélida Piñón, *A Força do Destino*, p. 21). **2.** Ordenar, intimar: E x i g i u *que o difamador se retratasse.* **3.** Reclamar, demandar, requerer: *A arte* e x i g e *sensibilidade.* **4.** Prescrever, determinar: *Isto é o que* e x i g e *a ética. T. d. e i.* **5.** Pedir com modo autoritário, como coisa devida; reclamar: "Teria a satisfação de ir direito a ele e e x i g i r-lhe a posse inteira de um coração que ambicionava" (Machado de Assis, *Contos Recolhidos*, p. 22); "Impor silêncio ao coração é e x i g i r dele um sacrifício hediondo." (Artur Azevedo, *Contos Possíveis*, p. 6). **6.** Impor a obrigação, dever, a: E x i g i r a m*-lhe silêncio. Int.* **7.** Reclamar alguma coisa em função de direito legítimo ou suposto: "entre a turba Hipérides assoma, / Defende-lhe a inocência, exclama, exora, pede, / Suplica, ordena, e x i g e ..." (Olavo Bilac, *Poesias*, p. 78). [Conjug.: v. *dirigir.*]

exigível (z). *Adj. 2 g.* **1.** Que pode ou deve ser exigido. **2.** *Jur.* Diz-se da obrigação que, vencida e não prescrita, pode ser reclamada imediatamente em juízo. ~ V. *dívida — e passivo não —.*

exigüidade (z). [Do lat. *exiguitate.*] *S. f.* Qualidade de exíguo.

exíguo (z). [Do lat. *exiguu.*] *Adj.* **1.** De pequenas proporções; diminuto; *quarto* e x í g u o. **2.** Escasso, minguado: "O soldo era e x í g u o, mas certo" (Alberto Rangel, *Sombras n'Água*, p. 101); *homem de inteligência* e x í g u a.

exilado (z). [Part. de *exilar.*] *Adj.* e *s. m.* Expatriado, desterrado, banido, degredado.

exilar (z). [Do lat. *exsulare*, com infl. de *exilium.*] *V. t. d.* **1.** Mandar para o exílio; expulsar da pátria; expatriar, desterrar, banir: *O governo* exilou *diversos adversários.* **2.** Expulsar de casa. *T. d. e i.* **3.** Afastar, apartar, arredar: *O desgosto* exilou*-o da sociedade. P.* **4.** Condenar-se a exílio voluntário; expatriar-se. **5.** Afastar-se do convívio social.

exílio) (z.) [Do lat. *exiliu.*] *S. m.* **1.** Expatriação, forçada ou voluntária; degredo, desterro. **2.** O lugar onde reside o exilado. **3.** *Fig.* Lugar afastado, solitário, ou desagradável de habitar.

eximiamente. [Do fem. de *exímio* + *-mente.*] *Adv.* De modo exímio; excelentemente.

exímio (z). [Do lat. *eximiu.*] *Adj.* Distinto, eminente, excelente, insigne: "Estes povos nórdicos sempre foram exímios comedores, robustos bebedores, mestres cantores." (Augusto Meyer, *A Chave e a Máscara*, p. 215.) [Fem.: *exímia*. Cf. *eximia*, do v. *eximir.*]

eximir (z). [Do lat. *eximere.*] *V. t. d.* **1.** Isentar, dispensar, desobrigar: *Aquela lei* exime *os estrangeiros. T. d. e i.* **2.** Isentar, dispensar, desobrigar: *O juiz* eximiu*-os de culpa.* **3.** Livrar, libertar; preservar: "A política d'El-Rei tem razões demasiadas de apertar a vigilância nos territórios do Estado a fim de eximi-los das solapas de intrujões e avassaladores." (Alberto Rangel, *Quando o Brasil Amanhecia*, p. 134.) *P.* **4.** Escusar-se, esquivar-se. **5.** Escapar, livrar-se: Eximiu*-se da responsabilidade;* "ninguém é tão abastado, que possa eximir-se de trabalhar contínuo" (Antônio Feliciano de Castilho, *O Presbitério da Montanha*, I, p. 49). [Imperf. ind.: *eximia*, etc. Cf. *exímia*, fem. de *exímio.*]

exina (z). *S. f. Morfol. Veg.* Tegumento externo do grão de pólen, o qual apresenta quase sempre variadíssimas ornamentações, e cujo estudo tem apreciável importância taxionômica. É constituído de esporopolenina, substância de extraordinária resistência. [Opõe-se a *intina.*]

exinanição (z) [Do lat. *exinanitione.*] *S. f.* Esgotamento, prostração, exaustão; inanição.

exinanir (z). [Do lat. *exinanire.*] *V. t. d.* **1.** Enfraquecer por falta de alimento ou por dejeções excessivas; deixar inane. **2.** Reduzir a nada; aniquilar. **3.** Tornar vazio; evacuar, despejar. *P.* **4.** Debilitar-se por falta de alimentos ou por sucessivas evacuações. **5.** Abater-se muito. [Defect., só conjugável nas f. em que ao *n* da raiz se seguir a vogal *i.*]

existência (z). [De *existentia*, do lat. *existere*, 'existir'.] *S. f.* **1.** O fato de existir, de viver; vivência. **2.** Vida (1, 2, 4 e 5): *Tem* existência *longa.* **3.** Realidade: *A* existência *do crime é inegável.* **4.** Ente, ser. **5.** *Filos. Dasein* [q. v.]. **6.** *Filos.* Modo de ser determinado ou determinável. P. ex.: a existência dos objetos matemáticos que se define pela não contradição. **7.** *Filos.* Modo de ser atual, concreto. **8.** *Filos.* Modo de ser próprio do homem. [Cf. *existencialismo.*]

existencial (z). *Adj. 2 g.* **1.** Referente a existência. **2.** *Filos.* Relativo à estrutura do *Dasein*. [Cf. *ontológico.*] ~ V. *filosofias existenciais.*

existencialismo (z). *S. m. Filos.* Corrente de pensamento iniciada por Sören Kierkegaard, filósofo dinamarquês (1813-1855), na qual se distinguem Martin Heidegger [v. *heideggeriano*], Karl Jaspers (1891) e Jean-Paul Sartre [v. *sartriano*], e para a qual o objeto próprio da reflexão filosófica é o homem na sua existência concreta, sempre definida nos termos de uma situação determinada, mas não necessária — o "ser-em-situação", o "ser-no-mundo" —, a partir da qual o homem, condenado à liberdade, por já não ser portador de uma essência abstrata e universal, surge como o arquiteto da sua vida, o construtor do seu próprio destino, submetido embora a limitações concretas; filosofias existenciais; filosofias da existência.

existencialista (z). *Adj. 2 g.* **1.** Relativo ao, ou que é partidário do existencialismo. ● *S. 2 g.* **2.** Partidário dele.

existente (z). [Do lat. *existente.*] *Adj. 2 g.* **1.** Que existe, que há. **2.** Que é vivente: *seres* existentes. ● *S. 2 g.* **3.** Pessoa que existe; vivente.

existir (z). [Do lat. *existere.*] *V. int.* **1.** Ter existência real; ser; haver: *Para tal palavra não* existe *definição; Entre os dois* existem *fortes laços de amizade.* **2.** Viver; estar: *O artista continua a* existir *em sua obra.* **3.** Subsistir, durar: *A república do Brasil* existe *desde 1889.* **4.** Permanecer (4): *A tragédia grega ainda* existe *como uma das grandes criações humanas.* ◆ **Não existir.** *Bras.* Possuir qualidades morais incomuns; ser excelente, boníssimo; não ser deste mundo.

➧**exit** (éksit). [Lat., 'sai'.] *V. int.* Palavra com que se indica, no texto impresso das peças de teatro, que uma personagem sai de cena. [O pl. é *exeunt.*]

exitância (z). *S. f. Fotom.* Densidade do fluxo luminoso emitido por uma superfície (luminosa ou iluminada); radiância.

êxito (z). [Do lat. *exitu.*] *S. m.* **1.** Resultado, conseqüência, efeito: *Seus esforços não tiveram bom* êxito; "Todas as intervenções ginecológicas tiveram feliz êxito" (Afonso Arinos, *Histórias e Paisagens*, p. 176). **2.** Resultado feliz; bom sucesso; bom êxito: *Alcança* êxito *em todos os negócios.*

➧**ex jure** (ékç jure). [Lat.] *Jur.* Segundo o direito.

➧**ex lege** (ékç lége). [Lat.] *Jur.* Segundo a lei.

ex-líbris (écs). [Do lat. *ex libris*, 'dos livros de'.] *S. m. 2 n.* **1.** Fórmula que se inscreve nos livros, acompanhada do nome, das iniciais ou de outro sinal pessoal, para marcar possessão. **2.** *Restr.* Pequena estampa, geralmente alegórica, que contém ou não divisa, e vem sempre acompanhada do próprio termo *ex libris* e do nome do possuidor, a qual se cola na contracapa ou em folha preliminar do livro.

ex-librismo (écs). *S. m.* Atividade relativa ao estudo, emprego e colecionamento de ex-líbris. [Pl.: *ex-librismos.*]

ex-librista (écs). *S. 2 g.* Pessoa que se dedica ao ex-librismo. [Pl.: *ex-libristas.*]

➧**ex nunc** (ékç nunk). [Lat.] *Jur.* De agora em diante; sem efeito retroativo.

▲**ex(o)-.** [Do gr. *éxo.*] *Pref.* = 'para fora': *exógamo, exometria, exosqueleto, exosmose.*

exobasídio (z). [De *ex(o)-* + *basídio.*] *S. m. Micol.* Basídio claramente diferenciado do fulcro e sem esterigma. Acha-se em alguns liquens. [Opõe-se a *endobasídio.*]

exobiologia. (z) [De *ex(o)-* + *biologia.*] *S. f.* Ciência que visa o estudo dos sistemas vivos extraterrestres e que abrange, ainda, as análises sobre a possibilidade de vida no espaço, os problemas relacionados à sua origem, e os métodos de detecção de sinais de vida inteligente fora da Terra.

exobiológico (z). *Adj.* Relativo à exobiologia.

exobiólogo (z). [De *ex(o)-* + *biólogo.*] *S. m.* Especialista em exobiologia.

exocetídeo (z). *S. m.* **1.** Espécime dos exocetídeos. ● *Adj.* **2.** Pertencente ou relativo a eles.

exocetídeos (z). *S. m. pl. Zool.* Família de peixes actinopterígios da ordem dos sinentognatos. São os peixes-voadores, abundantes nas águas tropicais, sendo a espécie *Exocoetus evolans* a mais comum nas costas do Brasil.

exociclóideo (z). *S. m. e adj.* Irregular (6 e 8).

exociclóideos (z). *S. m. pl. Zool.* Irregulares.

exocistia (z). [De *ex(o)-* + *-cist(i)-* + *-ia.*] *S. f. Patol.* Eversão da bexiga urinária.

exocraniano (z). [De *ex (o)-* + *craniano.*] *Adj. Anat.* Situado fora do crânio.

exocrínico. (z). *Adj.* Referente às glândulas de secreção externa; exócrino.

exócrino (z). [De *ex(o)-* + gr. *krin*, raiz de *krino*, 'separar', 'segregar'.] *Adj.* Exocrínico. ~ V. *glândula—a.*

exocruzamento. [De *ex(o)-* + *cruzamento.*] *S. m. Genét.* Cruzamento entre indivíduos geneticamente diferentes.

exoderma (z). [De *ex(o)-* + *derma.*] *S. f. Anat. Veg.* Camada suberificada que substitui a epiderme, na região pilífera das raízes primárias, e que é formada pelas próprias células do parênquima cortical externo, que para isto se impregnam de suberina. Pode também representar uma modificação de uma hipoderme preexistente. [Sin.: *ectoderma, endoderma, externo.*]

exodiário (z). [Do lat. *exodiariu.*] *S. m. Teat.* Entre os antigos romanos, ator cômico que representava um êxodo (4).

êxodo (z). [Do lat. *exodu.*] *S. m.* **1.** Emigração, saída: "A esses males vêm juntar-se as calamidades naturais: inundações, estiagens e secas que, periodicamente, engendram o grande desemprego e provocam o êxodo da população." (Lourival Fontes, *Discurso aos Surdos*, p. 54.) **2.** O segundo livro da Bíblia, onde se narra a saída dos hebreus do Egito. **3.** *Teat.* Na Grécia antiga, o último episódio da tragédia, após o canto de despedida do coro. **4.** *Teat.* No antigo teatro romano, a parte final de uma comédia, e também episódio cômico subseqüente à representação de uma tragédia. [Cf. *hexodo.*]

exoérgico (z). [De *ex(o)-* + *-erg(o)-* + *-ico*[2].] *Adj.* Que liberta energia.

exoesqueleto (z...ê). [De *ex(o)-* + *esqueleto.*] *S. m. Zool.* V. *exosqueleto.*

➧**ex-officio.** (éksofício). [Lat.] **1.** Por obrigação e regimento; por dever do cargo. **2.** Diz-se do ato oficial que se realiza sem provocação das partes.

exofítica (z). *Adj. (f.) Zool.* Diz-se da postura feita pelos odonatos, os quais, mergulhando seguidamente a ponta do abdome na água, soltam os ovos, que se espalham na superfície ou vão para o fundo. Algumas espécies envolvem os ovos em massas gelatinosas, que se prendem a um suporte qualquer na superfície.

exoftalmia (z). [Do gr. *exóphtalmos*, 'de olhos salientes', + *-ia.*] *S. f. Med.* Saliência exagerada do globo ocular: "Negros de fazer medo, redondos na face rude, pulavam [os olhos de Mussolini] numa exoftalmia medonha." (Gilberto Amado, *Presença na Política*, pp. 171-172.) [Sin.: *exoftalmo* e (bras., pop.) *olho-de-boi, olho-de-sapo*. Antôn.: *enoftalmia.*]

exoftálmico (z). *Adj.* Relativo à, ou próprio da exoftalmia.

exoftalmo (z). *S. m. Med.* V. *exoftalmia.*

exogamia (z). [De *exógamo* + *-ia.*] *S. f.* Regime social em que os matrimônios se efetuam com membros de tribo estranha, ou, dentro da mesma tribo, com os de outra família ou de outro clã. [Antôn.: *endogamia.*]

exogâmico (z). *Adj.* Exógamo (1).

exógamo (z). [De *ex(o)-* + *-gamo.*] *Adj.* **1.** Relativo à, ou próprio da exogamia; exogâmico: *casamento* exógamo. ● *S. m.* **2.** Aquele que se casa fora da aldeia, ou fora de seu clã ou de sua família. [Antôn.: *endógamo.*]

exógeno (z). [De *ex(o)-* + *-geno*[1].] *Adj.* **1.** Que cresce exteriormente ou para fora. **2.** Que está à superfície. **3.** *Bot.* Produzido ou desenvolvido na periferia de outro órgão vegetal: *esporos* exógenos. [Antôn.: *endógeno*. Cf. *exógino.*]

exógino (z). [De *ex(o)-* + *-gino.*] *Adj. Morfol. Veg.* Que tem o estilete fora da flor. [Cf. *exógeno.*]

exometria (z). [De *ex(o)-* + *-metr(o)-*[1] + *-ia.*] *S. f. Cir.* Deslocação ou inversão do útero.

exométrico (z). *Adj.* Relativo à exometria.

exometrite (z). [De *ex(o)-* + *-metr(o)-*[1] + *-ite*[1].] *S. f. Patol.* Inflamação da superfície externa ou peritoneal do útero.

exomologese (z). [Do gr. *exomológesis.*] *S. f.* Confissão pública; exercício público de penitência.

exon (z). [De *ex-*[2] + *-on.*] *S. m. Genét.* Região do ácido desoxirribonucléico de eucariotos que, após a transcrição (7), permanece no ácido ribonucléico.

exonerabilidade (z). *S. f.* Qualidade de exonerável.

exoneração (z). [Do lat. *exoneratione.*] *S. f.* **1.** Ato de exonerar(-se). **2.** Dispensa de emprego; demissão. **3.** Cumprimento de uma obrigação.

exonerar (z). [Do lat. *exonerare.*] *V. t. d.* **1.** Destituir de emprego; demitir: *O governador* exonerou *o secretário.* **2.** Tirar ônus a; desobrigar, dispensar, desonerar. *T. d. e i.* **3.** Desobrigar, isentar, dispensar, desonerar: Exonerei*-o da incumbência. P.* **4.** Desobrigar-se, isentar-se, demitir-se, desonerar-se.

exoneratório (z). *Adj.* Que envolve ou determina exoneração.

exonerável (z). *Adj. 2 g.* Que pode ser exonerado.

exonirose (z). [De *ex(o)-* + *-onir(o)-* + *-ose.*] *S. f. Med.* Polução noturna.

exopódito (z). [De *ex(o)-* + *-pod(o)-* + *-ito*[2].] *S. m. Zool.* Ramo externo das patas ou apêndices dos crustáceos, formado basicamente por dois segmentos unidos e achatados.

exopterigoto (z). [De *ex(o)-* + *pterigoto.*] *S. m.* e *adj.* V. *heterometabólico.*

exopterigotos (z). *S. m. pl. Zool.* V. *heterometabólicos.*

exorar (z). [Do lat. *exorare.*] *V. t. d.* **1.** Pedir com instância; implorar ansiosamente; invocar: "Diante dessa estátua da Virgem lançou-se prostrado o monge, expondo as trevas de suas dúvidas e exorando um sinal que o esclarecesse." (João Ribeiro, *Crepúsculo dos Deuses*, p. 54.) *T. d. e i.* **2.** Suplicar ansiosamente; invocar: *Ofendi-a, e* exoro *-lhe perdão. Int.* **3.** Pedir algo com instância; implorar ansiosamente: "entre a turba Hipérides assoma, / Defende-lhe a inocência, exclama, exora, pede, / Suplica, ordena, exige..." (Olavo Bilac, *Poesias*, p. 78).

exorável (z). [Do lat. *exorabile.*] *Adj. 2. g.* Que cede às súplicas; que se apieda, se compadece; compassivo.

exorbitância (z). [Do lat. *exorbitantia*, de *exorbitare*, 'exorbitar'.] *S. f.* **1.** Saída para fora da órbita. **2.** *Fig.* Excesso, demasia. **3.** *Fam.* Preço excessivo.

exorbitante (z). [Do lat. *exorbitante.*] *Adj. 2 g.* **1.** Que exorbita ou sai da órbita. **2.** Que excede os limites razoáveis ou verdadeiros; excessivo.

exorbitar (z). [Do lat. *exorbitare.*] *V. t. d.* **1.** Tirar da órbita. *T. i.* **2.** Desviar-se (de norma, regra, razão): Exorbitou *de suas atribuições. Int.* **3.** Sair fora da órbita. **4.** Exceder os justos limites, o razoável.

exorcismar (z). *V. t. d.* **1.** Valer-se de exorcismo para expulsar do corpo de (alguém) maus espíritos ou demônios; exorcizar. **2.** Afugentar por meio de conjuras ou exorcismos; conjurar, esconjurar. **3.** Bradar, exclamar (como quem esconjura). [Sin. ger.: *exorcizar.*]

exorcismo (z). [Do gr. *exorkismós*, pelo lat. *exorcismu.*] *S. m.* Oração e cerimônia religiosa com que se esconjura o Demônio, os espíritos maus, etc.; esconjuro: "e este [o Demônio] realmente mora naquela alma; que por isso o sacerdote lhe faz os *exorcismos* à porta da igreja, primeiro que a batize, mandando imperiosamente ao espírito maligno que despeje aquela casa." (Pe. Manuel Bernardes, *Os Últimos Fins do Homem*, p. 391).

exorcista (z). [Do gr. *exorkistés*, pelo lat. *exorcista.*] *S. 2 g.* **1.** Pessoa que exorcisma. ● *S. m.* **2.** *Teol.* Clérigo que recebeu a terceira ordem menor.

exorcistado (z). [De *exorcista* + *-ado*2.] *S. m. Teol.* A terceira das quatro ordens menores da Igreja Católica, que tem por base o livro dos exorcismos.

exorcizar (z). [Do gr. *exorkízo*, pelo lat. *exorcizare.*] *V. t. d.* V. *exorcismar.*

exordial (z). *Adj. 2 g.* Respeitante ao, ou próprio do exórdio (1).

exordiar (z). [Do lat. *exordiare.*] *V. t. d.* **1.** Fazer o exórdio de; principiar. *Int.* **2.** Começar a falar. [Pres. ind.: *exordio*, etc. Cf. *exórdio.*]

exórdio (z). [Do lat. *exordiu.*] *S. m.* **1.** *Ret.* O começo de um discurso; preâmbulo. [V. *prefácio* (1).] **2.** *Fig.* Princípio, prefácio, origem. [Cf. *exordio*, do v. *exordiar.*]

exormia (z). [De *exorm*, rad. do gr. *exormáo*, 'sair impetuosamente', + *-ia.*] *S. f. Patol.* Afecção papulosa da pele.

exórmico (z). *Adj.* Relativo à exormia.

exornação (z). [Do lat. *exornatione.*] *S. f.* Ornato, ornamento, adorno.

exornar (z). [Do lat. *exornare.*] *V. t. d.* Ornamentar, ornar, adornar, enfeitar, engalanar: "O respeito das tradições da língua, o gosto da vernaculidade no dizer e no escrever, constituem um dos títulos que *exornam* os bons espíritos do nosso século XVIII." (Álvaro J. da Costa Pimpão, *Gente Grada*, p. 33.)

exornativo (z). *Adj.* Que serve para exornar.

exornável (z). *Adj. 2 g.* Que pode ser exornado.

exorrizo (z). [De *ex(o)-* + *-rizo.*] *Adj. Morfol. Veg.* Diz-se da radícula não protegida por uma coleorriza.

exortação (z). [Do lat. *exhortatione.*] *S. f.* **1.** Ato de exortar, animar, estimular. **2.** Conselho, advertência, admoestação.

exortador (z...ô). [Do lat. *exhortatore.*] *S. m.* Aquele que exorta.

exortar (z). [Do lat. **exhortare*, por *exhortari.*] *V. t. d.* **1.** Animar, incitar, encorajar, estimular: *exortar os guerreiros. T. d. e i.* **2.** Aconselhar, induzir, persuadir: *Exortava-os ao trabalho;* "Todos os autores ingleses que têm tratado do Brasil .... começam por *exortar* os patrícios a estudarem o novo país." (Américo Jacobina Lacombe, *Um Passeio pela História do Brasil*, p. 7).

exortativo (z). [Do lat. *exhortativu.*] *Adj.* Que serve ou é próprio para exortar; exortatório: *Falou em tom exortativo.*

exortatória (z). [Fem. substantivado de *exortatório.*] *S. f.* Discurso exortativo.

exortatório (z). [Do lat. *exhortatoriu.*] *Adj.* Exortativo.

exosfera (z). [De *ex(o)-* + *-sfera.*] *S. f. Geofís.* Camada atmosférica exterior à ionosfera.

exosmose (z). [De *ex(o)-* + *-osmose.*] *S. f. Fís.* Corrente de dentro para fora que se produz quando dois líquidos de densidades diferentes estão separados por uma membrana. [Antôn.: *endosmose.*]

exosmótico (z). *Adj.* Referente à exosmose. [Antôn.: *endosmótico.*]

exósporo (z). [De *ex(o)-* + *-esporo.*] *S. m. Morfol. Veg.* Membrana espessa e resistente que envolve o esporo das pteridófitas e muitas vezes apresenta em relevo desenhos diversos. [Antôn.: *endósporo.*]

exosqueleto (z...lê). [De *ex(o)-* + *esqueleto.*] *S. m. Zool.* **1.** Esqueleto externo, como a casca dos crustáceos, formado por uma estrutura dura que se desenvolve externamente em certos animais. **2.** Designação comum aos órgãos duros (dentes, unhas, cascos, etc.) que se desenvolvem sobre a epiderme dos vertebrados.

exóstoma (z). [De *ex(o)-* + *-stoma.*] *S. m. Morfol. Veg.* Micrópila.

exostose (z). [Do gr. *exóstosis.*] *S. f.* **1.** *Med.* Proliferação óssea na superfície de um osso. **2.** *Morfol. Veg.* Excrescência no tronco de algumas árvores.

exotérico (z) [Do gr. *exoterikós*, pelo lat. *exotericu.*] *Adj. Filos.* Diz-se de ensinamento que, em escolas da Antiguidade grega, era transmitido ao público sem restrição, dado o interesse generalizado que suscitava e a forma acessível em que podia ser exposto, por se tratar de ensinamento dialético, provável, verossímil. [Cf. *esotérico.*]

exoterismo (z). [Do gr. *exóteros*, 'exterior', + *-ismo.*] *S. m.* **1.** Qualidade de exotérico. **2.** A doutrina exotérica. [Cf. *esoterismo.*]

exotérmico (z). [De *ex(o)-* + *-term(o)-* + *-ico*2.] *Adj. Fís.* Diz-se de um processo em que há desprendimento de calor. [Antôn.: *endotérmico.*]

exótico (z). [Do gr. *exotikós*, pelo lat. *exoticu.*] *Adj.* **1.** Que não é indígena; estrangeiro. [Opõe-se a *autóctone* (1 e 2).] **2.** Esquisito, excêntrico, esdrúxulo, extravagante: *indivíduo exótico.* **3.** *Fig. Fam.* Malfeito; desajeitado.

exotismo (z). [Do fr. *exotisme.*] *S. m.* Qualidade ou caráter de exótico.

exotoxina (cs...cs). *S. f. Bacter.* Toxina secretada por bactéria.

expandir. [Do lat. *expandere.*] *V. t. d.* **1.** Tornar pando; estender, alargar, dilatar; abrir, ampliar: *O vento expandiu a vela.* **2.** Expor com franqueza; desabafar. **3.** Difundir, espalhar, espargir. **4.** *Mat.* Desenvolver (8). *P.* **5.** Dilatar-se, desenvolver-se, ampliar-se. **6.** Abrir-se com alguém; desabafar. **7.** Mostrar-se expansivo, comunicativo.

expansão. [Do lat. *expansione.*] *S. f.* **1.** Ato de expandir(-se). **2.** Difusão espontânea e comunicativa de entusiasmo, de alegria, de amizade; desabafo. ◆ **Expansão do Universo.** *Astr.* Fenômeno fundamental na teoria cosmogônica do Pe. Georges Lemaître, astrônomo belga (1894-1967), e segundo a qual toda a matéria do Universo estaria concentrada inicialmente num bloco gigantesco, o ovo cósmico [q. v.], e após a explosão se teria dissipado, até o estado atual.

expansibilidade. *S. f.* Qualidade de expansível.

expansionismo. [Do lat. *expansione*, 'expansão', + *-ismo.*] *S. m.* Tendência para expandir-se.

expansionista. *Adj. 2 g.* **1.** Relativo ao, ou que é adepto do expansionismo. **2.** Que se caracteriza pelo expansionismo: *política expansionista.* ● *S. m.* **3.** Adepto do expansionismo.

expansível. [Do lat. **expansibile.*] *Adj. 2 g.* Suscetível, de expandir(-se); expansivo.

expansividade. *S. f.* Qualidade ou feitio de expansivo.

expansivo. [Do lat. *expansu*, 'expandido', + *-ivo.*] *Adj.* **1.** Expansível. **2.** *Fig.* Entusiasta; franco, comunicativo.

expanso. [Do lat. *expansu.*] *Adj.* Que se expandiu; expandido.

expatriação. *S. f.* **1.** Ato ou efeito de expatriar(-se); exílio, desterro. **2.** Emigração (3).

expatriado. [Part. de *expatriar.*] *Adj. e s. m.* Que, ou aquele que sofreu a pena de expatriação, ou que se expatriou; exilado.

expatriar. [De *ex-*2 + *pátria* + *-ar*2.] *V. t. d.* **1.** Expulsar da pátria; exilar, desterrar, banir. *P.* **2.** Ir para o exílio. **3.** Ir residir em país estrangeiro.

expectação. [Do lat. *exspectatione.*] *S. f.* V. *expectativa.* [Var.: *expetação.*]

expectador (ô). [Do lat. *exspectatore.*] *S. m.* Aquele que tem expectativa, que está na expectativa. [Var.: *expetador.* Cf. *espectador.*]

expectante. [Do lat. *exspectante.*] *Adj. 2 g.* Que espera, observando; que expecta. [Var.: *expetante.*]

expectar. [Do lat. *exspectare.*] *V. int.* Estar na expectativa. [Var.: *expetar* (q. v.).]

expectativa. [Do lat. *exspectatu*, 'esperado', + *-iva.*] *S. f.* Esperança fundada em supostos direitos, probabilidades ou promessas: *Vive na expectativa da herança; Perdeu a eleição, contra todas as expectativas.* [Var.: *expetativa;* sin.: *expectação.*]

expectável. [Do lat. *espectabile.*] *Adj. 2 g.* Que se pode esperar; provável. [Var.: *expetável.* Cf. *espectável.*]

expectoração. *S. f.* **1.** Ato e efeito de expectorar. **2.** *Med.* Ação de expelir, tossindo, matéria proveniente dos pulmões, dos brônquios ou da traquéia. [Var.: *expetoração.*]

expectorante. *Adj. 2 g. e s. m.* Diz-se de, ou medicamento que provoca ou facilita a expectoração. [Var.: *expetorante.*]

expectorar. [Do lat. *expectorare.*] *V. t. d.* **1.** Expelir do peito; escarrar. **2.** Proferir, dizer, com ira ou violência. *Int.* **3.** Expelir o escarro; escarrar. [Var.: *expetorar.*]

expedição. [Do lat. *expeditione.*] *S. f.* **1.** Ato ou efeito de expedir; despacho, remessa; expediência: *expedição de uma encomenda, de uma carta.* **2.** Prontidão, diligência, desembaraço; expediente, expediência. **3.** *Mil.* Remessa de tropas para determinado fim; campanha. **4.** *Mil.* O corpo de tropa. **5.** *P. ext.* Grupo que se destina a explorar, pesquisar, estudar uma região, geralmente em caráter científico: *a expedição Rondon.* **6.** *Bras.* Seção encarregada de expedir as mercadorias, nos estabelecimentos comerciais.

expedicionário. *Adj.* **1.** Relativo a expedição. **2.** Que faz parte de uma expedição. ● *S. m.* **3.** Aquele que faz parte de expedição. **4.** *Bras. Mil.* Integrante da FEB (Força Expedicionária Brasileira); pracinha.

expedicioneiro. *S. m.* Oficial do Vaticano que solicita a expedição de bulas, breves, etc.

expedida. [Fem. substantivado do part. de *expedir.*] *S. f.* Licença para sair ou expedir.

expedidor (ô). *Adj. e s. m.* Que ou aquele que expede.

expediência. [Do lat. *expedientia*, do v. *expedire*, 'expedir'.] *S. f.* **1.** V. *expedição* (1 e 2). **2.** Atividade, diligência, desembaraço.

expediente. [Do lat. *expediente.*] *Adj. 2 g.* **1.** Que expede, resolve, promove a execução de algo. ● *S. m.* **2.** Horário de funcionamento das repartições públicas e, p. ext., de estabelecimentos comerciais, escritórios, fábricas, etc.: *O expediente do escritório é das 9 às 17 horas; Amanhã só haverá meio expediente nas repartições públicas.* **3.** Serviço de rotina diária: *Faz parte do seu expediente dactilografar a correspondência da diretoria.* **4.** A correspondência, requerimentos, ofícios, etc., duma repartição: *O expediente da seção está com o diretor, para despacho.* **5.** V. *expedição* (2). **6.** Meios que se usam para eliminar dificuldades, embaraços, etc., ou para alcançar determinados fins: *Lançou mão de todos os expedientes, e nada alcançou;* "Ocorrera-lhe de súbito um *expediente* sagaz para sair daquela situação difícil." (Alexandre Herculano, *O Monge de Cister*, II, p. 276). ◆ **Ter expediente.** Ser desembaraçado, ativo, diligente. **Viver de expedientes.** Recorrer a toda sorte de meios, as mais das vezes ilícitos, para viver, por não ter meio certo de vida.

expedir. [Do lat. *expedire.*] *V. t. d.* **1.** Remeter ao seu destino; despachar, enviar, despedir: "ao cabo de três meses *expedia* um telegrama anunciando que havia morrido." (Machado de Assis, *A Semana*, II, p. 102). **2.** Fazer partir com determinado fim: *expedir um emissário.* **3.** Promover a solução de; resolver, despachar: *O juiz expediu várias questões.* **4.** Publicar oficialmente (decreto, portaria, etc.); promulgar. **5.** Expelir, expulsar. **6.** Dar ou soltar com violência ou intensidade; expelir: "*expediu* um grito de júbilo dilacerante, arrancado das profundezas do coração" (Ramalho Ortigão, *Em Paris*, p. 47). **7.** Despedir, afastar. *T. d. e i.* **8.** Livrar, desembaraçar: *Conseguiu expedi-lo das suas dificuldades.* **9.** Fazer seguir; enviar, remeter, mandar: *Expedi-lhe, ontem, o meu último livro. P.* **10.** Desembaraçar-se, livrar-se. **11.** Despedir-se, separar-se. [Irreg. Conjug.: v. *pedir.* Pres. ind.: *expeço*, etc.; pres. subj.: *expeça, expeças, ... expeçam.* Cf. *espeço, espeças, espeça, espeçam*, do v. *espeçar; espesso, espessas, espessa, espessam*, do v. *espessar;* e *espesso* (ê), adj., flex. *espessa* (ê), *espessas* (ê).]

expeditivo. Adj. V. *expedito.*

expedito. [Do lat. *expeditu.*] *Adj.* Desembaraçado, ativo, diligente, lesto; expeditivo: "Lá a vi, ... *expedita*, leve, asseada como um passarinho" (Ramalho Ortigão, *Em Paris*, p. 211). ~ V. *levantamento* —.

expedrar. [De *ex-*2 + *pedra* + *-ar*2.] *V. t. d.* Limpar de pedras (terreno pedregoso); espedregar.

expelir. [Do lat. *expellere.*] *V. t. d.* **1.** Lançar fora com violência; expulsar: *As tropas lutavam para expelir o invasor.* **2.** Lançar de si; expulsar: *O animal expelia veneno.* **3.** Arremessar a distância. **4.** Proferir com violência: *expelir insultos. T. d. e i.* **5.** Lançar fora com violência; expulsar: "Depois que em 1615 os portugueses *expeliram* os franceses da ilha do Maranhão, considerou-se indispensável criar uma forte posição no rio das Amazonas" (João Ribeiro, *História do Brasil*, p. 197). **6.** Fazer sair por força. [Irreg. Conjug.: v. *aderir*, mas tem dois particípios, *expelido* e *expulso.*]

expender. [Do lat. *expendere.*] *V. t. d.* **1.** Expor minuciosamente. **2.** Expor, explicar, ponderando ou analisando: "Estas puxadas reflexões era o boticário que as *expendia*, coadjuvado pelo mestre de primeiras letras" (Camilo Castelo Branco, *A Queda dum Anjo*, p. 16). **3.** Gastar, despender. *T. d. e i.* **4.** Expor minuciosamente; esmiuçar: *Expendeu suas idéias ao auditório.*

expensão. [Do lat. *expensione.*] *S. f.* Ato de expender.

expensas. [Do lat. *expensas*, acusativo pl. de *expensus, a, um*, 'gasto'.] *El. s. f. pl.* Us. na loc. *a expensas de.* ◆ **A expensas de.** À custa de: "sem ter nenhum vício, comendo a *expensas do* colégio, passava semanas inteiras sem gastar um vintém com a sua pessoa."

(Aluísio Azevedo, *O Coruja*, p. 144).
experiência. [Do lat. *experientia*, do v. *experiri*, 'experimentar'.] *S. f.* **1.** Ato ou efeito de experimentar(-se); experimento, experimentação. **2.** Prática da vida: *É homem vivido, cheio de experiência.* **3.** Habilidade, perícia, prática, adquiridas com o exercício constante duma profissão, duma arte ou ofício: *É um professor com experiência, tem 20 anos de magistério.* **4.** Prova, demonstração, tentativa, ensaio: *experiência química.* **5.** *Filos.* Experimentação (2). **6.** *Filos.* Conhecimento que nos é transmitido pelos sentidos. **7.** *Filos.* Conjunto de conhecimentos individuais ou específicos que constituem aquisições vantajosas acumuladas historicamente pela humanidade. [Cf., nas acepç. 5 a 7, *conhecimento* (12).]
experiencial. *Adj. 2 g.* Experimental (1).
experienciar. [De *experiência* + *-ar*[2].] *V. t. d.* Experimentar: *O paciente experienciou uma ansiedade que só sentira em sua infância.*
experiente. [Do lat. *experiente*.] *Adj. 2 g.* **1.** Que tem ou revela experiência; perito, hábil, experimentado: "Anfilóquio, banqueiro, prático, experiente, sabia destruir barreiras e lidar com a sociedade (Geraldo França de Lima, *Branca Bela*, p. 222.) ● *S. 2 g.* **2.** Pessoa experiente.
experimenta. [Dev. de *experimentar*.] *S. f. Desus.* Experimento, experimentação.
experimentação. *S. f.* **1.** Ato de experimentar; experimento. **2.** *Filos.* Método científico que consiste em observar um fenômeno natural sob condições determinadas que permitem aumentar o conhecimento que se tenha das manifestações ou leis que regem esse fenômeno; experiência.
experimentado. [Part. de *experimentar*.] *Adj.* **1.** Que já foi tentado. **2.** Que foi submetido a prova. **3.** V. *experiente* (1).
experimental. *Adj. 2 g.* **1.** Relativo a experiência; experiencial. **2.** Fundado na experiência, ou em experiências. ~ V. *botânica —, ciências experimentais, física —, método —, música — de vanguarda* e *psicologia —*.
experimentalismo. *S. m.* Sistema que objetiva estender o método experimental a todos os ramos de atividade.
experimentalista. *Adj. 2 g.* **1.** Relativo ao experimentalismo, ou que é partidário dele. ● *S. 2 g.* **2.** Partidário do experimentalismo.
experimentar. [De *experimento* + *-ar*[2].] *V. t. d.* **1.** Submeter a experiência (4); pôr à prova; ensaiar: *experimentar um novo remédio.* **2.** Pôr em prática; executar. **3.** Tentar, empreender, praticar: *Resolveu experimentar um novo método de ensino.* **4.** Submeter a provas morais: *O sacerdote gostava de experimentar os seus ouvintes.* **5.** Conhecer ou avaliar pela experiência (2): *O amor só se conhece com experimentá-lo.* **6.** Verificar a boa qualidade ou o bom estado de conservação de, usando, submetendo a prova ou experiência: *Experimentou o automóvel antes de comprá-lo.* **7.** Vestir (roupa que se compra feita ou que se mandou fazer) ou calçar (sapato, luva, etc., nos mesmos casos) para ver se ficam bem. **8.** Sentir, sofrer, suportar: *Experimentou muitos dissabores;* "Eu experimentava desgosto, repugnância, um vago remorso." (Graciliano Ramos, *Infância*, p. 223). *P.* **9.** Adquirir experiência; adestrar-se.
experimentável. *Adj. 2 g.* Que pode ser experimentado.
experimento. [Do lat. *experimentu*.] *S. m.* **1.** V. *experiência* (1): "é [Cândido Portinari] um artista que admite os mais arrojados experimentos da nova pintura" (José Lins do Rego, *Gordos e Magros*, p. 75). **2.** Ensaio científico destinado à verificação de um fenômeno físico.
➧**expertise** (ekspertise). [Fr.] *S. f.* Perícia realizada por experto (4).
experto. [Do lat. *expertu*.] *Adj.* **1.** Que tem experiência; experimentado, experiente: *É homem inteligente e experto;* "Perdoa, meu rico prelado, perdoa-me esses descuidos da pena, tão pouco experta em matérias eclesiásticas" (Machado de Assis, *A Semana*, II, p. 193). **2.** Que fez experiência. **3.** Que sabe ou tem conhecimento; sabedor, ciente: *É homem culto, experto.* ● *S. m.* **4.** Indivíduo que adquiriu grande conhecimento ou habilidade graças à experiência, à prática: "Que, posto que em cientes muito cabe, / Mais em particular o experto sabe." (Luís de Camões, *Os Lusíadas*, X, p. 152). **5.** Perito (4). [Cf. *esperto*, do v. *espertar* e adj.]
expetação. *S. f.* Var. de *expectação* [q. v.].
expetador (ô). *S. m.* Var. de *expectador* [q. v.].
expetante. *Adj. 2 g.* V. *expectante.*
expetar. *V. int.* V. *expectar.* [Cf. *espetar*.]
expetativa. *S. f.* V. *expectativa.*
expetável. *Adj. 2 g.* V. *expectável.*
expetoração. *S. f.* Var. de *expectoração* [q. v.].
expetorante. *Adj. 2 g.* e *s. m.* V. *expectorante.*
expetorar. *V. t. d.* e *int.* V. *expectorar.*
expiação. [Do lat. *expiatione*.] *S. f.* Ato ou efeito de expiar (1); castigo, penitência, cumprimento de pena. ~ V. *expiações.* ♦ **Expiação suprema.** A pena capital.
expiações. *S. f. pl.* Cerimônias religiosas com que se procurava aplacar a cólera divina ou purificar lugar profanado. ~ V. *expiação.*
expiar. [Do lat. *expiare*.] *V. t. d.* **1.** Remir (a culpa), cumprindo pena; pagar. **2.** Sofrer as conseqüências de: "Cometi um erro, e devo expiá-lo." (Machado de Assis, *Helena*, p. 279.) **3.** Sofrer, padecer: "Condenados à desordem ou à conservação, os revolucionários de hoje expiam as conseqüências da falta de um critério científico na organização das suas idéias." (Oliveira Martins, *Portugal Contemporâneo*, I, p. XXVII.) **4.** Purificar (um local sagrado) de profanação ou sacrilégio. *P.* **5** Purificar-se (de crimes ou pecados). [Pres. ind.: *expio, expias, expia*, etc. Cf. *espia*, do v. *espiar* e s. f., e esse v.]
expiatório. [Do lat. *expiatoriu*.] *Adj.* Que serve para, ou em que há expiação. ~ V. *bode —.*
expiável. *Adj. 2 g.* Que se pode expiar.
expilação. [Do lat. *expilatione*.] *S. f. Jur.* Subtração parcial ou total duma herança antes de ser declarado o herdeiro.
expilar. [Do lat. *expilare*.] *V. t. d.* **1.** *Jur.* Subtrair bens de herança a. **2.** Espoliar, esbulhar. **3.** Roubar, pilhar.
expiração. [Do lat. *exspiratione*.] *S. f.* **1.** Expulsão do ar dos pulmões. **2.** Fim ou termo de certo prazo. [Cf. *espiração*.]
expirante. [Do lat. *exspirante*.] *Adj. 2 g.* **1.** Que expira [v. *expirar* (5)]; moribundo. **2.** Que está próximo do fim, do termo. [Cf. *espirante*.]
expirar. [Do lat. *exspirare*.] *V. t. d.* **1.** Expelir (o ar) dos pulmões. **2.** Exalar, bafejar, respirar: *O jasmim expira perfume.* **3.** Revelar, demonstrar: *A mulher deve expirar ternura.* **4.** Proferir, dizer. *Int.* **5.** V. *morrer* (1). **6.** Chegar ao fim; acabar, terminar, finalizar(-se): "Entram-te na alma as doces tristezas do dia que expira; / em melodias flébeis rezam na altura os sinos..." (Carlos Magalhães de Azeredo, *Odes e Elegias*, p. 52); *O prazo para inscrição expira hoje.* **7.** Perder a força, a ação. **8.** Extinguir-se a pouco e pouco; sumir-se, definhar. [Pres. ind.: *expiro, expiras, expira*, etc. Cf. *espira*, s. f., e o v. *espirar*.]
expiratório. *Adj.* Relativo a expiração (1), ou que serve para produzi-la.
explanação. [Do lat. *explanatione*.] *S. f.* Ato de explanar; explicação.
explanador (ô). [Do lat. *explanatore*.] *Adj.* e *s. m.* Que ou aquele que explana; explicador.
explanar. [Do lat. *explanare*.] *V. t. d.* **1.** Tornar plano, fácil, claro; explicar desenvolvidamente: *O professor explanou o texto de Camões.* **2.** Esclarecer, explicar. **3.** Narrar minuciosamente: *explanar um caso.*
explanativo. *Adj.* Explanatório.
explanatório. [Do lat. *explanatoriu*.] *Adj.* Próprio para explanar; explanativo: *exemplos explanatórios.*
explementar. *Adj. 2 g.* ~ V. *ângulo —.*
explemento. *S. m. Geom.* V. *ângulo conjugado.*
expletiva. [Fem. substantivado do adj. *expletivo*.] *S. f.* Expletivo (3).
expletivo. [Do lat. *expletivu*.] *Adj.* **1.** Que serve para preencher ou completar. **2.** Diz-se das palavras ou expressões que, desnecessárias ao sentido da frase, lhe dão, todavia, mais força ou graça: *Quantos não sonham com a felicidade!* ● *S. m.* **3.** Palavra expletiva; expletiva.
explicação. [Do lat. *explicatione*.] *S. f.* **1.** Ato de explicar(-se). **2.** Lição (5) particular: *O aluno recebeu uma explicação de matemática.* **3.** Razão (de uma coisa, de uma atitude, etc.): *Aquilo, embora estranho, tinha explicação.* **4.** Justificação, esclarecimento: *Com as explicações que deu, cessou o mal-entendido.* **5.** Desagravo, desafronta: *O ofendido exigia uma explicação.*
explicador (ô). [Do lat. *explicatore*.] *Adj.* **1.** Que explica. ● *S. m.* **2.** Aquele que dá explicações [v. *explicação* (2)].
explicar. [Do lat. *explicare*.] *V. t. d.* **1.** Tornar inteligível ou claro (o que é ambíguo ou obscuro): *Explicou o sentido daquelas estranhas palavras.* **2.** Ajuizar da intenção, do sentido de; interpretar: *explicar os textos bíblicos.* **3.** Justificar, desculpar: *Nenhuma razão explica a deslealdade.* **4.** Dar explicação (2) a; lecionar, ensinar: *explicar português.* **5.** Expressar, manifestar, significar: *Impossível explicar o que sentia.* **6.** Entender, compreender. *T. d.* e *i.* **7.** Expor, explanar, desenvolver: "E Rubião explicou aos novatos a alusão ao filósofo, e a razão do nome do cão" (Machado de Assis, *Quincas Borba*, p. 225). **8.** Dar a conhecer a origem ou o motivo de. *Int.* **9.** Dar explicação ou justificação; justificar(-se): "Nunca explicar. Silenciar." (Iolanda Jordão, *Poesias*, p. 135.) *P.* **10.** Exprimir-se, expressar-se. **11.** Dar razão das suas ações ou palavras; dar satisfação ou explicações. **12.** *Bras. Gír.* Pagar uma dívida; remunerar um serviço. [Conjug.: v. *trancar*.]
explicativa. [Fem. substantivado de *explicativo*.] *S. f. Gram.* Conjunção explicativa.
explicativo. *Adj.* Que serve para explicar, que explica; elucidativo. ~ V. *conjunção —a.*
explicável. [Do lat. *explicabile*.] *Adj. 2 g.* Que se pode explicar; que se presta a ser explicado.
explicitação. *S. f.* Ação de explicitar.
explicitar. *V. t. d.* Tornar explícito: "A folhear .... um velho caderno de notas, verifiquei esta desgraça: quando não expliciteí a ressonância que tiveram no meu espírito certos acontecimentos, só a muito custo e brumosamente consegui relembrá-los." (Miguel Torga, *Diário*, IX, p. 16). [Pres. ind.: *explicito*, etc. Cf. *explícito*.]
explícito. [Do lat. *explicitu*.] *Adj.* Expresso formalmente; claro, desenvolvido, explicado: *resposta explícita.* [Antôn.: *implícito*. Cf. *explicito*, do v. *explicitar*.] ~ V. *função —a.*
explicudo. [De *explicado*, part. de *explicar*.] *Adj. Bras., N.E. Gír.* Que se exprime com muita ênfase, empolamento ou pose; pernóstico, enfático: *A empregada é trabalhadeira, porém muito explicuda.*
explodir. [Do lat. *explodere*.] *V. int.* **1.** Fazer explosão; estourar, expluir: *A bomba explodiu no chão.* **2.** Manifestar-se ruidosamente; estalar: *Explodiu uma gargalhada na sala.* **3.** Manifestar-se de súbito e/ou com violência; irromper: "Se alguma vez em ti, exulcerante, a dor / Mal contida explodir, estalar como o raio / E ameaçar abater-te, homem, sê caçador." (Alberto de Oliveira, *Poesias*, 2ª série, p. 256.) **4.** Expandir-se ruidosamente, entusiasticamente: *O público explodiu em ovações.* **5.** Abrolhar, brotar, romper ou irromper com exuberância, com viço: "Na tristeza do sítio áspero, onde explodia uma vegetação agreste, ... ermava o rancho." (Coelho Neto, *Rei Negro*, p. 195.) *T. d.* **6.** Vociferar, bradar: "Uma ova! explodia o farmacêutico, fazendo com a destra fechada um gesto indecoroso." (Ribeiro Couto, *Prima Belinha*, p. 3.) **7.** Provocar a explosão de; fazer explodir: "Irã ameaça explodir campo de petróleo do Golfo" (*Jornal do Brasil*, 29.9.1980); "Guerrilheiros .... explodiram cartuchos de dinamite" (*Ib.*, 28.1.1982). [Defect., não conjugável na 1ª pess. sing. do pres. ind. nem, portanto, no pres. subj.]
exploração. [Do lat. *exploratione*.] *S. f.* **1.** Ato ou efeito de explorar: *exploração de uma região.* **2.** Pesquisa, sondagem: *exploração de minérios.* **3.** Desenvolvimento de uma indústria, de um negócio, com fins especulativos: *A exploração da fábrica toma-lhe o tempo.* **4.** Ato ou efeito de explorar (5 a 7): *Este preço é uma exploração; A notícia não passava de exploração do jornal.* **5.** Levantamento topográfico, detalhado e preciso, de faixa de terreno necessária ao projeto de uma estrada. [Cf. *explotação*.]
explorador (ô). [Do lat. *exploratore*.] *Adj.* **1.** Que explora. **2.** Que sabe enganar alguém manhosa e maldosamente. ● *S. m.* **3.** Aquele que sabe enganar manhosa e maldosamente. **4.** Aquele que viaja para fazer descobrimentos em uma região.
explorar. [Do lat. *explorare*.] *V. t. d.* **1.** Procurar, descobrir. **2.** Percorrer estudando, procurando: *explorar uma região, uma floresta.* **3.** Pesquisar, observar, estudar, especular: *Os arqueólogos exploram as ruínas antigas.* **4.** Tirar partido ou proveito de; fazer produzir; desenvolver (um negócio ou indústria); empreender, cultivar: *explorar uma fazenda, uma mina.* **5.** Tirar partido ou proveito de parentesco, amizade, relações com; sugar: *Não trabalha, vive a explorar o pai e os amigos.* **6.** Tirar partido ou proveito de (um fato, uma situação, etc.): *Os jornais exploraram o divórcio da atriz; A oposição explorou as irregularidades do governo anterior.* **7.** Abusar da boa-fé, da ingenuidade ou da ignorância de; enganar, ludibriar: *explorar os incautos.* **8.** Sondar, perscrutar. **9.** *Med.* Examinar ou acompanhar o andamento de (doença). [Cf. *explotar*.]
exploratório. [Do lat. *exploratoriu*.]. *Adj.* **1.** Que serve para explorar. ● *S. m.* **2.** *Cir.* Instrumento para sondar a bexiga.

explorável. *Adj. 2 g.* Que se pode explorar; que se presta a ser explorado.
explosão. [Do lat. *explosione.*] *S. f.* **1.** Comoção seguida de detonação e produzida pelo desenvolvimento repentino de uma força ou pela expansão súbita de um gás. **2.** Detonação, estouro. **3.** *Fig.* Manifestação viva e súbita: *explosão de alegria; explosão de riso;* "Durou muito tempo essa *explosão* de raiva interior" (Machado de Assis, *Quincas Borba*, p. 72). **4.** *Fon.* V. *articulação* (5). ♦ **Explosão demográfica.** Crescimento rápido e excessivo de população. **Grande explosão.** V. *teoria do bigue-bangue.*
explosível. *Adj. 2 g.* Que pode explodir.
explosivo. [Do lat. *explosu*, 'impelido para fora', + *-ivo.*] *Adj.* **1.** Que é capaz de explodir (1); explosível, **2.** Arrebatado, impetuoso, impulsivo: *temperamento explosivo: indivíduo explosivo.* **3.** Que envolve perigo; perigoso: *Política naquele tempo era assunto explosivo.* ~ V. *estrela —a* e *gelatina —a.* ● *S. m.* **4.** Substância inflamável, capaz de produzir explosão. ♦ **Explosivo brisante.** *Expl.* V. *alto explosivo.* **Explosivo de ruptura.** *Expl.* V. *alto explosivo.* **Explosivo lento.** *Expl.* V. *baixo explosivo.* **Alto explosivo.** *Expl.* Qualquer explosivo em que a velocidade de propagação da combustão varia de 1000 m/s a 8500 m/s; explosivo brisante, explosivo de ruptura. **Baixo explosivo.** *Expl.* Qualquer explosivo que realiza uma deflagração com velocidades de propagação de alguns centímetros a 400 m por segundo; explosivo lento; pólvora.
explosor (ô). *S. m. Expl.* Máquina destinada a fornecer a energia necessária à iniciação de explosões em cadeia por meio de corrente elétrica; máquina detonadora.
explotação. [Do gr. *exploitation.*] *S. f. Econ.* **1.** Ação de explotar. **2.** Conjunto de terras explotadas. [Cf. *exploração.*]
explotar. [Do gr. *exploiter.*] *V. t. d. Econ.* Tirar proveito econômico de (determinada área), sobretudo quanto aos recursos naturais. [Cf. *explorar.*]
expluir. *V. int.* V. *explodir* (1): "Só então a dor *expluiu*, numa crise de lágrimas e recriminações." (Hugo de Carvalho Ramos, *Tropas e Boiadas*, p. 10); "ou *explui* num grito de quem não pode mais: — Não posso com este peso, com esta desgraça, com esta desgraça sobre esta desgràça, e com isto!...." (Raul Brandão, *Húmus*, p. 125). [Conjug.: V. *atribuir.*]
➧**expo** (ecspô). [Do fr., abrev. de *exposition.*] *S. f.* F. red. de *exposição* (2).
expoente. [Do lat. *exponente.*] *S. 2 g.* **1.** Pessoa que expõe ou alega; exponente. **2.** Representante ilustre de uma classe, profissão, ramo do saber, etc. ● *S. m.* **3.** *Mat.* Número que, posto, alceado, à direita de um outro, indica a potência a que se deve elevar este outro.
expolição. [Do lat. *expolitione.*] *S. f. Ret.* Ato de polir, ornar ou ampliar um discurso.
exponencial. [Do lat. * *exponentiale*, moldado em *exponente*, 'expoente'.] *Adj. 2 g. Bras.* **1.** Que constitui expoente (2); que vale como expoente (2): *Charles Chaplin é um vulto exponencial do cinema.* **2.** Relativo a expoente (3). ~ V. *função — e série —.* ● *S. f.* **3.** *Anál. Mat.* V. *função exponencial.*
exponente. *S. 2 g.* Expoente (1).
expor. [Do lat. *exponere.*] *V. t. d.* **1.** Colocar em perigo; arriscar: *expor a vida.* **2.** Contar, narrar, referir: *expor um fato.* **3.** Explicar, desenvolver, explanar, interpretar: *O filósofo expôs o seu método.* **4.** Fazer conhecer; revelar; descobrir: *Na entrevista o ministro expôs as novas medidas governamentais.* **5.** Deixar ver; revelar, mostrar, patentear: "Os lábios tremiam, o rosto *expunha* sinais de combate" (Carlos Drummond de Andrade, *Fala, Amendoeira*, p. 279). **6.** Pôr à vista; apresentar em exposição; mostrar: *O comerciante deve expor as suas mercadorias.* **7.** Deixar a descoberto; tornar evidente: *Não se preocupava em expor o que lhe ia na alma.* **8.** Abandonar (uma criança). *T. d. e i.* **9.** Pôr à vista; apresentar em exposição; mostrar, apresentar, exibir: *O industrial expôs um novo produto ao público.* **10.** Sujeitar à ação de: *expor a pele ao sol;* "— Dizem que a avareza é um vício; mas desse não peço perdão a Deus, que me deu o meu tesouro, mesmo para que o escondesse do mundo, e não o *expusesse* a maus-olhados." (José de Alencar, *Lucíola*, p. 89). **11.** Tornar conhecido ou evidente: *Expunha suas mazelas aos vizinhos.* **12.** Colocar em perigo; arriscar. **13.** Narrar, contar, referir. **14.** Revelar, descobrir. *Int.* **15.** Fazer exposição (2): "Em sua fase atual, Gordilho, que *expõe* desde 1971, exalta a mulher" (*Jornal do Brasil*, "Revista de Domingo", 5.9.1982). *P.* **16.** Exibir-se, mostrar-se. **17.** Arriscar-se, sujeitar-se, aventurar-se: *Expôs-se às balas do inimigo.* **18.** Oferecer-se, desguarnecer-se, desproteger-se. **19.** Colocar-se em circunstância de sofrer algum dano: *expor-se ao sereno.* [Irreg. Conjug.: v. *pôr.*]
exportação. [Do lat. *exportatione.*] *S. f.* **1.** Ato de exportar. **2.** Os artigos exportados.
exportador (ô). [Do lat. *exportatore.*] *Adj.* **1.** Que exporta. ● *S. m.* **2.** Negociante ou firma que exporta.
exportadora (ô). [Fem. de *exportador* (2).] *S. f.* Firma ou empresa que exporta.
exportar. [Do lat. *exportare.*] *V. t. d.* Mandar transportar para fora de um país, estado ou município (artigos nele produzidos).
exportável. *Adj. 2 g.* Que se pode exportar.
exposição. [Do lat. *expositione.*] *S. f.* **1.** Ato ou efeito de expor(-se). **2.** Exibição pública de produção artística ou industrial. **3.** O conjunto daquilo que se expõe. **4.** Modo pelo qual um edifício, aposento, objeto, obra de arte, etc., recebem a luz. **5.** Dedução de razões; considerações: *exposição clara e convincente.* **6.** Manifestação, declaração: *Fez à namorada a exposição de seus sentimentos.* **7.** Narrativa, narração. **8.** *Fot.* Intervalo de tempo em que uma emulsão fotográfica é submetida à ação de uma radiação luminosa. **9.** *Fís. Nucl.* Soma das cargas elétricas de igual sinal que uma radiação gama ou um raio X liberta num volume de ar de massa unitária, quando todos os elétrons e íons formados são inteiramente freados no próprio ar. **10.** *Fís. Nucl.* Quantidade de radiação ionizante fornecida ou absorvida por um sistema; dose. **11.** *Mús.* Parte inicial de uma composição (fuga, sonata, concerto, etc.), em que se faz a apresentação dos diferentes elementos temáticos. ♦ **Exposição de motivos.** Na linguagem burocrática, ofício dirigido por Ministro de Estado ao Presidente da República. **Exposição universal.** Aquela em que se exibem os produtos de todos os países. **Exposições múltiplas.** *Astr.* Técnica desenvolvida pelo astrônomo dinamarquês E. Hertzsprung (1873-1967), destinada à determinação precisa das coordenadas relativas das estrelas duplas visuais, por intermédio de chapas fotográficas tomadas no foco dos refratores de longo foco; técnica das exposições múltiplas.
expositivo. [Do lat. *expositu*, 'exposto', + *ivo.*] *Adj.* **1.** Respeitante a exposição. **2.** Que expõe, descreve, apresenta, dá a conhecer: *gramática expositiva* (a que expõe ou descreve os fatos da linguagem).
expositor (ô). [Do lat. *expositore.*] *S. m.* **1.** Aquele que expõe. **2.** Livro que expõe ou esclarece uma doutrina.
exposto (ô). [Do lat. *expositu.*] *Adj.* **1.** Que está à mostra, à vista; patente. ● *S. m.* **2.** Aquilo que está exposto. **3.** V. *enjeitado* (2).
expostulação. [Do lat. *expostulatione.*] *S. f.* **1.** Súplica, rogo. **2.** Reclamação ou queixa apresentada àquele que praticou a ofensa.
expressão. [Do lat. *expressione.*] *S. f.* **1.** Ato de espremer suco de fruta, planta etc.; espremedura. **2.** Ato de exprimir(-se). **3.** Enunciação do pensamento por meio de gestos ou palavras escritas ou faladas; verbo: *liberdade de expressão; Não tem expressão fácil; A literatura de cordel é típica expressão popular.* **4.** Dito, frase: *Trata-se de uma expressão estrangeira.* **5.** Semblante, gesto: *com expressão triste, baixou a cabeça.* **6.** O modo como o gesto, a voz ou a fisionomia revelam ou denotam a intensidade dum sentimento ou dum estado moral: "a *expressão* do rosto não era propriamente de tristeza ou de resignação, mas de constrangimento" (Machado de Assis, *Casa Velha*, p. 101). **7.** Vivacidade, animação: *uma fisionomia sem expressão.* **8.** Personificação (2): *F. é a expressão do talento.* **9.** Representação; manifestação: *Foi a escultura a expressão artística principal da Grécia.* ♦ **Reduzir à expressão mais simples.** **1.** Reduzir (algo) ao menor volume, ou ao estado mais miserável. **2.** Tirar toda a importância a, rebaixar ao máximo, humilhar, aviltar (alguém).
expressar. *V. t. d., t. d. e i. e p.* V. *exprimir: expressar idéias;* "seu hálito *expressava* amor ao vinho." (Malu de Ouro Preto, *Siri na Noite sem Lua*, p. 11); "Terra [Coimbra] onde os alfaiates se *expressam* como doutores de capelo" (João de Araújo Correia, *Sem Método*, p.19). [Part.: *expressado* e *expresso.*]
expressionismo. [Do lat. *expressione*, 'expressão', + *-ismo.*] *S. m.* **1.** *Art. Plást.* Arte e técnica de pintura, desenho, escultura, etc., que tende a deformar ou a exagerar a realidade por meios que expressam os sentimentos e a percepção de maneira intensa e direta. **2.** *Pint.* Escola surgida no primeiro quartel do séc. XX, por influência de Van Gogh (1853-1890) e E. Munch (1863-1944), e que apresenta as características do expressionismo (1). [Cf., nest acepç., *fovismo.*] **3.** *P. ext.* Qualquer manifestação artística em que o conteúdo emocional e as reações subjetivas exercem forte domínio sobre o convencionalismo e a razão.
expressionista. *Adj. 2 g.* **1.** Relativo ao, ou próprio do expressionismo: *O teatro expressionista surgiu na Alemanha; A gravura e o desenho de Osvaldo Goeldi são expressionistas.* **2.** Que é adepto ou seguidor do expressionismo: *compositor expressionista.* ● *S. 2 g.* **3.** Adepto ou seguidor dele.
expressividade. *S. f.* **1.** Qualidade de expressivo. **2.** *Genet.* Grau de expressão fenotípica de um gene.
expressivo. *Adj.* **1.** Que exprime; significativo: *Calou-se, magoado, num silêncio expressivo.* **2.** Que tem expressão (7): *fisionomia expressiva.* ~ V. *função —a.*
expresso. [Do lat. *expressu.*] *Adj.* **1.** Que fica exarado, consignado; manifesto: *Ali estava a vontade expressa do morto.* **2.** Que não admite réplicas; terminante, categórico, decisivo: *ordem expressa.* **3.** Que se expõe em termos explícitos e é concludente: *lei expressa.* **4.** Que é enviado rapidamente, sem delongas: *encomenda expressa; carta expressa.* **5.** Diz-se do trem, ônibus e, p. ext., qualquer outro meio de transporte coletivo que vai ao seu destino sem parar ou quase sem parar em nenhuma estação ou cidade. ● *S. m.* **6.** Trem expresso: *O expresso do meio-dia acaba de chegar.*
exprimir. [Do lat. *exprimere.*] *V. t. d.* **1.** Dar a entender, a conhecer; revelar, manifestar: *Seu rosto exprimia ódio;* "Ao passo que na Espanha ou em Portugal, em Ouro Preto ou na Sicília, as procissões constituem a forma mais popular de *exprimir* o sentimento religioso, nos Estados Unidos nunca vi uma procissão." (Alceu Amoroso Lima, *A Realidade Americana*, pp. 210-211). **2.** Enunciar por palavras ou gestos: *Com um muxoxo exprimia o seu desagrado.* **3.** Representar por meio da arte: *A música de Bach exprime a dimensão espiritual do homem:* "O futuro ('dirá') não *exprime* apenas certeza, mas também dúvida: 'poderá dizer', 'talvez diga', 'poderá pensar', 'talvez pense'." (Nélson Vaz. *Por Amor ao Idioma*, p. 49). **4.** Significar, denotar, representar: *Aquelas palavras exprimiam amor. T. d. e i.* **5.** Dar a entender; manifestar, demonstrar: *Ainda não lhe exprimi o meu ponto de vista. P.* **6.** Fazer conhecer suas idéias. **7.** Manifestar-se, mostrar-se. [Sin. ger.: *expressar.* [Part.: *exprimido* e *expresso.* Cf. *espremido*, do v. *espremer*, e adj.]
exprimível. *Adj. 2 g.* Que se pode exprimir.
exprobação. [Var. dissimilada de *exprobração.*] *S. f.* V. *exprobração:* "Não te molestará nenhum queixume, / Nenhuma *exprobação* há de pungir-te" (Gonçalves Dias, *Obras Poéticas*, II, p. 626); "Como ardentes carvões chameja a larva / Em muda *exprobação* olhar satânico!" (Araújo Porto-Alegre, *Colombo*, p. 10).
exprobar. [Var. dissimilada de *exprobrar.*] *V. t. d. e t. d. e i.* V. *exprobrar: Todos exprobam sua covardia;* "Uma vaga esperança de ainda ver Dulce, de lhe *exprobar* a sua leviandade" (Alexandre Herculano, *O Bobo*, p. 125); "*exprobava* aos gregos a arrogância e a vaidade" (Latino Coelho, *A Oração da Coroa*, p. CDI); "A onda de rancor que os envolvia *exproba-va-lhes* a avareza e cupidez" (João Ribeiro, *Notas de um Estudante*, p. 192).
exprobração. [Do lat. *exprobratione.*] *S. f.* **1.** Ato de exprobrar; acusação. **2.** V. *repreensão* (1).
exprobrador (ô). [Do lat. *exprobratore.*] *Adj.* **1.** Que exprobra; exprobrante. ● *S. m.* **2.** Aquele que exprobra.
exprobrante. [Do lat. *exprobrante.*] *Adj. 2 g.* Exprobrador (1).
exprobrar. [Do lat. *exprobrare.*] *V. t. d.* **1.** Fazer censuras a; censurar, repreender, vituperar: *Exprobramos sua indecisão. T. d. e i.* **2.** Censurar, criticar: "E os que lhe *exprobram* a selvageria das represálias aconselhadas, esquecem a reação gloriosa, oposta mais tarde, por muito menos, contra o comércio inglês pelas colônias da Nova Inglaterra" (Rui Barbosa, *Ensaios Literários*, p. 147). **3.** Lançar em rosto; reprochar, criminar, acusar: *Os próprios amigos exprobram-lhe a perfídia.*
exprobratório. *Adj.* Que envolve exprobração; próprio de quem exprobra: *Falou zangado, em tom exprobratório.*
➧**ex-professo** (ékç-professo). [Lat.] Como quem conhece a fundo a matéria ou assunto; magistralmente.
expromissão. *S. f. Jur.* Forma de novação [q. v.] em que se substitui o devedor primitivo por outro sem o conhecimento ou anuência daquele. [V. *delegação* (4).]
expromissor (ô). [Do lat. *expromissore.*] *S. m. Jur.* O pagador principal.
expropriação. *S. f. Jur.* **1.** Ato de expropriar. **2.** Coisa expropriada.

expropriador (ô). *Adj.* e *s. m. Jur.* Que ou aquele que expropria.
expropriar. [De ex- + *próprio* + *-ar*[2].] *V. t. d.* e *t. d.* e *i. Jur.* Desapossar, alguém, de sua propriedade segundo as formas legais e mediante justa indenização.
expugnação. [Do lat. *expugnatione.*] *S. f.* Ato de expugnar.
expugnador (ô). [Do lat. *expugnatore.*] *Adj.* e *s. m.* Que ou aquele que expugna.
expugnar. [Do lat. *expugnare.*] *V. t. d.* **1.** Conquistar à força de armas; tomar de assalto; vencer, pelejando: "Levantou El-Rei D. Fernando o Católico uma fortaleza junto de Argel, para freio desta cidade inimiga .... . *Expugnou-a* todavia Barbarroxa" (Manuel Bernardes, *Nova Floresta*, V. p. 123); "Ia-o buscando o bárbaro, que ouvira / Daquela parte o bélico tumulto, / Com tenção de *expugnar* a taba ingente, / Matar Gupeva, e cativar-lhe a gente." (Santa Rita Durão, *Caramuru*, IV, p. 67). **2.** Debelar, abater, superar.
expugnável. [Do lat. *expugnabile.*] *Adj. 2 g.* Que pode ser expugnado.
expulsando. [Do lat. *expulsandu.*] *Adj.* e *s. m. Jur.* Diz-se de, ou indivíduo contra quem se move processo de expulsão.
expulsão. [Do lat. *expulsione.*] *S. f.* **1.** Ato de expulsar: *A expulsão dos franceses do Rio de Janeiro fez-se com o concurso dos aborígines.* **2.** Saída forçada; extrusão: *Conseguiu-se a expulsão dos malfeitores com o cerco do seu local de refúgio.* **3.** Evacuação: *expulsão de fezes.* **4.** *Jur.* Saída compulsória e definitiva do território nacional, imposta a estrangeiro que foi, em processo regular, julgado perigoso por comprometer a segurança nacional, a estrutura das instituições ou a tranqüilidade pública.
expulsar. [Do lat. *expulsare.*] *V. t. d.* **1.** Fazer sair, por castigo ou violência, do lugar onde estava. **2.** Excluir ignominiosamente, por pena ou castigo: *O colégio expulsou os indisciplinados.* **3.** *Med.* Fazer evacuar ou expelir. *T. d.* e *i.* **4.** Fazer sair; expelir: *Expulsaram-no de casa.* [Part. *expulsado* e *expulso.*]
expulsivo. [Do lat. *expulsivu.*] *Adj.* Que facilita a expulsão; próprio para expulsar.
expulso. [Do lat. *expulsu.*] *Adj.* Que se expulsou [v. *expulsar* (1 e 2)].
expulsor (ô). [Do lat. *expulsore.*] *Adj.* **1.** Que expulsa. [Fem. irreg.: *exultriz.*] ● *S. m.* **2.** Aquele que expulsa. [Fem. irreg.: *exupultriz.*] **3.** *Tip.* Bloco de lâminas que, na linotipo, expele do molde a linha-bloco, fazendo-a passar à galé, através do bloco de navalhas; ejetor.
expulsório. *Adj. Jur.* Que envolve mandado de expulsão.
expultriz. [Do lat. *expultrice.*] *Adj.* (*f.*) e *s. f.* Fem. irreg. de *expulsor* (1 e 2).
expunção. [Do lat. *expunctione.*] *S. f.* Ato de expungir.
expungir. [Do lat. *expungere.*] *V. t. d.* **1.** Fazer desaparecer (uma escrita) para substituí-la por outra; apagar, delir, eliminar. *T. d.* e *i.* **2.** Limpar, isentar, livrar: *Expungiu de remorsos a consciência;* "Enquanto os estranhos não houverem conseguido apagar do mapa estes dois nomes gloriosos, não poderão a seu salvo *expungir* dos fatos modernos a memória dos nossos descobrimentos" (Latino Coelho, *Fernão de Magalhães*, p. 198). **3.** Eliminar, derriscar. [Defect. Falta-lhe a 1ª pess. sing. do pres. ind., e, pois, todo o pres. subj.]
expurgação. [Do lat. *expurgatione.*] *S. f.* Ato de expurgar(-se); expurgo.
expurgado. [Part. de *expurgar.*] *Adj.* **1.** Que sofreu expurgo. **2.** Limpo de impurezas. ~ V. *edição* —*a.*
expurgador (ô). *Adj.* Que, ou aquele que expurga.
expurgar. [Do lat. *expurgare.*] *V. t. d.* **1.** Purgar completamente; purificar. **2.** Tirar as sujidades a; limpar: *A água expurga o corpo.* **3.** Corrigir, emendar: *expurgar um texto.* **4.** Descascar, esburgar, esbrugar. **5.** Apurar, polir. **6.** Livrar do que é nocivo ou imoral: *expurgar a cidade corrompida.* **7.** *Agr.* Imunizar (sementes, tubérculos e frutos). *T. d.* e *i.* **8.** Apagar, expungir: *Expurgou a novela de certas falhas de estilo.* **9.** Livrar do que é supérfluo ou prejudicial. *P.* **10.** Limpar-se, corrigir-se, apurar-se. [Conjug.: v. *largar.*]
expurgatório. *Adj.* **1.** Que expurga, que tem a propriedade de expurgar. ● *S. m.* **2.** Relação de livros condenados como heréticos pela Igreja Católica.
expurgo. [Dev. de *expurgar.*] *S. m. Bras.* Expurgação.
exscrito. [De ex- + (*e*)*scrito.*] *Adj.* ~V. *círculo* —. [Cf. *escrito.*]
exsicação. *S. f.* **1.** Ato de exsicar (1). **2.** Estado do que foi exsicado ou se exsica.
exsicado. [Part. de *exsicar.*] *Adj.* Em que há ou se fez exsicação: 'ramos viúvos das flores recém-abertas, cujas pétalas *exsicadas* se despegam e caem, mortas" (Euclides da Cunha, *Os Sertões*, p. 76).
exsicante. [Do lat. *exsiccante.*] *Adj. 2 g.* Que exsica.
exsicar. [Do lat. *exsiccare.*] *V. t. d.* **1.** Secar bem; ressequir: "Algares e álveos nus soltam, na ânsia de um hausto, / O bafo bochornal, que *exsica* o solo infausto." (Luís Carlos, *Colunas*, p. 55) *P.* **2.** Ressequir-se [Conjug.: v. *trancar.*]
exsicata. [Do lat. *exsiccata*, 'dessecada'.] *S. f. Bot.* Exemplar dessecado de uma planta qualquer, conservado nos herbários.
exsicativo. *Adj.* Que tem a propriedade de exsicar (1).
exsolução. *S. f.* Ação ou processo de exsolver (2).
exsolver. [Do lat. *exsolvere.*] *V. t. d.* **1.** V. *dissolver* (1). *Int.* **2.** Desagregar-se, precipitar-se, a partir de uma fase cristalina sólida. *P.* **3.** Desligar, desprender. **4.** Pagar, solver. **5.** Apagar-se, dissolver-se.
exspuição (u-i). [Do lat. *exspuitione.*] *S. f.* Ato de expelir pela boca.
exstipulado. [De ex- + *lat. stipula*, 'estípula', + *-ado*[1].] *Adj. Morfol. Veg.* Privado de estípulas. [Cf. *estipulado*, do v. *estipular*, adj. e s. m.]
exsuar. [Do lat. *exsudare.*] *V. t. d.* e *int.* Exsudar.
exsução. *S. f.* Var. de *exsucção.*
exsucção. *S. f.* Ato de extrair, sugando, de fazer uma sucção. [Var.: *exsução.*]
exsudação. *S. f.* **1.** Ato de exsudar; transpiração. **2.** Líquido animal ou vegetal que atravessa os poros e se deposita nas superfícies.
exsudar. [Do lat. *exsudare.*] *V. t. d.* **1.** Segregar em forma de gotas ou de suor. *Int.* **2.** Sair em forma de suor ou gotejando. [F. paral.: *exsuar.*]
exsudato. [Do lat. *exsudatu.*] *S. m. Patol.* Matéria resultante de processo inflamatório e que, saindo de vasos sanguíneos, se deposita em tecidos ou superfícies teciduais, constituída de líquido, células, fragmentos celulares, e caracterizada, além do que já se mencionou, por alto conteúdo protéico. [Cf. *transudato.*]
exsurgir. [Do lat. *exsurgere.*] *V. Int.* Erguer-se, levantar-se: "E é uma ressurreição! O corpo se levanta: / Nos olhos, já sem luz, a vida *exsurge* e canta!" (Olavo Bilac, *Poesias*, p. 269). [Conjug.: v. *dirigir.*]
êxtase. [Do gr. *ékstasis*, pelo lat. *extase.*] *S. m.* **1.** Arrebatamento íntimo; enlevo, arroubo, encanto. **2.** Admiração de coisas sobrenaturais; pasmo, assombro. **3.** *Psiq.* Fenômeno observado na histeria e nos delírios místicos, e que consiste em sentimento profundo e indizível que aparenta corresponder a enorme alegria, mas que é mesclado de certa angústia: fica o paciente quase de todo imobilizado, parecendo haver perdido qualquer contato com o munto exterior. [Cf. *estase.*]
extasiado. [Part. de *extasiar.*] *Adj.* **1.** Arrebatado, absorto, elevado: "quando os seus olhos se encontraram com os meus, havia já duas horas que eu o contemplava embevecida, *extasiada*" (Artur Azevedo, *Contos Possíveis*, p. 86). **2.** Pasmado, assombrado.
extasiar. *V. t. d.* **1.** Causar êxtase a; enlevar, encantar, arrebatar: *A música extasiava-o.* **2.** Alongar a vista em êxtase. *P.* **3.** Encher-se de entusiasmo; cair em êxtase.
extático. [Do gr. *ekstatikós.*] *Adj.* Posto em êxtase; absorto, enlevado [Fem.: *extática.* Cf. *estático* e *estática.*]
extemporaneidade. *S. f.* Qualidade de extemporâneo.
extemporâneo. [Do lat. *extemporaneu.*] *Adj.* **1.** Que está ou vem fora do tempo próprio; inoportuno. **2.** Que não é próprio do tempo em que se faz ou sucede.
extensão. [Do lat. *extensione.*] *S. f.* **1.** Ato ou efeito de estender(-se); ampliação, aumento: *Teve grande extensão a empresa.* **2.** Dimensão, tamanho: *a extensão de um terreno.* **3.** Duração: *Qual será a extensão da aula?* **4.** Importância, alcance: *Sua cultura é de grande extensão.* **5.** Desenvolvimento, alargamento: *Poderoso, não cessava de lutar pela extensão do seu poder.* **6.** Ramal telefônico de um mesmo número, utilizado em local diverso daquele onde se acha o telefone principal. **7.** *Gram.* Aplicação extensiva do sentido de uma palavra, locução ou frase. **8.** *Jur.* Ampliação ou aplicação extensiva da letra ou sentido de uma lei, de uma cláusula. **9.** *Álg. Mod.* Operação que se obtém quando se estende uma operação definida entre os elementos de um conjunto aos elementos de outro que contém propriamente o primeiro. **10.** *Lóg.* Propriedade que tem um conceito de aplicar-se a cada elemento de um conjunto de objetos dos quais é atributo. ♦ **Em toda a extensão da palavra.** Em toda a força ou intensidade do seu significado; na extensão da palavra: *É generoso em toda a extensão da palavra.* **Na extensão da palavra.** Em toda a extensão da palavra.
extensibilidade. *S. f.* Qualidade de extensível.
extensível. *Adj. 2 g.* Que pode ser estendido; extensivo.
extensivo. [Do lat. *extensivu.*] *Adj.* **1.** Que se pode estender; extensível. **2.** Que se aplica a mais de um caso. **3.** Extenso, amplo. ~ V. *grandeza* —*a* e *propriedade* —*a.*
extenso. [Do lat. *extensu.*] *Adj.* **1.** Que tem extensão; vasto, amplo: *Em todo o extenso mar, nem um navio.* **2.** Comprido, longo: *Tropeçou no extenso fio.* **3.** Largo, prolongado: *um verão extenso.* **4.** Não resumido; desenvolvido: *A história é extensa, embora interessante.* ~V. *fonte de rádio* —*a.* ♦ **Por extenso. 1.** Sem abreviatura(s); por inteiro. **2.** Extensamente, largamente, desenvolvidamente.
extensor (ô). *Adj.* **1.** Que estende, faz estender, serve para estender. ~ V. *músculo* —. ● *S. m.* **2.** Aquilo que estende. **3.** *Anat.* Músculo extensor. **4.** *Pint.* Substância com escasso poder de cobertura, que se aplica em uma tinta para diminuir-lhe o custo; carga.
extenuação. [Do lat. *extenuatione.*] *S. f.* Debilidade, enfraquecimento, prostração, exaustão.
extenuado. [Part. de *extenuar.*] *Adj.* Enfraquecido, cansado, prostrado, exausto.
extenuador (ô). *Adj.* V. *extenuante.*
extenuante. [Do lat. *extenuante.*] *Adj. 2 g.* Que extenua; extenuador, extenuativo.
extenuar. [Do lat. *extenuare.*] *V. t. d.* **1.** Esgotar as forças a; enfraquecer ao extremo; debilitar: *As viagens extenuaram-no;* "Um labor ingrato, titânico, que *extenua* a alma, que nos deixa acabrunhados ao anoitecer de hoje, para recomeçar com o dia de amanhã..." (Raul Pompéia, *O Ateneu*, p. 31). **2.** Exaurir, exinanir, gastar. *P.* **3.** Enfraquecer-se, debilitar-se.
extenuativo. *Adj.* V. *extenuante.*
extergente. [Do lat. *extergente.*] *Adj. 2 g.* Que expurga; expurgador.
exterior (ô). [Do lat. *exteriore.*] *Adj.* **1.** Que está por fora ou da parte de fora: *o exterior de um edifício.* **2.** Que está fora de nós: *Seu mundo exterior desmoronara.* **3.** Concernente aos países estrangeiros; externo: *política exterior; comércio exterior.* **4.** Superficial (3): *o aspecto exterior da questão.* ~V. *espaço* —, *meio* —, *planeta* — e *ponto* —. ● *S. m.* **5.** A parte externa: *o exterior da caixa.* **6.** A parte de fora de uma casa, de uma construção: *O filme tem tomadas feitas no exterior.* **7.** *Fig.* Aspecto, aparência: *Seu exterior era de grande austeridade.* **8.** As nações estrangeiras; o estrangeiro: *Vim do exterior.* **9.** Negócios estrangeiros, na loc. *ministro do exterior.* **10.** *Fís.* Parte do Universo não incluída num sistema. **11.** *Mat.* Conjunto dos pontos exteriores a um conjunto. [Antôn., nas acepç. 1 a 6: *interior.*]
exterioridade. *S. f.* Qualidade daquilo que é exterior. ~ V. *exterioridades.*
exterioridades. *S. f. pl.* Aparências. ~ V. *exterioridade.*
exteriorização. *S. f.* Ato de exteriorizar(-se).
exteriorizar. *V. t. d.* **1.** Tornar exterior (2); dar a conhecer; manifestar, externar: *Embora tímido, exteriorizou seu ponto de vista.* *P.* **2.** Manifestar-se, externar-se.
exterminação. [Do lat. *exterminatione.*] *S. f.* V. *extermínio.*
exterminador (ô). [Do lat. *exterminatore.*] *Adj.* e *s. m.* Que ou aquele que extermina.
exterminar. [Do lat. *exterminare.*] *V. t. d.* **1.** Pôr fora dalguma terra, ou região; expulsar, banir, desterrar. **2.** Destruir com mortandade; fazer desaparecer; eliminar, matando; aniquilar: *As forças republicanas praticamente exterminaram os revoltosos de Canudos.* **3.** Acabar com; extirpar. *T. d.* e *i.* **4.** Expulsar, banir, desterrar: *Exterminaram-no do torrão natal.*
exterminável. *Adj. 2 g.* Que pode ser exterminado.
extermínio. [Do lat. *exterminiu.*] *S. m.* **1.** Ato ou efeito de exterminar. **2.** Ruína total; chacina, assolação, aniquilamento. **3.** *Restr.* Ato ou efeito de exterminar (4): "A rainha D. Maria I, por ato de clemência, comutou as penas de quase todos em *extermínio* para a África, e só um, o *Tiradentes*, subiu ao patíbulo" (João Ribeiro, *História do Brasil*, p. 311). [Sin. ger.: *exterminação.*]
externa. *S. f. Ant.* V. *túnica externa.*
externar. [De *externo* + *-ar*[2].] *V. t. d.* e *p.* V. *exteriorizar.*
externato. [Do fr. *externat.*] *S. m.* **1.** Estabelecimento de ensino onde há somente alunos externos. **2.** O conjunto dos alunos externos. [Cf. *internato* e *semi-internato.*]
externo. [Do lat. *externu.*] *Adj.* **1.** Que está por fora, ou que vem de fora. **2.** Diz-se do aluno que não mora no colégio. **3.** Diz-se do medicamento que se aplica sobre o corpo (por oposição ao *interno*, que é ingerido ou injetado). **4.** Exterior (3). ~ V. *ângulo* —, *artéria carótida*

—a, banzo —, centro — de semelhança, dívida pública —a, endoderma —, finalidade —a, glândula de secreção —a, nervo motor-ocular —, ouvido —, palco —, perimísio —, produto —, público —, razão —a, veia safena —a e túnica —a. ● S. m. **5.** Aluno externo. **6.** Bras., Mar. G. Marinheiro que tem por incumbência entregar e receber correspondência e realizar outros serviços de mensageiro fora do navio. [Antôn.: interno. Cf. esterno e hesterno.]

▲êxtero-. [Do lat. exteru.] El. comp. = 'exterior': êxtero-anterior.

êxtero-anterior. Adj. 2 g. Situado exteriormente e na parte anterior. [Pl.: êxtero-anteriores.]

êxtero-inferior. Adj. 2 g. Situado externamente e na parte inferior. [Pl.: êxtero-inferiores.]

êxtero-posterior. Adj. 2 g. Situado externamente e na parte posterior. [Pl.: êxtero-posteriores.]

êxtero-superior. Adj. 2 g. Situado exteriormente e na parte superior. [Pl.: êxtero-superiores.]

exterritorialidade. [Do fr. exterritorialité.] S. f. A faculdade de reger-se em país estrangeiro pelas leis da sua nação. [Cf. extraterritorialidade.]

extinção. [Do lat. extinctione.] S. f. **1.** Ato ou efeito de extinguir(-se); cessação: a extinção da vida no corpo; a extinção de um cargo. **2.** Abolição, supressão: a extinção da escravatura. **3.** Destruição, extermínio. **4.** Processo de transformação do óxido de cálcio de uma cal em hidrato de cálcio, pela mistura da cal com a água. **5.** Astr. Absorção, pela atmosfera terrestre, das radiações luminosas provenientes de um astro, e que não apresenta caráter seletivo segundo os comprimentos de onda; absorção não-seletiva. **6.** Fís. V. absorvância.

extinguir. [Do lat. extinguere.] V. t. d. **1.** Apagar (fogo). **2.** Amortecer, abrandar: A idade não lhe extingue o entusiasmo. **3.** Aniquilar, destruir: A dedetização visa extinguir os insetos domésticos. **4.** Gastar, dissipar, malbaratar: Extinguiu a herança em poucos meses. **5.** Pagar, saldar (uma dívida). **6.** Exterminar inteiramente: extinguir um povo. **7.** Pôr fora de uso; abolir, revogar. **8.** Extirpar, exterminar. **9.** Fazer desaparecer: Um banho extingue o cansaço. **10.** Dissolver, desfazer: extinguir uma associação. **11.** Saciar, satisfazer: O refrigerante extingue a sede. P. **12.** Cessar; apagar-se: O incêndio extinguiu-se. **13.** Perder-se de todo. **14.** Consumir-se, esgotar-se. **15.** Dissolver-se, desfazer-se. **16.** Morrer, acabar. [Perde o u antes de o e de a. Pres. ind.: extingo, extingues, extingue, etc.; pres. subj.: extinga, extingas, extinga, etc.; part.: extinguido e extinto. Cf. estingo, estingues, estingue, estinga, estingas, do v. estingar.]

extinguível. [Do lat. extinguibile.] Adj. 2 g. Que se pode extinguir.

extintivo. Adj. Que extingue; que determina extinção.

extinto. [Do lat. extinctu.] Adj. **1.** Que deixou de existir; acabado: loja extinta; associação extinta. **2.** Suprimido, abolido: um hábito extinto. **3.** Apagado (1): fogo extinto; o brilho extinto dos seus olhos. **4.** Morto, finado: O extinto mestre deixou vários discípulos. **5.** Diz-se de vulcão que não entra mais em erupção. [Nesta acepç., opõe-se a ativo (6).] ~ V. cal —a e língua —a. ● S. m. **6.** Morto (16).

extintor (ô). [Do lat. extinctore.] Adj. **1.** Que extingue. ● S. m. **2.** Aparelho para extinguir incêndios, e que é colocado, geralmente, em pontos estratégicos de edifícios e casas.

extirpação. [Do lat. extirpatione.] S. f. Ato ou efeito de extirpar. [Cf. estripação.]

extirpador (ô). Adj. **1.** Que extirpa. ● S. m. **2.** Aquele ou aquilo que extirpa. **3.** Instrumento agrícola para arrancar do solo ervas ou raízes.

extirpar. [Do lat extirpare.] V. t. d. **1.** Arrancar pela raiz; desarraigar, desenraizar. **2.** Extrair (ferida, cancro, etc.). **3.** Extinguir, destruir: extirpar a corrupção. **4.** Extrair, arrancar: extirpar um dente. [Cf. estripar.]

extirpável. Adj. 2 g. Que pode ser extirpado.

extorquir. [Do lat. extorquere.] V. t. d. e t. d. e i. **1.** Obter por violência, ameaças ou ardil: Os inquisidores tentaram, durante meses, extorquir o segredo; Extorquiram a fórmula ao cientista; "Preposto de usurário, / extorquia dos pobres / os juros para os ricos." (H. Dobal, A Serra das Confusões, "O Candidato"). **2.** Adquirir com violência; obter por extorsão (2). [Defect. Falta-lhe a 1ª pess. sing. do pres. ind. e o pres. subj.]

extorsão. [Do lat. extorsione.] S. f. **1.** Ato ou efeito de extorquir. **2.** O crime de constranger alguém, mediante violência ou grave ameaça, e com o intento de obter para si ou para outrem indevida vantagem econômica, a fazer, tolerar que se faça ou deixar de fazer algo. **3.** Exação violenta; imposto excessivo. **4.** Concussão; usurpação. [Sin. ger., p. us: extorso.]

extorsionário. [Do lat. extorsione, 'extorsão', + -ário.] Adj. **1.** Que faz extorsão (2); extorsivo. ● S. m. **2.** Aquele que pratica extorsão.

extorsivo. [De estorso + -ivo.] Adj. **1.** Extorsionário (1). **2.** Bras. Diz-se do preço que está acima do justo valor das possibilidades dos compradores ou da média dos preços do mercado.

extorso (ô). [Do lat. extorsu.] S. m. Extorsão. [Pl.: extorsos (ô). Cf. estorço (ô) do v. estorcer e s. m.]

➧ex toto corde (ékç toto corde). [Lat.] De todo o coração.

extoxicácea (csi). S. f. Espécime das extoxicáceas.

extoxicáceas (csi). S. f. pl. Bot. Família de plantas floríferas que compreende unicamente a espécie chilena Aextoxicum punctatum, árvore de folhas escamiformes e pequenas flores actinomorfas, haplostêmones, e com verticilos de quatro a seis membros. Fruto: drupa menosperma.

extoxicáceo (csi). Adj. Pertencente ou relativo às extoxicáceas.

extra[1]. [Do lat. extra.] Adj. 2 g. Pop. **1.** F. red. de extraordinário (especialmente usada na imprensa): edição extra; Trabalhou quatro horas extras. ● S. m. **2.** Bras., BA. Carbonato de alta densidade. ● S. 2 g. **3.** Pessoa que faz serviço acidental ou suplementar. **4.** Teat., Cin. e Telev. Ator que vem à cena como elemento de um grupo, aglomerado ou multidão; comparsa, figurante, ponta.

extra[2]. Adj. 2 g. e s. 2 g. F. red. de extrafino.

▲extra-. [Do lat. extra.] Pref. = 'posição exterior', 'fora de': extramural, extra-uterino.

extra-abdominal. [De extra- + abdominal.] Adj. 2 g. Que está fora do abdome. [Pl.: extra-abdominais.]

extra-alcance. [De extra- + alcance.] Adv. P. us. Fora do alcance.

extra-atmosférico. [De extra- + atmosférico.] Adj. ~ V. espaço —. [Pl.: extra-atmosféricos.]

extração. [Do lat. extractione.] S. f. **1.** Ato ou efeito de extrair ou arrancar. **2.** Aquilo que se extraiu **3.** Consumo, venda: Tal mercadoria não tem extração. **4.** Ato do sorteio de tômbolas e loterias: A extração da loteria esportiva é semanal. **5.** Fig. Nascimento, origem: indivíduo de baixa extração.

extracaríssimo. [De extra- + o superl. abs. sint. de caro.] Adj. Estupendamente caro; mais do que caríssimo: "Além ... de que o viver se tornou extracaríssimo" (Eça de Queirós, Notas Contemporâneas, pp. 264-265).

extraconjugal. [De extra- + conjugal.] Adj. 2 g. Que está fora dos direitos e deveres conjugais; estranho ao matrimônio; extramatrimonial.

extracontinental. [De extra- + continental.] Adj. 2 g. Que está ou se efetua fora do continente.

extracurricular. [De extra- + curricular.] Adj. 2 g. Não pertencente ao currículo.

extradição. [Do lat. extraditione.] S. f. **1.** Ato de extraditar. **2.** Entrega dum indivíduo, feita pelo governo do país onde ele se acha refugiado ao do país que o reclama, para ser julgado perante os tribunais deste ou cumprir a pena que lhe foi imposta.

extraditado. [Part. substantivado de extraditar.] S. m. Aquele cuja extradição foi concedida.

extraditando. S. m. Aquele cuja extradição foi solicitada.

extraditar. V. t. d. Entregar (um criminoso) por extradição.

extradorso (ô). [De extra- + dorso.] S. m. Arquit. Superfície externa de uma abóbada ou de uma arcada: "Fendiam-na [à capela-mor] esbeltas ogivas, que se reconhecem ainda hoje no extradorso da capela-mor" (Manuel Ribeiro, A Catedral, p. 57). [Pl.: extradorsos (ô). Cf. intradorso (ô).]

extradural. [De extra- + dural[2].] Adj. 2 g. Anat. Referente à dura-máter.

extraduro. [De extra- + duro.] Adj. ~ V. aço —.

extra-escolar. [De extra- + escolar.] Adj. 2 g. Não pertencente à escola. [Pl.: extra-escolares.]

extrafino. [De extra- + fino.] Adj. Diz-se do artigo comercial de qualidade superior à superfina, ou apresentado como tal. [F. red.: extra.]

extrafloral. [De extra- + floral.] Adj. ~ V. nectário —.

extrafoliáceo. [De extra- + foliáceo.] Adj. 2 g. Morfol. Veg. Diz-se dos órgãos vegetais que crescem fora ou ao lado das folhas; extrafólio.

extrafólio. [De extra- + fólio.] Adj. Morfol. Veg. Extrafoliáceo.

extragaláctico. [De extra- + galáctico.] Adj. Astr. Que é exterior à Galáxia (1), anagaláctico. ~ V. nebulosa —a e sistema —.

extragenital. [De extra- + genital.] Adj. 2 g. Anat. Que não tem relação com os órgãos sexuais.

extra-humano. [De extra- + humano.] Adj. V. sobre-humano. [Pl.: extra-humanos.]

extrair. [Do lat. extrahere.] V. t. d. **1.** Tirar de dentro de onde estava; tirar para fora: extrair mel. **2.** Praticar a extração de; arrancar: Mandou extrair dois dentes. **3.** Sugar, chupar: As plantas extraem a água da terra. **4.** Resumir, extratar. **5.** Reproduzir, copiar. **6.** Colher, tirar; derivar: extrair uma conclusão. **7.** Encontrar por cálculo (a raiz de um número). **8.** Executar em instrumento musical. T. d. e i. **9.** Tirar para fora; sacar: extrair pedras preciosas do seio da terra. **10.** Separar (uma substância, do corpo de que fazia parte). [Irreg. Conjug.: v. sair.]

extraível. Adj. 2 g. Que pode ser extraído.

extrajudicial. [De extra- + judicial.] Adj. 2 g. Extrajudiciário.

extrajudiciário. [De extra- + judiciário.] Adj. Que não se realiza perante a autoridade judiciária; extrajudicial.

extrajurídico. [De extra- + jurídico.] Adj. V. ilegal.

extralegal. [De extra- + legal.] Adj. 2 g. V. ilegal.

extralingüístico. [De extra- + lingüístico.] Adj. Diz-se de tudo o que não é da natureza gramatical.

extramatrimonial. [De extra- + matrimonial.] Adj. 2 g. Extraconjugal.

extramérico. Adj. Relativo ou pertencente ao extrâmero.

extrâmero. [De extra- + -mero.] S. m. Anat. Cada uma das partes do corpo humano, considerando-se estas separadas por planos paralelos ao sagital.

extramural. [De extra- + mural.] Adj. 2 g. Situado fora dos muros ou muralhas.

extramuros. [Do lat. extra muros, 'fora dos muros'.] Adv. Fora do recinto de uma cidade; afastado do centro urbano. [Antôn.: intramuros.]

extranatural. [Do lat. extranaturale.] Adj. 2 g. Fora do natural.

extranumeral. [De extra- + numeral.] Adj. 2 g. Extranumerário (1).

extranumerário. [De extra- + numerário.] Adj. **1.** Que está além ou fora do número certo; extranumeral. **2.** Que não pertence ao quadro efetivo dos funcionários ou empregados. ● S. m. **3.** Aquele que é extranumerário (2).

extra-oficial. [De extra- + oficial.] Adj. 2 g. **1.** Que não tem origem oficial. **2.** Estranho a negócios públicos. [Pl.: extra-oficiais.]

extra-oficialmente. Adv. De modo extra-oficial.

extraordinariamente. [Do fem. de extraordinário + -mente.] Adv. **1.** De modo extraordinário. **2.** Em altíssimo grau; grandemente.

extraordinário. [Do lat. extraordinariu.] Adj. **1.** Não ordinário; fora do comum; excepcional, anormal: acontecimento extraordinário. **2.** Raro, singular, notável: indivíduo extraordinário; inteligência extraordinária. **3.** Esquisito, extravagante; esdrúxulo: Os hippies usam roupas extraordinárias. **4.** Admirável, espantoso. **5.** Muito grande ou elevado; excessivo: número extraordinário de visitantes. **6.** Que só ocorre em dadas circunstâncias; não rotineiro; imprevisto: A despesa extraordinária atrapalhou-meu orçamento. **7.** Encarregado de tarefa ou missão especial: embaixador extraordinário. [Sin. ger. (p. us.): transordinário.] ~ V. onda —a, raio — e recurso —. ● S. m. **8.** Qualquer despesa fora do comum, ou do orçado. **9.** Aquilo que não se faz habitualmente. **10.** Acontecimento fora do comum, imprevisto ou inesperado.

extrapassar. [De extra- + passar.] V. t. d. e int. P. us. Ultrapassar.

➧extra petita (ékçtra petita). [Lat., 'além do pedido'.] Jur. Diz-se da sentença proferida em desacordo com o pedido em conflito com a natureza da causa.

extrapolação. [De extra- + (inter)polação.] S. f. **1.** Mat. Qualquer processo com que se infere o comportamento de uma função fora de um intervalo, mediante o seu comportamento dentro desse intervalo. [Cf. interpolação (3).] **2.** Ato ou efeito de extrapolar (2): "Assistimos no plano demográfico e até doméstico a uma importância crescente do elemento feminino, na economia, nas letras, na política, na família. E até ao problema sério do choque de gerações pela autonomia crescente dos filhos e sua extrapolação." (Alceu Amoroso Lima, Pelo Humanismo Ameaçado, p. 91.)

extrapolar. [De extra- + (inter)polar.] V. t. d. **1.** Mat. Fazer extrapolação de. [Cf. interpolar[2] (6).] **2.** Ir além de; ultrapassar, exceder: Suas concepções extrapolam os limites do bom senso.

extrapor. [De extra- + pôr.] V. t. d. Pôr fora; pôr além.

[Irreg. Conjug.: v. *pôr.*]

extraprograma. [De *extra-* + *programa.*] *Adj. 2 g.* e *2 n.* Que está fora do programa.

extra-regulamentar. *Adj. 2 g.* Estranho ao regulamento; que está fora dele. [Pl.: *extra-regulamentares.*]

extrário. [Do lat. *extrariu.*] *Adj. Morfol. Veg.* Diz-se do embrião que está fora do perispermo.

extra-sagital. [De *extra-* + *sagital.*] *Adj. 2 g.* Diz-se dos planos paralelos ao sagital. [Pl.: *extra-sagitais.*]

extra-sensível. [De *extra-* + *sensível.*] *Adj. 2 g.* **1.** Ultra-sensível. **2.** Que não é percebido pelos sentidos [v. *sentido* (5)]. [Pl.: *extra-sensíveis.*]

extra-sensorial. [De *extra-* + *sensorial.*] *Adj. 2 g.* Que não se efetua pelos sentidos, pelo sensório: *percepção extra-sensorial.* [Pl.: *extra-sensoriais.*]

extratar. *V. t. d.* **1.** Fazer extrato (3) de; resumir (livro, documento, etc.) **2.** Tirar extrato (2) de uma obra ou documento. [Pres. ind.: *extrato,* etc. Cf. *estrato.*]

extraterreno. [De *extra-* + *terreno.*] *Adj.* De fora da Terra.

extraterrestre. [De *extra-* + *terrestre.*] *Adj. 2 g.* e *s. 2 g.* Diz-se de, ou aquele ou aquilo que é de fora da Terra.

extraterritorial. [De *extra-* + *territorial.*] *Adj. 2 g.* Situado fora do território.

extraterritorialidade. *S. f.* Qualidade de extraterritorial. [Cf. *exterritorialidade.*]

extrateto. [De *extra-* + *teto*[1].] *S. m. Fig.* Valor que ultrapassa o teto (5).

extratextual. [De *extra-* + *textual.*] *Adj. 2 g.* Diz-se das partes não pertencentes ao texto principal de um livro, como o prefácio ou o índice. [Cf. *fora do texto.*]

extratimpânico. [De *extra-* + *timpânico.*] *Adj.* Situado fora do tímpano.

extrativismo. [De *extrativo* + *-ismo.*] *S. m.* Qualidade de extrativo.

extrativista. *Adj. 2 g.* Relativo ao extrativismo: *indústria extrativista; economia extrativista.*

extrativo. *Adj.* **1.** Que opera por extração: *Indústria extrativa.* **2.** Que indica extração. **3.** Relativo a extração. ~ V. *destilação —a.*

extrato. [Do lat. *extractu.*] *S. m.* **1.** Coisa que se extraiu de outra. **2.** Trecho, fragmento: *extrato de um livro, de um documento.* **3.** Resumo, síntese. **4.** Reprodução, cópia: *extrato de uma conta.* **5.** Produto industrial constituído de essência aromática; perfume. **6.** *Farm.* e *Quím.* Produto obtido pelo tratamento de substâncias animais ou vegetais por um dissolvente apropriado, evaporando-se depois até à consistência desejada o excipiente que se empregou: *extrato de fígado; extrato de carne; extrato de tomate.* [Cf. *estrato.* ♦ **Extrato tebaico.** Extrato aquoso de ópio.

extrator (ô). *S. m.* **1.** Aquele que extrai. **2.** Peça que lança fora os cartuchos detonados. ● *Adj.* **3.** Que faz extratos ou extrações.

extratorácico. [De *extra-* + *torácico.*] *Adj. Anat.* Que está fora do tórax.

extratropical. [De *extra-* + *trópico* + *-al.*] *Adj. 2 g. Fitogeog.* Que não ocorre nos trópicos; *gênero extratropical.*

extra-uterino. [De *extra-* + *uterino.*] *Adj.* Que está ou se realizou fora do útero. [Pl.: *extra-uterinos.*]

extravagância. *S. f.* **1.** Qualidade de extravagante. **2.** Excentricidade, originalidade: *A extravagância de seu gosto é chocante.* **3.** Estroinice, doidice, dissipação: *As extravagâncias arruinaram.* **4.** *Bras., RJ.* Dança popular entre os pretos, a qual, coreograficamente, se assemelha a uma quadrilha. [Cf. *extravagancia,* do v. *extravaganciar.*]

extravaganciar. *V. int.* **1.** Praticar ou dizer extravagâncias. **2.** Viver desregrada ou aventurosamente; estroinar. *T. d.* **3.** Dissipar, esbanjar, em pândegas, em extravagâncias. [Pres. ind.: *extravagancio, extravagancias, extravagancia,* etc. Cf. *extravagância.*]

extravagante. [De *extravagar* + *-nte.*] *Adj. 2 g.* **1.** Que anda fora do seu lugar. **2.** Que se afasta do habitual, do comum; singular, original, estranho, excêntrico: *homem extravagante; conduta extravagante.* **3.** Que comete extravagâncias, estroinices; estróina, esbanjador: *indivíduo extravagante.* ~ V. *lei —.* ● *S. 2 g.* **4.** Pessoa extravagante (3).

extravagar. [De *extra-* + *vagar*[1].] *V. int.* **1.** Andar fora do número, da espécie, da ordem, da coleção. **2.** Estar disperso, ou solto. **3.** Divagar; desvairar, variar: *Com a febre, o doente extravagava.* **4.** Perder-se, extraviar-se, atrapalhar-se: *Extravagava em citações incompreensíveis.* [Conjug.: v. *largar.*]

extravasamento. *S. m.* Ato ou efeito de extravasar(-se).

extravasar. [De *extra-* + *vaso* + *-ar*[2].] *V. t. d.* **1.** Derramar, fazer transbordar (um líquido). **2.** Fazer que verta ou se derrame em abundância: *As provocações extravasaram-lhe a bile.* **3.** Manifestar de modo impetuoso; expandir, transbordar: *Extravasou todo o ódio que sentia. T. i.* **4.** Sair dos canais naturais; extravasar(-se): *O sangue extravasa-lhe das veias.* **5.** Sair fora dos limites, do espaço de; transbordar; extravasar(-se): *Escrevia sem cessar, e as palavras extravasavam das linhas, em desordem. Int.* **6.** Sair do álveo (o rio); extravasar-se. **7.** Extravasar (4 e 5). *P.* **8.** Extravasar (4 a 6).

extraviado. [Part. de *extraviar.*] *Adj.* **1.** Perdido no caminho; perdido. **2.** Desencaminhado, seduzido, pervertido. **3.** *Bras. Fam.* Desconfiado, encabulado; sem jeito. **4.** *Bras., RS.* Com a roupa amarrotada ou enxovalhada; desalinhado.

extraviador (ô). *Adj.* **1.** Que extravia. ● *S. m.* **2.** Aquele que extravia ou subtrai. **3.** Aquele que desencaminha, perverte; sedutor.

extraviar. [De *extra-* + *via* + *-ar*[2].] *V. t. d.* **1.** Tirar do caminho ou via; desencaminhar: *A borrasca extraviou a embarcação.* **2.** Fazer desaparecer; fazer que não chegue ao seu destino: *O mensageiro extraviou a correspondência.* **3.** Induzir em erro; desviar do bom caminho; desencaminhar; perverter; seduzir: *As más companhias extraviaram o rapaz.* **4.** Subtrair fraudulentamente: *O tesoureiro extraviou alta soma. P.* **5.** Perder-se no caminho; sair fora do caminho: *O mensageiro extraviou-se.* **6.** Levar descaminho; perder-se, sumir-se: *O processo extraviou-se por descuido do funcionário.*

extravio. [Dev. de *extraviar.*] *S. m.* **1.** Ato ou efeito de extraviar(-se); perda, sumiço. **2.** Roubo, furto. **3.** *Bras* Desperdício (3). **4.** *Bras., RS.* Estado de desalinho em que alguém se encontra.

extrema-direita. *S. 2 g. Fut.* Ponta-direita. [Pl.: *extremas-direitas.*]

extremado. [Part. de *extremar.*] *Adj.* **1.** Extraordinário, excepcional: *É homem de extremada coragem.* **2.** Insigne, distinto, extremo: *extremado cultor da língua.* [Cf. *estremado.*] ~ V. *extremados.*

extremados. [Pl. de *extremado.*] *S. m. pl. Ant* Lavores. [Cf. *estremados,* pl. de *estremado.*] ~ V. *extremado.*

extrema-esquerda. *S. 2 g. Fut.* Ponta-esquerda. [Pl.: *extremas-esquerdas.*]

extremamente. [Do fem. de *extremo* + *-mente.*] *Adv.* **1.** De modo extremo; em extremo. **2.** Extraordinariamente; imensamente. **3.** Espantosamente.

extremante. *S. m. Anál. Mat.* O maximante ou o minimante.

extremar. *V. t. d.* **1.** Tornar extremo, sumo, máximo; assinalar, exaltar, enaltecer, sublimar. *P.* **2.** Distinguir-se, assinalar-se, enaltecer-se, sublimar-se. [Pres. ind.: *extremo, extremas, extrema,* etc.; pres. subj.: *extreme, extremes,* etc. Cf. *estrema,* s. f., pl. *estremas,* o v. *estremar* e o adj. *estreme.*]

extrema-unção. [De *extrema,* fem. de *extremo,* + *unção.*] *S. f. Rel.* Unção dos doentes com um óleo próprio, o óleo dos enfermos, e que constitui um dos sete sacramentos da Igreja; unção dos enfermos, sacramento dos enfermos. [Pl.: *extremas-unções* e *extrema-unções.*]

extremável. *Adj. 2 g.* Que se pode extremar.

extremidade. [Do lat. *extremitate.*] *S. f.* **1.** Qualidade do que é extremo. **2.** Fim, limite: *a extremidade da praia.* **3.** Beira, orla, fímbria: *extremidade da saia.* **4.** Ponta (1): *a extremidade dos dedos.* **5.** *Fig.* Miséria, aflição, apertura extrema.

extremismo. *S. m.* Doutrina, corrente ou tendência que preconiza soluções extremas para os problemas sociais.

extremista. *Adj. 2 g.* **1.** Relativo ao, ou em que há extremismo. **2.** Que é partidário ou simpatizante dele. ● *S. 2 g.* **3.** Partidário ou simpatizante do extremismo.

extremo. [Do lat. *extremu.*] *Adj.* **1.** Que está no ponto mais afastado; remoto, distante, longínquo: *o extremo sul.* **2.** Que atingiu o grau máximo; extraordinário: *dor, alegria, tristeza extrema.* **3.** Final, derradeiro: *o extremo alento; Usou de um extremo artifício.* **4.** V. *extremado* (2). **5.** Diz-se de facção extremada, radical: *extrema direita; extrema esquerda.* ~ V. — *Oriente* e *lance —.* ● *S. m.* **6.** O ponto mais distante: *Os extremos se tocam.* **7.** Extremidade, termo: *o extremo das forças.* **8.** *Anál. Mat.* Um máximo ou um mínimo de uma função real. **9.** *Mat.* O supremo ou o ínfimo de um conjunto. [Fem.: *extrema.* Cf. *estremo* e *estrema,* do v. *estremar; estrema,* s. f.; e o adj. *estreme.*] ~ V. *extremos.* ♦ **Extremo inferior.** *Mat.* Ínfimo (3). **Extremo superior.** *Mat.* Supremo (5). **Em extremo.** Em sumo grau; excessivamente, extraordinariamente: *Ama os pais em extremo.*

extremos. [Pl. de *extremo.*] *S. m. pl.* **1.** Carinho excessivo. **2.** *Fig.* Último recurso. **3.** Exagero, descomedimento; atitudes extremadas: *É homem dos extremos, descomedido, apaixonado.* ~ V. *extremo.*

extremosa. *S. f.* Árvore pequena, ornamental, da família das litráceas (*Lagerstroemia indica*), originária da China, de flores belíssimas, cálice campanulado, pétalas crispadas ou frisadas, róseas ou alvas, dispostas em panículas terminais, multifloras, sendo o fruto uma cápsula coriácea; escumilha.

extremoso (ô). *Adj.* **1.** Que tem extremos, que chega a extremos (1): *mãe extremosa;* "bom e extremoso pai de família" (Bernardo Guimarães, *O Seminarista,* p. 15). **2.** Que se vale de extremos (3).

extrínseco (s = c). [Do lat. *extrinsecu.*] *Adj.* Que é exterior; não pertencente à essência de uma coisa. [Antôn.: *intrínseco.*] ~ V. *condução —a* e *valor—.*

extrofia. [Do gr. *ekstrophé,* 'reviramento para fora', + *-ia.*] *S. f. Anat.* Eversão congênita de um órgão.

extrófico. *Adj.* Relativo à extrofia.

extrorso. [Do lat. *extrorsu.*] *Adj. Morfol. Veg.* Voltado para fora. [Antôn.: *introrso.*]

extroversão. [De *extroverso* + *-ão*[3].] *S. f.* Qualidade ou estado de extrovertido.

extroverso. *Adj.* Extrovertido.

extroverter-se. *V. p. Psican.* Proceder como extrovertido; mostrar-se comunicativo: "Eu voltava da Suíça depois de vários anos de contacto com gente que se extroverte pouco e que se exprime ainda menos." (Gilberto Amado, *Depois da Política,* p. 103.) [Antôn.: *introverter-se.*]

extrovertido. [Part. de *extroverter.*] *Adj. Psican.* **1.** Que se expande, que desabafa; expansivo, comunicativo, sociável: "Jackson [de Figueiredo] era um homem extrovertido, barulhento, gostava de cantar, de conversar pelos cafés, de passear a noite pelas ruas desertas" (Antônio Carlos Vilaça, *O Desafio da Liberdade,* p. 80). [Sin.: *extroverso.*] ● *S. m.* **2.** Indivíduo extrovertido: "O Sr. Álvaro Lins nos garante [em *História Literária de Eça de Queirós*], com muita razão, que ele [Eça] era um extrovertido, que o seu socialismo era sentimentalóide." (Mário de Andrade, *O Empalhador de Passarinho,* p. 173.) [Antôn.: *introvertido.*]

extrusão. [Do lat. **extrusione.*] *S. f.* **1.** Expulsão (2). [Antôn.: *intrusão.*] **2.** *Tec. Mec.* Passagem forçada de um metal ou de um plástico através dum orifício, visando a conseguir uma forma alongada ou filamentosa. ♦ **Extrusão vulcânica.** Derrame de lava de um vulcão.

extrusivo. *Adj.* Relativo a, ou que provoca extrusão. ~ V. *rocha —a.*

extrusor (ô). *S. m. Tec.* Na indústria de plásticos, máquina que impele a massa plástica contra um molde vazado, a fim de conformá-la na configuração desejada.

extrusora (ô). *S. f. Tec. Mec.* Máquina onde se efetua a extrusão (2).

➡ **ex tunc** (ékç tunk). [Lat.] *Jur.* Desde então; com efeito retroativo.

Exu[1] (ch). [Do ioruba.] *S. m.* **1.** *Bras.* Orixá que representa as potências contrárias ao homem, e assimilado pelos afro-baianos ao Demônio dos católicos, porém cultuado por eles, porque o temem. [Sin., bras., RS: *bará.*] **2.** *Bras., N.E.* V. *diabo* (2). **3.** *Bras. Folcl.* Mensageiro indispensável entre os homens e as divindades; homem-da-rua. **4.** *Bras. Folcl.* Orixá que preside à fecundidade, cuja dança reflete esse ato vital. ♦ **Virar exu.** *Bras.* **1.** Receber o santo, ou cair em transe, na macumba. **2.** Ser tomado de cólera; enfurecer-se.

exu[2] (ch). *S. m. Bras.* V. *enxuí.*

exuberância (z). [Do lat. *exuberantia.*] *S. f.* V. *superabundância.*

exuberante (z). [Do lat. *exuberante.*] *Adj. 2 g.* **1.** V. *superabundante.* **2.** *Fig.* Cheio, repleto: *exuberante de alegria.* **3.** Animado vivo: *temperamento exuberante.* **4.** Viçoso, vigoroso.

exuberantemente (z). [De *exuberante* + *-mente.*] *Adv.* De modo exuberante; com exuberância: "Lúdico, o verso barroco é, com freqüência, exuberantemente ornado." (José Guilherme Merquior, *De Anchieta a Euclides,* p. 13.)

exuberar (z). [Do lat. *exuberare.*] *V. int.* **1.** V. *superabundar* (1): "Martim sentiu perpassar nos olhos o sono da morte; porém logo a luz inundou-lhe os seios d'alma; a força exuberou em seu coração." (José de Alencar, *Iracema,* p. 60.) *T. i.* **2.** Ter em excesso, em abundância: *A noiva exuberava em graça e beleza; O rapaz exubera de talento. T. d.* **3.** Manifestar superabundância de: *Os dois jovens exuberavam felicidade.* [Pres.

subj.: *exubere*, etc. Cf. *exúbere*.]

exúbere (z). [De ex- + lat. *ubere*, 'úbere, úber'.] *Adj. 2 g. Med.* Desmamado. [Cf. *exubere*, do v. *exuberar*.]

exu-caveira (x = ch). *S. m. Bras. Folcl.* Orixá protetor dos cemitérios. [Pl.: *exus-caveiras*.]

exuense (x=ch). *Adj. 2 g.* **1.** De, ou pertencente ou relativo a Exu (PE). ● *S. 2 g.* **2.** Natural ou habitante de Exu.

êxul (z). *Adj. 2 g.* Var. de *êxule*: "Assim ao gênio caberá, além da dor da morte da beleza alheia, e da mágoa de conhecer a universal ignorância, o sofrimento próprio, de se sentir par dos Deuses sendo homem, par dos homens sendo deus, êxul ao mesmo tempo em duas terras." (Fernando Pessoa, *Páginas de Doutrina Estética*, p. 119). [Pl.: êxules. Cf. *exules*, do v. *exular*.]

exular (z). [Do lat. *exulare*.] *V. int.* Ir viver no exílio, fora da pátria; expatriar-se. [Pres. subj.: *exule, exules*, etc. Cf. *êxule* e *êxules*, pl. de *êxul* e de *êxule*.]

exulceração (z). [Do lat. *exulceratione*.] *S. f.* **1.** Úlcera superficial ou incipiente. **2.** *Fig.* Sofrimento ou dor moral.

exulcerante (z). [Do lat. *exulcerante*.] *Adj. 2 g.* Que exulcera.

exulcerar (z). [Do lat. *exulcerare*.] *V. t. d.* **1.** Ulcerar superficialmente. **2.** Desgostar, afligir, magoar. *P.* **3.** Começar a ulcerar-se.

exulcerativo (z). Do lat. *exulceratu*, 'exulcerado', + *-ivo*.] *Adj.* Capaz de produzir úlceras.

êxule (z). [Do lat. *exule*.] *Adj. 2 g.* Exilado, desterrado, degredado. [Var.: *êxul* (q. v.). Cf. *exule*, do v. *exular*.]

exultação (z). [Do lat. *exultatione*.] *S. f.* Estado de quem exulta; grande alegria; júbilo.

exultante (z). [Do lat. *exultante*.] *Adj. 2 g.* Que exulta; muito alegre; jubiloso.

exultar (z). [Do lat. *exultare*.] *V. int.* Sentir e manifestar grande júbilo, ou alvoroço; jubilar-se; alegrar-se ou regozijar-se ao extremo: "E ao ver-te assim sorrir, minha alma exulta e canta" (Mateus de Albuquerque, *Visionário*, p. 29); "Calisto exultava de delícias incomparáveis." (Camilo Castelo Branco, *A Queda dum Anjo*, p. 256).

exumação (z). *S. f.* Ato ou efeito de exumar.

exumar (z). [De ex[2]- + lat. *humus*, 'terra', + *-ar*[2].] *V. t. d.* **1.** Tirar da sepultura; desenterrar. [Antôn., nesta acepç.: *inumar*.] **2.** Tirar do esquecimento: *Exumou velhos fatos da crônica da família*; "Aquelas vozes entravam-lhe pela alma, revolviam-lhe a memória exumando saudades, recordações dos dias menineiros" (Coelho Neto, *Miragem*, p. 323). *T. d.* e *i.* **3.** Tirar do esquecimento: "Digam o que disserem, aqui ou em Paris: uma peça violentamente romântica terá sempre que ser apresentada dentro do estilo romântico. Ou, então, não exumem do pó dos séculos." (Manuel Bandeira, *Poesia e Prosa*, II, p. 427).

exutório (z). [Do lat. *exutu-*, 'despido', + *-ório*.] *S. m. Med.* **1.** Supuração produzida e mantida artificialmente. **2.** Agente que promove eliminação.

exúvia (z). [Do sing. do lat. *exuviae*, 'vestidos largados', 'despojos'.] *S. f.* Tegumento deixado pelos artrópodes por ocasião das mudas.

exuviabilidade (z). *S. f.* Faculdade que têm certos animais de mudar de pele.

exuviável (z). [Do lat. *exuviale.] *Adj. 2 g.* Que pode mudar de pele sem perder a forma.

exúvio (z). [De *exúvia*.] *S. m. Morfol. Veg.* Restos da parte superior dos frutos, deixados pelo cálice ou pela corola. [O exúvio é comum nos frutos das plantas da família das mirtáceas.]

➡ **ex-vi** (ékç-vi). [Lat.] Por força; por efeito; por determinação expressa.

➡ **ex vi legis** (ékç vi léǵiç). [Lat.] *Jur.* Por força da lei.

ex-voto (ês). [Do lat. *ex-voto*.] *S. m.* Quadro, imagem, inscrição, ou órgão de cera, madeira, etc., que se oferece e expõe numa igreja ou numa capela em comemoração de voto ou promessa cumpridos; milagre: "No conto ['Entre Santos', de Machado de Assis], ... o usurário Sales, ... doente a mulher, pede a São Francisco que a salve ... Se conseguisse o milagre, daria ... — a idéia era a de oferecer-lhe uma perna de cera, mas no ar, diante dos olhos, o que lhe aparecia .... era a moeda que o ex-voto havia de custar." (R. Magalhães Júnior, *Machado de Assis*, p. 231.) [Pl.: *ex-votos*.]

▲**-ez.** *Suf. nom.* = 'qualidade', 'propriedade', 'estado', 'modo de ser': *sensatez, surdez, mudez*.

▲**-eza.** [Do lat. *-itia-*.] *Suf. nom.* = 'qualidade', 'propriedade', 'estado', 'modo de ser': *avareza* (< lat. *avaritia*), *crueza, riqueza, beleza*.

ezequielense. *Adj. 2 g.* **1.** De, ou pertencente ou relativo a Coronel Ezequiel (RN). ● *S. 2 g.* **2.** Natural ou habitante de Coronel Ezequiel.

F

f. *S. m.* **1.** A 6ª letra do nosso alfabeto. [V. *alfabeto fonético internacional*] **2.** Mús. Na antiga notação musical, ainda hoje usada nos países germânicos e anglo-saxões, a nota fá. **3.** *Mús.* Abrev. de *forte*, e duplicado [ff] ou triplicado [fff], de *fortíssimo*. **4.** *Eletr.* Símb. de *farad*. **5.** *Fís.-Quím.* símb. de *faraday*. **6.** Quím. Símb. de *flúor*. **7.** Símb. de *femto-*. **8.** Abrev. de *fulano*. ● *Num.* **9.** O sexto, numa série indicada pelas letras do alfabeto: *cadeira F* (ou *cadeira f*). **10.** A sexta, num grupo de séries: *série F* (ou *série f*). [Cf. *efe* e *fê*. Com maiúscula, nas acepç. 2, 4 a 6 e 8.]

■ **ºF.** *Fís.* Símb. de *grau Fahrenheit*.

fá. [V. *ut*.] *S. m. Mús.* **1.** Nome da nota correspondente ao quarto grau da escala diatônica ou natural de dó². [Cf. *F (2)* e *ut*.] **2.** O sinal representativo dessa nota na pauta.

fã. [De *fan*, abrev. do ingl. americano *fanatic*, 'fanático'.] *S. 2 g.* **1.** *Gír.* Admirador exaltado de certo artista de rádio, cinema, televisão, etc.: "Tem o herói [Frank Sinatra] um ar faminto de criança abandonada. Deve ter sido isso — acho — que atraiu o instinto maternal das mulheres americanas. Sua legião de fãs cresce" (Érico Veríssimo, *A Volta do Gato Preto*, p. 37). **2.** *P. ext.* Admirador exaltado: *É fã de Machado de Assis e de Pelé.*

■ **F.A.B.** Sigla de *Força Aérea Brasileira*.

fabagela. [Dim. do lat. *fabago*.] *S. f.* Planta da família das zigofiláceas *(Zygophyllum fabago)*, da região mediterrânea; falso-alcaparreiro.

fabela. [Do lat. *fabella*.] *S. f.* Pequena fábula (1); fabulazinha.

fabiana¹. *S. f. Bras.* Arbusto pequeno, viscoso e ornamental, da família das solanáceas *(Fabiana imbricata)*, de propriedades medicinais cujas flores são alvas, pequenas, axilares, dispostas na extremidade dos ramos, e cujo fruto é cápsula oblonga, contendo numerosas sementes.

fabiana². *S. f. Bras., AL. Pop.* Ferida, chaga.

fabiano¹. [Do antr. m. *Fabiano*, decerto.] *S. m. Lus.* **1.** Indivíduo inofensivo; pobre-diabo. **2.** Indivíduo qualquer, desconhecido, sem importância. V. *joão-ninguém*.

fabiano². [De *F.A.B.* + *-i-* + *-ano*.] *Adj.* **1.** Relativo à, ou que é membro da F.A.B. ● *S. m.* **2.** Membro da F.A.B.

fabordão. [Do fr. *faux-bourdon*, pronunciado à moda antiga.] *S. m.* **1.** *Mús.* Uma das mais antigas formas de polifonia vocal, a três vozes, em contraponto simples de primeira espécie (nota contra nota), e na qual a nota fundamental, ou bordão, passou da parte mais grave para a parte superior, formando séries de terças e sextas paralelas. **2.** *Mús.* Música desentoada, sem pausas. **3.** Dissonância, desentoação. **4.** Sensaboria, insipidez, monotonia.

fábrica. [Do lat. *fabrica*.] *S. f.* **1.** Lugar ou estabelecimento onde se manufaturam utensílios, gêneros, roupas, máquinas e várias outras mercadorias. **2.** O pessoal de um desses estabelecimentos. **3.** Construção de edifício ou parte de edifício; edificação: "a praça estendia-se até a Rua da Misericórdia onde se erguera a nova igreja de S. José, cuja capela mor, de recente fábrica, entrava pelo mar adentro." (José de Alencar, *Alfarrábios*, p. 30). **4.** Fabrico, execução, lavor, confecção. **5.** *Fig.* Causa, origem. **6.** Maquinismo engenhoso. **7.** Rendimento aplicado ao culto de uma igreja. **8.** Conselho constituído de clérigos e leigos, sujeito à aprovação do bispo, e cujas funções se restringem à administração dos bens de uma paróquia. ● *S. m.* **9.** *Bras., Pl.* Auxiliar do campeiro. **10.** *Bras., N. E.* Usina de caroá. [Cf. *fabrica*, do v. *fabricar*.]

fabricação. [Do lat. *fabricatione*.] *S. f.* **1.** Ato, efeito, maneira ou meio de fabricar; fabrico. **2.** Fabrico (2).

fabricador (ô). *S. m.* Edificador, construtor, operário.

fabricante. [Do lat. *fabricante*.] *S. 2 g.* **1.** Pessoa que fabrica ou dirige a fabricação; dono de fábrica. **2.** Pessoa que arranja, organiza ou inventa; feitor.

fabricar. [Do lat. *fabricare*.] *V. t. d.* **1.** Produzir na fábrica; manufaturar, preparar: "Foram .... holandeses os primeiros que fabricaram na Europa, no começo do século XVII, a louça de faiança" (Ramalho Ortigão, *A Holanda*, p. 223). **2.** Construir, edificar: *A ave fabrica seu ninho*; "A aranha fabrica a sua teia para viver, a lagarta a sua mortalha para morrer." (Marquês de Maricá, *Máximas, Pensamentos e Reflexões*, p. 208.) **3.** Cunhar, amoedar: *fabricar moedas*. **4.** *Desus.* Cultivar, amanhar: *fabricar uma terra*. **5.** *Ant. Mar.* Efetuar reparos em (embarcação). **6.** Inventar; engendrar, idear, maquinar: *fabricar álibis; fabricar infâmias*. **7.** Causar, provocar: *fabricou a própria desonra*. *T. d. e i.* **8.** Maquinar, preparar: *Fabricaram-lhe habilmente uma cilada*. *Int.* **9.** Manter uma fábrica. **10.** Produzir em fábrica. [Conjug.: v. *trancar*. Pres. ind.: *fabrico, fabricas, fabrica*, etc.; fut. do pret.: *fabricaria*, etc. Cf. *fábrico; fábrica* e *fabricária*, fem. de *fabricário*.]

fabricário. [Do lat. *fabricariu*.] *S. m.* Fabriqueiro. [Fem.: *fabricária*. Cf. *fabricaria*, do v. *fabricar*.]

fabricável. [Do lat. *fabricabile*.] *Adj. 2 g.* Que pode ser fabricado.

fabricianense. *Adj. 2 g.* **1.** De, ou pertencente ou relativo a Coronel Fabriciano (MG). ● *S. 2 g.* **2.** Natural ou habitante de Coronel Fabriciano.

fabrico. [Dev. de *fabricar*.] *S. m.* **1.** Ato, arte ou trabalho de fabricar; fabricação: "Entretinha-se com a lavoura, o fabrico do vinho branco e amoras silvestres." (João de Araújo Correia, *Terra Ingrata*, p. 140.) **2.** Produto de uma fábrica; fabricação. **3.** Fabriqueta. [Cf. *fábrico*.]

fábrico. [De *fabrico*, com hiperbibasmo de fundo semântico.] *S. m. Bras., Amaz.* Época seca durante a qual se corta e prepara a borracha. [Cf. *fabrico*, do v. *fabricar* e s. m.]

fabril. [Do lat. *fabrile*.] *Adj. 2 g.* **1.** Respeitante ao trabalho manufator, à manufatura. **2.** Que modifica ou transforma os produtos naturais: *a indústria fabril*.

fabriqueiro. *S. m.* O encarregado da fábrica (7); fabricário.

fabriqueta (ê). *S. f.* Pequena fábrica; fabrico.

fabro. [Do lat. *fabru*.] *S. m. Poét.* Mecânico, operário, artífice.

fábula. [Do lat. *fabula*.] *S. f.* **1.** Historieta de ficção, de cunho popular ou artístico. **2.** Narração breve, de caráter alegórico, em verso ou em prosa, destinada a ilustrar um preceito: *as fábulas de La Fontaine*. [Cf., nestas acepç., *apólogo*.] **3.** Mitologia, lenda: *os deuses da fábula* **4.** Narração de coisas imaginárias; ficção: "Martius demonstrou que a história do Brasil seria fábula ou romance se lhe faltassem as bases da etnografia regional, e da etnografia geral" (Roquete-Pinto, *Seixos Rolados*, p. 257). **5.** V *fabulação (2)*. **6.** *Fig.* Assunto de crítica ou mofa. **7.** V. *enredo* (5). **8.** *Bras.* Quantia ou importância muito elevada; grande soma de dinheiro: *Gastou uma fábula com o carro*. [Th. se diz, nesta acepç. *fábulas*, mas sem artigo.] [Dim. irreg.: *fabela*. Cf. *fabula*, do v. *fabular*.] ~ V. *fábulas*. ◆ **Fábula atelana.** *Teat.* V. *comédia atelana*. **Fábula tabernária.** *Teat.* Comédia tabernária.

fabulação. [Do lat. *fabulatione*.] *S. f.* **1.** Narrativa fabulosa. **2.** Entrecho de poema, romance ou drama; fábula, afabulação. **3.** Lição moral contida na fábula; afabulação.

fabulador (ô). [Do lat. *fabulatore*.] *Adj.* e *s. m.* Que ou aquele que fabula.

fabular¹. [Do lat. *fabulare*.] *Adj. 2 g.* **1.** Concernente à fábula. **2.** Fabuloso, imaginário, lendário.

fabular². [Do lat. **fabulare*, por *fabulari*.] *V. t. d.* **1.** Narrar em forma de fábula: *fabular uma lenda popular*. **2.** Historiar ou narrar sem critério; inventar: *fabular aventuras fantásticas*. *Int.* **3.** Compor ou contar fábulas. **4.** Fazer histórias sem critério; inventar, mentir. *T. i.* **5.** Fazer ou formar história fabulosa: *fabular com os amigos*. [Sin: *fabulizar*. Pres. ind.: *fabulo, fabulas, fabula*, etc. Cf. *fábula*.]

fabulário. *S. m.* Coleção de fábulas [v. *fábula* (1 e 2)].

fábulas. [Pl.: de *fábula*.] *S. f. pl. Bras.* V. *fábula* (8): *Aquela casa custou fábulas; Ganhou fábulas na transação*. ~ V. *fábula*.

fabulista. *S. 2 g.* Autor ou narrador de fábulas.

fabulizar. *V. t. d., int.* e *t. i.* V. *fabular²*.

fabuloso (ô). [Do lat. *fabulosu*.] *Adj.* **1.** Que não tem existência real; imaginário; inventado: "É exatamente neste período de transição .... que a natureza .... desvenda essa rechã, e, em vez do Eldorado fabuloso, mirífico, obra da imaginação, oferece ao homem um Eldorado bucólico, real, delicioso." (Raimundo Morais, *País das Pedras Verdes*, pp. 187-188.) **2.** Relativo à mitologia; mitológico. **3.** Concernente a fábula; alegórico, fabular. **4.** Prodigioso, maravilhoso; estupendo; incrível: "O encilhamento estonteava. Fechavam-se diariamente na bolsa .... negócios fabulosos, subindo a milhares de contos de réis." (Leôncio Correia, *A Boêmia do Meu Tempo*, p. 139.) **5.** Admirável, grandioso. **6.** Pouco sabido; obscuro. **7.** *Bras.* Excelente, ótimo, perfeito. ~ V. *tempos —s*.

faca¹. *S. f.* **1.** Instrumento cortante, constituído de lâmina e cabo. [Sin., bras.: *biguana*. Aum.: *facão, facalhão* e *facalhaz*.] **2.** Utensílio de madeira, osso, metal, etc., para cortar papel. **3.** *Art. Gráf.* Chapa de corte. **4.** *Art. Gráf.* Lâmina cortante do tesourão. **5.** *Art. Gráf.* Lâmina cortante da guilhotina; navalha. **6.** *Tip.* Navalha (6). **7.** *Tip.* Telha (6). ◆ **Faca de arrasto.** *Bras., N.E.* Faca de rasto: "Dias depois voltou José, ... trazendo uma espingarda nova na mão, uma faca de arrasto pendente na cintura" (Franklin Távora, *O*

Cabeleira, p. 43). **Faca de rasto.** *Bras., RS.* Grande faca ou facão, usada para abrir caminho no mato, cortar cipó, etc; faca de arrasto. **Faca oscilante.** *Art. Gráf.* Dispositivo para dobrar, nas dobraduras ou nas rotativas, por meio de lâmina sem gume que introduz o papel entre dois cilindros; braço oscilante. **Chiar na faca cega.** *Bras., N.E.* Sofrer muito por imprudência, por desprezo às conveniências, sem meios de defesa. **Entrar na faca.** *Fam.* Submeter-se a operação cirúrgica. **Estar com a faca e o queijo na mão. 1.** Ter poder amplo. **2.** Dispor inteiramente de algo. [Sin. ger.: *ter a faca e o queijo na mão.*] **Pôr a faca no peito de.** *Bras. Fam.* Tentar forçar (alguém) a uma decisão, um pronunciamento, uma atitude ou ato qualquer; encostar na parede; imprensar, imprensar contra a parede; pôr alguém contra a parede; dar um arrocho em. **Ser uma faca. 1.** Ser devorador de livros; ler muitíssimo. **2.** *Bras., MA.* Ser hábil, destro. **Ter a faca e o queijo na mão.** V. *estar com a faca e o queijo na mão.*

faca[2]. *S. f.* Hacanéia.

facada. *S. f.* **1.** Golpe de faca[1] (1): "tombou ali mesmo, com uma facada no ventre" (Francisco de Assis Barbosa, *Lima Barreto*, p. 194). **2.** *Fig.* Surpresa dolorosa. **3.** *Gír.* Ato de pedir dinheiro dado ou emprestado; ferrada, pechada.

facadista. [De *facada* (3) + *-ista.*] *S. 2 g. Bras. Gír.* Pessoa que vive do expediente de dar facadas [v. *facada* (3)]. [Sin.: (no RS): *faquista.*]

facalhão. *S. m.* V. *faca*[1] (1): "Todos se juntaram, tirando facalhões do cinto, no terror daquela força" (Eça de Queirós, *Últimas Páginas*, p. 209).

facalhaz. *S. m.* V. *faca*[1] (1): "Com a navalha, a bem dizer um facalhaz, começou a cortar o enchido" (Urbano Tavares Rodrigues, *A Noite Roxa*, p. 185).

façalvo. [De *face* + *alvo.*] *Adj.* Diz-se de cavalar que tem no focinho um grande sinal branco.

façanha. [Do esp. ant. *fazaña.*] *S. f.* **1.** Ato heróico; proeza. **2.** Coisa admirável, notável ou difícil de executar. **3.** *Irôn.* Ação má, perversa ou indecorosa: "viu cair-lhe aos pés fragmentos de estátuas sagradas. O autor da façanha, trepado numa imagem, martelava com fúria os relevos do tímpano, mutilando anjos e santos." (Melo Nóbrega, *O Soneto de Arvers*, p. 11).

façanheiro. *Adj.* e *s. m.* Que ou aquele que alardeia façanhas; gabola, bazófio, valentão.

façanhoso (ô). *Adj.* **1.** Que pratica façanha; façanhudo: *guerreiro façanhoso.* **2.** Admirável, maravilhoso, extraordinário: *ação façanhosa.*

façanhudo. *Adj.* Façanhoso (1): "Para o ilustre Malherbe, Joana [Joana d'Arc] é um Hércules feminino, um grosso Hércules façanhudo" (Eça de Queirós, *Cartas Familiares e Bilhetes de Paris*, pp. 5-6).

facão. *S. m.* **1.** V. *faca*[1] (1). **2.** Sabre, espada. **3.** *Encad.* V. *tesourão* (1). **4.** *Bras., BA.* Pescador que retalha a baleia depois de morta. [Cf. *faquinha.*] **5.** *Bras., N.* Biscoito grande e malfeito. **6.** *Bras., BA, MG* e *MT.* Elevação central e longitudinal nas estradas, que dificulta a passagem aos veículos. ♦ **Amarrar o facão.** *Bras., BA.* Chegar ao climatério.

fação. *S. f.* V. *facção.*

facção. [Do lat. *factione.*] *S. f.* **1.** Feito de armas. **2.** Bando sedicioso: "formou-se em Ferrabrás .... a facção que semeou a cizânia, a discórdia e o luto entre as colônias pacíficas" (Viana Moog, *Um Rio Imita o Reno*, p. 36). **3.** Partido político. **4.** *P. ext.* Parte divergente ou dissidente de um grupo ou partido; fração. [Var.: *fação.*]

faccionar. *V. t. d.* **1.** Dividir em facções ou bandos. **2.** Sublevar, amotinar, alvorotar. [Var.: *facionar.* Fut. pret.: *faccionaria*, etc. Cf. *facciónária*, fem. de *faccionário.*]

faccionário. [Do lat. *factionariu.*] *Adj.* **1.** Relativo a facção. ● *S. m.* **2.** Membro de facção, de partido. [Var.: *facionário.* Fem.: *faccionária.* Cf. *faccionaria*, do v. *faccionar.*]

facciosidade. *S. f.* V. *facciosismo.* [Var.: *faciosidade.*]

facciosismo. *S. m.* **1.** Qualidade de faccioso; parcialidade. **2.** Paixão partidária; sectarismo. [Var.: *faciosismo.* Sin.: *facciosidade.*]

faccioso (ô). [Do lat. *factiosu.*] *Adj.* **1.** Sedicioso, revoltoso. **2.** Sectário apaixonado de uma facção; parcial. [Var.: *facioso.*]

face. [Do lat. *facie.*] *S. f.* **1.** *Anat.* A parte anterior da cabeça, que se estende dos olhos ao queixo, e cujo esqueleto ósseo se compõe de 14 ossos, dois deles ímpares; fácies. **2.** Rosto, cara, semblante. **3.** Parte lateral da cara. **4.** Presença, frente: *O pai expulsou-os de sua face.* **5.** Superfície (2). **6.** Aparência, aspecto, ar. **7.** Aspecto, particularidade, peculiaridade: "Uma das faces mais originais de Roger de Beauvoir é a energia petulante com que ele aceitou .... o seu papel de marido atraiçoado" (Ramalho Ortigão, *Em Paris*, p. 100). **8.** Situação ou estado de um negócio, questão, etc. **9.** Lado da medalha ou da moeda onde está a efígie. **10.** Lado do tecido oposto ao avesso. **11.** *Bot.* Lado superior ou inferior de uma folha. **12.** *Geom.* Qualquer das superfícies planas que definem um poliedro ou um ângulo poliédrico. **13.** *Art. Plást.* Medida de altura, equivalente à face normal. **14.** *Zool.* A parte anterior da cabeça dos animais mamíferos. **15.** *Bras., SP.* Cada um dos lados de uma casa em relação aos pontos cardeais. ♦ **Face a face. 1.** Em frente, sem nada ou ninguém de permeio; em presença: "Estavam agora face a face e os olhos da mulher examinavam-no com febril interesse." (Lúcio Cardoso, *O Desconhecido*, p. 184.) **2.** Um diante do outro, em situações opostas, defrontando-se. [Sin. ger.: *frente a frente, fronte por fronte, cara a cara, rosto a rosto, de rosto.*] **Face a face com.** V. *em face de* (1): "Pedia [Colombo], mas exigia. Não implorava; não se humilhava aos potentados. Face a face com os reis, diz o que quer." (Vicente Licínio Cardoso, *Figuras e Conceitos*, p. 58.) **Face hipocrática.** *Patol.* A que se nota nos doentes vítimas de afecções abdominais graves. **Face leonina.** *Patol.* Leontíase. **À face da letra.** Com sentido manifesto; inteligivelmente. **À face de.** V. *em face de* (2). **À face do mundo.** Diante de quem quiser ver; abertamente; às claras; em público. **Dar de face.** Dar de encontro a; encontrar, deparar. **De face.** Em posição que permita ver toda a face; de frente: "De face, de flanco. / O preto no branco." (Manuel Bandeira, *Estrela da Vida Inteira*, p. 163.) **Em face de. 1.** Perante, defronte; em frente de, diante de; face a face com: "O auto .... galgou um serro adiante, ... estacando em face do hospital da empresa." (Herman Lima, *Garimpos*, p. 16.) **2.** Na presença ou vista de; diante de; perante; à face de: *O que o salvou, em face do perigo, foi sua habitual calma.* **3.** Em virtude de. **Fazer face a. 1.** Não fugir a (o inimigo ou uma dificuldade); fazer rosto a; resistir a. **2.** Opor-se a. **3.** Remediar um inconveniente. **4.** Prover a; custear: *Fez face a todas as despesas do casamento.* **5.** Ter a fachada voltada para (determinado ponto). **Lançar em face a.** Lançar em rosto a.

facear. *V. t. d.* **1.** Fazer faces ou lados em. **2.** Esquadrar, esquadriar. **3.** Estar ou mostrar-se à frente ou à face de: *Desenhos faceiam o templo.* **4.** *Bras., SP.* Orientar (uma casa) em relação aos pontos cardeais. *T. i.* **5.** Ficar em frente; defrontar; confrontar: "Ficaram arranchados numa casinha de porta e janela, faceando, de um lado, com a venda do Inácio Peroba" (Nélson de Faria, *Tiziu e Outras Estórias*, p. 192). [Conjug.: v. *frear.*]

facécia. [Do lat. *facetia.*] *S. f.* **1.** Qualidade ou modos de faceto. **2.** Dito chistoso, meio-termo entre a graça e a zombaria: "as óperas de Antônio José trazem .... a facécia grossa e petulante, tal como lha pedia o paladar das platéias" (Machado de Assis, *Relíquias de Casa Velha*, p. 164).

faceciosidade. *S. f.* Qualidade de facecioso: "Precisamente por essa época foi que ele começou a enfeitiçar-nos com a faceciosidade de seus versos alegres" (Luís Edmundo, *De um Livro de Memórias*, III, p. 665).

facecioso (ô). *Adj.* V. *faceto.*

faceira. [De *face* + *-eira.*] *S. f.* **1.** A carne dos lados do focinho do boi. **2.** *Fam.* Façoila. **3.** *Bras.* Mulher vaidosa e/ou afetada. ● *S. m.* **4.** Peralta, petimetre.

faceiraço. *Adj. Bras., S.* Muito faceiro.

faceirar. [De *faceiro* (1) + *-ar*[2].] *V. int. Bras.* **1.** Ostentar elegância, no vestuário como nas maneiras: "cruzavam-se cocotes faceirando, respondendo aos galanteios com .... muitos requebros de quadris." (Coelho Neto, *A Conquista*, pp. 45-46.) **2.** Enfeitar-se, adornar-se, ataviar-se.

faceirice. *S. f.* Qualidade ou modos de faceiro (1); ostentação de elegância; garridice, denguice, janotice, casquilhice.

faceiro. [De *face* + *-eiro.*] *Adj.* **1.** Que é dado a enfeitar-se, a ostentar elegância; casquilho, janota, taful: "Uma velhota metida a faceira, que pintava os lábios com carmim" (Viriato Correia, *Novelas Doidas*, p. 24). **2.** *Bras.* Alegre, contente, satisfeito. **3.** *Bras., S.* Diz-se de cavalo garboso, que levanta o pescoço quando marcha ou baralha.

faceta (ê). [Do fr. *facette.*] *S. f.* **1.** Pequena face ou superfície. **2.** Superfície limitante de cristal ou de pedra preciosa. **3.** Cada um dos aspectos particulares pelos quais se considera alguém ou algo. **4.** *Anat.* Porção circunscrita da superfície de um osso. **5.** *Tip.* Bisel (5). [Pl.: *facetas* (ê). Cf. *faceta* e *facetas*, do v. *facetar.*]

facetar. *V. t. d.* **1.** Fazer facetas em. **2.** Lapidar, polir. **3.** Aprimorar, aperfeiçoar, polir. **4.** Apresentar como facetas. [F. paral.: *facetear.* Pres. ind.: *faceto, facetas, faceta*, etc. Cf. *faceto* (ê), adj., as flex. *faceta* (ê), *facetas* (ê), e *faceta* (ê), s. f., pl. *facetas* (ê).]

facetear[1]. [De *faceto* + *-ear.*] *V. t. d.* e *int.* **1.** Dizer ou fazer facécias. **2.** Zombar; galhofar. [Conjug. v.: *frear.*]

facetear[2]. [De *faceta* + *-ear.*] *V. t. d.* V. *facetar.* [Conjug.: v. *frear.*]

faceto (ê). [Do lat. *facetu.*] *Adj.* **1.** Que tem o caráter de facécia; chistoso, engraçado: *dito faceto.* **2.** Alegre, brincalhão, engraçado: *um velhinho faceto.* [Flex.: *faceta* (ê), *facetos* (ê), *facetas* (ê). Cf. *faceto, faceta* e *facetas*, do v. *facetar.* Sin.: ger.: *facecioso.*]

facha[1]. [Do lat. *facula.*] *S. f. Ant.* Facho (1). [Cf. *faixa*, do v. *faixar* e s. f.]

facha[2]. [Do germ. *hapja.*] *S. f. Ant.* V. *acha*[2] (1). [Cf. *faixa*, do v. *faixar* e s. f.]

facha[3]. [Do it. *faccia.*] *S. f. Ant.* Face, cara. [Cf. *faixa*, do v. *faixar* e s. f.] ♦ **Que facha!** *Bras., RS.* Expressão irônica, equivalente a *que figura!*

fachada. [Do it. *facciata.*] *S. f.* **1.** Qualquer das faces dum edifício, de modo geral a da frente; frente: "Ao fundo de um adro, de lajes descoladas, erguia-se a fachada duma igreja" (Eça de Queirós, *A Relíquia*, p. 132). **2.** V. *fachada principal.* **3.** *Fig.* Aparência, aspecto: *Que homem de boa fachada!*; "Foi a maior lenha conseguir atravessar essa fauna e chegar ao toalete para consertar a fachada antes de entrar no ar." (Marisa Raja Gabaglia, *Milho pra Galinha, Mariquinha*, p. 50). **4.** *Fam.* Semblante de pessoa; rosto, face [Cf. *faixada*, part. fem. de *faixar.*] ♦ **Fachada lateral.** *Arquit.* A que se volta para casa, edifício ou lote ao lado. **Fachada posterior.** *Arquit.* A que está voltada para o quintal dos fundos. **Fachada principal.** *Arquit.* A que está voltada para o logradouro público. [Tb. se diz apenas *fachada.* Sin.: *frontispício, frontaria, portada.*] **De fachada.** Que só existe na aparência; falso: *democracia de fachada.*

facheada. [De *fachear* + *-ada*[1].] *S. f.* Bras., N.E. Lufada (2).

fachear[1]. *V. int. Bras., N.E.* Fazer um trabalho (comumente pescar) à luz de facho. [Conjug.: v. *frear.* Cf. *faixear.*]

fachear[2]. *V. int.* e *p. Bras., N.E.* Lascar-se, quebrar-se, esfachear-se. [Conjug. v. *frear.* Cf. *faixear.*]

facheiro[1]. *S. m.* **1.** Condutor de facho. **2.** *Bras.* Designação comum a diversas plantas da família das cactáceas (gêneros *Cereus, Facheiroa* e *Zehntnerella*), da família das leguminosas, subfamília papilionácea (*Lonchocarpus spruceanus*), e da família das anonáceas (*Xylopia ligustrifolia*), usadas como facho, sobretudo nas pescarias, para atrair e atordoar os peixes.

facheiro[2]. *S. m. Ant.* Homem armado de acha[2] (1) ou facha[2].

facheiro[3]. *S. m.* Lugar ou coisa em que se apóia o facho.

facheiro-preto. *S. m. Bras., BA.* Designação comum a várias plantas da família das cactáceas, de fruto comestível, e cujas flores têm pêlos sedosos avermelhados no ovário e pêlos axilares alvos. [Pl.: *facheiros-pretos.*]

facho. [Do lat. **fasculo*, dim. de *fax*, 'archote'.] *S. m.* **1.** Archote; candeio. **2.** Tudo o que emite luz, clarão; luzeiro, farol, lanterna, etc. **3.** *Fig.* Tudo quanto esclarece, guia, norteia a inteligência: *Sempre os guiou o facho da esperança.* **4.** *Fig.* Tudo que serve de elemento para suscitar ou alimentar uma paixão: *o facho da discórdia, do ódio.* **5.** *Bras., N.E. Pop. Obsol.* Mil-réis [q. v.]: *A cesta custa cinco fachos.* **6.** *Bras., MG* e *SP.* Designação comum a vegetais ressequidos, facilmente inflamáveis nas queimadas. [Cf. *faixo*, do v. *faixar.*] ♦ **Abaixar o facho.** *Bras. Fam.* Acalmar-se, aquietar-se (quem está muito agitado); apagar o facho, assentar o facho, sossegar o facho, sossegar o pito. **Apagar o facho.** *Bras. Fam.* V. *abaixar o facho.* **Assentar o facho.** *Bras. Fam.* V. *abaixar o facho.* **Sossegar o facho.** *Bras. Fam*, V. *abaixar o facho.* **Sair do facho.** *Bras., RS.* Sair a passeio; espairecer.

fachudaço. *Adj. Bras., RS.* Muito fachudo; lindíssimo.

fachudo. [De *facha*[3] + *-udo.*] *Adj. Bras., RS.* **1.** Lindo, airoso; garboso. **2.** Diz-se do cavalo de bela estampa. **3.** Diz-se do cavaleiro que monta com elegância e garbo.

facial. *Adj. 2 g.* **1.** Relativo ou pertencente à face. ~ V. *ângulo —, índice —* e *nervo —.* ● *S. m.* **2.** *Anat.* Nervo facial.

fácies. [Do lat. *facies.*] *S. f.* **1.** O aspecto de um corpo, tal como se apresenta à primeira vista. **2.** Os caracteres de forma e configuração que distinguem um grupo; aspecto, em geral. **3.** *Med.* Modificação de aspecto imprimida à face por certos estados mórbidos. **4.** *Anat.* Face (1). **5.** *Anat.* Superfície específica de uma estrutura ou de um órgão do corpo humano. **6.** *Geol.* Conjunto dos caracteres de uma rocha, considerados sob o aspecto de sua formação.

fácil. [Do lat. *facile.*] *Adj. 2 g.* **1.** Que se faz ou se consegue sem custo ou esforço: *trabalho fácil.* **2.** Que se apreende ou compreende sem custo: *autor fácil.* **3.**

Claro, simples, vulgar, natural: *linguagem* f á c i l*; Tem o estilo* f á c i l. **4.** Espontâneo, pronto: *sorriso* f á c i l*; lágrimas* f á c e i s. **5.** Dócil, brando, suave: *gênio* f á c i l. **6.** Acessível, lhano, comunicativo: *Entendo-me bem com ele: é pessoa* f á c i l. **7.** Inclinado, tendente, propenso: "leva-lhes oblações, e implora-lhes clemência; / das Napéias o gênio é f á c i l à indulgência" (Antônio Feliciano de Castilho, *Geórgicas*, p. 291). **8.** Crédulo, ingênuo, confiante. **9.** Precipitado, irrefletido, imponderado: *julgamento* f á c i l. **10.** *Bras.* Diz-se de mulher de honestidade duvidosa. ~ V. *vida* —. ● *Adv.* **11.** Com facilidade; facilmente, sem demora ou sem esforço: "A doença era traiçoeira, conforme ouvira dizer, e pegava f á c i l." (Macedo Miranda, *Pequeno Mundo outrora*, pp. 46-47); *Fala* f á c i l*, não titubeia.* **12.** Sem oferecer dificuldade à compreensão de quem lê ou escuta: *Fala* f á c i l*, não usa termos complicados; Medeiros e Albuquerque e José Lins do Rego escrevem* f á c i l. [Antôn.: *difícil*. Pl. (do adj.): *fáceis;* superl. abs. sint.: *facílimo, facilíssimo.*]

facilidade. [Do lat. *facilitate.*] *S. f.* **1.** Qualidade de fácil. **2.** Ausência de obstáculos ou dificuldades: *Aprende línguas com* f a c i l i d a d e. **3.** Aptidão, dom: *Tem* f a c i l i d a d e *para matemática.* **4.** Destreza, prontidão: *Com que* f a c i l i d a d e *atendeu ao pedido!* [Antôn.: *dificuldade.*] ~ V. *facilidades.*

facilidades. [Pl.: de *facilidade.*] *S. f. pl.* **1.** Meios prontos de se conseguir algo, de se chegar a um fim: *Obteve todas as* f a c i l i d a d e s *para a sua pesquisa.* **2.** Procedimento leviano: *É mulher honesta, incapaz de* f a c i l i d a d e s. **3.** Complacência, condescendência, indulgência: *As excessivas* f a c i l i d a d e s *perdem as crianças.* ~ V. *facilidade.*

facílimo. *Adj.* Superl. abs. sint. de *fácil;* facilíssimo, muito fácil.

facilíssimo. *Adj.* Facílimo.

facilitação. *S. f.* Ato ou efeito de facilitar, remover dificuldades ou obstáculos. [Antôn.: *dificultação.*]

facilitar. *V. t. d.* **1.** Tornar ou fazer fácil, ou mais fácil: *A abolição* f a c i l i t o u *a proclamação da República, no Brasil.* **2.** Apresentar uma coisa como mais fácil do que é na realidade. *T. d. e i.* **3.** Tornar ou fazer fácil, ou mais fácil: *Em vez de* f a c i l i t a r e m - l h e *os estudos, criam-lhe dificuldades.* **4.** Pôr à disposição; facultar: "Tratava-se de satisfazer o senhor vigário, f a c i l i t a n d o - l h e os meios de sair da vila" (Inglês de Sousa, *O Missionário*, p. 208). *Int.* **5.** Agir com imprevidência; expor-se, descuidar-se: "falo-te assim, porque é preciso termos cautela .... . Temos f a c i l i t a d o muito, Sofia; como nascemos um para o outro, parece-nos que estamos casados, e f a c i l i t a m o s." (Machado de Assis, *Quincas Borba*, pp. 283-284). *P.* **6.** Prontificar-se, prestar-se. **7.** Adquirir facilidade. [Antôn.: *dificultar.*]

facilitário. [De *facilitar* + *-ário.*] *S. m. Bras. P. us.* V. *crediário.*

facilmente. [De *fácil* + *-mente.*] *Adv.* **1.** De maneira fácil; com facilidade; fácil. **2.** Irrefletidamente, precipitadamente.

facínora. [Do lat. *facinora.*] *S. m.* **1.** Homem perverso e criminoso: "um dos Tibúrcios ... se tornou conhecido como f a c í n o r a perigoso e temível salteador." (Veiga Miranda, *Pássaros Que Fogem...*, p. 56). ● *Adj. 2 g.* **2.** Que cometeu grande(s) crime(s); perverso, cruel, desalmado. [Sin. ger.: *facinoroso.*]

facinoroso (ô). [Do lat. *facinorosu.*] *Adj. e s. m.* V. *facínora*: "Que ações alegariam para disputá-lo, ainda a um homem abjeto, a um bandido, um f a c i n o r o s o ?" (Correia Garção, *Obras Poéticas e Oratórias*, pp. 588-589.)

facionar. *V. t. d.* Var. de *faccionar* [q. v.]. [Fut. do pret.: *facionaria*, etc. Cf. *facionária*, fem. de *facionário.*]

facionário. *Adj.* Var. de *faccionário.* [Fem.: *facionária.* Cf. *facionaria*, do v. *facionar.*]

faciosidade. *S. f.* Var. de *facciosidade.* [q. v.].

faciosismo. *S. m.* Var. de *facciosismo* [q. v.].

facioso (ô). *Adj.* Var. de *faccioso* [q. v.].

facistol. [Do esp. *facistol.*] *S. m.* **1.** Grande estante, no coro das igrejas, na qual se põem livros de canto ou litúrgicos. [Cf. *atril.*] **2.** Faldistório. [Pl.: *facistóis.*]

facite. [De *fac(o)-* + *-ite*[1].] *S. f. Patol.* Inflamação do cristalino (5).

fã-clube. [De *fã* + *clube.*] *S. m. Bras.* **1.** Conjunto dos fãs de certo artista. **3.** *P. ext.* Conjunto de admiradores de uma pessoa qualquer. [Pl.: *fãs-clubes* e *fãs-clube.*]

▲**fac(o)-.** [Do gr. *phakós, oû.*] *El. comp.* = 'lentilha'; 'cristalino (5)': *facóide, facocele, facite.*

facocele. [De *fac(o)-* + *-cele.*] *S. f. Patol.* Hérnia do cristalino (5).

facóide. [Do gr. *phakoeidés.*] *Adj. 2 g.* Que tem forma de lentilha; lenticular.

façoila. *S. f.* Cara larga, gorda; faceira.

faconina. [De *fac(o)-* + *-n-* + *-ina.*] *S. f.* Albuminóide do cristalino (5).

facopiose. [De *fac(o)-* + *-piose.*] *S. f. Patol.* Catarata branca, suposta supuração do cristalino (5).

facosclerose. [De *fac(o)-* + *-sclerose.*] *S. f. Patol.* Endurecimento do cristalino (5).

facoscopia. *S. f. Med.* Exame que se faz com o facoscópio.

facoscópico. *Adj.* Relativo à facoscopia, ou ao facoscópio.

facoscópio. [De *fac(o)-* + *-scop-* + *-io.*] *S. m. Med.* Instrumento que se emprega no exame do cristalino (5).

facote. [De *faca*[1] + *-ote.*] *S. m. Cir.* Instrumento com que se raspam ossos ou alargam certas fraturas.

fac-similado. [Part. de *fac-similar*[2].] *Adj.* **1.** Impresso em fac-símile. **2.** Relativo a fac-símile. [Sin., bras.: *fac-similar.* Pl.: *fac-similados.*] ~ V. *edição* —*a.*

fac-similar[1]**.** *Adj. 2 g. Bras.* V. *fac-similado.* ~V. *edição* —. [Pl.: *fac-similares.*]

fac-similar[2]**.** *V. t. d.* Imprimir em fac-símile. [Pres. subj.: *fac-simile*, etc. Cf. *fac-símile.*]

fac-símile. [Do lat. *fac simile.*] *S. m.* Reprodução fotomecânica de texto manuscrito, mecanografado ou impresso. [Modernamente, às reproduções de pinturas, gravuras, etc., dá-se a designação genérica de *reprodução.* Pl.: *fac-símiles.* Cf. *fac-simile*, do v. *fac-similar.*]

facticidade. *S. f. Filos.* Caráter próprio da condição humana pelo qual cada homem se encontra sempre já comprometido com uma situação não escolhida.

factício. [Do lat. *facticiu.*] *Adj.* **1.** Produzido ou imitado pela arte; artificial. **2.** Artificial, convencional; não natural: "A *coquette* começa, ainda no leito, a vida artificial e f a c t í c i a, que a deve distinguir durante o dia." (Latino Coelho, *Tipos Nacionais*, p. 68.) [Var.: *fatício.* Cf. *fictício.*] ~ V. *idéia* —*a.*

factitivo. [Do lat. *factitare*, 'fazer muitas vezes', 'fazer'.] *Adj.* ~ V. *verbo* —.

factível. [Do lat. *factu*, 'feito', + *-i-* + *-vel.*] *Adj. 2 g.* Que pode ser feito; fazível, exeqüível. [Var.: *fatível.*]

factótum. [Do lat. *factotum.*] *S. m.* **1.** Indivíduo incumbido de todos os negócios de outrem: "Possuem um f a c t ó t u m, pau-para-toda-obra, secretário particular e muitas coisas mais" (Graciliano Ramos, *Linhas Tortas*, p. 10). **2.** Pessoa indispensável. **3.** *Irôn.* Aquele que se julga ou mostra capaz de tudo fazer, de tudo resolver.

factual. [Do lat. *factu*, 'feito', + *-al.*] *Adj. 2 g.* Relativo a, ou que se baseia em fato(s): *dados* f a c t u a i s. [Var.: *fatual.*]

façudo. *Adj.* De faces gordas, cheias: "Era uma mulher gorda, f a ç u d a, e frescalhona" (Camilo Castelo Branco, *No Bom Jesus do Monte*, p. 16).

fácula. [Do lat. *facula*, 'pequena tocha'.] *S. f. Astron.* Granulação luminosa que se apresenta nas vizinhanças da mancha solar.

faculdade. [Do lat. *facultate.*] *S. f.* **1.** Poder, natural ou adquirido, de fazer alguma coisa; capacidade. **2.** Aptidão inata; disposição, tendência, talento, dom. **3.** Direito, privilégio: *O Presidente goza da* f a c u l d a d e *de escolher seus auxiliares diretos.* **4.** Liberdade de agir; permissão, consentimento, licença: *Deu-lhe o pai, desde cedo, a* f a c u l d a d e *de resolver certos problemas na medida de sua capacidade.* **5.** Propriedade, virtude: *Os antibióticos têm a* f a c u l d a d e *de combater as doenças inflamatórias.* **6.** Qualquer setor do conhecimento humano: *Nas universidades medievais o ensino compreendia quatro* f a c u l d a d e s*: teologia, artes, medicina e leis.* **7.** O conjunto das disciplinas professadas em cada área do ensino de nível superior. **8.** *P. ext.* O corpo docente que as professa: *Toda a* f a c u l d a d e *se pronuncia contra as medidas tomadas pelo reitor.* **9.** Escola superior (estabelecimento isolado ou unidade dum conjunto universitário): *A fundação da* F a c u l d a d e *de Direito de São Paulo marca o início do ensino superior no Brasil.* **10.** Os alunos de uma dessas escolas. ~ V. *faculdades.* ◆ **Faculdades mentais.** O conjunto dos recursos intelectuais e psíquicos próprios da mente humana.

faculdades. [Pl. de *faculdade.*] *S. f. pl. Rel.* Permissão dada pelo bispo a um sacerdote para exercer o seu ministério nos limites da diocese. ~ V. *faculdade.*

facultar. [Do lat. *facultas, facultatis*, 'faculdade': formação arbitrária.] *V. t. d. e t. d. e i.* **1.** Facilitar, permitir: *O porteiro* f a c u l t o u *a entrada aos visitantes.* **2.** Pôr à disposição (de); conceder, proporcionar: *A todos a lei* f a c u l t a *o direito de defesa.*

facultativo. *Adj.* **1.** Que dá a faculdade ou o poder de alguma coisa. **2.** Que permite se faça ou não se faça algo. **3.** Que não é obrigatório. ~ V. *ponto* —. ● *S. m.* **4.** Aquele que exerce a medicina; médico.

facultoso (ô). [De um **facultatoso*, do lat. *facultate*, 'faculdade', com haplologia.] *Adj.* **1.** Que dispõe de numerosos recursos. **2.** Opulento, copioso.

facúndia. [Do lat. *facundia.*] *S. f.* Facilidade para discursar; eloqüência, loqüela, facundidade: "Portentoso orador! Ó f a c ú n d i a inaudita!" (Alberto Ramos, *Poemas*, p. 124.) [Cf. *facundia*, do v. *facundiar*, e *fecúndia.*]

facundiar. *V. int.* Falar muito e fluentemente; ter facúndia. [Pres. ind.: *facundio, facundias, facundia*, etc. Cf. *facúndia.*]

facundidade. [Do lat. *facunditate.*] *S. f.* V. *facúndia.* [Cf. *fecundidade.*]

facundo. [Do lat. *facundu.*] *Adj.* Que tem facúndia; eloqüente; falador: "Da boca do f a c u n d o capitão / Pendendo estavam todos embebidos, / Quando deu fim à longa narração / Dos altos feitos grande e subidos" (Luís de Camões, *Os Lusíadas*, V, 90). [Cf. *fecundo.*]

fada. [Do lat. *fata.*] *S. f.* **1.** Entidade fantástica, a quem se atribuía poder sobrenatural e influência no destino dos homens. **2.** *Desus.* Auspício, augúrio, agouro. **3.** *Fig.* Mulher de extraordinário encanto e beleza.

fadado. [Part. de *fadar.*] *Adj.* Predestinado (1).

fadar. *V. t. d.* **1.** Regular ou determinar o destino, a sorte de. **2.** Dotar, favorecer, conceder. *T. d. e i.* **3.** Prognosticar, vaticinar, profetizar: *A cartomante* f a d o u *-lhe uma vida longa.* **4.** Predestinar, destinar, votar: *A morte do marido* f a d o u *-a à solidão.* **5.** Dotar, favorecer: *A natureza* f a d o u *-o com a vocação literária.* **6.** Conceder, dar: *Deus lhe* f a d o u *a ventura de ter filhos perfeitos.*

fadário. *S. m.* **1.** Destino talhado por poder sobrenatural [v. *estrela* (5)]: "Também ando a expiar os pecados de meu pai...?! Estúpido f a d á r i o !" (Aquilino Ribeiro, *Aventura Maravilhosa*, pp. 202-203); "Na terra teu f a d á r i o / É ser o irmão do escravo que trabalha." (Castro Alves, *Poesias Escolhidas*, p. 311). **2.** Vida difícil ou trabalhosa.

fadejar. *V. int.* Cumprir o seu fadário. [Conjug. v. *pelejar.*]

fadiga. [Dev. de *fadigar.*] *S. f.* **1.** Cansaço, canseira, fatigamento. **2.** Trabalho, faina, lida. **3.** Diminuição gradual da resistência de um material por efeito de solicitações repetidas.

fadiga-corrosão. *S. f. Eng. Ind.* Corrosão em material submetido a esforços cíclicos, que lhe diminui a resistência à fadiga. [Pl.: *fadigas-corrosões* e *fadigas-corrosão.*]

fadigar. *V. t. d., int. e p.* Var. de *fatigar.* [Conjug.: v. *largar.*]

fadigoso (ô). *Adj.* **1.** Em que há, ou que denota fadiga: "ouviu-se uma voz f a d i g o s a e trêmula que cantava" (Alexandre Herculano, *Lendas e Narrativas*, II, p. 49). **2.** Feito com fadiga; penoso. **3.** V. *fatigante.*

➧**fading** (fêidin). [Ingl.] *S. m. Rád.* Variação de intensidade do som, que prejudica a audição.

fadista. *S. m.* **1.** Tocador e/ou cantador de fados. **2.** Desordeiro, rufião; bailão, faia. ● *S. f.* **3.** Cantora de fados. **4.** *Lus. Pop.* V. *meretriz.* ● *Adj. 2 g.* **5.** Relativo a, ou próprio de fadista: "Falou-se logo do crime da Mouraria, drama f a d i s t a que impressionava Lisboa" (Eça de Queirós, *Os Maias*, I, p. 244).

fadistagem. *S. f.* **1.** Os fadistas. **2.** Vida de fadista; vadiagem.

fado. [Do lat. *fatu.*] *S. m.* **1.** V. *estrela* (5): "Ainda hoje são, por f a d o adverso, / Meus filhos — alimária do Universo... / Eu — pasto universal." (Castro Alves, *Poesias Escolhidas*, p. 343.) **2.** Canção popular portuguesa, de caráter triste e fatalista, linha melódica simples, ao som da guitarra ou do acordeão, e que provavelmente se origina do lundu do Brasil colônia, introduzido em Lisboa após o regresso de D. João VI (1821). **3.** *Bras.* No séc. XVIII, dança popular, ao som da viola, com coreografia de roda movimentada, sapateados e meneios sensuais.

faéton. [Do ingl. *phaeton.*] *S. m.* V. *faetonte*: "Já o admirava no seu f a é t o n, muitas vezes, e aos seus belos cavalos ingleses." (Eça de Queirós, *Os Maias*, I, p. 241.)

faetonte. [Do lat. *faetonte.*] *S. m.* Pequena carruagem de quatro rodas, ligeira e descoberta: "*Mademoiselle* saltou do f a e t o n t e, entrou na loja e pediu para examinar a seda" (Joaquim Manuel de Macedo, *Memórias da Rua do Ouvidor*, p. 243).

faetontídeo. *S. m.* **1.** Espécime dos faetontídeos. ● *Adj.* **2.** Pertencente ou relativo a eles.

faetontídeos. *S. m. pl. Zool.* Aves pelicaniformes, da

família *Phaetontidae*, de vida oceânica, parecidas com as gaivotas, e que têm o polegar curto e mais elevado que os outros dedos, as duas retrizes medianas mais longas que as demais, afiladas para a ponta, e ranfoteca de bordos serrilhados. São os rabos-de-palha.

fagácea. *S. f.* Espécime das fagáceas.

fagáceas. *S. f. pl. Bot.* Família de plantas superiores, constituída de árvores cujas flores unissexuais se dispõem em glomérulos ou em amentos. Flores masculinas com três a sete sépalas e outros tantos estames; flores femininas com três carpelos concrescentes; fruto seco e indeiscente, envolvido por uma cúpula receptacular. Há cerca de 400 espécies peculiares aos climas temperados, quase todas do hemisfério norte.

fagáceo. *Adj.* Pertencente ou relativo às fagáceas.

fagale. *S. f.* Espécime das fagales.

fagales. *S. f. pl. Bot.* Ordem de vegetais superiores que compreende as famílias das betuláceas e fagáceas.

fagedênico. [Do gr. *phagedenikós*, 'que tem fome canina', pelo lat. *phagedenicu*.] *Adj. Med.* Que corrói ou destrói rapidamente. ~ V. *úlcera* —*a*.

fagedenismo. *S. m.* Caráter ou estado de fagedênico; crescimento rápido de lesão ulcerativa.

fagedenoma. [De *fageden*, f. abrev. de *fagedênico*, + *-oma*.] *S. m.* Úlcera fagedênica.

fagícola. [Do lat. *fagu*, 'faia', + *-i-* + *-cola*.] *Adj. 2 g.* Que cresce ou vive sobre as faias.

fago. *S. m. Genét.* F. red. de *bacteriófago*.

▲fag(o)-. [Do gr. *phágos, ou*.] *El. comp.* = 'que ou o que come'; 'ato de comer': *fagócito*. [Equiv. *-fago*: *bibliófago*.]

▲-fago. Equiv. de *fag(o)-*.

fagocitário. *Adj.* Pertencente ou relativo a fagócito.

fagócito. [De *fag(o)-* + *-cito*.] *S. m. Citol.* Célula que realiza a fagocitose.

fagocitose. [De *fagócito* + *-ose*.] *S. f. Citol.* Ingestão e destruição de uma partícula sólida ou de um microrganismo por uma célula.

fagópiro. [Do lat. bot. *fagopym* lat. *fagus*, 'faia' + gr. *pyrós*, 'trigo'.] *S. m.* Planta da família das poligonáceas *(Polygonum fagopyrum)*; trigo-mouro, trigo-sarraceno.

fagote. [Do it. *fagotto*.] *S. m.* **1.** Instrumento de sopro, de madeira, com tubo cônico, longo e dobrado, e palheta dupla usado em orquestras e bandas. **2.** Tocador desse instrumento; fagotista. **3.** Registro de órgão de palheta batente.

fagoterapia. [De *fag(o)-*[1] + *-terapia*.] *S. f. Terap.* Tratamento de doenças pela alimentação ou pela superalimentação.

fagoterápico. *Adj.* Referente à fagoterapia.

fagotista. *S. 2 g.* Fagote (2).

fagueiro. [Do ant. *afagueiro*, de *afagar*, com aférese.] *Adj.* **1.** Que afaga; meigo, carinhoso. **2.** Agradável, aprazível, ameno: "Que amor, que sonhos, que flores, / Naquelas tardes fagueiras / À sombra das bananeiras, / Debaixo dos laranjais!" (Casimiro de Abreu, *Obras*, p. 93). **3.** *Fig.* Satisfeito, contente: *Lá vinha com a namorada, todo fagueiro.*

fagulha. [Do lat. *facucula, dim. de *facula*, que por sua vez é dim. de *fax*, 'archote'.] *S. f.* Chispa, centelha, faúlha, faúla: "Levanta o ferro à altura do rosto .... e .... sopra as brasas, avivando o fogo, fagulhas saem, pipocando, diluem-se na luz do dia." (Juarez Barroso, *Mundinha Panchico e o Resto do Pessoal*, p. 155.)

fagulhar. *V. int.* **1.** Despedir fagulhas; faiscar: "num turbilhão coruscante de labaredas que se enroscam, ... de galhos que se estorcem debatendo-se, que fagulham, gemem, estalam e bradam!" (Gustavo Barroso, *Terra de Sol*, pp. 16-17). **2.** Cintilar, brilhar.

fagulhento. *Adj.* **1.** Que expele fagulhas. **2.** *Fig.* Irrequieto, inquieto, buliçoso.

fagundense. *Adj. 2 g.* **1.** De, ou pertencente ou relativo a Fagundes (PB). ● *S. 2 g.* **2.** Natural ou habitante de Fagundes.

➧fahrenheit. [Al., do antr. *(Gabriel Daniel) Fahrenheit* (1686-1736), físico alemão.] *Adj. 2 g.* ~ V. escala — e *grau* —.

faia[1]. [Do lat. *fagea*, i. e., *materia fagea*, 'madeira de faia'.] *S. f.* **1.** Árvore fagácea *(Fagus silvatica)* do S. e C. da Europa, muito cultivada por ser ornamental. Folhas ovadas, denticuladas na margem e prateadas na face inferior; flores unissexuais, pequenas e ordenadas em glomérulos; fruto: noz com semente oleaginosa comestível. **2.** *Bras., PE, BA* e *GO*. Árvore pequena, da família das icacináceas *(Emmotum nitens)*, de flores amarelas por fora e purpúreo-escuras por dentro, com pilosidade roxa, dispostas em panículas axilares, e cujo fruto é drupáceo, suberoso-lenhoso, tendo a madeira utilidade para cercas. **3.** *Bras., BA* a *SC*. V. *carne-de-vaca* (1).

faia[2]. *S. f.* **1.** *Tip. P. us.* V. *entrelinha* (5). **2.** *Bras.* Nas lavras diamantinas, certo mineral.

faia[3]. *S. m. Lus. Pop.* Fadista (2): "Esse mundo de fadistas, de faias, parecia a Carlos merecer um estudo, um romance..." (Eça de Queirós, *Os Maias*, I, p. 245.)

faial. [De *faia*[1] + *-al*.] *S. m.* Quantidade mais ou menos considerável de faias dispostas proximamente entre si.

faiança. [Do fr. ant. *faiance*, atualmente *faïence*.] *S. f.* **1.** Louça de barro esmaltado ou vidrado: "Duas figuras tafuis, feitas de esmaltada faiança cerúlea" (Martins Fontes, *A Dança*, p. 51). **2.** Louça de pó-de-pedra.

faiar[1]. [De *faia*[2] (1) + *-ar*[2].] *V. t. d. Tip. P. us.* Entrelinhar (2).

faiar[2]. *V. t. d. Gír.* Furtar, empalmar, surripiar, surrupiar.

➧faille (fái). [Fr.] *S. f.* Fazenda de seda, de trama consistente.

faim (a-ím). *S. m.* **1.** Espadim (1): "quatrocentos [homens], todos equipados de armas dobradas e fains, com fardagem à altura." (Aquilino Ribeiro, *Portugueses das Sete Partidas*, p. 86). **2.** Ferro agudo de lança e doutras armas.

faina. [Do cat. ant. *faena*, com hiperbibasmo.] *S. f.* **1.** *Mar.* Atividade ou trabalho a que concorre ponderável parcela da tripulação de um navio: "deixou-se ficar sentada .... à gaiúta, familiarizada .... com aqueles momentos de faina impetuosa, de lufa-lufa a bordo" (Virgílio Várzea, *Nas Ondas*, p. 247). **2.** *P. ext.* Qualquer trabalho aturado; lida, azáfama.

➧fair-play (fér plei). [Ingl.] *S. m. jogo limpo* (2).

faisã. *S. f.* Faisoa.

➧faisandé (fezandê). [Fr.] *Adj.* Diz-se de carne de caça que se deixa chegar ao começo da decomposição.

faisão. [Do gr. *phasianós*, pelo lat. *phasianu* e pelo provenç. ant. *faisan*.] *S. m.* **1.** Ave galinácea notável pela excelência da carne e beleza da plumagem, e da qual existem diversas espécies. **2.** Iguaria feita com faisão. [Fem.: *faisoa* e *faisã*. Pl.: *faisães* e *faisões*.]

faísca. [Do germ. *falaviska*.] *S. f.* **1.** Partícula que salta de uma substância candente ou em atrito com outro corpo; chispa, fagulha, centelha. **2.** Fenômeno luminoso que acompanha uma descarga elétrica. **3.** V. *raio* (4). **4.** *Fig.* Brilho do espírito; graça, vivacidade: "Perdi de todo o esprito, a faísca. / Tornei-me bronco, inútil" (Augusto Gil, *Versos*, p. 114). **5.** Palheta de ouro que se perde na terra ou areia das minas. ● *Adj. 2 g.* **6.** *Bras.* Ardente; brioso; árdego: *cavalo faísca*. **7.** *Bras.* Valente, intrépido, guapo.

faiscação (a-i). *S. f.* Ato de faiscar (1 e 2).

faiscador (a-i...ô). *S. m.* **1.** Aquele que procura faíscas [v. *faísca* (5)] das minas; faisqueiro, garimpeiro. **2.** *Bras., MG.* Indivíduo que se ocupa na lavagem das substâncias auríferas nas margens e no álveo dos regatos e dos torrentes.

faiscância (a-i). *S. f.* Ato ou efeito de faiscar (1 e 2); faiscação: "no ar, jovializante, juvenilizante, cheio de sons, de cores e faiscâncias .... , revoejavam pássaros, de asas pandas" (Martins Fontes, *A Alegria*, p. 45).

faiscante (a-i). *Adj. 2 g.* Que faísca: *fogo faiscante; olhos faiscantes; espírito faiscante.*

faiscar (a-i). *V. int.* **1.** Lançar faíscas. **2.** Cintilar, brilhar. **3.** *Bras.* Procurar faíscas de ouro, ou procurar diamante, em terras já anteriormente lavradas. *T. d.* **4.** Lançar de si (centelhas, clarões); emitir. **5.** Expelir como faíscas; dardejar: *Seus olhos faiscavam ódio.* [Conjug.: v. *trancar*.]

faisoa (ô). *S. f.* Fem. de *faisão*; faisã.

faisqueira (a-i). *S. f.* **1.** Lugar onde acham faíscas [v. *faísca* (5)]: "Cata-se muito ouro nas faisqueiras" (Eduardo Frieiro, *Feijão, Angu e Couve*, p. 52). **2.** *Bras.* Resto do cascalho que fica abandonado ao pé do barranco, nas catas trabalhadas.

faisqueiro (a-i). *S. m.* V. *faiscador* (1).

➧fait divers (fé diver). [Fr.] Fato do dia; notícia do dia.

faixa. [Do lat. *fascia*, pelo cat. *faxa*.] *S. f.* **1.** Tira de tecido, couro, etc., com que se aperta ou enfeita a cintura; cinta: *O vestido tem uma faixa azul.* **2.** Banda, fita, tira: *Cortou no tecido uma faixa estreita para debruar a toalha; Cingiu o embrulho com uma faixa de papel branco.* **3.** Atadura, ligadura. **4.** Cinteiro (2). **5.** Tudo o que se apresenta à vista em forma de tira ou listra: *Pela porta entreaberta saía uma faixa de luz.* **6.** Parte, porção: *A enciclopédia abrangia larga faixa do conhecimento humano.* **7.** Cada uma das músicas gravadas independentemente num disco. **8.** Intervalo entre dois extremos ou limites dados: *Está na faixa dos 40 aos 50 anos; Já passou da faixa do enfarte* (i. e., já excedeu o limite de idade em que se está normalmente sujeito a ele); *faixa etária; faixa salarial.* **9.** *Agron.* Porção de terra estreita e longa; orla. **10.** *Arquit.* Friso chato entre a arquitrave e a cornija. **11.** *Astr.* Zona na superfície de um planeta, que se distingue do resto de sua superfície pela coloração ou aspecto diferente. **12.** *Heráld.* Listão entre duas linhas que atravessa o escudo na sua largura. **13.** *Bras.* Trecho de rua, geralmente demarcado por lista(s), com sinal luminoso, por onde devem atravessar os pedestres: *Só atravesse na faixa.* ● *S. m.* **14.** *Turfe.* O segundo e, às vezes, o segundo e o terceiro e até mesmo o quarto cavalo(s) inscrito(s) sob o mesmo número em um páreo. ● *S. 2 g.* **15.** Amigo, camarada. [Cf. *facha*.] ◆ **Faixa de Caspary.** *Bot.* Faixa suberizada existente nas paredes radiais e transversais das células endodérmicas; fita de Caspary. **Faixa de domínio.** Área de terreno necessária à construção e operação de uma estrada, e que se incorpora ao domínio público, no caso de uma rodovia, ou ao patrimônio da empresa, no caso de uma ferrovia. **Faixa equatorial.** *Astr.* Formação de nuvens na superfície de um planeta, em forma de faixa, e que se observa comumente em Júpiter, Saturno e Urano, paralelamente ao equador do planeta. **Faixa lateral.** *Telecom.* Numa onda de rádio modulada, intervalo de freqüências compreendidas entre a freqüência da onda portadora menos a freqüência da modulação, e a freqüência da onda portadora mais a freqüência da modulação. **Correr de faixa.** *Turfe.* Usar (um faixa [14]), em geral, para forçar a corrida [q. v.], de uma tática em que sacrifica suas próprias possibilidades em benefício de um companheiro com possibilidades maiores; ir para o sacrifício.

faixar. *V. t. d.* Ligar com faixa; enfaixar. [Pres. ind.: *faixo, faixas, faixa*, etc. Part.: *faixado*, fem. *faixada*. Cf. *facho, facha* e *fachada*.]

faixear. [De *faixa* + *-ear*.] *V. t. d. Carp.* Rodear com faixa de madeira. [Conjuga-se como *frear*. Cf. *fachear*.]

fajuto. *Adj. Bras. Gír.* **1.** De má qualidade; ruim: *tecido fajuto*; "7 da noite estava em casa, depois de ter comprado aquele pão fajuto, mais milho do que trigo." (Stanislaw Ponte Preta, *Febeapá 2*, p. 113). **2.** V. *cafona* (1). [F. paral.: *farjuto*.]

fala. [Dev. de *falar*.] *S. f.* **1.** Ação ou faculdade de falar (1): *A fala é uma característica humana.* **2.** Aquilo que se exprime por palavras: *Procurei-o, deu-me bons conselhos, e depois de sua fala pude enfrentar a situação.* **3.** *P. ext.* Emissão de sons por animais: *Divertia-se com a fala do papagaio.* **4.** Palavra, dicção, vocábulo. **5.** Alocução, discurso: *A fala do presidente será às 10 horas.* **6.** Parte do diálogo dita por um dos interlocutores: *É excelente a fala do segundo personagem da peça.* **7.** Timbre ou tom da voz: *fala esganiçada; fala rouca.* **8.** Modo de falar; linguagem, elocução, falar: *a fala culta e a fala popular.* **9.** *Ling.* V. *discurso* (4). ◆ **Fala do trono.** Em Portugal e no Brasil, discurso do monarca, geralmente na abertura de uma sessão parlamentar. **Chamar à fala.** Pedir ou ordenar a alguém que se aproxime a distância adequada para falar, a fim de interpelar, obter informações, etc. **Ir à fala.** Falar, conversar, entender-se: "Foram à fala com o primeiro pastor, que avistaram, e descobriram que havia em Castro Laboreiro uma rapariga ao serviço de um lavrador, ... chamada Francisca." (Camilo Castelo Branco, *Noites de Lamego*, p. 89.) **Perder a fala.** Ficar mudo; deixar de falar (temporária ou permanentemente).

falaca. *S. f.* Poste ao qual se prendem os condenados a bastonadas.

falação. [De *falar* + *-ção*.] *S. f. Bras. Pop.* Discurso, palração. ◆ **Deitar falação.** *Bras.* Fazer discurso; discursar.

falácia[1]. [Do lat. *fallacia*.] *S. f.* Qualidade de falaz.

falácia[2]. [De *falar*.] *S. f.* V. *falatório* (1).

falacioso (ô). [Do lat. *fallaciosu*.] *Adj.* Que tem ou denota falácia[1].

falacíssimo. [Do lat. *fallacissimu*.] *Adj.* Superl. abs. sint. de *falaz*.

falaço. [De *falar*.] *S. m. Bras., N. E. Pop.* Boato, rumores: "O povo maldou logo. Aquilo não passava de amigação de Antônio Patrício com a mulher dele. O falaço continuou até que a mulher apareceu de barriga." (José Lins do Rego, *Meus Verdes Anos*, p. 180.)

falacrocoracídeo. *S. m.* **1.** Espécime dos falacrocoracídeos. ● *Adj.* **2.** Pertencente ou relativo a eles.

falacrocoracídeos. *S. m. pl. Zool.* Aves pelicaniformes, da família *Phalacrocoracidae*, de bico subcilíndrico, com ponta curva em forma de gancho, aquáticas, boas mergulhadoras, e que se alimentam de peixes. No Brasil estão representadas pelos biguás.

falacrose. [Do gr. *phalákrosis*.] *S. f. Patol.* V. *alopecia*.

falada. *S. f.* **1.** V. *falatório* (1). **2.** Falatório ou murmuração que produz escândalo.

faladeira. *Adj.* (*f.*) e *s. f.* Fem. de *falador.* [q. v.]: "A pequena era graciosa e gorducha, faladeira e curiosa." (Machado de Assis, *Dom Casmurro*, p. 304.)

falado. [Part. de *falar.*] *Adj.* **1.** Sobre que se falou, se teceram comentários: *um caso falado.* **2.** Afamado, famoso, notável: *o tão falado romancista Jorge Amado*; "a Torre, ... robusta sobrevivência do Paço acastelado, da falada Honra de Santa Irinéia, solar dos Mendes Ramires desde os meados do século X." (Eça de Queirós, *A Ilustre Casa de Ramires*, p. 6.) **3.** Cujo meio de comunicação é a fala, a palavra falada: *jornal falado.* **4.** *Bras.* Diz-se de pessoa de quem se fala mal, de má fama, de moral duvidosa: "A verdade era que as filhas do usineiro ficaram faladas. Rapazes tinham-nas na conta de sapecas" (José Lins do Rego, *Usina*, p. 198). ~ V. *cinema* —, *coro* (ô) —, imprensa —, linguagem —a e *retrato* —.

falador (ô). *Adj.* **1.** Que fala muito. **2.** *Bras.* Indiscreto, maledicente, maldizente, irreverente. ● *S. m.* **3.** Aquele que fala muito. [Fem. ger.: *faladora, faladeira.*]

falagogia. [Do gr. *phallagógia.*] *S. f.* Festa grega em que se conduzia o falo em procissão.

falange. [Do gr. *phálagx*, pelo lat. *phalange.*] *S. f.* **1.** Unidade de infantaria grega formada por 64 sintagmas ou 16.384 homens. **2.** Corpo de tropas. **3.** *Fig.* Multidão, legião: "nas alturas divinas, a harmonia das esferas reergue a alma humana, que se perde entre falanges de anjos." (Alphonsus de Guimaraens, *Obra Completa*, p. 420). **4.** Conjunto dos membros de um falanstério (1). **5.** *Anat.* Qualquer osso de quirodáctilo ou de pododáctilo. ◆ **Falange distal.** *Anat.* A terceira falange, ou a da unha, dos dedos que têm três. [Sin.: *metafalange* e (desus.) *falangeta.*] **Falange medial.** *Anat.* A segunda falange, ou a falange média, nos dedos em que há três. [Sin.: *mesofalange* e (desus.) *falanginha.*] **Falange proximal.** *Anat.* A falange que nos quirodáctilos se articula com o metacarpo e nos pododáctilos com o metatarso; primeira falange. **Primeira falange.** *Anat.* Falange proximal.

falangeal. *Adj. 2 g.* Referente ou pertencente às falanges dos dedos.

falangeta (ê). *S. f. Anat. Desus.* V. *falange distal.*

falangiano. [De *falange* + *-ano.*] *Adj.* Relativo à(s) falange(s) [v. *falange* (5)].

falangido. *S. m.* e *adj.* V. *opilionido.*

falangidos. *S. m. pl. Zool.* V. *opilionidos.*

falanginha. *S. f. Anat. Desus.* V. *falange medial.*

falangiode. *S. m.* e *adj.* V. *opolionido.*

falangiodes. *S. m. pl. Zool.* V. *opilionidos.*

falanoglosso. *S. m.* e *adj.* V. *enteropneusto.*

falanoglossos. *S. m. pl. Zool.* V. *enteropneustos* (2 e 3).

falansteriano. *Adj.* **1.** Referente ao falanstério ou aos seus habitantes. ● *S. m.* **2.** Habitante de um falanstério. **3.** Partidário do fourierismo [q. v.].

falanstério. [Do fr. *phalanstère.*] *S. m.* **1.** No fourierismo, comunidade de produção composta por 1.800 trabalhadores. **2.** Lugar onde se deveria estabelecer essa comunidade.

falante. *Adj. 2 g.* **1.** Que fala. **2.** Diz-se de quem fala muito e/ou indiscretamente; chocalheiro, trombeta. **3.** *Bras. Fam.* Diz-se de pessoa que gosta de falar, de opinar sobre qualquer assunto, que é desembaraçada, desinibida.

falar. [Do lat. *fabulare.*] *V. int.* **1.** Dizer palavras; expressar-se ou exprimir-se por meio de palavras; dizer: "Nos últimos tempos de sua vida, Chateaubriand [François René de Chateaubriand] já não podia falar, nem ouvir, nem sequer ver." (Múcio Leão, *Emoção e Harmonia*, p. 105.) **2.** Orar, discursar: *Tem o dom da palavra: fala muito bem.* **3.** Ter validez; exercer influência: *la-se deixando subornar, mas a dignidade falou mais alto.* **4.** Ser muito expressivo: *Seus olhos falam*; "os cabelos caíam despenteados, e as lágrimas faziam-lhe encarquilhar os olhos. Não obstante, o total falava e cativava o coração." (Machado de Assis, *Dom Casmurro*, p. 89). **5.** *Bras. Gír.* Dar a palavra definitiva: *O homem falou, está falado.* **6.** Revelar ou descobrir o que não era permitido: *O prisioneiro falou.* *T. d.* **7.** Exprimir por meio de palavras; proferir, dizer: *Falou a verdade, e ninguém o acreditou.* **8.** Dizer, contar, referir: "Falava muita gente, mas sem provas, que ele penava ali por amor de um crime encoberto" (Raquel de Queirós, *100 Crônicas Escolhidas*, p. 5); "— É uma terra de amores "Alcatifada de flores / Onde a brisa fala amores / Nas belas tardes de abril." (Casimiro de Abreu, *Obras*, p. 60). **9.** Conversar acerca de; discorrer sobre. **10.** Combinar, ajustar. **11.** Fazer compreender; explicar, demonstrar. **12.** Pregar, anunciar, ensinar: *falar a palavra de Deus.* **13.** Saber exprimir-se em algum idioma, especialmente estrangeiro: "Falava francês desde pequeno" (Urbano Tavares Rodrigues, *Vida Perigosa*, p. 40). **14.** *Bras.* Dizer, declarar: *Falou que vinha à festa.* **15.** *Bras.* Proferir, dizer; costumar dizer: "Não falava 'senhora', dizia 'madame' " (Valdemar Versiani dos Anjos, *Jornal de Serra Verde*, p. 96). *T. d.* e *i.* **16.** Combinar, ajustar: *Foi isso mesmo o que ele falou com o negociante.* **17.** Expor ou exprimir por palavras; dizer: *Castigou o filho porque não lhe falou a verdade.* **18.** Inspirar, infundir: "um rosto virgem, / Alma de arcanjo que me fale amores." (Casimiro de Abreu, *Obras*, p. 110). *T. i.* **19.** Conversar ou discursar; discorrer: "Falareis de nós como de um sonho" (Jorge de Sena, *Versos e Alguma Prosa*, p. 35): "Não me escrevas falando nessas cousas!..." (Humberto de Campos, *Poesias Completas*, p. 14); "Sempre se poderá falar de Poesia se a imagem do Quixote continuar presente no coração dos homens." (Valdemar Lopes, *Austro-Costa Poeta da Província*, p. 14); "Estamos no mês de maio — e convém falar de rosas." (Eça de Queirós, *Notas Contemporâneas*, p. 311); "D. Pedro II falou anteontem mais uma vez ao povo brasileiro." (Antônio da Silva Jardim, *Propaganda Republicana*, p. 232). **20.** Dirigir a palavra: "Falei-te uma vez..." (Guimarães Passos, *Hortas Mortas*, p. 54); "Neste tempo, viu Laura, falou-lhe, ouviu-a" (Camilo Castelo Branco, *A Mulher Fatal*, p. 32). **21.** Falar ou dizer mal; maldizer: *Língua viperina, a daquele homem: é capaz de falar da própria mãe*; "Essa história de falar de alguém / Já é mania que as pessoas têm." (De marcha carnavalesca *Taí*, de Joubert de Carvalho.) **22.** *Pop.* Ser namorado; namorar: *Fala com a Maria há cerca de três meses, e em breve vão casar.* *Bit. i.* **23.** Discorrer, conversar: "Os pais do teimoso rapaz [Ferdinand Denis] falavam muitas vezes ao poeta português [Filinto Elisio] dessa pertinácia do brutinho." (Ramalho Ortigão, *Em Paris*, p. 73); "tu procuras em teu pai astuciosamente uma pessoa com quem fales do *pobre rapaz.*" (Camilo Castelo Branco, *A Mulher Fatal*, p. 36). *P.* **24.** Falar mutuamente; dialogar: "Nunca mais nos falamos ... vai distante... / Mas, quando a vejo, há sempre um vago instante, / Em que seu mudo olhar no meu repousa" (Raul de Leoni, *Luz Mediterrânea*, p. 76). **25.** Estar em boas ou sofríveis relações de amizade: *Não são íntimos, porém se falam.* [Fut. do pres.: *falarei, falarás*, etc. Cf. *falaraz.*] ● *S. m.* **26.** V. *fala* (8). **27.** O ato ou efeito de falar (1): *Falou, falou — um falar interminável.* ◆ **Falar grosso. 1.** Mostrar-se duro, destemido, com outrem; não se atemorizar. **2.** Bancar o valente. **Falar mais alto.** Ter grande ou a maior influência no ânimo de alguém: *Quis ferir o adversário, mas o sentimento de humanidade falou mais alto.* **Falar para dentro. 1.** Falar em tom de voz quase inaudível, sussurrando. **2.** Falar sozinho. **Falou!** *Bras. Gír.* É isso mesmo!; está certo!

falaraz. *S. m. Bras., RS.* V. *falatório* (1). [Cf. *falarás*, do v. *falar.*]

falárica. [Do lat. *falarica.*] *S. f.* Certa lança antiga, que tinha na ponta estopa inflamável.

falario. *S. m.* V. *falatório* (1).

falaropídeo. *S. m.* **1.** Espécime dos falaropídeos. ● *Adj.* **2.** Pertencente ou relativo a eles.

falaropídeos. *S. m. pl. Zool.* Aves caradriiformes da família *Phalaropidae*, de tarsos fortemente comprimidos e dedos orlados de uma membrana natatória, geralmente dividida em lobos.

falastrão. *Adj.* e *s. m.* Diz-se de, ou indivíduo que fala muito; falador. [Fem.: *falastrona.*]

falastrona. *Adj.* (*f.*) e *s. f.* Fem. de *falastrão* [q. v.].

falatório. *S. m.* **1.** Sussurro de muitas pessoas a falar ao mesmo tempo; ruído de vozes, de falas, falada, falácia, falaraz, falario, parlatório: "Remexia na rede, virava de um lado para o outro, até que ouvi o falatório de gente na rua." (José Lins do Rego, *Meus Verdes Anos*, p. 337.) **2.** Falar (26) demorado e importuno: "Estava acostumada àqueles longos falatórios da velha, acompanhados de grandes gestos" (Amando Fontes, *Os Corumbas*, p. 17). **3.** Murmuração, maledicência: "Não duvidava dos bons sentimentos da menina, cujos modos entretanto serviam de motivo a muitos mexericos e falatórios" (Visconde de Taunay, *Ao Entardecer*, p. 75). **4.** Locutório, parlatório.

fala-verdade. [De *falar* + *verdade.*] *S. m. Bras. Pop.* Qualquer arma de defesa pessoal: faca, pistola, etc. "O facão nem a pistola, isso, sim, nenhum aficionado joga; os fala-verdade é que têm de garantir a retirada do perdedor sem debocheira dos ganhadores..." (Simões Lopes Neto, *Contos Gauchescos e Lendas do Sul*, pp. 213-214). [Pl.: *fala-verdades.* Observe-se, no texto citado, o pl. fala-verdade, menos regular.]

falaz. [Do lat. *fallace.*] *Adj. 2 g.* **1.** Enganador, ardiloso, fraudulento. **2.** Vão, quimérico, ilusório, enganoso: "Será o eterno tactear entre as miragens de um processo falaz e duvidoso" (Euclides da Cunha, *Contrastes e Confrontos*, p. 90). [Superl. abs. sint.: *falacíssimo.*]

falbalá. [Do fr. *falbala.*] *S. m.* Folho de saia, de cortina, etc. "sempre tinham todo o gosto das rendas, dos veludos, dos falbalás esvoaçantes" (Pedro Nava, *Balão Cativo*, p. 12). [Var.: *falvalá.*]

falca. [Do ár. *falgâ*, em vez de *filgâ.*] *S. f.* **1.** Toro de madeira falquejado, com quatro faces retangulares. **2.** *Constr. Nav.* Tábua que corre de proa a popa numa embarcação miúda, por cima do alcatrate, e que remata a borda.

falcaça. *S. f. Marinh.* Trabalho marinheiro que consiste em dar certo número de voltas redondas, com fio de vela ou de merlim, em torno das extremidades dos cordões do chicote de um cabo, a fim de impedir que eles se descochem.

falcaçar. *V. t. d. Marinh.* Fazer falcaça em (um cabo). [Conjug.: v. *laçar.*]

falcado. [Do lat. *falcatu.*] *Adj.* V. *falciforme* (1).

falcão. [Do lat. tardio *falcone.*] *S. m.* **1.** Ave de rapina que se usava na caça de altanaria, sendo a mais empregada o *Falco peregrinus.* **2.** Designação comum a todas as aves da família dos falconídeos conhecidas no Brasil por gavião. **3.** *Ant.* Peça de artilharia comprida, que atirava projetis de ferro de cinco a dez libras de peso; sagre: "Deixaram-nos chegar a distância de tiro, e só então os falcões abriram fogo." (Aquilino Ribeiro, *Portugueses das Sete Partidas*, p. 105.)

falcato. [Do lat. *falcatu.*] *Adj.* **1.** Armado de foice. **2.** V. *falciforme* (1).

falcatrua. *S. f.* **1.** Artifício para burlar; ardil. **2.** Fraude, logro, embuste.

falcatruar. *V. t. d.* Enganar com falcatrua; lograr, enganar.

▲**falci-.** [Do lat. *falx, falcis.*] *El. comp.* = 'foice': *falcífero* (lat. *falciferu*), *falcípede.*

falcífero. [Do lat. *falciferu.*] *Adj. Poét.* Armado ou provido de foice.

falcifoliado. [De *falci-* + *foliado.*] *Adj. Morfol. Veg.* Que tem folhas falciformes.

falciforme. [De *falci-* + *-forme.*] *Adj. 2 g.* **1.** Em forma de foice; foiciforme, falcado, falcato, afoiçado. **2.** *Morfol. Veg.* Recurvado do meio para o ápice, como foice; faleado: *legume falciforme.*

falcípede. [De *falci-* + *-pede.*] *Adj. 2 g. Poét.* Cujos pés são falciformes.

falcoada. *S. f.* **1.** Bando de falcões. **2.** Tiro de falcão (3).

falcoado. [Part. de *falcoar.*] *Adj.* Diz-se de caça perseguida por meio de falcão (1).

falcoar. *V. t. d.* Perseguir (caça) com falcão (1). [Conjug.: v. *coroar.*]

falcoaria. *S. f.* **1.** Arte de adestrar falcões para a caça. **2.** Caçada com falcões. **3.** Lugar onde se criam falcões.

falcoeiro. *S. m.* Adestrador ou criador de falcões para a caça.

falconete (ê). *S. m.* Peça antiga de artilharia, de calibre inferior ao do falcão (3): "Substituída a tripulação da goleta, ... duas bombardeiras e quatro falconetes portugueses .... foram nela montados" (Virgílio Várzea, *O Brigue Flibusteiro*, p. 167).

falcônida. *Adj.* e *s. m.* V. *falconídeo* (2 e 3).

falcônidas. *S. m. pl. Zool.* V. *falconídeos.*

falconídeo. [Do lat. tardio *falcone*, 'falcão', + *-ídeo.*] *Adj.* **1.** Respeitante a falcão. **2.** Pertencente ou relativo aos falconídeos. ● *S. m.* **3.** Espécime dos falconídeos.

falconídeos. *S. m. pl. Zool.* Aves falconiformes da família *Falconidae*, de vértebras dorsais anquilosadas, ramos de mandíbula com escavação, superfície ventral da maxila superior com uma espécie de crista longitudinal na linha média. São os caracarás, ximangos, caranchos, caurés e outros.

falconiforme. [Do lat. tardio *falcone*, 'falcão', + *-i-* + *-forme.*] *S. m.* **1.** Espécime dos falconiformes. ● *Adj 2 g.* **2.** Pertencente ou relativo a eles. [Sin. ger.: *acipitriforme.*]

falconiformes. *S. m. pl. Zool.* Aves neórnites neógnatas, predadoras e diurnas, da ordem *Falconiformes*, de bico robusto, mandíbula curva para baixo, ceroma bem desenvolvido, asas longas e fortes, tarso escutiforme, dedos anteriores reunidos na base por uma pequena membrana, garras pontiagudas e robustas. São os gaviões em geral. [Sin.: *rapaces diurnas, acipitriformes.*]

falda. [Provavelmente do frâncico **falda*, 'dobra', pelo cat. ou pelo provenç.] *S. f.* Abas da montanha; sopé, fralda: "Lá fora, o nevoeiro contornando as faldas das serras" (Fernando Namora, *Retalhos da Vida de um Médico*, p. 67).

faldistório. [Do frâncico *faldistôl*, pelo lat. medieval *faldistoriu*.] *S. m.* Cadeira episcopal móvel, sem espaldar, usada nos atos litúrgicos que devem ser realizados em frente do altar; facistol.

faldra. [De *falda*, com epêntese.] *S. f. Ant.* e *pop.* Fralda [q. v.].

falecer. [Do incoativo **fallescere*, do lat. *fallere*, 'enganar, faltar'.] *V. int.* **1.** V. *morrer* (1). **2.** Haver falta ou carência; faltar; escassear: "Nada falece ali do que ao pobre convém; / que digo? o próprio rico ali mil vezes vem / buscar com que acrescente os dons da lauta mesa" (Antônio Feliciano de Castilho, *Outono*, pp. 148-149); *Não lhe faleceram oportunidades.* **3.** Não ter; carecer. **4.** Ser insuficiente; não chegar: *Falecem-lhe os meios de subsistência.* **5.** Não existir: *Ali a vegetação falece.* [Conjug.: v. *aquecer*.]

falecido. [Part. de *falecer*.] *Adj.* **1.** Que faleceu; morto. **2.** Que carece de alguma coisa; falho, falto. ● *S. m.* **3.** Aquele que morreu; o morto.

falecimento. *S. m.* **1.** Ato de falecer ou morrer; morte, óbito, passamento. **2.** Falta, falência, carência, privação: *falecimento de forças, de ânimo.*

falena. [Do gr. *phálaina*.] *S. f. Zool.* Espécie de borboleta noturna.

falência. [Do lat. *fallentia*.] *S. f.* **1.** Ato ou efeito de falir; quebra. **2.** V. *falecimento* (2). **3.** Falha[1] (3). **4.** *Jur.* Execução coletiva do devedor comerciante, à qual concorrem todos os credores, e que tem por fim arrecadar o patrimônio disponível, verificar os créditos, solver o passivo e liquidar o ativo, mediante rateio, observadas as preferências legais. ♦ **Falência póstuma.** *Jur.* A do espólio do devedor comerciante morto.

falencial. *Adj. 2 g. Jur.* Relativo a falência (4), falimentar. ~ V. *direito* —.

falerno. [Do lat. *falernu(m)*, i. e., *vinum falernum*.] *S. m.* **1.** Antigo vinho de Falerno, território de Campânia (Itália): "É notório como Horácio bebia falerno" (Ramalho Ortigão, *Em Paris*, p. 119). **2.** *P. ext.* Vinho bom, generoso.

falésia. [Do fr. *falaise*.] *S. f.* Designação comum a terras ou rochas altas e íngremes à beira-mar, resultado da erosão marinha: "Quando este mar embravece, vagalhões como montanhas despedaçam-se com fúria nas falésias maciças" (Raul Brandão, *As Ilhas Desconhecidas*, pp. 227). [Sin. (lus.): *arriba*.]

falha[1]. [Do lat. *fallia*.] *S. f.* **1.** Fenda, lasca, racha: *a falha do rubi.* **2.** Falta, defeito: *Este objeto tem uma falha de fabricação.* **3.** Omissão, lacuna, falência: *O regulamento apresenta muitas falhas.* **4.** *P. ext.* Defeito físico ou moral: *falha de uma das pernas; falha de caráter.* **5.** Desequilíbrio mental; mania, telha. **6.** *Expl.* V. *nega* (2). **7.** *Bras., S.* Interrupção casual de uma viagem; pouso. ♦ **Estar de falha.** *Bras., S.* Estar de pouso em casa de alguém.

falha[2]. [Do fr. *faille*.] *S. f. Geol.* Plano de separação que se forma entre blocos de uma rocha em conseqüência do deslocamento desta, por ocasião dos movimentos tectônicos; paráclase.

falhadão. [Aum. da substantivação de *falhado*.] *S. m. Bras., SP.* Lugar, no cafezal, onde morreram diversos pés.

falhado. [Part. de *falhar*.] *Adj.* **1.** Que tem falha(s): "A sertaneja, dengosa, arreganhou os dentes falhados" (Alberto Deodato, *Canaviais*, p. 27). **2.** Fendido; rachado. **3.** Que falhou; frustrado, baldado, malogrado: *crime falhado.* **4.** *Bras.* Diz-se da égua ou vaca que não ficou prenhe no tempo próprio. [Sin. Ger.: *falho*.] ~ V. *ato*—.

falhar. *V. t. d.* **1.** Fazer falhas em; lascar, fender, rachar. **2.** Não acertar; errar. *T. i.* **3.** Deixar de fazer ou cumprir; faltar: *Falhou ao prometido.* **4.** Não ocorrer, ou não acudir a tempo: "Se me falha a Tua graça, / Faça o que faça ou não faça, / Que faço que me contente?" (José Régio, *Mas Deus É Grande*, p. 52); *Se não me falha a memória, conhecemo-nos há pouco.* **5.** *Bras.* Deter-se (em viagem). *Int.* **6.** Faltar ao peso ou à medida. **7.** Não suceder como se esperava: *A tática falhou.* **8.** Negar fogo, não acertar (espingarda, tiro). **9.** Malograr-se, frustrar-se, gorar-se: *Falharam todas as esperanças.* **10.** Deixar de suceder, de ocorrer: *Nesta época as chuvas nunca falham.* **11.** Dar em falso; resvalar. **12.** *Bras.* Interromper acidentalmente uma viagem por causa de qualquer contrariedade. **13.** *Bras.* Adiar uma viagem. **14.** *Bras.* Passar a noite; pernoitar, dormir (no decurso de uma viagem): "aconteceu de falharem numa fazenda, onde à noite lhes foi servida a ceia .... com talheres de prata" (Eduardo Frieiro, *Feijão, Angu e Couve*, p. 105). **15.** *Bras.* Não ficar prenhe (a égua ou a vaca).

falho. [De *falha*[1].] *Adj.* **1.** V. *falhado*: "amarelão, o bigode desleixado, a barba falha" (Alberto Deodato, *Canaviais*, p. 58). **2.** Falto, carente, desprovido: "As *Décadas* [de João de Barros e Diogo do Couto] .... são falhas daquela objetividade preciosa que caracteriza a ata testemunhal." (Aquilino Ribeiro, *Os Avós dos Nossos Avós*, p. 173.) **3.** Que não tem o peso devido. **4.** Que tem poucas cartas de um naipe. ~ V. *ato* — e *crime* —.

falhudo. *Adj. Bras., RS.* Que apresenta falhas; falhado.

falibilidade. *S. f.* Qualidade de falível.

falibilíssimo. *Adj.* Superl. abs. sint. de *falível*.

falicismo. [De *fálico* + *-ismo*.] *S. m.* Culto do falo, entre os antigos.

fálico. [Do gr. *phallikós*.] *Adj.* Referente ao falo ou a seu culto. ~ V. *dança* —*a*.

falida. *S. f. Desus.* Ato de falir; falência.

falido. [Part. de *falir*.] *Adj.* **1.** Que faliu. **2.** Diz-se da noz, castanha, etc., sem grão; falho. **3.** Diz-se dos bens de negociante que faliu. ~ V. *massa* —*a* e *volta* —*a*. ● *S. m.* **4.** Aquele que faliu.

falimentar. [De *falimento* + *-ar*[1].] *Adj. 2 g. Jur.* Falencial. ~ V. *direito* —.

falimento. *S. m.* **1.** Ato de falir; falência. **2.** Culpa punível; erro, omissão.

falir. [Do lat. *fallere*.] *V. int.* **1.** Suspender os pagamentos; não ter com que pagar aos credores. **2.** Ser malsucedido; malograr-se, fracassar: *Suas tentativas faliram.* **3.** Faltar, minguar. **4.** Perder as forças; desfalecer. **5.** *Jur.* Deixar (o comerciante), sem relevante razão de direito, de pagar na data do vencimento obrigação líquida, constante de título que legitime a ação executiva, ou realizar qualquer dos atos que a lei considera típicos do estado de falência. *T. i.* **6.** Faltar, minguar: *Se lhe falirem os meios esperados, claro que não poderá levar a cabo a obra.* [Defect.; só se conjuga nas f. em que ao *l* da raiz seguir a vogal *i* da terminação.]

falite. [De *fal(o)-* + *-ite*[1].] *S. f. Patol.* Inflamação do falo.

falível. *Adj. 2 g.* **1.** Que pode falhar. **2.** Que pode enganar-se. **3.** Em que pode haver erro. [Superl. abs. sint.: *falibilíssimo*.]

falo. [Do gr. *phallós*, pelo lat. *phallus*.] *S. m.* **1.** Representação do pênis, adorado pelos antigos como símbolo da fecundidade da natureza. **2.** O pênis.

▲**fal(o)-.** [Do gr. *phallós, oû*.] *El. comp.* = 'pênis': *falorragia, falite.*

falodinia. [De *fal(o)-* + *-odin(o)-* + *-ia*.] *S. f. Patol.* Dor no pênis.

falodínico. *Adj.* Relativo à falodinia.

falofórias. [Do gr. *phallophória*.] *S. f. pl.* Festas pagãs em honra do falo.

falóforo. [Do gr. *phallophóros*.] *S. m.* Sacerdote grego que transportava o falo, em procissões ou em dias de festa.

faloncose. [De *fal(o)-* + *-oncose*.] *S. f. Patol.* Tumoração do pênis.

falorragia. [De *fal(o)-* + *-ragia*.] *S. f. Patol.* Hemorragia do pênis.

falorrágico. *Adj.* Referente à falorragia.

falqueador (ô). *S. m.* Aquele que falqueia; falquejador.

falquear. *V. t. d.* Falquejar. [Conjug.: v. *frear*.]

falquejador (ô). *S. m.* Aquele que falqueja; falqueador.

falquejar. *V. t. d.* **1.** Desbastar (um toro de madeira): "saem vencedores aqueles homens enérgicos, bronzeos, que .... decepam galhos, degolam arbustos, falquejam troncos" (Gustavo Barroso, *Terra de Sol*, pp. 18-19). **2.** Esquadriar a machado ou a enxó. **3.** Acunhar (1). [F. paral.: *falquear*. Conjug.: v. *pelejar*.]

falquejo (ê). [Dev. de *falquejar*.] *S. m.* Operação de reduzir a quadrados ou retângulos as seções das toras de madeira.

falqueta (ê). *S. f.* Ato de, no jogo de bilhar, lançar uma bola por sobre outra.

falripas. *S. f. pl.* Farripas: "Era uma mulher magra, maltrapilha, com falripas grisalhas esfiapando-se-lhe pela testa, esvoaçando ao vento." (Coelho Neto, *Obra Seleta*, I, p. 198.)

falsa-braga. [Do fr. *fausse-braie*.] *S. f.* Parte interior de muralha: "deparou um soldado que se debruçava do parapeito da falsa-braga do velho forte" (Gustavo Barroso, *Mississípi*, p. 107). [Pl.: *falsas-bragas*.]

falsa-caribéia. [Do fem. do adj. *falso*, + *caribéia*, de or. obscura.] *S. f.* Arbusto da família das rubiáceas (*Exostema longiflorum*). [Pl.: *falsas-caribéias*.]

falsa-erva-de-rato. *S. f. Bras.* V. *oficial-de-sala*. [Pl.: *falsas-ervas-de-rato*.]

falsa-erva-mate. *S. f. Bras., MT.* Arbusto da família das mirsináceas (*Rapanea matensis*), cuja inflorescência apresenta flores de pétalas e sépalas lobadas, e cuja folha é falsamente apresentada como sendo erva-mate. [Pl.: *falsas-ervas-mates* e *falsas-ervas-mate*.]

falsa-espelina. *S. f. Bras.* Planta medicinal, da família das leguminosas, subfamília papilionácea (*Clitoria guianensis*). [Pl.: *falsas-espelinas*.]

falsa-glicínia. *S. f. Bras., RJ.* Planta de caule herbáceo, ornamental, da família das leguminosas (*Apios tuberosa*), revestida de pêlos sedosos e alvacentos, quando jovens, flores róseo-purpúreas, aromáticas, pequenas, dispostas em racimos axilares, e cujas raízes ou caules subterrâneos formam um rosário de tubérculos irregulares, saborosos, adocicados, considerados comestíveis. [Pl.: *falsas-glicínias*.]

falsa-guarda. *S. f. Encad.* V. *salvaguarda* (5). [Pl.: *falsas-guardas*.]

falsa-ipeca. *S. f. Bras.* Planta de caule ereto, da família das acantáceas (*Ruellia tuberosa*), dotada de propriedades febrífugas, com flores azuis, corola tubulosa, dispostas em cimeiras dicótomas multifloras, e cujo fruto é cápsula lanceolada, contendo várias sementes e que, quando umedecida, se abre com elasticidade e pequeno ruído. Vegeta de preferência em lugares úmidos. [Pl.: *falsas-ipecas*.]

falsa-quilha. *S. f. Constr. Nav.* Sobressano. [Pl.: *falsas-quilhas*.]

falsa-quina. [De *falsa*, fem. de *falso*, + *quina*[2].] *S. f. Bras., L. C.* e *S.* Árvore pequena, da família das loganiáceas (*Strychnos pseudoquina*), dotada de propriedades medicinais, cujas flores são alvas ou esverdeadas, aromáticas, dispostas em racimos axilares, e cujo fruto é baga coriácea, com várias sementes envoltas em polpa amarela. [Pl.: *falsas-quinas*. Cf. *quina*[2] (2).]

falsar. [Do lat. *falsare*.] *V. t. d.* **1.** Enganar (alguém) no peso ou na medida. **2.** Pesar ou medir por medidas não exatas; falsificar, adulterar. **3.** Fender, abrir, quebrar, romper. **4.** Frustrar, baldar. *Int.* **5.** Dizer falsidades; mentir. **6.** Dar em falso; falhar. **7.** Começar a aluir-se ou a fender-se. **8.** Dar tom falso; desafinar. [Fut. do pret.: *falsaria*, etc. Cf. *falsária*, fem. de *falsário*.]

falsa-rédea. *S. f.* Correia que liga a cabeçada ao peitoral do eqüídeo. [Pl.: *falsas-rédeas*.]

falsário. [Do lat. *falsariu*.] *S. m.* **1.** Falsificador de documentos, de moeda, ou de sinais. **2.** Aquele que jura falso ou falta a juramento ou promessa; perjuro. [Fem.: *falsária*. Cf. *falsaria*, do v. *falsar*.]

falsa-tiririca. *S. f. Bras., L.* e *SP.* Erva acaule, da família das amarilidáceas (*Hypoxis decumbens*), cujo rizoma tuberoso é curto, subgloboso, com radículas fibrosas e carnosas, cujas flores são pequenas, amarelo-esverdeadas, e cujo fruto é cápsula cilíndrica, que contém sementes pretas; mariricó-bravo, tiririca-falsa. [Pl.: *falsas-tiriricas*.]

falseamento. *S. m.* Ato ou efeito de falsear.

falsear. *V. t. d.* **1.** Tornar falso; falsificar: *falsear a verdade.* **2.** Romper, fender, falsar: *falsear uma armadura.* **3.** Enganar, atraiçoar: *Falseou o velho amigo.* **4.** Tornar inútil; frustrar, baldar: *Falsearam suas aspirações.* **5.** Desvirtuar, adulterar: *O pregador falseava as idéias.* **6.** Induzir em erro. **7.** Dar tom de falsete (a voz). *T. i.* **8.** Deixar de cumprir ou realizar; falhar: *falsear a um compromisso.* *Int.* **9.** Pisar em falso: *Ao subir a escada, falseou.* [Conjug.: v. *frear*.]

falseta (ê). *S. f. Gír.* Ação desleal; falsidade: "Uma suspeita vaga de que tudo seja ilusão, um temor de que à última hora certa egrégia pessoa pratique alguma falseta" (Carlos Drummond de Andrade, *Fala, Amendoeira*, p. 91).

falsete (ê). [Do it. *falsetto*.] *S. m.* **1.** Voz de cabeça com que os cantores masculinos procuram imitar a voz de soprano ou as vozes de meninos. **2.** Aquele que tem voz de falsete ou canta em falsete. **3.** Voz esganiçada.

falsetear. *V. t. d.* Falar ou cantar em falsete. [Conjug.: v. *frear*.]

falsia. *S. f. Ant.* e *pop.* V. *falsidade*.

falsidade. [Do lat. *falsitate*.] *S. f.* **1.** Qualidade de falso. **2.** Mentira, calúnia: "Tem-se dito que o gaiato é ocioso. Falsidade. Raras vezes vereis o gaiato repousar-se indolente" (Latino Coelho, *Tipos Nacionais*, p. 26); *Espalhou falsidades sobre a moça.* **3.** Fingimento, hipocrisia: *Sua atitude conciliadora era pura falsidade.* [Sin. ger.: *falsídia* (pop.) e *falsia* (ant. e pop.).] ♦ **Falsidade ideológica.** *Jur.* O crime de omitir em documentos (materialmente verdadeiros) declarações que deles deviam constar, ou de neles inserir ou fazer inserir declaração falsa, ou diferente da que devia ser escrita, com o intuito de criar obrigação ou alterar a verdade acerca de fato juridicamente relevante; falsidade intelectual. **Falsidade intelectual.** *Jur.* Falsidade ideológica.

falsídia. *S. f. Pop.* V. *falsidade.*

falsídico. [Do lat. *falsidicu.*] *Adj.* Que diz falsidades; mentiroso.

falsificação. *S. f.* Ato ou efeito de falsificar ou falsar.

falsificado. [Part. de *falsificar.*] *Adj.* Que se falsificou; que sofreu falsificação; falso.

falsificador (ô). *Adj.* e *s. m.* Que ou aquele que falsifica: "um calabrês, varão de cinqüenta anos, insigne falsificador de documentos" (Machado de Assis, *Histórias sem Data,* p. 11). [Cf. *falsário* (1).]

falsificar. [Do lat. *falsificare.*] *V. t. d.* **1.** Imitar ou alterar com fraude: *falsificar uma assinatura.* **2.** Adulterar (substâncias alimentícias). **3.** Reproduzir, imitando; contrafazer: *falsificar dinheiro.* **4.** Dar aparência enganosa a, a fim de passar por bom: *falsificar jóias.* **5.** Dar falsa interpretação a; afastar do verdadeiro sentido; desvirtuar: *Aquela obra falsifica a história do Brasil.* [Conjug.: v. *trancar.* Pres. ind.: *falsifico,* etc. Cf. *falsífico.*]

falsificável. *Adj. 2 g.* Que pode ser falsificado.

falsífico. [Do lat. *falsificu.*] *Adj. P. us.* Que pratica falsidade; que usa de falsidade. [Cf. *falsifico,* do v. *falsificar.*]

falso. [Do lat. *falsu.*] *Adj.* **1.** Contrário à realidade. **2.** Em que há mentira, fingimento, dissimulação ou dolo: *juramento falso.* **3.** Fingido, fictício, enganoso: *Houve um falso casamento; falsa cura.* **4.** Desleal, pérfido, traiçoeiro: *amigo falso.* **5.** Sem fundamento; infundado: *afirmações falsas.* **6.** Errado, inexato: *É falso que Casimiro de Abreu tenha nascido em 1837: sabe-se hoje que o poeta é de 1839.* **7.** Falsificado: *assinatura falsa; moeda falsa.* **8.** V. *aparente* (1): *bolso falso; fundo falso.* **9.** Diz-se daquilo que é feito à semelhança ou imitação do verdadeiro: *jóia falsa.* ~ V. *chave —a, costela —a, lombo —a, moeda —a, moedeiro —, ouro —, ponto —, porta —a, rebate —, a, resguardo —, — sambaquí, terminação —a — título* e *— topázio.* ● *S. m.* **10.** Aquilo que é falso: *Ali o falso toma o lugar do verdadeiro.* **11.** Indivíduo falso (4). **12.** *Fam.* Calúnia, mentira, falsidade. ◆ **Em falso. 1.** Errando o passo ou a pancada; sem firmeza. **2.** Em vão; inutilmente. **Envidar de falso.** Oferecer por mera cortesia, sem desejo de que aceitem a oferta.

falso-alcaparreiro. *S. m.* Fabagela. [Pl.: *falsos-alcaparreiros.*]

falso-anil. *S. m.* Galega (1). [Pl.: *falsos-anises.*]

falso-dorso. *S. m. Encad.* Tira de cartão ou de papel grosso que se cola na parte do revestimento do livro correspondente à lombada, deixando-a separada do dorso dos cadernos; lombo falso, cartão do lombo. [Pl.: *falsos-dorsos.*]

falso-oró. *S. m. Bras., N.E.* e *L.* Planta arbustiva, da família das leguminosas (*Calopogonium mucunoides*), cujo caule tem pêlos avermelhados e emite raízes desde a base até os nós, e que é dotada de racimos floríferos, e brácteas e bractéolas sedosas; enxada-verde, jequitirana. [Pl.: *falsos-orós.*]

falso-paratudo. *S. m. Bras., L.* e *S.* Planta da família das apocináceas (*Laseguea acutifolia*), dotada de inflorescência, com flores amarelas e pedunculadas, e cujo fruto é folículo linear, com sementes coroadas de pêlos compridos; abutua, paratudo. [Pl.: *falsos-paratudos.*]

falso-plátano. *S. m.* Árvore grande, ornamental, da família das aceráceas (*Acer pseudo-platanus*), originária da Europa, dotada de flores com propriedades melíferas, dispostas em cachos compridos, pedunculados, racemosos e vilosos, e cujo fruto é sâmara dupla, contendo várias sementes revestidas de arilo; sicômoro. [Pl.: *falsos-plátanos.*]

falso-rosto. *S. m. Tip.* V. *falsa folha de rosto.* [Pl.: *falsos-rostos.*]

falso-título. *S. m. Tip.* V. *falsa folha de rosto.* [Pl.: *falsos-títulos.*]

falta. [Do lat. **fallita,* fem. de *fallitu,* part. pass. de *fallere,* 'enganar, faltar'.] *S. f.* **1.** Ato ou efeito de faltar: *Por meia hora houve falta de luz.* **2.** Ausência (2): *Sua falta é sempre muito sentida.* **3.** *P. ext.* Morte, falecimento: *Sentiu muito a falta do pai.* **4.** Privação, carência, carecimento: *falta de forças.* **5.** Culpa, pecado: *Deus há de perdoar-lhe as faltas.* **6.** Erro, engano: *É boa obra de pesquisa, mas ressente-se de algumas faltas.* **7.** Imperfeição, defeito: *Tem lá suas faltas, mas não a da deslealdade.* **8.** Inobservância de preceitos legais e regulamentares, de obrigações contratuais, de deveres sociais de diligência e lealdade, etc. **9.** Transgressão das regras de um jogo ou esporte; infração. **10.** Chute, arremesso manual ou jogada a que o adversário tem direito, como punição dessa transgressão; infração. ◆ **Falta de ar.** Dificuldade para respirar; dispnéia. **Falta dupla.** *Basq.* Infração cometida por dois ou mais jogadores dos times adversários; falta recíproca. **Falta pessoal.** *Basq.* Infração cometida contra um jogador adversário. [Tb. se diz apenas *pessoal.*] **Falta recíproca.** *Basq.* Falta dupla. **Falta técnica.** Infração disciplinar punida a critério do juiz, e que pode ser contra um jogador, o técnico, algum reserva, ou a torcida. **Sem falta.** Infalivelmente.

faltante. *Adj. 2 g.* Que falta: *dinheiro faltante nos cofres públicos.*

faltar. [De *falta* + *-ar*[2].] *V. t. i.* **1.** Sentir privação de (coisa necessária ou com que se contava): *Faltaram-lhe as forças.* **2.** Deixar de fazer ou de cumprir; falsear: *Não se deve faltar à palavra.* **3.** Não socorrer; deixar de acudir: *Não seria capaz de faltar aos amigos.* **4.** Escassear, carecer, falecer: "Mas a mimosa flor, faltando-lhe a orvalhada, / Não pode resistir, e pende ao chão queimada!" (Bulhão Pato, *Livro do Monte,* p. 26.) **5.** Ser necessário: *Faltam-lhe apenas alguns cruzados.* **6.** Não dar ou não fazer em tempo oportuno: *faltar com o lanche.* **7.** Enganar, iludir: *Faltou-me, ele que se dizia meu amigo íntimo.* **8.** Não dar de si; falhar: "Exausta, no limite de tuas forças, sentindo que as pernas te iam faltar, sentaste na cadeira de balanço de Mestre Severino" (Josué Montelo, *Cais da Sagração,* p. 154). **9.** Ser indispensável (para que se complete um número ou um todo): "Faltam ainda cinco minutos para as oito." (Lindolfo Collor, *Europa 1939,* p. 11.) *Int.* **10.** Não existir; deixar de haver; haver carência de: *Ali falta quase tudo.* **11.** Sentir-se a ausência ou necessidade de: *Faltam duas pessoas.* **12.** Não comparecer: *A maioria dos alunos faltou.* **13.** Morrer, expirar: *O arrimo da família faltou.* ◆ **Faltar pouco para.** Estar a ponto de.

falto. [F. contrata de *faltado,* part. de *faltar.*] *Adj.* **1.** Necessitado, carecido: "Eu não faço nada, falto de estímulos" (Cesário Verde, *Obra Completa,* p. 233); "Andamos faltos de carinho, do calor e do aconchego de um lar verdadeiro." (Maria Julieta Drummond de Andrade, *O valor da Vida,* p. 180). **2.** Desprovido, desprevenido, falho: "lábios descorados, faltos de sangue vivo" (Eça de Queirós, *Ecos de Paris,* p. 90).

faltoso (ô). *Adj.* **1.** Que cometeu falta; culpado. **2.** Que costuma faltar: *É professor competente porém faltoso.*

falua. [Alter. de *faluca.*] *S. f.* **1.** *Lus.* Antiga embarcação com câmara à popa, impelida por 20 ou mais remos, ou à vela, e usada para recreio pelos reis portugueses do século XVIII. **2.** *Lus.* No Tejo, embarcação semelhante às antigas fragatas à vela: "Uns homens .... cobriam com encerados uma falua carregada de lenha e barricas de alcatrão" (Camilo Castelo Branco, *Perfil do Marquês de Pombal,* p. 15). **3.** Embarcação de boca aberta, proa e popa afiladas, com dois mastros e velas latinas triangulares, usada para transportar mercadorias e pessoal em portos, rios, etc.

faluca. [Do ár. *faluká,* f. vulg. de *fulk,* 'barca'.] *S. f.* Embarcação costeira dos marroquinos.

falucho. [De *faluca,* com mudança de sufixo.] *S. m. Lus.* **1.** Embarcação ligeira do Mediterrâneo, com dois mastros, que envergam velas bastardas triangulares (o que difere do caíque, por ter este velas bastardas quadrangulares). **2.** Pequena embarcação do Mediterrâneo, com um mastro muito inclinado para vante, e que enverga vela latina triangular e vela de proa. **3.** Navio de três mastros e velas triangulares. [Var.: *felucho.*]

falueiro. *S. m.* **1.** Indivíduo que dirige uma falua. ● *Adj.* **2.** Relativo a falua.

falupa. *S. f. Bras.* Casulo do bicho-da-seda onde o inseto morreu.

fálus. *S. m. 2 n.* V. *falo.*

falvalá. *S. m.* Var. de *falbalá:* "saia de roda e falvalás à Pompadour" (Martins Fontes, *A Dança,* p. 51).

fama. [Do lat. *fama.*] *S. f.* **1.** Voz geral; voz pública. **2.** Renome, nomeada, nome, celebridade, notoriedade; glória. **3.** Reputação, conceito, nome: *casa de má fama;* "os norte-americanos têm fama de ser os melhores maridos do mundo" (Alceu Amoroso Lima, *A Realidade Americana,* p. 61). **4.** Notoriedade; publicidade: *Bem cedo seu talento ganhou fama.* ● *S. m.* e *f.* **5.** Pessoa famosa; celebridade. ◆ **De fama.** Famoso, célebre, notável. **Levar fama sem proveito.** Levar culpa pelo que não fez.

famaliá. [De *familiar?*] *S. m. Bras. Folcl.* Diabinho familiar, às vezes gerado ou produzido em casa por processos mágicos tradicionais, pronto a satisfazer os desejos do dono.

famanado. *Adj. Bras., N.* e *N.E. Pop.* V. *famanaz:* "Um outro cantador de viola negro que embora não tenha nascido em Alagoas merece ser incluído neste estudo .... foi Pedro da Catingueira, sobrinho do famanado Inácio da Catingueira" (Téu Brandão, *Folclore de Alagoas,* p. 141).

famanaz. *Bras. Pop. Adj. 2 g.* **1.** Muito afamado pelo seu valor, proezas ou influência; famanado, afamanado: "Outra variedade do tipo cangaceiro é o cabra valentão, famanaz, 'desmancha-sambas', ... desordeiro." (Gustavo Barroso, *Terra de Sol,* p. 150.) ● *S. m.* **2.** Indivíduo famanaz: "Manteve na administração Messias, ... um famanaz, pessoa de confiança do sogro" (Coelho Neto, *Treva,* p. 251).

➡**fama volat** (fâma vólat). [Lat., 'a fama voa'.] Palavras de Virgílio para caracterizar a rapidez com que as notícias se difundem.

famelga. [De *famélica,* i. e., 'pessoa famélica'.] *S. 2 g. Pop.* Pessoa franzina, com cara de fome. [Cf. *famelguita.*]

famelguita. [Dim. de *famelga,* decerto.] *S. f. Pop.* Criança franzina, com cara de fome.

famélico. [Do lat. *famelicu.*] *Adj.* **1.** *faminto.* **2.** Que tem fome devoradora: "Através da campina trotaram dois lobos, esgalgados, famélicos, com os verdes olhos acesos." (Eça de Queirós, *Contos,* p. 182.)

famense. *Adj. 2 g.* **1.** De, ou pertencente ou relativo a Fama (MG). ● *S. 2 g.* **2.** Natural ou habitante de Fama.

famigerado. [Do lat. *famigeratu.*] *Adj.* Que tem fama; muito notável; célebre, famoso, famígero: "Não têm os biógrafos do famigerado romancista achado documentos nem tradições com que esclarecer sobejamente os primeiros anos de Cervantes." (Latino Coelho, *Cervantes,* pp. 51-52); "Naquela casa de Vila Cova .... floresceram .... padres de muito saber, uns famigerados na oratória, outros grandes casuístas" (Camilo Castelo Branco, *O Bem e o Mal,* p. 39); "Tinha visto aquele encaminhar-se à engenhoca, o que o fizera acreditar que entre os malfeitores .... se achava o famigerado bandido" (Franklin Távora, *O Cabeleira,* p. 202). [Como se vê nos dois primeiros exemplos, a palavra não se aplica só a malfeitores, embora no uso comum se observe tendência para isso.] **2.** *Pop.* Faminto, esfomeado.

famígero. [Do lat. *famigeru.*] *Adj.* V. *famigerado* (1).

família. [Do lat. *familia.*] *S. f.* **1.** Pessoas aparentadas, que vivem, em geral, na mesma casa, particularmente o pai, a mãe e os filhos. **2.** Pessoas do mesmo sangue. **3.** Ascendência, linhagem, estirpe. **4.** *Hist. Nat.* Unidade sistemática ou categoria taxionômica constituída pela reunião de gêneros afins. [Em botânica as famílias se caracterizam, em geral, pela terminação *-áceas,* como, p. ex., em *acantáceas;* em zoologia, pela terminação *-ídeos,* como em *formicarídeos.*] **5.** *P. ext.* Grupo de indivíduos que professam o mesmo credo, têm os mesmos interesses, a mesma profissão, são do mesmo lugar de origem, etc.: *a família católica; a família paulista.* **6.** *Fig.* Categoria, classe: *O novo material para acondicionamento é da família dos plásticos.* **7.** *Gram.* Conjunto de vocábulos que têm a mesma raiz. **8.** *Genét.* Conjunto de gêneros afins. **9.** *Sociol.* Comunidade constituída por um homem e uma mulher, unidos por laço matrimonial, e pelos filhos nascidos dessa união. **10.** *Sociol.* Unidade espiritual constituída pelas gerações descendentes de um mesmo tronco, e fundada, pois, na consangüinidade. **11.** *Sociol.* Grupo formado por indivíduos que são ou se consideram consangüíneos uns dos outros, ou por descendentes dum tronco ancestral comum e estranhos admitidos por adoção. **12.** *Tip.* Designação tradicional de conjunto de tipos que apresentam as mesmas características básicas. **13.** *Bras., MG, MT* e *RS.* Filho ou filha: "falei-lhe em casamento .... porque os pais devem tomar isso a si para bem de suas famílias; não acha?" (Visconde de Taunay, *Inocência,* p. 52). ◆ **Família radioativa.** *Fís. Nucl.* Série radioativa. **A Santa Família.** Quadro ou outra obra de arte que representa a Virgem Maria, S. José e o Menino Jesus; Sagrada Família. **Sagrada Família.** A Santa Família. **Ser família.** Ser honesto, recatado: *Não se meta com aquela pequena: ela é família.*

familial. *Adj. 2 g.* V. *familiar* (1): "Naquele país de montanhas habita .... a mais típica raça portuguesa, ... opulenta .... das virtudes familiais que foram apanágio dos antigos povos pastores." (Fialho d'Almeida, *Pasquinadas,* pp. 330-331.)

familiar. [Do lat. *familiare.*] *Adj. 2 g.* **1.** Respeitante à, ou próprio da família; doméstico, familial: *ambiente familiar.* **2.** Vulgar, trivial, comum: "Alguma coisa evita deixar-me estar onde estava, sentado numa cadeira, entre as mais familiares realidades da minha existência." (João Gaspar Simões, *O Mistério da Poesia*, pp. 9-10.) **3.** Que se conhece por haver visto, praticado, estudado, etc., muitas vezes: *Seu rosto me é familiar; Nenhum assunto lhe é tão familiar.* **4.** Íntimo, cordial, afetuoso: "Ele conservou-se instalado, com um ar de demora, familiar, e bamboleando a perna." (Eça de Queirós, *Os Maias*, II, p. 54.) ● *S. m.* **5.** Pessoa da família. **6.** Membro de confraria religiosa. **7.** Servo, criado, fâmulo. ◆ **Familiar do Santo Ofício.** Espécie de meirinho da Inquisição.

familiaridade. [Do lat. *familiaritate.*] *S. f.* . **1.** Qualidade do que é familiar. **2.** Ausência de cerimônia, de formalismo, porém sem grosseria. **3.** Franqueza no falar, no tom, nas maneiras, no proceder; confiança: *Aprecio a familiaridade com que ele me trata.*

familiarização. *S. f.* Ato ou efeito de familiarizar(-se).

familiarizar. *V. t. d.* **1.** Tornar familiar. **2.** Fazer comum; vulgarizar, divulgar. **3.** Introduzir (alguém) na familiaridade de. *T. d. e i.* **4.** Habituar, acostumar: *O século XX familiarizou o homem com a máquina;* "Lesseps familiariza-nos com os costumes da Abissínia e explica-nos os trabalhos do canal de Suez" (Ramalho Ortigão, *Em Paris*, p. 255). *P.* **5.** Travar conhecimento; relacionar-se. **6.** Acostumar-se, habituar-se, afazer-se. **7.** Perder o receio de.

familiarizável. *Adj. 2 g.* Que pode familiarizar-se.

familistério. *S. m. Arquit.* Conjunto de habitações encostadas uma às outras para acomodar diversas famílias, segundo a concepção de Fourier. [V. *fourierismo.*]

faminto. [Por *famento, do arc. *fame* + *-ento.*] *Adj.* **1.** Que tem fome; afaimado, esfomeado, esfaimado, famélico, famulento: "Vão andrajosos, vão famintos, vão morrendo." (Vicente de Carvalho, *Poemas e Canções*, p. 57.) **2.** *Fig.* Ávido, sôfrego, insaciável, famélico: *faminto de riqueza e de glória.*

famoso (ô). [Do lat. *famosu.*] *Adj.* **1.** Que tem fama; notável, egrégio, célebre, famigerado [q. v.]. **2.** Incomum, invulgar, extraordinário: "— Doze duros e setenta cêntimos? Não se pode dizer que seja uma quantia famosa ..." (Domingos Monteiro, *Histórias Castelhanas*, p. 129.)

famulagem. *S. f.* Conjunto de fâmulos; os fâmulos; criadagem.

famular. [Do lat. *famulare.*] *V. t. d.* **1.** Servir como fâmulo a. *P.* **2.** Ajudar-se ou auxiliar-se reciprocamente. [Pres. ind.: *famulo*, etc. Cf. *fâmulo.*]

famulatício. *Adj.* **1.** Famulatório. **2.** Que desempenha funções de fâmulo.

famulato. [Do lat. *famulatu.*] *S. m.* Cargo ou serviço de fâmulo.

famulatório. [Do lat. *famulatoriu.*] *Adj.* Referente a fâmulo; famulatício.

famulento. [Do arc. *fame*, 'fome'.] *Adj.* **1.** V. *faminto* (1): "agrupavam-se, tintos pelos clarões dos braseiros, os heróis infelizes, como um bando de canibais famulentos em repasto bárbaro..." (Euclides da Cunha, *Os Sertões*, pp. 284-285). **2.** *Fig.* Que consome com violência; voraz.

fâmulo. [Do lat. *famulu.*] *S. m.* **1.** Criado, servidor: "As criadas e escravas acudiam à janela enquanto os fâmulos e agregados corriam ao lugar do acontecimento" (José de Alencar, *O Sertanejo*, p. 110). **2.** *P. ext.* Indivíduo servil; caudatário. **3.** Clérigo ou leigo a serviço da residência episcopal. **4.** Empregado de casas religiosas ou canônicas, que nelas vive; fiel. [Cf. *famulo*, do v. *famular.*]

▲**-fana.** V. *fen(o)-*[1].

fanadeiro. *Adj.* **1.** De, ou pertencente ou relativo a Minas Novas (MG). ● *S. m.* **2.** O natural ou habitante de Minas Novas.

fanado[1]. [Part. de *fanar*[1].] *Adj.* Que se fanou ou murchou; murcho, emurchecido.

fanado[2]. [Part. de *fanar*[2].] *Adj. Desus.* Cortado, amputado.

fanal. [Do it. *fanale.*] *S. m.* **1.** Farol, facho: "Basta à minha pupila / O fanal dessas almas luminosas" (Raimundo Correia, *Poesias*, p. 213). **2.** Guia, norte.

fanar[1]. [Do fr. *faner.*] *V. t. d.* **1.** Murchar, emurchecer. *P.* **2.** Perder a frescura; murchar(-se), emurchecer; secar (-se): *Com o sol intenso os vegetais fanaram-se.*

fanar[2]. [Do lat. *fanare?*] *V. t. d.* **1.** *Desus.* Cortar, amputar. **2.** Tirar uma parte, um bocado, de; aparar.

fanático. [Do lat. *fanaticu.*] *Adj.* **1.** Que se considera inspirado por uma divindade, pelo espírito divino; iluminado. **2.** Que tem zelo, religioso cego, excessivo; intolerante: *Portou-se como um católico fanático.* **3.** Que adere cegamente a uma doutrina, a um partido; que é partidário exaltado; faccioso: *Silva Jardim era um republicano fanático.* **4.** Que tem dedicação, admiração ou amor exaltado a alguém ou algo; entusiasmado, apaixonado: "converteu-se [Silva Túlio] num dos mais fanáticos admiradores de Camilo Castelo Branco, a quem .... tratava habitualmente por mestre" (Alberto Pimentel, *O Romance do Romancista*, p. 215); *É um jogador fanático.* ● *S. m.* **5.** Indivíduo fanático. **6.** *Bras. Gír.* Pederasta passivo.

fanatismo. [Do fr. *fanatisme.*] *S. m.* Qualidade, caráter, espírito ou procedimento de fanático.

fanatizador (ô). *Adj.* e *s. m.* Que ou aquele que fanatiza.

fanatizar. *V. t. d.* **1.** Inspirar fanatismo a; tornar fanático. **2.** Inspirar simpatia veemente a. *P.* **3.** Tornar-se fanático.

fanatizável. *Adj. 2 g.* Que pode fanatizar-se; sujeito ou propenso a isto.

fanca. *S. f. Bras.* **1.** Conjunto de fazendas [v. *fazenda* (3)] para vender. **2.** Objetos de fancaria.

fancaria. *S. f.* **1.** Comércio de fanqueiros. **2.** Trabalho grosseiro, mal acabado; pacotilha.

fanchão. *S. m.* Fanchono.

fancho. *S. m. Bras.* Taco auxiliar de bilhar, sinuca, etc., que serve de guia ao taco principal quando a bola está num ponto da mesa cujo acesso é difícil ao jogador. [Sin.: *ancinho, fanchone, garfo, reste* ou *resto* e (lus.) *rabeca.*]

fanchona. *S. f. Pop.* Mulher de aspecto viril e hábitos ou predisposições próprias do sexo masculino; mulher-homem, lésbica.

fanchone. *S. m.* **1.** *Bras.* Pequeno carro ou tábua grossa, com quatro rodízios, usado nas casas comerciais para transporte de fardos. **2.** *Bras. P. us.* V. *fancho.* [Cf. *fanchono.*]

fanchonice. *S. f.* Qualidade, ato ou dito de fanchono ou fanchona; fanchonismo.

fanchonismo. *S. m.* Fanchonice.

fanchono. *S. m.* Homossexual ativo; fanchão. [Cf. *fanchone.*]

fandangaçu. [De *fandango* + *-açu.*] *S. m. Bras.* Baile popular, carnavalesco, animado e ruidoso.

fandangar. *V. int.* Dançar o fandango; fandanguear. [Conjug.: v. *largar.*]

fandango. [Do esp. *fandango.*] *S. m.* **1.** Dança espanhola, cantada e sapateada, em compasso ternário (3/4) ou binário composto (6/8), andamento vivo, ao som da guitarra e das castanholas. **2.** Música para essa dança. **3.** Canto popular espanhol. **4.** Dança rural portuguesa, sem canto. **5.** *Bras. SP.* Espécie de cateretê; chula. **6.** *Bras., S.* Baile popular, especialmente rural, ao som da viola ou da sanfona, e no qual se executam várias danças de roda e sapateadas, alternadas com estrofes cantadas, durante as quais a dança pára; caranguejo, pagará, pega-fogo, tatu. **7.** *Bras., S.* Qualquer baile ou divertimento; pagará. **8.** *Bras., S.* V. *xiba* (1). **9.** *Bras., S.* V. *rolo*[1] (ô) (16). **10.** *Bras., N.E. Folcl.* Auto ou representação popular em torno da chegada de uma embarcação à vela a porto seguro. [Sin.: *barca, marujada, marujos* e (nalguns estados do N. e N.E.) *chegança.*] ◆ **Fandango bailado.** *Bras., SP. Folcl.* Fandango mais estilizado, no qual o bate-pé é rigorosamente proibido. **Fandango batido.** *Bras., SP. Folcl.* Fandango mais rústico do que o comum, e em que é obrigatório o bate-pé.

fandanguear. *V. int.* **1.** Fandangar. **2.** Dançar em fandango. **3.** *Bras.* Meter-se em pândegas ou folias. [Conjug.: v. *frear.*]

fandangueiro. *Adj.* **1.** Que dança o fandango. **2.** Que gosta de fandango e doutras danças populares. ● *S. m.* **3.** Aquele que dança o fandango. **4.** Aquele que gosta de fandango e doutras danças populares. [Sin. (nessas acepç.): *fandanguista.*] **5.** *Bras.* V. *tangará.*

fandanguista. *Adj. 2 g.* e *s. 2 g. Bras., S.* V. *fandangueiro* (1 a 4).

faneca[1]. [De *faneco*[1].] *S. f.* **1.** Peixe da família dos gadídeos (Gadusluscus). **2.** Castanha chocha.

faneca[2]. *S. f. Pop.* Pedaço de pão; faneco.

faneca[3]. *Adj. 2 g.* Magro, seco.

faneco[1]. *S. m.* **1.** *Ant.* Faneca[2]. **2.** Pedaço, bocado. ◆ **Pintar o faneco.** *Bras. Fam.* V. *pintar o sete.*

faneco[2]. [De *fanar* + *-eco.*] *Adj.* Murcho, chocho, fanado.

fanega. [Do esp. *fanega.*] *S. f. Bras., RS.* Medida para secos, de uso na fronteira, e equivalente a 100 quilos. [Não será *fanega* (parox.)?]

faneranto. [De *faner(o)-* + *-anto.*] *Adj. Morfol. Veg.* Que tem flores conspícuas.

fanerítico. *Adj.* ~ V. *rocha* —a.

▲**faner(o)-.** [Do gr. *phanerós, á, ón.*] *El. comp.* = 'visível', 'aparente': *fanerocarpo, faneranto.*

fânero. [Do gr. *phanerós*. 'visível'.] *S. m. Anat.* Qualquer produção visível persistente à superfície da pele, como, p. ex., os pêlos.

fanerocarpo. [De *faner(o)-* + *-carpo.*] *Adj. Morfol. Veg.* Cujos frutos são aparentes.

fanerocéfalos. *S. m. pl. Zool.* Errantes.

fanerófito. [De *faner(o)-* + *-fito.*] *S. m. Ecol.* Planta cujas gemas se acham a mais de 25 cm do solo, como, p. ex., as árvores.

faneróforo. [De *faner(o)-* + *-foro.*] *Adj. Anat.* Que tem fâneros.

fanerógamas. *S. f. pl. Bot.* Moderno grupo taxionômico que engloba as plantas fanerogâmicas.

fanerogamia. [De *faner(o)-* + *-gam(o)-* + *-ia.*] *S. f. Bot.* Ramo da botânica que trata dos fanerógamos.

fanerogâmico. *Adj.* Relativo ao fanerógamo: *flora fanerogâmica.*

fanerógamo. [De *faner(o)-* + *-gamo.*] *Adj.* e *s. m. Morfol. Veg.* Diz-se de, ou vegetal cujos órgãos reprodutivos são bem evidentes.

faneroscopia. *S. f. Med.* Exame da pele por meio do faneroscópio.

faneroscópico. *Adj.* Relativo à faneroscopia, ou ao faneroscópio.

faneroscópio. [De *faner(o)-* + *-scop-* + *-io.*] *S. m. Med.* Instrumento com que, em determinados exames, se ilumina a pele, tornando-a transparente.

fanerozônio. *S. m.* **1.** Espécime dos fanerozônios. ● *Adj.* **2.** Pertencente ou relativo a eles.

fanerozônios. *S. m. pl. Zool.* Animais equinodermos asteróides, da ordem *Phanerozonia*, providos de braços com duas fileiras de placas marginais, pápulas aborais, tubos ambulacrários em duas fileiras e sem pedicelárias cruzadas.

fanfa. *S. m. Pop.* V. *fanfarrão* (2).

fanfã. *S. m. Bras.* Planta da família das malváceas (*Hibiscus bifurcatus*); algodão-do-brejo, majorana, maioranta, vinagreira.

fanfarra. [Do fr. *fanfare.*] *S. f.* **1.** *Ant.* Toque de trompas e clarins nas caçadas. **2.** Conjunto de melodias de caça. **3.** *P. ext.* Banda de música que acompanhava os cortejos civis ou os regimentos de cavalaria; charanga, banda de cavalaria. **4.** Música para essa banda. **5.** Atualmente, banda de música formada por instrumentos de sopro, de metal, aos quais se incorporam os saxofones e a bateria; harmonia, banda. **6.** Na ópera, trecho executado em cena por instrumentos de metal. **7.** V. *fanfarrice* (2).

fanfarrada. *S. f.* V. *fanfarrice* (2).

fanfarrão. [Do esp. *fanfarrón.*] *Adj.* **1.** Que blasona de valente sem o ser; alardeador, bazófio, bizarro, blasonador, bufador, chibante, farfante, farofeiro, farofento, farrombeiro, farromeiro, ferrabrás, gabarola(s), gabola(s), garganta, jactancioso, marombado, pabola, pábulo, pimpão, prosa, rebolão, valentão, vaniloqüente, vanílоquo. ● *S. m.* **2.** Indivíduo fanfarrão; alardeador, arrotador, balandrão, bazófio, blasonador, bufador, bufão, chibante, fanfa, farfante, farofeiro, farroma, farrombeiro, farromeiro, farsola, ferrabrás, gabarola(s), gabola(s), garganta, goela, gomeiro, pabola, pábulo, pimpão, prosa, rebolão, roncador. [Fem.: *fanfarrona.*]

fanfarrear. *V. int.* Ter fanfarrice; blasonar de valentão; bazofiar. [Conjug.: v. *frear.*]

fanfarria. *S. f.* V. *fanfarrice* (2).

fanfarrice *S. f.* **1.** Qualidade ou caráter de fanfarrão; fanfarranice; bazófia, bizarria, bizarrice, chibança, chibantaria, chibantice, chibantismo, dom-quixotismo, pabulagem, quixotada, quixotice, quixotismo. **2.** Ato, dito ou modos de fanfarrão; fanfarria, fanfarronice, fanfarronismo, fanfarronada, fanfarra, fanfarrada, africanada, agalhas, bazófia, bizarria, bizarrice, balandronada, bravata, chibança, chibantaria, chibantice, chibantismo, compadrada, dom-quixotismo, emboança, espanholada, farelice, farfalhice, farfância, farofa, farofada, farolagem, farrambamba, farroma, farromba, farronca, farruma, gabolice, gabarolice, gasconada, gauchada, gauchagem, gaucharia ou gaucheria, gauchismo, goga, goma, jactância, mariquinha, pabulagem, parada, pavonada, pimponice, presepada, prosa, prosápia, quixotada, quixotice, quixotismo, rabularia, rebolaria, rodamontada, roncaria.

fanfarrona. *Adj. (f.)* e *s. f.* Fem. de *fanfarrão* [q. v.].

fanfarronada. *S. f.* V. *fanfarrice* (2).

fanfarronar. *V. int.* Mostrar-se fanfarrão; fanfarrear.

fanfarronesco (ê). *Adj.* Próprio de fanfarrão.

fanfarronice. *S. f.* V. *fanfarrice.*

fanfarronismo. *S. m.* V. *fanfarrice* (2).

fanfreluche. [Do fr. *fanfreluche.*] *S. f.* **1.** Coisa leve, sem consistência. **2.** Ornamento de pouco valor.

fanga. [Do ár. *fanqâ.*] *S. f.* **1.** Antiga unidade de medida de capacidade para secos, equivalente a quatro alqueires [v. *alqueire* (1)], ou seja, 145 litros aproximadamente. **2.** Lugar ou casa onde se vendiam cereais por estiva.

fanglomerado. *S. m. Geol.* Depósito de piemonte solidificado, cujos fragmentos têm os tamanhos mais variados, desde argila até blocos, e que, quanto a esses tamanhos, pode ser homogêneo ou heterogêneo.

fanha. [T. onom.?] *Adj. 2 g.* e *s. 2 g. Bras., S.,* e *prov. lus.* Diz-se de, ou pessoa fanhosa [v. *fanhoso* (1)].

fanho. *Adj. Bras.* V. *fanhoso* (1): "um som rouco e fanho de buzina" (Coelho Neto, *Turbilhão*, p. 58); "flautas sicilianas, violas de amor, ... acompanham a dança, em fanhos zanguizarreios e estrídulos assobios." (Martins Fontes, *A Dança*, p. 42).

fanhosear. *V. int.* **1.** Falar fanhoso. *T. d.* **2.** Dizer, pronunciar fanhosamente: "Como não é artista e como não estuda, ... ele fica sempre um mastigador de palavreado oco, porque não transfiltra alma ao que retorica, cantilena ou fanhoseia." (Albino Forjaz de Sampaio, *Crônicas Imorais*, p. 108.) [Conjug.: v. *frear.*]

fanhoso (ô). [De *fanha* + *-oso.*] *Adj.* **1.** Que fala ou parece falar pelo nariz. [Sin.: *fanho* (bras.), *fanha* (bras. S., e prov. lus.).] **2.** Diz-se da voz de quem fala assim, ou de som que lembra essa voz. [Sin. ger.: *roufenho, rouquenho.*] ● *Adv.* **3.** Com voz fanhosa: *falar fanhoso.*

fanicar. *V. int.* Andar em busca de fanico[2] (2). [Conjug.: v. *trancar.*]

fanico[1]. *S. m.* V. *síncope* (1).

fanico[2]. *S. m.* **1.** Fragmento, migalha, cigalho. **2.** Pequenos lucros.

faniqueiro. *Adj.* Que anda à procura de fanico[2] (2); que fanica.

faniquiteiro. *Adj.* e *s. m. Bras. Fam.* Que ou aquele que é dado a faniquitos.

faniquito. [Dim. de *fanico*[1].] *S. m. Fam.* Ataque de nervos sem importância nem gravidade.

fanisco. *S. m. Bras., RS. Pop.* Pessoa magra e de baixa estatura.

fano. *S. m. Arquit. Desus.* Lugar consagrado; templo, santuário.

▲-fano. V. *fen(o)-*[1].

▲-fan(o)-. V. *fen(o)-*[1].

fanqueiro. *S. m.* Negociante de fazendas de algodão, linho, lã, etc.

fantascópio. [De *fanta(sma)* + *-scop-* + *-io.*] *S. m.* Espécie de lanterna mágica usada em fantasmagoria.

fantasia. [Do gr. *phantasía*, pelo lat. *phantasia.*] *S. f.* **1.** Imaginação (1). **2.** Obra ou criação da imaginação; concepção. **3.** Capricho da imaginação; imaginação; devaneio. **4.** Capricho, esquisitice, excentricidade: "Com a aproximação da puberdade apareceram-lhe caprichos românticos e fantasias poéticas" (Aluísio Azevedo, *O Mulato*, p. 19). **5.** *Mús.* Paráfrase de uma ária de ópera. **6.** *Bras.* Vestimenta usada pelos carnavalescos, e que imita palhaços, tipos populares, figuras mitológicas, etc. **7.** *Bras.* Jóia falsa, ou de pouco valor. **8.** *Bras.* Assombração, visagem, fantasma. ◆ **Rasgar a fantasia.** *Bras.* Mostrar a verdadeira face da sua personalidade, depois de haver tentado dissimulá-la.

fantasiador (ô). *Adj.* e *s. m.* Que ou aquele que fantasia.

fantasiar. *V. t. d.* **1.** Criar na fantasia; imaginar, idealizar: "A Antiguidade fantasiou tipos com que idealiza as boas e as más paixões da humanidade." (Latino Coelho, *Tipos Nacionais*, p. 58.) *Int.* **2.** Pensar vagamente em algo; sonhar, devanear. *P.* **3.** Vestir fantasia: *Pelo carnaval gosta de fantasiar-se.*

fantasioso (ô). *Adj.* **1.** Em que há fantasia. **2.** V. *fantasista* (2).

fantasista. *Adj. 2 g.* **1.** Que tem fantasia. **2.** Que fantasia; fantasioso, imaginoso. ● *S. 2 g.* **3.** Pessoa fantasista: "os episódios satíricos refulgem, e .... deixam ver em Eça de Queirós o fantasista prodigioso, que pelo poder da observação e pelo poder da ironia, iguala Tackeray" (Fialho d'Almeida, *Pasquinadas*, p. 281).

fantasma. [Do gr. *phántasma*, pelo lat. *phantasma.*] *S. m.* **1.** Imagem ilusória; fantasmagoria: *Tudo aquilo, que ele julgara tão real, não passava de fantasmas.* **2.** Visão terrífica, medonha, apavorante: *Vivia perseguido por fantasmas, fruto da sua crueldade com os escravos.* **3.** Suposto reaparecimento de defunto ou de alma penada, em geral sob forma indefinida e evanescente, quer no seu antigo aspecto, quer usando atributos próprios, como sudário, cadeias, etc.; alma do outro mundo, abantesma ou avantesma, aparição, armada, assombração, assombramento, assombro, avejão, espectro ou espetro, mal-assombrado, mal-assombramento, mal-assombro, marmota, papa-gente, pirilampagem, simulacro, sombra, visagem, visão, visonha: "Cresce .... o medo de ficarmos presos, aqui passarmos a noite junto aos fantasmas dos mortos de bexiga." (Osmã Lins, *Nove, Novena*, p. 65.) **4.** Coisa espantosa, medonha: *O fantasma da peste assolava a região.* **5.** Imagem multiplicada que em aparelhos de televisão às vezes se observa, em conseqüência de más condições de recepção. **6.** Pessoa muito magra, débil, macilenta: *Depois da gripe ficou um fantasma.* **7.** *Bras.* V. *cangulo* (1).

fantasmagoria. [Do fr. *fantasmagorie.*] *S. f.* **1.** Arte de fazer aparecer, de fazer ver, figuras luminosas na escuridão. **2.** Fantasma (1). **3.** Falsa aparência: "seguiam-na devagar as ovelhas brancas, ... na esperança de, com a ternura dos seus balidos, arrancarem esse pobre espírito às fantasmagorias do encantamento." (Fialho d'Almeida, *O País das Uvas*, p. 103.)

fantasmagórico. *Adj.* **1.** Relativo à, ou próprio de fantasmagoria. **2.** Imaginário, ilusório, irreal, fantástico, fantasmático, fantasmal: "E os bicos de gás iluminavam de fora, intermitentemente, o vagão, como que em fantasmagórica visita" (Visconde de Taunay, *Ao Entardecer*. p. 28). **3.** Relativo a, ou próprio de fantasma (2 e 3); fantástico.

fantasmal. [De *fantasma* + *-al.*] *Adj. 2 g.* V. *fantasmagórico* (2).

fantasmático. *Adj.* **1.** Relativo a fantasma. **2.** V. *fantasmagórico* (2): "era pelas frestas dos meus olhos .... que me chegava aquela claridade impassível e verde e os fantasmáticos contornos dos objetos..." (Domingos Monteiro, *Enfermaria, Prisão e Casa Mortuária*, p. 136.)

fantástico. [Do gr. *phantastikós*, pelo lat. *phantasticu.*] *Adj.* **1.** Só existente na fantasia ou imaginação; fantasmagórico [q. v.]: "E ri-se a orquestra irônica, estridente... / E da ronda fantástica a serpente / Faz doudas espirais..." (Castro Alves, *Obra Completa*, p. 280). **2.** Caprichoso, extravagante: "A chama, levantando e abaixando, projetava-lhes as sombras .... na parede caiada do fundo, fazendo-as dançar de um modo fantástico." (Conde de Ficalho, *Uma Eleição Perdida*, p. 173.) **3.** Incrível, extraordinário, prodigioso: *Tem uma inteligência fantástica.* **4.** Falso, simulado, inventado, fictício: *No júri, só apresentou provas fantásticas.* ● *S. m.* **5.** Aquilo que só existe na imaginação: *Nos seus contos, apela com freqüência para o fantástico.*

fantastiquice. [De *fantástico* + *-ice.*] *S. f.* Extravagância de gostos ou apetites.

fanti-achanti. *S. m. 2 n.* **1.** Agrupamento lingüístico e cultural que ocupa, no golfo de Guiné, a área conhecida como Costa do Ouro, cuja cultura material é muito semelhante à dos outros povos vizinhos, e, no Brasil, se tornou conhecido por *mina.* ● *Adj. 2 g. 2 n.* **2.** Pertencente ou relativo a esse agrupamento: *culturas fanti-achanti.*

fantil. *Adj. 2 g.* Diz-se de cavalo ou de égua de boa altura e de boa raça.

fantochada. *S. f.* **1.** Porção de fantoches. **2.** Cenas de fantoche. **3.** *Fig.* Ação ridícula, caricata. **4.** Cena ridícula ou de fingimento; encenação.

fantoche. [Do fr. *fantoche.*] *S. m.* **1.** Boneco que tem a cabeça de massa de papel, ou de meia gessada, etc., mãos geralmente de feltro, e em cujo corpo, formado pela roupa, o operador esconde a mão que movimenta por meio do dedo indicador a cabeça, e com o polegar e o médio os braços. [Sin. (no N.E.): *mamulengo.*] **2.** Designação comum aos bonecos do teatro de fantoches, seja qual for a maneira por que são feitos ou movidos. [Sin.: *boneco de engonço, bonifrate, marionete, títere* e (bras.) *briguela, mamulengo, mané-gostoso.*] **3.** *Fig.* Pessoa incapaz de ação própria, que fala ou procede orientada ou comandada por outrem; boneco, bonifrate, palhaço, títere. [Cf. *autômato* (3).] ~ V. *fantoches.*

fantoches. *S. m. pl.* Sombrinhas. ~ V. *fantoche.*

fanzoca. *S. 2 g. Fam.* Fã (1) exaltado.

fão. *S. m.* Antigo peso da China.

faquear. [De *faca*[1] + *-ear.*] *V. t. d.* **1.** Esfaquear (1). **2.** *Bras. RS.* Dar facada (pedir dinheiro) em. [Conjug.: v. *frear.*]

faqueiro. *S. m.* **1.** Jogo completo de talheres do mesmo material e marca: *um faqueiro de prata.* **2.** Estojo para talheres, e em especial para facas. **3.** Fabricante de facas.

faquinha. [Dim. de *faca*[1].] *S. m. Bras., BA.* Aquele que se incumbe de picar em pedaços pequenos a baleia depois de pescada. [Cf. *facão* (4).]

faquino[1]. [Do it. *facchino.*] *S. m.* **1.** *Ant.* Moço de fretes; carregador. **2.** *Lus.* Homem que presta pequenos serviços em igrejas, que as varre, etc.

faquino[2]. *S. m. Ant.* Faquir.

faquir. [Do ár. *faqir*, 'pobre'.] *S. m.* **1.** Hindu mendicante, em geral muçulmano, que vive em ascetismo rigoroso. **2.** Indivíduo que se exibe, deixando-se picar ou mutilar, agüentando jejuns rigorosos, sem dar o menor sinal de sensibilidade.

faquirismo. *S. m.* Condição, estado ou modo de vida de faquir.

faquista. *S. 2 g.* **1.** Pessoa que usa de faca (1) como arma ofensiva; navalhista. **2.** *Bras. RS. Gír.* Facadista.

farad. [Do antr. *Faraday*, de Michael Faraday, físico inglês (1791-1867).] *S. m. Eletr.* Unidade de capacitância do Sistema Internacional, igual à capacitância dum elemento passivo de um circuito entre cujos terminais se manifesta uma tensão constante igual a um volt, quando carregado com uma quantidade de eletricidade invariável igual a um coulomb. [Pl.: *farads.* Símb.: *F.*]

faraday (dêi). [Do antr. *Faraday* (v. *farad*).] *S. m. Fís.-Quím.* Quantidade de eletricidade que, numa eletrólise, deposita, liberta ou decompõe um equivalente-grama de uma espécie iônica; quantidade de eletricidade igual à carga elétrica de um mol de um íon monovalente positivo. É igual a 96487,0 coulombs por equivalente. [Sin.: *constante de Faraday.* Símb.: *F.*]

farádico. *Adj.* Relativo à faradização.

faradização. [De *faradizar* + *-ção.*] *S. f. Terap.* Uso de corrente interrompida para estimular músculos e nervos.

faradizar. [Do antr. *Faraday*, (v. *farad*).] *V. t. d.* Tratar pela faradização.

faranacaré. *S. 2 g.* e *adj. 2 g. Bras.* Faranacaru.

faranacaru. *Bras. S. 2 g.* **1.** Indivíduo dos faranacarus, subgrupo dos pianocotós da região do rio Nhamundá (N. do PA). ● *Adj. 2 g.* **2.** Pertencente ou relativo a esses indígenas. [Sin. ger.: *faranacaré.*]

farândola. [Do provenç. ant. **farándola*, hoje *farandoulo.*] *S. f.* **1.** Dança provençal, executada por uma cadeia alternada de dançarinos e dançarinas, com acompanhamentos de galubés e tamboris. **2.** Bando de maltrapilhos; farandolagem. **3.** Bando, súcia: "Eram .... gente ínfima e suspeita, avessa ao trabalho, farândola de vencidos da vida, vezada à mandria e à rapina." (Euclides da Cunha, *Os Sertões*, p. 164.) **4.** *Teat.* No teatro espanhol do séc. XVI, pequena companhia mista, em geral com participação de três mulheres, que se dedicava a representações volantes. [Cf. *farandola*, do v. *farandolar.*]

farandolagem. *S. f.* Farândola (2).

farandolar. *V. int.* **1.** Dançar a farândola. **2.** Entrar em danças agitadas e alegres. [Pres. ind.: *farandolo, farandolas, farandola*, etc. Cf. *farândola.*]

faraó. [Do egípcio *per-a'a*, 'casa grande', atr. do gr. *pharaón.*] *S. m.* **1.** Título dos soberanos do antigo Egito. **2.** Antigo jogo de azar.

faraônico. *Adj.* De, ou relativo aos faraós ou à sua época, ou próprio deles ou dela.

farcino. [Do fr. *farcin.*] *S. m.* Mormo.

farda. *S. f.* **1.** Traje uniforme para uma classe de indivíduos; uniforme, fardamento. [Cf. *libré* (1).] **2.** *Fig.* A vida militar.

fardagem[1]. [De *fardo* + *-agem.*] *S. f.* Reunião de fardos; fardelagem.

fardagem[2]. [De *farda* + *-agem.*] *S. f.* V. *roupagem* (1): "quatrocentos [homens], todos equipados de armas dobradas e fains, com fardagem à altura." (Aquilino Ribeiro, *Portugueses das Sete Partidas*, p. 86.)

fardalhão. *S. m.* Farda (1) pomposa; fardão.

fardamenta. *S. f. Bras.* Fardamento.

fardamento. *S. m.* **1.** V. *farda* (1): "Caçulinha já tinha posto seu fardamento da Escola Normal." (Amando Fontes, *Os Corumbas*, p. 76) **2.** Conjunto de fardas. **3.** Tipo de farda. [F. paral. (bras.): *fardamenta.*]

fardão. *S. m.* **1.** *Bras.* Fardalhão. **2.** Veste simbólica dos membros da Academia Brasileira de Letras.

fardar. *V. t. d.* **1.** Vestir com farda: *fardar soldados.* **2.** Prover de farda(s). *P.* **3.** Vestir o uniforme ou farda. [Pres. subj.: *farde, ... fardeis, fardem.* Cf. *fardéis*, pl. de *fardel.*]

fardel. [Do fr. ant. *fardel*, atual *fardeau.*] *S. m.* V. *farnel.* [Pl.: *fardéis*, Cf. *fardeis*, do v. *fardar.*]

fardelagem. [De *fardel* + *-agem.*] *S. f. Ant.* **1.** Fardagem[1]. **2.** Bagagem, equipagem.

fardeta (ê). *S. f.* Farda que os soldados vestem quando estão na faxina; jaleco: "Vestido com uma velha fardeta de soldado, ... segurava na mão uma cana" (Bernardo Pinheiro, *Pindela, Azulejos*, pp. 23-24).

fardete (ê). *S. m.* Pequeno fardo.

fardo. [Der. regress. de *fardel.*] *S. m.* **1.** Coisa ou conjunto de coisas, mais ou menos volumosas ou pesadas, que se destinam a transporte; carga. **2.** Pacote, embrulho, volume. **3.** *Fig.* O que moralmente custa a suportar, ou o que impõe responsabilidades. [Dim. irreg.: *fardete.*]

fardola. *S. m. Bras., MG. Pop.* Indivíduo pedante, metediço.

farejar. *V. t. d.* **1.** Seguir ou acompanhar levado pelo faro ou cheiro: *Os cães farejavam a lebre.* **2.** Aspirar o cheiro de; cheirar. **3.** Procurar (alguém ou algo), seguindo determinados indícios: *Os animais farejavam um sítio para dormir.* **4.** Descobrir, achar: *Conseguiu farejar o melhor lugar para hospedar-se.* **5.** Adivinhar, pressentir: *farejar o perigo;* "*Farejava* uma ironia até no seu próprio desinteresse" (José de Alencar, *Lucíola,* p. 93). **6.** Examinar, esquadrinhar: *Farejou as gavetas.* **7.** Perscrutar, sondar: *O viajante fareja o horizonte. Transobj.* **8.** Prever, adivinhar: *O pai farejou-o bacharel. Int.* **9.** Tomar o faro. [Sin. ger.: *fariscar.* Conjug.: v. *pelejar.*]

farejo (ê). [Dev. de *farejar.*] *S. m.* Ato de farejar; farisco.

fareláceo. *Adj.* **1.** Relativo ao farelo; furfuráceo. **2.** Da natureza do farelo. **3.** Que se desfaz em farelo.

farelada. *S. f.* **1.** Farelagem (1). **2.** Água com farelo, para os porcos.

farelagem. *S. f.* **1.** Porção de farelos; farelada. **2.** *Fig.* Insignificância, ninharia, bagatela, farelo.

farelento. *Adj.* **1.** Abundante em farelos. **2.** Que produz farelos.

farelhão. [Do it. meridional *faraglione,* atr. do esp. *farellón.*] *S. m.* **1.** Pequeno promontório ou ilhota escarpada. **2.** Certo tipo de abrolhos: "Nisto, de encontro aos *farelhões* da costa, / Ruge, rimbomba, anseia, estala o oceano..." (Alberto de Oliveira, *Poesias,* 1ª série, p. 102.)

farelice. *S. f.* V. *fanfarrice* (2).

farelo. [Do lat. *far,* 'trigo'.] *S. m.* **1.** A parte grosseira da farinha de trigo, que resta depois da peneirada. **2.** Resíduos grosseiros dos cereais moídos. **3.** Serradura de madeira. **4.** *Fig.* V. *farelagem* (2). **5.** *Med.* Descamação furfurácea da pele.

farelório. [De *farelo* + *-ório.*] *S. m.* **1.** Coisa de pouca importância. **2.** Palavreado oco.

farense. *Adj. 2 g.* **1.** De, ou pertencente ou relativo a Faro (PA). ● *S. 2 g.* **2.** Natural ou habitante de Faro.

fáretra. [Do gr. *pharétra,* pelo lat. *pharetra.*] *S. f.* V. *aljava.*

farfalha. [Voc. onom.] *S. f.* Farfalhada (1). ~ V. *farfalhas.*

farfalhada. *S. f.* **1.** Rumor de maravalhas ou farfalhas; farfalha. **2.** Ruído semelhante a esse rumor, particularmente o da folhagem das árvores sob a ação do vento; farfalho, farfalhejo. **3.** *Fig.* Palavras vãs; palavreado, palavrório. [Sin. ger.: *farfalharia, farfalheira.*]

farfalhador (ô). *Adj.* **1.** V. *farfalhante.* ● *S. m.* **2.** Aquele que farfalha; farfalhão.

farfalhante. *Adj. 2 g.* Que farfalha; farfalhador, farfalhento, farfalheiro.

farfalhão. *S. m.* Farfalhador (2). [Fem.: *farfalhona.*]

farfalhar. [De *farfalha* + *-ar*[2].] *V. int.* **1.** Fazer farfalhada (1 e 2): "Dum lado e doutro era o canavial, *farfalhando* ao vento." (Coelho Neto, *Treva,* p. 261.) **2.** Falar sem tino; parolar. **3.** Fazer ostentação; blasonar. [Sin. ger.: *farfalhejar.*]

farfalharia. *S. f.* V. *farfalhada.*

farfalhas. [Pl. de *farfalha.*] *S. f. pl.* **1.** Aparas, limalha. **2.** Coisas sem importância; bagatelas. ~ V. *farfalha.*

farfalheira. *S. f.* V. *farfalhada.*

farfalheiro. *Adj.* V. *farfalhante.*

farfalhejar. [De *farfalho* + *-ejar.*] *V. int.* Farfalhar. [Conjug.: v. *pelejar.*]

farfalhejo (ê). [Dev. de *farfalhejar.*] *S. m.* V. *farfalhada* (2): "*Farfalhejo* de folhas, estrépitos de galhos arrebataram-no do arroubo." (Coelho Neto, *Banzo,* p. 122.)

farfalhento. *Adj.* V. *farfalhante.*

farfalhice. *S. f.* **1.** Ostentação espalhafatosa. **2.** V. *fanfarrice* (2).

farfalho. [Dev. de *farfalhar.*] *S. m.* **1.** Ato ou efeito de farfalhar; farfalhada: "O *farfalho* das árvores era sonoro e grandioso como um hino de triunfo." (Coelho Neto, *Sertão,* p. 96.) **2.** V. *sapinhos* (1).

farfalhona. *S. f.* Fem. de *farfalhão.*

farfalhosamente. [Do fem. de *farfalho* + *-mente.*] *Adv.* De modo farfalhoso; com farfalho: "As árvores abalavam-se em via de ruírem, sacudindo *farfalhosamente* as frondes aos esbarros dos brutos" (Coelho Neto, *Banzo,* p. 130).

farfalhoso (ô). *Adj.* V. *farfalhudo:* "Ariel sustinha-se nas altas regiões do espaço e baixava muito até aflorar os tetos das choupanas, a *farfalhosa* coma das árvores" (Alberto Rangel, *Livro de Figuras,* p. 176).

farfalhudo. [De *farfalha* + *-udo.*] *Adj.* **1.** Enfeitado em excesso; garrido, vistoso. **2.** Empolado, bombástico. [Sin. ger.: *farfalhoso.*]

farfância. [De *farfante.*] *S. f.* V. *fanfarrice* (2)

farfante. [Do provenç. *forfant,* atr. do it. ou do fr., com infl. de *fanfarrão.*] *Adj. 2 g. e s. 2 g.* V. *fanfarrão.*

faria-lemense. *Adj. 2 g.* **1.** De, ou pertencente ou relativo a Faria Lemos (MG). ● *S. 2 g.* **2.** Natural ou habitante de Faria Lemos. [Pl.: *faria-lemenses.*]

farináceo. [Do lat. *farinaceu.*] *Adj.* **1.** Relativo à, ou da natureza da farinha. **2.** Que contém ou produz farinha. ● *S. m.* **3.** Alimento farináceo.

farinar. [Do lat. *farina,* 'farinha', + *-ar*[2].] *V. t. d.* Converter em farinha; reduzir a farinha.

faringe. [Do gr. *phárygx.*] *S. f. Anat.* Órgão fibromuscular, oval, que se estende da base do crânio ao início do esôfago.

faringectomia. [De *faring(o)-* + *-ectom-* + *-ia.*] *S. f. Cir.* Extração parcial da faringe.

faringectômico. *Adj.* Referente à faringectomia.

faríngeo. *Adj.* Relativo ou pertencente à faringe; faríngico, faringiano.

faringeognato. *S. m.* **1.** Espécime dos faringeognatos. ● *Adj.* **2.** Pertencente ou relativo a eles.

faringeognatos. *S. m. pl. Zool.* Animais metazoários, cordados, vertebrados, peixes, osteíctes, cujos ramos direito e esquerdo do quinto arco branquial são fundidos de maneira que formam um só osso na parte inferior da boca. O grupo é considerado por alguns autores como subordem dos teleósteos.

faringiano. *Adj.* V. *faríngeo.*

faríngico. *Adj.* V. *faríngeo.*

faringite. *S. f. Patol.* Inflamação da faringe.

▲**faring(o)-.** [Do gr. *pharygx, yggos.*] *El. comp.* = 'faringe': *faringoplegia, faringectomia.*

faringocele. [De *faring(o)-* + *-cele.*] *S. f. Patol.* **1.** Hérnia de porção da faringe. **2.** Deformidade cística da faringe.

faringodinia. [De *faring(o)-* + *-odin(o)-* + *-ia.*] *S. f. Patol.* Dor na faringe.

faringodínico. *Adj.* Relativo à faringodinia.

faringógnato. *S. m. Ictiol.* Designação comum a peixes que são providos não só de uma dentadura muito forte, mas de dentes na faringe. Os dentes faringianos são encontrados em algumas partes do esqueleto das brânquias; usam-nos para trincar conchas de moluscos. Ex.: o budião.

faringografia. [De *faring(o)-* + *-graf(o)-* + *-ia.*] *S. f.* **1.** *Desus.* Descrição da faringe. **2.** *Med.* Visualização radiológica da faringe.

faringográfico. *Adj.* Referente à faringografia.

faringolaringite. *S. f. Patol.* Faringite e laringite simultâneas.

faringologia. [De *faring(o)* + *-log(o)-* + *-ia.*] *S. f.* Tratado acerca da faringe.

faringológico. *Adj.* Relativo à faringologia.

faringoplegia. [De *faring(o)-* + *-pleg-* + *-ia.*] *S. f. Patol.* Paralisia da faringe.

faringoplégico. *Adj.* Relativo à faringoplegia.

faringoscopia. [De *faring(o)-* + *-scop-* + *-ia.*] *S. f. Med.* Visualização da faringe mediante o faringoscópio.

faringoscópico. *Adj.* Referente à faringoscopia, ou ao faringoscópio.

faringoscópio. *S. m. Med.* Instrumento usado na faringoscopia.

faringotomia. [De *faring(o)-* + *-tom(o)-* + *-ia.*] *S. f. Cir.* Incisão na faringe.

faringotômico. *Adj.* Referente à faringotomia.

faringótomo. [De *faring(o)-* + *-tomo.*] *S. m. Cir.* Instrumento com que se faz a faringotomia.

farinha. [Do lat. *farina.*] *S. f.* **1.** Pó a que se reduzem os cereais moídos: *Com a farinha de trigo se faz, milenarmente, o pão.* **2.** Pó em que se transformam, uma vez trituradas, certas sementes e raízes, e no Brasil com especialidade a farinha de mandioca. **3.** *Bras., PA, MG, SP* e *MT.* Pequena árvore da família das leguminosas (*Dimorphandra mollis*), de casca grossa, flores pequenas, amarelas, dispostas em espigas protegidas por brácteas, e cujo fruto é vagem carnosa e achatada, com sementes cilíndricas, sendo a polpa rica em rutina; barbatimão-de-folha-miúda, barbatimão-falso, faveiro-do-cerrado. ◆ **Farinha de mesa.** *Bras.* A farinha comum de mandioca, branca e fina; farinha-da-terra, farinha-de-guerra, farinha-de-pau, farinha seca, farinha suruí. **Farinha de rosca.** Pão torrado e reduzido a farinha, usado em diversas preparações culinárias, como milanesas, croquetes, etc. **Farinha seca.** *Bras., N.* V. *farinha de mesa.* [Cf. *farinha-seca* e *farinha-d'água.*] **Farinha suruí.** *Bras., Amaz.* V. *farinha de mesa.* **Tirar farinha.** *Bras.* **1.** Exigir satisfações. **2.** Procurar briga. **3.** Levar vantagem. **Ser farinha do mesmo saco.** Ter (dois ou mais indivíduos, um grupo) os mesmos defeitos de caráter; ser da mesma laia; ser vinho da mesma pipa; ser retalho da mesma peça. **Vender farinha.** *Bras. Fam.* Andar com a fralda da camisa à mostra.

farinhada. *S. f. Bras., N.* e *N. E.* Fabrico da farinha de mandioca; desmancha.

farinha-d'água. *S. f. Bras., N.* e *N.E.* Farinha acentuadamente granulada, de cor amarelada, feita de mandioca de puba (1): "Alguns dias dava-lhe uma gana de satisfazer o apetite, devorando lascas de pirarucu assado, com *farinha-d'água* e latas de marmelada" (Inglês de Sousa, *O Missionário,* p. 55). [Pl.: *farinhas-d'água.* Cf. *farinha seca.*]

farinha-da-terra. *S. f. Bras.* V. *farinha de mesa:* "Quando os holandeses tomaram a Bahia, acharam trinta navios ancorados, alguns ainda carregados com as fazendas que trouxeram do reino, ... outros de *farinha-da-terra*" (Frei Vicente do Salvador, *História do Brasil,* p. 531). [Pl.: *farinhas-da-terra.* Cf. *farinha-do-reino.*]

farinha-de-guerra. *S. f. Bras., N.E.* V. *farinha de mesa:* "cozem a mesma farinha [de mandioca] mexendo-a na bacia como confeitos, e esta, se a torram bem, dura mais que os beijus, e por isso é chamada *farinha-de-guerra,* porque os índios a levam quando vão à guerra longe de suas casas" (Frei Vicente do Salvador, *Histórias do Brasil,* pp. 36-37). [Pl.: *farinhas-de-guerra.*]

farinha-de-pau. *S. f. Bras.* V. *farinha de mesa:* "A principal comida era a que sabemos: feijão com toucinho e carne-seca, substituído o pão pela *farinha-de-pau* ou de milho, em todas as mesas." (Eduardo Frieiro, *Feijão, Angu e Couve,* p. 118.) [Pl.: *farinhas-de-pau.*]

farinha-do-reino. *S. f. Bras., N.E.* Farinha (1) de trigo. [Pl.: *farinhas-do-reino.* Cf. *farinha-da-terra.*]

farinha-fóssil. *S. f. Geol.* V. *trípole.* [Pl.: *farinhas-fósseis.*]

farinha-queimada. *S. f. Bras., CE.* Certo bailado popular. [Pl.: *farinhas-queimadas.*]

farinha-seca (sê). *S. f. Bras.* **1.** Jacaré-do-mato. **2.** V. *maperoá.* [Pl.: *farinhas-secas.* Cf. *farinha seca.*]

farinheira. *S. f.* **1.** Mulher que vende farinha. **2.** Vaso destinado à farinha de mandioca ou de milho servida às refeições.

farinheiro. *S. m.* **1.** Indivíduo que negocia em farinha. ● *Adj.* **2.** V. *farinhento.*

farinhento. *Adj.* **1.** Que tem muita farinha ou fécula. **2.** Semelhante a farinha. **3.** Coberto de farinha. [Sin. ger.: *farinheiro, farinhoso, farinhudo.*]

farinhoso (ô). *Adj.* V. *farinhento.*

farinhudo. *Adj.* **1.** V. *farinhento.* **2.** Diz-se particularmente dos frutos de polpa branda, que se desfaz como que em grânulos farináceos.

farinosas. [Do lat. *farina,* 'farinha', + o fem. pl. de *-oso.*] *S. f. pl. Bot.* Ordem de plantas que engloba famílias como as bromeliáceas, que são dotadas de endosperma amiláceo.

farisaico. [Do gr. *pharisaikós,* pelo lat. *pharisaicu.*] *Adj.* **1.** Relativo a, ou próprio de fariseu. **2.** *Fig.* Hipócrita, fingido.

farisaísmo. *S. m.* **1.** Caráter dos fariseus. **2.** *Fig.* Hipocrisia, fingimento.

fariscar. [De *faro*[1] + *-iscar.*] *V. t. d., transobj.* e *int.* Farejar. [Conjug.: v. *trancar.*]

farisco. [Dev. de *fariscar.*] *S. m.* Ato de fariscar; farejo.

fariseu. [Do hebr. *pharush,* pelo gr. *pharisaios* e pelo lat. *pharisaeu.*] *S. m.* **1.** *Rel.* Membro de uma seita e partido religioso judeu que se caracteriza pela oposição aos outros, fugindo-lhes ao contato, e pela observância exageradamente rigorosa das prescrições legais: "Deixo a falsidade dos *fariseus,* que muitas vezes lhe mostravam [a Nosso Senhor] honra e gasalhado, ora convidando-o a suas casas a comer, ora dizendo-lhe louvaminhas" (Fr. Tomé de Jesus, *Trabalhos de Jesus,* II, p. 19). **2.** Seguidor formalista de uma religião. **3.** Fiel orgulhoso ou hipócrita. **4.** *Fig.* Indivíduo que aparenta santidade, não a tendo. **5.** Indivíduo hipócrita, fingido.

farjuto. *Adj. Bras. Gír.* V. *fajuto.*

farmacêutico. [Do gr. *pharmakeutikós,* pelo lat. tardio *pharmaceuticu.*] *Adj.* **1.** Respeitante à farmácia. ~ V. *botânica —a, dispensatório —* e *forma —a.* ● *S. m.* **2.** Aquele que exerce a farmácia (3); boticário.

farmácia. [Do gr. *pharmákeia,* pelo lat. *pharmacia.*] *S. f.* **1.** Parte da farmacologia que trata da maneira de preparar, caracterizar e conservar os medicamentos. **2.** Estabelecimento onde se preparam e vendem medicamentos. [Sin., desus, nesta acepç.: *botica.*] **3.** Profissão

de farmacêutico. **4.** Coleção de medicamentos. **5.** Conjunto de medicamentos que se têm em casa, num colégio, numa repartição, etc., para uso no tratamento de leves indisposições, ou em primeiros socorros.
▲farmaco-. [Do gr. *phármakon, ou.*] *El. comp.* = 'medicamento': *farmacognosia, farmacologia.*
farmacodinâmica. [De *farmaco-* + *dinâmica.*] *S. f.* Parte da farmacologia que estuda as ações e efeitos dos medicamentos.
fármaco. [Do gr. *phármacon.*] *S. m.* Substância química usada como medicamento.
farmacodinâmico. *Adj.* Relativo à farmacodinâmica.
farmacognosia. [De *farmaco-* + *-gnos(i)(o)-* + *-ia.*] *S. f.* Parte da farmacologia que trata das drogas ou substâncias medicinais antes de serem submetidas a qualquer manipulação.
farmacografia. [De *farmaco-* + *-graf(o)-* + *-ia.*] *S. f.* Tratado das substâncias medicinais.
farmacográfico. *Adj.* Respeitante à farmacografia.
farmacolando. [De *farmaco,* com a terminação de *bacharelando, doutorando,* etc.; formação irreg.] *S. m. Bras.* Aquele que está prestes a formar-se ou graduar-se em farmácia.
farmacologia. [De *farmaco* + *-log(o)-* + *-ia.*] *S. f.* Parte da medicina que estuda os medicamentos sob todos os aspectos; iamologia.
farmacológico. *Adj.* Referente à farmacologia; iamológico.
farmacologista. *S. 2 g.* Especialista em farmacologia; farmacólogo.
farmacólogo. *S. m.* Farmacologista.
farmacomania. [De *farmaco-* + *-mania.*] *S. f.* Mania de ingerir e/ou indicar medicamentos.
farmacopéia. [Do gr. *pharmakopoiía.*] *S. f.* **1.** Livro oficial em que se reúnem fórmulas e preceitos relativos à preparação de medicamentos e à sua identificação, e se arrolam os medicamentos aprovados pelo Estado. **2.** Coleção ou repositório de receitas de medicamentos básicos ou gerais. **3.** V. *código* (3).
farmacopola. [Do gr. *pharmakopóles,* pelo lat. *pharmacopola.*] *S. m.* **1.** Vendedor de drogas. **2.** Charlatão.
farmacotécnica. [De *farmaco-* + *técnica.*] *S. f.* Estudo dos fármacos estaticamente considerados, em oposição à farmacodinâmica [q. v.].
farmacotécnico. *Adj.* Referente à farmacotécnica.
farne. *S. m. Bras. Pop.* V. *farno.*
farnel. *S. m.* **1.** Saco para provisões de jornada. **2.** Provisões alimentícias para jornada; merenda, matula: "Seria fastio do pobre pirarucu e da carne salgada do f a r n e l, ou, na contemplação da natureza virgem, esquecera as necessidades corpóreas?" (Inglês de Sousa, *O Missionário,* p. 212.) [Sin. ger.: *fardel.* Pl.: *farnéis.*]
farnesia. *S. f. Ant.* V. *frenesi.* [Cf. *farnesim.*]
farnesim. *S. m. Bras., Pop.* V. *frenesi.* [Cf. *farnesia.*]
➧far-niente. [It., 'fazer nada'.] *S. m.* Ócio.
farno. [De *farne(sim).*] *S. m. Bras. Pop.* Mal-estar, inquietação. [F. paral.: *farne.*]
faro¹. *S. m.* **1.** O olfato dos animais; vento. **2.** *P. ext.* Cheiro, odor. **3.** *Fig.* Intuição; instinto: *Tem o f a r o dos negócios.*
faro². [Do lat. *pharu.*] *S. m.* **1.** Terra ou lugar onde há farol¹ (1) para guia de navegantes. **2.** Farol¹ (1).
faroeste. [Do ingl. *Far West,* denominação norte-americana das regiões que se estendem a O. do Mississípi.] *S. m. Bras.* **1.** Região assolada por crimes e violências de toda ordem: *A zona do cangaço foi o f a r o e s t e brasileiro.* **2.** V. *bangue-bangue.*
farofa. [Do quimb. *falofa.*] *S. f.* **1.** Jactância, bazófia, prosa: "uma vulgar mulatinha, muito estúpida, cheia de f a r o f a s de beleza e de presunção" (Lima Barreto, *Diário Íntimo,* pp. 75-76). **2.** Coisa sem importância ou valor. **3.** *Bras.* Farinha comestível torrada ou escaldada com manteiga ou gordura, e às vezes misturada com ovos, azeitonas, carne, etc. [Var., us. nessas acepç.: *farófia.*] **4.** *Bras.* Certa espécie ou tipo de açúcar. **5.** *Bras.* Conversa fiada. **6.** *Bras.* V. *fanfarrice* (2).
farofada. [De *farofa* + *-ada.*] *S. f. Bras.* V. *fanfarrice* (2).
farofeiro. [De *farofa* + *-eiro.*] *S. m.* **1.** V. *fanfarrão* (2). **2.** *Bras.* Indivíduo que mora longe da praia e a freqüenta levando o seu farnel. ● *Adj.* **3.** V. *fanfarrão* (1). **4.** *Bras.* Relativo a, ou próprio de farofeiro (2).
farofento. [De *farofa* + *-ento.*] *Adj. Bras.* V. *fanfarrão* (1).
farófia. *S. f.* V. *farofa* (1 a 3).
farol¹. [Do esp. *farol.*] *S. m.* **1.** Construção, em geral turriforme, erguida na costa, à entrada de um porto sobre um baixio, numa ilha, etc., e em cuja parte superior há uma luz com características especiais, para servir de guia ou ponto de referência aos navegantes; faro. **2.** Candeeiro ou lanterna, em embarcação, para indicar sua presença e posição: "na densa escuridão que .... afogava a paisagem em redor, só o seu f a r o l [do navio *Estrela*] luzia" (Virgílio Várzea, *Mares e Campos,* p. 54). **3.** Lanterna de automóveis. [Dim. (irreg.), nestas acepç.: *farolim, farolete* (q. v.).] **4.** *Fig.* Coisa que alumia ou guia; direção, diretor, guia, norte. **5.** Anel com brilhante exageradamente grande. **6.** Indivíduo pago para, nos leilões, fazer lanços, atraindo assim os licitantes. **7.** *Bras.* Aquele que, em casas de jogo ou cassinos, joga com dinheiro da casa, fingindo-se freqüentador como os outros. **8.** *Bras., SP.* V. *sinaleira.* [Pl.: *faróis.*]
farol². [De *parola,* provavelmente.] *S. m. Bras. Gír.* Conversa com que se procura burlar o próximo; fita, ostentação. [Pl.: *faróis.* Cf. *farolagem²* e *faroleiro².*]
farolagem¹. [De *farol¹* + *-agem².*] *S. f. Bras. Mar.* Conjunto de faróis instalados em dado trecho do litoral.
farolagem². [De *farol²* + *-agem,* provavelmente.] *S. f. Bras., SP. Pop.* V. *fanfarrice* (2).
faroleiro¹. *S. m.* Indivíduo encarregado de um farol¹ (1); lanterneiro.
faroleiro². [De *farol²* + *-eiro,* provavelmente.] *Adj.* e *s. m. Bras. Gír.* Que ou aquele que é dado a fitas, a ostentação, a fazer farol².
farolete (ê). *S. m.* **1.** Farolim. **2.** *Bras.* Cada um dos pequenos faróis [v. *farol¹* (3)], dianteiros e traseiros destinados a assinalar no escuro a presença de um carro em movimento.
farolim. *S. m.* Pequeno farol¹ (1 a 3); farolete: "pela curva da costa os f a r o l i n s se apagavam uns após outros, à maneira que as embarcações eram puxadas." (Virgílio Várzea, *Histórias Rústicas,* p. 81).
farosagem. [Do gr. *pháros,* 'luz', + *-agem².*] *S. f. Ópt.* Unidade de medição de densidade de fluxo de radiação. ◆ **Farosagem radiante.** *Ópt.* Emitância energética.
farpa. [Dev. de *farpar.*] *S. f.* **1.** Ponta metálica penetrante, em forma de ângulo agudo. **2.** Hastil armado dessa ponta, com o qual se picam touros em corridas; bandarilha. **3.** Estilha de madeira que acidentalmente se introduz na pele ou na carne. **4.** Rasgão, rasgadura. **5.** *Fig.* Crítica mordaz; sarcasmo.
farpado. [De *farpa* + *-ado¹.*] *Adj.* **1.** Recortado em forma de farpa: "A cobra enrolava-se em anéis em volta da criança; lambia-lhe os pés e as mãos com a rubra e f a r p a d a língua" (Bernardo Guimarães, *O Seminarista,* p. 18). **2.** Armado de farpa (1). ~ V. *arame* —.
farpante. *Adj. 2 g.* Que farpa.
farpão. *S. m.* **1.** Antiga arma de guerra terminada em farpa; arpão. **2.** *Fig.* Golpe doloroso; agressão.
farpar. *V. t. d.* **1.** Meter farpas em; farpear. **2.** Armar de farpas ou dentes: *O arqueiro f a r p o u a seta.* **3.** Recortar em forma de farpa. **4.** Rasgar, romper, esfarrapar. **5.** *Fig.* Farpear (2). P. **6.** Rasgar-se, romper-se, esfarrapar-se.
farpear. *V. t. d.* **1.** Meter farpa(s) em; ferir com farpa(s); farpar: "Logo que entrou o touro preto carregou-se de uma nuvem o semblante do ancião. Quando o Conde dos Arcos saiu a f a r p e á - l o, as feições do pai contraíram-se" (Rebelo da Silva, *Contos e Lendas,* p. 179). **2.** *Fig.* Dirigir farpa(s) (5) a; farpar. [Conjug.: v. *frear.* Cf. *bandarilhar.*]
farpela¹. [De *farpa* + *-ela.*] *S. f.* Gancho agudo em que terminam, de um lado, as agulhas de meia e de crochê; barbela.
farpela². [De **farrapela,* de *farrapo* + *-ela.*] *S. f.* Vestuário, roupa, fato: "olhavam com um misto de dó e espanto ou ironia aqueles pobres marítimos magrizelas e mal barbeados, que tiritavam dentro das f a r p e l a s de ganga ou cotim desbotado" (José Rodrigues Miguéis, *Gente da Terceira Classe,* p. 39).
farra. [Do lunfardo *farra.*] *S. f.* **1.** *Bras.* Diversão, festa licenciosa. [V. *orgia* (1).] **2.** *Bras. Fam.* Troça, caçoada, brincadeira: *Falei aquilo só por f a r r a.*
farracho. [Por **ferracho,* de *ferro* + *-acho.*] *S. m. Bras.* **1.** Espécie de terçado sem gume, com que se mata peixe à noite. [A pesca que se faz assim, atraindo o peixe por meio da luz, chama-se *pesca de farracho.*] **2.** *Bras., BA.* Faca ou facão estragado.
farrafaiado. *S. m. Bras., BA.* Trecho de mato onde as árvores rareiam, havendo, assim, grandes claros.
farragem. [Do lat. *farragine.*] *S. f.* **1.** Amontoado de coisas: "era o deserto .... afogado na trama de alguns becos imundos, cheios de detritos e da f a r r a g e m repugnante dos batalhões que ali tinham acampado" (Euclides da Cunha, *Os Sertões,* p. 486). **2.** Miscelânea, mistura, mistifório, salsada.
farragoulo. *S. m.* V. ferragoulo.
farrambamba. *S. f. Bras.* **1.** V. *fanfarrice* (2). **2.** Muito barulho por coisa pouco importante.
farrancho. *S. m.* **1.** Ranchada que se dirige a romaria ou diversão. **2.** Grupo de pessoas com o fito de se divertirem.
farrapada. *S. f.* **1.** Monte de farrapos ou trapos; farrapagem, farraparia. **2.** *Bras.* Designação que se dava ao exército rebelde dos farrapos.
farrapagem. *S. f.* V. *farrapada* (1).
farrapão. *S. m.* Indivíduo andrajoso, maltrapilho, esfarrapado. [Fem.: *farrapona.*]
farrapar. [Por **farapar,* f. suarabáctica de *farpar.*] *V. t. d.* V. *esfarrapar.*
farraparia. *S. f.* V. *farrapada* (1)
farrapiada. *S. f. Bras. RS.* Designação dos feitos dos farrapos [v. *farrapo* (5)], em 1835.
farrapo. [Dev. de *farrapar.*] *S. m.* **1.** Pedaço de pano rasgado ou muito usado, andrajo, trapo. **2.** Peça de vestuário muito rota. **3.** Pessoa maltrapilha. **4.** Pedaço de qualquer coisa. **5.** *Bras.* Alcunha deprimente (que veio, com o tempo, a tornar-se honrosa) dada pelos legalistas aos insurretos da revolução que irrompeu no RS, em 1835; farroupilha, continentista.
farrapona. *S. f.* V. *farrapão.*
farrear. *V. int. Bras.* Fazer farra; patuscar, pandegar: "O brasileiro, com raríssimas exceções, quando viaja pela Europa só pensa em gastar e f a r r e a r." (Antônio de Alcântara Machado, *Cavaquinho e Saxofone,* p. 137.) [Conjug.: v. *frear.*]
fárreo. [Do lat. *farreu.*] *Adj.* **1.** De ferro. ● *S. m.* **2.** Farro (1).
farricoco (ô). *S. m. ant.* **1.** Cada um dos condutores da tumba ou esquife, nos enterros. [Cf. *gato-pingado.*] **2.** Encapuzado que acompanhava as procissões de penitência, tocando trombeta de vez em quando. **3.** Hábito de penitência com capuz para ocultar o rosto.
farripas. *S. f. pl.* Cabelos muito ralos na cabeça; falripas. [Cf. *repa* (ê).]
farrista. *Adj. 2 g.* e *s. 2 g. Bras.* Que ou quem é dado a farras ou pândegas.
farro. [Do it. *farro.*] *S. m.* **1.** Bolo de farinha de trigo amassada com água e sal; fárreo. **2.** Caldo grosso de cevada ou de cevadinha.
farroma. *S. f.* **1.** *Bras., S.* V. *fanfarrice* (2). ● *S. m.* **2.** V. *fanfarrão* (2). [Var.: *farromba.*]
farromba. [Var. de *farroma.*] *S. f. Bras.* e *prov. lus.* V. *fanfarrice* (2).
farrombeiro. [De *farromba* + *-eiro.*] *Adj.* e *s. m. Bras.* V. *fanfarrão.*
farromear. *V. int. Bras., S.* Praticar farromas; fanfarrear. [Conjug.: v. *frear.*]
farromeiro. [De *farroma* + *-eiro.*] *Adj.* e *s. m. Bras.* V. *fanfarrão.*
farronca. [Var. de *farroma,* com possível infl. de *roncar.*] *S. 2 g.* **1.** V. *fanfarrice* (2). **2.** *Lus. Folcl.* Entidade fantástica que amedronta as crianças; sarronca.
farroupa. *S. 2 g.* **1.** V. *maltrapilho* (2). **2.** Farroupilha (2).
farroupilha. [De *farroupa* + *-ilha.*] *S. 2 g.* **1.** V. *maltrapilho* (2). **2.** Pessoa miserável, ou desprezível; farroupa. ● *S. m.* **3.** V. *farrapo* (5).
farroupilhense. *Adj. 2 g.* **1.** De, ou pertencente ou relativo a Farroupilha (RS). ● *S. 2 g.* **2.** Natural ou habitante de Farroupilha.
farroupo. [Do ár. *kharuf,* 'borrego'.] *S. m.* Porco de menos de um ano.
farruma. *S. f. Bras., SP. Pop.* **1.** Estardalhaço, espalhafato. **2.** V. *fanfarrice* (2).
farrusca. [Por **ferrusca,* de *ferro* + *-usca.*] *S. f.* **1.** Espada ferrugenta; chanfalho. **2.** Nódoa de carvão ou doutra substância escura; mascarra.
farrusco. [Por **ferrusco,* de *ferro* + *-usco.*] *Adj.* **1.** Sujo de carvão ou de fuligem. **2.** Escuro, negro.
farsa. [Do fr. médio *farse,* atualmente *farce.*] *S. f.* **1.** *Teat.* Peça cômica, de um só ato, curto enredo e poucos atores, ação vivaz, irreverente e burlesca, e com elementos de comédia de costumes. **2.** *Teat.* Baixa comédia [q. v.]. **3.** Ato ridículo, próprio de farsas. **4.** Coisa burlesca. **5.** Pantomima, logro, embuste.
farsada. [De *farsa* + *-ada¹.*] *S. f.* Ato burlesco ou ridículo; palhaçada.
farsalhão. *S. m. Teat.* Farsa grande e de pouca importância.
farsanta. *S. f. Teat.* Atriz que representa em farsa; farsante.
farsante. [Do it. *farsante.*] *S. 2 g.* **1.** Pessoa que representa farsa. **2.** Pessoa que pratica atos ridículos ou burlescos, ou graceja constantemente; farsista. **3.** Pessoa sem seriedade, sem palavra. ● *Adj. 2 g.* **4.** Diz-se de farsante (2 e 3).
farsantear. *V. t. d.* **1.** Representar em forma de farsa: *f a r s a n t e a r cenas da vida cotidiana. Int.* **2.** Praticar

atos ou dizer coisas próprias de farsante. [Conjug.: v. *frear*.]

farsesco (ê). *Adj. Teat.* **1.** Relativo a farsa. **2.** Que contém elementos de farsa: "tipos farsescos [os de Joaquim Manuel de Macedo], entre os quais sobressaem o Capitão Tibério de *O Fantasma Branco*, herdeiro do Soldado Fanfarrão plautiano" (Sábato Magaldi, *Panorama do Teatro Brasileiro*, p. 86).

farsilhão. *S. m.* Argola de fivela na qual se mete a ponta da correia.

farsista. *S. 2 g.* **1.** Farsante (2). ● *Adj. 2 g.* **2.** Que pratica atos burlescos ou ridículos, ou graceja constantemente; farsante: *indivíduo* farsista. **3.** Menos sério; burlesco, picaresco: *atitude* farsista.

farsola. *S. 2 g.* **1.** Pessoa galhofeira, farsista. **2.** V. *fanfarrão* (2).

farsolar. *V. int.* **1.** Praticar ações de farsola. **2.** Jactar-se, blasonar.

farsolice. *S. f.* Ato ou dito de farsola.

farta. [Fem. substantivado de *farto*².] *El. s. f.* Us. na loc. adv. *à farta*. ◆ **À farta.** Em abundância; abundantemente; com fartura; à saciedade: "Comeram e beberam à farta." (Daniel de Carvalho, *Capítulos de Memórias*, 1ª série, p. 16.)

fartação. [De *fartar* + *-ção*.] *S. f.* V. *enfarte* (1).

fartadela. *S. f.* **1.** Ato ou efeito de fartar(-se) de cada vez. **2.** Quantidade que farta. **3.** Grande porção de qualquer coisa. [Sin. ger: *fartão*.]

fartalejo (ê). *S. m.* Farte (1).

fartão. *S. m. Fam.* V. *fartadela*.

fartar. [De *farto*² + *-ar*².] *V. t. d.* **1.** Saciar a fome ou a sede a: *Os anfitriões fartaram-no*. **2.** Saciar (a sede ou a fome). **3.** Satisfazer (sentimentos, desejos). **4.** Causar grande aborrecimento a; cansar, aborrecer, enfastiar. *T. d.* e *c.* **5.** Encher, abarrotar, atulhar: *Fartaram-no de guloseimas. Int.* **6.** Ser em grande quantidade; ser bastante. *P.* **7.** Comer até à saciedade; encher-se; empanzinar-se, empanturrar-se. **8.** Fazer algo até não querer mais; cansar-se: "E mirou-o lentamente, fartou-se de vê-lo" (Machado de Assis, *Várias Histórias*, p. 53). [Part.: *fartado, farto*.]

fartável. *Adj. 2 g.* Que se pode fartar.

farte. [Dev. de *fartar*.] *S. m.* **1.** Massa doce, mais ou menos delicada, envolvida em farinha de trigo; fartalejo. **2.** Designação comum a vários bolos que contêm creme: "Alice tinha .... as mangas arregaçadas e as mãos até os pulsos cheios do bolo que estivera amassando no alguidar para fazer os fartes de Natal." (José de Alencar, *O Tronco do Ipê*, p. 172.) [F. paral.: *farto*.]

farto¹. [Dev. de *fartar*.] *S. m.* Farte.

farto². [Do lat. *farctu*.] *Adj.* **1.** Saciado, satisfeito, empanturrado. **2.** Abundante, copioso: *ceia farta*. **3.** Em que há abundância de tudo; repleto, cheio: *casa farta; mesa farta*. **4.** Nutrido, nédio. **5.** Enfastiado, aborrecido: *A situação me deixou farto*.

fartum. [Var. de *fortum* forte, i. e., 'cheiro forte'.] *S. m.* **1.** Mau cheiro resultante de ranço. **2.** Bafio, mofo: "Abriam-se as senzalas lufando do interior fuliginoso e morno o acre fartum e a fumaraça espessa dos brasidos que ardiam à noite fazendo um ambiente de estufa" (Coelho Neto, *Rei Negro*, p. 8). **3.** Cheiro mau e/ou nauseante; bodum, catinga, aca, inhaca, morrinha: "Os chocalhos das cabras tilintaram para os lados do rio, o fartum do chiqueiro espalhou-se pela vizinhança." (Graciliano Ramos, *Vidas Secas*, p. 132.)

fartura. *S. f.* **1.** Estado de farto. **2.** Grande quantidade; abundância.

farturense. *Adj. 2 g.* **1.** De, ou pertencente ou relativo a Fartura (SP). ● *S. 2 g.* **2.** Natural ou habitante de Fartura.

faruaru. *Bras. S. 2 g.* **1.** Indivíduo dos faruarus, subgrupo dos pianocotós que habita nas margens do alto rio Mapuera (N. do PA). ● *Adj. 2 g.* **2.** Pertencente ou relativo a esses índios.

farucotó. *Bras. S. 2 g.* e *adj. 2 g.* V. *parucotó*.

▲**f.a.s.** [Ingl., sigla de *free alongside ship*.] V. *cláusula f.a.s.*

fás. [Do lat. *fas*.] *S. m.* Aquilo que é justo, que é lícito. [Antôn: *nefas*.] ◆ **Ou por fás ou por nefas.** Por fás ou por nefas: "Mas, ou por fás ou por nefas, ... não tardou muito que se lhe fosse juntar." (Joaquim Paço d'Arcos, *O Navio dos Mortos e Outras Novelas*, p. 240.) **Por fás ou por nefas.** **1.** Com razão ou sem ela: "A onomástica nacional, não sei se por fás ou por nefas, não conheceu exclusivos entre os homens." (Aquilino Ribeiro, *Luís de Camões*, I, p. 68.) **2.** Por bem ou por mal. [Tb. se diz *ou por fás ou por nefas*.]

fascal. [Do lat. vulg. hispânico *fascale*, *de fascis*, 'feixe', ou do moçárabe *fasqar*, 'montão'.] *S. m.* Monte de espigas ou de feixes de palha.

fasces. [Do lat. *fasces*.] *S. m. pl.* Feixe de varas com que, na Roma antiga, os lictores acompanhavam os cônsules, como insígnia do direito que tinham estes de punir.

fáscia. [Do lat. *fascia*.] *S. f. Anat.* **1.** Bainha ou faixa de tecido fibroso situada em profundidade, em relação à pele. **2.** Bainha ou faixa que reveste músculos e vários órgãos do corpo.

fasciação. [Do lat. *fasciare*, 'cingir com faixas'.] *S. f. Morfol. Veg.* Transformação de ramos e raízes em órgãos achatados ou laminares, cuja causa é incerta.

fasciado. *Adj. Morfol. Veg.* Que apresenta fasciação: *caule fasciado*.

fasciculação. *S. f. Med.* Contração de musculatura estriada esquelética, localizada e pouco intensa, visível através da pele íntegra. [Cf. *fibrilação*.]

fasciculado. *Adj.* **1.** Disposto em fascículos ou feixes. **2.** Que tem forma de feixe. ~ V. *raiz* —*a*.

fascicular. *Adj. 2 g.* Que tem forma de fascículo (1).

fascículo. [Do lat. *fasciculu*.] *S. m.* **1.** Feixinho. **2.** Porção de varas ou de ervas que se podem transportar debaixo do braço. **3.** V. *gavela*. **4.** *Bibliol.* Caderno ou grupo de cadernos de uma obra que se publica à medida que vai sendo impressa. [Sin. lus.: *caderneta*.] **5.** *Edit.* Unidade de uma publicação periódica; número. [V. *volume* (2).] **6.** *Morfol. Veg.* Tipo de inflorescência em que as flores se inserem apertadamente no mesmo nó caulinar.

fascinação. [Do lat. *fascinatione*.] *S. f.* **1.** Atração irresistível; fascínio. **2.** Deslumbramento, encanto, enlevo, fascínio.

fascinador (ô). [Do lat. *fascinatore*.] *Adj.* **1.** Fascinante. ● *S. m.* **2.** Aquele que fascina.

fascinante. [Do lat. *fascinante*.] *Adj. 2 g.* Que fascina; fascinador: "As estrelas têm um brilho fascinante nesses céus sem nuvens." (Afrânio Peixoto, *Viagens na Minha Terra*, p. 201); *espírito fascinante*.

fascinar. [Do lat. *fascinare*.] *V. t. d.* **1.** Subjugar com o olhar: *A serpente fascina sua vítima*. **2.** Dominar por encantamento; prender com feitiços; dar quebranto a; enfeitiçar. **3.** Atrair irresistivelmente; encantar, seduzir: "Cumpre domar Xenócrates! És bela... / Poderás fasciná-lo, se o quiseres!" (Olavo Bilac, *Poesias*, p. 135.) *Int.* **4.** Seduzir, deslumbrar: *A ciência fascina*; "Luz que de tão forte ofusca e fascina." (Padre Antônio Vieira, *Sertão Brabo*, p. 19.)

fascínio. *S. m.* **1.** V. *fascinação*. **2.** Mau-olhado, encantamento.

fascíola. [Do lat. *fasciola*, 'fita'.] *S. f.* **1.** Animal trematódeo, digêneo, da família dos fasciolídeos (*Fasciola hepatica (L.)*), parasito dos canais biliares, pulmão, etc., de mamíferos, sobretudo ruminantes, e raramente do homem. É provido de testículos e ovários muito ramificados, e poro genital mediano, e seu ciclo evolutivo faz-se através de moluscos gastrópodes, metacercárias infestantes encistadas nas plantas; barata-do-fígado. **2.** Espécie de plantas criptogâmicas.

fasciolária. *S. f. Zool.* Gênero de conchas univalves, fusiformes.

fasciolídeo. *S. m.* **1.** Espécime dos fasciolídeos. ● *Adj.* **2.** Pertencente ou relativo a eles.

fasciolídeos. *S. m. pl. Zool.* Família de vermes platelmintos, da classe dos trematódeos, ordem *digenea*, parasitos dos mamíferos. Ex.: a fascíola hepática.

fascismo. [Do it. *fascismo*.] *S. m.* **1.** Sistema político nacionalista, imperialista, antiliberal e antidemocrático, liderado por Benito Mussolini (1883-1945) na Itália, e que tinha por emblema o feixe (em it., *fascio*) de varas dos antigos lictores romanos. **2.** Atitude ou procedimento próprio de fascista.

fascista. [Do it. *fascista*.] *Adj. 2 g.* **1.** Relativo ou pertencente ao, ou próprio do fascismo. **2.** Que é partidário ou simpatizante dele. ● *S. 2 g.* **3.** Partidário ou simpatizante do fascismo.

fascistóide. [De *fascista* + *-óide*.] *Adj. 2 g.* e *s. 2 g. Deprec.* V. *fascista*.

fase. [Do gr. *phásis*.] *S. f.* **1.** Qualquer estágio (ou etapa) de uma evolução, que compreende uma série (ou um ciclo) de modificações: *as fases da vida; Em 1930 terminou a primeira fase do período republicano brasileiro*. **2.** Época ou período com características definidas: *a fase azul de Picasso; O clube atravessa uma fase difícil*. **3.** *Astr.* Aspecto que apresenta um astro sem luz própria, planeta ou satélite, segundo as condições de iluminação vistas da Terra: *as fases da Lua*. [Sin., p. us., nesta acepç.: *aspecto*.] **4.** *Fís.* Na expressão analítica de um movimento harmônico simples, o argumento da função periódica. **5.** *Fís.-Quím.* Parte homogênea de um sistema heterogêneo. **6.** *Eletr.* Cada uma das tensões de uma corrente trifásica. **7.** *P. ext.* O condutor em que está presente uma destas tensões. [Cf. faze, do v. *fazer*.] ◆ **Fase aberta.** *Fís.-Quím.* Num sistema físico-químico, fase cujas fronteiras permitem a passagem de um ou mais componentes do sistema. **Fase de lançamento.** *Astron.* Fase do vôo de um veículo espacial compreendida entre a ignição inicial e o momento em que a sua velocidade permite obedecer aos controles normais. **Fase de meio-curso.** *Astron.* Fase do vôo de um veículo espacial compreendida entre o fim da fase de lançamento e o início da fase terminal. **Fase dispersa.** *Fís.-Quím.* Num sistema coloidal, a fase que está particulada e imersa na outra. **Fase dispersora.** *Fís.-Quím.* Num sistema coloidal, a fase contínua na qual a outra fase está imersa. **Fase fechada.** *Fís.-Quím.* Num sistema físico-químico, fase cujas fronteiras não permitem o transporte de massa de um ou mais componentes do sistema. **Fase terminal.** *Astron.* Fase do vôo de um veículo espacial caracterizada pela tomada de atitude para o regresso ou para atingir um objetivo.

faseolar. [Do *faseolu*, 'feijão', + *-ar*¹.] *Adj. 2 g.* Que tem forma de feijão, como, p. ex., o rim; faseoliforme.

faseoliforme. [Do lat. *faseolu*, 'feijão', + *-i-* + *-forme*.] *Adj. 2 g.* Faseolar.

fasgonuróide. *S. m.* e *adj. 2 g.* V. *tetigoniódeo*.

fasgonuróides. *S. m. pl. Zool.* V. *tetigoniódeos*.

▲**-fasia.** [Do gr. *-phasia*.] *El. comp.* = 'palavra': *afasia* (< gr. *aphasía*), *disfasia*.

fasiânida. *S. m.* e *adj. 2 g.* V. *fasianídeo*.

fasiânidas. *S. m. pl. Zool.* V. *fasianídeos*.

fasianídeo. *S. m.* **1.** Espécime dos fasianídeos. ● *Adj.* **2.** Pertencente ou relativo a eles.

fasianídeos. *S. m. pl. Zool.* Família de aves *(Phasianidae)* da ordem dos galiformes, que compreende os faisões, pavões e perdizes.

fasímetro. [De *fase* + *-i-* + *-metro*.] *S. m. Fís.* Instrumento, em geral de natureza eletrônica, para medir a diferença de fase entre dois fenômenos periódicos de igual freqüência.

fasmatódeo. *S. m.* e *adj.* V. *fasmido*.

fasmatódeos. *S. m. pl. Zool.* V. *fasmidos*.

fasmídeo. *S. m.* **1.** Espécime dos fasmídeos. ● *Adj.* **2.** Pertencente ou relativo a eles.

fasmídeos. *S. m. pl. Zool.* Animais asquelmintos, nematódios, da subclasse *Phasmidea*, providos de órgãos caudais sensoriais e órgãos sensoriais anteriores em forma de poros.

fasmido. *S. m.* **1.** Espécime dos fasmidos. ● *Adj.* **2.** Pertencente ou relativo aos fasmidos. [Sin. ger.: *ambulatório, fasmatódeo, fasmódeo, fasmóideo, gressório*.]

fasmidos. *S. m. pl. Zool.* Animais artrópodes, da classe dos insetos, ortópteros, subordem ou ordem *Phasmida*, de forma bacilar, ápteros ou alados. Algumas espécies são verdes e se confundem, em perfeita homocromia, com folhas; outras mimetizam galhos, verdes ou secos, como o bicho-pau. [Sin.: *ambulatórios, fasmatódeos, fasmódeos, fasmóideos, gressórios*.]

fasmódeo. *S. m.* e *adj.* V. *fasmido*.

fasmódeos. *S. m. pl. Zool.* V. *fasmidos*.

fasmóide. *S. 2 g.* **1.** Espécime dos fasmóides. ● *Adj. 2 g.* **2.** Pertencente ou relativo a eles.

fasmóideo. *S. m.* e *adj.* V. *fasmido*.

fasmóideos. *S. m. pl. Zool.* V. *fasmidos*.

fasmóides. *S. m. pl. Zool.* Ordem de insetos de corpo muito alongado, protórax curtíssimo e cabeça arredondada, e cujas fêmeas são, em geral, ápteras.

fasor (ô). *S. m. Eletrôn.* Vetor giratório que representa as grandezas elétricas de um circuito de corrente alternada.

fasquia. [Do lat. *fascia*, 'faixa', pelo gr. *phastía* e pelo ár. hispânico *fasqîya*.] *S. f.* **1.** Pedaço de madeira comprido e estreito; ripa. **2.** Parte alongada e estreita que se separou de um tronco de madeira.

fasquiar. *V. t. d.* **1.** Guarnecer de fasquias, ripar. **2.** Construir com fasquias. **3.** Serrar em fasquias.

fastar. *V. t. d.*, *t. d.* e *i.* *int.* e *p. Ant.* e *pop.* Afastar.

fastidioso (ô). [Do lat. *fastidiosu*.] *Adj.* **1.** Que produz fastio; tedioso, enfadonho. **2.** Impertinente, rabugento. [Sin. ger.: *fastiento*.]

fastiento [De *fastio* + *-ento*.] *Adj.* V. *fastidioso*.

fastigiado. [Do lat. *fastigiatu*.] *Adj.* **1.** Diz-se das árvores altas e frondosas. **2.** *Morfol. Veg.* Que tem ramos eretos e aproximados da ponta: *inflorescência fastigiada*.

fastígio. [Do lat. *fastigiu*.] *S. m.* **1.** O ponto mais elevado: cume, cumeada, pico. **2.** Posição eminente, relevante; ponto muito alto; apogeu, auge: "o desejo de fazer a corte a Pombal, então no fastígio do poder" (José Veríssimo, *Estudos de Literatura Brasileira*, 2ª série, p. 99).

fastigioso (ô). *Adj.* Que está no fastígio, em posição relevante.

fastio. [Do lat. *fastidiu.*] *S. m.* **1.** Falta de apetite. **2.** Repugnância, aversão. **3.** Tédio, aborrecimento.

fasto[1]. [Do lat. *fastu.*] *S. m.* Fausto, ostentação. ~ V. *fastos.*

fasto[2]. [Do lat. *fastu.*] *Adj.* **1.** Dizia-se, entre os romanos, dos dias em que era lícito exercer certas jurisdições. **2.** Próspero, feliz, fausto. ~ V. *fastos.*

fastos. [Do lat. *fastos.*] *S. m. pl.* **1.** Anais (1). **2.** Registros públicos de fatos ou obras memoráveis. **3.** Calendário da Roma antiga, que continha os dias fastos e nefastos. ~ V. *fasto.*

fastoso (ô). [Do lat. *fastosu.*] *Adj.* V. *fastuoso.*

fastuoso (ô). [Do lat. *fastuosu.*] *Adj.* Que tem fasto ou fausto; pomposo, luxuoso, aparatoso, fastoso, faustoso, faustuoso.

fataça. *S. f.* Tainha grande.

fatacaz. *S. m.* Pedaço ou fatia grande.

fatagear. [De *fatagem* + *-ear.*] *V. int. Desus.* Mexer em fatos ou roupas; revolver roupas. [Conjug.: v. *frear.*]

fatagem. [De *fato[2]* + *-agem[2].*] *S. f. Desus.* Ato de fatagear.

fatal. [Do lat. *fatale.*] *Adj. 2 g.* **1.** Determinado, marcado, fixado pelo fado ou destino. **2.** Que tem de ser; irrevogável. **3.** Improrrogável, final: *prazo* f a t a l. **4.** Decisivo, inevitável: *É* f a t a l *a sua derrota.* **5.** Funesto, nocivo, desastroso, nefasto: "Toda a ditadura oficial e acadêmica é f a t a l à arte" (Ramalho Ortigão, *Notas de Viagem,* p. 122). **6.** Que traz, ou como que traz, por determinação do fado ou destino, a infelicidade, a ruína, a desgraça: *beleza* f a t a l; *paixão* f a t a l. **7.** Que produz ou prenuncia a morte: "Quem golpes daria / F a t a i s, como eu dou?" (Gonçalves Dias, *Obras Poéticas,* I, p. 24); *momento* f a t a l. ~ V. *mulher —.*

fatalidade. [Do lat. *fatalitate.*] *S. f.* **1.** Qualidade ou caráter de fatal. **2.** Sorte inevitável; destino, fado, fatalismo. **3.** Acontecimento funesto; infortúnio, desgraça: "F a t a l i d a d e atroz que a mente esmaga! ... / Extingue nesta hora o brigue imundo / O trilho que Colombo abriu na vaga / Como um íris no pélago profundo! ..." (Castro Alves, *Poesias Escolhidas,* p. 336.)

fatalismo. [De *fatal* + *-ismo.*] *S. m.* **1.** *Filos.* Atitude ou doutrina que admite que o curso da vida humana está, em graus e sentidos diversos, previamente fixado, sendo a vontade ou a inteligência impotentes para dirigi-lo ou alterá-lo. [Cf. *determinismo.*] **2.** Atitude daqueles que acreditam nessa teoria. **3.** Fatalidade (2).

fatalista. *Adj. 2 g.* **1.** Relativo ao, ou próprio do fatalismo. **2.** Que acredita nele. ● *S. 2 g.* **3.** Pessoa que acredita no fatalismo.

fatalmente. [De *fatal* + *-mente.*] *Adv.* **1.** De modo fatal; inevitavelmente. **2.** Necessariamente. **3.** Certamente, indubitavelmente. **4.** De modo desastroso; desastradamente.

fateiro[1]. *S. m. Bras.* Aquele que vende fato[3] (2), vísceras de animais; bucheiro, tripeiro.

fateiro[2]. *Adj.* **1.** Relativo a fato[2]. **2.** Próprio para guardar fatos ou roupas.

fateixa. [Do ár. *fattāxâ.*] *S. f.* **1.** *Marinh.* Gancho ou arpão com que se tiram objetos do fundo da água. **2.** *Marinh.* Espécie de âncora para fundear pequenos barcos: "um dos marinheiros, à proa [da lancha], acabando de colher a amarra, suspendeu a f a t e i x a." (Xavier Marques, *Jana e Joel,* p. 121). **3.** Utensílio de ferro em que se penduram carnes. **4.** *Bras., N.E.* A pedra que serve de âncora nas jangadas dos pescadores nordestinos. ◆ **Espiar a fateixa.** *Bras., RS.* Ancorar.

fatejar. *V. t. d. Bras.* Consertar ou arrumar (fato, roupa): "Siá Dina .... era das tais que briquitavam o dia inteiro, f a t e j a n d o, trazendo a casa limpa, os filhos asseados" (Nélson de Faria, *Tiziu e Outras Estórias,* p. 205). [Conjug.: v. *pelejar.*]

fateusim. [Do lat. **emphyteusinu.*] *Jur. Adj. 2 g.* **1.** Enfitêutico. ● *S. f.* **2.** V. *enfiteuse.*

fatia. [Do ár. *fitātâ,* 'migalha'.] *S. f.* Pedaço chato, delgado e mais ou menos comprido de pão, queijo, etc.; talhada. [Aum. irreg.: *fatacaz.*]

fatia-de-parida. *S. f. Bras., N.* e *N.E.,* e *prov. lus.* V. *rabanada[1].* [Pl.: *fatias-de-parida.*]

fatia-doirada. *S. f. Bras.* e *prov. lus.* V. *fatia-dourada.* [Pl.: *fatias-doiradas.*]

fatia-dourada. *S. f. Bras.* e *prov. lus.* V. *rabanada[1]*: "Vinha o café. l Outras vezes, a senhora lembrava-se de um mimo: l — Hoje, faço f a t i a s - d o u r a d a s ..." (Garibaldino de Andrade, *O Sol e as Nuvens,* pp. 43-44.) [Var.: *fatia-doirada.* Pl.: *fatias-douradas.*]

fatiar. *V. t. d.* **1.** Cortar ou fazer em fatias; esfatiar. **2.** Fazer em pedaços; despedaçar, espedaçar.

fatício. [Var. de *factício* (q. v.).] *Adj.* Relativo a fato[1].

fático. *Adj. Jur.* De ou relativo a fato[1] jurídico [q. v.]. ~ V. *função —a.*

fatídico. [Do lat. *fatidicu.*] *Adj.* **1.** V. *fatíloquo.* **2.** Sinistro; trágico: "Revoou-lhe .... lá dentro o pensamento de que no cantar do truão havia o que quer que fosse f a t í d i c o, e no seu olhar brilhante o que quer que fosse diabólico." (Alexandre Herculano, *O Bobo,* p. 69.) [Cf. *vatídico.*]

fatigador (ô). *Adj.* V. *fatigante.*

fatigamento. [De *fatigar* + *-mento.*] *S. m.* Fadiga (1).

fatigante. [Do lat. *fatigante.*] *Adj. 2 g.* Que fatiga; fatigador, fatigoso, fadigoso.

fatigar. [Do lat. *fatigare.*] *V. t. d.* **1.** Causar fadiga a; cansar. **2.** Enfastiar, aborrecer, enfadar, importunar: *Aquela história desinteressante* f a t i g a v a *-o. P.* **3.** Cansar-se, afadigar-se, esfalfar-se. [Var.: *fadigar;* sin. ger.: *afadigar.* Conjug.: v. *largar.*]

fatigável. *Adj. 2 g.* Sujeito a fatigar-se; cansável.

fatigoso (ô). *Adj.* V. *fatigante.*

fatiloqüente. [Do lat. *fatu,* 'destino, fado', + *-i-* + *loqüente.*] *Adj. 2 g.* V. *fatíloquo.*

fatíloquo (co). [Do lat. *fatiloquu.*] *Adj.* Que prediz o futuro; profético, fatídico, fatiloqüente.

fatimense. *Adj. 2 g.* **1.** De, ou pertencente ou relativo a Nova Fátima (PR). ● *S. 2 g.* **2.** Natural ou habitante de Nova Fátima.

fatímida. *Adj. 2 g.* e *s. 2 g.* Descendente de Fátima, filha de Maomé [v. *maometano*].

fatiota. *S. f.* **1.** Traje, roupa, farpela, fato: "cuidou de vestir-se, meteu-se na sua melhor f a t i o t a e .... foi procurá-la." (Antônio Celso Alves Pereira, *Rua do Quenta-Sol,* p. 61.) **2.** *P. ext.* Farraparia.

fatível. *Adj. 2 g.* V. *factível.*

fato[1]. [Do lat. *factu.*] *S. m.* **1.** Coisa ou ação feita; sucesso, caso, acontecimento, feito. **2.** Aquilo que realmente existe, que é real. **3.** *Filos.* V. *fenômeno* (8). ◆ **Fato jurídico.** *Jur.* Acontecimento de que decorrem efeitos jurídicos, independentemente da vontade humana (por oposição a *ato*). **De fato. 1.** Com efeito; realmente, efetivamente; de feito. **2.** Na realidade; na verdade; realmente; verdadeiramente; de feito: "O amante ideal de fino tato, / É o que, na mágoa ou no prazer, / Nunca se mostra o que é, de f a t o, / Mas sim o que devera ser." (Martins Fontes, *Vulcão,* p. 24.) **Estar ao fato de.** Estar ciente de; ser sabedor de.

fato[2]. *S. m.* Roupa, veste(s), vestuário.

fato[3]. *S. m.* **1.** Rebanho pequeno, particularmente de cabras. [Cf. *chibarrada.*] **2.** *Bras., N.E.* e *MG,* e *prov. lus.* Intestinos de qualquer animal.

fator (ô). [Do lat. *factore.*] *S. m.* **1.** Aquele que faz ou executa uma coisa. **2.** Aquilo que contribui para um resultado. **3.** *Mat.* Cada um dos elementos submetidos à operação de produto. [Cf., nesta acepç.: *parcela* (2). Pl.: *fatores* (ô). Cf. *fatores,* do v. *fatorar,* e *fautor,* adj. e s. m.] ◆ **Fator de amplificação.** *Eletrôn.* Numa válvula, quociente entre uma pequena variação de voltagem de placa e a variação de voltagem da grade que é necessária para manter constante a corrente de placa. **Fator de compressibilidade.** *Fís.* Num gás em equilíbrio, quociente entre o produto da pressão pelo volume molar e o produto da temperatura absoluta pela constante dos gases perfeitos. **Fator de forma.** *Eletr.* Parâmetro associado a uma tensão ou corrente periódica, e que dá uma medida geral do afastamento da função que representa a grandeza em relação a uma função harmônica. É igual ao quociente do valor eficaz da grandeza pelo seu valor médio. **Fator de integração.** *Anál. Mat.* Fator integrante. **Fator de ondulação.** *Eletrôn.* Numa onda retificada, quociente entre o valor eficaz da parte alternada e o valor da parte contínua. **Fator de potência.** *Fís.* Num circuito de corrente alternada, o quociente entre a potência dissipada e o produto da tensão pela corrente que o percorre. **Fator de proporcionalidade.** *Mat.* Constante de proporcionalidade. **Fator de reflexão.** *Fotom.* Refletância. **Fator integrante.** *Anál. Mat.* Fator que, multiplicado a uma forma diferencial, a transforma em uma diferencial exata; fator de integração. **Fator reativo.** *Eletr.* Num circuito de corrente alternada, seno do ângulo de fase entre a tensão e a corrente. **Fator Rh.** *Med.* Antígeno responsável por acidentes hemolíticos particularmente observados durante a gravidez e as transfusões de sangue. [Tb. se diz apenas *Rh.*]

fatoração. *S. m. Aritm.* Operação de fatorar.

fatorar. *V. t. d.* **1.** *Aritm.* Decompor (um número) em todos os seus fatores até o quociente ficar um. **2.** *Álg.* Decompor (um polinômio qualquer) num produto de fatores. [Pres. subj.: *fatore, fatores,* etc. Cf. *fatores* (ô), pl. de *fator,* e *faturar.*]

fatorial. [De *fator* + *-i-* + *-al.*] *Adj. 2 g.* **1.** Relativo a fator (3). ~ V. *análise —.* ● *S. m.* **2.** *Mat.* Produto dos números naturais desde 1 até o inteiro *n.* [Símb.: *n!*]

fatual. *Adj. 2 g.* V. *factual.*

fatuidade (u-i). [Do lat. *fatuitate.*] *S. f.* **1.** Qualidade, ação ou modos de quem é fátuo; presunção, vaidade, estultícia, estultice: "achou-se ridículo, cheio de f a t u i d a d e e ignorância" (Inglês de Sousa, *O Missionário,* p. 65). **2.** Qualidade daquilo que é fátuo, passageiro, fugaz.

fátuo. [Do lat. *fatuu.*] *Adj.* **1.** Muito estulto; néscio, tolo, insensato: "nem chupem e manchem [as mulheres] os dedos do Sacerdote pela pressa de receber o bocado divino, ou pela devoção indiscreta e f á t u a de participar de caminho também do toque dos dedos, que servem ao Sacramento." (P[e]. Manuel Bernardes, *Vários Tratados,* II, p. 191). **2.** Que é vaidoso e oco; presumido, presunçoso, pretensioso: "E como a juventude — orgulhosos e f á t u o s — julgais que todos vos obedecem — quando a todos vos sujeitais" (Gonçalves Dias, *Meditação,* p. 15). **3.** Passageiro, transitório, fugaz: "O sono tinha-se evolado com névoa f á t u a debaixo dum sol estival." (Aquilino Ribeiro, *Humildade Gloriosa,* p. 98.)

fatura. [Do lat. *factura.*] *S. f.* **1.** Ato, efeito, modo de fazer; feitura: "Fiado o algodão no fuso, os fios eram aproveitados para a f a t u r a de rendas" (Ulisses Lins de Albuquerque, *Um Sertanejo e o Sertão,* p. 233). **2.** Relação que acompanha a remessa de mercadorias expedidas, ou que se remete mensalmente ao comprador, com a designação de quantidades, marcas, pesos, preços e importâncias, podendo tais referências ser substituídas pela simples menção dos números e valores de notas fiscais extraídas, e guardadas conforme determinações da lei. [Cf., nessa acepç.: *duplicata* (2) e *nota fiscal.*] ◆ **Fatura consular.** Aquela que arrola mercadorias expedidas de um país a outro, e que deve ser visada pelo consulado do país ao qual se destina. **Liquidar a fatura.** *Bras. Fam.* **1.** Desempenhar-se de uma obrigação, um compromisso. **2.** Levar a termo um negócio ou uma tarefa.

faturamento. *S. m.* Ato ou efeito de faturar.

faturar. *V. t. d.* e *t. d. e i.* **1.** Fazer a fatura de (mercadoria vendida). **2.** Incluir na fatura (uma mercadoria). **3.** *Bras. Pop.* Tirar proveito material (sobretudo pecuniário) de: "Hoje Pelé f a t u r a a sua glória em todos os lugares por onde passa." *(Correio da Manhã,* Rio 5.11.1970.) **4.** *Bras. Pop.* Fazer, realizar, conseguir (coisa vantajosa): *Finalmente, numa incursão pela direita, Garrincha* f a t u r o u *o terceiro gol.* **5.** *Bras. Chulo.* Copular com. *Int.* **6.** *Bras.* Ganhar muito dinheiro; ou auferir vantagens: *O negócio vai de vento em popa, ele está* f a t u r a n d o; *Aproveitando-se de suas novas relações sociais, tem* f a t u r a d o *mais que nunca.* [Cf. *fatorar.*]

faturável. *Adj. 2 g.* Que pode ser faturado.

faturista. *S. 2 g. Bras.* Empregado de casa comercial incumbido de fazer faturas. [v. *fatura* (2)].

fauce. [Do lat. *fauces.*] *S. f.* **1.** *Anat.* A parte superior e interior da goela, junto à raiz da língua; garganta, goela. **2.** *Morfol. Veg.* Abertura do limbo da corola.

faúla. *S. f.* V. *fagulha:* "um simples gracejo .... impressionava-o, e ia lavrar-lhe por dentro, agravando-lhe o desespero, como a f a ú l a fugaz que ateia um incêndio." (Godofredo Rangel, *Falange Gloriosa,* p. 99).

faular (a-u). *V. t. d.* **1.** Lançar em forma de faúlas. *Int.* **2.** Despedir faúlas. [Conjug.: v. *saudar.*]

faúlha. [De *fagulha.*] *S. f.* **1.** V. *fagulha.* **2.** A parte mais sutil da farinha, que se evola na peneiração.

faulhento (a-u). *Adj.* Que lança ou expede faúlhas: "Panos de labareda esgarçam-se, tentando seguir a fumaça f a u l h e n t a em seu vertiginoso arranco para o alto." (Monteiro Lobato, *Urupês,* p. 155.)

fauna. [Do mit. *Fauna.*] *S. f.* **1.** O conjunto dos animais próprios de uma região ou de um período geológico. **2.** *Deprec.* Grupo de pessoas; gente: *a* f a u n a *dos literatos.* [Dim. irreg.: *fáunula.*]

fauniano[1]. *Adj.* Relativo a, ou próprio de fauno.

fauniano[2]. *Adj.* Relativo à fauna; faunístico.

faunístico. *Adj.* Fauniano[2].

fauno. [Do lat. *Faunu.*] *S. m. Mitol.* Divindade campestre caprípede, cornuda e cabeluda. "Doido f a u n o senil, quebrando as finas / Lianas que se erguem no cipoal em que erro, / O ar farejo com sôfregas narinas, / Percebo indícios duma ninfa, e berro..." (Humberto de Campos, *Poesias Completas,* p. 211.) ◆ **Fauno dos bosques.** O macaco.

fáunula. *S. f.* Fauna local de pequenos animais.

faustiano. *Adj.* Relativo ao *Fausto,* drama de Goethe [v. *goethiano*], ou próprio dele; fáustico, faustino.

fáustico. *Adj.* V. *faustiano.*

faustino. *Adj.* V. *faustiano.*
fausto. [Do lat. *faustu.*] *Adj.* **1.** Feliz, ditoso, venturoso, próspero, faustoso, fasto: *um fausto acontecimento;* "Ângela ressurgia salva da perigosa enfermidade, quando Maria Isabel, fechando a longa relação com a fausta nova da convalescença, sobrescritou a carta para Madri." (Camilo Castelo Branco, *O Regicida,* p. 92.) ● *S. m.* **2.** Luxo, pompa, ostentação, fasto: *Vive no fausto, e com isso gasta uma fortuna.*
faustoso (ô). [De *fausto* + *-oso.*] *Adj.* V. *fastuoso.*
faustuoso (ô). [De *fausto* + *-u-* + *-oso.*] *Adj.* V. *fastuoso.*
➧**fauteuil** (fôtéi). [Fr.] *S. m.* Poltrona[1].
fautor (ô). [Do lat. *fautore.*] *Adj.* **1.** Que favorece, auxilia, determina, promove, fomenta, é causa. ● *S. m.* **2.** Aquele ou aquilo que é fautor. [Fem.: *fautriz.* Cf. *fator.*]
fautoria. [De *fautor* + *-ia.*] *S. f.* **1.** Ato de favorecer, promover ou auxiliar. **2.** Auxílio, amparo, favor.
fautorizar. *V. t. d.* **1.** Ser fautor (2) de. **2.** Proteger, auxiliar, amparar, apadrinhar, patrocinar.
fautriz. [Do lat. *fautrice.*] *Adj. (f.)* e *s. f.* Fem. de *fautor* [q. v.].
fava. [Do lat. *faba.*] *S. f.* **1.** Planta de caule ereto, ornamental, da família das leguminosas *(Vicia faba),* com propriedades medicinais, de flores alvas ou róseas, com máculas negras nas asas, dispostas em racimos axilares, e cujo fruto é vagem viscosa, verde ou preta, comestível, contendo várias sementes; fava-do-brejo, fava-ordinária, faveira. **2.** A vagem ou semente dessa e doutras plantas: *fava de baunilha.* **3.** Designação comum a diversos objetos de configuração semelhante à da semente da fava. **4.** *Veter.* Doença que ataca o céu da boca dos eqüídeos. **5.** *Bras.* Pequeno seixo rolado, constituído, em geral, de minerais fosfatados, e também de óxido de titânio hidratado, e considerado como satélite do diamante. [V. *satélite* (7).] **6.** *Bras. Veter.* Doença que ataca os olhos dos galináceos. **7.** *Bras., MA.* Espécie de peixe. ◆ **Fava preta.** Voto de reprovação. **Favas contadas.** Coisa certa, inevitável. **Favas de zircônio.** *Min.* Badeleíta. **Ir à fava.** V. *ir às favas.* **Ir às favas.** Ir para longe, afastar-se, para deixar de importunar; ir bugiar, ir pentear macacos, ir plantar batatas, ir à fava. **Mandar à fava.** V. *mandar às favas.* **Mandar às favas. 1.** Despedir (alguém que importuna); mandar bugiar, mandar à fava. **2.** Demonstrar pouco apreço a (alguém ou algo); mandar à fava.
fava-belém. *S. f.* V. *feijão-de-lima.* [Pl.: *favas-beléns* e *favas-belém.*]
fava-brava. *S. f.* V. *feijão-de-porco* [Pl.: *favas-bravas.*]
fava-café. *S. f.* Trepadeira da família das leguminosas, subfamília cesalpináceа *(Mucuna pruriens).* [Pl.: *favas-cafés* e *favas-café.*]
fava-contra. *S. f. Bras., BA* e *PI.* Planta de caule glabro, da família das leguminosas *(Canavalia gladiata),* dotada de flores purpúreo-violáceas, pendentes, cujo fruto é legume com asas muito desenvolvidas, contendo sementes arredondadas, e que vegeta à beira-mar. [Pl.: *favas-contra.*]
fava-contra-o-mau-olhado. *S. f.* V. *feijão-de-porco.* [Pl.: *favas-contra-o-mau-olhado.*]
fava-da-índia. *S. f.* V. *fava-de-cheiro.* [Pl.: *favas-da-índia.*]
fava-de-arara. *S. f. Bras.* Planta da família das hipocrateáceas *(Hippocratea comosa),* de ramos avermelhados, flores estéreis, pequenas, alvas e amareladas, e cujo fruto é oblongo e contém sementes com asa estreita. [Pl.: *favas-de-arara.*]
fava-de-besouro. *S. f. Bras., PA.* Árvore pequena, da família das leguminosas *(Cassia xinguensis),* cujos pecíolos têm glândulas salientes, côncavas e muito grandes, cujo lenho é esbranquiçado, e que vegeta de preferência em terrenos argilosos. [Pl.: *favas-de-besouro.*]
fava-de-bolacha. *S. f. Bras.* V. *fava-de-impigem.* [Pl.: *favas-de-bolacha.*]
fava-de-bolota. *S. f. Bras., N.* e *N.E.* Designação comum a duas árvores com grandes sapopemas, da família das leguminosas *(Parkia pendula* e *Parkia platycephala),* dotadas de flores vermelho-escuras, dispostas em capítulos, e cujo fruto é vagem coriácea, contendo várias sementes; andirá, angelim, ararapitiu, faveira, rabo-de-arara, visgueiro, paricá-grande, pracari. [Pl.: *favas-de-bolota.*]
fava-de-calabar. *S. f.* Planta herbácea e trepadeira, medicinal, da família das leguminosas *(Physostigma venenosum),* de flores hermafroditas, irregulares, vermelho-púrpureas, com veias amareladas, em racimos axilares pendentes e com um disco glanduloso em torno da base do ovário, e cujo fruto é vagem volumosa e ligeiramente falciforme, contendo sementes com hilo que têm um princípio ativo tóxico. [Sin., bras. *eserê.* Pl.: *favas-de-calabar.*]
fava-de-cheiro. *S. f.* A semente do cumaru (1); cumaru, fava-tonca, tonca, fava-da-índia. [Pl.: *favas-de-cheiro.*]
fava-de-impigem. *S. f. Bras., Amaz.* Árvore regular e ornamental, da família das leguminosas *(Vatairea guianensis),* dotada de flores hermafroditas, roxo-azuladas ou róseas, dispostas em grandes panículas, e cujo fruto é vagem suberosa, com sementes aromáticas. Fornece madeira de cerne amarelo-pardacento, com estrias mais claras, de apreciável resistência à umidade. [Var.: *fava-de-impingem.* Sin.: *andirá-da-várzea, fava-de-bolacha, faveira-amarela, faveira-de-impigem* ou *faveira-de-impingem, lombrigueira.* Pl.: *favas-de-impigem.*]
fava-de-impingem. *S. f. Bras., Amaz.* V. *fava-de-impigem.* [Pl.: *favas-de-impingem.*]
fava-de-lima. *S. f.* V. *feijão-de-lima.* [Pl.: *favas-de-lima.*]
fava-de-quebranto. *S. f.* V. *feijão-de-porco.* [Pl.: *favas-de-quebranto.*]
fava-de-rama. *S. f. Bras.* Trepadeira lenhosa e ornamental, da família das leguminosas *(Canavalia bonariensis),* de flores azuis, grandes, pediceladas, e cujo fruto é vagem que encerra sementes pretas e achatadas. [Pl.: *favas-de-rama.*]
fava-de-rosca. *S. f. Bras., Amaz.* e *RJ.* Árvore grande, da família das leguminosas *(Enterolobium schomburgku),* cuja casca, cinzento-avermelhada, é pouco espessa e bastante fibrosa, cujas flores são alvas ou amareladas, dispostas em pedúnculos axilares, e cujo fruto é vagem espiralada, pardo-escura, com várias sementes; timbaúba, timbó-da-mata, timborana. [Pl.: *favas-de-rosca.*]
fava-de-santo-inácio. *S. f. Bras.* **1.** V. *andiroba* (2). **2.** V. *castanha-mineira* (1). **3.** Noz-vômica. [Pl.: *favas-de-santo-inácio.*]
fava-de-santo-inácio-falsa. *S. f. Bras., Amaz., CE, BA* e *MG.* Trepadeira de ramos finos, da família das cucurbitáceas *(Fevillea triangulares),* de flores pequenas, amarelas (as femininas, com glândulas de néctar na base das pétalas), fruto pepônio, escuro, contendo sementes rugosas, e cuja fécula, que se extrai da raiz, é denominada tapioca-de-purga ou goma-de-batata, considerada medicinal; andiroba ou andirova, guapeba, jendiroba, cipó-de-cabaça, cipó-de-cobra, cipó-de-jabuti, pacapiá.) [Pl.: *favas-de-santo-inácio-falsa.*]
fava-de-sucupira. *S. f. Bras.* V. *faveiro* (2). [Pl.: *favas-de-sucupira.*]
favado. [Part. de *favar.*] *Adj. Bras. N.E.* Que não logrou bom êxito; malogrado, gorado. ~ V. *terra* —*a.*
fava-do-brejo. *S. f.* V. *fava* (1). [Pl.: *favas-do-brejo.*]
faval. *S. m.* **1.** Plantação de favas. **2.** Lugar onde medram favas. [Sin.: ger.: *favaria.*]
fava-ordinária. *S. f. Bras.* V. *fava* (1). [Pl.: *favas-ordinárias.*]
fava-oró. *S. f.* Feijão-oró. [Pl.: *favas-orós* e *favas-oró.*]
favar. *V. int. Bras.* Não lograr bom êxito; malograr-se, gorar.
favaria[1]. *S. f.* **1.** Porção de favas. **2.** Faval.
favaria[2]. *S. f.* Porção de favos de abelha.
fava-tonca. *S. f. Bras.* V. *fava-de-cheiro.* [Pl.: *favas-toncas* e *favas-tonca.*]
faveca-vermelha. *S. f. Bras.* Arapati. [Pl.: *favecas-vermelhas.*]
faveira. [De *fava* + *-eira.*] *S. f.* **1.** *Bras., AM* a *SP.* Designação de várias árvores ou trepadeiras da família das leguminosas, de flores róseas ou avermelhadas, às vezes reunidas em espigas, em umbelas ou em panículas piramidais, e cujos frutos são vagens, com várias sementes. **2.** V. *fava* (1). **3.** V. *fava-de-bolota.*
faveira-amarela. *S. f. Bras.* V. *fava-de-impigem.* [Pl.: *faveiras-amarelas.*]
faveira-de-impigem. *S. f. Bras. Amaz.* V. *fava-de-impigem.* [Pl.: *faveiras-de-impigem.*]
faveira-de-impingem. *S. f. Bras., Amaz.* V. *fava-de-impigem.* [Pl.: *faveiras-de-inpingem.*]
faveira-do-campo. *S. f. Bras. faveira-do-mato.* [Pl.: *faveiras-do-campo.*]
faveira-do-mato. *S. f. Bras., Amaz., BA, MG* e *GO.* Árvore de casca lisa, da família das leguminosas *(Samanea multiflora),* dotada de flores sésseis, alvo-amareladas, dispostas em pequenos capítulos, sendo o fruto vagem coriácea, achatada e fina, com várias sementes. Fornece madeira alvo-esverdeada ou rósea, compacta e dura, própria para marcenaria. [Sin.: *faveira-do-campo, canafístula, saboeira.* Pl.: *faveiras-do-mato.*]
faveira-pequena. *S. f. Bras., Amaz.* Arbusto muito vistoso, da família das leguminosas *(Clitoria amazonum),* dotado de flores numerosas, grandes, alvas ou róseas, com pedúnculos axilares, dispostas em racimos curtos, e cujo fruto é vagem plana, chata e glabra. Vegeta de preferência nas margens de rios e lagoas. [Pl.: *faveiras-pequenas.*]
faveiro. [De *fava* + *-eiro.*] *S. m.* **1.** *Bras., PI* a *SP, GO* e *MT.* Árvore regular e ornamental, da família das leguminosas *(Platypodium elegans),* dotada de flores amarelas ou alaranjadas, dispostas em racimos axilares, e cujo fruto é vagem pedunculada, amarela, glabra e coriácea, com uma semente na extremidade mais larga. Fornece madeira de alburno branco e cerne pardo-claro com manchas pardo-escuras, e vegeta de preferência nos cerrados. [Sin.: *amendoim-bravo, ipê-branco, jacarandá, jacarandá-branco.*] **2.** *Bras., MG, SP* e *MT.* Árvore de pouca altura, da família das leguminosas *(Pteron pubescens),* que vegeta nos cerrados, de casca fina e lisa, que encerra um óleo essencial fortemente aromático, flores vermelho-pálidas, de cálice fendido e irregular, dispostas em panículas, sendo o fruto uma vagem drupácea achatada, com semente dura e porosa, e a madeira de ótima qualidade, castanho-escura, duríssima; fava-de-sucupira, sucupira-branca. **3.** *Bras., GO, MT* e *SP.* Árvore pequena, da família das leguminosas *(Stryphnodendron obovatum),* cuja casca é bom material para a indústria de curtume, e cujas flores são róseas, dispostas em espigas solitárias ou geminadas, sendo o fruto uma vagem linear, que tem mais ou menos marcadas as divisões entre as sementes. Fornece madeira. **4.** *Bras., PB.* V. *mentiroso* (4). ● *Adj.* **5.** *Bras., PB.* V. *mentiroso* (1).
faveiro-do-cerrado. *S. m. Bras.* V. *farinha* (3). [Pl.: *faveiros-do-cerrado.*]
favela. [Do top. *Favela,* do *Morro da Favela.*] *S. f. Bras.* **1.** Conjunto de habitações populares toscamente construídas (por via de regra em morros) e desprovidas de recursos higiênicos. [Sin.: *morro* (RJ) e *caixa-de-fósforos* (SP).] **2.** V. *faveleiro.*
favela-branca. *S. f. Bras., PE* a *SP.* Árvore pequena da família das leguminosas *(Enterolobium ellipticum),* de flores sésseis, alvo-amareladas, de corola monopétala, dispostas em capítulos, e cujo fruto é vagem coriácea, curvada, com várias sementes. Fornece madeira dura, pesada e bonita, própria para marcenaria. [Sin.: *angico-de-minas, angico-vermelho-do-campo, brinco-de-sagüi, orelha-de-negro, sene.* Pl.: *favelas-brancas.*]
favelado. [De *favela* + *-ado*[1].] *S. m.* e *adj. Bras.* Habitante de favela (1): "A favela de Santa Marta foi toda eletrificada pelos favelados com recursos arrecadados pelo grupo." (*Jornal do Brasil,* 24.1.1982.)
faveleira. *S. f. Bras., PI* a *SP.* V. *faveleiro.*
faveleiro. *S. m. Bras., PI* a *SP.* Arbusto grande da família das euforbiáceas *(Jatropha phyllacantha),* de flores alvas, dispostas em cimeiras, e cujo fruto é cápsula verrucosa, escura, contendo sementes pardacentas e oleaginosas; favela, faveleira, mandioca-brava.
faveolado. *Adj.* V. *faviforme.*
faviforme. *Adj. 2 g.* Que apresenta forma de favo (1); faveolado, alveolado.
favila. [Do lat. *favilla.*] *S. f.* **1.** Fogo coberto ou misturado com cinza. **2.** V. *cinza* (1).
favinha-brava. *S. f. Bras., MG* e *SP.* Designação de várias trepadeiras, pilosas ou não, da família das leguminosas, dotadas de flores amarelas, dispostas em racimos axilares, e cujos frutos são vagens, com sementes bicolores; feijão-do-mato, feijãozinho-bravo, olho-de-cabra-do-miúdo, olho-de-pombo, manduvirana. [Pl.: *favinhas-bravas.*]
favo. [Do lat. *favu.*] *S. m.* **1.** Alvéolo ou conjunto de alvéolos onde as abelhas depositam o mel: "Toda a colmeia em alvoroço dispersou assustada ao golpe daquela espada de fogo celeste que deixava à vista os morenos favos de cera cheios de mel." (Raimundo Morais, *País das Pedras Verdes,* p. 49.) **2.** *Fig.* Aquilo que é semelhante ao alvéolo. **3.** Coisa doce, agradável. **4.** *Med.* Infecção cutânea causada pelo *Tricophyton schoenleini,* e caracterizada pela formação de crostas amarelas em forma de taça, que, aumentando de tamanho, vêm a constituir massas semelhantes a favos [v. *favo* (1)]; tinha favosa.
favonear. [De *favônio* + *-ar*[2]; o correto, pois, seria *favoniar.*] *V. t. d.* Favorecer, proteger, propiciar; patrocinar. [Conjug.: v. *frear.*]
favoniar. *V. t. d.* V. *favonear.*
favônio. [Do lat. *favoniu.*] *S. m.* **1.** Vento brando do poente: "Pelas corolas túmidas de orvalho / Suspirava um favônio, carinhoso, / Com invisíveis mãos pulsando, leve, / Doce alaúde, ou bandolim mavioso" (Raimundo Correia, *Poesias,* p. 50). **2.** Vento propício, próspero. ● *Adj.* **3.** Propício, favorável (vento).
favor (ô). [Do lat. *favore.*] *S. m.* **1.** Mercê, graça;

obséquio: *Estava tão doente que a morte lhe seria um favor divino; Venha cá, por favor.* **2.** Benefício, bem, interesse: *Trabalho em seu favor, e não contra você.* **3.** Proteção, patrocínio: *É indispensável à empresa o favor do governo.* **4.** Agrado, simpatia: *Com seu talento, o artista em breve conquistou o favor do público.* **5.** Falta de isenção no julgar; parcialidade: *É incompetente, mas, com o favor do chefe, foi promovida.* **6.** Condição favorável, propícia: "uma galera toda em pano, entrando num favor da aragem, vagarosa, no vermelho da tarde" (Eça de Queirós, *Os Maias*, I, p. 16). **7.** Carta, missiva.

favorável. [Do lat. *favorabile.*] *Adj. 2 g.* **1.** Que favorece, auxilia, propicia; propício, conveniente, benigno. **2.** Que é em favor de alguém ou de algo.

favorecedor. (ô). *Adj.* e *s. m.* Que ou aquele que favorece.

favorecer. *V. t. d.* **1.** Ser em favor de (alguém); dar auxílio a; apoiar, defender, proteger, beneficiar: *Em vez de me prejudicar, a demora favoreceu-me.* **2.** Fazer favor ou obséquio a; obsequiar: *Favoreceu o amigo calando a questão.* **3.** Proteger com parcialidade: *Em toda a questão ela favorece o filho caçula.* **4.** Realçar o mérito de; mostrar (alguém ou algo) como melhor do que é: *O pintor favoreceu-a naquele retrato.* **5.** Dotar, beneficiar: *Deus a favoreceu com uma bela aparência.* **6.** Dar mais força a; corroborar: *As respostas evasivas do réu favoreceram as suspeitas do juiz. P.* **7.** Valer-se, servir-se, aproveitar-se: *Favoreceu-se do amigo para alcançar o emprego.* [Conjug.: v. *aquecer.*]

favorecido. [Part. de *favorecer.*] *Adj.* **1.** Protegido; auxiliado. **2.** Diz-se do retrato em que o modelo aparece mais bonito do que o é na realidade. **3.** V. *beneficiário* (1). ● *S. m.* **4.** V. *beneficiário* (2).

favorecimento. *S. m.* Ato de favorecer(-se). ◆ **Favorecimento real.** *Jur.* Ajuda que se presta, fora dos casos de co-autoria ou receptação, para tornar seguro o proveito de um crime.

favorita. [Fem. de *favorito.*] *S. f.* **1.** A mais favorecida; a mais querida; a predileta. **2.** A amante de um rei.

favoritismo. *S. m.* **1.** Preferência dada a favorito. **2.** Proteção com parcialidade.

favorito. [Do it. *favorito.*] *Adj.* **1.** Amado com preferência; predileto: *amigo favorito.* **2.** Preferido: *assunto favorito; passeio favorito.* **3.** *Turfe.* Diz-se do cavalo mais apostado num páreo. ● *S. m.* **4.** Aquele que é o favorito, o predileto. **5.** Cavalo favorito (3)

favoso (ô). [De *favo* + *-oso.*] *Adj. Morfol. Veg.* Diz-se de órgão vegetal com pequenas cavidades à superfície. ~ V. *tinha* —*a.*

faxina. [Do it. *fascina.*] *S. f.* **1.** Feixe de ramos, ou de paus curtos, com que se entopem fossos ou se cobrem parapeitos de bateria, e usado para outros fins nas campanhas militares. **2.** Feixe de ramos com que se entulham estradas, pântanos, etc., sobre os quais se hão de fazer construções. **3.** Lenha miúda; gravetos. **4.** Molho de lenha. **5.** Unidade de peso para lenha, de cerca de 60 quilogramas. **6.** Serviço de limpeza ou de condução de rancho nas casernas. **7.** *P. ext.* Limpeza geral. **8.** *Fig.* Estrago, destruição. **9.** *Fig.* Desfalque, alcance. **10.** *Bras., PE.* Varas finas e flexíveis com que se fazem cercas, entretecendo-as com outras varas horizontais mais grossas. **11.** *Bras., RS.* Trecho alongado de campo que penetra a floresta; faxinal. **12.** *Bras., S.* Campo de pastagem entremeado de arvoredo esguio; faxinal. ● *S. m.* **13.** *Bras., S.* Faxineiro (1).

faxinal. *S. m. Bras., S.* V. *faxina* (11 e 12).

faxinalense. *Adj. 2 g.* **1.** De, ou pertencente ou relativo a Faxinal (PR). ● *S. 2 g.* **2.** Natural ou habitante de Faxinal.

faxinar. *V. t. d.* **1.** Formar feixes de, juntar em feixes; enfeixar. **2.** Fazer faxina (6 e 7) em. **3.** Entupir (fossos, pântanos) com faxina (1).

faxinaria. [De *faxina* (6) + *-aria.*] *S. f. Bras.* Compartimento, armário ou caixa onde se guarda, a bordo, material de limpeza e tratamento do navio.

faxina-vermelha. *S. f. Bras.* Árvore pequena, da família das sapindáceas *(Dodonea viscosa)*, dotada de propriedades febrífugas, com flores amarelo-esverdeadas, apétalas, reunidas em pequenos corimbos axilares, e cujo fruto é cápsula samaróide, alva com máculas arroxeadas; alaranjadas ou vermelhas, contendo sementes pretas; faxino-vermelho, erva-de-veado, vassoura-do-campo, vassoura-vermelha, vassourinha-do-mato. [Pl.: *faxinas-vermelhas.*]

faxineira. *S. f.* **1.** *Bras.* Toalha que certos marinheiros usam ao pescoço, para enxugar o suor, quando executam serviços pesados. **2.** *Bras., SP.* Certa modalidade de fandango.

faxineiro. *S. m.* **1.** Aquele que nos quartéis tem serviço de faxina; faxina. **2.** *P. ext.* Encarregado da faxina (7).

faxino-vermelho. *S. m. Bras.* V. *faxina-vermelha.* [Pl.: *faxinos-vermelhos.*]

faz-de-conta. [Da 3ª pess. do pres. do ind. de *fazer* + *de* + *conta.*] *Adj. 2 n.* **1.** *Bras., RS.* Diz-se de marido enganado pela mulher. ● *S. m. 2 n.* **2.** Imaginação, fantasia: *Vive fora da realidade, no mundo do faz-de-conta.* **3.** *Bras., RS.* Marido enganado pela mulher. V. *corno* (8).

fazedoiro. *Adj. Desus.* Var. de *fazedouro.*

fazedor (ô). *Adj.* **1.** Que faz; feitor. ● *S. m.* **2.** Aquele que faz ou costuma fazer: "Amplo e legítimo orgulho para todos os legistas e para todos os fazedores de sociologias." (Eça de Queirós, *Cartas Familiares e Bilhetes de Paris*, p. 133.) **3.** Aquele que cumpre ou executa. ◆ **Fazedor de anjos.** Aquele que faz abortos [v. *aborto* (1)] criminosos.

fazedouro. *Adj. Desus.* Que se pode ou deve fazer. [Var.: *fazedoiro.*]

fazenda. [Do lat. vulg. lusitano **facenda*, 'coisas que devem ser feitas', gerundivo do lat. *facere.*] *S. f.* **1.** Conjunto de bens; haveres: "O pai [em tempo de guerra] não tem seguro o filho, o rico não tem segura a fazenda, o pobre não tem seguro o seu suor" (Pe Antônio Vieira, *Sermões*, XIV, p. 9). **2.** Grande propriedade rural, de lavoura ou de criação de gado. [Sin. no RS, nesta acepç.: *estância.* Dim. irreg.: *fazendola.*] **3.** Pano, tecido. **4.** Mercadoria; gêneros. **5.** Os recursos financeiros e econômicos de um país; tesouro, erário: *o Ministério da Fazenda.* **6.** *Fig:* Qualidade, jaez, estofa. **7.** *Pop.* Mulher bonita, vistosa, atraente; peixão, pancadão: "— E aquela francesa, hem? Que pancadão! Uma fazenda supimpa!" (Cardoso de Oliveira, *Dois Metros e Cinco*, p. 49.) **8.** *Bras.* Órgão de administração pública incumbido de arrecadar, administrar, fiscalizar e distribuir os bens patrimoniais da União, de um estado ou de um município. **9.** *Econ.* e *Cont.* Azienda. ◆ **Fazenda pública.** *Dir. Trib.* V. *fisco.*

fazenda-modelo. *S. f. Bras.* Fazenda (2) cuja organização e métodos servem ou podem servir de modelo. [Pl.: *fazendas-modelos* e *fazendas-modelo.*]

fazenda-novense. *Adj. 2 g.* **1.** De, ou pertencente ou relativo a Fazenda Nova. (GO). ● *S. 2 g.* **2.** Natural ou habitante de Fazenda Nova. [Pl.: *fazenda-novenses.*]

fazendão. [Aum. de *fazenda* (7).] *S. m. Bras. Pop.* Mulher alta e corpulenta; peixão; fazenda.

fazendário. *Adj.* Respeitante à fazenda pública; financeiro.

fazendeiro. *Adj.* **1.** Relativo ou pertencente a, ou próprio de fazenda (2): *ambiente fazendeiro; hábitos fazendeiros.* **2.** Que tem e/ou cultiva fazendas. ● *S. m.* **3.** Dono de fazenda (2). **4.** *Bras.* Planta herbácea e glabra, da família das compostas *(Galinsoga parviflora)*, considerada erva má, invasora de terras cultivadas, cujas flores são hermafroditas, alvas e amarelas, e as centrais férteis, reunidas em capítulos irregulares e corimbosos, e cujo fruto é aquênio anguloso com papo paleáceo e sem aristas; picão-branco.

fazendista. *S. 2 g.* Pessoa versada em assuntos da fazenda pública.

fazendola. *S. f.* Pequena fazenda (2): "Por uma tarde .... de inverno, o bando do Rio Preto .... apeava numa fazendola insulada no vasto plaino do sertão da Paraíba." (Gustavo Barroso, *Terra de Sol*, p. 134.)

fazer. [Do lat. *facere.*] *V. t. d.* **1.** Dar existência ou forma a; produzir física ou moralmente; criar: *Deus fez o mundo em seis dias.* **2.** Construir, edificar: *Os espanhóis fizeram igrejas sobre os templos dos deuses astecas.* **3.** Fabricar, manufaturar: *fazer uma estante; fazer um boneco.* **4.** Produzir intelectualmente; escrever, compor: *fazer um romance; fazer uma sonata.* **5.** Praticar, obrar, executar, realizar: *Fez um gesto de assentimento:* "Fez morte por jactância, ... outras em defesa própria." (Bulhão Pato, *Memórias*, II, p. 143); "Por que tão tristes e fechados vamos? / Negro crime fazemos!" (Eugênio de Castro, *Obras Poéticas*, V, p. 170). **6.** Dar, produzir, executar: "Divertia-se em olhar para as gaivotas, que faziam grandes giros no ar" (Machado de Assis, *Várias Histórias*, p. 51). **7.** Aparar, cortar, etc., ou mandar que o façam: *fazer o cabelo, a barba, unhas;* "Os rapazes .... parece que fazem a barba uma vez por semana, na feira." (José Carlos Cavalcanti Borges, *Padrão C*, p. 22). **8.** Pintar, esculpir, gravar, talhar, etc. (obra de arte). **9.** Proferir, enunciar, exprimir, formular: *fazer uma promessa; Fez votos cordiais.* **10.** Dar origem a; ser causa de; produzir: "Ninguém é mais adulado que os tiranos: o medo faz mais lisonjeiros que o amor." (Marquês de Maricá, *Máximas, Pensamentos e Reflexões*, p. 24); *Fez um barulho que acordou a criança.* **11.** Pôr em ordem; dispor, arranjar: *Faz a cama ao levantar-se.* **12.** Completar, atingir: *Fez ontem 20 anos;* "Quando fizeram dez anos de casados, Elvira já se transformara numa matrona." (Ledo Ivo, *O Flautim*, p. 53). **13.** Preparar, cozinhando: *Fez o jantar.* **14.** Trabalhar em: *Não faz nada, e está sem vintém; Faz carretos.* **15.** Dar, dispensar: *fazer esmolas.* **16.** Conseguir, obter: *Fez 11 pontos na loteria esportiva.* **17.** Alcançar, conseguir, por influência ou empenho: *Fez que nomeassem o filho.* **18.** Dar lugar à formação, educação, instrução, etc., de: *Sua força de vontade o fez.* **19.** Inspirar, despertar, acordar no ânimo (um sentimento): *Faz pena vê-lo assim.* **20.** Fingir, simular: *Fez que não viu o amigo.* **21.** Formar, conceber: "Você pode fazer uma pequena idéia do meu martírio, obrigada a viver com um homem que me odeia!" (Joraci Camargo, *Anastácio*, p. 92.) **22.** Tomar ou adquirir a forma de; formar: *A estrada, naquele ponto, faz um S.* **23.** Percorrer, andar, viajar: *Já fez toda a Europa, e agora pretende ir à Ásia;* "fizera os duzentos quilômetros do sertão ao litoral, parte de trem, outra parte a pé" (Raquel de Queirós, *100 Crônicas Escolhidas*, p. 3). **24.** Dedicar-se a, consagrar-se a, sobretudo profissionalmente: *Deixou o emprego público e hoje faz teatro.* **25.** Representar o papel (4) de: *Fez um* Hamlet *extraordinário.* **26.** Amealhar, juntar, economizar: *No negócio em que se meteu, em pouco tempo, fez muito dinheiro.* **27.** Dar, aplicar (injeção). **28.** Editar, lançar (livro, disco, etc.) **29.** *Gram.* Apresentar (certa flexão ou terminação): *O verbo vir faz vier no futuro do subjuntivo; Mão faz mãos no plural. Impess.* **30.** Haver, existir, ocorrer (determinado estado atmosférico ou fenômeno meteorológico); estar: "Faz frio. Há bruma. Agosto vai em meio." (Vicente de Carvalho, *Poemas e Canções*, p. 130); *Fazia um belo sol; Hoje de manhã fez um nevoeiro forte.* **31.** Ter decorrido, passado (determinado período de tempo); haver: "Fui a Viseu... em maio fez dois anos" (Tomás Ribeiro, *D. Jaime*, p. 38); "Fazia um ano que se realizara, na noite de S. João, uma grande festa na casa-grande da fazenda." (Adalberon Cavalcanti Lins, *Curral Novo*, p. 320). **32.** Funciona como verbo vicário: "Quis rir, e fê-lo mal." (Machado de Assis, *Quincas Borba*, p. 325); "Meu pai .... pediu-me que eu pegasse uma das alças do caixão fúnebre do padre velho. Fi-lo, numa grande tristeza no coração." (Lima Júnior, *Alguns Homens do Meu Tempo*, p. 17). *T. d.* e *i.* **33.** Inspirar, despertar: *A ofensa fez-lhe grande tristeza.* **34.** Converter, reduzir: *Fez a carta em pedacinhos.* **35.** Causar, ocasionar: *Não faças mal ao pequeno!* **36.** Dizer respeito; interessar: *Que lhe faz esta nomeação?* **37.** Conceder, tributar, prestar: *Fez grande obséquio ao amigo, e este o traiu.* **38.** Transformar, converter: *Fez do pobre filho um sábio.* **39.** Vender por (preço mais módico); deixar por: "O preço dele é noventa cruzeiros, mas para você, que é freguês, faço por cinqüenta." (Adovaldo Fernandes Sampaio, *O Sol na Rede*, p. 23.) *Transobj.* **40.** Converter em; tornar: "Os governos fracos fazem fortes os ambiciosos e insurgentes." (Marquês de Maricá, *Máximas, Pensamentos e Reflexões*, p. 24); *Fez o filho médico; Fez a carta pedaços;* "as longas vigílias fizeram-me pálido" (Machado de Assis, *Helena*, p. 262). **41.** Destinar (para cargo ou emprego): "Quiseram fazê-lo deputado." (Machado de Assis, *Páginas Recolhidas*, p. 38.) **42.** Elevar à dignidade de: *Fez o prefeito governador do estado. T. i.* **43.** Importar, interessar: *Nada disso faz ao caso, podes ficar tranqüilo.* **44.** Dizer respeito; importar: *Que me fazem os teus caprichos?* **45.** Diligenciar; esforçar-se: *Faça por ser um bom aluno;* "Faze por ser feliz" (Olegário Mariano, *Toda uma Vida de Poesia*, II, p. 437); "Fez por parecer alegre." (Manuel Bandeira, *Estrela da Vida Inteira*, p. 49). **46.** Fingir, simular: *Faz de severo, mas é um trocista. Int.* **47.** Proceder, portar-se, avir-se: *Faça como seu irmão, que soube tornar-se um homem de bem. P.* **48.** Tornar-se, converter-se, transformar-se: *O rapazinho fez-se adulto.* **49.** Tornar-se, ficar: "Artur fez-se vermelho de prazer." (Eça de Queirós, *A Capital*, p. 202.) **50.** Constituir-se em certo emprego ou dignidade: *Fez-se a si mesmo imperador.* **51.** Vir a ser; tornar-se: "Nascido de pais humildes, órfão desde cedo, menino afeito ao trabalho, fez-se pelas próprias mãos [Machado de Assis] o maior escritor brasileiro." (Astrogildo Pereira, *Machado de Assis*, p. 13); *Far-se-á, com o tempo, um grande homem.* **52.** Fingir-se; simular ser: *Fez-se de ignoran-*

te para não responder. **53.** Seguido de um verbo no infinitivo, emprega-se como 'ser causa de', 'obrigar', 'constranger': *O terremoto* fez *tremer a cidade; A chegada dos moradores* fez *recuar os assaltantes.* [Irreg. Pres. ind.: *faço, fazes, faz, fazemos, fazeis, fazem;* imperf.: *fazia, fazias,* etc.; perf.: *fiz, fizeste, fez* (ê), *fizemos, fizestes, fizeram;* m.-q.-perf.: *fizera, fizeras,* etc.; fut. pres.: *farei, farás,* etc.; fut. pret.: *faria, farias,* etc.; imperat.: *faze,* ou *faz, fazei,* etc.; pres. subj.; *faça, faças,* etc.; imperf.: *fizesse, fizesses,* etc. fut.: *fizer, fizeres,* etc.; inf. pess.: *fazer, fazeres,* etc.; ger.: *fazendo;* part.: *feito.* Cf. *fês,* pl. de *fê; fez,* s. f.; e *fase,* s. f.] ♦ **Fazer e acontecer.** *Bras.* Fazer livremente o que bem entende. **Fazer e desfazer.** Mandar e desmandar. **Fazer por onde. 1.** Procurar jeito (de fazer algo): *Fiz por onde abrandá-lo, e não o consegui.* **2.** Dar motivo a (algo, algum fato): *Foi castigado sem fazer por onde.* **Fazer que. 1.** Obrigar a; causar: *Estava imóvel e fiz que se movesse.* **2.** Fingir, simular: *Faz que trabalha, mas diverte-se.* **Fazer-se rogar.** Gostar de que lhe peçam algo com insistência. **Fazer ver. 1.** Expor à vista; mostrar. **2.** Chamar a atenção para; advertir.

fazimento. *S. m.* Ato ou efeito de fazer(-se).

fazível. *Adj. 2 g.* V. *factível.*

faz-tudo. [De *faz,* do v. *fazer,* + *tudo.*] *S. 2 g.* e *2 n.* **1.** Pessoa que exerce variadas indústrias ou se ocupa em múltiplos misteres. **2.** Pessoa que conserta objetos estragados, sobretudo domésticos. **3.** Estabelecimento onde se consertam esses objetos.

■**Fe.** *Quím. Símb.* de *ferro.*

fé. [Do lat. *fide.*] *S. f.* **1.** Crença religiosa: *De tanto sofrer, perdeu até a fé.* **2.** Conjunto de dogmas e doutrina que constituem um culto: *a fé muçulmana; a fé católica.* **3.** *Rel.* A primeira virtude teologal: adesão e anuência pessoal à Deus, seus desígnios e manifestações. **4.** Firmeza na execução de uma promessa ou de um compromisso. **5.** Crença, confiança. **6.** Asseveração de algum fato. **7.** Testemunho autêntico que determinados funcionários dão por escrito acerca de certos atos, e que tem força em juízo. [Cf. *fê.*] ♦ **Fé conjugal.** Fidelidade conjugal. **Fé de ofício. 1.** A fé que se funda na honra do cargo ou da profissão de quem atesta ou abona. **2.** Folha de serviço dum funcionário público ou dum militar. **Fé do carvoeiro.** Crença cega. **Fé pública.** Presunção legal de autenticidade, verdade ou legitimidade de ato emanado de autoridade ou de funcionário devidamente autorizado, no exercício de suas funções. **Fé púnica.** Deslealdade, perfídia. **À falsa fé.** Falsamente, deslealmente; com traição: "O certo é que durante a larga demora que sofreu a ratificação, e sobretudo a notificação do tratado, apossaram-se [os holandeses] à falsa fé, e quase sem resistência, de Sergipe e Maranhão, no Brasil; e de Angola, em África" (João Francisco Lisboa, *Obras,* IV, p. 39). **A fé.** Na verdade, por certo; a la fé. **A la fé.** V. *a fé:* "A la fé .... que a festa de vossos anos .... será mais de mancebo cavaleiro que de capitão encanecido e prudente." (Alexandre Herculano, *Lendas e Narrativas,* II, p. 82.) **Dar fé a.** Acreditar em; acreditar, crer. **Dar fé de. 1.** Afirmar como verdade; testificar. **2.** Garantir, por encargo legal, a verdade ou a autenticidade do texto de um documento ou de um relato, de uma assinatura, etc. **3.** Perceber, notar, ver: *Nem deu fé da minha presença.* **Dar por fé. 1.** Afirmar como verdadeiro; certificar. **2.** Garantir, por encargo legal, a verdade ou autenticidade do conteúdo de um documento ou relato; portar por fé. **Fazer fé. 1.** Ser digno de crédito. **2.** Prestar testemunho autêntico. **Fazer fé em.** V. *ter fé em.* **Fazer uma fé em.** V. *fezinha.* **Levar fé em.** V. *ter fé em: Não levo fé nesse projeto.* **Portar por fé.** Dar por fé (2). **Ter fé.** Ser digno de crédito. **Ter fé em.** Depositar confiança em; confiar; acreditar; fazer fé em, levar fé em.

fê. *S. m.* Efe. [Pl.: *fês* ou *ff.* Cf. *fez* (ê), do v. *fazer* e s. m., *fez* e *fé.*]

fealdade. *S. f.* **1.** Qualidade de feio: "Era uma menina muito feia, mas da fealdade núbil que promete à donzela esplendores de beleza." (José de Alencar, *Diva,* p. 195.) [Sin. (bras.): *feiúra* e (MG) *feiúme.*] **2.** Indignidade, desdouro.

febéia. *Adj. (f.)* Fem. de *febeu: a luz febéia.*

febeu. [Do gr. *phoibeîos,* pelo lat. *phoebeu.*] *Adj.* Relativo a, ou próprio de Febo. [Fem.: *febéia.*]

febo. [De *Febo,* o deus do Sol na mitologia greco-romana.] *S. m.* O Sol.

febra (ê). [Do ár. *Habra* ou *habra.*] *S. f.* **1.** Carne sem osso nem gordura. **2.** Fibra, ligamento, músculo, nervo. **3.** *Fig.* Força; energia, têmpera.

febrão. [De *febre* + *-ão*[1].] *S. m.* Forte acesso de febre; febre violenta: " — Tem um febrão de respeito." (Brito Camacho, *Quadros Alentejanos,* p. 256.)

febre[1]. [Do lat. *febre.*] *S. f.* **1.** *Patol.* Elevação da temperatura corporal por efeito de doença. [Dim. irreg.: *febrícula.*] **2.** *Fig.* Grande perturbação de espírito; exaltação. **3.** Desejo ardente; ânsia de possuir, de alcançar alguma coisa: *febre de fortuna, de glória;* "Não era tanto a vontade de fugir a Maria Bárbara o que lhe fazia desejar com tamanha febre aquela viagem ao Rosário" (Aluísio Azevedo, *O Mulato,* p. 121). ~ V. *febres.* ♦ **Febre aftosa.** *Patol.* Doença produzida por vírus, altamente contagiosa, que incide em bovinos, suínos e ovinos, e, muito raramente, no homem. [Tb. se diz apenas *aftosa.*] **Febre amarela.** *Patol.* Doença produzida por vírus, que ocorre em regiões tropicais e subtropicais da África e América, tendo outrora apresentado incidência significativa em áreas temperadas, sob a forma de epidemias, no verão. Há uma forma urbana (transmissão de homem a homem, através de mosquito), e uma silvestre (transmissão de mosquito a homem); vômito-negro, tifo icteróide. **Febre atípica.** *Patol.* Designação comum às febres intermitentes, sem regularidade nos seus acessos. **Febre de feno.** *Patol.* V. *rinite alérgica.* **Febre de Malta.** *Patol.* V. *brucelose.* **Febre de Oroya.** *Patol.* V. *doença de Carrión.* **Febre do Mediterrâneo.** *Patol.* V. *brucelose.* **Febre epacmástica.** *Patol.* A que aumenta gradualmente. **Febre errática.** *Patol.* Febre intermitente, irregular. **Febre hemitritéia.** *Patol.* Febre intermitente que se manifesta por um acesso cada dia, ocorrendo de dois em dois dias um acesso mais forte; febre hemitrítica, febre hemitrítia. [Tb. se diz apenas *hemitritéia, hemitrítica* ou *hemitrítia.*] **Febre hemitrítia.** *Patol.* V. *febre hemitritéia.* **Febre hemitrítica.** *Patol.* V. *febre hemitritéia.* **Febre intermitente.** *Patol.* **1.** A que se caracteriza por episódios de febre alta, com intervalos em que a temperatura está normal. **2.** *Bras.* e *prov. lus.* V. *malária.* **Febre miliar.** *Patol.* Doença infecciosa aguda, de cujo quadro clínico fazem parte febre, sudorese excessiva e pápulas grandes e abundantes, a que se seguem pústulas. **Febre octã.** *Patol.* A que se repete de oito em oito dias; febre octana. [Tb. se diz apenas *octã* ou *octana.*] **Febre octana.** *Patol.* V. *febre octã.* **Febre ondulante.** *Patol.* V. *brucelose.* **Febre palustre.** *Patol.* V. *malária.* **Febre puerperal.** *Patol.* Infecção que se manifesta após o término de uma gravidez, ou pelo aborto ou, mais freqüentemente, pelo parto. **Febre Q.** *Patol.* Doença infecciosa produzida pela *C. burnetii,* microrganismo da família *Rickettsiaceae,* gênero *Coxiella.* É uma pneumonite que se transmite por via aerógena. **Febre quartã.** *Patol.* Febre intermitente que se repete de quatro em quatro dias. [Tb. se diz apenas *quartã.*] **Febre quintã.** *Patol.* Febre intermitente que se repete de cinco em cinco dias. [Tb. se diz apenas *quintã.*] **Febre reumática.** *Med.* V. *reumatismo poliarticular agudo.* **Febre setena.** *Patol.* Febre cujos acessos se repetem de sete em sete dias. [Tb. se diz apenas *setena.*] **Febre terçã.** *Patol.* Aquela cujos acessos se manifestam de três em três dias. [Tb. se diz apenas *terçã.*] **Febre tifóide.** *Patol.* Doença infecciosa causada pela *Salmonella Typhi,* e que se prolonga por várias semanas e inclui em seu quadro clínico cefaléia, febre contínua, apatia, esplenomegalia, erupção cutânea maculopapular, podendo, eventualmente, ocorrer perfuração intestinal.

febre[2]. [Do fr. *faible,* 'fraco'.] *Adj. 2 g.* **1.** Diz-se de moeda que não tem o peso legal. ● *S. m.* **2.** Falta de peso legal. ~ V. *febres.*

febre-de-caroço. *S. f. Bras., N.E. Pop.* V. *peste bubônica.* [Pl.: *febres-de-caroço.*]

febrento. *Adj.* **1.** *Bras.* V. *febril* (1). ● *S. m.* **2.** Indivíduo febriculoso.

febres. [Pl.: de *febre*[1].] *S. f. pl.* V. *malária.* ~ V. *febre.*

febricitante. [Do lat. *febricitante.*] *Adj. 2 g.* **1.** V. *febril* (1 e 3): "nas palestras esparsas em grupos febricitantes vibrava longamente este entusiasmo despedaçado de temores que trabalha as almas revolucionárias." (Euclides da Cunha, *Contrastes e Confrontos,* p. 16). **2.** Próprio de quem está com febre: "O seu rosto pisado, os olhos injetados de sangue e febricitantes ainda aumentaram o meu vexame." (José de Alencar, *Lucíola,* p. 120.)

febricitar. [Do lat. *febricitare.*] *V. int.* **1.** Ter febre. **2.** Estar febricitante, febril.

febrícula. [Do lat. *febricula.*] *S. f.* Febre ligeira, branda; febrezinha: "a pretexto de visitar a pequena, que adoecera com uma febrícula, Jorge pediu a companhia da velha senhora" (Coelho Neto, *Obra Seleta,* p. 268).

febriculoso (ô). [Do lat. *febriculosu.*] *Adj.* Que propende para febres; que as tem com freqüência.

febrífugo. [Do lat. *febre* + *-i-* + *-fugo.*] *Adj.* **1.** Que afugenta a febre, ou que a combate. ● *S. m.* **2.** Medicamento contra a febre. [Sin. ger.: *antifebril, antipirético* e *antitérmico.*]

febril. [Do lat. *febrile.*] *Adj. 2 g.* **1.** Em estado de febre; que tem febre: "No dia seguinte, D. Adélia amanheceu bastante gripada, febril." (José Afrânio Moreira Duarte, *A Muralha de Vidro,* p. 23.) [Sin.: *febricitante* e (bras.) *febrento.*] **2.** Relativo à, ou próprio da febre; pirético: "os olhos luziam com ardor febril que incomodava" (José de Alencar, *Lucíola,* p. 110). **3.** Fig. Exaltado, apaixonado, febricitante.

febriologia. [Do lat. *febre* + *-i-* + *-log(o)-* + *-ia.*] *S. f.* **1.** Tratado acerca das febres. **2.** Parte da medicina que trata especialmente das febres.

febriológico. *Adj.* Relativo à febriologia.

fecal. [Do fr. *fécal.*] *Adj. 2 g.* Referente a fezes, ou que as tem, ou delas é formado; excrementício.

fecálito. [De *fecal* + *-ito*[2].] *S. m. Patol.* Concreção intestinal que se constitui em torno de núcleo formado por matéria fecal.

fecalóide. [De *fecal* + *-óide.*] *Adj. 2 g.* **1.** Que cheira a matérias fecais: *vômito fecalóide.* **2.** Semelhante a fezes.

fecaloma. [De *fecal* + *-oma.*] *S. m. Patol.* Acúmulo considerável de matéria fecal no reto, constituindo massa que sugere tumor; coproma.

fecha (ê). [Dev. de *fechar.*] *S. m. Bras.* Barulho, desordem. V. *rolo*[1] (16). [É comuníssima a pronúncia com o e aberto.]

fecha-bodegas. [De *fechar* + *bodega*] *S. m. 2 n. Bras., CE. Pop.* V. *valentão* (3): "Outra variedade do tipo cangaceiro é o cabra valentão, famanaz, 'desmancha-sambas', 'acaba-novenas', fecha-bodegas, jogador de cacete, faquista, desordeiro." (Gustavo Barroso, *Terra de Sol,* p. 150.)

fechação. [De *fechar* + *-ção.*] *S. f. Bras., Amaz.* Ato de reunir o gado em espaço restrito; rodeio.

fechada. *S. f.* Ato ou efeito de fechar (16): *O carro levou uma fechada violenta e acabou derrapando.*

fechado. [Part. de *fechar.*] *Adj.* **1.** Que não está aberto; cerrado: *porta fechada; olhos fechados.* **2.** Que tem a abertura ou boca tapada: *torneira fechada; panela fechada.* **3.** Diz-se do ferimento, ou do corte cirúrgico, cujos lábios se uniram ou cicatrizaram: *ferida fechada; corte fechado.* **4.** Guardado, encerrado: *Tinha o dinheiro fechado e bem fechado.* **5.** Que fala muito pouco de si mesmo; pouco dado a manifestações ou confissões; reservado, trancado: "Era um ser fechado, retraído, que custava a se adaptar, mais ainda a se abrir" (Salim Miguel, *Alguma Gente,* p. 63). **6.** Diz-se do semblante carregado, amarrado: *Ficou de cara fechada todo o tempo.* **7.** Ajustado, ultimado: *Já não podia recuar: o negócio estava fechado.* **8.** Cujas atividades se suspenderam de modo provisório ou definitivo: *Encontrei a loja fechada.* **9.** Diz-se de rua ou de qualquer via de comunicação onde está impedido o tráfego: *Com a estrada fechada, o trânsito dificultou-se; O túnel continua fechado.* **10.** Denso, compacto, cerrado: *mata fechada.* **11.** Diz-se do tempo escuro, carregado, nublado, tempestuoso, embruscado, brusco. **12.** Que tende para o escuro, ou que o é: "O rosto, de uma cor fechada de bronze, engelhado, nunca tivera barba" (Coelho Neto, *Sertão,* p. 279). **13.** *Bras.* Que não tem sorte; azarado, azarento. ~ V. *aglomerado —, capital —, cerrado —, circuito —, conjunto —, curva —a, economia —a, empresa —a, empresa de capital —, fase —a, fita —a, intervalo —, luto —, mar —, noite —a, pôquer —, questão —a, sinal —, sistema —, sulco —* e *vogal —a.* ● *S. m.* **14.** *Bras.* Lugar de mato cerrado: "tomaram-lhe o animal, o qual se deixou passivamente conduzir pelo cabresto a um fechado da capoeira onde Joaquim julgou prudente recolhê-lo sem demora." (Franklin Távora, *O Cabeleira,* p. 65).

fechadura. *S. f.* Peça metálica que, por meio de lingüeta(s) e com o auxílio da chave, fecha portas, gavetas, etc. [Sin., em Arquit., *fechal.*]

fecha-fecha. [Do imperat. de *fechar,* repetido.] *S. m. Bras.* **1.** Fechamento generalizado de casas comerciais, bancos, etc. quando ocorrem perturbações da ordem pública, desordens, barulhos, etc. **2.** Barulho, desordem. V. *rolo*[1] (16). [Pl. *fechas-fechas* e *fecha-fechas.*]

fechal. *S. m. Arquit.* Fechadura.

fechamento. *S. m.* **1.** Ato ou efeito de fechar(-se). **2.** Realização (de um negócio). **3.** Fecho de abóbada ou de arco.

fechar. [Do lat. *fistulare.*] *V. t. d.* **1.** Pôr algo apropriado para obstruir a entrada, a abertura, de, na posição adequada; cerrar: *fechar uma arca.* **2.** Unir, juntar, ajuntar, as partes separadas de; cerrar: "Se eu morresse amanhã, viria aos menos / Fechar meus olhos minha triste irmã" (Álvares de Azevedo, *Obras Completas*, I, p. 326); *fechar os lábios.* **3.** Impedir, por meio de trinco, chave, aldrava, tranca, etc., a comunicação de (janela, porta, portão, etc.) com outra peça ou uma área, ou a parte exterior a esta peça ou área: *fechar a porta, a janela de um quarto, de uma sala; fechar um portão, uma cancela.* **4.** Tapar a abertura de: *fechar uma bica.* **5.** Unir os bordos ou os lábios de: *Fechou o ferimento com alguns pontos.* **6.** Pôr em recinto fechado: *Fechou as crianças e saiu.* **7.** Impedir o acesso a: *fechar as fronteiras.* **8.** Impedir o trânsito em; impedir, obstruir: *Fecharam a rua com barricada.* **9.** Fazer cessar, provisória ou definitivamente, o funcionamento de: *O governo mandou fechar a escola.* **10.** Comprimir; estreitar; apertar; cerrar: *Fechou a mão em que guardava o anel.* **11.** Cercar em assédio: *As tropas aliadas fecharam o inimigo.* **12.** Limitar, demarcar. **13.** Pôr termo a; concluir, terminar: *fechou o discurso com uma bela frase.* **14.** Realizar definitivamente (um negócio). **15.** Na sinalização do trânsito, fazer passar (o sinal) verde, que indica trânsito livre) a vermelho, que indica impedimento: *O guarda fechou o sinal.* **16.** Cortar[1] (16). **17.** *Bras., Marajó.* Reunir (o gado) na malhada ou noutro ponto qualquer. *T. i.* **18.** Terminar, acabar: *O horizonte fechava em espessa cortina de fumaça; Seu vestido fechava, no decote, em pequenas pregas. Int.* **19.** Terminar, acabar, findar, rematar: "Este livro [*As Desencantadas*, de Pierre Loti] .... fecha tragicamente." (José Vieira, *Sol de Portugal*, p. 59); *Seu discurso fechava com palavras de agradecimento.* **20.** Encerrar o expediente: *As lojas fecham às 18 horas.* **21.** Encerrar a atividade; deixar de funcionar: *O restaurante fechou por falta de freguesia.* **22.** Tornar-se denso, escuro; fechar(-se), cerrar(-se): *A noite fechou.* **23.** Tornar (o tempo) chuvoso ou ventoso. **24.** Unirem-se os bordos ou lábios de (um ferimento); cicatrizar-se, fechar-se: *A ferida fechou.* **25.** Na sinalização do trânsito, passar (o sinal) de verde, que indica trânsito livre, a vermelho, que indica impedimento: *O sinal fechou de repente, exigindo uma freada brusca. P.* **26.** Meter-se num recinto fechado; encerrar-se: *Fechou-se no seu quarto e chorou.* **27.** Meter-se consigo mesmo; ensimesmar-se, concentrar-se; retrair-se: "Fecho-me no meu silêncio" (Augusto Frederico Schmidt, *O Galo Branco*, p. 365). **28.** Ter fim; acabar-se: *Ainda tenho muito que lhe dizer: a história não se fecha aqui.* **29.** Tornar-se inacessível, inatingível: *Fechou-se-lhe o caminho da glória.* **30.** Dar por encerrado, por findo (um expediente, um negócio, etc.). **31.** Tornar-se denso, escuro, fechar, cerrar(-se): "O céu fechou-se, denso e negro, rasgando-se aqui e ali para deixar passar os coriscos" (Nélson de Faria, *Tiziu e Outras Estórias*, p. 64). **32.** Unir-se, juntar, ajuntar-se (as partes separadas de alguma coisa); cerrar-se: "Eu estendia-me cada vez mais no banco, amolecida por um entorpecimento agradável; as pálpebras fechavam-se-me." (Aluísio Azevedo, *Pegadas*, p. 166.) **33.** Fechar (24). **34.** *Bras., Marajó.* Reunir(-se) o gado na malhada ou em qualquer outro ponto. [Pres. ind.: *fecho* (ê), *fechas* (ê), etc.; pres. subj.: *feche* (ê), etc. Cf. *feixe.*] ♦ **Fechar com.** *Bras.* Estar a favor ou ao lado de; concordar com.

fecharia. [De *fecho* + *-aria.*] *S. f.* O conjunto das peças que determinam a explosão nas armas de fogo; fechos: "Defendeu-se a tiros; mas a fecharia do clavinote desmantelou-se" (Gustavo Barroso, *Heróis e Bandidos*, p. 157).

fecho (ê). [Dev. de *fechar.*] *S. m.* **1.** Aldrava ou ferrolho de porta. **2.** Qualquer peça com que se fecha ou cerra um objeto: *fecho de bolsa: fecho de porta.* **3.** Ponto onde se unem e fecham duas partes de uma coisa: *o fecho de um vestido.* **4.** Lugar onde se unem, colando-as ou lacrando-as, duas partes do envoltório de carta ou documento qualquer: "descobriu a carta que eu entrevira, e que ela passou-me sem ter rompido o fecho." (José de Alencar, *Lucíola*, p. 138). **5.** *Encad.* Espécie de tranca metálica, geralmente de caráter ornamental, composta de duas peças presas às capas de um livro ou de um álbum, para mantê-las cerradas. **6.** *Art. Gráf.* Pestana (5). **7.** *Fig.* Remate, acabamento. **8.** *Bras., MG* e *GO.* Ruptura das serras pelos rios, que aí correm apertadamente ou por sob as arestas vivas das rochas, que apenas deixam uma abertura à superfície, quase sempre de 2 ou 3 m de largura; funil, rasgão. **9.** Bras., SC. Muro de divisão, no campo. ~ V. *fechos.* ♦ **Fecho de abóbada.** *Arquit.* A pedra que se coloca na parte mais alta de uma abóbada ou de um arco, e que os fecha; chave de abóbada; fechamento. **Fecho *éclair.*** V. *fecho ecler.* **Fecho ecler.** *Bras.* Fecho muito usado em roupas, artefatos de couro, etc, e no qual dois cadarços, que alinham numa de suas bordas dentes plásticos ou metálicos, podem ser, unidos ou separados, engatando-se ou desengatando-se os dentes por meio de um cursor: "Pela primeira vez, uma saia me apertou na cintura, o fecho ecler da calça comprida arrebentou." (Maria Julieta Drummond de Andrade, *O Valor da Vida*, p. 151); "arriando sobre o banco .... a grande bolsa surrada com fecho ecler" (Moreira Campos, *Os Doze Parafusos*, p. 29). [Tb. se diz apenas *ecler;* sin.: *fecho-relâmpago, zíper* ou *zipe;* (no MA) *ri-ri* e (em PE) *mamãe-vem-aí.*] **Fecho pedrês.** *Arquit.* Fecho de correr, que se embebe na soleira ou na verga da porta.

fecho-relâmpago. *S. m.* V. *fecho ecler.* [Pl.: *fechos-relâmpagos* e *fechos-relâmpago.*]

fechos (ê). [Pl. de *fecho.*] *S. m. pl.* Fecharia. ~ V. *fecho.*

fecial. [Do lat. *feciale.*] *S. m.* Na Roma antiga, sacerdote núncio de paz ou de guerra.

fécio. [De *fedo*, 1ª pess. (desus.) do pres. ind. do v. *feder.*] *S. m. Bras., N.E. Pop.* Fedor, fetidez.

fécula. [Do lat. *fecula.*] *S. f.* Substância farinácea de tubérculos e raízes; amido.

fecularia. *S. f. Bras., SP.* Fábrica de féculas.

feculência. [Do lat. *feculentia.*] *S. f.* **1.** Qualidade de feculento. **2.** Sedimento dos líquidos.

feculento. [Do lat. *feculentu.*] *Adj.* **1.** Que contém fécula. **2.** Que tem sedimento ou fezes. [Sin. ger: *feculoso.*]

feculóideo. [De *fécula* + *-óide-* + *-eo.*] *Adj.* Que tem aparência de fécula.

feculoso (ô). *Adj.* Feculento.

fecundação. *S. f.* Ato ou efeito de fecundar ou de ser fecundado. ♦ **Fecundação cruzada.** Alogamia (2).

fecundador (ô). [Do lat. *fecundatore.*] *Adj.* **1.** V. *fecundante.* ● *S. m.* **2.** Aquele que fecunda.

fecundante. [Do lat. *fecundante.*] *Adj. 2 g.* Que fecunda; fecundador, fecundativo.

fecundar. [Do lat. *fecundare.*] *V. t. d.* **1.** Comunicar a (um germe) o princípio, a causa imediata do seu desenvolvimento. **2.** Tornar fecundo, capaz de produzir; fertilizar: *A chuva fecundou os campos.* **3.** Tornar capaz de conceber ou gerar: *fecundar uma mulher.* **4.** Tornar produtivo, inventivo, fertilizar: *As leituras fecundaram-lhe o engenho.* **5.** Fazer progredir; fomentar, desenvolver: *fecundar a indústria. Int.* e *p.* **6.** Tornar-se fecundo, capaz de produzir. **7.** Conceber, gerar.

fecundativo. *Adj.* V. *fecundante.*

fecundez (ê). *S. f.* V. *fecundidade.*

fecúndia. [Do lat. *fecundia.*] *S. f.* V. *fecundidade.* [Cf. *facúndia.*]

fecundidade. [Do lat. *fecunditate.*] *S. f.* **1.** Qualidade de fecundo (1); fertilidade. **2.** Faculdade reprodutora. **3.** Grande produção; fertilidade, abundância. [Antôn., nessas acepç.: *esterilidade.*] **4.** *Fig.* Facilidade de produzir obras de arte: "Foi em São Miguel de Ceide, no estudo e na solidão, que a fecundidade literária de Camilo não conheceu limites" (Alberto Pimentel, *O Romance do Romancista*, p. 285). [Sin. ger.: *fecundez, fecúndia.* Cf. *facundidade.*]

fecundo. [Do lat. *fecundu.*] *Adj.* **1.** Capaz de produzir ou de reproduzir(-se); que não é estéril; fértil, produtivo, úbere. **2.** Que dá ou produz em grande quantidade; abundante: *Administração fecunda em medidas de interesse social.* **3.** Que dispõe de artifícios ou recursos; inventivo, criador: *espírito fecundo.* [Cf. *facundo*, adj., e *Facundo*, antr.]

➡**fe(d)dayn.** [Ár., 'aqueles que se sacrificam'.] *S. m. pl.* Guerrilheiros palestinos. [No sing., *fedai* ou *feddai.*]

fedegoso (ô). [De *feder.*] *Adj.* **1.** Que fede; fétido. ● *S. m.* **2.** *Bras., N.* a *S.* Designação de vários arbustos ou árvores pequenas da família das leguminosas, pertencentes ao gênero *Cassia*, algumas medicinais, dotadas de flores amarelas, cujos frutos são vagens, às vezes recurvadas; fedegoso-dos-jardins, feijão-bravo-amarelo, pasto-rasteiro, bico-de-corvo, paramarioba, tararucu. **3.** V. *fedegoso-verdadeiro.* **4.** V. *dartrial.*

fedegoso-de-folha-torta. *S. m. Bras., MG.* a *RS.* Arbusto regular e ornamental da família das leguminosas (*Cassia corymbosa*), cujas folhas têm estípulas lineares e uma glândula, cuja inflorescência é em racimos terminais, às vezes axilares, sendo as flores amarelas, com pequenas brácteas e cujo fruto é vagem subcilíndrica, de cor amarela, contendo numerosas sementes; manjerioba, canafístula-da-mata. [Pl.: *fedegosos-de-folha-torta.*]

fedegoso-do-jardim. *S. m. Bras., MG, RJ* e *MT.* Arbusto ornamental, da família das leguminosas (*Cassia angulata*), cujas folhas possuem glândula, sendo as flores amarelas, dispostas em panículas compridas, e o fruto uma vagem cilíndrica, com nervuras transversais. É cultivado em jardins. [Pl.: *fedegosos-do-jardim.*]

fedegoso-do-mato. *S. m. Bras., RJ* e *PR.* Arbusto pubescente, da família das leguminosas (*Cassia pubescens*), dotado de flores amarelas, dispostas em racimos terminais, pedunculados, e cujo fruto é vagem achatada. [Pl.: *fedegosos-do-mato.*]

fedegoso-do-pará. *S. m. Bras., Amaz.* a *BA.* Arbusto pequeno da família das leguminosas (*Cassia sericea*), revestido de pêlos seríceos e ruivos, cujas flores são amarelas dispostas em racimos axilares, e cujo fruto é vagem linear, que contém várias sementes. [Pl.: *fedegosos-do-pará.*]

fedegoso-do-rio-de-janeiro. *S. m. Bras.* V. *fedegoso-grande.* [Pl.: *fedegosos-do-rio-de-janeiro.*]

fedegoso-dos-jardins. *S. m. Bras.* V. *fedegoso* (2). [Pl.: *fedegosos-dos-jardins.*]

fedegoso-grande. *S. m. Bras.* Arbusto alto, da família das leguminosas (*Cassia quinqueangulata*), dotado de flores amarelas, em racimos curtos, dispostas em panículas terminais, e cujo fruto é vagem; fedegoso-do-rio-de-janeiro, lava-pratos, mamangá. [Pl.: *fedegosos-grandes.*]

fedegoso-verdadeiro. *S. m. Bras.* Arbusto de caule herbáceo, da família das leguminosas (*Cassia occidentalis*), dotado de propriedades medicinais, cujas flores são grandes, de cor amarela, dispostas em pequenos racimos corimbosos axilares, e cujo fruto é vagem, com sementes escuras, duras e lisas; fedegoso, ibixuma, lava-pratos, maioba, mamangá, manjerioba, pajamarioba. [Pl.: *fedegosos-verdadeiros.*]

fedelhice. *S. f.* Ação de fedelho.

fedelho (ê). [De *feder.*] *S. m.* **1.** Criança que cheira a cueiros. **2.** Criança de pouca idade; criancinha. **3.** Rapazola que parece criança por seu comportamento infantil; criançola.

fedentina. [De um adj. **fedento* + *-ina*[1].] *S. f.* V. *fetidez.*

feder. [Do lat. *foetere.*] *V. int.* **1.** Exalar mau cheiro. *T. i.* **2.** Causar enfado ou aborrecimento: *Tantas exigências já lhe fedem.* **3.** Exalar mau cheiro: "os caboclos suados, sujos, fedendo a cachaça" (Adalberon Cavalcanti Lins, *Curral Novo*, p. 270). [O *e* do radical é aberto nas f. rizotônicas em que o *d* vem seguido de *e: fedes, fede, fedem*, e fechado naquelas em que ao *d* se segue o *o* ou *a: fedo* (ê), *feda* (ê), *fedas* (ê), ... *fedam* (ê). M.-q.-perf. ind.: *federa* (ê), *federas* (ê), *federa* (ê), *federamos, federeis, federam* (ê). Cf. *federas, federa, federamos, federam*, do v. *federar.*] ♦ **Não feder nem cheirar.** Ser insignificante, sem personalidade.

federação. [Do lat. *foederatione.*] *S. f.* **1.** União política entre estados ou províncias que gozam de relativa autonomia e que se associam sob um governo central. **2.** Associação, aliança, liga, união. **3.** Reunião de grupos profissionais, esportivos, religiosos, ou outros de caráter definido, para defender e promover objetivos comuns: *a Federação Carioca de Futebol.* [Cf., nesta acepç., *confederação* (4).] **4.** *Jur. Bras.* Associação sindical de grau superior que reúne ao menos cinco sindicatos representativos de atividades ou profissões idênticas, similares ou conexas.

federado. [Part. de *federar.*] *Adj.* **1.** Que entrou na federação. **2.** Unido em confederação. ● *S. m.* **3.** Aquele que pertence a uma federação. **4.** Soldado da comuna francesa em 1871.

federais. [Pl. substantivado do adj. *federal.*] *S. m. pl.* Os partidários dos Estados do Norte, durante a guerra da secessão norte-americana (1861-1865). [Cf. *sulistas.*] ~ V. *federal.*

federal. [Do lat. *foederale.*] *Adj. 2 g.* **1.** Relativo ou pertencente a federação. **2.** *Bras. Gír.* Muito grande ou intenso; incomum: *A garotada fez uma bagunça federal.* ~ V. *distrito —, parada —, Supremo Tribunal —* e *federais.*

federalismo. *S. m.* Forma de governo pela qual vários estados se reúnem numa só nação, sem perderem sua autonomia fora dos negócios de interesse comum.

federalista. *Adj. 2 g.* **1.** Respeitante a, ou próprio do federalismo. **2.** Que é partidário dessa forma de governo. ● *S. 2 g.* **3.** Partidário do federalismo.

federalização. *S. f.* Ato ou efeito de federalizar.

federalizar. *V. t. d.* Tornar federal.

federar. [Do lat. *foederare.*] *V. t. d.* Reunir em federação; confederar. [Pres. ind.: *federo, federas, federa, federamos, federais, federam.* Cf. o m.-q.-perf. ind. do

v. *feder.*]

federativo. *Adj.* Relativo ou pertencente a uma federação, ou a uma confederação.

fedido. [Part. de *feder.*] *Adj. Bras.* V. *fétido* (1): "fazendo-se uma comparação, qualquer das moças era um molambo feio e f e d i d o perto das duas professoras." (Albertino Moreira, *Boca-Pio*, p. 132).

fedor (ô). [Do lat. *foetore.*] *S. m.* V. *fetidez.*

fedorentina. [De *fedorento* + *-ina*[1].] *S. f.* V. *fetidez.*

fedorento. *Adj.* V. *fétido* (1).

➧**feedback** (fid béc). [Ingl.] *S. m. Eletrôn.* V. *realimentação* (2) e *retroalimentação.*

feérico. [Do fr. *féerique.*] *Adj. Gal.* **1.** Que pertence ao mundo das fadas, ou é próprio de fadas; mágico, maravilhoso, deslumbrante: *iluminação f e é r i c a.*

feianchã. *Adj. (f.)* e *s. f. Bras.* V. *feianchão.*

feianchão. *Adj.* e *s. m. Bras.* Feiarrão. [Fem.: *feianchona* e *feianchã.*]

feianchona. *Adj (f.)* e *s. f.* V. *feianchão:* "Que pouca-vergonha! Que senhoras mais f e i a n c h o n a s!" (Paulo Mendes Campos, *O Cego de Ipanema*, p. 137.)

feiarrão. *Adj.* e *s. m. Bras.* Que, ou aquele que é muito feio; feianchão. [Fem.: *feiarrona.*]

feiarrona. *Adj. (f.)* e *s. f.* Fem. de *feiarrão* [q. v.].

feição. [Do lat. *factione.*] *S. f.* **1.** Forma, feitio, aspecto. **2.** Jeito, maneira, modo. **3.** Índole, tendência, caráter: "Sócrates, ..., pelas suas f e i ç õ e s intelectuais incluise naturalmente no ciclo dos sofistas contemporâneos" (Latino Coelho, *Oração da Coroa*, CCXIII). **4.** Boa disposição. **5.** *P. us.* Feições (1). ~ V. *feições.* ◆ **À feição. 1.** *Segundo o desejo ou escolha; a gosto: Correu-lhe tudo à f e i ç ã o, nos primeiros tempos.* **2.** A favor; favoravelmente: *O vento soprava à f e i ç ã o.* **À feição de.** À maneira de; ao jeito de: "Com a garganta afogada em uivos, ululantes, / Entre os troncos da brenha hirsuta, — o Bandeirante / Jaz por terra, à f e i ç ã o d e um tronco derribado..." (Olavo Bilac, *Poesias*, p. 267.)

feições. [Pl. de *feição.*] *S. f. pl.* **1.** Delineamento do rosto humano; rosto, figura, semblante, feição. **2.** Os lados da coronha (1). ~ V. *feição.*

feiíssimo. *Adj.* Superl. abs. sint. de *feio.*

feijão. [Do lat. *faseolu*, com troca de sufixo.] *S. m.* **1.** Semente de feijoeiro. **2.** V. *feijoeiro.* **3.** O feijão cozido. **4.** Vagem do feijoeiro. **5.** *P. ext.* O alimento; pão; o pão de cada dia: *Graças a Deus, lá em casa nunca falta o f e i j ã o.* **6.** *Bras.* Seixo rolado, considerado satélite do diamante: "Encontrei um 'f e i j ã o' grande, brunido como carbonato 'extra'." (Alberto Rabelo, *Contos do Norte*, p. 46.) ◆ **Feijão dormido.** *Bras., BA.* A feijoada que sobrou da véspera. **Não valer o feijão que come.** Ser muito fraco, física e/ou moralmente, sem merecimento nenhum. **Pegar o feijão de.** *Bras. Pop.* Almoçar ou jantar em casa de.

feijão-aspargo. *S. m.* V. *feijão-fradinho.* [Pl.: *feijões-aspargos* e *feijões-aspargo.*]

feijão-bravo. *S. m.* **1.** *Bras., N.* a *S.* Designação comum a numerosíssimas trepadeiras da família das leguminosas cujas flores podem ser róseas, alvacentas, azuladas, amarelo-pálidas, vermelhas ou roxas, dispostas em racimos, e cujos frutos são vagens aveludadas, pilosas ou não. **2.** O fruto de qualquer dessas trepadeiras. **3.** Feijão-da-praia (1 e 2). **4.** V. *feijão-de-porco.* [Pl.: *feijões-bravos.*]

feijão-bravo-amarelo. *S. m. Bras.* V. *fedegoso* (2). [Pl.: *feijões-bravos-amarelos.*]

feijão-bravo-mata-cabrito. *S. m. Bras., PA* a *RS.* **1.** Trepadeira ornamental, da família das leguminosas (*Martiusia rubiginosa*), de flores muito aromáticas, grandes, de cor alva com máculas violáceas, reunidas em inflorescências dispostas em racimos paniculados, e cujo fruto é vagem, com sementes viscosas. **2.** Esse fruto. [Pl.: *feijões-bravos-mata-cabrito.*]

feijão-careta. *S. m. Bras.* V. *feijão-fradinho.* [Pl.: *feijões-caretas* e *feijões-careta.*]

feijão-casado. *S. m. Bras., GO.* Feijão cozido com carne, toucinho e arroz. [Pl.: *feijões-casados.*]

feijão-chicote. *S. m. Bras.* **1.** V. *feijão-de-vaca.* **2.** V. *feijão-fradinho.* [Pl.: *feijões-chicotes* e *feijões-chicote.*]

feijão-chinês. *S. m.* V. *feijão-soja.* [Pl.: *feijões-chineses.*]

feijão-com-arroz. *S. m. Bras. Fam.* Aquilo que é de cada dia; o comum, o habitual, a rotina. [Pl.: *feijões-com-arroz.*]

feijão-comum. *S. m. Bras., MG* a *RS.* V. *feijoeiro.* [Pl.: *feijões-comuns.*]

feijão-cru. *S. m. Bras., MT.* Árvore grande, da família das leguminosas (*Samanea saman*), de numerosas flores alvirróseas, dispostas em capítulos, cujo fruto é vagem séssil, com polpa que envolve muitas sementes, e cuja madeira, belíssima, de alburno fino e alvo, de cerne castanho-escuro, bastante rija, é especial para marcenaria de luxo; bordão-de-velho, embira-toicinheira, mendubim-de-veado. [Pl.: *feijões-crus.*]

feijão-da-china. *S. m.* V. *feijão-de-vaca.* [Pl.: *feijões-da-china.*]

feijão-da-espanha. *S. m. Bras.* **1.** Trepadeira perene e ornamental, da família das leguminosas (*Phaseolus multiflorus*), de flores vermelho-vivas dispostas em racimos pedunculados, e cujo fruto é vagem, com várias sementes comestíveis. **2.** Esse fruto. [Pl: *feijões-da-espanha.* Sin. ger.: *feijão-trepador, feijão-flor.*]

feijão-da-índia. *S. m. Bras.* **1.** Planta de caule hirsuto, da família das leguminosas (*Phaseolus mungo*), de flores amarelo-claras, reunidas em fascículos capituliformes na extremidade dos pedúnculos, e cujo fruto é vagem reta, cilíndrica e fina que, dependendo da variedade, contém sementes alimentícias de várias cores. **2.** Esse fruto. [Pl.: *feijões-da-índia.*]

feijão-da-praia. *S. m.* **1.** *Bras., litoral.* Planta suculenta e carnosa, às vezes trepadeira, da família das leguminosas (*Canavalia obtusifolia*), de flores róseo-purpúreas, cujo fruto é vagem linear, com sementes pardacentas e apresenta a importante característica de fixar as dunas marítimas. **2.** Esse fruto. [Sin., nessas acepç.: *feijão-bravo.*] **3.** Batatarana. [Pl. *feijões-da-praia.*]

feijão-de-árvore. *S. m. Bras.* V. *dormideira.* [Pl.: *feijões-de-árvore.*]

feijão-de-boi. *S. m.* **1.** *Bras., Amaz.* a *SP.* Designação comum a várias plantas da família das caparidáceas, dotadas de propriedades medicinais, de flores alvas, róseas, amareladas ou vermelho-violáceas, dispostas em racimos axilares, e aromáticas dependendo da espécie, e cujo fruto é vagem ou baga, com sementes por vezes oleaginosas. **2.** Esse fruto. [Sin., nessas acepç.: *sapotaia, muçambê-indecente, carrapicho, marmelada-de-cavalo.*] **3.** V. *feijão-de-vaca.* [Pl.: *feijões-de-boi.*]

feijão-de-corda. *S. m. Bras.* V. *feijão-fradinho.* [Pl.: *feijões-de-corda.*]

feijão-de-frade. *S. m. Bras.* V. *feijão-de-vaca.* [Pl.: *feijões-de-frade.*]

feijão-de-guizos. *S. m. Bras., AM* a *SP.* **1.** Designação comum a alguns arbustos da família das leguminosas, de flores amarelas, dispostas em racimos axilares, frutos geralmente glabros, e cujas sementes, depois de maduras, se soltam e chocalham, produzindo ruído característico; cascaveleira, guizo-de-cascavel, xiquexique. **2.** O fruto de qualquer desses arbustos. [Pl.: *feijões-de-guizos.*]

feijão-de-lima. *S. m. Bras.* **1.** Trepadeira herbácea, da família das leguminosas (*Phaseolus lunatus*), de flores alvo-esverdeadas, reunidas em racimos de tamanho variável, e cujo fruto é vagem de forma arqueada, com sementes alimentares e tendo a fécula delicada, sabor agradável e grande valor alimentício. **2.** Esse fruto. [Pl.: *feijões-de-lima.* Sin. ger.: *fava-belém, fava-de-lima, mangalô-amargo.*]

feijão-de-macassar. *S. m. Bras.* V. *feijão-fradinho.* [Pl.: *feijões-de-macassar.*]

feijão-de-metro. *S. m. Bras.* V. *feijão-fradinho.* [Pl.: *feijões-de-metro.*]

feijão-de-pombinha. *S. m. Bras.* Feijão-de-rola. [Pl.: *feijões-de-pombinha.*]

feijão-de-porco. *S. m. Bras., PA* a *SP.* **1.** Planta rasteira, da família das leguminosas (*Canavalia ensiformis*), de flores alvas ou roxas, dispostas em racimos axilares curvos, cujo fruto é vagem levemente recurvada, comestível, com sementes róseas ou pardo-avermelhadas. **2.** Esse fruto. [Pl.: *feijões-de-porco.* Sin. ger.: *feijão-holandês, fava-brava, fava-contra-o-mau-olhado, fava-de-quebranto, mangalô.*]

feijão-de-rola. *s. m. Bras.* **1.** Trepadeira pequena, anual, da família das leguminosas (*Phaseolus lathyroides*), dotada de numerosas flores vermelho-violáceas, azuis ou roxas, dispostas em racimos grandes, e cujo fruto é vagem levemente curvada, com sementes escuras e achatadas. **2.** Esse fruto. [Pl.: *feijões-de-rola.* Sin. ger.: *feijão-de-pombinha.*]

feijão-de-tropeiro. *S. m. Bras.* Prato típico da cozinha mineira, com base em feijão preto que, depois de escorrido e refogado em muita gordura e outros temperos, é misturado a um pouco de farinha de mandioca ou de milho, e guarnecido com pedaços de lingüiça frita e torresmo: "Sentamo-nos na praia com nossos pratos feitos como para trabalhador: f e i j ã o - d e - t r o p e i r o com farinha, torresmos, ovos fritos e arroz; sobremesa, banana e queijo" (Helena Morley, *Minha Vida de Menina*, p. 271). [Pl.: *feijões-de-tropeiro.* Var.: *feijão-tropeiro.*]

feijão-de-vaca. *S. m. Bras.* **1.** Planta anual, prostrada, ou trepadeira da família das leguminosas (*Vigna catjang*), dotada de poucas flores, grandes, solitárias, azuladas ou amarelo-esverdeadas, e cujo fruto é vagem cilíndrica, lisa, com sementes variegadas, ligeiramente reniformes. **2.** Esse fruto. [Pl.: *feijões-de-vaca.* Sin. ger.: *ervilha-de-vaca, feijão-da-china, feijão-de-boi, feijão-de-frade, feijão-chicote.*]

feijão-do-mato. *S. m. Bras.* **1**: Designação comum a várias trepadeiras da família das leguminosas, pertencentes aos gêneros *Bradburya* e *Phaseolus*, sobretudo a este último, forrageiras, e cujos frutos são vagens. **2.** Qualquer dos frutos dessas trepadeiras. **3.** Esperlina. **4.** V. *favinha-brava.* [Pl.: *feijões-do-mato.*]

feijão-dos-caboclos. *S. m. Bras., RJ.* **1.** Árvore lactescente e regular, da família das moráceas (*Trophis racemosa*), dotada de flores femininas e masculinas, dispostas em espigas aveludadas, e cujo fruto é baga séssil, lisa, pardo-avermelhada, com sementes grandes envoltas em polpa escassa, sendo a madeira pardo-amarelada, de fina grã, dura e pesada, própria para marcenaria. **2.** Esse fruto. **3.** Diconroque. [Pl.: *feijões-dos-caboclos.*]

feijão-fava-bravo. *S. m. Bras., RJ* e *SP.* **1.** Trepadeira alta e ornamental, da família das leguminosas (*Canavalia versicolor*), de flores grandes, primeiramente róseas e depois vermelhas, e cujo fruto é vagem. **2.** Esse fruto. [Pl.: *feijões-favas-bravos.*]

feijão-flor. *S. m.* V. *feijão-da-espanha.* [Pl.: *feijões-flores* e *feijões-flor.*]

feijão-frade. *S. m.* V. *feijão-fradinho.* [Pl.: *feijões-frades* e *feijões-frade.*]

feijão-fradinho. *S. m. Bras., N.* a *L.* **1.** Planta ereta da família das leguminosas (*Vigna sinensis*), de flores violáceas com o vexilo amarelo, e cujo fruto é vagem fina, comprida, carnosa, com sementes comestíveis, brancas ou amarelo-pálidas, com hilo branco orlado de preto. **2.** A semente dessa planta. [Tb. se diz apenas *fradinho.* Pl.: *feijões-fradinhos* e *feijões-fradinho.* Sin. ger.: *feijão-frade, feijão-aspargo, feijão-careta, feijão-chicote, feijão-de-corda, feijão-de-macassar, feijão-de-metro, boca-preta.*]

feijão-guando. *S. m. Bras.* V. *andu.* [Pl.: *feijões-guandos* e *feijões-guando.*]

feijão-holandês. *S. m.* V. *feijão-de-porco.* [Pl.: *feijões-holandeses.*]

feijão-manteiga. *S. m.* **1.** Variedade de feijoeiro de semente graúda, pardo-clara. **2.** Essa semente. [Pl.: *feijões-manteigas* e *feijões-manteiga.*]

feijão-mulatinho. *S. m.* **1.** Variedade de feijoeiro de semente clara. **2.** Essa semente. [Pl.: *feijões-mulatinhos.*]

feijão-oró. *S. m. Bras., PI* a *BA* e *RS.* **1.** Planta de caule rastejante, da família das leguminosas (*Phaseolus panduratus*), útil para a fixação de dunas, cujas flores, lilases ou cor de tijolo, são dispostas no ápice dos pedúnculos e cujo fruto é vagem tomentosa, forrageira, falcada, com algumas sementes. **2.** Esse fruto. [Pl.: *feijões-orós* e *feijões-oró.* Sin. ger.: *fava-oró.*]

feijão-preto. *S. m. Bras.* **1.** Variedade de feijoeiro de semente preta. **2.** Essa semente. **3.** Fragmento rolado de turmalina preta; pretinha. **4.** V. *satélite* (7). **5.** Seixo de jaspe negro. [Pl.: *feijões-pretos.*]

feijão-soja. *S. m.* Planta da família das leguminosas, subfamília papilionácea (*Glycine hispida*), empregada na alimentação e sobretudo na indústria de óleos comestíveis. [Tb. se diz apenas *soja.* Sin.: *feijão-chinês.* Pl.: *feijões-sojas* e *feijões-soja.*]

feijão-trepador. *S. m.* V. *feijão-da-espanha.* [Pl.: *feijões-trepadores.*]

feijão-tropeiro. *S. m. Bras.* Var. de *feijão-de-tropeiro.* [Pl.: *feijões-tropeiros.*]

feijão-virado. *S. m. Bras., SP.* Feijão mexido com farinha. [Pl.: *feijões-virados.* Cf. *virado de feijão.*]

feijãozinho-bravo. *S. m. Bras.* V. *favinha-brava.* [Pl.: *feijõezinhos-bravos.*]

feijoada. *S. f.* **1.** Qualquer prato preparado com feijões. **2.** Grande porção de feijões. **3.** *Bras.* Prato típico nacional, preparado com feijão, em geral preto, toucinho, carne-seca, carnes de porco salgadas, lingüiças, etc. [No N.E. do Brasil leva, além de tudo isso, vários legumes, como quiabo, maxixe, couve, abóbora, etc.] **4.** *Bras. Pop.* Confusão, trapalhada, balbúrdia, tumulto, angu. ◆ **Feijoada de Ogum.** Repasto comunal de Ogum no encerramento das festas anuais de alguns candomblés.

feijoal. *S. m.* Quantidade mais ou menos considerável de feijoeiros dispostos proximamente entre si; plantação de feijões.

feijoca. *S. f.* Variedade de feijão grande.

feijoeiro. *S. m. Bras.* Trepadeira da família das leguminosas *(Phaseolus vulgaris)*, da qual há diversas variedades, de flores alvas ou alvo-arroxeadas dispostas em racimos axilares muito mais curtos que as folhas, e cujo fruto é vagem reta ou curvada, com numerosas sementes reniformes, comestíveis, de colorido que vai do branco até o negro, unicolores ou marmorizadas; feijão-comum, feijão.

feijoense (ô). *Adj. 2 g.* **1.** De, ou pertencente ou relativo a Feijó (AC). ● *S. 2 g.* **2.** Natural ou habitante de Feijó.

feila. *S. f.* Pó de farinha finíssimo que fica depositado nas mós, eixos e calhas dos moinhos; faúlha.

feio. [Do lat. *foedu.*] *Adj.* **1.** De aspecto desagradável; deforme, disforme, desproporcionado: *rosto feio; mulher feia;* "Vejo turvo o claro dia; /Sombra feia me ·acompanha" (Manuel Inácio da Silva Alvarenga, *ap.* Sérgio Buarque de Holanda, *Antologia dos Poetas Brasileiros da Fase Colonial*, II, p. 132). **2.** Indecoroso, torpe, vil: *ação feia.* **3.** Difícil, insuportável, insofrível: *A situação ficou feia.* **4.** Desventuroso, triste, escuro: *Feio destino o seu!* **5.** Diz-se do tempo mau, chuvoso ou ventoso; fechado. [Superl. abs. sint.: *feiíssimo.*] ~ V. *nome* —. ● *S. m.* **6.** Coisa feia. **7.** Situação desairosa; má posição moral. **8.** Indivíduo feio: "Quem ama o feio, bonito lhe parece" (prov.). **9.** *Pop.* V. *diabo* (2). ● *Adv.* **10.** De modo feio, desairoso; feiamente: *Perdeu feio.* ♦ **Feio e forte.** Com extraordinária tenacidade; duramente. **Fazer feio.** Fazer má figura.

feioso (ô). *Bras. Adj.* **1.** Um tanto feio: "É uma moça distinta, um bocado feiosa, mas de muita educação." (José Lins do Rego, *Ficção Completa*, II, p. 291.) [Aplica-se especialmente a pessoas.] ● *S. m.* **2.** Indivíduo feioso (1).

feira. [Do lat. tardio *feria.*] *S. f.* **1.** Lugar público, muitas vezes descoberto, onde se expõem e vendem mercadorias. **2.** *P. ext.* Compras que se fazem na feira livre: *Saiu com a tia para fazer a feira.* **3.** Palavra que entra na composição dos nomes dos dias da semana, menos o sábado e o domingo: *segunda-feira, quinta-feira.* **4.** *Fig.* Balbúrdia, falario. **5.** *Bras.* Venda a preços reduzidos: *feira de discos.* ♦ **Feira livre.** *Bras.* Feira (1) onde se vendem sobretudo legumes e frutas.

feira-grandense. *Adj. 2 g.* **1.** De, ou pertencente ou relativo a Feira Grande (AL). ● *S. 2 g.* **2.** Natural ou habitante de Feira Grande. [Pl.: *feira-grandenses.*]

feirante. *Adj. 2 g.* **1.** Relativo a feira. ● *S. 2 g.* **2.** Pessoa que vende em feira (1).

feirão. *S. m.* **1.** Pop. Grande feira. **2.** *Lus.* Pequena feira; feiroto.

feirar. *V. t. d.* **1.** Negociar na feira (1); enfeirar. *Int.* **2.** Fazer transações em feira (1).

feirense. *Adj. 2 g.* **1.** De, ou pertencente ou relativo a Feira de Santana (BA). ● *S. 2 g.* **2.** Natural ou habitante de Feira de Santana.

feiroto (ô). *S. m. Lus.* Feirão (2).

feita[1]. [Fem. substantivado de *feito*[2].] *S. f.* **1.** Ato, obra, ação. **2.** Ocasião, vez.

feita[2]. [Do fem. de *feito*, part. de *fazer.*] *Adj. (f.) e s. f. Bras., BA. Folcl.* Diz-se de ou filha-de-santo que completou a iniciação, podendo realizar todos os ritos do candomblé.

feital. *S. m. Bras.* Solo (2) cansado.

feitar. [De *feito*² + $-ar^2$.] *V. t. d. Bras., BA. Pop.* Fazer (algo).

feitiar. *V. t. d.* Dar forma ou feitio a; ajeitar.

feitiçaria. *S. f.* **1.** Emprego de feitiços. **2.** V. *bruxaria* (2). **3.** Sortilégio, encantamento. **4.** *Fig.* Enlevo, fascinação, sedução.

feiticeira. [Fem. de *feiticeiro.*] *S. f.* **1.** Mulher que faz feitiços; bruxa, carocha, estrige, maga, mágica. **2.** Mulher encantadora. **3.** *Bras.* Certa abelha preta. **4.** *Bras.* Espécie de limpador dotado de caixa e escova cilíndrica que, rodando, recolhe para dentro da caixa partículas de lixo. **5.** *Bras., RS.* Rede de pesca, com três panos e malhas diferentes.

feiticeiro. *S. m.* **1.** Aquele que faz feitiço; bruxo, mago. **2.** Homem que encanta, seduz, atrai. ● *Adj.* **3.** Que faz feitiços. **4.** Agradável, encantador, sedutor. ~ V. *médico* —.

feiticismo. [De *feitiço* + *-ismo.*] *S. m. P. us.* V. *fetichismo:* "É urixalá? Soava meio como o nome de um daqueles deuses obscuros de candomblé da Bahia. Entretanto, que sabia de feiticismo, rituais negros, além do indiferentemente encontrado numa revista?" (Macedo Miranda, *As Três Chaves*, p. 41.)

feiticista. [De *feitiço* + *-ista.*] *Adj. 2 g. e s. 2 g. P. us.* V. *fetichista.*

feitiço. [De *feito*² + *-iço.*] *Adj.* **1.** Artificial, factício: "Diadema de pérolas feitiças, tão bem-acabadas, que iam de par com as duas pérolas naturais, que lhe ornavam as orelhas" (Machado de Assis, *Quincas Borba*, p. 134). **2.** Postiço, falso. ● *S. m.* **3.** Malefício de feiticeiros. **4.** V. *bruxaria* (2). **5.** *P. us.* V. *fetiche.* **6.** *Fig.* Encanto, fascinação, fascínio. ♦ **Virar o feitiço contra o feiticeiro.** Voltar-se o feitiço contra o feiticeiro. **Voltar-se o feitiço contra o feiticeiro.** Recaírem as conseqüências dum ato sobre quem o praticou pensando prejudicar a outrem; virar o feitiço contra o feiticeiro.

feitio. [De *feito*² + $-io^2$.] *S. m.* **1.** Forma, figura, configuração, feição: "Bichos miúdos e grandes, insetos de todo o feitio .... tudinho nesse dia apareceu para glória do dia que era." (Luís Jardim, *Proezas do Menino Jesus*, p. 92.) **2.** Modo, maneira, jeito. **3.** Disposição de espírito; caráter, índole: "O seu não, seco e duro, era coisa do feitio dela" (Nélson de Faria, *Tiziu e Outras Estórias*, p. 103). **4.** Trabalho de artista, relativamente ao artefato; mão-de-obra.

feito[1]. [Do lat. *factu.*] *S. m.* **1.** Fato[1] (1). **2.** Ação, ato. **3.** Ato heróico; empresa, cometimento, façanha: "vereis um novo exemplo / De amor dos pátrios feitos valerosos / Em versos devulgado numerosos." (Luís de Camões, *Os Lusíadas*, I, 9); "Dize-nos quem és, teus feitos canta" (Gonçalves Dias, *Obras Poéticas*, II, p. 22). **4.** O jogador que, no voltarete e noutros jogos, se propõe, à vista do jogo que tem, jogar contra os outros parceiros. ~ V. *feitos.* ♦ **De feito.** V. *de fato:* "Costumava dizer que a alegria do pobre era um mau agouro. De feito, não se dava um samba que não acabasse em sangueira." (José Américo de Almeida, *A Bagaceira*, pp. 38-39); "o Palha baixava os olhos do joelho até ao resto da perna [de Sofia], onde pegava com o cano da bota. De feito, era um belo trecho da natureza." (Machado de Assis, *Quincas Borba*, p. 269).

feito[2]. [Do lat. *factu.*] *Adj.* **1.** Acostumado, afeito. **2.** Exercitado, adestrado, treinado. **3.** Adulto, crescido: "Só pancada é que podia endireitar. Mas também, numa mulher feita daquelas, a gente não há de estar batendo a toda hora..." (Amando Fontes, *Os Corumbas*, p. 114). **4.** Amadurecido, maduro. **5.** Decidido, resolvido, assente. **6.** Constituído, formado. **7.** Preparado para ferir ou acometer. **8.** Pronto para ser usado ou consumido: "o pai e três irmãos, gente que plantava mandioca e vendia farinha feita" (Adonias Filho, *Luanda Beira Bahia*, p. 10). ~ V. *frase—a, vento — e feitos.* ● *Conj.* **9.** *Bras.* Como; tal qual; que nem. *O menino berrava feito bezerro desmamado;* "A noite estava feito o dia." (Herberto Sales, *O Lobisomem*, p. 44); "mula veloz feito um raio" (Stella Leonardos, *Geolírica*, p. 131); "eu fiquei olhando feito a gente fica quando vê pela primeira vez uma coisa bonita..." (Luís Vilela, *Tremor de Terra*, p. 10).

feitor (ô). [Do lat. *factore.*] *Adj.* **1.** Fazedor (1). ● *S. m.* **2.** Administrador de bens alheios; gestor. **3.** Superintendente de trabalhadores; capataz. **4.** Rendeiro, caseiro. **5.** Fabricante (2). [Pl.: *feitores* (ô). Cf. *feitores*, do v. *feitorar.*]

feitorar. *V. t. d. Bras.* **1.** Gerir como feitor; superintender. **2.** Gozar de; usufruir. [Sin.: *feitoriar, feitorizar.* Pres. subj.: *feitore, feitores*, etc. Cf. *feitores* (ô), pl. de *feitor.*]

feitoria. *S. f.* **1.** Administração de feitor. **2.** Estabelecimento comercial. **3.** Processo de fabricar vinho. **4.** Fabrico de vinho. **5.** Entreposto, em geral fortificado, que, na fase inicial da colonização dos domínios ultramarinos portugueses, negociava com os nativos e recolhia e armazenava os produtos que deviam ser transportados para a metrópole. **6.** *Ant.* Prédio rústico; fazenda. **7.** *Bras., Amaz.* Espaço roçado e limpo, no mato, onde o pessoal empregado em qualquer trabalho pernoita, guarda os víveres, a roupa e objetos de uso. **8.** *Bras., Amaz.* Lugar, à margem de rio ou lago, onde se salga o peixe. **9.** *Bras., Amaz.* Pequena habitação de pescadores, à margem de rio, ribeiro ou lago: "Surge no meio da mata a 'feitoria', que é só um rancho mal aprumado, à beira de um arroio." (E. Roquete-Pinto, *Seixos Rolados*, p. 85.) **10.** *Bras., Amaz.* Pesca do pirarucu, quando efetuada em larga escala.

feitoriar. [De *feitoria* + $-ar^2$.] *V. t. d.* V. *feitorar.*

feitorizar. [De *feitor* + *-izar.*] *V. t. d.* V. *feitorar:* "Esta rica herdeira tem consigo um padre que feitoriza os negócios da casa" (Camilo Castelo Branco, *A Mulher Fatal*, p. 55).

feitos. [Pl. de *feito*[1].] *S. m. pl.* Processos judiciais. ~ V. *feito.*

feitura. [Do lat. *factura.*] *S. f.* **1.** Ato de fazer; obra em via de execução; trabalho, serviço: "Porque todos os dias perguntava a alguns desses poucos obreiros portugueses .... como ia a feitura da casa capitular." (Alexandre Herculano, *Lendas e Narrativas*, I, p. 283.) **2.** Efeito de fazer; efeito do trabalho; obra, produto: "Eu vivo sozinha; ninguém me procura! / Acaso feitura / Não sou de Tupá?" (Gonçalves Dias, *Obras Poéticas*, II, p. 38.) **3.** Modo de fazer.

feiúme. [De *feio* + *-ume.*] *S. m. Bras., MG.* **1.** V. fealdade (1): "O cavalinho era náfego. Para aumentar-lhe o feiúme, troncho de uma orelha." (Nélson de Faria, *Tiziu e Outras Estórias*, p. 146.) **2.** Coisa feia.

feiúra. [De *feio* + *-ura.*] *S. f. Bras.* **1.** V. *fealdade* (1). **2.** Manifestação ou traço de feiúra: "se você ainda tem olhos para enxergar feiúras no seu suposto amado, se tem cabeça para lhe descobrir defeitos, é porque não ama." (Raquel de Queirós, *100 Crônicas Escolhidas*, pp. 41-42).

feixas-fradinho. *S. m. Bras.* Pomba-do-cabo. [Pl.: *feixas-fradinhos.*]

feixe. [Do lat. *fasce.*] *S. m.* **1.** Molho, gavela, braçado. **2.** Grande quantidade de qualquer coisa: "Com uma vida tão intensa que é um feixe de vidas distintas, ela [Sarah Bernhardt] pode se ter cansado da admiração do mundo" (Joaquim Nabuco, *Escritos e Discursos Literários*, p. 39). **3.** *Fís.* Conjunto de partículas que se deslocam com trajetórias quase paralelas. **4.** *Ópt.* Conjunto de raios luminosos paralelos ou quase paralelos, e que correspondem, portanto, a uma frente de onda plana ou quase plana. [Dim. irreg.: *fascículo.* Cf. *feche*, do v. *fechar.*] ♦ **Feixe colimado.** *Fís.* **1.** Feixe de radiação formado de raios paralelos. **2.** Feixe de partículas de trajetórias paralelas. **Feixe de nervos.** Pessoa muito nervosa, excitável, irritável. **Feixe de ossos.** Pessoa macérrima; carga de ossos. **Feixe de planos.** *Geom. Anal.* Conjunto de planos que têm em comum uma reta própria ou imprópria. [Cf. *estrela de planos.*] **Feixe de retas.** *Geom. Anal.* Família de retas que têm em comum um ponto próprio ou impróprio.

fel. [Do lat. *felle.*] *S. m.* **1.** Bílis (1). **2.** Vesícula que contém esta matéria. **3.** *Fig.* Mau humor, azedume; ódio. **4.** Coisa muito amarga: *Este remédio é um fel.* [Pl.: *féis* e *feles.*]

felá. [Do ár. *fellah*, pelo fr. *fellah.*] *S. m.* Camponês ou lavrador egípcio. [Fem.: *felaína.*]

felação. [Do lat. *fellare*, 'chupar, mamar'.] *S. f.* Coito[1] bucal.

felaína. *S. f.* Fem. de *felá* [q. v.].

fel-da-terra. *S. m.* **1.** *Bras.* Planta herbácea, da família das papaveráceas *(Fumaria officinalis)*, essencialmente campestre, de flores pequenas, irregulares, róseas, com a extremidade das pétalas vermelho-escura, dispostas em racimos pedunculados e axilares, e cujo fruto é cápsula indeiscente que contém uma semente; capnóide, erva-molarinha, molarinha, fumo-da-terra, fumária. **2.** *Bras.* V. *esponja-de-raiz.* **3.** *Bras., RJ* a *SC.* Parasito acaule, da família das balanoforáceas (Lophophytum leandri e *L. mirabile)*, que vegeta em lugares sombrios, preferentemente sobre raízes de leguminosas. **4.** *Bras.* Parasito acaule, da família das balanoforáceas *(Scybalium glaziowii)*, que vegeta sobre raízes de melastomáceas e mirsináceas. [Pl.: *féis-da-terra* e *feles-da-terra.*]

feldmarechal. [Do al. *Feldmarschall.*] *S. m.* O posto mais elevado na hierarquia militar da Alemanha, da Áustria e doutros países; marechal-de-campo.

feldspático. *Adj.* **1.** Que contém feldspato. **2.** Relativo ao, ou da natureza do feldspato.

feldspato. [Do al. *Feldspath.*] *S. m. Min.* Designação comum aos silicatos de alumínio e de um ou mais metais alcalinos ou alcalino-terrosos, mais comumente potássio, sódio e cálcio, de cor clara, componentes das rochas eruptivas.

felema. *S. m. Anat. Veg.* Súber.

féleo. [Do lat. *felleu.*] *Adj.* Relativo ao fel.

felibre. [Do prov. mod.] *S. m.* Autor que escrevia na língua d'oc [q. v.].

➧**félibre.** [Prov. mod.] S. m. V. *felibre.*

felibrige. [Do prov. mod.] *S. m.* Escola literária provençal fundada em 1854 por sete jovens felibres.

➧**félibrige.** [Prov. mod.] S. m. V. *felibrige.*

felice. *Adj. 2 g. Ant.* Feliz: "Que diversas que são, Marília, as horas, / que passo na masmorra imunda e feia, / dessas horas felices, já passadas / na tua pátria aldeia!" (Tomás Antônio Gonzaga, *Marília de Dirceu*, p. 119.)

felícia. *S. f. Fam.* Felicidade, ventura.

felicidade. [Do lat. *felicitate.*] *S. f.* **1.** Qualidade ou estado de feliz; ventura, contentamento: "Felicidade! Felicidade! / Ai quem me dera na minha mão! / Não passar nunca da mesma idade, / Dos 25, do quarteirão." (Antônio Nobre, *Só*, p. 45.) **2.** Bom êxito; êxito, sucesso: *Desejo-lhe felicidade no seu novo* *negócio.* **3.** Boa fortuna; dita, sorte: *Foi uma* felicidade *eu ter chegado a tempo, com o tráfego todo atrapalhado.* ~ V. *felicidades.*

felicidades. [Pl. de *felicidade.*] *S. f. pl.* Votos de feliz êxito; congratulações. ~ V. *felicidade.*

felicíssimo. [Do lat. *felicissimu.*] *Adj.* Superl. abs. sint. de *feliz.*

felicitação. [Do fr. *félicitation.*] *S. f.* Ato ou efeito de felicitar(-se). ~ V. *felicitações.*

felicitações. [Pl. de *felicitação.*] *S. f. pl.* Parabéns, congratulações. ~ V. *felicitação.*

felicitar. [Do lat. *felicitare.*] *V. t. d.* **1.** Dar a felicidade a; tornar feliz. **2.** Dirigir parabéns ou cumprimentos a; congratular; cumprimentar. *P.* **3.** Aplaudir-se, congratular-se. [Pres. subj.: *felicite*, etc. Cf. *filicite.*]

félida. *S. m.* e *adj. 2 g.* V. *felídeo.*

félidas. *S. m. pl. Zool.* V. *felídeos.*

felídeo. *S. m.* **1.** Espécime dos felídeos. ● *Adj.* **2.** Pertencente ou relativo a eles. [Sin. ger.: *felino.*]

felídeos. *S. m. pl. Zool.* Animais mamíferos carnívoros, da família *Felidae*, digitígrados, de cauda longa, unhas afiladas e retráteis, dentes molares e pré-molares cortantes, e língua coberta de papilas córneas. São os leões, os tigres, as onças e os gatos em geral. [Sin.: *felinos.*]

felinamente. [Do fem. de *felino* + *-mente.*] *Adv.* À maneira de felino; como um felino: "são [os teus olhos] dous tapetes de peliça, / onde, de rastos, / felinamente se espreguiça / o meu olhar..." (Gilca da Costa Melo Machado, *Poesias*, p. 199).

felino. [Do lat. *felinu.*] *Adj.* **1.** Do, relativo ao, ou próprio do gato, ou semelhante a ele: "o outro lado da atenção seguia o gato ruivo, caminhando com maciez felina em cima do muro alto." (Augusto Meyer, *No Tempo da Flor*, p. 100). **2.** V. *felídeo.* **3.** *Fig.* Traiçoeiro, fingido. **4.** *Fig.* Ágil, desenvolto, hábil. ● *S. m.* **5.** V. *felídeo:* "Nosso jaguar ou onça figura entre os maiores exemplares de felinos autóctones" (Cosme Ferreira Filho, *Amazônia em Novas Dimensões*, p. 53).

felinos. *S. m. pl.* V. *felídeos.*

➡**felix culpa** (félikç culpa). [Lat., 'culpa feliz'.] Palavras de Santo Agostinho referentes à queda do primeiro casal, que nos valeu a redenção.

felixlandense (lis). *Adj. 2 g.* **1.** De, ou pertencente ou relativo a Felixlândia (MG). ● *S. 2 g.* **2.** Natural ou habitante de Felixlândia.

feliz. [Do lat. *felice.*] *Adj. 2 g.* **1.** Ditoso, afortunado, venturoso: *É homem* feliz*: a sorte sempre lhe foi favorável*; "Se és feliz e o não sabes, tens na mão / O maior bem entre os mais bens terrenos" (Raul de Leoni, *Luz Mediterrânea*, p. 71). **2.** Contente, alegre, satisfeito: *Vive* feliz*, com os seus.* **3.** Que prosperou; próspero: *É* feliz *nos negócios.* **4.** Que teve bom resultado; bem-sucedido: *operação* feliz. **5.** Bem lembrado ou imaginado: *uma* feliz *combinação de cores.* **6.** Abençoado, bendito. **7.** Que denota, ou em que há alegria, satisfação, contentamento, ventura: *Tem um ar* feliz; "O eterno sonho da alma desterrada, / Sonho que a traz ansiosa e embevecida, / É uma hora feliz, sempre adiada / E que não chega nunca em toda a vida." (Vicente de Carvalho, *Poemas e Canções*, p. 3.) [Antôn.: *infeliz.* Superl. abs. sint.: *felicíssimo.*] ~ V. *fim — e final —.*

feliz-amor. *S. m. Bras., RS.* Variedade de fandango. [Pl.: *felizes-amores.*]

felizão. *Adj.* e *s. m. Fam.* Diz-se de, ou indivíduo muito feliz. [Fem.: *felizona.*]

felizardo. *S. m.* Indivíduo de muita sorte, extraordinariamente feliz; felizão: "O Prates é um felizardo: vai meter-se em cobreira grossa e leva uma mulher!..." (Coelho Neto, *Treva*, p. 178.)

felizmente. [De *feliz* + *-mente.*] *Adv.* **1.** De modo feliz; com felicidade: "Purificado enfim aquele espírito com esta saudável quaresma de penitência, havendo três dias antes dito quando se havia de partir, no último deles se desatou do corpo, felizmente." (P[e]. Manuel Bernardes, *Nova Floresta*, I, pp. 140-141); *Vivem* felizmente. **2.** Por felicidade: Felizmente *achou sua carteira.*

feliz-meu-bem. *S. m. 2 n. Bras.* Certo baile popular, variedade do fandango.

felizona. *Adj. (f.)* e *s. f.* Fem. de *felizão.*

felliniano. *Adj.* **1.** Pertencente ou relativo a Federico Fellini (1920-), cineasta italiano, ou próprio dele e/ou de sua obra. **2.** Que é admirador e/ou conhecedor da obra de Fellini.

▲**fel(o)-.** [Do gr. *phellós, oû.*] *El. comp.* = 'cortiça': *feloplástica, felogênio.*

felô. *S. m. Bras.* V. *alféloa* (1).

feloderma. [De *fel(o)-* + *-derma.*] *S. f. Anat. Veg.* Córtex secundário, formado por dentro do súber quando do desenvolvimento da estrutura secundária.

felodérmico. *Adj. Anat. Veg.* De, ou relativo à feloderma: *célula* felodérmica.

felogênico. *Adj. Anat. Veg.* De, ou relativo ao felógeno: *camada* felogênica.

felogênio. [De *fel(o)-* + *-gen(o)-*[1] + *-io*[2].] *S. m. Anat. Veg.* Felógeno.

felógeno. [De *fel(o)-* + *-geno.*] *S. m. Anat. Veg.* Meristema secundário que dá origem ao súber e a outros tecidos peridérmicos; felogênio.

felonia. *S. f.* **1.** Rebelião de vassalo contra o senhor. **2.** Traição, deslealdade, perfídia: "Nesses tempos, ... a insídia, a perfídia, a traição, a felonia, [eram] argutos expedientes" (Antero de Figueiredo, *D. Pedro e D. Inês*, p. 158). **3.** Crueldade, ferocidade.

feloplástica. [De *fel(o)-* + *-plast-* + *-ica*[2].] *S. f.* Arte de esculpir em cortiça.

felpa (ê). [Talvez do fr. ant. *ferpe, feupe.*] *S. f.* **1.** Pêlo saliente nos tecidos; felpo: "Um homem alto, de pêra, metido em espesso sobretudo de felpas negras, bramava contra o crime" (Coelho Neto, *Obra Seleta*, I, p. 504). **2.** Penugem de animais. **3.** Lanugem de folhas ou de frutos; carepa: "seus dedos ágeis teceram o formoso uru de palha, que forrou da felpa macia da monguba, para agasalhar sua companheira e amiga." (José de Alencar, *Iracema*, p. 120). **4.** Buço de rapazinho; penugem. **5.** *Bras. Fam.* Lascazinha de madeira que acidentalmente se introduz na pele ou na carne; farpa. **6.** *Bras., CE. Pop.* Qualidade, espécie, laia: "Da mesma felpa que esses dois, igualando-os na fereza d'alma e nos processos infames, surgem centenas de nevrosados" (Gustavo Barroso, *Terra do Sol*, p. 135). [Pl.: *felpas* (ê). Cf. *felpa* e *felpas*, do v. *felpar.*]

felpado. [De *felpa* + *-ado*[1].] *Adj.* V. *felpudo.*

felpar. *V. t. d.* Cobrir de felpa. [Pres. ind.: *felpa* (ê), s. f., e pl. *felpas* (ê).]

felpo (ê). *Adj.* **1.** V. *felpudo.* ● *S. m.* **2.** Felpa (1): "uma gravata de laçarias portentosas e um canudo de felpo lustroso." (Camilo Castelo Branco, *Amor de Salvação*, p. 17). [Pl.: *felpos* (ê). Cf. *felpo*, do v. *felpar.*]

felpudo. *Adj.* Que tem felpa ou muita felpa; felpado, felpo.

felsítico. *Adj. Petr.* Diz-se da textura das rochas de granulação tão fina que só pode ser observada com o auxílio de lupa ou de microscópio.

feltrado. [Part. de *feltrar.*] *Adj.* Guarnecido com feltro; estofado: *mesa de jogo* feltrada.

feltragem. *S. f.* Ato ou operação de feltrar. [Cf. *filtragem.*]

feltrar. *V. t. d.* Guarnecer com feltro; estofar. [Pres. ind.: *feltro*, etc. Cf. *feltro* (ê) e *filtrar.*]

feltro (ê). *S. m.* **1.** Espécie de estofo, de lã ou de pêlo, produzido por empastamento, e usado sobretudo na fabricação de chapéus, pantufos, etc.: "punha na cabeça um chapéu comum de feltro machucado." (Lima Júnior, *Alguns Homens do Meu Tempo*, p. 13). **2.** Chapéu de feltro: "Via-o faceiro e trazendo o seu magnífico feltro marrom." (Rodrigo Otávio, *Minhas Memórias dos Outros*, Nova série, p. 146). **3.** *Ind. Pap.* Cada um dos retângulos desse material, em que sucessivamente se deitavam as folhas de papel de tina, sobre eles virando a fôrma, até perfazer conjunto que se levava a uma grande prensa, para a água. **4.** *Ind. Pap.* Cada uma das tiras sem fim desse material, que conduzem a folha de papel e permitem sua formação e secagem nas diversas seções da máquina contínua. [Pl.: *feltros* (ê). Cf. *feltro*, do v. *feltrar.*] ~ V. *feltros.*

feltrógrafo. [De *feltro* + *-grafo.*] *S. m.* V. *flanelógrafo.*

feltros (ê). [Pl. de *feltro.*] *S. m. pl.* Forros metálicos. ~ V. *feltro.*

felucho. *S. m.* Var. de *falucho.*

felugem. *S. f.* V. *fuligem.*

■**f.e.m.** *Eletr.* Abrev. de *força eletromotriz.*

fêmea. [Do lat. *femina.*] *S. f.* **1.** Qualquer animal do sexo feminino. **2.** Mulher (1). **3.** *Restr.* Mulher sensual. **4.** V. *concubina* (1). **5.** V. *meretriz.* **6.** *Cost.* Colcheta. **7.** *Tec. Mec.* Peça, de um par, com um orifício onde se adapta a outra, chamada o *macho.* ◆ **Fêmea de governo.** *Bras.* Calço de madeira donde pende o leme das jangadas. **Fêmeas do leme.** *Marinh.* Cada uma das peças com formato de olhal reforçado, cravadas no cadaste do navio ou da embarcação, para receberem os machos fixos na madre do leme, e que, juntamente com esses machos, formam uma goveadura, espécie de dobradiça, em torno da qual gira o leme.

femeaço. [De *fêmea* + *-aço.*] *S. m.* **1.** *Pop.* Mulherio (1). **2.** Reunião de mulheres dissolutas.

femeado. [De *fêmea* + *-ado*[1].] *Adj. Bras.* Diz-se de pássaro que passa a cantar muito, após ter estado com a fêmea e ter sido afastado dela. [O canto é tido como maneira de chamar a fêmea, para tê-la de novo.]

femeal. *Adj. 2 g.* Fêmeo (2): "uns vampiros de sangue femeal, que trazem o demônio da vingança no corpo" (Camilo Castelo Branco, *A Queda dum Anjo*, p. 180).

femeeiro. [De *fêmea* + *-eiro.*] *Adj.* **1.** Muito dado a mulheres; mulherengo: "O raro fidalgo de estirpe poderia ser namoradiço, femeeiro, e até imoral, se quiserem; mas era-o lá com a parentela." (Camilo Castelo Branco, *Doze Casamentos Felizes*, p. 101.) [Sin. (bras.): *folgazão* (N.) e *raparigueiro* (N. E.).] **2.** *Bras.* Diz-se do touro e do garanhão cujos produtos, na grande maioria, são do sexo feminino. ● *S. m.* **3.** Indivíduo femeeiro; mulherengo. **4.** Conjunto de meretrizes em um lugar.

fementido. [De *fé* + *mentido.*] *Adj.* **1.** Que mentiu à fé jurada; perjuro. **2.** Enganoso, ilusivo, ilusório: "homens cansados das estéreis preocupações da civilização e das suas fementidas promessas" (Fidelino de Figueiredo, *Música e Pensamento*, p. 154).

fêmeo. *Adj.* **1.** Que não é macho; feminino. **2.** Relativo a, ou próprio de fêmea; femeal: "— No arroio, delgada, guapa, leve, a Jovita lavava a roupa do Nilo, com cautela, com maneiras bem fêmeas" (Ciro Martins, *Paz nos Campos*, p. 25).

fêmico. [De *fe(rro)* + *m(agnésio)* + *-ico*[2].] *Adj. Geol.* Diz-se dos minerais ferromagnesianos da norma (6), i. e., daqueles que figuram na composição mineralógica hipotética de uma rocha magmática. [Cf. *sálico*[2].]

feminal. *Adj. 2 g.* V. *feminil: curiosidades* feminais.

feminela. [Do it. *femminella*, 'mulherzinha'.] *S. f. Ant.* Cilindro de madeira ligado à haste do soquete e coberto com lã de carneiro, usado para empurrar o projetil nas peças de artilharia de carregar pela boca.

femíneo. [Do lat. *femineu.*] *Adj.* V. *feminil* (1): "Outra é mestiça — rara flor do Egito: / A par dos lábios sensuais que osculam, / E a redondez femínea dos quadris, / Mostra um temperamento hermafrodito" (Raimundo Correia, *Poesias*, p. 76).

feminidade. [Do lat. *femina*, 'fêmea', + *-i-* + *-dade.*] *S. f.* Qualidade, caráter ou propriedade de ser fêmeo.

feminifloro. [Do lat. *femina*, 'fêmea' + *-i-* + *-floro.*] *Adj. Morfol. Veg.* Diz-se do vegetal quando formado de flores femininas.

feminil. *Adj. 2 g.* **1.** Relativo a, ou próprio do sexo feminino; feminino, femíneo, feminal: "Uma ninfa... e vestida unicamente / Da tentadora, feminil nudez." (Raimundo Correia, *Poesias*, p. 142.) **2.** *Fig.* Efeminado, adamado, mulherengo, feminal.

feminilidade. [De *feminil* + *-i-* + *-dade.*] *S. f.* Qualidade, caráter, modo de ser, pensar ou viver próprio da mulher.

feminino. [Do lat. *femininu.*] *Adj.* **1.** Referente ao sexo caracterizado pelo ovário nos animais e nas plantas; fêmeo. **2.** V. *feminil* (1). **3.** *Gram.* Diz-se do gênero de palavras ou nomes que, pela terminação e concordância, designam seres femininos ou como tal considerados. ~ V. *rimas —as.* ● *S. m.* **4.** *Gram.* O gênero feminino. ◆ **O eterno feminino.** A mulher, como tema ou preocupação dominante.

feminismo. [Do fr. *féminisme.*] *S. m.* Movimento daqueles que preconizam a ampliação legal dos direitos civis e políticos da mulher, ou a equiparação dos seus direitos aos do homem.

feminista. [Do fr. *féministe.*] *Adj. 2 g.* **1.** Relativo ao, ou próprio do feminismo. **2.** Que é partidário do feminismo. ● *S. 2 g.* **3.** Partidário dele.

feminizar. *V. t. d.* **1.** Dar feição ou caráter feminino a. **2.** Atribuir o gênero feminino a. *P.* **3.** Assumir os caracteres da fêmea; adquirir qualidades ou modos feminis.

femoral. [Do lat. *femur, femoris*, 'coxa', + *-al.*] *Adj 2 g.* Do fêmur ou da coxa, ou relativo ao fêmur ou à coxa.

▲**femto-.** *Mat. El. comp.* que, anteposto ao nome de uma unidade de medida, forma o de outra 10^{-15} vezes menor que a primeira. P. ex.: *femtômetro* = 10^{-15}m. [Var.: *fento-*. Símb.: *f.*]

fêmur. [Do lat. *femur.*] *S. m.* **1.** *Anat.* Osso único da coxa. **2.** *Zool.* O terceiro segmento da pata dos artrópodes. [Pl.: *fêmures.*]

▲**-fena.** V. *fen(o)-*[1].

fenação. *S. f.* **1.** Processo de conservação das forragens. **2.** Colheita do feno.

fenacetina. [De *fen(ol)* + *acet*, abrev. de *acético.* + *-ina*[1].] *S. f. Quím.* Pó cristalino, incolor, usado como antipirético e antinevrálgico. [Fórm.: $C_{10}H_{13}O_2N$.]

fenacita. [Do gr. *phénax, akos* 'enganador', + *-ita*[3].] *S. f. Min.* Mineral trigonal, silicato de glucínio.

fenantreno. [De *fen(il)* + *antr(aceno)* + *-eno.*] *S. m.*

Quím. Hidrocarboneto aromático, com três anéis benzênicos, existente no alcatrão da hulha. [Fórm.: $C_{14}H_{10}$.]
fenar. *V. int. Bras.* Cultivar feno. [Pres. ind.: *fene, fenes,* etc. Cf. *fênix* e *finar.*]
fenato. [De *fen(o)-*[2] + *-ato*[2].] *S. m. Quím.* Fenolato.
fenda. [Dev. de *fender.*] *S. f.* **1.** Abertura numa superfície ou num objeto fendido ou rachado; racha, rachadela, greta. **2.** Qualquer abertura estreita; frincha, fisga, greta, fendimento. **3.** *Geol.* Abertura estreita que se apresenta nas rochas, devida ao alargamento nas diáclases. **4.** *Morfol. Veg.* Abertura existente entre as células estomáticas. **5.** *Ópt.* Diafragma, geralmente retangular, através do qual penetra luz num instrumento óptico.
fendedor (ô). *Adj.* e *s. m.* Que, ou aquele que fende.
fendeleira. *S. f.* Cunha de ferro para rachar ou fender.
fendente. [Do lat. *fendente.*] *Adj. 2 g.* **1.** Que fende. ● *S. m.* **2.** Cutelada ou golpe forte para fender.
fender. [Do lat. *fendere.*] *V. t. d.* **1.** Fazer fenda (2) em. **2.** Separar no sentido do comprimento. **3.** Rachar; rasgar. **4.** Dividir, separar, apartar: *O rio* fendia *o vale.* **5.** Navegar por; sulcar: *A embarcação* fendia *as águas.* **6.** Atravessar, cruzar, cortar: "uma garça, depois outra, fende o céu alto" (Eça de Queirós, *Contos,* p. 172); E eis que ... um silvo fende os céus" (Id., *ib.,* p. 177); "fendendo a neve, iam dormir à estrebaria" (Id., *ib.,* p. 129). **7.** Fazer estremecer; comover, abalar. *Int.* e *p.* **8.** Abrir-se em fenda (2) ou rachar-se: "A terra fende, crestada, das brechas estoiram, aqui e ali, hastes de junco com bandeiras de lodo penduradas." (José Cardoso Pires, *Jogos de Azar,* pp. 185-186) [P. us. como int.]
fendido. *Adj.* Que se fendeu. ~ V. *folha* —*a.*
fendilhamento. *S. m.* Fendimento (1).
fendimento. *S. m.* **1.** Ato ou efeito de fender(-se); fendilhamento. **2.** V. *fenda* (2).
fenecer. *V. int.* **1.** Terminar, acabar, extinguir-se. **2.** V. *morrer* (1): "E, quando assim vemos fenecer, ainda toucadas das flores da mocidade, senhoras que tinham direito a ser felizes ... por que não havemos de crer que há anjos?" (Camilo Castelo Branco, *Mosaico e Silva de Curiosidades,* p. 8.). **3.** Murchar (5): *As flores* fenecia*m ao sol do meio-dia.* **4.** Ter o seu termo, fim ou limite: *Suas terras* fenecem *onde começa o oceano.* [Sin.: *enfenecer.* Conjug.: v. *aquecer.*]
fenecimento. *S. m.* **1.** Acabamento, fim. **2.** Morte, falecimento.
feneiro. *S. m. Arquit.* Casa ou depósito em que se recolhe o feno.
fenestração. [De *fenestrar* + *-ção.*] *S. f. Cir.* Intervenção, hoje em desuso, sobre o labirinto, para tratamento da surdez por otosclerose.
fenestrado. [Do lat. *fenestratu.*] *Adj.* **1.** Que tem janelas. **2.** Cheio de fendas ou buracos. **3.** *Morfol. Veg.* Dotado de perfurações: *pólen* fenestrado.
fenestral. [Do lat. **fenestrale.*] *Adj. 2 g.* **1.** Relativo a janela. ● *S. m.* **2.** Abertura por onde entram o ar e a luz, como por uma janela.
fenestrar. [Do lat. *fenestrare.*] *V. t. d. Desus.* Abrir janelas em.
fenfém. [T. onom.] *S. m. Bras., Amaz.* V. *saci* (2).
fenianismo. *S. m.* A doutrina ou as práticas dos fenianos.
feniano. [Do irl. *fiann.* confundido com o velho irl. *fene,* denominação dos habitantes da Irlanda, pelo ingl. *fenian.*] S. m. **1.** Membro de uma associação clandestina irlandesa constituída sobretudo de irlandeses ou descendentes de irlandeses, e cujo fito é separar a Irlanda da Inglaterra. ● *Adj.* **2.** Relativo ou pertencente aos fenianos, ou deles característico. ~ V. *fogo* —.
fenicado. *Adj.* Que contém ácido fênico.
fenice. *S. f. P. us.* Fênix.
fenicense. *Adj. 2 g.* **1.** De, ou pertencente ou relativo a Fênix (PR). ● *S. 2 g.* **2.** Natural ou habitante de Fênix.
fenício. [Do gr. *phoiníkios,* pelo lat. *phoeniciu.*] *Adj.* **1.** Da, ou pertencente ou relativo à Fenícia (Ásia antiga) ou aos seus habitantes. ● *S. m.* **2.** O natural ou habitante da Fenícia. **3.** Língua semítica antiga, falada nas cidades de Tiro e Biblos. V. *cananeu* (3).
fênico. [De *fen(o)-*[1] + *-ico*[2].] *Adj. Quím.* Relativo ao fenol. ~ V. *ácido* —.
fenicopterídeo. *S. m.* **1.** Espécime dos fenicopterídeos. ● *Adj.* **2.** Pertencente ou relativo a eles.
fenicoptorídeos. *S. m. pl. Zool.* Aves fenicopteriformes, da família *Phoenicopteridae,* com os três dedos anteriores reunidos por uma membrana, pernas muito compridas, mais longas que o corpo, excluído o pescoço, e bico grosso, abobadado. Vivem junto aos alagadiços ou lagos, procurando alimento na lama. São os flamingos.
fenicopteriforme. *S. m.* **1.** Espécime dos fenicopteriformes. ● *Adj. 2 g.* **2.** Pertencente ou relativo a eles.
fenicopteriformes. *S. m. pl. Zool.* Aves neórnites, neógnatas, consideradas por alguns autores como uma ordem: *Phoenicopteriformes.* Têm pernas muito compridas, mais longas que o corpo, excluído o pescoço, e apenas os três dedos anteriores são reunidos por membranas. São os flamingos.
fenigma. *S. m.* Var. de *fenigmo.*
fenigmo. [Do gr. *phoinignós.*] *S. m.* Rubefação da pele, produzida por sinapismo. [Var.: *fenigma.*]
fênigue. [Do al. *Pfennig.*] *S. m.* Moeda divisionária que representa a centésima parte do marco[2].
fenil. [De *fen(o)-*[1] + *-il.*] *Quím.* Elemento de composição associado ao radical aromático C_6H_5-.
fenilidrazina. [De *fenil* + *hidrazina.*] *S. f. Quím.* Líquido oleoso, incolor, redutor enérgico, usado como reagente. [Fórm.: $C_6H_8N_2$.]
fênix (s). [Do gr. *Phoînix,* pelo lat. *Phoenix.*] *S. f.* **1.** *Mitol.* Ave fabulosa que, segundo a tradição egípcia, durava muitos séculos e, queimada, renascia das próprias cinzas. **2.** *Astr.* Constelação austral, ao S. do Escultor, ao N. do Tucano e do Erídano, e a E. do Grou. [Com maiúscula, nesta acepç.] **3.** *Fig.* Pessoa ou coisa rara, única em seu gênero. [F. paral. (p. us.): *fenice.* Cf. *fenes,* do v. *fenar.*]
feno. [do lat. *fenu.*] *S. m.* Erva ceifada e seca, para alimento de animais.
▲**fen(o)-**[1]. [Do gr. *phaíno.*] *El. comp.* = 'brilhar', 'aparecer': *fenol, fenótipo, fenologia.* [Equiv.: *-fena, -fano, -fan(o)-, -fana: fosfena; quirófano; glaucofânio* ou *glaucófana.*]
▲**fen(o)-**[2]. [De *fenol.*] *El. comp.* = 'fenol': *fenato.*
fenocópia. [De *fen(o)-*[1] + *cópia.*] *S. f. Genét.* Modificação de um fenótipo correspondente a um genótipo específico, produzida pela ação conjunta de fatores ambientais e de um genótipo diferente.
fenocristal. [De *fen(o)-*[1] + *cristal.*] *S. m.* Cristal que, por sua dimensão relativamente maior, sobressai na massa fina vítrea ou microcristalina de uma rocha magmática.
feno-de-cheiro. *S. m.* Erva de colmo ereto, da família das gramináceas (*Anthoxanthum odoratum*), de flores dispostas em panículas verde-amareladas, com as glumas da mesma cor, pubescentes e com nervuras desiguais, que fornece forragem; flava. [Pl.: *fenos-de-cheiro.*]
feno-grego. *S. m.* Planta de caule ereto, da família das leguminosas (*Trigonella foenum-graecum*), de flores sésseis, amareladas ou alvas, solitárias ou geminadas na axila das folhas, cujo fruto é vagem séssil, achatada, com sementes ovóides, amarelas e transversalmente reticuladas, e que fornece forragem. [Pl.: *fenos-gregos.*]
fenol. [De *fen(o)-*[2] + *-ol.*] *S. m. Quím.* **1.** Derivado hidroxilado do benzeno, cristalino incolor, mas avermelhado quando exposto à luz, com cheiro característico, encontrado no alcatrão e com diversas aplicações importantes; ácido fênico, ácido carbólico. [Fórm.: C_6H_5OH.] **2.** Classe de compostos com uma hidroxila ligada diretamente a um carbono de um anel benzênico. [Pl.: *fenóis.*]
fenolato. *S. m. Quím.* Designação genérica dos sais formados entre fenóis e bases, fenato.
fenolftaleína. [De *fenol* + *ftaleína.*] *S. f. Quím.* Substância cristalina, incolor, solúvel em álcool, usada como indicador. [Fórm.: $C_{20}H_{14}O_4$.]
fenólico. *Adj.* Relativo ao, ou próprio do fenol. ~ V. *resina* —*a.*
fenologia. [De *fen(o)-*[1] + *-log(o)-* + *-ia.*] *S. f.* **1.** Parte da botânica que estuda vários fenômenos periódicos das plantas, como a brotação, a floração e a frutificação, marcando-lhes as épocas e os caracteres. **2.** *Biol. Ger.* Estudo das relações dos processos biológicos periódicos com o clima.
fenológico. *Adj.* Referente à fenologia.
fenologista. *S. 2 g.* Especialista em fenologia.
fenolsulfônico. *Adj.* ~ V. *ácido* —.
fenomenal. *Adj. 2 g.* **1.** Que tem o caráter de fenômeno. **2.** Que é raro e surpreendente; espantoso, admirável, singular.
fenomenalmente. [De *fenomenal* + *-mente.*] *Adv.* De modo fenomenal.
fenomênico. *Adj.* Relativo a fenômeno.
fenomenalidade. *S. f.* Qualidade ou caráter de fenomenal.
fenomenismo. *S. m. Filos.* **1.** Doutrina que admite que todo o real se reduz a fenômenos [v. *fenômeno* (9)]. **2.** Doutrina que admite que só podemos conhecer fenômenos [v. *fenômeno* (9)].
fenômeno. [Do gr. *phainómenon,* pelo lat. *phaenomenon.*] *S. m.* **1.** Qualquer modificação operada nos corpos pela ação dos agentes físicos ou químicos. **2.** Tudo que é percebido pelos sentidos ou pela consciência. **3.** Fato de natureza moral ou social. **4.** Tudo o que se observa de extraordinário no ar ou no céu. **5.** Aquilo que é raro e surpreendente; prodígio, maravilha. **6.** Pessoa ou objeto que tem algo de anormal ou extraordinário. **7.** Pessoa que se distingue por algum talento extraordinário. **8.** *Filos.* Objeto de experimentação; fato. **9.** *Filos.* O que se manifesta à consciência. [Cf. *dado* (11).] **10.** *Filos.* Tudo que é objeto de experiência possível, i. e., que se pode manifestar no tempo e no espaço segundo as leis do entendimento. [Cf. *número.*] ◆ **Fenômeno astronômico.** *Astr. P. us.* Configuração de astros que ocupam posições próximas na esfera celeste. **Fenômeno cooperativo.** *Fís.* Qualquer processo cuja ocorrência exige a interação simultânea de vários sistemas cujas atuações se adicionam para levar ao efeito final. **Fenômeno de massa.** *Fís.* O que só existe ou só se manifesta quando ocorre grande quantidade de fenômenos individuais ou particulares. A pressão de um gás, p. ex., é um fenômeno de massa decorrente das diferentes velocidades das moléculas constitutivas do gás e dos choques dessas moléculas com as paredes do recipiente que o contém.
fenomenologia. [Do gr. *phainómenon,* 'fenômeno' + *-log(o)-* + *-ia.*] *S. f. Filos.* **1.** Estudo descritivo de um fenômeno ou de um conjunto de fenômenos em que estes se definem quer por oposição às leis abstratas e fixas que os ordenam, quer às realidades de que seriam a manifestação. **2.** Sistema de Edmund Husserl, filósofo alemão (1859-1938), e de seus seguidores, caracterizado principalmente pela abordagem dos problemas filosóficos segundo um método que busca a volta "às coisas mesmas", numa tentativa de reencontrar a verdade nos dados originários da experiência.
fenomenológico. *Adj.* Relativo à fenomenologia.
fenossão. *S. m.* V. *esparzeta.*
fenotípico. *Adj.* **1.** Que tem a mesma aparência. **2.** Relativo ao fenótipo: *caráter* fenotípico.
fenótipo. [De *fen(o)-*[1] + *-tipo*[2].] *S. m. Genét.* Característica de um indivíduo (2), determinada pelo seu genótipo e pelas condições ambientais.
▲**fento-.** *Mat.* Var. de *femto-.*
▲**feo-.** [Do gr. *phaiós, á, ón.*] *El. comp.* = 'escuro', 'pardo': *feodérmico.*
feodérmico. [De *feo-* + *-derm(a)-* + *-ico*[2].] *Adj.* De pele parda; pardo, mulato.
feofícea. *S. f.* Espécime das feofíceas; feófito, melanofícea.
feofíceas. *S. f. pl. Bot.* Divisão do reino vegetal que compreende as algas pardas, vegetais aquáticos, sobretudo marinhos, cujo talo e órgãos reprodutivos se mostram altamente diferenciados. Algumas alcançam até 100 m de comprimento. Apresentam alternância de gerações e paredes celulares pectocelulósicas. [Sin.: *feófitos, melanofíceas.*]
feofíceo. *Adj.* Pertencente ou relativo às feofíceas; feófito, melanofíceo.
feófito. *S. m.* **1.** V. *feofícea.* ● *Adj.* **2.** V. *feofíceo.*
feófitos. *S. m. pl. Bot.* V. *feofíceas.*
feofó. *S. m. Bras. Pop.* V. *ânus.*
fera. [Do lat. *fera.*] *S. f.* **1.** Animal bravio e carnívoro. [Sin., bras.: *bicho-do-mato.*] **2.** *Fig.* Pessoa cruel e sanguinária. **3.** *Fig.* Pessoa muito severa, irascível. **4.** *Fig.* Pessoa de grandes conhecimentos, especialmente em determinada matéria: *O homem é* fera *em matemática.*
feracidade. [Do lat. *feracitate.*] *S. f.* Qualidade de feraz; fertilidade, fecundidade. [Cf. *ferocidade.*]
feracíssimo. *Adj.* Superl. abs. sint. de *feraz:* "E para logo nos empolga a imagem retrospectiva de uma terra admirável e farta e feracíssima" (Euclides da Cunha, *Contrastes e Confrontos;* p. 89). [Cf. *ferocíssimo.*]
feral. [Do lat. *ferale.*] *Adj. 2 g.* **1.** Fúnebre, funéreo, lúgubre: "O vento geme no feral cipreste, / O mocho pia na marmórea cruz." (Soares de Passos, *Poesias,* p. 12.) **2.** Sinistro, cruel, sangrento.
feraz. [Do lat. *ferace.*] *Adj. 2 g.* De grande força produtiva; fértil, fecundo, úbere, ubertoso: "Depois, toda essa verdura começava a rir na alvura dos capulhos da várzea feraz." (José Américo de Almeida, *A Bagaceira,* p. 117.) [Superl. abs. sint.: *feracíssimo.* Cf. *feroz.*]
férculo. [Do lat. *ferculu.*] *S. m.* Andor ou palanquim, em certas solenidades pagãs.
fere-folha. [De *ferir* + *folha.*] *S. 2 g.* Pessoa buliçosa, metediça, irrequieta. [Pl.: *fere-folhas.*]
féretro. [Do lat. *feretru.*] *S. m.* **1.** Andor em que nos triunfos romanos se levavam os despojos dos vencidos. **2.** V. *caixão* (2): "No cemitério tive de repetir a

cerimônia da casa, desatar as correias, e ajudar a levar o féretro à cova." (Machado de Assis, *Dom Casmurro*, p. 344.)

fereza (ê). *S. f.* Qualidade de fero, cruel; perversidade, ferocidade, feridade.

féria. [Do lat. *feria*.] *S. f.* **1.** Dia semanal. **2.** Jornal ou salário de trabalhadores. **3.** Soma dos salários da semana. **4.** Rol de salários. **5.** Folga, descanso. **6.** Em casa comercial, o dinheiro das vendas realizadas no dia, na semana, etc. **7.** *Lit.* No calendário litúrgico, dia em que não se comemora uma festa. **8.** V. *receita* (1). [Cf. *feria*, dos v. *ferir* e *feriar*.] ~ V. *férias*.

feriado. [Do lat. *feriatu*.] *Adj.* **1.** Em que há férias. **2.** Em que não se trabalha; consagrado ao lazer; livre: "lia ou ouvia ler Cristina, que dava aos livros unicamente as horas feriadas das suas ocupações domésticas" (Camilo Castelo Branco, *O Bem e o Mal*, p. 108). ~ V. *dia* —. • *S. m.* **3.** Dia ou tempo em que, por determinação civil ou religiosa, se suspende o trabalho. **4.** *Bras., RJ.* Dia-santo [q. v.].

ferial. *Adj. 2 g.* **1.** Relativo a féria ou a férias. **2.** Relativo aos dias da semana, aos dias úteis.

feriar. [Do lat. *feriare, por *feriari*.] *V. t. d.* **1.** Dar férias ou descanso a. *Int.* **2.** Estar em férias; passar as férias. *P.* **3.** Entrar em férias; interromper o trabalho. [Pres. ind.: *ferio, ferias, feria*, etc. Cf. *féria* e *férias*.]

férias. [Do lat. *ferias*.] *S. f. pl.* **1.** Dias em que se suspendem os trabalhos oficiais (datas patrióticas e dias santificados); feriado. **2.** Certo número de dias consecutivos destinados ao descanso de funcionários, empregados, estudantes, etc., após um período anual ou semestral de trabalho ou atividades. [Cf. *ferias*, dos v. *feriar* e *ferir*.]

feriável. *Adj. 2 g.* Que pode ser feriado.

ferida. [Fem. substantivado do adj. *ferido*.] *S. f.* **1.** *Patol.* e *Cir.* Solução de continuidade aparente em uma estrutura do corpo: *Ainda se vê a ferida no lugar onde entrou a bala.* [Sin.: *ferimento* e (bras., N.E.) *brejeira*.] **2.** *P. ext.* Ulceração, chaga: *Está cheia de feridas da catapora.* **3.** Corte cirúrgico. **4.** *Fig.* Golpe mental ou emocional sofrido pela sensibilidade, pelo orgulho ou pela reputação; dor, mágoa, injúria, ofensa, agravo. ◆ **Ferida braba.** *Bras.* **1.** Ferida de mau caráter. **2.** Úlcera fagedênica própria dos países quentes. **3.** *Fig.* Pessoa ruim. **Ferida contusa.** A que é acompanhada de contusão. **Ferida incisa.** A que é produzida por instrumento cortante. **Ferida ruim.** *Bras.* Lesão infetada pelo germe do tétano; gangrena. **Ferida velha.** Úlcera tórpida, que resiste ao tratamento.

feridade. [Do lat. *feritate*.] *S. f.* V. *fereza*: "Põe-me onde se use toda a feridade, / Entre leões e tigres, e verei / Se neles achar posso a piedade / Que entre peitos humanos não achei" (Luís de Camões, *Os Lusíadas*, III, 129).

feridagem. *S. f. Bras.* Manifestação simultânea de numerosas feridas; furunculose.

feridento. *Adj.* **1.** *Bras.* Cheio ou coberto de feridas: *um homem magro e feridento; perna feridenta.* • *S. m.* **2.** Indivíduo feridento.

ferido. [Part. de *ferir*.] *Adj.* **1.** Que recebeu ferimento. **2.** Ofendido, magoado. • *S. m.* **3.** Aquele que está ferido.

feridor (ô). *Adj.* **1.** Que fere. • *S. m.* **2.** Aquele que fere. **3.** *Bras.* Nos engenhos de açúcar, extremidade do cálice, que fica por cima dos cubos da roda.

ferimento. *S. m.* **1.** Ato ou efeito de ferir(-se). **2.** V. *ferida* (1).

ferino. [Do lat. *ferinu*.] *Adj.* **1.** Semelhante a fera; feroz. **2.** Próprio de fera; feroz: "Cipião .... afogou em sangue, com ferina crueza, um motim das suas tropas" (Aquilino Ribeiro, *Os Avós dos Nossos Avós*, p. 203). **3.** Cruel, desumano, perverso. **4.** *Fig.* Que fere, ofende, magoa; ofensivo: *tom ferino; ironia ferina.*

ferir. [Do lat. *ferire*.] *V. t. d.* **1.** Dar um golpe que produz chaga, fratura ou contusão; fazer feridas em; golpear: *Feriram-no com punhal.* **2.** Dar golpes ou pancadas em: *ferir a madeira*; "as duas mãos calosas, pouco antes ocupadas em descascar laranjas, juntavam-se com forte barulho de martelos a ferir bigornas." (Graciliano Ramos, *Viagem*, p. 42). **3.** Travar (combate, batalha). **4.** Cortar, fender, rasgar. **5.** Tocar, tanger: *ferir o violão*; "Orfeu as cordas fere" (Tomás Antônio Gonzaga, *Marília de Dirceu*, p. 91). **6.** Causar impressão ou sensação em: *Uma voz feriu-lhe o ouvido.* **7.** Impressionar, desagradavelmente: *A luz feriu-lhe os olhos*; "Cheiro de carnes putrefactas feriu-lhe logo o olfato agudíssimo" (Franklin Távora, *O Cabeleira*, pp. 141-142). **8.** Ofender, magoar, injuriar: *O artigo feriu-lhe a honra.* **9.** Causar prejuízo a: *A decisão feriu seus interesses.* **10.** Punir, castigar. **11.** Produzir pelo atrito (lume, faíscas): *ferir fogo.* **12.** Provocar sofrimento em; afligir, contristar: *A ingratidão feria-o.* **13.** Articular, pronunciar. **14.** Tratar de (algum assunto). *Int.* **15.** Vibrar golpes; causar ferimento(s): *Eia, não firas, pois já te arrependerás.* *P.* **16.** Produzir ferimento em si mesmo; golpear-se, cortar-se: "— Mas, espere, ... o senhor feriu-se? Com efeito, a mão do nosso amigo tinha sangüe, um ferimento na palma." (Machado de Assis, *Quincas Borba*, p. 113.) **17.** Ofender-se, melindrar-se, doer-se, sentir-se, ressentir-se: *Feriu-se profundamente com tuas palavras.* **18.** Compadecer-se, contristar-se, penalizar-se, condoer-se, doer-se. [Irreg. Conjug.: v. *aderir*. Imperf. ind.: *feria, ferias*, etc. Cf. *féria* e *férias*.]

fermata. [Do it. *fermata*.] *S. f. Mús.* Sinal (𝄐) colocado sobre ou sob uma nota ou uma pausa. Indica que a duração do valor desta nota ou desta pausa pode ser arbitrariamente prolongada pelo executante. [Geralmente a fermata dobra o valor rítmico escrito. V. *retardo* (2).]

fermentação. [Do *fermentar* + *-ção*.] *S. f.* **1.** Transformação química provocada por um fermento vivo ou por um princípio extraído de fermento. **2.** Efervescência gasosa proveniente de tal transformação; ebulição. **3.** *Fig.* Efervescência moral; agitação, comoção, ebulição.

fermentáceo. *Adj.* Fermentante.

fermentador (ô). *Adj.* e *s. m.* Que ou aquilo que fermenta.

fermentante. [Do lat. *fermentante*.] *Adj. 2 g.* **1.** Que está em fermentação. **2.** Que provoca fermentação. [Sin. ger.: *fermentáceo*.]

fermentar. [Do lat. *fermentare*.] *V. t. d.* **1.** Produzir fermentação em; fazer levedar: *fermentar cerveja.* **2.** Agitar, excitar, estimular, fomentar: *Aquelas medidas fermentavam a ira popular.* *Int.* **3.** Decompor-se pela fermentação; levedar. **4.** Entrar ou estar em agitação; agitar-se.

fermentativo. *Adj.* Que produz fermentação.

fermentável. *Adj. 2 g.* Que se pode fermentar.

fermentescente. [Do lat. *fermentescente*.] *Adj. 2 g.* **1.** Fermentescível. **2.** Que principiou a fermentar.

fermentescibilidade. *S. f.* Qualidade de fermentescível.

fermentescível. [Do lat. *fermentescere*, 'principiar a fermentar'.] *Adj. 2 g.* Preparado para a fermentação; fermentescente.

fermento. [Do lat. *fermentu*.] *S. m.* **1.** Substância capaz de provocar trocas químicas, particularmente fermentação, sem nada ceder de sua própria matéria aos produtos de fermentação. **2.** Massa de farinha que azedou e que, misturada a outra massa de pão, determina, nesta, a fermentação. [Sin., nessas acepç.: *levedura*.] **3.** *Fig.* Germe de paixões, revoluções, etc.

fermentoso (ô). [De *fermento* + *-oso*.] *Adj. Fig.* Que agita, que excita; que dá vida.

férmio. [Do antr. *Fermi*, de Enrico Fermi, físico italiano (1901-1954), + *-io*².] *S. m. Quím.* Elemento de número atômico 100, transurânico, artificial. [Símb.: *Fm*.]

férmion. *S. m. Fís.* Partícula elementar cujo comportamento obedece à estatística de Fermi-Dirac. [Cf. *férmio*.]

fernandina. [Do fr. *fernandine*, com infl. do antr. *Fernandina*.] *S. f.* Variedade de tecido de lã ou de algodão.

fernandopolense. *Adj. 2 g.* **1.** De, ou pertencente ou relativo a Fernandópolis (SP). • *S. 2 g.* **2.** Natural ou habitante de Fernandópolis.

fernando-prestense. *Adj. 2 g.* **1.** De, ou pertencente ou relativo a Fernando Prestes (SP). • *S. 2 g.* **2.** Natural ou habitante de Fernando Prestes. [Pl.: *fernando-prestenses*.]

fero. [Do lat. *feru*.] *Adj.* **1.** V. *feroz* (1 a 4). **2.** Encarniçado, cruento: feras batalhas. **3.** Intimidador, amedrontador, assustador: "Uivam chacais... Ressoa a fera tuba / Dos cafres, pelas grotas retumbando" (Raimundo Correia, *Poesias*, p. 190). **4.** São, rijo, forte, vigoroso. ~ V. *feros*.

▲-fero. [Do lat. *ferre*.] *El. comp.* = 'que contém'; 'que produz'; 'que transporta'. *aurífero* (< lat. *auriferu*), *mamífero*; *carbonífero*.

ferócia. [Do lat. *ferocia*.] *S. f. P. us.* V. *ferocidade*: "A dançatriz [espanhola] reflete .... tudo quanto a sua raça possui: .... ênfase, arroubo, exagero, ferócia, asco, desdém" (Martins Fontes, *A Dança*, p. 61).

ferocidade. [Do lat. *ferocitate*.] *S. f.* Qualidade de feroz; braveza, fereza, feridade, ferócia. [Cf. *feracidade*.]

ferocíssimo. [Do lat. *ferocissimu*.] *Adj.* Superl. abs. sint. de *feroz*. [Cf. *feracíssimo*.]

feromônio. *S. m. Quím.* Designação genérica de substâncias secretadas por insetos que servem de meio de comunicação entre indivíduos da mesma espécie ou são atraentes sexuais.

feros. [Pl. de *fero*.] *S. m. pl.* Fanfarronada, bravata. ~ V. *fero*.

feroz. [Do lat. *feroce*.] *Adj. 2 g.* **1.** Que tem índole ou natureza de fera; selvagem, bravio. **2.** Perverso, desumano, cruel: "O assassino era dado como homem frio e feroz." (Machado de Assis, *Quincas Borba*, p. 80.) **3.** Violento, impetuoso: *Uma tempestade feroz se abateu sobre a cidade.* **4.** Ameaçador, sanhudo, terrível: *semblante feroz*. [Sin., nessas acepçs.: *fero*.] **5.** Destemido, arrojado. **6.** Arrogante, altivo: *olhar feroz*. **7.** Extraordinário, espantoso, terrível, tremendo: *Tem uma ambição feroz de enriquecer.* [Superl. abs. sint.: *ferocíssimo*. Cf. *feraz*.]

ferra. [Dev. de *ferrar*.] *S. f.* **1.** Ato ou efeito de ferrar (3). [Sin., no RS: *marcação*.] **2.** Pá de ferro para mexer ou tirar brasas. **3.** *Bras., N.E.* Época durante a qual se ferra o gado.

ferrabrás. [De *Fier-à-bras*, nome de um gigante sarraceno que aparece nas canções de gesta do séc. XII.] *S. m.* e *adj.* V. *fanfarrão*. [Pl.: *ferrabrases*.]

ferraça. *S. f.* Chapa redonda, de ferro, em cujo centro há um buraco, por onde se ateia fogo ao forno, em cuja boca ela é colocada.

ferração. *S. f.* Ato ou efeito de ferrar (2); ferragem.

ferrada. *S. f. Bras.* **1.** Pregada. **2.** *Gír.* V. *facada* (3).

ferrado[1]. [Do lat. *ferratu*, 'ferruginoso'.] *S. m.* **1.** Fezes do recém-nascido. V. *mecônio*. **2.** Vaso para ordenhar.

ferrado[2]. [Part. de *ferrar*.] *Adj.* **1.** Guarnecido de ferradura (2): "sapato ferrado" (Latino Coelho, *Tipos Nacionais*, p. 227). **2.** Que se ferrou, que levou ferradura (cavalgadura). **3.** *Fig.* Aferrado; teimoso. **4.** *Bras. Gír.* Em péssima situação; sem saída. • *S. m.* **5.** Ato de ferrar.

ferrador (ô). *S. m.* **1.** Indivíduo cuja profissão é ferrar cavalgaduras, etc. **2.** *Bras.* V. *araponga* (1).

ferradura. [De *ferrar* + *-(d)ura*.] *S. f.* **1.** Peça de ferro, de forma especial, que se aplica na face inferior das patas das cavalgaduras. **2.** *P. ext.* Chapinha semicircular, com que se protegem solas e saltos de sapatos. **3.** *Zool. Pop.* Designação dada aos equinodermos da classe dos equinóides, cuja forma lembra a de uma ferradura cheia. Animais marinhos, de corpo protegido por carapaça calcária, simetria externa pentâmera, provido de lanterna-de-aristóteles [q. v.].

ferrageiro. *S. m.* Negociante de ferragens ou de ferro; ferreiro, ferragista.

ferragem *S. f.* **1.** Conjunto ou porção de peças de ferro necessárias para edificação, artefatos, etc. **2.** Guarnição de ferro: "Gonçalo abriria o gavetão da rica cômoda de ferragens douradas" (Eça de Queirós, *A Ilustre Casa de Ramires*, p. 132). **3.** O conjunto das quatro ferraduras de uma besta. **4.** Ferração. **5.** *Bras.* V. *satélite* (7). ◆ **Ferragem azul.** Octaedrita azul (satélite do diamante).

ferragista. *S. 2 g. Bras.* V. *ferrageiro*.

ferragoilo. *S. m. Ant.* V. *ferragoulo*.

ferragoulo. [Do ár. vulg. *feriyûl*, pelo it. *farraiuolo*.] *S. m. Ant.* Gibão ou gabão de mangas curtas, com cabeção e capuz: "ricos gibões, calças, roupetas e ferragoulos alastrados de passamanes dum gosto duvidoso." (Conde de Sabugosa, *Embrechados*, p. 29). [Var.: *ferragoilo* e *farragoulo*.]

ferrajão. [Aum. de *ferragem* (5).] *S. m.* V. *informação* (11).

ferrajaria. *S. f.* Fábrica de ferragens.

ferramenta. [Do lat. *ferramenta*, pl. de *ferramentum*.] *S. f.* **1.** Utensílio de ferro de um trabalhador. **2.** *P. ext.* Qualquer utensílio empregado nas artes e ofícios. **3.** Conjunto de utensílios de uma arte ou ofício. **4.** *Fig.* Instrumento (3): *A ferramenta do progresso é a educação.* **5.** *Bras., CE.* Designação dada, no sertão, às esporas do vaqueiro. ◆ **Ferramenta de Ogum.** *Bras.* Apetrechos de ferro, como espada, lança, foice e pá, que o orixá carrega como fetiche.

ferramental. *S. m.* **1.** *Ant.* Ferramenta (1 a 4). **2.** *Carp.* Peça de madeira com que se dispõem as ferramentas ao alcance de quem tem de trabalhar com elas.

ferramentaria. *S. f.* Fábrica de ferramentas, ou estabelecimento que as vende.

ferramenteiro. *S. m.* **1.** Mecânico especializado, que faz moldes e ferramentas. **2.** Guarda ou inspetor de ferramentas.

ferrão. *S. m.* **1.** Ponta de ferro; aguilhão. **2.** *Zool.* O dardo dos insetos. **3.** *Bras.* V. *jaçanã* (1).

ferrar. *V. t. d.* **1.** Ornar ou guarnecer de ferro. **2.** Pôr ferraduras em (cavalgadura). **3.** Marcar com ferrete quente (boi, cavalo, etc.). **4.** Tornar ferruginosa (a água). **5.** *Marinh.* Colher (vela ou toldo) atando-os com amarrilhos a uma verga, estai ou vergueiro: "navegou terra a terra à sombra da costa .... ; .... ferrou panos e fundeou sobre virotes." (Galpi, *Narrativas Militares*, p. 23). *T. d.* e *i.* **6.** Dar, aplicar: *O animal* ferrou *-lhe uma bicada.* **7.** Cravar, enterrar: "O cão de um salto ferrou os dentes no suíno gordo e pesado." (Gustavo Barroso, *Terra de Sol*, p. 87.) **8.** Obrigar a aceitar; impingir: *Há pessoas que por qualquer motivo nos* ferram *um discurso.* **9.** *Bras.* Golpear com arma branca; furar. **10.** *Bras. Pop.* Causar dano ou prejuízo a; prejudicar: *A pressa* ferrou *o trabalho.* **11.** *Bras. Pop.* Pedir dinheiro emprestado a. *T. i.* **12.** Cair em (sono profundo). **13.** Entregar-se ou dedicar-se a: Ferrou *no trabalho.* **14.** Investir, arremessar-se: Ferraram *gregos com troianos. T. i.* e *c.* **15.** Introduzir com violência: Ferraram *com o desordeiro no cárcere.* **16.** Lançar com força; arremessar: Ferrou *com o embrulho na parede. Int.* **17.** *Bras.* Marcar o animal com ferrete em brasa. *P.* **18.** Entranhar-se, cravar-se: "Os seus dentes d'amêndoa ferravam-se numa tangerina de chila" (Eça de Queirós, *O Primo Basílio*, p. 185). **19.** Apegar-se, aferrar-se: *Os maus quase sempre se* ferram *nos bons.* **20.** *Bras. Gír.* Sair-se mal; fracassar; levar ferro: Ferrou-se *na prova de física.* [Fut. pret.: *ferraria*, etc. Cf. *ferrária.*]

ferraria. [De *ferro* + *-aria.*] *S. f.* **1.** Fábrica de ferragens. **2.** Loja, oficina ou arruamento de ferreiros. **3.** Grande porção de ferro. [Cf. *ferrária.*]

ferrária. [Do antr. *Ferrari* + *-ia.*] *S. f. Gênero de plantas iridáceas, cultivadas em razão de suas belas flores.* [Cf. *ferraria*, do v. *ferrar* e s. f.]

ferrato. *S. m. Quím.* Sal composto de ferro hexavalente de fórmula M_2FeO_4.

ferrazense. *Adj. 2 g.* **1.** De, ou pertencente ou relativo a Ferraz de Vasconcelos (SP). ● *S. 2 g.* **2.** Natural ou habitante de Ferraz de Vasconcelos.

ferreirense[1]. *Adj. 2 g.* **1.** De, ou pertencente ou relativo a Ferreiros (RJ). ● *S. 2 g.* **2.** Natural ou habitante de Ferreiros.

ferreirense[2]. *Adj. 2 g.* **1.** De, ou pertencente ou relativo a Porto Ferreira (SP). ● *S. 2 g.* **2.** Natural ou habitante de Porto Ferreira.

ferreirinha. [De *ferreirinho*, talvez.] *S. m. Bras.* Designação comum aos peixes teleósteos, caraciformes, da família dos caracídeos, gênero *Leporinus* Spix, cujo corpo apresenta faixas escuras transversais. A espécie mais conhecida é a *L. fasciatus fasciatus* (Bloch), da América do Sul cisandina, cujo corpo apresenta oito a 10 faixas transversais escuras e as demais vermelhas, e cujo comprimento vai de 130 a 220 mm. É peixe muito apreciado para aquários. [Sin.: *boga-lisa.*]

ferreirinho. [Dim. de *ferreiro.*] *S. m. Bras.* Designação comum a duas aves passeriformes, da família dos tiranídeos (*Todirostrum chrysocrotaphum illigeri*, da Amaz., e *T. maculatum*), de coloração verde-olivácea, ou verde, e asas e cauda enegrecidas. Na primeira a garganta é amarela e na segunda é branca, mais ou menos pintada de preto. [Sin.: *papa-sebo.*] **2.** Designação comum a outras espécies do gênero. **3.** V. *relógio* (4).]

ferreiro. *S. m.* **1.** Artífice que trabalha em ferro. **2.** V. *ferrageiro.* **3.** Gaivão. **4.** V. *araponga* (1): "O ferreiro malhando no toco das baraúnas." (Ascenso Ferreira, *Catimbó e Outros Poemas*, p. 125.) **5.** V. *roncador* (4). **6.** V. *sapo-ferreiro.* ● *Adj.* **7.** Diz-se do animal que tem o pêlo cor de rato: *potranca* ferreira*:*

ferreletricidade. [De *ferro* + *eletricidade.*] *S. f. Fís.* Fenômeno apresentado por substâncias cristalinas que têm polarização elétrica permanente e espontânea. Do ponto de vista elétrico, é um fenômeno análogo ao ferromagnetismo.

ferrenho. *Adj.* **1.** Semelhante ao ferro, na cor ou na dureza. **2.** *Fig.* Duro, inflexível, intransigente, férreo: *vontade* ferrenha. **3.** *Fig.* Que não cede; pertinaz, obstinado: "Forjó .... era um antiabsolutista ferrenho, predisposto ao martírio." (Vitorino Nemésio, *A Mocidade de Herculano*, I, p. 233.)

ferrense[1]. *Adj. 2 g.* **1.** De, ou pertencente ou relativo a Ferros (MG). ● *S. 2 g.* **2.** Natural ou habitante de Ferros.

ferrense[2]. *Adj. 2 g.* **1.** De, ou pertencente ou relativo a São Pedro dos Ferros (MG). ●*S. 2 g.* **2.** Natural ou habitante de São Pedro dos Ferros.

férreo. [Do lat. *ferreu.*] *Adj.* **1.** Feito de ferro. **2.** Ferrífero (1). **3.** *Fig.* Forte, resistente: *musculatura* férrea. **4.** *Fig.* V. *ferrenho* (2): "Artur Azevedo tivera que conformar-se com a férrea disciplina da época" (R. Magalhães Jr., *Artur Azevedo e Sua Época*, p. 9). **5.** *Fig.* Cruel, duro, desumano: *coração* férreo. ~ V. *linha —a* e *via —a.*

ferreta (ê). [De *ferro* + *-eta.*] *S. f.* Ferrão pequeno, ou bico de metal, que constitui a parte inferior do pião. [Pl.: *ferretas* (ê). Cf. *ferreta* e *ferretas*, do v. *ferretar.*]

ferretar. [De *ferrete* + *-ar*[2].] *V. t. d.* **1.** Manchar, enodoar, sujar; ferretear: Ferretaram*-lhe a honra. Transobj.* **2.** Ferretear (4): Ferretaram*-no de traidor.* [F. paral.: *aferretar.* Pres. ind.: *ferreto*, *ferretas*, *ferreta*, etc.; pres. subj.: *ferrete*, *ferretes*, etc. Cf. *ferreta* (ê), pl. *ferretas* (ê), e *ferrete* (ê), pl. *ferretes* (ê).]

ferrete (ê). [De *ferro* + *-ete.*] *S. m.* **1.** Instrumento com que se marcavam escravos e criminosos, e com que se marca o gado; ferro, marca. **2.** *Fig.* Sinal de ignomínia; estigma, labéu: "uma criatura que perdeu toda uma existência na cadeia e sob o ferrete ignominioso de assassino." (Viriato Correia, *Histórias Ásperas*, p. 201). [Pl.: *ferretes* (ê). Cf. *ferrete* e *ferretes*, do v. *ferretar.*]

ferretear. *V. t. d.* **1.** Marcar com ferrete (1): ferretear *o gado.* **2.** Afligir, pungir: *Um sonho constante o* ferreteia. **3.** V. *ferretar* (1). *Transobj.* **4.** Tachar, acoimar, ferretar: Ferreteou *o adversário de pedante.* [F. paral.: *aferretear.* Conjug.: v. *frear.*]

ferretoada. [De *ferretoar* + *-ada*[1].] *S. f.* V. *ferroada.*

ferretoar. *V. t. d.* **1.** Dar ferretoadas em; aguilhoar; picar. **2.** Dirigir palavras picantes a; censurar. [Sin.: ger.: *ferroar.* Conjug.: v. *coroar.*]

▲**ferr(i)-.** [Do lat. *ferrum, i.*] *El. comp.* = 'ferro': *férrico*, *ferruncho*, *ferrífero.* [Equiv.: *ferro-*: *ferrovia.*]

ferricianeto (ê). *S. m. Quím.* Sal que contém o íon trivalente, vermelho em meio aquoso $[Fe(CN)_6]^{3-}$.

férrico. *Adj.* **1.** Relativo ao ferro. **2.** *Quím.* Referente a, ou próprio de qualquer composto com o ferro trivalente.

ferrífero. [De *ferr(i)-* + *-fero.*] *Adj.* **1.** Que contém ferro ou sais de ferro; férreo. **2.** Composto de ferro.

ferrificação. [De *ferr(i)-* + *-ficar-* + *-ção.*] *S. f.* Formação do ferro.

ferrimagnetismo. [De *ferr(i)-* + *magnetismo.*] *S. m. Fís.* Tipo de magnetismo permanente apresentado pelos ferritos, no qual os momentos magnéticos de íons vizinhos tendem a se alinhar como dois vectores antiparalelos. [Cf. *ferromagnetismo.*]

ferrinho. [Dim. de *ferro.*] *S. m. Bras. Jog. Inf.* V. finca (4). ~ V. *ferrinhos.*

ferrinhos. [Dim. do pl. de *ferro.*] *S. m. pl. Mús.* Instrumento de percussão, de som indeterminado, em forma de um triângulo de ferro ou de aço, que se suspende por um cordel e se percute com uma vareta do mesmo metal; triângulo: "vinham os tocadores de ferrinhos, de pandeiros, ... de tambores e de violas" (Melo Morais Filho, *Festas e Tradições Populares do Brasil*, p. 46). ~ V. *ferrinho.*

ferrita. [De *ferro-* + *-ita*[2].] *S. f. Fís.* Substância constituída por material ferromagnético e diversos óxidos (de níquel, de cobalto, de zinco, etc.), e de elevadíssima resistência elétrica, utilizada em núcleos de transformadores que trabalham em circuitos de alta freqüência, como memória magnética em circuitos de computadores, etc.

ferro. [Do lat. *ferru.*] *S. m.* **1.** *Quím.* Elemento de número atômico 26, metálico, branco-acinzentado, duro, tenaz, reativo, o qual forma ligas que têm aplicações importantes. [Símb.: *Fe.*] **2.** Esse metal, de numerosas aplicações na indústria e na arte. **3.** Instrumento feito desse metal, ou apenas a parte cortante e/ou perfurante desse instrumento. **4.** Designação comum a diversos instrumentos ou utensílios em que entra principalmente o ferro: ferro *de passar;* ferro *de dourar.* **5.** Espada, florete: *cruzar o* ferro. **6.** *Fig.* Arma homicida. **7.** V. *ferrete* (1). **8.** *P. ext.* A marca deixada pelo ferro (7) no couro do gado. **9.** Ferramenta de arte ou ofício. **10.** *Pop.* V. *dinheiro* (3). **11.** *Marinh.* Designação pela qual a bordo é mais conhecida a âncora. **12.** *Marinh.* O conjunto amarra e âncora. **13.** *Encad.* O ornato estampado com ferro de dourar. **14.** Arrelia, zanga, amolação: "Que ferro! .... Esqueci-me de mandar fazer hoje para o jantar um grande prato de paio com ervilhas." (Eça de Queirós, *Os Maias*, II, p. 565.) **15.** *Ant.* Ferradura *(1).* **16.** *Bras. Chulo.* O membro viril. ~ V. *ferros.* ♦ **Ferro alfa.** *Metal.* Variedade do ferro, estável até 770ºC. **Ferro batido.** Ferro forjado (2). **Ferro beta.** *Metal.* Variedade do ferro, estável entre 770 e 900ºC. **Ferro delta.** *Metal.* Variedade do ferro, estável acima de 1410ºC. **Ferro doce.** *Metal.* Ferro puro, maleável, resistente à corrosão, facilmente magnetizável e desmagnetizável, obtido em forno de revérbero. **Ferro forjado. 1.** *Metal.* Ferro muito puro, que contém apenas materiais provenientes da escória, mecanicamente muito resistente, pouco sensível à corrosão. **2.** Esse metal trabalhado na bigorna; ferro batido. **Ferro fundido.** *Metal.* Liga de ferro e carbono, com teor deste último superior ao que se encontra no aço. **Ferro galvanizado.** *Metal.* Ferro recoberto por uma película de zinco. **Ferro gama.** *Metal.* Variedade do ferro, estável entre 900 e 1410ºC. **Ferro meteorítico.** *Min.* Ferro encontrado na natureza, ligado ao níquel. **Ferro nativo.** *Min.* Ferro encontrado na natureza com pequeníssimo teor de carbono. **Ferros velhos.** Trastes caseiros, usados e de pouco valor. [Cf. *ferros-velhos*, pl. de *ferro-velho.*] **A ferro e a fogo.** A todo o transe; de qualquer maneira; por todos os meios possíveis; a ferro e fogo. **A ferro e fogo.** A ferro e a fogo. **Baralhar o ferro.** *Bras., RS.* Brigar à arma branca. **De ferro.** Que (no sentido próprio e no figurado) lembra o ferro pela dureza, peso, resistência, rijeza, energia, etc.: *punhos de* ferro*; governar com mão de* ferro*; coração de* ferro. **Lançar ferro.** *Mar.* V. *ancorar* (1). **Levantar ferro.** *Mar.* **1.** Içar âncora (ferro). **2.** Partir em viagem marítima. [Sin. ger.: *levantar âncora.*] **Levar ferro.** Ser malsucedido em (alguma coisa); levar chumbo: Levou ferro *na prova de matemática.* **Malhar em ferro frio.** Perder o tempo, insistindo com pessoa irredutível ou muito ignorante. **Passar a ferro. 1.** Alisar (roupa) com ferro de passar; passar: "Passara a ferro as camisas de Armando." (Clarice Lispector, *Laços de Família*, p. 46). **2.** Alisar roupa com ferro de passar; passar: "sempre gostara de passar a ferro e, sem modéstia, era uma passadeira de mão-cheia." (Id., *ib.*, p. 46). **Perder ferro e sinal.** *Bras., CE.* Ficar no casco da situação.

▲**ferro-.** Equiv. de *ferr(i)-*.

ferroada. *S. f.* **1.** Picada com ferrão; aguilhoada. **2.** Pontada (1). **3.** *Fig.* Censura mordaz, picante. [Sin. ger.: *ferretoada.*]

ferroar. [De *ferrão* + *-ar*[2].] *V. t. d.* **1.** V. *ferretoar:* "um percevejo ferroa-me o umbigo sem piedade." (Cordeiro de Andrade, *Anjo Negro*, p. 143.) *Int.* **2.** Dar ferroadas: "Senti a impotência do homem contra a calúnia impalpável que esvoaça e zune e ferroa como a vespa" (José de Alencar, *Lucíola*, p. 98); "— .... parece que tenho nos intestinos um formigueiro a morder, a ferroar ..." (Godofredo Rangel, *Falange Gloriosa*, p. 227.) [Conjug.: v. *coroar.*]

ferrocianeto (ê). [De *ferro-* + *cianeto.*] *S. m. Quím.* Sal que contém o íon tetravalente $[Fe(CN)_6]^{4-}$.

ferroeletricidade. [De *ferro-* + *eletricidade.*] *S. f. Fís.* Ferreletricidade.

ferro-gusa. [De *ferro-* + *gusa.*] *S. m. Metal.* O ferro que se obtém diretamente do alto-forno, em geral com elevado teor de carbono e várias impurezas. [Tb. se diz apenas *gusa*. Pl.: *ferros-gusas* e *ferros-gusa.*]

ferrolhar. *V. t. d.* Aferrolhar: "Possuem a onipotência terrestre, e ferrolharam-na a sete chaves." (Antônio Feliciano de Castilho, *O Presbítero da Montanha*, p. 109.) [Pres. ind.: *ferrolho*, etc. Cf. *ferrolho* (ô).]

ferrolho (ô). [Do lat. *veruculu*, com infl. de *ferro.*] *S. m.* **1.** Tranqueta corrediça de ferro, com a qual se fecham portas e janelas. **2.** *Bras. Fut.* Retranca (5). **3.** *Bras., PE. Folcl.* Passo do frevo em que o dançarino se movimenta em diagonal, seguido de flexão dos joelhos da direita para a esquerda e vice-versa, alternando para frente e para trás, descrevendo uma circunferência. [Pl.: *ferrolhos* (ô). Cf. *ferrolho*, do v. *ferrolhar.*]

ferromagnesiano. *Adj. Pet.* Que contém ferro e magnésio.

ferromagnético. [De *ferro-* + *magnético.*] *Adj. Fís.* Diz-se de substâncias que têm elevada permeabilidade magnética, como o ferro, o níquel, o cobalto e várias ligas, e que pode ser observada pela forte atração entre os dois corpos que a possuam.

ferromagnetismo. *S. m. Fís.* Propriedade das substâncias ferromagnéticas. [Cf. *ferrimagnetismo.*]

ferromoça (ô). [De *ferro* (de *estrada de ferro*) + *-moça.*] *S. f. Bras.* Empregada que, nos trens de passageiros que fazem longos percursos, presta serviços análogos aos da aeromoças nos aviões.

ferropear. *V. t. d.* Prender ou agrilhoar com ferropéia. [Conjug.: v. *frear.* Pres. ind.: *ferropeio*, *ferropeias*, *ferropeia*, etc. Cf. *ferropéia* e o pl. *ferropéias.*]

ferropeia. *S. f.* V. *ferropéia.*

ferropéia. [Do lat. vulg. *ferropedea.*] *S. f.* Algema, grilhão. [Pl.: *ferropéias*. Cf. *ferropeia* e *ferropeias*, do v. *ferropear.* A f. preferível seria *ferropeia.*]

ferros. [Pl. de *ferro.*] *S. m. pl.* **1.** Algemas, grilhões. **2.** Cárcere, prisão. **3.** Tenaz (8). ~ V. *ferro.*

ferrosilício. *S. m. Metal.* Liga de ferro e silício constituída por mistura de silicetos de ferro.

ferroso (ô). *Adj.* **1.** Ferruginoso (2). **2.** *Quím.* Referente a, ou próprio de qualquer composto com ferro divalente.

ferro-velho. *S. m.* **1.** V. *adeleiro.* **2.** Estabelecimento que negocia com sucata (1). **3.** Sucata (2). [Pl.: *ferros-velhos.*

Cf. *ferros velhos*.]

ferrovia. [De *ferro-* + *via*.] *S. f.* Sistema de transporte sobre trilhos, que compreende a via permanente e outras instalações fixas, o material rodante, o equipamento de tráfego, etc. [Sin.: *estrada de ferro, linha férrea, linha* e (lus.) *caminho de ferro*. Cf. *via férrea*.]

ferroviário. *Bras. Adj.* **1.** Relativo a ferrovia. **2.** Que se faz por ferrovia: *transporte ferroviário*. ● *S. m.* **3.** *Bras.* Empregado em estrada de ferro.

ferrugem. [Do lat. *ferrugine*.] *S. f.* **1.** Óxido que se forma na superfície do ferro exposto à umidade. **2.** *P. ext.* Óxido formado sobre outros metais. **3.** Emperramento das articulações. **4.** *Bot.* Doença das gramíneas, em especial do trigo, produzida por fungos. **5.** *Bras., MG.* A hematita em grânulos ou pequenos seixos.

ferrugento. *Adj.* **1.** Que tem ferrugem; enferrujado, rubiginoso. **2.** *Fig.* Velho, antigo, antiquado.

ferrugíneo. [Do lat. *ferrugineu*.] *Adj.* **1.** Da cor castanho-avermelhada da ferrugem. **2.** Escuro, sombrio.

ferruginosidade. *S. f.* Qualidade de ferruginoso.

ferruginoso (ô). *Adj.* **1.** Da natureza do ferro ou da ferrugem. **2.** Que contém ferro; ferroso. **3.** Que é da cor do ferro. ● *S. m.* **4.** Medicamento que contém ferro: *O médico receitou-lhe um ferruginoso*.

ferruncho. [De *ferro* (14) + *-uncho*.] *S. m. Pop.* Despeito amoroso; ciúme.

fértil. [Do lat. *fertile*.] *Adj. 2 g.* **1.** V. *fecundo* (1). **2.** Capaz de produzir com facilidade, de inventar, de criar; produtivo, inventivo, criador: *José de Alencar tinha espírito fértil*. **3.** Que se presta a grandes desenvolvimentos: *Tema fértil, a linguagem*. **4.** Diz-se de terra muito fecunda, que produz muito. **5.** Abundante, farto, úbere. [Pl.: *férteis*. Antôn.: *estéril, sáfaro, maninho*.]

fertilidade. [Do lat. *fertilitate*.] *S. f.* **1.** Qualidade de fértil. **2.** *Fig.* Disposição para a fecundação. **3.** Abundância; opulência. [Sin. ger.: *fecundidade*. Antôn.: *esterilidade, maninhez*.]

fertilização. *S. f.* Ato ou efeito de fertilizar(-se).

fertilizador (ô). *Adj.* **1.** Fertilizante (1). ● *S. m.* **2.** Aquele ou aquilo que fertiliza.

fertilizante. *Adj. 2 g.* **1.** Que fertiliza; fertilizador. ● *S. m.* **2.** Adubo (2).

fertilizar. *V. t. d.* **1.** Dar fertilidade a; tornar fértil ou produtivo: *As inundações fertilizam o vale do Nilo*. *Int.* e *p.* **2.** Tornar-se fértil ou produtivo.

fertilizável. *Adj. 2 g.* Que se pode fertilizar.

fertilizina. [De *fertiliz(ar)* + *-ina*.] *S. f. Biol.* Substância segregada pelo óvulo do ouriço-do-mar, e que tem a propriedade de ativar a fecundação desses animais.

férula. [Do lat. *ferula*.] *S. f.* **1.** V. *palmatória* (1): "Não me entrem a gritar .... os críticos da crítica, que a férula de pedagogo se me não sustenta no punho fraco" (Ramalho Ortigão, *Figuras e Questões Literárias*, I, p. 8). **2.** *Bot.* Gênero de plantas umbelíferas, ao qual pertence a assa-fétida.

fervedoiro. *S. m.* V. *fervedouro*.

fervedouro. [Var. de *fervedoiro*.] *S. m.* **1.** Movimento semelhante ao de um líquido a ferver; agitação. **2.** Grande ajuntamento. **3.** Grande agitação ou movimento. **4.** Agitação íntima; inquietação, desassossego. **5.** *Bras.* Lugar onde deve ser lavado o cascalho diamantífero.

fervença. [Var. de *fervência*.] *S. f. Desus.* **1.** V. *fervura* (2). **2.** Fervor, zelo, ardor. [Sin. ger., ant.: *fervência*.]

fervência. *S. f. Ant.* Fervença.

fervendo. [Ger. de *ferver*.] *Adj.* Fervente (1).

ferventar. *V. t. d.* V. *aferventar* (1).

fervente. [Do lat. *fervente*.] *Adj. 2 g.* **1.** Que ferve, que está em ebulição; fervendo. **2.** Que se revolve como a água a ferver. **3.** Que tem ímpeto e ardor; ardente, caloroso; fervoroso, veemente: "rezou em voz baixa uma oração fervente" (Alexandre Herculano, *Lendas e Narrativas*, I, p. 308). [Sin. ger.: *fervescente*.]

ferver. [Do lat. *fervere*.] *V. t. d.* **1.** Produzir ebulição em: *ferver a água*. **2.** Cozer em água fervente ou em outro líquido em ebulição: *É preciso ferver a seringa*. *Int.* **3.** Entrar em ebulição (1); ebulir. **4.** Movimentar-se, agitar-se continuamente, lembrando um líquido em ebulição; espumar: "Certa mulher misteriosa, / Que me alucina, costuma / Manter-se em pé, silenciosa, / Junto ao mar, que ferve e espuma..." (Raimundo Correia, *Poesias*, p. 99).] **5.** Aquecer-se muito; escaldar, queimar, arder, fervilhar: *Ferve-me o sangue, de raiva*. **6.** Excitar-se, inflamar-se, exaltar-se, espumar, fervilhar: *No comício, a multidão fervia*. **7.** Aparecer em grande número; amontoar-se, aglomerar-se: *Ferveram mosquitos*. **8.** Atingir alto grau de intensidade, de veemência: *Aquela paixão fervia na alma do poeta*. **9.** Animar-se, estimular-se, excitar-se: *A discussão fervia*. **10.** Sentir paixão; amar intensamente. [Part.: *fervido*. Cf. *férvido*.]

fervescente. [Do lat. *fervescente*.] *Adj. 2 g.* V. *fervente*.

➧**fervet opus** (férvet ópuç.) [Lat., 'o trabalho ferve'.] *Loc. s. m.* Atividade intensíssima, como a das abelhas.

fervido. [Part. de *ferver*.] *Adj.* **1.** Que ferveu: *água fervida*. ● *S. m.* **2.** *Bras., RS.* Cozido (3). [Cf. *férvido*.]

férvido. [Do lat. *fervidu*.] *Adj.* **1.** Que abrasa; muito quente; abrasador. **2.** Em que há animação, entusiasmo e intensidade; cheio de calor; quente, entusiástico, caloroso: *abraço férvido; palavras férvidas*. **3.** Dominado por paixão veemente; apaixonado. **4.** Zeloso, fervoroso. **5.** Fogoso, impaciente. **6.** Muito rápido; arrebatado, veloz. [Cf. *fervido*, do v. *ferver*, adj. e s. m.]

fervilha. [Dev. de *fervilhar*.] *S. 2 g. Pop.* Pessoa ativa, inquieta, que trata de muitos negócios.

fervilhamento. *S. m.* **1.** Ato ou efeito de fervilhar. **2.** Grande agitação; azáfama, celeuma; esfervilhamento.

fervilhar. [De *ferv(er)* + *-ilhar*.] *V. int.* **1.** Ferver (3) continuamente: "Há homens debruçados nas caldeiras onde o alcatrão fervilha" (José Cardoso Pires, *Jogos de Azar*, p. 186). **2.** V. *ferver* (5): *O sangue fervilhou-lhe de ódio nas veias*. **3.** V. *ferver* (6): "Em Piraquara fervilharam as contendas nos arraiais políticos" (Antônio Versiani, *Paisagens Humanas*, p. 13). **4.** V. *pulular* (5): *A cidade fervilhava de turistas*. **5.** Achar-se ou ficar em estado de excitação ou agitação intensa; esfervilhar: "Comprida é a noite em que não se dorme e não dormi com a cabeça fervilhando." (Geraldo França de Lima, *Branca Bela*, p. 13.)

fervo (ê). [Dev. de *ferver*.] *S. m. Bras., RS.* Conflito; tumulto. [Cf. *frevo*.]

fervor (ô). [Do lat. *fervore*.] *S. m.* **1.** Ato de ferver. **2.** Estado do que ferve. **3.** Calor veemente; ardência. **4.** *Fig.* Ardor, energia, entusiasmo, paixão: *Defendeu suas idéias com fervor*. **5.** *Fig.* Desejo veemente de conseguir algo; empenho: *Diante do magistrado, defenderam-se com ousadia e fervor*. **6.** *Fig.* Zelo ardente em exercícios de piedade, devoção, caridade: *Rezou a Deus com muito fervor*. **7.** *Fig.* Dedicação, zelo. **8.** *Fig.* Diligência, atividade. **9.** *Fig.* Ímpeto, violência: *A água levou tudo, com um fervor nunca visto*.

fervor-do-sangue. *S. m. Pop.* Urticária. [Pl.: *fervores-do-sangue*.]

fervoroso (ô). *Adj.* **1.** Que ferve; fervente. **2.** Que tem fervor; caloroso, ardoroso, fervente: "Rezava como os mais fervorosos crentes" (Mário de Alencar, *Contos e Impressões*, p. 105). **3.** Veemente, impetuoso, arrebatado. **4.** Ativo, diligente. **5.** Zeloso, dedicado.

fervura. *S. f.* **1.** Ato ou efeito de ferver; ebulição. **2.** *Fig.* Alvoroço, alvoroto, agitação, exaltação, ebulição, efervescência.

fescenino. [Do lat. *fesceninu*.] *Adj.* **1.** Diz-se de certo gênero de versos licenciosos da antiga Roma, dos quais se acredita ter provindo a sátira. **2.** Obsceno, licencioso: "Vários amantes se atribuíram à princesa D. Carlota Joaquina e diversos pais aos filhos que se sucediam. Fique aos devassadores de segredos fesceninos a apuração de tais coscuvilhices." (Otávio Tarqüínio de Sousa, *A Vida de D. Pedro I*, I, pp. 7-8.) ● *S. m.* **3.** Gênero de versos licenciosos da antiga Roma.

festa. [Do lat. *festa*.] *S. f.* **1.** Reunião alegre para fim de divertimento: *Dará uma festa no seu dia de aniversário*. **2.** O conjunto das cerimônias com que se celebra qualquer acontecimento; solenidade, comemoração. **3.** Dia santificado, de descanso, de regozijo. **4.** Comemoração litúrgica, solenidade da Igreja; romaria. **5.** *Fig.* Regozijo, alegria, júbilo: *Para ele, hoje, tudo é festa*. **6.** *Fam.* e *irôn.* Trabalheira, cuidados, barulho. ~ V. *festas*. ◆ **Festa da cumeeira.** *Bras.* Festa (2) com que se celebra o momento em que uma construção chega ao teto: "A gente ia lá aos domingos, pra ver a casa nova. Tijolos. Festa da cumeeira, quer dizer, do telhado." (Antônio Carlos Vilaça, *A Descoberta do Morro*, p. 19.) **Festa das candeias.** Candelária (1). **Festa de arromba.** *Bras.* V. *festança*. **Festa de carregação.** *Bras., N.E.* Festa sem música e outros atrativos. **Festa de embalo.** *Bras. Gír.* Embalo (5). **Festa imóvel.** A que se celebra todos os anos em dias certos. [Cf. *festa móvel*.] **Festa móvel.** A que em cada ano se celebra em dia diferente na ordem do calendário, por estar a sua fixação dependente do domingo de Páscoa. [Cf. *festa imóvel*.] **Fazer a festa e soltar os foguetes.** Aplaudir os próprios atos.

festança. *S. f.* Grande divertimento; festa muito animada; festa de arromba; festão: "é português e não esconde as saudades que tem do seu Portugal, ... das suas festanças aldeãs" (Lima Barreto, *Vida e Morte de M. J. Gonzaga de Sá*, p. 201).

festão[1]. [Do it. *festone*.] *S. m.* **1.** Ramalhete de flores e folhagens; grinalda: "Tenho também uma lira / De festões engrinaldada." (Gonçalves Dias, *Obras Poéticas*, I, p. 224.) **2.** *Arquit.* Ornato com a forma de grinalda.

festão[2]. *S. m. Bras.* V. *festança*.

festar. *V. int. Bras.* **1.** Fazer festa. **2.** Divertir-se na festa; foliar. [Pres. ind.: *festo*, etc. Cf. *festo* (ê).]

festarola. *S. f. Fam.* Festança; folguedo.

festas. [Pl. de *festa*.] *S. f. pl.* **1.** Carícias, agrados. [Tb. us. no sing.] **2.** Presente, mimo, dádiva. **3.** O dia de Natal e o ano-novo: *Que passe as festas em paz e alegria*. ~ V. *festa*.

festeiro. *Adj.* **1.** Que freqüenta festas. **2.** Que faz festas ou carícias: "seu riso, sua voz, suas mãozinhas gorduchas e festeiras, seus beijos molhados" (Lia Correia Dutra, *Navio sem Porto*, p. 202). ● *S. m.* **3.** Aquele que faz ou dirige uma festa. **4.** Freqüentador de festas. **5.** *Bras.* Aquele que é eleito ou escolhido para patrocinar solenidades religiosas.

festejador (ô). *Adj.* e *s. m.* Que ou aquele que festeja.

festejar. *V. t. d.* **1.** Fazer festa a; dar demonstrações de alegria a: *Festejou com grandes abraços a chegada do amigo*. **2.** Fazer festa em honra de: *Costuma festejar Santo Antônio todos os anos*. **3.** Fazer festejos por; celebrar, solenizar: *Festejou o nascimento do filho varão*; "Palha festejou o acontecimento com um jantar" (Machado de Assis, *Quincas Borba*, p. 40). **4.** Acolher com prazer; louvar, aprovar: *O público festejou o filme, consagrando-o como um dos melhores do ano*. **5.** Fazer festas a; acariciar, amimar. [Conjug.: v. *pelejar*.]

festejo (ê). *S. m.* **1.** Ato ou efeito de festejar. **2.** Festividade, solenidade. **3.** Carícia, mimo. **4.** Palavras de galanteio; galanteio.

festim. *S. m.* **1.** Festa particular, ou em família; pequena festa. **2.** Banquete. **3.** Cartucho (3) sem projetil, usado em tiro simulado: *tiro de festim*.

festinação. [Do lat. *festinatione*.] *S. f. Med.* Maneira de andar própria da paralisia agitante, e em que o doente, partindo devagar, vai paulatinamente acelerando o passo.

festinho. [Do lat. tardio *festino*.] *Adv. Ant.* Apressadamente; às pressas.

festiva. [Fem. substantivado de *festivo*.] *S. f. Bras.* Esquerda festiva.

festival. [Do ingl. *festival*.] *Adj. 2 g.* **1.** Festivo (1): "Arcos de flores, fachos purpurinos, / Trons festivais, bandeiras desfraldadas" (Raimundo Correia, *Poesias*, p. 163); "por essas noites perladas dos ecos das serenatas, dos perfumes festivais das rosas" (Fialho d'Almeida, *O País das Uvas*, p. 98). ● *S. m.* **2.** Grande festa: "Nossas roupas comuns dependuradas / Na corda, qual bandeiras agitadas, / Pareciam um estranho festival" (Orestes Barbosa, *Chão de Estrelas*, p. 275). **3.** Série de acontecimentos e/ou espetáculos artísticos não raro realizados periodicamente: *o festival de música de Salzburgo; o festival de cinema de Gramado*. **4.** Cortejo cívico. **5.** Grande quantidade; chorrilho: Febeapá — Festival de Besteira Que Assola o País, *livro de Stanislaw Ponte Preta*.

festivamente. [Do fem. de *festivo* + *-mente*.] *Adv.* De modo festivo, alegre.

festividade. [Do lat. *festivitate*.] *S. f.* **1.** Festa religiosa ou cívica: "Quanto à pompa litúrgica e à suntuosidade dos divertimentos profanos, já vimos que constituíam aspectos comuns às festividades do templo" (Afonso Ávila, *Resíduos Seiscentistas em Minas*, I, p. 19); *O baile popular foi parte das festividades do cinqüentenário da Abolição*. **2.** Demonstração de alegria; regozijo.

festivo. [Do lat. *festivu*.] *Adj.* **1.** De, ou relativo a, ou próprio de festa; festival: *dia festivo*. **2.** Alegre, divertido: "E cantarolavam baixinho, com ar festivo e satisfeito." (Mário de Matos, *Casa das Três Meninas*, p. 114.) ~ V. *esquerda —a*.

festo[1]. [De *festa*.] *S. m.* Grande festa; festança, farra, divertimento: "A jantarola e o resto do festo iam ser no dia seguinte — que foi o do caso." (Simões Lopes Neto, *Contos Gauchescos e Lendas do Sul*, p. 142.) [Pl.: *festos*. Cf. *festo* (ê) e pl. *festos* (ê).]

festo[2]. [Do lat. *festu*.] *Adj. Poét.* Festivo, feliz, próspero, fausto. [Pl.: *festos*. Cf. *festo* (ê) e pl. *festos* (ê).]

festo. (ê). *S. m.* **1.** Largura duma peça de pano, dum tecido qualquer. **2.** Dobra que se faz em pano largo, enfestado, ao meio de sua largura e em toda a sua extensão, para o enrolar em peça. **3.** Dobra de uma folha de papel ou de um caderno, no lado correspondente à costura. [Pl.: *festos* (ê). Cf. *festo*, do v. *festar*, adj. e s.m., e pl. *festos.*] ♦ **Subir a festo.** Subir encosta acima, sem ladear, como a tesoura cortando o pano pelo festo.

festoado. [Part. de *festoar.*] *Adj.* **1.** Ornado com festões; festonado. **2.** Engalanado, enfeitado: "E a lufa-lufa das abelhas, indo e vindo / Murmurinhando: — Ó Fevereiro / *Festoado* e lindo! / Foi em ti meu noivado!" (Alberto de Oliveira, *Póstuma*, p. 20.)

festoar. *V. t. d.* **1.** Ornar com festões; festonar. **2.** Engalanar, enfeitar. [Conjug.: v. *coroar.*]

festonadas. *S. f. pl.* Grandes festões em pintura ou escultura.

festonado. [Part. de *festonar*^{1}.] *Adj.* Festoado (1).

festonar^1. [De *festão* + *-ar*^{2}.] *V. t. d.* Festoar (1).

festonar^2. [Do fr. *festonner.*] *V. t. d. Bras.* Fazer festonê em. [Cf. *pastilhar* (1).]

festonê. [Do fr. *festonné.*] *S. m.* V. *ponto de festonê: A camisa de pagão tem em toda a volta um festonê azul.*

fetação. *S. f. Fisiol.* Formação do feto na matriz.

fetal^1. *Adj. 2 g. Anat.* Relativo ao feto^1.

fetal^2. *Adj. 2 g.* Relativo ao feto^2.

fetalismo. *Adj. Med.* Persistência de caracteres próprios do feto^1 na vida extra-uterina.

▲**feti-.** [Do lat. *fetus, us.*] *El. comp.* = 'feto^1': *feticida.*

fetiche. [Do port. *feitiço*, que voltou à língua de origem atr. do fr. *fétiche.*] *S. m.* **1.** Objeto animado ou inanimado, feito pelo homem ou produzido pela natureza, ao qual se atribui poder sobrenatural e se presta culto; ídolo, manipanso. [Cf. *amuleto* e *talismã* (1).] **2.** *Fig.* Pessoa a quem se venera e obedece às cegas. [A f. *feitiço*, preconizada pelos puristas, é pouquíssimo us. nestas acepç.]

fetíchico. *Adj.* Fetichista (1).

fetichismo. [Do fr. *fétichisme.*] *S. m.* **1.** Adoração ou culto de fetiches [v. *fetiche* (1)]. **2.** Culto de objetos materiais, considerados como a encarnação de um espírito, ou em ligação com ele, e possuidores de virtude mágica. **3.** *Fig.* Partidarismo faccioso. **4.** Subserviência total. **5.** Perversão que consiste em amar não à pessoa, mas a uma parte dela ou um objeto de seu uso: "Desde então realmente a sua predileção por aquelas jóias tornou-se uma espécie de *fetichismo* para esse coração, que por muito tempo ermo e vazio, sentia ardente sede de afeição." (José de Alencar, *Lucíola*, p. 124.) [A f. *feiticismo*, que os puristas recomendam, é de uso raríssimo.]

fetichista. [Do fr. *fétichiste.*] *Adj. 2 g.* **1.** Relativo ao, ou próprio do fetiche, ou do fetichismo; fetíchico: *práticas fetichistas.* **2.** Que cultiva o fetichismo. ● *S. 2 g.* **3.** Pessoa que o cultiva. [Os puristas preconizam *feiticista*, que é, no entanto, muito p. us.]

feticida. [De *feti-* + *-cida.*] *S. m.* **1.** Substância capaz de provocar a morte do feto. ● *S. 2 g.* **2.** Indivíduo que pratica o aborto em qualquer das fases da gestação, mesmo que o feto ainda não esteja formado.

feticídio. [De *feti-* + *-cídio.*] *S. m.* Aborto provocado.

fetidez (ê). *S. f.* Qualidade de fétido; fedor, fétido, fedentina, fedorentina.

fétido. [Do lat. *foetidu.*] *Adj.* **1.** Que fede; que exala mau cheiro: "e, aqui e acolá, cadáveres *fétidos*" (Alexandre Herculano, *Lendas e Narrativas*, I, p. 185). [Sin.: *fedorento, malcheiroso* e (bras.) *fedido.*] **2.** Podre, pútrido. ● *S. m.* **3.** V. *fetidez.*

feto^1. [Do lat. *fetu.*] *S. m.* O produto da fecundação, depois que apresenta a forma da espécie. [Cf. *embrião* (1 e 2).]

feto^2. [Do lat. *filictu.*] *S. m.* Designação comum a todos os pteridófitos da ordem *Filicales;* filifolha.

feto-macho-verdadeiro. *S. m. Bras.* Planta ornamental, da família das polipodiáceas (*Aspidium filixmas*), muito cultivada na Europa, de rizoma subterrâneo, frondes espiraladas, pecioladas e pinadas, soros próximos à nervura e protegidos por indúsia glabra, convexa, reniforme, e que é considerada medicinal por ser vermífuga. [Pl.: *fetos-machos-verdadeiros.*]

feudal. *Adj. 2 g.* Pertencente ou relativo a, ou próprio de feudo, ou do feudalismo; feudatário.

feudalismo. [De *feudal* + *-ismo.*] *S. m.* Regime resultante dum enfraquecimento do poder central, e que une estreitamente autoridade e propriedade da terra, estabelecendo entre vassalos e suseranos uma relação de dependência.

feudalista. *Adj. 2 g.* **1.** Relativo ao, ou próprio do feudalismo. **2.** Que é sectário desse regime. ● *S. 2 g.* **3.** Sectário dele.

feudatário. *Adj.* **1.** Feudal. **2.** Que paga feudo. ● *S. m.* **3.** Vassalo, súdito.

feudo. [Do frâncico *fëhu*, 'gado, posse, propriedade', atr. do b.-lat. *feudu.*] *S. m.* **1.** Propriedade nobre ou bens rústicos, que o senhor de certos domínios concede mediante a condição de vassalagem e prestação de certos serviços e rendas. **2.** Direito ou dignidade feudal. **3.** Vassalagem feudal. **4.** *Fig.* Fardo, peso.

fevereiro. [Do lat. *februariu.*] *S. m.* **1.** *Cronol.* O segundo mês dos calendários juliano e gregoriano. [Em ambos os calendários, nos anos bissextos fevereiro tem 29 dias e nos anos comuns, 28; no calendário gregoriano, porém, os anos seculares, cujo milésimo não é divisível por 400, não são bissextos, ficando fevereiro com 28 dias.] **2.** *Bras.* V. *João-bobo.*

fez. *S. f.* V. *fezes.* [Pl.: *fezes.* Cf. *fez* (ê), do v. *fazer; fez* (ê), s. m., pl. *fezes* (ê); *Fez* (ê), top.; e *fês*, pl. de *fé.*]

fez (ê). [Do ár. *fâs.*] *S. m.* Barrete, em geral vermelho, usado por certos povos do Oriente Médio e da África, e em particular pelos turcos: "A insistência dos modernizadores da Turquia .... em fazerem substituir o *fez* oriental pela cartola ocidental .... mostra que a sagacidade levantina vê nas coisas, nos 'objetos materiais', nas exterioridades, nos símbolos, influências capazes de influir sobre o íntimo das pessoas ou sobre sua mentalidade" (Gilberto Freire, *Sobrados e Mocambos*, III, p. 816). [Pl.: *fezes* (ê). Cf. *fez*, s. f., pl., *fezes*, e *fês*, pl. de *fé.*]

fezes. [Do lat. *faeces.*] *S. f. pl.* **1.** V. *borra* (ô) (1): "Não lhe faltou [a Cervantes], para esgotar as últimas *fezes* do cálix amargurado dos talentos, o ter de .... andar cortejando protetores e sofrendo desdéns de poderosos o que mais tarde havia de subir mais alto do que todos eles." (Latino Coelho, *Cervantes*, p. 103.) **2.** Matérias fecais. **3.** Escórias metálicas. **4.** *Fig.* V. *ralé* (1). [A f. do sing., *fez*, não é de uso moderno. Cf. *fezes* (ê), pl. de *fez* (ê).]

fezinha. [Dim. de *fé.*] *S. f. Bras. Pop.* O ato de arriscar algum dinheiro no jogo, de jogar ou apostar de modo tímido ou modesto. [Usa-se, em geral, na loc. *fazer a sua fezinha; fazer uma fé em.* ♦ **Fazer a sua fezinha.** V. *fezinha.*

■**ff.** *Mús.* V. *f* (3).

■**fff.** *Mús.* V. *f* (3).

fi. [Do gr. *phi.*] *S. m.* A 21ª letra do alfabeto grego (Φ, φ).

■**FI.** *Radiotéc.* Abrev. de *freqüência intermediária.*

fiabilidade. *S. f.* Confiabilidade.

fiação. *S. f.* **1.** Ato, operação, efeito ou modo de fiar; fiadura. **2.** Lugar onde se fia.

fiacre. [Do fr. *fiacre.*] *S. m.* Antigo carro de praça puxado a cavalo, alugado por corrida ou à hora.

fiada. [De *fiar*^{1}.] *S. f.* **1.** Carreira horizontal de tijolos ou de pedras da mesma altura, postos uns sobre outros e assentes em cal. **2.** V. *fileira:* "riu, mostrou duas *fiadas* de dentes brancos como toda ela" (Júlio Dantas, *Espadas e Rosas*, p. 20). **3.** V. *enfiada* (1).

fiadeira. [Fem. de *fiadeiro.*] *S. f.* Fiandeira (1).

fiadeiro. *S. m.* Fiandeiro.

fiadilho. *S. m.* A parte que não se fia dos casulos da seda; restos de seda do casulo.

fiado^1. [Part. de *fiar*^{1}.] *Adj.* **1.** Que foi submetido a fiação. **2.** Diz-se do metal que, puxado à fieira (1), se transformou em fio delgado. ● *S. m.* **3.** Substância filamentosa reduzida a fio.

fiado^2. [Part. de *fiar*^{2}.] *Adj.* **1.** Que tem fé ou confiança. **2.** Vendido a crédito. ~ V. *conversa —a.* ● *Adv.* **3.** A crédito: *vender, comprar fiado.*

fiador (ô). [De *fiar*^{2} + *-(d)or.*] *S. m.* **1.** Aquele que fia ou abona alguém, responsabilizando-se pelo cumprimento de obrigações do abonado; aquele que presta fiança. **2.** *Fig.* V. *fiança* (4). **3.** Descanso de espingarda. **4.** Correia do freio de animais. V. *buçal* (1). **5.** Cordão dos copos de espada. **6.** *Marinh.* Parte da amarra que vai do anilho à máquina de suspender, numa amarração a dois ferros com anilho. **7.** *Marinh.* Amarra destalingada da âncora, usada para amarrar o navio à bóia.

fiadoria. *S. f.* V. *fiança* (4).

fiadura. *S. f.* Fiação (1).

fialhesco (ê). *Adj.* **1.** Pertencente ou relativo a Fialho d'Almeida (1857-1911), escritor português: "Em muitas das páginas *fialhescas* paira uma atmosfera de pesadelo" (António José Saraiva e Óscar Lopes, *Histórias da Literatura Portuguesa*, p. 941). ● *S. m.* **2.** Admirador de Fialho e/ou grande conhecedor de sua obra.

fiambre. [Do esp. *fiambre*, por *friambre.*] *S. m.* **1.** Carne, particularmente presunto [q. v.], preparada para se comer fria. [F. paral. (desus.): *friame.*] **2.** *Bras., RS.* Provisão de alimentos frios para viagem.

fiambreira. *S. f. Bras., RS.* Fiambreiro.

fiambreiro. *S. m.* Caixa onde se guarda fiambre. [No RS, *fiambreira.*]

fiança. *S. f.* **1.** Ato de fiar^2 (1) ou abonar obrigação alheia. **2.** *P. ext.* Quantia em que importa a fiança ou caução. **3.** Responsabilidade, garantia. **4.** *Jur.* Obrigação acessória assumida por terceira pessoa, que se responsabiliza, total ou parcialmente, pelo cumprimento da obrigação do devedor, caso este não a cumpra ou não possa cumpri-la; abonação, caução, fiadoria, fiador. **5.** *Jur.* Caução real, que consiste na entrega de valores (dinheiro, jóias, etc.), feita pelo acusado, ou terceiro em seu favor, para que possa defender-se em liberdade, nos casos previstos em lei. **6.** *Bras. Pop.* e *ant.* Confiança (4): *amigo de fiança.* ● *S. m.* **7.** Cavalo de fiança, o predileto para montaria, aquele em que se confia para viagens e trabalhos.

fiandeira. *S. f.* **1.** Mulher que se ocupa em fiar; fiadeira. **2.** *Zool.* Cada um dos apêndices abdominais das aranhas, por onde saem os fios com que fazem a teia.

fiandeiro. *S. m.* Homem que se ocupa em fiar; fiadeiro.

fiango. *S. m. Bras., N.E.* Rede pequena, de viagem: "Armaram os *fiangos* ao pé de uma fogueira, sob a ramaria das árvores. Dentro em pouco, o moço cochilava preguiçosamente." (Gustavo Barroso, *Terra de Sol*, p. 117.)

fiapagem. [De *fiapo* + *-agem*^{2}.] *S. f.* Fiaparia: "do alto da parede começou a voar uma porção de *fiapagem* levíssima e alvinitente, espancada em turbilhão de flocos de nevada." (Alberto Rangel, *Sombras n'Água*, p. 168).

fiaparia. [De *fiapo* + *-aria.*] *S. f.* Grande quantidade de fiapos ou de algo que os lembra; fiapagem.

fiapo. *S. m.* Fio tênue; fiozinho. ♦ **Tirar um fiapo.** *Bras. Pop.* Dar uma olhadela.

fiar^1. [Do lat. *filare.*] *V. t. d.* **1.** Reduzir a fio (substâncias filamentosas): "tirara um fuso da cintura, e .... começara a *fiar* as pastas de algodão que estavam dentro de uma cabaça" (José de Alencar, *O Sertanejo*, p. 102); *fiar algodão.* **2.** Puxar à fieira; fazer arame de. **3.** Serrar pelo meio, longitudinalmente (tábuas, caibros, etc.). **4.** Urdir, tramar, maquinar (intrigas). *Int.* **5.** Torcer, ou reduzir a fio, qualquer matéria filamentosa: "ela dando alguns passos, ... com a sua roca, e *fiando*, com os dedos tão trêmulos, que o fuso lhe caía na relva." (Eça de Queirós, *Últimas Páginas*, p. 376). [Pres. subj.: *fie, fies, ... fieis, fiem.* Cf. *fiéis*, pl. de *fiel*, e *Fiéis*, pl. do antr. *Fiel.*] ♦ **Fiar fino.** Ser assunto ou caso melindroso, delicado, de monta, que deve ser tratado com muito cuidado ou minúcia; fiar mais fino, fiar muito fino. **Fiar mais fino.** V. *fiar fino.* **Fiar muito fino.** V. *fiar fino.*

fiar^2. [Do lat. **fidare*, por *fidere.*] *V. t. d.* **1.** Ser o fiador de; abonar, afiançar. **2.** Esperar, acreditar, confiar. **3.** Vender a crédito: *fiar mercadorias. T. d. e i.* **4.** Entregar sob confiança; confiar: *Fiou seus pertences ao amigo.* **5.** Vender a crédito: *O comerciante fiou-lhe o corte de fazenda;* "Mal o Bazar se abriu, já se negavam, ali, a lhe *fiar* umas ceroulas" (Ciro dos Anjos, *Explorações no Tempo*, p. 98). **6.** Expor ao arbítrio ou capricho de: *Fiou seu destino ao acaso.* **7.** Contar com; esperar: *Fio de você a boa solução do problema. T. i.* **8.** Depositar confiança; acreditar: "Se *fiamos* num bem, que a mente cria, / Que outro remédio há aí senão ser triste?" (Antero de Quental, *Sonetos*, p. 172); *Evite fiar em estranhos. Int.* **9.** Vender a crédito: "as casas de pasto não *fiavam*, nem as quitandeiras." (Miécio Táti, *O Mundo de Machado de Assis*, p. 133). *P.* **10.** Ter confiança; confiar, acreditar: "Na sisudez de Don'Ana / Só o esposo *se não fia*" (Raimundo Correia, *Poesias*, p. 226); "Título simples, mas não *te fies* em títulos simples; são inventados para guardar versos deleitosos." (Machado de Assis, *A Semana*, II, p. 361). [Pres. subj.: *fie, fies, ... fieis, fiem.* Cf. *fiéis*, pl. de *fiel*, e *Fiéis*, pl. do antr. *Fiel.*]

fiasco. [Do it. *fiasco.*] *S. m.* **1.** Êxito desfavorável, vexatório, ridículo; malogro, fracasso. **2.** Má figura; estenderete.

➡**fiat** (fíat). [Lat., 'seja'.] *S. m.* Faça-se; criação.

fiau. *Interj. Bras.* Exprime censura, troça, vaia.

fiável. [De *fiar*^{1} + *-vel.*] *Adj. 2 g.* Que pode ser fiado.

fibra. [Do lat. *fibra.*] *S. f.* **1.** Cada uma das estruturas alongadas que, dispostas em feixes, constituem tecidos animais e vegetais ou certas substâncias minerais. **2.** Qualquer filamento ou fio. **3.** *Morfol. Veg.* Célula muito mais comprida do que larga, comuníssima como constituinte normal do corpo vegetal. **4.** *Morfol. Veg. Obsol.* Raiz muito fina. **5.** *Fig.* Força de ânimo; valor moral; firmeza de caráter; energia, caráter, pulso: *moço de fibra.* ♦ **Fibra de vidro.** Filamento de vidro que se obtém mediante a passagem do vidro em fusão por pequeníssimo orifício, e que tem amplo emprego na indústria. **Fibra óptica.** *Ópt.* Fibra de material transparente, e de índice de refração relativamente elevado, capaz de conduzir luz através de caminhos não retilíneos com muito pequena diminuição de intensidade. **Fibras esclerenquimáticas.** *Anat. Veg.* V. *esclerênquima.*

fibrila. *S. f.* **1.** Pequena fibra. **2.** Cada uma das últimas ramificações das raízes. [Var.: *fibrilha.*]

fibrilação. *S. f. Med.* Contrações excessivamente rápidas das fibrilas musculares. [Cf. *fasciculação.*] ♦ **Fibrilação auricular.** *Med.* Aquela em que há movimentos irregulares das aurículas, cujas fibras musculares individuais agem independentemente. **Fibrilação músculo-esquelética.** *Med.* Aquela em que há contrações rápidas de fibras musculares estriadas esqueléticas, individuais, invisíveis através da pele íntegra, e que surgem logo após a denervação de um músculo. **Fibrilação ventricular.** *Med.* Aquela em que há contrações fibrilares nos ventrículos cardíacos, tornando impossíveis as contrações coordenadas deles.

fibrilar[1]. *Adj. 2 g.* Disposto em fibrilas.

fibrilar[2]. *V. int. Med.* Produzir fibrilação.

fibrilha. *S. f.* Var. de *fibrila.*

fibrilífero. [De *fibrila* + *-i-* + *-fero.*] *Adj.* Que tem fibras ou filamentos.

fibriloso (ô). *Adj.* Originário de uma reunião de fibrilas.

fibrina. [De *fibra* + *-ina*[1].] *S. f.* Proteína esbranquiçada, insolúvel, que constitui a parte essencial do coágulo sanguíneo, e provém da ação da trombina sobre o fibrinogênio.

fibrino. *Adj.* Relativo ou pertencente a fibra.

fibrinofermento. [De *fibrina* + *-o-* + *fermento.*] *S. m. Med.* Trombina.

fibrinógeno. [De *fibrina* + *-o-* + *-geno*[1].] *Adj.* Fibrinogênio (1).

fibrinogênio. [De *fibrina* + *-o-* + *-gen(o)-*[1] + *-io*[2].] *Adj.* **1.** Que produz fibrina; fibrinógeno. ● *S. m.* **2.** *Fisiol.* Proteína plasmática de alto peso molecular, que se converte em fibrina pela ação da trombina.

fibrinoso (ô). *Adj.* **1.** Relativo à, ou que tem as propriedades da fibrina. **2.** Formado pela fibrina. ~ V. *pneumonia —a.*

fibroblasto. [De *fibra* + *-o-* + *-blasto.*] *S. m. Anat.* Célula do tecido conjuntivo que forma certos tecidos fibrosos do corpo, tais como tendões, aponeuroses, tecidos de sustentação, etc.

fibrocartilagem. [De *fibra* + *-o-* + *cartilagem.*] *S. f. Anat.* Tecido cartilaginoso, de trama fibróide.

fibrocartilagíneo. *Adj. Anat.* Fibrocartilaginoso.

fibrocartilaginoso (ô). *Adj. Anat.* **1.** Que tem fibrocartilagem. **2.** Que tem natureza de fibrocartilagem. [Sin. ger.: *fibrocartilagíneo.*]

fibrocelular. *Adj. 2 g. Anat.* Que participa do tecido fibroso e do celular.

fibrocimento. *S. m.* [De *fibra* + *-o-* + *cimento.*] Material de construção resultante de uma mistura íntima de cimento *Portland* e asbestos, e que apresenta boas propriedades de resistência à intempérie, e propriedades isolantes do calor e da umidade, empregado sob as formas de chapas onduladas em coberturas de edifícios, de chapas planas em paredes divisórias e caixas-d'água, e de tubos em canalizações e dutos; cimento-amianto.

fibrocístico. *Adj. Patol.* Que se caracteriza por formação de espaço(s) cístico(s), acompanhada de formação excessiva de tecido fibroso. ~ V. *doença —a do pâncreas.*

fibrocisto. [De *fibra* + *-o-* + *cisto.*] *S. m. Patol.* Lesão cística circunscrita por, ou situada dentro de tecido conjuntivo fibroso.

fibróide. [De *fibra* + *-óide.*] *Adj. 2 g.* Semelhante a fibras.

fibrolita. [De *fibra* + *-o-* + *-lita.*] *S. f. Min.* Silimanita.

fibroma. [De *fibra* + *-oma.*] *S. m. Patol.* Tumor benigno de tecido conjuntivo.

fibromatóide. [De *fibroma* + *-t-* + *-óide.*] *Adj. 2 g. Patol.* Semelhante a fibroma.

fibromatose. [De *fibroma* + *-t-* + *-ose.*] *S. f. Patol.* Presença de numerosos fibromas.

fibromioma. [De *fibra* + *-o-* + *mioma.*] *S. m. Patol.* Tumor que contém tecido fibroso e tecido muscular liso.

fibromuscular. *Adj. 2 g. Anat.* Constituído de tecido fibroso e muscular.

fibrorradiado. *Adj. Min.* Diz-se do hábito mineral em que as fibras cristalinas irradiam a partir de um centro.

fibrosado. [De *fibrose* + *-ado*[1].] *Adj. Med.* Em que há fibrose.

fibrosante. *Adj. 2 g.* Que leva à fibrose.

fibroscópio. [De *fibra* + *-o-* + *-scop-* + *-io*[2].] *S. m. Med.* Endoscópio flexível cujo revestimento interno é feito de fibras de vidro ou de material plástico.

fibrose. [De *fibra* + *-ose.*] *S. f. Med.* Formação de tecido fibroso; degeneração fibróide.

fibroso (ô). *Adj.* **1.** Que tem fibras. **2.** Composto de fibras. **3.** Originário de uma reunião de fibras ou filamentos. **4.** Semelhante ou relativo a fibra. ~ V. *cartilagem —a.*

fibrovascular. *Adj. 2 g.* Formado por tecido fibroso e por vasos sanguíneos.

fíbula. [Do lat. *fibula.*] *S. f. Anat.* Perônio.

fibulação. [Do lat. *fibulatione.*] *S. f. Cir.* Infibulação.

ficáceo. [De *fic(o)-*[1] + *-áceo.*] *Adj.* Referente ou semelhante à figueira.

ficada. *S. f.* **1.** Ato de ficar; permanência. **2.** *Bras.* Carambola difícil que o jogador de bilhar deixa para o parceiro. **3.** *Tip.* Composição ficada. **4.** *Bras.* A equipe de linotipistas que fica de plantão, no jornal, para compor matéria que entra à última hora. **5.** *Bras.* Matéria já composta que nas redações se guarda para aproveitamento futuro.

ficado. [Part. de *ficar.*] *Adj.* ~ V. *composição —a.*

ficão. [De *ficar.*] *Adj.* e *s. m. Bras. Pop.* Diz-se de, ou aquele que é dado a demorar-se muito nos lugares aonde vai.

ficar. [Do lat. **figicare*, freqüentativo de *figere*, 'fixar'.] *V. t. c.* **1.** Estacionar (em algum lugar); não sair dele; permanecer: *ficar em casa.* **2.** Estar situado: "Para o romano, o mundo dos prodígios *ficava* a Ocidente." (Aquilino Ribeiro, *Os Avós dos Nossos Avós*, p. 39); *Brasília fica no Planalto Central.* **3.** Não dever ser conhecido senão por (uma ou mais pessoas): *Isto fica entre nós.* **4.** Albergar-se, pernoitar: *Anoiteceu, e ficamos num rancho próximo. T. i.* **5.** Restar, sobrar: *Não lhe ficou um só livro.* **6.** Ajustar, combinar, assentar: "Aceitei o oferecimento e a moça *ficou* de vir à noitinha." (Coelho Neto, *Turbilhão*, p. 295). **7.** Ser adiado, transferido, procrastinado: *Este assunto fica para amanhã.* **8.** Não dizer mais; não ir além de: *Disse três palavras, e nisto ficou.* **9.** Obrigar-se (a alguma coisa); prometer: *Ficou de trazer a resposta hoje.* **10.** Convir, concordar: *Afinal ficamos de voltar imediatamente.* **11.** Provir, proceder, resultar: *Da abundância de pau-brasil na Terra de Santa Cruz lhe ficou o nome de Brasil.* **12.** Caber por quinhão; tocar por sorte: *Recebeu a parte da herança que lhe ficou.* **13.** Adquirir, comprar: *Acabou ficando com a mercadoria.* **14.** Ser adquirido pelo preço de; custar: *Cada um dos livros ficou em 25 cruzados; As compras ficaram em meio milhão.* **15.** Ajustar-se, quadrar: *Esta roupa lhe fica bem.* **16.** Estar sob a responsabilidade (de alguém): *Isto fica por sua conta. T. d. e i.* **17.** Afiançar, assegurar, prometer: *Fique-lhe que faria o prometido. Pred.* **18.** Permanecer em determinada disposição de espírito ou situação: *Durante dias ficou triste; Saí, e ele ficou acamado.* **19.** Continuar, permanecer: *Isto não ficará assim.* **20.** Converter-se em; tornar-se: *As tábuas, depois de batidas, ficam mesa.* **21.** Vir a estar em determinado estado ou situação; tornar-se, fazer-se: "Os campos *ficaram* tristes." (Antônio Feliciano de Castilho, *Amor e Melancolia*, p. 25); "E assentado entre as formas incompletas / Para sempre *fiquei* pálido e triste." (Antero de Quental, *Sonetos*, p. 159). **22.** Ser nomeado ou escolhido para cargo: *ficou para chefe. Int.* **23.** Conservar-se através dos tempos; durar, perdurar, subsistir: *Vão-se os homens, porém suas obras ficam;* "A história das minas jaz na escuridão. Como fazer de uma vez um trabalho que *fique?*" (Capistrano de Abreu, *Ensaios e Estudos*, 1ª série, p. 199). **24.** Parar de repente; estacar: *Ao ver-me, ficou.* **25.** Restar, sobrar: *Trouxe o que pôde, porém muita coisa ficou. P.* **26.** Não dar mais passo; parar: *Seguiram todos e ele ficou-se.* **27.** Permanecer, conservar-se, demorar-se, deter-se, quedar-se: *Vai à serra, e fica-te lá um mês;* "E os olhos de azeviche, ardentes e tranqüilos, / *Ficam-se* horas a olhar as sombras do montado ..." (Conde de Monsaraz, *Musa Alentejana*, p. 204). **28.** Reter em seu poder: *Na herança, ficou-se com a parte melhor.* **29.** Entregar-se à guarda e proteção de alguém. **30.** Cessar de comprar cartas em alguns jogos. **31.** Fazer-se, tornar-se: "Mais te procuro, mais te *ficas* alto..." (Hermes-Fontes, *Gênese*, p. 63.) **32.** Seguido da prep. *por* mais verbo no infinitivo, expressa que não se praticou a ação indicada por esse verbo: *O trabalho ficou por fazer.* **33.** É us. tb. como auxiliar: *Ficou sabendo de tudo.* [Conjug.: v. *trancar.*] ♦ **Ficar ao pintar.** Quadrar, convir, assentar excelentemente. **Ficar atrás de. 1.** Ser inferior a; ter menos mérito que: *Apesar de bom poeta, Junqueira Freire fica atrás de Castro Alves.* **2.** Ter uma qualidade qualquer em grau inferior: *Se Paulo é rico, Pedro não lhe fica atrás;* "Era um velho conversador. Pajeú não *ficava atrás*: gostava de bater um papo." (Adalberon Cavalcanti Lins, *Curral Novo*, p. 112). [M. us. negativamente.] **Ficar bem.** Quadrar, convir. **Ficar bonitinho.** *Bras. Gír.* Expressão com que se ameaça alguém, aconselhando-o a não se intrometer, não agir. **Ficar de fora.** Ser excluído; não ser contemplado. **Ficar de mal com.** *Bras.* Romper relações com; incompatibilizar-se, brigar com; pôr-se de mal com. **Ficar falando sozinho. 1.** Ser desprezado, abandonado, sem a convivência de pessoa querida. **2.** Não ser objeto de atenção, de apreço; ao ser levado em conta; não ser ouvido. **Ficar limpo.** Perder ou gastar todo o dinheiro. **Ficar mal a.** Não ser próprio ou digno de; ser desabonador para: *Fica-lhe mal agir dessa maneira.* **Ficar mal com.** Não se harmonizar ou não combinar com: *Esta blusa fica mal com a saia.* **Ficar por isso mesmo.** Não haver punição de falta ou crime cometido: *Pratica as maiores violências, e fica por isso mesmo.* **Ficar sobrando. 1.** Ser relegado, ser esquecido; sobrar: *Os demais irmãos foram convidados, só ele ficou sobrando.* **2.** Não ser procurado ou atendido; não ser alvo de atenção; sobrar: *Várias pessoas conseguiram a audiência, e eu fiquei sobrando.* **Ficar sujo.** Desmerecer no conceito alheio.

▲-ficar. [Do lat. *ficare.*] *Suf. verbal* = 'ação factitiva': *clarificar* (< lat. *clarificare*), mitificar, petrificar.

ficção. [Do lat. *fictione.*] *S. f.* **1.** Ato ou efeito de fingir; simulação, fingimento. **2.** Coisa imaginária; fantasia, invenção, criação: "Os latinos não conservaram a *ficção* poética do canto melodioso da cigarra, pois o increpavam de rouco, desagradável" (Alberto Faria, *Acendalhas*, p. 71). **3.** V. *literatura de ficção.* ♦ **Ficção científica.** *Liter.* Ficção (3) cujo enredo se baseia, em geral, no desenvolvimento científico e nas situações decorrentes de tal desenvolvimento no tempo e no espaço.

ficcional. *Adj. 2 g. Bras.* Relativo à, ou próprio da ficção, do ficcionismo; ficcionista: "O conto definia-se como uma peça literária aquém da novela, por sua complexidade *ficcional*, e muito aquém do romance." (Hélio Pólvora, *A Força da Ficção*, p. 11.)

ficcionismo. *S. m. Bras.* V. *literatura de ficção:* "De 1910 a 1930, o romance brasileiro foi quase sempre metropolitano. Em 1928, *A Bagaceira*, de José Américo, anunciava o deslocamento geográfico do nosso *ficcionismo.*" (Brito Broca, *Horas de Leitura*, p. 162.)

ficcionista. *S. 2 g.* **1.** Escritor que faz ficção ou literatura de ficção; autor de ficção. ● *Adj. 2 g.* **2.** Ficcional.

ficela. [Do fr. *ficelle.*] *S. f. Bras.* No carteado, artimanha pouco honesta feita por um parceiro para iludir os demais.

➧ficelle. [Fr.] *S. f.* Momento da narrativa em que ocorre o suspense [q. v.].

ficha. [Do fr. *fiche.*] *S. f.* **1.** Tento de jogo que, em jogo pago, varia de forma ou de cor, conforme a quantia que representa. **2.** Peça semelhante ao tento, de metal, plástico, etc., ou, ainda, retângulo de papel, que se adquire por determinada quantia e corresponde ao preço de uma passagem, de um telefonema, de determinada mercadoria, sobretudo alimentos preparados, etc. **3.** Folha solta ou cartão com anotações para ulterior classificação ou pesquisa: *Os verbetes do dicionário são feitos em fichas; Há fichas perfuradas.* **4.** *P. ext.* Aquilo que está anotado em uma ficha: *Fez uma boa ficha da palavra sociedade.* **5.** *Proc. Dados.* V. *cartão* (6). **6.** *Constr.* Profundidade até à qual penetra no terreno uma estaca-prancha que nele se crava. **7.** *Bras Fam.* Informação, em caráter confidencial, sobre alguém ou alguma coisa: *Deu-me a ficha do rapaz.* **8.** *Bras. Gír.* A vida pregressa: *A ficha do rapaz é péssima.* [Cf. *fixa*, do v. *fixar*, fem. de *fixo* e s. f.] ♦ **Ficha antropométrica.** Registro de caracteres (retrato de frente e de perfil, nome, idade, impressões digitais, etc.) que permite identificar um indivíduo; ficha de identidade. **Ficha de consolação. 1.** Ficha (1) dada ao jogador que perde. **2.** *Fig.* Pequena compensação por uma perda, revés, recusa, etc. **Ficha de identidade.** Ficha antropométrica. **Meter ficha.** *Bras. Gír.* V. *mandar brasa* (1). **Na ficha.** *Bras. Gír.* À vista; a dinheiro; no toco. **Tacar ficha.** *Bras. Gír.* V. *mandar brasa* (1). **Ter ficha limpa.** *Bras. Gír.* Desfrutar de crédito, de bom conceito.

fichamento. *S. m.* Ato ou efeito de fichar.

fichar. *V. t. d.* **1.** Anotar ou registrar em fichas; catalogar. **2.** *Pop.* Fazer a ficha (7) de. [Pres. ind.: *fichas, ficha*, etc.; pres. subj.: *fiche*, etc. Cf. *fixo*, adj., flex. *fixa, fixas; fixa*, s. f., pl. *fixas; fixe*, adj.; e o v. *fixar.*]

fichário. *S. m.* **1.** Coleção de fichas. **2.** Gaveta, caixa ou móvel onde se guardam fichas, devidamente classificadas. **3.** Caderno escolar de folhas móveis, o que permite a classificação dos apontamentos por matéria, tema, etc. [Sin., lus., nesta acepç.: *ficheiro.*]

ficheiro. [De *ficha* + *-eiro.*] *S. m.* **1.** *Bras.* V. *baquerubu.* **2.** *Lus.* Fichário (3).

fichinha. [Dim. de *ficha.*] *S. f. Bras. Gír.* Pessoa sem importância, sem relevo, sob este ou aquele aspecto.

fichu. [Do fr. *fichu.*] *S. m.* Cobertura, ligeira, triangular, para a cabeça, pescoço e ombro de senhoras: "Ajeitou sobre o penteado o f i c h u de sedinha vermelha" (Monteiro Lobato, *Urupês, Outros Contos e Coisas,* p. 152).

▲fic(i)-. [Do lat. *ficus, i.*] *El. comp.* = 'figo': *ficiforme.* [Equiv.: *fic(o)-* : *ficoíte, ficáceo.*]

ficiforme. [De *fic(i)-* + *-forme.*] *Adj. 2 g.* Que tem forma de figo: *receptáculo f i c i f o r m e.*

ficitídeo. *S. m.* **1.** Espécimes dos ficitídeos. ● *Adj.* **2.** Pertencente ou relativo aos ficitídeos.

ficitídeos. *S. m. pl. Zool.* Família de insetos da ordem dos hepidópteros: mariposas de asas anteriores estreitas e posteriores largas: atacam, na forma larvar, cereais armazenados.

fico¹. *S. m.* V. *dia do Fico.*

fico². *S. m.* Ficus.

▲fic(o)-¹. Equiv. de *fic(i)-.*

▲fic(o)-². [Do gr. *phýkos, eos-ous.*] *El. comp.* = 'alga': *ficóide, ficologia.*

▲-fico. [Do lat. *facere.*] *El. comp.* = 'que faz', 'que produz': *benéfico* (lat. *beneficu*), *morbífico, horrífico, cerífico.*

ficobionte. *S. m. Bot.* Alga componente do talo liquênico.

ficocianina. [De *fic(o)-²* + *-cian(o)-* + *-ina¹.*] *S. f.* Substância corante, azulada, que se extrai de certas algas.

ficoide. [De *fic(o)-²* + *-óide.*] *Adj. 2 g* Semelhante às algas.

ficoíte. [De *fic(o)-¹* + *-ite².*] *S. m.* Espécie de figueira fóssil.

ficologia. [De *fic(o)-²* + *-log(o)-* + *-ia.*] *S. f.* Algologia.

ficológico. *Adj.* Relativo à ficologia; algológico: *investigações f i c o l ó g i c a s.*

ficologista. *S. 2 g.* Especialista em ficologia; ficólogo, algologista.

ficólogo. *S. m.* V. *ficologista.*

ficomiceto. *S. m.* **1.** Espécime dos ficomicetos. ● *Adj.* **2.** Pertencente ou relativo a eles.

ficomicetos. *S. m. pl. Micol.* Classe de fungos inferiores, com micélio filamentoso simples e aparelhos esporíferos pouco diferenciados. Na fase inicial do desenvolvimento, são unicelulares e cenocíticos. Aqui se incluem os vulgares bolores.

ficóstase. [De *fic(o)-²* + *-stase.*] *S. f. Bot.* Suspensão do crescimento das algas, ou de sua reprodução, por meio de determinadas substâncias químicas; algóstase.

ficostático. *Adj. Bot.* Relativo à ficostase; algostático: *substância f i c o s t á t i c a.*

ficoterapia. [De *fic(o)-²* + *terapia.*] *S. f. Terap.* Tratamento por meio de exposição em praia, com banhos de mar.

ficoterápico. *Adj.* Relativo à ficoterapia.

fictício. [Do lat. *ficticiu.*] *Adj.* **1.** Imaginário, ilusório, fabuloso: *história f i c t í c i a;* "não me consumia, rondando e almejando em torno de paraísos f i c t í c i o s, nascidos da minha própria alma desejosa" (Eça de Queirós, *O Mandarim,* p. 8). **2.** Aparente, simulado, falso: *alegria f i c t í c i a.* [Cf. *factício.*] ~ V. *passivo* — e *pessoa* —*a.*

ficto. [Do lat. *fictu.*] *Adj.* Fingido, suposto, falso, ilusório. [Cf. *fito.*]

ficus. [Do lat. *ficus,* 'figueira'.] *S. m. 2 n.* Designação comum às plantas da família das moráceas, do gênero *Ficus,* ao qual pertence a figueira, e que compreende cerca de 800 espécies; fico: "No jardim, revolvendo os canteiros, podando o f í c u s, estabeleceu-se entre jardineiro e patroa esse entendimento normal entre companheiros de trabalho." (Raquel de Queirós, *100 Crônicas Escolhidas,* p. 22.)

fícus-benjamim. *S. m.* Designação comum a duas árvores ornamentais da família das moráceas (*Ficus benjamina* e *Ficus retusa*), originárias da Malásia, e ambas existentes no Brasil, sobretudo a segunda, muito usada em avenidas e parques; figueira-benjamim, figueira. [Pl.: *fícus-benjamins* e *fícus-benjamim.*]

fidalga. *S. f.* **1.** Mulher de fidalgo. **2.** Mulher nobre. **3.** *El. s. f.* Us. na loc. *à fidalga.* ● **À fidalga.** De modo afidalgado; à maneira dos fidalgos: "A representação foi sobre um pátio velho, / Todo armado, à f i d a l g a, em damasco vermelho, / Num tapete real de capas de estudantes!" (Júlio Dantas, *A Ceia dos Cardeais,* p. 21.)

fidalgaço. *S. m.* Fidalgarrão [q. v.].

fidalgal. *Adj. 2 g.* Relativo, ou próprio de fidalgo.

fidalgaria. *S. f.* **1.** A classe dos fidalgos. **2.** Grupo ou chusma de fidalgos: "Sempre vos digo .... que a uns certos respeitos .... mais valemos cá nós outros, os da arraia-miúda, que toda a f i d a l g a r i a de Palácio" (Antônio Feliciano de Castilho, *Camões,* I, p. 123). **3.** Maneiras de fidalgo.

fidalgarrão. [Aum. de *fidalgo.*] *S. m.* **1.** Grande fidalgo. **2.** *Deprec.* Aquele que blasona de fidalgo. [Sin. ger.: *fidalgaço.* Fem.: *fidalgarrona.*]

fidalgarrona. *S. f.* Fem. de *fidalgarrão* [q. v.].

fidalgo. [Contr. de *filho d'algo.*] *Adj.* **1.** Relativo à, ou próprio da fidalguia ou fidalgaria. **2.** Que tem foros de nobreza; nobre. **3.** Bizarro, generoso. ● *S.* **4.** Indivíduo que tem título de nobreza. [Sin., ant.: *filho d'algo.* Aum.: *fidalgarrão* (1); deprec.: *fidalguete, fidalgote.* **5.** Aquele que vive dos seus rendimentos sem trabalhar e anda bem trajado. **6.** *Bras.* Peixe teleósteo, siluriforme, da família dos pimelodídeos (*Megalonema platanus* (Guent.)), da bacia do Paraná, de coloração prateada com o dorso mais escuro e abdome amarelo-opaco. Acúleos das nadadeiras dorsal e peitorais sem serrilhas; comprimento: 25 cm. **7.** *Bras.* O peixe *Calophysus macropterus* (Lich.), da Amaz. e Guianas.

fidalgota. *S. f.* de *fidalgote* [q. v.].

fidalgote. *S. m.* **1.** Indivíduo afidalgado que, tendo escassos ou duvidosos títulos de nobreza, vive como fidalgo. **2.** *Deprec.* Fidalguete. [Fem.: *fidalgota.*]

fidalgueiro. *Adj.* e *s. m.* Que ou aquele que procura o convívio de fidalgos.

fidalguesco (ê). *Adj.* Respeitante a, ou próprio de fidalgo, da fidalguia.

fidalguete (ê). *S. m. Deprec.* Fidalgo de somenos, de meia-tigela; fidalgote.

fidalguia. *S. f.* **1.** Qualidade, modos ou ação de fidalgo. **2.** A classe dos fidalgos; a nobreza. **3.** Nobreza, bizarria, generosidade.

fidalguice. *S. f.* **1.** Qualidade de fidalgote. **2.** Afetação de maneiras de fidalgo; ostentação vã. **3.** Conjunto de etiquetas inúteis.

▲fide-. [Do lat. *fides, ei.*] *El. comp.* = 'fé': *fideísmo.*

fidedignidade. *S. f.* Qualidade de fidedigno.

fidedigno. [Do lat. *fide dignu,* com aglut.] *Adj.* Digno de fé; merecedor de crédito: *depoimento f i d e d i g n o.*

fideicometido. *Adj.* Diz-se de coisa ou valor que é objeto de fideicomisso.

fideicomissário. *Adj.* **1.** Relativo a fideicomisso: *herdeiro f i d e i c o m i s s á r i o.* ● *S. m.* **2.** Aquele que recebe do fiduciário, por determinação do testador, a herança ou o legado.

fideicomisso. [Do lat. *fideicommissu.*] *S. m. Jur.* Disposição testamentária pela qual o testador institui dois ou mais herdeiros ou legatários, impondo a um (ou alguns) deles a obrigação de, por sua morte, transmitir ao(s) outro(s), a certo tempo ou sob certa condição, a herança ou o legado; substituição fideicomissória.

fideicomissório. *Adj.* **1.** Referente a, ou que envolve fideicomisso. **2.** Proveniente de fideicomisso. ~ V. *substituição* —*a.*

fideicomitente. [Do lat. *fideicommittente.*] *S. 2 g. Jur.* Testador que institui fideicomisso.

fideísmo. [De *fide-* + *-ismo.*] *S. m. Rel.* Erro teológico de algumas correntes católicas do séc. XIX, que consistia em não reconhecer no homem outra fonte válida de conhecimento fora da fé, mesmo para as simples verdades naturais.

fideísta. *Adj. 2 g.* **1.** Referente ao fideísmo. **2.** Que antepõe a fé à razão. **3.** Que é partidário do fideísmo. ● *S. 2 g.* **4.** Pessoa que antepõe a fé à razão. **5.** Partidário do fideísmo.

fidejussória. [Fem. substantivado de *fidejussório.*] *S. f. Jur.* **1.** Caução fidejussória; fiança. **2.** Garantia pessoal.

fidejussório. [Do lat. *fidejussoriu.*] *Adj.* ~ V. *caução* —*a* e *garantia* —*a.*

fidelense. *Adj. 2 g.* **1.** De, ou pertencente ou relativo a São Fidélis (RJ). ● *S. 2 g.* **2.** Natural ou habitante de São Fidélis.

fidelidade. [Do lat. *fidelitate.*] *S. f.* **1.** Qualidade de fiel; lealdade, firmeza. **2.** Constância, firmeza, nas afeições, nos sentimentos; perseverança. **3.** Observância rigorosa da verdade; exatidão. **4.** *Fís.* Propriedade duma balança que assume sempre a mesma posição quando solicitada pelas mesmas forças. **5.** *Fís.* Propriedade dum sistema acústico capaz de reproduzir sons de todas as freqüências presentes num sinal original, respeitando as relações de intensidade.

fidelinho. [Dim., irregularmente formado, de *fidéu.*] *S. m.* V. *aletria* (1).

fidelismo. *S. m.* Castrismo.

fidelíssimo. *Adj.* Superl. abs. sint. de *fiel.*

fidelista. *Adj. 2 g.* e *s. 2 g.* Castrista.

fidéu. *S. m.* V. *fidéus.*

fidéus. [Do esp. *fideos.*] *S. m. pl.* V. *aletria* (1). [Tb. us. no sing.]

fido. [Do lat. *fidu.*] *Adj. Poét.* V. *fiel* (1): "Sei amar com paixão ardente e f i d a" (Gonçalves Dias, *Obras Poéticas,* II, p. 134); "Em ti, dos ventos hórridos de Eolo, / Refúgio achamos bom, f i d o e jucundo" (Luís de Camões, *Os Lusíadas,* II, 105).

▲-fido. [Do lat. *findere.*] *El. comp.* = 'que fende', 'que abre': *obtusífido, tetráfido.*

fidúcia. [Do lat. *fiducia.*] *S. f.* **1.** Confiança, segurança, fiúza. **2.** *Pop.* Atrevimento, audácia, prosápia; fidúncia: "Os outros gaúchos também eram assim, ... fechados por dentro diante de estranhos, por orgulho ou não sei quê; f i d ú c i a s ou besteiras?" (Albertino Moreira, *Boca-Pio,* p. 57.)

fiducial. *Adj. 2 g.* Referente a fidúcia; fiduciário. ~ V. *nível* —.

fiduciário. [Do lat. *fiduciariu.*] *Adj.* **1.** Fiducial. **2.** Dependente de confiança, ou que a revela. V. *circulação* —. ● *S. m.* **3.** *Jur.* Aquele que recebe a herança ou o legado gravados com fideicomisso, sendo por isso obrigado a transmiti-los, por sua morte, a certo tempo ou mediante certa condição, ao fideicomissário; gravado.

fidúncia. *S. f. Bras. Pop.* V. *fidúcia* (2).

➡fidus Achates (fiduç acáteç). [Lat., 'o fiel Acates'.] Amigo íntimo e fiel. (Alusão a uma personagem da *Eneida,* de Virgílio [v. *virgiliano*], amigo de Enéias.)

fieira. [De *fio* + *-eira.*] *S. f.* **1.** Aparelho com que se reduzem a fio os metais. **2.** Escala usada para verificar o diâmetro de fios ou a espessura de chapas de metal. **3.** V. *fileira:* "No peitoril de mais da metade das janelas .... uma f i e i r a de vasos de flores esmalta as fachadas com relevos de verdura salpicada de pintas escarlates." (Ramalho Ortigão, *A Holanda,* p. 45.) **4.** V. *enfiada* (1): "volta com uma f i e i r a de peixes. Prepara-os cantarolando na cozinha." (Guilherme Figueiredo, *História para Se Ouvir de noite,* p. 37). **5.** Veio mineral. **6.** Cordão torcido com que as crianças fazem rodar o pião. **7.** *Fig.* Experiência por que se fez alguém passar. **8.** *Bras.* Nalguns lugares do País, a linha do anzol.

fiéis. [Pl. de *fiel* (14).] *S. m. pl.* **1.** Sectários de uma religião. **2.** *Restr.* Os católicos. [Cf. *fieis,* do v. *fiar.*] ~ V. *fiel.*

fiel. [Do lat. *fidele.*] *Adj.* **1.** Que é digno de fé; que cumpre aquilo a que se obriga; leal; honrado, íntegro; probo: *servidor f i e l.* [Sin., poét.: *fido.*] **2.** Que não falha; seguro, certo: *guarda f i e l; memória f i e l.* **3.** Que não muda; firme, constante, perseverante: *cliente f i e l; É f i e l a seus princípios.* **4.** Que professa uma religião. **5.** Que é amigo certo: *empregado f i e l; cão f i e l.* **6.** Diz-se daquele que não mantém ligações amorosas senão com a pessoa com quem se comprometeu: *marido f i e l; namorada f i e l.* **7.** Que não rouba; honesto: *empregada f i e l.* **8.** V. *pontual* (3). **9.** Exato, verídico, verdadeiro: *Fez um relato f i e l dos acontecimentos.* [Superl. abs. sint.: *fidelíssimo* e *fielíssimo.*] ● *S. m.* **10.** Ajudante de tesoureiro. **11.** Fio ou ponteiro que indica o verdadeiro equilíbrio de uma balança. **12.** *Mar.* Almoxarife (5). **13.** *Marinh.* Cabo fino usado para prender um objeto. **14.** *Bras., RS.* Volta de couro, no cabo do relho ou do rebenque, na qual se enfia a mão: "chapéu de barbicacho e o mango pendurado pelo f i e l." (Darci Azambuja, *Coxilhas,* p. 55). *S. 2 g.* **15.** Seguidor de uma doutrina, ou membro de uma igreja, de uma seita, de uma religião. **16.** *Rel.* Fâmulo (4). [Pl.: *fiéis.* Cf. *fieis,* do v. *fiar.*] ~ V. *fiéis.*

fieldade. [De *fiel* + *-dade.*] *S. f. Pop.* Fidelidade (1 a 3).

fieza (ê). [De *fiar².*] *S. f. Desus.* Confiança, crédito.

fífia. [De or. onom.] *S. f.* Voz ou som desafinado e agudo.

➡fifo (fifou). [Ingl., das iniciais de *first in, first out.*] *S. m. Tec.* Sistema de armazenamento ou estocagem em que a primeira peça estocada é a primeira a ser retirada do estoque.

fifó. *S. m. Bras., BA* e *MG.* Pequeno lampião a querosene, com torcida e sem manga de vidro [v. *periquito¹* (6)]: "Era por uma noite sem lua, quando a escuridão dominava nos becos .... e só raros f i f ó s brilhavam nas casas" (Jorge Amado, *Jubiabá,* p. 35); "Ritinha chamava-o à realidade, dizendo-lhe ... que o f i f ó estava quase sem querosene." (Nélson de Faria, *Tiziu e Outras Estórias,* p. 7). [Sin., bras., BA: *lumante.*]

figa. [Do lat. tardio **fica,* 'vulva'.] *S. f.* **1.** Amuleto em forma de mão fechada, com o polegar entre o indicador e o médio, e supersticiosamente usado como preservativo de malefícios, doenças, etc.: "Se uma moça da sociedade se recusa a colocar um raminho de arruda por detrás da orelha, para afugentar a má sorte, como faz uma rapariga do povo, porá com prazer uma figa na pulseira." (Renato Almeida, *Inteligência do Folclore*, p. 43.) **2.** Sinal que se faz com a mão, pondo os dedos como na figa, para esconjurar ou repelir; esconjuro. ♦ **Duma figa.** *Fam.* Diz-se de pessoa ou coisa como manifestação, verdadeira ou fingida, de pouco apreço ou de irritação: *Ah, garoto duma figa!; Não sei onde pus aquele livrinho duma figa.* **Fazer figas a. 1.** Fazer cruzes a, esconjurar. **2.** Mostrar ódio a. **3.** Troçar de (alguém).

figada. *S. f.* Doce de figo.

figadal. *Adj. 2 g.* **1.** V. *hepático* (1). **2.** *Fig.* Íntino, profundo, intenso. **3.** Diz-se de sentimento hostil muito entranhado, profundo, ou do objeto deste sentimento: *ódio figadal; inimigos figadais.*

figadeira. *S. f.* **1.** Doença no fígado dos animais. **2.** *Fam.* Hepatite.

fígado. [Do lat. vulg. *ficatum.*] *S. m.* **1.** *Anat.* Víscera glandular volumosa, situada predominantemente no hipocôndrio direito, com pequena parte no epigástrio e hipocôndrio esquerdo, e que desempenha funções tais como secreção da bílis, modificação de medicamentos, produção de glicogênio, e outras. **2.** *Fig.* ânimo, coragem. **3.** Índole, caráter. ♦ **De maus fígados.** Muito genioso; vingativo; de maus bofes: *homem, pessoa, indivíduo de maus fígados.* **Desopilar o fígado.** Produzir alegria ou bem-estar. **Ter maus fígados.** Ser muito genioso, vingativo; ter maus bofes.

fígaro. [Do antr. *Fígaro,* duma personagem da comédia *O Barbeiro de Sevilha,* do dramaturgo francês Pierre Augustin Caron de Beaumarchais (1732-1799).] *S. m. Fam.* V. *barbeiro* (1).

figle. [Alter. moderna do fr. *bugle,* com o fonema *f.* de *ophicléide.*] *S. m. Mús. Vulg.* V. *oficlide.*

figo. [Do lat. *ficu.*] *S. m.* **1.** Infrutescência do tipo sicônio, produzida pela figueira. **2.** V. *fruta-de-manteiga.* **3.** *Pop.* Úlcera do ânus ou de outro órgão pudendo.

figueira. [Do lat. *ficaria (subentende-se *arbos*).] *S. f.* **1.** *Bras., PI* e *MG* a *SP.* Designação comum a várias árvores brasileiras da família das moráceas, pertencentes ao gênero *Ficus,* todas lactescentes, de folhas alternas, flores invisíveis, encerradas em receptáculo carnoso, e oco (*figo*), maior ou menor, dependendo da espécie, o qual forma uma cavidade fechada, comunicando-se com o exterior apenas por um pequeno umbigo bracteolado e escamoso, estando as flores masculinas na parte superior e as femininas na inferior. **2.** Árvore pequena, frutífera, da família das moráceas *(Ficus carica),* dotada de inflorescência monóica, receptáculos (*sicônios*) ou figos solitários ou geminados, axilares, polposos, comestíveis, revestidos de epiderme castanho-violácea com polpa vermelho-carmesim, muito doce quando madura, contendo flores (apenas as femininas, nas variedades cultivadas); figueira-da-europa. **3.** V. *ficus-benjamim.* ♦ **Plantar uma figueira.** *Bras. Fam.* Levar uma queda, um trambolhão.

figueira-benjamim. *S. f.* V. *ficus-benjamim.* [Pl.: *figueiras-benjamins* e *figueiras-benjamim.*]

figueira-branca. *S. f. Bras., RJ* a *SP.* Arbusto glabro, da família das moráceas (*Ficus pohliana*), com receptáculo (*figo*) curto e pedunculado, geminado ou solitário, piriforme, branco-amarelado; figueira-grande. [Pl.: *figueiras-brancas.*]

figueira-brava. *S. f.* Árvore pequena, da família das moráceas *(Ficus guapoi),* dotada de pedúnculos curtos, solitários, articulados na base e no ápice, flores insignificantes, com brácteas espatuladas, alvacentas, diáfanas e membranosas, e cujo receptáculo é globoso e um pouco pubescente; baforeira. **2.** V. *gameleira-branca.* **3.** V. *quaxinduba.* **4.** V. *estramônio.* [Pl.: *figueiras-bravas.*]

figueira-da-barbaria. *S. f.* Arbusto ereto e ramoso, da família das cactáceas *(Opuntia ficus-indica),* composto de artículos ou segmentos carnosos, verde-claros e armados de espinhos vigorosos, cujas flores, amarelas, são sésseis, hermafroditas, solitárias, sendo o fruto uma baga vermelha, amarelo-esverdeada ou branca, segundo as variedades; figueira-da-índia, figueira-do-inferno. [Pl.: *figueiras-da-barbaria.*]

figueira-da-europa. *S. f.* Figueira (2). [Pl.: *figueiras-da-europa.*]

figueira-da-índia. *S. f.* V. *figueira-da-barbaria.* [Pl.: *figueiras-da-índia.*]

figueira-do-inferno. *S. f. Bras.* **1.** V. *figueira-da-barbaria.* **2.** V. *estramônio.* [Pl.: *figueiras-do-inferno.*]

figueira-dos-pagodes. *S. f.* Árvore ornamental e de sombra, da família das moráceas *(Ficus religiosa),* originária da Índia, de flores férteis, sésseis ou pediceladas, com cinco sépalas lanceoladas, receptáculos ou figos axilares, sésseis, geminados, globosos, roxo-escuros na maturação, e cujas numerosíssimas raízes adventícias se enrolam no caule. A madeira, branco-rósea ou acinzentada, é própria para marcenaria. [Pl.: *figueiras-dos-pagodes.*]

figueira-grande. *S. f.* Figueira-branca. [Pl.: *figueiras-grandes.*]

figueiral. *S. m.* Quantidade mais ou menos considerável de figueiras dispostas proximamente entre si; figueiredo.

figueiredo[1] (ê). *S. m.* Figueiral.

figueiredo[2] (ê). *S. m. Pop.* Fígado (1).

figueirilha. [De *figueira* + *-ilha.*] *S. f. Bras., RS.* Planta acaule, da família das moráceas *(Dorstenia montevidensis),* de flores insignificantes, inseridas em receptáculo carnoso, castanho-escuro, e cuja raíz é considerada febrífuga e usada também para aromatizar o tabaco; contra-erva, figueirinha.

figueirinha. [Dim. de *figueira.*] *S. f. Bras., S.* V. *figueirilha.*

figulina. [Fem. substantivado de *figulino.*] *S. f. Ant.* Vaso de barro.

figulino. [Do lat. *figulinu.*] *Adj.* **1.** Feito de barro. **2.** Que se pode amassar com facilidade. **3.** *Fig.* Brando, dócil, domesticável.

figura. [Do lat. *figura.*] *S. f.* **1.** A estatura e a configuração geral do corpo: *A moça tem boa figura.* **2.** Vulto (3): *Uma figura indistinta atravessava a rua.* **3.** Estátua ou pintura que representa o corpo humano, ou o de um animal: *Vêem-se na mesa duas figuras de cão.* **4.** Forma exterior; figuração. **5.** Efeito, aspecto, impressão que as coisas produzem; figuração: *Que bela figura produz a torre da igreja, contrastando com o céu azul!* **6.** Imagem, representação, forma; figuração: *Desenharam o deus Cupido em figura de menino.* **7.** Forma imaginária que se dá aos seres metafísicos. **8.** Símbolo, emblema, alegoria. **9.** Representação de imagem por meio de desenho, gravura, fotografia, etc.; ilustração: *as figuras dum livro, duma revista.* **10.** Importância social. **11.** Pessoa ou personalidade representativa; vulto: *Pedro é das mais altas figuras da sociedade; Que figura cômica, o teu médico!* **12.** Designação comum ao rei, ao valete e à dama, nos baralhos. **13.** *Pop.* Cara, rosto: *Injuriou-me, fui-lhe à figura.* **14.** *Gram.* Forma de expressão que foge da norma rigorosa, apresentando alterações fonéticas, morfológicas ou sintáticas. **15.** *Ret.* Cada uma das formas de elocução suscitadas pela imaginação e pelos afetos, e que emprestam ao pensamento mais energia, mais vivacidade, e/ou conferem à frase mais beleza e graça. **16.** *Geom.* Configuração (3). **17.** *Anál. Mat.* Toda parte de um espaço que pode ser expressa como união finita de intervalos desse espaço. **18.** *Mús.* Cada um dos oito sinais gráficos (*breve, semibreve, mínima, semínima, colcheia, semicolcheia, fusa, semifusa*) que indicam a duração de uma nota (*figura positiva*) ou de uma pausa (*figura negativa*). Cada figura representa a metade da figura que a precede e, portanto, o dobro da que a segue, e seu valor é determinado pelos denominadores das frações que, numa peça musical, representam a unidade de tempo de cada compasso desta peça.

Denominador 1 semibreve o
Denominador 2 mínima d
Denominador 4 semínima ♩
Denominador 8 colcheia ♪
Denominador 16 semicolcheia
Denominador 32 fusa
Denominador 64 semifusa

[Tb. se diz *figura de valor.*] **19.** *Teat.* Cada uma das personagens de uma peça. **20.** *Teat.* Ator, intérprete, comediante que as representa; figurante: "Se havia canastrões, havia também algumas figuras que mais tarde viriam a destacar-se nos teatros do Rio e São Paulo." (Brito Broca, *Memórias,* p. 88.) ● *S. m.* **21.** *Bras., CE. Pop.* V. *diabo* (2). ♦ **Figura de dança.** *Mús.* Cada uma das diversas posições em que se colocam os pares, ou cada uma das seqüências de passos executados. **Figura de difração.** *Ópt.* Imagem obtida quando se projeta sobre um anteparo um conjunto de ondas luminosas difratadas ou quando se observa convenientemente com a vista um desses conjuntos. **Figura de interferência.** *Ópt.* Imagem, real ou virtual, que se pode observar, num dispositivo em que há interferência de luz, e que evidencia a redistribuição de energia luminosa neste fenômeno. Pode ser formada por franjas, raias, anéis, pontos, etc., conforme a natureza do sistema que a produz. **Figura de proa. 1.** *Constr. Nav.* V. *carranca* (5). **2.** *Fig.* Pessoa que, num empreendimento, organização, etc., aparece com especial relevo; pessoa importante. **Figura de valor.** *Mús.* V. *figura* (18). **Figura difícil.** *Irôn.* Pessoa que gosta de bancar a difícil [q. v.]. **Figura dramática.** *Teat.* Personagem (2). **Figura negativa.** *Mús.* V. *figura* (18). **Figura positiva.** *Mús.* V. *figura* (18). **Figuras congruentes.** *Geom.* As que coincidem quando superpostas. **Figuras de silogismo.** As várias posições do termo médio nas premissas. **Figuras semelhantes.** *Geom.* As que se podem tornar congruentes por uma transformação de semelhança. **Fazer boa figura.** Sair-se bem, ser bem-sucedido; brilhar: *No concurso, fez boa figura.* **Fazer figura.** Dar na vista pelo talento, beleza, riqueza, etc.; brilhar. **Fazer má figura.** Sair-se mal; ser malsucedido; dar fiasco, falhar, malograr-se. **Fazer triste figura.** Desempenhar papel vergonhoso. **Mudar de figura.** Adquirir outro aspecto; tornar-se diferente: "Aqui na corte, um caso desses perde-se na multidão da gente e dos interesses; mas na província muda de figura" (Machado de Assis, *Memórias Póstumas de Brás Cubas,* p. 224). **Ser uma figura.** *Bras.* Ter uma personalidade curiosa, interessante; ser figura ou pessoa fora do comum.

figuração. [Do lat. *figuratione.*] *S. f.* **1.** Ato de figurar. **2.** V. *figura* (4 a 6). **3.** Aspecto dos astros do qual se tiram prognósticos. **4.** *Teat.* Papel insignificante; ponta.

figurado. [Part. de *figurar.*] *Adj.* **1.** Em que há figuras ou alegorias; metafórico, tropológico. **2.** Alegórico, imitativo; representado. **3.** Não existente; hipotético, suposto. **4.** Diz-se de dança popular ou de salão com passos e marcações variados, movimentados: "um conviva jovem, sacudindo a cabeça, meneando o corpo, marcava muito atento uma valsa figurada" (Afonso Arinos, *Pelo Sertão,* p. 138). ~ V. *linguagem —a* e *sentido—.* ● *S. m.* **5.** Dança figurada (4). ♦ **Bem figurado. 1.** Que apresenta condições ou probabilidades de sair a contento, de concretizar-se: *É um vencedor: seus negócios andam bem figurados.* **2.** De bom aspecto físico; apessoado: *Tem a quem sair: seu pai era também um homem bem figurado.* [Antôn.: *mal figurado.*] **Mal figurado.** V. *bem figurado: Seus planos de viagem estão mal figurados.*

figural. *Adj. 2 g.* Que serve de figuras ou de tipo.

figuralidade. [Do lat. *figuralitate.*] *S. f. Fig.* Propriedade que têm os corpos de adquirir tal ou qual figura.

figurante. [Do lat. *figurante.*] *S. 2. g.* **1.** Figura (20). **2.** *Teat.* e *Cin.* Extra[1] (4).

figurão. [Aum. de *figura.*] *S. m.* **1.** Personagem importante; figuro. "Não troca .... a mesa de um colega pelo banquete do mais rico figurão" (Joaquim Manuel de Macedo, *Os Romances da Semana,* p. 137). [Fem.: *figurona.*] **2.** Ostentação, ato que dá nas vistas.

figurar. [Do lat. *figurare.*] *V. t. d.* **1.** Traçar a figura, a imagem de: *Figurou uma paisagem a carvão.* **2.** Significar por meio de alegoria, figura, símbolo, etc.; simbolizar: *Na liturgia católica, o vinho figura o sangue de Cristo;* "Matilde Emo, com uma túnica flutuante de terciopelo azul-ferrete, que larga zona de alvas calcedônias nublava, ... figurava a Via-Láctea" (Carlos Magalhães de Azeredo, *Casos do Amor e do Instinto,* p. 379). **3.** *P. ext.* Significar, representar; lembrar: *Para a criança o pai figura a autoridade;* "Quando se fez ao largo a nave escura / Na praia essa mulher ficou chorando, / No doloroso aspecto figurando / A lacrimosa estátua da amargura." (Gonçalves Crespo, *Obras Completas,* p. 331). **4.** Ter a forma ou figura de: *A nuvem figurava um camelo.* **5.** Representar na imaginação; imaginar, conceber, fantasiar, supor: "Vendo-o discursar, Aurora, emocionada, começou a figurar uma carreira brilhante para o seu louro ginasiano." (Edilberto Coutinho, *Onda Boiadeira,* p. 112); "Figure uma moça vestida de ricas sedas, com as mangas enroladas e a saia arregaçada" (José de Alencar, *Lucíola,* p. 143). **6.** Aparentar, fingir: *Figura doença para não trabalhar.* **7.** *Ópt.* Dar a (uma superfície óptica) uma forma determinada, por meio de operações de polimento. *T. i.* **8.** Tomar parte; participar: *Grandes artistas figuram naquela peça.* **9.** Fazer parte; estar incluído: *O conto "Missa do Galo", obra-prima de Machado de Assis, figura em numerosas antologias; O álcool não figura entre os seus vícios.*

figurarias. *S. f. pl.* Mímica para divertimento de crianças.

figurativa. [Fem. substantivado do adj. *figurativo.*] *S. f. Gram.* **1.** Letra que caracteriza certos tempos de verbos gregos. **2.** Desinência das palavras declináveis.

figurativismo. *S. m. Art. Plást.* Qualquer manifestação artística de características figurativas. [Cf., nesta acepç., *abstracionismo* (2).]

figurativista. *Adj. 2 g.* **1.** Relativo ao, ou que é adepto do figurativismo. ● *S. m.* **2.** Adepto dele.
figurativo. *Adj.* **1.** Que figura; representativo, simbólico. **2.** *Art. Plást.* Diz-se da manifestação artística comum a diferentes épocas, culturas e correntes estéticas, e que se manifesta pela preocupação de representar uma realidade sensível das formas acabadas da natureza: *quadro figurativo.* [Cf., nesta acepç., *abstrato* (4).] **3.** *Art. Plást.* Que é adepto do figurativismo ou lhe adota os princípios. ● *S. m.* **4.** Artista figurativo.
figurável. *Adj. 2 g.* Que se pode figurar.
figurilha. [Do esp. *figurilla.*] *S. 2 g.* Pessoa de pequena estatura, quer seja natural, quer representada por desenho, pintura, escultura, etc.
figurinha. [Dim. de *figura.*] *S. f. Bras.* Pequena estampa, para coleções. ♦ **Figurinha difícil.** *Deprec.* V. *figura difícil.*
figurinista. *S. 2 g.* Desenhista de figurinos.
figurino. [Do it. *figurino.*] *S. m.* **1.** Figura ou estampa que representa o traje da moda. **2.** Revista de modas. **3.** Indivíduo que traja no rigor da moda ou a exagera. **4.** *P. ext.* Vestuário, traje: *Os figurinos da peça são de alta qualidade.* **5.** *Fig.* Modelo, exemplo. ♦ **Como manda o figurino.** Segundo a boa praxe; como deve ser: "Vou fazer do meu menino / Irresistível cantor / Como manda o figurino / Ou, em francês, 'comme il faut' (Chico Buarque de Holanda, *Roda-Viva*, p. 21).
figurismo. [De *figura* + *-ismo.*] *S. m.* Sistema daqueles que consideram ou interpretam alegoricamente os fatos narrados na Bíblia.
figurista. *Adj. 2 g.* **1.** Diz-se do pintor que se especializa em reproduzir a figura humana. ● *S. 2 g.* **2.** Partidário do figurismo.
figuro. [De *figura.*] *S. m.* **1.** Indivíduo de reputação duvidosa. **2.** *Fam.* Figurão (1).
figurona. *S. f.* de *figurão* (1).
fijiano. *Adj.* **1.** Das, ou pertencente ou relativo às ilhas Fiji (sudoeste do Pacífico). ● *S. m.* **2.** O natural ou habitante das ilhas Fiji.
fila[1]. [Do fr. *file.*] *S. f.* **1.** V. *fileira.* **2.** Fileira de pessoas que se colocam umas atrás das outras, pela ordem cronológica de chegada a um ponto de embarque em veículos urbanos, a guichês ou a quaisquer estabelecimentos onde haja grande afluência de interessados; bicha. **3.** *Álg. Mod.* Linha ou coluna de uma matriz. ♦ **Fila indiana.** A que é formada de pessoas alinhadas uma atrás da outra.
fila[2]. [Dev. de *filar.*] *S. f.* **1.** Ato de filar. **2.** *Bras., N.* e *N.E.* V. *cola*[1] (2).
fila[3]. *S. m.* Cão de fila. ♦ **Fila brasileiro.** Cão de fila, de raça originária do Brasil, de forte musculatura, altura média em torno de 0,65 m, faro agudíssimo, cabeça grande, focinho forte, nariz largo e pêlo curto e macio.
filá. [Do ioruba.] *S. m. Bras.* Capuz de palha usado por Omulu, e que lhe cai até os ombros, ocultando-lhe a face.
filaça. [Do lat. *filacea.] *S. f.* Filamento grosseiro de substância têxtil.
filactério. [Do gr. *phylaktérion*, 'lugar de guarda, posto, corpo de guarda'.] *S. m.* **1.** Escrito que os judeus traziam suspenso do pescoço, e onde se podiam ler versículos da lei mosaica. **2.** *P. ext.* Qualquer faixa com divisa. **3.** *P. ext.* Amuleto, talismã.
filadelfo. *S. m.* Designação de alguns arbustos ornamentais da família das saxifragáceas, pertencentes ao gênero *Philadelphus*, originários dos E.U.A. e introduzidos no Brasil.
filame. [Do lat. *filamen.*] *S. m. Marinh.* A porção de amarra compreendida entre a abita, ou onde esteja com volta passada, e o anete da âncora: "de bordas ferradas nos cabrestantes que tesam e solecam o filame da amarração, de acordo com a vazante e a enchente periódicas — quando arfa e joga, ... dá a impressão de um esquisito navio ancorado." (Raimundo Morais, *País das Pedras Verdes*, pp. 167-168). [O comprimento do filame deve ser igual a três a quatro vezes à profundidade do local.]
filamentar. *Adj. 2 g.* Constituído por filamentos; filamentoso.
filamento. [Do lat. *filamentu.*] *S. m.* **1.** Fio de pequeníssimo diâmetro. **2.** *Morfol. Veg.* Porção do talo dos vegetais talófitos que apresenta desenvolvimento linear e é formada por uma só fileira de células. **3.** *Astr.* Mancha clara, brilhante, estreita e irregular, de curta duração, que se encontra na superfície solar, e observável através de espectroeliograma. **4.** *Eletr.* Numa lâmpada elétrica, fio fino de material de elevado ponto de fusão (geralmente tungstênio), aquecido até à incandescência pela passagem duma corrente elétrica. **5.** *Eletrôn.* Numa válvula eletrônica, catodo aquecido pela passagem de uma corrente elétrica. **6.** *Eletrôn.* Eletrodo de uma válvula eletrônica empregado para aquecer o catodo.
filamentoso (ô). *Adj.* Filamentar: *micélio filamentoso.*
filandeira. *S. f. Tec.* Peça provida de pequeninos orifícios e através da qual se injeta um líquido com o objetivo de conseguir longos filamentos.
filandras. [Do lat. *filu*, 'fio'.] *S. f. pl.* **1.** Fios delgados e longos. **2.** Ervas marinhas que aderem à carena dos navios. **3.** Flocos que esvoaçam pelo ar e cobrem os vegetais: "uma nascente tão ensombrada d'arvoredo que a água, sob os pendidos ramos, emaranhados de filandras, parecia negra." (Coelho Neto, *Rei Negro*, p. 263.)
filandroso (ô). *Adj.* Que tem filandras ou nervuras; fibroso.
filante[1]. [Do fr. *filant.*] *Adj. 2 g. Gal.* ~ V. *estrela* — e *vinho* —.
filante[2]. [De *filar.*] *Adj. 2 g.* e *s. 2 g. Bras.* Que ou quem é dado a filar (4, 7 e 8): *filante de jantares, de cigarros.*
filanto. [De *fil(o)*[1]- + *-anto.*] *Adj.* **1.** *Morfol. Veg.* Cujas flores repousam sobre as folhas. ● *S. m.* **2.** Designação comum a vários arbustos exóticos e ornamentais da família das euforbiáceas, pertencentes ao gênero *Phyllanthus*, originários de vários países.
filantropia. [Do gr. *philanthropía*, pelo lat. *philanthropia.*] *S. f.* **1.** Amor à humanidade; humanitarismo. [Antôn.: *misantropia* (1), *antropofobia.*] **2.** Caridade (1).
filantrópico. [Do gr. *philanthropikós.*] *Adj.* **1.** Relativo à filantropia, ou inspirado nela. [Antôn.: *misantrópico.*] **2.** *Bras.* Dizia-se de um dos partidos políticos organizados no PA logo após a abdicação de Pedro I, e dos sectários dessa agremiação. ● *S. m. Bras.* **3.** Esse partido. **4.** *Bras.* Sectário dele.
filantropismo. *S. m.* Afetação de filantropia.
filantropo (ô). [Do gr. *philánthropos*, pelo lat. *philanthropu.*] *Adj.* e *s. m.* Que ou aquele que tem filantropia; humanitário: "Trovador dos humildes, ... era [S. Francisco de Assis], na vida real, o maior amigo de todos eles, ao contrário de certos filantropos sentimentais que esgotam toda a sua bondade nos versos que escrevem e não dão um só vintém de esmola..." (Agripino Grieco, *São Francisco de Assis e a Poesia Cristã*, p. 13.) [Antôn.: *misantropo, antropófobo.*]
filantropomania. [De *filantropo* + *-mania.*] *S. f.* Mania de ser filantropo; filantropia pouco sincera.
filão. [Do fr. *filon.*] *S. m.* **1.** Enchimento das diáclases ou dos fendilhamentos da crosta terrestre por substâncias de origem hidrotérmica. **2.** Veio (2). **3.** *Fig.* Fonte, veia. **4.** *Bras., BA.* Linha (45). **5.** *Bras., SP. Pop.* Pão comprido, de tamanho e peso variados.
filar. [Do ant. *filhar*, 'tomar'.] *V. t. d.* **1.** Agarrar à força; prender, capturar: "Durante largos anos, a polícia deu caça ao José Antônio e jamais o pôde filar." (Gustavo Barroso, *Terra de Sol*, p. 139.) **2.** Segurar com os dentes: *O cachorro filou o ladrão pela perna.* **3.** Açular (cão de fila). **4.** Conseguir gratuitamente; obter de mão beijada: *Chegou na hora da comida e filou um jantar.* **5.** Observar ocultamente; espreitar; espiar: *Filava, no jogo, as cartas do parceiro.* **6.** Chorar (12). **7.** *Bras.* Pedir a outrem, para não comprar: "Francisco Alves, apesar de abastado, era famoso como avarento. Não pagava café e filava cigarros." (Nestor de Holanda, *Memórias do Café Nice*, p. 118.) **8.** *Bras.* Fazer que os outros paguem: *Vendo o amigo à porta do cinema, filou uma entrada.* **9.** *Gír.* Colar[3] (4). **10.** *Bras., N.E.* Gazear[2] (2). *T. d.* e *i.* **11.** Obter gratuitamente: *Filou do garçom um prato de comida.* **12.** *Bras.* Pedir a outrem, para não comprar. **13.** *Bras.* Fazer que outrem pague. *Int.* **14.** Segurar com os dentes a presa. **15.** *Mar.* Aproar (ao vento, à corrente), quando esteja fundeada (a embarcação): *O navio filou à corrente.* **16.** *Gír.* Colar[3] (10). **17.** *Bras. Pop.* Observar ocultamente; espreitar, espiar. **18.** Chorar (14). *P.* **19.** Agarrar-se fortemente com os dentes a alguma coisa. **20.** Agarrar-se, segurar-se. [Fut. pret.: *filaria*, etc. Cf. *filária.*]
filargíria. [Do gr. *philargyría*, pelo lat. *philargyria.*] *S. f.* Avareza, somiticaria.
filária. [Do lat. *filaria*, pl. de *filariu*, 'novelo de linha'.] *S. f. Zool.* Designação comum aos animais asquelmintos, nematódeos, filaróideos, da família dos filarídeos. São geralmente muito longos e finos; vivíparos ou ovovivíparos. A evolução faz-se através de invertebrados (mosquitos, carrapatos, etc.); parasitam o aparelho circulatório, o tecido conjuntivo, as cavidades serosas, etc., de vertebrados. No Brasil ocorre a espécie *Wuchereria bancrofti* (Cobbold), cujos adultos vivem nos vasos linfáticos do homem, formando cistos e eventualmente a elefantíase. A transmissão produz-se através de mosquitos do gênero *Culex* Linnaeus. Conhecem-se, também, espécies do gênero *Dirofilaria* Rail. & Henry, que raramente parasitam o homem. [Cf. *filaria*, do v. *filar.*]
filaricida. [De *filári(a)* + *-cida.*] *Adj. 2 g.* **1.** Que destrói filárias. ● *S. m.* **2.** Agente que as destrói.
filarídeo. *S. m.* **1.** Espécime dos filarídeos. ● *Adj.* **2.** Pertencente ou relativo a eles.
filarídeos. *S. m. pl. Zool.* Família de vermes nematódeos, da superfamília *Filarioidea*, os quais apresentam poro genital na parte anterior do corpo e habitam cavidades fechadas ou o tecido conjuntivo. Os embriões vivem no sangue. Vulgarmente conhecidos por *filárias*, são causadores da elefantíase, localizando-se no sistema linfático do homem, onde machos e fêmeas vivem enovelados.
filarióideo. *S. m.* **1.** Espécime dos filarióideos. ● *Adj.* **2.** Pertencente ou relativo a eles. [Sin. ger.: *filaróideo.*]
filarióideos. *S. m. pl. Zool.* Superfamília de vermes nematódeos onde se classificam os causadores da elefantíase. [Sin.: *filaróideo.*]
filariose. [De *filária* + *-ose.*] *S. f. Patol.* Infecção devida à presença de filárias no organismo; elefantíase-dos-árabes.
filariósico. *Adj.* Filariótico.
filariótico. *Adj.* Referente à filariose; filariósico.
filarmônica. [Fem. substantivado de *filarmônico.*] *S. f.* **1.** Sociedade musical. **2.** Orquestra sinfônica.
filarmônico. [De *fil(o)-*[2] + *harmonia* + *-ico*[2].] *Adj.* **1.** Amigo da harmonia ou da música. **2.** Diz-se especialmente de certas sociedades musicais. **3.** Relativo a, ou próprio de filarmônica (2).
filaróideo. *S. m.* e *adj.* Filarióideo.
filaróideos. *S. m. pl. Zool.* Filarióideos.
filatelia. [Do fr. *philatélie.*] *S. f.* **1.** Estudo dos selos do correio que se usam nas diferentes nações, metodicamente colecionados. **2.** Hábito e gosto de colecionar tais selos.
filatélico. *Adj.* Referente à filatelia.
filatelismo. *S. m.* Gosto e/ou prática da filatelia.
filatelista. *S. 2 g.* Pessoa que é dada à filatelia.
filatório. [Do lat. *filatu*, 'fiado', + *-ório.*] *Adj.* **1.** Respeitante à fiação. ● *S. m.* **2.** Aparelho para fiação (1).
filáucia. [Do gr. *philautía*, 'amor-próprio', pelo lat. *philautia.*] *S. f.* **1.** Amor-próprio; egoísmo. **2.** Vaidade, presunção, jactância, bazófia: "O leitor que as percebe [as incorreções tipográficas] é levado naturalmente, por filáucia, a experimentar certo sentimentozinho de superioridade sobre quem as comete." (Eduardo Frieiro, *Os Livros, Nossos Amigos*, p. 180.)
filaucioso (ô). *Adj.* Que tem ou denota filáucia.
▲**-filax-.** [Do gr. *phýlaxis, eos.*] *El. comp.* = 'guarda', 'preocupação': *anafilaxia, bibliofilaxia.*
filé. [Do fr. *filet.*] *S. m.* **1.** *Bras.* Designação vulgar dos músculos psoas do boi, da vitela, do porco e de outras reses. [Cf. *lombo* (2). **2.** *Bras.* V. *bife* (1). **3.** *Bras.* Fatia fina de peixe, do qual se retiraram as espinhas. **4.** *Bras.* Certo trabalho de agulha tecido em rede feita à mão, o qual forma desenhos e é geralmente usado para fins decorativos. **5.** *Bras. Pop.* Filé *mignon* (2). ♦ **Filé *mignon.*** **1.** Filé (1) de boi. **2.** *Bras. Pop.* A melhor parte ou porção; filé. **Filé de borboleta.** *Bras. Irôn.* Pessoa extremamente magra.
fileira. [De *fila* + *-eira.*] *S. f.* Série de coisas, pessoas ou animais em linha reta; ala, linha, alinhamento, renque, fiada, enfiada, fieira, fila. ~ V. *fileiras.*
fileiras. [Pl. de *fileira.*] *S. f. pl.* A vida militar; caserna. ~ V. *fileira.*
filele. [Do it. *fileli?*] *S. f.* Tecido de lã, leve, próprio para confeccionar bandeiras, galhardetes, etc.
filer. [Do ingl. *filler.*] *S. m. Tec.* Material incolor, sólido, que se usa como diluente de pigmentos. [Pl.: *fíleres.*]
filerete (ê). [Do esp. *filarete.*] *S. m.* Espécie de junteira. ~ V. *fileretes.*
fileretes (ê). [Pl. de *filerete.*] *S. m. pl.* Redes onde se metem sacos de algodão, cortiça, etc., e com as quais se guarnecem os bordos do navio contra as balas inimigas. ~ V. *filerete.*
filetagem. *S. f.* Ato ou efeito de filetar.
filetar. [De *filete* + *-ar*[2].] *V. t. d.* **1.** Dar traços filiformes em. **2.** *Tip.* Estampar (capas ou lombadas de livros) com o filete de dourar. [Pres. subj.: *filete, filetes*, etc. Cf. *filete* (ê) e pl. *filetes* (ê).]
filete. [Do fr. *filet.*] *S. m. lus.* Filé (2 e 3). [Pl.: *filetes.* Cf. *fletes* (ê) e pl. *filetes* (ê).]
filete (ê). [Do fr. *Filet.*] *S. m.* **1.** Pequeno fio: 'Tênue filete de ouro embutido bordava a face polida e negra

da pedra." (José de Alencar, *Lucíola*, p. 77.) **2.** *Arquit.* V. *listel*. **3.** *Morfol. Veg.* A parte do estame que sustenta a antera. **4.** Espiral de parafuso, **5.** *Anat.* Cada uma das ramificações mais tênues dos nervos. **6.** *Tip.* Fio (12 e 13). **7.** *Encad.* Traço simples ou ornamental que constitui elemento da douração ou da gofragem da capa ou da lombada de um livro; friso. **8.** *Encad.* Ferro em forma de meia-lua, com que se produz esse traço; sinalefa. [Pl.: *filetes* (ê). Cf. *filete* e *filetes*, do v. *filetar* e s. m. ♦ **Filete inglês.** *Tip.* Filete grosso, apontado nas extremidades, e constituído por traço simples ou por combinação de elementos ornamentais; bigode.

filha. [Do lat. *filia*.] *S. f.* Pessoa do sexo feminino em relação a seus pais. ♦ **Filha de Maria.** Mulher pertencente à congregação religiosa devotada à Virgem Maria.

filhação. [De *filhar*[1] + -*ção*.] *S. f. P. us.* V. *Filiação*.

filhada. [Fem. substantivado de *filhado*, part. de *filhar*[2].] *S. f. Ant.* Ato de filhar[2].

filha-de-senhor-de-engenho. *S. f. Bras. N.E. Pop.* V. *cachaça* (1). [Pl.: *filhas-de-senhor-de-engenho*.]

filhar[1]. *V. t. d.* **1.** V. *filiar* (1). **2.** V. *perfilhar* (3). *Int.* **3.** *Bot.* Deitar filhos ou rebentos; brotar, filharar.

filhar[2]. *Ant. V. t. d.* **1.** Filar (1). **2.** Receber, tomar conta de (terrenos maninhos). **3.** Colher, apanhar. **4.** Tomar em foro de fidalgo.

filharada. *S. f.* Grande porção de filhos: "esgueirava-se ao longo dos casebres, arrastando pela mão a *ilharada*, semitonta de sono e entanguida de frio" (Hugo de Carvalho Ramos, *Tropas e Boiadas*, pp. 67-68). [Sin., fam.: *ninhada* e *pequenada*.]

filharar. *V. int. Bot.* V. *filhar*[1] (3).

filheiro. *Adj.* **1.** Que gera muitos filhos; fecundo, filhento. **2.** Muito amigo dos filhos.

filhento. *Adj.* V. *filheiro* (1).

filhinho. *S. m. Dim.* de filho. ♦ **Filhinho de mamãe.** Filho excessivamente protegido pela mãe e extremamente apegado a ela ou dela dependente. **Filhinho de papai.** Filho de papai.

filho. [Do lat. *filiu*.] *S. m.* **1.** Indivíduo do sexo masculino em relação aos pais. **2.** Descendente (3). **3.** Aquele ou aquilo que é oriundo, originário, natural (de alguma terra, região, etc.): *É filho das Alagoas*. **4.** Aquilo que se origina, resulta, procede, é conseqüência: "Esta observação .... parecia à maior parte das honestas senhoras casadas — *filha* do mais revoltante cinismo." (José Régio, *Histórias de Mulheres*, p. 299.) **5.** Homem, em relação a Deus, ao estabelecimento onde foi educado, e a quem o educou. **6.** Expressão de carinho. **7.** Rebento da planta. **8.** *Bras.* Pequeno tambor usado em sambas e batuques. **9.** *Teol.* A segunda pessoa da Santíssima Trindade [v. *trindade* (1)]. [Nesta acepç., melhor com maiúscula.] ● *Adj.* **10.** Procedente, resultante. ♦ **Filho adotivo. 1.** Filho de outrem, que se toma como próprio mediante a adoção. **2.** *Pop.* Filho alheio que se toma e se considera como próprio sem qualquer formalidade legal. [Tb. se diz apenas *adotivo*.] **Filho adulterino.** *Jur.* Filho espúrio [q. v.] havido por pessoa casada no tempo da concepção, de outra que não seja o seu consorte. **Filho bastardo.** *Jur.* V. *filho ilegítimo*. **Filho d'algo.** *Ant.* Fidalgo (4): "Ser simplesmente *filho d'algo* em Portugal não valeu tanto como ser freire" (Gilberto Freire, *Casa-Grande e Senzala*, I, p. 301). **Filho da mãe.** *Chulo.* Expressão eufemística, por *filho da puta*. **Filho da puta.** *Chulo.* Mau-caráter. **Filho das ervas. 1.** Filho de pai desconhecido. **2.** Pessoa de condição humilde. **Filho de coito danado.** V. *filho sacrílego*. **Filho de criação.** O que é criado por pai(s) adotivo(s). **Filho de Deus. 1.** Jesus Cristo; o Filho do homem. **2.** *P. ext.* Qualquer ser humano, considerado como criatura de Deus. **Filho de leite.** A criança, com relação à ama que a amamentou. **Filho de papai.** Filho de pai rico e/ou influente; filhinho de papai. **Filho do Sol e neto da Lua.** Indivíduo que se diz descendente de progênie muito ilustre. **Filho espúrio.** *Jur.* Filho ilegítimo [q. v.], nascido de pessoas que, entre si, não podem casar-se, em virtude de proibição legal permanente ou ao tempo da concepção. [O filho espúrio distingue-se em *filho incestuoso* (q. v.) e *filho adulterino* (q. v.)]. **Filho ilegítimo.** *Jur.* O que não provém de justas núpcias, ou é gerado e nascido fora do matrimônio; filho bastardo. [O filho ilegítimo pode ser: *filho natural* (q. v.) ou *filho espúrio* (q. v.).] **Filho incestuoso.** *Jur.* Filho espúrio [q. v.], nascido de pai e mãe com parentesco que os impede de casar. **Filho legitimado.** *Jur.* Aquele que provém de união ilícita e se equipara ao filho legítimo, quer pelo casamento posterior dos pais, quer por escritura pública ou por declaração no termo de nascimento; filho reconhecido. [Tb. se diz apenas *legitimado*.] **Filho legítimo.** *Jur.* Filho proveniente do matrimônio e nascido na vigência deste, ou que é como tal considerado. **Filho natural.** *Jur.* Filho ilegítimo [q. v.], havido de pais solteiros entre os quais, ao tempo da concepção ou do parto, não haja impedimento matrimonial, ou de pais judicialmente separados ou divorciados, e, portanto, legitimável. **Filho póstumo.** *Jur.* Aquele que nasce após o desaparecimento do pai. [Será considerado legítimo se, provindo de justas núpcias, vem à luz antes de decorrido o prazo de 300 dias subseqüentes à data da dissolução da sociedade conjugal por morte, separação judicial ou anulação.] **Filho pródigo.** Aquele que, a exemplo do moço da parábola do Evangelho, retorna ao seio da família após longa ausência, em que levou vida dissipada. **Filho putativo.** *Jur.* **1.** O que se supõe ser filho de uma dada pessoa, e cuja paternidade pode ou não ser investigada. **2.** Aquele que provém de casamento putativo [q. v.]. **Filho reconhecido.** *Jur.* Filho legitimado. **Filho sacrílego.** *Jur. Desus.* Filho de padre ou de outrem que haja feito voto de castidade. [Já não há essa filiação. É considerado filho natural (q. v.), salvo se for adulterino ou incestuoso. Sin., pop.: *filho de coito danado*.] **Filho único de mãe viúva.** *Fam.* Coisa preciosa, muito rara e única. **Meu filho.** Expressão com que nos dirigimos a alguém, carinhosamente, mas que pode também encerrar sentido irônico. **O filho de meu pai.** Eu (a pessoa que fala): *Não é o filho de meu pai quem bajula ninguém* (="Não sou eu ..."). **O Filho do homem.** Filho de Deus (1). **Os filhos da Candinha.** *Bras. Pop.* O vulgo, o povo; os maldizentes, as más-línguas: "os *filhos da Candinha* espalharam que minha mãe jurara que, se a candonga fosse verdadeira, ela queria produzir um menino aleijado" (Manuel Lobato, *Garrucha 44*, p. 69). **Também ser filho de Deus.** Ter direitos iguais a outrem e não dever ser excluído de benefícios que devem ser comuns.

filhó. [Do lat. *foliola*, pl. de *foliolu*, dim. de *folia*, 'folha'.] *S. m.* e *f.* Bolinho ou biscoito de farinha e de ovos, frito em azeite, e que se come polvilhado com açúcar e canela ou passado por calda de açúcar: "Nunca me há de esquecer .... a santa velha da tia Jerônima, que teria proporcionado mais um capítulo a Chateaubriand sobre a poesia das usanças cristãs, se esse ilustre escritor houvesse .... saboreado as *filhós* que ela compunha para celebrar o carnaval" (Alexandre Herculano, *Lendas e Narrativas*, II, pp. 127-128). [Var.: *filhós*.]

filho-de-bem-te-vi. *S. m. Bras.* V. *bem-te-vi-pequeno*. [Pl.: *filhos-de-bem-te-vi*.]

filho-de-saí. *S. m. Bras.* Ave passeriforme, da família dos traupídeos (*Nemosia p. pileata* (Bodd.)), do Brasil amazônico e este-setentrional, de coloração xistáceo-azulada clara no dorso, pescoço, alto e lados da cabeça negros, e abdome branco, tendo a fêmea garganta amarela e sem coloração preta na cabeça e pescoço. [Pl.: *filhos-de-saí*.]

filho-de-santo. *S. m. Bras.* Designação comum aos indivíduos votados ao culto fetichista afro-brasileiro. [Pl.: *filhos-de-santo*.]

filho-família. [Da loc. lat. *filius familias*.] *S. m.* **1.** O filho menor sujeito ao pátrio poder. **2.** Entre os romanos, todo aquele que se encontrava sob o pátrio poder, fosse qual fosse a sua idade. **3.** *P. ext.* Rapaz de família abastada, da qual depende economicamente, e que nada faz; filho de papai: "O *Turf* era uma associação de gentis-homens mais ou menos autênticos, e de elegantes *filhos-famílias* mais ou menos ricos" (Fialho d'Almeida, *Pasquinadas*, p. 337). [Var.: *filho-famílias*. Pl.: *filhos-famílias* e *filhos-família*.]

filho-famílias. *S. m.* Var. de *filho-família*. [Pl.: *filhos-famílias*.]

filho-feito. [De *filho* + *feito*[2] (3).] *S. m. Bras. Folcl.* Adepto do candomblé que já realizou todos os rituais de iniciação. [Pl.: *filhos-feitos*.]

filhós. *S. m.* e *f.* Var. de *filhó*: "as compotas, os *filhoses*, os cremes, os alfenins, as balas." (Coelho Neto, *Treva*, p. 37). [Pl.: *filhoses*.]

filhotão. [Aum. de *filhote*.] *S. m. Bras.* Animal ou planta já crescida, mas ainda com dimensões menores que as do animal ou do vegetal adulto.

filhote. [De *filho* + -*ote*.] *S. m.* **1.** Natural, oriundo: *filhote do Ceará*. **2.** *Bras.* Ação representativa do aumento do capital por incorporação de lucro não distribuído. **3.** *Bras.* Dim. de *filho*. **4.** Cria de animal. **5.** Protegido beneficiário do filhotismo. **6.** Denominação comum aos exemplares jovens da espécie de peixe de rio chamada *piraíba*: "piraíba, gurijuba, cangatá, dourado, bagre, pacamão, *filhote*, pirarucu" (Raimundo Morais, *País das Pedras Verdes*, p. 201).

filhotismo. [De *filhote* + -*ismo*.] *S. m. Bras.* Proteção escandalosa; favoritismo.

▲**fili-**[1]. [Do lat. *filum, i*.] *El. comp.* = 'fio': *filipluma, filirrostro*.

▲**fili-**[2]. [Do lat. *filius, ii*.] *El. comp.* = 'filho': *filicida*.

▲**-filia.** [Do gr. *philía, as*.] *El. comp.* = 'amizade': *bibliofilia, necrofilia*.

filiação. [Do lat. *filiatione*.] *S. f.* **1.** Ato de perfilhar. **2.** Vínculo que a geração cria entre os filhos e seus genitores; relação de parentesco entre os pais e seus filhos, considerada na pessoa dos últimos. **3.** Designação dos pais de alguém. **4.** Admissão em uma comunidade. **5.** Conexão; dependência; encadeamento. [F. paral., p. us.: *filhação*.] ♦ **Filiação trintenária.** *Bras.* Conjunto de documentos oficiais que comprovam o encadeamento de todas as transmissões do domínio dum imóvel no decurso dos últimos trinta anos.

filial. [Do lat. *filiale*.] *Adj. 2 g.* **1.** Relativo a, ou próprio de filho: "desprega da parede o retrato de sua mãe, beija-o com efusão *filial*" (Ramalho Ortigão, *Em Paris*, p. 141). **2.** Que tem filiação ou dependência. ● *S. f.* **3.** Estabelecimento comercial dependente de outro, a matriz; sucursal. **4.** *Jur.* e *Com.* Sociedade comercial que, embora sob a administração e direção capitalística de outra, mantém sua personalidade jurídica e seu patrimônio, preservando sua autonomia perante a lei e o público, razão pela qual não se confunde com sucursal ou agência. **5.** *Bras. Joc.* A casa da concubina, da amante. [Por oposição a *matriz*, a casa da mulher legítima.] **6.** *Bras. Joc. Por ext.* A concubina.

filiar. [Do lat. *filiu*, 'filho', + -*ar*[2].] *V. t. d.* **1.** Adotar como filho; perfilhar, filhar. *T. d.* e *i.* **2.** Admitir (em comunidade, sociedade, etc.); afiliar. **3.** Indicar que tem como origem ou fonte; prender, ligar, entroncar: "Das premissas filosóficas Tobias chegava aos sistemas jurídicos *filiando-os* a uma concepção do universo." (Hermes Lima, *Tobias Barreto*, p. 215.) *P.* **4.** Ter origem; originar-se, prender-se, ligar-se, entroncar-se; derivar. **5.** Entrar (em corporação, sociedade, etc.): "Pouco depois *filiava-se* [Charles Nodier] aos Filadelfos, sociedade secreta de caráter político-literário" (Melo Nóbrega, *O Soneto de Arvers*, p. 11).

▲**fili(c)(i)-.** [Do lat. *filix, icis*.] *El. comp.* = 'feto': *filicite, filicífero*.

filicida. [De *fili-*[2] + -*cida*.] *S. 2 g.* Pessoa que pratica filicídio.

filicídio. [De *fili-*[2] + -*cídio*.] *S. m.* Ato de matar o próprio filho. [Sin., desus.: *gnaticídio*.]

filicífero. [De *fili(c) (i)-* + -*fero*.] *Adj.* Que contém fetos fósseis, ou vestígios deles; filífero.

filicínea. *S. f.* Espécime das filicíneas.

filicíneas. *S. f. pl. Bot.* Classe de pteridófitos caracterizada pelo enorme desenvolvimento do organismo vegetativo e por alta diferenciação. Folhas jovens, enroladas como um cajado de pastor; esporângios localizados sobre as folhas, modificadas ou não; espermatozóides pluriciliados. Engloba os fetos arborescentes, samambaias e avencas.

filicíneo. *Adj.* Pertencente ou relativo às filicíneas.

filicite. [De *fili(c) (i)-* + -*ite*[2].] *S. m.* Feto fóssil. [Cf. *felicite*, do v. *felicitar*.]

filicórneo. [De *fili-*[1] + *córneo*.] *Adj. Zool.* Cujas antenas semelham cornos.

filidrácea. *S. f.* Espécime das filidráceas.

filidráceas. *S. f. pl. Bot.* Família de plantas floríferas, constituída de ervas de folhas alternas, estreitas, flores trímeras, zigomorfas, em espiga, providas de um único estame; fruto capsular, polispermo. Engloba apenas quatro espécies; do hemisfério boreal e da Austrália, pertencentes ao gênero *Philydrium*.

filidráceo. *Adj.* Pertencente ou relativo às filidráceas.

filífero[1]. [De *fili-*[1] + -*fero*.] *Adj.* Que tem filamentos.

filífero[2]. [De *fili(c) (i)-* + -*fero*.] *Adj.* Filicífero.

filifolha (ô). [De *fili(c) (i)-* + *folha*.] *S. f.* Feto[2].

filiforme. [De *fili-*[1] + -*forme*.] *Adj. 2 g.* **1.** Delgado como um fio; fraco. **2.** Semelhante a fio: *talo filiforme*.

filigrana. [Do it. *filigrana*.] *S. f.* **1.** Obra de ourivesaria, formada de fios de ouro ou de prata, delicadamente entrelaçados e soldados: "borzeguins altos com rosetas de *filigranas* de prata" (José de Alencar, *Guerra dos Mascates*, p. 59). **2.** Coisa vã, sem importância; bagatela, ninharia: *Não se preocupe com esses detalhes: são filigranas*. **3.** *Fig.* Ornamento ou gala do estilo. **4.** *Ind. Pap.* Letreiro ou desenho, geralmente emblemático, visível por transparência numa folha de papel, produzido por diferenças de espessura ocasionadas pela pressão da massa sobre uma composição de fios metálicos e que representa em geral a marca de papeleiro, mas também uma efígie, às vezes a meio-tom, em papéis destinados a cédulas, selos, etc.; marca-dágua. [Cf., nesta acepç., *contramarca* (2). **5.** *Ind. Pap.* A composição de fios metálicos tecidos na fôrma ou no rolo filigranador.

filigranado. [Part. de *filigranar.*] *Adj.* **1.** Que se filigranou [v. *filigranar* (3)]. **2.** A que se deu forma de filigrana. ~ V. *papel* —.

filigranador (ô). *Adj.* e *s. m.* Que ou aquele que filigrana.

filigranar. *V. int.* **1.** Fazer filigrana. **2.** Fazer trabalhos delicados. *T. d.* **3.** Fazer (qualquer trabalho delicado, ou delicadamente artístico). **4.** Dar forma de filigrana a.

filigraneiro. *S. m.* Filigranista.

filigranista. *S. 2 g.* Operário que faz filigrana; filigraneiro.

filipe. [De *filipina* (q. v.).] *S. m.* **1.** *Bras.* Cada uma das sementes do algodão que, em conseqüência do ataque da lagarta-rosada, se apresentam grudadas umas às outras. **2.** *Bras., BA.* Saco (15). **3.** *Bras., BA.* V. *quincas.* **4.** *Bras., SP. Obsol.* Dois grãos de café fundidos, dentro de uma casca única, levemente fendida no sentido longitudinal dos grãos. **5.** *Bras., ES.* Ave passeriforme, da família dos tiranídeos (*Myiophobus fasciatus flammiceps* (Tem.)), do Brasil oriental e central, de dorso pardo, loros brancacentos, topete vermelho com tons amarelos, asas negras, duas faixas nas coberteiras e margem externa das rêmiges secundárias do vermelho-claro ao fulvo, e abdome brancacento.

filipense^1. *Adj. 2 g.* **1.** De, ou pertencente ou relativo a Filipos (Macedônia). • *S. 2 g.* **2.** Natural ou habitante de Filipos. **3.** *Rel.* Membro de uma comunidade cristã existente nessa cidade, e à qual se dirigiu S. Paulo numa de suas cartas.

filipense^2. *Adj. 2 g.* **1.** De, ou pertencente ou relativo a São Filipe (BA). • *S. 2 g.* **2.** Natural ou habitante de São Filipe.

filípica. [Do gr. *philippiké*, pelo lat. *philippica.*] *S. f.* **1.** Discurso violento e injurioso, que lembra os de Demóstenes [v. *demostênico*] contra o rei Filipe da Macedônia (as filípicas). **2.** *Fig.* Sátira acerba.

filipina. [Do al. *Vielliebchen*, 'bem-amada', pelo fr. *philippine.*] *Adj. (f.).* **1.** Diz-se da amêndoa de caroço duplo, e de frutas inconhas, as quais, partilhadas entre duas pessoas, dão àquela que no primeiro encontro se referir ao fato o direito de reclamar da outra um presente. • *S. f.* **2.** Essa amêndoa. **3.** O presente relativo a esse costume. **4.** Esse costume.

filipinho. [Dim. de *filipe.*] *S. m. Bras., BA.* Fruto gêmeo, inconho [q. v.].

filipino^1. [Do lat. *philippinu.*] *Adj.* **1.** Das, ou pertencente ou relativo às ilhas Filipinas (Ásia); tagal. • *S. m.* **2.** O natural ou habitante dessas ilhas; tagalo.

filipino^2. *Adj.* Pertencente ou relativo à dinastia dos Filipes, em Portugal e Espanha.

filipluma. [De *fili-*^{1} + *pluma.*] *S. f.* Pena de haste delgada.

filipsita. [Do antr. *Phillips*, de William Phillips, mineralogista inglês (1775-1828), + *-ita*^{3}.] *S. f. Min.* Mineral monoclínico, silicato hidratado de potássio, cálcio e alumínio.

filirrostro. [De *fili-*^{1} + *-rostro.*] *Adj. Zool.* Diz-se das aves de bico afilado.

filistéia. *Adj. (f.)* e *s. f.* Fem. de *filisteu* [q. v.].

filisteu. [Do hebr. *phelishti*, pelo lat. *philistaeu.*] *Adj.* **1.** De, ou pertencente ou relativo aos filisteus, povo não semita estabelecido no litoral palestinense desde o séc. XII a. C., e que, segundo a Bíblia, provinha de Creta. • *S. m.* **2.** Indivíduo dos filisteus. **3.** *Fig.* Burguês de espírito vulgar e estreito: "Na Alemanha dos *filisteus* da cultura, o nome de Nietzsche, sobretudo depois do rompimento com Wagner e o wagnerismo, só é pronunciado com desdém e escárnio." (Alberto Ramos, *Prosas de Ariel*, p. 112.) [Sin. ger.: *filistino.* Fem.: *filistéia.*]

filistino. [Do al. *Philister*, gír. estudantil, atr. do fr. *philistin.*] *Adj.* e *s. m.* V. *filisteu.*

filito. [De *fil(o)-*^{1} + *-ito*^{2}.] *S. m. Geol.* Rocha metamórfica formada essencialmente de minerais do grupo das micas, microscópicos e isorientados, o que determina o aspecto folheado e brilhante característico desta rocha.

filmadora (ô). [De *filmar* + *-(d)ora.*] *S. f.* Máquina de filmar.

filmagem. *S. f.* Ato ou efeito de filmar (3).

filmar. *V. t. d.* **1.** Registrar em filme (2); cinematografar, rodar: *filmar uma cena.* **2.** Fazer um filme (2) baseado no enredo de: *filmar um romance. Int.* **3.** Fazer um filme (2). **4.** Ser fotogênico: *Esta atriz filma bem.*

filme. [Do ingl. *film.*] *S. m.* **1.** *Fot.* Conjunto constituído por uma emulsão fotográfica depositada sobre uma base flexível de acetato de celulose que é recoberta, na outra face, por uma camada anti-halo; filme fotográfico. **2.** Seqüência de imagens e/ou de cenas, em movimento ou não, fotografadas em filme (1) por uma câmara cinematográfica, para projeção posterior em tela, depois de revelada a película; fita, película. **3.** *Fís.-Quím.* Camada muito fina de um material depositada sobre um sólido, ou situada sobre a superfície de um líquido; filme superficial. ◆ **Filme colorido.** *Fot.* Filme (1) que permite reproduzir, com pequenas variações, as cores naturais. **Filme de bangue-bangue.** V. *bangue-bangue* (1). **Filme de curta metragem.** *Cin.* V. *curta-metragem.* **Filme de faroeste.** V. *bangue-bangue* (1). **Filme de longa metragem.** *Cin.* V. *longa-metragem.* **Filme de mocinho.** V. *bangue-bangue* (1). **Filme enlatado.** Filme, geralmente em série, feito para a televisão e importado do exterior, de caráter alienante e de escassa qualidade artística. [Tb. se diz apenas *enlatado.*] **Filme fotográfico.** *Fot.* Filme (1). **Filme infravermelho.** *Fot.* Emulsão fotográfica sensível à radiação infravermelha, e obtida pelo tratamento de uma emulsão fotográfica comum. **Filme negativo.** *Fot.* Filme (1) que, quando revelado, apresenta imagem em negativo. **Filme ortocromático.** *Fot.* Filme capaz de reproduzir em meios-tons cinzentos não apenas o azul, mas também o amarelo e o verde. **Filme pancromático.** *Fot.* Filme preto e branco, cuja emulsão, sensibilizada pela adição de corantes, se tornou sensível à luz verde e à luz vermelha. **Filme positivo.** *Fot.* Filme (1) que, quando revelado, apresenta imagem em positivo. **Filme preto-e-branco.** *Fot.* Filme (1) no qual as cores naturais são reproduzidas em preto e seus meios-tons. **Filme superficial.** *Fís.-Quím.* V. *filme* (3).

fílmico. *Adj.* Relativo a filme.

filmografia. [De *filme* + *-o-* + *-graf(o)-* + *-ia.*] *S. f.* Descrição metódica dos filmes de uma coleção, ou de um diretor, ou de um ator, etc.

filmográfico. *Adj.* Relativo à filmografia.

filmologia. [De *filme* + *-o-* + *-log(o)-* + *-ia.*] *S. f.* Estudo da influência do cinema na sociedade, no pensamento, na moral, etc.

filmológico. *Adj.* Relativo à filmologia.

filmoteca. [De *filme* + *-o-* + *-teca.*] *S. f.* **1.** Lugar onde se colecionam fitas cinematográficas. **2.** Coleção de filmes. **3.** Secção de uma biblioteca onde se guardam, com cuidados especiais, os microfilmes de livros e/ou documentos raros.

filo. [Do gr. *phylon.*] *S. m.* **1.** Grande divisão taxionômica baseada apenas no plano geral de organização dos organismos, e subdividida em classes. **2.** Grande divisão sistemática em que se classificam os animais.

▲**filo-.** [Do gr. *phylon, ou.*] *El. comp.* = 'tribo': *filogenia.*

▲**fil(o)-^{1}.** [Do gr. *phýllon, ou.*] *El comp.* = 'folha': *filófago; filanto.* [Equiv.: *-filo*^{1}: *microfilo* (< gr. *mikróphyllos*).]

▲**fil(o)-^{2}.** [Do gr. *phílos, e, on.*] *El. comp.* = 'amigo', 'amante': *filocínico; filarmônica.* [Equiv.: *-filo*^{2}: *germanófilo.*]

▲**-filo^1.** Equiv. de *fil(o)-*^{1}.

▲**-filo^2.** Equiv. de *fil(o)-*^{2}.

filó. [Do lat. *filu*, 'fio'.] *S. m.* Tecido transparente, de seda, algodão ou náilon, geralmente engomado, tramado em forma de rede de furos redondos ou hexagonais, e usado sobretudo para véus, cortinados, vestidos de noite ou saiotes de balé; tule, bobinete: "um pedaço de *filó* trapejando à cabeca sob coroas mal postas, flores ao peito, à cinta" (Coelho Neto, *Rei Negro*, p. 94).

filobrânquio. *S. m.* **1.** Espécime dos filobrânquios. • *Adj.* **2.** Pertencente ou relativo a eles.

filobrânquios. *S. m. pl. Zool.* Animais moluscos pelecípodes, ordem *Filobranchia*, cuja brânquia se apresenta em forma de *W*, com as lamelas de cada metade reunidas por ligações ciliares.

filocínico. [De *fil(o)-*^{2} + *-cin(o) (s)-* + *-ico*^{2}.] *Adj.* Que gosta de cães; amigo dos cães.

filocládio. [De *fil(o)-*^{1} + *-clad(o)-* + *-io.*] *S. m. Morfol. Veg.* Curto ramo foliáceo, que se distingue da verdadeira folha porque gera flores e frutos; filocladódio.

filocladódio. *S. m. Morfol. Veg.* Filocládio.

filodendro. [Do gr. *philódendron.*] *S. m.* Designação comum a várias plantas ornamentais da família das aráceas, pertencentes ao gênero *Philodendron*, com inflorescência em espádice e muito cultivadas em parques e jardins. Há espécies nativas e estrangeiras.

filodérmico. [De *fil(o)-*^{2} + *-derm(o)-* + *-ico*^{2}.] *Adj.* Diz-se dos preparados que se usam para conservar a maciez e frescura da pele.

filódico. *Adj. Morfol. Veg.* Relativo ao, ou da natureza do filódio: *folhas filódicas.*

filódio. [Do gr. *phyllódes*, 'foliáceo', + *-io*^{2}.] *S. m. Morfol. Veg.* Pecíolo dilatado e achatado, verde, característico do gênero *Acacia*, e que se parece com uma folha normal a ponto de dar margem a confusão. Nas plantas jovens ainda ocorrem folhas normais, as quais vêm a desaparecer, dando lugar aos filódios.

filodoxia (cs). [De *fil(o)-*^{2} + *-dox(o)* + *-ia.*] *S. f. Filos.* Segundo Kant [v. *kantismo*], atitude em face dos problemas filosóficos que consiste em abordá-los por puro diletantismo intelectual, sem a intenção ou a preocupação de verdadeiramente resolvê-los.

filófago. [De *fil(o)-*^{1} + *-fago.*] *Adj.* **1.** Que se alimenta de folhas. **2.** Pertencente ou relativo aos filófagos. • *S. m.* **3.** Espécime dos filófagos.

filófagos. *S. m. pl. Zool.* Insetos que se nutrem de folhas.

filogênese. [De *filo-* + *-genese.*] *S. f. Biol. Ger.* V. *filogenia* (1).

filogenético. *Adj.* Relativo à filogênese ou filogenia; filogênico. ~ V. *sistema* —.

filogenia. [De *filo-* + *-gen(o)-*^{1} + *-ia.*] *S. f.* **1.** *Biol. Ger.* Evolução das unidades taxionômicas; história evolucionária das espécies; filogênese. [Opõe-se a *ontogenia.*] **2.** Evolução (5). [Cf. *filoginia.*]

filogênico. [De *filogenia* + *-ico*^{2}.] *Adj.* Filogenético.

filoginia. [Do gr. *philogynía.*] *S. f.* **1.** Amor às mulheres, [Antôn.: *misoginia* (1).] **2.** *Bras.* Teoria de igualdade intelectual do homem e da mulher. [Cf. *filogenia.*]

filógino. [Do gr. *phylogynos.*] *Adj.* e *s. m.* **1.** Que ou aquele que tem inclinação pelas mulheres. **2.** Que ou aquele que é apaixonado por mulheres. [Antôn.: *misógino.*]

filóide. [De *fil(o)-*^{1} + *-óide.*] *Adj. 2 g.* Semelhante à folha.

filologia. [Do gr. *philología.* pelo lat. *philologia.*] *S. f.* Estudo da língua em toda a sua amplitude, e dos documentos escritos que servem para documentá-la.

filológico. *Adj.* Respeitante à filologia.

filologista. *S. 2 g. P. us.* Filólogo.

filólogo. [Do gr. *philólogos*, pelo lat. *philologu.*] *S. m.* Especialista em filologia. [Sin., p. us.: *filologista.*]

filomático. [Do gr. *philomathés* + *-ico*^{2}.] *Adj.* Que ama as ciências.

filomela. [Do antr. *Filomela*, duma princesa grega.] *S. f. Poét.* Rouxinol (1): "E cantava tão bem, / Que eu punhame a pensar que na voz dela / Se ouvia a toutinegra e a *filomela.*" (Conde de Monsaraz, *Musa Alentejana*, p. 23.)

filomenense. *Adj. 2 g.* **1.** De, ou pertencente ou relativo a Santa Filomena (PI). • *S. 2 g.* **2.** Natural ou habitante de Santa Filomena.

filonar. *Adj. 2 g.* Pertencente a filão.

filoneísmo. [De *fil(o)-*^{2} + *-ne(o)-* + *-ismo.*] *S. m.* Pendor excessivo para coisas novas. [Antôn.: *misoneísmo.*]

filoniano. *Adj.* Relativo ao, ou da natureza do filão (1 e 2): *jazida filoniana.*

filópode. *S. m.* e *adj. 2 g.* Branquiópode.

filópodes. *S. m. pl. Zool.* Branquiópodes.

filosofal. *Adj. 2 g.* V. *filosófico.* ~ V. *pedra* —.

filosofante. [Do lat. *philosophante.*] *Adj. 2 g.* e *s. 2 g.* **1.** Que ou quem filosofa, é dado a filosofar. **2.** *Deprec.* Que ou quem discorre disparatadamente considerando-se erudito.

filosofar. [Do lat. **philosophare*, por *philosophari.*] *V. int.* **1.** Raciocinar acerca de assuntos filosóficos: "Ficalho, que aqui jantou e *filosofou sub tegmine fagi*, recebeu das minhas mãos .... as estampas do seu compatriota sobre a *Macuna Glabra*" (Eça de Queirós, *Últimas Páginas*, p. 445); "Mas isto são filosofias e não estou aqui para *filosofar.*" (Gerardo Melo Mourão, *O Valete de Espadas*, p. 31). **2.** Discorrer sobre qualquer matéria científica. **3.** Raciocinar tirando induções. **4.** Pensar, meditar, cismar, matutar: *Passa horas a fio olhando para o teto, sem fazer nada, filosofando. T. i.* **5.** Argumentar, discutir ou disputar com sutileza: *Passou a vida a filosofar com os amigos. T. d.* **6.** Dizer ou escrever como quem filosofa ou raciocina, tirando induções. [Pres. ind.: *filosofo*, etc. Cf. *filósofo.*]

filosofastro. *S. m. Deprec.* Indivíduo que, julgando-se filósofo, discorre sem acerto.

filosofema. *S. m. Filos.* Proposição filosófica.

filosofia. [Do gr.*philosophía*, 'amor à sabedoria', pelo lat. *philosophia.*] *S. f. Filos.* **1.** Estudo que se caracteriza pela intenção de ampliar incessantemente a compreensão da realidade, no sentido de apreendê-la na sua totalidade, quer pela busca da realidade capaz de abranger todas as outras, o Ser (ora 'realidade suprema', ora 'causa primeira', ora 'fim último', ora 'absoluto', 'espírito', 'matéria', etc., etc.), quer pela definição do instrumento capaz de apreender a realidade, o pensamento (as respostas às perguntas: que é a razão? o conhecimento? a consciência? a reflexão? que é explicar? provar? que é uma causa? um fundamento? uma lei? um princípio? etc., etc.), tornando-se o homem tema inevitável de consideração. Ao longo da sua história, em razão da preeminência que cada filósofo atribua a qualquer daqueles temas, o pensamento filosófico vem-se cristalizando em sistemas, cada um deles uma nova definição da filosofia. **2.** Conjunto de estudos ou de considerações que tendem a reunir uma ordem determinada de conhecimentos (que expressamente limita seu campo de pesquisa, p. ex., à natureza, ou à sociedade, ou à história, ou a relações numéricas, etc.) em um número reduzido de princípios que lhe servem de fundamento e lhe restringem o alcance: *filosofia da ciência; filosofia social; filosofia da história; filosofia da matemática.* **3.** Conjunto de doutrinas de uma determinada época ou país, ou sistema constituído de filosofia: *a filosofia grega; a filosofia cartesiana.* **4.** Conjunto de conhecimentos relativos à filosofia, ou que têm implicações com ela, ministrados nas faculdades. **5.** Tratado ou compêndio de filosofia. **6.** Exemplar de um desses tratados ou compêndios. **7.** Razão; sabedoria: *Os provérbios refletem a filosofia do povo.* ♦ **Filosofia da identidade.** Doutrina de Friedrich Wilhelm Joseph Schelling, filósofo alemão (1775-1854), caracterizada sobretudo pela identificação da natureza e do espírito. **Filosofia das luzes.** *Filos.* Movimento filosófico do séc. XVIII que se caracterizava pela confiança no progresso e na razão, pelo desafio à tradição e à autoridade e pelo incentivo à liberdade de pensamento. [Sin.: *iluminismo, ilustração.* Tb. se usa o al. *'Aufklärung'* e o ingl. *'Enlightenment'.*] **Filosofia perene.** *Filos.* O que há de único e permanente na filosofia, não obstante as divergências e até contradições entre os sistemas. **Filosofia primeira.** *Filos.* **1.** Segundo Aristóteles [v. *aristotelismo*], a filosofia concernente às coisas divinas, primeiras, imutáveis e separadas. **2.** Segundo Descartes [v. *cartesianismo*], parte da filosofia que concerne às causas primeiras e aos primeiros princípios, i. e., Deus, as substâncias, as verdades eternas, etc. **3.** Segundo Bacon [v. *baconiano*], conjunto de princípios formais comuns a todas ou a algumas ciências. **Filosofias da existência.** V. *existencialismo.* **Filosofias existenciais.** V. *existencialismo.*

filosoficamente. [Do fem. de *filosófico* + *-mente.*] *Adv.* De modo filosófico; a modo de filósofo.

filosofice. *S. f.* **1.** Qualidade ou tendência de quem filosofa ridiculamente. **2.** Filosofia ridícula.

filosófico. [Do lat. *philosophicu.*] *Adj.* **1.** Relativo à filosofia, ou a filósofos. **2.** Próprio da filosofia ou dos filósofos. **3.** Racional, lógico. [Sin. ger.: *filosofal.*] ~ V. *realismo* —.

filosofismo. *S. m.* **1.** Mania filosófica. **2.** Falsa filosofia.

filósofo. [Do gr. *philósophos*, pelo lat. *philosophu.*] *Adj.* **1.** Que cultiva a filosofia. ● *S. m.* **2.** Aquele que cultiva a filosofia (1 a 3). [Cf. *pensador* (5).] **3.** Aquele que procede sempre com sabedoria e reflexão, que segue uma filosofia de vida. **4.** Aquele que vive tranqüilo e indiferente aos preconceitos e convenções sociais. **5.** *Pop.* Indivíduo esquisito, excêntrico. [Depreç.: *filosofastro.* Cf. *filosofo*, do v. *filosofar.*]

filostomídeo. *S. m.* **1.** Espécime dos filostomídeos. ● *Adj.* **2.** Pertencente ou relativo a eles.

filostomídeos. *S. m. pl. Zool.* Animais quirópteros, da família *Phyllostomidae*, de apêndice nasal foliáceo, orelhas grandes, uropatágio desenvolvido, e desprovidos de cauda. São insetívoros e frugívoros, encontrando-se entre eles os maiores morcegos brasileiros.

filotáctico. *Adj.* Concernente à filotaxia. [Var.: *filotático.*]

filotático. *Adj.* Var. de *filotáctico.*

filotaxia (cs). [De *fil(o)-*[1] + *-tax(i)(o)-* + *-ia.*] *S. f. Morfol. Veg.* Estudo da inserção das folhas sobre o caule. [Deste ponto de vista, podem as folhas ser: alternas, opostas, verticiladas, etc.]

filotecnia. [Do gr. *philótechnos*, 'amigo da arte', + *-ia.*] *S. f.* Amor às artes.

filotécnico. *Adj.* Que tem filotecnia; amante das artes.

filotimia. [Do gr. *philotimia.*] *S. f.* Amor da honra ou das honras.

filotímico. *Adj.* Relativo à filotimia.

filoxera (cs). [De *fil(o)-*[1] + *-xera.*] *S. f.* **1.** *Bras.* Inseto homóptero, da família dos filoxerídeos (*Phylloxera vitifoliae* (Fitch)), praga da videira. Seu ataque produz galhas em folhas, gavinhas e brotos, e prejudica ainda mais as raízes. **2.** A doença causada na vinha por este inseto.

filoxerídeo (cs). *S. m.* **1.** Espécime dos filoxerídeos. ● *Adj.* **2.** Pertencente ou relativo a eles. [V. *afídeo.*]

filoxerídeos (cs). *S. m. pl. Zool.* Família de insetos da ordem dos homópteros, que compreende os minúsculos pulgões das plantas. [V. *afídeos.*]

filtração. *S. f.* Ato ou efeito de filtrar; filtragem, filtramento.

filtrador (ô). *Adj.* Filtrante.

filtragem. *S. f.* V. *filtração.* [Cf. *feltragem.*]

filtramento. *S. m.* V. *filtração.*

filtrante. *Adj. 2 g.* Que filtra; filtrador.

filtrar. *V. t. d.* **1.** Fazer ou deixar passar (um líquido) por filtro. **2.** Separar (um sólido) de um líquido ou gás, retendo-o: *Fez uso de aparelho que filtra a poeira.* **3.** Deixar passar ou traspassar moderando a intensidade de; absorver: "O aposento é iluminado por uma grande lâmpada de gás, cujo globo de cristal opaco filtra uma claridade serena e doce" (José de Alencar, *Senhora*, p. 175); *As cortinas filtravam a luz do Sol; As janelas fechadas filtram o ruído da rua.* **4.** Não deixar passar; reter: *Estes óculos filtram os raios infravermelhos.* **5.** Retirar o essencial de; selecionar: *O advogado filtrou as informações antes de utilizá-las no processo.* **6.** Segregar (humores). *T. d. e i.* **7.** Introduzir lentamente; inocular, instilar: *A inveja filtrou no seu coração aquele ódio. Int. e p.* **8.** Passar através do filtro: *A água filtrou muito lentamente; Com o filtro sujo, a água quase não se filtra.* **9.** Introduzir-se pouco a pouco; insinuar-se; infiltrar-se: *Habilmente filtrou-se em nosso convívio.* **10.** Passar, como por filtro; coar-se, escoar-se: "A luz interior filtrava pelas frestas das rótulas" (José de Alencar, *Alfarrábios*, p. 211); "Cortinas e estores não disfarçam a íntima claridade. Ela se filtra, azul, e vem cair no asfalto molhado." (Ricardo Ramos, *Matar um Homem*, p. 59). [Cf. *feltrar.*]

filtrável. *Adj. 2 g.* **1.** Que pode ser filtrado. ~ V. *vírus* —. ● *S. m.* **2.** Designação comum aos vírus ultramicroscópicos.

filtreiro. *S. m. P. us.* Aparelho para filtrar, filtro.

filtro. [Do lat. *filtru.*] *S. m.* **1.** Aparelho que purifica a água, livrando-a de partículas e outras impurezas. **2.** Pequena porção de substância porosa que vem na extremidade de certas marcas de cigarro e serve para filtrar a nicotina da fumaça. **3.** Tudo aquilo que tem a propriedade de filtrar: *A areia é um filtro natural; Seu trabalho passou por um filtro antes da redação definitiva.* **4.** Denominação comum aos órgãos que segregam os humores do sangue. **5.** Beberagem que se acreditava fazer despertar o amor ou produzir outros efeitos mágicos na pessoa a quem era propinada. **6.** *Fig.* Elixir (3). **7.** *Quím.* Instrumento destinado a separar sólidos ou partículas em suspensão de líquidos ou de gases. **8.** *Ópt.* Elemento óptico que absorve, em geral seletivamente, radiação visível; filtro óptico. **9.** *Eletrôn.* V. *circuito filtro.* **10.** *Fís.* Filtro acústico. ♦ **Filtro acústico.** *Fís.* Instrumento que transmite e absorve sons seletivamente. [Tb. se diz apenas *filtro.*] **Filtro de ar.** *Autom.* Peça destinada a reter as impurezas contidas no ar que entra no carburador. **Filtro de areia.** *Tec.* Tipo de filtro que opera pela ação da gravidade e onde o meio filtrante é constituído por um leito de areia de granulação conveniente. **Filtro de banda.** *Eletrôn.* Filtro eletrônico ou elétrico que deixa passar uma banda de freqüências e elimina de um sinal as que estão fora desta. **Filtro de folhas.** *Tec.* Aquele em que o meio filtrante é constituído por lâminas porosas que se ajustam a um tambor perfurado através do qual flui o meio que se vai filtrar. **Filtro de mangas.** *Tec.* Filtro em que o meio filtrante é constituído por sacos de tecido que recolhem o material filtrado quando a suspensão a filtrar passa pelo seu interior e sai para o exterior. **Filtro elétrico.** *Eletr.* V. *circuito filtro.* **Filtro óptico.** *Ópt.* Filtro (8). **Filtro passa-altos.** *Radiotec.* Circuito filtro que deixa passar impulsos alternados de freqüências compreendidas entre uma determinada freqüência mínima e a maior freqüência presente nos impulsos. [Tb. se diz apenas *passa-altos.*] **Filtro passa-baixos.** *Radiotec.* Circuito filtro que transmite, aproxidamente com a mesma eficiência, impulsos alternados de freqüências compreendidas entre zero e uma determinada freqüência máxima. [Tb. se diz apenas *passa-baixos.*]

filtro-prensa. *S. m. Tec.* Tipo de filtro em que o meio filtrante é uma membrana (de tecido, de plástico, trançado, de tela metálica) através da qual flui o material por filtrar impelido pela pressão que se aplica a um dos lados da membrana mediante um mecanismo análogo ao de uma prensa mecânica. [Pl.: *filtros-prensas* e *filtros-prensa.*]

filustria. *S. f. Bras., N.E. Pop.* Ato que chama a atenção; proeza, fanfarronada.

fim. [Do lat. *fine.*] *S. m.* **1.** Conclusão, remate, termo final: *Tudo tem um fim.* **2.** Extremo, raia, limite: *Estava no fim de suas forças; Minha paciência chegou ao fim.* **3.** A última parte ou fase de qualquer coisa: *Chegou no fim da tarde.* **4.** Extremidade, limite: *A loja é ali no fim da rua.* **5.** Causa, motivo: *Ver a criança foi o fim que me trouxe aqui.* **6.** Intenção, propósito: "O primeiro fim das Farpas foi promover o riso." (Eça de Queirós, *Notas Contemporâneas*, p. 33); *O meu fim, ao fazer esta viagem, foi ser-lhe útil.* **7.** Alvo, fito, mira: *A glória é o seu fim.* **8.** Morte, falecimento: *Nunca se sabe quando chega o fim.* ♦ **Fim de mundo.** V. *cafundó* (3). **Fim de semana.** O tempo decorrido, em geral, entre a noite de sexta-feira e a manhã de segunda, aproveitado para o descanso e o lazer. [Corresponde ao ingl. *week-end.*] **Fim do espinhaço.** *Pop.* O ânus. **Fim do mundo.** **1.** V. *cafundó* (3). **2.** Grande transtorno. **3.** Desgraça total: *Isto não é o fim do mundo, menino?* **Fim em si.** *Filos.* Fim que é bom de modo absoluto, em oposição quer aos fins intermediários que servem à consecução de fins mais elevados, quer aos fins relativos à vontade ou às conveniências individuais. **Fim feliz.** Desenlace feliz das peripécias do enredo (de peça, filme, romance, etc.); final feliz. [Corresponde ao ingl. *happy end.*] **A fim.** Disposto, desejoso; interessado: "desejava prender, encantar essa presa que se aproximava, felina e morna e nova, até que afinal a rendesse parceira e a fim." (Ricardo Ramos, *O Sobrevivente*, p. 100). [Cf. *afim.*] **A fim de.** Com o propósito ou intenção de; para: *Saiu a fim de visitar amigos.* [Cf. *afim.*] **Ao fim e ao cabo.** V. *no frigir dos ovos.* **Dar fim a.** **1.** Terminar, concluir, rematar; pôr fim a. **2.** Dar sumiço a; fazer desaparecer. **3.** Extinguir, liquidar, matar, assassinar, liquidar. **Estar a fim.** *Bras. Gír.* V. *estar a fim de.* **Estar a fim de.** *Bras. Gír.* Estar com disposição ou desejo de: *Não estou a fim de ir a essa festa: deve ser muito chata.* [É m. us. negativamente, e muitas vezes sem a prep.] **Estar a fim de (alguém).** Estar querendo namorar ou fazer amor: *Estou a fim da Maria.* **Por fim.** **1.** Ao cabo de muito tempo ou esforço; finalmente: "Desce por fim sobre o meu coração / O olvido." (Camilo Pessanha, *Clepsidra e Outros Poemas*, p. 171.) **Pôr fim a.** Dar fim a (1). **Ser o fim.** **1.** Ser (uma coisa) extremamente desagradável, imprudente, penosa, absurda, etc. **2.** Ser (alguém) muito desagradável, exigente, inconveniente, mal-educado, desonesto, burro, chato, etc. [Sin. ger. (com leve encarecimento): *ser o fim da picada.*] **Ser o fim da picada.** Ser o fim [q. v.].

▲**-fima.** Equiv. de *fimato-.*

▲**fimato-.** [Do gr. *phýma, atos.*] *El. comp.* = 'excrescência', 'tumor': *fimatose.* [Equiv.: *-fima: rinofima.*]

fimatíase. *S. f. Patol. Obsol.* V. *tuberculose.*

fímbria. [Do lat. *fimbria.*] *S. f.* **1.** Franja, orla: "e a tarde ia-se toldando, ... o Sol roçando a fímbria d'água do horizonte" (Mário Sete, *Senhora de Engenho*, p. 98). **2.** A orla ou extremidade inferior do vestido, saia, etc.: "Quando o vento que entrava pela janela erguia indiscretamente a fímbria da saia, ... descobria-se a volta bordada de uma calça estreita, cerrando o colo esbelto da perna divina." (José de Alencar, *Lucíola*, p. 133.) **3.** *Anat.* A extremidade ovariana da trompa de Falópio. [Cf. *fimbria*, do v. *fimbriar.*]

fimbriado. [Do lat. *fimbriatu.*] *Adj.* **1.** Guarnecido de franja ou fímbria, ou de coisa semelhante a franja; franjado. **2.** *Morfol. Veg.* Finamente recortado na margem ou fímbria: *pétala fimbriada.*

fimbriar. [De *fímbria* + *-ar*[2].] *V. t. d. e i.* Guarnecer de franja ou coisa semelhante a franja; franjar. *O mar fimbria de espumas toda a praia.* [Pres. ind.: *fimbrio, fimbrias, fimbria,* etc. Cf. *fímbria.*]

fim-d'águas. *S. m. Bras., Amaz.* A última fase da cheia dos rios, quando as águas se aproximam do nível normal. [Pl.: *fins-d'águas.*]

fim-de-rama. *S. m. Bras.* V. *ponta-de-rama.* [Pl.: *fins-de-rama.*]

fim-de-safra. *S. m. Bras.* V. *ponta-de-rama.* [Pl.: *fins-de-safra.*]

fim-de-século. *Adj. 2 g.* e *2 n.* **1.** Característico do fim do século XIX: "Isto, que pela habilidade fim-de-século que revela parece cousa de hoje, é cousa que data de mais de dois séculos." (Olavo Bilac, *Crítica e Fantasia*, p. 66.) **2.** Moderno (em relação à época); adiantado.

fimícola. [Do lat. *fimu*, 'esterco', + *-cola.*] *Adj. 2 g.* Que vive ou cresce no estrume.

fimose. [Do gr. *phímosis*, 'ação de pôr freio'.] *S. f. Patol.* Aperto do prepúcio, que impossibilita descobrir a glande. [Sin., bras.: *bico-de-candeeiro* (BA) e *bico-de-lamparina* (MG).]

finado. [Part. de *finar.*] *Adj.* **1.** Que se finou. ● *S. m.* **2.** Indivíduo que faleceu; defunto, falecido. ~ V. *finados.*

finados. [Pl. de *finado.*] *S. m. pl.* Dia de finados. ~ V. *finado.*

finais. [Pl. de *final.*] *S. f. pl. Bibliogr.* Partes pospostas ao corpo do livro, tais como posfácio, apêndice, índice, etc. [Cf. *folhas preliminares.*] ~ V. *final.*

final. [Do lat. *finale.*] *Adj. 2 g.* **1.** Do fim. **2.** Derradeiro, último: *suspiro* final. **3.** Que põe termo: *ponto* final. ~ V. *causa* —, *conjunção* —, *disco* —, *juízo* —, *ponto* —, *reta* —, *vácuo* — e *vinheta* —. ● *S. m.* **4.** Fim, termo: *O* final *da ópera é extraordinário.* **5.** *Tip.* V. *vinheta de remate.* ● *S. f.* **6.** A prova final, em competições esportivas e noutras. **7.** *Gram.* Conjunção final. ~ V. *finais.* ◆ **Final feliz.** V. *fim feliz.*

finalidade. [De *final* + *-i-* + *-dade.*] *S. f.* **1.** Fim a que se destina uma coisa; objetivo, alvo; destinação. **2.** Causa final, i. e., explicação intelectual dum fenômeno pelos acontecimentos que se lhe seguem, pelo fim a que ele se destina. ◆ **Finalidade externa.** *Filos.* A que tem por fim um ser diferente daquele que (total ou parcialmente) é meio de realizar esse fim. **Finalidade imanente.** *Filos.* A que resulta da natureza e do desenvolvimento do próprio ser em que aparece. **Finalidade interna.** *Filos.* A que tem por fim o próprio ser cujas partes são consideradas como meios. **Finalidade transcendente.** *Filos.* A que realiza-se em um ser pela ação que sobre ele exerce outro ser visando ao fim considerado.

finalismo. *S. m.* Sistema filosófico segundo o qual tudo tem um fim determinado.

finalíssima. [Fem. do superl. abs. sint. substantivado (pleonástico) de *final.*] *S. f.* Nas competições esportivas e noutras, a partida ou prova em que se chega à decisão final, e que se caracteriza pela sensação e expectativa que desperta.

finalista. *Adj. 2 g.* **1.** Relativo ao finalismo. **2.** Próprio do finalismo ou dos finalistas: *raciocínio* finalista. **3.** Que é partidário do finalismo. **4.** Nas competições esportivas e noutras, diz-se de pessoa ou equipe que, pela eliminação dos adversários, se classifica para a prova final, na disputa de um título, prêmio, etc. ● *S. 2 g.* **5.** Partidário do finalismo. **6.** Pessoa ou equipe finalista (4).

finalístico. *Adj.* Que se constitui num fim; que encerra um fim em si.

finalização. *S. f.* Ato ou efeito de finalizar(-se).

finalizar. [De *final* + *-izar.*] *V. t. d.* **1.** Pôr fim a; rematar, concluir, ultimar. *Int.* e *p.* **2.** Ter fim; acabar: *Já imagino como o romance* finaliza; *A tragédia* finalizou-se *de maneira cruenta.* **3.** *Fut.* Chutar para gol: "pela facilidade com que chuta [Pelé] com os dois pés, com que passa ou finaliza, cabeceia ou até mesmo agarra no gol" (*Jornal do Brasil*, 14.11.69).

finamento. *S. m.* **1.** Ato de finar(-se). **2.** Morte, falecimento.

finanças. [Do fr. *finances.*] *S. f. pl.* **1.** Situação financeira. **2.** A ciência e a profissão do manejo do dinheiro, particularmente do dinheiro do Estado. **3.** O tesouro do Estado.

financeira. [Fem. substantivado do adj. *financeiro.*] *S. f. Bras.* Empresa de crédito e financiamento que opera, basicamente, aceitando letras de câmbio sacadas por um cliente e negociando-as, sob sua coobrigação, com outros.

financeiro. *Adj.* **1.** Relativo a finanças; financial. ~ V. *direito* — e *mercado* —. ● *S. m.* **2.** Financista.

financial. *Adj. 2 g.* Financeiro (1).

financiamento. *S. m.* **1.** Ato de financiar. **2.** Importância com que se financia alguma coisa: *Tenta obter* financiamento *para compra de uma casa.*

financiar. [De *finança* + *-i-* + *-ar*[2].] *V. t. d.* Prover as despesas de; custear, bancar: financiar *uma obra, um empreendimento.*

financiável. *Adj. 2 g.* Que pode ser financiado.

financista. *S. 2 g.* Especialista em finanças; financeiro.

finar. [De *fim* + *-ar*[2].] *V. int.* **1.** Acabar, findar. *P.* **2.** Definhar-se, consumir-se, enfraquecer, debilitar-se: Finava-se *de saudades do filho.* **3.** V. *morrer* (1): "Aquele morreu velho e reumático, e este finou-se, já maduro, espetado na faca do Zelino" (Nélson de Faria, *Tiziu e Outras Estórias*, p. 99); "Bréal [Michel Bréal] finou-se, em Paris, em 1915." (Mário Barreto, *Novíssimos Estudos da Língua Portuguesa*, p. 43). **4.** Ter grande desejo; querer intensamente; apetecer muito: Fina-se *por viajar, mas não pode.* [Cf. *fenar.*]

finca. [Dev. de *fincar.*] *S. f.* **1.** Escora, espeque. **2.** *Fig.* Arrimo, amparo, proteção. **3.** *Bras. Folcl.* Jogo do pião (1). **4.** *Jog. Inf.* Jogo disputado por dois participantes, que vão fincando no chão, com arremessos curtos, um ferrinho (haste metálica com ponta afiada) para riscar na terra o trajeto por percorrer, sendo obrigatório sair da própria casa (um triângulo marcado num lado do campo), dirigir-se à casa do adversário (situada no lado oposto), contorná-la e retornar ao ponto de partida. [São regras básicas que as linhas traçadas pelos dois adversários não se superponham nem se cruzem, e que o jogador ceda a vez ao oponente sempre que seu ferrinho cair ao chão. Sin., nesta acepç., *fincão, ferrinho* e (MG) *precipício.*]

fincamento. *S. m.* Ação ou efeito de fincar(-se).

fincão. [De *fincar* + *-ão*[2].] *S. m.* **1.** *Bras., N. E.* V. *barbeiro* (6). **2.** V. *mosquito* (1). **3.** *Bras. Jog. Inf.* V. *finca* (4).

finca-pé. [De *fincar* + *pé.*] *S. m.* **1.** Ato de fincar o pé com força. **2.** *Fig.* Porfia, empenho. [Pl.: *finca-pés.*] ◆ **Fazer finca-pé.** Não mudar de parecer, de resolução; teimar, porfiar, obstinar-se.

fincar. [F. nasalada de *ficar*, com alter. semântica.] *V. t. d.* **1.** Cravar; embeber; enterrar: Fincou *uma estaca.* *T. d. e i.* **2.** Pôr, colocar, apoiando com força: "Fincara os cotovelos no mármore da mesa" (Machado de Assis, *Páginas Recolhidas*, p. 82). **3.** Enraizar, arraigar, fixar: *Malograda, a Conjuração Mineira* fincou *mais ainda na mente dos patriotas o ideal da independência.* **4.** Cravar, fitar, fixar: "Quando ele finca os olhos na ponta do nariz, perde o sentimento das cousas externas" (Machado de Assis, *Memórias Póstumas de Brás Cubas*, p. 140). *P.* **5.** Ficar firme ou imóvel. **6.** Cravar-se, enterrar-se: "Os pés fincam-se na areia molhada" (James Amado, *Chamado do Mar*, p. 17). **7.** Teimar com afinco; insistir: fincou-se *na sua opinião, convicto de que estava certo.* [Conjug.: v. *trancar.*]

finco. [Dev. de *fincar.*] *S. m.* **1.** *Ant.* Contrato por escritura. ● *Adj.* **2.** *Lus.* Fincado, apoiado: "apoiando o queixo nas mãos entrelaçadas, cotovelos fincos na mesa, ficou ali como uma estátua." (João da Silva Correia, *Farândola*, p. 149).

fincudo. [De *fincar.*] *S. m. Bras.* V. *mosquito* (1).

findar. [De *findo* + *-ar*[2].] *V. t. d.* **1.** Pôr fim a; ultimar, terminar, acabar, encerrar, finalizar: *O argumento, de tão forte,* findou *a discussão.* **2.** Chegar ao termo ou fim de; acabar, terminar: Findou *seus dias na paz de um convento.* *Int.* **3.** Ter fim; chegar ao fim; acabar(-se), terminar(-se), finalizar(-se): "O dia finda, / E, extinto archote, tomba o sol..." (Raimundo Correia, *Poesias*, p. 109.) **4.** Desaparecer; desvanecer-se: *Com aquela desilusão, sua esperança* findou. [Part.: *findado, findo.*]

findável. *Adj 2 g.* Que há de findar, de ter fim.

findinga. *S. f. Bras. Desus.* V. *meretriz.*

findo. [Do lat. *finitu.*] *Adj.* **1.** Que findou; passado. **2.** Concluído, acabado.

finês. [Do finl. *finn*, 'astutos, espertos, sabidos'.] *S. m.* **1.** Indivíduo dos fineses, povo que habita a N. O. da Rússia européia, sobretudo a Finlândia; fino. **2.** O grupo de línguas finesas. V. *uralo-altaico* (3). ● *Adj.* **3.** Pertencente ou relativo a esse povo; fino. [Flex.: *finesa* (ê), *fineses* (ê), *finesas* (ê). Cf. *fineza.*]

fineza (ê). *S. f.* **1.** Qualidade daquilo ou daquele que é fino[1]; finura. **2.** Finura (3). **3.** Amabilidade, gentileza: "É que ninguém ignorava as finezas de V. Ex[a] para comigo, os bilhetes em que me louvava, ... etc." (Machado de Assis, *Páginas Recolhidas*, p. 115.) **4.** Obséquio, favor. **5.** Delicadeza, suavidade: fineza *nas cores.* **6.** Delicadeza, doçura, meiguice: fineza *de coração.* **7.** Primor, perfeição. [Cf. *finesa*, fem. de *finês.*]

finfa. *S. m. Bras. Chulo.* V. *ânus.*

fingidiço. [De *fingido* + *-iço.*] *Adj. P. us.* Fictício.

fingido. [Part. de *fingir.*] *Adj.* **1.** Que simula; enganoso, fementido; falso: *Seu choro é* fingido. **2.** Que parece mas não é; aparente. **3.** Hipócrita, impostor. ● *S. m.* **4.** Indivíduo fingido.

fingidor (ô). *S. m.* **1.** Aquele que finge: "O poeta é um fingidor. / Finge tão completamente / Que chega a fingir que é dor / A dor que deveras sente." (Fernando Pessoa, *Poesias de Fernando Pessoa*, p. 237.) **2.** Pintor que imita trabalhos alheios. **3.** Pintor de broxa que, mediante a aplicação de tinta em escova especial, imita madeiras finas sobre madeira ordinária.

fingimento. *S. m.* **1.** Ato ou efeito de fingir(-se). **2.** Hipocrisia, impostura.

fingir. [Do lat. *fingere.*] *V. t. d.* **1.** Inventar, fabular: *Bem industriado,* fingiu *um álibi verossímil.* **2.** Supor; fantasiar: Fingi *que estava longe do mundo.* **3.** Aparentar, simular: *Não soube* fingir *alegria;* "Finge [o poeta] tão completamente / Que chega a fingir que é dor / A dor que deveras sente." (Fernando Pessoa, *Poesias de Fernando Pessoa*, p. 237). **4.** Dizer ou escrever fingindo, sem sinceridade: "Dizem que finjo ou minto / Tudo que escrevo." (Id., *ib.* p. 238). *Int.* **5.** Ser ou mostrar-se dissimulado, hipócrita: *Detesta o rapaz, e parece amigo dele: como sabe* fingir! *Pred.* **6.** Fazer crer que é; simular ser; dar-se ares; querer passar; fingir-se: "Há gente rica, ou que finge de rica e vai [à Europa] por conta própria." (João do Rio, *Vida Vertiginosa*, p. 163.) *P.* **7.** Dar-se ares de; querer passar por: Finge-se *de rico;* "Ela baixou os olhos fingindo-se distraída." (Coelho Neto, *Turbilhão*, p. 186); "Chico Monte caiu sangrando e ficou sem mexer, fingindo-se de morto." (Lustosa da Costa, *Sobral do Meu Tempo*, p. 80). [Conjug.: v. *dirigir.*]

finidade. [De *fini(to)* + *-dade*, com síncope.] *S. f.* Qualidade do que é finito.

fininha. [Dim. fem., substantivado, do adj. *fino*[1].] *S. f. Bras., N.E. Pop.* V. *tuberculose.*

fininho. [Dim. substantivado do adj. *fino*[1].] *S. m. Bras. Gír.* Cigarro de maconha [q. v.].

finítimo. [Do lat. *finitimu.*] *Adj.* Confinante, vizinho, limítrofe.

finito. [Do lat. *finitu.*] *Adj.* **1.** Que tem fim; transitório; contingente. ~ V. *conjunto* —, *descontinuidade* —*a*, *movimento* — e *seqüência* —*a.* ● *S. m.* **2.** Aquilo que tem fim.

finitude. *S. f.* Qualidade de finito.

finlandês. *Adj.* **1.** Da, ou pertencente ou relativo à Finlândia (Europa setentrional). ~ V. *banho* —. ● *S. m.* **2.** O natural ou habitante daquele país. **3.** Língua ugrofinesa falada na Finlândia. V. *uralo-altaico* (3). [Flex.: *finlandesa* (ê), *finlandeses* (ê), *finlandesas* (ê).]

fino[1]. [Do lat. *fine.*] *Adj.* **1.** Que não é grosso; delgado. **2.** Aguçado, afiado: *A lâmina* fina *da faca entrou-lhe no coração.* **3.** Penetrante, cortante: "Essa dor de tossir bebendo o ar fino, / A esmorecer e desejando tanto..." (Manuel Bandeira, *Estrela da Vida Inteira*, p. 8). **4.** Diz-se de som ou de voz aguda e vibrante. **5.** Delicado, educado, amável: *Trata bem as senhoras, é muito* fino. **6.** Que revela bom gosto; não vulgar: *Fez uma* fina *escolha de móveis.* **7.** Aristocrático, elegante, seleto: *ambiente* fino. **8.** Grácil; esbelto, elegante: "Ergueu-se. O busto delicado e fino / Tinha os suaves, religiosos traços / Da Virgem num altar." (Augusto Gil, *Luar de Janeiro*, p. 141). **9.** Que é de boa qualidade; precioso, excelente: "Sentamo-nos à mesa, em que se viam vinhos finos." (Lima Júnior, *Alguns Homens do Meu Tempo*, p. 29.) **10.** Apurado, escolhido: *Só anda atrás de caça* fina. **11.** Perfeito, aperfeiçoado, apurado: *Aquela jóia tem um acabamento* fino. **12.** Suave, delicado, aprazível: *O aroma* fino *das flores embriagava-o.* **13.** Extremoso, delicado: *Magoou, sem querer, o* fino *coração da velha mãe.* **14.** Que tem vivacidade: *espírito* fino. **15.** Sagaz, ladino, astuto. **16.** *Tip.* V. *claro* (21). **17.** *Bras. Pop.* V. *pronto* (10). ~ V. —*a flor, murça* —*a, ouro* —, *pedra* —*a, química* —*a, sal* — e *vinho* —. ● *S. m.* **18.** Coisa fina, delicada, elegante. **19.** *Tip.* e *Caligr.* Qualquer dos elementos delgados do traçado das letras. [Cf. *grosso* (16).] ● *Adv.* **20.** Com voz fina [v. *fino* (4)]: *F. fala muito* fino. **21.** *Pop.* Cumprindo o dever; na linha: *Empregado meu tem de andar* fino, *senão, rua!* ◆ **Beber do fino.** Estar informado de segredos políticos e/ou de negócios de importância. **O fino. 1.** A nata, a melhor parte: *Estava naquela sala o* fino *da intelectualidade.* **2.** *Bras. Gír.* Aquilo que atingiu o ponto alto de perfeição, que é ou está excelente, bom ao extremo: "É que há de fato, entre nós, quem esteja escrevendo o fino: fazendo o bom e o melhor, no manejo das palavras, das idéias e das emoções." (Valdemar Cavalcanti, *Jornal Literário*, p. 41). **Tirar um fino.** Passar de raspão por alguém ou por alguma coisa, com veículo.

fino[2]. *Adj.* e *s. m.* Finês (1 e 3).

▲**fino-.** [De *fino*[2].] *El. comp.* = 'finês', 'finlandês': *fino-úgrico; fino-russo.*

finodentado. *Adj. Morfol. Veg.* Com dentes delicados na margem.

finório. *Adj.* e *s. m.* Diz-se de, ou indivíduo sagaz, esperto, muito fino; manhoso; ladino.

fino-russo. [De *fino-* + *russo.*] *Adj.* Relativo ou pertencente à Finlândia e à Rússia. [Pl.: *fino-russos.*]

fino-úgrico. [De *fino-* + *úgrico.*] *Adj.* e *s. m.* V. *ugrofinês.* [Pl.: *fino-úgricos.*]

fins-d'água *S. m. pl. Bras., CE.* O fim da época chuvosa, em junho.

finta[1]. [Do lat. *finita*, 'finda, acabada; paga'.] *S. f.* **1.** Contribuição extraordinária, ou encargo pecuniário. **2.** Derrama paroquial.

finta[2]. [Do it. *finta.*] *S. f.* **1.** Engano, logro. **2.** Calote, logro. **3.** *Bras. Fut.* V. *drible.*

fintador (ô). [De *fintar*[2] + *-(d)or.*] *Adj.* e *s. m. Bras.* Caloteiro.

fintar[1]. [De *finta*[1] + *-ar*[2].] *V. t. d.* **1.** Lançar finta[1] sobre.

P. **2.** Contribuir, cotizar-se espontaneamente.

fintar[2]. [De *finta*[2] + *-ar*[2].] *V. t. d.* **1.** *Bras.* Calotear; enganar, lograr. **2.** *Fut.* Driblar.

finura. *S. f.* **1.** Qualidade daquele ou daquilo que é fino[1]; fineza: "Tratado, bem calçado [o pé], indica excelência da sensibilidade. Finura de alma." (Geraldo França de Lima, *Branca Bela*, p. 23.) **2.** Astúcia, malícia, manha. **3.** Aptidão para captar certas relações; fineza: *finura de espírito; finura de percepção.*

fio. [Do lat. *filu.*] *S. m.* **1.** Fibra que se extraiu de plantas têxteis. **2.** Linha fiada e torcida. **3.** Porção de metal, muito flexível, de seção circular com diâmetro muito reduzido em relação ao comprimento. **4.** Tênue corrente de líquido que cai sem despegar. **5.** Enfiada; encadeamento: *Seguiu-lhe todo o fio do discurso; A vida para ele é um fio de amarguras.* **6.** Gume de instrumentos cortantes. **7.** Eixo, alinhamento. **8.** Serragem, em peça de madeira. **9.** *Fig.* Qualquer coisa muito sutil, tênue, delicada: *Dentro da sala ouvia-se apenas um fio de voz.* **10.** *Art. Gráf.* Lâmina de metal, geralmente de aço, usada, em prensa comum ou especial, para cortar, perfurar, tracejar ou vincar papel ou outro material. **11.** *Astr.* Denominação comumente usada para indicar os fios de aranha utilizados no micrômetro a fios; fio do micrômetro. [Cf. *fio móvel.*] **12.** *Tip.* Lâmina de metal para imprimir traços; filete. **13.** *Tip.* Traço impresso por essa lâmina; filete. ~ V. *fios.* ♦ **Fio de carreta.** *Marinh.* Cada um dos fios de fibra de que se formam os cordões dos cabos. **Fio de coluna.** *Tip.* Fio claro usado para separar colunas em livros e periódicos. [V. *canal* (14).] **Fio de dobra.** *Art. Gráf.* V. *fio de vincar.* **Fio de nota.** *Tip.* V. *risca de nota.* **Fio de palomba.** *Marinh.* Mialhar. **Fio de pedra.** Linha de divisibilidade que apresentam as rochas compactas ou de granulação fina. [Cf. *fio-de-pedra.*] **Fio de prumo.** Dispositivo constituído de um fio do qual pende um peso de metal, usado pelos pedreiros para verificar a verticalidade de muros, paredes e outros elementos das construções. **Fio de terra.** *Radiotec.* Condutor metálico ligado à terra, em geral por intermédio de um encanamento de água. **Fio de vela.** *Marinh.* O resultante da torção de fios muito finos. **Fio de vincar.** *Art. Gráf.* Fio de aço que serve para fazer sulcos em papel, cartolina, etc., a fim de facilitar a dobragem; fio de dobra, fio seco. [V. *vinco* (5).] **Fio do micrômetro.** *Astr.* V. *fio* (11). **Fio fixo.** *Astr.* V. *fio móvel.* **Fio isolado.** *Eng. Elétr.* Fio revestido de material isolante geralmente protegido por uma capa. **Fio móvel.** *Astr.* Fio do micrômetro que se desloca, por intermédio de um parafuso micrométrico, paralelamente a outro fio do micrômetro, denominado *fio fixo.* **Fio nu.** *Eng. Elétr.* Fio sem revestimento isolante de qualquer espécie. **Fio seco.** *Tip.* V. *fio de vincar.* **A fio.** A eito; seguidamente: "prendeu-me um dia à chuva / hora e meia, a contar-me a fio uma novela / em dez tomos, que lera" (Antônio Feliciano de Castilho, *O Misantropo*, p. 64); "sentavam-se ao sol, calados horas a fio, os velhos embarcadiços" (Joaquim Paço d'Arcos, *Carnaval e Outros Contos*, p. 16). **A fio comprido.** Deitado ou estendido em decúbito: "caiu do animal abaixo, a fio comprido, com as faces roxas." (Lúcio de Mendonça, *Horas do Bom Tempo*, p. 183); "Meu pai deu-lhe um pontapé na cara. Ele caiu a fio comprido no soalho." (Bernardo Élis, *Ermos e Gerais*, p. 119). **Bater um fio.** *Bras.* Telefonar (1 e 2). **De fio a pavio.** Do princípio ao fim. **Levar tudo a fio de espada. 1.** Acutilar a torto e a direito. **2.** Levar tudo à força. **No fio.** Muito coçado do uso (roupa ou tecido); puído. **Por um fio.** V. *por um triz* (1). **Por um fio de cabelo.** V. *por um triz* (1).

fio-de-pedra. *S. m. Bras., CE.* V. *meio-fio* (1). [Pl.: *fios-de-pedra.* Cf. *fio de pedra.*]

fiofó. *S. m. Bras. Pop.* V. *ânus.*

fiorde. [Do nor. *fjord*, pelo fr. *fiord.*] *S. m. Geog.* Golfo estreito e profundo, entre montanhas altas, na Noruega, Suécia e outros países.

fiorita. [Do top. *Santa Fiore* + *-ita*[3].] *S. f. Min.* Variedade de opala, brancacenta, de brilho de madrepérola, em formas concrecionais.

fioritura. [Do it. *fioritura.*] *S. f.* **1.** *Mús.* Nota ou grupo de notas de ornamento acrescidas às notas essenciais duma melodia. **2.** *P. ext.* Qualquer acessório ornamental na linguagem falada ou na escrita, nas artes plásticas, etc.; floritura.

fios. [Pl. de *fio.*] *S. m. pl.* Meios, processos. ~ V. *fio.*

fiota. *Adj. 2 g. Bras., N.E. Fam.* V. *fiote.*

fiote. [De *filhote*?] *Adj. 2 g.* **1.** *Bras., N.E. Fam.* Elegante, janota, casquilho. [Var.: *fiota.*] ● *S. m.* **2.** *Bras. Pop.* V. *ânus.*

fique. *S. m. Bras., AM.* Planta carnosa, da família das portulacáceas *(Portulaca pusilla)*, de caule ramoso, folhas esparsas, flores subsésseis, solitárias e róseas, e cujo fruto é cápsula deiscente que encerra numerosas sementes reniformes.

firma. [Dev. de *firmar.*] *S. f.* **1.** Assinatura por extenso ou abreviada, manuscrita ou gravada. **2.** Ponto de apoio. **3.** Estabelecimento comercial. **4.** *Jur.* Nome usado pelo comerciante ou industrial (pessoa natural ou jurídica) no exercício das suas atividades, razão social.

firmã. [Do persa *farman*, 'ordem (do xá)', atr. do turco *ferman*, 'ordem (do sultão)'.] *S. m.* Ordem emanada de um soberano ou autoridade muçulmana.

firmação. *S. f.* Ato ou efeito de firmar(-se).

firmador (ô). [Do lat. *firmatore.*] *S. m.* Aquele que firma.

firmais. [Pl. de *firmal.*] *S. m. pl.* Pontas do cabresto que se atam às argolas das ilhargas. ~ V. *firmal.*

firmal. [De *firme* + *-al.*] *S. m.* **1.** Broche antigo para prender os vestidos. **2.** Sinete com firma: "D. Fernando, com seu estoque francês à cinta, vestia opa rica, tendo a sua esmeralda grande por firmal" (Antero de Figueiredo, *Leonor Teles*, p. 121). **3.** Relicário. ~ V. *firmais.*

firmamental. *Adj. 2 g.* Relativo ao firmamento, ou que o lembra: "Tem-se o sonho firmamental das miragens do infinito!" (Martins Fontes, *A Dança*, p. 66.)

firmamento. [Do lat. *firmamentu.*] *S. m.* **1.** *Astr.* Hemisfério celeste visível, ao qual se supõe estarem fixados os astros; céu, abóbada celeste. **2.** Fundamento, sustentáculo, alicerce.

firmar. [Do lat. *firmare.*] *V. t. d.* **1.** Tornar firme, seguro, fixo; fixar: *firmar os alicerces de uma construção; Firmou o armário na parede.* **2.** Tornar firme, estável, definitivo: *O tempo firmou sua posição naquela casa.* **3.** Formar em caráter definitivo; assentar: *firmar uma opinião, um juízo, um conceito.* **4.** Tornar firme, ou mais firme; confirmar; corroborar, ratificar: *Sua atitude recente veio firmar minha opinião sobre ele.* **5.** Apoiar com força, de sorte que fique firme: *Quando o ônibus freou, firmei o braço na cadeira.* **6.** Suster, escorar, amparar: *Firmou a criança que escorregara; Este gancho não é suficiente para firmar o quadro.* **7.** Estabelecer, instituir, fixar: *A lei firma que não haverá pena de morte; O Supremo firmou jurisprudência a respeito dessa matéria.* **8.** Combinar, ajustar, pactuar: *As partes litigantes firmaram um acordo.* **9.** Pôr firma ou assinatura em; assinar: *firmar uma carta, um documento.* **10.** Sancionar, aprovar, ratificar: *O governo firmou nova lei comercial.* **11.** Abonar, afiançar. **12.** Gravar; inscrever: *Tomou do cinzel e firmou o nome da amada. T. d. e i.* **13.** Basear, fundar, fundamentar: *Firmou seu argumento na lei. Int.* **14.** Ficar (o tempo) firme. *P.* **15.** Tornar-se firme, estável, definitivo: *Com o correr do tempo, a situação firmou-se;* "Crescia o seu poder, e se firmava/ Entre surdas vinganças." (Basílio da Gama, *O Uraguai*, V, p. 97.) **16.** Segurar-se, apoiar-se; amparar-se: *Com a súbita freada do ônibus, tive de firmar-me bem para não cair:* "Em mim se apoiava, / em mim se firmava, / Em mim descansava, / Que filho lhe sou." (Gonçalves Dias, *Obras Poéticas*, II, pp. 24-25). **17.** Basear-se, fundar-se, fundamentar-se, estribar.

firme. [Do lat. *firmu; firme* no lat. vulg.] *Adj. 2 g.* **1.** Bem pregado; sólido, seguro, fixo: *O armário está bem firme na parede.* **2.** Que tem estabilidade; estável, seguro: *Agora tem um emprego firme.* **3.** Aprumado, erguido, ereto: "não sendo loura e bonita como Patrícia Lane .... ou Carole Lombard, meus clarins são os peitos — grandes, firmes — e a blusa realça-os." (Osmã Lins, *Nove Novena*, p. 39). **4.** Que oferece garantias; que está bem firmado em alguma coisa; seguro: *É uma empresa firme, aquela.* **5.** Imutável, inabalável: *Tomou a firme decisão de concluir a obra.* **6.** Constante, inalterável: *tempo firme.* **7.** Resoluto, determinado, decidido: *Falou em tom firme, sem vacilações.* **8.** Impassível, imperturbável: *Agüentou firme as provocações do colega.* **9.** Que tem prazo fixo. **10.** Diz-se de cor que não desbota. ~ V. *Canto — e terra —.* ● *S. m.* **11.** *Bras., AM.* Terreno alto, facilmente inundável, em meio aos igapós ensopados: "a ondulação e a estrutura da gleba, que vai das baixadas aos firmes, dos firmes aos platós, dos platós aos cimos serranos" (Raimundo Morais, *Na Planície Amazônica*, p. 44). ● *Adv.* **13.** Firmemente; com firmeza: "Foi andando à toa, num contentamento enorme. Pisava firme" (Jorge Medauar, *Água Preta*, p. 207).

firmeza (ê). *S. f.* **1.** Qualidade de firme. **2.** Solidez, estabilidade, fixidez. **3.** Persistência, constância. **4.** Resolução, decisão, determinação. **5.** Impassibilidade, imperturbabilidade. **6.** Força, rijeza, vigor.

firmidão. [Do lat. *firmitudine.*] *S. f. Desus.* **1.** Constância, firmeza. **2.** Contrato sólido, seguro.

firminense. *Adj. 2 g.* **1.** De, ou pertencente ou relativo a Senador Firmino (MG). ● *S. 2 g.* **2.** Natural ou habitante de Senador Firmino.

firminopolino. *Adj.* **1.** De, ou pertencente ou relativo a Firminópolis (GO). ● *S. m.* **2.** O natural ou habitante de Firminópolis.

firmisterno. *S. m.* **1.** Espécime dos firmisternos. ● *Adj.* **2.** Pertencente ou relativo a eles.

firmisternos. *S. m. pl. Zool.* Série de anfíbios da ordem dos anuros, que apresentam as duas metades da cintura escapular unidas por sutura na linha mediana. A esta série pertencem os ranídeos.

firo. *S. m.* **1.** *Bras., CE.* Certo jogo semelhante ao jogo de damas, em que jogam duas pessoas, cada uma com nove pedras, vencendo aquela que dispuser três pedras em linha reta: "Ouvindo-as [as passadas] de longe, os meninos emudeciam, parando de jogar onça, firo ou marela" (Gustavo Barroso, *Mississípi*, p. 32). **2.** *Bras., BA.* V. *gude.*

firula. *S. f. Bras.* **1.** *Gír.* Floreio, rodeio, circunlóquio: *Não entra direto no assunto: é cheio de firulas.* **2.** *Fut.* Demonstração de domínio da bola, de grande habilidade, de verdadeiro virtuosismo no lidar com ela: "quando não há pressa, fazem embaixada, fazem uma firula qualquer, realizando com os pés, em matéria de domínio de bola, o que os tenistas pretendem e mal conseguem realizar com a mão." (Armando Nogueira, *Na Grande Área*, p. 16).

fisalita. [Do gr. *physallís*, 'bolha', + *-ita*[3].] *S. f. Min.* Variedade opaca de topázio.

fisápode. *S. m.* e *adj. 2 g.* V. *tisanóptero.*

fisápodes. *S. m. pl. Zool.* V. *tisanópteros.*

fiscal. [Do lat. *fiscale.*] *Adj. 2 g.* **1.** Relativo ao fisco. ~ V. *crédito —, direito —, executivo —, livro — e nota —.* ● *S. 2 g.* **2.** Empregado aduaneiro. **3.** Pessoa encarregada da fiscalização de certos atos ou da execução de certas disposições. **4.** *Fig.* Censor, crítico.

fiscalismo. [De *fiscal* (1) + *-ismo.*] *S. m.* Preocupação excessiva dos governantes com a criação e a cobrança de impostos.

fiscalista. *Adj. 2 g.* e *s. 2 g.* Especialista em direito fiscal.

fiscalização. *S. f.* Ato ou efeito de fiscalizar.

fiscalizar. [De *fiscal* + *-izar.*] *V. t. d.* **1.** Velar por; vigiar, examinando: *fiscalizar obras.* **2.** Submeter a atenta vigilância, sindicar (os atos de outrem). **3.** Examinar, verificar: *fiscalizar uma contabilidade. Int.* **4.** Exercer o ofício de fiscal.

fiscela. [Do lat. *fiscella.*] *S. f.* V. *açaimo.*

fisco. [Do lat. *fiscu.*] *S. m.* Conjunto de órgãos da administração pública destinado à arrecadação e à fiscalização de tributos; fazenda pública; tesouro, erário.

fiseterídeo. *S. m.* **1.** Espécime dos fiseterídeos. ● *Adj.* **2.** Pertencente ou relativo a eles.

fiseterídeos. *S. m. pl. Zool.* Mamíferos cetáceos, odontocetos, da família *Physeteridae*, de tamanho grande, cabeça muito volumosa, e maxilares superiores sem dentes. São os cachalotes.

fisga. *S. f.* **1.** Arpão (1) para pescar. **2.** V. *fenda* (2): "As paredes esborcinadas, abertas em fisgas e luras, mostravam o barro seco e as ripas." (Coelho Neto, *Miragem*, pp. 287-288.)

fisgada. [De *fisgar* + *-ada.*] *S. f.* Dor aguda e rápida; pontada.

fisgador (ô). *Adj.* e *s. m.* Que ou aquele que fisga.

fisgar. [De um lat. vulg. **fixicare.*] *V. t. d.* **1.** Pescar com fisga, ou arpão, ou com outro instrumento: "Entretanto Poti, do alto da rocha, fisgava o saboroso camurupim que brincava na pequena baía do Mundaú" (José de Alencar, *Iracema*, p. 101). **2.** Deter, prender (quem se ia escapando). **3.** Tocar, alcançar, atingir, rapidamente: "A unha do tatu, fisgando -lhe a munheca, entrara-lhe rápida na palma da mão" (Herberto Sales, *Histórias Ordinárias*, p. 170). **4.** Apanhar ou perceber com rapidez, de pronto; pegar no ar: *Muito esperto, fisgou logo o alcance da ironia.* **5.** *Bras. Fam.* Despertar amor ou paixão em; prender, enfeitiçar. [Conjug.: v. *largar.*]

fisgo. [De *fisga.*] *S. m. Bras.* A parte do anzol ou do arpão que fisga o peixe.

fisiatra. *S. 2 g.* Médico especialista em fisiatria.

fisiatria. [De *fisi(o)-* + *-iatr(o)-* + *-ia.*] *S. f.* Forma de tratamento de doença mediante o emprego de agente físico, como, p. ex., calor, eletricidade, ou a utilização de aparelho mecânico.

fisiátrico. *Adj.* Relativo à fisiatria.

física. [Do gr. *physiké* (subentende-se *episteme*), 'a ciência das coisas naturais', pelo lat. *physica.*] *S. f.* **1.** Ciência de conteúdo vasto e fronteiras não muito definidas, que investiga as propriedades dos campos, as interações entre os campos de força e os meios materiais, as propriedades e a estrutura dos sistemas materiais, e as leis fundamentais do comportamento dos campos e dos sistemas materiais. **2.** Conjunto de conhecimentos relativos à física, ou que têm implicações com ela, ministrados nas faculdades. **3.** Tratado ou compêndio de física. **4.** Exemplar de um desses tratados ou compêndios. ♦ **Física atômica.** Parte da física que trata das propriedades do átomo, de suas interações com a radiação e com os campos de força, investiga os níveis de energia e a emissão de energia em sistemas atômicos, e explica a estrutura destes. **Física clássica.** Parte da física que abrange, de modo geral, os conhecimentos e teorias incluídos na física até os fins do século XIX, e se caracteriza por uma formulação teórica baseada nos conceitos e princípios da mecânica clássica (newtoniana) e do eletromagnetismo maxwelliano. **Física coloidal.** Parte da físico-química que investiga as propriedades físicas dos colóides, especialmente as ópticas e elétricas. **Física do estado sólido.** Parte da física que investiga as propriedades dos materiais sólidos, especialmente dos cristais; física dos sólidos. **Física dos plasmas.** Parte da física que investiga as propriedades e a produção dos plasmas. **Física dos sólidos.** Física do estado sólido. **Física estatística.** Mecânica estatística. **Física experimental.** Investigação dos fenômenos físicos que utiliza processos experimentais e visa à medida de grandezas físicas relevantes, ou à observação de determinados processos físicos. **Física matemática.** Parte da física que tem o objetivo de investigar e descobrir por meio de métodos matemáticos as conseqüências duma teoria física, partindo da aceitação das hipóteses fundamentais dessa teoria. [Tb. se diz, ocasionalmente, *física teórica* (q. v.).] **Física molecular.** Estudo das propriedades gerais das moléculas, da natureza das forças intermoleculares, da ligação química e dos espectros moleculares. **Física nuclear.** Parte da física que investiga as propriedades do núcleo atômico e das partículas elementares, as forças nucleares e as interações entre as partículas, as reações nucleares e os fenômenos de desintegração e fissão. **Física solar.** Heliofísica. **Física teórica. 1.** Parte da física em que as teorias desta ciência são expressas e formuladas sob forma matemática, e na qual os resultados obtidos experimentalmente figuram como elementos de validação das relações gerais ou particulares nela incluídos. Tem dois objetivos básicos: o descobrimento de leis bastante gerais que possam servir, juntamente com um reduzido número de outras, para a elaboração de uma teoria pertinente a um grande conjunto de fenômenos de mesma natureza, e a derivação, usualmente feita pelos processos formais da matemática, das conseqüências dessas leis. **2.** V. *física matemática.* **Física terrestre.** V. *geofísica.*

fisicalismo. [Do ingl. *physicalism.*] *S. m.* Doutrina neopositivista [v. *neopositivismo*], segundo a qual a linguagem da física é, de direito, a linguagem de toda a ciência.

fisicismo. *S. m.* Sistema daqueles que explicam o Universo pela relação das forças físicas.

fisicista. *Adj. 2 g.* **1.** Referente ao, ou que é partidário do fisicismo. ● *S. 2 g.* **2.** Partidário dele.

físico. [Do gr. *physikós*, pelo lat. *physicu.*] *Adj.* **1.** Relativo à física. **2.** Referente às leis da Natureza; corpóreo; material; natural. ~ V. *antropologia —a, ciências —as, cultura —a, geografia —a, libração —a, oceanografia —a, óptica —a, par —, pêndulo —, pessoa —a, preparador —* e *preparo —.* ● *S. m.* **3.** O conjunto das qualidades exteriores e materiais do homem. **4.** *P. ext.* Aspecto; configuração, compleição: "Apesar de ser uma criatura débil, de f í s i c o fragílimo, o Artur esteve a pique de ser agredido" (Leonardo Mota, *"Padaria Espiritual"*, pp. 59-60). **5.** O conjunto das funções fisiológicas. **6.** Especialista em física (1). **7.** *Ant.* Médico² (2).

físico-química. [De *física* + *química.*] *S. f.* Ciência de domínio não muito bem definido, que investiga as propriedades de sistemas relacionando-as à sua estrutura e constituição, ou, inversamente, procura determinar as peculiaridades da constituição de um sistema partindo das suas propriedades macroscópicas. [Pl.: *físico-químicas.*]

físico-químico. *Adj.* **1.** Relativo à físico-química. ● *S. m.* **2.** Aquele que é formado em físico-química, ou é versado nessa matéria. [Pl.: *físico-químicos.*]

▲**fisi(o)-.** [Do gr. *phýsis, eos.*] *El. comp.* = 'natureza física ou moral': *fisiogenia, fisiognomonia* (< gr. *physiognomonía*), *fisioterapia.*

fisiocracia. [De *fisi(o)-* + *-cracia.*] *S. f. Econ.* Escola do francês Quesnay (1694-1774), segundo a qual a terra é a única verdadeira fonte das riquezas e existe uma ordem natural e essencial das sociedades humanas, que é inútil contrariar com leis, regulamentos ou sistemas.

fisiocrata. *S. 2 g.* Economista adepto da fisiocracia.

fisiocrático. *Adj.* Concernente à fisiocracia.

fisiogenia. [De *fisi(o)-* + *-gen(o)-*¹ + *-ia.*] *S. f.* Desenvolvimento natural do organismo.

fisiogênico. *Adj.* Respeitante à fisiogenia.

fisiognomonia. [Do gr. *physiognomonía.*] *S. f.* Arte de conhecer o caráter das pessoas pelos traços fisionômicos. [Cf. *fisionomia.*]

fisiognomônico. *Adj.* Relativo à fisiognomonia.

fisiognomonista. *S. 2 g.* Especialista em fisiognomonia.

fisiografia. [De *fisio-* + *-graf(o)-* + *-ia.*] *S. f.* Geografia física.

fisiográfico. *Adj.* Pertencente à fisiografia. ~ V. *região —a.*

fisiógrafo. *S. m.* Especialista em fisiografia.

fisiologia. [De *fisio-* + *-log(o)-* + *-ia.*] *S. f.* **1.** Parte da biologia que investiga as funções orgânicas, processos ou atividades vitais, como o crescimento, a nutrição, a respiração, etc. **2.** Tratado ou compêndio de fisiologia. **3.** Exemplar de um desses tratados ou compêndios.

fisiológico. *Adj.* Relativo à fisiologia: *pesquisas f i s i o l ó g i c a s.* ~ V. *canal —* e *química —a.*

fisiologista. *S. 2 g.* Especialista em fisiologia; fisiólogo.

fisiólogo. *S. m.* Fisiologista.

fisiolostria. *S. f. Bras. Pop.* Fisionomia (1 e 2).

fisionomia. [Do gr. *physiognomía.*] *S. f.* **1.** As feições do rosto; semblante, cara: *Bela de f i s i o n o m i a, feia de alma.* **2.** A expressão particular dessas feições; ar: *Está com uma f i s i o n o m i a tão cansada!* **3.** Parecer, aspecto: *Não me agrada a f i s i o n o m i a desta cidade.* **4.** Conjunto de caracteres especiais: "A atual f i s i o n o m i a social e política do mundo" (Fidelino de Figueiredo, *Entre Dois Universos*, p. 76). **5.** *Ecol.* Caráter dado a uma comunidade vegetal pela forma biológica de seus componentes. [Cf. *fisiognomonia.*]

fisionômico. *Adj.* Da, ou relativo à fisionomia.

fisionomista. *S. 2 g.* **1.** Pessoa que conhece a índole de outra pela observação de sua fisionomia. **2.** Pessoa que tem boa memória das fisionomias, que as grava bem.

fisiopatia. [De *fisi(o)-* + *-pat-* + *-ia.*] *S. f.* Sistema de medicina fundado na fisioterapia.

fisiopático. *Adj.* Referente à fisiopatia.

fisiostigmina. *S. f. Quím.* Eserina.

fisioterapeuta. *S. 2 g.* Especialista em fisioterapia.

fisioterapia. [De *fisi(o)-* + *-terapia.*] *S. f.* Tratamento das doenças por agentes físicos.

fisioterápico. *Adj.* Relativo à fisioterapia.

▲**fis(o)-.** [Do gr. *phýsa, es.*] *El. comp.* = 'vento', 'ar'; 'bexiga': *fisometria, fisocele; fisóide* (< gr. *physoeidés*).

fisocele. [De *fis(o)-* + *-cele.*] *S. f. Patol.* **1.** Tumoração cheia de gases. **2.** Saco herniário cheio de gases.

fisoclisto. *S. m.* e *adj.* Anacantino.

fisoclistos. *S. m. pl. Zool.* Anacantinos.

fisóide. [Do gr. *physoeidés.*] *Adj. 2 g.* Que tem feitio de bexiga.

fisometria. [De *fis(o)-* + *-metr(o)-*¹ + *-ia.*] *S. f. Patol.* **1.** Formação de gases na cavidade uterina. **2.** Distensão do útero causada por gases.

fisométrico. *Adj.* Relativo à fisometria.

fisópode. [De *fis(o)-* + *-pode.*] *S. m.* e *adj. 2 g.* V. *tisanóptero.*

fisópodes. *S. m. pl. Zool.* V. *tisanópteros.*

fisóstomo. [De *fis(o)-* + *-stomo.*] *S. m.* **1.** Espécime dos fisóstomos. ● *Adj.* **2.** Pertencente ou relativo a eles.

fisóstomos. *S. m. pl. Zool.* Animais metazoários, cordados, vertebrados, peixes, osteíctes, cuja bexiga natatória se comunica com o tubo digestivo através de um canal.

fissão [Do lat. *fissione.*] *S. f.* **1.** Ação ou efeito de cindir, fender. **2.** *Astr.* Processo segundo o qual algumas teorias cosmológicas explicam a origem das estrelas múltiplas e dos sistemas planetários. **3.** *Fís. Nucl.* Reação nuclear, espontânea ou provocada, em que um núcleo atômico, geralmente pesado, se divide em duas partes de massas comparáveis, emitindo nêutrons e liberando grande quantidade de energia. [A fissão do urânio 235, induzida por nêutrons, constitui o mecanismo básico do funcionamento dos reatores e das bombas atômicas. Sin.: *fissão nuclear, cisão nuclear.*] ♦ **Fissão atômica.** *Fís. Nucl. Impr.* V. *fissão* (3). **Fissão em cadeia.** *Fís. Nucl.* Reação de fissão em que as partículas produzidas são da mesma espécie que as que a provocam e podem, por sua vez, provocar novas fissões. **Fissão nuclear.** *Fís. Nucl.* V. *fissão* (3).

▲**fissi-.** [Do lat. *fissus, as, um.*] *El. comp.* = 'fendido', 'rachado': *fissíparo, fissifloro.*

fissifloro. [De *fissi-* + *-floro.*] *Adj. Morfol. Veg.* Que tem a corola fendida.

fissiforme. [De *fissi-* + *-forme.*] *Adj. 2 g.* Semelhante a fenda.

físsil. [Do lat. *fissile.*] *Adj. 2 g.* **1.** Que se pode fender. **2.** *Fís. Nucl.* Diz-se de um isótopo ou de uma substância capaz de sofrer fissão nuclear; fissionável. [Pl.: *físseis.*]

fissilíngüe. [De *fissi-* + *língua.*] *S. m.* **1.** Espécime dos fissilíngües. ● *Adj. 2 g.* **2.** Pertencente ou relativo a eles.

fissilíngües. *S. m. pl. Zool.* Animais metazoários, cordados, répteis, escamados, sáurios, cuja língua é fina, longa, protrátil, bífida na extremidade, e pode projetar-se para fora, sem abertura da boca, através de orifício no lábio superior.

fissionar. [Do lat. *fissione*, 'fissão', + *-ar*².] *V. t. d. Fís. Nucl.* Provocar a fissão de (um núcleo).

fissionável. [Do lat. *fissione*, 'fissão', + *-ável.*] *Adj. 2 g. Fís. Nucl.* Físsil (2).

fissiparidade. [De *fissíparo* + *-i-* + *-dade.*] *S. f. Genét.* V. *esquizogênese.*

fissíparo. [De *fissi-* + *-paro.*] *Adj. Genét.* Que se reproduz pela divisão do seu próprio corpo.

fissípede. [Do lat. *fissipede.*] *Adj. 2 g. Zool.* **1.** Que tem unhas ou pés fendidos, ou os dedos unidos por membranas. **2.** Pertencente ou relativo aos fissípedes. ● *S. m.* **3.** Espécime dos fissípedes.

fissípedes. *S. m. pl. Zool.* Animais metazoários, cordados, vertebrados, mamíferos, carnívoros, terrestres, da subordem *Fissipedia*, os quais têm os membros desenvolvidos e os dedos separados, livres.

fissipene. [De *fissi-* + *-pene.*] *Adj. 2 g. Zool.* Que tem as asas divididas em partes.

fissirrostro. [De *fissi-* + *-rostro.*] *Adj. Zool.* **1.** Que tem o bico fendido. **2.** Pertencente ou relativo aos fissirrostros. ● *S. m.* **3.** Espécime dos fissirrostros.

fissirrostros. *S. m. pl. Zool.* Animais metazoários, cordados, vertebrados, aves passeriformes, cujo bico é curto, largo e fendido profundamente, permitindo a caça de insetos durante o vôo.

fissura. [Do lat. *fissura.*] *S. f.* **1.** Fenda, racha: "O seu caso é dramático, porque há f i s s u r a s de sensibilidade que a vida não conseguiu tapar, e por elas penetra uma ternura engasgada e insuficiente" (Antônio Cândido, *Ficção e Confissão*, p. 32). **2.** *Anat.* Fenda, cissura, incisura. **3.** *Patol.* Solução de continuidade estreita e pouco profunda. **4.** *Bras. Gír.* Ânsia, sofreguidão.

fissuração. [De *fissura* + *-ção.*] *S. f.* **1.** Estado daquilo que está fendido ou rachado. **2.** *Anat.* Divisão das vísceras em lóbulos. **3.** *Bras. Gír.* V. *curtição* (2 e 3).

fissurado. [Part. de *fissurar.*] *Adj.* **1.** Que tem fissura; fendido, rachado. **2.** *Bras. Gír.* Ansioso, sôfrego, ávido. **3.** *Bras. Gír. Restr.* Dependente de droga (3).

fissuramento. *S. m.* **1.** Ato ou efeito de fissurar. **2.** *Tec.* Formação de rachaduras filamentosas num material plástico.

fissurar. [De *fissura* + *-ar*²]. *V. t. d.* Produzir fissura em; fender, rachar.

fístula. [Do lat. *fistula.*] *S. f.* **1.** *Patol.* Lesão congênita ou adquirida, que se caracteriza por um trajeto através do qual se eliminam secreções variadas. **2.** *Cir.* Comunicação construída entre duas estruturas do corpo ou entre uma estrutura e o meio exterior. **3.** *Poét.* Flauta pastoril. **4.** *Bras.* Sujeito de mau caráter: *Não se meta com aquele indivíduo: é uma f í s t u l a.* [Cf. *fistula*, do v. *fistular.*]

fistulado. [Do lat. *fistulatu.*] *Adj.* Que apresenta fístula; fistuloso, fistular.

fistular¹. [Do lat. *fistulare.*] *Adj. 2 g.* V. *fistulado.*

fistular². *V. t. d.* **1.** Converter em fístula. *Int.* e *p.* **2.** Converter-se em fístula. [Pres. ind.: *fistulo, fistulas, fistula*, etc. Cf. *fístula.*]

fistulivalve. [De *fístula* + *-i-* + *valva.*] *Adj. 2 g. Zool.* Que tem conchas com as valvas tubiformes.

fistulização. *S. f.* **1.** *Med.* Processo de formação de fístula. **2.** *Cir.* Formação intencional, por meio cirúrgico, de fístula que estabelece comunicação de duas estruturas entre si, ou de uma estrutura com o meio exterior.

fistuloso (ô). [Do lat. *fistulosu.*] *Adj.* **1.** V. *fistulado.* **2.** *Morfol. Veg.* Provido de cavidade central alongada: *caule f i s t u l o s o.*

fita¹. *S. f.* **1.** Tecido reto e fino, de fio natural ou sintético, cuja largura não ultrapassa, em geral, 40 cm, usado para atar, ornamentar, debruar, etc., e que pode ser convenientemente preparado para fins médicos ou industriais: *f i t a de algodão; f i t a de máquina; f i t a de seda.* **2.** *P. ext.* Tira delgada e relativamente estreita de material flexível: *madeira em f i t a s; f i t a colante; f i t a métrica.* **3.** Insígnia honorífica ou nobiliária: *Via-se na sua lapela a f i t a da Legião de Honra.* **4.** *Fig.* Ação que tem por fim impressionar, chamar a atenção, etc.;

simulação, fingimento: *Deixa de fita, menina: esse choro não é de dor.* **5.** *Bras.* V. *filme* (2). **6.** *Bras.* Fita magnética. ~ V. *fitas.* ♦ **Fita de Caspary.** *Bot.* Faixa de Caspary. **Fita fechada.** *Mús.* Gravação dum objeto sonoro em fita magnética que tem as extremidades coladas. **Fita magnética.** *Proc. Dados.* Dispositivo de armazenamento, na forma de uma fita flexível, no qual os dados são registrados pela magnetização seletiva de porções de sua superfície.

fita[2]. [Dev. de *fitar.*] *S. f.* Ato de fitar. ~ V. *fitas.*

▲-fita. Equiv. de *fit(o)-.*

fitáceo. *Adj.* Que tem forma de fita.

fita-de-moça. *S. f. Bras.* Arbusto pequeno e ornamental, da família das poligonáceas (*Coccoloba platyclada*), de flores sésseis, alvas ou esverdeadas, polígamas ou dióicas, e cujo fruto é um aquênio pequeno, vermelho a princípio, depois preto, circulado pelo cálice, que se torna carnoso. [Pl.: *fitas-de-moça.*]

fitar. [Do lat. *fictu*, 'fixado', + *-ar*[2].] *V. t. d.* **1.** Fixar a vista em; cravar, pregar os olhos em: *Fitava a noiva enternecidamente*; "ergueu de repelão a cabeça e fitou o prior e o sobrinho como que acordado de súbito." (Arnaldo Gama, *O Balio de Leça*, pp. 47-48); "Os véus tinham-lhe ciúme. Outras, tinham-lhe inveja. / E ao fitá -la os varões tinham pasmos sensuais." (Manuel Bandeira, *Estrela da Vida Inteira*, p.12). **2.** Fixar (a atenção, o pensamento, etc.) em. **3.** Conservar em posição levantada e imóvel, endireitar (as orelhas): "O onagro fitou as orelhas e .... começou a azurrar" (Alexandre Herculano, *Lendas e Narrativas*, II, p. 38). *T. d.* e *i.* **4.** Fixar, cravar (os olhos, a vista, em): "ele .... fitava nela uns olhos tão cheios de paixão, que não tinha coragem de negar-se." (Amando Fontes, *Os Corumbas*, p. 138); "Às vezes a surpreendia fitando em mim um olhar ardente e longo" (José de Alencar, *Lucíola*, p. 176); "fita-lhe uns olhos namorados, vivamente namorados." (Machado de Assis, *Papéis Avulsos*, p. 131); "fitou -lhe muito os olhos" (Id., *Histórias sem Data*, p. 50). *P.* **5.** Fixar-se, cravar-se: "Arrependidos, ou então cansados / De se fitarem com demora em mim, / Os seus olhos piedosos e sagrados / Ao diálogo do amor puseram fim." (Augusto Gil, *Luar de Janeiro*, p. 140.) **6.** Olhar-se mutuamente: *os noivos fitavam-se enternecidos*; "E fitam-se, em silêncio indecifrável, / Contemplam-se de longe, misteriosos" (Antero de Quental, *Sonetos*, p. 308).

fitaria. *S. f.* Grande porção de fitas.

fitas. [Pl. de *fita*[1].] *S. m. pl. Art. Gráf.* V. *cadarços.* ~ V. *fita.*

fiteiro. *S. m.* **1.** Homem que fabrica fitas [v. *fita*[1] (1)]. **2.** *Bras.* Aquele que faz fita[1] (4). **3.** *Bras.* Indivíduo namorador, galanteador. **4.** *Bras., N.E.* Porta envidraçada que, em casas comerciais, protege as mercadorias postas nas prateleiras. ● *Adj.* **5.** *Bras.* Diz-se daquele que faz fita[1] (4). **6.** *Bras.* Que é namorador, galanteador.

fitilho. [De *fita* + *-ilho.*] *S. m.* Fita muito estreita, de tecido, plástico, etc.; nastro.

fitina. [De *fit(o)-* + *-ina*[1].] *S. f. Quím.* Substância branca, pulverulenta, que se extrai de certos grãos e sementes, usada como fortificante. [Fórm.: $C_6H_{12}O_{24}P_6.3H_2O)_{24}Ca_5Mg$.]

fitinha. [Dim. de *fita*[1].] *S. f. Fam.* Condecoração.

fito[1]. [Dev. de *fitar.*] *S. m.* **1.** Ponto determinado a que se dirige o tiro, flechada, etc.; alvo, mira. **2.** *Fig.* Aquilo a que se dirigem nossos desígnios; intento, fim: "O seu fito único .... era fundear em Porto Alegre no outro dia, cedo — mais nada." (Virgílio Várzea, *Nas Ondas*, p. 35.) [Cf. *ficto.*]

fito[2]. [Do lat. *fictu.*] *Adj.* **1.** Fixo, cravado, pregado: "com a cabeça pendida para a frente, o olhar fito, os lábios entreabertos, dir-se-ia hipnotizada" (Aluísio Azevedo, *Pegadas*, p. 194). **2.** Diz-se das orelhas que estão erguidas e imóveis: "as cabras vermelhas .... com as orelhas fitas e as cabecinhas finas de animais quase selvagens." (Conde de Ficalho, *Uma Eleição Perdida*, p. 219). [Cf. *ficto.*] ♦ **Fito a fito.** V. *a fito*: "Concluiu pondo-lhe as mãos nos ombros, encarando-a fito a fito" (Machado de Assis, *A Mão e a Luva*, p. 56). **A fito.** De olhos fitos; fixamente, de frente; de fito; fito: "O visconde olhou-o a fito, ... já em rumo para a ação" (Xavier Marques, *As Voltas da Estrada*, p. 81). [Cf. *afito*, do v. *afitar* e s. m.]. **De fito.** V. *a fito*: "Ficou olhando para ele bem de fito" (Raquel de Queirós, *100 Crônicas Escolhidas*, p. 13).

▲fit(o)-. [Do gr. *phytón, oú.*] *El. comp.* = 'vegetal', 'planta': *fitogêneo, fitóide.* [Equiv.: *-fita: epífita.*]

fitobezoar. *S. m.* V. *bezoar.*

fitocenologia. *S. f.* Fitossociologia.

fitocenológico. *Adj.* Fitossociológico.

fitocrenácea. *S. f.* Espécime das fitocrenáceas.

fitocrenáceas. *S. f. pl. Bot.* Pequena família da ordem das sapindales, sem nenhuma importância, que se coloca junto das icacináceas.

fitocrenáceo. *Adj.* Pertencente ou relativo às fitocrenáceas.

fitofagia. *S. f.* Qualidade de fitófago.

fitofágico. *Adj.* Relativo à fitofagia.

fitófago. [De *fit(o)-* + *-fago.*] *Adj.* **1.** Que se nutre de vegetais. **2.** V. *calastrogastro.* **3.** Escutelarídeo (2). ● *S. m.* **4.** Aquele que se nutre de vegetais. **5.** V. *calastrogastro.* **6.** Escutelarídeo (1).

fitófagos. *S. m. pl. Zool.* **1.** V. *calastrogastros.* **2.** Escutelarídeos.

fitofisiologia. [De *fit(o)-* + *fisiologia.*] *S. f.* Fisiologia vegetal.

fitofisiológico. *Adj.* Relativo à fitofisiologia.

fitofisionomia. [De *fit(o)-* + *fisionomia.*] *S. f.* **1.** Aspecto da vegetação dum lugar. **2.** Flora típica de uma região.

fitofisionômico. *Adj.* Referente à fitofisionomia.

fitogêneo. [De *fit(o)-* + *-gen(o)-*[1] + *-eo.*] *Adj. Bot.* Produzido por vegetais.

fitogenia. [De *fit(o)-* + *-gen(o)-*[1] + *-ia.*] *S. f.* Designação científica da vegetação ou da produção vegetal.

fitogênico. *Adj.* Relativo à fitogenia.

fitogeografia. [De *fit(o)-* + *geografia.*] *S. f.* Parte da botânica que trata das relações entre a planta e o meio, sobretudo no concernente à distribuição dos vegetais sobre a face da Terra.

fitogeográfico. *Adj.* Referente à fitogeografia.

fitognomia. [De *fit(o)-* + gr. *gnómon*, 'que conhece' + *-ia.*] *S. f. Bot.* Arte de reconhecer pelo aspecto das plantas as suas virtudes medicinais; fitognomônica.

fitognomônica. [De *fit(o)-* + gr. *gnómon*, 'que conhece', + *-ica*[2].] *S. f.* Fitognomia.

fitognomônico. *Adj.* Relativo à fitognomia ou fitognomônica.

fitognosia. [De *fit(o)-* + *-gnos(i)(o)-* + *-ia.*] *S. f.* Fitografia.

fitografia. [De *fit(o)-* + *-graf(o)-* + *-ia.*] *S. f.* Parte da botânica que se ocupa da descrição dos vegetais; fitognosia.

fitográfico. *Adj.* Relativo à fitografia.

fitógrafo. *S. m.* Especialista em fitografia.

fitóide. [De *fit(o)-* + *-óide.*] *Adj. 2 g.* Semelhante ou referente a planta.

fitolacácea. *S. f.* Espécime das fitolacáceas.

fitolacáceas. *S. f. pl. Bot.* Família de plantas superiores, da ordem das centrospermas, composta de ervas, arbustos e árvores dotados de flores racemosas, às vezes cimosas, perianto simples, com quatro ou cinco pétalas; androceu isostêmone, diplostêmone ou polistêmone, e fruto bacáceo ou capsular. Engloba mais de 100 espécies, próprias de países quentes, havendo poucas no Brasil.

fitolacáceo. *Adj.* Pertencente ou relativo às fitolacáceas.

fitólito. [De *fit(o)-* + *-lito.*] *S. m.* **1.** *Paleol.* Planta fóssil. **2.** *Morfol. Veg.* Concreção mineral que se forma nas células de muitas plantas.

fitologia. [De *fit(o)-* + *-log(o)* + *-ia.*] *S. f. Desus.* Botânica.

fitológico. *Adj. Desus.* Relativo à fitologia; botânico.

fitólogo. *S. m. Desus.* Especialista em fitologia; botânico.

fitomastigino. *S. m.* **1.** Espécime dos fitomastiginos. ● *Adj.* **2.** Pertencente ou relativo a eles.

fitomastiginos. *S. m. pl. Zool.* Subclasse de protozoários mastigóforos ou flagelados. Nesta subclasse estão os protozoários flagelados que possuem cloroplastos. Ex.: *Euglena.*

fitômetro. [De *fit(o)-* + *-metro.*] *S. m. Bot.* Planta que, cultivada em vários ambientes, serve como indicador das condições neles predominantes, medindo-se-lhe, para tal fim, a transpiração, o crescimento, etc.

fitomonadino. *S. m.* **1.** Espécime dos fitomonadinos. ● *Adj.* **2.** Pertencente ou relativo a eles. [Sin. ger. *volvocale.*]

fitomonadinos. *S. m. pl. Zool.* Animais protozoários, fitomastiginos, da ordem *Phytomonadina*, solitários ou coloniais. Possuem flagelos, em número de dois, quatro ou oito; vivem, na maioria, em água doce, e algumas espécies se apresentam envoltas numa membrana de celulose. [Sin.: *volvocales.*]

fitomorfo. [De *fit(o)-* + *-morfo.*] *S. m.* Representação convencional de uma planta, como a que se vê, p. ex., na arte primitiva.

fitomórfico. *Adj.* **1.** Relativo a fitomorfo. **2.** Que tem atributos de uma planta, ou é representada por eles.

fitônia. *S. f. Amaz.* Designação comum a duas plantas herbáceas e ornamentais, da família das acantáceas (*Fittonia argyroneura* e *Fittonia verschaffeltii*), ambas cultivadas nos jardins de todo o mundo, graças especialmente às suas magníficas folhas; folhagem.

fitonomia. [De *fit(o)-* + *-nom(o)-* + *-ia.*] *S. f.* Parte da botânica que estuda a origem e o desenvolvimento dos vegetais.

fitonômico. *Adj.* Relativo à fitonomia.

fitonose. [De *fit(o)-* + *-nose.*] *S. f.* Designação comum às doenças dos vegetais.

fitopaleontologia. [De *fit(o)-* + *paleontologia.*] *S. f.* Estudo dos vegetais fósseis.

fitopaleontológico. *Adj.* Referente à fitopaleontologia.

fitopatologia. [De *fit(o)-* + *patologia.*] *S. f.* Patologia vegetal.

fitopatológico. *Adj.* Relativo à fitopatologia.

fitoplancto. [De *fit(o)-* + *plancto.*] *S. m.* Organismo vegetal que, como o plancto, vive em suspensão na água do mar e é arrastado pelos movimentos desta; fitoplâncton.

fitoplâncton. S. m. Fitoplancto. [Pl.: *fitoplânctons.*]

fitoquímica. [De *fit(o)-* + *química.*] *S. f.* Química vegetal, que se desdobra em química orgânica vegetal e bioquímica vegetal.

fitoquímico. *Adj.* Relativo à fitoquímica.

fitose. [De *fit(o)-* + *-ose*] *S. f. Patol.* Doença produzida por vegetais, em regra bactérias.

fitossociologia. [De *fit(o)-* + *sociologia.*] *S. f.* Parte da botânica que trata das comunidades vegetais no concernente à origem, estrutura, classificação e relações com o meio; fitocenologia.

fitossociológico. Relativo à fitossociologia; fitocenológico.

fitotaxia (cs). *S. f. Bot. Obsol.* Fitotaxionomia.

fitotaxionomia (cs). *S. f.* Taxionomia vegetal. [Sin., obsol. *fitotaxia.*]

fitoteca[1]. [De *fit(o)-* + *-teca.*] *S. f. Bot.* **1.** Herbário (1). **2.** Lugar onde se guardam exsicatas.

fitoteca[2]. [De *fita*[1] (6) + *-o-* + *-teca.*] *S. f.* **1.** Coleção de fitas cassetes. **2.** Lugar onde se guardam essas fitas. [Cf. *discoteca* e *fonoteca.*]

fitotecnia. [De *fit(o)-* + *-tecn(o)-* + *-ia.*] *S. f.* Arte de cultivar e multiplicar as plantas.

fitotécnico. *Adj.* Relativo à fitotecnia.

fitoterapia. [De *fit(o)-* + *terapia.*] *S. f.* Tratamento de doenças com plantas.

fitoterápico. *Adj.* Concernente à fitoterapia.

fitozoário. [De *fit(o)-* + *-zoário.*] *S. m.* **1.** Espécime dos fitozoários. ● *Adj.* **2.** Pertencente ou relativo a eles.

fitozoários. *S. m. pl. Zool.* Designação dada por certos autores aos animais metazoários desprovidos de simetria ou àqueles providos de simetria radial ou axial. São animais não locomóveis, que vivem fixos ou não. Neles se incluem os celenterados, espongiários e equinodermos.

fiúsa. *Adj. 2 g.* Fora de moda; desusado. [Cf. *fiúza*, s. f., e *Fiúza*, antr.]

fiúza. [Do lat. *fiducia.*] *S. f.* Fidúcia (1). [Cf. *fiúsa.*]

➡five (faiv'). [Ingl., 'cinco'.] No jogo de pôquer (quando joga o coringa), é o lance em que o jogador apresenta cinco cartas do mesmo valor.

fivela. [Do lat. vulg. *fibella*, por *fibula.*] *S. f.* **1.** Peça metálica, com uma parte dentada, ou com um ou mais fuzilhões, em que se enfia ou prende a presilha de certos vestuários, uma correia, uma fita, etc. **2.** Objeto de ornato, semelhante à fivela, para sapatos, chapéus, etc. **3.** *Bras.* Peça semelhante à fivela, para prender ou enfeitar os cabelos; passador, prendedor. [Aum.: *fivelão*; dim. irreg.: *fiveleta.*]

fivelame. *S. m.* Conjunto ou porção de fivelas.

fivelão. *S. m.* Fivela grande.

fiveleta (ê). *S. f.* **1.** Pequena fivela. **2.** Certa dança antiga.

➡five o'clock (tea) (faiv o clók ti). [Ingl.] *Obsol.* Lanche das cinco, inclusive chá.

fixa (cs). [Fem. substantivado do adj. *fixo.*] *S. f.* **1.** Pau que se usa em agrimensura, terminado superiormente em argola. **2.** Parte da dobradiça que se embute na madeira. **3.** *Bras.; N.E.* Travessa levemente despontada que se encaixa na parte posterior das portas e janelas não engradadas, a fim de manter-lhes unidas as tábuas. **4.** *Bras., N.E.* Chapa de ferro com que se ligam as pontas dos trilhos nas estradas de ferro; tala [Cf. *ficha*, do v. *fichar* e s. f.]

fixação (cs). *S. f.* **1.** Ato ou efeito de fixar(-se). **2.** Operação química com que se torna fixo um corpo volátil. **3.** *Fot.* Processo químico a que se submete uma emulsão fotográfica, depois de revelada, para remover o halogeneto de prata não sensibilizado. **4.** *Psican.* Apego exagerado, doentio, a uma pessoa, ou a uma coisa: *O rapaz tem fixação materna.* **5.** *Psican.* A pessoa ou coisa que é objeto desse apego: *A namorada é a grande fixação do meu amigo.*

fixado (cs). [Part. de *fixar.*] *Adj.* Que se fixou; a quem fixaram.

fixador (cs...ô). *S. m.* **1.** Peça para fixar. **2.** Líquido com que se fixa o penteado. **3.** Substância, química ou orgânica, que se adiciona aos perfumes feitos de essências naturais voláteis para que o aroma não se dissipe quando em contato com o ar. **4.** *Anat. Veg.* Líquido usado em histologia e anatomia vegetais com o fim de fixar as estruturas e preservá-las para investigações microscópicas. [Os fixadores podem ser formol, álcool e sais de metais pesados.]. **5.** *Fot.* Solução aquosa de tiossulfato de sódio ou de amônio, empregada na fixação (3).

fixar (cs). *V. t. d.* **1.** Pegar ou pregar em algum lugar: *Tomou de pregos e um martelo e pôs-se a fixar quadros.* **2.** Fitar ou fixar os olhos em; fitar: *Fixei-o bem, e a fisionomia não se lhe alterou.* **3.** Determinar, prescrever: *fixar regras.* **4.** Reter na memória: *Fixou bem as instruções.* **5.** Firmar, assentar, estabelecer: *fixar residência*; "a verdadeira reabilitação [de Joana d'Arc] foi feita realmente por Michelet, em três ou quatro capítulos da História de França, que fixaram a beleza e a grandeza moral de Joana." (Eça de Queirós, *Cartas Familiares*, p. 8). **6.** Tornar firme, estável: *Os engenheiros fixaram a coluna.* **7.** *Bot.* Coagular (as proteínas de tecidos vivos), mediante agentes ditos fixadores, com o objetivo de prepará-los para pesquisas microscópicas. *T. d. e i.* **8.** Cravar, fitar: "Quando sentiu suas forças declinarem, fixou na filha um olhar entendido e .... endireitou-se para agonizar." (Rodrigo M. F. de Andrade, *Velórios*, p. 27.) *P.* **9.** Tornar-se firme, permanente, estável. **10.** Estabelecer residência. **11.** Olhar detidamente, fixamente; fitar: "Sentei-me no almofadão de veludo grená, apoiei o queixo nas mãos e fixei-me na tapeçaria que pendia do teto até a fronteira do piano." (Lígia Fagundes Teles, *O Jardim Selvagem*, pp. 44-45.) **12.** Aferrar-se, obstinar-se. **13.** Aplicar toda a atenção: "vivia distraído, era incapaz de fixar-me num assunto que dependesse de aplicação e esforço de raciocínio." (Augusto Frederico Schmidt, *O Galo Branco*, p. 108). **14.** Apegar-se doentiamente, exageradamente, a uma pessoa ou coisa. [Pres. ind.: *fixo, fixas, fixa*, etc.; pres. subj.: *fixe*, etc. Cf. *ficha*, s. f., *fixe* (x = ch), adj., e o v. *fichar.*]

fixativo (cs). *Adj.* **1.** Que fixa. ● *S. m.* **2.** Substância que serve para fixar as imagens fotográficas. **3.** Verniz com que se fixam os traços de um desenho a lápis, carvão, etc., impedindo que se apaguem.

fixável (cs). *Adj. 2 g.* Que se pode fixar.

fixe (ch). [Alter. de *fixo.*] *Adj. 2 g.* **1.** *Pop.* Fixo, firme. **2.** *Bras. Pop.* Forte, compacto. **3.** *Bras., BA. Pop.* Diz-se do cigarro já pronto, vendido em maços ou em carteiras. [Cf. *fiche*, do v. *fichar*, e *fixe* (cs), do v. *fixar.*]

fixidade (cs). *S. f.* Fixidez: "esperava o inimigo com a calma e serenidade do homem que contempla uma cena agradável: apenas a fixidade do olhar revelava um pensamento de defesa." (José de Alencar, *O Guarani*, I, p. 103).

fixidez (cs...ê). *S. f.* Qualidade do que é ou está fixo; fixidade: "tinha alguma cousa de esquisito e trazia ultimamente no olhar a fixidez absorvente de uma idéia." (Inglês de Sousa, *O Missionário*, p. 208).

fixo (cs). [Do lat. *fixu.*] *Adj.* **1.** Que está pegado e preso a um corpo imóvel; pregado, colado, fincado. **2.** Voltado para alguém ou algo, sem se desviar; fixado, preso: *Está de olhar fixo; Tem os olhos fixos na moça; Tinha a atenção fixa nas palavras do seu interlocutor.* **3.** Firme, seguro, estável: *emprego fixo.* **4.** Que não se move; imóvel: *Vejo, no espaço, um ponto fixo.* **5.** Que não varia; constante, dominante: *idéia fixa.* **6.** Definido, determinado: *regras fixas.* **7.** Diz-se da cor que não desbota. ~ V. *aparelho —, barra —a, branco —, cabo —, estrela —a, fio —, ponto —* e *preço —.* ● *S. m.* **8.** Peça imóvel. **9.** Salário ou ordenado fixo: *Tem um fixo de 900 cruzados, e mais 1 por cento nas vendas que faz.* [Fem. do adj.: *fixa*; flex.: *fixos, fixas.* Cf. *ficho, fichas*, do v. *fichar*, e *ficha*, deste v. e s. f.]

flá. *Adj. 2 g.* e *s. 2 g. Bras.* V. *flamenguista.*

flã. [Do fr. *flan.*] *S. m.* **1.** Pudim feito de leite e ovos, assado em forno. **2.** Qualquer pudim semelhante ao flã (1), de diferentes sabores. **3.** *Tip.* Cartão de colagem, formado pela intercalação de folhas de papel de seda e de papel mata-borrão, com que se molda a matriz estereotípica, comprimindo-o fortemente, contra a composição tipográfica, entre os cilindros de uma calandra ou em prensa hidráulica; cartão de estereotipia; matriz seca.

flabelação. *S. f.* Ato de flabelar.

flabelado. [De *flabelo* + *ado*[1].] *Adj.* Que tem forma de leque; flabelar, flabeliforme, flabelífero.

flabelar[1]. [De *flabel(i)-* + *-ar*[1].] *Adj. 2 g.* V. *flabelado.*

flabelar[2]. [De *flabel(i)-* + *-ar*[2].] *V. t. d.* **1.** Agitar (o ar) com o leque. *Int.* **2.** Fazer vento com o leque; agitar-se.

▲**flabel(i)-.** [Do lat. *flabellu.*] *El. comp.* = 'leque': *flabeliforme, flabelar.*

flabelífero. [Do lat. *flabellíferu.*] *Adj.* **1.** Que tem leque. **2.** V. *flabelado.* **3.** Que tem uma parte em forma de leque.

flabelifoliado. [De *flabel(i)-* + *foliado.*] *Adj. Morfol. Veg.* Que tem folhas em forma de leque.

flabeliforme. [De *flabel(i)-* + *-forme.*] *Adj.* V. *flabelado*: *folha flabeliforme.*

flabelípede. [De *flabel(i)-* + *-pede.*] *Adj. 2 g. Zool.* Que tem pés em forma de leque.

flabelo. [Do lat. *flabellu.*] *S. m.* **1.** Leque ou ventarola. **2.** Alfaia eclesiástica, com que o diácono enxotava as moscas ao celebrante. **3.** *Rel.* Espécie de leque de plumas portado por acompanhantes da cadeira gestatória, nos cortejos papais. **4.** *Fig.* A folha da palmeira. **5.** *Bras.* Planta da família das gramíneas (*Paspalum chrysodactylon*).

flacidez (ê). *S. f.* **1.** Qualidade ou estado de flácido. **2.** Doença epidêmica do bicho-da-seda.

flácido. [Do lat. *flaccidu.*] *Adj.* **1.** Mole, frouxo, lânguido: "Augusto confirmou com um gesto flácido de cansaço." (Xavier Marques, *As Voltas da Estrada*, p. 145.) **2.** Mole; adiposo. **3.** Sem elasticidade; frouxo: "As bochechas .... caíam flácidas em pregas que se escondiam por baixo do queixo." (Francisco Julião, *Cachaça*, p. 13.)

flaco. [Do esp. plat. *flaco.*] *Adj. Bras., RS.* Fraco. [V. *flaqueirão.*]

flacurtiácea. *S. f.* Espécime das flacurtiáceas.

flacurtiáceas. *S. f. pl. Bot.* Família de plantas floríferas, composta de arbustos e árvores de folhas alternas, pequenas flores solitárias ou cimosas, actinomorfas e hermafroditas, perianto variável, androceu polistêmone, ovário multicarpelar e pluriovulado, e cujo fruto é baga ou cápsula. Há cerca de 800 espécies dos países intertropicais, muitas das quais indígenas.

flacurtiáceo. *Adj.* Pertencente ou relativo às flacurtiáceas.

flagelação. [Do lat. *flagellatione.*] *S. f.* **1.** Ato ou efeito de flagelar(-se). **2.** Tortura; suplício. **3.** Sofrimento, tormento, aflição.

flagelado[1]. [De *flagelo* (7) + *-ado*[1].] *Adj. Biol.* **1.** Provido de flagelo (7); flagelífero: *células flageladas.* ● *S. m.* **2.** Mastigóforo.

flagelado[2]. [Part. de *flagelar.*] *Adj.* **1.** Que sofreu flagelação; açoitado. **2.** Torturado, supliciado. **3.** Atormentado, afligido. **4.** Atingido por calamidade ou flagelo; sinistrado. ● *S. m.* **5.** Aquele que sofreu flagelação. **6.** Aquele que foi atingido por calamidade ou flagelo.

flagelador (ô). *Adj.* **1.** Que flagela; flagelante, flagelativo: *azorrague flagelador.* ● *S. m.* **2.** Aquele que flagela.

flagelados. [Pl. de *flagelado*[1] (2).] *S. m. pl. Zool.* Mastigóforos.

flagelante. *Adj. 2 g.* V. *flagelador* (1).

flagelar. [Do lat. *flagellare.*] *V. t. d.* **1.** Bater com flagelo (1); açoitar, chicotear: *flagelar as costas.* **2.** Castigar, torturar: *flagelar os presos.* **3.** Incomodar, enfadar; atormentar, afligir: *flagelar o espírito*; "A peste flagelava especialmente as classes mais pobres" (Joaquim Manuel de Macedo, *Os Romances da Semana*, p. 4). *P.* **4.** Açoitar-se, castigar-se, mortificar-se.

flagelativo. *Adj.* **1.** V. *flagelador* (1). **2.** Próprio para flagelar.

flagelífero. [Do lat. *flagellu*, 'flagelo', + *-i-* + *-fero.*] *Adj.* Flagelado[1] (1).

flageliforme. [Do lat. *flagellu*, 'flagelo', + *-i-* + *-forme.*] *Adj. 2 g. Morfol. Veget.* Diz-se dos órgãos vegetais compridos e delicados como flagelos [v. *flagelo* (7)].

flagelo. [Do lat. *flagellu.*] *S. m.* **1.** Azorrague para açoitar; chicote. **2.** Calamidade, sinistro. **3.** Tortura, castigo, suplício. **4.** Epidemia, peste, praga. **5.** Pessoa que é causa ou instrumento de grande calamidade. **6.** Desgraça, adversidade. **7.** *Biol.* Filamento protoplasmático muito móvel, que constitui o órgão locomotor de numerosos organismos unicelulares e de vários tipos celulares, como os gametas. Ocorre tanto nos vegetais como nos animais.

flagiciar. [De *flagício* + *-ar*[2].] *V. t. d.* Cobrir de opróbrio, de ignomínia; ignominiar, infamar. [Pres. ind.: *flagicio*, etc. Cf. *flagício.*]

flagício. [Do lat. *flagitiu.*] *S. m.* **1.** Ação infame ou criminosa; infâmia, opróbrio, ignomínia. **2.** Tortura, tormento, flagelo. [Cf. *flagicio*, do v. *flagiciar.*]

flagicioso (ô). [Do lat. *flagitiosu.*] *Adj.* Que cometeu flagício; facinoroso, celerado, criminoso.

flagra. [Der. regress. de *flagrante.*] *S. m. Bras. Pop.* Flagrante (5). ◆ **Dar o flagra.** *Bras. Pop.* Apanhar em flagrante (5).

flagrância. [Do lat. *flagrantia.*] *S. f.* **1.** Estado daquilo que é flagrante (4). **2.** Momento em que se verifica um ato flagrante (4). [Cf. *fragrância.*]

flagrante. [Do lat. *flagrante.*] *Adj. 2 g.* **1.** Ardente, acalorado, inflamado: *paixão flagrante.* **2.** Incendido, corado, rubro: *faces flagrantes.* **3.** Evidente, manifesto, patente: *injustiça flagrante*; "Chegou a apanhar o rosto de Carlos Maria em flagrante prazer" (Machado de Assis, *Quincas Borba*, p. 49). **4.** Diz-se do ato que a pessoa é surpreendida a praticar: *flagrante delito.* ~ V. — *delito.* ● *S. m.* **5.** Ato ou fato que se observa e/ou comprova no momento em que ocorre. **6.** Comprovação ou documentação de um flagrante (5). **7.** *Pop.* Instante, ensejo, momento. [Cf. *flagrante.*] ◆ **Em flagrante.** Na ocasião de praticar um ato.

flagrantemente. [De *flagrante* + *-mente.*] *Adv.* De maneira flagrante; com toda a evidência; em flagrante.

flagrar[1]. [Do lat. *flagrare.*] *V. int.* Consumir-se em chamas; inflamar-se, arder, deflagrar: *O incêndio foi violento: o edifício inteiro flagrou.*

flagrar[2]. [De *flagrante.*] *V. t. d. Bras. Pop.* **1.** Apanhar em flagrante (5); surpreender: "Se me flagrava fazendo estripulias, ... olhava-me sisudo" (Reginaldo Guimarães, *Uma Blusa no Cais*, p. 49). **2.** Fazer o flagrante (6) de: *O repórter flagrou o incêndio.*

flajolé. [Do fr. *flageolet.*] *S. m.* **1.** Pequena flauta, de madeira e bisel, com um tubo condutor que leva o ar da embocadura até o bisel. Tem, atualmente, seis orifícios dotados de chaves e uma extensão de duas oitavas. [Cf. *flauta doce.*] **2.** Registro de órgão, de dois pés e sonoridade aguda. **3.** Cada um dos sons harmônicos produzidos artificialmente nos instrumentos de cordas friccionáveis; flautado.

flama. [Do lat. *flamma.*] *S. f.* **1.** Chama, labareda. **2.** Calor, abrasamento, ardor. **3.** Vivacidade, entusiasmo.

flamância. [Do lat. *flammantia*, do v. *flammare*, 'inflamar'.] *S. f.* **1.** Qualidade do que é flamante. **2.** Brilho, esplendor.

flamante. [Do lat. *flammante.*] *Adj. 2 g.* **1.** V. *flamejante* (1 e 2): "Aparecia pintada, ondulada, calçada de sapatos flamantes, metida em vestidos incríveis." (Maria Archer, *Fauno Sovina*, pp. 10-11); *olhos flamantes.* **2.** De cor ardente, muito viva: "Despe o sombrio luto que te afeia, / Toma as sedas flamantes" (Alberto de Oliveira, *Poesias*, 3ª série, p. 152). **3.** Abrasado, rubro.

flamar. [Do lat. *flammare.*] *V. t. d.* Desinfetar por meio de chamas rápidas, queimando fachos de algodão embebido em álcool; flambar.

flambagem. *S. f.* **1.** Ato ou efeito de flambar. **2.** Encurvadura a que estão sujeitas peças de uma estrutura (tais como colunas e pilares) que trabalham por compressão.

flambar. [Do fr. *flamber.*] *V. t. d.* **1.** Flamar. **2.** *Cul.* Entornar certa quantidade de bebida alcoólica sobre (alimento), ateando-lhe fogo em seguida: *flambar uma omelete, um assado, etc.* **3.** Selar[1] (2).

flamboiaiã. [Do fr. *flamboyant.*] *S. m.* Árvore ornamental, originária da África tropical e de Madagáscar, da família das leguminosas-cesalpináceas (*Poinciana regia* Boj.), de porte superior a 10 metros, com ramagem alta e engalhada. Folhas grandes com 10 a vinte pares de pinas e estas com numerosos folíolos ovais, pequenos. Flores em corimbos racemosos e grande vagem escura e pendente. Perde as folhas na frutificação.

flame. [Do fr. *flamme.*] *S. m.* Instrumento com que veterinários ou ferradores sangram animais. [Var. bras.: *fleme* e *freme.*]

flamear. *V. int.* e *t. d.* V. *flamejar.* [Conjug.: v. *frear.*]

flamejamento. *S. m.* Ato de flamejar.

flamejante. *Adj. 2 g.* **1.** Que flameja; chamejante, flâmeo, flamante: "Por dia de sol ardente, flamejante, ... uma matula de bandidos .... surpreendeu a fazenda de José Leão." (Gustavo Barroso, *Terra de Sol*, p. 143.) **2.** Ostentoso, vistoso, flamante, flâmeo. ~ V. *gótico —.*

flamejar. *V. int.* **1.** Lançar flamas ou chamas; estar inflamado; arder, chamejar: *O vulcão flameja.* **2.** Lançar raios luminosos; brilhar como a chama; resplandecer: "Flamejava violento o sol do meio-dia"

(Coelho Neto, *Obra Seleta*, I, p. 34). *T. d.* **3.** Expelir, ou como que expelir, à guisa de chamas: *Seus olhos* flamejavam *chispas de ódio.* [F. paral.: *flamear.* Conjug.: v. *pelejar.* Normalmente é defect., conjugável só nas 3ªˢ pess.]

flamengo¹. *S. m.* V. *flamingo.*

flamengo². [Do neerl. *flaming.*] *Adj.* **1.** De, ou pertencente ou relativo a Flandres (França e Bélgica); flandrense, flandrino, flandrisco. ● *S. m.* **2.** O natural ou habitante de Flandres; flandrense, flandrino, flandrisco. **3.** Cada um dos dialetos do neerlandês (3) falados na Bélgica e na região de Dunquerque (França).

flamengo³. *Adj.* e *s. m. Bras.* V. *flamenguista.*

flamenguinha. *S. f. Bras., RJ.* Viúva-negra.

flamenguista. *Bras. Adj. 2 g.* **1.** Pertencente ou relativo ao Clube de Regatas do Flamengo (RJ). **2.** Que é membro, torcedor ou jogador dessa agremiação. ● *S. 2 g.* **3.** Membro, torcedor ou jogador dela. [Sin. ger.: *flamengo, rubro-negro, urubu.* F. red.: *fla* e *mengo.*]

flâmeo. [Do lat. *flammeu.*] *Adj.* **1.** V. *flamejante* (1 e 2). ● *S. m.* **2.** Véu da cor de chama, usado na Roma antiga pelas recém-casadas.

▲flami-. [Do lat. *flamma, ae.*] *El. comp.* = 'chama': *flamispirante, flamívomo* (< lat. *flammivomu*).

flamífero. [Do lat. *flammiferu.*] *Adj.* **1.** Que apresenta chamas. **2.** Muito brilhante; ofuscante; "atingindo [Eça de Queirós], em flamíferos arrojos, os altos cimos do espírito" (Fialho d'Almeida, *Pasquinadas*, p. 281). [Sin. ger.: *flamígero.*]

flamifervente. [De *flami-* + *fervente.*] *Adj. 2 g.* Que flameja ou chameja, fervendo.

flamígero. [Do lat. *flammigeru.*] *Adj.* V. *flamífero.*

flaminato. [Do lat. *flaminatu.*] *S. m.* Dignidade de flâmine.

flâmine. [Do lat. *flamine.*] *S. m.* Sacerdote da antiga Roma, dedicado ao culto dos deuses. [Fem.: *flamínica* (q. v.).]

flamingo. [De *flama.*] *S. m.* Ave ciconiforme, da família dos fenicopterídeos (*Phoenicopterus ruber* L.), das costas atlânticas tropicais e subtropicais da América do Norte, das Antilhas, e da costa setentrional da América do Sul, desde as Guianas até o estuário do rio Amazonas. Coloração rosada, rêmiges pretas, e penas dos ombros de um encarnado vivo. [F. paral.: *flamengo;* sin.: *ganso-do-norte, gansão, ganso cor-de-rosa, maranhão.*]

flamínica. [Do lat. *flaminica.*] *S. f.* Esposa de flâmine.

flamipotente. [Do lat. *flammipotente.*] *Adj. 2 g.* Poderoso em chamas. [Epíteto que os antigos romanos davam a Vulcano, deus do fogo e do metal.]

flamispirante. [De *flami-* + lat. *spirante*, 'espirante'.] *Adj. 2 g. Poét.* Que respira chamas: "Nunca araram por cá touros flamispirantes" (Antônio Feliciano de Castilho, *As Geórgicas*, p. 85).

flamívolo. [Do lat. *flammivolu.*] *Adj. Poét.* Que voa despedindo chamas.

flamívomo. [Do lat. *flammivomu.*] *Adj. Poét.* Que vomita ou lança chamas: "Comburentes, flamívomas bombardas" (Raimundo Correia, *Poesias*, p. 15).

flâmula. [Do lat. *flammula.*] *S. f.* **1.** Pequena chama. **2.** Bandeirola estreita e comprida, terminada em bico ou farpada, e que se usa em navios, em sinalizações, em festividades, ou como adorno; galhardete. **3.** *P. ext.* Bandeira, pavilhão, pendão.

flanância. [De *flanar* + *-ância.*] *S. f. Bras.* Vadiagem, desocupação.

flanar. [Do fr. *flâner.*] *V. int. Gal.* Passear ociosamente; vaguear, perambular: "volta a flanar pelo jardim fronteiro, mordiscando um jasmim." (Valdemar Versiani dos Anjos, *Simplício*, p. 40).

flanco. [Do fr. *flanc.*] *S. m.* **1.** Espaço entre a cortina e o baluarte, nas fortificações. **2.** Lado de um exército ou de um corpo de tropas. **3.** *Anat.* Cada uma de duas regiões abdominais laterais, direita e esquerda, que se situam, em altura, sob cada hipocôndrio; ilharga, ilhal: "Eu estava inclinado sobre o flanco direito da doente" (Valdemar Versiani dos Anjos, *Jornal de Serra Verde*, p. 178). **4.** *P. ext.* Parte lateral de qualquer objeto; lado. **5.** Ponto ou lado acessível, expugnável. ◆ **De flanco.** De lado; lateralmente: *marcha de* flanco; *atacar de* flanco; "De face, de flanco, / O preto no branco." (Manuel Bandeira, *Estrela da Vida Inteira*, p. 163).

flande. *S. m. Bras., N.E. Pop.* V. *folha-de-flandres.*

flandeiro. [De *flande* + *-eiro.*] *S. m. Bras., N.E.* V. *funileiro* (2).

flandre. *S. m. Bras., N.E. Pop.* V. *folha-de-flandres:* "e, pé ante pé, foi desarrumar o seu velho baú de flandre" (João Clímaco Bezerra, *O Homem e Seu Cachorro*, p. 29).

flandrense. [Do top. *Flandres* + *-ense.*] *Adj. 2 g.* e *s. 2 g.* V. *flamengo²* (1 e 2).

flandres. *S. m. 2 n.* V. *folha-de-flandres.*

flandrino. [Do top. *Flandres* + *-ino¹.*] *Adj.* e *s. m.* V. *flamengo²* (1 e 2): "nas setentrionais cidades flandrinas, de canais lentos e brumosos" (Antero de Figueiredo, *Espanha*, p. 16).

flandrisco. [Do top. *Flandres* + *-isco².*] *Adj.* e *s. m.* V. *flamengo²* (1 e 2).

flanela. [Do ingl. *flannel*, atr. do fr. *flanelle.*] *S. f.* **1.** Tecido de lã, menos encorpado que a baetilha. **2.** Tecido de algodão, imitante àquele.

flanelógrafo. [*flanela* + *-o-* + *-grafo.*] *S. m.* Quadro revestido de flanela ou de feltro de cor lisa, usado como recurso didático, e sobre o qual se fazem aderir objetos ou figuras, fixadas ou removidas segundo as necessidades do ensino; feltrógrafo, quadro-de-flanela, quadro-de-feltro.

flange. [Do ingl. *flange.*] *S. m.* Aba existente em cada extremidade duma seção de canalização, tubo ou eixo, por meio da qual se prendem umas às outras as diferentes seções que constituem uma rede de canalização ou um eixo longo.

flanquear. *V. t. d.* **1.** Atacar de flanco: flanquear *o inimigo.* **2.** Marchar ao lado de, paralelamente a; ladear. **2.** Defender (por todos os flancos); tornar defensável: flanquear *a praça.* [Conjug.: v. *frear.*]

➧flap (flép). [Ingl.] *S. m. Aeron.* Dispositivo localizado na parte posterior e inferior da asa do avião, entre a fuselagem e o *aileron*, e destinado a diminuir a velocidade do aparelho na aterragem.

flaqueirão. [De *flaco* + *-eirão.*] *Adj. Bras., RS.* Diz-se do animal de montaria um tanto fraco, emagrecido.

flaquito. *Adj. Bras., RS.* Dim. de *flaco.*

➧flash (flésh). [Ingl.] *S. m.* **1.** Clarão rápido e intenso, capaz de fornecer a luz necessária para se fazer uma fotografia em ambiente onde a luz natural não é bastante. **2.** Aparelho que produz esse clarão. **3.** *Fig.* Informação importante dada com prioridade.

➧flash-back (flésh béc). [Ingl.] *S. m.* **1.** Na narrativa literária ou cinematográfica, registro de recordação ou de fato já ocorrido. **2.** *P. ext.* Lembrança, recordação.

flato. [Do lat. *flatu.*] *S. m.* **1.** V. *flatulência.* **2.** Desejo forte; ânsia, gana.

flatoso (ô). *Adj.* Que causa flatos. [Cf. *flatuoso.*]

flatulência. [Do fr. *flatulence.*] *S. f.* **1.** Acúmulo de gases no tubo digestivo; ventosidade. **2.** *Fig.* Vaidade pretensiosa; bazófia, jactância. [Sin. ger.: *flatuosidade* e *flato.*]

flatulento. [Do fr. *flatulent.*] *Adj.* **1.** Relativo à flatulência. **2.** Que produz flatulência. **3.** Que é sujeito a flatos ou flatulência; flatuloso, flatuoso.

flatuloso (ô). *Adj.* V. *flatulento* (3).

flatuosidade. *S. f.* V. *flatulência.*

flatuoso (ô). [Do fr. *flatueux.*] *Adj.* V. *flatulento* (3). [Cf. *flatoso.*]

flaubertiano (flô). *Adj.* **1.** Pertencente ou relativo a Gustave Flaubert, escritor francês (1821-1880), ou próprio dele. ● *S. m.* **2.** Grande admirador e/ou profundo conhecedor da obra de Flaubert.

flauta. *S. f.* **1.** Instrumento musical de sopro, conhecido desde épocas muito remotas, de tubo aberto, e dotado de orifícios, os quais, obturados, determinam o comprimento da coluna de ar posta em vibração pelos lábios do executante: *uma* flauta *de bambu.* **2.** Flauta transversal, com a extensão de três oitavas, de embocadura livre, constituída atualmente por um tubo cilíndrico de prata ou de metal prateado que, além do orifício lateral que serve de embocadura, tem mais 16 orifícios dotados de chaves. **3.** Pífaro, pífano. **4.** *Bras.* Vadiação, vagabundagem. **5.** *Bras.* Zombaria, flauteio. ● *S. 2 g.* **6.** V. *flautista* (1). **7.** Registro de quase todos os harmônios. [Var.: *frauta.*] ◆ **Flauta basca.** V. *galubé.* **Flauta de Pã.** Antigo instrumento de sopro, formado por uma série de tubos de comprimento decrescente; siringe. **Flauta doce.** Flauta vertical, de madeira e bisel, acionada diretamente pelos lábios do executante. [Cf. *flajolé.*] **Flauta provençal.** V. *galubé.* **Flauta transversa.** A que é executada em posição horizontal. **Flauta vertical.** A que é soprada pela extremidade superior. **Levar na flauta.** *Bras. Fam.* Não tomar a sério; brincar ou troçar de: *É um boa-vida,* leva *tudo na* flauta; "Era hábito dos estudantes da Faculdade de Medicina de Belo Horizonte levarem o curso na flauta até às férias do meio do ano." (Pedro Nava, *Beira-Mar*, pp. 16-17).

flautado. [Part. de *flautar.*] *Adj.* **1.** V. *aflautado.* ● *S. m.* **2.** *Mús.* Nos órgãos tubulares, jogo ou registro. **3.** *Mús.* Flajolé (3). [Var.: *frautado.*]

flautar. *V. t. d.* **1.** Aflautar: flautar *a voz. Int.* **2.** Tirar de um instrumento sons de flauta; aflautar. **3.** *Fig.* Falar com afetação: *A criada amaneirada* flautava *a toda hora.* [Var.: *frautar.*]

flauteador (ô). *S. m. Bras.* Aquele que gosta de flautear.

flautear. *V. int.* **1.** Tocar flauta. **2.** Faltar a compromisso; iludir, enganar. **3.** Distrair-se, espairecer: Flauteava *no campo.* **4.** *Bras.* Viver na flauta; vadiar, vagabundear. *T. d.* **5.** *Pop.* Tentar enganar com subterfúgios. **6.** *Bras.* Zombar de; escarnecer. [Var.: *frautear.* Conjug.: v. *frear.*]

flauteio. [Dev. de *flautear.*] *S. m.* **1.** *Mús.* Trecho melódico em que há timbres próprios da flauta. **2.** *Bras.* Zombaria, troça, flauta.

flauteiro. *S. m.* V. *flautista* (1). [Var.: *frauteiro.*]

flautim. [Do it. *flautino.*] *S. m.* **1.** Instrumento musical de sopro, semelhante à flauta, porém menor e mais fino, e que dá a oitava superior da nota escrita: "Tíbios flautins finíssimos gritavam" (Olavo Bilac, *Poesias*, p. 135). **2.** Tocador de flautim; flautinista.

flautineiro. *S. m.* Fabricante de flautins.

flautinista. *S. 2 g.* Flautim (2).

flautista. *S. 2 g.* **1.** Tocador de flauta; flauteiro, flauta. **2.** Fabricante de flautas.

flava. *S. f.* Feno-de-cheiro.

flavescente. [Do lat. *flavescente.*] *Adj. 2 g.* **1.** Que se torna flavo ou dourado; que flavesce; lourejante. **2.** De coloração amarelada: *râmulos* flavescentes.

flavescer. [Do lat. *flavescere.*] *V. int.* Tornar-se flavo; enlourecer; amarelecer: *As espigas* flavescem; *Flavesceram-lhe os cabelos.* [Conjug.: v. *crescer.* Geralmente é impess.]

▲flav(i)-. [Do lat. *flavus, a, um.*] *El. comp.* = 'louro', 'amarelo': *flavona, flavípede.* [Equiv.: *-flavo: undiflavo.*]

flaviense. [Do lat. *flaviense.*] *Adj. 2 g.* **1.** De, ou pertencente ou relativo a Chaves (Portugal). ● *S. 2 g.* **2.** Natural ou habitante de Chaves. [Sin. ger.: *chaviano.*]

flavípede. [De *flav(i)-* + *-pede.*] *Adj. 2 g. Zool.* Cujos pés são amarelos ou amarelados.

flavo. [Do lat. *flavu.*] *Adj. Poét.* Que tem a cor do trigo maduro, ou do ouro; louro, fulvo, dourado.

▲-flavo. Equiv. de *flav(i)-.*

flebectasia. [De *fleb(o)-* + *-ectas-* + *-ia.*] *S. f. Patol.* Dilatação de uma veia; variz.

flebectomia. [De *fleb(o)-* + *-ectom-* + *-ia.*] *S. f. Cir.* Excisão de uma veia ou segmento de veia.

flebectômico. *Adj.* Relativo à flebectomia.

flebectopia. [De *fleb(o)-* + *-ectop-* + *-ia.*] *S. f. Patol.* Trajeto anômalo de uma veia.

flébil. [Do lat. *flebile.*] *Adj. 2 g.* **1.** Lacrimoso, choroso; lastimoso, plangente: "Guitarras flébeis e violões chorosos" (Augusto Gil, *Versos*, p. 27). **2.** Débil, fraco: *a voz* flébil *do enfermo.* [Pl.: *flébeis.*]

flebite. [De *fleb(o)-* + *-ite¹.*] *S. f. Patol.* Inflamação de uma ou mais veias: "fica [o sangue venoso] dormindo nas veias, produzindo .... enxaquecas, hemorróidas, flebites, varizes, moléstias da pele" (Gilberto Amado, *Depois da Política*, p. 67).

▲fleb(o)-. [Do gr. *phleps, phlebós.*] *El. comp.* = 'veia', 'artéria': *flebite, flebotomia.*

flebografia. [De *fleb(o)-* + *-graf(o)-* + *-ia.*] *S. f.* **1.** *Anat.* Descrição das veias. **2.** *Anat.* Registro do pulso venoso. **3.** *Med.* Visualização radiológica de veia(s).

flebográfico. *Adj.* Relativo à flebografia.

flebógrafo. [De *fleb(o)-* + *-grafo.*] *S. m.* **1.** Anatomista que descreve as veias. **2.** *Med.* Instrumento que registra graficamente o pulso venoso.

flebólito. [De *fleb(o)-* + *-lito.*] *S. m. Patol.* Concreção calcária que se forma numa veia.

flebomalacia. [De *fleb(o)-* + *-malacia.*] *S. f. Patol.* Amolecimento da parede das veias.

flebopalia. [Do gr. *phlebopalía.*] *S. f. Med.* Pulsação das veias.

fleborragia. [De *fleb(o)-* + *-ragia.*] *S. f. Patol.* Hemorragia proveniente de veia.

fleborrágico. *Adj.* Relativo à fleborragia.

flebostasia. [De *fleb(o)-* + *-(e)stas(e)-* + *-ia.*] *S. f. Patol.* Retardamento ou interrupção do fluxo sangüíneo em veia(s).

flebotomia. [De *fleb(o)-* + *-tom(o)-* + *-ia.*] *S. f. Cir.* Incisão praticada em veia, com objetivos diversos.

flebotômico. *Adj.* Referente à flebotomia.

flebotomíneo. *S. m.* **1.** Espécime dos flebotomíneos. ● *Adj.* **2.** Pertencente ou relativo a eles.

flebotomíneos. *S. m. pl. Zool.* Subfamília de insetos da ordem dos dípteros, da família *Psychodidae.* Conhecidos como *mosquito-palha* ou *birigui*, são vectores de doenças graves do homem e dos animais, como a leishmaniose visceral, a úlcera de Bauru, etc.

flebótomo. [De *fleb(o)-* + *-tomo.*] *S. m.* **1.** *Entomol.* Inseto díptero, nematócero, da família dos psicodídeos, parasito do homem e vector de diversas doenças. Asas hialinas, relativamente grandes, lanceoladas, fortemente pilosas nos bordos, e pernas muito longas; larvas aquáticas ou terrestres. Algumas espécies criam-se em bambus ou bromeliáceas. [Sin.: *birigui, barigui, bererê, tatuquira, mosquito-palha*.] **2.** *Med.* Escalpelo especial com que se pratica a flebotomia.

flecha. [Do fr. *flèche*.] *S. f.* **1.** Haste de madeira, ou metálica, de extremidade pontiaguda, que se arremessa com o arco ou a besta; seta. **2.** Ponta ou rebento terminal das árvores. [Cf., nesta acepç.: *galocha* (2).] **3.** Inflorescência masculina do milho. **4.** *Arquit.* Extremidade piramidal ou cônica de uma torre. **5.** *Astr.* Seta[1] (7). **6.** *Constr.* Avoamento. **7.** *Geom.* Numa circunferência, o menor dos dois segmentos determinados por uma corda no diâmetro que lhe é perpendicular. **8.** *Geol.* Disposição, em forma de ponta alongada, que os materiais de aluvião tomam ao depositar-se no litoral. **9.** *Bras., N.E.* Bandeira (15). **10.** *Bras., RS.* Planta aquática e ornamental, da família das alismatáceas (*Sagittaria montevidensis*), comum em pequenas lagoas e águas estagnadas, muito apreciada pela elegância do porte, pela forma das folhas e pela beleza das flores, que são flutuantes, alvas com máculas purpúreas no centro e numerosos estames, e dispostas em muitos verticilos sobre pedúnculos altos, grossos e moles, sendo o fruto uma cápsula grande, com muitas sementes; aguapé. [Var.: *frecha*.]

flechaço. *S. m. Bras.* V. *flechada*.

flechada. *S. f.* Golpe ou ferimento de flecha. [Var.: *frechada*; sin.: *setada* e (bras.) *flechaço*.]

flecha-de-parto. [De *flecha* + *de* + *parto*[2].] *S. f.* Frase ferina que alguém diz a outrem ao retirar-se; golpe na hora de retirada. [Alusão à forma de combate dos partos. Var.: *frecha-de-parto*. Pl.: *flechas-de-parto*.]

flechado. [Part. de *flechar*.] *Adj.* **1.** Ferido com flecha. **2.** Que vai ou vem em direitura com rapidez: *Procurava o filho, e, vendo-o a pequena distância, seguiu flechado em sua direção.* [Var.: *frechado*.]

flecha-peixe. [De *flechar* + *peixe*.] *S. m. Bras.* V. *martim-pescador-grande*. [Pl.: *flecha-peixes*.]

flechar. *V. t. d.* **1.** Ferir com flecha(s). **2.** Passar ou atravessar como seta ou flecha. **3.** Ajustar a flecha em (o arco), para poder despedi-la. **4.** *Fig.* Magoar, ferir: *Flechou-o com injúrias.* **5.** *Fig.* Ironizar, satirizar. *T. i.* **6.** *Bras.* Ir ou vir em direitura com rapidez: *O pequeno, ao ver a tia, flechou para ela. Int.* **7.** *Bras. Pop.* Envergonhar-se; encabular. [Nas f. rizotônicas tem o e aberto. Var.: *frechar*.]

flecharia. *S. f.* Grande porção de flechas. [Var.: *frecharia*.]

flecheira. *S. f.* V. *seteira*. (1). [Var.: *frecheira*.]

flecheiro. *S. m.* **1.** Aquele que atira flechas; seteiro. **2.** Soldado que atirava flechas, nos antigos exércitos. [Var.: *frecheiro*.]

flechilha. [Do esp. plat. *flechilla*.] *S. f. Bras.* Variedade de grama comuníssima em várias zonas do RS (*Stipa neesiana*).

flechinha. [Dim. de *flecha*.] *S. f.* **1.** *Bras., N.* a *S.* Erva perene, da família das gramíneas (*Heteropogon contortus*), cujo óleo essencial tem aroma de limão, cujos racimos são solitários, com espiguetas femininas e masculinas, e cujo fruto é cariopse eriçada de pêlos castanho-avermelhados, que aderem às roupas. É planta cosmopolita tropical, comum em todo o Brasil, assim como no Velho Mundo. **2.** *Bras., RS.* Erva perene, da família das gramíneas (*Piptochaetium ruprechtianum*), considerada invasora de plantações, cuja inflorescência é paniculada, sendo as raques glabras, as espiguetas vermelho-violáceas e vernicosas, as sementes castanho-claras, e que vegeta de preferência em campos férteis.

flectir. [Do lat. *flectere*.] *V. t. d.* **1.** Fazer a flexão de; vergar, dobrar, flexionar: *flectir os joelhos; flectir o tronco. Int.* **2.** Dar volta; dobrar: "erguem-se uns côvados acima do foco luminoso e .... *flectem* à retaguarda, tomando altura." (Aquilino Ribeiro, *Caminhos Errados*, p. 296). [Var.: *fletir*. Defect. Conjug.: v. *aderir*.]

flegma (ê). *S. f.* **1.** V. *fleuma*. **2.** *P. us.* Produto que se obtém numa primeira destilação de suco fermentado de cana e de frutos, e que ainda contém diversas impurezas.

flegmão. [Do gr. *phlegmone*, pelo lat. *phlegmone*.] *S. m.* V. *fleimão*.

flegmasia. [Do gr. *phlegmasía*.] *S. f. Patol.* V. *inflamação* (3).

flegmático. [Do gr. *phlegmatikós*.] *Adj.* V. *fleumático*.

flegmonoso (ô). *Adj. Patol.* Da natureza do flegmão ou fleimão. ~ V. *úlcera* —*a*.

fleima. *S. f.* V. *fleuma*.

fleimão. [De *flegmão*, com vocalização.] *S. m. Patol.* Inflamação de tecido conjuntivo que conduz a ulceração ou abscesso e que, em sua forma difusa, se caracteriza por tendência a progredir em extensão e profundidade. [Outra var.: *freimão*.]

fleme. [Do esp. *fleme*.] *S. m. Bras., MG* e *SP.* V. *flame*: "Aconselhou-me para o outro — uma sangria na 'tábua' do pescoço, para o quê emprestou-me um *fleme*." (Amadeu de Queirós, *Os Casos do Carimbamba*, p. 161.)

flente. [Do lat. *flente*.] *Adj. 2 g.* Que chora; lastimoso; plangente, flébil.

fleotripídeo. *S. m.* **1.** Espécime dos fleotripídeos. ● *Adj.* **2.** Pertencente ou relativo a eles. [Sin. ger.: *floetripídeo*.]

fleotripídeos. *S. m. pl. Zool.* Família de insetos da ordem dos tisanópteros (*Trips*), geralmente castanho-escuros ou pretos, que medem de 0,5 mm até 5 mm, e atacam as plantas onde sugam a seiva. Ex.: o lacerdinha [q. v.]. [Sin.: *floetripídeo*.]

flertar. [De *flerte* (ê) + *-ar*[2].] *V. int.* e *t. i.* Namoriscar; namoricar: *Foi à Avenida flertar; Flertou com a irmã do amigo.* [Pres. subj.: *flerte, flertes, flerte*, etc. Cf. *flerte* (ê) e pl. *flertes* (ê).]

flerte (ê). [Do ingl. *flirt*.] *S. m.* Namoro ligeiro, sem conseqüência; namorico. [Pl.: *flertes* (ê). Cf. *flerte* e *flertes*, do v. *flertar*.]

fletaço. [Do esp. plat. *fletazo*.] *S. m. Bras., RS.* Flete grande e/ou bom.

flete. [Do esp. plat. *flete*.] *S. m. Bras., RS.* Cavalo bom e de bela estampa, encilhado com elegância: "Mas os *fletes* corriam, compassados como numa colhera." (Simões Lopes Neto, *Contos Gauchescos e Lendas do Sul*, p. 330.) [Aum.: *fletaço*.]

fletir. *V. t. d.* e *int.* Var. de *flectir*. [Defect. Conjug.: v. *aderir*.]

fleuma. [Var. de *flegma*, do gr. *phlégma*, 'coisa quebrada', atr. do lat. *phlegma*.] *S. f.* **1.** Um dos quatro humores corporais, segundo a teoria hipocrática e a galênica [v. *galenismo*]. **2.** *Fig.* Frieza de ânimo; serenidade, impassibilidade: "Portam-se, nesta conjuntura dramática, com uma *fleuma* britânica." (Érico Veríssimo, *México*, p. 28.) **3.** *Fig.* Falta de interesse, diligência ou pressa; lentidão, pachorra. [Outras var.: *fleima*, *freima* (q. v.).]

fleumático. [Var. de *flegmático*.] *Adj.* **1.** Relativo a fleuma. **2.** Que tem fleuma (2); sereno, impassível. **3.** Que tem fleuma (3); lento, pachorrento.

flexão (cs). [Do lat. *flexione*.] *S. f.* **1.** Ato de flectir, dobrar(-se), curvar(-se). **2.** Estado do que é flexível; dobradura, curvatura. **3.** V. *flexibilidade* (2). **4.** *Gram.* Variante das desinências nas palavras declináveis e conjugáveis; inflexão.

flexibilidade (cs). [Do lat. *flexibilitate*.] *S. f.* **1.** Qualidade de flexível. **3.** Elasticidade, destreza, agilidade, flexão, flexura: *flexibilidade corporal.* **3.** Facilidade de ser manejado; maleabilidade. **4.** Aptidão para variadas coisas ou aplicações: *flexibilidade de espírito.* **5.** Docilidade, brandura. **6.** Disponibilidade de espírito; compreensão, complacência.

flexibilizar (cs). *V. t. d.* e *p.* Tornar(-se) flexível.

flexicaule (cs). *Adj. 2 g. Morfol. Veg.* Dotado de caule flexuoso.

fléxil (cs). [Do lat. *flexile*.] *Adj. 2 g. Poét.* Flexível: "Abriu com os magros braços / De tecido cipoal os *fléxeis* ramos." (Alberto de Oliveira, *Poesias*, 3ª série, p. 275); "Dos *fléxiles* bambus pela alameda / Clara do saibro solto das colinas, // Passamos." (Id., *ib.*, p. 26.) [Pl.: *fléxeis* e (p. us.) *fléxiles*.]

flexíloquo (cs). [Do lat. *flexiloquu*.] *Adj.* Ambíguo ou obscuro na linguagem.

flexionado (cs). [Part. de *flexionar*.] *Adj. Gram.* Em que há flexão (4).

flexional (cs). *Adj. 2 g. Gram.* Relativo a flexão (4); flexivo. ~ V. *sufiço* —.

flexionamento (cs). *S. m.* Ato ou efeito de flexionar.

flexionar (cs). *V. t. d.* **1.** *Gram.* Fazer a flexão de: *flexionar um verbo.* **2.** V. *flectir* (1). *P.* **3.** *Gram.* Assumir a forma flexionada: *O pronome cujo flexiona-se; O que não se flexiona.*

flexionável (cs). *Adj. 2 g.* Que pode ser flexionado.

flexionismo (cs). *S. m. Gram.* Doutrina da flexão das palavras.

flexípede (cs). [Do lat. *flexipede*.] *Adj. 2 g.* Que tem pés tortos.

flexível (cs). [Do lat. *flexibile*.] *Adj. 2 g.* **1.** Que se pode dobrar ou curvar; arqueável, vergável, flexo. **2.** Arqueado com elegância; elástico: *cintura flexível.* **3.** Fácil de manejar; maleável, domável. **4.** Dócil, complacente, brando, suave, submisso: *caráter flexível.* **5.** Que tem aptidão para diferentes atividades. ~ V. *acoplamento* — e *pavimento* —.

flexivo (cs). [Do lat. *flexu*, 'dobrado', + *-ivo*.] *Adj. Gram.* **1.** Flexional. **2.** Diz-se do grupo das línguas que têm flexões.

flexo (cs). [Do lat. *flexu*.] *Adj.* **1.** Em que se produziu flexão (1); dobrado. **2.** V. *flexível* (1).

flexografia (cs). [Do lat. *flexu*, 'dobrado', + *-graf(o)* + *-ia*.] *S. f. Art. Gráf.* Sistema de impressão de relevo, rotativa, com clichês plásticos e tintas fluidas de secagem rápida.

flexográfico (cs). *Adj.* Respeitante à flexografia.

flexor (cs...ô). [De *flexo* + *-or*.] *Adj.* **1.** Que efetua a flexão. **2.** Que faz dobrar. ~ V. *músculo* —. ● *S. m.* **3.** V. *músculo flexor*.

flexório (cs). [Do lat. *flexu*, 'dobrado', + *-or-* + *-io*[2].] *S. m. Anat. Desus.* V. *músculo flexor*.

flexuar (cs). [Do lat. *flexu*, 'dobrado', + *-ar*[2].] *V. int.* Dobrar(-se), vergar, curvar-se: "Altas gramíneas penachudas esfiavam paina ao vento e o sapê cerrado .... *flexuava* crepitando como a um fogo latente." (Coelho Neto, *Rei Negro*, p. 248.)

flexuosidade (cs). *S. f.* Qualidade ou estado de flexuoso; flexura.

flexuoso (cs...ô). [Do lat. *flexuosu*.] *Adj.* **1.** Sinuoso, tortuoso, torto: *caminho flexuoso*; "E *flexuosa*, em vaivéns, como de dobra em dobra, / A longa fila ondula e serpenteia" (Vicente de Carvalho, *Poemas e Canções*, p. 57). **2.** Ondulante, onduloso, ondeante, sinuoso: "afagou-o passando-lhe a mão pelo dorso *flexuoso* e macio" (Coelho Neto, *Turbilhão*, p. 121). **3.** Flexível, balançante: *andar flexuoso*.

flexura (cs). [Do lat. *flexura*.] *S. f.* **1.** *Anat.* Curvatura em uma estrutura ou em segmento dela. **2.** V. *flexibilidade* (2). **3.** Flexuosidade. **4.** Gesto, meneio: "os mais brandos toques e *flexuras* de feminilidade lhe animavam o falar, o olhar, o mover-se langorosamente dum sofá para outro." (Camilo Castelo Branco, *A Mulher Fatal*, pp. 38-39). **5.** Indolência, frouxidão, moleza. **6.** *Geol.* Acidente constituído pela descida de um compartimento de terreno, sem interrupção de continuidade com o compartimento vizinho.

flibusteiro. [Do hol. *vrijbuiter*, pelo ingl. *freebooter* e pelo fr. *fribustier, flibustier*.] *S. m.* **1.** Pirata dos mares da América nos sécs. XVII e XVIII. **2.** *Fig.* Aventureiro, trapaceiro; ladrão.

flictena. [Do gr. *phlyktaina*.] *S. f. Patol.* **1.** Coleção localizada de líquido na epiderme, produzida por queimadura. **2.** Pequena pústula, em forma de vesícula, que contém linfa.

➧**flint-glass** (flint gléç). [Ingl.] *S. m.* Vidro com base de chumbo, de poder fortemente dispersivo e refrigerante.

➧**flip-flop.** [Ingl.] *S. m. 2 n. Eletrôn.* V. *circuito* flip-flop.

flocado. [De *floco* + *-ado*[1].] *Adj.* **1.** Semelhante a floco. **2.** Feito ou disposto em flocos: *borlas flocadas.* [Sin. ger.: *flocoso*.]

floco. [Do lat. *floccu*.] *S. m.* **1.** Partícula de neve que esvoaça e cai lentamente; folheca, folipa ou folipo. **2.** Conjunto de filamentos sutis que esvoaçam ao impulso da aragem: "Da paina os vagos *flocos* cor de neve / Colhe [o passarinho]" (Alberto de Oliveira, *Poesias*, 2ª série, p. 232). **3.** Tufo, borla, felpa: *floco de lã.* **4.** Tufo de pêlos na cauda de alguns animais. **5.** Forma vaporosa e leve: *os flocos das nuvens; flocos de névoa.* [Var.: *froco*. Dim. irreg.: *flóculo*.]

flocoso (ô). [Do lat. *floccosu*.] *Adj.* **1.** Que tem ou faz flocos. **2.** V. *flocado*. **3.** *Morfol. Veg.* Tomentoso, porém com os pêlos aglomerados em pequenos grupos; flocoso-tomentoso: *pecíolo flocoso*

flocoso-tomentoso. *Adj. Morfol. Veg.* Flocoso (3). [Pl.: *flocoso-tomentosos*.]

floculação. [De *flóculo* + *-a-* + *-ção*.] *S. f. Fís.-Quím.* Coagulação (3).

flóculo. *S. m.* Pequeno floco; flocozinho.

floema. [Do gr. *phlóos*, 'casca'.] *S. m. Anat. Veg.* Líber.

floemático. *Adj. Anat. Veg.* Relativo ao floema: *parênquima floemático*.

floetripídeo. *S. m.* e *adj.* Fleotripídeo.

floetripídeos. *S. m. pl. Zool.* Fleotripídeos.

flogístico. [Do gr. *phlogistós*, 'inflamado' (subentende-se fluido), + *-ico*[2].] *Adj.* **1.** Diz-se do fluido imaginado pelos químicos do séc. XVIII para explicar a combustão. **2.** *Med.* Inflamatório (2). ● *S. m.* **3.** Esse fluido; flogisto.

flogisto. *S. m.* Flogístico (3).

flogopita. [Do gr. *phlogopós*, 'de rosto afogueado', + *-ita*[3].] *S. f. Min.* Mineral monoclínico do grupo das micas, pardo-avermelhado, com reflexos da cor do cobre, silicato de potássio, magnésio e alumínio.

flogose. [Do gr. *phlógosis*.] *S. f. Med.* V. *inflamação* (3).

flor (ô). [Do lat. *flore*.] *S. f.* **1.** *Morfol. Veg.* Órgão da reprodução sexuada das plantas superiores (fanerógamas). [Consta de folhas coloridas, distintas em *cálice* (externas) e *corola* (internas), formando, em conjunto, o *perianto*, de *estames* (produtores das células masculinas) e de *gineceu* (gerador das células femininas). A flor representa um ramo fortemente comprimido, no qual os nós se tornaram muito aproximados. Pode ser: *hermafrodita* (com ambos os órgãos sexuais), *masculina* (se leva apenas estames) e *feminina* (quando possui somente gineceu). **2.** *P. ext.* Planta que dá flor(es): *regar as flores*. **3.** A parte mais fina de uma substância. **4.** V. *elite* (1): *a flor da intelectualidade brasileira; a flor do magistério.* **5.** Pessoa que sobressai entre as outras: "Teresinha era a flor das pequenas lá da fábrica." (Aluísio Azevedo, *Demônios*, p. 253.) [Cf. *elite* (1).] **6.** O desabrochar (da vida); a flor da idade. **7.** Estado do que é fresco e viçoso: "Eram dous, ele e ela, ambos na flor da beleza e da mocidade" (José de Alencar, *Til*, p. 17). **8.** Beleza, encanto, formosura. **9.** Pessoa bela ou boa, afável, delicada. **10.** Objeto ou ornato que representa uma flor. **11.** Bolor do vinho, da cerveja, etc., quando entra em contato com o ar. **12.** Coisa excelente, ótima, de belo aspecto: *flor de gado* (i. e., gado apurado, fino). **13.** A superfície exterior do couro. **14.** Produto obtido pela sublimação ou oxidação do ar: *flor-de-enxofre*. [Pl.: *flores*, (ô); dim.: *florinha, florzinha, florículo, flósculo*. Cf. *flores*, do v. *florar*.] ♦ **Flor da idade.** A mocidade, a juventude; flor dos anos: "Morreu na flor da idade em 20 de dezembro de 1803." (Camilo Castelo Branco, *Noites de Insônia*, XI, p. 89.) **Flor de estufa.** Criança delicada, não criada ao ar livre. **Flor dos anos.** Flor da idade: "essa nostalgia insondável dos que vão morrer na flor dos anos" (Fialho d'Almeida, *A Cidade do Vício*, p. 249). **Flores de retórica.** Ornamentos poéticos do estilo. **Flor holopetalar.** *Morfol. Veg.* Aquela cujas partes se converteram todas em pétalas. **Flor protogínica.** *Morfol. Veg.* Flor dicógama em que os órgãos sexuais femininos amadurecem antes dos masculinos. **Flor tubiflora.** *Morfol. Veg.* Aquela cuja corola tem as pétalas soldadas, formando um tubo longo. **À flor de.** À superfície de; ao lume de. **Em flor.** Muito novo, muito jovem; em plena mocidade: "Do Espanhol as cantilenas / Requebradas de langor, / Lembram as moças morenas, / As andaluzas em flor." (Castro Alves, *Poesias Escolhidas*, p. 328.) **Fina flor.** V. elite (1): *a fina flor da sociedade*; "O Clube Tiradentes — o núcleo da fina flor do florianismo — reunia-se em sessão permanente" (Sílvio Rabelo, *Euclides da Cunha*, p. 83). **Na flor do ar.** *Bras., SE.* Com rapidez notável: *apanhar, segurar, pegar na flor do ar*. **Não ser flor de se cheirar.** *Bras. Fam.* Não ser flor que se cheire. **Não ser flor que se cheire.** *Bras. Fam.* Ser desonesto, menos correto, ou não muito digno de confiança; não ser flor de se cheirar.

flora. [De *Flora*, deusa das flores.] *S. f.* **1.** *Bot.* O conjunto das espécies vegetais de uma determinada localidade: *a flora brasileira; a flora do Itatiaia.* **2.** Conjunto de plantas que servem para determinado fim: *a flora medicinal*. [Dim. irreg.: *flórula*.] **3.** *Astr.* Asteróide de magnitude 8,9 na oposição, o oitavo que foi descoberto. ♦ **Flora bacteriana.** *Bacter.* O conjunto das bactérias que existem normalmente em determinada parte do organismo, como, p. ex., o intestino.

floração. *S. f.* **1.** *Morfol. Veg.* Aparecimento e permanência de flores numa dada planta. **2.** *Fig.* Desabrochamento, desenvolvimento: *floração de uma arte*.

florada. *S. f.* **1.** Doce de flores de laranjeira. **2.** Doce de ovos com a forma de flores. **3.** Abertura geral das flores de uma planta ou de um conjunto de plantas.

florado. [Part. de *florar*.] *Adj.* **1.** *Bras.* Coberto de flores (árvore); florido, enflorado: "o cafezal recendente e florado" (Alberto Rangel, *Quando o Brasil Amanhecia*, p. 212). **2.** Ornado, enfeitado, adornado; embelezado.

floraiense (a-i). *Adj. 2 g.* **1.** De, ou pertencente ou relativo a Floraí (PR). ● *S. 2 g.* **2.** Natural ou habitante de Floraí.

florais. [Do lat. *floralia*.] *S. m. pl.* Jogos florais. ~ V. *floral*.

floral. [Do lat. *florale*.] *Adj. 2 g.* **1.** Da flor. **2.** Que contém só flores. **3.** Relativo a flores. **4.** Próprio de flor; flóreo: "pairou na doce estrada / onde Amor acendia a idade antiga / ao hálito floral da madrugada." (Valdemar Lopes, *Sonetos do Tempo Perdido*, p. 49). ~ V. *jogos florais, nectário* — e *florais*.

floranense. *Adj. 2 g.* **1.** De, ou pertencente ou relativo a Florânia (RN). ● *S. 2 g.* **2.** Natural ou habitante de Florânia.

florão. [Do it. *fiorone*.] *S. m.* **1.** Ornato circular, do feitio de flor, no centro de um teto, abóbada, etc. **2.** Espécie de jogo popular. **3.** Espécie de pequena carruagem antiga. **4.** *Heráld.* Ornato de ouro ou de pedras preciosas, à feição de flor, no círculo de uma coroa. **5.** *Tip.* Vinheta floriforme usada sobretudo em folha de rosto. **6.** *Encad.* Ferro de dourar, semelhante a essa vinheta.

florar. *V. int. Bras., N.* e *N.E.* **1.** V. *florir* (4); "Planta algodão; este cresce e flora." (Gustavo Barroso, *Terra de Sol*, p. 15); "Repare ali embaixo, beirando o leito seco do rio, as acácias florando." (José Bezerra Filho, *Fogo!*, p. 37). *T. d.* **2.** V. *florir* (2). [Pres. subj.: *flore, flores*, etc. Cf. *flores* (ô), pl. de *flor*, e *flores* (ô), antr. e top.]

flora-riquense. *Adj. 2 g.* **1.** De, ou pertencente ou relativo a Flora Rica (SP). ● *S. 2 g.* **2.** Natural ou habitante de Flora Rica. [Pl.: *flora-riquenses*.]

flor-da-cachoeira. *S. f. Bras., Amaz.* e *GO.* Erva perene, ornamental, da família das podostemáceas (*Mourera fluviatilis*), de folhas grandes e grossas, carnosas, de bordas recortadas e crespas, flores hermafroditas, grandes, róseas, dispostas em racimos, e cujo fruto, cápsula subséssil com duas valvas iguais e sementes sem albume, vegeta nos remansos de águas represadas que antecedem as grandes pancadas e corredeiras; mururé-das-cachoeiras, uapé ou uapê, uapé-da-cachoeira ou uapê-da-cachoeira. [Pl.: *flores-da-cachoeira*.]

flor-da-esperança. *S. f. Bras., RS.* Erva perene, da família das ranunculáceas (*Anemone triternata*), de flores alvas, solitárias, apétalas, com várias sépalas oblongo-obtusas, formando uma estrela, e cujo fruto é poliaquênio oblongo. [Pl.: *flores-da-esperança*.]

flor-d'água. *S. f. Bras., N.* a *S.* Erva aquática, ornamental, da família das aráceas (*Pistia stratiotes*), acaule, estolonífera, com inúmeras raízes imersas, folhas emergentes, esponjosas, sésseis e polimorfas, flores pequenas, amarelo-pálidas, dispostas em espádice e protegidas por espata pequena e alvacenta, e cujo fruto é baga ovóide, com pericarpo fino; alface-d'água, erva-de-santa-luzia. [Pl.: *flores-d'água*.]

flor-da-imperatriz. *S. f. Bras., RJ.* Erva de bulbo grande e ornamental, da família das amarilidáceas (*Hippeastrum procerum*), de folhas grandes, invaginantes e eretas, formando leque, de flores lilás-violáceas internamente e pálidas externamente, pediceladas, com lacínias, dispostas em umbelas, e cujo fruto é cápsula com numerosas sementes comprimidas; açucena, imperatriz-do-brasil, rabo-de-galo. [Pl.: *flores-da-imperatriz*.]

flor-da-noite. *S. f. Bras.* Trepadeira de caule longo e vigoroso, ornamental, da família das cactáceas (*Selenicereus pteranthus*), originária do México e comum no Brasil, armada de espinhos cônicos e escuros, cujas flores são alvas e amarelas, muito grandes, aromáticas, com tubo verde e escamoso, e cujo fruto é baga globosa e vermelha; flor-de-baile: "A flor-da-noite abre o cálix..." (Olavo Bilac, *Poesias*, p. 155.) [F. paral.: *flor-da-noute*. Pl.: *flores-da-noite*.]

flor-da-noute. *S. f. Bras.* Flor-da-noite [q. v.]. [Pl.: *flores-da-noute*.]

flor-da-paixão. *S. f. Bras.* Designação comum às espécies ornamentais do gênero *Passiflora*, da família das passifloráceas, conhecidas por maracujá, de flores grandes e vistosas, e cujos frutos são muito apreciados. Seus segmentos são comparados com os objetos que serviram ao martírio de Cristo, correspondendo os estaminódios à coroa de espinhos; os estigmas claviformes, aos cravos; os estames, aos martelos; etc. [Pl.: *flores-da-paixão*.]

flor-da-páscoa. *S. f.* Pulsatila. [Pl.: *flores-da-páscoa*.]

flor-da-quaresma. *S. f. Bras.* Designação comum a muitas árvores ou arbustos ornamentais da família das melastomatáceas, pertencentes aos gêneros *Tibouchina* e *Rhynchanthera*, próprias para parques e jardins, e que vegetam em vários estados do País; quaresma, quaresmeira, manacá-da-serra. [Pl.: *flores-da-quaresma*.]

flor-da-redenção. *S. f. Bras.* Erva alta e ornamental, da família das zingiberáceas (*Phoeomeria speciosa*), dotada de escapos floríferos muito grandes, tendo no ápice um denso capítulo ou espiga piramidal, com pedúnculos, escamas verdes, brácteas exteriores vermelhas e corola rubra com margens alvas, e cujo fruto é cápsula pilosa que contém semente preta envolta em polpa. [Pl.: *flores-da-redenção*.]

flor-das-almas. *S. f. Bras., MG* a *RS* e *MT.* Planta herbácea e ereta, da família das compostas (*Senecio brasiliensis*), de propriedades melíferas, flores amarelas, reunidas em densos capítulos corimboso-paniculados, e cujo fruto é aquênio pequeno, cilíndrico, com *pappus* [q. v.] branco; catião, craveiro-do-campo, maria-mole, erva-lanceta, malmequer-amarelo. [Pl.: *flores-das-almas*.]

flor-das-pedras. *S. f.* V. *anêmona-do-mar*. [Pl.: *flores-das-pedras*.]

flor-da-verdade. *S. f. Bras.* Planta de raiz espessa e caule reto, da família das ranunculáceas (*Veratrum album*), de flores hermafroditas, alvacentas ou esverdeadas, pequenas, dispostas em racimos espiciformes no ápice do caule e sobre os ramos, e cujo fruto é cápsula com sementes compridas e aladas; heléboro-branco, veratro. [Pl.: *flores-da-verdade*.]

flor-de-abril. *S. f. Bras., litoral.* Árvore de caule reto e grande copa, da família das dileniáceas (*Dillenia indica*), de flores axilares ou terminais, solitárias, de cor amarela ou alva, aromática, cujo fruto é cápsula globosa, pêndula, indeiscente, de pericarpo duro e fino, circulada pelo cálice (que se torna carnoso), contendo numerosas sementes envoltas em polpa gelatinosa, e que fornece madeira de cerne compacto e resistente, própria para construção naval; dilênia. [Pl.: *flores-de-abril*.]

flor-de-amor. *S. f. Bras.* Designação comum a algumas plantas rústicas da família das hidrofiláceas, pertencentes ao gênero *Nemophila*, originárias da Califórnia e comumente cultivadas no Brasil, cujas flores, alvas ou azuis, são especiais para formar tapetes floríferos em grandes partes ou bordas de canteiro; flor-de-amores, flor-dos-amores. [Pl.: *flores-de-amor*.]

flor-de-amores. *S. f. Bras.* V. *flor-de-amor*. [Pl.: *flores-de-amores*.]

flor-de-babado. *S. f. Bras., C.O.* a *S.* Designação comum a várias plantas campestres da família das apocináceas, pertencentes ao gênero *Macrosiphonia*, de caule lenhoso, pequenas, lactescentes, e com frutos do tipo folículo; flor-de-babeiro. [Pl.: *flores-de-babado*.]

flor-de-babeiro. *S. f. Bras.,* C.O. a *S.* Flor-de-babado. [Pl.: *flores-de-babeiro*.]

flor-de-baile. *S. f. Bras.* Flor-da-noite. [Pl.: *flores-de-baile*.]

flor-de-baunilha. *S. f.* V. *baunilha-dos-jardins*. [Pl.: *flores-de-baunilha*.]

flor-de-besoiro. *S. m.* Flor-de-besouro [q. v.]. [Pl.: *flores-de-besoiro*.]

flor-de-besouro. *S. f.* Flor-de-padre. [F. paral.: *flor-de-besoiro*. Pl.: *flores-de-besouro*.]

flor-de-caboclo. *S. f. Bras., CE, BA* a *SP*, e *GO.* Subarbusto da família das leguminosas (*Calliandra dysantha*), de flores sésseis, com numerosos estames róseos ou carminados, e cujo fruto é vagem pilosa; treme-treme. [Pl.: *flores-de-caboclo*.]

flor-de-cal. *S. f.* Pó finíssimo, resultante do peneiramento da cal extinta. [Pl.: *flores-de-cal*.]

flor-de-cardeal. *S. f. Bras., PA* a *SP.* Trepadeira ornamental, da família das convolvuláceas (*Quamoclit quamoclit*), de flores róseas, ou avermelhadas, com corola tubulosa, e cujo fruto é cápsula ovóide; boa-tarde, primavera. [Pl.: *flores-de-cardeal*.]

flor-de-carnaval. *S. f. Bras., RS.* Planta de bulbo ovóide, da família das amarilidáceas (*Zephyranthes andersonii*), de folhas glaucas e escapo mais curto que as folhas, de cor vermelha, flores amarelo-ouro com estrias avermelhado-escuras, espata tubulosa, laciniada no ápice, purpúrea, e cujo fruto é cápsula cônica e turbinada. [Pl.: *flores-de-carnaval*.]

flor-de-cera. *S. f. Bras., RJ.* Trepadeira ornamental, da família das asclepiadáceas (*Hoya carnosa*), originária da Ásia, de crescimento vagaroso e folhagem escassa, porém muito apreciada e cultivada graças às suas flores abundantes, elegantíssimas e duráveis, róseas, aromáticas, luzidias, carnosas, dispostas em inflorescências pêndulas e multífloras que dão a impressão de ser de cera. [Pl.: *flores-de-cera*.]

flor-de-chagas. *S. f.* V. *capuchinha*. [Pl.: *flores-de-chagas*.]

flor-de-cobra. *S. f. Bras., RJ* e *SP.* Arbusto regular, ornamental, da família das rubiáceas (*Rudgea paniculata*), de folhas coriáceas, opostas e cruzadas, de formato oblongo, e flores alvas, dispostas em panículas terminais. [Pl.: *flores-de-cobra*.]

flor-de-coiro. *S. m. Bras., BA* a *SP.* V. *flor-de-couro*. [Pl.: *flores-de-coiro*.]

flor-de-contas. *S. f. Bras., RS.* Planta ornamental, da família das liliáceas (*Ornithogalum arabicum*), originária das costas do Mediterrâneo, de flores grandes, pedunculadas, alvas e amarelas, primeiramente dispostas em inflorescências e depois em racimos frouxos, bulbo também grande, revestido de túnica branca e glutinosa, e cujas sementes são pretas e angulosas. [Pl.: *flores-de-contas*.]

flor-de-coral. *S. f.* **1.** *Bras., RJ* e *SP.* Arbusto pequeno, tomentoso e ornamental, da família das verbenáceas (*Clerodendron speciosissimum*), originário de Java, de flores grandes, vermelhas, numerosas, vistosas, dispostas em panícula terminal ampla, e cujo fruto é baga azul. **2.** *Bras., N.* e *GO.* Árvore regular, ornamental, da família das leguminosas (*Erythrina corallodendron*), originária da Amaz. e de MT, de flores vermelhas, dispostas em racimos multifloros, sendo as sementes do fruto do tamanho de um feijão, e vermelhas com mácula preta, duras e verrucosas, e que fornece madeira branca, mole, quebradiça e esponjosa; molongó-branco, pau-coral, mulungu, corticeira, suinã. **3.** *Bras., N.* a *S.* Designação comum a dois arbustos ornamentais, da família das rubiáceas (*Ixora coccinea* e *Ixora stricta*), muito vistosos, originários da China e da Índia, comuns nos jardins de todo o País, de flores vermelhas, e cujos frutos são bagas, também vermelhas; jasmim-vermelho. **4.** *Bras., BA* a *SP.* Árvore pequena e arbustiva, ornamental, da família das euforbiáceas (*Jatrophamultifida*), de flores vermelhas, pequenas, dispostas em corimbos multifloros, cujo fruto é cápsula ovóide, amarela, contendo sementes ariladas, e cuja casca exsuda látex (bálsamo) verde, acre e amargo; árvore-de-bálsamo, coral, coral-dos-jardins, flor-de-sangue. **5.** V. *corticeira* (2). [Pl.: *flores-de-coral.*]

flor-de-couro. [Var. de *flor-de-coiro.*] *S. f.* **1.** *Bras., BA* a *SP.* Planta ornamental, da família das orquidáceas (*Zygopetalum meleagris*), de raízes numerosas e compridas, flores semipêndulas, solitárias, rotáceas e carnosas, amarelas na base e vermelhas no ápice, e cujo fruto é cápsula; estrela-da-república, flor-de-sola. **2.** Flor-de-madeira (1). [Pl.: *flores-de-couro.*]

flor-de-duas-esporas. *S. f. Bras., RJ.* Planta herbácea, ornamental, da família das escrofulariáceas (*Diascia barberoe*), originária do S. da África, de flores róseas, irregularmente abertas, tendo no centro da corola máculas amarelo-vivo, e as duas divisões laterais prolongadas na base em duas esporas curtas e arqueadas, e cujo fruto é cápsula aguda e bivalve. [Pl.: *flores-de-duas-esporas.*]

flor-de-enxofre. *S. f.* Enxofre sublimado e reduzido a pó. [Pl.: *flores-de-enxofre.*]

flor-de-gelo. *S. f.* V. *folha-de-gelo.* [Pl.: *flores-de-gelo.*]

flor-de-índio. *S. f. Bras., S.* e *MT.* Arbusto pequeno, da família das leguminosas (*Caesalpinia gilliesii*), de folíolos revestidos de numerosas glândulas nectárias vermelhas e pequenas, flores grandes, amarelo-laranja, masculinas e hermafroditas, dispostas em racimos corimbosos, bracteados, e cujo fruto é vagem linear, com valvas glandulosas, contendo sementes ovóides, lisas, verrucosas, castanhas, com máculas pretas. [Pl.: *flores-de-índio.*]

flor-de-jesus. *S. f. Bras., SC.* Planta epífita, ornamental, da família das orquidáceas (*Laelia elegans*), de flores alvo-róseo-violáceas, suavemente aromáticas, com máculas amareladas no labelo e as pétalas um pouco mais largas que as sépalas. É espécie belíssima, muito variável na forma e na cor das flores, e das mais famosas, pelo número de variedades hortícolas. [Pl.: *flores-de-jesus.*]

flor-de-lã. *S. f. Bras., MG.* Arbusto tomentoso, ornamental, da família das melastomatáceas (*Trembleya laniflora*), de flores alvas, sésseis, axilares, com pétalas nervadas e estames desiguais, aproximadas no ápice dos ramos, e cujo fruto é cápsula lisa, escura, verrucosa, que contém sementes arredondadas nos dois lados. [Pl.: *flores-de-lã.*]

flor-de-lis. *S. f.* **1.** Planta bulbosa, da família das amarilidáceas (*Sperkelia formosissima*), de flores grandes, em geral solitárias, envolvidas em espata bivalve, e perianto quase sempre vermelho-escuro. Folhas lineares, dísticas, pouco numerosas. **2.** Ornamento heráldico em forma de um lírio estilizado, distintivo da realeza na França; lis. [Pl.: *flores-de-lis.*]

flor-de-madeira. *S. f.* **1.** *Bras. RJ.* Trepadeira lactescente e ornamental, da família das convolvuláceas (*Ipomoia glaziovii*), cuja inflorescência axilar é pauciflora, com flores amarelas, tubulosas e efêmeras, e cujo fruto é cápsula amarela, com sementes pretas, de bordos arredondados; flor-de-couro. **2.** V. *flor-de-pau.* [Pl.: *flores-de-madeira.*]

flor-de-maio. *S. f. Bras., N., RJ* e *SP.* Erva ornamental, da família das liliáceas (*Convallaria majalis*), de flores pequenas, monopétalas, alvas, suavemente aromáticas dispostas em racimos terminais unilaterais, e cujo fruto é baga globosa, vermelha, com poucas sementes, azuladas; círio-de-nossa-senhora. [Pl.: *flores-de-maio.*]

flor-de-mico. *S. f.* V. *açucena-do-mato.* [Pl.: *flores-de-mico.*]

flor-de-natal. *S. f. Bras., PE.* Arbusto trepador, da família das malpighiáceas (*Banisteria nitrosiodora*), de flores amarelas, que exalam cheiro de ácido nítrico, e cujo fruto é sâmara amarelo-ouro, híspido-sericea, com ala oblonga. [Pl.: *flores-de-natal.*]

flor-de-noiva. *S. f. Bras.* Designação comum a vários arbustos ornamentais da família das rosáceas, pertencentes ao gênero *Spiraea*, todos muito decorativos, com belas flores alvas ou róseas, dependendo da espécie; biju, buquê-de-noiva. [Pl.: *flores-de-noiva.*]

flor-de-padre. *S. f. Bras., AM.* a *PE, SP* e *GO.* Árvore grande, ornamental, da família das leguminosas (*Cassia hoffmannseggii*), de flores grandes, amarelas, dispostas em panículas curtas, e cujo fruto é vagem com valva coriácea; flor-de-besouro. [Pl.: *flores-de-padre.*]

flor-de-papagaio. *S. f. Bras.* V. *folha-de-sangue.* [Pl.: *flores-de-papagaio.*]

flor-de-passarinho. *S. f. Bras., S.* Designação comum a duas plantas epífitas ornamentais, da família das orquidáceas, pertencentes ao gênero *Oncidium*, com flores amarelas e de longa duração. [Pl.: *flores-de-passarinho.*]

flor-de-pau. *S. f. Bras., N.* a *S.* Trepadeira ornamental, da família das convolvuláceas (*Convolvulus gossypifolius rosus*), de flores amarelo-enxofre, com corola tubulosa, e tubérculo do tamanho de uma cabeça humana, sendo o fruto cápsula seca, globosa, inclusa nas sépalas, que são coriáceas e parecem feitas de madeira; campainha-amarela, cipó-brasil, flor-de-madeira. [Pl.: *flores-de-pau.*]

flor-de-pérolas. *S. f. Bras., RJ.* Arbusto regular, da família das nictagináceas (*Torrubia olfersiana*), que vegeta em matas litorâneas, de casca suberosa, flores vermelhas, muito aromáticas, verrucosas, em forma de pérolas, e dispostas em cimeiras umbeliformes, sendo o fruto uma baga elíptica, escura, lisa, com sementes estriadas e glabras. [Pl.: *flores-de-pérolas.*]

flor-de-sangue. *S. f.* V. *flor-de-coral* (4). [Pl.: *flores-de-sangue.*]

flor-de-são-joão. *S. f. Bras.* V. *cipó-de-são-joão.* [Pl.: *flores-de-são-joão.*]

flor-de-são-miguel. *S. f.* **1.** *Bras., PA.* Arbusto escandente e ornamental, da família das verbenáceas (*Petrea recemosa*), de flores de limbo grande, azul-violáceas, dispostas em racimos, e cujo fruto é cápsula indeiscente, inclusa no tubo do cálice; viuvinha, touca-de-viúva, flor-de-viúva. **2.** V. *coroa-de-viúva.* [Pl.: *flores-de-são-miguel.*]

flor-de-sapo. *S. f.* V. *cipó mil-homens* (1). [Pl.: *flores-de-sapo.*]

flor-de-seda. *S. f. Bras.* Ciúme (5). [Pl.: *flores-de-seda.*]

flor-de-sola. *S. f. Bras.* V. *flor-de-couro* (1). [Pl.: *flores-de-sola.*]

flor-de-trombeta. *S. f. Bras.* Planta herbácea, ornamental, da família das solanáceas (*Salpiglossis sinuata*), de flores de corola infundibuliforme, com estilete recurvado como trombeta, e cujo fruto é cápsula, com sementes muito pequenas. [Pl.: *flores-de-trombeta.*]

flor-de-vaca. *S. f.* Planta epífita, ornamental, da família das orquidáceas (*Stanhopea ecornuta*), originária da América Central, de flores grandes, alvas, com labelo amarelo-pálido, e alvo no ápice, com pontoações purpúreas; cabeça-de-boi. [Pl.: *flores-de-vaca.*]

flor-de-viúva. *S. f.* **1.** V. *flor-de-são-miguel* (1). **2.** V. *coroa-de-viúva.* [Pl.: *flores-de-viúva.*]

flor-do-campo. *S. f. Bras., BA.* Arbusto lenhoso, ornamental, da família das malváceas (*Gaya macrantha*), de flores solitárias, grandes, axilares, de cor amarelo-ouro e cálice campanulado e cujo fruto é esquizocarpo, com sementes de cor cinza e pilosa. [Pl.: *flores-do-campo.*]

flor-do-céu. *S. f. Bras., RS.* Arbusto grande e ornamental, da família das leguminosas (*Calliandra parvifolia*), de flores sésseis, com numerosos estames coloridos, dispostas em capítulos solitários, geminados ou axilares, e cujo fruto é vagem coriácea, com margens estreitas, grossas e pilosas; quebra-foice. [Pl.: *flores-do-céu.*]

flor-do-espírito-santo. *S. f. Bras. MG* e *RJ.* Planta epífita, ornamental, da família das orquidáceas (*Oncidium pretaextum*), de flores pêndulas, aromáticas, grandes, castanho-escuras zonadas de amarelo. [Pl.: *flores-do-espírito-santo.*]

flor-do-imperador. *S. f. Bras.* Arbusto pequeno, ornamental, da família das oleáceas (*Osmanthus fragrans*), originário da China e do Japão, de flores alvas, com pétalas imbricadas, dispostas em racemos simples, curtos, axilares e terminais, utilizadas para perfumar o chá-da-índia, e cujo fruto é baga; jasmim-do-imperador. [Pl.: *flores-do-imperador.*]

flor-do-monturo. *S. f. Bras.* Arbusto pequeno, ornamental, da família das verbenáceas (*Clerodendron fragrans*), originário da China e do Japão, cujas folhas têm odor desagradável, e cujas flores são alvas e odorantes, dispostas em corimbos terminais compactos; volcana, clerodendro-cheiroso. [Pl.: *flores-do-monturo.*]

flor-do-natal. *S. f. Bras., BA* a *SC.* Planta epífita, ornamental, da família das orquidáceas (*Cattleya guttata*), de flores grandes, amarelo-esverdeadas com máculas vermelho-sangue, lobos laterais alvos e terminal roxo, e cujo fruto é cápsula, coroada pelas cicatrizes das sépalas e das pétalas. [Pl.: *flores-do-natal.*]

flor-do-norte. *S. f. Bras.* V. *boa-noite.* (2). [Pl.: *flores-do-norte.*]

flor-dos-amores. *S. f. Bras.* V. *flor-de-amor.* [Pl.: *flores-dos-amores.*]

flor-dos-formigueiros. *S. f. Bras., AM* e *MT.* Designação comum a duas plantas epífitas, da família das orquidáceas (*Epidendrum myrmecophorum* e *Pleurothallis myrmecophila*), cujas raízes se entrelaçam formando uma esfera suspensa igual aos cipós, onde as formigas fazem ninho, sendo as flores da primeira espécie inteiramente verdes e as da segunda cor de vinho e glabras. [Pl.: *flores-dos-formigueiros.*]

floreado. [Part. de *florear.*] *Adj.* **1.** Coberto ou ornado de flores; florido; florejado: *jardim* f l o r e a d o. **2.** Adornado, enfeitado; trabalhado: *relevo* f l o r e a d o. **3.** Ataviado ridiculamente; arrebicado, amaneirado, afetado: *estilo* f l o r e a d o. **4.** *Bras. RS.* Tonto, perturbado. **5.** *Bras., RS.* V. *embriagado* (1). • *S. m.* **6.** Ornato estilizado; enfeite, adorno. **7.** Variação caprichosa, em música. **8.** Requinte, brilho, floreio: f l o r e a d o s *oratórios.*

floreal. [Do fr. *floréal.*] *S. m. Cronol.* V. *calendário republicano.*

florear. *V. t. d.* **1.** Fazer brotar flores em; semear de flores; florescer, florejar: *A natureza* f l o r e i a *as campinas.* **2.** Cobrir ou adornar com flores; florejar, florir: f l o r e a r *o altar.* **3.** Enfeitar, adornar, ornamentar, engalanar; florir. **4.** Ornar com imagens ou efeitos literários: f l o r e a r *o estilo.* **5.** Brandir ou manejar com destreza (arma branca): "O espanhol é heroicamente bravo; mas outras raças .... possuem esse heroísmo que consiste em soltar um grito, f l o r e a r a espada, e correr soberbamente para a morte." (Eça de Queirós, *Ecos de Paris,* p. 139.) **6.** Mover ágil e rapidamente; agitar, balançar: f l o r e a r *o estandarte. Int.* **7.** Criar ou produzir flores; florear, florescer, enflorar. **8.** Fazer figura; fazer vista; brilhar: f l o r e a r *nos salões.* **9.** *Bras. RS.* Tornar-se floreado, embriagado. [Conjug.: v. *frear.*]

floreio. [Dev. de *florear.*] *S. m.* **1.** Ato de florear. **2.** Brilho, requinte, floreado: f l o r e i o s *de espírito.* **3.** *Bras., RS.* Peleja rápida com arma branca. **4.** *Bras., RS.* Exercício a que se submete, como treinamento, um cavalo de corrida ou um galo de briga.

floreira. *S. f.* **1.** Vaso ou jarra para flores; floreiro, porta-flores. **2.** Vendedora de flores; florista.

floreiro. *S. m.* **1.** Florista (1). **2.** V. *floreira* (1).

florejado. [Part. de *florejar.*] *Adj.* V. *floreado* (1).

florejar. *V. int.* **1.** Cobrir-se de flores; florir, florescer: "Nos jardins .... os crisântemos e as dálias .... f l o r e j a m com uma exuberância primitiva" (Oliveira Viana, *Pequenos Estudos de Psicologia Social,* p. 41). *T. d.* **2.** Fazer nascer flores em; florear, florescer: *O Sol* f l o r e j a *os prados.* **3.** Ornar de flores; florear, florir. **4.** *Fig.* Fazer brotar, fazer nascer, como flores: f l o r e j a r *graça e beleza.* **5.** Ornar com flores de estilo; florear. [Conjug.: v. *pelejar.*]

florena. *S. f. Bras., PA.* Erva ereta e ramosa, da família das compostas (*Riencourtia glomerata*), de folhas muito pilosas, flores alvas, dispostas em capítulos globosos terminais e solitários, fruto aquênio, e que fornece forragem para o gado eqüino.

florença. *S. f.* Antigo tecido de algodão, imitante à seda, e que era fabricado em Florença (Itália).

florenciada. [Do fr. *florencée.*] *Adj. (f.)* ~ V. *cruz* —.

florense[1]. *Adj. 2 g.* **1.** Da, ou pertencente ou relativo à Ilha das Flores (Portugal). • *S. 2 g.* **2.** Natural ou habitante dessa ilha.

florense[2]. *Adj. 2 g.* **1.** De, ou pertencente ou relativo a Flores (PE). • *S. 2 g.* **2.** Natural ou habitante de Flores.

florente. [Do lat. *florente.*] *Adj. 2 g.* **1.** Que está em flor; florido, flóreo, florescente. **2.** *Fig.* Que floresce; próspero; venturoso; florescente: "os Píndaros nasceram nos bem-aventurados séculos em que as mais f l o r e n t e s repúblicas .... contendiam pela naturalidade de um cidadão." (Correia Garção, *Obras Poéticas e Oratórias,* p. 568). **3.** *Fig.* Brilhante, florido.

florentim. *Adj. 2 g.* e *s. 2 g.* Florentino.

florentino. *Adj.* **1.** De, ou pertencente ou relativo a Florença (Itália). ● *S. m.* **2.** O natural ou habitante de Florença. [F. paral.: *florentim.*]
flóreo. [Do lat. *floreu.*] *Adj.* **1.** De flor, de flores: "tudo se esfuma / Às carícias da aurora, ao céu risonho, / Ao flóreo bafo que o sertão perfuma!" (Fagundes Varela, *Poesias Completas,* I, p. 240). **2.** Coberto ou adornado de flores; florido: "o rio múmuro, ... a dessendentar por entre ribas flóreas ou rebanhos tranqüilos" (Alcides Maia, *Tapera,* p. 59).
flores-brancas. [De *fluores brancos.*] *S. f. pl. Pop.* Leucorréia.
florescência. [Do lat. *florescentia.*] *S. f.* Ato de florescer; florescimento. [Cf. *fluorescência.*]
florescente. [Do lat. *florescente.*] *Adj. 2 g.* **1.** Que floresce; que está em flor; florente, florido: *pomares florescentes.* **2.** *Fig.* Notável, brilhante, insigne: *Está no momento florescente de sua carreira.* **3.** *Fig.* Bom, são, viçoso, perfeito: *organismo florescente.* **4.** *Fig.* Em franco desenvolvimento; progressivo, próspero: *cidade florescente.* [Cf. *fluorescente.*]
florescer. [Do lat. *florescere.*] *V. int.* **1.** Lançar ou produzir flores; florir, florejar: "O cinamomo floresce / Em frente do teu postigo" (Alphonsus de Guimaraens, *Obra Completa,* p. 226). **2.** Medrar, prosperar, desenvolver-se: *As artes florescem; O comércio volta a florescer.* **3.** Existir com renome, nomeada ou fama; distinguir-se, sobressair; brilhar: "Naquela casa de Vila Cova .... floresceram .... padres de muito saber" (Camilo Castelo Branco, *O Bem e o Mal,* p. 39); "A gastronomia floresceu na Itália antes de requintar-se na França." (Eduardo Frieiro, *Feijão, Angu e Couve,* p. 43). *T. d.* **4.** Fazer brotar flores; cobrir de flores nascentes; florear, florejar, florir, enflorar: *A primavera floresce os jardins.* **5.** Dar realce, brilho ou renome a: *São poetas que floresceram a sua época.* [Sin. ger.: *enflorescer.* Conjug.: v. *crescer.*]
florescido. [Part. de *florescer.*] *Adj.* Que floresceu.
florescimento. *S. m.* V. *florescência.*
flores-cunhense. *Adj. 2 g.* **1.** De, ou pertencente ou relativo a Flores da Cunha (RS). ● *S. 2 g.* **2.** Natural ou habitante de Flores da Cunha. [Pl.: *flores-cunhenses.*]
floresta. [Do fr. ant. *forest,* hoje *forêt,* com infl. de *flor.*] *S. f.* **1.** Formação arbórea densa, na qual as copas se tocam; mata. **2.** Grande quantidade de coisas muito juntas; aglomerado, conglomerado; mata: "O rio era um lençol de barcos e bandeiras, uma floresta de mastros". (Oliveira Martins, *Portugal Contemporâneo,* I, p. 83). **3.** *Fig.* Confusão, labirinto, dédalo: *uma floresta de enganos.*
florestado. [De *floresta* + *-ado*[1].] *Adj.* Que tem floresta(s); coberto de floresta(s).
florestal. *Adj. 2 g.* **1.** Pertencente ou relativo a, ou próprio de floresta. **2.** Que trata de florestas: *engenheiro florestal.* **3.** Que tem floresta: *região florestal.* ~ V. *horto* —.
florestano. *Adj.* **1.** De, ou pertencente ou relativo a Floresta (PE e RJ). ● *S. m.* **2.** O natural ou habitante de Floresta.
florestense. *Adj. 2 g.* e *s. 2 g.* Papariense.
florestoso (ô). *Adj.* Que tem muitas florestas: "Às vezes, saíamos pela Tijuca e outras alturas florestosas que emolduram o Rio" (Gilberto Amado, *Depois da Política,* p. 143).
floreta (ê). *S. f.* Ornato que imita flor.
florete (ê). [Do fr. *fleuret.*] *S. m.* **1.** Arma branca, usada na esgrima, composta de cabo e duma haste metálica, prismática e pontiaguda. **2.** *Bras.* V. *amboré.*
floreteado[1]. [De *florete* + *-eado.*] *Adj.* Que tem ponta aguda, como o florete.
floreteado[2]. [Part. de *floretear.*] *Adj.* Guarnecido de flores; floreado.
floretear. *V. t. d.* **1.** Guarnecer de flores; florear, enflorar. **2.** Manejar (arma) como florete; esgrimir: *floretear a espada. Int.* **3.** Esgrimir. [Conjug.: v. *frear.*]
▲flor(i)-. [Do lat. *flos, oris.*] *El. comp.* = 'flor': *florilégio.* [Equiv.: floro-, -floro: *floromania; bifloro.*]
florianense. *Adj. 2 g.* **1.** De, ou pertencente ou relativo a Floriano (PI). ● *S. 2 g.* **2.** Natural ou habitante de Floriano.
florianismo. *S. m. Bras.* Partido que apoiava o Marechal Floriano Peixoto (1839-1895) na revolta da Armada, em 1893.
florianista. *Bras. Adj 2 g.* **1.** Relativo ao florianismo. **2.** Que é sectário do florianismo. **3.** Que era ou é entusiasta dele. ● *S. 2 g.* **4.** Sectário do florianismo. **5.** Entusiasta da política florianista.
floriano. [De *Floriano Peixoto,* presidente do Brasil (1891-1894).] *S. m. Bras. Pop. Obsol.* Cédula de 100 cruzeiros: "Venham consumir seus barões e seus florianos" (Carlos Drummond de Andrade, *Jornal do Brasil,* 10.11.1979).
florianopolitano. *Adj.* **1.** De, ou pertencente ou relativo a Florianópolis, capital de SC. ● *S. m.* **2.** O natural ou habitante de Florianópolis.
floricoroado. [De *flor(i)-* + *coroado.*] *Adj.* Coroado de flores: "Romanas, a quem votos há cumprido, / cada dia ali vão floric'roadas" (Antônio Feliciano de Castilho, *Os Fastos de Ovídio,* II, p. 33).
florículo. [De *flor(i)-* + *-c-* + *-ulo.*] *S. m.* **1.** V. *florinha.* **2.** *Morfol. Veg.* V. *flósculo* (2).
floricultor (ô). [De *flor(i)-* + *cultor.*] *S. m.* Indivíduo que cultiva flores, que se dedica à floricultura.
floricultura. [De *flor(i)-* + *cultura.*] *S. f.* **1.** Arte de cultivar flores; cultura de flores. **2.** Lugar onde se cultivam flores.
florídea. *S. f.* Espécime das florídeas.
florídeas. *S. f. pl. Bot.* Classe de algas rodofíceas cujo talo, bem desenvolvido, é muito variável, mas sempre tem poros areolados com plasmodesmas. Reprodução assexuada por vários tipos de esporos; reprodução sexuada mediante carpogamia, sendo a maioria das espécies dióica. Quase todas habitam as águas oceânicas.
florídeo. *Adj.* Pertencente ou relativo às florídeas.
florido. [Part. de *florir.*] *Adj.* **1.** Em flor; que tem flores; florescente; coberto de flores: "Os seus olhos abrangiam o céu inundado de luz, os campos floridos, as cabeleiras das árvores" (José Régio, *O Príncipe com Orelhas de Burro,* p. 160). **2.** Adornado de flores; floreado, enflorado, enfloreado: *altar florido.* **3.** *Fig.* Viçoso, alegre: "vinte e sete anos floridos e sólidos" (Machado de Assis, *Várias Histórias,* p. 43). **4.** *Fig.* Elegante, brilhante, flórido: *estilo florido.* **5.** Ataviado, arrebicado, amaneirado, floreado. ~ V. *descanto* — e *gótico* —. [Cf. *flórido.*]
flórido. [Do lat. *floridu.*] *Adj.* **1.** Flóreo, florescente: "Através de ervas flóridas e frescas" (Martins Fontes, *Verão,* p. 60). **2.** Brilhante, elegante, florido. **3.** Notável, esplêndido: *nos flóridos tempos das navegações.* [Cf. *florido.*]
florífago. [De *flor(i)-* + *-fago.*] *Adj.* Que se alimenta de flores.
florífero. [Do lat. *floriferu.*] *Adj.* Que tem ou produz flores; florígero: "cresciam árvores frutíferas e arbustos floríferos" (José Veríssimo, *Cenas da Vida Amazônica,* p. 12).
floriferto. [Do lat. *floriferto.*] *S. m.* Cerimônia religiosa em que os romanos ofereciam à deusa Ceres as primeiras espigas dos cereais.
floriforme. [De *flor(i)-* + *-forme.*] *Adj. 2 g.* Semelhante a flor.
florígero. [Do lat. *florigeru.*] *Adj.* Florífero.
florilégio. [De *flor(i)-* + *-legio.*] *S. m.* **1.** Coleção de flores. **2.** *Fig.* V. *antologia* (2).
florim. [Do it. *fiorino.*] *S. m.* **1.** Moeda de prata ou de ouro, em vários países. **2.** Unidade monetária, e moeda, de Holanda e da Hungria.
florinha. *S. f.* Pequena flor; florzinha, florículo, flósculo.
floríparo. [Do lat. *floriparu.*] *Adj. Morfol. Veg.* Diz-se do botão que só contém flores.
florir. [Do lat. *florere.*] *V. t. d.* **1.** Adornar, enfeitar, alindar, com flores; pôr flores em; florear, florejar: "D. Adelaide .... mandara florir a mesa com profusão e cobri-la de doces, frutos decorativos e variados." (Luís Forjaz Trigueiros, *Ainda Há Estrelas no Céu,* pp. 79-80.) **2.** Enfeitar, adornar, engalanar; florear: *florir o salão;* "Prenderam-me, senhor, / Porque furtei anéis, para florir meus dedos." (Eugênio de Castro, *Obras Poéticas,* III, p. 106): "As primeiras palavras [da carta] foi-lhe congelando nos lábios o sorriso que os floria" (José de Alencar, *Senhora,* p. 196). [Sin., bras., N. e N.E., nesta acepç.: *florar.*] **3.** Tornar viçoso, cheio de frescor. *Int.* **4.** Dar flores; cobrir-se de flores; estar em flor; florescer, florear, enflorar: "'Às roseiras aqui já estão florindo...' / Mandas dizer..." (Humberto de Campos, *Poesias Completas,* p. 14). [Sin., bras., N. e N.E., nesta acepç.: *florar.*] **5.** Despontar, desabrochar, desenvolver-se; brotar, nascer: *floriu um sorriso discreto no seu semblante.* [Defect.; só se conjuga nas f. em que ao *r* da raiz se segue a vogal *i* ou *e.*]
florista. *S. 2 g.* **1.** Comerciante de flores; floreiro. **2.** Fabricante de flores artificiais.
florística. [Fem. substantivado de *florístico.*] *S. f.* Parte da fitogeografia que trata particularmente das famílias, gêneros e espécies ocorrentes numa determinada região.
florístico. *Adj.* Relativo à flora.
floritura. [Do it. *fioritura.*] *S. f.* V. *fioritura* (2).
▲floro-. V. *flor(i)-.*
▲-floro. V. *flor(i)-.*
floromania. [De *floro-* + *-mania.*] *S. f.* Paixão pelas flores; antomania (2).
flor-santa. *S. f. Bras., MA a PE.* Erva lactescente da família das aráceas (*Xanthosoma auriculatum*), cujas folhas são cordiformes, com mácula vermelha no centro, e que possuem inflorescência em espádice protegido por espata tubulosa. [Pl.: *flores-santas.*]
flor-seráfica. *S. f.* V. *amor-perfeito.* [Pl.: *flores-seráficas.*]
flor-tigre. *S. f. Bras., MG* e *SC.* Designação comum a duas plantas ornamentais, da família das iradáceas (*Trigridea lutea* e *Trigridea pavonea*), ambas dotadas de bulbo escamoso, flores belíssimas, aromáticas, amarelas, com máculas que variam, segundo a espécie, e cujo perianto também varia, assim como o tamanho das flores; lírio-dos-astecas. [Pl.: *flores-tigres* e *flores-tigre.*]
flórula. [De *flor* + *-ula.*] *S. f.* Pequena flora; flora de uma região muito limitada.
flósculo. [Do lat. *flosculu.*] *S. m.* **1.** V. *florinha.* **2.** *Morfol. Veg.* Cada uma das flores que formam o capítulo das compostas; florículo. [Cf. *semiflósculo.*]
flosculoso (ô). [De *flósculo* (2) + *-oso.*] *Adj.* Composto de flósculos.
flosô. *S. m. Bras.* Relutância aparente; dengues.
flos-santório. [Do lat. *Flos Sanctorum.*] *S. m.* Livro que relata a vida dos santos. [Pl.: *flos-santórios.*]
flotação. *S. f. Quím.* Processo de separação das partículas de uma mistura sólida pulverulenta, mediante a formação de uma espuma que arrasta as partículas de uma espécie, mas não as de outra.
flotel. [De *fl(utuante)* + *(h)otel.*] *S. m. Bras.* Alojamento flutuante destinado a quem trabalha em plataformas petrolíferas em alto-mar. [Pl.: *flotéis.*]
flotilha. [Do esp. *flotilla.*] *S. f.* **1.** Frota pequena. **2.** Agrupamento de navios (de guerra ou de pesca) de pequeno tamanho e com características idênticas ou semelhantes: "Uma flotilha de embarcações de pesca ornamentadas de ramagens e bandeiras, vinha em direção do ilhote da Boa Viagem." (Eugênio de Castro, *Terra à Vista,* p. 5.)
➧flou (flu). [Fr.] *Adj. 2 g. Arte.* Esfumado, leve, vaporoso, à maneira das imagens fotográficas de contornos fluidos.
flox (cs). *S. m.* Planta herbácea, ornamental, da família das polemoniáceas (*Phlox drummondii*), originária da América do Norte, de flores vistosas, pálido-purpúreas ou vermelho-róseas, brilhantes, fruto trivalvar, e que facilmente se reproduz por sementes.
floxo (ô). [Do esp. plat. *flojo.*] *Adj. Bras., RS.* **1.** Frouxo; fraco, medroso. **2.** Diz-se do campo de pastagens inferiores.
flozô. *S. m. Bras. Pop.* Boa vida; ociosidade.
flu. *Adj. 2 g.* e *s. 2 g. Bras.* F. red. de *fluminense*[2] [q. v.].
fluência. [Do lat. *fluentia.*] *S. f.* **1.** Qualidade de fluente; fluidez: *a fluência das águas.* **2.** Deformação lenta de um corpo submetido a uma tensão constante. **3.** *Fig.* Fluidez (3): *fluência verbal.*
fluente. [Do lat. *fluente.*] *Adj. 2 g.* **1.** Que corre com facilidade; corrente, fluido: "É a água brotando límpida e fluente da rocha do deserto." (Latino Coelho, *Tipos Nacionais,* p. 86.) **2.** *Fig.* Natural, abundante, fácil, espontâneo: "E numa prosa fluente, argumentação cerrada, ... um panfleto mordente e verdadeiro" (Inglês de Sousa, *O Missionário,* p. 94).
fluidal (u-i). *Adj. 2 g.* V. *fluídico* (1). ~ V. *textura* —.
fluidez (u-i...ê). *S. f.* **1.** Qualidade do que é fluido; fluência. **2.** *Fís.* O inverso da viscosidade de um fluido. **3.** *Fig.* Caráter do que é espontâneo, fácil, natural; fluência: *fluidez de estilo.*
fluídico. *Adj.* **1.** Relativo ou semelhante a fluido; fluidal, fluido. **2.** Diz-se, em espiritismo, de certos corpos ou sombras, impalpáveis, mas que a fotografia reproduz. **3.** Impalpável, intangível: "só via sombras que flutuavam, vultos fluídicos errando em lentas, ondeantes evoluções." (Coelho Neto, *Obra Seleta,* I, p. 374.)
fluidificação (u-i). *S. f.* Ato de fluidificar(-se).
fluidificador (u-i...ô). *Adj.* Que ou o que fluidifica.
fluidificante (u-i). *Adj. 2 g.* e *s. m.* Diz-se de, ou substância que fluidifica.
fluidificar (u-i). *V. t. d.* **1.** Tornar fluido: *fluidificar um ácido. P.* **2.** Reduzir-se a fluido; diluir-se. [Conjug.: v. *trancar.*]
fluidificável (u-i). *Adj. 2 g.* Que se pode fluidificar.
fluidizar (u-i). *V. t. d. Tec.* Tornar fluido (um leito de partículas sólidas), mediante a injeção de corrente

apropriada de gás.

fluidizável (u-i). *Adj. Tec.* Diz-se de leito de partículas sólidas capaz de assumir, pela ação de uma corrente de gás, um estado em que o conjunto de partículas se assemelha ao conjunto de moléculas de um gás.

fluido. [Do lat. *fluidu.*] *Adj.* **1.** V. *fluídico* (1): "Porque o amor, tal como eu o estou amando, / É espírito, é éter, é substância f l u i d a" (Augusto dos Anjos, *Eu*, p. 87). **2.** Diz-se das substâncias líquidas ou gasosas. **3.** Que corre ou se expande à maneira de um líquido ou gás; fluente. **4.** *Fig.* Frouxo, mole, flácido: *carnes f l u i d a s*. **5.** *Fig.* Suave, brando: *movimentos f l u i d o s*. **6.** *Fig.* Espontâneo, fácil, corrente, fluente: *linguagem f l u i d a*. ● *S. m.* **7.** *Fís.* Corpo que, em repouso e em contato com outros, exerce apenas forças normais às superfícies de contato; corpo (líquido ou gasoso) que toma a forma do recipiente em que está colocado: *O ar e a água são f l u i d o s*. [Cf. *fluído*, do v. *fluir*.] ◆ **Fluido ideal.** *Fís.* Aquele em que a viscosidade é nula.

fluir. [Do lat. *fluere.*] *V. int.* **1.** Correr em estado fluido; manar: "e a suave, musical tagarelice / da água múrmura, a f l u i r do manancial..." (Hermes-Fontes, *Microcosmo*, p. 48). *T. c.* **2.** Correr com abundância; manar: "Um filete de sangue f l u í a - lhe do canto da boca entreaberta." (Nélson de Faria, *Bazé* p. 36) *T. i.* **3.** Provir, proceder, derivar: *Todas as coisas f l u e m de Deus.* [Conjug.: v. *atribuir*. Part.: *fluído* Cf. *fluido*.]

flume. [Do lat. *flumen.*] *S. m. Poét.* Rio (1).

flúmen. *S. m. Poét.* V. *flume*. [Pl.: *flumens* e (p. us. no Brasil) *flúmenes*.]

fluminense[1]. [Do lat. *flumen*, 'rio'.] *Adj. 2 g.* **1.** V. *fluvial*. **2.** De, ou pertencente ou relativo ao RJ. **3.** *Desus.* V. *carioca* (1). ● *S. 2 g.* **4.** Natural ou habitante daquele estado. **5.** *Desus.* V. *carioca* (4).

fluminense[2]. *Bras. Adj. 2 g.* **1.** Pertencente ou relativo ao Fluminense Futebol Clube (RJ). **2.** Que é torcedor ou jogador dessa agremiação. ● *S. 2 g.* **3.** Membro, torcedor ou jogador dela. [Sin. ger.: *tricolor, pó-de-arroz*. F. red.: *flu*.]

flumíneo. [Do lat. *flumineu.*] *Adj.* V. *fluvial*.

flúor. [Do lat. *fluore.*] *S. m. Quím.* Elemento de número atômico 9, pertencente aos halogênios, gasoso, amarelado, tóxico e muito reativo. [Símb.: *F*.]

fluorado. *Adj.* Fluorítico.

fluoresceína. *S. f. Quím.* Substância cristalina, pulverulenta, alaranjada, solúvel em soluções alcalinas diluídas, com fortíssima fluorescência verde-amarelada em solução. É uma ftaleína do resorcinol. [Fórm.: $C_{20}H_{12}O_5$.]

fluorescência. [De *fluorescer* + *-ência*.] *S. f. Fís.* Luminescência provocada pela conversão, em corpo, dalguma forma de energia em radiação visível, com um tempo de decaimento da ordem de 10^{-8} segundos; luminescência cujo tempo de decaimento independa da temperatura. [Cf. *incandescência, luminescência, fosforescência* (3) e *florescência*.]

fluorescente. [De *fluorescer* + *-ente*.] *Adj. 2 g. Fís.* Que tem a propriedade da fluorescência. ~ V. *lâmpada* —. [Cf. *florescente*.]

fluorescer. [De *flúor* + *-escer*.] *V. int. Fís.-Quím.* Emitir radiação de fluorescência. [Conjug.: v. *crescer*. Normalmente é defect., unipess.]

fluoreto (ê). [De *flúor* + *-eto*[2].] *S. m. Quím.* Sal binário do ácido fluorídrico.

fluorídrico. [De *flúor* + *hidro(gênio)* + *-ico*[2].] *Adj.* ~V. *ácido* —.

fluorímetro. [De *flúor* + *-i-* + *-metro*.] *S. m. Fotom.* Fotômetro destinado a medir a intensidade de radiações de fluorescência ou de radiações que provocam fluorescência.

fluorítico. *Adj.* Em que há flúor; fluorado.

fluorniobato. *S. m. Min.* Classe de minerais que contêm flúor e óxido de nióbio.

fluorocarboneto (ê). *S. m. Quím.* Designação genérica de compostos de carbono, flúor e cloro, com quase nenhum hidrogênio, usados como fluidos refrigerantes e como propelentes em ampolas de aerossóis de uso doméstico.

fluoróforo. [De *flúor* + *-o-* + *-foro*.] *S. m. Fís.-Quím.* Grupamento atômico que, numa molécula de substância fluorescente, é responsável pela fluorescência; lumíforo.

fluorografia. [De *flúor* + *-o-* + *graf(o)-* + *-ia*.] *S. f.* Gravura química sobre vidro, com emprego do ácido fluorídrico. [Cf. *hialografia* e *hiatotipia*.]

fluorográfico. *Adj.* Concernente à fluorografia.

fluorometria. [De *flúor* + *-o-* + *-metr(o)-*[2] + *-ia*.] *S. f. Fotom.* Conjunto de técnicas e métodos destinados à medida de radiações de fluorescência.

fluorométrico. *Adj.* Relativo à fluorometria.

fluoroscopia. *S. f. Med.* Radioscopia.

fluoroscópico. *Adj.* Radioscópico.

fluoroscópio. [De *flúor* + *-o-* + *-scop-* + *-io*.] *S. m. Fís.* Tela de material fluorescente, empregada em radioscopia para tornar visível o feixe de raios X que atravessa o corpo examinado.

fluossilicato. [De *flúor* + *silicato*, com assimilação.] *S. m. Quím.* Qualquer sal do ácido fluossilícico.

fluossilícico. [De *flúor* + *silícico*, com assimilação.] *Adj.* ~ V. *ácido* —.

➧**flush** (flâch). [Ingl.] *S. m.* V. *pôquer* (1).

➧**flûte.** (flüt') [Fr.] *S. f.* Copo de pé, longo e estreito, usado em geral para champanha.

▲**fluti-.** [Do lat. *fluctus, us*.] *El. comp.* = 'onda': *flutícola* (< lat. *flucticola*), *flutissonante*.

flutícola. [Do lat. *flucticola*.] *Adj. 2 g.* Que habita no mar; marinho.

fluticolor (ô). [Do lat. *flucticolore*.] *Adj. 2 g.* Da cor do mar; marinho; *azul f l u t i c o l o r*.

flutígeno. [Do lat. *fluctigenu*.] *Adj.* Que nasce no mar; marinho.

flutissonante. [De *fluti-* + *sonante*.] *Adj. 2 g.* Flutíssono.

flutíssono. [Do lat. *fluctisonu*.] *Adj.* Que soa como as vagas; flutissonante.

flutívago. [Do lat. *fluctivagu*.] *Adj.* Que anda sobre o mar; undívago.

flutuabilidade. *S. f.* Qualidade ou propriedade de flutuável.

flutuação. [Do lat. *fluctuatione*.] *S. f.* **1.** Ato ou efeito de flutuar. **2.** Movimento oscilatório; ondulação: *f l u t u a ç ã o das flâmulas; f l u t u a ç ã o das águas*. **3.** *Fig.* Mudança de idéias, de opiniões, indecisão, vacilação, oscilação. **4.** *Fig.* Volubilidade, inconstância. **5.** Instabilidade da cotação de preços e valores em um determinado mercado ou praça. **6.** Variação alternada. **7.** *Estat.* Diferença entre o valor instantâneo de uma variável aleatória dependente do tempo e o valor mais provável desta variável. **8.** *Estat. P. us.* O dobro da variância de um conjunto de valores. **9.** *Constr. Nav.* Linha de flutuação. **10.** *Genét.* Variação morfológica não hereditária; modificação somática; somação. **11.** *Fís.* Afastamento, em relação ao valor médio ou ao valor mais provável, do valor de uma grandeza física dum sistema.

flutuador (ô) *Adj.* **1.** V. *flutuante* (1 e 2). ● *S. m.* **2.** Cada uma das partes do hidravião destinadas a mantê-lo pousado na água. **3.** Flutuante (4).

flutuante. [Do lat. *fluctuante*.] *Adj 2 g.* **1.** Que flutua; sobrenadante. **2.** Oscilante, ondulante: *túnica f l u t u a n t e*. [Sin., nessas acepç.: *flutuador, flutuoso*.] **3.** *Fig.* Irresoluto, indeciso, vacilante: *espírito f l u t u a n t e*. ~ V. *cábrea* —, *câmbio* —, *costela* —, *dique* —, *dívida* —, *estaca* —, *mina* — e *valor* —. ● *S. m.* **4.** Qualquer plataforma flutuante destinada a manter o navio afastado do cais para não roçar o costado, enquanto atracado, a atracar embarcações em locais onde as variações do nível da água perturbariam o embarque e o desembarque de passageiros, etc.; flutuador.

flutuar. [Do lat. *fluctuare*.] *V. int.* **1.** Conservar-se à superfície de um líquido; sobrenadar, boiar: *No mercúrio pode o ferro f l u t u a r*. **2.** Pairar ou mover-se em equilíbrio no espaço: *O balão f l u t u a no ar*. **3.** Permanecer no ar; pairar: *Seu perfume ainda f l u t u a aqui*; "Um mundo de vapores no ar f l u t u a m..." (Raimundo Correia, *Poesias*, p. 108). **4.** Agitar-se ao vento; tremular, ondular: "As fitas coloridas f l u t u a m ao vento na ponta da lança" (Carlos de Gusmão, *Boca da Grota*, p. 5). **5.** Agitar-se, revolver-se, tumultuar: *O mar f l u t u a irado*. **6.** *Fig.* Estar indeciso; vacilar, oscilar, hesitar: *Seu pensamento f l u t u a v a*. *T. d.* **7.** Fazer agitar-se ao vento; balançar, agitar: *f l u t u a r a bandeira*. *T. i.* **8.** *Fig.* Pensar ou refletir indecisamente: *F l u t u a v a hesitante sobre a melhor maneira de agir.*

flutuável. *Adj. 2 g.* **1.** Que pode flutuar. **2.** Em que se pode flutuar ou navegar; navegável.

flutuosidade. *S. f.* Qualidade de flutuoso.

flutuoso (ô). [Do lat. *fluctuosu*.] *Adj.* V. *flutuante* (1 e 2).

fluvial. [Do lat. *fluviale*.] *Adj. 2 g.* **1.** De, ou respeitante a rio: "Regala-as [às cabras] no curral, enquanto o frio dura, / com verde medronheiro, e água f l u v i a l bem pura." (Antônio Feliciano de Castilho, *As Geórgicas de Virgílio*, p. 181.) **2.** Próprio dos rios. **3.** Que vive nos rios. [Sin. ger.: *fluminense, flumíneo* e *fluviátil*.] ~ V. *bacia* —, *capital* —, *captura* —, *curso* —, *débito* —, *descarga* —, *despesa* —, *navio* — e *navegação* —.

fluviátil. [Do lat. *fluviatile*.] *Adj. 2 g.* V. *fluvial*. [Pl.: *fluviáteis*.]

fluviomarinho. [Do lat. *fluviu*, 'rio', + *-o-* + *marinho*.] *Adj.* Relativo a rio e a mar: "Jequiá, ... atravessa a lagoa de igual nome e chega ao mar em um vale entulhado por um terraço f l u v i o m a r i n h o, depois de meandrar" (Ivã Fernandes Lima, *Geografia de Alagoas*, pp. 48-50).

fluviômetro. [Do lat. *fluviu*, 'rio', + *-o-* + *-metro*.] *S. m.* Instrumento com que se mede a altura das enchentes fluviais.

flux (s). [De *fluxo*, com apócope.] *S. m.* Fluxo. ◆ **A flux.** A jorros; em grande quantidade, em profusão; abundantemente: "E erguem por vias enluaradas / Minhas sandálias chispas a f l u x..." (Raimundo Correia, *Poesias*, p. 157.)

fluxão (cs). [Do lat. *fluxione*.] *S. f. Med.* Afluxo anormal ou excessivo de líquido a um setor do corpo; defluxão.

fluxibilidade (cs). *S. f.* Qualidade de fluxível.

fluxímetro (cs). [Do lat. *fluxu*, 'fluxo', + *-i-* + *-metro*.] *S. m. Fís.* Instrumento com que se mede a velocidade de escoamento ou de vazão de um fluido num conduto.

fluxionário (cs). *Adj.* Respeitante a, ou que produz fluxão.

fluxível (cs). [Do lat. **fluxibile*.] *Adj. 2 g.* **1.** *Med.* Suscetível de fluxão. **2.** Passageiro, transitório.

fluxo (cs). [Do lat. *fluxu*.] *S. m.* **1.** Ato ou modo de fluir. **2.** Corrente, curso de fluido, em um conduto, de tráfego, numa rua, etc. **3.** Movimento alternado (enchente e vazante) do mar para a praia. **4.** Enchente fluvial. **5.** O espraiar (das ondas). **6.** Escorrimento ou curso de líquido; defluxão: *f l u x o salivar*. **7.** Grande quantidade; abundância; superabundância. **8.** *Fig.* Seqüência ou vicissitude dos acontecimentos. **9.** *Fís.* Substância muito fusível com que se auxilia a fusão de outras. **10.** *Fís.* Num campo vectorial, integral do produto escalar do vector associado a cada ponto pelo vector de um elemento infinitesimal de área que contenha o ponto. **11.** *Fís.* Energia transportada por uma radiação eletromagnética através de uma área por unidade de tempo. **12.** *Fís.* Número de partículas que atravessam uma área por unidade de tempo. **13.** *Fís.* Massa de um fluido que passa através de uma área por onde escoa, por unidade de tempo; fluxo de massa. **14.** *Cálc. Vect.* A integral, sobre uma superfície, de uma função vectorial de ponto definida em toda a superfície. **15.** *Liter.* Fluxo de consciência. **16.** *Med.* Eliminação de matéria normal ou patológica: *f l u x o menstrual*. ● *Adj* **17.** Mudável, transitório, passageiro: *a f l u x a fortuna*. ◆ **Fluxo da maré.** *Geofís.* Movimento de subida das águas, que antecede a preamar; maré montante. **Fluxo de consciência.** *Liter.* Monólogo interior [q. v.] realizado diretamente pela personagem, sem interferência do autor, e que reflete os processos psíquicos dessa personagem, significativos para o desenvolvimento do tema central. **Fluxo de indução magnética.** *Fís.* Fluxo magnético. **Fluxo de massa.** *Fís.* Fluxo. (13). **Fluxo luminoso.** *Fotom.* Potência irradiada, sob forma de emissão visível, por uma fonte de ondas eletromagnéticas. **Fluxo magnético.** *Fís.* Integral de área do vector indução magnética; fluxo de indução magnética. **Fluxo radiante.** *Fís.* Potência irradiada, sob forma de ondas eletromagnéticas, por uma fonte emissora de energia.

fluxograma (cs). [Do lat. *fluxu*, 'fluxo', + *-grama*.] *S. m. Proc. Dados.* Representação gráfica da definição, análise e solução de um problema na qual são empregados símbolos geométricos e notações simbólicas; diagrama de fluxo.

fluxômetro (cs). *Anest.* Instrumento que mede o volume de um determinado gás que por ele passe, na unidade de tempo.

➧**flyback** (flaibéc). [Ingl.] *S. m. Eletrôn.* **1.** Num oscilógrafo de raios catódicos, o retorno do feixe de elétrons à posição inicial, depois de atingir o ponto extremo da sua deflexão. **2.** O mais curto dos dois intervalos de tempo associados a uma onda em dente de serra.

■**Fm.** *Quím.* Símb. de *férmio*.

■**FM.** Abrev. de *freqüência modulada*.

■**f.m.m.** *Fís.* Abrev. de *força magnetomotriz*.

■**FN.** Sigla do Território de Fernando de Noronha.

➧**f.o.b.** [Ingl., abrev. de *free on board*, 'livre a bordo'.] V. *cláusula f.o.b.* [Tb. se grafa *F.O.B.*]

➧**FOB.** [Ingl.] Fob [q. v.].

foba *Adj. 2 g.* e *s. 2 g. Bras., BA.* **1.** Diz-se de, ou pessoa medrosa. **2.** Palerma, pateta, lorpa. **3.** Preguiçoso, indolente, moleirão. **4.** Diz-se de, ou pessoa jactanciosa, arrogante. ● *S. m.* **5.** *Bras., PB. Chulo.* V. *ânus*.

fobado. *Adj. Bras., PE. Pop.* Fobó (1).

fobar. *Bras. V. t. d.* **1.** Ganhar ao jogo (todo o dinheiro de outrem). [Sin., na BA: *fobitar*.] *P.* **2.** Perder o dinheiro no jogo. **3.** Inventar histórias; contar lorotas.

fobia. [Da raiz grega *phob* < *phobéomai*, 'temer', +

-ia.] *S. f.* **1.** Designação comum às diversas espécies de medo mórbido. **2.** Horror instintivo a alguma coisa; aversão irreprimível.

fobitar. *V. t. d. Bras., BA.* Fobar (1).

fob(o)-. [Do gr. *phóbos, ou.*] *El. comp.* = 'que odeia', 'inimigo': *fobia.* [Equiv.: *-fobo: necrófobo.*]

-fobo. Equiv. de *fob(o)-.*

fobó. *Adj. 2 g.* **1.** *Bras. Pop.* Reles, ordinário, fobado. ● *S. m.* **2.** *Bras., PE. Pop.* Indivíduo sem importância, que nada possui. **3.** V. *arrasta-pé* (1). ◆ **Cheio de fobó.** *Bras., RJ.* Diz-se daquele que se insinua a uma mulher.

foboca. *S. f. Bras.* V. *veado-roxo.*

fobofobia. [De *fob(o)-* + *-fob(o)-* + *-ia.*] *S. f. Psiq.* Medo de seus próprios medos.

fobofóbico. *Adj.* Relativo à fobofobia.

fobófobo. [De *fob(o)-* + *-fobo.*] *S. m.* Aquele que sofre de fobofobia.

Fobos. [Do gr. *phóbos,* 'medo', 'fuga'.] *S. m. Astr.* O maior e mais interno dos satélites do planeta Marte, com 13 km de diâmetro e magnitude aparente de 11,6, na oposição. [Foi descoberto em 17.8.1877 pelo astrônomo norte-americano Asph Hall (1829-1907).]

foca[1]. [Do gr. *phóke,* pelo lat. *phoca.*] *S. f.* **1.** Mamífero pinípede, da família dos focídeos (*Phoca vitulina* (Lin.)). **2.** *P. ext.* Designação comum as espécies dos gêneros *Arctocephalus, Otaria,* etc. **3.** Designação comum a outras espécies de focídeos exóticos, dos gêneros *Hydrurga, Mirounga, Lobodon* e *Leptonychotes.*

foca[2]. *S. 2 g.* **1.** V. *avaro* (3). **2.** *Bras. Gír.* Jornalista novato, bisonho: "Na gíria das redações a expressão — foca — é moeda corrente. Foca é o calouro no trabalho, o principiante no ofício." (Valdemar Cavalcanti, *Jornal Literário,* p. 53.) **3.** Indivíduo inexperiente em qualquer coisa.

focagem. *S. f.* Ato de focar (aparelho fotográfico ou cinematográfico, etc.); focalização.

focal. *Adj. 2 g.* **1.** Relativo a foco. ~ V. *distância —, linha —, reta —* e *superfície —.* ● *S. m.* **2.** *Ópt.* Segmento de reta que, num sistema óptico astigmático, constitui a imagem de uma fonte pontual. [Para cada sistema astigmático existem, geralmente, duas focais. Sin.: *linha focal* e *reta focal.*]

focalização. *S. f.* Focagem.

focalizar. [De *focal* + *-izar.*] *V. t. d.* **1.** *Ópt.* Formar, por meio de um sistema óptico (uma imagem nítida, real ou virtual), num anteparo material ou numa superfície no espaço; ajustar ou arrumar (um sistema óptico) de maneira que forme imagens nítidas. **2.** *Fig.* Pôr em foco; fazer voltar a atenção, o estudo, para; salientar, evidenciar: *O conferencista focalizou problemas de grande atualidade.* [Sin. ger.: *enfocar* e *focar.*]

focalizável. *Adj. 2 g.* Que pode ser focalizado.

focar. [De *foco* + *-ar*[2].] *V. t. d.* V. *focalizar:* "Os versos de Camões não focam uma época — são de sempre." (Gomes Monteiro, *Vencidos da Vida,* p. 33.) [Conjug.: v. *trancar.*]

focídeo. *S. m.* **1.** Espécime dos focídeos. ● *Adj.* **2.** Pertencente ou relativo a eles.

focídeos. *S. m. pl. Zool.* Animais mamíferos, carnívoros, da família *Phocidae,* pinípedes, desprovidos de orelhas, com orifício auditivo descoberto. Caminham saltando com o ventre, dada a impossibilidade de se levantarem com os membros posteriores e de usá-los para locomoção. São as focas, os elefantes-marinhos e os leões-marinhos.

focinhada. *S. f.* Pancada com o focinho; trombada.

focinhar. [De *focinho* + *-ar*[2].] *V. t. d., t. i.* e *int.* V. *afocinhar:* "Levou na nuca tremenda bordoada e focinhou, vista coberta de estrelas." (Humberto Crispim Borges, *Cacho de Tucum,* p. 104.)

focinheira. *S. f.* **1.** Focinho de porco. **2.** Focinho; tromba. **3.** Correia pertencente à cabeçada, e que fica por cima das ventas do animal [V. *buçal* (1).] **4.** *Pop.* Rosto carrancudo; má cara; carranca. **5.** V. *açaimo.*

focinho. *S. m.* **1.** Parte da cabeça do animal que compreende boca, ventas e queixo; tromba. **2.** *Pop.* Rosto do homem; face, cara. **3.** Saliência boleada do piso de um degrau. **4.** *Turfe.* Diferença mínima que separa um cavalo de outro na chegada de um páreo, em geral observada apenas pelo olho mecânico [q. v.]. [Cf. *foucinho.*] ◆ **Focinho de cabo.** A parte mais avançada de um cabo[2].

focinho-de-porco. *S. m. Bras.* V. *cuiú-cuiú* (2). [Pl.: *focinhos-de-porco.*]

focinhudo. *Adj.* **1.** Que tem focinho grande. **2.** *Fig.* Macambúzio, trombudo: "A Troncha, cada vez mais arreliada, muito focinhuda com as reflexões do infeliz, sempre a dizer ao coadjutor que não aturava o doudo do abade" (Camilo Castelo Branco, *História e Sentimentalismo,* p. 151). ● *S. m.* **3.** *Bras.* Peixe elasmobrânquio, pleurotremado, da família dos galeorrinídeos (*Glyphis glaucus* (L.)), distribuído da Nova Escócia às costas do Brasil, dorso azul-metálico e região abdominal branca. É agressivo, freqüenta o alto-mar, e mede 4 m ou mais de comprimento.

foco. [Do lat. *focu.*] *S. m.* **1.** *Ópt.* Numa lente delgada, o ponto para onde converge, ou de onde diverge, um feixe colimado de luz, depois de atravessá-la. **2.** *Ópt.* Num espelho de pequena abertura, o ponto para onde converge, ou de onde diverge, um feixe colimado, depois de ser por ele refletido. **3.** *Ópt.* Foco primário. **4.** *Ópt.* Foco secundário. **5.** *Fig.* Ponto de convergência; centro, rede: "A Hispânia setentrional, além Ebro, menos pacificada e com focos de rebelião aqui e acolá, confiou-a [Aníbal] a seu irmão Magão" (Aquilino Ribeiro, *Os Avós dos Nossos Avós,* p. 121). **6.** Lugar donde saem emanações. **7.** Facho, farol: *os focos do automóvel.* **8.** *Med.* Ponto de infecção em certas moléstias microbianas, como a tuberculose; fonte de infecção. **9.** *Bras., PR* a *RS.* Lâmpada elétrica. ◆ **Foco primário.** *Ópt.* Ponto no espaço donde um feixe de luz deve divergir para que, depois de refratado num sistema óptico, se transforme em um feixe colimado. [Tb. se diz apenas *foco.*] **Foco secundário.** *Ópt.* Ponto no espaço para onde converge, ou de onde diverge, um feixe colimado de luz depois de atravessar um sistema óptico. [Tb. se diz apenas *foco.*]

foda. [Dev. de *foder.*] *S. f. chulo.* **1.** Cópula (2). **2.** Coisa desagradável ou difícil de executar ou suportar: *Trabalhar 15 horas por dia é foda.*

foder. [Do lat. **futere, de futuere.*] *Chulo. V. t. i.* e *int.* **1.** V. *copular* (2). *P.* **2.** *Bras.* Sair-se muito mal (de qualquer intento); entrar pelo cano [q. v.]. **3.** *Bras.* Não fazer caso; não ligar importância. **4.** *Bras.* Levar o diabo; danar-se.

fodido. [Part. de *foder.*] *Adj. Bras. Chulo.* **1.** Que se fodeu [v. *foder* (2)]. **2.** Mal de vida; desesperado, arruinado. [Sin. ger.: *fodido e mal pago.*] ◆ **Fodido e mal pago.** *Bras. Chulo.* V. *fodido.*

fofa (ô). [Fem. substantivado do adj. *fofo.*] *S. f.* **1.** Dança portuguesa, sensual e desenvolta, também conhecida no Brasil no séc. XVIII, e provavelmente antecessora do lundu, ao qual se assemelhava. **2.** *Desus.* Tipo de veste de criança. [Pl.: *fofas* (ô). Cf. *fofa* e *fofas,* do v. *fofar.*]

fofão. *S. m. Bras., BA* e *MG.* Na região do médio São Francisco, espécie de biscoito em forma de palma, preparado com a goma da mandioca e um pouco de sal, amassada em água fervendo, e servido com o café da manhã, em substituição ao pão.

fofar. *V. t. d.* **1.** Pôr fofos [v. *fofo* (6)] em; ornar de fofos: *fofar um vestido.* **2.** Tornar fofo; afofar: *fofar poltronas. T. i.* e *int.* **3.** *Bras. Gír.* Ir para o fofo (7) com alguém; copular. [Pres. ind.: *fofo, fofas, fofa,* etc. Cf. *fofo* (ô) e f. *fofa* (ô), pl. *fofas* (ô).]

fofice. *S. f.* Qualidade do que é fofo.

fofo (ô). [Voc. onom.] *Adj.* **1.** Leve, ralo, e que facilmente cede à pressão; mole, macio, brando; elástico: *pão fofo; cama fofa.* **2.** Tufado, cheio: *saia com pregas fofas.* **3.** *Fig.* Enfatuado, jactancioso, afetado. **4.** *Bras. Fam.* Envaidecido, ancho, concho: "Nego João ficou todo fofo com o elogio." (José Bezerra Filho, *Fogo!,* p. 116). **5.** *Bras. Fam.* Bonito e gracioso: *criança fofa.* [Flex.: *fofa* (ô), *fofos* (ô), *fofas* (ô). Cf. *fofo, fofa* e *fofas,* do v. *fofar.*] ● *S. m.* **6.** Ornato fofo ou relevado, saliente, em vestuário, decoração, etc.; tufo: "Branco, de fofos, era o seu vestido." (Ricardo Gonçalves, *Ipês,* p. 45.) **7.** *Fam.* Cama, leito. [Pl.: *fofos* (ô). Cf. *fofo,* do v. *fofar.*]

fofoca. *S. f. Bras. Pop.* Mexerico, intriga, bisbilhotice.

fofocada. *S. f. Bras. Pop.* Grande ou muita fofoca; fofocagem.

fofocagem. *S. f. Bras. Pop.* Fofocada.

fofocar. *V. int. Bras. Pop.* Fazer fofoca; intrigar, mexericar, bisbilhotar: "Em Paris, a Liga Antijackie fofoca em torno das cartas de amor da compungida viúva" (Marisa Raja Gabaglia, *Milho pra Galinha, Mariquinha,* p. 17). [Conjug.: v. *trancar.*]

fofoqueiro. *Adj. Bras. Pop.* **1.** Diz-se daquele que faz fofocas; mexeriqueiro, intrigante: "Até que ponto os boatos eram verdadeiros, ninguém conseguiu saber, porque sempre houve gente fofoqueira em toda as épocas" (Cora Rónai Vieira e Paulo Rónai, *Aventuras de Fígaro,* p. 60). ● *S. m.* **2.** Aquele que faz fofocas; mexeriqueiro, intrigante, leva-e-traz [q. v.]: "Saudades de Dona Geraldina, fofoqueira maior" (Edson Guedes de Morais, *Outras Lembranças, Outra Casa, Outros Mortos,* p. 23).

fofura. *S. f. Bras. Fam.* **1.** Qualidade de fofo (5). **2.** Pessoa, animal ou coisa fofa [v. *fofo* (5)].

fog (fóg). [Ingl.] *S. m.* Nevoeiro espesso.

fogaça[1]. [Do lat. *focacia.*] *S. f.* **1.** Grande bolo ou pão cozido; folar. **2.** *Bras., BA.* Certa formação característica dos terrenos diamantinos.

fogaça[2]. [Do fr. *fougasse.*] *S. f. P. us. Expl.* Mina terrestre enterrada e disfarçada, que contém pedras ou bombas, e se aciona quer por compressão do terreno onde se acha, quer por comando.

fogacho. [De *fogo* + *-acho.*] *S. m.* **1.** Chama, labareda pequena: "Entre as duas velas que se extinguiam, com fogachos lívidos, deixara-lhe uma carta lacrada" (Eça de Queirós, *Os Maias,* I, p. 79). **2.** V. *fogaréu* (1). **3.** *Fig.* Sensação de calor que vem à face por emoção ou estado mórbido. **4.** *Fig.* Ímpeto de mau gênio; assomo, fogagem. **5.** *Fig.* Chama interior súbita; idéia luminosa; lampejo. **6.** *Expl.* Fogo secundário.

fogagem. [De *fogo* + *-agem*[2].] *S. f.* **1.** *Pop.* Designação comum a diversos distúrbios cutâneos e mucosos: balanopostite, líquen, estrófulo, sapinho. **2.** *Fig.* V. *fogacho* (4).

fogal. *S. m. Ant.* Imposto que se pagava, e ainda hoje se paga, em alguns concelhos portugueses, por cada fogo ou casa.

fogaleira. [De *fogo.*] *S. f.* Pá de ferro com a qual se tiram brasas do forno.

fogão. [De *fogo* + *-ão*[1].] *S. m.* **1.** Caixa de ferro ou de alvenaria, com fornalha e chaminé, para cozinhar. **2.** V. *lareira* (2). **3.** Aparelho em que se acende fogo para aquecer salas e outros aposentos; estufa. **4.** Parte da peça de artilharia onde fica o ouvido. **5.** *Bras., S.* Trecho limitado de terra em condições mais favoráveis ao cultivo que as terras vizinhas. **6.** *Bras., RS.* Lugar, nos galpões das estâncias, onde se faz fogo para o churrasco e o chimarrão. **7.** *Bras., RS.* V. *querência* (2). **8.** *Bras., MT.* Lugar onde vegeta em grandes grupos a ipecacuanha.

fogareiro. [De *fogo.*] *S. m.* Pequeno fogão portátil, de barro ou de ferro, para cozinhar ou para aquecer.

fogaréu. *S. m.* **1.** Facho, lumeeira, archote, fogo, fogacho, fogueira. **2.** Vaso onde se acendem matérias inflamáveis. **3.** V. *fogo-fátuo* (1). **4.** *Arquit.* Ornato de pedra, que termina em labaredas.

foge-foge. [Da 3[a] pess. sing. do pres. ind. de *fugir,* repetida.] *S. m. Bras.* Correria ou fuga provocada por pânico. [Pl.: *foges-foges* e *foge-foges.*]

fogo (ô). [Do lat. *focu.*] *S. m.* **1.** Desenvolvimento simultâneo de calor e luz, que é produto da combustão de matérias inflamáveis, como, p. ex., a madeira, o carvão, o gás. [Sin.: *lume.*] **2.** Chama, labareda. **3.** V. *fogaréu* (1). **4.** Incêndio (2). **5.** Chaminé, fogão, lareira. **6.** Residência de uma família; lar, casa: "A vila fechada, de poucos fogos, é inteiramente defendida por fossos, barbacãs, muros ameados" (Antero de Figueiredo, *Jornadas em Portugal,* p. 76). **7.** Descarga de arma; fuzilaria. **8.** O suplício da fogueira. **9.** Cauterização com ferro em brasa. **10.** *Ant.* Farol de costa marítima para guiar os navegantes. **11.** Sensação geral de calor pronunciado e incômodo. **12.** Aquilo que brilha; luz: *o fogo de seus olhos.* **13.** Clarão intenso. **14.** *Fig.* Ardor, fervor, paixão. **15.** *Fig.* Energia, entusiasmo: *o fogo da juventude.* **16.** *Fig.* Inspiração, imaginação, exaltação: *o fogo da poesia.* **17.** *Fig.* Excitação sexual; sexualidade. **18.** Um dos quatro elementos da Antiguidade (sendo os outros a *água,* a *terra* e o *ar*). **19.** *Bras. Pop.* V. *bebedeira* (1). [Pl.: *fogos* (ó).] ~ V. *fogos.* ◆ **Fogo de artifício.** **1.** Designação comum a peças pirotécnicas que se queimam, normalmente à noite, por ocasião de festejos, e produzem jogos de luzes vistosos; fogo de vista, fogos: "Os fogos de artifício estalavam por todo o ar." (Eça de Queirós, *Notas Contemporâneas,* p. 17.) **2.** Aquilo que impressiona pela aparência, que brilha, mas é desprovido, ou quase, de substância: *A oratória daquele deputado é mero fogo de artifício.* [Cf. *artifício de fogo.*] **Fogo de bilbode.** O disparar de muitas espingardas umas depois de outras, sem intervalo sensível. **Fogo de palha.** Entusiasmo passageiro; animação que dura pouco. **Fogo de proteção.** Tiro[1] de proteção. **Fogo de S. João.** **1.** *Bras.* Qualquer tipo de artifício pirotécnico, como, p. ex., buquê, bombinha, fonte, pistola, estalo, busca-pé, usado nas comemorações juninas: "Vamos ver quem é que sabe / soltar fogos de S. João?" (Jorge de Lima, *Obra Completa,* I, p. 240.) **2.** Fogueira que se acende na noite de S. João. **Fogo de vista.** V. *fogo de artifício* (1). **Fogo do céu.** O raio. **Fogo feniano.** *Expl.* Composição incendiária constituída por uma solução de fósforo em sulfeto de carbono, e que se inflama pela evaporação do solvente. **Fogo grego.** *Expl.* **1.** Fogo capaz de arder na água, inventado por monges bizantinos no séc. XVI; fogo greguês: "Contra elas [máquinas de guerra] foram lançadas bolas de f o g o g r e g o" (Gustavo Barroso, *Livro dos Milagres*, p. 72). **2.** Composição incendiária constituída por vários materiais combustíveis e salitre bruto. **Fogo greguês.** Fogo grego (1). **Fogo lento.** Chama ou lume brando, para cozinhar. **Fogo primário.** *Expl.* Fogo dado numa pedreira para fragmentar as rochas. **Fogo pulado.** *Bras.* O fogo que, nas queimadas, é levado de um ponto a outro. **Fogo sagrado. 1.** Chama votiva conservada sempre acesa nos templos de várias religiões. **2.** Inspiração, energia interior, que leva a grandes obras. **Fogo secundário.** *Expl.* Fogo dado numa pedra, já retirada da pedreira, para fragmentá-la mais; fogacho. **Fogo volante.** *Ant. Expl.* Fogo grego lançado em foguetes para atingir navios e posições terrestres dos adversários. **Atiçar o fogo.** *Fig.* Fomentar a discórdia. **Brincar com fogo.** Meter-se levianamente em coisas ou empresas perigosas, arriscadas; arriscar-se imprudentemente. **Comer fogo.** *Bras. Pop.* V. *comer da banda podre.* **Cortar o fogo.** Evitar a propagação dum incêndio. **Cozinhar a fogo brando.** *Fig.* Cozinhar a fogo lento. **Cozinhar a fogo lento.** *Fig.* Adiar, delongar, procrastinar sucessivamente a solução de (um negócio, um caso, um assunto); cozinhar a fogo brando. **Cuspir fogo.** *Bras., N.E. Pop.* Ficar colérico, muito zangado. **De fogo morto.** *Bras.* **1.** Diz-se do engenho que, por qualquer motivo, já não fabrica açúcar. **2.** *P. ext.* Diz-se de estabelecimento fabril que interrompeu a sua atividade. **3.** *P. ext.* Diz-se de pessoa em estado de inatividade, abatimento ou depressão. **Entre dois fogos. 1.** Atacado pelo inimigo por dois lados opostos: *estar, achar-se, ficar e n t r e d o i s f o g o s.* **2.** *Fig.* Exposto a dois perigos, a duas influências ou a duas alternativas opostas. **Entre o fogo e a frigideira.** V. *entre a cruz e a caldeirinha.* **Fazer fogo.** Disparar arma de fogo. **Mentir fogo.** *Bras.* **1.** Falhar (arma de fogo). **2.** *Fig.* Falhar, esmorecer, fraquejar: *Parecia muito disposto, mas na hora da onça beber água m e n t i u f o g o.* [Sin. ger.: *negar fogo.*] **Negar fogo.** *Bras.* V. *mentir fogo.* **Pegar fogo. 1.** Inflamar-se; incendiar-se. **2.** *Fam.* Estar com febre alta: "O pai saltava da cadeira, vinha afagar-lhe a cabeça: p e g a v a f o g o." (Dalton Trevisan, *Novelas nada Exemplares*, p. 12.) **3.** *Fig.* Animar-se, excitar-se, entusiasmar-se. **4.** *Bras., MA.* Zangar-se, irritar-se. **Puxar fogo.** *Bras., N.E. Pop.* V. *puxar* (36): *O cabra carregou na bebida, e está p u x a n d o f o g o.* **Ser bom para o fogo.** Não prestar para nada, não valer nada (pessoa ou coisa). **Ser fogo.** *Bras. Pop.* **1.** Ser difícil, complicado, trabalhoso, complexo. **2.** Ser de gênio complicado, estranho; ser de convívio ou trato difícil. **3.** Ser muito bom, excelente, ótimo. [Sin. ger.: *ser fogo na pipoca, ser fogo na roupa.*] **Ser fogo na pipoca.** *Bras. Pop.* V. *ser fogo.* **Ser fogo na roupa.** *Bras. Pop.* V. *ser fogo.* **Tocar fogo na canjica.** *Bras., N.E. Pop.* **1.** Precipitar um acontecimento. **2.** Animar-se, entusiasmar-se.

fogo-apagou. *S. f. 2. n. Bras.* V. *fogo-pagou.*

fogo-central. *S. 2. g. Bras.* Pequena arma de fogo, de dois canos e dois gatilhos, que podem ser acionados independentemente um do outro; pistola fogo-central: "A ordem foi continuar no jirau e esperar que a cutia voltasse .... para puxar o pinguelo da f o g o - c e n t r a l." (M. Cavalcanti Proença, *Manuscrito Holandês*, p. 156.) [Pl.: *fogos-centrais.*]

fogo-de-bengala. [De *fogo* + top. *Bengala.*] *S. m. Expl.* Fogo de artifício constituído de um longo tubo, que encerra composição pirotécnica suscetível de produzir luz intensa, de cor variada. [Pl.: *fogos-de-bengala.*]

fogo-de-santelmo. *S. m.* V. *santelmo.* [Pl.: *fogos-de-santelmo.*]

fogo-do-ar. *S. m.* V. *foguete* (1). [Pl.: *fogos-do-ar.*]

fogo-fátuo. *S. m.* **1.** Inflamação espontânea de gases emanados de sepulturas e de pântanos; fogaréu: "Pelos cemitérios, / Às horas mortas, quando o vento geme / Por entre os ermos ciprestais funéreos, / O f o g o - f á t u o, fosforeando, treme." (Alphonsus de Guimaraens, *Obra Completa*, p. 201.) [Sin. (bras., pop.): *boitatá, jã-de-la-foice, joão-galafoice.*] **2.** *Fig.* Brilho efêmero; prazer ou glória de pouca duração. [Pl.: *fogos-fátuos.*]

fogoió. *Adj. Bras., N.* e *N.E.* De cabelo cor de fogo.

fogo-pagou. [Voc. onom.] *S. f. 2 n. Bras.* Ave columbiforme, da família dos columbídeos (*Scardafella squammata* (Less.)), do Brasil central e oriental, sobretudo das regiões de cerrados e caatingas, sendo comum também nas estradas e fazendas do interior. Coloração pardo-cinzenta no dorso, branca na reg ão i-ferior; penas orladas de preto, formando desenhos semilunares, como se fossem escamas. O seu nome popular é onomatopéico, e o modo chocalhante de voar valeu-lhe, ainda, a designação de *pomba-cascavel.* [Var.: *fogo-apagou;* sin.: *rolinha-carijó, rola-cascavel, rolinha-cascavel, picuipinima.*]

fogo-selvagem. *S. m. Ant.* e *Bras.* V. *pênfigo.* [Pl.: *fogos-selvagens.*]

fogos (ó). [Pl. de *fogo.*] *S. m. pl.* **1.** Foguetes [v. *foguete* (1)]: *O Governador foi recebido com f o g o s em sua cidade natal.* **2.** V. *fogo de artifício* (1). **3.** Abertura por onde sai a fumaça das chaminés. — V. *fogo.*

fogosidade. *S. f.* **1.** Qualidade de fogoso; inquietação, impaciência. **2.** Ardor, ímpeto, entusiasmo, fogo.

fogoso (ô). *Adj.* **1.** Que tem fogo ou calor; esbraseado, ardente: *clima f o g o s o.* **2.** Ardoroso, caloroso, impetuoso, arrebatado: "Mesmo os donos de mais f o g o s o estro. como Castro Alves, se valiam do arbusto alheio para levantar o vôo da inspiração." (Fausto Cunha, *O Romantismo no Brasil*, p. 87.) **3.** Irrequieto, impaciente, árdego: "A bizarria com que percorreu a praça, domando sem esforço o f o g o s o corcel, arrancou prolongados e repetidos aplausos." (Rebelo da Silva, *Contos e Lendas*, p. 176.) **4.** Animado, entusiástico, ardente, inflamado: *discurso f o g o s o.* **5.** Violento, irascível, iracundo. **6.** *Restr.* Que tem grande ardor sexual: *rapazinho f o g o s o mulher f o g o s a.*

foguear. *V. t. d.* Fazer arder; queimar, acender, afoguear: *f o g u e a r o cigarro.* [Conjug.: v. *frear.*]

fogueira. *S. f.* **1.** Lenha ou outra matéria combustível empilhada, à qual se lança fogo. **2.** Monte de lenha em chamas, em que eram queimados aqueles que haviam sido condenados ao suplício do fogo. **3.** Lume de lareira; fogo, lume. **4.** V. *fogaréu* (1). **5.** *Ant.* Fogo (6). **6.** *Fig.* Ardor, exaltação, chama. **7.** Espécie de cavalete formado de dormentes em camadas de dois, postos em cada uma perpendicularmente aos da anterior, e que é muito empregado nas estradas de ferro em construção, ou mesmo em tráfego, como arrimo; gaiola. **8.** *Bras.* Peixe teleósteo, bericomorfo, da família dos holocentrídeos (*Myrupristis Jacobus* Val.), do Atlântico, de dorso vermelho-brilhante, flancos e abdome prateados, com linhas longitudinais cor-de-rosa, e nadadeiras vermelhas, marginadas de branco. Atinge até 40 cm de comprimento. ♦ **Pular uma fogueira.** Superar um obstáculo; contornar situação difícil, embaraçosa.

fogueiro. *S. m.* V. *foguista.*

foguento. *Adj.* Que tem fogo (14, 15 e 17).

foguetada. *S. f.* **1.** V. *foguetório.* **2.** Festa em que se soltam foguetes. **3.** *Fig.* V. *descompostura* (2).

foguetão. [Aum. de *foguete.*] *S. m.* Espécie de foguete com que se atiram cabos a náufragos.

foguete (ê). [Do cat. *coet.*] *S. m.* **1.** Engenho pirotécnico que estoura no ar em festas e ocasiões de regozijo, e consta de um tubo de papelão cheio de pólvora e dotado de pavio e punho, o qual atua em virtude da expulsão dos gases da combustão da pólvora, quando se ateia fogo ao pavio; fogo-do-ar, foguete-do-ar, rojão. [Cf. *fogos* (1).] **2.** Elemento motor usado em projetis, mísseis, espaçonaves, etc. [Sin. (bras.): *rojão.*] **3.** *Astron.* Veículo espacial que utiliza a propulsão a reação. **4.** *Bras. Tip.* Sinal usado na revisão de provas, e que consiste num traço sagitiforme que vai da parte errada até à emenda. **5.** *Pop.* V. *descompostura* (2). **6.** *Bras.* V. *repreensão* (1). **7.** *Bras.* Indivíduo vivaz, expedito, ativo. **8.** *Bras.* Moça namoradeira. ● *Adj. 2 g.* **9.** *Bras.* Vivo, esperto, esfogueteado. ♦ **Foguete de apogeu.** *Astron.* Foguete espacial destinado a funcionar no instante em que o veículo que o transporta está no apogeu de sua órbita, permitindo, assim, a transferência do conjunto para uma órbita mais afastada. **Foguete de flecha.** *Expl.* Dispositivo pirotécnico constituído por um tubo carregado de composição pirotécnica, ao qual se acha presa uma flecha para permitir a subida orientada do dispositivo, e usado em festas de regozijo; foguete voador. **Foguete de lançamento.** *Astron.* Foguete guiado, destinado a colocar um satélite em órbita, ou a lançar outro foguete. **Foguete de três assobios.** Foguete de três respostas. **Foguete de três respostas.** Aquele que dá três séries de estalo no ar; foguete de três assobios. **Foguete granizífugo.** *Expl.* Foguete usado para evitar a queda de granizo. **Foguete iônico.** *Astron.* Foguete proposto, e ainda não realizado, no qual a propulsão seria feita pela ejeção de feixes de partículas eletricamente carregadas. **Foguete multiestágio.** *Astron.* Veículo composto de dois ou mais foguetes, que funcionam em seqüência e são largados após fornecerem a respectiva impulsão. **Foguete voador.** *Expl.* Foguete de flecha. **Soltar foguetes.** Dar manifestações intensas de regozijo. **Soltar os foguetes antes da festa.** Antegozar coisa de realização duvidosa.

fogueteada *S. f.* V. *foguetório.*

foguete-alvo. *S. m. Astron.* Foguete lançado anteriormente a outro, e que serve de ponto de referência a um veículo espacial, tripulado ou não, que efetuará um encontro no espaço com o anterior. [Pl.: *foguetes-alvos* e *foguetes-alvo.*]

foguetear. *V. int.* Lançar ou queimar foguetes. [Conjug.: v. *frear.*]

foguete-de-assovio. *S. m. Expl.* Foguete de flecha que produz, ao subir, ruído semelhante a um assovio. [Pl.: *foguetes-de-assovio.*]

foguete-do-ar. *S. m.* V. *foguete* (1): "Dali partiu a pé um dos remeiros para anunciar a chegada do Mangaba ...., a fim de haver tempo de preparar as girândolas de f o g u e t e - d o - a r" (Cardoso de Oliveira, *Dois Metros e Cinco*, p. 401). [Pl.: *foguetes-do-ar.*]

fogueteiro. *S. m.* Fabricante de foguetes e doutras peças de fogo de artifício. ♦ **Meter-se a fogueteiro.** Aventurar-se a fazer alguma coisa de que não entende e sair-se mal.

foguete-sonda. *S. m. Astron.* Foguete destinado a colher informações, quer na atmosfera terrestre, quer fora dela. [Pl.: *foguetes-sondas* e *foguetes-sonda.*]

foguetice. *S. f. Bras. Fam.* Esfogueteamento.

foguetinho. [Dim. de *foguete.*] *S. m. Bras., MG.* Ave passeriforme, da família dos motacilídeos (*Anthus hellmayri brasilianus* Hellm.), do Brasil estemeridional, de dorso escuro, penas marginadas de um tom ferrugíneo, lado ventral pardo-amarelado com manchas escuras no peito, e rêmiges exteriores marginadas de pardo-amarelado. Alimenta-se de insetos.

foguetório. *S. m.* Grande porção de foguetes que estouram ao mesmo tempo; foguetada, fogueteada: "Foi Arandu embicar a igarité e pipocou o f o g u e t ó r i o com muitos vivas ao herói." (M. Cavalcanti Proença, *Manuscrito Holandês*, p. 223.)

foguista. *S. 2 g. Bras.* Pessoa encarregada das fornalhas nas máquinas a vapor; fogueiro, fornalheiro.

foiaíto. [Do top. *Fóia* + *-ito*[2].] *S. m. Geol.* Tipo de sienito de textura traquitóide, que contém nefelina.

foiçada. [Var. de *fouçada.*] *S. f.* Golpe de foice.

foiçar. [Var. de *fouçar.*] *V. t. d.* **1.** Cortar com foice; ceifar ou segar. *Int.* **2.** Dar golpes com foice. [Conjug.: v. *laçar.*]

foice. [Var. de *fouce* lat. *falce.*] *S. f.* **1.** Instrumento curvo para ceifar. **2.** *Anat.* Estrutura em forma de foice.

foiciforme. [De *foice* + *-forme;* var. de *fouciforme.*] *Adj. 2 g.* V. *falciforme* (1).

foicinha. [Var. de *foucinha.*] *S. f.* Foicinho.

foicinho. [Var. de *foucinho.*] *S. m.* Foice pequena, de segar erva; foicinha.

foiteza (ê). *S. f.* V. *afoiteza:* "A danadinha topou a briga. Botou os livros no chão e veio crescida para riba de mim. F o i t e z a igual nunca vi" (Nélson de Faria, *Tiziu e Outras Estórias*, p. 171).

foito. *Adj.* V. *afoito:* "Não vás ter medo à noite e dar-te algum quebranto, // Que andam bruxas no ermo, és fraca, não és f o i t a / E se arreias, adeus!" (Conde de Monsaraz, *Musa Alentejana*, p. 35.)

fojo (ô). [De um * *foja*, do lat. *fovea.*] *S. m.* **1.** Cova funda, cuja abertura se tapa ou disfarça com ramos a fim de que nela caiam animais ferozes. **2.** Sorvedouro de águas, de lama, etc. **3.** Lugar muito fundo num rio. **4.** Caverna, gruta, furna. **5.** *Bras., N.* e *N.E.* Armadilha para apanhar ratos ou caça miúda: "Prometeu a José que o primeiro preá que o f o j o pegasse havia de ser sujeito a um gênero de morte que ele ainda não conhecia." (Franklin Távora, *O Cabeleira*, p. 75.)

fola (ô). *S. f.* Marulho de ondas.

folacho. *S. 2 g. Pop.* Pessoa branda, doente, fraca.

foladídeo. *S. m.* **1.** Espécime dos foladídeos. ● *Adj.* **2.** Pertencente ou relativo a eles.

foladídeos. *S. m. pl. Zool.* Família de moluscos da classe dos pelecípodes, espalhados nos mares do hemisfério norte e da Nova Zelândia. São animais de sifões longos, terminados por um disco franjado; fosforescência acentuada; vivem no interior de rochas e madeiras que furam.

folar. *S. m.* **1.** Presente de páscoa que os padrinhos dão aos afilhados. **2.** Fogaça[1] (1). [Cf. *fular.*]

folastria. *S. f. Bras.* Alegria amalucada.

folcdança. [De *folc(lore)* + *dança.*] *S. f.* Parte do folclore que estuda a coreografia de origem coletiva, de cultura popular.

folclore. [Do ing. *folk-lore.*] *S. m.* **1.** Conjunto das tradições, conhecimentos ou crenças populares expressas em provérbios, contos ou canções. **2.** Conjunto das canções populares de uma época ou região. **3.** Estudo e conhecimento das tradições de um povo, expressas nas suas lendas, crenças, canções e costumes; demologia,

demopsicologia. [Sin. ger., bras.: *populário.*]
folclórico. *Adj.* Relativo ou pertencente ao folclore; folclorístico. ~ V. *música —a.*
folclorismo. *S. m.* O estudo ou conhecimento do folclore.
folclorista. *S. 2 g.* **1.** Pessoa dada a investigar e/ou colecionar as tradições e/ou canções populares. **2.** Historiador e/ou crítico dessas tradições.
folclorístico. *Adj.* Folclórico.
folclorizar. *V. t. d.* Passar ao domínio cultural coletivo (qualquer manifestação de cultura), com a aceitação e a dinâmica populares.
folcmúsica. [De *folc(lore)* + *música.*] *S. f.* Parte do folclore que estuda a música de origem coletiva, de cultura popular.
➡**folder** (ô). [Ingl.] *S. m.* Impresso promocional constituído de uma única folha com duas ou mais dobras.
fole. [Do lat. *folle.*] *S. m.* **1.** Utensílio destinado a produzir vento para ativar uma combustão ou limpar cavidades. **2.** Taleiga de couro. **3.** V. *papo* (3 e 4). **4.** *Fot.* Parte de uma máquina fotográfica que permite aproximar ou afastar, dentro de limites bastante grandes, a objetiva e a chapa fotográfica, e é constituída por uma sanfona flexível perfeitamente opaca. **5.** *Bras., N.E.* Espécie de acordeão (1). [Dim.: *folículo.*]
folear. *V. t. d. Bras., N.* e *N.E.* Promover a extinção de (formigas), acionando, depois de o introduzir parcialmente no formigueiro, um fole onde se depositou substância tóxica: "Tudo que ele tinha era para trazer limpinha a igreja, ... matar os morcegos, f o l e a r as formigas" (José Lins do Rego, *Pedra Bonita,* p. 16). [Conjug.: v. *frear.* Cf. *foliar.*]
folegar. [Do lat. tardio *follicare;* v. *folgar.*] *V. int. Ant.* Tomar fôlego; respirar, resfolegar. [Conjug.: v. *regar.*]
fôlego. [Dev. de *folegar.*] *S. m.* **1.** V. *respiração* (2). **2.** Ato de soprar. **3.** Capacidade de reter o ar nos pulmões. **4.** Espaço de tempo para refazer as forças perdidas; folga. **5.** *Fig.* Ânimo, coragem: *tomar f ô l e g o.* ◆ **Fôlego vivo. 1.** Criatura vivente: "À hora do calor, em que os trabalhadores sachavam os milhos, e se não via na aldeia f ô l e g o v i v o, Cunha entrou numa bouça" (Camilo Castelo Branco, *Doze Casamentos Felizes,* p. 232). **2.** *Bras.* Negro escravo. **De um fôlego.** Sem descansar; sem interrupção; de uma assentada: *Leu todo o romance de um f ô l e g o.* **Prender o fôlego.** *Bras.* **1.** Suster a respiração. **2.** Causar dispnéia. **Ter fôlego de gato.** Ser dotado de extraordinária resistência.
foleiro. *S. m.* **1.** Fabricante e/ou vendedor de foles: "Prometo .... escrever a favor do comércio, da indústria, da agricultura, ... dos f o l e i r o s, ... dos pedestres, e mais entidades, que se oferecem à minha pena." (Machado de Assis, *Crônicas,* I, pp. 235-237). **2.** *Bras.* Tocador de fole (5).
folga. [Dev. de *folgar.*] *S. f.* **1.** Interrupção de uma atividade ou trabalho; descanso, repouso: *Trabalhei sem f o l g a todo o dia.* **2.** Espaço de tempo reservado ao descanso, ao repouso, ao recreio: *Os alunos têm f o l g a de 10 minutos entre uma aula e outra.* **3.** Divertimento, brincadeira, folguedo: "Boa e patusca viúva! Amava o riso e a f o l g a" (Machado de Assis, *Várias Histórias,* p. 61). **4.** Desafogo, alívio: *Que f o l g a senti ao vê-los partir!* **5.** Largura; desaperto: *Esta blusa precisa de uma f o l g a : está um tanto justa.* **6.** Abastança, largueza: *A situação deles sempre foi de f o l g a, nunca passaram aperturas.* **7.** Mec. Afastamento entre os eletrodos de uma vela de ignição. **8.** *Bras. Fam.* Familiaridade, confiança; atrevimento: *Veja a f o l g a daquele sujeito: veio falar comigo, como se me conhecesse!* **9.** *Bras. Gír.* Estado de quem não faz nada; ócio, boa vida: *Que f o l g a, hem! você não quer nada com o trabalho!*
folgado. [Part. de *folgar.*] *Adj.* **1.** Que tem ou tem tido folga: *Ocupadíssimo outrora, agora vive f o l g a d o.* **2.** Largo, amplo: "Trazia um costume f o l g a d o de casimira clara" (Júlio Ribeiro, *A Carne,* p. 71). **3.** Desafogado, despreocupado: *vida f o l g a d a.* **4.** *Bras. Fam.* Confiado, atrevido, metido. **5.** *Bras. Gír.* Que se esquiva ao trabalho, a certas obrigações ou deveres. ● *S. m.* **6.** Indivíduo folgado (4 e 5): "— É um boa-vida. — Um f o l g a d o." (César Coelho, *Strip tease da Cidade,* p. 19.)
folgador (ô). *Adj.* **1.** V. *folgazão* (1 e 2). ● *S. m.* **2.** *Bras., MA. Folcl.* Tocador de casaca (5), nas bandas de congos. [Sin., bras., ES, nesta acepç.: *conguista.*] **3.** *Bras., PR. Folcl.* Dançarino do fandango, assim chamado porque só dança na folga do sábado para o domingo.
folgança. *S. f.* **1.** Folga, descanso, ócio. **2.** Brincadeira, divertimento, festa, folguedo.
folgar. [Do lat. tardio *follicare.*] *V. t. d.* **1.** Dar folga ou descanso a: *Extenuado, f o l g o u os braços.* **2.** Tornar largo; desajustar; desapertar: *f o l g a r a roupa.* **3.** Tornar menos penoso; tornar leve, suave, folgado: "Com as economias .... contratara dois oficiais-aprendizes que lhe f o l g a v a m mais o trabalho." (Reginaldo Guimarães, *Uma Blusa no Cais,* p. 17.) **4.** Deixar de tomar parte em; perder: "Em pouco, não f o l g a v a João contradança numa festa, nem passava domingo sem compromisso." (Id., *ib.,* p. 71.) *T. d. e i.* **5.** Livrar, descansar: *F o l g a v a - o de trabalhos duros. T. i.* **6.** Ter alívio (nos cuidados, nos trabalhos); descansar: *Aos sábados f o l g a v a em alegrias desvairadas. Int.* **7.** Ter prazer; alegrar-se, jubilar-se, folgazar: "Honra das tabas que nascer te viram, / F o l g a morrendo." (Gonçalves Dias, *Obras Poéticas,* II, p. 20); *F o l g o u com a notícia do prêmio.* **8.** Ter descanso; folgazar. **9.** Divertir-se, brincar, folgazar. **10.** Estar livre, desafogado; folgazar. [Pres. ind.: *folgo,* etc. Cf. *folgo* (ô). Conjug.: v. *largar.*]
folgaz. *Adj. 2 g.* V. *folgazão* (1 e 2).
folgazã. *Adj. (f.)* e *s. f.* Folgazona.
folgazão. [Aum. de *folgaz.*] *Adj.* **1.** Que gosta de folgar, brincar, divertir-se: *indivíduo f o l g a z ã o.* **2.** Alegre, galhofeiro: *gênio f o l g a z ã o.* [Sin. ger., nessas acepç. : *folgador, folgaz.*] **3.** *Bras., N.* e *N.E.* Femeeiro (1). ● *S. m.* **4.** Indivíduo folgazão. [Fem.: *folgazona* e *folgazã.* Pl.: *folgazãos* e *folgazões.*]
folgazar. [De *folgaz* + *-ar*².] *V. int.* V. *folgar* (7 a 10).
folgazona. *Adj. (f.)* e *s. f.* Fem. de *folgazão* [q. v.]; folgazã.
folgo¹ (ô). *S. m.* F. sincopada de *fôlego:* "— Não sou máquina de ferro pra subir essa morraria num f o l g o só." (Antônio Olavo Pereira, *Fio de Prumo,* p. 38.) [Pl.: *folgos* (ô). Cf. *folgo,* do v. *folgar.*]
folgo² (ô). [Dev. de *folgar.*] *S. m. Ant.* Folgança. [Pl.: *folgos* (ô). Cf. *folgo,* do v. *folgar.*]
folguedo (ê). *S. m.* V. *folgança* (2).
folha¹ (ô). [Do lat. *folia.*] *S. f.* **1.** *Morfol. Veg.* Órgão laminar e verde das plantas floríferas ou fanerógamas, que constitui a estrutura assimiladora por excelência, e que consta de uma lâmina verde, o *limbo* de uma haste ou *pecíolo* e, por vezes, de uma parte basal alargada, a *bainha.* **2.** A representação ou imitação de uma folha em escultura, pintura, bordado, ornato arquitetônico, etc. **3.** Pedaço de papel de determinado tamanho, formato, espessura ou cor, usado para diferentes fins: *f o l h a de papel celofane; bloco de f o l h a s destacáveis;* "uma f o l h a de papel que voava" (Coelho Neto, *Turbilhão,* p. 161). **4.** Cada uma das unidades materiais de que se compõe um livro, revista, jornal, caderno, etc., cujas faces têm o nome de *página: Comprei um caderno de f o l h a s transparentes; As f o l h a s dos livros antigos eram de pergaminho.* **5.** *P. ext.* Aquilo que está escrito ou impresso em folha: *As f o l h a s do jornal estão ilegíveis.* **6.** Jornal, gazeta: "Uma das nossas f o l h a s deu notícia de haver morrido em Paris uma bailarina, que luziu nos últimos anos do império" (Machado de Assis, *A Semana,* II, p. 81). **7.** A parte cortante de alguns instrumentos; lâmina. **8.** Peça delgada, achatada e/ou flexível de qualquer material natural ou sintético; lâmina, chapa: *f o l h a de zinco; armário com o fundo de f o l h a de compensado.* **9.** Lado, divisão ou parte móvel da janela ou da porta: "O seu ombro fez uma ligeira pressão sobre a f o l h a da porta, e esta cedeu, entreabriu-se" (Júlio Ribeiro, *A Carne,* p. 204). **10.** Relação, rol. **11.** Relação nominal de funcionários, operários, etc., com indicação das respectivas classificações, vencimentos, etc. [Pl: *folhas* (ô); dim. irreg.: *folíolo.* Cf. *folha* e *folhas,* do v. *folhar.*] ◆ **Folha acerosa.** *Morfol. Veg.* Folha acicular. **Folha acicular.** *Morfol. Veg.* Folha muito fina e rígida, como agulha; folha acerosa. **Folha acinaciforme.** *Morfol. Veg.* Folha provida de um bordo convexo e de outro com duas concavidades, e que tem uma das margens mais espessa que a outra. **Folha alterna.** *Morfol. Veg.* Folha que se insere solitariamente nos nós caulinares. **Folha alternipenada.** *Morfol. Veg.* Folha composta penada em que os folíolos se mostram alternos; folha alternipene. **Folha alternipene.** *Morfol. Veg.* Folha alternipenada. **Folha amplexicaule.** *Morfol. Veg.* Folha cuja base, reentrante, abraça o caule e se estende além dele. **Folha apedada.** *Morfol. Veg.* Folha cujos segmentos se dispõem em linha horizontal, recordando os dedos de um pé. **Folha aristada.** *Morfol. Veg.* Folha que termina por um prolongamento da nervura central, duro e comumente piloso. **Folha arredondada.** *Morfol. Veg.* Folha orbicular. **Folha áspera.** *Morfol. Veg.* Folha escabra. **Folha atenuada.** *Morfol. Veg.* Folha que se estreita na direção do ápice ou da base. **Folha auriculada.** *Morfol. Veg.* Folha cuja base é fundamente escavada. Os lobos laterais chamam-se *aurículas.* **Folha avulsa.** V. *folha volante.* **Folha binada.** *Morfol. Veg.* Folha digitada de dois folíolos; folha conjugada. **Folha bipenada.** *Morfol. Veg.* Folha duplamente penada, em que o pecíolo se mostra duas vezes subdividido. **Folha cirrosa.** *Morfol. Veg.* Folha que termina por uma gavinha, e cuja ponta, portanto, se enrola em algum suporte. **Folha clatrada.** *Morfol. Veg.* Folha com nervuras longitudinais e veias transversais, delimitando figuras retangulares que, no conjunto, lembram uma grade. **Folha composta.** *Morfol. Veg.* Folha cujo limbo é subdividido em partes ditas *folíolos.* **Folha conjugada.** *Morfol. Veg.* Folha binada. **Folha cordada.** *Morfol. Veg.* Folha cuja base é um tanto escavada ou reentrante. **Folha corrida.** Certidão mandada passar pelo juiz, na qual todos os escrivães atestam se um indivíduo tem ou não culpa nos respectivos cartórios. **Folha cuneada.** *Morfol. Veg.* Folha cuja base é estreitada, aguda; folha cuneiforme. **Folha cuneiforme.** *Morfol. Veg.* Folha cuneada. **Folha de aviamento.** *Tip.* Aquela que fica debaixo da folha de padrão, e na qual se fazem recortes e colam alças; folha de preparo. **Folha decomposta.** *Morfol. Veg.* Folha composta, duas vezes subdividida. **Folha decorrente.** *Morfol. Veg.* Folha cujo limbo se continua pelo ramo, o que o torna alado; folha desinente. **Folha de descarga.** *Art. Gráf.* **1.** Folha de papel impregnada de petróleo, com a qual se reveste o cilindro da prensa, ao fazer a retiração, para evitar que o padrão, recebendo repinte, manche as folhas seguintes. **2.** Maculatura que se faz passar entre os rolos das prensas para eliminar excesso de tinta. [Em ambos os sentidos tb. se diz apenas *descarga.*] **Folha deltóide.** *Morfol. Veg.* Folha ovada com os dois lados e a base retilíneos, e que recorda um triângulo; folha triangular. **Folha denteada.** *Morfol. Veg.* Folha que apresenta dentes orientados perpendicularmente ao eixo longitudinal. **Folha de padrão.** *Tip.* A que recobre, por último, a almofada, e fica por cima da folha de aviamento. [Tb. se diz apenas *padrão.*] **Folha de porta.** *Arquit.* Parte móvel da porta. **Folha de preparo.** *Tip.* Folha de aviamento. **Folha de rosto.** *Tip.* A folha do livro na qual estão impressos o título e o frontispício: "Existem .... duas edições de *Os Lusíadas* datadas de 1572, com os mesmos dizeres na f o l h a d e r o s t o, sem que nenhuma declare ser nova edição." (José Honório Rodrigues, *Teoria da História do Brasil,* p. 389.) **Folha de rosto gravada.** *Bibliogr.* V. *portada* (3). **Folha de serviço.** Registro de serviço prestado. **Folha desinente.** *Morfol. Veg.* Folha decorrente. **Folha digitada.** *Morfol. Veg.* Folha composta em que os folíolos se prendem na ponta do pecíolo comum recordando a disposição dos dedos da mão. **Folha dimidiada.** *Morfol. Veg.* Folha com um dos lados diferentes do outro. **Folha dolabriforme.** *Morfol. Veg.* Folha arredondada numa extremidade, estreitada na outra, e algo desviada para um dos lados. Parece-se com uma machadinha. **Folha elíptica.** *Morfol. Veg.* Folha oblonga cujo ápice e base são igualmente arredondados, sendo o comprimento uma a duas vezes maior que a largura; folha oval. **Folha escabra.** *Morfol. Veg.* Folha áspera ao tato, com pêlos curtos e rígidos: folha áspera. **Folha escamiforme.** *Morfol. Veg.* Folha reduzida em suas dimensões e de coloração parda, parecendo escama. **Folha estrelada.** *Morfol. Veg.* Folha verticilada. **Folha estrigosa.** *Morfol. Veg.* Folha híspida. **Folha fendida.** *Morfol. Veg.* Folha cujos recortes ultrapassam um pouco a metade da distância entre a nervura central e a margem. **Folha hastada.** *Morfol. Veg.* Folha ovada cuja base se prolonga lateralmente, e que recorda a forma de ponta de lança. **Folha híspida.** *Morfol. Veg.* Folha coberta de longos pêlos tesos, esparsos e frágeis, que caem com facilidade: folha estrigosa. **Folha imparipenada.** *Morfol. Veg.* Folha penada que termina por um folíolo. **Folha incana.** *Morfol. Veg.* Folha cuja pilosidade lhe confere coloração branco-acinzentada. **Folha ineqüilátera.** *Morfol. Veg.* Folha assimétrica na base, onde um dos lados é diferente do outro; folha oblíqua, folha pterigóidea. **Folha integérrima.** *Morfol. Veg.* Folha que leva margem inteira ou lisa. **Folha íntegra.** *Morfol. Veg.* Aquela cujo limbo é inteiro. **Folha invaginante.** *Morfol. Veg.* Folha sem pecíolo, cuja bainha abraça o caule. É formada pelo limbo e bainha. **Folha linear.** *Morfol. Veg.* Folha lanceolada, muito estreita, com bordos paralelos. **Folha lirada.** *Morfol. Veg.* Aquela cujo limbo é penatipartido ou penatissecto, e cujo segmento terminal é maior que os demais. **Folha lobada.** *Morfol. Veg.* Folha cujo limbo é subdividido até a metade da distância entre a margem e a nervura central. Cada recorte é um lobo. **Folha oblíqua.** *Morfol. Veg.* V. *folha ineqüilátera.* **Folha opositipenada.** *Morfol. Veg.* Folha composta penada cujos folíolos são opostos. **Folha oposta.** *Morfol. Veg.* A que se prende aos pares nos nós caulinares. **Folha**

orbicular. *Morfol. Veg.* Folha cujo ápice, base e lados são aproximadamente iguais, revestindo a forma de um disco; folha arredondada. **Folha oval.** *Morfol. Veg.* Folha elíptica. **Folha panduriforme.** *Morfol. Veg.* A que tem forma de guitarra, i. e., que é estreitada do meio para a ponta, que é obtusa. **Folha paripenada.** *Morfol. Veg.* Folha penada que termina por dois folíolos. **Folha partida.** *Morfol. Veg.* Folha cujo limbo é profundamente subdividido, atingindo os recortes quase a nervura central. **Folha peciolada.** *Morfol. Veg.* Folha composta de limbo e pecíolo, sem bainha. **Folha pectinada.** *Morfol. Veg.* Folha diversamente recortada, mas cujos segmentos são paralelos, lembrando um pente. **Folha pedada.** *Morfol. Veg.* Folha que se dispõe, mais ou menos paralelamente, ao longo de um suporte. **Folha pedatífida.** *Morfol. Veg.* A folha pedada que é fendida. **Folha pedatipartida.** *Morfol. Veg.* A folha pedada que é partida. **Folha pedatissecta.** *Morfol. Veg.* A folha pedada que é secta. **Folha penada.** *Morfol. Veg.* Folha composta cujos folíolos se inserem ao longo do pecíolo comum, e que recorda uma pena de galinha. **Folha penatífida.** *Morfol. Veg.* A que tem o limbo fendido e os segmentos dispostos lado a lado. **Folha penatilobada.** *Morfol. Veg.* A folha lobada cujos lobos se dispõem de cada lado do eixo comum. **Folha penatipartida.** *Morfol. Veg.* A folha partida cujos segmentos se ordenam lado a lado. **Folha penatissecta.** *Morfol. Veg.* A folha secta cujos segmentos são dispostos de cada lado do pecíolo comum. **Folha peninérvea.** *Morfol. Veg.* Folha cujas nervuras (ou antes, venas) partem de um eixo longitudinal. A disposição lembra pena de galinha. **Folha perfolhada.** *Morfol. Veg.* Folha cujas aurículas se fundem, englobando o ramo. **Folha premorsa.** *Morfol. Veg.* Folha cujo recorte apical é muito profundo. **Folha pterigóidea.** *Morfol. Veg.* V. *folha ineqüilátera.* **Folha pubérula.** *Morfol. Veg.* Folha recoberta de pêlos curtos, dificilmente visíveis à vista desarmada. **Folha quintuplinérvea.** *Morfol. Veg.* Folha com cinco nervuras, sendo quatro laterais que partem acima da base. **Folha reniforme.** *Morfol. Veg.* Folha lateralmente expandida com a concavidade voltada para baixo. É semelhante a um rim ou feijão. **Folha repanda.** *Morfol. Veg.* Folha com crenas muito largas e superficiais, e que tem os seios obtusos. **Folha retusa.** *Morfol. Veg.* Folha cujo ápice é levemente reentrante. **Folha runcinada.** *Morfol. Veg.* Folha recortada, estando os recortes voltados para a base. **Folhas adunadas.** *Morfol. Veg.* Folhas (um par) opostas e sésseis cujas bases se soldam. **Folhas anotinas.** *Morfol. Veg.* Folhas do ano em curso, que surgiram no prazo de um ano. **Folha secta.** *Morfol. Veg.* Folha subdividida cujas incisões alcançam a nervura principal, e que simula uma folha composta, porém desta se distingue porque os segmentos não se articulam com a nervura central. **Folha sinuada.** *Morfol. Veg.* Folha cujas crenas são desiguais. **Folhas liminares.** *Bibliogr.* V. *folhas preliminares.* **Folhas preliminares.** *Bibliogr.* As folhas iniciais de um livro, geralmente numeradas com algarismos romanos, e que contêm a totalidade ou parte dos seguintes elementos extratextuais, além de um eventual fólio branco inicial: falsa folha de rosto, frontispício, folha de rosto, dedicatória, índice geral, índice das ilustrações, lista de abreviaturas, prefácio e (quando não escrita pelo autor da obra) introdução. [Tb. se diz apenas *preliminares;* sin.: *folhas liminares, entrada, princípios.* Cf. *finais.*] **Folha tomentela.** *Morfol. Veg.* Folha um tanto tomentosa. **Folha tomentosa.** *Morfol. Veg.* A que tem tomento (2). **Folha triangular.** *Morfol. Veg.* Folha deltóide. **Folha trifoliada.** *Morfol. Veg.* Folha composta de três folíolos. **Folha triplinérvea.** *Morfol. Veg.* Folha com três nervuras, sendo duas laterais, que partem acima da base. **Folha tubulosa.** *Morfol. Veg.* Folha cilíndrica, porém oca. **Folha venosa.** *Morfol. Veg.* Folha que exibe cordões *(venas)* perpendiculares ao eixo longitudinal. **Folha verticilada.** *Morfol. Veg.* Folha que se apresenta em número de três ou mais em cada nó caulinar; folha estrelada. **Folha violada.** *Morfol. Veg.* Folha oblonga, dotada de um estreitamento na porção mediana, e que lembra a forma de uma tampa de viola. **Folha volante.** Impresso tirado em folha solta, às vezes dobrada ao meio, que contém circular, anúncio, manifesto, etc., e em geral é distribuído ou espalhado pelas ruas. [Tb. se diz apenas *volante;* sin.: *folha avulsa, avulso, boletim.*] **A folhas tantas.** Em certo momento; a certa altura; a páginas tantas. **Cair nas folhas.** *Bras., MG. Pop.* V. *fugir* (1 e 2). **Dourar por folha.** *Encad.* Dourar o corte do livro. **Falsa folha de rosto.** *Bibliogr.* A página que antecede a folha de rosto, e que contém só o título da obra; ante-rosto, falso-rosto, falso-título. **Novo em folha.** Ainda não usado: "A bandeira imperial, n o v a e m f o l h a, é conduzida por dois marinheiros" (Félix Lima Júnior, *Mapirunga,* p. 19). **Numerar por folhas.** *Tip.* V. *paginar a livro aberto.* **Virar a folha.** *Fam.* V. *mudar o disco.*

folha² (ô). *S. f.* V. *folha-de-flandres* [q. v.]: "Na cozinha, em vez da candeia .... , figurava a esguia vela de sebo de vinte réis, espetada em um castiçal de f o l h a." (França Júnior, *Folhetins,* p. 562.) [Pl.: *folhas* (ô). Cf. *folha* e *folhas,* do v. *folhar.*]

folha-cheirosa. *S. f. Bras., AM.* Designação comum a duas plantas herbáceas, ornamentais, da família das aráceas (*Anthurium nymphalifolium* e *Anthurium oxycarpum*), cujas flores estão dispostas em espádice, protegidas por espata, tendo as folhas da primeira, quando secas, odor semelhante ao da baunilha. [Pl.: *folhas-cheirosas.*]

folhada. *S. f.* **1.** V. *folhagem* (1 a 3). **2.** V. *manta* (6).

folha-da-fonte. *S. f. Bras., PA, PE* e *RJ.* Trepadeira ornamental, da família das aráceas (*Philodendron cordatum*), cujas flores estão dispostas em espádices, protegidas por espata muito menor, e de noite exalam fortíssimo perfume de cravo; guimberana. [Pl.: *folhas-da-fonte.*]

folha-da-fortuna. *S. f. Bras.* Saião. [Pl.: *folhas-da-fortuna.*]

folha-de-bolo. *S. f. Bras., AM* a *SP.* **1.** Arbusto lenhoso, da família das melastomatáceas (*Miconia chamissois*). **2.** Árvore de grande porte, da família das papilionáceas (*Platycyamus regnellii*), usada para arborização de praças e parques, graças à beleza da copa e do colorido da folhagem. **3.** V. *folha-redonda.* [Pl.: *folhas-de-bolo.*]

folha-de-comichão. *S. f. Bras.* Caajuçara. [Pl.: *folhas-de-comichão.*]

folha-de-flandres. *S. f.* Folha de ferro estanhado, usada no fabrico de numerosos utensílios; lata: "uma canastra, um cabide, um baú de f o l h a - d e - f l a n d r e s" (Machado de Assis, *Páginas Recolhidas,* p. 26). [F. red.: *folha* e *flandres,* var. *flandre, flande.* Pl.: *folhas-de-flandres.*]

folha-de-gelo. *S. f. Bras.* Planta herbácea e xerótica, ornamental, da família das aizoáceas (*Mesembryanthemum crystallinum*), de folhas quase sésseis, axilares, alvas e argênteas, cujo fruto é cápsula deiscente em estrela no ápice. Inúmeras vesículas cristalinas e transparentes cobrem todas as suas partes, e cintilam ao sol, dando a impressão de que a planta está coberta de pedacinhos de gelo. [Sin.: *erva-de-gelo, flor-de-gelo.* Pl.: *folhas-de-gelo.*]

folha-de-hera. *S. f.* Planta de caules carnosos, ornamental, da família das geraniáceas *(Pelargonium lateripes),* originária do Sul da África, de flores purpúreo-escuras, dispostas em umbelas multifloras, e cujas folhas se assemelham com as da hera. [Pl.. *folhas-de-hera.*]

folha-de-leite. *S. f. Bras., RJ* a *SP.* Arbusto pequeno e lactescente, da família das euforbiáceas *(Euphorbia hirtella),* todo revestido de tomento branco, cujas flores verdes são dispostas em cimeiras terminais, e cujo fruto é cápsula glabra, com sementes rugoso-tuberculadas. [Pl.: *folhas-de-leite.*]

folha-de-lixa. *S. f. Bras.* V. *cipó-caboclo.* [Pl.: *folhas-de-lixa.*]

folha-de-mangue. *S. f. Bras.* Peixe de mar da família dos carangídeos *(Chloroscombrus chrysurus* Lin.). [Pl.: *folhas-de-mangue.*]

folha-de-oiro. *S. f. Bras., RJ.* Var. de *folha-de-ouro.* [Pl.: *folhas-de-oiro.*]

folha-de-ouro. *S. f. Bras., RJ.* Planta herbácea, ornamental, da família das compostas *(Chrysanthemum praealtum),* de flores liguladas nos bordos, mais compridas que as do disco, reunidas em capítulos, e longos pedúnculos, formando corimbos. [Var.: *folha-de-oiro.* Pl.: *folhas-de-ouro.*]

folha-de-papagaio. *S. f.* V. *cróton.* [Pl.: *folhas-de-papagaio.*]

folha-de-prata. *S. f. Bras., PA.* Árvore regular, ornamental, da família das lauráceas *(Ocotea argyrophylla),* de flores femininas, pediceladas, dispostas em panículas axilares e terminais, e cujas folhas, alvas e argênteas na página inferior, com intenso brilho metálico, são muito procuradas para decoração; folha-prateada. [Pl.: *folhas-de-prata.*]

folha-de-sangue. *S. f. Bras.* Arbusto ramoso, ornamental, da família das euforbiáceas *(Euphorbia pulcherrima),* muito característico pelas brácteas opostas, grandes e de cor vermelho-sangue, que circundam pequenas flores amareladas com invólucro globoso e glândula amarela, dispostas em umbela. É muito usada, sobretudo nos E.U.A., em decoração de Natal; asa-de-papagaio, bico-de-papagaio, flor-de-papagaio, parece-mas-não-é, poinsétia. [Pl.: *folhas-de-sangue.*]

folha-de-santana. *S. f. Bras., MG* e *RJ.* Arbusto ornamental, de caule herbáceo, da família das compostas *(Vernonia macrophylla),* de flores sésseis, roxas, reunidas em capítulos e dispostas em amplas panículas terminais, e cujo fruto é aquênio castanho, seríceo, com papo também castanho; erva-de-santana. [Pl.: *folhas-de-santana.*]

folha-de-serra. *S. f. Bras., MG* e *ES.* Árvores de porte médio, muito ornamental, da família das euforbiáceas *(Paradrypetes ilicifolia),* de copa cônica, alongada e inteiramente glabra, inflorescências cimosas, axilares, com flores masculinas, e cujo fruto, liso, elipsóide, afilado na base e no ápice, é muito apreciado por sua polpa adocicada; ameixa. [Pl.: *folhas-de-serra.*]

folha-de-urubu. *S. f. Bras., Amaz.* Trepadeira de caule grosso e rugoso, da família das aráceas *(Philodendron laciniatum),* de flores dispostas em espádice subséssil, protegido por espata de tubo exteriormente verde e interiormente vermelho-violáceo, e cujo fruto é baga pequena; guembé. [Pl.: *folhas-de-urubu.*]

folhado. [Do lat. *foliatu.*] *Adj.* **1.** Cheio ou coberto de folhas; enfolhado, folhento, folhoso, folhudo. **2.** Que tem forma de folha; foliforme. • *S. m.* **3.** Ato de folhar. **4.** V. *folhagem* (1 a 3). **5.** Arbusto pequeno, glabro e ornamental, da família das caprifoliáceas *(Viburnum tinus),* de folhas pequenas, alvas internamente e róseas por fora, campanuladas, pouco aromáticas, dispostas em corimbos compactos, e cujo fruto é baga azul-escura com reflexo metálico.

folha-doirada. *S. f. Bras.* Var. de *folha-dourada.* [Pl.: *folhas-doiradas.*]

folha-doirada-da-praia. *S. f. Bras.* V. *folha-dourada-da-praia.* [Pl.: *folhas-doiradas-da-praia.*]

folha-dourada. *S. f. Bras.* Designação comum a duas plantas, uma da família das mirtáceas *(Aulomyrcia cuprea)* e outra da família das sapotáceas *(Chrysophyllum cainito).* [Var.: *folha-doirada.* Pl.: *folhas-douradas.*]

folha-dourada-da-praia. *S. f. Bras., RJ* e *SP.* Arbusto trepador, ornamental, da família das malpighiáceas *(Heteropteris chrysophylla),* de flores delicadas, minusculamente crenuladas, amarelas ou cor de laranja, reunidas em umbelas, e estas dispostas em panículas axilares, cujo cálice tem oito glândulas e asas, folhas douradas, e cujo fruto é sâmara alada no dorso; praguá. [Var.: *folha-doirada-da-praia.* Pl.: *folhas-douradas-da-praia.*]

folha-furada. *S. f. Bras.* V. *dragão-fedorento.* [Pl.: *folhas-furadas.*]

folhagem. *S. f.* **1.** O conjunto das folhas de uma planta. **2.** Porção de folhas. **3.** A ramaria dos arvoredos. [Sin. (nessas acepç.): *folhada, folhado, folhame, folharia, folhedo.*] **4.** Ornato que representa ou imita folha ou flores. **5.** *Pop.* Galho e/ou folhas utilizados como ornamento. **6.** Fitônia.

folha-gorda. *S. f. Bras., BA* a *RJ.* Planta herbácea, da família das urticáceas *(Pilea microphylla),* de flores alvas, de inflorescência axilar, em cimeiras solitárias ou geminadas, e cujo fruto, aquênio, vegeta de preferência em lugares úmidos; urtiga, erva-gorda. [Pl.: *folhas-gordas.*]

folha-lixa. *S. f. Bras.* V. *cipó-caboclo.* [Pl.: *folhas-lixas* e *folhas-lixa.*]

folhame. *S. m* V. *folhagem* (1 a 3).

folha-morta. *S. f.* Acrobacia em que o avião desce como se fosse uma folha solta; folha-seca. [Pl.: *folhas-mortas.*]

folhão. [De *folho* (ô) (2) + *-ão.*] *S. m.* Cavalo que tem excrescência no casco.

folha-prateada. *S. f. Bras.* Folha-de-prata. [Pl.: *folhas-prateadas.*]

folhar. *V. t. d.* **1.** Produzir folhas em; prover de folhas; folhear: *A primavera f o l h o u as árvores.* **2.** Tornar semelhante a folha(s). **3.** Adornar com folhagem. **4.** Lavrar ou pintar folhagem em. **5.** Revestir de folha (8); folhear, folhetear. *Int.* **6.** Cobrir-se de folhas; folhar-se. **7.** *Bras., MG. Pop.* V. *fugir* (1 e 2). *P.* **8.** Cobrir-se de folhas; folhar: "O juazeiro florido em moitas viça, / F o l h a - s e o inhame, alça o caniço a flecha." (Alberto de Oliveira, *Poesias,* 3ª série, p. 283.) [Pres. ind.: *folho, folhas, folha,* etc. Cf. *folho* (ô), s. m., e *folha* (ô), s. f., e pl. *folhas* (ô).]

folharada. *S. f. Bras.* Grande porção de folhas.

folha-redonda. *S. f. Bras., MG* e *SP.* Árvore grande, de caule mais ou menos tortuoso, da família das euforbiáceas *(Alchornea iricurana),* de flores masculinas, glabras, dispostas em espigas paniculadas racemosas, e flores femininas ferrugíneo-esverdeadas, dispostas em espigas simples e solitárias, e cuja madeira, branca, mole, resistente, bastante porosa é própria para carpin-

taria; arariba, bujé, folha-de-bolo, maria-mole, iricurana. [Pl.: *folhas-redondas*.]
folharia. *S. f.* V. *folhagem* (1 a 3): "Verde da frente da chácara, desdobrado .... no verde .... da folharia das paineiras e das figueiras" (Telmo Vergara, *Contos da Vida Breve*, p. 227).
folha-santa. *S. f. Bras.* Pau-santo. [Pl.: *folhas-santas*.]
folha-seca. [De *folha* (ô) + o fem. de *seco* (ê).] *S. f.* **1.** Designação comum a espécies de borboletas do gênero *Zaretes*. **2.** Folha-morta. **3.** *Bras. Fut.* Chute direto a gol, geralmente com bola parada, cuja trajetória sofre um desvio súbito, que surpreende o goleiro: *Didi era mestre na folha-seca.* [Pl.: *folhas-secas*.]
folhato. *S. m.* V. *folhelho* (1).
folheado[1]. [De *folha* + *-ear-* + *-ado*[1].] *Adj.* **1.** Composto ou provido de folhas; foliado. **2.** *Geol.* Diz-se de sedimentos mais ou menos metamorfizados dispostos em forma de folhas.
folheado[2]. [Part. de *folhear*[2].] *Adj.* **1.** Que se folheou; revestido, foliado: *móveis folheados; relógio folheado a ouro.* ● *S. m.* **2.** Lâmina de madeira ou de metal com que se fazem revestimentos.
folhear[1]. *Adj. 2 g.* **1.** V. *foliáceo* (2 e 3). **2.** Que nasce ou vive nas folhas.
folhear[2]. *V. t. d.* **1.** Volver as folhas de (livro, revista, etc.): "folheio vinte livros e não consigo ler nenhum." (José Rodrigues Miguéis, *Gente da Terceira Classe*, p. 205). **2.** Ler apressadamente ou sem atenção as folhas de: *folhear uma revista.* **3.** Compulsar, manusear, consultar, ler, estudar: *Dispôs-se a folhear diariamente os clássicos.* **4.** Cortar ou dividir em folhas; folhetear. **5.** V. *folhar* (1 e 5). [Conjug.: v. *frear*.]
folheca. [De *folha* (ô) + *-eca*.] *S. f.* V. *floco* (1).
folhedo (ê). *S. m.* **1.** Conjunto de folhas desprendidas da árvore. **2.** V. *folhagem* (1 a 3): "O clarão sideral, nos rasgões do folhedo, / Entra, às vezes, filtrando uma réstia argentina" (Martins Fontes, *Verão*, p. 38).
folheio. [Dev. de *folhear*[2].] *S. m.* Ato de folhear[2] (1).
folheiro[1]. [De *folha* (ô) + *-eiro*.] *S. m.* **1.** *Bras.* V. *funileiro* (2). ● *Adj.* **2.** Que ajunta as folhas secas das árvores. [Cf. *fulheiro*.]
folheiro[2]. [Do esp. *fullero* (q. v.).] *Adj. Bras., RS.* De boa aparência; airoso, vistoso, garrido.
folhelho (ê). [Do lat. *folliculu*.] *S. m.* **1.** Película que reveste a maçaroca do milho, os bagos de uvas, legumes, etc.; folhato. **2.** *Geol.* Rocha argilosa folheada.
folhento. *Adj.* **1.** V. *folhado* (1). **2.** Copado, frondoso.
folheta (ê). *S. f.* **1.** Folha ou lâmina muito delgada: "O Eldorado não proviria das pepitas e das folhetas de ouro que a tribo [dos manaus] possuía? indaga o sábio francês [La Condamine]." (Raimundo Morais, *País das Pedras Verdes*, p. 178.) **2.** Folha delgada que se coloca por baixo das pedras preciosas engastadas.
folhetaria. *S. f.* **1.** Folhagem desenhada ou pintada. **2.** Coleção de folhetos. **3.** *Bras. Liter. Pop.* Casa especializada na impressão e venda de folhetos e romances [v. *romance* (9)].
folhetear. *V. t. d.* **1.** Pôr folhetas em (pedras preciosas); engastar. **2.** Folhear[2] (4). **3.** V. *folhar* (5). [Conjug.: v. *frear*.]
folheteiro. *S. m. Bras.* **1.** Dono de folhetaria (3). **2.** Vendedor de folhetos.
folhetim. [Do fr. *feuilleton*.] *S. m.* **1.** Seção literária de um periódico que ocupa, de ordinário, a parte inferior de uma página; gazetilha. **2.** Fragmento de romance publicado em um jornal dia a dia, suscitando o interesse do leitor.
folhetinesco (ê). *Adj.* **1.** Referente a, ou próprio de folhetins. **2.** Que tem o caráter de folhetim.
folhetinista. *S. 2 g.* Pessoa que escreve folhetins.
folhetinístico. *Adj.* Relativo a, ou próprio de folhetinista.
folhetista. *S. 2 g.* Pessoa que escreve folhetos.
folheto (ê). [Do it. *foglietto*.] *S. m.* **1.** *Docum.* Publicação não-periódica impressa contendo no mínimo 5 e no máximo 48 páginas, excluídas as capas. [Cf. *livro* (8).] **2.** *Pop.* Impresso de poucas folhas, com ou sem capa: *folheto de cordel.* **3.** *P. ext.* V. *folder*.
folhinha. [Dim. de *folha*.] *S. f.* **1.** Folha impressa que contém o calendário. **2.** Calendário (1) em folhas correspondentes a cada dia do ano, e que se arrancam diariamente. **3.** *Rel.* Diretório da reza obrigada dos padres.
folho (ô). [Do lat. *foliu*.] *S. m.* **1.** Tira de fazenda pregueada ou franzida, aplicada, como detalhe funcional ou ornamental, em vestuário, toalhas de altar, roupa de cama e mesa, em estofamento, etc.: "A moça trajava um vestido de musselina branca enfeitado de folhos" (Inglês de Sousa, *O Coronel Sangrado*, p. 29). **2.** Excrescência no casco dos animais. **3.** V. *folhoso* (2). [Pl.: *folhos* (ó). Cf. *folho*, do v. *folhar*.]
folhoso (ô). [Do lat. *foliosu*.] *Adj.* **1.** V. *folhado* (1). ● *S. m.* **2.** O terceiro estômago dos ruminantes; centafolho, folho, tantas-folhas, saltério, livro.
folhudo. *Adj.* V. *folhado* (1): "Vieram os folhudos repolhos" (Ramalho Ortigão, *As Farpas*, IV, p. 186).
▲**foli-.** [Do lat. *folium, ii*.] *El. comp.* = 'folha': *folífago*. [Equiv.: *-fólio: bifólio*.]
folia. [Do fr. *folie*.] *S. f.* **1.** Folgança ruidosa; pândega. **2.** *Ant. Mús.* Na Península Ibérica, dança viva, ao som do pandeiro, adufe e canto. **3.** *Mús.* Forma musical espanhola que, por seu estilo e construção, se aproxima da chacona ou da passacale e se presta facilmente à variação instrumental. **4.** *Lus.* Nas Beiras, procissão de homens que cantam em louvor do Espírito Santo. **5.** *Bras.* Grupo de rapazolas, vestidos de branco, que pedem esmolas para a festa do Espírito Santo ou dos Reis, e cantam ao som de violões, cavaquinho, pandeiro, pistom e tantã.
foliação. [Do lat. *foliu*, 'folha'.] *S. f. Bot.* Tempo em que principiam a brotar as folhas dos gomos.
foliáceo. [Do lat. *foliaceu*.] *Adj.* **1.** Semelhante a folhas; foliado. **2.** Relativo a folhas; folhear, foliar. **3.** Feito de folhas; folhear. **4.** *Morfol. Veg.* Diz-se de qualquer órgão ou parte vegetal que apresenta aspecto laminar, seja ou não de coloração verde: *talo foliáceo.*
foliado. [Do lat. *foliatu*.] *Adj.* **1.** Folheado[1] (1). **2.** Foliáceo (1). **3.** Revestido de folhas [v. *folha*[1] (8)]; folheado.
foliador (ô). [De *foliar*[2] + *-(d)or*.] *S. m.* Folião (3).
foliagudo. [De *foli-* + *agudo*.] *Adj.* Que tem folhas agudas; acutifólio.
folião. [De *foliar*[2] + *-ao*[3].] *S. m.* **1.** Histrião, farsante. **2.** Indivíduo folgazão, carnavalesco. **3.** Aquele que anda em folias; foliador. ● *Adj.* **4.** Diz-se de indivíduo folião. [Fem.: *foliona*.]
foliar[1]. [De *foli-* + *-ar*[1].] *Adj. 2 g.* V. *foliáceo* (2). [Cf. *folear*.]
foliar[2]. [De *folia* + *-ar*[2].] *V. int.* **1.** Andar em folias, brincadeiras, festas. **2.** Pular, saltar; divertir-se: "A filha dos lagos recavos e funerários, onde foliam as ariranhas aos ladridos" (Alberto Rangel, *Livro de Figuras*, p. 211). [Pres. ind.: *folio*, etc. Cf. *fólio* e *folear*.]
foliar[3]. [Do lat. *folia* (pl. de *foliu*, 'folha') + *-ar*[2].] *V. int. Tip.* **1.** Numerar as folhas de um livro. **2.** V. *paginar a livro aberto*. [Pres. ind.: *folio*, etc. Cf. *fólio* e *folear*.]
fólico. *Adj.* ~ V. *ácido* —.
folicular. *Adj. 2 g.* Respeitante a folículo[2].
foliculário. [Do fr. *folliculaire*.] *S. m. Deprec.* **1.** Escritor de folhetos. **2.** Mau jornalista.
folículo[1]. [De *foli-* + *-culo*.] *S. m.* Pequena folha ou lâmina.
folículo[2]. [Do lat. *folliculu*.] *S. m.* **1.** Folezinho. **2.** *Morfol. Veg.* Fruto seco, deiscente apenas por uma fenda, formado de uma folha carpelar, e que se abre pela sutura ventral e encerra muitas sementes. **3.** *Anat.* Designação comum a várias pequenas estruturas em forma de saco. ◆ **Folículo linfático.** *Anat.* Aglomerado de tecido linfóide encontrado em estruturas diversas do organismo.
foliculoso (ô). [Do lat. *folliculosu*.] *Adj.* Que tem folículo[2], ou é de natureza folicular.
folídoto. [Do gr. *pholidotós*.] *Adj.* **1.** Que tem escamas; coberto de escamas; escamoso. **2.** Pertencente ou relativo aos folídotos. ● *S. m.* **3.** Espécime dos folídotos.
folídotos. *S. m. pl. Zool.* Animais mamíferos, da ordem *Pholidota*, insetívoros, desprovidos de dentes, com língua muito longa e cilíndrica, e corpo revestido de numerosas placas córneas superpostas, com pêlos esparsos entre elas. São os pangolins.
folífago. [De *foli-* + *-fago*.] *Adj.* Que come folhas.
folífero. [De *foli-* + *-fero*.] *Adj. Morfol. Veg.* Que tem ou produz folhas.
foliforme[1]. [De *foli-* + *-forme*.] *Adj. 2 g.* Que tem forma de folha.
foliforme[2]. *Adj. 2 g.* Que tem forma de fole.
fólio. [F. red. de *in-fólio*.] *S. m.* **1.** Livro comercial numerado por folhas. **2.** As duas laudas de uma folha. **3.** Número que indica a paginação de uma publicação impressa. **4.** *Tip.* Folha de impressão de quatro páginas. (duas de frente e duas de verso), dobrada ao meio. **5.** Livro impresso em formato in-fólio: "A livraria, ... onde repousavam .... grossos fólios de convento e de foro, respirava para o pomar por duas janelas." (Eça de Queirós, *A Ilustre Casa de Ramires*, p. 6.) **6.** *Geom. Anal.* Podária da tricúspide em relação a um ponto qualquer de um dos seus eixos de simetria. [Cf. *folio*, do. v. *foliar*.] ◆ **Fólio duplo.** *Geom. Anal.* Bifólio (2). **Fólio simples.** *Geom. Anal.* Podária da tricúspide em relação a uma cúspide; curva ovóide.
▲**-fólio.** Equiv. de *foli-*.
foliolado. *Adj.* Que tem folíolo (2): *folha foliolada.*
folíolo. [De *foli-* + *-olo*.] *S. m.* **1.** Pequena folha (1): "por toda parte, se vêem os leques das donairosas palmeiras [os buritis] balancear à menor brisa os flexíveis folíolos" (Visconde de Taunay, *Visões do Sertão*, p. 55). **2.** *Morfol. Veg.* Cada uma das partes em que se subdivide uma folha composta. [Os folíolos são articulados com o pecíolo e se destacam de maneira íntegra.]
foliona. *Adj. (f.)* e *s. f.* Fem. de *folião*. [q. v.].
folipa. *S. f.* **1.** Pequeno fole ou empola na epiderme. **2.** Glóbulo de ar nos líquidos em ebulição ou fermentação; bolha. **3.** V. *floco* (1). [Var.: *folipo*.]
folíparo. [De *foli-* + *-paro*.] *Adj. Morfol. Veg.* Diz-se do vegetal que produz folhas.
folipo. *S. m.* **1.** Var. de *folipa*. **2.** Espécie de fole, tufo ou bolso que se forma em roupa malfeita.
➡**follow-up** (folouâp). [Ingl.] *S. m. Med.* Catamnésia.
folote. [De *fole*, certamente.] *Adj. 2 g. Bras., PE* e *AL. Pop.* Muito largo; frouxo, lasso. ◆ **A folote.** *Bras.* A gosto; à vontade.
fom. *S. m. Bras.* Negro de cultura jeje, vindo para o Brasil com o tráfico; efã.
fome. [Do lat. *fame*.] *S. f.* **1.** Grande apetite de comer. **2.** Urgência de alimento. **3.** Subalimentação (1). **4.** Falta do necessário; penúria, miséria. **5.** Míngua de víveres; escassez. **6.** *Fig.* Avidez, sofreguidão. ◆ **Fome canina.** *Pop.* V. *bulimia*. **Juntar-se a fome com a vontade de comer.** Unirem-se dois desejos ou interesses iguais. **Varado de fome.** *Bras.* Extremamente faminto.
fomenica. [De *fome*, provavelmente.] *S. 2 g.* V. *avaro* (3).
fomentação. [Do lat. *fomentatione*.] *S. f.* **1.** Fomento (1 e 4). **2.** Fricção medicamentosa na epiderme.
fomentador (ô). *Adj.* **1.** Que fomenta; fomentativo. ● *S. m.* **2.** Aquele que fomenta, promove ou causa.
fomentar. [Do lat. *fomentare*.] *V. t. d.* **1.** Promover o desenvolvimento, o progresso de; estimular; facilitar; *fomentar a indústria.* **2.** Excitar, incitar: *fomentar o ódio.* **3.** Friccionar (a pele) com um medicamento líquido. *P.* **4.** *Bras. Chulo.* Levar o diabo; danar-se: "— Fomente-se! respondeu o negociante, voltando-lhe as costas." (Aluísio Azevedo, *O Cortiço*, p. 99.)
fomentativo. *Adj.* Fomentador (1).
fomento. [Sing. do lat. *fomenta, orum*, 'gravetos'.] *S. m.* **1.** Ato ou efeito de fomentar; fomentação. **2.** Medicamento que se aplica na pele por meio de fricção. **3.** *Fig.* Mitigação de sofrimento; lenitivo, refrigério. **4.** *Fig.* Incitação, estímulo, fomentação. **5.** *Fig.* Proteção, auxílio.
fominha. [De *fome*.] *Adj. 2 g.* e *s. 2 g. Bras. Gír.* V. *avaro* (1 e 3).
fomitura. *S. f. Bras., N. Pop.* Fome, miséria, penúria.
fomo. *S. m. Bras.* Bacia chata, de barro ou de cobre, na qual se seca e torra a massa da mandioca.
fon. [Do gr. *phoné*, 'som'.] *S. m. Fís.* Unidade de medida de nível de audibilidade dum som que, num ensaio de audição realizado em condições normalizadas, é tão audível quanto outro som, de freqüência igual a 1 000 Hz e de nível de intensidade sonora igual a um decibel.
fona[1]. [Do gót. *fôn*.] *S. f.* **1.** Centelha que se apaga no ar; faúlha: "subiam nuvens densas de fumo negro espalhando fonas em voejo" (Coelho Neto, *O Rajá do Pendjab*, I, p. 10). **2.** *Bras.* Prisma de madeira que se usa em jogo, atirando-o para o ar, e cuja face superior indica, depois da queda, se o jogador perdeu ou ganhou.
fona[2]. *S. f.* Azáfama, roda-viva, lufa-lufa.
fona[3]. *S. m.* **1.** Indivíduo afeminado, fraco, mulherengo. ● *S. 2 g.* **2.** V. *avaro* (3).
fonação. [Do fr. *phonation*.] *S. f.* Produção fisiológica da voz.
fonado. [De *fone* (1) + *-ado*[1].] *Adj.* ~ V. *telegrama* —.
fonador (ô). [Do fr. *phonateur*.] *Adj.* Que produz a voz. ~ V. *aparelho* —.
fonalidade. [Do fr. *phonalité*.] *S. f.* O caráter dos sons de uma língua.
fonascia. [Do gr. *phonaskía*.] *S. f.* Fonástica.
fonástica. *S. f.* Arte de exercitar a voz; fonascia.
fonção. *S. f. Bras. Pop.* V. *função* (14).
➡**fondue** (fondü). [Fr.] *S. f.* **1.** *Cul.* Prato suíço preparado basicamente com certos queijos fundidos em vinho branco, apresentado na própria panela aquecida ao calor de um fogareiro, e do qual cada conviva se serve,

munido de garfo longo onde espeta um pedaço de pão que é embebido na massa fervente; *fondue* de queijo. **2.** Iguaria da mesma origem, servida de maneira análoga, e que consta de pequenos cubos de carne crua mergulhados em óleo fervente e degustados com molhos variados e picantes; *fondue bourguignonne, fondue* de carne. **3.** Qualquer iguaria preparada e servida de modo semelhante à *fondue* (1). ♦ **Fondue bourguignonne.** V. *fondue* (2). **Fondue de carne.** V. *fondue* (2). **Fondue de queijo.** *Fondue* (1).

fone[1]. [Do gr. *phoné, ês,* 'fala'.] *S. m. Fon.* Qualquer das realizações concretas de um fonema; som da fala.

fone[2]. [De *telefone.*] *S. m.* **1.** F. red. de *telefone* (1 e 3). **2.** *Bras.* A peça do aparelho telefônico que se leva ao ouvido, e por meio da qual, nos aparelhos modernos, também se fala com o interlocutor. [Var., p. us., nesta acepç.: *fono.*]

▲-fone. V. *fon(o)-.*

fonema. [Do gr. *phónema,* pelo lat. *phonema.*] *S. m. Fon.* Conjunto de articulações [v. *articulação* (5)] dos órgãos fonadores cujo efeito acústico representa, numa enunciação, o mínimo segmento distintivo. [Os fonemas de uma língua não correspondem necessariamente às letras da grafia usual, e só em transcrição fonética [v. *grafia* (2)] são indicados de maneira rigorosa e sistemática. O fonema /s/, p. ex., é representado por *c* antes de *e* e *i;* por *ç* antes de *a, o* e *u; por s;* por *ss,* entre vogais; e por *x.* V. *consoante* (4 e 5).]

fonemática. *S. f. Ling.* Parte da fonologia que estuda os fonemas, com exclusão doutros elementos fônicos que têm função distintiva, os quais são estudados na prosódia. [Cf. *fonologia, fonética* e *fonêmica.*]

fonêmica. *S. f. Ling.* Segundo a escola lingüística norte-americana, o estudo que focaliza apenas o fonema, não se ocupando com a realidade física integral do som da fala, e sim com a distribuição dele na cadeia fônica, sem apelo ao paradigma. [Corresponde aproximadamente ao que o Círculo Lingüístico de Praga chamou *fonologia* (q. v.). Cf. *fonética* e *fonemática.*]

fonêmico. *Adj.* **1.** Relativo à fonêmica. **2.** Que serve para distinguir significados em uma língua.

fonética. [Do gr. *phonetiké,* i. e., *epistéme phonetiké,* 'ciência da voz'.] *S. f. Gram.* Estudo dos sons, no qual não se leva em conta a pertinência deles, a uma língua. [Cf. *fonêmica, fonemática* e *fonologia.*]

foneticismo. *S. m.* Fonetismo [q. v.].

foneticista. *S. 2 g.* Especialista em fonética; fonetista.

fonético. [Do gr. *phonetikós.*] *Adj.* Relativo a fonema, à fonética ou ao fone[1]. ~ V. *alfabeto —, escrita —a, ortografia —a, regressão —a* e *transcrição —a.*

fonetismo. *S. m.* Princípio formador das escritas fonéticas; foneticismo. [V. *acrofonia, alfabetismo, consonantismo* e *silabismo.*]

fonetista. *S. 2 g.* Foneticista.

fonetizar. *V. t. d.* **1.** Tornar fonético. **2.** Examinar sob o aspecto da fonética.

fonfom. [T. onom.] *S. m.* O som da buzina do automóvel.

fonfonar. [De *fonfom* + *-ar*[2].] *V. int.* Buzinar (veículo automóvel): "Embaixo o táxi em que ele viera, fonfonava impaciente." (Lucilo Varejão, *Visitação do Amor,* p. 69.)

fonia. [De *fon(o)-* + *-ia.*] *S. f.* Som ou timbre da voz.

foniatra. *S. 2 g.* Especialista em foniatria.

foniatria. [De *fon(o)-* + *-iatria.*] *S. f.* **1.** Parte da medicina que trata das perturbações da fonação resultantes de anomalia fisiológica do aparelho fonador ou de posição errônea dele. **2.** *Terap.* Tratamento dos defeitos da fala.

foniátrico. *Adj.* Referente à foniatria.

fônica. [Fem. substantivado de *fônico* (subentende-se *arte).*] *S. f.* Arte de combinar os sons, consoante as leis da acústica.

fonice. [De *fona*[3] (2) + *-ice.*] *S. f.* Avareza, mesquinharia, somiticaria, sovinice.

fônico. [De *fon(o)-* + *-ico*[2].] *Adj.* **1.** Referente à voz. **2.** Relativo ao som. **3.** Que representa os sons da voz (sinal, etc.). ~ V. *escrita —a.*

fono. [De *(tele)fono.*] *S. m. Bras. P. us.* Var. de *fone*[2] (2).

▲fon(o)-. [Do gr. *phoné, ês.*] *El. comp.* = 'som'; 'voz': *fônico, fonógrafo.* [Equiv.: *-fono* e *-fone: áfono* (< gr. *áphonos), hipnófono; telefone.*]

▲-fono. V. *fon(o)-.*

fonoaudiologia. [De *fon(o)-* + *-audio-* + *-log(o)-* + *-ia.*] *S. f.* Estudo da fonação e da audição, das suas perturbações e tratamento delas.

fonoaudiológico. *Adj.* Relativo à fonoaudiologia.

fonoaudiólogo. *S. m.* Especialista em fonoaudiologia.

fonocâmptico. [De *fon(o)-* + gr. *kamptiké,* 'que serve para dobrar'.] *Adj. Fís.* Referente à reflexão do som.

fonocardiografia. [De *fon(o)-* + *cardiografia.*] *S. f.* Método de registro gráfico dos ruídos cardíacos.

fonocardiográfico. *Adj.* Respeitante à fonocardiografia.

fonocardiógrafo. *S. m. Med.* Instrumento com que se realiza a fonocardiografia.

fonocardiograma. [De *fon(o)-* + *cardiograma.*] *S. m. Med.* Registro gráfico, em papel, dos ruídos cardíacos.

fonocinematografia. [De *fon(o)-* + *cinematografia.*] *S. m.* **1.** Registro ou emissão simultânea das imagens. **2.** Cinema falado.

fonocinematográfico. *Adj.* Relativo à fonocinematografia.

fonofilmagem. *S. f.* Ação ou efeito de fonofilmar.

fonofilmar. *V. t. d.* Filmar para um fonofilme; fazer a fonofilmagem de.

fonofilme. [De *fon(o)-* + *filme.*] *S. m.* Filme cinematográfico sonoro; filmagem sonora.

fonofobia. [De *fon(o)-* + *-fob(o)-* + *-ia.*] *S. f.* Horror aos sons rimados ou monótonos.

fonofóbico. *Adj.* Relativo à fonofobia.

fonófobo. *S. m.* Aquele que tem fonofobia.

fonofotografia. [De *fon(o)-* + *fotografia.*] *S. f.* Processo ou arte de fotografar ondas sonoras ou vibrações dum instrumento produzidas por ondas sonoras que nele incidem.

fonofotográfico. *Adj.* Referente à fonofotografia.

fonografar. *V. t. d.* **1.** Representar (os sons) graficamente, por meio de aparelho registrador. *P.* **2.** Fixar-se, gravar-se. [Pres. ind.: *fonografo,* etc. Cf. *fonógrafo.*]

fonografia. [De *fon(o)-* + *-graf(o)-* + *-ia.*] *S. f.* **1.** *Gram.* Maneira de representar os sons das palavras graficamente. **2.** *Fís.* Representação gráfica das vibrações dos corpos sonoros.

fonográfico. *Adj.* Respeitante à, ou próprio da fonografia.

fonógrafo. [De *fon(o)-* + *-grafo.*] *S. m.* **1.** Antigo aparelho destinado a reproduzir sons gravados em cilindros ou discos metálicos. **2.** Aparelho que reproduz os sons gravados em discos sob a forma de sulcos espiralados; gramofone. [Cf. *eletrola* e *gravador* (4), e *fonografo,* do v. *fonografar.*]

fonograma. [De *fon(o)-* + *-grama.*] *S. m.* **1.** Sinal gráfico que representa um som. **2.** Inscrição do som, obtida, em fonética experimental, mediante aparelhos registradores. **3.** Som gravado. **4.** *Bras.* Telegrama fonado.

fonolítico. *Adj.* Relativo a fonólito.

fonólito. [De *fon(o)-* + *-lito.*] *S. m. Geol.* Rocha extrusiva constituída essencialmente de ortoclásio, nefelina, piroxênio e, mais raramente, de anfibólio.

fonologia. [De *fon(o)-* + *-log(o)-* + *-ia.*] *S. f.* **1.** Estudo dos sons da linguagem. **2.** *Restr.* Exame e hierarquização dos fatos fônicos quanto à função por eles desempenhada numa determinada língua. [Cf. *fonética, fonemática* e *fonêmica.*]

fonológico. *Adj.* Concernente à fonologia.

fonologista. *S. 2 g.* Fonólogo.

fonólogo. *S. m.* Especialista em fonologia; fonologista.

fonometria. *S. f. Fís.* Arte de medir a intensidade do som ou da voz, de usar o fonômetro.

fonométrico. *Adj.* Relativo à fonometria, ou ao fonômetro.

fonômetro. [De *fon(o)-* + *-metro.*] *S. m. Fís.* Instrumento para medir a intensidade do som ou da voz.

fônon. *S. m. Fís.* Partícula hipotética, importante no tratamento teórico da condutividade térmica nos sólidos, e que se associa a um pacote de ondas de baixa freqüência.

fonopsia. [De *fon(o)-* + *-ops(e)-* + *-ia.*] *S. f. Med.* Sensação subjetiva de visões excitadas por estímulo auditivo.

fonospasmo. [De *fon(o)-* + gr. *spasmós,* 'espasmo'.] *S. m. Patol.* Espasmo ou convulsão que acompanha a emissão da voz.

fonoteca. [De *fon(o)-* + *-teca.*] *S. f.* **1.** Coleção de documentos fônicos: discos, fitas magnéticas, etc. **2.** Lugar onde se guardam e escutam esses documentos. [Cf. *discoteca* e *fitoteca*[2].]

fonovisão. [De *fon(o)-* + *visão.*] *S. f. Telev.* Sistema em que os sinais das figuras são gravados em discos fonográficos, para serem ulteriormente reproduzidos.

fontainha (a-í). [Dim. de *fontana* (q. v.).] *S. f.* Pequena fonte; fontícula.

fontal. *Adj. 2 g.* **1.** V. *fontanal.* **2.** Que dá origem; gerador, originário.

fontana. [Do lat. *fontana.*] *S. f. Ant.* Fonte (1).

fontanal. [Do lat. tardio *fontanale.*] *Adj. 2 g.* Relativo a fontana ou fonte; fontal, fontanário, fontinal, fontano.

fontanário. *Adj.* V. *fontanal.*

fontanela. [Do it. *fontanella.*] *S. f. Anat.* Espaço membranoso que os fetos e as crianças muito novas apresentam no crânio; moleira.

fontanésia. *S. f.* Gênero de plantas oleáceas.

fontano. [Do lat. *fontanu.*] *Adj.* V. *fontanal.*

fonte. [Do lat. *fonte.*] *S. f.* **1.** Nascente de água. **2.** Bica de onde corre água potável para uso doméstico, etc. [Cf. *chafariz* (1).] **3.** O depósito para onde corre. [Dim. irreg.: *fontainha, fontícula.*] **4.** Pia batismal. **5.** *Fig.* Aquilo que origina ou produz; origem, causa: *a fonte do mal;* "O seu gênio poético [de Tennyson] foi uma fonte de emoções e uma fonte de receita." (Constâncio Alves, *Figuras,* p. 161). **6.** *Fig.* Procedência, proveniência, origem: "eram afirmações sem provas, e vinham de fontes suspeitas." (Bulhão Pato, *Memórias,* II, pp. 143-144). **7.** *Fig.* O texto original de uma obra. **8.** Cautério (2). **9.** *Anat.* Cada um dos lados da cabeça que formam a região temporal: "a curiosidade fustigava-lhe o sangue, as fontes latejavam-lhe" (Machado de Assis, *Várias Histórias,* p. 14). **10.** *Eletr.* Circuito capaz de fornecer energia elétrica, em condições controladas, a outro circuito; fonte de alimentação. **11.** *Expl.* Dispositivo pirotécnico constituído de um bastão oco carregado de composição pirotécnica, a qual, inflamada, lança chuva de lágrimas coloridas. **12.** *Fís.* Ponto ou região em que um fluido penetra num sistema; região através da qual há um fluxo de fluido do exterior para o interior de um sistema. **13.** *Fís.-Quím.* Sistema eletroquímico capaz de debitar corrente elétrica ou de impor uma tensão elétrica a um circuito. **14.** *Tip.* Conjunto de caracteres tipográficos que inclui, em dada proporção, letras de caixa-baixa e caixa-alta, algarismos, sinais, etc. [V. *polícia* (7).] **15.** *Tip.* Coleção de matrizes que, em máquina de compor, integra igual conjunto. **16.** *Jorn.* Qualquer pessoa, documento, organismo ou instituição que transmite informações ao repórter para elaboração de uma notícia; a procedência da notícia. **17.** *Teor. Inf.* Elemento de um sistema de comunicação [q. v.] que produz mensagem original a ser transmitida; onde se origina a mensagem a ser comunicada. ♦ **Fonte cósmica de rádio.** *Astr.* V. *fonte de rádio.* **Fonte de alimentação.** *Eletr.* Fonte (10). **Fonte de infecção.** *Med.* Foco (8). **Fonte de nêutrons.** *Fís. Nucl.* Sistema em que, mediante uma reação nuclear, há produção contínua de nêutrons. **Fonte de rádio.** *Astr.* Fonte estelar emissora de radiações com freqüência de ondas de rádio (q. v.); radioestrela, fonte cósmica de rádio. **Fonte de rádio extensa.** *Astr.* Fonte cósmica de rádio, com dimensões angulares tão grandes que não pode ser resolvida por uma astroantena. **Fonte de rádio pontual.** *Astr.* Fonte cósmica de rádio, com dimensões angulares tão pequenas que não pode ser resolvida por uma astroantena. **Fonte ortótropa.** *Fotom.* Fonte luminosa cuja brilhância é constante em todas as direções em que ela irradia. **Fonte pontual.** *Ópt.* Fonte luminosa que é vista, através de um instrumento óptico, sob ângulo sólido muito pequeno. [Uma fonte pode ser pontual por ter uma área de emissão muito pequena ou por estar situada a uma distância muito grande do instrumento óptico.] **Fonte térmica.** *Fís.* **1.** Sistema emissor de radiação infravermelha. **2.** Sistema que pode ceder ou receber energia térmica sem que a sua temperatura se altere. **Fontes coerentes.** *Ópt.* Duas ou mais fontes luminosas que emitem a mesma radiação com diferenças de fase constantes no tempo, e capazes de produzir figuras estacionárias de interferência. **De fonte limpa.** De origem certa, segura; mediante informação insuspeita, autorizada: *Conheço o fato de fonte limpa.*

fonte-boense. *Adj. 2 g.* **1.** De, ou pertencente ou relativo a Fonte Boa (AM). ● *S. 2 g.* **2.** Natural ou habitante de Fonte Boa. [Pl.: *fonte-boenses.*]

fontícola. [Do lat. *fonticola.*] *Adj. 2 g.* Que vive ou cresce nas fontes ou perto delas. [Cf. *fontícula.*]

fontícula. [De *fonte* + *-i-* + *-cula.*] *S. f.* Fontezinha, fontainha. [Cf. *fontícola.*]

fontinal. [Do lat. *fontinale.*] *Adj. 2 g.* V. *fontanal:* "as cristalinas talhas / das naias fontinais" (Antônio Feliciano de Castilho, *As Geórgicas de Virgílio,* p. 199).

fontinalácea. *S. f.* Espécime das fontinaláceas.

fontinaláceas. *S. f. pl. Bot.* Família de musgos, da ordem das isobriales, caracterizados pelo hábitat aquático. Cápsula séssil e regular; caliptra nua; peristoma duplo, cujos dentes internos são reunidos por uma membrana perfurada.

fontinaláceo. *Adj.* Pertencente ou relativo às fontinaláceas.

➡footing. (fútin). [Ingl.] *S. m.* Passeio a pé, para espairecer.

for. *S. m. Ant.* **1.** Foro (ô). **2.** Costume, moda, uso. [Cf.

for (ô), dos v. *ir* e *ser*.] ♦ **A for de.** *Ant.* À moda de; à maneira de; segundo o costume de.
➡f.o.r. [Ingl., sigla de *free on rail.*] V. *cláusula f.o.r.*
fora. [Do lat. *foras.*] *Adv.* **1.** Na parte exterior: "F o r a um perfume vago de magnólias, / Dentro — um perfume quente de mulher." (Olegário Mariano, *Toda uma Vida de Poesia*, I, p. 130.) **2.** Em outro lugar que não em sua casa: *Hoje vou comer f o r a.* **3.** No estrangeiro: *Foi à França estudar sociologia: lá f o r a dão mais valor às ciências humanas.* **4.** Sempre em frente; sempre além; afora, em fora: *Foi andando por esse Brasil f o r a ; Pela Vida f o r a* ... (*título de um livro de* Silva Ramos); "Tais eram as reflexões que eu vinha fazendo, por aquele V a l o n g o f o r a" (Machado de Assis, *Memórias Póstumas de Brás Cubas*, p. 190). ● *Prep.* **5.** Sem contar com; afora: *Havia no salão apenas 10 pessoas, f o r a o orador.* **6.** Com exclusão de; exceto: *Todos comeram em casa, f o r a João.* ● *Interj.* **7.** V. *irra*: "É o Alma, o poeta, o doido! F o r a ! F o r a !" (Teixeira de Pascoais, *D. Carlos*, p. 11). **8.** Modo de chamar os atores, autores, etc., no teatro, para os patear. ● *S. m.* **9.** Erro grosseiro. **10.** Rata, fiasco: *Bebeu muito na festa, e deu um grande f o r a .* **11.** *Bras.* Rompimento brusco de ligação amorosa, ou de amizade, ou comercial, etc.: *O f o r a da noiva deixou-o indiferente.* [Cf. *lata* (6).] ~ V. *foras*. [Cf. *fora* (ô) e *foras* (ô), dos v. *ir* e *ser*.] ♦ **Fora de. 1.** Afora, fora, exceto: "f o r a d o Jack, os amigos de Lúcio eram os de Seu Chico." (Pascoal Carlos Magno, *Sol sobre as Palmeiras*, p. 93). **2.** Não envolvido em: *estar, ficar f o r a d e um escândalo.* **Dar o fora. 1.** Ir-se embora; arrancar-se, raspar-se: " —Sabe de uma coisa? Dê o f o r a depressa antes que eu chame meu marido!" (Carlos Drummond de Andrade, *Cadeira de Balanço*, p. 24). **2.** V. *fugir* (1 e 2). **Dar um fora.** *Bras.* Cometer uma gafe ou indiscrição; dar uma bandeira. **Dar um fora em.** *Bras.* **1.** Não atender uma pretensão de (alguém); mostrar-se adverso a: *Tirada para dançar, d e u u m f o r a n o rapaz.* **2.** Cometer uma gafe. **De fora. 1.** À vista; exposto: *Está com as pernas d e f o r a .* **2.** Sem participar em alguma coisa; sem saber do que se passa: *Discutiu-se o assunto e ele ficou d e f o r a .* **De fora a fora.** Em toda a extensão. **Em fora.** V. *fora* (4): "Três entes respiram sobre o frágil lenho que vai singrando veloce, mar e m f o r a ." (José de Alencar, *Iracema*, p. 49). **Levar um fora.** Ser grosseiramente recusado em pretensão, pedido, solicitação, etc.; levar uma bandeira. **Para fora de.** *Bras.* Para mais de; mais de; mais do que: "Tinha p r a f o r a d e oitenta anos" (João Felício dos Santos, *João Abade*, p. 135). **Por fora de.** Sem saber, sem ter notícia de, ou relação com (algo), ou agindo como se não a tivesse: *Completamente p o r f o r a d a moda, causou sensação na festa.*
fora-da-lei. *Adj. 2 g.* e *2 n.* e *s. 2 g.* e *2 n.* V. *marginal* (5 e 6).
foragem. [De *foro* (ô) (1) + *-agem.*] *S. f.* Foro (ô) pequeno, insignificante.
foragido. [Do lat. *foras exitu*, 'saído fora'.] *Adj.* e *s. m.* **1.** que, ou aquele que anda fora de sua terra; emigrado. **2.** Que, ou aquele que fugiu, está escondido, errante, para escapar à justiça ou a qualquer perseguição.
foragir-se. [De *foragido.*] *V. p.* **1.** Expatriar-se, emigrar. **2.** Esconder-se, homiziar-se: *O criminoso f o r a g i u - s e .* [Conjug.: v. *dirigir.*]
foral. [De *foro* (ô) + *-al.*] *S. m.* **1.** Carta de lei que regulava a administração duma localidade ou concedia privilégio a indivíduos ou corporações: "O direito municipal, na letra dos seus f o r a i s afonsinos, governa .... os interesses concelhios e caseiros dos seus moradores e vizinhos da vila." (Antero de Figueiredo, *Jornadas em Portugal*, p. 77.) **2.** Carta de aforamento de terras; foro. **3.** Lugar onde outrora se administrava justiça, e que era, de ordinário, junto das igrejas.
foraleiro. *Adj.* Referente a foral.
forame. [Do lat. *foramen.*] *S. m.* Furo, buraco, cavidade. ♦ **Forame vertebral.** *Anat.* Grande forame existente em cada vértebra, situado entre o corpo desta, anteriormente, e o arco vertebral, posteriormente.
forâmen. *S. m.* V. *forame.* [Pl.: *foramens* e, p. us. no Brasil, *forâmenes.*]
foraminífero. [Do lat. *foramine*, 'orifício', + *-i-* + *-ero.*] *S. m.* **1.** Espécime dos foraminíferos. ● *Adj.* **2.** Pertencente ou relativo a eles.
foraminíferos. *S. m. Zool.* Animais protozoários, rizópodes da ordem *Foraminífera*, corpo provido de pseudópodes finos, ramificados e pegajosos, dentro de uma carapaça calcária, quitinosa ou de substâncias externas, contendo uma ou mais câmaras, com uma ou várias aberturas. São, na maior parte, marinhos, bentônicos, alguns pelágicos, e importantes indicadores de petróleo. Têm importância econômica, e atualmente são conhecidas cerca de 18.000 espécies.
foraminoso (ô). [Do lat. *foraminosu.*] *Adj.* Que tem forames; esburacado, aberto.
foramontão. *Adj.* Dizia-se dos lugares que pagavam aos seus senhores foro de montaria.
forâneo. [Do lat. *foraneu.*] *Adj.* **1.** Que é de terra estranha; estranho, forasteiro. **2.** *Rel.* Diz-se do pároco que está à frente de outros párocos vizinhos. ~ V. *vigário —.*
forania. *S. f. Rel.* Sede de uma paróquia forânea.
foranto. [De *for(o)-* + *-anto.*] *S. m. Morfol. Veg.* O receptáculo das flores.
foras. [Do lat. *foras.*] *S. m. pl. P. us.* A parte exterior. ~ V. *fora.* [Cf. *foras* (ô), dos v. *ir* e *ser.*
forasteirismo. *S. m.* Condição ou caráter de forasteiro.
forasteiro. [Do cat. *foraster.*] *Adj.* **1.** Que é de fora; estrangeiro, peregrino. **2.** Estranho, alheio. ● *S. m.* **3.** Indivíduo forasteiro (1).
forata. [Do it. *forata.*] *S. f.* Aparelho utilizado na espremedura das azeitonas.
forca (ô). [Do lat. *furca.*] *S. f.* **1.** Instrumento para o suplício da estrangulação; patíbulo, cadafalso. **2.** *Fig.* Laço, cilada. **3.** *Pop.* Desfiladeiro (1) **4.** *Tip.* Linha quebrada [q. v.] no começo de uma página. **5.** *Bras., BA. Pop.* Venda de roça; tasca, botequim. [Pl.: *forcas* (ô). Cf. *forca* e *forcas*, do v. *forcar.*] ♦ **Forcas caudinas. 1.** Forca ou desfiladeiro do antigo país dos samnitas, onde os romanos se viram obrigados a render-se à discrição. **2.** *P. ext.* Concessão onerosa e/ou humilhante arrancada dos vencidos.
força (ô). [Do lat. *fortia.*] *S. f.* **1.** Saúde física; robustez, vigor: *Faltam-me f o r ç a s para sair da cama.* **2.** Energia física: *Que f o r ç a tem nas mãos! Quase me quebra os dedos.* **3.** Energia moral: *Mulher de f o r ç a : enfrentou tudo sozinha, e saiu-se bem.* **4.** Obrigação a que não se pode faltar; necessidade [v. *é força que*]: *F o r ç a é que me livre desse importuno.* **5.** Esforço necessário para fazer alguma coisa: *Fez f o r ç a para passar no exame, e o conseguiu.* **6.** Intensidade, calor, veemência: *Foi-se emocionando e aumentando a f o r ç a das palavras.* **7.** Impulso, incitamento. **8.** Ação de obrigar alguém a fazer algo; violência: *Em vez de argumentos, usa a f o r ç a .* **9.** Poder, influência, prestígio: *A única f o r ç a que ela temia era a do pai; Já não tem f o r ç a sobre mim.* **10.** A virtude, o poder, a eficácia das coisas: *Os livros de Fernando Pessoa têm a f o r ç a de emocionar-me.* **11.** Faculdade de operar, mover-se, etc.: *Para atender a uma encomenda urgente, utilizou toda a f o r ç a da fábrica.* **12.** Viveza, intensidade, vigor, valor, peso: *A f o r ç a da peça tocou-me; É um pintor com f o r ç a de colorido.* **13.** O mais alto grau de alguma coisa: *Estávamos na f o r ç a do calor.* **14.** Grande porção; abundância. **15.** A parte mais importante ou numerosa de um todo; a de maior peso; o grosso: *A f o r ç a das pequenas bonitas do Rio encontra-se na Praia de Ipanema.* **16.** Motivo, causa: *Por f o r ç a da nova lei, teve de pagar o dobro do imposto.* **17.** Energia elétrica: *Companhia de F o r ç a e Luz.* **18.** *Fís.* Todo agente capaz de alterar o módulo ou a direção da velocidade de um corpo; todo agente capaz de atribuir uma aceleração a um corpo. **19.** *Mil.* Qualquer conjunto de tropas, navios ou aeronaves (ou uma combinação deles) estabelecido para fins operativos ou administrativos: *f o r ç a naval; f o r ç a aérea; f o r ç a de submarinos.* **20.** *Tip.* Vigor maior ou menor dos traços dos tipos, fios, etc., segundo o qual estes podem ter grau normal, claro, meio-claro, preto e meio-preto; peso. **21.** *Turfe.* Cavalo tido como superior a seus concorrentes em determinado páreo. [Pl.: *forças* (ô). Cf. *força* e *forças*, do v. *forçar.*] ♦ **Força bruta. 1.** A que se manifesta por atos arbitrários e despóticos. **2.** A força material; energia física. **Força central.** *Fís.* Aquela cuja direção passa sempre por um ponto fixo, num sistema de referência. **Força centrífuga.** *Fís.* Para um observador, num sistema de referência que tem um movimento de rotação em relação a outro sistema, força inercial que atua no sistema e é dirigida no sentido oposto ao do eixo de rotação. **Força centrípeta.** *Fís.* Num corpo sujeito a um movimento de rotação, força que atua sobre ele e é dirigida para o eixo de rotação. **Força coerciva.** *Fís.* Coercividade (2). **Força conservativa.** *Fís.* A que é definida e determinada em cada ponto do espaço pelo simétrico do gradiente duma função potencial. **Força contra-eletromotriz.** *Eletr.* Qualquer tensão elétrica que num gerador de tensão se opõe à força eletromotriz deste, e que pode ser causada por fenômenos de indução magnética, por fenômenos de natureza eletroquímica, etc. **Força cortante.** *Fís.* Num corpo rígido sujeito à ação de forças, componente dessas forças contida numa seção transversal do corpo. **Força da idade.** O período da vida entre os 25 ou 30 anos e os cinqüenta. **Força de ânimo.** Energia moral. **Força de atrito.** *Fís.* A que se opõe ao movimento de um corpo sólido em relação a outro com que está em contato. **Força de câmbio.** *Fís.* V. *força de permuta.* **Força de Coriolis.** *Fís.* Força inercial que atua sobre um corpo que se move num referencial animado de movimento de rotação. **Força de dispersão.** *Fís.* Força entre duas moléculas determinada pela interação de dipolos elétricos que ocasional e momentaneamente se formam graças ao movimento dos elétrons. **Força de expressão.** *Irôn.* Exagero ao emitir julgamento sobre alguém ou alguma coisa: *Chamam-lhe inteligente, mas é f o r ç a d e e x p r e s s ã o .* **Força degenerativa.** *Fís.* V. *força não-conservativa.* **Força de permuta.** *Fís.* força que seria atuante na interação de duas partículas subatômicas com um caráter atrativo ou repulsivo dependente do estado quântico dessas partículas, e que na expressão matemática representativa da interação corresponde a uma ou mais parcelas em que as coordenadas das partículas estão combinadas ou permutadas de maneira peculiar, decorrente de uma degeneração de permuta. [A existência desta força é discutível, pois ela aparece como resultante de um procedimento particular de cálculo de energia de interação entre as partículas. Sin.: *força de troca, força de câmbio.*] **Força de trabalho.** *Econ.* **1.** Capacidade do homem para trabalhar. **2.** O conjunto das aptidões físicas e mentais possuídas pelo homem e de que ele faz uso sempre que produz riqueza material. **Força de troca.** *Fís.* V. *força de permuta.* **Força de Van der Waals.** *Fís.* Interação entre moléculas neutras, que é o resultado de atrações de dipolos elétricos. **Força dissipativa.** *Fís.* V. *força não-conservativa.* **Força dramática.** *Teat.* Grande aprofundamento psicológico e forte intensidade emocional na interpretação de uma personagem, por parte do ator, ou na elaboração dos tipos e da intriga, por parte do dramaturgo. **Força eletromotriz.** *Eletr.* Tensão elétrica entre os terminais de uma fonte de energia elétrica que está funcionando em condições de reversibilidade. [Abrev.: *f. e m.*] **Força executiva.** *Jur.* Qualidade dum direito que pode, por disposição legal, ser prontamente executado; força executória. **Força executória.** Força executiva. **Força impulsiva.** *Fís.* Força que age sobre um corpo durante um intervalo de tempo muito curto e provoca uma variação de momento igual à impulsão. **Força inercial.** *Fís.* Aquela que um observador, solidário com um referencial acelerado em relação a um sistema de coordenadas, verifica que atua em todos os corpos, e que outro observador, solidário com o sistema de coordenadas, interpreta como resultado da aceleração do referencial. Ex.: a força centrífuga e a força de Coriolis. **Força magnetomotriz.** *Fís.* Integral de linha da intensidade de um campo magnético, tomada ao longo de um circuito fechado no campo; trabalho realizado para deslocar, ao longo de um circuito fechado num campo magnético, uma unidade de pólo magnético. É o análogo magnético de força eletromotriz. [Abrev.: *f.m.m.*] **Força maior.** Causa a que não se pode oferecer resistência; acontecimento que não se pode impedir e de que não se é responsável: *Não compareceu à reunião por motivos de f o r ç a m a i o r .* **Força não-conservativa.** *Fís.* A que não pode ser obtida com base numa função potencial; força dissipativa, força degenerativa. **Força pública.** Corporação militar, auxiliar, destinada a manter a ordem pública e executar serviços de policiamento. **Forças armadas.** O exército, a marinha e a aeronáutica, considerados como instituições permanentes de um país. **Forças produtivas.** *Econ.* Elementos de cuja associação decorre, numa dada sociedade, a produção dos bens materiais, e que compreendem os meios de produção [q. v.] e os homens que deles se utilizam dentro de uma determinada organização do trabalho. [Cf. *modo de produção e relações de produção.*] **Força termeletromotriz.** *Fís.* Força eletromotriz num sistema em que ocorre o efeito termelétrico. **Força viva.** *Fís.* O dobro da energia cinética de um corpo. [Tb. se usa a expr. lat. correspondente, *vis viva.*] **À fina força.** Por força; por qualquer modo, sem atender a razões; à viva força: "Quer à f i n a f o r ç a que eu publique esta coisada. Não tenho remédio senão fazer-lhe a vontade" (João de Araújo Correia, *Terra Ingrata*, p. 125). **À força.** Com ou por violência. **À força de.** A poder de: "Sabemos que a moça era bonita. Pois estava linda, à f o r ç a d e felicidade." (Machado de Assis, *Quincas Borba*, p. 220); "À f o r ç a d e viverem em um mundo de convenção, esses homens de sociedade tornam-se artificiais." (José de Alencar, *Senhora*, p.

243). **A toda a força.** No ponto máximo de atuação: *A fábrica, naqueles dias, estava funcionando a toda a força.* **À viva força.** V. *à fina força:* "Você a estas alturas quer sair, mas os anunciadores o retêm quase à viva força para o espetáculo *Uma Noite no Oriente*" (Fernando Sabino, *Medo em Nova Iorque. A Cidade Vazia,* p. 77). **Cobrar forças.** Ir-se restabelecendo; convalescer. **Com força total.** *Fam.* Com muita força; com muita disposição ou vitalidade; disposto a vencer a todo custo. **Dar força a. 1.** Dar razão a (alguém): *A mãe dava força à filha contra o marido.* **2.** Confirmar, corroborar: *Esse ato deu força à minha opinião sobre ele.* **De força. 1.** *Loc. adj.* De peso, de valor: *argumento de força.* **2.** Grande; forte: *um poeta de força.* **3.** Grande, refinado, rematado: *um malandro de força.* **4.** *Loc. adv.* Forçosamente; por força: "De força que amava a alguém, era claro, via-se-lhe nos olhos" (Machado de Assis, *Quincas Borba,* p. 228). **Desta força. 1.** Desta grandeza; deste tamanho. **2.** Desta qualidade. **É força que.** É indispensável, é forçoso que: "Esta é a cativa / que me tem cativo, / e, pois nela vivo, / é força que viva." (Luís de Camões, *Rimas,* p. 103.) **Fazer força.** Lutar, esforçar-se; diligenciar: *Quer tudo sem fazer força.* **Terceira força. 1.** Terceiro mundo. **2.** *Turfe.* O terceiro favorito de um páreo. [Corresponde ao lat. *tertius.*] **Tirar a força a. 1.** Tirar a razão a. **2.** Não confirmar.

forcado. [De *forca* + *-ado*[1].] *S. m.* **1.** Instrumento de lavoura, que é uma haste terminada em duas ou três pontas do mesmo pau ou de ferro; garfo. **2.** Quantidade de palha ou erva que se apanha de uma vez com o forcado.

forçado. [Part. de *forçar.*] *Adj.* **1.** Obrigado, compelido, violentado. **2.** Necessário, indispensável, forçoso: *visita forçada.* **3.** Que não é natural; sem espontaneidade; contrafeito, afetado, fingido: *riso forçado; amabilidades forçadas.* ~ V. *admissão —a, escoamento —, herdeiro —, a marchas —as, nutação —a, oscilação —a, trabalhos —s, vaga —a* e *voga —a.* ● *S. m.* **4.** Condenado a trabalhos forçados; calceta, grilheta.

forçador (ô). *S. m.* Aquele que força.

forcadura. *S. f.* Espaço entre as pontas do forcado.

forçamento. *S. m.* Ato de forçar ou violar; violação.

forçante. *Adj. 2 g.* Que força, que violenta.

forção. *S. m.* Espeque, escora, esteio.

forcar. *V. t. d.* Resolver com forcado. [Conjug.: v. *trancar.* Pres. ind.: *forco, forcas, forco,* etc. Cf. *forca* (ô) e pl. *forcas* (ô).]

forçar. *V. t. d.* **1.** Obter por força; conquistar, conseguir: *Com palavras hábeis, forçou uma confissão.* **2.** Entrar à força em; vencer, subjugar: *forçar o quartel inimigo.* **3.** Constranger, violentar, estuprar: *forçar uma mulher.* **4.** Arrombar, quebrar: *forçar a porta.* **5.** Desviar, torcer: *Forçaram-lhe a vontade.* **6.** Dar a (alguma coisa) uma interpretação descabida, forçada; desvirtuar: *Forçou o sentido daquela frase.* **7.** *Fot.* Revelar (um negativo) por mais tempo que o de uma revelação normal, a fim de compensar deficiências de exposição; puxar (o negativo). *T. d. e i.* **8.** Levar alguém a fazer alguma coisa contra vontade; constranger, obrigar: "A morte de Bela veio forçar o médico a não freqüentar mais a casa dos Corumbas. Sem o pretexto de ir cuidar da doentinha, dariam muito na vista aquelas visitas repetidas." (Amando Fontes, *Os Corumbas,* p. 112); "Queriam forçar-me a excessivo alimento, encher-me .... o estômago fraco." (Graciliano Ramos, *Viagem,* p. 33). *P.* **9.** Dominar a vontade para fazer algo que lhe repugna; constranger-se. [Conjug.: v. *laçar.* Pres. ind.: *forço, forças, força,* etc. Cf. *força* (ô) e pl. *forças* (ô).]

força-tarefa. [De *força* (ô) + *tarefa.*] *S. f. Mar. G.* Grupamento operativo de unidades de diferentes tipos, estabelecido temporariamente, sob comando único, com o fim de realizar uma tarefa específica, cuja execução exige que o grupamento proceda com certa independência. [Pl.: *forças-tarefas* e *forças-tarefa.*]

forcejar. [De *força* (ô) + *-ejar.*] *V. t. i.* **1.** Empregar esforços; fazer diligência; esforçar-se, empenhar-se: "— Está bom, deixa-me ir despir, disse ela forcejando por descer o vestido." (Machado de Assis, *Quincas Borba,* p. 269); "mamãe .... irrompeu na sala, desgrenhada, aos gritos, forcejando para livrar-se das senhoras que a seguravam." (Coelho Neto, *Obra Seleta,* I, p. 493). **2.** Fazer resistência; lutar, pelejar: *O veleiro forcejava contra a maré. Int.* **3.** Fazer esforços; lutar, pelejar: "O boi renitiu, forcejou. Investiu outra vez." (Nélson de Faria, *Tiziu e Outras Estórias,* p. 213.) *P.* **4.** Constranger-se, forçar-se. [Conjug.: v. *pelejar.*]

forcejo (ê). [Dev. de *forcejar.*] *S. m.* Ato ou efeito de forcejar.

fórceps. [Do lat. *forceps.*] *S. m. 2 n.* **1.** Tenaz ou pinça cirúrgica para de um corpo extrair corpos estranhos. **2.** Instrumento que se usa para extrair do útero a criança: "Nascera de oito meses, coisa rara. O fórceps teve de ser aplicado pela mão semibruta do Dr. Rufino" (Gustavo Barroso, *Mississípi,* p. 16). [F. paral.: *fórcipe.*]

fórcipe. [Do lat. *forcipe,* acusativo de *forceps.*] *S. m.* Fórceps.

forcipulado. *S. m.* **1.** Espécime dos forcipulados. ● *Adj.* **2.** Pertencente ou relativo a eles.

forcipulados. *S. m. pl. Zool.* Animais equinodermos, asteróides, ordem *Forcipulata,* cujas placas marginais são pouco distintas, e cuja face dorsal é provida de pequenos espinhos, cercados por numerosos pedicelos forcipulados, e de pódios terminados em ventosas.

forçoso (ô). *Adj.* **1.** Que tem força, vigor. **2.** Violento, impetuoso. **3.** Necessário, fatal, inevitável: *É forçoso lutar.*

forçudo. *Adj. Pop.* Musculoso, robusto, vigoroso, forte, forçoso: "depara-se-me um homem forçudo, mais com ar de batedor de ursos que de monitor de homens." (Aquilino Ribeiro, *Alemanha Ensangüentada,* p. 158).

forçura. [De *força* + *-ura.*] *S. f.* Coisa que sustenta; esteio.

forde. [Do antr. *Ford.*] *S. m. Obsol.* Tipo de veículo automóvel de baixo preço, e que era fabricado em série pelo industrial norte-americano Henry Ford (1863-1947). [Dim.: *fordeco.*]

fordeco. [Dim. de *forde.*] *S. m. Bras. Fam.* V. *forde:* "Sumiam os carros de bois .... e em seus lugares apareciam fordecos fumacentos" (Antônio Celso, *Girassol de Ouro,* p. 121).

forde-de-bigode. *S. m. Bras.* Automóvel tipo forde, modelo T, de 1911: "Ficava [a fazenda São José] no distrito de São José da Bela Vista, que distava uma hora de forde-de-bigode da sede da comarca" (Francisco Ribeiro Sampaio, *Renembranças,* p. 11).

fordicídio. [Do lat. *fordicidia.*] *S. m.* Sacrifício em que se imolava uma vaca forda, entre os antigos romanos.

fordo (ô). [Do lat. *fordu.*] *Adj.* Pejado, prenhe. [Pl.: *fordos* (ô).]

foreiro. [De *foro* (ô) + *-eiro.*] *Adj.* **1.** Que paga foro. **2.** Relativo a foro. **3.** Sujeito, obrigado. ● *S. m.* **4.** Aquele que tem o domínio útil dum prédio, pagando foro ao senhorio direto.

forense. [Do lat. *forense.*] *Adj. 2 g.* **1.** Respeitante ao foro judicial. **2.** Judicial (2).

forésia. [Do gr. *phóresis,* 'ação de levar', + *-ia.*] *S. f.* Hábito de um animal fazer-se transportar por outro.

➧**forfait** (forfé). [Fr.] *S. m. Turfe.* Declaração de ausência, no páreo, dum cavalo inscrito, feita por seu proprietário ou tratador; deserção. **Fazer *forfait*. 1.** *Turfe.* Deixar de correr (um cavalo), mesmo depois de inscrito, num dos páreos duma reunião do jóquei-clube; desertar. **2.** *P. ext.* Faltar a um compromisso.

fórfex (cs). [Do lat. *forfex.*] *S. m.* Instrumento em forma de tesoura ou pinça. [F. paral.: *fórfice.* Pl.: *fórfices.*]

fórfice. [Do lat. *forfice.*] *S. m.* Fórfex.

forficulino. *S. m.* **1.** Espécime dos forficulinos. ● *Adj.* **2.** Pertencente ou relativo a eles.

forficulinos. *S. m. pl. Zool.* Insetos da ordem dos dermápteros, subordem *Forficulina,* geralmente alados e com mandíbulas bem desenvolvidas, adaptadas para a mastigação.

forinte. *S. m.* Unidade monetária, e moeda, da Hungria, dividida em 100 filers.

forja. [Do fr. *forge.*] *S. f.* **1.** Conjunto de fornalha, fole, bigorna, do qual se utilizam no seu ofício os ferreiros e outros artífices que trabalham em metal. **2.** Oficina de ferreiro; fundição; frágua. **3.** *Bras.* Armadilha para apanhar caça grossa; fossa, forje.

forjado. [Part. de *forjar.*] *Adj.* **1.** Aquecido e trabalhado na forja; saído da forja. **2.** Falso, forjicado: *notícia forjada.* ~ V. *ferro —.*

forjador (ô). *Adj.* e *s. m.* Que ou aquele que forja.

forjadura. *S. f.* Ato de forjar; forjamento.

forjamento. *S. m.* Forjadura.

forjar. *V. t. d.* **1.** Aquecer e trabalhar na forja; caldear: *forjar um metal.* **2.** Fabricar, fazer: *forjar uma espada.* **3.** Inventar, maquinar, planear, imaginar, forjicar: *forjar sonhos.* **4.** Arranjar defeituosamente; falsificar, forjicar: *forjar um álibi.*

forje. *S. m. Bras.* Var. de *forja* (3).

forjicar. *V. t. d.* V. *forjar* (3 e 4): "E caminhava a Benedita, forjicando planos, tramando contra o desaforado Miguel" (Afonso Arinos, *Histórias e Paisagens,* p. 38). [Conjug.: v. *trancar.*]

forma. [Do lat. *forma.*] *S. f.* **1.** Os limites exteriores da matéria de que é constituído um corpo, e que conferem a este um feitio, uma configuração, um aspecto particular: *O mecanismo era composto de várias peças de diferentes formas; A água é uma substância sem forma;* "Que somos nós? Formas sem força que uma Força impele." (Eça de Queirós, *Contos,* p.115). **2.** Ser ou objeto confusamente percebido, e cuja natureza não se pode precisar: *Ao ouvir o tiro, em vão perscrutou as formas da noite: a escuridão era total.* **3.** Realização particular de um fato geral; maneira variável com que uma noção, uma idéia, um acontecimento, uma ação se apresenta; modo de ser; modalidade, variedade: *Sabe dar a uma velha idéia forma nova; É uma forma decadente de civilização;* "Há um grau de amor que é a mais perfeita forma da sabedoria: amar em outrem a sua própria beleza." (Pontes de Miranda, *Obras Literárias,* p. 52). **4.** *P. ext.* Maneira, modo, jeito: *Fez o exercício, mas de que forma!* **5.** Tipo determinado sob cujo modelo se faz alguma coisa: *Fez o cartaz em forma de leque; Compôs um poema em forma de acróstico.* **6.** Estado, condição: *Desde que perdeu o filho, ficou dessa forma triste, alheia ao mundo.* **7.** Estado físico e/ou mental favorável ao desempenho perfeito de certas atividades físicas ou intelectuais: *Será que, com tão pouco treino, o lutador já estará na forma devida para representar o Brasil no exterior?; Treinei uns dois meses, e voltei à minha antiga forma no xadrez.* **8.** Aparência física de perfeita elegância: *O médico recomendou-lhe exercícios e dieta para conservar a forma.* **9.** Alinhamento, fila: *A professora mandou os alunos entrarem em forma.* **10.** O modo de expressão que o artista plástico adota na criação de uma obra, utilizando os elementos específicos da pintura, da escultura, da gravura, etc.: *Para os impressionistas a forma é criada especialmente pela luz.* **11.** Maneira pela qual os meios de expressão literária se organizam em função de um efeito artístico: *Um poema inovador no âmbito da forma; É um procedimento comum a certos críticos literários opor a forma ao fundo.* **12.** *Biol. Ger.* Pequena variação dentro de uma variedade, em geral de caráter ambiente. **13.** *Filos.* Caráter comum a várias coisas. **14.** *Filos.* Princípio que confere a um ser os atributos que lhe determinam a natureza própria. **15.** *Filos.* Relação existente entre os termos de uma operação do entendimento, abstraindo-se a matéria ou conteúdo dessa operação. **16.** *Jur.* conjunto de solenidades que devem ser observadas para que a declaração da vontade de alguém tenha eficácia jurídica. **17.** *Mús.* A estrutura, o plano de uma composição. **18.** *Farm.* Forma farmacêutica. [Pl.: *formas.* Cf. *fôrma,* s. f., e pl. *fôrmas.*] ◆ **Forma biológica.** *Ecol. Veg.* Forma de vida. **Forma canônica.** *Rel.* A(s) forma(s) de um ato prescrito pela legislação eclesiástica. **Forma de vida.** *Ecol. Veg.* Grupo de vegetais sem relação taxionômica, e que se caracteriza por conformação orgânica idêntica; forma biológica. Ex.: árvore, arbusto. [As formas de vida indicam relações entre as plantas e o ambiente.] **Forma farmacêutica.** *Farm.* Modo por que se apresenta um medicamento: poção, pomada, etc. [Tb. se diz apenas *forma.*] **Forma *lied*.** *Mús.* Plano de construção do andamento lento da sonata bitemática, que se caracteriza pela ausência do desenvolvimento temático, apresentando apenas duas seções: exposição e reexposição. **Forma paralela.** *Gram.* A que, na língua, coexiste com outra sem, entretanto, dela provir. **Forma sacramental.** *Rel.* Conjunto de palavras ou de gestos, do ministrante ou do fiel que recebe o sacramento, que tornam sensível o significado do rito material. **Formas convergentes.** *Gram.* Dois ou mais vocábulos de língua estrangeira que, depois de transformações fonéticas, se reduzem, noutra língua, a um só. Ex.: as palavras latinas *sanctu* e *sanu,* e a forma verbal latina *sunt,* que deram são em português. **Formas divergentes.** *Gram.* Dois ou mais vocábulos vernáculos provenientes de um só vocábulo estrangeiro. Ex.: *mácula, mancha, malha* e *mangra,* palavras portuguesas, são formas divergentes do latim *macula.* **Formas nominais do verbo.** *Gram.* Formas verbais a que faltam certas características essenciais do verbo, visto que não possuem função exclusivamente verbal. São elas: o infinitivo (ou infinito), o gerúndio e o particípio. O infinitivo é uma forma nominal substantiva. Quando não se refere a um sujeito, e portanto não se flexiona, figurando na frase com pleno valor nominal, o infinitivo denomina-se *infinitivo impessoal* (*Viver é lutar; O caminhar faz bem à saúde*); quando se refere a um sujeito, e pode, ou não, flexionar-se, o infinitivo é denominado *infinitivo pessoal* (*Estuda, menino, para aprender; Quem te deu o direito de te intrometeres nos meus negócios?*). O particípio pode exprimir um processo verbal (nos tempos compostos), ou constituir uma forma nominal adjetiva, modificando o substantivo em gênero e número: *Homens viajados têm maior experiência da vida; As pessoas lidas adquirem cultura.* O gerúndio pode ter função adverbial (*Passa a vida resmungando*), ou pode ter função adjetiva (*Queimou-se com água fervendo* [= *fervente*]); em nenhum dos casos se flexiona. [Sin.: *formas verbo-nominais.*] **Forma sonata.** *Mús.* Estrutura especial de um dos movimentos da sonata clássica, o alegro inicial. **Forma substancial.** *Filos.* Natureza comum aos indivíduos de uma mesma espécie, enquanto considerada como tendo um modo de existência que lhe é próprio, independente da dos indivíduos em que se realiza. **Formas verbo-nominais.** *Gram.* V. *formas nominais do verbo.* **Debaixo de forma.** Em formatura; em fileira, alinhado, para receber ordens, etc. **Em devida forma.** Em forma (1). **Em forma. 1.** Nos devidos termos; em conformidade com a lei; em devida forma: *O requerimento está em forma.* **2.** Em condições de saúde e/ou de treino. **Fora de forma.** Sem condições de saúde e/ou de treino: *A doença deixou-o fora de forma.* **Manter a forma.** Conservar o bom estado físico e/ou a boa aparência.

fôrma. [De *forma*, com mudança de timbre.] *S. f.* **1.** Modelo oco onde se põe metal derretido, material em estado plástico, vidro ou qualquer líquido que, solidificando-se, tomará a forma desejada; molde. **2.** Peça de madeira que imita o pé, usada no fabrico de calçados. **3.** Cincho[1]. **4.** Caixilho onde estão dispostos por sua ordem os caracteres tipográficos. **5.** Composição tipográfica para impressos comerciais, anúncios, etc. **6.** Composição tipográfica, já na rama, pronta para impressão. **7.** Peça em que se forma a copa (3). **8.** Vasilha na qual se assam bolos e pudins. **9.** *Fig.* Aquilo que impõe normas a uma personalidade, a uma obra, eliminando-lhes as características individuais: *Aquele colégio é uma verdadeira fôrma: suas alunas pensam todas de maneira igual.* [Pl.: *fôrmas*. Cf. *forma* e *formas*, do v. *formar*, e *forma*, s. f., e pl. *formas*. Parece-nos inaceitável (não só nesta palavra, mas, talvez, sobretudo nela) a abolição do acento diferencial, decorrente da Lei nº. 5 765, de 18/12/1971, que estabelece alterações no sistema ortográfico de 1943. Considerem-se estes versos de Manuel Bandeira: "Vai por cinqüenta anos / Que lhes dei a norma: / Reduzi sem danos / A fôrmas a forma." (*Estrela da Vida Inteira*, p. 51.) Seria inteiramente impossível perceber o sentido da estrofe se não fora o acento diferencial. O mesmo se dirá disto de Martins Fontes: "Pela penugem, primeiro, / E, depois, segundo a norma, / Pelo gosto, pelo cheiro, / Pela fôrma, ou pela forma, / Certas frutas européias, / Como o pêssego — oh! prazer! — / Por vezes nos dão idéias / Que me acanho de dizer." (*Sol das Almas*, p. 40.) Veja-se, ainda, Emanuel de Morais, *Manuel Bandeira*, pp. 29, 43 (três vezes), 44.)] ♦ **Fôrma de branco.** *Tip.* Aquela com que se imprime o primeiro lado do papel; primeira fôrma. [Tb. se diz apenas *branco*. V. *tirar de branco*. Cf. *fôrma de retiração*.] **Fôrma de impressão.** *Art. Gráf.* Qualquer superfície de metal, borracha ou plástico que carrega uma imagem (texto, ilustração, etc.) que se quer imprimir; depois de entintada a fôrma transfere a imagem para o papel ou para outra superfície impressora. **Fôrma de retiração.** *Tip.* Aquela com que se imprime o segundo lado do papel; segunda fôrma. [Tb. se diz apenas *retiração*. Cf. *fôrma de branco*.] **Fôrma redonda.** *Ind. Pap.* Cilindro formador. **Guarnecer a fôrma de.** *Tip.* Engradar (5). **Primeira fôrma.** *Tip.* V. *fôrma de branco*. **Segunda fôrma.** *Tip.* V. *fôrma de retiração*. **Ser a fôrma para o pé de.** *Fam.* Ser muito conveniente, muito útil, a; servir-lhe perfeitamente: *Casou bem: a mulher é a fôrma para o seu pé.*

formação. [Do lat. *formatione*.] *S. f.* **1.** Ato, efeito ou modo de formar. **2.** Constituição, caráter. **3.** Maneira por que se constituiu uma mentalidade, um caráter, ou um conhecimento profissional: *Embora esteja a par dos novos métodos adotados, custa-lhe muito ir contra a sua formação historicista.* **4.** O conjunto dos elementos que constituem um corpo de tropas. **5.** Disposição que pode tomar um corpo de tropas ou um conjunto de navios de guerra no terreno de operações. **6.** *Fitogeog.* Biota vegetal de uma área, definida por certas espécies preponderantes. **7.** *Geol.* Conjunto de rochas com caracteres mais ou menos idênticos no tocante a origem, idade ou litologia, e que constitui a unidade litogenética fundamental na classificação local das rochas. **8.** *Bras., MG.* V. *normal* (6). ♦ **Formação de culpa.** *Jur.* Fase do processo criminal em que se apura a existência, natureza e circunstâncias do crime, e bem assim os seus agentes; instrução criminal; sumário de culpa. **Formação de gemas.** *Biol. Ger.* Gemação (2). **Formação de par.** *Fís. Nucl.* **1.** Processo em que um fóton, interagindo com o campo de forças de um núcleo atômico, se transforma num elétron e num pósiton. **2.** *P. ext.* Formação de uma partícula e da respectiva antipartícula com base numa radiação gama.

formado. [Part. de *formar*.] *Adj.* **1.** Que recebeu forma; modelado. **2.** Feito, constituído. **3.** Que concluiu formatura numa faculdade, ou em estabelecimento de nível médio. ~ V. *letra chanceleresca —a* e *som —*.

formador (ô). [Do lat. *formatore*.] *Adj.* **1.** Que forma. ~ V. *cilindro —*. ● *S. m.* **2.** Aquele que forma.

formadura. [Do lat. *formatura*.] *S. f.* Ato ou efeito de formar.

formal. [Do lat. *formale*.] *Adj. 2 g.* **1.** Relativo a forma: "As suas obras [de Raul Brandão] pertencem ao domínio da criação poética, embora o seu aspecto formal indique o contrário." (João Gaspar Simões, *O Mistério da Poesia*, p. 96.) **2.** Evidente, claro, manifesto, patente: "Geraldo e Sá Josefa receberam aquele namoro, desde o primeiro instante, debaixo da mais formal hostilidade." (Amando Fontes, *Os Corumbas*, p. 41.) **3.** Preciso, próprio, genuíno: *São declarações formais as que me chegaram às mãos.* **4.** Que não é espontâneo; que se atém às fórmulas estabelecidas; convencional: *Guarda sempre uma distância formal para com as suas relações, não dando intimidade a ninguém.* **5.** Que é amigo de formalidades, de etiquetas; formalista. **6.** *Filos.* Relativo às leis, às regras ou à linguagem próprias de determinado domínio do conhecimento, e que se consideram independentemente do conteúdo, da matéria ou da situação concreta a que se aplicam. ~ V. *ato —*, *causa —*, *contrato —*, *crime —*, *indução —*, *lei —*, *lógica —*, e *realismo —*. ● *S. m.* **7.** *Jur.* Carta de partilhas. **8.** *Jur.* Casa ou residência dentro de propriedade de enfitêutica.

formaldeído. [De *form*, abrev. de *fórmico*, + *aldeído*.] *S. m. Quím.* V. *aldeído fórmico*.

formalidade. [Do fr. *formalité*.] *S. f.* **1.** Maneira expressa de proceder; aquilo que é de praxe; rotina, uso: *Preenchidas as formalidades, foi concedido o empréstimo.* **2.** Cerimônia imposta pela civilidade; etiqueta: "E havia umas velhinhas que choravam de vez em quando ..... E quem entrava também chorava um pouquinho, como se fosse formalidade." (Cecília Meireles, *Obra Poética*, p. 1003.) **3.** *Jur.* Requisito previsto em lei para que um ato jurídico seja válido, oponível contra terceiros, e sirva de prova. **4.** *Quím.* Concentração de uma solução expressa pelo número de fórmulas-grama do soluto presente num litro da solução.

formalina. [De *form*, abrev. de *fórmico*, + *al(deído)* + *-ina*[1].] *S. f. Quím.* Solução comercial de aldeído fórmico na proporção de 40%, empregada como desinfetante.

formalismo. *S. m.* **1.** *Filos.* Consideração exclusiva, em determinado domínio do conhecimento, do ponto de vista formal, implicando negação da importância dos elementos materiais. **2.** *Filos.* Sistema metafísico que explica a intelegibilidade da natureza pelas formas ou pelas leis do pensamento. **3.** Qualidade ou caráter de formal (4 e 5). ♦ **Formalismo russo.** *Liter.* Movimento surgido na Rússia, na primeira metade do séc. XX, de oposição à crítica acadêmica e impressionista, e que preconizava a análise, através de uma perspectiva formal, dos elementos significantes constitutivos da obra literária, com vista à caracterização do fenômeno literário.

formalista. *Adj. 2 g.* **1.** Relativo ao, ou que é sectário do formalismo. **2.** Formal (5): "este Duque de Rutland, severo e formalista, que só com dificuldade dava aos próprios parentes a honra de os assentar à sua mesa" (Júlio Dantas, *Abelhas Doiradas*, p. 147). ● *S. 2 g.* **3.** Sectário do formalismo. **4.** Pessoa formalista, amiga de formalidades.

formalística. [De *formalista* + *-ica*[2].] *S. f.* Parte da heuremática que trata da forma dos atos jurídicos.

formalizado. [Part. de *formalizar*.] *Adj.* **1.** Que se formalizou. **2.** Ofendido, melindrado, suscetibilizado. **3.** Que afeta formalidade, aparência formal (4); solene, grave. **4.** *Bras.* Vestido com apuro, como quem vai a um ato solene.

formalizar. [De *formal* + *-izar*.] *V. t. d.* **1.** Dar forma a; formar. **2.** Realizar segundo as fórmulas ou formalidades: *Após o inquérito o promotor formalizou a acusação.* **3.** Executar conforme as regras ou cláusulas. *P.* **4.** Mostrar-se ofendido ou escandalizado; melindrar-se. **5.** *Bras.* Vestir-se com muito apuro, como quem vai a uma solenidade. **6.** Afetar formalidade ou gravidade; assumir uma aparência formal (4): "veste o paletó, ataca os quatro botões, formaliza-se" (Mauro Mota, *O Pátio Vermelho*, p. 62).

formando. *S. m. Bras.* Aquele que está prestes a formar-se, a concluir um curso: *Foi eleita oradora dos formandos, no Instituto de Educação.*

forma-nervos. [De *formar* + *nervo*.] *S. m. 2 n. Encad.* V. *alicate aperta-nervos*.

formão. [De *formar* + *-ão*[2].] *S. m.* Utensílio de carpinteiro ou de ferrador, com uma extremidade chata e cortante, e a outra embutida em um cabo de madeira.

formar. [Do lat. *formare*.] *V. t. d.* **1.** Dar a forma a (algo). **2.** Ter a forma de; assemelhar-se a: *Às vezes as nuvens formam estranhas figuras.* **3.** Conceber, imaginar: *Gostava de formar planos para todo o ano.* **4.** Constituir, compor: "anjos me conduziam num palaquim dourado, entre um curioso povo de profetas e virgens, que formavam alas para me ver passar." (Mário Quintana, *Sapato Florido*, p. 54). **5.** Pôr em ordem, em linha: *formar os soldados.* **6.** Instruir, educar, aperfeiçoar: *Dedica-se a formar o espírito das novas gerações.* **7.** Fabricar, fazer. **8.** Ser, constituir: *Os artistas devem formar a consciência da sociedade.* **9.** Estabelecer, determinar, fixar: *O incidente formou dois campos opostos.* **10.** Promover ou facilitar a formatura a; destinar a estudos em instituição de ensino superior: *Seu sonho é formar os filhos.* **11.** Fundar, criar: *Os bandeirantes iam formando núcleos pelo interior do Brasil. T. i.* **12.** Lutar ao lado; participar das mesmas idéias: *Um tipo daqueles não forma comigo. Transobj.* **13.** Constituir em; fazer: *Formei-o mestre. Int.* **14.** Entrar em formatura (2): "Sob a direção de um dos aspirantes forma, no convés, a guarda do navio." (Félix Lima Júnior, *Mapirunga*, p. 19.) *P.* **15.** Tomar forma; desenvolver-se. **16.** Adquirir a formatura universitária; doutorar-se: *Formou-se no ano passado, em química.* **17.** Educar-se, instruir-se, preparar-se: *Formou-se nos princípios de honra e fidelidade.* [Pres. ind.: *formo, formas, forma*, etc. Cf. *fôrma* (q. v.) e pl. *fôrmas*.]

formaria. [De *fôrma* + *-aria*.] *S. f.* Conjunto de fôrmas de chapeleiro, de sapateiro, etc.

formatação. *S. f. Proc. Dados.* Ato ou efeito de formatar.

formatar. *V. t. d. Proc. Dados.* Estabelecer a disposição dos dados em (um arquivo ou registro) indicando a ordem, o comprimento e as normas de codificação destes.

formativo. [Do lat. *formatu*, 'formado', + *-ivo*.] *Adj.* Que dá forma a alguma coisa. ~ V. *avaliação —a*.

formato. [Do fr. *format*.] *S. m.* **1.** Feitio, forma. **2.** *Bibliol.* Tamanho relativo do livro, ou de outra publicação, determinado antigamente pelo número de páginas que a folha de impressão comportava, e, logo, pelo número de dobras desta para formar o caderno. [Cf. *in-plano, in-fólio, in-quarto*, e *in-oitavo*.] **3.** *Edit.* Dimensões (largura e altura) de uma publicação expressas em centímetros. **4.** *Ind. Pap.* Tamanho de uma folha de papel de impressão, outrora designado segundo a marca-d'água que habitualmente o caracterizava, e hoje por expressões que lhe indicam as dimensões em centímetros. ♦ **Formato AA.** *Ind. Pap.* Formato da folha de papel com 76 × 112 cm. **Formato A4.** *Ind. Pap.* Formato internacional [q. v.] recomendado para papéis de escrita, com 21 × 29,7 cm. **Formato almaço.** *Ind. Pap.* Formato de 33 × 44 cm, peculiar ao papel almaço, e que, dobrado ao meio, produz o formato ofício [q. v.]. **Formato americano.** *Ind. Pap.* Formato da folha de papel com 87 × 114 cm, ou formato do livro impresso nesta folha (cerca de 14 × 21 cm). **Formato BB.** *Ind. Pap.* Formato da folha de papel com 66 × 96 cm. **Formato francês.** *Ind. Pap.* Formato da folha de papel com 76 × 96 cm, ou formato do livro impresso nesta folha (cerca de 13,5 × 20,5 cm). **Formato internacional.** *Ind. Pap.* Série padronizada de formatos de papel recomendada pela Organização Internacional de Normalização (ISO); adota como formato básico uma folha de papel de um metro quadrado (84,1 × 118,8 cm), e todos os formatos mantêm a mesma proporção entre largura e altura (1:1,41). **Formato italiano.** *Ind. Pap.* V. *formato oblongo*. **Formato oblongo.** *Ind. Pap.* Aquele em que a largura da página é maior que a altura. [Sin.: *formato italiano* e (*p. us.*) *formato solfa*.] **Formato ofício.** *Ind. Pap.* Formato de papel convencionado para o ofício, habitualmente de 22 × 33 cm. [Cf. *formato almaço*.] **Formato solfa.** *Ind. Pap. P. us.* V. *formato oblongo*. **Formato tablóide.** *Edit.* Formato correspondente à metade do formato corrente de um jornal.

formatura. [Do lat. *formatura*.] *S. f.* **1.** Ato ou efeito de formar(-se). **2.** Alinhamento e ordenação de tropas, navios de guerra, aviões de combate, etc. **3.** Graduação universitária, ou em curso de nível médio: *a formatura dos arquitetos; a formatura das alunas do Instituto de Educação.*

▲-forme. [Do lat. *forma, ae.*] *El. comp.* = *'que tem forma de'; 'forma': foliforme; disforme.*

formeiro. *S. m.* Fabricante de fôrmas (sobretudo de calçado); formista.

formeno. [De *form,* abrev. de *fórmica,* + *-eno.*] *S. m. Quím.* Metano.

formiato. *S. m. Quím.* Sal ou éster de fórmula geral HCOOM.

formica. [Do lat. *formica.*] *S. f. Patol.* Moléstia herpética. [Cf. *fórmica.*]

fórmica. [De *Formica,* nome comercial.] *S. f.* Plástico fenólico utilizado para recobrimento decorativo e isolamento térmico ou elétrico. [Cf. *formica.*]

formicação.]Do lat. *formicatione.*] *S. f.* V. *formigamento.*

formicante. [Do lat. *formicante.*] *Adj.* ~ V. *pulso —.*

formicarídeo. *S. m.* **1.** Espécime dos formicarídeos. ● *Adj.* **2.** Pertencente ou relativo a eles.

formicarídeos. *S. m. pl. Zool.* Aves passeriformes da família *Formicariidae,* com tarso taxaspidiano e desprovidas de ceroma. Quase exclusivamente tropicais, são os mais numerosos de todos os passeriformes brasileiros. Vivem no solo ou próximo dele, alimentando-se de insetos, sobretudo formigas. São as chocas, papa-formigas, mães-da-taoca, pintos-do-mato.

formicário. *Adj.* **1.** Formicular. ● *S. m.* **2.** *Zool.* Gênero de aves que se nutrem de formigas e doutros insetos.

▲formici-. [Do lat. *formica, ae.*] *El. comp.* = 'formiga': *formicário, formicívoro.*

formicida. [De *formici-* + *-cida,* com haplologia.] *S. m. Bras.* Preparado químico para matar formigas.

formicídeo. *S. m.* **1.** Espécime dos formicídeos. ● *Adj.* **2.** Pertencente ou relativo a eles. [Cf. *formicídio.*]

formicídeos. *S. m. pl. Zool.* Família de insetos da ordem dos himenópteros, que agrupa as formigas.

formicídio. [De *formici-* + *-cídio,* com haplologia.] *S. m. Bras.* Destruição de formigas. [Cf. *formicídeo.*]

formicívoro. [De *formici-* + *-voro.*] *Adj.* Que come formigas.

fórmico. [De *form(iga)* + *-ico*[2].] *Adj. Quím.* Próprio ou derivado do ácido fórmico. ~ V. *ácido* — e *aldeído —.*

formicular. [Do lat. *formicula,* 'formiguinha', + *-ar*[1].] *Adj. 2 g.* Relativo ou pertencente ou semelhante à formiga; formicário.

formidando. [Do lat. *formidandu.*] *Adj.* Que infunde medo; terrível, tremendo, pavoroso, formidoloso, formidável: "fugiam [os navios] ...., como grandes pássaros marinhos, às rajadas formidandas do ciclone." (Virgílio Várzea, *O Brigue Flibusteiro,* p. 167.)

formidável. [Do lat. *formidabile.*] *Adj. 2 g.* **1.** Medonhamente grande; descomunal, colossal: *esforço formidável.* **2.** V. *formidando:* "O nome espanhol, já temeroso para a cristandade, ganharia decerto muito em tornar-se formidável aos bárbaros do Bósforo." (Latino Coelho, *Cervantes,* p. 42); "Sei de uma criatura antiga e formidável, / Que a si mesma devora os membros e as entranhas" (Machado de Assis, *Poesias Completas,* p. 293). **3.** Que desperta respeito, admiração ou entusiasmo. **4.** *Bras.* Muito bom, muito bonito; admirável, excelente, magnífico: "fez uma acusação vibrante, veemente, formidável." (Medeiros e Albuquerque, *Surpresas...,* p. 138). **5.** *Bras. Fam.* V. *bacana* (1): *um filme formidável; uma pequena formidável.*

formidoloso (ô). [Do lat. *formidolosu.*] *Adj.* **1.** V. *formidando.* **2.** Que se amedronta facilmente; medroso.

formiga. [Do lat. *formica.*] *S. f.* **1.** Designação comum a todos os insetos himenópteros da família dos formicídeos, caracterizados por terem o hipopígio do macho em espinho voltado para cima. As fêmeas são dimórficas, as operárias ápteras, com suturas torácicas ausentes ou muito reduzidas, e as formas férteis com suturas presentes. Vivem em colônias. **2.** *Fig.* Pessoa econômica e/ou trabalhadeira. **3.** *Fam.* Pessoa que gosta muito de alimentos doces. ◆ **Formiga lava-pé.** *Bras.* Designação comum aos insetos himenópteros da família dos formicídeos, sobretudo às espécies do gênero *Solenopsis* Westw., sendo a mais comum a *S. saevissima* Forel, cujos ninhos subterrâneos são protegidos na entrada por um amontoado de pequenas partículas de terra bastante finas; formiga-de-fogo, formiga-de-novato, novato, formiga-malagueta, formiga-ruiva, lava-pé, lava-pés, jiquitaia, mordedeira, tacibura, tacipitanga, taçuíra, taxi. **Como formiga.** Em grande quantidade: *Havia no comício gente como formiga.*

formiga-açucareira. *S. f. Bras.* Designação comum a várias espécies de formigas que atacam matérias doces, especialmente dos gêneros *Monomorium* Mayr, *Iridomyrmex* Mayr e *Camponotus* Mayr. Costumam atacar também outros comestíveis. [Tb. se diz apenas *açucareira.* Sin.: *formiga-doceira.* Cf. *jejá.* Pl.: *formigas-açucareiras.*]

formiga-aguilhoada. *S. f. Bras.* Formiga-de-ferrão. [Pl.: *formigas-aguilhoadas.*]

formiga-argentina. *S. f. Bras.* Inseto himenóptero, da família dos formicídeos (*Iridomyrmex humilis* (Mayr)), espécie melívora que vive em simbiose com afídios, e cujos hábitos são idênticos aos da formiga-cuiabana. Embora denominada *argentina,* ocorre em grande extensão da região neotropical, tornando-se freqüentemente praga caseira. [Sin.: *formiga-caçadora, formiga-cigana.* Pl.: *formigas-argentinas.*]

formiga-asteca. *S. f. Bras.* Inseto himenóptero, da família dos formicídeos (*Azteca chartifex* Forel), que vive em trofobiose com afídios e coccídeos nos cacaueiros da Bahia. Constrói ninhos semelhantes aos dos cupins arbóreos; sugam as secreções dos insetos que parasitam a planta. Outras espécies do mesmo gênero vivem unicamente no caule e galhos da imbaúba (*Cecropia* spp.), onde passam todas as fases de sua vida. [Sin.: *caçarema.* Pl.: *formigas-astecas.*]

formiga-branca. *S. f.* Designação (usada na Europa) comum aos cupins pertencentes à ordem dos isópteros. [Pl.: *formigas-brancas.*]

formiga-cabaça. *S. f. Bras.* Inseto himenóptero, da família dos formicídeos (*Dolichoderus gibbosus* Smith), cujos ninhos são construídos nas árvores ou no solo. É carnívoro, ataca freqüentemente cupins, e, quando importunado, reage aplicando fortes mordidas. [Pl.: *formigas-cabaças* e *formigas-cabaça.*]

formiga-cabeçuda. *S. f. Bras.* V. *saúva.* [Pl.: *formigas-cabeçudas.*]

formiga-caçadora. *S. f. Bras.* V. *formiga-argentina.* [Pl.: *formigas-caçadoras.*]

formiga-carregadeira. *S. f. Bras.* **1.** V. *saúva.* **2.** V. *quenquém* (1). [Pl.: *formigas-carregadeiras.*]

formiga-chiadeira. *S. f. Bras., RS.* Designação comum a um inseto himenóptero da família dos mutilídeos (*Atillum sumptuosum* Gerst.) e a outras espécies, solitárias, geralmente de cor vermelha ou amarela, com máculas arredondadas no abdome. Os machos são alados e inermes; as fêmeas, providas de ferrão aguçado. [Sin.: *formiga-feiticeira, formiga-de-bentinho, oncinha, piolho-de-onça.* Pl.: *formigas-chiadeiras.*]

formiga-cigana. *S. f. Bras.* V. *formiga-argentina.* [Pl.: *formigas-ciganas.*]

formiga-correição. *S. f. Bras.* Designação comum aos insetos himenópteros da família dos dorilídeos, gênero *Eciton* Latreille, capazes de realizar grandes migrações, em que milhares de obreiras percorrem vastas extensões de território durante algumas horas, ou mesmo dias. Nalgumas espécies os soldados têm mandíbulas muito desenvolvidas. [Tb. se diz apenas *correição;* sin.: *guerreira, morupeteca, guaiú, guaju-guaju, saca-saia, tanoca, taoca.* Pl.: *formigas-correições* e *formigas-correição.*]

formiga-cortadeira. *S. f. Bras.* **1.** V. *saúva.* **2.** V. *quenquém* (1). [Pl.: *formigas-cortadeiras.*]

formiga-cuiabana. *S. f. Bras.* Inseto himenóptero, da família dos formicídeos (*Paratrechina* (N) *fulva* (Mayr)), espécie melívora que vive também em simbiose com os afídios. Antenas longas; coloração pardo-amarelada. Em certas regiões pode exercer papel predador sobre a saúva, porém seus malefícios, de modo geral, são maiores que os benefícios. [Sin.: *formiga-doceira, formiga-paraguaia.* Pl.: *formigas-cuiabanas.*]

formiga-da-roça. *S. f. Bras.* V. *saúva.* [Pl.: *formigas-da-roça*

formiga-de-bentinho. *S. f. Bras.* V. *formiga-chiadeira.* [Pl.: *formigas-de-bentinho.*]

formiga-de-bode. *S. f. Bras., BA.* Espécie de himenóptero, da família dos formicídeos (*Dolichoderus atellaboides* Fabr.), com hábitos semelhantes aos da caçarema, e que vive nos cacaueiros procurando pulgões, de cuja secreção se alimenta. Apesar de ser afoita, não tem ferrão nem dá picadas. [Pl.: *formigas-de-bode.*]

formiga-de-cupim. *S. f. Bras.* A formiga da espécie *Camponotus termitarius.* [Pl.: *formigas-de-cupim.*]

formiga-de-ferrão. *S. f. Bras.* Inseto himenóptero, da família dos formicídeos (*Pachycondyla striata* Smith), do Paraguai e parte meridional do Brasil. É carnívora e terrícola, preta, de corpo bastante alongado, com ferrão terminal. [Sin.: *formiga-aguilhoada.* Pl.: *formigas-de-ferrão.*]

formiga-de-fogo. *S. f. Bras.* V. *formiga lava-pé.* [Pl.: *formigas-de-fogo.*]

formiga-de-mandioca. *S. f. Bras.* V. *saúva* [Pl.: *formigas-de-mandioca.*]

formiga-de-monte. *S. f. Bras.* V. *quenquém* (1). [Pl.: *formigas-de-monte.*]

formiga-de-novato. *S. f. Bras., Amaz.* V. *formiga lava-pé.* [Pl.: *formigas-de-novato.*]

formiga-de-roça. *S. f. Bras.* V. *saúva.* [Pl.: *formigas-de-roça.*]

formiga-doceira. *S. f. Bras.* **1.** V. *formiga-açucareira.* **2.** V. *formiga-cuiabana.* [Pl.: *formigas-doceiras.*]

formiga-feiticeira. *S. f. Bras.* V. *formiga-chiadeira.* [Pl.: *formigas-feiticeiras.*]

formiga-leão. *S. f. Bras.* Larva do inseto neuróptero, da família dos mirmeleontídeos, que vive em pequenas escavações sob a forma de cone invertido, em cujo vértice se encontra a cabeça do inseto. Alimenta-se de outros insetos que resvalam até o fundo do cone; os adultos parecem-se com as libélulas. [Pl.: *formigas-leões* e *formigas-leão.*]

formiga-malagueta. *S. f. Bras., BA.* V. *formiga lava-pé.* [Pl.: *formigas-malaguetas* e *formigas-malagueta.*]

formigamento. [De *formigar* + *-mento.*] *S. m.* Coceira, prurido, formigueiro, formicação: "Sofro muito. .... Falta de ar. .... Nervosismo. .... Formigamento nas juntas..." (Manuel Lobato, *Garrucha 44,* p. 109).

formiga-mineira. *S. f. Bras.* V. *quenquém* (1). [Tb. se diz apenas *mineira.* Pl.: *formigas-mineiras.*]

formigante. *Adj. 2 g.* Que formiga.

formigão[1]. *S. m.* **1.** Formiga grande. **2.** Rastilho de pólvora. **3.** *Bras.* V. *tocandira* (1). **4.** V. *tapicuim.* **5.** *Bras., BA.* V. *juruva.* ● *Adj.* **6.** Diz-se do touro de chifres não muito agudos.

formigão[2]. [Do esp. hormigón.] *S. m. Lus.* V. *concreto* (9).

formigão-preto. *S. m. Bras.* V. *tocandira* (1). [Pl.: *formigões-pretos.*]

formiga-paraguaia. *S. f. Bras.* V. *formiga-cuiabana.* [Pl.: *formigas-paraguaias.*]

formiga-quenquém. *S. f. Bras.* V. *quenquém* (1). [Pl.: *formigas-quenquéns* e *formigas-quenquém.*]

formigar. [Do lat. *formicare.*] *V. int.* **1.** Sentir formigamento. **2.** Haver em abundância; existir em grande número; pulular: *Neste bairro formigam ladrões.* **3.** Procurar ganhar a vida agenciando. **4.** Acumular ou juntar como a formiga. *T. i.* **5.** V. *pulular* (6). [Conjug.: v. *largar.*]

formiga-ruiva. *S. f. Bras.* V. *formiga lava-pé.* [Pl.: *formigas-ruivas.*]

formigueira. *S. f. Bras.* V. *formigueiro* (6).

formigueiro. *S. m.* **1.** Buraco ou toca de formigas. **2.** Grande quantidade de formigas. **3.** *P. ext.* Grande quantidade, multidão, de pessoas reunidas ou em desfile: "A casa de Santo Ambrósio, do pátio às salas, um formigueiro de pretendentes!" (Bulhão Pato, *Memórias,* II, p. 5.) **4.** V. *formigamento.* **5.** *Fig.* Desassossego, impaciência. **6.** *Bras., MT.* Árvore da família das poligonáceas *(Triplaris nolitangera),* de inflorescência dióica em panículas aveludadas e pilosas, cujo fruto é aquênio, e cujas flores e cálice, por causa dos pêlos que contêm, produzem, quando em contato com a pele, coceira e ardor semelhante à picada da formiga; formigueira, pau-de-formiga. ● *Adj.* **7.** *Ant.* e *pop.* Diz-se de ladrão que furta objetos pouco valiosos. ◆ **Formigueiro humano.** Área de forte densidade demográfica.

formiguejar. [De *formiga* + *-ejar.*] *V. int.* **1.** Andar ou mover-se em grande quantidade, como formigueiro; fervilhar: "Recolheram .... os despojos da soberana [D. Leopoldina, do Brasil] no tríplice caixão ao convento da Ajuda, com as pompas da procissão de capas pretas e círios de coches e tropas, escoada entre alas de religiosos formiguejando nas ruas" (Alberto Rangel, *Dom Pedro Primeiro e a Marquesa de Santos,* p. 168). **2.** Sentir comichão; comichar. [Conjug.: v. *pelejar.*]

formiguense. *Adj. 2 g.* De, ou pertencente ou relativo a Formiga (MG). ● *S. 2 g.* **2.** Natural ou habitante de Formiga.

formiguilho. [Do esp. *hormiguillo.*] *S. m.* Doença cavalar proveniente dum buraco entre o casco e o saúco.

formiguinha. [Dim. de *formiga.*] *S. f. Bras., RJ* e *MG. Fam.* Mulher encarregada da limpeza urbana. [Sin. (bras., SP): *margarida.*]

formilhão. *S. m.* Instrumento de chapeleiro, com que se dá forma às abas do chpéu. [Cf. *formilho.*]

formilhar. *V. int.* Trabalhar com formilho.

formilho. [De *fôrma* + *-ilho.*] *S. m.* Instrumento de

chapeleiro, com o qual se dá forma à boca da copa do chapéu. [Cf. *formilhão*.]
formió. *S. 2 g.* e *adj. 2 g. Bras.* V. *carnijó.*
formista. [De *fôrma* + *-ista.*] *S. 2 g.* Formeiro.
formol. [De *form*, raiz de *fórmico*, + *-ol.*] *S. m. Quím.* Solução de aldeído fórmico em água, usada como anti-séptico e bactericida. [Pl.: *formóis.*]
formolado. [Part. de *formolar.*] *Adj.* Formolizado. [Cf. *formulado.*]
formolar. *V. t. d.* Formolizar. [Cf. *formular.*]
formolizado. [Part. de *formolizar.*] *Adj.* Preparado ou desinfetado com formol; formolado.
formolizar. *V. t. d.* Preparar ou desinfetar com formol; formolar.
formosear. *V. t. d.* e *p.* V. *aformosear.* [Conjug.: v. *frear.*]
formosense. *Adj. 2 g.* **1.** De, ou pertencente ou relativo a Formosa (GO). ● *S. 2 g.* **2.** Natural ou habitante de Formosa.
formosentar. [De *formoso* + *-entar.*] *V. t. d.* e *p.* V. *aformosear.*
formosino. *Adj.* **1.** De, ou pertencente ou relativo à ilha de Formosa (Ásia). ● *S. m.* **2.** O natural ou habitante dessa ilha.
formoso (ô). [Do lat. *formosu.*] *Adj.* **1.** De formas, feições ou aspecto agradável; belo, bonito. **2.** Deleitoso, aprazível. **3.** Magnífico, brilhante, esplêndido. **4.** Perfeito, primoroso. **5.** Harmonioso, sonoro.
formosura. *S. f.* **1.** Qualidade de formoso; beleza. **2.** Pessoa ou coisa formosa: "uma morena adorável e, sem dúvida, ... a maior *f o r m o s u r a* daquelas redondezas." (Virgílio Várzea, *Nas Ondas*, p. 92).
fórmula. [Do lat. *formula.*] *S. f.* **1.** Expressão de um preceito, regra, código ou princípio: *f ó r m u l a de cortesia.* **2.** Maneira já estabelecida para requerer, declarar, executar, resolver, etc., alguma coisa com palavras precisas e determinadas. **3.** Indicação das proporções dos componentes e do método que se deve seguir no preparo de algo; receita: *a f ó r m u l a do remédio; a f ó r m u l a do coquetel.* **4.** Modo de proceder para se alcançar determinado fim; procedimento. **5.** Método, norma, processo: *a f ó r m u l a dos impressionistas.* **6.** *Mat.* Expressão matemática mediante a qual se enuncia a relação entre diversas variáveis e constantes. **7.** *Quím.* Representação simbólica da molécula de uma substância. **8.** *Autom.* Categoria de carros de corrida cujo motor tem de preencher determinados requisitos técnicos: *f ó r m u l a 1; f ó r m u l a 2.* [Cf. *formula*, do v. *formular.*] ◆ **Fórmula bruta.** *Quím.* Fórmula que indica somente a proporção dos átomos que constituem a substância; fórmula empírica, fórmula mínima. **Fórmula dimensional.** Conjunto dos expoentes das grandezas fundamentais, na expressão duma grandeza derivada. **Fórmula empírica.** *Quím.* V. *fórmula bruta.* **Fórmula estrutural.** *Quím.* Fórmula que indica o número de átomos e as ligações existentes na molécula de uma substância. **Fórmula mínima.** *Quím.* V. *fórmula bruta.* **Fórmula molecular.** *Quím.* Fórmula que indica a proporção e o número de átomos que constituem a molécula de uma substância. **Sagrada fórmula.** A hóstia.
formulação. *S. f.* Ato ou efeito de formular.
formulado. [Part. de *formular.*] *Adj.* Que se formulou. [Cf. *formolado.*]
fórmula-grama. *S. f. Quím.* O número de gramas de um composto igual à soma das massas atômicas dos elementos que figuram na sua fórmula. [A fórmula-grama pode ser um submúltiplo da molécula-grama. Pl.: *fórmulas-gramas* e *fórmulas-grama.*]
formular. *V. t. d.* **1.** Pôr ou redigir em fórmula: *A tarefa dos legisladores é f o r m u l a r os aspectos da vida social.* **2.** Receitar, prescrever (medicamento). **3.** Reduzir a fórmula. **4.** Aviar, expedir. **5.** Expor com precisão, exprimir (um conceito, pedido, proposta, etc.); articular, manifestar: "limitava-se a negar tudo. E digo mal, porque negar é ainda afirmar, e ele não *f o r m u l a v a* a incredulidade; diante do mistério, contentou-se em levantar os ombros, e foi andando." (Machado de Assis, *Várias Histórias*, p. 5); "Não gostei da brincadeira, mas, antes de poder *f o r m u l a r* o menor protesto ou dizer uma simples palavra, fui empurrado para a sala" (Cardoso de Oliveira, *Dois Metros e Cinco*, p. 340). *P.* **6.** Formar-se, manifestar-se, aparecer: "Sabeis que pensamentos tais não se *f o r m u l a m* como outros, nascem das entranhas do caráter e ficam na penumbra da consciência." (Id., *ib.*, p. 33.) [Pres. ind.: *formulo, formulas, formula*, etc. Cf. *fórmula* e *formolar.*]
formulário. *S. m.* **1.** Coleção de fórmulas. **2.** Modelo impresso de fórmula (2), no qual apenas se preenchem os dados pessoais ou particulares. **3.** *Rel.* Livro de orações.
formulista. *S. 2 g.* **1.** Pessoa que prescreve fórmulas. **2.** Pessoa que adota rigorosamente certas fórmulas.
fornaça. [Do lat. *fornacea.*] *S. f.* V. *fornalha.*
fornada. *S. f.* **1.** Conjunto dos pães que se cozem de cada vez no mesmo forno; amassadura. **2.** Os tijolos cozidos de cada vez em um forno de olaria. **3.** O que um forno coze duma vez. **4.** *Fig.* Porção de coisas que se fazem duma vez, ou de pessoas que se nomeiam ao mesmo tempo para certos cargos. **5.** *Bras., Marajó.* Lote de gado vacum que, durante a ferra, entra de cada vez no curral de laçar.
fornalha. [Do lat. *fornacula.*] *S. f.* **1.** Forno grande. **2.** Parte do forno, da máquina ou do fogão onde se queima o combustível; forno. **3.** *Fig.* Forno (4). **4.** *Fig.* Calor intenso. [Sin.: ger.: *fornaça.*]
fornalheiro. [De *fornalha* + *-eiro.*] *S. m.* V. *foguista.*
fornear. [De *forno* + *-ear.*] *V. int.* Exercer o mister de forneiro; trabalhar como forneiro; fornejar: "O fabrico da louça faz-se pelos processos mais primitivos; não sabem amassar o barro, não o sabem cozer, não sabem *f o r n e a r.*" (Ramalho Ortigão, *As Farpas*, I, p. 155.) [Conjug.: v. *frear.*]
fornecedor (ô). *Adj.* **1.** Que fornece. ● *S. m.* **2.** Aquele que fornece ou se obriga a fornecer mercadorias. **3.** *Bras., N.E.* Proprietário de áreas produtoras de cana-de-açúcar que fornece à usina o seu produto.
fornecedora (ô). *S. f.* Empresa fornecedora.
fornecer. [De *fornir* + *-ecer.*] *V. t. d.* **1.** Abastecer de; dar: *O campo f o r n e c e os alimentos.* **2.** Fortificar, guarnecer. **3.** Gerar, produzir: *As quedas-d'água f o r n e c e m eletricidade. T. d.* e *i.* **4.** Prover, abastecer: *F o r n e c i a - o do necessário.* **5.** Fortificar, guarnecer: *f o r n e c e r o exército de armas.* **6.** Abastecer, dar, ministrar: *Os campos f o r n e c e m mantimentos à cidade.* **7.** Proporcionar ou ministrar o necessário a; pôr à disposição de; facilitar: *Os governos deveriam f o r n e c e r meios aos artistas. P.* **8.** Fazer provisão ou aquisição; abastecer-se: *f o r n e c e r - s e de víveres.* [Conjug.: v. *aquecer.*]
fornecimento. *S. m.* **1.** Ato ou efeito de fornecer(-se). **2.** Abastecimento, provisão.
forneco. *S. m. Carp.* Peça de madeira que, na construção dos telhados, liga a tacaniça ou rincão ao frechal.
forneiro. [Do lat. *furnariu.*] *S. m.* **1.** Dono ou tratador de forno. **2.** *Bras., RS.* V. *joão-de-barro.* **3.** *Bras., N.E.* Aquele que durante a farinhada se encarrega do forno.
fornejar. *V. int.* Fornear. [Conjug.: v. *pelejar.*]
fornicação. [Do lat. *fornicatione.*] *S. f.* **1.** Ato de fornicar. **2.** *Rel.* O pecado da carne.
fornicador (ô). [Do lat. *fornicatore.*] *Adj.* e *S. m.* Que ou aquele que fornica ou é dado a fornicar.
fornicar. [Do lat. *fornicare.*] *V. int.* **1.** Praticar o coito; copular. *T. d.* **2.** Fazer fornicação com. **3.** *Chulo.* Importunar, apoquentar. [Conjug.: v. *trancar.*]
fórnice. [Do lat. *fornice.*] *S. m.* **1.** *Arquit.* Arco de porta; abóbada. **2.** *Arquit.* Arco de porta em parede mestra. **3.** *Anat.* Estrutura arciforme. **4.** *Anat.* Espaço semelhante à abóbada, delineado por essa estrutura.
fornido. [Part. de *fornir.*] *Adj.* **1.** Abastecido, provido. **2.** Robusto, carnudo, nutrido, alentado: "Era uma mulata *f o r n i d a*, de ancas largas, nova e sadia." (Francisco Julião, *Cachaça*, p. 23.)
fornilho. [Do esp. *hornillo.*] *S. m.* **1.** Pequeno forno ou fogareiro. **2.** A parte do cachimbo onde arde o fumo: "Com .... o *f o r n i l h o* do cachimbo na palma da mão, fitou os olhos azulados nos bugalhos pretos do mestiço" (Xavier Marques, *As Voltas da Estrada*, p. 297). **3.** *Mil.* Caixão de pólvora que se enterrava para fazê-lo explodir em caso de guerra.
fornimento. *S. m.* **1.** Ato ou efeito de fornir. **2.** Robustez, corpulência.
fornir. [Do frâncico **frumjan*, 'realizar', atr. do fr. *fournir.*] *V. t. d.* **1.** Tornar nutrido, robusto, basto, grosso. *T. d.* e *i.* **2.** Abastecer, prover: *F o r n i - o de alimentos.* [Defect.; só se conjuga nas f. em que ao *n* da raiz se segue um *i.*]
fórnix (cs). *S. m. 2 n.* V. *fórnice.*
forno (ô). [Do lat. *furnu.*] *S. m.* **1.** Construção abobadada, com portinhola, para cozer pão, louça, cal, telha, etc. **2.** Fornalha (2). **3.** Parte do fogão para fazer assados. **4.** *Fig.* Casa ou lugar demasiado quente; fornalha. **5.** *Bras., Amaz.* V. *vitória-régia.* [Pl.: *fornos* (ó). Cf. *alto-forno.*] ◆ **Forno de arco.** *Tec.* Aquele em que o aquecimento é provocado pela ação de um arco elétrico gerado entre dois eletrodos convenientemente colocados. **Forno de cuba.** *Tec.* Aquele em que o minério e o combustível estão em contato, intimamente misturados, num vaso vertical onde se processa a fusão da massa. **Forno de indução.** *Tec.* Aquele em que a carga é aquecida mediante a corrente elétrica que nela se induz pela ação de um campo magnético oscilante gerado por uma bobina que envolve o cadinho e é convenientemente alimentada por uma corrente alternada. **Forno de microondas.** Calefator que utiliza o aquecimento por microondas e que tem, nos dias de hoje, crescente aplicação doméstica, em virtude de possibilitar o rapidíssimo aquecimento de alimentos congelados e a cocção controlada de diversos materiais. **Forno de mufla.** *Tec.* Aquele em que o aquecimento se faz mediante a radiação térmica das paredes de uma câmara onde se põe a carga que se vai fundir. **Forno de resistência.** *Tec.* Aquele em que o aquecimento é provocado pelo efeito Joule de uma corrente elétrica que percorre resistores imersos na carga, ou que percorre a própria carga, ou que passa por resistores colocados nas paredes do forno. **Forno de revérbero.** *Tec.* Forno de aquecimento indireto, no qual a massa por aquecer fica em contato com os produtos da combustão que se formam pela queima do combustível na fornalha. **De forno e fogão.** Que tem grandes conhecimentos culinários: *cozinheira d e f o r n o e f o g ã o.*
forno-d'agua. *S. m. Bras., MT.* V. *vitória-régia.* [Pl.: *fornos-d'água.*]
forno-de-jaçanã. *S. m. Bras., Amaz.* V. *vitória-régia.* [Pl.: *fornos-de-jaçanã.*]
forno-de-jacaré. *S. m. Bras., Amaz.* **1.** V. *vitória-régia:* "a vitória-régia, '*f o r n o - d e - j a c a r é*' dos naturais, desdobra as enormes folhas circulares de bordos cairelados de vivo carmesim virados para cima como um forno indígena" (José Veríssimo, *Cenas da Vida Amazônica*, p. 50). **2.** A folha da vitória-régia. [Pl.: *fornos-de-jacaré.*]
foro. [Do lat. *foru.*] *S. m.* Praça pública, na antiga Roma. **2.** Local para debates, ou reunião para o mesmo fim. **3.** Centro de múltiplas atividades. [Sin. ger.: *fórum*. Cf. *foro* (ô).]
▲**for(o)-.** Equiv. de *-foro.*
▲**-foro.** [Do gr. *phorós, ós, ón.*] *El. comp.* = 'que leva, que conduz': *electróforo.* [Equiv. *for(o)-; foranto.*]
foro (ô). [De *foro*, com mudança de timbre.] *S. m.* **1.** Quantia ou pensão que o enfiteuta dum prédio paga anualmente ao senhorio direto. **2.** Domínio útil dum prédio. **3.** Encargo ou despesa habitual ou obrigatória. **4.** Uso ou privilégio garantido pelo tempo ou pela lei: "Nem lhes foi conferido o *f o r o* de nobreza, prometido por decreto aos delatores plebeus, nem a recompensa pecuniária, se a tiveram, foi de vulto." (J. Lúcio de Azevedo, *O Marquês de Pombal e a Sua Época*, p. 191.) **5.** Foral (2). **6.** Tribunal de Justiça. **7.** Lugar onde funcionam os órgãos do poder judiciário; fórum. **8.** Jurisdição, alçada, poder: *o f o r o eclesiástico.* ~ V. *foros.* [Pl.: *foros* (ó). Cf. *foro.*] ◆ **Foro íntimo.** O juízo da própria consciência; julgamento íntimo
foronídeo. *S. m.* **1.** Espécime dos foronídeos. ● *Adj.* **2.** Pertencente ou relativo a eles.
foronídeos. *S. m. pl. Zool.* Animais enterozoários, de simetria bilateral, do ramo *Phoronidea*, cilíndricos, vermiformes, não segmentados, que vivem dentro de um tubo produzido por eles próprios. Têm na extremidade anterior um lofóforo em forma de ferradura; tentáculos ciliados; aparelho digestivo em forma de U; boca e ânus dentro do lofóforo. Marinhos e hermafroditos, sedentários, vivem enterrados no fundo do mar em lugares rasos.
foronomia. [De *for(o)-* + *-nom(o)-* + *-ia.*] *S. f.* V. *cinemática.*
foros. [Pl.: de *foro* (ô). *S. m. pl.* Imunidades, direitos, privilégios. ~ V. *foro.*
forqueadura [De *forquear* + *-(d)ura-*] *S. f.* Bifurcação.
forquear. [De *forca* + *-ear.*] *V. t. d.* e *p.* V. *bifurcar.* [Conjug.: v. *frear.*]
forqueta (ê). [De *forca* + *-eta.*] *S. f.* **1.** Forquilha (3). **2.** *Bras.* Lugar de confluência de dois rios, caracterizado pela formação de um ângulo agudo.
forquilha. [De *forca* + *-ilha.*] *S. f.* **1.** Pequeno forcado de três pontas. **2.** Vara bifurcada na qual descansa o braço do andor; descanso. **3.** Pau ou tronco bifurcado; forqueta. **4.** Cabide para dependurar qualquer coisa. **5.** *Tip.* Garfo (7). **6.** *Bras.* Animal nematelminto, nematóide, da família dos singamídeos (*Syngamus trachea* (Mont.)), de coloração vermelha, parasito da traquéia da galinha e de outras aves domésticas. O macho é fixo ao terço anterior da fêmea, em forma de forquilha, o que lhe valeu o nome popular. **7.** *Bras. Gír.* Denominação dos dedos médio e indicador, usados na punga[1] (4). **8.**

Bras., Amaz. Longa vara, aforquilhada numa das extremidades, que serve para impulsionar a canoa, tomando-se um ponto de apoio na margem do rio. **9.** *Bras., RS.* Sinal que se faz na orelha do gado, como marca. ◆ **Trabalhar na forquilha.** *Bras. Gír.* Ser punguista.

forquilhar. *V. t. d.* Converter em forquilha; bifurcar.

forquilheiro. *S. m. Bras., AM.* Aquele que maneja a forquilha (8).

forquilhoso (ô). *Adj.* Terminado em forquilha.

forra[1]. [Dev. de *forrar*[1] (6). *S. f. Bras. Pop.* Desforra. [Pl.: *forras.* Cf. *forra* (ô), fem. de *forro* (ô), s. f. e pl. *forras* (ô).] ◆ **Ir à forra.** *Bras.* Vingar-se, desforçar-se, desforrar-se.

forra[2]. [Dev. de *forrar*[1].] *S. f.* **1.** Chumaço ou entretela. **2.** *Bras.* Peça de mármore com que se reveste uma construção. **3.** *Marinh.* Tira de lona aplicada como reforço a uma vela, toldo, etc., em partes sujeitas a maiores esforços. [Pl.: *forras* (ô). Cf. *forra* e *forras*, do v. *forrar; forra*, s. f., e pl. *forras.*] ◆ **Forra de rizes.** *Marinh.* Cada uma das forras [v. *forra* (3)] cosidas a distâncias várias da esteira de certas velas, e que seguram os rizes.

forração. [De *forrar*[1] + *-ção.*] *S. f. Bras.* **1.** Forramento. **2.** Tecido para forro[1] (1 e 2).

forrado [Part. de *forrar*[1].] *Adj.* Que tem forro[1] (1 e 2).

forrador (ô). [De *forrar*[1] (1 a 3) + *-(d)or.*] *S. m.* Aquele que forra.

forra-gaitas. [De *forrar*[2] (3) + *gaita* (7).] *S. 2 g. e 2 n. Pop.* V. *avaro* (3).

forrageador (ô). *Adj.* e *s. m.* Que ou aquele que forrageia.

forrageal. *S. m.* Lugar onde medra abundantemente a forragem.

forragear. *V. t. d.* **1.** Ceifar forragem em; segar. **2.** Indagar (remexendo); procurar; remexer. **3.** Talar, devastar: *forragear um campo.* **4.** Colher (idéias, passagens) em livros alheios; respigar. *Int.* **5.** Cortar ou segar forragem. **6.** Colher idéias, passagens, em livros alheios. [Conjug.: v. *frear.*]

forrageira. [Fem. substantivado de *forrageiro.*] *S. f. Bras.* Planta forrageira [v. *forrageiro* (2).]

forrageiro. *Adj.* **1.** Relativo a forragem. **2.** Que serve como forragem; forraginoso.

forragem. [Do fr. *fourrage.*] *S. f.* Qualquer planta ou grão para alimentação do gado: "Quanto a julgar que um campo de capim, crescido na época seca, representa formidável reserva de forragem para o gado, é ilusão talvez nascida de cartões-postais ou de fotografias, em revistas especializadas, de prados artificiais europeus." (M. Cavalcanti Proença, *No Termo de Cuiabá*, p. 63.)

forraginoso. (ô). *Adj.* **1.** Forrageiro (2). **2.** Que produz forragem.

forramento. *S. m.* Ato ou efeito de forrar[1] (1 e 2); forração.

forrar[1]. *V. t. d.* **1.** Pôr forro[1] em: cobrir de papel, estofo, lâminas, etc.: *Mandou forrar as paredes.* **2.** Reforçar com entretela: *forrar um paletó.* **3.** Revestir, cobrir: "As flores do papel que forrava as paredes eram do campo" (João de Araújo Correia, *Terra Ingrata*, p. 134). *T. d. e i.* **4.** Revestir, cobrir: *forrar as paredes com papel;* "Já havia .... boa porção de cortiça, quando chegou a Fundões um bando de carpinteiros e artífices que .... entraram de forrar da casca preciosa as paredes laterais da grande varanda" (João da Silva Correia, *Farândola*, p. 98). *P.* **5.** Vestir-se; agasalhar-se. **6.** *Bras.* Tirar a desforra; ressarcir-se. **7.** Encher-se, cobrir-se, revestir-se: "O céu sombrio forrou-se literalmente de cores de bandeira" (Raul Pompéia, *Crônicas* 4, p. 15). [Pres. ind.: *forro, forras, forra*, etc. Cf. *forro* (ô), s. m. e adj.; *forra* (ô), fem. do adj. *forro* (ô) e s. f., e pl. *forras* (ô).]

forrar[2]. *V. t. d.* **1.** Tornar forro[2] ou livre; alforriar: *forrar os escravos.* **2.** Livrar de; evitar: *Aquela medida forrou aborrecimentos.* **3.** Poupar, economizar, aforrar: *Procura forrar uns cobres para a velhice. P.* **4.** Esquivar-se, livrar-se: "deixamos de ouvir muito concerto para violino e orquestra de Bach, mas também nossos olhos e ouvidos se forraram à tortura da t.v." (Carlos Drummond de Andrade, *Cadeira de Balanço*, p. 62). [Pres. ind.: *forro, forras, forra*, etc. Cf. *forro* (ô), s. m. e adj.; *forra* (ô), fem. do adj. *forro* (ô) e s. f., e pl. *forras* (ô).]

forreca. *S. f.* **1.** *Bras.* A larva do coleóptero *Lygirus humilis.* **2.** *Bras., MG.* V. *fubica* (3).

forreta (ê). [De *forrar*[2] (3) + *-eta.*] *S. 2 g.* V. *avaro* (3): "Imputou-se à Marquesa [Marquesa de Santos] ser forreta, mercando legumes e ratinhando-os, vendendo toucinho à sua escravatura" (Alberto Rangel, *Dom Pedro Primeiro e a Marquesa de Santos*, p. 300).

forro[1] (ô). [Do fr. ant. *feurre.*] *S. m.* **1.** Enchimento ou guarnição interna de certos artefatos, peças de vestuário, etc. **2.** Revestimento de sofás, cadeiras, etc. [Sin., p. us., nestas acepç.: *enforro.*] **3.** Numa edificação, revestimento interno do teto de um compartimento. **4.** *P. ext.* O próprio teto. **5.** Revestimento de paredes, edifícios, fundo de navios, etc. [Pl.: *forros* (ô). Cf. *forro*, do v. *forrar.*] ◆ **Forro de macho-e-fêmea.** Aquele cujas tábuas se encaixam uma na outra. **Forro de saia-e-camisa.** Aquele em que as tábuas se sobrepõem umas às outras, formando saliências e reentrâncias.

forro[2] (ô). [Do ár. *hurr.*] *Adj.* **1.** Liberto; alforriado. **2.** Livre de dívidas; desobrigado. **3.** Que não paga foro. **4.** Liberto, livre, isento: "Outros, já forros da canseira, abancavam por ali a fazer comezaina" (João da Silva Correia, *Farândola*, p. 171). [Flex.: *forra* (ô), *forras* (ô), *forros* (ô). Cf. *forro, forra* e *forras*, do v. *forrar*, e *forra*, s. f., e pl. *forras.*]

forró. [F. red. de *forrobodó.*] *S. m. Bras. Pop.* V. *arrasta-pé* (1): "Vivia nos forrós, sempre alegre, a dedilhar o bandolim nas noites de serenata." (O. G. Rego de Carvalho, *Somos Todos Inocentes*, p. 5.)

forrobodó. *S. m. Bras. Pop.* **1.** V. *arrasta-pé* (1). **2.** Farra, troça. **3.** Confusão, desordem. V. *rolo*[1] (16). [F. red.: *forró.*]

forróia. *S. f. Bras., N. Pop.* Égua velha.

forrozeiro (ô). *S. m. Bras.* Dançador e/ou freqüentador de forrós.

fortalecedor (ô). *Adj.* **1.** Que fortalece; fortalecente. ● *S. m.* Aquele ou aquilo que fortalece.

fortalecente. *Adj. 2 g.* Fortalecedor (1).

fortalecer. *V. t. d.* **1.** Tornar forte; robustecer: *fortalecer os músculos;* "firmíssimas esperanças .... desabrocham para logo, alentando e fortalecendo o ânimo." (Antero de Quental, *Prosas*, I, p. 56.) **2.** Encorajar, animar. **3.** Dar maior força a; robustecer, corroborar: *Novos fatos vieram fortalecer aqueles argumentos.* **4.** Guarnecer com meios de defesa; fortificar: *fortalecer um acampamento. P.* **5.** Robustecer-se física ou moralmente. [Conjug.: v. *aquecer.*]

fortalecimento. *S. m.* Ato ou efeito de fortalecer(-se).

fortalexiense. *Adj. 2 g.* e *s. 2 g. P. us.* Fortalezense.

fortaleza (ê). [Do fr. ant. *fortalece.*] *S. f.* **1.** Qualidade ou virtude dos fortes. **2.** Solidez, segurança. **3.** Força moral, energia, firmeza, constância. **4.** Fortificação; praça fortificada; forte; castelo. **5.** Planta herbácea, carnosa e ornamental, da família das urticáceas *(Pellonia deveauana)*, de folhas avermelhadas, bronzeadas nas margens, com larga faixa mediana verde-clara, e cujas flores, dispostas em corimbo, quando colhidas ainda em botão, e prendendo-se a ponta do pedúnculo com os dedos, se abrem, com deiscência das anteras, sob a ação do calor da mão, dando o pólen a impressão de explodir e deitar fumaça. **6.** *Bras. Gír.* Lugar bem defendido e escondido que é sede de atividade fora da lei. [Cf. *fortaleza*, do v. *fortalezar.*]

fortalezar. [De *fortaleza* + *-ar*[2].] *V. t. d. P. us.* Fortificar; guarnecer. [Pres. ind.: *fortalezo, fortalezas, fortaleza*, etc. Cf. *fortaleza*, s. f., e o top. *Fortaleza.*]

fortalezense. *Adj. 2 g.* **1.** De, ou pertencente ou relativo a Fortaleza, capital do CE. ● *S. 2 g.* **2.** Natural ou habitante de Fortaleza. [Sin. ger., p. us.: *fortalexiense.*]

forte. [Do lat. *forte.*] *Adj. 2 g.* **1.** Que tem força, vigor; vigoroso: *mãos fortes.* **2.** Robusto, corpulento: *um nenen forte e sadio.* **3.** Que tem fortaleza de ânimo; enérgico: *Os homens fortes sabem resistir à adversidade.* **4.** Animoso, valente, valoroso, esforçado: *Um pai fraco não faz fortes filhos.* **5.** Confiado, seguro: *Desde menino é forte em suas decisões.* **6.** Entendido, versado, instruído: *É forte em matemática.* **7.** Que tem muito poder, muita força; poderoso: *governo forte.* **8.** Que tem muita possibilidade de vitória: *É candidato forte à presidência da República.* **9.** Consistente, sólido, rijo: *parede forte.* **10.** Fortificado (2). **11.** Intenso, violento: *vento forte.* **12.** Violento, áspero: *gênio forte.* **13.** Vivo, ativo, intenso: *sol forte.* **14.** Diz-se de voz cheia e sonora. **15.** De valor, de peso: *razão forte.* **16.** Substancioso, nutritivo: *alimento forte.* **17.** Diz-se do que está muito carregado de álcool, essência ou princípio ativo: *perfume forte; chá forte; cigarro forte.* **18.** Diz-se de filme, livro, etc., que apresentam temas de impacto de vivo realismo, em especial temas sexuais. **19.** V. *cabeludo* (3). **20.** Diz-se de relato, acontecimento, notícia, que parecem inacreditáveis ou revoltantes: *Não creio naquela história: é forte demais.* **21.** Difícil de subir; íngreme: "toma impulso [a limusine], aproxima-se da esquina onde começa uma ladeira forte" (Dionélio Machado, *Os Ratos*, p. 81). — V. *ácido* —, *acoplamento* —, *barro* —, *cabeça* —, *eletrólito* —, *espírito* —, *interação* —, *moeda* —, *praça* — e *o sexo* —. ● *S. m.* **22.** Castelo fortificado. **23.** Construção militar destinada a proteger um lugar estratégico, uma cidade; fortaleza. [Dim. irreg. (nas acepç. 22 e 23): *fortim.*] **24.** Aquilo em que alguém excele: "O Bispo posicionava-se bem acima dos outros dois, de acordo com seu próprio julgamento, uma vez que humildade não era o seu forte." (Lustosa da Costa, *Sobral do Meu Tempo*, p. 82); *Seu forte era o carteado.* **25.** *Mús.* Parte de uma peça musical em que o som é reforçado. ● *S. 2 g.* **26.** Pessoa que tem fortaleza de ânimo, que é forte (3): "A vida é combate, / Que os fracos abate, / Que os fortes, os bravos, / Só pode exaltar." (Gonçalves Dias, *Obras Poéticas*, II, p. 42); "Ela era a forte, a dominadora, a incorruptível" (Antônio de Alcântara Machado, *Novelas Paulistanas*, p. 254). ● *Adv.* **27.** Com força; fortemente: "o coronel saiu, num rompante, batendo forte os saltos dos botins." (Simões Lopes Neto, *Contos Gauchescos e Lendas do Sul*, p. 221); "O telefone tilintou forte no andar térreo" (Reginaldo Guimarães, *Uma Blusa no Cais*, p. 60). **28.** *Mús.* Reforçando o som; executando com muita sonoridade e grande intensidade. [Abrev.: *f.*]

fortense. *Adj. 2 g.* **1.** De, ou pertencente, ou relativo à cidade de Oliveira Fortes (MG). ● *S. 2 g.* **2.** Natural ou habitante de Oliveira Fortes.

➧**forte-piano.** [It.] *Mús.* Serve para indicar que um trecho deve ser executado forte e logo depois piano.

forteza (ê). [De *forte* + *-eza.*] *S. f. Pop.* Valentia, força, fortaleza.

fortidão. [Do lat. *fortitudine.*] *S. f.* **1.** Qualidade daquele ou daquilo que é forte, sólido, consistente. **2.** *Fig.* Aspereza, rispidez, violência: *fortidão de gênio.*

fortificação. [Do lat. *fortificatione.*] *S. f.* **1.** Ato de fortificar(-se). **2.** Forte, baluarte, fortaleza. **3.** Arte de fortificar e defender uma praça, um acampamento, etc.

fortificado. [Part. de *fortificar.*] *Adj.* **1.** Tornado forte; robustecido. **2.** Que tem fortificações; defendido por fortificações; forte.

fortificador (ô). *Adj.* **1.** Que fortifica; fortificante. ● *S. m.* **2.** Aquele que fortifica.

fortificante. [Do lat. *fortificante.*] *Adj. 2 g.* **1.** Fortificador (1). ● *S. m.* **2.** Droga ou medicamento para fortalecer o organismo.

fortificar. [Do lat. *fortificare.*] *V. t. d.* **1.** Tornar forte; fortalecer. **2.** Guarnecer de fortes ou fortalezas; dar meios ou condições de defesa, a: *fortificar uma cidade.* **3.** Auxiliar, coadjuvar. **4.** Corroborar; animar. *P.* **5.** Tornar-se forte; fortalecer-se. **6.** Manter-se firme. [Conjug.: v. *trancar.*]

fortim. *S. m.* Pequeno forte (22 e 23).

fortíssimo. [Do it. *fortíssimo.*] *Adv. Mús.* Executando com o máximo de intensidade possível. [Abrev.: *ff* e *fff.*]

fortitude. [Do lat. *fortitudine.*] *S. f.* qualidade de forte; força, energia.

fortran. [Das sílabas iniciais dos voc. da expr. ingl. *formula translation.*] *S. m. Proc. Dados.* Compilador científico que traduz programas expressos em formato similar a equações algébricas, em linguagem de máquina.

fortuitamente. [Do fem. de *fortuito* + *-mente.*] *Adv.* De modo fortuito; ocasionalmente, casualmente.

fortuito. [Do lat. *fortuitu.*] *Adj.* **1.** Casual, acidental, eventual: *Teve um ensejo fortuito de observar-lhe a fisionomia.* **2.** Inopinado, imprevisto: *encontro fortuito.*

fortum. *S. m.* V. *fartum:* "Abriam-se as senzalas ligando do interior fuliginoso e morno o acre fortum e a fumaraça espessa dos brasidos que ardiam à noite" (Coelho Neto, *Rei Negro*, p. 8).

fortuna. [Do lat. *fortuna.*] *S. f.* **1.** Casualidade, eventualidade, acaso. **2.** Destino, fado, sorte: "Erros meus, má fortuna, amor ardente / em minha perdição se conjuraram" (Luís de Camões, *Rimas*, p. 186); "O latim *caput* passou às línguas romances regularmente, segundo as leis fonéticas, porém com fortuna vária quanto à aplicação." (M. Said Ali, *Meios de Expressão e Alterações Semânticas*, p. 89). **3.** Bom êxito; êxito, sucesso. **4.** Boa sorte; sorte, felicidade, ventura. **5.** Revés da sorte; adversidade. **6.** Haveres, riqueza. ◆ **Fortuna crítica.** *Liter.* Bom ou mau acolhimento dado a uma obra pela crítica (3). **Fortuna do mar.** *Com.* Acontecimento imprevisível e/ou inevitável, de que decorre a perda ou o dano do navio, ou de sua carga; risco marítimo. **De fortuna.** Diz-se de qualquer dispositivo, engenho ou arranjo feito em condições precárias, para atender uma emergência.

fortunar. [Do lat. *fortunare.*] *V. t. d.* e *p.* Afortunar.

fortunoso (ô). [De *fortuna* + *-oso.*] *Adj.* V. *afortunado:* "O seu engenho [de Cervantes], purificado nas aventuras de uma existência trabalhada e pouco f o r t u n o s a, revelara-se já quando nos ânimos vulgares se amortece o vigor da adolescência" (Latino Coelho, *Cervantes,* p. 141).

fórum. [Do lat. *forum.*] *S. m.* **1.** V. *foro.* **2.** *Foro* (ô) (7).

➧forward (fóruard). [Ingl.] *S. m. Fut.* Cada um dos cinco jogadores da primeira linha duma equipe. [O do meio chama-se *center-forward.*]

▲fos-. [Do gr. *phôs, photós.*] *El. comp.* = 'luz': *fosfeno.* [Equiv.: *fot(o)-: fotopsia, fototerapia.*]

fosca. *S. f.* V. *fosquinha.* [Pl.: *foscas.* Cf. *fosca* (ô) e *foscas* (ô), flex. de *fosco* (ô).]

foscar. *V. t. d.* Tornar fosco. [Conjug.: v. *trancar.* Pres. ind.: *fosco, foscas, fosca,* etc. Cf. *fosco* (ô) e flex. *fosca* (ô), *foscas* (ô).]

fosco (ô). [Do lat. *fuscu.*] *Adj.* **1.** Sem brilho; embaciado, embaçado. **2.** V. *translúcido* (1): *lâmpada f o s c a.* [Cf. *opaco* (1).] **3.** *Fig.* Covarde, cobarde, fraco. [Flex.: *fosca* (ô), *foscos* (ô), *foscas* (ô). Cf. *fosco, fosca* e *foscas,* do v. *foscar,* e *fosca,* s. f., pl. *foscas.*]

fosfagênio. [De *fosfa(to)* + *(glico)gênio.*] *S. m. Biol.* Composto químico encontrado nos músculos das rãs, e que é fonte de energia para as atividades do músculo.

fosfatado. [De *fosfato* + *-ado*[1].] *Adj.* **1.** Que se encontra em estado de fosfato. **2.** Que tem fosfato. **3.** Tratado com fosfato.

fosfatagem. *S. f.* Ação de tratar a terra ou o vegetal com fosfato.

fosfatar. *V. t. d.* **1.** Pôr fosfato em. **2.** Tratar com fosfato.

fosfático. *Adj.* **1.** Formado de fosfato. **2.** Relativo a fosfato.

fosfato. [De *fosf,* abrev. de *fósforo,* + *-ato*[2].] *S. m. Quím.* Qualquer sal do ácido fosfórico.

fosfatúria. [De *fosfato* + *-ur(o)-*[2] + *-ia.*] *S. f. Med.* Presença de fosfatos na urina.

fosfena. [De *fos-* + *-fena.*] *S. f.* V. *fosfeno.*

fosfeno. [De *fos-* + *-feno.*] *S. m.* Impressão luminosa que se experimenta comprimindo o globo ocular, estando as pálpebras unidas.

fosfina. [De *fosf,* abrev. de *fósforo,* + *-ina.*] *S. f. Quím.* Hidreto de fósforo, gasoso, incolor, inflamável. [Fórm.: PH_3.]

fosfito. [De *fosf,* abrev. de *fósforo,* + *-ito*[3].] *S. m. Quím.* Sal derivado de um ácido fosforoso.

fosfoproteína. *S. f.* Proteína rica em fósforo.

fosforado. [Part. de *fosforar.*] *Adj.* Combinado ou misturado com fósforo.

fosforar. *V. t. d.* Combinar ou misturar com fósforo. [Pres. ind.: *fosforo,* etc. Cf. *fósforo.*]

fosforear. [De *fósforo* + *-ear.*] *V. int.* V. *fosforejar:* "Esfuziavam relâmpagos, f o s f o r e a n d o na caligem das nuvens" (Alphonsus de Guimaraens, *Obra Completa,* p. 411); "Como pequenas lâmpadas trementes / F o s f o r e a v a m na relva os pirilampos." (Olavo Bilac, *Poesias,* p. 85). [Conjug.: v. *frear.*]

fosforeira. S. f. Caixinha onde se guardam fósforos.

fosforeiro. *s. m.* Aquele que trabalha no fabrico de fósforos.

fosforejante. *Adj. 2 g.* Que fosforeja.

fosforejar. *V. int.* Brilhar como fósforo inflamado; chamejar, fosforear. [Conjug.: v. *pelejar.* Normalmente é defect., só conjugável nas 3as pess.]

fosfóreo. [Do lat. *phosphoreu.*] *Adj.* **1.** Fosfórico (1 e 2). **2.** Que tem fósforo.

fosforescência. [De *fosforescer* + *-ência.*] *S. f.* **1.** Propriedade que têm certos corpos de brilhar na obscuridade, sem espalhar calor. **2.** Luminosidade que as águas do mar apresentam, por vezes, quando agitadas pelo vento ou cortadas pela proa da embarcação, e resultante sobretudo da presença de animais microscópicos: "As barcas todas acesas de luzes frouxas perdiam-se na f o s f o r e s c ê n c i a lunar." (João do Rio, *As Religiões no Rio,* p. 212.) **3.** *Fís.* Forma de fotoluminescência em que a emissão de luz persiste um tempo considerável depois de haver cessado a absorção da radiação excitadora. [Cf., nesta acepç., *fluorescência.*]

fosforescência-do-mar. *S. f. Bras., RS.* V. *noctiluca* (2). [Pl.: *fosforescências-do-mar.*]

fosforescente. [De *fosforecer* + *-ente.*] *Adj. 2 g.* Que tem a propriedade da fosforescência.

fosforescer. [De *fosfor(o)-* + *-escer.*] *V. int.* Emitir luz fosforescente: "Sei que um frêmito de asas multicores / Se ouvia. Eram insetos aos cardumes / A rebulir, f o s f o r e s c e n d o no ar." (Alberto de Oliveira, *Poesias,* 2ª série, p. 272.) [Conjug.: v. *crescer.* Normalmente é defect.]

▲fosfori-. Equiv. de *fosfor(o)-.*

fosfórico. *Adj.* **1.** Relativo a fósforo; fosfóreo. **2.** Que brilha como o fósforo; fosfóreo. **3.** Diz-se de vários compostos que contêm fósforo. **4.** *Fig.* Irritadiço, irritável, irascível, zangadiço. **5.** *Fig.* Duvidoso, difícil. **6.** *Bras. Pop.* Ignorante e palavroso; fósforo. **7.** *Bras. Pop.* De qualidade muito inferior. ~ V. *ácido* —.

fosforífero. [De *fosfori-* + *-fero.*] *Adj.* Diz-se dos animais em que uma parte do corpo é fosforescente.

fosforita. [De *fosfor(o)-* + *-ita*[3].] *S. f. Min.* Mineral fibroso, de composição química igual à da apatita, e que em geral se apresenta sob a forma de concreções.

fosforização. *S. f.* **1.** Ato ou efeito de fosforizar. **2.** Influência ou formação do fosfato calcário na economia animal.

fosforizar. *V. t. d.* Tornar fosfórico.

▲fosfor(o)-. [De *fósforo.*] *El. comp.* = 'fósforo': *fosforoscópio.* [Equiv.: *fosfori-: fosforífero.*]

fósforo. [Do gr. *Phosphoros,* 'estrela-d'alva', pelo lat. *Phosphoru.*] *S. m.* **1.** *Quím.* Elemento de número atômico 15, não metálico, reativo, com diversos compostos importantes. [Símb.: *P.* É um elemento luminoso na obscuridade, e que arde em contato com o ar.] **2.** Palito provido de uma cabeça composta de corpos que se inflamam quando atritados com uma superfície áspera. **3.** *Gír.* Pessoa a quem não se dá importância. **4.** *Bras. Pop.* Indivíduo fosfórico (6). **5.** *Bras., SP. Pop.* Intruso, penetra. ● *Adj.* **6.** *Bras. Pop.* Fosfórico (6). [Cf. *fosforo,* do v. *fosforar.*]

fosforoscópio. [De *fosfor(o)-* + *-scop-* + *-io.*] *S. m.* Instrumento com que se observa a fosforescência dos corpos.

fosforoso (ô). *Adj.* ~ V. *ácido*—.

fosgênio. [De *fos-* + *-gen(o)-*[1] + *-io.*] *S. m. Quím.* Cloreto de carbonila, gás tóxico, incolor, com cheiro característico, utilizado como gás de guerra, e importante composto em sínteses orgânicas. [Fórm.: $COCl_2$.]

fósmea. [Fem. substantivado de *fósmeo.*] *S. f.* **1.** Idéia confusa e disparada; concepção abstrusa. **2.** Coisa de que é impossível dar a definição.

fósmeo. *Adj.* **1.** Abstruso, disparatado. **2.** Incompreensível, indefinível.

fosqueamento. [De um **fosquear* < *fosco,* + *-mento.*] *S. m. Pint.* Ausência de brilho apresentada pela película de um verniz ou laca após a secagem.

fosquinha. [Dim. de *fosca.*] *S. f.* **1.** Provocação, negaça. **2.** Trejeito, momice. **3.** Disfarce, fingimento. [Sin. ger.: *fosca.*]

fossa. [Do lat. *fossa.*] *S. f.* **1.** Cova, buraco, cavidade, fosso, fossado. **2.** Cavidade subterrânea para o despejo de imundícies. **3.** Covinha no queixo ou na face. **4.** *Anat.* Cavidade, depressão. **5.** *Bras. Gír.* Forte depressão moral; buraco: "Diz que temo a guerra atômica / Já troquei tédio por f o s s a / Já correu para o analista" (Chico Buarque de Holanda, *Roda-Viva,* p. 20). [Dim. irreg.: *fosseta.*] ~ V. *fossas.* ◆ **Fossa séptica.** Aparelho sanitário no qual o trabalho do microrganismo transforma, por fermentação, a matéria orgânica em substâncias minerais. **Na fossa.** *Bras. Gír.* Em estado de intensa depressão moral, de angústia; na pior: *estar, ficar, andar n a f o s s a.*

fossado. [Do lat. *fossatu.*] *S. m.* **1.** V. *fossa.* (1). **2.** Fosso (2). **3.** *Ant.* Investida ou correria em território inimigo.

fossador (ô). *Adj.* e *s. m.* Que ou o que fossa.

fossadura. *S. f.* Ação ou efeito de fossar.

fossar. [De *fossa* + *-ar*[2].] *V. t. d.* **1.** Revolver (a terra) com o focinho ou fuça; fuçar: "Porcos f o s s a v a m a terra descobrindo as raízes" (Coelho Neto, *Obra Seleta,* I, p. 29). **2.** Cavar; escavar; fuçar: "Em breve avistou .... o rebanho de porcos, ... roncando e f o s s a n d o as raízes" (Eça de Queirós, *Contos,* p. 143). *Int.* **3.** Revolver a terra com o focinho; fuçar. **4.** *Fig.* Empregar-se em trabalhos grosseiros. **5.** *Bras. Fig.* Fuçar (5). [Pres. ind.: *fosso,* etc.; pres. subj.: *fosse, fosses, fosse, fossemos, fosseis, fossem.* Cf. *fosso* (ô), s. m., o imperf. subj. dos v. *ir* e *ser,* e *fósseis,* pl. de *fóssil.*]

fossário. *S. m.* **1.** Lugar onde abundam fossos ou covas; cemitério. **2.** Serventuário eclesiástico encarregado do enterramento dos fiéis.

fossas. [Pl. de *fossa.*] *S. f. pl.* Cavidades no organismo animal que apresentam abertura mais larga que o fundo. ~V. *fossa.*

fosseta (ê). *S. f.* **1.** Pequena fossa. **2.** *Anat.* Pequena fossa (4).

fossete (ê). *S. m.* Pequeno fosso.

fóssil. [Do fr. *fossile* < lat. *fossile,* 'tirado da terra'.] *S. m.* **1.** Na Antiguidade, qualquer mineral ou outro objeto encontrado em escavações. **2.** *Paleont.* Vestígio ou resto petrificado ou endurecido de seres vivos que habitaram a Terra antes do holoceno e que se conservaram sem perder as características essenciais. **3.** *Fig. Deprec.* Indivíduo retógrado, antiquado. ● *Adj. 2 g.* **4.** Diz-se de, ou pertencente ou relativo a fóssil (2): *homem f ó s s i l.* [Pl.: *fósseis.* Cf. *fosseis,* do v. *fossar,* e *fôsseis,* dos v. *ir* e *ser.*] ~ V. *índice* —.

fossilífero. [De *fóssil* + *-i-* + *-fero.*] *Adj.* Diz-se de terreno onde há fósseis animais ou vegetais.

fossilismo. [De *fóssil* + *-ismo.*] *S. m.* Apego a coisas antiquadas.

fossilista. *S. 2 g.* Pessoa que tem fossilismo, que é muito apegada a coisas antiquadas.

fossilização. *S. f.* **1.** Ato ou efeito de fossilizar(-se). **2.** *Paleont.* Conjunto de processos naturais que permitem a conservação dos restos ou vestígios de fósseis.

fossilizado. [Part. de *fossilizar.*] *Adj.* **1.** Que se fossilizou ou petrificou. **2.** Que o tempo não modificou; antiquado, retrógrado.

fossilizar. *V. t. d.* e *p.* Tornar(-se) fóssil.

fossípede. [Do lat. *fossu,* 'escavado', + *-i-* + *-pede.*] *Adj. 2 g. Zool.* Cujos pés são próprios para remexer a terra.

fosso (ô). [Do it. *fosso.*] *S. m.* **1.** V. *fossa* (1). **2.** Cavidade em volta de fortificações, entrincheiramentos, etc.; fossado. **3.** Valado (1). **4.** V. *rego* (1). [Dim. irreg.: *fossete.* Pl.: *fossos* (ó). Cf. *fosso,* do v. *fossar.*]

fossorial. [Do lat. *fossorium,* 'picareta', + *-al.*] *Adj. 2. g.* **1.** Fossório. **2.** Diz-se do animal que se nutre de cadáveres e carniça de outros animais, como os insetos coleópteros necrófagos.

fossório. *Adj.* Diz-se da armadura bucal, ou focinho, adaptado a escavar a terra; fossorial.

foste. *S. m. Ant.* Fuste. [Pl.: *fostes.* Cf. *foste* (ô) e *fostes* (ô), dos v. *ir* e *ser.*]

fot. [Do gr. *phos, photos,* 'luz'.] *S. m. Fotom.* Unidade de medida de iluminamento, igual a 10.000 lux.

fota. [Do ár. *foTâ,* 'avental'; 'véu', 'lenço'.] *S. f.* Turbante mourisco: "O seu traje caseiro era um gibão de chita, e uma f o t a de musselina na cabeça." (Camilo Castelo Branco, *Cenas da Foz,* p. 75.)

foteado. [De *fota* + *-eado.*] *Adj.* Semelhante à fota: "tinha na cabeça uma touca f o t e a d a" (Alexandre Herculano, *Lendas e Narrativas,* I, p. 233).

fotear. *V. t. d.* Pôr fota em; cingir com fota. [Conjug.: v. *frear.*]

fotelasticidade. [De *fot(o)-* + *elasticidade.*] *S. f. Fís.* Processo de análise das deformações dum corpo sujeito a tensões, baseado na anisotropia óptica que elas provocam.

fotelástico. *Adj.* Referente à fotelasticidade.

foteléctron. *S. m.* Fotelétron.

fotelectrônica. *S. f.* Foteletrônica.

fotelétrico. [De *fot(o)-* + *elétrico.*] *Adj. Fís.* Que transforma energia luminosa em elétrica. ~ V. *célula* —*a, efeito* — e *limiar* —.

fotelétron. [Var. de *foteléctron* < *fot(o)-* + *eléctron.*] *S. m. Fís.* Elétron arrancado de uma superfície por influência de uma radiação eletromagnética que nela incide; elétron libertado no efeito fotelétrico.

foteletrônica. [Var. de *fotelectrônica* < *fot(o)-* + *electrônica.*] *S. f.* Ramo da física que se ocupa das ações recíprocas entre a eletricidade e a luz, particularmente as que implicam eléctrons livres.

foteliógrafo. [De *fot(o)-* + *heliógrafo.*] *S. m. Astr.* Heliógrafo fotográfico.

fotemissão. [De *fot(o)-* + *emissão.*] *S. f. Fís.* Emissão de eléctrons provocada por uma radiação energética.

fotemissivo. [De *fot(o)-* + *emissivo.*] *Adj.* ~V. *célula*—*a.*

fotemissor (ô). [De *fot(o)-* + *emissor.*] *Adj.* Referente à fotemissão.

fotismo. [Do gr. *photismós.*] *S. m.* Sensação visual secundária.

foto[1]. *S. f.* **1.** F. red. de *fotografia* (2); retrato: "Via-a dos pés para a cabeça, corpo destorcido como numa f o t o batida de ângulo ingrato" (Macedo Miranda, *As Três Chaves,* p. 87). **2.** Ateliê de fotógrafo.

foto[2]. *El. s. m.* Us. na loc. *estar em foto.* ◆ **Estar em foto.** *Ant. Mar.* Estar (a embarcação) flutuando.

▲foto-. *El. comp.* = 'fotografia': *fotocópia, fotocromia.* [Equiv. *-foto: aerofoto, radiofoto.*]

▲fot(o)-. Equiv. de *fos-.*

▲-foto. Equiv. de *foto-.*

fotoalgrafia. [De *foto-* + *algrafia.*] *S. f. Fotograv.* V. *fotometalografia.*

fotoalgráfico. *Adj.* Relativo à fotoalgrafia; fotometalográfico.

fotobiologia. [De *fot(o)-* + *biologia.*] *S. f.* Estudo dos efeitos biológicos das radiações que não possuem energia suficiente para ionizar os principais elementos encontrados nos materiais biológicos (C,N,O,H).

fotobiológico. *Adj.* Relativo à fotobiologia.

fotobiologista. *S. 2 g.* Especialista em fotobiologia.

fotocarta. [De *foto-* + *carta.*] *S. f.* Carta ou mapa topográfico obtido por meio de fotografias (tiradas de bordo de aviões).

fotocartografia. [De *foto-* + *cartografia.*] *S. f.* Fotogrametria.

fotocartográfico. *Adj.* Referente à fotocartografia.

fotocatálise. [De *fot(o)-* + *catálise.*] *S. f. Fís.-Quím.* Catálise provocada pela luz.

fotocatodo (ô). [De *fot(o)-* + *catodo.*] *S. m. Fís.* Catodo de uma válvula fotelétrica capaz de emitir elétrons quando excitado por luz.

fotocélula [De *fot(o)-* + *célula.*] *S. f. Fís.* Célula fotelétrica.

fotocomposição. [De *foto-* + *composição.*] *S. f. Art. Gráf.* **1.** Sistema de composição onde o mecanismo fundidor é substituído por unidade fotográfica, e que produz textos em suporte de filme ou de papel fotográfico; o sistema completo consta, usualmente, das seguintes unidades: *a)* um teclado para entrada de dados, e que produz fita perfurada ou magnética; *b)* um computador para processar a fita, fazer a divisão silábica das palavras no final da linha, justificar o texto, etc.; *c)* uma foto-unidade, unidade de saída que produz a composição final. **2.** *P. ext.* O texto tipográfico produzido pela fotocomposição (1).

fotocompositora (ô). [De *foto-* + *compositora.*] *S. f. Art. Gráf.* **1.** Máquina de fotocomposição. **2.** Foto-unidade.

fotocondutividade. [De *fot(o)-* + *condutividade.*] *S. f. Fís.* Modificação da resistividade de uma substância quando sujeita à ação de radiação eletromagnética, usualmente na faixa que vai do infravermelho às radiações gama.

fotocondutivo. [De *fot(o)-* + *condutivo.*] *Adj.* ~V. *célula —a.*

fotocondutor (ô). [De *fot(o)-* + *condutor.*] *S. m. Fís.* Substância que apresenta fotocondutividade.

fotocópia. [De *foto-* + *cópia.*] *S. f.* **1.** Processo de reprodução rápida, por meio da fotografia, de documentos escritos ou impressos, com a utilização dum papel sensibilizado especial que, posto em contato com o original, é por ele diretamente impressionado. **2.** A reprodução feita por esse processo; cópia fotostática; fotostática. [Cf. *xerox* e *fotocopia*, do v. *fotocopiar.*]

fotocopiar. *V. t. d.* Reproduzir por fotocópia: *Mandou fotocopiar a certidão de casamento.* [Pres. ind.: *fotocopio, fotocopias, fotocopia*, etc. Cf. *fotocópia.*]

fotocopista. *S. 2 g.* **1.** Pessoa que prepara fotocópias. ● *S. m.* **2.** Aparelho utilizado em fotocópia.

fotocromia. [De *foto-* + *-crom(a)-* + *-ia.*] *S. f.* Processo de fotografia que dá imagens coloridas.

fotocrômico. *Adj.* Relativo à fotocromia. ~ V. *vidro —.*

fotodesintegração. *S. f. Fís. Nucl.* Desintegração de um núcleo provocada por um fóton de alta energia.

fotodiodo (ô). [De *fot(o)-* + *diodo.*] *S. m. Eletrôn.* Componente eletrônico em que uma junção constituída por dois semicondutores fotossensíveis controla o fluxo de carga elétrica de acordo com a luz que sobre ela incide.

fotodoscópio. [Do gr. *photódes*, 'luminoso', + *-scop-* + *-io.*] *S. m. Fís.* Aparelho para observar a luz.

fotoelasticidade. *S. f. Fís.* V. *fotelasticidade.*

fotoelástico. *Adj.* V. *fotelástico.*

fotoeléctron. *S. m. Fís.* V. *fotelétron.*

fotoelectrônica. *S. f.* V. *foteletrônica.*

fotoelétrico. *Adj. Fís.* V. *fotelétrico.*

fotoelétron. *S. m. Fís.* V. *fotelétron.*

fotoeletrônica. *S. f.* V. *foteletrônica.*

fotoeliógrafo. *S. m. Astr.* V. *foteliógrafo.*

fotoemissão. *S. f. Fís.* V. *fotemissão.*

fotoemissivo. *Adj.* V. *fotemissivo.*

fotoemissor (ô). *Adj.* V. *fotemissor.*

fotofissão. *S. f. Fís. Nucl.* Fissão nuclear provocada por fótons.

fotofobia. [De *fot(o)-* + *-fob(o)-* + *-ia.*] *S. f.* Horror à luz; heliofobia.

fotofóbico. *Adj.* Relativo à fotofobia; heliofóbico.

fotófobo. *S. m.* Aquele que tem fotofobia; heliófobo.

fotóforo. [De *fot(o)-* + *-foro.*] *S. m. Med.* Aparelho provido de lâmpada e preso à testa do observador, para inspeção de cavidades.

fotogenia[1]. *S. f.* Qualidade de fotogênico[1].

fotogenia[2]. *S. f.* Qualidade de fotogênico[2].

fotogênico[1]. [De *fot(o)-* + *-gen(o)-*[1] + *-ico*[2].] *Adj.* Que produz imagens pela ação da luz.

fotogênico[2]. [De *foto-* + *-gen(o)-* + *-ico*[2].] *Adj.* Que se representa bem pela fotografia: *Sem ser bonita, é notavelmente fotogênica.*

fotografação. *S. f.* Ação de fotografar.

fotografar. *V. t. d.* **1.** Reproduzir pela fotografia a imagem de. **2.** *Fig.* Descrever com exatidão. *Int.* **3.** Sair (bem ou mal) numa fotografia: *Ela fotografa bem; mas o rapaz fotografa horrivelmente. P.* **3.** *Bras.* Sair-se mal; malograr-se. [Pres. ind.: *fotografo*, etc. Cf. *fotógrafo.*]

fotografia. [De *foto-* + *-graf(o)-* + *-ia.*] *S. f.* **1.** Processo de formar e fixar sobre uma emulsão fotossensível a imagem dum objeto, e que compreende, usualmente, duas fases distintas: na primeira, a emulsão é impressionada pela luz, e sobre ela se forma, por meio dum sistema óptico, a imagem do objeto; na segunda, a emulsão impressionada é tratada por meio de reagentes químicos que revelam e fixam, permanentemente, a imagem desejada. **2.** Imagem obtida por esse processo: "Era uma velha *fotografia* tirada um ano antes. Estava de pé, sobrecasaca abotoada, a mão esquerda no dorso de uma cadeira" (Machado de Assis, *Dom Casmurro*, p. 338). [F. red. (nessa acepç.): *foto;* sin.: *retrato.*] **3.** *Fig.* Cópia fiel; reprodução exata. ♦ **Fotografia celeste.** *Astr.* Astrofotografia. **Fotografia de cena.** Aquela em que se fotografam as cenas ao mesmo tempo em que são filmadas; *still.* **Ficar fora da fotografia.** *Turfe.* Chegar (o cavalo) a uma distância tal do primeiro colocado que fique excluído do campo visual das fotos dos juízes de chegada. **Tirar fotografia.** *Turfe.* Ganhar (um cavalo) disparado uma carreira, deixando o segundo colocado fora do campo fotográfico da foto automática da chegada.

fotográfico. *Adj.* **1.** Relativo à fotografia. **2.** *Fig.* Que lembra a fotografia pela fidelidade de reprodução; muito fiel ao modelo: *cenas de um realismo fotográfico.* ~ V. *câmara —a, chapa —a, composição —a, cópia —a, crepúsculo —, densidade —a, emulsão —a, filme —, leitura —a, luneta zenital —a, máquina —a, papel —* e *tubo zenital —.*

fotógrafo. *S. m.* Aquele que pratica a fotografia, ou que a exerce como profissão. [Cf. *fotografo*, do v. *fotografar.*]

fotograma. [De *foto-* + *-grama.*] *S. m. Fot.* **1.** Quadro de filme cinematográfico. **2.** Impressão em papel fotográfico de objetos transparentes ou não, feita sem o auxílio de uma câmara.

fotogrametria. [De *foto-* + *-grama-* + *-metr(o)*[2] + *-ia*, com haplologia.] *S. f.* Técnica de determinação da altimetria, nos levantamentos cartográficos, por meio de pares de fotografias tiradas simultaneamente por duas câmaras mantidas a distância constante uma da outra; fotocartografia.

fotogramétrico. *Adj.* Relativo à fotogrametria.

fotogravador (ô). [De *foto-* + *gravador.*] *S. m.* Gráfico que se ocupa em qualquer das operações próprias dos processos fotomecânicos.

fotogravar. *V. t. d.* **1.** Fazer fotogravura de. *Int.* **2.** Fazer fotogravura(s).

fotogravura. [De *foto-* + *gravura.*] *S. f.* **1.** No sentido mais geral, qualquer processo fotomecânico: fotogravura em relevo, fotogravura a entalhe, fotogravura em plano. **2.** *Restr.* O processo que produz placas em relevo. **3.** Placa, clichê ou cilindro obtido por qualquer desses sistemas, ou, em especial, pelo processo em relevo. **4.** Estampa tirada de qualquer dessas superfícies impressoras. **5.** Oficina ou seção destinada aos trabalhos de fotogravar. ♦ **Fotogravura a entalhe.** Qualquer dos processos de que é representativa a heliogravura, plana ou rotativa (*rotogravura*), e pelos quais se produzem placas ou cilindros de cobre onde a imagem é formada por meio de minúsculos alvéolos de diferentes profundidades, criados pela retícula, e que traduzem os meios-tons, na fase de impressão, segundo a maior ou menor quantidade da tinta especial, fluida, que podem comportar. [Tb. se diz apenas *fotogravura.* Cf. *gravura a entalhe* e *impressão de entalhe.*] **Fotogravura a traço. 1.** Processo de fotogravura em relevo para a reprodução de originais em que há apenas traços e chapados, sem meios-tons, e que dispensam, por isso, o uso de retícula; fotogravura linear, zincografia, zincotipia. **2.** Clichê obtido por esse processo; clichê a traço, zincografia, zincotipia. **Fotogravura em plano.** Qualquer dos processos fotomecânicos de que são principais representantes a fotolitografia e a fototipia, os quais, com aproveitamentos variados das propriedades da gelatina bicromada, resultam em superfícies impressoras planográficas, i. e., sem relevo ou entalha. [Tb. se diz apenas *fotogravura.* Cf. *gravura em plano* e *impressão de plano.* V. *planografia.*] **Fotogravura em relevo.** Qualquer dos processos fotomecânicos em que se emprega camada de colóide (albumina ou cola de peixe) bicromado, deitada em placa de metal, geralmente o zinco ou o cobre, e a seguir submetida a exposição sob o negativo fotográfico, ficando a imagem, após o banho de revelação, representada pelas partes do colóide, correspondentes aos claros do negativo, tornadas insolúveis pela ação da luz. A placa passa, em seguida, à esmaltagem, que torna a camada acidorresistente, e à mordaçagem, quando se obtém o relevo no metal. [Na fotogravura em relevo distinguem-se dois processos: a fotogravura a traço e a autotipia. Tb. se diz apenas *fotogravura.* Sin.: *fototipografia* e (p. us.) *fototipogravura.* Cf. *gravura em relevo* e *impressão de relevo.*] **Fotogravura linear.** V. *fotogravura a traço* (1).

foto-legenda. *S. f.* Nos jornais, foto que recebe um texto mais extenso, descritivo ou interpretativo, como legenda. [Pl.: *fotos-legendas* e *fotos-legenda.*]

fotólise. [De *fot(o)-* + *-lise.*] *S. f. Quím.* Decomposição de uma substância, provocada pela ação da luz.

fotolitar. *V. t. d.* Fazer o fotolito de.

fotolito. [F. red. de *fotolitografia.*] *S. m. Art. Gráf.* **1.** Pedra, ou mais comumente, placa de metal, com imagem fotolitográfica para impressão ou transporte. [Cf. *chapa* (7), *chapa bimetálica* e *chapa pré-sensibilizada.*] **2.** Diz-se do negativo ou diapositivo fotográfico utilizado para gravação da imagem no fotolito (1) ou na chapa (7).

fotolitografar. *V. t. d.* Reproduzir por meio da fotolitografia.

fotolitografia. [De *foto-* + *litografia.*] *S. f.* **1.** Processo de fotogravura em plano no qual se utiliza como superfície impressora a pedra litográfica ou, na prática geral, uma lâmina de metal granido (zinco ou alumínio), para onde a imagem é transferida de negativo ou de diapositivo fotográfico por copiagem direta ou por meio de transporte fotomecânico, baseando-se o método, em ambos os casos, no princípio de que os colóides bicromados, depois de expostos à luz, apenas absorvem umidade nas partes tornadas insolúveis, no fenômeno de repulsão entre as substâncias graxas e a água, característico da litografia. **2.** Estampa obtida por esse processo. V. *fotometalografia, ofsete* e *molhagem.*]

fotolitográfico. *Adj.* Referente à fotolitografia.

fotolitógrafo. *S. m.* Gráfico que se ocupa na fotolitografia.

fotologia. [De *fot(o)-* + *-log(o)-* + *-ia.*] *S. f. Fís.* Tratado acerca da luz.

fotológico. *Adj.* Relativo à fotologia.

fotoluminescência. [De *fot(o)-* + *luminescência.*] *S. f. Fís.* Luminescência provocada por fótons; luminescência provocada pela absorção de luz por uma substância.

fotomagnético. [De *fot(o)-* + *magnético.*] *Adj. Fís.* Respeitante aos fenômenos magnéticos devidos à ação da luz.

fotomecânico. [De *foto-* + *mecânico.*] *Adj.* ~V. *processo —.*

fotoméson. *S. m. Fís. Nucl.* Méson produzido em uma reação fotonuclear.

fotometalografia. [De *foto-* + *metalografia.*] *S. f. Fotograv.* Processo de fotolitografia executado em placa de metal, usualmente o zinco (*fotozincografia*), ou o alumínio (*fotoalgrafia*). [Cf. *metalografia.* V. *ofsete.*]

fotometalográfico. *Adj.* Relativo à fotometalografia; fotoalgráfico.

fotometria. [De *fot(o)-* + *-metr(o)-* + *-ia.*] *S. f.* Parte da óptica que investiga os métodos e processos de medida de fluxos luminosos e das características energéticas associadas a tais fluxos. ♦ **Fotometria de chama.** *Quím.* Técnica de análise espectral quantitativa baseada na medida da intensidade de uma ou mais raias emitidas por um elemento excitado numa chama de gás, e particularmente adotada para dosagens de lítio, sódio e potássio; espectrometria de chama.

fotométrico. *Adj.* Relativo à fotometria. ~ V. *banco —, brilhância —a* e *paralaxe —a.*

fotômetro. [De *fot(o)-* + *-metro.*] *S. m.* Instrumento usado para medir a energia de um feixe luminoso, e que se pode basear em comparações efetuadas visualmente ou em comparações quantitativas realizadas por meio de dispositivos fotelétricos.

fotomicrografia. [De *foto-* + *micrografia.*] *S. f.* Fotografia realizada ou obtida com o auxílio de um microscópio.

fotomicrográfico. *Adj.* Relativo à fotomicrografia.

fotomicrógrafo. *S. m.* Aquele que pratica a fotomicrografia.

fotominiatura. [De *foto-* + *miniatura.*] *S. f.* **1.** Processo para reduzir quadros, paisagens, desenhos, etc., a pequenas dimensões, com o auxílio da fotografia. **2.** Quadro, paisagem, desenho, etc., depois de submetido a esse processo.

fotominiaturista. *S. 2 g.* Pessoa que exerce a fotominiatura, que faz fotominiaturas.

fotomontagem. [De *foto-* + *montagem.*] *S. f. Fot.* **1.** A arte da colagem de fotografias, combinadas entre si ou com desenhos, e refotografadas ou não, formando alguma composição, sentido ou harmonia. **2.** Imagem resultante desse processo.

fotomultiplicador (ô). [De *foto-* + *multiplicador.*] *Adj.* ~ V. *célula* —*a.*

fotomultiplicadora (ô). [Fem. substantivado de *fotomultiplicador.*] *S. f.* **1.** *Eletrôn.* Célula fotelétrica em que uma série de eletrodos emissores de elétrons permitem multiplicar o número de elétrons emitidos por um fotocatodo excitado por uma radiação; célula fotomultiplicadora. **2.** *Fotograv.* Repetidora (1).

fóton. [De *fot(o)-* + *-on.*] *S. m. Fís.* Partícula associada ao campo eletromagnético, com massa em repouso nula, carga elétrica nula, spin igual à unidade, estável, e cuja energia é igual ao produto da constante de Planck pela freqüência do campo.

fotonovela. [De *foto-* + *novela.*] *S. f.* História em quadrinhos, relativamente longa, na qual, em vez de desenho, se usam imagens fotográficas: "As tais fotonovelas, em que estão sendo usados galãs frustrados do cinema nacional ...., são bárbaras." (Stanislaw Ponte Preta, *Tia Zulmira e Eu*, p. 142.) [Sin. (p. us.): *fotorromance.*]

fotonuclear. [De *fóton* + *núcleo* + *-ar*[1].] *Adj. 2 g.* Diz-se de fenômeno que envolve um núcleo e um fóton.

fotopatia. [De *fot(o)-* + *-pat-* + *-ia.*] *S. f. Patol.* Doença causada pela luz.

fotopático. *Adj.* Relativo à fotopatia.

fotopsia. [De *fot(o)-* + *-ops(e)-* + *-ia.*] *S. f. Patol.* Visão de traços luminosos não existentes, devido a uma afecção retiniana.

fotóptico. *Adj.* Referente à fotopsia.

fotoquímica. [De *fot(o)-* + *química.*] *S. f.* Parte da físico-química que investiga a influência da luz nas reações químicas.

fotoquímico. *Adj.* Referente à fotoquímica.

fotorreceptor (ô). [De *fot(o)-* + *receptor.*] *S. m. Bot.* Célula sensível à luz, encontrada em algumas plantas unicelulares, como dinoflagelados.

fotorreportagem. [De *foto-* + *reportagem.*] *S. f.* Reportagem na qual as fotografias constituem a parte mais importante, acompanhadas somente de legendas ou de breve texto explicativo.

fotorrepórter. [De *foto-* + *repórter.*] *S. 2 g.* Pessoa que faz fotorreportagem. [Pl.: *fotorrepórteres.*]

fotorromance. [De *foto-* + *romance.*] *S. m. P. us.* Fotonovela.

fotoscultura. [De *foto-* + *escultura.*] *S. f.* Processo fotográfico pelo qual, reunindo-se os perfis de uma pessoa, se obtém uma espécie de estatueta.

fotosfera. [De *fot(o)-* + *-sfera.*] *S. f. Astr.* Camada solar, praticamente esférica, que ocupa um milésimo do raio, é origem da radiação solar visível e constitui o disco solar aparente. ◆ **Fotosfera estelar.** *Astr.* Camada de uma estrela, que se admite como sendo a origem de sua radiação visível.

fotosférico. *Adj.* Relativo à fotosfera.

fotossensibilidade. [De *fot(o)-* + *sensibilidade.*] *S. f.* Sensibilidade às radiações luminosas.

fotossensível. *Adj. 2 g.* Dotado de fotossensibilidade. ~ V. *catodo* —.

fotossíntese. [De *fot(o)-* + *síntese.*] *S. f. Bot.* Síntese de substâncias orgânicas mediante a fixação do gás carbônico do ar através da ação da radiação solar. A clorofila tem participação fundamental nesse processo. [Sin.: *assimilação clorofiliana, assimilação do carbono.* Cf. *quimiossíntese.*]

fotossintético. [De *fotossíntese.*] *Adj.* Relativo à, ou próprio da fotossíntese: *processo fotossintético.*

fotostática. [Fem. substantivado de *fotostático.*] *S. f. Bras.* Fotocópia (2).

fotostático. *Adj.* Relativo ao fotóstato, ou produzido por ele. ~ V. *cópia* —*a.*

fotóstato. [De *photostat*, nome comercial.] *S. m.* **1.** Aparelho usado para tirar fotocópias diretamente em papel de cópia, com a imagem na posição certa, sem uso de negativo. **2.** Fotocópia obtida por este processo.

fototactismo. *S. m.* V. *fototaxia.*

fototatismo. *S. m.* Var. de *fototactismo* [q. v.].

fototaxia. (cs). [De *fot(o)-* + *tax(i)(o)-* + *-ia.*] *S. f.* Movimentos dos seres vivos, induzidos pela luz; fototactismo, fototatismo.

fototeca. [De *foto-* + *-teca.*] *S. f.* **1.** Coleção de fotografias e fotocópias. **2.** Lugar, nas bibliotecas e noutros serviços de documentação, onde é instalada uma dessas coleções.

fototelegrafia. [De *foto-* + *telegrafia.*] *S. f.* Reprodução duma imagem a distância por meio do fio elétrico.

fototelegráfico. *Adj.* Relativo à fototelegrafia.

fototerapia. [De *fot(o)-* + *-terapia.*] *S. f. Terap.* Tratamento médico pela ação da luz.

fototerápico. *Adj.* Relativo à fototerapia.

fototeste. [De *foto-* + *teste.*] *S. m. Bras.* Teste[1] (2) baseado numa fotografia.

fototipar. *V. t. d. Fotograv.* Reproduzir por meio de fototipia; fototipiar. [Pres. ind.: *fototipo*, etc. Cf. *fotótipo.*]

fototipia. [De *foto-* + *-tip(o)-* + *-ia.*] *S. f.* **1.** Processo de fotogravura em plano, sem retícula, no qual se utiliza como placa impressora uma camada de gelatina bicromada, que se torna capaz de absorver mais ou menos tinta de impressão, segundo os graus diversos de endurecimento que adquire, correspondentes a maior ou menor quantidade de luz recebida do negativo fotográfico. [Sin., p. us.: *colografia.*] **2.** Estampa obtida por esse processo. V. *gelatinografia.*

fototipiar. *V. t. d.* Fototipar.

fototípico. *Adj.* Relativo à fototipia. [Sin., p. us.: *colográfico.*]

fotótipo. [De *foto-* + *-tipo.*] *S. m. P. us.* V. *clichê* (1). [Cf. *fototipo*, do v. *fototipar.*]

fototipografia. [De *foto-* + *tipografia.*] *S. f.* V. *fotogravura em relevo.*

fototipográfico. *Adj.* Relativo à fototipografia.

fototipogravura. [De *foto-* + *tipo(grafia)* + *gravura.*] *S. f. P. us.* V. *fotogravura em relevo.*

fototropismo. [De *fot(o)-* + *tropismo.*] *S. m.* Tropismo determinado pela luz. [Cf. *heliotropismo.*]

foto-unidade. [De *foto-* + *unidade.*] *S. f. Art. Gráf.* Unidade fotográfica de saída no sistema de fotocomposição, que mediante projeção sucessiva de matrizes ou de discos transparentes onde estão representados os caracteres, vai formando as linhas e as páginas, em filme ou papel fotográfico; fotocompositora.

fotovoltaico. [De *fot(o)-* + *voltaico.*] *Adj.* ~V. *célula*—*a.*

fotozincografia. [De *foto-* + *zincografia.*] *S. f.* V. *fotometalografia.*

fotozincográfico. *Adj.* Referente à fotozincografia.

fotozincogravura. [De *foto-* + *zincogravura.*] *S. f.* Qualquer processo de fotogravura em zinco.

fouçada. *S. f.* Foiçada.

fouçar. *V. t. d.* e *Int.* V. *foiçar.* [Conjug.: v. *laçar.*]

fouce. *S. f.* Foice.

fouciforme. *Adj. 2 g.* V. *foiciforme.*

foucinha. [Dim. de *fouce.*] *S. f.* Foicinha.

foucinho. [Dim. de *fouce.*] *S. m.* Foicinho. [Cf. *focinho.*]

➡**foul** (fául). [Ingl.] *S. m. Fut.* Golpe ilícito.

fouquierácea. *S. f.* Espécime das fouquieráceas.

fouquieráceas. *S. f. pl. Bot.* Família de plantas superiores, composta de umas poucas espécies mexicanas de arbustos espinhosos e caducifólios, que apresentam flores actinomorfas, com 10 a 15 estames, e fruto globoso, com sementes oleaginosas.

fouquieráceo. *Adj.* Pertencente ou relativo às fouquieráceas.

➡**four** (fór). [Ingl., 'quatro'.] *S. m.* V. *pôquer* (1).

fourierismo (fu). *S. m.* Sistema utópico de organização social, de François-Marie Charles Fourier, francês (1772-1837), e/ou de seus discípulos. [Cf. *falanstério* e *falansteriano.*]

➡**four in hand** (fór in hând). [Ingl., 'quatro em mãos.'] **1.** Em inglês, parelha de quatro cavalhos. **2.** *Fig.* Maneira de viver luxuosa.

fouveiro. *Adj.* **1.** Ruivo (2): "tomou a tez um tom fouveiro, indício da ebulição do sangue a ferver-lhe em bolhas no coração." (José de Alencar, *Til*, p. 34). **2.** Diz-se do eqüídeo de pêlo castanho-claro, quase ruivo. **3.** *Bras., N. E.* e *MG.* Diz-se de roupa, chapéu, capa, etc., de cor escura e desbotados pelo uso e/ou tempo. [Sin., nesta acepç. (bras., N.E.): *fubento.*]

fóvea. [Do lat. *fovea.*] *S. f.* **1.** Fossa, depressão. **2.** *Anat.* Fossa (4) superficial. **3.** *Morfol. Veg.* Pequena cavidade num órgão vegetal.

fovente. [Do lat. *fovente.*] *Adj. 2 g. Poét.* Favorável; propício.

foveolado. *Adj. Morfol. Veg.* Provido de fóvea: *semente foveolada.*

fovila. [Do lat. *fovere*, 'aquecer'.] *S. f. Morfol. Veg.* Conteúdo do grão de pólen.

fovismo (ô). [Do fr. *fauvisme.*] *S. m. Pint.* Movimento, surgido na França no princípio do séc. XX, caracterizado pela simplificação das formas e pela valorização da cor, e que realça os aspectos plásticos da obra, sem preocupação de fidelidade ao mundo real ou a valores emotivos. [Cf. *expressionismo* (2).]

fovista (ô). *Adj. 2 g.* **1.** Relativo ao fovismo. **2.** Que é adepto do fovismo ou segue seus princípios e sua técnica. ● *S. 2 g.* **3.** Adepto do fovismo ou seguidor de seus princípios e técnica.

fox[1] (cs). [Do ingl. *fox.*] *S. m.* Foxtrote: "Os *juke-boxes*, esses grandes gramofones automáticos ...., berram foxes, rumbas, valsas e *blues.*" (Érico Veríssimo, *A Volta do Gato Preto*, p. 36.) [Pl.: *foxes.*]

fox[2] (fókç). [Ingl., 'raposa'.] *S. m.* Fox-terrier.

➡**fox-blue** (fókç blu). [Ingl.] *S. m. Bras.* Blues (2).

➡**fox-terrier** (fókç térrier). [Ingl.] *S. m.* Designação comum aos cães da raça *terrier* [q. v.], originários da Inglaterra, com altura média de 36 cm, pelagem densa, macia ou dura, em geral branca com manchas escuras, treinados inicialmente para perseguir raposas. [F. red.: *fox.*]

foxtrote (cs). [Do ingl. *foxtrot.*] *S. m.* Dança de salão, de par, oriunda dos E.U.A., em compasso binário e ritmo sincopado, ou em compasso quaternário, com passos vagarosos e corridos, e que pode ter andamento rápido ou lento: "A orquestra vai tocar o último foxtrote." (Ribeiro Couto, *A Cidade do Vício e da Graça*, p. 47.) [F. red.: *fox.* Cf. *charleston* e *blues* (2).]

➡**foyer** (fuaiê). [Fr.] *S. m.* Salão, nos teatros, onde os espectadores podem ficar nos entreatos.

foz. [Do lat. *fauce.*] *S. f.* Ponto onde um rio (ou outro curso fluvial) termina, desaguando no mar, num lago ou em outro rio; desembocadura, embocadura. [V. *delta* (2) e *estuário* (1).] ◆ **De fox em fora. 1.** Pelo mar largo; pelo mar fora. **2.** Em excesso; em demasia: "E as mulheres, por pérfidas e vis, / A todas condenei de foz em fora ..." (Vicente de Carvalho, *Poemas e Canções*, p. 41).

■**Fr.** *Quím.* Símb. de *frâncio.*

fracalhão. *Adj.* e *s. m.* **1.** Fraqueirão. **2.** Diz-se de, ou indivíduo muito fraco, covarde, medroso, pusilânime. [Fem.: *fracalhona.*]

fracalhona. *Adj. (f.)* e *s. f.* V. *fracalhão.*

fração. [Do lat. *fractione.*] *S. f.* **1.** Ato de partir, rasgar ou dividir. **2.** Parte de um todo: "Com o movimento do ônibus, há um instante, uma fração de segundo em que o vitral chameja" (Osmã Lins, *Nove, Novena*, p. 198). **3.** Facção (4). **4.** *Arit.* Número que representa uma ou mais partes da unidade que foi dividida em partes iguais; número fracionário. **5.** *Quím.* Qualquer mistura parcial que se obtém num processo de separação dos componentes de um sistema. ◆ **Fração contínua.** *Mat.* Seqüência que se obtém mediante frações nas quais o denominador se forma pela adição, em cada uma, de uma fração própria ao denominador da antecedente. **Fração decimal.** *Mat.* Fração própria cujo denominador é uma potência de dez. [Tb. se diz apenas *decimal.*] **Fração de empacotamento.** *Fís. Nucl.* Quociente da diferença entre a massa atômica e o número de massa de um elemento pelo número de massa deste. **Fração do pão.** *Rel.* **1.** A missa. **2.** A comunhão. **Fração molar.** *Fís.-Quím.* Medida da concentração de um componente numa mistura, igual ao quociente do número de moles do componente pelo número total de moles da mistura.

fraca-roupa. [Do fem. do adj. *fraco* + *roupa.*] *S. 2 g. Fam.* V. *maltrapilho* (2). [Pl.: *fracas-roupas.*]

fracassar. [Do it. *fracassare.*] *V. t. d.* **1.** Despedaçar com estrépito. **2.** Arruinar; quebrar. *Int.* **3.** Produzir ruído, fragor. **4.** Ser malsucedido; falhar, malograr-se: *Apesar do grande esforço comum, a empresa fracassou.*

fracasso. [Do it. *fracasso.*] *S. m.* **1.** Estrondo de coisa que se parte ou cai: "camas de ferro, trastes diversos, veladores, que vinham espatifar-se no jardim, com um fracasso de esmagamento." (Raul Pompéia, *O Ateneu*, p. 269). **2.** Desastre, desgraça. **3.** Ruína, perda. **4.** Mau êxito; malogro.

fracatear. [De *fraco.*] *V. int. Bras., N.E. Pop.* **1.** Fraquejar; esmorecer. **2.** Falhar, fracassar. [Conjug.: v. *frear.*]

fracionado. [Part. de *fracionar.*] *Adj.* Que sofreu fracionamento. ~ V. *cristalização* —*a* e *destilação* —*a.*

fracionamento. *S. m.* Ato ou efeito de fracionar(-se).

fracionar. *V. t. d.* **1.** Partir em frações ou fragmentos; dividir: *fracionar uma pedra;* "Ou a Fé toda completa, cabal, absoluta .... ou nenhuma Fé. Fracioná-la, decompô-la, ... é pregar-se o homem estupidamente numa cruz desbenzida, revirado com a cabeça para a terra, e os calcanhares contra o Céu." (Antônio Feliciano de Castilho, *O Presbitério da Montanha*, I, p. 116). *T. d.* e *I.* **2.** Dividir, converter: *É impossível fracionar o tempo em momentos estanques. P.* **3.** Separar-se em diversas partes; dividir-se. [Fut. pret.: *fracionaria*, etc. Cf. *fracionária*, fem. de *fracionário*.]

fracionário. *Adj.* Em que há fração. [Fem.: *fracionária*. Cf. *fracionaria*, do v. *fracionar*.] ~ V. *numeral — e número—.*

fraco. [Do lat. *flaccu*.] *Adj.* **1.** Que não tem força física, vigor; sem força: *Estive de cama, e ainda me sinto fraco.* **2.** Pouco sadio; sem robustez: *criança fraca.* **3.** Que não tem fortaleza de ânimo, força de vontade: *Os homens fracos são vencidos pela vida.* **4.** Sem energia; brando, frouxo, indolente: *É fraca demais com os filhos*; "Que um fraco Rei faz fraca a forte gente." (Luís de Camões, *Os Lusíadas*, III, p. 138). **5.** Sujeito a errar, a pecar; frágil: *O espírito é forte, mas a carne é fraca.* **6.** Pouco animoso; covarde, cobarde. **7.** Que não tem autoridade, poder, influência. [Aum., irreg.: *fracalhão*; dim. irreg.: *fraquete*.] **8.** Pouco versado em: *Está muito fraco em matemática.* **9.** Pouco sólido. **10.** Que se quebra ou rompe com facilidade; pouco resistente; *barbante fraco.* **11.** Mal guarnecido; pouco defendido; falho de recursos. **12.** Em quantidade escassa, ou com intensidade insuficiente; falto, falho: *inteligência fraca.* **13.** De pouca intensidade; pouco ativo; débil: *sol fraco; som fraco.* **14.** Que não apresenta determinado padrão de qualidade; insignificante; medíocre: *O último número da revista está muito fraco; O almoço fraco decepcionou os convivas; Deu-me um apoio fraco, apesar do seu prestígio*; "Era fraca de construção, mas podia considerar-se uma verdadeira casa de campo por sua bonita aparência" (Franklin Távora, *O Cabeleira*, p. 137). **15.** Insuficiente; escasso: *Bem fracas as garantias que me dás.* **16.** Sem importância; de pouco peso; inexpressivo: *argumento fraco; piada fraca.* **17.** Diz-se do que tem pouco álcool, essência, ou qualquer outro princípio ativo: bebida fraca; perfume, cigarro, chá fraco. **18.** *Bras., BA. Pop.* Pobre, paupérrimo. **19.** *Bras. Pop.* Fraco do peito; tuberculoso. ~ V. *ácido —, acoplamento —, eletrólito —, espírito —, interação —a, massa —a, ponto —* e *o sexo —.* ● *S. m.* **20.** Indivíduo fraco (6): "A vida é combate, / Que os fracos abate, / Que os fortes, os bravos, / Só pode exaltar." (Gonçalves Dias, *Obras Poéticas*, II, p. 42.) [Aum. irreg., nessa acepç.: *fracalhão*.] **21.** O que há de menos sólido ou seguro em qualquer coisa; fraqueza. **22.** Pendor ou inclinação irresistível: "Tem [Antônio Silvino] dois fracos, duas manias, pelas quais é capaz de sacrificar tudo: brilhantes e perfumarias." (Gustavo Barroso, *Terra de Sol*, p. 147.)

fracota. *Adj. (f.)* Fem. de *fracote*: "A pescaria veio privar .... o Principado [de Mônaco] de ter a sua iluminação, aliás fracota, feita economicamente à base de peixe-elétrico" (Marques Rebelo, *Correio Europeu*, p. 119).

fracote. *Adj.* Um tanto fraco; fraquete: *um velho vigoroso e um rapaz fracote; escritor fracote; romance fracote.* [Fem.: *fracota*.]

fracticípito. *S. m.* **1.** Espécie dos fracticípitos. ● *Adj.* **2.** Pertencente ou relativo a eles.

fracticípitos. *S. m. pl. Zool.* Insetos da ordem dos sifonápteros, subordem *Fracticipita*, cujas regiões frontal e occipital são separadas dorsalmente por um sulco.

fradaço. *S. m. Deprec.* V. *fradalhão.*

fradalhada. *S. m.* **1.** *Deprec.* A classe dos frades. **2.** Multidão de frades. **3.** Espírito fradesco. [Sin. ger.: *fradaria*.]

fradalhão. *S. m. Deprec.* Frade corpulento e/ou pouco escrupuloso; fradaço, masmarro: "Frei Timóteo, um fradalhão arrábido" (Alexandre Herculano, *Lendas e Narrativas*, II, p. 141).

fradaria. *S. f.* V. *fradalhada.*

fradar-se. *V. p.* Tornar-se frade ou freira; professar em ordem monástica; freirar-se.

frade[1]. [Do lat. *fratre*, 'irmão'.] *S. m.* **1.** *Rel.* Religioso pertencente a comunidade onde se emitem votos solenes. [Fem.: *freira*; aum. deprec.: *fradalhão* e *fradaço*; deprec.: *fradépio*.] **2.** *Bras.* V. *paru* (3). **3.** *Bras.* V. *canhanha* (2). **4.** *Bras.* V. *grilo-toupeira* (1). **5.** *Constr. Nav.* Espécie de mastro curto e forte que, em navios mercantes, é por vezes instalado nas proximidades de uma escotilha para suporte do pau de carga. **6.** *Tip.* Defeito de impressão que consiste em sair mais clara, ou ficar interceptada, uma parte da composição. [V. *ladrão* (8).] ◆ **Frade menor.** V. *franciscano*[1] (5). **Frades pretos.** Os beneditinos.

frade[2]. [Eufemismo, por *falo*.] *S. m.* Marco de pedra à esquina de casas ou à entrada de ruas, becos, etc.; fradépio. [Cf. o bras. *frade-de-pedra*.]

frade-de-pedra. [De *frade*[2] (q. v.) + de + *pedra*.] *S. m. Bras.* Pequena coluna de granito que se põe à beira das calçadas, nas esquinas das ruas, ou em lugares onde se pretende vedar a passagem aos veículos; fradépio. [Pl.: *frades-de-pedra*. Cf. *frade*[2].]

frade-fedorento. *S. m. Bras., RS.* V. *opilião.* [Pl.: *frades-fedorentos*.]

fradeiro. *Adj.* Afeiçoado a frades; fradesco.

fradejar. *V. int.* **1.** Murmurar dos colegas, como se diz que fazem os frades. **2.** Intrigar, enredar, mexericar. [Conjug.: v. *pelejar*.]

fradense. *Adj. 2 g.* **1.** De, ou pertencente ou relativo a Frade (CE). ● *S. 2 g.* **2.** Natural ou habitante de Frade.

fradépio[1]. *S. m. Deprec.* V. *frade*[1] (1).

fradépio[2]. *S. m.* **1.** V. *frade*[2]. **2.** Frade-de-pedra.

fradesco (ê). *Adj.* **1.** Relativo a frades ou a conventos. **2.** De espírito monacal. **3.** Próprio de frade. **4.** Fradeiro.

fradete (ê). *S. m.* Parte dos fechos da espingarda, dentro da charneira.

fradice. *S. f.* Ação, maneiras ou expressões de frade.

fradicida. [De *frade* + *-i-* + *-cida*.] *S. 2 g.* Pessoa que mata frade[1] (1).

fradinho. [Dim. de *frade*[1].] *S. m.* V. *feijão-fradinho.*

fradinho-da-mão-furada. *S. m.* Trasgo, duende. [Pl.: *fradinhos-da-mão-furada*.]

fraga. [Do lat. *fraga*, pl. de *fragum*.] *S. f.* **1.** Rocha escarpada; penedo; penhasco. **2.** Pedra grande; pedregulho, penedo, rocha. [Cf. *frágua*.]

fragal. [De *fraga* + *-al*.] *Adj. 2 g.* **1.** V. *fragoso.* ● *S. m.* **2.** V. *fraguedo.*

fragalheiro. *Adj.* e *s. m. P. us.* V. *frangalheiro.*

fragalho. *S. m. P. us.* V. *frangalho.*

fragalhona. *Adj. (f.)* e *s. f. P. us.* V. *frangalhona.*

fragalhotear. *V. int.* V. *frangalhotear.* [Conjug.: v. *frear*.]

fragaria. *S. f.* V. *fraguedo.* [Cf. *fragária*.]

fragária. [Do lat. *fragu* (m. us. no pl., *fraga*), 'morango', + *-ária*.] *S. f.* Morangueiro (1). [Cf. *fragaria*.]

fragata[1]. [Do it. *fragata*.] *S. f.* **1.** *Ant.* Embarcação menor que o bergantim, com a popa menos elevada. **2.** *Ant.* Navio de guerra semelhante à nau, menor e menos armado que ela, porém mais veloz e de melhor manobra. Não tinha castelo, e sua mastreação era de galera. Apareceu na primeira metade do séc. XVII, como aviso, e, com o tempo, chegou a ter 60 peças de artilharia e a pesar 1800 t. [No último quartel do séc. XIX houve fragatas mistas, à vela e a vapor.] **3.** *Lus.* Embarcação de boca aberta e popa chata, com um mastro que enverga vela latina quadrangular e duas velas de proa, capacidade de carga de 20 a 300 toneladas, usada no rio Tejo para transporte de mercadorias. **4.** *Mar.* Navio de combate, maior e mais bem armado que a corveta[1] (2), empregado para patrulha anti-submarina e escolta de comboio e de forças-tarefas. **5.** *Pop.* Mulher corpulenta. **6.** V. *alcatraz*[1].

fragata[2]. *S. m. Mar. G. Bras.* F. red. de *capitão-de-fragata.*

fragateiro. *S. m. Lus.* Tripulante de fragata[1] (3).

fragatim. [Dim. irreg. de *fragata*.] *S. m. Lus. Ant.* Bergantim.

frágil. [Do lat. *fragile*.] *Adj. 2 g.* **1.** Fácil de destruir; quebradiço. **2.** *Fig.* Pouco vigoroso; fraco, débil: *um jovem pálido; saúde frágil.* **3.** *Fig.* Fraco (5). **4.** *Fig.* Pouco durável; transitório. [Pl.: *frágeis*; superl. abs. sint.: *fragílimo* e *fragilíssimo*.] ~ V. *o sexo —.*

fragilariácea. *S. f.* Espécime das fragilariáceas.

fragilariáceas. *S. f. pl. Bot.* Família de diatomáceas, da classe das penales, cujas valvas não levam rafe, e cujas células são imóveis e emitem auxósporos.

fragilariáceo. *Adj.* Pertencente ou relativo às fragilariáceas.

fragilidade. [Do lat. *fragilitate*.] *S. f.* Qualidade de frágil.

fragílimo. *Adj.* Superl. abs. sint. de *frágil*; fragilíssimo: "Apesar de ser uma criatura débil, de físico fragílimo, o Artur esteve a pique de ser agredido" (Leonardo Mota, *A "Padaria Espiritual"*, pp. 59-60).

fragilíssimo. *Adj.* Fragílimo.

fragmentação. *S. f.* Ato ou efeito de fragmentar(-se).

fragmentar. *V. t. d.* **1.** Reduzir a fragmentos; partir em pedaços; dividir, fracionar. *P.* **2.** Fazer-se em fragmentos; quebrar-se. [Fut. pret.: *fragmentaria*, etc. Cf. *fragmentária*, fem. de *fragmentário*.]

fragmentário. *Adj.* **1.** Relativo a fragmento. **2.** Que se encontra em fragmentos: "'fragmentária ou incompleta, que ficasse a obra [*Iracema*, de José de Alencar], nem por isso perderia o seu encanto." (Augusto Meyer, *A Chave e a Máscara*, p. 152). [Fem.: *fragmentária*. Cf. *fragmentaria*, do v. *fragmentar*.]

fragmentista. *S. 2 g.* Pessoa que fragmenta.

fragmento. [Do lat. *fragmentu*.] *S. m.* **1.** Cada um dos pedaços de uma coisa partida ou quebrada. **2.** Parte de um todo; pedaço, fração. **3.** Parte que resta de uma obra literária ou antiga, ou de qualquer preciosidade. **4.** *Mús.* Curto período musical. **5.** *Mús.* Parte de uma obra que pode ser executada independentemente do resto. **6.** *Mús. Concr.* Objeto sonoro da ordem de alguns segundos e no qual se distingue um centro de interesse que não evolve nem se repete.

fragmose. [Do gr. *phragma*, 'parede', + *-ose*.] *S. f.* Hábito que têm certos animais (especialmente aranhas, sapos e formigas) de vedar a entrada das respectivas tocas ou ninhos por meio do próprio corpo.

frago. *S. m.* **1.** Indícios de passagem de caça viva. **2.** Excremento de animais selvagens; estrabo.

▲**-frago.** [Do lat. *frangere*.] *El. comp.* = 'que quebra': septífrago, *saxífrago* (< lat. *saxifragu*).

fragoído. [Cruz. de *fragor* com *ruído*?] *S. m. Bras., AM.* Ruído; estrépito, fragor.

fragor (ô). [Do lat. *fragore*.] *S. m.* **1.** Ruído semelhante ao de coisa que se quebra. **2.** Ruído muito forte; estrondo, estampido: "Com medonho fragor na praia nua / Fremem de noite as solitárias ondas" (Correia Garção, *Obras Poéticas e Oratórias*, p. 381). [Pl.: *fragores* (ô). Cf. *fragores*, do v. *fragorar*.]

fragorar. *V. int.* Produzir fragor; estrondar, fracassar. [Pres. subj.: *fragore, fragores*, etc. Cf. *fragores* (ô), pl. de *fragor*.]

fragoroso (ô). *Adj.* **1.** Que produz fragor; estrondoso. **2.** Incomum, extraordinário; muito falado; ruidoso, estrondoso: *Sofreu uma derrota fragorosa.*

fragosidade. *S. f.* Qualidade de fragoso; fragura.

fragoso (ô). [Do lat. *fragosu*.] *Adj.* **1.** Penhascoso, escabroso, áspero, agreste. **2.** Difícil de transpor, de vencer; de acesso difícil. [Sin. ger.: *fragal*.]

fragrância. [Do lat. *fragrantia*.] *S. f.* Qualidade de fragrante; aroma, perfume, cheiro, odor. [Cf. *flagrância*.]

fragrante. [Do lat. *fragrante*.] *Adj. 2 g.* Odorífero, odoroso, perfumado, aromático: "Flores fragrantes fresco aroma espargem" (José Albano, *Rimas*, p. 128); "Que coisa distante / Está perto de mim? / Que brisa fragrante / Me vem neste instante / De ignoto jardim?" (Fernando Pessoa, *Obra Poética*, p. 173). [Cf. *flagrante*.]

frágua. [Do lat. *fabrica*, 'oficina de ferreiro'.] *S. f.* **1.** Forja, fornalha. **2.** *Fig.* Calor intenso; ardor. **3.** Pena, amargura, aflição. [*fragua* (ú), do v. *fraguar*, e *fraga*.]

fraguar. [De *frágua* + *-ar*[2].] *V. t. d.* **1.** Forjar, falsificar. **2.** *Fig.* Amargurar, amargar, afligir. [Conj.: v. *averiguar*. Pres. ind.: *fraguo* (ú), *fraguas* (ú), *fragua* (ú), etc. Cf. *frágua*.]

fraguedo (ê). *S. m.* **1.** Série de fragas; penedia. **2.** Fraga extensa; rochedo, penhasco. [Sin. ger.: *fragal, fragaria*.]

fragueirice. *S. f.* **1.** Ação de quem é fragueiro[2]. **2.** Aspereza, rudeza de vida.

fragueiro[1]. [De *frag(ata)* + *-eiro*.] *S. m.* **1.** *Ant.* Construtor de fragatas. **2.** *Bras.* Aquele que exerce o lugar de prático de navegação fluvial.

fragueiro[2]. [De *fraga* + *-eiro*.] *Adj.* **1.** Que anda por serras e fragas, mourejando. **2.** Que tem vida trabalhosa; dado aos trabalhos mais rudes; incansável, infatigável: "Sê duro guerreiro, / Robusto, fragueiro" (Gonçalves Dias, *Obras Poéticas*, II, p. 43). **3.** Bravo, rude, áspero, agreste. **4.** Ardente, fogoso, impetuoso. ● *S. m.* **5.** Homem que vive trabalhosamente por serras e fragas. **6.** *Bras., PI, MT* e *RJ.* Planta herbácea, da família das rubiáceas (*Diodia prostrata*), de ramos prostrados, flores alvas, solitárias ou geminadas, e cujo fruto é cápsula ovóide e pubescente.

fragura. *S. f.* Fragosidade.

frajola. *Adj. 2 g. Bras. Gír.* De uma elegância faceira; serelepe.

fralda. [De *faldra* [q. v.], com metátese.] *S. f.* **1.** A parte inferior da camisa: "enxugou as lágrimas na fralda da camisa." (Oto Lara Resende, *Boca do Inferno*, p. 98). **2.** Retângulo de pano macio, ou de material equivalente, que se usa dobrado, de modo que se adapte às entrepernas e nádegas do bebê, a fim de absorver os excrementos; cueiro. **3.** *P. ext.* A parte inferior, as abas, o sopé (de serra, monte, etc.). ◆ **Fralda do mar.** V. *praia* (1).

fraldão. [Aum. de *fralda*.] *S. m.* **1.** V. *escarcela* (2). **2.** *Ant. Teat.* Decoração de ambos os lados do palco.

fraldar. *V. t. d.* **1.** Pôr fraldas em. *P.* **2.** Vestir fraldão (1).

fralda-rota. [De *fralda* + o fem. de *roto* (ô).] *S. f. Bras.* V. *galo-branco* (2) [Pl.: *fraldas-rotas*.]

fraldear. *V. t. d.* Caminhar pela fralda de (monte, etc.): "um deles [os esteiros], muito sinuoso, afunda-se visível por espaço longo, fraldeia a colina" (Júlio Ribeiro, *A Carne*, p. 124). [Conjug.: v. *frear*.]

fraldeiro. *Adj.* e *s. m.* V. *fraldiqueiro.*

fraldejar. *V. t. d.* **1.** Caminhar pelas fraldas de (serra, etc.). *Int.* **2.** Mostrar as fraldas ao andar. [Conjug.: v. *pelejar.*]

fraldelim. [De *fralda.*] *S. m. Ant.* **1.** Brial. **2.** Saiote, anágua.

fraldicurto. *Adj. Poét.* Que tem fraldas curtas.

fraldilha. [Dim irreg. de *fralda.*] *S. f.* **1.** Avental de couro usado pelos ferreiros. **2.** Avental que usavam os porta-machados.

fraldiqueira. [Do esp. *faltriquera* < *faldriquera.*] *S. f. Deprec.* Algibeira.

fraldiqueiro. *Adj.* **1.** Relativo a fraldas. **2.** Efeminado, afeminado. **3.** Diz-se do cão habituado ao regaço das mulheres e ao conchego e calor das saias. ● *S. m.* **4.** Cão fraldiqueiro: "a infinita série de inutilidades do lar desde os gatos e f r a l d i q u e i r o s aos pássaros de gaiola tem a admiração pateta dos homens." (João do Rio, *Vida Vertiginosa,* p. 324). [Var.: *fraldisqueiro;* sin. ger.: *fraldeiro.*]

fraldisqueiro. *Adj.* e *s. m.* V. *fraldiqueiro.*

fraldoso (ô). *Adj.* **1.** Que tem fralda ou cauda muito longa. **2.** *P. ext.* Palavroso, prolixo. ~ V. *estilo—.*

framboesa (ê). [Do fr. *framboise,* pronunciado à antiga.] *S. f.* **1.** O fruto da framboeseira. **2.** Amora-vermelha.

framboeseira. *S. m.* Arbusto pequeno e ramoso, da família das rosáceas *(Rubus idaeus),* de flores alvas, reunidas em racemos dispostos na axila das folhas, e cujo fruto, a framboesa, é pubescente, aromático, formado por grande número de pequenas drupas vermelhas, reunidas sobre um ginóforo alongado, que é açucarado e comestível cru. [F. paral.: *framboeseiro.*]

framboeseiro. *S. m.* Framboeseira.

framboesia. *S. f. Patol.* V. *bouba* (1).

frança[1]. [Do top. *França.*] *S. f. Desus.* **1.** Mulher sécia, delambida, e dada a namoros. ● *S. m.* **2.** Janota, casquilho, franchinote. ● *Adj.* **3.** Casquilho, garrido. ~ V. *franças.*

frança[2]. *S. f. Bras., CE.* **1.** V. *chicote* (1). **2.** V. *chiqueirador.* ~ V. *franças.*

francalete (ê). [Do esp. *francalete.*] *S. m.* Correia afivelada.

francano. *Adj.* **1.** De, ou pertencente ou relativo a Franca (SP). ● *S. m.* **2.** O natural ou habitante de Franca. **3.** Certa gramínea de SP.

franças. *S. f. pl.* Conjunto das ramificações menores da copa das árvores: "A mata começava a farfalhar com o vento que lhe encrespava as f r a n ç a s mais altas." (Ferreira de Castro, *A Selva,* p. 182.) ~ V. *frança.*

francatripa. [Do fem. de *franco*[2] + *tripa.*] *S. f. Bras.* Boneco que se move acionado por cordas de tripa ou de arames; fantoche.

francear. [De *franças* + *-ear.*] *V. t. d.* **1.** Cortar ou aparar as franças de. *Int.* **2.** Andar por cima das franças, nas árvores. [Conjug.: v. *frear.*]

francelhice. [De *francelho* (2) + *-ice.*] *S. f.* V. *francesismo.*

francelho (ê). *S. m.* **1.** Barrileira ou mesa com um sulco em redor, onde se junta e donde cai para um balde o soro da coalhada, nas queijarias. **2.** Aquele que tem apego excessivo às coisas francesas ou abusa de francesismos na linguagem; francesista. **3.** *Fam.* Tagarela, palrador. **4.** V. *rebanho*[2]: "não repousará .... no pobre cemitério da sua aldeia, em que avoejam corujas e f r a n c e l h o s" (Fialho d'Almeida, *O País das Uvas,* p. 119).

francês. [Do fr. ant. *franceis.*] *Adj.* **1.** Da, ou pertencente ou relativo à França (Europa) ou aos seus habitantes. ~ V. *altura —a, aspas —as, bilhar —, cena —a, dreno —, formato —, letra —a, palito —, pão —, parágrafo —, telha —a* e *viola —a.* ● *S. m.* **2.** O natural ou habitante da França. **3.** Língua românica oficial da França, que procede do dialeto falado em Paris, cuja expansão por todo o território francês ocorreu a partir do séc. XV. [É, igualmente, uma das línguas literárias e oficiais da Suíça, da Bélgica e do Canadá. Flex.: *francesa* (ê), *franceses* (ê), *francesas* (ê).] ◆ **Falar francês.** *Fam.* **1.** Pagar, ou dar a entender que pretende pagar. **2.** Ter dinheiro; ser rico.

francesa (ê). [Fem. substantivado do adj. *francês.*] *El. s. f.* Us. na loc. *à francesa.* ◆ **À francesa.** À moda, à maneira francesa. **Sair à francesa.** Sair de fininho.

francesia. *S. f.* V. *francesismo.*

francesiar. [De *francesia* + *-ar*[2].] *V. int.* Falar mal o francês.

francesismo. *S. m.* **1.** Palavra, expressão ou construção de índole francesa; galicismo, francesia, francelhice. **2.** Imitação afetada de costumes ou coisas francesas; francesia, francelhice. **3.** *Fig.* Delicadeza exagerada, excessiva; francesia, francelhice.

francesista. *S. 2 g.* Francelho (2).

francesmente (cês). [De *francês* + *-mente.*] *Adv.* À maneira francesa; como os franceses; ao modo e gosto franceses.

franchado. *Adj. Heráld.* Diz-se do brasão dividido diagonalmente ao meio.

franchão. *Adj.* Mal-encarado, feio, repulsivo.

franchinote. *S. m.* Peralvilho, peralta, janota.

franchinótico. *Adj.* Relativo a, ou próprio de franchinote.

franciano. [Do fr. *francien.*] *S. m.* Dialeto da língua d'oil [q. v.] falado na antiga província francesa da Ilha-de-França.

frâncica. *S. f.* V. *franquisque.*

frâncico. [Do b.-lat. *francicu.*] *S. m.* A língua germânica ocidental dos francos, pertencente ao grupo de línguas do alto-alemão e responsável pelo grande estrato de elementos germânicos do vocabulário francês.

frâncio. *S. m. Quím.* Elemento de número atômico 87, radioativo. [Símb.: *Fr.*]

francisca. *S. f.* V. *franquisque.*

franciscana. [F. substantivado de *franciscano*[1] (1).] *S. f.* A ordem religiosa de S. Francisco.

franciscanada. [De *franciscana* + *-ada*[1].] *S. f. Pop.* Folia, patuscada.

franciscano[1]. *Adj.* **1.** *Rel.* Pertencente à ordem de S. Francisco, fundada por São Francisco de Assis (1182-1226); capucho. **2.** Pertencente a outras ordens que seguem a regra de São Francisco de Assis. **3.** *Pop.* Diz-se de pobreza ou miséria extrema. **4.** *Chulo.* Diz-se de libertinagem desbragada. ● *S. m.* **5.** Frade franciscano (1); capucho, frade menor. **6.** Toninha (2).

franciscano[2]. *Adj.* **1.** De, ou pertencente ou relativo a São Francisco do Conde (BA). ● *S. m.* **2.** O natural ou habitante de São Francisco do Conde.

franciscano[3]. *Adj.* **1.** De, ou pertencente ou relativo a São Francisco de Goiás (GO). ● *S. m.* **2.** O natural ou habitante de São Francisco de Goiás.

francisco-saense. *Adj. 2 g.* **1.** De, ou pertencente ou relativo a Francisco Sá (MG). ● *S. 2 g.* **2.** Natural ou habitante de Francisco Sá. [Pl.: *francisco-saenses.*]

francisquense. *Adj. 2 g.* **1.** De, ou pertencente ou relativo a São Francisco do Sul (SC). ● *S. 2 g.* **2.** Natural ou habitante de São Francisco do Sul.

franciú. *S. m. Pop.* Francês (3).

franco[1]. [Do fr. *franc.*] *S. m.* **1.** Antiga moeda francesa, de ouro. **2.** Unidade monetária, e moeda, da França, Bélgica, Suíça, Mônaco, Andorra, Luxemburgo, Liechtenstein, Alto Volta, Burundi, Camarões, Chade, Comores, Costa do Marfim, Congo [Brazzaville (cf. *zaire*)], Daomé, Djibuti, Gabão, Máli, Mauritânia, Níger, República Centro-Africana, República Malgaxe, Ruanda, Senegal e Togo, dividida em 100 cêntimos.

franco[2]. [Do germ. *frank,* 'livre'.] *S. m.* **1.** Indivíduo dos francos, confederação de povos germânicos que conquistaram parte da Gália. ● *Adj.* **2.** Pertencente ou relativo aos francos. **3.** Espontâneo, sincero, leal, liso: "Desculpe-me esta franqueza; mas eu prefiro ser f r a n c o com você a sê-lo com qualquer outra pessoa." (Machado de Assis, *Quincas Borba,* p. 15); *Seus modos f r a n c o s a todos conquistam.* **4.** Desimpedido, desembaraçado, livre: *A passagem f r a n c a ajudou a fuga dos amotinados.* **5.** Liberal, generoso: *É muito f r a n c o em questões de dinheiro.* **6.** Isento de tributos, impostos ou qualquer forma de pagamento: *entrada f r a n c a.* ~ V. *língua —a, porto —* e *zona —a.*

▲**franco-.** [De *franco*[2].] *El. comp.* = 'francês', *franco-brasileiro.*

franco-alemão. [De *franco-* + *alemão.*] *Adj.* **1.** Relativo à França e à Alemanha, ou a franceses e alemães. **2.** De origem francesa e alemã. ● *S. m.* **3.** Indivíduo franco-alemão (2). [Flex.: *franco-alemã, franco-alemães, franco-alemãs.*]

franco-atirador. [De *franco*[2] + *atirador.*] *S. m.* **1.** Aquele que faz parte de um corpo irregular de tropas, em uma campanha militar. **2.** *P. ext.* Aquele que trabalha por alguma idéia sem pertencer a nenhum grupo ou organização. [Pl.: *franco-atiradores.*]

franco-bordo. [Do fr. *franc-bord.*] *S. m. Mar. Merc. Bras. Desus.* Designação dada outrora à borda-livre, por influência de pessoal do Lóide Brasileiro que na I Guerra Mundial serviu com a Marinha Francesa. [Pl.: *franco-bordos.*]

franco-brasileiro. [De *franco-* + *brasileiro.*] *Adj.* **1.** Relativo à França e ao Brasil, ou a franceses e brasileiros. **2.** De origem francesa e brasileira. ● *S. m.* **3.** Indivíduo de origem e/ou língua francesa e brasileira. [Pl.: *franco-brasileiros.*]

franco-canadense. [De *franco-* + *canadense.*] *Adj. 2 g.* **1.** Relativo à França e ao Canadá, ou a franceses e canadenses. **2.** De origem francesa e canadense. ● *S. 2 g.* **3.** Indivíduo de origem francesa e canadense. [Pl.: *franco-canadenses.*]

francofilia. *S. f.* Qualidade de francófilo; galofilia. [Antôn.: *francofobia, galofobia.*]

francófilo. [De *franco*[2] + *-filo.*] *Adj.* e *s. m.* Amigo da França e dos franceses; galófilo. [Antôn.: *francófobo, galófobo.*]

francofobia. *S. f.* Qualidade de francófobo; galofobia. [Antôn.: *francofilia, galofilia.*]

francófobo. [De *franco*[2] + *-fobo.*] *Adj.* e *s. m.* Diz-se de, ou indivíduo hostil à França e aos franceses; galófobo. [Antôn.: *francófilo, galófilo.*]

francofonia. [De *franco-* + *-fon(o)-* + *-ia.*] *S. f.* Adoção da língua francesa como língua de cultura ou língua franca por quem não a tem como vernácula; tal ocorre, p. ex., em vários países de colonização francesa.

francófono. [De *franco-* + *-fono.*] *Adj.* e *s. m.* Diz-se de, ou indivíduo que fala francês.

franco-mação. *S. m.* V. *franco-maçom.* [Pl.: *franco-mações.*]

franco-maçom. [Do fr. *franc-maçon.*] *S. m.* Membro da franco-maçonaria; pedreiro-livre, maçom. [F. paral.: *franco-mação.* Pl.: *franco-maçons.*]

franco-maçonaria. [Do fr. *franc-maçonnerie.*] *S. f.* Maçonaria (1).

francônio. *Adj.* **1.** Da, ou pertencente ou relativo à Francônia, região histórica da Alemanha hoje quase totalmente englobada pela Baviera. ● *S. m.* **2.** O natural ou habitante da Francônia.

francoparlante. [De *franco-* + *parlante.*] *Adj. 2 g.* e *s. 2 g.* Diz-se de, ou pessoa que fala o francês.

franco-provençal. *S. m.* Grupo lingüístico românico que ocupa a parte sul-oriental da França, a Suíça francesa, o Vale do Pó e o Vale de Aosta. [Por volta do séc. VIII apartou-se tanto do provençal como do francês, e já no séc. XIII se converteu em território lingüístico independente.]

franco-rochense. *Adj. 2 g.* **1.** De, ou pertencente ou relativo a Franco da Rocha (SP). ● *S. 2 g.* **2.** Natural ou habitante de Franco da Rocha. [Pl.: *franco-rochenses.*]

franco-suíço. [De *franco-* + *suíço.*] *Adj.* **1.** Referente à França e à Suíça, ou a franceses e suíços. De origem francesa e suíça. ● *S. m.* **3.** Indivíduo de origem francesa e suíça. **4.** Suíço cuja língua é a francesa. [Pl.: *franco-suíços.*]

frandulagem. [Do top. *Flandres* + *-agem*[2].] *S. f.* **1.** Súcia de maltrapilhos; farandolagem, farândola. **2.** Mercadorias de pouco valor; bugigangas.

franduleiro. [Do top. *Frandes,* f. ant. de *Flandres,* + *-eiro.*] *Adj.* **1.** *Desus.* Que vem de fora; estrangeiro. **2.** Que faz parte de uma frandulagem (1) [q. v.]. [Cf. *farandolagem.*]

franduno. [Do top. *Frandes,* f. ant. de *Flandres,* + *-uno.*] *Adj.* **1.** Que tem costumes estrangeirados. **2.** Presumido, presunçoso, afetado.

franga. [Fem. de *frango.*] *S. f.* Galinha nova, que ainda não põe; polha.

frangainha (a-í). *S. f.* Franga pequena; pintainha, pintinha.

frangainho (a-í). *S. m.* Frango[1] (1) pequeno; pinto já crescido; franguinho, franganito, franganote, frangote.

frangalhada. *S. f. Fam.* Guisado de frango[1] (1).

frangalhar. *V. t. d.* V. *esfrangalhar.*

frangalheiro. *Adj.* e *s. m.* Diz-se de, ou indivíduo que se veste de frangalhos; esfarrapado, maltrapilho, trapeiro. [F. paral. (p. us.): *fragalheiro.*]

frangalho. *S. m.* **1.** Farrapo, trapo: "A tanga do rei era um f r a n g a l h o de cor indecifrável, passado em torno dos rins." (Olavo Bilac, *Crítica e Fantasia, p.* 112). **2.** *Fig.* Coisa imprestável; caco. **3.** *Fig.* Pessoa arruinada ou desprezível: *Tornou-se alcoólatra, e hoje é um f r a n g a - l h o.* [F. paral., p. us.: *fragalho.*]

frangalhona. [De *frangalho* + *-ona.*] *Adj. (f.)* e *s. f.* Diz-se de, ou mulher desmazelada no trajar; desmazelada; maltrapilha. [F. paral., p. us.: *fragalhona.*]

frangalhote. *S. m.* **1.** Frango[1] (1) já crescido. **2.** *Pop.* Rapazola boêmio e mulherengo.

frangalhotear. [De *frangalhote* + *-ear.*] *V. int.* Galhofar, folgar, folgazar; estroinar. [F. paral.: *fragalhotear.* Conjug.: v. *frear.*]

franganito. *S. m.* **1.** V. *frangainho.* **2.** *Fig.* V. *franganote* (2).

franganote. *S. m.* **1.** V. *frangainho.* **2.** *Fig.* Rapazote empertigado, cheio de vaidade; franganito, frangote: "ameaçara, por sua vez, e outro encolhera-se, um f r a n g a n o t e que queria dar-lhe ordens..." (José-Augusto França, *Despedida Breve,* p. 203).

frangão. *S. m.* Frango[1] (1) grande. [Cf. *frângão.*]

frângão. *S. m. Antiq.* Frango[1] (1) [q. v.] [Pl.: *frângãos.* Cf. *frangão.*]
frangelha (ê). *S. f.* V. *cincho*[1].
franger. [Do lat. *frangere.*] *V. t. d. e p. P. us.* **1.** V. *franzir.* **2.** Quebrar, partir: *franger os muros da praça.* [Sin. ger., p. us.: *frangir.* Conjug.: v. *tanger.*]
frangibilidade. *S. f.* Qualidade ou propriedade de frangível.
frangir. [Do lat. *frangere.*] *V. t. d. e p. P. us.* V. *franger.* [Conjug.: v. *dirigir.*]
frangível. [Do lat. **frangibile*, de *frangere*, 'quebrar'.] *Adj. 2 g.* Quebradiço, frágil.
frango[1]. [Do antiq. *frângão.*] *S. m.* **1.** O filho da galinha, já crescido, porém antes de ser galo. [Dim. irreg.: *frangainho, franganito, franganote, frangote.*] **2.** Iguaria feita com frango (1). **3.** *Fam.* Rapazola, rapazelho, adolescente, frangote. **4.** *Bras. Fut.* Bola que, embora fácil de defender, o goleiro deixa passar. **5.** *Bras. Chulo.* Homossexual passivo. **6.** *Bras. Chulo.* Escarro (1). **7.** *Bras., RS.* Espiga de milho quando seca. **8.** Espiga de milho assada.
frango[2]. *S. m. Bras.* F. red. de *cação-frango.*
frango-d'água. *S. m. Bras.* **1.** Designação comum a algumas aves gruiformes, da família dos ralídeos, gênero *Laterallus* Gray., com cinco espécies no Brasil, sendo a mais comum a *L. melanophaius* (Vieil.), do N. e L., com o dorso oliváceo-enegrecido, garganta e meio do peito brancos, e lados da cabeça, do pescoço e do peito vermelhos. [Sin.: *galinhola, pinto-d'água, açanã, açanã, saracura-da-canarana.* V. *cambonje.*] **2.** Designação da *Gallinula chloropus galeata* (Licht.), mais conhecida como *galinhola*, e que tem a cabeça e a garganta pretas. [Cf. *carqueja* (2). Pl.: *frangos-d'água.*]
frango-de-botica. *S. m. Bras.* Indivíduo novo e magricela com pretensões dom-juanescas. [Pl.: *frangos-de-botica.*]
frangolho (ô). [Do esp. *frangollo.*] *S. m.* Trigo mal pisado ou mal partido, que se cozinha em papas.
frangota. *S. f.* V. *frangote.*
frangote. *S. m.* **1.** V. *frangainho.* **2.** *Fig.* V. *frango*[1] (3): "magoara-o, ... esbagaçara-lhe a vida, fugindo com Zé Dico, homem novo, frangote, podendo, quase, ser filho dela!" (Nélson de Faria, *Tiziu e Outras Estórias*, p. 80). **3.** *Fig.* V. *franganote* (2). [Fem.: *frangota.*]
franguear. [De *frango* (8) + *-ear.*] *V. int. Bras., RS* Comer milho assado. [Conjug.: v. *frear.*]
frangueiro. [De *frango*[1] (4) + *-eiro.*] *Adj. e s. m. Bras. Fut.* Diz-se de, ou goleiro inepto, que deixa passar muitos frangos [v. *frango*[1] (4)].
frângula. [Do lat. bot. *frangula.*] *S. f.* Espécie de abrunheiro cuja madeira se usa na fabricação da pólvora.
franja. [Do fr. *frange.*] *S. f.* **1.** Cadilhos de linho, algodão, seda, ouro, etc., com que se enfeitam ou guarnecem peças de estofo: "uma banca oval, ... coberta com um pano azul de franjas escarlates." (José de Alencar, *Senhora*, p. 109); "os florões dos móveis de talha, e até as franjas de borlas das cortinas vermelhas." (Raquel de Queirós, *100 Crônicas Escolhidas*, p. 70). **2.** Cabelo puxado para a testa e aparado. **3.** *Fig.* Aquilo que semelha a franja: *as franjas douradas do crepúsculo.* ~ V. *franjas.* ♦ **Franja de interferência.** *Ópt.* Parte de uma figura de interferência onde existe um máximo ou um mínimo de intensidade luminosa.
franjado. [Part. de *franjar.*] *Adj.* **1.** Guarnecido de franjas: "A Índia a tecer com suas mãos de artista redes de tucum, franjadas, para dá-las de presente aos viajantes" (Viana Moog, *Um Rio Imita o Reno*, p. 95). **2.** Recortado à feição de franja. **3.** *Fig.* Rendilhado ou orlado como franja. **4.** *Fig.* Arrebicado, floreado; pretensioso: *estilo franjado.*
franjamento. *S. m.* Ato ou efeito de franjar.
franjar. *V. t. d.* **1.** Guarnecer, enfeitar, orlar com franjas: *franjar um vestido.* **2.** Cortar ou aparar em franja: *franjar o cabelo.* **3.** Desfiar, abrir, separar em franjas: *franjar uma toalha.* **4.** *Fig.* Rendilhar, recortar, orlar como franja: *O luar franjava as copas das árvores.* **5.** *Fig.* Florear, arrebicar: *franjar o estilo.* **6.** Rodear, cercar, orlar, a modo de franja: "Os ilhais da fera arfam de fadiga, a espuma franja-lhe a boca" (Rebelo da Silva, *Contos e Lendas*, p. 183). **7.** *Fig.* Tornar garrido ou pretensioso. *T. d. e c.* **8.** Guarnecer (de coisa semelhante a franja): "O arrebol da tarde franjava de púrpura as agulhas da montanha" (Camilo Castelo Branco, *História e Sentimentalismo*, p. 168). **9.** Florear, arrebicar.
franjas. [Pl. de *franja.*] *S. f. pl. Fig.* Arrebiques no estilo ou na linguagem; floreados, floreios. ~ V. *franja.*
frankeniácea. *S. f.* Espécime das frankeniáceas.
frankeniáceas. *S. f. pl. Bot.* Família da ordem das parietales, de flores actinomorfas e hermafroditas. Cálice e corola dotados de quatro a seis peças, o primeiro gamossépalo e a segunda ligulada; androceu com quatro ou muitos estames livres, ou quase; ovário unilocular; fruto capsular. Engloba ervas e subarbustos de folhas opostas e sem estípulas; há umas 65 espécies halófilas, do hemisfério boreal.
frankeniáceo. *Adj.* Pertencente ou relativo às frankeniáceas.
franquear. [De *franco*[2] + *-ear.*] *V. t. d.* **1.** Isentar de imposto: *A nova lei franqueou os gêneros de primeira necessidade.* **2.** Tornar fácil, desimpedido, franco. **3.** Pagar o transporte de: *franquear uma carta.* **4.** Conceder, permitir. **5.** Tornar patente; patentear. **6.** Passar além de; transpor: *Franqueou a soleira e berrou: — Ô de casa!* *T. d. e i.* **7.** Tornar franco, livre; pôr à disposição; facultar, facilitar: *Franqueia aos amigos sua preciosa biblioteca.* [Conjug.: v. *frear.*]
franqueável. *Adj. 2 g.* Que pode ser franqueado.
franqueira. *S. f. Bras., MG e S.* Faca de ponta, que se fabrica em Franca (SP): "pulou novamente para diante, apertando nos dedos o cabo da franqueira fiel" (Afonso Arinos, *Pelo Sertão*, p. 29).
franqueiro. *S. m.* **1.** *Bras., SP a RS.* Raça de bois de corpo e aspas grandes. **2.** *Bras., SP.* Indivíduo cuja mulher é infiel; corno.
franqueza (ê). *S. f.* **1.** Qualidade de franco[2]; liberalidade, generosidade: *Despende seus bens com grande franqueza.* **2.** Sinceridade, lisura, lealdade: *falar com franqueza.* **3.** *P. us.* Franquia (1 e 2); *as franquezas democráticas.*
franquia. [De *franco*[2] + *-ia.*] *S. f.* **1.** Liberdade de direitos; imunidade, privilégio, regalia, liberdade: *as franquias democráticas.* **2.** Isenção de certos direitos, impostos; *franquias diplomáticas.* [Sin., p. us., nas acepç. 1 e 2: *franqueza.*] **3.** Pagamento de porte de carta e demais remessas postais. **4.** Selo postal. **5.** *Fig.* Guarida, asilo, refúgio. **6.** *Jur.* Faixa mínima de prejuízo pela qual o segurador (2) não responde, estabelecida em cláusula de apólice de seguro. **7.** *Jur. e Com.* Permissão dada a um navio para entrar no porto sem pagar direitos alfandegários. ♦ **Franquia de bagagem.** Peso de bagagem que pode cada passageiro levar sem pagar suplemento. **Franquia postal.** Direito, concedido pelos correios, para remessa gratuita de correspondências e encomendas.
franquismo. *S. m.* **1.** Regime político instalado na Espanha, em 1936, pelo General Francisco Franco (1892-1975). **2.** Pensamento ou ação política desse militar. **3.** Adesão ao franquismo (1 e 2), ou simpatia por ele.
franquisque. *S. m.* Antiga acha-d'armas usada pelos francos, godos e outros povos germânicos; francisca, frâncica.
franquista. *Adj. 2 g.* **1.** Relativo ao, ou que é partidário do franquismo. ● *S. 2 g.* **2.** Partidário dele.
franzido. [Part. de *franzir.*] *Adj.* **1.** Que se franziu: *babado franzido.* **2.** Enrugado, arrepanhado, engelhado: *testa franzida.* ● *S. m.* **3.** Coisa franzida: *os franzidos da blusa.* [Cf. *pregueado.*]
franzimento. *S. m.* Ato ou efeito de franzir(-se).
franzino. *Adj.* **1.** De talhe fino, delgado, frágil: *corpo franzino.* **2.** De escassa grossura, textura ou consistência: *pano franzino.* **3.** Pouco intenso; tênue, fraco: *voz franzina.*
franzir. [De *frangir* < *franger.*] *V. t. d.* **1.** Formar pregas muito pequenas e próximas por meio de pontos ou de cordões corrediços, a fim de reduzir a largura de um tecido ou material análogo: *franzir uma saia; franzir a cortina.* [Cf. *preguear*[1].] **2.** Deixar com pregas ou rugas; enrugar, machucar, amachucar, amarrotar: *O cordão franziu-lhe a túnica.* **3.** Arrepanhar, vincar, contrair, enrugar: *franzir os lábios; franzir a testa;* "Sebastião José de Carvalho franziu as sobrancelhas." (Rebelo da Silva, *Contos e Lendas*, p. 173). *P.* **4.** Dobrar-se em pregas. **5.** Arrepanhar-se, vincar-se, enrugar-se, contrair-se: "O rosto encarquilhado da velha franziu-se ainda mais." (Manuel da Fonseca, *Aldeia Nova*, p. 12). **6.** V. *encrespar* (6): "o Viajante sem Porto foi mansamente deslizando sobre as águas escuras do rio, que à sua passagem se franziam, rasgadas pela quilha, para logo se desfranzirem e numa lâmina líquida e densa se alisarem." (Herberto Sales, *Os Pareceres do Tempo*, p. 68).
➡**frappé** (frapê). [Fr.] *Adj.* Diz-se do líquido resfriado por contato do gelo com o recipiente.
fraque. [Do frâncico **hrokk*, pelo ingl. *frock*, 'hábito de frade', e pelo fr. *frac.*] *S. m.* Traje de cerimônia masculino, bem ajustado ao tronco, curto na frente e com longas abas atrás.
fraquear. *V. int.* V. *fraquejar:* "sentia-se abalado, começava a fraquear diante da mulher." (Coelho Neto, *Turbilhão*, p. 269). [Conjug.: v. *frear.*]
fraqueira. *S. f. Fam.* Fraqueza, debilidade, abatimento.
fraqueirão. *Adj. e s. m.* Que, ou aquele que é muito fraco; fracalhão. [Fem.: *fraqueirona.*]
fraqueiro. *Adj. Fam.* Que tem pouca força; débil, fraco.
fraqueirona. *Adj. (f.) e s. f.* Fem. de *fraqueirão* [q. v.].
fraquejar. *V. int.* **1.** Mostrar-se fraco, abatido; perder a força; desfalecer: *No meio da viagem os caminhantes fraquejaram;* "O corpo vai fraquejando, em estrebuchos moles, nuns arrepios frouxos. Depois não se mexeu mais." (Viriato Correia, *Novelas Doidas*, p. 228). **2.** Afrouxar-se em resistência ou valor; perder o vigor; mostrar fraqueza; desencorajar-se: *Sua pertinácia não fraquejou, apesar dos obstáculos.* [F. paral.: *fraquear.* Conjug.: v. *pelejar.*]
fraquete (ê). *Adj.* Fracote [q. v.].
fraqueza (ê). *S. f.* **1.** Qualidade de fraco; falta de força, de vigor, de solidez ou energia; debilidade. **2.** Delicadeza de compleição; fragilidade. **3.** Desânimo, desalento. **4.** Falha, imperfeição, defeito. **5.** Pusilanimidade, covardia, cobardia: "Que é fraqueza entre ovelhas ser leão". (Luís de Camões, *Os Lusíadas*, I, 68). **6.** Falta de obstinação, de pertinácia. **7.** Propensão para ceder a sugestões, imposições ou impressões. **8.** O lado fraco de um caráter ou de uma coisa: "Eu vivia na ilusão de que .... jamais virias ao conhecimento de uma fraqueza que tão desgraçada me faz neste instante." (Artur Azevedo, *Contos Efêmeros*, p. 236); *O alcoolismo é a sua fraqueza.* ♦ **Fraqueza do peito.** *Pop.* **1.** Predisposição para a tuberculose. **2.** V. *tuberculose.* **Fazer das fraquezas força.** Cobrar ânimo, enfeixar energias, para abalançar-se a empreendimento difícil, ousado.
frasal. *Adj. 2 g.* Da, ou pertencente ou relativo à frase; frásico: "uma estrutura frasal rígida" (Othon Moacir Garcia, *A Esfinge Clara*, p. 57).
frasca. [De *frasco*] *S. f.* **1.** Louça de mesa. **2.** Trem de cozinha; bateria. **3.** Provisões, mantimentos.
frascaria[1]. *S. f.* Quantidade de frascos. [Cf. *frascária*, fem. de *frascário.*]
frascaria[2]. *S. f.* Qualidade de frascário. [Cf. *frascária*, fem. de *frascário.*]
frascário. *Adj. e s. m.* Diz-se de, ou indivíduo estróina, libertino, devasso, extravagante, dissoluto: "Mulheres, debruçadas às rótulas, conversavam com a malandragem frascária" (Coelho Neto, *Miragem*, p. 198); "mascarando as necessidades frascárias da turba que regressa à animalidade licenciosa, e gosta de se espojar entre comezaina, fêmeas, e uma real borracha de bom vinho." (Fialho d'Almeida, *À Esquina*, p. 164). [Sin.: *frasqueiro.* Fem.: *frascária.* Cf. *frascaria.*]
frasco. [Do gót. **flaskô.*] *S. m.* **1.** Garrafa pequena, de vidro, de cristal ou de barro vidrado, para medicamentos, perfumes, etc.; vidro. **2.** *Bras., Amaz.* Medida correspondente a dois litros.
frase. [Do gr. *phrásis*, 'modo de falar', pelo lat. *phrase.*] *S. f.* **1.** Reunião de palavras que formam sentido completo; proposição, oração, período. **2.** Locução, expressão. **3.** *Mús.* Fragmento de um trecho musical, que tem um sentido completo e em geral termina com uma cadência. ♦ **Frase feita.** Locução fixa consagrada pelo uso. **Frase quebrada.** *Gram.* V. *anacoluto.* **Fazer frases.** Falar ou escrever engrolado, com frases sonoras, de efeito, mas pobres ou vazias de sentido.
fraseado. [Part. de *frasear.*] *Adj.* **1.** Que se fraseou; disposto em frases. ● *S. m.* **2.** Expressão por frases; conjunto orgânico de palavras. **3.** Modo próprio de falar ou de escrever; palavreado, fraseio: "reuniam-se ali alguns deputados da província, homens sérios, ... um sorriso infantil à superfície dos lábios e um fraseado imaginoso, cheio de poesia." (Aluísio Azevedo, *Casa de Pensão*, p. 85). **4.** *Mús.* Maneira de frasear.
fraseador (ô). *Adj. e s. m.* Que ou aquele que fraseia.
frasear. *V. int.* **1.** Dispor as idéias em frases; fazer frases. **2.** *Mús.* Executar as frases de uma composição musical, dando conveniente relevo à estrutura orgânica, à essência expressiva e ao estilo delas. *T. d.* **3.** Escrever, tornando frases. [Conjug.: v. *frear.*]
fraseio. [Dev. de *frasear.*] *S. m.* **1.** Ato ou efeito de frasear. **2.** V. *fraseado* (3).
fraseologia. [Do gr. *phrásis*, 'frase', + *-o-* *log(o)-* + *-ia.*] *S. f.* **1.** Parte da gramática em que se estuda a construção da frase. **2.** Construção de frase peculiar a uma língua, ou a um escritor: *a fraseologia da língua portuguesa; a fraseologia de Carlos Drummond de Andrade.* **3.** Conjunto ou compilação de frases ou locuções de

uma língua ou de um escritor.

fraseológico. *Adj.* Relativo à fraseologia.

fraseomania. *S. f.* Mania das frases pomposas e vazias.

fraseomaníaco. *Adj.* **1.** Referente à fraseomania. **2.** Que tem fraseomania. ● *S. m.* **3.** Indivíduo que a tem.

frásico. *Adj.* Frasal.

frasismo. *S. m.* Uso e/ou gosto das frases pomposas e vazias.

frasqueira. *S. f.* **1.** Caixa com divisões para acomodar frascos. **2.** Lugar onde se guardam frascos e garrafas; botelharia. **3.** V. *garrafeira* (2). **4.** Garrafa de vidro própria para servir vinho na mesa. **5.** *Bras.* Maleta ou bolsa em forma de caixa para transporte de objetos de toalete e miudezas. **6.** *Bras., AM* e *PA.* Medida de capacidade: garrafão de 24 litros.

frasqueiro. [De *frasco* + *-eiro.*] *Adj.* **1.** V. *frascário.* **2.** Diz-se do vestuário pouco decente, muito decotado, descomposto. ● *S. m.* **3.** V. *frascário.* **4.** *Bras., RN.* V. *ralé* (1).

frasqueta (ê). [Adapt. do it. *fiaschetta.*] *S. f. Tip.* Máscara (21).

fráter. [Do lat. *frater,* 'irmão'.] *S. m.* Tratamento dado a clérigos ainda não padres e a leigos pertencentes a uma congregação religiosa. [Pl.: *fráteres.*]

fraterna. [Fem. substantivado de *fraterno.*] *S. f.* Repreensão ou crítica amigável; censura de amigo.

fraternal. *Adj. 2 g.* V. *fraterno.*

fraternalmente. [De *fraternal* + *-mente.*] *Adv.* De maneira fraternal; fraternamente.

fraternamente. [Do fem. de *fraterno* + *-mente.*] *Adv.* Fraternalmente.

fraternidade. [Do lat. *fraternitate.*] *S. f.* **1.** Parentesco de irmãos; irmandade. **2.** Amor ao próximo; fraternização. **3.** União ou convivência como de irmãos; harmonia, paz, concórdia, fraternização.

fraternização. *S. f.* **1.** Ato ou efeito de fraternizar. **2.** V. *fraternidade* (2 e 3).

fraternizar. *V. t. d.* **1.** Unir com amizade íntima, estreita, fraterna: *O convívio diário terminou fraternizando-os. T. i.* e *int.* **2.** Unir-se estreitamente, como entre irmãos: *Cada grupo, esquecendo velhas dissensões, fraternizou com os demais; Os povos mais diversos e afastados fraternizaram.* **3.** Aliar-se, unir-se. **4.** Fazer causa comum; comungar nas mesmas idéias; harmonizar-se: *O governo fraternizou com o povo; Governo e povo fraternizaram.*

fraterno. [Do lat. *fraternu.*] *Adj.* De, relativo a, ou próprio de irmãos; afetuoso, fraternal.

fratria. [Do gr. *phratría,* 'confraria'.] *S. f.* **1.** Na Grécia antiga, cada um dos grupos em que se subdividiam as tribos atenienses e doutras cidades da Ática. **2.** Numa tribo primitiva, grupo de clãs que apresenta características similares.

fratricida. [Do lat. *fratricida.*] *S. 2 g.* **1.** Assassino de irmão ou de irmã. **2.** Pessoa que assassina ou concorre para a morte ou ruína de outrem. [Sin., nessas acepç.: *caim.*] ● *Adj. 2 g.* **3.** Que mata irmão ou irmã. **4.** Que concorre para a morte ou ruína de pessoas que devem ser estimadas como irmãos, ou que lhes dá a morte: *guerra fratricida;* "Por ti [ó Força], o homem cruento, nas renhidas / Pugnas que acende o seu furor eterno, / Desembainha, à luz de um sol fraterno, / O aço de mil espadas fratricidas" (Raimundo Correia, *Poesias,* p. 224). **5.** Relativo a fratricídio. **6.** *P. ext.* Referente a guerras civis.

fratricídio. [Do lat. *fratricidiu.*] *S. m.* **1.** Assassínio de irmão. **2.** *P. ext.* Guerra civil.

fratura. [Do lat. *fractura.*] *S. f.* **1.** Ato ou efeito de fraturar; rompimento; quebra, quebradura: *fratura de uma vidraça.* **2.** Superfície que se obtém pela ruptura de um mineral numa direção diferente da de clivagem. **3.** *Med.* Ruptura ou solução de continuidade em osso ou cartilagem: "Tenho aqui um rapaz com fratura na base do crânio" (Érico Veríssimo, *Noite,* p. 123). **4.** *Calígr.* e *Tip.* Letra gótica estreita e pontuda, surgida no séc. XV na Alemanha, onde se tornou o tipo corrente de obra até a primeira metade do século atual.

faturamento. *S. m.* Ato ou efeito de fraturar.

fraturar. [De *fratura* + *-ar*[2].] *V. t. d.* **1.** Partir (um osso): *fraturar o ilíaco.* **2.** Partir osso de (membro): "Uma bala fraturou -lhe a perna esquerda." (Gustavo Barroso, *Heróis e Bandidos,* p. 157.) **3.** Quebrar com força; romper; arrombar: *fraturar uma porta.*

➧**Frau.** [Al.] *S. f.* **1.** Senhora casada ou viúva. **2.** Tratamento que se lhe dá.

fraudação. [Do lat. *fraudatione.*] *S. f.* **1.** Ato de fraudar (-se). **2.** V. *fraude.*

fraudador (ô). [Do lat. *fraudatore.*] *Adj.* e *s. m.* **1.** Que ou aquele que frauda; enganador, defraudador. **2.** Contrabandista (1).

fraudar. [Do lat. *fraudare.*] *V. t. d.* **1.** Cometer fraude contra; lesar por meio de fraude; defraudar: *fraudar a alfândega.* **2.** Despojar fraudulentamente; espoliar com fraude; defraudar: *fraudar os cofres públicos.* **3.** Enganar, iludir: *fraudar os amigos.* **4.** Frustrar, desenganar: *Fraudou as esperanças do pai.* **5.** Roubar por contrabando. *T. d.* e *i.* **6.** Privar (1): *O destino fraudou-a da alegria de rever os pais. P.* **7.** Privar (4): *fraudar-se dos prazeres da mesa.*

fraudatório. [Do lat. *fraudatoriu.*] *Adj.* V. *fraudulento* (2): *plano fraudatório.*

fraudável. *Adj. 2 g.* Sujeito a fraude; suscetível de fraude.

fraude. [Do lat. *fraude.*] *S. f.* **1.** V. *logro* (2). **2.** Abuso de confiança; ação praticada de má-fé. **3.** Contrabando, clandestinidade. **4.** Falsificação, adulteração. [Sin. ger.: *defraudação, fraudação, fraudulência.*]

fraudento. *Adj.* V. *fraudulento.*

fraudulência. *S. f.* V. *fraude.*

fraudulento. [Do lat. *fraudulentu.*] *Adj.* **1.** Propenso à fraude: *empresa fraudulenta.* **2.** Em que há fraude; doloso; impostor; fraudatório: *contrato fraudulento.* [Sin. ger.: *fraudento* e *frauduloso.*] ~ V. *edição —a.*

frauduloso (ô). [Do lat. *fraudulosu.*] *Adj.* V. *fraudulento.*

➧**Fräulein** (fróilain). [Al.] *S. f.* **1.** Senhorita. **2.** Governante alemã de crianças e adolescentes.

frauta. *S. f.* **1.** Var. de *flauta:* "Apetece ser pastor / E tocar frauta de cana" (Augusto Gil, *Luar de Janeiro,* p. 95). **2.** Peça de serralheiros, para alisar o ferro.

frautado. [Part. de *frautar.*] *Adj.* e *s. m.* Var. de *flautado.*

frautar. *V. t. d.* e *int.* Var. de *flautar.*

frautear. *V. t. d.* e *int.* Var. de *flautear.* [Conjug.: v. *frear.*]

frauteiro. *S. m.* V. *flauteiro.*

fraxíneo (cs). [Do lat. *fraxineu.*] *Adj.* Da natureza do freixo, ou semelhante a ele.

freada. *S. f. Bras.* Ato de frear, de apertar o freio dum veículo: "A viagem [no lotação] é cheia de rangidos, trancos, finos, freadas bruscas, berros de outros motoristas." (Carlos Drummond de Andrade, *Cadeira de Balanço,* p. 67.)

freagem. *S. f.* V. *freamento.*

freamento. *S. m.* Ato ou efeito de frear; freagem, frenamento.

frear. *V. t. d.* **1.** Reprimir, conter, frenar, refrear, enfrear: *frear os impulsos.* **2.** Apertar o freio de: "O menino deu sinal ao caminhão que passava na estrada. O motorista freou o carro e indagou: I — Que é que há, menino?" (João Clímaco Bezerra, *O Homem e Seu Cachorro,* p. 21.) *Int.* **3.** Apertar o freio dum veículo: "De súbito, o pé do chofer.... pisa firmemente o acelerador, depois freia, e acelera de novo" (Ledo Ivo, *O Flautim,* p. 83). **4.** Parar, deter-se (um veículo a que se apertou o freio): "Quando um ônibus freou bruscamente, ao nosso lado, o chofer mastigou um nome feio." (Maria Julieta Drummond de Andrade, *A Busca,* pp. 41-42.) [Sin., nas acepç. 2 a 4: *travar* e (bras.) *brecar.* Recebe um *i* depois do *e* nas f. rizotônicas: *freio, freias, freia, freiam* (do pres. ind.); *freie, freies, freie, freiem* (do pres. subj.). Cf. *Fréia, mit.* e *antr.*]

freático. [Do gr. *phreatikós.*] *Adj.* ~ V. *lençol —.*

frecha. *S. f.* V. *flecha:* "D. Ínigo e seu pai .... passam as portas de Toledo com a rapidez da frecha" (Alexandre Herculano, *Lendas e Narrativas,* II, p. 47). ◆ **De frecha.** Diretamente, direto; em linha reta; sem se desviar.

frechada. *S. f.* V. *flechada.*

frecha-de-parto. *S. f.* V. *flecha-de-parto.* [Pl.: *frechas-de-parto.*]

frechado. [Part. de *frechar.*] *Adj.* **1.** V. *flechado.* **2.** *Bras. N.E. Gír.* Celebrado, famoso, afamado.

frechal. [De *frecha* + *-al.*] *S. m.* **1.** Viga de madeira, sobre a qual assentam os frontais de cada pavimento de uma casa. **2.** Viga na qual se pregam os barrotes, à beira do telhado.

frechar. *V. t. d., t. i.* e *int.* V. *flechar:* "a fraqueza do corpo se manifestou quando viu dez ou quinze rapazolas frechando sobre ele, ... com o firme propósito de pegá-lo." (Fran Martins, *Dois de Ouros,* p. 10.)

frecharia. *S. f.* V. *flecharia.*

frecheira. *S. f.* **1.** V. *flecheira.* **2.** *Bras.* Abelha social da família dos melipônidas (*Melipona timida* Siv.).

frecheiro. *S. m.* **1.** V. *flecheiro.* **2.** V. *Cupido* (1). ◆ **O frecheiro cego.** V. *Cupido* (1): "Destarte o coração, que livre andava, /............../ onde menos temia, foi ferido. // Porque o Frecheiro Cego me esperava, /............../ em vossos claros olhos escondidos." (Luís de Camões, *Rimas,* p. 139.)

frederico. [Do antr. *Frederico.*] *S. m.* Moeda de ouro antiga da Prússia.

freeiro. *S. m.* Fabricante de freios.

➧**free lance** (fri lenç). [Ingl.] *S. 2 g.* Pessoa que executa serviços profissionais sem vínculo empregatício.

➧**freezer** (frízer). [Ingl.] *S. m.* Congelador (2 e 3).

frega. *S. f. Bras., MG. Pop.* V. *meretriz.*

fregátida. *S. m.* e *adj. 2 g.* V. *fregatídeo.*

fregátidas. *S. m. pl. Zool.* V. *fregatídeos.*

fregatídeo. *S. m.* **1.** Espécime dos fregatídeos. ● *Adj.* **2.** Pertencente ou relativo a eles.

fregatídeos. *S. m. pl. Zool.* Aves pelicaniformes, da família *Fregatidae,* de cauda longa e bifurcada, membranas interdigitais profundamente entalhadas, bico longo em forma de gancho terminal, tendo os machos bolsa gular nua. São os alcatrazes.

frege[1]. [Dev. de *frigir.*] *S. m. Bras. Pop.* **1.** Arrelia, vias de fato, barulho. V. *rolo*[1](16). **2.** Festa ou função de aparência má. ◆ **Virar frege.** *Bras. Pop.* Provocar desordem.

frege[2]. *S. m. Bras. Pop.* F. red. de *frege-moscas* [q. v.].

frege-moscas. [De *frigir* + o pl. de *mosca* (ô).] *S. m. 2 n. Bras. Pop.* Casa de pasto muito asseada; tasca: "Chamavam-se frege-moscas, no Rio de Janeiro, as casas de pasto de ínfima categoria." (Eduardo Frieiro, *Feijão, Angu e Couve,* p. 210.) [F. red.: *frege.*]

fregista. *S. 2 g. Bras. Pop.* Dono ou empregado de frege[2].

fregona. [Do esp. *fregona.*] *S. f.* Criada ou serviçal rústica.

freguês. [Do lat. vulg. hispânico *fili eclesiae,* 'filho da igreja'.] *S. m.* **1.** Habitante duma freguesia; paroquiano. **2.** Aquele que compra ou vende habitualmente a determinada pessoa. **3.** *P. ext.* Comprador, cliente. **4.** *Bras. Pop.* Pessoa qualquer; indivíduo: *Que freguês cacete!* [Flex.: *freguesa* (ê), *fregueses* (ê), *freguesas* (ê).]

freguesia. [De *freguês* + *-ia.*] *S. f.* **1.** Povoação, sob o aspecto eclesiástico: "Em uma freguesia rural faleceu há pouco tempo um indivíduo a cujo cadáver o respectivo pároco denegou sepultura" (Ramalho Ortigão, *As Farpas,* V, p. 258). **2.** O conjunto dos paroquianos: "O tempo não lhe chegava para dançar e tocar violão à beira dos lagos, onde passava a maior parte do ano, deixando a freguesia sem missa e sem socorros espirituais." (Inglês de Sousa, *O Missionário,* p. 47). **3.** Concorrência de compradores a determinado estabelecimento ou vendedor; clientela. **4.** Hábito ou costume de comprar a determinado vendedor.

frei. *S. m.* F. proclítica, apocopada, de *freire,* quando precede o nome ou apelido: *Frei Boaventura.* [Fem.: *soror.* Abrev.: *Fr.*]

frei-bode. *S. m. Bras., N.E. Pop.* V. *protestante* (6). [Pl.: *freis-bodes.*]

freijó. *S. m. Bras.* V. *frei-jorge.*

frei-jorge. *S. m. Bras.* Árvore grande, da família das boragináceas (*Cordia goeldiana*), de flores grandes, duráveis e muito bonitas, dispostas em amplas panículas terminais, densifloras e ferrugíneo-tomentosas, fruto globoso, e cuja madeira, castanha com listras escuras, opacas e pulverulentas, é própria para construção naval e marcenaria de luxo. [Var.: *freijó;* sin.: *quiri.* Pl. *freis-jorges* e *frei-jorges.*]

freima. [Var. de *fleima* < *fleuma* (q. v.).] *S. f.* **1.** Impaciência, desassossego, inquietação, prurido. **2.** Atividade; pressa. **3.** Cuidado, apreensão.

freimão. *S. m.* V. *fleimão.*

freimático. *Adj.* Que tem freima.

freio. [Do lat. *frenu.*] *S. m.* **1.** Peça de metal que passa pela boca das cavalgaduras, presa às rédeas, dotada de uma reentrância que castiga o animal quando é puxada e que serve para guiá-las; trava, travão. **2.** Dispositivo para moderar ou fazer cessar o movimento de maquinismos ou veículos; travão, breque. **3.** Queixada do torno de serralheiro. **4.** *Anat.* Pequena prega que reduz ou evita o movimento de uma estrutura do corpo. **5.** *Fig.* Aquilo que reprime, modera, contém: *o freio da ética.* **6.** *Fig.* Domínio, jugo, sujeição. **7.** *Fig.* Obstáculo, impedimento. ◆ **Freio de emergência.** *Autom.* V. *freio de mão.* **Freio de estacionamento.** *Autom.* V. *freio de mão.* **Freio de mão.** *Autom.* Freio mecânico, acionado por uma alavanca de mão, e que serve para manter o veículo parado, quer em ladeira, quer em lugares planos; freio de emergência, freio de estacionamento. **Freio hidráulico.** *Autom.* Freio que funciona mediante a pressão dum líquido, e que consiste num cilindro mestre que transmite a pressão aos cilindros das rodas por dentro de tubos, os quais acionam as sapatas dos freios. **Freio mecânico.** *Autom.* Aquele em que a pressão do pé do motorista se transmite às sapatas dos freios por meio de tirantes. **Não ter freio na língua.** Ser inconveniente ou descomedido no falar. **Pôr freio em.** Reprimir, sujeitar ou moderar; pôr um freio em: *É preciso pôr freio nos seus desatinos.* **Pôr um freio em.** Pôr freio em: "E pondo na cobiça um freio duro" (Luís de Camões, *Os Lusíadas*, IX, p. 93). **Tomar o freio nos dentes. 1.** Desbocar-se (a cavalgadura); não obedecer ao freio. **2.** *Fig.* Indisciplinar-se, desmandar-se, exceder-se, desregrar-se. **3.** *Fig.* Entregar-se com disposição e entusiasmo a qualquer atividade.

frei-paulistano. *Adj.* **1.** De, ou pertencente ou relativo a Frei Paulo (SE). ● *S. m.* **2.** O natural ou habitante de Frei Paulo. [Pl.: *frei-paulistanos.*]

freira. [Fem. de *freire.*] *S. f.* **1.** Religiosa de determinada ordem, à qual faz votos; monja, madre, professa. **2.** *Bras., PA, SP* e *RS.* Cogumelo superior, elegantíssimo e de estrutura muito complicada, da família das faloidáceas (*Dictyophora phalloidea*), cujo pedículo, de altura variável, é oco, com três camadas na base (duas no centro e uma perto do ápice), as quais são câmaras poligonais e isodiamétricas. O chapéu, ou receptáculo, tem forma de cone campanulado, e a sua superfície é cortada de alvéolos poligonais salientes, cobertos por fina membrana, que desaparece com a maturação. Os espécimes brasileiros são brancos.

freiral. *Adj. 2 g.* Freirático (1 e 2).

freirar. *V. t. d.* **1.** *Ant.* Admitir ao lugar de freire de uma ordem militar: *freirar* um cavaleiro. Int. **2.** Seguir a vida conventual. P. **3.** Fazer-se freire ou freira; fradar-se.

freirático. *Adj.* **1.** Próprio de frades ou de freiras; freiral. **2.** Afeiçoado a costumes monacais; freiral. ● *S. m.* **3.** Aquele que freqüenta conventos de freiras, ou simpatiza com os conventos.

freire. [Do provenç. *fraire.*] *S. m.* Membro das antigas ordens militares; irmão: "Ora pois, sabei que os freires resolveram depor Fr. Nuno Mendes antes que esta semana finde" (Arnaldo Gama, *O Balio de Leça*, p. 48).

freiria. *S. f.* Convento ou ordem de freires ou freiras.

freirice. *S. f.* Maneira ou ação de freire ou freira.

freirinha. [Dim. de *freira.*] *S. f.* **1.** Noviça [v. *noviço* (1)]. **2.** *Zool.* Crustáceo decápode (*Calappa granulata*).

freitense. *Adj. 2 g.* **1.** De, ou pertencente ou relativo a José de Freitas (PI). ● *S. 2 g.* **2.** Natural ou habitante de José de Freitas.

frei-vicente. *S. m. Bras., PE.* V. *sanhaçuíra.* [Pl.: *freis-vicentes* e *frei-vicentes.*]

freixal. *S. m.* Mata de freixos; freixial.

freixial. *S. m.* Freixal.

freixo. [Do lat. *fraxinu.*] *S. m.* Árvore da família das oleáceas (*Fraxinus excelsior*).

frejereba. *S. f. Bras.* V. *prejereba.*

freme. *S. m. Bras.* Var. de *flame.*

fremebundo. [Do lat. *fremebundu.*] *Adj.* V. *fremente.*

fremente. [Do lat. *fremente.*] *Adj. 2 g.* **1.** Que freme; vibrante; agitado; violento: *mar fremente.* **2.** *Fig.* Veemente, apaixonado, arrebatado: "Consumia-se em ardores estéreis, ... numa ânsia louca de apertar nos braços um corpo fremente de mulher bonita" (Inglês de Sousa, *O Missionário*, p. 336). [Sin. ger.: *fremebundo.*]

fremir. [Do lat. *fremere.*] *V. int.* **1.** Ter rumor surdo e áspero: *Os velozes vagões fremiam.* **2.** Bramir, rugir, gemer, bramar: "Com medonho fragor na praia nua / Fremem de noite as solitárias ondas" (Correia Garção, *Obras Poéticas e Oratórias*, p. 361). **3.** Vibrar, soar, ecoar. **4.** Tremer, estremecer, ter contrações espasmódicas: *Seus lábios fremem.* **5.** Agitar-se ligeiramente; restolhar. **6.** *Fig.* Agitar-se ou estremecer de júbilo ou raiva: *fremir* de prazer, de ódio; A notícia fê-lo *fremir.* *T. d.* **7.** Agitar, sacudir, estremecer: *o vento freme as bandeiras;* "Além a brisa as casuarinas freme" (Álvares de Azevedo, *Obras Completas*, I, p. 452). [Defect. Não se conjuga na 1ª pess. sing. do pres. ind. nem, pois, no pres. subj.]

frêmito. [Do lat. *fremitu.*] *S. m.* **1.** Rumor surdo e áspero: "os uivos dos lobos, os pios dos mochos pelas noites, o frêmito do vento pelos píncaros do pomar" (Antônio Feliciano de Castilho, *Amor e Melancolia*, p. 338). **2.** Sussurro, rumor: *Ouviu-se um frêmito nas arquibancadas.* **3.** Tremor, estremecimento, vibração. **4.** Rumor produzido por esse estremecimento: *o frêmito das asas.* **5.** Movimento agitado; ondulação, balanço: *o frêmito das espigas.* **6.** *Med.* Vibração perceptível pela palpação. **7.** *Fig.* Sensação espasmódica; comoção, com tremor de nervos: "Passe em redor de mim um frêmito de gozo / E um calor de desejo" (Vicente de Carvalho, *Poemas e Canções*, p. 224). **8.** *Fig.* Estremecimento de alegria, de prazer, de ódio: "Um frêmito de alegria passou na luz do Paraíso, que um Santo novo enriquecia." (Eça de Queirós, *Contos*, p. 155.)

frenação. *S. f.* Ato ou efeito de frenar.

frenador (ô). [Do lat. *frenatore.*] *Adj.* **1.** Que frena ou enfreia. **2.** Que reprime ou contém; moderador.

frenamento. *S. m.* V. *freamento.*

frenar. [Do lat. *frenare.*] *V. t. d.* **1.** Enfrear, frear. **2.** *Fig.* Moderar; reprimir, conter, refrear.

frendente. [Do lat. *frendente.*] *Adj. 2 g.* Que frende, que range os dentes.

frender. [Do lat. *frendere.*] *V. int.* **1.** Ranger os dentes. **2.** Fremir de cólera; irritar-se, encolerizar-se. *T. d.* **3.** Ranger (os dentes): "Hienas de horrorizar, ictiossáurios disformes, / Esfaimados, frendendo as dentuças enormes" (Martins Fontes, *Nos Jardins de Augusto Comte*, p. 100).

frendor (ô). [Do lat. *frendore.*] *S. m.* Rangido de dentes.

frenesi. [Do gr. tardio *phrénesis*, pelo lat. *phrenesis, is.*] *S. m.* **1.** Delírio, desvario, tresvario. **2.** Entusiasmo delirante; excitação, arrebatamento: *amar com frenesi.* **3.** Atividade sucessiva; agitação, impaciência, inquietação: *Trabalha num verdadeiro frenesi.* **4.** Impertinência, importunidade, enfado. [Var.: *frenesim* e (bras., pop.): *farnesim.*]

frenesiar. *V. t. d.* **1.** Causar frenesi a; encher de frenesi. **2.** Incomodar, impacientar, apoquentar. *Int.* e *p.* **3.** Sentir frenesi. **4.** Impacientar-se. [F. paral.: *enfrenesiar.*]

frenesim. *S. m.* V. *frenesi:* "A minha obsessão vai num crescendo, chega ao frenesim, ao suor da agonia" (José Rodrigues Miguéis, *Gente da Terceira Classe*, p. 141).

frenético. [Do lat. *phreneticu.*] *Adj.* **1.** Que tem frenesi; delirante, desvairado, furioso. **2.** Arrebatado, veemente, exaltado. **3.** Impaciente, inquieto; rabugento. **4.** Convulso, agitado.

frenicectomia. [De (nervo) *frênico* + *-ectom-* + *-ia.*] *S. f. Terap.* Resseção de nervo frênico com o fim de paralisar de um lado o músculo diafragma, que é, então, empurrado por vísceras abdominais, comprimindo o pulmão doente do mesmo lado.

frenicectômico. *Adj.* Relativo à frenicectomia.

frênico. [Do gr. *phrenikós.*] *Adj. Anat.* Relativo ou pertencente ao músculo diafragma.

frenicotomia. [De *frênico* + *-tom(o)-* + *-ia.*] *S. f. Cir.* Seção de nervo frênico.

frenite. [Do gr. *phrenîtis*, pelo lat. *phrenite.*] *S. f. Patol.* Inflamação do diafragma.

▲**fren(o)-¹.** [Do gr. *phrén, phrenós.*] *El. comp.* = 'diafragma'; 'alma', 'inteligência', 'espírito': *frenoplegia; frenologia.*

▲**fren(o)-².** [Do lat. *frenum, i.*] *El. comp.* = 'freio': *frenotomia.*

frenocômio. [De *fren(o)-¹* + *-cômio.*] *S. m. P. us.* Manicômio.

frenologia. [De *fren(o)-¹* + *-log(o)-* + *-ia.*] *S. f.* Teoria que estuda o caráter e as funções intelectuais humanas, baseando-se na conformação do crânio; frenologismo.

frenológico. *Adj.* Relativo à frenologia.

frenologismo. *S. m.* Frenologia.

frenologista. *S. 2 g.* Especialista em frenologia; frenólogo.

frenólogo. [De *fren(o)-¹* + *-logo.*] *S. m.* Frenologista.

frenopata. *S. 2 g.* Pessoa que padece frenopatia. [Var. pros.: *frenópata.*]

frenópata. *S. 2 g.* Frenopata.

frenopatia. [De *fren(o)-¹* + *-pat-* + *-ia.*] *S. f. Patol.* Doença ou distúrbio mental.

frenopático. *Adj.* Relativo à frenopatia.

frenoplegia. [De *fren(o)-¹* + *-pleg-* + *-ia.*] *S. f. Patol.* **1.** Paralisia do músculo diafragma. **2.** Perda das faculdades mentais.

frenoplégico. *Adj.* Relativo à frenoplegia.

frenotomia. [De *fren(o)-²* + *-tom(o)-* + *-ia.*] *S. f. Cir.* Seção de freio (4); calinotomia.

frente. [Do esp. *frente.*] *S. f.* **1.** Parte anterior de qualquer coisa; lado dianteiro; face. **2.** Frontaria de edifício; fachada. **3.** Rosto, face. **4.** Testa, fronte: "Bem sei que é toda de flores / Essa coroa d'amores / Que na frente vais cingir." (Almeida Garrett, *Folhas Caídas*, p. 133.) **5.** Vanguarda, dianteira: *a frente do exército.* **6.** Local de combate. [Sin., ingl.: *front.*] **7.** Presença, vista: *Não dirá isto na minha frente.* **8.** *Fig.* Ponto de combate, de resistência ou de ataque: *frente contra a miséria.* **9.** *Encad.* O lado do livro correspondente ao começo do texto. **10.** *Encad.* V. *corte da abertura.* **11.** *Met.* Superfície frontal. **12.** *Met.* Linha de interseção da superfície frontal com o solo ou com outra superfície. **13.** *Bras., BA.* Lugar onde começa o cascalho, seja qual for o ponto em que ele esteja, a descoberto ou nas grunas. ● *S. m.* **14.** *Bras., BA.* Garimpeiro que dirige o serviço ou garimpa. ◆ **Frente a frente.** V. *face a face:* (2) "Só uma cousa me apavora / A esta hora, a toda a hora: / É que verei a morte frente a frente / Inevitavelmente." (Fernando Pessoa, *Poemas Dramáticos*, p. 134.) **Frente ártica.** *Met.* Frente polar. **Frente de onda.** *Fís.* Num sistema de ondas que se propagam num meio, lugar geométrico dos pontos das ondas que num instante determinado têm a mesma fase. **Frente de trabalho.** Nova oportunidade de emprego, criada sobretudo em épocas em que há excesso de mão-de-obra disponível: *As secas deste ano obrigaram o Governo a abrir várias frentes de trabalho.* **Frente fria.** *Met.* Superfície que separa duas massas de ar, a mais fria (e, portanto, mais densa) das quais está avançando e tomando o lugar da massa mais quente. [Cf. *frente quente.*] **Frente polar.** *Met.* Frente quase permanente, de grande extensão, das latitudes médias, que separa o ar polar, um tanto frio, do ar tropical, relativamente quente; frente ártica. **Frente quente.** *Met.* Superfície que separa duas massas de ar, a mais quente das quais está avançando e tomando o lugar da mais fria. [Cf. *frente fria.*] **À frente. 1.** Na dianteira; na vanguarda. **2.** Na direção; no comando. **De frente.** De face. **Em frente. 1.** Defronte, perante, diante. **2.** Na presença (própria ou alheia). **3.** Adiante; além: *Siga em frente.* **Em frente de.** V. *em face de.* **Fazer frente. 1.** Ficar diante; dar para. **2.** Defrontar, enfrentar. **Ir para a frente.** Progredir, prosperar. **Levar à frente.** Persistir em, não deixar malograr-se (uma idéia, um plano, um propósito). **Na frente de.** Antes de; anteriormente a: "Moema nascera primeiro, isto é, quatro dias na frente da outra." (Nélson Rodrigues, *100 Contos Escolhidos. A Vida como Ela É*, II, p. 35.) **Segunda frente.** Expressão corrente nos noticiários e comentários políticos e militares, durante a II Guerra Mundial, para designar a abertura de novo *front* europeu, ocidental, além da frente russa.

frentear. *V. t. d. Bras., RS.* **1.** Atacar (o gado) pela frente. **2.** Impedir (o gado) de disparar no campo. [Conjug.: v. *frear.*]

frente-de-atração. *Bras. S. f.* Expedição liderada por sertanista com o fito de contatar uma tribo indígena e procurar convencê-la a entrar em contato com a sociedade abrangente.

frentista. [De *frente* + *-ista.*] *S. 2 g.* **1.** Oficial que trabalha nos acabamentos e ornatos das fachadas dos edifícios. **2.** Pessoa que se emprega numa frente de trabalho [q. v.]. **3.** *Bras.* Num posto de gasolina, empregado que atende o público: "Alguns postos ainda sobrevivem na Avenida Porto Carrero, em Corumbá, mas segundo seus frentistas, com a queda da procura do combustível boliviano" (*Jornal do Brasil*, 14.10.1985).

frenulado. *S. m.* **1.** Espécime dos frenulados. ● *Adj.* **2.** Pertencente ou relativo a eles.

frenulados. *S. m. pl. Zool.* Insetos da ordem dos lepidópteros, subordem *Frenatae*, desprovidos de jugo ou lobo na asa anterior, asa posterior com frênulo ou com área umeral mais ou menos ampliada, veias das asas posteriores bem diferentes das das asas anteriores, e boca com uma probóscida ou tromba espiralada. São na maioria noturnos.

frênulo. *S. m. Zool.* Espinho de asa posterior de certos lepidópteros, para ligação com a asa anterior.

freqüência. [Do lat. *frequentia.*] *S. f.* **1.** V. *freqüentação* (1 e 2). **2.** Repetição amiudada de fatos ou acontecimentos; reiteração. **3.** As pessoas que freqüentam um lugar. **4.** *Fís.* Em um movimento periódico, número de oscilações ou de vibrações realizadas pelo móvel na unidade de tempo; número de ciclos que um sistema com movimento periódico efetua na unidade de tempo. **5.** *Estat.* Número de vezes que um valor ou um subconjunto de valores do domínio de uma variável aleatória aparece numa experiência ou numa observação de caráter estatístico; freqüência absoluta, freqüência simples. ◆ **Freqüência absoluta.** *Estat.* V. *freqüência* (5). **Freqüência acumulada.** *Estat.* Numa distribuição de freqüência, somatório das freqüências absolutas estendido da primeira classe até uma classe de ordem determinada. **Freqüência angular.** *Fís.* Num movimento periódico, o produto da freqüência do movimento por dois pi. **Freqüência de corte.** *Eletrôn.* Num circuito-filtro, freqüência acima da qual, ou abaixo da qual, o circuito não conduz. **Freqüência intermediária.** *Eletrôn.* Num circuito super-heteródino, freqüência resultante da superposição da onda portadora recebida pelo circuito com o sinal emitido pelo oscilador do circuito. [Abrev.: *FI.*] **Freqüência modulada.** *Fís.* Freqüência variável que em cada instante é proporcional à amplitude de outro movimento periódico. [Abrev.: *FM.*] **Freqüência natu-**

ral. *Fís.* Freqüência própria. **Freqüência própria.** *Fís.* Freqüência de oscilação ou vibração de um sistema quando não está sujeito a forças periódicas externas; freqüência natural. **Freqüência relativa.** *Estat.* O quociente da freqüência absoluta pelo somatório de todas as freqüências. **Freqüência simples.** *Estat.* V. *freqüência* (5). **Alta freqüência.** *Fís.* Freqüência superior a 20.000 Hz. **Baixa freqüência.** *Fís.* Faixa de freqüências compreendidas, aproximadamente, entre 30kHz e 300kHz.

freqüencímetro. [De *freqüência* + *-metro.*] *S. m. Fís.* Instrumento medidor de freqüências, constituído por um circuito elétrico oscilante ou por um sistema mecânico vibrátil; freqüenciômetro.

freqüenciômetro. *S. m. Fís.* Freqüencímetro.

freqüentação. [Do lat. *frequentatione.*] *S. f.* **1.** Ação ou efeito de freqüentar. **2.** Convivência habitual com outras pessoas; relações freqüentes; convívio social. [Sin. ger.: *freqüência.*]

freqüentador (ô). [Do lat. *frequentatore.*] *Adj.* e *s. m.* Que ou aquele que freqüenta.

freqüentar. [Do lat. *frequentare.*] *V. t. d.* **1.** Ir com freqüência a; visitar amiudadas vezes: "Começou a freqüentar a casa de Augusta na qualidade de amigo e vizinho." (Machado de Assis, *Histórias Românticas*, p. 285.) **2.** Conviver com; viver na intimidade de: *freqüentar o meio artístico*; "e Onofre foi acusado de receber esmolas das cortesãs, ... de freqüentar os pagãos" (Eça de Queirós, *Últimas Páginas*, p. 293). **3.** Consultar ou estudar amiúde: *freqüentar os dicionários.* **4.** Cursar (estabelecimento de ensino): "Renan freqüentou os seminários de Issy e de Saint-Sulpice" (Machado de Assis, *Páginas Recolhidas*, p. 143); "freqüentavam escolas." (Antônio Justa, *Praia do Desterro*, p. 8).

freqüentativo. [Do lat. *frequentativu.*] *Adj.* ~ V. *verbo* —.

freqüentável. *Adj. 2 g.* Que pode ser freqüentado.

freqüente. [Do lat. *frequente.*] *Adj. 2 g.* **1.** Amiudadamente repetido; continuado. **2.** Assíduo num lugar ou numa coisa. **3.** Incansável, diligente. **4.** Agitado, acelerado.

freqüentemente. [De *freqüente* + *-mente.*] *Adv.* De modo freqüente; com freqüência.

fresa. [Do fr. *fraise.*] *S. f. Mec.* Engrenagem motora constituída de um cortador giratório de ângulos diversos, ou de várias freses [cf. *frese*[1] (2)] em movimento rotativo contínuo, e que serve para desbastar ou cortar metais e outras peças.

fresagem. *S. f.* Operação de fresar.

fresar. *V. t. d.* Desbastar ou cortar com fresa.

fresca (ê). [Fem. substantivado do adj. *fresco.*] *S. f.* **1.** Aragem agradável que sopra ao cair da tarde em alguns dias quentes: "Desde a fresca da manhã Anita dava na casa um jeito de festa." (Chico Anísio, *Teje Preso*, p. 166.) **2.** Sensação aprazível de frescor. ◆ **À fresca.** Em trajes leves; à ligeira; à frescata: "Lídia estava à fresca, de cabelos soltos sobre a toalha felpuda aberta nos ombros." (Adolfo Caminha, *A Normalista*, p. 33.)

frescal. *Adj. 2 g.* **1.** Que é quase fresco, mas levou algum sal: *bacalhau frescal.* **2.** Que não está alterado ou corrupto: *pescada frescal.* **3.** Que ainda conserva o vigor da mocidade; viçoso, fresco: "Tinha os cabelos pretos, olhos pretos, lábios cor de cereja, toda ela uma rapariga ça frescal." (Alberto Braga, *Novos Contos*, p. 3.)

frescalhão. *Adj.* **1.** *Fam.* Muito fresco. **2.** Bem conservado, apesar da idade. **3.** Abrejeirado, maroto. [Fem.: *frescalhona.*]

frescalhona. *Adj.* (*f.*) **1.** V. *frescalhão*: "Puxou a mãe, que tem aquela mesma pele clara e rosada, os mesmos olhos grandes e rasgados e ainda hoje está tão frescalhona que, se se preparasse mais, poderia parecer irmã dos filhos." (Gastão Cruls, *De Pai a Filho*, p. 19.)

frescão. [Aum. do adj. *fresco*, substantivado.] *S. m. Bras.* Ônibus grande, confortável, com refrigeração e música.

frescata. [De *fresco* + *-ata*, fem. de *-ato*[1].] *S. f.* **1.** Digressão pelo campo; passeata, patuscada. ● *S. m.* **2.** Amigo de funçanatas. ◆ **À frescata.** V. *à fresca*: "A gravidade do meu trajo desconcertou-o um tanto. Pediu-me desculpa por me receber tão à frescata." (Aluísio Azevedo, *Demônios*, p. 145.)

fresco[1] (ê). [Do it. *fresco.*] *S. m.* V. *afresco.*

fresco[2] (ê). [Do germ. *frisk.*] *Adj.* **1.** Entre frio e morno; ligeiramente frio. **2.** Viçoso; verdejante. **3.** Sadio, saudável. **4.** Vigoroso, forte, rijo, robusto. **5.** De pouco tempo; recente. **6.** Que não está estragado. **7.** Cozido há pouco (pão). **8.** Bem arejado. **9.** Que ainda não se cansou; em boa disposição. **10.** *Bras. Gír.* Faceiro, janota, taful. **11.** *Bras. Chulo.* V. *efeminado* (6). ~ V. *creme — e terra —a.* ● *S. m.* **12.** V. *frescor* (5): "depois do infalível café, tomavam fresco ao lado um do outro" (Artur Azevedo, *Contos Efêmeros*, p. 57). ◆ **Pôr-se ao fresco.** **1.** V. *fugir* (1 e 2). **2.** Eximir-se de responsabilidades.

frescobol. *S. m. Bras.* Jogo para dois parceiros, praticado ao ar livre, especialmente nas praias, e no qual se utilizam raquetas e bola de borracha: "caiu n'água escalou rochedos, participou de partidas de frescobol" (Malu de Ouro Preto, in *Vozes da Cidade*, p. 79). [Pl.: *frescobóis.*]

frescobolista. *S. 2 g. Bras.* **1.** Jogador de frescobol. **2.** Apaixonado desse jogo.

frescor (ô). *S. m.* **1.** Qualidade de fresco[2]. **2.** Viço, verdor: *o frescor das rosas.* **3.** Vivacidade, exuberância, vigor, jovialidade: *frescor da juventude.* **4.** Refrigério, lenitivo. **5.** Vento fresco; brisa amena; fresco. [Sin. ger.: *frescura, fresquidão.*]

frescura. *S. f.* **1.** V. *frescor.* **2.** *Pop.* Procedimento ou expressão abusada, cínica ou impudica; chulice, fuleiragem. **3.** *Pop.* Efeminamento. **4.** *Pop.* Sentimentalismo excessivo; pieguice. **5.** Apego a convenções, a preconceitos; convencionalismo, friagem. ◆ **Cheio de frescura.** *Bras. Pop.* **1.** V. *cheio de luxo.* **2.** V. *cheio de nove-horas* (2).

frese[1]. [Do fr. *fraise*, 'objeto de metal'.] *S. f.* **1.** Ferramenta de aço, espécie de broca em forma de cone denteado, que serve para alargar um orifício. **2.** Roda de aço própria para cortar metais e outros materiais, e que se aplica à fresa [q. v.]. **3.** Lima redonda de relojoeiro.

frese[2]. [Do fr. *fraise*, 'morango'.] *S. m.* **1.** A cor do morango. ● *Adj. 2 g.* e *2 n.* **2.** Que tem essa cor. **3.** Diz-se dessa cor: *saia de cor frese.*

frésia. *S. f. Bras., S.* Planta baixa, bulbosa e ornamental, da família das iridáceas (*Freesia refracta*), originária da África, e muito cultivada, sobretudo em SP, por sua beleza e pelo aroma de suas flores, dotada de numerosas flores alvas, às vezes maculadas, grandes e aromáticas, dispostas em espigas unilaterais e flexuosas.

fresnel. [Do antr. *Fresnel*, de Augustin Fresnel, físico francês (1788-1827).] *S. m. Fís.* Unidade de medida de freqüência, igual à freqüência de 10^{12} Hz. [Pl.: *fresnéis.*]

fresquidão. *S. f.* V. *frescor*: "Do soalho, borrifado d'água, subia uma fresquidão consoladora." (Eça de Queirós, *Contos*, p. 121.)

fressura. [Do fr. *fressure.*] *S. f.* O conjunto das vísceras mais grossas, como pulmões, fígado, coração, etc., dalguns animais.

fressureiro. *S. m.* Aquele que vende fressura.

fresta (é). [Do lat. *fenestra*, 'janela'.] *S. f.* **1.** Abertura estreita na parede, menor do que a janela, para deixar passar a luz e o ar. **2.** Janela estreita e alta: *as frestas das igrejas românicas.* **3.** Fenda, greta, frincha, fisga: "Contemplei-a do terraço, através da fresta do batente, e meu propósito de paz se acentuou." (Antônio Olavo Pereira, *Marcoré*, p. 173.)

frestado. [De *fresta* + *-ado*[1].] *Adj.* Que tem fresta(s).

frestão. [Aum. de *fresta* (2).] *S. m.* Janela alta e grande, bipartida, comumente de estilo ogival.

fretado. [Part. de *fretar.*] *Adj.* Tomado ou cedido a frete.

fretador (ô). *S. m.* Aquele que freta; afretador.

fretagem. *S. f.* V. *fretamento.*

fretamento. *S. m.* Ato ou efeito de fretar; fretagem, afretamento.

fretar. *V. t. d.* **1.** Tomar ou ceder a frete; alugar: *fretar um caminhão, um barco.* **2.** Carregar, equipar. *T. d.* e *i.* **3.** Ajustar por frete: *Fretamos com a empresa o transporte das mercadorias.* [F. paral.: *afretar.*]

frete. [Do neerl. *vraecht*, pelo fr. *fret.*] *S. m.* **1.** Aquilo que se paga pelo transporte de algo. [Cf. *tarifa* (3).] **2.** Preço do transporte fluvial ou marítimo. **3.** Preço do carregamento de navio mercantil. **4.** Coisa transportada. **5.** Recado, encargo, comissão, cometimento, incumbência. **6.** *Gír.* V. *meretriz.* ◆ **A frete.** Disponível (veículo) para transportes, mediante aluguel: *O caminhão está a frete.*

freteiro. *S. m.* **1.** *Bras.* Aquele que faz frete; fretejador. **2.** *Bras., CE.* Vaqueiro ou campeiro incumbido de conduzir uma boiada através das estradas sertanejas, e que vai adiante dela, aboiando.

fretejador (ô). *S. m.* Freteiro (1).

fretejar. *V. int.* Fazer fretes; andar ao ganho de fretes: *Ganha a vida fretejando.* [Conjug.: v. *pelejar.*]

fretenir. [Do lat. *fritinnire.*] *V. int.* Fazer ouvir a sua voz, cantar (a cigarra): "De asas abertas, rediviva, / A fretenir, no auge da glória, / Era a Cigarra a efígie altiva / Da liberdade e da vitória!" (Martins Fontes, *Verão*, p. 189.) [V. *ziziar. Conjug.*: v. *agredir*, mas é defect.]

freto. [Do lat. *fretu.*] *S. m. Poét. Lus.* Braço de mar; estreito.

freudiano (fròi). *Adj.* **1.** Pertencente ou relativo a Sigmund Freud, neuropsiquiatra austríaco (1856-1939), ou próprio dele. **2.** Que é partidário do freudismo. ● *S. m.* **3.** Partidário do freudismo. [Sin. ger.: *freudista.*]

freudismo (fròi). *S. m.* **1.** O conjunto das teorias e métodos psicanalíticos de Freud [v. *freudiano*] e seus discípulos. **2.** A influência de Freud no campo da psicanálise.

freudista (fròi). *Adj. 2 g.* e *s. 2 g.* Freudiano.

frevo (ê). [Dev. de *frever*, por *ferver.*] *S. m.* **1.** *Bras., N.E.* Dança carnavalesca de rua e de salão, essencialmente rítmica, em compasso binário e andamento mais rápido que o da marchinha carioca, e na qual os dançarinos (*passistas*) executam coreografia individual, improvisada e frenética. **2.** Folia animada. **3.** Desordem, arrelia, barulho. V. *rolo*[1] (16). [Cf. *fervo.*]

frevo-abafo. *S. m. Bras., PE. Folcl.* Frevo em que predominam os instrumentos metálicos, sobretudo pistões e trombones; frevo-de-encontro. [Pl.: *frevos-abafos* e *frevos-abafo.*]

frevo-coqueiro. *S. m. Bras., PE. Folcl.* Frevo caracterizado por suas notas agudas. [Pl.: *frevos-coqueiros* e *frevos-coqueiro.*]

frevo-de-encontro. *S. m. Bras., PE. Folcl.* Frevo-abafo. [Pl.: *frevos-de-encontro.*]

frevo-ventania. *S. m. Bras., PE. Folcl.* Frevo caracterizado pela introdução, em sua pauta, de semicolcheias, que lhe dão um compasso rápido. [Pl.: *frevos-ventanias* e *frevos-ventania.*]

fria. [Fem. substantivado do adj. *frio.*] *S. f. Bras. Gír.* **1.** V. *pistola* (1). **2.** Situação crítica; encrascadela, embaraço, dificuldade, apuros. ◆ **Entrar numa fria.** Ficar em situação crítica, difícil ou embaraçosa.

friabilidade. *S. f.* Qualidade de friável.

friacho. *Adj.* Um tanto frio.

friagem. *S. f.* **1.** Frialdade, sobretudo a resultante de vento: "E o reumatismo, com câibras esporádicas, nos dias de friagem." (Nélson de Faria, *Tiziu e Outras Estórias*, p. 146.) **2.** Frieira (1). **3.** Doença de vegetais crestados pelo frio ou batidos pelo granizo. **4.** *Bras., N.* Queda súbita e acentuada da temperatura, que se registra na Amazônia ocidental, provocada por frentes frias mais intensas, originárias das regiões antárticas, e que em certas épocas do ano atingem aquela área: "Às vezes, a friagem, depois da chuva, provoca uma garoa, que orvalha e molha." (Raimundo Morais, *Na Planície Amazônica*, p. 111.) **5.** *Bras.* V. *frescura* (5).

frialdade. [Do lat. *frigiditate.*] *S. f.* **1.** Qualidade ou estado de frio; frieza, friúra: "Lembrava-se bem da adega, com a sua frialdade subterrânea que dava arrepios!" (Eça de Queirós, *O Primo Basílio*, p. 85.) **2.** Tempo frio; frio atmosférico; friagem. **3.** Falta de ardor; insensibilidade, indiferença, frieza, frigidez. **4.** Acolhimento frio; falta de expansão ou intimidade; desinteresse, frieza, frigidez: *Recebeu-me com frialdade.*

friame. *S. m. Desus.* Fiambre (1).

friamente. [Do fem. do adj. *frio* + *-mente.*] *Adv.* De maneira fria; com frieza: "Em frente da casa de D. Emília, ... Seixas pôde contemplar a gosto o busto da moça. A princípio examinou-a friamente como um artista que estuda o seu modelo." (José de Alencar, *Senhora*, p. 199.)

friável. [Do lat. *friabile.*] *Adj. 2 g.* **1.** Que pode reduzir-se a fragmentos ou a pó. **2.** Que se parte ou esboroa com facilidade. **3.** Diz-se das rochas que facilmente se desagregam: "O túmulo do segundo marido de D. Leonor Teles é um sarcófago de pedra branca, fina e friável" (Almeida Garrett, *Viagens na Minha Terra*, p. 379).

friburguense. *Adj. 2 g.* **1.** De, ou pertencente ou relativo a Nova Friburgo (RJ). ● *S. 2 g.* **2.** Natural ou habitante de Nova Friburgo.

fricandó. [Do fr. *fricandeau.*] *S. m.* **1.** Variedade de assado culinário lardeado e estufado: *fricandó de vitela.* **2.** *Fam.* Nádegas, traseiro.

fricassé. *S. m.* Var. pros. de *fricassê*: "— Ora sirva-se desse fricassé, ande, disse Afonso" (Eça de Queirós, *Os Maias*, I, p. 95).

fricassê. [Do fr. *fricassée.*] *S. m.* **1.** Guisado de carne ou de peixe partido em pequenos pedaços, com vários temperos, e acrescido de gemas de ovo: *fricassê de frango.* **2.** *Fig.* Mistura de diferentes coisas. [Var. pros.: *fricassé.*]

fricativa. [Fem. substantivado de *fricativo.*] *S. f. Fon.* Consoante fricativa.

fricativo. [Do lat. *fricatu*, 'esfregado', + *-ivo.*] *Adj.* **1.**

Em que há fricção. **2.** Que faz fricção; que fricciona. ~ V. *consoante* —a.

fricção. [Do lat. *frictione.*] *S. f.* **1.** Ato de friccionar; esfrega, atrito. **2.** Medicamento para fomentações; linimento. **3.** Limpeza da cabeça com líquido aromático ou anti-séptico. **4.** Discordância, divergência, desentendimento, atrito: *Os partidos uniram-se em torno do chefe, sem sectarismos, sem fricções.*

friccionar. *V. t. d.* **1.** Fazer fricção em; esfregar: *friccionar a cabeça.* **2.** Atritar, esfregar, roçar: *friccionar o âmbar;* "O Rabequinha friccionava com força o instrumento" (Inglês de Sousa, *Contos Amazônicos,* p. 146). **3.** Fazer fomentações em. *P.* **4.** Fazer fricção em si próprio; esfregar-se: *Friccionou-se com álcool.*

friccionável. *Adj. 2 g.* Que se faz vibrar friccionando: *cordas friccionáveis.*

fricote. *S. m. Bras. Pop.* **1.** Manha, sestro, dengue, luxo. **2.** Chilique (2).

fricoteiro. *Adj.* e *s. m. Bras. Pop.* Diz-se do, ou aquele que faz ou dá fricotes.

frictor (ô). [Do lat. *frictore,* 'esfregador'.] *S. m. Ant.* Peça de cobre com a qual, nas bocas-de-fogo, se incendeia a escorva.

frieira. *S. f.* **1.** Inflamação causada pelo frio, e acompanhada de prurido e inchação; friagem. **2.** Afecção cutânea, de origem vária, localizada nos pés, principalmente nos entrededos. **3.** *Fam.* Pessoa comilona; glutão ou glutona. **4.** *Bras., BA* e *MG.* Sensação de frio; frio.

frieirão. *S. m. Desus.* Indivíduo muito frio, insensível, apático. [Fem.: *frieirona.*]

frieirona. *S. f. Desus.* Fem. de *frieirão.*

friento. *Adj. Bras.* V. *friorento.*

frieza (ê). [De *frio* + *-eza.*] *S. f.* **1.** V. *frialdade* (1, 3 e 4). **2.** Falta de expressividade ou colorido em obras de arte. ♦ **Quebrada a frieza.** Levemente amornado ou morno; entre frio e morno: *água quebrada a frieza.*

friganário. *S. m* e *adj.* V. *tricóptero.*

friganários. *S. m. pl. Zool.* V. *tricópteros.*

friganeódeo. *S. m.* e *adj.* V. *tricóptero.*

friganeódeos. *S. m. pl. Zool.* V. *tricópteros.*

friganido. *S. m.* e *adj.* V. *tricóptero.*

friganidos. *S. m. pl. Zool.* V. *tricópteros.*

friganóide. *S. m.* e *adj. 2 g.* V. *tricóptero.*

friganóides. *S. m. pl. Zool.* V. *tricópteros.*

▲**frigi-.** [Do lat. *frigus, oris.*] *El. comp.* = 'frio': *frigífugo.* [Equiv.: *frigor(i)-: frigorífero.*]

frigideira. *S. f.* **1.** Utensílio de barro ou de metal, para frigir, e tb. us. no Brasil, em festas populares, como instrumento de percussão: "Não eram dois, eram quatro os ovos que chiavam na frigideira da tia Angélica" (Rebelo da Silva, *De noite Todos os Gatos São Pardos,* p. 24); "Adiante encontramos um bando de rapazes fantasiados tocando reco-reco, pandeiro, frigideira, numa barulheira irritante." (José J. Veiga, *Os Pecados da Tribo,* p. 14.) **2.** *Bras., N.E.* e *MG,* e *prov. lus.* V. *fritada* (3): "saboreei .... a frigideira de siris e lagostins, verdadeiramente apetitosos." (Daniel de Carvalho, *De Outros Tempos,* p. 52). ● *S. 2 g.* **3.** Pessoa que gosta de alardear importância e figurar em público. **4.** Pessoa rabugenta, impertinente. ♦ **Sair da frigideira para o fogo.** *Bras. Pop.* Passar de uma situação má para outra pior.

frigidez (ê). *S. f.* **1.** Qualidade de frígido ou de frio; frialdade. **2.** V. *frialdade* (3 e 4). **3.** Ausência de desejo e/ou prazer sexual.

frigidíssimo. [Do lat. *frigidissimu.*] *Adj.* Superl. abs. sint. de *frígido;* friíssimo: "E sucederam-se trinta dias de um calor senegalesco, contrastados com trinta noites frigidíssimas" (Antônio Versiani, *Viola de Queluz,* p. 103).

frígido. [Do lat. *frigidu.*] *Adj.* **1.** Muito frio; álgido, gelado: "as brumas batidas pelo vento frígido da madrugada, já clareando, evocavam a Catedral de Burgos à meia-noite, também batida de nuvens desgrenhadas" (Alceu Amoroso Lima, *A Realidade Americana,* p. 19). **2.** *Fig.* Duro, insensível, frio: *olhar frígido.* **3.** Que não experimenta desejo e/ou prazer sexual. [Superl. abs. sint.: *frigidíssimo.*]

frigífugo. [De *frigi-* + *-fugo.*] *Adj.* **1.** Que evita o frio. **2.** Que livra do frio.

frígio. [Do gr. *phrygios,* pelo lat. *phrygiu.*] *Adj.* **1.** Da, ou pertencente ou relativo à Frígia (Ásia antiga). ~ V. *barrete* —. ● *S. m.* **2.** O natural ou habitante da Frígia. [Fem.: *frígia.* Cf. *frigia,* do v. *frigir.*]

frigir. [Do lat. *frigere.*] *V. t. d.* **1.** Cozer com manteiga, azeite, etc., na frigideira; fritar. **2.** *Fig.* Apoquentar, importunar, maçar com perguntas, pedidos, etc. *Int.* **3.** ficar frito; fritar: *Os ovos frigiram.* **4.** *Fam.* Alardear importância; ostentar distinções; gostar de dar na vista. *P.* **5.** Arreliar-se, afligir-se, atormentar-se. [Irreg. Pres. ind.: *frijo, freges, frege, frigimos, frigis, fregem;* imperat.: *frege, frija;* imperf. ind.: *frigia,* etc.: part.: *frígido* e *frito.* Cf. *frígia,* fem. de *frígio,* e *Frígia,* top.] ♦ **No frigir dos ovos.** No fim de tudo; ao cabo de contas; ao fim e ao cabo; no fritar dos ovos.

frigo. *S. m.* F. red. de *frigorífico* (4 e 5).

frigobar. [De *frigo* + *bar.*] *S. m.* Geladeira com determinadas bebidas e alimentos que nos quartos de hotel está à disposição dos hóspedes, mediante pagamento posterior do consumo.

frigomóvel. [De *frigo* + *-móvel.*] *S. m. Bras.* Veículo automóvel dotado de frigorífico (4 e 5).

▲**frigor(i)-.** Equiv. de *frigi-.*

frigoria. [De *frigor(i)-* + *-ia* (segundo modelo de *caloria*).] *S. f. Fís.* Unidade de medida de energia térmica utilizada em medições relacionadas com sistemas de refrigeração, e que é igual a uma quilocaloria retirada de um destes sistemas.

frigorífero. [De *frigor(i)+* *-fero.*] *Adj.* e *s. m.* V. *frigorífico.*

frigorificação. *S. f.* Ato ou efeito de frigorificar.

frigorificar. *V. int.* **1.** Produzir o frio: *Estes refrigeradores frigorificam mal. T. d.* **2.** Submeter ao frio para conservar; congelar: *frigorificar o peixe.* [Conjug.: v. *trancar.* Pres. ind.: *frigorifico,* etc. Cf. *frigorífico.*]

frigorífico. [Do lat. *frigorificu.*] *Adj.* **1.** Que conserva ou conduz o frio. **2.** Que gera ou produz frio. ~ V. *câmara* —a. ● *S. m.* **3.** Fluido que afugenta o calor. **4.** Aparelho para congelar. **5.** Aparelho para manter frescas e em bom estado certas substâncias alimentícias. [Sin. ger.: *frigorífero.* Cf. *frigorifico,* do v. *frigorificar.*]

friíssimo. *Adj.* Superl. abs. sint. de *frio.*

frila. *S. 2 g.* V. *free lance.*

frimácea. *S. f.* Espécime das frimáceas.

frimáceas. *S. f. pl. Bot.* Família da ordem das tubifloras, formada da espécie única *Phryma leptostachya,* erva de folhas opostas e flores insignificantes, agrupadas em espigas, e que habita a Ásia oriental e a América do Norte.

frimáceo. *Adj.* Pertencente ou relativo às frimáceas.

frimário. [Do fr. *frimaire.*] *S. m. Cronol.* V. *calendário republicano.*

frincha. *S. f.* **1.** V. *fenda* (2): "Mormaço. Entrando por toda parte, pelas frinchas da janela e pelo vão do telhado." (Mário Palmério, *Vila dos Confins,* p. 79.) **2.** *Bras.* Canal muito estreito. **3.** *Bras., BA.* Nas lavras diamantinas, ferramenta com que se trabalha nas frinchas para desprender o cascalho que elas encerram. **4.** *Bras., MG. Pop.* V. *meretriz.*

fringilídeo. *S. m.* **1.** Espécime dos fringilídeos. ● *Adj.* **2.** Pertencente ou relativo a eles.

fringilídeos. *S. m. pl. Zool.* Aves passeriformes, da família *Fringillidae,* de tarso ocreado e tegumento não ou indistintamente dividido em placas, a primeira das rêmiges da mão mais comprida que a segunda, ou igual a esta, o bico curto, mais ou menos grosso, a ponta da maxila nunca entalhada, e os pés médios. São granívoros, preferindo sementes de gramíneas, ou insetívoros, e algumas espécies frugívoras. São os azulões, canários, coleiros, bicudos e curiós.

frio. [Do lat. *frigidu.*] *Adj.* **1.** Que cedeu calor; que perdeu o calor: *café frio.* **2.** Em que faz frio (14); friorento, friento. **3.** Privado de calor; que, por natureza, não o tem; friento: *países frios.* **4.** Que comunica o frio ou dele não preserva: *A seda é mais fria que a lã.* **5.** Que provoca arrepio, calafrio, sensação de frio; arrepiante: "Um frio susto corre pelas veias / De Caitutu" (José Basílio da Gama, *O Uraguai,* p. 77). **6.** Inexpressivo, desinteressante, desengraçado, sensabor, insípido: *beleza fria; desenho frio; linguagem fria.* **7.** Isento de paixão; insensível, indiferente: *coração frio;* "Vereis o ousado espanhol, ... exaltado nas paixões, ambicioso e aventureiro, contrastando com o inglês fleumático e frio, o holandês empreendedor e paciente, ou o alemão sisudo e pensador." (Antero de Quental, *Prosas,* I, p. 44). **8.** Insensível, impassível, desumano, cruel: "O assassino era dado como homem frio e feroz." (Machado de Assis, *Quincas Borba,* p. 80.) **9.** Lânguido, frouxo; inerte. **10.** Cru, rude, seco. **11.** *Eng. Nucl.* Diz-se de material ou atmosfera em que há pouca ou nenhuma radioatividade. **12.** *Bras.* Falso (nota, cédula), ou sem fundo (cheque). **13.** *Bras., BA.* Sem pimenta. ~ V. *cabeça* —a, *chapa* —a, *clima* —, *composição* —a, *cor* —a, *dedo* —, *esmalte* —, *estufa* —a, *frente* —a, *guerra* —a, *luz* —a, *nêutron* —, *nota* —a e *sangue* —. [Superl. abs. sint.: *friíssimo.*] ● *S. m.* **14.** Baixa temperatura: "Frio de serra no mês dos frios" (Alberto de Oliveira, *Lírica,* p. 95). **15.** Ausência de calor. **16.** Sensação produzida por essa ausência; frialdade. **17.** *Fig.* Desânimo, desalento, tibieza, fraqueza, inércia. **18.** *Fig.* Insensibilidade, indiferença. ♦ **Estampar a frio.** *Encad.* V. *gofrar* (3).

frioleira. [Talvez de *frívolo* + *-eira,* com síncope.] *S. f.* **1.** Espécie de espiguilha feita com lançadeira, para guarnições de vestuário, de cama e mesa, e outros enfeites: "E fixou os olhos no trabalho de linha que fazia, — frioleira é o nome, — enquanto Rubião voltava os seus para um trechozinho de jardim mofino" (Machado de Assis, *Quincas Borba,* p. 264). **2.** V. *ninharia:* "O caso .... pode parecer banal, como banais são todas essas frioleiras da anarquia ortográfica que servem de alimento comum à mania nacional das altercações filológicas." (João Ribeiro, *Colmeia,* p. 234.) **3.** Tolice, parvoíce.

friorento. *Adj.* **1.** Muito sensível ao frio. **2.** V. *frio* (2): "havendo transposto as ruazinhas friorentas do bairro histórico, entramos um largo banhado de sol" (José Vieira, *Sol de Portugal,* p. 119). [Sin. ger., bras.: *friento.*]

frisa[1]. [Do b.-lat. *frisia,* i. e., *tela frisia,* 'tela ou tecido frísio'.] *S. f.* **1.** Certo tecido grosseiro de lã. **2.** Pêlo de pano encrespado. **3.** Porção de lã com que se calafetam portinholas de navios. **4.** *Ant. Tip.* Branqueta [v. *almofada* (6)].

frisa[2]. [De *friso.*] *S. f. Teat.* Camarote quase ao nível da platéia.

frisado[1]. [Part. de *frisar*[1].] *Adj.* **1.** Encrespado, anelado, encaracolado. ● *S. m.* **2.** Feitio que se dá ao cabelo, encrespando-o e anelando-o a ferro quente: "ela diante do tremó Luís XV, compondo, com os dedos trêmulos, o frisado do cabelo." (Eça de Queirós, *Os Maias,* I, p. 447).

frisado[2]. [Part. de *frisar*[2].] *Adj.* **1.** Que tem friso(s). **2.** Salientado, patenteado. **3.** *Bras. Pop.* Diz-se do pneu a que se reavivaram os frisos ou estrias para aumentar-lhe a durabilidade. [Cf. *recapeamento* e *recauchutagem.*]

frisador (ô). *S. m.* **1.** Instrumento que serve para frisar[1] **2.** Indivíduo que frisa (tecidos ou cabelos).

frisagem. *S. f.* Ato ou efeito de frisar[1].

frisante. *Adj. 2 g.* **1.** Que frisa [v. *frisar*[2] (2)]. **2.** Que é próprio ou apropriado; significativo, exato, preciso: *palavra frisante.* **3.** Terminante, convincente: *argumento frisante.* ~ V. *vinho* —.

frisão. *Adj.* **1.** Da Frísia, antiga província da Holanda; frísio. ● *S. m.* **2.** O natural ou habitante da Frísia; frísio. **3.** A língua dos antigos frisões. **4.** Cavalo forte, corpulento, de raça originária da Frísia; urco: "O Ubirajara era da mesma cor que o Guarani, e alto como cavalo inglês, frisão de trote largo na andadura" (Francisco Ribeiro Sampaio, *Renembranças,* p. 12).

frisar[1]. [De *frisa*[1] + *-ar*[2].] *V. t. d.* **1.** Encrespar, anelar, riçar: *frisar o cabelo.* **2.** Encrespar, enrugar, franzir: "Rápida contração frisou o rosto grave e plácido do capitão-mor" (José de Alencar, *O Sertanejo,* p. 43). **3.** Agitar a superfície de; arrepiar, encrespar: "A brisa o lago frisa." (José Severiano de Resende, *Mistérios,* p. 80.) *Int.* e *p.* **4.** Encrespar-se **5.** Pentear-se, frisando-se.

frisar[2]. [De *friso* + *-ar*[2].] *V. t. d.* **1.** Pôr friso em. **2.** Citar ou referir oportuna e apropriadamente. **3.** Salientar, patentear, sublinhar. *T. i.* **4.** Ter semelhança; ser análogo, conforme: *Sua prosa frisa com a de Graciliano Ramos.* **5.** Quase tocar; chegar perto; roçar: *Seus argumentos frisam pela insensatez.*

frísio. [Do lat. *frisiu.*] *Adj.* e *s. m.* Frisão (1 e 2).

friso. [Do it. *fregio.*] *S. m.* **1.** *Arquit.* Parte plana do entablamento, entre a cornija e a arquitrave. **2.** Banda ou tira pintada em parede: "Visto de fora o edifício, o friso de azulejo azul que o envolve no alto painel das paredes .... atenua-lhe o tom vermelho do arenito de que é construído." (Raimundo Morais, *País das Pedras Verdes,* p. 173.) **3.** Baixo-relevo ou ornato em friso (2): "Nos tetos, ao invés de heráldicos estuques, / insculturas de heróis, ou brasões de arquiduques, / há frisos de ouro." (Hermes Fontes, *A Fonte da Mata...,* p. 4.) **4.** Beirada contínua de qualquer coisa. **5.** Tábua estreita e aparelhada que tem nas beiras um preparo em meia-cana, e própria para forros ou tetos. **6.** *Encad.* Filete (7). **7.** *Bras., PB.* V. *grampo* (3). ♦ **Friso seco.** O que se faz sem ouro nem tinta, ficando só a marca, em baixo-relevo, dos ferros.

➧**frisson.** [Fr.] *S. m.* Frêmito, arrepio.

frita. [Fem. substantivado do adj. *frito.*] *S. f.* **1.** Cozimento dos ingredientes de que se fabrica o vidro. **2.** O tempo que dura esse cozimento. **3.** Queima de substâncias orgânicas encontradas em misturas minerais. **4.** V. *fritura.* ~ V. *fritas.*

fritada. *S. f.* **1.** Aquilo que se frita de uma vez. **2.** V. *fritura*. **3.** Massa de ovos batidos cozida na frigideira sobre camarões ou picadinho de carne, ou legumes; frigideira, mal-assada.

fritalhada. *S. f. Pop.* Fritangada.

fritangada. *S. f. Pop.* Fritada malfeita, mas abundante; fritalhada.

fritar. [De *frito* + *-ar*².] *V. t. d.* **1.** Frigir (1). *Int.* **2.** Frigir (3). ● *S. m.* **3.** O ato de fritar. ◆ **No fritar dos ovos.** V. *no frigir dos ovos*.

fritas. [Pl. de *frita*.] *S. f. pl. Bras.* Batatas fritas: "um filé com fritas" (Hermilo Borba Filho, *O Cavalo da Noite*, p. 18). ~ V. *frita*.

fritilo. [Do lat. *fritillu*.] *S. m.* Copo para jogar dados.

frito. [Do lat. *frictu*.] *Adj.* **1.** Que se frigiu ou fritou. **2.** *Pop.* Em maus lençóis; em apuros; em má situação; apertado, arruinado: "Quebro a banca. Tiro a barriga da miséria. Também, se erro, estou frito. O dinheiro é para a fezinha ou para a conta do armazém." (Macedo Miranda, *As Três Chaves*, p. 82.) **3.** *Bras. Pop.* V. *pronto* (10). ● *S. m.* **4.** Filhó, filhós, coscorão. **5.** V. *fritura*. **6.** *Bras. Pop.* V. *pronto* (12): "Quem é que paga a minha diária? Você é um frito." (Carlos Paurílio, *Solidão*, p. 40.)

fritura. *S. f.* Qualquer coisa ou iguaria frita; fritada, frita, frito.

friulano (i-u). *Adj.* **1.** De, ou pertencente ou relativo a Friul. (Itália). ● *S. m.* **2.** O natural ou habitante de Friul.

friúra. *S. f.* Estado daquilo que é ou se encontra frio; frialdade, frieza: "A voz dele tinha uma toada grave e cheia de fervor, que lhe quebrava a ela a friúra do medo no coração." (Domício da Gama, *Histórias Curtas*, p. 124.)

frivoleza (ê). *S. f. P. us.* Frivolidade.

frivolidade. *S. f.* Qualidade daquele ou daquilo que é frívolo. [Sin., p. us.: *frivoleza*.]

➧**frivolité** (frivolitê). [Fr.] *S. f.* Espécie de renda de crochê.

frívolo. [Do lat. *frivolu*.] *Adj.* **1.** Sem importância; sem valor; vão: *idéias frívolas*. **2.** Fútil; leviano, volúvel: *mulher frívola*.

frocado. [De *froco* + *-ado*¹.] *Adj.* **1.** Guarnecido de frocos. **2.** *Bras., CE.* Empertigado, emproado. ● *S. m.* **3.** Frocadura.

frocadura. *S. f.* Ornato ou enfeite de frocos; frocado.

froco. *S. m.* **1.** Var. de *floco*: "Como frocos de neve tão alvos, / Palpitavam-lhe os lânguidos seios." (José Bonifácio, o Moço, *Poesias*, p. 119); "Sua tez, alva e pura como um froco de algodão, tingia-se nas faces de uns longes cor-de-rosa." (José de Alencar, *O Guarani*, I, p. 109); "a brisa cariciava uns frocos de nuvens alvas como a penugem das garças." (Id., *Senhora*, p. 240). **2.** Felpa de lã ou de seda, cortada em bocadinhos ou torcida em cordão, para ornato de vestuários.

froixel. *S. m.* V. *frouxel*: "Sobre a cama estreita, o eterno *édredon* de penas, roto, com o froixel a evaporar-se ao menor contacto." (Urbano Tavares Rodrigues, *A Noite Roxa*, pp. 138-139.) [Pl.: *froixéis*.]

froixelado. [De *froixel* + *-ado*¹.] *Adj.* Frouxelado. [q. v.]

froixeza (ê). *S. f.* Frouxeza [q. v.].

froixidade. *S. f.* Frouxidade [q. v.].

froixidão. *S. f.* V. *frouxidão*.

froixo. *Adj.* e *s. m.* V. *frouxo*.

froixura. *S. f. Bras.* V. *frouxura*.

frolo. [Do fr. *frôler*.] *S. m. Bras.* Rumor suave do atrito de sedas; frufru.

froncil. *Adj. 2 g. Ant.* **1.** Que tem pregas. ● *S. m.* **2.** Lenço de pregas.

fronda. [Do fr. *Fronde*.] *S. f.* Partido político francês que se rebelou contra Mazarino (1602-1661) durante a minoridade de Luís XIV (1638-1715) e precipitou a guerra civil (1648-1653).

frondar. *V. int. Bras.* **1.** Formar fronde; criar folhas; copar. **2.** Ter o aspecto de fronde.

fronde. [Do lat. *fronde*.] *S. f.* **1.** A copa das árvores. **2.** *Morfol. Veg.* Folhas das pteridófitas e palmeiras. **3.** *P. ext.* Ramo ou ramagem de árvore: "as aves, retransidas de medo, acolhem-se, mudas, ao recesso das frondes" (Euclides da Cunha, *À margem da História*, p. 92). **4.** *Morfol. Veg.* Talo foliáceo das algas.

frondeado. [Part. de *frondear*.] *Adj.* Coberto de folhas: "No delíquio e ametistas dos crepúsculos, vai sossegando o rancho alveiro e sonolento, que se agasalha, tapizando de branco o frondeado estendedouro das moitas negras e misteriosas." (Alberto Rangel, *Sombras n'Água*, p. 156.)

frondear. [De *fronde* + *-ear*.] *V. t. d.* e *int.* V. *frondejar*: "E o pinheiro bravio esbelto, a frondear, / Nas escarpas da Costa, a pique sobre o mar!" (Bulhão Pato, *Livro do Monte*, p. 119.) [Conjug.: v. *frear*. Normalmente é defect.]

frondejante. *Adj. 2 g.* V. *frondoso* (1 e 2).

frondejar. [De *fronde* + *-ejar*.] *V. t. d.* **1.** Cobrir ou encher de folhas; fazer criar folhas: *As chuvas frondejaram as árvores*. *Int.* **2.** Cobrir-se de folhas; ser frondoso. [Sin.: *frondear, frondescer*. Conjug.: v. *pelejar*.]

frondente. [Do lat. *frondente*.] *Adj. 2 g.* V. *frondoso* (1 e 2): "Mais longe erguiam-se palmeiras soberbas, carvalhos e plátanos frondentes." (Guerra Junqueiro, *Contos para a Infância*, pp. 16-17.)

frôndeo. [Do lat. *frondeu*.] *Adj.* V. *frondoso* (1 e 2).

frondescência. [De *frondescente*.] *S. f. Morfol. Veg.* O processo de desenvolvimento das frondes; folheatura.

frondescente. [Do lat. *frondescente*.] *Adj. 2 g.* **1.** Que principia a criar folhas ou frondes; que frondesce. **2.** V. *frondoso* (1 e 2).

frondescer. [Do lat. *frondescere*.] *V. t. d.* e *int.* V. *frondejar*. [Conjug.: v. *crescer*.]

frondícola. [Do lat. *fronde*, 'fronde' + *-i-* + *-cola*.] *Adj. 2 g.* Que vive nas frondes, nos ramos das árvores.

frondífero. [Do lat. *frondiferu*.] *Adj.* Que tem ou cria folhas.

frondíparo. [Do lat. *fronde*, 'fronde', + *-i-* + *-paro*.] *Adj. Morfol. Veg.* Diz-se da flor ou do fruto que produz folhas.

frondista. *S. 2 g.* **1.** Partidário da Fronda [q. v.]. **2.** *P. ext.* Pessoa dotada de espírito combativo e mordaz.

frondosidade. *S. f.* **1.** Qualidade de frondoso. **2.** Conjunto de frondes; as frondes: "a alcova nupcial, com suas janelas cortinadas de verde pela frondosidade do pomar contíguo" (Antônio Feliciano de Castilho, *Amor e Melancolia*, p. 375).

frondoso (ô). [Do lat. *frondosu*.] *Adj.* **1.** Que frondeja; que tem muitas folhas ou frondes; abundante em ramos. **2.** Copado, cerrado, espesso: "Coqueiros, bambuais, jequitibás frondosos" (Jorge de Lima, *Obra Poética*, I, p. 209). [Sin., nestas acepç.: *frondejante, frondente, frôndeo, frondescente*.] **3.** *Fig.* Abundante, prolixo, extenso: *estilo frondoso*.

fronha. *S. f.* **1.** Espécie de saco que, cheio de lã, de palha ou de outra substância macia, forma o travesseiro, almofada, etc. **2.** Capa em que se envolve e resguarda o travesseiro, a almofada, etc. **3.** *Fig.* Invólucro, cobertura.

➧**front** (frõ). [Fr., 'fronte', 'testa', etc.] *S. m.* Frente de batalha.

frontaberto. [De *fronte* + *aberto*.] *Adj.* Diz-se do eqüídeo que tem malha branca, de alto a baixo, na testa; frontino. [Cf. *fronteiro* (3).]

frontal. *Adj. 2 g.* **1.** Relativo ou pertencente à fronte. **2.** Muito franco; nitidamente declarado; radical: *oposição frontal*. ~ V. *lobotomia —, parede — e superfície —*. ● *S. m.* **3.** Faixa que os judeus usam à volta da cabeça. **4.** A frente do altar. **5.** Frontaleira. **6.** *Arquit.* Ornato por cima de portas ou janelas. **7.** *Anat.* Osso ímpar e simétrico situado na porção anterior do crânio e superior da face; coronal. **8.** *Constr.* Parede de meio tijolo.

frontaleira. *S. f.* Tela, sanefa ou franja que reveste o frontal dos altares; frontal.

frontalidade. [De *frontal* + *-i-* + *-dade*.] *S. m. Art. Plást.* Maneira particular de representar a figura humana com o rosto, as pernas e os pés de perfil, e o corpo e o olho de frente, como faziam os antigos egípcios.

frontão. [Do esp. *frontón*.] *S. m.* **1.** *Arquit.* Peça que adorna a parte superior de portas ou janelas, ou que coroa a entrada principal ou a frontaria dum edifício: "vêem o enterro passar entre as casas de frontões azuis, verdes, vermelhos e amarelos." (Osmã Lins, *Nove, Novena*, p. 134). **2.** *Bras.* Casa de jogo da pelota (9). **3.** *Bras.* Esse jogo.

frontaria. [De *fronte* + *-aria*.] *s. f.* **1.** V. *fachada principal*: "agora, o lojista da Rua Nova era um personagem, ... tendo o seu palacete na Praça, de frontaria bem caiada" (Conde de Ficalho, *Uma Eleição Perdida*, p. 195). **2.** *Ant.* Guarnição militar ou fortificação de fronteira.

fronte. [Do lat. *fronte*.] *s. f.* **1.** Testa (1). **2.** *Anat.* Porção da face que vai da árca de origem dos cabelos aos supercílios e de uma a outra têmpora. **3.** Face, rosto, cara. **4.** Fachada, frontaria, frontispício. **5.** Frente, dianteira. ◆ **Fronte por fronte.** V. *frente a frente*: "outro horizonte, / Túmidas vagas, temporal desfeito, / Quer com eles lutar fronte por fronte." (Machado de Assis, *Poesias Completas*, p. 162). **Curvar a fronte.** Submeter-se, humilhar-se, vergar-se; ceder.

frontear. [De *fronte* + *-ear*.] *V. t. d.* e *t. i.* Ficar ou estar defronte; estar situado em frente: *O palácio fronteia uma igreja*; "Nasci na Independência (a casa, que fronteava o Edifício Esplanada, foi demolida há pouco)" (Augusto Meyer, *No Tempo da Flor*, p. 124); "ao fundo, fronteando com o portão, uma casa velha" (Machado de Assis, *Quincas Borba*, p. 240). [Conjug.: v. *frear*.]

fronteira. [Fem. substantivado do adj. *fronteiro*.] *S. f.* **1.** Extremidade de um país ou região do lado onde confina com outro; limite, raia, arraia, estremadura. **2.** V. *limite* (2): *Está chegando às fronteiras da loucura*. **3.** *Fig.* Extremo, fim, termo. V. *limite* (6). **4.** *Mat.* O conjunto dos pontos-fronteiras de um conjunto; contorno. **5.** *Fís.* Limite material de um sistema; separação entre um sistema e o seu exterior. ◆ **Fronteira de acumulação.** V. *fronteira viva*. **Fronteira de tensão.** V. *fronteira viva*. **Fronteira esboçada.** Tipo de fronteira (1) simplesmente desenhada sobre um mapa, não correspondendo o seu traçado a nenhuma adaptação passiva do homem ao meio nem a nenhuma adaptação ativa do Estado a que pertence. **Fronteira morta.** Tipo de fronteira (1) que passou de viva à categoria das linhas tranqüilas, desde que cessou a tensão de outrora. **Fronteira viva.** Tipo de fronteira (1) resultante de lenta evolução histórica e fixada através de choques ou de lutas armadas; fronteira de acumulação, fronteira de tensão.

fronteira-faixa. *S. f.* Tipo de fronteira (1) representado por fortificações ou obstáculos defensivos. [Pl.: *fronteiras-faixas* e *fronteiras-faixa*.]

fronteira-linha. *S. f.* Tipo de fronteira (1) representado por linhas geodésicas ou acidentes naturais. [Pl.: *fronteiras-linhas* e *fronteiras-linha*.]

fronteirar. *V. t. d.* Tornar fronteiros; pôr defronte.

fronteira-zona. *S. f.* Fronteira (1) representada por um espaço vazio e impreciso. [Pl.: *fronteiras-zonas* e *fronteiras-zona*.]

fronteirense. *Adj. 2 g.* **1.** De, ou pertencente ou relativo a Fronteiras (PI). ● *S. 2 g.* **2.** Natural ou habitante de Fronteiras.

fronteiriço. *Adj.* **1.** Que vive ou fica na fronteira; fronteiro, raiano: *estrada fronteiriça*; "O pai, Intendente na zona fronteiriça do Congo, era .... assinante do periódico" (Joaquim Paço d'Arcos, *Carnaval e Outros Contos*, p. 103). ● *S. m.* **2.** Filho de fronteira (1). **3.** *Psiq.* Indivíduo que se encontra no limiar de psicopatia. **4.** *Bras., RS.* Aquele que nasce nas fronteiras com o Uruguai e a Argentina.

fronteiro. [De *fronte* + *-eiro*.] *Adj.* **1.** Que está defronte; situado em frente: "Vieram sentar-se nos dous bancos fronteiros ao de Rubião" (Machado de Assis, *Quincas Borba*, p. 33). **2.** V. *fronteiriço* (1). **3.** *Bras., N.* e *N.E.* Diz-se do vacum de testa branca. [Cf., nesta acepç.: *frontaberto*.] ● *S. m.* **4.** *Ant.* Capitão duma praça de guerra situada na fronteira.

frontino. [De *fronte* + *-ino*².] *Adj.* Frontaberto [q. v.].

frontirrostro. *Adj.* e *s. m.* V. *hemíptero* (2 e 3).

frontirrostros. *S. m. pl. Zool.* V. *hemípteros*.

frontispício. [Do lat. *frontispiciu*.] *S. m.* **1.** V. *fachada principal*: *frontispício gótico*; "o teatro de minha terra, com seu globo azul no frontispício, dominado pelo vôo de uma águia de massa" (Carlos Drummond de Andrade, *Fala, Amendoeira*, pp. 72-73). **2.** *Bibliogr.* Estampa colocada na face da folha de rosto. **3.** *Bibliogr.* V. *portada* (3). [Acepç. universalmente condenada pelos bibliógrafos e que está em crescente desuso.] **4.** Rosto, cara, face.

frontocervical. *Adj.* (*f.*) e *s. f. Anat.* Diz-se da, ou a região que compreende o espaço que vai desde a fronte até o início do pescoço, i. e., a parte superior da cabeça. Nos vertebrados compreende a região que se inicia no osso frontal e termina no occipital, início da região cervical da coluna.

fror (ô). *S. f. Ant.* e *pop.* Flor.

frota. [Do fr. *flotte*.] *S. f.* **1.** *Ant.* Grande número de navios de guerra que navegam em conjunto: "Estavam aí as esquadras francesas do Levante, a esquadra italiana, ... a frota do Paxá" (Eça de Queirós, *Notas Contemporâneas*, p. 5). **2.** Conjunto de navios mercantes pertencentes a um mesmo país (*frota mercante*), ou a uma mesma companhia ou de uma mesma categoria ou espécie (*frota de petroleiros, frota pesqueira*). **3.** Conjunto de veículos pertencentes a um mesmo indivíduo ou a uma mesma companhia: *frota de táxis*; *frota de ônibus*. **4.** *P. ext.* Grande quantidade; chusma, multidão. [Dim. irreg.: *flotilha*.]

frótola. [Do it. *frottola*.] *S. f. Mús.* Canção profana, amorosa, a três ou quatro vozes, de caráter popular, em voga na Itália quatrocentista, e que pode ser considerada como precursora do madrigal.

frouxel. [Var. de *froixel* < cat. *fluixell.*] *S. m.* **1.** As penas mais macias das aves; penugem: "Um Menino Jesus em seu presépio, um ninho, / E, em macios frouxéis, implume passarinho" (Raimundo Correia, *Poesia Completa e Prosa,* p. 338). **2.** Aquilo que é forrado ou feito de frouxéis ou de qualquer material ou matéria de grande maciez: "Manhãs de paina, em que a alma se reclina / como sobre um frouxel nivoso e largo." (Gilca Machado, *Poesias,* p. 137); "Frouxéis de nuvens brancas tapetavam docemente o céu." (Godofredo Rangel, *Vida Ociosa,* p. 174). **3.** Substância macia como as penas, usada como enchimento de travesseiros, edredons, etc. **4.** *Fig.* Maciez, suavidade, brandura.

frouxelado. [De *frouxel* + *-ado*[1]; var. de *froixelado.*] *Adj.* que tem frouxel; em que há frouxel.

frouxeza (ê). [Var. de *froixeza.*] *S. f.* V. *frouxidão.*

frouxidade. [Var. de *froixidade.*] *S. f.* V. *frouxidão.*

frouxidão. [Var. de *froixidão.*] *S. f.* **1.** Qualidade daquilo ou daquele que é frouxo; moleza, lassidão, bambeza. **2.** *Fig.* Falta de energia, de atividade; tibieza. [Sin: *frouxeza, frouxidade* e (bras.) *frouxura.*]

frouxo. [Var. de *froixo* < lat. *fluxu.*] *Adj.* **1.** Que não está retesado; lasso, bambo: *corda frouxa.* **2.** Pouco apertado, ou que não aperta; folgado: *cinto frouxo;* "Eudóxia é mais jovem do que ela. E parece mais velha, em seus vestidos frouxos" (Osmã Lins, *Nove, Novena,* p. 15). **3.** Sem energia; mole, inerte. **4.** Enfraquecido, abatido: "Revigorada, embora ainda frouxa da caminhada longa, ... ficou a escutar voz de mulher que vinha do fundo do quintal." (Nélson de Faria, *Tiziu e Outras Estórias,* p. 85.) **5.** Lânguido, indolente. **6.** Falto de vigor ou robustez: fraco, débil, frágil. **7.** Tênue, tíbio, fraco: "A luz frouxa e suave do ocaso .... enrolava-se como ondas de ouro e de púrpura sobre a folhagem das árvores." (José de Alencar, *O Guarani,* I, p. 126.) **8.** *Bras. Pop.* Covarde, medroso, pusilânime. **9.** *Bras. Pop.* Que tem impotência sexual. ● *S. m.* **10.** *Bras. Pop.* Indivíduo frouxo (8 e 9). ◆ **Frouxo de riso.** Ataque prolongado de riso. **A frouxo. 1.** Abundantemente; a flux; a jorros: "como eu me sentia a tragar luz e humanidade por aqueles climas onde o supremo arquiteto chove inventos a frouxo e a flux." (Camilo Castelo Branco, *A Queda dum Anjo,* p. 71). **2.** Unanimemente.

frouxura. [Var. de *froixura.*] *S. f. Bras.* V. *frouxidão.*

frufru. [Do fr. *froufrou.*] *S. f.* **1.** Rumor de folhas. **2.** Ruge-ruge (1), especialmente de seda: "nada o aborrecia mais que o frufru das sedas, o estalar dos leques" (Machado de Assis, *Histórias Românticas,* p. 264); "O tinir de uma fivela e o frufru de uma saia caindo fizeram-na enrubescer." (O. G. Rego de Carvalho, *Somos Todos Inocentes,* p. 38). **3.** Rumor de asas no vôo.

frufrulhar. *V. int. Bras.* Frufrutar.

frufrutar. *V. int. Bras.* Produzir frufru; frufrulhar.

frugal. [Do lat. *frugale.*] *Adj. 2 g.* **1.** Relativo a frutos. **2.** Que se sustenta de frutos. **3.** Que se contenta com pouco para a sua alimentação; sóbrio. **4.** Próprio de quem é frugal (3): "Na mesa, era de uma elegância frugal que desmentia a procedência. Olhava para o bife com um fastio tal e tamanha tristeza, que fazia lembrar Tertuliano, quando, meditando na metempsicose, olhava para o boi cozido e dizia: 'Estarei eu comendo meu avô?' " (Camilo Castelo Branco, *Novelas do Minho,* II, p. 53.) **5.** Parco, modesto: "arrancha-se à sombra das árvores comendo a frugal refeição" (Trindade Coelho, *Os Meus Amores,* pp. 214-215).

frugalidade. [Do lat. *frugalitate.*] *S. f.* Qualidade de quem ou do que é frugal.

frugífero. [Do lat. *frugiferu.*] *Adj.* V. *frutífero* (1).

frugívoro. [Do lat. *fruge,* 'produto da terra', + *-i-* + *-voro.*] *Adj.* e *s. m.* Que ou aquele que se alimenta de frutos ou vegetais; frutívoro.

fruição (u-i). [Do lat. *fruitione.*] *S. f.* Ação ou efeito de fruir; gozo, posse, usufruto: "O intolerável é que pessoas aptas à leitura não liguem importância ao livro. Com isso, perdem a fruição de um prazer superior, além do mais." (Alres da Mata Machado Filho, *Falar, Ler e Escrever,* p. 77.)

fruir. [Do lat. *fruere.*] *V. t. d.* **1.** Estar na posse de; possuir. **2.** V. *usufruir* (2): "Se Marília frui, em parte, os privilégios de ser a última, — em parte Isabel frui os de ser a primeira." (José Régio, *Histórias de Mulheres,* p. 99.) **3.** *Jur.* Tirar de (uma coisa) todo o proveito, todas as vantagens possíveis, e, sobretudo, perceber os frutos e rendimentos dela. *T. i.* **4.** Gozar, desfrutar: "Todos fruíam igualmente de um mar bravo, limpo, da melhor espuma." (Carlos Drummond de Andrade, *Fala, Amendoeira,* p. 55.) [Sin. ger.: *desfruir.* Pres. ind.: *fruo, fruis, frui, fruímos, fruís, fruem.*]

fruita. *S. f.* **1.** *Ant.* e *pop.* Fruta (1). **2.** *Bras.* V. *doce-de-pimenta.* **3.** *Bras., CE. Pop.* Coisa rara. **4.** *Bras., SP. Pop.* Jabuticaba. **5.** *Bras., AL. Pop.* Pederasta passivo.

fruitivo (u-i). *Adj.* **1.** Que frui, goza, tira proveito de alguma coisa. **2.** Que é digno de se fruir. **3.** Agradável, delicioso.

fruito. *S. m. Ant.* e *pop.* Fruto.

frulaniácea. *S. f.* Espécime das frulaniáceas.

frulaniáceas. *S. f. pl. Bot.* Família de hepáticas jungermaniales acróginas, cujas folhas são divididas em um lobo anterior achatado e outro posterior cilíndrico. Rizóides compondo pequenos feixes; arquegônios múltiplos; perianto com abertura comprimida. Estas hepáticas, de pequeno tamanho, acham-se muito disseminadas por todo o globo.

frulaniáceo. *Adj.* Pertencente ou relativo às frulaniáceas.

frumentação. [Do lat. *frumentatione.*] *S. f.* Ato de forragear ou de fazer provisões de cereais em tempo de guerra.

frumentáceo. [Do lat. *frumentaceu.*] *Adj.* **1.** Semelhante ao trigo ou a cereais. **2.** Que é da natureza do trigo ou de outros cereais. [Sin. ger.: *frumentício.*]

frumental. *Adj. 2 g.* **1.** Relativo a frumento. **2.** *P. ext.* Relativo a cereais.

frumentício. *Adj.* Frumentáceo.

frumento. [Do lat. *frumentu.*] *S. m.* **1.** O melhor trigo; trigo candial. **2.** *P. ext.* Qualquer cereal.

frumentoso (ô). *Adj.* Rico em frumento ou em cereais.

fruncho. *S. m. Pop.* Furúnculo [q. v.].

frunco. *S. m. Pop.* Furúnculo [q. v.].

frúnculo. *S. m. Pop.* Furúnculo [q. v.].

frusseria. *S. f. Luso-asiat.* Pequena porção de ouro e de prata em grão, que se encontra nos rios, nas minas.

frusto[1]. [Do it. *frusto.*] *Adj.* **1.** Diz-se da medalha ou da escultura cujos caracteres ou lavores se acham carcomidos pelo tempo. **2.** *Med.* Diz-se da forma benigna ou incompleta de uma doença. [Cf. *frustro.*]

frusto[2]. [Do fr. *fruste.*] *Adj. Gal.* Não polido; rude. [Cf. *frustro.*]

frustração. [Do lat. *frustratione.*] *S. f.* **1.** Ato ou efeito de frustrar-se. **2.** *Psican.* Estado daquele que, pela ausência de um objeto ou por um obstáculo externo ou interno, é privado da satisfação dum desejo ou duma necessidade.

frustrado. [Part. de *frustrar.*] *Adj.* **1.** Malogrado, falhado, baldado, frustro: *esforços frustrados; tentativa frustrada.* **2.** Que não chegou a desenvolver-se; incompleto, imperfeito, frustro: *aptidão frustrada* **3.** Que não atingiu o seu ideal, a sua ambição, o seu desejo: *É um homem frustrado, e daí o seu ressentimento.* **4.** *Psican.* Que sofre ou sofreu frustração (2). ● *S. m.* **5.** Indivíduo frustrado.

frustrador (ô). [Do lat. *frustratore.*] *Adj.* **1.** Frustrante. ● *S. m.* **2.** Aquele que frustra.

frustrâneo. *Adj.* **1.** Frustrado, baldado; inútil. **2.** *Morfol. Veg.* Diz-se das plantas cujas flores não chegam a produzir sementes.

frustrante. *Adj. 2 g.* Que frustra; frustrador.

frustrar. [Do lat. *frustrare.*] *V. t. d.* **1.** Enganar a expectativa de; iludir; defraudar. **2.** Baldar; inutilizar. *P.* **3.** Não ter o resultado que se esperava; não sair como se pretendia; malograr-se, falhar: *Frustraram-se todas as suas ambições.*

frustratório. [Do lat. *frustratoriu.*] *Adj.* **1.** Falaz, ilusório. **2.** Feito para ganhar tempo; dilatório.

frustro. *Adj.* V. *frustrado* (1 e 2). [Cf. *frusto.*]

frústula. [Var. de *frústulo* < lat. *frustulu.*] *S. f. Morfol. Veg.* O conjunto das duas valvas silicosas que constituem a carapaça das diatomáceas. Por sua natureza mineral, conserva-se indefinidamente nas camadas geológicas da crosta terrestre.

frústulo. *S. m. Morfol. Veg.* Frústula.

fruta. [Do lat. *fructa,* pl. de *fructum.*] *S. f.* **1.** Designação comum aos frutos, pseudofrutos e infrutescências comestíveis, adocicados; fruto. **2.** *Bras., PE, Pop.* V. *cachaça* (1).

fruta-de-anel. *S. f. Bras., Amaz.* Arbusto grande, da família das sapindáceas *(Pseudima fructescens),* de flores alvas, pequenas, dispostas em panículas terminais, solitárias ou aglomeradas, com os ramos pubescentes, e cujo fruto é cápsula bilobada, crustáceo-coriácea, contendo sementes de testa crustácea, preta e luzidia, com arilo branco; pindobeira, camaá. [Pl.: *frutas-de-anel.*]

fruta-de-arara. *S. f. Bras.* V. *andá-açu.* [Pl.: *frutas-de-arara.*]

fruta-de-cachorro. *S. f. Bras.* **1.** Planta arbustiva, ornamental, da família das rubiáceas *(Basanacantha spinosa),* de folhas pecioladas e flores terminais solitárias e brancas, que ocorre do AM até SP; angélica, limoeiro-do-mato, limão-bravo, limão-do-mato. **2.** Planta-misteriosa. [Pl.: *frutas-de-cachorro.*]

fruta-de-caiapó. *S. f. Bras.* V. *fruta-de-gentio.* [Pl.: *frutas-de-caiapó.*]

fruta-de-conde. *S. f.* **1.** O fruto da pinheira. [Sin., em diversas regiões do Brasil: *pinha, ata, nona.*] **2.** V. *pinheira.* [F. paral.: *fruta-do-conde.*]

fruta-de-condessa. *S. f.* Árvore pequena, da família das anonáceas *(Rollinia deliciosa),* dotada de flores canescentes e pubescentes, de pétalas aproximadas, formando um conjunto quase esférico, e cujo fruto é sincarpo subgloboso, amarelo-creme e com as aréolas bem acentuadas, contendo polpa branco-creme, sucosa, aromática, doce e saborosa, que envolve sementes grandes e arredondadas. [Tb. se diz apenas *condessa.* Pl.: *frutas-de-condessa.*]

fruta-de-coruja. *S. f. Bras., RJ.* Grande árvore da família das rosáceas *(Couepia ovatifolia),* de flores alvas ou róseas, dispostas em panículas terminais, e cujo fruto é drupa ovóide, comestível; oiti-da-praia. [Pl.: *frutas-de-coruja.*]

fruta-de-cutia. *S. f. Bras.* V. *andá-açu.* [Pl.: *frutas-de-cutia.*]

fruta-de-ema. *S. f. Bras. GO* e *MG.* Arbusto pequeno, da família das rosáceas *(Moquilea humilis),* de flores cinzentas, dispostas em panículas ramosas e tomentosas, e que vegeta nos campos. [Pl.: *frutas-de-ema.*]

fruta-de-gentio. *S. f. Bras., MG, RJ* e *SP.* Trepadeira herbácea, da família das cucurbitáceas *(Cayaponia pilosa),* de flores masculinas, pedunculadas, grandes, solitárias, campanuladas, verde-amareladas ou alvacentas, e cujo fruto é pepônio ovóide, avermelhado, com sementes oblongas, marginadas de branco; aboboreira-do-mato, abobrinha-do-mato, fruta-de-caiapó, purga-de-caboclo. [Pl.: *frutas-de-gentio.*]

fruta-de-guariba. *S. f. Bras., PA.* Árvore da família das poligaláceas *(Moutabea chodatiana),* de folhas coriáceas marginadas com densas punctuações salientes e estriadas, e flores alvo-esverdeadas e pequenas; gogó-de-guariba. [Pl.: *frutas-de-guariba.*]

fruta-de-jacu. *S. f. Bras., MG* e *SP.* Árvore pequena, ornamental, da família das verbenáceas *(Duranta repens),* flores lilases aromáticas, dispostas em racemos axilares, terminais e multifloros, e cujo fruto é drupa globosa amarelo-alaranjada, com quatro divisões, cada uma com duas sementes sem endosperma; fruteira-de-jacu, violeteira. [Pl.: *frutas-de-jacu.*]

fruta-de-lobo. [De *fruta* + *de* + *lobo* (ô).] *S. f. Bras., AM* até *RS.* Designação comum a vários arbustos ornamentais da família das solanáceas, pertencentes ao gênero *Solanum,* cujos frutos, bagas, têm aroma de maçã, sendo considerados comestíveis, por isso, os de muitas espécies. [Pl.: *frutas-de-lobo.*]

fruta-de-macaco. *S. f.* Bacupari-miúdo (1). [Pl.: *frutas-de-macaco.*]

fruta-de-manteiga. *S. f. Bras., MG, SP* e *GO.* Árvore grande, da família das sapotáceas *(Lucuma ramiflora),* habitante dos cerrados, de flores pálidas, de corola campanulada, pequenas e dispostas em racemos axilares simples, e cujo fruto é baga comestível, porém de pouco valor; fruta-de-veado, figo, joão-de-leite. [Pl.: *frutas-de-manteiga.*]

fruta-de-morcego. *S. f.* V. *fruto-de-morcego.* [Pl.: *frutas-de-morcego.*]

fruta-de-papagaio. *S. f. Bras., MG* a *SC.* Trepadeira ornamental, da família das rubiáceas *(Manettia luteorubra),* de flores opostas às folhas, pedunculadas, tubulosas, de cor vermelha desde a base até quase o meio do tubo, e amarelo-ouro até o ápice, e cujo fruto é cápsula bilobada e seca, melífera, contendo muitas sementes; fruto-de-papagaio. [Pl.: *frutas-de-papagaio.*]

fruta-de-pomba. *S. f. Bras., AM* a *SC.* Designação comum a vários arbustos da família das eritroxiláceas, pertencentes ao gênero *Erythroxylum,* todos de frutos drupáceos, muito procurados pelas juritis e pombas, e aceitos também pelas aves domésticas; pombinha. [Pl.: *frutas-de-pomba.*]

fruta-de-sabiá. *S. f. Bras., MG, RJ* e *SP.* Árvore pequena da família das solanáceas *(Acnistus arborecens),* flores pediceladas, alvo-esverdeadas, aromáticas, dispostas em fascículos sésseis, multifloros, e cujo fruto é baga venenosa, amarela, com sementes brancas. Fornece madeira branca e macia. [Sin.: *mariana, marianeira.* Pl.: *frutas-de-sabiá.*]

fruta-de-saíra. *S. f. Bras.* Café-do-diabo. [Pl.: *frutas-de-saíra.*]

fruta-de-tucano. *S. f. Bras.* V. *cabelo-de-negro* (1). [Pl.: *frutas-de-tucano.*]

fruta-de-veado. *S. f. Bras.* V. *fruta-de-manteiga.* [Pl.: *frutas-de-veado.*]

fruta-doce. *S. f. Bras., Amaz.* Arbusto da família das violariáceas *(Leonia glycycarpa)*, de flores alvas, dispostas em racemos cimosos axilares, e cujo fruto é baga esférica, amarelada, áspera, grande, com polpa mole, brancacenta, gelatinosa e comestível, que envolve as sementes; trapiarana. [Pl.: *frutas-doces.*]

fruta-do-conde. *S. f.* V. *fruta-de-conde.* [Pl.: *frutas-do-conde.*]

fruta-dos-paulistas. *S. f.* V. *bucha-dos-paulistas* (2). [Pl.: *frutas-dos-paulistas.*]

frutalense. *Adj. 2 g.* **1.** De, ou pertencente ou relativo a Frutal (MG). ● *S. 2 g.* **2.** Natural ou habitante de Frutal.

frutão. *S. m. Bras., PA.* Grande árvore da família das sapotáceas *(Lucuma pariry)*, de flores verdes, dispostas em fascículos axilares, cujo fruto, amarelo-esverdeado, é baga globosa de polpa mole, fibrosa, sucosa, comestível, aromática e azeda, com duas sementes ovóides; abiurana-guta, pariri.

fruta-pão. *S. f.* Árvore monóica, da família das moráceas *(Artocarpus incisa)*, de flores apétalas, muito pequenas, masculinas e femininas, fruto composto, grande, globoso, verde, de sementes pequenas, insertas na polpa, que é brancacenta ou amarelada, comestível, e de aroma peculiar. [Pl.: *frutas-pães* ou *frutas-pão.* Sin., bras.: *rima.*]

frutar. [De *fruto* + *-ar*[2].] *V. t. d. P. us.* Dar origem a; produzir, frutificar: *frutar boas obras.*

frutear. *V. int.* **1.** V. *frutificar* (1). *T. d.* **2.** Tornar frutífero. [Conjug.: v. *frear.*]

fruteira. *S. f.* **1.** Árvore frutífera. **2.** Vendedora de frutas. **3.** Cesto, prato ou vaso onde se põem frutas na mesa; fruteiro. **4.** *Bras., RJ.* Arbusto da família das moráceas *(Coussapoa schottii)*, de flores avermelhadas, femininas, dispostas em capítulos pequenos e glabros; mata-pau.

fruteira-de-arara. *S. f. Bras.* V. *andá-açu.* [Pl.: *fruteiras-de-arara.*]

fruteira-de-burro. *S. f. Bras.* Arbusto ornamental, da família das caparidáceas *(Capparis pulcherrima)*, de flores alvo-amareladas, com pétalas oblongas e tomentosas, dispostas em racemos terminais simples, e cujo fruto é síliqua venenosa, comprida, cilíndrica e carnosa. [Pl.: *fruteiras-de-burro.*]

fruteira-de-jacu. *S. f. Bras.* V. *fruta-de-jacu.* [Pl.: *fruteiras-de-jacu.*]

fruteiro[1]. [De *fruta* + *-eiro.*] *S. m.* **1.** Vendedor de frutas. **2.** Fruteira (3). **3.** Lugar onde se guarda fruta. ● *Adj.* **4.** Que gosta de frutas.

fruteiro[2]. [Do lat. *fructu*, 'fruto' + *-i-* + *-fero.*] *Adj.* V. *frutífero* (1).

frutescência. [Do lat. *fructescentia*, de *fructescere*, 'dar fruto'.] *S. f. Bot.* **1.** Época do desenvolvimento dos frutos; frutificação. **2.** A maturação deles. **3.** *Fig.* Frutificação (4).

frutescente. [Do lat. *fructescente.*] *Adj. 2 g.* Que produz frutos; fruticoso

frutescer. [Do lat. *fructescere.*] *V. int.* V. *frutificar* (1). [Conjug.: v. *crescer.* Normalmente é defect., conjugável só nas 3as pess.]

frútice. [Do lat. *frutice.*] *S. m. Morfol. Veg.* Qualquer planta de pequeno porte, com caule lenhoso e ramificado desde a base.

frutíceto. [Do lat. *fruticetu.*] *S. m. Morfol. Veg.* Conjunto de frútices.

fruticoso (ô). [Do lat. *fruticosu.*] *Adj.* Frutescente.

frutículoso (ô). *Adj.* Semelhante a um pequeno arbusto: *líquen fruticuloso.*

fruticultor (ô). *S. m.* Aquele que se dedica à fruticultura.

fruticultura. *S. f.* Cultura de árvores frutíferas.

frutidor (ô). [Do fr. *fructidor.*] *S. m. Cronol.* V. *calendário republicano.*

frutífero. [Do lat. *fructiferu.*] *Adj.* **1.** Que dá frutos; frugífero, frutígero, frutificativo, fruteiro: *árvore frutífera.* **2.** *Fig.* Útil, proveitoso, frutificativo: *trabalho frutífero.*

frutificação. [Do lat. *fructificatione.*] *S. f.* **1.** Ato ou efeito de frutificar. **2.** Formação do fruto. **3.** *Fig.* Conseqüência benéfica ou vantajosa; desenvolvimento, frutescência: *a frutificação dos esforços.* **4.** *Bot.* Frutescência (1). **5.** *Morfol. Veg.* Aparelho esporífero das plantas criptogâmicas.

frutificar. [Do lat. *fructificare.*] *V. int.* **1.** Dar frutos; frutescer, frutear: *O coqueiro frutifica seis vezes por ano.* **2.** Produzir resultado vantajoso. **3.** Dar utilidade, benefício; produzir lucro. *T. d.* **4.** Produzir (resultado vantajoso): *Seu esforço frutificou obras utilíssimas.* **5.** Dar ou produzir como fruto: "Heródoto .... diz que há na Índia umas árvores silvestres, que frutificam uma lã mais bela e fina que a das reses" (Camilo Castelo Branco, *Noites de Lamego*, p. 13). [Conjug.: v. *trancar.* Normalmente é defect., conjugável só nas 3as pess.]

frutificativo. *Adj.* V. *frutífero.*

frutiforme. [Do lat. *fructu*, 'fruto', + *-i-* + *-forme.*] *Adj. 2 g.* Que tem forma de fruto.

frutígero. [Do lat. *fructu*, 'fruto', + *-i-* + *-gero.*] *Adj.* V. *frutífero* (1).

frutilha. [Do esp. plat. *frutilla.*] *S. f. Bras., RS.* Morango.

frutívoro. [Do lat. *fructu*, 'fruto', + *-i-* + *-voro.*] *Adj.* Frugívoro.

fruto. [Do lat. *fructu.*] *S. m.* **1.** *Morfol. Veg.* Órgão gerado pelos vegetais floríferos, e que conduz a semente. Resulta do desenvolvimento do ovário em seguida à fecundação. [Sin.: *carpo.*] **2.** Fruta (1). **3.** Produto da terra para sustento e benefício do homem. [M. us. no pl.] **4.** Filho; prole. **5.** Resultado, conseqüência: *o fruto da imprevidência.* **6.** Proveito, vantagem, utilidade: *o fruto do estudo.* **7.** Rendimento, renda, produto, lucro: *O novo negócio rendeu-lhe grandes frutos.* ◆ **Fruto composto.** *Morfol. Veg.* Fruto proveniente de ovários de várias flores, e que, por via de regra, engloba partes acessórias, como cálice e corola. **Fruto deiscente.** *Morfol. Veg.* Fruto que, alcançada a maturidade, se abre, deixando escapar as sementes. **Fruto múltiplo.** *Morfol. Veg.* Fruto resultante dos ovários de uma única flor. **Fruto proibido. 1.** *Rel.* O fruto da árvore da ciência do bem e do mal, comido no Paraíso por Adão e Eva, contra as prescrições de Deus, segundo a Bíblia. **2.** *Fig.* Aquilo em que não se deve tocar, ou de que não se deve fazer uso, e que excita, por isso mesmo, a tentação. **Frutos civis.** *Jur.* Rendimentos (juros, aluguéis, foros, etc.) oriundos da utilização econômica de uma coisa. **Colher os frutos.** Obter a recompensa de seus esforços ou trabalho.

fruto-amargoso. *S. m. Bras.* V. *castanha-mineira* (1). [Pl.: *frutos-amargosos.*]

fruto-de-imbê. *S. m. Bras.* V. *cipó-de-imbê.* [Pl.: *frutos-de-imbê.*]

fruto-de-morcego. *S. m. Bras., AM* a *SC, MG* e *MT.* Arbusto da família das piperáceas *(Piper geniculatum)*, de flores alvas, dispostas em amentos obtusos, e cujo fruto é baga, glabra, pela qual os morcegos têm predileção; fruta-de-morcego, jaborandi-do-rio, pimenta-do-mato, pimenta-dos-índios. [Pl.: *frutos-de-morcego.*]

fruto-de-papagaio. *S. m.* Fruta-de-papagaio. [Pl.: *frutos-de-papagaio.*]

frutose. [De *fruta* + *-ose.*] *S. f. Quím.* Hexose cristalina, ortorrômbica, incolor, formada, juntamente com a glicose, pela hidrólise da sacarose; levulose. [Fórm.: $C_6H_{12}O_6$.]

frutuário. [Do lat. *fructuariu.*] *Adj.* **1.** Relativo a frutos. **2.** *Fig.* V. *frutuoso.*

frutuoso (ô). [Do lat. *fructuosu.*] *Adj.* **1.** Abundante em frutos. **2.** *Fig.* Que produz bons resultados; útil, proveitoso, lucrativo, fértil, fecundo, frutuário.

fruxu. *S. m. Bras.* Ave passeriforme, da família dos piprídeos *(Neopelma aurifrons* (Wied)), do Brasil médio-oriental e este-meridional, de dorso oliváceo, asas e cauda pardo-escuras marginadas de verde-oliva, abdome claro, e uma mancha vertical grande, amarelo-citrina, na base das penas; taxuri.

fruzuê. *S. m. Bras., RS. Pop.* Var. de *fuzuê* [q. v.].

ftalato. *S. m. Quím.* Qualquer sal ou éster do ácido ftálico.

ftaleína. *S. f. Quím.* Qualquer dos corantes obtidos pela condensação do fenol com o anidrido ftálico, e cujo grupamento cromóforo é o C_6H_4.

ftálico. *Adj.* ~ V. *ácido* — e *anidrido* —.

ftalocianina. [De *ftal*, f. abrev. de *ftálico*, + *-o-* + *cianina.*] *S. f. Quím.* Qualquer das substâncias de uma classe de compostos corantes constituídas pela reação entre o anidrido ftálico, um sal metálico e uréia.

ftiríase. [Do gr. *phtheiríasis*, pelo lat. *phthiriase.*] *S. f.* **1.** *Patol.* Doença da pele, produzida pelos piolhos. **2.** *Agr.* Doença dos vegetais que os faz cobrirem-se de pequeníssimos parasitos.

fu. *Interj.* Indica nojo ou desprezo.

fuá. *S. m. Bras.* **1.** Intriga, fuxico. **2.** V. *aruá*[1]. **3.** *Bras., N.* V. *caspa.* **4.** *Bras., N.* Pó finíssimo que se desprende da pele quando a arranham. ● *Adj. 2 g.* **5.** *Bras.* Diz-se do animal eqüino espantadiço, manhoso ou desconfiado. **6.** *Bras.* V. *valentão* (1).

fuã. *S. f.* Fem. de *fuão.*

fuampa. *S. f. Bras., CE. Pop.* V. *meretriz.*

fuão. *S. m.* F. sincopada de *fulano* [q. v.]. [Fem.: *fuã*; pl.: *fuãos* e *fuões.*]

fuba. *S. m. Bras., N.E., e países africanos de colonização portuguesa.* V. *fubá* (1).

fubá. [Do quimb. *fuba*, com hiperbibasmo.] *S. m.* **1.** *Bras.* Farinha de milho ou de arroz. [Há o fubá grosso e o fino, a que chamam *mimoso.* No N.E. do Brasil pronuncia-se também (com rigor etimológico) *fuba* (parox.), pronúncia esta que parece ser a única nas antigas províncias ultramarinas portuguesas.] **2.** *Bras., N.E. Pop.* Barulho, desordem. V. *rolo*[1] (16). ● *Adj. 2 g.* **3.** Diz-se do vacum de pêlo branco tirante a azul. ◆ **Fubá mimoso.** *Bras.* V. *fubá* (1).

fubana. *S. f. Bras. N.* e *N.E. Pop.* V. *meretriz.*

fubeca. [De *fubá* + *-eca*, provavelmente.] *S. f. Bras. Gír.* **1.** V. *surra* (1). **2.** V. *descompostura* (2). **3.** V. *fubecada* (4).

fubecada. [De *fubecar* + *-ada*[1].] *S. f. Bras. Gír.* **1.** V. *surra* (1). **2.** Pancada, bordoada. **3.** V. *descompostura* (2). **4.** Derrota, malogro, insucesso, fubeca.

fubecar. [De *fubeca* + *-ar*[2].] *V. t. d.* **1.** *Bras. Gír.* V. *surrar* (2). **2.** Descompor; injuriar. **3.** Vencer, derrotar. [Conjug.: v. *trancar.*]

fubento. *Adj. Bras., N.E. Fam.* Fouveiro (3).

fubica. *S. m. Bras.* **1.** V. *joão-ninguém.* **2.** A pedra nº 1 no jogo de víspora. ● *S. f.* **3.** *Bras.* Automóvel velho e/ou muito estragado. [Sin.: *calhambeque* e (MG) *forreca.*]

fuça. [Der. regress. de *focinho.*] *S. f. Chulo.* **1.** Ventas, focinho. **2.** Cara, rosto, focinho. [M. us. no pl.] ~ V. *fuças.*

fuçar. [De *fuça* + *-ar*[2].] *V. t. d. Bras.* **1.** V. *fossar* (1 e 2). **2.** *Fig.* Revolver, remexer. **3.** *Fig.* Sondar, bisbilhotar, farejar. *Int.* **4.** Fossar (3): "Um cão estranho fuça na esterqueira" (Cruz e Sousa, *Últimos Sonetos*, p. 169). **5.** *Fig.* Bisbilhotar, farejar, esquadrinhar negócios alheios; fossar. [Conjug.: v. *laçar.*]

fuças. [Pl. de *fuça.*] *S. f. pl.* Fuça: "la devagar porque estava matutando. Era a esperança dum turumbamba macota, em que ele desse uns socos formidáveis nas fuças dos polícias." (Mário de Andrade, *Contos Novos*, p. 36.) ◆ **Ir às fuças de.** *Bras. Pop.* Agredir fisicamente.

▲**fuc(i)-.** [Do lat. *fucus, i.*] *El. comp.* = 'alga': *fucícola, fucóide.*

fucícola. [De *fuc(i)-* + *-cola.*] *Adj. 2 g.* Que vive entre os fucos ou algas.

fuciforme. [De *fuc(i)-* + *-forme.*] *Adj. 2 g.* Que tem forma de fuco (1); fucóide.

fuco. [Do lat. *fucu.*] *S. m.* **1.** Espécie de alga marítima da qual se extrai uma substância empregada em tinturaria. **2.** *Fig.* Tintura para o rosto. **3.** Enfeite, arrebique. **4.** Impostura, disfarce, manha.

fucóide. [De *fuc(i)-* + *-óide.*] *Adj. 2 g.* Fuciforme.

fúcsia. [Do antr. Leonhard *Fuchs* (1501-1566), + *-ia.*] *S. f.* Brinco-de-princesa.

fucsina. [De *fúcsia* + *-ina.*] *S. f.* Corante que dá um vermelho purpúreo, e que é produzido pela oxidação de uma mistura de anilina e toluidinas; roseína. [Fórm.: $C_{20}H_{20}N_3Cl$.]

fueguino. [Do esp. *fueguino.*] *Adj.* **1.** Da, ou pertencente ou relativo à Terra do Fogo (Chile e Argentina). ● *S. m.* **2.** O natural ou habitante da Terra do Fogo.

fueirada. *S. f.* Pancada com fueiro[1].

fueiro[1]. [Do lat. *funariu.*] *S. m.* **1.** Estaca destinada a amparar a carga do carro de bois: "O carreiro .... pulou na roda do carro para receber e arrumar entre os fueiros a cana tombada..." (Alberto Deodato, *Canaviais*, p. 81.) **2.** Pau grosseiro; estadulho.

fueiro[2]. *S. m.* **1.** *Bras.* A parte da barriga do cavalo entre o umbigo e os testículos. **2.** *Bras., MG.* V. *ânus.*

➧**fuero juzgo** (fuero husgo). [Esp.] Legislação visigótica, que reúne normas de direito comum, e que foi o primeiro código da Espanha, vigente também em Portugal até a publicação das Ordenações Afonsinas (1446).

fúfia. *S. f.* **1.** Empáfia, embófia. **2.** Mulher pretensiosa e ridícula: "Velhos viciados à procura de emoções novas, fúfias histéricas e ninfomaníacas, mulatas perdidas" (João do Rio, *As Religiões no Rio*, p. 164). **3.** *Bras., RS.* Baile, festa, festejo. ● *S. 2 g.* **4.** Pessoa engrandecida pelo acaso, sem merecimentos.

fúfio. [De *fúfia.*] *Adj.* Ordinário, reles, desprezível.

fuga[1]. [Do lat. *fuga.*] *S. f.* **1.** Ato ou efeito de fugir; fugida. **2.** Retirada rápida e precipitada; fugida. **3.** Escapatória, subterfúgio. **4.** Escape de gás ou de líquido contido em um recipiente. **5.** Abertura por onde escapa um gás ou um líquido. **6.** Orifício por onde o fole recebe o vento. **7.** Orifício dos aparelhos de destilação. **8.** Oportunidade, ocasião, ensejo. **9.** Perda momentânea da consciência. ◆ **Fuga para o azul.** *Cosm.* V. *desvio para o azul.* **Fuga para o vermelho.** *Cosm.* V.

desvio para o vermelho.

fuga[2]. [Do it. *fuga*.] *S. f. Mús.* Composição polifônica, em estilo contrapontístico, sobre um tema único (*sujeito*), exposto sucessivamente numa ordem tonal determinada pelas leis da cadência. [O estilo contrapontístico da fuga baseia-se principalmente na imitação, i. e., na reprodução sucessiva dos mesmos desenhos rítmicos ou melódicos, de duas ou mais vozes, nos diversos graus da escala. Partes da fuga: *exposição, episódio, estreto, resposta, contra-sujeito, coda*.]

fugace. *Adj. 2 g. Poét.* Fugaz: "Nas ondas mendaces / Senti pelas faces / Os silvos fugaces / Dos ventos que amei." (Gonçalves Dias, *Obras Poéticas*, II, p. 23.)

fugacidade. [Do lat. *fugacitate*.] *S. f.* **1.** Fuga rápida. **2.** Grande rapidez; grande velocidade. **3.** Transitoriedade, efemeridade. **4.** *Fís. Quím.* Coordenada termodinâmica mediante a qual se exprime em forma conveniente o potencial químico de substâncias líquidas ou gasosas, puras ou em solução.

fugacíssimo. [Do lat. *fugacissimu*.] *Adj.* Superl. abs. sint. de *fugaz*.

fugado[1]. [Part. de *fugar*[1].] *Adj. Desus.* Posto em fuga[1], afugentado.

fugado[2]. [Part. de *fugar*[2].] *Adj. Mús.* Composto em estilo de fuga[2].

fugalaça. *S. f.* Corda comprida que se atira a animais para prendê-los, dando-lhes folga para correrem até cansar.

fugar[1]. [De *fuga*[1] + *-ar*[2].] *V. t. d. Desus.* Pôr em fuga[1]; afugentar. [Conjug.: v. *largar*.]

fugar[2]. [De *fuga*[2] + *-ar*[2].] *V. t. d. Mús.* Compor em estilo de fuga[2]. [Conjug.: v. *largar*.]

✥fugato. [It.] *S. m. Mús.* Episódio, movimento ou pequena composição com as características da fuga[2], mas sem a sua estrutura rígida e completa.

fugaz. [Do lat. *fugace*.] *Adj. 2 g.* **1.** Que foge com rapidez; rápido, veloz, fugitivo: "Quisera abranger tudo, e tudo me convida; / mas o tempo é fugaz, e curta e incerta a vida" (Antônio Feliciano de Castilho, *As Geórgicas de Virgílio*, p. 179). **2.** Que passa rapidamente; de pouca duração; transitório, efêmero, fugitivo, fugidio: *paixão fugaz*; "Na breve e fugaz ocupação cartaginesa, ... os atritos que se suscitaram não foram de monta" (Aquilino Ribeiro, *Os Avós dos Nossos Avós*, p. 254). [Superl. abs. sint.: *fugacíssimo*.] ~ V. *estrela —*.

fugente. *Adj. 2 g.* **1.** *Pint.* Que parece fugir à vista. **2.** *Heráld.* Diz-se de figura pintada no brasão em ação de fugir. ● *S. m.* **3.** Fundo ou longe de quadro.

fugição. *S. f. Bras. Pop.* Fuga, fugida: "bambeava logo as pernas, numa fugição vergonhosa" (Valdomiro Silveira, *Os Caboclos*, p. 32).

fugida. [De *fugir* + *-ida*.] *S. f.* **1.** Fuga[1] (1 e 2). **2.** Ato de ir e voltar rapidamente a algum lugar. ◆ **De fugida. 1.** Por alto; sem prestar maior atenção; de corrida: *tratar um assunto de fugida.* **2.** Sem se demorar; rapidamente: *Visitei-o de fugida.*

fugidiamente. [Do fem. de *fugidio* + *-mente*.] *Adv.* De maneira fugidia: "Boa parte do lirismo camoniano assim decorre, na melancólica saudade dos bens que se foram — ou nunca foram. É raro sentir nele, mesmo fugidiamente, esplenderem alvoradas de esperanças." (Hernâni Cidade, *Luís de Camões. O Lírico*, p. 213.)

fugidiço. *Adj.* V. *fugidio*.

fugidio. *Adj.* **1.** Propenso a fugas; acostumado a fugir. **2.** V. *fugitivo* (1). **3.** V. *fugaz* (2): *felicidade fugidia.* **4.** Esquivo, arisco, fugitivo: *pássaro fugidio*; "puritana em extremo, não se detendo ao seu lado senão momentaneamente, mostrando-se sempre apressada, tímida, fugidia." (Virgílio Várzea, *Nas Ondas*, p. 28). [Sin. ger.: *fugidiço*.]

fugido. [Part. de *fugir*.] *Adj.* e *s. m.* Diz-se de, ou indivíduo que fugiu; fugitivo.

fugiente. [Do lat. *fugiente*.] *Adj. 2 g.* Que foge, se afasta; que vai perdendo-se de vista.

fugir. [Do lat. *fugere*.] *V. int.* **1.** Desviar-se, ou retirar-se apressadamente, para escapar a alguém ou a algum perigo; pôr-se em fuga, arrancar(-se), derrancar(-se). **2.** Retirar-se em debandada: *As tropas fugiram.* [Sin., nessas acepç. (quase todos pop., e muitos bras.): *abalar, abancar, abrir, abrir no mundo, abrir no pé, abrir nos paus, abrir o arco, abrir o chambre, abrir do chambre, abrir o pala, abrir o pé, abrir os panos, afundar no mundo, aguçar-se, arrancar(-se), arribar no mundo, azular, azular no mundo, bancar veado, bater a bela plumagem, bater a linda plumagem, bater asa, bater asas, bater as asas, bater em retirada, bater o pé no mundo, cair fora, cair na tiguera, cair nas folhas, cair no bredo, cair no mato, cair no mundo, cair no oco do mundo, campar, capar o mato, capinar, dar à canela, dar aos calcanhares, dar às de vila-diogo, dar às pernas, dar na pista, dar no pé, dar nos cascos, dar nos paus, dar o fora, dar o pira, derreter, derreter na quiçaça, desabalar, desatar o punho da rede, desunhar, enfiar a cara no mundo, ensebar as canelas, entupir no oco do mundo, escamar-se, escapulir(-se), esquipar, fazer chão, fazer a pista, folhar, ganhar o mato, ganhar o mundo, garfiar, jogar no veado, largar terra para favas, levantar vôo, mandar-se, mandar-se dizer na estrada, meter o arco, meter o pé no mundo, mostrar as costas, passar sebo nas canelas, pisar, pisar no mundo, pisar no tempo, pisgar-se, pôr-se ao fresco, pôr sebo nas canelas, raspar-se, riscar chão, unhar, virar alcanfor, virar sorvete, zarpar.*] **3.** Ir-se afastando; ir-se perdendo de vista: *Olhava o mar, via o navio fugindo.* **4.** Passar rapidamente: *Fogem os anos. T. i.* **5.** Desviar-se, apartar-se: *Fugiram do local contaminado pela peste.* **6.** Evitar, afastando-se: *Fugia do inimigo que se aproximava.* **7.** Livrar-se de incorrer em; livrar-se de; evitar: "O que chama a atenção .... é não haver sabido Manuel Duarte evitar, em sua tradução, os defeitos apontados no original, quando, sem esforço, poderia fugir-lhes" (Melo Nóbrega, *O Soneto de Arvers*, p. 91); "O francês não admite neologismos, foge a construções sem tradição na sua própria literatura." (Paulo Rónai, *Escola de Tradutores*, p. 35). **8.** Soltar-se, escapar-se: "só então soube que o canário, estando o criado a tratar dele, fugira da gaiola." (Machado de Assis, *Páginas Recolhidas*, p. 97). **9.** Não ocorrer oportunamente: *Tentava raciocinar, porém as idéias fugiam-lhe da mente. T. d.* **10.** Afastar-se de; evitar; abandonar: "Fugia os homens para brincar com os gatos." (João de Araújo Correia, *Sem Método*, p. 82); "e queremos deixá-la [à Terra], e queremos fugi-la, como se ela fosse a culpada dos nossos erros" (Olavo Bilac, *Crítica e Fantasia*, p. 201). *P.* **11.** Evitar alguém ou algum perigo, escapando. **12.** Afastar-se de, evitar, fugir, reciprocamente (duas ou mais pessoas): "Assim nós, cujo abraço durou tanto, / Fugir-nos-emos" (Alphonsus de Guimaraens, *Obra Completa*, p. 180). [Irreg. Conjug.: v. *bulir*, porém muda o *g* em *j* antes de *o* e *a*. Vão aqui alguns exemplos de *fugir* onde aparece o *u* em vez de *o*: "Fuge, que o Vento e o Céu te favorece" (Luís de Camões, *Os Lusíadas*, II, 61); "Cogitabunda Musa, / Fuge os pesares. Eia!" (Raimundo Correia, *Poesias*, p. 39).]

fugitivo. [Do lat. *fugitivu*.] *Adj.* **1.** Que fugiu, que se evadiu; que desertou; fugidio, desertor: *soldado fugitivo.* **2.** V. *fugaz*: "foi apenas uma impressão de momento, uma destas sensações mil vezes mais fugitivas do que o raio de sol que doira uma nuvem." (Conde de Ficalho, *Uma Eleição Perdida*, p. 223). **3.** Que pouca impressão produz; que apenas se entrevê; pouco acentuado: *os contornos fugitivos da paisagem.* **4.** Fugidio (4): *borboleta fugitiva.* ● *S. m.* **5.** Indivíduo que foge; desertor.

▲-fugo[1]. [Do lat. *fugere*.] *El comp.* = 'que foge': *centrífugo.*

▲-fugo[2]. [Do lat. *fugare*.] *El. comp.* = 'que faz fugir': *vermífugo, febrífugo.*

fuinha (u-í). [Do fr. *fouine*.] *S. f.* **1.** Pequeno carnívoro daninho, da família dos mustelídeos (*Mustela foina*); gardunho, fuinho. ● *S. 2 g.* **2.** V. *avaro* (3). **3.** Pessoa muito magra. **4.** Pessoa mexeriqueira, bisbilhoteira, intrigante. [Var., us. nas acepç. 2 a 4: *fuinhas*.]

fuinhas (u-í). [Var. de *fuinha*.] *S. 2 g.* e *2 n.* V. *fuinha* (2 a 4).

fuinho (u-í). [Var. de *fuinha*.] *S. m.* V. *fuinha* (1).

fujão. *Adj.* e *s. m.* Diz-se de, ou indivíduo vezeiro em fugir. [Fem.: *fujona*.]

fujicar. *V. t. d. Bras., N.* e *N.E.* **1.** Coser (roupa velha); remendar. **2.** V. *fuxicar* (1). [Sin. ger.: *cosicar*. Conjug.: v. *trancar*. Cf. *fuxicar*.]

fujona. *Adj. (f.)* e *s. f.* Fem. de *fujão*.

fula[1]. *S. f.* **1.** Diligência, pressa. **2.** Vão das bochechas onde se acumula a comida mastigada. **3.** V. *quantidade* (3). ◆ **À fula.** Às pressas, à pressa; com precipitação.

fula[2]. [Dev. de um **fular* < lat. vulg. *fullare*, 'calcar'.] *S. f.* **1.** Apisoamento e preparação do feltro para a confecção de chapéus. **2.** Aparelho para apisoar e calandrar panos; pisão, calandra.

fula[3]. *S. 2. g.* **1.** Indivíduo dos fulas, antiga designação dum grupo de negros originários da Guiné (África), de cabelos encarapinhados e cor mais ou menos baça. ● *S. m.* **2.** A língua desse povo. ● *Adj. 2 g.* **3.** Relativo ou pertencente aos fulas. **4.** *Bras.* Diz-se, hoje, do mestiço de negro e mulato; pardo: "Depois de sete amas-de-leite, brancas, me acostumei com os seis de Cristiana, mulata fula, filha de uma escrava da família." (E. di Cavalcanti, *Viagem da Minha Vida*. I, p. 27.) [Var.: *fulo*.]

fulá. *S. m.* **1.** Indivíduo dos fulás, povo de origem berbere-etiópica e influência maometana. ● *Adj.* **2.** Relativo ou pertencente a esse povo.

fulano. [Do ár. *fulān*, 'um certo'.] *S. m.* **1.** Designação vaga de pessoa incerta ou de alguém que não se quer nomear. [Tb. se diz, no Brasil, em ling. fam., *fulano-dos-anzóis, fulano-dos-anzóis-carapuça, fulano-dos-grudes, zé-dos-anzóis, zé-dos-anzóis-carapuça.* V. *beltrano* e *sicrano*. Abrev.: *F.*] **2.** Pessoa, indivíduo: *Que fulano cacete, o seu amigo Onofre!*; *Vi um fulano esquisito.* [Var.: *fuão*, m. us. na acepç. 1, e geralmente antes de sobrenome.]

fulano-dos-anzóis. *S. m. Bras. Fam.* V. *fulano* (1). [Pl.: *fulanos-dos-anzóis*.]

fulano-dos-anzóis-carapuça. *S. m. Bras. Fam.* V. *fulano* (1). [Pl.: *fulanos-dos-anzóis-carapuça*.]

fulano-dos-grudes. *S. m. Bras. Fam.* V. *fulano* (1). [Pl.: *fulanos-dos-grudes*.]

fular. [Do fr. *foulard*.] *S. m.* Certo tecido de seda. [Cf. *folar*.]

fulcrado. [De *fulcro* + *-adro*[1].] *Morfol. Veg.* **1.** Que produz novo caule. **2.** Diz-se dos caules cujas raízes, mergulhando na terra, originam outros caules.

fulcro. [Do lat. *fulcru*.] *S. m.* **1.** Sustentáculo, suporte, apoio. **2.** Base, fundamento, alicerce: "a doutrina dos cátaros tinha por fulcro a coexistência do bem e do mal." (Aquilino Ribeiro, *Por obra e graça*, p. 291). **3.** Espigão sobre o qual gira qualquer coisa: "Sentia que a sua vida oscilava na notícia que a Marcelina trouxesse, como num fulcro de aço uma agulha magnética." (Fialho d'Almeida, *Contos*, p. 105). **4.** *Morfol. Veg.* Designação comum aos órgãos que protegem ou facilitam a vegetação. **5.** *Fís.* O ponto de apoio de uma alavanca: "Pois é mister que, para o amor sagrado, / O mundo fique imaterializado / — Alavanca desviada do seu fulcro — // E haja só amizade verdadeira / Duma caveira para outra caveira, / Do meu sepulcro para o teu sepulcro?!" (Augusto dos Anjos, *Eu*, p. 43.) **6.** *Fís.* Numa balança de braços iguais, o ponto de apoio do travessão. **7.** *Zool.* Estrutura quitinosa da base do rostro dos insetos.

fuleiragem. *S. f. Bras. Pop.* **1.** Atitude ou modos de fuleiro. **2.** V. *frescura* (2).

fuleiro. [Do esp. *fulero*.] *Adj.* **1.** Sem valor; insignificante, reles. **2.** Miquelino, cafona. ● *S. m.* **3.** Indivíduo fuleiro.

fulgência. [Do lat. *fulgentia*, de *fulgere*, 'fulgir'.] *S. f.* Qualidade de fulgente; fulgor.

fulgente. [Do lat. *fulgente*.] *Adj. 2 g.* Que tem fulgor; que fulge; luzente, brilhante, cintilante, fúlgido, fulgurante, fulguroso.

fulgenteador (ô). *Adj.* Que fulgenteia; cintilante, fúlgido: "sob o claror fulgenteador de milhares de lâmpadas" (Martins Fontes, *A Dança*, p. 73).

fulgentear. *V. t. d.* **1.** Tornar fulgente; abrilhantar. *Int.* **2.** Apresentar-se ou mostrar-se fulgente [q. v.]: "Fúlvida, fulgenteando, áurea, versicolor, / Granada ferve ao luar como uma estranha flor!" (Martins Fontes, *Verão*, p. 73.) [Conjug.: v. *frear*.]

fúlgido. [Do lat. *fulgidu*.] *Adj.* V. *fulgente*: "E o sol da liberdade, em raios fúlgidos, / Brilhou no céu da pátria nesse instante." (Osório Duque Estrada, *Hino Nacional Brasileiro*.) [Cf. *fulgido*, do v. *fulgir*.]

fulgir. [Do lat. *fulgere*.] *V. int.* **1.** Ter fulgor; brilhar, resplandecer: "o caos doméstico se transformava em ordem e limpeza, ... o assoalho, o ladrilho e os azulejos fulgiam" (Paulo Mendes Campos, *O Cego de Ipanema*, p. 168). **2.** Tornar-se distinto; distinguir-se, salientar-se, sobressair. *T. d.* **3.** Fazer brilhar; abrilhantar. **4.** Trazer, ostentar (coisa que fulge): "Usais vestidos bordados d'oiro, ... mostrais as mãos fulgindo pedrarias" (João do Rio, *Sésamo*, p. 27). [Defect.; não se conjuga na 1ª pess. sing. do pres. ind. nem, portanto, no pres. subj. Part. *fulgido*. Cf. *fúlgido*.]

fulgor (ô). [Do lat. *fulgore*.] *S. m.* **1.** Brilho, cintilação, clarão, esplendor: "o Sol agora é de um fulgor compacto" (Augusto dos Anjos, *Eu*, p. 81); "Veste o quimão de cambraia, / Mostra-te ao fulgor lunar." (Manuel Bandeira, *Estrela da Vida Inteira*, p. 26). **2.** Luzeiro, clarão: *Para o lado da mata via-se um intenso fulgor.*

fulgorídeo. *S. m.* **1.** Espécime dos fulgorídeos. ● *Adj.* **2.** Pertencente ou relativo a eles.

fulgorídeos. *S. m. pl. Zool.* Família de insetos da ordem dos homópteros. De grande porte, com cerca de 15 cm de envergadura, alguns apresentam a cabeça enormemente dilatada para a frente, formando uma projeção. São conhecidos vulgarmente por *jequitiranabóias*.

▲fulgur-. [Do lat. *fulgur, uris.*] *El. comp.* = 'relâmpago', 'raio': *fulgurito.*

fulguração. [Do lat. *fulguratione.*] *S. f.* **1.** Clarão desacompanhado de estampido, causado pela eletricidade atmosférica. **2.** Clarão rápido; cintilação, brilho: "Os raios do sol nascente entravam quase horizontalmente no rancho, aclarando as costas dos tropeiros, esflorando-lhes as cabeças com fulgurações trêmulas." (Afonso Arinos, *Pelo Sertão,* p. 44.) **3.** Perturbação produzida no organismo vivo por descarga elétrica, especialmente pelo raio. **4.** *Cir.* Destruição de tecido vivo mediante o uso de centelha elétrica proveniente de corrente de alta freqüência.

fulgural. [Do lat. *fulgurale.*] *Adj. 2 g.* Referente a raio ou relâmpago.

fulgurância. [Do lat. *fulgurantia,* do v. *fulgurare,* 'fulgurar'.] *S. f.* Qualidade de fulgurante.

fulgurante. [Do lat. *fulgurante.*] *Adj. 2 g.* **1.** Que fulgura ou relampeja; coruscante, reluzente, fulguroso. **2.** V. *fulgente.* ~ V. *dor* —.

fulgurar. [Do lat. *fulgurare.*] *V. int.* **1.** Relampejar, cintilar. **2.** Brilhar, resplandecer, fulgir: "O sol de Lima em teu olhar fulgura" (Guimarães Passos, *Horas Mortas,* p. 49). **3.** Distinguir-se, sobressair, realçar.

fulgurito. [De *fulgur-* + *-ito*[2].] *S. m. Geol.* Crosta vitrificada originada pela fusão de areia, ou de qualquer outra rocha, por efeito do calor do raio.

fulguroso (ô). *Adj.* **1.** V. *fulgurante:* "Às vezes ela simula uma enorme e fulgurosa rosa negra de cem folhas" (Martins Fontes, *A Dança,* p. 60). **2.** V. *fulgente.*

fulheira. [De *fulheiro.*] *S. f.* Trapaça no jogo.

fulheiro. [Do esp. *fullero.*] *Adj.* e *s. m.* Que ou aquele que faz fulheira, que trapaceia no jogo. [Cf. *folheiro.*]

fuligem. [Do lat. *fuligine,* vulg. *fulligine.*] *S. f.* Substância preta que a fumaça deposita nas paredes e teto das cozinhas e nos canos das chaminés; tisne, picumã, pucumã: "Na cozinha, negra de fuligem, cheia de picumã, sobre pedras, no chão, estava uma panela de barro." (Coelho Neto, *Treva.* p. 311.) [Var.: *felugem.*]

fuliginosidade. *S. f.* Qualidade de fuliginoso.

fuliginoso (ô). [Do lat. vulg. **fulliginosu.*] *Adj.* **1.** Que tem fuligem. **2.** Enegrecido pela fuligem: "O teto, de telha-vã, com as vigas fuliginosas, como carbonizadas, estava colgado de flocos negros de picumã." (Coelho Neto, *Obra Seleta,* I, p. 197.) **3.** *Med.* Coberto duma crosta escura, depois de certas enfermidades. [Aplica-se aos dentes, à língua, etc.]

fulista. *S. m.* Oficial de chapelaria encarregado da fula[2] (1) ou preparação do feltro.

➧full-back (ful-bék). [Ingl.] *S. m.* V. *zagueiro.*

➧full hand (ful hând). [Ingl.] *Loc. s. m.* V. *pôquer* (1).

➧full time (ful táim'). [Ingl., 'tempo completo'.] Tempo integral [q. v.].

fulmilenho. [Do lat. *fulm(en),* 'raio (explosivo)', + *-i-* + *lenho.*] *S. m.* Nitrocelulose de madeira.

fulminação. [Do lat. *fulminatione.*] *S. f.* **1.** Ato ou efeito de fulminar. **2.** Detonação de substância fulminante.

fulminado. [Part. de *fulminar.*] *Adj.* **1.** Ferido pelo raio. **2.** Tocado de doença que prostra imediatamente. **3.** Morto instantaneamente: *Recebeu uma bala no peito e caiu fulminado.* **4.** Profundamente comovido ou abalado; arrasado: *A notícia deixou-me fulminado.*

fulminador (ô). [Do lat. *fulminatore.*] *Adj.* **1.** V. *fulminante* (1). ● *S. m.* **2.** Aquele ou aquilo que fulmina.

fulminante. [Do lat. *fulminante.*] *Adj. 2 g.* **1.** Que fulmina, despede raios; fulminador, fulminatório. **2.** Que assombra ou mata repentinamente: *choques fulminantes.* **3.** Cruel, terrível, atroz. **4.** Que revela indignação ou ira; indignado, irado: *palavras fulminantes.* ~ V. *prata* —. ● *S. m.* **5.** Cápsula de metal que envolve a escorva da arma de fogo. **6.** *Expl.* Substância que, por ação de choque, percussão, atrito ou elevação de temperatura, detona, produzindo ruído fortíssimo. [A denominação abrange os *fulminatos* e outras substâncias com propriedades similares.]

fulminar. [Do lat. *fulminare.*] *V. t. d.* **1.** Despedir, lançar (raios). **2.** Ferir com o raio. **3.** Ferir à maneira de raio. **4.** Ferir, matar, destruir (falando-se do raio): *O raio fulminou o animal.* **5.** Matar instantaneamente: *A punhalada certeira fulminou-o.* **6.** Desmoronar, derrubar, derruir: *O furacão fulminou as casas.* **7.** Reduzir a nada; aniquilar: *Aquelas palavras fulminaram suas esperanças.* **8.** Despedir (excomunhão, censuras, etc.); lançar, ameaçando. **9.** Censurar acrimoniosamente; invectivar, apostrofar: "Debalde o grave doutor Francisco da Fonseca Henriques, médico de D. João V, fulminava as mães que, contra os ditames da razão e contra as leis da natureza, negavam a seus filhos o próprio leite" (Júlio Dantas, *O Amor em Portugal no Século XVIII,* p. 208). **10.** Reduzir à impotência; estarrecer, petrificar: *O olhar do adversário fulminou-o.* **11.** Punir ou castigar com extremo rigor. *T. d.* e *i.* **12.** Decretar; impor; lançar: *O Papa fulminou a excomunhão contra o herege.* **13.** Dirigir, despedir: *Fulminaram-lhe maldições. Int.* **14.** Despedir raios. **15.** Fulgurar, brilhar, lampejar.

fulminato. [De *fulmin,* abrev. de *fulmínico* + *-ato*[2].] *S. m. Quím.* Qualquer sal do ácido fulmínico, em geral muito explosivo e usado em espoletas de detonação.

fulminatório. *Adj.* V. *fulminante* (1).

fulmíneo. [Do lat. *fulmineu.*] *Adj.* **1.** Relativo ao raio. **2.** *Fig.* Brilhante ou destruidor como o raio. [Sin. ger.: *fulminoso.*]

▲fulmin(i)-. [Do lat. *fulmen, inis.*] *El. comp.* = 'raio': *fulminoso, fulminívomo.*

fulmínico. [De *fulmin(i)-* + *-ico*[2].] *Adj.* ~ V. *ácido* —.

fulminífero. [De *fulmin(i)-* + *-fero.*] *Adj.* Que traz ou produz raio.

fulminívomo. [De *fulmin(i)-* + *-vomo.*] *Adj.* **1.** Que lança chamas. **2.** Que dardeja fogo. **3.** Que despede projetis.

fulminoso (ô). [De *fulmin(i)-* + *-oso.*] *Adj.* V. *fulmíneo.*

fulniô. *S. 2 g.* e *adj. 2 g. Bras.* V. *carnijó.*

fulo[1]. [Do lat. *fulvu.*] *Adj.* **1.** Que muda de cor em conseqüência de alguma sensação recebida: *Ficou fulo de raiva.* **2.** Irritadíssimo, genioso; colérico.

fulo[2]. *Adj.* e *s. m.* Var. de *fula*[3].

fulustreco. [De *fulano.*] *S. m. Bras. Pop. Deprec.* **1.** Designação de alguém que não se quer nomear, ou cujo nome se desconhece. **2.** Pessoa sem valor, sem importância; joão-ninguém.

fulverino. [Do fr. *fulverin.*] *S. m.* Preparação usada para dar cor escura ao pano.

fulvicórneo. [Do lat. *fulvu,* 'fulvo', + *-i-* + *-corn(e)-* + *-eo.*] *Adj. Zool.* Que tem as antenas fulvas.

fúlvido. [Do lat. *fulvidu.*] *Adj.* Fulvo e luzente, da cor do ouro: "relumes de pedrarias fúlvidas, purpurinas, iriantes" (Martins Fontes, *A Dança,* pp. 87-88).

fulvípede. [Do lat. *fulvu,* 'fulvo', + *-i-* + *-pede.*] *Adj. 2 g.* Que tem os pés fulvos.

fulvipene. [Do lat. *fulvu,* 'fulvo', + *-i-* + *-pene.*] *Adj. 2 g. Zool.* Que tem as penas fulvas.

fulvirrostro. [Do lat. *fulvu,* 'fulvo', + *-i-* + *-rostro.*] *Adj. Zool.* Que tem o bico fulvo.

fulvo. [Do lat. *fulvu.*] *Adj.* **1.** De cor amarelo-tostado; alourado: "Comprou a olhos fechados uma junta de bois fulvos como dois leões." (João de Araújo Correia, *Cinza do Lar,* p. 16); "Cuido mesmo ter visto, às bruscas, de repente, / Num relâmpago em meio à morte atra e assombrada, / A tua cabeleira, a revoar, fulva e olente" (José Severiano de Resende, *Mistérios,* p. 66). **2.** Diz-se dessa cor. ● *S. m.* **3.** Essa cor: *Tinha os cabelos de um fulvo de trigo.* **4.** Roupa fulva.

fumaça. *S. f.* **1.** Grande porção de fumo (1); fumaçada, fumaraça, fumarada, fumeiro. **2.** V. *fumada* (2). **3.** *Fís.-Quím.* Solução coloidal de uma fase dispersa sólida numa dispersora gasosa. **4.** *Fig. P. us.* V. *fumaças. Bras.* **5.** V. *fumo* (1). ● *Adj. 2 g.* e *2 n.* **6.** *Bras., S.* Diz-se do animal vacum de pelagem vermelha tirante a preto. **7.** Zangado, irado, furioso, fulo. ◆ **E lá vai fumaça.** *Bras. Gír.* Expressão com que se indica uma quantidade que excede largamente um número redondo: *Não tem só 70 anos: 70 e lá vai fumaça!* [Sin.: *e lá vai coisa, e lá vai pedra, e lá vai pedrada, e cacetada, e caqueirada, e danou-se.*] **Na fumaça da pólvora.** *Bras.* V. *na bucha.* **Tirar fumaça.** *Bras., PB. Pop.* Fumar cigarro, charuto, etc.

fumaçada. *S. f.* **1.** V. *fumaça* (1). **2.** V. *fumada* (2): "Ficamos .... a conversar molemente, saboreando o café e tirando fumaçadas calmas." (Ribeiro Couto, *Largo da Matriz e Outras Histórias,* p. 105.)

fumaçar. *V. t. d.* **1.** *Bras.* V. *enfumaçar. Int.* **2.** V. *fumegar* (1): "desceram para a plataforma, mal alumiada por um candeeiro de querosene, enquanto o trem arrancava de novo, fumaçando" (Mário Sete, *Senhora de Engenho,* p. 106). **3.** *Bras.* Fumar (7): *Depois do insulto que ouviu, saiu fumaçando.* [Conjug.: v. *laçar.*]

fumaças. [Pl. de *fumaça.*] *S. f. pl. Fig.* **1.** Presunção, vaidade; jactância, prosápia: *É um pobre com fumaças de rico.* [Tb. us. (pouco) no sing. Sin.: *fumos, fumo.*] **2.** V. *laivos.*

fumaceira. *S. f.* Grande porção de fumaça.

fumacista. *Adj. 2 g.* **1.** De, ou pertencente ou relativo a Fumaça (RJ). ● *S. 2 g.* **2.** Natural ou habitante de Fumaça.

fumada. *S. f.* **1.** Fumaça que se faz para sinal de alarma. **2.** Porção de fumo (6) absorvida de cada vez pelo fumante; fumarada, fumaraça, fumaça, fumaçada.

fumado. [Part. de *fumar.*] *Adj. Bras., N.E. Pop.* V. *embriagado* (1).

fumadoiro. *S. m.* Fumadouro [q. v.].

fumador (ô). *Adj.* e *s. m.* Que ou aquele que fuma.

fumadouro. [Var. de *fumadoiro.*] *S. m.* Lugar onde se fuma.

fumageiro. *Adj.* Relativo ao fumo ou tabaco; fumeiro: *economia fumageira; indústria fumageira.*

fumagem. [De *fumar* + *-agem.*] *S. f.* **1.** Imposto que incidia sobre as casas onde se acendesse lume. **2.** Douradura da prata. **3.** Ato de fumar (2).

fumagina. [Do fr. *fumagine.*] *S. f.* Indumento (2) fuliginoso, espesso, formado por fungos na superfície dos órgãos aéreos das plantas.

fumal. *S. m. Bras.* Plantação de fumo (5): "É fumo do terreno dele. Desconfio .... que o fumal está plantado no pedaço que ele tomou à viúva do defunto Ananias." (Ribeiro Couto, *Largo da Matriz e Outras Histórias,* p. 104.) [V. *tabaco* (1).]

fumante. *Adj. 2 g.* **1.** Que fuma. **2.** Que lança fumo; fumoso [q. v.], fumegante: "Assim dizendo / Se perdeu entre as nuvens, sacudindo / Sobre as tendas no ar fumante tocha" (Basílio da Gama, *O Uraguai,* II, p. 51). ● *S. 2 g.* **3.** Pessoa que tem o hábito de fumar tabaco; fumista. ● *S. m.* **4.** *Bras., BA.* Fifó.

fumar. [Do lat. *fumare.*] *V. t. d.* **1.** Aspirar o fumo ou tabaco de: *fumar charuto, cigarro, cachimbo;* "fumavam cachimbos empestantes, bebiam drogas horríveis" (Olavo Bilac, *Crítica e Fantasia,* p. 349). **2.** Expor ou curar ao fumeiro; defumar. **3.** Dissipar, esbanjar, malbaratar. *Int.* **4.** Aspirar o fumo do charuto, cigarro, cachimbo, etc: "Chove... Alta noite. Fumo e rememoro." (Austro-Costa, *Mulheres e Rosas,* p. 55); "Fumar é morrer um pouco — diz um artigo que tenho diante dos olhos." (Fernando Sabino, *A Falta Que Ela Me Faz,* p. 55). **5.** Lançar fumo; fumegar, fumarar: "A máquina troveja, / Berra, fuma, atravessa em correria / A amarela paisagem sertaneja." (Humberto de Campos, *Poesias Completas,* p. 17.) **6.** Lançar ou exalar vapor ou vapores: "Fumam ainda nas desertas praias / Lagos de sangue tépidos, e impuros, / Em que ondeiam cadáveres despidos, / Pasto de corvos." (Basílio da Gama, *O Uraguai,* I p. 1.) **7.** Achar-se ou mostrar-se indignado, furioso, encolerizado: *Ao ouvir os desaforos, o homem ficou fumando.* [Sin., bras.: fumaçar.] **8.** Ir-se como o fumo; evaporar-se. [Fut. pret.: *fumaria,* etc. Cf. *fumária.*]

fumaraça. *S. f.* **1.** V. *fumaça* (1). **2.** V. *fumada* (2): "com o ventre saliente, todo envolvido na fumaraça do charuto, disse com desprezo: I — Uma corja! Uma corja!" (Eça de Queirós, *A Capital,* p. 381).

fumarada. *S. f.* **1.** V. *fumaça* (1): "A fumarada sobe em novelos buscando os galhos nus." (José Vieira, *Sol de Portugal,* p. 163.) **2.** V. *fumada* (2).

fumarar. *V. t. d.* **1.** Expelir ou difundir como a fumaça. *Int.* **2.** Fumar (5).

fumarento. *Adj.* Que lança fumo ou fumaça: "Nestas práticas nigromantes, ao lume fumarento .... dos fachos de breu, é [o pajé] tenebroso" (Raimundo Morais, *País das Pedras Verdes,* p. 225).

fumária. *S. f.* V. *fel-da-terra* (1). [Cf. *fumaria,* do v. *fumar.*]

fumárico. [De *fumária* + *-ico*[2].] *Adj.* ~ V. *ácido* —.

fumarola. [Do it. *fumaruola.*] *S. f.* Emissão de gases produzida nos vulcões.

fumatório. *Adj.* Diz-se do aparelho com que se fuma.

fumável. *Adj. 2 g.* Que se pode fumar e/ou é bom para fumar.

fumbamba. *S. m. Bras.* V. *guaiamu.*

fumê. [Do fr. *fumé.*] *Adj. 2 g.* e *2 n.* **1.** Diz-se de cor tirante a cinza-escuro, como se estivesse enfumaçado: *vidro fumê; meias fumê.* ● *S. m.* **2.** Essa cor.

fumeante. *Adj. 2 g.* Que fumeia; fumegante.

fumear. *V. int.* e *t. d.* V. *fumegar:* "Chão porém que fumeia um vaporzinho leve, / a si recolhe o humor, ou dá que ao ar se eleve" (Antônio Feliciano de Castilho, *As Geórgicas de Virgílio,* p. 95). [Conjug.: v. *frear.*]

fumega. *S. m. Bras.* Pessoa de baixa estatura e nenhuma importância. [Cf. *joão-ninguém* e *catatau* (8).]

fumegante. *Adj. 2 g.* Que fumega; fumeante.

fumegar. *V. int.* **1.** Lançar fumo ou fumaça; fumar, fumaçar: "Tinham ardido as míseras choupanas / Dos pobres Índios, e no chão caídos / Fumegavam os nobres edifícios, / Deliciosa habitação dos Padres." (Basílio da Gama, *O Uraguai,* IV, p. 85.) **2.** Exalar vapores: "a mesa estava posta e uma terrina fumegava." (Carlos Malheiro Dias, *Os Teles de Albergaria,* p.

201); "Trouxeram .... o caldo verde, fumegando e cheirando nos pratarrões pintados de ramagens azuis." (José Vieira, *Sol de Portugal*, p. 45). **3.** Fazer borbulhas; espumar. **4.** Atear-se, inflamar-se (um sentimento). **5.** Coar-se, transparecer: *Suas intenções fumegavam pelos olhos.* **6.** Evolar-se, exalar-se: "véu tenuíssimo de vapores que fumegam da terra, e sobem invisíveis." (Rebelo da Silva, *Bosquejos Histórico-Literários*, I, p. 53). *T. d.* **7.** Lançar de si; exalar, fumear: *O cozido fumegava um cheiro maravilhoso.* [Sin. ger.: *fumear, esfumear.* Conjug.: v. *regar.* Pres. ind.: *fumego*, etc. Cf. *fumego (ê)* e *fumigar.*]

fumego (ê). [Dev. de *fumegar.*] *S. m. Bras.* Ato de fumegar. [Pl.: *fumegos* (ê). Cf. *fumego*, do v. *fumegar.*]

fumeira. *S. f. Bras., RS.* Bolsa, em geral de borracha, onde se guarda o fumo desfiado.

fumeiro. *S. m.* **1.** Cano por onde sobe o fumo; chaminé. **2.** V. *fumaça* (1). **3.** Espaço entre a lareira e o telhado, onde se põe carne a defumar. **4.** As carnes defumadas no fumeiro (3); chouriçada. **5.** *Bras., N.E.* V. *maconheiro* (2). ● *Adj.* **6.** *Bras.* Fumageiro.

fúmeo. [Do lat. *fumeu.*] *Adj.* V. *fumoso* (1): "Turbando as chamas e os metais, / Sobem as fúmeas espirais / Dos incensários aromais." (Martins Fontes, *Verão*, p. 85.)

fumicultor (ô). [De *fumo* + *-i-* + *cultor.*] *S. m. Bras.* Aquele que se dedica à fumicultura.

fumicultura. [De *fumo* + *-i-* + *cultura.*] *S. f. Bras.* Cultura do fumo ou tabaco.

fúmido. [Do lat. *fumidu.*] *Adj.* V. *fumoso* (1).

fumífero. [Do lat. *fumiferu.*] *Adj.* V. *fumoso* (1).

fumífico. [Do lat. *fumificu.*] *Adj.* V. *fumoso* (1).

fumiflamante. [Do lat. *fumu*, 'fumo', + *-i-* + lat. *flammante*, 'flamante'.] *Adj. 2 g.* Que lança fumo, ardendo.

fumífugo. [Do lat. *fumu*, 'fumo', + *-i-* + *-fugo*[2].] *Adj.* **1.** Que afasta o fumo ou fumaça. ● *S. m.* **2.** Aparelho que se põe na chaminé para evitar a difusão da fumaça no interior das casas.

fumigação. *S. f.* Ato ou efeito de fumigar; fumigatório.

fumigar. [Do lat. *fumigare.*] *V. t. d.* **1.** Expor à fumaça, a vapores ou gases; defumar. **2.** Desinfetar (um local) por meio de fumo ou fumaça. [Conjug.: v. *largar* Cf. *fumegar.*]

fumigatório. *Adj.* **1.** Que serve para fumigar. ● *S. m.* **2.** Fumigação.

fumígeno. [Do lat. *fumu*, 'fumo', + *-i* + *geno*[1].] *Adj.* Que produz fumo ou fumaça.

fuminho. [Dim. de *fumo.*] *S. m. Bras. Gír.* V. *maconha.*

fumista. *S. 2 g.* Fumante (3).

fumívomo. [Do lat. *fumu*, 'fumo', + *-i-* + *-vomo.*] *Adj.* V. *fumoso* (1).

fumívoro. [Do lat. *fumu*, 'fumo', + *-i-* + *-voro.*] *Adj.* **1.** Que aspira fumo ou fumaça. ● **2.** Aparelho que absorve o fumo dos bicos de gás.

fumo. [Do lat. *fumu.*] *S. m.* **1.** Vapor pardacento-azulado que sobe dos corpos em combustão ou muito aquecidos: "através do fumo denso dos cigarros, o Azevedo reconheceu nos grupos o velho Galrão, o Loureiro, o João Gualberto" (Conde de Ficalho, *Uma Eleição Perdida*, p. 13). [Sin., bras.: *fumaça.*] **2.** Exalação de cheiro desagradável que sobe de corpos em decomposição. **3.** Evaporação de água que se despenha. **4.** Faixa de crepe para luto: "Foi então que Carlos reparou que ele estava carregado de luto, com fumo no chapéu, luvas pretas, polainas pretas" (Eça de Queirós, *Os Maias*, II, p. 31). **5.** Tabaco (1). **6.** Tabaco para fumar; tabaco. [Sin., bras., nesta acepç.: *petum, petume, petema, petima, pitura.*] **7.** *Bras. Gír.* V. maconha. **8.** O hábito ou vício de fumar: "E o pior é que aos fumantes nem ao menos resta o consolo de saber que estão afugentando a morte quando abandonam o fumo" (Fernando Sabino, *A Falta Que Ela Me faz*, p. 55). **9.** *Fig.* V. *fumaças.* **10.** *Fig.* Aquilo que se esvaece, ou que é transitório. **11.** Fuligem que entra na composição de certas tintas. ~ V. *fumos.* ◆ **Fumo crioulo.** *Bras.* V. *fumo de rolo.* **Fumo de corda.** *Bras.* V. *fumo de rolo.* Fumo de palha. **1.** Coisa de pouca monta. **2.** Palavras sonoras, porém ocas. **Fumo de rolo.** *Bras.* Fumo (6) empacanivado [q. v.], torcido em forma de corda e enrolado em uma haste de madeira. **Beber fumo.** *Bras., N.E. Pop.* Fumar, pitar. **Puxar fumo.** *Bras. Gír.* Fumar maconha. [Tb. se diz, apenas *puxar.*]

fumo-bravo. *S. m. Bras.* Designação comum de várias plantas herbáceas e arbustos da família das solanáceas, pertencentes aos gêneros *Nicotiana* e *Solanum*, cujas folhas servem para fumar, e que têm espécies ornamentais e medicinais. [Pl.: *fumo-bravos.*]

fumo-bravo-de-pernambuco. *S. m. Bras., PE, BA* e *SP.* Subarbusto herbáceo da família das compostas *(Verbesia diversiflora)*, de flores alvas ou amareladas, dispostas em corimbos compostos, e cujo fruto é aquênio glabro com duas arestas livres e sem escamas. [Pl.: *fumos-bravos-de-pernambuco.*]

fumo-bravo-do-amazonas. *S. m. Bras., AM* a *BA.* Erva cespitosa, da família das poligonáceas *(Polygonum hispidu)*, de flores vermelhas e alvas, dispostas em espigas cilíndricas densifloras e geminadas, cujo fruto é aquênio, e cujas folhas são combustíveis como tabaco e usadas por pessoas pobres, segundo as quais produzem uma espécie de embriaguez; tabacarana. [Pl.: *fumos-bravos-do-amazonas.*]

fumo-bravo-do-ceará. *S. m. Bras., PA, PB* e *RJ.* Planta herbácea, da família das amarantáceas *(Chamissoa macrocarpa)*, de flores reunidas em espigas crassas, dispostas em panículas laterais e terminais, e cujas folhas são tidas por febrífugas. [Pl.: *fumos-bravos-do-ceará.*]

fumo-da-terra. *S. m.* V. *fel-da-terra* (1). [Pl.: *fumos-da-terra.*]

fumo-de-angola. *S. m. Pop.* V. *Maconha.* [Pl.: *fumos-de-angola.*]

fumo-de-jardim. *S. m.* Designação comum a duas plantas herbáceas, ornamentais, da família das solanáceas *(Nicotiana alata* e *Nicotiana longiflora)*, de floração abundante, ambas cultivadas nos jardins de todo o mundo, constituindo espécies elegantíssimas. [Pl.: *fumos-de-jardim.*]

fumo-de-rolo (rôlo) *S. m. Bras. Gír.* Indivíduo de cor preta; preto, negro, crioulo. [Pl.: *fumos-de-rolo.*]

fumos. [Pl. de *fumo.*] *S. m. pl. Fig.* V. *fumaças:* "Dom veio por ironia, para atribuir-me fumos de fidalgo." (Machado de Assis, *Dom Casmurro*, p. 2.) ~ V. *fumo.*

fumosidade. *S. f.* **1.** Qualidade de fumoso. **2.** Fumo, vapores.

fumoso (ô). [Do lat. *fumosu.*] *Adj.* **1.** Que lança fumo (1); fúmeo, fúmido, fumífero, fumífico, fumívomo: "Arde o pau de resina fumosa, / Não fui eu, não fui eu, que o acendi!" (Gonçalves Dias, *Obras Poéticas*, I, p. 28.) **2.** Em que há fumo, (1), ou que está cheio de fumo (1). **3.** *Fig.* Vaidoso, jactancioso.

funambulesco (ê). *Adj.* **1.** Relativo a, ou próprio de funâmbulo. **2.** *Fig.* Excêntrico, extravagante.

funambulismo. *S. m.* A arte ou ofício de funâmbulo.

funâmbulo. [Do lat. *funambulu.*] *S. m.* **1.** Equilibrista que anda e volteia na corda ou no arame; volantim, volatim, burlantim, volteador, aramista. **2.** *Fig.* Indivíduo que muda facilmente de opinião ou de partido.

funca. *Bras., SP. Pop. S. 2 g.* **1.** Pessoa ou coisa de pouco préstimo. ● *Adj. 2 g.* **2.** Mau, ruim.

funçanada. *S. f.* V. *funçanata.*

funçanata. *S. f.* Patuscada, pândega, troça, função: "E a tal Srª Umbelina com o chamarisco de sua boa filha, que anda-me aqui a desinquietar os filhos alheios, dando funçanatas e descantes!" (Bernardo Guimarães, *O Seminarista*, p. 141). [F. paral.: *funçanada;* var. (em MG): *funçonata.*]

funçanista. *S. 2 g.* Pessoa dada a funçanatas.

função. [Do lat. *functione.*] *S. f.* **1.** Ação própria ou natural dum órgão, aparelho ou máquina. **2.** Cargo, serviço, ofício: *a função pública.* **3.** Prática ou exercício de cargo, serviço, ofício. **4.** Utilidade, uso, serventia: *Esta caixa não tem função.* **5.** Posição, papel: *Não consigo ver-me na função de feitor.* **6.** Festividade; espetáculo: "Aí, a orquestra já ensurdecia o teatro. .... Começava a função da Grande Companhia de Zarzuelas de Madri." (Ribeiro Couto, *Baianinha e Outras Mulheres*, p. 118.) **7.** *Arquit.* Adaptação objetiva da organização do espaço arquitetônico, do mobiliário, etc., visando a uma solução estética e prática das atividades e necessidades humanas. **8.** *Jur.* Cada uma das grandes divisões da atividade do Estado na consecução de seus objetivos jurídicos: *função legislativa, judiciária, administrativa ou executiva.* **9.** *Jur.* O conjunto dos direitos, obrigações e atribuições duma pessoa em sua atividade profissional específica. **10.** *Liter.* Cada uma das finalidades que se atribuem aos enunciados [v. *enunciado*]. **11.** *Mat.* Qualquer correspondência entre dois ou mais conjuntos. **12.** *Quím.* Grupamento de átomos que atribui a uma classe de substâncias, em cujas moléculas está presente, um comportamento químico determinado e mais ou menos uniforme. **13.** *Bras.* Festa dançante; baile, dança: "Fora, ... o camarada assobiava enternecido uma tirana das derradeiras funções." (Valdomiro Silveira, *Os Caboclos*, pp. 70-71.) **14.** *Bras.* Pândega, divertimento, funçanata. [Var., bras., pop., nesta acepç.: *fonção.*] ◆ **Função algébrica.** *Mat.* A que satisfaz a uma equação algébrica. **Função analítica.** *Anál. Mat.* Num domínio do plano complexo, a função de variável complexa que é unívoca e derivável, exceto em um número finito de pontos. **Função analítica regular.** *Anál. Mat.* Função analítica que é derivável em qualquer ponto do seu domínio. [Tb. se diz apenas *função regular;* sin.: *função holomórfica.*] **Função anti-simétrica.** *Anál. Mat.* Função de variáveis reais ou complexas que troca de sinal quando se trocam os sinais das variáveis; função ímpar. **Função antitrigonométrica.** *Mat.* V. *função trigonométrica inversa.* **Função apelativa.** *Ling.* Função da linguagem [q. v.] predominantemente centrada no destinatário e, em geral, expressa pelo vocativo. **Função automórfica.** *Anál. Mat.* Função meromórfica que se mantém invariável sob um grupo de transformações lineares, as quais constituem um automorfismo do seu domínio. **Função bem-comportada.** *Anál. Mat.* **1.** Função contínua e limitada em todos os pontos do seu domínio. **2.** Função contínua com derivadas contínuas em todos os pontos do seu domínio. **Função bijetora.** *Mat.* Bijeção. **Função biunívoca.** *Anál. Mat.* Função que estabelece uma correspondência biunívoca entre dois campos de definição. **Função característica.** **1.** *Mat.* Num conjunto, função que é igual à unidade para todos os pontos do conjunto, e igual a zero para todos os pontos não pertencentes ao conjunto. **2.** *Anál. Mat.* V. *autofunção.* **Função ciclossimétrica.** *Anál. Mat.* A que permanece invariável quando há uma permutação cíclica de suas variáveis. **Função circular.** *Mat.* V. *função trigonométrica.* **Função circular direta.** *Mat.* V. *função trigonométrica.* **Função circular inversa.** *Mat.* V. *função trigonométrica inversa.* **Função cognitiva.** *Ling.* V. *função referencial.* **Função composta.** *Anál. Mat.* A que é função de uma ou mais variáveis, as quais, por sua vez, são funções de outras variáveis; função de função. **Função conativa.** *Ling.* Função da linguagem [q. v.] em que predominam os enunciados que visam atuar sobre o destinatário. **Função contínua.** *Anál. Mat.* Num ponto do seu domínio, é a função que obedece às seguintes condições: **a)** a função é definida no ponto; **b)** o limite da função no ponto coincide com o valor da função no ponto. **Função da linguagem.** *Ling.* Cada uma das diversas finalidades que caracterizam um enunciado lingüístico. Conforme este se volte para o destinatário, o remetente, o contexto, o contato, o código ou a mensagem, a função predominante será, respectivamente, denominada *conativa, emotiva, referencial, fáctica, metalingüística* ou *poética.* **Função de densidade de freqüência.** *Estat.* V. *densidade de probabilidade.* **Função de densidade de probabilidade.** *Estat.* V. *densidade de probabilidade.* **Função de distribuição.** *Estat.* **1.** V. *densidade de probabilidade.* **2.** Função que dá a probabilidade de uma variável aleatória quantitativa assumir um valor menor que um membro do seu domínio. Quando este membro é igual ao supremo do domínio da variável, a função de distribuição é igual a um; quando é igual ao ínfimo do domínio, a função de distribuição é igual a zero. Se a variável for de domínio contínuo, a derivada da função de distribuição dá a densidade de probabilidade. [Tb. se diz, apenas, *distribuição.*] **Função de freqüência.** *Estat.* V. *densidade de probabilidade.* **Função de freqüência relativa.** *Estat.* V. *densidade de probabilidade.* **Função de função.** *Anál. Mat.* Função composta. **Função de Gibbs.** *Fís.-Quím.* Função termodinâmica de estado, igual à diferença entre a entalpia e o produto da temperatura absoluta pela entropia; entalpia livre, energia livre de Gibbs. **Função degrau.** *Anál. Mat.* Função da variável real *x*, igual ao maior inteiro contido em *x*, e assim chamada porque o seu gráfico se assemelha ao perfil de uma escada. **Função de Helm-holtz.** *Fís., -Quím.* Função termodinâmica de estado, igual à diferença entre a energia interna e o produto da temperatura absoluta pela entropia; energia livre, energia livre de Helmholtz. **Função denotativa.** *Ling.* V. *função referencial.* **Função dente de serra.** *Anál. Mat.* Função da variável real *x*, igual à diferença entre *x* e o maior inteiro contido em *x*, e assim chamada porque o seu gráfico se assemelha à sucessão dos dentes de uma serra. **Função de partição.** *Fís.* Função univocamente determinada pelos níveis de energia de um sistema quantificado, e cujo conhecimento permite determinar de maneira completa todas as funções termodinâmicas do sistema. **Função de Planck.** *Fís.* Função termodinâmica igual à diferença entre a entropia dum sistema e o quociente da entalpia pela temperatura absoluta do sistema. **Função de poder.** *Estat.* A que dá o poder associado a uma região crítica, em função de um parâmetro ou de um conjunto de parâmetros dessa região. **Função de ponto.** *Anál. Mat.* A que tem por argumento um ponto no espaco n-dimensional. **Função de probabilidade.** *Estat.* Função definida sobre um domínio, e que associa a todo subconjunto deste uma probabilidade. [Cf. *função probabilidade.*] **Função de regressão.** *Estat.* Esperança matemática de uma variável aleatória, determinada por uma função de distribuição de várias outras. **Função descontínua.** *Anál. Mat.* A que tem pelo menos um ponto de descontinuidade. **Função de verossimilhança.** *Estat.* Função definida para uma amostra de uma população, e igual para cada composição da amostra, ao produto dos valores das densidades de probabilidade correspondentes aos membros da amostra. **Função elementar.** *Anál. Mat.* Qualquer das seguintes funções e suas inversas: soma, produto, potência, função exponencial e função trigonométrica. **Função elíptica.** *Anál. Mat.* Função meromórfica duplamente periódica. **Função em.** *Mat.* Função *f.* cujo domínio *D* e contra-domínio *C* obedecem às relações: *f(D)* é diferente de *C; q(D)* está contido em *C.* **Função emotiva.** *Ling.* Função da linguagem [q. v.] em que predominam os enunciados que expressam, principalmente, a atitude de quem fala com relação àquilo de que fala; função expressiva. **Função explícita.** *Anál. Mat.* Função de uma ou mais variáveis cuja dependência funcional é expressa por uma relação analítica em que a função figura apenas no primeiro membro, sozinha e elevada à primeira potência. **Função exponencial.** *Anál. Mat.* **1.** Função da variável x igual à potência x do número e: $y = e^x$. [Tb. se diz apenas *exponencial.*] **2.** Função da variável x igual à potência x de um número qualquer: $y = a^x$. [Tb. se diz, apenas *exponencial.*] **Função expressiva.** *Ling.* Função emotiva. **Função fáctica.** *Ling.* Função da linguagem [q. v.] em que predominam as mensagens que têm por objetivo principal prolongar a comunicação, ou interrompê-la, atrair a atenção do destinatário, ou verificar sua atenção. **Função fonte.** *Astr.* Relação entre a emissividade e o coeficiente de absorção da matéria, numa atmosfera estelar. **Função geratriz.** *Estat.* Função de uma variável cujo desenvolvimento em série de potências em torno de um ponto determinado de seu domínio fornece os diferentes momentos associados a uma distribuição de probabilidades. [Tb. se diz apenas *geratriz.*] **Função harmônica.** *Anál. Mat.* **1.** Qualquer solução não trivial da equação de Laplace, cujas derivadas primeira e segunda são contínuas. **2.** Função harmônica simples. **Função harmônica simples.** *Anál. Mat.* A função seno ou a função co-seno. [Tb. se diz apenas *função harmônica.*] **Função hiperbólica.** *Mat.* Qualquer das seguintes funções: *seno hiperbólico, co-seno hiperbólico, tangente hiperbólica, co-tangente hiperbólica, co-secante hiperbólica.* **Função holomórfica.** *Anál. Mat.* V. *função analítica regular.* **Função homogênea.** *Mat.* Função que permite ser evidenciado um fator que se multiplique por cada uma de suas variáveis. **Função ilimitada.** *Anál. Mat.* Função infinita. **Função ímpar.** *Anál. Mat.* Função anti-simétrica. **Função implícita,** *Anál. Mat.* Função cuja dependência funcional é expressa por uma relação analítica em que ela não figura apenas sob a forma linear e isolada num dos membros; função que não é explícita. **Função infinita.** *Anál. Mat.* Função cujo módulo, nas vizinhanças dum ponto do seu domínio, pode assumir valores maiores que qualquer número dado; função ilimitada. **Função infinitívoca.** *Anál. Mat.* A que tem uma infinidade de valores correspondentes a um mesmo ponto de seu domínio. **Função injetora.** *Mat.* Injeção (7). **Função integrando.** *Anál. Mat.* Integrando. **Função inteira.** *Anál. Mat.* Função que é analítica para todos os valores finitos da variável; função que não tem singularidade em nenhum ponto de coordenadas finitas. **Função interpolatriz.** *Mat.* A que se usa para interpolar analiticamente os pontos de um conjunto. [Tb. se diz apenas *interpolatriz.*] **Função inversa.** *Mat.* A que estabelece a dependência funcional entre o contradomínio e o domínio duma determinada função. **Função limitada.** *Anál. Mat.* Aquela que em qualquer ponto do seu domínio tem o módulo sempre menor que um número real. **Função linear.** *Mat.* Função aditiva e homogênea; função que preserva combinações lineares. **Função meromórfica.** *Anál. Mat.* Função de variável complexa que é analítica num domínio, exceto em um número finito de pólos. **Função metalingüística.** *Ling.* Função da linguagem [q. v] na qual predominam os enunciados em que o código, ou parte dele, se constitui objeto de descrição. **Função monótona.** *Anál. Mat.* Função de variável real que no seu domínio é sempre crescente, ou sempre descrescente, ou sempre não-crescente, ou sempre não-decrescente. **Função multívoca.** *Anál. Mat.* Função plurívoca. **Função par.** *Anál. Mat.* Função simétrica. **Função plurívoca.** *Anal. Mat.* Aquela que a um ponto do seu domínio associa mais de um valor do seu contradomínio; função multívoca. **Função poética.** *Ling.* Função da linguagem [q. v.] em que predominam os enunciados cuja mensagem se acha centrada em si. **Função probabilidade.** *Estat.* V. *densidade de probabilidade.* [Cf. *função de probabilidade.*] **Função proposicional.** *Lóg.* Expressão lógica que contém uma ou mais variáveis e tal que se estas forem substituídas por termos determinados a expressão considerada se torna uma proposição falsa ou verdadeira. [V. *geral* (6).] **Função própria.** *Anál. Mat.* V. *autofunção.* **Função real.** *Anál. Mat.* Função cujo contradomínio é constituído exclusivamente de números reais. **Função referencial.** *Ling.* Função da linguagem [q. v.] na qual predominam as mensagens centradas no referente ou contexto; função denotativa, função cognitiva. **Função regular.** *Anál. Mat.* Função analítica regular. **Função salto.** *Anál. Mat.* Função de uma variável real, que é nula quando a variável é negativa ou nula, e igual à unidade para os valores positivos da variável. **Função simétrica.** *Anál. Mat.* Função que permanece invariável quando se trocam os sinais das variáveis independentes; função par. **Função sintática.** *Gram.* Papel que os elementos gramaticais assumem num enunciado. **Função sobre.** *Mat.* Função *f* cujo domínio *D* e contradomínio *C* obedecem à relação: *f(D)* é igual a *C.* **Função sobrejetora.** *Mat.* Sobrejeção. **Função termodinâmica.** *Fís.* Função que relaciona variáveis termodinâmicas macroscópicas de um sistema. **Função trabalho.** *Fís.* Barreira de potencial exitente na superfície de uma substância. sólida, e que deve ser superada para que esta emita elétrons. É igual ao trabalho necessário para trazer um elétron da banda de condução da substância para o exterior. **Função transcendente.** *Anál. Mat.* Qualquer função que não é algébrica. **Função trigonométrica.** *Mat.* Qualquer das seguintes funções: *seno, co-seno, tangente, co-tangente, secante* e *co-secante;* função circular direta. **Função trigonométrica inversa.** *Mat.* Qualquer das seguintes funções: *arco seno, arco co-seno, arco tangente, arco co-tangente, arco secante* e *arco co-secante;* função antitrigonométrica, função circular inversa. **Função unívoca.** *Anál. Mat.* Aquela que a um ponto do seu domínio associa um só ponto do seu contradomínio.

funchal. *S. m.* Quantidade mais ou menos considerável de funchos dispostos proximamente entre si.

funchalense. *Adj. 2 g.* **1.** De, ou pertencente ou relativo a Funchal, capital da ilha da Madeira. ● *S. 2 g.* **2.** Natural ou habitante de Funchal.

funcho. [Do lat. tardio *fenuculu.*] *S. m.* Planta aromática e ramosa, da família das umbelíferas (*Foeniculum vulgare*), de flores amarelo-esverdeadas, dispostas em numerosas umbelas compostas, e cujo fruto é diaquênio oblongo, glabro, com tubos oleaginosos; anis-doce, erva-doce, maratro. [Esta espécie deve ter sido introduzida no Brasil pelos primeiros colonos, tal a importância medicinal que então se lhe atribuía.]

funcho-de-porco. *S. m.* Peucédano. [Pl.: *funchos-de-porco.*]

funcho-dos-alpes. *S. m.* Mutelina. [Pl.: *funchos-dos-alpes.*]

funcional. *Adj. 2 g.* **1.** Concernente a funções vitais: *perturbações* f u n c i o n a i s *de um órgão.* **2.** Diz-se da nacionalidade que se adquire em virtude das funções exercidas e se perde ao terminarem estas (no território do Estado do Vaticano, p. ex.). **3.** *Bras.* Relativo a, ou próprio de funcionários públicos: *atribuições* f u n c i o n a i s. **4.** Em cuja concepção e execução se teve em vista atender à função (7): "Entrou calmamente pela era atômica, e olha com ironia a arquitetura e os móveis chamados f u n c i o n a i s" (Rubem Braga, *Ai de Ti, Copacabana!,* p. 85). **5.** Prático (4). ~ V. *dependência —, determinante —, lesão —* e *prova —.* ● *S. m.* **6.** *Mat.* Correspondência entre dois conjuntos de funções. **7.** *Mat.* Correspondência entre um conjunto de funções e um conjunto de números.

funcionalidade. *S. f.* Qualidade de funcional (1 a 5): "E na procura dos seus excitantes todas as hierarquias artísticas, a técnica, a forma, a f u n c i o n a l i d a d e da arte, se abatem." (Mário de Andrade, *O Baile das Quatro Artes,* p. 52.)

funcionalismo. [De *funcional* + *-ismo.*] *S. m.* **1.** A classe dos funcionários públicos; funcionarismo. **2.** Qualidade de funcional (4 e 5). **3.** *Arquit.* Tendência da arquitetura do séc. XX que parte do princípio de que a forma deve resultar da perfeita adequação à função (7).

funcionalista. *Adj. 2 g.* Pertencente ou relativo ao funcionalismo (1).

funcionalizar-se. *V. p.* Tornar-se funcionário.

funcionamento. *S. m.* Ato ou efeito de funcionar.

funcionar. *V. int.* **1.** Exercer as funções; estar em exercício; trabalhar: *O governo federal* f u n c i o n a *em Brasília;* "Ele não era juiz. Mas f u n c i o n a v a sempre como jurado." (Herberto Sales, *Histórias Ordinárias,* p. 162). **2.** Mover-se bem e com regularidade; realizar os seus movimentos; trabalhar: "libertou da gaveta da cômoda o relógio dourado, que botou para f u n c i o n a r." (Edilberto Coutinho, *Onda Boiadeira,* p. 93). **3.** Estar em atividade: *O parque* f u n c i o n a *das 18 horas em diante.* **4.** Estar em vigor; subsistir, vigorar: "Era geralmente estimado. Mas havia uma exceção. Uma exceção de ódio, que f u n c i o n a r a por setenta anos." (Macedo Miranda, *As Três Chaves,* p. 41). **5.** Dar bom resultado; ter bom êxito: *A empresa em que se meteu, considerada uma loucura,* f u n c i o n o u. **6.** *Pop.* Exercer a função sexual: *Anda pelos setenta e lá vai fumaça, mas ainda* f u n c i o n a. [Fut. pret.: *funcionaria,* etc. Cf. *funcionária,* fem. de *funcionário.*]

funcionário. [Do fr. *fonctionnaire.*] *S. m.* **1.** Empregado público. **2.** Aquele que tem ocupação permanente e retribuída; empregado. [Fem.: *funcionária.* Cf. *funcionaria,* do v. *funcionar.*] ◆ **Funcionário público.** Para os fins penais, todo aquele que exerce emprego, cargo ou função pública (ou autárquica), ainda que seja em caráter transitório ou sem remuneração.

funcionarismo. [De *funcionário* + *-ismo.*] *S. m.* Funcionalismo (1).

funçonata. *S. f. Bras., MG.* V. *funçanata.*

funda. [Do lat. *funda.*] *S. f.* **1.** Laçada de couro ou de corda para arrojar pedras, ou outros projetis, ao longe. [Sin., ant.: *fundíbulo.*] **2.** *Med.* Dispositivo empregado para deter o progresso de certas hérnias. **3.** *Bras., RS.* V. *atiradeira.*

fundação. *S. f.* **1.** Ato ou efeito de fundar. **2.** Parte de uma construção destinada a distribuir as cargas sobre o terreno; alicerce. **3.** Ato do Estado, ou liberalidade privada, por doação ou por testamento, que institui uma pessoa jurídica autônoma destinada a fins de utilidade pública ou de beneficência, mediante dotação especial de bens livres. **4.** A instituição assim fundada. ◆ **Fundação corrida.** A que transmite ao solo a carga de um muro, de uma parede, ou de uma fila de pilares. **Fundação excêntrica.** Aquela em que a resultante das cargas transmitidas não passa pelo centro de sua base. **Fundação isolada.** A que transmite ao solo a carga de um só pilar.

fundado. [Part. de *fundar.*] *Adj.* Que se apóia ou funda na razão, ou em boas razões. ~ V. *dívida —a.*

fundador (ô). [Do lat. *fundatore.*] *Adj.* e *s. m.* Que ou aquele que funda; instituidor, iniciador.

fundagem. *S. f.* Substância que fica sedimentada no fundo de um líquido; sedimento, resíduo, fezes, borra.

fundamentabilidade. *S. f.* Qualidade de fundamentável.

fundamentação. *S. f.* Ação ou efeito de fundamentar (-se).

fundamentado. [Part. de *fundamentar.*] *Adj.* Que tem fundamento, base, razões: *acusação* f u n d a m e n t a d a; *elogio* f u n d a m e n t a d o.

fundamentador (ô). *Adj.* Que fundamenta.

fundamental. *Adj. 2 g.* **1.** Que serve de fundamento. **2.** Básico, essencial, necessário: *princípios* f u n d a m e n t a i s. ~V. *astronomia —, banda —, círculo —, cor —, estado —, estrela —, lei —, massa —, meridiano —, nível —, partícula —, pedra —* e *som —.* ● *S. m.* **3.** *Fís.* Som fundamental.

fundamentalmente. [De *fundamental* + *-mente.*] *Adv.* De modo fundamental; essencialmente, basicamente: "O estudo científico de uma língua é f u n d a m e n t a l m e n t e o estudo da cultura de que ela é a forma e o produto." (Celso Cunha, *Língua, Nação, Alienação,* p. 13.)

fundamentar. *V. t. d.* **1.** Lançar os fundamentos ou alicerces de; fundar: f u n d a m e n t a r *uma casa.* **2.** Dar fundamento a; documentar, justificar; estabelecer, firmar: *O réu conseguiu* f u n d a m e n t a r *a sua defesa.* *T. d.* e *i.* **3.** Alicerçar, firmar, basear, assentar: F u n d a m e n t o u *seus argumentos em autoridades na matéria.* *P.* **4.** Basear-se, apoiar-se, fundar-se.

fundamentável. *Adj. 2 g.* Que pode fundamentar-se.

fundamento. [Do lat. *fundamentu.*] *S. m.* **1.** Base, alicerce: "A estas doze portas respondiam outros tantos f u n d a m e n t o s, sobre os quais assentava toda a Cidade" (Pe Antônio Vieira, *Sermões,* VI, p. 191). **2.** Razões ou argumentos em que se funda uma tese, concepção, ponto de vista, etc.; base, apoio. **3.** Razão justificativa; motivo: *Qual o* f u n d a m e n t o *do seu* *pedido de demissão?* **4.** *Filos.* Aquilo sobre que se apóia quer um dado domínio do ser (e então o fundamento é garantia ou razão de ser), quer uma ordem ou um conjunto de conhecimentos (e então o fundamento é o conjunto de proposições e de idéias mais gerais ou mais simples de onde esses conhecimentos se deduzem).

fundango. *S. m. Bras., RJ. Folcl.* Tuia[2].

fundão. [Aum. de *fundo.*] *S. m.* **1.** Pego[1] (1): "A água rebalsada dá lugar a grandes fundões adormecidos." (Aquilino Ribeiro, *O Homem da Nave*, p. 178.) **2.** V. *brechão.* **3.** Lugar afastado, distante, ermo. [Nesta acepç., tb. é us. no pl.]

fundãoense. *Adj. 2 g.* **1.** De, ou pertencente ou relativo a Fundão (ES). ● *S. 2 g.* **2.** Natural ou habitante de Fundão.

fundar. [Do lat. *fundare.*] *V. t. d.* **1.** Assentar os alicerces de (construção); fundamentar. **2.** Edificar desde os alicerces; construir: *Segundo a lenda, Rômulo e Remo* fundaram *a cidade de Roma.* **3.** Criar, instituir, estabelecer: *O Marechal Deodoro* fundou *a República em 1889*; "Tratei logo de fundar um jornal do meu partido" (Aluísio Azevedo, *Demônios*, p. 105). **4.** Firmar, arraigar: *Só a liberdade de manifestação pode* fundar *uma democracia.* **5.** Tornar profundo; profundar, escavar: fundar *uma cova.* **6.** Proporcionar os fundos necessários para; instituir: *Alfred Nobel* fundou, *em 1900, o Prêmio Nobel.* **7.** *Lus.* Pôr fundo (8) a. **8.** Fazer a consolidação (8) de: fundar *uma dívida. T. d. e i.* **9.** Considerar como fundamento; fundamentar: Funda *na Bíblia toda a sua crença.* **10.** Apoiar, basear, fiar: Fundava *suas convicções na experiência.* **11.** Atribuir, imputar. *T. c.* **12.** Firmar-se, erigir-se: *O edifício* funda *sobre enormes colunas. Int.* **13.** Penetrar no solo; profundar: *Aquela árvore* fundou *muitíssimo. P.* **14.** Basear-se, estribar-se, fundamentar-se: "A liberdade do Espírito funda-se .... sobre a Razão." (João Gaspar Simões, *Liberdade do Espírito*, p. 11.)

fundeado. [Part. de *fundear.*] *Adj.* Que fundeou; ancorado.

fundeadoiro. *S. m.* Fundeadouro [q. v.].

fundeadouro. [Var. de *fundeadoiro.*] *S. m.* V. *ancoradouro.*

fundear. [De *fundo* + *-ear.*] *V. int.* **1.** *Mar.* Deitar ferro ou âncora; ancorar: "dobrou a ponta das Laranjeiras e, oculto no canal, formado pela ilha, ferrou panos e fundeou sobre virotes." (Galpi, *Narrativas Brasileiras*, p. 23). **2.** *Mar.* Lançar ao fundo (objeto pesado): *O oficial* fundeou *o cofre com documentos secretos.* **3.** Tocar no fundo; ir ao fundo. [Conjug.: v. *frear.*]

fundeiro[1]. *S. m.* **1.** Fabricante de fundas. **2.** Aquele que combate com funda (1); fundibulário.

fundeiro[2]. *Adj.* **1.** Que está ao fundo e mais baixo do que todos. **2.** Que tem muito fundo ou altura.

fundente. [Do lat. *fundente.*] *Adj. 2 g.* **1.** Que está em fusão. **2.** Que facilita a fusão. **3.** Que liquefaz. ● *S. m.* **4.** Substância que auxilia a fusão dos metais.

fundiário. [Do lat. *fundus*, 'fazenda, bens de raiz'.] *Adj.* Relativo a terrenos; agrário.

fundibulário. [Do lat. *fundibulariu.*] *S. m.* Fundeiro (2): "Por detrás das lanças, os besteiros e fundibulários jogavam setas, pedras, e virotes." (Oliveira Martins, *A Vida de Nun'Álvares*, p. 157.)

fundíbulo. [Do lat. *fundibulu.*] *S. m. Ant.* Funda (1).

fundição. *S. f.* **1.** Ato, efeito, arte ou fábrica de fundir[1] **2.** *Fig.* Projeto, plano. **3.** Produção intelectual. **4.** *Tip.* Fábrica de caracteres tipográficos e material branco [q. v.]. **5.** *Tip.* Quantidade de letras de determinado caráter encomendada à fábrica de cada vez.

fundido. [Part. de *fundir*[1].] *Adj.* Que se fundiu. ~ V. *ferro—.*

fundidor (ô). [Do lat. *funditore.*] *Adj.* e *s. m.* Que ou aquele que funde.

fundilhar. *V. t. d.* Pôr fundilho (2) em: *Por economia,* fundilhou *as calças.*

fundilho. [De *fundo* + *-ilho.*] *S. m.* **1.** Parte das calças e das cuecas correspondente ao assento. [Tb. se diz, nesta acepç., *fundilhos.*] **2.** Remendo nessa parte das calças.

fundilhos. *S. m. pl.* Fundilho (1): "Mas, ao tirá-lo [o capote] nas residências que visitava, sentia vergonha das calças puídas nos fundilhos." (Daniel de Carvalho, *Capítulos de Memória*, p. 16.)

➧**funding-loan.** (fândin loun). [Ingl.] *S. m. Com.* e *Jur.* **1.** Empréstimo fundado ou consolidado. **2.** A consolidação (8) dos empréstimos brasileiros com os seus credores ingleses.

fundinho. [Dim. de *fundo.*] *S. m.* **1.** *Teat.* Tela que, nos cenários, se coloca por trás das aberturas das janelas, balaustradas, portas, etc., e onde às vezes se pintam horizontes ou paisagens. **2.** *Bras.* V. *satélite* (7).

fundir[1]. [Do lat. *fundere.*] *V. t. d.* **1.** Derreter, liquefazer (metal): fundir *chumbo.* **2.** *P. ext.* Solidificar em molde (1) metal fundido; vazar: fundir *uma moeda.* **3.** Incorporar (várias coisas em uma só); juntar, unir: *Seu trabalho consistia em* fundir *os mais diversos pontos de vista.* **4.** Incorporar em volume; organizar. **5.** Esbanjar, dissipar, malbaratar. **6.** Dar como resultado. **7.** *Bras. Gír.* Deixar muito perturbado ou confuso; fundir a cuca de: "És médium? / .... 'Dizem...' / Essa revelação acabou de fundir a D. Pura." (Marisa Raja Gabaglia, *Milho pra Galinha, Mariquinha*, p. 22.) *T. d. e i.* **8.** Dar como produto ou rendimento; render: *A transação vai* fundir-*lhes um dinheirão.* **9.** Incorporar várias coisas em uma só; juntar, unir: fundiu *as suas pequenas empresas em uma grande. Int.* **10.** Proporcionar lucros; render. *P.* **11.** Tornar-se líquido; derreter-se. **12.** Aluir-se, desfazer-se. **13.** Confundir-se; reunir-se; incorporar-se: "Foi uma noite assim que as sombras que dançavam na sala se fundiram numa sombra só" (Nélson de Faria, *Tiziu e Outras Estórias*, p. 107).

fundir[2]. [De *fundo* + *-ir.*] *V. t. d.* **1.** *Desus.* Afundar, afundir. *P.* **2.** Ir ao fundo; afundar(-se); soçobrar. **3.** Sumir-se, mirrar-se.

fundismo. *S. m.* Borra ou felpa de lã, resultante da tosadura do pano.

fundista. *Adj. 2 g.* e *s. 2 g.* Diz-se de, ou animal que apresenta melhor desempenho nos percursos longos.

fundível. *Adj. 2 g.* Que pode fundir-se; fusível, fúsil.

fundo. [Do lat. *fundu.*] *Adj.* **1.** Que tem fundura ou profundidade; profundo: *buraco* fundo. **2.** Cavado, reentrante: *A doença deixou-o de faces* fundas. **3.** Muito firme; íntimo, arraigado: *convicção* funda; "Que tragédia tão funda no meu peito!..." (Florbela Espanca, *Sonetos Completos*, p. 89). **4.** Que vem do mais fundo da alma: *suspiro* fundo. **5.** Denso, espesso: *Teve medo da* funda *escuridão da mata.* **6.** *Bras. Gír.* Pouco inteligente, ou ignorante. **7.** *Bras. Gír.* Que é fraco num jogo ou num esporte, ou que está destreinado, despreparado: *Que time* fundo*!* ● *S. m.* **8.** A parte que, numa cavidade, num recipiente ou noutro objeto, fica mais distante da borda, da abertura de entrada, etc.: *o* fundo *da grota; o* fundo *da garrafa; O mágico tirou um coelho do* fundo *da cartola.* **9.** A parte mais baixa e sólida, natural ou revestida, em que repousam ou correm as águas: *o* fundo *do mar, de um rio, de uma piscina.* **10.** Profundidade, altura: *A cisterna tem pouco* fundo. **11.** A parte mais baixa ou mais interior de um lugar, de uma região: *o* fundo *do vale; Construíram a cidade no* fundo *do território*; "Ao fundo, longe, a paisagem de casario subindo o morro, a igreja de duas torres, onde os sinos nem tocam mais." (Rute Bueno, *O Livro de Auta*, p. 46). **12.** A parte mais afastada do ponto de acesso a um recinto ou a outro lugar: *o* fundo *da loja; o* fundo *do jardim.* **13.** A parte do tecido, do papel, etc., de cor lisa ou de contextura homogênea, sobre a qual se destacam desenhos ou relevos. **14.** A extremidade da agulha de costura, oposta à ponta, e que tem um orifício por onde passa o fio. **15.** V. *alto-fundo.* **16.** Razão, justificativa; base, fundamento: *Suas afirmações não têm* fundo. **17.** Substância, essência, suma: "Nesta história, aparentemente frívola, há um grande e sério fundo de filosofia" (Ramalho Ortigão, *Em Paris*, p. 80). **18.** Lastro de conhecimentos. **19.** *Fig.* Âmago, íntimo: fundo *da alma.* **20.** *Fig.* O conteúdo que fica no fundo (8) de um recipiente: *Esvaziou o* fundo *do copo.* **21.** *Art. Plást.* Plano que, numa composição, permanece mais afastado em relação às figuras ou objetos representados em destaque. **22.** *Fin.* Concentração de recursos de várias procedências para, mediante financiamentos, se promover a consolidação ou o desenvolvimento de um setor deficitário da atividade pública ou privada. **23.** *P. ext.* Concentração de recursos de várias procedências para qualquer fim. **24.** *Fin.* V. *fundo mútuo.* **25.** *Jur.* Substância, em oposição a forma. **26.** *Teat.* Parte do cenário situada ao fundo do palco. [Cf. *rotunda* (4).] **27.** *Tip.* Chapado de tom claro destinado a dar maior realce ao texto ou à imagem que sobre ele se imprime com tinta mais escura. **28.** Acervo (4). **29.** *Bras., BA* e *GO.* Diamante de qualidade inferior; detrito de diamante. **30.** *Bras., S.* V. *cafundó* (3). ● *Adv.* **31.** Com profundidade; fundamente: "Inocente, curiosa, entrando cada vez mais fundo dentro daqueles olhos que em pressa a fitavam" (Clarice Lispector, *Laços de Família*, p. 162); "Respirou fundo na descida do morrote." (Ilza do Espírito Santo Porto, *in Contos Alagoanos de hoje*, p. 67). ~ V. *fundos.* ◆ **Fundo de bateia.** *Bras.* **1.** Resíduo de ouro que fica na bateia após a lavagem da areia. **2.** Reunião de satélites do diamante. **Fundo em condomínio.** *Fin.* V. *fundo mútuo.* **Fundo musical.** Música(s) que acompanha(m) o desenrolar de um filme, peça de teatro, ou qualquer espetáculo. **Fundo mútuo.** *Fin.* Concentração de recursos administrados por uma empresa de financiamento que os aplica em carteira de títulos ou em valores mobiliários, distribuindo proporcionalmente pelos cotistas os resultados de tais aplicações. [Sin.: *fundo em condomínio.* Tb. se diz apenas *fundo.*] **A fundo. 1.** Em cheio; com largueza: "Sempre tivemos muito assunto, e não deixamos de explorá-lo a fundo." (Carlos Drummond de Andrade, *Cadeira de Balanço*, p. 61.) **2.** Profundamente: *Sabe português a* fundo; "Eu conheço Fr. Nuno bem a fundo." (Arnaldo Gama, *O Balio de Leça*, p. 49). **A fundo perdido.** Sem expectativa de retorno, especialmente de recursos autorizados para atendimento a casos de insolvência, calamidade pública ou contingência social. **Dar fundo.** *Mar.* Lançar (a embarcação) a âncora: *O navio* deu fundo *ao amanhecer.* **Entupir no fundo.** Correr (o vaqueiro), por algum tempo, rente às ancas da rês, a fim de a derrubar pela cauda. **Marchar a um de fundo.** Marchar um após outro, em cordão, numa fila só. **No fundo.** Na substância; intrinsecamente: *No* fundo *não é má pessoa.*

fundo-de-lâmpada. *S. m. Tip.* **1.** V. *vinheta de remate.* **2.** Forma triangular que se dá, por vezes, à composição do fim de um capítulo. [V. *composição em triângulo.* Pl.: *fundos-de-lâmpada.*]

fundo-de-saco. *S. m. Anat.* Cavidade fechada em uma extremidade. [Pl.: *fundos-de-saco.*]

fundões. *S. f. pl. Bras.* V. *fundão* (3).

fundonense. *Adj. 2 g.* **1.** De, ou pertencente ou relativo a Fundão (ES). ● *S. 2 g.* **2.** Natural ou habitante de Fundão.

fundos. [Pl. de *fundo.*] *S. m. pl.* **1.** Capital e outros valores constitutivos do ativo de uma sociedade. **2.** Provisão em dinheiro existente em poder de terceiro (*sacado*) para atender ou cobrir os saques efetuados por quem tem disponibilidade da provisão (*sacador; emitente*). ~ V. *fundo.* ◆ **Fundos de comércio.** Conjunto de direitos e bens mobiliários (freguesia, nome comercial, patentes de invenção, marcas de fábrica, mercadorias, etc.) pertencentes ao comerciante, e que lhe permitem efetuar as suas operações mercantis. **Fundos de reserva.** Percentagem ou cota que se deduz dos lucros líquidos de uma empresa com o objetivo de formar disponibilidade suficiente para manter a integridade do capital ou enfrentar eventuais exigências dos negócios. **Fundos públicos.** Conjunto das obrigações do Estado, representadas por títulos da dívida pública, fixos ou circulantes, e por outros papéis de crédito emitidos e garantidos pelo governo.

fundoscopia. [De *fundo* + *-scop(e)-* + *-ia.*] *S. f. Med.* Exame do fundo do olho.

fundoscópico. *Adj.* Referente à fundoscopia.

fundoscópio. *S. m.* Aparelho com que se faz a fundoscopia.

fundura. *S. f.* **1.** Distância vertical da boca ou da superfície (de um poço, etc.) ao fundo; profundidade, fundo. **2.** *Bras. Gír.* Falta de habilidade ou competência; incompetência, ignorância. **3.** *Gír.* Fraqueza, abatimento.

fúnebre. [Do lat. *funebre.*] *Adj. 2 g.* **1.** Relativo à morte, aos mortos ou a coisas que com eles se relacionem; mortuário: *oração* fúnebre; *avisos* fúnebres. **2.** *Fig.* Lúgubre, triste, lutuoso: "Tinha a face na mão, e a mão no tronco / De um fúnebre cipreste, que espalhava / Melancólica sombra." (Basílio da Gama, *O Uraguai*, IV, pp. 78-79). [Sin.: *funéreo, funeral* e *funerário.*] ~ V. *elogio* — e *honras* —*s.*

funerais. [Pl. de *funeral.*] *S. m. pl.* V. *funeral* (2).

funeral. [Do lat. *funus, eris*, 'enterro', + *-al.*] *Adj. 2 g.* **1.** V. *fúnebre.* ● *S. m.* **2.** Pompas fúnebres; préstito fúnebre; cerimônias de enterramento; enterramento, enterro, inumação, mortório, mortuório, mortualha, saimento: "Chorado ocultamente, e sem as honras / De régio funeral, desconhecida / Pouca terra os honrados ossos cobre." (Basílio da Gama, *O Uraguai*, III, p. 58.) [Tb. us. no pl.] ◆ **Em funeral.** Em sinal de luto.

funerária. [Fem. substantivado de *funerário.*] *S. f. Bras.* Casa funerária.

funerário. [Do lat. *funerariu.*] *Adj.* **1.** V. *fúnebre*: "nem as corujas funerárias, ... nem os horrendos morcegos, de asas diabólicas, turbavam o descanso imaterial daquelas horas imprevistas." (Alphonsus de Guimaraens, *Obra Completa*, p. 396). **2.** Em que repousam os restos mortais: *urna* funerária. ~V. *casa* —*a, coroa* —*a* e *urna* —*a.*

funéreo. [Do lat. *funereu.*] *Adj.* V. *fúnebre.*

funestação. [Do lat. *funestatione.*] *S. f.* **1.** Ato ou efeito

de funestar. **2.** Tristeza, pesar, luto.
funestador (ô). [Do lat. *funestatore.*] *Adj. e s. m.* Que ou aquele que funesta.
funestar. [Do lat. *funestare.*] *V. t. d.* **1.** Tornar funesto, infeliz; infelicitar: *A tragédia* funestou *a cidade.* **2.** Profanar, desonrar, infamar. **3.** Condenar, estigmatizar. *Int.* **4.** Ser funesto.
funesto. [Do lat. *funestu.*] *Adj.* **1.** Que fere mortalmente; fatal, mortal: *acidente* funesto. **2.** Que prognostica desgraça, desventura; infausto: *notícia* funesta. **3.** Que produz tristeza, amargura; lutuoso, doloroso, angustioso, aflitivo: *acontecimento* funesto. **4.** Danoso, prejudicial, nocivo: *empreendimento* funesto; *resolução* funesta. **5.** Desastroso, ruinoso: *conseqüências* funestas.
funfungagá. [Voc. onom.] *S. m. Bras.* V. *fungagá.*
funga. [Dev. de *fungar.*] *S. f.* Doença de cães, espécie de mormo que lhes escorre das ventas.
fungação. *S. f.* V. *fungada* (2).
fungada. *S. f.* **1.** Ato de fungar (1); fungo. **2.** Ato de fungar (3 e 5); fungação, fungo. [Cf. *fungadeira.*]
fungadeira. *S. f.* **1.** Ato de fungar com freqüência; fungada (2) quase contínua: *Este resfriado me deixou numa* fungadeira *horrível.* **2.** Caixa de rapé; tabaqueira.
fungador-onça. *S. m. Bras., PA* e *MA.* V. *cuíca.* (2). [Pl.: *fungadores-onças* e *fungadores-onça.*]
fungagá. [F. haplológica de *funfungagá.*] *S. m. Bras.* **1.** Orquestra ou charanga desafinada. **2.** Música desafinada. [Var.: *fungangá.*]
fungangá. [De *fungagá*, por nasalação.] *S. m. Bras.* V. *fungagá.*
fungão[1]. [Aum. de *fungo*[1].] *S. m.* V. *cravagem.*
fungão[2]. *Adj.* **1.** Que funga muito, ou que toma muito rapé. ● *S. m.* **2.** Aquele que funga muito, ou que toma muito rapé. **3.** *Pop.* Criança chorona. [Fem.: *fungona.*] **4.** *Pop.* V. *nariz* (1).
fungar. [Voc. onom.] *V. t. d.* **1.** Absorver ou aspirar pelo nariz: fungar *rapé;* "Continuou a ler o seu latim, / fungando uma pitada." (Guerra Junqueiro, *A Velhice do Padre Eterno*, p. 161). **2.** Resmungar, resmonear. *Int.* **3.** Produzir som, absorvendo ar, rapé, etc., pelo nariz. [Conjug.: v. *largar.*]
fungicida. [Do lat. *fungu*, 'fungo' + *-i-* + *-cida.*] *Adj. 2 g.* Diz-se de, ou substância empregada no combate aos fungos [v. *fungo*[1]].
fúngico. *Adj.* Relativo a, ou produzido por fungo[1]: *esporo* fúngico; *moléstia* fúngica.
fungícola. [Do lat. *fungu*, 'fungo', + *-i-* + *-cola.*] *Adj. 2 g.* Que vive nos fungos [v. *fungo*[1]].
fungiforme. [Do lat. *fungu*, 'fungo' + *-i-* + *-forme.*] *Adj. 2 g.* Semelhante a um fungo[1], geralmente agaricáceo [v. *agaricáceas*].
fungível. [Do lat. *fungibile.*] *Adj. 2 g.* **1.** Que se gasta. **2.** Que se consome com o primeiro uso. ~ V. *bens fungíveis.*
fungo[1]. [Do lat. *fungu.*] *S. m. Bot.* Organismo vegetal heterotrófico, saprófito ou parasito, cujas células, organizadas em filamentos ditos *hifas*, carecem de cloroplastas e levam paredes comumente não celulóticas. O talo, chamado *micélio*, formado de hifas entrelaçadas, é muito peculiar. Os fungos multiplicam-se por grande número de tipos de esporos, alguns (ascos e basídios) originados mediante fenômenos de sexualidade. Compreendem quatro grandes classes: ficomicetos, ascomicetos, protomicetos e basidiomicetos; grupo provisório é o dos deuteromicetos ou fungos imperfeitos. A palavra *cogumelo*, que se lhes aplica vulgarmente, indica apenas os mais conspícuos ou notórios, já pelas dimensões avantajadas, já pelas colorações vivas. Há fungos comestíveis e outros venenosos; alguns têm látex. Os bolores e as orelhas-de-pau são exemplos vulgares.
fungo[2]. [Dev. de *fungar.*] *S. m.* V. *fungada.*
fungona. *Adj. (f.)* e *s. f.* Fem. de *fungão*[2] [q. v.].
fungosidade. *S. f.* **1.** Qualidade de fungoso. **2.** *Med.* Excrescência na superfície de ferida.
fungoso (ô). [Do lat. *fungosu.*] *Adj.* **1.** Relativo ou semelhante a fungo[1]. **2.** Da natureza do fungo[1]: "Era horrível essa fungosa e peganhenta família de gordos agáricos de todos os feitios e dimensões." (Aluísio Azevedo, *Demônios*, p. 60). **3.** Esponjoso ou cheio de poros.
fungu. *S. m. Bras., RS.* V. *bruxaria* (1 e 2): "Não vá vancê cuidar que no caso andou mulher botando fungu no coração de ninguém" (Simões Lopes Neto, *Contos Gauchescos e Lendas do Sul*, p. 220).
funicular. [Do fr. *funiculaire.*] *Adj. 2 g.* **1.** Composto de cordas. **2.** Que funciona por meio de cordas. **3.** *Morf. Veg.* Relativo ao funículo (4): *excrescência* funicular. **4.** Filamentoso, lembrando uma corda; funiforme. Ex.: o caule de muitas trepadeiras. ● *S. m.* **5.** Sistema de transporte em que a tração do veículo é proporcionada por cabos acionados por motor estacionário, e que freqüentemente se utiliza para vencer grandes diferenças de nível. [Cf. *teleférico* (3).] **6.** O veículo pertencente a este sistema.
funículo. [Do lat. *funiculo.*] *S. m.* **1.** Pequena corda. **2.** *Anat.* Cordão de fibras nervosas. **3.** *P. ext.* Cordão umbilical (1). **4.** *Morfol. Veg.* Pequeno cordão ou filamento que une a semente (e o óvulo) à placenta; podospermo.
funiforme. [Do lat. *fune*, 'corda' + *-i-* + *-forme.*] *Adj. 2 g.* Funicular (4).
funil. [Do bordelês *fonilh.*] *S. m.* **1.** Utensílio cônico, provido de um tubo, destinado a transvasar líquidos infundíbulo. **2.** Qualquer objeto em forma de funil. **3.** *Bras., BA* e *GO.* V. *fecho* (7).
funilaria. *S. f.* Estabelecimento ou loja de funileiro.
funileiro. *S. m.* **1.** Fabricante de funis. **2.** Aquele que trabalha em folha-de-flandres. [Sin., nesta acepç.: *latoeiro* e (bras.) *folheiro, flandeiro, bate-folha.*]
funje. [Do quimb. *funji*, 'massa de fécula de mandioca'.] *S. m. Bras., PE. Pop.* Reunião dançante de gente de baixa condição.
fura. [Dev. de *furar.*] *S. f. Bras.* e *prov. lus.* Furo feito com formão ou verruma grossa.
fura-barreira. [De *furar* + *barreira.*] *S. m. Bras.* Ave piciforme, da família dos galbulídeos (*Galbula cyaneicollis* Cass.), da Amaz., de dorso verde-metálico, fronte enegrecida, faces azuis, retrizes laterais vermelhas marginadas de verde, parte inferior do corpo ferrugínea no macho e vermelha na fêmea e bico amarelo com ponta preta. Vive na mata, e se alimenta de insetos. [Pl.: *fura-barreiras.*]
fura-barriga. [De *furar* + *barriga.*] *S. m. Bras., PE. Pop.* Designação comum às aves piciformes da família dos galbulídeos. [Pl.: *fura-barrigas.*]
fura-bolo. [De *furar* + *bolo* (ô).] *S. m.* **1.** *Bras. Fam.* V. *dedo indicador.* ● *S. 2 g.* **2.** *Bras. Fam.* Pessoa metediça, que tenta ingerir-se em todo negócio que lhe chega ao conhecimento. [F. paral.: *fura-bolos.* Pl.: *fura-bolos.*]
fura-bolos. *S. m. 2 n.* e *s. 2 g.* e *2 n. Bras. Fam.* Fura-bolo [q. v.]: "enfiou no fura-bolos o rubi circundado de diamantes." (Leonardo Mota, *Sertão Alegre*, p. 96).
fura-buxo. [De *furar* + *buxo*] *S. m.* Ave procelariforme, da família dos procelarídeos, gênero *Pterodroma* Bon., do Atlântico e Pacífico meridionais. Quatro espécies ocorrem nas costas brasileiras, entre as quais *P. incerta* (Schl.), parda com peito e abdome brancos, e *P. mollis* (Gould), de cabeça branca, coroa e dorso cinzento-violáceos, asas com pontas pardacentas, abdome branco. Alimentam-se de peixes. Foram as primeiras aves vistas por ocasião do descobrimento do Brasil. [Sin.: *vira-buxo.* Pl.: *fura-buxos.*]
fura-camisa. [De *furar* + *camisa.*] *S. m. 2 n.* Crustáceo decápode (*Geapsus varius*).
furacão. [Do taino *hurakán*, atr. do esp. *huracán.*] *S. m.* **1.** Vento cuja velocidade é superior a 25 metros por segundo; tufão: "teria apenas pegado da costura, quando um furacão repentino .... entrou pela casa, ... arrebatou-lhe bordado das mãos, e apagou subitamente a vela." (Rebelo da Silva, *De noite Todos os Gatos São Pardos*, p. 30). **2.** *Fig.* Tudo que destrói com violência e rapidez; turbilhão, vórtice. **3.** *Fig.* Ímpeto muito veemente: "entrou, empurrado por um furacão de ódio, e sacando o punhal da bainha .... apunhalou repetidas vezes o travesseiro." (Xavier Marques, *As Voltas da Estrada*, p. 335).
furação. [De *furar* + *-ção.*] *S. f. Bras. Tecnol.* Conjunto de furos ou orifícios duma peça, em geral rosqueados.
fura-capa. [De *furar* + *capa*[1].] *S. f. Bras. PE.* Planta glabra, da família das compostas (*Bidens riparia*), de flores reunidas em capítulos radiados e pedunculados, e cujo fruto é aquênio, aristado e alado, com alas curtas, glabras e escabrosas. [Pl.: *fura-capas.*]
furacar. *V. t. d. Fam.* Esfuracar. [Conjug.: v. *trancar.*]
furacidade. [Do lat. *furacitate.*] *S. f.* Tendência para roubar; hábito de roubo.
furadeira. *S. f.* Ferramenta ou máquina com broca, usada para furar (1).
furado. [Part. de *furar.*] *Adj.* **1.** Que tem algum furo ou buraco; perfurado. **2.** *Fam.* Que come muito e não engorda. **3.** *Fam.* Diz-se de assunto já divulgado ou sabido, ou de negócio que falhou, que foi por água abaixo. **4.** *Bras. Chulo.* Diz-se de mulher desvirginada. ~ V. *papo —, pau —, semana —a* e *tijolo —.* ● *S. m.* **5.** *Bras., BA.* Período seco durante a estação chuvosa. **6.** *Bras., BA* e *SP.* Canal natural que reúne dois rios ou corta uma grande curva. **7.** *Bras., SP.* Vale de curso de água que, após estar represado, logra vencer o obstáculo que o separava da costa. **8.** *Bras., MT.* Trecho retilíneo de um rio; estirão. **9.** *Bras., GO.* Clareira aberta na mata virgem pela ação do fogo ou dos dendroclastas.
furador (ô). *Adj.* **1.** Que fura. ● *S. m.* **2.** Utensílio de metal, de osso ou de marfim, com que se abrem furos ou ilhoses. **3.** *Bras.* Instrumento feito de um osso apontado numa das extremidades, e que serve para emendar uma corda, enfiar botão, quebrar gelo, etc. **4.** *Bras.* V. *cavador* (3).
fura-gelo. [De *furar* + *gelo* (ê).] *S. m.* Ferramenta pontiaguda usada para dividir em pedaços uma barra de gelo. [Pl.: *fura-gelos.*]
fura-laranja. [De *furar* + *laranja.*] *Adj. 2 g.* ~V. *pica-pau —.* [Pl.: *fura-laranjas.*]
fura-mato. [De *furar* + *mato.*] *S. m. Bras., BA.* **1.** V. *tiriba.* **2.** V. *tiriba-pequena.* [Pl.: *fura-matos.*]
furão. [Do lat. tardio *furone.*] *S. m.* **1.** *Bras.* Designação comum às espécies de mamíferos carnívoros da família dos mustelídeos, gêneros *Grisson* Oken e *Grammogale* Cabr., este de ventre baio, dorso e faixa abdominal de cor pardo-castanha, e que só ocorre no PA. Do *Grisson* Oken há duas subespécies: a *G. vittatus vittatus* (Schr.), da Amaz. e do S. O. do Brasil, e a *G. V. brasiliensis* (Thunb), do C. O. e S., que tem por cima dos olhos e orelhas uma larga faixa amarela, que vai até à margem anterior da omoplata. [Sin.: *cachorrinho-do-mato.*] **2.** *Bras.* V. *barbeiro* (6). **3.** Indivíduo curioso e bisbilhoteiro. **4.** *Bras.* V. *cavador* (3). ● *Adj.* **5.** *Bras.* V. *cavador* (4): "furão como ele só; especula com tudo; tem o quarto cheio de .... fitas e tetéias de armarinho; vende essas miudezas ...., e dizem que faz negócio." (Aluísio Azevedo, *Casa de Pensão*, p. 103). [Fem.: *furona.*]
fura-paredes. [De *furar* + o pl. de *parede.*] *S. 2 g.* e *2 n.* **1.** Pessoa atilada, ativa, expedita. ● *S. m. 2 n.* **2.** Planta de caule ereto, pubescente, carnoso, vermelho, da família das urticáceas (*Parietaria officinalis*), de flores polígamas, pequeninas, sésseis, verdes, reunidas em glomérulos axilares, num invólucro comum, constituído por uma bráctea e bractéolas, e cujo fruto é aquênio ovóide, com apenas uma semente preta; erva-de-santana, quebra-pedra.
furar. [Do lat. *forare.*] *V. t. d.* **1.** Abrir ou fazer furo em; perfurar, esburacar. **2.** Penetrar em; introduzir-se por; romper: "só gostava de andar à volta com rapazes e molequinhos, ... furando matagais, correndo pelas várzeas" (Visconde de Taunay, *Ao Entardecer*, p. 34); "Minha intenção talvez fosse correr mundo, furar o sertão de Goiás." (Oto Lara Resende, *O Braço Direito*, p. 5). **3.** Perturbar, embaraçar, atrapalhar, dificultar: *Procurou por todos os meios* furar *a transação já bem encaminhada.* **4.** Fazer que se malogre; frustrar: *Fez tudo para* furar *o negócio do concorrente.* **5.** *Bras. Chulo.* Desvirginar, descabaçar. *Int.* **6.** Abrir caminho, passagem: *Foi* furando *por entre a densa multidão até alcançar o orador.* **7.** Irromper, sair: *Magro e maltrapilho, os ossos furavam-lhe pelas vestes.* **8.** Vencer dificuldades: *Veio* furando *pela vida fora até se tornar o grande homem que é.*
fura-terra. [De *furar* + *terra.*] *S. f. Bras.* V. *cobra-cega* (2). [Pl.: *fura-terras.*]
furável. *Adj. 2 g.* Que pode ser furado.
fura-vidas. [De *furar* + *vida.*] *S. 2 g.* e *2 n.* Pessoa muito ativa, que por todos os meios procura obter vantagens e servir os seus interesses; cavador.
furbesco (ê). [Do it. *furbesco.*] *Adj.* Velhaco, patife.
furcífero. [Do lat. *furciferu.*] *Adj.* Que tem uma parte do corpo bifurcada.
fúrcula. [Do lat. *furcula.*] *S. f.* **1.** *Anat.* Chanfradura côncava existente na extremidade cranial do esterno. **2.** *Zool.* A parte do esqueleto das aves constituída pelas duas clavículas soldadas.
furdunçar. *V. int. Bras. Pop.* **1.** Divertir-se com alarido; pandegar. **2.** Promover furdunço, desordem. [Conjug.: v. *laçar.*]
furdunceiro. *Adj.* e *s. m. Bras. Pop.* Diz-se de, ou indivíduo dado a furdunços.
fundúncio. *S. m. Bras. Pop.* V. *furdunço.*
furdunço. *S. m. Bras. Pop.* **1.** Festança popular. **2.** Barulho, desordem. V. *rolo*[1] (16). [F. paral.: *furdúncio.*]
furente. [Do lat. *furente.*] *Adj. 2 g.* Enfurecido, colérico, furioso, furibundo: "As altas chamas enoveladas afastam-se, chofram-se, investem furentes, rabeiam, baralhando-se" (Gustavo Barroso, *Terra de Sol*, p. 17).
furfuráceo. [Do lat. *furfuraceu.*] *Adj.* Relativo ou semelhante ao farelo, ou à farinha; furfúreo,areláceo, farináceo.
furfuramido. [De *furfur(ol)* + *amido.*] *S. m. Quím.* Substância originária da ação do amoníaco sobre o

furfurol.

furfúreo. [Do lat. *furfureu.*] *Adj.* **1.** De farelo. **2.** V. *furfuráceo.*

▲furfur(o)-. [Do lat. *furfur, uris.*] *El comp.* = 'farelo': *furfurol.*

furfurol. [De *furfur(o)-* + *ol.*] *S. m. Quím.* Aldeído tóxico que se encontra nos álcoois em geral. [Pl.: *furfuróis.*]

furgão. [Do fr. *fourgon.*] *S. m.* Carro coberto, para transporte de bagagens ou pequena carga.

fúria. [Do lat. *furia.*] *S. f.* **1.** Agitação violenta; ímpeto de violência; furor: *O louco foi tomado de fúria.* **2.** Exaltação de ânimo; raiva, ódio, ira. *Tomou-se de tremenda fúria;* "levou o arrojo a arrepiar a testa do touro com a ponta da lança. Precipitou-se então o animal com fúria cega e irresistível." (Rebelo da Silva, *Contos e Lendas*, p. 178). **3.** Inspiração, estro, entusiasmo, ímpeto: *fúria criadora;* "Dai-me ũa fúria grande e sonorosa" (Luís de Camões, *Os Lusíadas*, I, 5). **4.** Precipitação ou inconsideração de procedimento. **5.** Pessoa furiosa, raivosa: *O ódio cegava-a: era uma fúria.* **6.** Mulher desgrenhada. ~ V. *fúrias.*

fúrias. [Do lat. *Furias.*] *S. f. pl. Mitol.* Divindades infernais. ~ V. *fúria.*

furibundo. [Do lat. *furibundu.*] *Adj.* Furioso, enfurecido, colérico: *Furibundo, estraçalhou a carta;* "um homem está em pé com um punhal na mão, olhar furibundo e o cabelo eriçado" (Alexandre Herculano, *Lendas e Narrativas*, II, p. 29).

furico. *S. m. Bras., PB. Pop.* V. *ânus.*

furiosa. [Fem. substantivado de *furioso.*] *S. f. Bras., MG* e *S.* Banda musical de poucas pessoas; charanga.

furiosidade. *S. f.* Qualidade de furioso.

furioso (ô). [Do lat. *furiosu.*] *Adj.* **1.** Que tem fúria: *louco furioso.* **2.** Irritado, irado, raivoso, indignado, enfurecido. **3.** Entusiasta, apaixonado: *É furioso pela música popular.* **4.** Impetuoso, arrebatado: *paixão furiosa.* **5.** Forte, resistente. **6.** Extraordinário, invulgar: *Tem uma furiosa vontade de viver.*

furipterídeo. *S. m.* **1.** Espécime dos furipterídeos. ● *Adj.* **2.** Pertencente ou relativo a eles.

furipterídeos. *S. m. pl. Zool.* Animais quirópteros, da família *Furipteridae*, de pequenas dimensões, asas bem desenvolvidas, primeiro dedo livre quase rudimentar, sem apêndices nasais, e uropatágio incluindo a cauda, exceto na porção terminal.

furlana. [Do it. *furlana.*] *S. f.* **1.** Dança de caráter vivo, em compasso binário (6/4 ou 6/8), originária do Friul (Itália) e popular nos bailes públicos de Veneza no séc. XVII. [No princípio do séc. XVIII teve grande voga em toda a Europa, e era executada por um ou dois pares a girar com rapidez e bater com os pés.] **2.** A música para essa dança.

furna. *S. f.* **1.** Caverna ou gruta, geralmente formada de blocos de pedra; fojo, antro, cova, lapa. **2.** Subterrâneo (6). **3.** *Bras., BA e alguns estados vizinhos.* Lugar retirado e esquisito. **4.** *Bras., PR.* Espécie de carijo, bem afastado do fogo.

furnarídeo. *S. m.* **1.** Espécime dos furnarídeos. ● *Adj.* **2.** Pertencente ou relativo a eles.

furnarídeos. *S. m. pl. Zool.* Aves passeriformes, da família *Furnaliidae*, caracterizadas por terem o tarso endaspidiano. Têm bico normal, e não são exclusivamente arborícolas, como os dendrocolaptídeos. São os joões-de-barro e joões-tenenéns.

furnariída. *S. m.* e *adj. 2 g.* V. *furnarídeo.*

furnariídas. *S. m. pl. Zool.* V. *furnarídeos.*

furo. [Dev. de *furar.*] *S. m.* **1.** Abertura artificial; buraco, rombo, orifício. **2.** *Fig. Fam.* V. *grau* (14). **3.** *Bras.* Notícia dada em primeira mão num jornal. **4.** *Bras., Amaz.* Comunicação natural entre dois rios ou entre um rio e um lago: "Levamos muitos dias de viagem porque foi forçoso .... andar pelos furos mais estreitos, arrastando algumas vezes a canoa" (Inglês de Sousa, *Contos Amazônicos*, p. 253). **5.** *Tip.* Unidade tipométrica equivalente a quatro cíceros, ou 48 pontos (18,044 mm); concordância. ◆ **Estar cem furos acima de.** Avantajar-se muito, ser muito superior, a (alguém); estar muitos furos acima de. **Estar muitos furos acima de.** Estar cem furos acima de. **Vir a furo. 1.** Chegar (um tumor) ao ponto em que deve ser furado ou espremido. **2.** Chegar (um negócio, um assunto) ao ponto em que a respeito dele se deve tomar uma resolução.

furoar. [De *furão* + *-ar*[2].] *V. t. d.* **1.** Procurar (qualquer coisa) à guisa de furão: *Anda na miséria, furoando alimento no lixo das casas.* **2.** *Fig.* Investigar; pesquisar. [Conjug.: v. *coroar.*]

furor (ô). [Do lat. *furore.*] *S. m.* **1.** Grande exaltação de ânimo; fúria. **2.** Delírio violento. **3.** Arrebatamento, frenesi. **4.** Entusiasmo, veemência: *o furor da paixão.* **5.** Impetuosidade, violência: *o furor da tempestade.* ◆ **Furor uterino.** V. *ninfomania.*

➡furor teutonicus (fúror teutônicuç). [Lat.] Barbárie germânica.

furreca. *Adj. 2 g. Bras.* **1.** V. *mixe:* "Atualmente [em Nova Iorque], um desjejum furreca .... não sai por menos de três dólares." (Sérgio Augusto, *Folha de S. Paulo*, 4.11.1985.) **2.** Gasto pelo uso; velho: *sandália furreca.*

furriel. [Do fr. *furrier.*] *S. m.* **1.** V. *hierarquia militar.* **2.** Militar que detinha a posição hierárquica de furriel. **3.** *Bras.* Ave passeriforme, da família dos fringilídeos (*Caryothraustes canadensis* (L.)), do Brasil e Guianas, de coloração olivácea com tons amarelados, parte inferior amarelo-olivácea, e sobrancelha, faces e mento pretos. [Pl.: *furriéis.*]

furrundu. *S. m. Bras.* Furrundum.

furrundum. *S. m. Bras.* **1.** Doce feito de cidra ralada, gengibre e açúcar mascavo ou rapadura: "O arroz-doce e o furrundum pareciam esconder-se entre os mais pratos" (Valdomiro Silveira, *Os Caboclos*, p. 143). **2.** Espécie de dança roceira. [F. paral.: *furrundu.*]

furta-cor. [De *furtar* + *cor* (ô).] *Adj. 2 g.* **1.** Que apresenta cor diversa, segundo a luz projetada; cambiante: *tecido furta-cor;* "um turbilhão borboleteia / De prismásticos sonhos furta-cores" (Raimundo Correia, *Poesias*, p. 132); "Um córrego rolava espumas furta-cor." (Vicente de Carvalho, *Versos da Mocidade*, p. 24.) ● *S. m.* **2.** A cor cambiante. [Var., nessas acepç., (p. us.): *furta-cores.*] **3.** Espécie de cobra-cipó (*Philodryas mattogrossensis* Korl.). [Pl. do adj.: *furta-cores* e *furta-cor;* do s. m.: *furta-cores.*]

furta-cores. [De *furta* + o pl. de *cor* (ô).] *Adj. 2 g.* e *2 n.* e *s. m. 2 n. P. us.* Var. de *furta-cor* (1 e 2): "agitavam esses / ... a sua bandeira revolucionária furta-cores." (José Régio, *O Príncipe com Orelhas de Burro*, p. 104.)

furtadela. *S. f.* Ação de furtar (5 e 8). ◆ **Às furtadelas.** Às escondidas; às ocultas; a furto: "olhava-a sempre vagamente, fugidiamente, às furtadelas" (Virgílio Várzea, *Nas Ondas*, p. 27).

furta-fogo. [De *furtar* + *fogo.*] *S. m.* **1.** Luzeiro escondido. ● *Adj. (f.)* **2.** ~ V. *lanterna* —. [Pl.: *furta-fogos.*]

furta-moça. [De *furtar* + *moça* (ô).] *Adj. 2 g. Bras.* Diz-se do eqüídeo sem ferradura. [Pl.: *furta-moças.*]

furta-passo. *S. m.* Certa andadura do cavalo, cômoda para o cavaleiro. [Pl.: *furta-passos.*] ◆ **A furta-passo.** Com cautela; sem fazer ruído.

furtar. [De *furto* + *-ar*[2].] *V. t. d.* **1.** Apoderar-se de (coisa alheia); subtrair fraudulentamente (coisa alheia); roubar: "A minha ama-de-leite Guilhermina / Furtava as moedas que o Doutor me dava." (Augusto dos Anjos, *Eu*, p. 75.) **2.** Fazer passar como seu (trabalho, obra, pensamento, etc., de outrem). **3.** Falsificar, contrafazer: *Hábil imitador, furtou a assinatura do chefe. T. d. e i.* **4.** Subtrair furtiva ou fraudulentamente; roubar: *Furtou à viúva seus últimos recursos;* "meu genro, que não deixava a mulher um só instante, furtava-lhe beijos sempre que eu me afastava deles" (Aluísio Azevedo, *Livro de uma Sogra*, p. 162). **5.** Afastar; desviar; esquivar: *Furtou a vista aos gestos de súplica. Int.* **6.** Apoderar-se de coisa alheia; subtrair fraudulentamente coisa alheia; ser ladrão: *Tem o vício de furtar.* **7.** Trapacear no jogo. *P.* **8.** Desviar-se, esquivar-se: "Ela alegava .... que a gravidez, ... o mal-estar constante, obrigavam-na a furtar-se aos carinhos dele." (Nélson de Faria, *Cabeça-Torta*, p. 79.) **9.** Esconder-se, ocultar-se.

furtivo. [Do lat. *furtivu.*] *Adj.* **1.** Praticado a furto, às ocultas. **2.** Oculto, escondido: *caçador furtivo.* **3.** Disfarçado, dissimulado: "as mulheres em biocos, ... namorando com olhadelas furtivas, segredinhos ou bilhetes perfumados" (Oliveira Martins, *História de Portugal*, II, p. 163).

furto. [Do lat. *furtu.*] *S. m.* **1.** Ato ou efeito de furtar. **2.** Aquilo que se furtou. ◆ **A furto.** V. *às furtadelas:* "voltava à sua cadeira, mirando-se a furto nos espelhos da sala" (Aluísio Azevedo, *O Mulato*, p. 79).

furufuru. [Voc. onom.] *S. m. Bras.* Espuma de melaço a ferver.

furuncular. *Adj. 2 g.* Relativo ao, ou da natureza do furúnculo.

furúnculo. [Do lat. *furunculu.*] *S. m. Patol.* Lesão inflamatória dura, que ocupa pele e tecido subcutâneo, e em cujo centro ocorre necrose. [Sin.: *leicenço*, (pop.) *fruncho, frunco, frúnculo*, e (prov. port.) *bichoca* (ó).]

furunculose. [De *furúnculo* + *-ose.*] *S. f. Patol.* Erupção de furúnculos.

furunculoso (ô). *Adj.* **1.** Semelhante ou relativo a furúnculos. **2.** Sujeito a furúnculos. **3.** Que os tem.

furungar. *V. t. i.* e *int. Bras., S. Fam.* Mexer; remexer: *Andou furungando nuns papéis velhos; Gosta de furungar.* [Conjug.: v. *largar.*]

fusa[1]. [Do it. *fusa.*] *S. f. Mús.* Figura musical que vale a metade da semicolcheia.

fusa[2]. *S. f. Bras. Pop.* V. *meretriz.*

fusada. *S. f.* **1.** Porção de fio enrolada no fuso. **2.** Pancada com o fuso. **3.** Cada volta do fuso, ao fiar.

➡fusain (fuzẽ). [Fr.] *S. m.* **1.** Carvão vegetal feito dos ramos do arbusto desse nome e usado para desenhar. **2.** Desenho feito com esse carvão.

fusaiola. [Do it. *fusaiuola.*] *S. f.* Discozinho que tem um orifício central destinado a receber a extremidade do fuso que fia o linho.

fusão. [Do lat. *fusione.*] *S. f.* **1.** Ato ou efeito de fundir[1] ou fundir-se; derretimento pela ação do calor. **2.** Mistura, liga. **3.** Aliança, união: "Estamos assistindo .... à fusão de duas correntes que nasceram como expressões contraditórias e depois se aproximaram pelo que nelas havia de comum. Essas correntes são o individualismo e o socialismo." (Alceu Amoroso Lima, *A Realidade Americana*, p. 251.) **4.** Associação, sociedade: *fusão de bancos, de firmas.* **5.** V. *amalgamação* (4). **6.** *Estat.* Procedimento adotado na análise da influência de determinados fatores sobre uma população, e que consiste em agrupar dois ou mais fatores para diminuir erros de amostragem. **7.** *Fís.* Passagem de uma substância, ou de uma mistura, da fase sólida para a líquida. [Quando a substância é pura e a pressão constante, a fusão realiza-se isotermicamente.] **8.** *Fís. Nucl.* Fusão nuclear. ◆ **Fusão nuclear.** *Fís. Nucl.* Reação nuclear em que núcleos leves reagem para formar outro mais pesado, com grande desprendimento de energia. Na reação, parte da massa dos núcleos reagentes se transforma em energia, e por isso a massa do núcleo resultante é menor que a soma das massas dos reagentes. Uma reação de fusão importante é a de formação de um núcleo de trítio a partir de dois núcleos de deutério, e que constitui a base do funcionamento de uma bomba de hidrogênio. Na reação de fusão controlada, procura-se obter uma elevada temperatura, necessária para iniciar a reação, no seio de um plasma gasoso. Como fonte de energia as fusões nucleares têm papel importante, se não fundamental, na emissão de energia das estrelas. [Tb. se diz apenas *fusão; sin.: reação termonuclear.*]

fusário. [Do lat. bot. *fusarium.*] *S. m. Bot.* Gênero de fungos, parasitos de certas plantas.

fusariose. [De *fusário* + *-ose.*] *S. f. Fitopatol.* Moléstia das plantas superiores, causada por um fungo do gênero *Fusarium*, que as faz amarelecer e murchar. Gera grandes prejuízos em várias culturas, como, p. ex., a da batateira, cujos tubérculos apodrecem dentro da terra.

fusca. *S. m. Bras. Pop.* Automóvel Volkswagen de motor de 1200 ou 1300 cilindradas; fusquinha: "está muito satisfeito, porque ontem roubaram um dos carros dele da garagem, mas foi o fusca. Dos males, o menor!" (Marisa Raja Gabaglia, *Milho pra Galinha, Mariquinha*, p. 55.) [Cf. *fuscão.*]

fuscalvo [De *fusc(i)-* + *alvo.*] *Adj.* Claro-escuro (5).

fuscão. [Aum. de *fusca.*] *S. m. Bras. Pop.* Automóvel Volkswagen de motor de 1500 cilindradas. [Cf. *fusca.*]

▲fusc(i)-. [Do lat. *fucus, a, um.*] *El. comp.* = 'fusco', 'escuro': *fuscalvo, fuscipene.*

fuscícolo. [De *fusc(i)-* + *-colo.*] *Adj. Zool.* Que tem o pescoço pardo.

fuscicórneo. [De *fusc(i)-* + *-corn(e)-* + *-eo.*] *Adj. Zool.* Que tem as antenas pardas.

fuscímano. [De *fusc(i)-* + *-mano.*] *Adj. Zool.* Que tem as patas anteriores escuras.

fuscipene. [De *fusc(i)-* + *-pene.*] *Adj. 2 g. Zool.* Que tem penas pardas; fuscipêneo.

fuscipêneo. *Adj. Zool.* Fuscipene.

fuscirrostro. [De *fusc(i)-* + *-rostro.*] *Adj. Zool.* Que tem o bico pardo.

fusco. [Do lat. *fuscu.*] *Adj.* **1.** Escuro, pardo: "estendia-se uma sombra cada vez mais baça, mais fusca, mais cinzenta" (Eça de Queirós, *Contos*, p. 154); "Preta? Não; fusca, mulatinha escura, de cabelos ruços e olhos assustados." (Monteiro Lobato, *Urupês, Outros Contos e Coisas*, p. 249). **2.** *Fig.* Triste, melancólico. **3.** *Bras.* Diz-se do gado de pêlo escuro, preto.

fusco-fusco. *S. m. Bras., S. Pop.* V. *lusco-fusco:* "Era já fusco-fusco. Pegaram a acender as luzes." (Simões Lopes Neto, *Contos Gauchescos e Lendas do Sul*, p. 211.)

➡fuseau (fūzô). [Fr.] *S. m.* Calça justa, em geral de

malha, cujas pernas se prendem por alças que passam por baixo dos pés.

fuseira. *S. f.* Fuso (1) grande.

fuseiro. *S. m.* Fabricante ou vendedor de fusos.

fúsel. *Adj.* ~ V. *óleo* —.

fusela. *S. f. Heráld.* Ornato de escudo, mais ou menos semelhante a um fuso.

fuselado. [Do fr. *fuselé.*] *Adj.* **1.** Que tem fuselas. **2.** V. *afusado*: "E a quarta [aia] em seu dedo branco e fuselado / Põe o anel pesado de ouro martelado." (Eugênio de Castro, *Obras Poéticas*, I, p. 109.)

fuselagem. [Do fr. *fuselage.*] *S. f.* O corpo principal e mais resistente do avião.

fusibilidade. *S. f.* Qualidade de fusível.

fusicórneo. [Do lat. *fusu*, 'fuso', + *-i-* + *-corne-* + *-eo.*] *Adj.* **1.** Pertencente ou relativo aos fusicórneos. ● *S. m.* **2.** Espécime dos fusicórneos.

fusicórneos. *S. m. pl. Zool.* Família de insetos lepidópteros, com antenas grossas no meio.

fusiforme. [Do lat. *fusu*, 'fuso', + *-i-* + *-forme.*] *Adj. 2 g.* V. *afusado*: "a bardana dos monturos, de raiz fusiforme" (Camilo Castelo Branco, *Sentimentalismo e História*, p. 164).

fúsil. [Do lat. *fusile.*] *Adj. 2 g.* V. *fundível*. [Pl.: *fúseis*. Cf. *fuzil.*]

fusionar. *V. t. d.* **1.** Fazer a fusão de; fundir. **2.** Confundir, misturar, amalgamar.

fusionista. *Adj. 2 g.* **1.** Relativo a fusão política. **2.** Que entrou numa fusão partidária. **3.** Que é partidário de fusão política. ● *S. 2 g.* **4.** Partidário dela.

fusípede. [Do lat. *fusu*, 'fuso', + *-i-* + *-pede.*] *Adj. 2 g. Zool.* Que tem os pés afusados.

fusível. [Do lat. *fusu*, 'fundido', + *-i-* + *-vel.*] *Adj. 2 g.* **1.** V. *fundível*. ● *S. m.* **2.** *Bras. Eletr.* Dispositivo de proteção de circuitos elétricos, constituído por um material que funde, interrompendo o circuito, quando a corrente que o percorre ultrapassa um valor determinado.

fuso. [Do lat. *fusu.*] *S. m.* **1.** Instrumento roliço sobre o qual se forma, ao fiar, a maçaroca: "ela dando alguns passos, ... com a sua roca, e fiando, com os dedos tão trêmulos, que o fuso lhe caía na relva." (Eça de Queirós, *Últimas Páginas*, p. 376). [Aum.: *fuseira.*] **2.** Peça onde se enrola a corda do relógio. **3.** *Biol.* Feixe de fibrilas citoplásmicas que fixam e orientam os deslocamentos dos cromossomos, visível, na célula no curso da mitose. **4.** *Geom.* Porção de superfície esférica compreendida entre dois semiplanos que partem de um diâmetro da esfera; fuso esférico. [Cf., nesta acepç. *luna.*] **5.** *Bras., N.E.* Parafuso de madeira que, conjugando-se com a rosca da vara, a faz subir ou descer no arrocho (4), e que se liga, também, à prensa (6). [Cf. *fuzo.*] ♦ **Fuso acromático.** *Biol.* Fuso cujas fibrilas não se coram, ou se coram mal, nos processos de mitose. **Fuso distribuidor.** *Tip.* Cada um dos três eixos cujas ranhuras helicoidais fazem avançar as matrizes no distribuidor da linotipo. **Fuso esférico.** *Geom.* Fuso (4). **Fuso horário.** Cada uma das 24 faixas situadas entre pares de meridianos terrestres afastados de 15º entre si, e dentro da qual prevalece a mesma hora legal.

fusóide. [De *fuso* + *-óide.*] *Adj. 2 g.* V. *afusado*.

fusório. [Do lat. *fusoriu.*] *Adj.* Respeitante a fundição.

fusquinha. [Dim. de *fusca.*] *S. m. Bras. Pop.* V. *fusca*.

fusta[1]. [Do b.-lat. *fusta.*] *S. f. Ant.* Embarcação comprida e estreita, de pequeno calado, proa de beque, armada de esporão, dotada de 10 a 26 bancos de remadores, mastro que podia largar uma vela bastarda, e tendal à popa: "Por fins de 1540 estava concentrada diante de Goa uma garbosa e forte armada, composta de sessenta e sete fustas e catures, três galeotas e doze velas grossas." (Aquilino Ribeiro, *Portugueses das Sete Partidas*, p. 70).

fusta[2]. [Talvez der. regress. de *fustão.*] *S. f. Ant.* Espécie de xale.

fustão. *S. m.* Tecido natural ou sintético, de algodão, linho, seda ou lã, que apresenta o avesso liso e o direito em relevo, formando cordões justapostos paralelos, ou desenhos variados: "colete de fustão claro, fraque e calça de xadrez" (Leôncio Correia, *A Boêmia do Meu Tempo*, p. 76).

fuste. [Do lat. *fuste*, 'vara', 'bastão'.] *S. m.* **1.** Haste, cabo. **2.** A parte principal da coluna, entre o capitel e a base: "Tal se apruma, // no destruído Forum, a nobre coluna Trajana, / entre dispersos fustes e capitéis quadrados." (Carlos Magalhães de Azeredo, *Odes e Elegias*, p. 50.) **3.** Pauzinho com uma camada de betume em uma das extremidades, com o qual os ourives pegam nas peças miúdas que hão de lavrar. **4.** O corpo principal do bombo e do tambor. **5.** *Morfol. Veg.* A porção compreendida, numa árvore, entre o solo e as primeiras ramificações, e que é manipulada pela indústria madeireira; tronco: "os altos fustes empenachados das palmeiras-imperiais" (Gustavo Barroso, *Mississípi*, p. 111). **6.** *Tip.* V. *haste* (6).

fustete (ê). [Do cat. *fustet.*] *S. m. Bras., SP.* Designação comum a várias árvores pequenas, exóticas e ornamentais, da família das anacardiáceas, pertencentes ao gênero *Rhus*, e cujos frutos são drupáceos, com sementes oleaginosas.

fustigação. *S. f.* **1.** Ato ou efeito de fustigar. **2.** *Med.* Emprego terapêutico da flagelação com faíscas elétricas.

fustigador (ô). *Adj.* **1.** Que fustiga; fustigante. ● *S. m.* **2.** Aquele que fustiga.

fustigante. *Adj. 2 g.* Fustigador (1).

fustigar. [Do lat. *fustigare.*] *V. t. d.* **1.** Bater com vara: *O carroceiro fustigou as bestas.* **2.** Vergastar, açoitar, zurzir: "Brandindo, no ar, um látego de fogo, / Sem piedade, as fustiga" (Teixeira de Pascoais, *Obras Completas*, V, p. 7); "O vento fustigava-lhes o rosto." (Amando Fontes, *Os Corumbas*, p. 18). **3.** Castigar, maltratar: *O ciúme fustiga a alma.* **4.** Excitar, incitar, estimular: *A ambição fustiga a vontade.* [Conjug.: v. *largar.*]

fustigo. [Dev. de *fustigar.*] *S. m.* Pancada de fuste (1).

fute. *S. m. Bras. Pop.* V. *diabo* (2): "Para Cosme, não padeceu mais dúvida que Pedro fosse o Diabo. Ter o fute em pessoa dentro de casa!" (José Vieira, *Vida e Aventura de Pedro Malasarte*, p. 88.)

futebol. [Do ingl. *football.*] *S. m.* **1.** Cada um dos vários jogos esportivos disputados por dois times, com uma bola de couro, num campo com um gol (1) em cada uma das extremidades, e cujo objetivo é fazer entrar a bola dentro do gol defendido pelo adversário. **2.** Modalidade de futebol em que disputam dois times de 11 jogadores, num campo retangular com o comprimento máximo de 120 m e mínimo de 90 m, com largura máxima de 90 m e mínima de 45 m, e na qual é vedado aos jogadores, exceto o goleiro, tocar a bola com a mão. **3.** Estilo e técnica de jogar futebol: *O futebol do Brasil tem renome internacional; o futebol de Garrincha era divino.* [Pl.: *futebóis.*] ♦ **Futebol de botão.** Jogo inspirado no futebol (2), praticado sobre uma mesa ou qualquer área demarcada, e em que os jogadores são representados por botões e a bola é feita de cortiça ou de outro material adequado; jogo de botão. **Futebol de salão.** Variante do futebol (2), com regras próprias, praticada por cinco jogadores numa quadra em cimento, asfalto ou madeira, de 36 m por 24 m. [Cf. *salonismo.*] **Futebol totó.** *Bras.* Jogo inspirado no futebol (2), praticado numa caixa retangular em cujas paredes laterais se prendem varetas móveis que mantêm suspensos 22 bonecos, e no qual os jogadores, segurando nas extremidades das varetas, que ressaem da caixa, imprimem aos bonecos movimentos pendular e lateral, buscando tocar a bola para o gol. [Tb. se diz apenas *totó.*]

futebolismo. *S. m. Bras.* **1.** Prática do futebol. **2.** Paixão por esse esporte.

futebolista. *S. 2 g. Bras.* **1.** Perito em coisas de futebol. **2.** Apaixonado do futebol. **3.** Jogador de futebol.

futebolístico. *Adj. Bras.* Referente ao, ou próprio do futebol.

futevôlei. [De *fute(bol)* + *vôlei.*] *S. m. Bras.* Espécie de voleibol jogado apenas com os pés e a cabeça.

futicar. *V. t. d.* **1.** *Bras. Pop.* Fuxicar (4). **2.** Furar, espetar. **3.** Importunar, aborrecer, amolar. [Var.: *futucar*. Conjug.: v. *trancar*. Cf. *futricar.*]

fútil. [Do lat. *futile.*] *Adj. 2 g.* **1.** Frívolo, leviano: "Tudo nelas .... condiz ao modelo da mulher mal-educada, namoradeira, vaidosa, fútil." (Fialho d'Almeida, *Pasquinadas*, p. 170). **2.** Insignificante, vão: *motivo fútil.* ● *S. 2 g.* **3.** Pessoa fútil: "A Nara é uma fútil, uma desfrutável e uma gastadeira de marca maior!" (Telmo Vergara, *Contos da Vida Breve*, p. 115.)

futilidade. [Do lat. *futilitate.*] *S. f.* **1.** Qualidade ou caráter de fútil: *É notória a sua futilidade.* **2.** Coisa fútil. V. *ninharia*: *Gasta dinheiro e tempo em futilidades.*

futilizar. *V. t. d.* **1.** Tratar com pouco-caso; querer tornar fútil. *Int.* **2.** Tratar de futilidade. **3.** Dizer palavras ocas.

futre. [Do fr. *foutre.*] *S. m.* **1.** *Pop.* Homem desprezível, reles, vil; bandalho, futrica. **2.** V. *avaro* (3). ● *Adj.* **3.** Sem importância; insignificante, reles: "Luís de Camões .... mantinha certas relações com gente altamente colocada, e iria acalentando as necessidades da vida com os réditos, futres réditos, dos trabalhos de cópia e escrituração, que faria a rogo deste e daquele." (Aquilino Ribeiro, *Luís de Camões*, II, pp. 80-81.)

futrica. [De *futre* + *-ica*[1].] *S. f.* **1.** Baiúca, bodega. **2.** V. *futricada* (2). **3.** *Bras. Pop.* Pilhéria impertinente; provocação. **4.** *Bras. Pop.* V. *fuxico* (1). ● *S. m.* **5.** V. *futre* (1). **6.** *Bras.* Indivíduo sem importância social [v. *joão-ninguém*].

futricada. [De *futricar* + *-ada*[1].] *S. f.* **1.** *Pop.* Ação reles, vil; futricagem, futriquice, futricaria. **2.** Trastes velhos, usados; cacaréus, futrica.

futricagem. *S. f. Pop.* V. *futricada* (1).

futricar. [De *futrica* + *-ar*[2].] *V. t. d.* **1.** Negociar, mercadejar, fazendo trapaça; chatinar. **2.** Estragar, arruinar, prejudicar. **3.** Mexer em; agitar, revolver. **4.** *Bras. Pop.* Pilheriar de modo impertinente com; provocar, irritar, intrigar, fuxicar, afutricar. *Int.* **5.** Intrometer-se em algo para atrapalhar. **6.** Intrigar, fuxicar, afutricar: "Tanto sabia lutar a luta honrada e digna .... , defendendo princípios, como sabia futricar, negacear, se preciso fosse, armando as surpresas da politicagem." (Carlos de Gusmão, *Boca da Grota*, p. 490.) [Conjug.: v. *trancar*. Cf. *futicar.*]

futricaria. *S. f. Pop.* V. *futricada* (1).

futrico. [De *futrica?*] *S. m. Bras., CE. Pop.* V. *diabo* (2).

futriquice. *S. f. Pop.* V. *futricada* (1).

futucar. *V. t. d.* **1.** *Bras.* Var. de *futicar*. **2.** *Bras., N.E.* e *MG: Pop.* Var. de *cutucar*. [Conjug.: v. *trancar.*]

futum. [Do *ambundo.*] *S. m.* Cheiro forte; mau cheiro; fortum, fartum.

futura. [Fem. substantivado do adj. *futuro.*] *S. f. Fam.* Noiva, prometida.

futuração. *S. f.* Ação de futurar; suposição, conjetura. [Cf. *futurição.*]

futuramente. [Do fem. de *futuro* + *-mente.*] *Adv.* Em tempo futuro; no futuro.

futurar. [De *futuro* + *-ar*[2].] *V. t. d.* **1.** Predizer, prognosticar; antever. **2.** Supor, conjeturar. *T. d. e i.* **3.** Predizer, prognosticar, antever: *Futurava malefícios aos inimigos*; "Mil venturas colhi dos lábios dela, / Que instantes de prazer me futuravam." (Gonçalves Dias, *Obras Poéticas*, I, p. 92). *Int.* **4.** Fazer vaticínio. **5.** Mostrar bom agouro.

futurição. *S. f. P. us.* **1.** Existência duma coisa que está por vir. **2.** *Rel.* A vida futura, a vida eterna. [Cf. *futuração.*]

futuridade. *S. f.* **1.** Qualidade de coisa futura. **2.** Tempo ou acontecimento que está por vir.

futurismo. [De *futuro* + *-ismo.*] *S. m.* **1.** Movimento modernista lançado por Marinetti (Filippo Tommaso Marinetti), autor italiano (1876-1944), e que se baseia numa concepção exasperadamente dinâmica da vida, toda voltada para o futuro, e combate o culto do passado e da tradição, o sentimentalismo, prega o amor das formas nítidas, concisas e velozes; é nacionalista e antipacifista: "Em França e na Itália, Marinetti divulgara a partir de 1909 os princípios basilares do futurismo: luta sem quartel às tradições, à cultura feita; exaltação dos instintos guerreiros; apologia dum novo Homem-protótipo isento de sensibilidade, saudável, amoral, dominador, livre de todas as peias." (Jacinto do Prado Coelho, *Diversidade e Unidade em Fernando Pessoa*, p. 37.) **2.** *P. ext. Deprec.* Qualquer forma extravagante de arte.

futurista. *Adj. 2 g.* **1.** Que é adepto ou seguidor do futurismo. **2.** Do, ou relativo e pertencente ao futurismo; futurístico. **3.** *P. ext.* Extravagante, excêntrico. ● *S. 2 g.* **4.** Adepto ou seguidor do futurismo.

futurístico. *Adj.* Futurista (2).

futurível. *Adj. 2 g.* **1.** Diz-se de cada um dos vários modelos possíveis do futuro da humanidade, competindo à teologia investigar se a onisciência divina conhece ou não qual deles emergirá, e aos homens, no seu livre-arbítrio, tomarem ou não o caminho que os levará a esse futurível. ● *S. m.* **2.** Cada um desses modelos. **3.** *Rel.* Na teologia escolástica, futuro condicionado pelos desígnios divinos, mas cuja condição não chegou a cumprir-se.

futuro. [Do lat. *futuru.*] *S. m.* **1.** Tempo que há de vir. **2.** Sorte futura; destino: *Terá um belo futuro.* **3.** Existência futura: *Tem agora quem cuide do seu futuro.* **4.** Noivo (em relação à noiva). **5.** *Gram.* Futuro do presente. ● *Adj.* **6.** Que há de ser: *É um futuro médico.* **7.** Que está por vir ou acontecer; vindouro, venturo: *tempos futuros.* ♦ **Futuro absoluto.** *Fís.* No contínuo espaço-tempo, região limitada pelo cone de luz e na qual a coordenada tempo é positiva. **Futuro do presente.** *Gram.* Tempo verbal que situa um processo (ação, estado, mudança de estado, fenômeno) em um momento posterior àquele em que se fala: *cantarei, estarei, choverá*, etc. [Tb. se diz apenas *futuro.*] **Futuro do pretérito.** *Gram.* Tempo verbal que situa um processo (ação, estado, mudança de estado, fenômeno) em um momento anterior àquele em que se fala: *cantaria, estaria, choveria*, etc. [Sin., desus.: *condicional*.] **De futuro.** Em tempo futuro; futuramente.

futurologia. [De *futuro* + *-log(o)-* + *-ia*.] *S. f.* Ramo de conhecimento que especula acerca do futuro, com o fim de antecipar os futuríveis, ocupando-se da explosão demográfica, de possíveis mutações genéticas da humanidade, de processos revolucionários da biologia e da higiene, da segunda revolução tecnológica, do futuro da sociedade e suas instituições políticas e econômicas.

futurológico. *Adj.* Referente à futurologia.

futurologista. *S. 2 g.* Futurólogo.

futurólogo. *S. m.* Especialista em futurologia; futurologista.

futuroso (ô). *Adj.* **1.** Que tem bom futuro. **2.** Promissor, prometedor, auspicioso.

fuxicação. [De *fuxicar* + *-ção*.] *S. f. Bras. Pop.* V. *bolinagem*.

fuxicada. *S. f. Bras.* Série de fuxicos; mexericada, fuxicaria, fofoca.

fuxicar. [Var. de *futicar*.] *V. t. d.* **1.** Coser ligeiramente e a grandes pontos; alinhavar: "Pela janela da sala, vê-se .... Dona Luísa f u x i c a n d o um par de meias." (Telmo Vergara, *Contos da Vida Breve*, p. 22.) [F. paral. (bras., N. e N.E.): *fujicar* (q. v.).] **2.** Amarrotar, enxovalhar, amarfanhar, amarfalhar. **3.** Fazer (uma coisa) desajeitadamente e às pressas. **4.** Remexer, revolver; futicar. **5.** Intrigar, mexericar; futricar, afutricar. *Int.* **6.** Fazer intriga, mexerico; intrigar, mexericar; futricar, afutricar: "Ficam dias f u x i c a n d o nos cafés e preguiçando, indecentes." (Graciliano Ramos, *Angústia*, p. 6.) [Conjug.: v. *trancar*. Cf. *fujicar*.]

fuxicaria. *S. f. Bras.* V. *fuxicada*.

fuxico. [Dev. de *fuxicar*.] *S. m.* **1.** *Bras.* Intriga, mexerico, futrica. **2.** *Bras.* Cerzidura ou remendo malfeito. **3.** *Bras.* Namoro descarado. **4.** *Bras., N.E.* Amizade muito estreita.

fuxiqueiro. *Adj.* e *s. m. Bras.* Diz-se de, ou indivíduo que fuxica, intriga, mexerica; fuxiquento.

fuxiquento. *Adj.* e *s. m. Bras.* Fuxiqueiro.

fuzarca. [De *fuzo* (q. v.).] *S. f.* **1.** *Bras. Pop.* Farra, folia, pândega, troça. **2.** Desordem, bagunça, confusão. [A boa grafia seria, talvez, *fusarca*, pois a palavra parece prender-se a *confuso*. V. (além dos derivados *fuzarquear* e *fuzarqueiro*) *fuzo* e *fuzuê*.]

fuzarquear. *V. int. Bras., S.* Fazer fuzarca [q. v.]. [Conjug.: v. *frear*.]

fuzarqueiro. *Adj.* e *s. m. Bras. Pop.* Que, ou aquele que gosta de fuzarca [q. v.]; farrista.

fuzil. [Do fr. *fustil*.] *S. m.* **1.** Elo de metal. **2.** Anel de cadeia. **3.** Aro de ferro que prende a serra grande dos serradores à testeira. **4.** Peça de aço com que se fere lume na pederneira: "O seu único alívio era petiscar lume com um f u z i l num sílex" (Camilo Castelo Branco, *Sentimentalismo e História*, p. 176). **5.** Relâmpago (1): "Os aguaceiros continuavam furiosos. O vento, os f u z i s, os trovões não tinham a menor intermitência" (Virgílio Várzea, *Nas Ondas*, p. 30). **6.** Arma portátil de repetição, de cano longo, cujo carregador se coloca e retira facilmente. **7.** *Marinh.* Argola oblonga, de ferro, presa ao costado por baixo da mesa da enxárcia, e que segura a bigota inferior aonde vai gornir o colhedor que tesa cada ovém. **8.** *Fig.* Cadeia, prisão. **9.** *Fig.* Elo, ligação. [A boa grafia seria com *s*. Cf. *fúsil*.] ~ V. *fuzis*.

fuzilação. *S. f.* **1.** Ato de fuzilar. **2.** Clarão produzido pelo fuzil ao ferir lume na pederneira.

fuzilada. *S. f.* **1.** Tiros de fuzil (6), ou de qualquer arma de fogo. **2.** Pancada de fuzil em pederneira. **3.** Relâmpagos longínquos.

fuzilado. [Part. de *fuzilar*.] *Adj.* Justiçado ou assassinado com arma de fogo.

fuzilador. (ô). *Adj.* e *s. m.* Que ou aquele que fuzila ou manda fuzilar.

fuzilamento. *S. m.* Ato ou efeito de fuzilar.

fuzilante. *Adj. 2 g.* Que fuzila, que lança clarões ou centelhas: "A campônia aproximava-se, com aqueles olhos f u z i l a n t e s, pretos, perigosos" (Viriato Correia, *Contos do Sertão*, pp. 96-97).

fuzilar. [De *fuzil* + *-ar*[2].] *V. t. d.* **1.** Despedir de si, soltar, a modo de raios ou centelhas: "E foi por ali, no mesmo tom zangado, f u z i l a n d o ameaças" (Machado de Assis, *Várias Histórias*, p. 47). **2.** Executar pena capital contra (alguém), com arma de fogo; passar pelas armas: *O governo mandou f u z i l a r os insurretos.* **3.** Matar com arma de fogo: *Sacou da pistola e f u z i l o u o adversário.* *Int.* **4.** Produzirem-se relâmpagos; relampejar; cintilar. **5.** Brilhar intensamente: "um relâmpago f u z i l a e um trovão estala em volta do Corcovado" (Mateus de Albuquerque, *Da Arte e do Patriotismo*, p. 190); "Camilo tirou uma nota de dez mil-réis, e deu-lha. Os olhos da cartomante f u z i l a r a m. O preço usual era dois mil-réis." (Machado de Assis, *Várias Histórias*, p. 17). **6.** Tornar-se ou mostrar-se ameaçador; anunciar ódio, rancor: " — Ah! gringa do diabo!... exclamou em voz de trovão. / E batia os queixos como o caititu. .... O olhar f u z i l a v a." (Xavier Marques, *As Voltas da Estrada*, p. 335); "Dona Biluca voltara da missa f u z i l a n d o e não era para menos." (Nélio Pires, *Subúrbio*, p. 22). **7.** Fugir estonteado. [F. paral.: *afuzilar*.]

fuzilaria. *S. f.* **1.** Tiros simultâneos de fuzil (6) ou de qualquer arma de fogo. **2.** Tiroteio entre inimigos. **3.** *Fig.* Grande abundância.

fuzileiro. *S. m.* **1.** Soldado armado de fuzil. **2.** *Bras. Mar.* Fuzileiro naval. ♦ **Fuzileiro naval.** *Bras. Mar.* Militar naval pertencente a uma corporação especial destinada a realizar desembarques à viva força, dar serviço de guarda em estabelecimento da terra, servir de ordenança a certas autoridades, etc. [Tb. se diz apenas *fuzileiro*.]

fuzilhão. *S. m.* Bico de fivela para segurar a presilha.

fuzis. [Pl. de *fuzil*.] *S. m. pl.* As penas maiores, nos cotos das asas das aves. ~ V. *fuzil*. ♦ **Fuzis da amarra.** *Ant. Marinh.* Os elos da amarra.

fuzo. *S. m. Bras. Gír.* V. *arrasta-pé* (1). [Cf. *fuso*. Tem-se prendido *fuzo* ao vocábulo *fuzuê*. Parece-nos, porém, que os dois derivam de *confuso*, como, aliás, admite (com dúvida) Antenor Nascentes, sendo, pois, *fuso* e *fusuê* grafias preferíveis.]

fuzuê. *S. m. Bras. Gír.* **1.** Festa, função. **2.** Barulho, confusão, conflito. V. *rolo*[1] (16). [Quanto à grafia, v. *fuzo*.]

G

g. *S. m.* **1.** A 7ª letra do nosso alfabeto, que pode representar: a) o som de consoante oclusiva velar sonora [g], quando anteposta às letras *a, o, u* (*gato, gota, agudo, foguete, guiar, água*); b) o som da consoante fricativa palatoalveolar sonora [ʒ], quando antes das letras *e* e *i* (*gelo, girassol*). [V. *alfabeto fonético internacional*.] **2.** *Mús.* A nota sol, na antiga notação musical, ainda hoje usada nos países germânicos e anglo-saxões. **3.** *Mús.* Indicação primitiva da clave de sol. **4.** *Fís.* Símb. de *gauss*. **5.** Símb. de *giga-*. **6.** *Fís.* Símb. de *grama*. ● *Num.* **7.** O sétimo, numa série indicada pelas letras do alfabeto: *poltrona G* (ou *poltrona g*). **8.** A sétima, num grupo de séries: *série G* (ou *série g*). [Cf. *gê* e *jê*. Com maiúscula, nas acepç. 2, 3 e 5.]

■ **Ga.** *Quím.* Símb. de *gálio*[2].

gã. *S. m. Bras., BA.* Instrumento da família do agogô [q. v.]: "O agogô é um instrumento de ferro — duas campânulas, superpostas, uma menor do que a outra .... . Quando tem apenas uma campânula, chama-se gã." (Edison Carneiro, *Candomblés da Bahia*, p. 103.)

gabação. *S. f.* Ato de gabar; elogio, gabo, gabadela, gabamento.

gabadela. *S. f., Pop.* V. *gabação*.

gabador (ô). *Adj.* e *s. m.* Que ou aquele que gaba; louvaminheiro, gabão.

gabamento. *S. m.* V. *gabação*.

gabão[1]. [Do it. *gabbano*.] *S. m.* Capote de mangas ou casacão, com capuz e cabeção; garnacho: "o marquês apareceu, abafado num gabão d'Aveiro" (Eça de Queirós, *Os Maias*, II, p. 409).

gabão[2]. *S. m.* **1.** V. *gabador*. [Fem.: *gabona*.] **2.** *Ant.* Grande louvor ou elogio.

gabaonita. [Do lat. *gabaonita*.] *S. 2 g.* **1.** Indivíduo dos gabaonitas, povo subjugado pelos hebreus na conquista de Canaã. ● *Adj. 2 g.* **2.** Pertencente ou relativo a esse povo.

gabar. [Do ant. escand. *gabba*, 'escarnecer', atr. do fr. *gaber* ou do provenç. *gabar*.] *V. t. d.* **1.** Fazer o elogio de; preconizar as boas qualidades de; louvar, celebrar, elogiar: *Mãe coruja, vive a gabar os filhos*. **2.** Lisonjear, incensar, turibular. *P.* **3.** Jactar-se, vangloriar-se; blasonar: "Os irmãos Goncourts gabam-se de terem sido na Europa os inventores do japonismo." (Machado de Assis, *A Semana*, II, p. 340.)

gabardina. [Do fr. *gabardine*.] *S. f.* **1.** Certo pano de lã, algodão, seda, etc., natural ou sintético, tecido em diagonal, e próprio para roupas: "aquele moço bonito que tem uma capa de gabardina." (Guido Vilmar Sassi, *Piá*, p. 47). **2.** Sobretudo ou capa desse pano, impermeabilizado. [Cf., nesta acepç., *gabardo*.]

gabardine. *S. f.* V. *gabardina*.

gabardo. *S. m.* Capote de cabeção de mangas; gabinardo. [Cf. *gabardina* (2).]

gabari. [Do fr. *gabarit*.] *S. m. P. us.* V. *gabarito*.

gabaritado. [De *gabarito* + *-ado*[1].] *Adj. Bras.* Que tem gabarito, que apresenta condições (especialmente intelectuais, profissionais ou culturais) para desempenhar determinado cargo ou função.

gabaritagem. [De *gabarito* + *-agem*[2].] *S. f. Arquit.* e *Constr.* Conjunto de gabaritos [v. *gabarito* (2)] ou de normas para estabelecimento de gabarito.

gabarito. [Do fr. *gabarit*.] *S. m.* **1.** Modelo em verdadeira grandeza a que se devem conformar certas partes de navio, peças de artilharia, etc.; molde. **2.** Dimensões prefixadas; bitola. **3.** Instrumento com que se verificam algumas dessas medidas. **4.** *P. ext. Arquit.* Instrumento que serve de molde para a representação gráfica de elementos arquitetônicos, mobiliário e símbolos diversos. **5.** *Urb.* Numa edificação, o número máximo de pavimentos permitidos pela legislação. **6.** *Bras.* O conjunto, a tabela das respostas corretas às questões de uma prova, especialmente do tipo de múltipla escolha. **7.** *Bras. Fig.* Classe, categoria, nível: *Não tem gabarito para ocupar este cargo*. [F. paral. (p. us.): *gabari*.]

gabarola. *Adj. 2 g.* e *s. 2 g.* **1.** Que ou quem se gaba a si mesmo; jactancioso, vaidoso. **2.** V. *fanfarrão*. [Sin. ger. *gabola(s)*. F. paral.: *gabarolas*.]

gabarolas. *Adj. 2 g.* e *2 n.* e *s. 2 g.* e *2 n.* V. *gabarola*.

gabarolice. *S. f.* **1.** Ato ou dito de gabarola; jactância. **2.** V. *fanfarrice* (2). [Sin. ger.: *gabolice*.]

gabarra. [Do fr. *gabarre*.] *S. f.* **1.** Antiga embarcação para transporte de carga e de gente, de características muito variáveis. **2.** *Bras., PA, MA, PI* e *GO.* Canoa de grandes dimensões, com gurupés e dois mastros que envergam velas latinas quadrangulares, dotada de pequena tolda à popa e de uma cobertura plana até a proa, e usada para transporte de gado. **3.** Rede de arrastar.

gabarro. *S. m.* Úlcera ou calo infetado que se manifesta entre os cascos dos animais, em resultado da febre aftosa: "— Rezas fortes, pra secar bicheiras, pra sarar gabarros, quem conhece mesmo .... é Siá Ludovina." (Nélson de Faria, *Bazé*, p. 75).

gabela[1]. *S. f.* V. *gavela*.

gabela[2]. [Do fr. *gabelle*.] *S. f. Ant.* **1.** Imposto (2) sobre o sal. **2.** *P. ext.* Imposto (2).

gabião. [Do it. *gabbione*.] *S. m.* **1.** Grande cesto para transporte de terra, adubos, etc., ou para construir trincheiras. **2.** Cestão de vindimar.

gabinardo. *S. m.* Gabardo: "Em choças frias, sem resguardos, / Como nas tocas os coelhos, / Os aldeões tremem nos velhos / Gabinardos." (Conde de Monsaraz, *Musa Alentejana*, p. 168.)

gabinete (ê). [Do fr. ant. *gabinet*, hoje *cabinet*.] *S. m.* **1.** Aposento ou compartimento mais ou menos isolado do uso geral do resto da edificação, destinado a determinados trabalhos ou usos: *gabinete de estudos*; "D. Fernanda levou o marido para um gabinete, e, à força de beijos, consolou-o daquele golpe." (Machado de Assis, *Quincas Borba*, p. 232). **2.** Escritório (1). **3.** Laboratório (1): *gabinete de física*. **4.** O conjunto dos ministros de um Estado; ministério: "um amigo político, encarregado pelo imperador de organizar novo gabinete, ofereceu-me a pasta da marinha." (Aluísio Azevedo, *Demônios*, pp. 105-106.) **5.** O conjunto dos auxiliares ou colaboradores imediatos de um chefe de Estado, de um ministro, de um prefeito, etc.: *O novo governador ainda não escolheu o gabinete*. **6.** *Bras. Liter. Pop.* Estrofe de 10 versos decassílabos, com descante de toada rápida, usada pelos cantadores nordestinos em seus desafios [v. *martelo* (8)]. **7.** *Bras. Gír.* V. *latrina* (1). **8.** *Teat.* Designação genérica de cenários de interiores: "ajudando na montagem do cenário (um gabinete branco com as portas e janelas em marrom)" (Hermilo Borba Filho, *Margem das Lembranças*, p. 43). **9.** *Teat.* V. *inner stage*. ◆ **Gabinete de leitura.** Biblioteca pública.

gabionar. [De *gabião* (1) + *-ar*[2].] *V. t. d.* Cobrir ou fortificar com gabiões.

gabiroba. *S. f. Bras.* V. *guabiroba*.

gabirova. *Bras.* V. *guabiroba*.

gabiru. [Var. de *guabiru*.] *S. m.* **1.** *Bras., RJ. Gír.* Indivíduo desajeitado. **2.** *Bras., N. E.* V. *rato-preto*. **3.** *Bras., N.E.* V. *rato-pardo*. **4.** *Bras., N.E.* V. *rato-de-paiol*. **5.** *Bras., N.E.* V. *guabiru* (1 e 2).

gabo. *S. m.* **1.** V. *gabação*. **2.** Vaidade, jactância.

gabola. *Adj. 2 g.* e *s. 2 g.* V. *gabarola*. [F. paral.: *gabolas*.]

gabolas. *Adj. 2 g.* e *2 n.* e *s. 2 g.* e *2 n.* V. *gabarola*.

gabolice. *S. f.* V. *gabarolice*.

gabona. *S. f.* Fem. de *gabão*[2](1).

gabonense. *Adj. 2 g.* **1.** Do, ou pertencente ou relativo ao Gabão (África). ● *S. 2 g.* **2.** Natural ou habitante do Gabão. [Sin.: *gabonês*.]

gabonês. *Adj.* e *s. m.* Gabonense. [Flex.: *gabonesa* (ê), *gaboneses* (ê), *gabonesas* (ê).]

gabriela. *S. f. Bras. Gír.* Café com leite [cf. *café-com-leite*].

gabrielense. *Adj. 2 g.* **1.** De, ou pertencente ou relativo a São Gabriel (RS). ● *S. 2 g.* **2.** Natural ou habitante de São Gabriel.

gabro. [Do it. *gabbo*.] *S. m. Pet.* Rocha magmática, plutônica, em geral preta, constituída essencialmente de plagioclásio cálcico e piroxênio, e que pode conter, ainda, olivina e magnetita.

gaçaba. *S. f. Bras.* Var. de *igaçaba* [q. v.].

gacha. *S. f.* Rede que forra lateralmente o corpo das armações de pesca.

gacheiro. [De *agachar-se*.] *Adj.* **1.** *Bras., N.E.* Agachado, acaçapado: "viu ele um homem correr gacheiro e cauteloso pelo aceiro afora" (Franklin Távora, *O Cabeleira*, p. 264). **2.** *Bras., PB. Pop.* Apertado, estreito. [Cf. *gacho* (2).]

gacho. [Do esp. *gacho*.] *S. m.* **1.** A parte posterior do cachaço do boi. ● *Adj.* **2.** *Bras., RS* e *GO.* Abaixado, agachado. [Cf. *gacheiro*.]

gadanha. *S. f.* **1.** Colher grande e funda; concha, caço. **2.** Foice de cabo comprido para cortar erva; alfanje, gadanho.

gadanhada. *S. f.* Golpe de gadanho ou gadanha.

gadanhar. *V. t. d.* **1.** Cortar (erva) com o gadanho ou a gadanha. **2.** Arranhar com as unhas ou o gadanho (1); agadanhar. **3.** Agarrar firmemente; agadanhar.

gadanheira. [De *gadanh(ar)* + *-eira*.] *S. f.* Máquina de ceifar.

gadanheiro. *S. m.* Aquele que se ocupa em gadanhar (1).

gadanho. *S. m.* **1.** Garra de ave de rapina. **2.** *P. ext.* Unha (1 e 2). **3.** *Fam.* Os dedos da mão, ou a mão. **4.** Espécie de ancinho com grandes dentes de ferro, usado para arrastar estrume e em outros serviços agrícolas. **5.** V. *gadanha* (2). **6.** *Tip.* Parte do guindaste da linotipo que arrecada a linha de matrizes para levá-la à distribuição.

gadão. *S. m. Bras.* Gado de boa aparência, de boa raça.
gadeira. *S. f.* **1.** *Bras.* Gado vacum, em sentido geral. **2.** *Bras.* e *prov. lus.* Quantidade de gado; boiada. **3.** *Bras., RS.* As reses de uma estância.
gadelha (ê). *S. f.* V. *guedelha.*
gadelho (ê). *S. m.* V. *guedelha.*
gadelhudo. [De *gadelha* + *-udo.*] *Adj.* Var. de *guedelhudo* [q. v.].
gademar. [De *gado de mar*, com haplologia.] *S. m. Bras.* Boi mestiço de zebu e caracu; guademã, guademão.
gádida. [Do gr. *gádos*, 'pescada, pescadinha', + *-ida.*] *S. m.* e *Adj. 2 g.* V. *gadídeo.*
gádidas. *S. m. pl. Zool.* V. *gadídeos.*
gadídeo. *S. m.* **1.** Espécime dos gadídeos. ● *Adj.* **2.** Pertencente ou relativo a eles.
gadídeos. *S m. pl. Zool.* Família de peixes actinopterígios, da ordem dos *Solenichthyes.* Ex.: o bacalhau, o hadoque, etc. [Sin.: *gádidas.*]
gaditano. [Do lat. *gaditanu.*] *Adj.* **1.** De, ou pertencente ou relativo a Cádis (Espanha). ● *S. m.* **2.** O natural ou habitante de Cádis.
gado[1]. *S. m.* **1.** Reses em geral. **2.** Rebanho, armento, vara, fato. **3.** *Chulo.* Prostitutas. ◆ **Gado de arribada.** O que fica para trás duma boiada em trânsito. **Gado de cabeceira.** O melhor, o escolhido. **Gado de curral.** *Bras.* As vacas de leite e os bezerros duma fazenda. **Gado de solta.** *Bras.* Os novilhos, bois, touros e vacas que vivem soltos nos pastos de uma fazenda. **Gado do rio.** *Bras., AM.* Tartaruga (1). **Gado grosso.** Os eqüinos e bovinos. **Gado miúdo.** Os suínos, os caprinos e os ovinos ou ovelhuns.
gado[2]. [Do gr. *gádos.*] *S. m.* Peixe que dá seu nome à família dos gadídeos.
gadolínio. [Do antr. *Gadolin*, de J. Gadolin, químico finlandês (1760-1852).] *S. m. Quím.* Elemento de número atômico 64, pertencente aos lantanídeos. [Símb.: *Gd.*]
gadolinita. [Do antr. *Gadolin* (v. *gadolínio*) + *-ita[3].*] *S. f. Min.* Mineral amorfo, escuro, de aspecto graxo, silicato de glucínio, ferro e ítrio.
gadunhar. *V. t. d.* e *int. Bras., S.* V. *gatunar.*
gaélico. [De *gael*, contr. de *Gaedhead*, + *-ico[2].*] *Adj.* **1.** Dos, ou relativo ou pertencente aos, ou característico dos celtas da Grã-Bretanha e Irlanda. [Cf. *gálico* e *galaico.*] ● *S. m.* **2.** *Ling.* V. *celta* (2).
gafa[1]. [Do ár. *gaf'a*, 'contraída, com os dedos encolhidos' (mão).] *S. f.* **1.** Sarna leprosa de certos animais. **2.** V. *lepra* (1). **3.** *Bot.* Doença dos frutos que os engelha e faz cair.
gafa[2]. *S. f. Marn.* Vaso com que nas salinas se transporta o sal.
gafa[3]. [Do cat. ou provenç. *gafa.*] *S. f.* **1.** *Ant.* Gancho com que se puxava a corda da besta para armá-la. **2.** Garra[1] (1).
gafado. [Part. de *gafar[2].*] *Adj.* Que tem gafa[1].
gafanhotão. [Aum. de *gafanhoto.*] *S. m.* Designação comum aos gafanhotos do gênero *Tropidacris.*
gafanhoto (ô). [De *gafa[1]* (1).] *S. m.* **1.** *Bras.* Inseto da ordem dos ortópteros, subordem *Acridoidea*, o qual se distingue das esperanças e dos grilos por ter antenas mais curtas do que o corpo e pernas anteriores semelhantes às do par médio, e é provido de um órgão auditivo ou tímpano de cada lado, no segmento basal do abdome. [Sin.: *acridiano, acrídio, ticura, tucura.*] **2.** *Bras.* Mola que, nas armas de fogo, faz subir ou descer o cão. **3.** *Bras. Gír.* V. *gasparinho.* **4.** Planta de rizoma lenhoso, da família das euforbiáceas (*Jatropha elliptica*), disseminada pela área campestre central, dotada de flores pálidas, lanoso-pubescentes, com lacínias, glandulosas, reunidas em cimeiras pedunculadas, e cujo fruto é cápsula rugosa e áspera, sendo a raiz branca e carnosa; jalapão, raiz-de-cobra, raiz-de-lagarto, raiz-de-laranja, teju, tejutiú, tiu. [Pl.: *gafanhotos* (ô).]
gafanhoto-de-jurema. *S. m. Bras., N.E.* V. *bicho-pau* (2). [Pl.: *gafanhotos-de-jurema.*]
gafanhoto-de-marmeleiro. *S. m. Bras.* V. *bicho-pau* (2). [Pl.: *gafanhotos-de-marmeleiro.*]
gafanhoto-peregrino. *S. m.* Inseto ortóptero, da família dos acridídeos (*Schistocerca gregaria* Forsk), citado na Bíblia como uma das pragas do Egito. [Pl.: *gafanhotos-peregrinos.*]
gafar[1]. *S. m.* Pequeno tributo que os cristãos e judeus pagavam aos turcos quando se achavam sob o domínio destes.
gafar[2]. *V. t. d.* **1.** Contagiar com gafa[1]. **2.** Eivar; contaminar. *Int.* e *p.* **3.** Encher-se de gafa[1]. **4.** Contaminar-se; corromper-se.
gafar[3]. *V. int. Gal.* Cometer gafe.
gafaria. [De *gafo* + *-aria.*] *S. f. Ant.* Hospital para leprosos; leprosário.
gafe. [Do fr. *gaffe.*] *S. f.* Ação e/ou palavras impensadas, indiscretas, desastradas; mancada: *Deu parabéns à família do morto, e continuou, inconsciente da* gafe *cometida.*
gafeira. *S. f.* **1.** A sarna do cão; morrinha. **2.** Doença dos olhos dos bois, com inchação das pálpebras. **3.** *Ant.* Lepra (1) [q. v.].
gafeirento. *Adj.* Que tem gafeira; gafeiroso, gafento, gafo.
gafeiroso (ô). *Adj.* V. *gafeirento.*
gafento. *Adj.* V. *gafeirento.*
gafetope. [Do ingl. *gaff-top.*] *S. f. Marinh.* **1.** Mastaréu que espiga do mastro real e onde arma a vela do mesmo nome. **2.** Vela triangular, ou (raramente) quadrangular, envergada entre a carangueja e o tope do mastro. [Var.: *gavetope.*]
gafieira. [De *gafeira*?] *S. f. Bras., Gír.* V. *arrasta-pé* (1).
gafo. *Adj.* **1.** V. *gafeirento.* **2.** *Fig.* Desmoralizado, corrupto. **3.** *Med.* Que tem a mão em forma de garra. ● *S. m.* **4.** V. *lepra* (1). **5.** *Ant.* Indivíduo gafeirento [q. v.].
gafonha. *S. m. Bras., CE. Pop.* V. *mata-cachorro* (2).
gaforina. [Do antr. *Gafforini*, de Isabela Gafforini, cantora italiana que se exibiu em Portugal no séc. XIX, e cujos penteados ganharam fama.] *S. f.* **1.** Cabelo em desalinho; grenha: "Agora é moda andar de cabeça descoberta. Até se vêem os figurões de gaforina ao léu." (Aquilino Ribeiro, *Aldeia*, p. 84.) **2.** Cabelo levantado sobre a testa; topete. [Var.: *gaforinha.*]
gaforinha. *S. f.* V. *gaforina.*
➧**gag** (guég). [Ingl.] *S. f. Teat.* e *Cin.* Fala, movimento ou situação inesperada e cômica.
gagá. [Do fr. *gaga.*] *Adj. 2 g.* e *s. 2 g. Gal.* Decrépito e/ou caduco: "Fi-la [a poesia] ...., em 3 horas, neste café, com barulho e um militar reformado, gagá, ao meu lado, que fala só e implica com os circunstantes..." (Mário de Sá-Carneiro, *Cartas a Fernando Pessoa*, I, p. 113.)
gagata. [Do gr. *gagátes* (subentende-se *líthos*, 'pedra'), pelo lat. *gagata.*] *S. f.* Azeviche (1).
gagau. *S. m. Bras. Folcl.* Jogo de dados muito popular no séc. XIX, e em que o dois e o ás eram as maiores vazas.
gagino. [Do esp. plat. *gallino.*] *S. m. Bras., RS.* Galo cuja plumagem é semelhante à da galinha.
gago. [T. onom.] *Adj.* **1.** Que gagueja; balbo. ● *S. m.* **2.** Aquele que gagueja; quiquiqui, lingüinha. [Sin. ger.: *tartamudo, tartamelo, tátaro, tártaro, tato, borboró.*]
gagosa. *El. s. f.* Us. na loc. adv. *à gagosa.* ◆ **À gagosa. 1.** Sem custo; sem trabalho. **2.** À socapa; às ocultas; sorrateiramente. **3.** *Bras.* Sem medida; à vontade.
gagueira. *S. f.* V. *gaguez.*
gaguejamento. *S. m.* Gaguejo: "de uma probidade perfeita, de uma palavra sem gaguejamentos hipócritas ou medrosos — não encontrou muitos obstáculos à sua natureza de dominador." (Constâncio Alves, *Figuras*, p. 34).
gaguejar. [De *gago* + *-ejar.*] *V. int.* **1.** Pronunciar as palavras com hesitação, sem clareza de sons, e repetindo as sílabas; tartamudear: "olhou para minha mãe ...., e disse a gaguejar, muito envergonhado: — Queria falar ao menino..." (Manuel da Fonseca, *Aldeia Nova*, p. 21). **2.** Falar sem certeza. **3.** Vacilar nas respostas: "chamado à lição e intimado a dizer a data certa da criação do mundo, titubeei, gaguejei, atrapalhei-me, e disse: 4136..." (Olavo Bilac, *Últimas Conferências e Discursos*, p. 353). *T. d.* **4.** Pronunciar com hesitação, sem clareza de sons e repetindo as sílabas: "a gaguejar frases curtas, palavras soltas de mistura com inexpressivos monossílabos" (Afrânio Peixoto, *Bugrinha*, p. 57). [Conjug.: v. *pelejar.*]
gaguejo (ê). [Dev. de *gaguejar.*] *S. m.* Ato ou efeito de gaguejar; gaguejamento.
gaguez (ê). *S. f.* Embaraço fônico característico dos gagos; gagueira, gaguice, pselismo, tartamudez.
gaguice. *S. f.* V. *gaguez.*
gáiaco. *S. m.* Guáiaco.
gaiacol. *S. m.* Guaiacol. [Pl.: *gaiacóis.*]
gaiado. [De *gaias* + *-ado[1].*] *Adj.* Diz-se do cavalo que tem galas.
gaial. [Do bengali *guayal.*] *S. m.* Boi selvagem da Índia.
gaias. *S. f. pl.* Redemoinho de pêlos no peito ou nos quartos da base da cauda do cavalo.
gaiatada. *S. f.* **1.** Grupo de gaiatos. **2.** V. *gaiatice.*
gaiatar. *V. int.* Proceder como gaiato; garotar.
gaiatice. *S. f.* Atos ou palavras de gaiato; garotice; travessura; gaiatada.
gaiato. [De *gaio[2].*] *S. m.* **1.** Rapaz travesso e vadio; garoto. **2.** Indivíduo alegre, divertido, brincalhão. ● *Adj.* **3.** Que é gaiato. **4.** Engraçado, cômico, malicioso: cara gaiata; "No começo de cada ano letivo os veteranos se distraíam com o 'trote' nos 'bichos' ou novatos. Faziam as mais gaiatas caçoadas." (Daniel de Carvalho, *De Outros Tempos*, p. 27).
gaifona. *S. f.* Trejeito, gaifonice [v. *careta* (1)]: "A Inglaterra pelas gaifonas do eterno Punch, ri entre dentes, sem tirar o cachimbo da boca." (Monteiro Lobato, *Urupês, Outros Contos* e *Coisas*, p. 557.)
gaifonar. *V. int.* Fazer gaifonas, visagens, momices, caretas; caretear, engaifonar.
gaifonice. *S. f.* V. *gaifona.*
gainambé. [Var. de *guainambé*, do tupi.] *S. m. Bras., AM.* Ave passeriforme, da família dos cotingídeos (*Procnias alba* (Herm.)), da Amaz., de coloração branca, cabeça com carúnculas e provida de penas na fronte; fêmea de dorso verde, abdome amarelado, manchado de verde e crisso amarelo. Vive na mata e alimenta-se de frutas.
gaio[1]. [Do lat. tardio *gaju.*] *S. m.* Ave de penas mosqueadas e do tamanho da pega.
gaio[2]. *S. m.* **1.** *Marinh.* Cabo que agüenta para vante o pau de surriola. **2.** *Mar. Merc.* Cada um dos guardins do pau de carga.
gaio[3]. [Do provenç. *gai*, 'alegre'.] *Adj.* Alegre, jovial: "essa robusta veneziana de Mato Grosso, gaia e sonora" (Gilberto Amado, *Mocidade no Rio e Primeira Viagem à Europa*, p. 209); "a nossa alma viçosa desprende-se leve, e, musical, exulta em gaias emoções estéticas." (Antero de Figueiredo, *Toledo*, p. 1).
gaiola. [Do lat. *caveola*, com hiperbibasmo.] *S. f.* **1.** Pequena clausura onde se encerram aves, feita de cana, junco, verga ou arame: "na sua gaiola de cana, dois melros novos ensaiavam assobios hesitantes, numa modulação fresca de primavera" (Conde de Ficalho, *Uma Eleição Perdida*, p. 13). [Dim. irreg.: *gaiolim.*] **2.** Prisão para feras; jaula. **3.** *Fig.* V. *cadeia* (3). **4.** Esqueleto de uma casa. **5.** Armação de madeira para transporte e resguardo de móveis. **6.** *Fig.* Casa pequena; casinhola. **7.** Fogueira (7). **8.** *Bras.* Vagão ferroviário destinado ao transporte de gado em pé. ● *S. m.* **9.** *Bras., Amaz., MA, PI, BA* e *MG.* Pequeno vapor de navegação fluvial, de borda baixa e superestrutura alta e avarandada: "Da elevada superestrutura, desenvolvidas obras mortas, dois, três conveses, camarotes nas amuradas, adveio-lhe o apelido irônico e pitoresco de gaiola." (Raimundo Morais, *Na Planície Amazônica*, p. 137.) **10.** *Bras., SP.* Vagão aberto para transportar madeira. ◆ **Gaiola torácica.** *Anat.* Esqueleto do tórax. **Fazer gaiola.** *Bras., MA* e *PE. Pop.* Ser pederasta passivo.
gaioleiro. *S. m.* Fabricante e/ou vendedor de gaiolas: "Prometo .... escrever a favor do comércio, da indústria, da agricultura, ..., dos gaioleiros, ..., dos violeiros, dos pedestres, e mais entidades, que se oferecerem à minha pena." (Machado de Assis, *Crônicas*, I, pp. 235-237.)
gaiolim. *S. m.* Dim. de gaiola (1).
gaiolo (ô). [De *gaiola.*] *Adj.* Diz-se do touro cujas hastes são luniformes, e muito próximas nas pontas.
gaipapa. [De possível or. indígena.] *S. f. Bras. Pop.* A fêmea do gaturano verdadeiro ou garinhatã. [Var.: *gaipava.*]
gaipapo. [Var. de *gaipapa.*] *S. m. Bras., RJ.* Ave passeriforme, da família dos tanagrídeos (*Tanagra chalybea* Mikan), do S.E. do Brasil, de coloração negro-azulada, fronte amarelo-canário, e peito, abdome e uropígio amarelo-vivos. [Em SC, *gaipara.*]
gaipara. *S. f. Bras., SC.* V. *gaipapo.*
gaipava. *S. f. Bras.* Var. de *gaipapa.*
gaita. [Do gót. *gaits*, 'cabra', por se fazer com pele de cabra o fole da gaita?] *S. f.* **1.** Pequena flauta reta, de folha-de-flandres ou de bambu; espécie de pífaro. **2.** Instrumento de sopro, com vários orifícios, e que se toca fazendo-o correr por entre os lábios, de uma extremidade a outra, gaita-de-boca, harmônica: "sopra na gaita e de novo as notas da valsa se erguem no ar da manhã" (Érico Veríssimo, *Noite*, p. 208). [Cf., nesta acepç., *realejo-de-boca.*] **3.** *Bras., RS.* V. *concertina.* **4.** *Bras.* Cada uma das grandes raízes lançadas pela vegetação dos mangues. **5.** *Gír. Deprec.* Objeto qualquer: *Para que serve essa* gaita*?* **6.** *Bras., MG.* V. *zombaria.* **7.** *Bras. Gír.* V. *dinheiro* (3). **8.** *Bras., SP.* V. *tietê.* ~V. *gaitas.* ◆ **Gaita de foles.** Instrumento de caráter pastoril, formado por um saco de couro cheio de ar, um ou dois bordões e dois tubos, um modulante e outro através do qual o ar é conduzido para o odre; cornamusa, gaita galega: "Na boquinha da noite, ... tomou voz o gemer nasal da gaita de foles." (Antero de Figueiredo, *Jornadas em Portugal*, p. 155). **Gaita galega.** V. *gaita de foles.*

gaitada. *S. f.* **1.** Tocadela de gaita. **2.** *Deprec.* Trecho de música instrumental ordinária. **3.** *Pop.* V. *repreensão* (1). **4.** *Bras., N., N.E., RS, GO,* e *Açor.* V. *gargalhada:* "Teve vontade de dar uma g a i t a d a mangando dos perseguidores." (Fran Martins, *Dois de Ouros,* p. 12).

gaita-de-boca. *S. f. Bras., RS.* V. *gaita* (2). [Pl.: *gaitas-de-boca.*]

gaitas. [Pl. de *gaita.*] *S. f. pl. Zool.* Os orifícios branquiais das lampreias. ~ V. *gaita.*

gaitear. *V. int.* **1.** Tocar gaita. **2.** Andar em folias; divertir-se, foliar. **3.** *Bras., CE.* Urrar ou mugir (o gado). *T. d.* **4.** Executar em gaita. **5.** Tocar mal. [Conjug.: v. *frear.*]

gaiteira. *S. f. Bras. AL.* V. *gaiteiro* (2).

gaiteiro. *S. m.* **1.** Tocador de gaita. **2.** *Bras.* Lugar nas embocaduras dos rios, periodicamente alagado, onde cresce uma vegetação típica e se encontra em abundância o *aratu.* [Var., em AL., *gaiteira.*] **3.** Espécie de mangue cujas raízes têm o nome de *gaitas* [v. *gaita* (4)]. ● *Adj.* **4.** Vistoso, garrido. **5.** Folião, festeiro. **6.** *Bras., RJ.* Assanhado, saído. saliente: *É o tipo do velho g a i t e i r o.* ~ V. *tripa* —*a.*

gaiúta. [Do fr. *cahute,* talvez.] *S. f.* **1.** *Arquit.* Puxada de uma casa, que abriga mictório, latrina, etc. **2.** *Arquit.* Casinhola ou abrigo de madeira. **3.** *Constr. Nav.* Armação metálica ou de madeira, geralmente em forma de telhado de duas águas, envidraçada, com que se cobrem as escotilhas destinadas à entrada de ar e luz para o interior da embarcação.

gaiva. [Do lat. **gavea,* f. vulg. de *cavea,* 'gaiola'.] *S. f.* Fenda ou escavação feita na terra por águas das chuvas.

gaivagem. [De *gaiva* + *-agem.*] *S. f.* Rego fundo ou vala estreita para esgoto ou drenagem de águas.

gaivão. *S. m. Bras.* Aparelho de pesca, de forma cônica; ferreiro.

gaivar. [De *gaiva* + *-ar*^{2}.] *V. t. d.* Fazer gaivagem em. [Pres. subj.: *gaive,* .... *gaiveis, gaivem.* Cf. *gaivéis,* pl. de *gaivel.*]

gaivel. *S. m.* Parede que da base para cima vai diminuindo de espessura. [Pl.: *gaivéis.* Cf. *gaiveis,* do v. *gaivar.*]

gaivota. [Do lat. *gavia,* 'gaivota', + *-ota.*] *S. f.* **1.** Designação comum às aves caradriiformes da família dos larídeos, especialmente do gênero *Larus* L., *Phaetusa* Wag. e *Thalasseus* Boie. A gaivota comum, *Larus maculipennis* Lich, ocorre na costa atlântica da América meridional, e dela há quatro espécies no Brasil; tem coloração branco-acinzentada, mais escura no dorso, algumas penas negras nas asas, bico e pés avermelhados, alimenta-se de pequenos peixes e toda sorte de detritos do mar, e o macho, no período da procriação, ostenta a cabeça preta. [Sin.: *ati, maria-velha* e (da espécie *L. maculipennis*) atiati.] **2.** V. *andorinha-do-mar* (2). ● *S. m.* **3.** V. *tolo* (8).

gaivotão. [Aum. de *gaivota.*] *S. m. Bras.* **1.** Ave caradriiforme, da família dos larídeos (*Larus dominicanus* Lich.), da costa da África meridional, S. do Oceano Índico, Nova Zelândia e ilhas adjacentes, costa pacífica e atlântica da América do Sul até o 10º grau de latitude sul. No Brasil aparece do RS ao RJ. Coloração branca com asas negras. É maior que a gaivota comum. **2.** Albatroz (1 e 2). **3.** *Impr.* Albatroz (3).

gaivota-preta. *S. f. Bras., MG.* V. *quero-quero.* [Pl.: *gaivotas-pretas.*]

gaivota-rapineira. *S. f. Bras.* **1.** Ave caradriiforme, da família dos estercorarídeos (*Catharacta skua chilensis* (Bon.)), da costa pacífica do Chile e Peru, e atlântica da Argentina até o RS, de coloração parda com reflexos avermelhados ou ocráceos, e com uma mancha branca típica nas asas. **2.** Ave caradriiforme, da família dos estercorarídeos (*Stercorarius parasiticus* (L.)), que nidifica nas ilhas e costas árticas e antárticas, nos dois hemisférios, com ocorrências nas zonas intermediárias, inclusive o Brasil, de coloração parda e branca, ou inteiramente parda, com uma mancha branca na asa, e cauda com duas penas muito alongadas. [Pl.: *gaivotas-rapineiras.*]

gaivotinha. [Dim. de *gaivota.*] *S. f. Bras.* Planta da família das euforbiáceas (*Crotonervosus*).

gajão. [Do cigano *gachó.*] *S. m. Bras.* Título respeitoso de que usam os ciganos para com as pessoas estranhas à sua raça. *Meu gajão* equivale a 'meu senhor'.

gajeiro. [Do it. *gaggio,* 'gávea'.] *S. m.* **1.** *Marinh.* Nos navios à vela, marinheiro que tem a seu cargo um dos mastros, zela por ele e dirige os trabalhos que nele se executam, e a quem outrora competia, ainda, subir ao cesto de gávea, nas proximidades de terra, a fim de procurar avistá-la antes dos demais elementos da tripulação: "o g a j e i r o do cesto de gávea espiando terra" (Raimundo Morais, *País das Pedras Verdes,* p. 210). ● *Adj.* **2.** Que trepa bem.

gajeru. *S. m. Bras.* V. *abajeru.*

gajeta (ê). [Do esp. plat. *galleta.*] *S. f. Bras., RS.* Espécie de bolacha.

gajiru. *S. m. Bras.* V. *abajeru.*

gajo. [De *gajão,* tomada esta palavra como aum.] *S. m.* **1.** Homem de maneiras abrutalhadas. **2.** Indivíduo ou sujeito qualquer; tipo. **3.** Indivíduo finório, velhaco.

gajuru. *S. m. Bras.* V. *abajeru.*

■ **Gal.** *Fís.* Símb. de *galileu*^{1}.

gala^{1}. [Do fr. ant. *gale,* 'diversão, prazer'.] *S. f.* **1.** Traje para solenidades. **2.** V. *pompa* (2). **3.** Festa nacional. **4.** Ornamentação ou enfeites ricos, preciosos: "Nos seus fugazes poemas de Anacreonte passavam por diante da alma as estátuas, os painéis, ... as g a l a s do toucado e do vestido." (Antônio Feliciano de Castilho, *A Lírica de Anacreonte,* p. 17).

gala^{2}. [Dev. de *galar.*] *S. f.* **1.** Mancha germinativa no ovo; galadura. **2.** *Bras., N.E. Chulo.* Sêmen, esperma.

galã. [Do fr. *galant.*] *S. m.* **1.** *Teat.* e *Cin.* Personagem ou ator que representa o herói de boa aparência e atitudes, inteligente e corajoso, e que exerce o papel decisivo nas intrigas de amor. **2.** *Fig.* Homem belo e elegante. **3.** *Fam.* Namorador, galanteador.

galação. *S. f. Bras.* V. *galadura* (1).

galacrista. [Var. de *galocrista* < lat. *galli crista,* 'crista de galo'.] *S. f.* Planta ornamental cuja inflorescência recorda a crista do galo.

galactagogo (ô). [De *galact(o)-* + *-agogo.*] *Adj.* **1.** Que aumenta a secreção do leite. ● *S. m.* **2.** Meio ou substância que se emprega para aumentar a secreção do leite.

galáctico. [Do gr. *galaktikós.*] *Adj. Astr.* Relativo à Galáxia, ou a uma galáxia. ~ V. *aglomerado* —, *centro* —, *círculo* —, *concentração* —*a, cúmulo* —, *disco* —, *equador* —, *grupo* —, *halo* —, *janela* —*a, latitude* —*a* e *nebulosa* —*a.*

▲**galact(o)-.** [Do gr. *gála, gálaktos.*] *El. comp.* = 'leite': *galactagogo, galactorréia.*

galactocele. [De *galact(o)-* + *-cele.*] *S. f. Med.* **1.** Ingurgitamento cístico de glândula mamária que contém leite. **2.** Hidrocele que contém líquido de aspecto leitoso.

galactófago. [Do gr. *galaktophágos.*] *Adj.* Que se alimenta de leite.

galactóforo. [Do gr. *galaktophóros.*] *Adj. Anat.* Que conduz leite: *vasos g a l a c t ó f o r o s.*

galactologia. [De *galacto(o)-* + *-log(o)-* + *-ia.*] *S. f.* Tratado ou ciência relativa ao leite.

galactológico. *Adj.* Concernente à galactologia.

galactômetro. [De *galacto(o)-* + *-metro.*] *S. m.* V. *lactômetro.*

galactopoese. [De *galact(o)-* + *-poese.*] *S. f. Med.* Formação do leite; secreção láctea.

galactopoético. [De *galact(o)-* + *poético.*] *Adj.* Relativo à galactopoese.

galactoposia. [Do gr. *galaktoposía.*] *S. f.* **1.** Uso do leite como bebida habitual. **2.** *Terap.* Tratamento médico em que o doente só se alimenta de leite.

galactorréia. [De *galact(o)-* + *-réia.*] *S. f.* Secreção abundante ou espontânea de leite.

galactorréico. *Adj.* Relativo à galactorréia.

galactoscópio. [De *galact(o)+ -scop- + -io.*] *S. m.* Instrumento com que se verifica a proporção de creme existente no leite.

galactose. [Do gr. *galaktosis.*] *S. f. Quím.* Açúcar cristalino, branco, encontrado em vegetais e no leite. [Fórm.: $C_6H_{12}O_6$.]

galactosuria. *S. f. Patol.* Var. pros. de *galactosúria.*

galactosúria. [De *galactose* + *-ur(o)-*^{2} + *-ia.*] *S. f. Patol.* Presença de galactose na urina. [Var. pros.: *galactosuria.*]

galactoterapia. [De *galact(o)-* + *terapia.*] *S. f. Med.* Administração de medicamento à lactante, para que este se transmita ao lactente.

galactoterápico. *Adj.* Relativo à galactoterapia.

galactotise. [De *galact(o)-* + *-tise.*] *S. f.* Emagrecimento por lactação prolongada.

galacturia. *S. f. Desus.* Var. pros. de *galactúria* [q. v.].

galactúria. [De *galact(o)-* + *-uria.*] *S. f. Desus.* V. *quilúria.* [Var. pros.: *galacturia.*]

galado. *Adj.* Fecundado.

galadura. *S. f.* **1.** Ação de galar (1); galação. **2.** Gala^{2} (1).

galagala. [Do mal. *gala-gala.*] *S. f.* **1.** *Obsol. Constr. Nav.* Espécie de betume constituído de cal virgem, estopa e azeite, destinado a vedar juntas e a revestir as obras vivas das embarcações, e sobre o qual se aplicava um forro de cobre, para protegê-las do gusano. **2.** Mistura de óleo de baleia e conchas trituradas, utilizada para rejuntar pedras de pavimentação de ruas e estradas: "Na serra, permaneceu o tortuoso caminho de tropas, com pedras rejuntadas à custa de g a l a g a l a, mistura de óleo de baleia e conchas esmagadas." (Nélson Werneck Sodré, *Memórias de um Soldado,* p. 271.)

galaico. *Adj.* e *s. m.* V. *galego* (1 a 3). [Cf. *gaélico.*]

galaico-lusitano. Adj. Relativo à Galiza (Espanha) e à Lusitânia. [Pl.: *galaico-lusitanos.*]

galaico-português. *Adj.* e *s. m.* Galego-português. [Pl.: *galaico-portugueses.*]

galalau. [Do antr. *Galalão* (o Ganelon da *Chanson de Roland*), com desnasalação.] *S. m. Bras. Fam.* Homem de estatura elevada: "A voz de Godô era um fiapinho, contrastando com o tom abaritonado do outro, um g a l a l a u de homem, desempambado" (Nélson de Faria, *Bazé,* p. 101). [Sin.: *galerão, manguari, arganaz, peroba; butelo* (N. e C.O.); *manjolão* (PE).]

galalite. [Do gr. *gála,* 'leite', + *-lite.*] *S. f.* Material plástico derivado da caseína pura, tratada pelo formol.

galanar. *V. int.* Galanear.

galane. *Adj. 2 g.* Galante, cortês.

galanear. *V. int.* **1.** Trajar-se com requinte, à maneira de galã; trajar à fidalga. *T. d.* **2.** Vestir (roupas luxuosas). [F. paral.: *galanar.* Conjug.: v. *frear.*]

galanga. [Do it. *galanga.*] *S. f.* Planta medicinal da família das zingiberáceas (*Alpinia officinarum*).

galanice. *S. f.* **1.** Qualidade ou procedimento de galã. **2.** Gentileza, donaire, galantaria.

galantaria. *S. f.* **1.** Ato ou efeito de galantear; galanteio. **2.** Coisa ou pessoa galante. [F. paral.: *galanteria.*]

galante. [Do it. *galante.*] *Adj. 2 g.* **1.** Gracioso, gentil, donairoso, esbelto. **2.** Distinto, elegante, polido: *g a l a n t e no trato.* **3.** Engraçado, espirituoso, divertido. **4.** Licencioso, picante: *anedota g a l a n t e.* **5.** *Bras., MT.* Diz-se dos espécimes de certa raça bovina. ● *S. 2. g.* **6.** Pessoa galante.

galanteador (ô). *Adj.* e *s. m.* Que ou aquele que galanteia, que corteja mulheres; cortejador.

galantear. *V. t. d.* **1.** Fazer a corte a; cercar de atenções e amabilidades; cortejar. **2.** Enfeitar, adornar, ornar. *Int.* **3.** Dizer galanteios; namorar: "Mesurado, donairosíssimo, diserto, dameja, corteja, g a l a n t e i a, idiliza" (Martins Fontes, *A Dança,* p. 53). [Conjug.: v. *frear.*]

galanteio. [Dev. de *galantear.*] *S. m.* **1.** Atenções amorosas; galantaria, corte (ô), fineza. **2.** V. *namoro.*

galanteria. *S. f.* Galantaria [q. v.].

galantina. [Do fr. *galantine.*] *S. f.* **1.** Iguaria de alta culinária, feita com galinha ou carne desossada e recheada com diversos ingredientes e condimentos, com a qual se faz um rolo que depois é cozido num caldo feito de substâncias gelatinosas. Serve-se fria, cortada em fatias e acompanhada da geléia (2) feita com o caldo. **2.** *P. ext.* Prato frio, feito com geléia ou gelatina salgada e enformada com outros ingredientes, como carnes, legumes, camarão, etc.

galão^{1}. [Do fr. *galon.*] *S. m.* **1.** Tira ou cadarço, de tecido bordado, ou de fios entrançados, usada como enfeite ou debrum, sobretudo em roupas infantis ou femininas, em decoração de ambientes, ou em roupas de cama e mesa; grega: "Às portas havia grandes reposteiros de belbutina preta, com g a l õ e s dourados" (Inglês de Sousa, *O Coronel Sangrado,* p. 257). [Cf. *passamanaria* (1).] **2.** Tira dourada, usada como distintivo nas mangas da farda de certas categorias de militares e de funcionários: "Gastara em África os melhores anos da existência .... . Para lá abalara pela vez primeira ainda com o g a l ã o de alferes." (Joaquim Paço d'Arcos, *Carnaval e Outros Contos,* p. 53.)

galão^{2}. [Do ingl. *gallon.*] *S. m.* Medida de capacidade. [Há o *galão imperial* (inglês), equivalente a cerca de 4,546 litros, e o *galão americano,* equivalente a 3,785 litros.] ◆ **Galão americano.** V. *galão*^{2}. **Galão imperial.** V. *galão*^{2}.

galão^{3}. *S. m.* **1.** Corcovo ou salto em que o eqüídeo ergue as mãos e arqueia o dorso. **2.** *P. ext.* Salto, pulo. **3.** *Turfe.* Medida da passada do cavalo a galope.

galápago. [Do esp. *galápago.*] *S. m. Veter.* Úlcera na coroa do casco das cavalgaduras.

galapo. [Do esp. *galapo.*] *S. m.* **1.** Coxim da sela do cavalo. **2.** Ligadura para feridas.

galar. [De *galo*^{1} + *-ar*^{2}.] *V. t. d.* **1.** Machear, fecundar (a fêmea). [Aplica-se aos galináceos.] **2.** *Bras. Pop.* Engravidar, emprenhar (mulher): " — E tem uma sorte danada com saia .... . Morre uma, nasce outra. Foge uma, vêm duas. Nesta boa vida já g a l o u cinco." (Humberto Crispim Borges, *Cacho de Tucum,* p. 59.) **3.** *Bras., N. E. Chulo.* Emitir gala^{2} (2); ejacular.

galardão. [Do gót. *withralaum*, *gwedarlaun, *gwelardaun.] *S. m.* **1.** Recompensa de serviços valiosos; prêmio. **2.** Honra, glória.

galardoador (ô). *Adj.* e *s. m.* Que ou aquele que galardoa.

galardoar. *V. t. d.* **1.** Conferir prêmio ou galardão a, por algum serviço ou merecimento. **2.** Premiar, compensar. **3.** Consolar, adoçar, aliviar, mitigar. [Conjug.: v. *coroar.*]

galarim. [Do esp. *gallarín.*] *S. m.* **1.** O dobro da parada, no jogo. **2.** O ponto mais alto; a posição de maior evidência; fastígio, fausto, valimento, cúmulo.

gálata. [Do gr. *galátex*, pelo lat. *galata.*] *Adj. 2 g.* **1.** De, ou pertencente ou relativo à antiga Galácia (Ásia Menor). ● *S. 2 g.* **2.** Natural ou habitante da Galácia.

Galáxia (cs). [Do gr. *galáxia* (*kyklos*), 'Via Láctea'.] *S. f. Astr.* **1.** Sistema estelar ao qual pertencem o Sol, o sistema solar, todas as estrelas visíveis individualmente a olho desarmado, além de milhões de outras estrelas, gás e poeira interstelares, e que visto pela luneta se apresenta ao observador terrestre como uma esteira brilhante; Via Láctea. **2.** Sistema estelar análogo à Galáxia (1) e exterior a ela; sistema extragaláctico, nebulosa extragaláctica, universo-ilha. ~ V. *galáxias.* ◆ **Galáxia anel.** *Astr.* Galáxia com a aparência dum anel formado por estrelas azuis luminosas, mas com pouca matéria luminosa, relativamente, nas regiões centrais. [Acredita-se que tais sistemas foram uma galáxia ordinária que em época mais recente sofreu colisão com outra.] **Galáxia espiral.** *Astr.* Aquela cujo aspecto lembra uma espiral, como, por ex., a Via Láctea.

galáxias (cs). [Pl. de *Galáxia.*] *S. f. pl. Bot.* Gênero de plantas iridáceas. ~ V. *Galáxia.*

gálbano. [Do hebr., atr. do gr. *chalbáne* e do lat. *galbanu.*] *S. m.* **1.** Planta umbelífera, sempre verde (*Ferula galbaniflua*). **2.** Resina medicinal que se extrai dessa planta.

galbo. *S. m. Arquit.* Perfil ou contorno elegante de peças ou elementos arquitetônicos. ◆ **Galbo do contrafeito.** *Arquit.* Curvatura das extremidades do telhado, que se obtém pelo uso do contrafeito (2).

gálbula. [Do fr. *galbule.*] *S. f. Morfol. Veg.* Cone carnoso e baciforme, que encerra várias sementes, próprio dos gêneros *Cupressus* e *Juniperus*. [F. paral.: *gálbulo.*]

galbulídeo. *S. m.* **1.** Espécime dos galbulídeos. ● *Adj.* **2.** Pertencente ou relativo a eles.

galbulídeos. *S. m. pl. Zool.* Aves piciformes, da família *Galbulidae*, caracterizadas por terem o bico direito, comprido, mais ou menos compresso, e plumagem geralmente brilhante, de coloração metálica. Vivem nas matas densas e são insetívoros. São as arirambas e os beija-flores-da-mata-virgem.

gálbulo. *S. m. Morfol. Veg.* Gálbula.

galdrope. [Do ingl. *guide-rope.*] *S. m. Constr. Nav. Ant.* Var. de *gualdrope.*

galé. [Do gr. bizantino *galéa*, atr. do lat. **galea* e do fr. ant. *galée.*] *S. f.* **1.** Antiga embarcação de guerra, comprida e estreita, que emergia pouco acima da água, impelida basicamente por grandes remos (15 a 30 por bordo, manejado cada um por três a cinco homens), e acessoriamente por duas velas bastardas, içadas em mastros próximos à proa, dotada de esporão (3), que era o seu principal engenho de ataque: "manda o mui político Hiparco armar uma alterosa g a l é de cinqüenta remos, mastros dourados e velas de púrpura" (Antônio Feliciano de Castilho, *A Lírica de Anacreonte*, p. 15). **2.** *Tip.* Espécie de bandeja retangular de três rebordos, outrora de madeira e hoje usualmente de metal, onde o tipógrafo vai pondo os grupos de linhas tirados do componedor a fim de formar a chapa ou o granel, ou para paginar, servindo a extremidade sem rebordo para deixar que a composição deslize para o mármore; bolandeira. ● *S. m.* **3.** Indivíduo sentenciado a trabalhos forçados. ~ V. *galés.*

gálea. [Do lat. *galea.*] *S. f.* **1.** Elmo (1). **2.** Dor de cabeça que produz a sensação de um gorro a apertar o crânio. **3.** *Anat.* Aponeurose epicraniana. **4.** *Morfol. Veg.* O lábio (3) superior da corola bilabiada.

galeaça. [Do it. *galeazza.*] *S. f.* Galé (1) mais alterosa e de maior boca, com castelo na proa e na popa, e três mastros com velas bastardas.

galeado. [Do lat. *galeatu.*] *Adj.* V. *galeato* (1).

galeantropia. [Do gr. *galê*, 'gato', + *anthrop(o)-* + *-ia.*] *S. f. Psiq.* Doença mental em que o doente se julga transformado em gato.

galeantrópico. *Adj.* Relativo à galeantropia.

galeão. *S. m.* **1.** *Ant.* Navio a remo, comprido e ligeiro, usado pelos árabes. **2.** Antigo navio de guerra, de sólida construção e formas finas, popa arredondada e bojuda, com quatro mastros: os de vante com velas redondas e os de ré com velas bastardas: "cortando o Oceano Índico no velho g a l e ã o (Fialho d'Almeida, *Lisboa Galante*, p. 93). [Era menos alteroso e mais leve que a nau, porém de melhores qualidades marinheiras. Criado em Portugal no início do séc. XVI especialmente para proteção da frota mercante, foi pouco a pouco sendo substituído pela nau de guerra, e desaparece no fim do século XVIII.] **3.** *Lus.* A maior das embarcações empregadas na arte de galeão (pesca de sardinha). **4.** Aparelho de pesca de cerco.

galear[1]. [De *gala*[1] + *-ear.*] *V. int.* Vestir, trajar, ostentar galas; galanear: "famílias g a l e a n d o à moda, faiscando em jóias" (Coelho Neto, *Obra Seleta*, I, p. 227). [Conjug.: v. *frear.*]

galear[2]. [De *galé* + *-ear.*] *V. int.* **1.** Balançar, atirando ou arremessando; arremessar, balançando. **2.** *Mar.* Balouçar natural e suavemente (o navio), ao navegar ou fundeado, por ação do vento ou da corrente: "Ao romper da manhã seguinte o Manaus caturrava e g a l e a v a em pleno Lamarão." (Gustavo Barroso, *Mississípi*, p. 98.) **3.** *Marinh.* Balançar (o mastro) na enora, por mal acunhado ou por esta ser folgada. **4.** *Marinh.* Balançar (o leme e outras peças de bordo que, por mal seguras ou fixas em seus alojamentos, se ressentem do jogo do navio). *T. d.* **5.** Balouçar, atirando ou arremessando. [Conjug.: v. *frear.*]

galear[3]. [De *gal(ão)* + *-ear.*] *V. int.* Saltar em galão[3] (o cavalo). [Conjug.: v. *frear.*]

galeato. *Adj.* **1.** Que tem gálea; coberto com gálea; galeado. **2.** *Fig.* Defensivo.

galega (ê). [Fem. de *galego.*] *S. f.* **1.** Erva glabra e multicaule, da família das leguminosas (*Gallega officinalis*), dotada de flores azuladas, pêndulas, dispostas em racemos eretos e axilares, e cujo fruto é vagem com semente avermelhado-pardacenta; falso-anil. **2.** *Bras.* V. *pomba-legítima.* ● *Adj. (f.)* **3.** Diz-se de uma variedade de couve, de ginja, de uva, de azeitona, etc.

galegada. *S. f.* **1.** Dito ou ação de galego. **2.** Multidão de galegos. **3.** *Bras. Gír.* Tolice, calinada. **4.** *Bras.*, *S. Deprec.* A colônia portuguesa.

galego (ê). [Do lat. *gallaecu.*] *Adj.* **1.** Da, ou pertencente ou relativo à Galiza (Espanha). ~ V. *gaita —a.* ● *S. m.* **2.** O natural ou habitante da Galiza. **3.** Língua românica falada na Galiza, e que dos idiomas da Península Ibérica é o que sofreu menor evolução. [Sin., nessas acepç.: *galaico.*] **4.** *Bras. Deprec.* Português (2). [Há outras muitas alcunhas dadas por brasileiros a portugueses, algumas delas já fora de uso: *abacaxi, bicudo, boaba* ou *boava, emboaba* ou *emboava, candango, caneludo, chumbinho, cotruco, cupé, cutruca, jaleco, japona, labrego, marabuto, marinheiro, maroto, marreta, mascate, matruco, mondrongo, novato, parrudo, pé-de-chumbo, portuga, puça, sapatão, talaveira.*] **5.** *Bras., RS.* V. *carimboto.* **6.** *Bras., N.E.* e *SC.* Estrangeiro, sem distinção de nacionalidade. **7.** *Bras., N.E.* Indivíduo louro.

galego-português. *Adj.* **1.** Relativo à Galiza (Espanha) e a Portugal, ou ao galego-português (2). ● *S. m.* **2.** *Ling.* Complexo lingüístico formado pela antiga fala portuguesa do N. e pelo galego, e cuja evolução histórica deu lugar ao português moderno. [Sin. ger.: *galaico-português.* Pl.: *galego-portugueses.*]

galeiforme. [De *gálea* + *-i-* + *-forme.*] *Adj. 2 g.* Que tem forma de gálea (1).

galeio[1]. [Dev. de *galear*[2].] *S. m.* Ato ou efeito de galear[2].

galeio[2]. *S. m. Bras.* Movimento rápido e repentino do corpo para um lado ou para trás; requebro: "O gigante tomou distância, deu um g a l e i o no corpo e formou carreira." (M. Cavalcanti Proença, *Manuscrito Holandês*, p. 209.) ◆ **Perder o galeio.** Tornar-se desajeitado.

galeio[3]. [De *galo.*] *S. m.* Ato pré-sexual do galo.

galena. [Do gr. *galéne*, pelo lat. *galena.*] *S. f.* **1.** *Min.* Mineral monométrico, sulfeto de chumbo, o principal minério de chumbo. [Quando argentífero, é tb. minério de prata. Sin.: *galenita.*] ● *S. m.* **2.** *Bras.* Aparelho rudimentar de rádio, no qual se usa o cristal de galena.

galênico. *Adj.* **1.** Pertencente ou relativo a Nicon de Pérgamo, dito Galeno (131-200), célebre médico grego, ou próprio dele. **2.** Relativo ao sistema médico de Galeno. **3.** Diz-se de medicamento de composição mal definida.

galenismo. *S. m.* O sistema médico de Galeno [v. *galênico*], em que se misturam a teoria dos quatro humores hipocráticos (sangue, fleuma, bile amarela e bile negra) e a doutrina numérica de Pitágoras [v. *pitagórico*]. [Cf. *paracelsismo.*]

galenista. *S. 2 g.* Seguidor do galenismo.

galenita. [De *galena* (1) + *-ita*[3].] *S. f.* Galena (1).

galeno. [Do antr. *Galeno* (v. *galênico*).] *S. m.* Qualquer médico. [Por alusão a *Galeno.*]

galense. *Adj. 2 g* e *s. 2 g.* Galês.

galéola. *S. f. Ant.* Vaso em forma de gálea (1).

galeonete (ê). *S. m. Lus.* Embarcação do tipo do galeão (3), que o acompanha e auxilia nas fainas da pesca, quando esta é muito abundante.

galeopiteco. *S. m.* e *adj.* Dermóptero.

galeopitecos. *S. m. pl. Zool.* Dermópteros.

galeorrínida. *S. m.* e *adj. 2 g.* V. *galeorrinídeo.*

galeorrínidas. *S. m. pl. Zool.* V. *galeorrinídeos.*

galeorrinídeo. *S. m.* **1.** Espécime dos galeorrinídeos. ● *Adj.* **2.** Pertencente ou relativo a eles.

galeorrinídeos. *S. m. pl. Zool.* Família de peixes elasmobrânquios, de grande porte, que ocorrem desde a América Central até o Brasil meridional. Boca muito ampla e guarnecida de várias filas de dentes serrilhados. Os tubarões e os tintureiros são os mais vorazes, e podem atingir 10 m de comprimento.

galeota. [Do it. *galeotta.*] *S. f.* **1.** *Ant.* Pequena galé (1), de até 20 remos: "Por fins de 1540 estava concentrada diante de Goa uma garbosa e forte armada composta de sessenta e sete fustas e catures, três g a l e o t a s e doze velas grossas" (Aquilino Ribeiro, *Portugueses das Sete Partidas*, p. 70). [Var.: *galeote.*] **2.** *Ant. Bras.* Embarcação a remo, com um camarim à popa, de boca aberta, usada para transporte do rei e, depois, do imperador e seus familiares. **3.** *Bras., Amaz.* Grande canoa usada pelos regatões, antigamente movida à vara ou a remo, e hoje a motor, com camarim à popa, coberta até quase a proa, e subdividida internamente para armazenamento das mercadorias que se vão comerciar: "Que funda saudade daquela vida livre de campônio desocupado, enquanto a g a l e o t a singrava as águas ao som cadenciado dos remos!" (Inglês de Sousa, *O Missionário*, p. 206.) **4.** *Bras.* Carrocim constituído de uma caixa inclinável para carga e descarga, duas rodas e um varal central, e que se usa, puxado a braço, em trabalhos de terraplenagem manual, para transportar o material escavado.

galeote[1]. *S. m.* Var. de *galeota* (1).

galeote[2]. [Do it. *galeotto.*] *S. m.* **1.** Remador de galé (1): "mandou [D. Fernando] uma frota de sete navios em que .... os g a l e o t e s, todos vestidos com libré igual, manejavam remos pintados das mesmas cores." (Antero de Figueiredo, *Leonor Teles*, p. 27). **2.** Indivíduo condenado às galés.

galeote[3]. *S. m.* Espécie de capa antiga.

galera[1]. [Do gr. bizantino *galéa*, atr. do cat. *galera.*] *S. f.* **1.** *Ant.* Galé (1): "defrontaram [os cartagineses] uma frota romana composta de g a l e r a s de alto bordo e cinco bancos de remadores" (Aquilino Ribeiro, *Os Avós dos Nossos Avós*, p. 80). **2.** Antigo navio à vela, de mastreação constituída de gurupés e três mastros de brigue, envergando ou não, além das velas redondas e de proa, velas latinas quadrangulares. Raramente existiram galeras com 4 e 5 mastros. **3.** Carroça para transporte de bombeiros, em serviço de incêndio. **4.** Forno de fundição.

galera[2]. [De *galeria* (11), com síncope.] *S. f. Bras.* **1.** V. *torcida* (2). **2.** V. *turma* (7).

galerão. *S. m. Bras.* V. *galalau.*

galeria. [Do b.- lat. *galilaea*, 'átrio de igreja'.] *S. f.* **1.** Corredor extenso em que geralmente se dispõem quadros, estátuas, etc. **2.** *Fig.* Coleção de quadros, estátuas, etc., organizada artisticamente. **3.** Estabelecimento que negocia com artistas plásticos, expondo e/ou vendendo suas obras. **4.** Coleção de estudos biográficos ou descritivos. **5.** Espécie de tribuna para o público, em certos edifícios: "Nenhum tumulto nas sessões do antigo Senado. .... Geralmente, as g a l e r i a s não eram mui freqüentadas" (Machado de Assis, *Páginas Recolhidas*, pp. 166-167). [Tb. us. no pl.] **6.** Varanda ou alpendre. **7.** Conjunto de tubos enterrados, destinados a conduzir águas pluviais. **8.** Caminho ou corredor subterrâneo: *as g a l e r i a s da mina.* **9.** *Bot.* Mata que margeia rio, riacho ou córrego; mata ciliar. **10.** *Teat.* A localidade dos teatros de ingresso mais módico, ordinariamente situada na parte mais alta do recinto; torrinha [q. v.]. [Tb. us. no pl.] **11.** *P. ext.* O conjunto das pessoas que se acham na galeria (5 e 10). [Tb. us. no pl.] **12.** Passagem ou caminho, feitos em solo, madeira, etc., pela toupeira, pelas formigas, etc., ou por insetos, como o cupim e outros. **13.** *Arquit.* Corredor largo e extenso. ~ V. *galerias.* ◆ **Para a galeria.** Diz-se de ato, palavras, atitudes, com que se visa a efeito sobre a opinião pública.

galeriano. *Adj.* e *s. m. Ant.* Dizia-se do, ou o remador que cumpria pena nas galés.

galerias. [Pl. de *galeria.*] *S. f. pl.* Galeria (5, 10 e 11):

Após o discurso do senador as g a l e r i a s *prorromperam em palmas.* ~ V. *galeria.*

galerícola. [De *galeria* + *-cola.*] *Adj. 2 g. Zool.* Diz-se do animal que vive em galeria (12).

galerno. [Do bretão *givalern*, pelo fr. *galerne.*] *Adj. Ant.* **1.** Dizia-se de um vento brando, suave: "Assopra-lhe g a l e r n o o vento, e brando" (Luís de Camões, *Os Lusíadas*, II, 67). ● *S. m.* **2.** Vento brando, aprazível.

galês. *Adj.* **1.** De, ou pertencente ou relativo à região do País de Gales (Grã-Bretanha). ● *S. m.* **2.** O natural ou habitante dessa região. **3.** A língua do País de Gales. V. *celta* (2). [Sin.: *galense.* Flex.: *galesa* (ê), *galeses* (ê), *galesas* (ê). Cf. *galés* e *gaulês*.]

galés. [Pl. de *galé.*] *S. m. pl.* **1.** *Ant.* A pena dos condenados a remar em galé (1). **2.** Trabalhos forçados executados por presos com correntes aos pés. ~ V. *galé.* [Cf. *galês.*]

galeto (ê). [Do it. *galletto.*] *S. m. Bras., S.* **1.** Frango de leite. **2.** *P. ext.* Frango assado. **3.** Casa onde se serve galeto (2). **4.** *Bras., N.E. Pop.* Moça bonitinha.

galezia. [De *galé* + *-z-* + *-ia.*] *S. f. Fam.* Velhacaria, fraude, maroteira, trapaça. [Cf. *galizia.*]

galfarro. [Do esp. *galfarro.*] *S. m.* V. *beleguim.*

galga. *S. f.* **1.** A fêmea do galgo (1). **2.** Mó de lagar de azeite. **3.** *Tec. P. ext.* Moinho de cerâmica em que o agente de moagem é uma mó que se desloca rodando sobre o material. **4.** *Ant. Marinh.* Ancorote usado na manobra de fundear à galga. ◆ **À galga.** *Ant. Marinh.* Dizia-se do fundeio com dois ferros, tendo o menor (*galga*) o chicote de sua amarra talingado no anete do maior, e lançando-se este em continuação àquele.

galgar. [De *galgo* + *-ar*[2].] *V. t. d.* **1.** Transpor, alargando as pernas: *Dando um salto,* g a l g o u *a vala.* **2.** Saltar por cima de; transpor: "foi .... beirando o muro do cemitério até o ponto em que pôde g a l g á -lo e saltou à rua." (Mário de Alencar, *Contos e Impressões*, p. 118). **3.** Passar além de; transpor: "O auto rompeu outra vez na estrada, ... g a l g o u um serro adiante, ... estacando em face do hospital da empresa." (Herman Lima, *Garimpos*, p. 16.) **4.** Subir; trepar: G a l g o u *depressa dos degraus.* **5.** Subir; trepar, elevar-se a: "Descem vales fundos, g a l g a m serranias." (Olegário Mariano, *Toda Uma Vida de Poesia*, I, p. 291.) **6.** Rolar por: *A pedra* g a l g o u *a ladeira e bateu contra um muro.* **7.** Andar por; percorrer: G a l g o u *a pé 15 quilômetros.* **8.** Destorcer, desempenar, alinhar. **9.** Passar de (certa idade): *Já* g a l g o u *os cinqüenta. T. i.* **10.** Pular, saltar: *O cavalo* g a l g a v a *por cima de riachos.* **11.** Chegar em pouco tempo a uma posição elevada: *De servente* g a l g o u *a diretor. Int.* **12.** Andar velozmente. **13.** Subir repentinamente; elevar-se rapidamente. **14.** Insistir em desobediência; recalcitrar. [Conjug.: v. *largar.*]

galgaz. *Adj. 2 g.* Semelhante a galgo; esguio; magro: "Deu-se o caso que, correndo num cavalo g a l g a z, caísse abaixo e se matasse." (Aquilino Ribeiro, *Portugueses das Sete Partidas*, p. 134.)

galgo. [Do lat. *gallicu*, (subentende-se *canis*), 'cão gaulês'.] *S. m.* **1.** Cão de talhe elevado, pernas longas e musculares, abdômen estreito e focinho afilado, e que se caracteriza pela agilidade e rapidez: "Sonha que anda a caçar: leva consigo / Muitos g a l g o s e alãos." (Eugênio de Castro, *Obras Poéticas*, V. p. 39.) [Cf. *lebréu.*] ● *Adj. Bras., RS.* **2.** Esfomeado, sedento ou desejoso de qualquer coisa.

galguincho. [De *galgo.*] *Adj. Bras., RS. Pop.* **1.** Magricela, magrela. **2.** Faminto, esfomeado, e/ou sedento.

galha[1]. [Do esp. *agalla*, com aférese.] *S. f.* Designação que os pescadores dão à primeira barbatana dorsal dos peixes, e que em alguns, como no tubarão, anda, mais ou menos, fora da água. ~ V. *galhas.*

galha[2]. [Do lat. **gallea*, i. e., *nuce gallea*, 'noz de galha'.] *S. f. Bot. Pop.* Cecídio. ~ V. *galhas.*

galhada. [De *galho* + *-ada*[1].] *S. f.* **1.** Cornos de ruminantes; galhadura, galhas. **2.** *Bras.* Ramagem de árvores; galharada: "no momento está [a amendoeira] sem folhas, e sua g a l h a d a nua se desenha no céu feio." (Rubem Braga, *O Homem Rouco*, p. 25).

galhadura. *S. f.* V. *galhada* (1).

galharada. *S. f. Bras.* Galhada (2): "o miraculoso luar do sertão, tão límpido e sugestivo naquelas terras, entrava por toda parte, espancando penumbras, devassando meandros, coado aqui pela g a l h a r a d a das gameleiras" (Hugo de Carvalho Ramos, *Tropas e Boiadas*, p. 83).

galharda. [Fem. substantivado do adj. *galhardo*, subentende-se *dança.*] *S. f. Mús.* **1.** Dança saltada, rápida, em compasso ternário, e em voga no séc. XVI. **2.** Peça instrumental inspirada no ritmo desta dança, e que surge nas suítes do séc. XVII, contrastando com a pavana.

galhardear. *V. int.* **1.** Mostrar-se ou apresentar-se com galhardia; ser galhardo; brilhar; sobressair. *T. d.* **2.** Exibir com galhardia; ostentar, pompear: "fulgindo na irradiação das lágrimas, e g a l h a r d e a n d o tristezas..." (Euclides da Cunha, *À margem da História*, p. 87); *Passeava, galante,* g a l h a r d e a n d o *o seu novo chapéu.* [Conjug.: v. *frear.*]

galhardete (ê). [Do provenç. ant. *galhardet.*] *S. m.* **1.** *Mar.* Bandeira em forma de trapézio, empregada para fazer sinais: "iça-se um g a l h a r d e t e ao som dum tiro de peça" (Ramalho Ortigão, *Em Paris*, p. 13). **2.** Bandeira para ornamentação de ruas ou de edifícios em ocasiões festivas; flâmula, pendão: "Porto Alegre, profusamente iluminada e enfeitada de ramos, g a l h a r d e t e s, guirlandas e arcos, transforma-se numa grande cidade" (Atos Damasceno, *O Carnaval Porto-alegrense no Século XIX*, p. 84).

galhardia. *S. f.* **1.** Qualidade de galhardo; garbo, elegância, bizarria: g a l h a r d i a *de porte.* **2.** *Fig.* Grandeza de alma; generosidade, gentileza: g a l h a r d i a *de gestos.* **3.** Valor, bravura: *Venceu com* g a l h a r d i a *as dificuldades.*

galhardo. [Do fr. *gaillard* ou do provenç. ant. *galhart.*] *Adj.* **1.** Garboso, elegante, bizarro, bem-apessoado: "a lua é a minha rival, é a rival que alumia de longe o belo rosto do g a l h a r d o Romeu" (Machado de Assis, *Páginas Recolhidas*, p. 108). **2.** Generoso, gentil. **3.** Bravo, esforçado. ● *S. m.* **4.** *Lus.* V. *diabo* (2).

galhas. [Pl.: de *galha*[1].] *S. f. pl. Bras., N.* V. *galhada* (1). ~ V. *galha.*

galheiro. *S. m.* **1.** *Bras.* Veado de galhos ou chifres grandes. **2.** *Bras. Fig. Chulo.* V. *corno* (8).

galheta[1] (ê). [Do esp. *galleta.*] *S. f.* **1.** Vaso pequeno, de vidro, em que se serve o azeite e o vinagre nos serviços de mesa. **2.** Pequeno vaso que contém água ou vinho para a missa: "devorando silenciosamente as hóstias da caixinha de lata, regando-as com o vinho branco das g a l h e t a s" (Inglês de Sousa, *O Missionário*, p. 384). **3.** Instrumento de vidro empregado em laboratórios químicos.

galheta[2] (ê). [De *galho* (3) + *-eta.*] *S. f. Luso-afr.* Em Lourenço Marques, trombeta de guerra, feita de chifre de cabrito.

galheta[3] (ê). [Do fr. *galette*, 'bolacha'?] *S. f. Lus.* Bofetada (1).

galheteiro. *S. m.* Utensílio de mesa que sustenta as galhetas [v. *galheta*[1] (1)] e também os depósitos de sal e pimenta-do-reino; talher de galhetas.

galho. [Do lat. vulg. **galleu.*] *S. m.* **1.** Ramo (1). **2.** A parte do ramo que fica presa ao caule depois de partido o ramo. **3.** Chifre de ruminantes. **4.** *Bras. Gír.* V. *bico*[1] (13). **5.** *Bras., Gír.* Dificuldade; complicação: *Esta página está cheia de* g a l h o s. **6.** *Bras., MG.* Barulho, briga. ~ V. *galhos.* ◆ **Balançar o galho da roseira.** *Bras., AL. Chulo.* Peidar, soltar-se. **Dar galho.** *Bras. Gír.* Dar um galho. **Dar um galho.** *Bras. Gír.* Trazer dificuldades, complicações, aborrecimentos; dar galho. **Quebrar um galho.** *Bras. Gír.* Resolver ou ajudar a resolver uma dificuldade.

galhofa. [Do esp. *gallofa.*] *S. f.* **1.** Gracejo, risota, risada. **2.** V. *zombaria*: "A aldeia chama-se Vilarinho de Samardã. .... É citada nos epigramas de Filinto Elísio como tipo de chalaça, de g a l h o f a, de surriada." (Camilo Castelo Branco, *Serões de São Miguel de Ceide*, III, p. 49.)

galhofada. *S. f.* Grande galhofa; galhofaria.

galhofar. *V. int.* **1.** Fazer galhofa; gracejar. **2.** Divertir-se ruidosamente. *T. i.* **3.** Fazer galhofa; gracejar: *Desrespeitoso, costuma* g a l h o f a r *dos amigos mais íntimos.* **4.** Zombar, escarnecer, mofar. *T. d.* **5.** Dizer em tom de galhofa: "— Ah! então o senhor não é daqui? — perguntou, surpreendida. / Cabo Inácio se deteve. Dilatou e, ... numa atitude jocosa, g a l h o f o u : / — Que o quê, menina! Eu sou pernambucano, do sertão!" (Amando Fontes, *Os Corumbas*, p. 40.) [F. paral.: *galhofear.*]

galhofaria. *S. f.* Galhofada.

galhofear. *V. int., t. i.* e *t. d.* V. *galhofar.* [Conjug.: v. *frear.*]

galhofeiro. *Adj.* e *s. m.* Que ou aquele que é dado à galhofa; gracejador, brincalhão, zombeteiro.

galhos. [Pl. de *galho.*] *S. m. pl. Bras.* Conjunto de riachos que, nas cabeceiras, se unem para formar um rio. ~ V. *galho.*

galhudo. *Adj.* **1.** Que tem galhos. **2.** Que tem chifres grandes. **3.** *Bras. Fig. Chulo.* V. *corno* (10). ● *S. m.* **4.** *Bras.* Peixe teleósteo, percomorfo, da família dos carangídeos (*Trachynotus glaucus* (Bloch.)), do Atlântico tropical, desde a Virgínia até a Argentina, de coloração azul-prateada no dorso e branco-prateada no abdome, e até 40 cm de comprimento. A característica da espécie é o longo acúleo da nadadeira dorsal, que lhe motivou o nome comum, além de quatro a cinco listras verticais pretas, às vezes pouco aparentes. É peixe de profundidade, alcançando não raro os 100 m. Pesca-se de arrastão e redes. [Sin.: *jiriquiti, pâmpano, pampo, pampo-riscado, pampo-galhudo, pampo-aracangüira, aratubaia, sargento.*] **5.** *Bras. Fig. Chulo.* V. *corno* (8).

galibi. *Bras. S. 2. g.* **1.** Indivíduo dos galibis, tribo indígena da margem esquerda do alto rio Uaçá (AP). ● *Adj. 2 g.* **2.** Pertencente ou relativo a essa tribo.

galicanismo. [De *galicano* + *-ismo.*] *S. m. Rel.* Tendência jurídica e teológica que defendia, no séc. XIV, a interferência dos reis franceses nos negócios eclesiásticos, e mais tarde, após o séc. XVII, a autonomia dos bispos franceses em face da autoridade pontifícia romana. [Opõe-se a *ultramontanismo* (1).]

galicano. [Do lat. *gallicanu.*] *Adj.* **1.** Diz-se da Igreja francesa, de seu ritual e suas leis. ● *S. m.* **2.** Partidário das liberdades da Igreja francesa.

galiciano. *Adj.* **1.** Da, ou pertencente ou relativo à Galícia, região da Europa Central dividida, em 1945, entre a Polônia e a Rússia. ● *S. m.* **2.** O natural ou habitante da Galícia. [Cf. *galiziano.*]

galicínio. [Do lat. *galliciniu.*] *S. m.* **1.** Canto de galo. **2.** A hora matutina em que o galo canta.

galiciparla. [Do lat. *gallicu*, 'gaulês', + *parlar.*] *S. 2 g.* Pessoa que fala afrancesadamente; galiparla, galiparlista.

galiciparlar. [De *galiciparla* + *-ar*[2].] *V. int.* V. *galicismar.*

galicismar. *V. int.* Usar de, incorrer em galicismos; galicizar, galiciparlar.

galicismo. [Do fr. *gallicisme.*] *S. m.* Palavra, expressão ou construção afrancesada; francesismo.

galicista. *S. 2 g.* Pessoa que usa galicismos, ou deles é amiga.

galicizar. [De *gálico*[2](1) + *-izar.*] *V. int.* V. *galicismar.*

gálico[1]. [Do lat. *galla*, 'noz-de-galha', + *-ico*[2].] *Adj.* V. *ácido* —.

gálico[2]. [Do lat. *gallicu.*] *Adj.* **1.** Relativo à Gália; gaulês. ● *S. m.* **2.** V. *sífilis.*

galiense. *Adj. 2 g.* **1.** De, ou pertencente ou relativo a Gália (SP). ● *S. 2 g.* **2.** Natural ou habitante de Gália.

galífero. [Do lat. *galla*, 'galha', + *-i-* + *-fero.*] *Adj. Bot.* Diz-se de um fungo cujo parasitismo dá lugar à formação de galhas [v. *galha*[2]].

galiforme. *S. m.* **1.** Espécime dos galiformes. ● *Adj. 2 g.* **2.** Pertencente ou relativo a eles. [Sin. ger.: *galináceo.*]

galiformes. *S. m. pl. Zool.* Aves neórnites, neógnatas, da ordem dos *Galiformes.* Têm o bico curto, palatino esquizógnato, ranfoteca singela; rêmiges do carpo em número de dez, patas fortes, dedos unidos na base por uma membrana, asas curtas e arredondadas. São, na maioria, fitófagas, e há várias espécies domesticadas. São as galinhas, perus e faisões. [Sin.: *galináceos.*]

galilé. *S. f.* Galeria situada na extensão do pórtico de uma igreja.

galileano. *Adj.* Pertencente ou relativo ao físico e astrônomo italiano Galileu Galilei (1564-1642), ou próprio dele. ~ V. *satélite* —.

galiléia. *Adj. (f.)* e *s. f.* Fem. de *galileu*[2].

galileu[1]. [Do antr. *Galileu Galilei*, astrônomo e físico italiano (1564-1642).] *S. m. Fís.* Unidade c.g.s. de medida de aceleração, igual a um centímetro por segundo quadrado. [Símb.: *Gal.*]

galileu[2]. [Do lat. *galilaeu.*] *Adj.* **1.** Da, ou pertencente ou relativo à Galiléia (região da Palestina em que Cristo pregou grande parte de sua doutrina), ou à cidade do mesmo nome (MG). ● *S. m.* **2.** O natural ou habitante da Galiléia. [Fem.: *galiléia.*]

galimatias. [Do fr. *galimatias.*] *S. m. 2 n.* **1.** Discurso arrevesado, confuso, obscuro; babel de palavras cujo significado mal se pode entender. **2.** *Mús.* Composição híbrida, sem forma definida.

galimatizar. *V. int.* Usar de galimatias.

galináceo. [Do lat. *gallinaceu.*] *S. m.* e *adj.* Galiforme.

galináceos. *S. m. pl. Zool.* Galiformes.

galindréu. *S. m. Marinh.* **1.** Chapa de metal que abraça o mastro na bancada ou na meia-coxia das embarcações miúdas, a fim de mantê-lo na vertical. **2.** Dispositivo metálico com diferentes serventias a bordo: abraçar o calcês do mastro para engatar a adriça do pique da carangueja, fixar ao mastro o lais da retranca, prender o pau de surriola no pé-de-galinha quando prolongado; garlindéu, garlindréu.

galinha. [Do lat. *gallina.*] *S. f.* **1.** A fêmea do galo[1] (1). **2.** Prato feito com ela. **3.** *Fig.* Mulher (e por vezes homem) muito volúvel que se entrega [v. *entregar* (10)] com facilidade. **4.** *Fig.* Pessoa fraca, covarde ou medrosa. ● *S. 2 g.* **5.** *Bras. Pej.* V. *integralista* (3). ◆. **Galinha choca.** *Bras., N.E.* **1.** Pessoa irrequieta. **2.** Pessoa doentia, ou acanhada, ou nervosa, ou covarde, ou medrosa, ou imprestável. [Cf. *galinha-choca.*] **Galinha garnisé.** V. *garnisé* (3 e 4). **Deitar-se com as galinhas.** Deitar-se logo ao anoitecer ou não muito depois; dormir com as galinhas: "Naquele dia, a Regina despertava mais cedo que de costume. Mas também na véspera s e d e i t a r a às ave-marias, c o m a s g a l i n h a s." (Virgílio Várzea, *Nas Ondas*, p. 82.) **Dormir com as galinhas.** Deitar-se com as galinhas. **Quando as galinhas criarem dentes.** *Pop.* Nunca, jamais; quando as galinhas tiverem dentes. **Quando as galinhas tiverem dentes.** *Pop.* Quando as galinhas criarem dentes.

galinha-arrepiada. *S. f. Bras., BA. Pop.* V. *maxixe*[1] (1). [Pl.: *galinhas-arrepiadas.*]

galinha-choca. *S. f. Bras., PI* até *RS, MT* e *MG.* Arbusto de casca suberosa, amarelada, da família das eritroxiláceas *(Erythroxylum suberosum)*, dotado de flores pequenas, alvas, dispostas em fascículos axilares, cujo fruto é drupa ovóide, pequena e vermelha, e que fornece madeira vermelho-escura, própria para marcenaria; azougue-do-campo, cabelo-de-negro e mercúrio-do-campo. [Pl.: *galinhas-chocas.* Cf. *galinha choca.*]

galinha-d'água. *S. f.* **1.** *Bras.* V. *carqueja* (2). **2.** *Bras., N.E.* Descendente de holandês, de olho azul e cabelo louro ou ruivo. [Pl.: *galinhas-d'água.*]

galinha-da-guiné. *S. f. Bras.* V. *galinha-d'angola.* [Pl.: *galinhas-da-guiné.*]

galinha-da-índia. *S. f.* V. *galinha-d'angola.* [Pl.: *galinhas-da-índia.*]

galinha-d'angola. *S. f.* **1.** Ave originária da África, da família dos galiformes *(Numida meleagris)*, dotada, no alto da cabeça, dum capacete ósseo mais ou menos destacado sobre a pele desnuda, e de penas pretas com pintas brancas. [Perfeitamente aclimada no mundo inteiro, conserva, entretanto, resquícios da vida selvagem: o natural espantadiço e o hábito de nidificar longe do convívio com os outros galináceos de capoeira. F. red.: *angola.* Sin.: *galinha-da-índia, galinha-da-numídia, galinha-da-guiné, angolinha, angolista, galinhola, capote, cocar, estou-fraca, guiné, picota, pintada.*] **2.** O prato feito com galinha-d'angola. [Pl.: *galinhas-d'angolas.*]

galinha-da-numídia. *S. f. Bras.* V. *galinha-d'angola.* [Pl.: *galinhas-da-numídia.*]

galinha-do-mato. *S. f. Bras.* V. *tovacuçu.* [Pl.: *galinhas-do-mato.*]

galinha-gorda. *S. f. Bras. Folcl.* Brincadeira infantil, em que as crianças disputam alguma coisa pertencente a uma delas, que outra lhes atira, após dialogar com as demais de modo tradicional, como nesta variante da Bahia: "Galinha gorda! Gorda! Vamos a ela? Vamos!"

galinha-morta. *S. f.* **1.** *Bras., RJ. Gír.* V. *pechincha* (3). **2.** *Bras., RJ. Gír.* Coisa fácil de aprender ou de fazer. **3.** *Bras., RS.* Certa cantiga que era executada à viola ou ao violão. **4.** *Bras., RS.* Dança que acompanhava essa cantiga. ● *S. m.* **5.** *Bras., RJ. Gír.* Indivíduo fraco, covarde ou medroso. [Pl.: *galinhas-mortas.*]

galinha-verde. *S. 2 g. Pej.* V. *integralista* (3). [Pl.: *galinhas-verdes.*]

galinheiro. *S. m.* **1.** Vendedor de galinhas. **2.** Cercado onde se guardam galinhas. **3.** V. *torrinha.*

galinho. [Dim. de *galo.*] *S. m. Bras.* V. *galo-branco* (2).

galinhola. [Dim. irreg. de *galinha.*] *S. f.* **1.** V. *frango-d'água.* **2.** V. *galinha-d'angola.* **3.** Narcejão. **4.** Prato feito com galinhola.

▲**galini-.** [Do lat. *allina, ae.*] *El. comp.* = 'galinha': *galinicultura.*

galinicultor (ô). [De *galini-* + *cultor.*] *S. m.* Criador de galináceos.

galinicultura. [De *galini-* + *cultura.*] *S. f.* Criação de galináceos.

gálio[1]. [Do lat. científico *gallium* < *Gallia.*] *S. m. P. us.* Gaulês (3).

gálio[2]. *S. m. Quím.* Elemento de número atômico 31, metálico, pouco abundante na crosta terrestre, usado em algumas ligas. [Símb.: *Ga.*]

galipão. *S. m. Gír.* Automóvel velho, ou de modelo antiquado; calhambeque, caranguejola.

galiparla. *S. 2 g.* V. *galiciparla.*

galiparlista. *S. 2 g.* V. *galiciparla.*

galipódio. [Do esp. *galipodio.*] *S. m.* **1.** Terebintina impura, sólida, privada do seu óleo essencial. **2.** Resina restante no tronco do pinheiro depois de se extrair a terebintina. [Sin. ger.: *galipote.*]

galipote. [Do fr. *galipot.*] *S. m.* V. *galipódio.*

galiqueira. [De gálico[2] (2) + *-eira.*] *S. f. Bras., N.E.* Manifestação sifilítica mais ou menos considerável.

galiré. *S. f. Bras., N.* e *N.E.* Espécie de galinha muito pequena.

galispo. *S. m.* Pequeno galo[1] (1): "Eu .... cortava-lhe o pescoço redondo, que aquilo não é galo. É o demônio! / É o demônio! Esta exclamação, na boca do Tibúrcio, pintou-me o g a l i s p o com um feitio e cores terríveis." (João de Araújo Correia, *Cinza do Lar*, p. 214.)

galista. [De *galo*[1] + *-ista.*] *S. 2 g. Bras.* **1.** Pessoa que se ocupa em criar, preparar e guiar, durante a luta, galos de briga e que vive sobretudo das apostas feitas sobre eles. **2.** Amador de rinhas de galos.

galito. [Dim. de *galo*[1].] *S. m. Bras.* Tesoura-do-campo.

galivar. [Do it. *gualivo* + *-ar*[2].] *V. t. d.* **1.** Tornar apropriado; dar o feitio próprio ou devido a. **2.** Tracejar, delinear. **3.** *Constr. Nav.* Desbastar (um madeiro), dando-lhe a forma conveniente ao fim a que se destina, na construção do navio.

galizia. [De *galeria*, com alteração semântica.] *S. f. Fam.* **1.** Velhacaria, trapaça, trapalhada, maroteira. **2.** *Bras., N. Pop.* Novidade, complicação, exigências: *É menina cheia de g a l i z i a s.* **3.** *Bras., N.* Orgulho, vaidade, presunção. [Cf. *galezia.*] ◆ **Cheio de galizia.** *Bras., N.E. Pop.* V. *Cheio de luxo.*

galiziano. *Adj.* Diz-se do dialeto, da poesia e dos trovadores de Portugal e da Galiza, nos primeiros séculos da nacionalidade portuguesa. [Cf. *galiciano.*]

galo[1]. [Do lat. *gallu.*] *S. m.* **1.** Gênero de aves galináceas, de cristas carnudas e asas curtas e largas. **2.** Iguaria feita com elas. **3.** O macho da galinha doméstica. **4.** Vela que, nos ofícios da semana santa, ocupa o vértice do candelabro triangular. **5.** *Pop.* Pequena inchação (bossa ou protuberância) na testa ou na cabeça, resultante de pancada. **6.** *Bras.* Designação comum aos peixes teleósteos, percomorfos, da família dos carangídeos, de nadadeiras providas de raios filiformes e muito longos, e de fronte parecida com relha de arado. [Cf. (nesta acepç.) *aracangüira, galo-branco* (2) e *peixe-galo.*] **7.** *Bras.* No jogo do bicho [q. v.] o 13º grupo (8), que abrange as dezenas 49, 50, 51 e 52, e corresponde ao número 13. **8.** *Bras.* Nota ou moeda de 50 cruzados. ● *S. 2 g.* **9.** *Bras.* V. *atleticano*[1]. ● *Adj. 2 g.* **10.** *Bras.* V. *atleticano*[1]. ◆ **Galo carijó.** *Bras.* V. *atleticano*[1]. **Galo de briga.** *Fig.* Galo de rinha. **Galo de rinha.** *Fig.* Indivíduo brigão, rixoso; galo de briga. **Galo garnisé.** V. *garnisé* (3 e 4). **Galo músico.** Denominação dada a certos galos que cantam de maneira particular, diferente do canto comum dessas aves. **Cozinhar o galo.** *Bras., SP. Gír.* Simular que está trabalhando sem estar; fazer hora; morrinhar. **Ficar para galo de S. Roque.** *Bras., SP. Pop.* V. *ficar para tia.* **Salgar o galo.** *Bras., N.E. Pop.* Ingerir pela primeira vez no dia qualquer bebida alcoólica. **Ser um galo.** Ter (o homem) o orgasmo rapidíssimo.

galo[2]. *Adj.* e *s. m.* Gaulês (1 e 2).

▲**galo-.** [Do lat. *gallus, a, um.*] *El. comp.* = 'francês': *galomania, galofobia.*

galo-bandeira. *S. m. Bras.* V. *peixe-galo.* [Pl.: *galos-bandeiras* e *galos-bandeira.*]

galo-branco. *S. m.* **1.** *Bras., AM.* Planta ornamental, com raízes numerosas, da família das orquidáceas *(Catasetum pileatum)*, dotada de flores grandes, alvas lavadas de cor-de-rosa e com punctuações purpúreas, sendo as femininas um pouco menores que as masculinas. **2.** *Bras.* Peixe teleósteo, percomorfo, da família dos carangídeos (*Vomer setapnnis* (Mit.)), das águas tropicais do Atlântico e do Pacífico, de coloração verde-mar no dorso e prateada no abdome. Muito próximo ao peixe-galo, sem ter, no entanto, os fios longos das nadadeiras. Comprimento: 35 cm. É peixe de profundidade, e freqüenta o fundo de areia ou lama. [Sin., nesta acepç.: *galo-da-costa, galo-de-rebanho, galo-verdadeiro, galinho, doutor, fralda-rota, aracorama, zabucaí.* Pl.: *galos-brancos.* Cf. *galo*[1] (6).]

galocha. [Do provenç. ant. *galocha* ou do fr. *galoche.*] *S. f.* **1.** Espécie de calçado de borracha que se põe por cima das botas ou dos sapatos para preservá-los da umidade. **2.** *Morfol. Veg.* Rebento do enxerto; guia. [Cf., nesta acepç., *flecha* (2).]

galocrista. *S. f.* Galacrista [q. v.].

galo-da-campina. *S. m. Bras.* V. *cardeal* (3). [Pl.: *galos-da-campina.*]

galo-da-costa. *S. m. Bras.* V. *galo-branco* (2). [Pl.: *galos-da-costa.*]

galo-da-rocha. *S. m. Bras.* V. *galo-da-serra.* [Pl.: *galos-da-rocha.*]

galo-da-serra. *S. m. Bras.* Ave passeriforme, da família dos cotingídeos (*Rupicola rupicola* (L.)), da margem esquerda do rio Amazonas, nas serras do N. do Brasil e países limítrofes. O macho tem coloração alaranjada viva, asas e cauda pardas, marginadas de alaranjado pálido; a fêmea é parda, pintada de alaranjado no uropígio, na cauda e na barriga, e tem crista desenvolvida e unhas fortes. Alimenta-se de bagas e frutos tenros, e nidifica em rochas escarpadas. É ave muito valorizada para cativeiro. [Sin.: *galo-do-pará, galo-da-rocha.* Pl.: *galos-da-serra.*]

galo-das-trevas. *S. m.* Candelabro triangular, com 13 velas, que vão sendo apagadas à medida que se cantam as várias partes das matinas ou ofícios da semana santa. [Pl.: *galos-das-trevas.*]

galo-de-campina. *S. m. Bras.* **1.** V. *cardeal* (3). **2.** V. *regatiano* (3). [Pl.: *galos-de-campina.*]

galo-de-penacho. *S. m. Bras.* V. *peixe-galo.* [Pl.: *galos-de-penacho.*]

galo-de-rebanho. *S. m. Bras.* V. *galo-branco* (2). [Pl.: *galos-de-rebanho.*]

galo-do-alto. *S. m. Bras.* V. *galo-do-fundo.* [Pl.: *galos-do-alto.*]

galo-do-campo. *S. m. Bras.* V. *sabiá-do-campo.* [Pl.: *galos-do-campo.*]

galo-do-fundo. *S. m. Bras.* Peixe teleósteo, zeomorfo, da família dos zeídeos (*Zenopsis conchifer* (Low.)), do Atlântico. Coloração geral prateada, com uma negra mancha, circundada de um anel claro, no flanco; boca grande e protraível. Comprimento: até 45 cm. É peixe de profundidade, sendo raro nos mercados. [Sin.: *galo-do-alto, galo-do-mar, peixe-de-são-pedro.* Pl.: *galos-do-fundo.*]

galo-do-mar. *S. m. Bras.* V. *galo-do-fundo.* [Pl.: *galos-do-mar.*]

galo-do-mato. *S. m. Bras.* **1.** Ave passeriforme, da família dos fringilídeos (*Coryphospingus cucullatus* (Mül.)), do Brasil e países limítrofes, de coloração parda lavada de encarnado, uropígio vermelho-escuro, asas e caudas com uma crista encarnada marginada de preto na cabeça, e parte inferior cor-de-rosa. A fêmea é mais clara, sem crista encarnada na cabeça. [Sin.: *vinte-e-um-pintado.*] **2.** V. *cardeal* (3). [Pl.: *galos-do-mato.*]

galo-do-pará. *S. m. Bras.* V. *galo-da-serra.* [Pl.: *galos-do-pará.*]

galo-enfeitado. *S. m. Bras., N.E. Pop.* V. *mata-cachorro* (2). [Pl.: *galos-enfeitados.*]

galofilia. [De *galo-* + *-filia.*] *S. f.* Francofilia [q. v.].

galófilo. [De *galo-* + *-filo*[2].] *Adj.* e *s. m.* Francófilo [q. v.].

galofobia. [De *galo-* + *-fob(o)-* + *-ia.*] *S. f.* Francofobia [q. v.].

galófobo. [De *galo-* + *-fobo.*] *Adj.* e *s. m.* Francófobo [q. v.].

galomania. [De *galo-* + *-mania.*] *S. f.* Admiração apaixonada à França e aos franceses, que leva a imitar uma e outros até no que têm de inaceitável.

galomaníaco. *Adj.* e *s. m.* Que ou aquele que tem galomania; galômano.

galômano. [De *galo-* + *-mano.*] *Adj.* e *s. m.* Galomaníaco.

galonar. [De *galão*[1] + *-ar*[2].] *V. t. d.* Agaloar (1).

galopada. *S. f.* Corrida a galope: "guapos e emplumados cavaleiros em grande g a l o p a d a de altivo e marcial arranque" (Ramalho Ortigão, *Arte Portuguesa*, II, p. 175). [Sin.: *desembestada, galope* (bras.) *galopeação, galopeada, galopeadura* (bras., RS).]

galopador (ô). *Adj.* e *s. m.* Que, ou aquele que galopa bem.

galopante. *Adj. 2 g.* **1.** Que galopa. — V. *tísica* — e *tuberculose* —. ● *S. 2 g.* **2.** Tísica ou tuberculose galopante.

galopar. *V. int.* **1.** Andar a galope: *O animal g a l o p a v a um corpo na frente do outro.* **2.** Cavalgar animal que galopa: *O emissário g a l o p o u levando consigo importante missão.* **3.** Correr de maneira desenfreada. **4.** Andar muito depressa. *T. d.* **5.** Percorrer galopando: "E vós bem sabeis, ó Vilas, / e tu bem sabes, estrada, / quem g a l o p a v a essa terra" (Cecília Meireles, *Obra Poética*, p. 820). [F. paral., bras.: *galopear* (q.v.).]

galope. [Do fr. *galop.*] *S. m.* **1.** A carreira mais rápida de alguns animais, e em especial do cavalo. **2.** *Marinh.* A parte superior de um mastro que não tenha mastaréus, ou a do último mastaréu, e que recebe a borla. **3.** Dança rodada, em ritmo acelerado, compasso binário e coreografia variada, e que, em geral, terminava a quadrilha francesa: "as polcas, os g a l o p e s, as quadrilhas e as valsas respiravam apenas, sufocados pelos sons dos guizos e das trompas" (Melo Morais Filho, *Festas e Tradições Populares do Brasil*, p. 36). **4.** *Bras.* V. *martelo agalopado.* **5.** *Fig.* Corrida veloz. **6.** *Bras.* V. *galopada.*

7. *Bras., S.* V. *repreensão* (1). ♦ **Galope à beira-mar.** *Liter. Pop. Bras.* Estrofe de 10 versos hendecassílabos, com o mesmo esquema rimático da décima clássica, e que finda obrigatoriamente com o refrão "correndo e cantando na beira-mar", ou "cantando galope na beira do mar". Às vezes, porém, o primeiro, o segundo, o quinto e o sexto versos da estrofe são heptassílabos, e o refrão é "meu galope à beira-mar". **Galope de apresentação.** *Bras. Turfe.* Cânter. **Galope de saúde.** *Turfe.* Vitória muito fácil de um cavalo, deixando seus competidores a grande distância. **Galope gabinete.** *Bras., N.E. Liter. Pop.* Sextilha de decassílabos com esquema rimático ABABAB.

galopeação. *S. f. Bras., RS.* V. *galopeada.*

galopeada. [De *galopear* + *-ada*[1].] *S. f. Bras., RS.* **1.** V. *galopada.* **2.** Corrida a galope para amansar o potro.

galopeado[1]. [Part. de *galopear* (2)?] *S. m.* **1.** *Bras., PE.* Guisado de carne picada com cujo molho se faz um pirão cozido de farinha de mandioca; pitéu.

galopeado[2]. [Part. de *galopear* (3).] *Adj. Bras., RS.* Diz-se do cavalar treinado para corridas.

galopeador (ô). [De *galopear* (3) + *-(d)or.*] *S. m. Bras., S.* Aquele que galopeia.

galopeadura. *S. f. Bras. RS.* V. *galopada.*

galopear. *V. int.* **1.** *Bras.* Galopar. *T. d.* **2.** Galopar. **3.** *Bras., RS.* Amansar, domar (cavalo, potro). [Conjug.: v. *frear.*]

galopim. [Do fr. *galopin.*] *S. m.* **1.** Rapaz malicioso, brejeiro. **2.** Cabo eleitoral. **3.** *Bras., BA.* Sapato de tênis.

galopinagem. *S. f.* Ação ou trabalho de galopim (2).

galopinar. *V. int.* **1.** Praticar atos de galopim (1). **2.** Agir como galopim (2); angariar votos para eleições.

galo-verdadeiro. *S. m. Bras.* V. *galo-branco* (2). [Pl.: *galos-verdadeiros.*]

galpão. *S. m.* **1.** *Bras.* Construção coberta e fechada pelo menos por três de suas faces, na altura total ou em parte dela, por paredes ou tapumes, e destinada a fins industriais ou a depósito, mas não a habitação. **2.** *Bras., RS.* Edificação aberta em um dos lados para abrigo de homens, animais, material, etc. **3.** *Bras., RS.* Estábulo.

galponeiro. *Adj. Bras.* **1.** Relativo a galpão: **2.** Que mora em galpão. **3.** Passado ou vivido em galpão: "Blau Nunes, índio velho contador de 'casos' nas horas galponeiras" (Augusto Meyer, *Prosa dos Pagos*, p. 146).

galrão. [De *galrar* + *-ão*[1].] *Adj.* e *s. m.* V. *tagarela* (1 e 2). [Fem.: *galrona.*]

galrar. [F. metatética de **garlar* < *garrular*, com síncope.] *V. int.* **1.** Falar à toa. **2.** Falar muito, sem necessidade; parolar, papaguear. **3.** Blasonar, bravatear, jactar-se. **4.** *Lus.* Crescer ou desenvolver-se rapidamente.

galreador (ô). *Adj.* e *s. m.* Que ou aquele que galreia; galreiro, galrejador.

galrear. *V. int.* **1.** Galrar (a criança que emite vozes sem articular palavras); chalrar. **2.** Chilrar: *As aves galreavam na madrugada.* [F. paral.: *galrejar.* [Conjug.: v. *frear.*]

galreio. [Dev. de *galrear.*] *S. m.* Ato ou efeito de galrear: "deixavam-se [os pássaros] ficar nos ramos, desferindo os últimos galreios." (Coelho Neto, *Treva*, p. 154.)

galreiro. *Adj.* e *s. m.* V. *galreador.*

galrejador (ô). *Adj.* e *s. m.* V. *galreador.*

galrejar. *V. int.* Galrear. [Conjug.: v. *pelejar.*]

galricho. *S. m.* Var. de *galrito.*

galrito. [Do esp. *garlito*, com metátese.] *S. m.* Rede para pesca de peixe miúdo. [Var.: *galricho.*]

galrona. *Adj. (f.)* e *S. f.* Fem. de *galrão* [q. v.].

galubé. *S. m. Mús.* Espécie de pífaro com três orifícios, muito usado na Provença e no Languedoc, e que é acompanhado de tamboril pelo próprio executante; flauta provençal, flauta basca.

galucha. *S. f. Bras., AL. Pop.* Ferida cancerosa.

galucho. *S. m.* **1.** *V. recruta* (1): "Consegui até ... que ele me falasse um pouco mais à vontade do que um galucho a um capitão." (João de Araújo Correia, *Cinza do Lar*, p. 103.) **2.** Calouro, novato. **3.** Indivíduo acanhado, inexperiente.

galvânico. *Adj.* Pertinente ao galvanismo [q. v.]. ~ V. *acoplamento* —.

galvanismo. [Do antr. *Galvani*, de Luigi Galvani, físico italiano (1737-1798), + *-ismo.*] *S. m.* **1.** *Eletr.* Conjunto de fenômenos de natureza eletroquímica que se passam em sistemas constituídos por metais diferentes postos em contato com eletrólitos. **2.** *Med.* Utilização terapêutica da corrente contínua.

galvanização. *S. f.* **1.** Ato ou efeito de galvanizar. **2.** Operação de recobrir o ferro com uma camada de zinco metálico, a fim de o proteger contra os efeitos da oxidação; zincagem. **3.** *Terap.* Tratamento pela corrente contínua.

galvanizado. [Part. de *galvanizar.*] *Adj.* **1.** Submetido à galvanização (1 e 2): *portão de ferro galvanizado.* **2.** *Fig.* A que se deu vida, energia, estímulo; reanimado. **3.** *Fig.* Arrebatado, encantado, inflamado, eletrizado: *O orador falou mais de uma hora a uma assistência galvanizada.* ~ V. *ferro* —.

galvanizador (ô). *Adj.* Que galvaniza; galvanizante.

galvanizante. *Adj. 2 g.* Galvanizador.

galvanizar. [De *Galvani* (v. *galvanismo*) + *-izar.*] *V. t. d.* **1.** *Eletr.* Recobrir (um metal) com outro, mediante processo eletrolítico. **2.** Dourar ou pratear, etc., por meio da galvanoplastia. **3.** *P. ext.* Dourar ou pratear: "A brisa barra / Afla de leve... O luar as cousas galvaniza." (Martins Fontes, *Volúpia*, p. 164.) **4.** Dar movimento a (músculos), em vida ou pouco após a morte, por meio de eletricidade galvânica. **4.** *Fig.* Dar vida, energia passageira, a; reanimar. **5.** *Fig.* Encantar, arrebatar, inflamar, eletrizar: *O conferencista galvanizou o numeroso público.*

galvano. *S. m. Tip.* V. *galvanótipo.*

▲**galvano-.** [De *galvanismo.*] *El. comp.* = 'ação de galvanizar': *galvanocáustica.*

galvanocáustica. [De *galvano-* + *-cáustica.*] *S. f.* Cauterização por corrente elétrica contínua.

galvanocáustico. *Adj.* Respeitante à galvanocáustica.

galvanocautério. [De *galvano-* + *-cautério.*] *S. m.* Instrumento que serve para cortar e cauterizar imediatamente a parte cortada.

galvanografia. [De *galvano-* + *-graf(o)-* + *-ia.*] *S. f.* **1.** Galvanogravura obtida por meio de placa desenhada a tinta isolante. **2.** Estampa produzida por esse processo. [Sin. ger.: *eletrografia.*]

galvanográfico. *Adj.* Relativo à galvanografia, ou à galvanogravura.

galvanogravura. [De *galvano-* + *gravura.*] *S. f.* Designação comum às várias técnicas, tornadas obsoletas, de produção de placas gravadas por processo galvanográfico; eletrogravura.

galvanomagnético. [De *galvano-* + *magnético.*] *Adj.* Referente ao galvanomagnetismo.

galvanomagnetismo. [De *galvano-* + *magnetismo.*] *S. m.* O conjunto dos efeitos galvânicos e magnéticos a um só tempo.

galvanômetro. [De *galvano-* + *-metro.*] *S. m. Eletr.* Instrumento com que se medem pequenas correntes, ou pequenas tensões, baseado na deformação que forças eletromagnéticas provocam num sistema mecânico elástico, e geralmente oscilante. ♦ **Galvanômetro balístico.** *Eletr.* Aquele que, graças às características do movimento que efetua, pode medir impulsos elétricos de curta duração.

galvanoníquel. [De *galvano-* + *níquel*[1].] *S. m. Tip.* Galvanótipo obtido diretamente por eletrodeposição de níquel ou revestimento posterior com esse metal, para maior durabilidade; niqueltipo. [V. *niqueltipia.*]

galvanoplastia. [De *galvano-* + *-plast-* + *-ia.*] *S. f. Eletr.* Parte da eletroquímica aplicada que investiga os processos e métodos de formação de corpos maciços por meio da eletrólise; galvanoplástica, eletrotipia.

galvanoplástica. [Fem. substantivado de *galvanoplástico.*] *S. f. Eletr.* V. *galvanoplastia.*

galvanoplástico. *Adj.* Relativo à galvanoplastia.

galvanoscópio. [De *galvano-* + *-scop-* + *-io*[2].] *S. m. Eletr.* Galvanômetro não calibrado, que serve para indicar a presença e o sentido de uma corrente elétrica sem a medir.

galvanostegia. [De *galvano-* + *-steg(o)-* + *-ia.*] *S. f. Eletr.* Parte da eletroquímica aplicada que investiga os processos e métodos de recobrimento de superfícies metálicas depositadas eletroliticamente; eletrostegia.

galvanoterapia. [De *galvano-* + *terapia.*] *S. f. Med.* Terapêutica pela corrente contínua.

galvanoterápico. *Adj.* Relativo à galvanoterapia.

galvanotipagem. *S. f. Tip.* Ato ou efeito de galvanotipar.

galvanotipar. *V. t. d.* Reproduzir por meio da galvanotipia; eletrotipar.

galvanotipia. [De *galvano-* + *-tip(o)-* + *-ia.*] *S. f.* Tip. **1.** Processo pelo qual se obtém, de composição tipográfica, clichê ou gravura, por moldagem em cera, chumbo, etc., uma matriz que, submetida a banho eletrolítico, adquire uma fina camada (*casca*) destacável de metal, geralmente cobre, a qual, depois de enchimento, acabamento e montagem, constitui duplicata perfeita da fôrma inicial; electrotipia, eletrotipia. [Quando se usa a cera, a fôrma é, em seguida, metalizada, em geral grafitada, para se tornar condutora de eletricidade.] **2.** V. *galvanótipo.*

galvanotípico. *Adj.* Referente à galvanotipia.

galvanotipista. *S. m. 2 g. Tip.* Pessoa que trabalha em galvanotipia.

galvanótipo. [De *galvano-* + *-tipo.*] *S. m. Tip.* Fôrma compacta obtida por galvanotipia, que se conserva para repetição indefinida de impressões; clichê, galvanotipia, electrotipia ou eletrotipia, eletrótipo, eletro. [F. red.: *galvano.*]

gama[1]. [Do fenício, atr. do gr. *gámma* e do lat. *gamma.*] *S. m.* **1.** A 3ª letra do alfabeto grego (,). **2.** *Fís.* Massa igual a um milionésimo de grama. [Simb.: .] **3.** *Fís. Nucl.* Raios gama. ● *S. f.* **4.** *Mús.* A nota mais grave (G) da solmização medieval. **5.** *Mús.* Posteriormente, qualquer escala. **6.** *Mús.* Na música tonal, sucessão de sons dentro de uma oitava. **7.** *Fig.* Série ou sucessão de idéias, sensações, teorias, etc. **8.** *Geofís.* Unidade de intensidade de campo geomagnético, equivalente a um centésimo de gauss.

gama[2]. *S. f.* A fêmea do gamo.

gama[3]. *S. f. Bras. Gír.* F. red. de *gamação.*

gamação. [De *gamar* + *-ção.*] *S. f. Bras. Gír.* Amor violento; paixão. [F. red.: *gama.*]

gamacismo. [Do gr. *gámma*, 'gama[1]'.] *S. m.* Vício de pronúncia que consiste na impossibilidade ou dificuldade de articular a consonante velar *g.*

gamado[1]. [De *gama*[1] + *-ado*[1].] *Adj.* ~ V. *cruz* —**a.**

gamado[2]. [Part. de *gamar.*] *Adj. Bras. Gír.* V. *vidrado* (3).

gamagrafia. [De *gama*[1] (3) + *-graf(o)-* + *-ia.*] *S. f. Fís.* Radiografia que utiliza raios gama de um nuclídeo radioativo.

gamão. *S. m.* **1.** Jogo (de azar e cálculo) de tábulas e dados, entre dois parceiros. **2.** Tabuleiro em que se joga o gamão.

gamar. *V. t. i.* e *int. Bras. Gír.* V. *vidrar* (3):"Pois, estavam as coisas nesse pé, quando Rosinha contratou uma camareira, moça muito bonita, alegre e simpática, chamada Susana, por quem Fígaro gamou na mesma hora em que a viu." (Cora Rónai Vieira e Paulo Rónai, *Aventuras de Fígaro*, p. 60); *Viu a pequena e foi a conta: gamou.*

gamarra. *S. f.* Correia que se ata da cilha ao bocal ou cabeção da cavalgadura a fim de que não levante demasiado a cabeça.

gamba. *S. f.* Abrev. de *viola de gamba* [q. v.].

gambá. [Do tupi *ga'bá*, 'seio oco'.] *S. m.* e *f.* **1.** *Bras.* Designação comum aos mamíferos marsupiais, da família dos didelfídeos, gênero *Didelphis* L., comum ao S. dos E.U.A., América Central e grande parte da América do Sul. Conhecem-se três espécies: *D. marsupialis* L., *D. aurita* Wied e *D. paraguayensis* Oken. Os gambás são placentários, as fêmeas com bolsa marsupial, dentro da qual se acham as tetas, às quais se agarram 10 a 18 filhotes recém-nascidos com pouco mais de 1 cm de comprimento, aí permanecendo até abandonarem a mãe. Têm cauda preênsil, e 18 dentes incisivos, enquanto nos demais mamíferos esse número é de 12 no máximo. São onívoros e levam vida noturna. [Sin.: *cassaco, sarigüê, saurê, mucura, micurê, raposa, taibu, tacaca, ticaca, timbu.*] **2.** *Bras., AM* e *PA. Folcl.* Instrumento de percussão feito de tronco de molongó ou jutaí ocos e um couro estirado na parte superior. **3.** *Bras., AM* e *PA. Folcl.* Dança dos índios mauês da Amazônia, que lembra o carimbó, da região oriental. **4.** *Bras. Gír.* V. *ébrio* (8): "Muito bêbado, hem?—Como um gambá." (Aluísio Azevedo, *O Cortiço*, p. 238.) **5.** *Bras., Pl. Pop.* V. *ralé* (1). ♦ **Comer gambá errado.** *Bras.* Comer gato por lebre. **Fazer gambá.** *Bras., PR.* Dançar o fandango em cima do arroz, para descascá-lo, como na região de Paranaguá.

gambadonas. *S. f. pl.* Cabos em que se envolvem os mastros para torná-los mais fortes; gambadonos.

gambadonos. *S. m. pl.* Gambadonas.

gambarra. *S. f. Bras., AM.* Grande embarcação de dois mastros, empregada para condução de gado.

gambelar. *V. t. d. Bras., RS.* V. *engabelar.* [Pres. ind.: *gambelo*, etc. Cf. *gambelo* (ê).]

gambelo (ê). *S. m. Bras., PE.* Coisa boa, agradável, doce. [Us. na expr. *doce como um gambelo.* Pl.: *gambelos* (ê). Cf. *gambelo*, do v. *gambelar.*] ♦ **Doce como um gambelo.** V. *gambelo.*

gambérria. [De *gamba.*] *S. f.* **1.** Pancada com o pé nas pernas de outrem para fazê-lo cair. **2.** *Pop.* Trapaça, tramóia, fraude, logro. **3.** *Pop.* Briga, rixa, contenda.

gambeta (ê). [De *gamba.*] *S. f. Bras.* **1.** Certo movimento que se faz com o corpo e as pernas para enganar o perseguidor e livrar-se dele, fugindo para um lado e para outro. **2.** Movimento desordenado que faz um animal.

gambeteação. *S. f. Bras.* Ato de gambetear.

gambeteador (ô). *Adj.* e *s. m. Bras.* Gambeteiro.

gambetear. *V. int. Bras.* **1.** Fazer gambetas. *T. d.* **2.** Esquivar (o corpo) com o fim de escapar ao golpe do adversário. [Conjug.: v. *frear*.]

gambeteiro. *Adj.* e *s. m. Bras.* Diz-se de, ou indivíduo ou animal que gambeteia; gambeteador.

gâmbia. [Do it. *gamba*.] *S. f. Pop.* Perna (2 e 3): "A raposa transpunha agora com donaire, ... aprumada nas gâmbias nervosas, o espaço crítico através do qual se decidiria da sua vida ou morte." (Aquilino Ribeiro, *Maria Benigna*, p. 153.)

gambiano. *Adj.* **1.** Da, ou pertencente ou relativo à Gâmbia (África Ocidental). ● *S. m.* **2.** O natural ou habitante da Gâmbia.

gambiarra. *S. f.* **1.** *Mar.* Lâmpada instalada na extremidade dum comprido cabo elétrico para poder ser utilizada numa área relativamente grande. **2.** *Mar.* Rosário de lâmpadas com que se iluminam fortemente determinados locais, quando necessário; chuveiro. **3.** *Teat.* Rampa de luzes e/ou refletores, de cores variadas, situada ao lado de outras, ou na parte anterior do urdimento, acima da ribalta, ou no teto da platéia, a alguns metros de distância do palco: "Estão acesos tangões, gambiarras e ribaltas para lhe esmaltar a pele [da atriz] e afagar as linhas do corpo." (Antero de Figueiredo, *Cômicos*, p. 131.)

gambito[1]. [Do it. *gambetto*.] *S. m.* **1.** Ardil para vencer o adversário. **2.** Abertura de partida no xadrez, em que se sacrifica um peão para obter vantagem de posição. [Há diversas espécies de gambito, segundo o peão sacrificado.]

gambito[2]. *S. f. Joc.* Cambito (2).

gamboa[1] (ô). [Do top. vasc. *gamboa*.] *S. f.* Fruto do gamboeiro.

gamboa[2]. *S. f.* **1.** *Bras.* Camboa (2). **2.** *Bras., SP.* Local, no leito dos rios, onde se remansam as águas, dando a impressão de lago sereno.

gamboeiro. [De *gamboa*[1] + *-eiro*.] *S. m.* Variedade de marmeleiro.

gamboína. *S. f. Pop.* Trapaça no jogo (1 e 5).

gambota. [Var. de *cambota*[1].] *S. f.* Molde ou arco de madeira para construir uma abóbada.

gamela[1]. [Dim. de *gama*[2].] *S. f.* Pequena corça.

gamela[2]. [Do lat. vulg. **gamella*.] *S. f.* **1.** Vasilha de madeira ou de barro, com a forma de alguidar ou de escudela grande, usada para lavagens ou para dar comida aos animais domésticos. **2.** *Bras. Pop.* V. *mentira* (1). ● *S. m.* **3.** *Bras.* Indivíduo que faz as vezes de engenheiro sem ser diplomado.

gamela[3]. *Bras. S. 2 g.* **1.** Indivíduo dos gamelas, extinta tribo indígena do MA. ● *Adj. 2 g.* **2.** Pertencente ou relativo a essa tribo.

gamelada. *S. f.* **1.** Gamela[2] (1) cheia. **2.** Porção de comida ou de líquido contida numa gamela[2] (1).

gamelão[1]. [Aum. de *gamela*[2].] *S. f.* Arena circular com cerca acolchoada, onde brigam os galos, nos rinhadeiros.

gamelão[2]. [Do javanês *gamelar*.] *S. m.* Orquestra indonésia, composta, sobretudo, de instrumentos de bronze, xilofones e tambores.

gameleira. [De *gamela*[2] (1) + *-eira*.] *S. f. Bras.* V. *quaxinduba*.

gameleira-branca. *S. f. Bras., MG, ES* a *RS.* Árvore grande, da família das moráceas (*Ficus doliaria*), de folhas alternas, verde-escuras e vernicosas na página superior, cujo receptáculo (*figo*) é grande e amarelado. Fornece madeira branca, mole, leve e resistente, própria para utensílios de uso doméstico, e sua casca, quando incisada, exsuda látex viscoso, espesso, branco e de sabor adocicado; cerejeira, figueira-brava, gameleira-de-purga, gameleira-de-cansaço. [Pl.: *gameleiras-brancas*.]

gameleira-de-cansaço. *S. f. Bras.* V. *gameleira-branca*. [Pl.: *gameleiras-de-cansaço*.]

gameleira-de-purga. *S. f. Bras.* V. *gameleira-branca*. [Pl.: *gameleiras-de-purga*.]

gameleira-de-veneno. *S. f. Bras., AM.* Planta trepadora enquanto jovem, da família das moráceas (*Ficus atrox*), de folhas alternas, ovadas e membranosas, com nervuras pubescentes, e cuja casca se suspeita ser venenosa. [Pl.: *gameleiras-de-veneno*.]

gameleirense. *Adj. 2 g.* **1.** De, ou pertencente ou relativo a Gameleira (PE). ● *S. 2 g.* **2.** Natural ou habitante de Gameleira.

gamelo (ê). [De *gamela*[2] (1).] *S. m.* **1.** Vasilha comprida na qual se põe água ou comida para o gado. **2.** *Bras., PE.* Papagaio (5) formado de um triângulo isóscele com o vértice para baixo e de um trapézio assente em sua base, sendo menor o lado superior deste.

gamenhar. *V. int. Bras. PE.* Fazer-se gamenho.

gamenhice. *S. f.* **1.** Qualidade de gamenho. **2.** Ato ou modos próprios de gamenho. [Sin. ger.: *janotice*, *janotada*, *janotaria*.]

gamenho. [Talvez do fr. *gamin*.] *Adj.* e *s. m.* **1.** Diz-se de, ou indivíduo casquilho, janota, muito enfeitado. **2.** Malandro, vadio.

gameta. [Do gr. *gamétes*, 'esposo'.] *S. m. Biol.* Célula sexuada e haplóide dos seres vivos, encarregada da reprodução mediante a fecundação ou fusão nuclear. A feminina diz-se *óvulo* ou *oosfera*, e a masculina, *espermatozóide* ou *anterozóide*; o produto de sua união é o *ovo* ou *zigoto*. [Var.: *gameto*.]

gametângio. *S. m. Biol.* Célula em cujo interior se formam gametas.

gamético. *Adj. Biol.* Relativo ao gameta.

gameto. *S. m. Biol.* Var. de *gameta*.

gametófito. *S. m. Bot.* Organismo ou parte do organismo de uma planta, que tem por função produzir células sexuadas reprodutivas.

gametogênese. *S. f. Biol.* Processo segundo o qual se formam os gametas nos animais e nas plantas.

gâmico. [Do gr. *gamikós*, 'nupcial'.] *Adj.* **1.** Sexual (1). **2.** Diz-se dos ovos que só se desenvolvem após a fecundação.

gamo. [Do lat. vulg. *gammu*.] *S. m.* Ruminante asiático (*Cervus dama*), semelhante ao veado, mas que tem a cauda comprida e a parte superior dos galhos achatada e palmada. [Fem.: *gama*.]

▲gamo-. [Do gr. *gámos, ou*.] *El. comp.* = 'casamento', 'união': *gamomania*. [Equiv.: *-gamo*: *alógamo*.]

▲-gamo. Equiv. de *gamo-*.

gamocarpelar. [De *gamo-* + *carpelar*.] *Adj. 2 g. Morfol. Veg.* Provido de carpelos concrescidos numa só peça: *ovário gamocarpelar*.

gamofilo. [De *gamo-* + *-filo*[1].] *Adj. Morfol. Veg.* **1.** Formado pela soldadura de folhas. **2.** Que tem folhas soldadas umas às outras.

gamogênese. [De *gamo-* + *gênese*.] *S. f. Biol.* Reprodução sexuada; gamogonia.

gamogenético. *Adj.* Relativo à gamogênese.

gamogonia. [De *gamo-* + *-gon(o)-* + *-ia*.] *S. f. Biol.* Gamogênese.

gamologia. [De *gamo-* + *-log(o)-* + *-ia*.] *S. f.* Tratado ou discurso a respeito do casamento.

gamológico. *Adj.* Relativo à gamologia.

gamomania. [De *gamo-* + *-mania*.] *S. f.* Loucura que se caracteriza pela monomania do casamento.

gamomaníaco. *Adj.* **1.** Relativo à, ou que sofre de gamomania. ● *S. m.* **2.** Aquele que sofre de gamomania.

gamopétalo. [De *gamo-* + *pétala*.] *Adj. Morfol. Veg.* Cujas pétalas são unidas entre si; simpétalo, simpetálico. [Opõe-se a *coripétalo*. Cf. *monopétalo*.]

gamossépalo. [De *gamo-* + *sépala*.] *Adj. Morf. Veg.* Que tem as sépalas concrescentes em corpo único; sinsépalo: *cálice gamossépalo*. [Opõe-se a *dialissépalo*. Cf. *monossépalo*.]

gamostilo. [De *gamo-* + *-stilo*[2].] *Adj. Morfol. Veg.* Formado pela união de estiletes.

gamote. *S. m. Atn. Mar.* Vasilha de madeira que se usava para esgotar a água dos porões das embarcações.

gamotépalo. [De *gamo-* + *tépalo*.] *Adj. Morfol. Veg.* Que apresenta tépalas soldadas: *perigônio gamotépalo*.

gana. [Do esp. *gana*.] *S. f.* **1.** Grande apetite ou desejo de algo; fome. **2.** Impulso, ímpeto, capricho, veneta: *Teve ganas de estrangular*. **3.** Má vontade contra alguém, ou desejo de prejudicá-lo, de fazer-lhe mal; raiva, ódio.

ganacha. [Do it. *ganascia*.] *S. f.* A maxila inferior do cavalo.

ganância. [Do esp. *ganancia*.] *S. f.* **1.** Ambição de ganho. **2.** V. *ganho* (2). **3.** Ganho ilícito; usura. **4.** *P. ext.* Ambição desmedida. [Cf. *ganancia*, do v. *gananciar*.]

gananciar. [De *ganância* + *-ar*[2].] *V. t. d.* Ganhar: conquistar. [Pres. ind.: *ganancio*, *ganancias*, *ganancia*, etc. Cf. *ganância*.]

ganancioso (ô). [De *ganância* + *-oso*.] *Adj.* **1.** Em que há ganho. **2.** Que tem ambição de ganhar; que só tem em vista o lucro. ● *S. m.* **3.** Indivíduo ganancioso.

ganças. *S. f. Ant.* V. *meretriz*. [Cf. *gansa*, fem. de *ganso*.]

ganchar. *V. t. d.* Agarrar com gancho; enganchar.

ganchеado. [De *gancho* + *-eado*.] *Adj.* Que tem forma de gancho.

gancheiro. *S. m. Bras., Amaz.* Canoeiro que põe a embarcação em movimento por meio de gancho que vai prendendo em árvores, pedras, etc., das margens do rio.

gancho. [Talvez de or. pré-romana.] *S. m.* **1.** Peça recurva, de metal ou de outra substância resistente, usada para suspender quaisquer pesos. **2.** Anzol (1). **3.** Arame em forma de *U*, com que as mulheres seguram o cabelo: "dous ganchos de pentear, um jasimim seco" (Aluísio Azevedo, *O Mulato*, p. 128). **4.** *Bras. Alfaiat.* Parte da calça em que se unem as duas bandas. **5.** *Bras.* Certa rede de pescaria. **6.** V. *bico*[1] (13 e 14). **7.** *Bras.* Recurso ou apelo audiovisual psicológico utilizado pela televisão para forçar a atenção do espectador: *O gancho da novela foi o anúncio da separação das personagens; A publicidade na televisão do novo produto aproveita o Dia das Mães para fazer seu gancho*.

ganchorra (ô). *S. f.* **1.** *Lus.* Croque usado por barqueiros. **2.** *Gír.* Mão[1] (1).

ganchoso (ô). *Adj.* Curvo como um gancho.

ganchudo. *Adj.* Semelhante a, ou em forma de gancho: "uma das velhas .... veio a mim e toda enternecimento, cutucando-me com os dedos ganchudos, me disse" (Gilberto Amado, *Depois da Política*, p. 45).

ganço. *S. m. Ant.* V. *ganho* (2). [Cf. *ganso*.]

gandaia. *S. f.* **1.** O ato de revolver o lixo à procura de quaisquer objetos de algum valor porventura misturados com ele. **2.** O ofício de trapeiro. **3.** *Fig.* Vadiagem; mandriice, ociosidade. **4.** *Fig.* Vida dissoluta. ◆ **À gandaia.** A esmo; à toa; ao léu; sem destino: "Acho mais natural que ela, ... em vez de se ir à gandaia com o tamborileiro por aí fora, aspirasse à canonização" (Camilo Castelo Branco, *Maria da Fonte*, p. 53).

gandaiar. *V. int.* **1.** Andar à gandaia. **2.** Cair em vida desregrada, na gandaia; vadiar.

gandaieiro. *Adj.* e *s. m.* Diz-se de, ou aquele que anda à gandaia; vadio.

gandaiice. *S. f.* Modos ou ato de gandaieiro.

gândara. [De or. pré-romana.] *S. f.* Charneca (2): "A Planície, desde a charneca rala do Sado, até às humosas terras do Carregueiro, ... é uma dor. O viandante que passa ali queda-se a olhar o astro, a gândara, e fica triste." (Antunes da Silva, *Gaimirra*, p. 161.) [Var.: *gandra*.]

gandarês. *Adj.* **1.** Que habita em gândara. **2.** Referente a, ou próprio de gândara. [Flex.: *gandaresa* (ê), *gandareses* (ê), *gandaresas* (ê).]

gandavo. [Do lat. *gandavu*.] *S. m. Bras., BA.* **1.** Contador de histórias e fábulas. **2.** V. *mentiroso* (4). [Cf. *Gândavo*, antr.]

gandhismo. *S. m.* **1.** Pensamento político e religioso do líder indiano Mohandas Karamchand Gandhi (Mahatma Ghandhi, 1869-1948). **2.** A atuação política, social e religiosa desse líder.

gandhista. *Adj. 2 g.* **1.** Referente ao gandhismo. **2.** Que é partidário ou simpatizante dele. ● *S. 2 g.* **3.** Partidário ou simpatizante do gandhismo.

gandola. *S. f. Bras., MG* e *S.* Peça que substitui o capote, usada por militares: "Saí do cinema querendo bancar o valente, imitante o herói no modo de andar, ... bibico meio de banda, gandola ajustada..." (Manuel Lobato, *Os Outros São Diferentes*, p. 59.)

gandra. *S. f.* Var. de *gândara*.

gandula. *S. m. Bras. Esport.* Menino incumbido de ir buscar e devolver a bola que sai de campo durante o jogo.

gandular. *V. int. Bras., RS.* **1.** Ter vida de gandulo; viver a expensas de outrem. **2.** Andar pedindo; viver de pedincha. **3.** Desejar tudo quanto vê.

gandulo. [Do esp. plat. *gandulo*.] *Adj. Bras., RS.* **1.** Que deseja tudo quanto vê; pedinchão. ● *S. m.* **2.** V. *parasito* (3).

ganeira. *S. f.* Ramo grande de árvore.

ganense. *Adj. 2 g.* **1.** Da, ou pertencente ou relativo à República de Gana (África ocidental). ● *S. 2 g.* **2.** Natural ou habitante da República de Gana. [Sin. ger.: *ganês*.]

ganês. *Adj.* e *s. m.* Ganense. [Flex.: *ganesa* (ê), *ganeses* (ê), *ganesas* (ê).]

➡gang (guéng). [Ingl.] *S. f.* Grupo de malfeitores mancomunados.

ganga[1]. [Luso-afr.] *S. f.* No Congo, sacerdote gentio.

ganga[2]. [Do chin. *yang*, no dialeto da corte.] *S. f.* Certo tecido forte, azul ou amarelo: "No verão, o bom velho usava um fato largo de ganga azul da Índia" (Bulhão Pato, *Memórias*, II, p. 149).

ganga[3]. *S. f.* V. *canga*[2].

ganga[4]. [Do al. *Gang*.] *S. f. Min.* Resíduo, em geral não aproveitável, de uma jazida filoniana, o qual pode, no entanto, em certos casos, conter substâncias economicamente úteis. [Cf. *canga*[3].]

ganga[5]. *S. f. Gír.* Qualquer bebida espirituosa, em especial a aguardente de vinho.

ganga[6]. *S. f. Bras.* Variedade de algodoeiro de fibras pardas, da região do São Francisco.

ganga[7]. *S. f. Bras.* Série de partidas, em vários jogos,

especialmente no gamão.
gangana. [Do quimb. *nganngana.*] *S. f. Bras. Fam.* Mulher idosa.
gangão[1]. *S. m. Bras.* Espiga de milho atrofiada, com poucos grãos, e estes dispersos pelo sabugo; catambuera, catangüera, dente-de-velha.
gangão[2]. *El. s. m.* Us. na loc. adv. *de gangão.* ◆ **De gangão.** De enfiada; de corrida; sem parar.
gangarilha. [Do esp. *gangarilla.*] *S. f. Teat.* Companhia volante, composta de três ou quatro atores, no teatro espanhol do séc. XVI.
gangarina. *S. f. Gír.* Igreja (1).
gangarreão. *S. m. Bras. Fam.* Alteração mais ou menos profunda na saúde de alguém.
gangético. [Do lat. *gangeticu.*] *Adj.* Do, ou pertencente ou relativo ao rio Ganges (Índia), ou à região por ele banhada.
gangliectomia. [Do gr. *gágglion,* 'gânglio', + *-ectom* + *-ia.*] *S. f. Cir.* Extirpação de um gânglio.
gangliectômico. *Adj.* Relativo à gangliectomia.
gangliforme. [De *gânglio* + *-forme.*] *Adj. 2 g.* Que tem forma de gânglio.
gânglio. [Do gr. *gágglion,* pelo lat. *ganglion.*] *S. m. Anat.* Cada uma das pequenas estruturas, variáveis em forma, espessura e constituição, que se situam ao longo dos vasos linfáticos (*gânglios linfáticos*), ou se localizam no curso das raízes posteriores da medula espinhal ou no sistema nervoso autônomo (*gânglios nervosos*). ◆ **Gânglio linfático.** *Anat.* V. *gânglio.* **Gânglio nervoso.** *Anat.* V. *gânglio.*
ganglioma. [De *gânglio* + *-oma.*] *S. m. Med. Obsol.* Tumor de gânglio linfático.
ganglionar. *Adj. 2 g. Med.* Da natureza do gânglio, ou relativo ou pertencente a ele.
ganglionite. [Do gr. *gágglion,* 'gânglio', + *-ite*[1].] *S. f. Patol.* Inflamação ganglionar.
gangolina. [Do esp. plat. *gangolina.*] *S. f. Bras., RS. Pop.* V. *rolo*[1] (16).
gangolino. *S. m. Bras.* Indivíduo mau pagador; caloteiro, velhaco.
gangorra[1] (ô). *S. f. Bras.* **1.** Aparelho para diversão infantil: uma tábua apoiada num espigão, sobre o qual gira horizontalmente, ou oscila, ocorrendo que neste caso as crianças montam as extremidades, que sobem e descem alternadamente; arre-burrinho, burrica, coximpim, jangalamarte, jangalamaste, joão-galamarte, zangaburrinha, zangaburrinho. **2.** Engenho manual, primitivo, de cana-de-açúcar, constituído tão-somente por dois rolos de madeira entre dois esteios verticais. **3.** *Bras., PI* e *CE.* Armadilha para apanhar animais bravios. **4.** *Bras., PB.* Engenho de madeira usado pelos pequenos lavradores para fabricar rapadura. **5.** *Bras., PE. Pop.* Bicicleta (1). **6.** *Bras., MG.* Curral de entrada fácil e saída impossível, para pega de pequenos animais.
gangorra[2] (ô). *S. f. Ant.* Espécie de carapuça.
gangosa. [Do esp. *gangoso,* 'fanhoso'.] *S. f. Patol.* Ulceração que principia na abóbada palatina e se espraia, destruindo-a, bem como ao nariz, ao lábio, etc.; rinofaringite mutilante.
gangoso (ô). [Do esp. *gangoso.*] *Adj. Desus.* Fanhoso.
gangrena. [Do gr. *gággraina,* pelo lat. *gangraena.*] *S. f.* **1.** *Patol.* Morte de tecido ou órgão, geralmente extensa e ligada à perda de suprimento sanguíneo, seguida de invasão bacteriana e decomposição tecidual. [Cf. *necrose.*] **2.** *Fig.* Aquilo que produz destruição; corrupção moral. ◆ **Gangrena seca.** *Patol.* Aquela em que não se observa a decomposição bacteriana, tornando-se os tecidos secos e encarquilhados. **Gangrena úmida.** *Patol.* Aquela em que se observa a presença de líquido, havendo importante putrefação dos tecidos.
gangrenado. [Part. de *gangrenar.*] *Adj.* **1.** Atacado de gangrena. **2.** *Fig.* Corrompido, corrupto, pervertido.
gangrenar. *V. t. d.* **1.** Produzir gangrena em. **2.** Perverter; corromper: *Os vícios da sociedade em que vive gangrenaram sua alma.* **3.** *Int.* e *p.* Ser atacado de gangrena.
gangrenoso (ô). *Adj.* **1.** Que é da natureza da gangrena. **2.** Que tem gangrena.
gângster. [Do ingl. *gangster.*] *S. m.* Membro de um grupo de malfeitores que nas grandes cidades cometem assaltos e roubos à mão armada. [Pl.: *gângsteres.*]
➧**gangster** (guéngstar). [Ingl.] *S. m.* V. *gângster.*
gangue. [Do ingl. *gang.*] *S. f. Bras. Gír.* Turma, grupo, patota: "O pseudo-restaurante era uma tenda de madeira, onde uma gangue cabeluda e maltrapilha curtia uns chopinhos." (Marisa Raja Gabaglia, *Milho pra Galinha, Mariquinha,* P. 12); "—Seu problema é cuca, filhinha, Freud explica, Freud explica... ! —Quero que Freud faleça, ele e sua gangue." (Id.; *ib.,* p. 105).
ganguê. *S. m. Bras., PE.* V. *morrinha* (4).
ganhadeiro. *Adj.* e *s. m.* Que ou aquele que faz qualquer tipo de serviço; ganhão.
ganha-dinheiro. [De *ganhar* + *dinheiro.*] *S. m.* V. *jornaleiro* (1). [Pl.: *ganha-dinheiros.*]
ganhador (ô). *Adj.* **1.** Que ganha. ● *S. m.* **2.** Aquele que ganha. **3.** V. *jornaleiro* (1). **4.** *Bras., N.E.* Carregador (1). **5.** *Bras., S.* Indivíduo inescrupuloso, para quem todo lucro é bom.
ganhame. *S. m. Pop.* V. *ganho* (2): "O Tião da Dorotéia aparecia aos sábados: deixava na Venda todo o seu ganhame da semana." (Maria José de Queirós, *Como Me Contaram,* p. 200.)
ganhança. *S. f. Pop.* V. *ganho* (2).
ganhão. [De *ganhar* + *-ão*[2].] *S. m.* Aquele que vive de trabalho, que para viver se emprega em qualquer serviço; ganhadeiro: "ela filha mais nova de um maioral do conselheiro e ele ganhão da herdade de Valparaíso" (Fialho d'Almeida, *Contos,* p. 119).
ganha-pão. [De *ganhar* + *pão.*] *S. m.* **1.** Trabalho de que alguém vive: *Seu ganha-pão é a costura;* "Claro que não os deixei na mão, isso não! Não sou homem de tirar o ganha-pão de ninguém!" (Marques Rebelo, *O Simples Coronel Madureira,* p. 61). **2.** Objeto com o auxílio do qual se adquirem os meios de subsistência: *A agulha e a linha são o meu ganha-pão.* [Pl.: *ganha-pães.*]
ganha-perde. [De *ganhar* + *perder.*] *S. m. 2 n.* Jogo em que ganha aquele que primeiro perde, o que faz menos pontos. [M. us. no Brasil: *perde-ganha.*]
ganhar. [Do gót. **ganan,* 'cobiçar', cruzado com o germ. *waidanjan,* 'colher (ê)'.] *V. t. d.* **1.** Adquirir, granjear; conquistar: *Pelos seus feitos ganhou a fama de herói;* "essa gente pobre, que ganha com suor e sangue o pão que come" (Olavo Bilac, *Crítica e Fantasia,* p. 140); "A fama de valente e destemido ganhou-a deslocando o pulso a um escrivão remisso no lavrar uns mandados de posse" (Camilo Castelo Branco, *A Mulher Fatal,* pp. 55-56). **2.** Adquirir a posse de: *Ganhou larga soma no jogo.* **3.** Conseguir, granjear: *Com os seus modos ásperos, não ganha facilmente amigos.* **4.** Vencer, perceber (importância correspondente a ordenado, salário, etc.): "Ganhava duzentos mil réis por mês" (Machado de Assis, *Outras Relíquias,* p. 20). **5.** Conseguir, alcançar, lograr: *Graças aos seus esforços, ganhou alta fama de ator.* **6.** Alcançar ou obter por acaso: *Ganhou o melhor prêmio no sorteio.* **7.** Apoderar-se ou apossar-se de: *A esperança de ganhar novas terras levou os portugueses às viagens ultramarinas.* **8.** Aproveitar, lucrar: *Que ganhou ele prejudicando o amigo?* **9.** Tirar bom resultado de; obter a vitória em; vencer: *Foi-lhe fácil ganhar a ação judicial.* **10.** Captar, conciliar, atrair, cativar: *Soube portar-se de modo que veio a ganhar o afeto do velho tio.* **11.** Recuperar, recobrar, ressarcir: *Nada faz para ganhar o tempo perdido.* **12.** Criar, contrair, adquirir, tomar: *Ganhou o mau hábito de falar da vida alheia;* "Tudo ia ganhando contornos na luz matinal — cercas, árvores, cancelas, um feixe de lenha desfeito" (Herberto Sales, *Além dos Marimbus,* p. 137). **13.** Chegar a; atingir: *Os presos fugiram e ganharam as fronteiras da cidade.* **14.** Estender-se a; propagar-se, lavrar por: *Sua simpatia ganhou todos os ouvintes.* **15.** Tomar (13): "Despediram-se do Juiz de Direito, que os acompanhou até à porta, e ganharam a estrada para S. Félix." (Cardoso de Oliveira, *Dois Metros e Cinco,* p. 253.) *T. d.* e *i.* **16.** Dar como lucro ou proveito: *Nada lhes ganhou a arriscada empresa.* **17.** Contrair, criar; tomar: "ela achava-o desajeitado, vulgar, pretensioso; ganhava-lhe aversão" (Júlio Ribeiro, *A Carne,* p. 246); "Laura parecia ir ganhando ódio a homens" (Camilo Castelo Branco, *A Mulher Fatal,* p. 29). *Int.* **18.** Adquirir a posse de dinheiro ou bens: "Enquanto Cole Porter ficou milionário, nos Estados Unidos, somente com o sucesso de *Night and Day,* nenhum musicista brasileiro ganhou para viver." (Nestor de Holanda, *Memórias do Café Nice,* p. 100.) **19.** Ser feliz em alguma empresa; obter resultado: *Invejoso, persegue sempre quem ganha.* **20.** Obter melhoria; tornar-se melhor ou superior: *As bebidas espirituosas ganham com os anos.* [Part.: *ganhado* e *ganho.* A f. regular, *ganhado,* quase não é us. hoje, a não ser em certos provérbios e locuções, como, p. ex., *vintém poupado, vintém ganhado, e viver do ganhado.*] ◆ **Ganhar, mas não arrastar.** *Bras. Gír.* Ganhar, mas não levar. **Ganhar, mas não levar.** *Bras. Gír.* **1.** Alcançar o prêmio ou a vitória, numa disputa, ou pretensão, mas sem vir a usufruir os louros e/ou vantagens; ganhar, mas não arrastar. **2.** Ter vantagem apenas aparente.
ganha-saia. *S. f.* **1.** *Bras., L.* e *S.* Subarbusto glabro e ornamental, da família das campanuláceas (*Centropogon surinamensis*), dotado de flores solitárias, pedunculadas, axilares, róseas, de corola tubulosa e glabra, com sementes escuras, e que vegeta de preferência em terrenos úmidos ou pantanosos; crista-de-peru. **2.** *Bras., MG, RJ* e *SP.* Subarbusto de raiz comprida e grossa, da família das violariáceas (*Hybanthus atropurpureus*), dotado de flores pequenas, bracteadas, zigomorfas, de cor amarelo-esverdeada ou alva, dispostas em racemos terminais, cujo fruto é cápsula globoso-trilobada, coriáceas, contendo sementes quase pretas; apanha-saia, purga-de-veado, purga-de-vento. [Pl.: *ganha-saias.*]
ganhável. *Adj. 2 g.* Que se pode ganhar.
ganho. [Part. de *ganhar.*] *Adj.* **1.** Que se ganhou: "O merceeiro mais grado da vila era o Pacabote. Era-o pela importância que dava a si mesmo, nanja pelo dinheiro ganho e acumulado." (João de Araújo Correia, *Terra Ingrata,* p. 117.) ● *S. m.* **2.** Aquilo que se ganhou; lucro, vantagem, proveito, ganância, ganhança, ganhame, ganhuça. **3.** *Eletrôn.* Num circuito eletrônico, aumento da potência de um sinal. **4.** *Bras.* Roubo, furto. ◆ **Ganho de causa.** Vitória em pleito judicial.
ganhoso (ô). *Adj.* Que só pensa em ganhos, em lucros; interesseiro, ambicioso.
ganhuça. *S. f. Fam.* V. *ganho* (2).
ganiçar. *V. int.* e *t. d.* **1.** *Bras., GO.* Ganir (1 e 2). [Conjug.: v. *laçar.* Normalmente é defect.] ● *S. m.* **2.** Ganir (3).
ganido. [Do lat. *gannitu.*] *S. m.* **1.** Grito lamentoso dos cães, ou como que dos cães: "Quando ela falou do meu rato ela soluçou muito alto e depois deu um ganido." (Hilda Hilst, *Ficções,* p. 37.) **2.** *Fig.* Voz esganiçada.
Ganimedes. [Do gr. *Ganymédes.*] *S. m. Astr.* O terceiro satélite de Júpiter, descoberto por Galileu [v. *galileano*] em 1610.
ganir. [Do lat. *gannire.*] *V. int.* **1.** Dar ganidos; gemer como os cães: "grasnavam patos, ganiam cães" (Coelho Neto, *A Conquista,* p. 444). *T. d.* **2.** Soltar ou emitir à maneira de ganido: "devorou-a num abraço de todo o corpo, ganindo ligeiros gritos, secos, curtos, muito agudos" (Aluísio Azevedo, *O Cortiço,* p. 195); "Ser cachorro! Ganir incompreendidos / Verbos!" (Augusto dos Anjos, *Eu,* p. 27). [Defect. Não se conjuga na 1ª pess. sing. do pres. ind. nem no pres. subj.] ● *S. m.* **3.** Ato de ganir; ganido: "ouviu o ganir de um cão, ao longe." (Machado de Assis, *Contos,* p. 38.) [Sin. ger. (em GO): *ganiçar.*]
ganja[1]. *S. f.* Resina extraída de uma espécie de cânhamo (*Cannabis indica*), e que é a base do haxixe.
ganja[2]. [Do quimb. *nganji.*] *S. f.* **1.** *Bras. Fam.* Vaidade, presunção. ● *Adj. 2 g.* **2.** *Ant.* V. *ganjento.* **3.** *Ant.* Dado a tomar liberdades; confiado. ◆ **Dar ganja a.** *Bras., S. Fam.* Dar importância, dispensar consideração, a (pessoa abusada, confiada).
ganjento. [De *ganja*[2] (1) + *-ento.*] *Adj. Bras. Pop.* Vaidoso, presumido, enganjento.
ganóide. [Do gr. *ganós,* 'brilho', + *-óide.*] *Adj. 2 g.* **1.** *Zool.* Diz-se da escama rombóide, que se une às outras por justaposição, formada por uma camada de osso, com ganoína superficial. **2.** *Desus.* Pertencente ou relativo aos ganóides. ● *S. m.* **3.** *Desus.* Espécime dos ganóides.
ganóides. *S. m. pl. Zool. Desus.* O grupo de peixes providos de escamas ganóides.
ganoína. [Do gr. *ganós,* 'brilho', + *-ina.*] *S. f.* Substância semelhante ao esmalte dos dentes, e que forma as escamas de certos peixes.
gansa. *S. f.* A fêmea do ganso[1](1). [Cf. *gança.*]
gansada. [De *ganso*[1] + *-ada.*] *S. f. Mar. G. Gír.* Esperteza, deslealdade, traição: *Fez uma gansada comigo, que nem lhe conto.*
gansão. [Aum. de *ganso*[1].] *S. m. Bras.* V. *flamingo.*
ganso[1]. [Do gót. **gans.*] *S. m.* Ave anseriforme, da família dos anatídeos. (*Anser domesticus* Meyer), da Europa e Ásia, atualmente domesticada e cosmopolita. Os gansos verdadeiros são migratórios. A espécie precursora da doméstica é o *Anser anser* L., do N. da Ásia e Europa. Os remígios do ganso foram utilizados para escrever, antes do uso de penas metálicas. **2.** *Bras.* Marrecão. [Fem.: *gansa.*] **3.** *Bras. Gír.* V. *bebedeira* (1). [Cf. *ganço* e *gança.*] ◆ **Ganso cor-de-rosa.** *Bras., Amaz.* V. *flamingo.* **Afogar o ganso.** *Bras. Chulo.* Copular (2).
ganso[2]. *S. m.* Parte externa e posterior da coxa do boi, imediata à chã-de-fora. [Cf. *ganço.*]
ganso-do-mato. *S. m.* O ganso indígena (*Alopochen jubata* (Spix)). [Pl.: *gansos-do-mato.*]
ganso-do-norte. *S. m. Bras.* V. *flamingo.* [Pl.: *gansos-do-norte.*]

ganzá. [Do quimb. *nganza*, 'cabaça'.] *S. m.* **1.** *Bras., N.E.* Espécie de maracá: cilindro de folha-de-flandres, fechado, que contém grãos ou seixos: "nem [quer] silenciar os tambores, os bombos, os violões, as flautas e os ganzás que andam pelas ruas, neste domingo de carnaval" (Osmã Lins, *Nove, Novena*, p. 98). [Var.: *canzá*. Sin.: *amelê, pau-de-semente, xeque, xeque-xeque, xique-xique*.] **2.** *Bras., AM.* Dança cujo nome provém desse instrumento. **3.** *Bras.* V. *reco-reco* (1).

ganzepe. *S. m.* Entalhe em madeira, o qual estreita de baixo para cima.

ganzola. *S. f. Bras., MA.* Pique[1] (4).

gapinar. *V. t. d. Bras., PA* e *MA.* Apanhar (peixe); pescar.

gapira. *S. f. Bras.* Var. de *guapira*.

gapó. *S. m. Bras.* Var. de *igapó*: "O sangue tinguijou o gapó." (Lauro Palhano, *O Gororoba*, p. 235.)

gaponga. [Do tupi *wa'pōga*.] *S. f. Bras., AM.* Bola feita de osso de peixe-boi, presa por uma linha à ponta de um caniço, para se bater na água imitando a queda de um fruto e assim atrair o peixe.

gapororoca. [Voc. onom., de or. tupi.] *S. f. Bras.* V. *veado-roxo*.

gapuia. [Cf. *gapuiar*.] *S. f. Bras., AM.* Modo de pescar em que se faz a moponga, i. e., se bate a água do rio para que o peixe vá para junto da mucuoca.

gapuiador (ô). [De *gapuiar* + *-(d)or*.] *S. m. Bras., AM.* Pescador de baixios, ao léu da sorte.

gapuiar. [Do tupi *ïgapïiar*, 'tirar a água por cima'.] *V. int. Bras., AM.* **1.** Pescar nos baixios, fora da canoa, um tanto a esmo, lançando o arpão ou a flecha aqui e ali. **2.** Apanhar camarões em cestos nas pequenas lagoas. **3.** Esgotar uma lagoa para deixar o peixe a seco. **4.** Procurar um coisa ao sabor da sorte.

gapuicipó (u-i). [Do tupi *gapu'i si'pó*.] *S. m. Bras., AM.* Arbusto trepador, da família das bignoniáceas (*Martinella obovata*), de flores glabras e violáceas, dispostas em racemos axilares, e cujo fruto é cápsula com sementes aladas; guapuí.

garabebel. *S. m. Bras.* V. *cernambiguara*. [Pl.: *garabebéis*.]

garabu. *S. m. Bras.* V. *guarabu* (1).

garabulha. [Var. de *garabulho*.] *S. f.* **1.** Confusão, embrulhada, trapalhada. **2.** V. *garatuja* (2): "Sente-se em todas as linhas a incerteza do rascunho. As garabulhas infantis, ora sobem acima da pauta, ora descem abaixo dela" (João Ribeiro, *Cartas Devolvidas*, pp. 203-204). ● *S. m.* **3.** Homem intrigante.

garabulhar. [De *garabulho* (2) + *-ar*[2].] *V. t. d.* e *int.* V. *garatujar*.

garabulhento. *Adj.* Que tem garabulho (1); escabroso, áspero.

garabulho. [Do it. *Garbuglio*; var.: *garabulha*.] *S. m.* **1.** Aspereza (2). **2.** V. *garatuja* (2).

garafunhas. *S. f. pl.* V. *garatuja* (2). [Var.: *garafunhos*.]

garafunhos. [Var. de *garafunhas*.] *S. m. pl.* V. *garatuja* (2).

garage. *S. f.* V. *garagem*.

garagem. [Do fr. *garage*.] *S. f.* **1.** Abrigo para veículos automóveis: "Ele tem uma garagem ao lado da casa, e está disposto a me alugar, pelo menos enquanto não comprar outro carro." (Herberto Sales, *Histórias Ordinárias*, p. 76.) **2.** Oficina de consertos de automóveis. **3.** Estabelecimento onde se alugam automóveis à hora.

garagista. *S. 2 g. Bras.* Proprietário ou encarregado de garagem.

garajau. [De possível or. tupi.] *S. m.* **1.** *Bras.* Espécie de cesto fechado e oblongo, no qual os roceiros conduzem galinhas e outras aves ao mercado. **2.** *Bras., N.E.* Aparelho em que se conduz louça de barro, a cavalo ou a pé. **3.** *Bras., RN.* Aparelho no qual se conduz o peixe seco, e composto de duas peças chatas e quadrangulares, com cerca de 65 cm de comprimento e 55 de largura, formada cada peça por quatro varas presas pelas extremidades, cheio o intervalo com embiras ou palhas de carnaúba tecidas em largas malhas. [F. paral.: *grajau*.]

garajuba. *S. f. Bras.* V. *guarijuba*.

garaldino. *Adj.* e *s. m. Tip.* Diz-se do, ou tipo de obra de estilo renascentista, curvas graciosas e divergentes, pequeno contraste de finos e grossos, e serifas em forma de consolo. [É tradicionalmente denominado *romano antigo*.]

garalhada. *S. f. Bras., S.* Var. epentética de *gralhada* [q. v.].

garalhar. *V. int. Bras.* V. gralhar: "Levando as folhas secas, amarelas, / Garalha a água e chilra e remurmura..." (João Ribeiro, *Versos*, p. 232.)

garança. [Do fr. *garance*.] *S. f.* **1.** Ruiva[1]. **2.** Garancina. **3.** O tom vermelho-vivo da garancina.

garançar. *V. t. d.* Tingir com garança. [Conjug.: v. *laçar*.]

garanceira. *S. f.* Quantidade mais ou menos considerável de garanças dispostas proximamente entre si.

garancina. *S. f.* Substância corante que se extrai da garança; garança.

garanhão. [Do frâncico *wrainjo*, pelo fr. *garagnou*.] *S. m.* **1.** Cavalo destinado a reprodução: "Inquieto cheirou o ar, como cachorro que fareja caça, ou como garanhão que encontra égua no cio." (Rute Guimarães, *Água Funda*, p. 81.) [Sin., bras.: *pai-d'égua, pastor, rufião*.] **2.** *Fig.* Homem femeeiro. [Sin., bras.: *pai-d'égua, rufião*.]

garanhüense. *Adj. 2 g.* **1.** De, ou pertencente ou relativo a Garanhuns (PE). ● *S. 2 g.* Natural ou habitante de Garanhuns.

garanjão. [Alter. de *garanhão*.] *S. m.* Homem alto e corpulento.

garante. [Do fr. *garant*.] *S. 2. g.* Pessoa responsável por alguma coisa; abonador, fiador. [Cf. *avalista* e *endossante*.]

garantia. [Do fr. *garantie*.] *S. f.* **1.** Ato ou efeito de garantir(-se). **2.** Ato ou palavra com que se assegura uma obrigação, uma intenção, um sentimento, etc.; prova, segurança. **3.** Documento com que se assegura a autenticidade e/ou a boa qualidade de um produto ou serviço, e se assume, junto ao comprador ou usuário, o compromisso de ressarci-lo em caso de ineficiência ou fraude comprovadas. **4.** *P. ext.* O período em que vigora tal garantia: *Este carro ainda está na garantia.* ~ V. *garantias*. ◆ **Garantia fidejussória.** *Jur.* V. *garantia pessoal*. **Garantia pessoal.** *Jur.* A que estabelece um direito pessoal daquele a quem é dada; garantia fidejussória. **Garantia real.** *Jur.* A que constitui um direito real em favor daquele a quem é dada.

garantias. [Pl. de *garantia*.] *S. f. pl.* Privilégios. ~ V. *garantia*. ◆ **Garantias constitucionais.** *Jur.* Direitos e privilégios dos cidadãos conferidos pela Constituição dum país. **Garantias individuais.** *Jur.* A proteção assegurada a cada cidadão, e bem assim as limitações que em benefício dele a Constituição impõe aos poderes públicos. [Cf. *direito individual*.]

garantido. [Part. de *garantir*.] *Adj.* **1.** Que se garantiu; afiançado. **2** Cuja boa qualidade é afiançada: *produto garantido*.

garantidor (ô). *Adj.* e *s. m.* Que ou aquele que garante.

garantir. [Do fr. *garantir*.] *V. t. d.* **1.** Responsabilizar-se por; afiançar, abonar: *garantir um título*. **2.** Afirmar como certo; asseverar, certificar: *Garantiu a autenticidade do objeto antigo*. **3.** Tornar certo, seguro: *Disse que aquele remédio garantiria a sua cura*. *T. d. e i.* **4.** Asseverar, afiançar: *Garantiu-lhes que dissera a verdade*. **5.** Livrar, defender, acautelar: *Enviou os seus para o campo a fim de os garantir contra os assaltos inimigos*.

garapa. *S. f. Bras.* **1.** Bebida refrigerante, de mel ou de açúcar com água, a que algumas vezes se adicionam gotas de limão; jacuba. **2.** Refresco de qualquer fruta. **3.** Qualquer líquido que se põe a fermentar para depois ser destilado. **4.** O caldo da cana, quando destinado à destilação. **5.** *Fig.* Coisa boa, ou fácil de se conseguir, ou certa. [No N.E. e no S., quando se quer exprimir esta facilidade ou certeza na obtenção de uma coisa desejada, diz-se: *É aquela garapa!*] **6.** *Bras., BA* a *RS* e *MT.* Árvore ornamental, da família das leguminosas (*Apuleia praecox*), de folhas imparipenadas, compostas de folíolos alternos, coriáceos e de cor avermelhada, flores alvas ou esverdeadas, dispostas em cimeiras axilares, e cujo fruto é vagem ovóide, monosperma e indeiscente. Fornece madeira de lei de cerne amarelado e ondeado. [Sin., nesta acepç.: *amarelinha, garapa-amarela, garapiapunha* ou *grapiapunha*.]

garapa-amarela. *S. f. Bras.* V. *garapa* (6). [Pl.: *garapas-amarelas*.]

garapacapunta. [Talvez de or. indígena.] *S. f. Bras.* Arbusto da família das mirsináceas (*Conomorpha peruviana*), cuja madeira é utilizada em pequenas obras de marcenaria e carpintaria.

garapada. *S. f. Bras., CE.* Abundância de garapa.

garapau. *S. m. Bras.* V. *carapau*.

garapeira. *S. f. Bras., PE.* Espécie de rancho, à beira-estrada, onde os tropeiros, mediante pagamento, dão a beber garapa aos animais.

garapeiro. *S. m. Bras., AM. Folcl.* Menino que apregoa e vende café e refresco, navegando mansamente pelo Rio Negro.

garapiapunha. *S. f. Bras.* V. *garapa* (6).

garapu. [Var. de *guarapu*.] *S. m. Bras.* **1.** V. *guarapu* (1). **2.** *Bras., N.E.* V. *veado-roxo*.

gararuense. *Adj. 2 g.* **1.** De, ou pertencente ou relativo a Gararu (SE). ● *S. 2 g.* **2.** Natural ou habitante de Gararu.

garatéia. *S. f.* **1.** *Bras.* Aparelho de pesca, formado de vários anzóis (em geral três) na extremidade da mesma linha. **2.** *Bras., BA.* Pequena âncora de pedra, usada em embarcações de pesca. **3.** *Marinh.* Busca-vida.

garatuja. [Dev. de *garatujar*.] *S. f.* **1.** Esgar, momice, careta. **2.** Desenho malfeito, tosco, de pouca importância; rabisco, gatafunho, gatafunhos, garabulha, garabulho, garafunhas, garafunhos, gatimanhos, garavunha, gregotim, gregotins. **3.** Rabisco (1).

garatujar. [Do it. *grattuggiare*.] *V. t. d.* **1.** Cobrir com garatujas; rabiscar. *Int.* **2.** Fazer garatujas. [Sin. ger.: *esgaratujar, garabulhar*.]

garatusa. [Do esp. *garatusa*.] *S. f.* V. *logro* (2).

garavanço. [Var. de *gravanço*.] *S. m.* Forcado com que se limpa o trigo nas eiras.

garavataí. *S. m. Bras.* V. *carataí* (1 e 2).

garavato. [Do esp. *garabato*.] *S. m.* **1.** Cambo[1]. **2.** V. *graveto* (1). [Var.: *gravato*.]

garavetar. *V. int.* Apanhar ou colher garavetos. [Pres. ind.: *garaveto*, etc. Cf. *garaveto* (ê).]

garaveto (ê). [De *garavato*, possivelmente.] *S. m.* V. *graveto* (1). [Pl.: *garavetos* (ê). Cf. *garaveto*, do v. *garavetar*.]

garavim. [Do esp. *garvín*.] *S. m.* Toucado antigo, de retrós, com lavores de fio de ouro e renda na parte dianteira: "a cabecita airosa / Toda num garavim de seda cor-de-rosa, / Como um beijo de luz, recendia inocências..." (Júlio Dantas, *A Ceia dos Cardeais*, p. 20).

garavunha. [De um ant. *garabulha* < it. *garbuglio*.] *S. f.* V. *garatuja* (2).

garbo. [Do it. *garbo*.] *S. m.* **1.** Elegância, galhardia, donaire. **2.** Pundonor, brio, bizarria. **3.** Distinção, primor.

garbosidade. *S. f.* Qualidade ou maneiras de garboso.

garboso (ô). *Adj.* Que tem ou revela garbo; donairoso, elegante, bizarro, distinto.

garça[1]. *S. f.* Designação comum às aves ciconiformes, da família dos ardeídeos. Vivem aos bandos, freqüentam rios, lagoas, charcos, praias marítimas ou manguezais de pouca salinidade, e alimentam-se quase só de peixes.

garça[2]. [Cf. *talagarça*.] *S. f.* Certo tecido muito ralo: "D. Flor tinha nessa manhã um pequeno xale escarlate de garça de seda que lhe servia de gravata" (José de Alencar, *O Sertanejo*, p. 229).

garça-azul. *S. f.* Ave ciconiforme, da família dos ardeídeos (*Florida caerulea* (L.)), das costas atlânticas meridionais dos E.U.A. até o N. da Patagônia, de coloração azul-escura, sendo purpúreo-escura na cabeça e no pescoço na época de incubação. Os jovens são brancos. [Sin.: *garça-morena*. Pl.: *garças-azuis*.]

garça-branca-grande. *S. f.* Ave ciconiforme, da família dos ardeídeos (*Casmerodius albus egretta* (Gmel.)), da América temperada e tropical até o estreito de Magalhães, de coloração branca com bico amarelo. Comprimento da asa: 40 cm. [Sin.: *acará, acaratinga, guiratinga*. Pl.: *garças-brancas-grandes*.]

garça-branca-pequena. *S. f. Bras.* Ave ciconiforme, da família dos ardeídeos (*Leucophyx thula* (Mol.)), da América temperada e tropical, desde os E.U.A até o Chile, de coloração branca e bico preto. Comprimento da asa: 25 cm. [Sin.: *garça-pequena, garceta*. Pl.: *garças-brancas-pequenas*.]

garça-cinzenta. *S. f. Bras.* V. *taquiri*. [Pl.: *garças-cinzentas*.]

garça-de-cabeça-preta. *S. f. Bras.* V. *garça-real*. [Pl.: *garças-de-cabeça-preta*.]

garça-morena. *S. f. Bras.* Garça-azul. [Pl.: *garças-morenas*.]

garção. [Do fr. *garçon*.] *S. m.* **1.** *Antiq.* Rapaz, moço, mancebo: "Tinha dezessete anos; pungia-me um buçozinho que eu forcejava por trazer a bigode. .... Ao cabo, era um lindo garção, lindo e audaz" (Machado de Assis, *Memórias Póstumas de Brás Cubas*, p. 48). **2.** *P. us.* Garçom.

garça-parda. *S. f. Bras., RS.* V. *maguari*. [Pl.: *garças-pardas*.]

garça-pequena. *S. f. Bras.* V. *garça-branca-pequena*. [Pl.: *garças-pequenas*.]

garça-real. *S. f.* Ave ciconiforme, da família dos ardeídeos (*Philherodius pileatus* (Bod.)), que ocorre no Panamá, no N. e L. da América meridional, inclusive na Bolívia, no Paraguai e em quase todo o Brasil. Tem coloração geral branca, e o alto da cabeça pretopurpúreo. [Sin.: *garça-de-cabeça-preta, acara-timbó*. Pl.: *garças-reais*.]

garça-vermelha. *S. f. Bras.* Socó-vermelho. [Pl.: *garças-vermelhas.*]

garceiro. [De *garça*[1] + *-eiro.*] *Adj.* **1.** Diz-se do falcão que mata garças. **2.** Caçador de garças. ● *S. m.* **3.** *Bras., BA.* Lagoa de vegetação abundante, cerrada, de acesso difícil, onde vivem garças em grande quantidade.

garcense[1]. *Adj. 2 g.* **1.** De, ou pertencente ou relativo a Garça (SP). ● *S. 2 g.* **2.** Natural ou habitante de Garça.

garcense[2] *Adj. 2 g.* e *s. 2 g.* Barra-garcense.

garceta (ê). [Dim. irreg. de *garça*[1].] *S. f. Bras.* V. *garça-branca-pequena.*

garçó. *Adj.* Esverdeado ou verde-azulado; gázeo: "O Ega achava-a deliciosa, com o seu corpinho nervoso e ondeado, os seus grandes olhos *garços* ..." (Eça de Queirós, *Os Maias,* II, p. 85).

garçom. [Do gr. *garçon.*] *S. m.* Empregado que serve à mesa em restaurantes, cafés, etc.: "É ali que circula José Real, o *garçom*. Não era sempre o *garçom* do hotel." (Thiers Martins Moreira, *Os Seres,* p. 43.) [A. f. *garção* é p. us.] ◆ **Estar mais por fora do que garçom na ceia de Cristo.** *Bras. Gír.* Ignorar por inteiro um assunto; não saber absolutamente de que se trata.

garçonete. *S. f. Bras.* Empregada (geralmente de cafés) que serve à mesa ou ao balcão, tal como os garçons.

➧**garçonnière** (garçoniér'). [Fr.] *S. f.* Casa ou apartamento particular,para encontros amorosos clandestinos.

garçota. [De *garça*[1] + *-ota.*] *S. f.* **1.** Garça[1]bastarda. **2.** Garça[1] nova. ~ V. *garçotas.*

garçotas. [Pl.: de *garçota.*] *S. f. pl.* **1.** Penas de graça[1]. **2.** *P. ext.* V. *penahco* (1). ~ V. *garçota.*

gardênia. *S. f.* Árvore pequena e ornamental, da família das rubiáceas *(Gardenia grandiflora),* de flores alvas, aromáticas, solitárias, axilares e terminais, e cujo fruto é baga oblonga, hexágona, glabra, amarela, com sementes envoltas em polpa vermelha; jasmim-do-cabo.

➧**garden-party** (gárdn-párti). [Ing.]. *S. m.* Festa ou recepção social, ao ar livre, que se realiza geralmente num jardim.

gardingato. [De *gardingo* + *-ato.*] *S. m.* Condição ou funções de gardingo.

gardingo. [Do gót. **gords,* 'casa, lar; corte (ô)', atr. do b.-lat. *gardingu.*] *S. m.* Homem de classe nobre, entre os visigodos: "Longe do condado do ilustre barão Argimiro o Negro, para as bandas de Galiza, vivia um nobre *gardingo*" (Alexandre Herculano, *Lendas e Narrativas,* II, pp. 26-27).

gardunha. *S. f. Ant.* Gardunho [q. v.].

gardunho. *S. m.* V. *fuinha* (1).

gare. [Do fr. *gare.*] *S. f. Gal.* Estação de estrada de ferro.

garela. [Do lat. **garella,* por *garrula* (subentende-se *perdrix*).] *S. f.* A perdiz no tempo do cio.

garera (ê). [De possível or. tupi.] *S. f. Bras., Amaz.* Certo utensílio com o feitio de alguidar: "os apetrechos da fabricação da farinha, os ralos, as gurupemas, os tipitis, as *gareras* ou cochos, umas como ubás a que houvessem cortado as extremidades, onde ralam a mandioca." (José Veríssimo, *Cenas da Vida Amazônica,* pp. 11-12).

garfada. *S. f.* Porção de comida que um garfo leva de cada vez.

garfar. *V. t. d.* **1.** Revolver com garfo (2). **2.** Rasgar com garfo (1): *garfar a carne.* **3.** Enxertar de garfo (6). **4.** *Bras. Gír.* Prejudicar, lesar. *Int.* **5.** Enxertar plantas por meio de garfos [v. *garfo* (6)].

garfeira. [De *garfo* (1) + *-eira.*] *S. f.* Estojo para garfos [v. *garfo* (1)].

garfete (ê). [De *garfo* + *-ete.*] *S. m.* Instrumento cilíndrico, de pau ou de vidro, usado na fabricação da seda.

garfiar. *V. int. Bras., RS. Pop.* V. *fugir* (1 e 2).

garfilha. *S. f.* V. *grafila.*

garfo. [Do lat. *graphiu.*] *S. m.* **1.** Utensílio de três ou quatro dentes, que faz parte do talher e serve para tirar do prato a comida e levá-la à boca, e também para segurar alguma peça de alimento que se quer cortar. **2.** Forcado (1). **3.** Forquilha das rodas da bicicleta. **4.** Enxame emigrante. **5.** Certo instrumento de tortura semelhante a um garfo. **6.** *Agric.* Haste nova, ou pedaços de casca, com um ou mais botões, e que se transporta para outro indivíduo. **7.** *Tip.* Peça que prende o cilindro da prensa plano-cilíndrica durante o movimento de volta do carro; forquilha. **8.** *Bras.* V. *fancho.* **9.** *Bras.* Pente (1) em forma de garfo com dentes geralmente de metal; ouriçador: "Quase todos [os menores] portavam pentes usados para eriçar cabelo rebelde, ... chamado de *garfo*, que os comissários consideram 'uma arma perigosíssima'." (*Jornal do Brasil,* 20.2.1981.) **10.** *Bras., RS.* Tipo de fisga com três dentes. ◆ **Ser um bom garfo.** Ser comilão, glutão.

gargaçalada. *S. f.* F. metatética de *gargalaçada:* "ouviu o rodar rangente da rolha sendo removida e, numa *gargaçalada*, o líquido entornar-se na cuia." (Herberto Sales, *Além dos Marimbus,* pp. 145-146).

gargajola. *S. m.* Rapaz espigado, alto, crescido.

gargalaçada. [De *gargalo.*] *S. f.* Ato de despejar com ruído o líquido de uma vasilha de gargalo: "Servido o caldo, a Glória apareceu com a cabaça de vinho, que correu de boca em boca, esvaziando-se em *gargalaçadas* formidáveis." (José Vieira, *Sol de Portugal,* pp. 45-46.) [Var.: *gargaçalada.*]

gargalaçar. *V. t. d.* e *int.* Beber metendo na boca o gargalo da vasilha: *Gargalaçou meia garrafa de vinho;* "A cabaça corre de mão em mão, ... e as bocas sequiosas ... descomedidamente *gargalaçam*." (José Vieira, *Sol de Portugal,* pp. 47-48). [Conjug.: v. *laçar.*]

gargaleira. [De *gargalo* + *-eira.*] *S. f.* Batoque (1) [Cf. *gargalheira.*]

gargalhada. [De *gargalhar* + *-ada*[1].] *S. f.* Risada franca e mais ou menos ruidosa e prolongada; casquinada, gaitada. ◆ **Gargalhada homérica.** Gargalhada muito mais ruidosa e prolongada do que a habitual: "Mas nesse momento rebentou aos ouvidos do mancebo uma *gargalhada homérica*." (Joaquim Manuel de Macedo, *Os Romances da Semana,* p. 203.)

gargalhadear. *V. int.* Gargalhar. [Conjug.: v. *frear.*]

gargalhar. [De *garg,* raiz onom. (v. *garganta*).] *V. int.* Soltar gargalhadas; gargalhadear.

gargalheira. [Por *gargaleira,* de *gargalo,* + *-eira.*] *S. f.* **1.** Coleira com que se prendiam os escravos. **2.** Coleira de cão de guarda, geralmente com puas. **3.** V. *gorjal.* **4.** *Fig.* Algemas, grilheta. **5.** *Fig.* Opressão, despotismo, tirania. [Cf. *gargaleira.*]

gargalho. [De *garg, raiz onom. (v. garganta).*] *S. m.* Escarro espesso, que se expele a custo. [Cf. *gargalo.*]

gargalo. [De *garg,* raiz onom. (v. *garganta*).] *S. m.* Colo de garrafa, ou de outra vasilha, com entrada estreita: "tomou a garrafa, e pelo *gargalo* sorveu um longo gole." (Lima Barreto, *Recordações do Escrivão Isaías Caminha,* p. 266). **2.** *Burl.* Pescoço, garganta. **3.** *Fig.* Obstáculo, empecilho. [Cf. *gargalho.*]

garganta. [De *garg,* (raiz onom.).] *S. f.* **1.** A parte anterior do pescoço. [Sin.: *gorja, gasganete, goela* e (pop.) *tragadeiro.*] **2.** *P. ext.* A voz: *Fulano tem uma garganta possante.* **3.** Entrada ou abertura estreita. **4.** V. *desfiladeiro* (1). **5.** *Arquit.* Moldura côncava feita de vários centros. **6.** *Astron.* A parte mais estreita da tubeira de escapamento de um motor à reação, ou de um foguete. ● *S. 2 g.* **7.** *Bras. Pop.* V. *fanfarrão* (2). ● *Adj. 2 g.* **8.** *Bras. Pop.* V. *fanfarrão* (1). ◆ **Limpar a garganta.** V. *pigarrear* (2). **Molhar a garganta.** *Bras. Pop.* Ingerir bebida alcoólica; molhar a goela. **Não passar pela garganta.** *Bras. Pop.* Ser intolerável, insuportável: *Aquela referência do maledicente não me passou pela garganta.* **Temperar a garganta.** V. *pigarrear* (2). **Ter boa garganta.** Ter boa voz.

garganta-de-ferro. *S. f. Bras.* Peixe teleósteo percomorfo, de carne inferior, da família dos pomadasídeos (*Bathystoma rimator* (Jord & Sw.)), corpo com uma faixa amarela longitudinal, e nadadeiras amarelas. Comprimento: até 20 cm. [Sin.: *cotinga, sapurana, sapuruna.* Pl.: *gargantas-de-ferro.*]

gargantão. [De *garganta* + *-ão*[1].] *Adj.* e *s. m.* Glutão, comilão. [Fem.: *gargantona.*]

garganteação. *S. f.* Ato de gargantear.

garganteado. [Part. de *gargantear.*] *Adj.* **1.** Modulado com afinação. ● *S. m.* **2.** Trinado, gorjeio; garganteio.

garganteador (ô). *Adj.* e *s. m.* Que ou aquele que garganteia.

gargantear. [De *garganta* + *-ear.*] *V. int.* **1.** Cantar variando os tons com ligeireza: "E *garganteava* umas coplas que tinha aprendido na véspera, quando dançava a tirana e se divertia." (Simões Lopes Neto, *Contos Gauchescos e Lendas do Sul,* p. 143.) **2.** Fazer trinados com a voz. **3.** Cantar com voz requebrada. **4.** *Bras. Pop.* Contar vantagens; fanfarronear, bazofiar. *T. d.* **5.** Cantar variando os tons com ligeireza: "o feio caraxué do canto divino *garganteia* além as melodias mais imprevistas que nunca sonharam maestros." (José Veríssimo, *Cenas da Vida Amazônica,* p. 54). **6.** Cantar ou pronunciar com voz requebrada. [Sin., bras., nas acepç. 1, 3 e 6: *garguitear.* Conjug.: v. *frear.*]

garganteio. [Dev. de *gargantear.*] *S. m.* Garganteado (2).

gargantilha. [Do esp. *gargantilla.*] *S. f.* Colar ou enfeite mais ou menos largo que se usa ajustado em volta do pescoço: "vergado o colo ao peso das *gargantilhas* de pérolas" (Ricargo Jorge, *Passadas de Erradio,* p. 5).

gargantilho. [De *gargantilha,* decerto.] *Adj. Bras.* Diz-se do cão ou do cavalo que tem o pêlo da garganta manchado de branco.

gargantona. *Adj. (f.)* e *s. f.* Fem. de *gargantão.*

gargântua. [De *Gargântua,* (em fr. *Gargantua*), personagem de uma obra de François Rabelais, escritor francês (c. 1490-1553).] *S. m.* Glutão, comilão.

gargarejamento. *S. m.* Ato ou efeito de gargarejar; gargarejo (1).

gargarejar. [Do gr. *gargarízo,* pelo lat. *gargarizare.*] *V. t. d.* **1.** Agitar (um líquido) na boca expelindo o ar pela laringe. **2.** Dizer, proferir, com voz trêmula. *Int.* **3.** Agitar na boca um líquido, sustentando-o sem engolir, por meio do ar expelido da garganta. **4.** Fazer gargarejos. **5.** *Pop.* Namorar da rua para a janela. [Conjug.: v. *pelejar.*]

gargarejo (ê). [Dev. de *gargarejar.*] *S. m.* **1.** Agitação de um líquido na boca ou na garganta; gargarejamento. **2.** O líquido que se gargareja. **3.** *Pop.* Namoro da rua para a janela. **4.** *Bras., MG.* Arbusto da família das leguminosas *(Calliandra santosiana),* dotado de flores vermelho-violáceas.

gargaú. [De *guaru-guaru.*] *S. m. Bras.* V. *barrigudinho* (1).

gargaúba. [De possível or. tupi.] *S. f. Bras.* Certa fruta amarela do tamanho de uma jabuticaba.

gargolejar. *V. int., t. d.* e *t. d.* e *i.* V. *gorgolejar:* " — E eu? e eu? *gargolejaram* outras bocas em estertores." (João do Rio, *As Religiões no Rio,* p. 45); "Já vi na Gamboa uma mulher que ficava dous palmos acima do solo, com os braços em cruz, *gargolejando* injúrias ao Criador" (*Id., ib.,* pp. 173-174).

garguitear. *V. int.* e *t. d. Bras.* Gargantear (1, 3 e 6). [Conjug.: v. *frear.*]

gárgula. [Duma onom. *garg,* imitativa de ruído da garganta.] *S. f.* **1.** Buraco por onde se escoa a água de uma fonte ou de uma cascata: "Tomou dois sorvos de água, que escorria fria de neve da *gárgula* centenária" (José Rodrigues Miguéis, *Onde a Noite Se Acaba,* p. 42). **2.** Final esculpido, quase sempre representando figuras grotescas, que escoa as águas das calhas para longe das paredes.

gari. [Do antr. *Gary,* de um Aleixo Gary, incorporador de uma antiga empresa incumbida da limpeza das ruas cariocas.] *S. m. Bras.* Empregado da limpeza pública que varre as ruas; lixeiro: "Não se viam papéis pelas sarjetas; os *garis* mantinham as ruas impecáveis" (Maria Julieta Drummond de Andrade, *Um Buquê de Alcachofras,* p. 32).

garibáldi. [Do antr. *Garibaldi,* de Giuseppe Garibaldi, político e general italiano (1807-1882).] *S. m.* **1.** Blusão vermelho usado exteriormente. **2.** *Bras.* V. *rocambole* (1).

garibaldino. *Adj.* **1.** De, ou pertencente ou relativo a Garibáldi (RS). ● *S. m.* **2.** O natural ou habitante de Garibáldi.

garimpagem. *S. f. Bras.* Prática de garimpo.

garimpar. *V. int.* **1.** *Bras.* Exercer o ofício de garimpeiro. **2.** *Fam.* Minerar (4).

garimpeiro. [De *grimpa* + *-eiro,* com epêntese.] *S. m. Bras.* **1.** Aquele que anda à cata de metais e pedras preciosas. **2.** Aquele que trabalha nas lavras diamantinas; cristaleiro. **3.** *P. ext.* V. *faiscador* (1). **4.** *Ant.* Contrabandista que catava furtivamente diamantes nos distritos onde era proibida a entrada de pessoas estranhas ao serviço legal da mineração. **5.** *Fig.* Explorador de preciosidades literárias ou lingüísticas.

garimpense. *Adj. 2 g.* **1.** De, ou pertencente ou relativo a Conceição das Alagoas (MG). ● *S. 2 g.* **2.** Natural ou habitante de Conceição das Alagoas.

garimpo. [Der. regress. de *garimpeiro.*] *S. m. Bras.* **1.** Mina de diamantes ou carbonados. **2.** Lugar onde se encontram tais minas. **3.** Lugar onde existem explorações diamantinas e auríferas. **4.** *Ant.* Mineração ou exploração clandestina de diamante e de ouro. **5.** *Bras., GO.* Povoação fundada e habitada pelos garimpeiros.

gariteiro. *S. m. Desus.* Proprietário de garito.

garito. *S. m. Desus.* Casa de jogo.

garlindéu. *S. m. Marinh.* V. *galindréu* (2).

garlindréu. *S. m. Marinh.* V. *galindréu* (2).

garlopa. [Do provenç. *garlopa.*] *S. f.* Plaina grande.

garnacha. [Do provenç. *garnacha.*] *S. f.* **1.** Veste talar, larga, de cabeção, usada por certos monges e magistrados: "nem a cogula do beneditino, nem a *garnacha* do arcediago eram apertadas com o cinto de couro recamado, que cingia os briais dos cavaleiros" (Alexandre Herculano, *O Bobo,* p. 89). ● *S. m.* **2.** Aquele que veste garnacha.

garnacho. [De *garnacha.*] *S. m.* Gabão[1].

garnear. *V. t. d.* Alisar com a maceta (sola ou couro).

[Conjug.: v. *frear.*]

garnierita. [Do antr. *Garnier*, de Jules Garnier, geólogo francês (1816-1881), + *-ita*[3].] *S. f. Min.* Mineral amorfo, verde, silicato hidratado de níquel e magnésio, importante minério de níquel.

garnimento. [De *garnier* + *-mento.*] *S. m. Ant.* Guarnição (6).

garnir. *V. t. d.* e *t. d.* e *i. Ant.* Guarnecer.

garnisé. [Do top. *Guernesey.*] *Adj. 2 g.* **1.** Diz-se dum galináceo pequeno, de certa raça originária da ilha de Guernesey (Grã-Bretanha). **2.** *Bras. Pop.* Diz-se de pessoa de pequena estatura, arrogante e brigona, provocadora. • *S. 2 g.* **3.** Galo (1) ou galinha (1) garnisé. **4.** *Bras. Pop.* Pessoa garnisé (2); galo garnisé, galinha garnisé.

garo[1]. [Do lat. *garu.*] *S. m.* Espécie de lagosta.

garo[2]. [Do gr. *gáros*, pelo lat. *garu.*] *S. m.* Salmoura feita dos intestinos do garo[1].

garoa[1] (ô). *S. f. Bras.* **1.** Chuva muito fina, constituída de gotículas com diâmetro inferior a 0,5 mm, e que caem muito próximas umas das outras, do que resulta ficar muito reduzida a visibilidade: "Foi uma noite terrível aquela, frio intenso, uma *g a r o a* de alfinetar as faces" (Alphonsus de Guimaraens, *Obra Completa*, p. 411). **2.** V. *chuvisco* (1). **3.** Chuva fina, miúda e persistente. [Sin., nesta acepç.: *zimbro* (bras.), *xereré* (MA), *arenga-de-mulher* (PI e PE), *xixixi, xixi, toró* (N.E.), *apaga-pó, jereré* (BA), *xererém* (GO). F. paral.: *garua.*]

garoa[2] (ô). *S. m. Bras., SP. Pop.* V. *valentão* (3).

garoar. *V. int. Bras.* Cair garoa; chuviscar: "Íamos cedo, com o sol ainda débil, o chão molhado de sereno como se tivesse *g a r o a d o*" (Marques Rebelo, *O Trapicheiro*, p. 231); "*G a r o a v a* na madrugada roxa." (Antônio de Alcântara Machado, *Novelas Paulistanas*, p. 96). [F. paral.: *garuar.* Conjug.: v. *coroar.* Defect., impess.]

garoento. *Adj. Bras.* Em que há garoa: "Tristonha, soturna mesmo, *g a r o e n t a* a maior parte do ano, Ouro Preto tinha a sua principal distração nas festividades religiosas." (Eduardo Frieiro, *Feijão, Angu e Couve*, pp. 207-208.)

garota (ô). [Fem. de *garoto.*] *S. f.* **1.** *Bras. Pop.* **1.** Menina (1 e 2). **2.** Namorada; pequena. **3.** V. *ônibus*[2] (2). [Pl.: *garotas* (ô). Cf. *garota* e *garotas*, do v. *garotar.*]

garotada. *S. f.* **1.** Ajuntamento de garotos. **2.** Os garotos. **3.** Ato ou palavras de garoto. [Sin. ger.: *garotagem.*]

garotagem. *S. f.* Garotada: "Trabalhadores .... saíam à beira do caminho, fazendo coro com a *g a r o t a g e m*: 'Corujão! Eh! Corujão!' " (Coelho Neto, *Treva*, p. 302.)

garotar. *V. int.* **1.** Andar na garotice; ter vida de garoto. **2.** Andar à tuna; vadiar, gandaiar. [Pres. ind.: *garoto, garotas, garota*, etc. Cf. *garoto* (ô), *garota* (ô) e o pl. *garotas* (ô).]

garotice. *S. f.* **1.** Vida de garoto. **2.** Ato ou palavras de garoto; brejeirice.

garoto (ô). *Adj.* **1.** Que brinca ou anda vadiando pelas ruas; travesso. • *S. m.* **2.** Rapaz sem educação, que anda a vadiar pelas ruas. **3.** Rapaz imberbe. **4.** *Bras.* V. *menino* (1):"Os meninos, no meio do quarteirão, pararam também. Eram dois *g a r o t o s* e uma garota" (Oto Lara Resende, *O Lado Humano*, p. 47). **5.** *Bras. Fam.* Rapaz (1). **6.** *Bras.* Chope pequeno. [Flex.: *garota* (ô), *garotos* (ô), *garotas* (ô). Cf. *garoto, garotas, garota*, do v. *garotar.*]

garoto-propaganda. *S. m. Bras.* Rapaz que faz publicidade pelos meios visuais de comunicação. [Pl.: *garotos-propagandas* e *garotos-propaganda.*]

garoupa. *S. f.* Designação comum às espécies de peixes teleósteos, percomorfos, da família dos serranídeos, de carne saborosa. ♦ **Garoupa são-tomé.** *Bras.* Peixe teleósteo, percomorfo, da família dos serranídeos (*Epinephelus morio* (Val.)), da costa atlântica da América, de coloração avermelhado-clara, com pontoações quase negras por baixo dos olhos, e abdome claro. Tem o segundo acúleo da dorsal igual ao terceiro, ou maior que este; vive no fundo, sendo pescado com linha; alimenta-se de peixes e crustáceos. [Sin.: *garoupa-de-segunda.*]

garoupa-chita. *S. f. Bras., RJ.* V. *garoupinha.* [Pl.: *garoupas-chitas* e *garoupas-chita.*]

garoupa-crioula. *S. f. Bras.* V. *garoupa-verdadeira* (1). [Pl.: *garoupas-crioulas.*]

garoupa-de-segunda. *S. f. Bras.* Garoupa são-tomé. [Pl.: *garoupas-de-segunda.*]

garoupa-gato. *S. f. Bras.* Peixe teleósteo, percomorfo, da família dos serranídeos (*Alphestes afer*, Bl.), do Atlântico tropical, de coloração avermelhado-escura, com manchas pouco distintas esparsas pelos flancos. Comprimento: 30 cm; peso: 1 a 1,8 kg. Alimenta-se de peixes e crustáceos, e é pescado com linha de fundo. [Sin.: *peixe-gato, pirapiranga, cerigado-vermelho, sapá, sulapeba.* Pl.: *garoupas-gatos* e *garoupas-gato.*]

garoupa-preta. *S. f. Bras.* V. *garoupa-verdadeira* (1). [Pl.: *garoupas-pretas.*]

garoupa-verdadeira. *S. f.* **1.** *Bras.* Peixe teleósteo, percomorfo, da família dos serranídeos (*Epinephelus gigas* (Brünn)), do Atlântico e Mediterrâneo, de coloração pardo-avermelhada com o flanco manchado irregularmente de verde, uma estria negra atrás dos maxilares, e nadadeiras marginadas de branco. É peixe de profundidade, altamente apreciado na pesca esportiva. Alimenta-se de peixes e crustáceos. [Sin.: *piracuca, garoupa-preta, garoupa-crioula.*] **2.** *Bras., ES.* Peixe teleósteo, percomorfo, da família dos serranídeos (*E. moris* (Val.)). [Pl.: *garoupas-verdadeiras.*]

garoupeira. *S. f. Bras.* Embarcação com um mastro a meio, e outro, pequeno, à popa, onde se iça uma vela, o *burriquete*, empregada na pesca da garoupa nos baixios dos Abrolhos.

garoupinha. [Dim. de *garoupa.*] *S. f. Bras.* Peixe teleósteo, percomorfo, da família dos serranídeos (*Cephalopholis fulvus* (L.)), do Atlântico ocidental, da Flórida ao RJ, de coloração variável do amarelo-claro e vermelho-vivo ao pardo, salpicada de pontos azuis. Mede cerca de 22 cm. [Sin.: *garoupa-chita, catuá, caraúna, piraúna.*]

garra[1]. [De origem pré-romana.] *S. f.* **1.** Unha aguçada e curva de feras e aves de rapina; gafa. **2.** *P. ext.* Unhas, dedos, mãos. **3.** Pêlo comprido ao redor das juntas dos pés dos cavalos. **4.** *Fig.* Tirania, opressão. **5.** *Fig.* Forte interesse, disposição e persistência na execução de qualquer ato; entusiasmo. **6.** *Fig.* Força, intensidade, vigor. ~ V. *garras.*

garra[2]. [Dev. de *garrar.*] *S. f.* Ato de garrar. ~ V. *garras.* ♦ **À garra. 1.** *Mar. Bras.* Deixado ao léu; abandonado: *objeto à g a r r a .* **2.** À deriva: *O navio vai à g a r r a .*

garrafa. [Do ár. *garrafâ.*] *S. f.* **1.** Vaso, comumente de vidro, com gargalo estreito, e destinado a conter líquidos. **2.** Porção de líquido que a garrafa contém: *Tomou duas g a r r a f a s de cerveja.* ♦ **Garrafa térmica.** Vaso alongado, de vidro e metal, recoberto de material plástico especial, que conserva quente o líquido que contém; termo. **Conversar com a garrafa.** *Bras. Pop.* V. *embriagar* (4).

garrafada. *S. f.* **1.** O conteúdo de uma garrafa. **2.** Medicamento líquido contido em uma garrafa. **3.** Pancada com garrafa. **4.** *Bras.* Beberagem de curandeiro aplicada como remédio: "parou dois dias no Varjão, dando *g a r r a f a d a s* com raspas de raiz de ruibarbo, genciana e quinino. A febre não cedeu." (Nélson de Faria, *Tiziu e Outras Estórias*, p. 60).

garrafal. [Do esp. *garrofal*, qualificativo de uma ginja de tamanho superior ao da comum, e mudado para *garrafal* por etimologia popular.] *Adj. 2 g.* **1.** Que tem forma de garrafa. **2.** Grande, graúdo: *letras g a r r a f a i s .* ~ V. *letra —.*

garrafão. *S. m.* **1.** Grande garrafa, geralmente empalhada ou coberta de verga ou de cortiça: "O *g a r r a f ã o* de pinga, dali a pouco, era levado por um velho perrengue" (Cornélio Pires, *Quem Conta um Conto...*, p. 140). **2.** *Basq.* Área do campo de basquete, sob a tabela, no qual o jogador atacante só pode permanecer, no máximo, três segundos. **3.** *Jog. Inf.* Jogo de pegar, feito junto a um garrafão riscado no terreno, dentro do qual podem refugiar-se os participantes, com a ajuda do companheiro que representa a rolha e que uma vez por outra ocupa a boca do gargalo, para impedir a entrada do pegador.

garrafaria. *S. f.* V. *garrafeira.*

garrafeira. *S. f.* **1.** Depósito ou conjunto de garrafas; garrafaria. **2.** Armário onde se guardam garrafas com vinho; garrafaria, frasqueira: "Mais alguns anos de experiência, — o tempo preciso para os colecionadores de *g a r r a f e i r a s* começarem a provar como velhos os vinhos presentemente novos — e hão de ver que ninguém mais quererá vinho da véspera" (Ramalho Ortigão, *As Farpas*, I, p. 179).

garrafeiro. *S. m. Bras.* **1.** Comprador ambulante de garrafas. **2.** Peça de madeira, plástico, etc., para guardar e/ou transportar garrafas: "O *g a r r a f e i r o* de plástico resistente tem capacidade para seis garrafas, não ocupa espaço, é de fácil limpeza" (*Jornal do Brasil*, 1.10.1981). • *Adj.* **3.** Diz-se de um tipo de tecido de algodão encorpado, de fundo preto com listras tirantes a cinza, muito usado em confecções populares, sobretudo em calças para homem: "quase uma saia, a calça listrada de cintura baixa, inspirada na linha *clochard*, em tecido *g a r r a f e i r o* claro" (*Id.*, 3.7.1982).

garraiada. *S. f.* **1.** Corrida de garraios. **2.** Grupo ou ajuntamento de garraios.

garraio. *S. m.* **1.** Bezerro ainda não corrido e não matreiro. **2.** *Fig.* Homem novato, bisonho, inexperiente. • *Adj.* **3.** *Bras., RS.* Diz-se da cavalgadura ruim.

garrana. *S. f.* Égua pequena, porém forte.

garranchada. [De *garrancho* (4) + *-ada*[1].] *S. f. Bras.* Grande porção de garranchos: "Outros ramos se lhe foram juntar e mais uns restos de macegas e *g a r r a n c h a d a s*" (Afonso Arinos, *Pelo Sertão*, p. 133).

garranchento. [De *garrancho* (4) + *-ento.*] *Adj.* Cheio de garranchos; garranchoso: "Antes do carreador ...., tinha um matinho *g a r r a n c h e n t o*, especial pra gente se esconder." (Nélson de Faria, *Tiziu e Outras Estórias*, p. 172.)

garrancho. [Do esp. *garrancho.*] *S. m.* **1.** Moléstia no casco das cavalgaduras. **2.** Ramo tortuoso de árvores. **3.** Pessoa que no jogo do solo ou do voltarete, quando a mesa é composta de quatro parceiros, dá as cartas e fica sem jogar. **4.** *Bras.* Galho fino de árvore ou de arbusto; graveto. **5.** *Bras.* Letra ruim, ininteligível.

garranchoso (ô). *Adj.* **1.** Garranchento: *mato g a r r a n c h o s o .* **2.** *Bras.* Que tem forma de garrancho; torto: "sobrescritos traçados por inábeis e toscas mãos de marujo, produtoras sempre .... de uma *g a r r a n c h o s a* caligrafia impossível." (Virgílio Várzea, *Histórias Rústicas*, p. 15).

garrano. *S. m.* **1.** Cavalo pequeno, mas forte: "Acudiram mais corcéis de todas as raças e de todos os reinos, *g a r r a n o s* árdegos como touros" (Aquilino Ribeiro, *Jardim das Tormentas*, p. 160). **2.** *Fig.* Indivíduo velhaco, patife.

garrão. [Do esp. plat. *garrón.*] *S. m. Bras., RS.* Jarrete do cavalo. ♦ **Afrouxar o garrão.** *Bras., RS.* **1.** Dobrar as pernas e cair. **2.** Amolecer as pernas, perdendo as forças para subir uma lomba. **3.** *Fig.* Acovardar-se (o homem) em face do adversário.

garrar. [Do esp. *garrar.*] *V. int.* **1.** *Mar.* Deslocar-se (uma embarcação fundeada), em virtude de haver-se desunhado sua âncora por ação do vento, maré, correnteza: "Todo o seu receio era que o barco *g a r r a s s e* e desse no baixio pedregoso" (Xavier Marques, *Jana e Joel*, p. 18). *T. d.* **2.** Desunhar (a âncora) do fundo a que se achava presa, em virtude de forte ação do vento ou da correnteza sobre a embarcação fundeada.

garras. [Pl. de *garra.*] *S. f. pl. Bras., RS.* Arreios velhos e já gastos. ~ V. *garra.*

garreado. [Part. de *garrear.*] *Adj. Bras., RS.* **1.** Que sofreu o garreio. **2.** Desanimado (1). **3.** *Fig.* Que se vê em apuros; que anda perseguido.

garrear. *V. t. d.* **1.** *Bras., RS.* Tirar as garras de couro de (o animal). **2.** Tosquiar em (o ovino) a lã que não faz parte do véu, i. e., a da região do garrão, entre outras. **3.** Prender com a garra; agarrar. **4.** Derrear (4). *Int.* **5.** Esmorecer, desanimar, derrear-se. [Conjug.: v. *frear.*]

garreio. [Dev. de *garrear.*] *S. m. Bras., RS.* Ato de garrear (2).

garriácea. *S. f.* Espécime das garriáceas.

garriáceas. *S. f. pl. Bot.* Família de plantas superiores, da ordem das garriales, formada do gênero *Garrya*, o qual encerra umas 15 espécies. São árvores de folhas opostas, sempre verdes e flores em panículas amentiformes. Ocorrem na América temperada, faltando no Brasil.

garriáceo. *Adj.* Pertencente ou relativo às garriáceas.

garriale. *S. f.* Espécime das garriales.

garriales. *S. f. pl. Bot.* Ordem de plantas dicotiledôneas, de flores unissexuais, tendo as masculinas quatro estames. Compreende unicamente a família das garriáceas.

garriça. *S. f. Bras.* **1.** Ave passeriforme, da família dos trogloditídeos (*Troglodytes musculus* Naum.), distribuída pelo Brasil e países limítrofes, de coloração parda, avermelhada no crisso e na cauda, indistintamente listrada de negro no dorso, asas e caudas listradas de preto. Freqüenta habitações humanas, e se alimenta de insetos, aranhas e outros artrópodes de pequeno porte. Seu canto é agradável. **2.** Designação comum a outras espécies dos gêneros *Troglodytes* Vieil. e *Cistothorus* Cab., com os mesmos hábitos e alimentação. [Var. e sin. ger.: *carriça, carricinha, corruíra, cambaxirra* (q.v.), garricha, garrincha. Cf. *rouxinol* (2).]

garricha. *S. f. Bras.* V. *garriça.*

garrida. [Fem. substantivado de *garrido.*] *S. f.* **1.** Sineta. **2.** Roda de ferro que se põe por baixo de pedras grandes para deslocá-las.

garridice. [De *garrido* + *-ice.*] *S. f.* **1.** Requinte excessivo no vestir; janotismo, garridismo. **2.** *Fig.* Brilho, cintilação; elegância: *São notáveis as g a r r i d i c e s do seu estilo.*

garridismo. *S. m.* V. *garridice* (1).

garrido. [Part. de *garrir.*] *Adj.* **1.** Muito enfeitado; janota, casquilho. **2.** Alegre, brilhante, vivo. **3.** Elegante, gracioso. **4.** Que dá na vista, que chama a atenção; vistoso: "um carro alentejano, sem toldo, trazendo dentro um ramilhete de sorrisos frescos, de saias claras e refesteladas, de lenços garridos, azuis como a flor do almeirão, escarlates como as papoilas, amarelos como os malmequeres" (Conde de Ficalho, *Uma Eleição Perdida*, pp. 236-237).

garril. *S. m. Bras.* Obstáculo intencional ao trânsito de veículos e/ou de cavaleiros, e que consiste numa árvore caída sobre uma estrada. [Us. por cangaceiros.]

garrincha. *S. f. Bras., PE* a *SE.* V. *garriça.*

garrir. [Do lat. *garrire.*] *V. int.* **1.** Ressoar, badalar. **2.** Tagarelar, chilrear. **3.** Brincar, folgar, foliar. **4.** Ostentar luxo. **5.** Brilhar, luzir. *P.* **6.** Trajar com garridice; pavonear-se. [Defect. Só se conjuga nas f. em que ao *r* da raiz se segue um *i.*]

garro. *Adj. Desus.* **1.** V. leproso (1). ● *S. m.* **2.** Sarro (4).

garrocha. [Do esp. *garrocha.*] *S. f. Taur.* Pau com ferro farpado numa extremidade, substituído atualmente pela farpa ou bandarilha. [Cf. *garrucha.*]

garrochada. *S. f.* Picada com a garrocha.

garrochar. *V. t. d.* **1.** Picar (touro) com garrocha. **2.** Estimular, incitar. [Cf. *garruchar.*]

garroeira. [De um **garroa*, por *garoa*, + *-eira.*] *S. f. Bras., AL.* Entre os pescadores, o alísio de sudeste.

garrota. [Fem. de *garrote*[2] (q.v.).] *S. f. Bras.* Cria fêmea da vaca até os dois anos de idade.

garrotada. [De *garrote*[2] + *-ada*[2].] *S. f. Bras.* Porção de garrotes.

garrotar. *V. t. d.* **1.** Estrangular por meio de garrote[1]; garrotear, agarrotar. **2.** Aplicar garrote (3) em; garrotear.

garrote[1]. [Talvez do fr. *garrot.*] *S. m.* **1.** Pau curto com que se apertava a corda que estrangulava os condenados. **2.** Estrangulação sem suspensão do padecente. **3.** Torniquete ou faixa que se coloca na parte superior de um membro do corpo, visando a estancar um sangramento. **4.** *Fig.* Angústia, tormento.

garrote[2]. *S. m.* Bezerro de dois a quatro anos de idade. [Fem. (bras.): *garrota* (q. v.).]

garrotear[1]. *V. t. d.* V. *garrotar:* "foi ela [a vitória contra os franceses de Villegagnon, em 1567] manchada pelo fanatismo e crueldade dos vencedores, que fizeram garrotear alguns vencidos colonistas que escaparam à carnificina da batalha." (João Ribeiro, *História do Brasil*, p. 118). [Conjug.: v. *frear.*]

garrotear[2]. *V. t. d. Bras., RS.* Sovar (o couro) até amaciá-lo bem. [Conjuga-se como *frear.*]

garrotilho. [Do esp. *garrotillo.*] *S. m.* **1.** *Patol.* V. *crupe diftérico.* **2.** *Veter.* Doença de cavalos, causada pelo *Streptococcus equi.*

garrucha. [Do esp. *garrucha.*] *S. f.* **1.** *Ant.* Pau curto com que se armavam as bestas. **2.** *Ant.* Polé de dar tratos. **3.** *Bras.* Pistola de carregar pela boca. [Sin., pop., nesta acepç.: *perereca* (bras.) e *cu-de-boi* (bras., BA).] **4.** *Bras., SP.* O jogador que não tenta grandes lances e procura não arriscar o lucro. **5.** *Bras., RS. Pop.* China[2] (5 e 6) velha. ● *Adj. 2 g.* **6.** *Bras., SP.* Diz-se de indivíduo garrucha (4). [Cf. *garrocha.*]

garruchar. *V. int. Bras., SP.* Jogar cautelosamente, para não arriscar os lucros dos primeiros lances. [Cf. *garrochar.*]

garruchismo. *S. m. Bras., SP.* Sovinice, agarramento.

garrucho. *S. m. Marinh.* Garruncho.

garrulante. *Adj. 2 g.* Que garrula; que é dado a garrular: "E a verde nuvem garrulante, aos gritos, / De súbito se apossa / Dos cachos sussurrantes do arrozal." (Da Costa e Silva, *Poesias Completas*, p. 84.)

garrular. [Do lat. *garrulare.*] *V. int.* Palrar, parolar, tagarelar, grulhar: "Mulheres e meninos trêfegos, garrulando, corriam à praia." (Xavier Marques, *Jana e Joel*, p. 43.) [Pres. ind.: *garrulo*, etc. Cf. *gárrulo.*]

garrulice. *S. f.* Qualidade de gárrulo; tagarelice: "Tudo isto interrompido por mil carinhos e entremeado dessa ingênua garrulice com que as mães falam aos filhinhos de colo, e que eles parecem entender" (José de Alencar, *O Sertanejo*, p. 47).

gárrulo. [Do lat. *garrulu.*] *Adj.* **1.** Que canta muito. **2.** Que fala muito; palrador, tagarela: "Aqueles corriam, pelas calçadas da vila, gárrulos e trêfegos" (Antônio Justa, *Praia do Desterro*, p. 8). **3.** Em que há garrulice, tagarelice: "A gárrula dobadoira de há pouco é agora uma estática maceração aos gritos." (Miguel Torga, *Diário*, IV, p. 33.) ● *S. m.* **4.** Aquele que canta muito. **5.** Tagarela, palrador, loquaz. [Cf. *garrulo*, do v. *garrular.*]

garruncho. *S. m. Marinh.* Cada um dos anéis de metal ou de cabo presos no gurutil de vela latina para envergá-la na carangueja, ou nos punhos de qualquer vela para fixação da sua adriça, amura, escota, etc. [F. paral.: *garrucho.*]

garua. *S. f. Bras.* V. *garoa*[1].

garuar. *V. int. Bras.* V. *garoar.*

garupa. [Do germ. **kruppa.*] *S. f.* **1.** A parte superior do corpo das cavalgaduras que se estende do lombo aos quartos traseiros: "Em certas ocasiões me botava na garupa do seu cavalo Gouveia e saía para ver de perto os trabalhos dos cabras no eito." (José Lins do Rego, *Meus Verdes Anos*, p. 322.) **2.** *P. ext.* Anca (1): "A garupa da vaca era palustre e bela" (Jorge de Lima, *Obra Completa*, I, p. 638). **3.** *P. ext.* Alforje, mala ou malote que se leva atrás da sela. **4.** *P. ext.* Lugar ou espaço atrás da sela ou do selim: *O cavaleiro levava o filho na garupa; O menino ia na garupa da bicicleta.* ◆ **Tirar na garupa.** *Bras., RS.* Tirar de um perigo, de dificuldade, de aperto.

garupada. [De *garupa* + *-ada*[1].] *S. f.* Salto que o cavalo dá sem mostrar as ferraduras.

garupeira. [De *garupa* + *-eira.*] *S. f. Bras., Marajó* e *MG.* Tiras de sola, ou relhos, fixadas ao traseiro da sela, e com as quais se amarra qualquer objeto que se transporta sobre o xairel ou pendurado de qualquer dos lados.

garuva. *S. f. Bras.* Árvore silvestre, de madeira amarela.

gás. [Voc. criado por J. B. Helmont, químico flamengo (1577-1644), com base no lat. *chaos;* atr. do fr. *gaz.*] *S. m.* **1.** Fluido infinitamente compressível, cujo volume é o do recipiente que o contém. **2.** *Fig.* Animação, entusiasmo, desembaraço. **3.** *Bras.* Presunção, bazófia, jactância. **4.** *Bras., N., N.E.* e *GO.* V. *querosene* (1). **5.** *Bras., N.E.* e *N.* Morrão de balão de S. João. **6.** *Bras., BA. Pop.* V. *cachaça* (1). **7.** *Lus.* Gasolina (1). **8.** *Fís.* Fluido compressível em que as interações moleculares são bastante fracas, a agitação térmica é permanente e notável, e não existe organização espacial. [Pl.: *gases* (q. v.). Cf. *gaz*, s. m., o pl. *gazes*, e *gazes*, pl. de *gaze.*] ◆ **Gás asfixiante.** *G. Quím. P. us.* Produto químico que tem ação fisiológica asfixiante. **Gás carbônico.** *Quím.* Dióxido de carbono, gasoso, incolor, inodoro, solúvel em água, formando solução ácida. [Fórm.: CO_2.] **Gás clorídrico.** *Quím.* Cloreto de hidrogênio, gasoso, incolor, sufocante, solúvel em água, formando o ácido clorídrico. [Fórm.: HCL.] **Gás combustível.** *Quím.* Mistura gasosa combustível usada em processos de calefação industrial ou no acionamento de motores de explosão. **Gás de água.** *Quím.* O que se obtém pela ação de vapor de água sobre carvão a quente, constituído por monóxido de carbono e hidrogênio. **Gás de alto-forno.** *Quím.* O que eflui de um alto-forno, resultante da reação entre o ar, o coque e o minério, e constituído por dióxido de carbono, monóxido de carbono, hidrogênio e nitrogênio, e que depois de tratamento apropriado se usa como combustível secundário na usina siderúrgica. **Gás de Clayton.** Gás empregado para matar ratos e insetos, e resultante da passagem de uma corrente de ar sobre enxofre. **Gás de combate.** *G. Quím.* Qualquer agente químico usado em ações bélicas sob a forma de gás, de névoa ou de poeira finíssima. **Gás de coqueria.** *Quím.* Mistura gasosa obtida na pirólise do coque, e que, depois de purificado de fenóis, alcatrão e compostos amoniacais, é usado como gás combustível industrial. **Gás de gasogênio.** *Quím.* Gás de gerador. **Gás de gerador.** *Quím.* Gás combustível gerado pela ação de ar ou de vapor de água sobre carvão aquecido, de modo que se tem combustão incompleta, e constituído por monóxido de carbono, hidrogênio e nitrogênio, além de outros gases em proporção pequena, usado como combustível industrial ou destinado a motores de explosão; gás de gasogênio. **Gás de iluminação.** Mistura gasosa, obtida pela destilação da hulha, e com proporções variadas de hidrogênio, monóxido de carbono e metano, usado para fins culinários, de iluminação, ou de calefação industrial. **Gás de mostarda.** *Quím.* Iperita. **Gás de petróleo.** *Quím.* Mistura gasosa combustível, constituída por hidrogênio, monóxido de carbono e metano, além de outros gases em proporção pequena, obtido pela reação entre o vapor de água e vapores de petróleo, e usado como combustível industrial. **Gás de refinaria.** *Quím.* Mistura gasosa de hidrogênio, metano, propano, butano, eteno, propeno, alguns hidrocarbonetos de maior massa molecular, e também com pequeno teor de compostos sulfurados, obtido no craqueamento e destilação de petróleo e usado como matéria-prima em diversos procedimentos industriais (obtenção de gasolina com alto teor de octano, obtenção de álcoois, sínteses orgânicas, p. ex.). **Gás de síntese.** *Quím.* Mistura de monóxido de carbono e hidrogênio, usada como ponto de partida da síntese industrial de hidrocarbonetos, de álcoois e de outros compostos orgânicos. **Gás dos pântanos.** *Quím.* O metano que se desprende em conseqüência da fermentação anaeróbica da matéria orgânica nos pântanos. **Gás esternutatório.** *G. Quím.* V. *gás vomitivo.* **Gases industriais.** *Quím.* Designação genérica de gases que servem de matéria-prima industrial nos processos de química pesada, e entre os quais se incluem o hidrogênio, o monóxido de carbono, o dióxido de enxofre, o gás de síntese, o acetileno, o óxido nitroso e o amoníaco. **Gás hilariante.** *Quím.* Óxido de dinitrogênio, gasoso, incolor, anestesiante. [Fórm.: N_2O.] **Gás ideal.** *Fís.* Gás em que o produto da pressão pelo volume é proporcional à temperatura absoluta; gás que obedece às leis de Boyle e de Gay-Lussac. [Sin.: *gás perfeito.*] **Gás inerte.** *Quím.* Gás nobre. **Gás iodídrico.** *Quím.* Iodeto de hidrogênio, incolor, solúvel em água. [Fórm.: HI.] **Gás liquefeito de petróleo.** Mistura combustível, constituída principalmente por propano e butano em proporções variadas, usada como combustível de uso doméstico. [Sigla: *GLP.*] **Gás natural.** Mistura gasosa, rica em hidrocarbonetos leves, especialmente metano, encontrada em jazimentos geológicos ou que escapa destes jazimentos. **Gás nobre.** *Quím.* Qualquer dos gases elementares, hélio, neônio, argônio, criptônio, xenônio e radônio, que constituem uma família homogênea na classificação periódica dos elementos; gás inerte. **Gás perfeito.** *Fís.* Gás ideal. **Gás permanente.** *Fís.* Designação comum outrora a alguns gases cuja liquefação parecia impossível. **Gás pobre.** *Quím.* Gás combustível, constituído por hidrogênio, monóxido de carbono, dióxido de carbono, e nitrogênio, obtido pela passagem de ar e vapor de água sobre carvão aquecido. **Gás real.** *Fís.* O que não é ideal e cuja equação de estado não é, portanto, a dos gases perfeitos. **Gás sulfídrico.** *Quím.* Composto de enxofre e hidrogênio, gasoso, incolor, com cheiro nauseabundo, venenoso. [Fórm.: H_2S.] **Gás sulfuroso.** *Quím.* Dióxido de enxofre, incolor, com cheiro sufocante, venenoso, solúvel em água. [Fórm.: SO_2.] **Gás tonante.** *Quím.* Mistura explosiva constituída por duas partes de hidrogênio e uma de oxigênio. **Gás vomitivo.** *G. Quím.* Gás de combate que provoca tosse, espirro, dores no nariz e na garganta, fluxo nasal, e, às vezes, lágrimas, dor de cabeça e vômitos; gás esternutatório.

gasalhado. [Part. substantivado de *gasalhar.*] *S. m.* **1.** Bom acolhimento; hospedagem, agasalho. **2.** Conforto, calor, agasalho. **3.** *Ant.* Roupas.

gasalhar. *V. t. d.* e *p.* V. *agasalhar.*

gasalho. [Dev. de *gasalhar.*] *S. m.* Aconchego, agasalho.

gasalhoso (ô). *Adj.* Que dá gasalho ou hospitalidade; hospitaleiro: *Passei três meses sob o seu teto gasalhoso.*

gascão. [Do fr. *gascon.*] *Adj.* **1.** Da, ou pertencente ou relativo à Gasconha (França). ● *S. m.* **2.** Natural ou habitante da Gasconha. **3.** Dialeto desta região **4.** *Fig.* Fanfarrão, parlapatão.

gasconada. *S. f.* Ato, modos ou dito de gascão (4). V. *fanfarrice* (2).

gasear. *V. t. d.* Sujeitar à ação de gases; atacar com gases. [Conjug.: v. *frear.* Cf. *gazear.*]

gaseificação (e-i). *S. f.* Operação de gaseificar(-se); gasificação.

gaseificar (e-i). [Do fr. *gaséifier.*] *V. t. d.* **1.** Reduzir a gás; vaporizar. *P.* **2.** Reduzir-se ao estado de gás. [F. paral.: *gasificar.* Conjug.: v. *trancar.*]

gaseificável (e-i). *Adj. 2 g.* Que se pode gaseificar.

gaseiforme (e-i). [Do fr. *gaséiforme.*] *Adj. 2 g.* Que se apresenta no estado gasoso.

gases. [Pl. de *gás.*] *S. m. pl.* Vapores do estômago e dos intestinos; ventosidades. [Cf. *gazes*, pl. de *gaze.*] ~ V. *gás.*

gasganete (ê). [De um rad. expressivo *gasg.*] *S. m.* V. *garganta* (1). [Var.: *gasnete*, f. sincopada, e *gasnate*, var. de *gasnete* com assimilação.]

gasguita. [De um rad. expressivo *gasg.*] *Adj. (f.)* e *s. f. Bras.* Diz-se de, ou mulher ou criança de voz esganiçada ou que fala esgoelando-se.

gasguitar. *V. int. Bras.* Falar com voz de gasguita; gasguitear.

gasguitear. *V. int. Bras.* Gasguitar. [Conjug.: v. *frear.*]

gasificação. [De *gasificar* + *-ção.*] *S. f.* Gaseificação.

gasificar. [De *gás* + *-i-* + *-ficar.*] *V. t. d.* e *p.* Gaseificar. [Conjug.: v. *trancar.*]

gasista. *S. m. Bras.* **1.** Homem que acende os candeeiros de gás da iluminação pública. **2.** Indivíduo que faz instalações de gás e/ou as conserta. **3.** Pessoa que trabalha na indústria de gás.

gasnate. *S. m.* V. *gasganete:* "se pudesse, era capaz de ir ter com ele, e deitar-lhe as mãos ao gasnate." (Machado de Assis, *Quincas Borba*, p. 89).

gasnete (ê). *S. m.* V. *gasganete.*
gasoduto. [De *gás* + *-o-* + *-duto.*] *S. m.* Tubulação destinada a conduzir a grandes distâncias produtos gasosos, particularmente gases naturais ou derivados de petróleo.
gasogênio. [Do fr. *gasogène.*] *S. m.* **1.** Aparelho para fabricar ou produzir gás; gasógeno. **2.** Aparelho que transforma, por oxidação incompleta, o carvão ou a madeira no gás pobre, empregado nos motores de explosão como substituto da gasolina, etc.
gasogenista. *S. 2 g.* Fabricante de gasogênio.
gasógeno. [De *gás* + *-o-* + *-geno.*] *Adj.* **1.** Que produz gás. ● *S. m.* **2.** Gasogênio. (1).
gasóleo. [Do ingl. *gasoil.*] *S. m. Quím.* Produto de destilação do petróleo, com ponto de ebulição superior ao do querosene e inferior ao do óleo lubrificante, usado como combustível em motores *diesel* e também como matéria-prima para craqueamento.
gasolina. [Do fr. *gazoline.*] *S. f.* **1.** Mistura de hidrocarbonetos, em geral saturados, com quatro até doze átomos de carbono, obtida pela destilação fracionada e pelo craqueamento do petróleo, usada como combustível em motores de explosão. A gasolina comercial contém também olefinas, hidrocarbonetos aromáticos e naftênicos. O ponto de fulgor é da ordem de -45ºC e na destilação passa entre 39ºC e 204ºC. [Sin., lus.: *gás.*] **2.** *Bras.* Barco de motor acionado por gasolina. [Em Portugal, nesta acepç., é s. m.] **3.** *Bras., BA.* Qualquer barco a motor.
gasometria. [De *gasômetro* + *-ia.*] *S. f.* Arte de medir os volumes dos gases.
gasométrico. *Adj.* Referente à gasometria.
gasômetro. [Do fr. *gasomètre.*] *S. m.* **1.** Aparelho para medir gás. **2.** Reservatório de gás para iluminação ou combustão. **3.** Fábrica de gás.
gasosa. [Fem. substantivado de *gasoso.*] *S. f. Bras., N.E.* Limonada gasosa.
gasoso (ô). [Do fr. *gaseux.*] *Adj.* **1.** Da natureza do gás. **2.** Saturado de anidrido carbônico. ~ V. *água mineral* — *a, estado* — e *limonada* —*a.*
gaspacho. [Do esp. *gazpacho.*] *S. m. Cul.* Iguaria de origem espanhola: sopa fria com pedacinhos de pão temperada fortemente com vinagre, alho, cebola, tomate, etc., e sobretudo com azeite: "Tudo nele [no Alentejo] é novo e bizarro para quem o visita. .... Os arcos .... e os coruchéus das suas casas; a açorda de coentros e o gaspacho de alho e vinagre das suas refeições" (Miguel Torga, *Portugal*, p. 120).
gasparense. *Adj. 2 g.* **1.** De, ou pertencente ou relativo a Gaspar (SC). ● *S. 2 g.* **2.** Natural ou habitante de Gaspar.
gasparinho. [Dim. do antr. *Gaspar*, de Gaspar da Silveira Martins, político brasileiro (1835-1901) que em 1878, ministro da Fazenda, autorizou fracionarem-se os bilhetes da loteria.] *S. m. Bras.* A menor fração de bilhete de loteria. [F. paral.: *gasparino;* sin.: *gafanhoto.*]
gasparino. *S. m. Bras.* V. *gasparinho.*
gáspea. *S. f.* A parte superior e dianteira do calçado, a qual cobre parcialmente o pé e é cosida à parte posterior: *Prefiro os mocassins de gáspea alta.*
gaspeadeira. [Fem. de *gaspeador.*] *S. f.* Operária que gaspeia.
gaspeador (ô). *S. m.* Operário que gaspeia. [Fem.: *gaspeadeira.*]
gaspear. *V. t. d.* Pôr gáspeas em (calçado). [Conjug.: v. *frear.*]
gastadeira. *Adj. (f.)* e *s. f.* V. *gastador:* "A Mara é uma fútil, uma desfrutável, e uma gastadeira de marca maior!" (Telmo Vergara, *Contos da Vida Breve*, p. 115.)
gastador (ô). *Adj.* e *s. m.* **1.** Que ou aquele que gasta. **2.** Que ou aquele que gasta em excesso; esbanjador, dissipador, perdulário. [Fem.: *gastadeira* e *gastadora.*]
gastalho. *S. m.* Espécie de grampo com que se apertam aduelas, folhas de madeira, etc., nos trabalhos de tanoaria e marcenaria.
gastamento. *S. m. P. us.* Gasto (6).
gastar. [Do lat. *gastare.*] *V. t. d.* **1.** Diminuir pelo atrito o volume de: *O uso gasta o soalho.* **2.** Consumir, destruir, danificar: *O tempo gasta igualmente o belo e o feio.* **3.** Deteriorar, safar, estragar; rapar: *gastar os sapatos.* **4.** Esgotar, exaurir, consumir: *Gastou em vão as suas energias.* **5.** Fazer gasto de; despender: *Gastou enormes quantias.* **6.** Servir-se de; usar, empregar: *Não gasta palavras à toa.* **7.** Cansar, importunar: *gastar a paciência.* **8.** Enfraquecer, abater: *gastar a saúde.* **9.** Fazer a digestão de; digerir. **10.** Passar (a vida, o tempo); ocupar. *T. d. e i.* **11.** Aplicar, empregar, consumir: *Gastou no negócio tudo o que possuía.* **12.** Dissipar, desperdiçar: *Gastou a juventude em farras. Int.* **13.** Despender dinheiro: "A mulher do Adão .... parecia atacada da mania de gastar. Comprava tudo, arrematava tudo." (Vieira Pires, *Querência*, p. 67.) **14.** Deteriorar-se, estragar-se, consumir-se. *P.* **15.** Perder as forças, a saúde; arruinar-se. **16.** Extinguir-se, acabar(-se). **17.** Deteriorar-se, estragar-se: *De muito usado, não tardou o aparelho a gastar-se;* "A voz de Ernestina gastou-se nesse pedir de trinta anos." (José Vieira, *Sol de Portugal*, p. 55.) **18.** Enfraquecer(-se), debilitar-se; mortificar-se: "gastara-me em macerações, ávido de santificar-me." (Humberto Crispim Borges, *Cacho de Tucum*, pp. 39-40). [Part.: *gastado* e *gasto.*]
gastável. *Adj. 2 g.* **1.** Que se pode gastar. **2.** Que se gasta muito.
gáster. *S. m. Zool.* Os últimos sete ou oito segmentos abdominais das formigas, situados atrás do pecíolo [Pl.: *gásteres.*]
▲gaster(o)-. Equiv. de *gastr(o)-.*
gasteralgia. [De *gaster(o)-* + *-alg(o)-* + *-ia.*] *S. f. Med.* Dor no estômago.
gasto. [Part. de *gastar.*] *Adj.* **1.** Que se gastou ou despendeu. **2.** Deteriorado, estragado, danificado: "os sapatos gastos, sem salto, não faziam rumor." (Coelho Neto, *Turbilhão*, p. 162). **3.** Coçado, surrado: *roupa gasta.* **4.** *Fig.* Abatido, enfraquecido, consumido, avelhantado: *Apesar de novo, é um homem gasto.* **5.** *Fig.* Abalado, desgastado: *Está com os nervos gastos.* ● *S. m.* **6.** Aquilo que se gastou ou consumiu; despesa, dispêndio: *Teve com a festa um gasto enorme.* [Sin., p. us., nesta acepç.: *gastamento.*] **7.** Dano, detrimento.
gastralgia. [De *gastr(o)-* + *-alg(o)-* + *-ia.*] *S. f. Patol.* Dor no estômago.
gastrálgico. *Adj.* Relativo à gastralgia.
gastrectasia. [De *gastr(o)-* + *-ectas-* + *-ia.*] *S. f. Patol.* Dilatação do estômago.
gastrectomia. [De *gastr(o)-* + *-ectom-* + *-ia.*] *S. f. Cir.* Excisão parcial ou total do estômago.
gastrectômico. *Adj.* Referente à gastrectomia.
gastrenterite. [De *gastr(o)-* + *enterite.*] *S. f. Patol.* Inflamação simultânea do estômago e dos intestinos. [Sin., p. us.: *enterogastrite.*]
gastrenterocolite. [De *gastr(o)-* + *enterocolite.*] *S. f. Patol.* Inflamação simultânea do estômago e do intestino delgado.
gastrenterologia. [De *gastr(o)-* + *-entero-* + *-log(o)* + *-ia.*] *S. f.* Parte da medicina que se ocupa das doenças do aparelho digestivo.
gastrenterológico. *Adj.* Relativo à gastrenterologia.
gastrenterologista. *S. 2 g.* Especialista em gastrenterologia.
gastresofagiano. [De *gastr(o)-* + *esofagiano.*] *Adj. Anat.* Relativo ao estômago e ao esôfago.
gastresofagite. [De *gastr(o)-* + *esôfago* + *-ite*[1].] *S. f. Patol.* Inflamação simultânea do estômago e do esôfago.
gástrico. [De *gastr(o)-* + *-ico*[2].] *Adj. Anat.* Relativo ou pertencente ao estômago. ~ V. *aquilia* —*a* e *embaraço* —.
gastrintestinal. [De *gastr(o)-* + *intestinal.*] *Adj. 2 g. Anat.* Relativo ou pertencente ao estômago e aos intestinos.
gastrite. [De *gastro(o)-* + *-ite*[1].] *S. f. Patol.* Inflamação do estômago.
▲gastr(o)-. [Do gr. *gáster, gastrós.*] *El. comp.* = 'estômago', 'ventre': *gástrico, gastroduodenal.* [Equiv.: *gaster(o)-: gasteralgia.*]
gastro. [Do lat. *gastru.*] *S. m.* Antigo vaso romano, muito bojudo.
gastrocâmara. [De *gastr(o)-* + *câmara.*] *S. f. Med.* Pequena câmara (12) que pode ser deglutida ou introduzida no estômago por meio de instrumento apropriado, para fotografar-lhe o interior.
gastrocnêmico. [Do gr. *gastrochnémion* + *-ico*[2].] *Adj.* ~ V. *músculos* —*s.*
gastrocólico. *Adj.* Do estômago e do cólon, ou relativo a eles. ~ V. *reflexo* —.
gastrocolite. [De *gastr(o)-* + *-col(o)-* + *-ite.*] *S. f. Patol.* Inflamação simultânea do estômago e do cólon.
gastroconjuntivite. [De *gastr(o)-* + *conjuntivite.*] *S. f. Veter.* Inflamação do estômago e da mucosa ocular, que ataca a espécie cavalar quando é excessivo o calor.
gastrodinia. [De *gastr(o)-* + *-odin(o)-* + *-ia.*] *S. f. Patol.* Dor no estômago.
gastrodínico. *Adj.* Relativo à gastrodinia.
gastroduodenal. [De *gastr(o)-* + *duodenal.*] *Adj. 2 g. Anat.* Relativo ou pertencente ao estômago e ao duodeno.
gastroduodenite. [De *gastr(o)-* + *duodenite.*] *S. f. Patol.* Inflamação do estômago e do duodeno.
gastroduodenostomia. [De *gastr(o)-* + *duodeno* + *-stom(a)* + *-ia.*] *S. f. Cir.* Comunicação estabelecida cirurgicamente entre o estômago e o duodeno.
gastroduodenostômico. *Adj.* Relativo à gastroduodenostomia.
gastroenterite. *S. f. Patol.* V. *gastrenterite.*
gastroenterocolite. *S. f. Patol.* V. *gastrenterocolite.*
gastroenterologia. *S. f.* V. *gastrenterologia.*
gastroenterológico. *Adj.* V. *gastrenterológico.*
gastroenterologista. *S. 2 g.* V. *gastrenterologista.*
gastroesofagite. *S. f. Patol.* V. *gastresofagite.*
gastrólatra. [De *gastr(o)-* + *-latra.*] *S. 2 g.* Pessoa que tudo sacrifica aos prazeres do estômago. [Cf. *glutão.*]
gastrolatria. *S. f.* Qualidade ou índole de gastrólatra.
gastrolátrico. *Adj.* Relativo à gastrolatria.
gastrolitíase. [De *gastr(o)-* + *litíase.*] *S. f. Patol.* Presença de cálculos no estômago.
gastrologia. [Do gr. *gastrología.*] *S. f.* **1.** Arte culinária. **2.** O conhecimento profundo dessa arte.
gastrológico. *Adj.* Relativo à gastrologia.
gastrólogo. *S. m.* Especialista em gastrologia.
gastronecto. [De *gastr(o)-* + *-necto.*] *Adj. Zool.* Diz-se do peixe cujas vértebras abdominais são tão desenvolvidas que formam um órgão próprio para a natação.
gastronomia. [Do gr. *gastronomía.*] *S. f.* **1.** Arte de cozinhar de maneira que se proporcione o maior prazer a quem come. **2.** Arte de regalar-se com finos acepipes.
gastronômico. *Adj.* Respeitante à gastronomia.
gastrônomo. *S. m.* Aquele que é dado à gastronomia (2), que gosta das boas iguarias; aquele que busca os mais refinados prazeres da mesa; indivíduo ventripotente: "Monselet era um gastrônomo consciente e requintado, que fazia da mesa a sua grande voluptuosidade." (Fialho d'Almeida, *Pasquinadas*, p. 196.)
gastropatia. [De *gastr(o)-* + *-pat-* + *-ia.*] *S. f. Patol.* Gastrose.
gastropático. *Adj.* Referente à gastropatia.
gastrópode. [De *gastr(o)-* + *-pode.*] *S. m.* **1.** Espécime dos gastrópodes. ● *Adj.* **2.** Pertencente ou relativo a eles.
gastrópodes. *S. m. pl. Zool.* Importante classe de moluscos de concha univalve, ou desprovidos de concha, quase sempre assimétricos, corpo dividido em três regiões distintas: cabeça, com tentáculos onde se situam os olhos e os órgãos sensitivos; um pé largo, situado ventralmente e às vezes adaptado para natação; e uma massa visceral, dorsal, normalmente protegida numa concha formada de uma só peça. As espécies adaptadas à vida terrestre constituem a ordem dos pulmonados.
gastropterígio. [De *gastr(o)-* + *-pterígio.*] *Adj. Zool.* Diz-se dos peixes cujas barbatanas ventrais ficam atrás das peitorais.
gastrorréia. [De *gastr(o)-* + *-réia.*] *S. f. Med.* Excesso de produção de muco ou de suco gástrico no estômago.
gastrorréico. *Adj.* Relativo à gastrorréia.
gastroscopia. [De *gastr(o)-* + *-scop-* + *-ia.*] *S. f. Med.* **1.** Inspeção do estômago. **2.** Inspeção do interior do estômago, quando feita mediante o uso do gastroscópio.
gastroscópio. [De *gastr(o)-* + *-scop-* + *-io.*] *S. m. Med.* Endoscópio com que se faz a gastroscopia (2).
gastrose. [De *gastr(o)-* + *-ose.*] *S. f. Patol.* Designação comum às doenças do estômago; gastropatia.
gastrospasmo. [De *gastr(o)-* + *espasmo.*] *S. m. Patol.* Contração espasmódica do estômago.
gastrostomia. [De *gastr(o)-* + *-stom(a)-* + *-ia.*] *S. f. Cir.* Formação cirúrgica de fístula gástrica para introdução de alimentos ou esvaziamento do estômago.
gastrostômico. *Adj.* Relativo à gastrostomia.
gastrotríquio. *S. m.* **1.** Espécime dos gastrotríquios. ● *Adj.* **2.** Pertencente ou relativo a eles.
gastrotríquios. *S. m. pl. Zool.* Animais asquelmintos, da classe *Gastrotricha;* minúsculos (0,07 a 0,60 mm), marinhos ou de água doce, revestidos de cerdas. Têm o corpo cilíndrico anteriormente e achatado posteriormente; porção ventral com duas fileiras de cílios para locomoção, fato que lhes valeu o nome da classe.
gastrozoário. [De *gastr(o)-* + *-zoário.*] *S. m. Zool.* Animal em que é predominante o sistema digestivo.
gástrula. [De *gastr(o)-* + *-ula.*] *S. f.* Forma embrionária, com dois folhetos e uma cavidade (o *ênteron*), comum aos metazoários.
gastrulação. *S. f.* Formação da gástrula.
gastura. *S. f. Bras.* Prurido, comichão, arrepio, aflição, irritação nervosa, originados por sons ou ruídos, sensações de tato, etc.: "Uma coisa .... desgranida, repuxando os nervos da mão da gente, solevando os braços, sem a gente querer. Uma gastura danada..." (Nélson de Faria, *Bazé*, p. 108.) [Cf. *agastura.*]
gata. [Do lat. *catta.*] *S. f.* **1.** A fêmea do gato. **2.** *Marinh.* Mastro de ré dos navios de três mastros aparelhados à galera. **3.** *Marinh.* Mastaréu de gávea que espiga logo acima do mastro real da gata. **4.** *Marinh.* Verga de gávea

que cruza no mastaréu da gata, por cima da verga seca. **5.** *Marinh.* Âncora de um só braço, usada em amarrações fixas. **6.** *Marinh.* Na galera, a vela de gávea do mastro de ré (mastro da gata). **7.** Antiga máquina de guerra, espécie de catapulta: "Por cima das muralhas, os engenhos das g a t a s jogam pedras soltas." (Antero de Figueiredo, *Leonor Teles,* p. 151.) **8.** *Pop.* V. *bebedeira* (1). **9.** *Bras. Gír.* Mulher jovem muito bonita e/ou provocante; gatona. ♦ **Gata borralheira.** Mulher muito dada aos serviços da casa, e que geralmente não gosta de sair. **Chegar à gata.** *Bras., S.* Chegar com dificuldade e cansaço. **De gatas.** Com as mãos pelo chão; de gatinhas: *andar de g a t a s.* **Não agüentar uma gata pelo rabo.** *Fam.* Estar muito fraco, debilitado, em extremo; não agüentar um gato pelo rabo: "amolentava-lhe as forças com mixilanga somente dela conhecida, e, quando percebia que o sujeito n ã o a g ü e n t a v a mais u m a g a t a p e l o r a b o, investia." (Nélson de Faria, *Bazé,* p. 45).

gatafunhar. [De *gatafunho* + *-ar*[2].] *V. t. d.* Garatujar, rabiscar: "É possível que o poeta Félix Arvers sentisse desejos de, renunciando a tantos sonhos inatingíveis, continuar no cartório bafiento, g a t a f u n h a n d o clarezas e escrituras" (Melo Nóbrega, *O Soneto de Arvers,* p. 25).

gatafunho. *S. m. P. us.* V. *garatuja* (2).

gatafunhos. *S. m. pl.* V. *garatuja* (2).

gatão. *S. m.* **1.** V. *gato* (1). **2.** *Bras. Gír.* V. *gato* (16).

gata-parida. *S. f.* **1.** *Bras.* Brinquedo de meninos em que todos se sentam num banco e principiam a comprimir-se uns aos outros, imitando os miados do gato; espreme-gato. **2.** *Bras., PE.* Brincadeira infantil em que crianças ficam sentadas num banco e se esforçam por expulsar uma delas, empurrando-se mutuamente. [Pl.: *gatas-paridas.*]

gataria. *S. f.* Multidão de gatos. [Cf. *gatária.*]

gatária. *S. f.* Planta da família das labiadas *(Nepeta cataria),* espécie de hortelã; erva-dos-gatos. [Cf. *gataria.*]

gatarrão. *S. m.* V. *gato* (1): "um esplêndido g a t a r r ã o nédio e branco" (Graciliano Ramos, *Linhas Tortas,* p. 19.)

gatázio. [De *gato.*] *S. m. Pop.* **1.** Unhas, garras. **2.** Dedos.

gateado. [De *gato* + *-e-* + *-ado*[1].] *Adj. Bras.* **1.** Diz-se do cavalo de pêlo amarelo-avermelhado: "e 'para ginetear um pouco', escolheu o gaúcho a um bagual g a t e a d o" (Alcides Maia, *Tapera,* p. 87). **2.** Diz-se dos olhos amarelo-esverdeados, como os do gato; agateado: "Os olhos miúdos, inquietos, meio g a t e a d o s, ... denotam vivacidade" (Vieira Pires, *Querência,* p. 39).

gateador (ô). *S. m. Bras.* **1.** Caçador que gateia [v. *gatear* (3)], que é ardiloso, manhoso. **2.** Indivíduo ardiloso, astuto, manhoso. **3.** Ladrão, gatuno.

gatear. *V. t. d.* **1.** Segurar com gatos [v. *gato* (3)]. **2.** Consertar, segurando com gatos [v. *gato* (3)]. **3.** *Bras.* Caçar aproximando-se sorrateiramente de (a caça). *Int.* **4.** Andar de gatinhas; engatinhar. **5.** Roubar, furtar. [Conjug.: v. *frear.*]

gateio. [Dev. de *gatear.*] *S. m. Bras.* Ato de gatear na caça.

gateira. *S. f.* **1.** Buraco nas portas para passagem dos gatos. **2.** Fresta ou trapeira sobre o telhado, para entrar luz e ar. **3.** *Constr. Nav.* Abertura no convés, por onde a amarra desce para o seu paiol. **4.** *Constr. Nav.* Abertura quadrangular na antepara do porão, por onde, em ocasiões de combate, passavam, do paiol de pólvora, os cartuchos, polvorinhos, etc. **5.** *Bras.* Buraco que se deixa na parte superior dos alicerces das casas à maneira de respiradouro dos porões.

gateiro[1]. [De *gato* (3) + *-eiro.*] *S. m.* **1.** Aquele que conserta louça prendendo as diversas partes com gatos [v. *gato* (3)]. **2.** *Bras., Amaz.* Gato (20): "No início toda essa gente foi aliciada pelos g a t e i r o s, que a retirou de outros estados, principalmente Goiás, alegando que ganhariam dinheiro fácil na região." (Edilson Martins, *Nossos Índios, Nossos Mortos,* p. 94.)

gateiro[2]. [De *gato* (1) + *-eiro.*] *Adj. e s. m.* Amigo de gatos.

gatesco (ê) [De *gato* (1) + *-esco.*] *Adj. Desus.* V. *felino* (1).

gateza (ê). [De *gato* (1) + *-eza.*] *S. f. Bras., N., N.E.* e *MG.* Ligeireza, agilidade: "Laçara a bicha uma suçuarana, com uma g a t e z a tal que deixara o próprio felino aturdido e sufocado." (Nélson de Faria, *Bazé,* p. 82.)

gaticida. *S. 2 g.* Autor de gaticídio.

gaticídio. [De *gato* + *-i-* + *-cídio.*] *S. m.* Ação de matar gato(s).

gatil. [De *gato* + *-il.*] *S. m. Bras. P. us.* Lugar onde se abrigam ou criam gatos.

gatilho. *S. m.* **1.** Peça dos fechos da arma de fogo, pela qual se puxa a fim de efetuar o disparo. [Sin.: *disparador* e (bras.) *pinguelo.*] **2.** *Eletrôn.* Circuito biestável que passa de uma para outra condição quando recebe um pulso; multivibrador biestável; disparo.

gatimanhos. [De *gato* + *manha.*] *S. m. pl.* **1.** Gestos ridículos ou sinais feitos com as mãos; gatimônias, gatimonha, gatimonho: "o marotinho do rapaz gingava no telhado, bamboleando o corpo e fazendo-lhe g a t i m a n h o s de zombaria" (José de Alencar, *Guerra dos Mascates,* p. 57). **2.** V. *garatuja* (2).

gatimonha. *S. f.* V. *gatimanhos* (1).

gatimonho. *S. m. Bras.* V. *gatimanhos* (1).

gatimônias. *S. f. pl. Bras., N., N.E.* e *SP,* e *prov. lus.* V. *gatimanhos* (1): "como ele se recusasse a falar e a olhá-la, passou ela a fazer uma porção de g a t i m ô n i a s." (Dalcídio Jurandir, *Três Casas e um Rio,* p. 154).

gatina. [Do it. *gattina.*] *S. f.* Doença peculiar dos bichos-da-seda.

gatinha. [Dim. de *gata.*] *S. f.* **1.** *Bras., BA.* Filhote de tintureiro (7). **2.** *Bras. Gír.* Adolescente muito bonita, graciosa. ~ V. *gatinhas.*

gatinhar. [De *gatinha,* dim. de *gata,* + *-ar*[2].] *V. int.* V. *engatinhar* (1): "— Eu tenho pai, juro. .... Morreu quando eu g a t i n h a v a." (Humberto Crispim Borges, *Cacho de Tucum,* p. 41.)

gatinhas. [Pl. de *gatinha,* dim. de gata.] *El. s. f. pl.* Us. na loc. *de gatinhas.* ~V. *gatinha.* ♦ **De gatinhas.** De gatas: "Foram-se aproximando do pego, de g a t i n h a s." (Fialho d'Almeida, *Contos,* p. 152.)

gato. [Do lat. *cattu.*] *S. m.* **1.** Animal mamífero, carnívoro, da família dos felídeos *(Felis cattus domesticus* L.), digitígrado, de unhas retráteis, domesticado pelo homem desde tempos remotos, e usado comumente para combate aos ratos. [Sin., inf.: *miau.* Aum.: *gatão, gatarrão, gatorro.*] **2.** Indivíduo ligeiro, esperto. **3.** Peça de metal que prende louça rachada ou quebrada. **4.** Utensílio de tanoeiro, com que se arqueiam vasilhas e se endireitam aduelas de pipas. **5.** Grampo (1). **6.** Erro, engano, descuido, lapso. **7.** *Bras.* No jogo de bicho [q. v.], o 14º grupo (8), que abrange as dezenas 53, 54, 55 e 56, e corresponde ao número 14. **8.** *Marinh.* Gancho de aço forjado, geralmente preso a um olhal, para ser amarrado ao chicote de um cabo ou corrente a fim de içar pesos ou prender-se onde for necessário. **9.** *Bras. Mar. G.* Objeto, serviço ou obra, feitos durante o horário de expediente e/ou com material do navio, sem autorização competente. **10.** *Bras. Mar. Gír.* Jacaré (7). **11.** *Bras. Tip.* V. *erro tipográfico.* **12.** *Bras. Turfe. Gír.* Cavalo que, não sendo puro-sangue, foi inscrito irregularmente entre animais de raça de uma sociedade que exige *pedigree.* [Cf. *gato* (17).] **13.** *Bras., N.E. Fam.* V. *repreensão* (1). **14.** *Bras., MA* e *PE. Gír.* V. *concubina* (1). **15.** *Bras., MA* e *PE. Gír.* Mulher um tanto leviana. **16.** *Bras. Gír.* Homem bonito e/ou atraente; gatão. **17.** *Bras., PE.* Cavalo de corrida dado como de sangue inferior ao que na realidade tem. [Cf. *gato* (12).] **18.** *Bras., PR* e *MT.* Intermediário entre os peões e o empreiteiro, que contrata com os fazendeiros trabalhos de queima, desmatamento, plantio, etc. **19.** *Bras., S.* Ladrão, gatuno, larápio. **20.** *Bras.* Aquele que recruta trabalhadores para a Amazônia, servindo de intermediário entre as grandes empresas e o peão[2] (4): "Essa gente foi recrutada de Nordeste, de Goiás .... Como elemento sedutor, nessa mobilização, surge a figura do g a t o, que envolve o futuro peão, ... oferece-lhe inclusive um salário mensal." (Edilson Martins, *Nós, do Araguaia,* p. 159.) ♦ **Amarrar o gato. 1.** *Bras., MG. Pop.* V. *defecar* (5). **2.** V. *embriagar* (4). **Chamar o gato meu tio.** Tomar a bênção a cachorro. **Comer gato por lebre.** Ser enganado, recebendo coisa pior do que a devida ou esperada. [Sin., bras.: *comer gambá errado.*] **Dar o gato em.** *Bras.* Prender, segurar. **Não agüentar um gato pelo rabo.** *Fam.* Não agüentar uma gata pelo rabo. **Vender gato por lebre.** Enganar vendendo coisa pior do que a devida. **Viver como gato e cachorro.** Viver (duas pessoas) em conflitos intermináveis, sempre a discutir, a brigar.

gato-açu. *S. m. Bras.* V. *jaguatirica.* [Pl.: *gatos-açus.*]

gato-com-botas. *S. m. Bras.* Gato-de-botas. [Pl.: *gatos-com-botas.*]

gato-de-botas. *S. m. Bras.* Indivíduo exagerado, mentiroso; gato-com-botas. [Pl.: *gatos-de-botas.*]

gato-do-mato. *S. m. Bras.* Designação comum a todas as espécies de mamíferos carnívoros, especialmente os de pequeno porte, da família dos felídeos, pintados ou unicolores, que vivem em liberdade, na região neotrópica. [Pl.: *gatos-do-mato.*]

gato-do-mato-grande. *S. m. Bras.* V. *jaguatirica.* [Pl.: *gatos-do-mato-grandes.*]

gato-mourisco. *S. m. Bras.* Mamífero da ordem dos carnívoros, da família dos felídeos *(Felis Herpailurus yaguarondi* Lac.), o qual varia do pardo-escuro ao avermelhado. Difere de todos os demais gatos selvagens pela coloração uniforme desde o nascimento. Mede 60cm de corpo e 40cm de cauda, e se alimenta sobretudo de aves, pequenos mamíferos e reptis. [Sin.: *eirá, jaguarundi, maracajá-preto.* Pl.: *gatos-mouriscos.*]

gatona. *S. f. Bras. Gír.* Gata (9).

gato-pingado. *S. m.* **1.** Indivíduo que acompanhava, com tocha ou archote, os enterros a pé. **2.** Cada um daqueles (em número muito reduzido) que comparecem a qualquer reunião ou espetáculo, ou fazem parte de algum agrupamento: *Foi uma tristeza: só compareceram ao enterro de F. oito g a t o s - p i n g a d o s ; No baile só havia meia dúzia de g a t o s - p i n g a d o s.* [Us., por via de regra, no pl.] **3.** V. *joão-ninguém:* "embora soubesse que o Negus trazia consigo meia dúzia de g a t o s - p i n g a d o s, todos os seus exércitos e força não passando duma descaradíssima patranha, convinha-lhe contemporizar." (Aquilino Ribeiro, *Portugueses das Sete Partidas,* p. 115). [Pl.: *gatos-pingados.*]

gato-preto. *S. m. Bras., CE. Pop.* V. *diabo* (2). [Pl.: *gatos-pretos.*]

gatorro (ô). *S. m.* V. *gato* (1).

gato-sapato. *S. m.* Coisa desprezível. [Pl.: *gatos-sapatos.*] ♦ **Fazer gato-sapato de. 1.** Fazer de (alguém) joguete: "O primo Afonso de Gamboa esteve cá há dias, e a modo de caçoada foi-me dizendo que lá na capital as mulheres enguiçam os homens, e f a z e m d e l e s g a t o - s a p a t o." (Camilo Castelo Branco, *A Queda dum Anjo,* p. 182.) **2.** Tratar (alguém) com desprezo.

gatum. *Adj. 2 g. P. us.* Relativo ou pertencente a, ou próprio de gato; felino.

gatunagem. *S. f.* **1.** Ação própria de gatuno; gatunice, roubo, furto, rapinagem: *O preço desta casa é uma verdadeira g a t u n a g e m.* **2.** Bando de gatunos; os gatunos: *A g a t u n a g e m anda solta na cidade.* **3.** A vida de gatunos: *Tentaram recuperá-lo, mas ele não conseguiu deixar a g a t u n a g e m.*

gatunar. [De *gatuno* + *-ar*[2].] *V. t. d.* e *int.* Furtar, roubar. [Var., bras.: *gatunhar* (q.v.), *gaturar* (MG), *gadunhar* (S.).]

gatunhar. [De *gatunar,* com infl. de *unha.*] *V. t. d.* e *int. Bras.* V. *gatunar.*

gatunice. *S. f.* V. *gatunagem* (1).

gatuno. [Do esp. *gatuno.*] *S. m.* **1.** Aquele que furta; ladrão, pandilha. • *Adj.* **2.** Que furta: *É um vendedor g a t u n o, rouba nos preços.*

gaturamo. [Do tupi *katu'rama,* 'o que será bom'.] *S. m. Bras.* Designação comum a várias espécies de aves passeriformes, da família dos traupídeos, especialmente as dos gêneros *Tanagra* L. e *Chlorophonia* Bon. São pássaros pequenos, de dorso azulado ou esverdeado, região ventral amarelada, frugívoros, e muito apreciados em viveiros ou gaiolas, por seu canto e suas cores ornamentais. Conhecem-se no Brasil 15 espécies de gaturamos. [Var.: *guturamo.* Sin.: *guatinhuma, tem-tem, teitei, tietei, vim-vim.* Cf. *bonito-do-campo.*]

gaturamo-miudinho. *S. m. Bras.* V. *vivi.* [Pl.: *gaturamos-miudinhos.*]

gaturamo-rei. *S. m. Bras.* Ave passeriforme, da família dos traupídeos *(Tanagra musica* (Gmel.)), distribuída por todo o Brasil. O macho é azulado, com o alto da cabeça azul-claro, e o uropígio e parte inferior amarelos; a fêmea é olivácea, com a parte inferior amarelada. [Sin.: *tereno.* Pl.: *gaturamos-reis.*]

gaturamo-serrador. *S. m. Bras.* V. *tietê.* [Pl.: *gaturamos-serradores.*]

gaturamo-verdadeiro. *S. m. Bras., S.* V. *gurinhatã.* [Pl.: *gaturamos-verdadeiros.*]

gaturamo-verde. *S. m. Bras.* V. *bonito-do-campo.* [Pl.: *gaturamos-verdes.*]

gaturar. [Alter. de *capturar.*] *V. t. d. Bras., MG. Pop.* **1.** Prender, capturar. **2.** V. *gatunar. Int.* **3.** V. *gatunar.* [Var.: *gaturrar.*]

gaturrar. *V. t. d.* e *int. Bras., MG. Pop.* V. *gaturar.*

gauchaço (a-u). *S. m. Bras., RS.* **1.** Aum. de *gaúcho.* **2.** Indivíduo destemido, desempenado, cavaleiro destro e perito nas lides do campo.

gauchada (a-u). [Do esp. plat. *gauchada.*] *S. f. Bras.* **1.** Grande porção de gaúchos. **2.** V. *gaucharia.*

gauchagem (a-u). [Do esp. plat. *gauchaje.*] *S. f. Bras., RS.* V. *gaucharia.*

gauchar (a-u). *V. int.* **1.** *Bras., RS.* Praticar (o gaúcho) os seus costumes. **2.** Imitar (um estranho) os costumes gauchescos. **3.** V. *gauderiar* (3). [Sin. ger.: *gaucherear.*]

gaucharia (a-u). *S. f. Bras., RS.* **1.** Ação nobre ou corajosa, própria de gaúcho. **2.** Proeza no serviço do campo. **3.** V. *fanfarrice* (2). **4.** Conversa fiada; léria. **5.** Astúcia, ardil, estratagema. [F. paral.: *gaucheria; sin. ger.: gauchada, gauchagem, gauchismo.*]

➧ **gauche** (gôx'). [Fr.] *Adj. 2 g.* Acanhado, inepto; esquerdo.

gaucherear (a-u). *V. int. Bras., S.* Gauchar. [Conjug.: v. *frear.*]

gaucheria (a-u). *S. f. Bras., RS.* V. *gaucharia.*

gauchesco (a-u...ê). [Do esp. plat. *gauchesco.*] *Adj. Bras.* Relativo ao, ou próprio do gaúcho (1 e 2); gaúcho.

gauchismo (a-u). *S. m. Bras.* **1.** Costume(s) e hábito(s) de gaúcho (1 e 2). **2.** Palavra, expressão ou construção típica do falar gaúcho (1 e 2). **3.** V. *gaucharia.*

gauchito (a-u). *S. m. Bras.* Dim. de *gaúcho.*

gaúcho. [Do esp. plat. *gaucho*, com mudança de acento.] *Bras. S. m.* **1.** Primitivamente, o habitante do campo, descendente, na maioria, de indígenas, de portugueses e de espanhóis. **2.** V. *rio-grandense-do-sul* (2). **3.** *P. ext.* O natural do interior do Uruguai e de parte da Argentina. **4.** Peão de estância. **5.** Cavaleiro hábil. ● *Adj.* **6.** Gauchesco. **7.** V. *rio-grandense-do-sul* (1).

gauda. [Do germ. **walda*, pelo fr. *gaude.*] *S. f. Bot.* Planta tintorial *(Reseda luteola)*, espécie de resedá [q. v.].

gauderiação. *S. f. Bras., RS.* Ato de gauderiar.

gauderiar. *V. t. d.* **1.** *Bras., N.E.* V. *goderar* (1). *Int.* **2.** *Bras., N.E.* V. *goderar* (3). **3.** *Bras., RS.* Tornar-se gaudério; andar errante de casa em casa, sem ocupação séria; flautear, gauchar. [Var.: *goderar.* Pres. ind.: *gauderio*, etc. Cf. *gaudério.*]

gaudério. [Do esp. plat. *gauderio.*] *S. m.* **1.** Folgança, pândega, patuscada, gáudio. **2.** Vadio, malandro, V. *vagabundo* (7). **3.** *Bras., PE.* V. *chupim* (1). **4.** V. *barbeiro* (6). **5.** *Bras., N.E.* V. *parasito* (3). **6.** *Bras., RS.* Aquele que acompanha qualquer pessoa, abandonando-a logo para seguir outra. **7.** *Bras., RS.* Cão errante, sem dono. ● *Adj.* **8.** *Bras.* Diz-se de gaudério (5, 6 e 7). [Cf. *gauderio*, do v. *gauderiar.*]

gáudio. [Do lat. *gaudiu.*] *S. m.* **1.** Júbilo, alegria, regozijo. **2.** Folgança, pândega, brincadeira.

➧ **gauleiter** (gauláiter). [Al.] *S. m.* **1.** Governador de uma província, na Alemanha. **2.** *P. ext.* Chefe de distrito do Partido Nacional-Socialista alemão, e que também exerceu funções de governador nos territórios sob ocupação nazista durante a II Guerra Mundial. **3.** *Fig.* Pessoa cuja conduta tirânica e arrogante se assemelha à de Gauleiter (2).

gaulês. [Do top. *Gaula*, adapt. do fr. *Gaule.*] *Adj.* **1.** Da, ou pertencente ou relativo à Gália; galo. ~ V. *espírito*—. ● *S. m.* **2.** O natural ou habitante da Gália; galo. [Flex.: *gaulesa* (ê), *gauleses* (ê), *gaulesas* (ê).] **3.** Idioma dos antigos gauleses. [V. *celta* (2). Sin., p. us.: *gálio.* Cf. *galês.*]

gaullista (gô). *Adj. 2 g.* **1.** Pertencente ou relativo a Charles André Joseph Marie De Gaulle (1890-1970), general e estadista francês, ou que é partidário dele. ● *S. 2 g.* **2.** Partidário de Charles De Gaulle.

gauramense. *Adj. 2 g.* **1.** De, ou pertencente ou relativo a Gaurama (RJ). ● *S. 2 g.* **2.** Natural ou habitante de Gaurama.

gauro. [Do hindustani *gaur.*] *S. m.* Boi selvagem da Índia *(Bos gaurus).*

gauss. [Do antr. *Gauss*, de Carl Friedrich, físico e matemático alemão (1777-1855).] *S. m. 2 n. Fís.* Unidade de c.g.s. de medida de indução magnética, igual a 10^{-4} teslas. [Símb.: *g.*]

gaussiano. [Do antr. *Gauss* [v. *gauss*] + *-i-* + *-ano.*] *S. m.* **1.** *Arit.* O menor expoente inteiro A que se deve elevar um número inteiro para que a potência resultante, quando dividida por outro inteiro, dê o resto um. ● *Adj.* **2.** ~ V. *curvatura* —*a* e *sistema* —.

gaussímetro. [Do antr. *Gauss* [v. *gauss*] + *-metro.*] *S. m. Fís.* Magnetômetro que mede a intensidade dum campo magnético, sem lhe determinar a direção.

gavar. *V. t. d. e p. Pop.* Var. de *gabar* [q. v.].

gavarro. [Var. de *gabarro.*] *S. m.* Unheiro.

gávea. [Do lat. vulg. **gavea*, em vez de *cavea*, 'gaiola'.] *S. f. Marinh.* **1.** Cada um dos mastaréus que espigam logo acima dos mastros reais. [Nos navios de três mastros, denominam-se, a partir de vante, *mastaréu do velacho, mastaréu da gávea* e *mastaréu da gata.*] **2.** Mastaréu que espiga logo acima do mastro real grande. **3.** Cada uma das vergas que cruzam nos mastaréus de gávea. [Nos navios de três mastros, chamam-se, a partir de vante, *verga do velacho, verga da gávea* e *verga da gata.* Antigamente chamavam-se *traquetes*, sendo, a partir de vante, *traquete de proa* ou *de vante*, e *traquete de gávea.*] **4.** Verga que cruza no mastaréu de gávea grande. **5.** Cada uma das velas que envergam nas vergas de gávea. [Nos navios de três mastros, denominam-se, a partir de vante, *vela do velacho, vela da gávea* e *vela da gata.* Antigamente chamavam-se *traquetes.*] **6.** Vela que enverga na verga de gávea grande. **7.** *Mar.* Cesto de gávea.

gavela. [Var. de *gabela*[1].] *S. f.* Feixe de espigas; paveia, fascículo.

gaveta (ê). [Do lat. *gabata*, com mudança de sufixo.] *S. f.* **1.** Caixa sem tampa, corrediça, que se introduz, como parte integrante, em mesa, prateleira, cômoda, etc. **2.** *Bras.* Nas máquinas, dispositivo que distribui o vapor aos cilindros; gavetão. **3.** *Bras.* Cavalo arisco, bravio, difícil de apanhar. ◆ **Gaveta aberta.** *Bras., RJ. Pop.* Bom negócio. **Gaveta de sapateiro.** Desordem ou confusão de vários objetos dispersos. **Gaveta do expulsor.** *Tip.* Peça corrediça que auxilia a expulsar do molde a linha-bloco da linotipo.

gavetão. *S. m.* **1.** Gaveta grande. **2.** V. *gaveta* (2).

gaveteiro. *S. m.* **1.** Armação que se coloca no interior de um móvel para suster gavetas [v. *gaveta* (1)]. **2.** *Bras., MG.* V. *avaro* (3). [Por alusão pilhérica aos indivíduos de certa região desse estado a quem se atribui o costume de meter os pratos de comida em gavetas quando chegam visitas à hora das refeições.]

gavetope. *S. m. Marinh.* Var. de *gafetope.* (1 e 2).

gavial. [Do hindustani *gharyāl.*] *S. m.* Grande crocodiliano do Ganges *(Gavialis gangeticus).*

gavião. *S. m.* **1.** Designação comum às várias espécies de aves falconiformes, das famílias dos acipitrídeos e falconídeos. Em sua maioria alimentam-se de presas vivas, inclusive aves, reptis, pequenos mamíferos, e até invertebrados, tais como insetos e moluscos. [Os catartídeos, da mesma ordem, preferem carnes em putrefação.] **2.** V. *rebanho*[2]. **3.** O último dente de cada lado da maxila superior do cavalo. **4.** Parte do fecho da estribeira. **5.** Cada uma das extremidades do gume dum formão ou de outros instrumentos. **6.** *Bot.* V. *gavinha.* **7.** *Bras.* Indivíduo esperto, vivo, fino. **8.** *Bras.* Indivíduo propenso a conquistas amorosas. **9.** *Bras., PE.* A ponta posterior do gume do machado. **10.** *Bras., SP* e *MG.* A parte interna e volteada da foice. ● *Adj.* **11.** *Bras., RS.* Diz-se do cavalo arisco, matreiro. ◆ **Gavião papa-formigas.** *Bras.* V. *gavião-pomba* (3). **Gavião papa-peixe.** *Bras.* V. *gavião-pescador* (1). **Gavião pega-macaco. 1.** *Bras.* Ave falconiforme, da família dos acipitrídeos *(Spizaetus tyrannus* (Wied)), de coloração preta, cabeça com crista, coxas e coberturas inferiores da cauda, cauda e rêmiges listradas de branco; papa-mico, uiruucotim, cutiú-preto. **2.** V. *apacanim* (2). **Gavião pega-pinto.** *Bras., Amaz.* V. *japacanim* (1).

gavião-azul. *S. m. Bras.* Ave falconiforme, da família dos acipitrídeos *(Leucopternis schistacea* (Sund)), do L., do Equador e do Peru, e que também freqüenta o N.O. do Brasil, de coloração preta com tons azulados, e cauda preta com uma faixa e a ponta branca. [Pl.: *gaviões-azuis.*]

gavião-belo. *S. m. Bras.* Ave falconiforme, da família. dos acipitrídeos *(Busarellus nigricollis* (Lath.)), distribuída do México até SP e MT, de coloração geral ferruginosa, a cabeça amarelada, uma mancha escura no meio da parte anterior do pescoço e uma coroa na cabeça. Freqüenta terrenos abertos, sobretudo margens de rios e lagoas, onde costuma apanhar aruás. [Sin.: *gavião-padre, gavião-velho.* Pl.: *gaviões-belos.*]

gavião-caboclo. *S. m. Bras.* Ave falconiforme, da família dos acipitrídeos *(Heterospizia meridionalis* (Lath.)), do L. do Panamá e de toda a América do Sul, de dorso pardo-acinzentado, cabeça, coberteiras superiores das asas e parte das rêmiges vermelhas, cauda pardo-enegrecida listrada de branco, e parte inferior do corpo vermelha, finamente listrada de pardo-escuro. [Sin.: *casaca-de-couro, gaviãopuva, gavião-tinga.* Pl.: *gaviões-caboclos.*]

gavião-caburé. *S. m. Bras.* Gavião-mateiro. [Pl.: *gaviões-caburés* e *gaviões-caburé.*]

gavião-caipira. *S. m. Bras.* V. *cancã* (3). [Pl.: *gaviões-caipiras.*]

gavião-caramujeiro. *S. m. Bras.* Ave falconiforme, da família dos acipitrídeos *(Rostrhamus sociabilis* (Vieil.)), do L. do Panamá e região tropical e temperada da América do Sul, de coloração pardo-escura, e coberteiras, base e ponta da cauda brancas; [Tb. se diz apenas *caramujeiro.* Sin.: *gavião-de-uruá, gavião-pescador.* Pl.: *gaviões-caramujeiros.*]

gavião-carijó. *S. m. Bras.* Ave falconiforme, da família dos acipitrídeos *(Rupornis magnirostris magniplumis* (Bert.)), do C. O. e S. do Brasil até o N.E. da Argentina, de coloração pardo-acinzentada, peito vermelho-claro, abdome vermelho-claro listrado de branco, parte das rêmiges parda com tons castanhos, a outra parte pardo-escura listrada de vermelho, e cauda listrada de preto; pega-pinto, indaié, inajé. [Pl.: *gaviões-carijós.*]

gavião-carrapateiro. *S. m. Bras.* Ave falconiforme, da família dos falconídeos *(Milvago chimachima* (Vieil.)), da América cisandina, de dorso pardo, cabeça e parte inferior branca, e cauda branca listrada de pardo. [Tb. se diz apenas *carrapateiro; sin.: gavião-pinhé, pinhé, pinhém, carapinhé, caracará-branco, caracaratinga, ximango-branco, ximango-do-campo, ximango-carrapateiro.* Pl.: *gaviões-carrapateiros.*]

gavião-das-taperas. *S. m. Bras.* V. *gavião-tesoura.* [Pl.: *gaviões-das-taperas.*]

gavião-de-coleira. *S. m. Bras.* Ave falconiforme, da família dos falconídeos *(Falco fusco-caerulescens* (Vieil.)), distribuída por toda a América cisandina, de dorso preto, cabeça cinzento-escura, fronte e fita nucal vermelho-claras, estria preta nos lados da cabeça, peito e abdome vermelho-claros e cauda listrada. [Pl.: *gaviões-de-coleira.*]

gavião-de-penacho. *S. m. Bras.* **1.** Ave falconiforme, da família dos acipitrídeos *(Morphnus guianensis* (Daud. C.)), que ocorre em toda a região cisandina da América do Sul e na América Central. É um dos dois maiores gaviões brasileiros; quanto ao outro, v. *harpia* (3). Tem parte superior do corpo preta, coberteiras superiores das asas e caudas marginadas de branco, cauda listrada, cabeça e crista pardo-cinzentas, abdome branco listrado de vermelho-claro. [Sin.: *uiraçu.*] **2.** V. *harpia* (3). [Pl.: *gaviões-de-penacho.*]

gavião-de-uruá. *S. m. Bras.* V. *gavião-caramujeiro.* [Pl.: *gaviões-de-uruá.*]

gavião-do-mangue. *S. m. Bras.* Ave falconiforme da família dos acipitrídeos *(Buteogallus aequinoctialis* (Gmel.)), das matas costeiras do Brasil, Venezuela, Guianas, Paraguai e extremo N. da Argentina, de dorso preto, parte das penas marginadas de ferrugíneo, garganta enegrecida, abdome ferrugíneo, listrado de preto, e cauda com estria e ponta brancas. [Pl.: *gaviões-do-mangue.*]

gavião-mateiro. *S. m. Bras.* Ave falconiforme, da família dos falconídeos *(Micrastur ruficollis* (Vieil.)), do S. e L. do Brasil, de coloração branco-acinzentada no dorso (macho), ou marrom-avermelhada (fêmea), parte inferior da garganta ao peito castanha, e branca daí para trás, com faixas transversais pretas, e cauda preta com quatro fitas brancas estreitas. Alimenta-se de outras aves e também de artrópodes. [Sin.: *gavião-caburé.* Pl.: *gaviões-mateiros.*]

gavião-padre. *S. m. Bras.* V. *gavião-belo.* [Pl.: *gaviões-padres.*]

gavião-pato. *S. m. Bras.* Ave falconiforme, da família dos acipitrídeos *(Spizastur melanoleucus* (Vieil.)), distribuída desde o México até a Argentina, de coloração quase inteiramente branca, asas escuras, cauda com quatro faixas pretas, e penacho pardo; apacanim. [Pl.: *gaviões-patos* e *gaviões-pato.*]

gavião-pescador. *S. m. Bras.* **1.** Ave falconiforme, da família dos acipitrídeos *(Pandion haliaetus carolinensis* (Gmel.)), da porção ocidental da América do Norte, América Central e Antilhas, de onde emigra freqüentemente para a América do Sul. Coloração dorsal pardo-escura, mesclada de branco na cabeça; parte inferior branca, estriada de pardo no pescoço e peito; ponta da cauda e estria atrás do olho brancas. [Sin.: *águia-pescadora, águia-pesqueira, gavião papa-peixe.*] **2.** V. *gavião-caramujeiro.* [Pl.: *gaviões-pescadores.*]

gavião-pinhé. *S. m. Bras.* V. *gavião-carrapateiro:* "O general Rondon verificou que a anta solta assobios, principalmente quando nota um g a v i ã o - p i n h é sobrevoando seu hábitat." (Hitoshi Nomura, *O Estado de S. Paulo*, 29.9.1982.) [Pl.: *gaviões-pinhés.*]

gavião-pomba. *S. m. Bras.* **1.** Designação comum a algumas espécies de gaviões que, durante o vôo, se assemelham aos pombos. São mais conhecidos com esse nome os acipitrídeos do gênero *Leucopternis* Kaup, especialmente *L. polionota* (Kaup) e *L. lacernulata* (Tem.), ambos com cabeça, pescoço e lado inferior brancos, dorso e asas cinza-escuros, com faixas transversais. Alimentam-se de reptis e outros animais de pequeno porte. **2.** Designação dada também ao gavião *Circus cinereus* Vieil., das regiões O. e S. da América do Sul, de cor cinzenta, abdome raiado de vermelho, e cuja fêmea é parda, com abdome da mesma cor que o macho. **3.** Designação também dada ao pequeno acipitrídeo *Ictinia plumbea* (Gmel.), distribuído desde o México até o N. da Argentina, de coloração cinzenta uniforme, asas e cauda pretas, retrizes com três faixas transversais brancas, e lado interno das asas castanho-vivo, e que freqüenta descampados e cerrados, alimentando-se de insetos e pequenas aves; gavião papa-formigas, gavião-sauveiro, sovi. [F. paral.: *gavião-pombo.* Pl.: *gaviões-pombas* e *gaviões-pomba*.]

gavião-pombo. *S. m. Bras.* V. *gavião-pomba.* [Pl.: *gaviões-pombos* e *gaviões-pombo*.]

gavião-preto. *S. m. Bras. RS.* V. *cancã*^{2} (3). [Pl.: *gaviões-pretos*.]

gaviãopuva. *S. m. Bras.* V. *gavião-caboclo.*

gavião-quiriquiri. *S. m. Bras.* Ave falconiforme, da família dos falconídeos (*Chercheis sparverius eidos* (Pet.)), do C. e L. do Brasil e países limítrofes, de dorso castanho, cabeça e coberteiras das asas azuis com tons cinza, três faixas pretas no lado da cabeça e outra subapical na cauda, e lado inferior branco com manchas pretas. Alimenta-se de artrópodes em geral, além de pássaros de pequeno porte. [Tb. se diz apenas *quiriquiri.* Sin.: *gavião-rapina.* Pl.: *gaviões-quiriquiris* e *gaviões-quiriquiri*.]

gavião-rapina. *S. m. Bras., CE* e *BA.* V. *gavião-quiriquiri* [Pl.: *gaviões-rapinas* e *gaviões-rapina*.]

gavião-real. *S. m. Bras.* V. *harpia* (3). [Pl.: *gaviões-reais*.]

gavião-sauveiro. *S. m. Bras.* V. *gavião-pomba (3).* [Pl.: *gaviões-sauveiros*.]

gavião-tesoira. *S. m. Bras.* V. *gavião-tesoura.* [Pl.: *gaviões-tesoiras* e *gaviões-tesoira*.]

gavião-tesoura. [Var. de *gavião-tesoira*.] *S. m. Bras.* Ave falconiforme, da família dos acipitrídeos (*Elanoides forficatus yetapa* (Vieil.)), distribuída da América Central ao N. da Argentina, de coloração branca, e dorso, asas e cauda pretos; gavião-das-taperas, tapema, itapema, tesourão. [Pl.: *gaviões-tesouras* e *gaviões-tesoura*.]

gaviãotinga. [De *gavião* + *-tinga*] *S. m. Bras.* V. *gavião-caboclo.*

gavião-vaqueiro. *S. m. Bras.* Ave falconiforme, da família dos acipitrídeos (*Leucopternis Kuhli* (Bon.)), do L. do Peru e N.O. do Brasil, de dorso preto, grande mancha branca sobre os olhos, nuca e pescoço com faixa branca, cauda com faixa mediana da mesma cor, pescoço e lados da face claros, com faixas pretas dos lados do peito, e lado inferior branco com faixas pretas. Alimenta-se de outras aves e de insetos. [Pl.: *gaviões-vaqueiros*.]

gavião-velho. *S. m. Bras.* V. *gavião-belo.* [Pl.: *gaviões-velhos*.]

gaviãozinho. [Dim. de *gavião*.] *S. m. Bras.* Ave falconiforme, da família dos falconídeos (*Gampsonyx swainsoni*(Vig.)), do N. e C.O., com dorso pardo-escuro, fita nucal branca, fronte, região auricular e coxas vermelho-amareladas, e parte inferior do corpo branca.

gaviete (ê). [Do esp. *gaviete*.] *S. m. Constr. Nav.* Peça robusta, de madeira ou de ferro, uma de cujas extremidades leva um rodete no qual trabalha um cabo ou uma corrente, e que é rigidamente presa na proa ou na popa de embarcação que trabalha com cabos submarinos ou se destina a içar pesos do fundo do mar.

gaviforme. *S. m.* **1.** Espécime dos gaviformes. ● *Adj.* **2.** Pertencente ou relativo a eles.

gaviformes. *S. m. pl. Zool.* Aves neórnites, neógnatas, ordem *Gaviiformes*, de pernas curtas, inseridas muito atrás, dedos reunidos completamente por membrana, patela reduzida, cauda com 18 a 20 penas curtas e rijas. Mergulhadoras, alimentam-se de peixes. Ocorrem ao N. do hemisfério Norte.

gavinha. *S. f. Morfol. Veg.* Órgão de fixação das plantas sarmentosas ou trepadeiras, com o qual elas se prendem a outras ou a estacas; abraço, mão, elo, gavião. [M. us. no pl.]

gavinhoso (ô). *Adj.* Que tem gavinhas.

gaviola. *S. f. Bras. Gír.* **1.** Gaveta, especialmente de caixa registradora. **2.** A técnica de furtar dinheiro de caixas registradoras.

gavionar. [De *gavião* + *-ar*^{2}.] *V. int.* **1.** *Bras., RS.* Não se deixar apanhar (o cavalo). **2.** Andar esquivo, fugitivo; vagabundear. **3.** Paquerar (3).

gavionense. *Adj. 2 g.* **1.** De, ou pertencente ou relativo a Gaviões (RJ). ● *S. 2 g.* **2.** Natural ou habitante de Gaviões.

gavionice. *S. f. Bras., RS.* Ato de gavionar.

gavirova. *S. f. Bras.* V. *guabiroba.*

gavota. [Do fr. *gavotte*.] *S. f. Mús.* Antiga dança francesa, originária do País de Gap (Delfinado), cujos habitantes eram designados por gavots. É em compasso binário (2/4), andamento moderado e ritmo anacrústico masculino, e, nos sécs. XVII e XVIII, fez parte da suíte, entre a sarabanda e uma segunda gavota que tem todas as características de um trio: "Dançava-se a nobre pavana ou o minueto ingênuo e palaciano do século dezoito. Depois veio a gavota." (A. S. de Mendonça Jr., *Jornal da Província*, p. 55.)

gaxeta (ê). [Do gen. *gassetta*?] *S. f.* **1.** Trançado feito com merlim, mealhar, etc., e utilizado para fins ornamentais em molduras, fiéis, fundas, cortinas, etc. [Recebe qualificativos distintos, conforme o processo de confecção: *simples, dobrada, quadrada, redonda, inglesa, francesa, portuguesa, de rabo-de-cavalo, de meia-cana*.] **2.** *Marinh.* Cabo trançado que serve para fazer diferentes amarras. **3.** *Mec.* Peça de amianto, linho, algodão, metal, borracha ou outro material, com que se completa a vedação nas juntas de canalizações, tampas de cilindro, etc., ou se impede o escapamento de fluido por uma junção móvel.

➧**gay** (guei). [Ingl.] *Adj. 2 g.* e *s. 2 g.* V. *guei.*

gaz. [Do persa-hindustani *gaz*.] *S. m.* Medida de extensão, na Índia. [Pl.: *gazes.* Cf. *gás* e pl. *gases*.]

gaza^1. *S. f.* V. *gaze* (1): "um véu de gaza fina" (Gonçalves Dias, *Obras Poéticas*, II, p. 100).

gaza^2. *S. f.* Pequena moeda persa, de cobre.

gazal. *S. m.* V. *gazel.*

gazânia. *S. f.* Planta herbácea, ornamental, da família das compostas (*Gazania splendens*), originária da África do Sul, dotada de folhas verde-escuras, brilhantes em cima e branco-tomentosas na face inferior, cujos capítulos são grandes, alaranjados, com uma dupla marca alva e preta na base de cada flor.

gazão. [Do fr. *gazon*.] *S. m.* **1.** Relva de jardim. **2.** Terreno coberto de relva.

gaze. [Do hindustani *gazi*.] *S. f.* **1.** Tecido leve e transparente; escumilha: "saias de gaze tufadas" (Eça de Queirós, *Cartas Familiares e Bilhetes de Paris*, p. 186). [Var.: *gaza*.] **2.** *Med.* e *Cir.* Tecido leve, de algodão, muito poroso, esterilizável, de tamanho variável conforme o uso a que se destina, de largo emprego em curativos, intervenções cirúrgicas, etc., podendo ser impregnado de substâncias várias, como anti-sépticos. [Pl.: *gazes.* Cf. *gases*, pl. de *gás*.]

gazeador (ô). [De *gazear*^{2} + *-(d)or*.] *Adj.* **1.** Que gazeia; gazeante. ● *S. m.* **2.** Aquele que gazeia.

gazeante. *Adj. 2 g.* Gazeador (1).

gazear^1. [Voc. onom.] *V. int.* **1.** Cantar (a garça, a andorinha, etc.); gazular: "um bando / De anuns, gárrulo e louco, / Passava gazeando, chilreando, / Sobre as nossas cabeças..." (Raimundo Correia, *Poesias*, p. 49). **2.** Chalrar (criança); palrar. *T. d.* **3.** Soltar ou emitir como um gazeio^1. [Conjug. v. *frear.* Cf. *gasear*.]

gazear^2. [De *gazetear*?] *V. int.* **1.** Faltar às aulas ou ao trabalho para vadiar; fazer gazeta; gazetear. *T. d.* **2.** Faltar a (o estudo, o trabalho, as aulas): "manhãs frias, de chuva, em que fosse preciso gazear as aulas e deixar-se ficar ali" (Aluísio Azevedo, *Casa de Pensão*, p. 101). [Sin., bras., N.E.: *filar.* Conjug.: v. *frear.* Cf. *gasear*.]

gazeio^1. [Dev. de *gazear*^{1}.] *S. m.* Canto da garça, da andorinha, etc.

gazeio^2. *S. m.* Ato de gazear^2, de faltar às aulas por vadiação; gazeta.

gazel. [Do ár.] *S. m.* Poesia amorosa ou báquica, espécie de ode, dos persas e dos árabes, que se compõe de vários dísticos, 15 no máximo, rimando os versos do primeiro dístico entre si e com o segundo verso de cada um dos outros: *São famosos os gazéis de Hafiz, poeta persa do séc. XIV.* [F. paral.: *gazal.* Pl: *gazéis*.]

gazela. [Do ár. *gazâl*.] *S. f.* Designação comum aos ruminantes cavicórneos de chifres espiralados.

gázeo. *Adj.* Garço: "menino de dez anos, de olhos gázeos" (Amadeu de Queirós, *João*, p. 70); "esses olhos vidrentos [os da onça] cujos lumes gázeos fervilham dentro n'alma." (José de Alencar, *O Sertanejo*, p. 68.) ~ V. *gázeos.*

gázeos. [Pl. substantivado de *gázeo*.] *S. m. pl. Pop.* Os olhos. ~ V. *gázeo.*

gazeta^1 (ê). [Do veneziano *gazeta*, atr. do it. *gazzetta*.] *S. f.* Publicação política, doutrinária, literária, noticiosa, etc.

gazeta^2 (ê). *S. f.* Gazeio^2. ♦ **Fazer gazeta.** V. *gazear*^{2} (1).

gazetal. [De *gazeta*^{1} + *-al*.] *Adj. 2 g. Burl.* Gazetário.

gazetário. [De *gazeta*^{1} + *-ário*.] *Adj. Burl.* Relativo a gazetas; gazetal.

gazetear. *V. int.* V. *gazear*^{2}. [Conjug.: v. *frear*.]

gazeteiro^1. [De *gazeta*^{1} + *-eiro*.] *S. m.* **1.** *Deprec.* Jornalista; noticiarista. **2.** *Bras.* Vendedor de jornais; jornaleiro.

gazeteiro^2. [De *gazeta*^{2} + *-eiro*.] *Adj.* e *s. m. Bras.* Diz-se de, ou estudante que gazeia, que gazeteia.

gazetilha. [De *gazeta* + *-ilha*.] *S. f.* **1.** Seção noticiosa de um periódico. **2.** Folhetim (1).

gazetilhista. *S. 2 g.* Pessoa que faz gazetilhas.

gazetismo. [De *gazeta*^{1} + *-ismo*.] *S. m.* Influência ou domínio exercido pelas gazetas.

gazil. *Adj. Lus.* Airoso, elegante: "Ouvem-se, ao longe, os sons de um concerto gazil, / De cítola e doçaina, alaúde e arrabil..." (Martins Fontes, *Verão*, p. 73.)

gazo. [Var. de *gázeo*.] *Adj.* e *s. m. Bras., N.E. Pop.* V. *albino.*

gazofilácio. [Do gr. *gazophylákion*, pelo lat. *gazophilaciu*.] *S. m.* **1.** Lugar, no templo, onde se guardavam os vasos e recolhiam as oferendas. **2.** Cofre de jóias; escrínio. **3.** Tesouro.

gazua. [Do esp. *ganzúa*.] *S. f.* Ferro curvo ou torto com que se podem abrir fechaduras; chave falsa. [Sin., gír. ladra: *mixa.* Cf. *gázua*.]

gázua. [Do ár. *gazuâ*.] *S. f.* Expedição de árabes contra tribo inimiga; razia. [Cf. *gazua*.]

gazular. [Voc. onom.] *V. int.* **1.** Gazear^1 (1). ● *S. m.* **2.** Ato de gazular: "na ridente quadra hirundina, o ledo gazular das emigrantes aves" (Raimundo Correia, *Poesia Completa e Prosa*, p. 597).

■**Gb.** *Fís.* Símb. de *gilbert.*

■**GB.** Sigla do antigo Estado da Guanabara.

■**Gd.** *Quím.* Símb. de *gadolínio.*

■**Ge.** *Quím.* Símb. de *germânio.*

gê. *S. m.* Nome da letra *g*; guê. [Pl.: *gês* e *gg.* Cf. *jê*.]

geada. [Fem. substantivado do part. de *gear*.] *S. f.* **1.** *Met.* Orvalho congelado que forma, onde cai, camada branca. **2.** *Bras.* V. *podridão-parda.* ♦ **Geada branca.** Depósito de gelo cristalino, em geral feito de escamas, agulhas, penas ou leques, e que se forma de maneira análoga ao orvalho, mas com temperaturas inferiores a 0ºC; escarcha. [Sin. pop., em SP: *branquinha, dona-branca*.]

geado. [Part. de *gear*.] *Adj.* Sobre que caiu ou se formou geada; em que geou: *plantas geadas; café geado.*

gear. [Do lat. *gelare*.] *V. int.* **1.** Cair geada; formar-se geada. **2.** Apresentar-se sob a forma de geada (o inverno): "O outono passa, caem todas as folhas, o inverno geia em França." (Vitorino Nemésio, *A Mocidade de Herculano*, II, p. 192.) *T. d.* **3.** Reduzir a gelo; gelar. [Conjug.: v. *frear.* Defect. na 1ª acepç.]

geba (ê). [Do lat. *gibba*.] *S. f.* **1.** V. *corcunda* (1). **2.** *Ant.* Mulher velha e corcunda. [Pl.: *gebas* (ê). Cf. *geba* e *gebas*, do v. *gebar*, e *jeba*, s. f.]

gebada. [De *gebar* + *-ada*^{1}.] *S. f.* Pancada que intencionalmente se dá num chapéu, em geral masculino, para machucá-lo, amassá-lo; cochichada.

gebar. [De *gebo* + *-ar*^{2}.] *V. t. d.* Machucar com pancadas. [Pres. ind.: *gebo, gebas, geba*, etc. Cf. *gebo* (ê), adj. e s. m., e *geba* (ê), s. f., pl. *gebas* (ê).]

gebo (ê). [De *geba*.] *Adj.* **1.** V. *corcunda* (6). **2.** Mal vestido, mal-amanhado. **3.** *P. us.* Zebu [q. v.]. ● *S. m.* **4.** Indivíduo mal vestido; farroupilha. **5.** Zebu [q. v.]. [Pl.: *gebos* (ê). Cf. *gebo*, do v. *gebar*.]

geboso (ô). [Do lat. *gibbosu*.] *Adj.* V. *corcunda* (6).

gecarcinídeo. *S. m.* **1.** Espécime dos gecarcinídeos. ● *Adj.* **2.** Pertencente ou relativo a eles.

gecarcinídeos. *S. m. pl. Zool.* Família de crustáceos na qual se encontram caranguejos grandes e comuns, como o guaiamu e o uçá.

geconídeo. *S. m.* **1.** Espécime dos geconídeos. ● *Adj.* **2.** Pertencente ou relativo a eles.

geconídeos. *S. m. pl. Zool.* Família de reptis da subordem *Lacertilia*, ordem *Squamata*; pequenos, corpo recoberto de escamas, vértebras anfícelas e papilas adesivas nas patas. Ex.: as lagartixas.

geena. [Do hebr. *Gehinnom*, pelo lat. *gehenna*.] *S. f.* **1.** O Inferno. **2.** *P. ext.* Lugar de suplícios, pelo fogo e pelos vermes: "Por teu amor, desci às pávidas geenas, / dos não ouvidos ais, das não ouvidas penas." (Gomes Leal, *A Mulher de Luto*, p. 182.)

geento. *Adj.* **1.** *Bras.* Em que há geada; em que geia. **2.** Sujeito a geadas.

gefiriano. *S. m.* **1.** Espécime dos gefirianos. ● *Adj.* **2.** Pertencente ou relativo a eles.

gefirianos. *S. m. pl. Zool.* Designação usada por alguns zoólogos para grupar os equiuróides, sipunculóides, e, às vezes, os priapulóides. [Dada a natureza duvidosa das afinidades existentes entre esses grupos, o termo se acha em desuso.]

geidrografia (e-i). [De *ge(o)-* + *hidrografia*.] *S. f.* Ramo da geografia que estuda as relações entre as porções sólidas e as líquidas da Terra.

geidrográfico (e-i). *Adj.* Referente à geidrografia.

geio. [Dev. de *gear*.] *S. m.* **1.** Ato de gear. **2.** Gelo (ê) (1).

gêiser. [Do isl. *geyser*, 'fúria', pelo fr. *geyser*.] *S. m.* Fonte quente com erupções periódicas, e que, normalmente, traz muitos sais em dissolução. [Pl.: *gêiseres*.]

geiserita. [De *gêiser* + *-ita*[3].] *S. f. Min.* Variedade de opala concrecionada formada pelas águas dos gêiseres que trazem a sílica em solução e que é precipitada nas proximidades do gêiser.
geissolomatácea. *S. f.* Espécime das geissolomatáceas.
geissolomatáceas. *S. f. pl. Bot.* Família de vegetais floríferos, da ordem das mirtales, composta da espécie única *Geissoloma marginatum,* que é um pequeno arbusto dotado de folhas opostas e minutas e flores solitárias, peculiar à África do Sul.
geissolomatáceo. *Adj.* Pertencente ou relativo às geissolomatáceas.
geistória (e-i). [De *ge(o)-* + *história.*] *S. f.* História da Terra e de sua evolução, desde a origem até o estado atual.
geistórico (e-i). *Adj.* Referente à geistória.
gel. [Do lat. *gelu,* 'gelo'.] *S. m. Fís.-Quím.* Sistema coloidal constituído por uma fase dispersora líquida e uma fase dispersa sólida, e que apresenta propriedades macroscópicas (elasticidade, manutenção de forma, etc.) parecidas às dos sólidos. [Pl.: *géis* e *geles.*]
gelada. [Fem. substantivado do adj. *gelado.*] *S. f.* **1.** Geada. **2.** Verdura coberta de geada. **3.** *Bras., N.* Refresco (2). **4.** *Bras., N. E.* Raspa-raspa.
geladeira. [De *gelar* + *-deira.*] *S. f.* **1.** *Bras.* Móvel termicamente isolado, que encerra uma máquina frigorífica destinada a manter o seu interior em baixa temperatura; refrigerador. **2.** *Bras. Pop.* Prisão ladrilhada ou revestida de cimento.
geladinha. *S. f. Bras.* Cerveja (2 e 3).
gelado. [Part. de *gelar.*] *Adj.* **1.** Muito frio; glacial, frigidíssimo: "embora levasse as mãos nos bolsos, sentia-as entorpecidas e g e l a d a s de encontro às coxas." (Manuel da Fonseca, *Aldeia Nova,* p. 177). ● *S. m.* **2.** Sorvete. **3.** *Bras.* Qualquer bebida gelada. **4.** *Bras., N.* e *N.E.* V. *refresco* (2).
gelador (ô). *Adj.* Que gela.
geladura. [De *gelar* + *-(d)ura.*] *S. f.* **1.** Queima ou seca produzida nas plantas pela geada. **2.** *Patol.* Lesão produzida nos tecidos como conseqüência de baixa temperatura.
gelar. [Do lat. *gelare.*] *V. t. d.* **1.** Solidificar (um líquido) pelo frio; reduzir a gelo; gear, congelar. **2.** Tornar muito frio: *Mandou g e l a r o vinho.* **3.** Trespassar de frio: "Um vento frio e silencioso .... penetrava, através dos cobertores, e g e l a v a -o." (Domingos Monteiro, *Enfermaria, Prisão e Casa Mortuária,* p. 53.) **4.** Tornar frio; resfriar: *O vento g e l o u -lhe o corpo.* **5.** Causar espanto ou medo a; paralisar de assombro; aterrar; intimidar: *O susto g e l o u -o.* **6.** Fazer perder o ardor dos sentimentos a. **7.** *Bras.* Enganar, lograr, burlar, embair. *Int.* **8.** Converter-se em gelo; gelar-se. **9.** Trespassar de frio; tornar gelado, congelar: "por entre as frestas das portas entra um frio pelo inverno, que g e l a" (Camilo Castelo Branco, *Noites de Insônia,* IX, p. 38). **10.** Esfriar-se muito; resfriar-se, gelar-se: "G e l a r a m -se-lhe os pés, g e l a r a m- se-lhe as mãos, e somente o coração naquele incêndio torturador..." (Viriato Correia, *Novelas Doidas,* p. 251.) **11.** Ficar assombrado ou amedrontado; gelar-se. **12.** Suspender-se, interromper-se; gelar-se. **13.** Tornar-se insensível, imóvel, indiferente; gelar-se: "No último gesto de quem se abandona / À morte esquiva que apavora e g e l a" (Alphonsus de Guimaraens, *Obra Completa,* p. 264). **14.** Perder a animação ou o entusiasmo; gelar-se. **15.** Emudecer, entorpecer; gelar-se. **16.** Desorganizar-se pelo frio; requeimar-se; gelar-se. *P.* **17.** Gelar (8 e 10 a 16). [Pres. ind.: *gelo,* etc. Cf. *gelo* (ê).]
gelatina. [Do it. *gelatina,* talvez pelo fr. *gélatine.*] *S. f.* **1.** *Quím.* Proteína existente nos ossos e tecidos fibrosos animais, que forma com a água géis mais ou menos consistentes. **2.** *P. ext.* Esta substância preparada industrialmente para uso culinário, e que se emprega para efeito de iluminação dos palcos. **3.** Iguaria, especialmente sobremesa, preparada com gelatina (2). [Cf., nas acepç. 2 e 3, *geléia* (2).] ◆ **Gelatina explosiva.** *Expl.* Explosivo plástico e elástico, insolúvel em água, formado por uma solução de 8% de nitrocelulose em 92% de nitroglicerina.
gelatiniforme. [De *gelatina* + *-i-* + *-forme.*] *Adj. 2 g.* Que tem aparência de gelatina.
gelatinização. *S. f.* Ato ou efeito de gelatinizar(-se).
gelatinizado. [Part. de *gelatinizar.*] *Adj.* Que se gelatinizou.
gelatinizar. *V. t. d.* e *p.* Converter(-se) em gelatina.
gelatinizável. *Adj. 2 g.* Que se pode gelatinizar.
gelatinografia. [De *gelatina* + *-o-* + *-graf(o)-* + *-ia.*] *S. f. Fotograv.* Qualquer processo fotomecânico (especialmente a fototipia) em que se utilize diretamente, como superfície impressora, uma película de colóide (em geral gelatina) endurecida por exposição à luz.
gelatinográfico. *Adj.* Relativo à gelatinografia.
gelatinóide. [De *gelatina* + *-óide.*] *Adj. 2 g.* Que tem a natureza ou a consistência da gelatina.
gelatinoso (ô). *Adj.* **1.** Que contém gelatina. **2.** Que tem a natureza e o aspecto da geléia: "um dos olhos, aberto, g e l a t i n o s o, esbranquiçado, lembrou a Raul os olhos do gato morto, boiando na correnteza" (Lia Correia Dutra, *Navio sem Porto,* p. 174). **3.** Pegajoso, viscoso, visguento.
geléia. [Do fr. *gelée.*] *S. f.* **1.** Alimento preparado com frutas cozidas em açúcar, e que, ao esfriar, toma consistência gelatinosa. **2.** Preparado culinário rico em substâncias gelatinosas (patas de certos animais, ossos, espinhas e peles de peixe, etc.), e que, depois de frio e solidificado, se torna transparente. [As geléias servem de base a diversas iguarias salgadas e doces. Cf. *gelatina* (2 e 3).]
geleificação. [De *geléia* + *-ficar-* + *-ção.*] *S. f. Citol.* Modificação da parede celular vegetal, que se converte em mucilagem.
geleira. *S. f.* **1.** Geol. Amontoamento de gelo passível de deslocamento, nas regiões em que a queda de neve ultrapassa o degelo; glaciar. **2.** Grande acúmulo natural de gelo. **3.** Cavidade, nas altas montanhas, onde se forma gelo. **4.** Aparelho para fabricar gelo. **5.** *Bras., PA.* Embarcação de vela parecida à vigilenga e destinada unicamente ao transporte de peixe.
geleiro. *S. m.* **1.** *Bras.* Fabricante, vendedor ou entregador de gelo. **2.** *Bras., AM* e *PA.* Alcunha dada ao pescador português. **3.** *Bras., PA.* Aquele que em geleira (5) transporta para a cidade o pescado adquirido em diversos centros de pesca. ● *Adj.* **4.** *Bras., PA.* Diz-se da geleira (5): *canoa g e l e i r a.*
gelequídeo. *S. m.* **1.** Espécime dos gelequídeos. ● *Adj.* **2.** Pertencente ou relativo a eles.
gelequídeos. *S. m. pl. Zool.* Família de insetos da ordem dos lepidópteros. Constitui uma das maiores dos microlepidópteros, mariposas pequenas cujas larvas se alimentam de milho, cevada e outros cereais.
gelequida. *S. m.* e *adj. 2 g.* V. *gelequídeo.*
gelequidas. *S. m. pl. Zool.* V. *gelequídeos.*
gelequióideo. *S. m.* **1.** Espécime dos gelequióideos. ● *Adj.* **2.** Pertencente ou relativo a eles.
gelequióideos. *S. m. pl. Zool.* Superfamília de insetos lepidópteros.
gelha (ê). *S. f.* **1.** Grão de cereal com o tegumento enrugado. **2.** Engelhamento na película de grãos ou de frutos. **3.** *P. ext.* Ruga na pele, especialmente na do rosto; gorovinhas: "A água corria em fio, pelas g e l h a s do pescoço, a entrar no peito suado." (José Loureiro Botas, *Maré Alta,* p. 153.) **4.** Prega ou dobra acidental em um tecido.
gelidez (ê). *S. f.* Qualidade ou estado de gélido.
gélido. [Do lat. *gelidu.*] *Adj.* **1.** Muito frio; gelado: "Por onde andará agora a alma de Dona Eufrásia, que morreu durante um g é l i d o inverno gaúcho, sem nunca ter sequer mordiscado o fruto do amor?" (Érico Veríssimo, *A Volta do Gato Preto,* p. 14.) **2.** Enregelado. **3.** *Fig.* Paralisado, imóvel: *g é l i d o de medo.*
gelifazer. [De *gelo* (ê) + *-i-* + *fazer.*] *V. t. d.* e *p.* Converter(-se) em gelo; gelificar. [Conjug.: v. *fazer.*]
gelificado. [Part. de *gelificar.*] *Adj.* Que se gelificou.
gelificar. [De *gelo* (ê) + *-i-* + *-ficar.*] *V. t. d.* e *p.* Gelifazer. [Conjug.: v. *trancar.*]
gelificável. [De *gelific(ar)* + *-ável.*] *Adj. 2 g.* Que pode gelificar-se ou gelifazer-se.
gelividade. *S. f.* Propriedade que apresenta um material ou um solo de se desagregar ou expandir por efeito da congelação da água contida em seus interstícios.
gelo (ê). [Do lat. *gelu.*] *S. m.* **1.** Água em estado sólido, cristalizada no sistema hexagonal. **2.** Frio excessivo: *Não vou sair: lá fora está um g e l o.* **3.** Sensação viva de frio: "Um g e l o toma todo o seu corpo. G e l o que é tristeza e desânimo." (Dionélio Machado, *Os Ratos,* p. 17.) **4.** *Fig.* Insensibilidade, indiferença. **5.** Desinteresse, frialdade: *Lançou-lhe um olhar de g e l o.* **6.** Tonalidade de cinza quase branco. ● *Adj. 2 g.* e *2 n.* **7.** *Bras.* Diz-se dessa tonalidade de cinza. **8.** *Bras.* Que tem essa tonalidade: *tecido g e l o.* [Pl. do s. m.: *gelos* (ê). Cf. *gelo,* do v. *gelar.*] ◆ **Dar um gelo em.** *Bras. Fam.* Passar a tratar (alguém) com indiferença, frieza; pôr no gelo. **Pôr no gelo.** *Bras. Fam.* Dar um gelo em.
gelo-baiano. *S. m. Bras.* Pré-moldado utilizado pelas autoridades de trânsito para orientar o tráfego de veículos automóveis. [Pl.: *gelos-baianos.*]
gelose. *S. f.* V. *ágar-ágar.*
gelo-seco. [De *gelo* (ê) + *seco* (ê).] *S. m.* Anidrido carbônico sólido. [Pl.: *gelos-secos.*]
gelosia. [Do it. *gelosia.*] *S. f.* **1.** Grade de fasquias de madeira cruzadas intervaladamente, que ocupa o vão de uma janela; rótula. **2.** Janela de rótula.
gelsemina. *S. f. Quím.* Cristal branco, venenoso, solúvel em álcool, éter e ácidos diluídos, e de ponto de fusão 178ºC, obtido do rizoma da raiz do gelsêmio e usado em medicina. [Fórm.: $C_{20}H_{22}O_2N_2$.]
gelsêmio. *S. m.* Planta medicinal da família das logniáceas (*Gelsemium sempervirens*), da qual se extrai a gelsemina; jasmim-amarelo, jasmim-da-virgínia.
gélula. [De *gel.*] *S. f. Med.* Cápsula gelatinosa, de consistência sólida.
gema. [Do lat. *gemma.*] *S. f.* **1.** A parte central, amarela, do ovo das aves. **2.** *Biol. Ger.* Aquilo que, brotando de um tecido, ou de um órgão, pode originar um novo indivíduo. **3.** Resina primitiva dos pinheiros. **4.** Pedra preciosa: "O Emílio bem sabe que a minha mania são brilhantes e berilos, e destas g e m a s tenho que baste." (Aquilino Ribeiro, *Maria Benigna,* p. 45). **5.** A parte essencial. **6.** Aquilo que é mais genuíno, mais puro: "Os nobres da mais pura g e m a, aqui aportados, desdenham de ligar-se às grandes famílias territoriais" (Oliveira Viana, *Populações Meridionais do Brasil,* p. 63.) ◆ **Da gema.** Genuíno, autêntico: "era carioca d a g e m a." (Inglês de Sousa, *O Missionário,* p. 85).
gemação. [Do lat. *gemmatione.*] *S. f.* **1.** Efeito de gemar (1). **2.** *Biol. Ger.* Processo de divisão direta das células, pelo qual surgem, na superfície destas, protuberâncias que, após crescerem, acabam separando-se da célula-mãe e constituindo uma nova célula; formação de gemas.
gemada. *S. f.* Gema ou porção de gemas de ovo, batidas com açúcar, às quais se adiciona, às vezes, um líquido quente. [Sin., bras.: *batida.*]
gema-de-ovo. *Adj. 2 g.* e *2 n.* **1.** *Bras.* Que é amarelo tirante à cor da gema do ovo. ● *S. f.* **2.** *Bras.* V. *arapoca.* [Pl. do s. f.: *gemas-de-ovo.*]
gemado[1]. [De *gema* + *-ado*[1].] *Adj.* **1.** Que tem gemas. **2.** Cuja cor é semelhante à da gema do ovo.
gemado[2]. [Part. de *gemar.*] *Adj.* Enxertado de gema.
gemagem. [De *gemar* + *-agem*] *S. f.* Operação que consiste na extração de resina ou de látex das árvores.
gemante. [Do lat. *gemmante.*] *Adj. 2 g.* Brilhante como pedras preciosas.
gemar. [Do lat. *gemmare.*] *V. t. d.* **1.** Enxertar com gema ou rebento. **2.** Preparar com gemas de ovo. *Int.* **3.** Abrolhar (4).
gematria. [Alter. de *geometria.*] *S. f.* Sistema criptográfico que consiste em atribuir valores numéricos às letras.
gemátrico. *Adj.* Relativo à gematria.
gemebundo. [Do lat. *gemebundu.*] *Adj.* V. *gemente:* "Homens e mulheres, muitos dos quais dançavam languidamente ao som do arrastado e g e m e b u n d o *blue*" (Érico Veríssimo, *Noite,* p. 133).
gemedeira. [De *gemer* + *-(d)eira.*] *Adj.* (*f.*) **1.** Gemedora, gemente. ● *S. f.* **2.** Grande rumor de gemidos. **3.** Lamúria, lamentação: *Desempregado, vive numa g e m e d e i r a sem fim.* **4.** *Bras., N.E. Folcl.* Desafio de temas jocosos que usa a interposição de versos de quatro ou, raramente, de duas sílabas, entre a quinta e a sexta linhas da sextilha formada pelas interjeições *ai* e *ui* ou *ai* e *hum.*
gemedor (ô). *Adj.* **1.** V. *gemente:* "O carro g e m e d o r chega dos estevais" (Bulhão Pato, *Livro do Monte,* p. 5). ● *S. m.* **2.** Aquele que geme.
gemelar. [Do lat. *gemellu,* 'gêmeo' + *-ar*[2].] *Adj.* ~ V. *útero* —.
gemelhicar. *V. int. Gemicar.* [Conjug.: v. *trancar.*]
gemelípara. [Do lat. *gemellipara.*] *Adj.* (*f.*) e *s. f.* Diz-se de, ou mulher que dá à luz filhos gêmeos.
gemente. [Do lat. *gemente.*] *Adj. 2 g.* Que geme; gemedor, gemebundo: "Das g e m e n t e s alcíones o bando / Via-se ao longe, em círculos, voando" (Gonçalves Crespo, *Obras Completas,* p. 331); "A casa, onde vivo, rodeiam-na pinhais g e m e n t e s, que sob qualquer lufada desferem suas harpas." (Camilo Castelo Branco, *Amor de Salvação,* p. 41.)
gêmeo. [Do lat. *geminu.*] *Adj.* **1.** Que nasceu do mesmo parto. **2.** Idêntico, igual. ~ V. *cristal* — e *músculo* —. ● *S. m.* **3.** Cada um daqueles que nasceram do mesmo parto. **4.** *Bras.* Distância que vai da extremidade do polegar até à do indicador, achando-se ambos distendidos e afastados o mais possível um do outro. ~ V. *Gêmeos.*
Gêmeos. [Do lat. *gemenos.*] *S. m. pl.* **1.** *Astr.* A terceira constelação do Zodíaco, situada no hemisfério norte, a 7 h de ascensão reta e 2º de declinação norte. **2.** O terceiro signo do Zodíaco, relativo aos que nascem entre 21 de maio e 20 de junho. ~ V. *gêmeo.*

gemer. [Do lat *gemere.*] *V. int.* **1.** Exprimir dor moral ou física com voz inarticulada ou sons plangentes; dar gemidos. **2.** Sofrer, padecer. **3.** Murmurar em tom plangente; soltar lamentos; lastimar-se. **4.** Produzir som triste ou monótono **5.** Cantar (a rola, a pomba, o rouxinol). **6.** Vergar, arcar, dobrar. **7.** Ranger, estalar. *T. d.* **8.** Dizer, proferir, ou cantar, etc., gemendo: "Uma noite, como sempre ele g e m i a o seu contínuo lamento." (Maria Archer, *Fauno Sovina,* p. 100); "— Ai, g e m e u Sofia: não me machuques." (Machado de Assis. *Quincas Borba,* p. 140); "Era uma voz de homem, quente e lânguida, g e m e n d o uma canção triste." (Érico Veríssimo, *México,* p. 33). **9.** Lançar de si, soltar, à maneira de gemido: "O vento g e m e / pavorosas canções nas árvores" (Augusto de Lima, *Poesias,* p. 53). **10.** Prantear, lastimar: *G e m i a a perda de um ser querido.* **11.** Deplorar, lamentar. **12.** Sofrer, padecer.

gemicar. *V. int.* Gemer baixo, mas continuamente; gemelhicar. [Conjug.: v. *trancar.*]

gemido. [Do lat. *gemitu,* com deslocação do acento por infl. do part.] *S. m.* **1.** Ato de gemer (1). **2.** V. *lamentação* (3). **3.** Som lastimoso ou plangente. ● *Adj.* **4.** Em que há gemidos; próprio de quem geme: "Vida g e m i d a, vida comprida" (prov.).

gemífero. [Do lat. *gemmiferu.*] *Adj.* Que produz ou tem gemas.

geminação. [Do lat. *geminatione.*] *S. f.* **1.** Disposição aos pares. **2.** *Gram.* Duplicação de consoantes. **3.** *Min.* Grupamento de dois ou mais cristais segundo uma lei determinada, em que os indivíduos não cresceram paralelamente [v., nesta acepç., *macla*].

geminado. [Part. de *geminar.*] *Adj.* **1.** Duplicado. **2.** *Morfol. Veg.* Que nasce ou se insere aos pares: *flores g e m i n a d a s.* [Sin. ger.: *gêmino.*] ~ V. *casas —as.*

geminar. [Do lat. *geminare.*] *V. t. d.* **1.** *Gram.* Duplicar (letras consoantes). **2.** Duplicar, ligando. [Pres. ind.: *gemino,* etc. Cf. *gêmino.*]

geminiano. [Do lat. *geminos,* 'gêmeos', + *-i-* + *-ano.*] *S. m.* **1.** Indivíduo nascido sob o signo de Gêmeos. ● *Adj.* **2.** Diz-se de, ou pertencente ou relativo a geminiano (1).

gêmino. [Do lat. *geminu.*] *Adj.* Geminado [q. v.]. [Cf. *gemino, do v. geminar.*]

gemiparidade. [Do *gemíparo* + *-i-* + *-dade.*] *S. f. Biol. Ger.* Processo de reprodução por meio de gemas, comum nos vegetais inferiores.

gemíparo. [Do lat. *gemma,* 'broto', 'gema', + *-paro.*] *Adj. Biol. Ger.* Que se reproduz por meio de gema.

gemologia. [De *gema* (4) + *-o-* + *-log(o)-* + *-ia.*] *S. f.* Parte da geologia que trata das pedras preciosas.

gemológico. *Adj.* Relativo à gemologia.

gemólogo. [De *gema* (4) + *-o-* + *-logo.*] *S. m.* Especialista em gemologia.

gemônias. [Do lat. *gemonias,* i. e., *scalas gemonias.*] *S. f. pl.* **1.** Escadas do monte Aventino que davam para o Tibre, e pelas quais, na Roma antiga, eram arrastados e atirados ao rio os corpos dos supliciados. **2.** *Fig.* Opróbrio público: *O pobre governador foi arrastado às g e m ô n i a s.*

gempílida. *S. m.* e *adj.* 2 *g.* V. *gempilídeo.*

gempílidas. *S. m. pl. Zool.* V. *gempilídeos.*

gempilídeo. *S. m.* **1.** Espécime dos gempilídeos. ● *Adj.* **2.** Pertencente ou relativo a eles.

gempilídeos. *S. m. pl. Zool.* Família de peixes teleósteos, percomorfos, de grande valor comercial e na culinária.

gêmula. [Do lat. *gemmula.*] *S. f.* **1.** Pequena gema (2). **2.** Pequeno gemo que se forma nas esponjas de água doce destinado à multiplicação vegetativa. **3.** Corpo reprodutor das algas.

gemulação. *S. f.* Formação de gêmulas.

genal. [De *gen(o)-*[1] + *-al.*] *Adj.* 2 *g.* Referente à bochecha.

genciana. [Do lat. *gentiana.*] *S. f.* Designação comum a diversas plantas medicinais da família das gencianáceas.

genciana-brasileira. *S. f. Bras., BA* a *PR,* e *MT.* Planta grande, da família das gencianáceas *(Lisianthus pendulus),* dotada de propriedades medicinais, e cujas flores são róseas ou violáceas, campanuladas, dispostas em cimeiras, sendo o fruto uma cápsula; genciana-do-brasil, raiz-amarga. [Pl.: *gencianas-brasileiras.*]

gencianácea. *S. f.* Espécime das gencianáceas.

gencianáceas. *S. f. pl. Bot.* Família de plantas superiores, da ordem das contortas, composta de ervas cujas folhas são opostas. Ovário unilocular e pluriovulado; fruto quase sempre capsular. Montam a cerca de 800 espécies, que habitam maciçamente as zonas temperadas do hemisfério boreal; no Brasil ocorrem umas poucas, sem maior expressão.

gencianáceo. *Adj.* Pertencente ou relativo às gencianáceas.

genciana-do-brasil. *S. f. Bras., BA* a *PR,* e *MT.* V. *genciana-brasileira.* [Pl.: *gencianas-do-brasil.*]

genciana-dos-jardins. *S. f. Bras.* Planta ornamental, da família das gencianáceas *(Gentiana acaulis),* dotada de belas flores azuis, grandes, campanuladas e solitárias, e que é própria para jardins e indicada para guarnecer cachoeiras e rochedos artificiais. [Pl.: *gencianas-dos-jardins.*]

gendarmaria. *S. f.* Corpo de gendarmes.

gendarme. [Do fr. *gendarme.*] *S. m. Gal.* Soldado da força incumbida de velar pela segurança e ordem pública, na França.

gene. [De *gen,* raiz do gr. *gígnomai,* 'gerar'.] *S. m. Genét.* **1.** Unidade hereditária ou genética, situada no cromossomo, e que determina as características de um indivíduo. **2.** Unidade funcional do ácido desoxirribonucléico envolvida na síntese de uma cadeia polipeptídica; cístron. ♦ **Gene dominante.** *Genét.* Caráter genético manifesto, em oposição ao recessivo, que permanece latente. **Gene estrutural.** *Genét.* Aquele que contém a informação que determina a seqüência de aminoácidos de uma cadeia polipeptídica. **Gene operador.** *Genét.* Gene responsável pelo controle do funcionamento de um ou mais genes estruturais a ele associados. **Gene recessivo.** *Genét.* Caráter hereditário que só se manifesta na ausência do caráter contrário dito *dominante.* **Gene regulador.** *Genét.* Aquele que controla a taxa de produção do produto de outros genes.

genealogia. [Do gr. *genealogía,* pelo lat. *genealogia.*] *S. f.* **1.** Série de antepassados. **2.** Estudo da origem das famílias. **3.** Estirpe, linhagem. **4.** Procedência, origem. **5.** *Biol. Ger.* Conjunto de descendentes dum indivíduo. **6.** *Biol. Ger.* Estudo da origem e formação do indivíduo ou da espécie.

genealógico. [Do gr. *genealogikós.*] *Adj.* Respeitante à genealogia. ~ V. *árvore —a.*

genealogista. *S.* 2 *g.* Pessoa que se dedica a estudos genealógicos ou é especializada em genealogia; linhagista.

genearca. [Do gr. *geneárches.*] *S. m.* O progenitor, o fundador, de uma família, de uma linhagem ou de uma espécie.

genebra. [Do fr. ant. *genebre,* atual *genièvre.*] *S. f.* **1.** Aguardente, em geral de cereais, com bagas de zimbro nela destiladas ou maceradas. **2.** Gim[2].

genebrada. *S. f.* Bebida feita com água, açúcar, genebra e suco de casca de limão.

genebrês. *Adj.* **1.** De, ou pertencente ou relativo a Genebra (Suíça). ● *S. m.* **2.** O natural ou habitante de Genebra. [Sin. ger.: *genebrino.* Flex.: *genebresa* (ê), *genebreses* (ê), *genebresas* (ê).]

genebrino. *Adj.* e *s. m.* Genebrês.

genecologia. [De *gene* + *ecologia.*] *S. f. Biol.* **1.** Estudo da interação entre genótipos e meio. **2.** Ecologia das espécies. [Cf. *ginecologia.*]

genecológico. *Adj.* Relativo à genecologia. [Cf. *ginecológico.*]

▲-gêneo. [Do lat. *-geneu-.*] Equiv. de *gen(o)-*[3].

general. [Do fr. *général.*] *S. m.* **1.** V. *hierarquia militar.* **2.** Oficial que detém o posto de general. **3.** *Bras.* Denominação comum a *general-de-exército, general-de-divisão* e *general-de-brigada.* **4.** *Fig.* Caudilho, chefe. ●*Adj.* 2 *g.* **5.** *Desus.* Geral (2). [Como adj. ainda é us. no composto *quartel-general.*]

generala. *S. f.* **1.** Certo toque de tambor ou de trombeta com que se chamam tropas às armas ou a postos. **2.** *Fam.* Mulher de general.

generalado.[De *general* + *-ado*[2].] *S. m.* Generalato.

generalato. [De *general* + *-ato*[1].] *S. m.* **1.** Posto de general: "Ia-se por água abaixo o seu g e n e r a l a t o. Viver tantos anos a sonhar com aquelas estrelas e elas se escapavam assim ....!" (Lima Barreto, *Triste Fim de Policarpo Quaresma,* p. 92.) **2.** Dignidade do geral duma ordem religiosa: "Entrando no mosteiro, ... fazendo-se mestre em teologia, ... podia aspirar-se a uma grossa prebenda ...., esperar as honras singulares do g e n e r a l a t o de uma ordem" (Latino Coelho, *Cervantes,* p. 53). [F. parl.: *generalado.*]

general-de-brigada. *S. m.* **1.** V. *hierarquia militar.* **2.** Oficial que detém o posto de general-de-brigada. [V. *general* (3). Pl.: *generais-de-brigada.*]

general-de-divisão. *S. m.* **1.** V. *hierarquia militar.* **2.** Oficial que detém o posto de general-de-divisão. ~ [V. *general* (3). Pl.: *generais-de-divisão.*]

general-de-exército. *S. m.* **1.** V. *hierarquia militar.* **2.** Oficial que detém o posto de general-de-exército. ~ [V. *general* (3). Pl.: *generais-de-exército.*]

generalício. *Adj. Bras.* Referente a general (1).

generalidade. [Do lat. *generalitate.*] *S. f.* **1.** Qualidade do que é geral (1 a 3). **2.** O maior número. ~ V. *generalidades.*

generalidades. [Pl. de *generalidade.*] *S. f. pl.* Princípios elementares; rudimentos. ~ V. *generalidade.*

generalíssimo[1]. [Superl. abs. sint. de *general.*] *S. m.* **1.** O chefe supremo de um exército. **2.** Título do soberano de uma nação com relação ao exército.

generalíssimo[2]. [Do lat. *generale,* 'geral', + *-íssimo.*] *Adj.* Superl. abs. sint. de *geral.*

generalista. [Do ingl. *generalist.*] *S.* 2 *g.* **1.** Pessoa que tem conhecimentos gerais, e não especializados em determinada matéria. **2.** Médico que exerce a medicina em geral, só encaminhando o paciente a especialista quando o caso ultrapassa as suas possibilidades técnicas; geralista, internista, policlínico.

generalização. *S. f.* **1.** Ato ou efeito de generalizar(-se). **2.** Extensão de um princípio ou de um conceito a todos os casos a que se pode aplicar. **3.** *Filos.* Processo pelo qual se reconhecem caracteres comuns a vários objetos singulares, daí resultando que a formação de um novo conceito ou idéia, quer o aumento da extensão de um conceito já determinado que passa a cobrir uma nova classe de exemplos. [Cf., nesta acepç. *abstração* (2), *analogia* (3 a 5), *determinação* (7) e *indução* (2).]

generalizado. [Part. de *generalizar.*] *Adj.* Em que houve generalização. ~ V. *coordenadas —as, epilepsia —a, momento* — e *momentum* —.

generalizador (ô). *Adj.* Que generaliza; generalizante.

generalizante. *Adj.* 2 *g.* Generalizador.

generalizar. [Do lat. *generale,* 'geral', + *-izar.*] *V. t. d.* **1.** Tornar geral; desenvolver, difundir, estender: *Tinha o hábito de g e n e r a l i z a r suas observações particulares.* **2.** Tornar comum; propagar, vulgarizar: *O governo procurava g e n e r a l i z a r novos costumes. Int.* **3.** Fazer generalizações. *P.* **4.** Tornar-se comum a muitos indivíduos; propagar-se. **5.** Estender-se, desenvolver-se.

generalizável. *Adj.* 2 *g.* Que pode generalizar-se.

generante. [Do lat. *generante.*] *Adj.* 2 *g.* Gerador (1).

generativo. [Do lat. *generatu,* 'gerado', + *-ivo.*] *Adj.* **1.** Que pode gerar; gerativo. **2.** Relativo à geração.

generatriz. [Do lat. *generatrice.*] *Adj. (f)* e *s. f.* Geratriz (1 e 2).

genérico. *Adj.* **1.** Respeitante a gênero. **2.** Geral (1):"Foi para o sensual amante da Maintenon [Luís XIV] .... que se inventaram as bebidas preparadas com açúcar e perfumes, que nós designamos em portuguêses pelo nome g e n é r i c o de licores." (Ramalho Ortigão, *Em Paris,* p. 119.) **3.** Que tem o caráter de generalidade. **4.** *Lóg.* Diz-se do que pertence ao gênero. [Opõe-se a *específico* (4).]

gênero. [Do lat. *genus, eris.*] *S. m.* **1.** *Lóg.* Classe cuja extensão se divide em outras classes, as quais, em relação à primeira, são chamadas *espécies.* **2.** *P. ext.* Conjunto de espécies que apresentam certo número de caracteres comuns convencionalmente estabelecidos. **3.** *P. ext.* Qualquer agrupamento de indivíduos, objetos, fatos, idéias, que tenham caracteres comuns; espécie, classe, casta, variedade, ordem, qualidade, tipo: *Freqüentava todo g ê n e r o de gente; Que g ê n e r o de conversa é esta?; Nesta rua há todo g ê n e r o de casas.* **4.** Maneira, modo, estilo: *Não concordo com esse g ê n e r o de vida.* **5.** Nas obras de um artista, de uma escola, cada uma das categorias que, por tradição, se definem e classificam segundo o estilo, a natureza ou a técnica: *os g ê n e r o s literários, musicais, pictóricos.* **6.** Classe ou natureza do assunto abordado por um artista: *g ê n e r o dramático; g ê n e r o romântico.* **7.** *Biol. Ger.* Unidade taxionômica usada nos sistemas de classificação, e constituída por uma ou mais espécies afins. Constitui, geralmente, uma categoria natural, fácil de reconhecer, sendo a denominação genérica sempre um substantivo, latino ou alatinado. Os gêneros congregam-se em *famílias.* **8.** *Gram.* Categoria (6) que indica, por meio de desinências, uma divisão dos nomes baseada em critérios tais como sexo e associações psicológicas. [Há os gêneros masculino, feminino e neutro.] **9.** *Geom. Anal.* Diferença entre o número máximo de pontos duplos que uma curva unicursal pode ter e o número dos que ela realmente possui; deficiência. **10.** *Geom. Anal.* Metade do número de cortes que devem ser feitos em uma superfície para que ela se torne simplesmente conexa. ~ V. *gêneros.* ♦ **Gênero de vida.** Conjunto de atividades habituais, provenientes da tradição, mercê das quais o homem assegura a sua existência, adaptando a natureza em seu proveito. **Gênero humano.** A espécie humana; a humanidade. **Comum de dois gêneros.** *Gram.* V. *comum-de-dois.* **Fazer gênero.** *Bras. Gír.* Fingir ser o que não é. **Não fazer o gênero de.** *Bras.* Não estar conforme a opinião ou gosto de (alguém); não agradar a.

gêneros. [Pl. de *gênero.*] *S. m. pl.* Produtos agrícolas; víveres, mercadorias. ~ V. *gênero.* ♦ **Gêneros de estiva.** *Bras., PE.* Aqueles que constituem o comércio de secos e molhados em grosso.

generosidade. [Do lat. *generositate.*] *S. f.* **1.** Qualidade de generoso[2]. **2.** Ação ou atitude generosa.

generoso[1] (ô). [Talvez do antr. *Generoso.*] *S. m. Bras., S.* Ente fantástico que, segundo a crendice popular, entrava nas casas sem ser visto, fazia barulho nos quartos, tocava, etc.

generoso[2] (ô). [Do lat. *generosu.*] *Adj.* **1.** Que gosta de dar; pródigo. **2.** Que perdoa com facilidade. **3.** Nobre, leal, valente. **4.** Que revela generosidade, nobreza, liberalidade; próprio de quem é generoso: *procedimento generoso; atitude generosa.* **5.** Diz-se da terra fértil. **6.** Diz-se do cavalo brioso. ~ V. *vinho* —.

▲**genes(e)-.** [Do gr. *génesis, eos.*] *El. comp.* = 'geração', 'criação', 'gênese': *genesíaco* (< gr. *genesiakós*). [Equiv.: *-gênese: ontogênese.*]

gênese. [Do gr. *génesis*, pelo lat. *genese.*] *S. f.* **1.** Formação dos seres, desde uma origem; geração. **2.** *P. ext.* Formação, constituição: "Não insistirei em como na gênese de toda a arte se pode descobrir a mesma vontade de fuga ou de transposição, que vemos existir em Mário de Sá-Carneiro." (João Gaspar Simões, *O Mistério da Poesia*, p. 149.) ● *S. m.* **3.** O primeiro livro do Pentateuco, de Moisés, no qual se descrevem a criação e os tempos primitivos do mundo.

▲**-gênese.** Equiv. de *genes(e)-.*

genesíaco. [Do gr. *genesiakós.*] *Adj.* V. *genético* (1).

genésico. *Adj.* V. genético (1): "Em Castela com certeza fez ele [D. Antônio, prior do Crato] algumas das suas proezas genésicas. O filho D. Cristóvão que nasceu em Tânger é provavelmente de uma mulher que ele levou consigo já grávida de Espanha." (Camilo Castelo Branco, *D. Luís de Portugal*, p. 167).

genética. [F. substantivada do adj. *genético.*] *S. f. Biol. Ger.* Ramo da biologia que estuda as leis da transmissão dos caracteres hereditários nos indivíduos, e as propriedades das partículas que asseguram essa transmissão.

geneticista. *S. 2 g.* Especialista em genética.

genético. [Do gr. *genetikós*, 'capaz de procriar'; 'que engendra', 'que produz'.] *Adj.* **1.** Relativo ou pertencente à gênese, à geração; genesíaco, genésico. **2.** Relativo à genética. ~ V. *assimilação* —*a*, *código* —, *engenharia* —*a* e *informação* —*a.*

genetlíaco. [Do gr. *genethliakós*, pelo lat. *genethliacu.*] *Adj.* **1.** Natalício (2). **2.** Que celebra o nascimento de alguém: *poesia genetlíaca.* ● *S. m.* **3.** Aquele que prevê o futuro pela observação dos astros. **4.** O dia do nascimento: *Comemora-se hoje o seu genetlíaco.* [Cf., nesta acepç.: *aniversário* (5).]

genetliologia. [Do gr. *genethliología.*] *S. f.* **1.** Arte de prognosticar o futuro pela observação dos astros. **2.** Arte de explicar o horóscopo.

genetliológico. [Do gr. *genethliologikós.*] *Adj.* Respeitante à genetliologia.

genetliólogo. *S. m.* Aquele que pratica a genetliologia.

genetriz. [Do lat. *genetrice.*] *S. f.* Aquela que gera; a mãe.

gengibirra. *S. f. Bras.* V. *jinjibirra.*

gengibre. [Do ár. *zinjbī* < lat. *zingiberi.*] *S. m.* Erva da família das zingiberáceas (*Zingiber zingiber*), medicinal, dotada de flores verde-amareladas, hermafroditas, dispostas em espigas ovóides, no ápice dos pedúnculos, com brácteas florais esverdeadas, as margens amarelas, pontoadas de roxo, e cujo fruto é cápsula trilocular, com sementes azuladas, de albume carnoso.

gengibre-de-dourar. *S. m. Bras.* V. *açafrão-da-terra.* [Pl.: *gengibres-de-dourar.*]

gengibre-dourado. *S. m. Bras.* V. *açafrão-da-terra.* [Pl.: *gengibres-dourados.*]

gengiva. [Do lat. *gingiva.*] *S. f.* Tecido fibromuscular coberto de mucosa, onde se acham implantados os dentes.

gengival. *Adj. 2 g.* Relativo ou pertencente à gengiva.

gengivite. [De *gengiva* + *-ite*[1].] *S. f. Patol.* Inflamação das gengivas.

▲**-genia.** [Do gr. *-genéia.*] *El. comp.* = 'evolução', 'origem', 'raça': *homogenia* (< gr. *homogénéia*).

genial. [Do lat. *geniale.*] *Adj. 2 g.* **1.** Que tem ou revela gênio (3): *poeta genial; obra genial.* **2.** Relativo a, ou próprio de gênio. **3.** *Fig.* Prazenteiro, alegre, jovial. **4.** *Bras. Gír.* Ótimo, excelente, formidável, legal: *Você teve uma idéia genial. É, vamos à boate; Viu que pequena genial!*

genialidade. *S. f.* Qualidade de genial.

geniano. [Do rad. gr. de *geneion*, 'queixo', 'barba', + *-i-* + *-ano.*] *Adj. Anat.* Relativo ao queixo.

gênico. *Adj.* Relativo ou pertencente ao gene.

geniculação. [Do lat. *geniculatione.*] *S. f.* Curvatura em forma de joelho.

geniculado. [Do lat. *geniculu*, 'joelho', + *-ado*[1].] *Adj.* Dobrado em forma de joelho: *colmo geniculado.* ~ V. *corpo* —.

gênio. [Do lat. *geniu.*] *S. m.* **1.** Espírito benéfico ou maléfico, que, segundo os antigos, presidia ao destino de cada um, ao das cidades, de certos lugares, era responsável pelo desencadear de determinados fatos, etc. **2.** Espírito inspirador ou tutelar das artes, paixões, virtudes ou vícios. **3.** *Fig.* Altíssimo grau, ou o mais alto, de capacidade mental criadora, em qualquer sentido: *Dante é um poeta de gênio.* **5.** Indivíduo de extraordinária potência intelectual: *Einstein é um gênio; Beethoven é um gênio da música.* **6.** Índole, temperamento: *Impossível viver com ela: tem um gênio muito difícil.* **7.** Mau gênio; irascibilidade: *Tem um gênio aquela criança!* ♦ **Gênio das trevas.** V. *diabo* (2). **Gênio do Mal.** V. *diabo* (2).

genioso (ô). *Adj.* Que tem gênio mau; irascível, colérico. [Sin., bras.: *genista.*]

genista. *Adj. 2 g. Bras.* V. *genioso.*

genital. [Do lat. *genitale.*] *Adj. 2 g.* **1.** Relativo à geração. **2.** Que serve para a geração. ~ V. *membro* —.

genitália. [Do lat. *genitalia.*] *S. f.* **1.** O conjunto dos órgãos reprodutores, especialmente os órgãos sexuais externos. **2.** *Zool.* Conjunto do órgão copulador e anexo, nos artrópodes.

genitivo. [Do lat. *genitivu.*] *S. m.* **1.** *Gram.* Caso de declinação de certas línguas, que representa, por via de regra, complemento possessivo, limitativo, e algumas vezes circunstancial. ● *Adj.* **2.** Referente ao genitivo.

gênito. [Do lat. *genitu.*] *Adj.* Gerado.

▲**-gênito.** [Do lat. *genitus, a, um.*] *El. comp.* = 'gerado', 'nascido': *primogênito* (< lat. *primogenitu*), *secundogênito.*

genitor (ô). [Do lat. *genitore.*] *S. m.* Aquele que gera; o pai.

genitura. [Do lat. *genitura.*] *S. f.* Geração, raça, origem.

geniturinário. [De *genit(al)* + *urinário.*] *Adj. Anat.* Relativo ou pertencente aos órgãos genitais e urinários.

▲**gen(o)-[1].** [Do lat. *gena, ae.*] *El. comp.* = 'face', 'bochecha': *genoplastia.*

▲**gen(o)-[2].** [Do gr. *gennáo, ô.*] *El comp.* = 'que gera', 'que produz': *genótipo.* [Equiv.: *-geno: cancerígeno.*]

▲**gen(o)-[3].** [Do gr. *génos, eos-ous.*] *El. comp.* = 'origem', 'raça', 'povo', 'nação', 'evolução': *genocídio.* [Equiv.: *-gêneo: homogêneo* (< lat. *homogeneu*).]

▲**-geno.** Equiv. de *gen(o)-*[2].

genoblasto. [De *gen(o)-*[2] + *-blasto.*] *S. m. Citol.* Célula sexual madura.

genocídio. [De *gen(o)-*[3] + *-cídio.*] *S. m.* Crime contra a humanidade, que consiste em, com o intuito de destruir, total ou parcialmente, um grupo nacional, étnico, racial ou religioso, cometer contra ele qualquer dos atos seguintes: matar membros seus; causar-lhes grave lesão à integridade física ou mental; submeter o grupo a condições de vida capazes de o destruir fisicamente, no todo ou em parte; adotar medidas que visem a evitar nascimentos no seio do grupo; realizar a transferência forçada de crianças dum grupo para outro: "Quantas esperanças fundaram os alemães nos gases asfixiantes e na guerra bacteriológica! .... E os que mais protestavam contra esses nefandos genocídios herdaram a idéia e continuaram estudos de aperfeiçoamento dela" (Fidelino de Figueiredo, *O Medo da História*, pp. 153-154).

genoma. [De *gen(o)-*[2] + *(cromoss)oma.*] *S. m. Genét.* Constituição genética total de um indivíduo.

genonomia. [De *gen(o)-*[2] + *-nomo-* + *-ia.*] *S. f. Genét.* Estudo das relações entre famílias que compõem uma espécie.

genoplastia. [De *gen(o)-*[1] + *-plast-* + *-ia.*] *S. f. Cir.* Cirurgia plástica da face.

genoplástico. *Adj.* Referente à genoplastia.

genótipo. [De *gen(o)-*[2] + *-tipo.*] *S. m. Biol. Ger.* **1.** Composição gamética total do indivíduo ou zigoto. **2.** O conjunto dos genes de um indivíduo. **3.** Grupo de indivíduos de igual constituição genética. [Cf. *fenótipo.*]

genovês. *Adj.* **1.** De, ou pertencente ou relativo a Gênova (Itália). ● *S. m.* **2.** O natural ou habitante de Gênova. [Sin., p. us.: *genuense, genuês.* Flex.: *genovesa* (ê), *genoveses* (ê), *genovesas* (ê).]

genreador (ô). *Adj.* e *s. m. Bras. Gír.* Diz-se de, ou aquele que genreia, que vive à custa do(s) sogro(s).

genrear. [De *genro* + *-ear.*] *V. int. Bras. Gír.* Viver à custa do(s) sogro(s). [Conjug.: v. *frear.*]

genro. [Do lat. *generu.*] *S. m.* O marido da filha em relação aos pais dela. [Fem.: *nora.*]

gentaça. [De *gente* + *-aça.*] *S. f.* V. *ralé* (1).

gentalha. [Do it. *gentaglia.*] *S. f.* V. *ralé* (1): "Aqui [na Lapa] vens encontrar os pequenos cabarés da gentalha, os 'concertos' deliciosamente canalhas e perigosos." (Ribeiro Couto, *A Cidade do Vício e da Graça*, p. 81.)

gentama. *S. f. Bras., RS.* **1.** Grande porção de gente; multidão, gentarada: "Aquela gentama toda que estava pela encosta da serra tremia de medo" (M. Cavalcanti Proença, *Manuscrito Holandês*, p. 263). **2.** V. *ralé* (1).

gentarada. *S. f. Bras., S. Pop.* Gentama (1).

gente. [Do lat. *gente.*] *S. f.* **1.** Quantidade maior ou menor de pessoas indeterminadas; povo: *Havia pouca gente no cinema.* **2.** Determinado número de pessoas que têm em comum certas características, ou profissão, ou interesse; pessoal: *A gente do meu bairro gosta de flores; É gente honesta; A gente do teatro foi em peso à festa.* **3.** Número indeterminado de pessoas, ou mesmo uma só pessoa; alguém: *Havia gente batendo à porta.* **4.** O gênero humano; a humanidade. **5.** O ser humano; homem, pessoa: *Não parece gente; Não quer ver gente.* **6.** Habitantes de determinada localidade, região ou país; população, povo: *gente do campo; a gente do Brasil.* **7.** Partidários ou sequazes de uma idéia, de uma facção ou causa política; companheiro, camarada: *Serei eleito com os votos da minha gente.* **8.** Família ou empregados: *Minha gente é de Minas; Minha gente é de toda a confiança.* **9.** *Mil.* Força armada. ♦ **Gente bem.** Pessoa(s) da alta-roda, com boa situação na vida: "para Cornélio Pena, o passado brasileiro, de fazendeiros e de gente bem, ... nada tinha de parecido com o passado dos bisbilhoteiros da história" (Augusto Frederico Schmidt, *As Florestas*, p. 226). **Gente de baixo.** *Bras., MT.* Designação dada em Cuiabá, outrora, aos portugueses. **Gente de nação.** Descendentes dos judeus. **Gente grande.** Pessoas adultas: *Nossa festa é de crianças: gente grande não entra.* **A gente.** A(s) pessoa(s) que fala(m); eu, nós: "De Jesus Cristo resta unicamente / Um esqueleto; e a gente, vendo-o, a gente / Sente vontade de abraçar-lhe os ossos!" (Augusto dos Anjos, *Eu*, p. 110); "E quando a gente volta à casa, um dia, / Vê trancada a janela que sorria / E lê na porta: 'Aluga-se esta casa'." (Afonso Schmidt, *Mocidade*, p. 16). **Como gente.** *P. us.* Como gente grande [q. v.]: "Sentou-se ao cravo; reproduziu as notas e chegou ao lá... / — *Lá, lá, lá...* / Nada, não passava adiante. E contudo, ele sabia música como gente." (Machado de Assis, *Histórias sem Data*, pp. 43-44.) **Como gente grande.** *Bras.* Muito; largamente: *Come como gente grande; Fala francês como gente grande.* [Sin., p. us.: *como gente.*] **Entender-se de gente.** Começar, a criança, a ter percepção, noção das coisas, do mundo, da vida; entender-se por gente: "A velha Janoca, a minha avó, desde que me entendi de gente não tinha olhos para tomar conta das coisas." (José Lins do Rego, *Meus Verdes Anos*, p. 15.) **Entender-se por gente.** Entender-se de gente. **Fazer-se gente.** Ser gente (1): *Fez-se gente à custa do próprio esforço.* **Ser gente. 1.** Ter importância ou valimento; ser alguém; fazer-se gente: *Se ele é gente, deve-o a si mesmo.* **2.** Ser pessoa sensível, humana, compreensiva, generosa: *Conta com a minha irmã: ela é gente.* **Toda a gente.** V. *todos.*

gente-de-fora-já-chegou. *S. m. 2 n. Bras.* V. *gente-de-fora-vem-aí.*

gente-de-fora-vem. *S. m. 2 n. Bras.* V. *gente-de-fora-vem-aí.*

gente-de-fora-vem-aí. *S. m. 2. n. Bras.* Ave passeriforme, da família dos ciclarídeos (*Cyclarhis gujanensis* (Gmel.)), da Amaz., de coloração verde, cabeça cinzento-escura, fronte e sobrancelha vermelhas, parte inferior cinzenta, mais clara no meio do abdome, e a garganta, os lados do peito e os flancos verde-amarelados. [Sin.: *adivinhe-quem-vem-hoje, gente-de-fora-já-chegou, gente-de-fora-vem, pitiguari.*]

gentiense. *Adj. 2 g.* **1.** De, ou pertencente ou relativo a Gentio do Ouro (BA). ● *S. 2 g.* **2.** Natural ou habitante de Gentio do Ouro.

gentil. [Do lat. *gentile.*] *Adj. 2 g.* **1.** Nobre, generoso, cavalheiresco: *um gesto gentil.* **2.** *Fig.* Esbelto, garboso, elegante: "Adeus, corpo gentil, pátria do meu desejo!" (Olavo Bilac, *Poesias*, p. 182.) **3.** Delicado, gracioso, mimoso: "Meigas flores gentis, quem vos não ama?" (Gonçalves Dias, *Obras Poéticas*, II, p. 105. **4.** *Fig.* Agradável, aprazível. **5.** *Fig.* Delicado, amável, cortês: "As senhoras, querendo ser gentis com ele, posto que tivessem escrúpulos de receber dois homens em casa, ofereceram um dos quartos do fundo" (Coelho Neto, *Treva*, p. 174). [Superl. abs. sint.: *gentilíssimo* e *gentílimo*.]

gentil-dona. *S. f. Desus.* Mulher fidalga, nobre. [Pl.: *gentis-donas*. Cf. *gentil-homem*.]

gentileza (ê). *S. f.* **1.** Qualidade ou caráter de gentil. **2.** Ação nobre, distinta ou amável. **3.** Donaire, garbo, elegância. **4.** Amabilidade, delicadeza: *Foi um gesto de extrema gentileza; Estas palavras são pura gentileza.*

gentil-homem. [Do fr. *gentil-homme*.] *S. m.* Homem nobre, distinto, fidalgo, cavalheiresco: "O *Turf* era uma associação de gentis-homens mais ou menos autênticos, e de elegantes filhos-famílias mais ou menos ricos." (Fialho d'Almeida, *Pasquinadas*, p. 337). [Pl.: *gentis-homens*.] ♦ **Gentil-homem da Câmara. 1.** Um dos cargos da corte imperial do Brasil. **2.** Ocupante desse cargo.

gentilício. [Do lat. *gentiliciu*.] *Adj.* Gentílico (1).

gentílico. *Adj.* **1.** Dos, ou próprio dos gentios; gentilício. **2.** *Gram.* Diz-se de nome que designa a nação à qual se pertence. ~ V. *adjetivo* —. ● *S. m. Gram.* **3.** Esse nome.

gentilidade. [Do lat. *gentilitate*.] *S. f.* **1.** A religião dos gentios; paganismo, gentilismo, etnicismo. **2.** Os gentios; gentilismo.

gentílimo. *Adj.* Superl. abs. sint. de *gentil*; gentilíssimo.

gentilismo. *S. m.* V. *gentilidade*: "a música no alto parecia tocar em honra daquele batizado, festejando a salvação de uma alma resgatada ao gentilismo." (Xavier Marques, *Jana e Joel*, p. 49).

gentilíssimo. [Do lat. *gentilissimu*.] *Adj.* Superl. abs. sint. de *gentil*; gentílimo.

gentilizar. [Do lat. *gentile*, 'gentio', + *-izar*.] *V. t. d.* **1.** Tornar gentio. **2.** Dar caráter ou feição de gentio a. *Int.* **3.** Praticar o culto pagão.

gentilmente. [De *gentil* + *-mente*.] *Adv.* De modo gentil; com gentileza.

gentinha. [Dim. de *gente*.] *S. f.* **1.** V. *ralé* (1). **2.** Pessoas mexeriqueiras.

gentio. [Do lat. tardio *gentile*.] *S. m.* **1.** Aquele que professa o paganismo; idólatra. **2.** *P. ext.* Índio[1] (2). **3.** *Pop.* Grande porção de gente; multidão. ● *Adj.* **4.** Que segue o paganismo; idólatra.

➧**gentleman** (djêntlmen). [Ingl.] *S. m.* Homem de boas maneiras, boa educação. [Pl.: *gentlemen*.]

gentuça. [De *gente* + *-uça*.] *S. f. Pop.* V. *ralé* (1).

▲**genu-.** [Do lat. *genu*.] *El. comp.* = 'joelho': *genuflexão* (lat. *genuflexione*).

genuense. [Do lat. *genuense*.] *Adj. 2 g.* e *s. 2 g. P. us.* V. *genovês*.

genuês. [Do lat. *genuense*.] *adj.* e *s. m. P. us.* V. *genovês*. [Flex.: *genuesa* (ê), *genueses* (ê), *genuesas* (ê).]

genuflectir. [Do lat. *genuflectere*.] *V. int.* **1.** Dobrar o joelho; ajoelhar(-se). *T. d.* **2.** Dobrar (a perna) pelo joelho; curvar. [Var.: *genufletir*. Conjug.: v. *aderir*, mas em geral somente nas f. em que ao *t* se segue e ou *i*.]

genuflector (ô). *Adj.* Que genuflecte; que faz genuflexão. [Var.: *genufletor*.]

genufletir. *V. int.* e *t. d.* Var. de *genuflectir*: "Dobravam-se os joelhos, não como pedinchões. Genufletiam moídos de fadiga." (José Américo de Almeida, *A Bagaceira*, p. 6.)

genufletor (ô). *Adj.* Var. de *genuflector*.

genuflexão (cs). [Do lat. medieval *genuflexione*.] *S. f.* Ato de genuflectir: "persignou-se em latim, fez genuflexão ao Sacramento" (Ramalho Ortigão, *As Farpas*, V, p. 49).

genuflexo (cs). [Do lat. medieval *genuflexu*.] *Adj.* Ajoelhado (1).

genuflexório (cs). [Do lat. medieval *genuflexoriu*.] *S. m.* Estrado para ajoelhar e orar, com apoio para os braços: "Passados dez minutos, D. João ergueu-se do genuflexório, persignou-se, e correu a vista pela multidão." (Rebelo da Silva, *De noite Todos os Gatos São Pardos*, p. 78.)

genuinidade (u-i). *S. f.* Qualidade de genuíno.

genuíno. [Do lat. *genuinu*.] *Adj.* **1.** Sem mistura nem alteração; puro: *produto genuíno; vinho genuíno.* **2.** Próprio, natural, autêntico; legítimo: "É [a tourada] o único divertimento nacional, genuíno, característico, que tem acompanhado durante séculos a História" (Conde de Sabugosa, *Embrechados*, p. 13).

➧**genus irritabile** (gênuç irritábile). [Lat.] Raça irritadiça. [Expr. de Horácio com referência aos poetas (*genus irritabile vatum*), aplicada, p. ext., aos literatos em geral.]

genuvalgo. [Do lat. *genu*, 'joelho', + *valgu*, 'voltado para fora'.] *Adj.* e *s. m. Ter.* Diz-se de, ou deformidade em que há excessiva aproximação dos joelhos e grande afastamento dos tornozelos. [O adj. lat. *valgu*, aplicado originalmente à deformidade caracterizada pelas pernas em arco, teve o significado invertido na formação deste termo, consagrado pelo uso. Cf. *genuvaro*.]

genuvaro. [Do lat. *genu*, 'joelho', + *varu*, 'voltado para dentro'.] *Adj.* e *s. m.* Diz-se de, ou deformidade em que há grande afastamento dos joelhos e encurvamento, para dentro, das extremidades inferiores. [O adj. lat. *varu*, aplicado originariamente à deformidade caracterizada pelo encurvamento, para dentro, dos joelhos, teve o significado invertido na formação deste termo, consagrado pelo uso. Cf. *genuvalgo*.]

▲**ge(o)-.** [Do gr. *gê*, *ês*.] *El. comp.* = 'Terra': *geocentrismo*, *geóide*.

geobiologia. [De *ge(o)-* + *biologia*.] *S. f. Biol. Ger.* Estudo da evolução da vida em função da evolução da Terra.

geobiológico. *Adj.* Relativo à geobiologia.

geobotânica. [De *ge(o)-* + *botânica*.] *S. f.* Ciência que se ocupa das relações entre a vida vegetal e o meio terrestre.

geobotânico. *Adj.* **1.** Respeitante à geobotânica. ● *S. m.* **2.** Especialista nessa matéria.

geocarpia. [De *ge(o)-* + *-carpia*.] *S. f. Bot.* Maturação de frutos no interior do solo, como sói acontecer com o amendoim.

geocárpico. *Adj.* Relativo à geocarpia.

geocêntrico. [De *ge(o)-* + *-centr(o)-* + *-ico*[2].] *Adj. Astr.* **1.** Relativo ao centro da Terra. **2.** Que tem a Terra como centro. [Cf. *heliocêntrico*.] ~ V. *ascensão reta* —*a*, *coordenadas* —*as*, *declinação* —*a*, *elongação* —*a*, *latitude* —*a*, *latitude eclíptica* —*a*, *longitude* —*a*, *longitude eclíptica* —*a*, *oposição* —*a*, *posição* —*a* e *sistema* —.

geociências. [De *ge(o)-* + *ciência*.] *S. f. pl.* As ciências relacionadas com o estudo da Terra, como, p. ex., a geografia, a geologia, a geofísica.

geóclase. [De *ge(o)-* + *-clase*.] *S. f. Geol.* Grande fratura ou falha que afeta a crosta terrestre em toda a sua espessura.

geocorisido. *Adj.* e *s. m.* Gimnocerado.

geocorisidos. *S. m. pl. Zool.* Gimnocerados.

geocorônio. [De *ge(o)-* + *corônio*.] *S. m.* Gás que parece caracterizar a ionosfera, e cuja presença é atestada pela análise espectral das auroras polares.

geocronologia. [De *ge(o)-* + *cronologia*.] *S. f.* Capítulo interdisciplinar da química e da geologia que visa a determinar a idade de rochas mediante análise de natureza química, como, p. ex., a medição da razão urânio-chumbo na rocha, ou da razão rubídio-estrôncio.

geocronológico. *Adj.* Relativo à geocronologia.

geodesia. [Do gr. *geodaisía*.] *S. f.* **1.** Ciência que se ocupa da forma e das dimensões da Terra, ou duma parte da sua superfície. **2.** Arte de medir e dividir as terras. [Var. pros.: *geodésia*.]

geodésia. *S. f.* V. *geodesia*.

geodésica. [Fem. substantivado de *geodésico*.] *S. f. Geom. Anal.* Sobre uma superfície, curva cuja normal principal coincide, em cada ponto, com a normal a esta superfície. Numa esfera, p. ex., as geodésicas são as circunferências de grandes círculos. [Sin. *curva geodésica* e *linha geodésica*.]

geodésico. *Adj.* Relativo à geodesia; geodético [q. v.]. ~ V. *curva* —*a*, *curvatura* —*a*, *distância* —*a*, *divisão* —*a*, *linha* —*a*, *paralelo* —, *polígono* —, *posição* —*a*, *raio* — e *triângulo* —.

geodético. [De *ge(o)-* + rad, gr. *dait.* < *daíomai*, 'dividir', + *-ico*[2].] *Adj.* Geodésico.

geodinâmica. [De *ge(o)-* + *dinâmica*.] *S. f.* V. *tectônica* (2).

geodinâmico. *Adj.* Respeitante à geodinâmica.

geodo. [Do gr. *geódes*, 'terroso, terrestre'.] *S. m. Geol.* A parte oca das rochas cuja parede interna esteja revestida de cristais ou de matéria mineral.

geofagia. [De *ge(o)-* + *-fag(o)-* + *-ia*.] *S. f.* Hábito de comer terra.

geofágico. *Adj.* Relativo à geofagia.

geófago. [Do gr. *geophágos*.] *Adj.* **1.** Que come terra. ● *S. m.* **2.** Aquele que come terra; come-longe, papista.

geofilomorfo. *S. m.* **1.** Espécime dos geofilomorfos ● *Adj.* **2.** Pertencente ou relativo a eles.

geofilomorfos. *S. m. pl. Zool.* Astrópodes miriápodes, quilópodes, da ordem *Geophilomorpha*, que têm de 31 a 181 pares de pernas.

geofísica. [De *ge(o)-* + *física*.] *S. f.* Ciência que investiga os fenômenos físicos que afetam a Terra; física terrestre.

geofísico. *Adj.* **1.** Relativo à geofísica. ~ V. *guiamento de influência* —*a* e *satélite* —. ● *S. m.* **2.** Especialista em geofísica.

geófito. [De *ge(o)-* + *-fito*.] *S. m. Bot.* **1.** Planta terrestre, em geral. **2.** *Ecol. Veg.* Vegetal cujas gemas se acham no interior da terra, onde está o principal órgão caulinar (*rizoma*, p. ext.) encarregado de formá-las.

geogenia. [De *ge(o)-* + *-gen(o)-*[2] + *-ia*.] *S. f.* Ramo da geologia que estuda a origem e formação da Terra.

geogênico. *Adj.* Relativo à geogenia.

geognosia. [De *ge(o)-* + *-gnos(i)(s)-* + *-ia*.] *S. f.* Ramo da geologia que tem por objeto o estudo da parte sólida da Terra.

geognóstico. *Adj.* Relativo à geognosia.

geografar. [De *geograf(ia)* + *-ar*[2].] *V. t. d.* Descrever geograficamente. [Pres. ind.: *geografo*, etc. Cf. *geógrafo*.]

geografia. [Do gr. *geographía*, pelo lat. *geographia*.] *S. f.* **1.** Ciência que tem por objeto a descrição da superfície da Terra, o estudo dos seus acidentes físicos, climas, solos e vegetações, e das relações entre o meio natural e os grupos. **2.** Tratado ou compêndio relativo a tal ciência. **3.** Exemplar de um desses tratados ou compêndios. ♦ **Geografia astronômica.** *Astr.* V. *astronomia elementar.* **Geografia econômica.** Ramo da geografia que estuda os recursos do solo e do subsolo, e a distribuição, produção e consumo deles. **Geografia física.** Ramo da geografia que estuda a superfície da Terra em seu aspecto atual; fisiografia. **Geografia humana.** Ramo da geografia que trata de todos os feitos terrestres resultantes da atividade do homem; antropogeografia. **Geografia matemática.** *Astr.* V. *astronomia elementar.* **Geografia política.** Ramo da geografia que trata do Estado em suas íntimas relações com o meio; geopolítica.

geográfico. [Do gr. *geographikós*, pelo lat. *geographicu*.] *Adj.* Relativo ou pertencente à geografia. ~ V. *carta* —, *coordenada* —*a*, *latitude* —*a* e *meio* —.

geógrafo. [Do gr. *geográphos*, pelo lat. *geographu*.] *S. m.* Especialista em geografia. [Cf. *geografo*, do v. *geografar*.]

geóide. [De *ge(o)-* + *-óide*.] *S. m. Geofís.* Sólido geométrico que tem forma semelhante à da Terra, forma esta que não é a de uma esfera perfeita.

geoidrografia (e-o-i). *S. f.* V. *geidrografia*.

geoidrográfico (e-o-i). *Adj.* V. *geidrográfico*.

geoistória (e-o-i). *S. f.* V. *geistória*.

geoistórico (e-o-i). *Adj.* V. *geistórico*.

geolho (ô). [Do lat. *genuculu*.] *S. m. Ant. Pop.* Joelho.

geologia. [De *ge(o)-* + *-log(o)-* + *-ia*.] *S. f.* **1.** Ciência cujo objeto é o conjunto da origem, da formação e das sucessivas transformações do globo terrestre, e da evolução do seu mundo orgânico. **2.** Tratado ou compêndio dessa ciência. **3.** Exemplar de um desses tratados ou compêndios.

geológico. *Adj.* Relativo à geologia. ~ V. *coluna* —*a*, *corte* —, *oceanografia* —*a* e *terreno* —.

geólogo. *S. m.* Especialista em geologia.

geomagnético. *Adj.* Relativo ao geomagnetismo. ~ V. *campo* —, *caráter* —, *eixo* —, *índice* — e *pólo* —.

geomagnetismo. [De *ge(o)-* + *magnetismo*.] *S. m.* Ramo da geofísica que estuda a morfologia, origem e variação do campo magnético terrestre; magnetismo terrestre.

geomagnetista. *S. 2 g.* Especialista em geomagnetismo.

geomancia (cí). [Do gr. *geomanteía*.] *S. f.* Adivinhação que se faz deitando pó de terra sobre uma mesa e examinando as figuras que se formam.

geomante. [De *ge(o)-* + *-mante*.] *S. 2 g.* Pessoa que pratica a geomancia.

geomântico. *Adj.* Relativo à geomancia, ou a geomante.

geômetra. [Do gr. *geométres*, pelo lat. *geometra*.] *S. 2 g.* **1.** Especialista em geometria. **2.** *Ant.* Agrimensor. ● *S. f.* **3.** *Bras.* V. *lagarta mede-palmo*.

geometral. [De *geômetra-* + *-al*.] *Adj. 2 g.* Que apresenta as dimensões, forma e posição das partes de uma obra.

geometria. [Do gr. *geometría*, 'agrimensura', pelo lat. *geometria*.] *S. f.* **1.** Ciência que investiga as formas e as dimensões dos seres matemáticos; ciência que estuda as propriedades dum conjunto de elementos que são invariantes sob determinados grupos de transformações. **2.** Tratado ou compêndio dessa ciência. **3.** Exemplar de um desses tratados ou compêndios: *O aluno perdeu a sua geometria, e não pode comprar outra.* ♦ **Geometria analítica.** Parte da geometria que investiga as propriedades das linhas, superfícies e volumes mediante expressões analíticas associadas a tais elementos. **Geometria descritiva.** Parte da matemática aplicada em que se representam e estudam os sólidos tridimensionais mediante projeções destes sólidos em planos. **Geometria diferencial.** Investigação das propriedades métricas das linhas, superfícies e volumes, mediante os processos da análise matemática. **Geometria elementar.** Parte da geometria que estuda as figuras planas que podem ser traçadas com régua e compasso, e os sólidos cujas seções são estas figuras. **Geometria euclidiana.** Aquela em que se investigam as propriedades dos elementos geométricos num espaço euclidiano. **Geometria não-euclidiana.** Parte da geometria em que as investigações se conduzem num espaço não-euclidiano. **Geometria plana.** Parte da geometria em que se investigam os espaços bidimensionais. **Geometria projetiva.** Parte da geometria que investiga as propriedades das configurações invariantes sob a operação de projeção. **Geometria riemanniana.** Parte da geometria não-euclidiana que estuda as configurações nos espaços riemannianos. **Geometria sólida.** A que investiga as propriedades das figuras num espaço euclidiano a três dimensões.

geométrico. [Do gr. *geometrikós*, pelo lat. *geometricu.*] *Adj.* Relativo ou pertencente à geometria, ou próprio dela, ou que a lembra: "O estilo do Sr. Gustavo Flaubert é de uma precisão geométrica que a arte da palavra não tinha ainda obtido antes dele." (Ramalho Ortigão, *Notas de Viagem*, p. 89.) ~ V. *aberração —a, centro —, elemento —, lugar —, média —a, óptica —a*, e *progressão —a*.

geometrídeo. *S. m.* **1.** Espécime dos geometrídeos. ● *Adj.* **2.** Pertencente ou relativo a eles.

geometrídeos. *S. m. pl. Zool.* Família de insetos da ordem dos lepidópteros cujas larvas são predadoras de numerosas plantas.

geometrização. *S. f.* Ato ou efeito de geometrizar.

geometrizar. *V. t. d.* Dar forma geométrica a.

geômis. *S. m. 2 n. Zool.* Gênero de mamíferos eutérios, i. e., com desenvolvimento intra-uterino, vivíparos, pertencentes à classe dos roedores (*Rodentia*), de pequeno porte, e que se encontram na zona neotropical. Os roedores do gênero *Geomys* têm tido projeção notável, graças aos estudos de adaptação aos terrenos áridos.

geomorfologia. [De *ge(o)-* + *morfologia.*] *S. f.* Ciência que estuda as formas do relevo terrestre.

geomorfológico. *Adj.* Relativo à geomorfologia.

geonomástico. [De *ge(o)-* + *onomástico.*] *Adj.* Referente aos nomes das localidades geográficas.

geopolítica. [De *ge(o)-* + *política.*] *S. f.* Geografia política.

geopolítico. *Adj.* Relativo à geopolítica.

geopotencial. [De *ge(o)-* + *potencial.*] *S. m. Fís.* Potencial do campo gravitacional da Terra.

geoquímica. [De *ge(o)-* + *química.*] *S. f.* Parte da geofísica que estuda a composição química do globo terrestre.

geoquímico. *Adj.* Referente à geoquímica.

georama. [De *ge(o)-* + *-orama.*] *S. m.* Representação em relevo da superfície terrestre.

georgiano[1]. [Do top. *Geórgia* + *-ano.*] *Adj.* **1.** Da, ou pertencente ou relativo à Geórgia (URSS); geórgico. ● *S. m.* **2.** O natural ou habitante da Geórgia. **3.** O idioma da Geórgia.

georgiano[2]. [Do ingl. *georgian.*] *Adj.* Do tempo dos quatro primeiros reis Jorges da Inglaterra (1714-1820), ou relativo a eles: *período georgiano.*

geórgica. [Do gr. *georgiké*, pelo lat. *georgica.*] *S. f.* Obra acerca de trabalhos agrícolas. [Por alusão às *Geórgicas*, poema de Virgílio (v. *virgiliano*) acerca da agricultura.]

geórgico. *Adj.* Georgiano[1] (1).

georgina. [Do antr. *Georgi*, de um professor russo, + *-ina.*[1]] *S. f.* Dália, na Europa Central.

georgismo. *S. m.* Sistema tributário preconizado pelo economista norte-americano Henry George (1839-1896), e que se baseia na existência do imposto único e incide sobre a renda da terra.

geoso (ô). [De um *geo, por *gelo*, + *-oso.*] *Adj.* Em que há geada; em que geia.

geossauro. [De *ge(o)-* + *-sauro.*] *S. m.* Reptil fóssil semelhante ao crocodilo.

geossinclinal. [De *ge(o)-* + *sinclinal.*] *S. m. Geol.* Vasta depressão alongada, situada nos bordos dos continentes, e cujo fundo vai deprimindo-se ao peso dos sedimentos que se vão depositando.

geostática. [De *ge(o)-* + *estática.*] *S. f.* **1.** Estática do globo terrestre. **2.** A parte da geografia física que estuda a Terra quanto às suas propriedades mecânicas.

geotécnico. [De *ge(o)-* + *técnico.*] *Adj.* ~ V. *prospecção —a*.

geotectônica. [De *ge(o)-* + *tectônica.*] *S. f.* V. *tectônica (2).*

geotectônico. *Adj.* Referente à geotectônica.

geotermia. [De *ge(o)-* + *-term(o)-* + *-ia.*] *S. f.* Ramo da geografia que estuda os fenômenos térmicos ocorrentes no interior do globo terrestre e as diferentes manifestações do calor da Terra.

geotérmico. *Adj.* Relativo à geotermia. ~ V. *grau —*.

geotermômetro. [De *ge(o)-* + *termômetro.*] *S. m.* Termômetro com que se determinam as temperaturas do solo a diferentes profundidades.

geotrópico. [De *ge(o)-* *trópico.*] *Adj.* Relativo ao, ou que apresenta geotropismo.

geotropismo. [De *ge(o)-* + *tropismo.*] *S. m. Biol. Ger.* Movimento trópico orientado pela gravidade, i. e., na direção da Terra, próprio das raízes, rizomas e tubérculos; geotropismo positivo. ♦ **Geotropismo negativo.** *Biol. Ger.* Geotropismo peculiar aos órgãos que se afastam da Terra, como os caules aéreos; anageotropismo. **Geotropismo positivo.** *Biol. Ger.* Geotropismo.

■ **ger.** *Fís.* Símb. de *guericke*.

▲ **ger(a)-.** [Do gr. *gêras, aos-os.*] *El comp.* = 'velhice': *geriatria*.

geração. [Do lat. *generatione.*] *S. f.* **1.** Ato de gerar: *A geração fez-se em má época, e o feto não vingou.* **2.** O conjunto das funções ou fenômenos pelos quais um ser organizado produz outro semelhante. **3.** Cada grau de filiação de pai a filho; posteridade, descendência: *De geração em geração cresce aquela família em prestígio.* **4.** Linhagem, estirpe, ascendência, genealogia: *homem de geração ilustre.* **5.** O conjunto dos indivíduos nascidos pela mesma época: *a geração do pós-guerra.* **6.** O espaço de tempo (aproximadamente 25 anos) que vai de uma geração (3) a outra. **7.** *P. ext.* Produção, formação. **8.** *Fís. Nucl.* Num sistema onde estejam ocorrendo fissões nucleares, conjunto de nêutrons produzidos em um mesmo intervalo de tempo. ♦ **Geração alternante.** *Bot.* A que sucede a outra no ciclo vital de muitas plantas. **Geração espontânea.** V. *abiogênese*.

gerador (ô). [Do lat. *generatore.*] *Adj.* **1.** Que gera; generante. ● *S. m.* **2.** Aquele que gera; genitor. **3.** Aquele que cria ou produz: "os tesouros inexauríveis do Oriente, gerador das raças, origem das origens." (Martins Fontes, *Terras da Fantasia*, p. 56). **4.** Parte das máquinas de vapor em que este fluido se produz. **5.** *Eletr.* Máquina que transforma energia mecânica em elétrica, produzindo uma corrente contínua ou alternada. **6.** *Eletrôn.* Circuito que tem por fim produzir uma corrente ou uma tensão com características predeterminadas. [Fem.: *geradora, geratriz.*]

gerado. [Part. de *gerar.*] *Adj.* Que se gerou; criado, gênito.

geradora (ô). *Adj. (f.)* e *s. f.* Fem. de *gerador*.

gerais. [De *campos gerais.*] *S. m. pl. Bras.* **1.** Campos do Planalto Central. **2.** Lugares desertos e intransitáveis, no sertão do Nordeste. **3.** Campos planos cobertos de erva ou grama. **4.** Campos extensos, inaproveitados e desabitados; campos gerais: "— Amigo Aleixo, nasci e crieime nestes gerais: as árvores das serras e das várzeas são minhas irmãs-de-leite." (José de Alencar, *O Sertanejo*, p. 89). **5.** Lugar virgem, coberto de mato. ~ V. *geral*. ♦ **Estar nos seus gerais.** *Bras.* Estar a seu gosto, em liberdade, contente, satisfeito.

geral. [Do lat. *generale.*] *Adj. 2 g.* **1.** Comum à maior parte; genérico. **2.** Que abrange ou compreende um todo; total: *Eram as férias gerais da firma.* **3.** Universal (2): *A pesquisa científica é de interesse geral.* **4.** *Lóg.* Diz-se de termo, conceito ou idéia que convém a todos os indivíduos de uma classe. **5.** *Lóg.* Diz-se de termo, conceito ou idéia que convém à maior parte dos indivíduos de uma classe. **6.** *Lóg.* diz-se de proposição que contém um ou mais termos variáveis ou indeterminados. [V. *função proposicional.*] [Superl. abs. sint.: *generalíssimo.*] ~ V. *astronomia —, biologia —, botânica —, campos gerais, carga —, clínica —, curador — dos órfãos, idéia —, integral —, língua —, nível — dos preços, paralisia —, paralisia — progressiva, solução —* e *ventos gerais*. ● *S. m.* **7.** A maior parte; o maior número: *Pouco lhe importa o que dele pense o geral dos homens;* "via ainda muito com que contar na tremenda crise que reduzia o geral da população da província a extrema penúria." (Franklin Távora, *O Cabeleira*, p. 252). **8.** O comum, o normal: *O geral, naquela família, é o sentimento da união.* **9.** Chefe supremo de ordem religiosa, especificamente da dos jesuítas. **10.** *Bras., PA.* Vento de nordeste, que sopra da ilha de Marajó, e nos estuários dos rios Pará e Amazonas. **11.** *Bras., RN* e *PB.* Lugar coberto pelo mato. ● *S. f.* **12.** Localidade, nos teatros, circos, estádios, na qual se cobram preços mais baixos. **13.** *Bras.* Revisão em automóvel, maquinaria, etc. **14.** *Bras.* Batida policial. ~V. *gerais*. ♦ **Dar uma geral.** *Bras. Pop.* Inspecionar, repassar, limpar, revisar, rever, alguma coisa: *Antes da festa, deu uma geral na sala; Precisa dar uma geral no carro, pois está caindo aos pedaços.* **Em geral.** V. *geralmente*. **No geral.** V. *geralmente*.

geraldino. *S. m. Bras. Pop* Freqüentador da geral (12). [Cf. *arquibaldo.*]

geralista.[1] [De *Gerais* (< *Minas Gerais*) + *-ista.*] *S. 2 g.* V. *mineiro*[2] (2).

geralista[2]. [De *gerais* (< *campos gerais*) + *-ista.*] *S. 2 g. Bras.* Habitante dos gerais.

geralista[3]. [De *geral* + *-ista.*] *S. 2 g.* V. *generalista*.

geralmente. [De *geral* + *-mente.*] *Adv.* De modo geral; na generalidade; em geral; no geral.

geraniácea. *S. f.* Espécime das geraniáceas.

geraniáceas. *S. f. pl. Bot.* Família das plantas floríferas, da ordem das geraniales, composta de ervas e subarbustos de folhas partidas e estipuladas e flores pentâmeras, comumente vistosas e ornamentais. Na maturidade o fruto se fragmenta em várias partes. Há umas 650 espécies, dos países temperados e subtropicais, raras no Brasil, onde existem contudo, nos jardins, várias delas cultivadas por sua beleza.

geraniáceo. *Adj.* Pertencente ou relativo às geraniáceas.

geraniale. *S. f.* Espécie das geraniales.

geraniales. *S. f. pl. Bot.* Ordem de vegetais dicotiledôneos, arquiclamídeos, heteroclamídeos, providos de flores pentâmeras. Engloba muitas famílias, em várias subordens.

gerânio. [Do gr. *gheránion*, pelo lat. *geraniu.*] *S. m.* Designação comum a várias plantas ornamentais, da família das geraniáceas, pertencentes aos gêneros *Geranium* e *Pelargonium*, originárias da Europa, dotadas de belas flores, especiais para guarnecer canteiros e jardineiras, e cujo fruto é cápsula. São tidas por medicinais. [Var. bras., pop.: *girame.*]

gerânio-brasileiro. *S. m. Bras., RJ.* Planta pubescente, da família das geraniáceas (*Geranium brasiliensis*), dotada de flores roxas, de sépalas glanduloso-pilosas e pétalas glanduloso-ciliadas, dispostas em umbelas, e cujo fruto é cápsula ovóide e pilosa. [Pl.: *gerânios-brasileiros.*]

geraniol. *S. m. Quím.* Álcool terpênico encontrado em diversos óleos essenciais, com odor de rosas, líquido, incolor. [Fórm.: $C_{10}H_{18}O$.]

gerar. [Do lat. *generare.*] *V. t. d.* **1.** Dar o ser a; dar existência a; criar, procriar: *Eva gerou Caim.* **2.** Fazer aparecer; causar, produzir, formar, desenvolver: "as insolências do forte contra o fraco só geram ódios fundos" (Alexandre Herculano, *Lendas e Narrativas*, II, p. 321). **3.** Lançar de si; produzir. **4.** Fazer produzir; fecundar, conceber: *A boa terra gera bons frutos. Int.* e *p.* **5.** Nascer, formar-se, desenvolver-se. [Nesta acepç. é muito m. us. como pron. Pres. ind.: *gero*, etc. Cf. *jero.*]

gerativo. [De *gerar* + *-t-* + *-ivo.*] *Adj.* **1.** Generativo. **2.** *Ling.* ~ V. *gramática —a*.

gerativo-transformacional. *Adj. 2 g. Ling.* ~ V. *gramática —*.

geratriz. [Do lat. *generatrice.*] *Adj. (f.)* **1.** Que gera. ~ V. *função —*. ● *S. f.* **2.** Aquela que gera. [Sin., nessas acepç.: *generatriz.*] **3.** *Geom.* Curva que, ao mover-se, origina uma superfície. **4.** *Estat.* Função geratriz.

gerbão. *S. m. Bras.* V. *gervão* (1).

gérbera. *S. f. Bras.* Erva acaule, ornamental, da família das compostas (*Gerbera jamensonii*), dotada de flores amarelas ou róseas, reunidas em capítulos solitários e multifloros, e cujo fruto é aquênio acicular; margarida-do-transval.

gerência. [Do lat. *gerentia*, de *geere*, 'fazer'.] *S. f.* **1.** Ato ou efeito de gerir. **2.** As funções de gerente; gestão, administração. **3.** O gabinete do gerente. **4.** Mandato de administração. **5.** Administração (1): "Esses dois fatos memoráveis .... bastam para revelar toda a solicitude empregada pelo governo português na gerência dos negócios coloniais." (Ramalho Ortigão, *As Farpas*, IV, p. 254.) [Cf. *gerencia*, do v. *gerenciar.*]

gerencial. *Adj. 2 g.* Relativo a, ou próprio de gerência ou de gerente.

gerenciamento. *S. m.* Ato ou efeito de gerenciar.

gerenciar. *V. t. d.* **1.** Dirigir (uma empresa) na qualidade de gerente. **2.** Exercer as funções de gerente em (uma empresa). **3.** V. *gerir*. [Pres. ind.: *gerencio, gerencias, gerencia*, etc. Cf. *gerência.*]

gerente. [Do lat. *gerente.*] *Adj. 2 g.* e *s. 2 g.* que ou quem gere ou administra negócios, bens ou serviços.

gergelim. [Do. ár. *jiljilan*, 'grão de coentro', a par de *jinjinlí.*] *S. m.* **1.** Planta herbácea, originária do Oriente, pertencente à família das pedaliáceas (*Sesanum indicum*), com propriedades medicinais, de flores alvas, róseas ou vermelhas, hermafroditas, malcheirosas, dispostas nas axilas das folhas, e cujo fruto é cápsula oblonga, pubescente, com sementes pequenas, amarelas, alvas ou pretas, arredondadas e levemente comprimidas; sésamo. **2.** A semente dessa planta. **3.** Bolo, farinha ou paçoca em que entra semente de gergelim. [Var.: *gerzelim, gingerlim* e *zirzelim.*]

gergilada. *S. f.* Doce de gergelim.

geriatra. [De *ger(o)-* + *-iatra.*] *S. 2 g.* Especialista em geriatria.

geriatria. [De *ger(o)-* + *-iatria.*] *S. f. Med.* Parte da medicina que se ocupa das doenças dos velhos.

geriátrico. *Adj.* Relativo à geriatria.

gerifalte. [Do ant. escandinavo *geirfalti*, pelo fr. ant. *girfalt*, atual *gerfaut.*] *S. m.* Ave de rapina, diurna, da família dos falconídeos: "o bater das asas dos nebris e gerifaltes empoleirados nos punhos dos falcoeiros" (Alexandre Herculano, *Lendas e Narrativas*, I, p. 186).

gerigonça. *S. f.* V. *geringonça:* "traziam variadas damas que lhes falavam numa gerigonça arrevesada que mesmo não sei que língua era." (Lima Barreto, *Vida e Morte de M. J. Gonzaga de Sá*, p. 248.)

geringonça. [Var. de *gerigonça* < esp. *jerigonza.*] *S. f.* **1.** Gíria, calão. **2.** Objeto, coisa malfeita e de duração ou estrutura precária.

gerir. [Do lat. *gerere.*] *V. t. d.* Ter gerência sobre; administrar, dirigir, reger; gerenciar: *gerir uma empresa;* "Henrique chegava à tardinha e logo pela manhã saía para o Outeiro, onde geria os negócios da mãe." (José Lins do Rego, *Meus Verdes Anos*, p. 177.) [Irreg. Conjug.: v. *aderir.*]

germanar. [De *germano*[1] + *-ar*[2].] *V. t. d.* **1.** Tornar semelhante; irmanar. **2.** Reunir, juntar, ajuntar. *P.* **3.** Tornar-se semelhante; identificar-se. **4.** Reunir-se, juntar-se, ajuntar-se.

germânico. [Do lat. *germanicu.*] *Adj.* **1.** Pertencente ou relativo à antiga Germânia [v. *germano*[2]] e à Alemanha (Europa). **2.** Relativo ou próprio das regiões de língua e civilização alemã: *os países germânicos; a música germânica.* [Cf., nesta acepç., *teutônico* (1 e 2).] **3.** Pertencente ou relativo ao germânico (4). ● *S. m.* **4.** Grupo de línguas indo-européias do N.O. da Europa, que compreende três subgrupos: **a)** o oriental, representado pelo gótico, língua falada pelos godos; **b)** o setentrional, representado pelo nórdico, língua falada na Escandinávia e que se ramificou, a partir do séc. XI, no dinamarquês, sueco, norueguês e islandês; **c)** o ocidental, cujos representantes principais são o alemão e o inglês. [Cf. *alemão* (3).]

germanidade. [Do lat. *germanitate.*] *S. f. Ant.* Irmandade.

germânio. [Do lat. científico *germanium* < *Germania*, 'Alemanha'.] *S. m. Quím.* Elemento de número atômico 32, cristalino, cinza-metálico, semicondutor com importante emprego na manufatura de circuitos transistorizados. [Símb.: *Ge.*]

germanismo. [De *germano*[2] + *-ismo.*] *S. m.* **1.** Palavra, expressão ou construção peculiar à língua alemã. **2.** Admiração excessiva ou fanática a tudo quanto é alemão; teutomania. **3.** Imitação das maneiras, costumes ou coisas alemãs. [Sin. ger.: *alemanismo.*]

germanista. *S. 2 g.* Especialista em línguas germânicas; alemanista.

germanização. *S. f.* Ato ou efeito de germanizar(-se).

germanizar. *V. t. d.* e *p.* Tornar(-se) alemão ou germânico; adaptar(-se) ao temperamento, maneira ou estilo germânico; alemanizar(-se).

germano[1]**.** [Do lat. *germanu*, 'irmão'.] *Adj.* **1.** Diz-se de irmãos que procedem do mesmo pai e da mesma mãe. **2.** *Fig.* Que não sofreu adulteração; puro, verdadeiro, genuíno. ~ V. *primos —s.* ● *S. m.* **3.** Cada um dos irmãos procedentes do mesmo pai e da mesma mãe.

germano[2]**.** [Do lat. *germanu*, 'da Germânia'.] *S. m.* **1.** Indivíduo dos germanos, povos que habitavam a região denominada *Germânia* pelos antigos romanos. ● *Adj:* **2.** De, ou pertencente ou relativo a esses povos. **3.** Alemão (1).

germanofilia. [De *germanófilo* + *-ia.*] *S. f.* Qualidade de germanófilo. [Antôn.: *germanofobia.* Cf. *aliadofilia.*]

germanófilo. [De *germano*[2] + *-filo.*] *Adj.* e *s. m.* Que ou aquele que é amigo ou admirador da Alemanha e dos alemães. [Antôn.: *germanófobo.* Cf. *aliadófilo.*]

germanofobia. [De *germanófobo* + *-ia.*] *S. f.* Qualidade de germanófobo. [Antôn.: *germanofilia.* Cf. *aliadofobia.*]

germanófobo. [De *germano*[2] + *-fobo.*] *Adj.* e *s. m.* Que ou aquele que tem horror à Alemanha e aos alemães. [Antôn.: *germanófilo.* Cf. *aliadófobo.*]

germanofonia. [De *germanófono* + *-ia.*] *S. f.* Adoção da língua alemã como língua de cultura ou língua franca por quem não a tem como vernácula.

germanófono. [De *germano*[2] + *-fono.*] *Adj.* e *s. m.* Diz-se de, ou indivíduo que fala o alemão.

germe. [Do lat. *germen.*] *S. m.* **1.** Rudimento de um novo ser. [Cf. *embrião* (1).] **2.** *Morfol. Veg.* A parte da semente de que se forma a planta. **3.** *Zool.* A cicatrícula [q. v.] do ovo das aves. **4.** Micróbio (2). **5.** *P. ext.* O princípio, a origem ou a causa de qualquer coisa. **6.** Estado rudimentar.

gérmen. *S. m.* V. *germe.* [Pl.: *germens* e (p. us. no Brasil) *gérmenes.*]

germicida. [De *germe-* + *-i-* + *cida.*] *Adj. 2 g.* e *s. m.* Diz-se de, ou substância ou agente físico que tem o poder de matar os germes [v. *germe* (4)]; microbicida.

germinação. [Do lat. *germinatione.*] *S. f.* **1.** *Biol. Ger.* Início de desenvolvimento, a partir do embrião da semente (na planta) ou de um esporo. **2.** *Fig.* Expansão, desenvolvimento, evolução.

germinadoiro. *S. m.* Germinadouro [q. v.].

germinador (ô). [Do lat. *germinatore.*] *S. m.* Aparelho dotado de aquecimento artificial e destinado ao processo de germinação das sementes para estudo do poder germinativo delas.

germinadouro. [Var. de *germinadoiro.*] *S. m.* Lugar subterrâneo onde se põe a cevada a germinar em montão, para a fabricação da cerveja.

germinal[1]**.** [Do fr. *germinal.*] *S. m. Cronol.* V. *calendário republicano.*

germinal[2]**.** [De *germin(i)-* + *-al.*] *Adj. 2 g.* **1.** Relativo ao germe. **2.** *Biol.* Relativo às células reprodutivas dos seres vivos, os gametas.

germinante. [Do lat. *germinante.*] *Adj. 2 g.* Que germina; germinativo.

germinar. [Do lat. *germinare.*] *V. int.* **1.** Principiar a desenvolver-se (sementes, bulbos, etc.); deitar rebentos; grelar, abrolhar. **2.** Ter começo; tomar incremento ou vulto; nascer, desenvolver-se, difundir-se: *Novas formas de arte germinaram na primeira metade do século XX. T. d.* **3.** Dar causa a; produzir, gerar, originar: *O ódio germina o crime.*

germinativo. *Adj.* Germinante. ~ V. *poro —.*

▲germin(i)-. [Do lat. *germen, inis.*] *El. comp.* = 'germe': *germiníparo, germinista.*

germiníparo. [De *germin(i)-* + *-paro.*] *Adj.* Que se reproduz por meio de germes.

germinista. [De *germin(i)-* + *-ista.*] *Adj. 2 g.* **1.** Relativo ao germe. ● *S. 2 g.* **2.** Partidário da teoria segundo a qual as partes mutiladas de certos seres se reproduzem por meio de germes reparadores.

▲-gero. [Do lat. *-geru.*] *El. comp.* = 'que contém', 'que produz': *espumígero* (<lat. *spumigeru*).

gerocomia. [De *ger(o)(n)-* + *-com(i)(o)-* + *-ia.*] *S. f.* Higiene dos velhos.

gerocômico. *Adj.* Relativo à gerocomia.

gerodermia. [De *ger(o)(n)-* + *-derm(a)-* + *-ia.*] *S. f. Patol.* Distrofia da pele e da genitália externa, de que resulta seu envelhecimento precoce.

gerodérmico. *Adj.* Relativo à gerodermia.

▲ger(o)(n)-. [Do gr. *géron, ontos.*] *El. comp.* = 'velho': *gerocomia; gerotoxo.* [Equiv.: *geront(o)-: gerontocracia: gerôntico.*]

gerôntico. [De *geront(o)-* + *-ico*[2].] *Adj.* Diz-se do estádio do ciclo ontogenético correspondente à fase senil.

▲geront(o)-. Equiv. de *ger(o)(n)-.*

gerontocracia. [De *geront(o)-* + *-cracia.*] *S. f.* **1.** Governo exercido por anciãos. **2.** Preponderância dos velhos em um grupo social, fato freqüente nas sociedades de tipo primitivo. **3.** Grupo social dominante constituído por velhos: "toda a vida será invadida, infiltrada, minada de velhos, e as gerontocracias .... governarão ainda mais discricionariamente o mundo." (Júlio Dantas, *Espadas e Rosas*, p. 95).

gerontofilia. *S. f.* Sentimento ou tendência de quem é gerontófilo; cronoinversão.

gerontófilo. *Adj.* Que tem preferência mórbida por pessoas idosas, ou tendência para manter relações sexuais com tais pessoas.

gerontologia. [De *geronto-* + *-log(o)-* + *-ia.*] *S. f.* Ciência que estuda os problemas do velho sob todos os seus aspectos: biológico, clínico, histórico, econômico e social.

gerontológico. *Adj.* Referente à gerontologia.

gerontologista. *S. 2 g.* Especialista em gerontologia; gerontólogo.

gerontólogo. *S. m.* Gerontologista.

gerotoxo (cs). [De *ger(o)(n)-* + *-toxo.*] *S. m. Patol.* Anel branco, freqüente nos velhos, que circunda a córnea e resulta de degeneração gordurosa do tecido corneano; arco senil.

gerrídeo. *S. m.* **1.** Espécime dos gerrídeos. ● *Adj.* **2.** Pertencente ou relativo a eles. [Sin. ger.: *guerrídeo.*]

gerrídeos. *S. m. pl. Zool.* Família de insetos da ordem dos hemípteros, de hábitos aquáticos e que caçam com o auxílio das patas anteriores. Gênero mais comum: *Halobates.* [Sin.: *guerrídeos.*]

gertrudes. [Do antr. fem. *Gertrudes.*] *S. f. 2 n.* Planta da família das umbelíferas (*Apium amni*), espécie de cominho silvestre.

gerúndio. [Do lat. *gerundiu.*] *S. m. Gram.* V. formas nominais do verbo.

gerundivo. [Do lat. *gerundivu.*] *S. m. Gram.* O particípio do futuro passivo latino.

gervão. [De *ogervão.*] *S. m.* **1.** *Bras. AM., PA* e *BA* a *SP.* Designação de várias plantas herbáceas, da família das verbenáceas, pertencentes aos gêneros *Lippia, Stachytarpheta* [*rinchão* (q. v.)] e talvez mais outros, das quais algumas são ornamentais, outras fornecem forragem, sendo cápsulas os frutos de todas; erva-do-sumidouro, erva-gervão, gerbão, gervão-verdadeiro, *ogervão.* **2.** *Bras., SC.* V. *mandorová.* [Cf. *aguarapondá.*] **3.** Planta dotada de supostas virtudes mágicas, utilizada nos trabalhos umbandistas.

gervão-verdadeiro. *S. m. Bras.* V. *gervão* (1). [Pl.: *gervões-verdadeiros.*]

gerzelim. *S. m.* V. *gergelim.*

gesnéria. *S. f. Bras., PI* a *BA* e *MT* e *GO.* Designação comum a várias plantas brasileiras, ornamentais, da família das gesneriáceas, pertencentes aos gêneros *Achimenes, Alloplectus, Besleria, Drymonia* e *Nematanthus* e *Gesneria* (este, estrangeiro), que se caracterizam pelas belas flores, razão por que são muito cultivadas universalmente.

gesneriácea. *S. f.* Espécime das gesneriáceas.

gesneriáceas. *S. f. pl. Bot.* Família de vegetais superiores, da ordem das tubifloras, providos de flores zigomorfas e hermafroditas, cuja corola é bilabiada. Androceu com quatro estames didínamos; ovário bicarpelar e unilocular, súpero ou ínfero; o fruto é cápsula ou baga. São ervas de folhas opostas e flores muito vistosas, vivamente coloridas. Há umas 1.100 espécies, na maioria tropicais, e muitas delas importantes como ornamento hortense.

gesneriáceo. *Adj.* Pertencente ou relativo às gesneriáceas.

gessada. *S. f.* Base de gesso, feita com bolo-armênio e óleo ou azeite, sobre a qual se aplicam as folhas de ouro, nos trabalhos de douramento.

gessado. [Part. de *gessar.*] *Adj.* Que se gessou; engessado. ~ V. *papel —.*

gessagem. *S. f.* Ato ou operação de gessar.

gessal. *S. m.* Mina de gesso; gesseira.

gessar. *V. t. d.* **1.** Revestir com gesso para pintar ou dourar; estucar, engessar. **2.** Engessar (1 e 3). [Pres. ind.: *gesso*, etc. Cf. *gesso* (ê).]

gesseira. *S. f.* Gessal.

gesseiro. *S. m.* Aquele que trabalha em gesso.

gesso (ê). [Do gr. *gypsos*, pelo lat. *gypsu.*] *S. m.* **1.** Gipsita cozida a baixa temperatura, que faz pega com água e é por isso empregada nas moldagens. **2.** *P. ext.* Gipsita. **3.** *P. ext.* Objeto de arte moldado em gesso (1). **4.** Ornato em gesso (1) para desenho. [Pl.: *gessos* (ê). Cf. *gesso*, do v. *gessar.*] ◆ **Gesso de estuque.** Gipsita submetida à calcinação completa de forma a constituir-se no sulfato de cálcio anidro. **Gesso de Paris.** Gipsita que foi submetida a uma calcinação parcial, de modo que retém meia molécula de água para cada molécula de sulfato de cálcio, usada em moldagem e em estuques.

gesso-cré. *S. m.* Material branco, friável, mole, constituído por carbonato de cal impuro. [Pl.: *gessos-cré.*]

gesta[1]**.** [Do fr. *geste.*] *S. f.* **1.** Feitos guerreiros; façanhas: "o seu aspecto fundamental [da tomada de Ceuta] é o de uma gesta bélica de gentes de algo, a brandir um golpe no islamita." (Antônio Sérgio, *Ensaios*, I, p. 310). **2.** Canções que celebram grandes feitos. **3.** Acontecimentos históricos; história.

gesta[2]**.** *S. f.* Var. de *giesta.*

gestação. [Do lat. *gestatione.*] *S. f.* **1.** Fenômeno de desenvolvimento, no útero, do produto da fecundação, e que compreende as fases ovular, embrionária e fetal, até que, finda a última, ocorre o nascimento; gravidez. **2.** *Fig.* Elaboração, produção: *A gestação das obras de Flaubert era extraordinariamente demorada.*

gestalt (guès). *S. f. Filos.* F. red. de *gestaltismo.*

gestaltismo (gues) [Do al. *Gestalt*, 'forma', + *-ismo*.] *S. m. Filos.* Doutrina relativa a fenômenos psicológicos e biológicos, que veio a alcançar domínio filosófico, e consiste em considerar esses fenômenos não mais como soma de elementos por isolar, analisar e dissecar, mas como conjuntos que constituem unidades autônomas, manifestando uma solidariedade interna e possuindo leis próprias, donde resulta que o modo de ser de cada elemento depende da estrutura do conjunto e das leis que o regem, não podendo nenhum dos elementos preexistir ao conjunto; teoria da forma. [F. red.: *gestalt*.]

gestante. [Do lat. *gestante*.] *Adj. 2 g.* **1.** Que contém o embrião. **2.** Que está em gestação. ● *S. f.* **3.** Mulher no período de gestação.

gestão. [Do lat. *gestione*.] *S. f.* Ato de gerir; gerência, administração. ◆ **Gestão de negócios.** *Jur.* Administração oficiosa de negócio alheio, sem mandato ou representação legal.

➡**gestapo** (gues). [Al., das iniciais de *Geheime Statts Polizei*, 'Polícia Secreta do Estado'.] *S. f.* Designação da polícia secreta alemã ao tempo do nazismo.

gestatório. [Do lat. *gestatoriu*, 'que serve para transportar'.] *Adj.* **1.** Relativo a gestação. **2.** Que pode ser transportado. ~ V. *cadeira* —*a* e *sede* —*a*.

gesticulação. [Do lat. *gesticulatione*.] *S. f.* Ação de gesticular; gesticulado, gesto: *A* g e s t i c u l a ç ã o *lhe é tão eloqüente quanto a fala.*

gesticulado. [Part. de *gesticular*.] *Adj.* **1.** Que se faz por gestos; em que os gestos são o meio, único ou auxiliar, de expressão: "caminhavam juntas, numa conversa g e s t i c u l a d a e calorosa." (Amando Fontes, *Os Corumbas*, p. 146). ● *S. m.* **2.** Gesticulação.

gesticulador (ô). [Do lat. *gesticulatore*.] *Adj.* e *s. m.* Que ou aquele que gesticula.

gesticular. [Do lat. **gesticulare*, por *gesticulari*.] *V. int.* **1.** Fazer gestos, em geral acompanhando com eles a fala: "quem lhe entrasse em casa, às dez horas da noite, vê-lo-ia passear na sala, ... resmungando, g e s t i c u l a n d o, suspirando, evidentemente aflito." (Machado de Assis, *Histórias sem Data* p. 131): "Vocês fujam de mulher que g e s t i c u l a com sedução, ... mulher de gesto mais significativo que palavra." (Mário Matos, *Casa das Três Meninas*, p. 224.) *T. d.* **2.** Exprimir por gestos; formular gesticulando: g e s t i c u l a r *uma súplica*.

gesto[1]. [Do lat. *gestu*.] *S. m.* **1.** Movimento do corpo, em especial da cabeça e dos braços, ou para exprimir idéias ou sentimentos, ou para realçar a expressão; mímica: "soltou a mão da mulher, com um g e s t o de desespero." (Machado de Assis, *Quincas Borba*, p. 93). **2.** V. *gesticulação*. **3.** Aparência, semblante, fisionomia, rosto: "as feições enrugadas, a palidez do rosto, o encovado dos olhos, que lhe davam ao g e s t o todos os sintomas de cadáver." (Alexandre Herculano, *Lendas e Narrativas*, I, p. 37); "Teófilo tinha ainda o g e s t o abatido com que entrou" (Machado de Assis, *Memorial de Aires*, p. 319).

gesto[2]. [Do fr. *geste*.] *S. m.* Ação, ato (em geral, brilhante): g e s t o *de generosidade;* g e s t o *de nobreza*.

gesto-chave. *S. m. Teat.* Cada um dos gestos convencionais dos atores (principalmente no teatro oriental e na *commedia dell'arte* [q. v.]) cujos significados já são do conhecimento dos espectadores. [Pl.: *gestos-chaves* e *gestos-chave*.]

gestor (ô). [Do lat. *gestore*.] *S. m. P. us.* Gerente, administrador.

gestose. [De *gest(ação)* + *-ose*.] *S. f. Patol.* Toxemia gravídica.

gestual. [Do fr. *gestuel*.] *Adj. 2 g.* **1.** Relativo a gesto[1] (1). **2.** Que se faz com gestos. **3.** *Pint.* Diz-se de uma pintura informal em que se exprimem, especialmente, os gestos espontâneos (e até violentos) do artista no ato de pintar.

gestualidade. *S. f.* Qualidade de gestual.

getuliense. *Adj. 2 g.* **1.** De, ou pertencente ou relativo a Getúlio Vargas (RS). ● *S. 2 g.* **2.** Natural ou habitante de Getúlio Vargas.

getulinense. *Adj. 2 g.* **1.** De, ou pertencente ou relativo a Getulina (SP). ● *S. 2 g.* **2.** Natural ou habitante de Getulina.

getulismo. *S. m.* **1.** Movimento político-social de que foi chefe Getúlio Vargas (1883-1954). **2.** A atuação política e social desse estadista brasileiro. **3.** Período de seu governo como presidente da República ou de seu domínio em nossa política.

getulista. *Adj. 2 g.* **1.** Referente ao getulismo. **2.** Que é partidário dele. ● *S. 2 g.* **3.** Partidário ou simpatizante do getulismo.

GeV. [De *giga-* + *elétron* + *volt*.] *S. m. Fís. Nucl.* Unidade de energia igual a um bilhão de elétrons-volts Vale 10^9 eV. [Sin.: *BeV*.]

■**gf.** *Fís.* Símb. de *grama-força*.

➡**ghost-writer** (góçt-ráitar). [Ingl.] *S. 2 g.* Pessoa que, mediante encomenda, escreve para outra, que lhe compra o trabalho e o assina. [Sin., em fr., *nègre*.]

giárdia. *S. f.* Espécime de animal protozoário, mastigóforo zoomastigino (*Giardia lamblia*), cujo corpo apresenta simetria bilateral e oito flagelos. Parasita o aparelho digestivo do homem e produz, em geral, fortes diarréias.

giardíase. [Do lat. científico *giardia* + *-ase*.] *S. f. Patol.* Infecção intestinal que causa abundante diarréia, e é produzida pelo flagelado *giardia intestinalis*.

giba. [Do lat. *gibba*.] *S. f.* **1.** V. *corcunda* (1). **2.** *Marinh.* Vela triangular que enverga no estai próprio e se situa logo por ante-a-vante da bujarrona. É a vela de proa que fica mais para fora do gurupés, no sentido longitudinal do navio. [Cf. (nessa acepç.) *bujarrona*.] **3.** *Marinh.* Pau da giba (2). [Cf. *jiba*.]

gibão. [Do it. ant. *gippone*, atualmente *giubbone*.] *S. m.* **1.** Vestidura antiga, que cobria os homens desde o pescoço até à cintura. **2.** Espécie de casaco curto que se vestia sobre a camisa. **3.** *Bras.* Véstia (2).

gibão-de-coiro. *S. m. Bras., BA.* Gibão-de-couro [q. v.]. [Pl.: *gibões-de-coiro*.]

gibão-de-couro. [Var. de *gibão-de-coiro*.] *S. m. Bras., BA.* V. *birro*[1]. [Pl.: *gibões-de-couro*.]

gibarra. *Adj. 2 g. Bras., N. Pop.* De estatura muito elevada; muito grande; altíssimo.

gibatão. *S. m.* V. *guarabu-preto*.

gibbsita. [Do antr. *Gibbs*, de George Gibbs, mineralogista norte-americano (1776-1833), + *-ita*[3].] *S. f. Min.* Mineral monoclínico, hidróxido de alumínio, que eventualmente pode ser um minério de alumínio, sendo grande a sua concentração; hidrargilita.

gibelino. [Do it. *ghibellino*.] *Adj.* e *s. m.* Nos Estados italianos da Idade Média, partidário dos imperadores da Alemanha em luta contra os papas, cujos partidários se chamavam *guelfos*.

giberélico. *Adj.* ~ V. *ácido* —.

gibi. *S. m.* **1.** *Bras. Gír.* Meninote preto; negrinho. **2.** (Marca registrada) *Bras. Fam.* Revista em quadrinhos, infantojuvenil ◆ **Não estar no gibi.** *Bras. Pop. Ser fora do comum; ser inacreditável: O talento da menina* n ã o e s t á n o g i b i*; O que ele disse da sogra* n ã o e s t á n o g i b i.

gibizada. *S. f. Bras.* Reunião ou grupo de gibis.

gibosidade. [De *giboso* + *-i-* + *-dade*.] *S. f.* Curvatura da coluna vertebral com elevação exterior. ~ V. *corcunda* (1).

giboso (ô). [Do lat. tardio *gibbosu*.] *Adj.* **1.** V. *corcunda* (6). **2.** *Astr.* Diz-se dum astro sem luz própria no qual a parte iluminada ocupa quase todo o disco aparente.

gibraltarino. *Adj.* **1.** De, ou pertencente ou relativo a Gibraltar, território inglês ao S. da Espanha. ● *S. m.* **2.** O natural ou habitante de Gibraltar.

gibreiro. *S. m. Bras., PA.* Trabalhador braçal.

giclê. [Do fr. *gicleur*.] *S. m. Bras. Autom.* Conjunto de orifícios que dosam a passagem da gasolina ao ser esta despejada na câmara de carburação.

gidiano. *Adj.* **1.** Pertencente ou relativo a André Gide (1869-1951), escritor francês, ou próprio dele: "páginas g i d i a n a s nas quais o bem e o mal adquirem uma única face" (Sábato Magaldi, *Panorama do Teatro Brasileiro*, p. 255). ● *S. m.* **2.** Grande admirador e/ou profundo conhecedor da obra de Gide.

giesta. [Do lat. *genista*.] *S. f.* Planta ornamental, arbustiva, da família das leguminosas, subfamília papilionácea (*Spartium junceum*), de folhas pouco numerosas e flores amarelas, de cheiro agradável; retama. [Var.: *gesta*.]

giestal. *S. m.* Quantidade mais ou menos considerável de giestas dispostas proximamente entre si: "Referve a seiva nos g i e s t a i s da fraga" (Antônio Correia d'Oliveira, *Antologia*, I, *Líricas*, p. 216).

giffordiácea. *S. f.* Espécie das giffordiáceas.

giffordiáceas. *S. f. pl. Bot.* Família de algas feofíceas, da ordem das ectocarpales, caracterizada pelo talo filiforme, que lembra o das ectocarpáceas. Esporângios uniloculares; gametângios pluriloculares. Habitam os oceanos.

giffordiáceo. *Adj.* Pertencente ou relativo às giffordiáceas.

giga[1]. *S. f.* **1.** Selha larga e baixa. **2.** Canastra em forma de selha.

giga[2]. [Do ant. alto-al. *giga*, 'certo tipo de violino' (al. mod., *Geige*, 'violino'), pelo it. *giga*.] *S. f.* **1.** Antigo instrumento de cordas friccionáveis, cuja forma lembra a do bandolim, e cujo braço é um prolongamento da caixa de ressonância. **2.** Antiga dança, em andamento vivo e compasso binário, provavelmente originária da Inglaterra, onde era muito popular na época elisabetana. [Cf. *jiga*.] **3.** Dança italiana, de estrutura binária, em voga nos sécs. XVII e XVIII, e que em geral termina a suíte ou o concerto de câmara.

▲**giga-.** [Do gr. *gígos, antos*.] Pref. que, anteposto ao nome duma unidade de medida, forma o nome de uma unidade derivada de 10^9 vezes a primeira. [Símb.: *G*.]

gigâmetro. [De *giga-* + *-metro*.] *S. m.* Mil milhões de metros.

giganta. *S. f.* Fem. de *gigante* (2 e 3).

gigantão. [Aum. de *gigante*.] *S. m. Bras., MG* e *SP. Folcl.* Cada uma das grandes figuras de papelão, de homem, mulher e menino, de proporções descomunais (João Paulino, Maria Angu, Catitão, etc.), dentro das quais se mete uma pessoa, e que, ao som de ruidosa música, desfilam entre o Natal e o carnaval, em companhia de outros mascarados, alguns deles trazendo cabeçorras. [V. *cabeçorra* (2)].

gigante. [Do gr. *gígas, antos*, pelo lat. *gigante*.] *S. m.* **1.** *Mitol.* Designação comum a serem fabulosos, de estatura colossal, que guerreavam contra os deuses. **2.** Homem de elevada estatura e/ou grande corpulência. **3.** Homem de notável cultura e/ou capacidade intelectual. **4.** Animal de grande porte. [Fem, nas acepç. 2 e 3: *giganta*] ● *Adj. 2 g.* **5.** Muito grande; enorme.

gigantear. *V. int.* **1.** Tornar-se gigante; crescer muito. **2.** Tornar-se maior; engrandecer-se, agigantar-se. [Conjug.: v. *frear*. Pres. ind.: *giganteio, giganteias, giganteia*, etc. Cf. *gigantéia*, fem. de *giganteu*.]

gigantéia. Adj. (f). Fem. de *giganteu*.

gigantesco (ê). *Adj.* **1.** Que tem estatura de gigante; de altura desmedida. **2.** *P. ext.* Prodigioso, grandioso, portentoso. [Sin. ger.: *giganteu*.]

giganteu. [Do gr. *gigánteios*, pelo lat. *giganteu*.] *Adj.* V. *gigantesco*. [Fem.: *gigantéia*. Cf. *giganteia*, do v. *gigantear*.]

gigantez (ê). *S. f.* Qualidade ou condição de gigante.

gigantil. *Adj.* Diz-se de certa variedade de milho amarelo.

gigantismo. [De *gigant(o)-* + *-ismo*.] *S. m.* **1.** Desenvolvimento extraordinário e anormal de qualquer ser, quer animal, quer vegetal. **2.** *P. ext.* Desenvolvimento ou crescimento gigantesco: *As empresas estatais atingiram nos últimos anos um verdadeiro* g i g a n t i s m o. [Antôn.: *nanismo*.]

▲**gigant(o)-.** [Do gr. *gígas, antos*.] *El. comp.* = 'gigante': *gigantografia; gigantismo*.

gigantografia. [De *gigant(o)-* + *-graf(o)-* + *-ia*.] *S. f.* História de gigantes.

gigantográfico. *Adj.* Referente à gigantografia.

giganturóideo. *S. m.* **1.** Espécime dos giganturóideos. ● *Adj.* **2.** Pertencente ou relativo a eles.

giganturóideos. *S. m. pl. Zool* Animais da classe dos peixes neopterígios, ordem *Giganturoidea*, com lobo inferior da nadadeira caudal alongado, nadadeiras peitorais longas, com muitos raios, moles, colocados bem acima das pequenas aberturas oranquiais, e desprovidos de nadadeiras ventrais e bexiga natatória. Ocorrem nos oceanos Atlântico e Índico.

gigo. [De *giga*[1].] *S. m.* **1.** Cesto de vime, estreito e alto; cabaz: "Os homens fuscos do deserto apinhavam-se em torno dos g i g o s de fruta." (Eça de Queirós, *A Relíquia*, p. 190.) **2.** Ramo de árvore com frutos. **3.** *Bras.* Engradado de verga ou de junco, revestido de palha na parte interna, e usado para transportar louça.

gigô. [Do fr. *gigot*.] *S. m.* Guisado de carne desfiada, manteiga e caldo; gigote.

gigolô. [Do fr. *gigolo*.] *S. m. Bras.* **1.** Indivíduo, geralmente moço e bem-parecido, que vive a expensas de prostituta ou de mulher mantida por outro homem. **2.** *P. ext.* Indivíduo que vive à custa de outrem.

gigolotagem. *S. f. Bras.* Ação, procedimento ou vida de gigolô.

gigote. *S. m.* Gigô [q. v.].

gila. *S. f.* V. *chila-caiota*.

gila-caiota. *S. f.* V. *chila-caiota*. [Pl.: *gila-caiotas*.]

gilbarbeira. *S. f.* Planta silvestre da família das liliáceas (*Ruscus aculeatus*), de filocládio ovado, aguçado, rígido, espinescente. Leva uma baga vermelha, quando madura, e uma a três flores em cada filocládio. Em Portugal é utilizada como ornamental na época natalina.

gilbert. [Do antr. *Gilbert*, de William Gilbert, cientista inglês (1540-1603).] *S. m. Fís.* Unidade c.g.s. de força magnetomotriz, que vale 0,7958 ampère-espira. [Símb.: *Gb*.]

gilbueense (êên). *Adj. 2 g.* **1.** De, ou pertencente ou relativo a Gilbués (PI). ● *S. 2 g.* **2.** Natural ou habitante de Gilbués.

gilê. [Do fr. *gilet*.] *S. m.* Colete (1).

gilete (é). [Do antr. *Gillette*.] *S. f.* **1.** Nome registrado de determinada lâmina para barbear. **2.** *P. ext.* Qualquer lâmina desse tipo: "Seu Raul saiu do banheiro com o rosto ensaboado, e gritou para a mulher: — Eufrosina, cadê a g i l e t e que eu deixei aqui no banheiro?" (Herberto Sales, *Histórias Ordinárias*, p. 63.) **3.** O aparelho que serve para sustentar essa lâmina em posição própria para ser utilizada. **4.** *Bras., Chulo.* Indivíduo sexualmente passivo e ativo.

gília. *S. f.* Planta ramosa e ornamental, da família das polemoniáceas (*Gilia tricolor*), dotada de flores levemente aromáticas, tricolores, tubo amarelo, fauce purpúrea e limbo lilás, dispostas em cimeiras paniculadas. [Esta espécie e as suas variedades são muito comuns em nossos jardins, e, graças à sua beleza e elegância, servem para enfeites de relvados e canteiros.]

gilvaz. *S. m.* Golpe ou cicatriz no rosto: "estamos todos a vê-lo [a Alexandre Herculano], feio, duro, rijo, com aquele g i l v a z com que uma navalha lhe talhou a boca em novo, na feira das Amoreiras" (Vitorino Nemésio, *On-das Médias*, p. 245). [Sin., bras., RJ, gír.: *rabo-de-galo*.]

gilvicentesco (ê). [Do antr. *Gil Vicente* + *-esco*.] *Adj.* e *S. m.* Vicentino[1].

gim[1]. [Do ingl. *gin*.] *S. m.* Instrumento para encurvar os carris das vias férreas.

gim[2]. [Do ingl. *gin* < *geneva*, 'genebra'.] *S. m.* Aguardente feita de cereais (cevada, trigo, aveia) e zimbro, genebra.

gimnanto. [De *gimn(o)-* + *-anto*.] *Adj.* *Morfol. Veg.* Que tem flores destituídas de perianto ou perigônio.

▲**gimn(o)-.** [Do gr. *gymnós, é, ón*.] *El. comp.* = 'nu', 'despido': *gimnuro, gimnocéfalo*.

gimnoblástico. [De *gimn(o)-* + *-blast(o)-* + *-ico*[2].] *Adj.* e *S. m.* V. *antomedusa*.

gimnoblásticos. *S. m. pl. Zool.* V. *antomedusas*.

gimnocarpo. [De *gimn(o)-* + *-carpo*.] *Adj. Morfol. Veg.* Cujos frutos são carentes de envoltórios periantais.

gimnocaule. [De *gimn(o)-* + *caule*.] *Adj. 2 g. Morfol. Veg.* Que tem o caule permanentemente desprovido de folhas.

gimnocéfalo. [De *gimn(o)-* + *-céfalo*.] *Adj. Zool.* Que tem a cabeça nua, sem pêlos ou penas.

gimnocerado. *S. m.* **1.** Espécime dos gimnocerados. ● *Adj.* **2.** Pertencente ou relativo a eles. [Sin. ger.: *geocorisido*.]

gimnocerados. *S. m. pl. Zool.* Insetos hemípteros, da subordem *Gymnocerata*, cujas antenas, visíveis de cima, são bem desenvolvidas. São terrestres ou vivem na superfície da água. [Sin.: *geocorisidos*.]

gimnodermo. [De *gimn(o)-* + *-dermo*.] *Adj. Zool.* Que tem a pele nua.

gimnodonte. [De *gimn(o)-* + *odonte*.] *Adj. 2 g. Zool.* Que tem os dentes à vista.

gimnofídio. [De *gimn(o)-* + *ofídio*.] *Adj.* Diz-se das serpentes de pele nua, lisa e viscosa.

gimnofiono. *S. m.* **1.** Espécime dos gimnofionos. ● *Adj.* **2.** Pertencente ou relativo a eles. [Sin. ger.: *ápode*.]

gimnofionos. *S. m. pl. Zool.* Animais cordados, anfíbios, da ordem *Gymnophiona*, de corpo vermiforme, sem pernas, cintura escapular ou pélvica, pele lisa, com sulcos transversais formando anéis e provida de secreção defensiva, cauda curta, ânus próximo da extremidade distal do corpo. Tem os olhos recobertos pela pele, fato que lhes valeu o nome popular de *cobra-cega*. [Sin.: *ápodes*.]

gimnofobia. [De *gimn(o)-* + *-fob(o)-* + *-ia*.] *S. f.* Aversão ou medo ao nu. [Cf. *ginofobia*.]

gimnógino. [De *gimn(o)-* + *-gino*.] *Adj. Morfol. Veg.* Que tem ovário descoberto, por falta de perianto e de brácteas.

gimnolemado. *S. m.* **1.** Espécime dos gimnolemados. ● *Adj.* **2.** Pertencente ou relativo a eles. [Sin. ger.: *lofópode*.]

gimnolemados. *S. m. pl. Zool.* Animais metazoários, briozoários, subclasse *Gymnolaemata*, providos de lofóforo circular, boca com tentáculos à sua volta, zoécio complexo, e desprovidos de epístoma. [Sin.: *lofópodes*.]

gimnonecto. [De *gimn(o)-* + *necto*.] *S. m.* **1.** Espécime dos gimnonectos. ● *Adj.* **2.** Relativo ou pertencente a eles.

gimnonectos. [Pl. de *gimnonecto*.] *S. m. pl. Zool.* Animais nadadores cujo corpo é inteiramente nu.

gimnopédia. [Do gr. *gymnopaidía*.] *S. f.* Festa anual de Esparta, em honra dos guerreiros mortos, em Tiro, celebrada com danças de dois grupos de homens e crianças todos nus.

gimnópode. [Do gr. *gymnopous, odos*.] *Adj. 2 g. Zool.* Que tem os pés nus.

gimnopomo. [De *gimn(o)-* + gr. *pôma*, 'tampa' (opérculo).] *Adj. Ictiol.* Que tem os opérculos nus.

gimnóptero. [De *gimn(o)-* + *ptero*.] *Adj. Zool.* Que tem asas nuas, sem escamas.

gimnosperma. [De *gimn(o)-* + *-sperma*.] *S. f.* Espécime das gimnospermas.

gimnospermas. *S. f. pl. Bot.* Grupo de vegetais, geralmente uma subdivisão dos sistemas modernos, que se define pelos óvulos e sementes a descoberto. Abundantes nos climas temperados, são raros no Brasil.

gimnospermia. [De *gimn(o)-* + *-sperm(o)-* + *-ia*.] *S. f.* *Morfol. Veg.* Ocorrência de sementes expostas, por ser o fruto aberto. [Opõe-se a *angiospermia*.]

gimnospérmico. *Adj.* Gimnospermo.

gimnospermo. [De *gimn(o)-* + *-spermo*.] *Adj.* Relativo às gimnospermas; gimnospérmico.

gimnosporado. [De *gimn(o)-* + *-spor(o)-* + *-ado*[1].] *Adj.* *Morfol. Veg.* Que tem esporos com membrana delgada; gimnósporo.

gimnósporo. [De *gimn(o)-* + *-sporo*.] *Morfol. Veg. S. m.* **1.** Esporo com membrana delgada (por oposição a *clamidósporo*). ● *Adj.* **2.** Gimnosporado.

gimnossomo. [De *gimn(o)-* + *-somo*.] *Adj. Zool.* Que tem o corpo nu.

gimnotídeo. *S. m.* **1.** Espécime dos gimnotídeos. ● *Adj.* **2.** Pertencente ou relativo a eles.

gimnotídeos. *S. m. pl. Zool.* Família de peixes actinopterígios, da ordem dos cipriniformes, subordem *Cyprinoidea*. Apresentam boca não protrátil, limitada por pré-maxilares e maxilares, corpo anguiliforme; possuem órgãos elétricos capazes de produzir choques. Ex.: o peixe-elétrico.

gimnuro. [De *gimn(o)-* + *-uro*.] *Zool. Adj.* **1.** Que tem a cauda nua. ● *S. m.* **2.** Espécime dos gimnuros.

gimnuros. [Pl. de *gimnuro*.] *S. m. pl. Zool.* Seção da família dos macacos que compreende os sapajus-auroras, de cauda nua e calosa.

gim-tônica. *S. m. Bras.* O gim que se serve misturado com água tônica. [Pl.: *gins-tônicas*.]

ginantropo. (ô). [De *gin(e)-* + *-antropo*.] *S. m.* Hermafrodito que participa mais das qualidades físicas da mulher que das do homem.

ginasial. *Adj. 2 g.* **1.** Respeitante a ginásio. **2.** Diz-se do curso de nível secundário que é feito em ginásio (2). ● *S. m.* **3.** Ginásio (3).

ginasiano. *S. m. Bras.* Aluno de ginásio (2 e 3): "G i n a s i a n o. Rui também já foi g i n a s i a n o .... G i n a s i a n o estudando, g i n a s i a n o em férias" (Telmo Vergara, *Contos da Vida Breve*, p. 185.)

ginásio. [Do gr. *gymnásion*, pelo lat. *gymnasiu*.] *S. m.* **1.** Lugar onde se pratica a ginástica. **2.** *Bras.* Estabelecimento de ensino secundário. **3.** *Bras.* Curso ginasial; ginasial: "Falava da mulher e dos filhos, dois, que já cursavam o g i n á s i o com proveito" (Marques Rebelo, *A Mudança*, p. 204).

ginasta. [Do gr. *gymnastés*.] *S. 2 g.* Pessoa que pratica a ginástica, ou que nela é hábil: "quando os clubes ginásticos .... organizam os grandes e belos espetáculos em que o público aprende a estimar a força e a destreza dos músculos como uma das perfeições do homem, os g i n a s t a s não se vestem nunca de cetim e ouro como se fossem pobres e míseros saltimbancos." (Ramalho Ortigão, *As Farpas*, VIII, p. 291).

ginástica. [Do gr. *gymnastiké*.] *S. f.* **1.** Arte ou ato de exercitar o corpo para fortificá-lo e dar-lhe agilidade. **2.** O conjunto dos exercícios corporais sistematizados, para esse fim, realizados no solo ou com auxílio de aparelhos e aplicados com objetivos educativos, competitivos, artísticos, terapêuticos, etc. **3.** *Fig. Fam.* Conjunto de movimentos, providências, expedientes, etc., para um dado fim: *Para sustentar mulher e cinco filhos tem de fazer g i n á s t i c a.* ◆ **Ginástica rítmica.** A que tem por objeto a harmonização dos movimentos do corpo, e que se realiza ao som de música em diferentes ritmos. **Ginástica sueca.** Método tradicional de ginástica posto em prática em Copenhague (Dinamarca) no começo do séc. XIX, e que se baseia nos movimentos, conjugados ou não, dos membros, do tronco e do pescoço.

ginástico. [Do gr. *gymnastikós*, pelo lat. *gymnasticu*.] *Adj.* Relativo à ginástica.

gincana. [Do hindi *gendkhana*, pelo ingl. *gymkhana*.] *S. f.* Competição, em geral entre equipes motorizadas, e na qual se leva em conta não apenas a rapidez com que os concorrentes cumprem as tarefas predeterminadas, mas também a habilidade com que o fazem.

▲**gin(e)-.** [Do gr. *gyné, gynaikós*.] *El. comp.* = 'mulher': *ginantropo*. [Equiv.: *gineco-*, *gino-* e *-gino*: *ginecologia*; *ginófobo*; *andrógino*.]

gineceu. [Do gr. *gynaikeion*, pelo lat. *ginaeceu*.] *S. m.* **1.** *Ant.* Parte da habitação grega destinada às mulheres. **2.** *Morfol. Veg.* Órgão feminino das flores, que consta, quase sempre, de três partes superpostas: ovário, estilete e estigma. [Sin. (nesta acepç.): *pistilo*. Cf., nesta acepç.: *androceu*.]

▲**gineco-.** V. *gin(e)-*.

ginecocracia. [Do gr. *gynaikokratía*.] *S. f.* **1.** Governo da mulher. **2.** Predominância das mulheres na governação pública.

ginecocrata. [De *gineco-* + *-crata*.] *S. 2 g.* Partidário da ginecocracia.

ginecocrático. *Adj.* Referente à ginecocracia.

ginecofobia. [De *gineco-* + *-fob(o)-* + *-ia*.] *S. f.* **1.** Aversão ao sexo feminino. **2.** Medo mórbido de mulheres. [Cf. *misoginia*.]

ginecofóbico. *Adj.* Relativo à ginecofobia.

ginecófobo. *S. m.* Aquele que sofre de ginecofobia.

ginecografia. [De *gineco-* + *-graf(o)-* + *-ia*.] *S. f. Med.* Visualização radiológica de órgãos genitais femininos internos.

ginecográfico. *Adj.* Relativo à ginecografia.

ginecologia. [De *gineco-* + *-log(o)-* + *-ia*.] *S. f.* Parte da medicina que se ocupa das doenças privativas das mulheres. [Cf. *genecologia*.]

ginecológico. *Adj.* Relativo à ginecologia. [Cf. *genecológico*.]

ginecologista. *S. 2 g.* Especialista em ginecologia.

ginecomania. [Do gr. *gynaikomanía*.] *S. f.* **1.** Paixão exagerada por mulheres. **2.** Exaltação doentia do instinto sexual no homem.

ginecomaníaco. *Adj.* **1.** Respeitante à ginecomania. ● *S. m.* **2.** Ginecômano.

ginecômano. [Do gr. *gynaikomanés*.] *S. m.* Aquele que tem ginecomania; ginecomaníaco.

ginecomastia. *S. f. Med.* Desenvolvimento excessivo da glândula mamária do homem.

ginecomasto. [Do gr. *gynaikómasthos*.] *Adj.* e *S. m. Med.* Diz-se de, ou indivíduo que tem ginecomastia.

ginecopatia. [De *gineco-* + *-pat-* + *-ia*.] *S. f. Patol.* Designação comum às afecções genitais da mulher.

ginecopático. *Adj.* Concernente à ginecopatia.

ginecoplastia. [De *gineco-* + *-plast-* + *-ia*.] *S. f.* Cirurgia restauradora dos órgãos genitais femininos.

ginecoplástico. *Adj.* Referente à ginecoplastia.

gineta (ê). [De *ginete*.] *S. f.* **1.** Sistema de equitação de estribo curto, arções altos e freio apropriado. **2.** Pequena bengala, símbolo da autoridade do capitão. [Cf. *ginete* (ê).]

ginetaço. [Do esp. plat. *jinetazo*.] *S. m. Bras., RS.* Ginete (1) que cavalga bem e com garbo. [Us. tb. com relação ao cavaleiro.]

ginetado. [De *gineta* + *-ado*[1].] *Adj.* Montado à gineta (1).

ginetário. *S. m. Ant.* Aquele que montava à gineta (1) "O Marquês de Távora, um g i n e t á r i o de primeira ordem, ... era coronel de cavalaria, e muito gentil da sua pessoa." (Camilo Castelo Branco, *Perfil do Marquês de Pombal*, p. 36.)

ginete (ê). [Do ár. vulg. *zenête*.] *S. m.* **1.** Cavalo de boa raça, fino e bem adestrado: "Couraçado de ferro, épico e deslumbrante, / passa no seu g i n e t e um cavaleiro andante." (Guerra Junqueiro, *ap.* Agostinho de Campos, *Junqueiro*, p. 124.) **2.** *Bras., N.E.* Sela dos vaqueiros do sertão. [Sin. (em GO): *cutuca*.] **3.** *Bras., S.* Aquele que é bom cavaleiro, que monta bem e firme. **4.** *Ant.* Cavaleiro armado de lança e adaga. **5.** *Turfe.* V. *jóquei* (2). [Cf. *gineta* (ê).]

ginetear. [Do esp. plat. *jinetear*.] *V. int.* **1.** *Bras.* Montar bem a cavalo. **2.** Andar em cavalo arisco ou xucro. **3.** Fazer o animal corcovear. **4.** Agüentar corcovos, mantendo-se na sela. **5.** Corcovar (o cavalo). [Conjug.: v. *frear*.]

ginga. *S. f.* **1.** *Marinh.* Remo que se coloca em forqueta ou em cavado à popa, para gingar. [Cf. *zinga*.] **2.** *Bras., N. E.* Caneco de cabo longo, usado nos engenhos de bangüê para baldear o caldo de uma tacha para outra. **3.** *Bras., Cap.* Movimento fundamental, do qual partem todos os golpes ofensivos ou defensivos, e em que o capoeirista, agitando-se sem deixar de manter a base de apoio, em conjugação com as mãos, procura iludir e desnortear o adversário. [Cf. *jinga*.]

gingação. *S. f.* Ato de gingar; gingo.

gingante. *Adj. 2 g.* Que ginga; gingão.

gingão. *Adj.* **1.** Gingante. **2.** Próprio de quem ginga. ● *S. m.* **3.** Desordeiro, brigão. [Fem.: *gingona*.]

gingar. *V. int.* **1.** Inclinar-se para um e outro lado, ao andar; bambolear(-se), bambalear(-se): "Como tivesse os braços desproporcionalmente longos e caminhasse gingando, um pouco ladeado, parecia um chimpanzé." (Érico Veríssimo, *Noite*, p. 29); "estava enorme. gingando por efeito das ancas exageradas." (Ribeiro Couto, *Cabocla*, p. 42). **2.** Caçoar, troçar, chalacear. **3.** Recusar-se desdenhosamente à satisfação de um pedido. **4.** *Marinh.* Remar com um só remo pela popa, segurando-o com ambas as mãos e dando-lhe um movimento, na água, de boreste a bombordo e de cima para baixo, de modo que faça a embarcação prosseguir na direção desejada. [Cf., nesta acepç.: *zingar.* Conjug.: v. *largar.* Pres. ind.: *gingo, gingas, ginga,* etc. Cf. *jingo* e *jinga.*]

ginge. *S. m. Bras., Pop.* Arrepio de emoção.

➧**ginger ale** (djínjar êil). [Ingl.] Certo refrigerante feito à base de gengibre.

gingerlim. *S. m.* V. *gergelim.*

gingerlina. *S. f.* Certo tecido de lã com fio de seda; lã-de-camelo.

gínglimo. [Do gr. *gygglimós*, 'gonzo'.] *S. m. Anat.* Tipo de articulação que só permite movimento em um plano, para a frente e para trás.

ginglimodo. *S. m.* **1.** Espécime dos ginglimodos. ● *Adj.* **2.** Pertencente ou relativo a eles.

ginglimodos. *S. m. pl. Zool.* Animais da classe dos peixes, neopterígios, ordem *Ginglymodi*, de corpo cilíndrico, nadadeira caudal arredondada, nadadeiras dorsal e anal muito próximas da extremidade posterior do corpo, escamas ganóides, vértebras opistocelas e boca prolongada em focinho longo. Ocorrem na América do Norte.

gingo. [Dev. de *gingar.*] *S. m.* Gingação. [Cf. *jingo.*]

gingona. *Adj. (f.)* e *s. f.* Fem. de *gingão* [q. v.]

ginitria. [De um **gineteria* < *ginete* + *-eria.*] *S. f. Bras., N.E. Pop.* Habilidade e acrobacia com cavalo.

ginja. *S. f.* **1.** Azereiro. **2.** Fruto da ginjeira; espécie de cereja de um vermelho mais escuro que o da comum, e de sabor agradável. **3.** Bebida fabricada com ginja (2). ● *S. 2 g.* **4.** Pessoa velha aferrada a costumes antigos. **5.** Pessoa magra e avelhentada. **6.** *Bras.* V. *avaro* (3).

ginjal. *S. m.* Quantidade mais ou menos considerável de ginjeiras dispostas proximamente entre si.

ginjeira. [De *ginja* + *-eira.*] *S. f.* Árvore da família das rosáceas (*Cerasus juliana*), variedade de cerejeira.

ginjeira-da-terra. *S. f. Bras., S.* **1.** Planta da família das rosáceas (*Laurocerasus myrtifolia*), de folhas com sabor de amêndoa amarga, e flores alvas, levemente aromáticas, e melíferas. **2.** Planta da família das solanáceas (*Solanum pseudo-capsicum*), de flores alvas, levemente aromáticas, e melíferas, e cujo fruto é baga ornamental, alaranjada ou amarelo-ouro. [Pl.: *ginjeiras-da-terra.*]

ginjinha. [Dim. de *ginja.*] *S. f.* Aguardente na qual se maceraram ginjas [v. *ginja* (2)].

ginkgoácea. *S. f.* Espécime das ginkgoáceas.

ginkgoáceas. *S. f. pl. Bot.* Família de plantas gimnospérmicas, constituída da árvore *Ginkgo biloba*, oriunda do Extremo Oriente, onde persistiu por ser cultivada em lugares sagrados. É caducifólia e apresenta folhas flabeliformes, bilobadas na ponta; flores minutas e de sexos separados; os frutos têm sementes expostas, drupáceas.

ginkgoáceo. *Adj.* Pertencente ou relativo às ginkgoáceas.

ginkgoale. *S. f.* Espécime das ginkgoales.

ginkgoales. *S. f. pl. Bot.* Classe de vegetais gimnospérmicos formada pela família das ginkgoáceas.

▲**gino-.** V. *gin(e)-.*

▲**-gino.** V. *gin(e)-.*

ginobásico. [De *gino-* + *-bas(i)-* + *-ico*².] *Adj.* Que nasce da base do ovário; ginobático.

ginobático. *Adj.* Ginobásico.

ginofobia. *S. f.* V. *ginecofobia.* [Cf. *gimnofobia.*]

ginófobo. *S. m.* V. *ginecófobo.*

ginoforado. [De *ginóforo* + *-ado*¹.] *Adj. Morfol. Veg.* Que tem um ginóforo.

ginóforo. [De *gino-* + *-foro.*] *S. m. Morfol. Veg.* Porção alongada do eixo floral que sustenta o gineceu, ficando o ovário colocado bem acima do comum. Ocorre, p. ex., nas caparidáceas e leguminosas. [Opõe-se a *andróforo* (1).]

ginostégio. [De *gino-* + *-steg(o)-* + *-io*².] *S. m. Morfol. Veg.* Estrutura floral, distinta do perianto, cuja função é proteger o gineceu, como ocorre nas asclepiadáceas.

ginostêmio. [De *gino-* + gr. *stêma*, 'estame', + *-io*².] *S. m. Morfol. Veg.* Órgão colunar das flores das orquídeas, formado por um prolongamento unilateral sobre o qual se inserem estames e estiletes; androstilo, ginóstemo.

ginóstemo. *S. m. Morfol. Veg.* V. *ginostêmio.*

gio. *S. m. Constr. Nav.* Nas popas quadradas, cada uma das peças dispostas horizontalmente, entalhadas e cavilhadas no contracadaste, constituindo, assim, como que as cavernas de tais popas.

gípseo. [Do lat. *gypseu.*] *Adj.* Feito de gesso.

▲**gipsi-.** Equiv. de *gips(o)-.*

gipsífero. [De *gipsi-* + *-fero.*] *Adj.* Que contém gesso.

gipsita. [De *gips(o)-* + *-ita*³.] *S. f. Min.* Mineral monoclínico, sulfato de cálcio hidratado; gesso.

▲**gips(o)-.** [Do gr. *gypsos, ou.*] *El. comp.* = 'gesso': *gipsita, gipsografia.* [Equiv.: *gipsi-: gipsífero.*]

gipsófila. [Do lat. botânico *gypsophila.*] *S. f.* Cravo-de-amor.

gipsografia. [De *gips(o)-* + *-graf(o)-* + *-ia.*] *Grav. S. f.* **1.** Processo de tiragem de gravuras que consiste em gofrar a estampa já impressa, colocando-a em superfície de gesso, ou semelhante, gravada a entalhe. **2.** Estampa obtida por esse processo.

gipsográfico. *Adj.* Referente à gipsografia.

gir. [Do top. *Gir*, localidade da Índia Ocidental.] *Adj.* e *s. m.* Diz-se de, ou determinada raça zebu [q. v.].

gira. [Dev. de *girar.*] *S. f.* **1.** Ato de girar. ● *S. 2 g.* **2.** *Bras. Fam.* Pessoa adoidada, amalucada: "— Como vai o gira? I — O gira vai bem. Hoje convidou o cachorro para cantar .... . Ele, quando está de pancada, parece que é como quem governa o mundo." (Machado de Assis, *Quincas Borba*, p. 330.) ● *Adj. 2 g.* **3.** *Bras.* V. *maluco* (2): "Gente que nunca vira cousa alguma nestas brenhas ficava gira de entusiasmo, deslumbrada com o malefício." (Alberto Rangel, *Lume e Cinza*, p. 169.) **4.** *Lus. Gír.* V. *bacana* (1).

giração. *S. f.* Ato ou efeito de girar.

girador (ô). *Adj.* **1.** Que gira; girante, giratório. **2.** Que faz girar. ● *S. m.* **3.** Aquele ou aquilo que faz girar. **4.** *Bras., S.* Virador (5).

girafa. [Do ár. *zarafâ*, pelo it, *giraffa.*] *S. f.* **1.** Grande mamífero ruminante, notável sobretudo pelo comprimento do pescoço (*Camelo pardalis giraffa* Gmel.). **2.** *Astr.* Uma das constelações boreais. **3.** *Pop.* Pessoa alta e/ou de pescoço muito comprido. **4.** *Bras.* Haste comprida, móvel e em geral articulada, na qual se prende o microfone, e que permite acompanhar o artista que se movimenta no palco, pôr em relevo o som de um elemento específico de um conjunto, etc.

girame. *S. m. Bras. Pop.* Var. de *gerânio.*

girândola. [Do it. *girandola.*] *S. f.* **1.** Roda ou travessão em que se reúne certo número de foguetes, que sobem e estouram simultaneamente. **2.** O conjunto dos foguetes assim reunidos.

girante. [Do lat. *gyrante.*] *Adj. 2 g.* V. *girador* (1).

girão. [Do fr. *giron.*] *S. m.* **1.** *Ant.* Orla ou debrum de vestuário. **2.** *Ant.* Pedaço de pano. **3.** *Fig.* Seio, regaço. **4.** *Heráld.* Triângulo eqüilátero, nos escudos.

girar. [Do lat. *gyrare.*] *V. int.* **1.** Andar à roda ou em giro; mover-se circularmente: *O carrossel girava devagar*; "Os pneumáticos giravam sem ruído sobre a erva marginal" (Tristão da Cunha, *Histórias do Bem e do Mal*, p. 131). **2.** Andar de um lado para outro; andar sem rumo certo; divagar, vagar, vaguear: *Desorientado, ficou girando como um louco.* **3.** Circular, correr: *Gabava-se do sangue que lhe girava nas veias.* **4.** Descrever voltas; estender-se em voltas; circular: *A estrada girava entre as montanhas.* **5.** Revolutear, agitar-se. **6.** Percorrer sem se fixar; voltear ao acaso: *Seus olhos giravam pela sala.* **7.** Ter curso legal (moeda); correr. **8.** Cavar a vida; lidar. **9.** Correr, decorrer, escoar(-se): "A minha vida passou a girar em torno do canário." (José Lins do Rego, *Meus Verdes Anos*, p. 343.) **10.** *Bras.* Ficar maluco; endoidecer, enlouquecer, ensandecer. *T. d.* **11.** Descrever (giro, círculo): *Girou algumas voltas.* **12.** Fazer rodar, circular; fazer dar voltas: "os trabalhadores rilhavam os dentes, assistindo à luta dum companheiro que .... se inteiriçava, girando os olhos por detrás das pálpebras cerradas." (José Cardoso Pires, *Jogos de Azar*, p. 202.) **13.** Andar em derredor de; percorrer. **14.** Vaguear em; discorrer. *T. i.* **15.** Fazer negócios; negociar: *Alguns giram com milhões e outros com um nada.* ◆ **Não girar bem.** *Bras.* Não ter bom juízo; não ser certo da bola: "Havia quem dissesse que o agulheiro não girava bem. Desde que perdera o menino, sob as rodas do trem, desinteressara-se por tudo." (Permínio Asfora, *Vento Nordeste*, p. 62.)

girassol. [De *girar* + *sol.*] *S. m.* **1.** Planta sublenhosa, de grande porte e ornamental, da família das compostas (*Helianthus annuus*), dotada de grande capítulo com numerosíssimas flores de corola ligulada amarelo-laranja e de corolo tubulosa amarelo-pálida, tipo de corola esse que pertence às flores do disco, as quais têm entre si palhetas pretas, o que confere ao disco uma tonalidade escura. O seu fruto é aquênio aristado, achatado e popularmente chamado *semente.* [Sin. (na linguagem científica): *helianto, verrucária.*] **2.** *Min.* Variedade de opala com reflexos azuis e vermelhos. [Pl.: *girassóis.*]

girassol-do-campo. *S. m. Bras., AM.* Erva muito ramificada, da família das compostas (*Zexmenia rudis*), dotada de capítulos frouxo-corimbosos, amarelos, com brácteas rígidas, membranáceas e um pouco pilosos, cujo fruto é aquênio com asa larga, e que vegeta nas margens dos rios Amazonas e Purus, nas matas próximas do Coari e nos terrenos dominados pelo rio Negro. [Pl.: *girassóis-do-campo.*]

girassol-do-mato. *S. m. Bras., RS.* Subarbusto muito ramoso e glabro, da família das compostas (*Grindelia discoide*), dotado de folhas sésseis, lanceoladas, glabras na página superior, serreadas, com os dentes marginais, agudos e córneos, no ápice, flores amarelas, tubulosas, reunidas em capítulos solitários na extremidade dos ramos, sendo o fruto aquênio glabro; malmequer-do-rio-grande. [Pl.: *girassóis-do-mato.*]

girata. *S. f. Pop.* V. *giro*¹ (7).

giratório. *Adj.* **1.** Em giros; circulatório: *movimento giratório.* **2.** V. *girador* (1): "Recostou-se ao espaldar de sua cadeira giratória." (Amando Fontes, *Os Corumbas*, p. 84.) ~ V. *britador —, palco —* e *ponte —a.*

girento. *Adj. Bras., N.E. Pop.* Diz-se daquele que procura girar (8), arranjar-se, cavar a vida; cavador.

girgolina. *S. f. Bras. Pop.* V. *cachaça* (1).

gíria. [De uma f. regressiva **giriga* < *geringonça* (q. v.).] *S. f.* **1.** Linguagem de malfeitores, malandros, etc., com a qual procuram não ser entendidos pelas outras pessoas; calão, geringonça [q. v.]. **2.** Linguagem peculiar àqueles que exercem a mesma profissão ou arte; jargão: *a gíria dos artistas.* **3.** Linguagem que, nascida num determinado grupo social, termina estendendo-se, por sua expressividade, à linguagem familiar de todas as camadas sociais. **4.** Palavra ou expressão de gíria: *Usa muitas gírias na conversa; "Bacana" é gíria.* ● *S. 2 g.* **5.** *Bras., Amaz.* Pessoa que conhece dialetos indígenas.

girice. [De *gira* (2) + *-ice.*] *S. f. Bras. Fam.* Maluqueira.

giriesco (ê). [De *gíria* + *-esco.*] *Adj.* Relativo ou pertencente à gíria.

girino. [Do gr. *gyrînos*, pelo lat. *gyrinu.*] *S. m.* Designação comum às larvas dos anfíbios anuros, cujo desenvolvimento se processa, na maioria dos casos, dentro da água. A princípio ápodes, adquirem logo em seguida os membros posteriores, depois os anteriores, perdem a cauda e, adultos, com respiração pulmonar, abandonam o meio líquido. Alimentam-se de matéria orgânica em geral, sobretudo de substâncias vegetais, especialmente lodo. [Sin., pop.: *cabeçote, sambacaçote, rapa-colher.*]

girio. *Adj.* **1.** Pertencente ou relativo à gíria. **2.** Que usa de gíria.

➧**girl** (guêrl). [Ingl., 'moça'.] *S. f.* Corista de teatro ou cinema.

giro¹. [Do gr. *gyros*, 'círculo', pelo lat. *gyru.*] *S. m.* **1.** Volta, circuito, rotação, revolução: "Divertia-se em olhar para as gaivotas, que faziam grandes giros no ar" (Machado de Assis, *Várias Histórias*, p. 51). **2.** Circunlóquio, rodeio. **3.** Turno, vez. **4.** Movimento comercial; comércio, negócio. **5.** Curso das operações mercantis. **6.** Circulação da moeda ou títulos de crédito. **7.** *Fam.* Pequena excursão ou passeio; passeata, volta, girata: "Nós dávamos, os dois, um giro pelo vale" (Cesário Verde, *Obra Completa*, p. 93). **8.** Jogo de quatro parceiros, no bilhar, dois dos quais só podem jogar quando o parceiro sai, por haver o adversário marcado ponto. **9.** *Anat.* Circunvolução cerebral. **10.** *Bras.* Ferragem que substitui os gonzos em certas portas de móveis, constante de um par de lâminas de ferro, uma das quais munida de um pino, se encaixa num orifício existente na segunda. ● *Adj.* **11.** V. *amalucado: O rapaz é meio giro.* **12.** *Bras., RS.* Diz-se do galo de plumas escuras, com penas brancas e prateadas.

giro². [De *giro(scópica).*] *S. f. Náut.* F. abrev. de *agulha giroscópica.*

girogirar. [De *giro*¹ + *girar.*] *V. int.* Andar à toa, ao léu, dum lado para outro; girovagar.

girolas. *S. 2 g.* e *2 n. Bras.* **1.** V. *doidivanas.* **2.** V. *tolo* (8).

giromagnético. [De *giro*¹ + *-magnético.*] *Adj.* ~ V. *razão —a.*

gironda¹. *S. f. Prov. lus.* A fêmea do javali, quando inteiramente desenvolvida ou quando velha. [Cf. *javalina.*]

gironda². [Do fr. *Gironde*, 'partido político' top. *Gironde*, 'Gironda' (donde eram seus principais dirigentes).] *S. f.* Partido político moderado, chefiado por

Jacques-Pierre Brissot (1754-1793), na Revolução Francesa.

girondino. [Do fr. *girondin.*] *Adj.* **1.** Da, ou pertencente ou relativo à Gironda[2], na França. ● *S. m.* **2.** Membro da Gironda[2].

giropiloto (ô). [De *giro*[2] + *piloto.*] *S. m.* Instrumento que serve para manter automaticamente um navio ou aeronave em determinado rumo, por meio de giroscópio(s).

giroscópico. *Adj. Fís.* Relativo ao giroscópio.

giroscópio. [De *giro*[1] + *-scop-* + *-io*[2].] *S. m. Fís.* Instrumento constituído por um corpo simétrico capaz de girar com alta velocidade em torno do eixo de simetria, e que, quando suspenso apropriadamente, mantém invariável a direção desse eixo.

girosela. [Do fr. *giroselle.*] *S. f.* Planta da família das primuláceas *(Dodecatheon meadia)*, pequena e bonita, de flores rosadas.

girovagar. [De *giro*[1] + *vagar.*] *V. int.* Girogirar. [Conjug.: v. *largar.*]

giruaense. *Adj. 2 g.* **1.** De, ou pertencente ou relativo a Giruá (RS). ● *S. 2 g.* **2.** Natural ou habitante de Giruá.

giscardiano. *Adj.* **1.** Pertencente ou relativo a Valéry Giscard D'Estaigny (1926-), estadista francês, ou que dele é partidário. ● *S. m.* **2.** Partidário dele.

gitano. [Do esp. *gitano.*] *S. m.* **1.** Cigano da Espanha [v. *cigano* (1)]: "os g i t a n o s entoando a seguidilha" (Ramalho Ortigão, *As Farpas*, I, p. 83). ● *Adj.* **2.** V. *seguidilha* (1).

giz. [Do gr. *gypsos*, pelo ár. *jibs.*] *S. m.* **1.** Greda. **2.** Lápis ou bastonete feito com carbono ou sulfato de cálcio, e que se usa para escrever sobre os quadros-negros. **3.** *Bras., N.E.* Traço retilíneo, a ferro quente, com o qual se assinala o gado vacum, e que indica, por ocasião do inventário, que o animal já foi contado; contramarca que se põe num animal quando ele passa a outro possuidor. [Pl.: *gizes.* Cf. *jis*, pl. de *ji.*]

gizamento. *S. m.* Ato ou efeito de gizar.

gizar. *V. t. d.* **1.** Riscar ou traçar com giz. **2.** *Fig.* Descrever sucintamente; delinear. **3.** *Fig.* Calcular, conjecturar; determinar: "G i z o u o ponto da floresta em que se achava o sujeito, e com tal exatidão que lá iria de olhos fechados em linha reta." (José de Alencar, *O Sertanejo*, p. 73.) **4.** *Fig.* Figurar, imaginando; prefigurar, conceber, imaginar: "todos nós desde mui cedo g i z a m o s um Amazonas ideal" (Euclides da Cunha, *À margem da História*, p. 5). **5.** *Bras., N.E.* Assinalar (o gado vacum) por meio de giz (3).

glabela. [Do adj. lat. *glabella*, 'sem pêlos'.] *S. f. Anat.* Bossa frontal média ou nasal, situada entre as duas arcadas superciliares, e que, em geral, é desprovida de pêlos. [Sin.: *intercílio, mesófrio.*]

glabérrimo. [De *glabro* + *-érrimo.*] *Adj. Morfol. Veg.* Completamente destituído de pêlos: *folha g l a b é r r i m a.*

glabriúsculo. [De *glabro* + *-i-* + *-úsculo.*] *Adj.* Quase glabro.

glabro. [Do lat. *glabru.*] *Adj.* Sem pêlos, ou sem barba; "Estou a vê-lo, de estatura meã, escanzelado, macilento, g l a b r o de cara, exceto no lábio superior, onde curtos pêlos ásperos armavam um bigode em sovela" (Brito Camacho, *Gente Rústica*, p. 9); *folha g l a b r a.*

glaçado. [Part. de *glaçar.*] *Adj. Cul.* Coberto ou envolvido em glace: *bolo g l a ç a d o.*

glaçar. [De *glace* + *-ar*[2].] *V. t. d. Cul.* Cobrir ou envolver em glace. [Conjug.: v. *laçar.*]

glace. [Do fr. *glace.*] *S. f. Cul.* Cobertura de bolo, solidificada ou não, à base de açúcar dissolvido em caldo de frutas, ou em manteiga, em clara batida em neve, etc.; glacê.

glacê. [Do fr. *glacé.*] *S. m.* **1.** Glace. ● *Adj. 2 g.* **2.** Diz-se de certo tipo de seda lustrosa com reflexo prateado, em geral sintética. **3.** Diz-se das frutas secas e cobertas de açúcar cristalizado. ~ V. *papel* —.

glaciação. [Do lat. *glaciare*, 'transformar em gelo', + *-ção.*] *S. f.* **1.** Ação de transformar em gelo, de congelar. **2.** *Geol.* Ação exercida sobre a superfície da terra pelas geleiras [v. *geleira* (1)].

glacial. [Do lat. *glaciale.*] *Adj. 2 g.* **1.** Do, ou relativo ao gelo. **2.** Gelado (1): "o desaparecimento do Sol, o céu sempre cor de chumbo, as névoas g l a c i a i s, a lama, a tristeza invernal." (Eça de Queirós, *Cartas Familiares e Bilhetes de Paris*, p. 113). **3.** *Ecol.* Diz-se das plantas e das comunidades que habitam a zona das neves nas montanhas. **4.** *Fig.* Que não tem ou não demonstra animação, vida. **5.** *Fig.* Pouco expansivo; reservado: "o Conde de Ficalho era uma criatura reservada, g l a c i a l, protocolar, pouco comunicativa, nada acessível" (Júlio Dantas, *Abelhas Doiradas*, pp. 146-147). **6.** Que denota grande frieza ou insensibilidade: "O melancólico moço [Gonçalves Dias] espairecia a sua mágoa fumando constantemente e falando da morte, que tinha nos pulmões, com uma g l a c i a l indiferença" (Ramalho Ortigão, *Em Paris*, p. 71). ~ V. *circo* —, *clima* —, *época* —, *zona* —, *zona* — *antártica* e *zona* — *ártica.*

glaciar. [Do fr. *glacier.*] *S. m. Geol.* Geleira (1).

glaciário. [Do fr. glaciaire.] *Adj.* **1.** Do gelo ou das geleiras. **2.** Relativo à época glacial ou plistocena.

glaciarista. *S. 2 g.* Geólogo especialista no período glaciário.

glaciologia. [Do lat. *glacie*, 'gelo', + *-o-* + *-log(o)-* + *-ia.*] *S. f.* Ramo da geofísica que estuda a água superficial da Terra, quando se apresenta sob a forma de gelo.

glaciológico. *Adj.* Respeitante à glaciologia.

glaciologista. *S. 2 g.* Especialista em glaciologia.

gladiador (ô). [Do lat. *gladiatore.*] *S. m.* Indivíduo que nos circos romanos combatia com outros homens ou com feras, para divertimento público.

gladiar. *V. int.* e *p.* V. *digladiar.* [Pres. ind.: *gladio*, etc. Cf. *gládio.*]

gladiatório. [Do lat. *gladiatoriu.*] *Adj.* Respeitante a gladiador.

gladiatura. [Do lat. *gladiatura.*] *S. f.* **1.** Combate de gladiadores. **2.** A arte desses combates.

gladífero. [Do lat. *gladiu*, 'gládio', + *-i-* + *-fero.*] *Adj. Zool.* Que tem prolongamento em forma de espada.

gládio. [Do lat. *gladiu.*] *S. m.* **1.** Espada de dois gumes; espada. **2.** Punhal (1). **3.** *Fig.* Poder, força. **4.** Combate, luta. [Cf. *gladio*, do v. *gladiar.*]

gladíolo. [Do lat. *gladiolu.*] *S. m.* Planta herbácea, ornamental, da família das iridáceas *(Gladiolus communis)*, dotada de inflorescência em espiga, em forma de palma, com numerosas flores alvas ou róseas, das quais nasce uma espata séssil, à maneira de cálice. Há numerosas variedades, com diversas cores. [Sin.: *palma-de-santa-rita.*]

glagolítico. [Do gr. *glagolitique* < ant. eslavo *glagolu*, 'som', 'palavra'.] *Adj.* ~ V. *alfabeto* —.

glaiadina. *S. f.* Substância glutinosa que se mistura ao vinho para o tornar grosso e claro.

➡**glamour** (glâmur). [Ingl.] *S. m.* Encanto pessoal; magnetismo, charme.

glamouroso (ô). *Adj. Angl.* Que tem ou que revela *glamour.*

glandado. [De *glande* + *-ado*[1].] *Adj. Heráld.* Que termina em glande.

glande. [Do lat. *glande.*] *S. f.* **1.** *Morfol. Veg.* Fruto do gênero *Quercus* (carvalho), conhecido vulgarmente como *bolota* [q. v.], e que consta de um pericarpo coriáceo, envolvido na base por uma cúpula receptacular. Pertencente ao grupo dos aquênios: [Sin.: *lande.*] **2.** *P. ext.* Objeto semelhante a esse fruto. **3.** *Anat.* A cabeça do pênis; bálano. **4.** *Anat.* Extremidade do clitóris.

glande-do-mar. *S. f. Bras.* V. *craca* (2). [Pl.: *glandes-do-mar.*]

glandífero. [Do lat. *glandiferu.*] *Adj.* Que tem ou produz glandes: "o g l a n d í f e r o roble" (Antônio Feliciano de Castilho, *As Geórgicas de Virgílio*, p. 77).

glandiforme. [De *glande* + *-i-* + *-forme.*] *Adj. 2 g.* Que tem forma de glande.

glândula. [Do lat. *glandula.*] *S. f.* **1.** Pequena glande. (1 e 2). **2.** *Anat.* Conjunto de células que secretam ou excretam substâncias que não se relacionam com as suas necessidades habituais. [Há *glândulas endócrinas, exócrinas e mistas.*] **3.** *Morfol. Veg.* Célula epidérmica, muitas vezes em forma de pêlo capitado, que segrega um líquido particular. As glândulas são extremamente difundidas no reino vegetal. [A palavra pode ser aplicada a qualquer célula segregante.] ◆ **Glândula de secreção externa.** *Anat.* Glândula exócrina. **Glândula de secreção interna.** *Anat.* Glândula endócrina. **Glândula endócrina.** *Anat.* Glândula (2) cuja secreção se lança diretamente na circulação sanguínea. São glândulas endócrinas: a epífise ou glândula pineal, a hipófise ou glândula pituitária, a tireóide, o timo, as glândulas paratireóides, a porção endócrina do pâncreas, as glândulas supra-renais, os testículos, os ovários. [Sin.: *glândula de secreção interna.*] **Glândula exócrina.** *Anat.* Glândula (2) cuja secreção é lançada, através de um conduto, para o exterior do órgão que a produz. São glândulas exócrinas: as glândulas salivares, as sebáceas e sudoríparas, as lacrimais. [Sin.: *glândula de secreção externa.*] **Glândula mista.** *Anat.* A que tem, a um tempo, secreção interna e externa. **Glândula pineal.** *Anat.* Epífise (2). **Glândula pituitária.** *Anat.* V. *hipófise.* **Glândula salivar.** *Anat.* Cada uma das que segregam a saliva. **Glândulas de Bartholin.** *Anat.* Pequenas formações, em número de duas, uma de cada lado do orifício da vagina. **Glândula sebácea.** *Anat.* Glândula situada no córion, e que secreta o sebo. **Glândula supra-renal.** *Anat.* Cada uma das glândulas endócrinas situadas na parte superior do lado interno de cada rim correspondente, e que secretam hormônios da maior importância em diversos setores (metabolismo, circulação, etc.). [Tb. se diz apenas *supra-renal.*]

glandulação. *S. f.* Estrutura ou disposição das glândulas.

glandular. *Adj. 2 g.* **1.** Relativo a glândula; glanduloso. **2.** V. *glanduliforme.* ~ V. *pêlo* —.

glandulífero. [De *glândula* + *-i-* + *-fero.*] *Adj.* Que tem glândulas.

glanduliforme. [De *glândula* + *-i-* + *-forme.*] *Adj. 2 g.* Que tem forma de glândula; glandular, glanduloso.

glanduloso (ô). [Do lat. *glandulosu.*] *Adj.* **1.** Glandular. **2.** V. *glanduliforme.* ~ V. *pêlo* —.

gláucico. [De *glauco(n)-* + *-ico*[2].] *Adj.* De cor mais ou menos verde. [Cf. *glauco.*]

glauco. [Do gr. *glaukós*, pelo lat. *glaucu.*] *Adj.* **1.** V. *verde-claro*: "Em muitos lugares, o ribeiro tomava conta de porção da mata, onde se embarrava, transformando-se em um largo açude g l a u c o dos reflexos das massas azinhavradas das folhagens" (Alberto Rangel, *Sombras n'Água*, p. 154). **2.** De coloração verde e tonalidade ligeiramente azulada. [Cf. *gláucico.*]

glaucófana. [De *glauco(n)-* + *-fana.*] *S. f. Min.* Glaucofânio.

glaucofânio. [De *glauco(n)-* + *-fan(o)-* + *-io*[2].] *S. m. Min.* Mineral monoclínico do grupo dos anfibólios, por via de regra azulado, silicato de sódio, alumínio e ferro, e que pode possuir mais ou menos magnésio; glaucófana.

glaucoma. [Do gr. *gláukoma*, pelo lat. *glaucoma.*] *S. m. Patol.* Doença caracterizada pela dureza do olho em conseqüência do aumento da tensão intra-ocular, e que pode acarretar perturbações visuais transitórias ou definitivas.

glaucomatoso (ô). *Adj.* e *s. m.* Que ou aquele que tem glaucoma.

▲**glauco(n)-.** [Do gr. *glaukós, é, ón.*] *El. comp.* = 'glauco', 'verde-claro': *glaucofana, glauconita.*

glauconita. [De *glauco(n)-* + *-ita*[3].] *S. f. Min.* Mineral amorfo ou microcristalino, de cor verde, silicato hidratado de potássio e ferro, formado de modo autígeno nos sedimentos marinhos.

gleba. [Do lat. *gleba.*] *S. f.* **1.** Terreno próprio para cultura; leiva, torrão: "Quando o homem .... percorria a passo as g l e b a s tranqüilas, e distinguia uma planta que sobrepujava as outras em força e vitalidade, lembrava-se do filho." (Gastão de Holanda, *O Burro de Ouro*, p. 55.) **2.** Terreno que contém mineral. **3.** *P. ext.* V. *terra* (6). **4.** Terreno, feudo a que os servos estavam adscritos. **5.** *Urb.* Área de terra não urbanizada.

gleicheniácea. *S. f.* Espécime das gleicheniáceas.

gleicheniáceas. *S. f. pl. Bot.* Família de pteridófitas, da ordem das eufilicales, caracterizada pelos esporângios em número de dois a oito nos soros, que não levam indúsio; os esporângios têm anel transversal. Há umas 80 espécies, em sua maioria dos países intertropicais e subtropicais do hemisfério austral.

gleicheniáceo. *Adj.* Pertencente ou relativo às gleicheniáceas.

gleiquênia. *S. f. Bras.* Designação de alguns fetos xerófilos e ornamentais da família das gleiqueniáceas, pertencentes ao gênero *Dicranopteris*, todos brasileiros e parecendo trepadores, notáveis pelas suas raques sucessivas e multiplicadamente dicótomas, que, formam no solo vastas "manchas" quase impenetráveis, e que são muito cultivadas em jardins e estufas; samambaia, samambaia-do-mato-virgem.

glena. [Do gr. *gléne*, 'encaixe de osso'.] *S. f. Anat.* Cavidade articular, pouco profunda, de um osso.

glenodina. *S. f.* Gênero de infusórios.

glenoidal. [De *glenóide* + *-al.*] *Adj. 2 g. Anat.* Relativo a glena; glenóide, glenóideo.

glenóide. [Do gr. *glenoeidés.*] *Adj. 2 g. Anat.* V. *glenoidal.*

glenóideo. [Do gr. *gléne* + *-óideo.*] *Adj. Anat.* V. *glenoidal.*

gleucômetro. [Do gr. *gleûkos*, 'vinho doce', + *-metro.*] *S. m.* Instrumento que serve para dosar a quantidade de açúcar contida no mosto; glicômetro.

glia. [Do gr. *glía*, 'grude', 'cola'.] *S. f. Anat.* Neuroglia.

▲**gli(a)-.** Equiv. de *-glia.*

▲**-glia.** [Do gr. *glía.*] *El. comp.* = 'grude', 'cola', 'estrutura semelhante a cola': *neuroglia.* [Equiv.: *gli(a)-*: *glioma.*]

glicemia. [De *glic(o)-* + *-(h)em(o)-* + *-ia.*] *S. f.* Taxa de açúcar no sangue, a qual se pode situar acima (hiperglicemia) ou abaixo (hipoglicemia) da faixa normal.

glicêmico. *Adj.* Relativo à glicemia.

glicerano. *Adj.* **1.** De, ou pertencente ou relativo a Glicério (RJ). ● *S. m.* **2.** O natural ou habitante de Glicério.

glicerense. *Adj. 2 g.* **1.** De, ou pertencente ou relativo a Glicério (SP). ● *S. 2 g.* **2.** Natural ou habitante de Glicério.

glicéria. *S. f.* Planta aquática da família das gramíneas *(Glyceria fluitans)*, dotada de espiguetas lineares, mais ou menos cilíndricas, as inferiores quase sésseis e as demais pedunculadas, cujo fruto é cariopse de cor castanha, e que fornece forragem de boa qualidade.

glicérico. [De *glicer(ina)* + *-ico*².] *Adj.* Que tem por base a glicerina; glicério.

glicerina. [De *glicer(o)-*¹ + *-ina*¹.] *S. f. Quím.* Glicerol.

glicerinado. [De *glicerina* + *-ado*¹.] *Adj.* Que contém glicerina.

glicério. *Adj.* Glicérico. [Cf. *Glicério*, top. e antr.]

▲**glicer(o)-**¹. [Do gr. *glykerós, á, ón.*] *El. comp.* = 'de sabor doce', 'doce': *glicerina.*

▲**glicer(o)-**². [De *glicerina.*] *El. comp.* = 'glicerina': *gliceróleo.*

glicerol. [De *glicer(o)-*¹ + *-ol.*] *S. m. Quím.* Substância orgânica, líquida, incolor, viscosa, adocicada, que é um triálcool; glicerina. [Pl.: *gliceróis.* Fórm.: $C_3H_8O_3$.]

gliceróleo. [De *glicer(o)-*² + *óleo.*] *S. m.* Medicamento que tem como excipiente a glicerina.

glicídio. *S. m. Bioquím.* Designação genérica de substâncias que agrupam os açúcares redutores não hidrolisáveis (aldoses e cetoses) e compostos que dão, por hidrólise, um ou vários destes açúcares.

glicina. [De *glic(o)-* + *-ina*¹.] *S. f. Quím.* O mais simples dos aminoácidos, existente na cana-de-açúcar; ácido aminoacético, glicocola. [Fórm.: H_2NCH_2COOH.]

glicínia. [Do lat. bot. *Glycinia* < gr. *glykys*, 'doce'.] *S. f.* **1.** Trepadeira ornamental, originária da China, da família das leguminosas, subfamília papilionácea *(Wistaria sinensis)*, cujas flores, em cacho, têm comumente a corola de um tom azul-pálido, ou, com menor freqüência, rosa-claro ou branco. **2.** V. *gloxínia.*

▲**glic(o)-**. [Do gr. *glykýs, eîa, ý.*] *El. Comp.* = 'doce', 'açúcar': *glicemia, glicógeno.* [Equiv.: *gluc(o)-*: *glucínio.*]

glicocola. [De *glic(o)-* + gr. *kólla*, 'cola'.] *S. f. Quím.* V. *glicina.*

glicogênese. [De *glic(o)-* + *-gênese.*] *S. f.* Glicogenia.

glicogenia. [De *glic(o)-* + *-gen(o)-*¹ + *-ia.*] *S. f.* Produção do glicogênio no fígado; glicogênese.

glicogênico. *Adj.* Relativo à glicogenia.

glicogênio. [De *glic(o)-* + *-gen(o)-*¹ + *-io*².]. *S. m. Quím.* Polissacarídeo existente como substância de reserva nos animais, cristalino, incolor. [Fórm.: $(C_6H_{10}O_5)_n$.]

glicógeno. [De *glic(o)-* + *-geno*¹.] *Adj.* Que produz açúcar.

glicol. [De *glic(o)-* + *-ol.*] *S. m. Quím.* **1.** Qualquer álcool diidroxilado. **2.** Etilenoglicol. [Pl.: *glicóis.*]

glicólise. [De *glic(o)-* + *-lise.*] *S. f.* Desaparecimento do açúcar contido no sangue sob a ação do fermento glicolítico.

glicolítico. [De *glic(o)-* + gr. *lythós* < *lyo*, 'dissolver', + *-ico*².] *Adj.* Que tem a propriedade de realizar a glicólise.

glicômetro. [De *glic(o)-* + *-metro.*] *S. m.* Gleucômetro.

glicônico. [Do lat. *glyconicu.*] *Adj.* e *s. m.* ~V. *verso*—.

glicosado. [De *glicose* + *-ado*¹.] *Adj.* Que contém glicose.

glicose. [De *glic(o)-* + *-ose.*] *S. f. Quím.* **1.** Açúcar encontrado no sangue e em diversas plantas, cristalino, incolor; dextrose. [Fórm.: $C_6H_{12}O_6$.] **2.** Açúcar (2).

glicosídeo. *S. m. Quím.* Designação genérica dos heterosídeos e holosídeos.

glicosuria. *S. f. Med.* Glicosúria.

glicosúria. [De *glicose* + *-ur(o)-*² + *-ia.*] *S. f. Med.* Presença de glicose na urina.

➧**glide** (gláid). [Ingl., 'deslize'.] *S. m. Fon.* Som de transição caracterizado por um movimento da língua ou dos lábios durante sua emissão.

glífico. [De *glif(o)-* + *-ico*².] *Adj.* ~ V. *letra* —*a.*

glifo. [Do gr. *glyphé*, 'gravura'.] *S. m.* Pictograma gravado em pedra.

▲**-glif(o)-** [Do gr. *glýpho.*] *El. comp.* = 'gravar', 'esculpir: *hieróglifo* (gr. *hieroglyfikós*), *glífico.*

glioma. [De *gli(a)-* + *-oma.*] *S. m. Med.* Neuroglioma.

glíptica. [Do gr. *glyptiké* (subentende-se *téchne*).] *S. f.* Arte de gravura em pedras preciosas.

▲**glipt(o)-**. [Do gr. *glyptós, é, ón.*] *El. comp.* = 'gravado': *gliptografia, gliptogênese.*

gliptodonte. [De *glipt(o)-* + *odonte.*] *S. m. Zool.* Gênero de mamíferos desdentados, que compreende animais gigantescos, fósseis no quaternário americano.

gliptogênese. [De *glipt(o)-* + *-gênese.*] *S. f. Geol.* Formação do relevo da superfície terrestre graças aos agentes erosivos e intempéricos.

gliptografia. [Do *glipt(o)-* + *-graf(o)-* + *-ia.*] *S. f.* Gliptologia.

gliptográfico. *Adj.* Gliptológico.

gliptologia. [De *glipt(o)-* + *-log(o)-* + *-ia.*] *S. f.* Ciência que tem por fim o estudo das pedras antigas gravadas; gliptografia.

gliptológico. *Adj.* Relativo à gliptologia; gliptográfico.

gliptoteca. [De *glipt(o)-* + *-teca.*] *S. f.* **1.** Coleção de pedras gravadas. **2.** *P. ext.* Local onde se encontra uma dessas coleções.

gliquemia. *S. f.* V. *glicemia.*

glissando. [Do it. *glissando.*] *S. m. Mús.* **1.** Na harpa, no piano e noutros instrumentos de teclado, passagem rápida, ascendente ou descendente, das unhas ou das pontas dos dedos sobre uma série de notas consecutivas. **2.** Nos instrumentos de cordas friccionáveis, o deslize de um dedo para cima e para baixo sobre as notas de uma corda, enquanto o arco permanece em movimento. [Cf., nessas acepç., *portamento* (1).]. **3.** Efeito curioso, como um murmúrio indistinto sem intervalos definidos, produzido no trombone de vara e trazido para a orquestração moderna pela influência do jazz: "Enquanto eu ouvia os g l i s s a n d o s imprevistos dos trombones, gelava ante a idéia de novo cãozinho estraçalhado" (Irene Moutinho, *Até agora nada*, p. 105.)

glisseta (ê). *S. f. Geom. Anal.* Lugar geométrico de um ponto de uma curva plana que desliza em seu plano, sujeita a determinadas restrições.

global. [De *globo* + *-al.*] *Adj. 2 g.* **1.** Tomado ou computado em globo, por inteiro; integral, total. **2.** Relativo ou pertencente ao globo terrestre: *Mac Luhan considera o mundo uma aldeia g l o b a l.* ~V. *preço* —, *demanda* — e *guerra* —.

globalizado. [Part. de *globalizar.*] *Adj.* Tornado global; totalizado.

globalizar. [De *global* + *-izar.*] *V. t. d. Bras.* Totalizar, integralizar.

➧**globe-trotter** (glób-trótâr). [Ingl.] *S. m.* Aquele que viaja mundo em fora.

globífero. [Do lat. *globu* + *-i-* + *-fero.*] *Adj. Morfol. Veg.* Que dá frutos arredondados.

globifloro. [Do lat. *globu* + *-i-* + *-floro.*] *Adj. Morfol. Veg.* Que tem flores globosas.

globina. [Do lat. *globu*, 'globo', + *-ina*¹.] *S. f. Bioquím.* **1.** O componente protéico da hemoglobina. **2.** Qualquer membro de um grupo de proteínas semelhante à globina (1).

globo (ô). [Do lat. *globu.*] *S. m.* **1.** Corpo esférico, redondo: "É noite e a luz que vem de cima, transbordando de um g l o b o de gás, ilumina o grupo de três velhotes" (Aluísio Azevedo, *Demônios*, p. 161). **2.** O globo terrestre, a Terra: "À volta de seis enormes mesas, ... reúnem-se em cada noite centenares de viajantes, vindos de todos os pontos do g l o b o à romagem da nova Meca." (Ramalho Ortigão, *Em Paris*, p. 109.) **3.** Representação esférica do sistema planetário. [Pl.: *globos* (ô). Dim. irreg.: *glóbulo.*] ♦ **Em globo.** Por junto; no conjunto; na totalidade.

globosidade. [Do lat. *globositate.*] *S. f.* Qualidade de globoso.

globoso (ô). [Do lat. *globosu.*] *Adj.* Globular (1): "São pilhas piramidais de laranjas g l o b o s a s e doiradas" (Martins Fontes, *Terras da Fantasia*, p. 57).

globular. [De *glóbulo* + *-ar*¹.] *Adj. 2 g.* **1.** Com a forma de globo; globoso. **2.** Diz-se dessa forma: "As urnas funerárias de barro (igaçabas), lisas, de forma g l o b u l a r assentada em fundo cônico, 1111 .... marcavam, na face do solo, inúmeros círculos." (Raimundo de Morais, *País das Pedras Verdes*, p. 282.) **3.** Reduzido a globo (1). ~ V. *aglomerado* —, *cúmulo* — e *projeção celeste* —.

globulariácea. *S. f.* Espécime das globulariáceas.

globulariáceas. *S. f. pl. Bot.* Família de plantas superiores, da ordem das tubifloras, composta de plantas herbáceas com folhas alternas e flores dispostas em capítulos. Flores zigomorfas, com androceu didínamo ou com dois estames, e ovário unilocular. Fruto: núcula, com pericarpo delgado. Há cerca de 20 espécies, quase todas européias.

globulariáceo. *Adj.* Pertencente ou relativo às globulariáceas.

globuliforme. [De *glóbulo* + *-i-* + *-forme.*] *Adj. 2 g.* Globuloso (1).

globulina. [De *glóbulo* + *-ina*¹.] *S. f. Quím.* Qualquer proteína pertencente à classe das que são insolúveis em água, solúveis em soluções salinas, ácidas ou básicas diluídas, e coaguláveis pelo calor.

globulito. [De *glóbulo* + *-ito*².] *S. m. Geol.* Formas globulares, microscópicas, encontradas nas rochas magmáticas, efusivas.

glóbulo. [Do lat. *globulu.*] *S. m.* Pequeno globo. ♦ **Glóbulo de Bok.** *Astr.* Nuvem intestelar quase esférica, compacta, cuja massa é de 20 massas solares, e cujo raio tem cerca de um ano-luz. **Glóbulo sanguíneo.** *Anat.* Cada uma das células sanguíneas das séries branca e vermelha.

globuloso (ô). [Do lat. *globulosu.*] *Adj.* **1.** Que tem forma de glóbulo; globuliforme: "desceu o cabeção da camisa, fez sair o seio esquerdo, g l o b u l o s o, duro" (Júlio Ribeiro, *A Carne*, p. 246). **2.** Reduzido a glóbulos.

glomerar. [Do lat. *glomerare.*] *V. t. d.* e *p. P. us.* V. *aglomerar.*

glomeruliforme. [De *glomérulo* + *-i-* + *-forme.*] *Adj. 2 g. Morfol. Veg.* Que tem forma de glomérulo (2).

glomerulite. [De *glomérulo* + *-ite*¹.] *S. f. Patol.* Inflamação do glomérulo do rim.

glomérulo. [Do lat. *glomus, eris*, 'novelo' + *-ulo.*] *S. m.* **1.** *Anat.* Tufo de vasos sanguíneos ou fibras nervosas. **2.** *Morfol. Veg.* Inflorescência curta e globosa, que é, na realidade, uma cimeira fortemente contraída. ♦ **Glomérulo de Malpighi.** *Anat.* Cada um dos numerosos tufos vasculares, de origem arterial, existente no rim, e que constituem a primeira estrutura do sistema de filtração.

glomerulonefrite. [De *glomérulo* + *nefrite.*] *S. f. Patol.* Forma de nefrite em que os glomérulos de Malpighi são atingidos.

glomo. [Do lat. *glomu.*] *S. m. Patol.* Corpúsculo constituído, sobretudo, de arteríolas que se comunicam diretamente com vênulas, e que dispõe de importante suprimento nervoso.

glória. [Do lat. *gloria.*] *S. f.* **1.** Fama adquirida por ações extraordinárias, feitos heróicos, grandes serviços prestados à humanidade, às letras, às ciências, etc.; celebridade, renome, reputação: *Tornou à sua cidade coberto de g l ó r i a s.* **2.** *P. ext.* Pessoa famosa, célebre; celebridade: *Ele é a g l ó r i a de sua terra.* **3.** Honra, orgulho: *Sua eleição encheu de g l ó r i a a família.* **4.** Magnificência, brilho, esplendor, prestígio: *a g l ó r i a da antiga Roma; A cidade tivera seus dias de g l ó r i a.* **5.** Alegria, satisfação: *Foi uma g l ó r i a vencermos o jogo.* **6.** Grande mérito; superioridade: *Naquilo residia a g l ó r i a da empresa.* **7.** Ufania, vaidade, vanglória: *De seus próprios defeitos tira a g l ó r i a.* **8.** Preito, honra, homenagem: *G l ó r i a ao Padre, ao Filho e ao Espírito Santo.* **9.** A bem-aventurança; o Céu: *O morto, que Deus o tenha em sua santa g l ó r i a, ia ser enterrado.* **10.** Jogo de dados em que os parceiros devem percorrer uma faixa em espiral, dividida em casas, até alcançar a última e central, a glória; e em que ganha quem, vencendo todos os obstáculos, ali chegar primeiro; jogo-da-glória, oca. **11.** *Rel.* Hino cantado na missa. **12.** *Rel.* Doxologia que termina a recitação de todos os salmos. [Cf. *gloria*, do v. *gloriar*, *Gloria*, lit., e *Glória*, antr. e top.]

➧**Gloria.** [Do lat. *Gloria in Excelsis Deo*, 'Glória a Deus no Céu'.] *S. m. 2 n. Lit.* Parte da missa (1) que sucede ao Kyrie, e que se inicia com essas palavras, recitadas ou cantadas. [V. *liturgia da missa.* Cf. *gloria*, do v. *gloriar*, *glória*, s. f., e *Glória*, antr. e top.]

gloriabundo. [Do lat. *gloriabundu.*] *Adj. P. us.* Que se gloria; que é dado a gloriar-se, a ostentações.

gloriar. [Do lat. **gloriare*, por *gloriari.*] *V. t. d.* **1.** Cobrir de glória. *P.* **2.** Cobrir-se de glória. **3.** Ufanar-se, envaidecer-se, envaidar-se, jactar-se, glorificar-se, vangloriar-se: "não se dedignam, antes se prezam e g l o r i a m, de assentar por suas mãos a coroa dos imortais na fronte radiosa de um seu benemérito concidadão." (Latino Coelho, *Cervantes*, p. 160). **4.** Fazer consistir sua glória em alguém ou algo: *O velho g l o r i a - s e no filho eminente; G l o r i a v a - s e nos seus títulos universitários.* [Pres. ind.: *glorio, glorias, gloria*, etc. Cf. *glória.*, s. f., pl., *glórias, Gloria*, lit., e *Glória*, antr. e top.]

➧**gloria victis** (glória víctiç). [Lat., 'glória aos vencidos.'] Antítese da expr. vae *victis* [q. v.].

gloriense¹. *Adj. 2 g.* **1.** De, ou pertencente ou relativo a Glória (BA). ● *S. 2 g.* **2.** Natural ou habitante de Glória.

gloriense². *Adj. 2 g.* **1.** De, ou pertencente ou relativo a Glória do Goitá (PE). ● *S. 2 g.* **2.** Natural ou habitante de Glória do Goitá.

gloriense³. *Adj. 2 g.* **1.** De, ou pertencente ou relativo a Nossa Senhora da Glória (SE). ● *S. 2 g.* **2.** Natural ou habitante de Nossa Senhora da Glória.

gloriense[4]. *Adj. 2 g.* **1.** De, ou pertencente ou relativo a São João Batista do Glória (MG). ● *S. 2 g.* **2.** Natural ou habitante de São João Batista do Glória.
glorificação. [Do lat. *glorificatione.*] *S. f.* **1.** Ato de glorificar(-se); exaltação. **2.** Ascensão à bem-aventurança ou à glória eterna; canonização.
glorificador (ô). *Adj.* **1.** Que glorifica; glorificante. ● *S. m.* **2.** Aquele que glorifica.
glorificante. [Do lat. *glorificante.*] *Adj. 2 g.* Glorificador (1).
glorificar. [Do lat. *glorificare.*] *V. t. d.* **1.** Prestar glória ou homenagem a. **2.** Dar glória a; honrar: "São os homens assim [como Ferdinand Denis] os que verdadeiramente g l o r i f i c a m o trabalho" (Ramalho Ortigão, *Em Paris*, p. 69). **3.** Canonizar, beatificar. *P.* **4.** Adquirir glória. **5.** Ufanar-se, jactar-se, gloriar-se. [Conjug.: v. *trancar.*]
glorificativo. *Adj.* Próprio para glorificar.
glorìola. [Do lat. *gloriola.*] *S. f.* **1.** Glória vã, tirada de coisas frívolas: "Esta é a verdadeira glória, sem g l o r í o - l a s" (Augusto Meyer, *Preto & Branco*, p. 81). **2.** Boa fama imerecida.
gloriosa. [Fem. substantivado de *glorioso.*] *S. f. Bras., N.E. Chulo.* Automasturbação.
gloriosa-dos-jardins. *S. f.* V. *gloxínia.* [Pl.: *gloriosas-dos-jardins.*]
glorioso (ô). [Do lat. *gloriosu.*] *Adj.* **1.** Cheio de glória, de fama; famoso, renomeado. **2.** Que dá glória ou honra; honroso. **3.** Ilustre, notável. ~ V. *mistérios —os.*
glosa. [Do gr. *glôssa*, 'língua', 'linguagem arcaica ou regional', pelo lat. *glossa*, 'termo obscuro', e var. *glosa.*] *S. f.* **1.** Nota explicativa de palavra ou do sentido de um texto; comentário, interpretação. **2.** Anotação marginal ou interlinear. **3.** Censura, crítica. **4.** Cancelamento ou recusa, parcial ou total, dum orçamento, conta, verba, por ilegais ou indevidos. **5.** *Pop.* Suspensão, cancelamento. **6.** *Bras.* Composição poética, ordinariamente formada de quatro décimas, às quais servem de mote os quatro versos de uma quadra. **7.** *Bras. Liter. Pop.* Décima (5) única, na qual se inclui o mote de um ou de dois versos.
glosador (ô). *S. m.* **1.** Aquele que glosa; hermeneuta, intérprete. **2.** *Ant.* Jurista que comentava textos legais por meio de glosas.
glosar. [De *glosa* + *-ar*[2].] *V. t. d.* **1.** Comentar, anotar, explicar. **2.** Censurar, criticar. **3.** Suprimir ou anular (parte de conta ou de orçamento). **4.** Desenvolver em verso (um mote). *Int.* **5.** Fazer glosas.
glossa. [Do gr. *glôssa* (v. *glosa*).] *S. f.* **1.** *Ant.* Glosa. **2.** *Zool.* Projeção lingüiforme mediana dos lábios dos insetos.
glossado. *S. m.* e *adj.* Lepidóptero.
glossados. *S. m. pl. Zool.* Lepidópteros.
glossalgia. [De *gloss(o)-* + *-alg(o)-* + *-ia.*] *S. f. Patol.* Dor ou enfermidade na língua.
glossálgico. *Adj.* Relativo à glossalgia.
glossantraz. [De *gloss(o)-* + *-antraz.*] *S. m.* Carbúnculo dos cavalos, que se lhes desenvolve sobretudo na língua, peito, coxas e extremidades dos membros anteriores e posteriores.
glossário. [Do lat. *glossariu.*] *S. m.* **1.** Vocabulário ou livro em que se explicam palavras de significação obscura; elucidário. **2.** Dicionário de termos técnicos, científicos, poéticos, etc. **3.** Vocabulário que figura como apêndice a uma obra, principalmente para elucidação de palavras e expressões regionais, ou pouco usadas: *Os volumes de contos regionais de Valdomiro Silveira trazem utilíssimos g l o s s á r i o s .* **4.** Léxico de um autor, que figura, em geral, como apêndice a uma edição crítica: *o g l o s s á r i o de Gil Vicente.*
glossarista. *S. 2 g.* Autor de glossário(s).
glossema. [Do gr. *glóssema.*] *S. m. Ling.* A menor unidade lingüística que pode servir de suporte a uma significação (2).
glossemática. [Do gr. *glossematiké.*] *S. m. Ling.* Termo proposto pelo lingüista dinamarquês Louis Trolle Hjelmslev (1899-1965) para designar o estudo e a classificação dos glossemas.
glossiano. [De *gloss(o)-* + *-i-* + *-ano.*] *Adj. Anat.* Glóssico.
glóssico. [Do gr. *glossikós.*] *Adj. Anat.* Relativo ou pertencente à língua (1); glossiano.
glossina. [De *gloss(o)-* + *-ina*[1].] *S. f. Zool.* Gênero de moscas vivíparas e hematófagas, vectores da doença do sono, e ao qual pertence a que se chama, vulgarmente, *tsé-tsé.*
glossióideo. [De *gloss(o)-* + *hióideo.*] *Adj. Anat.* Da língua e do osso hióide, ou referente a ambos.
glossite. [De *gloss(o)-* + *-ite*[1].] *S. f. Patol.* Inflamação da língua.
▲gloss(o)-. [Do gr. *glôssa- glôtta, es.*] *El comp.* = 'língua (órgão)', 'língua (linguagem)': *glossite, glossofaríngeo.* [Equiv.: *-glosso, glot(o)-* e *-glota: macroglosso; glotologia, poliglota* (< gr. *polyglottos*).]
▲-glosso. V. *gloss(o)-.*
glossocátoco. [Do gr. *glossokátochon.*] *S. m. Med.* V. *abaixa-língua.*
glossocele. [De *gloss(o)-* + *-cele.*] *S. f. Patol.* Tumoração na língua.
glossoescolecídeo. *S. m.* **1.** Espécime dos glossoescolecídeos. ● *Adj.* **2.** Pertencente ou relativo a eles.
glossoescolecídeos. *S. m. pl. Zool.* Família de vermes metamerizados da classe dos oligoquetas, muito semelhantes em seus caracteres à família *Lumbricidae.*
glossofaríngeo. [De *gloss(o)-* + *faríngeo.*] *Adj. Anat.* **1.** Relativo à língua e à faringe. ~ V. *músculo — e nervo —.* ● *S. m.* **2.** Nervo glossofaríngeo.
glossografia. [De *gloss(o)-* + *-graf(o)-* + *-ia.*] *S. f.* **1.** Investigação e definição de palavras obscuras e antigas. **2.** Descrição anatômica da língua.
glossográfico. *Adj.* Relativo à glossografia.
glossógrafo. *S. m.* Especialista em glossografia.
glossóide. [Do gr. *glossoeidés.*] *Adj. 2 g.* Semelhante à língua.
glossolalia. [De *gloss(o)-* + *-lal(o)-* + *-ia.*] *S. f.* Dom sobrenatural de falar línguas desconhecidas.
glossolálico. *Adj.* Relativo à glossolalia.
glossologia. [De *gloss(o)-* + *-log(o)-* + *-ia.*] *S. f.* V. *glotologia.*
glossológico. [De *gloss(o)-* + *-log(o)-* + *-ico*[2].] *Adj.* Relativo à glossologia; glotológico.
glossologista. [De *glossologia* + *-ista.*] *S. 2 g.* V. *glotólogo.*
glossólogo. [De *gloss(o)-* + *-logo.*] *S. m.* V. *glotólogo.*
glossomancia (cí). [De *gloss(o)-* + *-mancia.*] *S. f.* Arte de adivinhar o caráter e o futuro de alguém pela forma da língua.
glossomante. [De *gloss(o)-* + *-mante.*] *S. 2 g.* Pessoa que pratica a glossomancia.
glossomântico. *Adj.* Relativo à glossomancia, ou a glossomante.
glossópetra. [Do gr. *glossópetra*, pelo lat. *glossopetra.*] *S. f.* Pedra fóssil que representa uma língua, e que é o dente de um peixe fóssil.
glossotomia. [De *gloss(o)-* + *-tom(o)-* + *-ia.*] *S. f. Cir.* Incisão da língua.
glossotômico. *Adj.* Relativo à glossotomia.
▲-glota. V. *gloss(o)-.*
glote. [Do gr. *glottís*, 'lingüeta'.] *S. f. Anat.* Abertura, em forma de pequena língua, existente na laringe, entre as bordas livres das cordas vocais inferiores: "Uma vontade de cuspir, de lançar apertava-me a g l o t e" (João do Rio, *Dentro da Noite*, p. 163). [Sin. Pop.: *goto.*]
gloterar. *V. int.* V. *glotorar.*
glótica. [Fem. substantivado de *glótico.*] *S. f.* V. *glotologia.*
glótico. [Do gr. *glottikós.*] *Adj.* Relativo ou pertencente à glote.
glotite. [De *glote* + *-ite*[1].] *S. f. Patol.* Inflamação da glote.
▲glot(o)-. V. *gloss(o)-.*
glotologia. [De *glot(o)-* + *-log(o)-* + *-ia.*] *S. f.* Ciência da linguagem; glossologia, glótica.
glotológico. *Adj.* Relativo à glotologia; glossológico.
glotologista. *S. 2 g.* V. *glotólogo.*
glotólogo. *S. m.* Especialista em glotologia; glossologista, glossólogo, glotologista.
glotorar. [Do lat. *gloctorare.*] *V. int.* Soltar a sua voz (a cegonha); gloterar.
gloxínia (cs). [Do lat. *Gloxinia*, do antr. *Gloxin*, de Benjamim P. Gloxin, botânico alemão do séc. XVIII.] *S. f.* Erva tuberosa (*Sinningia speciosa*), da família das gesneriáceas. Muito cultivada, graças à beleza das grandes flores alvas, azuis, vermelhas e maculadas; folhas amplas, carnosas, vilosas e crenadas; corola afunilada, com limbo curto e quatro estames. É nativa no Brasil. [Sin.: *glicínia, gloriosa-dos-jardins.*]
■ GLP. Sigla de *gás liquefeito de petróleo.*
glucídio. [Do ingl. *glucide.*] *S. m. Quím.* Qualquer composto orgânico com uma fórmula do tipo $C_n(H_2O)_n$; hidrato de carbono; carboidrato, sacarídeo.
glucínio. [De *gluc(o)-* + *-ino*[1] + *-io*[2].] *S. m. Quím.* Berílio.
▲gluc(o)-. Equiv. de *glic(o)-.*
glucosídio. *S. m. Quím.* Qualquer substância de uma classe proveniente da condensação de duas ou mais moléculas de glucídios. [Fórm.: $(C_6H_{10}O_5)_n$.]
gluglu. [Voc. onom.] *S. m.* Som imitativo da voz do peru, ou do ruído de um líquido que sai dum vaso de gargalo estreito.
gluma. [Do lat. *gluma.*] *S. f. Morfol. Veg.* Bráctea da espigueta das gramíneas, por dentro da qual ficam as flores. Cada espigueta possui duas glumas em oposição.
glumáceo. *Adj. Morfol. Veg.* Que não tem perianto propriamente dito, mas brácteas.
glumela. [De *gluma* + *-ela.*] *S. f. Morfol. Veg.* Bractéola da espigueta das gramíneas, que envolve a flor. Há duas glumelas para cada flor.
glumélula. [De *glumela* + *-ula.*] *S. f. Morfol. Veg.* Cada uma das duas peças muito reduzidas da flor das gramíneas, que correspondem ao perianto; lodícula.
glumiflora. [Do lat. *gluma* + *-i-* + *-flora*, fem. de *-floro.*] *S. f.* Espécime das glumifloras; glumiflorale.
glumiflorale. *S. f.* Glumiflora.
glumiflorales. *S. f. pl. Bot.* Glumifloras.
glumifloras. *S. f. pl. Bot.* Ordem de vegetais monocotiledôneos, caracterizada pelas flores dotadas de glumas e glumelas, hermafroditas, e pelos frutos secos e indeiscentes. Compreende as famílias das gramíneas e das ciperáceas. [Sin.: *glumiflorales.*]
glutâmico. [De *glut(e)-* + *am(ido)* + *-ico*[2].] *Adj.* ~ V. *ácido —.*
glutão. [Do lat. *glutone.*] *Adj.* **1.** Que come muito e com avidez; voraz, edaz. ● *S. m.* **2.** Aquele que come muito e com avidez. [Cf., nesta acepç., *gastrólatra.* Fem. *glutona.*]
glute. [Do lat. *gluten.*] *S. m.* Substância azotada dos cereais, que fica quando das respectivas farinhas se separa o amido.
▲glut(e)-. [Do lat. *gluten, inis.*] *El. comp.* = 'grude' 'cola': *glutâmico, glutina.*
glúten. *S. m.* V. *glute.* [Pl.: *glutens* e (p. us. no Brasil) *glútenes.*]
glúteo. [Do gr. *gloutos*, 'nádega', + *-eo.*] *Adj. Anat.* Referente ou pertencente às nadegas: *a região g l ú t e a .*
glutina. [De *glut(e)-* + *-ina*[1].] *S. f.* Proteína que se encontra na gelatina (1).
glutinar. [Do lat. *glutinare.*] *V. t. d.* Conglutinar (1) [q. v.].
glutinativo. [Do lat. *glutinatu*, glutinado (part. de *glutinar*)', + *-ivo.*] *Adj.* Aglutinativo.
glutinosidade. *S. f.* Qualidade de glutinoso.
glutinoso (ô). [Do lat. *glutinosu.*] *Adj.* **1.** Que tem glute. **2.** Que se assemelha ao glute. **3.** Pegajoso, viscoso.
glutona *Adj. (f.)* e *s. f.* V. *glutão.*
glutonaria. *S. f.* Qualidade de glutão; voracidade, edacidade, glutonia. [Cf. *gula* (1). Var.: *glutoneria.*]
glutoneria. *S. f.* V. *glutonaria.*
glutonia. *S. f.* V. *glutonaria.*
glutônico. *Adj.* Relativo a glutão.
gnafálio. [Do gr. *gnaphálion*, pelo lat. *gnaphaliu.*] *S. m.* V. *cotonária.*
gnaisse. [Do al. *Gneiss.*] *S. m. Geol.* Rocha metamórfica feldspática laminada, nitidamente cristalina, e de composição mineralógica muito variável.
gnáissico. *Adj.* Relativo ao, ou próprio do gnaisse.
gnastomado. *S. m.* **1.** Espécime dos gnastomados. ● *Adj.* **2.** Pertencente ou relativo a eles.
gnastomados. *S. m. pl. Zool.* Animais cordados, do subfilo *Gnasthomata*, com maxilas, dois tubos nasais, geralmente com apêndices pares (membros ou nadadeiras), e sexos separados. Constituem a maioria das espécies atuais.
gnatalgia. [De *gnat(o)-* + *-alg(o)-* + *-ia.*] *S. f. Patol.* Dor no queixo.
gnatálgico. *Adj.* Relativo à gnatalgia.
gnaticídio. [Do lat. *gnatu*, 'nascido' + *-i-* + *-cídio.*] *S. m. Desus.* Filicídio.
▲gnat(o)-. [Do gr. *gnáthos, cu.*] *El comp.* = 'queixo', 'maxilar': *gnatalgia, gnatodonte.* [Equiv.: *-gnato: eurígnato.*]
▲-gnato. Equiv. de *gnat(o)-.*
gnatobdélido. *S. m.* **1.** Espécime dos gnatobdélidos. ● *Adj.* **2.** Pertencente ou relativo a eles. [Sin. ger.: *arincobdélido.*]
gnatobdélidos. *S. m. pl. Zool.* Animais anelídeos, hirudíneos, ordem *Gnathobdelida.* Têm uma ventosa anterior, três maxilas quitinizadas e sangue vermelho; probóscida ausente. No grupo se inclui a maioria das sanguessugas. [Sin.: *arincobdélidos.*]
gnatodonte. [De *gnat(o)-* + *-odonte.*] *Adj. 2 g. Zool.* Que tem os dentes inseridos na espessura das maxilas.
gnatoplastia. [De *gnat(o)-* + *-plast-* + *-ia.*] *S. f. Cir.* Operação plástica na mandíbula.
gnatoplástico. *Adj.* Relativo à gnatoplastia.
gnatoplegia. [De *gnat(o)-* + *-pleg-* + *-ia.*] *S. f. Patol.* Paralisia do queixo.

gnatoplégico. *Adj.* Relativo à gnatoplegia.
gnatopófise. *S. f. Zool.* Saliência ou apófise na lâmina labial da armadura de aranhas do gênero *Gnaphosa.*
gnatostomado. [De *gnat(o)-* + *-stom(a)* + *-ado*[1].] *Adj. Zool.* Com maxilares na boca.
gnetácea. *S. f.* Espécime das gnetáceas.
gnetáceas. *S. f. pl. Bot.* Família de plantas gimnospérmicas, que compreende apenas o gênero *Gnetum*, composto de arbustos e lianas com folhas normais. Flores unissexuais reunidas no mesmo indivíduo; as masculinas levam um perianto tubular difilo e um ou dois estames, e as femininas têm óvulos protegidos por dois tegumentos prolongados em tubo. Há umas 30 espécies, que habitam as regiões tropicais, existindo várias na Amazônia.
gnetáceo. *Adj.* Pertencente ou relativo às gnetáceas.
gnetale. *S. f.* Espécime das gnetales.
gnetales. *S. f. pl. Bot.* Classe de gimnospermas caracterizada pelos estames reduzidos e um filamento, que insere as anteras no ápice. Engloba três famílias: efedráceas, welwitschiáceas e gnetáceas.
gnoma. [Do gr. *gnóme*, pelo lat. *gnome.*] *S. f.* Sentença moral [v. *máxima* (2)].
gnômico. [Do gr. *gnomikós*, pelo lat. *gnomicu.*] *Adj.* Relativo a, ou que tem caráter de gnoma.
gnomo. [Do lat. dos alquimistas *gnomu.*] *S. m.* Designação comum a certos espíritos, feios e de baixa estatura, que, segundo os cabalistas, habitam o interior da Terra e têm sob sua guarda minas e tesouros: "E esse pequeno ser que se assemelha às divindades pastorais, aos g n o m o s teosóficos cujo mister é guardar e amar a árvore ou a roseira que lhes coube, obrigava os sentidos de André e uma alta harmonia entre si" (Barreto Filho, *Sob o Olhar Malicioso dos Trópicos*, p. 74). [Cf. *anão* (2) e *gnômon.*]
▲gnomo-. [Do gr. *gnóme, es.*] *El. comp.* = 'sentença': *gnomologia.*
gnomologia. [De *gnomo-* + *-log(o)-* + *-ia.*] *S. f.* Filosofia sentenciosa.
gnomológico. [Do gr. *gnomologikós.*] *Adj.* Relativo à gnomologia.
gnomólogo. [Do gr. *gnomológos.*] *S. m.* Aquele que discorre ou escreve sentenciosamente, que usa de gnomologia.
gnômon. [Do gr. *gnómon*, pelo lat. *gnomon.*] *S. m.* Ponteiro ou outro instrumento que marca a altura do Sol pela direção da sombra; relógio solar. [Pl.: *gnômons* e *gnômones.* Var.: *gnômone.* Cf. *gnomo.*]
gnômone. *S. m.* Var. de *gnômon* [q. v.].
gnomônica. [Do gr. *gnomoniké*, i. e., *téchne gnomoniké*, pelo lat. *gnomonice.*] *S. f.* Técnica da construção de gnômons.
gnomônico. [Do gr. *gnomonikós*, pelo lat. *gnomonicu.*] *Adj.* Relativo aos gnômons. ~ V. *projeção* —a.
gnomonista. [De *gnômon* + *-ista.*] *S. 2 g.* Especialista em gnomônica.
gnose. [Do gr. *gnôsis.*] *S. f.* **1.** Conhecimento, sabedoria. **2.** *Hist. Filos.* Conhecimento esotérico e perfeito da divindade, e que se transmite por tradição e mediante ritos de iniciação. [Cf. *gnosticismo.*]
▲-gnose. V. *gnos(i)(o)-.*
▲gnos(i)(o)-. [Do gr. *gnôsis, eos.*] *El. comp.* = 'ação de conhecer', 'conhecimento': *gnosiologia.* [Equiv.: *-gnose: diagnose* (gr. *diágnosis*); *-gnos(i)(s)-: agnosia.*]
gnosiologia. [De *gnos(i)(o)-* + *-log(o)-* + *-ia.*] *S. f. Filos.* V. *teoria do conhecimento.*
gnosiológico. *Adj.* Referente à gnosiologia.
▲-gnos(i)(s)-. V. *gnos(i)(o)-.*
gnosticismo. [De *gnóstico* + *-ismo.*] *S. m. Hist. Filos.* Ecletismo filosófico-religioso surgido nos primeiros séculos da nossa era e diversificado em numerosas seitas, e que visava a conciliar todas as religiões e a explicar-lhes o sentido mais profundo por meio da gnose. [São dogmas do gnosticismo: a emanação, a queda, a redenção e a mediação, exercida por inúmeras potências celestes, entre a divindade e os homens. Relaciona-se o gnosticismo com a cabala, o neoplatonismo e as religiões orientais.] [Cf. *gnose* (2).]
gnóstico. [Do gr. *gnostikós*, pelo lat. *gnosticu.*] *Adj.* e *s. m.* Diz-se de, ou sectário do gnosticismo.
gnu. [Do boximane *nqu*, pelo ingl. *gnu* ou pelo fr. *gnou.*] *S. m.* Mamífero da ordem dos artiodáctilos, família *Bovidae*, subfamília *Antilopinae.* Habita desde as regiões do Quênia até a África do Sul; é um antílope com cabeça e chifres semelhantes aos do búfalo, visão e olfato muito apurados, conseguindo evitar os leões, seus principais inimigos; chifres espiralados, corpo de cor cinza e marrom, e mede 2,70 m de comprimento e 1,35 m de altura.

■ GO. Sigla do Estado de Goiás.
goano. *Adj.* e *s. m.* V. *goense.* [Cf. *guano.*]
gobelino. [Do fr. *gobelin.*] *S. m.* **1.** Tapeçaria francesa de tecidos ricos e desenhos de famosos artistas, da fábrica fundada no séc. XV em casa dos Gobelins: "— Acabo de vir de uma exposição de tapeçaria. Que cousas lindas! .... Há até um autêntico g o b e l i n o" (Lima Barreto, *Vida e Morte de M. J. Gonzaga de Sá*, p. 257). **2.** Tapeçaria que imita os gobelinos.
góbida. *S. m.* e *adj. 2 g.* V. *gobídeo.*
góbidas. *S. m. pl. Zool.* V. *gobídeos.*
gobídeo. *S. m.* **1.** Espécime dos gobídeos ● *Adj.* **2.** Pertencente ou relativo a eles.
gobídeos. *S. m. pl. Zool.* Família de peixes actinopterígios, da subordem *Gabioidea*, sem valor comercial. O gênero tipo é o *Gobius*, com formas pequenas e alongadas, cabeça forte, com centenas de espécies marinhas e fluviais.
gobo[1] (ô). [Do it. *gobbo.*] *S. m.* Pedra de calçamento.
globo[2] (ô). *S. m. Bras.* V. *berimbau* (2).
gode. *El. s. m.* us. na loc. adv. *de gode.* ◆ **De gode.** De graça, grátis: "pagou o preço que Dona Maria Serra queria, e era muito barato, só pra não dizer que era d e g o d e" (Josué Montelo, *Os Tambores de São Luís*, p. 244).
godê. [Do fr. *godet.*] *S. m.* **1.** Pequena tigela que se adapta à palheta, e na qual os pintores diluem as tintas; godé. **2.** *Cost.* Corte do tecido em viés, em forma de leque, e que se aplica em saia, manga, etc., a fim de se obter um movimento ondulado. ● *Adj. 2 g.* **3.** *Cost.* Diz-se de veste cortada dessa maneira: "Se ao menos usasse saias g o d ê s, esconderia aquelas regiões do corpo que lhe davam forma de pastel." (Nélida Piñón, *O Calor das Coisas*, p. 187.)
godé. *S. m.* Godê (1).
godeme. [Do ingl. *God damn.*] *S. m.* **1.** *Bras.* Murro ou soco aplicado na cara: "Os ingleses atacavam a murros e 'g o d e m e s' (Inglês de Sousa, *Contos Amazônicos*, p. 107). **2.** *Desus.* Alcunha pitoresca dos ingleses.
goderar. [Var. de *gauderiar.*] *V. t. d.* **1.** *Bras.* Ficar vendo (os outros) comerem, à espera de que lhe dêem alguma coisa; invejar (a quem come) acompanhando-lhe os movimentos; gongorar, gauderiar. **2.** Parasitar, filar. *Int.* **3.** Ficar vendo os outros comerem, à espera de que lhe dêem alguma coisa; comer com os olhos; gauderiar.
godério. [Var. de *gaudério* (q. v.).] *S. m. Bras* V. *chupim* (1).
godero. [Var. de *gaudério.*] *S. m.* **1.** *Bras., N.E.* V. *parasito* (3). **2.** *Bras.* V. *chupim* (1).
godilhão. *S. m.* **1.** Nó formado de fios empastados, que se encontra nos tecidos ou nos enchimentos de colchões, travesseiros, etc. **2.** Grumo ou caroço de farinha, em molhos, na calda, etc.
godo. [Do lat. **cotu.*] *S. m. Prov. lus.* Pequeno seixo rolado. [Pl.: *godos.* Cf. *godo* (ô), pl. *godos* (ô).]
godo (ô). [Do lat. *gothu.*] *S. m.* **1.** Indivíduo dos godos, povo antigo da Germânia, que do séc. III ao V invadiu os impérios romanos do Ocidente e do Oriente. Dividiam-se em ostrogodos (godos de leste) e visigodos (godos do oeste). ● *Adj.* **2.** Pertencente ou relativo aos godos. [Flex.: *goda* (ô), *godos* (ô), *godas* (ô). Cf. *godo*, pl. *godos.*]
goela. [Do lat. **gulella*, dim. de *gula*, 'garganta; goela'.] *S. f.* **1.** V. *garganta* (1). **2.** *Tip.* Canal onde fica presa a linha de matrizes, na cabeça do primeiro elevador da linotipo. ● *S. 2 g.* **3.** *Bras.* Pessoa gananciosa e sem escrúpulos. ● *S. m.* **4.** *Bras.* Indivíduo que conta muita vantagem [v. *fanfarrão* (2).]. ◆ **Cair na goela do lobo.** Cair no perigo que se queria evitar. **Molhar a goela.** *Bras.* Molhar a garganta.
goela-d'água. *S. f. Bras., BA.* V. *vivió.* [Pl.: *goelas-d'água.*]
goela-de-pato. *S. f.* Massa alimentícia em canudos largos e curtos, ou em lâminas, como a lasanha. [Pl.: *goelas-de-pato.*]
goelar. *V. int.* **1.** Esgoelar (3). **2.** Falar muito. **3.** Abrir as goelas; esgoelar-se.
goense. *Adj. 2 g.* **1.** De, ou pertencente ou relativo a Goa (Índia). ● *S. 2 g.* **2.** Natural ou habitante de Goa [Sin. ger.: *goês, goano.*]
goês. *Adj.* e *s. m.* V. *goense.* [Flex.: *goesa* (ê), *goeses* (ê), *goesas* (ê).]
goete (ê). *S. m. Bras.* Var. de *gorete.*
goethiano. *Adj.* **1.** Pertencente ou relativo a Johann Wolfgang Goethe, poeta alemão (1749-1832), ou próprio dele: "Goethe é um espírito de paz. .... Toda a natureza g o e t h i a n a está voltada para a paz." (Augusto Frederico Schmidt, *O Galo Branco*, p. 362.) ● *S. m.* **2.** Admirador e/ou profundo conhecedor da obra de Goethe.
gofrado. [Part de *gofrar.*] *Adj.* ~ V. *papel* —.
gofrador (ô) *Adj.* **1.** Que gofra ~ V *cilindro* —. ● *S. m.* **2.** Instrumento para gofrar
gofradura. *S. f.* V. *gofragem*
gofragem. *S. f.* Ato ou efeito de gofrar; gofradura. relevo seco [Cf *estampagem* (3).]
gofrar. *V. t. d.* **1.** Fazer as nervuras de (folhas ou flores artificiais) **2.** Dar textura a (papel ou cartão), geralmente passando as folhas entre cilindros ou placas gravadas, na prensa de gofrar. **3.** *Encad.* Marcar por pressão, sem tinta, ouro ou outro material, ornatos e letras, nas lombadas e pastas de pano, couro, etc., de (livro ou outra coisa que se encaderna); estampar a frio; estampar a seco.
goga. [De *goela?*] *S. f. Bras., N.E. Pop.* **1.** Vaidade, jactância. **2.** V. *fanfarrice* (2).
gogo (ô). *S. m.* **1.** V. *gosma* (1): "Pois deixa estar, hei de levar a galinha mais magra, a pinta, a que tem g o g o." (Bernardo Pinheiro, *Pindela*, *Azulejos*, p. 10.) **2.** *Bras.* Pigarra. [Pl.: *gogos* (ô).]
gogó. [De *goela.*] *S. m. Bras. Fam.* V. *pomo-de-adão.*
gogó-de-guariba. *S. m. Bras.* Fruta-de-guariba. [Pl.: *gogós-de-guariba.*]
gogóia. *S. f. Bras.* Certo arbusto de nossa flora, e o seu fruto: "Assim brincaram, depois, perigosamente, com pitombas, azeitonas-bravas, g o g ó i a s, jabuticabas, ingás." (Pelópidas Soares, *Cordão dos Bichos*, p. 9.)
gogoroba. *S. m. Bras., N. E. Pop.* V. *ébrio* (8).
gogoso (ô). [De *gogo* + *-oso.*] *Adj.* V. *goguento.*
goguento. *Adj.* Atacado de gogo; gosmento; gogoso.
gói. [Do hebr. *goi*, 'cristão'.] *S. 2 g.* Entre os judeus, designação dada a indivíduo ou povo não judeu. [Tb. us. como adj.]
goiá[1]. *S. m. Bras.* V. *guajá* (2).
goiá[2]. *Bras. S. 2 g.* **1.** Indivíduo dos goiás, lendária tribo indígena goiana. ● *Adj. 2 g.* **2.** Pertencente ou relativo a essa tribo.
goiaba[1]. [Var. de *guaiaba*, do aruaque.] *S. f.* **1.** O fruto da goiabeira. ● *S. 2 g.* **2.** *Bras., SP. Gír.* Pessoa cacete, chata; bolha.
goiaba[2]. *S. f. Bras.* Goiasita. [q. v.].
goiabada. *S. f.* Doce de goiaba em pasta.
goiabal. *S. m. Bras.* Quantidade mais ou menos considerável de goiabeiras dispostas proximamente entre si.
goiabalense. *Adj. 2 g.* **1.** De, ou pertencente ou relativo a São José do Goiabal (MG). ● *S. 2 g.* **2.** Natural ou habitante de São José do Goiabal.
goiabeira. *S. f.* Arvoreta da família das mirtáceas (*Psidium guayava*), nativa na América tropical e amplamente cultivada pelos excelentes frutos edules. Folhas oblongas, com glândulas translúcidas, inseridas em râmulos quadrangulares; flores alvas com pétalas livres e estames muito numerosos; baga carnosa e polisperma.
goiabinha. [Dim. de *goiaba.*] *S. f. Bras.* V. *araçá-felpudo.*
goiaca. *S. f. Bras., S.* Var. de *guaiaca.*
goiamu. *S. m. Bras.* V. *guaiamu.*
goiamum. *S. m. Bras.* V. *guaiamu.*
goiandirense. *Adj. 2 g.* **1.** De, ou pertencente ou relativo a Goiandira (GO). ● *S. 2 g.* **2.** Natural ou habitante de Goiandira.
goianense. *Adj. 2 g.* **1.** De, ou pertencente ou relativo a Goiana (PE). ● *S. 2 g.* **2.** Natural ou habitante de Goiana. [Cf. *goianiense.*]
goianesiense. *Adj. 2 g.* **1.** De, ou pertencente ou relativo a Goianésia (GO). ● *S. 2 g.* **2.** Natural ou habitante de Goianésia.
goianiense. *Adj. 2 g.* **1.** De, ou pertencente ou relativo a Goiânia, capital de Goiás. ● *S. 2 g.* **2.** Natural ou habitante de Goiânia. [Cf. *goianense.*]
goianinhense. *Adj. 2 g.* **1.** De, ou pertencente ou relativo a Goianinha (RN). ● *S. 2 g.* **2.** Natural ou habitante de Goianinha.
goiano. *Adj.* **1.** De, ou pertencente ou relativo a GO, ou à cidade e município do mesmo nome. ● *S. m.* **2.** O natural ou habitante de Goiás. [Fem.: *goiana.* Cf. *guiana*, s. 2 g. e adj. 2 g., e *Guiana*, top.]
goianzeiro. *S. m. Bras., S.* Matagal ou capinzal cerrado.
goiasita. [Do top. *Goiás* + *-ita*[3].] *S. f. Bras.* Mineral que ocorre em GO, e cuja composição química é hidrofosfato de alumínio com sulfato de cálcio; goiaba. [Parece pouco aceitável a grafia oficial, *goiazita*, derivada da antiga escrita *Goiaz*, com z.]
goiatubense. *Adj. 2 g.* **1.** De, ou pertencente ou relativo a Goiatuba (GO). ● *S. 2 g.* **2.** Natural ou habitante de Goiatuba.
goiaúna. *S. m. Bras.* V. *caranguejo-do-rio.*
goiazita. *S. f. Bras.* V. *goiasita.*

goipeba. [De *boipeba?*] *S. f. Bras., MT.* V. *jabutibóia.*
goitacá. *Bras. S. 2 g.* **1.** Indivíduo dos goitacás, tribo indígena que até a metade do séc. XVII senhoreava o litoral brasileiro desde o ES até o rio Paraíba do Sul. ● *Adj. 2 g.* **2.** Pertencente ou relativo a essa tribo. [Var. *guaitacá.*]
goiti. *S. m. Bras.* V. *oiti.*
goiva. [Do lat. tardio *gubia, guvia.*] *S. f.* **1.** Espécie de formão de seção côncavo-convexa, que tem o chanfro do corte no lado côncavo e corta em forma de meia-cana, usado em marcenaria, escultura, gravura em madeira, encadernação, estereotipia, etc. **2.** *Ant.* Agulha com que o artilheiro desobstruía o ouvido da peça.
goivado. [Part. de *goivar*, substantivado.] *S. m.* Goivadura.
goivadura. *S. f.* Ato ou efeito de goivar (1); goivado.
goivar. *V. t. d.* **1.** Cortar ou entalhar com goiva. **2.** *P. ext.* Ferir muito.
goiveiro. [De *goivo* + *-eiro.*] *S. m.* V. *aleli* (1).
goivete (ê). [De *goiva* + *-ete.*] *S. m.* Espécie de plaina semelhante ao guilherme, com dois ferros.
goivira. *S. f. Bras.* V. *guaivira.*
goivo. [Do lat. *guadiu*, 'gozo, alegria'.] *S. m.* V. *aleli.*
gojoba. *S. f. Bras. Gír.* Coisa sem préstimo.
gol (ô). [Do ingl. *goal.*] *S. m. Fut.* **1.** Linha ou quadro que a bola deve transpor, como principal objetivo do jogo: arco, área, baliza, cidadela, meta, vala. **2.** *P. ext.* Ponto que se marca quando a bola transpõe o gol (1) do adversário. [Pl.: *goles* (ô) e *gois*. Cf. *goles*, pl. de *gole*, e *Góis*, antr. É incoerente o pl. *gols*, para uma palavra aportuguesada. Contudo, parece-nos difícil que se venha a fugir desse barbarismo, tão arraigado está.] ◆ **Gol de placa.** *Fut.* Golaço. **Gol olímpico.** *Fut.* Gol feito de uma cobrança de escanteio. **Fechar o gol.** *Fut.* Praticar (o goleiro) defesas constantes, impedindo que o time adversário marque goles.
gola. [Do lat. *gula*, 'garganta'.] *S. f.* **1.** A parte do vestuário junto ao pescoço ou em volta dele: "Quando saía à rua, em noutes chuvosas, com a g o l a do sobretudo até às orelhas ...., passava por um velhinho" (Aluísio Azevedo, *Demônios*, p. 229). [Cf. *colarinho* (1).] **2.** *Arquit.* Moldura de superfície, parte côncava, parte convexa; talão. **3.** *Fort.* Linha ou espaço entre os lados de um ângulo saliente, nas fortificações. **4.** *Marinh.* A meia-cana de um sapatilho. **5.** *Marinh.* Peça circular de ferro, com perfil especial, fixada na parte inferior da saia do cabrestante, e que sujeita a amarra para içá-la. **6.** *Bras., Amaz.* V. *coleira*[2]. ◆ **Gola rulê.** Gola alta, dupla, revirada ou enrolada sobre si mesma, feita de tecido enviesado ou em tecido de malha, para que fique rente ao pescoço.
golaço. *S. m. Bras. Fut.* Gol marcado com extrema perícia ou arte; gol de placa.
golada[1]. *S. f. Lus.* Canal de navegação, nos extremos dos bancos de areia de uma barra, que dá passagem a pequenos barcos.
golada[2]. [De *gole* + *-ada*[1].] *S. f.* V. *gole*: "daí a pouco ele se atolava num prato fundo de caldo, enquanto os homens, suspendendo afetadamente o mindinho, sorviam g o l a d a s de café." (Macedo Miranda, *Pequeno Mundo outrora*, pp. 41-42).
gola-de-couro. *S. m. Bras., RS. Pop.* Soldado, milico: "uma partida de milicianos saía de atravessado e tomava conta de tudo, a couce d'arma: isto foi ensinando a escaramuçar com os g o l a s - d e - c o u r o . " (Simões Lopes Neto, *Contos Gauchescos e Lendas do Sul*, p. 208). [Pl.: *golas-de-couro.*]
golado. [De *gola* (1) + *-ado*[1].] *Adj.* Provido de gola ou de algo que a lembre: *faisão g o l a d o .*
golconda. [Do top. *Golconda*, atual Haiderabad, no Paquistão.] *S. f.* Mina de riquezas (no sentido próprio e no figurado).
golda. *S. f. Bras. Pop.* Infusão para uso externo ou interno: "o sertanejo cavava um quadrado no chão, pondo ali a casca do angico dentro de um pouco d'água e, naquela g o l d a , eram postos os couros de molho, a fim de serem curtidos" (Ulisses Lins de Albuquerque, *Um Sertanejo e o Sertão*, p. 231).
➧**gold point.** [Ingl.] *Econ.* Situação de equilíbrio cambial nos países de moeda-ouro.
gole. [Por **engole*, dev. de *engolir*, com aférese.] *S. m.* Porção de líquido que se engole de uma vez; trago, golada, goleta, golpe: "O chá subiu daí a pouco. Estêvão .... bebeu dous g o l e s " (Machado de Assis, *A Mão e a Luva*, p. 3). [Var.: *golo*. Pl.. *goles*. Cf. *goles* (ô), pl. de *gol* (q.v.). ~ V. *goles*.
goleada. [De *golear* + *-ada*[1].] *S. f. Bras. Fut.* Vitória por larga margem de goles ou tentos; enfiada.
goleador (ô). *Bras. Fut. Adj.* **1.** Diz-se do atacante que goleia, ou time que dá goleada. ● *S. m.* **2.** Artilheiro (2 e 3)
golear. [De *gol* + *-ear.*] *V. int.* e *t. d. Bras. Fut.* Vencer por larga margem de gols ou tentos; dar uma goleada (em): *Há times que raramente g o l e i a m ; O Flamengo g o l e o u todos os adversários.* [Conjug.: v. *frear.*]
goleiro. *S. m. Bras. Fut.* Jogador que tem por função defender o gol e é o único que pode tocar a bola com a mão em sua grande área; arqueiro, guarda-meta, guarda-rede, guarda-redes, guarda-vala, guarda-valas, guardião, golquíper, quíper, vigia: "Pepe continua avançando, dribla os dois zagueiros, invade a área, tira o g o l e i r o da jogada..." (Fernando Sabino, *O Homem Nu*, p. 141).
golejar. *P. us.* **1.** *V. int.* Beber aos goles: *Não bebe depressa, g o l e j a . T. d.* **2.** Beber aos goles; bebericar: *G o l e j o u tranqüilo uma cerveja.* [Conjug.: v. *pelejar.*]
golelha (ê). [Do esp. *goliella.*] *S. f. Fam.* Esôfago.
golelhar. [De *golelha* + *-ar*[2].] *V. int.* Dar à língua; tagarelar, palrar, parolar. [Conjug.: v. *aparelhar.*]
golelheiro. [De *golelha* + *-eiro.*] *S. m.* Falador, tagarela, mexeriqueiro.
goles. [Do persa *ghul*, 'vermelho', 'róseo', pelo fr. *goeules.*] *S. m. pl. Heráld.* Esmalte vermelho, figurado no desenho por traços verticais: "Vimos hoje o brasão de Sua Senhoria: / 'G o l e s , sinople, blau, toda a cor da armaria / Sob a fulguração brunida dos metais.'' (Júlio Dantas, *Sonetos*, p. 73.) [Cf. *goles* (ô), pl. de *gol* (q. v.).] ~ V. *gole*.
goleta[1] (ê). [De *gola* + *-eta.*] *S. f.* Canal estreito de acesso a um porto; barra: "Só visto se fazia idéia do movimento dos seus dois portos [de Cartago] talhados em rocha viva, o do comércio comunicando com o mar por uma g o l e t a , o da guerra, mais para o interior, articulado àquele por um canal abobadado" (Aquilino Ribeiro, *Os Avós dos Nossos Avós*, p. 51).
goleta[2] (ê). [Do fr. *goélette.*] *S. f.* Pequena escuna: "o Falcão, velas brancas abertas e seguido da g o l e t a , como um enorme e estranho albatroz seguido duma gaivota, pôs-se a cruzar ameaçadoramente à boca do largo rio." (Virgílio Várzea, *O Brigue Flibusteiro*, p. 164).
goleta[3] (ê). [De *gole* + *-eta.*] *S. f.* V. *gole.*
golfada. [Fem. substantivado de *golfado*, part. de *golfar.*] *S. f.* **1.** Aquilo que se golfa ou vomita de uma vez. **2.** Porção de líquido que sai de uma vez; jorro, jacto, gorgolão, gorgolhão, golpada: "Siá Maria chegou no momento em que a vaca caía, ajoelhando-se, o sangue em g o l f a d a s espirrando longe." (Nélson de Faria, *Cabeça-Torta*, p. 24.) **3.** *Fig.* Ímpeto, impulso.
gólfão[1]. [De *golfão* (aum. de *golfo*[1]).] *S. m. Desus.* Golfo[1] (1). [Pl.: *gólfãos*. Cf. *golfam*, do v. *golfar*. Alguns autores, Gonçalves Viana entre eles, consignam também o vocábulo como oxítono, *golfão*, de onde o pl. *golfões*.]
gólfão[2]. *S. m.* Designação comum a diversas plantas aquáticas da família das ninfeáceas; golfo, lírio-d'água. [Pl.: *gólfãos*. Cf. *golfam*, do v. *golfar*. Aplica-se ao pl. de *gólfão*[2] a observação sobre o de *gólfão*[1].]
golfar. *V. t. d.* **1.** Expelir em golfadas; vomitar, jorrar: "Era o Luís que saíra para o terreiro em mangas de camisa, g o l f a n d o sangue em borbotões pela boca." (Mário Matos, *Casa das Três Meninas*, p. 150.) **2.** Arremessar em grande quantidade; expedir: *A locomotiva g o l f a v a espessa fumaça.* **3.** Lançar de si; emitir. **4.** Proferir em quantidade e violentamente: *g o l f a r insultos. Int.* **5.** Sair em gorgolão ou golfadas; gorgolar, gorgolhar: "De novo a tosse violentou-o; novo frouxo de sangue g o l f o u em escão." (Coelho Neto, *Obra Seleta*, I, p. 223.) **6.** Aparecer com ímpeto; irromper, surgir. [Sin. *golfejar*. Pres. ind.: *golfo, golfas, golfa*, ... *golfam*, etc.; pres. subj.: *golfe, golfes*, etc. Cf. *golfo* (ô), *gólfão*, s. m. e *golfe* (ô), s. m., pl. *golfes* (ô).]
golfe (ô). [Do ingl. *golf.*] *S. m.* Jogo de origem escocesa, que consiste em impelir com um taco uma bola pequena e maciça, fazendo-a entrar em uma série de buracos distribuídos em grande extensão de terreno. [Pl.: *golfes* (ô). Cf. *golfe* e *golfes*, do v. *golfar.*]
golfejar. [De *golf(ar)* + *-ejar.*] *V. t. d.* e *int.* V. *golfar*: "o sangue purulento já lhe g o l f e j a v a da boca e caía-lhe em jorro pelo corpo." (Aluísio Azevedo, *Casa de Pensão*, p. 248). [Conjug.: v. *pelejar.*]
golfinho[1]. [Do gr. *delphís, ínos*, pelo lat. *delphinu*, com infl. de *golfo* (alto-mar).] *S. m.* **1.** Delfim[1] (1). **2.** *Heráld.* Figura da armaria que representa este animal. **3.** *Esport.* Variante do nado borboleta [q. v.] em que o nadador executa movimentos com pernas e pés juntos, impulsionando o corpo à maneira dos golfinhos ou delfins. **4.** *Ant.* Cada uma das asas das peças de artilharia.
golfinho[2]. [Dim. de *golfe.*] *S. m.* Espécie de golfe de jardim.
golfista. *S. 2 g. Bras.* Jogador de golfe.
golfístico. *Adj. Bras.* Relativo ao golfe.
golfo[1] (ô). [Do gr. *kólpos*, pelo lat. vulg. *colpu, colfu*, **golfu.*] *S. m.* **1.** Porção de mar que entra fundo pela terra e cuja abertura é muito larga. **2.** *Bras., MT.* Depósito diamantífero no leito profundo dos rios. [Pl.: *golfos* (ô). Cf. *golfo*, do v. *golfar.*]
golfo[2] (ô). *S. m.* V. *gólfão*[2]. [Pl.: *golfos* (ô). Cf. *golfo*, do v. *golfar.*]
gólgota. [Do top. *Gólgota*, monte perto de Jerusalém.] *S. m.* **1.** Lugar de suplício. **2.** Sofrimento atroz; suplício.
goliardesco (ê). *Adj.* **1.** Referente a, ou próprio de goliardo (5); devasso, dissoluto. **2.** Farsista, farsante, chocarreiro.
goliardo. [Do lat. medieval *goliardu.*] *Adj.* **1.** Relativo a Golias, gigante filisteu morto por Davi. **2.** Diz-se de religioso medieval que se dedicava à função de jogral para ganhar a vida. **3.** *P. ext.* Que leva vida desregrada ou devassa. ● *S. m.* **4.** Religioso goliardo (2). **5.** Aquele que leva vida desregrada ou devassa.
golilha. [Do esp. *golilla.*] *S. f.* **1.** Argola pregada em um poste, à qual se prendia alguém pelo pescoço; argola, colar: "o imediato, homem feroz, só falava em chibata e g o l i l h a . " (Adolfo Caminha, *Bom-Crioulo*, p. 83). **2.** Cabeção com volta engomada, que se usava com a beca.
golo. *S. m. Pop.* V. *gole*: "— Quincas Borba está muito impaciente? perguntou Rubião bebendo o último g o l o de café" (Machado de Assis, *Quincas Borba*, p. 3). [Pl.: *golos*. Cf. *golo* (ô) e pl. *golos* (ô).]
golo (ô). *S. m. Bras., RS*, e *lus. Fut.* V. *gol.* [Pl.: *golos* (ô). Cf. *golo* e pl. *golos.*]
golpada. *S. f.* **1.** Grande golpe; golpázio. **2.** V. *golfada* (2).
golpázio. *S. m.* V. *golpada* (1).
golpe. [Do gr. *kólaphos*, 'bofetada', pelo lat. *colaphu.*] *S. m.* **1.** Movimento pelo qual um corpo se choca com outro; pancada: *Deu violentos g o l p e s na mesa.* **2.** Efeito ou conseqüência desse movimento; lesão, contusão, mossa: *Tem um g o l p e arroxeado no rosto.* **3.** *P. ext.* Ferimento, ferida, corte, incisão: *Levou muitas navalhadas, e ainda tem o corpo cheio de g o l p e s .* **4.** Ato ou gesto pelo qual alguém alcança ou tenta alcançar outrem com um objeto, uma arma branca, etc.: *Deu-lhe um g o l p e com o chicote; Levou um g o l p e de sabre; Recebeu um g o l p e mortal com o facão.* **5.** Ação súbita e inesperada: *g o l p e de audácia.* **6.** Acontecimento súbito e inesperado: *g o l p e da sorte.* **7.** Abalo, choque, comoção moral: *Rude g o l p e sofreu ele com a morte do amigo.* **8.** Rasgo, lance: *g o l p e de coragem; g o l p e decisivo; g o l p e de mestre.* **9.** V. *gole.* **10.** Ímpeto, impulso. **11.** Manobra desonesta, com o fim de enganar, prejudicar, roubar outrem: *Deu um g o l p e na praça; Não tem caráter: vive de g o l p e s .* **12.** *Bras., Amaz.* Talho que se faz na seringueira para se obter o látex. **13.** *Desus.* Grande porção de pessoas ou de coisas que saem e entram duma vez: "G o l p e s de gente azoinada e assustadiça borbotam uns após outros da Rua Direita e Beco dos Barbeiros" (José de Alencar, *Alfarrábios*, p. 30). ◆ **Golpe de aríete.** Choque causado pela súbita parada da corrente líquida em um conduto forçado. **Golpe de Estado.** Subversão da ordem constitucional: **Golpe de mar.** Golpe violento de grande vaga contra a embarcação, e que lhe salta por cima da borda. **Golpe de vista.** **1.** Olhar que se lança rapidamente a alguma coisa. **2.** Capacidade de observar com rapidez e precisão: *O bom motorista deve ter g o l p e de v i s t a .* **Golpe do baú.** Casamento por interesse financeiro: *O camarada deu o g o l p e d o b a ú : a pequena tem 10 mil de renda.* **Golpe teatral.** *Teat.* Efeito dramático súbito ou imprevisto (ruído, desvendamento de um mistério, aparição súbita, intervenção de nova personagem, etc.), que muda radicalmente a linha da ação. **De golpe.** De repente; de súbito, de chofre; repentinamente, subitamente: "ergueu-se de g o l p e , deu duas voltas e atirou-se à cama chorando..." (Machado de Assis, *Quincas Borba*, p. 73). **Queimar no golpe.** *Bras., MG.* Zangar-se muito; irritar-se.
golpeado. [Part. de *golpear.*] *Adj.* **1.** Ferido de golpes; ferido. **2.** *Desus.* Dizia-se de peça de vestuário na qual, como adorno, se faziam cortes ou aberturas com diferentes feitios, para que por baixo aparecesse o forro, de cor diversa. ● *S. m.* **3.** *Desus.* Esse adorno: "Pelos g o l p e a d o s deste simples roupão borbulhavam os frocos de transparente cambraia" (José de Alencar, *Senhora*, p. 176).

golpeão. *S. m. Bras.* Serra manual para traçar madeiras em toras: "comprou enxós, serrotes e g o l p e õ e s." (Nélson de Faria, *Cabeça-Torta,* p. 9).

golpear. *V. t. d.* **1.** Dar golpes em; esborcinar. **2.** Ferir com golpes; recortar, retalhar. **3.** Açoitar, fustigar. **4.** Afligir profundamente; angustiar. *P.* **5.** *Bras., RS.* Atirar-se, lançar-se. [Conjug.: v. *frear.*]

golpelha[1] (ê). [Do lat. *corbicula.*] *S. f.* Alcofa[1] grande, de esparto.

golpelha[2] (ê). [Do lat. *vulpecula.*] *S. f. Ant.* Raposa (1).

golpismo. [De *golpe* + *-ismo.*] *S. m.* Qualidade ou modo de agir de quem é golpista.

golpista. *Adj. 2 g.* e *s. 2 g.* Diz-se de, ou pessoa que dá golpe (11) ou golpes.

golquíper. [Do ingl. *goal-keeper.*] *S. m. Bras.* V. *goleiro.* [Pl.: *golquíperes.*]

goma. [Do egípcio, atr. do gr. *kómmi* e do lat. *cummi, gummi,* lat. vulg. *gumma.*] *S. f.* **1.** Seiva translúcida e viscosa de alguns vegetais. **2.** Qualquer das substâncias que se empregam na colagem do vinho. **3.** *Patol.* Granuloma infeccioso, característico da sífilis terciária. [Cf., nesta acepç.: *sifiloma.*] **4.** *Bras.* Massa feita com farinha de trigo, dextrina, etc., e água, usada para colar papel, cartão, etc.; cola. **5.** *Bras.* Preparado feito com água e amido, empregado para engomar roupa. **6.** *Bras.* Tapioca (2). **7.** *Bras.* V. *fanfarrice* (2). **8.** *Bras.* V. *mentira* (1). **9.** *Bras.* Gomose. ♦ **Goma de mascar.** Pastilha (3) feita com a goma de certas plantas e envolvida por uma camada de açúcar com sabor variado, que, dada a sua consistência elástica e pegajosa, não se dissolve com a mastigação; chiclete, chicle. ♦ **Cagar goma.** *Bras., N.* e *N.E. Pop.* Ser dado à mentira; mentir: "quem estaria na Delegacia era Dois de Ouros, e Justiniano bravateando na calçada, c a g a n d o g o m a." (Fran Martins, *Dois de Ouros,* p. 15).

goma-arábica. *S. f.* Resina produzida por diversas árvores do gênero *Acacia.* [Pl.: *gomas-arábicas.*]

goma-copal. *S. f. Bras.* V. *anime.* [Pl.: *gomas-copais.*]

gomado. [Part. de *gomar.*] *Adj.* Embebido em goma ou em que se passou goma: *papel g o m a d o.*

goma-de-batata. *S. f. Bras.* V. *fava-de-santo-inácio-falsa.* [Pl.: *gomas-de-batata.*]

gomador (ô). *S. m.* **1.** Operário que trabalha na gomagem de papel. **2.** Aparelho de gomar papéis; máquina de gomar. **3.** *Tip.* Peça de máquina de fazer envelopes, usada para aplicar a goma às margens de colagem de cada um deles.

goma-elástica. *S. f.* **1.** Árvore da família das moráceas *(Ficus elastica),* dotada de látex. **2.** O látex, beneficiado, dessa planta. [Pl.: *gomas-elásticas.*]

gomagem. *S. f.* Ato ou efeito de gomar[1].

gomal. *S. f.* Cauchal (2).

goma-laca. [De *goma* + *laca.*] *S. f.* Laca (1). [Pl.: *gomas-lacas* e *gomas-laca.*]

gomar[1]. [De *goma* + *-ar[2]*.] *V. t. d.* **1.** Passar goma (5) em; engomar. **2.** Tornar gomado.

gomar[2]. [Do lat. *gemmare?*] *V. int. P. us.* Lançar gomos ou rebentos; abrolhar, abrotar, germinar, desabrochar.

goma-resina. *S. f. Quím.* Produto vegetal obtido por incisão e que contém glicídeos, resinas e essências. [Pl.: *gomas-resinas* e *gomas-resina.*]

gombô. [De *quingombô,* com aférese.] *S. m. Bras.* V. *quiabo.*

gombô-grande. *S. m. Bras.* V. *bucha* (11). [Pl.: *gombôs-grandes.*]

gomeira. *S. f. Bras.* V. *pau-de-goma.*

gomeiro. *S. m.* **1.** Fabricante e/ou vendedor de goma. **2.** *Bras. Pop.* Aquele que é dado a mentiras, a gomas; mentiroso, potoqueiro. **3.** *Bras. Pop.* V. *fanfarrão* (2).

gomeleira. [De *gomo* (1).] *S. f.* V. *ladrão* (5).

gomia. [Do ár. *kumiia* (pronunciado no Ocidente *gumīia*).] *S. f.* Agomia [q. v.]: "à cinta a g o m i a para maus encontros (para o que desse e viesse...)" (Antero de Figueiredo, *Toledo,* p. 96).

gomiada. *S. f.* Golpe de gomia.

gomil. [Var. de *agomil* (q. v.).] *S. m.* Jarro[1] de boca estreita. "Desde o verde g o m i l, onde uma verde flor / Encurva seu pescoço em morosa atitude, / Até ao cetim verde, antipático e rude, / Dos reposteiros e dos longos espaldares" (Eugênio de Castro, *Obras Poéticas,* I, p. 37).

gomo (ô). *S. m.* **1.** V. *rebento* (1). **2.** Divisão natural da polpa de certos frutos, como, p. ex., a laranja e o limão. **3.** O intervalo entre dois nós do caule de gramíneas, como o bambu e a cana. **4.** Pedaço de uma dessas gramíneas, correspondente a esse intervalo: "Trazia a menina os bolsos do avental cheios de g o m o s de cana" (José de Alencar, *Guerra dos Mascates,* p. 43). **5.** V. *broto* (3). Pl.: *gomos* (ô).

gomortegácea. *S. f.* Espécime das gomortegáceas.

gomortegáceas. *S. f. pl. Bot.* Família de plantas superiores, da ordem das ranales, que compreende a espécie única, *Gomortega nitida,* arbusto chileno de folhas opostas.

gomortegáceo. *Adj.* Pertencente ou relativo às gomortegáceas.

gomose. [De *goma* + *-ose.*] *S. f. Bras.* Doença dos vegetais, caracterizada por produção e secreção de goma, ou de líquido com aspecto gomoso; goma.

gomosidade. *S. f.* Qualidade de gomoso.

gomoso[1]. [De *goma* + *-oso.*] *Adj.* **1.** Que dá goma. **2.** Que tem a consistência da goma; viscoso: "Num caldeirão .... descubro g o m o s a vianda, parecida com a graxa de cor dos sapatos." (Aquilino Ribeiro, *Alemanha Ensangüentada,* p. 142.)

gomoso[2] (ô). [De *gomo* + *-oso.*] *Adj.* Que tem gomos.

gônada. [De *gon(o)-* + *-ada[1]*.] *S. f. Anat.* Glândula sexual que produz os gametas e segrega os hormônios. O testículo é a gônada masculina e o ovário, a feminina.

gonadia. [De *gônada* + *-ia.*] *S. f.* Glândula reprodutora dos animais.

gonalgia. [De *gon(i)-* + *-alg(o)-* + *-ia.*]. *S.f. Patol.* V. *gonialgia.*

gonálgico. *Adj.* V. *goniálgico.*

gonantozigácea. *S. f.* Espécime das gonantozigáceas.

gonantozigáceas. *S. f. pl. Bot.* Família de algas conjugadas, da ordem das desmidiales, cujas células cilíndricas se unem em filamentos facilmente desagregáveis. O zigoto é livre.

gonantozigáceo. *Adj.* Pertencente ou relativo às gonantozigáceas.

gonatocele. [Do gr. *gónaton,* 'joelho', + *-cele.*] *S. f. Patol.* Gonicele.

gonçalense. *Adj. 2 g.* **1.** De, ou pertencente ou relativo a São Gonçalo (RJ). ● *S. 2 g.* **2.** Natural ou habitante de São Gonçalo.

gonçalo-alves. *S. m.* **1.** *Bras.* V. *chibatã.* **2.** Mirueira. [Pl.: *gonçalos-alves* e *gonçalo-alves.*]

gonçalvense. *Adj. 2 g.* **1.** De, ou pertencente ou relativo a Bento Gonçalves (RS). ● *S. 2 g.* **2.** Natural ou habitante de Bento Gonçalves.

gonçalvino. *Bras. Adj.* **1.** Pertencente ou relativo a Gonçalves Dias, poeta brasileiro (1823-1864), ou próprio dele. ● *S. m.* **2.** Grande admirador e/ou profundo conhecedor da obra e/ou da vida de Gonçalves Dias.

gondito. *S. m. Geol.* Rocha metamórfica, constituída essencialmente de espessartita, e de cuja degradação intempérica se originam concentrações de minério de manganês.

gôndola. [Do it. *gondola.*] *S. f.* **1.** Embarcação comprida, de pequena boca, com as extremidades um tanto levantadas, movida por um remo na popa, característica dos canais de Veneza. **2.** *Bras.* Vagão ferroviário aberto superiormente, e de paredes laterais basculantes, destinado ao transporte de minérios, carvão e outros materiais a granel. **3.** *Bras.* Antigo veículo urbano carioca, puxado a burros: "Um embaraço imprevisto, causado por duas g ô n d o l a s, tinha feito parar o carro." (José de Alencar, *Lucíola,* p. 29.) **4.** *Bras.* Ônibus [q. v.], em certas localidades. **5.** *Bras.* Cesta (2) oscilante, usada nos supermercados. **6.** *Bras., MG.* e *C.O.* Corrente de relógio: "Um relógio — de ouro, para dar imagem do tempo — devia bater dentro do colete, de onde escorria uma g ô n d o l a grossa." (Carlos Drummond de Andrade, *Contos de Aprendiz,* p. 171.) [Cf. *gongola,* do v. *gongolar.*]

gondolar. *V. int.* Andar em gôndola. [Pres. ind.: *gondolo, gondolas, gondola,* etc. Cf. *gôndola.*]

gondoleiro. [Do it. *gondoliere.*] *S. m.* Tripulante de gôndola (1 a 4).

gonete (ê). *S. m.* V. *trado* (1).

gonfalão. [Do fr. ant. *gonfalon.*] *S. m. Ant.* Bandeira de guerra, com três ou quatro pontas pendentes: "uma figura de homem, ... caído por terra, erguendo bem alto .... uma bandeira impoluta, um g o n f a l ã o desfraldado." (Martins Fontes, *Terras da Fantasia,* pp. 41-42).

gonfaloneiro. *S. m.* **1.** Aquele que levava o gonfalão; porta-bandeira. **2.** Magistrado municipal de certas repúblicas italianas da Idade Média.

gonfocarpo. [Do gr. *gomphós,* 'cravo, prego', + *-carpo.*] *S. m.* Planta asclepiadácea, gênero *Gomphocarpus,* cujos frutos são cobertos de pontas.

gonfose. [Do gr. *gómphosis,* 'cravação'.] *S. f. Anat.* Articulação imóvel, estando o osso implantado numa cavidade, como é o caso de dente em alvéolo.

gonga. *S. f. Bras., N. E. Pop.* Roupa (em geral de homem) muito velha.

gongá. [Do quimb. *ngonga.*] *S. m.* **1.** *Bras.* Pequeno altar, nos cultos afro-brasileiros. **2.** *Bras. P. ext.* Recinto onde fica esse altar. **3.** *Bras., N.* Espécie de sabiá (1). **4.** *Bras., RJ.* Pequena cesta, com tampa.

gongar. *V. t. d. Bras. Gír.* Eliminar de certame ou competição, por meio de sinal, emitido especialmente por gongo: *O animador do programa de televisão g o n g o u o cantor desafinado.* [Conjug.: *v. largar.*]

gongilar. *Adj. 2 g. Bot.* Relativo ou pertencente ao gôngilo.

gôngilo. [Do gr. *góggulos.*] *S. m. Morfol. Veg.* Estrutura de multiplicação vegetativa das pteridófitas.

gongo[1]. [Do mal. *gong.*] *S. m.* **1.** Instrumento de percussão, de origem oriental, constituído por um disco metálico que se faz vibrar batendo-o com uma baqueta enchumaçada em uma das extremidades. [Cf. *tantã[1]*.] **2.** *P. ext.* Qualquer objeto semelhante ao gongo. **3.** *Bras. Pop.* Sinal (de campainha, sirena, etc.) que dá o início ou marca o fim de disputa, tarefa, etc., com tempo marcado previamente. ♦ **Ser salvo pelo gongo.** *Bras. Pop.* Livrar-se de aborrecimento, punição, situação embaraçosa, etc., precisamente quando estão a pique de ocorrer.

gongo[2]. *S. m. Bras., N.* Croque com que, nos barcos pequenos, os barqueiros se seguram aos ramos das árvores, nas margens dos rios.

gongolo (ô). [V. *gongolô.*] *S. m. Bras.* V. *embuá.*

gongolô. [Var. de *gongolo* < quimb. *ngongolo.*] *S. m. Bras.* V. *embuá.*

gongorar. *V. int. Bras., N. E. Fam.* V. *goderar* (1).

gongórico. *Adj.* **1.** Pertencente ou relativo a Luís de Góngora, ou ao gongorismo [q. v.], ou próprio daquele ou deste. **2.** Em que há gongorismo.

gongorismo. *S. m.* **1.** Escola espanhola de poesia inspirada no modelo de Luís de Góngora y Argote, poeta espanhol (1561-1627), e caracterizada por um excesso de metáforas, antíteses, inversões, trocadilhos, e alusões clássicas. **2.** Feição literária típica dessa escola.

gongorista. *Adj. 2 g.* **1.** Referente ao gongorismo; gongórico. **2.** Que é partidário ou imitador do gongorismo. ● *S. 2 g.* Partidário ou imitador dessa escola.

gongorizar. *V. t. d.* **1.** Dar feição gongórica a. *Int.* **2.** Poetar ou escrever no estilo gongórico.

gongué. *S. m. Bras., N.* e *N. E.* Var. pros. de *gonguê.*

gonguê. *S. m. Bras., N.* e *N.E.* **1.** Agogô de uma só campânula. **2.** *Bras., N.* e *N.E.* Pequeno tambor que produz um som seco e surdo, e faz parte do conjunto instrumental do bambelô. [Var. pros.: *gongué.*]

gonguinha. *S. f. Bras., PE.* V. *jacuba* (1).

gonguito. *S. m. Bras.* Pequeno bagre do mar.

▲gon(i)-. [Do gr. *gómj.*] *El. comp.* = 'joelho': *gonialgia; gonalgia.*

gonialgia. [De *gon(i)-* + *-alg(o)-* + *-ia.*] *S. f. Patol.* Dor no joelho.

goniálgico. *Adj.* Referente à gonialgia.

gonicele. [De *gon(i)-* + *-cele.*] *S. f. Patol.* Tumoração no joelho; gonatocele. [Cf. *gonocele.*]

gonídia. [De *gonídio.*] *S. f. Morfol. Veg.* **1.** Células verdes que formam, nas algas e nos liquens, uma camada contínua, na qual parece residir todo o poder vegetativo dessas plantas. **2.** Var. de *gonídio* (1).

gonidial. *Adj. 2 g.* Relativo ou pertencente ao gonídio.

gonídio. [Do lat. científico *gonidium* < gr. *gónos,* 'geração'.] *S. m.* **1.** Morfol. Veg. Alga que entra na constituição do talo liquênico. Indica preferentemente as clorofíceas. [Var.: *gonídia.*] **2.** *Citol.* Célula liberada pelo filamento de certas algas e que se destaca, repetindo, depois, o processo.

gonilha. *S. f. Bras.* Círculo de ferro que se encaixava no pescoço dos escravos fujões.

gonimoblasto. *S. m. Morfol. Veg.* Órgão das algas rodofíceas, formado de filamentos, que produz os carpósporos.

▲gonio-. [Do gr. *gonía, as.*] *El. comp.* = 'ângulo', 'canto': *goniômetro.* [Equiv.: *-gono[1]*: *pentadecágono.*]

gônio[1]. [Do gr. *gonía,* 'ângulo'.] *S. m. Anat.* O ângulo da mandíbula.

gônio[2]. *S. m.* F. red. de *radiogoniômetro.*

goniógrafo. [De *gonio-* + *-grafo.*] *S. m.* Instrumento que serve para marcar graficamente qualquer ângulo.

goniometria. [De *gonio-* + *-metr(o)-* + *-ia.*] *S. f.* A técnica de medir ângulos.

goniométrico. *Adj.* Relativo à goniometria.

goniômetro. [De *gonio-* + *-metro.*] *S. m.* Instrumento com que se medem ângulos.

gônis. [Do gr. *genys,* 'mandíbula'.] *S. m. 2 n. Zool.* Contorno inferior mediano e longitudinal do bico das aves.

▲-gono[1]. Equiv. de *gonio-.*

▲-gono[2]. Equiv. de *gon(o)-.*

▲gon(o)-. [Do gr. *gónos, ou.*] *El. comp.* = 'semente', 'esperma', 'órgãos genitais'; 'produção', 'geração': *gonococo, gonorréia.* [Equiv.: *-gono*²: *epígono.*]

gonocele. [De *gon(o)-* + *-cele.*] *S. f. Patol.* Espermatocele. [Cf. *gonicele.*]

gonócito. [De *gon(o)-* + *-cito.*] *S. m.* Célula reprodutora inicial.

gonococia. [De *gon(o)-* + *-coc(o)-* + *-ia.*] *S. f.* Infecção causada pelo gonococo.

gonocócico. *Adj.* Referente ao gonococo ou produzido por ele.

gonococo. [De *gon(o)-* + *-coco.*] *S. m. Biol. Ger.* Bactéria da espécie *Neisseria gonorrheae,* produtora da gonorréia.

gonocorismo. [De *gon(o)-* + *-corismo.*] *S. m.* Dimorfismo sexual.

gonocóxito (cs). *S. m. Zool.* Apêndices minúsculos, com função sexual, observados em insetos da ordem dos mecópteros.

gônomerídeo. *S. m. Zool.* Blastostilo.

gonópode. *S. m. Zool.* Pata modificada, que constitui uma parte da genitália externa em miriápodes da ordem *Polydesmida,* classe *diplopoda.*

gonopódio. *S. m. Zool.* Nadadeira anal dos peixes das famílias dos ciprinodontídeos e dos rivulídeos, que serve de órgão sexual fixador durante a fecundação.

gonorréia. [Do gr. *gonórrhoia,* 'corrimento nos órgãos da geração', pelo lat. *gonorrhoea.*] *S. f. Patol.* Infecção venérea purulenta que surge com poucos dias de incubação e se localiza, inicialmente, na uretra, donde pode estender-se a outras estruturas urinárias e genitais, no homem ou na mulher. Além das precedentes, pode ter localização no reto, articulações e conjuntiva ocular. [Sin.: *blenorragia* e (pop.) *esquentamento, pingadeira, purgação.*]

gonorréico. *Adj.* Relativo à, ou da natureza da gonorréia; blenorrágico.

gonu. *S. m.* Planta da família das cucurbitáceas (*Wilbrandia verticilata*).

gonzaguiano. *Adj.* **1.** Pertencente ou relativo a Tomás Antônio Gonzaga (1744-1810), ou próprio dele. ● *S. m.* **2.** Admirador desse poeta e/ou profundo conhecedor de sua obra.

gonzemo. [Do quimb.] *S. m. Bras., BA.* Santuário dos candomblés de Angola.

gonzo. [Do fr. ant. *gonz,* pl. de *gont,* hoje *gond.*] *S. m.* **1.** Peça dupla, formada por dois anéis de ferro enganchados e terminados ambos com um espigão, um dos quais se prega em uma peça fixa e o outro na peça que se pretende fazer mover sobre a primeira, como uma porta, janela, etc.; quício, mancal. **2.** V. *dobradiça* (1): "o portão de madeira rangedor nos gonzos velhíssimos." (Raquel de Queirós, *100 Crônicas Escolhidas,* p. 66).

➧good bye (gud bai). [Ingl.] *Interj.* Adeus.

goodeniácea. *S. f.* Espécime das goodeniáceas; goodenoughiácea.

goodeniáceas. *S. f. pl. Bot.* Família de plantas superiores, da ordem das campanuladas, cujas flores são zigomorfas e levam ovário bilocular. Fruto capsular. Ervas ou arbustos, muitas vezes com folhas algo suculentas. Há umas 300 espécies, em sua grande maioria australianas. No Brasil, ocorre apenas uma, nas areias do litoral. [Sin.: *goodenoughiáceas.*]

goodeniáceo. *Adj.* Pertencente ou relativo às goodeniáceas; goodenoughiáceo.

goodenoughiácea. *S. f.* Goodeniácea.

goodenoughiáceas. *S. f. pl. Bot.* Goodeniáceas.

goodenoughiáceo. *Adj.* Goodeniáceo.

goranatimbó (nà). *S. m. Bras.* Arbusto da família das leguminosas (*Dahlstedtia pinnata*); timbó-de-raiz.

gorar. [De *goro* + *-ar*².] *V. t. d.* **1.** Malograr, frustrar, inutilizar. **2.** Impedir a incubação de (ovo). *Int.* **3.** Corromper-se na incubação (ovo). **4.** Não ter efeito; abortar; frustrar-se, malograr-se, inutilizar-se. *P.* **5.** Frustrar-se, malograr-se. [Pres. ind.: *goro,* etc. Cf. *goro* (ô).]

gorda (ô). [Fem. de *gordo.*] *S. f. Bras.* V. *gordo* (8).

gordacho. *Adj.* e *s. m. Bras., RS.* V. *gordalhão.*

gordaço. *Adj.* e *s. m.* V. *gordalhão.*

gordalhaço. *Adj.* e *s. m.* V. *gordalhão.*

gordalhão. *Adj.* e *s. m.* Diz-se de, ou indivíduo muito gordo. [Fem.: *gordalhona;* sin.: *gordaço, gordalhaço, gordalhudo; gordalhufo, gordanchudo, gordão* e (bras., RS) *gordacho.*]

gordalhona. *Adj.* (*f.*) e *s. f.* Fem. de *gordalhão; gordona.*

gordalhudo. *Adj.* e *s. m.* V. *gordalhão.*

gordalhufo. *Adj.* e *s. m.* V. *gordalhão:* "os dois acólitos, um teso como um pinheiro, o outro gordalhufo e enxovalhado" (Eça de Queirós, *O Crime do Padre Amaro,* p. 420).

gordanchudo. *Adj.* e *s. m.* V. *gordalhão.*

gordão. *Adj.* e *s. m.* V. *gordalhão.* [Fem.: *gordona.*]

gordiáceo. *S. m.* e *adj.* **1.** V. *nematomorfo* (1 e 3). **2.** Gordióideo.

gordiáceos. *S. m. pl. Zool.* V. *nematomorfos* (1). **2.** Gordióideos.

gordinha. [Fem. substantivado de *gordinho,* dim. de gordo.] *S. f. Bras.* Ubari.

gordinho. [Dim. substantivado do adj. *gordo.*] *S. m. Bras.* V. *paru* (3).

górdio¹. *S. m.* e *adj.* V. *nematomorfo* (1 e 3). ~ V. *górdios.*

górdio². *Adj.* Pertencente ou relativo a Górdio, rei lendário da Frígia, antiga região da Ásia Menor. ~ V. *górdios* e *nó* —.

gordióideo. *S. m.* **1.** Espécime dos gordióideos. ● *Adj.* **2.** Pertencente ou relativo a eles. [Sin. ger.: *gordiáceo.*]

gordióideos. *S. m. pl. Zool.* Animais asquelmintos, nematomorfos, da ordem *Gordioidea,* providos de duas gônadas, e cujo corpo é desprovido de cerdas para natação. [Sin.: *gordiáceos.*]

górdios. *S. m. pl. Zool.* V. *nematomorfos* (1). ~ V. *górdio.*

gordo (ô). [Do lat. *gordu.*] *Adj.* **1.** Que tem gordura; untuoso; gordurento, gorduroso, grassento, grasso, graxo: *carne gorda.* **2.** Que tem o tecido adiposo desenvolvido: *criança gorda.* [Aum.: v. *gordalão.*] **3.** V. *gordurento* (2). **4.** Semelhante à gordura. **5.** *Fig.* Alentado, volumoso: "tirou das algibeiras das calças dois gordos maços de notas" (Coelho Neto, *Turbilhão,* p. 200); "Uma mulher abriu a porta, o corpo bloqueando a entrada ....; para entrar eu teria que me esfregar nos seus peitos gordos." (Rubem Fonseca, *A Coleira do Cão,* p. 169). **6.** *Fig.* Avultado, considerável: *uma gorda quantia.* **7.** Diz-se do terreno fértil: *as terras gordas do Sul.* **8.** *Bras.* Diz-se das cartas pertencentes aos naipes de copas e espadas: *carta gorda; dama gorda; ás gordo.* [Tb. us. como s. f., mas só em relação à palavra *carta: Bateu a parada com uma gorda.*] **9.** *Tip.* Preto (7). ~ V. *alvenaria —a, argamassa —a, argila —a, cal —a, dia —, dias —s, domingo —, letra —a, de letras —as, olho —, sábado —* e *terça-feira —.* ● *S. m.* **10.** Qualquer substância gorda: *o gordo do porco.* **11.** Indivíduo obeso, gordo. [Sin., pop. deprec., nesta acepç.: *baleia, hipopótamo* e (bras.) *boi, elefante.* Aum.: v. *gordalhão.*]

gordona. *Adj.* (*f.*) e *s. f.* Fem. de *gordão;* gordalhona.

gordota. Adj. (*f.*) e *s. f.* Fem. de *gordote:* "crianças sadias correndo, cunhatãs gordotas sorrindo" (Raimundo Morais, *País das Pedras Verdes,* p. 275).

gordote. *Adj.* e *s. m.* Gorducho: "o pescador fora sempre quieto, reconcentrado, gordote e de boa paz." (Almiro Caldeira, *Maré Alta,* p. 11). [Fem.: *gordota.*]

gorducho. *Adj.* e *s. m.* Que ou aquele que é um tanto gordo; gordote: "E Dâmaso rompeu pela sala, ... gorducho, risonho, familiar" (Eça de Queirós, *Os Maias,* II, p. 49).

gordura¹. *S. f.* **1.** *Quím.* Classe do ésteres dos ácidos esteárico, palmítico, mirístico, etc., com o glicerol, encontrados nos tecidos adiposos dos animais, e em diversos óleos vegetais. **2.** Tecido adiposo. **3.** Obesidade, nediez.

gordura². *S. m. Bras.* F. red. de *capim-gordura* [q. v.].

gordural. [De *gordura*² + *-al.*] *S. m. Bras.* Lugar onde medra o capim-gordura.

gordurento. *Adj.* **1.** V. *gordo* (1). **2.** Sujo de gordura; untoso, engordurado, gordo. **3.** Cheio de nódoas; ensebado, sujo. [Sin. ger.: *gorduroso.*]

gorduroso (ô). *Adj.* **1.** V. *gordurento.* **2.** Que tem a consistência da gordura.

gorete (ê). *S. m. Bras.* Peixe teleósteo, percomorfo, da família dos cianídeos (*Cynoscion petranus* (Mir. Rib.)), da costa atlântica do Brasil, de dorso prateado-escuro e abdome claro. Comprimento: até 30 cm. Nada em cardumes, alimenta-se de peixes, crustáceos, moluscos e diatomáceas, e sua carne é de boa qualidade. [Sin.: *goete, pirambembeca, pescadinha-branca, boca-mole, boca-torta.*]

gorgolão. [Da onom. *gorg,* referente à garganta.] *S. m.* V. *golfada* (2).

gorgolar. *V. int.* **1.** Sair em golfada ou gorgolão; golfar, gorgolhar. **2.** Gorgolejar (1 e 2).

gorgolejante. *Adj. 2 g.* Que gorgoleja.

gorgolejar. [Da onom. *gorg* (v. *gorgolão*).] *V. int.* **1.** Produzir o ruído característico do gargarejo; gorgolar. **2.** Produzir ruído semelhante ao do gargarejo; gorgolar: "lá iam, aos apertões, ... em direção à pia, cuja torneira jorrava gorgolejando." (Coelho Neto, *Turbilhão,* p. 166); "o murmúrio doce da água de rega, que ao pé gorgolejava" (Alberto Rabelo, *Contos do Norte,* p. 74). *T. d.* **3.** Beber produzindo o ruído do gargarejo. **4.** Expelir em golfadas. **5.** Dirigir com o que gorgolejando: *gorgolejar injúrias.* [Var.: *gargolejar.* Conjug.: v. *pelejar.*]

gorgolejo (ê). [Dev. de *gorgolejar.*] *S. m.* Ato ou efeito de gorgolejar: "Começou [o canto dum perdigão] por uns gorgolejos roucos e acabou com um apelo insistente e doloroso." (Domingos Monteiro, *Histórias das Horas Vagas,* p. 11.) [Cf. *gorgorejo.*]

gorgoleta (ê). [De *gorgolejar.*] *S. f.* Vaso de barro, com um ralo por onde a água passa produzindo ruído.

gorgolhão. *S. m.* V. *golfada* (2).

gorgolhar. *V. int.* V. *gorgolar* (1).

gorgomila. *S. f. Ant.* V. *gorgomilos.*

gorgomilo. *S. m. Pop.* V. *gorgomilos.*

gorgomilos. [Da onom. *gorg* (v. *gorgolão*).] *S. m. pl.* O princípio do esôfago; garganta, goela. [F. ant. e pop.: *gorgomilo, gorgomila.*]

górgona. *S. f.* V. *górgone.*

gorgonáceo. *S. m.* **1.** Espécime dos gorgonáceos. ● *Adj.* **2.** Pertencente ou relativo a eles.

gorgonáceos. *S. m. pl. Zool.* Animais celenterados, alcionários, da ordem *Gorgonacea,* que formam colônias, em geral arborescentes, com esqueleto axial constituído por espículas calcárias e/ou gorgonina córnea e têm polipos curtos. Entre eles se incluem os corais vermelhos, usados em joalheria.

górgone. [Sing. de *górgones,* do gr. *Gorgónes* (de *gorgós*), 'rápido, impetuoso, terrível', pelo lat. *Gorgones.*] *S. f.* **1.** Cada uma das três personagens mitológicas, Esteno, Euríale e Medusa, mulheres que tinham serpentes por cabelos e transformavam em pedra quem as encarava. **2.** *Fig.* Mulher repulsiva ou perversa.

gorgôneo. [Do gr. *gorgónios,* pelo lat. *gorgoneu.*] *Adj. Poét.* Relativo às górgones, em especial a Medusa.

gorgônia. *S. f. Zool.* Colônia de gorgonáceos.

gorgonzola. [Do top. *Gorgonzola.*] *S. m.* Queijo italiano de massa mole e amanteigada, cheiro intenso, gosto forte e picante, e raiado de mofo.

gorgorão. [Do fr. *gourgouran.*] *S. m.* **1.** Tecido encorpado, em cordões mais ou menos salientes, de seda ou de lã: "Trazia um soberbo vestido de gorgorão azul" (Machado de Assis, *Memórias Póstumas de Brás Cubas,* p. 325). **2.** Fita¹ (1) desse tecido.

gorgorejo (ê). [Da onom. *gorg* (v. *gorgolão*).] *S. m.* Som gutural. [Cf. *gorgolejo.*]

gorgota. *S. m. Bras.* **1.** Marinheiro veterano. **2.** Homossexual ativo.

gorgulho. [Do lat. *curculio, gurguliu.*] *S. m.* **1.** V. *caruncho* (1). **2.** *Bras.* Fragmentos de rocha entre os quais se encontra o ouro. **3.** *Bras.* V. *gupiara* (2). **4.** *Bras., Amaz.* Pedra miúda que se vê, por vezes, no leito dos rios.

gorila. [Do lat. científico *gorilla.*] *S. m.* **1.** Mamífero da ordem dos primatas, subordem *Simae,* do gênero *Gorilla.* É encontrado nas florestas da África equatorial; a subespécie gorila-das-montanhas habita as regiões altas ao N. das montanhas dos lagos Kivu, Tanganica e Alberto; população estimada entre 8.000 e 10.000 exemplares. É o maior e o mais forte dos primatas, podendo o macho adulto atingir 1,80 m e 220 kg. Orelhas pequenas, olhos escondidos em supercílios grossos; possui uma crista sagital na cabeça; os membros apresentam proporções quase humanas, sendo, entretanto, os braços maiores que as pernas; a cor varia desde o branco ao negro retinto, passando pelo castanho-esmaecido e pêlo cinza-sujo. Nível mental baixo, semelhante ao do orangotango. [Var.: *gorilha.*] **2.** Militar, geralmente de direita, que toma o poder por golpe, ou que é defensor dessa prática.

gorila-das-montanhas. *S. m.* V. *gorila* (1). [Pl.: *gorilas-das-montanhas.*

gorilão. *S. m. Bras.* Gorila (2) muito convicto.

gorilha. *S. m.* V. *gorila* (1).

gorilismo. *S. m. Bras.* Mentalidade, procedimento ou ato de, ou próprio de gorila (2).

gorja. [Do fr. *gorge.*] *S. f.* **1.** V. *garganta* (1): "Essa interrupta e rouca / Voz na gorja sumida" (Alberto de Oliveira, *Poesias,* 3ª série, p. 200); "mente pela gorja quem disser que eu ficarei aqui" (Alexandre Herculano, *Lendas e Narrativas,* II, p. 82). **2.** Pescoço, cachaço. ♦ **Mentir pela gorja.** Mentir cinicamente, deslavadamente.

gorjal. [De *gorja* + *-al.*] *S. m.* Parte da armadura, para defesa do pescoço; gorjeira, gargalheira: "fidalgos armados com ricas capelinas de camalha, ... seus estoques, franceses, os pescoços levantados dentro de g o r j a i s polidos, ... as pernas hirtas nas estribeiras" (Antero de Figueiredo, *Leonor Teles*, p. 325).

gorjala. *S. m. Bras., CE.* **1.** *Folcl.* Denominação de um gigante. **2.** *P. ext.* Indivíduo agigantado e muito comilão.

gorjeador (ô). *Adj.* Que gorjeia.

gorjear. [De *gorja* + *-ear.*] *V. int.* **1.** Soltar sons agradáveis (os passarinhos); trilar, trinar, cantar: "As aves, que aqui g o r j e i a m, / Não g o r j e i a m como lá." (Gonçalves Dias, *Obras Poéticas*, I, p. 21). **2.** Cantar variando os tons; gargantear. *T. d.* **3.** Exprimir em gorjeios. **4.** Cantar com voz melodiosa: *G o r j e i a lindas canções.* **5.** Dar, soltar, emitir, à maneira de gorjeio: "A moça continuou a g o r j e a r o seu riso sarcástico" (José de Alencar, *Senhora*, p. 268); "E nos ramos saltavam aves / G o r j e a n d o canoros queixumes" (Bernardo Guimarães, *Poesias Completas*, p. 151). [Conjug.: v. *frear.*]

gorjeio. [Dev. de *gorjear.*] *S. m.* **1.** Ato ou efeito de gorjear; trinado. **2.** *Fig.* O chilrear das crianças.

gorjeira. [De *gorja* + *-eira.*] *S. f.* **1.** Renda ou pano com que se adorna o pescoço. **2.** V. *gorjal.*

gorjeta (ê). [De *gorja* + *-eta.*] *S. f.* **1.** Bebida ou dinheiro com que se gratificava um pequeno serviço. **2.** Pequena importância em dinheiro, além do devido, que se dá a alguém cujo serviço nos parece satisfatório; gratificação, espórtula. [Sin. nesta acepç. (quase todos pop., e alguns deles bras.): *blefaia, cabeça, gosto, lambidela, maquia, mata-bicho, molhadela, molhadura, changa, lambujem, lambuja, jabaculê, anhapa, inhapa, japa, mota, potaba, xixica, gruja* (q. v.). **3.** Escopro delgado com que se trabalha em mármore.

gorne. [Do it. *gorna.*] *S. m. Marinh.* Abertura na caixa de um poleame de laborar, na qual trabalha a roda.

gornir. *V. t. d. Marinh.* Passar (os cabos) nos gornes. [Cf. *gurnir.* Defect., não conjugável nas f. em que ao *n* se seguiria um *a* ou um *o.*]

gornope. *S. m. Bras., PE.* Porção de aguardente, ou de outra qualquer bebida alcoólica, ingerida de uma vez. V. *bicada*[1] (5).

goro (ô). *Adj.* **1.** Que se gorou (ovo); choco: "uma fritada de meia quarta de lingüiça e três ovos (um botou-se fora, porque estava g o r o .)" (Alexandre Herculano, *Lendas e Narrativas*, II, p. 237). **2.** *Fig.* Frustrado, malogrado, falhado: "tratou de estabelecer relações seguras com Cartago, pelo quê foi cercar Nápoles, que era o porto ideal para tal fim, mas saíram-lhe os cálculos g o r o s ante a resistência inesperada da fortaleza." (Aquilino Ribeiro, *Os Avós dos Nossos Avós*, p. 172). [Pl.: *goros* (ô). Cf. *goro*, do v. *gorar.*]

goró. [F. red. de *gororoba.*] *S. f. Bras., MG* e *RJ.* V. *cachaça* (1).

gororoba. *S. f.* **1.** *Bras.* Árvore da família das leguminosas (*Centrolobium robustum*). **2.** *Bras. Gír.* Comida, bóia. **3.** *Bras. Gír.* Comida malfeita, ou de má qualidade; massamorda. **4.** *Bras. Pop.* V. *cachaça* (1). [F. red., nesta acepç.: *goró.*] **5.** *Bras.* Mistura, confusão, desordem. **6.** *Bras. Pop.* V. *ébrio* (8). **7.** *Bras., PA. Pop.* Indivíduo lento, molengão, ou covarde.

gorotiré. *Bras. S. 2 g.* **1.** Indivíduo dos gorotirés, tribo indígena do ramo ocidental dos caiapós do Norte. ● *Adj. 2 g.* **2.** Pertencente ou relativo a essa tribo.

gorovinhas. *S. f. pl.* **1.** Pregas ou rugas em peça de roupa amarrotada. **2.** Rugas na pele; gelhas.

gorra (ô). [Do vasc. *gorri*, 'vermelho'.] *S. f.* V. *barrete* (1): "O alfaiate tirou a g o r r a , ajeitou a pescoceira do gibão" (Antero de Figueiredo, *Leonor Teles*, p. 85). ◆ **Meter-se de gorra. 1.** Combinar-se ou conluiar-se com alguém. **2.** Insinuar-se.

gorrixo. *S. m. Bras.* V. *chupim* (1).

gorro (ô). [De *gorra.*] *S. m.* V. *barrete* (1). [Pl.: *gorros* (ô).]

gorutubano. *S. m. Bras., MG.* Mestiço de caboclo; gurutubano.

gosma. [Dev. de *gosmar.*] *S. f.* **1.** Doença que ataca a língua das aves, em especial as galináceas; gogo. **2.** Inflamação na mucosa das vias respiratórias dos poldros. **3.** Matéria que se compõe de várias substâncias (água, muco, etc.) e se expele pela boca.

gosmado. [Part. substantivado de *gosmar.*] *S. m. Bras., PB, PE* e *MG. Chulo.* Discurso, falação.

gosmar. [De um lat. **vomiciare.*] *V. t. d.* **1.** Escarrar, expectorar. **2.** Proferir escarrando ou tossindo. *Int.* **3.** Expelir gosma; cuspir muito. **4.** Resmungar, rezingar. **5.** *Bras., PB* e *PE. Chulo.* Fazer discurso; deitar falação.

gosmento. *Adj.* **1.** Que tem gosma. **2.** Que escarra muito. **3.** *P. ext.* Adoentado, abatido, fraco. **4.** *Pop.* Que tem a consistência da gosma: *Que doce g o s m e n t o é esse?* **5.** V. *goguento.*

gospe-gospe. *S. m. Bras.* Var. de *cospe-cospe.* [Pl.: *gospes-gospes* e *gospe-gospes.*]

gostar. [Do lat. *gustare.*] *V. t. i.* **1.** Achar bom gosto ou sabor: *O brasileiro g o s t a de feijoada.* **2.** Sentir prazer: "Curioso como é de todas as formas da vida, Garrett g o s t a de saber novidades." (José Osório de Oliveira, *O Romance de Garrett*, p. 180); *G o s t a de viagens;* "— Eu g o s t a v a que fosses ver tua madrinha." (Camilo Castelo Branco, *Mistérios de Fafe*, p. 54.) **3.** Ter afeição, amizade, a; sentir simpatia por: "— Sofia, ... nenhum homem esquece a mulher que verdadeiramente g o s t o u dele" (Machado de Assis, *Quincas Borba*, p. 283). **4.** Julgar bom; aprovar: *G o s t o u logo da sugestão.* **5.** Dar-se bem; ser compatível; acomodar-se; aclimar-se, aclimatar-se: *Há pessoas que não g o s t a m do clima quente.* **6.** Dar gosto; causar prazer; agradar: *Aquilo não lhe g o s t a v a .* **7.** Ter o hábito de; costumar: "Mallarmé g o s t a v a de redigir em versos os endereços de suas cartas." (Manuel Bandeira, *Poesia e Prosa*, II, p. 369); *G o s t a v a de passear pela manhã.* **8.** Tomar o gosto; saborear. *T. d.* **9.** Experimentar, gozar, fruir: "Leitor ignaro, se não guardas as cartas da juventude, ... não g o s t a r á s o prazer de ver-te, ao longe, ... a bailar ao som de uma gaita anacreôntica." (Machado de Assis, *Memórias Póstumas de Brás Cuba*, p. 296.) **10.** Tomar o gosto a; provar: "Hoje é amargo tudo quanto eu g o s t o" (Augusto dos Anjos, *Eu*, p. 116). **11.** Ter gosto ou prazer em: "Eu g o s t o morrer por ti; / Tu g o s t a s ver-me expirar" (Domingos Caldas Barbosa, *ap.* Sérgio Buarque de Holanda, *Antologia dos Poetas Brasileiros da Fase Colonial*, I, p. 285). *P.* **12.** Estimar-se ou amar-se reciprocamente: *Depois de s e g o s t a r e m quase cinco anos, casaram-se ontem, afinal.* [Pres. ind.: *gosto*, etc. Cf. *gosto* (ô).]

gostável. [Do lat. *gustabile.*] *Adj. 2 g.* **1.** De que se gosta ou se pode gostar. **2.** Que dá gosto; agradável, aprazível.

gosto (ô). [Do lat. *gustu.*] *S. m.* **1.** Sentido pelo qual se percebe o sabor das coisas; paladar, sabor: *Estou com o g o s t o embotado pela gripe.* **2.** V. *sabor* (2): *Esta fruta tem um g o s t o enjoativo.* **3.** Prazer, agrado, satisfação: *Ela come com g o s t o ; Tenho g o s t o em ser-lhe útil.* **4.** Simpatia, inclinação; pendor: *Não tem g o s t o pelas letras.* **5.** Critério, opinião: *Escolhi segundo o meu g o s t o .* **6.** Maneira, moda: *Decorou a casa ao g o s t o da época.* **7.** Faculdade de julgar os valores estéticos segundo critérios subjetivos, sem levar em conta normas preestabelecidas: *g o s t o requintado; falta de g o s t o .* **8.** Bom gosto [q. v.]: *Veste-se com g o s t o .* **9.** *Bras., CE.* V. *gorjeta* (2). [Pl. *gostos* (ô). Cf. *gosto*, do v. *gostar.*] ◆ **Gosto estragado.** V. *bom gosto.* **A gosto. 1.** Conforme o desejo ou a escolha de alguém. **2.** Sem cerimônia; à vontade. **Bom gosto. 1.** Gosto (7) finamente adequado às exigências da moda, dos costumes, etc. **2.** Gosto apurado, requintado. [Antôn. ger.: *mau gosto, gosto estragado.* Tb. se diz apenas *gosto.*] **Mau gosto.** V. *bom gosto.*

gostosão. [Aum. substantivado de *gostoso.*] *S. m. Bras. Gír.* **1.** Indivíduo bonito, muito atraente, estimado pelas mulheres. [Fem.: *gostosona.*] **2.** Designação que era comum a certos ônibus grandes e vistosos: "um pobre homem atropelado por um g o s t o s ã o em plena Avenida Rio Branco" (Malu de Ouro Preto, *Siri na Noite sem Lua*, p. 119).

gostos-da-vida. *S. m. pl.* Espécie de ameixa.

gostoso (ô). *Adj.* **1.** Que tem bom gosto ou sabor; saboroso: *comida g o s t o s a .* **2.** Que dá gosto, prazer; agradável; delicioso: *Viajar é g o s t o s o ; Fez de sua casa um ambiente g o s t o s o ; Faz um friozinho g o s t o s o ;* "Mas que cheiro g o s t o s o tem Iaiá!" (Jorge de Lima, *Obra Completa*, I, p. 299); "aquele cheiro g o s t o s o na minha roupa, no meu corpo, na minha carnezinha magra" (Edilberto Coutinho, *Onda Boiadeira*, p. 59). **3.** Que revela prazer, gosto; alegre, satisfeito: *risada g o s t o s a .*

gostosona. *S. f. Bras.* Fem. de *gostosão* (1).

gostosura. *S. f. Bras., S. Fam.* **1.** Qualidade de gostoso. **2.** Grande gosto; prazer imenso; deleite, delícia: "O sonho do moço era enriquecer às rápidas para reatar a g o s t o s u r a do idílio interrompido." (Monteiro Lobato, *Urupês, Outros Contos e Coisas*, p. 63.)

gota. [Do top. *Gota*, cidade alemã.] *S. m.* Avião alemão de bombardeio, que se usou na grande guerra de 1914-1918. [Pl.: *gotas.* Cf. *gota* (ô) e pl. *gotas* (ô).]

gota (ô). [Do lat. *gutta.*] *S. f.* **1.** Porção mínima de líquido suficientemente pesado para cair em forma de esfera ou pêra; lágrima, pinga, pingo: *A água caía g o t a a g o t a .* **2.** *P. ext.* Quantidade mínima de qualquer substância: *Não tinha em casa uma g o t a de café.* **3.** Camarinhas (de orvalho, ou de suor); baga: *O suor escorria-lhe em g o t a s .* **4.** Pequeno ornato arquitetônico redondo, quadrado ou cônico. **5.** Qualquer coisa, ou ornamento, que tenha o feitio de gota. **6.** *Patol.* Forma hereditária de artrite, caracterizada por hiperuricemia e recidivas paroxísticas agudas, e ocorre, em geral, numa única articulação periférica, seguindo-se remissão completa do fenômeno clínico. **7.** *Bras. Pop.* V. *epilepsia.* [Pl.: *gotas* (ô). Cf. *gota*, pl. *gotas*, e *Gota*, top. Dim. irreg.: *gotícula.*] ◆ **Gota militar.** Gonorréia ou uretrite crônica. **Dar a gota.** *Bras., N.E.* Pop. V. *dar a gota-serena.* **Ser a gota d'água.** Exceder o limite de; passar da conta: "Deixe em paz meu coração / Que ele é um copo até aqui de mágoa / E qualquer desatenção, faça não, / Pode s e r a g o t a d ' á g u a ." (Chico Buarque de Holanda, e Paulo Pontes, *Gota d'Água.*) **Ser uma gota de água no oceano.** Ser coisa sem valor, sem importância, em relação àquela com que é confrontada: *Com a fortuna dele, um milhão é u m a g o t a d e á g u a n o o c e a n o .*

gota-coral. *S. f. Patol.* V. *epilepsia.* [Pl.: *gotas-corais.*]

gotado. [Do lat. *guttatu.*] *Adj.* **1.** Que tem gotas. **2.** Ornado de gotas [v. *gota* (4 e 5)].

gota-serena. [De *gota* (ô) + *serena*, fem. do adj. *sereno.*] *S. f. Pop.* V. *amaurose.* [Pl.: *gotas-serenas.*] ◆ **Dar a gota-serena.** *Bras., N.E. Pop.* Ficar muito zangado; zangar-se, irritar-se, abespinhar-se. [Tb. se diz apenas *dar a gota.*]

gotear. *V. int.* e *t. d.* Gotejar: "cada sacrificador [de reses], ao pisar o portal, g o t e a v a sangue dos facões" (Alcides Maia, *Tapera*, p. 58). [Conjug.: v. *frear.*]

goteira. [De *gota* (ô) + *-eira.*] *S. f.* **1.** V. *calha* (1). **2.** Telha de beiral, de onde escorre a água pluvial: "E nesses escuros dias de chuva, cheios de friagem lá fora e do rumor das g o t e i r a s , aquele canto da janela .... tinha um ar íntimo e carinhoso..." (Eça de Queirós, *Os Maias*, II, p. 40.) **3.** Fenda ou buraco do telhado de onde cai água em casa quando chove. **4.** *Encad.* e *tip.* V. *canal* (10 e 13). **5.** *Bras.* Falha na integridade mental.

gotejamento. *S. m.* Ato ou efeito de gotejar.

gotejante. *Adj. 2 g.* Que goteja: "A passarada irrequieta descansa pelas frondes g o t e j a n t e s" (Euclides da Cunha, *Os Sertões*, p. 75).

gotejar. *V. int.* **1.** Cair em gotas; gotear. *T. d.* **2.** Deixar cair gota a gota; entornar; gotear: "de armas falseadas uns, g o t e j a n d o sangue muitos deles" (Aquilino Ribeiro, *Aventura Maravilhosa*, p. 9). [Conjug.: v. *pelejar.*]

gótico. [Do lat. medieval *gotticu.*] *Adj.* **1.** Relativo a godos ou proveniente deles. **2.** Criado ou usado pelos godos. ~ V. *alfabeto —, estilo —, letra — a, romance —* e *tipo —.* ● *S. m.* **3.** V. *estilo gótico.* **4.** *Ling.* V. *germânico* (3). ◆ **Gótico antigo.** *Arquit.* V. *romão* (2). **Gótico flamejante.** Estilo gótico que floresceu no séc. XV, e se caracteriza pela presença de elementos decorativos, especialmente formas lanceoladas, à feição de chamas; gótico florido. **Gótico florido.** Gótico flamejante.

gotícula. [Do lat. *gutticula.*] *S. f.* Gotinha, gotazinha.

gotímetro. [De *gota* (ô) + *-i-* + *-metro.*] *S. m.* Conta-gotas.

goto[1] (ô). [Do lat. *guttur.*] *S. m. Pop.* Glote. [Pl.: *gotos* (ô).] ◆ **Cair no goto.** Dar no goto. **Cair no goto de.** Ser objeto de agrado, de simpatia, por parte de; cair nas graças de; dar no goto de: *O romance c a i u n o g o t o d o público, e é bestseller.* **Dar no goto.** Produzir sufocação ao ser engolido; cair no goto. **Dar no goto de.** Cair no goto de.

goto[2] (ô). [Do jap. *Koto.*] *S. m.* Harpa ou lira japonesa. [Pl.: *gotos* (ô).]

gotoso (ô). *Adj.* e *s. m.* Que ou aquele que padece gota (ô) (6): "Era um escurão .... , muito g o t o s o , uma podagra monstro" (Gilberto Amado, *Depois da Política*, p. 154).

gougre. *Adj. 2 g. Bras.* Deselegante no trajar; deselegante.

gouli. *S. m. Luso-asiat.* Homem da casta pastoril. [Fem.: *goulina.*]

goulina. [Fem. de *gouli.*] *S. f. Luso-asiat.* Mulher da casta pastoril.

➜**gourde** (gurde). [Fr.] *S. f.* V. *gurde.*

➜**gourmand** (gurmã). [Fr.]. *S. m.* **1.** Aquele que é dado às comidas apetitosas. **2.** Indivíduo guloso. [Cf. *gourmet.*]

➜**gourmet** (gurmê). [Fr.] *S. m.* Indivíduo apreciador e conhecedor de iguarias finas. [Cf. *gourmand.*]

gouveano. *Adj.* **1.** De, ou pertencente ou relativo a Gouveia (MG). ● *S. m.* **2.** O natural ou habitante de Gouveia.

governabilidade. *S. f.* Qualidade de governável.

governação. [Do lat. *gubernatione.*] *S. f.* Ato de governar(-se); governo; governança.

governadeira. *Adj. (f.)* e *s. f.* Que ou mulher que governa ou administra bem a sua casa; governadora.

governado. [Part. de *governar.*] *Adj.* **1.** Dirigido, orientado. **2.** Administrado. **3.** Que se sabe governar; poupado, parcimonioso, econômico.

governador (ô). [Do lat. *gubernatore.*] *Adj.* **1.** Que governa. ● *S. m.* **2.** Aquele que governa. **3.** Aquele que governa um estado, uma região administrativa.

governadora (ô). *Adj. (f.)* e *s. f.* **1.** Governadeira. **2.** Diz-se de, ou mulher do governador. **3.** Diz-se de, ou mulher que exerce as funções próprias de governador (3).

governadoria. *S. f.* Cargo ou função de governador.

governadura. [Do lat. *gubernatura.*] *S. f. Ant.* Certo trabalho em ferro, na Índia.

governamental. [Do fr. *gouvernamental.*] *Adj. 2 g.* **1.** Pertencente ou relativo ao governo: "O ministro não atribui o progresso a si, nem ao elenco governamental em que ele está incluso" (Antônio Sérgio, *Cartas do Terceiro Homem*, p. 59). **2.** Que parte ou emana do governo. **3.** Ministerial (3). ● *S. m.* **4.** Indivíduo partidário de um governo; governista.

governança. *S. f.* V. *governação.*

governanta. *S. f.* **1.** Mulher encarregada de administrar uma casa de outrem; ama. **2.** Mulher que se emprega em casa de família para educar crianças. [F. paral.: *governante* (q. v.).]

governante. [Do fr. *gouvernante.*] *Adj. 2 g.* e *s. 2 g.* **1.** Que ou quem governa. ● *S. f.* **2.** Governanta.

governar. [Do gr. *kybernáo*, 'pilotar', pelo lat. *gubernare.*] *V. t. d.* **1.** Regular o andamento de; conduzir: *O cocheiro não conseguia governar os cavalos.* **2.** Exercer o governo de; imperar em; dirigir, administrar: *governar um país.* **3.** Ter poder ou autoridade sobre; reger: *É grande a responsabilidade dos que governam os destinos do homem.* **4.** Reger, dirigir, administrar: *Gostava de governar a casa;* "O avô havia governado bem a vida" (Nélida Piñón, *O Calor das Coisas*, p. 25). **5.** Dirigir (uma embarcação) com o leme: "sabia governar um escaler ou uma canoa" (Aluísio Azevedo, *Pegadas*, p. 84). **6.** Ter grande influência em; dirigir as ações de; dominar: *Mulheres há que governam os maridos. T. c.* **7.** Encaminhar-se, dirigir-se: *A embarcação governou ao porto. Int.* **8.** Ter mando ou poder de administrar e dispor; exercer autoridade: "Quando os homens que governam não sabem nem podem fazer-se estimar, recorrem à tirania para se fazer temidos." (Marquês de Maricá, *Máximas, Pensamentos e Reflexões*, p. 42.) **9.** Saber o que faz; regular. **10.** Obedecer à ação do leme: "Agüentava [o navio] todo o tempo, todo o pano, todo o mar. Governava quase com a exatidão de um pêndulo." (Virgílio Várzea, *Nas Ondas*, p. 8.) **11.** *Bras., S.* Obedecer (o cavalo) à ação das rédeas. *P.* **12.** Cuidar dos seus interesses; arranjar-se bem; dirigir-se. **13.** Regular-se, guiar-se, dirigir-se: "Sem se poder governar, achou-se de repente voltado para o rio" (Franklin Távora, *O Cabeleira*, p. 111). [Pres. ind.: *governo*, etc. Cf. *governo* (ê).]

governativo. *Adj.* Do, ou relativo ao governo.

governatriz. [Do lat. *gubernatrice.*] *Adj. (f.)* e *s. f.* Diz-se de, ou aquela que governa.

governável. *Adj. 2 g.* **1.** Que pode ser governado ou dirigido. **2.** Dócil, obediente.

governicho. [Dim. deprec. de *governo.*] *S. m. Bras.* **1.** Mau governo. **2.** Exercício de um pequeno emprego. [Sin. ger.: *governículo.*]

governículo. *S. m. Bras.* Governicho.

governismo. [De *governo* + *-ismo.*] *S. m.* **1.** Sistema de governar ou mandar. **2.** Exercício ditatorial do poder.

governista. [De *governo* + *-ista.*] *Adj. 2 g.* e *s. 2 g.* Partidário do governo.

governo (ê). [Dev. de *governar.*] *S. m.* **1.** Ato ou efeito de governar(-se); governação. **2.** Administração, gestão, direção: *o governo de uma casa.* **3.** Domínio, controle: *Falta-lhe o governo de seus sentimentos.* **4.** A administração superior; o ministério; o poder executivo: *É membro do governo do país.* **5.** Sistema político pelo qual se rege um Estado; regime: *governo republicano.* **6.** Modo por que está administrado um Estado: *governo liberal.* **7.** Território da jurisdição de um governador. **8.** Espaço de tempo durante o qual alguém governa ou governou: *Durante o seu governo o país prosperou muito.* **9.** *Pop.* Leme (1): *Tomou o governo do barco.* **10.** Freio, direção: *O carro está sem governo.* **11.** Informação; orientação: *Digo isto para seu governo.* [Pl.: *governos* (ê). Cf. *governo*, do v. *governar.*] ◆ **Governo colegiado.** Aquele em que o poder executivo compete a um gabinete ministerial, que exerce coletivamente a chefia do Estado. [Esta forma de governo só existe, hoje, na Suíça.]

gozação. *S. f. Bras.* Ação de gozar (4 e 10). [Sin, em MG: *gozeira.*]

gozada. *S. f. Bras.* Ação isolada de gozar (4 e 10), de fazer uma gozação: *Quis bancar o importante, e demos uma gozada nele.*

gozado. [Part. de *gozar.*] *Adj.* **1.** Que alguém gozou; desfrutado, fruído: "antegostando as delícias dum paraíso na terra, que imaginava semelhante ao de Maomé, o árabe, com as huris muito gozadas e eternamente virgens!" (Inglês de Sousa, *O Missionário*, p. 60). **2.** *Bras. Gír.* Engraçado, cômico, divertido: "O papai .... não dissera que o homem tinha aquele jeito gozado. A cabeça lustrosa, sem cabelo nenhum ...., a cabeça .... parecia sapato novo." (Telmo Vergara, *Contos da Vida Breve*, pp. 175-176.) **3.** *Bras.* Esquisito, estranho, curioso, excêntrico: "Padre gozado! Meses e meses sumido, só voltava à Vila dos Confins com as chuvaradas." (Mário Palmério, *Vila dos Confins*, p. 20.)

gozador (ô). *Adj.* e *s. m.* **1.** *Bras.* Que ou aquele que goza a vida, que vive confortavelmente, e sem se esforçar. **2.** *Bras.* Que ou aquele que faz ou é dado a fazer gozação.

gozar. [Do esp. *gozar.*] *V. t. d.* **1.** Usar ou possuir (coisa útil ou aprazível). **2.** Aproveitar-se das vantagens de; aproveitar, fruir, desfrutar, desfruir: "para lá do Hudson, no lar dum amigo fiel, onde eu gostaria de ficar hoje a gozar em silêncio a paz do dia santo" (José Rodrigues Miguéis, *Gente da Terceira Classe*, p. 51). **3.** Sentir prazer íntimo, deliciar-se, com: "para o atendimento de pedidos que até lhe agradavam, ela levava dias, gozando a ansiedade de quem dela se acercava" (Nélson de Faria, *Tiziu e Outras Estórias*, p. 103). **4.** *Bras.* Deliciar-se com, achar graça em, rir de (ato de alguém, ou fato acontecido a alguém). *T. i.* **5.** Desfrutar, fruir; ter: "Nabuco e algum outro dos principais da casa [o Senado, o antigo] gozavam do privilégio de atrair grande auditório" (Machado de Assis, *Páginas Recolhidas*, p. 167). **6.** Sentir prazer ou satisfação: "Terá ela caído na miséria? / — Qual! Tem perto dos seus cinqüenta contos e quer gozar da vida tranqüilamente." (José de Alencar, *Lucíola*, p. 161.) *Int.* **7.** Experimentar prazer: "Vive! goza! respira este ar cheiroso e ambiente!" (Alberto de Oliveira, *Poesias*, 3ª série, p. 11); "Gozou mais em meia hora de sono do que todos os potentados da terra durante a vida inteira." (Mário Brandão, *Almas do Outro Mundo*, p. 34). **8.** Viver agradavelmente; divertir-se. **9.** Deliciar-se com; achar graça em; rir de ato de alguém; ou fato acontecido a alguém. **10.** *Bras.* Atingir o orgasmo. *P.* **11.** Tirar proveito ou satisfação; aproveitar-se, desfrutar. [Pres. ind.: *gozo*, etc. Cf. *gozo* (ô).]

gozeira. [De *gozar* + *-eira.*] *S. f. Bras., MG.* Gozação.

gozo[1] (ô). [Do esp. *gozo.*] *S. m.* **1.** Ato de gozar; gosto, prazer, satisfação. **2.** Posse ou uso de alguma coisa de que advêm satisfação, vantagens, interesses: *Entrou no gozo de sua fortuna; Está em pleno gozo das faculdades mentais.* **3.** *Bras.* Motivo de hilaridade; graça: *Sua chegada foi um gozo: todos caíram na gargalhada.* **4.** *Bras.* Deleite sexual; prazer. **5.** *Bras.* Orgasmo: "Pecado é a tua boca, o teu sexo, o teu peito, os teus pêlos, a testa franzida quando vais gritar de gozo." (Nélida Piñón, *O Calor das Coisas*, p. 127.) [Pl. *gozos* (ô). Cf. *gozo*, do v. *gozar.*]

gozo[2]. (ô). [De uma onom. *gus(k)*, com que se chamam ou incitam cães.] *S. m.* **1.** Cão pequeno e vulgar. **2.** *Bras., GO.* Caçador bisonho, inexperiente. [Pl.: *gozos* (ô). Cf. *gozo*, do v. *gozar.*]

gozoso (ô). *Adj.* **1.** Em que há, ou que revela ou constitui gozo[1] (1): "Ao bem-estar gozozo, indefinível, que gera a boa digestão de um repasto suculento, juntavam-se alegrias de mente" (Júlio Ribeiro, *A Carne*, p. 182). **2.** que tem gozo ou prazer. ~ V. *mistérios —s.*

grã[1]. [Do lat. *grana*, pl. de *granum, i.*] *S. f.* **1.** Lã tinta de escarlate: "Os trajos eram dos mais preciosos estofos, e sobre as camisas brancas de algodão finíssimo vestiam-se túnicas de chamalote ou grã" (Oliveira Martins, *História de Portugal*, I, p. 255). **2.** A cor escarlate.

grã[2]. *S. f. Pop.* O aspecto macroscópico do tecido das madeiras e do couro curtido.

grã[3]. [F. apocopada de *grande.*] *Adj. 2 g.* V. *grão*[2]: "Por isso procura trazer dos planetas / a Vós, seu grã Neto, destinos propícios" (Antônio Feliciano de Castilho, *Camões*, I, p. 105).

▲**grã-.** [De *grande*, com apócope.] *El. comp.* = 'grande': *grã-duque, grã-cruz.* [Equiv.: *grão-*: *grão-ducado, grão-cruz.*]

graal. [V. a etim. de *gral.*] *S. m. Ant.* Vaso santo de esmeralda que, segundo tradição corrente nos romances de cavalaria, teria servido a Cristo na última ceia, e no qual José de Arimatéia haveria recolhido o sangue que de Cristo jorrou quando o centurião lhe deu a lançada. [F. paral., menos us.: *gral.*]

grabatário. [De *grabato* + *-ário.*] *S. m. Bras. Med.* Doente cronicamente acamado.

grabato. [Do gr. *krábatos*, pelo lat. *grabatu.*] *S. m.* Leito pequeno e pobre; catre: "E o mendigo da aldeia, o velho cego, / Sobre o duro grabato, em choça humilde, / Achou a paz." (Alexandre Herculano, *Poesias*, p. 116.)

graça. [Do lat. *gratia.*] *S. f.* **1.** Favor dispensado ou recebido; mercê, benefício, dádiva. **2.** Benevolência, estima, boa vontade. **3.** *Jur.* Ato de clemência do poder público (no Brasil, o executivo), que favorece individualmente um condenado em definitivo por crime comum ou por contravenção, extinguindo-lhe, reduzindo-lhe ou comutando-lhe a pena; mercê. [Cf. *anistia* (2) e *indulto* (4).] **4.** Beleza, elegância ou atrativo de forma, de aspecto, de composição, de expressão, de gestos ou de movimentos. **5.** Elegância de estilo. **6.** Dito ou ato espirituoso ou engraçado. [Sin.: *gracejo, graceta, caçoada, chiste, pilhéria, troça* e (no Brasil) *gozação, chiata.*] **7.** O nome de batismo: "Como vai um pouco atrás, ... Belarmina (tal é a graça da criada de menina Olímpia) surpreende certos risos boçais" (José Régio, *Histórias de Mulheres*, pp. 58-59). **8.** Privança, intimidade. **9.** *Teol.* Dom ou virtude especial concedido por Deus como meio de salvação ou santificação. **10.** *Teol.* Favor ou mercê concedida por Deus a uma pessoa; milagre. [Cf. *grassa*, do v. *grassar.*] ~ V. *graças.* ◆ **Graça atual.** *Rel.* O conjunto das inspirações e moções divinas transitórias. **Graça habitual.** *Rel.* Estado de benevolência e paz com Deus. **Cair em graça. 1.** Ser acolhido com benevolência. **2.** Merecer a simpatia: "Antes cair em graça do que ser engraçado" (prov.). **Cair nas graças de. 1.** Gozar da simpatia ou da benevolência de (alguém). **2.** Ter valimento junto de (alguém). [Sin. ger.: *Estar em graça para com, estar na graça de.*] **De graça. 1.** Gratuitamente. **2.** Muito barato. **3.** Sem apostas de dinheiro; a leite de pato: *jogamos ontem a noite toda de graça.* **4.** Sem razão, sem motivo: *Orgulhoso, não foi de graça que resolveu pedir desculpas ao colega.* **Estar em graça para com.** V. *cair nas graças de.* **Estar na graça de.** V. cair nas graças de. **Ficar sem graça.** V. *perder a graça.* **Não ser de graças.** Ser sério, grave, austero, sisudo. **Perder a graça.** Atrapalhar-se, perturbar-se, desconcertar-se; ficar sem graça. [Sin., bras., pop.: *perder o rebolado, perder a prosa.*] **Uma graça.** V. *um amor* (1).

graças. [Pl. de *graça.*] *S. f. pl.* **1.** Agradecimento. **2.** Benefícios espirituais concedidos pela Igreja. **3.** *Mitol.* Designação de três deusas pagãs que personificam o dom de agradar. [Nesta acepç. é us., obviamente, com inicial maiúscula: *as Graças; as três Graças.*] *Interj.* **4.** Bem haja: *Graças! até que enfim chegou!* **5.** V. *obrigado* (2): *Graças! não quero nada disto!* ~V. *graça.*

gracejador (ô). *Adj.* e *s. m.* Que ou aquele que graceja.

gracejar. [De *graça* + *-ejar.*] *V. int.* **1.** Dizer gracejos; ter ditos espirituosos: "Gracejar, gracejo, e o patrão faz-me o favor de rir; mas não se puxa o nariz a um homem ..." (Machado de Assis, *A Semana*, II, p. 257.) *T. d.* **2.** Exprimir por gracejo: *Gracejou uma zombaria. T. i.* **3.** Dizer gracejos; ter ditos espirituosos: *Gracejava com o amigo.* [Conjug.: v. *pelejar.*]

gracejo (ê). [Dev. de *gracejar.*] *S. m.* V. *graça* (6).

graceta (ê). *S. f.* V. *graça* (6).

graciana. *S. f. Bras., SP.* Variedade de fandango.

grácil. [Do lat. *gracile.*] *Adj. 2 g.* **1.** Delgado, delicado, fino: *cintura grácil.* **2.** Airoso, donairoso, elegante, gracioso: "Maria, rapariga de dezoito anos: linda, grácil e acrisolada encarnação duma raça aristocrática e dominadora." (Antônio Correia d'Oliveira, *Líricas*, p. 132); "Cada arremesso de tigre causa uma debandada furiosa d'ancas, e chifres, e clinas, onde, mais certo e mais leve, se arqueia o pulo grácil dos antílopes." (Eça de Queirós, *Contos*, p. 167). **3.** Agudo, sutil. [Pl.: *gráceis*; superl. abs. sint.: *gracílimo, gracilíssimo.*]

gracilidade. [Do lat. *gracilitate.*] *S. f.* Qualidade de grácil: "colchas puídas da sobreposição dos anos, mas ainda firmes na gracilidade do seu ornato de aves e flores" (João de Araújo Correia, *A Cinza do Lar*, p. 161).

gracilifoliado. [Do lat. *gracile*, 'grácil, delgado'; + *-foli-* + *-ado*[1].] *Adj. Morfol. Veg.* Que tem folhas delgadas.

gracílimo. [Do lat. *gracillimu.*] *Adj.* Superl. abs. sint. de *grácil*; gracilíssimo.

gracilípede. [Do lat. *gracilipede.*] *Adj. 2 g. Zool.* Que tem pés delgados.

gracilirrostro. [Do lat. *gracile*, 'grácil, delgado', + *-i-* + *-rostro*.] *Adj. Zool.* Que tem bico delgado.

gracílissimo. *Adj.* Gracílimo.

graciosidade. [Do lat. *gratiositate*.] *S. f.* Qualidade de gracioso.

gracioso (ô). [Do lat. *gratiosu*.] *Adj.* **1.** Que tem, ou em que há graça: *menina graciosa; gestos graciosos.* **2.** Gracejador. **3.** Dado ou feito de graça; que envolve generosidade, liberalidade; gratuito: *atestado gracioso.* ~V. *jurisdição* —a. ● *S. m.* **4.** Chocarreiro, motejador. **5.** *Teat.* V. *bufo*[3] (1): "Grande número destas peças não têm senão um papel burlesco, o do criado ou gracioso, que serve principalmente para parodiar os motivos sublimes das ações de seus amos" (Alexandre Herculano, *Opúsculos*, IX, p. 135).

gracitar. [Do lat. *gracitare*.] *V. int.* Soltar a voz (o pato); grasnar.

graçola. [De *graça* + *-ola*.] *S. f.* **1.** V. *chalaça* (2). [Sin., p. us.: *graçota*.] ● *S. 2 g.* **2.** Pessoa que diz graçolas, que graçola.

graçolar. *V. int.* Dizer graçolas.

graçota. [De *graça* + *-ota*.] *S. f. P. us.* V. *graçola* (1).

grã-cruz. [De *grã-* + *cruz*.] *S. f.* **1.** O grau mais alto, em certas ordens honoríficas. **2.** Insígnia desse grau, a qual consiste numa cruz suspensa de uma fita larga, a tiracolo: "Pela porta nobre desta sala desguarnecida entram dous senhores, ... com grã-cruzes que me pareceram ser da Ordem da Conceição." (Eça de Queirós, *Ecos de Paris*, p. 158.) ● *S. 2 g.* **3.** Dignitário condecorado com a grã-cruz: "Era grã-cruz da ordem da Torre-Espada, vice-almirante, ministro e secretário de Estado honorário" (Camilo Castelo Branco, *Noites de Insônia*, I, pp. 72-73). [F. paral.: *grão-cruz*. Pl.: *grã-cruzes*.]

■**grad.** *Cálc. Vect.* Símb. de *gradiente* (3).

▲**-grada.** V. *gradu-*.

gradação. [Do lat. *gradatione*.] *S. f.* **1.** Aumento ou diminuição gradual. **2.** Passagem ou transição gradual: "Acabava o crepúsculo e o céu escurecia devagarinho, passando do rosa pálido e do amarelo transparente, ao lilás, ao cinza, ao roxo, ao azul-escuro, numa gradação suave" (Malu de Ouro Preto, *Siri na Noite sem Lua*, p. 43). **3.** *Ret.* Clímax (4 e 5).

gradador (ô). [De *gradar*[1] + *-(d)or*.] *S. m.* **1.** Aquele que grada a terra. **2.** Grade (4).

gradadura. *S. f.* Gradagem.

gradagem. [De *gradar*[1] + *-agem*.] *S. f.* Operação de gradar (a terra); gradadura.

gradaó. *Bras. S. 2 g.* **1.** Indivíduo dos gradaós, subtribo indígena pertencente aos caiapós do Norte. ● *Adj. 2 g.* **2.** Pertencente ou relativo a essa subtribo. [Var.: *gradaú*.]

gradar[1]. *V. t. d.* Esterroar ou aplanar (a terra lavrada) com grade (4); gradear, agradar.

gradar[2]. *V. int.* Tornar-se grado[3] (1); crescer, gradecer.

gradaria. *S. f.* V. *grade* (1): "Por trás daquelas gradarias severas, daquelas muralhas ameaçadoras, está uma cidadinha toda feminina, sempre em paz e em festa" (Antônio Feliciano de Castilho, *Amor e Melancolia*, p. 265).

gradativo. [Do lat. *gradatu*, 'disposto em degraus', + *-ivo*.] *Adj.* **1.** Disposto em graus. **2.** V. *gradual* (2): "No correr dos tempos, na marcha gradativa do seu espírito, nas horas de desalento, ... a pungente saudade o torturava ainda" (Inglês de Sousa, *O Missionário*, p. 206).

gradaú. *S. 2 g.* e *adj. 2 g. Bras.* Var. de *gradaó*.

grade. [Do lat. *crate*.] *S. f.* **1.** Armação de peças encruzadas com intervalos, destinada a resguardar ou vedar um lugar; gradaria, engradamento. **2.** Locutório de convento ou de cadeia. **3.** Caixilho onde o pintor assenta a tela que vai pintar. **4.** Instrumento de madeira ou de metal, de formas diferentes, para esterroar e aplanar a terra lavrada; gradador. **5.** Molde para telha ou tijolo. **6.** Instrumento com que se cauterizam feridas de animais. **7.** Espécie de pente de limpar cavalgaduras. **8.** *Encad.* V. *grelha* (4). **9.** *Eletrôn.* Numa válvula eletrônica, eletrodo com uma ou várias aberturas, e que controla, em geral, a intensidade de um feixe de elétrons. **10.** *Bras., CE.* Engradado (3): *uma grade de cerveja.* ~ V. *grades*.

gradeado. [Part. de *gradear*.] *Adj.* **1.** Que tem grade. **2.** Balaustrado. ● *S. m.* **3.** V. *gradeamento* (2).

gradeamento. *S. m.* **1.** Ato ou efeito de gradear. **2.** Grade para vedar jardins, parques, pátios, janelas, etc.; gradil, gradeado.

gradear. *V. t. d.* **1.** Prover de grades; pôr grades em; limitar com grades. **2.** V. *gradar*[1]. **3.** Cauterizar com grade (6). [Conjug.: v. *frear*.]

gradecer. *V. int.* **1.** V. *gradar*[2]. **2.** *Fig.* Pôr-se de grado[3] (2). [Conjug.: v. *aquecer*.]

gradeira. [De *grade* + *-eira*.] *S. f.* Freira que acompanha outra(s) ao locutório.

grades. [Pl. de *grade*.] *S. f. pl. Bras. Pop.* V. *cadeia* (3). ~ V. *grade*.

gradeza (ê). *S. f.* Qualidade do que é grado[3].

gradiente. [Do lat. *gradiente*.] *S. m.* **1.** Medida da declividade dum terreno. **2.** Medida da variação de determinada característica de um meio (tais como a pressão atmosférica, a temperatura, etc.) de um ponto para outro desse meio. **3.** *Cálc. Vect.* Vector resultante do produto do operador nabla por uma função escalar de ponto. [Símb.: *grad*.] **4.** *Med.* Coeficiente de modificação de temperatura, pressão, etc. **5.** *Met.* Expressão numérica da diferença de pressão entre dois locais, expressa em milímetros, ou a distância entre esses dois lugares, expressa em graus de latitude. ♦ **Gradiente termométrico vertical.** *Met.* Decréscimo da temperatura em conseqüência das diferenças de altitude (contado de 100 em 100 m).

gradil. [De *grade* + *-il*.] *S. m. Bras.* Gradeamento (2) pouco alto: "Sei que era o céu azul, e a mesma cor / Sorria num gradil de trepadeiras" (Alberto de Oliveira, *Poesias*, 2ª série, p. 271).

gradim. [Do fr. *gradine*.] *S. m.* Instrumento com que os escultores desbastam as asperezas que o ponteiro deixou no mármore.

gradinada. [De *gradinar* + *-ada*[1].] *S. f.* Retoque feito com gradim.

gradinar. *V. t. d.* **1.** Retocar ou desbastar com gradim. *Int.* **2.** Trabalhar com gradim.

grado[1]. [Do lat. *gratu*.] *S. m.* Vontade (1). Us. nas loc. *de bom grado* e *de mau grado*. ♦ **De bom grado.** De boa vontade: "O amigo aceitou de bom grado o reinício da conversa, já prelibando numa gargalhada o que o outro ia dizer." (Fernando Sabino, *O Homem Nu*, p. 114.) **De mau grado.** De má vontade.

grado[2]. [Do lat. *gradu*.] *S. m.* **1.** *Geom.* Unidade de medida de ângulo, igual ao ângulo central de uma circunferência de círculo que subtende um arco de 1/400 de toda a circunferência. [Cf. *grau* (21).] **2.** *P. us.* Passo, andadura.

grado[3]. [Do lat. *granatu*, 'abundante em grãos'.] *Adj.* **1.** Bem desenvolvido; graúdo. **2.** *Fig.* Importante, notável: "Entre o almoço e o jantar, pessoas gradas, oficiais e letrados conversam na livraria coisas da terra" (José Vieira, *Sol de Portugal*, p. 86).

▲**-grado**[1]. [Do lat. *gradi*.] *El. comp.* = 'que anda': *digitígrado, saltígrado*.]

▲**-grado**[2]. V. *gradu-*.

▲**gradu-.** [Do lat. *gradus, us*.] *El. comp.* = 'passo', 'grau': *graduar*. [Equiv.: *-grado* e *-grada*: *centígrado; homógrada*.]

graduação. [Do lat. *graduatione*.] *S. f.* **1.** Ato ou efeito de graduar(-se). **2.** Divisão de círculo, escala, etc., em graus, minutos e segundos. **3.** Valor de um arco em graus, etc. **4.** *Bras.* Grau hierárquico da praça (6). [Cf., nesta acepç., *posto*[1] (4).] **5.** Posição, hierarquia social; categoria. **6.** *Ant.* Posto militar honorífico ou sem vencimentos. [Sin., nessas acepç.: *graduamento*.] **7.** *Bras.* Grau do ensino superior destinado aos alunos que tenham concluído o segundo grau e obtido classificação no vestibular: *curso de graduação*.

graduado. [Part. de *graduar*.] *Adj.* **1.** Dividido em graus. **2.** Que se graduou ou diplomou em alguma universidade. **3.** Que tem as honras de um posto ou grau, mas sem os proventos dele. **4.** Elevado, conceituado, eminente, grado: *Era dos mais graduados membros daquela sociedade.* ● *S. m.* **5.** Designação genérica de militar do nível de sargento ou suboficial.

graduador (ô). *Adj.* **1.** Que gradua. ● *S. m.* **2.** Aquele que gradua. **3.** *Tip.* Peça corrediça com que se fixa a medida no acomodador (3).

gradual. [Do lat. medieval *graduale*.] *Adj. 2 g.* **1.** Que se faz por graus. **2.** Que tem graduação; gradativo. ● *S. m.* **3.** *Rel.* Versículos da missa, entre a Epístola e o Evangelho. **4.** *Rel.* Livro que contém o cantochão das rezas eclesiásticas.

graduamento. *S. m.* V. *graduação* (1 a 6).

graduando. [Ger. de *graduar*.] *S. m. Bras.* Aluno que se acha prestes a receber o grau de bacharel ou de licenciado; bacharelando, licenciando.

graduar. *V. t. d.* **1.** Dispor por graus; marcar os graus divisórios de: *graduar um barômetro, um termômetro, uma régua.* **2.** Ordenar em categorias; classificar. **3.** Dirigir de modo gradual: *graduar a aplicação de um medicamento.* **4.** Apreciar o grau de; aquilatar: *Graduou os sentimentos do outro pelos gestos.* **5.** Conferir grau universitário a. **6.** Regular, proporcionar. *T. d.* e *i.* **7.** Conferir grau universitário: *A velha Faculdade do Recife o graduou em direito. Transobj.* **8.** Conferir as honras de posto militar: *Graduaram-no capitão. P.* **9.** Tomar grau universitário.

graduável. *Adj. 2 g.* Que se pode graduar.

grã-ducado. [De *grã-* + *ducado*.] *S. m.* Grão-ducado. [Pl.: *grã-ducados*.]

grã-ducal. [De *grã-* + *ducal*.] *Adj. 2 g.* Grão-ducal. [Pl.: *grã-ducais*.]

grã-duque. [De *grã-* + *duque*.] *S. m.* Grão-duque [q. v.] [Pl.: *grã-duques*.]

grã-duquesa. *S. f.* Fem. de *grã-duque*. [Pl.: *grã-duquesas*.]

graeiro. [De *grão*[1] + *-eiro*.] *S. m.* Grão de chumbo ou de cereais.

grafar. [De *graf(o)-* + *-ar*[2].] *V. t. d.* Dar forma escrita a; ortografar.

grafema. [De *graf(o)-* + *-ema*.] *S. m. Fon.* Símbolo gráfico uno, constituído por traços gráficos distintivos que permitem o entendimento visual das palavras na língua escrita, assim como os fonemas permitem o entendimento auditivo na língua oral. [T. criado na lingüística norte-americana, constitui designação mais rigorosa e mais ampla que *letra* (q. v.), pois abarca também os diacríticos, ideogramas e sinais de pontuação.]

grafia. *S. f.* **1.** Ortografia (2). **2.** *Fon.* A técnica do uso da linguagem como comunicação escrita, ou por meio de ideogramas, ou por meio de letras, diacríticos e sinais de pontuação, que constituem a grafia fônica do português e das demais línguas ocidentais; escrita. [Ao lado da grafia existe, para os estudos lingüísticos, a transcrição fonética, em que as realidades da língua oral são visualmente fixadas por símbolos, correspondendo cada símbolo, rigorosamente, a um fonema. Ex.: *ĩžuš'tiça* (injustiça), *'žẽti* (gente).]

gráfica. [Fem. substantivado do adj. *gráfico*.] *S. f.* **1.** Arte de grafar os vocábulos. **2.** Estabelecimento gráfico.

gráfico. [Do gr. *graphikós*, pelo lat. *graphicu*.] *Adj.* **1.** Respeitante a grafia. **2.** Representado por desenho ou figuras geométricas. **3.** Relativo às artes gráficas. **4.** *Geol.* Diz-se da variedade de pegmatito em que os cristais de feldspato e quartzo se dispõem à maneira de caracteres cuneiformes. ~ V. *artes* —*as*, *produção* —*a*, *produtor* — e *parque* —. ● *S. m.* **5.** Representação gráfica de fenômenos físicos, econômicos, sociais, ou outros. **6.** Indivíduo que trabalha na indústria gráfica. **7.** *Mat.* Representação de uma função mediante uma curva ou uma superfície, num sistema de coordenadas. **8.** *Álg. Mod.* Conjunto finito de pontos e de segmentos de linhas que unem pontos distintos. ♦ **Gráfico de barras.** *Estat.* Diagrama de barras.

gráfico-visual. *Adj. 2 g.* Respeitante à parte gráfica e à visual. [Pl.: *gráfico-visuais*.]

grafila. [De *graf(o)-*, provavelmente.] *S. f.* Orla, na moeda ou medalha, em que se abre a inscrição. [F. ant.: *grafilha*; var.: *garfilha*.]

grafilha. *S. f. Ant.* Grafila.

grã-fina. *S. f. Bras.* Fem. de *grã-fino* [q. v.]. [Pl.: *grã-finas*.]

grã-finagem. [De *grã-fino* + *-agem*[2].] *S. f. Bras.* Grã-finismo (3): "Os caixotins de rolo de fumo barato da Bahia fariam na Europa as delícias da grã-finagem que se dependura de charutos." (Vitorino Nemésio, *O Segredo de Ouro Preto*, p. 135.) [Pl.: *grã-finagens*.]

grã-finismo. *S. m. Bras.* **1.** Qualidade ou condição de grã-fino: *Era dona de um grã-finismo inato.* **2.** Ato ou hábito de grã-fino: "Ah, meu Deus, Copacabana!... Não é... Não é por grã-finismo, mas eu tenho loucura, mesmo, por Copacabana." (Telmo Vergara, *Contos da Vida Breve*, p. 104.) **3.** O grupo dos grã-finos; os grã-finos; grã-finagem: *O jantar reunia todo o grã-finismo local.* [Pl.: *grã-finismos*.]

grã-fino. *S. m.* **1.** *Bras. Deprec.* Indivíduo rico, de hábitos requintados, ou elegante; bacana, bacano: "o frio, na nossa terra [o Ceará] — não sei por quê — é considerado um requinte, quase um prazer de grã-finos." (Raquel de Queirós, *100 Crônicas Escolhidas*, p. 45). **2.** *Bras., PE* e *Al.* Certo tipo de açúcar. ● *Adj.* **3.** Diz-se de indivíduo grã-fino. **4.** Relativo a, próprio de, ou freqüentado por grã-fino: *hábitos grã-finos*; "artista famoso .... que nos idos de sua juventude marcou época como animador de cerimônias sociais .... , nos salões grã-finos do Rio de Janeiro." (Antônio Celso Alves Pereira, *Rua do Quenta-Sol*, p. 83). [Flex.: *grã-fina, grã-finos, grã-finas.* Sin. ger.: *granfa*.]

gráfio. [Do ingl. *graphium*.] *S. m.* Estilo (1).

grafismo. [De *graf(o)-* + *-ismo*.] *S. m.* **1.** Modo de escrever as palavras de determinada língua. **2.** Modo de escrever peculiar a um indivíduo. **3.** Técnica de elaborar traçados sem qualquer significação, preparatórios para a escrita. **4.** Maneira de traçar uma linha, de desenhar.
grafista. [De *graf(o)-* + *-ista*.] *S. 2 g. Bras., S. Gír.* Desenhista de plantas ou projetos, sem ser especialista no assunto.
grafita. [Do fr. *graphite*.] *S. f. Quím.* Forma alotrópica do carbono, cristalina, com sistema hexagonal, negra, usada como mina de lápis e em diversos equipamentos e peças industriais. [Cf. *grafito*.]
grafitado¹. [Part. de *grafitar*.] *Adj.* Convertido em grafita.
grafitado². [De *grafite* (3) + *-ado¹*.] *Adj.* Coberto de grafite: *muro* g r a f i t a d o.
grafitar. *V. t. d.* Converter em grafita.
grafite. *S. f.* **1.** V. *grafita*. **2.** Lápis próprio para desenhar. **3.** Palavra, frase ou desenho, geralmente de caráter jocoso, informativo, contestatório ou obsceno, em muro ou parede de local público; grafito. [Cf., nesta acepç.: *pichação* (2).]
grafiteiro. [De *grafite* (3) + *-eiro*.] *S. m.* Aquele que inscreve grafite.
grafítico. *Adj.* Relativo à, ou que contém grafita. ~ V. *corrosão* —*a*.
grafitização. *S. f. Quím.* Transformação, em grafita, de carbono presente num sistema.
grafito. [Do it. *graffito*.] *S. m.* **1.** Inscrição ou desenho de épocas antigas, toscamente riscado a ponta ou a carvão, em rochas, paredes, vasos, etc. **2.** Grafite (3). [Cf. *grafita*.]
▲graf(o)-. [Do gr. *grápho*.] *El. comp.* = 'descrever', 'escrever', 'descrição', 'escrita': *grafia, grafologia*. [Equiv.: *-grafo: taquígrafo*.]
▲-grafo. [Equiv. de *graf(o)-*.
grafologia [De *graf(o)-* + *-log(o)-* + *-ia*] *S. f.* **1.** Ciência geral da escrita, materialmente considerada. **2.** Análise da personalidade dum indivíduo por meio do estudo dos traços de sua escrita.
grafológico. *Adj.* Referente à grafologia.
grafólogo. [De *graf(o)-* + *-logo*.] *S. m.* Especialista em grafologia.
grafômetro. [De *graf(o)-* + *-metro*.] *S. m.* Instrumento com que se medem ângulos sobre um terreno.
grafonola. *S. f. Obsol.* Fonógrafo: "E nessa calma, enquanto rola / A lua pela amplidão, / Subitamente se evola / O som duma g r a f o n o l a, / Quebrando a paz do sertão." (Paulo Setúbal, *Alma Cabocla*, p. 37.)
graforréia. [De *graf(o)-* + *-reia*.] *S. f. Patol.* Perturbação mental em que o paciente escreve muito e de modo desconexo.
graforréico. *Adj.* Relativo à graforréia.
grafostática. [De *graf(o)-* + *estática*.] *S. f.* Conjunto de processos gráficos que se aplicam à resolução de problemas da estática (1).
grafotécnica. [De *graf(o)-* + *técnica*.] *S. f.* O conjunto dos recursos técnicos para o estudo da escrita.
grafotécnico. Adj. Relativo à grafotécnica.
grafoteca. [De *graf(o)-* + *-teca*.] *S. f.* **1.** Museu de gravura. **2.** Parte dum museu reservada a gravuras.
gragoatã. *S. m. Bras.* V. *camboatá-de-folha-grande*.
grainha (a-í). [De *grão¹* + *-inha*.] *S. f. P. us.* Semente de uvas, de tomates e de outros frutos; bagulho, granita, graúlho: "A mesa regalada de outrora... resumiu-lha a Anacreonte o fastio em passas de uvas. A g r a i n h a de uma, caindo-lhe um dia no esôfago, o afogou aos oitenta e cinco anos de sua idade." (Antônio Feliciano de Castilho, *A Lírica de Anacreonte*, p. 19.)
graipu. *S. m. Bras.* V. *guarapu* (1).
grajau. *S. m. Bras.* F. sincopada de *garajau*. [Cf. *Grajaú*, top.]
grajauense (a-u). *Adj. 2 g.* **1.** De, ou pertencente ou relativo a Grajaú (MA). ● *S. 2 g.* **2.** Natural ou habitante de Grajaú.
grajéia. [Do fr. *dragée*, com infl. de *grão¹*.] *S. f.* **1.** Confeito miúdo. **2.** Pílula medicamentosa preparada em tacho com xarope aromático. [Var.: *granjéia*. Cf. *drágea*.]
gral. [Provavelmente do lat. medieval *gradale*, 'terrina, prato, travessa', pelo fr. *graal*.] *S. m.* **1.** V. *almofariz*: "trinta anos de botica, sombrio laboratório — o g r a l esbeiçado, as espátulas consumidas, ... os boiões de fina porcelana, ornados de florões com misteriosas inscrições latinas" (Marques Rebelo, *O Trapicheiro*, p. 31). **2.** *Ant.* V. *graal*.
grã-lama. [De *grã-* + *lama²*.] *S. m.* Grão-lama. [Pl.: *grã-lamas*.]
gralha. [Do lat. tardio *gracula*.] *S. f.* **1.** Designação comum a várias espécies de aves passeriformes, da família dos corvídeos, especialmente dos gêneros *Cyanocorax* Boie e *Uroleuca* Bon., com várias espécies no Brasil. Em geral têm belas cores, destacando-se o azul de vários matizes, com branco, creme ou preto, e voz estridente; são praticamente onívoras, e vivem aos bandos. [Sin.: *acaé*. Cf. *cancã²* (1).] **2.** *Fig.* Pessoa que fala muito; tagarela. **3.** *Tip.* Erro tipográfico, que consiste em tipo virado, deslocado do lugar, ou trocado. ~ V. *gralhas*.
gralha-azul. *S. f. Bras.* **1.** Ave passeriforme, da família dos corvídeos (*Cyanocorax cayanus* (L.)), da Amaz., cuja coloração é predominantemente azul. **2.** Ave passeriforme, da família dos corvídeos (*C. caeruleus* (Vieil.)), do S. e C.O. do Brasil, de coloração geral azul com a cabeça preta. Freqüenta os pinheirais sulinos, onde atua como disseminadora das sementes do pinho. [Pl.: *gralhas-azuis*.]
gralha-branca. *S. f. Bras.* V. *gralha-do-campo*. [Pl.: *gralhas-brancas*.]
gralhada. [De *gralhar* + *-ada¹*.] *S. f.* **1.** Canto ou pipilar de muitos pássaros ao mesmo tempo: "gritando, enchendo o ar com a sua g r a l h a d a dissonante, bandos de arirambas" (José Veríssimo, *Cenas da Vida Amazônica*, p. 42). **2.** Vozeario ou falatório confuso, indistinto: "Odiava então a presença das velhas, a g r a l h a d a das vozes" (Eça de Queirós, *O Crime do Padre Amaro*, p. 481). [Var., bras.: *garalhada*. Sin.: *grasnada*.]
gralha-do-campo. *S. f. Bras.* Ave passeriforme, da família dos corvídeos (*Uroleuca cristalella* (Tem.)), do L. e C. do País, de coloração azul-marinho, com cabeça, parte anterior do pescoço e garganta negros, peito, abdome e ponta da cauda brancos. Freqüenta os cerrados e regiões descampadas. Difere da gralha-do-mato por sua asa alcançar a cauda, até onde tem início a cor branca. [Sin.: *gralha-branca, gralha-do-peito-branco, abade, bico-doce, pega* (ê). Pl.: *gralhas-do-campo*.]
gralha-do-mato. *S. f. Bras.* Ave passeriforme, da família dos corvídeos (*Cynanocorax chrysops* (Vieil.)), do S. do Brasil, de coloração semelhante à da gralha-do-campo [q. v.]. Vive nas matas, em bandos, alimentando-se de frutas, artrópodes, e até de ovos e filhotes de outras aves. [Pl.: *gralhas-do-mato*.]
gralha-do-peito-branco. *S. f. Bras.* V. *gralha-do-campo*. [Pl.: *gralhas-do-peito-branco*.]
gralhão. [Aum. de *gralha*.] *S. m. Bras.* V. *cancã²* (1 e 2).
gralhar. *V. int.* **1.** Grasnar (a gralha e algumas outras aves). **2.** Falar confusamente; engrolar. **3.** Tagarelar, parolar, palrar. [F. paral.: *gralhear*. Var., bras.: *garalhar*.]
gralhas. [Pl. de *gralha*.] *S. f. pl.* Certo jogo popular. ~ V. *gralha*.
gralhear. *V. int.* V. *gralhar*: "voltou logo de corrida a dizer palavras muito cariciáveis às avezinhas que nós ouvíamos g r á l h e a r." (Camilo Castelo Branco, *A Mulher Fatal*, p. 107). [Conjug.: v. *frear*.]
gram. [Do antr. *Gram*, de Hans Christian Joachim Gram (1853-1938), médico dinamarquês.] *S. m. Bacter.* Reação em que se submetem bactérias, inicialmente, à coloração por violeta-de-genciana e, em seguida, à solução de lugol, sendo classificadas de *gram-positivas* as que retêm, a despeito de tratamento pelo álcool (2), a coloração adquirida, e de *gram-negativas* as que não a conservam.
grama¹. [Do lat. *gramen*, 'erva, relva', *gramina*.] *S. f.* **1.** Designação comum a várias espécies de gramíneas cultivadas em áreas urbanas e jardins, e de outras forrageiras, além de algumas medicinais. **2.** *Bras.* V. *capim-de-burro*.
grama². [Do gr. *grámma*, pelo lat. *gramma*.] *S. m. Fís.* Unidade de medida de massa no sistema c. g. s., igual a 10^{-3} kg. [Símb.: *g*. É corrente o uso deste vocábulo no feminino.]
▲-grama. Equiv. de *gramato-*.
grama-comum. [De *grama¹* + *comum*] *S. f. Bras.* V. *capim-de-burro*. [Pl.: *gramas-comuns*.]
grama-da-guiné. [De *grama¹* + *da¹* + o top. *Guiné*.] *S. f. Bras.* V. *capim-guiné*. [Pl.: *gramas-da-guiné*.]
grama-das-boticas. [De *grama¹* + *das*, pl. de *da¹*, + *botica*.] *S. f. Bras.* V. *capim-de-burro*. [Pl.: *gramas-das-boticas*.]
grama-da-terra. [De *grama¹* + *da¹* + *terra*.] *S. f. Bras., MA.* V. *trapoerabarana*. [Pl.: *gramas-da-terra*.]
gramadeira. [De *gramar¹* + *-deira*.] *S. f.* **1.** Peça de madeira com que se trilha ou grama o linho antes de ser espadelado. **2.** Gancho com que, nas cavalariças, se puxa a palha para as manjedouras.
grama-de-jacobina. [De *grama¹* + *de* + *jacobina*.] *S. f. Bras.* V. *burrão* (4). [Pl.: *gramas-de-jacobina*.]
grama-de-marajó. [De *grama¹* + *de* + o top. *Marajó*.] *S. f. Bras.* V. *capim-de-burro*. [Pl.: *gramas-de-marajó*.]
gramadense. *Adj. 2 g.* **1.** De, ou pertencente ou relativo a Gramado (RS). ● *S. 2 g.* **2.** Natural ou habitante de Gramado.
grama-de-são-paulo. [De *grama¹* + *de* + o top. *São Paulo*.] *S. f. Bras.* V. *capim-de-burro*. [Pl.: *gramas-de-são-paulo*.]
gramado¹. [Part. de *gramar¹*.] *Adj.* Trilhado com gramadeira.
gramado². [Part. de *gramar²*] *Adj.* **1.** *Bras.* Coberto ou plantado de grama¹. ● *S. m.* **2.** *Bras.* Terreno coberto de grama¹ ou relva; relvado. **3.** *Bras.* Campo (13) de futebol.
grama-do-pará. [De *grama¹* + *do¹* + o top. *Pará*.] *S. f. Bras.* Erva de uns 2 m (*Beloperone amherstiae*), da família das acantáceas, nativa e cultivada como ornamental. Folhas ovadas, acuminadas e crenadas; flores róseo-violáceas, de corola bilabiada e dispostas em racemos; cápsula bivalve, com sementes discóides. [Pl.: *gramas-do-pará*. Sin.: *orelha-de-cutia*.]
grama-fina. [De *grama¹* + *fina*, fem. de *fino¹*.] *S. f.* V. *capim-de-burro*.
grama-força. [De *grama²* + *força*.] *S. m. Fís.* Unidade de medida de força: peso de um corpo de massa igual a um grama, sujeito à aceleração normal da gravidade. Vale 9,80665 × 10^{-3} newtons. [Simb.: *gf*.]
gramagem. *S. f. Ind. Pap.* Gramatura.
gramão. [Aum. de *grama¹*.] *S. m. Bras.* V. *capim-de-burro*.
gramar¹. *V. t. d.* **1.** Trilhar (o linho) com gramadeira. **2.** *Fam.* Engolir, tomar, comer. **3.** Suportar, agüentar, aturar: G r a m a *cadeia por muitos anos*; "era-me indispensável g r a m a r, de cabo a rabo, aquela medonha papelada." (Graciliano Ramos, *Linhas Tortas*, p. 151). **4.** Levar (sova); apanhar. **5.** *Bras. Pop.* Andar, trilhar: G r a m o u *três quilômetros a pé pelo mato, até encontrar a casa*.
gramar². *V. t. d. Bras.* Cobrir ou plantar de grama¹.
grama-rasteira. [De *grama¹* + *rasteira*, fem. de *rasteiro*.] *S. f. Bras.* V. *capim-de-burro*. [Pl.: *gramas-rasteiras* e *gramas-rasteira*.]
grama-roxa. [De *grama¹* + *roxa*, fem. de *roxo*.] *S. f. Bras.* V. *capim-de-burro*. [Pl.: *gramas-roxas*.]
gramática. [Do gr. *grammatiké* (subentende-se *techne*), 'arte da gramática', pelo lat. *grammatica*.] *S. f.* **1.** Estudo ou tratado dos fatos da linguagem, falada e escrita, e das leis naturais que a regulam. **2.** Livro onde se expõem as regras da linguagem. **3.** Exemplar de um desses livros. **4.** *Bras., PE. Pop.* V. *cachaça* (1). **5.** *Bras., PE. Pop.* Qualquer bebida alcoólica. [Cf. *gramática*, do v. *gramaticar*.] ♦ **Gramática estrutural.** *Ling.* Teoria lingüística baseada nos princípios do estruturalismo [q. v.]; lingüística estrutural. **Gramática gerativa.** *Ling.* V. *gramática gerativo-transformacional*. **Gramática gerativo-transformacional.** *Ling.* Teoria lingüística que procura estabelecer um modelo geral, baseado em princípios universais, do qual derivam as gramáticas de cada língua em particular. [Sin.: *gramática gerativa* e *gramática transformacional*.] **Gramática normativa.** Aquela que prescreve as normas do bem falar e escrever; gramática prescritiva. **Gramática prescritiva.** Gramática normativa. **Gramática tradicional.** Todo estudo de cunho gramatical que segue os princípios impostos pela tradição anterior ao advento da ciência lingüística. **Gramática transformacional.** *Ling.* V. *gramática gerativo-transformacional*.
gramatical. [Do lat. *grammaticale*.] *Adj. 2 g.* Relativo ou conforme à gramática. ~ V. *análise* —, *charada* —, *construção* — e *significado* —.
gramaticalismo. *S. m.* Escrúpulo exagerado na construção gramatical das frases.
gramaticão. *S. m. Deprec.* **1.** Aquele que se presume de bom gramático. **2.** Aquele que só sabe gramática.
gramaticar. *V. int.* **1.** *Fam.* Tratar questões de gramática; ensinar gramática. *T. d.* **2.** *Bras.* Sistematizar dentro dos princípios da gramática, das normas gramaticais: "uma língua que estou g r a m a t i c a n d o para uso das academias, como o fiz sumariamente para meu próprio uso." (Machado de Assis, *Papéis Avulsos*, p. 210). [Conjug.: v. *trancar*. Pres. ind.: *gramatico, gramaticas, gramatica*, etc. Cf. *gramático* e *gramática*.]
gramático¹. [Do gr. *grammatikós*, pelo lat. *grammaticu*.] *Adj.* **1.** Relativo à gramática. ● *S. m.* **2.** Aquele que escreve acerca de gramática, ou se dedica a estudos gramaticais. [Deprec.: *gramaticão* e *gramatiqueiro*. Cf. *gramatico*, do v. *gramaticar*.]
gramático². [De *grama¹*.] *Adj.* e *s. m. Bras. Turfe. Gír.* Diz-se do, ou o animal que demonstra acentuada preferência pela corrida em pista de grama. [Cf. *arenáti-*

co e *gramatico*, do v. *gramaticar*.]

gramaticologia. [De *gramatica* + *-o-* + *-log(o)-* + *-ia*.] *S. f.* Estudo científico da gramática.

gramaticológico. *Adj.* Referente à gramaticologia.

gramaticólogo. *S. m.* Especialista em gramaticologia.

gramatiqueiro. *S. m. Bras. Deprec.* **1.** Gramático (2) de visão estreita, muito rigoroso: "Veio à baila o nome de um g r a m a t i q u e i r o caturra, tipo do professor que empacou nas regrinhas de lana-caprina." (Leôncio Correia, *A Boêmia do Meu Tempo*, p. 150.) **2.** Aquele que é dado à gramatiquice.

gramatiquice. *S. f.* Rigorismo afetado e ridículo em coisas de linguagem; mania de correção gramatical: "Rapaz de poucas letras, comprou um dicionário e colhe termos em desuso. Não lhe nego .... o valor. Mas, as g r a m a t i q u i c e s, detestáveis." (Geraldo França de Lima, *Branca Bela*, p. 101.)

gramatista. [Do gr. *grammatistés*, pelo lat. *gramatista*.] *S. m.* **1.** Na antiguidade clássica, professor de primeiras letras. **2.** *Fig.* Gramático[1] (2) incompetente, ou pedante.

▲gramat(o)-. [Do gr. *grámma, atos*.] *El. comp.* = 'letra', 'escrito'; 'peso': *gramatologia*. [Equiv.: *-grama: digrama, ideograma, telegrama, quilograma*.]

gramatologia. [De *gramat(o)-* + *-log(o)-* + *-ia*.] *S. f.* Tratado das letras, alfabeto, silabação, leitura e escrita.

gramatológico. *Adj.* Referente à gramatologia.

gramatura. [De *grama*[2].] *S. f. Ind. Pap.* Valor que, representando uma das características dos papéis, exprime o peso, em gramas, de uma folha com um metro quadrado; gramagem. [Cf. *corpo* (27).]

grameal. [De *grama*[1] + *-e-* + *-al*.] *S. m. Bras., N. Impr.* Em certas regiões, vegetação secundária, arbustiforme.

grameiras. *S. f. pl.* Orifícios que rodeiam os cadinhos, nos fornos de fundição de bronze.

gramense[1]. *Adj. 2 g.* **1.** De, ou pertencente ou relativo a Santo Antônio do Grama (MG). ● *S. 2 g.* **2.** Natural ou habitante de Santo Antônio do Grama.

gramense[2]. *Adj. 2 g.* **1.** De, ou pertencente ou relativo a São Joaquim da Grama (RJ). ● *S. 2 g.* **2.** Natural ou habitante de São Joaquim da Grama.

gramense[3]. *Adj. 2 g.* **1.** De, ou pertencente ou relativo a São Sebastião da Grama (SP). ● *S. 2 g.* **2.** Natural ou habitante de São Sebastião da Grama.

grã-mestre. [De *grã-* + *mestre*.] *S. m.* Grão-mestre [q. v.]. [Pl.: *grã-mestres*.]

graminácea. *S. f. Desus.* V. *gramínea*.

gramináceas. *S. f. pl. Bot. Desus.* V. *gramíneas*.

gramináceo. *Adj. Desus.* Gramíneo.

gramínea. *S. f.* Espécime das gramíneas. [Sin., desus.: *graminácea*.]

gramíneas. [Do lat. *gramineas*.] *S. f. pl. Bot.* Família de plantas monocotiledôneas, da ordem das glumifloras, que engloba vegetais conhecidos vulgarmente como *capins* e *bambus*. O caule, característico pelos nós bem salientes, chama-se *colmo*; as flores, hermafroditas, são insignificantes e envoltas em bractéolas paleáceas, ditas *glumelas*, por fora das quais há duas brácteas semelhantes, as *glumas*. Há três estames e um ovário súpero e uniovulado. Somam cerca de 6.000 espécies, distribuídas por todo o orbe. Numerosas são as de valor econômico: milho, trigo, arroz, cana, aveia, etc. [Sin., desus.: *gramináceas*.]

gramíneo. *Adj.* Pertencente ou relativo às gramíneas. [Sin., desus.: *gramináceo*.]

graminha. [Dim. de *grama*[1].] *S. f. Bras.* V. *capim-de-burro*.

graminha-comum. *S. f. Bras.* V. *capim-de-burro*. [Pl.: *graminhas-comuns*.]

graminha-da-cidade. *S. f. Bras.* V. *capim-de-burro*. [Pl.: *graminhas-da-cidade*.]

graminha-de-jacobina. *S. f. Bras.* V. *burrão* (4). [Pl.: *graminhas-de-jacobina*.]

graminha-de-raiz. *S. f. Bras.* V. *capim-de-burro*. [Pl.: *graminhas-de-raiz*.]

graminha-do-mato. *S. f. Bras.* V. *capim-de-burro*. [Pl.: *graminhas-do-mato*.]

graminha-fina. *S. f. Bras.* V. *capim-de-burro*. [Pl.: *graminhas-finas*.]

graminhar. *V. t. d.* Riscar, acertar ou retificar com o graminho.

graminha-seda. [De *graminha* + *seda*.] *S. f. Bras.* V. *capim-de-burro*. [Pl.: *graminhas-sedas* e *graminhas-seda*.]

graminho. *S. m.* Instrumento de carpintaria com que se traçam riscos paralelos ao bordo das tábuas.

gramínícola. [Do lat. *gramine*, 'palha', + *-i-* + *-cola*.] *Adj. 2 g.* Que vive na palha ou nos campos de cereais.

graminifólio. [De *gramin*, abrev. de *gramínea*, + *-i-* + *-fólio*.] *Adj. Morfol. Veg.* Cujas folhas são semelhantes às das gramíneas.

graminiforme. [De *gramin*, abrev. de *gramínea*, + *-i-* + *-forme*.] *Adj. 2 g.* Semelhante às gramíneas.

graminóide. [De *gramín(ea)* + *-óide*.] *Adj. 2 g.* Semelhante a gramínea.

graminoso (ô). [Do lat. *graminosu*.] *Adj.* Abundante em grama[1].

gramita. [Do gr. *grámmé*, 'linha', + *-ita*[3].] *S. f.* Designação comum a diversas pedras cujas cores representam linhas.

gramixinga. *S. f. Bras.* V. *pau-marfim*.

gram-negativo. [De *gram* + *negativo*.] *Adj. Bacter.* V. *gram*. [Pl.: *gram-negativos*.]

▲gram(o)-. [Do gr. *grammé, ês*.] *El. comp.* = 'traço', 'linha': *gramita, gramômetro*.

gramofone. [De *Grammophone*, nome comercial.] *S. m.* Fonógrafo (2): "No g r a m o f o n e, a música melodiosa da nova dança invadia o salão" (Antônio Celso Alves Pereira, *Rua do Quenta-Sol*, p. 39). [Var. (bras., N.E.): *zonofone*.]

gramômetro. [De *gram(o)-* + *-metro*.] *S. m.* Divisor mecânico empregado em desenho.

grampação. *S. f. Art. Gráf.* V. *grampeamento*.

grampador (ô). *S. m. Art. Gráf.* Grampeador (2).

grampadora (ô). *S. f. Art. Gráf.* V. *grampeadora*.

grampagem. *S. f. Art. Gráf.* V. *grampeamento*.

grampar. *V. t. d.* Grampear (1).

grampeação. *S. f. Art. Gráf.* V. *grampeamento*.

grampeadeira. *S. f. Art. Gráf.* V. *grampeadora*.

grampeador (ô). *S. m.* **1.** Aparelho manual para grampear papéis. **2.** *Art. Gráf.* Gráfico que trabalha em grampeadora; grampador.

grampeadora (ô). [De *grampear* + *-(d)ora*, fem. de *-(d)or*.] *S. f. Art. Gráf.* Máquina para brochar cadernos, revistas e livros, a fio metálico, o qual é inserido lateralmente ou pelo festo dos cadernos; grampeadeira, grampadora.

grampeamento. [De *grampear* + *-mento*.] *S. m. Art. Gráf.* Brochagem a fio metálico; grampação, grampagem, grampeação. [V. *costura* (5).]

grampear. *V. t. d.* **1.** Prender com grampos; grampar. **2.** *Art. Gráf.* Brochar a fio metálico. **3.** *Gír.* Imobilizar (alguém) para que outro o roube. **4.** Roubar; furtar. **5.** Prender, deter. **6.** *Bras.* Interferir, numa central telefônica, nas ligações da linha do telefone que se quer controlar, a fim de ouvir e/ou gravar conversações. [Conjug.: v. *frear*.]

grampo. [Do al. *Krampe*.] *S. m.* **1.** Peça de metal que segura e liga duas pedras em uma construção; gato. **2.** Haste de ferro ou de madeira usada para segurar peças nas quais se trabalha. **3.** Gancho de metal com que se prende o cabelo. [Sin., nesta acepç., em GO, *ramona*; em MG, *besteira*; na PB, *friso*.] **4.** Alfinete longo para prender chapéu de senhora. **5.** Prego em forma de U, com que se prendem os arames das cercas, se firmam fios elétricos ou telefônicos, etc.

gram-positivo. [De *gram* + *positivo*.] *Adj. Bacter.* V. *gram*. [Pl.: *gram-positivos*.]

grana[1]. [De *grão*[1].] *S. f. Bras. Gír.* V. *dinheiro* (3): "G r a n a nenhuma e a carne cheirando. / Não resistindo, esmolou: / — Um pouquinho, chefe." (Humberto Crispim Borges, *Cacho de Tucum*, p. 138.)

grana[2]. [Lat.; pl. de *granum*.] *S. m. pl. Bot.* Conjunto dos grânulos que contêm clorofila existentes nas células verdes das plantas. A clorofila distribui-se sobre um estroma protéico. [O singular, *granum*, não se usa.]

granada. [Do fr. *grenade*, 'romã'.] *S. f.* **1.** *Ant.* Projetil com a forma de romã, que se enchia de pólvora, à qual se lançava fogo. **2.** Artefato bélico com uma câmara interna que leva uma carga de arrebentamento, o qual em geral se lança com a mão ou com arma de fogo. **3.** *Min.* Designação comum aos minerais do grupo das granadas, silicatos, cristalizados no sistema monométrico, e cuja coloração (vermelho-castanho, branco-esverdeado, etc.) depende da composição; granate. **4.** Tecido de seda semelhante à granadina, porém mais torcido.

granada-foguete. *S. f.* Granada (2) projetada à maneira de foguete: *A bazuca lança g r a n a d a s - f o g u e t e s.* [Pl.: *granadas-foguetes* e *granadas-foguete*.]

granadeiro. *S. m. Ant.* **1.** Soldado que lançava granada. **2.** Soldado pertencente à companhia que vai na dianteira de cada regimento. **3.** *Fig.* Homem alto e corpulento.

granadense. *Adj. 2 g.* **1.** De, ou pertencente ou relativo a Nova Granada (SP). ● *S. 2 g.* **2.** Natural ou habitante de Nova Granada.

granadilho. [Do esp. *granadillo*.] *S. m.* Madeira de macacaúba [q. v.].

granadina. [Fem. de *granadino*[2].] *S. f.* Tecido rendado de seda crua ou de algodão transparente.

granadino[1]. [De *granada* + *-ino*[1].] *Adj.* Da cor da romã.

granadino[2]. [Do esp. *granadino*.] *Adj.* **1.** De, ou pertencente ou relativo a Granada (Espanha e ilha do Caribe Oriental). ● *S. m.* **2.** O natural ou habitante de Granada.

granador (ô). *S. m.* Aparelho para granar pólvora.

granal. [Do lat. *granu*, 'grão', + *-al*.] *Adj. 2 g.* Relativo a grão[1] ou grãos.

granalha. [Do lat. *granu*, 'grão[1]', + *-alha*.] *S. f.* Pequenos fragmentos, em forma de grânulos ou de palhetas, a que se reduz o metal fundido, nas operações precedentes à amoedação; granulação.

granate. *S. m. Min.* Granada (3).

granar. [De *gran(o)-* + *-ar*[2].] *V. t. d.* **1.** Reduzir a grão[1]; granular. *Int. Bras.* **2.** Criar grão[1] (o milho, o trigo, etc.); granear. **3.** Estar (alguém) na adolescência. [Pres. subj.: *grane, ... graneis, granem*, etc. Cf. *granéis*, pl. de *granel*.]

grandalhão. *Adj.* **1.** Muito grande: "Forte e g r a n d a l h ã o, Chico Bento ergue o corpo franzino do velho" (José Potiguara, *Terra Caída*, p. 63). ● *S. m.* **2.** Indivíduo muito alto. [Sin. ger.: *grandão*. Fem.: *grandalhona*.]

grandalhona. *Adj. (f.)* e *s. f.* Fem. de *grandalhão* [q. v.].

grandão. *Adj.* e *s. m.* Grandalhão. [Fem.: *grandona*.]

grande. [Do lat. *grande*.] *Adj. 2 g.* **1.** De tamanho, volume, intensidade, valor, etc., acima do normal. **2.** Comprido, longo: *um fio g r a n d e.* **3.** De grande extensão ou volume: *O São Francisco é um g r a n d e rio.* **4.** Crescido, desenvolvido, taludo: *um menino g r a n d e.* **5.** Numeroso: *uma classe g r a n d e; um g r a n d e exército.* **6.** Intenso, forte: *g r a n d e frio; g r a n d e dor.* **7.** Exagerado, excessivo: *g r a n d e pompa; g r a n d e luxo.* **8.** Dilatado, longo: *Deu-me um g r a n d e prazo para responder.* **9.** Extraordinário, excepcional, desmedido: *Causou-me g r a n d e espanto a sua demissão.* **10.** Imponente, surpreendente: *um g r a n d e sucesso.* **11.** Notável, imponente: *uma g r a n d e escola.* **12.** Magnânimo, bondoso, generoso: *uma g r a n d e alma; g r a n d e coração.* **13.** Magnífico, soberbo, grandioso: *g r a n d e espetáculo.* **14.** Grave, pesado, ponderoso: *g r a n d e responsabilidade.* **15.** Superior, respeitável, venerando: *g r a n d e mestre.* **16.** Poderoso, influente: *uma g r a n d e companhia; um g r a n d e jornal.* **17.** Diz-se de gesto ou atitude que revela magnanimidade, longanimidade, ou heroísmo, coragem, valor, etc. **18.** Que opera em grande escala: *g r a n d e indústria.* **19.** Anteposto ao nome de uma cidade, indica estar ela considerada juntamente com as povoações periféricas e/ou cidades-satélites: *a g r a n d e Londres; o g r a n d e Rio.* [Comp. de super.: *maior*; superl. abs. sint.: *grandíssimo, máximo* e (pop.) *grandessíssimo*; aum.: *grandalhão, grandão*; dim. irreg.: *grandote*.] ~ V. *— área, cabotagem —, caixa —, circulação —, dedo — do pé, — epíploo, — explosão, gente —, hora —, —s lábios, mastro —, olho —, — Oriente, papai —, — peitoral, — prêmio, — psoas, — região, sorte —, tirana —, veia — safena* e *— veículo*. ● *S. m.* **20.** Pessoa rica e/ou poderosa, influente: "Não lhe era possível continuar a viver em Portugal, caído em desgraça dos reis e dos g r a n d e s." (Antero de Figueiredo, *Leonor Teles*, p. 173). **21.** O sublime; o grandioso. **22.** Membro da mais alta nobreza, na Espanha e no antigo Portugal. **23.** *Marinh.* Mastro grande. **24.** *Marinh.* Verga de papafigo que cruza na parte inferior da romã do mastro grande. **25.** *Marinh.* Vela de papafigo que enverga na verga grande. **26.** *Constr. Nav.* Mastro grande. ♦ **Grande de Espanha.** Pessoa nobre, eminente, insigne: "desajeitado e canhestro, era [Euclides da Cunha] o menos possível o tipo que pudesse comparecer às festas de Rio Branco — festas de g r a n d e d e E s p a n h a." (Sílvio Rabelo, *Euclides da Cunha*, p. 327). [Cf. *grande* (22).] **À grande. 1.** Com magnificência; à larga; de grande: "continuava a viver à larga, à g r a n d e, gastando, dando, esbanjando." (Antero de Figueiredo, *Jornadas em Portugal*, p. 388). **2.** Regaladamente, confortavelmente; de grande: "Até eu vivia à g r a n d e, mal chegava a fazer trabalho de criada." (José Régio, *Histórias de Mulheres*, p. 76.) **3.** Em excesso; muito: *Quando rico, gastava à g r a n d e.* **De grande.** V. *à grande* (1 e 2). **Em grande. 1.** Em ponto grande. **2.** Com largueza. **Infinitamente grande.** *Mat.* Diz-se da sucessão que tem limite infinito.

grande-angular. *S. f.* **1.** *Fot.* Objetiva grande-angular. ● *Adj (f.)* **2.** ~ V. *objetiva —*. [Pl.: *grandes-angulares*.]

grande-caloria. *S. f. Fís.* Unidade de medida de energia (especialmente energia térmica), igual a 1000 calorias; quilocaloria. [Pl.: *grandes-calorias*. Símb.: *kcal*.]

grande-hipoglosso. *S. m.* **1.** *Anat.* Nervo grande-hipoglosso. ● *Adj.* **2.** ~ V. *nervo —*. [Pl.: *grandes-*

hipoglossos.]

grandeira. [Talvez de *grande* + *-eira.*] *S. f.* Maço de bater palha nás estrebarias.

grande-oblíquo. *Adj.* e *s. m. Anat.* **1.** Diz-se de, ou cada um dos dois músculos situados um de cada lado do abdome, e que tomam parte na formação da parede anterolateral abdominal. **2.** Diz-se de, ou cada um dos dois músculos que, um em cada órbita, se originam do ápice da pirâmide orbitária, inserindo-se na bainha do nervo óptico e na parte superior e interna do buraco óptico. [Pl.: *grandes-oblíquos.*]

grandessíssimo. [F. reforçada de *grandíssimo.*] *Adj. Pop.* Superl. abs. sint. de *grande: um grandessíssimo idiota;* "Malandros, filhos da mãe. Grandessíssimos filhos da mãe." (José Cardoso Pires, *Jogos de Azar,* p. 106); "Há uma forma de superlativo sintético muito usada: grandessíssimo. Tem entretanto especialização de emprego: serve somente para reforçar um desaforo, para elevar um insulto ao mais alto grau" (Mário Marroquim, *A Língua do Nordeste,* p. 116).

grandevo. [Do lat. *grandaevu.*] *Adj.* V. *longevo* (1).

grandeza (ê). *S. f.* **1.** Qualidade ou caráter de grande. **2.** Tratamento honorífico dos antigos grandes do reino. **3.** Nobreza de ânimo; generosidade, liberalidade. **4.** *Astr. Obsol.* Magnitude (3). **5.** *Mat.* Entidade suscetível de medida. ♦ **Grandeza extensiva.** *Fís.* Num sistema, grandeza física que tem um valor proporcional à massa do sistema. Ex.: volume, entropia, energia cinética. **Grandeza intensiva.** *Fís.* Num sistema, grandeza cujo valor é independente da massa do sistema e caracteriza o estado físico deste. Ex.: pressão, temperatura, velocidade.

➧**grand guignol** (grã-guinhol). [Fr.] *S. m.* **1.** Teatro em que se representam peças de terror. **2.** *P. ext.* Qualquer dessas peças.

grandíloco. [Do lat. *grandiloquu.*] *Adj.* V. *grandíloquo:* "A verdade que eu conto nua e crua, / Vence toda grandíloca escritura!" (Luís de Camões, *Os Lusíadas,* V, 89.)

grandiloqüência. *S. f.* Qualidade de grandíloquo.

grandiloqüente. *Adj. 2 g.* V. *grandíloquo.*

grandiloqüentíssimo. *Adj.* Superl. abs. sint. de *grandíloquo* e *grandiloqüente.*

grandíloquo (co). [Do lat. *grandiloquu.*] *Adj.* **1.** Que tem linguagem erguida, elevada, nobre, pomposa; muito eloqüente. **2.** Diz-se do estilo nobre, elevado, erguido. [Superl. abs. sint.: *grandiloqüentíssimo;* sin. ger.: *grandiloqüente.*]

grandiosidade. *S. f.* Qualidade de grandioso.

grandioso (ô). [Do esp. *grandioso.*] *Adj.* **1.** Grande, nobre, elevado: *sentimentos grandiosos; estilo grandioso.* **2.** Pomposo, aparatoso, magnificente, magnífico: *espetáculo grandioso.*

grandíssimo. *Adj.* Superl. sint. de *grande.*

➧**grand monde** (grã mond'). [Fr.] A alta sociedade.

grandona. *Adj.* (*f.*) e *s. f.* Fem. de *grandão.*

grandota. *Adj.* (*f.*) *Bras.* Fem. de *grandote.*

grandote. *Adj. Bras.* Um tanto grande; já crescido. [Fem.: *grandota.*]

grandumba. [De *grande.*] *Adj. 2 g.* e *s. 2 g. Bras., RS.* Diz-se de, ou pessoa grandalhona, porém mole, pouco ativa.

granear. [Do esp. plat. *granear.*] *V. int. Bras., RS.* Granar (2). [Conjug.: v. *frear.* Normalmente é defect.]

granéis. [Pl. de *granel.*] *S. m. pl. Mar. Merc.* V. *carga a granel: O transporte de granéis tem uma legislação própria.* [Cf. *graneis,* do v. *granar.*] ~ V. *granel.*

granel. [Do cat. *graner.*] *S. m.* **1.** Tulha, celeiro. **2.** *Tip.* Conjunto de linhas de composição manual ou mecânica ainda não paginado, e que se ata com um fio para tirar prova; paquê. [Pl.: *granéis.* Cf. *graneis,* do v. *granar.*] ~ V. *granéis.* ♦ **A granel.** *Loc. adv.* **1.** Em grande quantidade; em quantidade; a rodo. **2.** Em montão; à mistura. *Loc. adj.* **3.** Diz-se de cargas tais como cereais, carvão, líquidos, minérios, etc., que são transportadas sem qualquer embalagem ou acondicionamento.

graneleiro. *S. m. Bras.* **1.** Veículo que transporta cargas a granel [v. *a granel* (3)]. ● *Adj.* **2.** Diz-se de veículo que transporta cargas a granel. ~ V. *navio* —.

granfa. [Der. regress. de *grã-fino.*] *Adj. 2 g.* e *s. 2 g. Bras. Gír.* V. *grã-fino.*

granganzá. *S. 2 g. Bras., N.E.* Var. de *grangazá* [q. v.].

grangazá. [De *grande.*] *S. 2 g. Bras., N.E.* **1.** Pessoa de grande estatura e desengonçada. ● *Adj. 2 g.* **2.** Alto, corpulento. [Var.: *granganzá.*]

▲**grani-.** [Do lat. *granum, i.*] *El. comp.* = 'grão^{1}': *graniforme.* [Equiv.: *gran(o)-: granar, granodiorito.*]

granido. [Part. de *granir.*] *Adj.* **1.** Desenhado ou gravado a pontos miúdos. ● *S. m.* **2.** *Art. Gráf.* Aspereza praticamente imperceptível, transmitida à pedra litográfica e às placas metalográficas, com o granidor, para que mais facilmente recebam a molhagem durante a impressão.

granidor (ô). *S. m. Art. Gráf.* **1.** Máquina dotada de placas que giram sobre a pedra litográfica para grani-la por meio de areia e de água. **2.** Aparelho para dar o granido à superfície do zinco, do alumínio, etc., e que consiste num depósito oscilante em cujo fundo se põe a placa, coberta em seguida por camada de esferas de vidro ou de porcelana que fazem agir o abrasivo na ocasião adicionado. **3.** Instrumento em forma de cinzel largo e curto, chanfrado e rematado por linha curva guarnecida de finos dentes, e que se usa para granir as placas no processo de gravura à maneira-negra. **4.** Operário que trabalha pedra litográfica na máquina de granir.

granífero. [Do lat. *graniferu.*] *Adj.* Que produz ou tem grãos.

graniforme. [De *grani-* + *-forme.*] *Adj. 2 g.* Que tem forma de grão^{1}.

granilito. [De *grani-* + *-lito.*] *S. m.* Revestimento de pisos e paredes de superfície contínua e polida, composto de argamassa de cimento com adições de pó de mármore ou de outras rochas para dar cor ou formar desenhos.

granir. [Do lat. *granire.*] *V. t. d.* **1.** Desenhar ou gravar a pontos miúdos. **2.** *Art. Gráf.* Dar a (a pedra litográfica ou as placas metalográficas) a aspereza necessária para que retenham mais facilmente a umidade. [Cf. *ponçar.*]

granita. [De *gran(o)-* + *-ita*^{1}.] *S. f.* **1.** Glóbulo de substância mole. **2.** Excremento expelido em bolinhas, como o de cabras, ovelhas, etc. **3.** Semente de uva. V. *grainha.*

granitado. *Adj.* De superfície irregular.

granitar^{1}. *V. t. d.* **1.** Dar forma de granita a. **2.** Reduzir a granitas.

granitar^{2}. [De *gran(o)-* + *-itar.*] *V. t. d.* Granizar^{1}.

granítico. *Adj.* **1.** Da natureza do granito^{2}; granitoso. **2.** *P. ext.* Muitíssimo consistente; duríssimo. **3.** Muito firme; inabalável: *caráter granítico; convicções graníticas.*

granitização. [De *granito* + *-izar-* + *-ção.*] *S. f. Geol.* Fenômeno pelo qual uma rocha qualquer preexistente se transforma noutra de caráter semelhante ao do granito^{2}, sem ter havido um estágio magmático intermediário.

granito^{1}. [De *gran(o)-* + *-ito*^{1}.] *S. m.* **1.** Pequeno grão (1 e 2). **2.** *Bras., RS.* Peça para assar, tirada de cima do esterno da rês, e composta de grânulos rijos de tecidos gordurosos.

granito^{2}. [Do it. *granito.*] *S. m. Geol.* Rocha magmática granular, de profundidade caracterizada essencialmente por quartzo e um feldspato alcalino.

granito^{3}. *S. m. Bras., MG.* Sol ou calor forte, após muitos dias chuvosos.

granitóide. [De *granito*^{2} + *-óide.*] *Adj. 2 g. Geol.* Diz-se da textura cujos constituintes não têm contornos cristalinos próprios e são aproximadamente de iguais dimensões.

granitoso (ô). [De *granito*^{2} + *-oso.*] *Adj.* Granítico (1).

granívoro. [De *grani-* + *-voro.*] *Adj.* Que se alimenta de grãos ou de sementes.

granizada. *S. f.* **1.** Bátega de granizo (1) ou saraiva. **2.** *Fig.* Aquilo que, à semelhança do granizo, cai ou é expelido ou lançado em grande quantidade; granizo: *uma granizada de impropérios.* [Sin. ger.: *saraivada.*]

granizar^{1}. [De *gran(o)-* + *-izar.*] *V. t. d.* Dar forma granular a; granitar.

granizar^{2}. [De *granizo* + *-ar*^{2}.] *V. int.* **1.** Cair granizo. **2.** Cair à maneira de granizo. *T. d.* **3.** Atirar com granizo contra.

granizífugo. [De *granizo* + *-i-* + *-fugo.*] *Adj.* ~ V. *foguete*—.

granizo. [Do esp. *granizo.*] *S. m.* **1.** Tipo de precipitação atmosférica na qual as gotas de água se congelam ao atravessar uma camada de ar frio, caindo sob a forma de pedras de gelo; saraiva, chuva de pedra: "um trovão rola sobre as serras — e subitamente, com o estalido de lanças entrechocando-se, caiu o granizo." (Eça de Queirós, *Últimas Páginas,* p. 87). **2.** *Fig.* Granizada (2).

granja. [Do fr. *grange.*] *S. f.* **1.** Pequena propriedade rural, sítio de cultura lucrativa. **2.** Construção onde se recolhem os frutos de uma herdade; abegoaria.

granjaria. *S. f.* Reunião de granjas.

granjeador (ô). *Adj.* e *s. m.* Que ou aquele que granjeia.

granjear. [De *granja* + *-ear.*] *V. t. d.* **1.** Amanhar, cultivar (a terra). **2.** Conquistar ou obter com trabalho ou com esforço: *Procurou granjear o interesse dos presentes a fim de obter o que pretendia.* **3.** Atrair, conquistar: *Não granjeou a simpatia do auditório.* **4.** *Ant.* Esmiuçar; rebuscar. *T. d.* e *i.* **5.** Fazer alcançar; valer; atrair: "Essas manifestações antibonapartistas e a lembrança da sátira que lhe valera trinta e seis dias de prisão, granjearam-lhe [a Charles Nodier] favores do regime restaurado." (Melo Nóbrega, *O Soneto de Arvers,* p. 13.) [Conjug.: v. *frear.* Pres. ind.: *granjeio, granjeias, granjeia, ... granjeiam.* Cf. *granjéia.*]

granjearia. [De *granjear* + *-ia.*] *S. f.* **1.** *Ant.* O produto do lucro de uma granja. **2.** Lavoura (1).

granjéia. *S. f.* Var. de *grajéia.* [Cf. *granjeia,* do v. *granjear.*]

granjeio. [Dev. de *granjear.*] *S. m.* **1.** Ato ou efeito de granjear (1). **2.** *P. ext.* Colheita de produtos agrícolas. **3.** *Fig.* Trabalho realizado com o fim de obter comodidades ou vantagens, lucros.

granjeiro. *S. m.* **1.** Aquele que cultiva a granja por conta de outrem. **2.** Dono de granja.

granjense. *Adj. 2 g.* **1.** De, ou pertencente ou relativo a Granja (CE). ● *S. 2 g.* **2.** Natural ou habitante de Granja.

granjola. [De *grande.*] *Adj. 2 g.* e *s. 2 g. Pop.* Diz-se de, ou pessoa corpulenta.

▲**gran(o)-.** Equiv. de *grani-.*

granodiorito. [De *gran(o)-* + *diorito.*] *S. m. Geol.* Rocha magmática plutônica, granular, constituída essencialmente de plagioclásio, feldspato alcalino e, em menor quantidade, quartzo.

granoso (ô). [Do lat. *granosu.*] *Adj.* Que tem grãos [v. *grão*^{1}].

granulação. *S. f.* **1.** Ato ou efeito de granular^{2}. **2.** *Geol.* Aspecto da textura de uma rocha quanto ao tamanho de seus componentes. **3.** *Med.* Pequena massa arredondada de tecido constituído, pelo menos em grande parte, de vasos capilares e fibroblastos, muitas vezes com a presença de células inflamatórias. **4.** Granalha.

granulado. [Part. de *granular*^{2}.] *Adj.* **1.** Que apresenta granulações: "Em vez da várzea vermelha de argilas ferruginosas, fofa e granulada, daí para o levante é vasa fina, cinza-escura, compacta." (Raimundo Morais, *País das Pedras Verdes,* p. 70.) **2.** Diz-se de substância sob a forma de grânulos. ● *S. m.* **3.** Substância granulada.

granulagem. *S. f.* Ato de granular^{2} ou granir.

granular^{1}. *Adj. 2 g.* **1.** Semelhante, na forma, ao grão^{1} (1 e 2). **2.** Composto de pequenos grãos.

granular^{2}. *V. t. d.* **1.** Dar forma de grânulos a; reduzir a grânulos. **2.** Granar (1). [Pres. ind.: *granulo,* etc. Cf. *grânulo.*]

granulia. [De *grânulo* + *-ia.*] *S. f. Patol.* Condição patológica resultante da disseminação pelo sangue da infecção tuberculosa, produzindo-se lesões milimétricas em várias estruturas do organismo (pulmões, rins, ossos, baço, etc.).

granuliforme. [De *grânulo* + *-i-* + *-forme.*] *Adj. 2 g.* Que tem forma de grânulos.

granulito. [De *grânulo* + *-ito*^{2}.] *S. m. Geol.* Variedade de gnaisse que se caracteriza por possuir granulação fina e coloração clara, e ser rico em granada.

grânulo. [Do lat. *granulu.*] *S. m.* **1.** Pequeno grão: "Os grânulos de ouro, apurados nos dias mais felizes, vendiam-se a um ourives a troco de alguns mil-réis." (Eduardo Frieiro, *Feijão, Angu e Couve,* p. 172.) **2.** Pequena esfera; glóbulo. **3.** Cada uma das pequenas saliências duma superfície áspera; aspereza. **4.** Substância, principalmente medicamentosa, que se apresenta em forma de grânulos. [Cf. *granulo,* do v. *granular.*] ♦ **Grânulo solar.** *Astr.* A menor marca superficial capaz de ser observada na fotosfera solar.

granuloma. [De *grânulo* + *-oma.*] *S. m. Patol.* **1.** Neoformação constituída por tecido de granulação (3). **2.** Massa de tecido não tumoral, com características proliferativas, fibrosantes e degenerativas, que se desenvolve, muitas vezes, em diferentes inflamações crônicas.

granulomatose. *S. f. Patol.* Presença de múltiplos granulomas.

granulomatoso. *Adj.* **1.** Relativo ao granuloma, ou da natureza dele. **2.** Formado por granulomas.

granulometria. [De *grânulo* + *-metr(o)-* + *-ia.*] *S. f. Tec.* Método de análise que visa a classificar as partículas de uma amostra pelos respectivos tamanhos e a medir as frações correspondentes a cada tamanho; análise granulométrica.

granulométrico. *Adj.* Relativo à granulometria. ~ V. *análise —a.*

granulômetro. *S. m.* Instrumento com que se medem os grãos ou partículas que constituem um agregado.

granulosidade. *S. f.* Qualidade de granuloso.
granuloso (ô). *Adj.* **1.** Formado de grânulos. **2.** Em que há granulações. **3.** Que tem a superfície áspera.
grão[1]. [Do lat. *granu.*] *S. m.* **1.** Semente de cereais e de algumas outras plantas. **2.** *P. ext.* Pequeno corpo arredondado: *chumbo em grãos.* **3.** Antiga unidade de medida de peso, equivalente a 1/4 do quilate, ou seja, 49,8 miligramas. **4.** Elemento que caracteriza a textura da madeira, do couro, do papel, da rocha, etc. **5.** Quantidade mínima de qualquer coisa: *um grão de malícia.* **6.** *Chulo.* Testículo. [Pl.: *grãos.*] ♦ **Grão de pólen.** *Morfol. Veg.* Cada uma das unidades celulares que compõem o elemento reprodutivo masculino dos vegetais floríferos. **Grão de pólvora.** *Expl.* Cada uma das partículas de uma carga de pólvora que têm forma, peso, estrutura, composição e acabamento superficial específicos.
grão[2]. *Adj. 2 g.* F. apocopada de *grande;* grã: "E passou assim este grão caso" (Camilo Castelo Branco, *A Mulher Fatal,* p. 54); "Na grão fornalha já se a flama agita" (Frei Francisco de S. Carlos, *A Assunção,* p. 243). [Pl.: *grãos.*]
▲grão-. [De *grão[2].*] Equiv. de *grã*.
grão-cruz. [De *grão-* + *cruz.*] *S. f.* e *s. 2 g.* Grã-cruz. [Pl.: *grão-cruzes.*]
grão-de-arroz. *S. m. Astr.* Ponto brilhante na superfície do Sol, em geral no centro do disco, facilmente observável pelo contraste com o resto do disco, e de duração muito curta. [Pl.: *grãos-de-arroz.*]
grão-de-bico. *S. m.* **1.** Planta da família das leguminosas-papilionáceas (*Cicer arietinum*). **2.** A semente, alimentícia, dessa planta. [Sin. ger.: *gravanço, ervanço.* Pl.: *grãos-de-bico.*]
grão-de-galo. *S. m. Bras.* **1.** V. *abutua* (1). **2.** V. *babosa-branca.* [Pl.: *grãos-de-galo.*]
grão-de-porco. *S. m. Bras.* V. *babosa-branca.* [Pl.: *grãos-de-porco.*]
grão-ducado. [De *grão* + *ducado.*] *S. m.* País governado por um grão-duque. [F. paral.: *grã-ducado.* Pl.: *grão-ducados.*]
grão-ducal. [De *grão-duque* + *-al.*] *Adj. 2 g.* Relativo a grão-duque, ou a grão-ducado. [F. paral.: *grã-ducal.* Pl.: *grão-ducais.*]
grão-duque. [De *grão-* + *duque.*] *S. m.* **1.** Título dado a alguns príncipes soberanos: "O rei da Holanda era .... membro votante na dieta germânica, na sua qualidade de duque do Limburgo e de grão-duque do Luxemburgo." (Ramalho Ortigão, *A Holanda,* p. 341.) **2.** Príncipe da família imperial russa e da austríaca. [F. paral.: *grã-duque.* Flex.: *grão-duquesa, grão-duques, grão-duquesas.*]
grão-duquesa. [De *grão-* + *duquesa.*] *S. f.* Fem. de *grão-duque* [q. v.]. [Pl.: *grão-duquesas.*]
grão-lama. [De *grão-* + *lama[2].*] *S. m.* Dalai-lama. [F. paral.: *grã-lama.* Pl.: *grão-lamas.*]
grão-mestre. [De *grão-* + *mestre.*] *S. m.* **1.** O chefe supremo de antiga ordem religiosa ou de cavalaria. **2.** O chefe supremo de loja maçônica. [F. paral.: *grã-mestre.* Pl.: *grão-mestres.*]
grão-mogolense. *Adj. 2 g.* **1.** De, ou pertencente ou relativo a Grão-Mogol (MG). ● *S. 2 g.* **2.** Natural ou habitante de Grão-Mogol. [Pl.: *grão-mogolenses.*]
grão-rabino. [De *grão-* + *rabino.*] *S. m.* **1.** O chefe supremo de uma sinagoga ou de um consistório israelita. **2.** O rabino principal de uma comunidade israelita. [F. paral.: *grã-rabino.* Pl.: *grão-rabinos.*]
grãos-de-café. *S. m. pl. Astr.* Denominação clássica, utilizada por J. Rösch (1915- —), para caracterizar o aspecto, análogo ao dos grãos de café, da granulação solar na fase que antecede o aparecimento das manchas solares em uma determinada região.
grão-tinhoso. [De *grão-* + *tinhoso.*] *S. m.* V. *diabo* (2). [F. paral.: *grã-tinhoso.* Pl.: *grão-tinhosos.*]
grão-turco. [De *grão-* + *turco.*] *S.m.* O antigo sultão de Constantinopla. [F. paral.: *grão-turco.* Pl.: *grão-turcos.*]
grão-vizir. [De *grão-* + *vizir.*] *S. m.* O primeiro-ministro do Império Otomano. [F. paral.: *grã-vizir.* Pl.: *grão-vizires.*]
grapa. [Do frâncico **krappa,* 'gancho', pelo cat. *grapa.*] *S. f. Veter.* Ferida na dianteira das curvas e na traseira dos braços da cavalgadura.
➧grapefruit (greipfrut). [Ingl.] V. *toranja.*
grapiapunha. [De *guarapiapunha,* com síncope.] *S. f. Bras.* V. *garapa* (6).
grapirá. [Do tupi *wi'rá,* 'ave', + *pi'ra,* 'peixe'.] *S. m. Bras.* V. *alcatraz[1].*
grapiúna. *S. 2 g.* **1.** *Bras., BA.* Alcunha que os sertanejos dão aos moradores da capital. **2.** Ilheense (2): "Chegavam [os estrangeiros] e em pouco eram ilheenses dos melhores, verdadeiros grapiúnas plantando roças" (Jorge Amado, *Gabriela, Cravo e Canela,* p. 56).
grapsídeo. *S. m.* **1.** Espécime dos grapsídeos. ● *Adj.* **2.** Pertencente ou relativo a eles.
grapsídeos. *S. m. pl. Zool.* Família de crustáceos da ordem *Decapoda,* subordem *Brachiura,* com cerca de 300 espécies, que habitam mares, estuários e mangues. Têm carapaça quadrada e pinças de igual tamanho. Ex.: gênero *Grapsus.*
grã-rabino. [De *grã-* + *rabino.*] *S. m.* Grão-rabino. [Pl.: *grã-rabinos.*]
grasnada. [De *grasnar* + *-ada[1].*] *S. f.* **1.** Ato ou efeito de grasnar; grasnadela, grasnido, grasno. **2.** V. *gralhada.*
grasnadela. *S. f.* V. *grasnada* (1).
grasnador (ô). *Adj.* **1.** Que grasna; grasnante, grasneiro. ● *S. m.* **2.** Aquele que grasna.
grasnante. *Adj. 2 g.* V. *grasnador* (1).
grasnar. [De um lat. hispânico **gracinare.*] *V. int.* **1.** Soltar a voz (o pato, a rã, etc.): "E vinha o entardecer, com os marrecos grasnando na lagoa." (Herberto Sales, *O Lobisomem,* p. 43); "Passam, grasnando no ar, periquitos, em bando" (Martins Fontes, *Verão,* p. 35). **2.** Soltar a voz (o corvo); crocitar: "Um corvo passa e grasna (Manuel Bandeira, *Estrela da Vida Inteira,* p. 14). **3.** Gritar com voz desagradável como a dos corvos. *T. d.* **4.** Dizer, proferir, exprimir, grasnando. [Var.: *grasnir.*]
grasneiro. *Adj.* V. *grasnador* (1).
grasnido. [De *grasnir* + *-ido.*] *S. m.* V. *grasnada* (1): "partem [as gaivotas] em todas as direções, ... soltando grasnidos que soam como o próprio clamor da angústia humana." (José Carlos Oliveira, *A Revolução das Bonecas,* p. 145).
grasnir. *V. int.* e *t. d.* Var. de *grasnar:* "e as rãs que estão grasnindo / nos limos do marnel as prístinas querelas!" (Antônio Feliciano de Castilho, *As Geórgicas,* p. 49).
grasno. [Dev. de *grasnar.*] *S. m.* V. *grasnada* (1): "não solta o canto / O terno sabiá — nos ermos onde / O fúnebre urubu desata o grasno" (Gonçalves Dias, *Obras Poéticas,* II, p. 344).
graspa. *S. f. Bras., S.* **1.** Aguardente procedente da destilação das borras ou fezes do vinho. **2.** *Impr.* Bagaceira (2).
grassar. [Do lat. **grassare,* por *grassari.*] *V. int.* **1.** Desenvolver-se; alastrar-se, propagar-se progressivamente: "A gripe ou influenza grassou com tal intensidade que levou *O Município* a dizer que a cidade estava como um hospital" (Raul Lima, *O Fio do Tempo,* p. 129). **2.** Propalar-se, propagar-se, difundir-se, divulgar-se: *Grassou a novidade com grande rapidez.* [Defect., só us. nas 3ªs pess. Pres. ind.: *grassa, grassam.* Cf. *graça,* s. f., e *Graça,* hier. e antr.]
grassento. [De *grasso* + *-ento.*] *Adj.* **1.** V. *gordo* (1). **2.** Que tem a consistência da graxa.
grasso. [Do lat. *crassu.*] *Adj.* V. *gordo* (1).
gratear. [Talvez do fr. *gratter.*] *V. t. d.* Empregar a gratéia em. [Conjug.: v. *frear.* Pres. ind.: *grateio, grateias, grateia,* etc. Cf. *gratéia,* s. f., e *rocegar.*]
gratéia. [Dev. de *gratear.*] *S. f.* Instrumento com que se limpa o fundo dos rios. [Cf. *grateia,* do v. *gratear.*].
➧gratia argumentandi (grácia argumentândi). [Lat.] Pelo prazer de argumentar.
gratícula. [Do lat. *craticula.*] *S. f. Ópt.* Retículo constituído por um conjunto de linhas gravadas em um vidro transparente.
gratidão. [Do lat. *gratitudine,* com mudança de sufixo.] *S. f.* **1.** Qualidade de quem é grato. **2.** Reconhecimento por um benefício recebido; agradecimento, reconhecimento.
gratificação[1]. [Do lat. *gratificatione.*] *S. f.* **1.** Ato ou efeito de gratificar. **2.** Retribuição de serviço extraordinário. **3.** Remuneração acima da devida, extraordinária, por determinado serviço que se reputou muito bem executado, ou de execução difícil: *Fiquei tão contente com o serviço que dei ao rapaz uma boa gratificação.* **4.** Remuneração de certos cargos públicos em comissão. **5.** V. *gorjeta* (2).
gratificação[2]. [Do ingl. *gratification.*] *S. f.* Ato ou efeito de gratificar[2].
gratificado[1]. [Part. de *gratificar[1].*] *Adj.* Que é ou foi objeto de gratificação[1], ou que a recebe ou recebeu: *função gratificada; funcionário gratificado.*
gratificado[2]. [Part. de *gratificar[2].*] *Adj.* Grato, agradecido.
gratificador (ô). [Do lat. *gratificatore.*] *Adj.* e *s. m.* Que ou aquele que gratifica, paga, remunera.
gratificante[1]. *Adj. 2 g.* Que gratifica [v *gratificar[1].*]
gratificante[2]. *Adj. 2 g.* Que gratifica [v. *gratificar[2].*]
gratificar[1]. [Do lat. *gratificare.*] *V. t. d.* **1.** Dar ou conceder gratificação (3) a; pagar o serviço extraordinário de: *Gratificou o porteiro.* **2.** Brindar em prova de reconhecimento: *Gratificou-o pela boa notícia de que foi portador.* **3.** Pagar; remunerar; premiar. *T. d. e i.* **4.** Pagar; remunerar; premiar: "declarou isto mesmo à pobre mulher, gratificando-a, ao despedir-se, com uma moeda de oiro." (Guerra Junqueiro, *Contos para a Infância,* pp. 61-62). **5.** Dar gorjeta a. *Int.* **6.** Mostrar-se reconhecido; dar graças. [Conjug.: v. *trancar.* Pres. ind.: *gratifico,* etc. Cf. *gratífico.*]
gratificar[2]. [Do ingl. *gratify.*] *V. t. d.* Mostrar gratidão a, por gestos, palavras, etc.; dar alegria ou prazer a. [Conjug.: v. *trancar.* Pres. ind.: *gratifico,* etc. Cf. *gratífico.*]
gratífico. [Do lat. *gratificu.*] *Adj.* **1.** Que manifesta gratidão. **2.** Que exprime agrado. [Cf. *gratifico,* do v. *gratificar.*]
gratinado. [Do fr. *gratiné.*] *Adj.* **1.** Diz-se de certos pratos de forno em cuja superfície, geralmente polvilhada de queijo ralado, farinha de rosca, etc., se forma uma crosta, tostada pela ação do calor: *lasanha gratinada; creme gratinado.* **2.** Diz-se dessa crosta. ● *S. m.* **3.** Prato gratinado. **4.** Crosta gratinada: *O gratinado é a parte mais gostosa deste prato.*
grã-tinhoso. [De *grã-* + *tinhoso.*] *S. m.* Grão-tinhoso. [Pl.: *grã-tinhosos.*]
grátis. [Do lat. *gratis.*] *Adj.* De graça.
grato. [Do lat. *gratu.*] *Adj.* **1.** Agradecido, reconhecido: *Ficou eternamente grato ao amigo;* "Isso não prova senão que ela sabe ser grata aos benefícios recebidos." (Machado de Assis, *Páginas Recolhidas,* p. 120.) **2.** Agradável, doce: *É-me grato recordar aquele tempo;* "eu começava a ler, num desses infólios vetustos, um capítulo intitulado 'Brecha das Almas'; e ia caindo numa sonolência grata" (Eça de Queirós, *O Mandarim,* pp.10-11).
gratuidade (u-i). [De *gratuito* + *-i-* + *-dade, com* haplologia.] *S. f.* Qualidade de gratuito; gratuitidade.
gratuitidade. *S. f.* Gratuidade.
gratuito (túi). [Do lat. *gratuitu.*] *Adj.* **1.** Feito ou dado de graça. **2.** Desinteressado; espontâneo: "Toda a problemática do pensamento interessado e do sentimento gratuito, do ideal e do real, do sonho e da ação, da poesia e da prédica surge .... nos versos de José Gomes Ferreira" (João Gaspar Simões, *Crítica,* II, I, p. 328). **3.** Destituído de fundamento; infundado: *acusação gratuita.* ~ V. *ato* —.
gratulação. [Do lat. *gratulatione.*] *S. f.* **1.** Ato ou efeito de gratular (1). **2.** Congratulação.
gratular. [Do lat. **gratulare,* por *gratulari.*] *V. t. d.* **1.** Mostrar-se reconhecido para com. **2.** Dar parabéns a; congratular-se com; felicitar.
gratulatório. [Do lat. *gratulatoriu.*] *Adj.* **1.** Em que se manifesta gratidão. **2.** Próprio para felicitar.
grã-turco. [De *grã-* + *turco.*] *S. m.* Grão-turco. [Pl.: *grã-turcos.*]
grau. [Do lat. *gradu,* 'degrau, passo'.] *S. m.* **1.** Cada um dos pontos ou estágios sucessivos de uma progressão (2); *grau de aceleração de um veículo; grau de umidade do ar; grau de tensão duma corda.* **2.** Cada uma das divisões de uma escala (específica ou arbitrária) de medidas quantitativas: *os graus de um termômetro, de um transferidor; os graus de um gráfico.* **3.** Unidade de medida de temperatura. **4.** Unidade de medida de concentração duma solução: *álcool a 90 graus.* **5.** Unidade de medida entre os paralelos e meridianos terrestres. **6.** Título obtido ao completar-se o curso universitário: *Tem grau de doutor em medicina.* **7.** Posição hierárquica que denota mérito ou honraria: *Tinha o grau de cavaleiro da Ordem da Rosa.* **8.** V. *nota* (10). **9.** Distância e número de gerações que separam os parentes até o tronco comum: *São primos em segundo grau.* **10.** *Fig.* Ponto irreversível que se atinge num estado (físico, psíquico, social, etc.), ou num projeto: *Seu grau de diabetes já não tem cura; Este plano ultrapassa o grau de simples utopia.* **11.** Posição relativa acima ou abaixo de determinado ponto; nível: *O grau de aproveitamento dos alunos foi baixo.* **12.** *Fig.* Classe, categoria, ordem: *Camões é poeta do mais alto grau; É um ator de ínfimo grau.* **13.** *Fig.* Gradação, nível, estágio, passo: *Conheceu todos os graus do sofrimento.* **14.** *Fig.* Ponto, passo, degrau; furo: *Subiu um grau no meu conceito.* **15.** *Álg.* Soma dos expoentes de um monômio. **16.** *Álg.* Num polinômio, o grau do monômio de grau mais elevado. **17.** *Álg.* Numa equação algébrica, o grau do seu polinômio. **18.** *Álg. Mod.* Dimensão (6). **19.** *Anál. Mat.* A potência da derivada de maior ordem que aparece numa equação

diferencial. **20.** *Fís.* A unidade de medida de uma escala que, em geral, não pertence a um sistema de unidades. **21.** *Geom.* Unidade de medida de ângulo, igual ao ângulo central de uma circunferência de círculo que subtende um arco de 1/360 da circunferência inteira. [Cf. (nesta acepç.) *grado*[2] (1).] **22.** *Gram.* Categoria que exprime aumento ou diminuição do ser, relativamente à sua dimensão normal (grau do substantivo), ou intensidade maior ou menor de um atributo (grau do adjetivo e do advérbio). São dois os graus do substantivo: o aumentativo: *meninão, canzarrão, ladravaz;* e o diminutivo: *casinha, casucha.* [Esses graus assumem, não raro, valor afetivo, e podem ser dos adjetivos e advérbios: *bonitão, engraçadinho; pertinho.*] São dois os graus do adjetivo e do advérbio: *comparativo* [q. v.] e *superlativo* [q. v.]. **23.** *Mús.* Cada um dos sons que se sucedem numa escala. **24.** *Bras.* Cada uma das divisões do ensino, cujos currículos apresentam dificuldade progressiva. [Cf. (nesta acepç.) *ensino de primeiro grau* e *ensino de segundo grau.* Nas acepç. 3, 4, 5 e 21, indica-se graficamente por um zero alceado.] ♦ **Grau absoluto.** *Fís.* V. *kelvin.* **Grau Celsius.** *Fís.* Um centésimo do intervalo de temperatura existente entre a temperatura de ebulição normal da água e a temperatura de cristalização da água saturada com ar atmosférico. [Sin.: *grau centesimal* e (impr.) *grau centígrado.* Símb.: ºC.] **Grau centesimal.** *Fís.* Grau Celsius. **Grau centígrado.** *Fís.* Designação imprópria de grau Celsius. **Grau de açúcar.** *Fís.-Quím.* Intervalo unitário de uma escala convencional utilizada para medir a concentração de soluções de açúcar mediante a rotação do plano da luz polarizada. **Grau de dissociação.** *Fís.-Quím.* Numa reação de decomposição em equilíbrio, a fração das moléculas do reagente que foram decompostas. **Grau Fahrenheit.** *Fís.* Intervalo unitário de temperatura na escala Fahrenheit. [Símb.: ºF.] **Grau geotérmico.** Profundidade que é preciso atingir, no interior da crosta terrestre, para que se observe o aumento de um grau Celsius na temperatura. **Grau Kelvin.** *Fís.* V. *kelvin.* **Graus de liberdade.** **1.** *Fís.* Num sistema físico sujeito a ligações, os parâmetros independentes que caracterizam a posição e configuração do sistema, e podem ser variados sem que se rompam as ligações. **2.** *Fís.-Quím.* Num sistema físico-químico, as variáveis termodinâmicas independentes que podem ser alteradas sem provocar o aparecimento ou desaparecimento de fases do sistema. **Em alto grau.** Muitíssimo, extraordinariamente: *É inteligente e culto* em alto grau; "Nunca se viu homem que possuísse em mais alto grau a devoção da cortesia, o culto da polidez, a preocupação das boas maneiras." (Lúcio de Mendonça, *Horas do Bom Tempo,* p. 44.) **Primeiro grau.** V. *ensino de primeiro grau.* **Segundo grau.** V. *ensino de segundo grau.*

grauçá (a-u). [Var. de *craúçá,* do tupi.] *S. m.* **1.** *Bras.* Cabeleireiro (4). • *S. 2 g.* **2.** *Bras., N.E. P. ext.* V. *albino* (1). • *Adj. 2 g.* **3.** *Bras., N.E.* V. *albino* (2).

grau-dez. *Adj. 2 g.* e *2 n. Bras.* Excelente, perfeito, inexcedível: *É uma mulata* grau-dez.

graúdo. [De *grão*[1] + *-udo.*] *Adj.* **1.** Grande, grado: *milho* graúdo. **2.** Grande, crescido; desenvolvido: *menino já* graúdo. **3.** Importante; influente; prestigioso: "Viam-se alguns grupos de pessoas graúdas da vila, corretas nas suas sobrecasacas pretas de pano lustroso" (Conde de Ficalho, *Uma Eleição Perdida,* p. 253). **4.** Considerável, abundante, grosso, vultoso: "Dinheiro graúdo. Dinheiro muito." (João Felício dos Santos, *João Abade,* p. 213.) ~ V. *agregado* —. • *S. m.* **5.** Indivíduo rico e/ou poderoso: *Sempre é amigo dos* graúdos.

graúlho. [De grão[1] + *-ulho.*] *S. m.* Semente de uva. [Cf. *grainha.*]

graúna. [Do tupi *wi'rá,* 'passaro', + *-una.*] *S. f. Bras.* **1.** Ave passeriforme, da família dos icterídeos (*Psomocolax oryzivorus* (Gmel.)), de coloração geral preta com brilho violáceo e bico preto. **2.** Ave passeriforme, da família dos icterídeos (*Gnorimopsar chopi sulcirostris* (Spix)), de coloração geral preta com brilho azulado. Ambas as espécies, largamente distribuídas no Brasil e países limítrofes, são granívoras, e causam grandes estragos nos arrozais, por ocasião das colheitas. [Var. e sin. ger.: *caraúna, craúna, iraúna, araúna, chico-preto, melrão, melro, rexenxão, arranca-milho, vira-bosta-grande, vira-bosta-mau.*]

grauvaca. [Do al. *Grauawacke.*] *S. f. Geol.* Sedimento arenoso, formado de detritos, sobretudo de rochas básicas pouco decompostas.

gravação[1]. [De *gravar*[1] + *-ção.*] *S. f.* **1.** Ato ou efeito de gravar[1]. **2.** Registro de som (em disco, fio ou fita) por meio de processos mecânicos ou magnéticos. **3.** O disco, a fita, etc.; assim gravados. [Cf. *gravura.*]

gravação[2]. [De *gravar*[2] + *-ção.*] *S. f.* Ato ou efeito de gravar[2].

gravado[1]. [Part. de *gravar*[1].] *Adj.* Que foi objeto de gravação[1]. ~ V. *folha de rosto —a* e *rosto —.*

gravado[2]. [Part. de *gravar*[2].] *Adj.* **1.** Sujeito a ônus ou encargo; vinculado. • *S. m.* **2.** *Jur.* Fiduciário (3).

gravador (ô). *Adj.* **1.** Que grava [v. *gravar*[1]]. • *S. m.* **2.** Aquele que grava [v. *gravar*[1] (1 a 5)]. **3.** Artista que faz gravuras. **4.** Aparelho de gravação[1] (2) e reprodução sonora por processos magnéticos. [Cf. *fonógrafo.*]

gravadora (ô). [Fem. substantivado do adj. *gravador* (1).] *S. f. Bras.* Estabelecimento industrial destinado a fazer gravações [v. *gravação*[1] (2)] para fins comerciais.

gravame. [Do lat. *gravamen.*] *S. m.* **1.** Ato ou efeito de molestar; incômodo; vexame, gravação. **2.** Imposto; ônus, encargo pesado. **3.** *Jur.* Contrato que cerceia os direitos do proprietário de um imóvel; vínculo.

gravancear. [De *gravanço* (2) + *-ear.*] *V. int. Bras. Gír.* Fazer refeição; comer. [Conjug.: v. *frear.*]

gravanço. [Do esp. *garbanzo.*] *S. m.* **1.** V. *grão-de-bico* **2.** *Gír.* Comida, refeição.

gravanzudo. [Por *gravançudo* < *gravanço* + *-udo.*] *Adj. Veter.* Diz-se de uma espécie de esparavão cuja forma lembra a da semente do gravanço (1). [q. v.].

gravar[1]. [Do fr. *graver.*] *V. t. d.* **1.** *Grav.* Esculpir com cinzel, ponteiro, etc., em pedra, mármore, gemas, etc. **2.** *Grav.* Entalhar com formão, talhadeira, etc., em madeira. **3.** *Grav.* Abrir com buril, em aço (cunhos ou punções). **4.** *Grav.* Insculpir (letras, ornamentos, etc.) em material duro. **5.** *Grav.* Entalhar, incisar, abrir, fixar ou fazer corroer, para posterior impressão (imagens e eventualmente letras), em placas de metal, pranchas de madeira, de pedra ou de outro material, com o auxílio de buril, ponta, faca, goiva, etc., ou reagente químico. **6.** Fazer gravação[1] (2) de. **7.** Marcar com selo ou ferrete. **8.** Reter na memória; memorizar, decorar. *T. d.* e *i.* **9.** Assinalar; perpetuar, imortalizar: *Tal feito* gravará *seu nome na história.* **10.** Imprimir; fixar. *P.* **11.** Imprimir-se; fixar-se: "O poeta cantava; e seus carmes se iam gravando no coração do povo." (José de Alencar, *O Guarani,* I, p. 74.)

gravar[2]. [Do lat. *gravare.*] *V. t. d.* **1.** Onerar, oprimir, vexar. **2.** Sobrecarregar com tributos. **3.** *Jur.* Impor gravame (3) a: gravar *um bem.*

gravata. [Do fr. *cravate.*] *S. f.* **1.** Tira de tecido, estreita e longa, usada em volta do pescoço e amarrada em nó ou laço na parte da frente. **2.** Manta, lenço ou fita usados como gravata (1). **3.** Tira de couro, ou coleira, que os militares usavam. **4.** Penas de cor diversa das do resto do corpo, que orlam o pescoço de algumas aves. **5.** *Bras.* Golpe sufocante aplicado com o braço no pescoço do contendor ou da vítima. **6.** *Bras., RS.* Decepamento, degola. ♦ **Gravata à Lavallière.** Gravata larga, de laço bufante. **De gravata lavada.** **1.** De certa categoria social; de certo prestígio. **2.** Decente, bem-educado, bem-posto. **Passar a gravata colorada em.** *Bras., RS.* Matar por degolamento; degolar, gravatear.

gravatá. *S. m. Bras.* **1.** V. *caraguatá.* **2.** V. *caroá.*

gravatá-açu. *S. m. Bras.* V. *caraguatá-piteira.* [Pl.: *gravatás-açus.*]

gravata-borboleta. *S. f. Bras.* Gravata (1) curta, cujas pontas, iguais entre si, ficam, depois de dado o laço, a um e outro lado dele, em posição horizontal, sem cair sobre o peito, como se dá com as outras gravatas; gravatinha: "O garçom que se afasta, vestido a rigor mas familiar, a gravata-borboleta de pontas murchas." (Ricardo Ramos, *Matar um Homem,* p. 135.) [Pl.: *gravatas-borboletas* e *gravatas-borboleta.*]

gravata-de-coiro. *S. m. Bras., S.* Gravata-de-couro. [Pl.: *gravatas-de-coiro.*]

gravata-de-couro. [Var. de *gravata-de-coiro.*] *S. m. Bras., S.* Soldado raso. [Pl.: *gravatas-de-couro.*]

gravataense. *Adj. 2 g.* **1.** De, ou pertencente ou relativo a Gravatá (PE). • *S. 2 g.* **2.** Natural ou habitante de Gravataí. [Cf. *gravataiense.*]

gravataí. *S. m. Bras.* Var. de *carataí* (1 e 2).

gravataiense (a-i). *Adj. 2 g.* **1.** De, ou pertencente ou relativo a Gravataí (RS). • *S. 2 g.* **2.** Natural ou habitante de Gravataí. [Cf. *gravataense.*]

gravatão. [Aum. de *gravata.*] *S. m.* Indivíduo pedante, pretensioso, enfatuado.

gravataria. *S. f.* **1.** Lugar ou estabelecimento onde se vendem e/ou fabricam gravatas. [v. *gravata* (1)]. **2.** Grande porção de gravatas.

gravatazal. *S. m. Bras.* Quantidade mais ou menos considerável de gravatás dispostos proximamente entre si.

gravateador. (ô). *S. m. Bras., RS.* Aquele que gravateia.

gravatear. *V. t. d. Bras., RS.* V. *passar a gravata colorada em.* [Conjug.: v. *frear.*]

gravateiro. *S. m.* **1.** Fabricante e/ou vendedor de gravatas [v. *gravata* (1)]. **2.** *Bras. Gír.* Ladrão que ataca a vítima pela garganta.

gravatinha. [Dim. de *gravata.*] *S. f. Bras.* **1.** Gravata-borboleta. **2.** V. *papa-arroz* (1).

gravato. *S. m.* Var. sincopada de *garavato* [q. v.].

grave. [Do lat. *grave.*] *Adj. 2 g.* **1.** Sujeito à ação da gravidade. **2.** Importante, sério, ponderoso: *Graves razões me levam a proceder assim.* **3.** Austero, solene, sério, circunspecto: "A bordo encontramos o escritor [Júlio Dantas]. Sisudo, grave, com ar distante, frio, retraído." (Lima Júnior, *Alguns Homens do Meu Tempo,* p. 30.) **4.** Rígido, severo: *Lançou-lhe um olhar grave; Tem um ar grave.* **5.** Intenso, vivo, profundo: *A doença do filho provocou uma grave e triste aflição.* **6.** Doloroso, penoso: *Deram-lhe a grave incumbência de comunicar a morte trágica do amigo comum.* **7.** Nobre, elevado: *estilo grave.* **8.** Suscetível de conseqüências sérias, trágicas: *doença grave; falta grave.* **9.** Diz-se do som produzido por ondas de pequena freqüência (4). **10.** *Gram. Obsol.* Paroxítono (1). **11.** *Mús.* Diz-se do mais lento de todos os andamentos. **12.** *Mús.* Na escala geral dos sons, diz-se da região que se estende do dó 1 ao dó 2. ~ V. *acento —, passo —* e *verso —.* • *S. m.* **13.** Moeda portuguesa, de prata, do tempo de D. Fernando I (séc. XIV), que valia 21 réis. **14.** *Mús.* Andamento lento, vagaroso.

gravela. [Do fr. *gravelle.*] *S. f.* **1.** Bagaço da uva seco e espremido. **2.** Fezes do vinho.

gravelado. *Adj.* **1.** Referente a gravela. **2.** Extraído da gravela.

gravéola. *S. f. Bras.* V. *graviola.*

graveolência. [Do lat. *graveolentia.*] *S. f.* Mau cheiro: "No perfume do lenço fino não se lhe abafaria de todo a graveolência dos saladeiros pelotenses." (Alberto Rangel, *Papéis Pintados,* p. 32.)

graveolente. [Do lat. *graveolente.*] *Adj. 2 g.* Que tem cheiro forte e mau; que cheira mal. [Var.: *graveolento.*]

graveolento. *Adj.* Var. de *graveolente.*

gravetar. *V. int.* Fazer gravetos. [Pres. ind.: *graveto, gravetas, graveta,* etc. Cf. *graveto* (ê).]

graveto (ê). [Var. de *garaveto,* com síncope.] *S. m.* **1.** Pedaço de lenha miúda; garavato, garaveto, cavaco: "Não deixava entre os pés de milho e a rama do feijão um graveto, uma folha seca. Varria tudo" (Raquel de Queirós, *100 Crônicas Escolhidas,* p. 6). **2.** Garrancho (4). **3.** *Gír.* Dedo muito fino. [Pl.: *gravetos* (ê). Cf. *graveto,* do v. *gravetar.*]

graveza (ê). *S. f. Desus.* Gravidade (1): "Pois assim como do aborrecimento, que os Anjos e Santos têm ao pecado, se colige bem sua graveza, por serem amigos de Deus: assim se pode coligir o mesmo do grande desejo com que o procura o Diabo, por ser este seu adversário declarado." (Pe Manuel Bernardes, *Exercícios Espirituais,* I, pp. 131-132.)

gravidação. [Do lat. *gravidatione.*] *S. f. P. us.* V. *gravidez.*

gravidade. [Do lat. *gravitate.*] *S. f.* **1.** Qualidade de grave. [Sin., desus.: *graveza.*] **2.** Circunspecção, sisudez, ponderação, austeridade. **3.** Intensidade, profundidade. **4.** Circunstância perigosa. **5.** Agravamento perigoso de uma doença. **6.** *Fís.* Atração que a Terra exerce sobre qualquer corpo colocado nas suas vizinhanças; atração do campo gravitacional da Terra. **7.** *Fís.* Atração que qualquer planeta, ou qualquer outro corpo celeste, exerce sobre outro corpo; atração do campo gravitacional de um planeta ou de um corpo celeste. ♦ **Gravidade artificial.** *Astron.* Simulação do efeito da gravidade pela utilização da força centrífuga.

gravidar. [Do lat. *gravidare.*] *V. t. d.* e *int.* Tornar(-se) grávida ou prenhe. [F. paral.: *engravidar.* Pres. ind.: *gravido,* etc. Cf. *grávido.*]

gravidez (ê). [De *grávido* + *-ez.*] *S. f.* **1.** Estado da mulher, e das fêmeas em geral, durante a gestação; prenhez. **2.** *P. ext.* Gestação (1). [Sin. ger., p. us.: *embaraço* e *gravidação.*] ♦ **Gravidez nervosa.** *Med.* Pseudociese. **Gravidez tubária.** *Med.* A que se localiza na trompa de Falópio; prenhez tubária.

gravídico. *Adj.* Relativo à gravidez. ~ V. *toxemia —a.*

grávido. [Do lat. *gravidu.*] *Adj.* **1.** Que se acha em estado de gravidez; prenhe. **2.** Cheio, repleto: "Encontrei o Nogueira no colégio do Luís Antônio, impando de lente .... . A saleta estava grávida de lentes." (Monteiro Lobato, *A Barca de Gleyre,* p. 107.) **3.** Carregado, pesado. [Cf. *gravido,* do v. *gravidar.*]

gravífico. *Adj. Fís.* V. *gravitacional.* ~ V. *campo —.*

gravígrado. [Do lat. *grave*, 'pesado', + *-i-* + *-grado*[1].] *Adj.* Que tem o andar pesado.

gravimetria. [Do lat. *grave*, 'pesado', + *-metr(o)-*[2] + *-ia*.] *S. f.* **1.** *Fís.* Conjunto de métodos e técnicas de medida da aceleração da gravidade na Terra. **2.** Ramo da geofísica que estuda a direção e intensidade do campo gravitacional da Terra.

gravimétrico. *Adj.* Relativo à gravimetria.

gravimetrista. *S. 2 g.* Especialista em gravimetria.

gravímetro. [Do lat. *grave* + *-metro*.] *S. m. Geofís.* Instrumento para determinar a intensidade e a direção do campo gravitacional da Terra, em um dado ponto de sua superfície.

graviola. *S. f. Bras.* V. *coração-de-boi*.

gravisco. *Adj.* **1.** *Desus.* Que apresenta aspecto grave. **2.** Esquivo, arisco.

gravitação. *S. f.* **1.** Ato de gravitar. **2.** *Fís.* Atração que um corpo exerce sobre outro, e que sempre existe, quaisquer que sejam os corpos, e cuja intensidade segue a lei de Newton.

gravitacional. *Adj. 2 g.* Relativo à gravitação; gravífico. ~ V. *campo* –, *lente* –, *massa* –, *miragem* – e *potencial* –.

gravitante. *Adj. 2 g.* Que gravita.

gravitar. [De um lat. mod. calcado em *gravitas, atis*, 'gravidade'.] *V. t. i.* **1.** *Fís.* Tender para um ponto ou centro pela força da gravitação. *Int.* **2.** Andar à volta de um astro, atraído por ele. **3.** *Fig.* Seguir (uma coisa ou pessoa) o destino de outra, em situação secundária: *Pouco expressivo, g r a v i t a em torno do pai.*

gravito. *Adj.* Diz-se do touro de hastes quase verticais.

gráviton. [Do ingl. *graviton*.] *S. m. Fís.* Partícula cuja existência é prevista na teoria quântica do campo gravitacional, e que deve ter massa em repouso igual a zero, carga elétrica nula e spin igual a dois. [A detecção experimental desta partícula ainda não foi conseguida (1986).]

grã-vizir. [De *grã-* + *vizir*.] *S. m.* Grão-vizir. [Pl.: *grã-vizires*.]

gravoso (ô). *Adj.* **1.** Que grava, oprime, onera, vexa; pesado: "Para o estudante americano .... a sobrecarga do latim é ainda mais g r a v o s a, porque ele está mentalmente mais distanciado do latim que o estudante europeu." (Fidelino de Figueiredo, *Música e Pensamento*, p. 46.) **2.** *Bras.* Diz-se da mercadoria exportável que, dado o seu alto custo de produção, não pode competir, no mercado internacional, com os similares estrangeiros, ficando, assim, na dependência de medidas protecionistas por parte do governo.

gravotear. *V. t. d. Carp.* Riscar com o compasso (o lugar em que se vai serrar). [Conjug.: v. *frear*.]

gravura. *S. f.* **1.** Ato ou efeito de gravar[1] (1 a 5). **2.** Arte de formar por meio de incisões e talhos, ou fixar por meios químicos, em metal, madeira, pedra, etc., imagens, e eventualmente letras, em relevo, a entalhe ou em plano, para reprodução e multiplicação por entintamento e estampagem, manual ou mecanicamente, em papel ou outro material. **3.** A placa de metal, a prancha de madeira ou a pedra, etc., assim trabalhadas; matriz, prancha. **4.** Estampa resultante de qualquer desses processos: "Pendia do outro lado .... uma velha g r a v u r a, antigamente encaixilhada, representando a imagem de Nossa Senhora dos Navegantes." (Ramalho Ortigão, *Primeiras Prosas*, p. 207.) [O termo, primitivamente reservado à técnica do metal, estendeu-se à xilogravura, e hoje abrange até a litografia. Cf. *gravação*[1].] ◆ **Gravura à água-forte. 1.** Processo de gravura a entalhe em que a imagem é obtida mediante mordaçagem dos traços pelos quais a ponta ou agulha do gravador põe a descoberto o metal na superfície da placa previamente protegida por camada de verniz acidorresistente. **2.** Estampa obtida por esse processo. [Tb. se diz apenas *água-forte* (q. v.).] **Gravura à água-tinta. 1.** Processo de gravura a entalhe cujo desenho, em geral previamente gravado a água-forte, adquire meio-tom mediante granulagem obtida com pulverização de resina ou por outra técnica, o que dá à estampa resultante o aspecto de aguada. **2.** Estampa obtida por esse processo. [Tb. se diz apenas *água-tinta* (q. v.).] **Gravura a buril. 1.** Processo de gravura a entalhe em que o desenho, em geral decalcado na placa, é aberto por meio de buril (1), que levanta talhas e as remove da placa, deixando o sulco onde se localiza a tinta na ocasião da tiragem. [Cf. *gravura a ponta-seca*.] **2.** Estampa obtida por esse processo. [Tb. se diz apenas *buril*.] **Gravura a entalhe. 1.** Qualquer dos processos de gravura em que o metal (geralmente o cobre) retém a tinta apenas nas reentrâncias ou entalhes praticados por instrumento ou ácido, e que representam a imagem, e cuja tiragem se faz passando a placa, com o papel, entre os dois cilindros da prensa de talho-doce. **2.** Estampa obtida por qualquer desses processos. [Sin.: *gravura a talho-doce* e, p. us., *gravura calcográfica*. V. *calcografia*. Cf. *fotogravura a entalhe* e *impressão de entalhe*.] **Gravura à maneira-negra. 1.** Processo de gravura a entalhe em que a imagem se consegue mediante granido da placa, que produz um negro uniforme, depois anulado ou atenuado nas partes convenientes, com rascadores e brunidores, para obtenção dos meios-tons e dos brancos. **2.** Estampa obtida por esse processo. [Sin.: *gravura a meia-tinta*. Tb. se diz apenas *maneira-negra*. V. *granidor*.] **Gravura à meia-tinta.** V. *gravura à maneira-negra*. [Tb. se diz apenas *meia-tinta*.] **Gravura à ponta-seca. 1.** Processo de gravura a entalhe praticado com o instrumento pontiagudo chamado *ponta-seca* [q. v.], que apenas arranha a placa, deixando rebarbas nas bordas do sulco, as quais, retendo também a tinta, concorrem para dar à estampa resultante um aspecto aveludado. [Cf. *gravura a buril*.] **2.** Estampa obtida por esse processo. [Tb. se diz apenas *ponta-seca*.] **Gravura a talho-doce. 1.** Denominação primitiva da gravura a buril, que depois se estendeu a qualquer processo de gravura a entalhe [q. v.]. **2.** Estampa tirada por esse processo. [Tb. se diz apenas *talho-doce*.] **Gravura calcográfica.** *P. us.* V. *gravura a entalhe*. **Gravura em linóleo.** V. *linoleogravura*. **Gravura em madeira. 1.** Gravura em relevo sobre prancha de madeira (buxo, pereira, cerejeira, guatambu, pau-cetim, peroba, etc.). **2.** Estampa tirada por esse processo. [Sin. ger.: *xilografia, xilogravura*. Cf. *gravura em madeira ao fio* e *gravura em madeira de topo*.] **Gravura em madeira ao fio. 1.** A que é trabalhada à faca, formão ou goiva na superfície paralela às fibras da prancha, e que apresenta grandes brancos e contrastes fortes em cor, à maneira das estampas populares do Nordeste brasileiro. **2.** Estampa obtida por esse processo. **Gravura em madeira de topo. 1.** A que é trabalhada a vários instrumentos, mas sobretudo a buril [q. v.], na superfície perpendicular às fibras da prancha, o que permite, pela maior resistência da madeira, a execução de talhos finíssimos, à imitação das técnicas de metal. **2.** Estampa obtida por esse processo. **Gravura em plano. 1.** O processo litográfico (dito também *planográfico)*, por oposição aos processos em relevo e a entalhe. **2.** Estampa obtida por esse processo. [V. *litografia* e *planografia*. Cf. *fotogravura em plano* e *impressão de plano*.] **Gravura em relevo. 1.** Designação genérica dos processos da gravura em madeira, metal, linóleo, etc., em que as partes deixadas em relevo na prancha ou placa é que formam a imagem, recebendo e transmitindo a tinta, e cuja tiragem se faz à mão ou em prensa tipográfica. **2.** Estampa obtida por esse processo. [Cf. *fotogravura em relevo* e *impressão de relevo*.] **Gravura rupestre.** Qualquer sinal ou figura gravada ou esgrafiada pelos primitivos em rochedos e paredes de cavernas, freqüentemente combinados com pinturas; petróglifo, litóglifo. [Cf. *pintura rupestre*.]

graxa. [Do lat. **crassia*, **grassia*, 'gordura'.] *S. f.* **1.** Substância usada para conservar o couro e dar-lhe brilho. **2.** *Quím.* Emulsão de um sabão metálico num óleo, mais ou menos consistente, destinada à lubrificação.

graxa-de-estudante. *S. f.* Mimo-de-vênus. [Pl.: *graxas-de-estudante*.]

graxaim (a-ím). [Var. de *guaraxaim* ~ *aguaraxaim*, do tupi *agwa'rá xa'í*.] *S. m. Bras.* V. *cachorro-do-mato*.

graxear. [De *graxa* + *-ear*.] *V. int. Bras. Chulo.* V. *namorar* (9). [Conjug.: v. *frear*.]

graxeira. *S. f.* **1.** *Bras.* Cada um dos dispositivos, existentes em máquinas, motores, etc., em que se introduz graxa nas partes que necessitam lubrificação. **2.** *Bras., RS.* Caldeirão grande, no qual se fervem os ossos e se derrete o sebo da rês carneada, para extrair a graxa. **3.** *Bras., RS.* Compartimento, na estância ou na charqueada, onde se instala esse caldeirão.

graxeiro. *S. m. Bras.* Empregado de estrada de ferro ou de companhia de bondes, incumbido de lubrificar, com graxa, máquinas e chaves de desvio das linhas férreas.

graxento. *Adj.* **1.** *Bras., S.* Que tem muita graxa. **2.** Lambuzado de graxa. [Sin. ger.: *graxudo*.]

graxo. [Do lat. *crassu* (no lat. vulg., *grassu*).] *Adj.* V. *gordo* (1). ~ V. *ácido* —.

graxudo. *Adj. Bras., S.* **1.** Graxento. **2.** Diz-se do animal que está gordo.

grazina. [Dev. de *grazinar*.] *Adj. 2 g.* e *s. 2 g.* Que ou quem muito fala, ou resmunga, ou grita.

grazinada. [De *grazinar* + *-ada*[1].] *S. f.* Vozearia ou gritaria confusa, incômoda; barulheira, barulhada: "ele ia recuando para a rua, sem se voltar, ... e nós o íamos acossando com a g r a z i n a d a infernal." (Lúcio de Mendonça, *Horas do Bom Tempo*, p. 47); "procelárias e gaivotas alvíssimas acudiam, ... a saudar alegremente a frota passando por entre as velas e mastros numa g r a z i n a d a festiva." (Virgílio Várzea, *Nas Ondas*, p. 117).

grazinador (ô). *Adj.* e *s. m.* Que ou aquele que grazina.

grazinar. [Do lat. **gracinare*.] *V. int.* **1.** Falar muito e alto; palrar; vozear: "já as crianças g r a z i n a v a m na varanda, perseguindo, em volta de um grande aquário, os peixinhos vermelhos que fugiam entre pequeninas ilhas de pedra..." (Veiga Miranda, *Pássaros Que Fogem...*, p. 105). **2.** Articular sons vazios de sentido; palrar: "Já se ouviam g r a z i n a r as maracanãs entre os leques sussurrantes da carnaúba" (José de Alencar, *O Sertanejo*, p. 99). **3.** Importunar, falando ou lamentando-se; resmungar, rezingar. *T. d.* **4.** Falar, dizer, em tom de grazina. ● *S. m.* **5.** Ruído produzido pelos ventos.

gré. *S. m. Bras., N.* A última parte do curral de pesca para onde refluem os peixes; viveiro.

grecânico. [Do lat. *graecanicu*.] *Adj. Desus.* V. *grego* (1).

greciano. [Do top. *Grécia* + *-ano*.] *Adj.* e *s. m. Desus.* V. *grego* (1 a 4).

grecismo. [De *grec(o)-* + *-ismo*.] *S. m.* V. *helenismo* (1).

grecizar. [Do gr. *graikízo*, pelo lat. *graecissare*.] *V. t. d.* Dar feição, caráter ou costumes gregos a.

▲**grec(o)-.** [Do lat. *graecus, a, um*.] *El. comp.* = 'grego': *grecomania, greco-latino; grecismo*.

greco-latino. *Adj.* Pertencente ou relativo à Grécia e a Roma, a gregos e latinos, ou ao grego e ao latim; grego-latino, heleno-latino. [Pl.: *greco-latinos*.]

grecomania. [De *grec(o)-* + *-mania*.] *S. f.* **1.** Mania de imitar os usos e/ou a língua dos gregos. **2.** Paixão pelas coisas da Grécia.

greco-romano. *Adj.* Comum aos gregos e aos romanos. [Pl.: *greco-romanos*.]

greda (ê). [Do lat. hispânico **greta*.] *S. f.* Calcário friável que em geral contém sílica e argila; giz.

gredelém. *Adj. 2 g.* e *2 n.* V. *gridelém*: "O luar entrava, florejando a cela, / Desfolhando acantos, trevos g r e d e l é m." (Martins Fontes, *Verão*, p. 239.)

gredoso (ô). [Do lat. *cretosu*.] *Adj.* Que tem greda ou aspecto de greda.

grega (ê). [Fem. substantivado do adj. *grego*.] *S. f.* **1.** Cercadura arquitetônica formada de linhas retas entrelaçadas. **2.** *Bras.* Galão[1] (1).

gregal[1]. [Do lat. *gregale*.] *Adj. 2 g.* Relativo a grei; gregário. ~ V. *soldado* —.

gregal[2]. [De *grego* + *-al*.] *Adj. 2 g.* **1.** Dos gregos [v. *grego* (4)]. **2.** Diz-se de certo vento que sopra na Grécia.

gregalada. *S. f.* Rajada de vento gregal.

gregarina. [Do lat. *gregariu*, 'gregário', + *-ina*.] *S. f.* Animal protozoário, esporozoário, telosporídeo, gregarinido, gênero *Gregarina* Dufour, parasito de gafanhotos e coleópteros. É extracelular, e no trofozoíto é vermiforme, com 10 a 16 mm de comprimento; aloja-se no tubo digestivo dos hospedeiros.

gregarinido. *S. m.* **1.** Espécime dos gregarinidos. ● *Adj.* **2.** Pertencente ou relativo a eles.

gregarinidos. *S. m. pl. Zool.* Animais protozoários, telosporídeos, ordem *Gregarinida*, que parasitam o celoma, o tubo digestivo e outras cavidades dos invertebrados.

gregário. [Do lat. *gregariu*.] *Adj.* **1.** Que faz parte de grei ou rebanho; que vive em bando. **2.** Gregal[1]. **3.** Que induz a viver em bando: "O homem .... obedece ao espírito g r e g á r i o, é um ser que vive em bando, como os pássaros." (Martins Fontes, *Terras da Fantasia*, p. 33.) **4.** Diz-se de soldado raso. ● *S. m.* **5.** Soldado raso.

gregarismo. *S. m.* Instinto gregário (1 e 3).

grege. *S. f. P. us.* Grei.

grego (ê). [Do gr. *graikós*, pelo lat. *graecu*.] *Adj.* **1.** De, ou pertencente ou relativo à Grécia (Europa). [Sin.: *heleno* (poét.), *argivo* e (desus.) *greciano* e *grecânico*.] **2.** Pertencente ou relativo ao grego (5). **3.** *Fig.* Obscuro, ininteligível: *Isto para mim é g r e g o : não entendo nada.* ~ V. *calendário* —, *calendas* —*as*, *cortina* —*a*, *cruz* —*a*, *fogo* — *e i* —. ● *S. m.* **4.** O natural ou habitante da Grécia. [Sin.: *heleno* (poét.), *argivo* e (desus.) *greciano*.] **5.** Heleno (3). **6.** *Ling.* Língua indo-européia falada na Grécia. [Falado, desde a antiguidade mais remota, na bacia do mar Egeu, em forma de vários dialetos, o grego unificou-se, na época helenística (séc. IV a. C.), num dialeto de base ática, tendo na época do império bizantino (séc. V ao séc. XV) passado por transições de que a seguir resultaria o grego moderno.] ◆ **Gregos e troianos.** Pessoas pertencentes a dois partidos ou grupos contrários: *Astuto, procura agradar a g r e g o s e t r o i a n o s.* **Estar grego em.** Nada saber a respeito de (um assunto ou matéria); ser grego em. **Ser grego em.** Estar grego em.

grego-latino. *Adj.* V. *greco-latino.* [Pl.: *grego-latinos.*]

gregoriano. *Adj. Rel.* Diz-se do rito e do canto atribuídos ao Papa Gregório I (c. 540-604) e do calendário reformado pelo Papa Gregório XIII (1502—1585). ~ V. *calendário* — e *canto* —.

gregório. [Do antr. *Gregório?*] *S. m. Bras. GO. Pop.* Pessoa que sofre de bócio.

gregotim. [Var. de um **gregotil*, o final do ant. alfabeto, de *i grego* (= *y*) + *til*, com infl. de *latim.*] *S. m. Desus.* V. *garatuja* (2): "despejavam-se as três [penas de ganso] sobre o almaço por modo que as folhas e cadernos de papel desapareciam devorados pelo infatigável gregotim." (José de Alencar, *Alfarrábios*, p. 41). [É m. us. no pl.]

gregotins. [V. *gregotim.*] *S. m. pl.* V. *garatuja* (2): "Seus livros [de Rui Barbosa], ... eram, página a página, sem mácula de tinta, sem correções na escrita, emendas, rasuras ou *g r e g o t i n s*, cobertos .... de anotações, verbetes, comentários, esclarecimentos." (Martins Fontes, *Terras da Fantasia*, p. 202.)

greguejar. [De *grego* + *-ejar.*] *V. int. Fam.* Falar de modo obscuro, ininteligível [v. *grego* (3)]. [Conjug.: v. *pelejar.*]

greguês. [De *grego* + *-ês.*] *Adj.* ~ V. *fogo* —.

gregueu. *S. m. Bras. Pop.* **1.** Biscate, gancho, bico. **2.** Negócio ilícito.

grei. [Do lat. *grege.*] *S. f.* **1.** Rebanho de gado miúdo: "Resta ir ver nessas campinas / o lanígero fato e as hirtas *g r e i s* caprinas." (Antônio Feliciano de Castilho, *As Geórgicas de Virgílio*, p. 179.) **2.** O conjunto dos paroquianos ou diocesanos; congregação. **3.** *Fig.* Sociedade; partido. **4.** *Ant.* Nação, povo: "quem já viu subir ao poder vários que diziam desprezar o poder, e viu ao que se limitava o seu apregoado amor pela *g r e i*, — já não vai muito em discursos férvidos..." (José Régio, *O Príncipe com Orelhas de Burro*, p. 70). [F. paral., p. us.: *grege.*]

greide. [Do ingl. *grade.*] *S. m.* Perfil longitudinal duma estrada (de ferro ou de rodagem) que dá as cotas [v. *cota*[2] (8)] dos diversos pontos do seu eixo.

grela. [Do fr. *grêle.*] *S. f.* Instrumento com que os penteeiros amaciam os pentes de alisar.

grelação. *S. f. Bras. Gír.* Ação de grelar[2] (1).

grelado. [Part. de *grelar*[1] (1).] *Adj.* Que grelou: *milho g r e l a d o.*

grelador (ô). [De *grelar*[2] + *-(d)or.*] *Adj.* e *s. m. Bras. Gír.* Que ou aquele que grela, que olha com insistência (para uma mulher); namorador.

grelar[1]. *V. int.* **1.** Deitar grelo (1); espigar; germinar; brotar. **2.** *Bras.* Crescer, aumentar (o dinheiro). [Neste sentido é muito us. por jogadores com referência a uma entrada pequena, que a sorte torna apreciável. Pres. ind.: *grelo*, etc. Cf. *grelo* (ê).]

grelar[2]. *V. t. d. Bras. Gír.* **1.** Olhar fixamente para (uma mulher), tentando namorá-la. **2.** Espiar, observar: "Compridos, os bugalhos *g r e l a v a m* as pernas da cabocla" (Humberto Crispim Borges, *Cacho de Tucum*, p. 123). [Pres. ind.: *grelo*, etc. Cf. *grelo* (ê).]

grelha (é). [Do lat. *craticula.*] *S. f.* **1.** Pequena grade de ferro sobre a qual se assam ou torram substâncias comestíveis. **2.** Objeto semelhante, sobre o qual se acende o carvão nos fogareiros, nas fornalhas, etc. **3.** Antigo instrumento de suplício em forma de grelha, no qual se torravam os condenados. **4.** *Encad.* Espécie de crivo sobre o qual se esfrega uma escova embebida em tinta, para fazer o espargido no corte dos livros; grade, rede. **5.** *Bras., PE.* Cavalo magro e ordinário. **6.** *Bras., AL.* V. *limpa-trilhos.* [É corrente, em boa parte do S. do Brasil, a pronúncia de *grelha* com e fechado.]

grelhado. [Part. de *grelhar.*] *Adj.* **1.** Assado ou torrado na grelha: *carne g r e l h a d a ; peixe g r e l h a d o.* **2.** Em forma de grelha (1). ● *S. m.* **3.** Prato de carne ou de peixe assim preparado: *Comi apenas um g r e l h a d o e uma sobremesa leve.*

grelhar. *V. t. d.* Assar ou torrar na grelha. [Pres. ind. *grelho* (é), *grelhas* (é), *grelha* (é), etc.]

grelheiro. *S. m.* Operário encarregado das grelhas de uma oficina.

grelo (ê). *S. m.* **1.** Gema (2) que se desenvolve na semente: "Os *g r e l o s* que brotaram quando vim ao mundo, já estão árvores da mata." (José de Alencar, *O Sertanejo*, p. 155.) **2.** Rebento que se desenvolve no bulbo ou no tubérculo de certas plantas e aparece fora da terra; broto. **3.** Haste de algumas plantas antes de as flores desabrocharem. **4.** *Chulo.* Clitóris. [Pl.: *grelos* (ê). Cf. *grelo*, do v. *grelar.*]

gremial. *Adj. 2 g.* **1.** Relativo a grêmio. ● *S. m.* **2.** Pano que se coloca sobre os joelhos de um bispo oficiante.

grêmio. [Do lat. *gremiu.*] *S. m.* **1.** Seio, regaço: "era a primeira vez que ouvia tais palavras, fora do *g r ê m i o* conjugal" (Machado de Assis, *Quincas Borba*, pp. 75-76). **2.** V. *sociedade* (7 e 8). **3.** *Bras.* Gremista (3).

gremista. *Bras. Adj. 2 g.* **1.** Pertencente ou relativo ao Grêmio Futebol Porto-Alegrense (RS). **2.** Que é membro, torcedor ou jogador dessa agremiação. ● *S. 2 g.* **3.** Membro, torcedor ou jogador dela; grêmio.

grená. [Do fr. *grenat.*] *Adj. 2 g.* **1.** Que tem a cor vermelho-castanho da granada (3): *vestido g r e n á.* **2.** Diz-se dessa cor: *gravata de cor g r e n á.* ● *S. m.* **3.** Essa cor. [Cf. *vinho* (3 e 7) e *bordô* (1 e 4).]

grenado. *Adj. Bras., BA. Pop.* Disposto, decidido. V. *valentão* (1).

grenha. [Der. regress. do arc. *grenhom*, de um lat. **grennio, onis* < rad. céltico *grenn*, 'pêlo do rosto'.] *S. f.* **1.** Gaforina (1): "a cabeça desconforme, de *g r e n h a* hirsuta" (Coelho Neto, *Rei Negro*, p. 140). **2.** *P. ext.* Madeixa, mecha: "Uma *g r e n h a* de cabelos grisalhos, crespos e bastos, descia a afrontar-lhe a testa" (Rebelo da Silva, *Contos e Lendas*, p. 78). **3.** Juba de leão. **4.** *P. ext.* Mata densa, emaranhada.

grenho. [De *grenha.*] *Adj. Bras., SP.* V. *desgrenhado* (1).

grenhudo. [De *grenha* + *-udo.*] *Adj. Bras.* De cabeleira abundante, porém mal cuidada.

grés. [Do fr. *grès.*] *S. m. Desus.* Arenito.

gresífero. [De *grés* + *-i-* + *-fero.*] *Adj.* Diz-se do terreno onde há grés.

gresiforme. [De *grés* + *-i-* + *-forme.*] *Adj. 2 g.* Semelhante a grés.

gressório. *Adj.* e *s. m.* V. *fasmido.*

gressórios. [Pl. de *gressório.*] *S. m. pl. Zool.* V. *fasmidos.*

greta (ê). [Do lat. vulg. **crepta*, f. sincopada de *crepita*, fem. do part. pass. de *crepare*, 'rebentar'.] *S. f.* **1.** Abertura da terra, provocada pelo calor do Sol. **2.** V. *fenda* (1). **3.** V. *fenda* (2). [Pl.: *gretas* (ê). Cf. *greta, gretas*, do v. *gretar.*]

gretado. [Part. de *gretar.*] *Adj.* **1.** Que tem gretas. **2.** Diz-se da pele com pequenas rachaduras: *Tinha os lábios g r e t a d o s de frio.* **3.** *Heráld.* Diz-se das vieiras ou de outros emblemas quando estriados ou listrados.

gretadura. *S. f.* **1.** Ato ou efeito de gretar(-se). **2.** Rachadura ou fenda na pele.

gretar. *V. t. d.* **1.** Abrir fenda ou greta em. *Int.* e *p.* **2.** Fender-se, abrir-se, rasgar-se. **3.** *Fig.* Desmanchar-se; descompor-se. **4.** Estalar, fendendo-se. [Pres. ind.: *greto, gretas, greta*, etc. Cf. *greta* (ê) e pl. *gretas* (ê).]

grevas (ê). [Do fr. ant. *greves.*] *S. f. pl. Ant.* Parte da armadura que cobria a perna, do joelho ao pé.

greve. [Do fr. *grève.*] *S. f.* Recusa, resultante de acordo de operários, estudantes, funcionários, etc., a trabalhar ou a comparecer onde o dever os chama, enquanto não sejam atendidos em certas reivindicações; parede. ◆ **Greve branca.** Mera paralisação de atividades, desacompanhada de represálias. **Greve de braços cruzados.** Mera paralisação de atividades, sem a ausência do grevista. **Greve de fome.** Recusa de alimentação por parte de quem não tem outro meio de chamar a atenção das autoridades para suas reivindicações.

grevílea. *S. f.* **1.** Árvore da família das proteáceas *(Grevillea robusta)*, de flores amarelas. **2.** Árvore da família das proteáceas *(Grevillea forsterii)*, de flores vermelhas.

grevista. *Adj. 2 g.* **1.** Relativo a, ou que tem caráter de greve: *movimento g r e v i s t a.* ● *S. 2 g.* **2.** Pessoa que promove uma greve e/ou nela toma parte. [Sin. ger.: *paredista.*]

gridelém. [Do fr. *gris de lin.*] *Adj. 2 g.* De cor semelhante à da flor do linho. [F. paral.: *gridelim*; var.: *gredelém.*]

gridelim. *Adj. 2 g.* V. *gridelém.*

grifa[1]. *S. f.* A fêmea do grifo[1].

grifa[2]. [Do fr. *griffe.*] *S. f.* **1.** Chave de grifa [q. v.]. **2.** *Desus.* Garra[1] (1).

grifar. [De *grifo*[3] (1) + *-ar*[2].] *V. t. d.* **1.** *Tip.* Compor (palavra ou trecho de texto) em grifo, para realçar. **2.** Sublinhar, no original (palavra ou trecho que se deva compor em grifo). **3.** *P. ext.* Sublinhar (1). **4.** Pronunciar com entonação especial, de modo que torne notado: *G r i f o u bem o que desejava ressaltar.* **5.** Frisar, encaracolar (o cabelo).

➧**griffe.** [Fr.] *S. m.* Marca (3) de certos artigos de luxo, em especial dos de vestuário, por via de regra com a assinatura do fabricante.

grífico. *Adj.* Relativo ou pertencente a grifo[1].

grifínia. *S. f.* Gênero de plantas bulbosas da família das amarilidáceas.

grifo[1]. [Do gr. *gryps*, pelo lat. vulgar *gryphu.*] *S. m.* Animal fabuloso, de cabeça de águia e garras de leão.

grifo[2]. [Do gr. *grîphos*, pelo lat. *griphu.*] *S. m.* **1.** Questão difícil, embaraçosa; enigma. **2.** Elocução ambígua.

grifo[3]. [Do antr. *Gryphe*, de Sébastien Gryphe, impressor lionês (1491-1556).] *Adj.* **1.** V. *itálico* (3). **2.** Sublinhado, grifado. **3.** Encaracolado, frisado. **4.** Diz-se de galinha e doutras aves que têm as penas do pé eriçadas. ~ V. *letra* —*a.* ● *S. m.* **5.** V. *itálico* (7 e 8). **6.** *Bras.* Seção, num jornal ou revista, composta em grifo ou itálico. ◆ **Grifo alemão.** *Tip.* Realce tipográfico obtido por interespacejamento.

grigri. [Do ioruba *grigri*, 'encantamento, feitiço'.] *S. m.* **1.** Certo amuleto, de versículos do Alcorão escritos em papel, usado pelos mouros da costa ocidental da África. **2.** Pessoa que é tida, por força deste amuleto, como dotada de poder sobre-humano.

grilado. [Part. de *grilar.*] *Adj. Bras. Gír.* Que se grilou; vivamente preocupado ou amolado.

grilagem. [De *gril(o)-* + *-agem.*] *S. f. Bras., RJ, SP, GO* e *MT.* Sistema ou organização ou procedimento dos grileiros: "Mato Grosso acusa Goiás de invasão e *g r i l a g e m* para anexação de terras" (*Jornal do Brasil*, 3.7.1981).

grilar. *Bras. Gír. V. t. d.* **1.** Pôr (alguém) em situação ou estado de grilo (5). **2.** Transtornar, atrapalhar, estragar: *O mau tempo g r i l o u o passeio. Int.* **3.** Pôr alguém em situação ou estado de grilo (5). *P.* **4.** Incomodar-se, amolar-se, cacetear-se, chatear-se.

grileiro. [De *grilo* (6) + *-eiro.*] *S. m. Bras., RJ, SP, GO* e *MT.* Indivíduo que procura apossar-se de terras alheias mediante falsas escrituras de propriedade: "Malária, amarelão, tracoma, analfabetismo e cachaça. Não vira outra coisa, naquelas semanas de sertão, onde viera enfrentar um *g r i l e i r o* qualquer, de capangas bem armados a tomar posse de longas datas de terra" (Orígenes Lessa, *Omelete em Bombaim*, p. 12).

grilento. *Adj. Bras., RJ* e *SP.* Diz-se de grilo (6); engrilado.

grilhagem. [De *grilho* + *-agem.*] *S. f.* V. *cadeia* (1).

grilhão. [Aum. de *grilho.*] *S. m.* **1.** V. *cadeia* (1): "colarinho alto, chapéu redondo, *g r i l h ã o* de ouro no relógio e luva branca." (Ramalho Ortigão, *As Farpas*, II, p. 14.) **2.** Cordão de ouro. **3.** Corrente que prende os condenados; cadeia, algema: "Partiu *g r i l h õ e s*, abriu o ergástulo fatal / E voltou livre, livre! ao seu torrão natal!..." (Guerra Junqueiro, *Pátria*, p. 62.) **4.** *Fig.* Laço, prisão, grilheta: "Que haja neste Brasil .... quem se deixe budicamente atar aos *g r i l h õ e s* dos empregos, é de pasmar!" (Mário Sete, *Senhora de Engenho*, p. 135.)

grilheta (ê). [Dim. irreg. de *grilho.*] *S. f.* **1.** *Ant.* V. *calceta* (1 e 2). **2.** *Fig.* V. *grilhão* (4). ● *S. m.* **3.** *Ant.* V. *calceta* (3).

grilho. *S. m. Ant.* Grilhão.

➧**grill-room.** [Ingl.] *S. m.* Sala de restaurante em que as carnes e os peixes são grelhados à vista do freguês.

grilo. [Do lat. *grillu.*] *S. m.* **1.** Inseto ortóptero, da subordem *Grylloidea*, de coloração geralmente parda ou escura, com antena muito mais longa que o corpo, tarso de três artículos, fêmures posteriores muito grossos, apropriados para o salto, e cujo órgão estridulante se acha localizado nas tégminas do macho. **2.** *Pop.* Ruído das peças da carroçaria dos automóveis velhos ou mal ajustados: "— Você não escuta um barulhinho? .... Tem um *g r i l o* neste carro, pelo amor de Deus, me tira isso que senão eu acabo louco." (Fernando Sabino, *A Mulher do Vizinho*, pp. 193-194.) **3.** *Gír.* V. *relógio* (2). **4.** *Bras. Gír.* Indivíduo maçante, amolante, chato. **5.** *Bras. Gír.* Preocupação, amolação, chateação. **6.** *Bras., RJ* e *SP.* Terreno cujo título de propriedade é falso. **7.** *Bras., SP.* Guarda de trânsito. **8.** *Bras., S. Gír.* Confusão, complicação, trapalhada, enredo: "— D. Gracinda, tem um *g r i l o* qualquer nesse negócio. Como é que a senhora sabe disso tudo?" (Marisa Raja Gabaglia, *Milho pra Galinha, Mariquinha*, p. 24.) ◆ **Encangar grilos.** *Bras. Pop.* Não ter que fazer.

griloblatódeo. *S. m.* **1.** Espécime dos griloblatódeos. ● *Adj.* **2.** Pertencente ou relativo a eles. [Sin. ger.: *griloblatóideo, notóptero.*]

griloblatódeos. *S. m. pl. Zool.* Animais artrópodes, da classe dos insetos ortópteros, da subordem ou ordem *Grilloblattodea*, de corpo pequeno (10 a 30 mm), ápteros, antenas longas e filiformes, abdome com cercos e ovipositor (fêmea). Vivem no solo onde haja matéria orgânica vegetal em decomposição, e são predadores. [Sin.: *griloblatóideos, notópteros.*]

griloblatóideo. *S. m.* e *adj.* V. *griloblatódeos.*

griloblatóideos. *S. m. pl. Zool.* V. *griloblatódeos.*

grilódeo. *S. m.* e *adj.* V. *grilóideo.*

grilódeos. *S. m. pl. Zool.* V. *grilóideos.*

grilóideo. *S. m.* **1.** Espécime dos grilóideos. ● *Adj.* **2.** Pertencente ou relativo a eles. [Sin. ger.: *aquetóideo, grilódeo.*]

grilóideos. *S. m. pl. Zool.* Insetos ortópteros, subordem dos tetigonióideos, superfamília *Grylloidea*, com antenas muito mais longas que o corpo, tarsos com três artículos, e fêmures posteriores muito fortes, e apropriados para o salto. [Sin.: *aquetóideos, grilódeos.*]

grilotalpóideo. *S. m.* **1.** Espécime dos grilotalpóideos. ● *Adj.* **2.** Pertencente ou relativo a eles.

grilotalpóideos. *S. m. pl. Zool.* Insetos da ordem dos ortópteros, subordem dos tetigonióides, superfamília *Gryllotalpoidea*, com antenas filiformes, mais curtas que o corpo, e pernas anteriores do tipo fossorial, e desprovidos de ovipositor. São as paquinhas, frades ou cachorrinhos-d'água.

grilo-toupeira. *S. m. Bras.* **1.** Inseto ortóptero, da família dos grilotalpóideos (*Gryllotalpa hexadactyla* Perty), de toda a América. Tem antenas mais curtas que o corpo e as pernas anteriores de tipo fossorial. Vive em galerias no solo, à maneira de toupeiras; noctívago, invade as habitações, mas é inofensivo. [Sin.: *toupeirinha, bicho-da-terra, cachorrinho-da-areia, cachorrinho-d'água, cava-terra, frade, macaco, paquinha, paquinha-das-hortas.*] **2.** Designação comum a todas as espécies do gênero grilotalpóideo. [Pl.: *grilos-toupeiras* e *grilos-toupeira.*]

grima¹. [Do alto-al. *Grimm?*] *S. f. Desus.* Ódio, raiva.

grima². *S. f. Bras., BA. Folcl.* Bastão curto, de madeira, que os brincantes do maculelê chocam ritmadamente uns contra os outros.

grimaça. [Do fr. *grimace.*] *S. f.* V. *careta* (1).

grimpa. [Dev. de *grimpar¹.*] *S. f.* **1.** Lâmina móvel do cata-vento, que indica a direção do vento; ventoinha. **2.** O ponto mais alto; cocuruto, crista: "E nas douradas grimpas / Das cúpulas soberbas / Piam noturnas agoureiras aves." (Correia Garção, *Obras Poéticas e Oratórias*, p. 382). **3.** *Fig.* Voz altaneira, de rezingão. **4.** *Gír.* V. *cabeça* (1). **5.** *Bras., S.* Ramo de pinheiro. ◆ **Levantar a grimpa. 1.** Mostrar-se soberbo ou insubmisso. **2.** Reagir, protestar.

grimpado. [Part. de *grimpar¹.*] *Adj.* **1.** Que tem grimpa. **2.** Que está na grimpa, no auge.

grimpagem. [De *grimpar²* + *-agem¹.*] *S. f. Bras.* Ato ou efeito de grimpar. [Var.: *gripagem.*]

grimpar¹. [Talvez do fr. *grimper.*] *V. int.* **1.** Subir, trepar: *Grimpou até o alto do muro e saltou para o outro lado.* **2.** Investir ou arremessar-se contra alguém. **3.** Responder com desabrimento ou insolência; respingar. *T. d.* **4.** Elevar-se ou subir a; trepar a; galgar: "grimpou a serra, ganhou o chapadão, alcançou a estrada real." (Nélson de Faria, *Bazé*, p. 117); "Saio para uma voltinha, bufo um bocadinho ao grimpar certas ladeiras." (Marques Rebelo, *Correio Europeu*, p. 209). *T. d. e i.* **5.** Fazer subir; elevar: "Porém o grimparam [a Castro Alves] a alturas excessivas que ele, como artista, e mesmo simplesmente como natureza criadora, não merece." (Mário de Andrade, *Táxi e Crônicas no Diário Nacional*, p. 355.)

grimpar². [Do fr. *grimper.*] *V. int. Bras.* Colarem-se as peças de (um motor de explosão), por desuso, fusão ou desgaste. [Var.: *gripar.*]

grinalda. [Do provenç. *guirlanda*, com metátese.] *S. f.* **1.** Coroa de flores, ramos, pedraria, etc.; capela, guirlanda. **2.** Ornato arquitetônico de folhas ou de flores: "Dois anjos de cor, roçagantes e alados, sustentam grinaldas de rosas." (Vitorino Nemésio, *O Segredo de Ouro Preto*, p. 105.) **3.** *Fig.* Florilégio ou antologia [q. v.] literária. **4.** *Constr. Nav.* A parte superior do painel de popa da embarcação.

grinalda-de-noiva. *S. f.* V. *ulmária.* [Pl.: *grinaldas-de-noiva.*]

grinaldar. *V. t. d.* Pôr grinalda (1 e 2) em.

grindélia. *S. f.* Planta medicinal da família das compostas (*Grindelia camporum*); malmequer-do-campo.

grinfar. [Voc. onom.] *V. int.* Soltar a voz (a andorinha ou a calhandra); trissar, trinfar.

grinfo. *S. m.* **1.** *Bras., S. Gír.* Crioulo, moreno. **2.** V. *namorado* (4).

gringada. *S. f. Bras.* **1.** Reunião ou grupo de gringos. **2.** Os gringos em geral. [Sin. ger.: *gringalhada.*]

gringal. *S. m.* Certa espécie de pano alemão.

gringalhada. *S. f. Bras.* Gringada.

gringo. [Do esp. plat. *gringo.*] *S. m.* **1.** *Bras. Pop. Deprec.* V. *estrangeiro* (7). **2.** *Bras., N.E. Pop.* Mascate (1) estrangeiro.

gringolim. *S. m. Bras. Gír.* Qualquer bebida espirituosa.

gripado. [Part. de *gripar-se.*] *Adj. e s. m. Bras.* Atacado de gripe.

gripagem. *S. f. Bras.* Var. de *grimpagem.*

gripal. *Adj. 2 g.* Relativo à, ou próprio da gripe.

gripar. *V. int. Bras.* Var. de *grimpar².*

gripar-se. [De *gripe* + *-ar²* + *se¹.*] *V. p. Bras.* Ser atacado de gripe.

gripe. [Do fr. *grippe.*] *S. f. Patol.* Doença infecciosa produzida por vírus e que, a par de fenômenos gerais (febre, cefaléia, mal-estar, etc.), produz manifestações respiratórias, tais como irritação nasofaríngea e laríngea, e espirros. [Sin.: *influenza, espanhola* (obsol.) e *macaca, macacoa* (bras., S., pop.).]

gris. [Do fr. *gris*, pelo provenç. *gris.*] *Adj. 2 g.* **1.** Cinzento (1) tirante a azul: "A natureza tomou uma vestidura penitencial, serguilha rota polvilhada de cinzas. Tudo é gris, desde os restolhais .... aos coutos de urze e sargaço." (Aquilino Ribeiro, *Aldeia*, p. 185); "O desolamento daquelas paragens grises, o salseiro do mar e das chuvas" (Vitorino Nemésio, *A Mocidade de Herculano*, II, p. 280). [Como se vê, o pl. pode ser *gris* ou *grises.*] **2.** Diz-se dessa cor: *um vestido de cor gris.* **3.** *Tip.* Diz-se do impresso em que, por defeito de tintagem, se observam tons apagados, cinzentos. **4.** *Tip.* Diz-se do negativo fotográfico que não tem contrastes suficientes, o que impossibilita boa reprodução. ● *S. m.* **5.** A cor gris: *O gris é uma cor fria.* **6.** *Ant.* Grise.

grisado. [Do fr. *grisé.*] *S. m.* Conjunto de traços finos e paralelos que, em desenho ou gravura, constitui recurso tonal, em geral para representar uma área sombreada; grisê. [Cf. *azurado* (2), *guilhochê* e *hachura.*]

grisalha. [Do fr. *grisaille.*] *S. f.* Pintura monocromática em tons de cinza, branco e preto. [Cf. *camaïeu.*]

grisalhar. *V. int.* Ficar grisalho; começar a ter cabelos brancos: "diante de nós reapareceu o poeta Aristides Bruant, ... cabeleira crespa, grisalhando." (Rodrigo Otávio [filho], *Velhos Amigos*, p. 34). [Cf. *agrisalhar.*]

grisalho. [Do fr. *grisaille.*] *Adj.* **1.** Diz-se do cabelo preto ou castanho entremeado de fios brancos. **2.** Que tem cabelos grisalhos: *homem grisalho; barba grisalha.*

grisão. [Do fr. *grison.*] *Adj.* **1.** Do, ou pertencente ou relativo ao cantão dos Grisões (Suíça). ● *S. m.* **2.** O natural ou habitante desse cantão.

grisar. *V. int.* **1.** *Bras.* Tornar-se gris (1); acinzentar-se; agrisalhar. *T. d.* **2.** *Tip.* Gravar ou traçar (as finas linhas paralelas que constituem o grisado).

grise. [De *gris.*] *S. m. Ant.* Tecido de lã pardacento usado em certos hábitos monásticos; gris.

grisê. *S. m.* Grisado [q. v.].

griseta (ê). *S. f.* **1.** Peça metálica onde se enfia a torcida das lâmpadas ou das lamparinas; lamparina. **2.** Caixa que, nas lanternas, contém o azeite.

griséu. [De *gris.*] *Adj.* V. *acinzentado.*

grisu. [Do valão *grisou*, pelo fr. *grisou.*] *S. m.* Gás inflamável contido nas minas de carvão, e que encerra quantidades variáveis de metano.

grita. [Dev. de *gritar.*] *S. f.* **1.** V. *gritaria*: "Sempre que fazia alguma ao voltar caíam-lhe todos em cima: a mulher e os filhos, e era uma grita de enlouquecer." (Coelho Neto, *A Conquista*, p. 444.) **2.** Clamor de vozes; alarido, grito.

gritada. [De *gritar* + *-ada¹.*] *S. f.* V. *gritaria.*

gritadeira. [De *gritar* + *-deira.*] *S. f.* **1.** Mulher que grita muito. **2.** V. *gritaria.* **3.** *Bras.* V. *douradão* (3).

gritador (ô). [De *gritar* + *-(d)or.*] *Adj. e s. m.* Que ou aquele que fala em voz muito alta, ou que grita.

gritalhão. [De *gritar* + *-alhão.*] *S. m.* Indivíduo que grita muito. [Fem.: *gritalhona.*]

gritalhona. *S. f.* Fem. de *gritalhão.*

gritante. *Adj. 2 g.* **1.** Que grita, clama ou brada. **2.** V. *clamoroso* (1 e 3). **3.** Diz-se de cor muito viva: *um azul gritante.*

gritantemente. [De *gritante* + *-mente.*] *Adv.* De modo gritante, à maneira de quem grita; berrantemente: "Mas entre o espírito de Washington Luís e o processo racional de pensar a que o gênero humano se acostumou — havia espaços, distâncias grandes, como a questão das candidaturas tão gritantemente o mostrou." (Gilberto Amado, *Depois da Política*, p. 7.)

gritar. [Do lat. *quiritare*, 'clamar, gritar por socorro', atr. de um lat. vulg. **critare.*] *V. int.* **1.** Dar ou soltar grito(s): *Não conseguindo fazer-se ouvido, pôs-se a gritar; Ferido, gritava de dor.* **2.** Falar muito alto: *Percebendo que o interlocutor era surdo, resolveu gritar.* **3.** Pedir socorro, bradando: "Elas começam súbito a gritar, / Como que assalto tal não esperavam." (Luís de Camões, *Os Lusíadas*, IX, 72). **4.** Protestar, reclamar: *Praticam-se violências, e ninguém tem ânimo de gritar. T. i.* **5.** Chamar aos gritos; bradar, clamar: "Margarida gritava, aflita, ajoelhada, na calçada, por Nossa Senhora da Conceição" (Adalberon Cavalcanti Lins, *Curral Novo*, p. 282); *Ao ver-se acuado, gritou pelo amigo.* **6.** Queixar-se; protestar, reclamar. *T. d.* **7.** Dizer aos gritos; bradar, clamar: *Saiu gritando: — "Viva!"* **8.** Reclamar em altas vozes; pedir, clamar: *Insuitado, gritou vingança.* **9.** Proferir em alta voz: "aquele infusado que estava lá atrás, ... gritando nomes feios, ... tirou a bainha de sola da ponta da vara" (Nélson de Faria, *Tiziu e Outras Estórias*, p. 111). *T. d. e i.* **10.** Dizer em voz alta; bradar: *Gritou para o filho que se afastasse do local.*

gritaria. *S. f.* Muitos gritos; sucessão de gritos; grita, gritada, gritadeira.

grito. [Dev. de *gritar.*] *S. m.* **1.** Voz, geralmente aguda e elevada, de modo que se possa ouvir ao longe; brado: *Maria! — era o grito que partia da casa.* **2.** *P. ext.* Vozes inarticuladas emitidas por quem sente dor, alegria, espanto: *Ouviam-se no campo de batalha os gritos dos feridos.* **3.** V. *grita* (2): *Os gritos de alegria da multidão enchiam a praça.* **4.** Voz emitida pelos animais, e que varia de acordo com a espécie: *O grito dos pássaros alegrava a tarde.* **5.** *P. ext.* Ruído estridente produzido por certos objetos em determinadas condições: *o grito das serras em movimento.* **6.** *Fig.* V. *clamor* (3): *Agora explodia o grito daquela consciência oprimida.* **7.** *Bras. Turfe.* O ato da partida dos animais que correm num páreo. ◆ **De gritos.** *Bras. Gír.* Ótimo, excelente, delicioso: *O caruru do Paulo estava de gritos.* **No grito.** *Bras. Gír.* Por meios violentos; à força; à viva força: "Cláudia vai comandar o barco, mas o Jefferson, seu namorado, acha que é perigoso e assume no grito." (Edson Afonso, *Jornal do Brasil*, 7.2.1982.)

griujuba (i-u). *S. f. Bras.* V. *guarijuba.*

grivar. *V. int. Mar.* V. *panejar* (4).

groçaí-azeite. [De *groçaí*, var. de *guaraçaí*, + *azeite.*] *S. m. Bras.* Guaraçaí. [Pl.: *groçaís-azeites* e *groçaís-azeite.*]

groçaí-pardo. [De *groçaí*, var. de *guaraçaí*, + *pardo.*] *S. m. Bras.* Árvore da família das leguminosas (*Moldenhauera cuprea*). [Pl.: *groçaís-pardos.*]

grode. *S. m. Bras. Pop.* Trago de bebida alcoólica.

groenlandês. *Adj.* **1.** De, ou pertencente ou relativo à Groenlândia (possessão dinamarquesa na América do Norte). ● *S. m.* **2.** O natural ou habitante da Groenlândia. [Flex.: *groenlandesa* (ê), *groenlandeses* (ê), *groenlandesas* (ê).]

grogojó. *S. m. Bras.* Planta cucurbitácea (*Cucurbita ovoides*).

grogotó. *Interj. Bras.* Agora é tarde; acabou-se!

grogoturi. *S. m. Bras.* V. *caracaraí.*

grogue. [Do ingl. *grog.*] *S. m.* **1.** Bebida alcoólica misturada com água quente, açúcar, e casca ou suco de limão: "entravam na taberna, bebiam nela o seu grogue" (Franklin Távora, *O Cabeleira*, p. 197). ● *Adj. 2 g.* **2.** Diz-se de quem está meio tonto, como sob o efeito da ingestão de bebida alcoólica.

grolado. *S. m. Bras., N.* Doce de frutas, às quais não se tira a casca.

groló. *S. m. Bras.* V. *anum-coroca.*

groma. [Do lat. *groma.*] *S. f.* Vara de sete pés, com que os romanos mediam os campos.

gromática. [Fem. substantivado de *gromático.*] *S. f.* V. *agrimensura.*

gromático. [Do lat. *gromaticu.*] *Adj.* Relativo à gromática.

gronga. *S. f. Bras.* **1.** Coisa malfeita; geringonça. **2.** Feitiçaria por meio de beberagem: "Como foi rondador de casas alheias e fazedor de grongas para as moças que por bem o não queriam, era caneludo em excesso" (Valdomiro Silveira, *Os Caboclos*, p. 62).

gronho. *S. m.* Variedade de pêra.

➡**groom** (grum). [Ingl.] *S. m.* Empregado que trata dos cavalos.

grosa¹. [Do it. *grossa.*] *S. f.* Doze dúzias: "barganhava duas grosas de foguetes por duas dúzias de garrafas de branquinha." (Nélson de Faria, *Cabeça-Torta*, p. 57).

grosa². [Do adj. *grossa*, fem. de *grosso* substantivado.] *S. f.* **1.** Lima grossa com que se desbasta madeira, ferro, ou o casco de cavalgaduras. **2.** Faca de fio embotado, para descarnar peles.

grosa³. *S. f. Ant.* Glosa.

grosar¹. [De *grosa²* + *-ar².*] *V. t. d.* Desbastar ou limar com a grosa: "Para conservá-las [as margens grandes dos livros] .... deve recomendar-se ao encadernador que se limite a aparar e jaspear a cabeça dos livros, grosando a frente e o pé." (Eduardo Frieiro, *Os Livros Nossos Amigos*, p. 177.)

grosar[2] [De *grosa*[3] + *-ar*[2].] *V. t. d. Ant.* Glosar.

groseira. [De *grosa*[1]?] *S. f. Bras., BA.* Aparelho de pesca no qual se empregam até 200 anzóis.

groselha (é). [Do alto-al. *Kräuselbeere*, pelo fr. *groseille.*] *S. f.* **1.** Fruto da groselheira. **2.** Xarope de groselha (1). **3.** Planta da família das euforbiáceas (*Phyllanthus distichus*). ● *S. m.* **4.** A cor vermelha da groselha: *Só gosto do groselha combinado com o róseo.* ● *Adj. 2 g.* e *2 n.* **5.** Que tem a cor vermelha da groselha; *vestidos groselha.* **6.** Diz-se dessa cor: *saia de cor groselha.*

groselheira. [De *groselha* + *-eira.*] *S. f.* **1.** Designação comum a diversas plantas da família das saxifragáceas, que produzem a groselha. **2.** V. *bilimbi.*

➧**gros-grain** (grogren). [Fr.] *S. m.* V. *gorgorão.*

grossaria. [Var. de *grosseria.*] *S. f.* **1.** Tecido grosso de linho ou de algodão. **2.** V. *grosseria.*

grosseira. [De *grosso* + *-eira.*] *S. f. Bras.* Erupção cutânea passageira, espécie de urticária. [Var. *grosseiro.*]

grosseirão. *Adj.* e *s. m.* V. *grosseiro*[2] (1, 3 e 6). [Fem.: *grosseirona.*]

grosseiro[1]. *S. m. Bras.* Var. de *grosseira.*

grosseiro[2]. [Do fr. *grossier.*] *Adj.* **1.** De qualidade inferior; grosso, grosseirão: *tecido grosseiro de algodão.* **2.** Malfeito, rude, tosco: *móveis grosseiros; sapatos grosseiros.* **3.** Mal-educado, incivil, impolido, grosseirão; grosso: *Que indivíduo grosseiro!* **4.** Áspero, rude, estúpido: *modos grosseiros.* **5.** Imoral, sórdido, imundo, grosso: *piada grosseira.* ● *S. m.* **6.** Indivíduo grosseiro; grosseirão.

grosseirona. *Adj. (f.)* e *s. f.* Fem. de *grosseirão* [q. v.].

grossense. *Adj. 2 g.* **1.** De, ou pertencente ou relativo a Grossos (RN). ● *S. 2 g.* **2.** Natural ou habitante de Grossos.

grosseria. [Do fr. *grosserie* (hoje desus. nesta acepç.).] *S. f.* **1.** Falta de urbanidade; impolidez, indelicadeza: *Aquele sujeito é a própria grosseria.* **2.** Expressão ou ato grosseiro, indelicado, impolido; grossura: *Disse-me uma grosseria; Fez uma grosseria.* [Var.: *grossaria.*]

grossidão. *S. f. Ant.* Grossura (1).

grossista. *Adj. 2 g. Bras.* **1.** Referente ao comércio em grosso. **2.** Diz-se de negociante em grosso; atacadista. ● *S. 2 g.* **3.** Negociante em grosso; atacadista.

grosso (ô). [Do lat. *grossu.*] *Adj.* **1.** De grande diâmetro: *A mangueira é árvore de tronco grosso.* **2.** Sólido, consistente: *Bateu o creme até ficar bem grosso.* **3.** Denso, compacto, espesso: *caldo grosso; sangue grosso.* **4.** Áspero, escabroso: *pele grossa; superfície grossa.* **5.** Grave (9): *voz grossa.* **6.** Grave, sério, importante: "Não me obrigue a falar, porque, se falo, temos escândalo e escândalo grosso!" (Artur Azevedo, *Contos Cariocas*, p. 193.) **7.** Abundante, copioso, polpudo: *Ganhou na transação dinheiro grosso;* "desse ajuda à igreja, esmola grossa aos cegos da feira" (Jorge Meduar, *Água Preta*, p. 58). **8.** Diz-se daquilo que, em comparação com outro da mesma espécie, tem maior volume, espessura, encorpadura, etc.: *papel, madeira, sal, livro grosso.* **9.** *Gír.* V. *grosseiro*[2] (3): *indivíduo grosso; atitude grossa.* **10.** *Gír.* V. *grosseiro*[2] (5): *gesto grosso.* **11.** Diz-se do mar de grandes vagas ou vagalhões. ~ V. *bastarda —a, capoeira —a, concerto —, gado —, intestino —, massa —, mato —, nota —a, obra —a, sal —* e *vela —a.* ● *Adv.* **12.** Com voz grossa: "Falava grosso, muito magra e pequena." (José Carlos Cavalcanti Borges, *O Assassino*, p. 13.) ● *S. m.* **13.** A parte mais grossa. **14.** A maior parte: "as outras duas [naus] salvaram-se, bem como o grosso da esquadra" (Oliveira Martins, *A Vida de Nun'Álvares*, p. 181). **15.** Indivíduo impolido, grosseiro. **16.** *Tip.* e *Caligr.* Qualidade dos elementos espessos do traçado das letras. [Cf. *fino* (19).] [Pl.: *grossos* (ó).] ◆ **Em grosso.** Em alta escala; por atacado: *Só vendem em grosso;* "e então principiou a ganhar em grosso" (Aluísio Azevedo, *O Cortiço*, p. 13). [Cf. *a retalho.*] **Torado no grosso.** *Bras., PE. Pop.* Baixo e gordo; atarracado.

➧**grosso modo.** [Lat.] De modo grosseiro, impreciso; aproximadamente.

grossudo. [De *grosso* + *-udo.*] *Adj. Zool.* Diz-se do bico das aves curto e cônico, como o do pardal.

grossulária. [Do lat. mod. *grossularia.*] *S. f.* **1.** *Art.* Groselheira (1). **2.** *Min.* Mineral do grupo das granadas, silicato de alumínio e cálcio.

grossura. *S. f.* **1.** Qualidade de grosso. **2.** Dimensão de alguns sólidos entre a superfície anterior e a posterior. **3.** Corpulência; proporções avolumadas. **4.** *Gír.* Grosseria (2). **5.** *Gír.* Ato ou expressão grosseira [v. *grosseiro*[2] (5)].

grota. [Do gr. *krypte*, pelo lat. *crypta.*] *S. f.* **1.** Abertura produzida pelas enchentes na ribanceira ou na margem de um rio. **2.** *Bras.* Vale [1] (1) profundo. **3.** Depressão de terreno úmida e sombria: "Durante a seca as boiadas refugiavam-se nas serras, e escondiam-se pelas lapas e grotas, onde passavam os rigores da estação ardente, que abrasa a rechã." (José de Alencar, *O Sertanejo*, p. 197.)

grotão. *S. m. Bras.* **1.** Grota grande. **2.** Depressão funda entre montanhas de lombadas muito alcantiladas: "rodando por alguma perambeira, ou caindo .... no fundo de algum grotão." (Afonso Arinos, *Histórias e Paisagens*, p. 12). **3.** V. *brechão.*

groteiro. [De *grota* + *-eiro*] *S. m. Bras., MG.* V. *caipira* (1).

grotesco (ê). [Do it. *grottesco.*] *Adj.* **1.** Que suscita riso ou escárnio; ridículo: *indivíduo grotesco; moda grotesca.* **2.** *Tip.* V. *lineal* (2). ● *S. m.* **3.** Qualidade ou caráter daquilo que é ridículo, grotesco: *O grotesco da situação ressaltava em toda a sua força.* [Cf. *grutesco.*]

grou[1]. [Do lat. **gruu*, moldado no fem. *grua*, por *grue.*] *S. m.* **1.** Ave pernalta, da família dos cultrirrostros (*Grus cinerea*): "grous e andorinhas passavam no céu anunciando a rispidez do inverno" (Alberto Rangel, *Livro de Figuras*, p. 236). [Fem.: *grua.*] **2.** *Astr.* Constelação do hemisfério austral, próxima ao Índio e à Fênix. [Com maiúscula, nesta acepç.]

grou[2]. [Do marata *garav.*] *S. m.* Sudra que faz serviços nos pagodes indianos.

grua. [Do lat. vulg. *grua.*] *S. f.* **1.** A fêmea do grou[1] (1). **2.** Máquina que serve para introduzir água nas locomotivas. **3.** Aparelho usado para levantar grandes pesos.

grubbiácea. *S. f.* Espécie das grubbiáceas.

grubbiáceas. *S. f. pl. Bot.* Família de vegetais floríferos, da ordem das santalales, que engloba exclusivamente o gênero sul-africano *Grubbia.* São plantas lenhosas, de folhas opostas e flores inconspícuas, e cujo fruto é uma drupa.

grubbiáceo. *Adj.* Pertencente ou relativo às grubbiáceas.

grudado. [Part. de *grudar.*] *Adj.* **1.** Pegado com grude. **2.** Muito ligado ou apegado: *O pequeno não larga a mãe, vive grudado.*

grudadoir. *S. m.* Grudadouro.

grudador (ô). *Adj.* **1.** Que gruda ou serve para grudar. ● *S. m.* **2.** Aquilo ou aquele que gruda.

grudadouro. [De *grudar* + *-(d)ouro*; var. de *grudadoiro.*] *S. m.* Série de cavaletes de madeira ou de ferro, sobre os quais, nas fábricas de lanifícios, se estendem as teias para secar, depois de mergulhadas em cola ou grude.

grudadura. *S. f.* Ação ou efeito de grudar(-se).

grudar. [De *grude* + *-ar*[2].] *V. t. d.* **1.** Pegar, ligar, unir, colar, fazer aderir, com grude. **2.** *P. ext.* Fazer aderir a alguma superfície; ligar, colar, pegar: *O barro gruda-va-lhe os pés ao chão. Int.* **3.** Ligar-se, pegar-se, unir-se, aderir, com grude; grudar-se. **4.** Ligar-se, unir-se, juntar-se, grudar-se. **5.** Ser aceito; ser bem acolhido; colar: *Não lhe foi preciso insistir: o plano grudou logo. P.* **6.** V. *grudar* (3). **7.** V. *grudar* (4): "Mal se deram boa-noite, e as mãos se grudaram." (Telmo Vergara, *Contos da Vida Breve*, p. 83.)

grude. [Do lat. *glute(n).*] *S. m.* **1.** Espécie de cola para ajustar e unir peças de madeira, etc. **2.** Massa empregada pelos sapateiros. **3.** *Bras.* Ligação íntima entre indivíduos. **4.** *Bras. Pop.* Comida; refeição: "Fixa o relógio e .... chega à porta e contempla a agonia do Sol. Certo! Hora do grude." (Humberto Crispim Borges, *Cacho de Tucum*, p. 63.) **5.** *Bras.* Luta corporal; briga, desordem. V. *rolo*[1] (16). **6.** *Bras., N.E.* Doce feito de goma seca e coco ralado, enrolado em folha de bananeira e assado em forno. **7.** *Bras., N.E.* e *S.* Cola[1] (1) feita de farinha de trigo. **8.** *Bras., S.* V. *namoro* (1).

grude-de-goma. *S. m. Bras., AL.* Iguaria feita com leite de coco e goma, que se assam envolvidos em folha de bananeira. [Pl.: *grudes-de-goma.*]

grudento. *Adj.* Que tem a consistência do grude; que o lembra; pegajoso, peganhento.

grueiro. [De *grou* + *-eiro.*] *Adj.* Diz-se do falcão ensinado para caçar grou[1] (1).

grugrulhar. [T. onom.] *V. int.* **1.** *Bras.* Entrar em ebulição; ferver: "O caldeirão preso à rabicha grugrulhava ao fogo" (Afonso Arinos, *Pelo Sertão*, p. 9). **2.** Grugulejar.

grugulejar. [T. onom.] *V. int.* **1.** Soltar a voz (o peru). **2.** Imitar a voz do peru. [Sin. ger.: *grugulhar.* Conjug.: v. *pelejar.* Normalmente é defect., conjugável só nas 3as. pess.]

grugunzar. *V. int.* **1.** *Bras., N.E.* e *MG. Pop.* Meditar, refletir, matutar, parafusar: "Astrogildo grugunzava, marchando à traseira de uma ponta — uns dez bois erados .... . O pensamento dele varava distâncias." (Nélson de Faria, *Tiziu e Outras Estórias*, p. 210.) **2.** Empregar muito esforço para decifrar alguma coisa.

grugutuba. *S. m.* Variedade de feijão.

gruiforme. *S. m.* **1.** Espécime dos gruiformes. ● *Adj. 2 g.* **2.** Pertencente ou relativo a eles.

gruiformes. *S. m. pl. Zool.* Aves neórnites, neognatas, da ordem *Gruiformes*, aquáticos ou terrestres, que têm bico mais ou menos alongado, pernas compridas, asas curtas, pés com dedos geralmente muito longos e delgados. São as saracuras, galinholas, carões, jacamins e seriemas.

gruijuba (ŭ-i). *S. f. Bras.* V. *guarijuba.*

gruinale. *S. f.* Espécime das gruinales.

gruinales. *S. f. pl. Bot.* Ordem de plantas dicotiledôneas, não aceita pela grande maioria dos botânicos.

gruir. [Do lat. *gruere.*] *V. int.* **1.** Soltar (o grou) a sua voz. **2.** *Ant.* Correr fazendo algazarra.

gruja. [Der. regress. de *gorjeta*, atr. de um **grujeta.*] *S. f. Bras. Gír.* V. *gorjeta* (2).

grulha. [Do esp. *grulla.*] *S. 2 g.* **1.** Pessoa muito loquaz; tagarela. **2.** *Bras., RS.* V. *valentão* (3). ● *Adj.* **3.** *Bras., RS.* V. *valentão* (1).

grulhaço. [De *grulha* + *-aço.*] *Adj.* e *s. m. Bras., RS.* V. *valentão* (1 e 3).

grulhada. [De *grulhar* + *-ada*[1].] *S. f.* **1.** Vozes de grou. **2.** *Fig.* Barulho, gritaria: "ela ficava à porta, ... fazendo uma grulhada em línguas esquisitas, rindo, mostrando dentes falsos" (Graciliano Ramos, *Linhas Tortas*, p. 23).

grulhar. [De *grulha* + *-ar*[2].] *V. int.* V. *garrular:* "Os bebedores aglomeraram-se à volta dos carros de vinho, emborcando as canecas, grulhando, sapateando" (José Vieira, *Sol de Portugal*, p. 155).

grulho. *S. m. Bras., RS.* Cada um dos sabugos de milho que, debulhados, servem para um jogo em que cada jogador, segurando um deles, dá contra o do parceiro ou contendor, para ver se o quebra.

grumar. *V. t. d.* **1.** Dar forma de grumo a. **2.** Reduzir a grumos. *Int.* e *p.* **3.** Fazer-se em grumos. [Sin. ger.: *engrumar* e *grumecer.*]

grumaré. [De possível or. tupi.] *S. f. Bras.* V. *mata-olho.*

grumatá. *S. m. Bras., SE.* V. *curimbatá.*

grumatã. [Var. pros. de *grumatá.*] *S. m. Bras., SE.* V. *curimbatá.*

grumecência. *S. f.* Propriedade ou estado do que grumeceu ou pode grumecer.

grumecer. [De *grumo* + *-ecer.*] *V. t. d., int.* e *p.* Grumar.

grumetagem. *S. f.* Os grumetes de um navio.

grumete. [Do fr. ant. e médio *gromet.*] *S. m.* Marinheiro que está iniciando a carreira na armada: "é de saber que .... o marinheiro substituirá o grumete no governo do leme" (Alexandre Herculano, *Lendas e Narrativas*, II, p. 316).

grumixá. *S. m. Bras.* Var. de *curubixá.*

grumixama. [Do tupi.] *S. f. Bras.* Fruto da grumixameira. [Var.: *gurumixama.*]

grumixameira. *S. f. Bras.* Árvore de tamanho médio da família das mirtáceas (*Eugenia brasiliensis*), cujo fruto roxo-escuro e pequeno, semelhante a uma amêndoa, tem a casca lisa, a polpa aquosa e o sabor levemente ácido. [Var.: *gurumixameira.*]

grumo. [Do lat. *grumu.*] *S. m.* **1.** Pequena pasta ou aglomeração de partículas, seres ou objetos pequeninos; grânulo. **2.** Pequeno coágulo. [Dim. irreg.: *grúmulo.*]

grumoso (ô). *Adj.* Que apresenta grumos; granuloso.

grúmulo. [Do lat. *grumulu.*] *S. m.* Pequeno grumo: "e todos os verões correria assim, ... rolando grúmulos vermelhos e resíduos roxos, o rio múrmuro" (Alcides Maia, *Tapera*, p. 59).

gruna. *S. f. Bras., BA.* **1.** Nas lavras diamantinas, escavação funda feita pelos garimpeiros nos terrenos diamantíferos. **2.** Depressão formada pelas águas nas ribanceiras de certos rios; gruta. [Sin. ger. (no N.): *engrunado.*]

grunado. [De *gruna* + *-ado*[1].] *S. m. Bras., BA.* Nas lavras diamantíferas, rio subterrâneo; escondido, sumidouro. [Cf. *itararé.*]

gruneiro. *S. m. Bras., BA.* Trabalhador das grunas.

grunerita. [Do antr. *Grüner, de E. L. Grüner (séc. XIX), alemão que analisou o mineral,* + *-ita*[3].] *S. f. Min.* Mineral monoclínico, do grupo dos anfibólios, silicato de ferro e manganês.

grunha. [Alter. de *gruna.*] *S. f. Bras.* Concavidade nas serras, algumas vezes bem espaçosa.

grunhidela. *S. f.* Ato isolado de grunhir.

grunhido. *S. m.* Ação de grunhir; voz do porco ou do javali: "Em tremendos grunhidos, os javardos / Uns aos outros coos dentes se acutilam." (Eugênio de Castro, *Obras Poéticas,* V, p. 39).

grunhidor (ô). *Adj.* e *s. m.* Que ou aquele que grunhe.

grunhir. [Do lat. *grunnire.*] *V. int.* **1.** Soltar grunhidos (o porco ou o javali): "Haviam-no sangrado [ao porco]. O animal grunhia dolorosamente." (Guido Vilmar Sassi, *Piá,* p. 25.) **2.** Soltar vozes que lembram a do porco ou a do javali: "os cachorrinhos a grunhirem como se estivessem chorando" (José de Alencar, *O Sertanejo,* p. 122). **3.** Atroar como grunhido. **4.** Resmungar, rezingar. *T. d.* **5.** Soltar, emitir (grunhido ou som semelhante): "Entanto o tigre continuava a grunhir o seu riso de fera." (José de Alencar, *O Sertanejo,* p. 69). **6.** Dizer com voz que parece um grunhido: "— Queria um pedacinho de presunto, não era, Bolo-Fofo? — grunhiu uma vozinha sumida, da cama de ferro ao lado." (Amando Fontes, *Os Corumbas,* p. 17.) [Defect. Não se conjuga na 1ª pess. sing. do pres. ind. nem, pois, no pres. subj.]

grupal. *Adj. 2 g.* Relativo a, ou próprio de grupo, ou que se realiza entre membros de um grupo.

grupamento. *S. m.* **1.** Ato ou efeito de grupar. **2.** *Quím.* Radical (8). ◆ **Grupamento cristalino.** *Crist.* Reunião de indivíduos cristalinos.

grupar. *V. t. d. Agrupar (2).*

grupelho (ê). *S. m.* Deprec. Pequeno grupo; facção insignificante, sem importância.

grupeto (ê). [Do it. *gruppetto.*] *S. m. Mús.* Ornamento musical formado por dupla apojatura superior ou inferior.

grupiara. *S. f. Bras.* V. *gupiara.*

grupo. [Do it. *gruppo.*] *S. m.* **1.** Conjunto de objetos que se vêem duma vez ou se abrangem no mesmo lance de olhos. **2.** Reunião de coisas que formam um todo. **3.** Reunião de pessoas. **4.** Pequena associação ou reunião de pessoas ligadas para um fim comum: *O grupo de trabalho da Secretaria de Educação reuniu-se ontem.* **5.** *Álg. Mod.* Conjunto de elementos, fechado, para uma operação binária, unívoca e associativa, em relação à qual o conjunto possui o elemento identidade e o inverso de cada um de seus elementos. **6.** *Astr.* Conjunto de manchas solares; área ativa. **7.** *Mús. Concr.* Monofonia (da ordem de alguns segundos) desenvolvida no tempo por meio de repetições ou de evolução interna. **8.** *Bras.* No jogo do bicho [q. v.], cada um dos 25 conjuntos de quatro dezenas em que estão divididos os números de um a 00 (zero zero), do final do prêmio, e aos quais corresponde o nome de um animal: *o grupo do cachorro.* **9.** *Bras.* Conjunto de salas num edifício comercial. **10.** *Bras. Cap.* Conjunto de capoeiristas que obedecem à orientação de um mesmo mestre, treinam regularmente em comum e se reúnem num determinado local. ◆ **Grupo abeliano.** *Álg. Mod.* Grupo cuja operação é comutativa; grupo comutativo. [Tb. se diz apenas *abeliano.*] **Grupo comutativo.** *Álg. Mod.* Grupo abeliano. **Grupo de força.** *Ling.* Sintagma [q. v.] de dois ou mais vocábulos que, numa frase, constituem um conjunto fonético significativo enunciado sem pausa(s) e subordinado a um acento tônico preponderante, que é o do vocábulo mais importante do grupo. Ex.: "Subiu, / acompanhado do cão, / e foi parar defronte da igreja." (Machado de Assis, *Quincas Borba,* p. 354); "Levantava-se a cruz / sobre as alvas areias" (Olavo Bilac, *Poesias,* p. 160). [Nem sempre a pausa entre os grupos de força (que indicamos, acima, por meio de barra oblíqua) é marcada por sinal de pontuação; observe-se o último exemplo.] **Grupo de galáxias.** *Astr.* Grupo galáctico. **Grupo de impressão.** *Art. Gráf.* Unidade de impressão. **Grupo de onda.** *Fís.* V. **pacote de ondas. Grupo escolar.** Escola de ensino primário. **Grupo estelar. Astr.** V. *aglomerado estelar.* **Grupo étnico.** *Etnol.* O grupo de famílias de mesma descendência e tradição. **Grupo galáctico.** *Astr.* Conjunto de galáxias que ocupam posições próximas; grupo de galáxias. **Grupo local.** *Astr.* Conjunto de mais de 20 galáxias, entre as quais a Via-Láctea, que ocupam no espaço um volume, em forma de um elipsóide, cujo eixo maior tem, aproximadamente, 1.000 quiloparsecs, tendo o eixo menor 500 quiloparsecs. **Grupo mineiro.** *Liter.* Grupo literário (séc. XVIII) ao qual pertenceram Basílio da Gama e Santa Rita Durão (poetas épicos), e Cláudio Manuel da Costa, Silva Alvarenga, Alvarenga Peixoto e Tomás Antônio Gonzaga (líricos), dos quais os quatro primeiros nasceram, e os dois últimos viveram, em MG, o centro intelectual de então. São os árcades brasileiros [v. *arcadismo*]. [Sin.: *escola mineira.*] **Grupo sanguíneo.** *Med.* Cada um dos grupos de sangue humano classificados segundo as incompatibilidades que apresentam entre si quanto à hereditariedade e à transfusão. **Grupo social.** *Sociol.* Forma básica da associação humana: agregado social que tem uma entidade e vida própria, e se considera como um todo, com as suas tradições morais e materiais. **Grupo topológico.** *Mat.* Grupo que é também um espaço topológico, e cuja operação é contínua.

gruta. [Do napolitano ou do siciliano *grutta.*] *S. f.* **1.** Caverna natural ou artificial; antro: "Parecia-lhe que .... nem a justiça dos homens nem a de Deus .... teriam poder para arrancá-lo desses sombrios e protetores esconderijos, dessas grutas insondáveis, perpetuamente abertas às onças e a ele" (Franklin Távora, *O Cabeleira,* p. 217). **2.** V. *gruna* (2).

grutesco (ê). *Adj.* Relativo a, ou próprio de gruta. [Cf. *grotesco.*] ~ V. *grutescos.*

grutescos (ê). [De *grutesco.*] *S. m. pl.* **1.** Ornatos artísticos, muito rebuscados, que reproduzem objetos da natureza, como, p. ex., folhas, caracóis, penhascos, árvores. **2.** Obras de pintura ou de escultura, que representam grutas. **3.** Espécie de arabesco. [Cf. *grotescos,* pl. de *grotesco.*] ~ V. *grutesco.*

➜**gruyère** (gruiér'). [Fr.] *S. m.* Tipo de queijo, de Gruyère (Suíça), chamado entre nós *queijo suíço.*

guaaribo. *Bras. S. 2 g.* **1.** Indivíduo dos guaaribos, tribo indígena do AM que habita no alto rio Cauburis e no alto Marauiá, afluente da margem esquerda do rio Negro. ● *Adj. 2 g.* **2.** Pertencente ou relativo a essa tribo.

guabiju. [Do tupi *wa'bi* 'comestível', + *yu,* 'amarelo'.] *S. m. Bras., S.* **1.** O fruto do guabijueiro. **2.** V. *guabijueiro.*

guabijueiro. *S. m. Bras., S.* Árvore silvestre, da família das mirtáceas, que produz o guabiju *(Eugenia pungens);* guabijuzeiro, guabiju.

guabijuzal. *S. m. Bras., S.* Quantidade mais ou menos considerável de guabijuzeiros ou guabijueiros dispostos proximamente entre si.

guabijuzeiro. *S. m. Bras., S.* V. *guabijueiro.*

guabiraba. [Do tupi *wa'bi,* 'ao comer'; não há certeza quanto ao segundo elemento.] *S. f. Bras.* **1.** Planta da família das borragináceas *(Cordia rotundifolia).* **2.** O fruto dessa planta.

guabiroba. [Do tupi *wa'bi,* 'ao comer', e *rob,* 'amargo'.] *S. f. Bras.* **1.** V. *araçá-felpudo.* **2.** O fruto dessa planta. [Var.: *guabirova, guavirova, gabiroba, gabirova* e *gavirova.*]

guabirova. *S. f. Bras.* V. *guabiroba.*

guabiru. [Do tupi *wawi'ru,* 'que devora o mantimento'.] *S. m. Bras., N.* e *N.E.* **1.** V. *rato-de-paiol.* **2.** Gatuno, larápio, rato. [Var., nestas acepç.: *gabiru.*] **3.** *Bras.* V. *miguelista* (5).

guacapi. [Do tupi.] *S. m. Bras.* Cada um dos paus sobre os quais se constrói o jirau.

guacaré. *Bras. S. 2 g.* **1.** Indivíduo dos guacarés, tribo indígena do alto Amazonas. ● *Adj. 2 g.* **2.** Pertencente ou relativo a essa tribo.

guacari. [Do tupi *waka'ri.*] *S. m. Bras.* V. *cacajau.*

guacariaçu. [De *guacari* + *-açu.*] *S. m. Bras.* V. *acariaçu.*

guacariguaçu. [De *guacari* + *-guaçu.*] *S. m. Bras.* V. *acariaçu.*

guaçatonga. [Do tupi.] *S. f. Bras.* Planta da família das flacurtiáceas *(Casearia silvestris).*

guaçatunga. [Do tupi.] *S. f. Bras.* Planta da família das flacurtiáceas *(Casearia parvifolia).*

guache. [Do fr. *gouache.*] *S. m.* **1.** Preparação que se faz com substâncias corantes destemperadas em água de mistura com goma e tornadas pastosas pela adição de mel. **2.** Pintura executada com tal preparação. [Var.: *guacho.* Cf. *guaxe* e *guaxo.*]

guacho. *S. m.* Var. de *guache.* [Cf. *guaxo.*]

guaco. [De uma língua indígena da Nicarágua.] *S. m.* Designação comum à planta medicinal *Mikania cordifolia,* da família das compostas, e a outras espécies do mesmo gênero.

▲**-guaçu.** [Do tupi-guar.] V. *-açu.*

guaçuano. [De *Mojiguaçu* + *-ano,* com aférese.] *Adj.* **1.** De, ou pertencente ou relativo a Mojiguaçu (SP). ● *S. m.* **2.** O natural ou habitante de Mojiguaçu.

guaçubirá. [Do guar. *gwa'su,* 'veado', + *ibi'rá,* 'madeira'.] *S. m. Bras.* V. *veado-catingueiro.*

guaçubóia. [Do guar. *gwa'su,* 'veado', + *mboi,* 'cobra'.] *S. f. Bras.* V. *salamanta.*

guaçucatinga. [Do guar. *gwa'su,* 'veado', + *kaa'tîga,* 'caatinga'.] *S. m. Bras.* V. *veado-catingueiro.*

guacucuia. [Do tupi.] *S. m. Bras.* Certo peixe do mar, de PE.

guaçuetê. [Do guar. *gwa'su,* 'veado', + *e'tê,* 'verdadeiro'.] *S. m. Bras.* V. *veado-mateiro.*

guaçuiense (u-i). *Adj. 2 g.* **1.** De, ou pertencente ou relativo a Guaçuí (ES). ● *S. 2 g.* **2.** Natural ou habitante de Guaçuí.

guaçupita. [Do guar. *qwa'su,* 'veado', + *pi'tãg,* 'vermelho'.] *S. m. Bras.* V. *veado-mateiro.*

guacuri. [Var. de *bacuri.*] *S. m. Bras.* Espécie de palmeira *(Attalea-princeps).*

guacuru. [Do tupi *gwa,* por *wi'rá,* 'ave', + *ku'ru,* por *pu'ru,* 'voraz'.] *S. m. Bras.* V. *taquiri.* [Cf. *guaicuru.*]

guaçutinga. [Do guar. *gwa-su,* 'veado', + *-tinga.*] *S. m.* V. *veado-catingueiro.*

guadalupense. *Adj. 2 g.* **1.** De, ou pertencente ou relativo a Guadalupe (PI). ● *S. 2 g.* **2.** Natural ou habitante de Guadalupe.

guadameci. [Do ár. *gadāmesī.*] *S. m.* Tapeçaria antiga, de couro com pinturas e dourados, originária de Gadamés, cidade da Tripolitânia. [Var.: *guadamecil, guadamecim.*]

guadamecil. *S. m.* V. *guadameci.*

guadamecim. *S. m.* V. *guadameci:* "Um dia, ... estava ele afobadíssimo recebendo certa caixa que guardava uma arca forrada de guadamecim, objeto precioso e antigo" (Luís Edmundo, *De um Livro de Memórias,* III, p. 662).

guademã. *S. m. Bras.* V. *gademar.*

guademão. *S. m. Bras.* V. *gademar.*

guaguaçu. *S. m. Bras.* V. *babaçu.*

guai. [Do gót. *wái.*] *Ant.* **1.** *Interj.* Ai[1] (2). ● *S. m.* **2.** Ai, lamento: "E ouça-se a voz das plagas campineiras, / Que, dominando os hinos das palmeiras, / Chore e soluce, em convulsivo guai!" (Martins Fontes, *Guanabara,* p. 67.)

guaia. [Dev. de *guaiar.*] *S. f. Ant.* Choro, lamento, pranto.

guaiá. *S. m.* **1.** *Bras., SP.* Espécie de chocalho, usado no batuque. **2.** *Bras.* V. *caranguejo* (1). **3.** *Bras.* V. *guajá* (2).

guaiá-apará. *S. m. Bras.* V. *guajá* (2). [Pl.: *guaiás-aparás.*]

guaiaba. *S. f. Bras.* Goiaba[1].

guaiaca. [Do quíchua *huayaca,* 'saco', pelo esp. plat. *guayaca.*] *S. f. Bras., S.* Cinto largo de couro ou de camurça, provido de bolsinhos, usado para se guardar dinheiro e objetos miúdos, e também para o porte de armas: "Duma feita que viajava de escoteiro, com a guaiaca empanzinada de onças de ouro, vim parar aqui neste mesmo passo" (Simões Lopes Neto, *Contos Gauchescos e Lendas do Sul,* p. 125). [Var.: *goiaca.*]

guáiaco. [Do taíno *guaiak,* atr. do esp.] *S. m.* Árvore medicinal da família das zigofiláceas *(Guajacum officinale* e *Guajacum sanctum);* gáiaco.

guaiacol. [De *guáiaco* + *-ol.*] *S. m.* Composto aromático, líquido, oleoso, incolor, com cheiro característico, usado em medicina. [Var.: *gaiacol,* Fórm.: $C_7H_8O_2$. Pl.: *guaiacóis.*]

guaiá-das-pedras. *S. m. Bras.* Designação comum a quase todos os crustáceos marinhos da ordem dos decápodes e família dos cancrídeos. [Pl.: *guaiás-das-pedras.*]

guaiambé. [Do tupi.] *S. m. Bras.* Planta da família das aráceas *(Philodendron squamiferum).*

guaiamu. [Do tupi *waia' mu.*] *S. m. Bras.* Espécie de crustáceo decápode, braquiúro, da família dos gecarcinídeos *(Cardisoma guanhumi* Latreille), de coloração azul, cuja pinça maior pode atingir até 30 cm, e cuja carapaça mede até 11 cm. Vive em lugares lamacentos, à beira-mar, escondido em tocas que ele mesmo cava, em profundidades de até quatro metros. [Var. e sin.: *guaiamum, goiamum, goiamu, fumbamba, caranguejo-mulato-da-terra.*]

guaiamum. *S. m. Bras.* V. *guaiamu.*

guaianá. *Bras. S. 2 g.* **1.** Indivíduo dos guaianás, tribos indígenas que habitavam o rio Iguaçu, entre o Paraná e o Uruguai, e dominavam parte da capitania de São Vicente. [Segundo Métraux, embora seja possível terem os guaianás de Piratininga falado tupi, é quase certo que a maioria dos guaianás haja pertencido a família diferente e tenha sido antepassado dos caingangues modernos.] *Adj. 2 g.* **2.** Pertencente ou relativo a essas tribos.

guaiapá. [De or. indígena.] *S. m. Bras.* V. *espinho-de-judeu.*

guaiaqui. *Bras. S. 2 g.* **1.** Indivíduo dos guaiaquis, tribo indígena da margem paraguaia do alto Paraná, que fala uma espécie de guarani primitivo. ● *S. 2 g.* **2.** Pertencente ou relativo a essa tribo.

guaiar. *Ant. V. int.* **1.** Soltar ais ou guais; queixar-se, lamentar-se, lastimar-se; aiar: "Agarrou com as mãos ambas a cabeça e, gemendo, foi-se pelo mato dentro aos uivos, guaiando, e muito tempo ouvi os seus gemidos." (Coelho Neto, *Sertão*, p. 144.) **2.** Cantar em tom de lamentação. **3.** Despedir sons que, de tristes, lembram lamentos, queixas, ais: "Guaia o vento" (Martins Fontes, *Verão*, p. 264) *T. d.* **4.** Proferir em tom de lamento ou lamúria: *O infeliz guaiou: — "Triste vida!"*

guaiaúna. *S. m. Bras.* V. *caranguejo-do-rio.*

guaíba. [Do tupi, *gwa*, 'seio', + *í*, 'água', + *ba*, em lugar de *be*, 'em'.] *S. f. Bras., S.* Pântano profundo.

guaibense (a-i). *Adj. 2 g.* **1.** De, ou pertencente ou relativo a Guaíba (RS). ● *S. 2 g.* **2.** Natural ou habitante de Guaíba.

guaibira (a-i). *S. f. Bras.* V. *guaivira.*

guaicá. *S. f.* **1.** V. *canela-guaicá* (1). **2.** V. *canela-rajada.*

guaiçarense. *Adj. 2 g.* **1.** De, ou pertencente ou relativo a Guaiçara (SP). ● *S. 2 g.* **2.** Natural ou habitante de Guaiçara.

guaicuru[1]. *S. m. Bras.* Planta medicinal da família das plumbagináceas *(Statice brasiliensis).* [Cf. *guacuru.*]

guaicuru[2]. *Bras. S. 2 g.* **1.** Indivíduo dos guaicurus, tribo indígena que vivia em MT e no Paraguai. **2.** O idioma por ela falado. ● *Adj. 2 g.* **3.** Pertencente ou relativo a essa tribo. [Cf. *guacuru.*]

guaimbeense. (a-im...eên). *Adj. 2 g.* **1.** De, ou pertencente ou relativo a Guaimbê (SP). ● *S. 2 g.* **2.** Natural ou habitante de Guaimbê.

guainambé. [Do tupi.] *S. m. Bras., Amaz.* **1.** Gainambé [q. v.]. **2.** V. *anambé*[1] (1).

guainumbi. [De or. indígena.] *S. m. Bras.* V. *beija-flor.*

guainumbiapirati. [De *guainumbi* + tupi *a' pi*, 'cabeça' + *a' ti*, 'pontuda'.] *S. m. Bras.* Ave da família dos troquilídeos (*Stephanoxys lodiggesi* Gould.)

guaipé. [De *guaipeva*, com apócope.] *S. m. Bras., S.* V. *cusco.*

guaipeca. [Var. de *guaipeva.*] *S. m. Bras., S.* V. *cusco.*

guaipeva. [Do tupi, de um el. desconhecido + *pewa*, 'chato'.] *S. m. Bras., S.* V. *cusco.*

guaipevada. *S. f. Bras., S.* Porção de guaipevas.

guairana. *S. f. Bras.* Gueirana.

guairense (a-i). *Adj. 2 g.* **1.** De, ou pertencente ou relativo a Guaíra (PR). ● *S. 2 g.* **2.** Natural ou habitante de Guaíra.

guaitacá. *S. 2 g.* e *adj. 2 g. Bras.* Var. de *goitacá.*

guaiú. [Do tupi *gwa'u*, 'chegada'.] *S. m.* **1.** *Bras.* Barulho ensurdecedor; alarido, gritaria: "Quase chorava de alegria ao recordar o guaiú das piracemas, em dezembro" (Valdomiro Silveira, *Nas Serras e nas Furnas*, p. 120). **2.** *Bras., RJ.* V. *formiga-correição.*

guaiúba. *S. f. Bras., N.E.* Guajuba.

guaiubano (guai-u). *Adj.* **1.** De, ou pertencente ou relativo a Guaiúba (CE). ● *S. m.* **2.** O natural ou habitante de Guaiúba.

guaiúle. [Do náuatle *quauholli*, 'planta da borracha'.] *S. m.* Planta da família das compostas *Parthenium argentatum*), produtora de borracha.

guaivira. [De *guajuvira*, com síncope.] *S. f. Bras.* Peixe teleósteo, percomorfo, da família dos carangídeos (*Oligoplites saurus* (Schn.)), do Atlântico, desde Nova Iorque até o Uruguai, de coloração plúmbeo-azulada no dorso, mais clara nos flancos, prateada no abdome, e nadadeiras amarelas. Comprimento: até 33 cm. Sua carne é de pouco valor. Pesca-se com linha e rede de pesca. [A mesma designação costuma ser dada a outras espécies do gênero. Var.: *guaibira, guaravira, goivira;* Sin.: *cavaco, tábua, tiburo, solteira, pamparrona.*]

guajá. *Bras. S. 2 g.* **1.** Indivíduo dos guajás, tribo indígena tupi do MA. ● *S. m.* **2.** Espécie de crustáceo decápode, braquiúro, da família dos calapídeos (*Calppa flammea* (Herbst.)), que ocorre em toda a costa do N. do Brasil até o RJ, e cuja carapaça pode medir até 10 cm; goiá, guaiá, guaiá-apará, uacapará. ● *Adj. 2 g.* **3.** Pertencente ou relativo à tribo guajá.

guajabara. [Do tupi.] *S. f. Bras.* V. *cabuçu* (2).

guajajara. *Bras. S. 2 g.* **1.** Indivíduo dos guajajaras, tribo indígena tupi do MA. ● *Adj. 2 g.* **2.** Pertencente ou relativo a essa tribo. [Sin. ger.: *teneteara.*]

guajaná-timbó. *Bras. S. m.* V. *anileira-verdadeira.*

guajará. [Do tupi *waya'rá.*] *S. m. Bras.* Planta da família das sapotáceas (*Chrysophyllum excelsum*); uajará.

guajaraense. *Adj. 2 g.* **1.** De, ou pertencente ou relativo a Guajará-Mirim (RO). ● *S. 2 g.* **2.** Natural ou habitante de *Guajará-Mirim.*

guajaru. [Var. de *guajeru.*] *S. m. Bras.* V. *abajeru.*

guajeru. [Do tupi *waye'ru.*] *S. m. Bras.* V. *abajeru.*

guajiru. [Var. de *guajeru.*] *S. m. Bras.* V. *abajeru.*

guajuba. [Do tupi.] *S. f. Bras., N. E.* Espécie de peixe do mar, cujo nome comum ainda não está bem correlacionado com o nome científico; guaiúba.

guaju-guaju. [Do tupi *gwa'yu, gwa'yu.*] *S. m . Bras.* V. *formiga-correição.* [Pl.: *guaju-guajus.*]

guajuru. [Var. de *guajeru.*] *S. m. Bras.* **1.** V. *abajeru.* **2.** V. *piranga*[2] (3).

guajuvira. [Do tupi.] *S. f. Bras.* **1.** V. *cabuçu* (2). **2.** V. *guaivira.*

gualdir. *V. t. d. Fam.* **1.** Comer, engolir. **2.** Gastar, dissipar, esbanjar.

gualdo. [Do gót. **walda*, 'resedá-amarelo'.] *Adj.* V. *jalne:* "desfralda [a luz] as labaredas flavas, / Jalnes, rufas, de tons gualdos e fulvescentes." (Martins Fontes, *Verão*, p. 32).

gualdra. *S. f.* Puxador de gaveta, em forma de argola.

gualdrapa. [De **wasdrappa*, var. do lat. *vastrapes?*] *S. f.* **1.** V. *xairel:* "minha mãe entrou no povo a cavalo na burrinha, ... com sua colcha branca por gualdrapa" (Aquilino Ribeiro, *Estrada de Santiago*, p. 174). **2.** Grandes abas de casacão.

gualdripar. *V. t. d. Fam.* Roubar, furtar, surrupiar.

gualdrope. [Var. de *galdrope* < ingl. *guide-rope.*] *S. m. Constr. Nav.* **1.** Corrente, cadeia ou cabo de arame que transmite à cana do leme os movimentos da roda do leme: "A água já corre pelo tombadilho e o navio inclina-se pavorosamente aos sacões da maré. Gemem os gualdropes, range o velame." (João da Silva Correia, *Farândola*, p. 142.) **2.** Nas embarcações miúdas, cada um dos cabos presos às duas pontas da meia-lua do leme, para manobra deste.

guamaense. *Adj. 2 g.* **1.** De, ou pertencente ou relativo a Guamá (PA). ● *S. 2 g.* **2.** Natural ou habitante de Guamá.

guamirim-felpudo. *S. m. Bras.* Árvore da família das melastomáceas (*Miconia pusilliflora*). [Pl.: *guamirins-felpudos.*]

guampa. [Do esp. plat. *guampa.*] *S. f. Bras.* **1.** V. *corno* (1). **2.** Copo ou vasilha para líquidos, feita de chifre. [Var., nessas acepçs.: *guampo.*] **3.** V. *cachaça* (1). **4.** Guampas.

guampaço. [De *guampa* (1), + *-aço.*] *S. m. Bras., S.* **1.** V. *guampada:* "o touro vigoroso, ... cujas armas rígidas e curtas relembram .... guampaços formidáveis, em luta com os rivais possantes" (Euclides da Cunha, *Os Sertões*, p. 127). **2.** Guampa (2) bem trabalhada, bonita.

guampada. [De *guampa* (1) + *-ada*[1].] *S. f. Bras., S.* **1.** Golpe dado pelo animal com a guampa (1); guampaço. V. *chifrada.* **2.** A porção de líquido contida em uma guampa (2).

guampas. [Pl. de *guampa.*] *S. f. pl. Bras. Burl.* A testa, a cabeça; guampa. ~ V. *guampa.* ♦ **Bater guampas.** *Bras., S.* V. *bater orelha.*

guampa-torta. [De *guampa* (4) + *torta*, fem. de *torto.*] *S. m. Bras., RS. Pop.* V. *valentão* (3). [Pl.: *guampas-tortas.*]

guampear. *V. t. d. Bras., S.* **1.** Laçar (o animal) pelas guampas. **2.** Cornar, escornar, marrar, chifrar. **3.** *Chulo.* Cornear (2). [Conjug.: v. *frear.*]

guampo. [De *guampa.*] *S. m. Bras.* V. *guampa* (1 e 2): "O menino saiu mesmo a pé e voltou com o guampo pingando água fresca e limpa" (Bernardo Élis, *Veranico de Janeiro*, p. 131).

guampudo. [De *guampa* (1) + *-udo.*] *Bras., RS. Adj.* **1.** De grandes chifres. ● *S. m.* **2.** *Fig.* V. *corno* (10).

guaná. *Bras. S. 2 g.* **1.** Indivíduo dos guanás, tribo indígena aruaque, de MT. ● *Adj. 2 g.* **2.** Pertencente ou relativo a essa tribo.

guanabano. [Do aruaque, pelo esp. *guanábano.*] *S. m. Bras.* Planta da família das anonáceas (*Anona muricata*).

guanabarino. *Adj.* **1.** Pertencente ou relativo à baía de Guanabara, ao antigo Estado da Guanabara. ● *S. m.* **2.** O natural ou habitante do antigo Estado da Guanabara.

guanacá. *Bras. S. 2 g.* **1.** Indivíduo dos guanacás, tribo indígena do CE. ● *Adj. 2 g.* **2.** Pertencente ou relativo a essa tribo.

guanacaste. [Do náuatle *cuahuitl*, 'árvore' + *nascatli*, 'orelha' (o fruto tem a forma de orelha).] *S. m.* Planta da família das leguminosas (*Enterolobium cyclocarpum*).

guanaco. [Do quíchua *wanáku*, pelo esp. *guanaco.*] *S. m.* Ruminante selvagem parecido com o lhama.

guanambi. [Var. de guainumbi.] *S. m. Bras.* V. *beija-flor.*

guanambiense. *Adj. 2 g.* **1.** De, ou pertencente ou relativo a Guanambi (BA). ● *S. 2 g.* **2.** Natural ou habitante de Guanambi.

guanandi. [Do tupi *gwanã'di*, 'o que é grudento'.] *S. m. Bras.* **1.** V. *oanani.* **2.** V. *jacareúba.*

guancho. *S. m.* Indivíduo dos guanchos, antigos habitantes do Tenerife, ilhas Canárias.

guandeiro. [De *guando* + *-eiro.*] *S. m. Bras.* Anduzeiro.

guandira. [Do tupi *ãdi'rá.*] *S. f. Bras.* V. *morcego*[1] (1).

guandiraçu. [De *guandirá* + *-açu.*] *S. m. Bras.* V. *andirá-açu.*

guando. [Var. de *guandu.*] *S. m. Bras.* V. *andu.*

guandu. [Do conguês *guandu.*] *S. m. Bras.* V. *andu.* [Var.: *guando.*]

guanduense. *Adj. 2 g.* **1.** De, ou pertencente ou relativo a Baixo Guandu (ES). ● *S. 2 g.* **2.** Natural ou habitante de Baixo Guandu.

guanevana. *Bras. S. 2 g.* **1.** Indivíduo dos guanevanas, tribo indígena que habitou nos sertões do PA. ● *Adj. 2 g.* **2.** Pertencente ou relativo a essa tribo.

guanhanense. *Adj. 2 g.* **1.** De, ou pertencente ou relativo a Guanhães (MG). ● *S. 2 g.* **2.** Natural ou habitante de Guanhães.

guanina. *S. f. Genét.* Uma das bases nitrogenadas que compõem os ácidos nucléicos, e que se liga à citosina.

guano. [Do quíchua *wánu*, 'esterco', pelo esp. *guano.*] *S. m.* **1.** Acumulação de fosfato de cálcio resultante de excremento de aves marinhas. **2.** Adubo artificial para as terras, preparado com matérias orgânicas de composição semelhante à do guano natural. [Cf. *goano.*]

guante. [Do frâncico **want*, pelo cat. *guant.*] *S. m.* **1.** Luva de ferro, na armadura antiga: "Os romances, as xácaras, as baladas e os solaus, com as suas castelãs, os seus paladinos, os seus pajens, os seus menestréis e os seus respectivos atributos — lanças, montantes, elmos, guantes de ferro, ... pediam um cenário de fortificação feudal" (Ramalho Ortigão, *O Culto da Arte em Portugal*, p. 30). **2.** *Fig.* Autoridade despótica; mão de ferro: "O Presidente do Estado, nessa época, era um homem voluntarioso e truculento .... Sob seu guante a oposição não desfrutava de um só momento de trégua." (Amando Fontes, *Os Corumbas*, p. 62).

guanumbi. [Var. de *guainumbi.*] *S. m. Bras.* V. *beija-flor.*

guanumbiguaçu. [De *guanumbi* + *guaçu.*] *S. m. Bras.* V. *cuitelão* (1).

guanxuma. *S. f. Bras.* V. *guaxima* (1).

guaparaíba. [Do tupi *gwapara'iwa.*] *S. f. Bras.* Árvore da família das rizoforáceas *(Rhizophora mangle)*, característica dos manguezais.

guapear. [Do esp. plat. *guapear.*] *V. int. Bras., RS.* **1.** Mostrar-se guapo (1); demonstrar ânimo, ousadia, valor, resistência; guapetonear. **2.** *Fig.* Resistir à ação do tempo; durar, subsistir. [Conjug.: v. *frear.*]

guapeba. *S. f. Bras.* **1.** V. *fava-de-santo-inácio-falsa.* **2.** V. *castanha-mineira* (1).

guapeense (èên). *Adj. 2 g.* **1.** De, ou pertencente ou relativo a Guapé (MG). ● *S. 2 g.* **2.** Natural ou habitante de Guapé.

guapetaço. *Adj. Bras., RS.* Guapetão.

guapetão. [Do esp. plat. *guapetón.*] *Adj. Bras., RS.* Muito guapo (1); guapetaço.

guapetonagem. [De *guapetão* + *-agem.*] *S. f. Bras., RS.* V. *guapeza.*

guapetonear. [De *guapetão* + *-ear.*] *V. int. Bras., RS.* V. *guapear* (1). [Conjug.: v. *frear.*]

guapeva. [Do tupi *wa'pewa.*] *Adj.* e *s. m.* **1.** *Bras., S.* V. *cusco.* **2.** *Bras.* V. *andiroba* (2).

guapeza (ê). [Do esp. plat. *guapeza.*] *S. f. Bras., RS.* Qualidade de guapo (2); guapetonagem, guapice.

guapiaçuense. *Adj. 2 g.* **1.** De, ou pertencente ou relativo a Guapiaçu (SP). ● *S. 2 g.* **2.** Natural ou habitante de Guapiaçu.

guapiara. *S. f. Bras.* V. *gupiara.*

guapice. *S. f.* V. *guapeza.*

guapicobaíba. [Do tupi.] *S. f. Bras.* Planta leguminosa, do gênero *Cassia;* pau-velho.

guapira. [Do tupi.] *S. f. Bras., SP.* Lugar onde começa um vale. [Var.: *gapira.*]

guapiruvu. *S. m. Bras.* V. *baquerubu.*

guapo. [Do esp. *guapo.*] *Adj.*,**1.** Animoso, corajoso, ousado, valente. **2.** Bonito, airoso: "Depós ela veio a rainha, com as suas damas, formoso cortejo de mouras, qual delas mais guapa, e mais pálida de espanto ou escarlate de ira." (Camilo Castelo Branco, *Doze Casamentos Felizes*, p. 191.) **3.** Elegante, esbelto, garboso.

guapô. [Alter. de *vapor*, pronunciado *vapô.*] *S. m. Bras., SP. Pop.* Locomotiva de estrada de ferro.

guapoense (òên). *Adj. 2 g.* **1.** De, ou pertencente ou relativo a Guapó (GO). ● *S. 2 g.* **2.** Natural ou habitante de Guapó.

guaporanga. [Do tupi.] *S. f. Bras.* Árvore da família das mirtáceas *(Marliera tomentosa).*

guaporense. *Adj. 2 g.* **1.** De, ou pertencente ou relativo a Guaporé (RS). ● *S. 2 g.* **2.** Natural ou habitante de Guaporé.

guapuí. *S. m. Bras.* Gapuicipó.

guapurubu. *S. m. Bras.* V. *baquerubu.* [Var.: *guapuruvu.*]

guapuruvu. [Var. de *guapurubu*.] *S. m. Bras.* V. *baquerubu*.

guará[1]. [Do tupi *agwa'rá*.] *S. m. Bras.* Ave ciconiforme, da família dos tresquiornitídeos (*Guara rubra* (L.)), dos mangues e estuários da América do Sul setentrional e oriental, de coloração vermelho-viva e pontas das rêmiges exteriores da mão pretas. Os jovens são mais ou menos brancos, pintados de pardo.

guará[2]. [Do tupi *gwa'rá*.] *S. m. Bras.* Mamífero carnívoro, da família dos canídeos (*Chrysocyon brachyurus* (Ill.)), das regiões abertas do N. da Argentina, Paraguai e Brasil, especialmente nos cerrados, de coloração pardo-avermelhada, mais escura no dorso, pés e focinho pretos, com mancha branca na garganta. Mede 1,45 m de comprimento e 45 cm de cauda; alimenta-se de pequenos mamíferos, aves e frutas. Extremamente arisco, tem hábitos noturnos. É o maior e mais belo dos canídeos brasileiros. [Var.: *aguará*; sin.: *aguaraçu*.]

guarabirense. *Adj. 2 g.* **1.** De, ou pertencente ou relativo a Guarabira (PB). ● *S. 2 g.* **2.** Natural ou habitante de Guarabira.

guarabu. [Do tupi *gwara'bu*.] *S. m. Bras.* **1.** Árvore da família das leguminosas, subfamília cesalpinácea (*Peltogyne discolor*). [Var.: *garabu*; sin.: *pau-violeta*.] **2.** Certa abelha melipônida (*Melipona nigra* Lep).

guarabu-amarelo. *S. m. Bras.* Árvore da família das leguminosas (*Peltogyne confertiflora*), do PI a SP e MT, comum nas matas, de madeira roxa, altamente estimada, folhas com dois folíolos oblongos ou mais ou menos orbiculares, oblíquos, acuminados e coriáceos, flores paniculadas, de pétalas glabras e glandulosas, 10 estames, e fruto bivalve, circular, coriáceo e monospermo. [Pl.: *guarabus-amarelos*.]

guarabu-branco. *S. m. Bras.* Árvore do gênero *Peltogyne*, cuja madeira lembra a do guarabu-amarelo. [Pl.: *guarabus-brancos*.]

guarabu-da-serra. *S. m. Bras.* Árvore do gênero *Peltogyne*, cuja madeira se parece com a do guarabu-amarelo. [Pl.: *guarabus-da-serra*.]

guarabu-preto. *S. m. Bras.* Árvore da família das anacardiáceas (*Astronium concinnum*), das matas do RJ, de boa madeira, folhas compostas, de folíolos oblongos, acuminados, membranáceos e aromáticos, flores pequeninas, com cinco estames, reunidas em panículas, e cujo fruto é uma noz minuta com uma semente; aderno, gibatão, ubatã. [Pl.: *guarabus-pretos*.]

guarabu-vermelho. *S. m. Bras.* Árvore do gênero *Peltogyne*, cuja madeira é semelhante à do guarabu-amarelo. [Pl.: *guarabus-vermelhos*.]

guaracabuçu. [Var. de *guaracavuçu* < *guaracava* + tupi *wa'su*, 'grande'.] *S. m. Bras.* Ave da família dos tiranídeos (*Empidochanes fuscatus* Wied.)

guaraçaí. [Do tupi.] *S. f. Bras.* Árvore da família das leguminosas (*Moldenhauera floribunda*); groçaí-azeite.

guaraçaiense (a-i). *Adj. 2 g.* **1.** De, ou pertencente ou relativo a Guaraçaí (SP) ● *S. 2 g.* **2.** Natural ou habitante de Guaraçaí.

guaraçaíma. [Do tupi.] *S. m. Bras.* Certo peixe do mar.

guaracava. [Do tupi] *S. f. Bras.* **1.** V. *maria-é-dia* (1). **2.** V. *tucão*. [Var.: *guracava*.]

guaracavuçu. *S. m. Bras.* Guaracabuçu [q. v.].

guaracema. [Do tupi.] *S. f. Bras.* **1.** V. *xaréu*[1]. **2.** V. *xaréu-branco*.

guaraciabense. *Adj. 2 g.* **1.** De, ou pertencente ou relativo a Guaraciaba (MG). ● *S. 2 g.* **2.** Natural ou habitante de Guaraciaba.

guaraciense. *Adj. 2 g.* **1.** De, ou pertencente ou relativo a Guaraci (SP). ● *S. 2 g.* **2.** Natural ou habitante de Guaraci.

guaracimbora. [Do tupi.] *S. m. Bras.* V. *xaréu-branco*.

guaracu. [Do tupi.] *S. m. Bras.* Xarelete, quando velho.

guaraçuma. [Do tupi.] *S. f.* V. *xaréu*[1]. [Var.: *guaricema*.]

guaraense. *Adj. 2 g.* **1.** De, ou pertencente ou relativo a Guará (SP). ● *S. 2 g.* **2.** Natural ou habitante de Guará.

guaraguá. [Do tupi.] *S. m. Bras., Amaz.* V. *peixe-boi*.

guaraio. *Bras. S. m.* **1.** Indivíduo dos guaraios, tribo indígena que vivia nos campos de Pauserna (RO) e na margem esquerda do Guaporé (Bolívia). ● *Adj.* **2.** Pertencente ou relativo a essa tribo. [Sin. ger.: *guaraju*.]

guaraipo. [Var. de *guarapu*.] *S. m. Bras., RS.* **1.** V. *guarapu* (1). **2.** *Fig.* Pessoa ladina, velhaca, astuta, dissimulada.

guaraiúba. *S. f. Bras.* V. *guarajuba* (1).

guaraju. *S. 2 g.* e *adj. 2 g. Bras.* Guaraio.

guarajuba. [De *guará* + *tupi yuba*, 'amarelo'.] *S. f. Bras.* **1.** Peixe teleósteo, percomorfo, da família dos carangídeos (*Caranx latus* (Agass.)), da costa atlântica, desde a América do Norte até o RJ, de coloração cinza-azulada no dorso e branca no abdome. [A mesma designação é dada a outras espécies do gênero. Sin.: *carapau*, *guaraiúba*.] **2.** V. *guaruba*. **3.** Árvore da família das combretáceas (*Terminalia acuminata*).

guaramemi. *S. 2 g.* e *adj. 2 g. Bras.* V. *maromomi*.

guaraná. [Do tupi *wara'ná*.] *S. m. Bras.* **1.** Grande cipó da floresta amazônica (*Paullinia cupania*), da família das sapindáceas, cultivado pelos índios maués, de folhas trifoliadas, flores pequenas, alvacentas, e cuja cápsula fornece semente rica em substâncias excitantes (*xantinas*) e, por isso, adequadas à fabricação de refrigerantes e certos medicamentos; guaranazeiro. **2.** Massa consistente, comestível, com formas diversas, fabricada pelos índios maués com as sementes desse arbusto. **3.** Bebida que se faz com o pó desta massa.

guaranazal (nà). *S. m. Bras., N.* Quantidade mais ou menos considerável de guaranás ou guaranazeiros dispostos proximamente entre si.

guaranazeiro (nà). *S. m. Bras.* **1.** Guaraná (1). **2.** Aquele que trabalha na extração de guaraná.

guarandi. [Do tupi.] *S. m. Bras.* Ave passeriforme, da família dos traupídeos (*Tachyphonus rufus* (Bodd.)), distribuída da Amaz. até BA, MT e MG, o macho de coloração preta, coberteiras superiores menores da asa brancas, e a fêmea pardo-avermelhada, mais clara na parte inferior; gurundi, pipira-preta, tachá, macho-de-joão-gomes, maria-mulata.

guaranhém. *S. m. Bras.* V. *buranhém* (1).

guarani. [Do guarani *guarini*, 'guerrear'?] *S. 2 g.* **1.** Indivíduo dos guaranis, divisão etnográfica da grande família tupi que habitava o S. do Brasil, o Paraguai, a Bolívia e o N. da Argentina, e cujos descendentes se acham integrados na sociedade nacional. *S. m.* **2.** Língua do tronco tupi da família tupi-guarani, que até hoje é língua dominante na República do Paraguai. **3.** Unidade monetária, e moeda, do Paraguai, dividida em 100 cêntimos. ● *Adj. 2 g.* **4.** Pertencente ou relativo aos guaranis.

guarânia. *S. f. Mús.* Balada em andamento lento e, em geral, em tom menor, considerada a música típica do Paraguai.

guaraniaçuense. *Adj. 2 g.* **1.** De, ou pertencente ou relativo a Guaraniaçu (PR). ● *S. 2 g.* **2.** Natural ou habitante de Guaraniaçu.

guaraniana. [De *guarani* + *-ana*[1].] *S. f. Bras.* Tupiana.

guaranicinga. [Do tupi *gwa'rá sininga*, 'aquele que zumbe', 'ave ruidosa', com metátese.] *S. f. Bras., SP.* V. *bico-de-pimenta*.

guaraniense. *Adj. 2 g.* **1.** De, ou pertencente ou relativo a Guarani (MG). ● *S. 2 g.* **2.** Natural ou habitante de Guarani.

guaranítico. *Adj. Bras.* Pertencente ou relativo aos índios guaranis e à sua língua.

guarantã. [Do tupi *gwa'rá*, por *ïbï'rá*, 'madeira' + *ã'tã*, 'duro'.] *S. m.* e *f. Bras.* **1.** Árvore da família das rutáceas (*Esenbeckia leiocarpa*). **2.** V. *gurinhatã*.

guarantãense. *Adj. 2 g.* **1.** De, ou pertencente ou relativo a Guarantã (SP). ● *S. 2 g.* **2.** Natural ou habitante de Guarantã.

guaraparé. [Var. de *guarapari*.] *S. m. Bras.* V. *Copiúva*.

guarapari. [Do tupi.] *S. m. Bras.* V. *copiúva*.

guarapariense. *Adj. 2 g.* **1.** De, ou pertencente ou relativo a Guarapari (ES). ● *S. 2 g.* **2.** Natural ou habitante de Guarapari.

guaraparim. [Var. nasalada de *guarapari*.] *S. m. Bras.* V. *copiúva*.

guaraperê. [Do tupi.] *S. m. Bras.* Planta da família das leguminosas (*Pithecolobium divaricatum*).

guarapicica. [Do tupi.] *S. f. Bras.* Árvore da família das sapotáceas (*Lucuma* sp.), cuja madeira se usa em marcenaria.

guarapirá. [Do tupi.] *S. m. Bras., N. E.* V. *alcatraz*[1].

guarapiranga. [Do tupi, *gwa'rá*, por *ïbï'rá* + tupi *pi'rãg*, 'madeira vermelha'.] *S. f. Bras.* Certa árvore.

guarapu. [Do tupi *gwar a'pu*, 'a ponta romba'.] *S. m. Bras.* **1.** Certa abelha da família dos meliponídeos (*Melipona nigra* Lep.). [Var.: *guarupu*, *garapu*, *graipu*, *guaraipo*; sin.: *uruçu*.] **2.** V. *veado-roxo*.

guarapuava. [Do top. *Guarapuava*, município do PR?]. *S. m. Bras., SP.* Cavalo árdego, espantadiço e pouco resistente.

guarapuavano. *Adj.* **1.** De ou pertencente ou relativo a Guarapuava (PR). ● *S. m.* **2.** O natural ou habitante de Guarapuava.

guaraqueçabano. *Adj.* **1.** De, ou pertencente ou relativo a Guaraqueçaba (PR). ● *S. m.* **2.** O natural ou habitante de Guaraqueçaba.

guararapense. *Adj. 2 g.* **1.** De, ou pertencente ou relativo a Guararapes (SP). ● *S. 2 g.* **2.** Natural ou habitante de Guararapes.

guararema. [Do tupi, *gwra'rema*, 'madeira malcheirosa'.] *S. f. Bras.* Árvore da família das fitolacáceas (*Gallezia gorazema*). [Var.: *gurarema*, *guarema*; sin.: *pau-d'alho*.]

guararemense. *Adj. 2 g.* **1.** De, ou pertencente ou relativo a Guararema (SP). ● *S. 2 g.* **2.** Natural ou habitante de Guararema.

guararense. *Adj. 2 g.* **1.** De, ou pertencente ou relativo a Guarará (MG). ● *S. 2 g.* **2.** Natural ou habitante de Guarará.

guarariba. [Do tupi.] *S. f. Bras.* Árvore da família das bombacáceas (*Quararibea guianensis*).

guaratã. [Do tupi *wara'tã*, 'ave', i. e., de canto forte.] *S. m. Bras., PA.* V. *sebinho* (1).

guarategaja. *Bras. S. 2 g.* **1.** Indivíduo dos guarategajas, tribo indígena das margens do Mequéns, afluente da margem direita do Guaporé (RO). ● *Adj. 2 g.* **2.** Pertencente ou relativo a essa tribo.

guaratinguetaense. *Adj. 2 g.* **1.** De, ou pertencente ou relativo a Guaratinguetá (SP). ● *S. 2 g.* **2.** Natural ou habitante de Guaratinguetá.

guaratubano. *Adj.* **1.** De, ou pertencente ou relativo a Guaratuba (PR). ● *S. m.* **2.** O natural ou habitante de Guaratuba. [Sin. ger.: *guaratubense*.]

guaratubense. *Adj. 2 g.* e *s. 2 g.* Guaratubano.

guaraúna. [Var. de *baraúna*.]. *S. f.* **1.** *Bras.* Árvore leguminosa, cuja madeira se emprega em carpintaria. **2.** *Bras., AM.* V. *tapicuru*[1].

guaravira. [Do tupi.] *S. f. Bras.* V. *guaivira*.

guaraxaim (a-ím). *S. m. Bras.* V. *graxaim*.

guarda. [Dev. de *guardar*.] *S. f.* **1.** Ato ou efeito de guardar; vigilância, cuidado, guardamento: *Foi-lhe confiada a* g u a r d a *do prédio.* **2.** *Fig.* Proteção, amparo, favor, benevolência. **3.** Resguardo da mão, na arma branca. **4.** Posição de defesa, na esgrima. **5.** Vara que o podador conserva na videira. **6.** Serviço de vigilância desempenhado por uma ou mais pessoas. **7.** Sentinela (4). **8.** *Encad.* Cada uma das folhas de papel, branco marmoreado, de fantasia, etc., dobradas ao meio e coladas no princípio e no fim de um livro, para consolidar a encadernação, proteger a primeira e a última folha dos cadernos, e proporcionar ao volume acabamento correto. [Cf. *resguardo* (6) e *salvaguarda* (5).] **9.** *Encad. Restr.* A parte da guarda (8) que se cola à capa. [A que fica solta chama-se *contraguarda*.] **10.** V. *andar* (25). ● *S. m.* **11.** Homem encarregado de vigiar ou guardar alguma coisa; vigia, vigiador, sentinela. ◆ **Guarda avançada.** **1.** Destacamento de segurança que precede o grosso de uma coluna em movimento; vanguarda. **2.** *Fig.* O que precede algo com o fim de protegê-lo. **Guarda civil.** Corporação policial não pertencente às forças militares. [Cf. *guarda-civil*.] **Guarda de honra.** Força militar armada, designada para prestar honras militares, em solenidades que exigem tal representação. **Guarda nacional.** **1.** Corpo de infantaria e cavalaria de segunda linha, criado em 1831 e extinto em 1910, composto de cidadãos armados para conservação da ordem. **2.** Milícia auxiliar formada por civis, com postos honoríficos. **Guardas de fechadura.** A roda, o restolho e a cruzeta, no interior da fechadura, onde entra o palhetão da chave. **Guardas da ponte.** Peitoris de um e outro lado dela. **Guarda suja.** *Encad.* V. *salvaguarda* (5).

guarda-arnês. [De *guardar* + *arnês*.] *S. m.* Lugar onde se guardam as guarnições e o correame de cavalaria. [Pl.: *Guarda-arneses*.]

guarda-barreira. [De *guarda* (11) + *barreira*.] *S. 2 g.* Empregado aduaneiro fiscal de barreira (5). [Pl.: *guarda-barreiras*.]

guarda-braço. [De *guardar* + *braço*.] *S. m. Ant.* A parte das armaduras que revestia os braços. [Pl.: *guarda-braços*.]

guarda-cadeira. [De *guardar* + *cadeira*.] *S. m.* Tábua de madeira fixada horizontalmente nas paredes, a cerca de 1 m do piso, a fim de evitar o atrito dos espaldares das cadeiras nas paredes. [Pl.: *guarda-cadeiras*.]

guarda-cama. [De *guardar* + *cama*.] *S. m.* Rodapé, de tecido ou de outro material, que se suspende em volta das camas, como ornato e para encobrir o espaço que fica entre o estrado delas e o chão. [Pl.: *guarda-camas*.]

guarda-cancela. [De *guarda* (11) + *cancela*.] *S. m. Bras.* Indivíduo preposto à guarda de uma barreira nas passagens de nível das vias férreas. [Pl.: *guarda-cancelas*.]

guarda-cascos. [De *guardar* + o pl. de *casco*.] *S. 2 n.* Prolongamento do bordo exterior da ferradura, no lugar da pinça.

guarda-catarro. [De *guardar* + *catarro*.] *S. m. Bras., N.E. Fam.* O peito (2). [Pl.: *guarda-catarros*.]

guarda-chapim. [De *guardar* + *chapim*.] *S. m.* **1.** Pequeno muro ou fiada de cantaria sobre que se assenta uma grade. **2.** Guarnecimento, em geral de cantaria, que acompanha lateralmente os degraus duma escada. [Pl.: *guarda-chapins*.]

guarda-chaves. [De *guarda* (11) + o pl. de *chave*.] *S. m. 2 n.* Empregado incumbido de vigiar e manobrar as chaves [v. *chave* (25)] nos desvios ou entroncamentos dos trilhos das estradas de ferro.

guarda-chuva. [De *guardar* + *chuva*.] *S. m.* Armação de varetas móveis, coberta de pano ou de outro material, usada para resguardar as pessoas da chuva ou do sol. [Sin.: *Guarda-sol, chapéu-de-chuva, chapéu-de-sol, chapéu, pára-sol, pára-chuva, sombrinha, umbrela, umbela, barraca* (fam.) e (bras., N.E., pop.), quando preto e de homem: *parteira*. Pl.: *guarda-chuvas*.]

guarda-chuvada. *S. f.* Pancada com guarda-chuva. [Pl.: *guarda-chuvadas*.]

guarda-civil. [De *guarda* (11) + *civil*.] *S. m.* Membro da guarda civil. [Pl.: *guardas-civis*. Cf. *guarda civil*.]

guarda-comida. [De *guardar* + *comida*.] *S. m.* Armário provido de tela de arame, para guardar comidas. [F. paral.: *guarda-comidas*. Sin., bras.: *petisqueira, petisqueiro*. Pl.: *guarda-comidas*.]

guarda-comidas. *S. m. 2 n.* V. *guarda-comida*.

guarda-costas. [De *guardar* + o pl. de *costa*.] *S. m. 2 n.* **2.** *Mar.* Embarcação velocíssima e de grande mobilidade, destinada à patrulha e à defesa de águas costeiras. **2.** *Fig.* Pessoa que acompanha outra para defendê-la de agressões; satélite. [Cf., nesta acepç., *segurança* (10).] **3.** V. *capanga* (3).

guardador (ô). *Adj.* **1.** Que guarda ou observa certos preceitos. ● *S. m.* **2.** Aquele que guarda, a quem compete guardar ou vigiar alguma coisa. **3.** *Bras., RJ.* e *SP.* Indivíduo que vigia para os respectivos donos os automóveis estacionados nas ruas, recebendo, em troca, gorjetas do público ou remuneração do Departamento de Trânsito. [Sin. (obsol.), nesta acepç.: *olheiro*.]

guardados. [Pl. substantivado de *guardado*, part. de *guardar*.] *S. m. pl. Bras.* **1.** Objetos particulares (geralmente miúdos) que se guardam em gaveta, caixa, cofre: "remexer nos guardados da avó, atrás de broches, contas de colares, pedaços de enfeites" (Maria Julieta Drummond de Andrade, *Um Buquê de Alcachofras*. p. 25). **2.** Reserva em dinheiro; economias.

guarda-corpo. *Arquit. S. m.* Proteção a meia altura, em grade, balaustrada, etc., que resguarda a parte inferior do balcão, varanda, sacada ou vão (10), ou que acompanha os degraus da escada, encimado por corrimão.

guarda-espelho. [De *guarda* (8) + *espelho*.] *S. f. Encad.* Guarda cujas metades são separadas, ao longo do encaixe, por uma charneira (5). [Pl.: *guardas-espelhos* e *guardas-espelho*.]

guarda-fato. [De *guardar* + *fato*².] *S. m. Lus.* Espécie de armário móvel, onde se guardam fatos; guarda-roupa: "E, no guarda-fato, os vestidos .... de noiva enamorada baloiçavam-se ao ritmo do navio enorme cortando as águas do oceano." (Natércia Freire, *A Alma da Velha Casa*, p. 112.) [Pl.: *guarda-fatos*.]

guarda-fechos. [De *guardar* + *o pl. de fecho*.] *S. m. 2 n.* Peça de couro usada para cobrir os fechos da espingarda a fim de que não se enferrujem.

guarda-fio. *S. m.* Var. de *guarda-fios*. [Pl.: *guarda-fios*.]

guarda-fios. [De *guarda* (11) + o pl. de *fio*.] *S. m. 2 n.* Aquele que tem a seu cargo vigiar e reparar as linhas ou cabos de luz elétrica, telegráficos e telefônicos. [Var.: *guarda-fio*.]

guarda-florestal. [De *guarda* (11) + *florestal*.] *S. m.* Funcionário do Estado, incumbido de vigiar as florestas, impedindo derrubadas ilegais, incêndios, caça em época proibida, etc. [Pl.: *guardas-florestais*.]

guarda-fogo. [De *guardar* + *fogo*.] *S. m.* **1.** Peça metálica que se coloca diante da chaminé e serve para evitar incêndios. **2.** Parede entre prédios contíguos para evitar a comunicação de fogo. [Sin., nessas acepçs.: *guarda-lume*.] **3.** Pára-fogo. [Pl.: *guarda-fogos*.]

guarda-freio. *S. m.* Var. de *guarda-freios*. [Pl.: *guarda-freios*.]

guarda-freios. [De *guarda* (11) + o pl. de *freio*.] *S. m. 2 n.* Empregado de estrada de ferro que vigia e manobra os freios de carros e vagões, em obediência a instruções do maquinista. [Var.: *guarda-freio*.]

guarda-jóias. [De *guardar* + o pl. de *jóia*.] *S. m. 2 n.* **1.** Vaso, cofre, escrínio, etc. onde se guardam jóias; porta-jóias. **2.** Oficial da casa real incumbido da conservação das jóias.

guarda-lama. [De *guardar* + *lama*¹.] *S. m.* **1.** *Lus.* Pára-lama. **2.** Extremidade inferior, maciça, da bainha da espada. [Pl.: *Guarda-lamas*.]

guarda-linha. [De *guarda* (11) + *linha* (28).] *S. m.* Empregado que vigia as linhas férreas. [Pl.: *guarda-linhas*.]

guarda-livros. [De *guarda* (11) + o pl. de *livro*.] *S. 2 g.* e *2 n.* Empregado do comércio, ou profissional independente, que se encarrega da escrituração dos livros mercantis.

guarda-loiça. *S. m.* V. *guarda-louça*. [Pl.: *guarda-loiças*.]

guarda-louça. [De *guardar* + *louça*.] *S. m.* **1.** Armário para guardar louça; louceiro, louceira: "a seguir, a alcova, que abria para a sala de jantar, autêntica varanda espaçosa do sul, com talha de água a um canto, guarda-louças respeitável e, ao fundo, outro corredor levando à cozinha." (Augusto Meyer, *No Tempo da Flor*, p. 71). **2.** Prateleira ou cantoneira em que se guardam louças. [F. paral.: *guarda-loiça*. Pl.: *guarda-louças*.]

guarda-lume. [De *guardar* + *lume*.] *S. m.* Guarda-fogo (1 e 2). [Pl.: *Guarda-lumes*.]

guarda-mancebo. [De *guardar* + *mancebo*.] *S. m. Marinh.* Cada um dos cabos que servem de corrimão no gurupés e no pau de surriola. [Pl.: *Guarda-mancebos*.]

guarda-mão. [De *guardar* + *mão*¹.] *S. m.* Arco entre os copos e a maçã da espada, o qual serve para resguardar a mão. [Pl.: *guarda-mãos*.]

guarda-marinha. [Do esp. *guardia-marina*.] *S. m.* **1.** Aluno da Escola Naval durante o estágio de adaptação por que passa antes de ser promovido a segundo-tenente. **2.** V. *hierarquia militar*. **3.** Militar que detém a posição hierárquica de guarda-marinha. [Pl.: *guardas-marinhas* e *guardas-marinha*.]

guarda-mato. [De *guardar* + *mato*.] *S. m.* **1.** Peça da espingarda, arciforme, que serve para resguardar o gatilho. **2.** Valado que limita matagais ou terras de pastagem. [Pl.: *guarda-matos*.]

guardamento. *S. m.* **1.** V. *guarda* (1). **2.** *Bras., PR.* V. *velório*².

guarda-meta. [De *guardar* + *meta*.] *S. m. Bras. Fut.* V. *goleiro*. [Pl.: *guarda-metas*.]

guarda-mor. [De *guarda* (11) + *mor*.] *S. m.* **1.** Antigo oficial que comandava 20 archeiros ou alabardeiros da casa real. **2.** Título oficial do chefe da polícia aduaneira nos portos. **3.** Representante do fisco a bordo dos navios. [Pl.: *guardas-mores*.]

guardamoria. [De *guarda-mor* + *-ia*.] *S. f. Bras.* Repartição anexa às alfândegas, encarregada da polícia fiscal nos portos e a bordo dos navios.

guarda-móveis. [De *guardar* + o pl. de *móvel*.] *S. m. 2 n. Bras.* Estabelecimento onde, mediante pagamento, mensal por via de regra, se depositam móveis.

guardanapo. [Do fr. *gardenappe*.] *S. m.* Pequena toalha, de pano ou, às vezes, de papel, com que à mesa se limpam os lábios. [Sin., (ant.): *toalhete*.]

guarda-noturno. [De *guarda* (11) + *noturno*.] *S. m.* Indivíduo que, por conta dos habitantes ou negociantes de uma rua ou bairro, guarda de noite, rondando e vigiando, as entradas das habitações, ou casas de negócio. [Pl.: *guardas-noturnos*.]

guarda-patrão. [De *guardar* + *patrão*.] *S. m. Marinh.* Tábua que transversalmente, de BE a BB, limita o paneiro das embarcações miúdas, e por trás da qual se assenta o patrão. [Pl.: *guarda-patrões*.]

guarda-pé. [De *guardar* + *pé*.] *S. m. Bras., BA.* Certo tipo de botas usadas pelos vaqueiros. [Pl.: *guarda-pés*.]

guarda-peito. [De *guardar* + *peito*.] *S. m. Bras., N. E.* Pedaço de couro curtido com que os vaqueiros resguardam o peito, e que se prende por meio de correias ao pescoço e à cintura; peitoral. V. *couros*. [Pl.: *guarda-peitos*.]

guarda-pó. [De *guardar* + *pó*.] *S. m.* **1.** *Arquit.* Forro de tábuas que reveste o vigamento superior de um telhado. **2.** Espécie de avental, semelhante ao que usam médicos, professores, etc., que se põe por cima da roupa a fim de resguardá-la da poeira, sobretudo em viagem: "Ainda estavam chegando passageiros, esbaforidos, de guarda-pó, com chapeleiras na mão." (Eça de Queirós, *Os Maias*, II, p. 31.) [Pl.: *guarda-pós*.]

guarda-portão. [De *guarda* (11) + *portão*.] *S. m.* V. *porteiro*¹: "Aproximei-me do cubículo em que habitava o guarda-portão à entrada do pátio." (Ramalho Ortigão, *Em Paris*, p. 17) [Pl.: *guarda-portões*.]

guarda-pratas. [De *guardar* + o pl. de *prata*.] *S. m. 2 n.* Móvel para guardar pratas, sobretudo a baixela; argentário.

guardar. [Do germ. *wardôn*, 'buscar com a vista'.] *V. t. d.* **1.** Vigiar com o fim de defender, proteger ou preservar: "No Vaticano, em grupos prosternados, / Com as longas fardas rubras, os soldados / Guardam o corpo do Divino Mestre." (Augusto dos Anjos, *Eu*, p. 110.) **2.** Pôr em lugar conveniente; acondicionar, arrecadar, conservar: *Após a consulta, guardou o livro*. **3.** Tomar conta de; zelar por; conduzir, vigiando: *O pastor guarda suas ovelhas*. **4.** Ter cuidado em manter seguro ou preso: *guardar detentos*. **5.** Conservar em poder próprio; manter: *Ainda guarda seus objetos de infância*. **6.** Não revelar; ocultar, calar: *guardar segredo*. **7.** Ter a seu cuidado; defender, proteger, resguardar: *Deus o guarde*. **8.** Continuar a ter; não perder: *Guardou a jovialidade até a velhice*. **9.** Observar, cumprir, praticar: *Todos precisam guardar algum preceito ético*. **10.** Dar mostras de: *É bem-educado, sabe guardar respeito*. **11.** Não trabalhar em: *A Igreja manda guardar os dias santos*. **12.** Conservar, manter. **13.** Conservar, manter, gravar na memória: "Foram estas .... as palavras que minha mãe me disse naquele último encontro, guardei-as com absoluta fidelidade." (Umberto Peregrino, *Três Mulheres*, p. 4.) *T. d.* e *i.* **14.** Reservar, destinar: *Guardou uma parte da herança para os amigos*. **15.** Dedicar, consagrar: *Guarda respeito aos semelhantes*. **16.** Adiar, delongar, procrastinar. **17.** Defender, livrar, isentar: *Guardei-o de riscos*. **P. 18.** Acautelar-se, prevenir-se, precaver-se, precatar-se. **19.** Abster-se, conter-se, refrear-se. **20.** Reservar-se, esperar. **21.** Defender-se, preservar-se, livrar-se. **22.** Abrigar-se, desviar-se.

guarda-rede. [De *guardar* + *rede*.] *S. m. Fut.* V. *goleiro*. [Pl.: *guarda-redes*.]

guarda-redes. *S. m. 2 n. Fut.* V. *goleiro*.

guarda-roupa. [De *guardar* + *roupa*.] *S. m.* **1.** Armário onde se guarda a roupa: "Tinham descoberto num velho guarda-roupa um vestido de baile de D. Margarida Terra" (Vitorino Nemésio, *Mau Tempo no Canal*, p. 132). [Cf. *guarda-vestidos*.] **2.** O conjunto das roupas de uso duma pessoa ou dos componentes de um grupo ou de uma instituição: *Fez um guarda-roupa novo para o inverno*; "Anunciávamos agora um drama de grande efeito, *O Pirata*, com cenário e guarda-roupa a caráter." (Brito Broca, *Memórias*, p. 80.) **3.** O encarregado do guarda-roupa de uma instituição, de um teatro, etc. **4.** *Bras.* Um dos cargos da corte imperial do Brasil. **5.** Ocupante desse cargo. [Pl.: *guarda-roupas*.]

guarda-selos. [De *guarda* (11) + o pl. de *selo*.] *S. m. 2 n. Ant.* Chanceler (1).

guarda-sexo. [De *guardar* + *sexo*.] *S. m. Etnol.* Tanga ou outra indumentária com que se cobrem os órgãos genitais. [Pl.: *guarda-sexos*.]

guarda-sol. [De *guardar* + *sol*.] *S. m.* **1.** V. *guarda-chuva*. **2.** Grande guarda-chuva [q. v.] que se fixa no solo ou em uma armação especial e serve para proteger as pessoas contra o sol; chapéu-de-sol, pára-sol, chapéu. **3.** *Bras.* V. *amendoeira-da-praia*. [Pl.: *guarda-sóis*.]

guarda-soleiro. [De *guardar* + *soleiro*.] *S. m.* Fabricante de guarda-sóis. [Pl.: *guarda-soleiros*.]

guarda-vala. [De *guardar* + *vala*.] *S. m. Bras. Fut.* V. *goleiro*. [Pl.: *guarda-valas*.]

guarda-valas. *S. m. 2 n. Bras. Fut.* V. *goleiro*.

guarda-vassoiras. *S. m. 2 n.* Guarda-vassouras [q. v.].

guarda-vassouras. [De *guardar* + o pl. de *vassoura*.] *S. m. 2 n.* Roda-pé (2) [Var. de *guarda-vassouras*.]

guarda-vento. [De *guardar* + *vento*.] *S. m.* Anteparo de madeira que se põe internamente diante das portas, sobretudo portas de igrejas, para que o recinto não fique devassado e para resguardo do vento; pára-vento, contravento. [Pl.: *guarda-ventos*.]

guarda-vestidos. [De *guardar* + o pl. de *vestido*.] *S. m. 2 n.* Espécie de armário, com cabides, onde se dependuram e guardam vestidos. [Cf. *guarda-roupa* (1).]

guarda-vidas. [De *guardar* + o pl. de *vida*.] *S. 2 g.* e *2 n.* V. *salva-vidas* (2).

guarda-vinho. [De *guardar* + *vinho*.] *S. m.* Muro da lagariça ou lagar onde se faz o vinho. [Pl.: *guarda-vinhos*.]

guarda-vista. [De *guardar* + *vista*.] *S. m.* Espécie de viseira que se põe ante os olhos para protegê-los da intensidade da luz. [Pl.: *guarda-vistas*.]

guarda-volante¹. [De *guarda* (1) + *volante*.] *S. f.* **1.** Corpo de soldados que fazem guarda sem estacionar, mas andando em várias direções. ● *S. m.* **2.** Soldado pertencente à guarda-volante (1). [Pl.: *guardas-volantes*.]

guarda-volante². [De *guardar* + *volante*.] *S. m.* Peça que cobre o volante dos relógios. [Pl.: *guarda-volantes*.]

guarda-volumes. [De *guardar* + o pl. de *volume*.] *S. m. 2 n.* Sala ou lugar qualquer para, com segurança e por determinado tempo, se depositarem volumes.

guarda-voz. [De *guardar* + *voz*.] *S. m.* Cúpula de

alguns púlpitos, destinada a fazer que a voz do pregador desça e se espalhe bem pelo auditório. [Pl.: *guarda-vozes.*]

guardear. *V. t. d.* Pôr guardas ou resguardos ao longo de. [Conjug.: v. *frear.*]

guardiã. *S. f.* Fem. de *guardião* [q. v.].

guardiania. *S. f.* Cargo de guardião (1).

guardião. [Do gót. *wardjan*, **wardianem* no acusativo romanizado.] *S. m.* **1.** Superior religioso de alguns conventos: "Em santa obediência ao g u a r d i ã o do convento, consentiu que o limpassem dos seus trapos" (Eça de Queirós, *Contos*, p. 152). **2.** *Bras.* V. *abóbora-do-mato.* **3.** *Bras. Fut.* V. *goleiro.* **4.** *Ant. Mar. G.* Sargento da especialidade de manobra. [Fem.: *guardiã.* Pl.: *guardiães* e *guardiões.*]

guardim. [Do esp. *guardín.*] *S. m. Marinh.* **1.** Cabo com duas pernadas que movimenta o penol da carangueja para um e outro bordo, para a posição mais conveniente. **2.** *Bras.* Cada um dos cabos ou aparelhos de força presos ao penol de um pau de carga, que permite manobrá-lo lateralmente; pluma.

guarecer. *V. t. d., int.* e *p. Ant.* V. *guarir.*

guareiense (e-i). *Adj. 2 g.* **1.** De, ou pertencente ou relativo a Guareí (SP). ● *S. 2 g.* **2.** Natural ou habitante de Gaureí.

guarema. [Var. haplológica de *guararema* (q. v.).] *S. f. Bras.* V. *guararema.*

guarente. *S. m.* As sobras de tecido quando se encurtam peças de vestuário pela parte de baixo.

guariba. [Do tupi *wa'riwa.*] *S. m.* e *f. Bras.* **1.** Designação comum aos símios platirrinos, da família dos cebídeos, do gênero *Alouata*, da América Central e do Sul, de coloração escura, caracterizados pela maxila inferior barbada, e sobretudo pelo grito peculiar. São frugívoros e vegetarianos, e vivem em bandos de mais de 12 indivíduos, guiados pelo macho mais velho, o *capelão.* [Sin.: *barbado, bugio.*] **2.** Designação dada aos pretos [v. *preto* (9)].

guariba-preto. *S. m.* Macaco da família dos cebídeos, do gênero *Alouata.* Animal corpulento, de aspecto pesado, grave e circunspecto, e queixo barbudo. Costumam uivar ou "roncar" pela manhã e à tardinha, e o povo procura relacionar essa manifestação com variações meteorológicas: "Guariba na serra, chuva na terra." [Sin.: *bugio-preto* e *carajá.* Pl.: *guaribas-pretos.*]

guariba-vermelho. *S. m.* Macaco da família dos cebídeos, do gênero *Alouata*, de pêlo fulvo ou mesmo avermelhado. Segundo Von Ihering, é comum encontrar machos ruivos e fêmeas pretas dentro da mesma espécie. Esse dimorfismo sexual explicaria as designações populares de *guariba-preto* e *guariba-vermelho* para macacos da mesma espécie. [Sin.: *arauatu.* Pl.: *guaribas-vermelhos.*]

guaribense. *Adj. 2 g.* **1.** De, ou pertencente ou relativo a Guariba (SP). ● *S. 2 g.* **2.** Natural ou habitante de Guariba.

guaribu. [Do tupi.] *S. m. Bras., PE.* Certa planta silvestre.

guaricanga. [Do tupi.] *S. f. Bras.* **1.** Planta da família das palmáceas (*Geonoma spixiana*). **2.** Palhoça feita com folhas dessa palmeira.

guaricema. [Alter. do tupi *guaraçuma.*] *S. f.* e *m. Bras.* V. *xaréu*[1].

guarida. [Fem. substantivado do part. de *guarir.*] *S. f.* **1.** Covil de feras. **2.** *Fig.* Abrigo, asilo, refúgio, proteção: "O ar então começou a escandescer-se; / E ao som dos ventos a enrijar-se a neve. / Os humanos então principiaram / G u a r i d a s a buscar" (Antônio Feliciano de Castilho, *As Metamorfoses*, p. 11). **3.** V. *guarita.*

guarijuba. [Var. de *gurijuba* < *guri* + tupi *yub*, 'amarelo'.] *S. f. Bras.* Peixe teleósteo, siluriforme, da família taquissurídeos (*Tachysurus luniscutis* (Val.)), muito freqüente nas costas do PA, de coloração amarelada, comprimento de até 1,20 m, e cuja vesícula natatória é de grande utilidade para estudos ictiológicos. [Var. e sin.: *gurijuba, garajuba, gurujuba* ou *gurujuva, griujuba, gruijuba, guribu, guriaçu, bagre-guri, bagre-caiacoco, bagre-amarelo, bagre-cangatá, bagre-de-areia, cangatá, iriceca, jurupiranga.*]

guarimpe. [De *garimpo.*] *S. m. Bras., PE.* Talude vertical regularizado a bico de picareta, nos cortes das estradas, quando se deseja conservá-los em caixão.

guarinhatã. *S. m.* e *f. Bras.* V. *gurinhatã.*

guaripé. [Do tupi.] *Bras. S. f.* V. *ema*[1].

guarir. [Do gót. *warjan*, 'proteger', 'defender'.] *Desus. V. t. d.* **1.** Curar, sanar, sarar. *Int.* e *p.* **2.** Curar-se, sanar-se, sarar(-se). [Sin. ant.: *guarecer.*]

guariroba. [Do tupi *gwarai-rob'* 'o indivíduo amargo'.] *S. f. Bras.*, V. *coqueiro-amargoso.*

guariroba-do-campo. *S. f. Bras.* V. *butiá-de-vinagre.* [Pl.: *guarirobas-do-campo.*]

guarirobal. *S. m. Bras.* Quantidade mais ou menos considerável de guarirobas dispostas proximamente entre si.

guarita. [Do fr. ant. *garite*, 'refúgio', atual *guérite*, com infl. de *guarida.*] *S. f.* **1.** Torre nos ângulos dos antigos baluartes, destinada a abrigo das sentinelas. **2.** Casinha portátil, de madeira ou de outro material, para o mesmo fim; "A g u a r i t a próxima, erguida no muro alto, parecia deserta: a sentinela devia cochilar pacificamente, esquecida a vigilância." (Graciliano Ramos, *Memórias do Cárcere*, IV, p. 154.) [F. paral.: *guarida.*]

guariúba. [Do tupi *warĩwa.*] *S. f. Bras.* Designação comum a duas árvores da família das moráceas (*Clarisia nitida* e *Clarisia racemosa*).

guarnecedor (ô). *Adj.* e *s. m.* Que ou aquele que guarnece.

guarnecer. [De *guarnir* + *-ecer.*] *V. t. d.* **1.** Prover do necessário; munir, abastecer: *O governo g u a r n e c e u os expedicionários.* **2.** Dispor forças militares em; fortalecer, fortificar: *g u a r n e c e r as fronteiras.* **3.** Ocupar militarmente. **4.** Caiar (parede) depois de rebocada; branquear. **5.** Pôr ornatos ou guarnições na fímbria de; enfeitar nas bordas; adornar: *g u a r n e c e r uma saia.* **6.** *Mar.* Prover de marinheiros, de tripulantes. [Cf., nesta acepç., *equipar* e *tripular.*] **7.** *Tip.* Revestir (o cilindro da prensa) com pano e papel; cercar. *T. d.* e *i.* **8.** Prover, abastecer, munir: *G u a r n e c i - o do necessário ao desempenho da tarefa.* [Sin. ger., p. us.: *guarnir.* Conjug.: v. *aquecer.*]

guarnecido. [Part. de guarnecer.] *Adj.* **1.** Dotado de guarnição; aparelhado. **2.** Tripulado, equipado. ~ V. *pontoação —a.*

guarnecimento. *S. m.* **1.** Ato ou efeito de guarnecer. **2.** Guarnição (1). **3.** *Arquit.* Camada de cal ou de gesso que se aplica para branquear paredes, tetos, etc. **4.** *Arquit.* Adorno, ornato.

guarnição. [De *guarnir* + *-ção.*] *S. f.* **1.** Aquilo que guarnece; guarnecimento. **2.** Tropa que defende determinada praça, que foi destacada para servir nela. **3.** *Bras. Mar. G.* A totalidade das praças que guarnecem um navio de guerra [Cf. *tripulação.*] **4.** Grupo de praças que guarnece determinado posto de serviço: *g u a r n i ç ã o de um canhão, de uma lancha.* **5.** O conjunto dos remadores dum barco de regata. **6.** O punho e os copos da espada. **7.** Ornato, enfeite, adorno. **8.** Enfeite em beirada; orla: *A toalha tem uma g u a r n i ç ã o de renda em toda a volta; Há uma g u a r n i ç ã o de pregas na saia.* **9.** *Constr.* Régua ou sarrafo que se usa para cobrir a junta formada no encontro do marco de uma porta ou janela com a parede; mata-junta, alisar, cercadura. **10.** *Tip.* Material branco [q. v.] usado na imposição e no engradamento da fôrma, ou para formar os claros maiores da composição. [V. *lingão, lingote* (4) e *regreta* (1).] **11.** *Tip.* Moldura ornamental, composta de fios ou vinhetas, que se põe em páginas, estampas, etc.; cercadura, orla, tarja. **12.** *Bras.* Guarnição (7 e 8) feita com uma preparação culinária, um alimento cru (verdura ou fruta), ou outro material adequado, e que se usa no arranjo de um prato. [Cf. *acompanhamento* (8).]

guarnir. [Do germ. ocidental *warjan*, 'avisar, advertir'.] *V. t. d.* e *t. d.* e *i. P. us.* Guarnecer. [Defect., só conjugável nas f. em que ao *n* se segue um *i*: *guarnimos, guarnis; guarnia*, etc.]

guar-te. [Por *guarda-te* ('acautela-te, abstém-te, resguarda-te'), 2ª pess. do sing. do imperat. de *guardar-se*, com apócope.] *El. verbal.* Us. na loc. *sem tir-te nem guar-te* [q. v.].

guaru. [Do tupi *gwar u*, 'aquele que come'.] *S. m. Bras.* V. *barrigudinho* (1).

guaruaçu. [De *guaru*, red. de *guaru-guaru*, + *-açu.*] *S. m. Bras.* Espécie de peixe da família dos pecilídeos (*Phalloptychus jamarius* (Hensel)).

guaruba. *S. f. Bras.* Ave psitaciforme, da família dos psitacídeos (*Guaruba guarouba* (Gmel.)), que ocorre nos Estados do PA e MA, de coloração amarela, e rêmiges verdes; aiurujuba, ararajuba, guarajuba, marajuba, tanajuba.

guaruçá. [Do tupi *kwara u'sá*, 'caranguejo de buraco'.] *S. m. Bras.* V. *espia-maré* (3).

guarucaia. *S. f. Bras.* V. *lepra* (1).

guaru-guaru. [Do tupi *gwar u*, 'aquele que come', repetido.] *S. m. Bras.* V. *barrigudinho* (1). Pl.: *guarus-guarus* e *guarus-guaru.*]

guarulhense. *Adj. 2 g.* **1.** De, ou pertencente ou relativo a Guarulhos (SP) ● *S. 2 g.* **2.** Natural ou habitante de Guarulhos.

guarulho. *Bras. S. m.* **1.** Indivíduo dos guarulhos, denominação outrora dada pelos portugueses a diversas tribos índias de várias capitanias do Brasil. ● *Adj.* **2.** Pertencente ou relativo a qualquer dessas tribos.

guarundi. [Var. de *guiraundi.*] *S. m. Bras.* V. *tié-preto.*

guarundi-azul. *S. m. Bras.* V. *azulão* (1). [Pl.: *guarundis-azuis.*]

guarupu. [Do tupi.] *S. m. Bras.* V. *guarapu* (1).

guasca. [Do quíchua *kuask'a*, 'corda, laço'.] *S. f. Bras., RS.* **1.** Tira ou correia de couro cru. ● *S. 2 g.* **2.** V. *caipira* (1). **3.** V. *rio-grandense-do-sul* (2). ● *Adj. 2 g.* **4.** Do, ou pertencente ou relativo ao rio-grandense-do-sul, ou próprio dele; gaúcho.

guascaço. [Do esp. plat. *guascazo.*] *S. m. Bras., RS.* Golpe de guasca (1); guascada, guasqueada.

guascada. [De *guasca* + *-ada*[1].] *S. f. Bras., RS.* **1.** Reunião ou grupo de guascas; gauchada, guascaria. **2.** V. *guascaço.*

guasca-largado. *S. m. Bras., RS. Pop.* V. *valentão* (3). [Pl.: *guascas-largados.*]

guascaria. *S. f. Bras., RS.* **1.** V. *guascada* (1). **2.** Estabelecimento que negocia com guasca (1).

guasqueação. *S. f. Bras., RS.* Ato de guasquear.

guasqueada. [De *guasquear* + *-ada*[1].] *S. f. Bras., RS.* V. *guascaço.*

guasquear. [Do esp. plat. *guasquear.*] *V. t. d. Bras., RS.* Fustigar com a guasca, ou com outro açoite qualquer. [Conjug.: v. *frear.*]

guasqueiro[1]. *S. m. Bras., RS.* Indivíduo que trabalha em guascas [v. *guasca* (1)].

guasqueiro[2]. *Adj. Bras.* Vasqueiro, raro.

guataia. *S. f. Bras.* V. *pau-marfim.*

guataiapoca. *S. f. Bras.* V. *arapoca.*

guatambu. [Do tupi *gwa a'tã mbu*, 'o que é duro e sonoro'.] *S. m.* **1.** *Bras.* Designação comum a diversas espécies do gênero *Aspidosperma*, da família das apocináceas, de boa madeira, usadíssima para cabo de ferramentas agrícolas. **2.** *Bras., MG, SP* e *GO. Pop.* Enxada (1). **3.** *Bras., SP. Pop.* Cabo de enxada.

guatapará. [Do tupi.] *S. m. Bras.* V. *veado-mateiro.*

guatapi. [Var. de *uatapu.*] *S. m. Bras.* V. *búzio* (1).

guatemalense. *Adj. 2 g.* e *s. 2 g.* Guatemalteco.

guatemalteco. [Do esp. *guatemalteco.*] *Adj.* **1.** Da, ou pertencente ou relativo à Guatemala (América Central). ● S. m. **2.** Natural ou habitante da Guatemala. [Sin. ger.: *guatemalense.*]

guatingueiro. *S. m. Bras. BA.* Certo aparelho de pesca.

guatinhuma. [De or. indígena.] *S. f. Bras.* V. *gaturamo.*

guató. *Bras. S. 2 g.* **1.** Indivíduo dos guatós, tribo indígena do alto Paraguai (lagoa Uberaba), que fala uma língua tida como isolada. ● *Adj. 2 g.* **2.** Pertencente ou relativo a essa tribo.

guavatã. [Do tupi, decerto.] *S. m. Bras., SP.* V. *camboatã-de-folha-grande.*

guatucupajuba. *S. m. Bras.* V. *canhanha* (2).

guavirova. *S. f. Bras.* V. *guabiroba.*

guaxe. [Do tupi *waxi*, t. onom.] *S. m. Bras.* **1.** Ave passeriforme, da família dos icterídeos (*Cacicus, haemorrhous affinis* Sw.), do Brasil central para o S., de coloração preta, dorso inferior e uropígio vermelho-vivos, e bico claro; japira, japuíra, japuí, japujuba, xicu, bauá, xexéu-bauá. **2.** V. *joão-congo.* **3.** V. *japim-de-costa-vermelha.* [Cf. *guache.*]

guaxi. *Bras. S. 2 g.* **1.** Indivíduo dos guaxis, tribo indígena de MT. ● *Adj. 2 g.* **2.** Pertencente ou relativo a essa tribo.

guaxima. [Do tupi *wa'sima.*] *S. f. Bras.* **1.** Planta da família das malváceas (*Urena lobata* Cav.), de fibras têxteis, e dotada de propriedades medicinais: guaxiúma, guaxuma, guanxuma, uaicima. **2.** Designação comum a diversas espécies do gênero *Sida*, da mesma família, particularmente do *Sida rhombifolia.*

guaximba-preta. *S. f. Bras.* Planta da família das moráceas (*Ficus radily*). [Pl.: *guaximbas-pretas.*]

guaxindiba. [Do tupi *gwaxi' ndiba*, 'vassouras em abundância'.] *S. f. Bras.* Planta da família das malváceas (*Kydia brasiliensis*).

guaxinguba. [Do tupi.] *S. f. Bras., N.* e *N.E.* Planta urticácea cuja casca é utilizada por alguns selvagens na feitura de tangas e camisas.

guaxinim. [Do tupi *waxi'ni.*] *S. m. Bras.* V. *Mão-pelada.*

guaxiúma. *S. f. Bras.* V. *guaxima* (1).

guaxo. [Do quíchua *huajcha, huagcho, huaccha*, pelo esp. *guacho.*] *S. m.* **1.** *Bras.* Designação dada pelos ervateiros às mudas da erva-mate. **2.** *Bras., S.* Animal (e, p. ext., criança) amamentado com leite que não é o materno. **3.** *Bras., S.* e GO. V. *João-congo* ● *Adj.* **4.** Diz-se daquele que não tem mãe ou que dela foi separado na idade da amamentação. **5.** Diz-se do ovo que a ave põe fora do seu ninho ou em ninho doutra ave. **6.** Diz-se de pé de milho, feijão, etc., que nasce à toa e vinga sem os cuidados da capina. [Seria preferível a grafia *guacho*. Cf. *guacho*, var. de *guache*.]

guaxuma. *S. f. Bras.* V. *guaxima* (1).

guaxumbo. *S. m. Bras.* V. *saguaraji*.

guaxupé. [Do tupi *gwa* + *xu pé*.] *S. f. Bras.* Abelha melipônida selvagem.

guaxupeano. *Adj.* **1.** De, ou pertencente ou relativo a Guaxupé (MG). ● *S. m.* **2.** O natural ou habitante de Guaxupé.

guazil. *S. m.* V. *aguazil*.

gude. [De *gode* (prov. minhoto), 'pedrinha redonda e lisa'.] *S. m. Bras.* Jogo infantil em que se procura fazer entrar em três buracos bolinhas de vidro, ou os carocinhos pretos do fruto do saboeiro, ganhando o jogador que chega primeiramente de volta ao primeiro buraco: "Raul brincava sossegado com as bolas de gude" (Lia Correia Dutra, *Navio sem Porto*, p. 171). [Sin., em partes diversas do Brasil: *baleba, bilosca, birosca, pirosca, bolita, búraca, búrica, firo, peteca* e *ximbra*.]

gudermanniana. [Do antr. *Gudermann*, de C. Gudermann, matemático alemão (1798-1852), + *-i-* + *-ana*, fem. de *-ano*.] *S. f. Anál. Mat.* A função arco tangente do seno hiperbólico de x.

gudião. *S. m. Bras.* V. *bodião*[1].

gudunho. *S. m. Bras.* Peixe teleósteo, plectógnato, da família dos monocantídeos (*Alutera monoceros* (Osb.)), do Atlântico, claviforme, e de coloração cinérea uniforme, com a axila das nadadeiras peitorais escura; peixe-porco.

guê. *S. m.* Gê. [Pl.: *guês* e *gg*.]

gueba. *S. f. Bras.* Animal forte e grande.

guebo (ê). *S. m. Bras.* V. *agulhão-bandeira*.

guebro. [Do persa *gäbr*, 'adorador do fogo'.] *S. m.* **1.** Indivíduo dos guebros, descendentes dos persas derrotados pelos árabes no séc. VII, e que continuaram praticando o zoroastrismo. ● *Adj.* **2.** Pertencente ou relativo aos guebros.

guebuçu. [Do *guebo* + *-açu*, com assimilação.] *S. m. Bras.* V. *agulhão-bandeira*.

guedé. *S. f. Bras.* V. *coruja-do-campo*.

guedelha (ê). [Do lat. *viticula*, 'pequena vide', 'melena', talvez cruzado com o gót. **wathils*, 'penacho'.] *S. f.* Cabelo desgrenhado e longo. [Var.: *guedelho, gadelha* e *gadelho*.]

guedelho (ê). *S. m.* V. *guedelha*.

guedelhudo. *Adj.* Que tem guedelhas; cabeludo: "Pela abertura da camisa desabotoada via-se-lhe o peito guedelhudo, arfando." (Coelho Neto, *Treva*, p. 312.) [Var.: *gadelhudo*.]

guei. [Do ingl. *gay*, 'alegre', 'gaio'.] *Adj. 2 g.* e *s. 2 g.* Diz-se de, ou pessoa homossexual; gay.

gueijo. [Do ingl. *gauge*, 'medida, bitola, calibre'?] *S. m. Bras.* Instrumento usado para marcar a bitola nas estradas de ferro.

gueirana. *S. f. Bras.* Árvore silvestre, da família das apocináceas (*Tabernaemontana laeta*), cuja madeira se usa em caixas; guairana.

gueixa. [Do jap. *gêixa*<*gêi*, 'arte', + *xa*, 'pessoa'.] *S. f.* No Japão, jovem cantora e dançarina. [Cf. *guexa*.]

gueledê. [Do ioruba.] *S. m. Bras., BA.* Festa cerimonial das máscaras.

guelfo. [Do antr. *Welf*, de uma família nobre alemã radicada na Itália.] *Adj.* e *s. m.* Nos Estados italianos da Idade Média, partidário dos papas e adversário dos gibelinos.

guelra. [De *goela*?] *S. f.* Aparelho respiratório dos animais que vivem ou podem viver na água e não respiram por pulmões; brânquia: "Um deles vinha alquebrado com volumosa carga de peixes, todos enfiados, presos pela boca, pelas guelras" (José Fonseca Fernandes, *Joatão e a Ilha*, p. 53).

guembê. *S. m. Bras.* Folha-de-urubu. [Cf. *guembê*.]

guembê. *S. m. Bras.* V. *cipó-de-imbé*. [Cf. *guembê*.]

guenza. *S. f. Bras., MT.* V. *jacundá* (1).

guenza-branca. *S. f. Bras.* V. *jacundá-branco*. [Pl.: *guenzas-brancas*.]

guenza-verde. *S. f. Bras.* Jacundá-verde. [Pl.: *guenzas-verdes*.]

guenzo. *Adj.* **1.** *Bras.* Muito magro; adoentado; enfezado, fraco: "Ele anda .... pregoando pra Zizinha, minha namorada, que eu sou guenzo, que não agüento a canhota dele, nem com as duas mãos." (Nélson de Faria, *Tiziu e Outras Estórias*, p. 171.) **2.** *Bras., N.E.* Inseguro, bamboleante, bambaleante. **3.** *Bras., RS.* Fora do prumo; inclinado, torto: "As casas guenzas e de reboco descascado .... fecharam, quase todas, as feias janelas de guilhotina." (Telmo Vergara, *Contos da Vida Breve*, p. 163.)

guereguerê. [Voc. onom.] *S. m. Bras. Pop.* Falatório, mexerico, intriga. [F. paral.: *gueriguéri*.]

guericke. [Do antr. *Guericke*, de Otto von Guericke, físico alemão (1602-1686).] *S. m. Fís.* Unidade de medida de pressão, igual à exercida por uma coluna de água de um centímetro de altura. [Símb.: *Ger*.]

gueriguéri. *S. m. Bras. Pop.* V. *guereguerê*.

gueriri. *S. f. Bras.* V. *ostra* (1).

guerra. [Do germ. ocidental *werra*, 'discórdia', 'peleja'.] *S. f.* **1.** Luta armada entre nações ou partidos; conflito. **2.** Expedição militar; campanha. **3.** Combate, peleja, luta, conflito. **4.** *P. ext.* A arte militar. **5.** A administração, os negócios militares: *O antigo Ministério da Guerra, chama-se hoje Ministério do Exército*. **6.** *Fig.* Oposição, hostilidade: *Os dois concorrentes estão em guerra pela preferência do público*. ◆ **Guerra atômica.** Guerra nuclear. **Guerra bacteriológica.** Guerra biológica. **Guerra biológica.** Guerra em que se empregam microrganismos vivos ou suas toxinas prejudiciais ou letais aos seres humanos ou às plantações, rebanhos, etc.; guerra bacteriológica. **Guerra civil.** A que se faz entre partidos ou grupos de um mesmo povo; guerra intestina. **Guerra convencional.** Guerra que é levada a efeito com forças armadas regulares e o emprego de armas convencionais (sobretudo armas de fogo). **Guerra de extermínio.** Aquela em que um ou os contendores se empenham em exterminar totalmente o adversário; guerra total, guerra de morte, guerra sem cartel. **Guerra de morte.** *Fig.* V. *guerra de extermínio*. **Guerra de movimento.** *Mil.* A que se desenrola em locais sempre flutuantes, procurando os contendores, em batalhas sucessivas e pela pressão ininterrupta sobre o inimigo, destruir-lhe a capacidade de lutar. [Opõe-se a *guerra de trincheira*.] **Guerra de nervos.** Ato, atitude, notícia, etc., com que se busca sobressaltar o adversário para com maior facilidade o dobrar ou vencer. **Guerra de posição.** *Mil.* Aquela em que dois exércitos inimigos se defrontam, entrincheirados, cada qual procurando desgastar a força do adversário e ocupar posições dominantes ou outras que lhe permitam dominar o adversário pela redução do poder de luta contrário. **Guerra de trincheiras.** Guerra em que os exércitos contendores se instalam em trincheiras, procurando conquistar as dos adversários; guerra de toupeiras. [Opõe-se a *guerra de movimento*.] **Guerra econômica.** Guerra (6) em que se empregam ações econômicas para pressionar outrem. **Guerra fria.** Estado de tensão entre prováveis beligerantes, que buscam prejudicar-se mutuamente por meio de quaisquer atos que não impliquem diretamente declaração de guerra. **Guerra global.** Aquela cujo(s) teatro(s) de operações se estende(m) pelo mundo inteiro. [Cf. *guerra total*.] **Guerra intestina.** Guerra civil. **Guerra limitada.** Aquela em que os Estados envolvidos lançam mão de apenas uma parte dos seus recursos materiais e humanos mobilizáveis. **Guerra localizada.** Aquela cujo(s) teatro(s) de operações se localiza(m) numa área geográfica restrita. **Guerra nuclear.** Aquela em que se empregam armas nucleares ou atômicas, i. e., baseadas na fissão de átomos de substâncias pesadas, tais como o urânio e o plutônio, ou fusão de átomos de substâncias leves, tais como o hidrogênio; guerra atômica. **Guerra psicológica.** Guerra (6) que é levada a efeito mediante ações de natureza psicológica (propaganda, intimidação, etc.). **Guerra química.** Aquela em que se empregam substâncias químicas prejudiciais à vida. **Guerra revolucionária.** Guerra de caráter ideológico, levada a efeito contra um governo constituído, mediante o emprego de guerrilhas rurais e urbanas, e de ações de natureza psicológica. **Guerra santa.** **1.** A que se fazia contra os infiéis a pretexto de conquistar os lugares santos. **2.** *P. ext.* Guerra por motivo ou a pretexto religioso. [Cf. *hagiomaquia*.] **Guerra sem cartel.** **1.** V. *guerra de extermínio*. **2.** *Fig.* Perseguição inclemente. **Guerra total.** **1.** Aquela em que os Estados envolvidos lançam mão de todos os seus recursos materiais e humanos mobilizáveis. **2.** V. *guerra de extermínio*. [Cf. *guerra global*.] **Velho de guerra.** Expressão que envolve admiração, carinho, etc.: *Como vão todos em casa, amigo velho de guerra? Olá, compadre velho de guerra!*

guerra-relâmpago. *S. f.* A que se desenvolve e é resolvida rapidamente, mercê do uso de grande quantidade de meios de ação combinados, particularmente aviação e blindados, com o objetivo de paralisar e desintegrar a moral das forças adversárias e dos países a que pertencem. [Pl.: *guerras-relâmpagos* e *guerras-relâmpago*.]

guerreador (ô). *Adj.* e *s. m.* Que ou aquele que guerreia.

guerrear. *V. t. d.* **1.** Travar guerra com; fazer guerra a; combater: "Se fosse guerreiro, bateria às costas da Aquitânia ou às da Grã-Bretanha a guerrear ingleses; mas com vizinhos — amizades." (Antero de Figueiredo, *Leonor Teles*, pp. 141-142); "demora semanas e semanas os dramas, sem os ler; guerreia as vírgulas e as palavras" (Rebelo da Silva, *Bosquejos Histórico-Literários*, I, p. 30). **2.** Fazer oposição a; hostilizar: "Odeiam e guerreiam os padres e no entanto continuam a entregar suas mulheres aos confessionários" (Ramalho Ortigão, *As Farpas*, II, p. 94). **3.** Causar dano ou vexame a; perseguir, vexar, oprimir: *A polícia guerreia sem tréguas os criminosos*. *Int.* **4.** Travar ou fazer guerra; combater, pugnar, pelejar, lutar. [Conjug.: v. *frear*.]

guerreira. [Fem. de *guerreiro*.] S. f. Bras. V. *formiga-correição*.

guerreiro. *Adj.* **1.** Referente a, ou próprio da guerra. **2.** Belicoso, aguerrido, combativo; armipotente. ● *S. m.* **3.** Indivíduo que guerreia. **4.** Aquele que tem ânimo belicoso. **5.** Aquele que tem tomado parte em guerras, portando-se com denodo. **6.** Aquele que exerce a profissão das armas. **7.** *Bras., RS.* Cavalo que, cansado de serviços a forças beligerantes, ou delas desgarrado, vai ter às estâncias, sem que lhe conheçam o dono. ~ V. *guerreiros*.

guerreiros. [Pl. de *guerreiro*.] *S. m. pl. Bras.* Auto popular, composto de elementos dramático-musicais de velhos reisados, e que termina com a cena da morte do boi, tirada do bumba-meu-boi. Consiste na luta entre guerreiros e caboclos, e reúne grande número de participantes, que se exibem com vistosas coroas. [Sin., em AL: *baile*.] ~ V. *guerreiro*.

guerrídeo. *S. m.* e *adj.* Gerrídeo.

guerrídeos. *S. m. pl. Zool.* Gerrídeos.

guerrilha. [Do esp. *guerrilla*.] *S. f.* **1.** Luta armada realizada por meio de pequenos grupos constituídos irregularmente, sem obediência às normas estabelecidas nas convenções internacionais, e que, com extrema mobilidade e grande capacidade de atacar de surpresa, visa ao crescimento progressivo das próprias forças mediante a incorporação de novos combatentes e abertura de novas frentes guerrilheiras até que se possam travar com êxito combates diretos contra as tropas regulares inimigas: *Os brasileiros empregaram a guerrilha para combater o domínio holandês*. **2.** *P. ext.* Corpo de combatentes que lutam segundo essa técnica: *A guerrilha atravessou extensas regiões*. **3.** Tropa indisciplinada. ◆ **Guerrilha rural.** Guerrilha (1) cujos princípios gerais foram devidamente adaptados à luta no campo. **Guerrilha urbana.** Guerrilha (1) cujos princípios gerais foram devidamente adaptados à luta urbana.

guerrilhar. [De *guerrilha* + *-ar*[2].] *V. int.* Ser guerrilheiro; viver como guerrilheiro.

guerrilheiro. *S. m.* **1.** Aquele que combate numa guerrilha (1). ● *Adj.* **2.** Relativo a, ou próprio de guerrilha (1): *manual guerrilheiro*. **3.** Onde se trava guerrilha: *frente guerrilheira*. **4.** Pertencente ou relativo a guerrilha (2): *acampamento guerrilheiro*.

gueta (ê). *S. f. Bras.* V. *ninharia*.

gueto (ê). [Do it. *ghetto*.] *S. m.* **1.** Bairro onde os judeus eram forçados a morar, em certas cidades européias. **2.** *P. ext.* Bairro, em qualquer cidade, onde são confinadas certas minorias por imposições econômicas e/ou raciais.

guexa (ê). [Do açor. *gueixo*, 'novilho'.] *S. f. Bras., RS.* V. *burra* (1). [Cf. *gueixa*.]

guia. [Dev. de *guiar*.] *S. f.* **1.** Ato ou efeito de guiar. **2.** Documento que acompanha a correspondência oficial e a isenta de pagamento de porte, ou que acompanha mercadorias para que tenham livre trânsito. **3.** Formulário usado em repartições públicas para pagamento de importâncias devidas, notificações, etc. **4.** Vara que assenta a empa da vinha. **5.** V. *remígio* (1). **6.** V. *galocha* (2). **7.** Cada uma das longas correias que se afivelam nas tesouras e se comunicam com o freio dos cavalos de tiro. **8.** Correia comprida que se afivela na argola do cabeção de um cavalo para exercício de picadeiro, ficando a outra extremidade na mão do picador. **9.** Peça que dirige o movimento do êmbolo das máquinas de vapor. **10.** Os pêlos de cada um dos extremos do bigode: "a barba loura apartada em leque, o bigode torcido em grandes guias" (Ramalho Ortigão, *Notas de Viagem*, p. 29). **11.** *Art. Gráf.* V. *baliza* (9). **12.** *Bras.* V. *meio-fio* (1): "Depois se equilibrou na guia do passeio, pesadamente desceu ao leito da rua." (Antônio de Alcântara Machado, *Novelas Paulistanas*, p. 246.) **13.** *Bras.* Bebida que se toma antes de outra. ● *S. 2 g.* **14.** Pessoa que guia, orienta outros. **15.** Pessoa ou profissional que acompanha turistas, viajantes, etc., chamando-lhes a atenção para o caminho por onde seguem e dando informações sobre ele e sobre as obras-de-arte, edificações ou coisas importantes com que vão deparando. • *S. m.* **16.** Livro ou publicação de instruções acerca de algum ramo especial de serviço ou de qualquer outro assunto: *guia do criador de porcos; guia das mães.* **17.** Publicação destinada a orientar habitantes ou visitantes de determinada região ou cidade, sobre atrações turísticas, estradas, logradouros, horários de transportes, etc.; roteiro. **18.** *Marinh.* Cabo preso a um objeto que está sendo içado ou arriado, para lhe ir dando a direção conveniente. **19.** *Bras., RJ. Folcl.* V. *orixá.* **20.** *Bras. Folcl.* Espírito de alta elevação e luminosidade, nos centros umbandistas. **21.** *Bras.* O vaqueiro que encabeça a boiada. ♦ **Guia de onda.** *Fís.* Tubo condutor, ou cilindro dielétrico, capaz de conduzir uma onda eletromagnética ou de irradiá-la para o espaço.

guia-corrente. [De *guiar* + *corrente.*] *S. m.* Estrutura destinada a orientar as correntes de um rio ou de um estuário, de modo que provoque o aprofundamento do canal pela intensidade da correnteza. [Pl.: *guia-correntes.*]

guiada. *S. f. Bras. Pop.* Alter. de *aguilhada* [q. v.].

guiado. [Part. de *guiar.*] *Adj.* ~ V. *míssil* —.

guiador (ô). *Adj.* **2.** Que guia; guiante. • *S. m.* **2.** Aquele que guia. **3.** Índice de livros de escrituração.

guiagem. [De *guiar* + *-agem*².] *S. f.* Imposto sobre transporte de mercadorias, fazendas, gados, etc.

guia-lopense. *Adj. 2 g.* **1.** De, ou pertencente ou relativo a Guia Lopes (MG). • *S. 2 g.* **2.** Natural ou habitante de Guia Lopes. [Pl.: *guia-lopenses.*]

guia-matrizes. [De *guiar* + o pl. de *matriz.*] *S. m. 2 n. Tip.* Peça da linotipo que serve para facilitar a entrada das matrizes no componedor.

guiamento. *S. m.* **1.** Ação de guiar-se; guia. **2.** *Astron.* Conjunto de operações necessárias para encaminhar um veículo espacial a um determinado objetivo. ♦ **Guiamento astronômico.** *Astron.* Sistema de guiamento autônomo que utiliza astros como referência; guiamento celestial. **Guiamento autônomo.** *Astron.* Sistema de guiamento cujos componentes estão no interior do engenho. **Guiamento celestial.** *Astron.* Guiamento astronômico. **Guiamento de atração.** *Astron.* Aquele em que o engenho se orienta para o objetivo por meio de emissões recebidas deste. **Guiamento de atração ativo.** *Astron.* Guiamento de atração que utiliza emissões de uma fonte contida no engenho e refletidas pelo objetivo. **Guiamento de atração passivo.** *Astron.* Guiamento de atração que utiliza emissões características do objetivo. **Guiamento de atração semi-ativo.** *Astron.* Guiamento de atração que utiliza emissões de uma fonte fora do engenho e refletidas pelo objetivo. **Guiamento de feixe.** *Astron.* Aquele em que dispositivos sensíveis a um feixe de radar, contidos no engenho, controlam a trajetória deste de sorte que o mantém no eixo central do feixe. **Guiamento de inércia.** *Astron.* Guiamento autônomo independente de influências externas, e que mantém o engenho em trajetória e velocidades predeterminadas, pela correção contínua da atitude e da aceleração. **Guiamento de influência geofísica.** *Astron.* Guiamento autônomo pelo qual a trajetória predeterminada de um engenho pode ser corrigida por meio de dispositivos que reagem a determinadas características terrestres; guiamento de referência terrestre. **Guiamento de meio curso.** *Astron.* Aquele que vai do término da fase do lançamento até o início da fase terminal do vôo. **Guiamento de radionavegação.** *Astron.* Guiamento em que o engenho é mantido numa trajetória predeterminada por meio de um dispositivo que utiliza os sinais de rádio externos. **Guiamento de referência terrestre.** *Astron.* Guiamento de influência geofísica. **Guiamento de telecomando.** *Astron.* Aquele em que a trajetória dum engenho é corrigida continuamente pelos sinais eletromagnéticos de uma fonte externa. **Guiamento pré-ajustado.** *Astron.* Guiamento autônomo em que se registram elementos que obrigam o engenho a percorrer uma trajetória predeterminada, não sendo possíveis os reajustes após o lançamento.

guiana (gùi). *Bras. S. 2 g.* **1.** Indivíduo dos guianas, tribo indígena do N., das margens do rio Araçá. • *Adj. 2 g.* **2.** Pertencente ou relativo a essa tribo. [Cf. *goiana*, fem. de *goiano*, e *Goiana*, top.]

guianense¹ (gùi). *Adj. 2 g.* **1.** De, ou pertencente ou relativo às Guianas. (Guiana Francesa, Guiana Inglesa e Guiana Holandesa). • *S. 2 g.* **2.** O natural ou habitante das Guianas. [Sin. ger.: *guianês.*]

guianense² (gùi). *Adj. 2 g.* **1.** Da, ou pertencente ou relativo à Guiana (antiga Guiana Inglesa). • *S. 2 g.* **2.** Natural ou habitante da Guiana.

guianense³ (gùi). *Adj. 2 g.* **1.** Da, ou pertencente ou relativo à Guiana Francesa. • *S. 2 g.* **2.** Natural ou habitante da Guiana Francesa.

guianês (gùi). *Adj. 2 g.* e *s. 2 g.* Guianense¹. [Flex.: *guianesa* (ê), *guianeses* (ê), *guianesas* (ê).]

guiante. *Adj. 2 g.* Guiador (1).

guião. [Do fr. ant. *guion.*] *S. m.* **1.** Estandarte que vai à frente de procissões ou irmandades: "Com o guião e a cruz de tintinábulos, os romeiros de cem aldeias traziam frauta, sanfona e o bornal farto." (Aquilino Ribeiro, *Caminhos Errados*, p. 268.) **2.** Estandarte que ia à frente das tropas: "falamos de apostas, porfias e promessas de cavaleiros, antes de se desfraldarem os guiões e bandeiras na batalha de Aljubarrota." (Camilo Castelo Branco, *Noites de Insônia*, I, p. 26). [Sin., nestas acepç.: *pendão.*] **3.** O cavaleiro que conduzia esse estandarte. **4.** *Mús.* Sinal musical antigo que, posto no fim de uma pauta, indicava a primeira nota da pauta seguinte. **5.** Guidom (1) [q. v.]. [Pl.: *guiães* e *guiões.*]

guiar. Do um lat. pop. **guidare*, com base em um **widare*, do gót. + *widan*, 'juntar(-se)'.] *V. t. d.* **1.** Servir de guia a; orientar, dirigir: *As estrelas sempre guiaram os navegantes.* **2.** Proteger, amparar, socorrer: *Deus te guie.* **3.** Governar, conduzir (cavalos). **4.** Dirigir (veículo automóvel). **5.** Aconselhar; orientar: "foi preciso alfaiá-la [a casa], e ainda aqui o amigo Palha prestou grandes serviços ao Rubião, guiando-o com o gosto, com a notícia" (Machado de Assis, *Quincas Borba*, p. 40). *T. d.* e *i.* **6.** Conduzir, encaminhar: "O seu fim é .... guiar para o aprisco as ovelhas tresmalhadas do rebanho do Senhor" (Ramalho Ortigão, *Primeiras Prosas*, p. 274). *T. i.* **7.** Levar a; ir ter a: "Guiava à casa do morro, em voltas, o caminho" (Alberto de Oliveira, *Poesias*, 4ª série, p. 223). **8.** Ir, dirigir-se, encaminhar-se: *Tinha de consultar uns livros, e guiou para a biblioteca;* "Guiou dali Vieira para a escola com grande alvoroço" (João Francisco Lisboa, *Obras*, IV, p. 10). *Int.* **9.** Bras. Dirigir um veículo automóvel; dirigir: *Em poucos dias aprendeu a guiar, e é um motorista excelente.* *P.* **10.** Dirigir-se, orientar-se. **11.** Navegar, encaminhar-se.

guiará. *S. m. Bras.* V. *xaréu-branco.*

guibuguira. [Do tupi, decerto.] *S. f. Bras., BA.* Certa formiga.

guichê. [Do fr. *guichet.*] *S. m.* Portinhola aberta em uma parede, porta, grade, e pela qual o público se comunica com funcionários ou empregados de uma repartição pública, de uma instituição, de um escritório, com o caixa de um banco, de uma bilheteria de cinema, teatro, etc., e por onde se entrega ou recebe dinheiro, valores, documentos. etc.

guicó. *S. m. Bras.* V. *sauá.*

guicuru (gùi). *S. 2 g.* e *adj. 2 g. Bras.* Var. de *cuicuru.*

guidão. *S. m.* V. *guidom*: "O pai sentou-se diante do guidão e ligou o carro" (Valdomiro Autran Dourado, *Nove Histórias em Grupos de Três*, p. 182).

guidom. [Do fr. *guidon.*] S. m. **1.** Barra de metal, movimentada manualmente, que comanda a roda da frente de bicicletas, motocicletas, etc.; guião. **2.** *P. ext.* Direção (10). [F. paral.: *guidão.*]

guidovalense. *Adj. 2 g.* **1.** De, ou pertencente ou relativo a Guidoval (MG). • *S. 2 g.* **2.** Natural ou habitante de Guidoval.

gueiro. *Adj.* **1.** Que guia ou vai na frente. • *S. m.* **2.** *Bras.* Indivíduo que guia bois: "E a manada .... perdeu-se na poeira dourada donde apenas vinham os gritos dos gueiros" (Coelho Neto, *A Conquista*, p. 158.) **3.** *Bras.* Carreiro (1).

guiga. [Do ingl. *gig.*] *S. f.* Barco esguio, próprio para regatas: "E a guiga vogando manso, ... sem ruído, tendo a mulher de negro ao leme..." (Fialho d'Almeida, *A Cidade do Vício*, p. 38).

guigó. *S. m. Bras., BA.* V. *sauá.*

guilda. [De *gilda* ou *ghilda*, latinização medieval do médio neerl. *gilde*, pelo fr. *guilde.*] *S. f.* Associação de mutualidade constituída na Idade Média entre as corporações de operários, artesãos, negociantes ou artistas.

guilder. *S. m.* Unidade monetária, e moeda, da Holanda, das Antilhas Holandesas e do Suriname,

guilha¹. [Do esp. *guilla.*] *S. f. Desus.* Colheita abundante de cereais.

guilha². [Do ant. fr. *guille* < frâncico **wigila*, 'traição'.] *S. f.* Fraude, logro, velhacaria.

guilherme. [Do fr. *guillaume*, tirado, decerto, do nome do inventor.] *S. m.* Utensílio usado pelos carpinteiros para fazer os filetes das portas, as junturas das tábuas, frisos de caixilhos, etc.

guilho. *S. m.* Espigão de ferro ou de pedra em que termina inferiormente o eixo do rodízio, e que gira dentro duma cavidade aberta em uma pedra fixa.

guilhochê. [Do adj. fr. *guilloché*, substantivado.] *S. m.* Ornato composto de linhas onduladas que se cruzam ou entrelaçam simetricamente. [Var.: *guilochê.* Cf. *azurado* (2), *grisado* e *hachura.*]

guilhotina. [Do fr. *guillotine.*] *S. f.* **1.** Instrumento de decapitação, no qual o golpe é desferido por uma lâmina triangular precipitada de certa altura. **2.** Tipo de caixilho de janela, em geral envidraçado, que se levanta e abaixa verticalmente, com movimento semelhante ao da guilhotina: "E as duas velhas, as cabeças grisalhas e de coque repuxado, quase iguais na moldura ainda mais velha da janela de guilhotina, enxergam a cena insólita." (Telmo Vergara, *Contos da Vida Breve*, p. 172.) **3.** *Art. Gráf.* Máquina para cortar papel, livros, etc., por meio de faca que desce de viés e apara o material, preso pelo calçador, no ponto previamente determinado pelo esquadro.

guilhotinar. *V. t. d.* Decapitar com a guilhotina.

guilochê. *S. m.* Var. de *guilhochê* [q. v.].

guimba. *S. f. Bras. Pop.* A parte que resta do charuto, do cigarro ou do baseado¹ depois de fumados; bagana, beata, chica, menor, piola, ponta, prisca, pucho, vinte, vintes, xepa.

guimarantino. *Adj.* e *s. m.* V. *vimaranense.*

guimbarda. [Do fr. *guimbarde.*] *S. f.* V. *berimbau* (1).

guimberana. *S. f. Bras.* **1.** V. *aningaúba.* **2.** Folha-da-fonte.

guina¹. *S. f.* Apetite violento; gana.

guina². [Dev. de *guinar.*] *S. f. Bras.* V. *guinada* (3).

guinação. *S. f. Bras. Pop.* Papagaio (5) que dá guinadas violentas.

guinada. [De *guinar* + *-ada*¹.] *S. f.* **1.** Mar. Desvio da proa para um ou outro bordo, que afasta o navio, deliberadamente ou por força das circunstâncias, do rumo em que vinha: "Havia .... um torvelinhar surdo e vago de coisas no tombadilho: eram as ondas que, às vezes, à menor guinada, apesar de todo o cuidado no leme, embarcavam pelo través, pela alheta" (Virgílio Várzea, *Nas Ondas*, p. 45). **2.** *Astron.* Movimento dum veículo espacial em torno dum eixo contido num plano vertical, e normal ao eixo longitudinal do veículo. **3.** *P. ext.* Mudança ou desvio profundo, radical, e/ou súbito, numa situação, numa atitude, etc.; virada, guina: *Quando enxergou o inimigo, deu uma guinada e passou para o outro lado da rua; Já tudo combinado, deu uma guinada e desistiu do negócio.* **4.** *P. ext.* Salto dado pelo eqüídeo para esquivar-se ao castigo do cavaleiro. **5.** Dor aguda e repentina.

guinambé. *S. m. Bras.* V. *anambé*¹ (1).

guinar. *V. int.* **1.** Mover-se às guinadas; oscilar. **2.** *Mar.* Desviar (a embarcação), de propósito ou por força das circunstâncias, a proa do rumo que vem seguindo, para outro rumo; dar uma guinada (1); bordejar. **3.** *P. ext.* Dar guinada (3): *O automóvel saiu guinando a torto e a direito.* **4.** Desviar-se com rapidez. *T. d.* **5.** Voltar com rapidez ou repentinamente.

guinaú. *Bras. S. 2 g.* **1.** Indivíduo dos guinaús, tribo indígena aruaque da fronteira do Brasil com a Venezuela. • *Adj. 2 g.* **2.** Pertencente ou relativo a essa tribo.

guincha. *S. f. Bras., RS.* Poldra. V. *égua* (1).

guinchado. [De *guincho*¹ + *-ado*¹.] *S. m.* **1.** Série de guinchos. **2.** Gritaria.

guinchar¹. [De *guincho*¹ + *-ar*².] *V. int.* **1.** Soltar guinchos; chiar: "Fisgado ao pescoço, o porco quase sem fôlego guinchava de dor." (Gustavo Barroso, *Terra de Sol*, p. 87); "Os freios do Buick guincham nas rodas e os pneumáticos deslizam rente à calçada." (Antônio de Alcântara Machado, *Novelas Paulistanas*, p. 64). *T. d.* **2.** Dar ou soltar ao modo de guincho: "outros cães, com as caudas retraídas, aflitos, saltavam paredes, guinchando latidos de pavor." (Camilo Castelo Branco, *Sentimentalismo e História*, p. 209).

guinchar². [De *guincho*² + *-ar*².] *V. t. d. Bras.* **1.** Puxar ou arrastar (um veículo) com o guincho² (3). **2.** Içar com o guincho.

guincheiro. *S. m. Bras. Mar. Merc.* Aquele que opera um guincho² (2).

guincho¹. [T. onom.] *S. m.* **1.** Som agudo e inarticulado, do homem e de alguns animais: "E ouve-se o guincho estridente / Que no ar sossegado e quente / Solta um gavião-de-penacho." (Ricardo Gonçalves, *Ipês*, p. 20.) **2.** Som agudo produzido pelas rochas dos carros e por outras coisas; chio.

guincho². [Do ingl. *winch.*] *S. m.* **1.** Pequeno guindaste (1). **2.** *Constr. Nav.* Máquina constituída por um ou dois tambores presos a um eixo horizontal movido a eletricidade ou a vapor, empregada a bordo na manobra de cabos ou amarras: "Puxara a embarcação no declive um sistema especial de guinchos, invenção do engenheiro Morton. (Ranulfo Prata, *Navios Iluminados*, p. 49.) [Cf. *cabrestante*.] **3.** *Bras.* Automóvel provido de guindaste, utilizado geralmente para puxar carros enguiçados; reboque.

guinda. [Dev. de *guindar*.] *S. f.* **1.** Corda de guindar. **2.** *Marinh.* Altura (de um mastro ou mastaréu ou de um mastro completo).

guindado. [Part. de *guindar*.] *Adj.* **1.** Que se guindou, alçou; alçado. **2.** Empolado, afetado, enfático: "Outro defeito que se lhe argúi [a Antônio José da Silva, o Judeu], é o tom g u i n d a d o e os arrebiques de conceito, que se notam em muitas falas de certos personagens" (Machado de Assis, *Crítica*, p. 171).

guindagem. *S. f.* Ato ou operação de guindar.

guindaleta (ê). *S. f.* Guindalete.

guindalete (ê). [De *guindar*.] *S. m.* Cabo de guindaste; guindaleta.

guindar. [Do ant. escandinavo *vinda*, 'envolver, dobrar', pelo fr. *guinder*.] *V. t. d.* **1.** Levantar, elevar, içar. **2.** Erguer a uma posição elevada. **3.** Construir (o estilo, a frase) de maneira empolada ou pretensiosa. **4.** *Bras., RJ. Gír.* Levar preso; deter, encanar. *T. d.* e *i.* **5.** Elevar a posição de destaque. *P.* **6.** Elevar-se, alçar-se.

guindaste. [Do nat. escandinavo *vindâss*, pelo fr. ant. *guindas* (hoje *guindeau*).] *S. m.* **1.** Aparelho, para levantar pesos. **2.** *Tip.* V. *elevador* (4).

guiné. [Do top. *Guiné*.] *S. f.* **1.** *Bras.* Planta da família das fitoláceas *(Petiveria tetrandra)*; erva-pipi, tipi, tipu, tipuana. **2.** *Bras., PE.* V. *galinha-d'angola*.

guineano. *Adj.* **1.** Da, ou pertencente ou relativo à Guiné (África ocidental). ● *S. m.* **2.** O natural ou habitante da Guiné. [Sin. ger.: *guinéu*. Cf. *guineense*.]

guineense (èên). *Adj. 2 g.* **1.** Da, ou pertencente ou relativo à Guiné-Bissau (costa oeste da África). ● *S. 2. g.* **2.** Natural ou habitante da Guiné-Bissau. [Cf. *guineano*.]

guiné-legítimo. *S. m. Bras.* V. *capim-guiné*. [Pl.: *guinés-legítimos*.]

guinéu[1]. *Adj. 2 g.* e *s. 2 g.* Guineano.

guinéu[2]. [Do top. *Guiné*, atr. do ingl. *guinea*.] *S. m.* **1.** *Ant.* Moeda de ouro inglesa, cunhada a começar de 1663 para o tráfico africano, extinta em 1813, e que valia a princípio 20 e depois 21 xelins. **2.** Moeda inglesa de cálculo, com valor de 21 xelins, e por longo tempo usada em relação a salários profissionais, preços de pinturas, de objetos de luxo, como jóias, tecidos de alto preço, etc., de cavalos, propriedades, etc.

guinéu-equatoriano. *Adj.* **1.** Da, ou pertencente ou relativo à República da Guiné Equatorial (África ocidental). ● *S. m.* **2.** O natural ou habitante da República da Guiné Equatorial. [Pl.: *guinéu-equatorianos*.]

guingão. [Do mal. *guingong*.] *S. m. Ant.* **1.** Borra de seda. **2.** Excremento do bicho-da-seda. **3.** Tecido muito fino, de algodão.

guingombô. *S. m. Bras.* V. *quiabo*.

guinilha. *Bras. S. f.* **1.** Andadura ligeira e sacudida do cavalo. ● *S. m.* **2.** Cavalo de andadura pesada, ou que anda pouco.

guinumbi. [De or. indígena.] *S. m. Bras.* V. *beija-flor*.

guio. [Dev. de *guiar*.] *S. m. Bras., N.E.* Cunha de ferro empregada para abrir ou lascar regularmente grande bloco de pedra.

guipura. [Do fr. *guipure*.] *S. f.* Renda de linho ou de seda, de malhas largas e sem fundo: "Sedas que deixam ver, nas transparências raras, / G u i p u r a s d'Alençon, de Malinas ou Bruges." (Martins Fontes, *Vulcão*, p. 96.) [M. us. na f. fr., *guipure*.]

➧**guipure** (guipur'). [Fr.] *S. f.* Guipura [q. v.]

guirá. [De or. indígena.] *S. m. Bras.* **1.** Rato silvestre, da família dos equimiídeos (*Euryzygomatomys guira* (Brandt)), de pelagem bastante densa e áspera, e cauda curta, o qual habita as capoeiras ralas e capinzais com água nas proximidades. ● *S. f.* **2.** Abelha da família dos meliponídeos *(Melipona subterranea)*.

guirá-acangatara. [Do tupi *wi'rá akãnga'tara*, 'ave de cocar'.] *S. f. Bras.* V. *anum-branco*. [Pl.: *guirás-acangataras* e *guirás-acangatara*.]

guiraguaçuberaba. [Do tupi *wi'rá wa'su be'raba*, 'pássaro grande brilhante'.] *S. m. Bras.* Pássaro da família dos traupídeos (*Nemosia guira* (Lin.))

guiramembé. [Do tupi *wi'rá mẽ'bé*, 'ave terna'.] *S. m. Bras.* Ave da família dos traupídeos (*Thraupis ornata* Sparm.).

guiramombucu. [Do tupi.] *S. m. Bras.* V. *uiramembi* (1).

guirapereá. [Do tupi *wi'rá apere'á*, 'ave que freqüenta os caminhos'.] *S. m. Bras.* Ave da família dos traupídeos *(Tangara flava* Lin.).

guiraponga. *S. f. Bras.* V. *araponga* (1).

guirapuru. *S. m. Bras.* V. *uirapuru* (1).

guiraquereá. [Do tupi *wi'rá kereĩ'á*, 'ave sem sono'.] *S. m. Bras.* V. *bacurau* (1).

guirarepoti. [Do tupi *wi'rá repo'ti*, 'excremento de pássaro'.] *S. f. Bras.* V. *erva-de-passarinho*.

guiraró. [Do tupi.] *S. m. Bras.* Ave da família dos tiranídeos (*Fluvicola climazura* (Vieill.)).

guiratinga. [Do tupi *wi'rá tĩga*, 'ave branca'.] *S. f. Bras., AM.* V. *garça-branca-grande*.

guiratingano. *Adj.* **1.** De, ou pertencente ou relativo a Guiratinga (MT). ● *S. m.* **2.** O natural ou habitante de Guiratinga. [Sin. Ger.: *guiratinguense*.]

guiratinguense. *Adj. 2 g.* e *s. 2 g.* Guiratingano.

guiratirica. [Do tupi *wi'rá ti'rika*, 'ave tímida'.] *S. f. Bras.* V. *cardeal* (3).

guiraundi (a-un). [Do tupi *wi'rá ũ'di*, 'ave negrinha'.] *S. m. Bras.* V. *tié-preto*. [Var.: *guraundi*.]

guiraxué. [Do tupi *wi'rá*, 'pássaro', + *xu'é*, 'vagaroso, lento', 'chorão'.] *S. m. Bras.* V. *caraxué* (1).

guiricemense. *Adj. 2 g.* **1.** De, ou pertencente ou relativo a Guiricema (MG). ● *S. 2 g.* **2.** Natural ou habitante de Guiricema.

guirlanda. [Do fr. *guirlande*.] *S. f.* **1.** V. *grinalda* (1). **2.** Festão ornamental de flores, frutos ou ramagens: "Porto Alegre, profusamente iluminada e enfeitada de ramos, galhardetes, g u i r l a n d a s e arcos, transforma-se numa grande cidade" (Atos Damasceno, *O Carnaval Porto-alegrense no Século XIX*, p. 84).

guirri. [T. onom.?] *S. m. Bras.* Espécie de periquito *(Aratinga weddelli* (Deville)).

guiruçu. [Alter. de *iruçu*.] *S. m. Bras.* Abelha da família dos meliponídeos (*Melipona quadripunctata* Lep.).

guisa. [Do germ. **wisa*, 'modo, maneira' (hoje, al. *Weise)*.] *S. f. P. us.* Maneira, modo, feição. ◆ **À guisa de** À maneira de; ao modo de; à feição de: "Figure uma moça vestida de ricas sedas, ... com uma toalha passada pelo pescoço à g u i s a de avental" (José de Alencar, *Lucíola*, p. 143).

guisado. [Part. substantivado de *guisar*.] *S. m.* **1.** Preparação culinária com refogado. **2.** Ensopado (2). **3.** *Bras., S.* Picadinho de carne fresca ou de charque.

guisamento. [De *guisar* + *-mento*.] *S. m.* Os utensílios e alfaias necessários ao culto, ao serviço divino.

guisar. [De *guisa* + *-ar[2]*.] *V. t. d.* **1.** Preparar com refogado; refogar: "o pescado cru e o coco formam a base da alimentação dos indígenas em algumas das ilhas de coral, no Pacífico. Não quer isto dizer que esses rudes povos ignorem a arte de cozer ou g u i s a r os alimentos" (Eduardo Frieiro, *Feijão, Angu e Couve*, p. 27). **2.** Ensopar (4). **3.** Preparar, traçar. **4.** Ajudar, auxiliar, dirigir, encaminhar. [Pres. ind.: *guiso*, etc. Cf. *guizo*.]

guita. [Do lat. *vitta*, 'fita, faixa', com infl. germânica.] *S. f.* **1.** Barbante fino. **2.** *Bras.* V. *dinheiro* (3): "É uma pelintragem que faz medo: uns pindaíbas, sem lasca de g u i t a , muito engravatados, batendo a calçada e fazendo estrupícios." (Coelho Neto, *Turbilhão*, p. 69). **3.** *Bras., RS. Deprec.* V. *mata-cachorro* (2).

guitarra. [Do gr. *kithara*, pelo ár. ocidental *kittarâ* ou *qitarâ*.] *S. f.* **1.** Designação comum a diversos instrumentos de cordas dedilháveis, feitos de madeira, dotados de braço longo, e com a caixa de ressonância de fundo chato. **2.** V. *violão* (1). **3.** *Bras.* V. *viola[1]* (5). **4.** *Bras. Gír. Irôn.* Prelo de produzir papel-moeda falsificado. ◆ **Guitarra elétrica.** Instrumento muito usado atualmente na música popular, semelhante ao violão (1) e executado com a mesma técnica, tendo, porém, a caixa de ressonância (mais baixa e com reentrâncias acentuadas) ligada a um amplificador que trasmite o som. **Guitarra espanhola.** *Bras.* V. *violão* (1). **Guitarra havaiana.** A que é executada com auxílio de uma lâmina de aço usada para produzir portamento característico. **Guitarra portuguesa.** Guitarra piriforme, como o bandolim, porém de tampo mais largo e fundo chato, e que é o instrumento acompanhador do fado.

guitarrada. *S. f.* **1.** Trecho musical executado à guitarra. **2.** Música de conjunto executada por guitarras.

guitarrear. *V. int.* **1.** Tocar guitarra. *T. d.* **2.** Cantar ao som da guitarra. [Conjug.: v. *frear*.]

guitarreiro. *S. m.* **1.** Fabricante de guitarras. **2.** Guitarrista (1).

guitarrilha. [Dim. de *guitarra*.] *S. f.* Pequena guitarra de quatro cordas: "Tens o donaire todo da espanhola / e o jeito de quem vibra a g u i t a r r i l h a / e estala a castanhola / numa orgíaca noite de Sevilha..." (Austro-Costa, *Mulheres e Rosas*, p. 53.)

guitarrista. *S. 2 g.* **1.** Pessoa que toca e/ou ensina a tocar guitarra; guitarreiro. **2.** *Bras. Gír. Irôn.* Vigarista que imprime papel-moeda falsificado usando a guitarra (4).

guitiroba. [Do tupi.] *S. f. Bras.* Planta da família das sapotáceas. (*Lucena rivicola*). [F. paral.: *guititiroba*.]

guititiroba. *S. f. Bras.* F. reforçada de *guitiroba*.

guizalhar. *V. int. Bras.* **1.** Agitar guizos. **2.** Produzir o som do guizo. *T. d.* **3.** Fazer soar à maneira de guizo.

guizo. [Do it. *guizzo*?] *S. m.* Pequena esfera oca de metal, com pequenas aberturas ou furos, que tem dentro um pedaço de metal ou bolinha(s), e que ao ser agitada produz som. [Cf. *guiso*, do v. *guisar*.]

guizo-de-cascavel. *S. m. Bras.* V. *feijão-de-guizos* (1). [Pl.: *guizos-de-cascavel*.]

gula. [Do lat. *gula*, 'esôfago', 'garganta'.] *S. f.* **1.** Excesso na comida e na bebida. [Cf. *glutonaria*.] **2.** Apego excessivo a boas iguarias. [Sin. ger.: *gulodice* ou *gulosice*.]

➧**gulag.** [Russo.] *S. m.* Campo de concentração, na União Soviética.

gulandim. [Alter. de *guanandi*.] *S. m. Bras.* Designação comum a diversas árvores gutiferáceas.

gular. *Adj. 2 g. Zool.* Pertinente à garganta.

gularrostro. *S. m.* e *adj.* Esternorrinco.

gularrostros. *S. m. pl. Zool.* Esternorrincos.

guleima. [De *gula* + *-eima*.] *S. m.* Comilão; guloso.

gulodice. [Alter. de *gulosice*.] *S. f.* **1.** Gula [q. v.]. **2.** Doce ou iguaria qualquer, muito apetitosa; guloseima, lambiscaria, paparicos: "Todos os acepipes raros, todos os vinhos inéditos, todas as esquisitas g u l o d i c e s" (Fialho d'Almeida, *Pasquinadas*, p. 339).

gulosa. *S. f. Bras., N.* F. red. de *areia-gulosa* (1) [q. v.].

gulosar. [De *guloso* + *-ar[2]*.] *V. int.* **1.** Comer gulodices. **2.** Comer pequenas quantidades de várias coisas; beliscar, lambiscar. [Pres. ind.: *guloso*, etc. Cf. *guloso* (ô).]

guloseima. [De *guloso* + *-eima*.] *S. f.* V. *gulodice* (2): "bolinhos de frango, amendoim, pé-de-moleque, e mil g u l o s e i m a s amontoadas em ordem." (Cornélio Pires, *Quem Conta um Conto...*, p. 100.)

gulosice. [De *guloso* + *-ice*.] *S. f.* V. *gulodice*.

guloso (ô). [Do lat. *gulosu*.] *Adj.* e *s. m.* **1.** Que ou aquele que gosta de gulodices. **2.** Que ou aquele que tem gula. **3.** *Turfe.* Diz-se de, ou cavalo que, em carreira, mesmo quando contido pelo seu jóquei, demonstra muita vontade de correr. [Pl. *gulosos*. Cf. *guloso*, do v. *gulosar*.]

gume. [Do lat. *acumen*, com aférese.] *S. m.* **1.** O lado afiado de instrumento de corte. **2.** *Fig.* Perspicácia, agudeza.

gumífero. [Do lat. *gummi*, 'goma', + *-fero*.] *Adj.* Que produz goma.

gundu. [De or. afr.] *S. m. Med.* Excrescências ósseas que se desenvolvem simetricamente sobre os ossos próprios de nariz e sobre o maxilar superior.

gunga[1]. [Do afr.] *S. m.* V. *berimbau* (2).

gunga[2]. [F. red. de *gunga-muxique*.] *S. m. Bras., SP.* V. *mandachuva*.

gunga-muxique. [De or. afr., decerto.] *S. m. Bras., SP.* V. *mandachuva*. [Pl.: *gunga-muxiques*.]

gungunar. [Do quimb. *kingungunu*, 'espécie de zangão', + *-ar[2]*] *V. t. d.* e *int. Bras., SP.* Resmungar, rosnar, rezingar.

gungunhana. [Do afr.] *S. m. Bras.* Negro (11).

Gunocô. *S. m. Bras., BA. Folcl.* **1.** V. *Orixalá* (1 e 2). **2.** Divindade das florestas.

gupiara. [Var. de *grupiara* < *ku'rupi'ara*, 'jazida em cascalho'.] *S. f.* **1.** *Bras., BA.* Cascalho ralo, que tem pouca terra a encobri-lo. **2.** *Bras., C.O.* Depósito sedimentoso diamantífero nas cristas dos morros; gorgulho. **3.** *Bras., C.O.* Designação dada, nas regiões auríferas, ao cascalho em camadas nas faldas das montanhas, e de onde se extrai ouro. [Outras var.: *crupiara, guapiara*.]

guracava. [Var. de *guaracava*.] *S. f. Bras., SP.* **1.** V. *maria-é-dia* (1). **2.** V. *tucão*.

guraém. *S. m. Bras.* V. *buranhém* (1).

gurandi-azul. *S. m. Bras.* Pássaro da família dos fringilídeos *(Cyanocampsa cyanea* (Lin.)); azulão. [Pl.: *gurandis-azuis*.]

guranhém. *S. m. Bras.* V. *buranhém* (1).

gurarema (ê). *S. f. Bras.* V. *guararema*.

gurataiapoca. *S. f. Bras.* V. *arapoca*.

guraundi. *S. m. Bras.* Var. de *guiraundi*.

gurde. [Do fr. *gourde*.] *S. f.* Unidade monetária, e moeda, do Haiti, a qual se divide em 100 cêntimos.

gureri. [De um el. tupi + tupi *re'ri*, 'ostra'.] *S. m. Bras.* Molusco da família dos ostreídeos (*Ostrea brasiliana* Lam.).

guri. [Do tupi *ki'ri*, 'pequeno'.] *S. m. Bras.* **1.** Criança (1). [v. *menino* (1)]: "Ele agora está com quase dezesseis anos, e a sua cabeça está como de g u r i de nove anos." (Telmo Vergara, *Contos da Vida Breve*, p. 171.) [Fem.: *guria*.] **2.** Designação comum aos bagres marinhos. [F.

paral. (nesta acepç., us. na Amaz. e no MA): *uri*.] **3.** V. *buri-da-praia*.

guria. [Fem. de *guri*.] *S. f. Bras.* **1.** Menina: "Guria estranha... Tinha vezes que não parecia uma menina. Parecia uma moça" (Telmo Vergara, *Contos da Vida Breve*, p. 187). **2.** Namorada, garota.

guriaçu. [Do tupi.] *S. f. Bras.* V. *guarijuba*.

guriantã. *S. m.* e *f. Bras.*, *L.* V. *gurinhatã*.

guriatã. *S. m.* e *f. Bras.* V. *gurinhatã*.

guriba. [De possível or. indígena.] *Adj. 2 g.* De penas arrepiadas: *galinha guriba*.

guribu. [De *guri*, 'bagre novo'.] *S. m. Bras.* V. *guarijuba*.

guriçá. [Do tupi.] *S. m. Bras.* V. *espia-maré* (3).

guricema. *S. f. Bras.* V. *xaréu*[1].

guriguaçu. [De *guri*, 'bagre novo', + *-guaçu*.] *S. m. Bras.* Bagre grande.

gurijuba. [De *guri*, 'bagre novo', + tupi *yub*, 'amarelo'.] *S. f. Bras.*, *PA.* V. *guarijuba*.

gurinhatã. [Var. de *guriatã*; este, do tupi.] *S. m.* e *f. Bras.* Ave passeriforme, da família dos traupídeos (*Tanagra violacea auranticollis* (Bert.)), do Brasil oriental, de dorso negro-azulado brilhante, pontas das asas castanho-claro, lado inferior amarelo, e mancha amarela na fronte. É frugívora e muito apreciada como ave de gaiola. [Sin. (os quatro primeiros, tb. var. de guriatã): *guriantã, guarinhatã, guarantã, curiantã, gaturamo-verdadeiro, bonito.*]

gurinhém. [De *buranhém*, decerto:] *S. m. Bras.*, *N.* V. *chicote* (1).

guriri. [Do tupi.] *S. m. Bras.* V. *buri-da-praia*.

guriri-do-campo. *S. m. Bras.* V. *ariri* (1). [Pl.: *guriris-do-campo*.]

gurita[1]. [Alter. de *guarita*.] *S. f. Pop.* **1.** Guarita. **2.** *Bras.*, *RS.* Cerros altos e imponentes, sobretudo os da serra de Caçapava.

gurita[2]. *S. f. Bras.*, *BA.* Égua velha; cangorça.

guriximа. *S. f. Bras.* V. *criciúma*.

gurizada. [De *guri* + *-z-* + *-ada*[1].] *S. f. Bras.* **1.** Grande número de guris; criançada. [Sin., no RS: *gurizeiro*.] **2.** Ação própria de guri (1); criancice.

gurizeiro. [De *guri* + *-z-* + *-eiro*.] *S. m. Bras.*, *RS.* **1.** Gurizada (1). **2.** Grupo de gurias.

gurizote. *S. m. Bras.* Guri quase rapaz; rapazote.

gurma. *S. f.* Doença que ataca os potros na fase de dentição.

gurnir. [Var. de *gornir*.] *V. int. Bras.*, *RS* **1.** Trabalhar muito, com afinco. **2.** Sofrer duramente, ou resistindo a dores, ou para obter alguma coisa. **3.** Suportar incômodos ou dores; padecer. *T. d.* **4.** Padecer, suportar, sofrer, agüentar: "O imperador .... com toda a sua imperadorice, / gurniu fome!" (Simões Lopes Neto, *Contos Gauchescos e Lendas do Sul*, p. 174.) [Cf. *gornir*.]

guropé. [Alter. de *gurupês*.] *S. m. Bras.*, *Amaz.* Certa embarcação. [Pl.: *guropés*. Cf. *gurupés*.]

guru. [Do hindu *guru*, 'venerável'.] *S. m.* **1.** Na Índia, mestre da vida interior. **2.** *P. ext.* Guia ou líder espiritual que à sua volta congrega seguidores, às vezes fanáticos. ●*S. 2 g.* **3.** *Bras.* Conselheiro; orientador, guia.

gurugumba. *S. f. Bras.* Espécie de cacete (1). [Cf. *gurungumba*.]

gurujuba. *S. f. Bras.* V. *guarijuba*.

gurujuva. *S. f. Bras.* V. *guarijuba*.

gurumixama. *S. f. Bras.* Var. de *grumixama*.

gurumixameira. *S. f. Bras.* Var. de *grumixameira*.

gurundi. [Var. de *guiraundi*, com síncope.] *S. m. Bras.* **1.** *Bras.* V. *guarandi*. **2.** *Bras.*, *SP.* V. *tié-preto*.

gurundi-azul. *S. m. Bras.* V. *azulão* (1). [Pl.: *gurundis-azuis*.]

gurunga. *S. m. Bras.*, *BA.* Var. aferética de *ingurunga* [q. v.].

gurungumba. *S. f. Bras.*, *MG.* V. *ingurunga*. [Cf. *gurugumba*.]

gurupaense. *Adj. 2 g.* **1.** De, ou pertencente ou relativo a Gurupá (PA). ● *S. 2 g.* **2.** Natural ou habitante de Gurupá.

gurupema. *S. f. Bras.* Var. de *urupema* [q. v.]: "uma porção de mandioca que estava a escorrer de uma gurupema para um grande alguidar." (José Veríssimo, *Cenas da Vida Amazônica*, p. 158).

gurupés. [Do fr. *beaupré*.] *S. m. 2 n. Marinh.* Nos veleiros, mastro que se lança do bico de proa para a frente, no plano longitudinal, com uma inclinação de cerca de 35º acima do plano horizontal: "Novo [o barco] .... , era de fina proa alterosa, de onde se debruçava para as ondas uma Sereia alegórica, em colossal escultura de pinho, à enora quadrangular do gurupés." (Virgílio Várzea, *Nas Ondas*, p. 8). [Entre o gurupés e o mastro do traquete, em estais, envergam-se a bujarrona, a giba e outras velas de proa. Cf. *guropés*, pl. de *guropé*.]

gurupi. *S. m. Bras.*, *S.* Indivíduo que em leilões faz grandes lances fictícios, de combinação com o leiloeiro.

gururi. *S. m. Bras.* Coco-de-vassoura (1).

gurutil. *S. m. Marinh.* **1.** Nas velas redondas e nas latinas quadrangulares, o lado superior da vela. **2.** Nas velas que envergam em estai e nos gafetopes (velas latinas triangulares clássicas), o lado que se prende ao estai ou ao mastro (conforme o caso). [Cf. *esteira*[2] (2), *testa* (4) e *valuma*.]

gurutuba. [Do top. *Gorutuba*?] *S. f.* Espécie de feijão.

gurutubano. *S. m. Bras.*, *MG.* Gorutubano.

gusa. [Do b.-al. *göse*, pelo fr. *gueuse*.] *S. f. Quím.* F. red. de *ferro-gusa*.

gusano. [Do esp. *gusano*.] *S. m. Bras.* V. *teredo*.

gusla. [Do turco *gazl*, 'cordão de crina', pelo servo-croata *gusl* e pelo fr. *guzla*.] *S. f.* Instrumento monocórdio, em forma de violino, usado por alguns povos eslavos dos Balcãs: "Claés, que mão divina as cordas brande / De gusla de ouro, cujo som não finda, / Se a tua voz em borbotões se expande?" (Guimarães Passos, *Versos de um Simples*, p. 74).

gustação. [Do lat. *gustatione*.] *S. f.* **1.** Ato de provar. **2.** Percepção do sabor de uma coisa.

gustar. [Do lat. *gustare*.] *V. t. d. Obsol.* Provar, degustar, gostar: "o teu carinho de tal forma cresce / e os sentidos me assume, / que, em momentos, uma árvore parece, / hauro-lhe o flóreo e o lânguido perfume, / gusto-lhe os frutos de rubente messe" (Gilca Machado, *Mulher Nua*, p. 39).

gustativo. [Do lat. *gustatu*, 'saboreado', + *-ivo*.] *Adj.* Respeitante ao sentido do gosto.

guta. [Do mal. *getah*.] *S. f.* Espécie de goma que se extrai das gutiferáceas.

gutação. *S. f. Bot.* Emissão de água em forma líquida pelas plantas. Tal água goteja das folhas e escapa pelos hidatódios.

guta-percha. [Do mal. *getah percha*, pelo ingl. *gutta-percha*.] *S. f.* **1.** Planta da família das sapotáceas (*Mimusops balata* e *Mimusops huberi*). **2.** Substância glutinosa que se extrai dessa planta. [F. red.: *percha*. Pl.: *gutas-perchas* e *guta-perchas*.]

gutenberguiano. *Adj.* Pertencente ou relativo a Johann Gutenberg, alemão (c. 1398-1468), o inventor da imprensa [q. v.], ou próprio dele.

▲**guti-** [Do lat. *gutta, ae*.] *El. comp.* = 'gota', 'pingo': *gutífero*.

gutífera. *S. f.* Espécime das gutíferas; gutiferácea.

gutiferácea. *S. f.* Espécime das gutiferáceas; gutífera.

gutiferáceas. *S. f. pl. Bot.* Gutíferas.

gutiferáceo. *Adj.* Gutífero[1] (2).

gutíferas. [Fem. pl., substantivado, de *gutífero*[1].] *S. f. pl. Bot.* Família de vegetais superiores, da ordem das parietales, composta de árvores e arbustos dotados de látex. Muitas emitem raízes aéreas, que servem de escora. Folhas geralmente coriáceas; flores vistosas, actinomorfas, hermafroditas, com muitos estames e carpelos. Fruto: cápsula, drupa ou baga. Existem mais de 800 espécies, dos países temperados e tropicais. O Brasil possui numerosas. [Sin.: *gutiferáceas*.]

gutífero[1]. [De *guta* + *-i-* + *-fero*.] *Adj.* **1.** Que produz ou contém guta. **2.** Pertencente ou relativo às gutíferas; gutiferáceo.

gutífero[2]. [De *guti-* + *-fero*.] *Adj. Poét.* Que deita gotas.

▲**gutur-.** [Do lat. *guttur, uris*.] *El. comp.* = 'garganta': *gutural*.

gutural. [De *gutur-* + *-al*.] *Adj. 2 g.* **1.** Relativo ou pertencente à garganta. **2.** Modificado pela garganta (som): "A voz da velha é estranha, gutural, sai aos arrancos, como um latido de cachorro." (Lúcia Miguel Pereira, *Cabra-Cega*, p. 17.)

guturalização. *S. f. Gram.* Ato ou efeito de guturalizar.

guturalizar. *V. t. d. Gram.* Pronunciar (determinados fonemas) dando-lhes inflexão gutural.

guturamo. *S. m. Bras.* V. *gaturamo*.

guturoso (ô). [Do lat. *gutturosu*.] *Adj.* **1.** *Morfol. Veg.* Diz-se de certos musgos que têm apófise volumosa. **2.** *Zool.* Diz-se do animal que tem a parte anterior do pescoço dilatada.

guzerá. *Adj. 2 g.* e *s. 2 g. Bras.* V. *guzerate*.

guzerate. *Adj. 2 g.* **1.** De, ou pertencente ou relativo a Guzerate (Índia). **2.** Diz-se de certa raça bovina originária da Índia e muito desenvolvida no Brasil. ● *S. 2 g.* **3.** Natural ou habitante de Guzerate. **4.** Exemplar da raça guzerate (2). [F. paral.: *guzerá*.]

guzunga. [Do afr.?] *S. m. Bras.*, *SP.* Tambor de jongo, seguro por uma correia que passa pelo ombro do tocador e mantém o instrumento debaixo da axila.

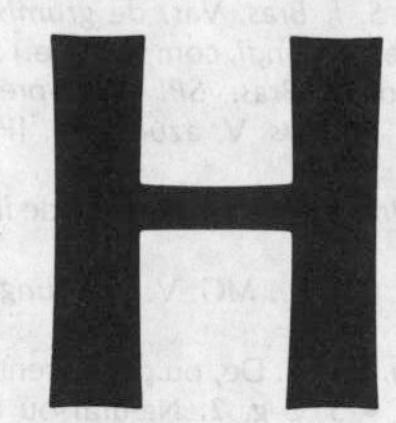

h. *S. m.* **1.** A 8ª letra do nosso alfabeto. É muda na língua portuguesa quando inicia sílaba. Posposta à letra *l (1h)*, forma o símbolo que, na escrita, representa a consoante lateral palatal [ ], como em *lhano, galho;* posposta ao *n*, com ele forma o símbolo *nh*, que representa a consoante nasal palatal [ ] *(nhambu, ninho).* Apresenta-se mais ou menos aspirada em alguns casos, como, p. ex., *hum, hã.* [V. *alfabeto fonético internacional.*] **2.** *Mús.* O lá da segunda oitava, depois do *G* (2) [q. v.], na antiga notação alfabética. **3.** *Mús.* O si natural, na notação alfabética germânica, desde que o *B* passou a representar o si bemol. **4.** *Eletr.* Símb. de *henry*. **5.** *Fís.* Símb. de *constante de Planck*. **6.** Símb. de *hidrogênio*. **7.** Símb. de *hora*. ● *Num.* **9.** O oitavo, numa série indicada pelas letras do alfabeto: *loja H* (ou *loja h*). **10.** A oitava, num grupo de séries: *série H* (ou *série h*). [V. *agá. Com maiúscula, nas acepç. 2 a 4 e 6.*]

■ **h.** *Fís.* Símb. de *constante de Planck.*

■ **ha.** Símb. de *hectare.*

hã. *Interj.* Indica reflexão, esclarecimento, admiração: "— Medalhas.... hã! medalhas, — murmurou o jovem mestre, derreando o canto da boca num gesto de desprezo." (J. F. da Costa Filho, *As Facetas do Diabo*, p. 106.)

habanera. [Do esp. *habanera.*] *S. f.* **1.** Dança de origem afro-cubana, difundida na Espanha, e cuja forma rítmica influenciou o maxixe, o tango e a música popular de quase todos os países hispano-americanos. É em compasso binário, com o primeiro tempo fortemente acentuado, e consiste, em geral, numa curta introdução, seguida de duas partes de oito compassos cada uma, com modulação do tom menor para o maior. **2.** Canção que acompanha essa dança.

hábeas. *S. m. 2 n. Bras.* F. red. de *habeas-corpus* [q. v.].

➧**habeas-corpus** (ábeaç-córpuç). [Lat., 'que tenhas teu corpo'.] *S. m.* Garantia constitucional outorgada em favor de quem sofre ou está na iminência de sofrer coação ou violência na sua liberdade de locomoção por ilegalidade ou abuso de poder. [F. red. (bras.): *hábeas.*]

habena. [Do lat. *habena.*] *S. f. Poét.* **1.** Rédea do cavalo. **2.** V. *chicote* (1).

hábil. [Do lat. *habile.*] *Adj. 2 g.* **1.** Que tem aptidão para alguma coisa: *É muito hábil em trabalhos manuais.* **2.** Competente, apto, capaz: *O projeto foi confiado a um desenhista hábil.* **3.** Ágil de mãos e movimentos; destro. **4.** Inteligente, esperto, sagaz, fino: *Hábil que é, no final vai sair-se bem.* **5.** Astucioso, manhoso. **6.** Que tem capacidade legal para certos atos. **7.** Engenhoso; sutil: *Deu-lhe a má notícia de maneira hábil.* **8.** Conveniente, vantajoso. **9.** Que está de acordo com as imposições legais, com as exigências preestabelecidas: *Fez o requerimento em tempo hábil.* [Pl.: *hábeis.*]

habilhamento. [Do fr. *habillement.*] *S. m. Ant. Gal.* **1.** Ato de enfeitar-se. **2.** Enfeite, adorno, atavio.

habilidade. [Do lat. *habilitate.*] *S. f.* Qualidade de hábil. ~ V. *habilidades.*

habilidades. [Pl. de *habilidade.*] *S. f. pl.* Exercícios ginásticos de agilidade e destreza. ~ V. *habilidade.*

habilidoso (ô). *Adj.* e *s. m.* Diz-se de, ou aquele que tem ou revela habilidade, que é destro, jeitoso, hábil: "era extremamente habilidoso em todos os trabalhos manuais" (Urbano Tavares Rodrigues, *A Noite Roxa*, p. 95).

habilitação. *S. f.* **1.** Ato ou efeito de habilitar(-se). **2.** Conjunto de conhecimentos; aptidão, capacidade. **3.** *Jur.* Formalidades jurídicas necessárias para a aquisição dum direito ou a demonstração de capacidade legal. **4.** *Jur.* Conjunto de documentos apresentados à autoridade competente por quem está interessado em provar os fatos que legitimam e justificam sua pretensão. ~ V. *habilitações.*

habilitações. [Pl. de *habilitação.*] *S. f. pl.* Cabedal de conhecimentos ou atributos que habilitam alguém ao desempenho de uma função; qualificação. ~ V. *habilitação.*

habilitado. [Part. de *habilitar.*] *Adj.* **1.** Que se habilitou a, ou para alguma coisa. **2.** Que tem habilitação; apto, capaz. ● *S. m.* **3.** *Bras., PR* e *MT.* Empreiteiro da elaboração da erva-mate.

habilitador (ô). *Adj.* e *s. m.* Que ou aquele que habilita.

habilitanço. [De *habilitar* + *-anço.*] *S. m.* Quantia que, em jogo de azar, um parceiro empresta a outro.

habilitando. *Adj.* e *s. m.* Que ou aquele que trata de habilitar-se.

habilitante. [Do lat. *habilitante.*] *Adj. 2 g.* e *s. 2 g.* Que ou quem requer habilitação judicial.

habilitar. [Do lat. *habilitare.*] *V. t. d.* **1.** Tornar hábil: *Era incapaz, mas a experiência habilitou-o. T. d. e i.* **2.** Preparar, dispor: *Sua condição de eremita habilitou-o à dura vida de privações; Sua ambição o habilitou para a luta. T. d. e c.* **3.** Tornar apto, capaz; prover com conhecimentos precisos para um ato público ou para qualquer fim: *A professora habilitou os candidatos para a prova. P.* **4.** Tornar-se apto, capaz. **5.** Dispor-se, preparar-se. **6.** Justificar com documentos legais a habilitação jurídica. **7.** Comprar bilhete de uma loteria.

habitabilidade. *S. f.* Qualidade de habitável; possibilidade de ser habitado.

habitação. [Do lat. *habitatione.*] *S. f.* **1.** Ato ou efeito de habitar. **2.** Lugar ou casa onde se habita; morada; vivenda, residência. [Sin. (p. us.), nesta acepç.: *bata.*] **3.** *Jur.* Direito real que têm uma pessoa e sua família de habitar gratuitamente casa alheia.

habitacional. *Adj. 2 g.* Referente a habitação.

habitáculo. [Do lat. *habitaculu.*] *S. m.* Habitação pequena e modesta: "Débil e mesquinho corpo [o de Leopardi], habitáculo de uma alma desejosa de ações grandes" (Carlos Magalhães, *Homens e Livros*, p. 12).

habitador (ô). [Do lat. *habitatore.*] *Adj.* e *s. m. P. us.* V. *habitante:* "Tu és bem o que eu sou, filha das ondas, / Habitadora de ilhas solitárias!" (Alberto de Oliveira, *Poesias*, 3ª série, p. 272.)

habitante. [Do lat. *habitante.*] *Adj. 2 g.* e *s. 2 g.* Que ou quem reside habitualmente num lugar. [Sin.: *morador* e (p. us.) *habitador.*]

habitar. [Do lat. *habitare.*] *V. t. d.* **1.** Ocupar como residência; residir, morar, viver em: "Habita uma pequena chacrinha, onde possui a sua criação." (Dionélio Machado, *Os Ratos*, p. 9.) **2.** Tornar habitado; ocupar, povoar: *Os sitiantes habitaram as margens da estrada. T. c.* **3.** Estar domiciliado; residir, morar, viver: *Era a pessoa mais capaz que habitava naquelas terras;* "Nas limpas águas / Habita aquele" (Tomás Antônio Gonzaga, *Marília de Dirceu*, p. 35). **4.** Estar; permanecer: *A tranqüilidade não podia habitar naquele torturado corpo.* [Pres. ind.: *habito, habitas, habita*, etc. Cf. *abitar, abita*, e *hábito.*]

hábitat. [Do lat. *habitat.*] *S. m. Ecol.* **1.** Lugar de vida de um organismo. **2.** Total de características ecológicas do lugar específico habitado por um organismo ou população.

habitável. [Do lat. *habitabile.*] *Adj. 2 g.* **1.** Que se pode habitar. **2.** Próprio para ser habitado.

habite-se. [De *habitar* + *se*[1].] *S. m. 2 n.* Documento fornecido pelo poder municipal, e em que se autoriza a ocupação e uso de edifício recém-concluído ou reformado.

hábito. [Do lat. *habitu.*] *S. m.* **1.** Disposição duradoura adquirida pela repetição freqüente de um ato, uso, costume: *Só a educação pode criar os bons hábitos.* **2.** Maneira usual de ser: *Mulher pedir em casamento é contra os hábitos sociais.* **3.** Roupagem de frade ou freira. **4.** *P. ext.* Condição, estado de frade ou freira: *tomar hábito; largar o hábito.* **5.** Vestuário, indumentária. **6.** *Fig.* Aparência exterior: "O hábito não faz o monge" (prov.). **7.** Insígnia de ordem militar ou religiosa. **8.** *Min.* Aspecto de um mineral: *hábito fibroso; hábito acicular.* [Cf. *habito*, do v. *habitar.*] ◆ **Lançar o hábito às ervas.** Abandonar o estado de sacerdote.

habituação. *S. f.* Ato de habituar(-se).

habituado. [Part. de *habituar.*] *S. m.* **1.** Freqüentador certo, habitual, de uma casa, clube, etc.: "Nenhum dos habituados da casa compareceu ao almoço." (Machado de Assis, *Quincas Borba*, p. 184.) **2.** Aquele que de costume comparece ou toma parte em diversão, folguedo, etc.: "Nas mesas cheias, aparecia sempre um lugar para mim. Aí já se encontravam os habituados de tocatas e serenatas" (Aires da Mata Machado Filho, *Dias e Noites em Diamantina*, p. 7).

habitual. *Adj. 2 g.* **1.** Que se faz, ou que sucede, por hábito. **2.** Comum, vulgar. **3.** Freqüente, usual. ~ V. *graça* —.

habitualidade. *S. f. Bras.* Habitualismo.

habitualismo. *S. m.* Qualidade de habitual. [Sin. (bras.): *habitualidade.*]

habituar. [Do lat. *habituare.*] *V. t. d.* e *i.* **1.** Fazer tomar o hábito de; acostumar, avezar: *Habituou-o, com dificuldade, a freqüentar diariamente as aulas.* **2.** Preparar por meio de hábito ou de prática; exercitar: *Habitando a floresta, habituou os filhos a defenderem-se das feras. P.* **3.** Contrair o hábito de; acostumar-se, avezar-se: "Habituara-se a viver com mais do que precisava" (Ricardo Ramos, *Os Inventores Estão Vivos*, pp. 27-28).

habitude. [Do lat. *habitudine.*] *S. f. Ant.* Hábito, costume.

habitudinário. [Do lat. *habitudine*, 'habitude (q. v.), hábito', + *-ário.*] *Adj.* **1.** *P. us.* Habitual. **2.** Que cai sempre nos mesmos costumes, nos mesmos erros, incorrigível.

➧**habitué** (abituê). [Fr.] *S. m.* Freqüentador certo; habituado.

hacanéia. [Do ingl. *hackney*, atr. do fr. *haquenée*.] *S. f.* Cavalgadura bem proporcionada, mansa e de tamanho regular; faca: "Relincham em minha baia / H a c a n é i a s de invejar." (Manuel Bandeira, *Estrela da Vida Inteira*, p. 26.)

hacer. *S. m.* Prece que os mouros dirigem a Alá antes do nascer do Sol.

hachura. [Do fr. *hachure*.] *S. f.* Raiado que, em desenho ou gravura, produz efeito de sombra ou meio-tom. [Cf. *azurado* (2), *grisado, guilhochê*.]

hachurar. [Do fr. *hachurer*.] *V. t. d.* **1.** Traçar hachuras em. **2.** Produzir em (um desenho) o efeito das hachuras.

➧**hacker** (hécar). [Ingl.] *S. m.* Violador de um sistema de computação.

hadji. [Do ár. *hājj*, 'ir em peregrinação' (a Meca), atr. do turco ou do persa e do fr. *hadji*.] *S. m.* Muçulmano que faz a peregrinação à Meca e Medina.

hadoque. [Do ingl. *haddock*.] *S. m.* Peixe da família dos gadídeos (*Melanogrammus aeglefinus*), semelhante ao bacalhau e ao gado[2], encontrável nas costas da Europa e da América do Norte.

hádron. *S. m. Fís. Nucl.* Partícula elementar que participa de interação forte.

hadrônico. *Adj.* Relativo a hádron. ~ V. *era* —*a*.

hafalgesia. [Do gr. *haphé*, 'tato[1]', + *-alges(i)-* + *-ia*.] *S. f. Patol.* Sensação de dor produzida por contato com objetos não irritantes, ou percebida quando a pele sofre leve toque, e que pode ser observada em várias condições, como histeria e a tabe.

hafnia. *S. f. Quím.* Dióxido de háfnio, sólido, branco, refratário. [Fórm. HfO_2.]

háfnio. [Do lat. científico *hafnium* < *Hafnia*, t. lat. para o top. *Copenhague*.] *S. m. Quím.* Elemento de número atômico 72, maleável, dúctil, denso. [Símb.: *Hf*.]

▲**hagio-.** [Do gr. *hágios, a, on*.] *El. comp.* = 'santo': *hagiólogo, hagiomaquia*.

hagiografia. [De *hagiógrafo* + *-ia*.] *S. f.* **1.** Biografia de santo. **2.** Escrito acerca dos santos.

hagiográfico. *Adj.* Relativo à hagiografia.

hagiógrafo. [Do gr. *hagiógraphos*, pelo lat. *hagiographu*.] *Adj.* **1.** Diz-se dos livros do Antigo Testamento, menos o Pentateuco e os Profetas. ● *S. m.* **2.** Cada um desses livros. **3.** Autor inspirado dos livros da Bíblia. **4.** Autor que conta a vida dos santos.

hagiólatra. [De *hagio-* + *-latra*.] *S. 2 g.* Pessoa que pratica a hagiolatria.

hagiolatria. [De *hagio-* + *-latria*.] *S. f.* Adoração que se presta aos santos.

hagiolátrico. *Adj.* Relativo à hagiolatria.

hagiológico. [De *hagio-* + *-log(o)-* + *-ico*[2].] *Adj.* Referente aos santos.

hagiológio. [De *hagio-* + *-log(o)-* + *-io*[1].] *S. m.* Tratado sobre a vida dos santos; santoral: "Esse homem de nome de santo [João de Deus], figura única no h a g i o l ó g i o dos artistas, viveu em eterno estado de graça" (Agripino Grieco, *São Francisco de Assis e a Poesia Cristã*, p. 158).

hagiólogo. [De *hagio-* + *-logo*.] *S. m.* Aquele que escreve a respeito de santos, que compõe hagiológio.

hagiômaco. [De *hagio-* + gr. *mach*, raiz de *máchomai*, 'combater'.] *S. m.* Aquele que combate o culto dos santos.

hagiomaquia. [De *hagio-* + *-maquia*.] *S. f.* Combate aos santos, à sua existência. [Cf. *guerra santa*.]

hagiomáquico. *Adj.* Referente à hagiomaquia.

hagiônimo. [De *hagio-* + *-ônimo*.] *S. m.* Hierônimo.

hagioterapia. [De *hagio-* + *-terapia*.] *S. f. Terap.* Cura de doentes por intervenção de santos, ou pela ocorrência de milagres.

hagioterápico. *Adj.* Relativo à hagioterapia.

haglura. [Do fr. *haglure*.] *S. f.* Em falcoaria, mancha nas penas das asas ou da cauda das aves.

hahnemanniano. *Adj.* **1.** Relativo a Christian Friedrich Samuel Hahnemann (1755-1843), médico alemão, o criador da homeopatia. **2.** Homeopático (1).

haicai. [Do jap. *hai-kai*.] *S. m.* Poema japonês constituído de três versos, dos quais dois são pentassílabos e um, o segundo, heptassílabo: "Há quem exceda, em brevidade, a essa trova popular, de quatro versos, ou vinte e oito pés métricos. É o h a i c a i japonês, pequeno poema de três versos, de cinco, sete e cinco pés métricos, respectivamente, que resumem uma impressão, um conceito, um drama, um poema, às vezes deliciosamente, não raro profundamente." (Afrânio Peixoto, *Miçangas*, pp. 234-235).

haitiano. *Adj.* **1.** Do, ou pertencente ou relativo ao Haiti (América Central). ● *S. m.* **2.** O natural ou habitante do Haiti.

halali. [Do fr. *hallali*.] *S. m.* Grito de caça, ao som de trompa, anunciando que o veado está acuado.

haleto (ê). [De *hal(o)-* + *-eto*.] *S. m. Quím.* Halogeneto.

➧**half-back** (hafbéc). [Ingl.] *S. m. Fut.* Cada um dos três jogadores da linha média. [Em português, *asa*.]

halial. [Do lat. *hallex* ou *hallus*, 'o dedo grande do pé'?] *Adj. 2 g. Anat. P. us.* Relativo ou pertencente ao dedo polegar.

haliêutica. [Do gr. *halieutiké*, i. e., *téchne* —, 'a arte da pesca'.] *S. f.* A arte da pesca.

haliêutico. [Do gr. *halieutikós*, pelo lat. *halieuticu*.] *Adj.* Respeitante à haliêutica.

halístase. [De *hal(o)-* + *-i-* + *-stase*.] *S. f. Geol.* Baía marinha de águas paradas, de fundo impróprio à vida, em virtude da formação de gases putrefatos ricos em enxofre e venenosos.

halita. [De *hal(o)-* + *-ita*[3].] *S. m. Min.* Sal-gema.

hálito. [Do lat. *halitu*.] *S. m.* **1.** Ar expirado; bafo. **2.** Cheiro da boca. **3.** Exalação, emanação, cheiro. **4.** *Poét.* Viração, aragem.

halitose. [De *hálito* + *-ose*.] *S. f. Med.* Mau hálito; ozostomia.

➧**hall** (hól). [Ingl.] *S. m.* Sala de grandes dimensões; vestíbulo, átrio.

halmirólise. [Do gr. *halmyris*, 'água salgada', + *-o-* + *-lise*.] *S. f. Geol.* Decomposição subaquática marinha das rochas.

halo. [Do gr. *halós*, 'disco', pelo lat. *halos*.] *S. m.* **1.** *Meteor.* Designação comum a uma grande variedade de meteoros luminosos constituídos de círculos ou arcos de círculos brilhantes, tendo por centro o Sol ou a Lua, e causados pela reflexão ou refração da luz solar ou lunar em cristais de gelo em suspensão na atmosfera terrestre. [No caso da refração, o halo aparece colorido, tendo o bordo interno avermelhado e o bordo externo violáceo. Cf. *coroa* (17) e *aréola* (3).] **2.** V. *auréola* (1 e 2). **3.** Aréola (2). **4.** *Anat.* Hálux (1). **5.** *Fig.* Glória, prestígio, honra, auréola. **6.** *Cosm.* Nuvem difusa, e quase esférica, formada por estrelas velhas e aglomerados globulares que envolvem uma galáxia espiral. [Cf. *alo*, do v. *alar*.] ◆ **Halo galáctico.** *Astr.* Região do espaço que envolve uma galáxia, e que tem pequena densidade estelar e forma esférica.

▲**hal(o)-.** [Do gr. *háls, halós*.] *El. comp.* = 'mar', 'sal': *halóide, halófilo*.

halófilo. [De *hal(o)-* + *-filo*[2].] *Adj. Ecol.* Que habita meios ricos em sal: *comunidade h a l ó f i l a*.

halófito. [De *hal(o)-* + *-fito*.] *S. m. Ecol.* Vegetal halófilo, uma de cujas características principais é a suculência.

halogenação. *S. f. Quím.* Introdução de átomos de halogênios na molécula de um composto.

halogeneto (ê). [De *halogeno* + *-eto*[2].] *S. m. Quím.* Designação genérica dos fluoretos, cloretos, brometos e iodetos; haleto.

halogênico. [De *hal(o)-* + *-gen(o)-*[1] + *-ico*[2].] *Adj. Quím.* Diz-se de composto que encerra um halogênio.

halogênio. [De *hal(o)-* + *-gen(o)-*[1] + *-io*[2].] *S. m. Quím.* Qualquer dos elementos flúor, cloro, bromo, iodo; halógeno.

halógeno. [De *hal(o)-* + *-geno*.] *S. m. Quím.* Halogênio.

halografia. [De *hal(o)-* + *-graf(o)-* + *-ia*.] *S. f. Quím.* Tratado dos sais; halologia.

halográfico. *Adj.* Relativo ou pertencente à halografia; halológico.

halógrafo. *S. m.* Especialista em halografia.

halóide. [De *hal(o)-* + *-óide*.] *Adj. 2 g.* e *s. m. Quím.* Diz-se de, ou qualquer dos compostos que encerram um halogênio.

haloisita. [Do antr. *Halloy*, de Omalius d'Halloy, geólogo belga (1783-1875), + *-s-* + *-ita*[3].] *S. f. Min.* Mineral amorfo, silicato hidratado de alumínio.

halologia. [De *hal(o)-* + *-log(o)-* + *-ia*.] *S. f. Quím.* Halografia.

halológico. *Adj.* Relativo à halologia; halográfico.

halomancia (cí). [De *hal(o)-* + *-mancia*.] *S. f.* Arte de adivinhar por meio de sal.

halomanciano. *Adj.* Halomântico.

halomante. [De *hal(o)-* + *-mante*.] *S. 2 g.* Pessoa que pratica a halomancia.

halomântico. *Adj.* Relativo à halomancia, ou a halomante; halomanciano.

halometria. [De *hal(o)-* + *-metr(o)-*[2] + *-ia*.] *S. f. Quím.* Processo para avaliar a qualidade das soluções salinas empregadas no comércio.

halométrico. *Adj.* Respeitante à halometria.

haloplancto. *S. m. Ecol.* Haloplâncton.

haloplâncton. *S. m. Ecol.* V. *plâncton*.

haloragácea. *S. f.* Espécime das haloragáceas; halorragidácea.

haloragáceas. *S. f. pl. Bot.* Família de vegetais floríferos, da ordem das mirtales, de flores actinomorfas, hermafroditas e geralmente apétalas, e fruto nuciforme ou drupáceo. Engloba ervas com flores minutíssimas. Há umas 160 espécies, dos países temperados e subtropicais; no Brasil, umas poucas. [Sin.: *halorragidáceas*.]

haloragáceo. *Adj.* Pertencente ou relativo às haloragáceas; halorragidáceo.

halorragidácea. *S. f.* Haloragácea.

halorragidáceas. *S. f. pl. Bot.* Haloragáceas.

halorragidáceo. *Adj.* Haloragáceo.

halotecnia. [De *hal(o)-* + *-tecn(o)-* + *-ia*.] *S. f.* Parte da química que trata da preparação dos sais.

halotécnico. *Adj.* Relativo à halotecnia.

halter. *S. m.* V. *haltere*. [Pl.: *halteres*. Cf. *alteres*, do v. *alterar*, e *álter*, pl. *álteres*.]

halterado. *S. m.* e *adj.* V. *díptero* (2 e 3). [Cf. *alterado*.]

halterados. *S. m. pl. Zool.* V. *dípteros*. [Cf. *alterados*, pl. de *alterado*.]

haltere. [Do gr. *halteres*.] *S. m.* Instrumento ginástico formado por duas esferas de ferro ligadas por uma haste do mesmo metal, que a mão segura com facilidade; barra, peso. [Pl.: *halteres*. Var *halter*. Cf. *álter*, pl. *álteres*, e *altere*, *alteres*, do v. *alterar*.]

halteríptero. *S. m.* e *adj.* V. *díptero* (2 e 3).

halterípteros. *S. m. pl. Zool.* V. *dípteros*.

halterofilia. [De *haltere* + *-o-* + *-fil(o)-*[2] + *-ia*.] *S. f. Bras.* A prática da ginástica por meio de halteres e/ou o gosto por esse esporte; halterofilismo.

halterofílico. *Adj.* Relativo à halterofilia.

halterofilismo. [De *haltere* + *-o-* + *-fil(o)-*[2] + *-ismo*.] *S. m. Bras.* Halterofilia.

halterofilista. *S. 2 g. Bras.* Pessoa dada à halterofilia.

halurgia. [De *hal(o)-* + *-urg-* + *-ia*.] *S. f.* Técnica de preparar sais.

halúrgico. *Adj.* Referente à halurgia.

hálux (cs). [Do lat. *hallux*.] *S. m. 2 n.* **1.** *Anat.* O dedo grande do pé; halo **2.** *Zool.* Dedo posterior da pata das aves.

hamadria. *S. f.* V. *hamadríade*.

hamadríada. *S. f.* Var. de *hamadríade*.

hamadríade. [Do gr. *hamadryas, dos*, 'ninfa das águas', pelo lat. *hamadryade*.] *S. f.* **1.** *Mitol.* Ninfa dos bosques, que nascia e morria com a árvore que lhe era destinada, e onde se admitia que ela morasse: "Gênios caprípedes e broncos / Estupram virgens h a m a d r í a d e s." (Manuel Bandeira, *Estrela da Vida Inteira*, p. 64.) **2.** *Bras.* Designação dada por Carl Friedrich Philipp von Martius, botânico alemão (1794-1869), a uma das grandes regiões geobotânicas em que dividiu o Brasil (região cálido-seca). [Var.: *hamadríada*.]

hamamelidácea. *S. f.* Espécime das hamamelidáceas.

hamamelidáceas. *S. f. pl. Bot.* Família de plantas floríferas, da ordem das rosales, composta de árvores e arbustos com folhas alternas e estipuladas, e flores reunidas em cachos ou espigas. Existem cerca de 100 espécies, todas do hemisfério norte.

hamamelidáceo. *Adj.* Pertencente ou relativo às hamamelidáceas.

hamamélis. [Do gr. *hamamelís*.] *S. f. 2 n.* Planta da família das hamamelidáceas *(Hamamelis virginiana)*, outrora muito empregada em medicina, e hoje em desuso.

hamburgo. [Do ingl. *hamburger*.] *S. m.* V. *hambúrguer*.

hamburguense. *Adj. 2 g.* **1.** De, ou pertencente ou relativo a Novo Hamburgo (RS). ● *S. 2 g.* **2.** Natural ou habitante de Novo Hamburgo.

hambúrguer. [Do ingl. *hamburger*.] *S. m.* Carne passada na máquina, temperada com cebola, salsa, mostarda, etc., e ligada com ovo, formando massa a que se dá forma arredondada e que se leva a fritar como bife (1); hamburgo, hamburguesa. [Pl.: *hambúrgueres*.]

hamburguês. *Adj.* **1.** De, ou pertencente ou relativo a Hamburgo (Alemanha). ● *S. m.* **2.** O natural ou habitante de Hamburgo. [Flex.: *hamburguesa (ê), hamburgueses (ê), hamburguesas (ê)*.]

hamburguesa (ê). [Fem. substantivado do adj. *hamburguês*.] *S. f. Bras.* V. *hambúrguer*.

hamiltoniana. [Fem. substantivado de *hamiltoniano* (q. v.).] *S. f. Fís.* Função quadrática das coordenadas generalizadas e dos momentos generalizados de um sistema, mediante a qual se pode determinar o movimento deste, e que se confunde com a energia total do sistema quando ele é conservativo.

hamiltoniano. [Substantivação do adj. *hamiltoniano*, de William R. Hamilton, matemático inglês (1805-1865), + *-i-* + *-ano*.] *S. m. Fís.* Operador associado à energia de um sistema quantificado e cujos autovalores são as energias do sistema emestados estacionários.

hamita. *Adj. 2 g.* e *s. 2 g.* V. *camita*.

hamítico. *Adj.* e *s. m.* V. camítico.
hâmulo. [Do lat. *hamulu,* 'anzol pequeno'.] *S. m. Anat.* Apófise em forma de gancho.
➡**handball** (hendbol). [Ingl.] *S. m.* V. *handebol.*
handebol. [Do ingl. *handball.*] *S. m.* Jogo semelhante ao futebol, mas que se joga unicamente com as mãos.
➡**handicap** (hândicap). [Ingl.] *S. m.* **1.** Nas competições esportivas, certa vantagem que algum concorrente dá a outro, a fim de igualar as possibilidades de vitória. **2.** Prova a que são admitidos cavalos de todas as classes, igualando-se as possibilidades de vitória pela diferença de peso. **3.** *Fig.* Desvantagem.
hangar. [Do lat. medieval *hangarium,* 'lugar onde se ferram cavalos', pelo fr. *hangar.*] *S. m. Gal.* **1.** Abrigo fechado, ou galpão (1), para balões, dirigíveis, aviões, barcos, etc. **2.** *Bras. Constr. Nav.* Em navio-aeródromo, a primeira coberta abaixo do convés de vôo, na qual se guardam e reparam os aviões.
hanoveriano. *Adj.* **1.** Do ou pertencente ou relativo ao Hanôver (Alemanha). ● *S. m.* **2.** O natural ou habitante do Hanôver. [Var.: *hanovriano.*]
hanovriano. *Adj.* e *s. m.* Var. de *hanoveriano.*
hansa. [Do top. *Hansa.*] *S. f.* Associação que existia em várias cidades do N. da Europa, na Idade Média, para efeitos comerciais. [Cf. *ansa.*]
hanseático (se). [Do lat. medieval *hanseaticu.*] *Adj.* Relativo ou pertencente à hansa.
hanseniano. [Do antr. *Hansen,* de Gerhard Arnauer *Hansen,* médico e botânico norueguês (1841-1912), descobridor do bacilo da lepra.] *Adj.* e *s. m.* V. *leproso* (1 e 5).
hanseníase. [Do antr. *Hansen* (v. *hanseniano*) + *-íase.*] *S. f. Patol.* V. *lepra* (1).
hapálida. *S. m.* e *adj.* V. *hapalídeo.*
hapálidas. *S. m. pl. Zool.* V. *hapalídeos.*
hapalídeo. *S. m.* e *adj.* V. *calitriquídeo.*
hapalídeos. *S. m. pl. Zool.* V. *calitriquídeos.*
hápax (cs). [F. abrev. do gr. *hapax legomenon,* 'o que foi dito apenas uma vez'.] *S. m. 2 n.* Palavra, termo, locução, etc., que ocorre apenas uma vez em documento, obra literária ou científica, etc., i. e., que pode ser abonada [v. *abonar* (3)] com apenas uma citação.
hapaxanto (cs). *Adj. Bot.* Monocárpico (2).
▲**hapl(o)-.** [Do gr. *haplóos-oûs, óe-ê, óom-oûn.*] *El. comp.* = 'não composto; simples': *haplóide, haplologia; haplotomia.*
haplobionte. *S. m. Bot.* Planta sem alternância de gerações e, portanto, com um só tipo de indivíduos no ciclo vital.
haplódoco. *S. m.* **1.** Espécime dos haplódocos. ● *Adj.* **2.** Pertencente ou relativo a eles.
haplódocos. *S. m. pl. Zool.* Animais da classe dos peixes, neopterígios, da ordem *Haplodoci,* de corpo alongado, com cabeça grande e achatada, nadadeiras ventrais jugulares, escamas reduzidas ou ausentes, e apenas três arcos branquiais. São freqüentadores do fundo do mar. No grupo se incluem os peixes-sapos.
haplografia. [De *hapl(o)-* + *-graf(o)-* + *-ia.*] *S. f.* Haplologia originada por erro de cópia.
haplográfico. *Adj.* Relativo à haplografia.
haplóide. [De *hapl(o)-* + *-óide.*] *Adj. 2 g. Citol.* Que tem a metade do número somático de um número de cromossomos típico dos gametas normais.
haplologia. [De *hapl(o)-* + *-log(o)-* + *-ia.*] *S. f. Gram.* Contração ou redução dos elementos similares de um vocábulo. Ex.: *semínima,* por *semimínima; idólatra,* por *idololátra; bondoso,* por *bondadoso.* [Cf. *síncope* (2).] ♦ **Haplologia sintática.** Redução de duas palavras homônimas ou parônimas, e vizinhas, a uma só. Ex.: "Antes queria morrer do que [que] me acusassem de ladrão." (Domingos Monteiro, *Contos do Dia e da Noite,* p. 137); "Aquele homem exalava de si o [que] quer que fosse de sobrenatural e de divino." (Guerra Junqueiro, *Pátria,* p. 204).
haplológico. *Adj.* Relativo à, ou em que ocorre haplologia.
haplomo. *S. m.* **1.** Espécime dos haplomos. ● *Adj.* **2.** Pertencente ou relativo a eles.
haplomos. *S. m. pl. Zool.* Animais da classe dos peixes, neopterígios, da ordem *Haplomi,* com nadadeiras ventrais abdominais, bexiga natatória em comunicação com o tubo digestivo e raios das nadadeiras moles. São os lúcios.
haplosporídio. *S. m.* Espécime dos haplosporídios. ● *Adj.* **2.** Pertencente ou relativo a eles.
haplosporídios. *S. m. pl. Zool.* Animais protozoários cnidosporídios, da ordem *Haplosporidia,* com esporos em número reduzido, dentro de um cisto pequeno. São, em sua maioria, parasitas de anelídeos.
haplóstomo. [De *hapl(o)-* + *-stomo.*] *Adj. Zool.* Que tem abertura ou boca simples.
haplótipo. [De *hapl(o)-* + *-tipo.*] *S. m. Genét.* Grupo de alelos situados em regiões muito próximas, sendo transmitidos em conjunto para os descendentes.
haplotomia. [De *hapl(o)-* + *-tom(o)-* + *-ia.*] *S. f. Cir. Desus.* Incisão simples.
➡**happening** (hépenin'). [Ingl.] *S. m.* Qualquer acontecimento, em geral de caráter artístico, inteiramente improvisado, e sem nenhum plano quanto ao seu desenvolvimento.
➡**happy end** (hépi end). [Ingl., 'fim feliz'.] *S. m.* V. *fim feliz.*
➡**happy few** (hépi fiu). [Ingl.] Os poucos felizes; a elite intelectual.
haraganar. [De *haragano* + *-ear.*] *V. int. Bras., S.* Haraganear.
haraganear. [Do esp. plat. *haraganear.*] *V. int.* **1.** *Bras., S.* Viver solto (o animal); tornar-se haragano. **2.** *Fig.* Andar sem ocupação; vadiar. [F. paral.: *haraganar.* Conjug.: v. *frear.*]
haragano. [Do esp. plat. *haragán.*] *Adj. Bras., S.* **1.** Diz-se do cavalo que dificilmente se deixa agarrar. **2.** *Fig.* Mandrião, velhaco, vagabundo.
haraquiri. [Do jap. *hara-kiri,* 'cortando o ventre'.] *S. m.* Modalidade japonesa de suicídio, que consiste em rasgar o ventre à faca ou a sabre.
haras. [Do fr. *haras.*] *S. m. 2 n. Turfe.* Campo ou fazenda de criação de cavalos de corrida; coudelaria. [Cf. *aras,* do v. *arar* e pl. de *ara.*]
➡**hardware** (hárduer). [Ingl.] *S. m.* O equipamento físico do computador e os dispositivos a ele diretamente relacionados. [V. *software.*]
harém. [Do ár. *harīm,* 'proibido', pelo fr. *harem.*] *S. m.* **1.** Parte do palácio do sultão muçulmano onde se acham encerradas as odaliscas; serralho. **2.** O conjunto das odaliscas de um harém. **3.** Parte da casa muçulmana destinada à habitação das mulheres. **4.** *Fig.* V. *prostíbulo.* [Cf. *arem,* do v. *arar.*]
haríolo. [Do lat. *hariolu.*] *S. m.* V. *adivinho.*
hariolomancia (cí). [Do lat. *hariolu,* 'haríolo', + *-mancia.*] *S. f.* Arte de adivinhar por meio de ídolos.
hariolomante. [Do lat. *hariolu* + *-mante.*] *S. 2 g.* Pessoa que pratica a hariolomancia.
hariolomântico. *Adj.* Relativo à hariolomancia, ou a hariolomante.
harmala. [Do ár. *harmal.*] *S. f.* Espécie de arruda silvestre.
harmina. *S. f. Bot.* Alcalóide encontrado no caapi e nalgumas plantas aparentadas, que tem ação alucinógena. [Tais plantas, empregadas pelos índios em rituais sagrados, ocorrem na região amazônica.]
harmonia. [Do lat. *harmonia.*] *S. f.* **1.** Disposição bem ordenada entre as partes de um todo. **2.** Proporção, ordem, simetria. **3.** Acordo, conformidade. **4.** V. *paz* (1 e 2). **5.** Suavidade e sonoridade do estilo. **6.** *Anat.* Sinartrose formada por dois ossos cujo contato se dá mediante superfícies de recorte quase imperceptível, como é o caso de osso nasal com ramo ascendente de maxilar. **7.** Consonância ou sucessão agradável de sons. **8.** *Mús.* Na Grécia antiga, sucessão lógica dos sons, dentro da oitava. **9.** *Mús.* Na Grécia antiga, um acorde de sons e, particularmente, um acorde de oitava. **10.** *Mús.* Entre os gregos, modo (13), como p. ex., o dório, o frígio, o lídio, etc. **11.** *Mús.* Entre os gregos, a adaptação de um texto a uma melodia. **12.** *Mús.* Arte e ciência que tem por objeto a formação e o encadeamento dos acordes, segundo as leis da tonalidade [q. v.], do cromatismo [q. v.], ou, modernamente, através do afastamento mais ou menos radical das categorias tonais. [Cf. *contraponto* e *atonalidade.*] **13.** *Mús.* Conjunto dos instrumentos de sopro, na orquestra. **14.** *Mús.* Orquestra formada exclusivamente por instrumentos de sopro e percussão; banda, fanfarra. ♦ **Harmonia imitativa.** *Mús.* Reprodução de sensações diversas através dos sons ou do ritmo. **Harmonia preestabelecida.** *Filos.* Segundo Leibniz [v. *leibniziano*], acordo estabelecido por Deus entre as mônadas, que explica a ação recíproca de umas sobre as outras pela correspondência previamente determinada entre suas leis de desenvolvimento interno.
harmônica. [Fem. de *harmônico.*] *S. f.* **1.** Instrumento musical: caixa de ressonância provida de lâminas de vidro de comprimento desigual que são vibradas com uma baqueta. [Cf. *copofone.*] **2.** *Mús.* V. *gaita* (2). **3.** *Mús.* V. *concertina.* **4.** *Bras. Mús.* Espécie de acordeão (1).
harmônico. [Do gr. *harmonikós,* pelo lat. *harmonicu.*] *Adj.* **1.** Concernente à, ou em que há harmonia. **2.** Regular; coerente; proporcionado. **3.** *Fís.* Diz-se de um fenômeno a que se associa uma expressão analítica que envolve uma função harmônica do tempo. **4.** *Fís.* Diz-se do fenômeno periódico cuja freqüência (4) é um múltiplo inteiro da freqüência de outro. ~ V. *análise —a, analisador —, divisão —a, função —a, função —a simples, marcha —a, média —a, movimento—, movimento — simples, onda —a, progressão —a, razão —* e *série —a.* ● *S. m.* **5.** *Fís.* Fenômeno harmônico (4). **6.** *Mús.* Cada um dos sons produzidos numa série harmônica (2)
harmonicorde. [De *harmôni(ca),* fem. de *harmônico,* + *-corde.*] *S. m.* **1.** Espécie de piano de cordas friccionáveis por meio de um rolo acionado por teclado. **2.** Instrumento inventado por A. F. Debain (1809-1877), dotado de cordas e de palhetas livres, e que é uma combinação de piano e harmônio.
harmoniflute. [Do fr. *harmoniflûte.*] *S. m.* Instrumento musical intermediário entre o harmônio e a sanfona.
harmônio. [Do lat. artificial *harmonium,* calcado em *harmonia.*] *S. m.* Pequeno órgão de sala em que os tubos são substituídos por palhetas livres.
harmonioso (ô). *Adj.* **1.** Que tem harmonia. **2.** Que está em harmonia, em consonância; acorde, proporcionado: "Ouvindo-a [à cigarra], ... entre o rumor silencioso da mata virgem, achei-a h a r m o n i o s a com a imensidade sombria, pesada, ... da espessura impenetrável." (Mário de Alencar, *Contos e Impressões,* p. 177.)
harmonista[1]. *S. 2 g.* Pessoa que sabe as regras da harmonia.
harmonista[2]. *S. 2 g. Bras.* Tocador de harmônio.
harmonística. *S. f. Rel.* Conciliação ou harmonização crítica das diversas passagens do Novo Testamento que parecem contraditórias.
harmônium. *S. m.* V. *harmônio.*
harmonização. *S. f.* Ação ou efeito de harmonizar(-se).
harmonizador (ô). *Adj.* e *s. m.* Que ou aquele que harmoniza.
harmonizar. *V. t. d.* **1.** Pôr em harmonia (1); tornar harmônico; conciliar, congraçar. **2.** *Mús.* Escrever o acompanhamento musical de (uma melodia). **3.** *Mús.* Realizar os acordes indicados num baixo-cifrado [q. v.]. *T. d. e i.* **4.** Pôr em harmonia (1); tornar harmônico; conciliar, congraçar: *Consegui h a r m o n i z a r os meus pontos de vista com os seus. T. i. e int.* **5.** Estar em harmonia; estar harmônico, de acordo; harmonizar-se: *Sua concepção h a r m o n i z a com a minha; Nossas idéias h a r m o n i z a r a m. P.* **6.** Estar ou ficar em harmonia; estar ou pôr-se harmônico, de acordo; harmonizar: *Suas opiniões s e h a r m o n i z a m;* "gesticulo ou ando, e meus passos e gestos h a r m o n i z a m - s e com os alheios, como num bailado" (Geir Campos, *O Vestíbulo,* p. 16).
harmonizável. *Adj. 2 g.* Que se pode harmonizar; compatível, conciliável.
harmonógrafo. [De *harmon(ia)* + *-o-* + *-grafo.*] *S. m. Fís.* Instrumento destinado a evidenciar graficamente a superposição de dois movimentos periódicos, e que pode ser mecânico, elétrico, óptico, etc.
harmonômetro. [De *harmon(o)-* + *-metro.*] *S. m.* Instrumento com que se medem as relações harmônicas dos sons.
harpa. [Do germ. **harpa,* pelo lat. vulg. *harpa* e pelo fr. *harpe.*] *S. f.* **1.** Instrumento de cordas dedilháveis, conhecido desde a Antiguidade. **2.** Hoje, instrumento aproximadamente triangular, de cordas desiguais, que se tangem com os dedos das duas mãos, e dotado de um mecanismo de pedais. **3.** *Tip.* Resvaladouro (4). [Cf. *arpa,* do v. *arpar.*] ♦ **Harpa eólia.** Instrumento musical constituído por uma caixa sonora com seis ou oito cordas afinadas em um mesmo tom, e que soava quando exposto a uma corrente de vento.
hárpaga. [Do gr. *harpagé,* pelo lat. *harpaga.*] *S. f.* Antiga máquina de guerra, espécie de catapulta.
harpagão. [Adapt. de *Harpagon,* nome da personagem principal da comédia *O Avarento,* de Molière.] *S. m.* V. *avaro* (3): "— Um pouco tolo, dominado pela mulher, que é .... um h a r p a g ã o de saias .... .— Tão somítica que põe de novo na caixa de rapé os resíduos das unhas, quando toma uma pitada." (Cardoso de Oliveira, *Dois Metros e Cinco,* p. 121).
harpar. *V. t.* e *int.* V. *harpear.* [Cf. *arpar.*]
harpear. *V. t. d.* **1.** Tocar na harpa: *H a r p e o u uma bela romança. Int.* **2.** Tocar harpa. [Sin. ger.: *harpar, harpejar.* [Conjug.: v. *frear.* Cf. *arpear.*]
harpejar. *V. t. d.* e *int.* V. *harpear.* [Conjug.: v. *pelejar.* Pres. ind.: *harpejo,* etc. Cf. *arpejo,* do v. *arpejar,* e este v.]
harpia (pí). [Do gr. *hárpyia,* pelo lat. *harpya.*] *S. f.* **1.** Monstro fabuloso, com rosto de mulher e corpo de abutre: "Aquele, que gigante inda no berço / Se

mostrava às nações, no berço mesmo / E já cadáver de cruéis harpias, / De malfazejas fúrias." (José Bonifácio, *Poesias*, p. 160.) **2.** Pessoa ávida, que vive de extorsões. **3.** *Bras.* Ave falconiforme, da família dos acipitrídeos (*Harpia harpyja* (L.)), do México, América Central e região cisandina até o N. da Argentina, um dos maiores gaviões brasileiros, sendo o outro o *gavião-de-penacho* (1). Parte superior do corpo cinzento-clara, crista e fita peitoral cinzentos, parte inferior branca, rêmiges enegrecidas e cauda parda listrada de preto. [Sin., nesta acepç.: *gavião-real, gavião-de-penacho, uiruuetê, uiraçu* ou *uraçu, cutucurim.*]

harpista. *S. 2 g.* Pessoa que toca e/ou ensina a tocar harpa: "Que as harpistas toquem alguma cousa..." (Eugênio de Castro, *Obras Poéticas*, II, p. 171.) [Cf. *arpista.*]

harto. [Do esp. *harto.*] *Adj.* **1.** Forte, robusto, sólido: "Era inteiriço tronco centenário, / Harto jequitibá daqueles sítios" (Alberto de Oliveira, *Poesias*, 3ª série, p. 138). **2.** Grosso, espesso: "Hartos troncos, robustos, gigantes; / Vossas matas tais monstros contêm." (Gonçalves Dias, *Obras Poéticas*, I, p. 30). ● *Adv.* **3.** De sobra; muito, assaz: "é plausível que a sua filosofia [de Pitágoras], por demasiado científica e ideal, e a sua política, por harto facciosa e adversa aos princípios e aos interesses democráticos, não atraíssem o afeto das multidões" (Latino Coelho, *A Oração da Coroa*, p. CLXXX).

hasta. [Do lat. *hasta.*] *S. f.* **1.** Lança, pique. **2.** Leilão, arrematação. ◆ **Hasta pública.** *Jur.* Venda de bens em público pregão, efetuada privativamente por leiloeiros públicos ou, onde não os houver, pelos porteiros dos auditórios do foro, a quem oferecer maior lanço, não devendo este, em nenhum caso, ser inferior ao preço da estimativa judicial feita de antemão; leilão. [Cf. *licitação* (1).]

hastado. *Adj.* Dotado de hasta (1). ~ V. *folha* —a.

haste. [De *hasta.*] *S. f.* **1.** Pau ou ferro, direito, longo e levantado, no qual se encrava ou apóia alguma coisa. **2.** Pau de bandeira. **3.** *P. ext.* Caule. [Dim. irreg.: *hastilha.*] **4.** V. *corno* (1). [Var., nessas acepç.: *hástea.*] **5.** *P. ext.* Parte longa e levantada: "Mário tinha uma bela caligrafia, ... caprichava nas hastes das maiúsculas" (Oto Lara Resende, *Boca do Inferno*, p. 74). **6.** *Tip.* O floco de metal ou de madeira que constitui o tipo, excetuado o olho; fuste.

hástea. *S. f.* V. *haste* (1 a 4): "viu-se o Conde dos Arcos firme na sela provocar o ímpeto da fera e a hástea flexível do rojão ranger e estalar, embebendo o ferro no pescoço musculoso do boi." (Rebelo da Silva, *Contos e Lendas*, pp 177-178); "Vê quando a amendoeira em flores se desata, / curva as hásteas cheirosa, e a primavera chama." (Antônio Feliciano de Castilho, *As Geórgicas de Virgílio*, p. 25).

hasteado. [Part. de *hastear.*] *Adj.* **1.** Posto em haste. **2.** Arvorado, erigido.

hasteamento. *S. m.* Ação de hastear.

hastear. *V. t. d.* **1.** Elevar ou prender ao cimo de uma haste, vara ou mastro; içar, arvorar. **2.** *P. ext.* Erguer alto: "o tamanduá passeava gravemente hasteando o longo penacho de sua cauda à guisa de bandeira." (José de Alencar, *O Sertanejo*, p. 213). *P.* **3.** Erguer-se alto; levantar-se. **4.** Içar-se, desfraldar-se. [Conjug.: V. *frear.*]

▲**hasti-^{1}.** [Do gr. *hasta, ae.*] *El. comp.* = 'hasta, lança': *hastiforme, hastifoliado.*

▲**hasti-^{2}.** [De *haste.*] *El. comp.* = 'haste': *hastifino, hastibranco.*

hastibranco. [De *hasti-^{2}* + *branco.*] *Adj.* Diz-se do touro de hastes brancas com ponta negra.

hastifino. [De *hasti-^{2}* + *fino.*] *Adj.* Diz-se de touro que tem hastes delgadas.

hastifoliado. [De *hasti-^{1}* + *foliado.*] *Adj. Morfol. Veg.* Que tem folhas hastadas.

hastiforme. [De *hasti-^{1}* + *-forme.*] *Adj. 2 g.* Que tem forma de hasta (1); lanceolado.

hastil. *S. m.* **1.** Cabo de lança. [Cf. *haste* (1).] **2.** Haste (3): "Entre os mil primores, / Que há pelo Brasil, / Brilham essas flores / De doirado hastil." (Martins Fontes, *Vulcão*, p. 103).

hastilha. *S. f.* **1.** Pequena haste. **2.** *Constr. Nav.* Nos navios de casco metálico, chapa vertical disposta ao pé de cada caverna, transversalmente à quilha, para reforçar a ligação daquela com esta. [Cf. *astilha.*]

hastilhar. [De *hastilha* + *-ar^{2}.*] *V. t. d.* Fazer em hastilhas; despedaçar, romper; estilhaçar.

hastiverde (ê). [De *hasti-^{2}* + *verde.*] *Adj.* Diz-se de touro cujas hastes são esverdeadas.

hauaruna. *Bras. S. 2 g.* **1.** Indivíduo dos hauarunas, tribo indígena do AM. ● *Adj. 2 g.* **2.** Pertencente ou relativo a essa tribo.

hauçá. *S. m. Bras.* Negro de cultura islamizada, do N. da Nigéria, vindo para o Brasil no início do séc. XIX, com o tráfico.

haunita. [Do antr. *Haüy*, de René Just Haüy, mineralogista francês (1743-1822), + *-ita^{3}.*] *S. f. Min.* Mineral monométrico, silicato de sódio e alumínio com sulfato de cálcio, na proporção de três moléculas do primeiro para uma do segundo.

haurir. [Do lat. *haurire.*] *V. t. d.* **1.** Tirar para fora de lugar profundo. **2.** Esgotar, consumir. **3.** Beber; sorver, aspirar: "andou esse extravagante inglês [Cook] pisando todos os areais, haurindo todas as brisas, galgando todos os montes" (Olavo Bilac, *Crítica e Fantasia*, p. 150); "'hauro-lhe o flóreo e lânguido perfume" (Gilca Machado, *Mulher Nua*, p. 39). **4.** Extrair, colher: "a Amazônia brasileira haure os seus recursos, como antigamente, da borracha, da juta, da castanha-do-pará, ... do pirarucu, do casco de tartaruga." (Edison Carneiro, *A Sabedoria Popular*, p. 26). [Normalmente não se conjuga nas f. terminadas em *o* e *a.*]

haurível. *Adj. 2 g.* Que se pode haurir.

haustelado. *S. m.* **1.** Armadura bucal de inseto cujas mandíbulas estão adaptadas para sugar, e não para mastigar. **2.** V. *díptero* (3). ● *Adj.* **3.** Adaptado para sugar; haustelar. **4.** V. *díptero* (2).

haustelados. *S. m. pl. Zool.* V. *dípteros.*

haustelar. *Adj.* Haustelado (3).

haustelo. *S. m. Zool.* Parte da armadura bucal dos insetos dípteros.

hausto. [Do lat. *haustu.*] *S. m.* **1.** Ato de haurir. **2.** Trago, gole; sorvo. **3.** Sorvo, aspiração: "Depois dilatou as narinas e sorveu o ar num hausto cheio, que correu livre os brônquios." (Moreira Campos, *Portas Fechadas*, p. 13). **4.** Medicamento que se bebe.

haustório. [Do lat. *haustor, haustoris*, 'o que tira (líquido)', 'o que bebe'.] *S. m. Biol. Ger.* Ramificação pela qual o fungo parasito absorve o alimento retirado do parasitado.

➡**haute gomme** (ôt' gom'). [Fr.] *Gír.* A sociedade elegante.

havaiano (a-i). *Adj.* **1.** Do, ou pertencente ou relativo ao arquipélago-estado norte-americano do Havaí (Oceânia). ~ V. *guitarra* —a. ● *S. m.* **2.** O natural ou habitante de Havaí.

havana. *S. m.* **1.** Charuto fabricado em Havana (Cuba), ou que imita os feitos ali: "o espanhol .... continuou a fumar tranqüilamente o seu havana.'' (Artur Azevedo, *Contos Possíveis*, p. 121). [Em Portugal, *havano.*] ● *Adj. 2 g.* e *2n.* **2.** Castanho-claro.

havanês. *Adj.* **1.** De, ou pertencente ou relativo a Havana, capital de Cuba. ● *S. m.* **2.** O natural ou habitante de Havana. [Sin. ger.: *havano.* Flex.: *havanesa* (ê), *havaneses* (ê), *havanesas* (ê).]

havano^{1}. *Adj.* e *s. m.* Havanês.

havano^{2}. *S. m. Lus.* Havana (1).

haver. [Do lat. *habere.*] *V. t. d.* **1.** *P. us.* Ter, possuir: "A todo o instante que este livro abrires, / Lendo estes versos, dize: hei um amigo." (Gonçalves de Magalhães, *Suspiros Poéticos e Saudades*, p. 339); "E muito hei padecido antes que ao fundo / Chegue da taça que se chama Vida." (Da Costa e Silva, *Sangue*, p. 34). **2.** Alcançar, obter, conseguir: *Muito se esforçou, e não houve o que sonhava.* **3.** Sentir, experimentar; ter: *Todos houveram medo de se envolver na questão.* **4.** Considerar, julgar, entender: *Houveram que era covardia suportar semelhante afronta. Impess.* **5.** Existir (1): "Há no meu ser crepúsculos e auroras" (Raul de Leoni, *Luz Mediterrânea*, p. 27); "Há numa vida humana cem mil vidas" (Olavo Bilac, *Poesias*, p. 174); "Podia haver prêmios literários conferidos a escritores para que não escrevessem." (Afonso Lopes Vieira, *Nova Demanda do Graal*, p. 319). **6.** Suceder, acontecer, ocorrer, dar-se: "Naturalmente, houve alguma vez arrufos." (Machado de Assis, *A Semana*, II, p. 378.) **7.** Realizar-se, efetuar-se, ocorrer, dar-se: "Cerimônias religiosas, houve-as, e muito concorridas e solenes" (José Vieira, *Sol de Portugal*, p. 90). **8.** Fazer (31): "Havia dias não caía neve." (Benjamim Costallat, *Modernos...*, p. 103); *Havia meses que não nos víamos.* **9.** Fazer (30): "havia luar." (Aluísio Azevedo, *Pegadas*, p. 85); "faz frio. Há bruma. Agosto vai em meio." (Vicente de Carvalho, *Poemas e Canções*, p. 130); *Ao voltarmos de Petrópolis, havia um ruço dos diabos. T. d. e i.* **10.** Obter, conseguir, alcançar: *Os sentenciados houveram do juiz a comutação da pena. Transobj.* **11.** Ter na conta de; julgar, supor, considerar: *Todos o havemos por inteligente. Int.* **12.** Haver meio de; ser possível: "E lá se vão [os bois]; não há mais contê-los ou alcançá-los." (Euclides da Cunha, *Os Sertões*, p. 128); "Não há entender mulheres, Sr. Aires Ruivo" (Tristão da Cunha, *Histórias do Bem e do Mal*, p. 79). *P.* **13.** Proceder, portar-se, comportar-se: "Sim, três vezes louco, pois te houveste com o poder, que te dei, mais inconsideradamente que menino de berço com lanceta afiada!" (Aquilino Ribeiro, *Estrada de Santiago*, p. 313); "Na sangrenta luta da Ponta da Armação, ... Remígio se houve com grande bravura" (Antônio Celso Alves Pereira, *Rua do Quenta-Sol*, pp. 52-53). **14.** Entender-se, arranjar-se, avir-se: "Rubião tinha vexame por causa de Sofia; não sabia haver-se com senhoras." (Machado de Assis, *Quincas Borba*, p. 39). **15.** Como auxiliar, junto ao particípio, forma os tempos compostos para o pretérito: "Havia começado o inverno." (Nélida Piñón, *Sala de Armas*, p. 167.) **16.** Como auxiliar, junto do infinitivo e precedido da preposição *de*, forma os tempos compostos do futuro: *Hás de perceber que o rapaz tem bons princípios;* "A vida, meu Amor, quero vivê-la! / Na mesma taça erguida em tuas mãos, / Bocas unidas hemos de bebê-la!" (Florbela Espanca, *Sonetos Completos*, p. 71). [Pres. do ind.: *hei, hás, há, havemos* ou *hemos, haveis* ou *heis, hão*; pret. imperf.: *havia*, etc.; perf. *houve, houveste, houve, houvemos, houvestes, houveram*; m.-q.-perf.: *houvera, houveras*, etc.; imperat.: *há, havei*; pres. subj.: *haja, hajas*, etc.; imperf.: *houvesse, houvesses*, etc.; fut.: *houver, houveres*, etc.] Cf. *ah, eis*, o pres. subj. do v. *agir*, o pres. ind. do v. *aviar* e *ouve*, do v. *ouvir*. As f. *hemos* e *heis* estão obsoletas: "A Vida, meu Amor, quero vivê-la! / Na mesma taça erguida em tuas mãos, / Bocas unidas hemos de bebê-la!" (Florbela Espanca, *Sonetos Completos*, p. 71); "Ceifeira como esta jamais heis de achar." (Soares de Passos, *Poesias*, p. 144). ◆ **Haja o que houver.** Aconteça o que acontecer; custe o que custar. **Haver por bem.** Dignar-se, resolver. **Bem haja.** Que tudo corra da melhor maneira; graças. **Não há de quê.** Não há por que agradecer; não há por quê. **Não há por quê.** Não há de quê. ● *S. m.* **17.** A parte do crédito na escrituração comercial. ~ V. *haveres.*

haveres (ê). [Pl. substantivado de *haver.*] *S. m. pl.* Bens; riqueza: "Parece que era família [a de Anacreonte] de grande conta, por virtude e haveres, representação e antiguidade" (Antônio Feliciano de Castilho, *A Lírica de Anacreonte*, p. 11). ~ V. *haver.*

haxixe. [Do ár. *haxix*, pelo fr. *haschisch.*] *S. m.* Resina extraída das folhas e das inflorescências do cânhamo (1). [Mascado ou fumado, é de uso comum no Oriente, com efeito estupefaciente. Cf. *maconha.*]

■**He.** *Quím.* Símb. de *hélio^{1}* (1).

heautognose. [Do gr. *eautoû*, 'de si mesmo', + *-gnose.*] *S. f.* Conhecimento de si mesmo.

hebdômada. [Do gr. *hebdomás, ados*, pelo lat. *hebdomada.*] *S. f.* **1.** Semana. **2.** Espaço de sete dias, sete semanas ou sete anos.

hebdomadário. [De *hebdômade* + *-ário.*] *Adj.* **1.** V. *semanal:* "A imprensa quotidiana e hebdomadária celebrou .... a digna e serena compostura de Paris no prêmio da grande tragédia." (Aquilino Ribeiro, *É a Guerra*, p. 59.) ● *S. m.* **2.** Semanário (3).

hebdomático. [Do gr. *hebdomatikós*, pelo lat. *hebdomaticu.*] *Adj.* Relativo ao número sete.

hebeclínio. *S. m.* Eupatório.

hebefrenia. [Do gr. *hébe*, 'mocidade', + *-fren(o)-^{1}* + *-ia.*] *S. f. Patol.* Variedade de esquizofrenia que se observa, em geral, nos adolescentes.

hebefrênico. *Adj.* **1.** Relativo à, ou que sofre de hebefrenia. ● *S. m.* **2.** Indivíduo hebefrênico.

hebetação. [Do lat. *hebetatione.*] *S. f.* Ato ou efeito de hebetar; hebetamento.

hebetado. [Part. de *hebetar.*] *Adj.* Aparvalhado, atoleimado, apalermado; hebetizado: "Mathews sorriu amarelo: I — Será uma epidemia? I E ficou hebetado no meio da sala" (Orígenes Lessa, *A Desintegração da Morte*, p. 33).

hebetamento. [De *hebetar* + *-mento.*] *S. m.* Hebetação.

hebetar. [Do lat. *hebetare.*] *V. t. d.* e *p.* Tornar(-se) bronco, embotado, obtuso: *O álcool terminou hebetando o pobre rapaz.*

hebético. *Adj. Med.* Referente à, ou próprio da puberdade.

hebetismo. *S. m.* Qualidade de hebetado; imbecilidade.

hebetizado. *Adj.* V. *hebetado.*

hebetude. [Do lat. *hebetudine.*] *S. f.* Torpor, entorpecimento, estupor: "olhou-o, limitou-se a constatar a expressão de hebetude do doente, os tremores da língua e das mãos" (Júlio Dantas, *Abelhas Doiradas*, p. 149).

hebraico. [Do gr. *hebraikós*, pelo lat. *hebraicu*.] *Adj.* **1.** Hebreu (3). • *S. m.* **2.** V. *hebreu* (1). **3.** *Ling.* Língua semítica do tronco cananeu, na qual foi escrita grande parte da Bíblia; hebreu. [Tendo ficado vários séculos como língua morta, passou em fins do séc. XIX a língua viva, com o movimento sionista, e é hoje a língua oficial do Estado de Israel.]

hebraísmo. *S. m.* Palavra, locução ou construção peculiar ao hebraico (3), ou imitada dessa língua.

hebraísta. *S. 2 g.* Pessoa que se dedica ao estudo do hebraico.

hebraizante (a-i). *Adj. 2 g.* Que hebraíza.

hebraizar (a-i). V. int. **1.** Conhecer o hebreu. **2.** Seguir as doutrinas ou praticar a religião hebraica; judaizar. [Conjug.: v. *enraizar*.]

hebréia. *Adj. (f.)* e *s. f.* Fem. de *hebreu* (1 e 3).

hebreu. [Do hebr. *ibri*, 'aquele que atravessou' (o Eufrates ou o Jordão), pelo gr. *hebraîos* e pelo lat. *hebraeu*.] *S. m.* **1.** Indivíduo dos hebreus, povo semita da Antiguidade, do qual descendem os atuais judeus [v. *judeu*]; hebraico. **2.** *Ling.* Hebraico (3): "O certo é que hoje, em Israel, ... o hebreu é a língua oficial" (Cecília Meireles, *Eternidade de Israel*, p. 27). • *Adj.* **3.** Dos, ou pertencente ou relativo aos hebreus; hebraico. [Fem., nas acepç. 1 e 3: *hebréia*.]

hebridense. *Adj. 2 g.* **1.** Das, ou pertencente ou relativo às ilhas hébridas (Grã-Bretanha). • *S. 2 g.* **2.** Natural ou habitante das Hébridas.

hecatomba. *S. f.* V. *hecatombe*.

hecatombe. [Do gr. *hekatómbe*, pelo lat. *hecatombe*.] *S. f.* **1.** Outrora, sacrifício de cem bois. **2.** *P. ext.* Sacrifício de numerosas vítimas. **3.** *Fig.* Matança humana; mortandade, carnificina: "Morticínios, hecatombes pavorosas deram fim ao protesto da plebe rebelada que ousou por vezes readquirir os seus direitos." (Xavier Marques, *A Cidade Encantada*, p. 42.) [Var.: *hecatomba*.]

hecatômbeon. *S. m. Cronol.* O primeiro mês do calendário grego, com 29 dias, correspondente ao mês de julho do calendário gregoriano.

hecatômpedo. [Do gr. *hekatómpedon*.] *S. m.* Templo com cem pés de extensão, como o de Minerva, em Atenas.

▲**hecato(n)-.** [Do gr. *hecatón*.] *El. comp.* = 'cem': *hecatostilo*, *hecatônstilo* [q. v.].

hecatônstilo. *S. m.* V. *hecatostilo*.

hecatostilo. [De *hecato(n)-* + *-stilo*.] *S. m.* Pórtico ou edifício de cem colunas.

hecceidade. [Do lat. medieval *hecceitate*.] *S. f. Filos.* Segundo Duns Scot [v. *scotismo*], o princípio de individuação; ecceidade, ipseidade.

hechor (ô). [Do esp. plat. *hechor*.] *S. m. Bras., RS.* Asno que serve de garanhão numa manada de éguas; burrochoro.

hectaedro. [De *hect(o)-* + *-edro*.] *S. m. Geom.* Poliedro de 100 faces.

hectágono. *S. m. Geom.* Polígono de 100 lados.

hectare. [De *hect(o)-* + *-are*.] *S. m.* Unidade de medida agrária, equivalente a cem ares ou um hectômetro quadrado. [Símb: *ha*.]

héctica. [Fem. substantivado do adj. *héctico*.] *S. f.* **1.** *Patol.* Consumpção por febre lenta. **2.** *Patol.* Febre lenta, consecutiva a doença crônica. **3.** *Pop. Tísica.* [Var.: *hética*.]

hecticidade. *S. f.* Estado de héctico; tísica. [Var.: *heticidade*.]

héctico. [Do gr. *hektikós*, 'habitual, contínuo'.] *Adj.* **1.** Relativo à, ou que sofre de héctica. • *S. m.* **2.** Aquele que sofre de héctica. [Var.: *hético*.]

▲**hect(o)-.** *Pref.* que, anteposto ao nome duma unidade de medida, forma o nome de uma unidade derivada 100 vezes maior que a primeira. [Símb.: *h*.]

hectoedria. *S. f.* Caráter de hectoédrico.

hectoédrico. [De *hect(o)-* + *-edro-* + *-ico*[2].] *Adj. Min.* ~V. *cristal* —.

hectográfico. *Adj.* ~ V. *papel* —.

hectógrafo. [De *hect(o)-* + *-grafo*.] *S. m.* Duplicador que, por meio de umedecimento a álcool, transfere para o papel com que é alimentado o escrito ou o desenho da matriz obtida por meio de papel hectográfico; duplicador a álcool.

hectograma. [De *hect(o)-* + *grama*[2].] *S. m.* Medida de massa, equivalente a 100 gramas. [Símb.: *hg*.]

hectolitro. [De *hect(o)-* + *litro*.] *S. m.* Medida de capacidade, equivalente a 100 litros. [Símb.: *hl*.]

hectômetro. [De *hect(o)-* + *metro*.] *S. m.* Medida de comprimento, equivalente a 100 metros. [Símb.: *hm* .]

hectopsilídeo. *S. m.* **1.** Espécime dos hectopsilídeos. • *Adj.* **2.** Pertencente ou relativo a eles.

hectopsilídeos. *S. m. pl. Zool.* Família de insetos da ordem dos sifonápteros (pulgas), parasito permanente. Ex.: o bicho-de-pé.

hectostere. *S. m.* V. *hectostéreo*.

hectostéreo. [De *hect(o)-* + *estéreo*.] *S. m.* Volume de 100 estéreos.

hedenbergita. [Do antr. *Hedenberg*, de L. Hedenberg, químico sueco, + -ita[3].] *S. f. Min.* Mineral monoclínico de coloração esverdeada, do grupo dos piroxênios, silicato de cálcio e ferro.

hederáceo. [Do lat. *hederaceu*.] *Adj.* Relativo ou semelhante à hera.

▲**heder(i)-.** [Do lat. *hedera, ae*.] *El. comp.* = 'hera': *hederoso* (lat. *hederosu*), *hederiforme*.

hederiforme. [De *heder(i)-* + *-forme*.] *Adj. 2 g.* Que tem forma de hera.

hederígero. [Do lat. *hederigeru*.] *Adj.* **1.** Que tem ou produz heras. **2.** Ornado de heras.

hederoso (ô). [Do lat. *hederosu*.] *Adj.* Abundante de heras.

hediondez (ê). *S. f.* **1.** Qualidade do que é hediondo. **2.** *Fig.* Procedimento hediondo. [F. paral.: *hediondeza*.]

hediondeza (ê). *S. f.* Hediondez.

hediondo. [Do esp. *hediondo*.] *Adj.* **1.** Depravado, vicioso, sórdido, imundo. **2.** Repelente, repulsivo; horrendo: "espécie de funâmbulo patibular, face contorcida em esgar ferino, como um traumatismo hediondo" (Euclides da Cunha, *Os Sertões*, p. 201). **3.** Sinistro, pavoroso, medonho: "Dizem que cometi um crime hediondo" (Almeida Fischer, *10 Contos Escolhidos*, p. 65). **4.** *P. us.* Que cheira mal; fedorento.

hedônico. *Adj.* Relativo ao hedonismo.

hedonismo. [Do gr. *hedoné*, 'prazer', + -ismo.] *S. m.* **1.** *Ét.* Doutrina que considera que o prazer individual e imediato é o único bem possível, princípio e fim da vida moral: "A teoria socrática do bom e do útil, da prudência, ... produz, entendida pela índole voluptuária de Aristipo, o hedonismo, ou a filosofia, em que toda a humana bem-aventurança se resolve no prazer" (Latino Coelho, *A Oração da Coroa*, pp. CCXXXVI-CCXXXVII). **2.** *Filos.* Doutrina moral do cirenaísmo.

hedonista. [Do gr. *hedoné*, 'prazer', + -ista.] *Adj. 2 g.* e *s. 2 g.* Partidário do hedonismo.

hedonístico. [De *hedonista* + *-ico*[2].] *Adj.* ~ V. *escola* —a.

hedrocele. [Do gr. *hedra*, 'ânus', + *-o-* + *-cele*.] *S. f. Med.* Hérnia intestinal através do ânus. [Cf. *hidrocele*.]

hegelianismo(gue). *S. m. Filos.* Doutrina de Georg Wilhelm Friedrich Hegel, filósofo alemão (1770-1831), e de seus seguidores, idealismo absoluto que identifica a realidade com a razão ("todo real é racional"), compreendida esta através do desenvolvimento histórico da consciência, do que resultou a criação do método dialético. [Cf. *direita hegeliana* e *esquerda hegeliana*.]

hegeliano (gue). *Adj.* **1.** Pertencente ou relativo a Hegel, ou próprio dele ou de sua filosofia. ~ V. *esquerda* —a e *direita* —a. • *S. m.* **2.** Partidário de Hegel, do hegelianismo [q. v.].

hegemonia. [Do gr. *hegemonía*.] *S. f.* **1.** Preponderância de uma cidade ou um povo sobre outras cidades ou outros povos; "Lembra .... a carta, por exemplo, de D. Luís da Cunha, do tempo de D. João V, na qual aconselha a mudança da capital portuguesa para o Rio de Janeiro, certo de que o futuro da raça estava no Brasil e de que a hegemonia do mundo teria de pertencer à América." (João Ribeiro, *Cartas Devolvidas*, p. 89.) **2.** *Fig.* Preponderância, supremacia, superioridade.

hegemônico. [Do gr. *hegemonikós*.] *Adj.* Relativo a hegemonia.

hégira. [Do ár. *hijra*, 'emigração'.] *S. f.* **1.** Era maometana, que tem como ponto de partida a fuga de Maomé de Meca para Medina, em 622 da nossa era. **2.** *Fig.* Fuga[1] (1): "Fora longo recontar a sua hégira [da nacionalidade peruana] para o levante, nas investidas sucessivas por cinco penosíssimas estradas desesperadoramente retorcidas no boleado das serras" (Euclides da Cunha, *À margem da História*, p. 96).

heideggeriano (hai...gue). *Adj.* **1.** Pertencente ou relativo a, ou próprio de Martin Heidegger (1889-1976), filósofo existencialista alemão. **2.** Que é adepto de sua doutrina. • *S. m.* **3.** Adepto da doutrina de Heidegger.

heiduque. [Do húng. *hajduk*, 'infante', atr. do al. *Heiduck* e do fr. *heiduque*.] *S. m.* **1.** Outrora, na Hungria, miliciano de determinada região. **2.** Na França, outrora, criado vestido à húngara. **3.** Modernamente, o soldado de infantaria, guarda do corpo.

hein. *Interj.* V. *hem*.

➧**hélas** (êláç). [Fr.] *Interj.* Exprime queixa, dor, saudade, etc.

helciário. [Do lat. *helciariu*.] *S. m.* Entre os antigos romanos, aquele que atava um barco à sirga.

▲**helc(o)-.** [Do gr. *hélkos, eos-ous*.] *El. comp.* = 'úlcera': *helcologia*.

helcologia. [De *helc(o)-* + *-log(o)-* + *-ia*.] *S. f. Med.* Estudo das úlceras.

helcológico. *Adj.* Referente à helcologia.

helcose. [Do gr. *hélkosis*.] *S. f.* Ulceração.

heleborinha. [Do gr. *helleboríne*, pelo lat. *helleborine*.] *S. f.* Erva ornamental, da família das orquidáceas (*Epidendrum secundum*), nativa do Brasil, de folhas crassas, flores pequenas, mas agregadas com inflorescências compactas e vistosas, com o pólen reunido em massas consistentes, e fruto capsular, com miríades de sementes mínimas.

heleborismo. *S. m.* Sistema antigo de tratamento e prevenção de doenças por meio do heléboro.

heleborizar. *V. t. d.* Tratar com o heléboro.

heléboro. [Do gr. *helléboros*; pelo lat. *helleboru*.] *S. m.* Erva medicinal, do gênero *Veratrum*, da família das liliáceas, que contém o alcalóide veratrina, outrora importante em terapêutica como analgésico.

heléboro-branco. *S. m.* V. *flor-da-verdade*. [Pl.: *heléboros-brancos*.]

heléboro-verde. *S. m.* Erva da família das liliáceas (*Veratrum viride*), originária da Europa, de rizoma curto e cilíndrico, flores alvas por dentro e verdes por fora, trímeras e vistosas, e que já teve sua importância em medicina. [Pl.: *heléboros-verdes*.]

heleídeo. *Adj.* e *s. m.* Ceratopogonídeo.

heleídeos. *S. m. pl. Zool.* Ceratopogonídeos.

helenense. *Adj. 2 g.* **1.** De, ou pertencente ou relativo a Santa Helena (MA). • *S. 2 g.* **2.** Natural ou habitante de Santa Helena.

helênico. [Do gr. *hellenikós*.] *Adj.* **1.** Dos helenos, ou da natureza deles. **2.** Relativo ou pertencente à Hélade, ou Grécia antiga: "Para a antiguidade helênica o diamante era o metal invencível com que os deuses fabricavam as suas armas" (Ramalho Ortigão, *A Holanda*, p. 182).

helenismo. [Do gr. *hellenismós*.] *S. m.* **1.** Palavra, locução ou construção própria da língua grega, ou dela imitada; grecismo. **2.** O conjunto das idéias e costumes da Grécia antiga; a civilização grega.

helenista. [Do gr. *hellenistés*.] *S. 2 g.* Pessoa versada na língua e na civilização da Grécia Antiga.

helenístico. *Adj.* **1.** Referente ao helenismo (2). **2.** Diz-se do período histórico que vai desde a conquista do Oriente por Alexandre até a conquista da Grécia pelos romanos.

helenização. *S. f.* Ato ou efeito de helenizar.

helenizante. *Adj. 2 g.* e *s. 2 g.* Que ou quem se dedica ao helenismo (2), se interessa pelo seu estudo.

helenizar. [Do gr. *hellenízo* + *-ar*[2].] *V. t. d.* **1.** Tornar conforme ao caráter grego. *Int.* **2.** Dedicar-se ao estudo do idioma e/ou da civilização grega.

heleno. [Do gr. *héllen*.] *Adj.* **1.** V. *grego* (1). • *S. m.* **2.** V. *grego* (4). **3.** Indivíduo dos helenos, povos que, substituindo a dominação dos pélasgos, povoaram a Grécia; grego. [Fem.: *helena*. Cf. *elena*.]

heleno-latino. *Adj.* V. *greco-latino*. [Pl.: *heleno-latinos*.]

helépole. [Do gr. *helépolis*, pelo lat. *helepole*.] *S. f.* Designação genérica, entre os antigos, das máquinas de ataque a fortificações, como torres móveis, catapultas, etc.: "Uma helépole veio altaneira e vagarosa do largo, onde a estiveram a armar piquetes de operários." (Aquilino Ribeiro, *Os Avós dos Nossos Avós*, p. 114).

helespontíaco. [Do gr. *hellespontiakós*, pelo lat. *hellespontiacu*.] *Adj.* Helespôntico.

helespôntico. [Do gr. *hellespontikós*, pelo lat. *hellespónticu*.] *Adj.* Pertencente ou relativo ao Helesponto, denominação antiga do estreito de Dardanelos; helespontíaco.

helíaco. [Do gr. *heliakós*, pelo lat. *heliacu*.] *Adj. Astron.* ~V. *pôr* — e nascer —.

heliânteo. *Adj.* Pertencente, relativo e semelhante ao helianto.

helianto. [De *heli(o)-* + *-anto*.] *S. m.* O girassol (*Elianthus annuus* Lin.) [q. v.].

heliasta. [Do gr. *heliastés*.] *S. m.* Membro de um famoso tribunal ateniense constituído de cidadãos que se reuniam ao ar livre, ao nascer do Sol.

hélice. [Do gr. *hélix*, pelo lat. *helice*.] *S. f.* **1.** *Geom.* Curva reversa cujas tangentes formam um ângulo constante com uma reta fixa do espaço; curva reversa em que é constante a razão entre a curvatura e a torção. **2.** *Constr. Nav.* Propulsor de navio, que substituiu as rodas. [Consta de cubo e pás. Nesta acepç., nas

Marinhas brasileira e portuguesa só se usa no masc.] **3.** *Aeron.* Peça propulsora dos aviões. **4.** *Zool.* Gênero de moluscos ao qual pertence o caracol (1). **5.** Qualquer objeto em forma de caracol (1); espiral. • *S. m.* e *f.* **6.** *Anat.* Rebordo exterior do pavilhão da orelha; hélix. [Dim. irreg.: *helícula.*] ♦ **Hélice cilíndrica.** *Geom.* Curva cilíndrica cujas tangentes formam um ângulo constante com as geratrizes do cilindro sobre o qual ela se encontra. **Hélice cônica.** *Geom.* Curva cônica na qual as tangentes fazem um ângulo constante com o eixo do cone.

helicicultor (ô). [De *hélice* (4) + *-i-* + *-cultor.*] *S. m.* Aquele que pratica a helicicultura.

helicicultura. [De *hélice* (4) + *-i-* + *cultura.*] *S. f.* Criação de caracóis, máxime das espécies do gênero *Helix Linnaeus*, para fins alimentícios.

helícida. *S. m.* e *adj.* *2 g.* V. *helicídeo.*

helícidas. *S. m. pl. Zool.* V. *helicídeos.*

helicídeo. [De *hélice* (4) + *-ídeo.*] *Adj.* **1.** Pertencente ou relativo aos helicídeos. • *S. m.* **2.** Espécime dos helicídeos.

helicídeos. *S. m. pl. Zool.* Família de molusco que tem como tipo o caracol comum.

helicite. [Do lat. *helice*, 'hélice', + *-ite*[2].] *S. f.* Concha fóssil, turbinada em rosca.

helicoidal. *Adj.* *2 g.* Helicóide (1). ~ V. *superfície.*

helicóide. [Do gr. *helikoeidés.*] *Adj.* *2 g.* **1.** Que tem a forma de, ou é semelhante à hélice; em caracol; helicoidal. • *S. m.* **2.** *Geom.* Superfície regrada cuja diretriz é uma hélice.

helicoiídeo. *S. m.* **1.** Espécime dos helicoiídeos. • *Adj.* **2.** Pertencente ou relativo a eles.

helicoiídeos. *S. m. pl. Zool.* Família de moluscos gastrópodes, da ordem dos pulmonados, gênero comum *Helix*, vulgarmente conhecido por caracol-de-jardim, mais ativo à noite e em tempo úmido, e que se alimenta de folhas verdes.

helicômetro. [Do gr. *helix, ikós,* 'hélice', + *-metro.*] *S. m.* Aparelho com que se mede a força das hélices.

hélicon. *S. m. Mús.* Saxorne, contrabaixo ou tuba, com a forma circular de uma grande trompa de caça, e usado nas bandas militares em marcha.

helicônia. *S. f.* **1.** *Bras.* Designação comum aos insetos lepidópteros da família dos hinfalídeos, subfamília dos heliconiídeos, gênero *Heliconius* Klugm, de colorações vivas sobre fundo negro ou negro-azulado, providos de asas anteriores longas, pelo menos duas vezes tão compridos quanto a largura máxima, e asas posteriores pequenas e arredondadas. **2.** Gênero de plantas da família das musáceas, freqüente nas matas úmidas.

heliconiídeo. *S. m.* **1.** Espécime dos heliconiídeos. • *Adj.* **2.** Pertencente ou relativo a eles.

heliconiídeos. *S. m. pl. Zool.* Família de insetos da ordem dos lepidópteros; borboletas tropicais, de cores brilhantes, de asas anteriores estreitas e alongadas. Possuem líquido corpóreo de sabor desagradável, sendo por isso evitadas pelos predadores. Gênero comum: *Heliconius.*

helicóptero. [Do fr. *hélicoptère.*] *S. m.* Aparelho de aviação capaz de elevar-se verticalmente e sustentar-se por meio de hélices horizontais.

helicosporídio. *S. m.* **1.** Espécime dos helicosporídios. • *Adj.* **2.** Pertencente ou relativo a eles.

helicosporídios. *S. m. pl. Zool.* Animais protozoários, onidosporídios, ordem *Helicosporidia*, cujos esporos são em forma de barril, com um filamento espiralado. São parasitos de moscas e larvas de ácaros.

helícula. *S. f.* Pequena hélice; helicezinha.

hélio[1]. [Do lat. científico *helium* < gr. *hélios*, 'sol'.] *S. m.* **1.** *Quím.* Elemento de número atômico 2, pertencente à família dos gases nobres, incolor, usado como componente de atmosferas inertes e enchimento de balões. [Símb.: *He.*] **2.** *Astr.* Sol[1] (1).

hélio[2]. *S. f.* F. red. de *heliogravura.*

▲**heli(o)-.** [Do gr. *hélios, ou.*] *El. comp.* = 'Sol[1]': *helianto, heliocêntrico.* [Equiv.: *-élio: periélio.*]

heliocêntrico. [De *heli(o)-* + *-centr(o)-* + *-ico*[2].] *Adj.* **1.** *Astr.* Relativo ao centro do Sol[1] (1). **2.** *Astr.* Que tem o Sol[1] (1) como centro. [Cf. *geocêntrico.*] ~ V. *ascensão reta —a, declinação —a, latitude —a, latitude eclíptica —a, longitude —a, longitude eclíptica —a, oposição —a, posição —a* e *sistema —.*

heliocromia. [De *heli(o)-* + *-crom(a)-* + *-ia.*] *S. f.* **1.** *Fotograv.* Heliogravura em cores. **2.** Reprodução das cores pela fotografia.

heliocrômico. *Adj.* Referente à heliocromia.

heliodorense. *Adj.* *2 g.* **1.** De, ou pertencente ou relativo a Heliodora (MG). • *S. 2 g.* **2.** Natural ou habitante de Heliodora.

heliofilia. [De *heli(o)-* + *-fil(o)-*[2] + *-ia.*] *S. f. Ecol. Veg.* Necessidade que tem uma planta de exposição total ao sol para completar o seu ciclo vital. [Opõe-se a *esciofilia.*]

heliófilo. *Adj.* Que vive ao sol; que gosta do sol.

heliofísica. [De *heli(o)-* + *física.*] *S. f.* Parte da astrofísica que estuda o Sol[1] (1); física solar.

heliofísico. *Adj.* Referente à heliofísica.

heliófito. [De *heli(o)-* + *-fito.*] *S. m. Ecol.* Planta que só pode crescer e reproduzir-se sob insolação completa; planta de sol.

heliofobia. [De *heli(o)-* + *-fob(o)-* + *-ia.*] *S. f.* Fotofobia (1).

heliofóbico. [De *heli(o)-* + *-fob(o)-* + *-ico*[2].] *Adj.* Fotofóbico.

heliófobo. [De *heli(o)-* + *-fobo.*] *S. m.* Fotófobo.

heliófugo. [De *heli(o)-* + *-fugo*[1].] *Adj.* Que evita o Sol[1] (1); que se desvia da ação dele.

heliografia. [De *heli(o)-* + *-graf(o)-* + *-ia.*] *S. f.* **1.** *Astr.* Estudo do Sol[1] (1). **2.** *Tip.* Designação comum aos processos de decalque fotográfico de desenhos a traço, plantas, mapas, etc.

heliográfico. *Adj.* **1.** Relativo à heliografia, ou à heliogravura. **2.** Relativo ao disco aparente do Sol[1] (1). ~ V. *coordenadas —as, cópia —a, latitude —a* e *papel —.*

heliógrafo. [De *heli(o)-* + *-grafo.*] *S. m. Astr.* **1.** Instrumento astronômico destinado à observação solar. **2.** Aparelho registrador das horas de insolação ou durante as quais o Sol[1] (1) esteve descoberto: "Inacinho .... fazia a leitura dos aparelhos do Posto Meteorológico. Retirava a fita do heliógrafo, examinava o barômetro, o anemômetro, abria a torneirinha do pluviômetro" (Nélson de Faria, *Cabeça-Torta*, p. 118). **3.** Aparelho de sinalização por meio de lampejos da luz solar refletida e convenientemente orientada por um espelho.

heliogravador (ô). [De *heli(o)-* + *gravador.*] *S. m.* Fotogravador que se dedica à heliogravura. [Cf. *rotogravador.*]

heliogravura. [De *heli(o)-* + *gravura.*] *S. f.* **1.** Processo de fotogravura a entalhe que se vale do fenômeno de endurecimento da gelatina bicromada sob a ação da luz, e no qual a copiagem da retícula, no papel-pigmento, precede a do diapositivo da imagem (ou da combinação texto-imagem), a fim de produzir, no cobre, os minúsculos alvéolos cuja profundidade, maior ou menor, conforme a resistência oposta pelas diferentes zonas do colóide à penetração do percloreto de ferro usado na mordaçagem, determina a quantidade de tinta que podem receber. [A heliogravura tem maior aplicação em sua forma rotativa (*rotogravura*), empregada sobretudo na impressão de textos e ilustrações de revistas de grande tiragem.] **2.** Placa obtida por esse processo. **3.** Estampa tirada de placas ou cilindros assim produzidos. [F. red.: *hélio.*]

heliólatra. [De *heli(o)-* + *-latra.*] *S. 2 g.* Adorador do Sol[1] (1).

heliolatria. [De *heli(o)-* + *-latria.*] *S. f.* Adoração do Sol[1] (1).

heliolátrico. *Adj.* Relativo à heliolatria.

heliométrico. *Adj.* Relativo ao heliômetro.

heliômetro. [De *heli(o)-* + *-metro.*] *S. m.* Instrumento construído pelo astrônomo francês P. Bourguer (1698-1758), e destinado, no começo, a medir o diâmetro aparente do Sol[1] (1), donde o seu nome. Compõe-se de uma luneta cuja objetiva foi cortada diametralmente; as duas metades dessa objetiva são justapostas e comandadas por um ou dois parafusos micrométricos, servindo, assim, para determinar a posição relativa entre dois astros ou acidentes muito próximos.

helionose. [De *heli(o)-* + *-nose.*] *S. f. Bot.* Designação comum às enfermidades fisiológicas produzidas pela ação dos raios solares sobre as plantas.

heliopatia. [De *heli(o)-* + *-pat-* + *-ia.*] *S. f. Patol.* Qualquer lesão produzida por luz solar.

heliopático. *Adj.* Relativo à heliopatia.

heliornitídeo. *S. m.* **1.** Espécime dos heliornitídeos. • *Adj.* **2.** Pertencente ou relativo a eles.

heliornitídeos. *S. m. pl. Zool.* Aves raliformes, da família *Heliornithidae*, com os dedos marginados por uma membrana. O único representante brasileiro da família é o ipequi.

helioscopia. *S. f.* Observação do Sol[1] (1) pelo helioscópio.

helioscópico. *Adj.* Relativo à helioscopia, ou ao helioscópio.

helioscópio. [De *heli(o)-* + *-scop-* + *-io*[2].] *S. m.* Instrumento astronômico destinado à observação visual do Sol[1] (1).

heliose. [De *heli(o)-* + *-ose.*] *S. f. Patol.* Insolação.

heliostática. [De *heli(o)-* + gr. *statiké*, 'estática'.] *S. f.* *Astr.* Teoria dos movimentos planetários baseada na hipótese heliocêntrica.

heliostático. *Adj.* Referente ao helióstato.

helióstato. [De *heli(o)-* + *-stato.*] *S. m.* Instrumento astronômico e topográfico provido de um espelho plano que gira em torno de um eixo de tal sorte que mantém fixa a direção dos raios solares por ele refletidos; celostato.

helioterapia. [De *heli(o)-* + *-terapia.*] *S. f.* *Terap.* Tratamento das doenças pela luz solar.

helioterápico. *Adj.* Relativo à helioterapia.

heliotermômetro. [De *heli(o)-* + *termômetro.*] *S. m.* Aparelho com que se mede a intensidade do calor solar.

heliotropia. [De *heli(o)-* + *-trop(o)-* + *-ia.*] *S. f.* Qualidade de vegetal heliotrópico.

heliotrópico. *Adj.* Relativo ao heliotropismo.

heliotropina. [De *heliotrópio* + *-ina*[1].] *S. f.* *Quím.* Piperonal.

heliotrópio. [Do lat. *heliotropiu.*] *S. m.* **1.** Erva da família das boragináceas (*Heliotropium peruvianum*), que se encontra no Brasil, de flores minutas, reunidas em inflorescências escorpióides, corola com tubo curto e limbo plano, e fruto que se separa em quatro partes, cada uma com uma semente. **2.** Designação comum às plantas cuja flor se volta para o Sol[1] (1). **3.** Instrumento de física que permite concentrar num ponto distante os raios solares. **4.** *Min.* Espécie de jaspe verde-escuro com manchas avermelhadas; jaspe-sangüíneo.

heliotropismo. [De *heli(o)-* + *-trop(o)-* + *-ismo.*] *S. m.* Fenômeno de fototropismo [q. v.] no qual a fonte de luz é o Sol[1] (1).

heliozoário. *S. m.* **1.** Espécime dos heliozoários. • *Adj.* **2.** Pertencente ou relativo a eles.

heliozoários. *S. m. pl. Zool.* Animais protozoários, actinópodes, ordem *Heliozoa*, de corpo globular, nu ou com carapaça em forma de tela, e do qual se irradiam numerosos pseudópodes, que lembram o Sol[1] (1), donde o nome da ordem. Vivem, na maioria, em água doce.

heliporto (ô). [De *heli(cóptero)* + *porto*[1] (ô).] *S. m.* Campo ou espaço destinado ao pouso e partida de helicópteros; estação de helicópteros.

helitransportado. [De *heli(cóptero)* + o part. de *transportar.*] *Adj.* Diz-se de pessoal, equipamento, etc., transportado por helicóptero.

hélix (cs). [Do lat. *helix.*] *S. m. Ant.* Hélice (6).

helminte. *S. m.* Var. de *helminto.*

helmintíase. [De *helminto* + *-iase.*] *S. f. Patol.* Infecção produzida por helminto.

helmíntico. *Adj.* Pertencente ou relativo aos helmintos.

helminto. [Do gr. *hélmins, inthos.*] *S. m.* Entozoário ou verme intestinal. [Var.: *helminte.*]

helmintóide. [De *helminto* + *-óide.*] *Adj.* *2 g.* Semelhante a helminto.

helmintólite. [De *helminto-* + *-lite.*] *S. m.* Verme fóssil.

helmintologia. [De *helminto-* + *-log(o)-* + *-ia.*] *S. f.* Tratado sobre vermes intestinais.

helmintológico. *Adj.* Referente à helmintologia.

helmintologista. *S. 2 g.* Especialista em helmintologia.

helobiales. *S. f. pl. Bot.* Ordem de plantas floríferas monocotiledôneas, cujos representantes são basicamente aquáticos. Compreende as famílias: potamogetonáceas, scheuchzeriáceas, alismatáceas e butomáceas.

helócero. [Do gr. *hêlos*, 'prego', + *-cero.*] *Adj.* *Zool.* Que tem as antenas em forma de prego.

helociácea. *S. f.* Espécime das helociáceas.

helociáceas. *S. f. pl. Micol.* Família de fungos ascomicetos cujos corpos reprodutivos levam um perídio formado de hifas pálidas e de paredes delgadas, as quais se ordenam em uma sorte de pseudoparênquima elástico. Engloba espécies saprofitas e parasitas.

helociáceo. *Adj.* Pertencente ou relativo às helociáceas.

helófito. *S. m. Ecol. Veg.* Planta aquática que fixa raízes ou rizoma no fundo de águas rasas.

helotismo. *S. m. Biol. Ger.* Modalidade de simbiose em que um dos componentes da sociedade obtém maiores vantagens do que o outro, tal como sucede nos líquens; simbiose na qual um dos seres é escravizado e trabalha para o outro.

helvécio. [Do lat. *helvetiu.*] *Adj.* **1.** Da, ou pertencente ou relativo à Helvécia ou Suíça (Europa). • *S. m.* **2.** Indivíduo dos helvécios, povo gálio que habitava na Helvécia. [Sin. ger.: *suíço.*]

hem. *Interj.* **1.** Denota não haver a pessoa ouvido bem o que lhe disseram, ou ter ficado espantada ou indignada: "Ele espanta-se de a ver ali àquela hora. / — Ainda aí, hem?" (Natércia Freire, *A Alma da Velha Casa*, p. 83.) **2.** Equivale, ainda, a 'não é verdade?' e 'que é?': "E o senhor também rabisca para a imprensa, hem?" (Graciliano Ramos, *Linhas Tortas*, p. 35); — *Pedro!* — *Hem?!* — *Quer jantar?!* — *Não*. [F. paral.: *hein*. Cf. *em*.]

▲hema-. [Do gr. *haîma*, atos.] *El. comp.* = 'sangue': hemartrose. [Equiv.: *(h)em(o)-* e *hemat(o)-*: *hemofilia; anemia* (gr. *anaimía*); *hematocéfalo, hematina*.]

hemácia. [Do fr. *hématie*.] *S. f.* Glóbulo vermelho do sangue.

hemalopia. [Do gr. *haimálops*, 'sangue extravasado dos olhos', + *ia*.] *S. f. Patol.* Derramamento de sangue no globo ocular.

hemangioma. [De *(h)em(o)-* + *-angi(o)-* + *-oma*.] *S. m. Patol.* Tumor formado pela proliferação de vasos sanguíneos.

hemartrose. [De *(h)em(o)-* + *-artr(o)-* + *-ose*.] *S. f.* Hemorragia numa articulação.

hemastática. [De *hema-* + gr. *statiké*, 'estática'.] *S. f.* Hemostática.

hematêmese. [De *hemat(o)-* + gr. *émesis*, 'vômito'.] *S. f. Patol.* Vômito de sangue.

hematia. *S. f.* V. *hemácia*.

hemático. [De *hemat(o)-* + *-ico*^{2}.] *Adj.* Do, ou relativo ao sangue. ~ V. *carbúnculo* —.

hematidrose. [De *hemat(o)-* + *-idrose*.] *S. f. Patol.* Excreção de suor sanguinolento.

hematímetro. [De *hematia* + *-metro*.] *S. m. Med.* Hemocitômetro.

hematina. [De *hemat(o)-* + *-ina*^{2}.] *S. f. Bioquím. Desus.* V. *heme*.

hematita. [De *hemat(o)-* + *-ita*^{3}.] *S. f. Min.* Mineral trigonal, sesquióxido de ferro, um dos mais importantes minérios de ferro; oligisto. [Cf. *especularita*.] ◆ **Hematita parda.** *Min.* V. *limonito*.

▲hemat(o)-. V. *hema-*.

hematocele. [De *hemat(o)-* + *-cele*.] *S. f. Patol.* Hemorragia numa cavidade, especialmente entre as túnicas da vaginal do testículo.

hematocolpo. [De *hemat(o)-* + *-colpo*.] *S. m. Gin.* Coleção de sangue menstrual retido na vagina por obstáculo à eliminação dele para o meio exterior.

hematócrito. [De *hemat(o)-* + gr. *krit*, de *krino*, 'julgar'.] *S. m. Med.* Volume percentual de hemácias presente em amostra de sangue total.

hematode. [Do gr. *haimatódes*.] *Adj. 2 g.* **1.** Da natureza do sangue. **2.** Hematóide.

hematófago. [De *hemat(o)-* + *-fago*.] *Adj. Zool.* Que se alimenta de sangue.

hematofilo. [De *hemat(o)-* + *-filo*^{1}.] *Adj. Morfol. Veg.* Que tem folhas vermelhas como sangue. [Cf. *hematófilo*.]

hematófilo. [De *hemat(o)-* + *-filo*^{2}.] *Adj.* Que gosta de sangue. [Cf. *hematofilo*.]

hematofobia. [De *hemat(o)-* + *-fob(o)-* + *ia*.] *S. f.* Horror ao sangue.

hematofóbico. *Adj.* Referente à hematofobia.

hematóide. [Do gr. *haimatoeidés*.] *Adj. 2 g.* Semelhante ao sangue; hematode.

hematologia. [De *hemat(o)-* + *-log(o)-* + *-ia*.] *S. f.* **1.** Estudo, sob todos os aspectos, do sangue e órgãos hematopoéticos. **2.** Ramo da medicina que trata das doenças do sangue e órgãos hematopoéticos.

hematológico. *Adj.* Referente à hematologia.

hematologista. *S. 2 g.* Hematólogo.

hematólogo. *S. m.* Especialista em hematologia; hematologista.

hematoma. [De *hemat(o)-* + *-oma*.] *S. m. Patol.* Tumor formado por sangue extravasado: "apresentava um braço completamente roxo, como se um hematoma feio o houvesse coberto em toda a extensão." (Antônio Versiani, *Paisagens Humanas*, p. 3).

hematônfalo. [De *hemat(o)-* + *-ônfalo*.] *S. m. Patol.* Hérnia umbilical cujo saco contém serosidade e sangue derramado.

hematopinídeo. *S. m.* **1.** Espécime dos hematopinídeos. ● *Adj.* **2.** Pertencente ou relativo a eles.

hematopinídeos. *S. m. pl. Zool.* Família de insetos da ordem dos anopluros, parasitos cutâneos dos mamíferos. Ex.: o piolho.

hematopodídeo. *S. m.* **1.** Espécime dos hematopodídeos. ● *Adj.* **2.** Pertencente ou relativo a eles.

hematopodídeos. *S. m. pl. Zool.* Aves caradriiformes, da família *Haematopodidae*, caracterizadas por terem o gônis muito mais comprido que os ramos da mandíbula, o bico longo, mais alto que largo, e comprimido na porção apical. São os piru-pirus.

hematopoese. [De *hemat(o)-* + *-poese*.] *S. f. Fisiol.* Formação e desenvolvimento das células sanguíneas.

hematopoético. [De *hemat(o)-* + *-poético*.] *Adj.* **1.** Relativo à hematopoese. **2.** Diz-se dos órgãos onde se processa a hematopoese.

hematose. [Do gr. *haimátosis*.] *S. f. Fisiol.* Fenômeno ocorrente na pequena circulação: o sangue trazido pelas artérias pulmonares, com alto teor de oxigênio, transita pelos pulmões, de onde sai, pelas veias pulmonares, com baixo teor de dióxido de carbono e alto teor de oxigênio: "A paralisia invadiu os últimos redutos do organismo, o coração, os pulmões: sístole e diástole cessaram, a hematose deixou de se fazer." (Júlio Ribeiro, *A Carne*, p. 278.)

hematoxilina (cs). *S. f. Quím.* V. *campeche*.

hematóxilo (cs). [De *hemat(o)-* + *-xilo*.] *S. m.* V. *campeche*.

hematozoário. [De *hemat(o)-* + *-zoário*.] *S. m.* **1.** Espécime dos hematozoários. ● *Adj.* **2.** Pertencente ou relativo a eles.

hematozoários. *S. m. pl. Zool.* Designação comum aos animais protozoários que parasitam o sangue dos animais. Os mais conhecidos são os hemococcídios e os hemoflagelados.

hematuria. *S. f. Patol.* Var. pros. de *hematúria*.

hematúria. [De *hemat(o)-* + *-ur(o)-* + *-ia*.] *S. f. Patol.* Emissão de urina que contém sangue em grau variável. [Var. pros.: *hematuria*.] ◆ **Hematúria microscópica.** A que só é verificável pelo exame de urina feito mediante o uso de microscópio.

hematúrico. *Adj.* **1.** Referente à, ou que sofre de hematúria. ● *S. m.* **2.** Aquele que sofre de hematúria.

heme. *S. f. Bioquím.* Porfirina que contém ferro e, unida à globina, constitui a hemoglobina, e que entra, também, na constituição de vários pigmentos respiratórios e de muitas células, tanto animais quanto vegetais. [Sin., desus.: *hematina*.]

hemeralope. *Adj. 2 g.* e *s. 2 g. Med.* Diz-se de, ou pessoa que sofre de hemeralopia. [Cf.: *nictalope*.]

hemeralopia. [De *hemero-* + *-op(s) (i)-* + *-ia*, por infl. de *nictalopia*.] *S. f. Med.* Distúrbio visual em que há baixa acentuada de visão quando diminui a luminosidade do ambiente, sendo normal a visão diurna. [Cf. *nictalopia*.]

hemeralópico. *Adj.* Relativo à, ou que sofre de hemeralopia. [Cf.: *nictalópico*.]

▲hemero-. [Do gr. *heméra*, *as*.] *El. comp.* = 'dia': *hemeropatia*. [Equiv.: *-êmero*: *efêmero* (< gr. *ephémeros*).]

hemerobiforme. *Adj. 2 g.* e *s. m.* Planipene (2 e 3).

hemerobiformes. *S. m. pl. Zool.* Planipenes.

hemerocale. *S. m.* Erva da família das liliáceas (*Hemerocallis flava*), muito cultivada nos jardins graças às belas flores amarelas e por ser muito vistosa. O rizoma produz folhas compridas e estreitas; corola magna, com seis tépalas.

hemerologia. [De *hemero-* + *-log(o)-* + *-ia*.] *S. f. Cronol.* Arte de compor calendários.

hemerológio. [De *hemero-* + *-log(o)-* + *-io*^{1}.] *S. m. Cronol.* Tratado sobre a concordância dos calendários.

hemerólogo. *S. m. Cronol.* Especialista em hemerologia.

hemeropata. *S. 2 g.* Pessoa que sofre de hemeropatia. [Var. pros.: *hemerópata*.]

hemerópata. *S. 2 g.* Var. pros. de *hemeropata*.

hemeropatia. [De *hemero-* + *-pat-* + *-ia*.] *S. f. Patol.* Doença que só se manifesta durante o dia.

hemeropático. *Adj.* Relativo à hemeropatia.

hemeroteca. [De *hemero* + *-teca*.] *S. f.* Seção das bibliotecas em que se colecionam jornais e revistas.

▲hemi-. [Do gr. *hemi*.] *El. comp.* = 'meio', 'pela metade': *hemiedria, hemialgia*.

hemialgia. [De *hemi-* + *-alg(o)-* + *-ia*.] *S. f. Patol.* Dor que surge apenas em uma das metades do corpo.

hemiálgico. *Adj.* Referente à hemialgia.

hemianopsia. [De *hemi-* + *anopsia*.] *S. f. Patol.* Hemiopia.

hemicarpo. [De *hemi-* + *-carpo*.] *S. m. Morfol. Veg.* Metade de um fruto que se divide em dois quando maduro.

hemicíclico. [Do gr. *hemikyklikós*.] *Adj.* **1.** Relativo a hemiciclo; semicircular. **2.** *Morfol. Veg.* Diz-se da flor que apresenta certas partes em verticilos e outras em espiral.

hemiciclo. [Do gr. *hemíkyklos*, pelo lat. *hemicyclu*.] *S. m.* Espaço semicircular, especialmente o munido de bancadas para receber espectadores.

hemicilíndrico. *Adj.* Semelhante a um hemicilindro.

hemicilindro. [Do gr. *hemikylindros*, pelo lat. *hemicylyndru*.] *S. m.* Cada uma das duas partes em que se divide um cilindro por um plano meridiano.

hemicordado. *S. m.* **1.** Espécime dos hemicordados. ● *Adj.* **2.** Pertencente ou relativo a eles. [Sin. ger.: *adelocórdio*.]

hemicordados. *S. m. pl. Zool.* Animais cordados, marinhos, do sub-ramo *Hemichordata*, com notocórdio anterior, curto, tecido nervoso dorsal e ventral situado na epiderme, e numerosas fendas branquiais permanentes; adelocórdios.

hemicrania. [Do gr. *hemikranía*, pelo lat. *hemicrania*.] *S. f. Patol.* Dor que incide em uma das metades da cabeça.

hemicrânico. *Adj.* Relativo à hemicrania.

hemicriptófita. [De *hemi-* + *-cript(o)-* + *-fita*.] *S. f. Morfol. Veg.* Planta cujo corpo se reduz, na estação desfavorável, à parte subterrânea, desenvolvendo-se novos órgãos aéreos na próxima estação favorável.

hemiedria. [De *hemi-* + *-edr(o)-* + *-ia*.] *S. f. Crist.* Qualidade particular de certos cristais, que consiste em as modificações que os afetam só se darem em metade das arestas ou dos ângulos semelhantes.

hemiédrico. *Adj.* ~ V. *cristal* —.

hemiedro. [De *hemi-* + *-edro*.] *S. m. Crist.* Cristal que apresenta hemiedria.

hemiélitro. [De *hemi-* + *élitro*.] *S. m. Zool.* Asa anterior dos hemípteros.

hemifacial. [De *hemi-* + *face* + *-i-* + *-al*.] *Adj. 2 g. Anat.* Referente a uma das metades da face.

hemiidratado. [De *hemi-* + *hidratado*.] *Adj. Quím.* Diz-se de composto cuja estequiometria é de meia molécula de água para uma molécula de substância anidra.

hemilabial. [De *hemi-* + *lábio* + *-al*.] *Adj. 2 g. Anat.* Relativo à metade dos lábios.

hemimerino. *S. m.* e *Adj.* V. *diploglossado*.

hemimerinos. *S. m. pl. Zool.* V. *diploglossados*.

hemimetabólico. *S. m.* e *adj.* V. *heterometabólico*.

hemimetabólicos. *S. m. pl. Zool.* V. *heterometabólicos*.

hemimorfita. [De *hemi-* + *morf(o)-* + *-ita*^{3}.] *S. f. Min.* Calamina.

hemioctaedro. [De *hemi-* + *octaedro*.] *S. m. Geom.* Tetraedro.

hemiopia. [De *hemi-* + *-op(s) (e)-* + *-ia*.] *S. f. Patol.* Baixa ou perda de visão de um olho, ou dos dois; hemianopsia.

hemiparasita. *Adj. 2 g.* e *s. m.* V. *hemiparasito*.

hemiparasitismo. [De *hemi-* + *parasitismo*.] *S. m. Ecol.* Parasitismo caracterizado pela presença de folhas verdes, que permitem à planta realizar fotossíntese, e no qual o parasito só extrai do hospedeiro a seiva mineral, sintetizando ele mesmo as substâncias orgânicas de que necessita para sua nutrição.

hemiparasito. [De *hemi-* + *parasito*.] *Adj.* **1.** Diz-se do ser vivo parcialmente parasito. **2.** Diz-se do ser que em certas circunstâncias vivem como parasito, em outras não. ● *S. m.* **3.** Ser hemiparasito.

hemiparesia. [De *hemi-* + *paresia*.] *S. f. Patol.* Fraqueza muscular que incide apenas em uma das metades do corpo, constituindo forma atenuada de hemiplegia.

hemiparético. *Adj.* **1.** Relativo à, ou que sofre de hemiparesia. ● *S. m.* **2.** Aquele que sofre de hemiparesia.

hemipênis. [De *hemi-* + *pênis*.] *S. m. 2 n. Zool.* Cada um dos dois órgãos copuladores pares dos lagartos e das cobras.

hemiplegia. [Do gr. *hemiplegia*.] *S. f. Patol.* Paralisia de um dos lados do corpo.

hemiplégico. *Adj.* **1.** Referente à, ou que sofre de hemiplegia. ● *S. m.* **2.** Aquele que sofre de hemiplegia.

hemiprismático. [De *hemi-* + *prismático*.] *Adj.* ~ V. *cristal* —.

hemíptero. [De *hemi-* + *-ptero*.] *Adj.* **1.** Que tem asas ou barbatanas curtas. **2.** Pertencente ou relativo aos hemípteros; heteróptero, rincoto, frontirrostro. ● *S. m.* **3.** Espécime dos hemípteros; heteróptero, rincoto, frontirrostro.

hemípteros. *S. m. pl. Zool.* Animais artrópodes da classe dos insetos, da ordem *Hemiptera*, paurometabólicos, providos de aparelho bucal sugador, asas do mesotórax com a parte basal coriácea e a porção apical e as asas membranosas, as posteriores também membranosas, sendo ápteras algumas espécies. Aquáticos e terrestres, na maioria fitófagos, algumas espécies parasitas e hematófagas. São conhecidos pelos nomes populares de *percevejos* e *barbeiros*. [Sin.: *heterópteros, rincotos, frontirrostros*.]

hemiranfídeo. *S. m.* **1.** Espécime dos hemiranfídeos. ● *Adj.* **2.** Pertencente ou relativo a eles.

hemiranfídeos. *S. m. pl. Zool.* Família de peixes actinopterígios da ordem dos sinentógnatos (ou beloniformes), que apresentam o maxilar superior normal, enquanto que o inferior é muito alongado, donde os nomes que têm de *peixe-agulha, agulhão*, etc.

hemisférico. *Adj.* Que tem forma de hemisfério; semi-esférico.

hemisfério. [Do gr. *hemisphaírion*, pelo lat. *hemisphaeriu.*] *S. m.* **1.** Metade duma esfera. **2.** Cada uma das duas metades em que a Terra é imaginariamente dividida pelo círculo do equador. **3.** Metade do globo celeste. **4.** *Anat.* Cada uma das duas metades laterais do cérebro. **5.** *Anat.* Cada uma das duas metades laterais do cerebelo. **6.** *Geom.* Parte de uma esfera limitada por um grande círculo.

hemisferoédrico. [De *hemi-* + *-esfer(o)-* + *-edr(o)-* + *-ico*[2].] *Adj.* ~ V. *cristal* —.

hemisferoidal. *Adj. 2 g.* Semelhante a um hemisferóide; hemisferóide.

hemisferóide. *Adj. 2 g.* **1.** Hemisferoidal. ● *S. m.* **2.** A metade de um esferóide.

hemissimétrico. [De *hemi-* + *simétrico.*] *Adj.* ~ V. *determinante* — e *lente* —a.

hemissingínico. [De *hemi-* + *-sin-* + *-gino-* + *-ico*[2].] *Adj. Morfol. Veg.* Diz-se do cálice meio aderente ao ovário.

hemistíquio. [Do gr. *hemistíchion*, pelo lat. *hemistichiu.*] *S. m.* **1.** Metade de um verso alexandrino. **2.** *P. ext.* Metade de um verso.

hemiteratia. [De *hemi-* + *-terat(o)-* + *-ia.*] *S. f. Anat.* Deformidade congênita que não chega a ser uma monstruosidade; hemiteria.

hemiterático. *Adj.* Que apresenta hemiteratia.

hemiteria. [De *hemi-* + gr. *téras* + *-ia.*] *S. f. Anat.* Hemiteratia.

hemitritéia. [Do gr. *hemitritaîos*, pelo lat. *hemitritaeu*, com mudança de gênero.] *Adj. (f.)* e *s. f.* V. *febre hemitritéia.*

hemitrítia. *S. f.* V. *febre hemitritéia.*

hemitrítica. *Adj. (f.)* e *s. f.* V. *febre hemitritéia.*

hemitropia. [De *hemi-* + *-trop(o)-* + *-ia.*] *S. f. Crist.* Rotação de 180 graus em redor de um eixo normal ao plano comum de associação, e que define geometricamente a situação recíproca dos dois indivíduos geminados, supondo um deles anteriormente situado no prolongamento do outro.

hemitrópico. *Adj.* Relativo à hemitropia.

hemítropo. [De *hemi-* + *-tropo.*] *Adj. Cristal.* Geminado por hemitropia.

▲**(h)em(o)-.** V. *hema-.*

hemocianina. [De *(h)em(o)-* + *-cian(o)-* + *-ina*[1].] *S. f. Zool.* Pigmento respiratório azul encontrado no sangue de alguns moluscos e artrópodes. É uma proteína que contém cobre.

hemocitômetro. [De *(h)em(o)-* + *-cit(o)-* + *-metro.*] *S. m. Med.* Aparelho com que se determina o número de glóbulos em certa quantidade de sangue.

hemococcídio. *S. m.* **1.** Espécime dos hemococcídios. ● *Adj.* **2.** Pertencente ou relativo a eles.

hemococcídios. *S. m. pl. Zool.* Animais protozoários, esporozoários, que parasitam os glóbulos vermelhos do sangue dos vertebrados.

hemocromatose. [De *(h)em(o)-* + *-cromat(o)-* + *-ose.*] *S. f. Patol.* e *Med.* Distúrbio de metabolismo de ferro, que se caracteriza pela deposição excessiva desse material nos tecidos, em especial no fígado e no pâncreas, além da pigmentação bronzeada da pele, e doutras lesões, como alterações ósseas, articulares, do metabolismo dos glicídios.

hemocultura. [De *(h)em(o)-* + *cultura.*] *S. f. Med.* Técnica destinada a evidenciar os micróbios acaso existentes no sangue, e que consiste em pôr certa quantidade de sangue em meio nutritivo apropriado à proliferação deles.

hemodia. [Do gr. *haimodía.*] *S. f. Med.* Sensibilidade dentária anormal.

hemodiálise. [De *(h)em(o)-* + *diálise.*] *S. f. Med.* Processo terapêutico em que o sangue, mediante o uso de equipamento especial, é depurado de diversas substâncias nocivas.

hemodinâmica. [De *(h)em(o)-* + *dinâmica.*] *S. f.* Estudo dos movimentos do sangue e dos fatores que neles intervêm.

hemodinâmico. *Adj.* Relativo à hemodinâmica.

hemodinamômetro. [De *(h)em(o)-* + *dinamômetro.*]. *S. m.* Instrumento destinado a medir a pressão com que o sangue circula nos vasos do organismo.

hemodorácea. *S. f.* Espécime das hemodoráceas.

hemodoráceas. *S. f. pl. Bot.* Família de monocotiledôneas, da ordem das lilifloras. São ervas perenes, de folhas dísticas. Há umas 35 espécies, em sua maioria habitantes do hemisfério austral.

hemodoráceo. *Adj.* Pertencente ou relativo às hemodoráceas.

hemodrômetro. *S. m.* V. *hemodromômetro.*

hemodromômetro. [De *(h)em(o)-* + *-dromo-* + *-metro.*] *S. m.* Instrumento com que se avalia a velocidade do sangue nos troncos arteriais.

hemofilia. [De *(h)em(o)-* + *-filia.*] *S. f. Patol.* Condição hemorrágica hereditária (embora, às vezes, seja muito difícil identificar ascendentes hemofílicos) que incide quase sempre no homem e só excepcionalmente na mulher, e caracterizada por hemorragias precoces, abundantes e prolongadas, que se repetem por ocasião de traumatismos mínimos subcutâneos, submucosos, musculares, articulares, viscerais, etc. [A condição tem etapas evolutivas: um traumatismo pode não provocar hemorragia numa fase, e provocar em outra.]

hemofílico. *Adj.* **1.** Relativo à, ou que sofre de hemofilia. ● *S. m.* **2.** Aquele que sofre desse mal.

hemoflagelado. [De *(h)em(o)-* + *flagelado*[1].] *S. m.* **1.** Espécime dos hemoflagelados. ● *Adj.* **2.** Pertencente ou relativo a eles.

hemoflagelados. *S. m. pl. Zool.* Animais protozoários, flagelados, que parasitam o sangue dos vertebrados.

hemoftalmia. [De *(h)em(o)-* + *-oftalmia.*] *S. f. Patol.* Derramamento de sangue no globo ocular.

hemoglobina. *S. f.* Pigmento existente na hemácia, formado por heme e globina, e entre cujas funções estão as de fixação do oxigênio atmosférico e sua transferência às células.

hemoglobínico. *Adj.* De, ou pertencente ou relativo a hemoglobina.

hemoglobinômetro. [De *hemoglobina* + *-o-* + *-metro.*] *S. m.* Instrumento com que se mede a hemoglobina do sangue; hemômetro.

hemoglobinuria. *S. f. Med.* Hemoglobinúria.

hemoglobinúria. *S. f. Med.* Presença, na urina, de hemoglobina. [Var. pros.: *hemoglobinuria.*]

hemograma. [De *(h)em(o)-* + *-grama.*] *S. m. Med.* Exame laboratorial de sangue que fornece dados quantitativos e, eventualmente, qualitativo, sobre hemácias, leucócitos (incluindo a discriminação de seus tipos), plaquetas e hemoglobina. [O hemograma pode constituir valioso auxiliar no diagnóstico e no estudo da evolução de diversas condições mórbidas.]

hemolisar. *V. t. d.* Operar a hemólise em. [Pres. subj.: *hemolise*, etc. Cf. *hemólise.*]

hemólise. [De *(h)em(o)-* + *-lise.*] *S. f. Biol.* Destruição de glóbulos vermelhos do sangue, com libertação de hemoglobina. [Cf. *hemolise*, do v. *hemolisar.*]

hemolítico. *Adj.* Relativo à hemólise.

hemômetro. [De *(h)em(o)-* + *-metro.*] *S. m.* Hemoglobinômetro.

hemopatia. [De *(h)em(o)-* + *-pat-* + *-ia.*] *S. f. Patol.* Qualquer doença do sangue.

hemoplania. [De *(h)em(o)-* + *plan*, raiz de *planáomai*, 'vagar', 'desviar-se', + *-ia.*] *S. f. Med. Desus.* Hemorragia suplementar.

hemoplastia. [De *(h)em(o)-* + *-plast(o)-* + *-ia.*] *S. f.* Formação ou produção do sangue.

hemoplástico. *Adj.* Relativo à hemoplastia.

hemóptico. [Do gr. *haimoptyikós*, pelo lat. *haemoptyicu* (sincopado).] *Adj. Med.* **1.** Relativo à, ou em que há hemoptise. **2.** Diz-se do escarro sujeito a hemoptises.

hemoptise. [Do gr. *haimóptysis*, pelo lat. *haemoptise.*] *S. f. Patol.* Expectoração [q. v.] sanguínea ou sanguinolenta.

hemorragia. [Do gr. *haimorrhagía*, pelo lat. *haemorrhagia.*] *S. f. Patol.* Derramamento de sangue para fora dos vasos que devem contê-lo.

hemorrágico. *Adj.* **1.** Relativo à, ou que padece hemorragia. ~ V. *dengue* —. ● *S. m.* **2.** Aquele que padece hemorragia.

hemorrinia. [De *(h)em(o)-* + *-rin(o)-* + *-ia.*] *S. f. Med.* V. *epistaxe.*

hemorroidal. *Adj. 2 g.* Referente às hemorróidas.

hemorroidaria. *S. f. Fam.* Ataque de hemorróidas. [Cf. *hemorroidária*, fem. de *hemorroidário.*]

hemorroidário. *Adj.* **1.** Relativo a hemorróidas. **2.** Relativo a plexos venosos. ● *S. m.* **3.** Aquele que sofre de hemorróidas. [Sin., pop., nas acepç. 1 e 3: *hemorroidoso.* Fem.: *hemorroidária.* Cf. *hemorroidaria.*]

hemorróidas. [Do lat. *haemorrhoidas.*] *S. f. pl. Patol.* Varizes das veias anorretais. [F. paral.: *hemorróides.* Sin., pop. (no CE): *caseira.*]

hemorroidectomia. [De *hemorróides* + *-ectom-* + *-ia.*] *S. f. Cir.* Excisão de hemorróidas.

hemorróides. [Do gr. *haimorrhoides* (subentende-se *phlébes*), pelo lat. *haemorrhoides.*] *S. f. pl.* V. *hemorróidas.*

hemorroidoso (ô). *Adj.* e *s. m. Pop.* Hemorroidário (1 e 3).

hemorroíssa. [De *(h)em(o)-* + gr. *rhoíe*, 'corrimento'.] *S. f.* Segundo o Evangelho, mulher que tinha fluxo de sangue constante e se curou ao tocar a túnica de Cristo.

hemospasia. [De *(h)em(o)-* + gr. *spásis*, 'atração'.] *S. f. Terap.* Meio terapêutico pelo qual, formando-se vácuo na superfície do corpo, se faz que para aí aflua o sangue.

hemospásico. *Adj.* Hemospático.

hemospático. *Adj.* Relativo à hemospasia; hemospásico.

hemosporídeo. *S. m.* **1.** Espécime dos hemosporídeos. ● *Adj.* **2.** Pertencente ou relativo a eles.

hemosporídeos. *S. m. pl. Zool.* Ordem de protozoários esporozoários que a forma trofozoítica adulta é unicelular e amebóide, parasitando o sangue dos vertebrados. Ex.: plasmódio causador da malária.

hemossedimentação. [De *(h)em(o)-* + *sedimentação.*] *S. f. Med.* V. *velocidade de hemossedimentação.*

hemóstase. [Do gr. *haimóstasis.*] *S. f. Med.* Ação ou efeito de estancar uma hemorragia; hemostasia.

hemostasia. *S. f. Med.* Hemóstase.

hemostática. [De *(h)em(o)-* + gr. *statiké*, 'estática'.] *S. f.* Doutrina das leis do equilíbrio do sangue nos respectivos vasos; hemastática.

hemostático. *Adj.* **1.** Referente à hemóstase. **2.** Diz-se de medicamento contra as hemorragias. ~ V. *lápis* — e *pinça* —a. ● *S. m.* **3.** Medicamento contra as hemorragias.

hemoterapeuta. *S. 2 g.* Especialista em hemoterapia.

hemoterapia. [De *(h)em(o)-* + *terapia.*] *S. f. Terap.* Tratamento mediante o uso de sangue ou de integrantes dele (plasma, hemácia, etc.).

hemoterápico. *Adj.* Relativo à hemoterapia.

hemotexia (cs). [De *(h)em(o)-* + gr. *têxis*, 'fusão', + *-ia.*] *S. f.* Dissolução do sangue.

hemotórax (cs). [De *(h)em(o)-* + *-tórax.*] *S. m. 2 n. Patol.* Coleção sanguínea em cavidade pleural.

hena. [Do ár. *hinna.*] *S. f.* Arbusto ou pequena árvore tropical da família das litráceas (*Lawsonia inermis*), cujas flores, paniculadas, perfumadas e brancas, são usadas pelos budistas e muçulmanos em cerimônias religiosas, e de cuja casca e folhas secas se prepara uma tintura castanho-avermelhada usada simples ou adicionada a outros agentes corantes para tingir cabelos, em xampus, em cosméticos, etc. [Cf. *henê.*]

▲**hendec(a)-.** [Do gr. *héndeka.*] *El. comp.* = 'onze': *hendecafilo; hendecandro.*

hendecaedro. [De *hendec(a)-* + *-edro.*] *S. m. Geom.* Poliedro de 11 faces; undecaedro.

hendecafilo. [De *hendec(a)-* + *-filo*[1].] *Adj. Morfol. Veg.* Diz-se das plantas cujas folhas se compõem de 11 folíolos.

hendecágino. [De *hendec(a)-* + *-gino.*] *Adj. Morfol. Veg.* Que tem 11 pistilos.

hendecágono. [Do lat. *hendecagonu.*] *Adj. Geom.* **1.** Que tem 11 ângulos e 11 lados. ● *S. m.* **2.** Polígono de 11 faces; undecágono.

hendecandro. [De *hendec(a)-* + *-andro.*] *Adj. Morfol. Veg.* Que tem 11 estames.

hendecano. [De *hendec(a)* + *-ano*, que indica hidrocarboneto saturado.] *S. m. Quím.* Hidrocarboneto alifático com 11 átomos de carbono. [Fórm.: $C_{11}H_{24}$.]

hendecassílabo. [Do gr. *hendekasyllabos*, pelo lat. *hendecasyllabu.*] *Adj.* **1.** Que tem 11 sílabas. ● *S. m.* **2.** Verso de onze sílabas.

hendecosaedro. *S. m. Geom.* Poliedro de 21 faces.

hendecoságono. *S. m. Geom.* Polígono de 21 lados.

hendíadis. [Do gr. *hen dia dyuin*, 'um por dois', pelo lat. *hendiadys.*] *S. f. 2 n. Ret.* Figura que consiste em exprimir por dois substantivos ligados por coordenação uma idéia que normalmente se representaria subordinando um deles ao outro. Ex.: *Ia andando, no sossego e na tarde*, em vez de *no sossego da tarde*; *Respirava o perfume e os campos*, em vez de: *Respirava o perfume dos campos.*

henê. [Do fr. *henné.*] *S. m.* Tintura e/ou alisador para cabelos, e cosmético, feitos, basicamente, com tintura de hena [q. v.].

henequém. [De provável or. maia, pelo esp. *henequén.*] *S. f.* Grande erva rosulada, originária do México, da família das agaváceas (*Agave rigida*), altamente ornamental. Alcança 1 a 2 m de altura; folhas lanceoladas, acinzentadas, com 1,5 por 2,2 m, grossas e espinescentes nas margens; inflorescência terminal muito grande, com flores campanuladas; em vez de frutos, produz enorme quantidade de bolbilhos, que facilmente reproduzem a planta.

henoteísmo. *S. m. Filos.* Segundo Max Muller, orientalista alemão (1823-1900), forma de religião em que se cultua um só Deus sem que se exclua a existência de outros. [Cf. *monoteísmo* e *politeísmo*.]

henriquino. *Adj.* Relativo ou pertencente a pessoa chamada Henrique, e particularmente ao Infante D. Henrique, o Navegador (1394-1460), de Portugal.

henry. [Do antr. *Henry*, de Joseph Henry, físico norte-americano (1797-1878).] *S. m. Eletr.* Unidade de indutância do Sistema Internacional de Medidas, igual à indutância dum elemento passivo de um circuito entre cujos terminais é induzida uma diferença de tensão igual a um volt, quando ele é percorrido por uma corrente elétrica com uma intensidade que varia, uniformemente, à razão de um ampère por segundo. [Símb.: *H*. Pl.: *henrys*.]

hentriacontaedro. *S. m. Geom.* Poliedro de 31 faces.

hentriacontágono. *S. m. Geom.* Polígono de 31 lados.

heortônimo. [do gr. *heorté*, 'festa', + *-ônimo*.] *S. m.* Denominação com que se designam festividades populares: *carnaval, lupercais*, etc.

hep. *Interj. Bras., RS.* Usa-se no campo para incitar os animais a andar.

hépar. [Do gr. *hepar*, 'fígado'.] *S. m. Ant. Quím.* Designação genérica dos sulfetos alcalinos. [Pl.: *hépares*.]

hepatal. *Adj. 2 g.* V. *hepático*.

hepatalgia. [De *hepat(o)-* + *-alg(o)-* + *-ia*.] *S. f. Patol.* Dor neurálgica no fígado.

hepatálgico. *Adj.* Relativo a hepatalgia.

hepatargia. [De *hepat(o)-* + *-argia*.] *S. f. Desus.* Insuficiência hepática.

hepática. [Fem. substantivado de *hepático*.] *S. f.* Espécime das hepáticas.

hepaticale. *S. f.* Espécime das hepaticales.

hepaticales. *S. f. pl. Bot.* Subclasse de hepáticas que engloba formas talosas e foliosas. Células com numerosos cloroplastos e sem pirenóides; estômatos variados, seta desenvolvida; não há columela; multiplicação vegetativa freqüente. Compreende quatro ordens: jungermanniales anacrógenas; jungermanniales acrógenas; esferocarpales; marchantiales.

hepáticas. *S. f. pl. Bot.* Grupo de briófitos dotados de organismo talóide ou folíífero. Protonema rudimentar, laminar; cápsula provida ou não de seta; caliptra persistente ou evanescente; não há columela; eláteros presentes. Subdivide-se em duas subclasses: hepaticales e antocerotales.

hepático. [Do gr. *hepatikós*, pelo lat. *hepaticu*.] *Adj.* **1.** Relativo ao fígado; figadal, hepatal, jecoral, jecorário. **2.** Pertencente ou relativo às hepáticas. ~ V. *canal —, canal — comum, canal — direito, canal — esquerdo* e *docimasia — a*.

hepatismo. [De *hepat(o)-* + *-ismo*.] *S. m. Patol. Desus.* Doença do fígado.

hepatite. [De *hepat(o)-* + *-ite*[1].] *S. f. Patol.* Inflamação do fígado, geralmente causada por vírus e às vezes por agentes tóxicos. [Sin., pop.: *figadeira*.]

hepatização. *S. f. Med.* Ato ou efeito de hepatizar-se.

hepatizar-se. [Do gr. *hepatízo* + *-ar*[2] + *se*[1].] *V. p. Med.* Passar (um tecido orgânico) a um estado em que apresenta o aspecto de fígado.

▲**hepat(o)-.** [Do gr. *hépar, hépatos*.] *El. comp.* = 'fígado': *hepatopatia; hepatite*.

hepatocele. [De *hepat(o)-* + *-cele*.] *S. f. Patol.* Saliência herniária produzida pelo fígado.

hepatografia. [De *hepat(o)-* + *-graf(o)-* + *-ia*.] *S. f.* Descrição científica do fígado.

hepatográfico. *Adj.* Relativo à hepatografia.

hepatólise. [De *hepat(o)-* + *-lise*.] *S. f. Patol.* Destruição das células hepáticas.

hepatologia. [De *hepat(o)-* + *-log(o)-* + *-ia*.] *S. f.* **1.** Estudo do fígado. **2.** Estudo das doenças do fígado.

hepatológico. *Adj.* Relativo à hepatologia.

hepatomegalia. [De *hepat(o)-* + *-megal(o)-* + *-ia*.] *S. f.* Aumento de volume do fígado.

hepatomegálico. *Adj.* Relativo à hepatomegalia.

hepatopatia. [De *hepat(o)-* + *-pat-* + *-ia*.] *S. f.* Designação comum às moléstias do fígado.

hepatopático. *Adj.* Relativo à hepatopatia.

hepatorréia. [De *hepat(o)-* + *-réia*.] *S. f. Patol.* **1.** Secreção com excesso patológico de bílis. **2.** Fluxo patológico de qualquer substância proveniente do fígado.

hepatorréico. *Adj.* Relativo à hepatorréia.

hepatotomia. [De *hepat(o)-* + *-tom(o)-* + *-ia*.] *S. f. Cir.* Incisão no fígado.

hepatotômico. *Adj.* Relativo à hepatotomia.

▲**hept(a)-.** [Do gr. *heptá*.] *El. comp.* = 'sete': *heptassílabo; heptarca*.

heptacampeã. *S. f.* e *adj.* (*f.*) Fem. de *heptacampeão* [q. v.].

heptacampeão. [De *hept(a)-* + *campeão*.] *S. m.* Indivíduo, clube, etc., que é sete vezes campeão. [Tb. us. como adj. Fem.: *heptacampeã*.]

heptacampeonato. [De *hept(a)-* + *campeonato*.] *S. m.* Campeonato alcançado pela sétima vez.

heptacontaedro. *S. m. Geom.* Poliedro de 70 faces.

heptacontágono. *S. m. Geom.* Polígono de 70 lados.

heptacordo. [Do gr. *heptáchordos*, pelo lat. *heptachordu*.] *S. m.* **1.** Sistema de sons compostos de sete notas, como p. ex. o da gama. **2.** Lira[1] (1) de sete cordas. ● *Adj.* **3.** Que tem sete cordas.

heptacosaedro. [De *hept(a)-* + *(i)cosaedro*.] *S. m. Geom.* Poliedro de 27 faces.

heptacoságono. [De *hept(a)-* + *(i)coságono*.] *S. m. Geom.* Polígono de 27 lados.

heptadáctilo. [Do gr. *heptadáktylos*.] *Adj.* Que tem sete dedos. [Var.: *heptadátilo*.]

heptadátilo. *Adj.* Var. de *heptadáctilo*.

heptadecaedro. [De *hept(a)-* + *decaedro*.] *S. m. Geom.* Poliedro de 17 faces.

heptadecágono. [De *hept(a)-* + *decágono*.] *S. m. Geom.* Polígono de 17 lados.

heptaédrico. *Adj.* Relativo a heptaedro.

heptaedro. [De *hept(a)-* + *-edro*.] *S. m. Geom.* Poliedro de sete faces.

heptafone. [Var. de *heptafono* < *gr. heptáphonos*.] *Adj. Fís.* Diz-se do eco que repete um som sete vezes.

heptafono. *Adj. Fís.* Heptafone [q. v.].

heptagenióideo. *S. m.* **1.** Espécime dos heptagenióideos. ● *Adj.* **2.** Pertencente ou relativo a eles.

heptagenióideos. *S. m. pl. Zool.* Insetos da ordem dos efemerópteros, subordem *Heptagenioidea*, de tarso posterior com cinco artículos livres e móveis.

heptaginia. *S. f. Bot.* Ordem das plantas heptáginas, uma das ordens estabelecidas por Lineu [v. *lineano*].

heptágino. [De *hept(a)-* + *-gino*.] *Adj. Morfol. Veg.* Que tem sete pistilos.

heptagonal. *Adj. 2 g.* Referente a heptágono.

heptágono. [Do gr. *heptágonos*, pelo lat. *heptagonu*.] *S. m. Geom.* Polígono de sete lados.

heptaidratado (a-i). [De *hept(a)-* + *hidratado*.] *Adj. Quím.* Diz-se de substância da qual cada uma das moléculas se acha associada quimicamente a sete moléculas de água.

heptâmetro. [De *hept(a)-* + *-metro*.] *Adj.* e *s. m.* ~ V. *verso —*.

[hep]tandria. *S. f. Morfol. Veg.* Qualidade de heptandro. [Cf. *heptândria*.]

heptândria. *S. f. Morfol. Veg.* Conjunto de vegetais heptandros, no sistema de Lineu [v. *lineano*]. [Cf. *heptandria*.]

heptandro. [De *hept(a)-* + *-andro*.] *Adj. Morfol. Veg.* Diz-se da flor que tem sete estames livres entre si.

heptanemo. [De *hept(a)-* + *-nemo*.] *Adj. Zool.* Que tem sete tentáculos.

heptano. [De *hept(a)-* + *-ano*.] *S. m. Quím.* Hidrocarboneto saturado, de que existem diversos isômeros, líquido, incolor, inflamável, obtido do petróleo. [Fórm.: C_7H_{16}.]

heptanterado. [De *hept(a)-* + *antera* + *-ado*[1].] *Adj.* Que tem sete anteras.

heptarca. [De *hept(a)-* + *-arca*.] *S. m.* Cada um dos membros de uma heptarquia.

heptarquia. [De *hept(a)-* + *-arqu(i)-* + *-ia*.] *S. f.* **1.** Governo formado por sete indivíduos. **2.** Reunião de sete monarquias.

heptárquico. *Adj.* Referente a heptarquia.

heptassílabo. [De *hept(a)(s)-* + *sílaba*.] *Adj.* e *s. m.* Setissílabo.

heptateuco. [Do gr. *heptákeuchos*, pelo lat. *heptateuchu*.] *S. m.* **1.** Obra dividida em sete livros. **2.** Os sete primeiros livros do Antigo Testamento: os cinco do Pentateuco, o Livro de Josué e o Livro dos Juízes.

heptátomo. [De *hept(a)-* + *-tomo*.] *Adj. Zool.* Que tem sete articulações.

▲**heptil-.** *Quím. El. comp.* Indica o radical C_7H_{15}-.

heptila. *S. m. Quím.* O radical monovalente saturado C_7H_{15}-.

heptílico. *Adj. Quím.* Diz-se dos compostos que contêm o radical heptila.

heptodo (ô). [De *hept(a)-* + *-odo*.] *S. m. Eletrôn.* Válvula eletrônica com sete elétrodos: um catodo, uma placa, uma grade de controle, e quatro elétrodos adicionais, geralmente grades.

heptose. [De *hept(a)-* + *-ose*.] *S. f. Quím.* Ose com sete átomos de carbono.

hera. [Do lat. *hedera*.] *S. f.* Designação comum a diversas plantas trepadeiras da família das araliáceas, especialmente a *Hedera helix*. [Pl.: *heras*. Cf. *era, eras*, dos v. *ser* e *erar*, e s. f.]

heráclias. [Do gr. *herákleia*.] *S. f. pl.* Na Grécia antiga, festas em honra de Hércules [v. *herculano*.]

heraclitismo. *S. m.* **1.** Doutrina de Heráclito de Éfeso, filósofo grego (séc. V a. C.), fundador da escola de Éfeso ou escola efésia, caracterizada principalmente pela afirmação de que a luta é princípio de todas as coisas, gerando as oposições de que decorrem os equilíbrios que se sucedem num universo em permanente movimento e transformação segundo uma medida e um ritmo que expressam justiça e harmonia profundas: a sabedoria é o reconhecimento de que todas as coisas são regidas por todas as coisas, segundo um princípio supremo de unificação, o logos [q. v.]. **2.** Doutrina que admite que o Universo está em perpétuo devenir. [Cf. (nesta acepç.) *mobilismo*.]

heráldica. [Do fr. *héraldique*.] *S. f.* **1.** A arte ou ciência dos brasões. **2.** O conjunto dos emblemas de brasão. [Sin. ger.: *parassematografia*.]

heráldico. [Do fr. *héraldique*.] *Adj.* **1.** Relativo a brasões; parassematográfico. ● *S. m.* **2.** V. *heraldista*.

heraldista. [Do fr. *héraldiste*.] *S. 2 g.* Especialista em heráldica; parassematógrafo, heráldico.

heraldo. *S. m. Ant.* Arauto (1).

herança. [Do lat. *haerentia*, de *haerere*, 'aderir'.] *S. f.* **1.** Aquilo que se herda. **2.** Aquilo que se transmite por hereditariedade (2). **3.** *Jur.* Bem, direito ou obrigação transmitidos por via de sucessão ou por disposição testamentária. **4.** *Fig.* Aquilo que se recebeu dos pais, das gerações anteriores, da tradição; legado. ◆ **Herança jacente.** *Jur.* Aquela cujos beneficiários ainda não são conhecidos, e que fica, por isso, sob a guarda, conservação e administração dum curador, até aparecerem os herdeiros ou declarar-se-lhe a vacância. **Herança vacante.** *Jur.* A herança jacente que se devolve ao Estado uma vez decorrido o prazo legal e confirmado o não aparecimento de herdeiros; herança vaga. **Herança vaga.** *Jur.* Herança vacante.

hera-terrestre. *S. f. Bras.* Planta medicinal da família das labiadas (*Nepeta glechoma*). [Pl.: *heras-terrestres*.]

herbáceo. [Do lat. *herbaceu*.] *Adj.* **1.** Respeitante a erva. **2.** Diz-se de planta que tem a consistência e o porte de erva.

herbanário. *S. m.* **1.** Estabelecimento que vende ervas medicinais. [Sin., em SP: *ervanaria*.] **2.** Indivíduo que vende e/ou conhece plantas medicinais. [F. paral.: *ervanário*.]

herbário. [Do lat. *herbarium*, 'tratado de botânica'.] *S. m.* **1.** Coleção de plantas dessecadas que se conservam nas instituições botânicas e são destinadas à pesquisa científica; fitoteca. **2.** Livro em que antigamente se reuniam descrições e figuras de plantas, com indicações acerca de suas propriedades medicinais.

herbático. [Do lat. *herbaticu*.] *Adj.* Herbóreo.

▲**herbi-.** [Do lat. *herba, ae*.] *El. comp.* = 'erva', 'plantas herbáceas': herbívoro, herbiforme.

herbicida. [De *herbi-* + *-cida*.] *Adj. 2 g.* e *s. m.* Diz-se de, ou substância empregada na destruição de ervas daninhas; ervicida: "Uma família .... foi intoxicada por alta dose de h e r b i c i d a s aplicada numa plantação de feijão" (*Jornal do Brasil*, 29.10.1981).

herbífero. [Do lat. *herbiferu*.] *Adj.* Que produz erva.

herbiforme. [De *herbi-* + *-forme*.] *Adj. 2 g.* Semelhante a erva (1).

herbivoraz. [De *herbi-* + *voraz*.] *Adj. 2 g.* e *s. 2 g.* Herbívoro: "Num ano, em que excessiva fora a seca, / Contam que os animais h e r b i v o r a z e s / Desciam das montanhas ressecadas / Buscando um fresco prado." (Bernardo Guimarães, *Poesias Completas*, p. 416.)

herbívoro. [De *herbi-* + *-voro*.] *Adj.* **1.** Que se alimenta de erva ou de vegetais. ● *S. m.* **2.** Animal herbívoro. [Sin. ger.: *herbivoraz*.]

herbolária. [Fem. de *herbolário*.] *S. f.* Mulher que fazia feitiços, ou preparava venenos com vegetais.

herbolário. [Do lat. *herbula*, 'ervinha', + *-ário*.] *Adj.* e *s. m.* **1.** Que, ou aquele que coleciona plantas. **2.** Que, ou aquele que conhece plantas medicinais; ervanário.

herbóreo. [Do lat. *herba*, 'herva', con infl. de *herborizar*.] *Adj.* Relativo a erva; herbático.

herborista. *S. 2 g.* Pessoa que conhece as virtudes das plantas e/ou que vende plantas medicinais; ervanário, herbolário.

herborização. *S. f.* Ato ou efeito de herborizar.

herborizador (ô). *Adj.* **1.** Que herboriza; herborizante. ● *S. m.* **2.** Aquele que herboriza; coletor ou colecionador de plantas.

herborizante. *Adj. 2 g.* Herborizador (1).

herborizar. [Do fr. *herboriser*.] *V. int.* Colher e/ou colecionar plantas para estudo ou para uso medicinal: "Barreto h e r b o r i z o u durante todo o tempo .... De volta, atulhou-nos o ônibus de cássias, mimosas, ...

tudo o que encontrou à mão para o seu herbário." (Ciro dos Anjos, *Abdias*, p. 49.)

herboso (ô). [Do lat. *herbosu.*] *Adj.* Ervoso.

hercotectônica. [Do gr. *hérkos*, 'muralha', + *tektoniké*, 'arte de construir'.] *S. f.* Arte de fortificar praças.

herculandense. *Adj. 2 g.* **1.** De, ou pertencente ou relativo a Herculândia (SP). ● *S. 2 g.* **2.** Natural ou habitante de Herculândia.

herculano. [Do lat. *herculanu.*] *Adj.* De, relativo a, ou próprio de Hércules, semideus da mitologia grega, célebre pela sua força; hercúleo.

hercúleo. [Do lat. *herculeu.*] *Adj.* **1.** Herculano. **2.** Que tem força extraordinária.

hércules. [De *Hércules* (v. *herculano*).] *S. m. 2 n. Fig.* **1.** Homem hercúleo. **2.** *Astr.* Constelação boreal, a O. da Lira e a E. da Coroa Boreal. ● *S. f.* **3.** *Astr.* Cratera lunar com 75km de diâmetro.

herdade. [Do lat. *hereditate.*] *S. f.* **1.** *Lus.* Grande propriedade rural, composta, em geral, de terras de semeadura, montados e casa de habitação; quinta: "lá longe, marcando os quartéis-generais das herdades, casalitos brancos com medas de palha à boca das arribanas" (Fialho d'Almeida, *O País das Uvas*, p. 185). [Dim. irreg.: *herdadola.*] **2.** *Ant.* Herança (3).

herdadola. *S. f.* Pequena herdade (1).

herdador (ô). *S. m.* Aquele que herda; herdeiro.

herdar. [Do lat. *hereditare.*] *V. t. d.* **1.** Receber, obter, ou ter direito a receber por herança (3): *Herdou uma bela fortuna.* **2.** Adquirir por parentesco ou hereditariedade (virtude, vício, moléstia, etc.): "Dos quatro filhos vivos de Bernardo, um, o que recebeu o nome paterno, também lhe herdou a veia humorística" (Basílio de Magalhães, *Bernardo Guimarães*, p. 15). **3.** Receber por transmissão: *A geração de hoje herdou a moda dos anos vinte. T. d. e i.* **4.** Herdar (1): "Garnier herdara dum velho parente inglês a bela soma de 150.000 libras esterlinas" (Lauro Palhano, *O Gororoba*, p. 179). **5.** Herdar (2): *Do avô paterno herdou o alcoolismo.* **6.** Herdar (3): *Herdou dos antigos certos hábitos curiosos.* **7.** Deixar por herança ou transmissão; legar: *Herdou ao filho a paixão do estudo.*

herdeiro. [Do lat. *hereditariu.*] *S. m.* **1.** Aquele que herda; sucessor. **2.** *Fam.* Filho (1). **3.** *Jur.* Aquele que sucede na totalidade da herança, ou de parte alíquota desta, sem determinação de valor ou individualização de objeto. ♦ **Herdeiro beneficiário.** *Jur.* Aquele que aceita a herança a benefício de inventário. V. *benefício de inventário.* **Herdeiro forçado.** Jur. V. *herdeiro necessário.* **Herdeiro legitimário.** *Jur.* V. *herdeiro necessário.* **Herdeiro necessário.** *Jur.* Herdeiro instituído por lei e que não pode ser preterido (ascendentes e descendentes); herdeiro forçado, herdeiro legitimário, herdeiro reservatário. **Herdeiro reservatário.** *Jur.* V. *herdeiro necessário.* **Herdeiro testamentário.** *Jur.* Legatário.

hereditariedade. *S. f.* **1.** Qualidade de hereditário. **2.** Transmissão dos caracteres físicos ou morais de uma pessoa aos seus descendentes. [Cf. *atavismo.*] **3.** *Biol.* Fenômeno de continuidade biológica do plasma germinativo através das gerações. **4.** *Biol.* Fenômeno de continuidade biológica pelo qual as formas vivas se repetem nas gerações que se sucedem.

hereditário. [Do lat. *hereditariu.*] *Adj.* Que se transmite por herança, de pais a filhos ou de ascendentes a descendentes. ~ V. *capitania —a, caráter —* e *vocação —a.*

heredograma. [De *hered(itário)* + *-o-* + *-grama.*] *S. m. Genét.* Diagrama da história familiar de um indivíduo através do qual evidencia-se o aparecimento de determinada enfermidade hereditária, assim como o grau de parentesco do indivíduo afetado com o indivíduo em estudo.

herege. [Do gr. *hairetikós*, 'que escolhe', pelo lat. *haereticu* e pelo provenç. *eretje.*] *Adj. 2 g.* **1.** Que professa doutrina contrária ao que foi definido pela Igreja como sendo matéria de fé. ● *S. 2 g.* **2.** Pessoa que professa doutrina dessa natureza; herético. **3.** *Pop.* Pessoa ímpia, que não pratica o culto externo; herético.

heregia. *S. f. Ant.* Heresia.

heresia. [Do gr. *haíresis*, 'escolha', pelo lat. *haeresis* + *-ia.*] *S. f.* **1.** Doutrina contrária ao que foi definido pela Igreja em matéria de fé. **2.** Ato ou palavra ofensiva à religião. **3.** *Fig.* Contra-senso, tolice.

heresiarca. [Do gr. *hairesiárches*, pelo lat. *haeresiarcha.*] *S. 2 g.* Fundador de uma seita herética.

herético. [Do gr. *hairetikós*, 'que escolhe', pelo lat. *haereticu.*] *Adj.* **1.** Relativo a heresia ou que a contém. ● *S. m.* **2.** Herege (2 e 3).

heréu. *S. m: Ant.* Herdeiro (1).

heril. [Do lat. *herile.*] *Adj. 2 g.* **1.** Próprio do senhor, com relação ao escravo: *mandado heril.* **2.** *P. ext.* Próprio de senhor; senhoril: "Pinta-a, ideando-a só: o heril recacho, / O torso e o resto..." (Raimundo Correia, *Poesias*, p. 36). [Cf. *eril.*]

herma. [Do gr. *Hermês*, Hermes, o deus grego correspondente ao Mercúrio dos romanos.] *S. f. Escult.* **1.** Hermes (2): "Também chamara os gregos hermas aos marcos de pedra quadrados, que mostravam os caminhos, porque costumavam rematar-se em um meio-corpo, ou cabeça de Mercúrio." (Pe Manuel Bernardes, *Nova Floresta*, II, p. 90). **2.** Busto em que o peito, as costas e os ombros são cortados por planos verticais. **3.** *Bras.* Qualquer meio-busto esculpido, ou estátua aplicada a um plinto. [Pl.: *hermas.* Cf. *erma* e *ermas*, do v. *ermar*, e *erma* (ê), *ermas* (ê), flex. de *ermo* (ê).]

hermafrodita. *Adj. 2 g.* e *s. m.* V. *hermafrodito.*

hermafroditismo. *S. m.* Condição de hermafrodito; androginismo.

hermafrodito. [Do antr. *Hermafrodito*, dum filho de Hermes e Afrodite.] *Adj.* e *s. m. Biol. Ger.* Diz-se de, ou ser que possui órgãos reprodutores dos dois sexos; andrógino. [F. paral.: *hermafrodita.*]

hermeneuta. [Do gr. *hermeneutés.*] *S. 2 g.* Especialista em hermenêutica.

hermenêutica. [Fem. substantivado de *hermenêutico.*] *S. f.* **1.** Interpretação do sentido das palavras. **2.** Interpretação dos textos sagrados: "Para esclarecer o problema religioso, ... traduz [Marnix] os Evangelhos em língua holandesa, e entrega desvendado à hermenêutica de cada um o texto das revelações divinas." (Ramalho Ortigão, *A Holanda*, p. 11.) **3.** Arte de interpretar leis: "Tanto a praxe como a boa hermenêutica aconselhariam apresentar queixa em juízo contra o delinqüente e prosseguir na causa" (Alberto Rangel, *Fura-Mundo!*, p. 155).

hermenêutico. [Do gr. *hermeneutikós.*] *Adj.* Respeitante à hermenêutica.

hermes. [Do gr. *Hermês*, um dos deuses da mitologia grega.] *S. m. 2 n.* **1.** Pedestal que suporta uma cabeça de Mercúrio ou Hermes. **2.** Qualquer estátua do deus Mercúrio; herma. **3.** *Astr. P. us.* Mercúrio (1). [Cf. *ermes*, do v. *ermar.*]

hermeta. *S. m.* Coluna à qual está sobreposto um hermes; hermete.

hermete. *S. m.* Hermeta.

hermético. [Do lat. *hermeticu.*] *Adj.* **1.** Encimado por um hermes. **2.** Inteiramente fechado, de maneira que não deixe penetrar o ar (vaso, janela, etc.). **3.** De compreensão muito difícil; obscuro. **4.** Relativo à ciência da transmutação dos metais, ou à alquimia.

hermetismo. *S. m.* **1.** Qualidade de hermético (3). **2.** *Filos.* Doutrina ligada ao gnosticismo [q. v.], surgida no Egito no séc. I, atribuída ao deus Thot, chamado pelos gregos *Hermes Trismegisto*, e formada principalmente pela associação de elementos doutrinários orientais e neoplatônicos. Cristalizou-se num ensinamento secreto em que se misturam filosofia e alquimia.

hermocêntrico. [De *Hermes* (3) + *-o-* + *centro* + *-ico*[2].] *Adj.* ~ V. *longitude —a.*

hermografia. [De *Hermes* (3) + *-graf(o)-* + *-ia.*] *S. f.* Estudo do planeta Mercúrio.

hermográfico. *Adj.* Relativo à hermografia. ~ V. *longitude —a.*

hernandiácea. *S. f.* Espécime das hernandiáceas.

hernandiáceas. *S. f. pl. Bot.* Família de plantas superiores, da ordem das ranales, composta de árvores, arbustos e trepadeiras de folhas alternas e pequenas flores hermafroditas ou unissexuais. Há cerca de 22 espécies tropicais, sendo umas poucas encontradas no Brasil.

hernandiáceo. *Adj.* Pertencente ou relativo às hernandiáceas.

hérnia. [Do lat. *hernia.*] *S. f.* **1.** *Patol.* Passagem, parcial ou total, de uma estrutura anatômica, através de orifício patológico ou tornado patológico, de sua localização normal para outra anormal. [Sin., pop.: *quebradura, quebra, rendidura.*] **2.** *Bot.* Certa doença da raiz da couve. ♦ **Hérnia encarcerada.** *Patol.* A que não é redutível, mas não apresenta sofrimento circulatório. **Hérnia estrangulada.** *Patol.* Aquela em que há sofrimento circulatório do(s) órgão(s) porventura contido(s) em seu saco, e cuja vitalidade está, pois, ameaçada, podendo estes vir a necrosar-se, caso o comprometimento circulatório não seja tratado em tempo. **Hérnia incisional.** *Patol.* A que se desenvolve em local onde se realizou uma intervenção cirúrgica. **Hérnia irredutível.** *Patol.* Aquela em que não se consegue que o conteúdo do saco herniário retorne a seu local normal. **Hérnia redutível.** *Patol.* Aquela em que o conteúdo do saco herniário retorna, com maior ou menor facilidade, a seu local normal, mediante manobras neste sentido ou, eventualmente, sem elas.

herniação. *S. f. Med.* Produção de hérnia; herniamento.

herniado. [De *hérnia* + *-ado*[1].] *Adj.* e *s. m.* Que ou aquele que tem hérnia (1); hernioso.

hernial. *Adj. 2 g.* Relativo a hérnia; herniário, hérnico.

herniamento. *S. f. Med.* Herniação.

herniário. *Adj.* V. *hernial.* ~ V. *saco —.*

hérnico. *Adj.* V. *hernial.*

hernioso (ô). [Do lat. *herniosu.*] *Adj.* e *s. m.* Herniado.

hernuto. [Do top. *Herrnhut.*] *S. m.* Membro da seita cristã dos irmãos morávios.

herodione. *S. f.* e *adj. 2 g.* Ciconiforme.

herodiones. *S. f. pl. Zool.* Ciconiformes.

herói. [Do gr. *héros*, pelo lat. **heroe.*] *S. m.* **1.** Homem extraordinário por seus feitos guerreiros, seu valor ou sua magnanimidade. **2.** *P. ext.* Pessoa que por qualquer motivo é centro de atenções. **3.** Protagonista de uma obra literária. **4.** *Mitol.* Semideus (2). [Fem.: *heroína.*]

heroicidade. [De *heróico* + *-i-* + *-dade.*] *S. f.* Heroísmo.

herói-civilizador. *S. m. Etnol.* Ente mítico, criador, transformador ou introdutor de acidentes geográficos, instituições sociais, cultos, meios de sustento, técnicas e outros elementos culturais. [Pl.: *heróis-civilizadores.*]

heróico. [Do gr. *heroikós*, pelo lat. *heroicu.*] *Adj.* **1.** Próprio de herói. **2.** Diz-se do estilo ou gênero literário em que se celebram façanhas de heróis. ~ V. *verso —* e *verso — quebrado.*

herói-cômico. [De *herói(co)* + *cômico.*] *Adj.* Que participa, simultaneamente, da feição heróica e da cômica: *Antônio Dinis da Cruz e Silva é o autor de* Hissope, *poema herói-cômico.* [Pl.: *herói-cômicos.*]

heróide. [Do gr. *herois, ídos.*] *S. f.* Epístola amorosa em verso, sob o nome de um herói ou de personagem notável.

heroificar. [Do lat. *heroe*, 'herói', + *-ficar.*] *V. t. d.* **1.** Qualificar de herói; engrandecer, glorificar. **2.** Incluir no número dos heróis. [Conjug.: v. *trancar.*]

heroína. [Do gr. *heroíne*, pelo lat. *heroina.*] *S. f.* **1.** Mulher de valor extraordinário. **2.** Mulher que figura como a personagem principal duma obra literária: *Capitu é a heroína de* Dom Casmurro, *romance machadiano.* **3.** *Quím.* Alcalóide obtido pela ação do anidrido acético sobre a morfina, com ação fisiológica mais acentuada e poderosa que esta. [Fórm.: $C_{21}H_{23}O_5N$.] ♦ **Heroína de dois mundos.** Antonomásia de Anita Garibaldi (1821-1849), que lutou na Revolução Farroupilha e pela unificação da Península Itálica.

heroísmo. *S. m.* **1.** Qualidade ou caráter de herói, ou de heróico. **2.** Magnanimidade, longanimidade, generosidade. **3.** Ato heróico. [Sin. ger.: *heroicidade.*]

herpes. [Do gr. *hérpes*, 'dartro', pelo lat. *herpes.*] *S. m. 2 n.* **1.** *Patol.* Dermatose inflamatória caracterizada pela formação de pequenas vesículas que se apresentam em grupo. **2.** *Impr.* Dartro. **3.** *Fig.* Mal contagioso; sujeira, podridão. [Cf. *erpes*, pl. de *erpe.*] ♦ **Herpes simples.** *Patol.* Doença aguda, produzida por vírus e caracterizada pela formação de grupos de vesículas na pele e membranas mucosas, tais como bordas dos lábios e narinas, superfícies mucosas genitais.

herpes-zoster. *S. m. Patol.* Doença aguda, produzida por vírus, caracterizada por inflamação de um ou mais gânglios de raízes nervosas dorsais ou de gânglios de nervos cranianos. Apresenta-se como erupção vesicular dolorosa, na pele ou nas membranas mucosas, que se distribui ao longo do trajeto de nervos sensitivos periféricos originados nos gânglios afetados. [Tb. se diz apenas *zoster.* Pl.: *herpes-zosteres* e *herpes-zoster.*]

herpético. [Do gr. *herpetikós.*] *Adj.* **1.** Da natureza dos herpes. **2.** Que sofre de herpes. ● *S. m.* **3.** Aquele que sofre de herpes.

herpetiforme. [De *herpet(o)-* + *-i-* + *-forme.*] *Adj. 2 g.* V. *dermatite —.*

herpetismo. [De *herpet(o)-* + *-ismo.*] *S. m. Patol. Obsol.* A predisposição para padecer de várias afecções tidas como herpéticas.

▲**herpet(o)-.** [Do gr. *hérpes, etos.*] *El. comp.* = 'dartro', 'herpes', 'reptil': *herpetismo, herpetologia.*

herpetografia. [De *herpet(o)-* + *-graf(o)-* + *-ia.*] *S. f.* Herpetologia (2).

herpetográfico. *Adj.* Referente à herpetografia; herpetológico.

herpetógrafo. [De *herpet(o)-* + *-grafo.*] *S. m.* V. *herpetólogo.*

herpetologia. [De *herpet(o)-* + *-log(o)-* + *-ia.*] *S. f.* **1.** Estudo acerca do herpes. **2.** Parte da zoologia que trata dos reptis; herpetografia.

herpetológico. *Adj.* **1.** Relativo à herpetologia (1). **2.**

Relativo à herpetologia (2); herpetográfico.

herpetologista. *S. 2 g.* V. *herpetólogo.*

herpetólogo. *S. m.* Especialista em herpetologia; herpetologista, herpetógrafo.

herpobdélido. *S. m.* **1.** Espécime dos herpobdélidos. ● *Adj.* **2.** Pertencente ou relativo a eles.

herpobdélidos. *S. m. pl. Zool.* Animais metazoários, anelídeos, hirudíneos, gnatobdélidos, desprovidos de maxilas quitinosas ou verdadeiras maxilas.

herpolodia. *S. f. Fís.* No movimento de rotação dum corpo rígido com um ponto fixo e sobre o qual não atuam forças nem pares, curva contida no plano invariável do movimento, e que é o lugar geométrico do ponto de contato do elipsóide de Poinsot com esse plano.

➧**Herr** (hérr). [Al.] *S. m.* Palavra de tratamento, correspondente a 'Senhor'.

hertz. [Do antr. *Hertz*, de Heinrich Hertz, físico alemão (1857-1894).] *S. m. 2 n. Fís.* Unidade de medida de freqüência de um fenômeno periódico igual à freqüência de um evento por segundo; um ciclo por segundo. [Símb.: *Hz.*]

hertziano. [De *Hertz* + *-i-* + *-ano.*] *Adj.* ~V. *onda* —*a.*

herzegovino. *Adj.* **1.** Da, ou pertencente ou relativo a Herzegovina (Iugoslávia). ● *S. m.* **2.** O natural ou habitante da Herzegovina.

hesitação. [Do lat. *haesitatione.*] *S. f.* **1.** Ato ou efeito de hesitar. **2.** Estado de quem hesita. **3.** Indecisão, perplexidade, dúvida.

hesitante. [Do lat. *haesitante.*] *Adj. 2 g.* Que hesita; indeciso, perplexo, vacilante.

hesitar. [Do lat. *haesitare.*] *V. int.* e *t. i.* **1.** Estar ou ficar indeciso, perplexo, incerto, irresoluto; não tomar resolução; vacilar, trepidar, titubear: *Hesitou muito antes de estabelecer o plano;* "A princípio hesitou em prosseguir a marcha, e recuou assustado" (Afonso Arinos, *Histórias e Paisagens*, p. 70); "Entreparou novamente, como que hesitando sobre o que ia proferir." (Amando Fontes, *Rua do Siriri*, p. 73). *T. d.* **2.** Ter dúvidas sobre; vacilar em: *Não hesitou esbofetear o ofensor.*

hesperídio. *S. m. Morfol. Veg.* Variedade de baga multicarpelar, cujo endocarpo apresenta numerosos pêlos, cheis de suco. É característico do gênero *Citrus.*

hespério. [Do gr. *hespérios*, pelo lat. *hesperiu.*] *Adj. Poét.* Ocidental.

héspero. [Do gr. *Hespéros*, pelo lat. *Hesperu.*] *S. m. Astr.* Entre os gregos, o planeta Vênus quando visto como estrela vespertina. [Cf. *espero*, do v. *esperar.*]

hessiano. [Do antr. *Hesse*, de Ludwig Otto Hesse, matemático alemão (1811-1874), + *-i-* + *-ano.*] *S. m. Anál. Mat.* Determinante funcional que envolve as derivadas segundas de uma função de diversas variáveis. [Cf. *eciano.*]

hester. [De possível or. americana.] *S. m.* Madeira cinzento-escura, das Antilhas. [Pl.: *hesteres.* Cf. *Ester*, antr., e *éster*, pl. *ésteres.*]

hesterno. [Do lat. *hesternu.*] *Adj.* Referente ao dia de ontem. [Cf. *esterno* e *externo.*]

hetaira. *S. f.* V. *hetera.*

hetéia. *Adj. (f.)* e *s. f.* Fem. de *heteu.*

hetera. [Do gr. *hetaíra.*] *S. f.* **1.** Na antiga Grécia, mulher dissoluta, cortesã: "As mais belas / Das heteras de Samos e Mileto // Eram todas na orgia." (Olavo Bilac, *Poesias*, p. 134.) **2.** Prostituta elegante e distinta.

heteracanto. [De *heter(o)-* + *-acanto.*] *S. m. Morfol. Veg.* Planta que tem espinhos de várias formas.

heterandra. [De *heter(o)-* + *-andro.*] *Adj. (f.) Morfol. Veg.* Diz-se da flor cujas anteras têm formas e tamanhos diferentes.

heterergia. [De *heter(o)-* + *-erg(o)-* + *-ia.*] *S. f. Med.* e *Farmac.* Efeito, fora do habitual, produzido por um só de dois medicamentos, quando empregados juntos. Tal efeito pode ser superior ao esperado (devido à sinergia) ou menor que o esperado (devido a antagonismo). [Cf. *homergia.*]

heterérgico. *Adj.* Relativo à heterergia, ou que a causa.

heteria. [Do gr. *hetairía.*] *S. f.* **1.** Sociedade política secreta, na Grécia antiga. **2.** Hoje, sociedade política ou literária grega.

heterinfeção. *S. f. Patol.* Var. de *heterinfecção.*

heterinfecção. [De *heter(o)-* + *infecção.*] *S. f. Patol.* Infecção de um indivíduo produzida por germes de fonte exterior. [Var.: *heterinfeção.*]

heterismo. [Do gr. *hetairismós.*] *S. m.* Amor livre, nas mulheres. [V. *hetera.*]

heterista. [Do gr. *hetairistés.*] *Adj. 2 g.* Relativo às, ou próprio das heteras; sensual.

▲**heter(o)-.** [Do gr. *héteros, a, on.*] *El. comp.* = 'outro', 'diferente': *heterógamo, heteroagressão; heterinfecção, heterônimo.*

heteroagressão. [De *heter(o)-* + *agressão.*] *S. f. Psicol.* Consumação de atos destrutivos que têm como objeto o mundo exterior. [Cf. *auto-agressão.*]

heteroandro. [De *heter(o)-* + *-andro.*] *Adj. Morfol. Veg.* Que apresenta estames de diferentes formas e comprimentos.

heterobrânquio. [De *heter(o)-* + *-brânquio.*] *Adj. Zool.* Cujas brânquias variam.

heterocarpo. [De *heter(o)-* + *-carpo.*] *Adj. Morfol. Veg.* Anomocarpo (1).

heterócelo. *S. m.* **1.** Espécime dos heterócelos. ● *Adj.* **2.** Pertencente ou relativo a eles.

heterócelos. *S. m. pl. Zool.* Animais poríferos, calcários, ordem *Heterocoela*, com a parede do corpo grossa, com dobras na porção interna; coanócitos situados nos canais radiais, descontínuos.

heterócero. [De *heter(o)-* + *-cero.*] *S. m.* **1.** Espécime dos heteróceros. ● *Adj.* **2.** Pertencente ou relativo a eles.

heteróceros. *S. m. pl. Zool.* Insetos da ordem dos lepidópteros, divisão *Heterocera*, que compreende as espécies de tamanho médio ou grande, a maior parte de hábitos crepusculares ou noturnos, que se caracterizam pelas cores sóbrias e pelas asas posteriores geralmente com frênulo; são vulgarmente conhecidos pelo nome de *mariposas.* [Cf. *ropalóceros.*]

heterocerco. [De *heter(o)-* + gr. *kerkos*, 'cauda'.] *Adj.* **1.** Diz-se da nadadeira caudal dos peixes, cujo lobo superior é mais desenvolvido que o inferior, por ser um prolongamento da coluna vertebral. **2.** De, ou pertencente, ou relativo a essa nadadeira. [Cf. *homocerco.*]

heterocíclico. *Adj. Quím.* Diz-se de um composto em cuja molécula existe um ciclo constituído por átomos que não são todos da mesma espécie.

heterocisto. [De *heter(o)-* + *-cisto.*] *S. m. Morfol. Veg.* Em algumas algas azuis, células especiais de membrana espessa, de conteúdo mais claro, e que servem, provavelmente, para sobrevivência em condições desfavoráveis.

heteroclamídeo. [De *heter(o)-* + gr. *chalmys, ydos*, 'clâmide', + *-eo.*] *Adj. Morfol. Veg.* Que apresenta cálice e corola: *flor heteroclamídea.*

heteróclito. [Do gr. *heteróklitos*, pelo lat. *heteroclitu.*] *Adj.* **1.** Que se desvia dos princípios da analogia gramatical ou das normas de arte. **2.** *P. ext.* Singular, excêntrico, extravagante: "Vultos heteróclitos, surpreendentes, vinham se postando aos lados do Esquife para desfilar com o préstito." (Veiga Miranda, *Maria Cecília*, p. 27); "Homens estranhos, ... artistas exóticos, um mundo agitado e heteróclito, enervado e enfarado" (Menotti del Picchia, *Salomé*, pp. 151-152).

heterocólito. *S. m.* e *adj.* Monogênio.

heterocólitos. *S. m. pl. Zool.* Monogênios.

heteroconta. *S. f.* Espécime das heterocontas; heterocontácea.

heterocontácea. *S. f.* Heteroconta.

heterocontáceas. *S. f. pl. Bot.* Heterocontas.

heterocontas. *S. f. pl. Bot.* Divisão do reino vegetal composta de algas unicelulares flagelíferas, isoladas ou reunidas em filamentos, que vivem de preferência nas águas doces. São de cor verde-amarelada, contêm óleo, e reproduzem-se mediante zoósporos, aplonósporos e acinetos. [Sin.: *heterocontáceas.*]

heterocromatina. [De *heter(o)* + *cromatina.*] *S. f. Genét.* Região de genoma altamente condensada durante a interfase, que se cora facilmente e cujos genes não são expressos.

heterocromia. [Do gr. *heterókromos*, 'de outra cor', + *-ia.*] *S. f.* Coloração diferente de partes que normalmente deviam ter a mesma cor.

heterocronia. [De *heter(o)-* + *-cron(o)-* + *-ia.*] *S. f.* Geração de partes do corpo em época diferente daquela em que nascem normalmente.

heterócrono. [Do gr. *heteróchronos*, 'de outro tempo'.] *Adj.* ~ V. *pulso* —.

heterodáctilo. [De *heter(o)-* + *-da(c)tilo.*] *Adj. Zool.* Diz-se de ave cujo dedo externo é reversível. [Var.: *heterodátilo.*]

heterodátilo. *Adj. Zool.* Var. de *heterodáctilo.*

heterodinamia. *S. f.* Qualidade ou condição de heterodinâmico.

heterodinâmico. [De *heter(o)-* + *dinâmico.*] *Adj.* Que tem força desigual.

heteródino. [De *heter(o)-* + *-dino.*] *S. m. Eletrôn.* Processo eletrônico de superpor uma onda portadora recebida por um radiorreceptor a uma outra, gerada neste, de freqüência um pouco diferente, produzindo-se, assim, um fenômeno de batimento.

heterodoxia (cs). [Do gr. *heteródoxos*, 'de opinião diferente', + *-ia.*] *S. f.* **1.** Qualidade de heterodoxo. **2.** Oposição aos sentimentos de ortodoxia. [Antôn.: *ortodoxia.*]

heterodoxo (cs). [Do gr. *heteródoxos.*] *Adj.* Não ortodoxo; oposto aos princípios duma religião ou ortodoxia; herético: "Heterodoxos, ou hereges, que são, abrem o espírito a outras influências" (Vivaldo Coaraci, *Todos Contam Sua Vida*, p. 203). [Antôn.: *ortodoxo.*]

heteroerotismo. [De *heter(o)-* + *erotismo.*] *S. m. Psicol.* Aloerotismo.

heterofilia. [De *heter(o)-* + *-fil(o)-*[1] + *-ia.*] *S. f. Morfol. Veg.* Ocorrência de mais de uma classe de folhas em regiões afastadas, numa dada planta. [Cf. *anisofilia* e *isofilia.*]

heterofilo. [De *heter(o)-* + *-filo*[1].] *Adj. Morfol. Veg.* Que apresenta heterofilia: *arbusto heterofilo.* [Antôn.: *homofilo.*]

heterofonia. [Do gr. *heterophonía.*] *S. f. Gram.* Qualidade das palavras heterófonas. [Antôn.: *homofonia* (1).]

heterofônico. [De *heterófono* + *-ico*[2].] *Adj. Gram.* V. *heterófono.* [Antôn.: *homofônico.*]

heterófono. [Do gr. *heteróphonos.*] *Adj.* e *s. m. Gram.* Diz-se de, ou vocábulo que tem grafia idêntica à de outro mas se pronuncia de modo diferente. Ex.: *sede (ê)* = secura; *sede* = assento; *coro (ô)* = conjunto vocal; *coro*, do v. *corar.* [Sin. do adj.: *heterofônico*; antôn. ger.: *homófono.*]

heteroforia. [De *heter(o)-* + *-for(o)-* + *-ia.*] *S. f. Med.* Tendência a desvio dos eixos visuais.

heterogamia. [De *heter(o)-* + *-gam(o)-* + *-ia.*] *S. f. Biol. Ger.* Fecundação por meio de gametas diferentes pela estrutura e dimensões; anisogamia.

heterogâmico. [De *heterógamo* + *-ico*[2].] *Adj. Morfol. Veg.* Diz-se do vegetal que, ao reproduzir-se, apresenta gametas masculinos e femininos diversos na aparência e/ou no comportamento; heterógamo.

heterógamo. [De *heter(o)-* + *-gamo.*] *Adj. Morfol. Veg.* Heterogâmico.

heterogeneidade. *S. f.* Qualidade de heterogêneo. [Antôn.: *homogeneidade.*]

heterogêneo. [Do gr. *heterogenés*, 'de outro gênero', + *-eo.*] *Adj.* **1.** De diferente natureza. **2.** Composto de partes de diferente natureza. [Antôn. ger.: *homogêneo.*] — V. *catálise* —*a*, *reator* — e *sistema* —.

heterogênese. [De *heter(o)-* + *-gênese.*] *S. f. Biol.* **1.** Geração espontânea. **2.** Alternância de gerações. [Antôn.: *homogênese.*]

heterogenético. *Adj.* Relativo à heterogênese.

heterogenia. [Do gr. *heterogenés*, 'de outro gênero', + *-ia.*] *S. f. Biol.* Ocorrência cíclica de gerações diferentes.

heterogênico. *Adj.* Relativo à heterogenia.

heterógino. [De *heter(o)-* + *-gino.*] *S. m.* **1.** Espécime dos heteróginos. ● *Adj.* **2.** Pertencente ou relativo a eles.

heteróginos. *S. m. pl. Zool.* Animais de uma espécie em que há machos, fêmeas e neutros.

heterogradia. *S. f. Estat.* A classificação heterógrada.

heterógrado. [De *heter(o)-* + *-grado*[2].] *Adj. Estat.* Diz-se da classificação que, levando em conta o fato quantitativo, procura avaliar a intensidade com que o atributo principal aparece em cada elemento do conjunto. [Opõe-se a *homógrado.*]

heterógrafo. [De *heter(o)-* + *-grafo.*] *Adj.* e *s. m.* Diz-se de, ou vocábulos homônimos que, tendo a mesma pronúncia, se escrevem de maneira diversa. Ex.: *incipiente* = principiante e *insipiente* = ignorante; *sede* = assento e *cede*, do v. *ceder.* [Antôn.: *homógrafo.*]

heteroinfeção (o-i). *S. f. Patol.* V. *heterinfecção.* [Var. de *heteroinfecção.*]

heteroinfecção (o-i). *S. f. Patol.* V. *heterinfecção.* [Var.: *heteroinfeção.*]

heterologia. *S. f.* Qualidade de heterólogo.

heterológico. [De *heter(o)-* + *-log(o)-* + *-ico*[2].] *Adj. Lóg.* Diz-se de termo ou de locução que não se refere a si mesmo. Ex.: o termo *monossílabo*, que não é monossílabo; a locução *lista de eleitores*, que não é uma lista de eleitores. [Opõe-se a *autológico.*]

heterólogo. [De *heter(o)-* + *-logo.*] *Adj.* Diz-se do que é composto de elementos diferentes pela origem ou pela estrutura.

heteromaquia [De *heter(o)-* + *-maquia.*] *S. f.* Luta de um homem com outro.

heteromasturbação. [De *heter(o)-* + *masturbação.*] *S. f.* Masturbação praticada em outrem. [Opõe-se a *automasturbação.*]

heterômera. [Do gr. *heteromeré.*] *Adj. (f.) Morfol. Veg.* Diz-se da flor que apresenta em cada verticilo um número diferente de peças.

heterômero. [Do gr. *heteromerés.*] *Adj. Zool.* Cujos tarsos se formam, conforme as patas, de um número diferente de artículos.

heterometabólico. [De *heter(o)-* + *metabólico.*] *S. m.* **1.** Espécime dos heterometabólicos. ● *Adj.* **2.** Pertencente ou relativo aos heterometabólicos. [Sin. ger.: *paurometabólico, hemimetabólico, exopterigoto.*]

heterometabólicos. *S. m. pl. Zool.* Insetos cuja metamorfose se processa, em geral, de maneira progressiva, raramente com estágio pupal, e cujas asas se desenvolvem externamente. As formas jovens ou ninfas têm olhos compostos. [Sin.: *paurometabólicos, hemimetabólicos, exopterigotos.*]

heterometria. [De *heter(o)-* + *-metr(o)-*[2] + -ia.] *S. f.* **1.** Alteração de dimensões. **2.** Modificação dos tecidos e humores, que resulta de alterações quantitativas em suas substâncias constituintes.

heterométrico. *Adj.* **1.** Relativo à heterometria. **2.** Que não tem as mesmas dimensões.

heterometropia. [De *heter(o)-* + *-metr(o)-*[2] + *-op(s) (i)-* + *-ia.*] *S. f. Patol.* Condição em que o tipo de refração num olho difere do encontrado no outro.

heterometrópico. *Adj.* Relativo à heterometropia.

heteromo. *S. m.* **1.** Espécime dos heteromos. ● *Adj.* **2.** Pertencente ou relativo a eles.

heteromos. *S. m. pl. Zool.* Animais da classe dos peixes, neopterígios, da ordem *Heteromi.* Bexiga natatória ausente ou sem duto pneumático; as nadadeiras ventrais, quando presentes, são abdominais; corpo terminado em cauda longa, nadadeira anal terminada em ponta e nadadeira caudal ausente. São peixes oceânicos, de grande profundidade.

heteromorfia. *S. f.* Heteromorfismo. [Antôn.: *homomorfismo.*]

heteromórfico. *Adj.* Referente à heteromorfia.

heteromorfismo. *S. m.* Qualidade de heteromorfo; heteromorfia. [Antôn.: *homomorfismo* (1).]

heteromorfo. [Do gr. *heterómorphos.*] *Adj.* **1.** Que se apresenta ou se pode apresentar em formas diferentes. **2.** Cujas partes constituintes são diferentes. **3.** Que apresenta diversidade em sua natureza ou em sua composição molecular. [Antôn.: *homomorfo.*]

heteromorfose. [De *heteromorfo* + *-ose.*] *S. f. Biol.* Regeneração duma parte cortada, com diferença na forma e no tamanho.

heteronemertino. *S. m.* **1.** Espécime dos heteronemertinos. ● *Adj.* **2.** Pertencente ou relativo a eles.

heteronemertinos. *S. m. pl. Zool.* Animais nemertinos, anoplos, da ordem *Heteronemertini*, cujos músculos do corpo são dispostos em três camadas, a mais interna longitudinal, e derma fibrosa.

heteronímia. [De *heter(o)-* + *-onim(o)-* + *-ia.*] *S. f. Gram.* Formação do gênero por meio de palavra de raiz diferente. Ex.: *marido, mulher; cavalo, égua.*

heteronímico. *Adj.* Relativo à heteronímia.

heterônimo. [De *heter(o)-* + *-ônimo.*] *Adj.* **1.** Diz-se de autor que publica um livro sob o nome verdadeiro de outra pessoa. **2.** Diz-se de produção literária publicada sob o nome de outra pessoa que não o autor. ● *S. m.* **3.** Outro nome, imaginário, que um homem de letras empresta a certas obras suas, atribuindo a esse autor por ele criado qualidades e tendências literárias próprias, individuais, diferentes das do criador: "Cerebral e retraído, inimigo da expansão ingênua, Fernando Pessoa concebeu o projeto de se ocultar na criação voluntária, *fingindo* indivíduos independentes dele — os h e t e r ô n i m o s —, e inculcando-os como produtos dum imperativo alheio à sua vontade" (Jacinto do Prado Coelho, *Diversidade e Unidade em Fernando Pessoa*, p. 9). [Na última acepç., a palavra parece haver começado a circular após o surgimento de Fernando Pessoa, grande poeta português (1888-1935), que, além de usar o próprio nome em diversas produções, muitas assinou com os nomes Álvaro de Campos, Alberto Caeiro, Ricardo Reis, e outros, poeta, cada um destes, de características bem individuais, tanto nos meios expressivos quanto na substância, e até com biografias, curiosamente inventadas por Fernando Pessoa. Nessa diferença de características entre as obras das criaturas e as do criador é que reside a distinção entre o heterônimo e o pseudônimo. Cf. *ortônimo* e *heterônomo.*]

heteronomia. [De *heter(o)-* + *-nom(o)-* + *-ia.*] *S. f. Ét.* Condição de pessoa ou de grupo que receba de um elemento que lhe é exterior, ou de um princípio estranho à razão, a lei a que se deve submeter. [Cf. *autonomia* (5).]

heteronômico. *Adj.* Relativo à heteronomia.

heterônomo. [De *heter(o)-* + *-nomo.*] *Adj.* ~ V. *cristal* —. [Cf. *heterônimo.*]

heteropatia. [Do gr. *heteropátheia.*] *S. f.* V. *alopatia.*

heteropático. [De *heteropatia* + *-ico*[2].] *Adj.* V. *alopático.*

heteropétalo. [De *heter(o)-* + *pétala.*] *Adj. Morfol. Veg.* Que tem pétalas diferentes entre si. [Antôn.: *homopétalo.*]

heteropixidácea (cs). *S. f.* Espécime das heteropixidáceas.

heteropixidáceas (cs). *S. f. pl. Bot.* Família de plantas floríferas, da ordem das mirtales, cujo androceu é diplostêmone. Ovário súpero, com numerosos óvulos; um só estilete; fruto capsular. São arbustos providos de flores inconspícuas e dispostas em panículas. Há duas espécies, no S. E. africano.

heteropixidáceo (cs). *Adj.* Pertencente ou relativo às heteropixidáceas.

heteroplasia. [De *heter(o)-* + *-plas(i)-* + *-ia.*] *S. f. Biol.* Desenvolvimento dum tecido à custa de outro de qualidade diferente; heteroplastia.

heteroplásico. *Adj.* Relativo à heteroplasia.

heteroplasma. [De *heter(o)-* + *-plasma.*] *S. m. Biol.* Tecido que ocorre onde normalmente não deve existir.

heteroplastia. [De *heter(o)-* + *-plast-* + *-ia.*] *S. f.* **1.** Heteroplasia. **2.** *Cir.* Substituição, mediante intervenção cirúrgica, de estrutura(s) perdida(s), por outra(s) proveniente(s) de indivíduo de espécie diferente, ou por material sintético ou inorgânico.

heteroplástico. *Adj.* Relativo à heteroplastia.

heterópode. [De *heter(o)-* + *-pode.*] *S. 2 g.* **1.** Espécime dos heterópodes. ● *Adj. 2 g.* **2.** Pertencente ou relativo aos heterópodes.

heterópodes. [Pl. de *heterópode.*] *S. m. pl. Zool.* Subordem de moluscos gasterópodes prosobrânquios, que reúne espécies pelágicas dos mares quentes.

heteropodídeo. *S. m.* **1.** Espécime dos heteropodídeos. ● *Adj.* **2.** Pertencente ou relativo a eles.

heteropodídeos. *S. m. pl. Zool.* Família de aranhas (ordem *Araneida*) muito semelhantes aos caranguejos no andar para trás e para os lados. A *Heteropoda venatoria* é muito comum, encontrada em cachos de banana.

heteropolar. [De *heter(o)-* + *polar.*] *Adj. 2 g.* ~V. *ligação* —.

heteropoliácido. [De *heter(o)-* + *poliácido.*] *S. m. Quím.* Ácido complexo constituído por dois ou mais radicais ácidos diferentes.

heteróporo. [De *heter(o)-* + *-poro.*] *S. m. Zool.* Diz-se dos pólipos em que as aberturas das células se dirigem em todos os sentidos.

heteróptero. [De *heter(o)-* + *-ptero.*] *Adj.* e *s. m.* V. *hemíptero* (2 e 3).

heterópteros. *S. m. pl. Zool.* V. *hemípteros.*

heterorgânico. [De *heter(o)-* + *orgânico.*] *Adj. Gram.* Diz-se de fonemas em cuja enunciação participam órgãos diferentes. Ex.: *b* (bilabial) e *t* (linguodental). [Antôn.: *homorgânico* (1).]

heteróscio. [Do gr. *heteróskios.*] *Adj.* e *s. m.* Diz-se de, ou aquele que habita para lá dos dois trópicos, e cujas sombras se conservam opostas durante todo o ano.

heterose. [De *heter(o)-* + *-ose.*] *S. f. Biol.* Estado em que a primeira geração dum híbrido é mais forte que qualquer das raças paternas.

heterosídeo (z). *S. m. Quím.* Designação genérica de substância que fornece, por hidrólise, uma ose e outra substância de natureza química diversa, o aglicônio.

heterosporado. *Adj. Morfol. Veg.* Diz-se dos vegetais (especialmente certas pteridófitas) que apresentam heterosporia; heterósporo. [Antôn.: *isosporado.*]

heterosporia. [De *heter(o)-* + *-spor(o)-* + *-ia.*] *S. f. Morfol. Veg.* Fenômeno de produção de esporos de tipos diversos pela mesma planta, ou por plantas diferentes da mesma espécie.

heterósporo. [De *heter(o)-* + *-sporo.*] *Morfol. Veg.* Heterosporado [q. v.].

heterossexual (cs). [De *heter(o)-* + *sexual.*] *Adj. 2 g.* **1.** Relativo à afinidade, atração e/ou comportamento sexuais entre indivíduos de sexo diferente. **2.** Que tem essa afinidade e/ou comportamento. ● *S. 2 g.* **3.** Indivíduo heterossexual (2). [Antôn.: *homossexual.*]

heterossexualidade (cs). *S. f.* Qualidade de heterossexual. [Antôn.: *homossexualidade.*]

heterossomo. [De *heter(o)-* + *-somo.*] *S. m. Zool.* **1.** Animal que apresenta assimetria corporal. **2.** Espécime dos heterossomos. ● *Adj.* **3.** Pertencente ou relativo a eles.

heterossomos. *S. m. pl. Zool.* Animais, da classe dos peixes, neopterígios, da ordem *Heterossomata*, com o corpo muito assimétrico e comprimido, os olhos postos do mesmo lado da cabeça, nadadeiras dorsal e anal marginando o corpo, e sem bexiga natatória. Ficam no fundo do mar, deitados sobre o lado sem olhos. São os linguados ou solhas.

heterotalia. [De *heter(o)-* + gr. *thálos*, 'ramo (talo)', + *-ia.*] *S. f. Morfol. Veg.* Fenômeno ocorrente em certos fungos cujos micélios, conquanto iguais na aparência, são de dois grupos sexuais opostos pelo comportamento. [Antôn.: *homotalia.*]

heterotálico. *Adj. Morfol. Veg.* Diz-se do vegetal (geralmente fungo) que apresenta heterotalia. [Antôn.: *homotálico.*]

heterotaxia (cs). [De *heter(o)-* + *-tax(i)(o)-* + *-ia.*] *S. f. Med.* Localização anômala, ou transposição, de estruturas anatômicas, sem que haja alteração funcional.

heterotecnia. [De *heter(o)-* + *-tecn(o)-* + *-ia.*] *S. f.* Divergência nas técnicas, práticas ou processos empregados.

heterotécnico. *Adj.* Relativo à heterotecnia.

heterotermia. [De *heter(o)-* + *-term(o)-* + *-ia.*] *S. f.* Estado de heterotérmico. [Antôn.: *homotermia.*]

heterotérmico. [De *heter(o)-* + *-term(o)-* + *-ico*[2].] *Adj.* Que tem diferente temperatura. [Antôn.: *homotermal.*]

heterotríquio. *S. m.* **1.** Espécime dos heterotríquios. ● *Adj.* **2.** Pertencente ou relativo a eles.

heterotríquios. *S. m. pl. Zool.* Designação comum aos animais protozoários, ciliados, cujo revestimento ciliar na margem do peristômio é formado por membranelas compostas de cílios aglutinados. O conjunto destas constitui a franja adoral.

heterotrofia. [Do gr. *heterótrophos*, 'alimentado de outro modo', + *-ia.*] *S. f. Bot.* Modalidade de nutrição vegetal em que a planta, não podendo sintetizar as substâncias orgânicas de que precisa para seu sustento, deve obtê-las de outras plantas, mediante saprofitismo ou parasitismo. [Opõe-se a *autotrofia.*]

heterotrófico. *Adj.* Que apresenta heterotrofia; heterótrofo: *fanerógamo* h e t e r o t r ó f i c o. [Opõe-se a *autotrófico.*]

heterotrófito. [De *heter(o)-* + *-trof(o)-* + *-fito*, com haplologia.] *S. m. Bot.* Vegetal heterotrófico. [Opõe-se a *autotrófico.*]

heterótrofo. [De *heter(o)-* + *-trofo.*] *Adj.* Heterotrófico [q. v.].

heteroxia (cs). [De *heter(o)-* + *-erox-* + *-ia.*] *S. f. Med.* Perversão ou depravação do apetite.

heterozigoto. [De *heter(o)-* + *zigoto.*] *S. m. Genét.* Indivíduo com alelos diferentes em um determinado lócus nos dois cromossomos paternos.

heterozigótico. *Adj. Genét.* Diz-se do, ou relativo ao heterozigoto.

heteu. [Do lat. *hethaeu.*] *Adj.* e *s. m.* Descendente de Heth, filho de Canaã. [Fem.: *hetéia.*]

hética. *S. f.* Var. de *héctica* [q. v.]. [Cf. *ética*, fem. de *ético*, e s. f.]

heticidade. *S. f.* Var. de *hecticidade.*

hético. *Adj.* e *s. m.* Var. de *héctico* [q. v.]. [Cf. *ético.*]

heu. [Do lat. *heu.*] *Ant. S. m.* **1.** Canto fúnebre; lamento. ● *Interj.* **2.** Desgraçado; triste; ai. [Cf. *eu.*]

heulandita. [Do antr. *Heuland*, de H. Heuland, mineralogista inglês, + *-ita*[3].] *S. f. Min.* Mineral monoclínico do grupo das zeólitas, silicato hidratado de alumínio, cálcio e sódio.

heureca. [Do gr. *heúreka.*] *Interj.* Achei, encontrei. [Emprega-se quando se encontrou a solução de problema difícil. Cf. *heurística* (1).]

heurema. [Do gr. *heúrema.*] *S. m. Jur.* Prevenção ou cautela com o fim de assegurar a validade e eficácia dum ato jurídico.

heuremática. *S. f. Jur.* Complexo de normas para a aplicação dos heuremas.

heuremático. *Adj. Jur.* Relativo a heurema.

heurético. [Do gr. *heuretikós*, 'inventivo'.] *Adj.* Relativo à heurística (1 e 2).

heurística. [Fem. substantivado de *heurístico.*] *S. f.* **1.** Conjunto de regras e métodos que conduzem à descoberta, à invenção e à resolução de problemas [Cf. *heureca.*] **2.** Procedimento pedagógico pelo qual se leva o aluno a descobrir por si mesmo a verdade que lhe querem inculcar. **3.** Ciência auxiliar da História, que estuda a pesquisa das fontes.

heurístico. [Do gr. *heurisco*, 'achar'; formação irregular.] *Adj.* Relativo à heurística. ~ V. *hipótese* —a.

▲**hex(a)-.** [Do gr. *héx.*] *El. comp.* = 'seis': *hexagrama; hexandro.*

hexacampeã (cs). *S. f.* e *adj. (f.)* Fem. de *hexacampeão* [q. v.].

hexacampeão (cs). [De *hex(a)-* + *campeão.*] *S. m.* Indivíduo, clube, etc., que é seis vezes campeão. [Tb. us. como adj. Fem.: *hexacampeã.*]

hexacampeonato (cs). [De *hex(a)-* + *campeonato.*] *S. m.* Campeonato alcançado pela sexta vez.

hexacanto (cs). [De *hex(a)- + -acanto.*] *Adj.* Que tem seis espinhos ou aguilhões.
hexaciclo (cs). [Do gr. *hexákyklos.*] *Adj.* Que tem seis rodas.
hexacontaedro (cs). *S. m. Geom.* Poliedro de 60 faces.
hexacontágono (cs). *S. m. Geom.* Polígono de 60 lados.
hexacorália (cs). [De *hex(a)- +* gr. *koralion.*] *S. f. Zool.* Uma das três ordens dos coraliários, que compreende as anêmonas-do-mar, o coral-preto do Mediterrâneo e os madreporários.
hexacoraliário (cs). *S. m.* e *adj.* V. *zoantídeo.*
hexacoraliários (cs). *S. m. pl. Zool.* V. *zoantídeos.*
hexacorde (cs). [Var. de *hexacordo.*] *S. m. Mús.* Série de seis notas consecutivas, com um semitom diatônico separando a terceira nota da quarta, e tons [v. *tom* (10)] separando as outras notas entre si. [Introduzido por Guido d'Arezzo (séc. XI) ainda era de uso corrente no séc. XVII. V. *solmização* e *ut.*]
hexacordo (cs). [Do gr. *hexáchordos.*] *S. m. Mús.* **1.** Intervalo de sexta maior ou menor. **2.** *P. us.* Hexacorde. **3.** Instrumento de seis cordas.
hexacosaedro (cs). [De *hex(a)- + (i)cosaedro.*] *S. m. Geom.* Poliedro de 26 faces.
hexacoságono (cs). [De *hex(a)- + (i)coságono.*] *S. m. Geom.* Polígono de 26 lados.
hexactinélida (cs). *S. f.* **1.** Espécime das hexactinélidas. • *Adj. 2 g.* **2.** Pertencente ou relativo a elas.
hexactinélidas (cs). *S. f. pl. Zool.* Animais poríferos, da classe *Hexactinellida*, caracterizados por terem espículas silicosas com seis raios. São todos marinhos e vivem em profundidade.
hexadáctilo (cs). [De *hex(a)- + -dá(c)tilo.*] *Adj. Zool.* Que tem seis dedos. [Var.: *hexadátilo.*]
hexadátilo (cs). *Adj. Zool.* Var. de *hexadáctilo.* [q. v.].
hexadecaedro (cs). [De *hex(a)- + decaedro.*] *S. m. Geom.* Poliedro de 16 faces.
hexadecágono (cs). [De *hex(a)- + decágono.*] *S. m. Geom.* Polígono de 16 lados.
hexaédrico (cs). *Adj.* Relativo a hexaedro; hexaedro.
hexaedro (cs). [De *hex(a)- + -edro.*] *S. m.* **1.** *Geom.* Poliedro de seis faces. • *Adj.* **2.** Hexaédrico.
hexafilo (cs). [De *hex(a)- + -filo*[1].] *Adj. Morfol. Veg.* Que tem seis folhas ou folíolos.
hexaginia (cs). *S. f. Bot.* Qualidade de hexágino.
hexágino (cs). [De *hex(a)- + -gino.*] *Adj. Morfol. Veg.* Que tem seis pistilos.
hexagonal (cs). *Adj. 2 g. Geom.* **1.** Que tem seis ângulos. **2.** Que tem por base um hexágono. **3.** Relativo ao hexágono. [Sin. ger.: *hexágono.*] ~ V. *sistema* —.
hexágono (cs). [Do gr. *hexágonos*, pelo lat. *hexagonu.*] *S. m.* **1.** *Geom.* Polígono de seis lados. • *Adj.* **2.** V. *hexagonal.*
hexagrama (cs). [De *hex(a)- + -grama.*] *S. m.* Reunião de seis letras ou caracteres.
hexaidratado (cs). [De *hex(a)- + hidratado.*] *Adj. Quím.* Diz-se de substância da qual cada uma das moléculas se acha associada quimicamente a seis moléculas de água.
hexâmero (cs). [Do gr. *hexamerés.*] *Adj. Morfol. Veg.* Diz-se de qualquer verticilo floral que tenha seis peças.
hexametilenotetramina (cs). *S. f. Quím.* Nome químico da urotropina.
hexâmetro (cs). [Do gr. *hexámetros*, pelo lat. *hexametru.*] *Adj.* e *s. m.* ~ V. *verso* —.
hexandro (cs). [De *hex(o)- + -andro.*] *Adj. Morfol. Veg.* Que tem seis estames livres entre si.
hexano (cs). *S. m. Quím.* Hidrocarboneto saturado, com cinco isômeros, todos líquidos, incolores, componente do éter de petróleo. [Fórm.: C_6H_{14}.]
hexapétalo (cs). [De *hex(a)- + pétala.*] *Adj. Morfol. Veg.* Diz-se de corola com seis pétalas.
hexápode (cs). [Do gr. *hexápous, odós.*] *Adj. 2 g. Zool.* **1.** Que tem seis pés. **2.** Pertencente ou relativo aos hexápodes. • *S. m.* **3.** Inseto (1).
hexápodes (cs). *S. m. pl. Zool.* Insetos.
hexaspermo (cs). [De *hex(a)- + -sperma.*] *Adj. Morfol. Veg.* Que tem seis sementes.
hexassépalo (cs). [De *hex(a)- + sépala.*] *Adj. Morfol. Veg.* Diz-se do cálice formado de seis sépalas.
hexassílabo (cs). [Do gr. *hexasyllabos*, pelo lat. *hexasyllabu.*] *Adj.* **1.** Que tem seis sílabas. • *S. m.* **2.** Verso ou palavra de seis sílabas.
hexástico (cs). [Do gr. *hexástikos*, pelo lat. *hexastichu.*] *Adj.* **1.** Composto de seis versos. • *S. m.* **2.** Composição de seis versos.
hexastilo (cs). [Do gr. *hexástylos.*] *S. m.* Pórtico com seis colunas.
hexavalente (cs). [De *hex(a)- + valente* (6).] *Adj. 2 g. Quím.* Que tem seis valências.
hexil (cs). *S. m. Quím.* Hexanitrodifenilamina, sólido, explosivo, amarelado; hexita. [Fórm.: $C_{12}H_5N_7O_{12}$.]
▲**hexil-** (cs). *Quím. El. comp.* Designa o radical hexila.
hexila (cs). *S. m. Quím.* Radical monovalente derivado do hexano. [Fórm.: C_6H_{13}-.]
hexita (cs). *S. f. Quím. hexil.*
hexodo (cs...ô). [De *hex(a)- + -odo.*] *S. m. Eletrôn.* Válvula eletrônica com seis eletrodos: catodo, placa, grade de controle, e três eletrodos adicionais. [Cf. *êxodo.*]
hexógeno (cs). *S. m. Quím.* Trinitrotrimetilenotriamina, sólido, cristalino, branco, poderoso explosivo; ciclonita. [Fórm.: $C_3H_6N_6O_6$.]
hexosamina (cs). [De *hex(a)- + -os(e)- + -amina.*] *S. f. Bioquím.* Açúcar nitrogenado em que um grupo amina substitui um grupo hidroxila.
hexose (cs). *S. f. Quím.* Ose com seis átomos de oxigênio, como, p. ex., a glicose, a galactose, a frutose.
■**Hf.** *Quím.* Símb. de *háfnio.*
■**hg.** Abrev. de *hectograma.*
■**Hg.** *Quím.* Símb. de *mercúrio* (2).
híades. [Do lat. *Hyades.*] *S. f. pl. Astr.* Asterismo na constelação do Touro, e que constitui um cúmulo aberto de aproximadamente 140 estrelas, as mais brilhantes das quais formam o V daquela constelação.
hialino. [Do gr. *hyálinos*, pelo lat. *hyalinu.*] *Adj.* **1.** Relativo ao vidro. **2.** Que tem a aparência ou a transparência do vidro; hialóide: "O h i a l i n o orvalho aos poucos se evapora, / Agoniza o arrebol." (Alphonsus de Guimaraens, *Obra Completa*, p. 289.) ~ V. *cartilagem* —*a.*
hialita. [De *hial(o)- + -ita*[3].] *S. f. Min.* Variedade de opala semelhante ao vidro.
hialite. [De *hial(o)- + -ite*[1].] *S. f. Patol.* Inflamação de humor, vítreo ou de membrana hialóide.
hiálito. [De *hial(o)- + -ito*[2].] *S. m.* Vidro opaco, em geral negro, empregado em objetos de ornato ou de luxo, e em vasos para conter líquidos em ebulição.
▲**hial(o)-.** [Do gr. *hýalos, ou.*] *El. comp.* = 'vidro': *hiálito, hialotipia.*
hialografia. [De *hial(o)- + -graf(o)- + -ia.*] *S. f.* Arte de gravar sobre vidro. [Cf. *fluorografia* e *hialotipia.*]
hialográfico. *Adj.* Relativo à hialografia.
hialógrafo. [De *hial(o)- + -grafo.*] *S. m.* Instrumento com que se desenha a perspectiva e tiram provas de um desenho.
hialóide. [Do gr. *hyaloeidés.*] *Adj. 2 g.* **1.** Hialino (2). • *S. f.* **2.** *Anat.* Membrana translúcida que encerra cada humor vítreo.
hialóideo. *Adj. Anat.* Relativo ou pertencente à hialóide.
hialopilítico. [De *hial(o)- +* gr. *pílos*, 'feltro', *+ ito*[2] *+ -ico*[2].] *Adj.* ~ V. *textura* —*a.*
hialoplasma. [De *hial(o)- + -plasma.*] *S. m. Biol.* A parte clara do protoplasma da célula.
hialossomo. [De *hial(o)- + -somo.*] *Adj. Zool.* Cujo corpo é translúcido como o vidro.
hialotecnia. [De *hial(o)- + -tecn(o)- + -ia.*] *S. f.* Arte de trabalhar em vidro.
hialotécnico. *Adj.* Referente à hialotecnia.
hialotipia. [De *hial(o)- + tip(o)- + -ia.*] *S. f.* Gravura em relevo sobre vidro. [Cf. *fluorografia* e *hialografia.*]
hialurgia. [Do gr. *hyalourgós*, 'fabricante de vidro', *+ -ia.*] *S. f.* A arte da fabricação do vidro.
hialúrgico. *Adj.* Relativo à hialurgia.
hianocoto. *S. 2 g.* e *adj. 2 g. Bras.* V. *umauá.*
hiante. [Do lat. *hiante.*] *Adj. 2 g.* **1.** *Poét.* Que tem a boca aberta. **2.** Que tem grande fenda ou abertura. **3.** *Fig.* Faminto, famélico, esfomeado.
hiapuá. *S. m. Bras., N.* Espécie de mandioca silvestre.
hiatizar. [De *hiato + -izar.*] *V. t. d.* Transformar em hiato (1 e 2): "Cristóvão Falcão ainda se serve à larga da possibilidade de h i a t i z a r os encontros de *que + vogal*, embora já revele acentuada inclinação para resolvê-los em ditongo." (Celso Cunha, *Língua e Verso*, p. 39.)
hiato. [Do lat. *hiatu.*] *S. m.* **1.** *Gram.* Encontro de duas vogais no fim de uma palavra e no princípio de outra: *Irá a Roma.* **2.** *Gram.* Reunião de duas vogais pertencente cada uma a sílaba diferente: *dia, países, reúne.* **3.** *Anat.* Fenda ou abertura no corpo humano. **4.** *Fig.* Lacuna, intervalo, falha.
hibernação. [De *hibernar + -ção.*] *S. f.* Entorpecimento ou sono letárgico de certos animais e vegetais, durante o inverno; sono hibernal.
hibernáculo. [Sing. do lat. *hibernacula, orum*, 'quartéis de inverno'.] *S. m.* **1.** Arraial de inverno, entre os antigos romanos. **2.** *Bot.* Lugar coberto e abrigado artificialmente a fim de proteger as plantas contra o frio; invernáculo, invernadouro. [Cf. *estufa* (3).] **3.** *Morfol. Veg.* Brotos especiais que as plantas aquáticas flutuantes formam para passar a estação do inverno.
hibernal. *Adj. 2 g.* Do, ou relativo ao inverno, ou próprio dele; invernal, hiberno, hibernoso, hiemal. ~ V. *sono* —.
hibernante. [Do lat. *hibernante.*] *Adj. 2 g.* Que hiberna.
hibernar. [Do lat. *hibernare.*] *V. int.* **1.** Estar ou cair em hibernação. **2.** V. *invernar* (3).
hibérnico. [Do lat. *hibernia + -ico*[2].] *Adj.* **1.** Da, ou pertencente ou relativo à Hibérnia, hoje Irlanda; irlandês. • *S. m.* **2.** Antiga língua da Irlanda; hibérnio.
hibérnio. [Do lat. *hibernia + -io*[2].] *S. m.* Hibérnico (2).
hiberno. [Do lat. *hibernu.*] *Adj.* V. *hibernal.*
hibernoso (ô). *Adj.* V. *hibernal.*
hibisco. *S. m.* Designação comum a várias plantas da família das malváceas (gênero *Hibiscus*), de belas flores. [Há mais de 150 espécies espalhadas por todos os continentes.]
hibridação. *S. f.* Produção de híbridos (plantas ou animais).
hibridez (ê). *S. f.* **1.** Qualidade de híbrido. **2.** Anomalia, irregularidade. [Sin. ger.: *hibridismo.*]
hibridismo. *S. m.* **1.** Hibridez. **2.** *Gram.* Palavra formada com elementos tomados a línguas diversas. Ex.: *sociologia, caiporismo, automóvel.*
hibridização. [De *híbrido + -izar- + -ção.*] *S. f. Fís.-Quím.* Combinação linear de dois orbitais atômicos correspondentes a diferentes elétrons de um átomo, para a formação de um novo orbital.
híbrido. [Do gr. *hybris*, 'ultraje', pelo lat. *hybrida*; a miscigenação, segundo os gregos, violava as leis naturais.] *Adj.* **1.** Originário do cruzamento de espécies diferentes: "E foi da ligação destes monstros com as suas vítimas indefesas que resultou a humanidade atual como um produto h í b r i d o de dois elementos antagônicos" (Farias Brito, *O Mundo Interior*, p. 66). **2.** *Fig.* Em que há mistura de espécies diferentes: *Seus olhos eram de uma cor h í b r i d a.* **3.** *Gram.* Diz-se de vocábulo composto de elementos de línguas diversas, como, p. ex., *monóculo*, em que o primeiro elemento vem do grego e o segundo procede do latim. ~ V. *orbital* —. • *S. m.* **4.** Animal ou vegetal híbrido: *A mula é h í b r i d o do asno e da égua, ou do cavalo e da jumenta.*
➧**hic.** [Lat., 'aqui'.] *S. m.* A principal dificuldade de uma matéria, de um negócio.
➧**hic et nunc.** [Lat.] Aqui e imediatamente.
▲**hidati-.** [Do gr. *hydatís, ídos.*] *El. comp.* = 'hidátide': *hidatígero.* [Equiv.: *hidatid(o)-*: *hidatidocele; hidatídico.*]
hidático. [Do gr. *hydatikós.*] *Adj.* Relativo à hidátide; hidatídico.
hidátide. [Do gr. *hydatís, ídos.*] *S. f.* **1.** Forma larvar enquistada dos cestóides do gênero *Echinococcus.* **2.** *Anat.* Qualquer estrutura semelhante a quisto. ♦ **Hidátide de Morgagni.** *Anat.* Pequena estrutura rudimentar, semelhante a quisto, apensa ao testículo e epidídimo, no homem, ou à trompa, na mulher.
hidatídico. *Adj.* Hidático.
▲**hidatid(o)-.** Equiv. de *hidati-.*
hidatidocele. [De *hidatid(o)- + -cele.*] *S. f. Patol.* Tumor escrotal que contém hidátides.
hidatidose. [De *hidatid(o)- + -ose.*] *S. f. Patol.* Doença hidática: infecção produzida por formas larvárias de certos cestóides, e que se caracteriza pelo desenvolvimento de quistos expansivos; equinococose.
hidatiforme. [De *hidati- + -forme.*] *Adj. 2 g.* Que tem a aparência da hidátide.
hidatígero. [De *hidati- + -gero.*] *Adj.* Que tem ou que produz hidátide; hidatulo.
hidatismo. [Do gr. *hydatismós.*] *S. m. Med.* Ruído provocado pela oscilação do líquido contido em uma cavidade.
▲**hidato-.** V. *hidr(o)-.*
hidatódio. [Do gr. *hydatódes*, 'aquoso', *+ -io.*] *S. m. Anat. Veg.* Pequeno órgão, existente nas folhas de muitas plantas, que segrega água em forma de gotículas.
hidatóide. [Do gr. *hydatoeidés.*] *Adj. 2 g.* ~ V. *membrana* —.
hidatologia. [De *hidato- + -log(o)- + -ia.*] *S. f.* Hidrologia.
hidatológico. *Adj.* Referente à hidatologia; hidrológico.
hidatomorfismo. [De *hidato- + -morf(o)- + -ismo.*] *S. m. Geol.* Processo de formação de minerais à custa de soluções, mas sem a ação do calor.
hidátulo. [De *hidato- + -ulo.*] *Adj.* Hidatígero.
hidra. [Do gr. *hydra*, pelo lat. *hydra.*] *S. f.* **1.** *Mitol.* e *fig.* Hidra de Lerna. **2.** *Zool.* Animal metazoário, celenterado, hidrozoário, hidróideo, gênero *Hydra Linnaeus* e outros afins, de água doce. Tem forma de pólipo simples, séssil; vive em colônias de quatro ou cinco

indivíduos, sem esqueleto calcário, com tubo digestivo simples, desprovido de septos ou sifonóglifo. [Cf. *coral*[1] (1).] **3.** *Astr.* Constelação situada, em sua maior parte, no hemisfério sul, formada de estrelas pouco brilhantes, e a mais extensa da esfera celeste. [Com maiúscula, nesta acepç.] ♦ **Hidra de Lerna. 1** Serpente de sete cabeças, que renasciam assim que eram cortadas, morta por Hércules [v. *herculano*]. **2.** *Fig.* Coisa ou fato que envolve perigo público, ou que ameaça a ordem social. [Tb. se diz apenas *hidra*.]

▲hidra-. V. *hidr(o)-*.

hidrácido. [De *hidr(o)-* + *ácido*.] *S. m. Quím.* Substância ácida que não contém oxigênio.

hidradenite. [De *hidr(o)-* + *adenite*.] *S. f. Patol.* Inflamação de glândula sudorípara. [Sin., desus.: *hidrosadenite*.]

hidragogo (ô). [Do gr. *hydragagós*, pelo lat. *hydragogu*.] *Adj.* e *s. m. Med.* Que ou aquilo que produz a eliminação de líquidos.

hidramático. [Do ingl. *hydramatic*.] *Adj. Bras.* **1.** Diz-se da mudança cujo comando é acionado automaticamente por meio de um sistema hidráulico. **2.** Diz-se do automóvel dotado desse tipo de mudança.

hidrângea. *S. f.* V. *hortênsia*.

hidranose. [De *hidra-* + *-nose*.] *S. f. Patol.* Infiltração de serosidades.

hidrante. [De *hidr(o)-* + *-ante*.] *S. m.* Válvula ou torneira a que se liga a mangueira, para extinção de incêndios.

hidrargilita. [De *hidr(o)-* + *argila* + *-ita*[3].] *S. f. Min.* Gibbsita.

hidrargíria. *S. f. Patol.* **1.** V. *hidrargirismo*. **2.** Dermatose produzida pelo uso de medicamentos mercuriais.

hidrargírico. *Adj.* **1.** Relativo ao hidrargírio. **2.** Feito de mercúrio; em cuja composição entra o mercúrio.

hidrargírio. [Do gr. *hydrárgyros*, 'prata líquida', + *-io*.] *S. m. Ant.* Mercúrio (2).

hidrargirismo. *S. m. Patol.* Intoxicação pelo hidrargírio; hidrargirose, hidrargiria: "as suas moléstias [do operário], que por uma cruel ironia crescem com o desenvolvimento industrial — o fosforismo, o saturnismo, o *hidrargirismo*, o oxicarbonismo, — cura-as como pode, quando pode" (Euclides da Cunha, *Contrastes e Confrontos*, p. 239). [Cf. *mercurialismo*.]

hidrargirose. *S. f. Patol.* V. *hidrargirismo*.

hidrário. *S. m.* e *adj.* V. *antomedusa*.

hidrários. *S. m. pl. Zool.* V. *antomedusas*.

hidrartrose. [De *hidr(o)-* + *-artr(o)-* + *-ose*.] *S. f. Patol.* Acumulação de líquido seroso em uma articulação.

hidraste. *S. f.* Erva da família das ranunculáceas (*Hydrastis canadensis*), nativa na América do Norte, e outrora de larga aplicação terapêutica. Rizoma pequeno, rugoso e amarelo, provido de vários alcalóides, um dos quais, a berberina, produz fortes contrações no músculo uterino; flores ornamentais, sem importância.

hidrastina. *S. f. Quím.* Alcalóide extraído da hidraste, cristalino, hemostático. [Fórm.: $C_{21}H_{21}O_6N$.]

hidrastinina. *S. f. Quím.* Produto da oxidação da hidrastina, cristalino, incolor, com ação anti-hemorrágica. [Fórm.: $C_{11}H_{13}O_3N$.]

hidratação. *S. f.* **1.** Ato de hidratar. **2.** *Quím.* Associação de uma ou mais moléculas de água a uma espécie química. **3.** *Med.* Ação de hidratar (5).

hidratado. [Part. de *hidratar*.] *Adj.* **1.** Tratado por água. **2.** Associado quimicamente à água. ~ V. *álcool* —.

hidratador (ô). *Adj.* e *s. m.* Hidratante.

hidratante. *Adj. 2 g.* e *s. m.* Diz-se de, ou aquilo que hidrata; hidratador: *A pele ressecada trata-se com cremes nutritivos e hidratantes.*

hidratar. *V. t. d.* **1.** Converter em hidrato. **2.** Tratar por água. **3.** Combinar com água. **4.** Tratar (a pele) com substância que lhe devolva a umidade natural ou evite que se resseque. **5.** *Med.* Administrar água ou, muito freqüentemente, líquido constituído por água e diversas substâncias (glicose, cloreto de sódio, cloreto de potássio, etc.), com o objetivo de compensar perdas e, eventualmente, como parte de alimentação parenteral.

hidratável. *Adj. 2 g.* Que pode ser hidratado.

hidrático. *Adj.* Que tem alguns caracteres de hidrato.

hidrato. [De *hidr(o)-* + *-ato*[2].] *S. m. Quím.* Composto que contém uma ou mais moléculas de água. ♦ **Hidrato de carbono.** *Quím.* V. *glicídeo*.

hidráulica. [Fem. substantivado do adj. *hidráulico*.] *S. f.* **1.** *Fís.* Parte da hidrodinâmica aplicada que investiga de forma simplificada o escoamento de fluidos (especialmente água) e as aplicações tecnológicas de alguns tipos de escoamento. **2.** A arte das construções na água. **3.** Direção dos serviços hidráulicos.

hidraulicidade. [De *hidráulico* + *-i-* + *-dade*.] *S. f.* Propriedade que têm a cal, o cimento e certas argamassas de fazer pega sob excesso de água.

hidráulico. [Do gr. *hydraulikós*, 'movido por água', pelo lat. *hydraulicu*.] *Adj.* **1.** Referente a qualquer movimento de líquidos, especialmente a água. **2.** Relativo à hidráulica: *engenheiro hidráulico*. **3.** Que funciona por meio de um líquido qualquer: *freio hidráulico*. ~ V. *alvenaria* —*a*, *argamassa* —*a*, *bomba* —*a*, *cal* —*a*, *carneiro* —, *cimento* —, *desmonte* —, *estopim* —, *freio* —, *ladrilho* —, *macadame* —, *órgão* —, *prensa* —*a*, *raio* —, *roda* —*a* e *turbina* —*a*. ● *S. m.* **4.** *Obsol.* Especialista em hidráulica. **5.** *Obsol.* Engenheiro de obras hidráulicas.

hidravião. [De *hidr(o)-* + *avião*.] *S. m.* Aeroplano provido de flutuadores que lhe permitem pousar na água (lagos, mares, etc.); hidroplano, hidroavião.

hidrazina. [De *hidr(o)-* + *-az(o)-* + *-ina*[1].] *S. f. Quím.* Líquido incolor na temperatura ambiente, muito redutor, usado como combustível em foguetes. [Fórm.: N_2H_4.]

hidrazóico. [De *hidr(o)-* + *azóico*.] *Adj.* ~ V. *ácido* —.

hidrelétrica. [Fem. substantivado de *hidrelétrico*.] *S. f.* **1.** Empresa ou companhia de energia hidrelétrica. **2.** Usina hidrelétrica.

hidrelétrico. [De *hidr(o)-* + *elétrico*.] *Adj.* Respeitante à produção de corrente elétrica por meio de força hidráulica. ~ V. *usina* —*a*.

hidremia. [De *hidr(o)-* + *-(h)em(o)-* + *-ia*.] *S. f. Med.* Conteúdo aquoso do sangue.

hidrêmico. *Adj.* Relativo à hidremia.

hidreto (ê). [De *hidr(o)-* + *-eto*.] *S. m. Quím.* Composto binário de hidrogênio e outro elemento.

hidriatria. [De *hidr(o)-* + *-iatria*.] *S. f. Terap.* V. *hidroterapia*.

hídrico. [De *hidr(o)-* + *-ico*[2].] *Adj.* **1.** Da, ou pertencente à água. **2.** Constituído de águas: "os rios, as baías, as angras, os igapós, os lagos, ... os igarapés da formidável rede *hídrica* da planície amazônica" (Raimundo Morais, *País das Pedras Verdes*, p. 91). **3.** Baseado na água: *dieta hídrica*. ~ V. *equilíbrio* —.

hidrilácea. *S. f.* Hidrocaritácea.

hidriláceas. *S. f. pl. Bot.* Hidrocaritáceas.

hidriláceo. *Adj.* Hidrocaritáceo.

▲hidr(o)-. [Do gr. *hýdor*, *hýdatos*.] *El. comp.* = 'água', 'líquido', 'suor', *hidrato*, *hidrodinâmico*. [Equiv.: *hidra-*, *hidato-* e *-idro*: *hidranose*, *hidatologia*, *anidro* (< gr. *ánydros*).]

hidroa (ô). [De *hidr(o)-*.] *S. f. Patol.* Dermatose caracterizada por áreas irregulares, vermelhas, em que se formam grupos de vesículas, e que se acompanha de intenso prurido, estado de debilitação e sintomas neurológicos; dermatite herpetiforme.

hidroadenite. *S. f. Patol.* Hidradenite.

hidroavião. *S. m.* V. *hidravião*.

hidrobatídeo. *S. m.* **1.** Espécime dos hidrobatídeos. ● *Adj.* **2.** Pertencente ou relativo a eles.

hidrobatídeos. *S. m. pl. Zool.* Família de aves da ordem das *Procellariiformes*. Ex.: a procelária.

hidróbio. [De *hidr(o)-* + *-bio*.] *Adj.* Que vive na água.

hidrocarbonado. *Adj. Quím.* Diz-se de composto que contém carbono e hidrogênio.

hidrocarbonato. [De *hidr(o)-* + *carbonato*.] *S. m. Quím. Desus.* Bicarbonato.

hidrocarboneto (ê). [De *hidr(o)-* + *carboneto*.] *S. m. Quím.* Composto constituído apenas por carbono e hidrogênio. ♦ **Hidrocarboneto saturado.** *Quím.* Alcano.

hidrocarbônico. *Adj. Quím.* Que contém carbono e hidrogênio.

hidrocaritácea. *S. f.* Espécime das hidrocaritáceas; hidrilácea.

hidrocaritáceas. *S. f. pl. Bot.* Família de plantas monocotiledôneas, da ordem das helobiales, formada de plantas aquáticas, submersas ou flutuantes. Androceu com três a 15 estames; ovário ínfero; fruto baciforme. Compreende cerca de 80 espécies, espalhadas pelo mundo inteiro. [Sin.: *hidriláceas*.]

hidrocaritáceo. *Adj.* Pertencente ou relativo às hidrocaritáceas; hidriláceo.

hidrocefalia. [De *hidrocéfalo* + *-ia*.] *S. f. Patol.* Condição caracterizada por acúmulo anormal, no crânio, de líquido cefalorraquiano, acompanhada, nos casos típicos, de aumento da cabeça, proeminência da fronte, atrofia encefálica, deficiência mental e convulsões. [Sin., pop.: *cabeça-d'água*.]

hidrocefálico. *Adj.* Relativo à hidrocefalia.

hidrocéfalo. [Do gr. *hydroképhalos*.] *Adj.* e *s. m.* Que ou aquele que sofre de hidrocefalia.

hidrocele. [Do gr. *hydrokéle*, pelo lat. *hydrocele*.] *S. f. Patol.* Coleção líquida limitada que se localiza, principalmente, em túnica vaginal testicular ou ao longo de cordão espermático. [Cf. *hedrocele* e *sarcocele*.]

hidrocélico. [Do gr. *hydrokelikós*, pelo lat. *hydrocelicu*.] *Adj.* **1.** Relativo à hidrocele, ou que a tem. ● *S. m.* **2.** Aquele que tem hidrocele.

hidrociclone. *S. m. Tec.* Ciclone (3) que opera com partículas suspensas num líquido.

hidrocinemática. [De *hidr(o)-* + *cinemática*.] *S. f. Fís.* Parte da hidrodinâmica que estuda o escoamento dos fluidos sem se preocupar com as forças que o determinam.

hidrocoralino. *S. m.* **1.** Espécime dos hidrocoralinos. ● *Adj.* **2.** Pertencente ou relativo a eles.

hidrocoralinos. *S. m. pl. Zool.* Animais celenterados, hidrozoários, da ordem *Hydrocorallina*. São pólipos minúsculos e dimorfos, encerrados em esqueleto calcário maciço, provido de poros, por onde se projetam ao exterior.

hidrocória. *S. f. Ecol.* Disseminação de sementes, frutos e esporos mediante a ação da água de rios, mares, etc.

hidrocorisido. *S. m.* e *adj.* Criptocerado.

hidrocorisidos. *S. m. pl. Zool.* Criptocerados.

hidrocortisona. *S. f. Bioquím.* Hormônio esteróide de córtex supra-renal.

hidrodessulfurização. *S. f. Quím.* Procedimento industrial em que se elimina, pela ação do hidrogênio e de catalisador apropriado, o enxofre de uma essência natural ou de um derivado do petróleo.

hidrodinâmica. [Fem. substantivado de *hidrodinâmico*.] *S. f.* Parte da hidromecânica que investiga o movimento de fluidos incompressíveis e as interações dos fluidos em movimento com as fronteiras do domínio onde se movem.

hidrodinâmico. [De *hidr(o)-* + *dinâmico*.] *Adj.* Relativo à hidrodinâmica.

hidroelétrica. *S. f.* V. *hidrelétrica*.

hidroelétrico. *Adj.* V. *hidrelétrico*.

hidrófana. [De *hidr(o)-* + *-fana*.] *S. f. Min.* Variedade de opala que na água se torna mais translúcida.

hidrófano. [De *hidr(o)-* + *-fano*.] *Adj.* Que é translúcido na água.

hidrofilácea. *S. f.* Espécime das hidrofiláceas.

hidrofiláceas. *S. f. pl. Bot.* Família de dicotiledôneas, da ordem das tubifloras, composta de ervas e de arbustos providos de folhas alternas ou opostas e de flores em cincínios. Ovário bilocular; fruto capsular. Existem cerca de 170 espécies, em sua maioria da América do Norte, sendo poucas as conhecidas no Brasil.

hidrofiláceo. *Adj.* Pertencente ou relativo às hidrofiláceas.

hidrófilo. [De *hidr(o)-* + *-filo*[2].] *Adj.* **1.** Ávido de água. **2.** Que a absorve bem. **3.** Que é polinizado por ela. ~ V. *algodão* — e *colóide* —.

hidrófito. [De *hidr(o)-* + *-fito*.] *Adj.* **1.** Diz-se de planta que vive na água. ● *S. m.* **2.** *Ecol. Veg.* Planta aquática, seja submersa ou natante.

hidrofobia. [Do gr. *hydrophobía*.] *S. f.* **1.** *Med.* Horror aos líquidos. **2.** *Med. P. ext.* V. *raiva* (1).

hidrofóbico. [Do gr. *hydrophobikós*, pelo lat. *hydrophobicu*.] *Adj.* Respeitante à hidrofobia.

hidrófobo. [Do gr. *hydrophóbos*, pelo lat. *hydrophobu*.] *Adj.* e *s. m.* **1.** Que ou aquele que é atacado de hidrofobia. **2.** *Fig.* Diz-se de, ou indivíduo colérico, furioso, possesso. ~ V. *colóide*. —.

hidrofone. [De *hidr(o)-* + *-fone*.] *S. m.* Aparelho destinado à detecção de sinais sonoros submarinos.

hidroformação. *S. f. Quím.* Procedimento industrial de hidrogenação de derivados do petróleo, em presença de catalisadores, com o intuito de se obterem compostos aromáticos.

hidróforo. [Do gr. *hydrophóros*.] *Adj.* Que conduz água ou serosidade nos corpos organizados.

hidrofosfato. [De *hidr(o)-* + *fosfato*.] *S. m. Quím.* Fosfato hidratado.

hidrofráctico. [De *hidr(o)-* + gr. *phrakt*, de *phrásso*, 'fechar', + *-ico*[2].] *Adj.* Impermeável à água. [Var.: *hidrofrático*]

hidrofrático. *Adj.* Var. de *hidrofráctico* [q. v.].

hidrófugo. [De *hidr(o)-* + *-fugo*[2].] *Adj.* **1.** Diz-se do material compacto que não pode impregnar-se de umidade e que, portanto, impede a sua progressão além de si mesmo. **2.** Que preserva da umidade.

hidrogel. [De *hidr(o)-* + *gel*.] *S. m. Fís.-Quím.* Gel obtido em meio aquoso. [Pl.: *hidrogéis*.]

hidrogenação. [De *hidrogenar* + *-ção*.] *S. f. Quím.* Procedimento industrial de redução pelo hidrogênio, em presença de catalisadores.

hidrogenada. [Fem. substantivado de *hidrogenado*.] *S. f.* Parte da atmosfera situada entre 80 e, provavelmente, 200 km de altura, e caracterizada pelo predomínio do

hidrogênio.
hidrogenado. [Part. de *hidrogenar*.] *Adj. Quím.* **1.** Que contém hidrogênio. **2.** Combinado com o hidrogênio.
hidrogenar. *V. t. d.* e *p.* Combinar(-se) com o hidrogênio.
hidrogenia. [De *hidr(o)- + -gen(o)- + -ia*.] *S. f.* Teoria acerca da formação das massas de água espalhadas sobre a Terra.
hidrogênio. [De *hidr(o)- + -gen(o)-*[1] *+ -io*.] *S. m. Quím.* Elemento de número atômico 1, gasoso, incolor, participante de uma série extensa de compostos. [Símb.: *H*.]
hidrógeno. [De *hidr(o)- + -geno*[1].] *Adj.* ~ V. *rocha* —*a*.
hidrogeologia. [De *hidr(o)- + geologia*.] *S. f.* Estudo das águas que ocorrem na crosta terrestre.
hidrogeológico. *Adj.* Relativo à hidrogeologia.
hidrogeologista. *S. 2 g.* Especialista em hidrogeologia; hidrogeólogo.
hidrogeólogo. *S. m.* Hidrogeologista.
hidrografia. [De *hidr(o)- + -graf(o)- + -ia*.] *S. f.* **1.** Topografia marítima que tem por objeto levantar a planta das costas, ilhas, etc. **2.** O conjunto das águas correntes ou estáveis duma região. **3.** Descrição da parte líquida do globo. **4.** Ciência que ensina a conhecer o regime das águas duma região.
hidrográfico. *Adj.* Relativo ou pertencente à hidrografia. ~V. *bacia* —*a*, *carta* — e *zero* —.
hidrógrafo. *S. m.* Especialista em hidrografia.
hidróide. [De *hidr(o)- + -óide*.] *S. m.* **1.** Espécime dos hidróides. ● *Adj. 2 g.* **2.** Pertencente ou relativo a eles. [Sin. ger.: *leptolino*.]
hidróides. *S. m. pl. Zool.* Animais celenterados, hidrozoários, da ordem *Hydroidea*. Geração de pólipos bem desenvolvida, sendo eles solitários ou coloniais, geralmente formados por gemulação em medusas livres, pequenas, portadoras de ocelos e estatocistos dérmicos. São as antomedusas, leptomedusas e limnomedusas. [Sin.: *leptolinos*.]
hidrolandense. *Adj. 2 g.* **1.** De, ou pertencente ou relativo a Hidrolândia (GO). ● *S. 2 g.* **2.** Natural ou habitante de Hidrolândia.
hidrolato. [De *hidr(o)- + -l- + -ato*[2].] *S. m. Farmac.* Líquido incolor e aromático, que se obtém pela destilação da água com plantas ou com outras substâncias aromáticas.
hidrólatra. [De *hidr(o)- + -latra*.] *S. 2 g.* Adorador da água. [Cf. *idólatra* e *idiólatra*.]
hidrolatria. [De *hidr(o)- + -latria*.] *S. f.* Culto ou adoração da água. [Cf. *idolatria* e *idiolatria*.]
hidrólio. *S. m. Farm.* Forma (18) farmacêutica em que a água é o veículo.
hidrolisar. *V. t. d.* Fazer a hidrólise de. [Pres. subj.: *hidrolise*, etc. Cf. *hidrólise*.]
hidrolisável. *Adj. 2 g.* Que se pode hidrolisar.
hidrólise. [De *hidr(o)- + -lise*.] *S. f. Quím.* Reação da água sobre um composto com fixação de íons hidrogênio ou de íons hidroxila. [Cf. *hidrolise*, do v. *hidrolisar*.]
hidrolítico. *Adj.* Relativo à hidrólise.
hidrologia. [De *hidr(o)- + -log(o)- + -ia*.] *S. f.* Estudo da água, nos estados líquido, sólido e gasoso, da sua ocorrência, distribuição e circulação na natureza; hidatologia.
hidrológico. *Adj.*.Relativo à hidrologia; hidatológico.
hidrólogo. *S. m.* Especialista em hidrologia.
hidromancia (cí). [Do gr. *hydromanteía*.] *S. f.* Arte de adivinhar por meio da água.
hidromania. [De *hidr(o)- + -mania*.] *S. f.* **1.** Delírio em que o doente revela tendência para se afogar. **2.** Sede excessiva.
hidromante. [Do gr. *hydrómantis*.] *S. 2 g.* Pessoa que pratica a hidromancia.
hidromântico. *Adj.* Referente à hidromancia, ou a hidromante.
hidromassagem. [De *hidr(o)- + massagem*.] *S. f.* Massagem feita por meio de jatos de água.
hidromassagista. *S. 2 g.* Pessoa que faz hidromassagens.
hidromecânica. [Fem. substantiv. de *hidromecânico*.] *S. f.* Parte da física que estuda o equilíbrio e o movimento de fluidos. Compreende a hidrostática e a hidrodinâmica.
hidromecânico. [De *hidr(o)- + mecânico*.] *Adj.* Em que se emprega a água como força motriz.
hidromedusa. [De *hidr(o)- + medusa*.] *S. f.* e *adj. (f.)* Hidrozoário.
hidromedusas [Pl. de *hidromedusa*.] *S. f. pl. Zool.* Hidrozoários.
hidromel. [Do gr. *hydrómeli*, pelo lat. *hydromeli*.] *S. m.* Mistura de água e mel; água-mel, mulso. [Pl.: *hidroméis*.]
hidrometalurgia. *S. f. Metal.* Designação genérica das técnicas de tratamento de minérios que se efetuam em temperaturas relativamente pouco elevadas, mediante soluções salinas.
hidrometalúrgico. *Adj.* Relativo à hidrometalurgia.
hidrometria[1]. [De *hidrômetro + -ia*.] *S. f.* Medição da velocidade e vazão dos líquidos, particularmente da água.
hidrometria[2]. [De *hidr(o)+ -metr(o)-*[1] *+ -ia*.] *S. f. Patol.* Coleção líquida serosa no útero.
hidrométrico[1]. *Adj.* Relativo à hidrometria[1].
hidrométrico[2]. *Adj.* Relativo à hidrometria[2].
hidrômetro. [De *hidr(o)- + -metro*.] *S. m.* **1.** Instrumento usado nas aplicações da hidrometria[1]. **2.** Aparelho com que se mede a quantidade de água consumida nas residências.
hidromielia. [De *hidr(o)- + -miel(o)- + -ia*.] *S. f. Patol.* Condição que se caracteriza por acúmulo de líquido no canal central, alargado, da medula espinhal.
hidromineral. [De *hidr(o)- + mineral*.] *Adj. 2 g.* Relativo a água mineral. ~ V. *estância* —.
hidromotor (ô). [De *hidr(o)- + motor*.] *S. m.* Motor cuja energia resulta do empuxo ou do peso da água.
hidronefrose. [De *hidr(o)+ nefrose*.] *S. f. Patol.* Distensão da pelve e cálices renais pela urina, em conseqüência da obstrução ureteral, observando-se, também, atrofia do parênquima renal; uronefrose.
hidronefrótico. *Adj.* Referente à hidronefrose.
hidrônfalo. [De *hidr(o)- + -ônfalo*.] *S. m. Patol. Desus.* Tumoração no umbigo, cuja consistência indica conteúdo líquido.
hidrônio. [De *hidr(o)- + -ônio*.] *S. m. Quím.* Íon resultante da associação de um próton com diversas moléculas de água.
hidropata. *S. 2 g.* Pessoa que trata doentes pela hidropatia. [Var. pros.: *hidrópata*.]
hidrópata. *S. 2 g.* Var. pros. de *hidropata*.
hidropatia. [De *hidr(o)- + -pat- + -ia*] *S. f. Terap.* Tratamento das doenças pela água.
hidropático. *Adj.* Relativo à hidropatia.
hidropedese. [De *hidr(o)- +* gr. *pédesis*, 'salto', 'jorro'.] *S. f. Med. Impr.* Hiper-hidrose.
hidropericárdio. [De *hidr(o)- + pericárdio*.] *S. m. Patol.* Acumulação anormal de líquido seroso na cavidade pericárdica.
hidrópico. [Do gr. *hydropikós*, pelo lat. *hydropicu*.] *Adj.* e *s. m.* Que ou aquele que tem hidropisia.
hidropisia. [Do lat. *hydropisis*, 'hidropisia', *+ -ia*.] *S. f. Patol.* Acumulação anormal de líquido seroso em tecidos ou em cavidade do corpo.
hidroplano. [De *hidr(o)- + (aero)plano*.] *S. m.* V. *hidravião*.
hidropônica. *Adj. (f.)* Diz-se de uma cultura vegetal que utiliza sais minerais em misturação conveniente como substituinte da terra.
hidrópota. [Do gr. *hydropótes*.] *S. 2 g.* Pessoa que só bebe água.
hidropteridale. *S. f.* Espécime das hidropteridales.
hidropteridales. *S. f. pl. Bot.* Ordem de filicíneas que se caracteriza pelos esporângios heterosporados. São vegetais aquáticos ou palustres, providos de caule rastejante ou rizomatoso. Compreende duas famílias: marsiliáceas e salviniáceas.
hidroquinona. [De *hidr(o)- + quinona*.] *S. f. Quím.* Substância cristalina branca utilizada como revelador em fotografia. [Fórm.: $C_6H_6O_2$.]
hidroquisto. [De *hidr(o)- + quisto*.] *S. m. Patol.* Quisto cujo conteúdo é aquoso.
hidrorragia. [De *hidr(o)- + -ragia*.] *S. f. Patol.* Descarga aquosa abundante; hidrorréia.
hidrorrágico. *Adj.* Referente à hidrorragia.
hidrorréia. [De *hidr(o)- + -réia*.] *S. f. Patol.* Hidrorragia.
hidrosadenite. [De *hidros(e)- + adenite*.] *S. f. Patol.* Hidradenite.
hidroscopia. [De *hidr(o)- + -scop- + -ia*.] *S. f.* Técnica de reconhecer a existência de águas subterrâneas.
hidroscópico. *Adj.* Relativo à hidroscopia.
hidróscopo. [Do gr. *hydroskópos*.] *S. m.* Especialista em hidroscopia.
hidrose. [De *hidr(o)- + -ose*.] *S. f.* Secreção e excreção de suor.
hidrosfera. [De *hidr(o)- + -sfera*.] *S. f. Geogr.* As águas oceânicas e as águas continentais da superfície da Terra; talassosfera. [Cf. *litosfera*.]
hidrosférico. *Adj.* Relativo à hidrosfera.
hidrossáurio. [De *hidr(o)+ sáurio*.] *S. m.* **1.** Espécime dos hidrossáurios. ● *Adj.* **2.** Pertencente ou relativo a eles.
hidrossáurios. [Pl. de *hidrossáurio*.] *S. m. pl. Zool.* Designação dada por alguns autores aos animais metazoários, cordados, reptis, cujo corpo é revestido por placas córneas com base óssea. Cloaca em forma de fenda oval alongada. São aquáticos ou semi-aquáticos, com umas poucas espécies terrestres. Incluem-se no grupo os quelônios e os crocodilianos.
hidrosseparador (ô). *S. m. Tec.* Tanque de sedimentação operado de modo que no sobrenadante efluem os sólidos mais leves, enquanto os mais pesados ficam retidos na lama.
hidrossol. [De *hidr(o)- + sol(ução)*.] *S. m. Fís.-Quím.* Solução coloidal aquosa. [V. *sol*[4]; sin.: *sol aquoso*. Pl.: *hidrossóis*.]
hidrossolúvel. [De *hidr(o)- + solúvel*.] *Adj. 2 g.* Diz-se de qualquer substância solúvel na água.
hidrossulfato. [De *hidr(o)- + sulfato*.] *S. m. Ant. Quím.* Sulfeto.
hidrossulfito. *S. m. Quím.* Designação genérica dos sais de fórmula $M_2S_2O_4$.
hidrostaquiácea. *S. f.* Espécime das hidrostaquiáceas.
hidrostaquiáceas. *S. f. pl. Bot.* Família de dicotiledôneas, da ordem das hidrostaquiales, formada de plantas aquáticas dióicas, cujas folhas, simples ou penadas, fazem recordar os licopódios. Flores aclamídeas, as masculinas com um só estame; ovário unilocular e multiovulado. Existem apenas 12 espécies, africanas.
hidrostaquiáceo. *Adj.* Pertencente ou relativo às hidrostaquiáceas.
hidrostaquiale. *S. f.* Espécime das hidrostaquiales.
hidrostaquiales. *S. f. pl. Bot.* Ordem de vegetais dicotiledôneos que engloba unicamente a família das hidrostaquiáceas.
hidrostática. [Fem. substantivado de *hidrostático*.] *S. f.* Parte da hidromecânica que estuda o equilíbrio de líquidos, e também de gases, sujeitos à ação da gravidade.
hidrostático. [De *hidr(o)- + -stat(o)- + -ico*[2].] *Adj.* Relativo à hidrostática. ~ V. *balança* —*a*, *equilíbrio* — e *pressão* —*a*.
hidróstato. [De *hidr(o)- + -stato*.] *S. m.* Instrumento de metal, flutuante, com que se pesam corpos.
hidrotecnia. [De *hidr(o)+ -tecn(o)- + -ia*.] *S. f.* Parte da mecânica que trata da distribuição e condução das águas.
hidrotécnico. *Adj.* Relativo à hidrotecnia.
hidroterapêutica. [De *hidr(o)- + terapêutica*.] *S. f. Terap.* V. *hidroterapia*.
hidroterapêutico. *Adj.* Referente à hidroterapêutica; hidroterápico.
hidroterapia. [De *hidr(o)- + -terapia*.] *S. f. Terap.* Tratamento por meio da água em aplicações externas (banhos, duchas, arpersões, etc.); hidroterapêutica, hidriatria.
hidroterápico. *Adj.* Referente à hidroterapia.
hidrotermal. [De *hidr(o)- + termal*.] *Adj. 2 g.* Referente às águas térmicas.
hidrotérmico. [De *hidr(o)- + térmico*.] *Adj.* Relativo à água e ao calor.
hidrótico. [Do gr. *hidrotikós*.] *Adj.* V. *sudorífero* (1).
hidrotimetria. *S. f.* Determinação da quantidade de sais calcários que a água contém; emprego do hidrotímetro.
hidrotimétrico. *Adj.* Relativo à hidrotimetria, ou ao hidrotímetro.
hidrotímetro. [Do gr. *hydrótes*, 'qualidade do que é semelhante à água', *+ -i- + -metro*.] *S. m.* Instrumento com que se determina a quantidade de sais calcários que a água contém.
hidrotórax (cs). [De *hidr(o)- + tórax*.] *S. m. 2 n. Patol.* Coleção de líquido aquoso em cavidade pleural.
hidrotrópico. [De *hidr(o)- + -trop(o)- + -ico*[2].] *Adj. Fisiol. Veg.* Referente ao, ou próprio do hidrotropismo.
hidrotropismo. [De *hidr(o)- + -tropismo* (2).] *S. m. Fisiol. Veg.* Tipo de tropismo determinado pela água.
hidrovia. [De *hidr(o)- + via*.] *S. f. Bras.* Via líquida (mar, rios, lagos, etc.) usada para o transporte e as comunicações. [Sin., menos us.: *aquavia*.]
hidroviário. *Adj.* **1.** Relativo a hidrovia. **2.** Que se faz por hidrovia: *transporte* h i d r o v i á r i o.
▲**hidroxi-** (cs). *Quím. El. comp.* que indica a presença do radical HO- numa molécula.
hidróxido (cs). [De *hidr(o)- + óxido*.] *S. m. Quím.* Composto de um elemento eletropositivo com íons hidroxila.
hidroxidoácido (cs). [De *hidroxi(lado) + ácido*.] *S. m. Quím.* Ácido orgânico hidroxilado.
hidroxidrila (cs). *S. m. Quím. Desus.* Hidroxila.
hidroxila (cs). [De *hidr(o)- + oxidrila*.] *S. f. Quím.* O grupamento monovalente OH; oxidrila.
hidroxilado (cs). *Adj. Quím.* Que contém hidroxila.
hidroxilamina (cs). *S. f. Quím.* Sólido incolor, deliqües-

cente, redutor enérgico. [Fórm.: NH_2OH.]
hidrozoário. [De *hidr(o)-* + *zoário.*] *S. m.* **1.** Espécime dos hidrozoários. ● *Adj.* **2.** Pertencente ou relativo a eles. [Sin. ger.: *hidromedusa.*]
hidrozoários. *S. m. pl. Zool.* Animais celenterados, classe *Hydrozoa*, caracterizados por pólipos, geralmente coloniais, com cavidade digestiva sem estomodeu e septos, e medusas craspedotas. São bastante conhecidas as hidras de água doce e as caravelas marinhas, representantes do grupo. [Sin.: *hidromedusas.*]
hidruria. *S. f. Patol.* Var. pros. de *hidrúria.*
hidrúria. [De *hidr(o)-* + *-ur(o)-* + *-ia.*] *S. f.* **1.** *Med.* Presença de água na urina. **2.** *Patol. Impr.* Excesso de água na urina, observado, p. ex., no diabetes insípido. [Var. pros.: *hidruria.*]
hidrúrico. *Adj.* **1.** Relativo à, ou que sofre de hidrúria. ● *S. m.* **2.** Aquele que sofre de hidrúria.
hiemação. [Do lat. *hiematione.*] *S. f.* **1.** Ato de hibernar. **2.** Propriedade das plantas que crescem no inverno.
hiemal. [Do lat. *hiemale.*] *Adj. 2 g.* V. *hibernal.*
hiemalizar. [De *hiemal* + *-izar.*] *V. t. d.* Pôr em hibernação.
hiemífugo. [Do lat. *hieme*, 'inverno', + *-i-* + *-fugo*[1].] *Adj. Zool.* Diz-se do animal que emigra durante o inverno.
hiena. [Do gr. *hyaina*; pelo lat. *hyaena.*] *S. f.* Mamífero carnívoro e digitígrado que se alimenta sobretudo de carnes de animais mortos e putrefatos, e que tem pêlo cinza ou ruivo com malhas escuras. Comprimento: de 1 m a 1,40 m. [Numerosas na Europa no período quaternário, encontram-se hoje apenas na África e na Ásia. Cf. *lena*, top.]
hieralgia. [De *hier(o)-* + *-alg(o)-* + *-ia.*] *S. f. Patol.* Dor no sacro.
hierálgico. *Adj.* Referente à hieralgia.
hieranose. [Do gr. *hiera nósos*, 'moléstia sagrada'.] *S. f. Patol.* V. *epilepsia.*
hierarca. [De *hierarquia.*] *S. m.* **1.** Título dado a altos dignitários da Igreja grega, bispos e arcebispos. **2.** Autoridade superior em matérias eclesiásticas.
hierarquia. [Do gr. *hierarchía.*] *S. f.* **1.** Ordem e subordinação dos poderes eclesiásticos, civis e militares. **2.** Graduação da autoridade, correspondente às várias categorias de funcionários públicos; classe. **3.** *Fig.* Série contínua de graus ou escalões, em ordem crescente ou decrescente; escala: *hierarquia de valores.* **4.** *Rel.* Ordem e subordinação dos diferentes coros dos anjos. [Var.: *jerarquia.*] ♦ **Hierarquia militar.** Ordenação da autoridade, em diferentes níveis, dentro da estrutura das forças armadas. [No Exército, Marinha de Guerra e Aeronáutica brasileiros existem hoje, respectivamente, os seguintes postos e graduações, aqui citados em ordem decrescente: *marechal, almirante, marechal-do-ar* (preenchidos apenas em épocas excepcionais); *general-de-exército, almirante-de-esquadra, tenente-brigadeiro; general-de-divisão, vice-almirante, major-brigadeiro; general-de-brigada, contra-almirante, brigadeiro-do-ar; coronel, capitão-de-mar-e-guerra, coronel-aviador; tenente-coronel, capitão-de-fragata, tenente-coronel-aviador; major, capitão-de-corveta, major-aviador; capitão, capitão-tenente, capitão-aviador; primeiro-tenente* (nas três armas); *segundo-tenente* (nas três armas); *aspirante-a-oficial, guarda-marinha, aspirante-a-oficial-aviador; subtenente, suboficial, suboficial; primeiro-sargento* (nas três armas); *segundo-sargento* (nas três armas); *terceiro-sargento* (nas três armas); *cabo* (nas três armas); *soldado, marinheiro, soldado.* No Exército do Brasil colonial e imperial a hierarquia militar era a seguinte: *marechal-de-exército; tenente-general; marechal-de-campo; brigadeiro, mestre-de-campo,* ou *coronel; tenente-coronel; sargento-mor* ou *major; ajudante* ou *capitão; tenente; alferes; primeiro-cadete; segundo-cadete; primeiro-sargento; segundo-sargento; furriel; cabo-de-esquadra; anspeçada; soldado*; e na Marinha de Guerra: *almirante; vice-almirante; chefe-de-esquadra; chefe-de-divisão; capitão-de-mar-e-guerra; capitão-de-fragata; capitão-tenente; tenente-do-mar* ou *primeiro-tenente; segundo-tenente; guarda-marinha; aspirante; primeiro-sargento; segundo-sargento; quartel-mestre; cabo; marinheiro.* Em Portugal, atualmente, existem, no Exército e na Aeronáutica, os postos seguintes: *marechal, general, brigadeiro, coronel, tenente-coronel, major, capitão, tenente* e *alferes*; e na Marinha de Guerra: *almirante, vice-almirante, contra-almirante, comodoro, capitão-de-mar-e-guerra, capitão-de-fragata, capitão-tenente, primeiro-tenente, segundo-tenente, subtenente* e *guarda-marinha* (equivalentes).]
hierárquico. [Do gr. *hierarchikós.*] *Adj.* Conforme à hierarquia.
hierarquismo. *S. m.* Respeito exagerado à hierarquia.
hierarquização. *S. f.* Ato ou efeito de hierarquizar: "Eis-nos perante uma inesperada *hierarquização* de valores." (João Gaspar Simões, *O Mistério da Poesia*, p. 146.)
hierarquizado. [Part. de *hierarquizar.*] *Adj.* Organizado ou distribuído segundo uma ordem hierárquica.
hierarquizar. *V. t. d.* Organizar ou distribuir segundo uma ordem hierárquica.
hierarquizável. *Adj. 2 g.* Que se pode ou deve hierarquizar.
hierática. [Fem. substantivado de *hierático.*] *S. f.* Papiro finíssimo, que só se usava na escrita hierática.
hierático. [Do gr. *hieratikós*, pelo lat. *hieraticu.*] *Adj.* **1.** Referente às coisas sagradas. **2.** Diz-se do traçado cursivo que os antigos egípcios davam à escritura hieroglífica; hierogramático. **3.** *Art. Plást.* Diz-se das formas em geral rígidas e majestosas impostas por certas tradições sacras. ~ V. *escrita* —*a.*
▲**hier(o)-.** [Do gr. *hierós, a, ón.*] *El. comp.* = 'sagrado', 'divino': *hierogramático, hieroterapia.*
hierofanta. *S. m.* V. *hierofante.*
hierofante. [Do gr. *hierophántes*, pelo lat. *hierophante.*] *S. m.* **1.** O sacerdote que presidia aos mistérios de Elêusis, na Grécia antiga. **2.** Na antiga Roma, o grão-pontífice. **3.** *P. ext.* Cultor de ciências ocultas; adivinho; "O *hierofante* que leu a minha sina / Ignorante é de que és, talvez, nascida / Dessa homogeneidade indefinida / Que o insigne Herbert Spencer nos ensina." (Augusto dos Anjos, *Eu*, p. 41.) [Var.: *hierofanta.*]
hieroglífico. [Do gr. *hieroglyphikón.*] *S. m.* **1.** Hieróglifo. ● *Adj.* **2.** Respeitante aos hieróglifos. [P. us. como s. m.] ~ V. *escrita* —*a.*
hieroglifo. *S. m.* V. *hieróglifo.*
hieróglifo. [De *hieroglífico.*] *S. m.* **1.** Ideograma figurativo que constitui a notação de certas escritas analíticas, como, p. ex., a egípcia; letra glífica. [Cf. *escrita hieroglífica.*] **2.** *Fig.* Escrita ilegível. **3.** *P. ext.* Tudo o que é difícil de decifrar. [Var.: *jeróglifo.* A pronúncia corrente é *hieroglifo* (paroxítono).]
hierografia. [Do gr. *hierographía.*] *S. f.* Descrição das coisas sagradas.
hierográfico. *Adj.* Referente à hierografia.
hierograma. [De *hier(o)-* + *-grama.*] *S. m.* Grafia hierática.
hierogramático. [De *hier(o)-* + *-gramat(o)-* + *-ico*[2].] *Adj.* Hierático (2).
hierologia. [Do gr. *hierología.*] *S. f.* Tratado ou estudo das diferentes religiões.
hierológico. *Adj.* Referente à hierologia.
hieromania. [Do gr. *hieromanía.*] *S. f.* **1.** Mania religiosa. **2.** Mania de cultuar santos.
hieromaníaco. *Adj.* **1.** Concernente à hieromania. ● *S. m.* **2.** Aquele que tem hieromania.
hieronímico. [De *hier(o)-* + *-onim(o)-* + *-ico*[2].] *Adj.* **1.** Relativo a S. Jerônimo. **2.** Relativo a hierônimo.
hieronimita. [Do antr. *Hierónymos*, 'Jerônimo', + *-ita*[2].] *Adj.* Da Ordem de S. Jerônimo.
hierônimo. [De *hier(o)-* + *-ônimo.*] *S. m. Neol.* Designação comum aos nomes sagrados e aos nomes próprios referentes a crenças de quaisquer religiões. Ex.: *Deus, Jeová, Alá, Maomé, Oxalá, Natividade, Ressurreição.* [Sin.: *hagiônimo.*]
hierosolimita. [Do gr. *hierosolymítes*, pelo lat. *hierosolymita.*] *Adj. 2 g.* **1.** De, ou pertencente ou relativo a Jerusalém, cidade dividida em 1948, por linha de armistício, entre a Jordânia e o Estado de Israel (parte ocidental), do qual é a capital. ● *S. 2 g.* **2.** Natural ou habitante de Jerusalém. [Var.: *jerosolimita, jerosolimitano*; sin. ger.: *hierosolimitano.*]
hierosolimitano. [Do lat. *hierosolymitanu.*] *Adj.* e *s. m.* V. *hierosolimita.*
hieroterapia. [De *hier(o)-* + *-terapia.*] *S. f.* Tratamento de doenças por meio de exercícios religiosos.
hieroterápico. *Adj.* Relativo à hieroterapia.
▲**hieto-.** [Do gr. *hyetós.*] *El. comp.* = 'chuva': *hietômetro.*
hietometria. [De *hieto-* + *-metr(o)-*[2] + *-ia.*] *S. f.* Pluviometria.
hietométrico. [De *hietometria* + *-ico*[2].] *Adj.* Pluviométrico.
hietômetro. [De *hieto-* + *-metro.*] *S. m.* V. *pluviômetro.*
hifa. [Do gr. *hiphé.*] *S. f. Citol.* Qualquer filamento de um micélio.
hifale. *S. f.* Espécime das hifales; hifomiceto.
hifales. *S. f. pl. Micol.* Hifomicetos.
hifalmiroplancto. *S. m. Ecol.* Hifalmiroplâncton.
hifalmiroplâncton. *S. m. Ecol.* V. *plâncton.*
hifema. [Do gr. *hyphaimos*, 'sangrento'.] *S. m. Patol.* Hemorragia da câmara interior do olho.
hifemia. [De *hip(o)-*[1] + *-(h)em(o)-* + *-ia.*] *S. f. Patol.* Oligoemia.
hifêmico. *Adj.* Referente à hifemia.
hífen. [Do lat. *hyphen.*] *S. m.* Sinal diacrítico (-) [q. v.] usado para ligar os elementos de palavras compostas (*couve-flor; ex-presidente*), para unir pronomes átonos a verbos (*ofereceram-me; vê-lo-ei*) e para, no fim da linha, separar uma palavra em duas partes (*ca-/sa; compa-/nheiro*). [Sin.: *traço-de-união, risca de união, tirete.* Pl.: *hífens* e (p. us. no Brasil) *hífenes.*]
hifenização. *S. f.* Ação ou efeito de hifenizar.
hifenizar. *V. t. d.* Usar o hífen em: *Hifenizou, segundo a norma, as palavras* vaga-lume *e* bem-aventurado.
hífico. *Adj. Micol.* Relativo à hifa: *espessamento hífico.*
hifomiceto. *S. m.* Espécime dos hifomicetos; hifale.
hifomicetos. *S. m. pl. Micol.* Grupo de fungos imperfeitos, destituídos de qualquer tipo de esporos em cuja origem estejam fenômenos de sexualidade (ascos e basídios, p. ex.); hifales.
➨**high fidelity** (hai fidéliti). [Ingl.] *S. f.* Alta-fidelidade [q. v.].
➨**high-life** (hai-laif'). [Ingl.] *S. m.* A alta sociedade.
higidez (ê). [De *hígido* + *-ez.*] *S. f.* Estado de saúde.
hígido. [Do gr. *hygiés*, 'são', 'sadio'.] *Adj.* **1.** Respeitante à saúde. **2.** Que tem higidez; sadio, são.
higiene. [Do gr. *hygieinós*, pelo fr. *hygiène.*] *S. f.* **1.** Ciência que visa à preservação da saúde e à prevenção da doença. **2.** *Fig.* Limpeza, asseio. ♦ **Higiene mental.** Prática educativa, profilática ou psicoterápica aplicada para prevenir perturbações mentais.
higiênico. *Adj.* **1.** Referente à higiene. **2.** Propício à saúde: *passeio higiênico.* **3.** Limpo, asseado: *Gosto de pessoas higiênicas, e detesto as sujas.* ~ V. *papel* —.
higienista. *S. 2 g.* Especialista em higiene (1); sanitarista.
higienizar. *V. t. d.* Tornar saudável, higiênico.
▲**higi(o)-.** [Do gr. *hygiés, és, és.*] *El. comp.* = 'são', 'saudável': *higiologia.*
higiologia. [De *higi(o)-* + *-log(o)-* + *-ia.*] *S. f.* Ramo do conhecimento que estuda a teoria e a prática da higiene e do saneamento.
higiológico. *Adj.* Respeitante à higiologia.
▲**higr(o)-.** [Do gr. *hygrós, á, ón.*] *El. comp.* = 'molhado', 'úmido': *higrófito, higrômetro; higroma.*
higróbio. [Do gr. *hygróbios.*] *Adj.* Que vive em meio úmido ou aquoso.
higrófilo. [De *higr(o)-* + *-filo*[2].] *Adj. Ecol. Veg.* Diz-se da planta que só vegeta em lugares úmidos e que se caracteriza por grandes folhas delgadas, moles e terminadas em ponta afilada. [Antôn.: *xerófilo.*]
higrofitismo. *S. m. Ecol. Veg.* Conjunto de caracteres apresentados pelos higrófitos. [Antôn.: *xerofitismo.*]
higrófito. [De *higr(o)-* + *-fito.*] *S. m. Ecol. Veg.* Vegetal higrófilo. [Antôn.: *xerófito.*]
higrógrafo. [De *higr(o)-* + *-grafo.*] *S. m. Met.* Aparelho que registra a umidade da atmosfera.
higrologia. [De *higr(o)-* + *-log(o)-* + *-ia.*] *S. f.* **1.** Estudo sobre as águas. **2.** *Obsol.* Tratado dos humores ou fluidos do corpo humano.
higrológico. *Adj.* Relativo à higrologia.
higrólogo. *S. m.* Especialista em higrologia.
higroma. [De *higr(o)-* + *-oma.*] *S. m. Patol.* Tumor congênito, do grupo dos linfangiomas.
higrometria. [De *higr(o)-* + *-metr(o)-*[2] + *-ia.*] *S. f.* Parte da física que estuda os processos e métodos de medida da umidade da atmosfera.
higrométrico. *Adj.* Referente à higrometria.
higrômetro. [De *higr(o)-* + *-metro.*] *S. m. Fís.* Qualquer instrumento destinado a medir a umidade do ar ou de um gás: "Tornou-se afamado .... um *higrômetro* que ele trazia na sala, pendurado como cromo de folhinha; representava uma casa de duas portas, com um terreirinho à frente. Fosse o tempo duvidoso, numa porta mostrava-se um homenzinho e noutra uma mulherzinha; propendendo a chuva, o homem saía ao terreiro e a mulher entrava" (Godofredo Rangel, *Andorinhas*, p. 129).
higroscópico. *Adj.* **1.** Relativo ao higroscópio. **2.** *Fís.* Diz-se do material ou substância que tem grande afinidade pelo vapor de água, sendo capaz de retirá-lo de uma atmosfera ou eliminá-lo de uma mistura gasosa. ● *S. m.* **3.** Esse material ou substância.
higroscópio. [De *higr(o)-* + *-scop-* + *-io*[2].] *S. m. Fís.* Instrumento para medir a umidade do ar, sem grande precisão.
higróstato. [De *higr(o)-* + *-stato.*] *S. m. Fís.* Dispositivo

para manter constante a umidade do ar num ambiente confinado.

hilar. [De *hilo* + *-ar*[1].] *Adj. 2 g.* Hilário. [Pl. *hilares.* Cf. *hílares,* pl. de *hílare.*]

hílare. [Do gr. *hilarós,* pelo lat. *hilare.*] *Adj. 2 g.* **1.** Alegre, risonho, contente, folgazão. **2.** Que denota alegria, contentamento; alegre: "Conta-se .... que Filipe Augusto assistiu com hílare disposição ao incêndio da cidade, e que ele mesmo .... atiçou o lume." (Aquilino Ribeiro, *Portugueses das Sete Partidas,* p. 197.) [Sin. ger.: *hilário.* Pl.: *hílares.* Cf. *hilares,* pl. de *hilar.*]

hilária. [Do antr. *Saint-Hilaire,* de Anguste de Saint-Hilaire (1799-1853), naturalista francês.] *S. f.* Certa planta da família das gramíneas.

hilariante. [De *hílare,* atr. de um **hilariar.*] *Adj. 2 g.* Que produz alegria, riso, hilaridade; hilário. ~ V. *gás*—.

hilaridade. [Do lat. *hilaritate.*] *S. f.* **1.** Alegria, riso. **2.** Vontade de rir; explosão de riso(s): "Os seus ditos satíricos, ao passo que suscitavam a hilaridade dos cortesãos, faziam sempre uma vítima." (Alexandre Herculano, *O Bobo,* p. 28.)

hilário[1]. [De *hilo-* + *-ário.*] *Adj.* Referente ao hilo; hílar.

hilário[2]. [De *hílare* + *-io*[2].] *Adj.* **1.** V. *hílare.* **2.** Hilariante.

hilarizar. *V. t. d.* **1.** Provocar hilaridade em; tornar hilare. **2.** Dar alegria a; alegrar, contentar.

▲**híle-.** [Do gr. *hylé,* es.] *El. comp.* = 'matéria', 'substância': *hilemorfismo.* [Equiv.: *hilo* e *-(h)ilo: hilogenia, monóilo.*]

hiléia. [Do gr. *hylaia,* fem. de *hylaios,* 'da floresta', 'selvagem', atr. do al. *Hylãa,* ou do gr. *hylé* (v. *hile-*), 'matéria', 'madeira', 'floresta', + *-éia.*] *S. f. Fitogeog.* **1.** A floresta amazônica, segundo denominação de Alexander von Humboldt (1769-1859), naturalista alemão, e Aimé Goujaud Bonpland (1773-1858), naturalista francês. **2.** *P. ext.* A Amazônia.

hileiano. *Adj.* Relativo à hiléia; amazônico: *gênero hileiano.*

hilemórfico. *Adj.* Pertencente ou relativo ao hilemorfismo; hilomórfico.

hilemorfismo. [De *hile-* + *-morf(o)-* + *-ismo.*] *S. m. Filos.* Doutrina aristotélico-escolástica segundo a qual os seres corpóreos resultam de dois princípios distintos e complementares, um deles indeterminado e comum a todos, que é a matéria, e o outro determinante e que faz que uma coisa seja tal como é e distinta de todas as outras, que é a forma; hilomorfismo.

hilética. *S. f. Filos.* Teoria da *hylé* [q. v.].

hílida. *S. m.* e *adj. 2 g.* V. *hilídeo.*

hílidas. *S. m. pl. Zool.* V. *hilídeos.*

hilídeo. *S. m.* **1.** Espécime dos hilídeos. ● *Adj.* **2.** Pertencente ou relativo a eles.

hilídeos. *S. m. pl. Zool.* Família de anuros, em geral arborícolas, de dedos dilatados na extremidade, e vulgarmente denominados *pererecas.*

hilífero. [De *hilo-* + *-i-* + *-fero.*] *Adj.* **1.** Provido de hilo. **2.** Que tem hilo aparente. [Sin. ger.: *hilófero.*]

▲**hilo-.** V. *hile-.*

hilo. [Do lat. *hilu.*] *S. m.* **1.** *Anat.* Depressão no local onde penetram, num órgão, seus vasos e nervos. **2.** *Morfol. Veg.* Área, na superfície da semente, onde se prende o funículo.

▲**-(h)ilo.** V. *hile-.*

hilófero. [De *hilo-* + *-fero.*] *Adj.* Hilífero.

hilogenia. [De *hilo-* + *-gen(o)-*[1] + *-ia.*] *S. f.* Formação de matéria.

hilogênico. *Adj.* Respeitante à hilogenia.

hilomórfico. [De *hilo-* + *-morf(o)-* + *-ico*[2].] *Adj.* Hilemórfico.

hilomorfismo. [De *hilo-* + *-morf(o)-* + *-ismo.*] *S. m. Filos.* Hilemorfismo.

hilota. [Do gr. *heilótes.*] *S. m.* **1.** Em Esparta, escravo que cultivava o campo: "O hilota é um servo da gleba, inalienável" (Oliveira Martins, *Quadro das Instituições Primitivas,* p. 306). **2.** Pessoa de ínfima condição social.

hilotismo. *S. m.* **1.** Condição de hilota. **2.** *Fig.* Estado de abjeção e ignorância.

hilozoísmo. [De *hilo-* + *-zo(o)-* + *-ismo.*] *S. m. Filos.* **1.** Doutrina que considera a vida como propriedade inseparável da matéria. **2.** Doutrina que atribui à matéria qualidades espirituais.

himantandrácea. *S. f.* Espécime das himantandráceas.

himantandráceas. *S. f. pl. Bot.* Família de plantas superiores, da ordem das ranales, composta de espécies lenhosas. Flores hermafroditas e esparsas; androceu polistêmone; carpelos numerosos, cada um com apenas um óvulo. Não ocorrem no Novo Mundo.

himantandráceo. *Adj.* Pertencente ou relativo às himantandráceas.

hímen. [Do gr. *hymén.*] *S. m. Anat.* Prega formada pela membrana mucosa da vagina, e que apresenta uma abertura de forma e diâmetro variáveis. [Pl.: *himens* e (p. us. no Brasil) *hímenes.*] ♦ **Hímen complacente.** O que não se rompe à passagem do pênis.

▲**himen(o)-.** [Do gr. *hymén, énos.*] *El. comp.* = 'membrana': *himênio, himenotomia.*

himeneu. [Do gr. *hyménaios,* 'canto nupcial', pelo lat. *hymenaeu.*] *S. m.* **1.** Casamento, matrimônio: "o hábito de a moça solteira conservar-se virgem para o himeneu é fato de verificação trivial." (A. Austregésilo, *Obras Completas,* III, p. 246.) **2.** Festa de núpcias.

himenial. *Adj. 2 g.* Relativo ao himênio: *gonídio himenial.*

himênio. [De *himen(o)-* + *-io*[2].] *S. m. Micol.* Camada constituída de hifas ascógenas ou basidiógenas ordenadas em paliçada, entre as quais há sempre muitas paráfises. O himênio reveste determinadas áreas ou porções dos aparelhos esporígenos dos fungos, bem como dos liquens.

himenocarpo. [De *himen(o)-* + *-carpo.*] *Adj. Morfol. Veg.* Que tem fruto membranoso.

himenofilácea. *S. f.* Espécime das himenofiláceas.

himenofiláceas. *S. f. pl. Bot.* Família de pteridófitos, da ordem das eufilicales, composta de plantas muito delicadas, que podem ser formadas por uma só camada celular. Esporângios agrupados em soros marginais, com indúsio; anel completo, transversal ou oblíquo. Há umas 200 espécies, principalmente das matas úmidas montanhosas, muitas brasileiras.

himenofiláceo. *Adj.* Pertencente ou relativo às himenofiláceas.

himenografia. [De *himen(o)-* + *-graf(o)-* + *-ia.*] *S. f.* Descrição das membranas.

himenográfico. *Adj.* Referente à himenografia.

himenolíquen. *S. m.* Espécime dos himenoliquens. [Pl.: *himenoliquens.*]

himenoliquens. [Pl. de *himenolíquen.*] *S. m. pl. Micol.* Grupo de liquens constituído de uns poucos himenomicetos associados a algas. *Cora montana* é o único realmente difundido entre nós.

himenologia. [De *himen(o)-* + *-log(o)-* + *-ia.*] *S. f.* Tratado acerca das membranas.

himenológico. *Adj.* Relativo à himenologia.

himenomiceto. *S. m.* **1.** Espécime dos himenomicetos. ● *Adj.* **2.** Pertencente ou relativo a eles.

himenomicetos. *S. m. pl. Micol.* Basidiomicetos cujo aparelho esporígeno é amplo, laminar, ou em forma de chapéu.

himenópode. [De *himen(o)-* + *-pode.*] *Adj. 2 g. Zool.* Diz-se da ave que tem dedos meio ligados por membrana.

himenóptero. [De *himen(o)-* + *-ptero.*] *S. m.* **1.** Espécime dos himenópteros. ● *Adj.* **2.** Pertencente ou relativo a eles. [Sin. ger.: *lambedor.*]

himenópteros. *S. m. pl. Zool.* Animais artrópodes, da classe dos insetos, ordem *Hymenoptera,* holometabólicos, com aparelho bucal mastigador, quatro asas membranosas, larvas eruciformes, fitófagas ou ápodes. São freqüentemente parasitos de outros insetos, havendo espécies sociais. No grupo se incluem as abelhas, as vespas, os marimbondos e as formigas. [Sin.: *lambedores.*]

himenotomia. [De *himen(o)-* + *-tom(o)* + *-ia.*] *S. f. Cir.* **1.** Dissecção das membranas. **2.** Incisão praticada no hímen.

himenotômico. *Adj.* Relativo à himenotomia.

hinário. *S. m.* **1.** Coleção de hinos. **2.** Livro de hinos religiosos: "acabando em êxtase perante o Universo, aberto por cima deles como uma rosa perfeita, melhor que a página dum hinário de coro consagrado a cantar a Deus e a enaltecer-lhe glórias e grandezas" (Aquilino Ribeiro, *Aventura Maravilhosa,* p. 211).

hinaiana. [Do sânscr.] *S. m. Filos.* **1.** V. *budismo hinaiana.* ● *Adj.* **2.** ~ V. *budismo* —.

hindi. [Do hind. *hindi.*] *S. m.* Língua nacional e literária da Índia, derivada do sânscrito, falada por mais de 100 milhões de habitantes. V. *indo-iraniano* (3).

hindu. [Do sânscr. *sindhu,* pelo persa *hindu.*] *Adj. 2 g.* e *s. 2 g.* **1.** V. *indiano*[1]. **2.** Hinduísta.

hinduísmo. [De *hindu* + *-ismo.*] *S. m. Filos.* Religião atual da maioria dos povos indianos, resultante de uma evolução secular do vedismo e do bramanismo, que se transformaram pela especulação filosófica e pela integração de cultos locais. Constitui o hinduísmo ampla manifestação cultural, expressando-se por uma riquíssima literatura de sentido poético-religioso, na qual se cristalizaram numerosos preceitos relativos à vida cotidiana e à organização social, e se desenvolveram, através dos séculos, vários sistemas teológico-filosóficos. [Cf. *darsana.*]

hinduísta. *Adj. 2 g.* **1.** Referente ao hinduísmo. **2.** Que professa o hinduísmo e/ou se dedica ao seu estudo. ● *S. 2 g.* **3.** Pessoa que o professa e/ou se dedica ao seu estudo. [Sin. ger.: *hindu.*]

hindustani. [Do persa *hindustani,* 'do Industão', subentendendo-se *língua.*] *S. m.* O dialeto mais importante do hindi. V. *indo-iraniano* (3).

hínico. *Adj.* Referente a, ou do gênero do hino.

hinir. [Do lat. *hinnire.*] *V. int. P. us.* Relinchar, nitrir.

hinista. *S. 2 g.* Pessoa que canta e/ou compõe hinos; hinólogo.

hino. [Do gr. *hymnos,* pelo lat. *hymnu.*] *S. m.* **1.** Poema ou cântico de veneração, ou louvor, ou invocação à divindade: "Vem cantando também, boca vermelha e casta, / Um hino de louvor ao Deus que nos afasta / Das rubras tentações da carne e do pecado." (Conde de Monsaraz, *Musa Alentejana,* p. 64.) **2.** Cântico sacro, especialmente o que se relaciona com a liturgia cristã. **3.** Música, geralmente marcial ou solene, acompanhada de um texto, e que exalta o valor de algo ou de alguém: *o hino à bandeira; o hino dos escoteiros.* **4.** Canção, canto: *O Cisne Branco é considerado o hino da Marinha Brasileira.* **5.** Poema lírico ou canção que exprime entusiasmo, contentamento, admiração, etc.: *hino à natureza; hino ao amor.* **6.** *Fig.* Louvor, elogio: *Teceu hinos à beleza da garota.* [Cf. *Ino,* antr.] ♦ **Hino ambrosiano.** O Te-Déum (1). **Hino Nacional.** Hino (3) que simboliza uma nação: *O Hino Nacional Brasileiro foi composto por Francisco Manuel da Silva.*

hinodo (ó). [Do gr. *hymnodós.*] *S. m.* Entre os gregos antigos, aquele que nas solenidades religiosas cantava os hinos.

hinografia. [De *hino* + *-graf(o)-* + *-ia.*] *S. f.* Tratado bibliográfico dos hinos.

hinográfico. *Adj.* Relativo à hinografia.

hinógrafo. [Do gr. *hymnográphos.*] *S. m.* Compositor de hinos.

hinologia. [Do gr. *hymnología.*] *S. f.* **1.** Arte da composição de hinos. **2.** Ato de cantar ou recitar hinos.

hinológico. *Adj.* Relativo à hinologia.

hinólogo. [Do gr. *hymnologós,* pelo lat. *hymnologu.*] *S. m.* Hinista.

hinterlândia. [Do al. *Hinterland.*] *S. f.* **1.** Território situado por trás de uma costa marítima ou de um rio; interior: "Varam a hinterlândia e desembocam no Atlântico." (Raimundo Morais, *Na Planície Amazônica,* p. 134.) **2.** Região servida por um determinado porto.

hiociamina. *S. f. Quím.* Hiosciamina [q. v.].

hioglosso (ô). [De *hio,* abrev. de *hióide* + *-glosso.*] *S. m. Anat.* Cada um dos dois músculos que se estendem do hióide à língua.

hióide. [Do gr. *hyoeidés,* i. e., *ostoûn-hyoeidés,* 'osso em forma de hipsilo'.] *S. m. Anat.* Pequeno osso situado na parte anterior do pescoço, acima da laringe, e que dá inserção aos músculos que se dirigem para a língua.

hióideo. *Adj.* Relativo ou pertencente ao hióide.

hiosciamina. *S. f. Quím.* Alcalóide da beladona e outras solanáceas, com acentuada ação fisiológica sobre o organismo, formando o racêmico atropina. [Fórm.: $C_{17}H_{23}O_3N$.]

hiosciamo. [Do gr. *hyoskyamos,* pelo lat. *hyoscyamu.*] *S. m.* V. *meimendro.*

hioscina. *S. f. Quím.* Escopolamina.

hip. [Do ingl. hip.] *Interj.* Proferida antes do hurra [q. v.].

hipabissal. *Adj. 2 g.* ~ V. *rocha* —.

hipacusia. [De *hip(o)-*[1] + *-acusi-* + *-ia.*] *S. f. Patol.* Diminuição do sentido da audição. [Cf. *anacusia* e *disacusia.*]

hipacústico. [De *hip(o)-*[1] + *acústico.*] *Adj.* Relativo à hipacusia.

hipálage. [Do gr. *hypallagé,* pelo lat. *hypallage.*] *S. f. Ret.* Figura pela qual se atribui a certa(s) palavra(s) de uma frase o que convém logicamente a outra(s) da mesma frase, clara(s) ou subentendida(s). Ex.: "No silêncio orvalhado da manhã" (Miguel Torga, *Diário,* X, p. 169); "em cada olho um grito castanho de ódio." (Dalton Trevisan, *Desastres do Amor,* p. 30): "o raspar espavorido de fósforos" (Eça de Queirós, *A Correspondência de Fradique Mendes,* p. 9); "Era o amigo do chapéu de palha: abriu grandes braços pasmados." (*Id., Contos,* p. 30.) [No penúltimo exemplo, *espavorido* refere-se, logicamente, não ao substantivo virtual *raspar,* mas ao agente da ação de *raspar.*]

hipalgesia. [De *hip(o)-*[1] + *-alges(i)-* + *-ia.*] *S. f. Med.*

Diminuição da sensibilidade à dor; hipalgia.
hipalgésico. *Adj.* Relativo à hipalgesia; hipálgico.
hipalgia. [De *hip(o)-*[1] + *-alg(o)-*[2] + *-ia.*] *S. f. Med.* Hipalgesia.
hipálgico. *Adj.* Relativo à hipalgia; hipalgésico.
hipanto. [De *hip(o)-*[1] + *-anto.*] *S. m. Morfol. Veg.* Parte tubular do receptáculo floral que se solda ao ovário ínfero de muitas plantas; tubo do cálice.
hipantódio. [De *hipanto;* var. mal formada.] *S. m. Morfol. Veg.* Fruto composto constituído de receptáculo carnoso sobre o qual se inserem numerosos frutinhos, ora aberto, como no caso do caiapiá, ora fechado, como no caso do figo; cenanto.
hipantropia. [Do gr. *hippánthropos,* 'centauro', + *-ia.*] *S. f. Med.* Doença mental em que o indivíduo se julga transformado em cavalo.
hipantrópico. *Adj.* Relativo à hipantropia.
▲**hiper-.** [Do gr. *hypér.*] *Pref.* = 'posição superior'; 'além'; 'excesso': *hiperstílico; hiperpiese; hiperemia.*
hiperacidez (ê). *S. f.* Qualidade ou estado de hiperácido.
hiperácido. [De *hiper-* + *ácido.*] *Adj.* Demasiadamente ácido (3).
hiperacusia. [De *hiper-* + *-acus(i)-* + *-ia.*] *S. f. Med.* Acuidade auditiva exacerbada; hiperestesia acústica.
hiperacústico. *Adj.* Referente à hiperacusia.
hiperagudo. [De *hiper-* + *agudo.*] *Adj.* Fortemente agudo; acutíssimo, agudíssimo.
hiperalbuminemia. [De *hiper-* + *albumina* + *-(h)em(o)-* + *ia.*] *S. f. Patol.* Teor anormalmente elevado de albumina no sangue.
hiperalbuminose. [De *hiper-* + *albumina* + *-ose.*] *S. f. Patol.* Condição caracterizada pela presença de excesso de albumina.
hiperalgesia. [De *hiper-* + *-alges(i)-* + *-ia.*] *S. f. Patol.* Exagero da sensibilidade à dor; hiperalgia.
hiperalgésico. *Adj.* Referente à hiperalgesia; hiperálgico.
hiperalgia. [De *hiper-* + *-alg(o)-* + *-ia.*] *S. f. Patol.* Hiperalgesia.
hiperálgico. *Adj.* Relativo à hiperalgia; hiperalgésico.
hiperatividade. [De *hiper-* + *atividade.*] *S. f.* Atividade excessiva.
hipérbato. [Do gr. *hyperbatón,* pelo lat. *hyperbaton.*] *S. m. Gram.* e *Ret.* Inversão da ordem natural das palavras ou das orações. Ex.: "Do que a terra mais garrida / Teus risonhos, lindos campos têm mais flores" (Osório Duque-Estrada, *Hino Nacional Brasileiro*); "Não é que o meu o teu sangue / Sangue de maior primor." (Alexandre Herculano, *Poesias,* p. 209) [i. e., *O teu sangue não é de maior primor que o meu*]. [Cf. *anástrofe* e *sínquise.*]
hipérbaton. *S. m. Gram.* e *Ret.* V. *hipérbato.*
hiperbibasmo. *S. m. Gram.* Deslocação do acento tônico de uma palavra, ou para sílaba anterior (*sístole*): *amávamos* (por *amavamos* lat. *amabamus*); *pântano,* por *pantano; bênção,* por *benção; pégada* (pron. errônea), por *pegada;* ou para sílaba posterior (*diástole*): *murmurio, exul* (pron. menos corretas, comuns em poesia) por *murmúrio, êxul.*
hipérbole. [Do gr. *hyperbolé,* pelo lat. *hyperbole.*] *S. f.* **1.** *Ret.* Figura que engrandece ou diminui exageradamente a verdade das coisas; exageração, auxese. Ex.: "Chorei biliões de vezes com a canseira / De inexorabilíssimos trabalhos!" (Augusto dos Anjos, *Eu,* p. 21). **2.** *Geom.* Lugar geométrico dos pontos de um plano cujas distâncias a dois pontos fixos desse plano têm diferença constante; interseção de um cone circular reto com um plano que faz com o eixo do cone um ângulo menor que o do vértice. Com uma escolha adequada das coordenadas cartesianas *x* e *y* sua equação pode ser simplificada $\frac{x^2}{a^2}-\frac{y^2}{b^2} = 1$, onde *a* e *b* são constantes. ♦ **Hipérbole eqüilátera.** *Geom.* Hipérbole cujos eixos conjugado e transverso são iguais. **Hipérboles conjugadas.** *Geom.* Duas hipérboles dispostas de modo que o eixo conjugado de uma seja o transverso da outra, e vice-versa.
hiperbólico. [Do gr. *hyperbolikós.*] *Adj.* **1.** Que usa de, ou em que há hipérbole (1); exagerado. **2.** De, ou pertencente ou relativo a hipérbole (2). ~ V. *arco co-secante —a, arco co-seno —, arco co-tangente —a, arco secante —a, arco seno —, arco tangente —a, cometa —, co-secante —a, co-secante —a inversa, co-seno —, co-seno — inverso, co-tangente —a, co-tangente —a inversa, função —a, logaritmo —, secante —a, seno —, seno — inverso, tangente —a,* e *tangente —a inversa.*
hiperboliforme. [De *hipérbole* + *-i-* + *-forme.*] *Adj. 2 g.* Semelhante a hipérbole (2).
hiperbolismo. *S. m.* Uso imoderado de hipérbole (1).
hiperbolóide. [De *hipérbole* + *-óide.*] *S. m. Geom. Anal.* Superfície do segundo grau, cuja equação, em coordenadas cartesianas, pode ser reduzida a uma forma quadrática homogênea com um ou dois coeficientes negativos. ♦ **Hiperbolóide de revolução.** *Geom.* Hiperbolóide de uma folha ou de duas folhas, resultante da rotação de uma hipérbole em torno do eixo conjugado, ou do eixo conjugado ou do transverso, respectivamente.
hiperbóreo. [Do gr. *hyperbóreios,* pelo lat. *hyperboreu.*] *Adj.* Do extremo norte da Terra; setentrional: "foram [os fenícios e cartagineses] ao incerto Ofir do Oceano Índico, e, em busca do estanho e do âmbar, às costas da Inglaterra e às praias hiperbóreas do Báltico." (Eduardo Prado, *Coletâneas,* III, p. 137.)
hiperbraquicefalia. *S. f.* Estado ou caráter de hiperbraquicéfalo.
hiperbraquicefálico. *Adj.* Relativo à hiperbraquicefalia.
hiperbraquicéfalo. [De *hiper-* + *braquicéfalo.*] *Adj.* e *s. m. Antrop.* Diz-se de, ou indivíduo cujo índice cefálico é superior a 86.
hipercalórico. [De *hiper-* + *calórico.*] *Adj.* De alto teor calórico. [Antôn.: *hipocalórico.*]
hipercapnia. [De *hiper-* + *-capn(o)-* + *-ia.*] *S. f. Patol.* Excesso de dióxido de carbono no sangue.
hipercarga. [De *hiper-* + *carga.*] *S. f. Fís. Nucl.* O dobro da carga média de um multipleto.
hipercataléctico. [Do gr. *hyperkatálektikós,* pelo lat. *hypercatalecticu.*] *Adj.* ~V. *verso* —. [Var.: *hipercataléctico.*]
hipercatalecto. [Do gr. *hyperkatálektos,* pelo lat. *hypercatalectu.*] *S. m.* Verso hipercataléctico.
hipercatalético. *Adj.* Var. de *hipercataléctico* [q. v.].
hiperceratose. [De *hiper-* + *-cerat(o)-* + *-ose.*] *S. f. Med.* **1.** Hipertrofia da camada córnea da pele. **2.** Hipertrofia da córnea.
hipercerebração. [De *hiper-* + *cerebração.*] *S. f.* Trabalho intelectual excessivo.
hipercinesia. [De *hiper-* + *-cines(i)-* + *-ia.*] *S. f. Patol.* Excesso anormal de função ou atividade motora; aumento de motilidade.
hipercinético. *Adj.* Relativo à hipercinesia.
hipercorreção. [De *hiper-* + *correção.*] *S. m.* V. *ultracorreção.*
hipercrinia. [De *hiper-* + *-crin(o)-* + *-ia.*] *S. f. Patol.* Secreção excessiva.
hipercrínico. *Adj.* Respeitante à hipercrinia.
hipercrítico. [De *hiper-* + *crítico.*] *S. m.* **1.** Crítico desapiedado; censor excessivo. ● *Adj.* **2.** Que critica com exagero.
hipercroma. [De *hiper-* + gr. *chrôma,* 'cor', 'pigmento'.] *S. m. Patol.* Excrescência carnosa junto à carúncula, no grande ângulo do olho.
hipercromático. *Adj.* Hipercrômico. ~ V. *lente —a.*
hipercromia. [De *hiper-* + *-crom(a)-* + *-ia.*] *S. f.* **1.** Aumento do conteúdo em pigmento de qualquer célula ou tecido. **2.** *Med.* Excesso de hemoglobina em hemácia.
hipercrômico. *Adj.* Relativo à hipercromia; hipercromático.
hipercubo. [De *hiper-* + *cubo.*] *S. m. Geom.* Num espaço a mais de três dimensões, poliedro com faces quadradas iguais.
hiperdesenvolvimento. [De *hiper-* + *desenvolvimento.*] *S. m.* Desenvolvimento excessivo. [Opõe-se a *hipodesenvolvimento.*]
hiperdolicocéfalo. [De *hiper-* + *dolicocéfalo.*] *Adj.* e *s. m. Anat.* Diz-se de, ou indivíduo cujo índice cefálico é inferior a 75,9.
hiperdosagem. [De *hiper-* + *dosagem.*] *S. f.* Dosagem acima do normal.
hiperdulia. [De *hiper-* + *dulia.*] *S. f. Teol.* Forma especial e excelente de culto aos santos, reservada, por isso, a Nossa Senhora: "O culto a Maria — a hiperdulia — quase constitui uma religião à parte no decorrer dos séculos XII e XIII." (Guedes de Miranda, *Eu e o Tempo,* p. 17.) [Cf. *dulia.*]
hiperemia. [De *hiper-* + *-(h)em(o)-* + *-ia.*] *S. f. Patol.* Superabundância de sangue em qualquer parte do corpo.
hiperêmico. *Adj.* Referente à, ou em que há hiperemia.
hiperergia. [De *hiper-* + *-erg(o)-*[1] + *-ia.*] *S. f. Med.* Hipersensibilidade a alérgeno.
hiperestático. [De *hiper-* + *estático.*] *Adj.* ~V. *estrutura —a.*
hiperestesia. [De *hiper-* + *estesia.*] *S. f. Med.* Sensibilidade excessiva a qualquer estímulo.
hiperestesiar. *V. t. d.* Produzir hiperestesia em.
hiperestésico. *Adj.* Relativo à hiperestesia.
hiperexcitabilidade. *S. f.* Qualidade de hiperexcitável; excitabilidade extrema.
hiperexcitável. [De *hiper-* + *excitável.*] *Adj. 2 g.* Excitável em extremo.
hiperfocal. [De *hiper-* + *focal.*] *Adj. 2 g.* ~V. *distância —.*
hiperforia. [De *hiper-* + *-for(o)-* + *-ia.*] *S. f. Med.* Tendência de um olho a desviar-se para cima, no sentido vertical.
hipergaláxia (cs). *S. f. Cosm.* Sistema que consiste numa galáxia espiral dominante que está envolvida por nuvens de galáxias satélites anãs, não raro elípticas. A nossa galáxia e a galáxia de Andrômeda constituem uma hipergaláxia.
hipergênese. [De *hiper-* + *gênese.*] *S. f.* V. *hipertrofia* (1).
hipergenético. *Adj.* Relativo à hipergênese.
hipergeométrico. [De *hiper-* + *geométrico.*] *Adj.* ~V. *série —a.*
hiperglicemia. [De *hiper-* + *glicemia.*] *S. f. Patol.* Aumento da taxa de glicose no sangue.
hiperglicêmico. *Adj.* Referente à hiperglicemia.
hiper-hedônico. [De *hiper-* + *hedônico.*] *Adj.* Relativo ao hiper-hedonismo. [Pl.: *hiper-hedônicos.*]
hiper-hedonismo. [De *hiper-* + *hedonismo.*] *S. m.* Hedonismo levado ao excesso. [Pl.: *hiper-hedonismos.*]
hiper-hidrose. [De *hiper-* + *hidrose.*] *S. f. Med.* Excessiva secreção de suor. [Pl.: *hiper-hidroses.* Cf. *anidrose.*]
hiper-humano. [De *hiper-* + *humano.*] *Adj.* Que é humano no mais alto grau. [Pl.: *hiper-humanos.*]
hiperinose. [De *hiper-* + gr. *ís, inós,* 'fibra' (= fibrina) + *-ose.*] *S. f. Patol.* Hiperinosemia.
hiperinosemia. [De *hiperinose* + *-(h)em(o)-* + *-ia.*] *S. f. Patol.* Excesso de fibrina no sangue; hiperinose.
hipermastigino. *S. m.* **1.** Espécime dos hipermastiginos. ● *Adj.* **2.** Pertencente ou relativo a eles.
hipermastiginos. *S. m. pl. Zool.* Animais protozoários, zoomastiginos, da ordem *Hipermastigina,* de corpo com estrutura complexa, com numerosos flagelos e corpos parabasais. São holozóicos, na maioria alimentando-se de madeira, e vivem em simbiose no intestino de cupins e baratas, insetos aos quais eles são indispensáveis para a digestão da celulose.
hipermenorréia. [De *hiper-* + *menorréia.*] *S. f. Patol.* Menstruação excessiva.
hipermercado. [De *hiper-* + *mercado.*] *S. m.* Supermercado de grandes proporções, onde, além das mercadorias comuns, se vendem eletrodomésticos, móveis, carros, etc.
hipermetria. *S. f. Liter.* Separação de elementos duma palavra composta, ou do verbo em relação ao pronome enclítico, ficando parte no fim de um verso e parte no começo do verso seguinte: "Ó anjos, dai- / Lhe a gentileza da mãe, / A inteligência do pai." (Manuel Bandeira, *Estrela da Vida Inteira,* p. 297.)
hipermétrico. *Adj.* Em que há hipermetria.
hipermetrope. *Adj. 2 g.* e *s. 2 g.* Que ou quem sofre de hipermetropia.
hipermetropia. [Do gr. *hypérmetro,* 'que excede a medida', + *-ope-* + *-ia.*] *S. f. Med.* Vício de refração em que os raios luminosos que entram no olho paralelamente ao eixo óptico são levados a um foco além da retina, dado o encurtamento ântero-posterior do globo ocular; hiperopia. [Cf. *miopia* (1).]
hipermiopia. [De *hiper-* + *miopia.*] *S. f. Med.* Miopia muito pronunciada.
hipermiópico. *Adj. Med.* Relativo à hipermiopia.
hipermnesia. *S. f.* Var. pros. de *hipermnésia.*
hipermnésia. [De *hiper-* + *-mnes(i)-* + *-ia.*] *S. f. Patol.* Exagero da capacidade de evocação das lembranças. [Var. pros.: *hipermnesia.*]
hipernúcleo. [De *hiper,* abrev. de *híperon,* + *núcleo.*] *S. m. Fís. Nucl.* Núcleo que contém um híperon em lugar de um núcleon.
híperon. [De *hiper* + *-on.*] *S. m. Fís. Nucl.* Qualquer partícula elementar cuja massa está compreendida entre a do nêutron e a do dêuteron.
hiperopia. [De *hiper-* + *-ope-* + *-ia.*] *S. f. Med.* Hipermetropia.
hiperorexia. (cs) [De *hiper-* + *-orex-* + *-ia.*] *S. f. Patol.* Apetite excessivo. [Cf. *bulimia.*]
hiperosmia. [De *hiper-* + *-osm(o)-*[1] + *-ia.*] *S. f. Med.* Estado de excitação anormal do olfato.
hiperósmico. *Adj.* Relativo à hiperosmia.
hiperosteose. [De *hiper-* + *-oste(o)-* + *-ose.*] *S. f. Med.* Hipertrofia óssea.
hiperpiese. [De *hiper-* + *-piese.*] *S. f. Med.* **1.** Pressão anormalmente alta. **2.** *P. ext.* Hipertensão arterial.
hiperpigmentado. [De *hiper-* + *pigmentado.*] *Adj.* Que tem excesso de pigmentação.
hiperplano. [De *hiper-* + *plano* (v. *plano coordenado*).]

S. m. *Geom. Anal.* Num espaço euclidiano a mais de três dimensões, o lugar geométrico dos pontos que obedecem a uma equação linear das coordenadas cartesianas.
hiperplasia. [De *hiper-* + *-plas(i)-* + *-ia.*] *S. f. Biol. Ger.* Crescimento exagerado de um órgão por proliferação exagerada das células; hipertrofia numérica.
hiper-rancoroso. [De *hiper-* + *rancoroso.*] *Adj.* Excessivamente rancoroso. [Pl.: *hiper-rancorosos.*]
hiper-rugoso. [De *hiper-* + *rugoso.*] *Adj.* Rugoso em excesso. [Pl.: *hiper-rugosos.*]
hipersalino. [De *hiper-* + *salino.*] *Adj.* Intensamente salino.
hipersarcose. [De *hiper-* + *-sarc(o)-* + *-ose.*] *S. f. Patol.* Formação excessiva de tecido de granulação [q. v.].
hipersecreção. [De *hiper-* + *secreção.*] *S. f.* Secreção excessiva.
hipersecretor (ô). [De *hiper-* + *secretor.*] *Adj.* Que tem ou provoca hipersecreção.
hipersemia. [De *hiper-* + *-sem(a)-* + *-ia.*] *S. f.* Exageração de sinais, na linguagem mímica.
hipersêmico. *Adj.* Relativo à hipersemia.
hipersensibilidade. *S. f.* Qualidade ou estado de hipersensível.
hipersensível. [De *hiper-* + *sensível.*] *Adj. 2 g.* Extremamente sensível; supersensível.
hipersexualismo (cs). [De *hiper-* + *sexualismo.*] *S. m. Med.* Tendência exagerada para as práticas sexuais. [Cf. *afrodisia, ninfomania* e *satiríase.*]
hipersistolia. [De *hiper-* + *sístole* + *-ia.*] *S. f. Patol.* Sístole excessiva.
hipersistólico. *Adj.* Referente à hipersistolia.
hipersônico. [De *hiper-* + *sônico.*] *Adj.* ~V. *velocidade* —*a.*
hipersonoridade. [De *hiper-* + *sonoridade.*] *S. f.* Sonoridade excessiva.
hiperstênio. [De *hiper-* + *-sten(o)-* + *-io*[2].] *S. m. Min.* Mineral ortorrômbico do grupo dos piroxênios, silicato de ferro e magnésio.
hiperstílico. [De *hiper-* + *-stilo-* + *-ico*[2].] *Adj. Morfol. Veg.* Que se insere por cima do estilete.
hiperstômico. [De *hiper-* + *-stoma-* + *-ico*[2].] *Adj. Morfol. Veg.* Que se insere por cima do orifício do cálice.
hipertensão. [De *hiper-* + *tensão.*] *S. f. Med.* Elevação, acima do normal, da pressão, no interior de um órgão ou de um sistema. [Antôn.: *hipotensão.* Cf. *normotensão.*] ♦ **Hipertensão arterial.** *Med.* Elevação, acima do normal, da pressão sanguínea dentro de rede arterial. **Hipertensão intracraniana.** *Med.* Elevação, acima do normal, da pressão exercida pelo líquido cefalorraquiano. **Hipertensão pulmonar.** *Med.* Elevação, acima do normal, da pressão sanguínea na pequena circulação. **Hipertensão renal.** *Med.* Hipertensão arterial que tem origem renal. **Hipertensão venosa.** *Med.* Elevação, acima do normal, da pressão sanguínea dentro da rede venosa.
hipertenso. [De *hiper-* + *tenso.*] *Adj.* e *s. m.* Que ou aquele que tem hipertensão. [Antôn.: *hipotenso.* Cf. *normotenso.*]
hipertensor (ô). [De *hiper-* + *tensor.*] *Adj.* e *s. m.* Diz-se de, ou medicamento que serve para elevar a tensão ou pressão arterial. [Antôn.: *hipotensor.*]
hipertermia. [De *hiper-* + *termia.*] *S. f.* Excessiva elevação de temperatura (no organismo). [Opõe-se a *hipotermia* (1).]
hipertérmico. *Adj.* Relativo à hipertermia.
hipértese. [Do gr. *hypértheses.*] *S. f. Gram.* V. *metátese* (1).
hipertonia. [Do gr. *hypértonos,* 'esticado em excesso', + *-ia.*] *S. f. Fisiol.* e *Med.* Aumento do tono.
hipertônico. *Adj.* **1.** Referente a hipertonia. **2.** *Med.* Espástico.
hipertrofia. [De *hiper-* + *-trof(o)-* + *-ia.*] *S. f. Med.* **1.** Crescimento exagerado de um órgão, de parte de um organismo, por aumento de tamanho das células; hipertrofia simples; hipergênese: *hipertrofia do coração.* **2.** *Fig.* Desenvolvimento ou aumento excessivo: "Foi a *hipertrofia* da intervenção do Estado nas relações sociais, cada dia mais pronunciada, ... que determinou, através das leis, esse alargamento do campo da advocacia." (Neemias Gueiros, *A Advocacia e o Seu Estatuto,* p. 89). ♦ **Hipertrofia numérica.** Hiperplasia. **Hipertrofia simples.** *Med* V. *hipertrofia* (1).
hipertrofiar. *V. t. d.* Produzir hipertrofia em.
hipertrófico. *Adj.* Relativo à hipertrofia.
hiperurbanismo. [De *hiper-* + *urbano* + *-ismo.*] *S. m. Gram.* V. *ultracorreção.*
hiperuricemia. [De *hiper-* + *uricemia.*] *S. f. Med.* Quantidade acima da normal de ácido úrico no sangue.
hipervolemia. [De *hiper-* + *volemia.*] *S. f. Patol.* Aumento do volume sanguíneo.
hipestesia. [De *hip(o)-*[1] + *estesia.*] *S. f.* Diminuição geral da sensibilidade; hipoestesia.
hipiatria. [Do gr. *hyppiatría.*] *S. f.* **1.** Especialidade da medicina veterinária que trata dos cavalos. **2.** *P. ext.* Aquilo que diz respeito a cavalos.
hipiátrico. *Adj.* Relativo à hipiatria, ou a cavalos.
hipiatro. [Do gr. *hyppiatrós.*] *S. m.* Veterinário (2).
hípico. [Do gr. *hyppikós.*] *Adj.* Relativo ao hipismo ou a cavalos.
hipídeo. *S. m.* **1.** Espécime dos hipídeos. ● *Adj.* **2.** Pertencente ou relativo a eles.
hipídeos. *S. m. pl. Zool.* Família de crustáceos da ordem dos decápodes (ordem dos *Anomuros.*) [V. *tatuí.*]
hipidiomórfico. [De *hip(o)-*[1] + *idiomórfico.*] *Adj.* ~V. *textura* — *a.*
hipinose. [De *hip(o)-*[1] + *-in(o)-* + *-ose.*] *S. f. Patol.* Hipoinosemia. [Cf. *hipnose.*]
hipinótico. *Adj.* Relativo à hipinose. [Cf. *hipnótico.*]
hipismo. [De *hip(o)-*[2] + *-ismo.*] *S. m.* **1.** O esporte das corridas de cavalos; turfe. **2.** Provas de equitação.
hipista. *S. 2 g.* Pessoa dada ao hipismo.
hipnagógico. [De *hipn(o)-* + *-agog(o)-* + *-ico*[2].] *Adj.* **1.** V. *hipnótico* (2). **2.** Diz-de das alucinações e visões que se têm ao cair no sono.
hipniatria. [De *hipn(o)-* + *-iatria.*] *S. f.* O suposto método de cura do hipniatro.
hipniátrico. *Adj.* Relativo à hipniatria.
hipniatro. [De *hipn(o)-* + *-iatro.*] *S. m.* Indivíduo que em estado hipnótico prescreve tratamento para a cura de doenças.
▲**hipn(o)-.** [Do gr. *hýpnos, ou.*] *El. comp.* = 'sono': *hipnofobia, hipnose.* [Equiv.: *-ipn(o)-*: *euipnia.*]
hipnoblepsia. [De *hipn(o)-* + *-bleps-* + *-ia.*] *S. f.* Sonambulismo lúcido.
hipnofobia. [De *hipn(o)-* + *-fob(o)-* + *-ia.*] *S. f. Med.* **1.** Medo de dormir. **2.** Terror ou medo durante o sono.
hipnófobo. *S. m.* Aquele que sofre de hipnofobia.
hipnofone. [De *hipn(o)-* + *-fone.*] *S. m.* Aquele que fala durante o sono. [Var.: *hipnofono.*]
hipnofono. [De *hipn(o)-* + *-fono.*] *S. m.* Var. de *hipnofone.*
hipnógeno. [De *hipn(o)-* + *-geno*[1].] *Adj.* e *s. m.* V. *hipnótico* (2 e 3).
hipnografia. [De *hipn(o)-* + *-graf(o)-* + *-ia.*] *S. f.* Descrição do sono.
hipnográfico. *Adj.* Referente à hipnografia.
hipnologia. [De *hipn(o)-* + *-log(o)-* + *-ia.*] *S. f.* Tratado acerca do sono e seus efeitos.
hipnológico. *Adj.* Relativo à hipnologia.
hipnose. [De *hipn(o)-* + *-ose.*] *S. f.* **1.** Estado mental semelhante ao sono, provocado artificialmente, e no qual o indivíduo continua capaz de obedecer às sugestões feitas pelo hipnotizador. **2.** *Fig.* Modorra, sonolência, torpor. [Cf. *hipinose.*]
hipnosia. [De *hipnose* + *-ia.*] *S. f. Patol.* Sonolência incontrolável.
hipnósporo. [De *hipn(o)-* + *-sporo.*] *S. m. Citol.* Esporo que se envolve numa membrana espessa e atravessa um período de repouso, até que as condições ambientes sejam favoráveis à sua germinação.
hipnótico. [Do gr. *hypnotikós.*] *Adj.* **1.** Relativo à hipnose. **2.** Que produz sono; hipnagógico, hipnógeno, sonífero. ~ V. *sugestão* —*a* e *transe* —. ● *S. m.* **3.** Substância hipnótica (2); hipnógeno, sonífero. [Cf. *hipinótico.*]
hipnotismo. [Do ingl. *hypnotism,* pelo fr. *hypnotisme.*] *S. m.* **1.** Conjunto de processos físicos ou psíquicos utilizados para produzir a hipnose. **2.** Ciência que trata dos fenômenos hipnóticos.
hipnotização. *S. f.* Ação ou efeito de hipnotizar.
hipnotizador (ô). *S. m.* Aquele que hipnotiza.
hipnotizar. [Do fr. *hypnotiser.*] *V. t. d.* **1.** Fazer cair em hipnose. **2.** Magnetizar, atrair, encantar, fascinar: *Os encantos dela hipnotizaram o jovem. P.* **3.** *Fig.* Concentrar a atenção, as esperanças, em.
hipnotizável. *Adj. 2 g.* Que pode ser hipnotizado.
hipnozigoto (ô). [Do gr. *hypnos* + *zigoto.*] *S. m. Morfol. Veg.* Zigoto que passa por um período de vida latente antes de germinar.
hipo. *S. m. Fot.* O tiossulfato (hipossulfito) de sódio, usado como redutor em fotografia.
▲**hip(o)-**[1]. [Do gr. *hypó.*] *Pref.* = 'posição inferior'; 'escassez': *hipoderme, hipoacusia; hipanto.*
▲**hip(o)-**[2]. [Do gr. *híppos, ou.*] *El. comp.* = 'cavalo': *hipófago; hipismo.*
hipoabissal. [De *hip(o)-*[1] + *abissal.*] *Adj. 2 g.* Hipabissal.
hipoacusia. *S. f. Patol.* V. *hipacusia.*
hipoacústico. *Adj.* V. *hipacústico.*
hipoalbuminemia. [De *hip(o)-*[1] + *albumina* + *-(h)em(o)-* + *-ia.*] *S. f. Patol.* Teor anormalmente baixo de albumina no sangue.
hipoalbuminose. [De *hip(o)-*[1] + *albumina* + *-ose.*] *S. f.* Condição caracterizada por baixa de albumina.
hipoalgesia. [De *hip(o)-*[1] + *-alges(i)-* + *-ia.*] *S. f.* V. *hipalgesia.*
hipoalgia. [De *hip(o)-*[2] + *alg(o)*[2] + *-ia.*] *S. f.* V. *hipalgia.*
hipobrânquio. [De *hip(o)-*[1] + *brânquio.*] *Adj. Zool.* Que tem as brânquias por baixo do corpo.
hipobromito. *S. m. Quím.* Designação genérica de sais que têm a fórmula geral MBrO.
hipocalórico. [De *hip(o)-*[1] + *calórico.*] *Adj.* De baixo teor calórico: *dieta hipocalórica.* [Antôn.: *hipercalórico.*]
hipocampo. [Do gr. *hippocampos,* pelo lat. *hyppocampu.*] *S. m.* **1.** V. *cavalo-marinho* (3 e 4). **2.** *Mitol.* Monstro fabuloso, metade cavalo, metade peixe. **3.** *Anat.* Estrutura curva existente na parte medial do soalho do corno inferior de ventrículo lateral cerebral.
hipocapnia. [De *hip(o)-*[1] + *-capn(o)-* + *-ia.*] *S. f. Patol.* Deficiência de dióxido de carbono no sangue.
hipocarpo. [De *hip(o)-*[1] + *-carpo.*] *S. m. Morfol. Veg.* Ápice intumescido do pedículo de um fruto, como o do caju.
hipocastanácea. *S. f.* Espécime das hipocastanáceas.
hipocastanáceas. *S. f. pl. Bot.* Família de plantas superiores, da ordem das sapindales, que engloba arbustos e árvores de folhas digitadas e flores vistosas, e consta de apenas umas 18 espécies, do Velho Mundo.
hipocastanáceo. *Adj.* Pertencente ou relativo às hipocastanáceas.
hipocentro. [De *hip(o)-*[1] + *centro.*] *S. m. Geol.* Região do interior da crosta terrestre donde parte o terremoto.
hipociclóide. [De *hip(o)-*[1] + *ciclóide.*] *S. f. Geom.* Curva plana descrita por um ponto fixo de uma circunferência que rola, sem deslizar, sobre outra circunferência fixa no mesmo plano, e internamente a ela.
hipocinesia. [De *hip(o)-*[1] + *-cines(i)-* + *-ia.*] *S. f. Patol.* Diminuição anormal de função ou atividade motora; diminuição anormal da mobilidade.
hipoclorina. [De *hipoclor(ito)* + *-ina*[1].] *S. f.* Solução de hipoclorito de sódio empregada como anti-séptico e germicida.
hipoclorito. [De *hip(o)-*[1] + *clorito.*] *S. m. Quím.* Qualquer sal cujo aníon é um grupamento monovalente ClO^-.
hipocofose. [De *hip(o)-*[1] + *cofose.*] *S. f. Med.* Surdez incompleta.
hipocondria. [De *hipocôndrio* + *-ia.*] *S. f. Patol.* **1.** Afecção mental em que há depressão e preocupação obsessiva com o próprio estado de saúde: o doente, por efeito de sensações subjetivas, julga-se preso a condições mórbidas na realidade inexistentes e passa a procurar, permanentemente, tratamentos que, além de descabidos, são muitas vezes perigosos (medicações, intervenções cirúrgicas, etc.). [Sin., desus.: *nosomania.*] **2.** Tristeza profunda; melancolia: "Era um acesso de *hipocondria*, uma invasão de tristeza negra, biliosa" (Camilo Castelo Branco, *Serões de São Miguel de Ceide,* I, p. 35).
hipocondríaco. [Do gr. *hypochondriakós.*] *Adj.* **1.** Relativo à, ou que tem hipocondria. ● *S. m.* **2.** Aquele que sofre de hipocondria.
hipocôndrio. [De gr. *hypochóndrion,* pelo lat. *hypochondriu.*] *S. m. Anat.* Cada uma de duas regiões abdominais laterais, direta e esquerda, e superiores.
hipocorístico. [Do gr. *hypochoristikós* (subentende-se *ónoma*), 'nome de carinho'.] *Adj.* e *s. m.* Diz-se de, ou vocábulo familiar carinhoso: *Bibi, Didi, Lulu, Vavá, Zezé, Zezinho;* "Sei de uma família onde há três *Lúcias,* mãe, filha e neta: a filha tem o *hipocorístico Lulu,* a neta o diminutivo *Lucita.*" (Leite de Vasconcelos, *Antroponímia Portuguesa.* p. 491.)
hipocotilar. *Adj. 2 g.* Relativo ao hipocótilo.
hipocótilo. [De *hip(o)-*[1] + *-cotilo.*] *S. m. Morfol. Veg.* Parte do eixo do embrião ou da plântula germinante que se acha abaixo da inserção dos cotilédones. [Sin., desus.: *caulículo.*]
hipocrateácea. *S. f.* Espécime das hipocrateáceas.
hipocrateáceas. *S. f. pl. Bot.* Família de vegetais floríferos, da ordem das sapindales, composta de arbustos e cipós com folhas alternas, flores pouco aparentes, androceu de três estames, ovário multiovulado, e fruto magno, piriforme ou alado. É essencialmente tropical, representada no Brasil, entre outras, pela castanha-mineira (*Salacia brachypoda*), cujas sementes, amargas, são apreciadas como estomáquico.

hipocrateáceo. *Adj.* Pertencente ou relativo às hipocrateáceas.

hipocrático. [Do lat. *hyppocraticu.*] *Adj.* **1.** Pertencente ou relativo a Hipócrates, célebre médico da Grécia antiga (460-377 a. C.), ou próprio dele ou de sua doutrina. **2.** Que é partidário da doutrina de Hipócrates. ~V. *dedo—, face—a* e *juramento—.*

hipocraz. [Do fr. *hypocras.*] *S. m.* Infusão de canela, açúcar, etc., em vinho.

hipocrênico. [Do gr. *Hippokrené*, 'Hipocrene', + *-ico*^{2}.] *Adj.* De, ou pertencente ou relativo a Hipocrene, fonte do monte Hélicon (Beócia, Grécia), consagrada às musas.

hipocrisia. [Do gr. *hypocrisía*, pelo lat. *hypocrise* + *-ia.*] *S. f.* **1.** Afetação duma virtude, dum sentimento louvável que não se tem. **2.** Impostura, fingimento, simulação, falsidade. **3.** Falsa devoção.

hipócrita. [Do gr. *hypokrités*, 'ator', pelo lat. *hypocrita.*] *Adj. 2 g.* **1.** Que tem, ou em que há hipocrisia: *moço hipócrita; sorriso hipócrita.* ● *S. 2 g.* **2.** Pessoa hipócrita.

hipodáctilo. [De *hip(o)-*^{1} + *dá(c)tilo.*] *S. m. Zool.* A parte inferior dos dedos das aves. [Var.: *hipodátilo.*]

hipodátilo. *S. m. Zool.* Var. de *hipodáctilo.*

hipoderme. [De *hip(o)-*^{1} + *-derma*, por analogia com *epiderme.*] ● *S. f.* **1.** Tecido situado abaixo da derme. **2.** *Anat. Veg.* Camada celular subepidérmica e nitidamente distinta do parênquima cortical subjacente.

hipodérmico. [De *hipoderme* + *-ico*^{2}.] *Adj.* **1.** Que está por baixo da pele. **2.** Que se dá ou aplica por baixo da pele: *injeção hipodérmica.* **3.** Relativo à hipoderme.

hipodesenvolvimento. [De *hip(o)-*^{1} + *desenvolvimento.*] *S. m.* Desenvolvimento insuficiente. [Opõe-se a *hiperdesenvolvimento.* Cf. *subdesenvolvimento.*]

hipodromia. [Do gr. *hippodromía.*] *S. f.* **1.** Arte de dirigir corridas de cavalos. **2.** Arte de correr a cavalo.

hipodrômico. *Adj.* Relativo à hipodromia.

hipódromo. [Do gr. *hippódromos*, pelo lat. *hippodromos.*] *S. m.* Local onde se realizam corridas de cavalos; prado.

hipoema. *S. m. Patol.* V. *hifema.*

hipoemia. *S. f. Patol.* V. *hifemia.*

hipoestesia. *S. f.* V. *hipestesia.*

hipofagia^{1}. [De *hip(o)-*^{1} + *-fag(o)-* + *-ia.*] *S. f. Med.* Ingestão de quantidade insuficiente de alimentos.

hipofagia^{2}. [De *hip(o)-*^{2} + *-fag(o)-*^{1} + *-ia.*] *S. f.* Ato ou hábito de alimentar-se com carne de cavalo.

hipofágico. *Adj.* Referente à hipofagia.

hipófago. *Adj.* e *s. m.* Que ou aquele que pratica a hipofagia.

hipófase. [Do gr. *hypóphasis*, 'ação de entreabrir'.] *S. f. Med.* Estado de semi-abertura dos olhos, em que apenas se vê parte da esclerótica.

hipófise. [Do gr. *hypóphisis.*] *S. f. Anat.* Glândula de secreção interna, de funções múltiplas, situada no crânio, sob a face inferior do cérebro; pituitária, glândula pituitária.

hipofleódico. *Adj. Ecol. Veg.* Diz-se do líquen que habita sob a casca das árvores.

hipófora. [Do gr. *hypophorá.*] *S. f. Patol.* Úlcera profunda e fistulosa.

hipofosfito. *S. m. Quím.* Designação genérica de sais com a fórmula MH_2PO_2.

hipoftalmídeo. *S. m.* **1.** Espécime dos hipoftalmídeos. ● *Adj.* **2.** Pertencente ou relativo a eles.

hipoftalmídeos. *S. m. pl. Zool.* Família de peixes teleósteos, de água doce, comuns nos rios da Amazônia, com olhos pequenos situados sobre a articulação mandibular. Ex.: o mapará.

hipogástrico. *Adj.* Relativo ou pertencente ao hipogástrio.

hipogástrio. [Do gr. *hypogástrion.*] *S. m. Anat.* V. *região hipogástrica.*

hipogeu. [Do gr. *hypogeîon*, pelo lat. *hypogeu.*] *S. m.* Escavação subterrânea onde os antigos enterravam os seus mortos.

hipógino. [De *hip(o)-*^{1} + *-gino.*] *Adj. Morfol. Veg.* Diz-se da flor ou da peça floral que se insere debaixo do ovário. [Opõe-se a *epígino.*]

hipoglicemia. [De *hip(o)-*^{1} + *glicemia.*] *S. f. Med.* Taxa de glicose no sangue abaixo da normal.

hipoglicemiante. *Adj. 2 g.* e *s. m. Bot.* e *Med.* Diz-se de, ou droga ou substância que tem a propriedade de reduzir a concentração de glicose no sangue e pode ser usada como antidiabético.

hipoglicêmico. *Adj.* Relativo à hipoglicemia.

hipoglossa. [Do gr. *hypóglosson*, pelo lat. *hypoglossa.*] *S. f.* Espécie de aspargo.

hipoglosso. [Do gr. *hypóglossos.*] *Anat. Adj.* **1.** Situado sob a língua. ~ V. *nervo—.* ● *S. m.* **2.** Cada um dos dois nervos que compõem o décimo segundo par de nervos cranianos, e que inerva músculos da língua e da região infra-hióidea.

hipógnata. *Adj. 2 g. Zool.* V. *hipógnato.*

hipógnato. [De *hip(o)-*^{1} + *-gnato.*] *Adj. Zool.* Diz-se das aves que têm a parte inferior do bico projetada em relação à superior.

hipogrifo. [De *hip(o)-*^{2} + *grifo.*] *S. m.* Animal fabuloso, monstro alado, metade cavalo, metade grifo: "Da brenha louca saíram então a correr .... mastins vários de todas as cores e feitios, e, de mistura, *hipogrifos*, licornes, dragões alados" (Aquilino Ribeiro, *Estrada de Santiago*, pp. 312-313).

hipoinosemia (o-i). [De *hip(o)-*^{1} + *-in(o)-* + *-(h)em(o)-* + *-ia.*] *S. f. Patol.* Conteúdo anormalmente baixo de fibrina no sangue; hipinose.

hipólito. [De *hip(o)-*^{2} + *-lito.*] *S. m.* Pedra amarela que se encontra na vesícula biliar e nos intestinos do cavalo, e de uso na antiga farmacopéia.

hipologia. [De *hip(o)-*^{2} + *-log(o)-* + *-ia.*] *S. f.* Tratado ou estudo acerca do cavalo.

hipológico. *Adj.* Referente à hipologia.

hipólogo. *S. m.* Especialista em hipologia.

hipomancia. [De *hip(o)-*^{2} + *-mancia.*] *S. f.* Entre os antigos, arte de adivinhar pelos relinchos e movimentos dos cavalos consagrados.

hipomania. [Do gr. *hippomanía.*] *S. f.* **1.** Paixão pelos cavalos. **2.** *Veter.* Espécie de frenesi que por vezes acomete os cavalos.

hipomaníaco. *Adj.* e *s. m.* Que ou aquele que tem hipomania.

hipomante. [De *hip(o)-*^{2} + *-mante.*] *S. 2 g.* Pessoa que pratica a hipomancia.

hipomântico. *Adj.* Relativo à hipomancia, ou a hipomante.

hipômetro. [De *hip(o)-*^{2} + *-metro.*] *S. m.* Instrumento de veterinária utilizado para medir a altura dos cavalos.

hipomotilidade. [De *hip(o)-*^{1} + *motilidade.*] *S. f. Med.* Mobilidade deficiente.

hipomóvel. [De *hip(o)-*^{2} + *móvel.*] *Adj. 2 g.* e *s. m.* Diz-se de, ou veículo de tração animal.

hipopatologia. [De *hip(o)-*^{2} + *patologia.*] *S. f. Veter.* Patologia do cavalo.

hipopatológico. *Adj.* Referente à hipopatologia.

hipopédia. *S. f. Geom.* Lugar geométrico da interseção de uma superfície cilíndrica circular com uma superfície esférica que lhe é tangente num ponto.

hipopetalia. *S. f. Morfol. Veg.* Estado de órgão hipopétalo.

hipopétalo. [De *hip(o)-*^{1} + *-pétalo.*] *Adj. Morfol. Veg.* Diz-se de órgão que tem inserção sob as pétalas.

hipopiese. [De *hip(o)-*^{1} + *-piese.*] *S. f. Med.* **1.** Pressão anormalmente baixa. **2.** *P. ext.* Pressão arterial anormalmente baixa; hipotensão arterial.

hipopígio. [De *hip(o)-*^{1} + *-pig(e)-* + *-io*^{2}.] *S. m. Zool.* **1.** Placa inferior da abertura anal dos insetos. **2.** Conjunto dos órgãos sexuais masculinos e dos segmentos terminais do abdome dos dípteros.

hipópio. [Do gr. *hypopion*, pelo lat. *hypopiu.*] *S. m. Patol.* Derrame purulento na câmara anterior do olho.

hipópion. *S. m. Patol.* V. *hipópio.*

hipoplasia. [De *hip(o)-*^{1} + *-plas(i)-* + *-ia.*] *S. f.* Subdesenvolvimento de um órgão por efeito de redução da proliferação celular.

hipoplástico. *Adj.* Referente à hipoplasia.

hipópode. [De *hip(o)-*^{2} + *-pode.*] *Adj. 2 g.* e *s. 2 g. Poét.* Que, ou ser que tem pés de cavalo.

hipopotâmico. *Adj. Bras.* **1.** Semelhante ao hipopótamo. **2.** Extremamente gordo; obeso.

hipopótamo. [Do gr. *hippopótamos*, pelo lat. *hippopotamu.*] *S. m.* **1.** Mamífero paquiderme que habita as margens dos rios africanos. **2.** *Fig.* V. *gordo* (11).

hiporquema. [Do gr. *hyporchema.*] *S. m. Teat.* Texto lírico composto de pequenos versos, que se destinava a acompanhar as danças dramáticas em honra a Apolo ou a Dioniso, as quais constituem uma das manifestações precursoras do teatro grego.

hiposcênio. [Do gr. *hyposkenion.*] *S. m. Teat.* **1.** Nos antigos teatros gregos e romanos, a parte inferior do palco, abaixo da cena ou do proscênio. **2.** Muro dianteiro em que se apoiava o proscênio, nos teatros da Antiguidade, em geral decorado de colunas e estátuas. **3.** Espaço que, naqueles teatros, circundava a cena e o proscênio, ao nível do chão; orquestra.

hiposfagma. [Do gr. *hypósphagma.*] *S. m.* Equimose da conjuntiva ocular.

hiposmia. [De *hip(o)-*^{1} + *-osm(o)-* + *-ia.*] *S. f. Med.* Diminuição da faculdade olfativa.

hipospadia. [Do gr. *hypospádias*, 'que tem a uretra curta'.] *S. f. Patol.* Desenvolvimento insuficiente da uretra em seu trajeto peniano, do qual resulta a abertura anormal desta na face ventral do pênis ou no períneo; esta malformação observa-se, também, na mulher, abrindo-se a uretra na vagina.

hipospado. *S. m.* Aquele que apresenta hipospadia.

hipossistolia. [De *hip(o)-*^{1} + *sístole* + *-ia.*] *S. f. Patol.* Diminuição da sístole.

hipossuficiente. [De *hip(o)-*^{1} + *suficiente.*] *Adj. 2 g.* e *s. 2 g. Jur.* Diz-se de, ou pessoa que é economicamente fraca, que não é auto-suficiente.

hipossulfito. *S. m. Quím.* Tiossulfato.

hipostaminado. [De *hip(o)-*^{1} + *-stamin(e)-* + *-ado*^{1}.] *Adj. Morfol. Veg.* Cujos estames se acham insertos abaixo do ovário.

hipostaminia. [De *hip(o)-*^{1} + *-stamin(e)-* + *-ia.*] *S. f. Morfol. Veg.* Estados de uma planta que tem estames hipóginos.

hipóstase. [Do gr. *hypóstasis*, pelo lat. *hypostase.*] *S. f.* **1.** *Med.* Depósito ou sedimento em matéria orgânica como, p. ex., na urina. [Sin., pop.: *sarro.*] **2.** *Med.* Retardamento circulatório nas regiões anatômicas em declive. **3.** *Filos.* V. *substância* (9). **4.** *Filos.* Ficção ou abstração falsamente considerada como real.

hipostasiar-se. *V. p. Filos.* Constituir-se em substância (9).

hipostático. [Do gr. *hypostatikós.*] *Adj.* Referente à hipóstase. ~ V. *união —a.*

hipostenia. [De *hip(o)-*^{1} + *-sten(o)-* + *-ia.*] *S. f. Patol.* Diminuição de forças; enfraquecimento.

hipostênico. *Adj.* Referente à hipostenia.

hipostilo. [Do gr. *hypóstylos.*] *Adj.* **1.** Diz-se de um compartimento cujo teto é sustentado por colunas. ● *S. m.* **2.** Teto sustentado por colunas: "Maiandéua, cidade encantada, jardins de Cusco, metrópoles do Oriente, de *hipostilos* e coruchéus" (Alberto Rangel, *Lume e Cinza*, p. 102).

hipostomídeo. *S. m.* **1.** Espécime dos hipostomídeos. ● *Adj.* **2.** Pertencente ou relativo a eles.

hipostomídeos. *S. m. pl. Zool.* Animais da classe dos peixes, neopterígios, ordem *Hypostomides*, de porte reduzido, com o corpo completamente coberto de placas ósseas, a porção superior do focinho prolongada em rostro, e sem bexiga natatória.

hipotalâmico. *Adj.* Relativo ao hipotálamo.

hipotálamo. [De *hip(o)-*^{1} + *tálamo.*] *S. m. Anat.* Parte do diencéfalo que forma o soalho e parte das paredes laterais do terceiro ventrículo, exercendo os núcleos desta área controle sobre atividades das mais importantes do organismo, tais como sono, metabolismo da água, temperatura corporal, etc.

hipotalássico. [De *hip(o)-*^{1} + *-talass(o)-* + *-ico*^{2}.] *Adj.* Que se efetua debaixo da água do mar; submarino: *navegação hipotalássica.*

hipotalo. *S. m. Morfol. Veg.* Camada cortical do talo de muitos liquens, de coloração negra e que pode levar rizinas.

hipotaxe (cs). [De *hip(o)-*^{1} + *-taxe.*] *S. f. Gram.* Relação sintática entre orações expressa por meio de um conectivo de natureza coordenativa ou subordinativa. [Cf. *parataxe.*]

hipoteca. [Do gr. *hypothéke*, 'suporte', 'pedestal garantia', pelo lat. *hypotheca.*] *S. f.* **1.** Sujeição de bens imóveis, navios ou aeronaves ao pagamento de uma dívida, sem se transferir ao credor a posse do bem gravado. [Cf. *anticrese.*] **2.** Dívida resultante dessa sujeição. **3.** Direito ou privilégio que têm certos credores, dadas certas condições, de ser pagos pelo valor de certos bens imóveis do devedor, preferentemente a outros credores.

hipotecar. *V. t. d.* **1.** Sujeitar à hipoteca; onerar com hipoteca. *T. d.* e *i.* **2.** Sujeitar à hipoteca; onerar com hipoteca: *Hipotecou o sítio a um banco.* **3.** *Fig.* Garantir, assegurar: "passou um entusiasmado telegrama ao Dr. Cesário Alvim, ... *hipotecando*-lhe irrestrita solidariedade" (Antônio Celso, *Rua do Quenta-Sol*, pp. 30-31). [Conjug.: v. *trancar.* Fut. pret.. *hipotecaria*, etc. Cf. hipotecária, fem. de *hipotecário.*]

hipotecário. [Do lat. *hypothecariu.*] *Adj.* Relativo à hipoteca. [Fem.: *hipotecária.* Cf. *hipotecaria*, do v. *hipotecar.*] ~ V. *cédula —a* e *letra —a.*

hipotécio. [Do gr. *hypothéke*, 'base, pedestal', + *-io*^{2}.] *S. m. Micol.* Camada subimenial do apotécio dos liquens, que se prolonga lateralmente, formando o pratécio.

hipotênar. [Do gr. *hypothénar.*] *S. m. Anat.* Saliência existente na parte interna da palma da mão, na direção

do dedo mínimo. [Var. pros.: *hipótenar*. Pl. de ambas as f.: *hipotênares*.]
hipotênar. *S. m. Anat.* Hipotênar. [Pl.: *hipotênares*.]
hipotensão. [De *hip(o)-*[1] + *tensão*.] *S. f. Med.* Diminuição, abaixo do normal, da pressão, no interior de um órgão ou de um sistema. [Antôn.: *hipertensão*. Cf. *normotensão*. ◆ **Hipotensão arterial.** *Med.* Diminuição, abaixo do normal, da pressão sanguínea dentro de rede arterial. **Hipotensão venosa.** *Med.* Diminuição, abaixo do normal, da pressão sanguínea dentro de rede venosa.
hipotenso. [De *hip(o)-*[1] + *tenso*.] *Adj.* e *s. m.* Que ou aquele que tem hipotensão. [Antôn.: *hipertenso*. Cf. *normotenso*.]
hipotensor (ô). [De *hip(o)-*[1] + *tensor*.] *Adj.* e *s. m.* Diz-se de, ou medicamento que serve para baixar a tensão ou pressão arterial. [Antôn.: *hipertensor*.]
hipotenusa. [Do gr. *hypoteínousa* (subentende-se *grammé*), 'linha estendida por baixo'.] *S. f. Geom.* Lado oposto ao ângulo reto de um triângulo retângulo.
hipotermal. [De *hip(o)-*[1] + *termal*.] *Adj. Geol.* Diz-se de um depósito mineral de origem hidrotermal diretamente ligado a atividades magmáticas, e formado em condições de alta pressão e alta temperatura.
hipotermia. [De *hip(o)-*[1] + *term(o)-* + *-ia*.] *S. f. Med.* **1.** Diminuição excessiva da temperatura normal do corpo. [Opõe-se a *hipertermia*.] **2.** *Terap.* Método de cura de vários estados mórbidos por meio do frio.
hipótese. [Do gr. *hypóthesis*, pelo lat. *hypothese*.] *S. f.* **1.** Suposição, conjetura: *formular* h i p ó t e s e s. **2.** Acontecimento incerto; eventualidade; caso: *Na* h i p ó t e s e *de sua candidatura, avise-nos*. **3.** *Filos.* Suposição duvidosa, mas não improvável, relativa a fenômenos naturais, pela qual se antecipa um conhecimento, e que poderá ser posteriormente confirmada direta ou indiretamente; hipótese heurística. **4.** *Filos.* Proposição que se admite de modo provisório como princípio do qual se pode deduzir um conjunto dado de proposições. **5.** *Filos.* Proposições ou conjunto de proposições que antecede outras, servindo-lhes de fundamento. ◆ **Hipótese ergódica.** *Fís.* Qualquer hipótese que permita provar a coincidência entre a média de uma variável de um sistema termodinâmico fechado tomada sobre o tempo e a média da mesma variável calculada no espaço de fase. **Hipótese heurística.** *Filos.* Hipótese (3).
hipotético. [Do gr. *hypothetikós*, pelo lat. *hypotheticu*.] *Adj.* **1.** Fundado em hipótese: *raciocínio* h i p o t é t i c o. **2.** Duvidoso, incerto: *Aquela reconciliação é* h i p o t é t i c a. ~ V. *imperativo* —, *juízo* —, *paralaxe* — e *silogismo* —.
hipotético-dedutivo. *Adj.* ~ V. *método* —. [Pl.: *hipotético-dedutivos*.]
hipótipo. [De *hip(o)-*[1] + *tipo*.] *S. m. Biol.* Espécime considerado representativo de nova espécie, após o estabelecimento do holótipo.
hipotipose. [Do gr. *hypotyposis*, 'imagem', pelo lat. *hypotypose*.] *S. f. Ret.* Descrição tão viva e animada de um objeto ou de uma ação, que apresenta à vista o que pretende significar.
hipotomia. [De *hip(o)-*[2] + *-tom(o)-* + *-ia*.] *S. f.* Anatomia do cavalo.
hipotômico. *Adj.* Referente à hipotomia.
hipotonia. [De *hip(o)-*[1] + *-ton(o)-* + *-ia*.] *S. f. Med.* Diminuição de tono.
hipotônico. *Adj.* Relativo à hipotonia.
hipotremado. *S. m.* **1.** Espécime dos hipotremados. ● *Adj.* **2.** Pertencente ou relativo a eles. [Sin. ger.: *batóideo* e *rajido*.]
hipotremados. *S. m. pl. Zool.* Animais cordados, elasmobrânquios, seláquios, subordem *Hypotremata*, de corpo achatado, sem nadadeira anal, e com fendas branquiais situadas na face ventral das grandes nadadeiras peitorais; locomoção por meio das nadadeiras peitorais. São as raias em geral. [Sin.: *batóideos* e *rajidos*.]
hipotríquio. *S. m.* **1.** Espécime dos hipotríquios. ● *Adj.* **2.** Pertencente ou relativo a eles.
hipotríquios. *S. m. pl. Zool.* Animais protozoários ciliados, de corpo geralmente achatado, providos de cirros para locomoção, localizados no lado ventral ou inferior.
hipotrocóide. [De *hip(o)-*[1] + *trocóide*.] *S. f. Geom.* Curva plana descrita por um ponto rigidamente ligado a um círculo que rola, sem deslizar, sobre e internamente a outro círculo fixo do mesmo plano.
hipotrofia. [De *hip(o)-*[1] + *-trof(o)-* + *-ia*.] *S. f. Patol.* V. *abiotrofia*.
hipovolemia. [De *hip(o)-*[1] + *volemia*.] *S. f. Patol.* Diminuição do volume sanguíneo.
hipoxia (cs). [De *hip(o)-*[1] + *-ox(i)-* + *-ia*.] *S. f. Med.* Baixo teor de oxigênio; anoxia. [Var. pros.: *hipóxia*.]
hipóxia (cs). *S. f. Med.* Var. pros. de *hipoxia*.
➧**hippie** (rípi). [Ingl.] *S. 2 g.* **1.** Membro de um grupo não-conformista, caracterizado pelo rompimento com a sociedade tradicional, em especialmente no que respeita à aparência pessoal e aos hábitos de vida, e por um enfático ideal de paz e amor universal. ● *Adj. 2 g.* e *2 n.* **2.** Relativo ou pertencente aos, ou próprio dos *hippies*: *moda* h i p p i e; *comunidade* h i p p i e.
hipsilo. *S. m.* A 20ª letra do alfabeto grego (Y, υ). [Pl.: *hipsilos* ou *yy*. A f. de uso corrente é *ípsilon*.]
hipsilóide. [De *hipsilo* + *-óide*.] *Adj. 2 g.* Que tem a forma do hipsilo.
▲**hipso-.** [Do gr. *hýpsos, eos-ous*.] *El. comp.* = 'altura', 'elevação': *hipsografia, hipsocéfalo*.
hipsocefalia. *S. f.* Qualidade ou hipsocéfalo.
hipsocéfalo. [De *hipso-* + *céfalo*.] *Adj.* Que tem um índice de largura-altura da cabeça acima de 75. [V. *índice craniano*.]
hipsofilo. [Do gr. *hypsophyllon*.] *S. m. Morfol. Veg.* Folha floral: brácteas e bractéolas.
hipsofobia. [De *hipso-* + *-fob(o)-* + *-ia*.] *S. f.* Medo mórbido das alturas.
hipsofóbico. *Adj.* Relativo à hipsofobia.
hipsófobo. *Adj.* e *s. m.* Que ou aquele que tem hipsofobia.
hipsografia. [De *hipso-* + *-graf(o)-* + *-ia*.] *S. f.* Descrição dos lugares elevados.
hipsográfico. *Adj.* Relativo à hipsografia. ~ V. *curva* —a.
hipsometria. [De *hipso-* + *-metr(o)-*[2] + *-ia*.] *S. f.* Altimetria.
hipsométrico. *Adj.* Relativo à hipsometria.
hipsômetro. [De *hipso-* + *-metro*.] *S. m.* Aparelho para medir a altitude de um lugar pela temperatura em que nele a água entra em ebulição. [Cf. *altímetro*.]
hipurgia. [Do gr. *hipourgía*.] *S. f.* Conjunto de pequenos cuidados físicos e morais que ajudam o tratamento de uma doença.
hipuria. *S. f. Patol.* Var. pros. de *hipúria*.
hipúria. [De *hip(o)-*[2] + *-ur(o)-* + *-ia*.] *S. f. Patol.* Presença do ácido hipúrico na urina. [Var. pros.: *hipuria*.]
hipúrico. [De *hip(o)-*[2] + *-ur(o)-* + *-ico*.[2]] *Adj.* ~ V. *ácido* —.
hipuridácea. *S. f.* Espécime das hipuridáceas.
hipuridáceas. *S. f. pl. Bot.* Família de plantas floríferas, da ordem das mirtales, que compreende unicamente a espécie *Hippuris vulgaris*, de ampla distribuição, mas inexistente no Brasil. É planta aquática ou palustre, de flores aclamídeas e frutos drupáceos.
hipuridáceo. *Adj.* Pertencente ou relativo às hipuridáceas.
hiracóide. *S. m.* **1.** Espécime dos hiracóides. ● *Adj. 2 g.* **2.** Pertencente ou relativo a eles.
hiracóideo. *S. m.* **1.** Espécime dos hiracóideos. ● *Adj.* **2.** Pertencente ou relativo a eles.
hiracóideos. *S. m. pl. Zool.* Animais mamíferos da ordem *Hyracoidea*, de pequeno porte, orelhas e cauda curtas, três ou quatro dedos nos pés providos de cascos, dentes incisivos 1/2, caninos ausentes.
hiracóides. [Pl. de *hiracóide*.] *S. m. pl. Zool.* Pequena ordem de mamíferos ungulados, herbívoros, arborícolas ou de regiões rochosas, que ocorrem na África e no Oriente Médio.
hírcico. [De *hirc(o)-* + *-ico*[2].] *Adj. Desus.* Hircino: "Toda a libidinagem dos mormaços / Americanos fluía-lhes dos braços, / Irradiava-se-lhe, h í r c i c a, das veias" (Augusto dos Anjos, *Eu*, 30ª ed., p. 194).
hircina. [De *hirc(o)-* + *-ina*[1].] *S. f.* Substância que se extrai da gordura do bode e do carneiro.
hircino. [Do lat. *hircinu*.] *Adj.* Relativo ao, ou próprio do bode (1): "estimulado e entontecido pelo cheiro h i r c i n o das africanas e crioulas." (Xavier Marques, *O Feiticeiro*, p. 41). [Sin., desus.: *hírcico*.]
hircismo. [De *hirc(o)-* + *-ismo*.] *S. m.* Cheiro desagradável exalado pelas axilas de certas pessoas. [Cf. *bodum* (2).]
▲**hirc(o)-.** [Do lat. *hircus, i*.] *El. comp.* = 'bode': *hircismo*.
hircoso (ô). [Do lat. *hircosu*.] *Adj.* Diz-se de certas plantas que exalam cheiro desagradável, semelhante ao bodum.
hirsuto. [Do lat. *hirsutu*.] *Adj.* **1.** De pêlos longos, duros e espessos; cerdoso. **2.** V. *hirto* (3): "Ao sorrir mostrava através da barba h i r s u t a de mulato uns dentes brancos, pontudos" (Ribeiro Couto, *Largo da Matriz e Outras Histórias*, p. 47). **3.** *Fig.* V. *hirto* (4).
hirteza (ê). *S. f.* Estado ou qualidade de hirto.
hirto. [Do lat. *hirtu*.] *Adj.* **1.** Teso, retesado, inteiriçado, híspido: "o Presidente usava uns colarinhos singulares, ... que não convieram a este povo acostumado aos colarinhos corretos, h i r t o s e majestáticos do Sr. Carnot." (Eça de Queirós, *Cartas Familiares e Bilhetes de Paris*, p. 122). **2.** Que parou ou estacou; parado, estacado, imóvel: *Susteve o passo e*, h i r t o, *pôs-se a contemplá-la*. **3.** Crespo, eriçado, ouriçado, hirsuto, híspido. **4.** *Fig.* Áspero, intratável, ríspido, hirsuto. **5.** *Morfol. Veg.* Dotado de pêlos curtos, e rígidos: *ramo* h i r t o.
hirudíneo. *S. m.* **1.** Espécime dos hirudíneos. ● *Adj.* **2.** Pertencente ou relativo a eles.
hirudíneos. *S. m. pl. Zool.* Animais anelídeos, classe *Hirudinea*, de corpo achatado, foliáceo, segmentado, sendo cada segmento dividido externamente em anéis, e desprovidos de cerdas ou parápodes. A região posterior é dotada de uma ventosa para fixação, freqüentemente acompanhada de outra menor, na extremidade anterior. Hermafroditos de hábitos parasitários ou predatórios, vivem na terra, água doce ou, mais raramente, no mar. São as sanguessugas.
hirundinídeo. *S. m.* **1.** Espécime dos hirundinídeos. ● *Adj.* **2.** Pertencente ou relativo a eles.
hirundinídeos. *S. m. pl. Zool.* Aves passeriformes, da família *Hirundinidae*, de coloração preta, branca, parda, às vezes vermelha ou amarelada, a primeira das rêmiges da mão de comprimento igual ao da segunda, ou maior que o desta, bico chato e curto, asas e cauda compridas, pernas curtas e fracas. Vivem em bandos, fazem migrações, e alimentam-se de insetos que geralmente capturam no vôo. São as andorinhas.
hirundino. [Do lat. *hirundininu*, por haplologia.] *Adj.* Relativo à, ou próprio da andorinha: "na ridente quadra h i r u n d i n a, o ledo gazular das emigrantes aves" (Raimundo Correia, *Poesia Completa e Prosa*, p. 597).
hispalense. [Do lat. *hispalense*.] *Adj. 2 g.* e *s. 2 g.* Sevilhano.
hispânico. [Do lat. *hispanicu*.] *Adj.* **1.** Da, ou pertencente ou relativo à Hispânia. **2.** Da, ou pertencente ou relativo à Espanha; espanhol: *língua e literatura* h i s p â n i c a s.
hispanismo. [De *hispan(o)-* + *-ismo*.] *S. m.* **1.** V. *espanholismo* (1 a 3). **2.** Dedicação ao estudo da língua e da literatura espanholas e/ou às coisas ou costumes da Espanha.
hispanista. [De *hispan(o)-* + *-ista*.] *S. 2 g.* Estudioso de coisas espanholas, particularmente língua e literatura.
▲**hispan(o)-.** *El. comp.* = 'hispânico, espanhol': *hispano-americano*.
hispano-americanismo. *S. m.* **1.** Palavra, locução ou construção própria do espanhol falado na América. **2.** Doutrina que prega a união espiritual de todos os povos hispano-americanos. [Pl.: *hispano-americanismos*.]
hispano-americano. [De *hispan(o)-* + *americano*.] *Adj.* **1.** Da, ou pertencente ou relativo à América de língua espanhola. ● *S. m.* **2.** Indivíduo de origem espanhola e americana. [Flex.: *hispano-americana, hispano-americanos, hispano-americanas*.]
hispano-árabe. [De *hispan(o)-* + *árabe*.] *Adj. 2 g.* Relativo ou pertencente à Espanha, ou melhor, à Península Ibérica, sob o domínio dos árabes, do séc. VIII ao XIV. [Pl.: *hispano-árabes*.]
hispanofilia. [De *hispan(o)-* + *-fil(o)-*[2] + *-ia*.] *S. f.* **1.** Amor ou grande admiração à Espanha e/ou aos espanhóis. [Antôn.: *hispanofobia*.] **2.** Interesse cultural por coisas espanholas ou pela língua, literatura, história, etc., da Espanha.
hispanófilo. [De *hispan(o)-* + *-filo*[2].] *Adj.* e *s. m.* Que ou aquele que tem hispanofilia. [Antôn.: *hispanófobo*.]
hispanofobia. [De *hispan(o)-* + *-fob(o)-* + *-ia*.] *S. f.* Ódio aos espanhóis, à Espanha. [Antôn.: *hispanofilia* (1).]
hispanófobo. [De *hispan(o)-* + *-fobo*.] *Adj.* e *s. m.* Que ou aquele que tem hispanofobia. [Antôn.: *hispanófilo*.]
hispanofonia. [De *hispan(o)-* + *-fon(o)-* + *-ia*.] *S. f.* Adoção da língua espanhola como língua de cultura ou língua franca por quem não a tem por vernácula, como ocorre em vários países de colonização espanhola.
hispanófono. [De *hispan(o)-* + *-fono*.] *Adj.* e *s. m.* Diz-se de, ou indivíduo que fala o espanhol.
hispanoparlante. [De *hispan(o)-* + **parlante*, 'que fala'.] *Adj. 2 g.* Diz-se de pessoa cujo idioma é o espanhol: "Sabemos que na maioria dos países h i s p a n o p a r l a n t e s a palavra correspondente [a suborno] é soborno." (Benedito Silva, *Informativo*, maio de 1981, p. 32.)
hispar-se. *V. p. Bras.* F. sincopada de *hispidar-se*.
hispidar-se. [Do lat. *hispidare* + *se*[1].] *V. p.* Tornar-se híspido; eriçar-se, ericar-se, ouriçar-se. [Sin. (bras.): *hispar-se*. Pres. ind.: *hispido-me*, etc. Cf. *híspido*.]
hispidez (ê). *S. f.* Qualidade de híspido.
híspido. [Do lat. *hispidu*.] *Adj.* **1.** V. *hirto* (1): "o cavalo

estacou espavorido com o pêlo híspido e as narinas insufladas pelo terror." (José de Alencar, *O Sertanejo*, p. 34); "Dilacerem-te os pés urzes e cardos, / Pontas de rochas, híspidos abrolhos..." (Da Costa e Silva, *Sangue*, p. 51). **2.** V. *hirto* (3). [Cf. *hispido-me*, do v. *hispidar-se*.] ~ V. *folha —a.*

híspido-seríceo. *Adj. Morfol. Veg.* Provido de pêlos longos, tesos e brilhantes. [Pl.: *híspido-seríceos*.]

hispíneo. *S. m.* **1.** Espécime dos hispíneos. ● *Adj.* **2.** Pertencente ou relativo a eles.

hispíneos. *S. m. pl. Zool.* Subfamília de insetos da ordem dos coleópteros, família dos crisomelídeos. Ex.: a lesma dos coqueiros.

hissopada. [De *hissopar* + *-ada*[1].] *S. f.* Ato ou efeito de hissopar (uma vez); aspersão.

hissopar. *V. t. d.* Aspergir água benta com o hissope em. [Pres. ind.: *hissopo*, etc. Cf. *hissopo* (ô).]

hissope. [De *hissopo*.] *S. m.* Aspersório: "aspergiu em cruz exorcizando a terra e o ar, ... e, de novo, três vezes embebeu o hissope e sacudiu-o na direção das cercas" (Coelho Neto, *Treva*, p. 296). [Cf. *hissopo*.]

hissopo (ô). [Do gr. *hyssopos*, pelo lat. *hyssopu*.] *S. m.* Planta medicinal da família das labiadas. [Pl.: *hissopos* (ô). Cf. *hissopo*, do v. *hissopar*, e *hissope*.]

histamina. *S. f. Bioquím.* Produto da descarboxilação da histidina, encontrado também no organismo, cristalino, incolor, solúvel em água, com ação vasodilatora e constrictora de músculos lisos. [Fórm.: $C_5H_9N_3$.]

histeralgia. [De *hister(o)-*[1] + *-alg(o)-*[2] + *-ia*.] *S. f. Patol.* Dor no útero.

histerálgico. *Adj.* Relativo à histeralgia.

histeranto. [De *hister(o)-*[2] + *-anto*.] *Adj.* e *s. m. Bot.* Diz-se de, ou planta cujas flores aparecem antes das folhas.

histerectomia. [De *hister(o)-*[1] + *-ectom-* + *-ia*.] *S. f. Cir.* Ablação do útero, em extensão variável.

histerectômico. *Adj.* Relativo à histerectomia.

histerese. [Do gr. *hystéresis*, 'atraso'.] *S. f. Fís.* Fenômeno que consiste em a resposta de um sistema a uma solicitação externa se atrasar em relação ao incremento ou à atenuação desta solicitação, como, p. ex., na magnetização e desmagnetização do ferro-doce por um campo magnético.

histeria. [De *hister(o)-*[1] + *-ia*.] *S. f. Psiq.* Afecção mental cujos sintomas se baseiam em conversão (9), e caracterizada por falta de controle sobre atos e emoções, ansiedade, sentido mórbido de autoconsciência, exagero do efeito de impressões sensoriais, e por simulação de diversas doenças.

histérico. [Do gr. *hysterikós*, 'referente ao útero'.] *Adj.* **1.** Relativo à, ou próprio da histeria. **2.** Que a tem. **3.** *Pop.* Irritadiço, zangadiço, nervoso. ~ V. *bolo* — e *transe* —. ● *S. m.* **4.** Aquele que tem ou mostra histeria.

histerismo. *S. m.* **1.** *Med.* Forma frustra de histeria. **2.** Irritabilidade ou nervosismo excessivo.

▲hister(o)-[1]. [Do gr. *hystéra, as*.] *El. comp.* = 'útero': *histerocele, histeria, histerectomia*.

▲hister(o)-[2]. [Do gr. *hýsteros, a, on*.] *El. comp.* = 'atrás', 'posterior': *histerologia*[2]; *histeranto*.

histerocele. [De *hister(o)-*[1] + *-cele*.] *S. f. Patol.* Saliência herniária produzida pelo útero.

histeróclise[1]. [De *hister(o)-*[1] + *-clise*[2].] *S. f. Cir.* Sutura dos lábios do colo uterino.

histeróclise[2]. [De *hister(o)-*[1] + *-clise*[3].] *S. f. Med.* Lavagem uterina.

histerofisa. [De *hister(o)-*[1] + gr. *phys*, raiz de *physáo*, 'soprar', 'inchar'.] *S. f. Patol.* Distensão do útero, produzida por gases.

histerografia. [De *hister(o)-*[1] + *-graf(o)-* + *-ia*.] *S. f. Med.* **1.** Descrição do útero. **2.** Visualização radiológica do útero mediante injeção local de contraste. **3.** Registro gráfico da força das contrações uterinas. [Sin., desus.: *metrografia*.]

histerográfico. *Adj.* Relativo à histerografia. [Sin., desus.: *metrográfico*.]

histerólito. [De *hister(o)-*[1] + *-lito*.] *S. m. Patol.* Cálculo uterino.

histerologia[1]. [De *hister(o)-*[2] + *-log(o)-* + *-ia*.] *S. f. Ret.* Recurso de estilo que consiste em o escritor ou o orador referir-se primeiramente àquilo que devia vir depois.

histerologia[2]. [De *hister(o)-*[1] + *-log(o)-* + *-ia*.] *S. f. Med.* Estudo e descrição do útero.

histerológico[1]. *Adj.* Relativo à histerologia[1].

histerológico[2]. *Adj.* Relativo à histerologia[2].

histerólogo[1]. *S. m.* Aquele que usa histerologia[1].

histerólogo[2]. *S. m.* Especialista em histerologia[2].

histeroloxia (cs). [De *hister(o)-*[1] + *-lox(o)-* + *-ia*.] *S. f. Med.* Versão ou flexão oblíqua do útero.

histeromalacia. [De *hister(o)-*[1] + *malacia*.] *S. f. Patol.* Amolecimento dos tecidos do útero.

histeromania. [De *hister(o)-*[1] + *-mania*.] *S. f.* V. *ninfomania*.

histerômetro. [De *hister(o)-*[1] + *-metro*.] *S. m.* Instrumento com que se mede a cavidade do útero.

histeroptose. [De *hister(o)-*[1] + *-ptose*.] *S. f. Patol.* Queda ou ptose do útero. [Sin., desus.: *metroptose*.]

histeroscopia. [De *hister(o)-*[1] + *-scop-* + *-ia*.] *S. f. Med.* Inspeção endoscópica do interior do útero; uteroscopia.

histeroscópio. [De *hister(o)-*[1] + *-scop-* + *-io*[2].] *S. m. Med.* Endoscópio empregado para exame visual direto do interior do útero, incluído o canal de seu colo.

histerostomatomia. [De *hister(o)-*[1] + *-stom(a)-* + *-tom(o)-* + *-ia*.] *S. f. Cir.* Incisão nos lábios do colo uterino, visando dilatação ou alargamento.

histerostomátomo. *S. m.* V. *histerostomótomo*.

histerostomótomo. [De *hister(o)-*[1] + *-stoma-* + *-o-* + *-tomo*.] *S. m. Cir.* Instrumento utilizado para secionar os lábios do colo uterino.

histerotocotomia. [De *hister(o)-*[1] + *-toc(o)-* + *-tom(o)-* + *-ia*.] *S. f. Cir. Desus.* Operação cesariana.

histerotomia. [De *hister(o)-*[1] + *-tom(o)-* + *-ia*.] *S. f. Cir.* Incisão do útero; uterotomia.

histerotômico. *Adj.* Relativo à histerotomia.

histerótomo. [De *hister(o)-*[1] + *-tomo*.] *S. m. Cir.* Instrumento com que se pratica a histerotomia.

histidina. *S. f. Quím.* Aminoácido essencial, encontrado entre os produtos de hidrólise de proteínas. [Fórm.: $C_6H_9O_2N_3$.]

histiodromia. [Do gr. *histíon*, 'tecido', 'vela de barco', + *-dromo-* + *-ia*.] *S. f.* Arte de navegar à vela.

▲hist(o)-. [Do gr. *histós, oû*.] *El. comp.* = 'tecido': *histotipia, histofisiologia*.

histocompatibilidade. [De *hist(o)-* + *compatibilidade*.] *S. f.* Ausência de antagonismo entre tecidos diferentes, permitindo a sobrevivência de um enxerto.

histofisiologia. [De *hist(o)-* + *fisiologia*.] *S. f.* Ramo da histologia que estuda células e tecidos do ponto de vista da função deles.

histofisiológico. *Adj.* Relativo à histofisiologia.

histogêneo. [De *hist(o)-* + *-gen(o)-*[1] + *-eo*.] *Adj. Biol.* Que gera tecidos orgânicos.

histogênese. [De *hist(o)-* + *-gênese*.] *S. f. Biol.* Formação e desenvolvimento dos tecidos orgânicos; histogenia.

histogenésico. *Adj.* Relativo à histogênese; histogênico.

histogenia. [De *hist(o)-* + *-gen(o)-*[1] + *-ia*.] *S. f. Biol.* Histogênese.

histogênico. *Adj.* Referente à histogenia; histogenésico.

histografia. [De *hist(o)-* + *-graf(o)-* + *-ia*.] *S. f. Biol.* Descrição dos tecidos orgânicos.

histográfico. *Adj.* Relativo à histografia.

histógrafo. *S. m.* Especialista em histografia.

histograma. [De *hist(o)-* + *-grama*.] *S. m. Estat.* Representação gráfica de uma distribuição de freqüência em que as freqüências de classes são representadas pelas áreas de retângulos contíguos e verticais, com as bases colineares e proporcionais aos intervalos das classes.

histólise. [De *hist(o)-* + *-lise*.] *S. f. Patol.* Destruição ou dissolução de tecidos.

histolítico. *Adj.* Relativo à histólise.

histologia. [De *hist o)-* + *-log(o)-* + *-ia*.] *S. f. Biol.* Ramo da biologia que estuda a estrutura microscópica normal de tecidos e órgãos.

histológico. *Adj.* Relativo à histologia.

histologista. *S. 2 g.* Especialista em histologia.

histoma. [De *hist(o)-* + *-oma*.] *S. m. Patol.* Designação comum a tumores constituídos de tecido (5).

histometábase. [De *hist(o)-* + gr. *metabásis*, 'passagem dum lugar para outro'.] *S. f. Geol.* Processo de fossilização por substituição, sendo esta realizada molécula por molécula, do que resulta uma reprodução perfeita do fóssil nos mínimos pormenores celulares.

histona. *S. f. Genét.* Proteína que se liga ao ácido desoxirribonucléico de eucariotos.

histonomia. [De *hist(o)-* + *-nom(o)-* + *-ia*.] *S. f. Biol.* Estudo dos tecidos baseado na transposição, para termos biológicos, das leis quantitativas derivadas de mensuração histológica.

histonômico. *Adj.* Relativo à histonomia.

histoplasmose. [De *hist(o)-* + *-plasm(a)-* + *-ose*.] *S. f. Patol.* Infecção que pode ter evolução aguda ou crônica, causada pelo fungo *Histoplasma capsulatum*, e que compromete o sistema reticuloendotelial, podendo produzir lesões na pele, mucosas digestivas e pulmões.

histoquímica. [De *hist(o)-* + *química*.] *S. f.* Ramo da histologia que estuda células e tecidos sob o aspecto de sua composição química.

histoquímico. *Adj.* Relativo à histoquímica.

história. [Do gr. *historía*, pelo lat. *historia*.] *S. f.* **1.** Narração metódica dos fatos notáveis ocorridos na vida dos povos, em particular, e na vida da humanidade, em geral: *a história do Brasil; história universal.* **2.** Conjunto de conhecimentos adquiridos através da tradição e/ou por meio dos documentos, relativos à evolução, ao passado da humanidade. **3.** Ciência e método que permitem adquirir e transmitir aqueles conhecimentos. **4.** O conjunto das obras referentes à história. **5.** Conjunto de conhecimentos relativos a esta ciência, ou que têm implicações com ela, ministrados nas respectivas faculdades: *estudante de história.* **6.** Tratado ou compêndio de história. **7.** Exemplar de um desses tratados ou compêndios. **8.** Estudo das origens e processos de uma arte, de uma ciência ou de um ramo do conhecimento: *história da pintura, história da medicina.* **9.** Narração de acontecimentos, de ações, em geral cronologicamente dispostos: *a história das viagens do Capitão Cook; a história de Napoleão.* **10.** Narração de fatos, acontecimentos ou particularidades relativas a um determinado assunto: *histórias do Rio antigo; Longa e curiosa é a história daquele casarão.* **11.** Conto, narração, narrativa: *Meu avô era grande contador de histórias; Conhece a história do Chapeuzinho Vermelho?* **12.** Enredo, trama, fábula: *É um romance ótimo, apesar de quase não ter história.* **13.** Patranha, lorota, peta; conto: *Nada havia de verdade no que o patife lhe contara: tudo era história.* **14.** Complicação, amolação, chateação: *Saiu logo da festa, porque não queria saber de histórias.* **15.** Luxo, melindre, dengue, complicação: *Não se faça de rogado, deixe de história, venha jantar conosco.* **16.** Relação amorosa; caso, aventura: *Era do conhecimento de todos a sua história com a moça.* **17.** *Fam.* Coisa, objeto, negócio, troço: *Que história é essa aí na sua blusa?* [Dim. irreg.: *historieta, historíola*. Cf. *historia*, do v. *historiar*.] ◆ **História da carochinha.** V. *conto da carochinha*: "e toda a santa noite se perdia em rezas, em oratórios, em recados, em histórias da carochinha" (Júlio Dantas, *O Amor em Portugal no Século XVIII*, p. 198). **História de Trancoso.** V. *conto da carochinha*. **História do arco-da-velha.** História espantosa, extraordinária, inverossímil. **Histórias em quadrinhos.** Narração de uma história ou de aventuras feita por meio de desenhos e legendas dispostos em uma série de quadros. [Tb. se diz apenas *quadrinhos*.] **História natural.** Designação tradicional das ciências naturais [q. v.], que hoje se aplica ao estudo meramente descritivo dos seres vegetais, animais ou minerais. **História para boi dormir.** *Bras.* V. *conversa mole* (2). **História para menino dormir sem ceia.** *Bras., N.E.* V. *conversa mole* (2). **Cheio de histórias.** **1.** Enredado, enleado, complicado, difícil: *Impossível conviver com ela: é cheia de histórias.* **2.** Afetado, presunçoso, pretensioso, historiento; cheio de luxo: *É um sujeito metido a besta, cheio de histórias.* **Ficar pra contar a história.** *Bras.* Ser o único a escapar, a sobreviver.

historiada. [De *história* + *-ada*[1].] *S. f. Bras.* **1.** Coisa complicada ou embrulhada. **2.** História longa demais.

historiado. [Part. de *historiar*.] *Adj.* **1.** Que se historiou. **2.** Cheio ou adornado de episódios. **3.** *Fam.* Enfeitado, embonecado. ~ V. *letra —a.*

historiador (ô). *S. m.* **1.** Especialista em história (1); historiógrafo. **2.** Aquele que historia ou narra um fato ou acontecimento.

historial. [De *história* + *-al*.] *Desus. Adj. 2 g.* **1.** Pertencente ou relativo à história (1). ● *S. m.* **2.** Obra historial; história, narrativa: "Antigamente foi esta Ilha de Cândia mui povoada, e mui célebre no mundo. Dela escreve o glorioso Santo Antonino no seu historial haver tido cem cidades" (Frei Pantaleão de Aveiro, *Itinerário da Terra Santa e Suas Particularidades*, p. 30).

historiar. *V. t. d.* **1.** Fazer a história (1) de. **2.** Contar, narrar: *Emocionado, não conseguia historiar o que presenciara.* **3.** *Fam.* Alindar com ornatos; enfeitar, adornar, embrincar: "uma faca truculenta e pontuda, historiada de lavores de prata." (Eduardo Frieiro, *O Mameluco Boaventura*, p. 37). *T. d. e i.* **4.** Narrar, contar: *Historiei-lhe o episódio tintim por tintim.* [Pres. ind.: *historio, historias, historia*, etc. Cf. *história*.]

historicidade. *S. f.* **1.** Caráter do que é histórico. **2.** *Liter.* Atuação do homem como agente no processo histórico-literário.

historicismo. [De *histórico* + *-ismo*.] *Filos.* **1.** Doutrina que estuda seus objetos do ponto de vista da origem e desenvolvimento deles, vinculando-os às condições concretas que os acompanham. **2.** Doutrina segundo a qual a história de um objeto é suficiente para lhe explicar a natureza ou valor. [Sin. ger. (menos us.):

historismo.]

histórico. [Do gr. *historikós*, pelo lat. *historicu.*] *Adj.* **1.** Relativo à história (1): *fato histórico; romance histórico.* **2.** Digno de figurar na história (1): *A vitória do Brasil na Copa do Mundo de 70 é um acontecimento histórico.* **3.** Real, verdadeiro: *Muito se discutiu acerca da pessoa de Homero: legendária ou histórica? Histórica.* ~ V. *materialismo*—. ● *S. m.* **4.** Exposição cronológica de fatos: *O médico, sem um minucioso histórico da doença, não podia diagnosticá-la.* **5.** *Cont.* Menção sintética da origem, da natureza e doutras circunstâncias esclarecedoras das operações contabilizadas com a qual se completam e se individuam lançamentos por partidas dobradas.

histórico-cultural. *Adj. 2 g.* Relativo à história (1) e à cultura (3). [Pl.: *histórico-culturais.*]

historieiro. [De *história* + *-eiro.*] *Adj. Bras. Pop.* Diz-se de cavalar indócil.

historiento. *Adj. Bras. Pop.* V. *cheio de luxo.*

historieta (ê). [Do fr. *historiette.*] *S. f.* **1.** Narração sem importância. **2.** História (11) pequena, curta. **3.** Anedota (1). [Sin. ger.: *historíola.*]

historiografia. [Do gr. *historiographía.*] *S. f.* **1.** Arte de escrever a história (1): "a filosofia da história partirá das fronteiras últimas da historiografia para especular livremente sobre problemas e inquietações que não cabem nos domínios da história científica." (Fidelino de Figueiredo, *Entre Dois Universos*, p. 209). **2.** Estudo histórico e crítico acerca da história ou dos historiadores.

historiográfico. [Do gr. *historiographikós.*] *Adj.* Referente à historiografia.

historiógrafo. [Do gr. *historiográphos*, pelo lat. *historiographu.*] *S. m.* **1.** Aquele que é designado para escrever a história duma nação, duma época, duma dinastia, etc.; cronista. **2.** Historiador (1): "Segundo as investigações pacientes do historiógrafo Sr. Maximiano d'Aragão, o grande Vasco Fernandes, o maior pintor português de todos os tempos, nasceu em Viseu .... e morreu obscuro em Tomar" (José Vieira, *Sol de Portugal*, p. 72).

historíola. *S. f.* V. *historieta.*

historiologia. [De *história* + *-log(o)-* + *-ia.*] *S. f.* Filosofia da história.

historiológico. *Adj.* Relativo à historiologia.

historismo. [De *história* + *-ismo.*] *S. m. Filos.* Historicismo [q. v.]

histotipia. [De *hist(o)-* + *-tip(o)-*^{2} + *-ia.*] *S. f.* Arte de imprimir em tecidos. [Cf. *linografia* (1).]

histotomia. [De *hist(o)-* + *-tom(o)-* + *-ia.*] *S. f. Cir.* Dissecção de tecidos.

histotômico. *Adj.* Relativo à histotomia.

histótomo. [De *hist(o)-* + *-tomo.*] *S. m.* Instrumento usado em histotomia.

histotripsia. [De *hist(o)-* + *-trips-* + *-ia.*] *S. f. Cir.* Manobra que consiste no esmagamento dos tecidos.

histotromia. [De *hist(o)-* + gr. *trómos*, 'tremor', + *-ia.*] *S. f. Med.* Contração fibrilar que se observa nos músculos, e em especial nas pálpebras.

histotrômico. *Adj.* Relativo à histotromia.

histozoário. *S. m.* e *Adj.* Metazoário.

histozoários. [Pl. de *histozoário.*] *S. m. pl. Zool.* Metazoários.

histrião. [Do etrusco, atr. do lat. *histrione.*] *S. m. Teat.* **1.** No antigo teatro romano, cada um dos mimos [v. *mimo*^{2} (2)], jograis ou comediantes etruscos que representavam as fábulas ou farsas do período. **2.** *Teat. P. ext.* Farsista, comediante, cômico: "Felizmente, a humanidade não se compõe só de histriões; embora nela predominem .... os que tomam a vida como uma comédia" (Oliveira Martins, *A Vida de Nun'Álvares*, p. 352). **3.** Bufão, palhaço, bobo. **4.** Indivíduo ridículo, ou vil, abjeto.

histricídeo. *S. m.* **1.** Espécime dos histricídeos. ● *Adj.* **2.** Pertencente ou relativo a eles.

histricídeos. *S. m. pl. Zool.* Família de mamíferos roedores das regiões quentes do Velho Mundo, de hábitos noturnos. São os porcos-espinhos da África e Ásia.

histricomorfo. *S. m.* **1.** Espécime dos histricomorfos. ● *Adj.* **2.** Pertencente ou relativo a eles.

histricomorfos. *S. m. pl. Zool.* Animais roedores, da subordem *Hystricomorpha*, com mandíbula especializada quer para inserção do masseter lateral, por meio de forte distorção do processo angular para fora, quer para inserção do masseter mediano, por uma crista ao nível dos alvéolos da série molar. Forame infra-orbitário muito alargado, dando passagem a músculo; molares do tipo 4/4. São os roedores de porte médio ou grande.

histrionice. *S. f.* Qualidade, maneiras, ato ou dito de histrião.

histriônico. [Do lat. *histrionicu.*] *Adj.* Relativo a, ou próprio de histrião.

►**hit** (rit). [Ingl.] *S. m.* Aquilo que está na moda, que faz sucesso no momento, na temporada, etc.: *O hit deste verão são os minivestidos de malha.*

hitita. [De *Hatti*, antiga região da Ásia Menor, + *-ita*^{2}, provavelmente pelo fr. *hittite.*] *S. 2 g.* **1.** Indivíduo dos hititas, povo da Antiguidade que habitou a Síria setentrional por volta de 1 900 a.C. ● *S. m.* **2.** Língua indo-européia falada por esse povo, cujas inscrições, pertencentes ao segundo milênio a.C., são os mais antigos testemunhos do tronco lingüístico indo-europeu. ● *Adj. 2 g.* **3.** Pertencente ou relativo a esse povo ou à sua língua.

hititologia. [De *hitita* + *-o-* + *-log(o)-* + *-ia.*] *S. f.* Estudo dos restos arqueológicos dos hititas, de sua língua e das maneiras de grafá-la.

hititológico. *Adj.* Relativo à hititologia.

hititólogo. *S. m.* Especialista em hititologia.

hitleriano. *Adj.* e *s. m.* V. *hitlerista.*

hitlerismo. *S. m.* **1.** O conjunto das doutrinas de Hitler [v. *hitlerista.*] **2.** Influência de Hitler na política. [V. *nazismo.*]

hitlerista. *Adj. 2 g.* **1.** Relativo ou pertencente a Adolfo Hitler, político alemão (1889-1945), ou próprio dele ou de sua doutrina. **2.** Que é partidário do hitlerismo. ● *S. 2 g.* **3.** Partidário dele.

hiulco. (ci-úl). [Do lat. *hiulcu.*] *Adj. Poét.* Hiante, fendido.

■**hl.** Abrev. de *hectolitro.*

■**hm.** Abrev. de *hectômetro.*

■**Ho.** *Quím.* Símb. do *hólmio.*

►**hobby** (hóbi). [Ingl.] *S. m.* Atividade de recreio ou de descanso, praticada, em geral, nas horas de lazer.

hodierno. [Do lat. *hodiernu.*] *Adj.* Relativo aos dias de hoje; atual.

▲**hodo-.** [Do gr. *hodós, oû.*] *El. comp.* = 'via', 'caminho': *hodômetro.* [Equiv.: *-odo: pêntodo.*]

hodográfico. *Adj.* ~ V. *curva* —*a.*

hodógrafo. [De *hodo-* + *-grafo.*] *S. m. Fís.* Curva que é o lugar das extremidades de segmentos orientados de origem fixa e eqüipolentes a vectores que representam a velocidade de um ponto; curva hodográfica.

hodometria. [De *hodo-* + *-metro-*^{2} + *-ia.*] *S. f.* Arte de medir as distâncias percorridas.

hodométrico. *Adj.* Relativo à hodometria.

hodômetro. [De *hodo-* + *-metro.*] *S. m.* Instrumento para medir distâncias percorridas. [Sin., desus.: *celerímetro.* Cf. *taxímetro, velocímetro* e *udômetro.*]

hoje (ô). [Do lat. *hodie.*] *Adj.* **1.** No dia em que estamos: *Hoje haverá grande festa em nossa terra.* **2.** Na época que corre; atualmente. ◆ **Mais hoje, mais amanhã.** Mais dia, menos dia.

holanda. [Do top. *Holanda.*] *S. m.* **1.** Papel da Holanda [q. v.]: "edições preciosas, impressas em holanda, china ou japão." (Afrânio Peixoto, *Poeira da Estrada*, p. 111). ● *S. f.* **2.** *Desus.* Certo tecido de linho finíssimo: "De clara holanda vestis / Vosso corpo, linda Infanta" (Eugênio de Castro, *Obras Poéticas*, I, p. 147).

holandês. *Adj.* **1.** Da, ou pertencente ou relativo à Holanda (Europa). ~ V. *cilindro* —. ● *S. m.* **2.** O natural ou habitante da Holanda. **3.** Língua germânica, oficial da Holanda, aparentada com o flamengo^2 (3). [V. *alemão* (3). Sin. ger. (nessas acepç.): *neerlandês.*] **4.** *Ind. Pap.* V. *holandesa.* [Flex.: *holandesa* (ê), *holandeses* (ê), *holandesas* (ê).]

holandesa (ê). [Fem. substantivado do adj. holandês.] *S. f. Ind. Pap.* Aparelho usado outrora para desintegrar os trapos, e posteriormente para refinar a semipasta, convertendo-a na polpa adequada à alimentação da máquina de papel; holandês, cilindro holandês.

holandilha. [Dim. de *holanda* (1); ou do esp. *holandilla.*] *S. f.* Tecido grosso, de linho, usado sobretudo em entretelas: "toalha de holandilha picada de rendas" (Júlio Dantas, *A Ceia dos Cardeais*, p. 9).

holártica. *S. f.* Região zoogeográfica que compreende a Europa, o N. da África, o N. da Ásia até ao Himalaia, e a América do Norte até ao N. do México.

holártico. *Adj.* Da, ou pertencente ou relativo à Holártica.

►**holding** (hôldin). [Do ingl. *holding company.*] *S. m.* **1.** Empresa cujo capital é constituído exclusivamente de ações de outras, que são, assim, por ela controladas, e cujo controle é a sua única atividade. **2.** Empresa que adquire a totalidade ou a maioria das ações de outras, que passam a ser suas subsidiárias.

holectipóide. *S. m.* **1.** Espécime dos holectipóides. ● *Adj. 2 g.* **2.** Pertencente ou relativo a eles.

holectipóides. *S. m. pl. Zool.* Animais equinodermos, equinóides, irregulares, da ordem *Holectypoidea*, providos de lanterna-de-aristóteles e dentes carenados, com franjas laterais.

holicismo. [Do gr. *holikós*, 'universal' + *-ismo.*] *S. m. Filol.* Expressão comum a várias línguas ou a todos os dialetos de uma língua.

holismo. [De *hol(o)-* + *-ismo.*] *S. m. Filos.* Tendência, que se supõe seja própria do Universo, a sintetizar unidades em totalidades organizadas.

hólmio. [De *Holmia*, f. latinizada de *Stockholm* (Suécia), localidade em cujas vizinhanças se encontram minerais ricos em hólmio.] *S. m. Quím.* Elemento de número atômico 67, pertencente aos lantanídeos. [Símb.: *Ho.*]

▲**hol(o)-.** [Do gr. *hólos, hóle, hólon.*] *El. comp.* = 'inteiro', 'completo': *holobrânquio, holoparasito; holismo.*

holobasídio. [De *hol(o)-* + *basídio.*] *S. m. Micol.* Basídio indiviso, não septado; autobasídio.

holobrânquio. [De *hol(o)-* + *brânquio.*] *Adj. Zool.* Que tem brânquias completas.

holocausto. [Do gr. *holókauston*, 'sacrifício em que a vítima era queimada inteira', pelo lat. *holocaustu.*] *S. m.* **1.** Entre os antigos hebreus, sacrifício em que se queimavam inteiramente as vítimas; imolação. **2.** A vítima assim sacrificada. **3.** *P. ext.* Sacrifício, expiação. **4.** *Fig.* Abstração da vontade própria para satisfazer a de outrem.

holocéfalo. *S. m.* **1.** Espécime dos holocéfalos. ● *Adj.* **2.** Pertencente ou relativo a eles.

holocéfalos. *S. m. pl. Zool.* Animais marinhos, cordados, elasmobrânquios, da ordem *Holocephali*, cujas brânquias são cobertas por opérculo, em número de quatro pares. Desprovidos de cloaca (6) ou espiráculos; os adultos, de escamas. São as quimeras.

holoceno. [De *hol(o).* + *-ceno.*] *Adj.* e *s. m.* ~ V. *época* —*a.*

holocentrídeo. *S. m.* **1.** Espécime dos holocentrídeos. ● *Adj.* **2.** Pertencente ou relativo a eles.

holocentrídeos. *S. m. pl. Zool.* Família de peixes teleósteos que ocorre nos mares quentes. Pequenos e de cores vivas; escamas fortemente pectinadas. Ex.: o talhão.

holócrino. [De *hol(o)-* + *-crino.*] *Adj.* **1.** Diz-se da célula ou da glândula que se destrói após a secreção. **2.** *Histol.* Diz-se de glândula cujos elementos sofrem a destruição celular, sendo daí resultado um produto de excreção. [A destruição celular, como nas glândulas sebáceas, p. ex., não atinge senão a porção da célula que está em relação com o conduto excretor, permanecendo o núcleo, em geral intato, e capaz de recompor o citoplasma destruído e o produto excretado.]

holocristalino. [De *hol(o)-* + *cristalino.*] *Adj.* ~ V. *rocha* —*a.*

holoedria. *S. f. Crist.* Qualidade de holoedro.

holoédrico. *Adj. Crist.* Que apresenta holoedria.

holoedro. [De *hol(o)-* + *-edro.*] *S. m. Crist.* Cristal com a totalidade das suas faces geometricamente iguais.

holofítico. [De *hol(o)-* + *-fit(o)-* + *-ico*^{2}.] *Adj.* De nutrição semelhante à das plantas clorofiladas.

holofote. [Do gr. *holóphotos*, 'totalmente iluminado'.] *S. m.* **1.** Projetor de grande intensidade cuja luz ilumina os objetos à distância. **2.** *Bras. Burl.* V. *nádegas.*

hologamia. [De *hol(o)-* + *-gam(o)-* + *-ia.*] *S. f. Biol.* Fecundação em que dois indivíduos inteiros funcionam como gametas, unindo-se para formarem o zigoto.

hologastro. *S. m.* **1.** Espécime dos hologastros. ● *Adj.* **2.** Pertencente ou relativo a eles.

hologastros. *S. m. pl. Zool. Desus.* Designação comum aos animais artrópodes, aracnídeos, cujo abdome é inteiro, com os segmentos fundidos numa peça única. No grupo se incluem as aranhas e os acarinos.

hologênese. [De *hol(o)-* + *-gênese.*] *S. f. Biol.* Teoria de Daniel Rosa, biologista italiano, segundo a qual cada espécie se desenvolve e dá origem a outras, desaparecendo a primitiva.

hologenético. *Adj.* Relativo à hologênese.

holografia. [De *hol(o)-* + *-gra(o)-* + *-ia.*] *S. f. Ópt.* Técnica de obtenção de hologramas.

holográfico. *Adj.* Relativo à holografia.

hológrafo. [Do gr. *hológraphos*, pelo lat. *holographu.*] *Adj.* ~ V. *testamento* —.

holograma. [De *hol(o)-* + *-grama.*] *S. m. Ópt.* Chapa fotográfica onde se registram as figuras de interferência resultantes da superposição das ondas de um feixe de radiação coerente com as ondas que foram refletidas por um objeto, e que se obtém mediante os raios de um *laser.*

holometabólico. [De *hol(o)-* + *metabólico*.] *Adj.* **1.** De metamorfose completa. **2.** Pertencente ou relativo aos holometabólicos; endopterigoto. ● *S. m.* **3.** Espécime dos holometabólicos; endopterigoto.

holometabólicos. *S. m. pl. Zool.* Insetos cuja metamorfose se processa de maneira completa, apresentando quatro fases bem distintas: *ovo, larva,* (formas jovens sem olhos compostos), *pupa, casulo* ou *crisálida,* e *adulto* ou *imago*. As asas desenvolvem-se internamente. [Sin.: *endopterigotos*.]

holométrico. *Adj.* Relativo ao holômetro.

holômetro. [De *hol(o)-* + *-metro*.] *S. m.* Instrumento com que se mede a altura angular de um ponto acima do horizonte.

holomórfico. [De *hol(o)-* + *-morf(o)-* + *-ico*[2].] *Adj.* ~V. *função* —*a*.

holomorfose. [De *hol(o)-* + *-morfose*.] *S. f. Biol.* Substituição de órgão inteiro, por regeneração.

holonomia. [De hol(o)- + -ono(m)(a)- + -ia.] *S. f. Fís.* Propriedade dos sistemas em que só existem vínculos holônomos.

holonômico. *Adj.* Relativo à holonomia.

holônomo. *Adj.* ~ V. *vínculo* — e *vínculo não* —.

holoparasitismo. [De *holoparasito* + *-ismo*.] *S. m. Bot.* Parasitismo das plantas aclorofiladas, como o cipó-chumbo (cuscuta) e os fungos (cogumelos), que necessitam obter do hospedeiro a seiva elaborada, já contendo as substâncias orgânicas que elas são incapazes de sintetizar.

holoparasito. [De *hol(o)-* + *parasito*.] *Adj.* e *s. m. Bot.* Diz-se de, ou planta que exibe holoparasitismo.

holopetalar. [De *hol(o)-* + *pétala* + *-ar*[1].] *Adj. 2 g.* ~V. *flor* —.

holorríneo. *Adj. Zool.* Holorrino.

holorrino. *Adj. Zool.* Diz-se das narinas das aves quando unidas em toda a sua extensão; holorríneo.

holosídeo (z). *S. m. Quím.* Designação genérica de substância que fornece, por hidrólise, duas oses.

holossimétrico. *Adj.* ~V. *lente* —*a*.

holósteo. *S. m.* **1.** Espécime dos holósteos. ● *Adj.* **2.** Pertencente ou relativo a eles.

holósteos. *S. m. pl. Zool.* Animais metazoários cordados, vertebrados, peixes, osteíctes, com coluna vertebral ossificada, nadadeiras pares sem lobos nasais, raios branquiostegiais presentes, caudal heterocerca ou quase homocerca, e nadadeiras pélvicas abdominais. São os protospôndilos e os ginglimodos. Alguns autores os consideram como uma ordem.

holótipo. [De *hol(o)* + *-tipo*.] *S. m. Biol. Ger.* Espécime considerado representativo para a descrição de uma espécie.

holotríquio. *S. m.* **1.** Espécime dos holotríquios. ● *Adj.* **2.** Pertencente ou relativo a eles.

holotríquios. *S. m. pl. Zool.* Animais protozoários euciliados, da ordem *Holotricha*, com o corpo revestido de cílios simples em toda a extensão, e desprovidos de cílios adorais. Algumas espécies são parasitas em vertebrados ou invertebrados, outras comensais, porém a maioria é de vida livre.

holotúria. [Do lat. *holothuria*.] *S. f. Zool.* Gênero de equinodermos de tegumento coriáceo e corpo cilíndrico. [V. *pepino-do-mar*.]

holoturóide. *S. m.* **1.** Espécime dos holoturóides. ● *Adj.* **2.** Pertencente ou relativo a eles.

holoturóides. *S. m. pl. Zool.* Animais equinodermos, da classe *Holothuriodea*, de corpo alongado, em forma de pepino, ou vermiforme, flexível, carnoso, placas do esqueleto reduzidas a espículas microscópicas, boca e ânus em extremidades opostas, a primeira cercada de tentáculos retráteis, e desprovidos de braços ou raios, pedicelárias ou espinhos. São conhecidos popularmente como *pepino-do-mar*. Vivem enterrados na areia ou na lama.

holozóico. [De *hol(o)-* + *-zóico*.] *Adj. Zool.* Diz-se do animal que se alimenta exclusivamente de matéria orgânica de origem animal.

homaça. *S. f.* V. *machão* (1): "Uma, robustona, homaça, quase de bigode, narigão, sobrancelhuda, e que eu chamava Cloto, mantinha a roca em movimento" (Gilberto Amado, *Depois da Política*, p. 41).

homão. *S. m. Fam.* Homenzarrão [q. v.].

homarídeo. *S. m.* **1.** Espécime dos homarídeos. ● *Adj.* **2.** Pertencente ou relativo a eles.

homarídeos. *S. m. pl. Zool.* Família de crustáceos da ordem dos decápodes. Apresentam abdome alongado (subordem *Macrura*) e terminando por uma estrutura em forma de nadadeira em leque, composta do telso e de urópodes. Ex.: a lagosta.

hombridade. [Do esp. *hombredade*.] *S. f.* **1.** Aspecto varonil; corporatura. **2.** *Fig.* Nobreza de caráter; dignidade: "E dão-nos todas elas [as orações do Regente Feijó] a impressão de .... uma natureza moral .... feita de rusticidade, retidão, hombridade, franqueza." (Oliveira Viana, *Pequenos Estudos de Psicologia Social*, p. 187.) **3.** *P. ext.* Desejo de igualar-se a alguém que lhe é superior.

homem. [Do lat. *homine*.] *S. m.* **1.** Qualquer indivíduo pertencente à espécie animal que apresenta o maior grau de complexidade na escala evolutiva; o ser humano: *As três linhas mestras dos arranjos de flores japoneses representam o céu, o homem e a Terra; O homem pré-histórico já possuía os recursos rudimentares para dominar a natureza.* **2.** A espécie humana; a humanidade: *A história do homem sofreu transformações profundas no séc. XV.* **3.** O ser humano, com sua dualidade de corpo e de espírito, e as virtudes e fraquezas decorrentes desse estado; mortal: "Cegou-me tanta luz! Errei, fui homem!" (Fagundes Varela, *Poesias Completas*, II, p. 53); *É apenas um homem, não pode fazer milagres.* **4.** Ser humano do sexo masculino; varão; *Depois de cinco mulheres, nasceu-lhes um homem.* **5.** Esse mesmo ser humano na idade adulta; homem-feito: *Já era homem quando perdeu o pai.* **6.** *Restr.* Adolescente que atingiu a virilidade. **7.** Homem (4) dotado das chamadas qualidades viris, como coragem, força, vigor sexual, etc.; macho: *Homem que é homem, não leva desaforo para casa.* **8.** Marido ou amante: *Ela vive bem com o seu homem.* **9.** Homem (5) que apresenta os requisitos necessários para um empreendimento; o homem indicado para um fim: *Campos Sales precisava de pôr ordem às finanças do Brasil, e o homem foi Joaquim Murtinho.* **10.** Um homem (5) qualquer; indivíduo, sujeito, camarada, cara: *Não sei quem telefonou, foi um homem.* **11.** Soldado (6): *Na fronteira havia um contingente de 2.000 homens.* **12.** Aquele que, numa equipe de trabalho, executa ordens de seus superiores: *O técnico da seleção declarou que seus homens estão aptos a enfrentar qualquer adversário no gramado.* **13.** *Biol.* Cada um dos indivíduos da espécie *Homo sapiens*, única existente hoje em dia da família dos hominídas, do gênero *Homo*, da ordem dos primatas, classe dos mamíferos, espécie esta que ocupa uma posição especial na natureza, por possuírem seus membros, ao lado dos caracteres anatômicos e fisiológicos análogos aos dos mamíferos superiores, outros tantos que lhe são próprios, como a postura vertical com pés e mãos de funções diferenciadas (as mãos com o polegar oposto aos outros dedos), o volume do cérebro, o uso da linguagem articulada e o desenvolvimento da inteligência, especialmente das faculdades de generalização e de abstração. [Fem., nas acepç. 4 a 6 e 8 a 10: *mulher*. Aum., nas acepç. 4 a 6: *homenzarrão* e *homão*. Dim. nas mesmas acepç.: *homenzinho, hominho* e *homúnculo*.] ● *Pron.* **14.** *Ant.* Alguém (1): "cad'um terá sua escusa; / dei-vos já muitas por mim, / e estas cousas são enfim / como delas homem usa." (Francisco de Sá de Miranda, *Obras Completas*, II, pp. 65-66); "Dor d'alma é, na verdade, não poder homem na solidão pagar por estes, e por si mesmo, dívidas grandes e urgentes da Humanidade." (Antônio Feliciano de Castilho, *O Presbitério da Montanha*, p. 110); "Na verdade, jamais homem há visto / Cousa na terra semelhante a isto" (Machado de Assis, *Poesias Completas*, p. 302). ◆ **Homem da lei.** Magistrado, advogado, oficial de justiça. **Homem da rua.** Homem do povo. [Cf. *homem-da-rua*.] **Homem de ação.** Indivíduo enérgico, ativo, expedito, diligente. **Homem de bem.** Indivíduo honesto, honrado, probo. **Homem de cor.** Homem preto ou mulato. **Homem de Deus.** Homem piedoso, santo (us. como vocativo, traduz um sentimento de impaciência, enfado, ou de ironia): *Deixe-nos em paz, homem de Deus!* **Homem de empresa.** Indivíduo que tem a seu cargo os negócios duma empresa (3) particular; empresário. **Homem de espírito.** Indivíduo de inteligência viva, engenhosa, sutil, espirituosa. **Homem de Estado.** Estadista. **Homem de letras.** Literato, intelectual. **Homem de negócios.** Pessoa que trata de grandes negócios e/ou que tem importantes relações no comércio. **Homem de palavra.** Indivíduo que cumpre o que diz ou promete. **Homem de prol. 1.** Homem nobre. **2.** Intelectual ou artista. **Homem de pulso.** Homem enérgico, firme. **Homem de sete instrumentos.** Indivíduo capaz de executar diferentes atividades profissionais, artísticas, culturais, etc.: "Homem de sete instrumentos, tinha fama de ativo e competente. Fabricava dentaduras, consertava rádios e vitrolas, tirava retratos para carteiras" (Jorge Amado, *Dona Flor e Seus Dois Maridos*, p. 37). **Homem de sociedade.** O que freqüenta a alta sociedade e conhece seus hábitos; homem do mundo. **Homem do leme.** Timoneiro. **Homem do mar.** Homem habituado às lidas marítimas; marinheiro. **Homem do mundo.** Homem da sociedade. **Homem do povo.** Indivíduo considerado como representativo dos interesses e opiniões do homem comum; homem da rua. **Homem marginal.** *Sociol.* Indivíduo que vive em duas culturas em conflito, ou que, tendo-se desprendido de uma cultura, não se integrou de todo em outra, ficando à margem das duas. [Cf. *marginal* (5).] **Homem público.** Indivíduo que se consagra à vida pública, ou que a ela está ligado. **Como um só homem.** Em massa, em peso; por unanimidade; como uma só pessoa: *Responderam como um só homem.* **De homem para homem. 1.** Com franqueza; com sinceridade: *Conversaram de homem para homem.* **2.** Franco, leal, sincero, verdadeiro: *Pai e filho tiveram uma conversa de homem para homem.* **Os homens.** A humanidade; o homem. **Ser um homem ao mar.** Perder as qualidades que o faziam admirado, conceituado, invejado.

homem-bom. *S. m. Ant.* **1.** Indivíduo da classe dos herdadores (entre as classes não nobres). **2.** O mais respeitável dos indivíduos das classes nobres. **3.** Homem que se fazia notar, nos conselhos, pelo seu bom porte, e que era designado para as funções públicas. [Pl.: *homens-bons*.]

homem-chave. *S. m.* Indivíduo indispensável à realização de um empreendimento. [Pl.: *homens-chaves* e *homens-chave*.]

homem-da-rua. *S. m. Bras.* Exu (3). [Pl.: *homens-da-rua*. Cf. *homem da rua*.]

homem-de-palha. *S. m.* Testa-de-ferro. [Pl.: *homens-de-palha*.]

homem-feito. *S. m.* Homem (5). [Pl.: *homens-feitos*.]

homem-hora. *S. m.* Unidade de trabalho humano correspondente ao trabalho efetuado por uma pessoa durante uma hora. [Pl.: *homens-horas*.]

homem-mosca. *S. m.* Homem agílimo, que sobe ou se equilibra perigosamente em paredes ou estruturas externas de edifícios, torres, etc., executando arriscadas acrobacias. [Pl.: *homens-moscas* e *homens-mosca*.]

homem-pássaro. *S. m.* Praticante de asa-delta. [Pl.: *homens-pássaros* e *homens-pássaro*.]

homem-rã. *S. m.* Mergulhador experimentado, militar ou civil, equipado com indumentária apropriada, aparelhamento respiratório autônomo e outros petrechos, e treinado especialmente para executar manobras submarinas de guerra (ofensivas ou defensivas), ou manobras de resgate, de salvamento, de estudos, etc. [Pl.: *homens-rãs* e *homens-rã*.]

homem-sanduíche. *S. m.* Indivíduo que vive de caminhar pelas ruas com dois cartazes publicitários, um nas costas, outro no peito. [Pl.: *homens-sanduíches* e *homens-sanduíche*.]

homenageado. [Part. de *homenagear*.] *Adj.* e *s. m.* Que ou aquele que é objeto de homenagem.

homenageante. *Adj. 2 g.* Que homenageia; que constitui homenagem: "O motorista de uniforme debruado tirou o boné em curva homenageante." (Genolino Amado, *O Reino Perdido*, p. 31.)

homenagear. *V. t. d.* Prestar homenagem a. [Conjug.: v. *frear*.]

homenagem. [Do provenç. *omenatge*.] *S. f.* **1.** Promessa de fidelidade do vassalo ao senhor feudal. **2.** Protesto de veneração e respeito; preito. **3.** Ato de cortesia, de consideração, de galanteria.

homenzarrão. *S. m.* Homem (4 a 6) de grande estatura e corpulência; homão: "Era um homenzarrão possante, de largos ombros, braços musculosos cobertos de um velo grosso como cerda." (Coelho Neto, *Treva*, p. 302.)

homenzinho. *S. m.* **1.** Homem (4 a 6) de pequena estatura; homúnculo, hominho. **2.** Rapaz, no começo da adolescência; rapazinho. **3.** *Fig.* Homem insignificante, sem importância.

▲**homeo-.** [Do gr. *hómoios, a, on*.] *El. comp.* = 'semelhante', 'da mesma natureza': *homeopatia, homeografia.*

homeografia. [De *homeo-* + *-graf(o)-* + *-ia*.] *S. f. Tip.* Processo pelo qual se obtém fac-símiles de velhas gravuras. [V. *impressão anastática*.]

homeográfico. *Adj.* Referente à homeografia.

homeômero. [Do gr. *homoiomerés*.] *Adj.* Formado de partes semelhantes.

homeomorfismo. [De *homeo-* + *morfismo*.] *S. m. Álg. Mod.* Bijeção bicontínua.

homeopata. *S. 2 g.* Pessoa que exerce a homeopatia e/ou dela se utiliza.

homeopatia. [De *homeo-* + *-pat-* + *-ia.*] *S. f.* **1.** *Med.* Sistema terapêutico criado por Christian Friedrich Samuel Hahnemann (1755-1843), que consiste em tratar as doenças por meio de substâncias ministradas em doses diluídas a ponto de se tornarem, por vezes, infinitesimais, capazes de produzir, em indivíduos sãos, quadros clínicos semelhantes aos que apresentam os doentes a serem tratados. [O lema da escola homeopática, *Similia similibus curantur*, 'os semelhantes curam-se pelos semelhantes', foi enunciado por Hahnemann em seu *Órganon da Arte Racional de Curar* (1810). Cf. *alopatia* e *isopatia*.] **2.** *Bras., PE. Pop.* V. *cachaça* (1).

homeopático. *Adj.* **1.** Relativo ou pertencente à homeopatia; hahnemanniano. [Antôn.: *alopático*.] **2.** *Fig.* Muito pequeno; ínfimo, insignificante: *Serviu o licor em doses homeopáticas.*

homeoptoto. [Do gr. *homoioptóton*, pelo lat. *homoeoptoton.*] *S. m. Gram.* Homoptoto.

homeostase. *S. f. Med.* e *Cibern.* V. *homeóstase.*

homeóstase. [Do gr. *homeostasis.*] *S. f.* **1.** *Fisiol.* Tendência à estabilidade do meio interno do organismo. **2.** *Cibern.* Propriedade auto-reguladora de um sistema ou organismo que permite manter o estado de equilíbrio de suas variáveis essenciais ou de seu meio ambiente. [V. *retroalimentação*.]

homeostático. *Adj.* Relativo à homeóstase ou a homeostato.

homeostato. *S. m. Cibern.* Mecanismo de retroalimentação [q. v.] que permite alcançar e/ou manter um estado de equilíbrio dinâmico (o termostato, p. ex.).

homeoteleuto. [Do gr. *homoiotéleuton*, pelo lat. *homeoteleuton.*] *S. m. Ret.* Emprego sucessivo de palavras com desinência igual ou semelhante. Ex.: "E a massa rotunda e rubicunda do Pimentinha dominava, atulhava a região." (Eça de Queirós, *A Cidade e as Serras*, p. 203); "a sua vida é um constante solicitar, adular, vergar, rastejar, aturar" (Id., *ib.*, p. 127).

homeotermo. [De *homeo-* + *-termo.*] *Adj.* **1.** De temperatura constante, sem dependência da temperatura ambiente. **2.** *Zool.* Diz-se de animal de temperatura constante. São impropriamente denominados animais de sangue quente. São as aves e os mamíferos. [Sin. nesta acepç.: *homotermo*.] ● *S. m.* **3.** *Zool.* Animal homeotermo (2); homotermo.

homergia. [De *hom(o)-* + *-erg(o)-*^{1} + *-ia.*] *S. f. Med.* e *Farmac.* Produção do mesmo efeito por dois medicamentos. [Cf. *heterergia*.]

homérgico. *Adj.* Relativo à homergia, ou que a causa.

homérico. [Do gr. *homerikós*, pelo lat. *homericu.*] *Adj.* **1.** Pertencente ou relativo a Homero, o maior dos poetas gregos, ou próprio dele ou de sua obra: "Todos os guerreiros que apareciam, com as armas homéricas, rutilantes e fortes" (Machado de Assis, *A Semana*, II, p. 59). **2.** *Fig.* Estrondoso, retumbante, ecoante: *O trovão homérico ensurdeceu a todos.* **3.** *Fig.* Fora do comum; enorme, excessivo, extraordinário: *A mulher, coitada, levou uma surra homérica do marido.* ~ V. *gargalhada* —*a.*

homérida. [Do gr. *homerídes*, pelo lat. *homerida.*] *S. m.* **1.** Rapsodo que cantava os poemas de Homero. **2.** Imitador de Homero.

homessa. [De *homem* + *essa.*] *Interj.* Exprime surpresa ou irritação, e equivale a ora essa, essa agora: "Homessa! Então eu sou obrigado a andar de ônibus só?" (Antônio de Alcântara Machado, *Novelas Paulistanas*, p. 123.)

homicida. [Do lat. *homicida.*] *Adj. 2 g.* **1.** Que pratica homicídio(s): *um rapaz homicida.* **2.** Que ocasiona a morte de alguém: *ferro homicida; arma homicida; "Pelo direito, ergui a voz ardente / No meio das revoltas homicidas"* (Antero de Quental, *Sonetos*, p. 312). **3.** Que leva à prática do homicídio, ou a pensar em praticá-lo: *instinto homicida.* ● *S. 2 g.* **4.** Pessoa que pratica homicídio(s).

homicídio. [Do lat. *homicidiu.*] *S. m.* Morte de uma pessoa praticada por outrem; assassínio.

homilética. [Do gr. *omiletiké* (subentende-se *techne*), 'espírito de sociedade'.] *S. f.* Arte de pregar sermões religiosos.

homilia. [Do gr. *homília*, pelo lat. *homilia.*] *S. f.* **1.** Pregação em estilo familiar e quase coloquial sobre o Evangelho: "nem que .... o santo bispo de Hipona, pregando à gente púnica, tivesse ali ao pé um copo de falerno para regar as homilias." (Latino Coelho, *Tipos Nacionais*, pp. 247-248). **2.** *P. ext.* Discurso que afeta moral exagerada. [Var. pros.: *homília*.]

homília. *S. f.* Var. pros. de *homilia.* [Cf. *homilia*, do v. *homiliar*.]

homiliar. *V. int.* Escrever ou fazer homilias. [Pres. ind.: *homilio, homilias, homilia*, etc. Cf. *homília*.]

homiliasta. *S. 2 g.* Pessoa que faz ou prega homilias.

hominal. [Do lat. *homine*, 'homem', + *-al.*] *Adj. 2 g.* Relativo ou pertencente ao homem.

hominalidade. *S. f.* **1.** O caráter, a essência hominal. **2.** Ação ou força privativas da natureza humana.

hominho. *S. m.* V. *homenzinho* (1).

▲**homin(i)-.** [Do lat. *homo, inis.*] *El. comp.* = 'homem': *hominícola, hominído.*

hominícola. [De *homin(i)-* + *-cola.*] *S. 2 g.* Pessoa que adora um homem.

hominida. *S. m.* e *adj. 2 g.* V. *hominídeo.*

hominidas. *S. m. pl. Zool.* V. *hominídeos.*

hominídeo. *S. m.* **1.** Espécime dos hominídeos. ● *Adj.* **2.** Pertencente ou relativo a eles.

hominídeos. *S. m. pl. Zool.* Família de primatas que tem como tipo o *homem*, inclusive os fósseis tidos como seus antepassados quaternários.

hominído. [Alter. de *hominídeo.*] *Adj. Zool.* Diz-se do mamífero semelhante ao homem.

homiziado. [Part. de *homiziar.*] *Adj.* **1.** Que anda fugido à justiça. **2.** Escondido, oculto. ● *S. m.* **3.** Indivíduo homiziado.

homiziadoiro. *S. m.* V. *homiziadouro.*

homiziadouro. [Var. de *homiziadoiro.*] *S. m.* Lugar onde alguém se homizia; valhacouto, homizio.

homiziar. [Do arc. *homizio*, 'homicídio', + *-ar*^{2}. (O homicida fugia à ação da justiça, buscando guarida.)] *V. t. d.* **1.** Dar guarida, abrigo, refúgio, ou homizio, a; esconder à vigilância da justiça. **2.** Esconder, encobrir: *homiziar riquezas.* **3.** *P. us.* Indispor, inimizar, malquistar, intrigar: *Procuram homiziá-lo com velhos amigos. P.* **4.** Esconder-se, ocultar-se, fugindo à ação da justiça: "Falavam nuns tiros de emboscada... nos criminosos que se homiziavam na fazenda de Camboim, Barão do Buique..." (Ulisses Lins de Albuquerque, *Um Sertanejo e o Sertão*, p. 32.) **5.** Esconder-se, encobrir-se.

homizio. [Do lat. *homicidiu.*] *S. m.* **1.** Ato ou efeito de homiziar(-se). **2.** Esconderijo, valhacouto. **3.** *Ant.* Homicídio. **4.** Crime que pelas leis antigas era punido com a morte ou desterro.

▲**homo-.** [Do gr. *homós, é, ón.*] *El. comp.* = 'semelhante', 'igual': *homopétalo, homossexual.*

homocelo. *S. m.* **1.** Espécime dos homocelos. ● *Adj.* **2.** Pertencente ou relativo a eles.

homocelos. *S. m. pl. Zool.* Animais poríferos, ordem *Homocoela*, com a parede do corpo fina, sem dobras na porção interna, forrada continuadamente por coanócitos.

homocêntrico. [De *homocentro* + *-ico*^{2}.] *Adj.* Concêntrico.

homocentro. [Do gr. *homókentros.*] *S. m. Geom.* Centro comum de várias circunferências.

homocerco. [De *homo-* + gr. *kérkos*, 'cauda'.] *Adj.* **1.** Diz-se da nadadeira caudal dos peixes, cujos lobos são aproximadamente simétricos, formando raios. **2.** De, ou pertencente, ou relativo a essa nadadeira. [Cf. *heterocerco*.]

homocíclico. *Adj. Quím.* Diz-se de um composto em cuja molécula existe um ciclo constituído por átomos idênticos.

homoclamídeo. [De *homo-* + gr. *clamys, ydos* + *-eo.*] *Adj. Morfol. Veg.* Que apresenta todas as peças do perigônio semelhantes, não se distinguindo sépalas de pétalas: *flor homoclamídea.*

homocromia. [Do gr. *homóchromos*, 'de cor semelhante', + *-ia.*] *S. f.* Faculdade que têm certos animais de adquirir a cor do meio em que vivem. [Cf. *mimetismo* (1).]

homocrômico. *Adj.* Referente à homocromia.

homócrono. [Do gr. *homóchronos*, 'do mesmo tempo', + *-ia.*] *Adj. Biol.* Diz-se da herança na qual os caracterísficos transmitidos aparecem nos filhos precisamente na idade em que se manifestam nos pais.

homofagia. [De *homo-* + *-fag(o)-*^{1} + *-ia.*] *S. f.* Uso de carne crua na nutrição.

homofágico. *Adj.* Concernente à homofagia.

homofilo. [De *homo-* + *-filo*^{1}.] *Adj. Morfol. Veg.* Diz-se da planta de folhas ou folíolos semelhantes. [Antôn.: *heterofilo*.]

homofocal. [De *homo-* + *focal.*] *Adj. 2 g. Mat.* Diz-se das curvas ou superfícies que têm o mesmo foco.

homofonia. [Do gr. *homophonía.*] *S. f.* **1.** *Gram.* Qualidade das palavras homófonas. [Antôn.: *heterofonia*.] **2.** Música executada em uníssono por instrumentos e/ou vozes.

homofônico. *Adj. Gram.* V. *homófono.* [Antôn.: *heterofônico*.]

homofono. *Adj.* e *s. m. Gram.* Var. pros. de *homófono.*

homófono. [Do gr. *homóphonos.*] *Adj.* e *s. m. Gram.* Diz-se de, ou vocábulo que tem o mesmo som de outro com grafia e sentido diferente. Ex.: *paço* = *palácio real*, e *passo* = *marcha; censo* = *recenseamento*, e *senso* = *juízo.* [Sin. do adj.: *homofônico*; antôn. ger.: *heterófono.* Cf. *homônimo*.]

homofonógrafo. [De *homo-* + *-fono-* + *-grafo.*] *Adj. Gram.* Diz-se das palavras que se escrevem e pronunciam de modo igual, mas têm sentido e origens diferentes. Ex.: *lima* (fruta) e *lima* (ferramenta).

homofonologia. [De *homo-* + *fonologia.*] *S. f. Gram.* Estudo das palavras homófonas.

homofonológico. *Adj.* Relativo a homofonologia.

homogamia. [De *homógamo* + *-ia.*] *S. f. Morfol. Veg.* Propriedade que tem uma flor ou uma planta de seus estames e pistilos amadurecerem ao mesmo tempo, podendo nela produzir-se, pois, a autofecundação.

homogâmico. *Adj.* Relativo à homogamia.

homógamo. [Do gr. *homógamos.*] *Adj. Morfol. Veg.* Que apresenta homogamia.

homogeneidade. *S. f.* **1.** Qualidade de homogêneo; homogenia. **2.** *Cosm.* Suposta propriedade do Universo segundo a qual, em um determinado instante, o cosmo, considerado como um todo, aparecia semelhante para todos os observadores, seja qual for o lugar que venham ocupar. Não existe lugar privilegiado. [Antôn.: *heterogeneidade*.]

homogeneização. *S. f.* **1.** Ato ou efeito de homogeneizar(-se). **2.** Tratamento que se dá ao leite e impede a decantação de seus elementos.

homogeneizado. [Part. de *homogeneizar.*] *Adj.* Que sofreu homogeneização (2). ~ V. *leite* —.

homogeneizador (ô). *Adj.* e *s. m.* Diz-se do, ou o que é capaz de homogeneizar os líquidos.

homogeneizar. *V. t. d.* e *p.* Tornar(-se) homogêneo; assemelhar(-se); igualar(-se).

homogêneo. [Do gr. *homogenés*, pelo lat. escolástico *homogeneu.*] *Adj.* **1.** Cujas partes todas são da mesma natureza: *líquido homogêneo.* **2.** Cujas partes são ou estão solidamente e/ou estreitamente ligadas: *Os alunos da quarta série formam um grupo homogêneo.* **3.** Cujas partes ou unidades não apresentam ou quase não apresentam desigualdades, altos e baixos: *Sua produção é sólida e, o que é mais raro, homogênea; A conferência foi ouvida por um público atento e homogêneo.* [Antôn. ger.: *heterogêneo.* ~V. *catálise* —*a, equação* —*a, equação diferencial* —*a, equação diferencial linear* —*a, função* —*a, operação* —*a, reator* — e *sistema* —.

homogênese. [De *homo-* + *-gênese.*] *S. f. Biol.* Reprodução por processo igual nas sucessivas gerações, em contraste com a alternância de gerações. [Antôn.: *heterogênese*.]

homogenia. [Do gr. *homogéneia.*] *S. f.* **1.** Homogeneidade (1). **2.** *Biol.* Semelhança de partes, devida à origem comum.

homógrado. [De *homo-* + *-grado.*] *Adj. Estat.* Diz-se dum conjunto de dados estatísticos referentes apenas às duas alternativas mutuamente exclusivas de um atributo comum. [Opõe-se a *heterógrado*.]

homografia. [De *homo-* + *-graf(o)-* + *-ia.*] *S. f.* **1.** *Gram.* Qualidade de homógrafo. **2.** *Geom.* Dependência recíproca de duas figuras geométricas.

homográfico. *Adj.* Relativo à homografia.

homógrafo. [De *homo-* + *-grafo.*] *Adj.* e *s. m. Gram.* Diz-se de, ou vocábulos que têm a mesma grafia, mas significações diferentes. Ex.: *cedo* (adv.) e *cedo* (do v. *ceder*); *canto* (esquina) e *canto* (do v. *cantar*). [Antôn.: *heterógrafo.* Cf. *homônimo*.] ♦ **Homógrafo imperfeito.** *Gram.* Aquele que se distingue apenas pela acentuação gráfica e, portanto, não é homófono. [Ex.: *pode* e *pôde*, do v. *poder; fábrica*, s. f., e *fabrica*, do v. *fabricar*.]

homóide. [Do gr. *homoeidés.*] *Adj. 2 g. Zool.* Diz-se do mestiço originado de duas raças da mesma espécie.

homologabilidade. *S. f.* Qualidade de homologável.

homologação. *S. f.* **1.** Ato ou efeito de homologar. **2.** *Jur.* Aprovação dada por autoridade judicial ou administrativa a certos atos particulares para que produzam os efeitos jurídicos que lhes são próprios. **3.** *Jur.* Ato pelo qual o Supremo Tribunal Federal aprova a executoriedade de duma sentença estrangeira no território nacional, depois de ter verificado que ela atende a certos requisitos legais. [Cf., nesta acepç.: *juízo de delibação*.]

homologar. [De *homólogo* + *-ar*^{2}.] *V. t. d.* **1.** *Jur.* Confirmar ou aprovar por autoridade judicial ou administrativa. **2.** Conformar-se com. [Conjug.: v. *largar.* Pres. ind.: *homologo*, etc. Cf. *homólogo*.]

homologatório. *Adj.* Que serve ou tem força para homologar.

homologável. *Adj. 2 g.* Suscetível de homologação.
homologia. [Do gr. *homología.*] *S. f.* **1.** Qualidade de homólogo. **2.** *Ret.* Repetição das mesmas palavras, conceitos, figuras, etc., no mesmo discurso. **3.** *Biol. Ger.* Semelhança de estrutura e de origem, em partes de organismos taxionomicamente diferentes.
homológico. *Adj.* Relativo à homologia.
homólogo. [Do gr. *homólogos.*] *Adj.* **1.** *Geom.* Diz-se dos lados, ângulos, diagonais, segmentos, vértices e outros elementos que se correspondem ordenadamente em figuras semelhantes. **2.** *Biol. Ger.* Diz-se dos corpos orgânicos que preenchem as mesmas funções e sofrem as mesmas metamorfoses. **3.** *Genét.* Diz-se dos cromossomos com os mesmos genes e na mesma seqüência. **4.** *Morfol. Veg.* Diz-se dos órgãos ou partes vegetais que apresentam homologia (3). **5.** *Quím.* Diz-se de substâncias que têm a mesma função, mas diferem pelo número de átomos de carbono da cadeia principal. **6.** *P. ext.* Equivalente, correspondente, embora mais ou menos diverso. [Cf. *homologo*, do v. *homologar.*]
homômero. [De *homo-* + *-mero.*] *Adj.* Cujas partes são todas semelhantes.
homomerologia. [De *homômero* + *-log(o)-* + *-ia.*] *S. f. Anat.* Tratado dos sistemas orgânicos.
homomerológico. *Adj.* Relativo à homomerologia.
homomorfismo. *S. m.* **1.** Qualidade de homomorfo. [Antôn.: *heteromorfismo* e *heteromorfia.*] **2.** *Álg. Mod.* Transformação unívoca de um grupo sobre outro que preserva as operações dos grupos.
homomorfo. [De *homo-* + *-morfo.*] *Adj.* Que tem a mesma forma. [Antôn.: *heteromorfo.*]
homomorfose. [De *homo-* + *morfose.*] *S. f. Biol.* Regeneração de uma parte igual à que foi perdida.
homonímia. [Do gr. *homonymía*, pelo lat. *homonymia.*] *S. f.* Propriedade do que é homônimo.
homonímico. *Adj.* Em que há homonímia.
homônimo. [Do gr. *homónymos*, pelo lat. *homonymus.*] *Adj.* e *s. m.* **1.** Que ou aquele que tem o mesmo nome. **2.** *Gram.* Diz-se de, ou palavra que se pronuncia da mesma forma que outra, mas cujo sentido e escrita são diferentes (os homófonos *laço* = *laçada*, *lasso* = *cansado)*, ou que se pronuncia e escreve do mesmo modo, mas cujo significado é diverso (os homógrafos *falácia* = qualidade de falaz, e *falácia* = *falatório)*. [Cf. *parônimo, sinônimo* e *antônimo.*]
homônomo. [De *homo-* + *-nomo.*] *Adj. Biol.* Que tem a mesma forma e função.
homopétalo. [De *homo-* + *-pétalo.*] *Morfol. Veg.* Que tem pétalas semelhantes. [Antôn.: *heteropétalo.*]
homoplanasia. *S. f. Ópt.* Propriedade de um sistema óptico, simétrico em relação ao eixo óptico, em que a cáustica que é imagem de um ponto tem simetria cilíndrica.
homoplanático. *Adj. Ópt.* Relativo a um sistema óptico com homoplanasia.
homoplasia. [De *homo-* + *-plas(i)-* + *-ia.*] *S. f. Biol.* Correspondência entre partes ou órgãos não decorrentes de modificação dum tipo ancestral comum.
homoplástico. [De *homo-* + *plástico.*] *Adj.* Relativo à homoplasia.
homopolar. [De *homo-* + *polar.*] *Adj. 2 g.* ~ V. *ligação* —.
homopolímero. [De *homo-* + *polímero.*] *S. m. Quím.* Polímero formado por sucessivas aglomerações de grande número de moléculas fundamentais iguais.
homóptero. [Do gr. *homópteros.*] *S. m.* **1.** Espécime dos homópteros. • *Adj.* **2.** Pertencente ou relativo a eles. [Sin. ger.: *rincoto.*]
homópteros. *S. m. pl. Zool.* Animais artrópodes, da classe dos insetos, ordem *Homoptera*, fitófagos, terrestres, providos de aparelho bucal sugador, e cujos ovos são postos na casca ou em fendas dos vegetais. Conhecidos popularmente como *cigarras, cigarrinhas* e *pulgões*. [Sin.: *rincotos.*]
homoptoto. [Do gr. *homóptoton.*] *S. m. Gram.* Emprego sucessivo de verbos nos mesmos tempos e pessoas, ou de nomes nos mesmos casos; homeoptoto.
homoptóton. *S. m. Gram.* V. *homoptoto.*
homorgânico. [De *homo-* + *orgânico.*] *Adj.* **1.** *Gram.* Diz-se dos fonemas cuja pronúncia depende do(s) mesmo(s) órgão(s): *bê, pê, mê* (todos bilabiais), *dê, tê* (linguodentais). [Antôn.: *heterorgânico.*] **2.** *Anat.* Diz-se de objeto que é semelhante, em organização, a outro. **3.** *Fon.* Diz-se de um som com o mesmo ponto de articulação (5) de outro.
➧**homo sapiens** (ómo sápienç). [Lat., 'homem racional'.] Nome científico da espécie *homo* na nomenclatura de Lineu [v. *lineano*].
homose. [De *homo-* + *-ose.*] *S. f.* **1.** Comparação dum objeto com outro. **2.** Assimilação e cocção de suco nutritivo.
homossexual (cs). [De *homo-* + *sexual.*] *Adj. 2 g.* **1.** Relativo à afinidade, atração e/ou comportamento sexuais entre indivíduos do mesmo sexo. **2.** Que tem essa afinidade e esse comportamento. • *S. 2 g.* **3.** Pessoa homossexual (2). [Antôn.: *heterossexual.*]
homossexualidade (cs). *S. f.* Caráter de homossexual; homossexualismo, inversão. [Antôn.: *heterossexualidade.*]
homossexualismo (cs). *S. m.* **1.** Prática do comportamento homossexual. **2.** V. *homossexualidade.*
homotalia. [De *homo-* + gr. *thálon*, 'talo', + *-ia.*] *S. f. Morfol. Veg.* Qualidade de homotálico. [Antôn.: *heterotalia.*]
homotálico. [De *homotalia* + *-ico^2.*] *Adj. Morfol. Veg.* Diz-se do fungo que não apresenta qualquer diferenciação sexual. [Antôn.: *heterotálico.*]
homotermal. [De *homo-* + *termal.*] *Adj. 2 g.* V. *isotérmico.* [Antôn.: *heterotérmico.*]
homotermia. [De *homo-* + *-term(o)-* + *-ia.*] *S. f.* Propriedade que tem um corpo de conservar uniforme a sua temperatura. [Antôn.: *heterotermia.*]
homotérmico. *Adj.* Relativo à homotermia.
homotermo. [De *homo-* + *-termo.*] *Adj.* e *s. m.* Homeotermo (2 e 3).
homotesia. [De *homo-* + *-tes(e)-* + *-ia.*] *S. f. Geom.* V. *homotetia.*
homotetia. [De *homo-* + gr. *thetós*, 'colocado', + *-ia.*] *S. f. Geom.* Propriedade das figuras semelhantes e semelhantemente dispostas.
homotético. *Adj.* **1.** Relativo à homotetia. **2.** *Geom.* Diz-se de figuras cujos pontos correspondentes são ligados por segmentos de reta que têm um ponto comum que os divide numa razão constante. ~ V. *transformação* —*a.*
homotipia. [Do gr. *homotypía.*] *S. f. Anat.* **1.** Qualidade dos órgãos homótipos. **2.** Analogia de certos órgãos num mesmo indivíduo.
homotípico. *Adj.* Relativo à homotipia.
homótipo. [De *homo-* + *-tipo.*] *Adj. Anat.* Diz-se de órgãos que, num mesmo indivíduo, são os análogos de outros órgãos, como, p. ex., os dedos dos pés em relação aos das mãos.
homótono. [Do gr. *homótonos*, pelo lat. *homotonu.*] *Adj.* Que tem o mesmo tom; monótono, uniforme.
homótropo. [Do gr. *homótropos.*] *Adj. Morfol. Veg.* Diz-se das partes do vegetal que tomam a mesma direção.
homovalve. [De *homo-* + *-valva.*] *Adj. 2 g. Morfol. Veg* Diz-se do fruto cujas valvas são semelhantes.
homozigoto. [De *homo-* + *zigoto.*] *S. m. Genét.* Indivíduo com alelos idênticos em um determinado lócus nos dois cromossomos paternos.
homozigótico. *Adj. Genét.* Diz-se do, ou relativo ao homozigoto.
homúnculo. [Do lat. *homunculu.*] *S. m.* **1.** V. *homenzinho* (1). **2.** Pequeno ser sem corpo, sem peso, sem sexo, e dotado de poder sobrenatural, que os feiticeiros pretendiam fabricar. **3.** *Fig.* Homem vil, desprezível, abjeto. **4.** *Biol.* Miniatura do feto humano que se supôs existir no espermatozóide.
hondurenho. [Do esp. *hondureño.*] *Adj.* **1.** De, ou pertencente ou relativo a Honduras (América Central). • *S. m.* **2.** O natural ou habitante de Honduras.
honestador (ô). *Adj.* e *s. m.* Que ou aquele que honesta.
honestar. [Do lat. *honestare.*] *V. t. d.* **1.** Tornar honesto; honrar. **2.** Fazer que pareça conforme à honra, à honestidade; coonestar. **3.** Embelezar, ornar, adornar. *P.* **4.** Portar-se com decência e honestidade.
honestidade. *S. f.* **1.** Qualidade ou caráter de honesto; honradez, dignidade. **2.** Probidade, decoro, decência: *Preso, não teve a* honestidade *de reconhecer seus crimes.* **3.** Castidade; pureza; virtude.
honestizar. *V. t. d.* Tornar honesto; nobilitar, dignificar.
honesto. [Do lat. *honestu.*] *Adj.* **1.** Honrado, digno, decente: *homem* honesto; *procedimento* honesto. **2.** Íntegro, probo, reto, decente: *juiz* honesto; *governante* honesto. **3.** Conveniente, correto, adequado; decente: *Apareceu a digna velha, em trajes* honestos. **4.** Casto, puro, virtuoso: *moça* honesta.
➧**honni soit qui mal y pense** (oni suá qui mal i panç). [Fr.] Envergonhe-se quem nisto vê malícia. [Divisa da Ordem da Jarreteira.]
honor (ô). [Do lat. *honor.*] *S. m. Desus.* Honra. [Pl.: *honores* (ô). Cf. *honores*, do v. *honorar.*]
honorabilidade. [Do fr. *honorabilité.*] *S. f.* **1.** Qualidade de honorável (1): "Alguns até conservavam uma espécie de velha amásia oficial, que chegara a conquistar a quase honorabilidade duma esposa segunda." (José Régio, *Histórias de Mulheres*, p. 289.) **2.** V. honradez (1): *A* honorabilidade *do seu proceder é inatacável.* **3.** Merecimento, benemerência.
honorar. [De *honor* + *-ar^2.*] *V. t. d.* e *p. Desus.* Honrar(-se). [Pres. subj.: *honore, honores*, etc.; fut. pret.: *honoraria*, etc. Cf. *honores* (ô), pl. de *honor*, e *honorária*, fem. de *honorário.*]
honorário. [Do lat. *honorariu.*] *Adj.* **1.** V. *honorífico* (1). **2.** Que dá honras, glórias, sem proventos materiais; honorífico: *título* honorário: *cargo* honorário **3.** Que tem honras, sem receber proventos ou desempenhar as funções de um cargo: *sócio* honorário; *presidente* honorário. ~ V. *cônsul* — e *honorários.* [Fem.: *honorária.* Cf. *honoraria*, do v. *honorar.*]
honorários. [Pl. substantivado de *honorário.*] *S. m. pl.* **1.** Remuneração àqueles que exercem uma profissão liberal: advogado, médico, etc.; proventos. **2.** *P. ext.* Vencimentos, salário, remuneração. ~ V. *honorário.*
honorável. [Do lat. *honorabile.*] *Adj. 2 g.* **1.** Digno de ser honrado. **2.** V. *honorífico* (1).
honorificar. [Do lat. *honorificare.*] *V. t. d.* Dar honras ou mercês a; honrar, agraciar. [Conjug.: v. *trancar.* Pres. ind.: *honorifico*, etc. Cf. *honorífico.*]
honorificência. [Do lat. *honorificentia.*] *S. f.* Aquilo que constitui honra ou distinção.
honorífico. [Do lat. *honorificu.*] *Adj.* **1.** Que honra e distingue; honroso, honorário, honorável. **2.** Honorário (2). [Cf. *honorifico*, do v. *honorificar.*]
➧**honoris causa** (onóriç causa). [Lat., 'para honra'.] Diz-se dos títulos universitários conferidos sem exame ou concurso, a título de homenagem: doutor honoris causa.
honra. [Dev. de *honrar.*] *S. f.* **1.** Consideração e homenagem à virtude, ao talento, à coragem, às boas ações ou às qualidades de alguém: *Vários embaixadores compareceram ao jantar em* honra *do Presidente.* **2.** Sentimento de dignidade própria que leva o indivíduo a procurar merecer e manter a consideração geral; pundonor, brio: *É crime ofender gratuitamente a* honra *de alguém.* **3.** Dignidade, probidade, retidão: *É homem de bem, de* honra. **4.** Grandeza, esplendor, glória: *Trabalhou para a* honra *de sua terra.* **5.** Pessoa ou coisa que é motivo de honra, de glória: *Caxias é uma* honra *do exército brasileiro; O saber de Pontes de Miranda é uma das* honras *do Brasil.* **6.** Culto, veneração: *Freqüentava com assiduidade a ladainha em* honra *de Nossa Senhora.* **7.** Graça, mercê, distinção: *S. Exª. concedeu-me a* honra *de jantar comigo.* **8.** Honestidade, pureza, castidade, virgindade. **9.** *Ant.* Terra privilegiada, de fidalgos ou cavaleiros. ~ V. *honras.* ♦ **Por honra da firma. 1.** Só para impedir que o nome do devedor sofra suspeita ou descrédito: *Paguei a conta* por honra da firma. **2.** Apenas para cumprir uma obrigação ou não fugir à praxe: *Embora muito gripado, veio trabalhar,* por honra da firma. **3.** Sem maior interesse ou prazer, apenas para salvar as aparências: *Apesar de já não o estimar, visita-o* por honra da firma.
honradez (ê). *S. f.* **1** Qualidade de honrado (1); probidade, honestidade, honra, honorabilidade. **2.** Brio, decoro, pundonor.
honrado. [Part. de *honrar.*] *Adj.* **1.** Que tem honra; honesto, digno, probo. **2.** Tratado com honra e respeito; respeitado, venerado. **3.** Casto, puro, virtuoso.
honrar. [Do lat. *honorare.*] *V. t. d.* **1.** Conferir honras a; dar crédito ou merecimento a: Honrou *nobremente, o próprio adversário.* **2.** Cobrir de honras; distinguir com honrarias; dignificar, enobrecer, ilustrar. **3.** Estimar, respeitar, acatar; venerar: "Honrarás pai e mãe" (um dos 10 mandamentos da Lei de Deus). **4.** Lisonjear, penhorar: Honram*-me os seus elogios.* **5.** Não desmerecer de: *Sempre* honrou *o nome da família;* "Honrar o passado é preparar o futuro." (Carlos de Laet, *Obras Seletas*, I, p. 62.) *P.* **6.** Adquirir honra ou distinção; enobrecer-se: Honrou-se *desmentindo as acusações que fizera.* **7.** Ufanar-se, vangloriar-se: *Eu muito me* honro *com as suas palavras.* [Sin. ger., desus.: *honorar.*]
honraria. *S. f.* **1.** Dignidade, distinção; honras: *Foi enterrado com* honrarias *de chefe de Estado.* [É m. us. no pl.] **2.** Manifestação honrosa. **3.** Graça ou mercê que nobilita.
honras. [Pl. de *honra.*] *S. f. pl.* **1.** Título ou cargo honorífico: *Chegou, por mérito, às maiores* honras *da Igreja.* **2.** Honraria (1). ~ V. *honra.* ♦ **Honras fúnebres.** Homenagens prestadas a um morto: honras supremas; exéquias. **Honras militares.** Ato de cerimonial militar a que um cidadão tem direito, ou pela posição militar, ou pelo cargo civil, ou eclesiástico, a que corresponde certa precedência hierárquica. **Honras supremas.** V. *honras fúnebres.* **Fazer as honras da casa.** Dar atenção

especial a convidados e visitas (o dono da casa, ou outrem, a seu pedido): *Por favor, faça as honras da casa, enquanto mando servir o jantar.*

honroso (ô). *Adj.* **1.** Que dá honra; que enobrece, dignifica: profissão honrosa. **2.** Em que há honra; honesto, honrado: *Comigo sempre se conduziu de modo honroso.* **3.** V. *honorífico* (1).

hoódene. *Bras. S. 2 g.* **1.** Indivíduo dos hoódenes, tribo indígena aruaque do rio Cubaté. ● *Adj. 2 g.* **2.** Pertencente ou relativo a essa tribo. [Var.: *huúteni.* Cf. *baniva.*]

hoplestigmatácea. *S. f.* Espécime das hoplestigmatáceas.

hoplestigmatáceas. *S. f. pl. Bot.* Família de plantas dicotiledôneas, da ordem das ebenales, que compreende apenas o gênero *Hoplestigma,* composto de duas espécies arbóreas da África ocidental.

hoplestigmatáceo. *Adj.* Pertencente ou relativo às hoplestigmatáceas.

hoplita. [Do gr. *hoplítes,* pelo lat. *hoplita.*] *S. m.* Soldado de infantaria com armadura pesada na Grécia antiga.

hoplocarídeo. *S. m.* **1.** Espécime dos hoplocarídeos. ● *Adj.* **2.** Pertencente ou relativo a eles.

hoplocarídeos. *S. m. pl. Zool.* Crustáceos marinhos, providos de carapaça curta, deixando livres os somitos torácicos posteriores, abdome muito desenvolvido, brânquias abdominais, e um par de patas raptoriais semelhantes às do louva-a-deus, conhecidos vulgarmente por *tamburutacas, lagostas-gafanhotos* e *mães-do-camarão.*

hoplonemertino. *S. m.* **1.** Espécime dos hoplonemertinos. ● *Adj.* **2.** Pertencente ou relativo a eles. [Sin. ger.: *metanemertino.*]

hoplonemertinos. *S. m. pl. Zool.* Animais nemertinos, enoplos, da ordem *Hoplonemertini.* Probóscidas, com um ou mais estiletes; intestino reto com divertículos pares. Vivem na água doce, nas praias ou no mar, até profundidades de 1.000 m. [Sin.: *metanemertinos.*]

hoploteca. [Do gr. *hoplothéke.*] *S. f.* **1.** Coleção de armas. **2.** Lugar onde se guardam armas. [Cf. *arsenal* (3).]

hóquei. [Do ingl. *hockey.*] *S. m.* Jogo esportivo em que duas equipes, munidas de bastões recurvados numa extremidade, tentam impelir uma pequena bola maciça através de arcos opostos. [Cf. *oquei,* do v. *ocar.*]

hora. [Do gr. *hóra,* pelo lat. *hora.*] *S. f.* **1.** A 24ª parte do dia natural, ou do tempo que a Terra leva para fazer uma rotação completa sobre si mesma. [Símb.: *h.*] **2.** Pancada ou badalada na campainha ou sino do relógio, indicando horas. **3.** Número ou sinal que nos quadrantes ou mostradores de relógio serve para indicar as horas. **4.** Momento, ocasião: "Em torno a mim, nesta hora, estriges voam" (Augusto dos Anjos, *Eu,* p. 63). **5.** Tempo ou momento em que de ordinário se faz ou realiza uma determinada coisa, ou em que ela deve fazer-se ou realizar-se: *a hora do almoço; O trem chegou na hora.* **6.** Momento conveniente, oportuno, adequado, ocasião propícia; oportunidade, ensejo: *Está esperando a hora de pôr em prática o seu ambicioso plano.* **7.** Momento de importância ou de relevo: *O simbolismo teve a sua hora.* **8.** Horário (4). [Cf. *ora,* do v. *orar,* s. m. adv., conj. e interj.] ~ V. *horas.* ◆ **Hora da onça beber água.** *Bras. Pop.* Hora de perigo: hora difícil; hora de cancão pegar menino. **Hora das cabaças.** *Bras.* Na região do rio São Francisco, designação dada ao cair da tarde, hora em que as mulheres se dirigem, com suas cabaças, até o rio, a apanhar água para uso doméstico. **Hora de cancão pegar menino.** *Bras. Pop.* Hora da onça beber água. **Hora de verão.** Tempo civil adiantado de um fuso horário, a fim de que se aproveite mais largamente a claridade do dia. **Hora grande.** *Bras.* A meia-noite. **Hora H. 1.** *Mil.* Hora ou instante tomados como referência para o planejamento detalhado de uma operação bélica. [Os instantes dos detalhes que antecedem o início da operação são caracterizados como *H-3,... H-1:* e os que sucedem ao início, como *H + 1, H +2,...* . Assim, toda a operação pode ser planejada antes de se haver fixado a hora *H.*] **2.** *P. ext.* O momento preciso, exato: *Estamos lanchando. Você chegou na hora H.* **Hora legal.** Intervalo de tempo igual para um determinado fuso horário. **Hora local.** *Astr.* Instante, na escala de tempo, definido para um dado lugar. [Conforme o índice da escala de tempo, poderá ser *hora média* ou *hora sideral.*] **Hora média.** *Astr.* Hora local, definida segundo o movimento do Sol médio. **Hora sideral.** *Astr.* Hora local, definida segundo a rotação da esfera das fixas. **Horas canônicas. 1.** Na liturgia católica, cada uma das partes em que se divide a recitação do ofício divino ou breviário: *matinas, laudes, vésperas, prima, terça, sexta, noa* e *completas.* **2.** *P. ext.* Coleção de orações para as diferentes horas canônicas. **3.** *Fig.* Horas certas, regulares. **Horas e horas.** Durante longo tempo; horas esquecidas, horas perdidas. **Horas esquecidas.** V. *horas e horas:* "Nestas páginas, horas esquecidas, / Que de sonhos andamos levantando!" (Eugênio de Castro, *Obras Poéticas,* V, p. 158); "ali, muda e queda horas esquecidas, escutava ela o vago cantar dos seus rouxinóis" (Almeida Garrett, *Viagens na Minha Terra,* p. 180). **Horas mortas.** Horas da noite em que tudo está em silêncio; altas horas da noite; altas horas; desoras: "conservava acesa a sua lâmpada até horas mortas da noite" (Bernardo Guimarães, *O Seminarista,* p. 74); "Horas mortas, a lua o véu desata, / E em cheio brilha" (Alberto de Oliveira, *Poesias,* 2ª série, p. 123). **Horas perdidas.** V. *horas e horas:* "Conversava horas perdidas com seu amigo Tuísca" (Jorge Amado, *Gabriela, Cravo e Canela,* p. 450). **Hora universal.** *Astr.* Instante, na escala de tempo, definido como tempo médio local [q. v.] do meridiano de Greenwich. **A horas.** A tempo; oportunamente, pontualmente: "Este chegava a horas, porque os tempos eram de calamidade" (Antero de Figueiredo, *Jornadas em Portugal,* p. 87). **A horas mortas.** A altas horas da noite; por altas horas; às horas mortas; por horas mortas: "Oh Camilo .... dos fados chorados em ruelas a horas mortas sob o luar doente" (Antero de Figueiredo, *Jornadas em Portugal,* p. 175). **Altas horas.** V. *horas mortas:* "Sem sono, de olhos arregalados e fixos no teto de esteira, assim foi até altas horas, em cochilos e despertares constantes" (Antônio Celso Alves Pereira. *Rua do Quenta-Sol,* p.60). **Altas horas da noite.** V. *horas mortas.* **Arrepender-se da hora em que nasceu.** *Bras.* Sofrer profundo arrependimento. **Às horas mortas.** V. *a horas mortas:* "*O terror, que arreda o homem / Do limiar do tempo às horas mortas, / Não vem de crença vã.*" (Alexandre Herculano, *Poesias,* p. 13.) **Chegar a sua hora.** Estar (alguém) à morte, prestes a morrer: *O moribundo tinha a certeza de que chegara a sua hora.* **Em boa hora.** No momento favorável, oportunamente. [Cf. *embora.*] **Em cima da hora.** No momento exato, preciso, a partir do qual se ficará atrasado quanto a um compromisso, obrigação, encontro, partida, etc.: *Já estou em cima da hora: se não correr, perco o trem; Chegou em cima da hora para a entrevista com o ministro.* **Em má hora.** Fora de tempo; inoportunamente. **Fazer hora.** Entreter-se ou ocupar-se em alguma coisa, procurar distrair-se, enquanto não chega o momento de fazer o que está planejado ou é obrigatório; fazer horas: "Marquei a passagem para o [avião] das duas e meia, e fiquei banzando por ali, fazendo hora." (Fernando Sabino, *A Mulher do Vizinho,* p. 85.) **Fazer hora com.** *Bras. Pop.* Caçoar com, motejar ou zombar de (alguém): *Saiu do quarto enfurecido, pois todos estavam fazendo hora com ele.* **Fazer horas.** Fazer hora: "Saía à boca da noite, fazia horas pelos botequins até ir jantar num restaurante do centro" (Lima Barreto, *Vida e Morte de M. J. Gonzaga de Sá,* p. 247). **Fora de horas.** Tarde; a desoras. **Isto são horas?** Palavras que se dirigem a alguém que chega muito tarde, fora de horas. **Pela hora da morte.** Por preço altíssimo; muito caro: "Os romances brasileiros custam uma ninharia e envelhecem nas prateleiras dos editores. Os romances franceses estão pela hora da morte e são procurados com avidez." (Graciliano Ramos, *Linhas Tortas,* p. 149.) **Por altas horas.** V. *a horas mortas:* "Certa noite, por altas horas, num bairro afastado, vi aberto um botequim lôbrego" (Olavo Bilac, *Crítica e Fantasia,* p. 348). **Por horas mortas.** V. *a horas mortas:* "É certo que a clareza deste [termo] vem do verbo donde saiu. Quem o inventou? Talvez algum céptico, por horas mortas, relembrando uma procisão qualquer" (Machado de Assis, *A Semana,* II, p. 232).

horaciano. [Do lat. *horatianu.*] *Adj.* **1.** Pertencente ou relativo a Horácio, poeta latino (68-8 a. C.), ou próprio dele. ● *S. m.* **2.** Grande admirador e/ou profundo conhecedor da obra de Horácio.

horal. [Do lat. *horale.*] *Adj. 2 g.* Relativo a hora(s). [Cf. *oral.*]

horário. [De *hora* + *-ário.*] *Adj.* **1.** Relativo a hora(s). **2.** Que se percorre no espaço de uma hora: *O carro desenvolvia 120 km horários quando se deu o desastre.* ~ V. *ângulo —, ângulo — astronômico, ângulo — civil, carga —a, círculo —, eixo —, fuso —* e *sentido —.* ● *S. m.* **3.** Tabela indicativa das horas em que se devem fazer certos serviços. **4.** Hora normal, prefixada, de chegada ou partida de um meio de transporte; hora: *Qual é o horário do próximo trem?* **5.** *Bras.* Esse transporte, especialmente o trem: "o trem saiu, correndo por entre os canaviais e os roçados de algodão do meu avô. | Chegava gente na porta para ver o horário em disparada." (José Lins do Rego, *Ficção Completa,* I, p. 137.). [Cf. *orário.*] ◆ **Horário nobre.** Aquele em que, no rádio e na televisão, a audiência e a assistência atingem o ápice, encarecendo os preços da propaganda.

horas. *S. f. pl.* **1.** Espaço de tempo indeterminado. **2.** Livro de horas. **3.** Som de campainha ou de sino de relógio, que indica horas. ~ V. *hora.*

horda. [Do tártaro *urdu,* 'acampamento', pelo turco *ordu* e pelo fr. *horde.*] *S. f.* **1.** Tribo nômade. **2.** Bando indisciplinado, malfazejo: "De todas as senzalas, da casa, da horta, do pasto, negrinhos acudiam correndo, como uma horda de capetinhas nus." (Godofredo Rangel, *Vida Ociosa,* p. 49.)

hordeáceo. [Do lat. *hordeaceu.*] *Adj.* Semelhante a grãos ou espigas de cevada.

hordeína. [Do lat. *hordeu,* 'cevada', + *-ina*[1].] *S. f.* *Proteína retirada da cevada.*

hordenina. [Do lat. *hordeum,* 'cevada'.] *S. f. Quím.* Alcalóide do germe de cevada, extraído sob forma cristalina, acicular, incolor. [Fórm.: $C_{10}H_{15}ON$.]

hordéolo. [Do lat. *hordeolu.*] *S. m. Patol.* Terçol.

horista. *Adj. 2 g.* e *s. 2 g.* Diz-se do, ou empregado cujo salário (1) é calculado em horas, e não em dias.

horizontal. *Adj. 2 g.* **1.** Paralelo ao horizonte. **2.** Relativo ao horizonte. **3.** Estendido horizontalmente, esticado, deitado. ~ V. *coordenada —, leme —, paralaxe —, pêndula —, prensa —* e *sismógrafo —.* ● *S. f.* **4.** Linha paralela ao horizonte. **5.** *Fig.* V. *meretriz:* "Passou uma horizontal, oxigenada e ágil, que trocou um sinal com os dois." (Urbano Tavares Rodrigues, *Vida Perigosa,* p. 137.) **6.** *Fam.* A posição de quem está deitado; posição horizontal: *Preguiçoso, sempre que pode está na horizontal.*

horizontalidade. *S. f.* Qualidade ou estado do que é horizontal.

horizontalismo. [De *horizontal* + *-ismo.*] *S. m. Teol.* Tendência a cultuar Deus apenas pelo amor e pelo serviço prestado ao próximo.

horizontalizar. [De *horizontal* + *-izar.*] *V. t. d.* Igualar, nivelar.

horizonte. [Do gr. *horízon, óntos,* 'que limita' (subentende-se *kyklos,* 'círculo'), pelo lat. *horizonte.*] *S. m.* **1.** Linha circular que limita o campo da nossa observação visual, e na qual o céu parece encontrar-se com a superfície terrestre (considerada uma esfera perfeita). **2.** *Fig.* Extensão indefinida; espaço. **3.** *Fig.* Perspectiva ou probabilidade de desenvolvimento, de progresso, de melhoria: *Cidade morta, sem horizontes; Leva, naquele ambiente estreito, uma vida sem horizonte; Novos horizontes se abriram à ciência com os antibióticos.* [Nesta acepç. é talvez m. us. no pl.] **4.** Linha que termina o céu de um quadro. **5.** *Pedol.* As camadas de solo genericamente relacionadas entre si. ~V. *horizontes.* ◆ **Horizonte aparente.** *Astr.* V. *horizonte sensível.* **Horizonte artificial.** *Astr.* Superfície de um líquido, geralmente o mercúrio, em repouso num recipiente, e utilizada em diversos instrumentos astronômicos a fim de materializar o plano horizontal local. **Horizonte astronômico.** *Astr.* V. *horizonte racional.* **Horizonte cosmológico.** *Cosm.* Limite além do qual o Universo se torna inobservável. De acordo com a lei de Hubble, as galáxias se afastam proporcionalmente à sua distância. Se for válida essa lei, as galáxias, ao atingirem a velocidade da luz, estariam também atingindo o horizonte cosmológico. **Horizonte racional.** *Astr.* Círculo máximo da esfera celeste, e que é a interseção do plano perpendicular à vertical de um lugar com esta esfera; horizonte astronômico, horizonte verdadeiro. **Horizonte sensível.** *Astr.* Linha sobre a esfera celeste, e que é o limite desta com a superfície terrestre; horizonte aparente, horizonte visível. **Horizonte verdadeiro.** *Astr.* V. *horizonte racional.* **Horizonte visível.** *Astr.* V. *horizonte sensível.* **Horizonte visual.** *Astr.* Linha segundo a qual a superfície cônica que tem por vértice o olho do observador tangencia a Terra, considerada como uma esfera perfeita. [Independe da existência ou não de montanhas, etc.]

horizontes. [Pl. de *horizonte.*] *S. m. pl. Fig.* Horizonte (3). ~ V. *horizonte.*

horizontinense. *Adj. 2 g.* **1.** De, ou pertencente ou relativo a Horizontina (RS). ● *S. 2 g.* **2.** Natural ou habitante de Horizontina.

hormocisto. *S. m. Morfol. Veg.* Fragmento de filamento, de várias algas cianofíceas, encerrado em uma bainha fechada, o qual atravessa um período de repouso antes de as suas células entrarem em divisão. É um órgão que assegura a manutenção das respectivas espécies em épocas desfavoráveis à atividade vital.

hormogôneas. *S. f. pl. Bot.* Classe de cianofíceas em que as células estão reunidas em filamentos, podendo encerrar hormogônios e heterocistos.

hormogônio. [Do gr. *hórmos*, 'cadeia', + -gon(o)- + -io[1].] *S. m. Bot.* Fragmento do longo filamento de células de certas algas, e que reproduz a alga-mãe.

hormonal. *Adj.* Relativo a hormônio.

hormônio. [Do gr. *hórmon*, part. pres. de *hormáo*, 'excitar', + *-io*[2].] *S. m. Biol.* Substância química produzida no organismo, e que tem efeito específico sobre a atividade de certo órgão ou estrutura. [Além dos hormônios produzidos nas glândulas de secreção interna (tireóide, hipófise, etc.), há os elaborados em células especializadas, sem estrutura glandular, chamados *hormônios teciduais*. Os hormônios produzidos pelas glândulas de secreção interna são lançados diretamente na circulação sanguínea; os teciduais chegam aos órgãos a que se dirigem ou mediante a circulação sanguínea ou por processo de difusão, através de tecidos que não o sangue. São exemplos de hormônios teciduais a acetilcolina, a histamina, os hormônios do tubo gastrintestinal, etc.] ♦ **Hormônio tecidual.** V. *hormônio.*

hormonoterapia. *S. f. Terap.* Tratamento com hormônios.

hormonoterápico. *Adj.* Relativo à hormonoterapia.

hornblenda. [Do al. *Hornblende.*] *S. f. Min.* Mineral monoclínio, do grupo dos anfibólios, mistura isomorfa de silicatos de cálcio, magnésio, ferro, alumínio, e às vezes também de sódio.

hornfel. [Do al. *Hornfels.*] *S. m. Geol.* Cornubianito. [Pl.: *hornféis.*]

horografia. [Do gr. *horographía.*] *S. f.* Técnica de construir quadrantes. [Cf. *orografia.*]

horográfico. *Adj.* Concernente à horografia. [Cf. *orográfico.*]

horógrafo. [Do gr. *horográphos.*] *S. m.* Construtor de quadrantes. [Cf. *orógrafo.*]

horologial. [Do lat. *horologiu*, 'relógio', + *-al.*] *Adj. 2 g.* Relativo a relógio.

horoscopar. *V. int.* Tirar o horóscopo; horoscopizar. [Pres. ind.: *horoscopo*, etc. Cf. *horóscopo.*]

horoscópio. [Do gr. *horoskopefon*, pelo lat. *horoscopiu.*] *S. m.* Horóscopo.

horoscopista. [De *horóscopo* + *-ista.*] *S. 2 g.* Pessoa que horoscopa ou horoscopiza.

horoscopizar. *V. int.* Horoscopar.

horóscopo. [Do gr. *horóskopos*, pelo lat. *horoscopu.*] *S. m.* **1.** Prognóstico acerca da vida de uma pessoa, tirado, segundo pretendem os astrólogos, da situação de certos astros na hora do nascimento dessa pessoa. **2.** *Fig.* Predição, por mera conjetura, acerca de uma pessoa ou coisa. [F. paral.: *horoscópio*. Cf. *horoscopo*, do v. *horoscopar.*]

horrendo. [Do lat. *horrendu.*] *Adj.* **1.** Que causa horror; horrente, hórrido, horrífero, horrífico, horripilante, horrípilo, horrível, horrorífico, horroroso. **2.** Feíssimo, medonho, horrível, horroroso: *Suas feições são horrendas.* **3.** Malvado, cruel, horrível, horroroso.

horrente. [Do lat. *horrente.*] *Adj. 2 g.* **1.** V. *horrendo* (1). **2.** Que tem medo.

➧**horribile dictu** (orríbile díctu). [Lat.] Horrível de se dizer, de ser referido. [Sempre é us. interjetivamente.]

horribilidade. *S. f.* Qualidade de horrível.

horribilíssimo. *Adj.* Superl. abs. sint. de *horrível.*

hórrido. [Do lat. *horridu.*] *Adj.* V. *horrendo* (1).

horrífero. [Do lat. *horriferu.*] *Adj.* V. *horrendo* (1).

horrífico. [Do lat. *horrificu.*] *Adj.* V. *horrendo* (1).

horripilação. [Do lat. *horripilatione.*] *S. f.* **1.** Ato ou efeito de horripilar(-se); arrepio. **2.** Calafrio que antecede a febre.

horripilante. [Do lat. *horripilante.*] *Adj. 2 g.* **1.** Que horripila. **2.** V. *horrendo* (1). [Sin., ger. (bras): *horrípilo.*]

horripilar. [Do lat. *horripilare.*] *V. t. d.* **1.** Causar arrepios a. **2.** Horrorizar, apavorar, aterrar: *A visão tenebrosa horripilou-a. Int.* **3.** Causar arrepio: "Pensas que a aragem glacial tão freqüente na Paulicéia, principalmente à tarde, aragem que horripila e caustica, esfria-se ao passar por entre os ramos daquelas casuarinas da Consolação." (Raul Pompéia, *Crônicas 4*, p. 14.) *P.* **4.** Sentir arrepios; arrepiar-se. **5.** Horrorizar-se, apavorar-se, aterrar-se, aterrorizar-se. [Pres. ind.: *horripilo*, etc. Cf. *horrípilo.*]

horrípilo. *Adj. Bras.* Horripilante [q. v.]. [Cf. *horripilo*, do v. *horripilar.*]

horríssono. [Do lat. *horrisonu.*] *Adj.* Que produz um som aterrorizador: "As bombardas horríssonas bramavam" (Luís de Camões, *Os Lusíadas*, II, 100); as vozes estrugindo em burburinho horríssono" (Coelho Neto, *Rei Negro*, p. 110).

horrível. [Do lat. *horribile.*] *Adj. 2 g.* **1.** V. *horrendo.* **2.** Péssimo, malíssimo, horroroso: *uma estrada horrível; Verão horrível, o do ano passado.* [Superl. abs. sint.: *horribilíssimo.*]

horror (ô). [Do lat. *horrore.*] *S. m.* **1.** Sensação arrepiante de medo: *O horror paralisou a criança.* **2.** Receio, medo, temor, pavor: *Tem horror à solidão.* **3.** Repulsão, repulsa, aversão, ódio: "Agora não há gente no Brasil que tenha mais horror aos livros ou aos bons livros do que o homem público." (Antônio de Alcântara Machado, *Cavaquinho e Saxofone*, p. 87.) **4.** Aquilo que inspira horror: *A guerra atômica é um horror.* **5.** *Pop.* Padecimento atroz. **6.** Crime bárbaro. **7.** *Pop.* V. *quantidade* (3). ~ V. *horrores.* ♦ **Santo horror.** Temor respeitoso em face de coisas religiosas.

horrores (ô). [Pl. de *horror.*] *S. m. pl.* **1.** Coisas insultuosas, ofensivas, injuriosas, horrorosas: *Disse, em presença de todos, horrores do marido; Foi expulso da aula porque fez horrores.* **2.** Grande quantidade: *Compra horrores de livros.* **3.** Quantia vultosa, uma fortuna: "Eu já estava numa depressão de Pinel quando meu colega .... afirmou que a turma fatura horrores, o ano inteiro, em cima dessas sandices." (Marisa Raja Gabaglia, *Milho pra Galinha, Mariquinha*, p. 51.) ~ V. *horror.*

horrorífico. [De *horror* + *-i-* + *-fico.*] *Adj.* V. *horrendo* (1).

horrorizar. *V. t. d.* **1.** Causar horror a; encher de pavor; horripilar; amedrontar: "A asa negra das moscas o horroriza." (Augusto dos Anjos, *Eu*, p. 9). *Int.* **2.** Causar horror: "Hienas de horrorizar, ictiossáurios disformes, / Esfaimados, frendendo as dentuças enormes" (Martins Fontes, *Nos Jardins de Augusto Comte*, p. 100). *P.* **3.** Encher se de horror, de pavor; horripilar se: "foi tirando a roupa, até ficar nua. As mulheres se horrorizaram, os homens se encantaram." (Elias José, *Inquieta Viagem ao Fundo do Poço*, p. 23).

horroroso (ô). [De *horror* + *-oso.*] *Adj.* **1.** V. *horrendo.* **2.** Horrível (2).

➧**hors-concours** (ór-concur). [Fr., 'fora de concurso'.] *Adj.* Apresentado em exposição ou concurso, porém sem concorrer a prêmios.

➧**hors-d'oeuvre** (ór-dévr'). [Fr.] *S. m.* Alimentos, em geral picantes ou condimentados (como, p. ex., rabanetes, azeitonas, picles), que se ingerem como aperitivos antes do almoço ou do jantar. [Sin., lus.: *acepipes.* Cf. *salgadinhos.*]

➧**horse-power** (horse-páuâr). [Ingl.] *S. m. 2 n.* **1.** Unidade de medida de potência igual a 745,7 W. **2.** Unidade de medida de potência igual a 735,3 W para o HP métrico. [Símb.: *HP.*]

➧**hors-ligne** (ór-linh'). [Fr., 'fora da linha'.] *Adj.* De qualidade muito superior; excepcional; fora de série.

horta. [De *horto.*] *S. f.* Terreno onde se cultivam hortaliças, legumes, etc. [Cf. *Orta*, sobrenome de afamado botânico português, Garcia de Orta (c. 1490-1568).]

hortaliça. [Do esp. *hortaliza.*] *S. f.* Designação vulgar de plantas leguminosas ou de plantas herbáceas, comestíveis sob a forma de saladas, ensopados, guisados, condimentos, etc., e que geralmente se cultivam nas hortas; verdura, erva.

hortaliceiro. *S. m.* Vendedor de hortaliças.

hortar. *V. t. d.* **1.** Transformar em hortas. **2.** Preparar (um terreno) para a produção de hortaliças. *Int.* **3.** *Bras.* Tratar de horta: "O mais do tempo é gasto em hortar, jardinar e ler" (Machado de Assis, *Dom Casmurro*, p. 5). [Pres. ind.: *horto, hortas, horta*, etc. Cf. *horto* (ô), *orto* e o antr. *Orta* (v. *horta*).]

hortativo. [Do lat. *hortativu.*] *Adj.* **1.** Que exorta. **2.** Próprio para exortar.

hortelã. [Do lat. *hortulana.*] *S. f.* **1.** Erva rasteira da família das labiadas *(Mentha viridis)*, cujas morfologia e propriedades se assemelham às da hortelã-pimenta [q. v.]. **2.** V. *levante*[2] (3).

hortelã-brava. *S. f. Bras.* V. *hortelã-do-brasil.* [Pl.: *hortelãs-bravas.*]

hortelã-do-brasil. *S. f. Bras.* Erva humilde, da família das labiadas *(Peltodon radicans)*, muito espalhada como planta ruderal, de caule delgado, com folhas pequenas e moles, e flores minutas congregadas em inflorescências globosas e localizadas na ponta de longo pedúnculo. [Sin.: *boicaá, hortelã-brava, hortelã-do-mato, meladinha, paracari, paracuri.* Pl.: *hortelãs-do-brasil.*]

hortelã-do-campo. *S. f. Bras.* Erva da família das labiadas (*Peltodon longipes*), idêntica à hortelã-do-brasil, porém dotada de pedúnculos mais longos. [Pl.: *hortelãs-do-campo.*]

hortelã-do-mato. *S. f. Bras.* V. *hortelã-do-brasil.* [Pl.: *hortelãs-do-mato.*]

hortelão. [Do lat. *hortulanu.*] *S. m.* Aquele que trata de horta; horteleiro: "Quando o hortelão ia vender os legumes ao mercado, era o Piloto [um cão] o guarda da carroça" (Guerra Junqueiro, *Contos para a Infância*, p. 24). [Fem.: *horteloa;* pl.: *hortelãos* e *hortelões.*]

hortelã-pimenta. [Do lat. *hortulana mentha*, por etimologia popular.] *S. f.* Erva rastejante, da família das labiadas *(Mentha piperita)*, muito cultivada para a extração de um óleo rico em mentol, de folhas moles, dentadas e fortemente aromáticas, e flores pequeninas. [Pl.: *hortelãs-pimentas* e *hortelãs-pimenta.*]

hortelã-romana. *S. f.* Balsamita. [Pl.: *hortelãs-romanas.*]

horteleiro. *S. m. Bras.*, *S.* Hortelão.

horteloa (ô). *S. f.* **1.** Mulher de hortelão. **2.** Mulher que trata de horta.

hortense. [Do lat. *hortense.*] *Adj. 2 g.* **1.** Relativo a horta; hortícola. **2.** Próprio de horta ou de jardim: *variedade hortense.*

hortênsia. [Do fr. *hortensia* < antr. *Hortense*, de Hortense Lepaute, dama a quem o naturalista Commerson dedicou esta planta.] *S. f.* Arbusto ornamental da família das saxifragáceas (*Hydrangea sp.*), que exige solos leves, silicosos, desprovidos de calcário, e do qual existem várias espécies, cultivadas por suas flores azuis, brancas ou rosadas; hidrângea, novelo-da-china.

hortícola. [Do lat. *horticola.*] *Adj. 2 g.* **1.** Hortense (1). **2.** Referente à horticultura, ou a horta.

horticultor (ô). [De *horta* + *-i-* + lat. *cultor.*] *S. m.* Pessoa que se dedica à horticultura; jardineiro.

horticultura. [De *horta* + *-i-* + *cultura.*] *S. f.* Arte de cultivar hortas e jardins.

hortifrutícola. [De *horta* + *-i-* + *fruta* + *-i-* + *-cola.*] *Adj. 2 g.* e *s. 2 g. Bras.* Diz se dos, ou os produtos de hortas e pomares.

hortifrutigranjeiro. [De *horta* + *-i-* + *fruta* + *-i-* + *granjeiro.*] *Adj.* e *s. m. Bras.* Diz-se dos, ou os produtos de hortas, pomares e granjas.

hortigranjeiro. [De *horta* + *-i-* + *granjeiro.*] *Adj.* e *s. m. Bras.* Diz-se dos, ou os produtos de hortas e granjas.

horto (ô). [Do lat. *hortu*, 'jardim'.] *S. m.* **1.** Pequena horta: "o horto do José Cosme, ... todo mimoso de frutas e hortaliças" (Trindade Coelho, *Os Meus Amores*, p. 91). **2.** Espaço de terreno onde se cultivam plantas de jardim; jardim. **3.** Estabelecimento de horticultura. **4.** Lugar de tormento. [Esta acepç. vem do *Horto das Oliveiras*, onde Jesus padeceu. Pl.: *hortos* (ô). Cf. *horto*, do v. *hortar*, e *orto*, *s. m.*] ♦ **Horto florestal.** Estabelecimento onde se estudam e multiplicam espécimes florestais.

hortomercado. [De *horto* + *mercado.*] *S. m.* Mercado (1) onde se comerciam produtos hortenses.

hosana. [Do hebr. *hoshi 'anna*, 'salva, rogo-te', atr. do gr. *hosanná*, pelo lat. *hosanna.*] *S. m.* **1.** Hino eclesiástico que se canta em domingo de Ramos: "Um vasto murmúrio, como um hosana imenso, elevava-se para as alturas" (Rocha Pombo, *No Hospício*, p. 91). **2.** Ramo bento distribuído aos fiéis nesse domingo. **3.** *Fig.* Saudação, aclamação, louvor: "recitava eu, de novo, — 'A Cavalaria', quando .... uma aclamação estuante incendiou o teatro, em hosana ao Mestre." (Martins Fontes, *Terras de Fantasia*, p. 205). ● *Interj.* **4.** Salve.

hosco (ô). [Do esp. plat. *hosco.*] *Adj. Bras., RS.* Diz-se do gado vacum de pêlo de cor escura, com o lombo tostado. [Pl.: *hoscos* (ô). Cf. *osco.*]

hóspeda. [Do lat. *hospita.*] *S. f.* **1.** Mulher a quem se dá hospedagem. **2.** *Desus.* Mulher que hospeda. [Cf. *hospeda*, do v. *hospedar.* V. *hóspede.*]

hospedador (ô). *Adj.* **1.** Que hospeda ou dá hospedagem. ● *S. m.* **2.** Aquele que hospeda ou dá hospedagem. **3.** *Biol.* Hospedeiro (6).

hospedagem. *S. f.* **1.** Hospitalidade (1). **2.** V. *hospedaria.* **3.** *P. ext.* Hospitalidade, gasalhado.

hospedança. *S. f. Bras.* Reunião ou grupo de hóspedes.

hospedar. *V. t. d.* **1.** Dar hospedagem a; receber como hóspede. **2.** Abrigar, alojar: *Aquelas terras hospedaram diferentes povos em suas peregrinações. P.* **3.** Instalar-se como hóspede; alojar-se: "É um prédio atual, ... onde se hospedam hoje pessoas ilustres" (Graciliano Ramos, *Viagem*, p. 21). **4.** Tornar-se hóspede; alojar-se. [Pres. ind.: *hospedo, hospedas, hospeda*, etc.; pres. subj.: *hospede*, etc. Cf.: *hóspeda* e *hóspede.*]

hospedaria. *S. f.* Casa onde se recebem hóspedes, especialmente mediante remuneração; albergaria, albergue, estalagem, hospedagem.

hospedável. *Adj. 2 g.* Que pode hospedar ou ser hospedado.

hóspede. [Do lat. *hospite.*] *S. m.* **1.** Aquele que se aloja temporariamente em casa alheia. **2.** *Desus.* Hospedeiro (3): "graças à sua boa compleição, e aos extremosos cuidados e desvelado tratamento, que lhe dispensavam seus hóspedes, restabelecia-se com rapidez" (Bernardo Guimarães, *História e Tradições da Província de Minas Gerais,* p. 59). **3.** Indivíduo estranho, alheio; peregrino. [Fem.: *hóspeda.* Contudo, não faltam exemplos de *hóspede* como s. f.; vejam-se estes: "a deusa indômita e falaz / Ser-me-á hóspede amiga" (Machado de Assis, *Poesias Completas,* p. 108); "todas as princesas hóspedes se tinham revoltado vendo-se preteridas por Letícia." (José Régio, *O Príncipe com Orelhas de Burro,* p. 291).] ● *Adj. 2 g.* **4.** Estranho, alheio. **5.** *Fig.* Ignorante de alguma coisa; leigo: "O acordo .... daquelas duas simpatias foi celebrado com tanta rapidez, que Montenegro, completamente hóspede na arte de namorar, chegou a perguntar a si mesmo se não era tudo aquilo o efeito de uma alucinação." (Artur Azevedo, *Contos Efêmeros,* p. 7.) [Cf. *hospede,* do v. *hospedar.*]

hospedeiro. *Adj.* **1.** Que hospeda: "— Por que .... o estrangeiro abandona a cabana hospedeira sem levar o presente da volta?" (José de Alencar, *Iracema,* p. 56.) **2.** *P. ext.* Afável, acolhedor, obsequiador: "um sorriso hospedeiro, que ilumina tudo como sol" (Antônio Feliciano de Castilho, *Amor e Melancolia,* p. 265). ● *S. m.* **3.** Aquele que dá hospedagem. [Sin., desus.: *hóspede.*] **4.** Dono de hospedaria. **5.** *Ecol. Veg.* Vegetal que hospeda insetos e fungos, patogênicos ou não, bem como trepadeiras, epífitas, etc. **6.** *Biol.* Organismo no qual vive outro; hospedador.

hospício. [Do lat. *hospitiu.*] *S. m.* **1.** Casa onde se hospedam e/ou tratam pessoas pobres ou doentes, sem retribuição; asilo. **2.** Asilo de loucos, com retribuição ou sem ela; manicômio. **3.** Lugar onde se recolhem e tratam animais abandonados.

hospital. [Do lat. *hospitale,* 'hospedaria'.] *S. m.* **1.** Estabelecimento onde se internam e tratam doentes; nosocômio. ● *Adj. 2 g.* **2.** *P. us.* Que pratica a hospitalidade; caridoso, benévolo. ◆ **Hospital de sangue.** Hospital ambulante e provisório onde se tratam os feridos de guerra. **Baixar ao hospital.** Internar-se em hospital para tratamento.

hospitalar[1]. [De *hospital* + *-ar*[1].] *Adj. 2 g.* Referente a, ou próprio de hospital ou de hospício: "quantas outras criaturas teriam sido salvas, se as condições hospitalares e de saúde da sua terra fossem melhores... quantas?" (Nélson de Faria, *Cabeça-Torta,* p. 236).

hospitalar[2]. [De *hospital* + *-ar*[2].] *V. t. d.* V. *hospitalizar.*

hospitalário. *S. m.* Cavaleiro da Ordem do Hospital ou de Malta: "A melhor lança dos hospitalários portugueses morria vítima da violência das rudes e encontradas paixões" (Arnaldo Gama, *O Balio de Leça,* p. 190).

hospitaleira. [De *hospital* + *-eira.*] *S. f.* Mulher religiosa que, em obediência à regra da sua comunidade, trata de doentes sem remuneração.

hospitaleiro. *Adj.* **1.** Que dá hospedagem por bondade ou caridade. **2.** Que acolhe com satisfação (os hóspedes); gasalhoso. ~ V. *irmão* —. ● *S. m.* **3.** Aquele que dá hospedagem por bondade ou caridade. **4.** *Desus.* Frade lóio.

hospitália. *S. f. Teat.* Cada uma das duas portas que ladeavam a porta real [q. v.], na cena dos teatros gregos e romanos, destinadas às entradas e saídas das personagens secundárias.

hospitalidade. [Do lat. *hospitalitate.*] *S. f.* **1.** Ato de hospedar; hospedagem. **2.** Qualidade de hospitaleiro. **3.** *P. ext.* Acolhimento afetuoso.

hospitalização. *S. f.* Ato ou efeito de hospitalizar.

hospitalizar. *V. t. d.* **1.** Internar em hospital. **2.** Converter em hospital. [Sin., p. us.: *hospitalar.*]

hospodar. [Do eslavo *gospodar,* 'senhor'.] *S. m.* Antigo título de certos príncipes vassalos do sultão de Constantinopla, sobretudo na Moldávia e na Valáquia.

hospodarato. [De *hospodar* + *-ato*[1].] *S. m.* Cargo ou dignidade de hospodar.

hoste. [Do lat. *hoste,* 'inimigo'.] *S. m.* **1.** *Ant.* Inimigo. ● *S. f.* **2.** Tropa; exército: "Os soldados de Cristo já recuam / Pelas imigas hostes esmagados" (Casimiro de Abreu, *Obras,* p. 24). **3.** *Fig.* Bandos, chusma; multidão: "Os ascensores .... eram assaltados, tomados à força pelos hóspedes aflitos e uma hoste de salvadores desconhecidos." (José Rodrigues Miguéis, *Onde a Noite Se Acaba,* p. 157).

➧**hostess** (hóstess). [Ingl.] *S. f.* A dona da casa, em relação aos seus convidados.

hóstia. [Do lat. *hostia,* 'vítima'.] *S. f.* **1.** Vítima oferecida em sacrifício à divindade. **2.** Partícula circular de massa de pão ázimo (*obreia*), que é consagrada na missa (1). **3.** Pasta de obreia branca, usada para envolver medicamentos. [Cf. *Óstia,* top.]

hostiário. *S. m.* Caixa para hóstias ainda não consagradas. [Cf. *ostiário.*]

hostil (í). [Do lat. *hostile.*] *Adj. 2 g.* **1.** Contrário, adverso, inimigo: "Tudo a repelia, tudo lhe era hostil" (Coelho Neto, *Treva,* p. 268). **2.** Agressivo; provocante.

hostilidade. [Do lat. *hostilitate.*] *S. f.* **1.** Qualidade de hostil. **2.** Ato ou efeito de hostilizar(-se).

hostilizar. *V. t. d.* **1.** Tratar hostilmente; tratar como a um inimigo: *Hostilizou, à primeira vista, a nova funcionária.* **2.** Ter sentimento hostil contra: *hostilizar uma instituição.* **3.** Mover guerra contra; guerrear. **4.** Causar dano a; prejudicar. *P.* **5.** Combater-se, agredir-se mutuamente.

➧**hot** (rót). [Ingl.] *Adj.* Diz-se do *jazz* praticado pelos grandes improvisadores negros, entre 1925 e 1930, que empregavam a escala de vibratos, os portamentos [v. *portamento* (1)], etc., para dar colorido ao som.

➧**hot-dog** (rót-dóg). [Ingl.] *S. m.* V. *cachorro-quente.*

hotel. [Do fr. *hôtel.*] *S. m.* Estabelecimento onde se alugam quartos e apartamentos mobiliados, com refeições ou sem elas. [Pl.: *hotéis.*] ◆ **Hotel de alta rotatividade.** *Bras.* Aquele em que se alugam quartos para encontros amorosos; motel.

hotelaria. [De *hotel* + *-aria.*] *S. f.* **1.** O conjunto dos hotéis de uma região, de um país, etc. **2.** Arte e a técnica de dirigir e/ou administrar hotéis: *Ela tem curso de hotelaria.*

hoteleiro. *S. m.* **1.** Dono ou administrador de hotel. ●*Adj.* **2.** Relativo a hotéis: *comércio hoteleiro.*

hoteleria. *S. f.* V. *hotelaria:* "retomara o prédio, após oito anos de aluguel, para explorar por sua conta o comércio de hoteleria que havia sido desenvolvido no local pelo arrendatário." (Gilberto Amado, *Depois da Política,* p. 210.)

hotentote. [De *hottentot,* do hol. sul-africano, atr. do ingl. *hottentot.*] *Adj. 2 g.* **1.** Da, ou pertencente ou relativo à Hotentótia (África). ● *S. 2 g.* **2.** Natural ou habitante da Hotentótia. ● *S. m.* **3.** A língua dos hotentotes.

hotentotismo. *S. m.* Pronúncia viciosa, semelhante à dos hotentotes, e que consiste em articulações confusas.

➧**house organ** (hause órgan). [Ingl.] Designação genérica para periódicos editados por empresas privadas ou públicas, dirigidos para o público interno e/ou segmentos do público externo; jornal de empresa.

■**HP.** Símb. de *horse-power.*

huanhame. *S. 2 g.* e *adj. 2 g. Bras.* V. *pavunva.*

huari. *Bras. S. 2 g.* **1.** Indivíduo dos huaris, tribo indígena do rio Corumbiara, afluente do Guaporé, e cuja língua é tida como isolada. ● *Adj. 2 g.* **2.** Pertencente ou relativo a essa tribo.

hugoano. *Adj.* **1.** Relativo ou pertencente a Vítor Hugo, escritor francês (1802-1885), ou próprio dele. ● *S. m.* **2.** Admirador fervoroso de Vítor Hugo e/ou profundo conhecedor de sua obra.

huguenote. [Do fr. *huguenot.*] *Adj. 2 g.* **1.** Relativo aos huguenotes. **2.** *Restr.* V. *calvinista* (2). ● *S. 2 g.* **3.** Designação depreciativa que os católicos franceses deram aos protestantes, especialmente aos calvinistas, e que estes adotaram. **4.** *P. ext.* Protestante (4).

hui. [Do lat. *hui.*] *Interj.* Exprime dor, susto, surpresa, repugnância.

hulha. [Do fr. *houille.*] *S. f.* V. *carvão* (1).

hulha-azul. *S. f.* Designação comum às marés, consideradas como fontes potenciais para a produção de energia elétrica. [Pl.: *hulhas-azuis.*]

hulha-branca. *S. f.* Designação comum às cachoeiras ou quedas-d'água como potenciais hidráulicos para produção de energia elétrica. [Pl.: *hulhas-brancas.*]

hulheira. *S. f.* Mina ou jazigo de hulha.

hulhífero. [De *hulha* + *-i-* + *-fero.*] *Adj.* Que tem ou produz hulha.

hum. *Interj.* Exprime dúvida, desconfiança, ou impaciência: "— Vocês pensavam que Campos morreu? Hum, Campos está vivo." (José Carlos Cavalcanti Borges, *O Assassino,* p. 37.) [Cf. *um.*]

humaitaense. *Adj. 2 g.* **1.** De, ou pertencente ou relativo a Humaitá (AM). ● *S. 2 g.* **2.** Natural ou habitante de Humaitá.

humanal. *Adj. 2 g.* **1.** *P. us.* Humano (1): "Orgulho humanal e triste!" (João Ribeiro, *Floresta de Exemplos,* p. 221.) **2.** *Tip.* Diz-se do tipo de obra inspirado na capital epigráfica romana, normalmente claro, sem apreciável contraste de finos e grossos, dotado de versais quadrangulares, letras de caixa-baixa largas e serifas triangulares encorpadas. [Sin. tradicional: *veneziano,* por haver esse tipo surgido em *Veneza.*] ● *S. m.* **3.** *Tip.* Esse tipo; veneziano.

humanar. [Do lat. *humanare, por *humanari.*] *V. t. d.* e *p.* V. *humanizar* (1, 2 e 5).

humanidade. [Do lat. *humanitate.*] *S. f.* **1.** A natureza humana. **2.** O gênero humano. **3.** Benevolência, clemência; compaixão. ~ V. *humanidades.*

humanidades. [Pl. de *humanidade.*] *S.f. pl.* O estudo das letras clássicas. ~ V. *humanidade.*

humanismo. [Do al. *Humanismus,* pelo fr. *humanisme.*] *S. m.* **1.** *Filos.* Doutrina ou atitude que se situa expressamente numa perspectiva antropocêntrica, em domínios e níveis diversos, assumindo, com maior ou menor radicalismo, as conseqüências daí decorrentes. Manifesta-se o humanismo no domínio lógico e no ético. No primeiro, aplica-se às doutrinas que afirmam que a verdade ou a falsidade dum conhecimento se definem em função da sua fecundidade e eficácia relativamente à ação humana; no segundo, aplica-se àquelas doutrinas que afirmam ser o homem o criador dos valores morais, que se definem a partir das exigências concretas, psicológicas, históricas, econômicas e sociais que condicionam a vida humana. [Cf. *ativismo* (1), *naturalismo* (4) e *pragmatismo.*] **2.** Doutrina e movimento dos humanistas da Renascença, que ressuscitaram o culto das línguas e literaturas greco-latinas. **3.** Formação do espírito humano pela cultura literária ou científica.

humanista. [Do fr. *humaniste.*] *S. 2 g.* **1.** Pessoa versada no estudo de humanidades. **2.** Partidário do humanismo filosófico. ● *Adj. 2 g.* **3.** Humanístico (1).

humanístico. *Adj.* **1.** Concernente ao humanismo, ou aos humanistas; humanista. **2.** Próprio de humanista; humanista. ~ V. *letra* —*a* e *letra* —*a cursiva.*

humanitário. [Do fr. *humanitaire.*] *Adj.* **1.** Que visa ao bem-estar da humanidade. **2.** Que ama os seus semelhantes; bondoso, benfeitor, humano. ~ V. *intervenção* —*a.* ● *S. m.* **3.** Aquele que deseja e trabalha para o bem da humanidade, considerada coletivamente; filantropo.

humanitarismo. [De *humanitário* + *-ismo.*] *S. m.* **1.** Doutrina filosófica e política que visa a eliminar as injustiças reinantes no mundo a fim de se alcançar a felicidade humana. **2.** Amor à humanidade; filantropia.

humanitarista. *Adj. 2 g.* **1.** Relativo ao humanitarismo. **2.** Que é adepto e/ou praticante do humanitarismo. ● *S. 2 g.* **3.** Adepto e/ou praticante dele.

humanização. *S. f.* Ato ou efeito de humanizar(-se).

humanizar. *V. t. d.* **1.** Tornar humano; dar condição humana a; humanar. **2.** Tornar benévolo, afável, tratável; humanar. **3.** Fazer adquirir hábitos sociais polidos; civilizar. **4.** *Bras., CE.* Amansar (animais). *P.* **5.** Tornar-se humano; humanar-se.

humano. [Do lat. *humanu.*] *Adj.* **1.** Pertencente ou relativo ao homem: *natureza humana; gênero humano.* **2.** Bondoso, humanitário. ~ V. *calor* —, *ciências* —*as, comunicação* —*a, formigueiro* —, *gênero* —, *geografia* —*a, litologia* —*a, relíquias* —*as, respeito* — e *humanos.*

humanos. [Pl. substantivado do adj. *humano.*] *S. m. pl.* Os homens. ~ V. *humano.*

humbertuense. *Adj. 2 g.* **1.** De, ou pertencente ou relativo a Humberto de Campos (MA). ● *S. 2 g.* **2.** Natural ou habitante de Humberto de Campos.

humífero. [Do lat. *humiferu.*] *Adj.* **1.** Que contém humo. **2.** Rico em humo. ~ V. *camada* —*a.*

humificação. [Do lat. *humificare,* 'humedecer', + *ção.*] *S. f.* Transformação em humo.

humifuso. [Do lat. *humi,* gen. de *humus,* 'terra, solo', + lat. *fusu,* 'derramado', 'espalhado'.] *Adj. Morfol. Veg.* Aplicado sobre o solo, rasteiro: *erva humifusa.*

húmil. [Do lat. *humile.*] *Adj. 2 g. Poét.* Var. de húmile [q. v.]. [Super. abs. sint.: *humílimo* e *humilíssimo.*]

humildação. [De *humildar* + *-ção.*] *S. f. P. us.* Humilhação.

humildade. [Do lat. *humilitate.*] *S. f.* **1.** Virtude que nos dá o sentimento da nossa fraqueza. **2.** Modéstia, pobreza. **3.** Respeito, reverência; submissão: "as velhotas curvaram-se para beijar-lhe [ao vigário] a ponta dos dedos numa humildade que o enterneceu." (Reginaldo Guimarães, *Uma Blusa no Cais,* p. 19.)

humildar. *P. us. V. t. d.* **1.** Tornar humilde; humilhar. **2.** Submeter, sujeitar: *humildar os insubordinados. P.* **3.** Tornar-se humilde; humilhar-se: "Curve-se, pois, meu amigo, humilde-se" (Francisco Ribeiro Sampaio, *Renembranças,* p. 204). **4.** Submeter-se, sujeitar-se.

humilde. *Adj. 2 g.* **1.** Que tem ou aparenta humildade. **2.** Singelo, simples, modesto, pobre: "Todas as casas sertanejas são humildes" (Gustavo Barroso, *Terra de Sol,* p. 191). **3.** Respeitoso, acatador; submisso: *Suas* *atitudes ante o patrão são sempre humildes*. [Sin. ger.: *humildoso* (p. us.) e *húmile* (poét.). Superl. abs. sint.: *humildíssimo*. Cf. *humílimo*.] ● *S. 2 g.* **4.** Pessoa pobre, de condição modesta. [Nesta acepç. é m. us. no pl.]

humildíssimo. *Adj.* Superl. abs. sint. de *humilde*.

humildoso (ô). [De **humildadoso*, com haplologia.] *Adj. P. us.* Humilde [q. v.]: "Com a voz humildosa de um pobre de pedir, perguntei à rapariga se queria que eu lhe deitasse uma mãozinha ao caneco para lho pôr à cabeça." (João de Araújo Correia, *Cinza do Lar*, p. 109.)

húmile. [Do lat. *humile*.] *Adj. 2 g. Poét.* Humilde [q. v.] [Var.: *húmil*. Superl. abs. sint.: *humílimo* e *humilíssimo*.]

humilhação. *S. f.* **1.** Ato ou efeito de humilhar(-se). **2.** Rebaixamento moral. **3.** Vexame, afronta, ultraje. [Sin. ger., p. us.: *humildação*.]

humilhado. [Part. de *humilhar*.] *Adj.* e *s. m.* Que ou aquele que sofre ou sofreu humilhação.

humilhante. *Adj. 2 g.* Que humilha; que desdoura; vergonhoso, vexatório.

humilhar. [Do lat. tardio *humiliare*.] *V. t. d.* **1.** Tornar humilde; humildar. **2.** Vexar, rebaixar; oprimir, abater: *Sem motivo aparente, humilhou o velho empregado.* **3.** Referir-se com menosprezo a; tratar desdenhosamente, com soberba. *T. d. e i.* **4.** Submeter, sujeitar: *Humilhou-o a executar o encargo desonroso. Int.* **5.** Ser humilhante: "Era um sorrir de compaixão que humilhava." (Machado de Assis, *Helena*, p. 258.) *P.* **6.** Tornar-se ou mostrar-se humilde; render-se à discrição; humildar-se.

humílimo. [Do lat. *humillimu*.] *Adj.* Superl. abs. sint. de *húmile*; humilíssimo: "Ordenado, o padrezinho foi ser vigário de uma freguesia humilde, humílima, vilarejo à beira-mar habitado de pescadores" (Raquel de Queirós, *100 Crônicas Escolhidas*, p. 174.). [Cf. *humildíssimo*.]

humilíssimo. Adj. *Humílimo*.

humiriácea. *S. f.* Espécime das humiriáceas; linácea.

humiriáceas. *S. f. pl. Bot.* Família de plantas superiores, durante muito tempo unida às lináceas, das quais difere pelo hábito lenhoso, ovário circundado por um disco e fruto drupáceo magno. Outra diferença reside na distribuição geográfica: as humiriáceas são essencialmente as dos trópicos do Novo Mundo, enquanto as lináceas preferem as zonas temperadas e subtropicais. No Brasil, abundam sobretudo na Amazônia. [Sin.: *lináceas*.]

humiriáceo. *Adj.* Pertencente ou relativo às humiriáceas; lináceo.

humo. [*De húmus* < lat. *humus*.] *S. m. Ecol.* O produto da decomposição parcial dos restos vegetais que se acumulam no chão florestal, aos quais se juntam restos animais em menor escala. Em razão de suas propriedades coloidais, tem grande importância na constituição do solo, onde é a fonte de matéria orgânica para a nutrição vegetal. Favorece a estrutura do solo e retém água energicamente. [A f. de maior uso é *húmus*.]

humor (ô). [Do lat. *humore*, 'líquido'.] *S. m.* **1.** *Fisiol.* Substância orgânica líquida ou semilíquida. **2.** *Anat.* Designação comum a certas matérias líquidas existentes no organismo. **3.** Umidade (1): "Sentiam-se na brisa humores marítimos." (José Lins do Rego, *Gregos e Troianos*, p. 131.) **4.** Disposição de espírito: *Dependendo de seu humor, irá ou não conosco ao passeio; Está de mau humor.* **5.** Veia cômica; graça, espírito: *Todos riem de suas histórias: conta-as sempre com muito humor.* **6.** Capacidade de perceber, apreciar ou expressar o que é cômico ou divertido. ◆ **Humor aquoso.** *Anat.* Líquido produzido no olho, e que ocupa as câmaras anterior e posterior, difundindo-se para o sangue. **Humor negro.** Humor (6) que choca pelo emprego de elementos mórbidos e/ou macabros em situações cômicas, ou vice-versa. **Humor vítreo.** *Anat.* Massa transparente, avascular, de consistência gelatinosa, que ocupa todo o espaço existente para trás do cristalino.

humorado. [De *humor* + *-ado*[1].] *Adj. Fisiol.* Que tem humores; humoroso. [Cf. *bem-humorado* e *mal-humorado*.]

humoral. *Adj. 2 g.* Respeitante ao humor.

humorismo. *S. m.* **1.** Sistema dos que atribuem todas as doenças à alteração de humores. **2.** Qualidade ou caráter de humorista ou dos escritos humorísticos.

humorista. *S. 2 g.* **1.** Pessoa que fala ou escreve com espírito ou com feição irônica. **2.** Sectário do humorismo (1).

humorístico. *Adj.* **1.** Em que há graça, espírito ou feição irônica: *desenho humorístico.* **2.** Relativo a humor.

humoroso (ô). [Do lat. *humorosu*.] *Adj.* **1.** *Fisiol.* Humorado. **2.** Que tem humor ou umidade.

humoso (ô). *Adj.* Que tem humo: "A Planície, desde a charneca rala do Sado, até às humosas terras do Carregueiro, ... é uma dor." (Antunes da Silva, *Gaimirra*, p. 161.)

➧**humour** (iúmor). [Ingl.] *S. m.* V. *humor* (6).

húmus. *S. m. 2 n.* V. *humo*.

hungarês. *Adj.* e *s. m. Bras., SP.* V. *húngaro* (1 e 2). [Flex.: *hungaresa* (ê), *hungareses* (ê), *hungaresas* (ê).]

húngaro. *Adj.* **1.** Da, ou pertencente ou relativo à Hungria. ● *S. m.* **2.** O natural ou habitante da Hungria. [Sin., nessas acepç.: *magiar* e (em SP) *hungarês*.] **3.** O idioma ugro-finês falado na Hungria. V. *uralo-altaico* (3).

huno. *S. m.* **1.** Indivíduo dos hunos, povo bárbaro da Ásia Central, que invadiu a Europa, sob a chefia de Átila, nos meados do séc. V. ● *Adj.* **2.** Pertencente ou relativo a esse povo. [Cf. *uno*, do v. *unir* e adj.]

huri. [Do ar. *hurā*, 'mulher do Paraíso', pelo persa *huri* e pelo fr. *houri*.] *S. f.* **1.** Cada uma das virgens extremamente belas que, segundo o Alcorão, hão de desposar, no Paraíso, os fiéis muçulmanos: "o paraíso maometano, com todas as huris do profeta, não sorria mais delicioso à mente sonhadora do beduíno errante!" (Lúcio de Mendonça, *Esboços e Perfis*, p. 109). **2.** Mulher de beleza prodigiosa.

huroniano. [Do top. *Huron* + *-i-* + *-ano*.] *S. m.* **1.** Indivíduo dos huronianos, povo indígena que pertencia à confederação de tribos ligada à família iroquesa, e que habitava a região entre os lagos Huron, Erié e Ontário. ● *Adj.* **2.** Pertencente ou relativo aos huronianos, ou ao lago Huron (E.U.A.).

hurra. [Do ingl. *hurrah*.] *Interj.* e *s. m.* **1.** Exclamação de saudação ou de entusiasmo, sobretudo em brindes. [Us., em geral, antecedida de *hip*.] *S. m.* **2.** Essa exclamação: "no meio da explosão entusiástica, ... inaudita, dos vivas, dos bravos, dos hurras de um povo inteiro." (Ramalho Ortigão, *As Farpas*, II, p. 130). **3.** Grito de guerra dos russos. **4.** Grito de saudação dos marinheiros, especialmente ingleses. [Cf. *urra*, do v. *urrar*.]

hússar. *S. m.* Hussardo. [Pl.: *hússares*.]

hussardo. [Do húng. *huszár*, pelo al. e pelo fr.] *S. m.* **1.** Cavaleiro húngaro. **2.** Gentil-homem polaco, na Idade Média. **3.** Soldado de cavalaria ligeira, na França e na Alemanha. [F. paral.: *hússar*.]

husserliano. *Adj.* Pertencente ou relativo a Edmund Husserl (1859-1938), filósofo alemão, ou próprio dele.

hussita. *S. 2 g.* **1.** Adepto da doutrina de Jan Huss, reformista tcheco (1369-1415), pela qual as boas obras eram indiferentes para a salvação eterna. ● *Adj. 2 g.* **2.** Referente aos hussitas ou à sua doutrina.

huúteni. *S. 2 g.* e *adj. 2 g. Bras.* Var. de *hoódene*.

➧**hylé.** [Gr., 'matéria'.] *S. f. Filos.* Segundo Husserl [V. *husserliano*], matéria da sensação, considerada como puro dado, sem sentido intencional.

■**Hz.** *Fís.* Símb. de *hertz*.

I

i[1]. *S. m.* **1.** A 9ª letra do nosso alfabeto. [V. *alfabeto fonético internacional*.] **2.** O nome dessa letra. **3.** *Lóg.* Símb. de *proposição particular afirmativa.* **4.** *Quím.* Símb. de *iodo.* ● *Num.* **5.** No sistema romano de numeração, símb. do número 1. **6.** O nono, em uma série indicada pelas letras do alfabeto: *casa I* (ou *casa i*). **7.** A nona, num grupo de séries: *série I* (ou *série i*). [Pl., nas acepç. 1 e 2: *is* ou *ii*. Cf. *ih*.] ◆ **I grego.** V. *i latino.* **I latino.** O *i* propriamente dito, por oposição ao *y* ou *i grego*: "Aquele Manuel do Rego / É rapaz de tanto tino, / Que em *lírio* põe sempre *y* grego, / E em *lyra* põe i l a t i n o !" (João de Deus, *Campo de Flores*, II, p. 64.)

i[2]. *Adv. Ant.* F. aferética de *aí*[2]: "E o Vento vai por i fora, / No seu cavalo, a ventar..." (Antônio Nobre, *Só*, p. 100.) [Cf. *ih*. Com maiúscula, nas acepç. 3 a 5.]

▲-i-. Vogal de ligação: *molariforme* (de *molar-* + *-i-* + *-forme*), *monetiforme* (do lat. *moneta*, 'moeda', + *-i-* + *-forme*.)

▲i-[1]. V. *em-*[2].

▲i-[2]. V. *in-*[2].

▲-í. *El. comp.* que entra na formação de muitas palavras indígenas = 'pequeno': *inhambuí, tamanduaí.*

iá. *Interj. Bras.* Exclamação de asco, desprezo ou pouco-caso, pronunciada de maneira cantada e lenta, e seguida quase sempre de outra — *axi!*

▲-ia. [Do gr. *-ía*.] *Suf. nom.* = 'qualidade', 'estado', 'propriedade'; 'dignidade', 'profissão', 'cargo'; 'lugar onde'; 'afecção', 'moléstia'; 'coleção': *alegria, cortesia; chefia, advocacia, andadoria; delegacia; oftalmia* (< gr. *ophtalmía*), *miopia; confraria, diretoria.*

iaba. [Do ioruba.] *S. f.* A principal sacerdotisa do culto dos ibejis, a qual dirige todas as cerimônias.

iaba. *S. m. Bras., SE* e *BA.* V. *charque.*

iabassê. [Do ioruba.] *S. f. Bras.* Filha-de-santo que cozinha para os orixás.

iaca. *S. f. Bras.* Var. de *inhaca*[2] [q. v.].

iacaiacá. [Do tupi.] *S. f. Bras.* Cedrorana (1).

iacanguense. *Adj. 2 g.* **1.** De, ou pertencente ou relativo a Iacanga (SP). ● *S. 2 g.* **2.** Natural ou habitante de Iacanga.

iacaninã. *S. f. Bras., AM* e *MT.* V. *caninana* (1).

iacuto. *Adj.* **1.** Da, ou pertencente ou relativo à República Socialista Soviética Autônoma da Iacútia, na Sibéria oriental. **2.** Pertencente ou relativo à língua iacuta. ● *S. m.* **3.** O natural ou habitante da Iacútia. **4.** A língua falada pelos iacutos.

iago. [Do antr. *Iago*, personagem da peça *Otelo*, de Shakespeare (v. *shakespeariano*).] *S. m.* Indivíduo astuto, intrigante, falso, velhaco.

iaguarataí. [Do tupi.] *S. m. Bras.* V. *camboatã-de-folha-grande.*

iaiá (ià-iá). [De *sinhá*.] *S. f. Bras. Fam.* Tratamento dado às meninas e às moças, de largo uso no tempo da escravidão e hoje quase abolido; nhanhá, nhanhã, nanã.

ialaxé. *S. f.* Ialaxê [q. v.].

ialaxê. [Do ioruba.] *S. f. Bras.* A mais importante zeladora do axé. [F. paral.: *ialaxé*.]

ialorixá. [Do ioruba.] *S. f. Bras.* Mãe-de-santo: "quando, toda vestida de branco, saia rodada e bata de rendas, de joelhos, pedia a bênção à i a l o r i x á da Bahia" (Jorge Amado, *Teresa Batista Cansada de Guerra*, dedicatória).

iâmbico. [Do gr. *iambikós*, pelo lat. *iambicu*.] *Adj.* **1.** Composto de iambos. **2.** Relativo ao iambo. **3.** *Bras.* Irônico, sarcástico, satírico. [Var.: *jâmbico*.]

iambo. [Do gr. *iámbós*, pelo lat. *iambu*.] *S. m.* **1.** Na poesia grega e na latina, pé de verso constituído de uma sílaba breve e outra longa. **2.** O verso composto desses pés. [Var.: *jambo*.] ⁓ V. *iambos.*

iambos. [Pl. de *iambo*.] *S. m. pl.* Na poesia francesa, sátira acerba e violenta escrita em versos alexandrinos alternados com octossílabos. ⁓ V. *iambo.*

▲iamo-. [Do gr. *íama, atos*.] *El. comp.* = 'remédio': iamologia, iamotecnia.

iamologia. [De *iamo-* + *-log(o)-* + *-ia*.] *S. f.* Farmacologia.

iamológico. *Adj.* Respeitante à iamologia; farmacológico.

iamotecnia. [De *iamo-* + *-tecn(o)-* + *-ia*.] *S. f.* Arte de preparar medicamentos.

iamotécnico. *Adj.* Referente à iamotecnia.

iandibacaba. *S. m. Bras.* Bacaba-de-azeite.

ianque. [Do ingl. *yankee*.] *Adj. 2 g.* **1.** De New England (E.U.A.), região cultural e lingüística constituída pelos estados de Connecticut, Maine, Massachusetts, New Hampshire, Rhode Island e Vermont. **2.** *P. ext.* V. *norte-americano* (1). ● *S. 2 g.* **3.** V. *norte-americano* (2).

Iansã. [Do ioruba.] *S. f. Bras.* Orixá feminino, mulher de Xangô, a qual preside aos ventos e às tempestades.

iantra. [Do sânscr.] *S. m. Filos.* No tantrismo [q. v.], diagrama mágico, composto principalmente de triângulos, círculos e semicírculos, que evocam as pétalas do loto e são suporte da meditação.

iaô. [Do ioruba *Yawo*.] *S. f. Bras., BA.* **1.** Noiva e esposa mais jovem. **2.** Noviça de um candomblé. [Cf. *ia-ô*.]

ia-ô. *S. m. Bras., BA.* Saudação feita aos ibejis. [Pl.: *ia-ôs*. Cf. *iaô*.]

iapiruara. [Do tupi, 'gente do sertão'.] *S. m. Bras.* Designação dada pelos índios do baixo Tapajós àqueles que habitam a região superior.

iapuçá. *S. m. Bras.* V. *sauá.*

iapuense. *Adj. 2 g.* **1.** De, ou pertencente ou relativo a Iapu (MG). ● *S. 2 g.* **2.** Natural ou habitante de Iapu.

iapunaque-uaupê. *S. m. Bras.* V. *vitória-régia.* [Pl.: *iapunaque-uaupês*.]

iaque. [Do tibetano *gyak*.] *S. m.* Espécie de boi selvagem das regiões montanhosas da Ásia Central (*Poephagus grunniens* L.).

iá-quererê. [Do ioruba.] *S. f. Bras.* Mãe-pequena, substituta imediata da mãe-de-santo. [Pl.: *iás-quererês*.]

iara. [F. contrata do tupi *u'yara*, 'senhora'.] *S. f.* **1.** *Bras.* V. *mãe-d'água* (1). **2.** *Bras., RO.* Designação dada pelos índios suruís, do parque indígena do Aripunã, ao homem branco, ao civilizado.

▲-íase. [Do gr. *-iasis*.] Suf. = 'grande quantidade', 'infestação', e que ocorre em palavras designativas de afecções patológicas: *helmintíase, satiríase.*

iatagã. [Do turco *yatagan*, atr. do fr. *yatagan*.] *S. m.* Sabre, arma de combate e de execução, usado por turcos e árabes: "eus longos i a t a g ã s, alfanjes, cimitarras, / Florejados punhais e recurvas guitarras." (Martins Fontes, *Verão*, p. 69).

iataí. [Do tupi.] *S. f. Bras.* **1.** Palmeira (*Syagrus acaulis*) de porte rasteiro, com folhas de 60 a 80 cm e flores com 6 a 10 mm. Ocorre no PI, GO e MT. **2.** V. *butiá-verdadeiro.*

iate. [Do hol. *jacht*, atr. do ingl. *yacht*.] *S. m.* **1.** *Ant.* Navio à vela, de mastreação constituída de gurupés e dois mastros, em geral inteiriços, com velas latinas quadrangulares e gafetopes. **2.** Embarcação à vela ou a motor, destinada a recreio ou regata. **3.** Embarcação luxuosa, para transporte de pessoa de distinção. **4.** *Bras., PA.* Grande embarcação à vela ou a motor, utilizada para transportar gado da ilha de Marajó para Belém.

iatê. *S. m. Bras.* A língua dos índios carnijós.

iatismo. *S. m. Bras.* **1.** Arte de navegar em iate. **2.** Esporte de corridas de iate.

iatista. *S. 2 g. Bras.* Pessoa que se dedica ao iatismo, que o pratica.

▲-iatra. V. *iatro-*.

iatralipta. [Do gr. *iatraleíptes*, pelo lat. *iatralipta*.] *S. 2 g.* Médico que trata os doentes pela iatralíptica, com unturas e fricções.

iatralíptica. [Do gr. *iatraleiptiké*, i. e., *téchne iatraleiptiké*, 'arte iatralíptica', pelo lat. *iatraliptica*.] *S. f. Terap.* Processo de curar doenças por meio de fricções de ungüentos, linimentos.

iatralíptico. *Adj.* Relativo à iatralíptica.

▲-iatria. [Do gr. *iatréia, as*.] *El. comp.* = 'tratamento': *pediatria, psiquiatria.*

iátrica. [Do gr. *iatriké*, pelo lat. *iatrice*.] *S. f.* A arte clínica.

iátrico. *Adj.* Referente à medicina ou a médico, à iátrica.

▲-iátrico. [Do gr. *iatrikós, é, ón*.] *El. comp.* = 'médico', 'tratamento médico': *psiquiátrico.*

▲iatro-. [Do gr. *iatrós, oû*.] *El. comp.* = 'medicina', 'remédio'; 'médico': *iatroquímica, iatrogênico.* [Equiv.: *-iatro* e *-iatra*: *hipniatro; pediatra*.]

▲-iatro. V. *iatro-*.

iatrogenia. [De *iatro-* + *-geno-* + *-ia*.] *S. f. Med.* Alteração patológica provocada no paciente por tratamento de qualquer tipo: "um dos capítulos mais importantes da ciência médica atual é a i a t r o g e n i a, que cuida dos males provocados pela ação do médico, ou pelo tratamento por este prescrito." (Clementino Fraga Filho, *ap.* Carlos Drummond de Andrade, *Jornal do Brasil*, 2.8.1980).

iatrogênico. *Adj.* Relativo à iatrogenia.

iatroquímica. [De *iatro-* + *química*.] *S. f.* Doutrina médica, reinante no século XVI, que pretendia explicar todos os fenômenos da economia animal pela química rudimentar da época; quimiatria.

iatroquímico. *Adj.* **1.** Referente à iatroquímica. ● *S. m.* **2.** *Ant.* Aquele que exercia a iatroquímica.

iauácano. [De or. indígena, decerto.] *S. m. Bras.* Árvore amazônica da família das leguminosas, subfamília cesalpinácea (*Eperua leucantha*).

iaupê-jaçanã. [Do tupi *wa'pé yasa'nã*, 'forno de jaçanã'.] *S. m. Bras.* V. *vitória-régia.* [Pl.: *iaupês-jaçanãs*.]

ibadã. [Do ioruba.] *S. m.* **1.** Indivíduo do grupo tribal de cultura ioruba. ● *Adj. 2 g.* **2.** Pertencente ou relativo aos ibadãs.

ibabiraba. [Do tupi *ï'wa'*, 'fruto', + *pi rab*, 'que fere ou irrita a pele, cáustico'.] *S. f. Bras.* Árvore da família das mirtáceas (*Britoa triflora*), ocorrente no PA, de flores aromáticas e flores minutas e alvacentas, e cujas bagas, comestíveis e pardacentas, têm polpa doce.

ibacurupari. [Var. de *bacupari.*] *S. m. Bras.* V. *bacuri*[1] (1).

ibaiariba. [Do tupi.] *S. f.Bras.* Árvore da família das leguminosas, subfamília papiolionácea (*Andira rosea*).

ibaitiense. *Adj. 2 g.* **1.** De, ou pertencente ou relativo a Ibaiti (PR). ● *S. 2 g.* **2.** Natural ou habitante de Ibaiti.

ibapocaba. [Do tupi.] *S. f. Bras.* Planta da família das apocináceas (*Allamanda doniana*).

ibateense (èèn). *Adj. 2 g.* **1.** De, ou pertencente ou relativo a Ibaté (SP). ● *S. 2 g.* **2.** Natural ou habitante de Ibaté.

ibatimô. *S. m. Bras.* V. *barbatimão-verdadeiro.*

ibeji. [Do ioruba *ibi*, 'nascimento', + *eji*, 'dois'.] *S. m. Bras., BA.* Orixá jeje-nagô dos gêmeos: "Encantado, lembra-se da festa dos gêmeos, os i b e j i s Cosme e Damião" (Antônio Olinto, *Copacabana*, p. 36).

ibericismo. [De *ibérico* + *-ismo.*] *S. m.* Iberismo.

ibérico. [Do lat. *ibericu.*] *Adj.* **1.** Pertencente ou relativo à Ibéria, antigo nome da Espanha, ou aos iberos. **2.** Relativo ou pertencente à Península Ibérica, constituída por Espanha e Portugal; ibero. ● *S. m.* **3.** Ibero (2). **4.** Partidário da união ibérica.

iberismo. *S. m.* Partido daqueles que preconizam a união política dos países ibéricos, Portugal com Espanha; ibericismo.

iberista. *Adj. 2 g.* **1.** Relativo ao, ou que é partidário do iberismo. ● *S. m.* **2.** Partidário dele.

iberização. *S. f.* Ação ou efeito de iberizar.

iberizar. *V. t. d.* Dar modos, feição, espírito ibérico, a; tornar como se fosse ibérico.

ibero (bé). [Do lat. *iberu.*] *Adj.* **1.** Ibérico (2): "Das i b e r a s regiões peninsulares / Toda a luz, sob um céu de seda e linho." (Alphonsus de Guimaraens, *Obra completa*, p. 284). ● *S. m.* **2.** Indivíduo dos iberos, antigos habitantes da Ibéria; ibérico. **3.** Língua falada pelos antigos Iberos.

ibero-americano. *Adj.* **1.** Pertencente ou relativo aos povos americanos colonizados por cada um dos países da Península Ibérica. ● *S. m.* **2.** Indivíduo ibero-americano. [Pl.: *ibero-americanos.* Cf. *latino-americano.*]

ibiapinense. *Adj. 2 g.* **1.** De, ou pertencente ou relativo a Ibiapina (CE). ● *S. 2 g.* **2.** Natural ou habitante de Ibiapina.

ibiboboca. [Do tupi.] *S. f. Bras.* **1.** V. *cobra-coral-venenosa.* **2.** *Ibiboca* (1).

ibiboca. [Do tupi.] *S. f. Bras.* **1.** Reptil ofídio, da família dos colubrídeos (*Atractus elaps* (Gunt.)), das regiões N. e centro-ocidental do Brasil, cujo aspecto geral é semelhante ao das corais; ibiboboca. **2.** V. *cobra-coral-venenosa.*

ibicara. [Do tupi.] *S. m. Bras.* Espécie de anfíbio vermiforme (*Caecilia annulata* Spix).

ibicaraiense (a-i). *Adj. 2 g.* **1.** De, ou pertencente ou relativo a Ibicaraí (BA). ● *S. 2 g.* **2.** Natural ou habitante de Ibicaraí.

ibicuíba. *S. f. Bras.* Var. de *bicuíba.*

ibicuiense (u-i). *Adj. 2 g.* **1.** De, ou pertencente ou relativo a Ibicuí (BA e RJ). ● *S. 2 g.* **2.** Natural ou habitante de Ibicuí.

➧**ibidem** (ibídem). [Lat.] *Adv.* **1.** Aí mesmo; no mesmo lugar. **2.** Na mesma obra, capítulo ou página. [Emprega-se em citações. Abrev.: *ib.*]

ibidídeo. *S. m.* e *adj.* Tresquiornitídeo.

ibidídeos. *S. m. pl. Zool.* Tresquiornitídeos.

ibiense. *Adg. 2 g.* **1.** De, ou pertencente ou relativo a Ibiá (MG). ● *S. 2 g.* **2.** Natural ou habitante de Ibiá.

ibijara. [Do tupi *ïbï'yara*, 'senhor da terra'.] *S. f. Bras.* V. *cobra-de-duas-cabeças.*

ibijaú. [Do tupi *ïbï*, 'terra' + *y* demonstrativo, 'aquele que', + *au*, 'comer': 'aquele que come terra'.] *S. m. Bras.* V. *bacurau* (1).

ibijaú-guaçu. *S. m. Bras.* V. *urutau.* [Pl.: *ibijaús-guaçus.*]

ibim. [Do ioruba.] *S. m. Bras.* Catassol (1) muito usado em algumas comidas de origem africana.

ibioca. [Do tupi.] *S. f. Bras.* V. *cobra-coral-venenosa.*

ibira. [Do tupi.] *S. f. Bras.* V. *coajerucu.*

ibiraciense. *Adj. 2 g.* **1.** De, ou pertencente ou relativo a Ibiraci (MG). ● *S. 2 g.* **2.** Natural ou habitante de Ibiraci.

ibiraçuense. *Adj. 2 g.* **1.** De, ou pertencente ou relativo a Ibiraçu (ES). ● *S. 2 g.* **2.** Natural ou habitante de Ibiraçu.

ibiraense. *Adj. 2 g.* **1.** De, ou pertencente ou relativo a Ibirá (SP). ● *S. 2 g.* **2.** Natural ou habitante de Ibirá.

ibiramense. *Adj. 2 g.* **1.** De, ou pertencente ou relativo a Ibirama (SC). ● *S. 2 g.* **2.** Natural ou habitante de Ibirama.

ibiranhirá. [Do tupi.] *S. f. Bras.* Árvore lactescente, muito comum na restinga, de madeira muito dura, mas sem uso, folhas alternas e obovadas, flores esverdeadas, mínimas, e cujo fruto é uma pequena baga, tendo o tronco inúmeros espinhos longuíssimos.

ibirapiroca. [Do tupi *ïbï'rá*, 'pau', + *pi'roka*, 'esfolado'.] *S. f. Bras.* Árvore da família das mirtáceas (*Britoa sellowiana*), muito semelhante à ibabiraba.

ibirapitanga. [Do tupi *ïbï'rá*, 'pau', + *pi'tãga*, 'vermelho'.] *S. f. Bras.* V. *pau-brasil.*

ibirarema. [Do tupi *ïbï'rá*, 'pau', + *rem*, 'fedorento'.] *S. f. Bras.* Planta da família das fitolacáceas (*Gallesia scorododendron*).

ibiraremense. *Adj. 2 g.* **1.** De, ou pertencente ou relativo a Ibirarema (SP). ● *S. 2 g.* **2.** Natural ou habitante de Ibirarema.

ibirataíba. [Do tupi, decerto.] *S. f. Bras.* Planta da família das rutáceas (*Pilocarpus pennatifolius*).

ibiratinga. [Do tupi *ïbï'rá*, 'pau', + *tïga*, 'branco'.] *S. f. Bras.* Planta da família das timeleáceas (*Funifera fasciculata*).

ibirubense. *Adj. 2 g.* **1.** De, ou pertencente ou relativo a Ibirubá (RS). ● *S. 2 g.* **2.** Natural ou habitante de Ibirubá.

íbis. [Do egípcio, atr. do gr. *íbis* e do lat. *ibis.*] *S. f.* e *m.* *2 n.* Gênero (*Ibis*) de aves pernaltas da ordem dos ciconiformes, com várias espécies espalhadas pelas regiões quentes da Europa e N. da África: "E quando Onofre reabriu lentamente os olhos, a manhã clara enchia o céu, ... e os í b i s esvoaçavam pelos ramos das mimosas." (Eça de Queirós, *Últimas Páginas*, p. 319.)

íbis-branca. *S. f.* Íbis-sagrada. [Pl.: *íbis-brancas.*]

íbis-sagrada. *S. f.* Ave da ordem dos ciconiformes (*Ibis religiosa*), objeto de culto entre os antigos egípcios; íbis-branca. [Pl.: *íbis-sagradas.*]

ibitiarense. *Adj. 2 g.* **1.** De, ou pertencente ou relativo a Ibitiara (BA). ● *S. 2 g.* **2.** Natural ou habitante de Ibitiara.

ibitiguaçuano. *Adj.* **1.** De, ou pertencente ou relativo a Ibitiguaçu (RJ). ● *S. m.* **2.** O natural ou habitante de Ibitiguaçu.

ibitinguense. *Adj. 2 g.* **1.** De, ou pertencente ou relativo a Ibitinga (SP). ● *S. 2 g.* **2.** Natural ou habitante de Ibitinga.

ibiunense (i-u). *Adj. 2 g.* **1.** De, ou pertencente ou relativo a Ibiúna (SP). ● *S. 2 g.* **2.** Natural ou habitante de Ibiúna.

ibixuma. [Do tupi *ï pï sïma*, 'o que tem casca lisa'.] *S. f. Bras.* V. *fedegoso-verdadeiro.*

ibope. [De *Instituto Brasileiro de Opinião Pública e Estatística.*] *S. m. Bras.* **1.** Índice (10) obtido mediante pesquisas de opinião pública, com a primordial finalidade de orientar a propaganda e a moderna técnica de vendas, preparar estudos de mercado e fazer sondagens sobre preferências do público. **2.** *Restr.* Índice de audiência (4): *A última novela da Globo não deu o i b o p e esperado.* **3.** *P. ext.* Prestígio (4): *Convidar fulano dá i b o p e.*

ibseniano. *Adj.* **1.** Pertencente ou relativo a Henrik Ibsen, dramaturgo norueguês (1828-1906), ou próprio dele ou de seu estilo. ● *S. m.* **2.** Grande admirador e/ou profundo conhecedor da sua obra.

ica. *S. f. Bras., MT.* Trombeta com ressoador, dos índios bororós, a qual produz um som cavernoso e grave, que serve para acompanhar os ritos religiosos e as cerimônias fúnebres.

icá. [Do ioruba.] *S. m. Bras., BA.* Saudação das pessoas que têm santos masculinos, realizada de bruços no chão do terreiro.

içá[1]. [F. red. do tupi *ïsa'ub*, 'formiga mestra'.] *S. m.* e *f. Bras.* Tanajura (1): "Formigueiros inconcebíveis, como os nossos formigueiros de saúva em dia de saída de i ç á." (Monteiro Lobato, *América*, p. 70.)

içá[2]. *Bras. S. 2 g.* **1.** Indivíduo dos içás, tribo indígena das margens do Japurá. ● *Adj. 2 g.* **2.** Pertencente ou relativo a essa tribo.

içabitu. [Do tupi *ïsá*, 'formiga', e *ïbïtu*, 'vento'.] *S. m. Bras.* V. *bitu*[1].

icacinácea. *S. f.* Espécime das icacináceas.

icacináceas. *S. f. pl. Bot.* Família de plantas floríferas, da ordem das sapindales, composta de árvores e lianas de folhas alternas, flores geralmente hermafroditas, pentâmeras ou tetrâmeras, gineceu tricarpelar, com ovário unilocular e biovulado, e óbulos pêndulos. Compreende cerca de 120 espécies, próprias dos países quentes; no Brasil, é comum o gênero *Villaresia.*

icacináceo. *Adj.* Pertencente ou relativo às icacináceas.

icacoré-catinga. [De possível or. indígena.] *S. f. Bras.* Arvoreta ou simples arbusto, da família das mirsináceas *(Ardisia semicrenata)*, das matas amazônicas, de flores pequeninas, com pontos glandulares rubros, em densas panículas, e fruto drupáceo, muito pequeno. [Pl.: *icacorés-catingas* e *icacorés-catinga.*]

içamento. *S. m.* Ato de içar.

icanga. [De provável or. tupi.] *S. f. Bras.* V. *peixe-cachorro* (2).

icapirira. *S. f. Bras., MT.* Flauta de Pã dos índios bororos, com cinco tubos de bambu.

▲**-icar.** [Do lat. *(i)care.*] *Suf. verb.* = 'ação freqüentativa, diminutiva': *bebericar, adocicar, mordicar.* [V. *-iscar.*]

içar. [Do fr. *hisser.*] *V. t. d.* Erguer, alçar, levantar: i ç a r *velas;* "Apenas o vapor começou a enfrentar o Feliz, este i ç o u a bandeira brasileira, saudando-o." (Virgílio Várzea, *Nas Ondas*, p. 150.) [Conjug.: v. *laçar.* Pres. ind.: *iço*, etc.; pret. perf.: *icei*, etc.; pres. subj.: *ice*, ... *icem.* Cf. *isso, issei*, o top. *Icém*, e o v. *inçar.*]

ícaro. [De *Ícaro*, personagem da mitologia grega, que fugiu do labirinto de Creta servindo-se de asas pregadas com cera, as quais se derreteram à aproximação do Sol, donde lhe resultou cair no mar.] *S. m.* Indivíduo a quem foram funestas as suas pretensões ou ambições muito elevadas.

▲**-icas.** V. *-eco*[1].

icástico. [Do gr. *eikastikós.*] *Adj.* **1.** Que representa nitidamente uma idéia ou om objeto. **2.** Sem artifícios ou adornos. [Sin. ger.: *icônico.*]

icatuense. *Adj. 2 g.* **1.** De, ou pertencente ou relativo a Icatu (MA). ● *S. 2 g.* **2.** Natural ou habitante de Icatu.

▲**-ice.** [Do lat. *-itie.*] *Suf. nom.* = 'qualidade' 'propriedade', 'estado', 'modo de ser': *doidice, meninice, velhice, imundice.* [Equiv.: *-ície: calvície* (< lat. *calvitie), imundície* (lat. *immunditie).*

▲**iceberg** (aiçbérg). [Ingl.] *S. m.* Massa de gelo flutuante desprendida da banquisa ou de uma geleira polar.

icéria. *S. f.* Designação científica, já vulgarizada, de um inseto *(cochonilha branca)* que vive, em geral, nas plantas cítricas.

▲**-icha.** V. *-acho.*

ichneumonídeo. *S. m.* **1.** Espécie dos ichneumonídeos. ● *Adj.* **2.** Pertencente ou relativo a eles.

ichneumonídeos. *S. m. pl. Zool.* Família de insetos da ordem dos himenópteros; vespas delgadas, de antenas longas, trocanteres bissegmentados. Parasitam outros insetos, principalmente larvas de borboletas e aranhas.

▲**-icho.** V. *-acho.*

ichó. [Do lat. *ostiocu̯lu*, 'portinha'.] *S. m.* Armadilha com o feitio de alçapão, com que se apanham coelhos e perdizes.

icica. [Do tupi *ï*, 'água', e *sïka*, ger. de *sïg*, 'chegar': 'água pegajosa, resina'.] *S. f. Bras.* Árvore mediana, da família das anacardiáceas *(Protium icicariba)*, de madeira mole, folhas penadas e longas, com folíolos aromáticos, flores mínimas, paniculadas, e fruto capsular, com uma semente; icicariba, elemi.

icicariba. *S. f. Bras.* V. *icica.*

▲**-ície.** Equiv. de *-ice.*

▲**-ício.** [Do lat. *-iciu* e/ou *-itiu.*] *Suf. nom.* = 'relação', 'referência': *natalício* (< lat. *nataliciu* e/ou *natalitiu), patrício* (< lat. *patriciu), alimentício.*

icipó. *S. m. Bras.* Cipó (1) [q. v.].

icnografia. [Do gr. *ichnographía*, pelo lat. *ichnographia.*] *S. f.* **1.** Planta de um edifício. **2.** A arte de traçar essas plantas. [Cf. *iconografia.*]

icnográfico. *Adj.* Referente à icnografia. [Cf. *iconográfico.*]

icnógrafo. *S. m.* Aquele que faz plantas ou planos de edifícios, que é versado em icnografia. [Cf. *iconógrafo.*]

▲**-ico**[1]. V. *-eco*[1].

▲**-ico**[2]. [Do gr. *ikós*, < lat. *-icu.*] *Suf. átono que forma substantivos e adjetivos eruditos* = 'participação', 'referência', 'relação': *quimérico; dendrológico.* [Em química, indica os oxiácidos em que o elemento tem a mais alta de duas valências: *sulfúrico, fosfórico.*]

▲**-ico**[3]. [Do lat. *-ic(c)u.*] *Suf. dim.: burrico* (< lat. *burric(c)u), abanico* (< esp. *abanico).*

icó[1]. [De provável or. tapuia.] *S. m. Bras.* Pequena e copada árvore da família das caparidáceas *(Capparis yco)*, muito característica da caatinga nordestina, de folhas coriáceas, ovado-elípticas, flores de três a cinco cm, com longos estames e pétalas citrinas, e cujo fruto é uma baga de três a quatro cm de diâmetro, com polpa e muitas sementes; icozeiro, icó-preto.

icó[2]. *Bras. S. 2 g.* **1.** Indivíduo dos icós, tribo indígena cariri que habitava o rio do Peixe e adjacências (limites do CE e PB). ● *Adj. 2 g.* **2.** Pertencente ou relativo a essa tribo.

▲-iço. Equiv. de *-io*^{2}.

icodidé. *S. m. Bras., Pop.* Ecodidé.

icoense (òèn). *Adj. 2 g.* **1.** De, ou pertencente ou relativo a Icó (CE). ● *S. 2 g.* **2.** Natural ou habitante do Icó.

ícone. [Do gr. *eikón*, 'imagem', pelo lat. *icone*.] *S. m.* **1.** Na Igreja russa e na grega, representação em superfície plana da figura de Cristo, da Virgem ou de um santo: "À bancada fronteira subiram .... os bispos gregos, embrulhados em pluviais de oiro coloridos de ícones bizantinos" (Júlio Dantas, *Pátria Portuguesa*, p. 118). [Cf. *imagem* (2) e *ídolo* (1).] **2.** *Semiol.* Signo que apresenta relação de semelhança ou analogia com o referente (fotografia, diagrama, mapa, etc.).

iconhense. *Adj. 2 g.* **1.** De, ou pertencente ou relativo a Iconha (ES). ● *S. 2 g.* **2.** Natural ou habitante de Iconha.

iconicidade. *S. f. Semiol.* Propriedade que tem o signo icônico de representar por semelhança o mundo real, ou de ser a imagem de um objeto real; o grau de iconicidade de um signo é uma grandeza inversa de seu grau de abstração ou esquematização.

icônico. [Do gr. *eikonikós*, pelo lat. *iconicu*.] *Adj.* **1.** Pertencente ou relativo ao ícone. **2.** Icástico. ~ V. *estátua — e modelo —*.

iconista. *S. 2 g.* Autor de ícones.

▲icono-. [Do gr. *eikón, onos*.] *El. comp.* = 'imagem': *iconólatra, iconoteca*.

iconoclasmo. [De *icono-* + gr. *klasmós*, 'ação de quebrar'.] *S. m.* Doutrina dos iconoclastas.

iconoclasta. [Do gr. *eikonoklástes*.] *Adj. 2 g.* **1.** Diz-se de quem destrói imagens ou ídolos e, p. ext., obras de arte. **2.** Diz-se de pessoa que não respeita as tradições, a quem nada parece digno de culto ou reverência. ● *S. 2 g.* **3.** Indivíduo iconoclasta. **4.** *Rel.* Partidário da luta contra as imagens sagradas desencadeada no séc. VIII por Leão Isáurico (Leão II, 675-741). [Sin. ger.: *iconômaco*.]

iconoclastia. *S. f.* Ação, dito ou procedimento de iconoclasta.

iconoclástico. *Adj.* **1.** Relativo à iconoclastia, ou a iconoclasta. **2.** Que denota iconoclastia; próprio de iconoclasta: *procedimento iconoclástico*.

iconofilia. [De *icono-* + *-filia*.] *S. f.* Arte de colecionar imagens, principalmente estampas.

iconófilo. [De *icono-* + *-filo*^{2}.] *S. m.* **1.** Aquele que é dado à iconofilia. **2.** Aquele que gosta muito da pintura, que é amigo dessa arte: "um pobre amigo da pintura, um modesto iconófilo, como eu, ... pode verdadeiramente amar a pintura, porque, não possuindo galeria sua, não tem egoísmo e preferências de posse e vaidade, e é capaz de, com igual amor, amar todas as admiráveis telas..." (Olavo Bilac, *Últimas Conferências e Discursos*, pp. 346-347).

iconografia. [Do gr. *eikonographía*, pelo lat. *iconographia*.] *S. f.* **1.** Arte de representar por meio da imagem. **2.** Conhecimento e descrição de imagens (gravuras, fotografias, etc.). **3.** Documentação visual que constitui ou completa obra de referência e/ou de caráter biográfico, histórico, geográfico, etc. **4.** *P. ext.* Seção (8) encarregada da iconografia (3). [V. *documentação* (2). Cf. *iconografia*.]

iconográfico. *Adj.* Relativo à iconografia. [Cf. *icnográfico*.]

iconógrafo. [Do gr. *eikonográphos*.] *S. m.* Especialista em iconografia. [Cf. *icnógrafo*.]

iconólatra. [De *icono-* + *-latra*.] *S. 2 g.* Praticante da iconolatria.

iconolatria. [De *icono-* + *-latria*.] *S. f.* Adoração das imagens.

iconolátrico. *Adj.* Relativo à iconolatria.

iconologia. [Do gr. *eikonología*.] *S. f.* **1.** Representação alegórica ou emblemática de entidades morais. **2.** Explicação de imagens ou monumentos antigos. **3.** Explicação das figuras alegóricas e seus atributos. **4.** Parte da história das belas-artes que estuda o tratamento dos assuntos em diversos artistas e épocas.

iconológico. *Adj.* Relativo à iconologia.

iconologista. *S. 2 g.* Iconólogo.

iconólogo. *S. m.* Especialista em iconologia; iconologista.

iconômaco. [Do gr. *eikonómachos*.] *Adj.* e *s. m.* Iconoclasta.

iconomania. [De *icono-* + *-mania*.] *S. f.* Paixão por imagens ou quadros.

iconoscópio. [De *icono-* + *-scop-* + *-io*.] *S. m. Eletrôn.* Tubo de raios catódicos utilizado em televisão, no qual se converte uma imagem óptica numa seqüência de impulsos elétricos.

iconoteca. [De *icono-* + *-teca*.] *S. f.* **1.** Coleção iconográfica sistematizada. **2.** Local, em museus e bibliotecas, onde se guarda uma dessas coleções.

icó-preto. *S. m. Bras.* V. *icó*^{1}. [Pl.: *icós-pretos*.]

icor (ô). [Do gr. *ichór*.] *S. m.* Serosidade purulenta e fétida que escorre de certas úlceras ou abscessos; sânie.

icosaedro. [Do gr. *eikosáedron*.] *S. m. Geom.* Poliedro de 20 faces.

icosagonal. *Adj. 2 g.* Relativo a icoságono.

icoságono. [Do gr. *eikoságonos*.] *S. m. Geom.* Polígono de 20 lados.

icosandria. *S. f.* **1.** *Morfol. Veg.* Qualidade de icosandro ou icosândrico. **2.** Antiga classe de plantas, no sistema de Lineu, que têm 20 ou mais estames.

icosândrico. [De *icosandro* + *-ico*^{2}.] *Adj. Morfol. Veg.* Diz-se dos vegetais que têm 20 ou mais estames inseridos no cálice; icosandro.

icosandro. [De *icos(i)-* + *-andro*.] *Adj. Morfol. Veg.* Icosândrico.

▲icos(i)-. [Do gr. *eíkosi*.] *El. comp.* = 'vinte', *icosandro*.

icozeiro (cò). *S. m. Bras.* V. *icó*^{1}.

icterícia. [Do lat. tardio *ictericia*.] *S. f. Patol.* Síndrome caracterizada por excesso de bilirrubina no sangue e deposição de pigmento biliar na pele e membranas mucosas, do que resulta a coloração amarela apresentada pelo paciente. [Var.: *iterícia*; sin., *pop.*: *triz*.]

ictérico. [Do gr. *ikterikós*, pelo lat. *ictericu*.] *Adj.* e *s. m.* Diz-se de, ou paciente que apresenta icterícia. [Var.: *itérico*.]

icterídeo. *S. m.* **1.** Espécime dos icterídeos. ● *Adj.* **2.** Pertencente ou relativo a eles.

icterídeos. *S. m. pl. Zool.* Aves passeriformes, da família *Icteridae*, de tarso ocreado (escamas anteriores), tegumento não ou indistintamente dividido em placas, a primeira das rêmiges da mão de comprimento igual ou maior que o da segunda, bico longo, mais ou menos grosso, ponta não entalhada, e pés fortes. Têm plumagem colorida, e são sociais, geralmente onívoras, sendo as espécies de maior porte frugívoras. São os japus, japins, graúnas, chupins e rouxinóis.

▲icter(o)-. [Do gr. *íkteros, ou*] *El. comp.* = 'amarelo': *icteróide, icterocéfalo*.

icterocéfalo. [De *icter(o)-* + *-cefalo*.] *Adj. Zool.* Que tem cabeça amarela.

icteróide. [De *icter(o)-* + *-óide*.] *Adj. 2 g.* Semelhante à icterícia. ~ V. *tifo —*.

ictíco. [Do gr. *ichthyikós*.] *Adj.* Relativo ao, ou próprio de peixe.

▲icti(o). [Do gr. *ichthýs, ýos*.] *El. comp.* = 'peixe': *ictiologia, ictiossauro*.

ictiocola. [Do gr. *ichthyókolla*, pelo lat. *ichthyocolla*.] *S. f.* Cola fabricada com a bexiga natatória de vários peixes cartilaginosos, sobretudo o esturjão.

ictiodonte. [De *icti(o)-* + *-odonte*.] *S. m.* Dente fóssil de peixe.

ictiodorilite. [De *icti(o)-* + gr. *dory*, 'lança', + *-lite*.] *S. m.* Substância fóssil, cônica e alongada, que se admite serem espinhos das barbatanas de certos peixes cartilaginosos.

ictiofagia. [Do gr. *ichthyophagía*.] *S. f.* Alimentação habitual de peixe.

ictiofágico. *Adj.* Referente à ictiofagia.

ictiófago. [Do gr. *ichthyophágos*, pelo lat. *ichtyophagu*.] *Adj.* e *s.m.* Que ou aquele que pratica a ictiofagia.

ictiografia. [De *icti(o)-* + *-graf(o)-* + *-ia*.] *S. f.* Descrição dos peixes; tratado sobre eles.

ictiográfico. *Adj.* Referente à ictiografia.

ictiógrafo. *S. m.* Especialista em ictiografia.

ictióide. [Do gr. *ichthoeidés*.] *Adj. 2 g.* Semelhante a um peixe; ictióideo.

ictióideo. *Adj.* Ictióide.

ictiol. [De *icti(o)-* + *ol*, abrev. de *óleo*.] *S. m.* Substância orgânica, sulfoictiolato de amônio, largamente usada no tratamento das moléstias da pele. [Pl.: *ictióis*.]

ictiologia. [De *icti(o)-* + *-log(o)-* + *-ia*.] *S. f.* Parte da zoologia que trata dos peixes.

ictiológico. *Adj.* Relativo à ictiologia.

ictiólogo. *S. m.* Especialista em ictiologia.

ictiopsofose. [De *icti(o)-* + gr. *psóphos*, 'ruído', + *-ose*.] *S. f.* Rumor produzido pelos peixes debaixo da água, e que parece resultar da vibração dos músculos da vesícula pulmonar.

ictiose. [De *icti(o)-* + *-ose*.] *S. f. Patol.* Dermatose caracterizada pela secura e aspereza da pele, a qual, por hipertrofia de sua camada córnea, se torna escamosa como a dos peixes.

ictiossauro. [De *icti(o)-* + *-sauro*.] *S. m. Paleoz.* Gênero de reptis gigantescos, fósseis, da época secundária.

icto. [Do lat. *ictu*.] *S. m. Mús.* Acentuação do tempo forte de determinados compassos (geralmente o primeiro e o último) compreendidos dentro de um desenho temático, um ritmo ou uma frase musical.

id. [Do lat. *id*, 'isso'.] *S. m. Psican.* A parte mais profunda da psique, receptáculo dos impulsos instintivos, dominados pelo princípio do prazer e pelo desejo impulsivo. [Cf. *ide*, do v. *ir*.]

■id. Abrev. de *idem*.

ida. [Fem. substantivado de *ido*^{2}.] *S. f.* **1.** Ato ou movimento de ir(-se); partida. **2.** Jornada de ida: *A ida do Rio a Resende levou três horas*. **3.** Bilhete de viagem só de ida: *Comprei apenas a ida — a volta você compra lá*. [Cf. *Ida*, antr. e top.]

▲-ida. V. *-ídeo*.

idade. [Do lat. *aevitate*.] *S. f.* **1.** Número de anos de alguém ou de algo: *Tem 25 anos de idade*. [Sin. (bras., pop.): *era*.] **2.** Duração ordinária da vida: *A idade do cachorro é, em média, de uns oito anos*. **3.** Época da vida: *Foi feliz em todas as idades*. **4.** Estádio da existência; fase: *A adolescência é a idade das ilusões*. **5.** Velhice (1): *São achaques da idade*. **6.** Tempo, época: *Está na idade de estudar*. **7.** Qualquer época da civilização que apresenta determinadas características culturais ou sociais; era: *a idade pastoril; a idade industrial; a idade atômica*. **8.** Período histórico ou pré-histórico: *a idade dos descobrimentos; a idade da pedra; a idade dos metais*. **9.** *Impr.* Designação de eras, épocas e períodos geológicos, ocasionada por sua relação com as idades pré-históricas. ◆ **Idade da maré.** *Ocean. Fís.* Intervalo de tempo entre a lua cheia ou a lua nova e seu efeito máximo sobre a amplitude da maré ou a corrente de maré; idade de desigualdade de fase. **Idade da onda.** *Ocean. Fís.* Relação entre a celeridade da onda e a velocidade do vento que a está gerando. [É um índice do grau de desenvolvimento da onda.] **Idade da pedra lascada.** Período paleolítico. **Idade da pedra polida.** Período neolítico. **Idade de Cristo.** A idade de 33 anos: *O poeta Antônio Nobre morreu com a idade de Cristo*. **Idade de desigualdade de fase.** Idade da maré. **Idade do Universo.** *Cosm.* Intervalo de tempo decorrido desde a singularidade prevista na teoria da grande explosão [v. *bigue-bangue*] e os tempos atuais. [O valor estimado pode variar entre sete e 20 bilhões de anos.] **Idade Média.** Período histórico compreendido entre o começo do séc. V e meados do séc. XV. **De idade.** Idoso (pessoa): *um senhor de idade*.

idálico. *Adj.* Idálio.

idálio. [Do gr. *idálios*, pelo lat. *idaliu*.] *Adj.* **1.** Referente à cidade e ao Monte Idálio, consagrado a Vênus, na ilha de Chipre. **2.** Respeitante a Vênus. [F. paral.: *idálico*.]

▲-idão. [Do lat. *-(i)tudine*.] *Suf. nom.* = 'qualidade', 'modo de ser', 'estado', 'propriedade': *gratidão* (< lat. *gratitudine*), *pretidão, mansidão, lassidão*. [Equiv.: *-itude*: *lassitude* (< lat. *lassitudine*), *magnitude* (< lat. *magnitudine*).]

▲-idas. V. *-ídeo*.

ideação. *S. f.* Formação da idéia; concepção: "teoricamente, ... parece-me tal noção perfeitamente clara, facilmente concebível, de ideação distinta" (Antônio Sérgio, *Cartas do Terceiro Homem*, p. 67).

ideal. [Do lat. *ideale*.] *Adj. 2 g.* **1.** Que existe somente na idéia; imaginário, fantástico: *O sonhador não abre mão de sua riqueza ideal*. **2.** Que é a síntese de tudo a que aspiramos, de toda a perfeição que concebemos ou se pode conceber: "Vi a criança mais ideal, mais pura / Que os olhos meus têm visto!" (Guerra Junqueiro, *A Morte de D. João*, p. 244); "Pode rugir a carne... Embora! Dela acima / Paira o espírito ideal que a purifica e anima" (Olavo Bilac, *Poesias*, p. 139). ~ V. *fluido —, gás —, líquido —, parte —, pêndulo —, plano —, ponto —, reta —, solução — e valor —*. ● *S. m.* **3.** Aquilo que é objeto da nossa mais alta aspiração intelectual, estética, espiritual, afetiva, ou de ordem prática: *ideal de cultura*; "O meu ideal de beleza estava nas donzelas finas, desbotadas, louras" (Graciliano Ramos, *Infância*, p. 242). **4.** O modelo sonhado ou ideado pela fantasia de um artista, de um poeta. **5.** *Álg. Mod.* Subconjunto *I* de um anel *R*, estável sob adição, e que contém qualquer elemento *cx* ou *xc*, desde que *c* pertença a *R* e *x* ∈ *I*.

idealidade. *S. f.* **1.** Qualidade de ideal. **2.** Propensão ou inclinação do espírito para o ideal; idealismo.

idealismo. *S. m.* **1.** Idealidade (2). **2.** *Filos.* Tendência, atitude ou doutrina que, em graus e sentidos diversos, reduz o ser ao pensamento ou a alguma entidade de ordem subjetiva, considerando que o espírito, ou a consciência, ou as idéias, ou a vontade, etc., são o dado primário com base no qual se hão de resolver os problemas filosóficos. [Imensa é a contribuição das escolas idealistas ao progresso científico e cultural, sobretudo pela conquista de métodos lógicos rigorosos, que, em grande parte, são fruto da reflexão sobre o pensamento empreendida pelos idealistas de todas as épocas, e pela sua confiança no valor e no poder da atividade racional. Contudo, no tocante a situações sociais e econômicas o idealismo tem servido, em razão da menor importância que atribui como orientação geral aos fatos objetivos, de instrumento de ocultação das origens e condicionamentos materiais daquelas situações, atribuindo-lhes origens abstratas e servindo, assim, a grupos ou classes que se interessam pela manutenção de tais situações.] **3.** *Estét.* Doutrina segundo a qual a finalidade da arte é a representação fictícia de algo que será mais satisfatório para o espírito do que a realidade objetiva. ♦ **Idealismo absoluto.** *Hist. Filos.* V. *hegelianismo.* **Idealismo objetivo.** *Filos.* Idealismo que reduz o ser a um espírito, ou consciência ou vontade supra-individual. **Idealismo subjetivo.** *Filos.* Idealismo que reduz o ser à sensação, à representação ou às idéias do indivíduo, como, p. ex., o imaterialismo de Berkeley. [Cf. *solipsismo* (1) e *subjetivismo* (2).] **Idealismo transcendental.** *Hist. Filos.* Segundo Kant [v. *kantismo*], doutrina em que se consideram os fenômenos, sem exceção, como simples representações, e não como coisas em si.

idealista. *Adj. 2 g.* **1.** Respeitante ao, ou próprio do idealismo; idealístico. **2.** Que é sectário do idealismo. ● *S. 2 g.* **3.** Sectário dele. **4.** Sonhador, devaneador.

idealístico. *Adj.* Idealista (1).

idealização. *S. f.* Ato, efeito ou faculdade de idealizar(-se).

idealizador (ô). *Adj.* e *s. m.* Que ou aquele que idealiza.

idealizar. *V. t. d.* **1.** Dar caráter ideal a; tornar ideal: *Os poetas românticos idealizaram a mulher;* "O romantismo idealizava tudo." (Tristão de Ataíde, *Afonso Arinos*, p. 159). **2.** Criar na imaginação; imaginar, fantasiar. **3.** Projetar, planear, planejar, programar: *O Palácio da Alvorada foi idealizado por Oscar Niemeyer. P.* **4.** Imaginar-se de maneira ideal.

idealizável. *Adj. 2 g.* Que pode ser idealizado.

idear. *V. t. d.* **1.** Criar na idéia, na imaginação; imaginar, fantasiar, idealizar: "Ideou então o canto esponsalício e quis compô-lo; mas a inspiração não pôde sair." (Machado de Assis, *Histórias sem Data*, pp. 41-42); "Quem ideou os símbolos políticos do Brasil independente foi o imortal Patriarca [José Bonifácio de Andrada e Silva]" (Basílio de Magalhães, *O Café*, p. 172). **2.** Projetar, planejar, planear, delinear, programar: *idear uma grande viagem.* **3.** Dar a idéia de. [Pres. ind.: *idéio, idéias, idéia, ideamos, ideais, idéiam;* pres. subj.: *idéie, idéies, idéie, ideemos, ideeis, idéiem.*]

ideário. *S. m.* Conjunto ou sistema de idéias políticas, sociais, econômicas, etc.: *o ideário da Revolução Francesa.*

ideativo. *Adj.* Relativo a idéia ou idéias: "Eu considero .... as Américas, a Índia, a China, o Japão e a Rússia como os atores principais no futuro drama da nascente cultura integral ou ideativa." (Fidelino de Figueiredo, *Entre Dois Universos*, p. 198.)

ideável. *Adj. 2 g.* Que se pode idear.

idéia. [Do gr. *idéa*, pelo lat. *idea.*] *S. f.* **1.** Representação mental de uma coisa concreta ou abstrata; imagem: *Faz uma idéia falsa do simbolismo* **2.** Elaboração intelectual; concepção: *A idéia do livro fora sua.* **3.** *P. ext.* Projeto, plano: *Tenho idéia de viajar.* **4.** Invenção, criação: *Que feliz idéia, a de Guerra e Paz, de Tolstoi!* **5.** Maneira particular de ver as coisas; opinião, conceito, juízo: *Não tenho idéia formada sobre o assunto.* **6.** Visão imaginária, irreal; imaginação, quimera, sonho: *Isto não passa de idéia: a realidade é outra.* **7.** Mente, pensamento: *O caso não me sai da idéia; Tenho na idéia não voltar mais.* **8.** Conhecimento, memória, lembrança: *Com a idade, perdeu a idéia das coisas.* **9.** Noção, informação: *Não tinha idéia do que foi a briga.* **10.** Tino, juízo. **11.** *Filos.* Elemento em que aparecem condensados os poderes de reflexão e de auto-reflexão do pensamento. Daí duas definições gerais: 1) o que é apreensível, nas coisas, pelo pensamento (a forma, a espécie, a natureza, a essência); 2) os objetos do pensamento, enquanto pensados; representação. [Cf., nesta acepç., *conceito* (1).] **12.** *Hist. Filos.* Segundo Platão [v. *platonismo*], modelo das coisas sensíveis, eterno e imutável, objeto de contemplação pelo pensamento. **13.** *Bras. Pop.* V. *cabeça* (1): *Levou uma pancada na idéia e caiu duro.* [Cf. *edéia.*] ~ V. *idéias.* ♦ **Idéia adventícia.** *Hist. Filos.* Segundo Descartes [v. *cartesianismo*], idéia que, através dos sentidos, provém de coisa exterior ao espírito. **Idéia factícia.** *Hist. Filos.* Segundo Descartes [v. *cartesianismo*], idéia construída arbitrariamente pelo espírito. **Idéia geral.** *Lóg.* Idéia resultante de generalização. **Idéia inata.** *Hist. Filos.* Segundo Descartes [v. *cartesianismo*], idéia que se concebe em razão da própria natureza do espírito. **Idéia transcendental.** *Hist. Filos.* Segundo Kant [v. *kantismo*], idéia que não deriva nem dos sentidos nem do entendimento, mas que é necessariamente concebida pela razão. Distinguem-se à idéia da alma (correspondente à unidade absoluta à sistematização completa dos fenômenos) e a idéia de Deus (correspondente à unidade de todas as existências). **Alertar as idéias.** *Bras. Pop.* V. *embriagar* (4). **Trocar uma idéia.** *Bras. Gír.* V. *bater papo.*

idéias. [Pl. de *idéia.*] *S. f. pl.* Conjunto dos pensamentos ou concepções de um indivíduo ou de um grupo social em qualquer domínio; teoria, doutrina, filosofia; ponto de vista; opinião: *Cada um tem suas idéias; Há entre eles perfeita comunhão de idéias.* ~ V. *idéia.*

➧**idem** (ídem). [Lat., 'o mesmo'.] *Pron.* **1.** A mesma coisa. **2.** O mesmo autor. **3.** Da mesma forma, etc. [Us. para evitar repetições. Abrev.: *id.*]

idempotente. [De *idem* + *potente.*] *S. m.* **1.** *Alg. Mod.* Elemento idempotente. ● *Adj. 2 g.* **2.** ~ V. *elemento* — e *operação* —.

idêntico. [Do lat. escolástico *identicu.*] *Adj.* **1.** Perfeitamente igual. **2.** *P. ext.* Semelhante, análogo: "O sertão do Norte oferecia então aos ricos fazendeiros uma ocupação idêntica à das correrias de lobos e outros animais daninhos, em que se empregava a atividade dos nobres no reino." (José de Alencar, *O Sertanejo*, p. 197.) ~ V. *polinômios* —*s*.

identidade. [Do lat. escolástico *identitate.*] *S. f.* **1.** Qualidade de idêntico: *Há entre as concepções dos dois perfeita identidade.* **2.** Conjunto de caracteres próprios e exclusivos de uma pessoa: nome, idade, estado, profissão, sexo, defeitos físicos, impressões digitais, etc. **3.** Reconhecimento de que um indivíduo morto ou vivo é o próprio. **4.** Cédula de identidade. **5.** *Mat.* Relação de igualdade válida para todos os valores das variáveis envolvidas. **6.** *Álg. Mod.* Elemento identidade. ♦ **Identidade visual. 1.** Personalidade visual de empresa, resultante do efeito iterativo das características comuns de suas imagens visuais. **2.** Conjunto de elementos gráfico-visuais padronizados (logotipo, uniformes, embalagens, papéis de correspondência, etc.) que estabelece esta personalidade.

identificação. *S. f.* **1.** Ato ou efeito de identificar(-se). **2.** Reconhecimento duma coisa ou dum indivíduo como os próprios.

identificador (ô). *Adj.* **1.** Que identifica ou serve para identificar. ● *S. m.* **2.** Aquele ou aquilo que identifica.

identificar. [Do lat. *identicu* + *-ficar.*] *V. t. d.* **1.** Tornar idêntico, igual: *A individualidade é tão forte que é impossível identificar duas pessoas.* **2.** Determinar a identidade (2) de: *Tentava-se identificar os acidentados.* **3.** Fazer de (várias coisas) uma só: *Um raciocínio rigoroso não pode identificar categorias diferentes. T. d. e i.* **4.** Tornar idêntico: *Sua atuação o identifica aos desonestos P.* **5.** Tomar o caráter de. **6.** Confundir o que é seu com o alheio; compenetrar-se do que outrem sente ou pensa. **7.** Conformar-se, afazer-se, ajustar-se. [Conjug.: v. *trancar.*]

identificável. *Adj. 2 g.* Que pode ser identificado.

▲**ideo-.** [Do gr. *idéa, as.*] *El. comp.* = 'aparência'; 'princípio', 'idéia': *ideofrenia, ideologia, ideograma.*

▲**-ídeo.** [Do lat. *-idae.*] *Suf. nom.* = 'família de animais'. [Equiv.: *-ídeos, -ida, -idas: corvídeo, anelídeos, elefantída, cânidas.*]

ideofrenia. [De *ideo-* + *-fren(o)-*[1] + *-ia.*] *S. f. Psiq.* Psicopatia caracterizada por perversão de idéias.

ideofrênico. *Adj.* Relativo à ideofrenia.

ideogenia. [De *ideo-* + *-gen(o)-*[1] + *-ia.*] *S. f.* Ciência que trata da origem das idéias.

ideogênico. *Adj.* Referente à ideogenia.

ideografia. [De *ideo-* + *-graf(o)-* + *-ia.*] *S. f.* **1.** Representação das idéias por meio de sinais que reproduzem objetos concretos. **2.** Sistema de sinais constitutivos de escrita analítica.

ideográfico. *Adj.* Respeitante à ideografia. ~ V. *alfabeto* — e *escrita* —*a*.

ideografismo. *S. m.* Aplicação do sistema ideográfico.

ideógrafo. *S. m.* Aquele que se ocupa com a ideografia.

ideograma. [De *ideo-* + *-grama.*] *S. m.* **1.** Sinal de notação das escritas analíticas, como, p. ex., o hieróglifo egípcio ou os símbolos abstratos das escritas cuneiforme e chinesa. **2.** Símbolo gráfico que representa diretamente uma idéia, como os algarismos, certos sinais de trânsito, etc.

ideologia. [De *ideo-* + *-log(o)-* + *-ia.*] *S. f.* **1.** Ciência da formação das idéias; tratado das idéias em abstrato; sistema de idéias. **2.** *Filos.* Pensamento teórico que pretende desenvolver-se sobre seus próprios princípios abstratos, mas que, na realidade, é a expressão de fatos, principalmente sociais e econômicos, que não são levados em conta ou não são expressamente reconhecidos como determinantes daquele pensamento. **3.** *Pol.* Sistema de idéias dogmaticamente organizado como um instrumento de luta política. **4.** conjunto de idéias próprias de um grupo, de uma época e que traduzem uma situação histórica: *ideologia burguesa.* [Cf. *edeologia.*]

ideológico. *Adj.* Relativo à ideologia. ~ V. *falsidade* —*a*. [Cf. *edeológico.*]

ideólogo. *S. m.* Aquele que se ocupa da ideologia (1), ou é versado nela: "todos os ideólogos, os filósofos, os homens de altos sistemas sociais" (Eça de Queirós, *Ecos de Paris*, p. 103).

▲**-ídeos.** V. *-ídeo.*

ideosfera. [De *ideo-* + *-sfera.*] *S. f. Geog.* Antroposfera.

'**diche.** *S. m.* V. *iídiche.*

idielétrico. [De *idi(o)-* + *elétrico.*] *Adj.* Diz-se das substâncias que se eletrizam por fricção: isolantes, coibentes, maus condutores.

idílico. *Adj.* **1.** Relativo a idílio. **2.** Que lembra o idílio, pelo ambiente campestre e pelo amor suave e terno; próprio de idílio: *um cenário idílico.* [Cf. *edílico.*]

idílio. [Do gr. *eidyllion*, pelo lat. *idylliu.*] *S. m.* **1.** Pequena composição poética de caráter campestre ou pastoril. **2.** Amor poético e suave: "Como Laforgue, o poeta [Mário Pederneiras] vivia contente, não pedindo mais que continuar o seu idílio com aquela que lhe fixara a ventura" (Tristão da Cunha, *Cousas do Tempo*, p. 199). **3.** Entretenimento amoroso; galanteio.

idilista. *S. 2 g.* Pessoa que compõe idílios.

idilizar. *V. int.* Fazer idílio (3): "Mesurado, donairosíssimo, diserto, dameja, corteja, galanteia, idiliza" (Martins Fontes, *A Dança*, p. 53).

▲**idi(o)-.** [Do gr. *ídios, a ou os, on.*] *El. comp.* = 'próprio', 'peculiar': *idiólatra, idielétrico.*

▲**-ídio.** V. *-óide.*

idioblástico. *Adj.* Pertencente ou relativo ao idioblasto.

idioblasto. [De *idi(o)-* + *-blasto.*] *S. m. Biol. Ger.* **1.** Unidade hipotética, inferior à célula. **2.** *Anat. Veg.* Célula diferente das demais, no seio de um tecido vegetal qualquer, por sua forma, dimensões, conteúdo, etc. Ex.: o idioblasto cristalífero, célula que contém cristais.

idiocromático. [De *idi(o)-* + *cromático.*] *Adj. Min.* Idiocrômico.

idiocrômico. [De *idi(o)-* + *-crom(a)-* + *-ico*[2].] *Adj. Min.* Diz-se do mineral cuja cor é constante e não provém de impurezas; idiocromático.

idioelétrico. *Adj.* V. *idielétrico.*

idiófono. [De *idi(o)-* + *-fono.*] *Adj. Mús.* Diz-se do instrumento que soa por si mesmo mediante a percussão: xilofone, castanholas, pratos, chocalho, reco-reco, etc.; autófono. [Cf. *aerófono.*]

idiógino. [De *idi(o)-* + *-gino.*] *Adj. Morfol. Veg. P. us.* Diz-se das plantas cujo pistilo está em flores diferentes das que contêm estames.

idiólatra. [De *idi(o)-* + *-latra.*] *S. 2 g.* Pessoa que se adora a si mesma. [Cf. *idólatra* e *hidrólatra.*]

idiolatria. [De *idi(o)* + *latria.*] *S. f.* Adoração de si mesmo. [Cf. *idolatria* e *hidrolatria.*]

idiolátrico. *Adj.* Relativo à idiolatria.

idioleto. [Do ingl. *idiolect.*] *S. m. Ling.* Conjunto de características específicas da língua próprias de um único indivíduo e consideradas num dado momento.

idioma. [Do lat. *idioma.*] *S. m.* **1.** Língua (3) de uma nação. **2.** Língua (3) peculiar a uma região.

▲**idiomat(o)-.** Equiv. de *idiomo-.*

idiomático. [Do gr. *idiomatikós.*] *Adj.* Relativo a, ou próprio de um idioma.

idiomatismo. [De *idiomat(o)-* + *-ismo.*] *S. m. Gram.* Idiotismo (2).

▲**idiomo-.** [Do gr. *idíoma, atos.*] *El. comp.* = 'linguagem particular': *idiomografia.* [Equiv.: *idiomat(o)-: idiomatismo.*]

idiometrite. [De *idi(o)-* + *-metrite.*] *S. f. Patol.* Inflamação do parênquima do útero.

idiomografia. [De *idiomo-* + *-graf(o)-* + *-ia.*] *S. f.* Ciência que descreve e classifica os idiomas.

idiomográfico. *Adj.* Referente à idiomografia.

idiomórfico. [De *idi(o)-* + *-morf(o)-* + *-ico*[2].] *Adj. Min.* Diz-se do mineral que se apresenta na rocha com as suas formas próprias.

idiopatia. [Do gr. *idiopátheia.*] *S. f.* **1.** Doença de origem desconhecida. **2.** Predileção ou simpatia por alguma coisa.

idiopático. *Adj.* Referente à idiopatia.

idioplasma. [De *idi(o)-* + *-plasma.*] *S. m. Biol.* Matéria fundamental do protoplasma.

▲-ídios. V. *-óide.*

idiossincrasia. [Do gr. *idiosygkrasía.*] *S. f.* **1.** Disposição do temperamento do indivíduo, que o faz reagir de maneira muito pessoal à ação dos agentes externos. **2.** Maneira de ver, sentir, reagir, própria de cada pessoa. **3.** *Med.* Sensibilidade anormal, peculiar a um indivíduo, a uma droga, proteína ou outro agente.

idiossincrásico. *Adj.* Relativo à idiossincrasia; idiossincrático.

idiossincrático. *Adj.* Idiossincrásico.

idiota. [Do lat. *idiota.*] *Adj. 2 g.* **1.** Pouco inteligente; estúpido, ignorante, imbecil. **2.** V. *tolo* (1 a 3). **3.** Pretensioso, afetado. **4.** *Psiq.* Doente de idiotia. **5.** *P. ext.* Próprio de idiota; estúpido, amalucado, imbecil: *sorriso* idiota; *pensamento* idiota; "A um canto, a barba crescida, um ar idiota, a fisionomia parada, ... seu Rafael parecia não enxergar o povo que invadia a sua casa" (Cordeiro de Andrade, *Anjo Negro*, p. 112). ● *S. 2 g.* **6.** Pessoa idiota. V. *tolo* (8). **7.** *Psiq.* Indivíduo com idiotia.

idiotar. *Bras. V. t. d.* **1.** Tornar idiota; idiotizar. *Int.* e *p.* **2.** Tornar-se idiota. **3.** Estar alheio; distrair-se, descuidar-se.

idiotia. [De *idiota* + *-ia.*] *S. f.* **1.** V. *idiotice.* **2.** *Psiq.* Atraso intelectual profundo, caracterizado por ausência de linguagem e nível mental inferior ao da idade normal de três anos, e muitas vezes acompanhado de malformações físicas. [Cf. *debilidade mental* e *imbecilidade* (3).]

idiotice. *S. f.* Qualidade, modos ou dito de idiota; idiotia, idiotismo.

idiótico. [Do gr. *idiotikós*, pelo lat. *idioticu.*] *Adj.* Relativo a idiota, ou a idiotismo.

idiotismo. [Do gr. *idiotismós*, pelo lat. *idiotismu.*] *S. f.* **1.** V. *idiotice.* **2.** *Gram.* Locução, modo de dizer ou construção privativa de uma língua, e muitas vezes de origem popular ou familiar; idiomatismo.

idiotizar. *V. t. d.* Tornar idiota; idiotar.

ido[1]. [Abrev. de *esperantido*, que significa, em esperanto, 'filho do esperanto'.] *S. m.* Forma simplificada do esperanto, criada em 1907, por Jespersen, Couturat e outros. ~ V. *idos.*

ido[2]. [Part. de *ir.*] *Adj.* Que foi ou se foi; passado: "Recordo sem angústia / os tempos idos." (João José Cochofel, *Os Dias Íntimos*, p. 29); "Que eu, se tenho nos olhos malferidos / Pensamentos de vida formulados, / São pensamentos idos e vividos." (Machado de Assis, *Relíquias de Casa Velha*). ~ V. *idos.*

▲-ido. V. *-ado[1].*

idocrásio. [Do gr. *eídos* + *-crásio.*] *S. m. Min.* Mineral tetragonal, de composição complexa e variada, na qual predomina o silicato de cálcio e alumínio, e que contém flúor e oxidrila; vesuvianita.

idólatra. [Do gr. *eidololátres*, pelo lat. *idololatra*, com haplologia.] *Adj. 2 g.* **1.** Respeitante à, ou próprio da idolatria. **2.** Que adora ídolos. **3.** Idolátrico (2): "É velho, toma conta do templo desde rapaz e tem por ele um amor idólatra." (Raquel de Queirós, *100 Crônicas Escolhidas*, p. 57.) ● *S. 2 g.* **4.** Pessoa que adora ídolos. **5.** Admirador exaltado; adorador: "Idólatra do belo e admiradora desinvejosa de todos os que o cultivam, nunca perdoou [Augustine Brohan] .... ao talento de Dumas a sua ingratidão leviana." (Ramalho Ortigão, *Em Paris*, p. 192.) [Cf. *idolatra*, do v. *idolatrar*, e *idiólatra*, *hidrólatra.*]

idolatrar. [De *idólatra* + *-ar[2].*] *V. t. d.* **1.** Prestar idolatria (1) a; amar com idolatria (1); adorar, venerar: *Há povos que* idolatram *animais.* **2.** Amar com idolatria (2), com excesso, cegamente: "Eu tive pais extremosos, / Irmãos que m' idolatraram" (Gonçalves Dias, *Obras Poéticas*, II, p. 103); "E amou-a, idolatrou-a com a alma ajoelhada" (Aluísio Azevedo, *O Coruja*, p. 147). *Int.* **3.** Adorar ídolos; praticar a idolatria (1). [Pres. ind.: *idolatro, idolatras, idolatra*, etc. Cf. *idólatra.*]

idolatria. *S. f.* **1.** Culto prestado a ídolos. **2.** Amor ou paixão exagerada, excessiva: "O que eu sinto por ti de dia em dia / (Tu mesma o vês porque tu mesma o sentes) / É mais que o amor: é cega idolatria." (Alberto de Oliveira, *Poesias*, 2ª série, p. 129.) [Cf. *idiolatria* e *hidrolatria.*]

idolátrico. [Do lat. *idololatricu*, por haplologia.] *Adj.* **1.** Relativo a idolatria. **2.** Que tem caráter de idolatria; idólatra: *paixão* idolátrica.

ídolo. [Do gr. *-eídolon*, pelo lat. *idolu.*] *S. m.* **1.** Estátua ou simples objeto cultuado como deus ou deusa, [Cf. *imagem* (2) e *ícone.*] **2.** Objeto no qual se julga habitar um espírito, e por isso venerado. **3.** *Fig.* Pessoa a quem se tributa respeito ou afeto excessivo. ~ V. *ídolos.* ◆ **Ídolo de pés de barro.** Aquilo que, embora aparentemente forte e indestrutível, pode ser destruído ou derrotado com facilidade.

ídolos. [Pl. de *ídolo.*] *S. m. pl. Hist. Filos.* Segundo Demócrito [v. *democritiano*] e Epicuro [v. *epicurismo*], imagens materiais, formadas por átomos, emitidas pelos objetos, e que afetam um ou os órgãos dos sentidos, ou a alma, ou o pensamento. ~ *V. ídolo.* ◆ **Ídolos da Caverna.** *Hist. Filos.* Ídolos de Bacon decorrentes de características de ordem individual (educação, ambiente, hábitos): cada indivíduo procede como se tivesse encerrado em uma caverna sua própria personalidade. **Ídolos da tribo.** *Hist. Filos.* Ídolos de Bacon decorrentes da natureza mesma do homem. Ex.: a tendência para emprestar realidade a coisas que simplesmente se imaginam ou desejam. **Ídolos de Bacon.** *Hist. Filos.* Segundo Bacon [v. *baconiano*], falsas representações, profundamente enraizadas no espírito humano, que impedem seja seguido o verdadeiro caminho da ciência. [Podem ser de quatro espécies: *ídolos da caverna, ídolos do teatro, ídolos da tribo* e *ídolos do mercado.*] **Ídolos do foro.** *Hist. Filos.* Ídolos do mercado. **Ídolos do mercado.** *Hist. Filos.* Ídolos de Bacon originados em deficiências de linguagem corrente; ídolos do foro. **Ídolos do teatro.** *Hist. Filos.* Ídolos de Bacon originados em dogmas ou em sistemas filosóficos, comparados estes a cenários que representam mundos fictícios. Tais ídolos resultam quer de raciocínios sofísticos (p. ex.: o aristotelismo), quer de generalizações apressadas (p. ex.: a alquimia), que, finalmente, de respeito cego à tradição ou à autoridade (p. ex.: o pitagorismo).

idoneidade. [Do lat. tardio *idoneitate.*] *S. f.* Qualidade de idôneo (2); aptidão, capacidade, competência.

idôneo. [Do lat. *idoneu.*] *Adj.* **1.** Próprio para alguma coisa; conveniente, adequado: "desenterraria os ossos do dito cachorro, quando fosse tempo idôneo" (Machado de Assis, *Quincas Borba*, p. 25); "Não atinava com resposta idônea" (Id., *Relíquias de Casa Velha*, p. 65). **2.** Que tem condições para desempenhar certos cargos ou realizar certas obras.

idos[1]. [Do lat. *idus.*] *S. m. pl.* No antigo calendário romano, o dia 15 de março, maio, julho e outubro, e o dia 13 dos outros meses: "Mas, nos **idos** de março, ante o Senado, a Glória, / Filha da Morte, dá-lhe [a César] a extrema-unção fraterna" (Martins Fontes, *Verão*, p. 26). ~ V. *ido.*

idos[2]. [Pl. de *ido[2]*, com substantivação.] *S. m. pl.* Os tempos, os dias idos, passados, decorridos: "Os nomes que hoje andam mais em voga, um Eliot, um Rilke, um Fernando Pessoa, um Jean Cocteau, um Max Jacob, um Apollinaire (pra citar apenas seis que me impressionaram lá pelos idos de 1935), não deixam de estar presentes à minha atual concepção de poesia." (Cassiano Ricardo, *Viagem no Tempo e no Espaço*, p. 226.) ~ V. *ido.*

idoscópico. *Adj. Zool.* Diz-se dos olhos dos invertebrados nos quais se refletem as imagens.

idoso (ô). [De **idadoso*, com haplologia.] *Adj.* Que tem bastante idade; velho.

▲-idro. Equiv. de *hidr(o)-.*

iduméia. *Adj. (f.)* e *s. f.* Fem. de *idumeu.*

idumeu. [Do hebr., atr. do gr. *idoumaîos*, pelo lat. *idumaeu.*] *Adj.* **1.** Da, ou pertencente ou relativo à Iduméia (Ásia). ● *S. m.* **2.** O natural ou habitante da Iduméia. [Fem.: *iduméia.*]

iebaro. *S. m. Bras.* Copaibarana.

iecuana. *Bras. S. 2 g.* **1.** Indivíduo dos iecuanas, tribo indígena que habita no igarapé Tucumã, N. da ilha de Maracá, e na margem esquerda do alto Cotingo e do Uraricaparú (RO), fronteira com a Venezuela. ● *Adj. 2 g.* **2.** Pertencente ou relativo a essa tribo. [Sin. ger.: *maquiritare* e *maiongongue.*]

Iemanjá. *S. f. Bras.* Orixá feminino, a mãe-d'água [q. v.] dos iorubanos, ou o próprio mar divinizado; janaína; rainha do mar; aiucá.

iemenita. *Adj. 2 g.* **1.** Da, ou pertencente ou relativo à República Árabe do Iêmen (Ásia). ● *S. 2 g.* **2.** Natural ou habitante da República Árabe do Iêmen. [Cf. *sul-iemenita.*]

iene. [Do jap. *yen.*] *S. m.* Unidade monetária, e moeda, do Japão.

iepense. *Adj. 2 g.* **1.** De, ou pertencente ou relativo a Iepê (SP). ● *S. 2 g.* **2.** Natural ou habitante de Iepê.

ieremá. *Adv. Ant.* V. *eramá.*

Ifá. *S. f. Bras.* Orixá que preside à adivinhação com os búzios.

igaçaba. [Do tupi *ïga'saba*, 'lugar onde a água cai'.] *S. f. Bras.* **1.** Pote de barro, geralmente de boca larga, para água e outros líquidos, ou para guardar farinha e outros gêneros; quiçaba: "A um lado, enfileiravam-se igaçabas e cuiambucas com bebidas fermentadas, ... mel e manteiga de tartaruga" (Gastão Cruls, *4 Romances*, p. 66). **2.** Urna funerária dos indígenas; camotim: "As urnas funerárias de barro (igaçabas), lisas, de forma globular assentada em fundo cônico, de paredes grossas de um dedo, sem ornamentação gravada ou pintada, arrumadas e enterradas em linhas paralelas no terreno raso, marcavam, na face do solo, inúmeros círculos." (Raimundo Morais, *País das Pedras Verdes*, p. 282.) [Var.: *gaçaba.*]

igaçabense. *Adj. 2 g.* **1.** De, ou pertencente ou relativo a Igaçaba (SP). ● *S. 2 g.* **2.** Natural ou habitante de Igaçaba.

igaci. *S. m. Bras.* Entre os índios tembés, o canal principal de um rio.

igapará. [Do tupi *ïg*, 'água', + *apa'rá*, 'curva'.] *S. m. Bras., Amaz.* **1.** Canal largo. **2.** Braço largo de rio.

igapó. [Do tupi *ïa' pó.*] *S. m. Bras., Amaz.* Mata cheia de água, i. e., trecho de floresta onde a água, após a enchente dos rios, fica por algum tempo estagnada: "Brotando em qualquer orla de rio, beira de lago, fímbria de igapó, a elegante palmeira [o açaizeiro] não alegra somente a vista — espalha a fartura também." (Raimundo Morais, *País das Pedras Verdes*, p. 103.) [Var.: *gapó.*]

igapozal (pó). *S. m. Bras., Amaz.* Sucessão de igapós.

igara. [Do tupi *ï'ara*, 'senhor da água, que domina a água'.] *S. f. Bras.* **1.** Canoa pequena e esguia, feita de casca de árvore. **2.** *P. ext.* Qualquer embarcação.

igaraçuano. *Adj.* e *s. m.* Igaraçuense[1].

igaraçuense[1]. *Adj. 2 g.* **1.** De, ou pertencente ou relativo a Igaraçu (PE). ● *S. 2 g.* **2.** Natural ou habitante de Igaraçu. [Sin. ger.: *igaraçuano.*]

igaraçuense[2]. *Adj. 2 g.* **1.** De, ou pertencente ou relativo a Igaraçu do Tietê (SP). ● *S. 2 g.* **2.** Natural ou habitante de Igaraçu do Tietê.

igarapavense. *Adj. 2 g.* **1.** De, ou pertencente ou relativo a Igarapava (SP). ● *S. 2 g.* **2.** Natural ou habitante de Igarapava.

igarapé. [Do tupi *ïara'pé*, 'caminho da água'.] *S. m. Bras., Amaz.* Canal natural, estreito, entre duas ilhas, ou entre uma ilha e a terra firme.

igarapé-açuense. *Adj. 2 g.* **1.** De, ou pertencente ou relativo a Igarapé-Açu (PA). ● *S. 2 g.* **2.** Natural ou habitante de Igarapé-Açu. [Pl.: *igarapé-açuenses.*]

igarapé-miriense. *Adj. 2 g.* **1.** De, ou pertencente ou relativo a Igarapé-Miri (PA). ● *S. 2 g.* **2.** Natural ou habitante de Igarapé-Miri. [Pl.: *igarapé-mirienses.*]

igaratense. *Adj. 2 g.* **1.** De, ou pertencente ou relativo a Igaratá (SP). ● *S. 2 g.* **2.** Natural ou habitante de Igaratá.

igaratim. [Do tupi *iara'tĩ*, 'canoa de nariz'.] *S. m. Bras.* Entre os índios tupis, a canoa em que iam os chefes.

igarçu. [Do tupi.] *S. m. Bras.* V. *andiroba* (2).

igarité. [Do tupi *iari'té*, 'canoa verdadeira'.] *S. f.* **1.** *Bras., Amaz.* Embarcação de tamanho entre montaria e galeota [q. v.], capacidade de carga de 1 a 2 toneladas, impulsionada a remo, varejão, sirga ou motor: "Canoa havia, uma bela igarité grande, com tolda de japá, fixa e cômoda" (Inglês de Sousa, *O Missionário*, p. 194). **2.** *Bras. MT* e *GO.* Espécie de chata[1].

igariteiro. *S. m. Bras., Amaz.* Canoeiro[1] (1).

igaruana. [Do tupi *iauru'ana*, 'morador na canoa'.] *S. m. Bras.* Canoeiro navegador.

igaruçu. [Do tupi *ïaru'su*, 'canoa grande'.] *S. f. Bras.* Grande canoa, entre os tupis.

igatuense. *Adj. 2 g.* **1.** De, ou pertencente ou relativo a Igatu (BA). ● *S. 2 g.* **2.** Natural ou habitante de Igatu.

igbim. [Do ioruba.] *S. m. Bras., BA. Folcl.* Boi de Oxalá; catassol, caracol.

iglu. [Do esquimó oriental *igdlu*, 'casa de neve'.] *S. m. Arquit.* Casa de habitação cupuliforme, construída pelos esquimós com blocos de neve.

ignaro. [Do lat. *ignaru.*] *Adj.* Falta de instrução; ignorante, bronco, rude: "Crucifica-o! — Vozeia o povo ignaro / Apinhado no pátio e nas calçadas." (Fagundes Varela, *Poesias Completas*, III, p. 294.)

ignávia. [Do lat. *ignavia.*] *S. f.* **1.** Qualidade de ignavo; indolência, inércia, preguiça. **2.** Fraqueza de ânimo, de caráter; covardia.

ignavo. [Do lat. *ignavu.*] *Adj.* **1.** Indolente, ocioso, preguiçoso. **2.** Covarde, fraco, pusilânime: "Não vil, não ignavo, / Mas forte, mas bravo, / Serei vosso escravo: / Aqui virei ter." (Gonçalves Dias, *Obras*

Poéticas, II, p. 25.)

ígneo. [Do lat. *igneu*.] *Adj.* **1.** Respeitante ao fogo. **2.** Da natureza e/ou cor do fogo: "Comburentes, flamívomas bombardas, / Ígnea selva de canos de espingardas" (Raimundo Correia, *Poesias*, p. 15). **3.** Diz-se dessa cor: "Chamas-me a ver os céus de outros países, / Também claros, azuis ou de ígneas cores" (Alberto de Oliveira, *Poesias*, 4ª série, p. 42). **4.** Que é do fogo. **5.** Muito ardente, muito apaixonado; inflamado, arrebatado: "Minha alma juvenil, ígnea, meridional, / Num longo sorvo hauriu o pérfido e letal / Filtro do vosso escuro e perigoso encanto!" (Raimundo Correa, *Poesias*, p. 152.) ~ V. *erupção* —*a* e *rocha* —*a*.

ignescência. [Do lat. *ignescentia*.] *S. f.* Estado de ignescente; ignição.

ignescente. [Do lat. *ignescente*.] *Adj. 2 g.* Que está em fogo; que se inflama: "A natureza adormecida e tocada de relance pelo feixe ignescente dos faróis [do automóvel] é outra." (Aquilino Ribeiro, *Caminhos Errados*, p. 295.)

▲**igni-.** [Do lat. *ignis, is*.] *El. comp.* = 'fogo': *ignívoro, ignícola*.

ignição. [Do lat. tardio *ignire*, 'incendiar'.] *S. f.* Estado dos corpos em combustão; ignescência.

ignícola. [De *igni-* + *-cola*.] *Adj 2 g.* e *s. 2 g.* Que ou quem adora o fogo.

ignífero. [Do lat. *igniferu*.] *Adj.* Que traz ou deita, ou em que há fogo; ignígero.

ignificação. [De um **ignificar*, de *igni-* + *-ficar*.] *S. f.* Inflamação, combustão; ignição.

ignifugação. *S. f.* Ato ou efeito de ignifugar.

ignifugar. [De *ignífugo* + *-ar*[2].] *V. t. d.* Tornar ininflamável. [Conjug.: v. *largar*.]

ignífugo. [De *igni-* + *-fugo*[2].] *Adj. Quím.* Diz-se de substância que dificulta ou obsta a combustão de materiais que recobre, como, p. ex., certos fosfatos e boratos.

ignígeno. [Do lat. *ignigenu*.] *Adj.* **1.** Que nasceu no fogo. **2.** Que gera ou produz fogo.

ignígero. [De *igni-* + *-gero*.] *Adj.* Ignífero.

ignípede. [Do lat. *ignipede*.] *Adj. 2 g. Poét.* **1.** Que tem pés de fogo. **2.** Diz-se de cavalos cujos pés, ferindo o solo, produzem fogo.

ignipotente. [Do lat. *ignipotente*.] *Adj. 2 g. Poét.* Senhor do fogo (falando-se de Vulcano).

ignívomo. [Do lat. *ignivomu*.] *Adj. Poét.* Que vomita fogo; que larga fogo de si; que expele chamas.

ignívoro. [De *igni-* + *-voro*.] *Adj.* Que engole ou parece engolir fogo.

ignizar-se. [De *igni-* + *-izar* + *se*[1].] *V. p.* Transformar-se em fogo; abrasar-se, inflamar-se.

ignóbil. [Do lat. *ignobile*.] *Adj. 2 g.* Que não tem nobreza; baixo, desprezível, vil, abjeto: "não se dando que por graça especial tenhamos de abrir a alma para a fé espontaneamente, seria ignóbil forçar nossa natureza pela idéia das vantagens que uma disciplina religiosa pode oferecer." (Nestor Vítor, *Folhas Que Ficam*, p. 163). [Pl.: *ignóbeis*.]

ignobilidade. [Do lat. *ignobilitate*.] *S. f.* Qualidade de ignóbil.

ignomínia. [Do lat. *ignominia*.] *S. f.* Grande desonra; opróbrio, infâmia: "Então os desprezos, as ignomínias, os maus-tratos ...., caíam sobre a sua cabeça humilhada cerrados como granizo" (Alexandre Herculano, *O Bobo*, p. 32). [Cf. *ignominia*, do v. *ignominiar*.]

ignominiar. *V. t. d.* Tratar com ignomínia; encher de opróbrio; desonrar, infamar. [Pres. ind.: *ignominio, ignominias, ignominia*, etc. Cf. *ignomínia*.]

ignominioso (ô). [Do lat. *ignominiosu*.] *Adj.* Que provoca ignomínia; que merece repulsão; oprobrioso, infame: "Portugal cruzava os braços diante da vergonha ignominiosa de que eram teatro as suas possessões" (Ramalho Ortigão, *As Farpas*, IV, p. 262).

ignorado. [Part. de *ignorar*.] *Adj.* **1.** Não sabido; desconhecido. **2.** Obscuro, humilde. [Sin. ger.: *ignoto*.]

ignorância. [Do lat. *ignorantia*.] *S. f.* **1.** Condição de quem não é instruído: *O menino vive na ignorância.* **2.** Falta de saber; ausência de conhecimentos: *Vende-se por homem culto, mas sua ignorância é notória.* **3.** Estado de quem ignora ou desconhece alguma coisa, não tem conhecimento dela: *Está na ignorância dos tristes sucessos da manhã de hoje.* ♦ **Apelar para a ignorância.** *Bras. Gír.* V. *apelar* (6): "Quase apelando para a ignorância, ainda se conteve" (Adovaldo Fernandes Sampaio, *O Sol na Rede*, p. 23). **Partir para a ignorância.** *Bras. Gír.* V. *apelar* (6).

ignorantão. *Adj.* e *s. m.* Diz-se de, ou indivíduo muito ignorante, mas pretensioso; leigaço. [Fem.: *ignorantona*.]

ignorante. [Do lat. *ignorante*.] *Adj. 2 g.* e *s. 2 g.* **1.** Diz-se de, ou pessoa que ignora, que não tem conhecimento de determinada coisa. **2.** Diz-se de, ou pessoa que não tem instrução, que não sabe nada: *Como pode ocupar esse cargo se é tão ignorante?*

ignorantinho. [Dim. de *ignorante*.] *S. m.* **1.** Nome que tomavam, por humildade, os religiosos de S. João de Deus, que cuidavam dos pobres. ● *Adj.* **2.** Referente a esses religiosos, ou à sua ordem.

ignorantismo. *S. m.* **1.** Sistema daqueles que preconizam as vantagens da ignorância, sustentando que o saber é prejudicial. **2.** Estado de ignorância.

ignorantista. *Adj. 2 g.* **1.** Relativo ao, ou que é partidário do ignorantismo. ● *S. 2 g.* **2.** Partidário do ignorantismo.

ignorantona. *Adj. (f).* e *s. f.* Fem. de *ignorantão* [q. v.].

ignorar. [Do lat. *ignorare*.] *V. t. d.* **1.** Não ter conhecimento de; não saber; desconhecer: "Não sei o nome do homem, nem o da rua; ignoro o próprio nome da freguesia." (Machado de Assis, *A Semana*, II, p. 19); "Alceu ignorou o alfabeto até entrar para o Ginásio Nacional, em 1903." (Antônio Carlos Vilaça, *O Desafio da Liberdade*, p. 24.) **2.** Ser incapaz de; não usar de; não praticar: *Ignora a bajulação.* **3.** *Pop.* Reparar em; estranhar, censurar, criticar: *Não ignore a pobreza da nossa casinha. P.* **4.** Desconhecer-se a si mesmo.

ignorável. *Adj. 2 g.* Que se pode ou deve ignorar. ~ V. *coordenada* —.

ignoto. [Do lat. *ignotu*.] *Adj.* Ignorado: "a espessura da floresta ocultava a solidão ignota do deserto amazonense." (Inglês de Souza, *O Missionário*, p. 214).

igreja (ê). [Do gr. *ekklesía*, 'assembléia', pelo lat. *ecclesia*.] *S. f.* **1.** Templo cristão. [Dim. irreg.: *igrejola, igrejório*.] **2.** Autoridade eclesiástica. **3.** Comunidade dos cristãos. **4.** O conjunto dos fiéis ligados pela mesma fé e sujeitos aos mesmos chefes espirituais. **5.** *Rest.* O catolicismo: "Foi ele [o catolicismo] que produziu S. Tomás, ... o Aristóteles do cristianismo — como lhe chamou Michelet —, o mais poderoso cérebro da Igreja." (Ramalho Ortigão, *As Farpas*, II, p. 82.) ♦ **Igreja Católica.** Igreja (3) que segue o catolicismo. **Igreja Católica Romana.** Igreja Católica sediada em Roma; Igreja Romana. **Igreja matriz.** A que tem jurisdição sobre outras igrejas ou capelas de uma dada circunscrição: "saí à Praça do Duque de Caxias (vulgarmente Largo do Machado) e comecei a passear defronte da igreja matriz da Glória." (Machado de Assis, *A Semana*, I, p. 157). [Diz-se em geral, apenas *matriz*. Cf. *catedral* (3).] **Casado na igreja verde.** *Bras.* Amasiado, amigado, amancebado. **Casar na igreja** *Pop.* Casar(-se) eclesiasticamente; casar no padre.

igreja-novense. *Adj. 2 g.* **1.** De, ou pertencente ou relativo a Igreja Nova (AL). ● *S. 2 g.* **2.** Natural ou habitante de Igreja Nova. [Pl.: *igreja-novenses*.]

igrejário. *S. m.* **1.** *Ant.* Igreja pequena; ermida. **2.** Conjunto de igrejas duma circunscrição eclesiástica.

igrejeiro. *Adj.* **1.** Referente a, ou próprio de igrejas. **2.** Que é freqüentador de igrejas; beato, carola, santarrão.

igrejica. *S. f. Bras.* V. *igrejinha* (1).

igrejinha. [Dim. de *igreja*.] *S. f.* **1.** Igreja pequena; igrejola, igrejório, igrejica. **2.** *Fig.* V. *panelinha* (1 a 4): "Os que hoje clamam .... contra as chamadas igrejinhas literárias, como se se tratasse de um fato novo e anormal, ... estão mas é cometendo um erro." (Valdemar Cavalcanti, *Jornal Literário*, p. 3.)

igrejola. *S. f.* V. *igrejinha* (1).

igrejório. *S. m.* V. *igrejinha* (1).

iguabense. *Adj. 2 g.* **1.** De, ou pertencente ou relativo a Iguaba Grande (RJ). ● *S. 2 g.* **2.** Natural ou habitante de Iguaba Grande.

iguaçuano. *Adj.* **1.** De, ou pertencente ou relativo a Nova Iguaçu (RJ). ● *S. m.* **2.** Natural ou habitante de Nova Iguaçu.

iguaçuense. *Adj. 2 g.* **1.** De, ou pertencente ou relativo a Foz do Iguaçu (PR). ● *S. 2 g.* **2.** Natural ou habitante da Foz do Iguaçu.

iguaiense. (a-i). *Adj. 2 g.* **1.** De, ou pertencente ou relativo a Iguaí (BA). ● *S. 2 g.* **2.** Natural ou habitante de Iguaí.

igual. [Do lat. *aequale*.] *Adj. 2 g.* **1.** Que tem a mesma aparência, estrutura ou proporção; idêntico, análogo: *Esta casa é igual àquela.* **2.** Que tem o mesmo nível; liso, plano: *superfície igual.* **3.** Que tem a mesma grandeza, valor, quantidade, quantia ou número; equivalente: *Dividiu o dinheiro em partes iguais.* **4.** Que tem a mesma condição ou categoria: *Todos são iguais perante a lei.* **5.** Que tem a mesma natureza, qualidade, medida ou grau: *A lei é igual para todos.* **6.** Uniforme, imperturbável, inalterável: *gênio igual.* **7.** *Bras.* Diz-se de pessoa que trata os outros de maneira igualmente cordial, solidariamente afetuosa. ~ V. *temperamento* —. ● *S. 2 g.* **8.** Pessoa da mesma condição ou categoria: "Quem ama, ama só a igual, porque o faz igual com amá-lo." (Fernando Pessoa, *Páginas de Doutrina Estética*, p. 117.) ● *Conj.* **9.** Como, feito, tal qual: "Virgem Santa, / Que a fome era tanta, / Que até parecia / Que mesmo xaxando / Meu corpo subia / Igual se estivesse / Querendo voar." (Da canção *Pau-de-arara*, de Carlos Lira e Vinícius de Morais.) ♦ **De igual a igual.** De igual para igual (1). **De igual para igual. 1.** Como se fosse da mesma condição social; de igual a igual: *Trata com o Presidente de igual para igual.* **2.** Em pé de igualdade: *A luta empatou, lutaram de igual para igual.* **Por igual.** De modo igual; com igualdade; igualmente: "houve um pequeno lamento, um som breve que se foi repetindo por igual." (José Cardoso Pires, *Jogos de Azar*, p. 179).

igualação. *S. f.* Ato ou efeito de igualar(-se); igualamento.

igualador (ô). *Adj.* e *s. m.* Que ou aquele que iguala.

igualamento. *S. m.* **1.** Igualação. **2.** Qualidade de igual.

igualar. *V. t. d.* **1.** Tornar ou fazer igual; nivelar: *O dinheiro iguala de algum modo os indivíduos.* **2.** Tornar plano ou liso; aplainar, nivelar: *igualar os paralelepípedos da rua.* **3.** Ser ou tornar-se igual a: "Não há riqueza no mundo, / Qu' iguale a sabedoria" (José Elói Ottoni, ap. Sérgio Buarque de Holanda, *Antologia dos Poetas Brasileiros da Fase Colonial*, II, p. 207). *T. d. e i.* **4.** Tornar igual: *igualar a bondade à inteligência; igualar a simpatia com a beleza;* "Para os igualar na adversidade, como os irmanara no estro, não faltou a fortuna a Cervantes nem a Camões com as acusações de má gerência e de infidelidade no desempenho dos seus ofícios." (Latino Coelho, *Cervantes*, p. 104.) **5.** Nivelar, aplainar. **6.** Adaptar, harmonizar, proporcionar: *igualar o conteúdo com o continente. T. i.* **7.** Ser igual: *Nosso vinho quase iguala ao europeu.* **8.** Estar ou ficar no mesmo nível de altura: *As águas do rio igualaram com as suas margens. P.* **9.** Fazer-se, tornar-se ou supor-se igual: *Em virtude, igualou-se ao pai.*

igualável. *Adj. 2 g.* Que se pode igualar.

igualdade. [Do lat. *aequalitate*.] *S. f.* **1.** Qualidade ou estado de igual; paridade. **2.** Uniformidade, identidade. **3.** Eqüidade, justiça. **4.** *Mat.* Propriedade de ser igual. **5.** *Mat.* Expressão de uma relação entre seres matemáticos iguais. ♦ **Igualdade moral.** *Ét.* Relação entre os indivíduos em virtude da qual todos eles são portadores dos mesmos direitos fundamentais que provêm da humanidade e definem a dignidade da pessoa humana.

igualha. *S. f.* **1.** Identidade ou igualdade de posição social. **2.** Identidade de feitio, na maneira de sentir e/ou de pensar: "quisera eu que estas páginas .... só fossem entendidas e queridas por gente da minha igualha no sentir português" (Antero de Figueiredo, *Jornadas em Portugal*, p. 15).

igualitário. [Do fr. *égalitaire*.] *Adj.* **1.** Relativo ao, ou que é partidário do igualitarismo. ● *S. m.* **2.** Partidário do igualitarismo.

igualitarismo. [Do fr. *égalitairisme*.] *S. m.* Sistema que preconiza a igualdade de condições para todos os membros da sociedade.

igualização. *S. f.* Ato ou efeito de igualizar; igualação.

igualizar. *V. t. d.* e *p. P. us.* Tornar(-se) ou fazer(-se) igual; igualar(-se).

iguana. [Do aruaque insular *iwana*, atr. do esp.] *S. m.* Reptil lacertílio, da família dos iguanídeos (*Iguana iguana* (L)), das regiões temperadas e tropicais do País às proximidades do paralelo 20º S, caracterizado por uma crista que vai da nuca até a cauda, garganta com saco dilatável, patas de cinco dedos com unhas fortes e pontudas, e cauda com faixas transversais escuras. Vive em árvores, geralmente à beira da água, alimentando-se de frutas, folhas, insetos e pequenos animais; faz a postura em lugares arenosos; sua carne e ovo são comestíveis; atinge mais de 1 m de comprimento, sendo a cauda maior que o corpo. [F. paral.: *iguano*; sin.: *sinimbu*. Cf. *camaleão* (2).]

iguanara. *S. f. Bras.* V. *mão-pelada*.

iguanídeo. *S. m.* **1.** Espécime dos iguanídeos. ● *Adj.* **2.** Pertencente ou relativo a eles.

iguanídeos. *S. m. pl. Zool.* Família de reptis da subordem *Lacertilia*, ordem *Squamata*, onde se encontram os lagartos, com membros locomotores bem desenvolvidos e língua grossa. Ex.: o teiú, o basilisco, o papa-vento.

iguano. *S. m.* V. *iguana*.

iguanodonte. [De *iguano* + *-odonte*.] *S. m. Paleog.* Reptil gigantesco, fóssil no cretáceo.

iguapense. *Adj. 2 g.* **1.** De, ou pertencente ou relativo a

Iguape (SP). ● *S. 2 g.* **2.** Natural ou habitante de Iguape.

iguaria. *S. f.* **1.** Comida fina, delicada e/ou apetitosa; acepipe: "E preparou um belo, um suntuoso banquete, com iguarias de príncipe e vinhos custosos." (Lima Júnior, *Alguns Homens do Meu Tempo*, p. 30.) [Sin. (bras., S.): *bijungarias.*] **2.** *P. ext.* Qualquer comida preparada.

iguatamense. *Adj. 2 g.* **1.** De, ou pertencente ou relativo a Iguatama (MG). ● *S. 2 g.* **2.** Natural ou habitante de Iguatama.

iguatuense. *Adj. 2 g.* **1.** De, ou pertencente ou relativo a Iguatu (CE). ● *S. 2 g.* **2.** Natural ou habitante de Iguatu.

igupá. [Do tupi *igu'pá.*] *S. m. Bras., N.E.* Brejo ou lagoeiro produzido pelas águas pluviais.

ih. *Interj.* Designa admiração, espanto, ironia, ou impressão de perigo próximo: "Noite de Natal muito fria. Ih! como chovia lá fora!" (D. João da Câmara, *Contos*, p. 137.) [Cf. *I* e *i.*]

i-iabá. [Do ioruba.] *S. f. Bras., BA. Folcl.* Designação genérica dada a um orixá feminino. [Pl.: *i-iabás.*]

iiá-tebuxê. [Do ioruba.] *S. f.* Mãe-de-santo que se senta perto do conjunto musical, no candomblé, e puxa os cânticos, sacudindo o adjá. [Pl.: *iiás-tebuxês* e *iiá-tebuxês.*]

iídiche. [Do al. *Jüdisch*, 'judeu', pelo ingl. *yiddish.*] *S. m.* Língua falada por uma parte dos judeus, e cuja base é o alto-alemão do séc. XIV, acrescido de elementos hebraicos e eslavos; judeu-alemão. [Var.: *ídiche.*]

ijebu. *S. 2 g. Bras.* Negro de cultura iorubana, vindo, com o tráfico, para o Brasil, sobretudo para a BA.

ijexá. *S. 2 g. Bras.* Negro de cultura iorubana, vindo, com o tráfico, para o Brasil, sobretudo para a BA.

ijuiense (u-i). *Adj. 2 g.* **1.** De, ou pertencente ou relativo a Ijuí (RS). ● *S. 2 g.* **2.** Natural ou habitante de Ijuí.

▲-il. [Do lat. *-ile.*] *Suf. nom.* = 'referência', 'relação'; 'lugar onde': *senhoril, febril* (< lat. *febrile*), *mulheril, servil; redil, potril.* [Fem.: *-ila: oxidrila.*]

▲-ila. Fem. de *-il.*

ilação. [Do lat. *illatione.*] *S. f.* Aquilo que se conclui de certos fatos; dedução, conclusão: "Cismou algum tempo no caso; mas, como não atinava a deduzir daí uma ilação razoável, não pensou mais nisso." (Alexandre Herculano, *O Monge de Cister*, II, p. 141.) [Cf. *elação.*]

ilacerável. [Do lat. *illacerabile.*] *Adj. 2 g.* Que não se pode lacerar.

ilacrimável. [Do lat. *illacrimabile.*] *Adj. 2 g.* Que não se comove ante as lágrimas; implacável, inexorável.

ilangue-ilangue. [Do tagalo *ilang-ilang.*] *S. m.* Planta da família das anonáceas (*Cananga odorata*), de cujas flores se extrai uma essência utilizada em perfumaria. [Pl.: *ilangue-ilangues.*]

ilapso. [Do lat. *illapsu.*] *S. m.* Influência de Deus na alma das pessoas, segundo os crentes.

ilaquear. [Do lat. *illaqueare.*] *V. t. d.* **1.** Fazer cair em logro; enganar, lograr, embair, embaçar. **2.** Quebrar ou desfazer a influência de. *T. d.* e *i.* **3.** Enredar, enlaçar, enlear, prender: "A Democracia não gosta de ilaquear as suas teorias abstratas nas redes da pequena história, feita das malhas dos argumentos cediços." (Camilo Castelo Branco, *Perfil do Marquês de Pombal*, p. IX.) *Int.* e *p.* **4.** Cair em laço ou em logro. **5.** Deixar-se tentar; cair em tentação. [Conjug.: v. *frear.*]

ilativa. [Fem. substantivado de *ilativo.*] *S. f. Gram.* Conjunção ilativa.

ilativo. [Do lat. *illativu.*] *Adj.* Em que há ilação; conclusivo. ~ V. *conjunção —a.*

ilê. [Do ioruba.] *S. m. Bras.* Casa de candomblé; terreiro.

ileáceo. [Do lat. *ilex, icis,* 'azevinho', + *-áceo*[1].] *Adj.* Relativo ou semelhante ao azevinho.

ilécebras. [Do lat. *illecebras.*] *S. f. pl. P. us.* Tudo quanto se faz para atrair: blandícias, seduções, carícias, etc.

ilectomia. [De *il(e)(o)-* + *-ectom-* + *-ia.*] *S. f. Cir.* Extirpação total ou parcial do íleo.

ilegal. [Do lat. medieval *illegale.*] *Adj. 2 g.* Contrário à lei; ilegítimo, extralegal, extrajurídico.

ilegalidade. *S. f.* **1.** Qualidade de ilegal. **2.** Procedimento ilegal. **3.** Situação ilegal.

ilegalizar. *V. t. d.* Tornar ou declarar ilegal.

ilegibilidade. *S. f.* Qualidade ou caráter de ilegível. [Cf. *elegibilidade.*]

ilegitimável. [De *in-*[2] + *legitimável.*] *Adj. 2 g.* Que não pode ser legitimado.

ilegitimidade. *S. f.* Qualidade de ilegítimo.

ilegítimo. [Do lat. *illegitimu.*] *Adj.* **1.** Não legítimo; que não atende aos requisitos legais. **2.** Desarrazoado, injusto. ~ V. *filho —.*

ilegível. [De um lat. **illegibile.*] *Adj. 2 g.* Não legível; que não se pode ler. [Cf. *elegível.*]

ileíte. [De *il(e)(o)-* + *-ite*[1].] *S. f. Patol.* Inflamação do íleo[2].

▲il(e)(o)-. [De íleo[2].] *El. comp.* = 'íleo[2]': *ilectomia, ileíte, ileocecal.*

íleo[1]. [Do gr. *eileós*, pelo lat. *ileu.*] *S. m. Patol.* Síndrome de parada de trânsito intestinal, devida à ausência de peristaltismo (*íleo adinâmico*) ou a obstáculo mecânico (*íleo dinâmico*). [Cf. *ílio.*] ◆ **Íleo adinâmico.** *Patol.* V. íleo. **Íleo dinâmico.** *Patol.* V. *íleo.*

íleo[2]. [Do gr. *eíleo*, 'enrolar', atr. do lat. *ile, ilis,* e do lat. cient. *ileum.*] *S. m. Anat.* A terceira e última porção do intestino delgado, a qual se estende do final do jejuno à válvula ileocecal, descrevendo, em seu trajeto, numerosas circunvoluções. [Cf. *ílio.*]

ileocecal. [De *il(e)(o)-* + *-cec(o)-* + *-al.*] *Adj. 2 g.* Pertencente ou relativo ao íleo[2] e ao ceco. ~ V. *apêndice — e válvula —.*

ileostomia. [De *il(e)(o)-* + *-stom(a)-* + *-ia.*] *S. f. Cir.* Comunicação, construída cirurgicamente, do íleo com a parede abdominal anterior, e que permite a evacuação do conteúdo intestinal.

ileso. [Do lat. *illaesu.*] *Adj.* Que não está leso; são e salvo; incólume: *Do acidente só duas pessoas saíram ilesas.* [Atenção: é aberto o e.]

iletrado. [Do lat. *illiteratu.*] *Adj.* e *s. m.* **1.** Que ou aquele que não tem conhecimentos literários; iliterato: "Quantos pregadores iletrados, quantos padres sem estudos clássicos .... viveram no Brasil e em Portugal, no século XVII?" (Olavo Bilac, *Últimas Conferências e Discursos*, p. 23.) **2.** Analfabeto ou quase analfabeto.

ilha. [Do lat. *insula.*] *S. f.* **1.** *Geog.* Terra menos extensa que os continentes e cercada de água por todos os lados. [Sin.: *ínsula* e (bras., AM) *ipuã.* Dim. irreg.: *ilhota, ilhéu, ilheta.*] **2.** *P. ext.* Aquilo que por estar isolado lembra uma ilha: *Mora numa ilha de verdura.* **3.** *Bras.* Espécie de calçada, de nível mais alto que o da rua, erguida no meio desta a fim de separar as mãos de direção e como proteção aos pedestres. **4.** *Bras. Marajó e parte do MA e de MT.* Grupo espesso de altas árvores, em meio aos campos. **5.** *Bras. Constr. Nav.* Em um navio-aeródromo, parte da superestrutura que se eleva acima do convés de vôo, a boreste, e onde ficam as instalações de comando e de comunicações do navio. ◆ **Ilha de casca.** *Bras.* V. *sambaqui.* **Ilha de mato.** *Bras., AM* V. *capão*[2].

▲-ilha. Equiv. de *-ilho.*

ilha-belense. *Adj. 2 g.* **1.** De, ou pertencente ou relativo a Ilha Bela (SP). ● *S. 2 g.* **2.** Natural ou habitante de Ilha Bela. [Pl.: *ilha-belenses.*]

ilha-grandense. *Adj. 2 g.* **1.** De, ou pertencente ou relativo à Ilha Grande (AM). ● *S. 2 g.* **2.** Natural ou habitante da Ilha Grande. [Pl.: *ilha-grandenses.*]

ilhal. [De um primitivo **ilha*, do lat. *ilia*, 'ilhargas', 'vazio', + *-al.*] *S. m.* **1.** Cada uma das depressões laterais por baixo do lombo do cavalo; ilharga: "Quis enterrar os acicates nos ilhais do cavalo" (Pinheiro Chagas, *A Varanda de Julieta*, p. 137). **2.** Cada uma das duas partes entre a última costela, a ponta da alcatra e o lombo da rês: "Os ilhais da fera [touro] arfam de fadiga, a espuma franja-lhe a boca, as pernas vergam e resvalam, e os olhos amortecem de cansaço" (Rebelo da Silva, *Contos e Lendas*, p. 183). **3.** *P. ext.* V. *flanco* (3).

ilhapa. [Do quíchua *yapa*, atr. do esp. plat. *llapa.*] *S. f. Bras., RS.* A parte mais grossa do laço de pealar, a qual tem cerca de 1 m, estando a ela presa a argola.

ilhar. *V. t. d.* **1.** Tornar isolado, incomunicável, como uma ilha; isolar, insular: *A enchente ilhou o povoado.* *P.* **2.** Tornar-se incomunicável; apartar-se, isolar-se, insular-se: "ilham-se os morros" (Euclides da Cunha, *Os Sertões*, p. 75).

▲-ilhar. *Suf. verb.* = 'ação freqüentativa, diminutiva': *dedilhar, cuspilhar.* [Alterna-se, às vezes, com a f. *-inhar: cuspilhar, cuspinhar.*]

ilharga. [Do lat. **iliarica.*] *S. f.* **1.** Cada uma das partes laterais e inferiores do baixo-ventre: "da ilharga esquerda pendia-lhe um grosso e pesado facão" (Afonso Arinos, *Pelo Sertão*, pp. 68-69). **2.** Ilhal (1). **3.** *P. ext.* V. *flanco* (3). ~ V. *ilhargas.*

ilhargas. [Pl. de *ilharga.*] *S. f. pl.* Conselheiros íntimos; protetores, confidentes. ~ V. *ilharga.*

ílhava. *S. f.* Certo barco de pesca português. [Cf. *ilhava*, do v. *ilhar.*]

ilheense (êên). *Adj. 2 g.* **1.** De, ou pertencente ou relativo a Ilhéus (BA). ● *S. 2 g.* **2.** Natural ou habitante de Ilhéus.

ilheta (ê). *S. f.* V. *ilha* (1).

ilhéu. *Adj.* **1.** De, ou pertencente ou relativo a uma ilha; insulano [q. v.]. ● *S. m.* **2.** O natural ou habitante de uma ilha; insulano [q. v.]. [Fem.: *ilhoa.*] **3.** V. *ilha* (1). **4.** Rochedo no meio do mar.

▲-ilho. [Do esp. *-illo* e *-illa.*] *Suf. nom.* = 'diminuição'. *pecadilho* (‹ esp. *pecadillo*), *canutilho* (‹ esp. *canutillo*). [Equiv.: *-ilha: figurilha, mascarilha, pelotilha.*]

ilhó. [Do lat. **oculiolu*, dim. de *oculu*, 'olho'.] *S. m.* e *f.* **1.** Orifício por onde se enfia uma fita ou um cordão. **2.** Aro de metal, de plástico ou de outro material, para debruar um ilhó; anilho. [Var.: *ilhós.*]

ilhoa (ô). *S. f.* Mulher natural de ilha.

ilhós. *S. m.* e *f.* V. *ilhó.* [Pl.: *ilhoses.*]

ilhota. *S. f.* **1.** V. *ilha* (1): "Joel apontava à sua doce amiga os outeiros ilhados, ilhotas rasas, praias brancas como tabuleiros de salina" (Xavier Marques, *Jana e Joel*, p. 38). **2.** *Histol.* Grupo de células, com função determinada, que se localiza em certos órgãos. ◆ **Ilhota de Langherans.** *Histol.* Cada uma das estruturas irregulares existentes no pâncreas, que se compõem de células menores que as células secretoras ordinárias, e nas quais se produz a insulina.

ilíaco. [Do fr. *iliaque.*] *S. m.* **1.** *Anat.* Cada um dos dois ossos, constituídos de três partes (*ílio, ísquio* e *púbis*) que, articulando-se anteriormente entre si, e posteriormente com o sacro, contribuem para formar o esqueleto ósseo da bacia; osso coxal. ● *Adj.* **2.** *Anat.* Pertencente à bacia (12): *região ilíaca.*

ilíada. [Do bibl. *Ilíada*, poema de Homero (v. *homérico*), cujo assunto é a tomada de Tróia pelos gregos.] *S. f.* Série de aventuras ou de feitos heróicos.

ilibação. *S. f.* Ato ou efeito de ilibar.

ilibado. [Do lat. *illibatu.*] *Adj.* **1.** Não tocado; sem mancha; puro, incorrupto. **2.** Restituído à estima pública e/ou particular; reabilitado; justificado.

ilibar. [Do lat. **illibare*, deduzido de *illibatu*, 'ilibado'.] *V. t. d.* **1.** Tornar puro, sem mancha; purificar, depurar. **2.** Reabilitar, justificar: "perguntarei se a opinião pública ilibou o conde denegrido pela calúnia." (Camilo Castelo Branco, *Boêmia do Espírito*, p. 68.)

iliberal. [Do lat. *illiberale.*] *Adj. 2 g.* **1.** Que não é amigo de dar; mesquinho, avaro, avarento, somítico. **2.** Contrário à liberdade.

iliberalidade. [Do lat. *illiberalitate.*] *S. f.* Qualidade ou ação de quem é iliberal.

iliberalismo. [De *i-*[2] + *liberalismo.*] *S. m.* Sistema, opinião ou sentimento contrário ao liberalismo político.

iliçador (ô). *S. m.* Aquele que iliça.

ilição. [Do lat. *illitu*, part. pass. de *illimere*, 'untar'.] *S. f. P. us.* Fomentação; untura.

iliçar. [Do lat. *illicere.*] *V. t. d.* **1.** Enganar, lograr, burlar, embair. **2.** Dispor, como se fossem seus, de bens que não lhe pertencem. [Conjug.: v. *laçar.*]

ilício. [Do lat. *illiciu.*] *S. m.* Ato ou crime de iliçar.

ilícito. [Do lat. *illicitu.*] *Adj.* **1.** Não lícito; proibido pela lei; injurídico, ilegítimo. **2.** Contrário à moral e/ou ao direito. ● *S. m.* **3.** Ato ilícito; ilicitude. [Cf. *elícito.*]

ilicitude. *S. f.* Qualidade de ilícito; injuridicidade, ilegalidade.

ilídimo. *Adj.* Que não é lídimo; ilegítimo, ilícito.

ilidir. [Do lat. *illidere.*] *V. t. d.* Rebater, contestar, refutar: *Prontamente ilidiu as acusações de que foi alvo;* "Aurelino Leal se não ilidia essa culpabilidade da Marquesa, mostrava-se bastante céptico ao increpamento" (Alberto Rangel, *Dom Pedro Primeiro e a Marquesa de Santos*, p. 331). [Cf. *elidir.*]

ilidível. *Adj. 2 g.* Que se pode ilidir. [Cf. *elidível.*]

iligar. [Do lat. *ilhigare.*] *V. t. d.* Prender, atar, ligar. [Conjug.: v. *largar.*]

ilimitado. [Do lat. *illimitatu.*] *Adj.* Sem limites; imenso, indefinido: "os poetas [no sânscrito] têm o direito de formar palavras de comprimento ilimitado, que podem ter sentidos diferentes" (Paulo Rónai, *Escola de Tradutores*, p. 70). ~ V. *função —a.*

ilimitável. [De *i-*[2] + *limitar* + *-ável.*] *Adj. 2 g.* Que não se pode limitar; indefinido, imenso.

ilio. [Do fr. *ilion.*] *S. m. Anat.* A maior das três partes do osso ilíaco. [Cf. *íleo.*]

iliófago. *Adj. Zool.* Diz-se do animal aquático que se nutre de pequenos crustáceos e suas larvas nos fundos lamacentos.

ílion. *S. m. Anat.* V. *ílio.*

iliquidez (ê). [De *ilíquido* + *-ez.*] *S. f.* Qualidade ou estado de ilíquido.

ilíquido. *Adj.* **1.** Que não é ou não está líquido; confuso, embrulhado. **2.** Global, bruto (rendimento). **3.** Indeterminado quanto à espécie e à quantidade. [Var. pros.: *ilíqüido.*] ~ V. *dívida —a.*

ilíqüido. *Adj.* Var. pros. de *ilíquido.*

ilírico. [Do gr. *illyrikós*, pelo lat. *illyricu.*] *Adj.* **1.** De, pertencente ou relativo a Ilíria, antiga região montanhosa da costa setentrional do Adriático. ● *S. m.* **2.** Natural ou habitante da Ilíria. **3.** *Ling.* Grupo de línguas indo-européias antigas, pouco conhecidas, do N. O. da península balcânica. [Sin. ger.: *ilírio.*]

ilírio. *Adj.* e *s. m.* Ilírico.

iliterato. [Do lat. *illiteratu.*] *Adj.* e *s. m.* Iletrado (1): "Era um Zola iliterato, incapaz da propaganda de vocabulários sulfídricos para uso das famílias orientadas" (Camilo Castelo Branco, *Vulcões de Lama*, pp. 192-193).

ilmenita. [Do top. *Ilmen* + *-ita*[3].] *S. f. Min.* Mineral romboédrico, titanato ferroso, usado na fabricação de aços especiais.

ilocável. [Do lat. *illocabile.*] *Adj. 2 g.* **1.** Que não ocupa lugar. **2.** Impossível de colocar.

ilogicidade. *S. f.* Qualidade de ilógico.

ilógico. [De *i-*[2] + *lógico.*] *Adj.* **1.** Que não tem lógica; absurdo, incoerente. **2.** *Filos.* Diz-se do que encerra contradição, seja na ordem do pensamento, seja na ordem da ação. [Cf. *alógico* (2) e *lógico* (1 e 2).] **3.** *Lóg.* Diz-se do que, seja por privação [v. *alógico* (2)], seja por oposição [v. *antilógico* (2)], escapa a qualquer determinação lógica.

ilogismo. [Por *ilogicismo*, de *ilógico* + *-ismo*, com síncope.] *S. m.* **1.** Falta de lógica: "As incorreções que, porventura, apresente [a poesia de Cruz e Sousa], as obscuridades, os ilogismos, ... são amplamente compensados pela agudeza da sua emoção, pela honestidade da sua queixa imensa de humilhado" (Ronald de Carvalho, *Pequena História da Literatura Brasileira*, p. 348). **2.** Coisa ilógica, absurda.

ilopolitano. *Adj.* **1.** De, ou pertencente ou relativo a Ilópolis (RS). ● *S. m.* **2.** O natural ou habitante de Ilópolis.

iloricado. *S. m.* **1.** Espécime dos iloricados. ● *Adj.* **2.** Pertencente ou relativo a eles.

iloricados. *S. m. pl. Zool.* Animais metazoários rotíferos, plôimos, subordem *Illoricata*, cujo corpo é desprovido de lorica.

ilu. *S. m.* **1.** *Bras., PE. Folcl.* Nos xangôs, pequeno tambor feito de um barril, com couro nas duas extremidades, e que se percute com baquetas de madeira *(birros).* **2.** *Bras., BA.* Nos candomblés jeje-nagôs, designação genérica dos atabaques. [Cf. *rum*[2].]

iludente. [Do lat. *illudente.*] *Adj. 2 g.* Que ilude; ilusor.

iludir. [Do lat. *illudere.*] *V. t. d.* **1.** Produzir ilusão em; enganar, lograr; burlar. **2.** Frustrar, baldar, defraudar: *O criminoso iludiu a vigilância da polícia e fugiu.* **3.** Usar de subterfúgios para não cumprir; zombar de: *iludir a lei.* **4.** Tornar menos doloroso, menos amargo; dissimular, disfarçar, enganar: "Para iludir minha desgraça, estudo." (Augusto dos Anjos, *Eu*, p. 108.) *P.* **5.** Cair ou viver em ilusão ou em erro: "Perdendo as ilusões, também perdeste a vida, / Pois deixar de iludir-se é deixar de viver." (Raimundo Correia, *Poesia*, p. 241.) [Cf. *eludir.*]

iludível. *Adj. 2 g.* **1.** Que pode ser iludido; que se pode induzir em erro. **2.** Em que pode haver ilusão.

iluminação. [Do lat. *illuminatione.*] *S. f.* **1.** Ato ou efeito de iluminar(-se); iluminamento. **2.** Arte e técnica de iluminar recintos. **3.** *Fig.* Ilustração, saber. **4.** *Fig.* Luz súbita no espírito. **5.** *Hist. Filos.* Segundo Santo Agostinho [v. *agostinismo*], comunicação da luz divina à alma, pelo quê a inteligência se torna capaz de atingir um conhecimento verdadeiro. ◆ **Iluminação indireta.** Iluminação de ambiente feita por fluxo luminoso refletido no teto ou em uma parede. **Iluminação natural.** Iluminação de ambiente em que a fonte de luz é o próprio Sol.

iluminado. [Part. de *iluminar.*] *Adj.* **1.** Que recebe luz ou iluminação. **2.** Que tem iluminuras: "armas com tauxiados de madrepérola e marfim, baús de coiro, livros iluminados, medalhas, retábulos primitivos" (Aquilino Ribeiro, *Alemanha Ensangüentada*, p.184). **3.** *Fig.* Ilustrado, esclarecido, instruído. ~ V. *bordo* — e *mesa* —a. ● *S. m.* **4.** Indivíduo que se julga inspirado. **5.** Aquele que manifesta iluminação (5). **6.** Visionário; vidente.

iluminador (ô). [Do lat. *iluminatore.*] *Adj.* **1.** Que ilumina, aclara; iluminante. **2.** Que ilumina ou faz iluminuras. ● *S. m.* **3.** Aquele que iluminava os antigos manuscritos; rubricador, miniaturista. **4.** *Teat.* Eletricista (2).

iluminamento. *S. m.* **1.** Iluminação (1). **2.** *Fotom.* Fluxo luminoso incidente por unidade de área de uma superfície iluminada; iluminância.

iluminância. *S. f. Fotom.* Iluminamento (2).

iluminante. [Do lat. *iluminante.*] *Adj. 2 g.* Que ilumina ou alumia; iluminador, iluminativo: "Jorros seguidos de fogo d'ouro abriam-se logo, em iluminantes cascatas de fagulhas" (Virgílio Várzea, *Histórias Rústicas*, p. 97).

iluminar. [Do lat. *illuminare.*] *V. t. d.* **1.** Derramar ou irradiar luz sobre; tornar claro; alumiar: "Pela porta aberta, vinha de lá um tênue luar verde que iluminava vagamente os objetos em volta" (Domingos Monteiro, *Enfermaria, Prisão e Casa Mortuária*, pp. 133-134); "A estrela-d'alva iluminava o céu." (Alberto de Oliveira, *Poesias*, I, p. 236). **2.** Realçar com iluminação; abrilhantar: *As casas comerciais devem iluminar suas vitrinas.* **3.** Esclarecer, ilustrar: *Os verdadeiros gênios iluminam sua época.* **4.** Inspirar, aconselhar, orientar: *Deus o ilumine.* **5.** Infundir ânimo ou contentamento em; alegrar: *A notícia iluminou-lhe o semblante.* **6.** Ornar com iluminuras. **7.** Deixar transparecer; tornar patente: *As contrações do seu rosto iluminavam o ódio do coração. P.* **8.** Encher-se de luz; alumiar-se, acender-se: "Em frente estava a tela, onde visões se iluminavam e se apagavam, fugidias e sedutoras." (Carlos Paurílio, *Solidão*, p. 79.) **9.** Entender claramente; estar com inteligência viva e apurada. **10.** Manifestar contentamento; alegrar-se.

iluminativo. *Adj.* **1.** V. *iluminante.* **2.** Instrutivo, esclarecedor.

iluminismo. *S. m.* **1.** A mística dos iluminados (5). **2.** *filos.* V. *filosofia das luzes.*

iluminista. *S. 2 g.* Partidário do iluminismo (2).

iluminura. [Do fr. *enluminure.*] *S. f.* **1.** Arte que, nos antigos manuscritos e em certo número de incunábulos, alia a ilustração e a ornamentação, por meio de pintura a cores vivas, ouro e prata, de letras iniciais, flores folhagens, figuras e cenas, em combinações variadas, ocupando parte do espaço comumente reservado ao texto e estendendo-se pelas margens, em barras, molduras e ramagens: *a iluminura pré-carolíngia;* "a estatuária dos mausoléus, a imaginária dos altares, a iluminura dos missais, ... subordinavam-se a um pensamento comum" (Ramalho Ortigão, *O Culto da Arte em Portugal*, pp. 7-8). **2.** A pintura assim realizada: "o seu espectro [da morte] .... percorreu .... todos os domínios da arte, das páginas de Manzoni, às rosáceas rendilhadas das catedrais, às iluminuras dos livros de horas dos crentes e ao caprichoso cinzelado dos copos das espadas gloriosas..." (Euclides da Cunha, *Contrastes e Confrontos*, p. 75). [Sin. ger.:, p. us.: *miniatura.*]

ilusão. [Do lat. *illusione.*] *S. f.* **1.** Engano dos sentidos ou da mente, que faz que se tome uma coisa por outra, que se interprete erroneamente um fato ou uma sensação; falsa aparência: *ilusão de óptica; ilusão auditiva;* "Que ilusão, viajar! Todo o Planeta é zero." (Antônio Nobre, *Só*, p. 92). **2.** Sonho, devaneio, quimera. **3.** Coisa efêmera, passageira. **4.** Logro, burla, engano. **5.** *Psiq.* e *Psicol.* Percepção deformada de objeto (3).

ilusionismo. [Do lat. *illusione*, 'ilusão', + *-ismo.*] *S. m.* V. *prestidigitação.*

ilusionista. [Do lat. *illusione*, 'ilusão', + *-ista.*] *S. 2 g.* V. *prestidigitador* (1).

ilusivo. [De *iluso* + *-ivo.*] *Adj.* V. *ilusório.* [Cf. *elusivo.*]

iluso. [Do lat. *illusu.*] *Adj.* Iludido; enganado.

ilusor (ô). [Do lat. *illusore.*] *Adj.* **1.** Que ilude; iludente. ● *S. m.* **2.** Aquele que ilude.

ilusório. *Adj.* **1.** Que produz ilusão; enganoso. **2.** Falso, vão. [Sin. ger.: *ilusivo.*]

ilustração. [Do lat. *illustratione.*] *S. f.* **1.** Ato ou efeito de ilustrar(-se). **2.** Conjunto de conhecimentos; saber: *homem de notável ilustração.* **3.** Imagem ou figura de qualquer natureza com que se orna ou elucida o texto de livros, folhetos e periódicos. **4.** *Filos.* V. *filosofia das luzes.*

ilustrado. [Do lat. *illustratu.*] *Adj.* **1.** Que tem muita ilustração; instruído: "Era o protetor e o conselheiro afetuoso e ilustrado dos nossos artistas." (Ramalho Ortigão, *As Farpas*, II, p. 107.) **2.** Que tem gravuras ou ilustrações.

ilustrador (ô). [Do lat. *illustratore.*] *Adj.* **1.** Que ilustra. ● *S. m.* **2.** Aquele que ilustra; desenhista de ilustrações.

ilustradoramente. [Do fem. de *ilustrador* + *-mente.*] *Adv.* **1.** De modo ilustrador. **2.** Que é próprio para explicar, para fazer compreender: "Nada revela mais ilustradoramente a importância nula que em nosso conceito e hábitos se atribuía a direitos políticos." (Gilberto Amado, *Depois da Política*, p. 106.)

ilustrar. [Do lat. *illustrare.*] *V. t. d.* **1.** Tornar ilustre; glorificar: *A cultura ilustra um país.* **2.** Esclarecer, elucidar, comentar, explicar: *Usava gravuras para ilustrar a exposição.* **3.** Transmitir conhecimentos a; instruir: *A leitura sempre nos ilustra.* **4.** Servir como exemplo para; exemplificar: "Benjamin Constant ilustra, talvez, um caso único na história: o de uma revolução política dirigida por um professor de matemática." (Vicente Licínio Cardoso, *Pensamentos Brasileiros*, p. 273). **5.** Ornar (um trabalho impresso ou destinado à imprensa) com gravura ou ilustração (3). *P.* **6.** Adquirir lustre, glória, celebridade. **7.** Adquirir conhecimentos; instruir-se.

ilustrativo. [Do lat. *illustratu*, 'ilustrado', + *-ivo.*] *Adj.* Que serve para ilustrar; destinado a ilustrar: *desenho ilustrativo; exemplo ilustrativo da doutrina.*

ilustre. [Do lat. *illustre.*] *Adj. 2 g.* **1.** Que se distingue por qualidades dignas de louvor; eminente, insigne: *Na sua profissão é figura ilustre.* **2.** Célebre, notável, famigerado. **3.** Nobre, fidalgo: *Descende de uma casa ilustre.* [Superl. abs. sint.: *ilustríssimo.*] ~ V. —*desconhecido.*

ilustríssimo. [Do lat. *illustrissimu.*] *Adj.* Superl. abs. sint. de *ilustre.* [Tratamento dado a pessoas a quem nos dirigimos por escrito, e àquelas de quem falamos na ausência. Implicando, a princípio, a atribuição de certa dignidade a essas pessoas, veio esse tratamento, pela freqüência do uso, a banalizar-se, reduzindo-se a mera fórmula. Abrev.: *Ilmo.*]

ilutação. [Do lat. científico *illutatione.*] *S. f.* Ato ou efeito de ilutar.

ilutar. [De *i-*[1] + lat. *lutare*, 'enlodar'.] *V. t. d.* Banhar (o corpo) em lama ou lodo medicinal; tratar com banhos de lama.

iluviação. [Do lat. *illuvies*, 'imundície'.] *S. f. Pedol.* Concentração de argilas, sesquióxidos, carbonatos, etc., em uma certa camada do solo. [Antôn.: *eluviação.*]

ilvaíta. [Do lat. *ilva*, nome da ilha de Elba, + *-ita*[3].]*S. f.* Mineral ortorrômbico, silicato básico de cálcio e ferro.

▲**im-**[1]. V. *em-*[2].

▲**im-**[2]. V. *in-*[2].

▲**im-**[3]. V. *-inho.*

imã[1]. [Do ár. *imam*, 'chefe', 'guia', 'oficiante'.] *S. m.* Imame. [Cf. *ímã.*]

imã[2]. *S. m. Bras.* Jaculatória da liturgia da macumba. [Cf. *ímã.*]

ímã. [Do fr. *aimant.*] **1.** *Fís.* Corpo de material ferromagnético com imantação permanente; magneto. **2.** Ferradura, barra ou agulha imantada. **3.** *Fig.* Coisa que atrai. [Cf. *imã.*]

imaculabilidade. *S. f.* Qualidade de imaculável.

imaculada. [Fem. substantivado de *imaculado.*] *S. f.* **1.** Epíteto com que se designa a Virgem Maria, isenta da mácula do pecado original. **2.** *Bras., N.E. Pop.* V. *cachaça* (1): "Mendigou pelos caminhos, enamorada da mais repelente criatura que levasse debaixo do braço uma garrafa cheia de imaculada." (Francisco Julião, *Cachaça*, p. 60.)

imaculado. [Do lat. *immaculatu.*] *Adj.* **1.** Que não tem mácula ou mancha de pecado. **2.** Puro, inocente, cândido. **3.** Que não tem mácula; limpo: "Estava claríssima a sala do comendador, com o tecto e as paredes bem caiadas, reluzindo numa brancura imaculada." (Conde de Ficalho, *Uma Eleição Perdida*, p. 49.) [Sin. ger., p. us.: *imáculo.*]

imaculatismo. *S. m.* Doutrina religiosa da imaculada Conceição [v. *imaculada* (1)].

imaculável. [Do lat. *immaculabile.*] *Adj. 2 g.* Não suscetível de mácula; impecável: "Não era .... um puro, ou puritano, ... daqueles que assim se julgam, ou são apontados e aparecem aos olhos de nós outros nas suas figuras imaculáveis" (Carlos de Gusmão, *Boca da Grota*, p. 489).

imáculo. *Adj. P. us.* V. *imaculado:* "O padre tem um ar tão místico, / ar de cilício, de desgosto / tem qualquer coisa de eucarístico / na alvura imácula do rosto." (A. S. de Mendonça Júnior, *Poemas fora da Moda*, p. 110.)

imagem. [Do lat. *imagine.*] *S. f.* **1.** Representação gráfica, plástica ou fotográfica de pessoa ou de objeto. **2.** *Restr.* Representação plástica da Divindade, de um santo, etc.: "Trouxeram uma pequena mesa que puseram ao lado do leito com uma grande imagem de Cristo" (L. Lavenère, *O Padre Cornélio*, p. 95). [Cf. *ídolo* (1) e *ícone.*] **3.** *Restr.* Estampa, geralmente pequena, que representa um assunto ou motivo religioso. **4.** *Fig.* Pessoa muito formosa. **5.** Reprodução invertida, de pessoa ou de objeto, numa superfície refletora ou refletidora: *Passou alguns minutos olhando a própria imagem nas águas do lago.* **6.** Representação dinâmica, cinematográfica ou televisionada, de pessoa, animal, objeto, cena, etc. **7.** Representação exata ou analógica de um ser, de uma coisa; cópia: *O pequeno é* a *imagem do pai; A nova cidade era uma imagem exata da outra, destruída pelo terremoto.* **8.** Aquilo que evoca uma determinada coisa, por ter com ela semelhança ou relação simbólica; símbolo: *Para aquele moralista, a transformação dos costumes é a imagem da decadência; Dizem que o azul é a imagem da tranqüilidade.* **9.** Representação mental de um objeto, de uma impressão, etc.; lembrança, recordação: *imagens do passado.* **10.** Produto da imaginação, consciente ou inconsciente; visão: *Eram seus sonhos povoados de imagens aterradoras.* **11.** Manifestação sensível do abstrato ou do invisível: *Em "O Alienista", Machado de Assis nos dá boa imagem de sua mordacidade.* **12.** Metáfora: *imagem gasta, banal.* **13.** *Álg. Mod.* Ponto de um conjunto que corresponde a um ponto de outro numa aplicação deste sobre aquele. **14.** *Ópt.* Conjunto de pontos no espaço, para onde convergem, ou de onde divergem, os raios luminosos que, originados de um objeto luminoso ou iluminado, passam através de um sistema óptico. **15.** *Rel. Púb.* Conceito genérico resultante de todas as experiências, impressões, posições e sentimentos que as pessoas apresentam em relação a uma empresa, produto, personalidade, etc. ◆ **Imagem real.** *Ópt.* A que é formada pelos raios luminosos que convergem depois de atravessarem um sistema óptico. **Imagem virtual.** *Ópt.* A que é formada pelos raios luminosos que divergem depois de atravessarem um sistema óptico.

imagético. *Adj.* Que encerra imagem, ou revela imaginação: *Seus poemas são profundamente imagéticos.*

imaginação. [Do lat. *imaginatione.*] *S. f.* **1.** Faculdade que tem o espírito de representar imagens; fantasia. **2.** Faculdade de evocar imagens de objetos que já foram percebidos; imaginação reprodutora. **3.** Faculdade de formar imagens de objetos que não foram percebidos, ou de realizar novas combinações de imagens: *imaginação criadora.* **4.** Faculdade de criar mediante a combinação de idéias: *escritor de muita imaginação.* **5.** A coisa imaginada. **6.** Criação, invenção. **7.** Cisma, fantasia, devaneio: *Ficava horas calado, entregue às suas imaginações.* **8.** Crença fantástica; crendice; superstição: *O lobisomem é uma imaginação popular.* **9.** *Liter.* e *B.-Art.* Invenção ou criação construtiva, organizada (por oposição a *fantasia,* invenção arbitrária). ◆ **Imaginação reprodutora.** Imaginação (2).

imaginador (ô). *Adj.* **1.** Que imagina; imaginante. ● *S. 2 g.* **2.** Aquele que imagina.

imaginante. [Do lat. *imaginante Adj. 2 g.* Imaginador (1).

imaginar. [Do lat. *imaginare.*] *V. t. d.* **1.** Construir ou conceber na imaginação; fantasiar, idear, inventar: *imaginar personagens, situações.* **2.** Ter ou fazer idéia de; representar na imaginação: *Impossível imaginar as atrocidades então cometidas.* **3.** Supor, presumir, conjeturar: "Quando estás vestida, / Ninguém imagina / Os mundos que escondes / Sob as tuas roupas." (Manuel Bandeira, *Estrela da Vida Inteira,* p. 252); *Ao ver aquelas nuvens, logo imaginou que iria chover.* **4.** Relembrar, recordar: "para lá dos montes altos imaginava a sua terra de luz, ... sonolenta e calma naquele adormecer do dia. (Natércia Freire, *A Alma da Velha Casa;* p. 112). *T. d. e i.* **5.** Supor, presumir, conjeturar: *Ficava horas imaginando sua filha em Paris. Transobj.* **6.** Julgar, supor, presumir: "Vês o morto e logo o imaginas distante, disforme, um estranho" (Raquel de Queirós, *100 Crônicas Escolhidas,* p. 67). *T. i.* **7.** Pensar; cismar: "Quando o Sol encoberto vai mostrando / ao mundo a luz quieta e duvidosa, / ao longo de ũa praia deleitosa, / vou na minha inimiga imaginando." (Luís de Camões, *Rimas,* p. 141); "imaginava no modo como descobriria se eram falsas ou verdadeiras essas novas de mau-pecado." (Alexandre Herculano, *Lendas e Narrativas,* II, p. 25.) *Int.* **8.** Pensar, matutar, cismar: "À tarde do outro dia, enterrou-se seu Teófilo .... . À boca da noite, Dona Júlia se assentou na soleira da porta da cozinha e ficou imaginando." (Mário Matos, *Casa das Três Meninas,* p. 130.) *P.* **9.** Julgar-se, supor-se: "Imaginei-me artista, e incontinenti o escopro / Empunho" (Guimarães Passos, *Horas Mortas,* p. 75). **10.** Prefigurar-se, afigurar-se. [Fut. pret.: *imaginaria,* etc. Cf. *imaginária,* s. f. e fem. de *imaginário.*]

imaginária. [Fem. substantivado do adj. *imaginário.*] *S. f.* Figura humana bordada ou pintada. [Cf. *imaginaria,* do v. *imaginar.*]

imaginário. [Do lat. *imaginariu.*] *Adj.* **1.** Que só existe na imaginação; ilusório; fantástico: "Arrancava dos dedos pedacinhos de pele imaginários" (Machado de Assis, *Várias Histórias,* p. 44) ~ V. *curinga —, moeda —a* e *número —.* ● *S. m.* **2.** Aquele que faz estátuas ou imagens de santos; santeiro, imagineiro. **3.** *Mat.* Número imaginário. [Fem.: *imaginária.* Cf. *imaginaria,* do v. *imaginar.*] ◆ **Imaginário conjugado.** *Mat.* Complexo conjugado.

imaginativa. [Fem. substantivado do adj. *imaginativo.*] *S. f.* Faculdade de imaginar: "e a imaginativa esgota-se acompanhando o desmedido de um arrancado vôo de leviatãs" (Euclides da Cunha, *Contrastes e Confrontos,* p. 271).

imaginativo. [Do lat. *imaginativu.*] *Adj.* **1.** Que imagina facilmente; que tem imaginação fértil. **2.** Sonhador, cismático, cismativo. ● *S. m.* **3.** Indivíduo imaginativo.

imaginável. *Adj. 2 g.* Que se pode imaginar: "a baixeza de caráter do ex-feitor excedia todos os limites imagináveis." (José do Patrocínio, *Mota Coqueiro,* p. 108).

imagineiro. *S. m.* V. *imaginário* (2).

imaginoso (ô). [Do lat. *imaginosu.*] *Adj.* **1.** Dotado de imaginação fértil. **2.** Fantástico, fabuloso, imaginário.

imagismo. [Do ingl. *imagism.*] *S. m.* Movimento literário da poesia inglesa, surgido no início do séc. XX e caracterizado por um novo uso das imagens poéticas.

imagística. *S. f.* Faculdade ou poder de imaginação, de invenção, de fantasia.

imagístico. *Adj.* Relativo à imagística.

imago. [Do lat. *imago.*] *S. f.* **1.** *Entomol.* A forma definitiva do inseto, após as suas metamorfoses, e na qual se lhe define o sexo. **2.** *Psic.* Lembrança, fantasia ou idealização de uma pessoa querida, formada na infância e que se conserva sem modificação na vida adulta.

imaleabilidade. *S. f.* Qualidade de imaleável.

imaleável. [De *i-*[2] + *maleável.*] *Adj. 2 g.* Não maleável.

imame. [Do ár. *imam.*] *S. m.* **1.** Ministro da religião muçulmana. **2.** Título de certos soberanos muçulmanos. [F. paral.: *imã.*]

imanar. *V. t. d.* V. *imanizar.* [Cf. *emanar.*]

imane. [Do lat. *immane.*] *Adj. 2 g.* **1.** Muito grande; desmedido, enorme. **2.** *Fig.* Feroz, cruel, atroz. [Cf. *emane,* do v. *emanar.*]

imanência. [Do lat. *immanentia.*] *S. f.* Qualidade de imanente.

imanente. [Do lat. *immanente.*] *Adj. 2 g.* **1.** Que existe sempre em um dado objeto e inseparável dele: "Noutra passagem das églogas ele [Camões] se serviu se não da própria imagem da morte pelo menos da alusão a um fenômeno equivalente para exprimir em termos de arte o niilismo imanente a todas as experiências de amor." (Cristiano Martins, *Camões,* p. 64.) **2.** *Filos.* Que está contido em ou que provém de um ou mais seres, independentemente de ação exterior. [Opõe-se a *transcendente* (5).] **3.** *Filos.* Diz-se daquilo de que um ser participa, ou a que um ser tende, ainda que por intervenção de outro ser. ~ V. *ação — e finalidade —.*

imanentismo. [De *imanente* + *-ismo.*] *S. m. Teol.* Doutrina que sustenta ser a fé uma exigência de profundas necessidades do íntimo do ser e não uma graça provinda de Deus.

imanidade. [Do lat. *immanitate.*] *S. f.* Qualidade de imane.

imanização. *S. f.* Ato ou efeito de imanizar.

imanizar. *V. t. d.* Comunicar a (um metal) a propriedade do ímã; magnetizar; imanar, imantar.

imantação. [De *imantar* + *-ção.*] *S. f. Fís.* V. *magnetização* (2 e 3).

imantar. [Do fr. *aimanter.*] *V. t. d.* V. *imanizar.* [Cf. *emantar.*]

imarcescibilidade. *S. f.* Qualidade de imarcescível.

imarcescível. [Do lat. *immarcescibile.*] *Adj. 2 g.* **1.** Que não murcha: "Que muito, ó Musas, pois, que em fausto agouro / Cresçam do pátrio rio à margem fria / A imarcescível hera, o verde louro!" (Cláudio Manuel da Costa, *Obras,* I, p. 152.) **2.** Incorruptível, inalterável.

imarginado. [De *i-*[2] + *marginado.*] *Adj.* Que não tem margens ou bordos.

imaruiense (u-i). *Adj. 2 g.* **1.** De, ou pertencente ou relativo a Imaruí (SC). ● *S. 2 g.* **2.** Natural ou habitante de Imaruí.

imaterial. [Do lat. *immateriale.*] *Adj. 2 g.* **1.** Que não tem a natureza da matéria; não material; impalpável: "Esta luz prodigiosa da manhã .... dava, ao grande panorama, já planetário, uma transfigurada aparência, dum colorido imaterial" (Teixeira de Pascoais, *Verbo Escuro,* p. 170). ● *S. m.* **2.** Aquilo que é imaterial.

imaterialidade. *S. f.* Qualidade ou condição de imaterial.

imaterialismo. [De *imaterial* + *-ismo.*] *S. m. Hist. Filos.* Segundo Berkeley [v. *berkelianismo*], a sua própria doutrina, que afirma só existirem espíritos, não tendo a matéria outra existência que não a de ser percebida, e se resume na afirmação de que ser é perceber ou ser percebido.

imaterialista. *Adj. 2 g.* **1.** Relativo ao, ou que é sectário do imaterialismo. ● *S. 2 g.* **2.** Sectário do imaterialismo.

imaterializar. *V. t. d.* e *p.* Tornar(-se) imaterial; espiritualizar(-se): "queria imaterializar o corpo, dominando-lhe os apetites com o estoicismo de S. Vicente de Paula ou de Santo Efrém" (Inglês de Sousa, *O Missionário,* p. 67); "é a sacrossanta beleza da mulher bela na velhice, uma beleza, que parece imaterializar-se, espiritualizar-se sob a névoa dos cabelos brancos..." (Olavo Bilac, *Últimas Conferências e Discursos,* p. 298).

imaturidade. [Do lat. *immaturitate.*] *S. f.* Qualidade ou condição de imaturo.

imaturo. [Do lat. *immaturu.*] *Adj.* **1.** Que não é ou não está maduro[1] (1). **2.** Prematuro, precoce, antecipado. **3.** Que não tem maturidade (2).

imba. *S. m. Bras., RS.* Buraco feito no chão, e em que, no jogo do gude, deve entrar a bola; boco.

imbaíba. *S. f. Bras.* V. *umbaúba.*

imbatível. [De *im-*[2] + *bater* + *-ível.*] *Adj. 2 g.* Que não pode ser batido ou vencido; invencível: "As húngaras — mulheres belas — todo o mundo sabe disso. .... Delas, ganhará apenas a mulher italiana, mas porque esta é imbatível." (João Guimarães Rosa, *in* Paulo Rónai, *Antologia do Conto Húngaro,* p. XVII.)

imbaúba. *S. f. Bras.* **1.** V. *umbaúba.* **2.** V. *sambacuim.*

imbaúba-de-cheiro. *S. f.* Purumã. [Pl.: *imbaúbas-de-cheiro.*]

imbaubapuruma (a-u). [Do tupi.] *S. f. Bras.* Designação comum a três árvores da família das moráceas: *Pouroma acuminata, P. bicolor* e *P. cecropiaefolia.*

imbé. [Do tupi *ĩm'bé,* 'trepadeira'.] *S. m. Bras.* Designação comum às plantas trepadeiras da família das aráceas pertencentes ao gênero *Philodendron,* de folhas enormes, flores mínimas agrupadas em espigas bracteadas, e cujo caule tem raízes aéreas que fornecem fibras para um tipo de barbante ou corda.

imbecil (cíl). [Do lat. *imbecille* (ao lado de *imbecillu*), 'fraco de corpo, franzino'.] *Adj. 2 g.* **1.** V. *idiota* (1). **2.** V. *tolo* (1 a 3). **3.** *Fig.* Covarde, pusilânime. **4.** *Psiq.* Doente de imbecilidade (3). **5.** *P. ext.* Próprio de imbecil; estúpido, idiota: *cara imbecil; palavras imbecis.* ● *S. 2 g.* **6.** Pessoa imbecil. V. *tolo* (8). **7.** *Psiq.* Indivíduo com imbecilidade (3).

imbecilidade. [Do lat. *imbecillitate.*] *S. f.* **1.** Qualidade ou estado de imbecil: "Não sabe a gente se há de achar este livro um começo de imbecilidade senil ou um resto amável de candura infantil." (Eça de Queirós, *Crônicas de Londres,* p. 12.) **2.** Ato ou dito imbecil. **3.** *Psiq.* Atraso mental acentuado, situado entre a debilidade mental e a idiotia, que se caracteriza pela incapacidade intelectual do indivíduo de utilizar e compreender a linguagem escrita, e de prover ao seu sustento, situando-se-lhe o nível intelectual entre o de três e o de sete anos, nos testes de inteligência. [Cf. *debilidade mental* e *idiotia* (2).]

imbecilizar. *V. t. d.* e *p.* Tornar(-se) imbecil.

imbé-da-praia. *S. m. Bras.* V. *aningaúba.* [Pl.: *imbés-da-praia.*]

imbé-de-comer. *S. m. Bras.* V. *cipó-de-imbé.* [Pl.: *imbés-de-comer.*]

imbé-furado. *S. m. Bras.* V. *dragão-fedorento.* [Pl.: *imbés-furados.*]

imbele. [Do lat. *imbelle.*] *Adj. 2 g.* **1.** Que não é belicoso: "É teu filho imbele e fraco!" (Gonçalves Dias, *Obras Poéticas,* II, p. 30). **2.** *Fig.* Fraco, tímido, covarde.

imberana (bè). [De *imbé* + *-rana.*] *S. f. Bras.* V. *aningaúba.*

imberbe. [Do lat. *imberbe.*] *Adj. 2 g.* **1.** Sem barba; desbarbado, lampinho: "de manhã ao contrário dos adultos que acordam escuros e barbados, ele despertava cada vez mais imberbe." (Clarice Lispector, *Laços de Família* p. 125). **2.** Jovem, moço.

imbetiba. [Do tupi *ĩ'bé,* 'cipó-imbé', e *tĩba,* 'muito'.] *S. f. Bras.* Qualquer praia alta. [Var.: *imbituba.*]

imbicar. [De *embicar.*] *V. t. d.* **1.** Abicar, aportar, abeirar. **2.** Encaminhar, dirigir. **3.** Conduzir (negócios) a bom termo. [Conjug.: v. *trancar.* Cf. *embicar.*]

imbituba. *S. f. Bras.* Var. de *imbetiba* [q. v.].

imbituvense. *Adj. 2 g.* **1.** De, ou pertencente ou relativo a Imbituva (PR). ● *S. 2 g.* **2.** Natural ou habitante de Imbituva.

imbricação. [De *imbricar* + *-ção.*] *S. f.* Disposição que apresentam certos objetos quando se sobrepõem parcialmente uns aos outros, como as telhas de um telhado ou as escamas do peixe.

imbricado. [Part. de *imbricar.*] *Adj.* **1.** Que apresenta imbricação. **2.** *Morfol. Veg.* Diz-se do órgão ou parte vegetal que, estando muito próximo dos vizinhos, é parcialmente coberto pelo anterior e cobre o subseqüente; imbricativo: *folha imbricada; pétala imbricada.*

imbricar. [Do lat. *imbricare.*] *V. t. d.* **1.** Dispor (coisas) de maneira que só em parte se sobreponham umas às outras, como as telhas do telhado ou as escamas do peixe. *P.* **2.** Dispor-se (coisas) dessa maneira: "dengosa e lírica senhora, esculpida em toucinho, numa sucessão de roscas que se sobrepunham e imbricavam para todos os lados... as do seio sobre as do ventre, as do ventre sobre as das coxas" (Fialho d'Almeida, *Pasquinadas,* p. 58). [Conjug.: v. *trancar.*]

imbricativo. *Adj. Morfol. Veg.* Imbricado (2).

imbrífero. [Do lat. *imbreferu.*] *Adj.* Que traz chuvas; inundante. [Antôn.: *imbrífugo.*]

imbrífugo. [Do lat. *imbre,* 'chuva', + *-fugo*[2].] *Adj.* Que livra da chuva. [Antôn.: *imbrífero.*]

imbróglio. [Do it. *imbroglio.*] *S. m.* **1.** Trapalhada, confusão, mixórdia, embrulhada: "O Dr. Cláudio conduzia os trabalhos com verdadeira perícia de automedonte, esclarecia os imbróglios" (Raul Pompéia, *O Ateneu* p. 124). **2.** *Teat. Deprec.* Dramalhão de enredo confuso, complicado e mal elaborado: "Só lá dentro soubemos que o drama em execução era *O Crime ou Vinte Anos de Remorso.* | Tínhamos uma vaga notícia desta cousa — .... sabíamos que era um imbróglio" (Camilo Castelo Branco, *Dispersos,* I, p. 469).

imbu. [Do tupi *ĩm'bu.*] *S. m. Bras.* O fruto do imbuzeiro. [Var.: *umbu.*]

imbucuru. [Do tupi.] *S. m. Bras., SP.* V. *rato-de-espinho.*

imbuia. [Do tupi.] *S. f. Bras.* Árvore da família das lauráceas *(Ocotea porosa),* de flores insignificantes, tronco grosso e curto, e cujo fruto é uma baga com pequena cúpula basal. Ocorre nas matas paranaenses e produz excelente madeira parda, rica em desenhos. [Var.: *umbuia.* Cf. *imbuía,* do v. *imbuir.*]

imbuir. [Do lat. *imbuere.*] *V. t. d.* e *i.* **1.** Meter num líquido; embeber, impregnar: *Imbuiu a toalha em água quente.* **2.** Infundir, insinuar, incutir; impregnar: *Imbuíram-no de preconceitos perniciosos.* **3.** Fazer penetrar; embeber, entranhar, insinuar: "Não era boca para embeber-se na delícia de um beijo ardente, com a ânsia da paixão que imbui uma alma na outra, fundindo-as em delíquios de amor." (José de Alencar, *Guerra dos Mascates,* pp. 43-44.) [Conjug.: v. *atribuir.* Pres. ind.: *imbuo, imbuis, imbui,* etc.; imperf.: *imbuía,* etc. Cf. *imbui,* 1ª pess. sing. do pret. perf., *Imbuí,* top., e *imbuia,* s. f.]

imburana. [De *imbu* + *-rana.*] *S. f. Bras.* Pequena árvore da caatinga, muito esgalhada, da família das burseráceas *(Bursera leptophleos),* de folhas penadas, com folíolos aromáticos, flores muito pequenas, fruto oleífero, comestível quando bem maduro, e madeira branca e dura, utilizável em carpintaria e construção; imburana-vaqueira. [Var.: *umburana.*]

imburana-de-cheiro. *S. f. Bras.* **1.** Árvore da família das leguminosas *(Torresia acreana),* de folhas penadas, com 17 a 25 folíolos, flores alvas com corola papilionada, e fruto leguminoso. Possui cumarina em todas as suas partes, sobretudo nas sementes, que são extremamente aromáticas, e ocorre nas matas, no AC. **2.** V. *cumaru-do-ceará.* [Pl.: *imburanas-de-cheiro.*]

imburana-vaqueira. *S. f. Bras.* Imburana. [Pl.: *imburanas-vaqueiras.*]

imburi. [Var. de *buri.*] *S. m. Bras.* **1.** V. *ariri* (1). **2.** V. *buri-da-praia.*

imburizal. *S. m. Bras.* Quantidade mais ou menos considerável de imburis dispostos proximamente entre si.

imbuzada. *S. f. Bras., N.* Iguaria que se faz com o imbu cozido e passado na peneira, com leite e açúcar. [Var.: *umbuzada.*]

imbuzal. *S. m. Bras.* Quantidade mais ou menos considerável de imbuzeiros dispostos proximamente entre si. [Var.: *umbuzal.*]

imbuzeiro. *S. m. Bras.* Arvoreta muito copada, da família das anacardiáceas *(Spondias tuberosa),* própria da caatinga, de folhas penadas, flores minutas, e cujas raízes têm grandes tubérculos reservadores de água, sendo os frutos *(imbus)* bagas comestíveis, bastante apreciadas. [Var.: *umbuzeiro;* sin.: *jique.*]

imediação. *S. f.* O fato de ser ou estar imediato. ~ V. *imediações.*

imediações. [Pl. de *imediação.*] *S. f. pl.* Vizinhanças, circunvizinhanças, cercanias, arredores. ~ V. *imediação.*

imediatar. *V. int.* Servir em um navio como imediato.

imediatice. *S. f. Bras. Mar.* O cargo de imediato (8).

imediatismo. *S. m.* **1.** Sistema de atuar dispensando mediações e rodeios. **2.** Filosofia e prática daqueles que cuidam absorventemente do que dá vantagem imediata.

imediatista. *Adj. 2 g.* **1.** Relativo ao, ou que é partidário ou praticante do imediatismo. • *S. 2 g.* **2.** Partidário ou praticante do imediatismo.

imediato. [Do lat. *immediatu.*] *Adj.* **1.** Que não tem nada de permeio; próximo: "Imediato à sala, com uma janela igual àquelas outras, havia um gabinete" (Aluísio Azevedo, *Casa de Pensão,* p. 87). **2.** Rápido, instantâneo: *remédio de efeito imediato.* **3.** Que (se) segue; seguinte: "E como se aquilo tivesse sido um vaticínio, logo na semana imediata a vida plácida do operariado sergipano estremeceu, convulsionou-se de repente." (Amando Fontes, *Os Corumbas,* p. 60.) **4.** *Filos.* Diz-se de toda relação ou de toda ação em que dois termos se relacionam sem que haja um terceiro que se interponha como intermediário. [Opõe-se a *mediato* (2).] **5.** *Filos.* Diz-se de objeto de conhecimento que se oferece como um dado último e primitivo, que não se pode ser nem lógica nem objetivamente contestado. **6.** *Filos.* Diz-se de conhecimento ingênuo que se oferece como ponto de partida de análise crítica. ~ V. *inferência —a, percussão —a* e *realismo —.* • *S. m.* **7.** Funcionário de categoria logo abaixo da do chefe, e que substitui este em suas faltas: "Tine, depois dum momento, a campainha do chefe de secção, o imediato do diretor." (Dionélio Machado, *Os Ratos,* p. 23.) **8.** *Mar.* Oficial que se segue ao comandante, na cadeia de comando de um navio, e o substitui na sua ausência ou nos seus impedimentos. ♦ **De imediato.** Sem detença; imediatamente: "E tempo não teve de lhe perguntar nada, porque ela lhe disse de imediato, apontando no rumo da porteira: — Aquela peste da Júlia fugiu por ali." (Herberto Sales, *O Lobisomem,* p. 135.)

imedicável. [Do lat. *immedicabile.*] *Adj. 2 g.* Que não pode ser medicado: "às vezes há males, que são imedicáveis." (Frei Francisco de S. Carlos, *A Assunção,* p. II.)

imemorado. [Do lat. *immemoratu.*] *Adj.* **1.** Que não foi memorado; esquecido. **2.** Ainda não contado.

imemorável. [Do lat. *immemorabile.*] *Adj. 2 g.* V. *imemorial* (1).

imêmore. [Do lat. *immemore.*] *Adj. 2 g. Poét.* Que não se recorda; esquecido.

imemorial. *Adj. 2 g.* **1.** De que não pode haver ou não há memória; imemorável, imemoriável. **2.** De que não há memória por causa de sua extraordinária antiguidade; antiqüíssimo, imemoriável.

imemoriável. *Adj. 2 g.* V. *imemorial*

imene. *S. m. Bras.* Butuá-catinguenta.

imensidade. [Do lat. *immensitate.*] *S. f.* **1.** Extensão ilimitada: "o oceano que rumoreja resguardado da vista por imensidade de pinheirais." (Antônio Feliciano de Castilho, *Amor e Melancolia,* p. 243.) **2.** O espaço imenso; o infinito: "Fiquei de frente para a imensidade,/ Vendo o que o olhar não chega a compreender." (Dante Milano, *Poesias,* p. 48.) **3.** Quantidade grande, imensa: *Trouxe consigo uma imensidade de problemas.* [Sin. ger.: *imensidão.*]

imensidão. *S. f.* V. *imensidade.*

imenso. [Do lat. *immensu.*] *Adj.* **1.** Que não tem medida, não se pode medir; incomensurável, ilimitado. **2.** Muito grande; enorme: *país imenso; amor imenso.* **3.** Inúmero, inumerável: *Mandei-lhe imensos abraços;* "caretas, muitas caretas, imensas caretas!" (José Gomes Ferreira, *O Mundo dos Outros,* p. 63.) • *Adv.* **4.** Muitíssimo, imensamente: "Quero-te muito, ó Dor, amo-te imenso" (Eugênio de Castro, *Obras Poéticas,* V, p. 52).

imensurabilidade. *S. f.* Qualidade de imensurável; incomensurabilidade.

imensurável. [Do lat. *immensurabile.*] *Adj. 2 g.* Que não pode ser medido; não mensurável; incomensurável: "o mar é grande, mas o mar não tem / a imensurável dimensão dos sonhos." (A. S. de Mendonça Júnior, *Poemas Fora da Moda,* p. 29.)

imerecido. [De *i-*[2] + *merecido.*] *Adj.* Não merecido; imérito: "Aceitar o castigo imerecido, / Não por fraqueza, mas por altivez" (Manuel Bandeira, *Estrela da Vida Inteira,* p. 161).

imergência. *S. f.* Imersão (1). [Cf. *emergência.*]

imergente. [Do lat. *immergente.*] *Adj. 2 g.* Que imerge. [Antôn.: *emergente.*]

imergir. [Do lat. *immergere.*] *V. t. d.* e *c.* **1.** Fazer submergir; mergulhar, afundar: *Nalgumas seitas o batismo consiste em imergir o crente na água.* **2.** Engolfar; lançar: *A história sempre condena aqueles que imergem os povos na guerra. T. c.* **3.** Entrar, penetrar, introduzir-se: *O animal imergiu na floresta.* **4.** Engolfar-se, abismar-se, absorver-se: "Ao retornar à 'sua', imergia no trabalho, em leituras noturnas, esportes." (Vasconcelos Maia, *O Leque de Oxum,* p. 44.) *P.* **5.** Mergulhar, entrar, adentrar-se, introduzir-se. **6.** Desaparecer, sumir(-se). **7.** Engolfar-se, abismar-se, absorver-se. [Conjug.: v. *emergir.* Part.: *imergido* e *imerso.* Antôn.: *emergir.*]

imérito. [Do lat. *immeritu.*] *Adj.* Imerecido. [Cf. *emérito.*]

imersão. [Do lat. *immersione.*] *S. f.* **1.** Ato de imergir (-se); imergência. [Antôn.: *emersão.*] **2.** *Astr.* Fase inicial de um eclipse.

imersível. *Adj. 2 g.* Que pode imergir ou mergulhar.

imersivo. [Do lat. *immersu* + *-i-* + *-ivo.*] *Adj.* **1.** Que faz imergir; próprio para imergir. **2.** Realizado por imersão.

imerso. [Do lat. *immersu.*] *Adj.* **1.** Mergulhado, afundado, submerso: *O corpo estava imerso, apenas a cabeça fora da água.* **2.** Mergulhado, abismado: *imerso em funda tristeza.* [Antôn.: *emerso.*]

imersor (ô). [Do lat. *immersu,* 'imerso', + *-or.*] *Adj.* e *s. m.* Que ou aquele que faz imergir.

imida. *S. f. Quím.* Classe de composto orgânico obtido pela substituição das hidroxilas de um ácido dicarboxílico pelo radical divalente NH, com a conseqüente formação dum anel heterocíclico.

imido. [De *amido.*] *S. m. Quím.* O radical divalente NH^{2-}.

imigo. *Adj.* e *s. m. Obsol.* F. sincopada de *inimigo* [q. v.]. [A palavra ainda aparece modernamente na poesia; p. ex.: "Quem tantos imigos / Em guerra preou?" (Gonçalves Dias, *Obras Poéticas,* I, p. 24.)]

imigração. *S. f.* Ato de imigrar. [Cf. *emigração* e *migração.*]

imigrado. [Do lat. *immigratu.*] *Adj.* e *s. m.* Que ou aquele que imigrou. [Cf. *emigrado* e *migrado.*]

imigrante. [Do lat. *immigrante.*] *Adj. 2 g.* e *s. 2 g.* Que ou pessoa que imigra. [Cf. *emigrante* e *migrante.*]

imigrantista. [De *imigrante* + *-ista.*] *S. 2 g.* Propagandista da imigração.

imigrar. [Do lat. *immigrare.*] *V. int.* Entrar (num país estranho) para nele viver. [Cf. *emigrar* e *migrar.*] [Antôn.: *emigrar.*]

imigratório. *Adj.* Respeitante à imigração, ou a imigrantes.

imina. *S. f. Quím.* Classe de compostos orgânicos que contêm o grupamento NH = ligado a um átomo de carbono.

iminência. [Do lat. *imminentia.*] *S. f.* Qualidade do que está iminente. [Cf. *eminência.*]

iminente. [Do lat. *imminente.*] *Adj. 2 g.* Que ameaça acontecer breve; que está sobranceiro; que está em via de efetivação imediata; impendente: "O momento era supremo, o perigo iminente e já inevitável..." (Almeida Garrett, *Viagens na Minha Terra,* p. 195.) [Cf. *eminente.*]

imino. *S. m. Quím.* O grupamento divalente NH=.

imisção. *S. f.* Ação de misturar-se ou intrometer-se; mistura, intromissão, ingerência: "o horror dos democratas a qualquer imisção dele, mesmo remota, nos negócios republicanos da França" (Eça de Queirós, *Ecos de Paris,* p. 119). [Cf. *imissão* e *emissão.*]

imiscibilidade. *S. f.* Qualidade de imiscível.

imiscível. [Do lat. *immiscibile.*] *Adj. 2 g.* Que não é miscível; imisturável.

imiscuir-se. [Do esp. *inmiscuirse.*] *V. p.* **1.** Intrometer-se, ingerir-se: *É dado a imiscuir-se na vida alheia.* **2.** Tomar parte em algo.

imisericórdia. [Do lat. tardio *immisericordia.*] *S. f.* Falta de misericórdia.

imisericordioso (ô). *Adj.* Não misericordioso; impiedoso, desumano, cruel.

imissão. [Do lat. *immissione.*] *S. f.* Ato ou efeito de imitir. [Cf. *emissão* e *imisção.*]

imisso. [Do lat. *immissu.*] *Adj.* Que se cruza pelo meio. [Aplica-se aos braços da cruz.]

imisturável. [De *in-*[2] + *misturável.*] *Adj. 2 g.* Imiscível: "Eu gostava .... de distinguir do alto da cátedra, no recinto cheio, as diversas raças de que gloriosamente se mestiçiza o Brasil, ali representadas, e as que se mantêm imisturáveis, indissolúveis" (Gilberto Amado, *Depois da Pol ca,* pp. 168-169).

imitabilidade. *S. f.* Qualidade de imitável.

imitação. [Do lat. *imitatione.*] *S. f.* **1.** Ato ou efeito de imitar. **2.** *Mús.* Processo de composição baseado na repetição de um curto motivo musical por uma voz (o conseqüente) diversa daquela que o apresentou pela primeira vez (o antecedente). É a base do cânone e da fuga.

imitador (ô). [Do lat. *imitatore.*] *Adj.* **1.** Que imita; imitante, imitativo. **2.** Que sabe imitar. ● *S. m.* **3.** Aquele que imita.

imitância. *S. f. Eletrôn.* Designação genérica de admitância ou de impedância.

imitante. [Do lat. *imitante.*] *Adj. 2 g.* **1.** V. *imitador* (1). **2.** Parecido, semelhante, análogo: "Grande era ele, ... com seus braços e pernas i m i t a n t e s a troncos" (José Régio, *O Príncipe com Orelhas de Burro*, p. 25); "Um silvo agudo, i m i t a n t e do canto do urutaí, arrancou-a a estas reflexões" (Inglês de Sousa, *Contos Amazônicos*, p. 163).

imitar. [Do lat. *imitare.*] *V. t. d.* **1.** Fazer exatamente (o que faz uma pessoa ou animal); reproduzir à semelhança de: *Os antigos romanos* i m i t a r a m *a arte grega.* **2.** Ter por modelo ou norma: *É próprio da criança* i m i t a r *os adultos.* **3.** Tentar reproduzir o estilo ou a maneira de (um artista): *É dado a* i m i t a r *Camões.* **4.** Arremedar, repetir, reproduzir, copiar: *A arte não* i m i t a *o real: recria-o.* **5.** Falsificar, contrafazer: i m i t a r *uma assinatura.* **6.** Ser semelhante a. **7.** Apresentar falsa aparência com: *O folheado do relógio* i m i t a *prata.*

imitativo. [Do lat. *imitativu.*] *Adj.* V. *imitador* (1). ~ V. *harmonia —a, magia —a* e *verbo —.*

imitável. [Do lat. *imitabile.*] *Adj. 2 g.* Que se pode ou deve imitar.

imitir. [Do lat. *imittere.*] *V. t. d.* **1.** Fazer entrar; pôr para dentro; meter. **2.** Investir em. [Cf. *emitir.*]

imizade. *S. f. Ant.* F. contrata de *inimizade* [q. v.].

imo. [Do lat. *imu.*] *Adj.* **1.** Que está no lugar mais fundo; íntimo: "Mas tu, cruel, que és meu rival, numa hora / Em que ela só julgar-se, hás de escutar-lhe / Um quebrado suspiro do i m o peito" (Gonçalves Dias, *Obras Poéticas*, I, p. 94). ● *S. m.* **2.** O âmago, o íntimo: *o* i m o *da alma, do peito.*

imobiliária. [Fem. substantivado de *imobiliário.*] *S. f. Bras.* Empresa que se dedica à indústria da construção de edifícios e/ou comércio de lotes e casas.

imobiliário. *Adj.* **1.** Pertencente ou relativo a imóvel ou edificações; predial. **2.** Diz-se dos bens que são imóveis por natureza ou por disposição de lei. ~ V. *letra —a.*

imobilidade. [Do lat. *immobilitate.*] *S. f.* **1.** Qualidade ou estado do que é imóvel. **2.** Estabilidade, fixidez. **3.** Impossibilidade, imperturbabilidade.

imobilismo. [Do fr. *immobilisme.*] *S. m.* **1.** Predileção pelas coisas antigas e/ou aversão ao progresso. **2.** Política contemporizadora de certos governos de coalizão.

imobilista. [Do fr. *immobiliste.*] *Adj. 2 g.* **1.** Referente ao, ou que é sectário do imobilismo. ● *S. 2 g.* **2.** Sectário do imobilismo.

imobilização. *S. f.* Ato ou efeito de imobilizar(-se).

imobilizador (ô). *Adj.* Que imobiliza.

imobilizar. *V. t. d.* **1.** Tornar imóvel; tirar os movimentos a: "Nenhum [dos espectadores] ousa desviar a vista de cima da praça. A imensidade da catástrofe i m o b i l i z a todos." (Rebelo da Silva, *Contos e Lendas*, p. 183.) **2.** Privar dos meios para exercer a ação. **3.** Prejudicar o desenvolvimento ou o progresso de: *A guerra civil* i m o b i l i z a *a economia de um país.* **4.** Estancar o curso de; reter: *A falta de transportes* i m o b i l i z a v a *a circulação das mercadorias.* **5.** *Com.* Aplicar (recursos) em bens móveis ou imóveis, tais como terrenos, edifícios, material industrial, meios de transportes, privilégios, etc., para servirem de modo permanente à exploração comercial ou industrial de uma empresa. **6.** Empregar (dinheiro) em operações de mútuo a longo prazo. *P.* **7.** Tornar-se imóvel. **8.** Não progredir; estacionar.

imoderação. [Do lat. *immoderatione.*] *S. f.* Falta de moderação; excesso, descomedimento.

imoderado. [Do lat. *immoderatu.*] *Adj.* Que não é moderado; excessivo, exagerado, descomedido: "O uso i m o d e r a d o do álcool não tardaria a se manifestar de modo desastroso na saúde de Lima Barreto." (Francisco de Assis Barbosa, *Lima Barreto*, p. 215.)

imodéstia. [Do lat. *immodestia.*] *S. f.* **1.** Falta de modéstia. **2.** *P. ext.* Orgulho, arrogância, presunção. **3.** Despudor, impudor.

imodesto. [Do lat. *immodestu.*] *Adj.* **1.** Não modesto. **2.** Desenvolto, presumido, arrogante. **3.** Impudico, indecente.

imodicidade. *S. f.* Qualidade de imódico.

imódico. [Do lat. *immodicu.*] *Adj.* **1.** Exorbitante, excessivo. **2.** Diz-se de preço elevado, alto.

imodificável. [De *i-*[2] + *modificável.*] *Adj. 2 g.* Não modificável.

imolação. [Do lat. *immolatione.*] *S. f.* **1.** Ato ou efeito de imolar. **2.** Sacrifício cruento.

imolado. [Part. de *imolar.*] *Adj.* **1.** Que sofreu imolação. **2.** Sacrificado, prejudicado.

imolador (ô). [Do lat. *immolatore.*] *Adj.* **1.** Que imola; imolante. ● *S. m.* **2.** Aquele que imola.

imolando. [Do lat. *immolandu.*] *Adj.* Que tem de ser imolado; destinado para vítima.

imolante. [Do lat. *immolante.*] *Adj. 2 g.* Imolador (1).

imolar. [Do lat. *immolare.*] *V. t. d.* **1.** Matar em sacrifício; sacrificar. **2.** Matar como vingança ou desforra. **3.** Assassinar, matar. **4.** Causar dano a; prejudicar: *Estava disposto a* i m o l a r *qualquer coisa para atingir seu objeto. T. d. e i.* **5.** Oferecer em sacrifício; sacrificar: I m o l a v a m *animais aos deuses.* **6.** Abrir mão de algo, ou perdê-lo em troca de outra coisa; sacrificar: "à satisfação desse gosto i m o l a m brios e melindres." (José Veríssimo, *História da Literatura Brasileira*, p. 42.) *T. i.* **7.** Realizar sacrifício: *Os antigos gregos* i m o l a v a m *aos deuses do Olimpo. P.* **8.** Sacrificar-se; prejudicar-se.

imoral. [De *i-*[2] + *moral.*] *Adj. 2 g.* **1.** Contrário à moral; desonesto; libertino. [Cf. *antimoral.*] **2.** *Ét.* Do ponto de vista de uma sociedade determinada, diz-se de conduta ou doutrina que contraria regra moral por ela prescrita. **3.** *Ét.* Do ponto de vista do indivíduo, diz-se de conduta ou doutrina que contraria regra moral por ele adotada. **4.** *Filos.* Diz-se de conduta ou doutrina que contraria regra moral prescrita para um dado tempo e lugar. ● *S. 2 g.* **5.** Pessoa sem moral. [Cf. *amoral.*]

imoralidade. *S. f.* **1.** Falta de moralidade; indecência. **2.** Prática de maus costumes; desregramento. [Cf. *amoralidade.*]

imoralismo. [De *imoral* + *-ismo.*] *S. m. Ét.* Doutrina que propõe sistema de regras morais contrário a determinado sistema moral. [Cf. *amoralismo.*]

imorigerado. [De *i-*[2] + *morigerado.*] *Adj.* Que não é bem morigerado; libertino, devasso.

imorredoiro. *Adj.* Var. de *imorredouro* [q. v.].

imorredouro. [Do lat. *immoritoru*, com infl. de *morrer.*] *Adj.* V. *imortal* (1): "sabia que dali a poucas léguas existiam índios selvagens e ferozes; e que evangelizando-os expiaria os seus pecados conquistando fama i m o r r e d o u r a" (Inglês de Sousa, *O Missionário*, p. 179). [Var.: *imorredoiro.*]

imortais. [Pl. de *imortal.*] *S. m. pl.* Os deuses do paganismo. ~ V. *imortal.*

imortal. [Do lat. *immortale.*] *Adj. 2 g.* **1.** Que não morre; eterno, imorredouro. **2.** Que nunca terá fim; infindo. **3.** Que jamais será esquecido; inesquecível. ● *S. m.* **4.** Membro da Academia Francesa ou da Academia Brasileira de Letras. ~ V. *imortais.*

imortalidade. [Do lat. *immortalitate.*] *S. f.* **1.** Qualidade ou condição de imortal. **2.** Duração perpétua; eternidade. ◆ **Imortalidade da alma.** *Filos.* Qualidade atribuída à alma humana, pela qual esta sobrevive indefinidamente à morte, conservando suas características individuais.

imortalismo. [De *imortal* + *-ismo.*] *S. m.* Doutrina filosófica que tem por base a imortalidade da alma individual.

imortalização. *S. f.* Ato ou efeito de imortalizar(-se).

imortalizador (ô). *Adj.* e *s. m.* Que ou aquele que imortaliza.

imortalizar. *V. t. d.* **1.** Tornar imortal; eternizar: *O alquimista procurava descobrir uma substância que o* i m o r t a l i z a s s e. **2.** Eternizar na memória dos homens; celebrizar: *A obra* i m o r t a l i z a *o artista. P.* **3.** **Tornar-se imortal; eternizar-se na memória dos homens: "Mas Shakespeare i m o r t a l i z o u - s e , universalizando-se" (Euclides da Cunha,** *Contrastes e Confrontos*, p. 257); "O aroma dessa flor, que o teu martírio encerra, / Se i m o r t a l i z a r á , pelas almas disperso" (Olavo Bilac, *Poesias*, p. 144).

imotivado. [De *i-*[2] + *motivado.*] *Adj.* Sem motivo ou fundamento; que não tem razão de ser; não motivado: "há um esforço i m o t i v a d o , puramente espontâneo, que existe de si mesmo e por si mesmo?" (Tobias Barreto, *Questões Vigentes*, p. 38). ~ V. *signo —.*

imoto. [Do lat. *immotu.*] *Adj.* V. *imóvel* (1): "Quedava i m o t o o coqueiral tranqüilo..." (Olavo Bilac, *Poesias*, p. 83.)

imóvel. [Do lat. *immobile.*] *Adj. 2 g.* **1.** Sem movimento; parado, imoto. **2.** *Fig.* Não mudado; imutável, não mutável. ~ V. *bens imóveis e festa —.* ● *S. m.* **3.** Bem que não é móvel, como terras, casas, etc. **4.** *P. ext.* Prédio, edifício, casa.

impaciência. [Do lat. *impatientia.*] *S. f.* **1.** Falta de paciência. **2.** Pressa, sofreguidão. **3.** Irritação, agastamento; ira.

impacientar. *V. t. d.* **1.** Tirar a paciência de; tornar impaciente; importunar, irritar, agastar: *A imprecisão* i m p a c i e n t a *-o. P.* **2.** Perder a paciência; não poder conter-se; enfadar-se, aborrecer-se, irritar-se, agastar-se.

impaciente. [Do lat. *impatiente.*] *Adj. 2 g.* **1.** Que não tem paciência: *doente* i m p a c i e n t e. **2.** Desesperado, inconformado: *Assistia* i m p a c i e n t e *à traição do marido.* **3.** Apressado, sôfrego, precipitado. **4.** Inquieto, agitado, nervoso: *Seus filhos são crianças* i m p a c i e n t e s. **5.** Impertinente, rabugento: *É um velho* i m p a c i e n t e *com todos.* **6.** Próprio de quem é impaciente; que revela impaciência: *Permaneceu numa espera* i m p a c i e n t e *e ruidosa.* ● *S. 2 g.* **7.** Pessoa impaciente.

impacto. [Do lat. *impactu.*] *Adj.* **1.** Metido à força; impelido. ● *S. m.* **2.** Encontro de projetil, míssil, bomba ou torpedo, com o alvo; choque, colisão. **3.** Colisão de dois ou vários corpos. **4.** Abalo moral causado nas pessoas por um acontecimento chocante ou impressionante: *O suicídio de Getúlio Vargas produziu forte* i m p a c t o *no País inteiro.* **5.** Impressão muito forte, muito profunda, causada por motivos diversos: *A propaganda do produto causa fortíssimo* i m p a c t o; *Extraordinário foi o* i m p a c t o *resultante da decisão da Suprema Corte norte-americana.*

impagável. [De *im-*[2] + *pagável.*] *Adj. 2 g.* **1.** Que não se pode ou não se deve pagar. **2.** Inestimável; precioso: "São vestuários i m p a g á v e i s , disse consigo o sultão; graças a eles, saberei distinguir os inteligentes dos tolos, e reconhecer a capacidade dos ministros." (Guerra Junqueiro, *Contos para a Infância*, p. 106.) **3.** Muito engraçado; hilariante: *palhaço* i m p a g á v e l; "Às vezes, Botelho levava consigo duas irmãs freiras. Bernarda, uma delas, fazia caretas i m p a g á v e i s" (Vitorino Nemésio, *A Mocidade de Herculano*, I, p. 282). **4.** Cômico, excêntrico, ridículo.

impalpabilidade. *S. f.* Qualidade ou estado de impalpável.

impalpável. [De *im-*[2] + *palpável.*] *Adj. 2 g.* Que não se pode palpar ou apalpar; imaterial: "Tanto simbolistas como decadentistas se deixam submergir neste fundo i m p a l p á v e l e abstrato da música" (João Gaspar Simões, *O Mistério da Poesia*, p. 34).

impaludação. *S. f.* Ação ou efeito de impaludar(-se).

impaludado. [Part. de *impaludar.*] *Adj.* e *s. m.* Diz-se de, ou indivíduo atacado de impaludismo.

impaludar. [De *im-*[1] + lat. *palude*, 'pântano, palude', + *-ar*[2].] *V. t. d.* e *p.* Infeccionar(-se) com germe do impaludismo.

impaludismo. [De *im-*[1] + lat. *palude*, 'pântano, palude', + *-ismo.*] *S. m.* V. *malária.*

impar. [Do esp. *hipar.*] *V. int.* **1.** Respirar a custo; arfar, ofegar; soluçar. **2.** Empanturrar-se com comida e/ou bebida. **3.** Mostrar-se soberbo, desdenhoso: "Eu gozava todo aquele espetáculo, i m p a n d o de orgulho" (Lia Correia Dutra, *Navio sem Porto*, p. 63). *T. d.* **4.** Fazer soluçar. **5.** Abafar, sufocar: "A velha empalideceu de sagrado horror, benzeu-se, e desafogou das ânsias, que a i m p a v a m , em rios de lágrimas." (Camilo Castelo Branco, *Mistérios de Fafe*, p. 31.) [Inf. pess.: *impar, impares*, etc. Cf. *ímpar*, pl. *ímpares*, e *empar.*]

ímpar. [Do lat. *impare.*] *Adj. 2 g.* **1.** Não par: *número* í m p a r. **2.** Que não tem par; sem-par; sem igual; único: *Tem um caráter sem jaça,* í m p a r; *É figura* í m p a r *de nossas letras.* ~V. *função —, número —* e *paridade —.* ● *S. m.* **3.** *Mat.* Número ímpar. [Pl.: *ímpares.* Cf. *impar*, v., e a f. *impares*, deste v.]

imparcial. [De *im-*[2] + *parcial.*] *Adj. 2 g.* **1.** Que julga desapaixonadamente; reto, justo. **2.** Que não sacrifica a sua opinião à própria conveniência, nem às de outrem.

imparcialidade. *S. f.* Qualidade de imparcial.

imparcializar. *V. t. d.* Tornar imparcial.

imparidade. *S. f.* **1.** Qualidade de ímpar. **2.** Desigualdade.

imparinervado. [De *ímpar* + *-i-* + *nervado.*] *Adj. Morfol. Veg.* Que tem número ímpar de nervuras.

imparipenado. *Adj.* ~ V. *folha —a.*

imparissilábico. *Adj. Gram.* Imparissílabo.

imparissílabo. [De *ímpar* + *-i-* + *sílaba.*] *Adj. Gram.* Diz-se de vocábulo que tem número ímpar de sílabas; imparissilábico.

impartilhável. [De *im-*[2] + *partilhável.*] *Adj. 2 g.* Não partilhável.

impartível. [De *im-*[2] + *partível.*] *Adj. 2 g.* Não partível; indivisível.

impasse. [Do fr. *impasse.*] *S. m. Gal.* **1.** Situação difícil de que parece impossível uma saída favorável. **2.**

Embaraço, estorvo, empecinho.
impassibilidade. *S. f.* **1.** Qualidade de impassível. **2.** Indiferença à dor ou aos desgostos.
impassibilizar. *V. t. d.* e *p.* Tornar(-se) impassível.
impassível. [Do lat. *impassibile.*] *Adj. 2 g.* **1.** Não sujeito a padecer. **2.** Indiferente à dor, às alegrias ou aos desgostos; imune às paixões; sereno: "Menino de Asas sofria, comunicava seu desespero e solidão aos céus impassíveis." (Homero Homem, *Menino de Asas*, p. 57.)
impatriótico. [De *im-*[2] + *patriótico.*] *Adj.* **1.** Que não tem patriotismo. **2.** Que revela falta de patriotismo: *procedimento impatriótico.*
impavidez (ê). *S. f.* Qualidade de impávido; intrepidez, denodo.
impávido. [Do lat. *impavidu.*] *Adj.* Que não tem pavor; destemido, afoito, intrépido, denodado: "Gigante pela própria natureza, / És belo, és forte, impávido colosso" (Osório Duque-Estrada, *Hino Nacional Brasileiro).*
➧**impeachment** (impítchment). [Ingl.] *S. m.* No regime presidencialista, ato pelo qual se destitui, mediante deliberação do legislativo, o ocupante de cargo governamental que pratica crime de responsabilidade; impedimento.
impecabilidade. *S. f.* Qualidade de impecável.
impecável. [Do lat. *impeccabile.*] *Adj. 2 g.* **1.** Não sujeito a pecar; imaculável. **2.** Feito com toda a segurança e/ou correção: *trabalho impecável.* **3.** Sem falha ou defeito; perfeito, correto, irreprochável: *um cavalheiro impecável; elegância impecável;* "os sobretudos de impecável corte inglês" (José Rodrigues Miguéis, *Gente da Terceira Classe*, p. 155).
impedância. [Do lat. *impedire*, 'impedir', 'embaraçar', + *-ância.*] *S. f. Eletr.* Quociente entre a amplitude de uma tensão alternada e a amplitude da corrente que ela provoca em um circuito.
impedição. [Do lat. *impeditione.*] *S. f.* V. *impedimento* (1 e 2).
impedido. [Part. de *impedir.*] *Adj.* **1.** Que sofreu impedimento. **2.** *Bras. Fut.* Diz-se do jogador que se encontra em situação de impedimento (4). [Corresponde ao ingl. *off-side.*] ● *S. m.* **3.** Soldado que está ao serviço particular de um oficial. **4.** *Bras.* Soldado que não se pode ausentar do quartel.
impedidor (ô). [Do lat. *impeditore.*] *Adj.* **1.** V. *impediente* (1). ● *S. m.* **2.** Aquele que impede.
impediência. [Do lat. *impedientia* *impedire*, 'impedir'.] *S. f.* Qualidade de impediente.
impediente. [Do lat. *impediente.*] *Adj. 2 g.* **1.** Que impede; impedidor, impeditivo. **2.** *Jur.* Diz-se das razões ou circunstâncias proibitivas do matrimônio que, infringidas, não acarretam a nulidade do ato, porém, só a imposição de uma pena civil. [Cf. *dirimente* (2).]
impedimento. [Do lat. *impedimentu.*] *S. m.* **1.** Ato ou efeito de impedir; impedição. **2.** Obstáculo, embaraço, estorvo, impedição: "Não havia impedimentos à expansão do indivíduo" (Barreto Filho, *Introdução a Machado de Assis*, p. 27). **3.** Estado de quem, por doença, licença ou por outra causa, se acha impedido de exercer as suas funções: "Macário tomara a si substituir a S. Revd[ma]. nos seus impedimentos" (Inglês de Sousa, *O Missionário*, p. 104). **4.** *Fut.* Situação em que o jogador se encontra sem nenhum adversário pela frente antes de a bola lhe ser lançada de trás, e que constitui infração. [Sin.: *banheira* e (ingl.) *off-side.*] **5.** *Bras. Impeachment.*
impedir. [Do lat. *impedire.*] *V. t. d.* **1.** Impossibilitar a execução ou o prosseguimento de; servir de obstáculo a; embaraçar, estorvar: *A tempestade impediu o avanço das tropas.* **2.** Interromper, obstruir: *O desabamento impediu a estrada.* **3.** Opor-se a; não consentir: *O pai impediu que saísse.* **4.** Tornar impraticável: *A ausência de liberdade impede a paz.* **5.** Prender pelos pés; pear. *T. d. e i.* **6.** Estorvar, tolher, embaraçar: *A pobreza impede-lhe a realizações de viagens;* "O peso da comprida sobrecasaca da lustrina .... impedia-lhe a liberdade dos movimentos" (Inglês de Sousa, *O Missionário*, p. 100). **7.** Não permitir; proibir, coibir: *O avô impediu-a de sair;* "uma extrema fraqueza a impedia de levantar-se sozinha" (José do Patrocínio, *Mota Coqueiro*, p. 99); "O fato de ter chegado a uma fase de cristalização completa, com o vocabulário fixo e inteiramente definido, impede-o [ao francês] de se adaptar às sinuosidades do pensamento concebido em qualquer outra língua." (Paulo Rónai, *Escola de Tradutores*, p. 35). [Irreg. Conjug.: v. *pedir.* Pres. ind.: *impeço, impedes,* etc.; pres. subj.: *impeça, impeças, impeça, impeçamos, impeçais, impeçam.* Cf. empeço (ê), do v. *empecer* e s. m.; *empeça* (ê), *empeças* (ê), *empeça* (ê), *empeçamos, empeçais, empeçam* (ê), do v. *empecer;* e *empeço, empeças, empeça, empeçamos, empeçais, empeçam,* do v. *empeçar.*]
impeditivo. *Adj.* V. *impediente* (1).
impedor (ô). [Do ingl. *impedor.*] *S. m.* **1.** *Eletrôn.* Componente que tem a função principal de introduzir num circuito uma impedância desejada. **2.** Qualquer componente elétrico ou eletrônico que tem impedância.
impelente. [Do lat. *impellente.*] *Adj. 2 g.* Que impele.
impelir. [Do lat. *impellere.*] *V. t. d.* **1.** Impulsionar para algum lugar; empurrar, arremessar: *Uma pequena locomotiva impelia o trenzinho;* "Que somos nós? Formas sem força que uma Força impele." (Eça de Queirós, *Contos*, p. 115). **2.** Incitar, estimular, açular, instigar: *O ódio impelia- o. T. d. e i.* **3.** Obrigar, constranger, coagir: *As circunstâncias impeliram-no a ceder.* **4.** Incitar, instigar: *A ânsia de conhecimentos o impele ao estudo;* "O grande amor nos impele, quando o perdemos, para o grande ódio, ou ressentimento amargo, sombrio." (Antônio Carlos Vilaça, *O Nariz do Morto*, p. 76). [Irreg. Conjug.: v. *aderir.*]
impendente. [Do lat. *impendente.*] *Adj. 2 g.* Que está a ponto de cair, de sobrevir; iminente.
impender. [Do lat. *impendere.*] *V. t. i.* **1.** Estar impendente ou iminente, prestes a cair ou a acontecer. **2.** Caber, competir, tocar: "Aos nossos estrategistas não impenderá a tarefa relativamente fácil de bater o inimigo — mas a empresa, talvez insuperável, de lobrigar o inimigo." (Euclides da Cunha, *Contrastes e Confrontos*, p. 151.) *Int.* **3.** Ser preciso; cumprir: *impende resolver o caso sem demora.*
impene. [De *im-*[2] + *-pene.*] *Adj. 2 g.* **1.** Sem penas ou plumas. **2.** Esfenisciforme (2). ● *S. m.* **3.** Esfenisciforme (1).
impenes. [Pl. de *impene.*] *S. m. pl. Zool.* Esfenisciformes.
impenetrabilidade. *S. f.* Qualidade de impenetrável.
impenetrado. [De *im-*[2] + *penetrar* + *-ado*[1].] *Adj.* **1.** Que não foi penetrado; em que não se entrou. **2.** Diz-se de mar nunca navegado.
impenetrável. [Do lat. *impenetrabile.*] *Adj. 2 g.* **1.** Que não se pode penetrar; que não dá acesso; inacessível: *floresta impenetrável.* **2.** Que não se pode explicar, adivinhar, compreender; incompreensível, indecifrável: *mistério impenetrável.* **3.** Que não mostra o que sente ou pensa; fechado: *É homem calado, misterioso, impenetrável.* **4.** Incapaz de sentir, de aceitar, de compreender, de deixar penetrar-se ou compenetrar-se; impermeável, insensível: "Imaginar uma sociedade impenetrável às transformações das épocas é imaginar um corpo sem porosidade..." (Joaquim Nabuco, *Escritos e Discursos Literários*, p. 138.).
impenhorável. [De *im-*[2] + *penhorável.*] *Adj. 2 g.* Não penhorável.
impenitência. [Do lat. *impoenitentia.*] *S. f.* **1.** Qualidade ou estado de impenitente. **2.** Falta de penitência ou de arrependimento; obstinação no erro.
impenitente. [Do lat. *impoenitente.*] *Adj. 2 g.* Que persiste no erro ou no crime; relapso, contumaz: "Idealistas impenitentes, perdida a fé no seu velho ideal, não souberam voltar-se para a realidade" (Oliveira Viana, *O Ocaso do Império*, p. 97).
impensado. [De *im-*[2] + *pensado.*] *Adj.* **1.** Não pensado; em que não houve cálculo. **2.** Em que não se pensava; com que não se contava; imprevisto, inopinado: *um acontecimento impensado.*
impensável. [De *im-*[2] + *pensável.*] *Adj. 2 g.* Não pensável.
imperador (ô). [Do lat. *imperatore.*] *S. m.* **1.** Aquele que impera, que rege um império (3). **2.** Designação dada aos soberanos de algumas nações. Fem., nessas acepç.: *imperatriz.* **3.** *Bras.* V. *agripina.*
imperante. [Do lat. *imperante.*] *Adj. 2 g.* e *s. 2 g.* Que ou pessoa que impera.
imperar. [Do lat. *imperare.*] *V. int.* **1.** Exercer o mando supremo; reinar: *Na época da Abolição imperava D. Pedro II.* **2.** Dominar, prevalecer: *Em nossa legislação ainda imperam certasnormasantiquadas.* **3.** Exercer grande influência ou domínio; dominar. *T. d.* **4.** *P. us.* Governar como soberano; reger ou dirigir com autoridade de suprema: *imperar uma região.* **5.** *P. us.* Ordenar com supremacia; mandar de modo absoluto; predominar. *T. c.* **6.** Exercer grande influência ou domínio: *Antônio Conselheiro imperou sobre extensa região.*
imperativo. [Do lat. *imperativu.*] *Adj.* **1.** Que ordena, ou exprime uma ordem;autoritário;*tom imperativo;* "Uma voz de ilhéu — voz forte, carregada, imperativa — maltrata uma mulher" (Ribeiro Couto, *A Cidade do Vício e da Graça*, p. 162). **2.** Que governa. ~ V. *mandato — e modo —.* ● *S. m.* **3.** Imposição, ditame; dever: "Atendia, embora contrariado — porque considerava um imperativo de honra —, os casos de partos, naturais, simples" (Nélson de Faria, *Cabeça-Torta*, p. 98). **4.** Necessidade imperiosa; imposição das circunstâncias; injunção: "O imperativo de reforçar a noção de poder absoluto e apoiar em bases sólidas uma política centralizadora e coercitiva .... levou-o [a Cunha Meneses] a organizar um amplo esquema militar" (Afonso Ávila, *Resíduos Seiscentistas em Minas*, I, p. 68). **5.** *Filos.* Proposição que tem a forma de uma ordem. **6.** *Gram.* O modo imperativo. ◆ **Imperativo categórico.** *Filos.* Proposição que expressa uma ordem absoluta, i. e., uma ordem que deve ser cumprida sem condição. Ex.: "Não matarás". **Imperativo hipotético.** *Filos.* Imperativo que expressa uma ordem que está subordinada à consecução de um fim determinado. Ex.: *Se quiseres ser aprovado, estuda.*
imperatório. [Do lat. *imperatoriu.*] *Adj.* **1.** Relativo ou pertencente ao imperador (1 e 2). **2.** Terminante, imperativo.
imperatriz. [Do lat. *imperatrice.*] *S. f.* **1.** Esposa do imperador. **2.** Soberana de um império (3).
imperatriz-do-brasil. *S. f. Bras.* V. *flor-da-imperatriz.* [Pl.: *imperatrizes-do-brasil.*]
imperatrizense. *Adj. 2 g.* **1.** De, ou pertencente ou relativo a Imperatriz (MA). ● *S. 2 g.* **2.** Natural ou habitante de Imperatriz.
impercebido. [De *im-*[2] + o part. de *perceber.*] *Adj.* V. *despercebido* (1): "O passo lerdo, a graça consumida, / são imagens de mágoas e de penas / em seu cansado luto; e, neste, apenas / o olhar é vaga chama, impercebida ." (Valdemar Lopes, *Sonetos de Portugal*, p. 29.)
impercebível. [De *im-*[2] + *percebível.*] *Adj. 2 g. P. us.* V. *imperceptível.*
imperceptibilidade. *S. f.* Qualidade de imperceptível.
imperceptível. [De *im-*[2] + *perceptível.*] *Adj. 2 g.* **1.** Que não se percebe, que não se pode distinguir; não perceptível. **2.** Insignificante, pequenino, diminuto. [Sin. ger. (p. us.): *impercebível.*]
imperdível. [De *im-*[2] + *perdível.*] *Adj. 2 g.* Que não se pode perder; em que se tem a vitória como infalível: *questão imperdível; eleição imperdível.*
imperdoável. [De *im-*[2] + *perdoável.*] *Adj. 2 g.* Que não tem perdão; não perdoável.
imperecedoiro. *Adj.* Var. de *imperecedouro* [q. v.].
imperecedouro. [De *im-*[2] + *perecedouro.*] *Adj.* V. *imperecível.* [Var.: *imperecedoiro.*]
imperecível. [De *im-*[2] + *perecível.*] *Adj. 2 g.* Que não há de perecer; que não pode perecer; perdurável, imorredouro, imperecedouro, eterno: "O *Novum Organum* [de Francis Bacon] é um dos monumentos imperecíveis da cultura e do progresso da ciência." (Austregésilo de Ataíde, *Conversas na Barbearia Sol*, p. 27.)
imperfectibilidade. *S. f.* Qualidade de imperfectível.
imperfectível. [De *im-*[2] + *perfectível.*] *Adj. 2 g.* Que não se pode aperfeiçoar; não perfectível.
imperfeição. [Do lat. *imperfectione.*] *S. f.* **1.** Qualidade de imperfeito; defeito, incorreção. **2.** Falta de primor, de perfeição.
imperfeiçoar. [De *im-*[2] + *perfeiçoar.*] *V. t. d.* Tirar a perfeição a; tornar imperfeito. [Conjug.: v. *coroar.*]
imperfeito. [Do lat. *imperfectu.*] *Adj.* **1.** Não perfeito; não completo; inacabado, incompleto: *São famosas as capelas imperfeitas do mosteiro da Batalha, em Portugal.* **2.** Sem primor; incorreto, defeituoso. ~ V. *homógrafo —.* ● *S. m.* **3.** *Gram.* Tempo verbal que exprime ação incompleta ou não realizada.
imperfuração. [De *im-*[2] + *perfuração.*] *S. f. Med.* Oclusão inata e anormal de um conduto.
imperfurado. [De *im-*[2] + *perfurado.*] *Adj. Med.* Não aberto quando o deveria ser.
imperfurável. [De *im-*[2] + *perfurar* + *-ável.*] *Adj. 2 g.* Que não se pode perfurar.
imperial. [Do lat. *imperiale.*] *Adj. 2 g.* **1.** Referente ao império ou ao imperador. **2.** Imperioso, arrogante, autoritário. ~ V. *galão —.*
imperialismo. [Do ingl. *imperialism.*] *S. m.* **1.** Forma de governo em que a nação é um império (3). **2.** Política de expansão e domínio territorial e/ou econômico de uma nação sobre outras. **3.** *Bras.* Designação que davam os liberais, no Segundo Reinado, à ação pessoal de D. Pedro II no exercício do poder moderador.
imperialista. [Do ingl. *imperialist.*] *Adj. 2 g.* **1.** Referente ao, ou que é partidário do imperialismo (1 e 2). ● *S. 2 g.* **2.** Partidário do imperialismo (1 e 2).

imperícia. [Do lat. *imperitia.*] *S. f.* Qualidade ou ato de imperito; incompetência, inexperiência, inabilidade.

império. [Do lat. *imperiu.*] *S. m.* **1.** Autoridade, comando, domínio. **2.** Influência dominadora; predomínio, preponderância: *Portugal, na época das descobertas, tinha império sobre os mares;* "Nem o frio Demóstenes altivo / Lhe foge o império: dos encantos dela [Laís] / Curva-se o próprio Diógenes cativo." (Olavo Bilac, *Poesias*, p. 133);"A subordinação da nossa inteligência à pressão das forças elementares será um fenômeno .... explicável e talvez obedeça ao império de fatores legítimos." (Moisés Velinho, *Machado de Assis*, p. 17). **3.** Monarquia cujo soberano tem o título de imperador ou imperatriz. **4.** *P. ext.* O território desse Estado. **5.** Estado muito importante ou muito vasto, em geral de caráter compósito: *o império romano.* **6.** Empresa econômica de grandes proporções e um único proprietário: *Seu império editorial crescia sempre.* **7.** *Bras. Pop.* Coreto armado ao lado das igrejas por ocasião das festas do Espírito Santo. ● *Adj. 2 g.* e *2 n.* **8.** Próprio ou característico do Primeiro Império Francês, de Napoleão Bonaparte: *estilo império.* ♦ **O celeste império.** O antigo império chinês. **O império do Sol Nascente.** O Japão.

imperiosidade. *S. f.* **1.** Qualidade de imperioso. **2.** Tom imperioso.

imperioso (ô) [Do lat. *imperiosu.*] *Adj.* **1.** Que manda com império; dominador: "Prazeres era .... uma mulher caprichosa e imperiosa, e sabia prender um homem por laços de ferro." (Machado de Assis, *Relíquias de Casa Velha*, p. 30.) **2.** Soberbo, altivo, arrogante: "o nosso subjetivismo, tão imperioso por vezes que faz o escritor um minúsculo epítome do universo, capaz de o interpretar *a priori*" (Euclides da Cunha, *Contrastes e Confrontos*, p. 268). **3.** Impreterível, inevitável, irresistível, instante: *necessidade imperiosa.*

imperito. [Do lat. *imperitu.*] *Adj.* **1.** Não perito; inábil. **2.** Que não tem experiência; inexperiente. **3.** Que não sabe; ignorante: *imperito em coisas de letras.* **4.** Que é imperfeito no que faz.

impermanência. *S. f.* Qualidade de impermanente.

impermanente. [De *im-*[2] + *permanente.*] *Adj. 2 g.* Não permanente; instável, mutável, inconstante.

impermeabilidade. *S. f.* Qualidade ou estado de impermeável.

impermeabilização. *S. f.* **1.** Ato ou efeito de impermeabilizar. **2.** Processo pelo qual se torna impermeável um tecido, um papel, um revestimento, etc.

impermeabilizado. [Part. de *impermeabilizar.*] *Adj.* Que sofreu impermeabilização; tornado impermeável; impermeável.

impermeabilizar. *V. t. d.* Tornar impermeável; submeter à impermeabilização; impermear.

impermear. *V. t. d.* Impermeabilizar. [Conjug.: v. *frear.*]

impermeável. [De *im-*[2] + *permeável.*] *Adj. 2 g.* **1.** Que não se deixa atravessar por fluidos, especialmente pela água: *O vidro é impermeável; Aquele terreno é impermeável.* **2.** Impermeabilizado: *tecido impermeável.* **3.** Que não se deixa penetrar, atravessar, atingir: *É de uma burrice impermeável; Tem o coração impermeável ao amor.* **4.** Que não se deixa submeter; refratário: "Se a orla marítima estava pacificada, o interior era tido como impermeável a qualquer tutela." (Aquilino Ribeiro, *Os Avós dos Nossos Avós*, p. 109.) ● *S. m.* **5.** Capa de chuva, feita de tecido ou qualquer outro material impermeável. V. *gabardina* (2).

impermisto. [Do lat. *impermixtu.*] *Adj.* Não misturado com outra coisa.

impermutabilidade. *S. f.* Qualidade de impermutável.

impermutável. [Do lat. *impermutabile.*] *Adj. 2 g.* Não permutável.

imperscrutável. [Do lat. *imperscrutabile.*] *Adj. 2 g.* Não perscrutável.

impersistente. [De *im-*[2] + *persistente.*] *Adj. 2 g.* Não persistente; inconstante.

impersonalidade. [De *im-*[2] + *personalidade* (1).] *S. f.* Impessoalidade.

impersonalizar. [De *im-*[2] + *personalizar.*] *V. t. d.* Impessoalizar.

imperterrito. [Do lat. *imperterritu.*] *Adj.* Que não se aterra; destemido, impávido.

impertinência. [Do lat. *impertinentia.*] *S. f.* **1.** Qualidade de impertinente: *a impertinência do seu procedimento, das suas perguntas, das suas visitas.* **2.** Ato, modos ou dito de pessoa impertinente.

impertinente. [Do lat. *impertinente.*] *Adj. 2 g.* **1.** Não pertinente; que não vem a propósito; estranho ao assunto de que se trata; descabido; inoportuno: *pergunta impertinente; palavras impertinentes.* **2.** Que fala ou age de maneira ofensiva, inconveniente; importuno. **3.** Insolente, irreverente. **4.** V. *rabugento* (2).

imperturbabilidade. *S. f.* **1.** Qualidade ou estado de imperturbável: "Teófilo Braga conserva sempre a frieza didática, de uma imperturbabilidade trágica." (Ramalho Ortigão, *Figuras e Questões Literárias*, II, p. 1951.) **2.** Tranqüilidade, serenidade.

imperturbado. [Do lat. *imperturbatu.*] *Adj.* Que não se perturba.

imperturbável. [Do lat. *imperturbabile.*] *Adj. 2 g.* Que não se pode perturbar ou não se perturba; inalterável, impassível, inabalável.

impérvio. [Do lat. *imperviu.*] *Adj.* **1.** Intransitável, impenetrável, ínvio: *caminhos impérvios.* **2.** Que não se deixa penetrar, atingir, influenciar; impenetrável; refratário: "Que as esperanças sejam como os ninhos / Neste atro coração impérvio à calma" (Luís Murat, *Ondas*, II, p. 176). ● *S. m.* **3.** Lugar onde não há caminhos.

impessoal. [Do lat. *impersonale.*] *Adj. 2 g.* **1.** Que não se refere ou não se dirige a uma pessoa em particular, mas às pessoas em geral: *A lei é impessoal.* **2.** Independente de, ou sobranceiro a qualquer circunstância ou particularidade: *julgamento impessoal.* **3.** Pouco original; incaracterístico: *estilo impessoal.* ~V. *astrolábio —, infinitivo —, micrômetro — e verbo —.*

impessoalidade. *S. f.* Qualidade de impessoal; impersonalidade.

impessoalizar. *V. t. d.* Dar feição impessoal a; tornar impessoal; impersonalizar.

impetar. *V. t. d. P. us.* **1.** Dar impetuosamente em; atirar com ímpeto; arremessar. **2.** Fazer impetuosamente. [Pres. ind.: *impeto.* etc. Cf. *ímpeto.*]

impeticar. *V. i.* Contender, implicar. [Conjug.: v. *trancar.* Cf. *empeiticar.*]

impetigem. [Do lat. *impetigine.*] *S. f. Patol.* V. *impetigo.*

impetiginoso (ô). [Do lat. *impetiginosu.*] *Adj.* **1.** Relativo a impetigem ou impetigo. **2.** Que tem a natureza da impetigem ou impetigo.

impetigo. [Do lat. *impetigo.*] *S. m. Patol.* Afecção cutânea inflamatória bacteriana, caracterizada pelo aparecimento de pústulas insuladas. [Sin.: *impetigem* e (pop.) *salsugem.*]

ímpeto. [Do lat. *impetu.*] *S. m.* **1.** Movimento arrebatado; arrebatamento: *Levantou-se num ímpeto.* **2.** Manifestação súbita e violenta; impulso, ataque: *um ímpeto de cólera; o ímpeto das paixões.* **3.** Pressa irrefletida; precipitação: *Não pondera bem os fatos, age com ímpeto.* **4.** Fúria, furor: *Difícil foi aos bombeiros conterem o ímpeto das chamas* [Cf. *impeto*, do v. *impetar.*]

impetra. [Dev. de *impetrar.*] *S. f.* **1.** Súplica feita a superior; rogo. **2.** Consecução de um benefício eclesiástico concedido pelo Papa.

impetrabilidade. *S. f.* Qualidade de impetrável.

impetração. [Do lat. *impetratione.*] *S. f.* Ato ou efeito de impetrar.

impetrante. [Do lat. *impetrante.*] *Adj. 2 g.* e *s. 2 g.* Que ou quem impetra.

impetrar. [Do lat. *impetrare.*] *V. t. d.* **1.** Interpor (um recurso). **2.** Rogar, suplicar, pedir, requerer. **3.** Obter mediante súplicas. *T. d.* e *i.* **4.** Procurar obter mediante súplicas; rogar, suplicar, pedir, requerer: "enquanto impetrava do Pontífice autorização para submeter ao juízo secular os jesuítas que complicara no atentado de setembro, Carvalho [Sebastião José de Carvalho, Marquês de Pombal] ia pondo em ação a máquina terrível do Santo Ofício." (J. Lúcio d'Azevedo, *O Marquês de Pombal e Sua Época*, p. 199). **5.** Obter mediante súplicas.

impetrativo. [Do lat. *impetrativu.*] *Adj.* Próprio para impetrar; impetratório.

impetratório. *Adj.* Impetrativo.

impetrável. [Do lat. *impetrabile.*] *Adj. 2 g.* Que se pode ou deve impetrar.

impetuosidade. *S. f.* Qualidade de impetuoso.

impetuoso (ô). *Adj.* **1.** Que se move com ímpeto: *rio impetuoso.* **2.** Arrebatado, veemente, fogoso: *homem impetuoso.*

impiedade. [Do lat. *impietate.*] *S. f.* **1.** Falta de piedade; desumanidade, crueldade. **2.** Ação ímpia. **3.** Qualidade ou caráter de ímpio. **4.** Ação, dito, procedimento ou modo de vida de ímpio.

impiedoso (ô). [De *im-*[2] + *piedoso.*] *Adj.* **1.** Que não tem piedade: *homem impiedoso* **2.** Que revela impiedade: *ações impiedosas.*

impigem. [Do lat. *impetigine.*] *S. f.* **1.** *Patol.* Designação imprecisa comum a várias dermatoses. **2.** *Fig. Fam.* Grande comilão. [Var.: *impingem.*]

impingem. *S. f.* Var. de *impigem.*

impingidela. *S. f.* Ato ou efeito de impingir.

impingir. [Do lat. *impingere.*] *V. t. d.* e *i.* **1.** Dar violentamente; pespegar, vibrar, aplicar: *impingiu-lhe um cachação.* **2.** Levar (ou tentar levar) a acreditar, iludindo; pregar: *O conferencista impingiu lorotas aos ouvintes.* **3.** Obrigar a aceitar: *Impingiram-lhe o cargo.* **4.** Fazer passar uma coisa por outra. **5.** Vender por mais do que o justo valor: *Impinge aos clientes artigos fora da moda.* **6.** Obrigar a ouvir; submeter a: *Impingiu-lhe duas horas de falação. T. d.* **7.** Levar (ou tentar levar) a acreditar, iludindo: *Impinge mentiras a torto e a direito.* **8.** Vender por mais do que o justo valor: *Desonesto, o comerciante impinge os seus produtos.* [Conjug.: v. *dirigir.*]

impio. [De *im-*[2] + *pio*[3].] *Adj.* e *s. m.* Que ou aquele que não tem piedade, que é desumano, cruel. [Cf. *ímpio.*]

ímpio. [Do lat. *impiu.*] *Adj.* **1.** Que não tem fé; incrédulo, herege. **2.** Que denota ou envolve impiedade: *guerra ímpia; procedimento ímpio.* ● *S. m.* **3.** Indivíduo ímpio; incrédulo, herege, herético: " — Herética! Ímpia! Vá à igreja benzer-se. O diabo vive no seu corpo." (Geraldo França de Lima, *Branca Bela*, p. 53.) [Cf. *impio.*]

implacabilidade. [Do lat. *implacabilitate.*] *S. f.* Qualidade de implacável.

implacável. [Do lat. *implacabile.*] *Adj. 2 g.* **1.** Que não se pode aplacar ou abrandar: *A implacável doença acabou matando-o.* **2.** Que não perdoa; inexorável, insensível: "Os filhos são os mais implacáveis e incorruptíveis juízes do procedimento dos pais." (Ramalho Ortigão, *Em Paris*, p. 184); "o romano do período áureo, ... frio e duro, implacável com o inimigo e cruel com os fracos" (Aquilino Ribeiro, *Os Avós dos Nossos Avós*, p. 84).

implacidez (ê). [De *im-*[2] + *placidez.*] *S. f.* Falta de placidez.

implantação. *S. f.* **1.** Ato de implantar(-se); implante. **2.** Inserção de medicamento sólido sob a pele; implante. **3.** *Arquit.* e *Urb.* A distribuição dos vários edifícios em área a ser urbanizada. **4.** Locação (5).

implantar. [De *im-*[1] + *plantar*[2].] *V. t. d.* e *c.* **1.** Introduzir; inaugurar; estabelecer: *Os colonizadores sempre tentaram implantar seus costumes nas terras conquistadas.* **2.** Inserir (uma coisa) em outra; plantar, arraigar, fixar: *A árvore implanta suas raízes na terra. T. d.* **3.** Hastear, desfraldar, içar: *implantar uma bandeira.* **4.** Implantar (1). **5.** *Cir.* Fazer implante (2) de. *P.* **6.** Plantar-se, arraigar-se. **7.** Fixar-se, estabelecer-se.

implante. [Dev. de *implantar.*] *S. m.* **1.** Implantação (1 e 2). **2.** *Cir.* Matéria que é, de propósito, inserida ou implantada no hospedeiro (7), e que pode ser orgânica (p. ex., rim, dente, etc.), ou inorgânica (p. ex., válvula cardíaca, pequeno recipiente que contém rádio[2], etc.). **3.** *Patol.* Fragmento tecidual que, patologicamente, migra de sua sede de origem para outro órgão ou estrutura, dentro do próprio organismo do hospedeiro (7).

implantodontia. [De *implante* + *-odont(o)-* + *-ia.*] *S. f. Odont.* Conjunto de técnicas empregadas para implantar ou reimplantar dentes.

implantodontista. *S. 2 g.* Especialista em implantodontia.

implantologia. [De *implante* + *-o-* + *-log(o)-* + *-ia.*] *S. f.* Ramo da medicina que estuda os fenômenos referentes a implantes [V. *implante* (2)].

implantológico. *Adj.* Referente à implantologia.

implausível. [De *im-*[2] + *plausível.*] *Adj. 2 g.* Não plausível.

implementação. *S. f.* Ato ou efeito de implementar.

implementar. [De *implemento* + *-ar*[2].] *V. t. d.* **1.** Dar execução a (um plano, programa ou projeto). **2.** Levar à prática por meio de providências concretas. **3.** Prover de implemento(s).

implemento. [Do ingl. *implement.*] *S. m.* **1.** Aquilo que é indispensável para executar alguma coisa; apresto, petrecho: *implementos agrícolas.* **2.** Cumprimento, execução.

implexo (cs). [Do lat. *implexu.*] *Adj.* **1.** Emaranhado, entrelaçado; enredado: "Dessas pedras verás algumas sob implexas / Ramas de bosque" (Alberto de Oliveira, *Poesias*, 3ª série, p. 99). **2.** Envolvido, enredado. **3.** Complexo, complicado.

implicação. [Do lat. *implicatione.*] *S. f.* **1.** Ato ou efeito de implicar(-se); implicância. **2.** Aquilo que fica implicado ou subentendido; subentendido: *Além do que significa ao primeiro exame, sua declaração envolve* certas *implicações*. **3.** *Lóg.* Relação entre duas ou mais coisas ou idéias, pela qual uma delas não poderá estar dada ou afirmada sem que estejam dadas ou afirmadas as outras. **4.** *Fam.* V. *implicância* (2).

implicado. [Part. de *implicar.*] *Adj.* **1.** Enredado, embaraçado, enleado. **2.** Entrelaçado, implexo. **3.** Envolvido, comprometido. ● *S. m.* **4.** Indivíduo implicado (em processo): *Foi lida a relação dos implicados.*

implicância. [Do lat. *implicantia* < *implicare*, 'implicar, enredar'.] *S. f.* **1.** Implicação (1) **2.** *Fam.* Má vontade; quizila, embirração, birra, implicação: "aquele ciúme, *implicância* desnecessária; qualquer coisinha, ele emburra feito menino dengoso." (Manuel Lobato, *Os Outros São Diferentes*, p. 57). **3.** V. *amolação* (3).

implicante. [Do lat. *implicante.*] *Adj. 2 g.* e *s. 2 g.* Que ou quem implica.

implicar. [Do lat. *implicare.*] *V. t. d.* **1.** Tornar confuso; enredar, embaraçar, enlear: *As nuanças implicam a mente.* **2.** Dar a entender; fazer supor; pressupor: "O diálogo com o mundo, que iniciamos naquelas horas felizes, *implicava* simultaneamente uma obstinação impulsora e um frêmito afetivo." (Miguel Torga, *Diário*, IX, p. 38); "Monopólio, por si só, *implica* limitação, é medida coercitiva." (Cosme Ferreira Filho, *Amazônia em Novas Dimensões*, p. 152). **3.** Trazer como conseqüência; envolver, importar: *A supressão da liberdade implica, não raro, a violência.* **4.** Tornar indispensável; demandar, requerer: *A criação artística implica muita dedicação. T. d. e i.* **5.** Comprometer, envolver: *Implicaram-no em crime de furto.* **6.** Ser a causa de; originar: *O desenvolvimento da ciência implica muitos benefícios para a humanidade. T. i.* **7.** Ser incompatível, inconciliável; não se harmonizar: *Uma opinião não implicava com a outra.* **8.** Demonstrar antipatia; mostrar-se impaciente; antipatizar: *Implicava com os colegas;* "Quando ele ficou meninote vivia *implicando* comigo por causa daqueles cabelos que eu devia ter cortado." (Laura Oliveira Rodrigo Otávio, *Elos de uma Corrente*, p. 165). **9.** Causar pequeno aborrecimento ou zanga a; chatear. **10.** Provocar, amolar, enticar. **11.** Fazer supor; importar: "O fato de ser revolucionária não *implica* em que a organização político-jurídica da sociedade e do Estado não seja preliminar à reforma econômico-social." (Afonso Arinos de Melo Franco, *A Alma do Tempo*, p. 400.) *Int.* **12.** Ser inconciliável, incompatível; não se harmonizar. *P.* **13.** Enredar-se, meter-se, comprometer-se. **14.** Intrometer-se, contender. [Conjug.: v. *trancar.*]

implicativo. *Adj.* **1.** Que implica. **2.** Que produz implicação. [Sin. ger.: *implicatório.*]

implicatório. *Adj.* Implicativo.

implícito. [Do lat. *implicitu.*] *Adj.* Que está envolvido, mas não de modo claro; tácito, subentendido. [Antôn.: *explícito.*] ~ V. *função* —a.

implodir. *V. t. d.* **1.** Provocar a implosão (1) de. *Int.* **2.** Sofrer o efeito da implosão. [Defect., não conjugável na 1ª. pess. sing. do pres. ind. nem, portanto, no pres. subj.]

imploração. [Do lat. *imploratione.*] *S. f.* Ato de implorar; súplica.

implorador (ô). *Adj.* e *s. m.* Implorante.

implorante. [Do lat. *implorante.*] *Adj. 2 g.* e *s. 2 g.* Que, ou pessoa que implora; implorador: "E suas mãos *implorantes* [da aleijadinha], cor de barro cozido, / Parecem flores pisadas..." (Eugênio de Castro, *Obras Poéticas*, I, p. 188-189.)

implorar. [Do lat. *implorare.*] *V. t. d.* **1.** Pedir com lágrimas, ou em tom de súplica chorosa: *implorar perdão.* **2.** Solicitar com insistência; pedir encarecidamente; suplicar, rogar: *implorar esmola;* "Cuido dizer-lhe o amor que me tortura. / O amor que a exalta e a pede e a chama e a *implora* ..." (Manuel Bandeira, *Estrela da Vida Inteira*, p. 13). **3.** Dizer em tom implorativo: "um pequeno maltrapilho se aproximava de alguém mais bem trajado, e .... *implorava*: — Moço, me dá dois tostões pra uma corrida..." (Amando Fontes, *Os Corumbas*, p. 48.) **4.** Pedir humildemente a ajuda de; chamar em auxílio chorando; suplicar: *implorar a Providência. T. d. e i.* **5.** Pedir humildemente; suplicar, rogar: "vergando os joelhos, ansiadas, *imploravam* socorro ao céu." (Gustavo Barroso, *Terra de Sol*, p. 133); "rogou à alma da bem-aventurada Fastrada que .... por eles *implorasse* de Deus um milagre que os tirasse daquela incômoda situação." (Id., *Livro dos Milagres*, p. 96). **6.** *Int.* Fazer pedidos com ansiedade e insistência: "*Imploram*, gemem, fingem-se doentes, / Têm artimanhas e expedientes" (Conde de Monsaraz, *Musa Alentejana*, p. 149). **7.** Implorar perdão ou piedade: "Implorou, porém implorou debalde! O Celerado meteu-lhe em pleno peito as duas balas, com que trazia atacada a carabina!" (Bulhão Pato, *Memórias*, II, p. 145.)

implorativo. *Adj.* **1.** Que envolve ou denota imploração ou súplica: "Olhou-a com uns olhos súplices, a fisionomia *implorativa* das crianças torturadas pela posse de um brinquedo." (Amando Fontes, *Os Corumbas*, p. 100.) **2.** Que tem o modo, o ar de quem implora.

implorável. [Do lat. *implorabile.*] *Adj 2 g.* Que se pode implorar.

implosão. [De *im-*¹ + lat. **plosu* (por *plausu*, part. pass. de *plaudere*, 'bater com ruído') + *-ão.*] *S. f.* **1.** Conjunto de explosões que se combinam de tal maneira que seus efeitos tendem para um ponto central. **2.** *Fís.* Fenômeno. em geral violento, que ocorre quando as paredes dum recipiente cedem a uma pressão que é maior no exterior do que no interior. **3.** *Fon.* V. *articulação* (5).

implosivo. [De *im-*¹ + lat. **plosu* (por *plausu*; v. *implosão*) + *-ivo.*] *Adj. Fon.* Diz-se de fonema oclusivo cuja articulação (5) [q. v.] se limita à primeira fase. Ex.: /p/ em *reptil, apto, captar*, etc.

implume. [Do lat. *implume.*] *Adj. 2 g.* Que ainda não tem penas ou plumas; nuelo.

implúvio. [Do lat. *impluviu.*] *S. m.* Pátio, nas antigas casas romanas, em cujo centro havia uma cisterna destinada a receber as águas pluviais.

impoético. [De *im-*² + *poético.*] *Adj.* Apoético (3).

impolarizável. [De *im-*² + *polarizável.*] *Adj. 2 g.* Não polarizável.

impolidez (ê). *S. f.* Qualidade de impolido; falta de polidez, de delicadeza, de cortesia. [Sin., p. us.: *despolidez.*]

impolido. [Do lat. *impolitu.*] *Adj.* **1.** Sem polimento; não polido: *diamante impolido.* **2.** Descortês, incivil, indelicado. **3.** Rude, grosseiro, rústico.

impolítica. [De *im-*² + *política.*] *S. f.* Falta de política ou de cortesia.

impolítico. [De *im-*² + *político.*] *Adj.* **1.** Que não é político. **2.** Contrário à boa política. **3.** *Fig.* Descortês, incivil, impolido.

impoluível. [De *im-*² + *poluível.*] *Adj. 2 g.* Que não pode ser poluído; imaculável.

impoluto. [Do lat. *impollutu.*] *Adj.* **1.** Não poluído; imaculado. **2.** Puro, virtuoso: "Meu tio e padrinho Quintino de Miranda, magistrado *impoluto* ...., mandou-me um dia um rico presente" (Oliveira Lima, *Memórias*, p. 13).

imponderabilidade. *S. f.* Qualidade de imponderável.

imponderação. [De *im-*² + *ponderação.*] *S. f.* Falta de ponderação; desponderação.

imponderado. [De *im-*² + *ponderado.*] *Adj.* Inconsiderado, irrefletido, precipitado; desponderado

imponderável. [De *im-*² + *ponderável.*] *Adj. 2 g.* **1.** Que não se pode pesar. **2.** Que não tem peso apreciável. **3.** *Fig.* Que não se pode avaliar; que não é digno de ponderação: *Não convenceu a platéia porque seus argumentos eram imponderáveis.* ● *S. m.* **4.** *Fig.* Elemento ou circunstância indefinível que influi em determinada matéria ou assunto: "tudo quanto se quer dizer, ainda mesmo que seja o *imponderável*, o inatingível, o sobrenatural" (Martins Fontes, *A Dança*, p. 95). [Tb. us. no pl.]

imponência. [Do lat. *imponentia* < *imponere*, 'impor'.] *S. f.* **1.** Qualidade de imponente; majestade. **2.** Arrogância, altivez, sobranceria.

imponente. [Do lat. *imponente.*] *Adj. 2 g.* **1.** Que impõe admiração; majestoso, magnificente. **2.** Arrogante, altivo sobranceiro.

imponível. [Do lat. *imponere*, 'impor', + *-ível.*] *Adj. 2 g.* **1.** Tributável. **2.** *Jur.* Diz-se do fato gerador de imposto. [Cf. *impunível.*]

impontual. [De *im-*² + *pontual.*] *Adj. 2 g.* e *s. 2 g.* Que ou quem não é pontual.

impontualidade. *S. f.* Qualidade de impontual; falta de pontualidade

impopular. [De *im-*² + *popular.*] *Adj. 2 g.* **1.** Que não agrada, não tem popularidade: *artista impopular.* **2.** Que não é conforme aos desejos, aos interesses de uma grande parte da população: *lei impopular.* **3.** Que não tem o favor da população: *ministro impopular.*

impopularidade. *S. f.* Qualidade de impopular; falta de popularidade.

impopularizar. *V. t. d.* e *p.* Tornar(-se) impopular; despopularizar(-se).

impor. [Do lat. *imponere.*] *V. t. d.* **1.** Tornar obrigatório ou indispensável; forçar a observar ou a tomar: *impor normas;* "Tal situação *impunha* providências radicais que tiveram de ser tomadas pela administração pública." (Vivaldo Coaraci, *Paquetá*, p. 111); "A negra veio chegando, dedo na boca, *impondo* silêncio." (Nélio Reis, *Subúrbio*, p. 50.) **2.** Inspirar, infundir: *Sua figura impõe respeito.* **3.** Enganar, iludir, embair. **4.** Instituir, estabelecer, fixar: *impor pesadas taxas.* **5.** *Tip.* Enramar (a composição paginada) obedecendo a certo deitado, de modo que, impressa e dobrada a folha, formando caderno, possam as páginas do texto ser lidas na devida ordem. *T. d. e i.* **6.** Pôr em cima ou por cima; sobrepor: *impôs a coroa na cabeça do novo rei.* **7.** Conferir. atribuir, dar, pôr: *impôs-lhe o nome de Mateus.* **8.** Lançar ou instituir (tributo). **9.** Estabelecer, determinar, fixar: *O chefe impôs à firma uma programação rígida.* **10.** Obrigar a aceitar; forçar a observar: "Debalde o Diabo tentou proferir alguma coisa mais. Deus *impusera*-lhe silêncio" (Machado de Assis, *Histórias sem Data*, p. 5); "*Impor* silêncio ao coração é exigir dele um sacrifício hediondo." (Artur Azevedo, *Contos Possíveis*, p. 6). **11.** Infligir, cominar: *impuseram-lhe castigos absurdos.* **12.** Assacar, imputar: *A polícia impôs-lhe o planejamento do crime.* **13.** Infundir, inspirar: "Eu quis protestar contra aquele riso e *impor* à menina respeito pelo meu luto." (Rodrigo M. F. de Andrade, *Velórios*, p. 50.) *T. i.* **14.** Tentar aparentar talento ou qualidades que não possui; pretender passar: *É um poetastro, e impõe de grande poeta. Int.* **15.** Enganar com boas maneiras; iludir. **16.** *Bras., CE.* Assistir ao bota-fora de alguém. *P.* **17.** Fazer-se aceitar por suas qualidades, ou por constrangimento: "Não escreveu .... livro algum; não se distinguiu violentamente, nem se *impôs* na vida." (Augusto Frederico Schmidt, *O Galo Branco*, pp. 71-72); "O gosto pelos estudos fê-lo *impor-se* aos colegas, merecendo a estima dos mestres e admiração da classe." (I. F. da Costa Filho, *As Facetas do Diabo*, p. 11.) **18.** Fazer que o recebam. **19.** Arrogar a si qualidades que não possui. **20.** Determinar a si mesmo: *impus-me as responsabilidades mais duras.* [Irreg. Conjug.: v. *pôr.* Imperf. ind.: *impunha, impunhas, impunha, impúnhamos, impúnheis, impunham.* C.f. o pres. ind. do v. *empunhar.*]

importação. *S. f.* **1.** Ato de importar. **2.** Aquilo que se importou. **3.** Introdução em um país, estado ou município de mercadorias procedentes de outro; introdução.

importador (ô). *Adj.* e *s. m.* Que ou aquele que importa.

importadora (ô). [Fem. substantivado do adj. *importador.*] *S. f. Bras.* Firma ou empresa importadora.

importância. [De *importar* + *-ância.*] *S f.* **1.** Valor, mérito, interesse: *Que importância tem o seu trabalho?* **2.** Autoridade, prestígio, influência, crédito: *Que importância tem ele para falar em nome dos outros?* **3.** Conceito elevado ou lisonjeiro; deferência, consideração: *Dão-lhe muita importância porque ocupa um alto cargo.* **4.** Quantia em dinheiro: *Com que importância conta você para a viagem?* **5.** Valor em dinheiro; custo: *Qual a importância total das obras que vais mandar fazer?* **6.** *Bras.* Ares que alguém assume de pessoa importante, prestigiosa, influente, poderosa, rica; fatuidade, soberba, arrogância.

importante. [Do lat. *importante.*] *Adj. 2 g.* **1.** Que tem importância, mérito; meritório, essencial: *um trabalho importante; livro importante.* **2.** Que merece consideração, apreço: *indivíduo importante.* **3.** Que importa; necessário; interessante: *É importante saber a sua opinião.* **4.** *Bras. Irôn.* Que se dá importância (6); arrogante, soberbo, fátuo: *Depois que subiu, ficou muito importante; Mal cumprimenta as pessoas, é muito importante.* ● *S. m.* **5.** O que é essencial ou mais interessa: "o importante não é *ter* ou *fazer amigo — é ser amigo.*" (Pedro Nava, *Beira-Mar*, p. 137.) *Continue lutando: o importante é não desistir.*

importar. [Do lat. *importare.*] *V. t. d.* **1.** Fazer vir de outro país, estado ou município; trazer para dentro: *importar petróleo.* **2.** Ter como conseqüência ou resultado; causar, produzir, originar, implicar: *As loucuras do filho importaram a ruína do velho.* **3.** Trazer em si; envolver, encerrar, implicar: "A justiça, *importando* o discernimento do bom e do mau, pressupõe a ciência" (Ramalho Ortigão, *Primeiras Prosas*, p. 284). *T. d. e i.* **4.** Causar, produzir, trazer: *A seca importava grandes prejuízos ao país.* **5.** Trazer, carrear, introduzir: *A moderna tecnologia importa muitos vocábulos para a língua. T. i.* **6.** Atingir (certo preço ou custo); montar: *As compras importam em 400 cruzados.* **7.** Dar em resultado; ter como conseqüência; resultar, redundar: "Toda reforma precipitada era tempo perdido, podia *importar* em um desvio considerável do verdadeiro rumo." (Joaquim Nabuco, *Escritos e Discursos Literários*, p. 61); "apesar de todo o meu exame não descobri que *importasse* a diminuir-lhe o renome." (Mário de Alencar, *Contos e Impressões*, p. 104.) **8.** Ser necessário; convir, interessar: *Importa-lhe estudar muito.* **9.** Aproveitar, servir, valer: *Não importam ao justo as calúnias. Int.* **10.** Ser útil ou proveitoso; interessar: *Só o trabalho importa.* **11.** Ter importância, interesse; significar: "Vão me jogar pedras. Pouco *importa*." (Clarice Lispector, *A Via-Crúcis do Corpo*, p. 10.) *P.* **12.** Fazer caso; ligar importância; ter consideração: *Não se importa com os invejosos.*

importável. [Do lat. *importabile.*] *Adj. 2 g.* Que pode ser importado: *mercadorias importáveis.*

importe. [Dev. de *importar.*] *S. m.* **1.** Soma total; importância: *o importe duma despesa.* **2.** Preço, custo: *o importe de uma mercadoria.*

importunação. *S. f.* **1.** Ato de importunar. **2.** Aborrecimento, impertinência.

importunador (ô). *Adj.* e *s. m.* Que ou aquele que importuna; importuno.

importunar. [De *importuno* + *-ar*[2].] *V. t. d.* **1.** Incomodar com súplicas repetidas; aborrecer com pedidos insistentes. **2.** V. *apoquentar*: *O falatório importunava-o.* **3.** Provocar, com a sua presença, transtorno a; embaraçar; estorvar, interromper: *O visitante importunava-o. P.* **4.** V. *apoquentar*.

importunidade. [Do lat. *importunitate.*] *S. f.* Qualidade, ato ou modos de importuno: "— Que besta essa! exclamou Carlos ...., desabafando sobre a literatura política do marido a cólera que lhe davam as *importunidades* amorosas da mulher." (Eça de Queirós, *Os Maias*, II, p. 28.)

importuno. [Do lat. *importunu.*] *Adj.* **1.** Que importuna, incomoda; incomodativo, maçador, impertinente, insuportável. **2.** Inoportuno, intempestivo. • *S. m.* **3.** Indivíduo importuno: *O importuno continuou insistindo, mesmo depois de notar que não o queríamos receber.*

imposição. [Do lat. *impositione.*] *S. f.* **1.** Ação de impor, de estabelecer, de obrigar, de infligir, de deferir. **2.** Determinação, ordem, injunção. **3.** A coisa imposta: *O jantar a rigor foi imposição dele.* **4.** Colocação de insígnias: *A imposição do colar no novo acadêmico foi feita por seu melhor amigo.* **5.** *Tip.* Ato ou efeito de impor (5). [V. *deitado* (2).]

impositivo. *Adj.* Que impõe ou se impõe; que tem o caráter de imposição: *medida impositiva*; "no tempo de absoluto domínio do espírito francês, aliciante, envolvente, *impositivo*, a orientar nossa vida intelectual" (Melo Nóbrega, *Arredores da Poesia*, p. 10).

impositor (ô). *S. m. Tip.* O gráfico encarregado do trabalho de impor (5).

impossibilidade. [Do lat. *impossibilitate.*] *S. f.* **1.** Qualidade ou caráter de impossível. **2.** *Fig.* Coisa impossível.

impossibilitar. *V. t. d.* **1.** Tirar qualquer possibilidade de; tornar impossível ou irrealizável: *A violência impossibilita o exercício da liberdade.* **2.** Mostrar como impossível. **3.** Fazer perder as forças ou a aptidão para. *T. d. e i.* **4.** Privar de fazer alguma coisa: *A doença impossibilita-o de viajar; A compleição doentia impossibilita-lhe o trabalho aturado. P.* **5.** Perder as forças, a aptidão, a capacidade: *Impossibilitou-se para o exercício das funções.*

impossível. [Do lat. *impossibile.*] *Adj. 2 g.* **1.** Que não tem possibilidade; irrealizável: *Foi-lhe impossível viajar este ano.* **2.** Muito difícil: *Parece-lhe impossível ser aprovado.* **3.** Incrível, extraordinário: *Para ser aceito no grupo fez coisas impossíveis.* **4.** Extravagante, esquisito, excêntrico: "Não tardou .... que arrebique de mau gosto, fitas velhas, rendas amareladas, chapéus *impossíveis*, viessem contrastar com a elegância do vestido." (Guerra Junqueiro, *Contos para a Infância*, pp. 150-151.) **5.** Insuportável, intolerável: *Depois de senador, está impossível.* **6.** *Bras.* Rebelde, traquinas, travesso, levado: *criança impossível*; "O menino *impossível* / que destruiu até / os soldados de chumbo de Moscou / e furou os olhos de um Papai Noel, / brinca com sabugos de milho, / caixas vazias, / tacos de pau, / pedrinhas brancas do rio..." (Jorge de Lima, *Obra Completa*, I, p. 226). • *S. m.* **7.** Aquilo que não é possível, ou que apresenta extraordinária dificuldade. **8.** *Filos.* O que implica contradição. **9.** *Filos.* O que é, de fato, irrealizável. [V. *possível* (5).]

imposta. [Do it. *imposta.*] *S. f. Arquit.* Cornija assente sobre a ombreira de uma porta ou o pilar de uma arcada, e que serve de base ao dintel ou arco. [Cf. *emposta*, s. f.]

impostação. [Do it. *impostazione.*] *S. f.* **1.** Ato ou efeito de impostar. **2.** *Teat.* Determinado estilo, espírito ou linha diretriz do espetáculo teatral (em relação ao encenador). **3.** Forma ou estilo de representação que o ator dá ao seu papel. **4.** Colocação e projeção da voz (pelo cantor, pelo ator).

impostado. [Part. de *impostar.*] *Adj.* Diz-se da voz que é emitida corretamente.

impostar. [Do it. *impostare.*] *V. t. d.* **1.** Emitir corretamente (a voz). **2.** *Teat.* Dar (ao espetáculo ou ao desempenho de um papel) determinada linha ou estilo de representação: *O diretor impostou a peça dentro do estilo naturalista.* [Pres. ind.: *imposto, impostas, imposta*, etc. Cf. *imposto* (ô), adj. e s. m., e *emposta*, s. f.]

impostergável. [De *im-*[2] + *postergável.*] *Adj. 2 g.* Não postergável; inadiável.

imposto (ô). [Do lat. *impositu.*] *Adj.* **1.** Feito aceitar ou realizar à força. [Flex.: *imposta, impostos, impostas*. Cf. *imposto*, do v. *impostar*, e *emposta*, s. f.] • *S. m.* **2.** Tributo, contribuição, ônus. **3.** *Jur.* Contribuição monetária, direta ou indireta, que os poderes públicos exigem de cada pessoa física ou jurídica para ocorrer às despesas da administração por serviços não especificados. [Cf. *taxa* (6).] [Pl.: *impostos* (ó). Cf. *imposto*, do v. *impostar.*] ◆ **Imposto de renda.** Tributo que pessoas físicas e jurídicas pagam ao Estado, relativamente aos seus rendimentos, em proporção estabelecida pela lei. **Imposto de sangue.** *Fig.* A obrigação de prestar serviço militar. **Imposto de transmissão.** Taxa (6) que o Estado cobra sobre a transmissão de propriedade. **Imposto predial.** Taxa (6) que o Estado cobra sobre a propriedade urbana edificada, e que é calculada, em geral, com base no valor locativo.

impostor (ô). [Do lat. *impostore.*] *Adj.* e *s. m.* Que ou aquele que tem ou pratica impostura; embusteiro.

impostura. [Do lat. *impostura.*] *S. f.* **1.** Artifício para iludir; embuste, intrujice. **2.** Hipocrisia, fingimento. **3.** Vaidade ou presunção extrema; falsa superioridade. [Sin., (bras.), nesta acepç.: *impostura.*] **4.** Farrapo que se prende ao anzol para engodar os peixes. **5.** V. *paparrotada* (1).

imposturar. *V. int.* Proceder com impostura; fazer impostura.

impostura. [De *impostura* + *-ia.*] *S. f. Bras.* V. *impostura.* (3): "— É moço que dá para o trabalho. Doutor sem *imposturias*. Corre as plantações, ... pega até na enxada!" (Mário Sete, *Senhora de Engenho*, p. 114.)

impotabilidade. *S. f.* Qualidade de impotável. [Cf. *imputabilidade.*]

impotável. [De *im-*[2] + *potável.*] *Adj. 2 g.* Não potável. [Cf. *imputável.*]

impotência. [Do lat. *impotentia.*] *S. f.* **1.** Qualidade de impotente (1). **2.** Incapacidade masculina para a cópula; fraqueza genesíaca.

impotente. [Do lat. *impotente.*] *Adj. 2 g.* **1.** Que não pode; fraco, débil. **2.** Que tem impotência (2). • *S. m.* **3.** Indivíduo impotente.

impraticabilidade. *S. f.* Qualidade de impraticável.

impraticável. [De *im-*[2] + *praticável.*] *Adj. 2 g.* **1.** Que não se pode praticar ou executar; inexeqüível, inexecutável, infactível. **2.** Impossível, dificílimo. **3.** Diz-se de caminho, rua, estrada, rio, por onde não se pode transitar; intransitável.

imprecação. [Do lat. *imprecatione.*] *S. f.* **1.** Ato de imprecar. **2.** Rogo, súplica. **3.** Praga, maldição. [Cf. *imprecaução.*]

imprecar. [Do lat. **imprecare*, por *imprecari.*] *V. t. d.* e *i.* **1.** Pedir (a Deus ou a poder superior) que envie sobre alguém (males ou bens): "balando sempre, a pobre cabra *imprecava* ao céu a vida do filho" (Trindade Coelho, *Os Meus Amores*, p. 202). **2.** Pedir ou rogar com instância: *Imprecou-lhe o perdão, que não foi concedido. Int.* **3.** Rogar pragas a alguém. **4.** Dizer pragas: "Isto é a vida; não há planger, nem *imprecar*, mas aceitar as cousas integralmente" (Machado de Assis, *Papéis Avulsos*, p. 88). [Conjug.: v. *trancar.*]

imprecatado. [De *im-*[2] + *precatado.*] *Adj.* Não precatado; desprevenido, desacautelado, incauto.

imprecativo. *Adj.* Que encerra imprecação.

imprecatório. *Adj.* Que tem o caráter de imprecação.

imprecaução. [De *im-*[2] + *precaução.*] *S. f.* Falta de precaução; imprevidência. [Cf. *imprecação.*]

imprecisão. [De *im-*[2] + *precisão.*] *S. f.* Falta de precisão, de rigor.

impreciso. [De *im-*[2] + *preciso.*] *Adj.* Falto de precisão, de rigor; indeterminado, vago.

impreenchível. [De *im-*[2] + *preenchível.*] *Adj. 2 g.* Não preenchível.

impregnação. *S. f.* Ato ou efeito de impregnar(-se).

impregnar. [Do lat. tardio *impraegnare.*] *V. t. d.* **1.** Infiltrar-se em; penetrar, repassar, imbuir: "A fumaça do incenso invadiu a capela-mor, espalhou-se pela nave, *impregnou* a igreja." (Oto Lara Resende, *Boca do Inferno*, p. 22); "O cheiro a mosto *impregnava* o ar" (Domingos Monteiro, *Histórias das Horas Vagas*, p. 139). *T. d. e i.* **2.** Fazer que uma substância penetre em (um corpo): *Impregnou a pele de bálsamos medicinais.* **3.** Penetrar, repassar, imbuir: *As flores impregnaram o ambiente de um aroma adocicado.* Os meus olhos, de tanto a olharem [à estátua] / *Impregnaram*-na da minha humanidade irônica de tísico." (Manuel Bandeira, *Estrela da Vida Inteira*, p. 95). **4.** Embeber, ensopar, encharcar: *Impregnou as vestes de álcool.* **5.** Imbuir, infundir, incutir: *Impregnaram sua mente de idéias absurdas. P.* **6.** Penetrar, repassar-se: "seus pulmões serão corroídos pela poeira de sílica que se *impregna* neles e os sufoca no calor infernal." (Antônio Celso, *A Porta de Jerusalém*, p. 20). **7.** Embeber-se, ensopar-se, encharcar-se. **8.** Assenhorear-se, compenetrar-se (de assunto, idéia, etc.)

impremeditação. [De *im-*[2] + *premeditação.*] *S. f.* Falta de premeditação.

impremeditado. [De *im-*[2] + premeditado.] *Adj.* Em que não houve ou não há premeditação; impensado.

imprensa. [Do esp. *imprenta.*] *S. f.* **1.** Máquina com que se imprime ou estampa. **2.** A arte da tipografia: *A imprensa chegou ao Brasil em 1808, em conseqüência da vinda de D. João VI.* **3.** O conjunto dos jornais e publicações congêneres; imprensa escrita: *a imprensa carioca; a imprensa internacional.* **4.** *P. ext.* Qualquer meio de comunicação de massa: *a imprensa falada* (i. e., a radiodifusão); *a imprensa televisionada* (i. e., a televisão). **5.** *Fig.* Os jornalistas, repórteres, etc.: *A imprensa compareceu à cerimônia.* [V. *gutenberguiano*. Cf. *tipografia.*] ◆ **Imprensa alternativa.** Órgão de imprensa que se caracteriza por uma posição editorial renovadora, independente e polêmica. **Imprensa escrita.** Imprensa (3). **Imprensa falada.** V. *imprensa* (4). **Imprensa marrom.** A que explora o sensacionalismo, dando larga cobertura a crimes, fatos escabrosos e anomalias sociais. **Imprensa televisionada.** V. *imprensa* (4).

imprensado. [Part. de *imprensar.*] *Adj.* Que sofreu imprensadura. ~ V. *dia* —.

imprensador (ô). *Adj.* e *s. m.* Que ou aquele que imprensa.

imprensadura. *S. f.* Ato ou efeito de imprensar.

imprensar. [De *imprensa* + *-ar*[2].] *V. t. d.* **1.** Apertar no prelo. **2.** Apertar à maneira de uma prensa; apertar muito. **3.** *Bras.* V. *pôr a faca no peito de*: *Imprensei o homem, e ele acabou contando tudo.*

imprenta. *S. f. Edit.* Conjunto de informações identificando a casa editora, sua localização (cidade) e a data de edição de um livro (ano); deve ser impresso no pé da frente da folha de rosto.

imprescência. [Do lat. *impraescientia.*] *S. f.* Falta de presciência.

imprescindibilidade. *S. f.* Qualidade de imprescindível.

imprescindível. [De *im-*[2] + *prescindível.*] *Adj. 2 g.* Não prescindível.

imprescritibilidade. *S. f.* Qualidade de imprescritível.

imprescritível. [De *im-*[2] + *prescritível.*] *Adj. 2 g.* Que não prescreve; não prescritível [q. v.].

impressão. [Do lat. *impressione.*] *S. f.* **1.** Ato ou efeito de imprimir(-se). **2.** Encontro ou contato de um corpo com outro: *Sentiu a impressão do braço que se lhe apoiava no ombro.* **3.** Marca ou sinal deixado pela pressão de um corpo sobre outro: *Na areia ficou a impressão de suas pegadas.* **4.** Estado físico ou psicológico resultante da atuação de elementos ou situações exteriores sobre os órgãos dos sentidos, por intermédio deles ou sobre o corpo ou sobre a mente; sensação: *A caminhada provocou desagradável impressão de calor; Ao olhar para baixo, teve a impressão de que ia despencar.* **5.** Influência que um ser, um acontecimento ou uma situação exerce em alguém, repercutindo-lhe no ânimo, no moral, no humor, etc.: *O seu procedimento causou-me boa impressão*; "acredito não ter nunca transposto o limite das minhas quatro ou cinco primeiras *impressões* ... Os primeiros oito anos da vida foram assim, em certo sentido, os de minha formação instintiva, ou moral, definitiva..." (Joaquim Nabuco, *Minha Formação*, pp. 210-211). **6.** Opinião mais ou menos vaga, sem maior fundamento; noção, idéia: *Não o conheço, mas tenho a impressão de que é digno; Tive a impressão de que ia chover.* **7.** *P. us.* Impressões. **8.** *Art. Gráf.* Arte ou processo de fixar texto ou imagem em papel, cartão, etc., para multiplicação, mediante pressão de elementos moldados, gravados ou fotogravados e em relevo, a entalhe ou em plano, adaptados a prensas de diferentes sistemas de pressão e entintamento, ou sem entintamento. **9.** *Art. Gráf.* A reprodução obtida por essa arte ou processo. **10.** *Art. Gráf.* Seção ou local da oficina onde se executam os trabalhos de impressão. **11.** *Patol.* Efeito produzido no organismo por agente morbífico. ~ V. *impressões.* ◆ **Impressão anastática.** *Art. Gráf.* Sistema obsoleto de fac-similar estampas, desenhos e textos manuscritos ou impressos, para isso quimicamente impregnados e transportados por processo litográfico para pedra ou placa de zinco, onde eram mordaçados com pequeno relevo, para subseqüente tiragem em prensa manual. [Cf. *homeografia.*] **Impressão a seco.** *Art. Gráf.* A que se faz sem tinta, deixando apenas a marca da fôrma utilizada. [V. *estampagem* (3), *gofragem* e *timbragem.*] **Impressão calcográfica.** *Art. Gráf.* Impressão de entalhe [q. v.]. **Impressão de entalhe.** *Art. Gráf.* A que se realiza mediante fôrma gravada ou fotogravada a entalhe, i. e., em que a fôrma toma a tinta nas partes entalhadas de sua superfície, como na rotogravura e no talho-doce; impressão calcográfica. [V. *calcografia.* Cf. *fotogravura a entalhe* e *gravura a entalhe.*] **Impressão de plano.** *Art. Gráf.* A que se faz mediante fôrma gravada química ou fotoquimicamente em plano, i. e., em que a fôrma toma a tinta nas partes que a atraem, sem diferenças na superfície, como no ofsete e na litografia; impressão planográfica. [V. *planografia.* Cf. *fotogravura em plano, gravura em plano* e *impressão plana.*] **Impressão de relevo.** *Art. Gráf.* A que se faz mediante fôrma moldada, gravada ou fotogravada em relevo, i. e., em que a fôrma toma a tinta nas partes relevadas de sua superfície, como na tipografia e na xilogravura; impressão tipográfica. [Cf. *fotogravura em relevo, gravura em relevo* e *impressão em relevo.*] **Impressão digital.** Impressão (3) da qual resulta reproduzirem-se numa superfície lisa as dobras cutâneas das polpas dos dedos, e pela qual, mediante o emprego de processos dactiloscópicos [v. *dactiloscopia*], se torna possível a identificação de um indivíduo; dactilograma. **Impressão direta.** *Art. Gráf.* A que se faz pelo contato direto da fôrma impressora com o suporte de impressão. **Impressão em relevo.** *Art. Gráf.* A que produz no suporte (papel, cartão, etc.) letras ou desenhos em relevo. [Cf. *impressão de relevo.* V. *termografia* e *timbragem.*] **Impressão indireta.** *Art. Gráf.* A que utiliza um elemento plástico intermediário, que entra em contato com a fôrma e transfere a impressão ao suporte; impressão ofsete [v. *ofsete*]. **Impressão irisada.** *Art. Gráf.* Impressão simultânea com tintas de várias cores, formando faixas paralelas, que se confundem nas orlas, como no arco-íris. **Impressão ofsete.** *Art. Gráf.* Impressão indireta [q. v.]. **Impressão plana.** *Art. Gráf.* **1.** A que se realiza mediante pressão de duas superfícies planas; a que constitui a fôrma e a que conduz o suporte. [Cf. *impressão de plano.* V. *prensa plana.*] **2.** Planiimpressão. **Impressão planocilíndrica.** *Art. Gráf.* A que se faz mediante pressão entre uma superfície plana, que constitui a fôrma, e outra cilíndrica, que conduz o suporte. [V. *prensa planocilíndrica.*] **Impressão planográfica.** *Art. Gráf.* Impressão de plano [q. v.] **Impressão rotativa.** *Art. Gráf.* Aquela que se realiza mediante pressão entre duas superfícies cilíndricas: a que constitui a fôrma e a que conduz o suporte; rotoimpressão. [V. *prensa rotativa.*] **Impressão tipográfica.** *Art. Gráf.* **1.** Tipografia (2). **2.** Impressão de relevo. **Impressão sem contato.** *Art. Gráf.* Aquela em que a tinta, líquida ou em pó, é atraída para o suporte por meio de circuito elétrico.

impressentido. [De *im-*[2] + *pressentido.*] *Adj.* **1.** Não pressentido; não percebido: "Só tu mesma ouvirás o que aos outros não ouso / Contar do meu tormento obscuro e impressentido." (Manuel Bandeira, *Estrela da Vida Inteira.* p. 73.) **2.** Imprevisto, inesperado.

impressionabilidade. *S. f.* Qualidade de impressionável [Sin., p. us.: *impressionismo.*]

impressionador (ô). *Adj.* Impressionante (1): "superpôs ao tumulto o seu meio-sorriso mecânico e o seu impressionador mutismo." (Euclides da Cunha, *Contrastes e Confrontos,* pp. 18-19).

impressionamento. *S. m. Fot.* e *Fís.* Ato ou efeito de impressionar (3 e 4).

impressionante. *Adj. 2 g.* **1.** Que impressiona, produz sensação de estranheza, chama a atenção, abala, toca; impressionador: "Meu pai, ruivo e forte, tinha uma beleza viril, impressionante." (Antônio Patrício, *Serão Inquieto,* p. 105). **2.** Comovente, enternecedor.

impressionar. *V. t. d.* **1.** Produzir impressão moral em; comover, abalar: *A má notícia impressionou-o a ponto de fazê-lo desfalecer.* **2.** Produzir impressão material em: *A tinta impressionou demais o papel.* **3.** *Fot.* Fazer incidir luz sobre (uma chapa fotográfica). **4.** *Fís.* Fazer agir um campo magnético sobre (uma fita magnética) para obter uma gravação magnética. *Int.* **5.** Produzir impressão material em alguém: "As charutarias [de Hamburgo] impressionam pela riqueza, solidez e variedade." (Augusto Meyer, *A Chave e a Máscara,* p. 214). *P.* **6.** Receber uma impressão moral: sentir-se abalado: comover-se: *Impressionou-se com o sofrimento do amigo.*

impressionável. *Adj. 2 g.* **1.** Que se impressiona facilmente. **2.** Que pode receber impressões.

impressionismo. [Do fr. *impressionisme.*] *S. m.* **1.** *P. us.* Impressionabilidade. **2.** *Art. Plást.* Escola de pintura surgida na França por volta de 1870, que visava a captar, em princípio, a impressão visual produzida por cenas e formas derivadas da natureza, e as variações nelas ocasionadas pela incidência da luz, e que se baseava especialmente no emprego das cores e de suas relações e contrastes, a fim de obter efeitos plasticamente dinâmicos e objetivos. [Esta escola, por suas inovações, influiu marcantemente a pintura do séc. XX.] **3.** *P. ext.* Estilo literário e musical que se caracteriza por expressar de maneira vaga, fluida e delicada impressões subjetivas e/ou sensoriais.

impressionista. [Do fr. *impressioniste.*] *Adj. 2 g.* **1.** *P. us.* Impressionável. **2.** Relativo ao, ou próprio do impressionismo (2 e 3). **3.** Que é adepto ou seguidor do impressionismo (2 e 3). **4.** Que se funda em impressões pessoais ou por elas se caracteriza: *crítica impressionista; ensaio impressionista* ● *S. 2 g.* **5.** Adepto ou seguidor do impressionismo (2 e 3).

impressivo. *Adj.* **1.** Que impressiona. **2.** Que imprime. **3.** Que tem influência moral.

impresso. [Do lat. *impressu.*] *Adj.* **1.** Que se imprimiu. V. *circuito* —. ● *S. m.* **2.** Produto das artes ou indústrias gráficas. **3.** Papel impresso para uso em correspondência, serviços administrativos, etc.: *impresso para telegrama; impresso para matrícula.*

impressões. [Pl. de *impressão.*] *S. f. pl.* Escrito literário de caráter crítico subjetivo acerca de um assunto qualquer. [Tb. us. (menos) no sing.] ~ V. *impressão.*

impressor (ô). *Adj.* **1.** Que imprime; que serve para imprimir. ~ V. *máquina* —*a.* ● *S. m.* **2.** Aquele que imprime. **3.** Operário que impulsiona a prensa manual, ou faz funcionar a prensa mecânica e atende ao trabalho dela; prensista. **4.** Proprietário de oficina gráfica. [Cf. *tipógrafo.*]

impressora (ô). [Fem. substantivado de *impressor.*] *S. m.* **1.** *Art. Gráf.* V. *prensa* (2). **2.** *Proc. Dados.* Dispositivo que registra, em papel, sob forma de caracteres impressos, os dados de saída de um sistema de processamento de dados. ◆ **Impressora de linha.** *Proc. Dados.* Impressora que imprime toda a linha de caracteres como uma unidade, de uma só vez. **Impressora matricial.** *Proc. Dados.* Impressora de alta velocidade que imprime caracteres como configurações de pontos. **Impressora serial.** *Proc. Dados.* Aquela em que os caracteres selecionados são impressos uns após os outros, e de um em um, em cada linha a ser impressa.

impressório. *Adj.* Relativo à arte de imprimir.

imprestabilidade. *S. f.* Qualidade ou estado de imprestável.

imprestabilizar. *V. t. d.* e *p.* Tornar(-se) imprestável, inútil; inutilizar(-se).

imprestável. [Do lat. *impraestabile.*] *Adj. 2 g.* **1.** Que não presta; inútil. **2.** Diz-se de pessoa sem prestimosidade. ● *S. 2 g.* **3.** *Pop.* Pessoa sem prestimosidade.

impresumível. [De *im-*[2] + *presumível.*] *Adj. 2 g.* Não presumível.

impreterível. [De *im-*[2] + *preterível.*] *Adj. 2 g.* **1.** Que não se pode preterir ou deixar de fazer; indeclinável: "Napier via a necessidade impreterível de intervir." (Oliveira Martins, *Portugal Contemporâneo,* I, p. 387.) **2.** Que não se pode preterir ou ultrapassar: *prazo impreterível.*

imprevidência. [De *im-*[2] + *previdência.*] *S. f.* Falta de previdência; desprevenção. [Cf. *improvidência.*]

imprevidente. [De *im-*[2] + *previdente.*] *Adj. 2 g.* **1.** Que não é previdente. **2.** Desacautelado, descuidado, imprudente. ● *S. 2 g.* **3.** Indivíduo imprevidente. [Cf. *improvidente.*]

imprevisão. [De *im-*[2] + *previsão.*] *S. f.* **1.** Falta de previsão. **2.** Desmazelo, desleixo, negligência.

imprevisibilidade. *S. f.* Qualidade de imprevisível.

imprevisível. [De *im-*[2] + *previsível.*] *Adj. 2 g.* Não previsível.

imprevisto. [De *im-*[2] + *previsto.*] *Adj.* **1.** Que não é previsto; súbito, inesperado, inopinado. ● *S. m.* **2.** Aquilo que não se prevê.

imprimição. *S. f. Art. Plást.* Imprimadura.

imprimadura. *S. f. Art. Plást.* Ato ou efeito de imprimar; imprimação.

imprimar. [Do fr. *imprimer.*] *V. t. d.* Preparar (tela, madeira, etc.) com a primeira demão de tintas, sobre a qual depois se hão de pintar as figuras.

imprimátur. [Do lat. *imprimatur,* 'imprima-se'.] *S. m.* Permissão de autoridade religiosa para imprimir texto que foi submetido à sua censura. [Pl.: *imprimátures.*]

imprimibilidade. *S. f.* Qualidade de imprimível.

imprimido. [Part. de *imprimir.*] *Adj.* Que se imprimiu; impresso.

imprimir. [Do lat. *imprimere.*] *V. t. d.* **1.** Fixar (marca, sinal, etc.) por meio de pressão: *Imprimiu com sinete, em todas as páginas do livro, as suas iniciais.* **2.** *Art. Gráf.* Fazer a impressão (8) de; tirar, estampar. **3.** Publicar pela imprensa: *O diretor do jornal recusou-se a imprimir a falsa notícia;* "No Natal de 1927, a Litografia Trigueiros, estabelecimento gráfico de Maceió, imprimiu a edição inicial dos *Poemas,* de Jorge de Lima" (Moacir Medeiros de Sant'Ana, *História do Modernismo em Alagoas,* p. 103). **4.** Produzir, causar: *As cãs imprimem certo ar majestoso. T. d.* e *i.* **5.** Deixar marcado, estampado; incutir, gravar: *Segundo a religião católica, o batismo imprime na alma a graça divina:* "O tio Gaudêncio .... imprimia nas palavras, que lhe saíam lentas e solenes, um tom profundo de convicção e de verdade." (Artur Azevedo, *Contos Possíveis,* p. 158); "por vezes o cinzel do rude escultor soube imprimir às fisionomias uma expressão digna dos profetas." (Bernardo Guimarães, *O Seminarista,* p. 37); "Camilo Pessanha imprimiu estilo estritamente pessoal à sua obra de alto nível, jamais acomodatícia, fútil ou supérflua, embora extravagante às vezes." (Henriqueta Lisboa, *Vigília Poética,* p. 123.) **6.** Infundir, inspirar, insinuar: *A austeridade da sua fisionomia imprime respeito em toda a gente.* **7.** Produzir, originar; comunicar, transmitir: *A alta posição paterna imprimiu naquele jovem a paixão do mando;* "imprimindo ao talhe um movimento gracioso e ondulado, ... colocou-se diante de seu cavalheiro e entregou-lhe a cintura mimosa." (José de Alencar, *Senhora,* p. 341.) *P.* **8.** Deixar sinal por meio de pressão; ficar marcado. **9.** Fixar-se, gravar-se; infundir-se: *Desde cedo se imprimiu em sua mente aquela idéia.* [Part.: *imprimido* e *impresso.*]

imprimível. *Adj. 2 g.* **1.** Que se pode imprimir. **2.** Digno de ser impresso. **3.** Em que se pode imprimir mais ou menos bem; que se presta a receber impressão: *papel imprimível.*

improbabilidade. *S. f.* **1.** Qualidade de improvável. **2.** Incerteza, dúvida.

improbar. *V. t. d. P. us.* V. *improvar.* [Pres. ind.: *improbo,* etc. Cf. *ímprobo.*]

improbidade. [Do lat. *improbitate.*] *S. f.* **1.** Falta de probidade; mau caráter; desonestidade. **2.** Maldade, perversidade.

ímprobo. [Do lat. *improbu.*] *Adj.* **1.** Que não tem probidade; desonesto. **2.** Árduo, fatigante, exaustivo: "Podeis rasgar-lhe o seio [da terra], fecundá-la / Com ímprobo trabalho" (Gonçalves Dias, *Obras Poéticas,* II, p. 433). [Cf. *improbo,* do v. *improbar.*]

➧**improbus administrator.** (ímprobuç administrátor). [Lat.] Administrador desonesto.

➧**improbus litigator** (ímprobuç litigátor). [Lat.] *Jur.* Aquele que demanda em juízo sem direito, mas apenas por malícia ou emulação [q. v.].

improcedência. *S. f.* Qualidade de improcedente.

improcedente. [De *im-*[2] + *procedente.*] *Adj. 2 g.* **1.** Que não é procedente; que não se justifica. **2.** Incoerente, ilógico.

improducente. [De *im-*[2] + *producente.*] *Adj. 2 g.* V. *improdutivo.*

improdutibilidade. *S. f.* Qualidade de improdutível.

improdutível. [De *im-*[2] + *produtível.*] *Adj. 2 g.* Não produtível.

improdutividade. *S. f.* Qualidade de improdutivo.

improdutivo. [De *im-*[2] + *produtivo.*] *Adj.* **1.** V. *estéril* (1): *solo improdutivo.* **2.** Não rendoso; inútil: *negócio improdutivo.* **3.** Frustrado; baldado, vão: *esforço improdutivo.* [Sin. ger.: *improducente.*]

improferível. [De *im-*[2] + *proferível.*] *Adj. 2 g.* **1.** Que não se pode proferir: *palavras improferíveis.* **2.** Que não se profere: *consoante improferível.*

improficiência. *S. f.* Qualidade de improficiente.

improficiente. [De *im-*[2] + *proficiente.*] *Adj. 2 g.* **1.** Não proficiente; improfícuo. **2.** Que não trabalha bem.

improficuidade (u-i). *S. f.* Qualidade de improfícuo.

improfícuo. [De *im-*^{2} + *profícuo*.] *Adj.* **1.** Não profícuo; que não dá proveito. **2.** Baldado, vão, inútil: "Sobre histórias de amor o interrogar-me / É vão, é inútil, é *improfícuo*, em suma" (Augusto dos Anjos, *Eu*, p. 116).
improgressivo. [De *im-*^{2} + *progressivo*.] *Adj.* **1.** Que não é progressivo. **2.** Que não progride, não se desenvolve.
improlífero. [De *im-*^{2} + *prolífero*.] *Adj.* V. *estéril* (1).
improlífico. [De *im-*^{2} + *prolífico*.] *Adj.* V. *estéril* (1).
➡**impromptu** (emprontü). [Fr.] *S. m. Mús.* Composição com caráter de improviso (3).
impronúncia. [De *im-*^{2} + *pronúncia*.] *S. f. Bras. Jur.* **1.** Ato de impronunciar. **2.** Sentença em que a autoridade judicial impronuncia o acusado. [Cf. *impronuncia*, do v. *impronunciar*.]
impronunciar. [De *im-*^{2} + *pronunciar*.] *V. t. d. Bras. Jur.* Julgar improcedente a denúncia ou queixa contra (o acusado), evitando seja ele submetido ao julgamento do Tribunal do Júri: "O juiz de direito Martins Torres aceitou a versão da defesa, *impronunciando* Lima e Silva." (R. Magalhães Júnior, *Artur Azevedo e Sua Época*, p. 43.) [Pres. ind.: *impronuncio, impronuncias, impronuncia*, etc. Cf. *impronúncia* e *desindiciar*.]
impronunciável. [De *im-*^{2} + *pronunciável*.] *Adj.* Não pronunciável.
improperar. [Do lat. *improperare*.] *V. t. d.* **1.** Dirigir impropérios a; injuriar, afrontar, vituperar: *Improperou desabridamente os inimigos políticos.* **2.** Lançar em rosto; censurar, criticar: *Improperou o mau proceder de seu advogado.*
impropério. [Do lat. *improperiu*.] *S. m.* **1.** Ato ou palavra repreensível, ofensiva, vergonhosa; vitupério: "começaram a vazar pelas bocas malditas todas as infâmias e *impropérios* que a raiva e a paixão e a perversa natureza lhes ensinava" (Frei Luís de Sousa, *Vida de D. Fr. Bertolameu dos Mártires*, II, p. 34). **2.** Repreensão injuriosa; doesto, afronta.
improporcional. [De *im-*^{2} + *proporcional*.] *Adj. 2 g.* Não proporcional.
impropriar. *V. t. d.* **1.** Tornar impróprio. **2.** Aplicar mal ou impropriamente. *T. d. e i.* **3.** Tornar impróprio: "o matagal desaparecera, as alamedas foram desobstruídas da vegetação rasteira e daninha que as *impropriava* aos passeios e aos encontros de namorados" (Viana Moog, *Tóia*, p. 36). *P.* **4.** Tornar-se impróprio. [Pres. ind.: *improprio*, etc. Cf. *impróprio*.]
impropriedade. [Do lat. *improprietate*.] *S. f.* **1.** Qualidade de impróprio. **2.** Inconveniência, inoportunidade. **3.** Incoerência, absurdo. **4.** Deslize, lapso; incorreção: *Sua linguagem se ressente de muitas impropriedades.*
impróprio. [Do lat. *impropriu*.] *Adj.* **1.** Que não é próprio; inadequado: *trajo impróprio; tempero impróprio para carne.* **2.** Que não é justo; inexato: *termo impróprio; expressão imprópria.* **3.** Inoportuno, inconveniente; inadequado: *ocasião imprópria.* **4.** Indecoroso, indecente: *conduta imprópria* [Cf. *improprio*, do v. *impropriar*.] ~ V. *integral*—*a*, *plano* —, *ponto* —. e *reta* —*a*.
improrrogabilidade. *S. f.* Qualidade de improrrogável.
improrrogável. [De *im-*^{2} + *prorrogável*.] *Adj. 2 g.* Não prorrogável.
impróspero. [Do lat. *improsperu*.] *Adj.* Que não é próspero.
improvar. [Do lat. *improbare*.] *V. t. d.* Desaprovar, censurar, reprovar. [F. paral., p. us.: *improbar*.]
improvável. [Do lat. *improbabile*.] *Adj. 2 g.* Que não é provável.
improvidência. [Do lat. *improvidentia*.] *S. f.* Qualidade de improvidente. [Cf. *imprevidência*.]
improvidente. [De *im-*^{2} + *providente*.] *Adj. 2 g.* **1.** Que não é provido. **2.** Desleixado, desmazelado, negligente. **3.** *P. ext.* Desgovernado, dissipador. [Sin. ger.: *impróvido*. Cf. *imprevidente*.]
impróvido. [Do lat. *improvidu*.] *Adj.* V. *improvidente.* [Superl. abs. sint.: *improvidentíssimo*.]
improvisação. *S. f.* **1.** Ato ou efeito de improvisar(-se). **2.** *Teat.* Conjunto de diálogos, movimentos e cenas de atores, bem como de efeitos cênicos, realizados sem prévio ensaio, e destinados ao aprimoramento, pesquisa e enriquecimento da ação ou da técnica do ator, ou à obtenção de determinados resultados dramáticos.
improvisador (ô). *Adj.* e *s. m.* Que ou aquele que improvisa.
improvisar. [De *improviso* + *-ar*^{2}.] *V. t. d.* **1.** Fazer, arranjar, inventar ou preparar às pressas, de repente: *improvisar uma fantasia; improvisar uma mentira.* **2.** Falar, escrever, compor, sem preparação, de improviso: *improvisar um discurso.* **3.** Citar falsa mente; falsear (aquilo que não existe): *improvisar um documento, uma lei. Int.* **4.** Discursar ou versejar de improviso: "atravessando lentamente com as minhas *sebentas* na algibeira o Largo da Feira, avistei sobre a escadaria da Sé Nova, ... um homem, de pé, que *improvisava*." (Eça de Queirós, *Notas Contemporâneas*, p. 367). **5.** Mentir levemente. *P.* **6.** Adotar dolosamente, ou por necessidade de eventual, uma profissão, uma qualidade; arvorar-se em: "Uma passageira loura e magra *improvisou-se* em enfermeira e dirige os curativos." (Érico Veríssimo, *México*, p. 30.)
improviso. [Do lat. *improvisu*.] *Adj.* **1.** Repentino, súbito, inopinado, improvisado. ● *S. m.* **2.** Produto intelectual inspirado na própria ocasião e feito de repente, sem preparo. **3.** Gênero musical surgido na época romântica e usado sobretudo no repertório pianístico. ♦ **De improviso. 1.** De repente; de súbito; inopinadamente, imprevistamente: "ergueu-se *de improviso*, abraçou-se com a ossada" (Coelho Neto, *Sertão*, p. 61). **2.** Sem preparação prévia: *falar de improviso.*
imprudência. [Do lat. *imprudentia*.] *S. f.* **1.** Qualidade de imprudente; inconveniência. **2.** Ato ou dito contrário à prudência.
imprudente. [Do lat. *imprudente*.] *Adj. 2 g.* **1.** Que não tem, ou em que não há prudência. ● *S. 2 g.* **2.** Pessoa imprudente.
impuberdade. [De *im-*^{2} + *puberdade*.] *S. f.* Idade de impúbere; impubescência.
impúbere. [Do lat. *impubere*.] *Adj. 2 g.* e *s. 2. g.* **1.** Que ou pessoa que ainda não chegou à puberdade. **2.** Diz-se de, ou menor que tem absoluta incapacidade civil. [Sin. ger.: *impubescente*.]
impubescência. *S. f.* **1.** Impuberdade. **2.** O começo da puberdade.
impubescente. [Do lat. *impubescente*.] *Adj. 2 g.* e *s. 2 g.* V. *impúbere.*
impudência. [Do lat. *impudentia*.] *S. f.* **1.** V. *impudor.* **2.** Ato ou dito impudente.
impudente. [Do lat. *impudente*.] *Adj. 2 g.* **1.** Que não tem pudor; cínico, sem-vergonha, despudorado, descarado, impudico. **2.** Que denota impudência: *atitude impudente.* ● *S. 2 g.* **3.** Pessoa impudente.
impudicícia. [Do lat. *impudicitia*.] *S. f.* **1.** Falta de pudicícia. **2.** Ato ou expressão impudica.
impudico (dí). [Do lat. *impudicu*.] *Adj.* **1.** V. *impudente* (1). **2.** Que revela ou sugere impudor: "Os beiços entreabertos e vermelhos tinham uma intimidade feminina, quase *impudica*." (José Rodrigues Miguéis, *Gente da Terceira Classe*, p. 101.) **3.** Lascivo, sensual: *sorriso impudico; olhar impudico.* ● *S. m.* **4.** Indivíduo impudico.
impudor. (ô). [De *im-*^{2} + *pudor*.] *S. m.* Falta de pudor, de pejo; descaro, cinismo, impureza, impudência, despudor.
impueira. *S. f. Bras.* V. *ipueira.*
impugnação. [Do lat. *impugnatione*.] *S. f.* **1.** Ato ou efeito de impugnar; contestação. **2.** Conjunto de argumentos com que se impugna.
impugnador (ô). [Do lat. *impugnatore*.] *Adj.* e *s. m.* Que ou aquele que impugna; adversário, contraditor, impugnante.
impugnante. [Do lat. *impugnante*.] *Adj. 2 g.* e *s. 2 g.* V. *impugnador.*
impugnar. [Do lat. *impugnare*.] *V. t. d.* **1.** Contrariar com razões; refutar, contestar. **2.** Pugnar contra; opor-se a; resistir.
impugnativo. *Adj.* **1.** Que impugna ou serve para impugnar: *argumentos impugnativos.* **2.** Próprio de quem impugna: *Falou em tom impugnativo.* [Sin. ger.: *impugnatório*.]
impugnatório. *Adj.* V. *impugnativo.*
impugnável. *Adj. 2 g.* Que pode ou deve ser impugnado.
impulsão. [Do lat. *impulsione*.] *S. f.* **1.** Impulso (1). **2.** *Fís.* Integral sobre o tempo de uma força que atua num corpo; impulso. **3.** *Mús. Eletrôn.* O início de qualquer som emitido por instrumento musical eletrônico, e que é causado pela transformação da energia elétrica em energia sonora. ♦ **Impulsão angular.** *Fís.* Integral de um momento de força que atua sobre um corpo estendido ao intervalo de tempo da atuação dessa força. **Impulsão específica.** *Astron.* V. *impulso específico.*
impulsar. [De *impulso* + *-ar*^{2}.] *V. t. d.* e *t. d. e i.* V. *impulsionar:* "A humana vontade de poder *impulsa-va-o* ao desapoderado afã de maravilhar o mundo com a sua opulência." (Eduardo Frieiro, *Feijão, Angu e Couve*, p. 110.)
impulsionador (ô). *Adj.* e *s. m.* Que ou aquele que impulsiona; impulsor. [q. v.].
impulsionante. *Adj. 2 g.* Que impulsiona; impulsionador, impulsor [q. v.].
impulsionar. *V. t. d.* **1.** Dar impulso ou impulsão a; impelir: *Impulsionou a pedra, que foi rolando morro abaixo. T. d. e i.* **2.** Dar impulso moral; estimular, excitar, incitar: *Impulsionou-o a estudar e seguir uma carreira.* [Sin. ger.: *impulsar*.]
impulsividade. *S. f.* Qualidade de impulsivo.
impulsivo. *Adj.* **1.** Que dá impulso. **2.** Que age irrefletidamente, obedecendo ao impulso do momento. **3.** Que facilmente se excita ou enfurece. ~ V. *força* —*a*. ● *S. m.* **4.** Indivíduo impulsivo.
impulso. [Do lat. *impulsu*.] *S. m.* **1.** Ato de impelir; impulsão. **2.** V. *ímpeto* (2). **3.** Abalo, estremeção. **4.** *Fig.* Estímulo, incitamento, instigação. **5.** *Eletrôn.* Pulso (4). **6.** *Fís.* V. *momento*[1] (6). **7.** *Fís.* Impulsão (2). ♦ **Impulso específico.** *Astron.* Grandeza que indica o comportamento de um combustível de um foguete, e que é igual ao empuxo dividido pela quantidade de combustível consumido por segundo; impulsão específica, empuxo específico. [Opõe-se a *consumo específico de propelente*.]
impulsor (ô). [Do lat. *impulsore*.] *Adj.* **1.** Que impulsa ou impele; impulsionador, impulsionante: "O diálogo com o mundo .... implicava simultaneamente uma obstinação *impulsora* e um frêmito afetivo." (Miguel Torga, *Diário*, IX, p. 38.) ● *S. m.* **2.** Aquele ou aquilo que impele ou impulsa; impulsionador. ♦ **Impulsor auxiliar.** *Astron.* V. *reforçador* (3).
impune. [Do lat. *impune*.] *Adj. 2 g.* Que escapa ou escapou à punição; que não é ou não foi castigado; impunido.
impunidade. [Do lat. *impunitate*.] *S. f.* Estado de impune.
impunido. [Do lat. *impunitu*.] *Adj.* Não punido; impune: "A tragicomédia da soberania dos Estados, dos impostos interestaduais e intermunicipais, dos exércitos sob os disfarçados títulos de brigadas provincianas, ... das roubalheiras descentralizantes e *impunidas*, ... que é o federalismo oligárquico da atualidade nacional deve acabar, ou ela matará o Brasil." (Sílvio Romero, *Provocações e Debates*, p. 333.)
impunível. [De *im-*^{2} + *punível*.] *Adj. 2 g.* Que não pode ou não deve ser castigado; não punível. [Cf. *imponível*.]
impureira. *S. f. Bras., MG.* V. *ipueira.*
impureza (ê). [Do lat. *impuritia*.] *S. f.* **1.** Qualidade ou estado de impuro. [Sin., p. us.: *impuridade*.] **2.** Aquilo que, misturado com uma substância, a polui ou adultera. **3.** Coisa impura. **4.** V. *impudor.* **5.** *Fís.* Substância que, adicionada em pequeníssima quantidade a um semicondutor, lhe altera os níveis de energia e determina a formação de buracos ou liberta elétrons.
impuridade. *S. f. P. us.* Impureza (1): "os outros .... endeusaram o celibato, escoltado de escândalos, e o amor material com todas as suas *impuridades*." (Camilo Castelo Branco, *Doze Casamentos Felizes*, p. 242.)
impurificado. *Adj.* Que não foi submetido à purificação.
impurificante. *Adj. 2 g.* Que impurifica.
impurificar. [Do lat. *impuru*, 'impuro', + *-i-* + *-ficar*.] *V. t. d.* Alterar o estado de pureza de. [Conjug.: v. *trancar*.]
impuro. [Do lat. *impuru*.] *Adj.* **1.** Que não tem pureza. **2.** Contaminado, infetado: *águas impuras.* **3.** Que contém impureza(s): *vinho impuro.* **4.** Lúbrico, sensual, impudico. **5.** Sórdido, torpe, imundo. **6.** Que não é vernáculo (falando-se de linguagem). ● *S. m.* **7.** Indivíduo impuro.
imputabilidade. *S. f.* Qualidade de imputável; responsabilidade. [Cf. *impotabilidade*.]
imputação. [Do lat. *imputatione*.] *S. f.* **1.** Ato ou efeito de imputar. **2.** Responsabilidade pessoal. **3.** Inculpação com fundamento ou sem ele. **4.** Aquilo que é imputado.
imputador (ô). [Do lat. *imputatore*.] *Adj.* e *s. m.* Que ou aquele que imputa.
imputar. [Do lat. *imputare*.] *V. t. d. e i.* **1.** Atribuir (a alguém) a responsabilidade de; assacar: *Imputam-lhe a morte do amigo;* "a maior calúnia que se pode assacar a um Ente Perfeito é *imputar-lhe* a criação do homem." (Camilo Castelo Branco, *Perfil do Marquês de Pombal*, p. 49.) **2.** Aplicar (um pagamento) a uma determinada dívida, dentre outras que se têm com o mesmo credor, dado que sejam todas da mesma natureza, líquidas e vencidas. **3.** Deduzir de um crédito (determinada importância ou valor). **4.** *P. us.* Qualificar de erro ou crime.
imputável. [Do lat. *imputabile*.] *Adj. 2 g.* Suscetível de se imputar. [Cf. *impotável*.]

imputrescibilidade. *S. f.* Qualidade de imputrescível.
imputrescível. [De *im-*[2] + *putrescível*.] *Adj. 2 g.* Que não está sujeito a apodrecer; não putrescível.
imudável. *Adj. 2 g.* Imutável.
imundice. *S. f.* Var. de *imundície* [q. v.]: "capaz [Sarah Bernhardt] de revolver todos os esplendores e todas as *imundices*, o que há de mais belo e o que há de mais torpe, sem que coisa alguma a contamine, a perverta, a diminua." (Ramalho Ortigão, *Farpas Esquecidas*, II, p. 202.)
imundícia. [Do lat. *immunditia*.] *S. f.* **1.** Falta de asseio. **2.** Porcaria, lixo, sujidade, sujeira. **3.** *Bras., Pop.* V. *quantidade* (3). **4.** *Bras., Marajó.* Os insetos e ácaros que flagelam o gado. [F. paral.: *imundície*.]
imundície. [Do lat. *immunditie*.] *S. f.* **1.** V. *imundícia*. **2.** *Bras.* Caça miúda de pêlo. [Var.: *imundice*.]
imundo. [Do lat. *immundu*.] *Adj.* **1.** Sujo, emporcalhado, porco. **2.** V. *impuro* (5). **3.** Indecente, obsceno, imoral.
imune. [Do lat. *immune*.] *Adj. 2 g.* **1.** Não atreito, não sujeito; isento, livre: "Eu por mim creio nas amazonas fingidas ou verdadeiras e crê-lo-ia ainda que fosse *imune* do pecado da mentira" (João Ribeiro, *Colmeia*, p. 58). **2.** *Biol. Ger.* Que tem imunidade (2).
imunidade. [Do lat. *immunitate*.] *S. f.* **1.** Condição de não ser sujeito a algum ônus ou encargo; isenção. **2.** *Biol. Ger.* Resistência natural ou adquirida de um organismo vivo a um agente infeccioso ou tóxico. **3.** *Jur.* Direitos, privilégios ou vantagens pessoais de que alguém desfruta por causa do cargo ou função que exerce.
imunização. *S. f.* Ato ou efeito de imunizar.
imunizado. [Part. de *imunizar*.] *Adj.* Tornado imune; que se imunizou.
imunizador (ô). *Adj.* e *s. m.* Que ou aquilo que imuniza; imunizante.
imunizante. *Adj. 2 g.* e *s. 2 g.* Imunizador.
imunizar. [De *imun(o)-* + *-izar*.] *V. t. d.* **1.** Tornar imune ou refratário a determinada(s) moléstia(s): *Imunizaram todas as pessoas hospitalizadas. T. d. e i.* **2.** Tornar imune ou refratário a determinada moléstia, veneno, etc.: *Imunizaram-no contra o tifo*; "Além de *imunizar* qualquer sujeito à dentada da jararaca, da cascavel, da sururucu, ... ele [o pajé] trata ferida com a folha de aninga" (Raimundo Morais, *País das Pedras Verdes*, p. 227). **3.** Tornar imune, não atreito, não sujeito; defender: *A pena que sofreu imunizou-o contra a prática de novos crimes.*
▲**imun(o)-.** [Do lat. *immune*.] *El. comp.* = 'livre de', 'isento', 'imune': *imunizar, imunogênico.*
imunodepressão. [De *imun(o)-* + *depressão*.] *S. f. Med.* e *Patol.* Imunossupressão.
imunodepressor. *Adj. Med.* e *Patol.* Imunossupressor.
imunogênico. [De *imun(o)-* + *-gen(o)-*[1] + *-ico*[2].] *Adj.* Que torna imune, produz imunidade.
imunoglobulina. [De *imun(o)-* + *globulina*.] *S. f. Bacter.* Grupo de proteínas, de que há várias classes, produzido por linfócitos e por plasmócitos. [São chamadas de *imunoglobulinas* aquelas que têm atividade de anticorpos e outras que com elas têm relação antigênica.]
imunologia. [De *imun(o)-* + *-log(o)-* + *-ia*.] *S. f. Med.* Estudo dos mecanismos pelos quais o organismo é capaz de reconhecer e eliminar as substâncias heterólogas estranhas à sua composição.
imunológico. *Adj.* Relativo à imunologia. ~ V. *resposta —a* e *síndrome de deficiência —a adquirida.*
imunologista. *S. 2 g.* Especialista em imunologia.
imunopatologia. [De *imun(o)-* + *patologia*.] *S. f.* Estudo das reações imunes associadas à doença, sejam elas benéficas, sem efeito ou nocivas.
imunopatológico. *Adj.* Relativo à imunopatologia.
imunorreação. [De *imun(o)-* + *reação*.] *S. f.* Reação resultante da ação entre um antígeno e o seu anticorpo.
imunossupressão. [De *imun(o)-* + *supressão*.] *S. f. Med.* e *Patol.* Diminuição, de grau variável, proposital ou não, e obtida mediante recursos artificiais (irradiação, substâncias deversas), de resposta imunológica [q. v.]; imunodepressão. [Embora muito menos us., é preferível o termo *imunodepressão*.]
imunossupressor. *Adj. Med.* e *Patol.* Que provoca imunossupressão [q. v.]; imunodepressor.
imunoterapia. [De *imun(o)-* + *-terapia*.] *S. f.* Tipo de imunização de um indivíduo (homem ou outro animal) mediante a administração de anticorpos pré-formados produzidos ativamente em outro indivíduo.
imunoterápico. *Adj.* Relativo à imunoterapia.
imutabilidade. [Do lat. *immutabilitate*.] *S. f.* Qualidade de imutável.
imutação. [Do lat. *immutatione*.] *S. f. P. us.* Ato de imutar.
imutar. [Do lat. *immutare*.] *V. t. d. P. us.* Alterar, transformar, mudar.
imutável. [Do lat. *immutabile*.] *Adj. 2 g.* Não sujeito a mudança; imudável: "cravou no interlocutor os olhos desvairados, em que reluzia o fulgor concentrado dum pensamento *imutável*." (Rebelo da Silva, *Contos e Lendas*, p. 181).
➡**in**[1]. [Ingl.] *Adv.* Na moda. [Opõe-se a *out* (2).]
➡**In**[2]. [Lat. 'em'.] *Prep.* Us., em bibliografia, antes de título de obra que serve de fonte a uma citação. Ex.: Figueredo, Fidelino de. "Romantismo". *In*: *História Literária de Portugal*. (Séc. XII-XX). Coimbra, Nobel, 1944, pp. 414 - 415. [Tb. se pode substituir essa indicação por *em seu* ou *em sua*.]
▲**in-**[1]. V. *em-*[2].
▲**In-**[2]. [Do lat. *in*.] *Pref.* = 'negação', 'privação': *incuriosidade*. [Equiv.: *im-*[2], *i-*[2] e *ir-*[2]: *impalpável; ilegal* (< lat. *illegale*); *irredutível*.]
■ **in.** Abrev. de *polegada* (2). [Em ingl., *inch*.]
■ **in.** *Quím.* Símb. do *índio*[1].
▲**-ina**[1]. Equiv. de *-ino*[1].
▲**-ina**[2]. Fem. de *-ino*[2]. V. *-inho*.
inã. *S. f.* Irmã de criação da sacerdotisa, no culto dos ibejis, que executa as suas ordens.
inabalável. [De *in-*[2] + *abalável*.] *Adj. 2 g.* **1.** Que não pode ser abalado. **2.** Firme, fixo, arraigado, constante: *crença inabalável; opinião inabalável.* **3.** *Fig.* Inquebrantável, inflexível: *caráter inabalável.* **4.** Inexorável, implacável. **5.** Intrépido, audaz: *ânimo inabalável.*
inabdicável. [De *in-*[2] + *abdicável*.] *Adj. 2 g.* Não abdicável; irrenunciável.
inábil. [Do lat. *inhabile*.] *Adj. 2 g.* **1.** Que não é hábil; sem destreza ou competência; desajeitado, inapto. **2.** *Jur.* Incapaz (4). [Pl.: *inábeis*.]
inabilidade. *S. f.* **1.** Qualidade de inábil. **2.** Procedimento inábil.
inabilidoso (ô). [De *in-*[2] + *habilidoso*.] *Adj.* Não habilidoso; sem habilidade: "Porque eu sei que sou mesmo incompetente e *inabilidoso*, nunca mulher alguma teve verdadeiro prazer comigo." (Autran Dourado, *As Imaginações Pecaminosas*, p. 63.)
inabilitação. [De *in-*[2] + *habilitação*.] *S. f.* Falta de habilitação.
inabilitar. [De *in-*[2] + *habilitar*.] *V. t. d.* **1.** Tornar inábil, física ou moralmente; incapacitar: *A enfermidade inabilitou-o para sempre.* **2.** Tirar a faculdade ou certos meios a; impedir. **3.** Reprovar em concurso ou exame: *Inabilitaram-no por seu mau preparo físico. T. d. e i.* **4.** Tornar inábil; incapacitar: *O espírito de diletantismo inabilita-o para o estudo apurado e paciente. P.* **5.** Tornar-se inábil; impossibilitar-se física ou moralmente.
inabitado. [Do lat. *inhabitatu*.] *Adj.* Onde ninguém habita; desabitado.
inabitável. [Do lat. *inhabitabile*.] *Adj. 2 g.* **1.** Que não se pode habitar. **2.** Que não apresenta condições de habitabilidade.
inabitual. [De *in-*[2] + *habitual*.] *Adj. 2 g.* Não habitual; desacostumado, insólito.
inabordável. [De *in-*[2] + *abordável*.] *Adj. 2 g.* Que não pode ser abordado.
➡**in absentia** (in abcência). [Lat., 'na ausência'.] *Jur.* Diz-se do julgamento a que o réu não se acha presente.
inacabado. [De *in-*[2] + *acabado*.] *Adj.* Que não foi acabado; incompleto: "Naquela ladeira da Floresta, havia uma igreja enorme .... e *inacabada*, que centralizava a vida do bairro." (Maria Julieta Drummond de Andrade, *O Valor da Vida*, p. 38.)
inacabável. [De *in-*[2] + *acabável*.] *Adj. 2 g.* Que não se pode acabar; infindo, interminável, infinito.
inação. [De *in-*[2] + *ação*.] *S. f.* **1.** Falta de ação; inércia. **2.** Irresolução, indecisão. **3.** Frouxidão de caráter; moleza. [Cf. *enação*.]
inaccessibilidade. *S. f.* V. *inacessibilidade*.
inaccessível. *Adj. 2 g.* V. *inacessível*.
inaceitabilidade. *S. f.* Qualidade de inaceitável.
inaceitável. [De *in-*[2] + *aceitável*.] *Adj. 2 g.* Não aceitável; inadmissível.
inacentuado. [De *in-*[2] + *acentuado*.] *Adj.* Não acentuado (1).
inacessibilidade. [Do lat. *inaccessibilitate*.] *S. f.* Qualidade de inacessível.
inacessível. [Do lat. *inaccessibile*.] *Adj. 2 g.* **1.** Que não dá acesso; a que não se pode chegar, ou onde não se pode entrar: "A pequena península onde está Galípoli .... pode ser em poucos dias convertida num campo entrincheirado, *inacessível* por terra, inexpugnável por mar" (Eça de Queirós, *Crônicas de Londres*, p. 81). **2.** Intratável, insociável. **3.** Incompreensível, impenetrável. **4.** Não sujeito; imune, isento, refratário: "Beldade assim composta não é só perfeita, — é *inacessível* aos estragos do tempo" (Antônio Feliciano de Castilho, *Amor e Melancolia*, p. 401). [Sin., poét. *inacesso*.]
inacesso. [Do lat. *inaccessu*.] *Adj. Poét.* V. *inacessível*.
inácia. [Do antr. fem. *Inácia*?] *S. f. Bras. Mar. G.* Norma de serviço; regulamento. ◆ **Cumprir a inácia.** *Mar. G.* Observar as prescrições legais e regulamentares. **Estar fora da inácia.** *Mar. G.* Deixar de respeitar as prescrições legais e regulamentares. **Ser da inácia.** *Mar. G.* Ter por hábito respeitar as prescrições legais e regulamentares.
inaciano. [Do antr. *Inácio* + *-ano*.] *Adj.* **1.** Jesuítico (1). ● *S. m.* **2.** V. *jesuíta*.
inaclimável. [De *in-*[2] + *aclimável*.] *Adj. 2 g.* Não aclimável.
inacomodável. [De *in-*[2] + *acomodável*.] *Adj. 2 g.* Não acomodável.
inacreditável. [De *in-*[2] + *acreditável*.] *Adj. 2 g.* Que não é acreditável; incrível.
➡**in actu.** [Lat.] *Filos.* Em ato [q. v.]
inacumulação. [De *in-*[2] + *acumulação*.] *S. f.* Ausência ou falta de acumulação.
inacusável. [De *in-*[2] + *acusável*.] *Adj. 2 g.* Não acusável.
inadaptabilidade. *S. f.* Qualidade de inadaptável; ausência ou falta de adaptabilidade.
inadaptação. [De *in-*[2] + *adaptação*.] *S. f.* Falta ou incapacidade de adaptação.
inadaptado. [De *in-*[2] + *adaptado*.] *Adj.* e *s. m.* Que ou aquele que não se adaptou ou não se adapta a um determinado meio, situação, etc.
inadaptar. [De *in-*[2] + *adaptar*.] *V. t. d.* e *p.* Não adaptar(-se).
inadaptável. [De *in-*[2] + *adaptável*.] *Adj. 2 g.* Não adaptável.
inadequabilidade. *S. f.* Qualidade de inadequável.
inadequação. [De *in-*[2] + *adequação*.] *S. f.* Falta de adequação; qualidade de inadequado.
inadequado. [De *in-*[2] + *adequado*.] *Adj.* Não adequado; impróprio.
inadequável. [De *in-*[2] + *adequável*.] *Adj. 2 g.* Não adequável.
inaderente. [De *in-*[2] + *aderente*.] *Adj. 2 g.* Não aderente.
inadestrado. [De *in-*[2] + *adestrado*.] *Adj.* Não adestrado.
inadestrar. [De *in-*[2] + *adestrar*.] *V. t. d.* Não adestrar.
inadiabilidade. *S. f.* Qualidade de inadiável.
inadiável. [De *in-*[2] + *adiável*.] *Adj. 2 g.* Que não se pode adiar; improrrogável, impreterível, impostergável.
inadimplemento. [De *in-*[2] + *adimplemento*.] *S. m. Jur.* Falta de cumprimento dum contrato ou de qualquer de suas condições; descumprimento, inadimplência.
inadimplência. *S. f.* V. *inadimplemento*.
inadimplente. *Adj. 2 g. Jur.* Diz-se do devedor que inadimple, que não cumpre no termo convencionado as suas obrigações contratuais; descumpridor.
inadimplir. [De *in-*[2] + *adimplir*.] *V. t. d. Jur.* Deixar de cumprir no termo convencionado (um contrato ou qualquer das condições dele); descumprir.
inadmissão. [De *in-*[2] + *admissão*.] *S. f.* Ato ou efeito de não admitir.
inadmissibilidade. *S. f.* Qualidade de inadmissível.
inadmissível. [De *in-*[2] + *admissível*.] *Adj. 2 g.* Que não pode ou não deve ser admitido.
inadotável. [De *in-*[2] + *adotável*.] *Adj. 2 g.* Não adotável: "A verdade é que o *Método Repentino* [de Antônio Feliciano de Castilho] é *inadotável* nas escolas" (Ramalho Ortigão, *Figuras e Questões Literárias*, I, p. 27).
inadquirível. [De *in-*[2] + *adquirível*.] *Adj. 2 g.* Não adquirível.
inadvertência. [De *in-*[2] + *advertência*.] *S. f.* **1.** Falta de advertência; imprevidência, descuido, negligência. **2.** Irreflexão, imprudência.
inadvertido. [De *in-*[2] + *advertido*.] *Adj.* Feito sem reflexão; desadvertido.
➡**in aeternum** (in etérnum). [Lat.] Eternamente; para sempre.
inafiançabilidade. *S. f.* Qualidade de inafiançável.
inafiançável. [De *in-*[2] + *afiançável*.] *Adj. 2 g.* Não afiançável.
inaiá. *S. m. Bras.* V. *anajá*[1] (1).
inajá. *S. m. Bras.* V. *anajá*[1] (1).
inajaense. *Adj. 2 g.* **1.** De, ou pertencente ou relativo a Inajá (PE). ● *S. 2 g.* **2.** Natural ou habitante de Inajá.
inajé. *S. m. Bras.* V. *gavião-carijó*.
inalação. [Do lat. *inhalatione*.] *S. f.* **1.** Ato ou efeito de

inalar. **2.** Absorção, pelas vias respiratórias, dos vapores de substâncias medicamentosas.

inalado[1]. [De *in-*[2] + *alado.*] *Adj.* Sem asas.

inalado[2]. [Part. de *inalar.*] *Adj.* Que se inalou.

inalador (ô). *Adj.* e *s. m.* Que ou aquilo que serve para fazer inalações.

inalante. [Do lat. *inhalante.*] *Adj. 2 g.* **1.** Que é absorvido por inalação (2). ● *S. m.* **2.** *Med.* Substância própria para inalação.

inalar. [Do lat. *inhalare.*] *V. t. d.* **1.** Absorver com o hálito; aspirar: "Para o autor de *The White Goddess* [Robert Graves], os poetas também se inspiravam ou inalando fumaça ou ouvindo o vento." (Péricles Eugênio da Silva Ramos, *O Amador de Poemas,* p. 46.) **2.** *Fig.* Receber absorvendo; assimilar: *inalar conhecimentos.*

➧**in albis** (in álbiç). [Lat., 'em branco'.] Sem noção alguma daquilo que deveria saber; sem a menor sombra de conhecimentos: *estar, ficar* in albis.

inalbuminado. [De *in-*[2] + *albuminado.*] *Adj.* Que não tem albumina; exalbuminado.

inalcançado. [De *in-*[2] + *alcançado.*] *Adj.* Que não se alcançou; não alcançado: "O poema que eu te houvera consagrado, / Ó luz de meu ideal inalcançado!" (Austro-Costa, *Mulheres e Rosas,* p. 40).

inalcançável. [De *in-*[2] + *alcançável.*] *Adj. 2 g.* Que não se pode alcançar; não alcançável.

inaliável. [De *in-*[2] + *aliável.*] *Adj. 2 g.* Que não se pode aliar; não aliável.

inalienabilidade. *S. f.* Qualidade de inalienável.

inalienação. [De *in-*[2] + *alienação.*] *S. f.* Estado daquilo que não se alienou.

inalienado. [De *in-*[2] + *alienado.*] *Adj.* Que não foi alienado.

inalienável. [De *in-*[2] + *alienável.*] *Adj. 2 g.* Não alienável; intransferível: "Nele [no rei], como nos padres, o ofício imprime caráter pessoal e é inalienável do indivíduo." (Ramalho Ortigão, *As Farpas,* IX, p. 32.)

➧**in alio** (inálio). [Lat.] *Filos.* Em outro [q. v.]

inalterabilidade. *S. f.* Qualidade de inalterável.

inalterado. [De *in-*[2] + *alterado.*] *Adj.* **1.** Não alterado; não modificado. **2.** Imperturbado, sereno.

inalterável. [De *in-*[2] + *alterável.*] *Adj. 2 g.* **1.** Que não se pode alterar. **2.** V. *imperturbável.*

inamável. [Do lat. *inamabile.*] *Adj. 2 g.* **1.** Que não é amável; descortês, indelicado, desamável. **2.** Que não inspira amor ou afeto.

inambu. [Do tupi *ina'bu.*] *S. m.* e *f. Bras.* V. *inhambu:* "E vem dos capoeirões onde anoitece / O trilo vesperal dos inambus." (Ricardo Gonçalves, *Ipês,* p. 45).

inambuaçu. *S. m. Bras.* V. *inhambuaçu.*

inambuanhanga. *S. m. Bras.* V. *inhambuanhanga.*

inambucuá. *S. m. Bras.* V. *inhambucuá.*

inambu-grande. *S. m. Bras.* V. *inhambu-grande.* [Pl.: *inambus-grandes.*]

inambuguaçu. *S. m. Bras.* V. *inhambuguaçu.*

inambulação. [Do lat. *inambulatione.*] *S. f.* Ato de passear, de mover-se, de andar de um lado para outro (principalmente falando-se do orador).

inambumirim. *S. m. Bras.* V. *inhambumirim.*

inambupixuna. *S. m. Bras.* V. *inhambupixuna.*

inambu-preto. *S. m. Bras.* V. *inhambu-preto.* [Pl.: *inambus-pretos.*]

inambuquiá. *S. m. Bras.* V. *inhambuquiá.*

inambuquiçaua. [Do tupi.] *S. m. Bras.* **1.** Árvore da família das gutíferas *(Caraipa insidiosa),* da região do Rio Negro, de folhas lanceoladas, acuminadas e coriáceas, flores e frutos desconhecidos, e cuja madeira tem utilidade em carpintaria. **2.** V. *ajará.*

inambu-relógio. *S. m. Bras.* V. *inhambu-relógio.* [Pl.: *inambus-relógios* e *inambus-relógio.*]

inambu-saracuíra. *S. m. Bras.* V. *inhambu-saracuíra.* [Pl.: *inambus-saracuíras* e *inambus-saracuíra.*]

inambu-sujo. *S. m. Bras.* V. *inhambu-sujo.* [Pl.: *inambus-sujos.*]

inambuu. *S. m. Bras.* V. *inhambuu.*

inambuxintã. *S. m. Bras.* V. *inhambuxintã.*

inambuxororó. *S. m. Bras.* V. *inhambuxororó.*

inamissibilidade. *S. f.* Qualidade de inamissível.

inamissível. [Do lat. *inamissibile.*] *Adj. 2 g.* Não sujeito a perder-se; não amissível.

inamistoso (ô). [De *in-*[2] + *amistoso.*] *Adj.* Que não é próprio de amigo; inimigo, hostil: *Tiveram recepção inamistosa.*

inamolgável. [De *in-*[2] + *amolgável.*] *Adj. 2 g.* Não amolgável.

inamovibilidade. *S. f.* **1.** Qualidade de inamovível. **2.** *Jur.* Prerrogativa, de que gozam os magistrados e certa categoria de funcionários públicos, de não serem removidos, salvo a seu próprio pedido ou por motivo de interesse público, mediante formalidades rigorosas.

inamovível. [De *in-*[2] + *amovível.*] *Adj. 2 g.* **1.** Que não pode ser destituído do seu posto por via administrativa. **2.** Que não pode ser removido. **3.** De que não se pode ser destituído.

inamu. *S. m. Bras.* V. *inhambu.*

inamuaçu. *S. m. Bras.* V. *inhambuaçu.*

inamuanhanga. *S. m. Bras.* V. *inhambuanhanga.*

inamucuá. *S. m. Bras.* V. *inhambucuá.*

inamu-grande. *S. m. Bras.* V. *inhamu-grande.* [Pl.: *inamus-grandes.*]

inamuguaçu. *S. m. Bras.* V. *inhambuguaçu.*

inamumirim. *S. m. Bras.* V. *inhambumirim.*

inamupixuna. *S. m. Bras.* V. *inhambupixuna.*

inamu-preto. *S. m. Bras.* V. *inhambu-preto.* [Pl.: *inamus-pretos.*]

inamuquiá. *S. m. Bras.* V. *inhambuquiá.*

inamu-relógio. *S. m. Bras.* V. *inhambu-relógio.* [Pl.: *inamus-relógios* e *inamus-relógio.*]

inamu-saracuíra. *S. m. Bras.* V. *inhambu-saracuíra.* [Pl.: *inamus-saracuíras* e *inamus-saracuíra.*]

inamu-sujo. *S. m. Bras.* V. *inhambu-sujo.* [Pl.: *inamus-sujos.*]

inamuu. *S. m. Bras.* V. *inhambuu.*

inamuxintã. *S. m. Bras.* V. *inhambuxintã.*

inamuxororó. *S. m. Bras.* V. *inhambuxororó.*

inana. [Do nome de uma mulher que trabalhava num espetáculo de ilusionismo, flutuando no espaço.] *S. f. Bras. Gír.* **1.** Situação ou acontecimento desagradável; discussão, briga, conflito, pancadaria. **2.** Aborrecimento, amolação, caceteação: "Ela queria cinza-cinza, o pintor cinza-azulado, e a parede não queria cinza nenhum! A neta reclamava, o pintor pintava, a parede embolava, o pintor raspava, e a inana toda recomeçava." (Malu de Ouro Preto, *Siri na Noite sem Lua,* p. 40.)

inane. [Do lat. *inane.*] *Adj. 2 g.* **1.** Vazio, oco: "As características dominantes em vários desses professores eram a palavra copiosa, ... o intumescimento inane da idéia" (Homero Pires, *Junqueira Freire,* p. 192). **2.** Fútil, frívolo, vão. **3.** *P. us.* Inanido: "Um dia a Virgem desconhecida / Da velha torre quadrangular / Morreu inane, desfalecida" (Manuel Bandeira, *Estrela da Vida Inteira,* pp. 70-71).

inânia. [Do lat. *inania.*] *S. f.* **1.** Inanição (1). **2.** Futilidade, vanidade. [Cf. *inania,* do v. *inanir.*] ~ V. *inânias.*

inânias. [Pl. de *inânia.*] *S. f. pl.* Ninharias, bagatelas. V. *ninharia.* ~ V. *inânia.* [Cf. *inanias,* do v. *inanir.*]

inanição. [Do lat. *inanitione.*] *S. f.* **1.** Estado de inane; inânia. **2.** Enfraquecimento extremo por falta de alimentação.

inanidade. [Do lat. *inanitate.*] *S. f.* Qualidade de inane.

inanido. *Adj.* Em estado de inanição; extenuado, exausto, fraco, inane: "Fraca das constantes vigílias, inanida, mal podia caminhar ao sol" (Coelho Neto, *Sertão,* p. 362).

inanimado. [Do lat. *inanimatu.*] *Adj.* **1.** Sem ânimo; morto. **2.** Sem sentidos; desfalecido: "E ajoelhando, arredou devagar os panos da face do homem [um acidentado], que jazia inanimado." (Eça de Queirós, *Últimas Páginas,* p. 298.) **3.** Sem alma. **4.** Sem vivacidade ou animação. [Sin. ger.: *inânime.*].

➧**in anima nobili** (in ânima nóbili). [Lat.] Num ser nobre. [Diz-se de experiência feita num homem.]

➧**in anima vili** (in ánima víli) [Lat.] Num ser vil, i. e., num animal.

inânime. [Do lat. *inanime.*] *Adj. 2 g.* V. *inanimado.*

inanir. [Do lat. *inanire.*] *V. t. d.* **1.** Reduzir ao estado de inanição; extenuar. *P.* **2.** Cair em inanição; debilitar-se por falta de alimentação. [Defect. Só se conjuga nas f. em que ao *n* da raiz se segue *e* ou *i.* Imperf. ind.: *inania, inanias,* etc. Cf. *inânia* e *inânias.*]

inanistiável. [De *in-*[2] + *anistiável.*] *Adj. 2 g.* Não anistiável.

inantéreo. [De *in-*[2] + *antera* + *-eo.*] *Adj. Morfol. Veg. P. us.* Que não tem anteras.

inapacanim. *S. m. Bras.* V. *apacanim* (1).

inapagado. [De *in-*[2] + *apagado.*] *Adj.* Que não se apaga, não se extingue: "a chama inapagada, a eterna chama / que anima essa defunta infanta ungida / e bem-amada e para sempre santa." (Jorge de Lima, *Obra Completa,* I, p. 602).

inaparente. [De *in-*[2] + *aparente.*] *Adj. 2 g.* Não aparente.

inapelabilidade. *S. f.* Qualidade de inapelável.

inapelável. [De *in-*[2] + *apelável.*] *Adj. 2 g.* De que não se pode apelar; de que não há apelação.

inapendiculado. [De *in-*[2] + *apendiculado.*] *Adj.* Desprovido de apêndices.

inaperto. [Do lat. *inapertu.*] *Adj. Morfol. Veg.* **1.** Não aberto; que não tem fenda. **2.** Oco, vazio.

inaperturado. *Adj. Morfol. Veg.* Diz-se do grão de pólen destituído de poros germinativos.

inapetência. [De *in-*[2] + *apetência.*] *S. f.* Falta de apetite; anorexia. [Antôn.: *apetência.*]

inapetente. *Adj. 2 g.* Que não apetece, não tem apetite, não deseja. [Antôn.: *apetente.*]

inaplicabilidade. *S. f.* Qualidade ou estado de inaplicável.

inaplicado. [De *in-*[2] + *aplicado.*] *Adj.* **1.** Que não tem ou não teve aplicação. **2.** Vadio (4). **3.** Desatento, distraído.

inaplicável. [De *in-*[2] + *aplicável.*] *Adj. 2 g.* Que não é aplicável.

inapreciável. [De *in-*[2] + *apreciável.*] *Adj. 2 g.* **1.** Que não pode ser apreciado ou avaliado, dada sua extrema pequenez. **2.** Tão precioso que parece estar acima de toda a estima que se lhe possa ter.

inapreensível. [De *in-*[2] + *apreensível.*] *Adj. 2 g.* Que não se pode apreender; não apreensível.

inapresentável. [De *in-*[2] + *apresentável.*] *Adj. 2 g.* Não apresentável.

inaproveitado. [De *in-*[2] + *aproveitado.*] *Adj.* Que não se aproveitou; não aproveitado: "Braços para a lida, voz para a *Rosa Tirana* sobre o berço, as ancas serão fecundas a alimentar esta pobre, malfadada, inaproveitada raça do planalto!" (Aquilino Ribeiro, *Aldeia,* p. 189.)

inaproveitável. [De *in-*[2] + *aproveitável.*] *Adj. 2 g.* Não aproveitável.

inaptidão. [De *in-*[2] + *aptidão.*] *S. f.* **1.** Falta de aptidão; inabilidade, incapacidade: "Reconhecendo sua inaptidão para alguma das carreiras literárias, Emília lembrara-se de encaminhá-lo à vida mercantil." (José de Alencar, *Senhora,* p. 190.) **2.** Falta de inteligência; estupidez. [Cf. *ineptidão.*]

inapto. [De *in-*[2] + *apto.*] *Adj.* Não apto; não capacitado ou habilitado; inábil, incapaz: "tem o cérebro atrofiado, ... o corpo trêmulo, os braços pendentes. Está inapto para tudo por espaço de alguns dias." (Ramalho Ortigão, *As Farpas,* VIII, pp. 108-109); "Minha revolta .... em nada se prendia a interesse politiqueiro. Resultou .... da idéia de entregar-se o Estado a pessoa absolutamente inapta ao cargo." (Gilberto Amado, *Depois da Política,* p. 118). [Cf. *inepto.*]

inaquídeo. *S. m.* **1.** Espécime dos inaquídeos. ● *Adj.* **2.** Pertencente ou relativo a eles.

inaquídeos. *S. m. pl. Zool.* Família de crustáceos da ordem dos decápodes e subordem dos braquiúros, que habitam os mares frios e temperados.

inarmonia. [De *in-*[2] + *harmonia.*] *S. f.* Falta de harmonia. [Cf. *enarmonia.*]

inarmônico. [De *in-*[2] + *harmônico.*] *Adj.* Sem harmonia; inarmonioso, anarmônico: "Assimétrico, inarmônico, impertinente, desafinado, o monóculo é um assobio." (Martins Fontes, *Terras da Fantasia,* p. 112). [Cf. *enarmônico.*]

inarmonioso (ô). [De *in-*[2] + *harmonioso.*] *Adj.* V. *inarmônico.*

inarrável. [De *in-*[2] + lat. *narrabile.*] *Adj. 2 g.* Que não se pode narrar; indizível; inenarrável.

inarrecadável. [De *in-*[2] + *arrecadável.*] *Adj. 2 g.* Que não pode ser arrecadado.

inarredável. [De *in-*[2] + *arredável.*] *Adj. 2 g. Bras.* De que não é possível arredar-se ou afastar-se; a que se está firmemente preso; a que não se pode fugir; firme, inabalável: *convicções inarredáveis; decisão inarredável.*

inarticulado. [Do lat. *inarticulatu.*] *Adj.* **1.** Que não é articulado ou pronunciado, ou que o é com dificuldade: "O homem fazia esforços para falar, mas da sua boca saíam apenas sons inarticulados, esboços de palavras sem sentido" (Domingos Monteiro, *Enfermaria, Prisão e Casa Mortuária,* p. 140). **2.** Mal ou indistintamente pronunciado. **3.** Que não chegou a ser articulado ou pronunciado: "O menino ainda despertou de sua prostração, olhou-me com angústia e esboçou uma palavra que ficou inarticulada." (Oto Lara Resende, *O Retrato na Gaveta,* p. 52.) **4.** Pertencente ou relativo aos inarticulados. ● *S. m.* **5.** Espécime dos inarticulados. [Sin., nas acepç. 4 e 5: *ecárdine.*] ~ V. *inarticulados.*

inarticulados. *S. m. pl. Zool.* Animais metazoários, braquiópodes, classe *Inarticulata,* desprovidos de articulação e com as duas valvas quase idênticas, constituídas por material quitinoso, provido de espículas calcárias. Ânus presente. [Sin.: *ecárdines.*] ~ V. *inarticulado.*

inarticulável. [De *in-*[2] + *articulável.*] *Adj. 2 g.* Que não se pode articular ou pronunciar; não articulável: "começaram a reaprender as palavras, que se transformaram em letras separadas, sem significado e i n a r t i c u l á v e i s, em estranhos vocábulos de sons belíssimos e com um sentido próprio" (Salim Miguel, *Alguma Gente*, p. 70).

➧**in articulo mortis** (in artículo mórtiç). [Lat.] Em artigo de morte, i. e., no momento de morrer.

inartificial. [Do lat. *inartificiale.*] *Adj. 2 g.* Que não é artificial.

inartificioso (ô). [De *in-*[2] + *artificioso.*] *Adj.* Não artificioso.

inartístico. [De *in-*[2] + *artístico.*] *Adj.* Não artístico; feito sem arte.

inascível. [Do lat. *innascibile.*] *Adj. 2 g.* Que não pode nascer.

inassiduidade (u-i). [De *in-*[2] + *assiduidade.*] *S. f.* Falta de assiduidade; qualidade de inassíduo.

inassíduo. [De *in-*[2] + *assíduo.*] *Adj.* Que não é assíduo.

inassimilável. [De *in-*[2] + *assimilável.*] *Adj. 2 g.* Não assimilável.

inassinável. [De *in-*[2] + *assinável.*] *Adj. 2 g.* **1.** Não assinável. **2.** Que não se pode marcar ou assinalar.

inatacabilidade. *S. f.* Qualidade de inatacável.

inatacável. [De *in-*[2] + *atacável.*] *Adj. 2 g.* **1.** Que não se pode atacar ou contestar; incontestável. **2.** Que não se pode atacar ou censurar; incensurável, irrepreensível, irreprochável: *juiz i n a t a c á v e l; procedimento i n a t a c á v e l.*

inatenção. [De *in-*[2] + *atenção.*] *S. f.* Falta de atenção; desatenção: "E entre a sombra e a luz / Que oscila no chão / Meu sonho conduz / Minha i n a t e n ç ã o." (Fernando Pessoa, *Obra Poética*, p. 149.)

inatendível. [De *in-*[2] + *atendível.*] *Adj. 2 g.* Que não pode ou não merece ser atendido.

inatingido. [De *in-*[2] + o part. de *atingir.*] *Adj.* Que não foi atingido; não atingido: "passam a vida a grimpar despenhadeiros à procura de picos i n a t i n g i d o s." (Gilberto Amado, *Minha Formação no Recife*, p. 176); "E P[e] Saulo envelhecerá com a lembrança da noiva impossível, da noiva i n a t i n g i d a" (Geraldo França de Lima, *Branca Bela*, p. 279).

inatingível. [De *in-*[2] + *atingível.*] *Adj. 2 g.* **1.** Não atingível: "— Desejo de subir a i n a t i n g í v e i s cimos" (Hermes-Fontes, *Gênese*, p. 69). ● *S. m.* **2.** Aquele ou aquilo que não se pode atingir: "tudo quanto se quer dizer, ainda mesmo que seja o imponderável, o i n a t i n g í v e l, o sobrenatural" (Martins Fontes, *A Dança*, p. 95).

inatismo. [De *inato*[1] + *-ismo.*] *S. m. Filos.* Doutrina que admite a existência de idéias ou princípios independentes da experiência.

inativar. *V. t. d.* Tornar inativo.

inatividade. *S. f.* **1.** Qualidade de inativo; inércia. **2.** Situação de funcionários enquanto retirados do serviço ativo por disposição superior. [Cf., nesta acepç., *aposentadoria* (3), *reforma* (4) *e em atividade* (1).]

inativo. [De *in-*[2] + *ativo.*] *Adj.* **1.** Que não está em exercício; inerte. **2.** Aposentado ou reformado (falando-se de funcionários ou empregados). **3.** Paralisado; paralítico. ~ V. *verbo* —. ● *S. m.* **4.** Funcionário ou empregado inativo.

inato[1]. [Do lat. *innatu.*] *Adj.* **1.** Que nasce com o indivíduo; congênito, conato: "é i n a t a ao homem esta tendência a fazer perguntas" (Eça de Queirós, *Ecos de Paris*, p. 225); "A linguagem não é uma coisa i n a t a, não é um dom natural, mas um aprendizado." (Pedro Bloch, *Essas Crianças de hoje!*, p. 11). **2.** *Filos.* Que pertence à natureza de um ser. ~ V. *idéia* —*a*.

inato[2]. [Do lat. *innatu.*] *Adj.* Não nascido.

inatual. [De *in-*[2] + *atual.*] *Adj. 2 g.* **1.** Que não está atualizado; que não tem atualidade; sem interesse atual: *obra i n a t u a l.* **2.** Que está fora do seu tempo, da sua época; volvido para o passado: *É um indivíduo antiquado, i n a t u a l.*

inatural. [De *in-*[2] + *natural.*] *Adj. 2 g.* Que não é natural.

inaturável. [De *in-*[2] + *aturável.*] *Adj. 2 g.* Não aturável; insuportável, intolerável.

inauditismo. *S. m.* Qualidade de inaudito.

inaudito (dí). [Do lat. *inauditu*, 'não ouvido'.] *Adj.* **1.** Que nunca se ouviu dizer; de que não há exemplo; extraordinário: "Encarou a mulher, com um susto, como se ambos houvessem .... presenciado uma catástrofe i n a u d i t a." (José Geraldo Vieira, *A Mulher Que Fugiu de Sodoma*, p. 13.) **2.** Fantástico, inacreditável, incrível.

inaudível. [Do lat. *inaudibile.*] *Adj. 2 g.* Que não se pode ouvir; não audível: "Duas pancadas quase i n a u d í v e i s na porta e a sua voz de comando: 'Entre!'" (Austregésilo de Ataíde, *Conversas na Barbearia Sol*, p. 11.)

inauferível. [De *in-*[2] + *auferível.*] *Adj. 2 g.* **1.** Que não pode ser auferido. **2.** De que não se pode privar alguém. **3.** Inerente, peculiar: "as tão provadas qualidades essenciais e i n a u f e r í v e i s da puerícia" (Antônio Feliciano de Castilho, *Outono*, p. XXVI).

inauguração. [Do lat. *inauguratione.*] *S. f.* **1.** Ato de inaugurar(-se). **2.** Solenidade com que se inaugura estabelecimento, instituição, edifício. **3.** Fundação, implantação.

inaugurador (ô). *Adj.* e *s. m.* Que ou aquele que inaugura.

inaugural. *Adj. 2 g.* **1.** Referente a inauguração. **2.** Que inaugura ou inicia; inicial: *sessão i n a u g u r a l.* ~ V. *aula* —.

inaugurar. [Do lat. *inaugurare.*] *V. t. d.* **1.** Expor pela primeira vez à vista ou ao uso do público; *i n a u g u r a r uma exposição; i n a u g u r a r um museu.* **2.** Introduzir o uso de; estabelecer pela primeira vez; começar, principiar, encetar: *O século XX i n a u g u r o u muitas idéias e costumes.* **3.** Iniciar o funcionamento de: *I n a u g u r o u o teatro com uma peça moderna. T. d. e i.* **4.** Consagrar, dedicar: *I n a u g u r a m hoje uma estátua à ciência. P.* **5.** Começar, principiar, encetar-se, iniciar-se: "O jornalismo se i n a u g u r o u em Pernambuco em 1821." (Arnoldo Jambo, *Diário de Pernambuco*, p. 75.)

inaugurativo. *Adj.* Que serve para inaugurar, com que se inaugura; inauguratório.

inauguratório. *Adj. Inaugurativo.*

inautenticidade. [De *in-*[2] + *autenticidade.*] *S. f.* Falta de autenticidade.

inautêntico. [De *in-*[2] + *autêntico.*] *Adj.* Não autêntico.

inavegabilidade. [De *in-*[2] + *navegabilidade.*] *S. f.* Qualidade de inavegável.

inavegado. [De *in-*[2] + *navegado.*] *Adj.* Não navegado: "Mares i n a v e g a d o s e bravios" (Ricardo Gonçalves, *Ipês*, p. 81).

inavegável. [Do lat. *innavigabile.*] *Adj. 2 g.* Que não pode ser navegado.

inaveriguabilidade. *S. f.* Qualidade de inaveriguável.

inaveriguável. [De *in-*[2] + *averiguável.*] *Adj. 2 g.* Não averiguável.

inavistável. [De *in-*[2] + *avistável.*] *Adj. 2 g.* Não avistável.

inca. [Do quíchua *inca.*] *S. 2 g.* **1.** Membro de uma dinastia reinante no Peru na época da conquista espanhola. **2.** Título dos soberanos dessa dinastia. **3.** *P. ext.* Indivíduo dos incas, tribo quíchua submetida à dominação da dinastia incaica. ● *Adj. 2 g.* **4.** Incaico.

incabível. [De *in-*[2] + *cabível.*] *Adj. 2 g.* Que não tem cabimento; não cabível.

incaico. *Adj.* Relativo ou pertencente aos incas; inca.

incalcinável. [De *in-*[2] + *calcinável.*] *Adj. 2 g.* Não calcinável.

incalculável. [De *in-*[2] + calculável.] *Adj. 2 g.* **1.** Não calculável: *grandeza i n c a l c u l á v e l; número i n c a l c u l á v e l.* **2.** Muitíssimo numeroso; inumerável, incontável: "Via-me prodigiosamente rico: tinha palácios, pertenciam-me o tesouro público, os cofres de todos os usurários, possuía riquezas i n c a l c u l á v e i s" (Joaquim Manuel de Macedo, *Os Romances da Semana*, p. 70).

incaluniável. [De *in-*[2] + *caluniável.*] *Adj. 2 g.* Não caluniável.

incameração. *S. f.* Ato de o Estado apossar-se dos bens da Igreja.

incandescência. [Do lat. *incandescentia.*] *S. f.* **1.** Estado de incandescente. **2.** *Fís.* Emissão de radiação luminosa por parte de um corpo aquecido. [Cf., nesta acepç., *fluorescência.*]

incandescente. [Do lat. *incandescente.*] *Adj. 2 g.* **1.** Que está em brasa; ardente, candente: "é .... a hora em que chega a brisa do mar e derrama por essa atmosfera i n c a n d e s c e n t e como uma fornalha, a sua frescura, consoladora." (José de Alencar, *O Sertanejo*, p. 32.) **2.** *Fig.* Exaltado, arrebatado, ardente, fogoso: *alma i n c a n d e s c e n t e;* "nos últimos lustros do Império, aquela província [o Ceará] tornara-se causa de intermináveis, esterilizadoras, i n c a n d e s c e n t e s e insuportáveis discussões" (Visconde de Taunay, *Reminiscências*, p. 147).

incandescer. [Do lat. *incandescere.*] *V. t. d.* **1.** Tornar candente; pôr em brasa; escandescer. *Int.* **2.** Tornar-se candente; escandescer. [Conjug.: v. *crescer.*]

incano. [Do lat. *incanu.*] *Adj.* ~V. *folha*—*a*. [Cf. *encano*, do v. *encanar.*]

incansabilidade. *S. f.* Qualidade de incansável.

incansado. [De *in-*[2] + *cansado.*] *Adj.* Que não se cansa, ou não se cansou; não cansado: "à Deusa Imortal, que, sobre o leito de pedras preciosas, ... encontrou i n c a n s a d a e pronta a força daqueles braços que tinham abatido vinte troncos!" (Eça de Queirós, *Contos*, p. 336).

incansável. [De *in-*[2] + *cansável.*] *Adj. 2 g.* **1.** Que não se cansa. **2.** Assíduo, constante. **3.** Ativo, laborioso: "Aos 97 anos Chagall é um trabalhador i n c a n s á v e l." (*Jornal do Brasil*, 15.8.1984.)

incapacidade. [De *in-*[2] + *capacidade.*] *S. f.* Falta de capacidade; inaptidão.

incapacíssimo. [Do lat. *incapacissimu.*] *Adj.* Superl. abs. sint. de *incapaz.*

incapacitação. *S. f.* Ação ou efeito de incapacitar(-se).

incapacitado. [Part. de *incapacitar.*] *Adj.* e *s. m.* Diz-se de, ou indivíduo que, por incapacidade física ou psíquica, não tem a faculdade de realizar determinadas tarefas: *reeducação de i n c a p a c i t a d o s.*

incapacitar. [De *in-*[2] + *capacitar.*] *V. t. d.* e *t. d. e i.* **1.** Tornar incapaz; inabilitar: *Quer trabalhar, mas o seu estado de saúde i n c a p a c i t a-o; Sua doença i n c a p a c i t a-o para o serviço público. P.* **2.** Tornar-se incapaz; inabilitar-se.

incapacitável. [De *in-*[2] + *capacitável.*] *Adj. 2 g.* Que não se pode capacitar.

incapaz. [Do lat. *incapace.*] *Adj. 2 g.* **1.** Que não é capaz. **2.** Impossibilitado; inabilitado. **3.** Inábil, ignorante. [Superl. abs. sint.: *incapacíssimo.*] **4.** *Jur.* Que não tem capacidade legal; inábil. [Diz-se daquele a quem a lei priva de certos direitos ou exclui de certas funções.] ● *S. 2 g.* **5.** Pessoa incapaz.

inçar. [Do lat. **indiciare.*] *V. t. d.* **1.** Povoar de prole copiosa (de animais, em especial, insetos ou parasitos): *As formigas i n ç a r a m as plantações.* **2.** Tomar conta de; espalhar-se pela superfície de; tomar; cobrir: *Os parasitos i n ç a r a m o corpo da criança; A erva-de-passarinho i n ç o u a plantação.* **3.** Alastrar-se ou espalhar-se por: *Depois da enchente uma epidemia i n ç o u a região alagada.* **4.** Aparecer em grande quantidade; encher: *Erros crassos i n ç a v a m o discurso. T. d. e i.* **5.** Encher, cobrir (de parasitos animais): *A falta de higiene i n ç o u-lhe o corpo de piolhos. P.* **6.** Encher-se; cobrir-se. **7.** Contaminar-se, contagiar-se. [Conjug.: v. *laçar.* Cf. *içar.*]

incaracterístico. [De *in-*[2] + *característico.*] *Adj.* **1.** Não característico. **2.** Que não tem traços característicos; confundível; vulgar: "uma estação de estrada de ferro i n c a r a c t e r í s t i c a e triste, e umas casas poucas e modestas." (Augusto Frederico Schmidt, *O Galo Branco*, p. 156). [Var.: *incaraterístico.*]

incaraterístico. *Adj.* Var. de *incaracterístico:* "Eram sujeitos lineares, por assim dizer, almas i n c a r a t e r í s t i c a s" (João Alphonsus, *Eis a Noite!*, p. 81).

incardinar. [Do it. *incardinare.*] *V. t. d. Rel.* Admitir (clérigo) numa diocese.

incásico. *Adj.* Relativo ou pertencente à dinastia dos incas.

incasto. [Do lat. *incastu.*] *Adj.* Que não é casto; impudico; desonesto, impuro: "Ah! viver pelo amor, sem que, contudo, / Dentro do peito, para sempre mudo, / Um pensamento i n c a s t o desabroche!" (Martins Fontes, *Verão*, p. 148.)

incausado. [De *in-*[2] + *causado.*] *Adj.* Sem causa; sem motivo: "Com o tempo e por experiência própria, aprendi que essa melancolia i n c a u s a d a, que nos rói de mansinho, não vem das coisas de fora, nem mesmo das de dentro." (Ciro dos Anjos, *A Menina do Sobrado*, p. 34.)

incauto. [Do lat. *incautu.*] *Adj.* **1.** Não acautelado; imprudente. **2.** Crédulo, ingênuo. ● *S. m.* **3.** Indivíduo incauto.

incelência. *S. f. Bras., N.E. Pop.* Var. de *excelência* (3).

incender. [Do lat. *incendere.*] *V. t. d.* **1.** Fazer arder ou como que fazer arder; pôr fogo a; inflamar: "O Sol i n c e n d e as águas da barragem." (Valdemar Lopes, *Sonetos de Portugal*, p. 41.) **2.** Fazer corar; afoguear, avermelhar, ruborizar: *O amor i n c e n d e u-lhe as faces.* **3.** *Fig.* Estimular, entusiasmar; excitar, incitar: *O relato aventuroso i n c e n d e u seu ânimo.* **4.** Excitar, despertar, provocar, suscitar: "soprar fagulhas de fé, i n c e n d e r vislumbres de esperança" (Capistrano de Abreu, *Ensaios e Estudos*, 1[a] série, p. 56). *P.* **5.** Arder; inflamar-se, acender-se. **6.** Afoguear-se, abrasar-se, ruborizar-se. **7.** Estimular-se, entusiasmar-se, excitar-se, incitar-se.

incendiar. *V. t. d.* **1.** Pôr, atear fogo a; fazer arder; queimar: "comprou duas latas de querosene, d e r r amou-as em dois vagões da linha, *incendiou-os*" (Osmã Lins, *Nove, Novena*, p. 99). **2.** Afoguear, avermelhar, abrasar, como que num incêndio: "Lá fora o sol *incendiava* as pedras de ferro da calçada, e as janelas bordavam-se de fios de ouro reluzente." (Cornélio Pena, *Fronteira*, p. 26.) **3.** Excitar, inflamar, abrasar: "pintava-se o insulto do inglês com cores carregadas e os agentes oficiosos .... procuravam *incendiar* os ânimos" (Inglês de Sousa, *Contos Amazônicos*, pp. 100-101). *P.* **4.** Queimar, arder; abrasar-se, inflamar-se. **5.** Inflamar-se, excitar-se, exaltar-se: *Incendiou-se em fúria impotente.* [Irreg. Conjug.: v. *odiar.* Fut. pret.: *incendiaria*, etc. Cf. *incendiária*, fem. de *incendiário.*]

incendiário. [Do lat. *incendiariu.*] *Adj.* **1.** Que comunica fogo a alguma coisa. **2.** Que é próprio para incêndio. **3.** *Fig.* Excitante, animador. ~ V. *bomba*[1] —*a.* ● *S. m.* **4.** Aquele que incendeia. **5.** *Fig.* Revolucionário (2) exaltado. [Fem.: *incendiária.* Cf. *incendiaria*, do v. *incendiar.*]

incendido. [Part. de *incender.*] *Adj.* **1.** Aceso, ardente, inflamado. **2.** Da cor do fogo; vermelho como brasa; afogueado, rubro.

incendimento. *S. m.* Ato ou efeito de incender(-se).

incêndio. [Do lat. *incendiu.*] *S. m.* **1.** Ato ou efeito de incendiar. **2.** Fogo que lavra com intensidade, destruindo e, às vezes, causando prejuízos: *incêndio na mata, num edifício.* **3.** *Fig.* Grande estrago ou destruição; calamidade. **4.** *Fig.* Conflagração, guerra. **5.** *Fig.* Entusiasmo, ardor.

incendioso (ô). *Adj.* Respeitante a incêndio.

incensação. *S. f.* Ato ou efeito de incensar; incensamento, incensadela.

incensadela. *S. f.* **1.** Ato de incensar de leve. **2.** V. *incensação.*

incensador (ô). *Adj.* e *s. m.* **1.** Que ou aquele que incensa. **2.** V. *bajulador* (1 e 2).

incensamento. *S. m.* V. *incensação.*

incensar. *V. t. d.* **1.** Defumar ou perfumar com incenso; turibular. **2.** *Fig.* Fazer elogios excessivos a; adular, bajular; turibular: *Vive a incensar os poderosos.* **3.** Iludir com lisonjas. *Int.* **4.** Fazer bajulações; proceder como bajulador.

incensário. *S. m.* V. *incensório:* "vários / Quentes incensos índicos queimando, / Oscilavam de leve os *incensários.*" (Olavo Bilac, *Poesias*, p. 135).

incenso. [Do lat. *incensu.*] *S. m.* **1.** Resina aromática extraída de várias espécies de árvores das famílias das anacardiáceas e das estiracáceas, e que se usa queimar nas igrejas em ocasião de festa. [Originalmente designava a resina extraída de uma árvore asiática da família das timeleáceas *(Aquillaria agallocha).*] **2.** Árvore cultivada entre nós, da família das pitosporáceas *(Pittosporum undulatum).* **3.** Lisonja, adulação, bajulação.

incenso-de-caiena. *S. m. Bras.* Resina do aruru, de propriedades antiblenorrágicas e diuréticas; chispa. [Pl.: *incensos-de-caiena.*]

incensório. [De *incenso* + *-ório.*] *S. m.* Utensílio próprio para incensar; turíbulo, incensário.

incensurável. [De *in-*[2] + *censurável.*] *Adj. 2 g.* **1.** Não censurável. **2.** Correto, virtuoso, impoluto.

incentivador (ô). *Adj.* **1.** Que incentiva. ● *S. m.* **2.** Aquele ou aquilo que incentiva.

incentivar. *V. t. d.* Dar incentivo a; estimular, incitar.

incentivo. [Do lat. *incentivu.*] *Adj.* **1.** Que incentiva; que incita ou excita. ● *S. m.* **2.** Aquilo que incentiva, que incita ou excita; estímulo.

incentor (ô). [Do lat. *incentore.*] *S. m.* Aquele que incita, excita, estimula.

incerimonioso (ô). [De *in-*[2] + *cerimonioso.*] *Adj.* Não cerimonioso; avesso a cerimônias.

incerta. [Fem. substantivado do adj. *incerto.*] *El. s. f.* Us. na loc. v. *dar uma incerta.* ♦ **Dar uma incerta.** *Bras.* **1.** *Gír. Mil.* Passar revista de surpresa, sem aviso prévio. **2.** *P. ext.* Ir a um lugar, ou fazer alguma coisa, sem combinação ou determinação prévia.

incertar. *V. t. d. P. us.* Tornar incerto, duvidoso. [Pres. ind.: *incerto*, etc. Cf. *inserto.*]

incerteza (ê). [De *in-*[2] + *certeza.*] *S. f.* Falta de certeza; hesitação; indecisão, perplexidade, dúvida.

incerto. [Do lat. *incertu.*] *Adj.* **1.** Não certo; indeterminado, impreciso: *data incerta* **2.** Duvidoso, hipotético, problemático, contingente, aleatório: *resultado incerto; futuro incerto.* **3.** Ambíguo, equívoco, vago: *olhar incerto* **4.** Pouco nítido; indistinto, indeciso: *cor incerta; forma incerta.* **5.** Pouco firme; inseguro, vacilante: *passos incertos.* **6.** Inconstante, variável, mudável: *tempo incerto.* **7.** Indeciso, irresoluto, vacilante, hesitante: *Estou incerto quanto à ida a Teresópolis.* ● *S. m.* **8.** Aquilo que não é certo: *O incerto não me atrai: gosto das coisas positivas.* **9.** Quantidade variável nas relações cambiais. [Cf. *inserto.*]

incessante. [Do lat. *incessante.*] *Adj. 2 g.* **1.** Que não cessa; repetido, contínuo. **2.** Constante, assíduo.

incessibilidade. *S. f.* Qualidade de incessível.

incessível. [Do lat. *incessibile.*] *Adj. 2 g.* Que não se pode ceder.

incestar. [Do lat. *incestare.*] *V. t. d.* **1.** Poluir ou desonrar com incesto. *Int.* **2.** Cometer incesto. [Cf. *encestar.*]

incesto (é). [Do lat. *incestu.*] *S. m.* **1.** União sexual ilícita entre parentes consangüíneos, afins ou adotivos. ● *Adj.* **2.** *Antr.* Torpe, incasto, incestuoso. [Cf. *encesto*, do v. *encestar.*]

incestuoso (ô). [Do lat. *incestuosu.*] *Adj.* **1.** Referente a incesto. **2.** Que praticou incesto. **3.** Que provém de união incestuosa. ~ V. *filho* —. ● *S. m.* **4.** Indivíduo incestuoso.

incha. [Dev. de *inchar?*] *S. f. Pop.* Aversão, ódio, rancor.

inchação. [Do lat. *inflatione.*] *S. f.* **1.** Ato ou efeito de inchar; inchamento. **2.** Tumor, anasarca. [Sin.,(pop.): *inchaço, inchume* e (bras., N.E.) *mondrongo.*] **3.** *Fam.* Arrogância, presunção, vaidade.

inchaço. *S. m. Pop.* V. *inchação* (2).

inchado. [Part. de *inchar.*] *Adj.* **1.** Que tem inchação. **2.** *Fig.* Cheio de si; enfatuado, empolado, afetado. **3.** *Fig.* Pando, enfunado: "Galerno e fresco o vento sussurrava / Pelas *inchadas* velas." (Almeida Garrett, *Camões*, I, 7.) **4.** *Bras.* Diz-se do fruto que ainda não amadureceu bem.

inchamento. *S. m.* Inchação (1).

inchar. [Do lat. *inflare.*] *V. t. d.* **1.** Tornar túmido; intumescer. **2.** Aumentar o volume de; dilatar: *Ingeriu uma papa de farinha com água que lhe inchou o ventre.* **3.** Aumentar o volume de; engrossar: *As enchentes incharam os cursos de água.* **4.** Enfunar (2): "Os ventos brandamente respiravam, / Das naus as velas côncavas *inchando*" (Luís de Camões, *Os Lusíadas*, I, 19). **5.** Tornar vaidoso; ensoberbecer, enfatuar: *O elogio do mestre inchou o aluno.* **6.** Tornar empolado (o estilo). *Int.* e *p.* **7.** Tornar-se tumefato; intumescer-se. **8.** Aumentar de volume; dilatar-se; engrossar: "Os aguaçais *inchavam*, subiam rubros, reluzindo, e transbordavam" (Coelho Neto, *Treva*, p. 368). **9.** Encher-se de vaidade e orgulho; ensoberbecer-se. **10.** Encher-se de raiva; irar-se, enfurecer-se.

inchume. *S. m. Bras. Pop.* V. *inchação* (2).

incicatrizável. [De *in-*[2] + *cicatrizável.*] *Adj. 2 g.* Não cicatrizável: "fístulas d'escrófula, *incicatrizáveis* chagas" (Fialho d'Almeida, *Os Gatos*, V. p. 173).

incidência. [Do lat. *incidentia.*] *S. f.* **1.** Qualidade do que é incidente. **2.** Ação de incidir. **3.** *Jur.* Fenômeno fiscal que consiste na apreensão do contribuinte pelo imposto; determinação do contribuinte ao pagamento do imposto. [Cf. nesta acepc., *percussão* (3).]

incidentado. [De *incidente* + *-ado*[1].] *Adj.* Cortado de incidentes.

incidental. *Adj. 2 g.* Respeitante a, ou que tem caráter de incidente (3). ~ V. *música* —.

incidente. [Do lat. *incidente.*] *Adj. 2 g.* **1.** Que incide, ocorre, sobrevém [v. *incidir*[1] (6)]; superveniente. **2.** *Gram.* Diz-se da oração acessória que se liga por pronome relativo a uma das palavras da oração principal a fim de completar-lhe a significação. ● *S. m.* **3.** Circunstância acidental; episódio; aventura, peripécia: "O marido é sempre para a mulher uma garantia do presente e uma garantia do futuro; o amante é nada mais do que um *incidente* arriscado." (Aluísio Azevedo, *Livro de uma Sogra*, p. 42.) **4.** *Jur.* Questão acessória por decidir, surgida no curso da demanda principal.

incidir[1]. [Do lat. *incidere.*] *V. t. i.* **1.** Recair; refletir-se: "A luz do Sol *incidia* fracamente sobre a mancha branca e alongada do areão distante." (Herberto Sales, *Cascalho*, p. 289.) **2.** Recair; pesar: *As correções incidiam sobre erros leves.* **3.** Cair, incorrer: "Curioso notar que Rui, não querendo *incidir* em contradição com sua teoria, considerou logo a seguir que, para conjurar aquele risco, a praxe havia restringido a reeleição do presidente dos Estados Unidos a uma única vez." (João Neves da Fontoura, *Memórias*, I, p. 15.) **4.** Coincidir (1). **5.** Acometer, atacar: *A tuberculose incide altamente em indivíduos mal nutridos.* **6.** *Int.* Acontecer, ocorrer, sobrevir. [Imperf. ind.: *incidia, incidias, incidia, incidíamos, incidíeis, incidiam.* Cf. *incindir*, o pres. ind. de *insidiar* e o s. f. *insídia.*]

incidir[2]. [Do lat. *incidere.*] *V. t. d. Med. Ant.* Atenuar, atalhar. [Imperf. ind.: *incidia, incidias, incidia, incidíamos, incidíeis, incidiam.* Cf. *incindir*, o pres. ind. de *insidiar* e o s. f. *insídia.*]

incindir. [Do lat. *incidere.*] *V. t. d. Desus.* Dividir, separar. [Imperf. ind.: *incindia, incindias*, etc. Cf. *incidir*, e o pres. ind. de *insidiar.*]

incindível. *Adj. 2 g.* Que pode ser incindido.

incineração. *S. f.* Ato ou efeito de incinerar.

incinerar. [Do lat. *incinerare.*] *V. t. d.* **1.** Queimar até reduzir a cinzas: *Incinerou vários papéis velhos;* "Não discutiremos .... a opinião de que o fogo destrói sementes de capim ou *incinera* raízes de plantas forrageiras, porque já foi .... demonstrada a inconseqüência desse modo de ver." (M. Cavalcanti Proença, *No Termo de Cuiabá.* p. 63). *P.* **2.** Perder o ardor, o fogo. [Sin. ger.: *cinerar.*]

incipiente. [Do lat. *incipiente.*] *Adj. 2 g.* Que está no começo; principiante: "Esse mato baixo sustenta a indispensável camada de húmus, resguarda e entretém a vida *incipiente* das árvores destinadas à máxima expansão." (Amadeu Amaral, *O Elogio da Mediocridade.* p. 11.) [Cf. *insipiente.*]

incircuncidado. [De *in-*[2] + *circuncidado.*] *Adj.* Não circuncidado; incircunciso.

incircuncisão. [De *in-*[2] + *circuncisão.*] *S. f.* Falta ou ausência de circuncisão; estado de incircunciso.

incircunciso. [Do lat. *incircumcisu.*] *Adj.* **1.** Que não é circunciso; incircuncidado. ● *S. m.* **2.** Aquele que não é circunciso.

incircunscritível. [De *incircunscrito* + *-ível.*] *Adj. 2 g.* Que não se pode circunscrever.

incircunscrito. [Do lat. *incircumscriptu.*] *Adj.* Que não é circunscrito.

incisa. [Fem. substantivado de *inciso.*] *S. f. Mús.* V. *inciso* (5).

incisão. [Do lat. *incisione.*] *S. f.* **1.** Corte, talho, golpe, incisura. **2.** *Cir.* Abertura da pele ou de parte(s) mole(s) feita com instrumento cortante.

incisar. [De *inciso* + *-ar*[2].] *V. t. d.* Fazer incisão em: "as moças tomavam de um canivetinho, com que *incisavam* a delgada película das esferas translúcidas" (Melo Morais Filho, *Festas e Tradições Populares do Brasil*, p. 126).

incisional. *Adj. 2 g.* Relativo ou conseqüente a incisão. ~ V. *hérnia* —.

incisividade. [Do *incisivo* + *-i-* + *-dade.*] *S. f.* Qualidade de incisivo: "Para dizer que alguém usa linguagem aguda e certa, tem o inglês *incisiveness.* Nossos dicionários traduzem 'qualidade de incisivo'. Eu uso *incisividade.*" (Gilberto Amado, *Depois da Política*, p. 196.)

incisivo. [Do lat. *incisivu.*] *Adj.* **1.** Que corta ou é próprio para cortar. **2.** *Fig.* Decisivo, pronto, direto, sem rodeios: "Resoluto e *incisivo*, proibiu que o jornal .... me apresentasse como um peculatário." (Lima Júnior, *Alguns Homens do Meu Tempo*, p. 41.) **3.** *Fig.* Cortante, aguado, penetrante. ~ V. *dente* —. ● *S. m.* **4.** V. *dente* (1).

inciso. [Do lat. *incisu.*] *Adj.* **1.** Ferido com o gume de objeto cortante; cortado. **2.** *Morfol. Veg.* Que exibe recortes marginais mais ou menos profundos e irregulares: *folha incisa; pétala incisa.* **3.** *Tip.* Diz-se do tipo de obra de aspecto lapidar e cujas serifas, triangulares e originalmente em forma de espessamento das hastes, se projetam em ponta mais ou menos aguda. [V. *letra latina.*] ~ V. *ferida* —*a.* ● *S. m.* **4.** Frase que corta outra, interrompendo-lhe o sentido. **5.** Cada um dos membros de uma frase musical. [No Brasil é m. us. a f. fem. *incisa.*] **6.** V. *alínea* (2). **7.** *Tip.* Tipo inciso.

incisor (ô). [Do lat. *incisore.*] *Adj.* **1.** V. *incisório.* ● *S. m.* **2.** Aquele ou aquilo que corta.

incisório. [Do lat. *incisoriu.*] *Adj.* Que corta; incisivo, incisor.

incisura. [Do lat. *incisura.*] *S. f.* V. *incisão* (1).

incitabilidade. *S. f.* Qualidade de incitável.

incitação. [Do lat. *incitatione.*] *S. f.* **1.** Ato ou efeito de incitar(-se); incitamento. **2.** Aquilo que incita, impele à ação; incentivo, estímulo; incitamento: *Seu discurso foi uma incitação veemente à revolta.* **3.** *Fisiol.* Estímulo vindo dos centros nervosos para a periferia.

incitador (ô). *Adj.* **1.** V. *incitante.* ● *S. m.* **2.** Aquele que incita. [Sin. ger.: *concitador.*]

incitamento. [Do lat. *incitamentu.*] *S. m.* V. *incitação* (1 e 2). [Cf. *encetamento.*]

incitante. [Do lat. *incitante.*] *Adj. 2 g.* Que incita; incitador, incitativo.

incitar. [Do lat. *incitare.*] *V. t. d.* **1.** Instigar, impelir, mover: *A ambição do poder incitara-o desde a infância.* **2.** Estimular, instigar, excitar: *A música muito alegre incitara os ânimos dos dançarinos.* **3.** Provocar, suscitar, ocasionar: *Sua atitude de superioridade incitou o revide.* **4.** Açular, instigar (um animal): "*Incitava* os cães: Isca! isca!" (Coelho Neto, *Sertão*, p. 361.)

t. d. e *i.* **5.** Instigar, mover, compelir: "Seu olhar [de Leonor Teles] umedecido de prazer vivíssimo, *incitava* o rei à desafronta, à morte." (Antero de Figueiredo, *Leonor Teles*, p. 123); *Incitei-o a publicar o livro. P.* **6.** Estimular-se, excitar-se. **7.** Irritar-se, encolerizar-se, enfurecer-se. [Pres. ind.: *incito*, etc. Cf. *ínsito* e *encetar.*]

incitativo. *Adj.* V. *incitante.*

incitável. [Do lat. *incitabile.*] *Adj. 2 g.* **1.** Que pode ser incitado. **2.** Que facilmente se incita.

incivil. [Do lat. *incivile.*] *Adj. 2 g.* **1.** Não civil; descortês, grosseiro. **2.** Contrário ao direito civil, ou não admitido por ele.

incivilidade. [Do lat. *incivilitate.*] *S. f.* **1.** Ato ou expressão incivil; grosseria, descortesia, indelicadeza. **2.** Qualidade ou caráter de incivil.

incivilizado. [De *in-²* + *civilizado.*] *Adj.* Que não é civilizado; inculto, rústico, selvagem.

incivilizável. [De *in-²* + *civilizável.*] *Adj. 2 g.* Não civilizável.

inclassificável. [De *in-²* + *classificável.*] *Adj. 2 g.* **1.** Que não pode ser classificado. **2.** Que está em confusão; confuso, desordenado: "E entraram numa grande sala baralhada, *inclassificável!*" (Abel Botelho, *Próspero Fortuna*, p. 203.) **3.** Digno de censura ou reprovação; inqualificável: *procedimento feio, inclassificável.*

inclemência. [Do lat. *inclementia.*] *S. f.* **1.** Qualidade ou caráter de inclemente; falta de clemência. **2.** Dureza, rigor, aspereza, severidade: *A inclemência da sorte o levou à mendicância;* "exposto às *inclemências* de noite invernosa" (Alexandre Herculano, *Lendas e Narrativas*, II, p. 138).

inclemente. [Do lat. *inclemente.*] *Adj. 2 g.* **1.** Que não é clemente. **2.** *Fig.* Duro, áspero, severo, rigoroso: *inverno inclemente;* "Sob *inclemente* céu, por árido caminho, / Entre abrolhos e pó, não se perdeu sozinho" (Alberto de Oliveira, *Poesias*, 3ª série, p. 12).

inclinação. [Do lat. *inclinatione.*] *S. f.* **1.** Ato ou efeito de inclinar(-se). **2.** *Fig.* Disposição, tendência, propensão, pendor: *Tem inclinação para as coisas do espírito; É grande a sua inclinação ao mal.* **3.** Disposição simpática; simpatia, atração: "Quando moça, D. Emília Lemos teve *inclinação* por um estudante de medicina, que dela se apaixonara." (José de Alencar, *Senhora*, p. 183.) **4.** O objeto da estima ou do amor; pessoa amada ou estimada. **5.** *Geol.* Ângulo que faz com o horizonte o plano das camadas; mergulho. **6.** *Fís.* Ângulo que uma agulha magnética, em suspensão livre, faz com o plano do horizonte local; inclinação magnética. **7.** *Geom.* Ângulo de uma direção com outra que se toma como referência. ♦ **Inclinação magnética.** *Fís.* Inclinação (6).

inclinado. *Adj.* **1.** Desviado da linha vertical. **2.** *Fig.* Propenso, tendente: *É homem inclinado ao bem.* ~ V. *plano* —.

inclinar. [Do lat. *inclinare.*] *V. t. d.* **1.** Desviar da linha reta. **2.** Colocar obliquamente com relação a um plano ou a uma direção, principalmente o horizonte; dar obliqüidade ou declive a. **3.** Fazer pender; curvar para baixo; dobrar, abaixar: *Cumprimentou-a cerimoniosamente, apenas inclinando a cabeça.* **4.** Guiar ou dirigir fazendo ângulo ou curva. **5.** Diminuir, abater; declinar: *inclinar a majestade.* **6.** Ceder; declinar: *Depois de muitas instâncias, inclinou os anteriores desígnios.* **7.** Tornar propenso; predispor, preparar: *Inclinou a conversa de maneira que pudesse encaixar o pedido. T. d. e i.* **8.** Tornar propenso; predispor: *Inclinou o ânimo dos presentes a ajudá-lo na dura tarefa; Inclinou aquela alma ao perdão. T. d. e c.* **9.** Deixar pender; descair: *Inclinou a cabeça ao ombro da amiga e chorou. T. i.* **10.** Ter ou demonstrar propensão, disposição, tendência; tender, propender: "Positivamente, *inclino* também para a idéia de Lord Beaconsfield: a originalidade viva do Universo está em Paris e em Londres" (Eça de Queirós, *Ecos de Paris*, pp. 9-10); "Nada *inclina* mais ao delírio do que a longa contemplação da natureza." (Carlos Lacerda, *A Casa do Meu Avô*, p. 27). **11.** Mostrar-se favorável; tender, propender: *A vitória inclinava aos aliados. Int.* **12.** Perder a posição horizontal ou vertical; ter declive ou obliqüidade; descair: "Larga inda há pouco a estrada, agora estreita, / Sobe, *inclina* depois" (Alberto de Oliveira, *Poesias*, 3ª *série*, p. 241). *P.* **13.** Desviar-se da linha reta, vertical ou horizontal: "os joelhos fugiam-lhe trêmulos, e a elevada estatura *inclinou-se* vegando ao peso da mágoa excruciante." (Rebelo da Silva, *Contos e Lendas*, p. 180). **14.** Dirigir-se, desviando para a direita ou para a esquerda, ou fazendo curva. **15.** Dobrar o corpo; abaixar-se, curvar-se: *Inclinou-se para beijar a criança.* **16.** Dobrar o corpo, a cabeça, em sinal de respeito ou submissão. **17.** Mostrar preferência; ter propensão: "*Inclino-me* a pensar que Rita Medeiros fosse maranhense e de Caxias." (Leonardo Mota, *Sertão Alegre*, p. 228.) **18.** Concordar, anuir; ceder: *Visto que a maioria optara por aquela solução, inclinou-se.*

inclinável. [Do lat. *inclinabile.*] *Adj. 2 g.* Suscetível de se inclinar; flexível.

ínclito. [Do lat. *inclitu.*] *Adj.* Egrégio, celebrado, ilustre, insigne: "*Ínclita* geração, altos Infantes." (Luís de Camões, *Os Lusíadas*, IV, 50.)

incluir. [Do lat. *includĕre.*] *V. t. d.* **1.** Compreender, abranger: *O livro inclui numerosos contos e crônicas.* **2.** Conter em si; envolver, implicar: *Aquele dito incluía rude sarcasmo.* **3.** Pôr dentro de carta, bilhete, memorando, etc.: *Escreveu-me há poucos dias e incluiu um bilhete para o primo; O banco enviou-me um memorando e incluiu a minha conta corrente.* **4.** Fazer constar de uma lista, de uma série, de uma enumeração; relacionar, arrolar: *Fiz longa lista de convidados, e não o incluí; Mencionou várias frutas deliciosas, sem incluir o abacaxi. T. d. e i.* **6.** Inserir, intercalar, introduzir: *Incluiu no contrato uma cláusula difícil de ser cumprida; Incluiu vários poemas seus entre os escolhidos para a antologia. P.* **7.** Pôr ou fazer pôr o seu próprio nome, a sua pessoa, numa lista, série, enumeração: *Enumerando os sóbrios de seu país, tranqüilamente se incluiu entre eles.* **8.** Estar incluído ou compreendido; fazer parte; figurar, entre outro(s); pertencer, juntamente com outro(s): "Sócrates .... pelas suas feições intelectuais *inclui-se* naturalmente no ciclo dos sofistas contemporâneos." (Latino Coelho, *A Oração da Coroa*, p. CCXIII.) **9.** Fechar-se, encerrar-se. [Part.: *incluído* e *incluso.*]

inclusa. *S. f.* Certa moeda holandesa antiga.

inclusão. [Do lat. *inclusione.*] *S. f.* **1.** Ato ou efeito de incluir. [Antôn.: *exclusão.*] **2.** Processo da técnica microscópica pelo qual o objeto que vai ser estudado é antes envolvido por uma massa facilmente secionável, que o imobiliza. **3.** *Lóg.* Relação existente entre a classe que é espécie e a classe que é gênero. **4.** *Lóg.* Relação entre dois termos, um dos quais faz parte ou da compreensão ou da extensão do outro. [Cf. *inerência* (2).] **5.** *Mat.* Ato pelo qual um conjunto contém ou inclui outro. **6.** *Pet.* Cristais microscópicos ou substâncias vítreas, líquidas ou gasosas, que se acham disseminadas nos cristais ou nas rochas.

➡**inclusive.** [Lat.] *Adv.* **1.** De modo inclusivo; com inclusão. **2.** Até; até mesmo. [Antôn.: *exclusive.*]

inclusivo. [Do lat. *inclusivu.*] *Adj.* Que inclui, encerra, abrange.

incluso. [Do lat. *inclusu.*] *Adj.* Incluído, compreendido.

inço. [Dev. de *inçar.*] *S. m. Bras., S.* Ervas daninhas que medram entre as plantas cultivadas: "E recomeçaram o trabalho .... — a capina do *inço*, das línguas-de-vaca, ... dos carrapichos e mais ervas" (Telmo Vergara, *Contos da Vida Breve*, p. 244).

incoação. [Do lat. *inchoatione.*] *S. f. P. us.* Começo, princípio.

incoado. [Do lat. *inchoatu.*] *Adj. P. us.* Começado, principiado.

incoadunável. [De *in-²* + *coadunável.*] *Adj.* Não coadunável.

incoagulável. [De *in-²* + *coagulável.*] *Adj. 2 g.* Não coagulável.

incoar. [Do lat. *inchoare.*] *V. t. d. P. us.* Começar, principiar. [Conjug.: v. *coroar.*]

incoativo. [Do lat. *inchoativu.*] *Adj.* Que incoa ou começa. ~ V. *verbo* —.

incobrável. [De *in-²* + *cobrável.*] *Adj. 2 g.* Não cobrável: "quiseram ver os livros, verificar os balanços; obter explicações pormenorizadas a respeito dos débitos *incobráveis*" (João da Silva Correia, *Farândola*, p. 116).

incõe. *Adj. 2 g. Bras.* V. *inconho.*

incoerção. [De *in-²* + *coerção.*] *S. f.* Ausência de coerção.

incoercibilidade. *S. f.* Qualidade de incoercível.

incoercível. [De *in-²* + *coercível.*] *Adj. 2 g.* **1.** Que não pode ser coagido. **2.** Que não se pode coibir; irreprimível: *choro incoercível;* "Enterrei a cabeça na varanda da rede e soluçava num desengano *incoercível.*" (José Lins do Rego, *Meus Verdes Anos*, p. 348.)

incoerência. [De *in-²* + *coerência.*] *S. f.* **1.** Qualidade de incoerente; falta de coerência: "Conhecia a vida de Elisiário, os dias perdidos, as noitadas, a *incoerência* e o desarranjo de uma existência que ameaçava acabar na inutilidade." (Machado de Assis, *Páginas Recolhidas*, pp. 51-52.) **2.** Ação ou atitude própria de pessoa incoerente. **3.** *Fís.* Propriedade duma seqüência de trens de onda cujas fases não guardam relações constantes no tempo.

incoerente. [De *in-²* + *coerente.*] *Adj. 2 g.* **1.** Sem coerência. **2.** Desarmônico, discordante, desconexo. **3.** Disparatado, ilógico, contraditório. ● *S. 2 g.* **4.** Pessoa incoerente.

incoesão. [De *in-²* + *coesão.*] *S. f.* Falta de coesão.

incoeso. [De *in-²* + *-coeso.*] *Adj.* Em que não há coesão; não coeso.

incoexistência (z). [De *in-²* + *coexistência.*] *S. f.* Ausência ou falta de coexistência.

incoexistente (z). [De *in-²* + *coexistente.*] *Adj 2 g.* Não coexistente.

incogitado. [Do lat. *incogitatu.*] *Adj.* Que não é cogitado ou previsto; impensado.

incogitável. [Do lat. *incogitabile.*] *Adj. 2 g.* Não cogitável, incalculável.

incógnita. [Fem. substantivado do adj. *incógnito.*] *S. f.* **1.** *Mat.* Grandeza por determinar. **2.** Aquilo que é desconhecido e se procura saber.

incógnito. [Do lat. *incognitu.*] *Adj.* **1.** Que é desconhecido; ignorado, ignoto. ● *Adv.* **2.** Sob nome suposto; secretamente. ● *S. m.* **3.** Aquilo que é desconhecido, secreto, enigmático. **4.** Estado de quem não quer dar-se a conhecer.

incognoscibilidade. *S. f.* Qualidade de incognoscível.

incognoscível. [De *in-²* + *cognoscível.*] *Adj. 2 g.* Que não pode ser conhecido.

incoincidente (o-i). [De *in-²* + *coincidente.*] *Adj. 2 g.* Que não coincide; não coincidente.

íncola. [Do lat. *incola.*] *S. 2 g.* Habitante, morador: "Os missionários, arremessados à costa e devorados pelos caboclos, legaram nome à plaga de tão insidiosas águas e desumanos *íncolas*" (Xavier Marques, *Jana e Joel*, p. 5).

incolor (ô). [Do lat. *incolore.*] *Adj. 2 g.* **1.** Sem cor; descolorido. **2.** Sem relevo ou vigor: *estilo, prosa incolor.* **3.** Sem interesse ou atrativo; insípido: *romance incolor;* "Já dezessete anos antes de morrer, havia D. Maria Dorotéia [a Marília de Dirceu] feito testamento. E esse documento assinado pelo seu punho é frio, seco, *incolor.*" (Olavo Bilac, *Crítica e Fantasia*, p. 21). **4.** Indeciso, vago, dúbio: *atitude incolor; procedimento incolor.* **5.** Sem opinião determinada; sem cor política: *um jornal incolor.*

incólume. [Do lat. *incolume.*] *Adj. 2 g.* **1.** Livre de perigo; são e salvo; intato, ileso: "Das pequenas nacionalidades, erigidas na Meia-Idade, só Portugal consegue atravessar *incólume* as épocas de transformação social e de reconstituição política da Europa" (Latino Coelho, *Fernão de Magalhães*, pp. 107-108). **2.** Bem conservado.

incolumidade. [Do lat. *incolumitate.*] *S. f.* Qualidade ou estado de incólume.

incombinável. [De *in-²* + *combinável.*] *Adj. 2 g.* Não combinável.

incombustibilidade. *S. f.* Qualidade de incombustível.

incombustível. [De *in-²* + *combustível.*] *Adj. 2 g.* Que não pode arder nem queimar-se; não combustível.

incombusto. [De *in-²* + *combusto.*] *Adj.* Não combusto, não queimado.

incomensurabilidade. *S. f.* Qualidade de incomensurável; imensurabilidade.

incomensurável. [Do lat. *incommensurabile.*] *Adj. 2 g.* **1.** Não comensurável; imensurável. **2.** Que não tem medida comum com outra grandeza. **3.** Enorme, imenso, desmedido: "o primeiro relâmpago varreu as nuvens eriçadas e tumultuosas, rasgou profundidades *incomensuráveis* no céu." (José Rodrigues Miguéis, *Gente da Terceira Classe*, p. 97).

incomodada. [Fem. substantivado de *incomodado.*] *Adj. (f.) Bras.* Menstruada.

incomodado. [Part. de *incomodar.*] *Adj.* **1.** Que sofre incômodo ou sente incomodidade. **2.** Molestado, importunado. **3.** Levemente indisposto; adoentado.

incomodador (ô). *Adj.* **1.** *P. us.* V. *incômodo* (1 a 5). ● *S. m.* **2.** Aquele que incomoda.

incomodante. [Do lat. *incommodante.*] *Adj. 2 g. P. us.* V. *incômodo* (1 a 5).

incomodar. [Do lat. *incommodare.*] *V. t. d.* **1.** Causar incômodo a; trazer estorvo a; importunar, molestar, enfadar, embaraçar, perturbar: *As visitas incomodavam-no;* "Era meu avô o tipo do sujeito que não gosta de se incomodar e a minha avó o *incomodava* com obrigações sociais, conveniências sociais" (Antônio Carlos Villaça, *O Nariz do Morto*, p. 19). **2.** Desgostar, descontentar; irritar: *A impertinência incomodava-o. Int.* **3.** Causar incômodo; molestar, perturbar: "O ar, parado, incomoda, angustia..." (Manuel Bandeira, *Estrela da Vida Inteira*, p. 45). *P.* **4.** Prestar-se a incômodo; molestar-se; cansar-se. **5.** Apoquentar-se, indispor-se, zangar-se. [Pres. ind.: *incomodo*, etc. Cf. *incômodo*.]

incomodativo. *Adj.* V. *incômodo* (1 a 5).

incomodidade. [Do lat. *incommoditate.*] *S. f.* Qualidade ou situação de incômodo; falta de comodidade.

incômodo. [Do lat. *incommodu.*] *Adj.* **1.** Que não oferece comodidade: *cadeira incômoda.* **2.** Que incomoda; que é desagradável, desconfortável: *posição, postura incômoda.* **3.** Que enfada, aborrece; enfadonho, molesto: *presença incômoda.* **4.** Que causa transtorno, maçada; importuno. **5.** Que embaraça, que traz dificuldades: *situação incômoda.* [Sin. ger.: *incomodativo* e (p. us.) *incomodador, incomodante.*] ● *S. m.* **6.** Doença ligeira; indisposição. **7.** Fluxo menstrual. V. *menstruação* (1). **8.** Trabalho, fadiga, canseira. **9.** Transtorno, perturbação, importunação, maçada. **10.** Estorvo, dificuldade, embaraço. [Cf. *incomodo*, do v. *incomodar.*]

incomparabilidade. *S. f.* Qualidade de incomparável.

incomparável. [Do lat. *incomparabile.*] *Adj. 2 g.* **1.** Que não admite comparação; não comparável: *grandezas incomparáveis; valores incomparáveis.* **2.** Que está acima de qualquer comparação; extraordinário, insigne, admirável, prodigioso: "Tudo ali era grande, majestoso, incomparável, obra direta dum ser onipotente." (Inglês de Sousa, *O Missionário*, p. 190.)

incompassível. [De *in-*[2] + compassível.] *Adj. 2 g.* Que não tem compaixão; implacável, inexorável, desapiedado, incompassivo.

incompassivo. [De *in-*[2] + *compassivo.*] *Adj.* V. *incompassível.*

incompatibilidade. *S. f.* Qualidade ou situação de incompatível. ◆ **Incompatibilidade medicamentosa.** *Med.* e *Farmac.* Conjunto de fenômenos, de natureza física e/ou química, que se desenrolam, *in vitro*, entre dois ou mais medicamentos, modificando-os e às suas ações. [Cf. *interação medicamentosa.*]

incompatibilizar. *V. t. d.* e *i.* **1.** Tornar incompatível: *Suas maneiras ásperas o incompatibilizam com quase todos;* "concebeu [Leonor Teles], com volúpia, grave intriga, que trouxesse desgraça a D. João, o afastasse da corte, o incompatibilizasse com os grandes." (Antero de Figueiredo, *Leonor Teles*, p. 165). *P.* **2.** Tornar-se incompatível, irreconciliável: *Incompatibilizou-se até com velhos amigos.*

incompatível. [De *in-*[2] + *compatível.*] *Adj. 2 g.* **1.** Que não pode harmonizar-se; inconciliável, incombinável: *gênios incompatíveis;* "Os Estados Unidos beneficiariam da evolução que já se processara na Europa contra os preconceitos aristocráticos da Nobreza, que consideravam as profissões econômicas e os trabalhos manuais como incompatíveis com o sangue limpo..." (Alceu Amoroso Lima, *A Realidade Americana*, p. 93). **2.** Diz-se de cargos, funções, que não podem ser exercidos simultaneamente pela mesma pessoa, que não podem ser acumulados.

incompensação. [De *in-*[2] + *compensação.*] *S. f.* Não compensação; ausência de compensação.

incompensado. [De *in-*[2] + *compensado.*] *Adj.* Não compensado.

incompensável. [De *in-*[2] + *compensável.*] *Adj. 2 g.* **1.** Que não se pode compensar. **2.** Que não se pode indenizar ou pagar; impagável.

incompetência. [De *in-*[2] + *competência.*] *S. f.* **1.** Falta de competência. **2.** Falta de autoridade ou dos conhecimentos necessários para o julgamento de alguma coisa. **3.** *Fig.* Inabilidade, inaptidão.

incompetente. [Do lat. *incompetente.*] *Adj. 2 g.* **1.** que não é competente; inábil. **2.** Sem idoneidade. ● *S. 2 g.* **3.** Pessoa incompetente.

incomplacência. [De *in-*[2] + *complacência.*] *S. f.* Falta de complacência.

incomplacente. [De *in-*[2] + *complacente.*] *Adj. 2 g.* Não complacente.

incompleto. [Do lat. *incompletu.*] *Adj.* Não completo; não acabado; truncado; imperfeito; mutilado.

incomplexidade (cs). *S. f.* Qualidade de incomplexo.

incomplexo (cs). [Do lat. *incomplexu.*] *Adj.* **1.** Não complexo; simples. **2.** Que abrange uma coisa só. **3.** Que só envolve uma idéia.

incomportável. [De *in-*[2] + *comportável.*] *Adj. 2 g.* **1.** Não comportável. **2.** Que não se pode sofrer; insuportável, intolerável.

incompossível. [De *in-*[2] + *compossível.*] *Adj. 2 g.* Incompatível, inconciliável, inconcordável: "Para Holtz, a arte é a vocação de revocar a natureza, mas não com o fito de criar uma identidade, muito menos alterar ou aumentá-la — cousas impossíveis e incompossíveis com a fraqueza humana." (João Ribeiro, *Páginas de Estética*, p. 37.)

incompreendido. [De *in-*[2] + *compreendido.*] *Adj.* e *s. m.* Que ou aquele que não é compreendido, que não é bem avaliado ou julgado: "E de súbito n'alma incompreendida / Esta mágoa, esta pena, esta agonia" (Manuel Bandeira, *Estrela da Vida Inteira*, p. 169); *É um ser estranho, um incompreendido;* "Almas doudas de amor, martirizadas, / Almas errantes dos incompreendidos" (Da Costa e Silva, *Sangue*, p. 28).

incompreensão. [De *in-*[2] + *compreensão.*] *S. f.* Falta de compreensão.

incompreensibilidade. *S. f.* Qualidade de incompreensível.

incompreensível. [Do lat. *incomprehensibile.*] *Adj. 2 g.* **1.** Que não se pode compreender. **2.** Que é muito difícil de compreender ou explicar. **3.** Enigmático, misterioso. [Cf. *incompreensivo.*] ● *S. m.* **4.** Aquilo que não se pode compreender.

incompreensivo. [De *in-*[2] + *compreensivo.*] *Adj.* **1.** Incapaz de compreender, entender, perceber: "Morgan [Charles Morgan], a despeito de certos críticos apressados ou incompreensivos, não é escritor friamente intelectualizado" (Euclides Marques Andrade, *Lendo Charles Morgan*, p. 10). **2.** Incapaz de compreensão para com outrem, de sentir-lhe os problemas, aceitar-lhe as atitudes, etc.: *O feitio tradicionalista do velho torna-o vivamente incompreensivo com relação ao filho.* **3.** Que não é compreensivo; que não tem compreensão ou tolerância para as faltas alheias. [Cf. *incompreensível.*]

incompressibilidade. *S. f.* Qualidade de incompressível.

incompressível. [De *in-*[2] + *compressível.*] *Adj. 2 g.* **1.** Que não se pode comprimir. **2.** *Fig.* Que não se pode reprimir ou coagir; irreprimível, incoercível: "Muito fácil apontar nesses autores as 'páginas de antologia', de puro acento pessoal, em que a matéria regionalista é tratada como .... pretexto para uma incompressível expansão do temperamento." (Augusto Meyer, *Prosa dos Pagos*, p. 150.)

incomprimido. [De *in-*[2] + *comprimido.*] *Adj.* Que não é comprimido.

incompto. [Do lat. *incomptu.*] *Adj.* **1.** Falto de artifício ou de adorno; desornado. **2.** Feito sem arte; tosco, rude.

incomputável. [De *in-*[2] + *computável.*] *Adj. 2 g.* Não computável.

incomum. [Do lat. *incommune.*] *Adj. 2 g.* Não comum; fora do comum.

incomunicabilidade. *S. f.* Qualidade, estado ou sistema de incomunicável.

incomunicação. [De *in-*[2] + *comunicação.*] *S. f.* Ausência ou falta de comunicação.

incomunicante. [De *in-*[2] + *comunicante.*] *Adj. 2 g.* Que não comunica.

incomunicável. [Do lat. *incommunicabile.*] *Adj. 2 g.* **1.** Que não tem ou não apresenta comunicação. **2.** Que não é comunicável. **3.** Que não deve comunicar-se; privado de comunicação: *preso incomunicável.* **4.** *Fig.* Intratável, insociável, misantropo. ~ V. *bens incomunicáveis.*

incomutabilidade. *S. f.* Qualidade de incomutável.

incomutável. [Do lat. *incommutabile.*] *Adj. 2 g.* Não comutável.

inconcebível. [De *in-*[2] + *concebível.*] *Adj. 2 g.* **1.** Que não se pode conceber, perceber ou explicar. **2.** Surpreendente, pasmoso, incrível, inacreditável, extraordinário. [Sin. ger. (poét.): *inconcepto.*]

inconcepto. [De *in-*[2] + lat. *conceptu*, 'concebido'.] *Adj. Poét.* Inconcebível.

inconcessibilidade. *S. f.* Qualidade de inconcessível.

inconcessível. [Do lat. *inconcessibile.*] *Adj. 2 g.* Que não pode ou não deve ser concedido.

inconcesso. [Do lat. *inconcessu.*] *Adj.* Não concedido; defeso, proibido, vedado: "Um inconcesso amor desatinado" (Luís de Camões, *Os Lusíadas*, III, 141); "O uso da aguardente .... era delito sério. .... Conta-se que de uma feita alguns tropeiros inexpertos .... foram ter a Canudos, levando alguns barris do líquido inconcesso." (Euclides da Cunha, *Os Sertões*, p. 193).

inconciliabilidade. *S. f.* Qualidade ou estado de inconciliável.

inconciliação. [De *in-*[2] + *conciliação.*] *S. f.* Falta de conciliação.

inconciliante. [De *in-*[2] + *conciliante.*] *Adj. 2 g.* Não conciliante.

inconciliável. [Do lat. **inconciliabile.*] *Adj. 2 g.* Que não se pode conciliar; incompatível, inconcordável, incompossível.

inconcludente. [De *in-*[2] + *concludente.*] *Adj. 2 g.* Não concludente; ilógico.

inconcluso. [De *in-*[2] + *concluso.*] *Adj.* Não concluído; inacabado.

inconcordável. [De *in-*[2] + *concordável.*] *Adj. 2 g.* V. *inconciliável.*

inconcusso. [Do lat. *inconcussu.*] *Adj.* **1.** Firme, estável, inabalável: "E no féretro de montes, / Inconcusso imóvel, fito, / Escurece os horizontes / O gigante de granito." (Gonçalves Dias, *Obras Poéticas*, II, p. 12.) **2.** Incontestável, irrecusável, irrefragável: *direito inconcusso;* "a todos os contribuintes é hoje dado contemplar a ilibada e inconcussa pureza de cada um dos ministros" (Ramalho Ortigão, *Últimas Farpas*, pp. 75-76). **3.** Austero, incorruptível: *magistrado inconcusso.*

incondicionado. [De *in-*[2] + *condicionado.*] *Adj.* **1.** V. *incondicional* (1). ● *S. m.* **2.** O absoluto, o infinito.

incondicional. [De *in-*[2] + *condicional.*] *Adj. 2 g.* **1.** Não sujeito a condições; total, absoluto, irrestrito, integral; incondicionado: *amizade incondicional.* **2.** Que não estabelece condições ou restrições: *admirador incondicional; amigo incondicional.*

incondicionalidade. *S. f.* Qualidade de incondicional.

incondicionalismo. *S. m.* Sistema de submissão incondicional a outrem.

incôndito. [Do lat. *inconditu.*] *Adj.* Não organizado; desordenado, confuso.

inconexão (cs). [De *in-*[2] + *conexão.*] *S. f.* Falta de conexão; desconexão.

inconexo (cs). *Adj.* Que não tem, ou em que não há conexão; desconexo.

inconfessado. [De *in-*[2] + *confessado.*] *Adj.* Que não se confessou; que se ocultou ou que se dissimulou; inconfesso.

inconfessável. [De *in-*[2] + *confessável.*] *Adj. 2 g.* Que não se pode ou não se deve confessar.

inconfesso. [Do lat. *inconfessu.*] *Adj.* **1.** Que não é confesso; que não confessou. **2.** Inconfessado: "humilhações, cóleras mudas, ímpetos contidos, sonhos inconfessos." (Maria Julieta Drummond de Andrade, *O Valor da Vida*, p. 42).

inconfidência. [De *in-*[2] + *confidência.*] *S. f.* **1.** Falta de fidelidade para com alguém, particularmente para com o soberano ou o Estado. **2.** Abuso de confiança; deslealdade, infidelidade. **3.** Revelação de segredo confiado. ◆ **Inconfidência Mineira.** Conjuração Mineira [q. v.].

inconfidencista. *Adj. 2 g.* **1.** De, ou pertencente ou relativo a Inconfidência (RJ). ● *S. 2 g.* **1.** Natural ou habitante de Inconfidência.

inconfidente. [De *in-*[2] + *confidente.*] *Adj. 2 g.* **1.** Que está envolvido em inconfidência. **2.** Infiel. **3.** Que divulga os segredos que lhe confiaram. ● *S. m.* **4.** *Bras.* Cada um dos cidadãos que tomaram parte na Inconfidência Mineira; conjurado.

inconformação. [De *in-*[2] + *conformação.*] *S. f.* Falta de conformação ou resignação.

inconformado. [De *in-*[2] + *conformado.*] *Adj.* e *s. m.* Que ou aquele que não se conforma ou não se conforrnou; não resignado: "Graciliano [Graciliano Ramos] era áspero e delicado, como os tímidos de seu tipo, o dos moralistas *inconformados, exigentes.*" (Antônio Carlos Vilaça, *O Nariz do Morto*, p. 189.)

inconformidade. [De *in-*[2] + *conformidade.*] *S. f.* **1.** Falta ou ausência de conformidade. **2.** *Geol.* Discordância angular.

inconformismo. [De *in-*[2] + *conformismo.*] *S. m.* Procedimento ou modo de ser próprio de quem é inconformado.

inconformista. *Adj. 2 g.* **1.** Relativo a, ou que revela inconformismo: *atitude inconformista.* **2.** Que adota o inconformismo. ● *S. 2 g.* **3.** Pessoa que o adota. [Sin.: ger.: *não-conformista.*]

inconfortar. [De *in-*[2] + *confortar.*] *V. t. d.* V. *desconfortar.*

inconfortável. [De *in-*[2] + *confortável.*] *Adj. 2 g.* Não confortável; desconfortável.

inconfundibilidade. *S. f.* Qualidade de inconfundível: "Reconheci-a logo ao entrar pela inconfundibilidade do seu rosto, branco demais" (Gilberto Amado, *Depois da Política*, p. 206).

inconfundível. [De *in-*[2] + *confundível.*] *Adj. 2 g.* Que não pode ser confundido: *personalidade inconfundível;* "E a caixa de rapé do burgomestre, que era inconfundível e única, multiplicou-se estranhamente" (Mário Quintana, *Sapato Florido*, p. 128); "O Alentejo é inconfundível com outras terras de Portugal." (Afrânio Peixoto, *Viagens na Minha Terra*, p. 199).

incongelabilidade. *S. f.* Qualidade de incongelável.

incongelado. [De *in-*[2] + *congelado.*] *Adj.* Que não se congelou.

incongelável. [De *in-*[2] + lat. *congelabile.*] *Adj. 2 g.* Não congelável.

incongruência. [Do lat. *incongruentia.*] *S. f.* **1.** Qualidade de incongruente; incongruidade. **2.** Ato ou dito incongruente.

incongruente. [Do lat. *incongruente.*] *Adj. 2 g.* Inconveniente, impróprio, incompatível, incôngruo.

incongruidade (u-i). [Do lat. *incongruitate.*] *S. f.* Qualidade de incôngruo; incongruência.

incongruentíssimo. *Adj.* Superl. abs. sint. de *incôngruo.*

incôngruo. [Do lat. *incongruu.*] *Adj.* V. *incongruente.* [Superl. abs. sint.: *incongruentíssimo.*]

inconho. [Do tupi *i kõe*, 'aquele que é gêmeo'.] *Adj.* **1.** Diz-se do fruto que nasce pegado a outro: "meio risonha / Procura [a moça] se desviar, / Neste empenho os seios ambos / Deixa ver; inconhos jambos / De algum celeste pomar!..." (Tobias Barreto, *Dias e Noites*, pp. 52-53). [Sin. (bras., BA): *filipinho.*] **2.** *Fig.* Diz-se de coisas muito ligadas entre si: "Na era dos descobrimentos, pouco aproveitava distinguir a lenda da História, uma e outra, inconhas e inseparáveis." (João Ribeiro, *Notas de um Estudante*, p. 24.)

inconivente. [Do lat. *inconnivente.*] *Adj. 2 g.* Não conivente.

inconjugável. [De *in-*[2] + *conjugável.*] *Adj. 2 g.* Que não é conjugável.

inconquistabilidade. *S. f.* Qualidade de inconquistável.

inconquistado. [De *in-*[2] + *conquistado.*] *Adj.* **1.** Que não foi conquistado: "a forma anunciada, pressentida, ainda irrevelada, ainda inconquistada." (Osmã Lins, *Nove, Novena*, p. 133). **2.** *Fig.* Insubmisso, altivo.

inconquistável. [De *in-*[2] + *conquistável.*] *Adj. 2 g.* Não conquistável.

inconsciência. [Do lat. *inconscientia.*] *S. f.* **1.** Qualidade ou estado de inconsciente. **2.** Falta de consciência[1]; irresponsabilidade, irreflexão, leviandade: *Sua inconsciência chega às raias da loucura.* **3.** Injustiça, sem-razão: *A atitude do chefe demitindo pobres funcionários é uma inconsciência.*

inconsciencioso (ô). [De *in-*[2] + *consciencioso.*] *Adj.* Que não tem consciência; não consciencioso.

inconsciente. [De *in-*[2] + *consciente.*] *Adj. 2 g.* **1.** Não consciente (1); incônscio: *Os vegetais são seres inconscientes.* **2.** Que está sem consciência[1] (4): *Há uma semana o enfermo permanece inconsciente.* **3.** Que procede sem consciência[1] (6) ou com desconhecimento do alcance moral daquilo que praticou: *Homens inconscientes levaram a nação ao declínio econômico.* **4.** Leviano, inconsiderado, irresponsável. **5.** Em que se verifica a perda da consciência[1] (4): *A polícia rodoviária encontrou os feridos em estado inconsciente.* **6.** Feito sem consciência[1] (5 e 6): *Pesquisas científicas inconscientes prejudicam toda a humanidade.* **7.** *Psicol.* Pertencente ou relativo ao inconsciente (9). • *S. 2 g.* **8.** Pessoa inconsciente (3 e 4). • *S. m.* **9.** *Psicol.* O conjunto dos processos e fatos psíquicos que atuam sobre a conduta do indivíduo, mas escapam ao âmbito da consciência e não podem a esta ser trazidos por nenhum esforço da vontade ou da memória, aflorando, entretanto, nos sonhos, nos atos falhos, nos estados neuróticos ou psicóticos, i. e., quando a consciência não está vigilante. [Cf. *subconsciente* (2) e *consciente* (8).] ♦ **Inconsciente coletivo.** *Psicol.* Parte do inconsciente individual que procede da experiência ancestral e transparece em certos símbolos encontrados nas lendas e mitologias antigas, constituindo os arquétipos [v. *arquétipo* (3)].

incônscio. [De *in-*[2] + *cônscio.*] *Adj.* Inconsciente (1).

inconseqüência. [Do lat. *inconsequentia.*] *S. f.* **1.** Falta de conseqüência; incongruência, incoerência, contradição: "parece uma inconseqüência admirar um poeta na base de cuja inspiração se acaba de descobrir uma falsidade radical." (João Gaspar Simões, *O Mistério da Poesia*, p. 139). **2.** Inconexão, desconexão. **3.** Ilação que não se contém nas premissas.

inconseqüente. [Do lat. *inconsequente.*] *Adj. 2 g.* **1.** Em que há inconseqüência. **2.** Inconsiderado, imprudente. **3.** Contraditório. • *S. 2 g.* **4.** Pessoa inconseqüente.

inconsideração. [Do lat. *inconsideratione.*] *S. f.* **1.** Falta de consideração; desconsideração. **2.** Precipitação, imprudência, leviandade.

inconsiderado. [Do lat. *inconsideratu.*] *Adj.* **1.** Que não considera, não pondera; imprudente, precipitado. **2.** Temerário, arriscado.

inconsistência. [De *in-*[2] + *consistência.*] *S. f.* Qualidade ou estado de inconsistente; falta de consistência.

inconsistente. [De *in-*[2] + *consistente.*] *Adj. 2 g.* **1.** Falta de consistência. **2.** Sem consistência, firmeza ou solidez. **3.** Sem consistência ou estabilidade física ou moral. **4.** Sem consistência ou fundamento; infundado. **5.** Incoerente, incongruente, contraditório.

inconsolabilidade. *S. f.* Qualidade ou estado de inconsolável.

inconsolado. [De *in-*[2] + *consolado.*] *Adj.* Que não tem consolação.

inconsolável. [Do lat. *inconsolabile.*] *Adj. 2 g.* Não consolável; que não pode ser consolado: *homem inconsolável; mágoa inconsolável.*

inconsonância. [Do lat. *inconsonantia.*] *S. f.* Falta de consonância.

inconsonante. [Do lat. *inconsonante.*] *Adj. 2 g.* Que não tem consonância.

inconspícuo. [De *in-*[2] + *conspícuo.*] *Adj. Morfol. Veg.* Diz-se do órgão ou parte vegetal normal, porém de dimensões muito reduzidas, sendo, pois, inaparente: *estaminódio inconspícuo.*

inconstância. [Do lat. *inconstantia.*] *S. f.* **1.** Falta de constância; volubilidade. **2.** Leviandade, infidelidade.

inconstante. [Do lat. *inconstante.*] *Adj. 2 g.* **1.** Não constante; volúvel. **2.** Instável, variável, mudável: *tempo inconstante.* **3.** Leviano, infiel. • *S. 2 g.* **4.** Pessoa volúvel, inconstante.

inconstitucional. [De *in-*[2] + *constitucional.*] *Adj. 2 g.* Não constitucional ou que se opõe à constituição do Estado.

inconstitucionalidade. *S. f.* Qualidade de inconstitucional.

inconsultável. [De *in-*[2] + *consultável.*] *Adj. 2 g.* Que não pode ou não deve ser consultado.

inconsulto. [Do lat. *inconsultu.*] *Adj.* **1.** Que não foi consultado. **2.** Impensado, irrefletido.

inconsumível. [De *in-*[2] + *consumível.*] *Adj. 2 g.* Que não se consome; que não pode ser consumido.

inconsumpto. [Do lat. *inconsumptu.*] *Adj.* Não consumido. [Var.: *inconsunto.*]

inconsunto. *Adj.* Var. de *inconsumpto.*

inconsútil. [Do lat. *inconsutile.*] *Adj. 2 g.* **1.** Não consútil; sem costuras (diz-se especialmente da túnica de Cristo): "E ao rabi simples, que a igualdade prega, / Rasga e enlameia a túnica inconsútil" (Raimundo Correia, *Poesias*, p. 229). **2.** Feito de uma só peça; inteiriço: "tão solidamente está soldada a pedra de cima ao corpo ou caixão do jazigo, que o todo parece maciço e inconsútil." (Almeida Garrett, *Viagens na Minha Terra*, p. 380). [Pl.: *inconsúteis.*]

incontaminado. [Do lat. *incontaminatu.*] *Adj.* Isento de contaminação.

incontável. [De *in-*[2] + *contável.*] *Adj. 2 g.* Impossível de contar; inumerável.

incontentável. [De *in-*[2] + *contentável.*] *Adj. 2 g.* **1.** Não contentável. **2.** Difícil de contentar.

incontestabilidade. *S. f.* Qualidade de incontestável.

incontestado. [De *in-*[2] + *contestado.*] *Adj.* Não contestado; inconsusso, inconteste.

incontestável. [De *in-*[2] + *contestável.*] *Adj. 2 g.* Que não pode sofrer contestação; não contestável; indiscutível.

inconteste[1]. [De *in-*[2] + *conteste.*] *Adj. 2 g.* Que não é conteste (1): *testemunhas incontestes.*

inconteste[2]. *Adj. 2 g.* V. *incontestado: afirmação inconteste.*

incontido. [De *in-*[2] + *contido.*] *Adj.* Que não pode ser contido.

incontinência. [Do lat. *incontinentia.*] *S. f.* **1.** Qualidade de incontinente; falta de continência; descontinência. **2.** *Med.* Emissão involuntária de substâncias cuja excreção está, de ordinário, sujeita à vontade.

incontinente. [Do lat. *incontinente.*] *Adj. 2 g.* **1.** Falto de continência; imoderado, sensual. • *S. 2 g.* **2.** Pessoa imoderada em sensualidade. [Cf. *incontinenti.*]

incontinenti (nên). [Adapt. do lat. *in continenti.*] *Adv.* Sem demora; sem intervalo; sem interrupção; sem detença, imediatamente. [Cf. *incontinente.*]

incontingência. [De *in-*[2] + *contingência.*] *S. f.* Qualidade de incontingente.

incontingente. [De *in-*[2] + *contingente.*] *Adj. 2 g.* Não contingente.

incontinuidade (u-i). [De *in-*[2] + *continuidade.*] *S. f.* Falta de continuidade; descontinuidade.

incontínuo. [Do lat. *incontinuu.*] *Adj.* Não contínuo; descontínuo.

incontornável. [De *in-*[2] + *contornável.*] *Adj. 2 g.* Que não se pode contornar, ladear ou eludir; que se tem de enfrentar; não contornável.

incontradito. [De *in-*[2] + *contradito.*] *Adj.* Não contradito.

incontrariável. [De *in-*[2] + *contrariável.*] *Adj. 2 g.* Que não pode ser contrariado.

incontrastável. [De *in-*[2] + *contrastável.*] *Adj. 2 g.* **1.** Irrefutável, irrespondível, irrecusável. **2.** V. *irrevogável*: "estas últimas palavras foram proferidas com a insolência de uma resolução incontrastável." (Alexandre Herculano, *Lendas e Narrativas*, I, p. 195).

incontrito. [De *in-*[2] + *contrito.*] *Adj.* Não contrito; relapso, impenitente.

incontrolado. [De *in-*[2] + *controlado.*] *Adj.* Em que não há controle, ou que o perdeu; descontrolado: "Pousar a mão trêmula, aqueles dedos terrivelmente incontrolados, sobre o aparelho de choque, e aliviar-se." (Moreira Campos, *Os Doze Parafusos*, p. 77.)

incontrolável. [De *in-*[2] + *controlável.*] *Adj. 2 g.* **2.** Que não se pode controlar; incoercível, irreprimível, irrefreável, insopitável: "Ele se lançou nos meus braços; seus ombros sacudiam-se em soluços incontroláveis" (Guilherme Figueiredo, *História para Se Ouvir de noite*, p. 41).

incontroverso. [Do lat. *incontroversu.*] *Adj.* Incontestável, irrefragável, certíssimo, inconcusso, incontrovertido: "tenho para mim que há exageração em afirmar-se que basta colocar-se uma pessoa à sombra dessa árvore [o coração-de-negro] para ficar com o aspecto de um morfético, conforme afirma, como fato incontroverso, o catálogo da Província do Paraná 1875." (Visconde de Taunay, *Visões do Sertão*, p. 108).

incontrovertido. [De *in-*[2] + *controvertido.*] *Adj.* V. *incontroverso.*

incontrovertível. [De *in-*[2] + *controvertível.*] *Adj. 2 g.* Não controvertível.

inconveniência. [Do lat. *inconvenientia.*] *S. f.* **1.** Qualidade ou estado de inconveniente; falta de conveniência. **2.** Ato, palavra ou fato inconveniente; descortesia, incivilidade, grosseria; indiscrição.

inconveniente. [Do lat. *inconveniente.*] *Adj. 2 g.* **1.** Não conveniente; falto de conveniência. **2.** Indiscreto, inoportuno, impróprio: *pergunta inconveniente.* **3.** Impróprio, inadequado: "os jornalistas, ... ao ouvi-lo, prorromperam em gargalhadas, inconvenientes à majestade do lugar." (Lima Barreto, *Triste Fim de Policarpo Quaresma*, p. 79). **4.** Oposto ao decoro, à decência, ao uso da sociedade, às conveniências; grosseiro, indecoroso: *atitude inconveniente.* **5.** Que não respeita o decoro, a decência, as conveniências; incorreto, indecente: *indivíduo inconveniente.* • *S. m.* **6.** Prejuízo, perigo, risco, desvantagem: *Não há inconveniente em acompanhá-lo.* **7.** Obstáculo, incômodo, objeção, estorvo, transtorno, embaraço: *Parecia tudo fácil, mas surgiram inconvenientes incontáveis.*

inconversável. [De *in-*[2] + *conversável.*] *Adj. 2 g.* V. *desconversável* (1).

inconversibilidade. *S. f.* Qualidade de inconversível.

inconversível. [De *in-*[2] + *conversível.*] *Adj. 2 g.* Que não se pode converter; inconvertível.

inconverso. [De *in-*[2] + *converso.*] *Adj.* Não convertido, não converso; inconvertido.

inconvertido. [De *in-*[2] + *convertido.*] *Adj.* **1.** V. *inconverso.* • *S. m.* **2.** Indivíduo inconvertido: "— Sou eu o intolerante, o inconvertido, / ou é que o mundo não tem mais sentido?" (Hermes Fontes, *A Fonte da Mata...*, p. 95.)

inconvertível. [De *in-*[2] + *convertível.*] *Adj. 2 g.* Inconversível.

inconvicto. [De *in-*[2] + *convicto.*] *Adj.* Que não está convicto.

incoordenação. [De *in-*[2] + *coordenação.*] *S. f.* Ausência de coordenação.

incorporação. [Do lat. *incorporatione.*] *S. f.* **1.** Ato ou efeito de incorporar(-se). **2.** Agrupamento, inclusão. **3.** *Bras.* Edifício que se incorpora [v. *incorporar* (5)]. **4.** *Bras.* Tomada do corpo do médium por um guia ou espírito; transe mediúnico.

incorporado. [Part. de *incorporar.*] *Adj.* Que foi objeto de incorporação.

incorporador (ô). *Adj.* **1.** Que incorpora; incorporante, incorporativo. • *S. m.* **2.** Aquele que incorpora. **3.** *Bras.* Aquele que promove a incorporação de prédio(s) de apartamentos, lojas, etc., em condomínio. **4.** *Bras.* Fundador de uma sociedade anônima.

incorporadora (ô). [Fem. substantivado do adj. *incorporador.*] *S. f. Bras.* Firma ou empresa que incorpora. [v.

incorporar (5)].

incorporal. [Do lat. *incorporale.*] *Adj. 2 g.* V. *incorpóreo.*

incorporalidade. [Do lat. *incorporalitate.*$w *S. f.* Qualidade de incorporal; incorporeidade.

incorporante. [Do lat. *incorporante.*] *Adj. 2 g.* **1.** V. *incorporador* (1). **2.** *Restr.* Diz-se da sociedade anônima que absorve outras sociedades por meio da incorporação.

incorporar. [Do lat. *incorporare.*] *V. t. d.* **1.** Dar forma corpórea a. **2.** Admitir ou receber em corporação. **3.** Reunir (diversas companhias mercantis) em uma só. **4.** Juntar num só corpo; dar unidade a; reunir: *A Assembléia resolveu incorporar os decretos e leis referentes à matéria.* **5.** *Bras.* Realizar (o dono, o compromissário ou o titular de opção de venda de um terreno) contrato para construção de (edifício de apartamentos, lojas, etc.), em condomínio, começando logo a vender, em prestações, as futuras unidades. *T. d. e i.* **6.** Unir, reunir, juntar, em um só corpo ou um só todo: *Incorporou mais um bem de raiz no seu patrimônio; Incorporou mais um título à sua valiosa obra literária.* **7.** Introduzir, embeber, imbuir: "*Odor di femina:* eis o que ele aspirava nela, e em volta dela, para *incorporá-lo* em si próprio." (Machado de Assis, *Várias Histórias,* p. 7.) *Int.* **8.** Tomar corpo; encorpar, crescer. *P.* **9.** Tomar forma corpórea; materializar-se: *O espiritismo crê que os espíritos se incorporam.* **10.** Entrar a fazer parte; ingressar: *incorporar-se numa agremiação.* **11.** Reunir-se, juntar-se, congregar-se: *Vários homens do povo incorporaram-se no préstito; Transeuntes incorporaram-se à procissão.*

incorporativo. *Adj.* V. *incorporador* (1).

incorporeidade. *S. f.* Qualidade ou estado de incorpóreo; incorporalidade.

incorpóreo. [Do lat. *incorporeu.*] *Adj.* Que não tem corpo; imaterial, impalpável; incorporal: "A viração do oceano acariciava o rosto / Como *incorpóreas* mãos." (Manuel Bandeira, *Estrela da Vida Inteira,* p. 43.)

incorreção. [De *in-*^{2} + *correção.*] *S. f.* **1.** Falta de correção; erro. **2.** Qualidade de incorreto (2). **3.** Ação, procedimento, atitude incorreta.

incorrer. [Do lat. *incurrere.*] *V. t. i.* **1.** Ficar incluído, implicado ou comprometido; incidir: *Incorreu no desagrado do chefe;* "As mulheres que *incorriam* em heresia .... eram enterradas vivas." (Ramalho Ortigão, *As Farpas,* II, p. 255). **2.** Ficar sujeito a. *T. d. Ant.* **3.** Atrair sobre si; cair em. [Part.: *incorrido* e *incurso.*]

incorretamente. [Do fem. de *incorreto* + *-mente.*] *Adv.* De maneira incorreta; sem correção.

incorreto. [Do lat. *incorrectu.*] *Adj.* **1.** Que não está correto, ou não foi corrigido; errado: *texto incorreto; total incorreto.* **2.** Não correto; deselegante, desonesto, indigno: *indivíduo incorreto; procedimento incorreto.*

incorrigibilidade. *S. f.* Qualidade ou caráter de incorrigível.

incorrigível. [Do lat. *incorrigibile.*] *Adj. 2 g.* **1.** Impossível de corrigir; incapaz de emenda. **2.** Reincidente no erro, no crime, num hábito; incapaz de emendar-se: "Humorista dos mais espirituosos, boêmio *incorrigível*, fornecia [Frederico Kàrinthy] material permanente para o anedotário de todos os jornais" (Paulo Rónai, *Escola de Tradutores,* p. 45).

incorrimento. *S. m. Ant.* **1.** Ato de incorrer. **2.** Ataque, incursão.

incorrosível. [De *in-*^{2} + *corrosível.*] *Adj. 2 g.* Não corrosível.

incorruptibilidade. *S. f.* Qualidade ou caráter de incorruptível. [Var.: *incorrutibilidade.*]

incorruptível. [Do lat. *incorruptibile.*] *Adj. 2 g.* **1.** Não suscetível de corrupção; inalterável. **2.** Que não se deixa subornar. **3.** Íntegro, reto, austero: "Os filhos são os mais implacáveis e *incorruptíveis* juízes do procedimento dos pais." (Ramalho Ortigão, *Em Paris,* p. 184.) [Var.: *incorrutível.* Sin. ger.: *incorrutivo.*]

incorruptivo. [Do lat. *incorruptivu.*] *Adj.* Incorruptível. [Var.: *incorrutivo.*]

incorrupto. [Do lat. *incorruptu.*] *Adj.* **1.** Isento de corrupção. **2.** Que não se corrompeu. [Var.: *incorruto.*]

incorrutibilidade. *S. f.* V. *incorruptibilidade.*

incorrutível. *Adj. 2 g.* V. *incorruptível.*

incorrutivo. *Adj.* V. *incorruptivo.*

incorruto. *Adj.* V. *incorrupto.*

➧**incredibile dictu** (incredíbile díctu). [Lat.] Incrível de se dizer. [Us. quase sempre interjetivamente.]

incredibilidade. [Do lat. *incredibilitate.*] *S. f.* Qualidade de incredível ou incrível.

incredibilíssimo. [Do lat. *incredibilissimu.*] *Adj.* Superl. abs. sint. de *incredível* e *incrível.*

incredível. *Adj. 2 g. P. us.* Incrível [q. v.].

incredulamente. [Do fem. de *incrédulo* + *-mente.*] *Adv.* De maneira incrédula; com incredulidade.

incredulidade. [Do lat. *incredulitate.*] *S. f.* **1.** Qualidade de incrédulo, descrença. **2.** Falta de fé; irreligião; ateísmo.

incrédulo. [Do lat. *incredulu.*] *Adj.* **1.** Falto de crença; ímpio; descrente: *indivíduo incrédulo.* **2.** Próprio de quem não crê, de quem está duvidoso: *ar incrédulo; atitude incrédula.* ● *S. m.* **3.** Indivíduo sem credulidade; descrente. **4.** Ateu, ímpio, incréu.

incrementação. *S. f.* Ato ou efeito de incrementar.

incrementado. [Part. de *incrementar.*] *Adj.* **1.** A que se deu incremento; desenvolvido, aumentado: *uma indústria incrementada.* **2.** *Bras. Gír.* Que tem os elementos necessários para provocar animação, excitação, exaltação; quente: *festa incrementada.* **3.** *Bras. Gír.* Muito moderno, ousado, avançado; pra-frente; prafrentex; quente: *roupa incrementada.*

incremental. *Adj. 2 g.* **1.** Relativo a incremento. **2.** Que visa a incremento.

incrementar. [Do lat. *incrementare.*] *V. t. d.* **1.** Dar incremento (2) a; desenvolver, aumentar. **2.** *Bras. Gír.* Provocar animação, excitação, exaltação, em.

incremento. [Do lat. *incrementu.*] *S. m.* **1.** Ato de crescer, de aumentar. **2.** Desenvolvimento, aumento, acréscimo: *O governo promoveu o incremento da indústria açucareira;* "a descoberta do ouro e dos diamantes do Brasil, o *incremento* das exportações de vinhos .... adiam de novo o problema econômico e social" (Antônio José Saraiva e Oscar Lopes, *História da Literatura Portuguesa,* p. 447). **3.** *Anál. Mat.* Acréscimo (4).

increpação. [Do lat. *increpatione.*] *S. f.* Ato ou efeito de increpar; increpamento.

increpador (ô). [Do lat. *increpatore.*] *Adj.* **1.** Increpante. ● *S. m.* **2.** Aquele que increpa.

increpamento. *S. m.* Increpação.

increpante. [Do lat. *increpante.*] *Adj. 2 g.* Que increpa; increpador.

increpar. [Do lat. *increpare.*] *V. t. d.* **1.** Repreender asperamente; admoestar com energia. *T. d. e i.* **2.** Acusar, censurar, argüir: "Os latinos não conservaram a ficção poética do canto melodioso da cigarra, pois o *increpavam* de rouco, desagradável" (Alberto Faria, *Acendalhas,* p. 71); "Daquela vez me *increpava* de infidelidade na citação de textos. Hoje me acoima de arvorar a desonestidade em teoria, e legitimá-la em direito." (Rui Barbosa, *Réplica,* p. 59).

increpável. *Adj. 2 g.* Que deve ser increpado.

incréu. [F. contrata de *incrédulo.*] *S. m.* V. *incrédulo* (4): "Embora *incréu*, crescera [Machado de Assis] entre os sinos das nossas igrejas, ... e nunca deixou de sentir uma secreta simpatia pelos padres." (Brito Broca, *Horas de Leitura,* p. 141).

incriado. [Do lat. *increatu.*] *Adj.* **2.** Que existe sem ter sido criado; que não teve princípio. ● *S. m.* **2.** Coisa não criada, que não teve começo.

incriável. [Do lat. *increabile.*] *Adj. 2 g.* Não criável; que não se pode criar.

incriminação. [De *in-*^{2} + *criminação.*] *S. f.* Ato ou efeito de incriminar(-se).

incriminar. [De *in-*^{1} + *criminar.*] *V. t. d.* **1.** Declarar ou ter por criminoso; criminar. **2.** Considerar como crime: "Sampaio lamentava .... o desamparo em que ficara o reino pela .... fuga do príncipe regente. *Incriminava* a cobardia de semelhante desaire para o país dos Pachecos e Albuquerques." (Camilo Castelo Branco, *Carlota Ângela,* p. 106.) **3.** Denunciar, inculpar: *Aquele descuido incriminou-o. T. d. e i.* **4.** Acusar, culpar: *Incriminaram-no de falcatruas. P.* **5.** Deixar transparecer a própria culpa; criminar-se.

incristalizável. [De *in-*^{2} + *cristalizável.*] *Adj. 2 g.* Não cristalizável.

incriticável. [De *in-*^{2} + *criticável.*] *Adj. 2 g.* **1.** Que não é criticável. **2.** Superior a toda a crítica. **3.** Abaixo de qualquer crítica; que não vale a pena de se lhe fazer a crítica.

incrível. [Do lat. *incredibile.*] *Adj. 2 g.* **1.** Que não se acredita; inacreditável. **2.** Difícil de se acreditar; extraordinário; inexplicável. **3.** Excêntrico, singular, estranho: *É verdadeiramente um tipo incrível, um maluco.* [Sin. ger., p. us.: *incredível;* superl. abs. sint., de ambos adj.: *incredibilíssimo.* ● *S. m.* **4.** Aquilo em que não se pode crer.

incruentar. *V. t. d.* Tornar incruento.

incruento. [Do lat. *incruentu.*] *Adj.* **1.** Em que não houve derramamento de sangue; que não custou sangue: *as incruentas batalhas da ciência;* "duros anos de guerras justas e injustas, de revoluções sangrentas e *incruentas*" (Fidelino de Figueiredo, *Um Colecionador de Angústias,* p. 266). **2.** *Rel.* Diz-se de certo tipo de sacrifícios feitos à divindade com frutos naturais ou com produto do trabalho humano, como, p. ex., pão e vinho.

incrustação. [Do lat. *incrustatione.*] *S. f.* **1.** Ato ou efeito de incrustar(-se). **2.** *Geol.* Depósito de matéria sólida, inicialmente em solução, sobre qualquer matriz.

incrustador (ô). *Adj.* **1.** Que incrusta. ● *S. m.* **2.** Aquele que faz incrustações, embutidos.

incrustante. [Do lat. *incrustante.*] *Adj. 2 g.* Que tem a propriedade de cobrir os corpos com uma crosta mineral, formada, geralmente, de carbonato de cal.

incrustar. [Do lat. *incrustare.*] *V. t. d.* **1.** Cobrir de crosta. **2.** Adornar com embutidos ou incrustações. *T. d. e c.* **3.** Cobrir, vestir, revestir: *Incrustou o tampo de madeira com uma camada de verniz.* **4.** Embutir, inserir, embrechar, tauxiar. *P.* **5.** Prender-se ou agarrar-se fortemente. **6.** Arraigar-se, fixar-se. **7.** Tornar-se insensível; empedernir-se, empedernecer-se.

incubação. [Do lat. *incubatione.*] *S. f.* **1.** Ato ou efeito de incubar. **2.** *Fig.* Elaboração, preparação. **3.** *Med.* Período de incubação [q. v.] [Cf. *encubação.*].

incubadeira. [Fem. substantivado de *incubador.*] *S. f.* Incubadora, chocadeira.

incubador (ô). [De *incubar* + *-dor.*] *Adj.* Que serve para incubar.

incubadora (ô). [Fem. substantivado de *incubador.*] *S. f.* **1.** Aparelho para incubação artificial de galináceos; chocadeira. **2.** *Med.* Aparelho destinado a manter temperatura constante e apropriada para o desenvolvimento de ovos e cultura de microorganismos ou de outras células vivas. **3.** Aparelho que se destina a manter criança prematura em ambiente de temperatura, oxigenação e umidade apropriadas.

incubar. [Do lat. *incubare.*] *V. t. d.* **1.** Chocar (ovos). **2.** Possuir em estado latente. **3.** Premeditar, planejar, planear, projetar, predispor: *Durante longo tempo incubou planos fantásticos. Int.* **4.** Chocar ovos. *P.* **5.** Compenetrar-se, convencer-se, persuadir-se. [Pres. ind.: *incubo,* etc. Cf. *íncubo* e *encubar.*]

íncubo. [Do lat. *incubu.*] *Adj.* **1.** Que se deita sobre algo. **2.** *Morfol. Veg.* Diz-se das folhas das hepáticas quando o bordo anterior ou superior de uma cobre o bordo posterior ou inferior da seguinte, de sorte que, ao longo do eixo talino, as folhas de baixo vão recobrindo as de cima. ● *S. m.* **3.** Demônio masculino que, segundo velha crença popular, vem pela noite copular com uma mulher, perturbando-lhe o sono e causando-lhe pesadelos. [Antôn.: *súcubo.* Cf. *incubo,* do v. *incubar,* e *encubo,* do v. *encubar.*]

incude. [Do lat. *incude.*] *S. f.* Bigorna (1).

incudiforme. [Do lat. *incude* + *-i-* + *-forme.*] *Adj. 2 g.* Que tem forma de incude ou bigorna.

inculca. [Dev. de *inculcar.*] *S. f.* **1.** Ato ou efeito de inculcar. **2.** Pessoa que inculca: "Dei volta ao povo e, como quem não quer a coisa, deitei *inculcas* para saber quem era aquela moça tão linda." (João de Araújo Correia, *Cinza do Lar,* p. 111.) **3.** *Fig.* Sugestão, busca, pesquisa. ~ V. *inculcas.*

inculcadeira. *S. f.* Mulher que inculca; alcoviteira.

inculcador (ô). [Do lat. *inculcatore.*] *Adj.* e *s. m.* Que ou aquele que inculca.

inculcar. [Do lat. *inculcare.*] *V. t. d.* **1.** Apontar, citar, apregoar: *O livro inculca novos rumos econômicos.* **2.** Demonstrar; aparentar: "*Inculcava* apenas sessenta anos, mas os vizinhos do seu tempo punham-lhe mais dez anos sem receio de erro, e acertavam." (Rebelo da Silva, *Contos e Lendas,* p. 78.) **3.** Dar a entender; demonstrar, indicar, revelar: "Os tetos, cujas vigas lavradas *inculcavam* a paciência de um artífice do XV século, subiam a grande altura" (Id., *ib.,* 57). **4.** Repetir (alguma coisa) com insistência, para frisá-la no espírito; repisar. *T. d. e i.* **5.** Recomendar elogiosamente; propor, indicar, aconselhar: *Tentava inculcar-lhe novos métodos;* "Era um místico terrível. Sonhava com Deus e *inculcava-o* a toda a gente como o sonhava." (João de Araújo Correia, *Cinza do Lar,* p. 117.) *P.* **6.** Dar-se, oferecer-se, apresentar-se, impor-se. **7.** Mostrar-se, insinuar-se. **8.** Descobrir-se, revelar-se. [Conjug.: v. *trancar.*]

inculcas. [Pl. de *inculca.*] *S. f. pl.* Averiguações; informações. ~ V. *inculca.*

inculpabilidade. *S. f.* Qualidade de inculpável; falta de culpabilidade.

inculpação. *S. f.* **1.** Ato ou efeito de inculpar(-se). **2.**

Estado de quem é inculpado¹.

inculpado¹. [Do lat. *inculpatu.*] *Adj.* **1.** Isento de culpa; inocente: "Nunca deixei de a considerar [à Marquesa de Távora] uma das mais virtuosas, das mais inculpadas vítimas daquele a quem a *Viradeira* implacável havia de chamar um dia — 'o grande leproso'." (Júlio Dantas, *Abelhas Doiradas,* pp. 139-140.) **2.** Incriminado, acusado, culpado. ● *S. m.* **3.** Aquele que é objeto de inculpação.

inculpado². [Part. de *inculpar.*] *Adj.* **1.** Que é objeto de inculpação (1); incriminado, acusado, culpado. ● *S. m.* **2.** Aquele que é objeto de inculpação (1).

inculpar. [Do lat. *inculpare.*] *V. t. d.* **1.** Atribuir culpa a; censurar, acusar, culpar: *Diz-se inocente, mas todos o inculpam;* "O Memorândum de Vásquez Sagastume é um arrazoado completo contra os que pretendem inculpar-nos levianamente, contra os que apontam o Brasil como potência imperialista, ciumenta do progresso e desenvolvimento do Paraguai." (Ronald de Carvalho, *Estudos Brasileiros,* III, p. 89.) *Transobj.* **2.** Atribuir culpa; censurar, acusar; incriminar: "Arrasto, como a um fardo, a alma ferida, / e a dor que me crucia, manifesto, / sem jamais inculpar de fementida / aquela que em meu sonho amo, e requesto." (Adelmar Tavares, *Poesias Completas,* p. 44.) *P.* **3.** Confessar-se culpado; incriminar-se; comprometer-se.

inculpável. [Do lat. *inculpabile.*] *Adj. 2 g.* Que não se pode culpar.

inculpe. [De *in-*² + *culpa.*] *Adj. 2 g.* Sem culpa ou crime; inocente.

inculposo (ô). [De *in-*² + *culposo.*] *Adj.* Em que não há culpa ou crime; não culposo.

incultivável. [De *in-*² + *cultivável.*] *Adj. 2 g.* Não cultivável; improdutivo.

incultivo. [De *in-*² + *cultivo.*] *S. m.* Falta de cultivo; incultura.

inculto. [Do lat. *incultu.*] *Adj.* **1.** Não cultivado; sem cultura; rude, agreste, árido: *terreno inculto.* **2.** *Fig.* Sem cultura, instrução, ilustração: *indivíduo inculto; espírito inculto.* **3.** *Fig.* Singelo, tosco, desataviado: *beleza inculta.*

incultura. *S. f.* **1.** Qualidade ou estado de inculto. **2.** *Fig.* Falta de cultura ou ilustração.

incumbência. [Do lat. *incumbentia.*] *S. f.* **1.** Ato ou efeito de incumbir(-se); encargo. **2.** Missão ou negócio que se incumbe a alguém.

incumbente. [Do lat. *incumbente.*] *Adj. 2 g.* **1.** Inclinado para a terra. **2.** *Morfol. Veg.* Diz-se da radícula que se aplica sobre o dorso dos cotilédones.

incumbir. [Do lat. *incumbere.*] *V. t. d. e i.* **1.** Dar comissão, incumbência, encargo; encarregar: "D. Maria Micaela encarregou-o de todos os negócios de sua grande casa, incumbindo-o especialmente de correr com o inventário do casal" (Camilo Castelo Branco, *Noites de Insônia,* I, p. 58); "na hora do recreio, incumbindo a outro o cuidado de levar os meninos a passeio, deixou-se ficar no salão" (Bernardo Guimarães, *O Seminarista,* p. 55). *T. i.* **2.** Ser da obrigação, do dever; pertencer, caber, competir: *Incumbe-lhe o recebimento de impostos. P.* **3.** Tomar encargo; encarregar-se: "Na cômoda a roupa estava arranjada como no tempo em que minha mãe se incumbia desse trabalho." (José de Alencar, *Lucíola,* p. 143.)

incunabular. *Adj. 2 g.* Relativo aos incunábulos, ou às oficinas, técnicas, etc., do período a eles concernente: *imprensa incunabular.*

incunábulo. [Do lat. *incunabulu,* 'berço'.] *Adj.* **1.** Diz-se do livro impresso até o ano de 1500. ● *S. m.* **2.** Começo, origem: "nos seus nebulosos incunábulos a filosofia grega é essencialmente naturalista. É sobre a matéria que ela firma .... os seus primeiros alicerces" (Latino Coelho, *A Oração da Coroa,* pp. LXXXVIII — LXXXIX). **3.** Livro impresso nos primeiros anos da arte de imprimir, até 1500: "No seu exílio na Inglaterra foi no que principalmente se empenhou o último rei de Portugal: em reconquistar, a alfarrabistas, manuscritos, incunábulos e livros raros portugueses." (Gilberto Freire, *Aventura e Rotina,* p. 161.) **4.** *P. ext.* Impresso produzido nos primórdios de qualquer sistema de gravar, compor ou imprimir: *incunábulo da fotocomposição.* [Cf., nesta acepç., *xilógrafo* (2).]

incurabilidade. *S. f.* Qualidade ou estado de incurável.

incurável. [Do lat. *incurabile.*] *Adj. 2 g.* Que não tem cura; irremediável.

incúria. [Do lat. *incuria.*] *S. f.* **1.** Falta de cuidado; desleixo, negligência: "No sermão de S. Roque abundou o orador [P.^e^ Antônio Vieira] nas mesmas idéias, e conclui, repreendendo a incúria e indiferença com que se descuidavam dos exercícios da milícia, e fortificação das praças" (João Francisco Lisboa, *Obras,* IV, p. 46). **2.** Inércia, inação.

incurial. [De *in-*² + *curial.*] *Adj. 2 g.* Que não é curial; impróprio, inconveniente.

incurialidade. *S. f.* Qualidade de incurial.

incuriosidade. [De *in-*² + *curiosidade.*] *S. f.* Qualidade de incurioso; falta de curiosidade.

incurioso [De *in-*² + *curioso.*] (ô). *Adj.* **1.** Falto de curiosidade; descurioso: "Por mais incurioso que seja o viajante, ao romper aquelas veredas em torcicolos, vai sendo invadido pela tristeza daqueles ermos desolados." (Euclides da Cunha, *Contrastes e Confrontos,* p. 212.) **2.** Negligente, descuidoso, descuidado.

incursão. [Do lat. *incursione.*] *S. f.* **1.** Invasão militar; correria. **2.** Entrada, penetração: *Fez uma incursão pelas matas.* **3.** *Fig.* Contaminação, contágio.

incurso. [Do lat. *incursu.*] *Adj.* **1.** Que incorreu. ● *S. m.* **2.** Ato de incorrer; incursão, invasão.

incuso. [Do lat. *incusu.*] *Adj.* Diz-se de moeda, medalha, etc., cunhada de uma só face.

incutir. [Do lat. *incutere.*] *V. t. d.* **1.** Inspirar, infundir: *A figura do herói incutia respeito. T. d. e i.* **2.** Infundir no ânimo de; insinuar, sugerir, inspirar, suscitar: "Através dos autos, a catequese se desenvolveu suavemente, incutindo o poeta [José de Anchieta] sentimentos cristãos no silvícola." (Leodegário A. de Azevedo Filho, *Anchieta, a Idade Média e o Barroco,* p. 207); "Sabia [João de Deus] .... levar o conforto às dores dos outros, incutindo-lhes a fé" (Silva Ramos, *Pela Vida fora...,* p. 147).

inda. *Adv.* Ainda: "Inda conserva o pálido semblante / Um não sei quê de magoado, e triste, / Que os corações mais duros enternece." (Basílio da Gama, *O Uraguai,* p. 81); "E caminhando, o viajante inda pensou nas cousas proibidas." (Tristão da Cunha, *Histórias do Bem e do Mal,* p. 105).

indaca. *S. f.* **1.** Discussão, litígio. **2.** Confusão, barulho, tumulto. [Var.: *ondaca.*]

indagação. [Do lat. *indagatione.*] *S. f.* **1.** Ato ou efeito de indagar. **2.** Devassa, busca, inquirição. ◆ **Alta indagação.** *Jur.* Exame profundo de questões, dependente de diligências, documentos, testemunhas, etc., e com largo debate das partes interessadas.

indagador (ô). [Do lat. *indagatore.*] *Adj.* e *s. m.* Que ou aquele que indaga, que pergunta; averiguador.

indagar. [Do lat. *indagare.*] *V. t. d.* **1.** Procurar saber; tentar descobrir; investigar, pesquisar, averiguar: *indagou a causa do acidente;* "indaga se o teu silêncio / escuta o silêncio do outro" (José Paulo Moreira da Fonseca, *Tua Morada É a Viagem,* p. 50). **2.** Esquadrinhar, investigar, perscrutar, explorar. *T. d. e i.* **3.** Esforçar-se por descobrir; procurar saber; investigar; *Ia indagando dos transeuntes o caminho;* "indaguei de todos os passageiros se a conheciam, e não obtive a menor informação." (José de Alencar, *Cinco Minutos,* p. 22). **4.** Perguntar, inquirir: *Indagou-nos o verdadeiro sentido daquelas palavras. T. i.* **5.** Fazer indagações ou averiguações: *Tem o hábito de indagar da vida alheia;* "Aguiar indagou da pintura, D. Carmo respondeu-lhe" (Machado de Assis, *Memorial de Aires,* pp. 200-201): "cumpria-lhe velar pela sorte de Helena .... , indagar de seus sentimentos" (Id., *Helena,* p. 104). *Bit. i.* **6.** Perguntar, inquirir: "De vez em quando ia visitá-lo, levava-lhe frutas, indagava dos médicos sobre o seu estado." (Fernando Sabino, *O Homem Nu,* p. 168.) [Conjug.: v. *largar.*]

indagativo. *Adj.* **1.** Que serve para indagar, para indagação. **2.** Próprio de quem indaga: *Falou-me em tom indagativo. [Sin. ger.: indagatório.]*

indagatório. *Adj.* Indagativo.

indagável. *Adj. 2 g.* Que se pode indagar; perscrutável.

indaguaçu (dá). *S. m. Bras.* V. *andá-açu.*

indaiá. [Do tupi *ini'yá,* 'fruto de fios'.] *S. m.* **1.** *Bras.* Designação comum a várias palmeiras, muito elegantes, do gênero *Attalea,* que vivem em sociedades compactas, e cujos frutos são nozes grandes como um limão dos maiores, embora algumas se mostrem anãs. A maioria é do Brasil Central. **2.** V. *anajá¹ (1).*

indaiaçu. [Do tupi.] *S. m. Bras.* V. *andá-açu.*

indaialense. *Adj. 2 g.* **1.** De, ou pertencente ou relativo a Indaial (SC). ● *S. 2 g.* **2.** Natural ou habitante de Indaial.

indaiá-rasteiro. *S. m. Bras.* Espécie de palmeira *(Attalea exigua).* [Pl.: *indaiás-rasteiros.*]

indaiatubano. *Adj.* e *s. m.* Indaiatubense.

indaiatubense. *Adj. 2 g.* **1.** De, ou pertencente ou relativo a Indaiatuba (SP). ● *S. 2 g.* **2.** Natural ou habitante de Indaiatuba. [Sin. ger.: *indaiatubano.*]

indaié. [Do tupi *ida'yé.*] *S. m. Bras.* V. *gavião-carijó.*

indantreno. *S. f. Quím.* Substância pulverulenta, azul, corante de cuba para o algodão. [Fórm.: $C_{28}H_{14}O_4N_2$.]

indébito. [Do lat. *indebitu.*] *Adj.* **1.** Que não é devido; que não tem razão de ser; improcedente: *queixa indébita.* **2.** Que não é devido: a que não se tem direito; imerecido, imérito: *Prestam-lhe honrarias indébitas.* **3.** Que foi pago sem ser devido: *conta indébita.* ● *S. m.* **4.** *Jur.* Pagamento que se recebeu sem ser devido.

indecência. [Do lat. *indecentia.*] *S. f.* **1.** Falta de decência; indecoro. **2.** Ação, dito ou modos indecentes.

indecente. *Adj. 2 g.* **1.** Que não tem decência; indecoroso. **2.** Contrário à decência; à conveniência; inconveniente, obsceno. ● *S. 2 g.* **3.** Pessoa indecente.

indecidido. [De *in-*² + *decidido.*] *Adj.* **1.** Não decidido; indeciso, irresoluto. **2.** Não decidido; que está por ser resolvido: *pleito indeciso.*

indecifrável. [De *in-*² + *decifrável.*] *Adj. 2 g.* Que não pode ser decifrado: "E fitam-se, em silêncio indecifrável" (Antero de Quental, *Sonetos,* p. 308).

indecisão. [De *in-*² + *decisão.*] *S. f.* **1.** Estado ou qualidade de indeciso; hesitação, irresolução, perplexidade. **2.** Falta de espírito de decisão, de capacidade de decidir ou resolver de pronto.

indeciso. [De *in-*² + lat. *decisu,* 'decidido'.] *Adj.* **1.** Não decidido; duvidoso, hesitante, irresoluto: "Que fazer? A donzela ficou algum tempo indecisa, gelada de terror" (Inglês de Sousa, *Contos Amazônicos,* p. 165). **2.** Indeterminado, indistinto, vago: "As estrelas, já sem contornos, derramavam-se na tinta negra do céu, como indecisas nódoas luminosas" (Aluísio Azevedo, *Pegadas,* p. 121). ● *S. m.* **3.** Indivíduo irresoluto, indeciso.

indeclarável. [De *in-*² + *declarável.*] *Adj. 2 g.* Não declarável.

indeclinabilidade. *S. f.* Qualidade de indeclinável.

indeclinável. [Do lat. *indeclinabile.*] *Adj. 2 g.* **1.** De que é impossível declinar, desviar-se, afastar-se; a que não se pode fugir; irrecusável: *honra indeclinável; dever indeclinável;* "as horas .... foram-se-me a uma e uma subtraindo pelo cumprimento de obrigações anteriores e indeclináveis" (Antônio Feliciano de Castilho, *Camões,* I, p. 246). **2.** *Gram.* Diz-se das palavras não declináveis, que não se flexionam; invariável: "Vê-se .... que o *que,* na sua origem pronome relativo ou interrogativo e portanto declinável, invadiu depois a classe das palavras indeclináveis, vindo tomar lugar entre as conjunções." (Dr. J. J. Nunes, *Digressões Lexicológicas,* pp. 233-234.)

indecomponível. [De *in-*² + *decomponível.*] *Adj. 2 g.* Que não se pode decompor; não decomponível.

indecoro (ô). [De *in-*² + *decoro.*] *S. m.* **1.** Falta de decoro: "D. Afonso VI .... tinha uma amante freira no convento de Odivelas ...., fazendo-lhe contínuas assistências com grande indecoro e geral reprovação de toda a corte." (Conde de Sabugosa, *Embrechados,* p. 21.) **2.** Ação indecorosa. [Sin. ger.: *indecência.* Pl.: *indecoros* (ô). Cf. *indécoro.*]

indécoro. [Do lat. *indecoru.*] *Adj. P. us.* V. *indecoroso.* [Cf. *indecoro.*]

indecoroso (ô). [De *in-*² + *decoroso.*] *Adj.* Não decoroso; indecente, indigno, vergonhoso: "E agora aqui estou só, sem mulher, sem filhos, sem lar, com os meus baixos devaneios e aventuras de amor indecoroso" (José Régio, *Histórias de Mulheres,* p. 52). [Antôn.: *decoroso.*]

indefectibilidade. *S. f.* Qualidade de indefectível.

indefectível. [De *in-*² + *defectível.*] *Adj. 2 g.* **1.** Que não falha; infalível, certo: "Naqueles trágicos episódios, um homem esteve sempre ao lado de Castilhos, como amigo indefectível" (João Neves da Fontoura, *Memórias,* I, p. 9). **2.** Imperecedouro, imperecível; indestrutível.

indefensável. [De *in-*² + *defensável.*] *Adj. 2 g.* Que não tem defesa; não defensável; indefensível.

indefensível. [De *in-*² + *defensível.*] *Adj. 2 g.* Indefensável.

indefenso. [Do lat. *indefensu.*] *Adj.* **1.** Que não é defendido. **2.** Desarmado, fraco. [Sin. ger.: *indefeso.* Cf. *indefesso.*]

indeferido. *Adj.* **1.** Não deferido; desatendido. **2.** Que não teve despacho ou teve despacho contrário ao que se requereu.

indeferimento. *S. m.* Ato ou efeito de indeferir.

indeferir. [De *in-*² + *deferir.*] *V. t. d.* **1.** Não deferir; desatender: *Ouviu as minhas queixas, e indeferiu-as.* **2.** Não deferir; dar despacho contrário a; despachar desfavoravelmente: *O prefeito indeferiu o requerimento.* [Irreg. Conjug.: v. *ferir.*]

indeferível. [De *in-*² + *deferível.*] *Adj. 2 g.* Que não pode ou não deve ser deferido.

indefeso (ê). [Do lat. *indefensu.*] *Adj.* V. *indefenso.* [Cf.

indefesso.]

indefesso (é). [Do lat. *indefessu.*] *Adj.* Não cansado; incansável: "trabalhar sempre e infatigavelmente, indefesso trabalhador" (Raimundo Correia, *Poesia Completa e Prosa*, p. 496). [Cf. *indefenso* e *indefeso.*]

indeficiente. [Do lat. *indeficiente.*] *Adj. 2 g.* Não deficiente; bastante.

indefinição. [De *in-*[2] + *definição.*] *S. f.* Estado ou atitude de quem não se define [v. *definir* (10)].

indefinido. [Do lat. *indefinitu.*] *Adj.* **1.** Não definido; que não tem limites determinados; incerto, vago, genérico, indefinito. **2.** *Filos.* Diz-se do infinito potencial. **3.** *Morfol. Veg.* Diz-se do órgão ou parte vegetal cujas peças são numerosas e inconstantes quanto ao número; indeterminado: *estames indefinidos.* ~V. *artigo* —, *conceito* —, *integral* —*a*, *juízo* — e *pronome* —. ● *S. m.* **4.** Aquilo que é indefinido.

indefinito. [Do lat. *indefinitu.*] *Adj.* V. *indefinido* (1).

indefinível. *Adj. 2 g.* Que não se pode definir.

indeformado. [De *in-*[2] + *deformado.*] *Adj.* Que não se deformou; não deformado.

indeformável. [De *in-*[2] + deformável.] *Adj. 2 g.* Não sujeito a deformar-se.

indeiscência (e-i). [De *in-*[2] + *deiscência.*] *S. f. Morfol. Veg.* Propriedade de indeiscente.

indeiscente (e-i). [De *in-*[2] + *deiscente.*] *Adj. 2 g. Morfol. Veg.* Que não se abre ao atingir a maturidade: *fruto indeiscente.*

indelebilidade. *S. f.* Qualidade de indelével.

indelével. [Do lat. *indelebile.*] *Adj. 2 g.* Que não se pode delir; que não se dissipa; indestrutível: *nódoa indelével;* "Desta viagem no velho *Arlanza* até Sou't'n vou guardar uma indelével memória." (José Rodrigues Miguéis, *Gente da Terceira Classe*, p. 9).

indeliberação. *S. f.* Falta de deliberação; perplexidade; indecisão.

indeliberado. [Do lat. *indeliberatu.*] *Adj.* **1.** Indeciso, irresoluto. **2.** Impremeditado, impensado.

indelicadeza (ê). [De *in-*[2] + *delicadeza.*] *S. f.* **1.** Falta de delicadeza. **2.** Ação ou expressão indelicada.

indelicado. [De *in-*[2] + *delicado.*] *Adj.* Não delicado; rude, incivil, grosseiro, inconveniente.

indelineável. [De *in-*[2] + *delineável.*] *Adj. 2 g.* Não delineável.

indemissível. [De *in-*[2] + demissível.] *Adj. 2 g.* Não demissível.

indemne. *Adj. 2. g. Lus.* V. *indene:* "Parecia como que pedir que a guardassem indemne a toda a paixão sensual" (Abel Botelho, *O Livro de Alda*, p. 110).

indemnidade. *S. f. Lus.* V. *indenidade.*

indemnização. *S. f. Lus.* V. *indenização.*

indemnizador (ô). *Adj.* e *s. m. Lus.* V. *indenizador.*

indemnizar. *V. t. d., t. d.* e *i.* e *p. Lus.* V. *indenizar.*

indemnizável. *Adj. 2 g. Lus.* V. *indenizável.*

indemonstrável. [Do lat. *indemonstrabile.*] *Adj. 2 g.* Não demonstrável.

indene. [Do lat. *indemne.*] *Adj. 2 g.* Que não sofreu dano ou prejuízo; íntegro, ileso, incólume.

indenidade. [Do lat. *indemnitate.*] *S. f.* **1.** Qualidade ou estado de indene. **2.** Relevamento ou perdão de culpa ou de ato irregular.

indenização. *S. f.* Ato ou efeito de indenizar(-se).

indenizador (ô). *Adj.* e *s. m.* Que ou aquele que indeniza.

indenizar. [De *indene* + *-izar.*] *V. t. d.* **1.** Dar indenização ou reparação a; compensar: *A justiça mandou que o patrão indenizasse os operários. T. d.* e *i.* **2.** Dar indenização ou reparação; compensar, ressarcir: *Indenizei-o dos gastos feitos por minha ordem. P.* **3.** Receber indenização ou compensação.

indenizável. *Adj. 2 g.* Que pode ser indenizado.

independência. *S. f.* **1.** Estado ou condição de quem ou do que é independente, de quem ou do que tem liberdade ou autonomia: *A independência da mulher data do início deste século; O jornal proclama a sua independência; Existe perfeita independência entre os fenômenos consecutivos.* **2.** Bem-estar; fortuna: *O imigrante fez a sua independência trabalhando de sol a sol.* **3.** Caráter de quem rejeita qualquer sujeição: *a independência da juventude.* **4.** Autonomia política: *A ONU garante a independência da maioria dos Estados africanos.* **5.** Restituição ou aquisição dessa autonomia: *As lutas pela independência dos países americanos deram-se no primeiro quartel do séc. XIX; D. Pedro I compôs o Hino da Independência.* ♦ **Independência estatística.** *Estat.* Relação entre duas variáveis aleatórias tais que a probabilidade de ocorrência simultânea de um par de valores dos seus respectivos domínios é igual ao produto da ocorrência de cada um dos valores isoladamente; independência estocástica. **Independência estocástica.** *Estat.* Independência estatística.

independente. [De *in-*[2] + *dependente.*] *Adj. 2 g.* **1.** Que está livre de qualquer dependência ou sujeição. **2.** Que é ou se tornou livre de qualquer laço ou compromisso afetivo, social, moral, etc.; que é senhor das próprias decisões: *É pessoa independente: não se apega aos valores do passado.* **3.** Que se caracteriza pela autonomia, pelo desassombro; que rejeita a sujeição: *caráter independente; jornal independente.* **4.** Que procura recorrer só aos seus próprios meios; que se basta: *criança independente.* **5.** Diz-se de quem tem fortuna própria, ou meios fartos de subsistência: *É mulher independente.* **6.** Que não está filiado a partido, doutrina, escola: *político independente; artista independente.* **7.** Diz-se do país que se governa por suas próprias leis, que goza de autonomia política. **8.** Diz-se de uma entidade, de um grupo, de uma organização que desfruta de autonomia em relação a seus congêneres: *as unidades independentes de um sistema administrativo; O poder executivo, o legislativo e o judiciário são independentes.* **9.** Diz-se daquilo que garante a alguém a condição de pessoa independente (5): *situação independente; vida independente.* **10.** Diz-se daquilo que, embora sendo parte de um sistema, não tem ligação ou relação direta com outra(s) parte(s) do mesmo sistema: *As matérias do curso são independentes; É um mecanismo de controles independentes.* **11.** Que tem acesso livre: *quarto independente.* ~V. *morfema*—, *paginação*— e *variável* —.

independentizar. *V. t. d.* e *p.* Tornar(-se) independente.

indesatável. [De *in-*[2] + *desatável.*] *Adj. 2 g.* Que não se pode desatar.

indesbotável. [De *in-*[2] + *desbotável.*] *Adj. 2 g.* Que não desbota; não sujeito a desbotar: "Confeccionado [agasalho esportivo] com poliéster e algodão indeformável e muito gostoso de usar. Cores dinâmicas, indesbotáveis." (Anúncio do *Jornal do Brasil*, 26.6.1978.)

indesconfiável. [De *in-*[2] + *desconfiável.*] *Adj. 2 g. Bras.* Diz-se de pessoa que não percebe as coisas, que não tem desconfiômetro [q. v.]: *Que homem indesconfiável! Não notou que nos estava amolando.*

indescortinável. [De *in-*[2] + *descortinável.*] *Adj. 2 g.* Que não se pode avistar ou descortinar.

indescortino. [De *in-*[2] + *descortino.*] *S. m.* Falta de descortino.

indescritível. [De *in-*[2] + *descritível.*] *Adj. 2 g.* **1.** Que não se pode descrever. **2.** *Fig.* Pasmoso, espantoso, extraordinário.

indesculpável. [De *in-*[2] + *desculpável.*] *Adj. 2 g.* Que não merece desculpa; não desculpável; inescusável.

indesejável. [De *in-*[2] + *desejável.*] *Adj. 2 g.* **1.** Não desejável. ● *S. 2 g.* **2.** Pessoa estrangeira cuja entrada ou permanência no país é julgada inconveniente e por isso proibida: "Querem transformar-nos em indesejáveis, em parasitas e exploradores, mas somos todos homens úteis." (Lia Correia Dutra, *Navio sem Porto*, p. 32).

indeslindável. [De *in-*[2] + *deslindável.*] *Adj. 2 g.* Não deslindável; indestrinçável: "tudo isto me parece criar .... uma confusão indeslindável e insolúvel." (Ramalho Ortigão, *Figuras e Questões Literárias*, II, p. 117).

indestrinçável. [De *in-*[2] + *destrinçável.*] *Adj. 2 g.* Não destrinçável; indeslindável.

indestronável. [De *in-*[2] + *destronável.*] *Adj. 2 g.* Que não pode ser destronado; não destronável.

indestrutibilidade. *S. f.* Qualidade de indestrutível.

indestrutível. [De *in-*[2] + *destrutível.*] *Adj. 2 g.* **1.** Que não é destrutível. **2.** *Fig.* Firme, inabalável, inalterável: "Não vai [Almeida Garrett] dar a melhor prova da mocidade indestrutível do seu espírito publicando as *Folhas Caídas?*" (José Osório de Oliveira, *O Romance de Garrett*, p. 169.)

indesviável. *Adj. 2 g.* **1.** Que não se desvia ou afasta. **2.** De que não se deve ou pode desviar; incontornável: *Seguia pela estrada, quando deparou com um buraco indesviável.* **3.** Que não pode ou não deve ser desviado: dinheiro indesviável.

indeterminabilidade. *S. f.* Qualidade de indeterminável.

indeterminação. [De *in-*[2] + *determinação.*] *S. f.* **1.** Qualidade de indeterminado. **2.** Falta de determinação; indecisão, perplexidade. **3.** *Filos.* Caráter de fenômeno ou de acontecimento que, em graus e sentidos diversos, não está submetido a determinação; indeterminismo. **4.** *Filos.* Caráter de acontecimento ou fenômeno que encerra contingência. [Cf., nas acepç. 3 e 4, *determinismo.*]

indeterminado. [Do lat. *indeterminatu.*] *Adj.* **1.** Que não é determinado ou fixo, **2.** Indefinido, vago, incerto. **3.** Indeciso, irresoluto. **4.** *Morfol. Veg.* Indefinido (3). **5.** *Jur.* Diz-se de sanção penal cuja qualidade e quantidade dependem do arbítrio judicial, restringindo-se a lei a definir o fato criminoso. ~ V. *estrutura estaticamente* —*a*, *sistema* — e *sujeito* —. ● *S. m.* **6.** Aquilo que é vago ou indeciso.

indeterminar. *V. t. d.* e *p.* Tornar(-se) indeterminado: "quando só vejo o céu, céu de todos os lados, / e água a se distender e se indeterminar." (Gilca da Costa Melo Machado, *Poesias*, p. 182).

indeterminável. [Do lat. *indeterminabile.*] *Adj. 2 g.* Não determinável; indefinível.

indeterminismo. [De *in-*[2] + determinismo.] *S. m. Filos.* **1.** Doutrina que atribui ao homem o livre-arbítrio. **2.** Indeterminação (3).

indevassável. [De *in-*[2] + *devassável.*] *Adj. 2 g.* Que não pode ser devassado; não devassável: "Em toda a parte, pelos cantos da sua existência, estão as paredes intransponíveis, os cofres invioláveis, as cortinas indevassáveis." (Guido Vilmar Sassi, *Piá*, p. 45).

indevido. [De *in-*[2] + *devido.*] *Adj.* **1.** Não devido; imerecido: *castigo indevido.* **2.** Impróprio, inconveniente: *Receitaram-lhe medicamentos indevidos.*

indevoção. [Do lat. *indevotione.*] *S. f.* Falta de devoção; descrença, impiedade.

indevoto. [Do lat. *indevotu.*] *Adj.* Que não tem devoção; irreligioso.

índex (cs). [Do lat. *index.*] *S. m.* **1.** Índice. **2.** Catálogo dos livros cuja leitura era proibida pela Igreja. **3.** V. *dedo indicador:* "assim e assim, deste tamanho (indicava o tamanho abrindo e arredondando o dedo polegar e o índex)" (Machado de Assis, *Quincas Borba*, p. 45). ● *Adj.* **4.** Diz-se do dedo indicador. [Pl.: *índices.*] ♦ **Pôr no índex.** Assinalar como perigoso.

indexação (cs). [De *indexar* + *-ção.*] *S. f.* **1.** Ato ou efeito de fazer índices para livros ou de pôr em ordem alfabética, ou outra, qualquer série de palavras ou frases destinada a auxiliar a localização de informações específicas. **2.** *Econ.* e *Com.* Reajuste de um valor em função de índice cuja variação pode ser determinada.

indexar (cs). [De *índex* + *-ar*[2].] *V. t. d.* **1.** Ordenar em forma de índice (palavras, frases, etc.). **2.** Pôr índice em. **3.** *Econ.* e *Com.* Proceder à indexação (2) de.

indez (ê). [Do lat. *indicii* (subentende-se *ovum*), 'ovo indicador'.] *Adj.* e *s. m.* **1.** Diz-se de, ou ovo que se deixa no ninho para servir de chama às galinhas. **2.** *Fig.* Diz-se de, ou pessoa muito suscetível ou delicada. **3.** Diz-se de, ou criança manhosa, chorona. [Var.: *endez.*]

indiada. *S. f. Bras.* **1.** Conjunto de índios. **2.** *Bras. RS.* Grupo de gaúchos; gauchada. **3.** *Bras., RS.* Grupo de homens quaisquer.

indianense. *Adj. 2 g.* **1.** De, ou pertencente ou relativo a Indiana (SP). ● *S. 2 g.* **2.** Natural ou habitante de Indiana.

indianismo. [De *indiano* + *-ismo.*] *S. m.* **1.** Idiotismo próprio dos idiomas hindus. **2.** Vocábulo hindu introduzido noutra língua. **3.** Ciência da língua e da civilização hindus. **4.** *Bras.* A literatura inspirada em temas da vida dos índios americanos.

indianista. *Adj. 2 g.* **1.** *Bras.* Relativo ao indianismo: *literatura indianista; poesia indianista.* **2.** Relativo ao estudo dos índios. ● *S. 2 g.* **3.** Especialista na ciência da língua e da civilização hindus. **4.** *Bras.* Cultor do indianismo (4) literário. **5.** Etnólogo especializado no estudo de índios; indigenista.

indiano[1]. [Do lat. *indianu.*] *Adj.* **1.** Da, ou pertecente ou relativo à Índia (Ásia); índio, índico, indiático, hindu. ~ V. *fila* —*a*. *S. m.* **2.** O natural ou habitante da Índia; índio, hindu.

indiano[2]. *Adj.* **1.** De, ou pertencente ou relativo a Indiaporã (SP). ● *S. m.* **2.** O natural ou habitante de Indiaporã.

indianopolense. *Adj. 2 g.* **1.** De, ou pertencente ou relativo a Indianópolis (MG). ● *S. 2 g.* **2.** Natural ou habitante de Indianópolis.

indiarobense. *Adj. 2 g.* **1.** De, ou pertencente ou relativo a Indiaroba (SE). ● *S. 2 g.* **2.** Natural ou habitante de Indiaroba.

indiático. [De *índio*[2], com infl. de *asiático.*] *Adj.* **1.** V. *indiano*[1] (1) **2.** *Bras., RS.* Que tem pele, feições, traços de índio[2] (4).

indicação. [Do lat. *indicatione.*] *S. f.* Ato ou efeito de indicar.

indicado. [Part. de *indicar.*] *Adj.* **1.** Que recebeu indicação; designado. **2.** Próprio, apropriado, adequado, conveniente. ● *S. m.* **3.** *Jur.* Indicatário.

indicador (ô). *Adj.* **1.** Que indica. ~ V. *dedo* —. ● *S. m.* **2.** Designação comum a vários aparelhos que indicam a tensão dos vapores nas máquinas, o trabalho efetuado, etc. **3.** Livro ou caderno de indicações úteis. **4.** *Desus.* Anúncio classificado [q. v.], especialmente de profissões liberais. **5.** V. *dedo indicador*: "unindo o polegar e o indicador de ambas as mãos." (Inglês de Sousa, *O Missionário*, p. 113). **6.** *Mat.* O número de primos inferiores a um número dado. **7.** *Quím.* Substância cuja cor em solução se modifica com o *pH*, e que pode servir para a medição da acidez do meio.

indicana. [Do lat. *indicu*, 'índigo', + *-ana*.] *S. f.* Substância que se encontra no índigo e também na urina normal.

indicante. [Do lat. *indicante*.] *Adj. 2 g.* **1.** Que indica; indicador. **2.** Que dá indício.

indicar. [Do lat. *indicare*.] *V. t. d.* **1.** Tornar patente; demonstrar, revelar, denotar: *Suas feições* indicam *desgosto.* **2.** Apontar com o dedo, ou por outro sinal, para mostrar; indigitar: *O porteiro* indicava *a entrada.* **3.** Apontar, designar: *O Presidente* indicou *um jurista.* **4.** Enunciar, expor, mencionar: Indicou *os meios de que se valeu para resolver o caso.* **5.** Determinar, estabelecer: Indicou *os limites do projeto.* **6.** Esboçar ou delinear levemente. **7.** Mostrar a conveniência de; aconselhar. *T. d. e i.* **8.** Apontar ou mostrar com o dedo ou por outro sinal; designar, indigitar: Indicaram-lhe *o caminho.* **9.** Aconselhar, lembrar: Indiquei-lhe *razoável solução para o caso.* [Conjug.: v. *trancar*. Pres. ind.: *indico*, etc. Cf. *índico*, adj., e *Índico*, top.]

indicatário. *S. m. Jur.* Aquele que, numa letra de câmbio, é indicado subsidiariamente, pelo sacador, endossante ou qualquer outro obrigado regressivo, para, na falta do sacado, aceitar ou pagar o saque; indicado.

indicativo. [Do lat. *indicativu*.] *Adj.* **1.** Que indica. ~ V. *moda* —. ● *S. m.* **2.** Sinal, indicação, indício. **3.** *Gram.* Modo indicativo.

indicção. [Do lat. *indictione*.] *S. f.* **1.** Convocação de assembléia eclesiástica para dia certo. **2.** Preceito, prescrição.

índice. [Do lat. *indice*.] *S. m.* **1.** *Edit.* Lista detalhada dos assuntos, nomes de pessoas, nomes geográficos, acontecimentos, etc. (entradas), ordenados normalmente por ordem alfabética, com indicação de sua localização na publicação em que aparecem; índice analítico. [Cf. *sumário*; dim. irreg.: *indículo*.] **2.** O conjunto de indicações impressas, especialmente de letras, feitas num livro ou num caderno para facilitar-lhe o manuseio, permitindo a localização ou o registro do assunto desejado. **3.** O conjunto dos cartões divisórios dum fichário, dotados de orelhas com letras, palavras ou números indicativos. **4.** Tabela, relação, lista. **5.** Relação entre os valores de qualquer medida ou gradação. **6.** V. *dedo indicador*: "Quando o melaço começava na resfriadeira a engrossar, ... ela corria-lhe o índice da mão direita pela superfície quente, tirava uma dedada grande" (Júlio Ribeiro, *A Carne*, p. 38). **7.** Numa divisão ou gradação, objeto móvel que fornece indicação. **8.** Tudo aquilo que indica ou denota alguma qualidade ou característica especial. **9.** Nas bolsas de valores, resultante que retrata as oscilações do mercado mobiliário, baseada na média de cotações de um grupo de ações que o represente. **10.** *Estat.* Número, adimensional ou não, que pode servir para a comparação de fenômenos aleatórios em tempos ou situações diversas; número-índice. **11.** *Mat.* Símbolo numérico ou literal que se associa a outro para caracterizar um novo símbolo. **12.** *Semiol.* Tipo de signo que, em oposição simultânea ao ícone e ao símbolo, mantém relação natural causal, ou de contigüidade física com o referente (p. ex.: uma nuvem negra no céu indicando chuva; uma pegada indicando a passagem de alguém). ◆ **Índice alfabético.** *Docum.* Aquele em que as entradas são ordenadas por ordem alfabética. **Índice analítico.** Índice (1). **Índice cefálico.** *Antrop.* Índice craniano. **Índice craniano.** *Antrop.* Relação entre o diâmetro longitudinal ou ântero-posterior do crânio e o diâmetro transversal, considerado o primeiro igual a 100; índice cefálico. **Índice cronológico.** *Docum.* Aquele em que as entradas são ordenadas cronologicamente por fatos históricos, datas, etc. **Índice cumulativo.** *Docum.* Aquele referente a vários fascículos de uma mesma publicação periódica. **Índice de absorvância.** *Fís.* V. *absortividade*. **Índice de assuntos.** Índice remissivo. **Índice de cor.** *Astr.* Diferença entre as magnitudes fotográfica e fotovisual de uma estrela. **Índice de dedo.** Índice (2) constituído de dedeiras [v. *dedeira* (3)] abertas na parte oposta à lombada, e que permite abrir um dicionário, ou outro livro, à altura exata de uma letra ou de um verbete. **Índice de matéria.** *Bibliol.* V. *sumário* (5). **Índice de precisão.** *Estat.* **1.** Numa distribuição normal, o inverso da raiz quadrada do dobro da variância da distribuição. **2.** *P. ext.* O inverso da raiz quadrada do dobro da variância de um conjunto de valores. **Índice de refração.** *Ópt.* Quociente entre a velocidade de fase de uma radiação eletromagnética monocromática no vácuo e a velocidade de fase da mesma radiação num meio material. **Índice facial.** *Antrop.* A relação entre o diâmetro longitudinal e a altura da cabeça, considerado o primeiro igual a 100. **Índice fóssil.** *Geol.* Aquele que indica ou define um determinado horizonte geológico. **Índice geomagnético.** *Geofís.* Caráter geomagnético. **Índice nasal.** *Antrop.* A relação existente entre a altura do nariz e a largura deste na sua base, considerada a primeira igual a 100. **Índice numérico.** *Docum.* Aquele em que as entradas são ordenadas segundo uma seqüência numérica. **Índice onomástico.** *Docum.* Aquele em que se enumera nomes de pessoas. **Índice remissivo.** Índice alfabético dos diversos assuntos tratados numa obra, com a respectiva indicação de página, capítulo, etc; índice de assuntos. **Índice sinóptico.** V. *índice de matéria*. **Índice sistemático.** *Docum.* Aquele em que as entradas são ordenadas analítica ou sistematicamente, por assunto.

indiciação. *S. f.* Ato ou efeito de indiciar; indiciamento.

indiciado. [Part. de *indiciar*.] *Adj.* **1.** Notado por indícios. ● *S. m.* **2.** Aquele sobre quem recaem indícios de haver perpetrado um delito. **3.** Indivíduo submetido a inquérito policial ou administrativo, e que, com a posterior propositura, em juízo, da ação penal, passa a denominar-se *réu*.

indiciador (ô). [De *indiciar* + *-(d)or*.] *Adj.* **1.** Que denuncia por indícios. **2.** Que dá indícios; que indica. ● *S. m.* **3.** Aquele que dá indícios; acusador. [Sin. ger.: *indiciante*.]

indicial. *Adj. 2 g.* Indiciativo.

indiciamento. *S. m.* Indiciação.

indiciante. *Adj. 2 g.* e *s. m.* Indiciador.

indiciar. *V. t. d.* **1.** Dar indício(s) de; demonstrar por indício(s): *A indisciplina das tropas* indiciava *a próxima derrota.* **2.** Denunciar, acusar. **3.** Submeter a inquérito policial ou administrativo, que servirá de base à articulação da denúncia pelo Ministério Público. [Pres. ind.: *indicio*, etc.; fut. pret.: *indiciaria*, etc. Cf. *indício*, s. m., e *indiciária*, fem. de *indiciário*.]

indiciário. *Adj.* Referente a, ou que encerra indício: *prova* indiciária. [Fem.: *indiciária*. Cf. *indiciaria*, do v. *indiciar*.]

indiciativo. *Adj.* Que indicia ou dá indícios; indicial.

indício. [Do lat. *indiciu*.] *S. m.* **1.** Sinal, vestígio, indicação. **2.** *Jur.* Circunstância conhecida e provada que, relacionando-se com determinado fato, autoriza, por indução, concluir-se a existência de outra(s) circunstância(s); prova circunstancial. [Cf. *indicio*, do v. *indiciar*, e *presunção* (4).]

indicionarizado. [De *in-*[2] + *dicionarizado*.] *Adj.* Que não está incluído ou registrado em dicionário; não dicionarizado. [Antôn.: *dicionarizado*.]

índico. [Do lat. *indicu*.] *Adj.* **1.** V. *indiano*[1] (1). **2.** Referente ao oceano Índico. [Cf. *indico*, do v. *indicar*.]

indicolita. [Do gr. *indikós*, 'índico (índigo)', + *-lita*.] *S. f. Min.* Variedade azul de turmalina.

indículo. [Do lat. *indiculu*.] *S. m.* **1.** Índice pequeno. **2.** Indicação sumária; resenha.

indiferença. [De *in-*[2] + *diferença*.] *S. f.* **1.** Qualidade de indiferente. **2.** Desinteresse: "as estrelas bocejavam dormentes, numa criminosa indiferença por aquela dor suprema de que eram as únicas testemunhas." (Trindade Coelho, *Os Meus Amores*, p. 202). **3.** Desprendimento, desdém; desprezo: "em nenhum de nós a resistência ao matrimônio .... significava indiferença pelos encantos femininos." (José Régio, *Histórias de Mulheres*, p. 9). **4.** Insensibilidade moral; apatia, insensibilidade, negligência. **5.** Inconsciência doentia. ◆ **Indiferença moral.** *Ét.* Estado ou qualidade daquele que é amoral.

indiferente. [Do lat. *indifferente*.] *Adj. 2 g.* **1.** Que demonstra indiferença. **2.** Que não é bom nem mau. **3.** Que não se importa; apático; insensível. ● *S. 2 g.* **4.** Pessoa que não tem amizade nem ódio a outra. **5.** Pessoa que esfriou as relações de amizade. **6.** Pessoa desinteressada de qualquer religião ou sistema político: "Era assim que falava, ... para excitar o entusiasmo, espertar os indiferentes, congregar, em suma, as multidões ao pé de si." (Machado de Assis, *Histórias sem Data*, p. 6.)

indiferentismo. [De *indiferente* + *-ismo*.] *S. m.* Estado de espírito caracterizado pelo desinteresse ou desprendimento quanto à religião, à política, ou a quaisquer acontecimentos ou assuntos.

indiferentista. [De *indiferente* + *-ista*.] *Adj. 2 g.* e *s. 2 g.* Que ou quem mantém atitude de indiferença ou desinteresse em face de idéias e acontecimentos.

indifusível. [De *in-*[2] + *difusível*.] *Adj. 2 g.* Não difusível.

indígena. [Do lat. *indigena*.] *Adj. 2 g.* **1.** Originário de um país ou de uma localidade. ● *S. 2 g.* **2.** Pessoa natural do lugar ou país onde habita. [Antôn.: *alienígena*.]

indigenato. *S. m.* Qualidade ou condição de indígena; indigenismo.

indigência. [Do lat. *indigentia*.] *S. f.* **1.** Falta do necessário para viver; pobreza extrema; penúria, miséria, inópia: "Em Espanha vi mendigos que davam esmola a outros *pordioseros* situados em graus mais baixos na escala da indigência." (Fidelino de Figueiredo, *Entre Dois Universos*, p. 29.) **2.** Os indigentes; a mendicância. **3.** *Fig.* Carência, privação, falta: indigência *de recursos;* indigência *de espírito.*

indigenismo. *S. m.* **1.** Indigenato. **2.** *Bras.* Estudos ou conhecimentos acerca dos nossos indígenas, dos índios brasileiros.

indigenista. [De *indígena* + *-ista*.] *S. 2 g. Bras.* Indianista (5).

indigente. [Do lat. *indigente*.] *Adj. 2 g.* **1.** Paupérrimo, pobríssimo, inopioso: "informando-me sobre quem morava no pobre casebre, soube que era uma família indigente." (Joaquim Manuel de Macedo, *Os Romances da Semana*, p. 11.) ● *S. 2 g.* **2.** Pessoa indigente; mendigo. [Cf. *indígete*.]

indigerido. [De *in-*[2] + *digerido*.] *Adj.* Não digerido.

indigerível. [De *in-*[2] + *digerível*.] *Adj. 2 g.* Não digerível.

indigestão. [Do lat. *indigestione*.] *S. f.* **1.** Perturbação nas funções digestivas. [Sin., pop.: *afito*, *afitamento*, *trabuzana*.] **2.** Ato ou efeito de fartar-se. **3.** *Fig.* Grande quantidade (3).

indigestar. *V. int.* e *p. Bras.* Ser acometido de indigestão; ter indigestão.

indigesto. [Do lat. *indigestu*.] *Adj.* **1.** Difícil de ser digerido. **2.** Que produz indigestão. **3.** *Fig.* Aborrecido, enfadonho, tedioso. **4.** *Fig.* Obscuro, confuso, abstruso: *uma crítica* indigesta. ~ V. *parada* —*a*.

indígete. [Do lat. *indigete*.] *S. m.* **1.** Homem divinizado. **2.** *Fig.* Herói (1). [Cf. *indigente*.]

indigitação. *S. f.* Indigitamento.

indigitado. [Part. de *indigitar*.] *Adj.* **1.** Apontado, indicado. **2.** *Restr.* Que está apontado como (culpado de crime ou de falta): *o* indigitado *autor do roubo.*

indigitamento. *S. m.* Ato de indigitar; indigitação.

indigitar. [Do lat. *indigitare*.] *V. t. d.* **1.** Apontar com o dedo; indicar: "O seu delírio manso agrupa / Atrás dele os maus e os basbaques. / Este o indigita, este outro o apupa..." (Manuel Bandeira, *Estrela da Vida Inteira*, p. 76.) **2.** Mostrar, indicar: *O crítico* indigita *os defeitos do livro.* **3.** Meter no dedo. *T. d. e i.* **4.** Apontar com o dedo; designar, indicar: Indigitei-lhe *um restaurante.* **5.** Mostrar, indicar: "o pai exigiu formalmente dele que se casasse, e indigitou-lhe a pessoa já escolhida. Era a filha de um rico fazendeiro da vizinhança." (José de Alencar, *Senhora*, p. 187.) **6.** Recomendar, propor, lembrar, designar: Indigitaram-*no para fiscal. Transobj.* **7.** Considerar, ter: Indigitaram-*no como criminoso.*

indignação. [Do lat. *indignatione*.] *S. f.* **1.** Sentimento de cólera despertado por ação indigna; ódio, raiva. **2.** Desprezo, repulsa, aversão.

indignado. [Part. de *indignar*.] *Adj.* **1.** Que mostra ou sente indignação: *pessoa* indignada. **2.** Cheio ou repassado de indignação: *resposta* indignada; *olhar* indignado; *ar* indignado.

indignar. [Do lat. *indignare, por *indignari*.] *V. t. d.* **1.** Provocar indignação em; encher de indignação; indispor, revoltar, encolerizar: *A injúria* indignou-*o. P.* **2.** Sentir indignação; irar-se, revoltar-se, agastar-se: Indignou-se *com a infâmia que lhe assacaram.*

indignativo. [Do lat. *indignativu*.] *Adj.* **1.** Que revela indignação. **2.** Irascível, colérico.

indignidade. [Do lat. *indignitate*.] *S. f.* **1.** Falta de dignidade. **2.** Ação, procedimento, idéia indigna. **3.** Ultraje, afronta, injúria. **4.** *Jur.* Ingratidão muito grave do herdeiro ou do legatário, capaz de originar a revogação das liberalidades do testador e a deserdação do herdeiro legítimo.

indigno. [Do lat. *indignu*.] *Adj.* **1.** Não digno: "Dirão .... que o autor é um cínico, indigno dos homens que confiaram nele" (Machado de Assis, *Páginas Recolhi-*

das, p. 66); *É indigno de respeito.* **2.** Que praticou indignidade. **3.** Vil, desprezível: *pessoa indigna.* **4.** Torpe, baixo: *ato indigno.* **5.** Inconveniente, impróprio: *conduta indigna.* **6.** *Fig.* Humilde: *O frade orava a Deus, de quem se considerava indigno servo.* • *S. m.* **7.** Homem indigno.

índigo. [Do lat. *indicu*, atr. do veneziano ou do genovês, e do fr.] *S. m.* **1.** *Quím.* Anil[1] (1): "recebeu Chinoca a oferta de um leque, ... plumoso, de aflar suavíssimo, com as hastes coloridas de *índigo*" (Alcides Maia, *Tapera*, p. 74). **2.** A cor de anil.

índigo-do-brasil. *S. m. Bras.* Arbusto da família das solanáceas *(Solanum indigoferum)*, nativo de nosso país, de folhas lanceoladas, acuminadas e membranáceas, flores alvas, dispostas em racemos, estames com anteras porosas, e fruto bacáceo. [Pl.: *índigos-do-brasil.*]

indigófera. [De *índigo* + *-fera*, fem. de *-fero.*] *S. f.* Designação científica da anileira.

indiligência. [Do lat. *indiligentia.*] *S. f.* Falta de diligência.

indiligente. [Do lat. *indiligente.*] *Adj. 2 g.* Que não é diligente; negligente, desleixado.

indino. *Adj.* e *s. m. Ant.* Indigno [q. v.]: "Então eu lhe direi: — 'Infame, *indino*, / Obras como costuma o vil humano" (Tomás Antônio Gonzaga, *Marília de Dirceu*, p. 125).

índio[1]. [Do lat. científico *indium.*] *S. m. Quím.* Elemento de número atômico 49, metálico, branco, mole, utilizado em ligas especiais. [Símb.: *In.*]

índio[2]. [Do top. *India.*] *Adj.* **1.** V. *indiano*[1] (1). **2.** *Bras.* De, ou pertencente ou relativo ao índio (4). • *S. m.* **3.** V. *indiano*[1] (2). **4.** O habitante das terras americanas ao chegarem os descobridores europeus; o aborígine da América. **5.** *Bras.*, *N.E.* e *RJ.* Certo tipo de papagaio (5): "Adélia se curva, apanha um *índio* vermelho e caminha para mim, ... o papagaio esvoaçando a breve altura de sua cabeleira, como um pálio" (Osmã Lins, *Nove, Novena*, pp. 67-68). **6.** *Bras.*, *RS.* Empregado de estância; peão. **7.** *Bras.*, *RS.* V. *valentão* (3). **8.** *Astr.* Constelação austral situada próximo do pólo sul celeste, ao S. do Oitante, a L. do Tucano e do Grou, ao N. deste último e do Microscópio, e a O. do Telescópio e do Pavão. [Não é fácil localizá-la, pela ausência de estrelas muito brilhantes na região.]

indireta. [Fem. substantivado de *indireto.*] *S. f.* **1.** Eleição indireta [q. v.]. **2.** *Bras.* Observação ou alusão disfarçadamente feita, sem alusão explícita à pessoa ou coisa à qual se refere: "as pequeninas perfídias, as maledicências ditas ao ouvido, as *indiretas*" (Lima Barreto, *Triste Fim de Policarpo Quaresma*, p. 84). [Sin. (bras. N.E.): *chincada.*]

indireto. [Do lat. *indirectu.*] *Adj.* **1.** Não direto. **2.** Disfarçado, dissimulado, encoberto: *olhar indireto.* **3.** Ambíguo, duvidoso, equívoco: *resposta indireta.* **4.** Que não segue caminho ou meio mais curto; oblíquo: *vias indiretas; meios indiretos.* **5.** Que se faz ou recebe por intermédio de outrem; que se exerce com o auxílio de intermediário(s): *pedido indireto; favor indireto.* ~ V. *caso —, complemento —, discurso —, discurso — aparente, discurso — livre, estilo —, estilo — livre, iluminação —a, impressão —a, linha —a, modos —s, objeto —, tiro —, verbo bitransitivo —, verbo transitivo —* e *verbo transitivo direto e —.*

indirigível. [De *in-*[2] + *dirigível.*] *Adj. 2 g.* Que não se pode dirigir.

indirimível. [De *in-*[2] + *dirimível.*] *Adj. 2 g.* Que não se pode ou não se deve dirimir; não dirimível.

indiscernibilidade. *S. f.* Qualidade de indiscernível.

indiscernimento. [De *in-*[2] + *discernimento.*] *S. m.* Falta ou ausência de discernimento.

indiscerníveis. [Pl. substantivado de *indiscernível.*] *S. m. pl. Hist. Filos.* V. *princípio da identidade dos indiscerníveis.* ~ V. *indiscernível.*

indiscernível. [De *in-*[2] + *discernível.*] *Adj. 2 g.* e *s. 2 g.* Que ou aquilo que não é discernível. ~ V. *indiscerníveis.*

indisciplina. [De *in-*[2] + *disciplina.*] *S. f.* Procedimento, ato ou dito contrário à disciplina; desobediência; desordem; rebelião.

indisciplinabilidade. *S. f.* Qualidade de indisciplinável.

indisciplinação. *S. f.* Ato ou efeito de indisciplinar(-se).

indisciplinado. [De *in-*[2] + *disciplinado.*] *Adj.* **1.** Que não tem disciplina. **2.** Que se insurge contra a disciplina; rebelde. • *S. m.* **3.** Indivíduo indisciplinado.

indisciplinar. [De *in-*[2] + *disciplinar*[2].] *V. t. d.* **1.** Fazer perder a disciplina; tornar indisciplinado; sublevar, revoltar, subverter: *O novo aluno indisciplinou a classe.* **2.** Relaxar, afrouxar; desmoralizar. *P.* **3.** Perder a disciplina; sublevar-se.

indisciplinável. [De *in-*[2] + *disciplinável.*] *Adj. 2 g.* Não disciplinável.

indiscreto. [Do lat. *indiscretu.*] *Adj.* **1.** Não discreto ou reservado. **2.** Imprudente, inconveniente: *pergunta indiscreta.* **3.** Inconfidente, leviano. **4.** Tagarela, palrador, linguarudo. • *S. m.* **5.** Indivíduo indiscreto.

indiscrição. [Do lat. *indiscretione.*] *S. f.* **1.** Ato ou dito indiscreto; falta de discrição. **2.** Qualidade de indiscreto.

indiscriminação. [De *in-*[2] + *discriminação.*] *S. f.* Ausência ou falta de discriminação.

indiscriminado. [De *in-*[2] + o part. de *discriminar.*] *Adj.* Não discriminado; indistinto, confuso, misturado.

indiscriminador (ô). [De *in-*[2] + *discriminador.*] *Adj.* Não discriminador: "a bondade total, geral, desarmada, *indiscriminadora*" (Gilberto Amado, *Minha Formação no Recife*, p. 335).

indiscriminável. [Do lat. *indiscriminabile.*] *Adj. 2 g.* Não discriminável.

indiscutibilidade. *S. f.* Qualidade de indiscutível.

indiscutível. [De *in-*[2] + *discutível.*] *Adj. 2 g.* **1.** Não discutível. **2.** Que não admite discussão, por ser evidente, autêntico ou indubitável; incontestável.

indisfarçável. [De *in-*[2] + *disfarçável.*] *Adj. 2 g.* Não disfarçável.

indispensabilidade. *S. f.* Qualidade de indispensável.

indispensável. [De *in-*[2] + *dispensável.*] *Adj. 2 g.* **1.** Que não se pode dispensar; imprescindível: *A pontualidade era condição indispensável ao desempenho de seu cargo.* **2.** Que é absolutamente necessário; essencial: *Era-lhe indispensável ter, pelo menos, alguns objetos de primeira necessidade.* • *S. m.* **3.** Aquilo que é indispensável: *Só tinha sobre o corpo o indispensável para não morrer de frio.* *S. f.* **4.** *Desus.* Bolsa feminina.

indisponibilidade. *S. f.* Qualidade de indisponível.

indisponível. [De *in-*[2] + *disponível.*] *Adj. 2 g.* De que não se pode dispor.

indispor. [De *in-*[2] + *dispor.*] *V. t. d.* **1.** Alterar a disposição de; modificar a situação em que algo se encontra: *indispor os móveis de uma sala.* **2.** Perturbar as funções orgânicas de; produzir mal-estar ou doença em. **3.** Fazer zangar-se; irritar, aborrecer. *T. d.* e *i.* **4.** Inimizar, malquistar: "a sua imaginação [de Leonor Teles] .... concebeu, com volúpia, grave intriga, que trouxesse desgraça a D. João, ... o *indispusesse* com o povo" (Antero de Figueiredo, *Leonor Teles*, p. 165). *P.* **5.** Enfadar-se, zangar-se. **6.** Atrair a inimizade ou indisposição (de outrem). [Irreg. Conjug.: v. *pôr.*]

indisposição. [De *in-*[2] + *disposição.*] *S. f.* **1.** Pequena alteração na saúde; mal-estar, incômodo. **2.** Desavença, zanga, discussão.

indisposto (ô). [Do lat. *indispositu.*] *Adj.* **1.** Que sofre de indisposição, mal-estar; incomodado: *Sentiu-se indisposta pela tarde, e agora está febril.* **2.** Agastado com alguém; zangado.

indisputabilidade. *S. f.* Qualidade de indisputável.

indisputado. [De *in-*[2] + *disputado.*] *Adj.* Que não é disputado; inconcusso.

indisputável. [Do lat. *indisputabile.*] *Adj. 2 g.* Que não se pode disputar; não disputável; indiscutível, incontestável: *glória indisputável.*

indissimulável. [Do lat. *indissimulabile.*] *Adj. 2 g.* Que não pode ser dissimulado; não dissimulável.

indissociabilidade. [De *in-*[2] + *dissociabilidade.*] *S. f.* Qualidade de indissociável.

indissociável. [Do lat. *indissociabile.*] *Adj. 2 g.* Não dissociável.

indissolubilidade. *S. f.* Qualidade de indissolúvel.

indissolução. [De *in-*[2] + *dissolução.*] *S. f.* Estado daquilo que não é ou não pode ser dissolvido.

indissolúvel. [Do lat. *indissolubile.*] *Adj. 2 g.* Que não se pode dissolver; não dissolúvel; indissolvível.

indissolvível. [De *in-*[2] + *dissolvível.*] *Adj. 2 g.* Indissolúvel: "Eu gostava .... de distinguir do alto da cátedra, no recinto cheio, as diversas raças de que gloriosamente se mesticiza o Brasil, ali representadas, e as que se mantêm imisturáveis, *indissolvíveis*" (Gilberto Amado, *Depois da Política*, pp. 168-169).

indistinção. [De *in-*[2] + *distinção.*] *S. f.* Qualidade de indistinto; indeterminação; confusão: "Duas [vozes] só .... se destacaram depois, porque as outras como que se perdiam no murmúrio da mata, sem cor nem som, na *indistinção* e distância." (Albertino Moreira, *Boca-Pio*, p. 84.)

indistinguibilidade. *S. f.* Qualidade de indistinguível.

indistinguível. [De *in-*[2] + *distinguível.*] *Adj. 2 g.* Não distinguível.

indistinto. [Do lat. *indistinctu.*] *Adj.* **1.** Mal definido ou definível; indeciso, vago: "A chuva cai. O ar fica mole.../ *Indistinto* ... ambarino... gris..." (Manuel Bandeira, *Estrela da Vida Inteira*, p. 36). **2.** Indeterminado, incerto: *notícias indistintas.* **3.** Confuso; misturado; promíscuo. **4.** Confuso, imperceptível; indistinguível: "Não se avistava mais a casaria de São José do Norte senão por minúsculos e quase *indistintos* fragmentos" (Virgílio Várzea, *Nas Ondas*, p. 10).

inditoso (ô). [De *in-*[2] + *ditoso.*] *Adj.* e *s. m.* V. *desditoso.*

índium. *S. m.* V. *índio*[1].

individuação. *S. f.* **1.** Ato ou efeito de individuar(-se). **2.** *Filos. Escol.* Realização da idéia geral em cada indivíduo singular. [Cf., nesta acepç., *princípio de individuação.*]

individuador (ô). *Adj.* e *s. m.* Que ou aquele que individua.

individual. *Adj. 2 g.* **1.** Respeitante a indivíduo: *caracteres individuais.* **2.** Que diz respeito ou é peculiar a uma só pessoa. **3.** Feito, cometido, executado por uma só pessoa: *Via-se que aquela era obra individual; intervenção individual.* **4.** Especial, particular, singular. ~ V. *boletim —, direito —* e *garantias individuais.* • *S. m.* **5.** Aquilo que é individual; feição individual: *Tende mais para o individual que para o coletivo.* **6.** Em linguagem esportiva, significa o treino ou ensaio constante somente de exercícios ginásticos.

individualidade. *S. f.* **1.** O que constitui o indivíduo. **2.** Caráter especial, particularidade ou originalidade que distingue uma pessoa ou coisa. **3.** Personalidade; vulto: *grandes individualidades das ciências.*

individualismo. *S. m.* **1.** A existência individual. **2.** Sentimento, conduta, etc., egocêntricos. **3.** *Filos.* Doutrina ou atitude que considera o indivíduo como a realidade mais essencial ou como o valor mais elevado. **4.** *Filos.* Doutrina que explica os fenômenos históricos ou sociais por meio da ação consciente de indivíduos. **5.** *Filos.* Doutrina segundo a qual a sociedade deve visar, como fim único, ao bem dos indivíduos que a constituem.

individualista. *Adj. 2 g.* **1.** Relativo ao, ou que é sectário do individualismo. **2.** Egoísta, egocêntrico. • *S. 2 g.* **3.** Sectário do individualismo. **4.** Pessoa egoísta, egocêntrica.

individualização. *S. f.* Ato ou efeito de individualizar (-se).

individualizado. *Adj.* Que é ou foi objeto de individualização.

individualizador (ô). *Adj.* Que individualiza ou serve para individualizar; individualizante.

individualizante. *Adj. 2 g.* Individualizador.

individualizar. *V. t. d.* **1.** Tornar individual; especializar, particularizar: *Tinha o vício de individualizar questões gerais.* **2.** Caracterizar, distinguir; individuar: *Numerosas são as qualidades que o individualizam como romancista.* *P.* **3.** Tornar-se individual; distinguir-se.

individuante. *Adj. 2 g.* Que individua.

individuar. *V. t. d.* **1.** Narrar ou expor minuciosamente; especificar: *individuar as circunstâncias de um fato.* **2.** Distinguir, individualizar. *P.* **3.** Distinguir-se, individualizar-se. [Pres. ind.: *individuo*, etc. Cf. *indivíduo.*]

indivíduo. [Do lat. *individuu.*] *Adj.* **1.** Indiviso (1). • *S. m.* **2.** O exemplar de uma espécie qualquer, orgânica ou inorgânica, que constitui uma unidade distinta. **3.** A pessoa humana, considerada quanto à suas características particulares, físicas e psíquicas: "Os móveis têm fisionomias como os *indivíduos*" (Ramalho Ortigão, *Notas de Viagem*, p. 200). [Opõe-se a massa (9).] **4.** *Ét.* A unidade de que se compõem os grupos humanos ou as sociedades. **5.** *Lóg.* Sujeito lógico que admite predicados, não podendo, porém, ele mesmo ser predicado de nenhum outro. **6.** *Fam.* Uma pessoa qualquer, cujo nome não se quer dizer; sujeito, cidadão. **7.** *Pop.* V. *Diabo* (2). **8.** *Bras.* e *açor. Pop. Deprec.* Homem reles, insignificante, desprezível. [Cf. *individuo*, do v. *individuar.*]

indivisão. [De *in-*[2] + *divisão.*] *S. f.* Qualidade de indiviso; falta de divisão.

indivisibilidade. *S. f.* Qualidade de indivisível.

indivisível. [Do lat. *indivisibile.*] *Adj. 2 g.* **1.** Que não pode ser dividido; não divisível; insétil. • *S. m.* **2.** Coisa tenuíssima.

indiviso. [Do lat. *indivisu.*] *Adj.* **1.** Não dividido, não divíduo; indivíduo: "a linha reta e *indivisa* que a investidura militar traça ao soldado" (Olavo Bilac, *Últimas Conferências e Discursos*, p. 205). **2.** Que pertence ao mesmo tempo a vários indivíduos. **3.** Que possui bens indivisos: *proprietários indivisos* ~ V. *bens —s.*

indizível. [De *in-*[2] + *dizível.*] *Adj. 2 g.* **1.** Que não se pode dizer; inefável: "Uma angústia i n d i z í v e l apertou-lhe o coração." (Amando Fontes, *Os Corumbas,* p. 154.) **2.** Extraordinário, raro, incomum: "Sofrera muito no Seminário, mas desses tormentos i n d i z í v e i s .... saíra robustecido na fé e na crença" (Inglês de Sousa, *O Missionário,* p. 69).

indo. *S. m. Ling.* V. *indo-iraniano* (3).

▲**indo-.** *El. comp.* = 'indiano, hindu'; 'Índia': *indo-britânico, indo-chinês; indologia.*

indo-ariano. [De *indo-* + *ariano.*] *Adj.* **1.** Relativo aos indianos e arianos, ou ao indo-ariano (2). ● *S. m.* **2.** Grupo de línguas indo-européias da Ásia, composto de dois grandes subgrupos: o *indo* [v. *indo-iraniano* (3)] e o *ariano* (5). [Pl.: *indo-arianos.*]

indo-britânico. [De *indo-* + *britânico.*] *Adj.* Relativo ou pertencente a hindus e ingleses ou britânicos, ou à Índia inglesa; anglo-indiano. [Pl.: *indo-britânicos.*]

indochinês. *Adj.* **1.** Relativo ou pertencente à Indochina, península do S.E. da Ásia. ● *S. m.* **2.** O natural ou habitante da Indochina. [Flex.: *indochinesa* (ê), *indochineses* (ê), *indochinesas* (ê). Cf. *indo-chinês* e *vietnamita.*]

indo-chinês. [De *indo-* + *chinês.*] *Adj.* De, ou pertencente ou relativo à Índia e à China, ou aos hindus e chineses. [Flex.: *indo-chinesa, indo-chineses, indo-chinesas.* Cf. *indochinês.*]

indócil. [Do lat. *indocile.*] *Adj. 2 g.* **1.** Não dócil; pouco meigo ou submisso; rebelde: *criança difícil, i n d ó c i l;* "depois se debate [o papagaio], que nem louco, i n d ó c i l aos puxões de Dirceu." (Guido Vilmar Sassi, *Piá,* p. 73.) **2.** Insubmisso, insubordinável: "obrigado a viver no aperto dum meio estúpido e banal, i n d ó c i l à sua ação regeneradora." (Inglês de Sousa, *O Missionário,* p. 169). **3.** Indomável, indomesticável. **4.** Incorrigível, indisciplinável, rebelde. **5.** *Bras.* Impaciente, inquieto, irritado, sôfrego: *Está demorando a sair o jantar, e alguns convidados já estão i n d ó c e i s.* [Pl.: *indóceis;* superl. abs. sint.: *indocílimo* e *indocilíssimo.*]

indocilidade. *S. f.* Qualidade de indócil.

indocílimo. *Adj.* Superl. abs. sint. de *indócil;* indocilíssimo.

indocilíssimo. *Adj.* Indocílimo.

indocilizar. *V. t. d.* **1.** Fazer perder a docilidade; tornar indócil. *P.* **2.** Perder a docilidade; tornar-se indócil.

indocumentado. [De *in-*[2] + *documento.*] *Adj.* Desacompanhado ou falto de documentos; não documentado.

indo-européia. *Adj.* (f) e *s. f.* Fem. de *indo-europeu* (2 a 4). [Pl.: *indo-européias.*]

indo-europeu. [De *indo-* + *europeu.*] *S. m.* **1.** Língua pré-histórica da qual não se tem registro, e que deu origem às seguintes línguas ou grupos de línguas: hitita, sânscrito, germânico, celta, itálico, albanês, grego, báltico, eslavo, armênio, indo-iraniano, e tocário, dos quais descende a maior parte das línguas faladas na Europa e nos países colonizados pelos europeus, na Índia e em algumas outras partes da Ásia. **2.** Indivíduo de um povo cuja língua descende do indo-europeu. ● *Adj.* **3.** Pertencente ou relativo ao indo-europeu ou às línguas que dele descendem. **4.** Pertencente ou relativo aos indo-europeus [v. *indo-europeu* (2)]. [Flex., nas três últimas acepç.: *indo-européia, indo-europeus, indo-européias.*]

indo-gangético. *Adj.* Relativo aos rios Indo e Ganges (Índia). [Pl.: *indo-gangéticos.*]

indo-germânico. [De *indo-* + *germânico.*] *Adj.* Termo de uso entre os filólogos alemães como sinônimo de *indo-europeu.* [Pl.: *indo-germânicos.*]

indo-helênico. [De *indo-* + *helênico.*] *Adj.* Relativo ou pertencente à Índia e à Grécia. [Pl.: *indo-helênicos.*]

indo-pacífico. *Adj.* Relativo aos oceanos Índico e Pacífico. [Pl.: *indo-pacíficos.*]

indo-inglês. [De *indo-* + *inglês.*] *Adj.* e *s. m.* V. *anglo-indiano.* [Flex.: *indo-inglesa* (ê), *indo-ingleses* (ê) e *indo-inglesas* (ê).]

indo-iraniano. [De *indo-* + *iraniano.*] *Adj.* **1.** Pertencente ou relativo à Índia e ao Irã. **2.** Pertencente ou relativo ao indo-iraniano (3). ● *S. m.* **3.** *Ling.* Grupo de línguas indo-européias da Ásia, constituído por dois grandes subgrupos: a) o iraniano, que compreende o persa antigo, o avéstico ou zende (língua em que está escrito o avesta), o medo e o cita (do qual se conservam pouquíssimos documentos); b) o indo, que compreende o sânscrito, língua nobre (em que estão escritos os mais antigos documentos, os textos védicos, e que até hoje se mantém, muitíssimo alterada, como língua sagrada dos brâmanes), e os prácritos, antigas línguas vulgares, oriundas do mesmo tronco que o sânscrito. [Hoje se falam inúmeras línguas originárias deste subgrupo, que tiveram evolução independente, e dentre as quais as mais importantes são: o hindi (cujas principais formas dialetais são o hindustani e o urdu), o nepali e o bengali.]

indol. [De *ind,* abrev. de *índigo,* + *(fen)ol*] *S. m. Quím.* Substância cristalina escamosa, amarelada, com cheiro fecal intenso, encontrada no alcatrão e na essência de flor de laranjeira e na de jasmim, usada em perfumaria, pois em solução diluída tem cheiro agradável. [Pl.: *indóis.* Fórm.: C_8H_7N.]

índole. [Do lat. *indole.*] *S. f.* **1.** Propensão natural; tendência característica; temperamento: *É bondoso por í n d o l e;* "Eugênio era dotado de í n d o l e calma e pacata" (Bernardo Guimarães, *O Seminarista,* p. 32). **2.** Feitio, condição, caráter: *De que í n d o l e foi a pergunta que lhe fizeram?*

indolência. [Do lat. *indolentia.*] *S. f.* **1.** Insensibilidade, apatia. **2.** Negligência; desleixo. **3.** Ociosidade, inércia, preguiça: "A sua incrível atividade, que contrastava com a i n d o l ê n c i a geral, a sua inteligência .... , fizeram-no um industrial progressista" (Inglês de Sousa, *Contos Amazônicos,* p. 110).

indolente. [Do lat. *indolente.*] *Adj. 2 g.* **1.** Insensível à dor; insensível, apático. **2.** Sem atividade; ocioso, inerte, preguiçoso. **3.** Negligente, lânguido: "a tricana, — a sua elegância flexível e i n d o l e n t e, ... aquela palidez de velho marfim religioso" (Júlio Dantas, *Abelhas Doiradas,* p. 113). **4.** Que denota falta de energia; apático: *voz i n d o l e n t e; gestos i n d o l e n t e s.* ● *S. 2 g.* **5.** Pessoa indolente.

indologia. [De *indo-* + *-log(o)-* + *-ia.*] *S. f.* Estudo de coisas referentes à Índia.

indológico. *Adj.* Referente à indologia.

indólogo. *S. m.* Especialista em indologia.

indolor (ô). [Do lat. *indolore.*] *Adj. 2 g.* **1.** Que não provoca dor. **2.** *Fig.* Que se realiza sem grande esforço; suave, brando: *um método i n d o l o r para o ensino de línguas.*

indomado. [De *in-*[2] + *domado.*] *Adj.* Não domado ou domesticado; indômito.

indomável. [Do lat. *indomabile.*] *Adj. 2 g.* **1.** Impossível de domar; indomesticável. **2.** Invencível, irredutível: *coragem i n d o m á v e l.*

indomesticabilidade. *S. f.* Qualidade de indomesticável.

indomesticado. [De *in-*[2] + *domesticado.*] *Adj.* Não domesticado; bravio.

indomesticável. [De *in-*[2] + *domesticável.*] *Adj. 2 g.* **1.** Que não se pode domesticar. **2.** Selvagem, bravio; indoméstico.

indoméstico. [De *in-*[2] + *doméstico.*] *Adj.* V. *indomesticável* (2).

indômito. [Do lat. *indomitu.*] *Adj.* **1.** Indomado. **2.** Não vencido; invencível, indomável: "O orgulho i n d ô m i t o do cavaleiro não cedeu." (Rebelo da Silva, *Contos e Lendas,* p. 166); "o seu espírito i n d ô m i t o .... foi paulatinamente cedendo à influência suave do cultivo e da doutrina dos Padres-Mestres" (Inglês de Souza, *O Missionário,* p. 55). **3.** *Fig.* Altivo, soberbo, arrogante: *feitio i n d ô m i t o.*

indonésio. *S. m.* **1.** Indivíduo dos indonésios, povo que habita a Indonésia, as Filipinas, Java, etc., mistura provável das raças polinésias e mongol. **2.** O natural ou habitante da Indonésia. **3.** *Ling.* Um dos subgrupos do malaio-polinésio [q. v.] ● *Adj.* **4.** Pertencente ou relativo à Indonésia ou aos indonésios. **5.** Relativo às línguas pertencentes ao indonésio (3).

indormido. [De *in-*[2] + *dormido.*] *Adj.* **1.** Que não dormiu; desdormido. **2.** Que não dorme; vigilante.

indouto. [Do lat. *indoctu.*] *Adj.* **1.** Que não é douto. **2.** Que tem pouco saber; inepto, incapaz. ● *S. m.* **3.** Indivíduo indouto.

indubitado. [Do lat. *indubitatu.*] *Adj.* Sobre que não há dúvida; incontestado.

indubitável. [Do lat. *indubitabile.*] *Adj. 2 g.* Sobre que não pode haver dúvida; incontestável, irrefragável: "É i n d u b i t á v e l .... que, aumentados os nossos recursos, criadas novas indústrias, ... as populações rurais ficarão valorizadas e não mais terão necessidade de emigrar." (Graciliano Ramos, *Linhas Tortas,* p. 133.)

indução. [Do lat. *inductione.*] *S. f.* **1.** Ato ou efeito de induzir. **2.** *Lóg.* Operação mental que consiste em se estabelecer uma verdade universal ou uma proposição geral com base no conhecimento de certo número de dados singulares ou de proposições de menor generalidade. [Distinguem-se a *indução baconiana,* a *indução completa* e a *indução matemática.* Cf. *dedução* e *generalização* (3).] ♦ **Indução amplificante.** *Lóg.* V. *indução baconiana.* **Indução aristotélica.** *Lóg.* V. *indução completa.* **Indução baconiana.** *Lóg.* Afirmação, com base no descobrimento de uma relação constante entre dois ou mais fenômenos, de uma relação universal e necessária entre aqueles fenômenos; indução amplificante, indução científica. **Indução científica.** *Lóg.* V. *indução baconiana.* **Indução completa.** *Lóg.* Atribuição, a uma classe ou a um conjunto de objetos, de uma propriedade já dantes afirmada de cada um dos termos da classe ou dos elementos do conjunto; indução aristotélica, indução formal. **Indução eletromagnética.** *Fís.* Estabelecimento de uma força eletromotriz num circuito por efeito da variação de um fluxo magnético que o atravessa. **Indução eletrostática.** *Eletr.* Estabelecimento de uma distribuição de cargas elétricas em um corpo eletricamente neutro, por influência de outras cargas colocadas na vizinhança dele. **Indução formal.** *Lóg.* V. *indução completa.* **Indução magnética.** *Fís.* Grandeza vectorial igual à densidade de fluxo de um campo magnético; densidade de fluxo magnético. [Símb.: *B.*] **Indução mútua.** *Fís.* Indução eletromagnética entre dois circuitos em que circulam correntes variáveis. **Indução remanente.** *Fís.* V. *remanência.*

indúcias. [Do lat. *indutias.*] *S. f. pl.* **1.** Tréguas. **2.** *Jur.* Moratória que os credores concediam a um devedor, por concordata, além do vencimento dos seus créditos, e hoje substituída pela concordata preventiva.

indúctil. [De *in-*[2] + *dúctil.*] *Adj. 2 g.* Não dúctil. [Pl.: *indúcteis.*]

inductilidade. [De *in-*[2] + *ductilidade.*] *S. f.* Qualidade ou propriedade de indúctil; falta de ductilidade.

indulgência. [Do lat. *indulgentia.*] *S. f.* **1.** Qualidade de indulgente. **2.** Clemência, misericórdia. **3.** Tolerância, benevolência: *Revela i n d u l g ê n c i a no julgar.* **4.** Remição das penas; perdão. [Cf. *indulgência,* do v. *indulgenciar.*] ♦ **Indulgência plenária.** Remição plena das penas temporais.

indulgenciar. *V. t. d.* **1.** Tratar com indulgência. **2.** Anexar indulgência à recitação de (prece, obra pia ou reverência prestada a um objeto sagrado). [Pres. ind.: *indulgencio, indulgencias, indulgencia,* etc. Cf. *indulgência.*]

indulgente. [Do lat. *indulgente.*] *Adj. 2 g.* **1.** Pronto a perdoar; tolerante: "Somos excessivamente i n d u l g e n t e s para com as nossas fraquezas e concedemonos, no amor, todas as liberdades." (Ciro dos Anjos, *Abdias,* p. 187.) **2.** Benigno, condescendente, complacente. **3.** Que denota ou envolve indulgência: *atitude i n d u l g e n t e; olhar i n d u l g e n t e.*

indultado. [Part. de *indultar.*] *Adj.* e *s. m.* Que ou pessoa a quem foi concedido indulto.

indultar. *V. t. d.* **1.** Dar indulto a. **2.** Suavizar a pena de; perdoar: *O pai acabou i n d u l t a n d o o filho. P.* **3.** Desculpar-se, justificar-se. [Fut. pret.: *indultaria,* etc. Cf. *indultária,* fem. de *indultário.*]

indultário. *Adj.* Que goza de indulto. [Fem.: *indultária.* Cf. *indultaria,* do v. *indultar.*]

indulto. [Do lat. *indultu.*] *S. m.* **1.** Perdão, graça, desculpa: "Despede-se 'bendizendo', e granjeando o i n d u l t o do verdugo." (Rui Barbosa, *Ensaios Literários,* p. 43.) **2.** *Rel.* Dispensa ou comutação de obrigação religiosa, dada pela autoridade competente. **3.** *Jur.* Decreto pelo qual se concede uma graça ou privilégio. **4.** *Jur.* Ato de clemência do poder público (no Brasil, o executivo), de caráter geral e impessoal, concedendo perdão, diminuindo ou comutando a pena de um grupo de condenados por crimes comuns e contravenções; graça coletiva. [Cf. *anistia* (2) e *graça* (3).]

indumentária. [Fem. substantivado de *indumentário.*] *S. f.* **1.** Arte do vestuário. **2.** História do vestuário; uso do vestuário em relação às épocas ou povos. **3.** Traje, indumento, induto; vestuário: "Enquanto não faz [Almeida Garrett] a *toilette* lê, escreve ou conversa com os amigos íntimos, numa i n d u m e n t á r i a pitoresca: balandrau branco até aos tornozelos; na cabeça, um grande barrete, também branco" (José Osório de Oliveira, *O Romance de Garrett,* p. 161).

indumentário. [De *indumento* + *-ário.*] *Adj.* Referente a vestuário, ou à indumentária.

indumento. [Do lat. *indumentu.*] *S. m.* **1.** V. *indumentária* (3): "de uma feita, tirando [Castro Lopes] quatro contos de réis na loteria, em vez de ir renovar o i n d u m e n t o no Raunier ou em qualquer outro grande alfaiate do tempo, tratou de comprar um anelão de ouro" (Agripino Grieco, *Recordações de um Mundo Perdido,* p. 212). **2.** *Morfol. Veg.* Qualquer revestimento dos órgãos ou partes vegetais, que pode ser formado de pêlos, escamas, glândulas, etc.

induplicado. *Adj. Morfol. Veg.* Diz-se do órgão foliáceo cujas margens se apresentam dobradas para dentro:

folha induplicada.

indúsia. *S. f. Morfol. Veg. Impr.* Indúsio.

indúsio. [Do lat. *indusiu,* 'camisa de mulher'.] *S. m.* **1.** Túnica que as damas romanas usavam por sob o vestido. **2.** *Morfol. Veg.* Órgão membraniforme protetor que envolve os esporângios de numerosos pteridófitos e apresenta forma característica nos gêneros onde ocorre. [Sin., desus., nesta acepç.: *perisporângio.*]

indústria. [Do lat. *industria,* 'atividade'.] *S. f.* **1.** Destreza ou arte na execução de um trabalho manual; aptidão, perícia. **2.** Profissão mecânica ou mercantil; ofício. **3.** *Fig.* Invenção, astúcia, engenho. **4.** *Econ.* A atividade secundária da economia, que engloba as atividades de produção ou qualquer de seus ramos, em contraposição à atividade agrícola (primária) e à prestação de serviços (terciária). **5.** *Econ.* Conjugação do trabalho e do capital para transformar a matéria-prima em bens de produção e consumo. **6.** O conjunto das empresas industriais; o complexo industrial: *a indústria petrolífera; a indústria brasileira.* **7.** Qualquer dos ramos da indústria: *indústria pesada; a indústria do calçado.* **8.** Usina, manufatura, fábrica: *Tem uma indústria de tapetes; A indústria da laminação de aço começou a funcionar diariamente. [Cf. industria,* do v. *industriar.]* ♦ **Indústria cultural. 1.** Complexo de produção de bens culturais, disseminados através dos meios de comunicação de massa, que impõe formas universalizantes de comportamento e consumo; comunicação de massa que funciona como sistema mercantil e industrial. **2.** *P. ext.* Cultura de massa. **Indústria de base.** A que se dedica à produção de máquinas e ferramentas pesadas, à siderurgia e metalurgia, à indústria química, à produção de eletricidade; indústria pesada. **Indústria de consumo.** A que se dedica à produção de alimentos, vestuários, utensílios domésticos; indústria de transformação, indústria leve. **Indústria de transformação.** V. *indústria de consumo.* **Indústria estratégica.** Designação genérica da indústria de base e a de material bélico. **Indústria leve.** V. *indústria de consumo.* **Indústria pesada.** Indústria de base. **Indústria sem chaminé.** O turismo. **De indústria.** De propósito; de caso pensado; adrede: "Estabeleciam-se teses de amor, muito de indústria trazidas para zombaria da aldeã." (Camilo Castelo Branco, *Doze Casamentos Felizes,* p. 39.) **Pequena indústria.** A que está entre a indústria propriamente dita e o artesanato. [Cf. *industria,* do v. *industriar.*]

industriador (ô). *Adj.* e *s. m.* Que ou aquele que industria.

industrial. *Adj. 2 g.* **1.** Referente à, ou produzido pela indústria. **2.** Onde a indústria apresenta sensível desenvolvimento: *centro industrial; cidade industrial.* ~ V. *desenho* —, *direito* —, *gases industriais* —, *parque* —, *psicologia* —, *química* — e *revolução* —. ● *S. 2 g.* **3.** Pessoa que exerce ou tem uma indústria. [Sin., bras., RS.: *industrialista.*]

industrialismo. [De *industrial* + *-ismo.*] *S. m.* **1.** Gosto exclusivo pela indústria. **2.** Sistema segundo o qual a indústria é considerada como principal fim da sociedade.

industrialista. *Adj. 2 g.* **1.** Relativo ao, ou que é partidário do industrialismo. ● *S. 2 g.* **2.** Partidário dele. **3.** *Bras., RS.* Industrial (3).

industrialização. *S. f.* Ato ou efeito de industrializar(-se).

industrializado. [Part. de *industrializar.*] *Adj.* Que se industrializou: *país industrializado; produto industrializado.*

industrializador (ô). *Adj.* e *s. m.* Que ou aquele que industrializa.

industrializar. *V. t. d.* **1.** Promover o desenvolvimento industrial de: *industrializar um país.* **2.** Dar caráter industrial a; tornar industrial: *industrializar a agricultura.* **3.** Aproveitar (algo) como matéria-prima industrial: *industrializar o lixo. P.* **4.** Tornar-se industrial (2 e 3): "o mundo cada vez mais se industrializa." (Mateus de Albuquerque, *Da Arte e do Patriotismo,* p. 167.)

industrializável. *Adj. 2 g.* Que pode ser industrializado.

industriar. *V. t. d.* **1.** Trabalhar artisticamente; utilizar industriosamente. **2.** Instruir de antemão; explicar, ensinar. **3.** Dispor os meios de obter (algo). **4.** Tornar lucrativo ou rendoso por meio da indústria. *T. d. e i.* **5.** Adestrar, amestrar, exercitar: *Industriou o aprendiz no ofício.* **6.** Induzir, instigar, incitar: *Industriava-o criminosamente para a traição. P.* **7.** Adestrar-se; instruir-se, aprender. [Pres. ind.: *industrio, industrias, industria,* etc.; fut. pret.: *industriaria,* etc. Cf. *indústria,* s. f., e *industriária,* fem. de *industriário.*]

industriário. [De *indústria* + *-ário.*] *S. m. Bras.* Empregado de empresa industrial; operário. [Fem.: *industriária.* Cf. *industriaria,* do v. *industriar.*]

industrioso (ô). [Do lat. *industriosu.*] *Adj.* **1.** Dotado de indústria; laborioso: *um jovem industrioso.* **2.** Executado com indústria, com arte. **3.** Esperto, hábil, habilidoso; astuto, sagaz.

indutância. [Do ingl. *inductance.*] *S. f. Eletr.* Medida de auto-indutância de um circuito ou de um componente de um circuito. ♦ **Indutância mútua.** *Eletr.* Medida da indução eletromagnética entre dois circuitos, igual ao quociente da força eletromotriz induzida num circuito pelo negativo da derivada, em relação ao tempo, da corrente que percorre outro circuito.

indutar. [De *induto* + *-ar*[2].] *V. t. d.* Cobrir, guarnecer, revestir.

indutivo. [Do lat. *inductivu.*] *Adj.* **1.** Que procede por indução. **2.** Relativo a indução. **3.** Em que há indução. [Cf. *dedutivo.*] ~ V. *acoplamento* — e *aquecimento* —.

induto. [Do lat. *indutu.*] *S. m.* V. *indumentária* (3).

indutômetro. [De *indut(ância)* + *-o-* + *-metro.*] *S. m. Fís.* Instrumento destinado a medir a indutância de um componente ou de um circuito.

indutor (ô). [Do lat. *inductore.*] *Adj.* **1.** Que induz, incita, instiga ou sugere. **2.** Que produz indução. ● *S. m.* **3.** Aquele que induz; incitador, instigador, induzidor. **4.** *Fís.* Componente passivo de um circuito elétrico, que tem a função de introduzir neste uma indutância. ♦ **Indutor terrestre.** *Geofís.* Instrumento geomagnético destinado a medir a inclinação magnética, utilizando-se a medida da corrente elétrica induzida em uma bobina.

indúvia. [Do lat. *induvia,* sing. de *induviae, induviarum.*] *S. f. Morfol. Veg.* O conjunto dos órgãos que persistem em estado seco, com função protetora, em frutos e caules.

induviado. [De *indúvia* + *-ado*[1].] *Adj. Morfol. Veg.* Que mantém as indúvias.

induvial. *Adj. 2 g. Morfol. Veg.* Relativo ou pertencente à indúvia.

induvidoso (ô). [De *in-*[2] + *duvidoso.*] *Adj.* Não duvidoso; de que não se pode duvidar: "E comecei a definir, na boca, induvidoso gosto: de urina e merda." (Haroldo Maranhão, *As Peles Frias,* p. 13.)

Induzido. [Part. de *induzir.*] *Adj.* **1.** Que se induziu. ~ V. *corrente* —*a, parto* — e *radioatividade* —*a.* ● *S. m.* **2.** *Eletr.* Parte de uma máquina elétrica onde é induzida uma força eletromotriz.

induzidor (ô). *Adj.* e *s. m.* Que ou aquele que induz, incita, instiga; indutor.

induzimento. *S. m.* Ato ou efeito de induzir.

Induzir. [Do lat. *inducere.*] *V. t. d.* **1.** Causar, inspirar, incutir: *induzir medo.* **2.** Inferir, concluir, deduzir: *Analisando diversos fenômenos particulares, o filósofo induz uma proposição geral.* **3.** Revestir, guarnecer, indutar. **4.** Mover, levar, arrastar: *Falava, gritava, dramatizava, para induzir o auditório. T. d. e i.* **5.** Instigar, incitar, sugerir, persuadir: *Induziu-os ao crime;* "Mulher .... ele não podia ver, que logo não induzisse a desprevenida a receber a fecundação dele." (Herberto Sales, *O Lobisomem,* p. 104.) **6.** Mover, levar, arrastar: *Os Inconfidentes queriam induzir o povo ao levante.* **7.** Fazer cair ou incorrer: "Culpa tivera ela, induzindo em erro tanta gente." (Visconde de Taunay, *Ao Entardecer,* p. 143.) *Int.* **8.** Praticar a indução (2): "não analisamos, não deduzimos, não induzimos, não abstraímos, etc. — somos instinto, somos uma força da natureza." (João Gaspar Simões, *O Mistério da Poesia,* pp. 12-13.) [Irreg. Conjug.: v. *aduzir.*]

inebriante. [Do lat. *inebriante.*] *Adj. 2 g.* Que inebria.

inebriar. [Do lat. *inebriare.*] *V. t. d.* **1.** Tornar ébrio; embriagar, embebedar: "Há no seu busto a imagem de uma taça: / bebo-a, nos olhos... Ela me inebria." (Hermes-Fontes, *Miragem do Deserto,* p. 82.) **2.** Causar enlevo a; deliciar, entusiasmar, extasiar: *O perfume inebriava-o. P.* **3.** Tornar-se ébrio; embriagar-se, embebedar-se: "E eles .... tentam afogar a humilhação inebriando-se de má cerveja e música" (José Rodrigues Miguéis, *Gente da Terceira Classe,* p. 19). **4.** Enlevar-se, extasiar-se, arrebatar-se: "O simpático idealista hipnotizava-se, inebriava-se na funda contemplação do grande quadro genial" (Virgílio Várzea, *Nas Ondas,* p. 186).

inédia. [Do lat. *inedia.*] *S. f.* Abstinência absoluta de alimento.

ineditismo. *S. m.* Qualidade de inédito.

inédito. [Do lat. *ineditu.*] *Adj.* **1.** Não publicado ou não impresso: *livro inédito.* **2.** *Fig.* Nunca visto; original; incomum: "Todos os acepipes raros, todos os vinhos inéditos, todas as esquisitas gulodices" (Fialho d'Almeida, *Pasquinadas,* p. 339). ● *S. m.* **3.** Obra que ainda não foi publicada: *Anunciam-se novos inéditos de Guimarães Rosa.*

ineducável. [De *in-*[2] + *educável.*] *Adj. 2 g.* Não educável.

inefabilidade. [Do lat. *ineffabilitate.*] *S. f.* Qualidade de inefável.

inefável. [Do lat. *ineffabile.*] *Adj. 2 g.* **1.** Que não se pode exprimir por palavras; indizível: "E, parada à porta, ... um sorriso inefável no rosto, a cega parecia acompanhar um sonho místico pelo espaço azul" (Coelho Neto, *Sertão,* p. 195). **2.** *Fig.* Encantador, inebriante.

ineficácia. [Do lat. *inefficatia.*] *S. f.* Qualidade de ineficaz; falta de eficácia.

ineficacíssimo. [Do lat. *inefficacissimu.*] *Adj.* Superl. abs. sint. de *ineficaz.*

ineficaz. [Do lat. *inefficace.*] *Adj. 2 g.* **1.** Não eficaz; inútil. **2.** Impróprio, inconveniente. [Superl. abs. sint.: *ineficacíssimo.*]

ineficiência. [De *in-*[2] + *eficiência.*] *S. f.* Falta de eficiência.

ineficiente. [De *in-*[2] + *eficiente.*] *Adj. 2 g.* Não eficiente; sem eficiência.

inegável. [De *i-*[2] + *negável.*] *Adj. 2 g.* Que não se pode negar; incontestável; claro, evidente.

inegociável. [De *i-*[2] + *negociável.*] *Adj. 2 g.* Não negociável.

inelástico. [De *in-*[2] + *elástico.*] *Adj.* Que não tem elasticidade; rígido, inflexível. ~ V. *choque* —.

inelegância. [Do lat. *inelegantia.*] *S. f.* Qualidade de inelegante; deselegância.

inelegante. [Do lat. *inelegante.*] *Adj. 2 g.* Não elegante; deselegante.

inelegibilidade. *S. f.* Qualidade de inelegível.

inelegível. [De *in-*[2] + *elegível.*] *Adj. 2 g.* Não elegível.

inelutável. [Do lat. *ineluctabile.*] *Adj. 2 g.* **1.** Com que se luta em vão; invencível, irresistível: "para o seio .... eternal de Deus, força augusta e inelutável" (Virgílio Várzea, *Nas Ondas,* p. 187). **2.** Indiscutível, irrespondível.

inembrionado. [De *in-*[2] + *embrionado.*] *Adj. Morfol. Veg.* Que não tem embrião.

inenarrável. [Do lat. *inenarrabile.*] *Adj. 2 g.* V. *inarrável:* "Desse olhar na expressão infinda e inenarrável / Desabrocha uma dor profunda e inconsolável." (Gonçalves Crespo, *Obras Completas,* p. 265.)

inencontrável. [De *in-*[2] + *encontrável.*] *Adj. 2 g.* Que não pode ser encontrado.

inenrugável. [De *in-*[2] + *enrugável.*] *Adj. 2 g.* Que não enruga.

inépcia. [Do lat. *ineptia.*] *S. f.* **1.** Falta absoluta de aptidão. **2.** Grande falta de inteligência; idiotismo. **3.** Dito ou afirmação absurda; disparate: "O repertório das inépcias lexicográficas, pacientemente recolhidas .... por Caldas Aulete, nunca tinha fim." (Ramalho Ortigão, *Figuras e Questões Literárias,* II, p. 253.) [Sin. ger.: *ineptidão* (q. v.).]

ineptidão. [Do lat. *ineptitudine.*] *S. f.* V. *inépcia.* [Cf. *inaptidão.*]

inepto. [Do lat. *ineptu.*] *Adj.* **1.** Sem nenhuma aptidão. **2.** Que revela toleima; bobo, tolo, idiota. [Cf. *inapto.*] **3.** *Jur.* Que omite os requisitos legais, ou se mostra demasiado contraditório e obscuro, ou em patente conflito com a letra da lei. ● *S. m.* **4.** Indivíduo inepto.

inequação. [De *in-*[2] + *equação.*] *S. f. Mat.* V. *desigualdade* (3).

ineqüilátero. [De *in-*[2] + *eqüilátero.*] *Adj.* ~ V. *folha* —*a.*

inequipalpo. *S. m.* **1.** Espécime dos inequipalpos. ● *Adj.* **2.** Pertencente ou relativo a eles.

inequipalpos. *S. m. pl. Zool.* Insetos da ordem dos tricópteros, subordem *Inaequipalpia,* cujas espécies têm palpos maxilares dimórficos, com cinco segmentos nas fêmeas e dois, três ou quatro nos machos, vivendo as larvas sempre em casas ou estojos livres.

ineqüivalve. *Adj. 2 g. Zool.* Que não tem valvas iguais.

inequívoco. [De *in-*[2] + *equívoco.*] *Adj.* Em que não há equívoco; claro, evidente, manifesto: "uma escrava .... — a quem trata carinhosamente e de quem recebe provas de um afeto inequívoco" (Machado de Assis, *Crítica Teatral,* p. 148).

inércia. [Do lat. *inertia.*] *S. f.* **1.** Falta de ação, de atividade; letargia, torpor. **2.** Indolência; preguiça: "Pouco a pouco foi-o tomando um cansaço, uma inércia, uma infinita lassidão da vontade" (Eça de Queirós, *Os Maias,* II, p. 492). **3.** *Fís.* Resistência que todos os corpos materiais opõem à modificação do seu estado de movimento. **4.** *Desus.* Ignorância de qualquer arte. [Cf. *inercia,* do v. *inerciar.*]

inercial. *Adj. 2 g. Fís.* Relativo à inércia. ~ V. *acoplamento —, força —, massa —, navegação —* e *referencial —.*
inerciar. *V. t. d.* Transmitir inércia a; tornar inerte. [Pres. ind.: *inercio, inercias, inercia,* etc. Cf. *inércia.*]
inerência. [Do lat. *inhaerentia.*] *S. f.* **1.** Qualidade de inerente. **2.** *Lóg.* Relação entre um sujeito e uma qualidade que lhe é atribuída. [Cf. *inclusão* (4) e *predicação* (2). V. *juízo de atribuição.*]
inerente. [Do lat. *inhaerente.*] *Adj. 2 g.* Que está por natureza inseparavelmente ligado a alguma coisa ou pessoa: "o cortejo dos vícios i n e r e n t e s às grandes aglomerações humanas" (Fialho d'Almeida, *Pasquinadas,* p. 152); "Apressemo-nos a ressalvar .... que o sentimento artístico é espontâneo e i n e r e n t e nos homens" (J. Matoso Câmara Jr., *Manual de Expressão Oral e Escrita,* p. 9).
inerir. [Do lat. *inhaerere.*] *V. t. i.* Estar ligado intimamente; ser inseparável; ser inerente: "A educação, no conceito aberto que Jaeger lhe atribui, impregna todos os fios do tecido social, ao qual passa a i n e r i r indissoluvelmente." (Marcílio Marques Moreira, *Indicações para o Projeto Brasileiro,* p. 15.) [Irreg. Conjug.: v. *aderir.*]
inerme. [Do lat. *inerme.*] *Adj. 2 g.* **1.** Não armado; sem meios de defesa: *A população, i n e r m e , não ofereceu resistência aos bandoleiros;* "Qual o membrudo e bárbaro gigante, / Do rei Saul com causa tão temido, / Vendo o pastor i n e r m e estar diante, / Só de pedras e esforço apercebido, / Com palavras soberbas o arrogante / Despreza o fraco moço mal vestido" (Camões, *Os Lusíadas,* III, p. 111). **2.** *Hist. Nat.* Diz-se de animal desprovido de armas naturais de defesa (ferrão, bico, etc.), ou de planta sem espinhos ou acúleos. [Cf. *inerte.*]
inerrância. [Do lat. *inerrantia* < *inerrare,* 'vagar em'.] *S. f.* Qualidade de inerrante.
inerrante. [Do lat. *inerrante.*] *Adj. 2 g.* **1.** Que não pode errar; infalível. **2.** Não errante; fixo.
inertância. [Do ingl. *inertance.*] *S. f. Fís.* Num sistema acústico, componente que opõe resistência à variação da velocidade volumar do ar, e que é o equivalente acústico de uma indutância elétrica; massa acústica.
inerte. [Do lat. *inerte.*] *Adj. 2 g.* **1.** Que tem inércia; sem atividade: "Abandonado, i n e r t e , os nervos lassos depois daquelas horas de excitação, não reparava bem no que se passava em volta." (Conde de Ficalho, *Uma Eleição Perdida,* p. 138.) **2.** Que produz inércia. ~ V. *gás —.* [Cf. *inerme.*]
inervação. [De *inervar* + *-ção.*] *S. f.* **1.** Suprimento de qualquer parte do organismo com nervos. **2.** *Morfol. Veg.* Conjunto das nervuras da folha. [Cf. *enervação* e *nervação.*]
inervar. [De *in-*^{1} + *nervo* + *-ar*^{2}.] *V. t. d.* Prover com nervos. [Pres. subj.: *inerve,* etc. Cf. *enerve,* do v. *enervar* e adj., e este verbo.]
inérveo. [De *i-*^{2} + *nérveo.*] *Adj. Morfol. Veg.* Que não tem nervura.
inescapável. [De *in-*^{2} + *escapável.*] *Adj. 2 g.* Que não pode escapar.
inescrito. [De *in-*^{2} + *escrito.*] *Adj.* Não escrito: "Murmura ainda a crônica i n e s c r i t a e confidencial que muitos muros e portões foram galgados e pulados..." (Augusto Meyer, *No Tempo da Flor,* p. 18).
inescrupuloso (ô). [De *in-*^{2} + *escrupuloso.*] *Adj.* Não escrupuloso; sem escrúpulos.
inescrutabilidade. *S. f.* Qualidade de inescrutável.
inescrutável. [De *in-*^{2} + *escrutável.*] *Adj. 2 g.* Não escrutável; insondável, impenetrável: "de repente ficou olhando muito o dinheiro, parado, olhando os níqueis, perdido em reflexões i n e s c r u t á v e i s ." (Mário de Andrade, *Contos Novos,* pp. 100-101.)
inescurecível. [De *in-*^{2} + *escurecível.*] *Adj. 2 g.* **1.** Que não pode ser escurecido. **2.** Digno de memória; memorável, preclaro.
inescusável. [Do lat. *inexcusabile.*] *Adj. 2 g.* **1.** Que não se pode escusar ou dispensar; indispensável. **2.** Indesculpável.
inesgotabilidade. *S. f.* Qualidade de inesgotável.
inesgotável. [De *in-*^{2} + *esgotável.*] *Adj. 2 g.* **1.** Que não se pode esgotar. **2.** Superabundante, copiosíssimo. [Sin. ger.: *inexaurível.*]
inesitante. [De *in-*^{2} + *hesitante.*] *Adj. 2 g.* Não hesitante; decidido, resoluto.
inespecífico. [De *in-*^{2} + *específico.*] *Adj.* Sem especificidade; não específico.
inesperado. [De *in-*^{2} + *esperado.*] *Adj.* **1.** Não esperado; imprevisto, inopinado. ● *S. m.* **2.** Acontecimento inesperado.
inesquecível. [De *in-*^{2} + *esquecível.*] *Adj. 2 g.* Que não pode ser esquecido; inolvidável.
inestancável. [De *in-*^{2} + *estancável.*] *Adj. 2 g.* Não estancável.
inestendível. [De *in-*^{2} + *estendível.*] *Adj. 2 g.* Não estendível.
inestético. [De *in-*^{2} + *estético.*] *Adj.* Contrário à estética, à arte, ao bom gosto.
inestimável. [Do lat. *inaestimabile.*] *Adj. 2 g.* **1.** Que não se pode estimar ou avaliar; incalculável, inapreciável. **2.** Que se tem em grande estima ou apreço. **3.** Que tem valor altíssimo, ou cujo valor é altíssimo: *objetos i n e s t i m á v e i s ; jóias de valor i n e s t i m á v e l .*
inestudioso (ô). [De *in-*^{2} + *estudioso.*] *Adj.* Não estudioso.
inevidência. [De *in-*^{2} + *evidência.*] *S. f.* Falta de evidência; qualidade de inevidente.
inevidente. [De *in-*^{2} + *evidente.*] *Adj. 2 g.* Que não é evidente.
inevitabilidade. *S. f.* Qualidade de inevitável.
inevitável. [Do lat. *inevitabile.*] *Adj. 2 g.* Não evitável; fatal.
inevitavelmente. [De *inevitável* + *-mente.*] *Adv.* De maneira inevitável; fatalmente: "Só uma coisa me apavora / A esta hora, a toda a hora: / É que verei a morte frente a frente / I n e v i t a v e l m e n t e ." (Fernando Pessoa, *Poemas Dramáticos,* p. 134.)
inexaminável (z). [De *in-*^{2} + *examinável.*] *Adj. 2 g.* Que não pode ser examinado.
inexatidão (z). [De *in-*^{2} + *exatidão.*] *S. f.* **1.** Qualidade de inexato. **2.** Falta de exatidão; erro. **3.** Coisa inexata.
inexato (z). [De *in-*^{2} + *exato.*] *Adj.* Não exato; falto de exatidão: "Diz-se geralmente — Ramalho Ortigão, autor das *Farpas;* não seria i n e x a t o dizer — as *Farpas,* autoras de Ramalho Ortigão. A sua obra tem-no criado." (Eça de Queirós, *Notas Contemporâneas,* pp. 27-28.)
inexauribilidade (z). *S. f.* Qualidade de inexaurível.
inexaurível (z). [De *in-*^{2} + *exaurível.*] *Adj. 2 g.* Não exaurível; inesgotável: "Ela tinha sempre uma resposta e um sorriso para cada uma das mil perguntas que lhe fazíamos, e então uma grande paciência i n e x a u r í v e l ." (Trindade Coelho, *Os Meus Amores,* p. 162.)
inexausto (z). [Do lat. *inexhaustu.*] *Adj.* Que não está exausto; não exaurido.
inexcedível. [De *in-*^{2} + *excedível.*] *Adj. 2 g.* Que não pode ser excedido.
inexcitabilidade. *S. f.* Qualidade de inexcitável.
inexcitável. [Do lat. *inexcitabile.*] *Adj. 2 g.* Que não se excita facilmente; impassível, imperturbável.
inexecução (z). [De *in-*^{2} + *execução.*] *S. f.* Falta de execução, de cumprimento; inadimplemento.
inexecutável (z). [De *in-*^{2} + *executável.*] *Adj. 2 g.* Não executável; inexeqüível.
inexeqüibilidade (z). *S. f.* Qualidade de inexeqüível.
inexeqüível (z). [De *in-*^{2} + *exeqüível.*] *Adj. 2 g.* Que não se pode executar; inexecutável: *projetos i n e x e q ü í v e i s ;* "continuou declarando que semelhante exigência, sobre ser quase i n e x e q ü í v e l , acarretava para ele, Manuel, certa odiosidade." (Aluísio Azevedo, *O Mulato,* p. 120.)
inexigível (z). [De *in-*^{2} + *exigível.*] *Adj. 2 g.* Que não se pode exigir.
inexistência (z). [De *in-*^{2} + *existência.*] *S. f.* Falta de existência; não existência; carência, falta: "Observando-o com atenção, vemos que seus óculos escuros .... têm uma finalidade suspeita: a de ocultar a i n e x i s t ê n c i a do olho esquerdo" (Osmã Lins, *Nove, Novena,* p. 151).
inexistente (z). [De *in-*^{2} + *existente.*] *Adj. 2 g.* Não existente.
inexistir (z). [De *in-*^{2} + *existir.*] *V. int.* Não existir; não haver: *Criaturas como as que você pinta, i n e x i s t e m ; Creio i n e x i s t i r inimizade entre eles.*
inexorabilidade (z). *S. f.* Qualidade de inexorável.
inexorado (z). [Do lat. *inexoratu.*] *Adj.* Que não foi exorado, rogado, suplicado.
inexorável (z). [Do lat. *inexorabile.*] *Adj. 2 g.* **1.** Que não se move a rogos; não exorável; implacável, inabalável: "Pois sempre aos pés de i n e x o r á v e l Siva / O fraco é devorado pelo forte!" (Raimundo Correia, *Poesias,* p. 223). **2.** Austero, reto, rígido.
inexpansivo. [De *in-*^{2} + *expansivo.*] *Adj.* Não expansivo; discreto, reservado, retraído.
inexpedito. [Do lat. *inexpeditu.*] *Adj.* Não expedito; sem desembaraço.
inexperiência. [Do lat. *inexperientia.*] *S. f.* **1.** Qualidade de inexperiente; falta de experiência. **2.** Erro devido a inexperiência (1).
inexperiente. [De *in-*^{2} + *experiente.*] *Adj. 2 g.* **1.** Sem experiência; bisonho. **2.** Inocente, ingênuo: "Pense na minha amada Emily Brontë, que também morreu rapariga, i n e x p e r i e n t e , pura, solitária" (Raquel de Queirós, *100 Crônicas Escolhidas,* p. 36). ● *S. 2 g.* **3.** Pessoa inexperiente.
inexperto. [Do lat. *inexpertu.*] *Adj.* Inexperiente, imperito: "O uso da aguardente .... era delito sério. .... Conta-se que de uma feita alguns tropeiros i n e x p e r t o s .... foram ter a Canudos, levando alguns barris do líquido inconcesso." (Euclides da Cunha, *Os Sertões,* p. 193.)
inexpiado. [Do lat. *inexpiatu.*] *Adj.* Não expiado.
inexpiável. [Do lat. *inexpiabile.*] *Adj. 2 g.* Que não pode ser expiado.
inexplicabilidade. *S. f.* Qualidade de inexplicável.
inexplicável. [Do lat. *inexplicabile.*] *Adj. 2 g.* **1.** Não explicável; obscuro: *Há fenômenos i n e x p l i c á v e i s .* **2.** Incompreensível, estranho, singular: *atitude i n e x p l i c á v e l .*
inexplorado. [Do lat. *inexploratu.*] *Adj.* Não explorado.
inexplorável. [De *in-*^{2} + *explorável.*] *Adj. 2 g.* Não explorável.
inexpressão. [De *in-*^{2} + *expressão.*] *S. f.* Ausência ou falta de expressão, de vivacidade, de caráter, de marca própria: *A i n e x p r e s s ã o do seu rosto é inquietante.*
inexpressividade. *S. f.* Qualidade de inexpressivo.
inexpressivo. [De *in-*^{2} + *expressivo.*] *Adj.* Que não é expressivo.
inexprimível. [De *in-*^{2} + *exprimível.*] *Adj. 2 g.* **1.** Que não se pode exprimir; não exprimível: *idéias i n e x p r i m í v e i s .* **2.** Encantador; inefável: *um olhar de doçura i n e x p r i m í v e l .*
inexpugnabilidade. [Do lat. *inexpugnabilitate.*] *S. f.* qualidade de inexpugnável: "essa convicção .... não o libertava do obcecante desvario, que já se lhe implantara no cérebro, com a i n e x p u g n a b i l i d a d e da idéia fixa." (Godofredo Rangel, *Falange Gloriosa,* p. 99.)
inexpugnável. [Do lat. *inexpugnabile.*] *Adj. 2 g.* **1.** Que não é expugnável: *fortaleza i n e x p u g n á v e l .* **2.** Invencível, indestrutível, inabalável. **3.** *Fig.* Intrépido, audaz.
inextensão. [De *in-*^{2} + *extensão.*] *S. f.* Qualidade de inextenso; falta de extensão.
inextensibilidade. *S. f.* Qualidade de inextensível.
inextensível. [De *in-*^{2} + *extensível.*] *Adj. 2 g.* Não extensível.
inextenso. [De *in-*^{2} + *extenso.*] *Adj.* Sem extensão; não extenso.
➧**in extenso** (in ékçtenso). [Lat.] Na íntegra.
inexterminável. [Do lat. *inexterminabile.*] *Adj. 2 g.* Que não pode ser exterminado; não exterminável.
inextinguibilidade. *S. f.* Qualidade de inextinguível.
inextinguível. [Do lat. *inextinguibile.*] *Adj. 2 g.* Não extinguível.
inextinto. [Do lat. *inextinctu.*] *Adj.* Que não se extinguiu; que subsiste ainda: "Dir-se-ia que nos coruchéus, como em círios, brilhavam i n e x t i n t o s morrões" (Aquilino Ribeiro, *Maria Benigna,* p. 245).
inextirpável. [Do lat. *inextirpabile.*] *Adj. 2 g.* Não extirpável.
➧**in extremis** (in ekçtrêmiç). [Lat.] *In articulo mortis.*
inextricabilidade. *S. f.* Qualidade de inextricável.
inextricável. [Do lat. *inextricabile.*] *Adj. 2 g.* **1.** Que não se pode deslindar; indestrinçável: "Por isso é que o estudo das línguas ameríndias foi sempre um cipoal de enredos i n e x t r i c á v e i s ." (Eduardo Frieiro, *A Ilusão Literária,* p. 43.) **2.** Emaranhado; enredado, intricado, intrincado. [Var.: *inextrincável.*]
inextrincável. *Adj. 2 g.* V. *inextricável:* "sem o emaranhamento complicado e i n e x t r i n c á v e l das grossas lianas retorcidas como membros torturados" (João Lúcio, *Bom-Viver,* p. 574).
infactível. [De *in-*^{2} + *factível.*] *Adj. 2 g.* Não factível; irrealizável, inexeqüível. [Var.: *infatível.*]
infacundo. [Do lat. *infacundu.*] *Adj.* Não facundo, não eloqüente. [Cf. *infecundo.*]
infalibilidade. *S. f.* **1.** Qualidade ou caráter de infalível. **2.** *Rel.* Prerrogativa atribuída à Igreja em sua totalidade, ou ao Papa, para os católicos, de não errar em questões pertinentes à fé e aos costumes, quando pretende conferir uma orientação universal e decisiva.
infalível. [De *in-*^{2} + *falível.*] *Adj. 2 g.* **1.** Que não falha: *método i n f a l í v e l ; remédio i n f a l í v e l ;* "os seus queixumes .... eram um disfarce para me pedir uma regra i n f a l í v e l na arte de .... não ter filhos." (Fernando Namora, *Retalhos da Vida de um Médico,* p. 132). **2.** Que não pode deixar de ser, de acontecer; inevitável: *sucesso i n f a l í v e l .* **3.** Que nunca se engana ou erra: "não se cansa de afirmar estridentemente .... esta sua ligação espiritual e temporal com Deus, que o torna i n f a l í v e l" (Eça de Queirós, *Ecos de Paris,* p. 47). ● *S. f.* **4.** *Bras.* V. *boi-gordo.*

infalsificável. [De *in-*[2] + *falsificável.*] *Adj. 2 g.* Que não é falsificável.

infamação. [Do lat. *infamatione.*] *S. f.* Ato ou efeito de infamar; descrédito, difamação.

infamador (ô). [Do lat. *infamatore.*] *Adj.* **1.** V. *infamante.* ● *S. m.* **2.** Aquele que infama.

infamante. [Do lat. *infamante.*] *Adj. 2 g.* Que infama; infamador, infamatório.

infamar. [Do lat. *infamare.*] *V. t. d.* **1.** Tornar infame, ignominioso, desonrado; ignominiar: *Seus crimes o* infamaram *para sempre.* **2.** Atribuir infâmias a: *A história acaba redimindo aqueles que os donos do poder* infamam *injustamente.* **3.** Fazer cair em descrédito; difamar, desacreditar: *Aquela ação o* infamava *perante os amigos. P.* **4.** Desacreditar-se, desonrar-se.

infamatório. *Adj.* V. *infamante.*

infame. [Do lat. *infame.*] *Adj. 2 g.* **1.** Que tem má fama. **2.** Que pratica atos vis, abjetos; torpe, baixo, abjeto. **3.** *P. ext.* Próprio de indivíduo infame; odioso, indigno: *procedimento* infame. **4.** Péssimo, detestável: *versos infames; comida infame.* [Superl. abs. sint.: *infamíssimo* e (fam.) *infamérrimo.*]

infamérrimo. *Adj. Fam.* Superl. abs. sint. de *infame;* infamíssimo.

infâmia. [Do lat. *infamia.*] *S. f.* **1.** Má fama. **2.** Perda de boa fama. **3.** Dano social ou legal feito à reputação de alguém; desonra, desdouro, ignomínia, labéu. **4.** Caráter daquilo que é infame; torpeza, vileza, abjeção: *A* infâmia *da acusação suscitou ódio geral.* **5.** Ato ou dito infame.

infamíssimo. *Adj.* Infamérrimo.

infanção. [Do lat. vulg. hispânico **infantio, onis.*] *S. m.* Antigo título de nobreza, inferior ao de rico-homem: "Ricos-homens, infanções e cavaleiros de Portugal, um dos mais nobres sacramentos que Deus neste mundo ordenou foi o matrimônio" (Alexandre Herculano, *Lendas e Narrativas,* I, p. 168).

infância. [Do lat. *infantia.*] *S. f.* **1.** Período de crescimento, no ser humano, que vai do nascimento até a puberdade; meninice, puerícia. **2.** As crianças. **3.** *Fig.* O primeiro período de existência duma instituição, sociedade, arte, etc. **4.** *Psicol.* Período de vida que vai do nascimento à adolescência, extremamente dinâmico e rico, no qual o crescimento se faz, concomitantemente, em todos os domínios, e que, segundo os caracteres anatômicos, fisiológicos e psíquicos, se divide em três estágios: *primeira infância,* de zero a três anos; *segunda infância,* de três a sete anos; e *terceira infância,* de sete anos até a puberdade. **5.** *Bras. Pop.* Ingenuidade, simplicidade: *Aquele senhor é de uma* infância! ♦ **Primeira infância.** *Psicol.* V. *infância* (4). **Segunda infância.** *Psicol.* V. *infância* (4). **Terceira infância.** *Psicol.* V. *infância* (4).

infando. [Do lat. *infandu.*] *Adj.* V. *nefando:* "Viam os padres .... diante dos seus olhos aquela infanda carniçaria nos terreiros, e as festas e solenidades com que, sacrificadas as vítimas, retalhavam e repartiam as carnes como em açougue" (João Francisco Lisboa, *Obras,* II, p. 375).

infanta. [Fem. de *infante* (3).] *S. f.* **1.** Filha dos reis de Portugal ou da Espanha, mas que não é a herdeira da coroa. **2.** Esposa do infante (3).

infantado. [De *infante* (3) + *-ado*[2].] *S. m.* Terras ou rendas pertencentes a um infante.

infantaria. [De *infante* + *-aria.*] *S. f.* Tropa militar que faz serviço a pé, excetuados os caçadores. [F. paral.: *infanteria.*] ♦ **Infantaria de batalha.** *Exérc.* V. *infantaria pesada.* **Infantaria hoplítica.** *Exérc.* V. *infantaria pesada.* **Infantaria motorizada.** *Mil.* A que tem meios para transportar todo o seu pessoal e material em veículos a motor. **Infantaria pesada.** *Exérc.* Modalidade de infantaria de linha cujas características iniciais consistiam em serem os seus soldados armados de piques e a sua organização constituir-se de uma pluralidade de batalhões; infantaria de batalha, infantaria hoplítica.

infante[1]. [Do it. *fante.*] *S. m.* Soldado de infantaria; peão.

infante[2]. [Do lat. *infante.*] *Adj. 2 g.* **1.** Que está na infância (1); infantil. ~ V. *marasmo —.* ● *S. m.* **2.** Criança (1): "São [seus olhos] meigos infantes, brincando, saltando / Em jogo infantil, / Inquietos, travessos" (Gonçalves Dias, *Obras Poéticas, I,* p. 67). **3.** Filho dos reis de Portugal ou da Espanha, porém não herdeiro da coroa: "É sabido como o nosso infante D. Pedro, um dos grandes trovadores .... que em seu tempo havia entre príncipes, se compraz no engenho de João de Mena" (Latino Coelho, *Cervantes,* p. 87).

infanteria. *S. f.* Infantaria [q. v.].

infanticida. [Do lat. *infanticida.*] *Adj. 2 g.* e *s. 2 g.* Que ou quem praticou infanticídio.

infanticídio. [Do lat. *infanticidiu.*] *S. m.* **1.** Assassínio de recém-nascido. **2.** Morte dada voluntariamente a uma criança. **3.** *Bras. Jur.* Morte do próprio filho, sob a influência do estado puerperal, durante o parto ou logo depois.

infantil. [Do lat. *infantile.*] *Adj. 2 g.* **1.** De, ou relativo à, ou próprio da infância, de crianças. **2.** Próprio para crianças: *contos* infantis. **3.** Ingênuo, simples, tolo. ~V. *marasmo —, paralisia — e parque —.*

infantilidade. *S. f.* **1.** Qualidade de infantil. **2.** Ação, modos ou dito próprios de crianças; puerilidade.

infantilismo. [De *infantil* + *-ismo.*] *S. m. Med.* Persistência, anormal, dos caracteres da infância na idade adulta.

infantilização. *S. f.* Ação ou efeito de infantilizar(-se).

infantilizar. *V. t. d.* **1.** Tornar infantil. **2.** Dar aspecto infantil a. *P.* **3.** Tornar-se infantil; praticar atos próprios da infância.

▲infanto. *El. comp.* = 'menino', 'infante': *infanto-juvenil.*

infanto-juvenil. *Adj. 2 g.* Relativo à infância e à juventude, ou próprio delas. [Pl.: *infanto-juvenis.*]

infarto. [De *in-*[2] + lat. *fartu,* 'cheio, atulhado'.] *S. m. Patol.* Área de necrose conseqüente à hipoxia, e que se deve, na maioria dos casos, a oclusão arterial por trombos ou êmbolos; enfarte, enfarto.

infatigabilidade. *S. f.* Qualidade de infatigável.

infatigável. [Do lat. *infatigabile.*] *Adj. 2 g.* **1.** Que não se fadiga; incansável. **2.** Zeloso, extremoso, desvelado.

infatível. *Adj. 2 g.* V. *infactível.*

infausto. [Do lat. *infaustu.*] *Adj.* **1.** Que não é fausto, não é feliz ou próspero; infeliz, desgraçado, mau: *destino* infausto. **2.** Agourento, aziago: "Dizem os psicofisiologistas que tristeza é uma degeneração do temperamento, moléstia de origem física, quando não se trata de vento infausto da fortuna." (Aquilino Ribeiro, *Arcas Encoiradas,* p. 112.)

infeção. *S. f.* V. *infecção.*

infecção. [Do lat. *infectione.*] *S. f.* **1.** Ato ou efeito de infeccionar(-se). **2.** Qualidade ou estado daquilo que está infeccionado. **3.** Contaminação, corrução: *infecção do ar.* **4.** *Patol.* Penetração, desenvolvimento e multiplicação de seres inferiores no organismo de hospedeiro, de que podem resultar, para este, conseqüências variadas, habitualmente nocivas, em grau maior ou menor. [Var.: *infeção; sin. ger.: inficionação.*] ♦ **Infecção oportunística.** *Med.* Diz-se da infecção produzida por germe que, quiescente, passa a ter ação patogênica num organismo, por se criarem nele condições propícias (decorrentes, p. ex., de debilitação orgânica, ação de medicamentos, etc.).

infeccionado. [Part. de *infeccionar.*] *Adj.* Que sofreu infecção; contagiado, infectado. [Var.: *infecionado* e *inficionado.*]

infeccionar. *V. t. d.* **1.** Contaminar, contagiar, viciar: *Odores fétidos* infeccionavam *a atmosfera.* **2.** Causar infecção (4) a: *A poeira* infeccionou *a ferida.* **3.** Perverter, corromper, depravar: *As más companhias* infeccionam *o caráter. Int.* **4.** Ficar infeccionado. **5.** *P.* Receber uma infecção por contágio; contaminar-se. **6.** Corromper-se, perverter-se. [Var.: *infecionar* e *inficionar.* Sin. ger.: *infectar.*]

infecciosidade. *S. f.* Qualidade de infeccioso. [Var.: *infeciosidade.*]

infeccioso (ô). *Adj.* **1.** Resultante de infecção. **2.** Que produz infecção; infectuoso. [Var.: *infecioso.*] ~ V. *mononucleose —a.*

infecionado. *Adj.* Var. de *infeccionado* [q. v.].

infecionar. *V. t. d., int.* e *p.* V. *infeccionar.*

infeciosidade. *S. f.* Var. de *infecciosidade.*

infecioso (ô). *Adj.* V. *infeccioso.*

infectado. [Part. de *infectar.*] *Adj.* V. *infeccionado.* [Var.: *infetado.*]

infectante. *Adj. 2 g.* Que infecta. [Var.: *infetante.*]

infectar. [De *infecto* + *-ar*[2].] *V. t. d., int.* e *p.* V. *infeccionar.* [Var.: *infetar.*]

infecto. [Do lat. *infectu.*] *Adj.* **1.** Que tem infecção. **2.** Que lança mau cheiro; mefítico, pestilento, pestilencial. **3.** *Fig.* Muito ruim; muito ordinário; reles. **4.** *Fig.* Repugnante quanto à moral. [Var.: *infeto.*] ~ V. *dano —.*

infecto-contagioso. *Adj.* Que produz infecção e se propaga por contágio. [Var.: *infeto-contagioso.* Pl.: *infecto-contagiosos.*]

infectologia. *S. f.* Ramo da medicina que se ocupa do estudo das doenças infecciosas.

infectológico. *Adj.* Relativo à infectologia.

infectuoso (ô). [De *infecto* + *-u-* + *oso.*] *Adj.* V. infeccioso. [Var.: *infetuoso.*]

infecundado[1]. [De *in-*[2] + *fecundado.*] *Adj.* Que não foi fecundado.

infecundado[2]. [Part. de *infecundar.*] *Adj.* Tornado infecundo; castrado, capado.

infecundar. *V. t. d.* Tornar infecundo; castrar, capar.

infecundidade. [Do lat. *infecunditate.*] *S. f.* Qualidade ou estado de infecundo; esterilidade.

infecundo. [Do lat. *infecundu.*] *Adj.* V. *estéril* (1). [Cf. *infacundo.*]

infelice. *Adj. 2 g. Ant.* Infeliz [q. v.].

infelicidade. [Do lat. *infelicitate.*] *S. f.* **1.** Qualidade ou estado de infeliz. **2.** Desgraça, desdita, infortúnio. **3.** Lance infeliz: *Foi uma* infelicidade *não ter esperado o momento oportuno de agir.*

infelicíssimo. [Do lat. *infelicissimu.*] *Adj.* Superl. abs. sint. de *infeliz.*

infelicitação. *S. f.* Ato ou efeito de infelicitar(-se).

infelicitador (ô). *Adj.* e *s. m.* Que, ou aquele que infelicita.

infelicitar. *V. t. d.* **1.** Causar a infelicidade de; tornar infeliz, desditoso: "Não cismar, — e é o cismar que mata os homens. Não sonhar — e é o sonho que os infelicita." (Albino Forjaz de Sampaio, *Crônicas Imorais,* p. 181.) **2.** *Bras.* Desvirginar, deflorar. *P.* **3.** Fazer-se ou tornar-se infeliz.

infeliz. [Do lat. *infelice.*] *Adj. 2 g.* **1.** Não feliz; desventurado, desditoso, desafortunado, desgraçado. **2.** Desacertado, despropositado, desastrado: *idéia* infeliz; *A medida com que tentou resolver a situação foi* infeliz; *Foi* infeliz *no discurso.* **3.** Funesto, infausto: *acontecimento* infeliz. **4.** Mal realizado; mal-inspirado; de pouco mérito: *Embora grande autor, acaba de lançar um livro* infeliz. **5.** *Bras., N.E. Pop.* Diz-se de pessoa extraordinária, excepcional (pela inteligência, beleza, preparo, e até pela felicidade): *Que pequena* infeliz *de bonita!; Que sujeito* infeliz *para ter sorte!* [Superl. abs. sint.: *infelicíssimo.*] ● *S. 2 g.* **6.** Indivíduo infeliz (1 e 5). ♦ **Como um infeliz.** *Bras., N.E. Pop.* Muito, espantosamente: *Corre* como um infeliz.

infelizmente. [De *infeliz* + *-mente.*] *Adv.* **1.** De maneira infeliz; com infelicidade. **2.** Desgraçadamente; lamentavelmente.

infenso. [Do lat. *infensu.*] *Adj.* **1.** Inimigo, contrário, adverso: "Parece .... que a tradição portuguesa se mostrou sempre infensa às restituições, e pelo *uti possidetis,* que foi um princípio das colônias americanas." (João Ribeiro, *O Folclore,* pp. 219-220.) **2.** Irritado, irado, encarniçado.

inferaxilar (cs). [De *infer(o)-* + *axilar.*] *Adj. 2 g. Bot.* Diz-se dos órgãos vegetais que estão por baixo das axilas. [F. preferível a *infra-axilar.*]

inferência. [Do lat. *inferentia.*] *S. f.* **1.** Ato ou efeito de inferir; indução, conclusão. **2.** *Lóg.* Admissão da verdade de uma proposição, que não é conhecida diretamente, em virtude da ligação dela com outras proposições já admitidas como verdadeiras. [São casos especiais de inferência o *raciocínio, a dedução, a indução.*] ♦ **Inferência imediata.** *Lóg.* Passagem de uma proposição a outra que dela deriva sem mediação.

inferior (ô). [Do lat. *inferiore.*] *Adj. 2 g.* **1.** Que está abaixo, por baixo ou mais baixo; ínfero: *a parte* inferior *do rosto; os membros* inferiores. **2.** Que está abaixo de outro(s) em qualidade, condição, importância, mérito, valor: *Este quadro é* inferior *ao outro; Esta fazenda é mais barata, mas de qualidade* inferior. **3.** *Bras. Ant. Mil.* Dizia-se de militar de hierarquia inferior à de oficial. **4.** Que ocupa lugar muito baixo, ou o mais baixo, na escala zoológica. **5.** De pouca nobreza, ou sem nobreza ou elevação; mesquinho: *homem* inferior; *procedimento* inferior. ~ V. *alheta —, animal —, conjunção —, corte —, curso —, extremo —, manto —, passagem —, passagem meridiana —, pente —, planeta —, membros —es e veia cava —.* ● *S. m.* **6.** Aquele que está abaixo de outro em categoria, dignidade, etc. **7.** *Bras. Ant. Mil.* Militar de hierarquia inferior à de oficial.

inferioridade. *S. f.* **1.** Qualidade, condição ou posição de inferior. **2.** Atitude ou procedimento inferior, que denota falta de elevação, de nobreza.

inferiorização. *S. f.* Ação ou efeito de inferiorizar(-se).

inferiorizar. *V. t. d.* e *p.* Tornar(-se) ou considerar(-se) inferior, diminuir(-se), abater(-se), apoucar(-se): "Este realismo de *Os Lusíadas,* ainda há pouco foi posto em evidência pelo Prof. Jirmounsky .... É o que o inferioriza, sob certos aspectos, como obra de imaginação, de pensamento, de penetração psicológica" (Hernâni Cidade, *Lições de Cultura e Literatura Portuguesa,* I, p. 194).

inferir. [Do lat. *inferere, por inferre.*] *V. t. d.* e *t. d. e i.* Tirar por conclusão; deduzir pelo raciocínio: *Faltam-me elementos para* i n f e r i r *a sua honestidade;* "S. Boaventura dá como averiguada a estância infernal nas entranhas do globo terráqueo, i n f e r i n d o concludentes testemunhos das irrupções vulcânicas e terramotos." (Camilo Castelo Branco, *Quatro Horas Inocentes,* p. 101). [Irreg. Conjug.: v. *aderir.*]

infermentescibilidade. *S. f.* Qualidade ou estado de infermentescível.

infermentescível. [De *in-*[2] + *fermentescível.*] *Adj. 2 g.* Que não é suscetível de fermentar; não fermentescível.

infernação. [De *infernar* + *-ção.*] *S. f. Bras.* Aborrecimento, impertinência, importunação, apoquentação.

infernado. [Part. de *infernar.*] *Adj.* Que está como que no Inferno; torturado.

infernal. [Do lat. *infernale.*] *Adj. 2 g.* **1.** Respeitante ao Inferno; leteu. **2.** Próprio do, ou que lembra o Inferno: *calor* i n f e r n a l. **3.** *P. ext.* Demoníaco, diabólico: *máquina* i n f e r n a l; *maldade* i n f e r n a l. **4.** *Fig.* Insuportável, atroz, medonho, horrendo, terrível: *dores* i n f e r n a i s; "Alarido i n f e r n a l atroa as selvas" (Bernardo Guimarães, *Poesias Completas,* p. 25). **5.** *Bras. Gír.* Diz-se de pessoa ou coisa excelente, extraordinária, excepcional; bacana: *É uma pequena* i n f e r n a l!; *A festa estava* i n f e r n a l. ~ V. *lápis* — e *serpente* —.

infernalidade. *S. f.* Qualidade de infernal.

infernar. *V. t. d.* **1.** Meter no Inferno. **2.** Atormentar, afligir, apoquentar, desesperar, infernizar: *A incompreensão* i n f e r n o u - l h e *a existência.* **3.** Tornar muito incômodo, insuportável; transformar num suplício, num inferno: "tornaram-se manhosos e birrentos, i n f e r n a n d o a vida da desconsolada mãe" (Godofredo Rangel, *Falange Gloriosa,* p. 217). *P.* **4.** Meter-se no Inferno. **5.** Afligir-se, desesperar-se, atormentar-se.

inferneira. [De *inferno* + *-eira.*] *S. f.* **1.** Grande barulho; algazarra, alarido, vozearia, vozeira, vozerio. **2.** Tumulto, desordem, confusão. **3.** *Bras.* Coisa que exige muito trabalho, esforço, ou sofrimento: *Foi uma* i n f e r n e i r a *conseguir os atestados.*

inferninho. [Dim. de *inferno.*] *S. m. Bras.* Boate em recinto pequeno, com música muito barulhenta.

infernizar. *V. t. d.* **1.** V. *infernar* (2): "tem .... de pôr uma máscara de comédia em cima das tragédias íntimas que o consomem, i n f e r n i z a m e matam!" (Antero de Figueiredo, *Leonor Teles,* p. 56). **2.** Enfrenesiar, arreliar, encolerizar.

inferno. [Do lat. *infernu.*] *S. m.* **1.** *Mitol.* Lugar subterrâneo, onde estão as almas dos mortos. **2.** *Rel.* Segundo o cristianismo, lugar ou situação pessoal em que se encontram os que morreram em estado de pecado; expressão simbólica de reprovação divina e privação definitiva da comunhão com Deus: "Eis o estertor da morte, / Eis o martírio eterno, / Eis o ranger de dentes, / Eis o penar do i n f e r n o!" (Junqueira Freire, *Obras Póstumas,* II, p. 80.) **3.** *Bibliol.* Parte de uma biblioteca onde se segregam os livros licenciosos. **4.** *Fig.* Tormento, martírio: *Sua vida é um* i n f e r n o; *Aquilo é um* i n f e r n o: *mal se pode respirar, de tanto calor.* **6.** Grande desordem; confusão, balbúrdia, inferneira. ♦ **Inferno Verde.** Denominação literária da Amazônia, da grande baixada que vai dos arredores de Nauta, no Peru, até às plagas do Atlântico. **Ser o Inferno em vida.** Ser um grande tormento, verdadeiro martírio.

▲infer(o)-. [Do lat. *inferu.*] *El. comp.* = 'inferior', 'abaixo', 'por baixo', 'ínfero': *ínfero-anterior; inferaxilar, inferovariado.*

ínfero. [Do lat. *inferu.*] *Adj.* **1.** Inferior (1). **2.** *Morfol. Veg.* Diz-se do ovário concrescente com o receptáculo, situação em que ele se acha abaixo dos demais órgãos florais. [Antôn.: *súpero.*] ● *S. m.* **3.** O Inferno.

ínfero-anterior. [De *infer(o)-* + *anterior.*] *Adj. 2 g.* Situado abaixo e na parte anterior. [Pl.: *ínfero-anteriores.*]

ínfero-exterior. [De *infer(o)-* + *exterior.*] *Adj. 2 g.* Situado abaixo e na parte exterior. [Pl.: *ínfero-exteriores.*]

ínfero-interior. [De *infer(o)-* + *interior.*] *Adj. 2 g.* Situado abaixo e na parte interior. [Pl.: *ínfero-interiores.*]

ínfero-lateral. [De *infer(o)-* + *lateral.*] *Adj. 2 g.* Situado abaixo e na parte lateral. [Pl.: *ínfero-laterais.*]

ínfero-posterior. [De *infer(o)-* + *posterior.*] *Adj. 2 g.* Situado abaixo e na parte posterior. [Pl.: *ínfero-posteriores.*]

inferovariado. [De *infer(o)-* + *ovário* + *-ado*[1].] *Adj. Morfol. Veg.* Que apresenta ovário ínfero: *planta* i n f e r o v a r i a d a.

infértil. [Do lat. *infertile.*] *Adj. 2 g.* **1.** Que não é fértil; estéril, infecundo. **2.** Nada ou pouco produtivo. [Pl.: *inférteis.*]

infertilidade. [Do lat. *infertilitate.*] *S. f.* Qualidade de infértil.

infertilizar. *V. t. d.* e *p.* Tornar(-se) infértil; esterilizar (-se).

infertilizável. [De *in-*[2] + *fertilizável.*] *Adj. 2 g.* Não fertilizável.

infestação. [Do lat. *infestatione.*] *S. f.* **1.** Ato ou efeito de infestar. **2.** *Med.* Alojamento, desenvolvimento e reprodução de artrópodes na superfície do corpo e nas vestes. [Cf. *enfestação.*]

infestado. [Part. de *infestar.*] *Adj.* **1.** Em que há ou onde se produziu infestação. **2.** Diz-se de objeto ou local que aloja ou abriga animais, sobretudo artrópodes e roedores. [Cf. *enfestado.*]

infestador (ô). [Do lat. *infestatore.*] *Adj.* **1.** Infestante. ● *S. m.* **2.** Aquele que infesta. [Cf. *enfestador.*]

infestante. [Do lat. *infestante.*] *Adj. 2 g.* Que infesta; infestador.

infestar. [Do lat. *infestare.*] *V. t. d.* **1.** Percorrer, devastando; assolar, invadir: "terríveis bandidos que i n f e s t a r a m as regiões banhadas pelos rios Urucuia, Sono e Preto." (Afonso Arinos, *Pelo Sertão,* p. 69). **2.** Percorrer (os mares) como corsário: "Castigou o Canajá, inimigo poderoso que i n f e s t a v a os mares" (Camilo Castelo Branco, *Perfil do Marquês de Pombal,* p. 13). **3.** Causar grandes estragos, sérios danos, a: "O que o parlamentar devia ter feito era mostrar em que consiste a praga do pulgão, como ela i n f e s t a as plantações" (Brito Broca, *Horas de Leitura,* p. 27). **4.** Existir em grande quantidade em; pulular em; abundar em: *Os ratos* i n f e s t a v a m *a casa.* **5.** *Med.* Produzir infestação (2) em. [Pres. ind.: *infesto, infestas, infesta,* etc.; part.: *infestado.* Cf. *enfestar,* v., *enfesta,* deste v. e s. f., *enfestado,* adj., e *enfesto* (ê), adj., e as flex. *enfesta* (ê), *enfestas* (ê).]

infesto. [Do lat. *infestu.*] *Adj.* **1.** Molesto, contrário, adverso, inimigo, hostil: "Eu só com meus vassalos e com esta / (E dizendo isto arranca meia espada) / Defenderei da força dura i n f e s t a / A terra nunca de outrem sojugada" (Luís de Camões, *Os Lusíadas,* IV, 19). **2.** Pernicioso, nocivo, nocente, danoso: "Tornai à terra o seu oiro, / os seus i n f e s t o s diamantes" (Antônio Feliciano de Castilho, *Amor e Melancolia,* p. 135). ● *S. m.* **3.** Aquilo que é infesto. [Fem.: *infesta.* Cf. *enfesto* do v. *enfestar,* e *enfesta,* deste v. e s. f., e *enfesto* (ê), adj., e as flex. *enfesta* (ê), *enfestos* (ê), *enfestas* (ê).]

infetado. [Part. de *infetar;* var. de *infectado.*] *Adj.* V. *infeccionado.*

infetante. *Adj. 2 g.* Var. de *infectante.*

infetar. [Var. de *infectar.*] *V. t. d., int.* e *p.* V. *infeccionar.*

infeto. *Adj.* V. *infecto.*

infeto-contagioso. *Adj.* Var. de *infecto-contagioso.* [Pl.: *infeto-contagiosos.*]

infetuoso (ô). [Var. de *infectuoso.*] *Adj.* Infeccioso (2) [q.v.].

infibulação. [De *infibular* + *-ção.*] *S. f. Cir.* Sutura ou introdução de anel, ou colchete nos órgãos genitais, ainda praticada, ao que parece, particularmente em donzelas de algumas regiões africanas, para tornar impossível o coito; fibulação.

infibulador (ô). [De *infibular* + *-(d)or.*] *Adj.* **1.** Que serve para a infibulação, ou que a pratica. ● *S. m.* **2.** Aquele que a pratica.

infibular. [Do lat. *infibulare.*] *V. t. d.* **1.** Afivelar, acolchetar, colchetar. **2.** Praticar a infibulação em.

inficionação. [De *inficionar* + *-ção.*] *S. f.* V. *infecção.*

inficionado. [Part. de *inficionar.*] *Adj.* V. *infeccionado.*

inficionar. *V. t. d., int.* e *p.* V. *infeccionar.*

infidelidade. [Do lat. *infidelitate.*] *S. f.* **1.** Qualidade ou caráter de infiel. **2.** Procedimento de infiel; deslealdade, traição, perfídia. **3.** *Rel.* Resistência consciente à fé. **4.** *Ant. Rel.* A coletividade dos infiéis [v. *infiel* (5)].

infidelíssimo. [Do lat. *infidelissimu.*] *Adj.* Superl. abs. sint. de *infiel.*

infido. [Do lat. *infidu.*] *Adj. Poét.* Infiel.

infiel. [Do lat. *infidele.*] *Adj. 2 g.* **1.** Falto de fidelidade; desleal, traiçoeiro, pérfido. **2.** Que não cumpre aquilo a que se obrigou ou se obriga; impontual. **3.** Que não é fiel; inexato, inverídico: *texto* i n f i e l; *resultado* i n f i e l. [Superl. abs. sint.: *infidelíssimo, infielíssimo.*] ● *S. 2 g.* **4.** Indivíduo infiel. **5.** Pessoa que não tem a fé considerada a verdadeira; gentio, pagão.

➧in fieri. [Lat.] Em via de nascer; em ato de tornar-se.

infilosófico. [De *in-*[2] + *filosófico.*] *Adj.* Não filosófico; adverso ou alheio à filosofia.

infiltração. *S. f.* **1.** Ato ou efeito de infiltrar(-se). **2.** Ação do fluido que se embebe nos interstícios de corpos sólidos. **3.** *Fig.* Introdução e/ou difusão de idéias ou doutrinas. **4.** *Patol.* Acúmulo ou difusão, em células ou em tecido, de substâncias estranhas a eles, ou em quantidades excessivas. **5.** *Patol.* Acúmulo ou difusão, numa estrutura, de células estranhas a elas. **6.** *Terap.* Método de administração de anestésico local, ou de outras substâncias, em que a droga usada é injetada, conforme o caso, hipodermicamente ou em maior profundidade.

infiltrador (ô). *Adj.* Que infiltra. [Cf. *infiltrativo.*]

infiltrar. [De *in-*[1] + *filtrar.*] *V. t. d.* **1.** Penetrar como em filtro; introduzir-se pelos interstícios de: *A umidade* i n f i l t r o u *o paredão.* **2.** Fazer penetrar; embeber, impregnar. **3.** Introduzir lentamente; insinuar. *T. d. e i.* **4.** Introduzir lentamente; insinuar: "A luz crepuscular / I n f i l t r a - nos na alma dolorida / Um misticismo heróico e salutar." (Guerra Junqueiro, *A Velhice do Padre Eterno,* p. 161.) **5.** Incutir, inspirar: I n f i l t r o u *nos filhos a dignidade.* *P.* **6.** Penetrar através de. **7.** Introduzir-se a pouco e pouco; insinuar-se.

infiltrativo. *Adj.* Que se infiltra. [Cf. *infiltrador.*]

infiltrável. *Adj. 2 g.* Que se pode infiltrar.

ínfimo. [Do lat. *infimu.*] *Adj.* **1.** O mais baixo de todos: "eu devo dizer que nunca tive nem terei jamais a mais leve idéia de ensinar a mínima coisa ao í n f i m o dos viventes" (Ramalho Ortigão, *Em Paris,* p. 6). **2.** Que está no último lugar; inferior: "Papel áspero e amarelado, de categoria í n f i m a." (Macedo Miranda, *As Três Chaves,* p. 91.) [Antôn.: *supremo* e *sumo.*] **3.** *Mat.* O maior dos limites inferiores de um conjunto de números reais; extremo inferior.

infindável. [De *in-*[2] + *findável.*] *Adj. 2 g.* Que não finda; permanente.

infindo. [De *in-* + *findo.*] *Adj.* Infinito (1).

➧in fine. [Lat.] No fim. [Loc. us. sobretudo na bibliografia, em citações.]

infingir. *V. t. d., int.* e *p. Ant.* e *pop.* Fingir. [Conjug.: v. *dirigir.*]

infinidade. [Do lat. *infinitate.*] *S. f.* **1.** Qualidade de infinito. **2.** Grande porção: "A imaginação .... apontou-me logo uma i n f i n i d a d e de recursos" (Machado de Assis, *Páginas Recolhidas,* p. 59). **3.** *Mat.* Conjunto com um número infinito de elementos. ♦ **Infinidade numerável.** *Mat.* A que pode ser posta em correspondência biunívoca com os números naturais.

infinitésima. [Fem. substantivado do adj. *infinitésimo.*] *S. f.* Parte infinitamente pequena.

infinitesimal. *Adj. 2 g.* Relativo às quantidades infinitamente pequenas, infinitésimas. ~ V. *análise* — e *cálculo* —.

infinitésimo. [Do lat. científico *infinitesimu,* formado de *infinitu* e *-ésimo,* suf. dos ordinais das dezenas.] *Adj.* **1.** Infinitamente pequeno. ● *S. m.* **2.** *Anál. Mat.* Grandeza cujo módulo é arbitrariamente pequeno.

infinitivo. [Do lat. *infinitivu.*] *Adj.* ~ V. *modo* —. ● *S. m. Gram.* V. *formas nominais do verbo* ♦ **Infinitivo impessoal.** *Gram.* V. *formas nominais do verbo.* **Infinitivo pessoal.** *Gram.* V. *formas nominais do verbo.*

infinitívoco. *Adj.* ~ V. *função* —*a.*

infinito. [Do lat. *infinitu.*] *Adj.* **1.** Não finito; sem fim, termo ou limite; infindo: *o espaço* i n f i n i t o; *a* i n f i n i t a *paciência de Jó.* **2.** De duração, extensão ou intensidade extremas; imenso: *beleza* i n f i n i t a; *cuidados* i n f i n i t o s; *saudade* i n f i n i t a. **3.** Inumerável, incalculável, incontável: *Passou um número* i n f i n i t o *de anos a estudar.* ~ V. *conjunto* —, *descontinuidade* —*a, determinante* —, *função* —*a, melodia* —*a, modo* —, *movimento* —, *ponto* —, *produto* —, *seqüência* —*a* e *série* —*a.* ● *S. m.* **4.** *Anál. Mat.* Grandeza cujo módulo é arbitrariamente grande. **5.** *Filos.* Grandeza que é atualmente maior ou menor que toda grandeza da mesma natureza; infinito atual. **6.** *Filos.* Grandeza que, sendo finita, pode tornar-se maior ou menor que qualquer grandeza de mesma natureza; infinito potencial. **7.** *Gram.* V. *formas nominais do verbo.* **8.** *Teat.* V. *ciclorama.* ♦ **Infinito atual.** *Filos.* Infinito (5). **Infinito negativo.** *Anál. Mat.* Grandeza negativa cujo módulo é arbitrariamente grande. **Infinito positivo.** *Anál. Mat.* Grandeza positiva cujo módulo é arbitrariamente grande. **Infinito potencial.** *Filos.* V. *infinito* (6).

infirmação. [Do lat. *infirmatione.*] *S. f.* **1.** Ato ou efeito de infirmar ou anular; invalidação, anulação. **2.** *Restr. Jur.* Perda da força ou firmeza de um ato jurídico.

infirmar. [Do lat. *infirmare.*] *V. t. d.* **1.** Privar da força ou da firmeza; enfraquecer. **2.** Tornar nulo; anular, invalidar, revogar: i n f i r m a r *um contrato.*

infirmativo. *Adj.* Que infirma; que tem o poder, a força de infirmar.

infirme. [Do lat. *infirmu.*] *Adj. 2 g.* Sem firmeza; não firme: "caminhando horas ao longo da praia, ... vacilando sobre a areia branca e infirme que entontece, ela cantava ao mar em fúria a canção .... da sua pena sem fim." (Domício da Gama, *Histórias Curtas*, pp. 123-124).

infixidez (cs...ê). [De *in-*[2] + *fixidez*.] *S. f.* **1.** Falta de fixidez. **2.** Inconsistência, inconstância.

infixo (cs). [Do lat. *infixu*.] *S. m. Gram. Obsol.* Afixo no interior da palavra. Ex.: o *l* de *chaleira*, o *t* de *cafeteira*, o *z* de *cafezeiro*, o *n* de *motorneiro*.

inflação. [Do lat. *inflatione*.] *S. f.* **1.** Ato ou efeito de inflar(-se). **2.** *Fig.* Vaidade, soberba, presunção. **3.** *Econ.* Crescimento anormal e contínuo dos meios de pagamento (moeda e crédito) em relação às necessidades de circulação dos bens de consumo. **4.** *Econ.* Desequilíbrio do sistema monetário, decorrente da redução do poder aquisitivo da moeda e simultânea alta geral dos preços. [Antôn., nas acepç. 3 e 4: *deflação*.]

inflacionado. [Part. de *inflacionar*.] *Adj.* Em que se promoveu ou produziu a inflação (3 e 4): "Não, não telefone, inverta antes os inflacionados cruzeiros desse telefonema numa ceia com os amigos." (Elsie Lessa, *A Dama da Noite*, p. 80.)

inflacionar. *V. t. d. Bras.* **1.** Promover inflação (3 e 4) em: *inflacionar a economia de um país; inflacionar o meio circulante.* **2.** Provocar a desvalorização de (moeda) por efeito de sua emissão em excesso. **3.** Tornar a oferta de mão-de-obra maior que a procura em: *inflacionar o mercado de trabalho.* [Fut. pret.: *inflacionaria*, etc. Cf. *inflacionária*, fem. de *inflacionário*.]

inflacionário. *Adj.* **1.** Relativo à, ou caracterizado pela inflação (3 e 4). **2.** Em que há inflação (3 e 4). [Fem.: *inflacionária*. Cf. *inflacionaria*, do v. *inflacionar*.]

inflacionável. *Adj. 2 g. Bras.* Que pode ser inflacionado. [Antôn.: *deflacionável*.]

inflacionismo. *S. m.* Prática da inflação, ou teoria favorável a ela.

inflacionista. *Adj. 2 g.* **1.** Relativo a, ou em que há inflação (3 e 4), ou que a pratica e/ou defende: *política inflacionista.* **2.** Que é partidário da inflação; ou do inflacionismo; papelista. ● *S. 2 g.* **3.** Partidário da inflação ou do inflacionismo; papelista. [Antôn.: *deflacionista*.]

inflado. [Do lat. *inflatu*.] *Adj.* **1.** Inchado, intumescido. **2.** *Fig.* Soberbo, vaidoso.

inflador (ô). *S. m. Bras., RS.* Bomba manual para inflar ou encher pneumáticos.

inflamabilidade. *S. f.* Qualidade ou estado de inflamável.

inflamação. [Do lat. *inflammatione*.] *S. f.* **1.** Ato ou efeito de inflamar(-se). **2.** Ardor ou rubor intenso; incendimento. **3.** *Med.* Reação protetora localizada, em tecidos animais, produzida por tipos diferentes de agressão (física, química, alérgica, microbiana), e que se destina, quando possível, a destruir, diluir ou isolar tanto o agente agressivo quanto o tecido lesado; flegmasia, flogose. [A inflamação aguda caracteriza-se por dor, rubor, calor, tumefação e prejuízo funcional.]

inflamado. [Part. de *inflamar*.] *Adj.* **1.** Que tem inflamação (3). **2.** Cheio de ardor, de exaltação; exaltado, excitado: *orador inflamado;* "Tudo quanto Chateaubriand conta a respeito de cobras cascavéis .... é fruto da sua inflamada e poética imaginação." (Visconde de Taunay, *Visões do Sertão*, p. 38). **3.** Cheio de rubor; esbraseado, afogueado: *Tinha as faces inflamadas, tamanha lhe era a excitação.* **4.** Irritado, exaltado. **5.** *Bras. Gír.* Cheio, repleto, lotado.

inflamador (ô). [Do lat. *inflammatore*.] *Adj.* e *s. m.* Que ou aquele que inflama.

inflamar. [Do lat. *inflammare*.] *V. t. d.* **1.** Converter em chamas; fazer arder; acender: *inflamar a lenha.* **2.** Excitar, estimular: *Os aplausos freqüentes inflamavam o orador.* **3.** Esbrasear, afoguear, avermelhar: *O sol intenso inflamou sua pele; Aquelas palavras inflamaram-lhe o rosto.* **4.** Causar inflamação (3) a. **5.** Encher de voluptuosidade; tornar sensual. *Int.* **6.** *Bras. Gír.* Ficar cheio, repleto, lotado: *A partir das 23 horas este bar inflama. P.* **7.** Converter-se em chamas; acender-se: "De uma feita, ... aconteceu inflamar-se uma porção de pólvora, e queimá-lo." (Artur Azevedo, *Contos Possíveis*, p. 22.) **8.** Tornar-se caloroso; exaltar-se: "Possuía ele um desses temperamentos .... tão prontos a zombar dos grandes perigos, como a inflamar-se à menor palavra que de longe lhe tocasse em pontos de honra." (Aluísio Azevedo, *O Coruja*, p. 33.) **9.** Ruborizar-se, avermelhar-se. **10.** Ficar inflamado (1).

inflamativo. *Adj.* Que inflama; inflamatório.

inflamatório. *Adj.* **1.** Inflamativo. **2.** Referente a inflamação; flogístico.

inflamável. *Adj. 2 g.* **1.** Que se pode inflamar. **2.** Que se inflama com facilidade: *material inflamável;* "sabiam quanto são de cera branda os corações e inflamável a carne juvenil." (Aquilino Ribeiro, *Caminhos Errados*, p. 165). ● *S. m.* **3.** Substância inflamável.

inflar. [Do lat. *inflare*.] *V. t. d.* **1.** Tornar pando; enfunar, intumescer, inchar: *O vento inflou a vela da embarcação.* **2.** Encher de ar por meio de sopro ou acionando bomba[2] (5): "Cabo Adonias, impondo a autoridade do cargo, inflou as bochechas, estufou o peito, berrou" (Nélson de Faria, *Bazé*, p. 36). **3.** Tornar vaidoso; encher de soberba; envaidecer, envaidar. **4.** Tornar rebuscado; empolar: *inflar o estilo. Int.* e *p.* **5.** Enfunar-se, intumescer(-se), inchar(-se). **6.** Encher-se de orgulho; ensoberbecer-se, enfatuar-se.

inflatório. *Adj.* Que produz inflação.

inflável. *Adj. 2 g.* Que se pode inflar.

inflectir. [Do lat. *inflectere*.] *V. t. d.* **1.** Dobrar, curvar, inclinar. **2.** Modificar (a voz). **3.** *Gram.* Variar a terminação de. *T. i.* **4.** Incidir, recair: *A luz inflectia sobre a mesa.* **5.** Mudar de direção, de rumo; dobrar, virar: "Da ermidazinha da Piedade, ... a marcha inflecte para a esquerda e sobe .... para o adrozinho de Sant'Ana." (Afonso Arinos, *Histórias e Paisagens*, p. 92). [Var.: *infletir*. Defect. Conjug.: v. *genuflectir*.]

infletir. *V. t. d., int.* e *p.* V. *inflectir*. [Defect. Conjug.: v. *genuflectir*.]

inflexão (cs). [Do lat. *inflexione*.] *S. f.* **1.** Ato ou efeito de inflectir(-se) ou curvar(-se); curvatura, flexão. **2.** Inclinação de uma linha; desvio. **3.** Tom de voz; modulação: "Ele se despira e — antes de vestir o pijama — indagara com inflexão autoritária: — Você tirou a dentadura?" (Manuel Lobato, *Os Outros São Diferentes*, p. 45.) **4.** *Geom. Anal.* Numa curva, ponto em que a concavidade à direita tem sinal diferente do da concavidade à esquerda; ponto de inflexão. **5.** *Gram.* Flexão (4).

inflexibilidade (cs). *S. f.* Qualidade ou procedimento de inflexível.

inflexível (cs). [Do lat. *inflexibile*.] *Adj. 2 g.* **1.** Que não é flexível (1). **2.** *Fig.* Inexorável, implacável, impassível: *Foi inflexível na repressão ao crime.* **3.** Indiferente, insensível, impassível.

inflexivo (cs). [De *in-*[2] + *flexivo*.] *Adj. 2 g.* Que não tem flexões gramaticais: *A palavra* simples *é inflexiva.*

inflexo (cs). [Do lat. *inflexu*.] *Adj.* **1.** Que se inflectiu; inclinado. **2.** *Morfol. Veg.* Recurvado para dentro: *pétala inflexa.*

inflição. [Do lat. *inflictione*.] *S. f.* Ato ou efeito de infligir [q. v.].

infligidor (ô). *Adj.* e *s. m.* Que ou aquele que inflige.

infligir. [Do lat. *infligere*.] *V. t. d.* e *i.* Cominar ou aplicar pena, castigo, repreensão: "Praguejei contra ti, contra o fado severo / Que, depois de me dar vinte anos de alegria, / Vinte anos me infligiu de cruciante agonia!" (Eugênio de Castro, *Obras Poéticas*, VIII, p. 99.) [Cf. *infringir*. Conjug.: v. *dirigir*.]

inflorescência. *S. f. Morfol. Veg.* Ramo florífero. [Ocorre sempre que há mais de uma flor num pedúnculo.] ♦ **Inflorescência antóide.** *Morfol. Veg.* Capítulo (5) que parece uma flor única.

influência. [Do lat. *influentia*.] *S. f.* **1.** Ato ou efeito de influir(-se). **2.** Ação que uma pessoa ou coisa exerce sobre outra: *Sob sua influência a região prosperou;* "Sofro .... / A influência má dos signos do zodíaco." (Augusto dos Anjos, *Eu*, p. 14). [Sin., nessas acepç.: *influição, influxo*.] **3.** Entusiasmo, animação: *Tem muita influência pela pintura.* **4.** Prestígio, crédito: *Goza de influência no governo.* **5.** Ascendência, predomínio, poder: *Tem influência grande sobre o amigo.* **6.** *Bras., BA, GO* e *MT.* Lugar onde se descobrem minas de diamantes e carbonados, o que dá ocasião a serviço intensivo e produtivo. [Cf. *influencia*, do v. *influenciar*.]

influenciação. *S. f.* Ato ou efeito de influenciar(-se).

influenciador (ô). *Adj.* e *s. m.* Que ou aquele que influencia.

influenciar. *V. t. d.* **1.** Exercer influência em: *O cinema influenciou a literatura do nosso século. P.* **2.** Receber influência. [Pres. ind.: *influencio, influencias, influencia*, etc. Cf. *influência*.]

influenciável. *Adj. 2 g.* Que se pode ou se deixa influenciar; suscetível de influência.

influente. [Do lat. *influente*.] *Adj. 2 g.* e *s. 2 g.* Que ou quem influi ou exerce influência.

influenza. [Do it. *influenza*, i. e., *influenza della stagione* ('influência da estação [o frio do inverno]').] *S. f.* V. *gripe*.

influição (u-i). *S. f.* V. *influência* (1 e 2): "Mas a santa voltou na graça do milagre. / E por influição de seu gesto silente / Abriram rosas" (Manuel Bandeira, *Estrela da Vida Inteira*, p. 42).

influído. [Part. de *influir*.] *Adj. Bras.* **1.** Entusiasmado, excitado, animado: "Eu vim com os meninos, que andam pelo pátio influídos por terem de sair na procissão, de tarde." (Mário Sete, *Senhora de Engenho*, p. 11). **2.** Namorador (1).

influidor (u-i... ô). *Adj.* e *s. m.* Que ou aquele que influi.

influir. [Do lat. *influere*.] *V. t. d.* **1.** Fazer fluir para dentro de. **2.** Inspirar, sugerir: *O drama da escravidão influi numerosos poemas de Castro Alves.* **3.** Incutir; transmitir; insuflar: "O ar, pesado e aromático, influi esquecimento e volúpia." (José Vieira, *Sol de Portugal*, p. 106); "Tudo influi encantamento. Até o horizonte é um filtro..." (Mário de Sá Carneiro, *A Confissão de Lúcio*, p. 91). **4.** Excitar, entusiasmar, animar: *Os amigos influíram-no muito. T. d.* e *i.* **5.** Comunicar, inspirar, incutir: *Aos educadores cabe influir nos moços confiança no futuro;* "Era Pã, que os armentos tutelava, / que influía aos corcéis a força, os brios" (Antônio Feliciano de Castilho, *Os Fastos*, I, p. 107). *T. i.* **6.** Ter influxo; exercer influência: "Cada um com o seu jeito. Nenhum influía em nenhum. Gabriel d'Annunzio influía em todos." (Rodrigo Otávio Filho, *Simbolismo e Penumbrismo*, p. 113); *Não me agrada influir nas decisões alheias. Int.* **7.** Ter importância, significação, exercer influência; importar: "— Mas eu tenho idade de ser seu pai.../ — A idade não influi. A gente quando gosta, gosta mesmo e está pronto." (Lucilo Varejão, *Visitação do Amor*, p. 77); "Bem sei que uma grande obra vale e influi, mesmo se não for integralmente compreendida." (San Tiago Dantas, *D. Quixote*, p. 16). *P.* **8.** Enlevar-se, entusiasmar-se. **9.** Entregar-se ou aplicar-se com ardor. [Conjug.: v. *fluir*.]

influxo (cs). *S. m.* **1.** V. *influência* (1 e 2): "Ninguém duvida do influxo fecundo do latim e do grego sobre a inteligência" (Fidelino de Figueiredo, *Música e Pensamento*, p. 41). **2.** Afluência, convergência. **3.** Maré-cheia, preamar.

in-fólio. [Do lat. *in-foliu*, 'na folha'.] *S. m. Edit.* **1.** Formato do livro cujos cadernos são obtidos dobrando-se ao meio a folha de impressão, que comporta, portanto, quatro páginas, duas de cada lado. **2.** O livro deste formato: "E agora, quando ainda me curvo sobre um amarelado in-fólio de lendas esquecidas — 'over many a quaint and curious volume of forgotten lore' — ouço o corvo a dizer-me 'never more'." (Gustavo Corção, *Lições de Abismo*, p. 21.) [Pl.: *in-fólios*.]

informação. [Do lat. *informatione*.] *S. f.* **1.** Ato ou efeito de informar(-se); informe. **2.** Dados [v. *dado*[2] (8)] acerca de alguém ou de algo: *Consultou o boletim de informações da Bolsa de Valores; Recebi a informação sobre a nova empregada.* **3.** Conhecimento, participação: *Teve informação da viagem a tempo?* **4.** Comunicação ou notícia trazida ao conhecimento de uma pessoa ou do público: *A televisão deu, ontem, a informação oficial do caso.* **5.** Instrução, direção: *Neste papel encontrará você as informações para a* execução do trabalho. **6.** *Adm.* Parecer dado em processo, nas repartições públicas. **7.** *Jur.* Fase inicial do processo de falência, na qual se apuram o ativo e o passivo. [Cf. *liquidação* (5).] **8.** *Bras. Mil.* Conhecimento amplo e bem fundamentado, resultante da análise e combinação de vários informes. [v. *informe*[1] (2)]; informações. **9.** *Proc. Dados.* Coleção de fatos ou de outros dados fornecidos à máquina, a fim de se objetivar um processamento. **10.** Segundo a teoria da informação [q. v.] medida da redução da incerteza, sobre um determinado estado de coisas, por intermédio de uma mensagem; neste sentido, *informação* não deve ser confundida com *significado* e apresenta-se como função direta do grau de originalidade, imprevisibilidade ou valor-surpresa da mensagem, sendo quantificada em *bits* de informação. **11.** *Bras.* Denúncia da existência de diamantes ou de outras quaisquer pedras preciosas, pelos seus satélites, chamados, quanto à forma e constituição, *pingo-d'água, bosta-de-barata, ferrajão*, etc. [Cf. *enformação*.] ~ V. *informações*. ♦ **Informação genética.** *Genét.* Mensagem contida no ácido desoxirribonucléico através da seqüência dos seus nucleotídios, e que se expressa pela síntese de proteínas.

informações. *S. f. pl. Bras. Mil.* Informação (8).

informado. *Adj.* Que se informou; esclarecido, instruído: *É rapaz muito informado em assuntos de arte.*

informador (ô). *Adj.* e *s. m.* V. *informante*. [Cf. *enformador*.]

informal. [Do ingl. *informal*.] *Adj. 2 g. Bras.* Destituído de formalidade (2): *conversa* informal.

informalidade. [De *in-*[2] + *formalidade.*] *S. f. Bras.* Falta de formalidade (2).

informalismo. *S. m.* Qualidade de informal.

informante. [Do lat. *informante.*] *Adj. 2 g.* **1.** Diz-se da pessoa que informa; informador. ~ V. *testemunha* —. ● *S. 2 g.* **2.** Pessoa que informa; informador.

informar. [Do lat. *informare.*] *V. t. d.* **1.** Dar informe ou parecer sobre. **2.** Instruir, ensinar: *O livro pretendia* informar *os leitores.* **3.** Confirmar, corroborar, apoiar. **4.** Tornar existente ou real. *T. d. e i.* **5.** Dar notícia ou informação a; avisar, cientificar: informaram-no *do ocorrido;* "Se o homem lesse gazetas, informaria os seus vizinhos do desastre de seu amo" (Camilo Castelo Branco, *Noites de Insônia,* II, p. 29). **6.** Comunicar, participar: "Em todas as povoações o informavam de que o duque passara duas horas antes" (Camilo Castelo Branco, *O Livro Negro de Padre Dinis,* p. 218); Informou *ao chefe o que se passara. T. i.* **7.** Dar notícia ou informação; avisar, cientificar: "Os rapazes novos que tinham espreitado os toiros encurralados vinham informar da sua ferocidade." (Conde de Sabugosa, *Embrechados,* p. 27.) *Int.* **8.** Dar informações, notícias; ser informativo: *O objetivo do jornal é* informar; *Este é um jornal que* informa. *P.* **9.** Tomar ciência ou notícia; inteirar-se: "No dia seguinte, mandei de Sintra o criado a casa, informar-se dos sucessos decorridos..." (Camilo Castelo Branco, *Amor de Salvação,* p. 203); "informando-me sobre quem morava no pobre casebre, soube que era uma família indigente." (Joaquim Manuel de Macedo, *Os Romances da Semana,* p. 11). [Cf. *enformar.*]

informática. *S. f.* Ciência que visa ao tratamento da informação através do uso de equipamentos e procedimentos da área de processamento de dados [q. v.].

informático. *Adj.* Referente à informática.

informativo. *Adj.* **1.** Destinado a informar ou noticiar. ● *S. m.* **2.** Publicação periódica de caráter predominantemente informativo; boletim.

informatização. *S. f.* Ato ou efeito de informatizar.

informatizar. *V. t. d.* Tratar (um fato, um problema) segundo a informática.

informe[1]. [Dev. de *informar.*] *S. m.* **1.** Informação (1): "De uma feita, descobri nas costas da folhinha o seguinte preciso informe: | 'O açúcar de beterraba foi descoberto em 1747 por Margraff.'" (Mário Quintana, *Sapato Florido,* p. 106.) **2.** *Bras. Mil.* Qualquer documento, fotografia, mapa, relatório ou observação, relativos ao inimigo ou a uma conjuntura complexa, e que pode contribuir para esclarecer a situação dele ou dela. [Cf. nessa acepç.: *informação* (8). Cf. *enforme,* do v. *enformar.*]

informe[2]. [Do lat. *informe.*] *Adj. 2 g.* **1.** Sem forma ou feitio: "a imagem deste corpo inviolado, estendido embaixo sobre as lajes, reduzido a uma massa informe, ensangüentada e repugnante" (Eugênio de Castro, *Obras Poéticas,* II, p. 77). **2.** Tosco, grosseiro, rude. **3.** Grande, monstruoso, disforme. [Cf. *enforme,* do v. *enformar.*]

informidade. [Do lat. *informitate.*] *S. f.* **1.** Estado do que é informe[2]; deformidade. **2.** *Jur.* Falta de formalidade (3).

infortificável. [De *in-*[2] + *fortificável.*] *Adj. 2 g.* Que não se pode fortificar.

infortuna. [De *in-*[2] + *fortuna.*] *S. f.* **1.** V. *infortúnio.* **2.** Aparição de um astro a que se atribuía desgraça.

infortunado. [Do lat. *infortunatu.*] *Adj.* Sem fortuna (4); desditoso, desventurado, desgraçado, infeliz.

infortunar. *V. t. d.* Causar infortúnio a; tornar infortunado; infelicitar.

infortúnio. [Do lat. *infortuniu.*] *S. m.* Infelicidade, desventura, desdita, desgraça, infortuna.

infortunística. [De *infortúnio* + *-ista-* + *-ica,* fem. de *-ico*[2].] *S. f.* Ramo da medicina e do direito em que se estudam os acidentes de trabalho e suas conseqüências, as doenças ditas profissionais; ergasiotiquerologia.

infortunoso (ô). [De *in-*[2] + *fortunoso.*] *Adj.* Não fortunoso; desafortunado, desventurado.

➧**infra.** [Lat.] (Citado ou mencionado) abaixo ou posteriormente. [Antôn.: *supra.*]

▲**infra-.** [Do lat. *infra.*] *Pref.* = 'posição abaixo', 'inferioridade': *infra-hepático, infravermelho.*

infra-assinado. [De *infra* + *assinado.*] *Adj.* **1.** Assinado abaixo daquilo de que se está tratando. ● *S. m.* **2.** Aquele que assina abaixo. [Pl.: *infra-assinados.*]

infra-axilar. [De *infra-* + *axilar.*] *Adj. 2 g. Bot.* V. *inferaxilar.* [Pl.: *infra-axilares.*]

infrabasilar. [De *infra-* + *basilar.*] *Adj. 2 g.* ~ V. *placa* —.

infração. [Var. de *infracção* < lat. *infractione.*] *S. f.* **1.** Ato ou efeito de infringir; violação de uma lei, ordem, tratado, etc.: "Tocar buzina de automóvel sem estrita necessidade é nos E.U.A. infração grave" (Dario de Almeida Magalhães, *Páginas Avulsas,* p. 16). **2.** Falta (9 e 10).

infracção. *S. f.* V. *infração.*

infracitado. [De *infra-* + *citado.*] *Adj.* Citado ou mencionado abaixo, ou posteriormente.

infracolocado. [De *infra-* + *colocado,* part. de *colocar.*] *Adj.* Colocado ou situado abaixo.

infracto. *Adj.* V. *infrato.*

infractor (ô). *S. m.* Infrator [q. v.].

infra-escrito. [De *infra-* + *escrito.*] *Adj.* Escrito abaixo daquilo de que se está tratando. [Pl.: *infra-escritos.*]

infra-estrutura. [De *infra-* + *estrutura.*] *S. f.* **1.** Parte inferior de uma estrutura. **2.** Base (1) material ou econômica de uma sociedade ou de uma organização. **3.** *Filos.* Conjunto de ações inconscientes que possibilitam ou determinam um ato consciente. **4.** *Filos.* Conjunto de relações sociais e econômicas que determinam as ideologias. [Pl.: *infra-estruturas.*]

infra-estrutural. *Adj. 2 g.* Relativo ou pertencente a infra-estrutura. [Pl.: *infra-estruturais.*]

infraglótico. [De *infra-* + *glótico.*] *Adj. Anat.* Que está abaixo da glote.

infra-hepático. [De *infra-* + *hepático.*] *Adj. Anat.* Que está abaixo do fígado. [Pl.: *infra-hepáticos.*]

infra-hióide. [De *infra-* + *hióide.*] *Adj. 2 g. Anat.* Que está abaixo do hióide. [Pl.: *infra-hióides.*]

inframédio. [De *infra-* + *médio.*] *Adj.* Que está abaixo da média.

inframedíocre. [De *infra-* + *medíocre.*] *Adj. 2 g.* Abaixo de medíocre.

infrangibilidade. *S. f.* Qualidade de infrangível.

infrangível. [De *in-*[2] + *frangível.*] *Adj. 2 g.* Que não se pode quebrar; não frangível: "O bloco da língua [portuguesa] permanece intacto na sua unidade infrangível tal qual saiu da forja do colosso [o Pe. Antônio Vieira] e só aqui e ali mordido da ação do tempo." (Alberto Ramos, *Prosas de Ariel,* p. 88.)

infranqueável. [De *in-*[2] + *franqueável.*] *Adj. 2 g.* Não franqueável: "barreira infranqueável." (Temístocles Linhares, *Interrogações,* p. 239.)

infra-oitava. *S. f.* Dias compreendidos entre o dia de uma festa religiosa e a sua oitava. [Pl.: *infra-oitavas.*]

infra-orbitário. [De *infra-* + *orbitário.*] *Adj. Anat.* Suborbitário. [Pl.: *infra-orbitários.*]

infra-renal. [De *infra-* + *renal.*] *Adj. 2 g. Anat.* Situado abaixo do rim ou dos rins. [Pl.: *infra-renais.*]

infra-som. [De *infra-* + *som.*] *S. m. Fís.* Onda acústica cuja freqüência é inferior, inaudível aos seres humanos. [Pl.: *infra-sons.* Cf. *ultra-som.*]

infrato. [Var. de *infracto* < lat. *infractu.*] *Adj.* Quebrado, alquebrado, quebrantado, abatido.

infrator (ô). [Var. de *infractor* < lat. *infractore.*] *S. m.* Aquele que infringe.

➧**in fraudem legis** (in fráudem légiç). [Lat.] *Jur.* Fraudando a lei.

infravermelho (ê). [De *infra-* + *vermelho.*] *Fís. S. m.* **1.** Radiação eletromagnética com comprimento de onda superior ao da radiação visível e inferior ao das microondas. ● *Adj.* **2.** Diz-se dessa radiação. **3.** Relativo à parte do espectro situada antes do vermelho, da qual os comprimentos das radiações são maiores que 0,76 do mícron. [Cf. *ultravioleta.*] ~ V. *filme* — e *radiação* —*a.*

infrene. [Do lat. *infrene.*] *Adj. 2 g.* Sem freio; desenfreado, desordenado, descomedido: "uma dessas paixões infrenes e fogosas da juventude" (Machado de Assis, *Histórias Românticas,* p. 147); "No dia de anos de Irene, / Depois de tarde sombria, / Chuva grossa e vento infrene, / Luar mágico aparecia." (Alberto de Oliveira, *Poesias,* 4ª série, p. 67.)

infreqüência. [Do lat. *infrequentia.*] *S. f.* Falta de freqüência.

infreqüentado. [Do lat. *infrequentatu.*] *Adj.* Não freqüentado.

infreqüente. [Do lat. *infrequente.*] *Adj. 2 g.* Não freqüente.

infringente. [Do lat. *infringente.*] *Adj. 2 g.* Que infringe.

infringir. [Do lat. *infringere.*] *V. t. d.* Violar, quebrantar, transgredir, postergar; desrespeitar: *O funcionário* infringiu *o regulamento;* "Lei cruel! Dura lei! Quem, sobre-humano, / Teus artigos de ferro e fogo infringe?!" (Raimundo Correia, *Poesias,* p. 225); "Senhorinha renunciou à virtude, infringiu a moral, curvou-se à lei do instinto." (Graciliano Ramos, *Infância,* pp. 38-39). [Conjug.: v. *dirigir.*] [Cf. *infligir.*]

infringível. *Adj. 2 g.* Que pode ser infringido.

infrutescência. *S. f. Morfol. Veg.* Frutificação em massa de uma inflorescência, com soldadura de todas as partes florais contíguas, e cujo resultado é um fruto composto íntegro, como o abacaxi, a jaca, etc.

infrutífero. [De *in-*[2] + *frutífero.*] *Adj.* **1.** V. *estéril* (1). **2.** *Fig.* Que não dá resultado; baldado, inútil, infrutuoso.

infrutuosidade. *S. f.* Qualidade de infrutuoso.

infrutuoso (ô). [Do lat. *infructuosu.*] *Adj.* **1.** V. *estéril* (1). **2.** *Fig.* V. *infrutífero* (2).

infuca. *S. f. Bras. Pop.* **1.** Enredo, fuxico, intriga. **2.** Questão complicada. **3.** Tentativa, experiência.

infuleimado. [Part. de *infuleimar.*] *Adj. Bras., N.E. Pop.* Inflamado.

infuleimar. *V. t. d. e p. Bras., N.E. Pop.* Inflamar.

infulminável. [De *in-*[2] + *fulminável.*] *Adj. 2 g.* Que não pode ser fulminado.

infumável. [De *in-*[2] + *fumável.*] *Adj. 2 g.* Não fumável.

infundado. [De *in-*[2] + *fundado.*] *Adj.* **1.** Que não tem fundamento, alicerce, base. **2.** Que não tem fundamento ou motivo; sem razão de ser; desmotivado [q. v.].

infundibuliforme. [Do lat. *infundibulu,* 'funil', + *-i-* + *-forme.*] *Adj. 2 g.* V. *afunilado.*

infundíbulo. [Do lat. *infundibulu.*] *S. m.* **1.** V. *funil* (1). ● *S. m.* **2.** *Anat.* Órgão ou parte de órgão em forma de funil.

infundiça. *S. f.* Infundice [q. v.].

infundice. [De *infundir.*] *S. f.* Barrela de urina, na qual se põe de molho a roupa muito suja, para depois se lavar mais facilmente; infundiça. [Cf. *infundisse,* do v. *infundir.*]

infundir. [Do lat. *infundere.*] *V. t. d.* **1.** Pôr de molho em infundice. **2.** Pôr de infusão. **3.** Incutir, inspirar: "A presença e a voz do filho de Afonso IV infundiam terror." (Rebelo da Silva, *Contos e Lendas,* p. 167.) *T. d. e i.* **4.** Entornar, derramar, verter: infundir *vinho na taça.* **5.** Insuflar, insinuar, incutir: *Bom romancista, sabe como poucos* infundir *vida em suas personagens;* "Deus infundiu-lhe [no homem e na mulher] a alma, com um sopro" (Machado de Assis, *Várias Histórias,* p. 140). **6.** Insinuar, inspirar, incutir: Infunde *em todos o maior respeito;* "narravam .... as façanhas desses fanáticos caboclos, ... e o faziam com tal exagero que infundia terror aos mais destemidos." (Inglês de Sousa, *Contos Amazônicos,* p. 199). *P.* **7.** Introduzir-se, penetrar.

infunicar. *V. t. d. Chulo.* Desfigurar; mascarar: infunicar *o rosto.* [Conjug.: v. *trancar.*]

infusa. [Do lat. *infusa,* 'derramada, vertida'.] *S. f.* Espécie de bilha: "um tarro com mel ou uma pequena infusa com leite" (Brito Camacho, *Quadros Alentejanos,* p. 23).

infusação. *S. f. Bras. Pop.* Estado de quem empobreceu ou se endividou muito.

infusado. *Adj. e s. m.* **1.** *Bras. Pop.* Empobrecido, ou endividado. **2.** *Bras., BA.* Diz-se de, ou garimpeiro que há muito tempo não encontra diamantes.

infusão. [Do lat. *infusione.*] *S. f.* **1.** Ato ou efeito de infundir(-se). **2.** Conservação temporária duma substância num líquido, para se lhe extraírem princípios medicamentosos ou alimentícios. **3.** Maceração farmacêutica. **4.** V. *cozimento* (2).

infusar. *V. int. Bras. Pop.* **1.** Tornar-se pobre; empobrecer(-se). **2.** Contrair muitas dívidas; encher-se de dívidas. [Cf. *enfusar.*]

infusibilidade. *S. f.* Qualidade de infusível.

infusível. [De *in-*[2] + *fusível.*] *Adj. 2 g.* Que não se pode fundir ou derreter; não fusível.

infuso. [Do lat. *infusu.*] *S. m.* **1.** Produto medicamentoso duma infusão: "quase lhe pede desculpas por ter dormido a sono solto, como se houvesse ingerido doses cavalares de infusos e barbitúricos." (Jorge Amado, *Dona Flor e Seus Dois Maridos,* p. 399). **2.** Líquido em que se faz a infusão. ● *Adj.* **3.** Posto de infusão. **4.** *Fig.* Diz-se dos conhecimentos ou virtudes que alguém tem de natureza, sem haver trabalhado para adquiri-los. ~ V. *ciência* —*a.*

infusório. [Do lat. mod. *infusoriu.*] *S. m. e adj.* Ciliado (2 e 3).

infusórios. *S. m. pl. Zool.* Ciliados.

infustamento. *S. m.* Cheiro característico das vasilhas do vinho.

infusura. *S. f. Veter.* Fluxão mórbida de humores que ataca os quadrúpedes.

ingá. [Do tupi *ĩ-gá.*] *S. m. e f. Bras.* **1.** Designação comum às árvores do gênero *Inga,* da família das leguminosas, de folhas penadas, flores densas e com estames longos, e frutos capsulares, que se caracterizam por ter sementes embebidas numa massa carnosa, não raro comestível. Ocorrem em todo o Brasil. **2.** O fruto de qualquer dessas árvores: "Dava-lhe [ao caminho] o doce ingá, rachado ao sol, o cheiro" (Alberto de Oliveira, *Poesias,* 4ª série, p. 223); "Iaiá ferra no sono, /

pende a cabeça, abre-se a rede, / como uma ingá." (Jorge de Lima, *Obra Completa*, I, p. 299).

ingá-açu. *S. m. Bras.* Árvore da família das leguminosas (*Inga cinnamomea*), nativa da Amaz., e cujo fruto, o ingá, é muito apreciado. [Pl.: *ingás-açus.*]

ingá-cipó. *S. m. Bras.* Árvore da família das leguminosas (*Inga edulis*), da Amaz., de casca tanífera, e cujo fruto, o ingá, é comestível, porém não muito doce. [Pl.: *ingás-cipós* e *ingás-cipó.*]

ingá-cururu. *S. m. Bras.* Arvoreta da família das leguminosas (*Inga fagifolia*), muito dispersa na zona litorânea, e cujo fruto não é utilizável. [Pl.: *ingás-cururus* e *ingás-cururu.*]

ingá-de-fogo. *S. m. Bras.* Arbusto da família das leguminosas (*Inga velutina*), de madeira dura e útil, e cujo fruto não é aproveitável. Ocorre no PA e PI. [Pl.: *ingás-de-fogo.*]

ingá-doce. *S. m. Bras.* Árvore da família das leguminosas (*Inga affinis*), de casca tanífera, e cujo fruto, o ingá, gera polpa doce e edule. Habita as margens dos rios. [Pl.: *ingás-doces.*]

ingaense. *Adj. 2 g.* **1.** Do, ou pertencente ou relativo ao Ingá (PB). ● *S. 2 g.* **2.** Natural ou habitante do Ingá. [F. paral.: *ingazense.*]

ingá-ferradura. *S. m. Bras.* Árvore da família das leguminosas (*Inga sessilis*), cujo fruto, o ingá, é muito espesso e recurvado, e cuja madeira serve para o carvão. Habita a floresta atlântica, do RJ ao RS. [Pl.: *ingás-ferraduras* e *ingás-ferradura.*]

ingá-mirim. *S. m. Bras.* Árvore da família das leguminosas (*Inga marginata*), de origem amazônica, cujo fruto, o ingá, tem polpa agradável, e cuja madeira é utilizável em carpintaria e obras internas. [Pl.: *ingás-mirins.*]

ingapeba (gà). *S. m. Bras.* Planta da família das leguminosas, subfamília mimosácea (*Inga ruiziana*), da Amaz.

ingarana (gà). [De *ingá* + *-rana.*] *S. f. Bras.* Designação comum a várias árvores da família das leguminosas, pertencentes aos gêneros *Inga* e *Pithecolobium*, e cujas flores e folhas são muito semelhantes às dos ingás legítimos.

ingareia. *S. f. Bras.* Coisa complicada.

ingarune. *Bras. S. 2 g.* **1.** Indivíduo dos ingarunes, tribo indígena que habita na região dos rios Trombetas, Panamá e Ponecuru. ● *Adj. 2 g.* **2.** Pertencente ou relativo a essa tribo. [Sin.: *tchicaridjana.*]

ingá-verde. *S. m. Bras.* **1.** Árvore da família das leguminosas (*Inga virescens*), de flores melíferas, fruto sem valor alimentar, e madeira pouco útil. **2.** O fruto dessa árvore. [Pl.: *ingás-verdes.*]

ingaxixi (gà). [Do tupi.] *S. m. Bras.* Árvore da família das leguminosas (*Inga alba*), cujo fruto e madeira não têm préstimo, e que habita a floresta amazônica.

ingazeira (gà). *S. f. Bras.* **1.** Árvore da família das leguminosas (*Inga capuchoi*), que vive na região do rio Tapajós (PA) e não tem qualquer utilidade. **2.** Designação comum às árvores do gênero *Inga*, da família das leguminosas, cujos legumes são comestíveis. [F. paral.: *ingazeiro.*]

ingazeiro (gà). *S. m. Bras.* Ingazeira.

ingazense (gà). *Adj. 2 g.* e *s. 2 g.* Ingaense.

ingênito. [Do lat. *ingenitu.*] *Adj.* De nascença; inato, congênito: *delicadeza i n g ê n i t a*; "uma tendência i n g ê n i t a, orgânica, ... para as cavalarias e para as aventuras" (Ramalho Ortigão, *Figuras e Questões Literárias*, I, pp. 166-167).

ingente. [Do lat. *ingente.*] *Adj. 2 g.* **1.** Muito grande; enorme, desmedido: "mais e mais inferior à sua tarefa i n g e n t e, vê [a centralização] recrescerem os perigos na razão da sua debilidade." (Tavares Bastos, *A Província*, p. 23.) **2.** Estrondoso, retumbante.

ingênua. [Fem. substantivado do adj. *ingênuo.*] *S. f.* **1.** Personagem-tipo que representa a jovem bela, meiga e inexperiente, em teatro, cinema, novela de rádio ou de televisão, etc. **2.** Atriz que desempenha esse papel.

ingenuidade (u-i). [Do lat. *ingenuitate.*] *S. f.* **1.** Qualidade de ingênuo; simplicidade, singeleza. **2.** Ação própria de pessoa ingênua.

ingênuo. [Do lat. *ingenuu.*] *Adj.* **1.** Em que não há malícia; simples, franco. **2.** Puro, inocente, singelo. ~ V. *realismo* —. ● *S. m.* **3.** Indivíduo ingênuo. **4.** *Bras.* Filho de escravo nascido após a lei da emancipação: "Estou já daqui ouvindo os vagidos nas senzalas... São os primeiros i n g ê n u o s." (Xavier Marques, *As Voltas da Estrada*, p. 123.)

ingerência. [Do lat. *ingerentia.*] *S. f.* Ato ou efeito de ingerir(-se); intervenção, influência: "A população do pequeno domínio, inteiramente fechado a qualquer i n g e r ê n c i a de fora, ... compunha-se de escravos .... e de rendeiros" (Joaquim Nabuco, *Minha Formação*, p. 211).

ingerir. [Do lat. *ingerere.*] *V. t. d.* **1.** Meter no estômago; engolir. *T. d.* e *i.* **2.** Fazer penetrar; introduzir, intrometer: *I n g e r i r a m certas suspeitas em ânimo confiante*; "O padre que i n g e r e nos deveres com Deus os deveres com a família, não simplifica o rigor dos seus encargos, complica-os" (Ramalho Ortigão, *As Farpas*, V, p. 41). *P.* **3.** Intervir, intrometer-se: *i n g e r i r - s e em negócios alheios.* [Conjug.: v. *aderir.* Part.: *ingerido.* Cf. *enjerido* e *enjerir-se.*]

ingestão. [Do lat. *ingestione.*] *S. f.* Ato de ingerir; deglutição.

inglês. [Do fr. ant. *angleis.*] *Adj.* **1.** De, ou pertencente ou relativo à Inglaterra (Europa); ânglico, anglo. ~ V. *altura* —*a*, *aspas* —*as*, *bilhar* —, *chave* —*a*, *dracma* —*a*, *filete* —, *letra* —*a*, *molho* —, *pontualidade* —*a*, *semana* —*a*, *solo* —, *soneto* — e *tonelada* —*a*. ● *S. m.* **2.** O natural ou habitante da Inglaterra; anglo. **3.** *Ling.* Língua germânica oficial da Inglaterra, E. U. A., Austrália, Nova Zelândia e, simultaneamente com o francês, do Canadá, a qual, levada para as Ilhas Britânicas durante os sécs. V e VI pelos conquistadores anglos e saxões, e implantada sobre um substrato celta, já no séc. XIV se fixava em sua forma moderna. [Flex.: *inglesa* (ê), *ingleses* (ê), *inglesas* (ê). Cf. *inglesa*, *inglesas* e *ingleses*, do v. *inglesar.*] ◆ **Inglês básico.** A língua inglesa reduzida às expressões essenciais (sistema Ogden). **Para inglês ver.** Para simular, aparentar; para ocultar uma realidade não conveniente: *As delicadezas em público são só p a r a i n g l ê s v e r: os dois vivem às turras.*

inglesa (ê). [Fem. substantivado do adj. *inglês.*] *S. f. Tip.* V. *letra inglesa.*

inglesada. *S. f. Bras.* **1.** Grupo ou conjunto de ingleses. **2.** Os ingleses.

inglesado. [Part. de *inglesar.*] *Adj.* **1.** Que tem modos e/ou aparência de inglês, ou que os afeta. **2.** Que é próprio de inglês. [Sin., desus., deprec.: *bife.*]

inglesar. *V. t. d.* **1.** Dar feição inglesa a. *P.* **2.** Tomar feição inglesa; adquirir hábitos ou costumes ingleses. [Pres. ind.: *ingleso, inglesas, inglesa*, etc.; pres. subj.: *inglese, ingleses*, etc. Cf. *inglesa* (ê), *inglesas* (ê) e *ingleses* (ê), flex. de *inglês.*]

inglório. [Do lat. *ingloriu.*] *Adj.* **1.** Em que não há glória: "Foi-lhe a existência neste i n g l ó r i o mundo / Uma aflição em meio de agonias" (Luís Guimarães, *Sonetos e Rimas*, p. 114). **2.** *P. ext.* Obscuro, modesto.

ingluvial. *Adj. 2 g. Zool.* **1.** Relativo ou pertencente ao inglúvio. **2.** Diz-se da indigestão, peculiar a certas aves, que se manifesta pela dilatação e dureza do papo.

inglúvias. [Do lat. *ingluvies.*] *S. f. pl. Zool.* Região entre os ramos da maxila e a laringe, nos mamíferos.

inglúvio. *S. m. Zool.* O papo ou primeiro estômago das aves.

ingomba. *S. m. Bras., N.* e *N.E.* V. *ingono.*

ingome. *S. m. Bras., PE.* V. *ingono.* [Cf. *engome*, do v. *engomar.*]

ingono. *S. m. Bras., N.* e *N.E.* Nos xangôs, designação comum aos tambores grandes, com o couro numa só extremidade, e percutidos com ambas as mãos; ingome, ingomba.

ingorôssi. [Do quimb.] *S. m. Bras., BA.* Reza dos candomblés angolenses, na qual o pai-de-santo agita o caxixi, e as filhas, no meio, batem com a mão espalmada sobre a boca, em resposta ao solo.

ingovernabilidade. *S. f.* Qualidade de ingovernável.

ingovernável. [De *in-*² + *governável.*] *Adj. 2 g.* **1.** Que não se pode governar. **2.** Insubmisso, indisciplinável. **3.** Irreprimível, irrefreável, insopitável: "Capitu, se traiu o marido, foi culpada — ou obedeceu a impulsos e hereditariedades i n g o v e r n á v e i s?" (Lúcia Miguel Pereira, *Machado de Assis*, p. 237.)

ingranzéu. *S. m.* V. *ingresia* (2).

ingratão. *S. m.* Homem muito ingrato; ingratatão. [Fem.: *ingratona.*]

ingratatão. *S. m.* Ingratão. [Fem.: *ingratatona.*]

ingratatona. *S. f.* Fem. de *ingratatão*; ingratona.

ingratidão. [Do lat. *ingratitudine.*] *S. f.* Qualidade ou ação de ingrato; falta de gratidão.

ingrato. [Do lat. *ingratu.*] *Adj.* **1.** Que não é grato; que não reconhece os benefícios que recebeu; desagradecido: "não somente sois i n g r a t o a el-rei de Portugal, que vos repôs no trono, como .... o sois para com Jesus Cristo, que desacatais na minha pessoa" (Aquilino Ribeiro, *Portugueses das Sete Partidas*, p. 149). **2.** *Fig.* Estéril, infecundo, improdutivo: "Terra i n g r a t a, onde a urze a custo desabrocha" (Guerra Junqueiro, *in* Agostinho de Campos, *Junqueiro*, p. 174). **3.** Não aprazível; desagradável; molesto: *tarefa i n g r a t a*; "Viver! Eu sei que a alma chora / E a vida é só dor i n g r a t a" (Raimundo Correia, *Poesias*, p. 7); "no mais i n g r a t o instante das horas de desânimo, a presença de minha filha era sempre uma consolação e um repouso" (Aluísio Azevedo, *Livro de uma Sogra*, p. 18). ● *S. m.* **4.** Indivíduo desagradecido. [Aum.: *ingratatão* e *ingratão.*]

ingratona. *S. f.* Fem. de *ingratão*; ingratatona.

ingrediente. [Do lat. *ingrediente.*] *S. m.* Substância que entra na preparação dum medicamento, duma iguaria, duma bebida, duma mistura, etc.: "o curare, ... feito do cipó uiarari com vários i n g r e d i e n t e s botânicos e letais adicionados" (Raimundo Morais, *País das Pedras Verdes*, p. 226).

íngreme. *Adj. 2 g.* **1.** Difícil de subir; que tem forte declive; abrupto, escarpado, alcantilado: "Na frente deles, a estrada erguia-se, numa ribanceira í n g r e m e, como um inimigo" (Mário Dionísio, *O Dia Cinzento*, p. 185). **2.** Árduo, custoso, difícil: "eles não tardam a deitar os bofes com as í n g r e m e s escaladas e desfiladeiros difíceis." (Aquilino Ribeiro, *O Homem da Nave*, p. 23).

ingremidade. *S. f.* Qualidade de íngreme. [Sin., p. us.: *ingremidez.*]

ingremidez (ê). *S. f. P. us.* Ingremidade.

ingrês. *Adj.* e *s. m. Pop.* Inglês. [Flex.: *ingresa* (ê), *ingreses* (ê), *ingresas* (ê).]

ingresia. [De *ingrês* + *-ia.*] *S. f.* **1.** Linguagem arrevesada e ininteligível. **2.** Barulho, berreiro, balbúrdia, confusão; ingranzéu.

ingressar. *V. t. c.* Fazer ingresso; dar entrada; entrar: "O costume de i n g r e s s a r em irmandades era mais que centenário, do tempo dos vice-reis" (Miécio Tati, *O Mundo de Machado de Assis*, p. 171).

ingresso. [Do lat. *ingressu.*] *S. m.* **1.** Ato de ingressar ou entrar. **2.** Introdução, admissão: *Não conseguiu i n g r e s s o no colégio.* **3.** Início, princípio, intróito. **4.** *Bras.* Bilhete de entrada em teatro, cinema, etc.

ingriba. *S. f. Bras., RS. Pop.* Questão, disputa, contenda.

íngua. [Do lat. *inguina* (pl. de *inguen, inis*), 'virilhas'.] *S. f. Patol.* **1.** Ingurgitamento do gânglio linfático inguinal. **2.** *P. ext.* Ingurgitamento dos gânglios da virilha, das axilas, do pescoço, etc. [Sin. ger.: *bubão.*]

ingüento. *S. m. Ant.* e *pop.* Var. de *ungüento.*

inguinal. [Do lat. *inguinale.*] *Adj. 2 g. Anat.* Relativo ou pertencente à virilha. ~ V. *linfogranuloma* —.

ingurgitação. [Do lat. *ingurgitatione.*] *S. f.* **1.** Ato ou efeito de ingurgitar(-se). **2.** *Patol.* Excesso de sangue ou de outro líquido, fisiológico ou patológico, em tecido, órgão ou conduto qualquer. [Sin. ger.: *ingurgitamento.*]

ingurgitamento. *S. m.* Ingurgitação.

ingurgitar. [Do lat. *ingurgitare.*] *V. t. d.* **1.** Engolir avidamente; devorar: "ajudava piedosamente seu genro e consórcio .... a i n g u r g i t a r copiosas libações de um vinho, que escaldaria outras goelas menos estanhadas." (Rebelo da Silva, *Contos e Lendas*, p. 77). **2.** Obstruir, entupir, enfartar. **3.** *Fig.* Ler, procurar conhecer, com avidez, muito rapidamente: "Havia no amarelado in-fólio literatura e gravura de variado quilate e mérito, que eu indistintamente i n g u r g i t a v a" (Léu Vaz, *Páginas Vadias*, p. 200). *Int.* **4.** Sofrer de ingurgitação (2). **5.** Aumentar de volume; inchar-se, intumescer-se, tumescer-se, ingurgitar-se. *P.* **6.** V. *ingurgitar* (5): "O rosto, maculado, i n g u r g i t o u - s e, tomando um aspecto duro, túrgido." (Virgílio Várzea, *Contos de Amor*, p. 167.) **7.** Empanturrar-se, abarrotar-se, enfartar-se: "Sobre uma crista de rocha estava um corvo, ... cujos olhos corriam o mar à busca de sustento, e cujos lentos meneios traíam na extrema prudência, a sagacidade cruel dos pássaros cobardes, a quem a luta repugna, e que se i n g u r g i t a m só de podridão." (Fialho d'Almeida, *O País das Uvas*, p. 203.) **8.** Atolar-se, atascar-se (em vícios ou paixões).

ingurunga. [De possível or. indígena.] *S. f. Bras., BA.* Terreno acidentado em demasia, com subidas e descidas íngremes; gurunga, gurungumba.

▲-inha. Fem. de *-inho.*

inhabento. *S. m. Bras.* Planta da família das cactáceas (*Peireskia bahiensis*), de alto caule provido de espinhos, e de folhas um tanto suculentas, flores róseas e fruto bacáceo.

inhaca[1]. *S. m. Luso-afr.* Senhor supremo; rei.

inhaca[2]. [Do tupi *yakwa*, 'odoroso'.] *S. f.* **1.** *Bras. Pop.* V. *bodum* (2): "E cresce a festa, poeira levantando, o cheiro de corpo, a i n h a c a dos homens" (José Sarney, *Norte das Águas*, p. 25). **2.** V. *morrinha* (5). **3.** *Bras., MG* e *SP. Pop.* V. *caiporismo.* [Var.: *iaca.*]

inhacanã. *S. f. Bras.* V. *saracura-sanã.*

inhaçanhã. *S. f. Bras.* V. *saracura-sanã.*

inhacurutu. *S. m. Bras.* V. *jacurutu.*

inhaíba. [Do tupi *ïnã'iwa*, 'árvore de andar na água', i.

e., 'mastro'.] *S. f. Bras.* Grande árvore da família das lecitidáceas *(Eschwilera rhodogonoclada)*, ocorrente na floresta do S. da BA, de folhas coriáceas e elípticas, flores vistosas, e cujo fruto é pixídio, sendo a madeira, pardo-amarelada e incorruptível, usada em construção naval; inhaíba-de-rego.

inhaíba-de-rego. *S. f. Bras.* Inhaíba. [Pl.: *inhaíbas-de-rego.*]

inhambu. [Var. de *inambu* < tupi *ĩnã'bu.*] *S. m. Bras.* Designação comum às aves tinamiformes da família dos tinamídeos, gêneros *Tinamus* Lath. e *Crypturellus* Brab. & Chub., características da região neotrópica, e desprovidas completa ou quase completamente de cauda: "Piava inhambu por tudo quanto é lado" (Carmo Bernardes, *Jurubatuba*, p. 45). [Var.: *nambu, nhambu, inamu, lambu.*]

inhambuaçu. [De *inhambu* + *-açu.*] *S. m. Bras., AM.* Designação comum a aves passeriformes da família dos tinamídeos, que abrange várias espécies, entre as quais o *Tinamus tao* Tem., de dorso preto-azulado, o *T. major* Gmel, pardo-oliváceo com o alto da cabeça pardo-avermelhado, e o *T. serratus* Spix, de coloração geral pardo-olivácea. [Var.: *inambuaçu, nambuaçu, nhambuaçu, inamuaçu*, sin.: *inhambuu, inhambu-grande.*]

inhambuanhanga. [De *inhambu* + tupi *anhã'gá*, 'diabo'.] *S. m. Bras.* Ave da ordem dos tinamiformes, da família dos tinamídeos (*Crypturellus variegatus* (Gmel.)), de coloração pardo-enegrecida na cabeça, de um tom ferrugíneo vivo na nuca, na garganta e no peito, dorso preto listrado de ferrugíneo, e barriga branco-amarelada. Ocorre do AM ao ES. [Var.: *inambuanhanga nambuanhanga, nhambuanhanga, inamuanhanga*, sin.: *inhambu-saracuíra, chororão, poranga, saracuíra.*]

inhambuapé. *S. m. e f. Bras., N.E.* V. *perdiz.*

inhambucuá. *S. m. Bras.* V. *inhambu-preto.* [Var.: *inambucuá, nambucuá, nhambucuá, inamucuá.*]

inhambu-grande. *S. m. Bras.* V. *inhambuaçu.* [Var.: *inambu-grande, nambu-grande, nhambu-grande, inamu-grande.* Pl.: *inhambus-grandes.*]

inhambuguaçu. [De *inhambu* + *-guaçu.*] *S. m. Bras.* Ave tinamiforme, da família dos tinamídeos (*Crypturellus obsoletus* (Tem.)), distribuída da Amaz. ao RS, de coloração bruno-avermelhada no dorso, cabeça e pescoço escuros, garganta cinzenta, peito castanho-escuro, abdome amarelado com largas faixas pretas na parte posterior. Vive nas matas virgens, alimentando-se de frutos, bagas, sementes e artrópodes. [Var.: *inambuguaçu, nambuguaçu, nhambuguaçu, inamuguaçu.*]

inhambuí. [De *inhambu* + *-i.*] *S. m. Bras.* V. *codorna.*

inhambumirim. [De *inhambu* + *-mirim.*] *S. m. Bras.* V. *inhambuxintã.* [Var.: *inambumirim, nambumirim, nhambumirim, inamumirim.*]

inhambupixuna. [De *inhambu* + tupi *pi'xuna*, 'negro'.] *S. m. Bras., AM.* V. *inhambu-preto.* [Var.: *inambupixuna, nambupixuna, nhambupixuna, inamupixuna.*]

inhambu-preto. *S. m. Bras.* Ave tinamiforme, da família dos tinamídeos (*Crypturellus cinereus* (Gmel.)), da Amaz., de coloração cinzenta uniforme, tirante ao oliváceo no dorso; inhambu-sujo, inhambupixuna, inhambucuá, inhambuquiá. [Var.: *inambu-preto, nambu-preto, nhambu-preto, inamu-preto.*]

inhambuquiá. *S. m. Bras.* V. *inhambu-preto.* [Var.: *inambuquiá, nambuquiá, nhambuquiá, inamuquiá.*]

inhambu-relógio. *S. m. Bras., Amaz.* Ave tinamiforme, da família dos tinamídeos (*Crypturellus strigulosus* (Tem.)), da Amaz., de coloração dorsal pardo-avermelhada escura finamente pintada, asas e dorso inferior listrados de amarelo-claro, garganta ferrugíneo-vivo ao avermelhado. O nome vulgar provém do fato de piar em intervalos regulares. [Var.: *inambu-relógio, nambu-relógio, nhambu-relógio, inamu-relógio.* Pl.: *inhambus-relógios* e *inhambus-relógio.*]

inhambu-saracuíra. *S. m. Bras., AM.* V. *inhambuanhanga.* [Var.: *inambu-saracuíra, nambu-saracuíra, nhambu-saracuíra, inamu-saracuíra.* Pl.: *inhambus-saracuíras* e *inhambus-saracuíra.*]

inhambu-sujo. *S. m. Bras., AM.* V. *inhambu-preto.* [Var.: *inambu-sujo, nambu-sujo, nhambu-sujo, inamu-sujo.* Pl.: *inhambus-sujos.*]

inhambuu. *S. m. Bras., Amaz.* V. *inhambuaçu.* [Var.: *inambuu, nambuu, nhambuu, inamuu.*]

inhambuxintã. [De *inhambu* (q. v.) + *chĩ*, por *tĩ*, 'bico', + *tã*, por *ã'tã*, 'duro'.] *S. m. Bras.* Ave tinamiforme, da família dos tinamídeos (*Crypturellus tataupa* (Tem.)), que ocorre da BA até o RS, de dorso bruno-castanho, cabeça e pescoço cinzento-escuros, garganta e meio do abdome brancos, sendo o resto do lado inferior cinzento, lados da barriga e coberteiras inferiores da cauda pretas com largas orlas brancacentas, bico vermelho, e pernas roxo-avermelhadas. Freqüenta as matas, alimentando-se de sementes, pequenos frutos, insetos e vermes. [Var.: *inambuxintã, nambuxintã, nhambuxintã, inamuxintã*, sin.: *inhambumirim* e *nambuzinho.*]

inhambuxororó. [De *inhambu* + *xoro'ró*, 'sussurrante'.] *S. m. Bras.* Ave tinamiforme, da família dos tinamídeos (*Crypturellus parvirostris* (Wagl.)), que ocorre do S. do AM até os pinheirais do S. Tem a cabeça, o pescoço e o peito anterior cinzentos, abdome esbranquiçado, e flancos pretos, pintados de branco. [Var.: *inambuxororó, nambuxororó, nhambuxororó, inamuxororó.* Sin.: *sururina.*]

inhame. *S. m. Bras.* Designação comum a ervas da família das aráceas, pertencentes a várias espécies dos gêneros *Alocasia* e *Colocasia*, e às da família das dioscoreáceas, do gênero *Dioscorea*, que se caracterizam por produzir tubérculos nutritivos e saborosos.

inhame-branco. *S. m. Bras.* Erva da família das aráceas (*Colocasia antiquorum*), originária da Índia, mas cultivada nos trópicos em geral, de folhas amplas, moles e escavadas na base, e flores em espigas compactas e com grande bráctea. Os tubérculos e as folhas, cozidos, são muito apreciados como alimento. [Sin.: *inhame-taioba, taioba.* Pl. *inhames-brancos.*]

inhame-cará. *S. m. Bras.* V. *caratinga* (1). [Pl.: *inhames-carás* e *inhames-cará.*]

inhame-da-china. *S. m. Bras.* Erva trepadeira, da família das dioscoreáceas (*Dioscorea batata*), muitíssimo utilizada como alimento, de folhas cordiformes, flores pequeninas dispostas em espiga, e cujas raízes são grandes tubérculos ricos em amido; cará. [Pl.: *inhames-da-china.*]

inhame-de-são-tomé. *S. m. Bras.* Erva da família das dioscoreáceas (*Dioscorea esculenta*), originária da Guiné e escassamente cultivada, de caule volúvel, folhas cordadas e acuminadas, e flores insignificantes, dispostas em espiga. [Pl.: *inhames-de-são-tomé.*]

inhame-nambu. *S. m. Bras.* Caranambu (1) [q. v.]. [Pl.: *inhames-nambus* e *inhames-nambu.*]

inhame-taioba. *S. m. Bras.* V. *inhame-branco.* [Pl.: *inhames-taiobas* e *inhames-taioba.*]

inhambupense. *Adj. 2 g.* **1.** De, ou pertencente ou relativo a Inhambupe (BA). • *S. 2 g.* **2.** Natural ou habitante de Inhambupe.

inhangapiense. *Adj. 2 g.* **1.** De, ou pertencente ou relativo a Inhangapi (PA). • *S. 2 g.* **2.** Natural ou habitante de Inhangapi.

inhapa. [Do quíchua *yapa*, atr. do esp. plat. *yapa.*] *S. f. Bras., S.* **1.** Aquilo que o vendedor dá de presente ao comprador. **2.** Aquilo que se ganha além do combinado. **3.** V. *gorjeta* (2). [Var.: *anhapa, japa.*]

inhapinhense. *Adj. 2 g.* **1.** De, ou pertencente ou relativo a Inhapim (MG). • *S. 2 g.* **2.** Natural ou habitante de Inhapim.

inhapupê. [Do tupi.] *S. m. Bras.* V. *perdiz.*

▲-inhar. *Suf. verb.* = 'ação freqüentativa, diminutiva': *cuspinhar, escrevinhar.* [V. *-ilhar.*]

inhato. [Var. protética de *nhato* < esp. platino *ñato.*] *Adj. Bras., RS.* **1.** Que tem nariz arrebitado e curto. **2.** Diz-se de animal de nariz chato. [Cf. *nhato.*]

inhaúma. *S. f. Bras.* V. *anhuma.*

inhaumense (a-u). *Adj. 2 g.* **1.** De, ou pertencente ou relativo a Inhaúma (MG). • *S. 2 g.* **2.** Natural ou habitante de Inhaúma.

inhengo. *Adj.* e *s. m. Bras., PR.* V. *inhenho.*

inhenho. [Do lat. *ingenuu.*] *Adj.* e *s. m.* **1.** Diz-se de, ou indivíduo muito acanhado, palerma, imbecil, pateta. **2.** *Ant.* Decrépito. [Var., no PR: *inhengo.*]

▲-inho. *Suf. nom.* = 'diminuição'; *barquinho.* [Equiv.: *-zinho, -ino*[2], *-im: boizinho, pequenino, flautim, espadim.* Fem.: *-inha, -zinha, -ina*[2]: *casinha, florzinha, cravina.*]

inhor (ô). Var. de *nhor* [q. v.]. ♦ **Inhor não.** *Bras. Pop.* v. *nhor não:* "— Você está bom? Alguma novidade por aí? | — Inhor não. Só vancê chegando." (Rui Santos, *Teixeira Moleque*, p. 192.) **Inhor sim.** *Bras. Pop.* V. *nhor sim.*

inhuma. *S. f. Bras.* V. *anhuma.*

inhumapoca. [Var. de *anhumapoca.*] *S. f. Bras.* V. *tachã.*

inhumense[1]. *Adj. 2 g.* **1.** De, ou pertencente ou relativo a Inhuma (PI). • *S. 2 g.* **2.** Natural ou habitante de Inhuma.

inhumense[2]. *Adj. 2 g.* **1.** De, ou pertencente ou relativo a Inhumas (GO). • *S. 2 g.* **2.** Natural ou habitante de Inhumas.

inibição. [Do lat. *inhibitione.*] *S. f.* **1.** Ato ou efeito de inibir(-se). **2.** Estado ou condição de pessoa inibida. **3.** *Med.* Parada ou limitação de uma função ou reação. **4.** *Psicol.* Resistência psicológica íntima a certos sentimentos ou atos: "A minha frieza corta-lhe o desejo que ainda tem de mim. E nem sequer o ajudo. Crio-lhe inibições. Humilho-o." (Urbano Tavares Rodrigues, *A Noite Roxa*, p. 240.)

inibido. [Part. de *inibir.*] *Adj.* e *s. m.* Que ou aquele que sofre de inibição (2, 3 e 4).

inibidor (ô). *Adj.* **1.** V. *inibitório.* "A conjugada ação de mil forças inibidoras invalida a instintiva ânsia reveladora do sofrimento." (Miguel Torga, *Diário*, IX, p. 56.) • *S. m.* **2.** Aquele ou aquilo que inibe. ♦ **Inibidor de crescimento.** *Ecol.* Inibidor de germinação. **Inibidor de germinação.** *Ecol.* Substância química que impede ou retarda a germinação das sementes. Existem inibidores naturais, como a cumarina, e artificiais, como as substâncias de crescimento. [Sin.: *inibidor de crescimento.*]

inibir. [Do lat. *inhibere.*] *V. t. d.* **1.** Impedir, embaraçar, estorvar: "Quisera exprimir as impressões .... que me deixou a grande pintura. Mas inibe-me sempre o receio .... de martelar inconscientemente no que li de impressões alheias .... sobre a pintura da Renascença italiana" (José Maria Belo, *Memórias*, p. 133). *T. d.* e *i.* **2.** Impedir, impossibilitar: "A qualidade de autor .... inibia-o [a Camões] de ser o revedor capaz da própria obra" (Aquilino Ribeiro, *Luís de Camões*, II, p. 210). **3.** Proibir, vedar. *P.* **4.** Ficar inibido, tolhido, embaraçado; embaraçar-se: "Muito real talento hoje se perde, muita vocação verdadeira e promissora se inibe e afinal desvia para outros vulgares ou inadequados rumos" (Léu Vaz, *Páginas Vadias*, p. 44).

inibitivo. *Adj.* V. *inibitório.*

inibitória. [Fem. substantivado de *inibitório.*] *S. f.* Dificuldade, embaraço, estorvo.

inibitório. *Adj.* Que inibe; inibitivo, inibidor: "Esta dúvida .... era a mais inibitória incerteza entre tantas outras que nos manietavam." (Euclides da Cunha, *Contrastes e Confrontos*, p. 13.)

iniciação. [Do lat. *initiatione.*] *S. f.* **1.** Ato ou efeito de iniciar(-se). **2.** Ato de começar qualquer coisa; início. **3.** Introdução ao conhecimento de coisas misteriosas ou desconhecidas. **4.** Admissão em uma sociedade secreta como, p. ex., a maçonaria. **5.** Preparação pela qual se inicia alguém nos mistérios de alguma religião ou doutrina e a cerimônia dela decorrente. **6.** *Etnol.* Processo ou série de processos correspondentes às diversas classes de idade, com que os jovens são iniciados nos ritos, nas técnicas e tradições da tribo, e assim preparados para a admissão na comunidade dos adultos. **7.** *Rel.* Catecumenato (2). **8.** Recebimento das primeiras noções relativas a uma ciência, uma arte, uma prática: *iniciação musical; iniciação no jogo do bridge.*

iniciado. [Part. de *iniciar.*] *Adj.* **1.** Principiado, começado, encetado. **2.** Instruído em (conhecimento, arte, etc.). • *S. m.* **3.** Neófito de qualquer seita ou ordem.

iniciador (ô). [Do lat. *initiatore.*] *Adj.* e *s. m.* Que ou aquele que inicia.

inicial. [Do lat. *initiale.*] *Adj. 2 g.* **1.** Que inicia, que está no começo, no princípio; iniciativo: *letra inicial; vogal inicial.* **2.** Primeiro, primitivo; "No Natal de 1927, a Litografia Trigueiros, estabelecimento gráfico de Maceió, imprimiu a edição inicial dos *Poemas* de Jorge de Lima" (Moacir Medeiros de Sant'Ana, *História do Modernismo em Alagoas*, p. 103). ~ V. *condição —, letra —.* • *S. f.* **3.** A primeira letra de uma palavra; letra inicial: "Surgiu então .... a minha roupa de cama (lençóis, fronhas, colchas), tudo marcado com as iniciais do meu nome" (Herberto Sales, *Dados Biográficos do Finado Marcelino*, pp. 45-46). **4.** *Jur.* A petição inauguratória da ação. **5.** *Tip.* V. *letra capitular.*

iniciando. *S. m.* Aquele que está em processo de iniciação (3 a 6); iniciante.

iniciante. *S. 2 g.* **1.** Iniciando. **2.** Aquele que se inicia; principiante, neófito, novato.

iniciar. [Do lat. *initiare.*] *V. t. d.* **1.** Dar princípio a; começar, principiar, encetar: "Um dos maiores encantos das viagens é iniciar o regresso." (Daniel de Carvalho, *De Outros Tempos*, p. 191.) **2.** Instruir em conhecimento, ciência, arte, etc.: *Não dispõe de tempo para iniciar os seus auxiliares. T. d.* e *i.* **3.** Ministrar as primeiras noções; informar, inteirar, enfronhar: *Não sabe quem iniciou o filho em tais práticas.* **4.** Preparar ou admitir aos mistérios e cerimônias (de ordem ou seita). *P.* **5.** Ser admitido; introduzir-se. **6.** Dar os primeiros passos; principiar: *iniciar-se na política.* [Pres. ind.: *inicio*, etc. Cf. *início.*]

iniciativa. [Fem. substantivado de *iniciativo.*] *S. f.* **1.** Ação daquele que é o primeiro a propor e/ou empreender uma coisa: *Tomou a si a iniciativa da obra.* **2.** *P.*

ext. Ação, empreendimento: *homem de grandes i n i c i a t i v a s; Sempre apoiou as grandes i n i c i a t i v a s.* **3.** Qualidade daquele que sabe agir, que está disposto a empreender, ousar: *É homem de i n i c i a t i v a; Tem espírito de i n i c i a t i v a.*
iniciativo. *Adj.* Inicial (1).
iniciatório. *Adj.* Referente a iniciação.
início. [Do lat. *initiu.*] *S. m.* **1.** Princípio, começo: *A empresa, hoje poderosa, no i n í c i o enfrentou sérias dificuldades; "falar bem é i n í c i o de escrever bem"* (Aires da Mata Machado Filho. *Falar, Ler e Escrever*, p. 20). **2.** Inauguração, fundação. **3.** Exórdio, preâmbulo. [Cf. *início*, do v. *iniciar.*]
inidentificável. [De *in-*[2] + *identificável.*] *Adj. 2 g.* Não identificável.
inidoneidade. [De *in-*[2] + *idoneidade.*] *S. f.* Qualidade de inidôneo; falta de idoneidade.
inidôneo. [De *in-*[2] + *idôneo.*] *Adj.* Não idôneo.
inigualável. [De *in-*[2] + *igualável.*] *Adj. 2 g.* Não igualável.
iniludível. [De *in-*[2] + *iludível.*] *Adj. 2 g.* **1.** Que não admite dúvidas: "Há uma medida i n i l u d í v e l para a capacidade individual e para a benevolência dos deuses." (Mário de Alencar, *Contos e Impressões*, p. 180.) **2.** Que não se pode iludir.
inimaginável. [De *in-*[2] + *imaginável.*] *Adj. 2 g.* Não imaginável, impensável: "Passei e repassei no espírito .... todas as hipóteses imagináveis e mesmo i n i m a g i n á v e i s." (Gilberto Amado, *Depois da Política*, p. 138.)
inimbó. [Do tupi *inĩ'bô*, 'o que faz cuspir'.] *S. m. Bras.* Arbusto um tanto escandente da família das leguminosas (*Caesalpinia bonducella*), comum na restinga, de folhas penadas, flores amarelas, fruto capsular, e ricamente armado de espinhos pungentes.
inimicícia. [Do lat. *inimicitia.*] *S. f. P. us.* Inimizade.
inimicíssimo. [Do lat. *inimicissimu.*] *Adj.* Superl. abs. sint. de *inimigo.*
inimigo. [Do lat. *inimicu.*] *Adj.* **1.** Hostil, adverso, contrário: *pessoas i n i m i g a s.* **2.** De, ou pertencente a grupo, facção ou partido oposto; hostil: *tropas i n i m i g a s.* **3.** Que prejudica, ou causa dano; nocivo. [Superl. abs. sint.: *inimicíssimo.*] ● *S. m.* **4.** Aquele que odeia ou detesta alguém ou algo. **5.** Grupo, facção ou partido hostil. **6.** *P. ext.* Membro ou unidade de grupo, facção ou partido dessa natureza. **7.** Coisa prejudicial, nociva, destrutiva: *O álcool é grande i n i m i g o do homem.* **8.** V. *diabo* (2). ◆ **Inimigo alugado.** *Bras., CE.* Pessoa a quem se mata por ordem de outrem. **Inimigo jurado.** Inimigo declarado, manifesto. **Inimigo público.** Indivíduo perigoso à ordem social.
inimistar. [Do esp. *enemistar.*] *V. t. d. e t. d. e i.* V. *inimizar* (1).
inimitável. [Do lat. *inimitabile.*] *Adj. 2 g.* Não imitável.
inimizade. [Do lat. vulg. **inimicitate.*] *S. f.* Falta de amizade; aversão, malquerença. [Sin. p. us.: *inimicícia.*]
inimizar. [De *inimizade.*] *V. t. d. e t. d. e i.* **1.** Tornar inimigo; malquistar; indispor, inimistar. *Int.* **2.** Provocar inimizade(s). *P.* **3.** Tornar-se inimigo; indispor-se; malquistar-se: "O tigre i n i m i z o u - s e com João Brandão. A pouco trecho eram figadais inimigos." (Bulhão Pato, *Memórias*, II, p. 145.)
inimputabilidade. *S. f.* Qualidade de inimputável.
inimputável. [De *in-*[2] + *imputável.*] *Adj. 2 g.* Não imputável; irresponsável.
ininflamável. [De *in-*[2] + *inflamável.*] *Adj. 2 g.* Não inflamável.
ininfluenciável. [De *in-*[2] + *influenciável.*] *Adj. 2 g.* Não influenciável.
ininteligência. [De *in-*[2] + *inteligência.*] *S. f.* Falta de inteligência, de compreensão.
ininteligente. [De *in-*[2] + *inteligente.*] *Adj. 2 g.* Que tem ou revela ininteligência; não inteligente.
ininteligibilidade. *S. f.* Qualidade de ininteligível.
ininteligível. [Do lat. *inintelligibile.*] *Adj. 2 g.* Não inteligível; incompreensível, obscuro, confuso: "Tartamudeou algumas palavras i n i n t e l i g í v e i s" (Adalberon Cavalcanti Lins, *Curral Novo*, pp. 244-245).
ininterrompido. [De *in-*[2] + interrompido.] *Adj.* V. *ininterrupto.*
ininterrupção. [De *in-*[2] + *interrupção.*] *S. f.* Falta de interrupção; continuidade, seqüência.
ininterrupto. [De *in-*[2] + *interrupto.*] *Adj.* Não interrompido; constante, incessante, contínuo, ininterrompido: *lida i n i n t e r r u p t a; "Nova e mais tesa rajada / Zune, zune, i n i n t e r r u p t a"* (Alberto de Oliveira, *Poesias*, 3ª série, p. 116).
ininvestigável. [Do lat. *ininvestigabile.*] *Adj. 2 g.* Que não se pode investigar; imperscrutável.
ínio. [Do gr. *ínion.*] *S. m. Anat.* O ponto mais proeminente da protuberância occipital externa.
iniódimo. [Do gr. *ínion*, 'nuca', + *didimo*, com síncope.] *S. m. Terat.* Monstro composto de dois indivíduos unidos pela área do ínio.
iniomo. *S. m.* **1.** Espécime dos iniomos. ● *Adj.* **2.** Pertencente ou relativo a eles.
iniomos. *S. m. pl. Zool.* Animais da classe dos peixes, neopterígios, da ordem *Iniomi*, abissais, de corpo frágil, negro ou prateado, comumente providos de órgãos luminescentes e em geral desprovidos de bexiga natatória. São os peixes luminosos.
ínion. *S. m. Anat.* V. *ínio.* [Pl.: *ínios* e (menos us.) *iníones.*]
iniqüidade. [Do lat. *iniquitate.*] *S. f.* **1.** Falta de eqüidade. **2.** Qualidade de iníquo. **3.** Ação ou coisa iníqua.
iníquo. [Do lat. *iniquu.*] *Adj.* **1.** Contrário à eqüidade. **2.** Perverso, malévolo; extremamente injusto: *sentença i n í q u a; "Assim como é justa a vaidade de um rei justo, também é i n í q u a a vaidade de um tirano"* (Matias Aires, *Reflexões sobre a Vaidade dos Homens*, p. 60).
injeção. [Do lat. *injectione.*] *S. f.* **1.** Ato ou efeito de injetar. **2.** Aquilo que se injeta. **3.** *Fig.* Aquilo que estimula, anima, ativa: *A Bolsa de Valores ativou-se graças a i n j e ç õ e s proporcionadas pelos incentivos fiscais.* **4.** *Eletrôn.* Introdução de um sinal em um circuito elétrico. **5.** *Fís. Nucl.* Introdução de um feixe de partículas num acelerador. **6.** *Geol.* Processo pelo qual o magma ou soluções derivadas dele se infiltram ao longo dos planos de menos resistência duma rocha preexistente. **7.** *Mat.* Correspondência biunívoca de um conjunto em outro; função injetora. **8.** *Med.* Introdução, em tecido, órgão ou formação patológica, de líquido, geralmente medicamentoso, e por meio de seringa e agulha. [Sin., lus. (nesta acepç.): *pica.*] **9.** *Bras. Fam.* Pessoa desagradável, enfadonha, tediosa, chata. V. *purgante* (3).
injetar. [Do lat. *injectare.*] *V. t. d.* **1.** Introduzir sob pressão (um fluido) em um corpo: "Encheu a seringa molhou algodão em álcool, i n j e t o u o líquido." (Nélson de Faria, *Cabeça-Torta*, p. 201.) **2.** Tornar corado ou vermelho pelo afluxo do sangue: "O sarampo encaroçou-lhe o corpo todo, i n j e t o u - lhe os olhos, deu-lhe febre." (Id., *Tiziu e Outras Estórias*, p. 178.) **3.** Introduzir (certos líquidos) na madeira a fim de corá-la e torná-la mais resistente. **4.** *Bras.* Aborrecer, maçar, cacetear, chatear. **5.** *Eletrôn.* Introduzir (um sinal) num circuito. *T. d. e i.* **6.** Aplicar, investir, como reforço: *I n j e t o u 3 bilhões no empreendimento. P.* **7.** Encher-se (de fluido injetado). **8.** Receber excessivo afluxo de sangue.
injetável. *Adj. 2 g.* Próprio para ser injetado.
injetor (ô). *Adj.* **1.** Que injeta. ~ V. *bomba —a* e *função —a.* ● *S. m.* **2.** Aparelho com que se injeta um fluido em algum órgão mecânico. **3.** Aparelho destinado à sulfuração das vinhas. **4.** Aparelho usado para a aplicação de inseticidas no solo.
injucundo. [Do lat. *injucundu.*] *Adj.* Não jucundo; sem graça.
injudicioso (ô). [De *in-*[2] + *judicioso.*] *Adj.* Não judicioso; insensato.
injunção. [Do lat. *injunctione.*] *S. f.* **1.** Ordem formal; imposição: "Em janeiro de 1822 partia José Bonifácio para o Rio de Janeiro, levando a célebre representação da junta paulista. Pedia ao Príncipe Regente que ficasse no Brasil, desobedecendo à i n j u n ç ã o das Cortes." (Afonso d'E. Taunay, *Grandes Vultos da Independência Brasileira*, p. 59.) **2.** Pressão das circunstâncias: *Teve de ceder às i n j u n ç õ e s políticas; "é mais difícil a defesa da consciência do jornalista ante as i n j u n ç õ e s patronais."* (Fidelino de Figueiredo. *O Medo da História*, p. 49). **3.** Imposição; exigência: "A morte era .... a libertação das i n j u n ç õ e s da carne." (Orígenes Lessa, *João Simões Continua*, p. 120.)
injungir. [Do lat. *injungere.*] *V. t. d.* **1.** Impor obrigação a; obrigar, forçar: *Veio por gosto, não a i n j u n g i. T. d. e i.* **2.** Impor obrigação; obrigar, constranger: *I n j u r g i m o - lo a uma deliberação; I n j u n g i r a m - no a demitir-se.* [Defect. Faltam-lhe as f. em que ao *g* da raiz, trocando em *j*, se seguiriam as vogais *o* e *a.*]
injuntivo. [De *injunctu*, 'forçado, imposto', + *-ivo.*] *Adj.* Obrigatório, imperativo.
injúria. [Do lat. *injuria.*] *S. f.* **1.** Ato ou efeito de injuriar. **2.** Aquilo que é injusto. **3.** Ato ou dito ofensivo a alguém; agravo, insulto. **4.** *Jur.* Ofensa à dignidade ou decoro de alguém. **5.** *Med.* Traumatismo produzido, em geral por força externa. [Cf. *injuria*, do v. *injuriar.*]
injuriador (ô). *Adj.* **1.** Que injuria; injuriante. ● *S. m.* **2.** Aquele que injuria.
injuriante. [Do lat. *injuriante.*] *Adj. 2 g.* Injuriador (1).
injuriar. [Do lat. **injuriare*, por *injuriari.*] *V. t. d.* **1.** Ofender por ação ou dito infamante; dirigir injúria ou insulto a; difamar, insultar. **2.** Desonrar, infamar: *i n j u r i a r a memória dos mortos.* **3.** Causar dano ou estrago a. *P.* **4.** Ter desdouro; dedignar-se, afrontar-se. **5.** *Bras. Pop.* Zangar-se, irritar-se, encolerizar-se: *I n j u r i o u - s e comigo à toa: não lhe fiz nenhum mal.* [Pres. ind.: *injurio, injurias, injuria*, etc. Cf. *injúria.*]
injuricidade. *S. f.* V. *injuridicidade.*
injuridicidade. [De *in-*[2] + *juridicidade.*] *S. f.* V. *antijuridicidade.*
injurídico. [De *in-*[2] + *jurídico.*] *Adj.* V. *antijurídico.*
injurioso (ô). [Do lat. *injuriosu.*] *Adj.* Em que há injúria; ofensivo, afrontoso, infamante.
injustiça. [Do lat. *injustitia.*] *S. f.* **1.** Falta de justiça. **2.** Ação ou coisa injusta.
injustiçado. [De *in-*[2] + *justiça* + *-ado*[1].] *Adj.* e *S. m.* Que ou aquele que não teve justiça, a quem não se fez justiça.
injustiçoso (ô). [De *in-*[2] + *justiçoso.*]. *Adj.* Que perpetra injustiças; iníquo.
injustificável. [De *in-*[2] + *justificável.*] *Adj. 2 g.* Não justificável.
injusto. [Do lat. *injustu.*] *Adj.* **1.** Falto de justiça; contrário à justiça; iníquo. **2.** Sem fundamento; infundado. ● *S. m.* **3.** Aquele que não é justo.
➡**in limine** (in límine). [Lat.] Desde logo, no início.
➡**in loco.** [Lat.] No lugar; *in situ.*
➡**in memoriam** (memóriam). [Lat.] Em lembrança de.
➡**inner stage** (ínâr stêidj). [Ingl., 'palco interior'.] *Teat.* O espaço coberto e situado ao fundo do palco elisabetano [q.v.], no local equivalente aos bastidores dos teatros modernos, ficando separado do *outer stage* por um cortinado, que se abria para as representações das cenas de interior, e era encimado por um ou dois pavimentos, em forma de balcão, também destinados às representações. [Sin.: *alcova, gabinete* e *palco interior.* Cf. *outer stage.*]
➡**inning** (ínin). [Ingl.] *S. m.* Um dos nove tempos de uma partida de beisebol ou críquete.
▲**-in(o)-.** [Do gr. *ís, inós.*] *El. comp.* = 'fibra', 'fibrina': *hipinose.*
▲**-ino**[1]. [Do lat. *-inu.*] *Suf. nom.* = 'semelhança', 'relação', 'origem', 'natureza': *diamantino, cristalino* (< lat. *crystallinu*), *marroquino, londrino.* [Equiv.: *-ina*[1]: *sabatina.*] [Em química, indica os hidrocarbonetos não-saturados com uma ligação tripla: *etino, decino.*]
▲**-ino**[2]. V. *-inho.*
inobediência. [Do lat. *inobedientia.*] *S. f.* Desobediência.
inobediente. [Do lat. *inobediente.*] *Adj. 2 g.* Desobediente (1).
inobjetividade. [De *in-*[2] + *objetividade.*] *S. f.* Falta de objetividade: "Espantoso testemunho da incrível i n o b j e t i v i d a d e das nossas elites" (Gilberto Amado, *Minha Formação no Recife*, p.123).
inobliterável. [Do lat. *inobliterabile.*] *Adj. 2 g.* Que não poder ser obliterado.
inobscurecível. [De *in-*[2] + *obscurecível.*] *Adj. 2 g.* Que não pode ser obscurecido ou escondido: *São i n o b s c u r e c í v e i s os seus méritos.*
inobservado. [Do lat. *inobservatu.*] *Adj.* Não observado; nunca visto.
inobservância. [Do lat. *inobservantia.*] *S. f.* **1.** Falta de observância. **2.** Qualidade de inobservante.
inobservante. [Do lat. *inobservante.*] *Adj. 2 g.* Que não observa; que não cumpre.
inobservável. [Do lat. *inobservabile.*] *Adj. 2 g.* Que não pode ser observado ou cumprido.
inocência. [Do lat. *innocentia.*] *S. f.* **1.** Qualidade de inocente. **2.** Falta de culpa; inculpabilidade. **3.** Candura, pureza. **4.** Simplicidade, ingenuidade.
inocentar. *V. t. d.* **1.** Considerar ou tornar inocente. **2.** Desculpar, absolver. *P.* **3.** Ser considerado inocente: *Pelo seu bom comportamento, i n o c e n t o u - s e no consenso geral.*
inocente. [Do lat. *innocente.*] *Adj. 2 g.* **1.** Inofensivo, inócuo. **2.** Sem culpa. **3.** Isento de malícia. **4.** Singelo, cândido, puro. **5.** Simples, ingênuo. **6.** *P. ext.* Idiota, imbecil. ● *S. 2 g.* **7.** Pessoa inocente. **8.** Criança de tenra idade. ◆ **Inocente útil.** *Bras.* Pessoa que serve aos interesses e objetivos de uma causa sem estar vinculada à organização política ou à ideologia dela.
➡**in-octavo.** [Lat.] *Adj.* e *s. m. Bibliol.* In-oitavo.
inocuidade (u-i). *S. f.* Qualidade de inócuo.
inoculabilidade. *S. f.* Qualidade de inoculável.

inoculação. [Do lat. *inoculatione.*] *S. f.* Ato ou efeito de inocular.

inocular. [Do lat. *inoculare.*] *V. t. d.* e *i.* **1.** Enxertar, inserir, introduzir. **2.** *Med.* Comunicar uma doença inserindo seu agente etiológico em um organismo. **3.** *Med.* Implantar microrganismos ou material infectado em meio de cultura. **4.** *Fig.* Transmitir, propagar, espalhar, difundir, disseminar: *A nova filosofia inoculou idéias consideradas, até então como tabus. P.* **5.** Transmitir-se, propagar-se, por contágio. **6.** Penetrar insensivelmente; aprofundar-se, arraigar-se. [Pres. ind.: *inoculo*, etc. Cf. *inóculo.*]

inoculável. *Adj. 2 g.* Que pode ser inoculado.

inóculo. [De *inocular.*] *S. m.* A substância empregada na inoculação. [Cf. *inoculo*, do v. *inocular.*]

inocultável. [De *in-*[2] + *ocultável.*] *Adj. 2 g.* Que é impossível ocultar ou dissimular; não ocultável: "o qualificativo vai se fixando no papel e no espírito, diante da presença inocultável do escritor" (Temistocles Linhares, *Interrogações*, p. 241).

inócuo. [Do lat. *innocuu*, 'não nocivo'.] *Adj.* Que não faz dano; inocente, inofensivo, inóxio: "Por que acostumar as crianças a matar .... as rãs que são inócuos bichos e até preciosos devoradores de larvas de mosquitos?" (E. Roquete-Pinto. *Seixos Rolados*, p. 36.)

inocupação. [De *in-*[2] + *ocupação.*] *S. f.* Desocupação, (2).

inodoro (dó). [Do lat. *inodoru.*] *Adj.* Que não tem odor; sem cheiro: *A água é um líquido inodoro*; "Pois que tudo acabou, mando-te agora / os passaportes dessa despedida: / — uma pálida rosa ressequida, / uma sombra de flor, murcha e inodora..." (Hermes Fontes, *Miragem do Deserto*, p. 113).

inoense. *Adj. 2 g.* **1.** De, ou pertencente ou relativo a Inoã (RJ). ● *S. 2 g.* **2.** Natural ou habitante de Inoã.

inofensivo. [De *in-*[2] + *ofensivo.*] *Adj.* Não ofensivo; que não faz mal; inocente.

inoficial. [De *in-*[2] + *oficial* (1 a 5).] *Adj. 2 g.* Não oficial.

inoficiosidade. *S. f.* Qualidade de inoficioso.

inoficioso (ô). [Do lat. *inofficiosu.*] *Adj.* **1.** Não oficioso. **2.** Que prejudica, sem razão conhecida; nocivo. ~ V. *doação— a e dote—.*

in-oitavo. [Do lat. *in-octavo.*] *Bibliol. Adj.* **1.** Diz-se de livro, ou formato de livro, em que cada folha (3), dobrada três vezes, é composta de 16 páginas, i. e., oito de cada lado. ● *S. m.* **2.** Livro nesse formato. [Sin., ger., lat.: *in-octavo.*]

inolente. [Do lat. *inolente.*] *Adj. 2 g.* Não olente; sem cheiro; inodoro.

inolvidável. [De *in-* + *olvidável.*] *Adj. 2 g.* Não olvidável, inesquecível: "Aí vai o lenço onde, orvalhada aurora, / Choraste, uma manhã, quando eu partia, / E a mecha de cabelos, luzidia, / Dada em risonha, inolvidável hora." (Eugênio de Castro, *Obras Poéticas*, V, p. 146).

inominado. [De *in-*[2] + lat. *nominatu*, 'nomeado, chamado'.] *Adj.* **1.** Que não tem nome: "Autores há incontestes ou facilmente identificáveis atrás de pseudônimos; outros, porém, enconchados em modéstia ou timidez, se conservam inominados." (Paulino Santiago, *Temas e Processos do Cancioneiro de Alagoas*, p. 73.) **2.** Não designado. ● *S. m.* **3.** O que é inominado; aquilo que não tem nome: "E eram rudos Titães, filhos de deuses! / E em seus possantes músculos fremia / Iradamente a dor de cem feridas, / Em que no inominado do Universo / Andava retalhada a alma das cousas!" (Alberto de Oliveira, *Poesias*, 3ª série, p. 218.)

inominável. [Do lat. *innominabile.*] *Adj. 2 g.* **1.** *P. us.* Que não se pode designar por um nome. **2.** *Fig.* Vil; intolerável; revoltante: *atentado inominável*; "Despertando, deu-se conta o religioso da inominável afronta que sofrera." (Eduardo Frieiro, *O Mameluco Boaventura*, p. 49).

inomogeneidade. [De *in-*[2] + *homogeneidade.*] *S. f. Fís.* Característica de um corpo que não tem as mesmas propriedades em todos os pontos.

inoperância. *S. f.* Qualidade de inoperante.

inoperante. [Do lat. *inoperante.*] *Adj. 2 g.* Que não opera; que não concorre para um resultado ou um juízo; que não produz o efeito necessário: *medidas inoperantes.*

inoperável. [De *in-*[2] + *operável.*] *Adj. 2 g.* Que não pode ser operado: "Prolongar o sofrimento desse canceroso inoperável .... afigurou-se-me uma crueldade sem nome." (Júlio Dantas, *Abelhas Doiradas*, p. 54.)

inópia. [Do lat. *inopia.*] *S. f.* **1.** Grande pobreza; indigência, penúria: "Padecendo de tudo extrema inópia" (Luís de Camões, *Os Lusíadas*, V, 6). **2.** Falta, escassez; insuficiência, defeito.

inopinado. [Do lat. *inopinatu.*] *Adj.* **1.** Não esperado; imprevisto: *acontecimento inopinado*; "A fragilidade dos meios de resistência de um povo acorda nos vizinhos mais benévolos veleidades inopinadas, converte contra ele os desinteressados em ambiciosos, os fracos em fortes, os mansos em agressivos." (Rui Barbosa, *Cartas de Inglaterra*, p. 203). **2.** Extraordinário, singular. [Sin. ger.: *inopino.*]

inopinável. [Do lat. *inopinabile.*] *Adj. 2 g.* **1.** Que não se pode esperar ou prever. **2.** Que não se pode apreciar.

inopino. [Do lat. *inopinu.*] *Adj.* V. *inopinado.* ♦ **De inopino.** De repente; de súbito; inopinadamente: "Beijou-o, deixou-se beijar sem olhá-lo e partiu de inopino." (Ledo Ivo, *A Cidade e os Dias*, p. 157.)

inopioso (ô). [Do lat. *inopiosu.*] *Adj.* Que tem inópia; pobríssimo, paupérrimo.

inoportunidade. *S. f. Qualidade de inoportuno; falta de oportunidade.*

inoportuno. [Do lat. *inopportunu.*] *Adj.* **1.** Que não é oportuno; intempestivo. **2.** Que vem, se faz ou sucede fora de tempo ou de ocasião conveniente. [Sin. ger.: *desoportuno.*]

inoprimido. [De *in-*[2] + *oprimido.*] *Adj.* Não oprimido; desoprimido.

inorar. *V. t. d.* e *int. Ant.* e *pop.* Ignorar.

inorgânico. [De *in-*[2] + *orgânico.*] *Adj.* **1.** Que não tem órgãos; que não é orgânico; anorgânico. **2.** Que não tem vida; anorgânico. **3.** *Quím.* Relativo aos, ou próprio dos compostos de qualquer elemento, exceto os de carbono. [Contrapõe-se a *orgânico* (6).] ~ V. *química — a.*

inorganização. [De *in-*[2] + *organização.*] *S. f.* Falta ou ausência de organização.

inorganizado. [De *in-*[2] + *organizado.*] *Adj.* Que não tem organização, ou não chegou a organizar-se.

inortodoxo. (cs). [De *in-*[2] + *ortodoxo.*] *Adj.* Infenso à ortodoxia; não ortodoxo: "Um poema de Schiller é o texto dos *soli* e coros que formam, de maneira inesperada e inortodoxa, o último movimento da IX Sinfonia, a primeira sinfonia com a colaboração de vozes humanas." (Oto Maria Carpeaux, *Uma Nova História da Música*, p. 143.)

inosculação. *S. f. Cir.* Estabelecimento de comunicação por meio de pequenas aberturas ou anastomoses [v. *anastomose*] e que se destina, em especial, a comunicar vasos sanguíneos já existentes ou outros tipos de formações tubulares que entrem em contato. [Sin., p. us.: *abocamento.*]

inositol. *S. m. Quím.* Hexaidrocicloexano de que existem nove isômeros, alguns presentes em organismos vivos, onde têm papel importante no crescimento. [Pl.: *inositóis.* Fórm.: $C_6H_{12}O_6$.]

inospitaleiro. [De *in-*[2] + *hospitaleiro.*] *Adj.* **1.** Não hospitaleiro. **2.** Que é desfavorável a estrangeiros, ou não os recebe: "a terra bárbara e inospitaleira em que arrastara [Cervantes] cinco anos os ferros da servidão" (Latino Coelho, *Cervantes*, p. 74).

inospitalidade. [Do lat. *inhospitalitate.*] *S. f.* **1.** Falta de hospitalidade. **2.** Recusa de receber estrangeiros.

inóspito. [Do lat. *inhospitu.*] *Adj.* **1.** Que não pratica a hospitalidade. **2.** Que não é apto para hospedar; que não tem condições para agasalhar. **3.** Em que não se pode viver: "Com a seca abrasadora essa região, que nunca fora amena, ... estava inóspita, árida, cruel." (Franklin Távora, *O Cabeleira*, p. 218.)

inovação. [Do lat. *innovatione.*] *S. f.* **1.** Ato ou efeito de inovar. **2.** *P. ext.* Novidade (2).

inovador (ô). *Adj.* e *s. m.* Que ou aquele que inova; novador.

inovar. [Do lat. *innovare.*] *V. t. d.* **1.** Tornar novo; renovar. **2.** Introduzir novidade em.

inoxidável (cs). [De *in-*[2] + *oxidável.*] *Adj. 2 g.* Não oxidável. ~ V. *aço —.*

inóxio (cs). [Do lat. *innoxiu.*] *Adj.* V. *inócuo.*

➧**in partibus** (in pártibuç). [Lat.] *In partibus infidelium.*

➧**in partibus infidelium** (in pártibuç infidélium). [Lat.] **1.** Nos países ocupados pelos infiéis. **2.** Diz-se do bispo cujo título é meramente honorífico. **3.** *P. ext.* Não efetivo; nominal.

➧**in petto.** [It.] No peito, i. e., intimamente, secretamente.

➧**input.** [Ingl.] *S. m.* **1.** *Econ.* Insumo. **2.** *Proc. Dados.* Dados que serão processados por um programa de computador; dados de entrada. **3.** *Proc. Dados.* Dispositivo, processo ou canal que intervém numa operação de transferência de dados de um dispositivo para outro; canal de entrada, processo de entrada, dispositivo de entrada, unidade de entrada. [Cf. *output.*]

inqualificável. [De *in-*[2] + *qualificável.*] *Adj. 2 g.* **1.** Que não se pode qualificar. **2.** Que, de tão abjeto, grosseiro ou inconveniente, não merece qualificação.

➧**in-quarto.** [Lat.] *Bibliol. Adj.* **1.** Diz-se de livro, ou formato de livro, em que cada folha (3), dobrada duas vezes, é composta de oito páginas, i. e., quatro de cada lado. ● *S. m.* **2.** Livro nesse formato.

inquebrantabilidade. *S. f.* Qualidade de inquebrantável.

inquebrantável. [De *in-*[2] + *quebrantável.*] *Adj. 2 g.* **1.** Que não se pode quebrantar; rijo, sólido; inflexível. *amizade inquebrantável*; "adquiria uma certeza inquebrantável de que eu era realmente Maria" (Maria Julieta Drummond de Andrade, *A Busca*, p. 96). **2.** Indefesso, incansável, infatigável.

inquerição. *S. f.* Ato de inquerir. [Cf. *inquirição.*]

inquerideira. [De *inquerir* + *-deira.*] *S. f.* Corda que suspende a carga aos cabeçotes da cangalha; látego.

inquerir. *V. t. d.* **1.** Apertar com inquerideira a carga de (animais). **2.** Apertar com corda: "apenas se viu inerme, foi subjugado por cem braços e inquerido (é o termo) com cordas de caroá" (José Américo de Almeida, *A Bagaceira*, p. 98). [Cf. *inquirir.*]

inquérito (ké). [Do lat. *quaeritare*, 'andar sempre em busca'.] *S. m.* **1.** Ato ou efeito de inquirir. **2.** Conjunto de atos e diligências com que se visa a apurar alguma coisa; sindicância. ♦ **Inquérito administrativo.** O que se realiza por ordem de autoridade administrativa, para apurar irregularidade no serviço público. **Inquérito judicial.** O que se efetua no juízo da falência, com base no relatório do síndico, a fim de apurar a existência de possíveis crimes falimentares e quais os seus autores. **Inquérito Policial-Militar.** *Mil.* Processo sumário pelo qual a autoridade militar investiga a procedência ou não de uma transgressão disciplinar ou de um crime. [Sigla: *I.P.M.*]

inquestionável (kes). [De *in-*[2] + *questionável.*] *Adj. 2 g.* Não questionável; indiscutível.

inquice. [Do quimb.] *S. m. Bras., BA.* Orixá, nos candomblés de Angola e do Congo.

inquietação. [Do lat. *inquietatione.*] *S. f.* **1.** Falta de quietação; falta de sossego: "Caminhava lentamente, preocupado, sentindo no coração uma inquietação vaga." (Inglês de Sousa, *O Missionário*, p. 189.) **2.** Excitação, agitação: *Que inquietação a deste menino!* [Sin. ger.: *inquietude.*]

inquietador (ô). [Do lat. *inquietatore.*] *Adj.* **1.** que causa inquietação; inquietante. ● *S. m.* **2.** Aquele que causa inquietação.

inquietante. [Do lat. *inquietante.*] *Adj. 2 g.* Inquietador (1).

inquietar. [Do lat. *inquietare.*] *V. t. d.* **1.** Pôr inquieto; causar inquietação ou desassossego a; perturbar, desassossegar, desinquietar, desquietar. **2.** Apoquentar, amofinar; excitar, alvorotar. **3.** Amotinar, sublevar; alvorotar: *inquietar a população. P.* **4.** Ter cuidados; desassossegar-se. **5.** Apoquentar-se, amofinar-se.

inquieto. [Do lat. *inquietu.*] *Adj.* **1.** Não quieto; desassossegado, desinquieto. **2.** Turbulento, excitado, agitado, desinquieto: "E as vagas após ele [o luar] correm... cansam / Como turba de infantes inquieta." (Castro Alves, *Poesias Escolhidas*, p. 325). **3.** Apreensivo, ansioso, aflito. *S. m.* **4.** Indivíduo inquieto.

inquietude. [Do lat. *inquietudine.*] *S. f.* V. *inquietação.*

inquilinato. [Do lat. *inquilinatu.*] *S. m.* **1.** Estado de quem reside em casa alugada. **2.** Os inquilinos.

inquilinismo. [De *inquilino* (2) + *-ismo.*] *S. m. Biol. Ger.* Vida de um ser no corpo de outro sem causar-lhe dano, como, p. ex., no caso das orquídeas em outros vegetais.

inquilino. [Do lat. *inquilinu.*] *S. m.* **1.** Indivíduo residente em casa que tomou de aluguel. **2.** *Biol. Ger.* Aquele que vive em outro organismo, ou no domicílio deste, mas não o prejudica.

inquinação. [Do lat. *inquinatione.*] *S. f.* Ato de inquinar; inquinamento.

inquinamento. *S. m.* Inquinação.

inquinar. [Do lat. *inquinare.*] *V. t. d.* **1.** Cobrir de manchas; manchar, sujar. **2.** Poluir, corromper; infectar. **3.** Perturbar a pureza de; corromper: "Gregório de Matos inquinara o lar doméstico e rira-se à custa da divindade." (Araripe Júnior, *Gregório de Matos*, p. 16.) *Transobj.* **4.** Tachar, qualificar, notar: *Inquinou de errônea a concordância usada pelo escritor.*

inquirição. [De *inquirir* + *-ção.*] *S. f.* **1.** Inquérito, sindicância, inquisição. **2.** Averiguação, indagação, inquisição. **3.** *Jur.* O ato de a autoridade competente indagar da testemunha o que ela sabe acerca de determinado fato. [Sin. ger.: *inquirimento.* Cf. *inquerição.*]

inquiridor (ô). *Adj.* **1.** Que inquire. ● *S. m.* **2.** Aquele que inquire. **3.** *Ant.* Oficial de justiça que inquiria testemunhas.

inquirimento. *S. m.* V. *inquirição.*

inquirir. [Do lat. *inquirire.*] *V. t. d.* **1.** Procurar informações acerca de: indagar; investigar; pesquisar: *Inquiriu as razões do procedimento do chefe.* **2.** Fazer perguntas a; perguntar, interrogar: *Inquiriu a causa daquela mudança.* **3.** Interrogar judicialmente: *inquirir testemunhas. T. d. e i.* **4.** Perguntar, interrogar: "Limitei-me a inquirir do agregado quando é que iria a casa ver minha mãe." (Machado de Assis, *Dom Casmurro,* p. 187.) *T. i.* **5.** Fazer indagações; informar-se: "Cuidou então Ptolomeu de inquirir da causa de semelhante flagelo" (João Ribeiro, *Floresta de Exemplos,* p. 62). *Int.* **6.** Fazer perguntas, indagações; procurar informar-se: *Inquiriu, sem obter respostas satisfatórias.* **7.** Fazer indagações, investigações, pesquisas, perquirições, de natureza filosófica ou científica; investigar, indagar, pesquisar, esquadrinhar: "Estudando, inquirindo, e meditando" (Gonçalves Dias, *Obras Poéticas,* II, p. 105). [Cf. *inquerir.*]

inquisição. [Do lat. *inquisitione.*] *S. f.* **1.** Inquirição (1 e 2). **2.** Antigo tribunal eclesiástico instituído com o fim de investigar e punir crimes contra a fé católica; Santo Ofício.

inquisidor (ô). [Do lat. *inquisitore.*] *S. m.* Juiz do tribunal da Inquisição.

inquisitivo. *Adj.* Relativo a, ou que envolve inquisição; interrogativo.

inquisitorial. [De *inquisitório* + *-al.*] *Adj. 2 g.* **1.** Respeitante a inquisição. **2.** Que tem caráter de exame vexatório. **3.** Muito severo; desumano; terrível. [Sin. ger.: *inquisitório.*]

inquisitório. *Adj.* V. *inquisitorial.*

insabido. [De *in-*[2] + *sabido.*] *Adj.* Não sabido; desconhecido: "Preciso de uma palavra. / Em que dia ou em que noite / Estará essa, que almejo, ideal palavra insabida, / A única, a exclusiva, a só?" (Abgar Renault, *A Outra Face da Lua,* p. 30.)

insaciabilidade. [Do lat. *insatiabilitate.*] *S. f.* Qualidade ou estado de insaciável.

insaciado. [Do lat. *insatiatu.*] *Adj.* Não saciado: "numa mudez d'estátua, em que os olhos úmidos, trespassando-se, continuavam o beijo insaciado que morrera nos seus lábios cansados." (Eça de Queirós, *Os Maias,* II, p. 173).

insaciável. [Do lat. *insatiabile.*] *Adj. 2 g.* Não saciável; que não se farta; ávido, sôfrego, avaro, insaturável: "Sei de uma criatura antiga e formidável, / Que a si mesma devora os membros e as entranhas, / Com a sofreguidão da fome insaciável." (Machado de Assis, *Poesias Completas,* p. 293.)

➧**in saecula saeculorum** (in sécula seculórum). [Lat.] Nos séculos dos séculos; eternamente.

insalivação. *S. f.* Ato de insalivar.

insalivar. [De *in-*[2] + *salivar.*] *V. t. d.* Impregnar de saliva (os alimentos).

insalubérrimo. [Do lat. *insaluberrimu.*] *Adj.* Superl. abs. sint. de *insalubre.*

insalubre. [Do lat. *insalubre.*] *Adj. 2 g.* **1.** Não salubre. **2.** Que origina doença; doentio. [Sin. ger.: *insalutífero.* Superl. abs. sint.: *insalubérrimo, insalubríssimo.*]

insalubridade. [Do lat. *insalubritate.*] *S. f.* Qualidade de insalubre.

insalutífero. [De *in-*[2] + *salutífero.*] *Adj.* Insalubre [q. v.].

insanabilidade. *S. f.* Qualidade de insanável.

insanável. [Do lat. *insanabile.*] *Adj. 2 g.* **1.** Que não pode ser sanado; incurável. **2.** Sem remédio. **3.** Insuprível, irremediável: "Mesmo no balancear com segurança os únicos perigos reais que nos assoberbam, não se distinguiriam males insanáveis" (Euclides da Cunha, *Contrastes e Confrontos,* p. 187).

insânia. [Do lat. *insania.*] *S. f.* Falta de juízo; loucura, demência: "A sua frágil consciência oscilava em torno dessa posição média, expressa pela linha ideal que Maudsley lamenta não se poder traçar entre o bom senso e a insânia." (Euclides da Cunha, *Os Sertões,* pp. 152-153.)

insanidade. [Do lat. *insanitate.*] *S. f.* **1.** Qualidade de insano. **2.** Falta de senso. **3.** Demência, loucura.

insano. [Do lat. *insanu.*] *Adj.* **1.** Insensato, demente: "Daqui me parto irado e quase insano / Da mágoa e da desonra ali passada" (Luís de Camões, *Os Lusíadas,* V. 57); "todas as profecias esdrúxulas de messias insanos" (Euclides da Cunha, *Os Sertões,* p. 140). **2.** *Fig.* Excessivo, árduo, custoso: *labor insano;* "E ele nos contou as lutas terríveis e o trabalho insano dos diamanteiros do Andaraí, ... no sertão da Bahia" (Félix Lima Júnior, *Mapirunga,* p. 63). ● *S. m.* **3.** Indivíduo insano, demente.

insaponificável. [De *in-*[2] + *saponificável.*] *Adj. 2 g.* Diz-se de substância insolúvel na água, ou que não se combina com os hidróxidos alcalinos para formar sabão solúvel.

insatisfação. [De *in-*[2] + *satisfação.*] *S. f.* Falta de satisfação, de contentamento; desagrado, desprazimento.

insatisfatório. [De *in-*[2] + *satisfatório.*] *Adj.* Que não satisfaz; não satisfatório.

insatisfazível. *Adj. 2 g.* Que não pode ser satisfeito; não satisfazível: "Eu ficava observando aquele fenômeno, aquela acomodação cósmica de interesses — o excesso de produção de farinha do céu e a fome insatisfazível do consumidor." (Gilberto Amado, *Minha Formação no Recife,* p. 270.)

insatisfeito. [De *in-*[2] + *satisfeito.*] *Adj. e s. m.* Que ou aquele que não está satisfeito, que não está saciado ou contente; descontente, desagradado.

insaturação. [De *in-*[2] + *saturação.*] *S. f. Quím.* Propriedade de compostos insaturados [v. *insaturado*]. Ex.: os alcenos, os alcinos.

insaturado. [De *in-*[2] + *saturado.*] *Adj. Quím.* Diz-se dos compostos orgânicos que apresentam ao menos uma ligação dupla ou tripla.

insaturável. [Do lat. *insaturabile.*] *Adj. 2 g.* **1.** Não saturável. **2.** Insaciável.

insciência. [Do lat. *inscientia.*] *S. f.* **1.** Falta de saber, ignorância. **2.** Inaptidão, imperícia.

insciente. [Do lat. *insciente.*] *Adj. 2 g.* **1.** Não ciente; ignorante. **2.** Inapto, inábil, imperito. [Sin. poét. *íscio.*]

íscio. [Do lat. *insciu.*] *Adj. Poét.* V. *insciente:* "E saberás que a pouco e pouco / Me fui deixando ir na corrente / Destes amores, íscio e louco..." (Alberto de Oliveira, *Poesias,* 4ª série, p. 149).

inscrever. [Do lat. *inscribere.*] *V. t. d.* **1.** Escrever, insculpindo, entalhando ou gravando: *Mandou inscrever um epitáfio; Inscreveu um sentido poema no túmulo do marido.* **2.** *P. ext.* Traçar, desenhar: *Inscreveu uma série de bonecos no caderno do filho.* **3.** Efetuar a inscrição (3) de; assentar em registro; escrever: *O funcionário inscreveu o candidato.* **4.** Pôr por escrito; escrever: "Peço licença para inscrever o seu nome na primeira página deste livro." (Camilo Castelo Branco, *Amor de Salvação,* p. 5.) *T. d. e c.* **5.** Inscrever (1): *Inscreveu belo epitáfio no túmulo do marido.* **6.** Perpetuar, eternizar: *A Divina Comédia inscreveu o nome de Dante na história. P.* **7.** Efetuar a inscrição (3) de si mesmo; escrever-se. [Part., irreg.: *inscrito.*]

inscrição. [Do lat. *inscriptione.*] *S. f.* **1.** Ato ou efeito de inscrever(-se). **2.** Caracteres ou palavras escritas ou gravadas em monumentos, medalhas, etc.; epígrafe: *inscrição tumular; O tempo quase apagara de todo a inscrição gravada ao pé da estátua.* **3.** Ato ou efeito de inscrever alguém ou algo em um registro, lista, etc.; assentamento, lançamento: *Já era fato comum a inscrição de seu nome no quadro de honra.* **4.** Matrícula (3): *Já foi paga a taxa de inscrição para os exames.* **5.** *Jur.* Averbação de certos atos (hipotecas, penhoras, doações, etc.) em livros próprios, a fim de que produzam efeitos legais. [Cf., nesta acepç., *registro* (2).]

inscritível. *Adj. 2 g.* Que pode inscrever-se ou ser inscrito.

inscrito. [Do lat. *inscriptu.*] *Adj.* **1.** Traçado dentro. **2.** Registrado, assentado. **3.** Incluído (em lista). ~ V. *ângulo* —, *círculo* — e *dívida* —a.

insculpir. [Do lat. *insculpere.*] *V. t. d.* **1.** Entalhar (1). **2.** Gravar em material duro; gravar. *T. d. e i.* **3.** *Fir.* Gravar (1): *Esse ato de bravura insculpiu seu nome entre os dos heróis pátrios. P.* **4.** Gravar (11). [Defect., não conjugável nas f. em que ao *p* da raiz se seguia *o* ou *a,* i. e., na 1ª pess. sing. do pres. ind. e, derivado desta, todo o pres. subj.]

insculter (ô). *S. m.* Aquele que insculpe.

inscultura. *S. f.* **1.** Arte de insculter. **2.** Obra de insculter: "Nos tetos, ao invés de heráldicos estuques, / insculturas de heróis, ou brasões de arquiduques, / há frisos de ouro." (Hermes Fontes, *A Fonte da Mata....,* p. 131.)

➧**in se.** [Lat.] *Filos.* Em si (4).

insecável[1]. [Do lat. *insiccabile.*] *Adj. 2 g.* Que não se pode secar; que não se esgota.

insecável[2]. [Do lat. *insecabile.*] *Adj. 2 g.* Que não se pode cortar; indivisível.

inséctil. [De *in-*[2] + *séctil.*] *Adj. 2 g.* Insétil. [Pl.: *inséctеis.*]

inseduzível. [De *in-*[2] + *seduzível.*] *Adj. 2 g.* Não seduzível.

insegurança. [De *in-*[2] + *segurança.*] *S. f.* Falta de segurança. [Sin., p. us.: *inseguridade.*]

inseguridade. [De *in-*[2] + *seguridade.*] *S. f. P. us.* Insegurança.

inseguro. [De *in-*[2] + *seguro.*] *Adj.* Não seguro.

inseminação. [De *inseminar* + *-ção.*] *S. f.* **1.** Fecundação do óvulo. **2.** Introdução do sêmen na cavidade uterina. [Sin. ger.: *seminação.*] ♦ **Inseminação artificial.** Processo de fecundação que consiste na introdução, por meio de recursos artificiais, de sêmen nas vias genitais femininas.

inseminar. [Do lat. *inseminare.*] *V. t. d.* Fazer a inseminação em.

insensatez (ê). *S. f.* Qualidade, ato ou dito de insensato.

insensato. [Do lat. *insensatu.*] *Adj.* **1.** Falto de senso ou razão; demente, louco: "Insensato aquele que busca / O amor na fúria dionisíaca!" (Manuel Bandeira, *Estrela da Vida Inteira,* p. 63.) **2.** Que não revela bom senso: "remergulhou nos lençóis. Mas espertara inteiramente, com uma idéia estranha, insensata, que o assaltara sem motivo" (Eça de Queirós, *Os Maias,* II, p. 482). ● *S. m.* **3.** Indivíduo insensato.

insensibilidade. [De *in-*[2] + *sensibilidade.*] *S. f.* **1.** Falta de sensibilidade. **2.** Apatia, indiferença, impassibilidade.

insensibilização. *S. f.* Ato ou efeito de insensibilizar.

insensibilizar. *V. t. d. e p.* Tornar(-se) insensível; dessensibilizar(-se): "A alta frialdade me insensibiliza" (Augusto dos Anjos, *Eu,* p. 125).

insensitivo. [De *in-*[2] + *sensitivo.*] *Adj.* Não sensitivo.

insensível. [Do lat. *insensibile.*] *Adj. 2 g.* **1.** Não sensível; apático, indiferente, impassível: *indivíduo insensível à dor, às repreensões.* **2.** Sem sensibilidade (3); *Tinha os dedos insensíveis.* **3.** Duro, impiedoso; inexorável: *coração insensível.* **4.** Que não se percebe ou aprecia pelos sentidos; imperceptível. ● *S. m.* **5.** Pessoa insensível.

inseparabilidade. [Do lat. *inseparabilitate.*] *S. f.* Qualidade de inseparável.

inseparável. [Do lat. *inseparabile.*] *Adj. 2 g.* **1.** Não separável: "Na minha inocência, eu já sabia por instinto o que viria a ficar tão claro mais tarde: que a obsessão da permanência é inseparável da criação." (Lígia Fagundes Teles, *A Disciplina do Amor,* p. 121.) **2.** Que existe sempre junto com outro.

insepulto. [Do lat. *insepultu.*] *Adj.* Não sepultado; dessepulto. [Opõe-se a *sepulto.*]

inserção. [Do lat. *insertione.*] *S. f.* **1.** Ato de inserir: "A índole eminentemente revolucionária .... deste discurso, a inserção dele num grande jornal, ... provam bem exuberantemente que não são portugueses que operam" (Ramalho Ortigão, *As Farpas,* VIII, p. 100). **2.** *Morfol. Veg.* Modo de união das folhas com o nó caulinar. Quanto à inserção, as folhas podem ser *alternas, opostas* ou *verticiladas.*

inserir. [Do lat. *inserere.*] *V. t. d. e c.* **1.** Colocar; introduzir, intercalar; incluir: *Não quis inserir em seu discurso a citação longa;* "Insere-me no rol dos privilegiados, me arrasta à copa, me serve uísque." (Macedo Miranda, *As Três Chaves,* p. 69). **2.** Pôr, meter; entranhar: *Inseriu o veneno na comida do animal. P.* **3.** Fixar-se, implantar-se: "A Monarquia não teve .... oportunidade de inserir-se na vida nacional como instituição indispensável" (Hermes Lima, *Tobias Barreto,* p. 67). [Sin.: *interserir.* Irreg. Conjug.: v. *aderir,* mas tem dois part.; *inserido* e *inserto.* Pres. ind.: *insiro, inseres, insere,.... inserem.* Cf. *encere, enceres, encerem,* do v. *encerar.*]

inserto. [Do lat. *insertu.*] *Adj.* **1.** Introduzido, inserido. **2.** Publicado entre outras coisas. [Cf. *incerto,* do v. *incertar,* adj. e s. m.]

inservível. [De *in-*[2] + *servível.*] *Adj. 2 g.* Que não serve, não presta serviço; sem utilidade; imprestável.

insetarrão. *S. m.* Aum. de *inseto.*

inseticida. [De *inseto* + *-i-* + *-cida.*] *Adj. 2 g.* **1.** Que mata insetos; que pratica inseticídio. ● *S. m.* **2.** Ingrediente próprio para matar insetos.

inseticídio. [Do lat. *inseto* + *-i-* + *-cídio.*] *S. m.* Morte que se dá a um inseto.

insetífero. [De *inseto* + *-i-* + *-fero.*] *Adj.* Que tem ou produz insetos.

insetífugo. [De *inseto* + *-i-* + *-fugo*[2].] *Adj.* Que afugenta os insetos.

insétil. *Adj. 2 g.* Indivisível (1). [Var. de *inséctil.* Pl.: *inséteis.*]

insetivoria. [De *insetívoro* + *-ia.*] *S. f. Bot.* Modalidade de nutrição de certas plantas mediante a captura e digestão de insetos. [Os aparelhos de captura variam muito nos diferentes vegetais insetívoros. Na comum *Drosera* brasileira são tentáculos providos de glândulas apicais, que se dobram sobre o corpo do inseto, prendendo-o, e, em seguida, segregando líquido digestivo.]

insetívoro. [De *inseto* + *-i-* + *-voro.*] *Adj.* **1.** Que come insetos. **2.** Pertencente ou relativo aos insetívoros. • *S. m.* **3.** Aquele que come insetos. **4.** Espécime dos insetívoros.

insetívoros. *S. m. pl. Zool.* Animais mamíferos, da ordem *Insectivora*, de pequeno porte, que têm boca em forma de focinho longo e afilado, dentes pontudos, pés com cinco dedos, com unhas, polegar não oponível, e pêlos às vezes espíneos. Alimentam-se de insetos e vermes. São o porco-espinho e a talpa.

inseto. [Do lat. *insectu.*] *S. m.* **1.** Espécime dos insetos; hexápode. [Aum.: *insetarrão.*] **2.** *Fig.* Pessoa insignificante; pobre-diabo. [Cf. *enceto*, do v. *encetar.*]

insetologia. [De *inseto* + *-log(o)-* + *-ia.*] *S. f.* Entomologia.

insetológico. *Adj.* Relativo à insetologia; entomológico.

insetologista. *S. 2 g.* Especialista em insetologia; entomologista.

insetos. *S. m. pl. Zool.* Animais artrópodes, da classe *Insecta*, cujo corpo é dividido em cabeça, com um par de antenas, e tórax com três pares de patas. Asas ausentes, ou em número de duas ou de quatro; respiração por meio de traquéias. Na maioria são terrestres. [Sin.: *hexápodes.*]

insexuado (cs). [De *in-*[2] + *sexuado.*] *Adj.* V. *assexuado* (1 e 3): "Era uma adolescente de rosto ingênuo e doce, e tão insexuada que diríeis um efebo." (Tristão da Cunha, *Histórias do Bem e do Mal*, p. 151.)

insexual (cs). [De *in-*[2] + *sexual.*] *Adj. 2 g.* Avesso ou alheio às tendências naturais do sexo: "Seca o pranto feliz sobre os meus olhos castos... / Ampara a minha fronte, e que a minha ternura / Se torne insexual, mais do que humana" (Manuel Bandeira, *Estrela da Vida Inteira*, p. 44).

insexualidade (cs). *S. f.* Qualidade de insexual.

insídia. [Do lat. *insidia.*] *S. f.* **1.** Emboscada, cilada: "Os nossos antigos poetas, como os pioneiros do antigo Brasil, queixavam-se da tristeza da terra, das insídias do sertão inculto, da aspereza das brenhas e da ferocidade das gentes selvagens e bravias." (João Ribeiro, *Cartas Devolvidas*, p. 114.) **2.** Estratagema, perfídia. [Cf. *insidia*, do v. *insidiar*, e *incidia*, do v. *incidir.*]

insidiador (ô). [Do lat. *insidiatore.*] *Adj.* e *s. m.* Que ou aquele que insidia.

insidiar. [Do lat. **insidiare*, por *insidiari.*] *V. t. d.* **1.** Armar insídias a; preparar ciladas a. **2.** Procurar ou tentar corromper. [Pres. ind.: *insidio, insidias, insidia, insidiamos, insidiais, insidiam.* Cf. *insídia*, s. f., e o imperf. ind. dos v. *incidir* e *incindir.*]

insidioso (ô). [Do lat. *insidiosu.*] *Adj.* **1.** Que é dado a armar insídias. **2.** Traiçoeiro, pérfido: "Esse corpo sem luz como uma alma com frio / Me chama e por entre a água enganosa do rio / Se insinua a insidiosa idéia do suicídio." (Dante Milano, *Poesias*, p. 97.)

➧**insight** (insáit). [Ingl.] *S. m. Psicol.* Compreensão repentina, em geral intuitiva, de suas próprias atitudes e comportamentos, de um problema, de uma situação.

insigne. [Do lat. *insigne.*] *Adj. 2 g.* Muito distinto; notável, célebre, assinalado: *varão insigne; feitos insignes;* "Nasceu Miguel de Cervantes Saavedra na cidade de Alcalá de Henares, célebre pela insigne universidade que ali floresceu por tanto tempo" (Latino Coelho, *Cervantes*, p. 51).

insígnia. [Do lat. *insignia.*] *S. f.* **1.** Sinal distintivo de uma função, de dignidade, de posto, de comando, de poder, de nobreza, etc.; símbolo, emblema, divisa: *Via-se na mão do almirante o bastão, insígnia de comando;* "ele só via a insígnia imperial, pesada de ouro, rútila de brilhantes e outras pedras preciosas." (Machado de Assis, *Quincas Borba*, p. 359). **2.** Sinal distintivo dos membros de uma associação, irmandade, grupo, etc.: *A medalha do santo era a insígnia da irmandade de S. João.* **3.** *Jur.* Designação, nominativa ou emblemática, dum estabelecimento industrial ou comercial, capaz de o distinguir de outros, do mesmo gênero ou não.

insignificância. *S. f.* **1.** Qualidade de insignificante. **2.** Coisa de pouco valor, de escassa ou nenhuma importância; ninharia: *Desavieram-se por uma insignificância.*

insignificante. [De *in-*[2] + *significante.*] *Adj. 2 g.* **1.** Que não tem valor; sem importância; reles. • *S. 2 g.* **2.** Pessoa sem importância.

insignificativo. [Do lat. *insignificativu.*] *Adj.* Não significativo: "Um cego de nascença colhe, da beleza natural, apenas alguns cantos de pássaro .... e certos rumores quase insignificativos .... quando separados da contemplação visual." (José Oiticica, *Curso de Literatura*, p. 46).

insimulação. [Do lat. *insimulatione.*] *S. f.* Ato ou efeito de insimular.

insimular. [Do lat. *insimulare.*] *V. t. d.* **1.** Atribuir crime a; denunciar. *T. d.* e *i.* **2.** Acusar falsa ou injustamente: *Insimularam-no de participante do roubo.*

insinceridade. [Do lat. *insinceritate.*] *S. f.* Falta de sinceridade.

insincero. [Do lat. *insinceru.*] *Adj.* Não sincero: *amigo insincero; atitude insincera.*

insinuação. [Do lat. *insinuatione.*] *S. f.* **1.** Ato de insinuar(-se). **2.** Aquilo que se insinua, que se dá a entender de modo hábil, sutil. **3.** Sugestão, lembrança. **4.** Advertência direta ou disfarçada. **5.** *Jur.* Menção de circunstância ou de cláusula em documento público.

insinuador (ô). [Do lat. *insinuatore.*] *Adj.* e *s. m.* Que, ou aquele que insinua ou se insinua.

insinuância. *S. f.* Qualidade de insinuante.

insinuante. [Do lat. *insinuante.*] *Adj. 2 g.* **1.** Que insinua; próprio para insinuar. **2.** Que tem o dom, a habilidade de se insinuar, de captar a simpatia: "ambicioso de glória e de mando; .... insinuante nas maneiras e na figura." (Bulhão Pato, *Memórias*, II, p. 7). [Sin. ger.: *insinuativo.*]

insinuar. [Do lat. *insinuare*, 'meter no seio'.] *V. t. d.* **1.** Introduzir, fazer penetrar, no ânimo, no coração; persuadir: *insinuar uma boa ação.* **2.** Dar a entender de modo sutil ou indireto: *Não disse propriamente que não, mas insinuou uma negativa.* **3.** Incutir o conhecimento de; pretender provar. **4.** Registrar em escritura pública. *T. d.* e *i.* **5.** Introduzir sutilmente ou destramente: *Insinuou-lhe no bolso uma nota de 100 cruzados.* **6.** Introduzir, fazer penetrar, no ânimo, no coração: "basta esse trecho para dar idéia do seu modo de insinuar nos espíritos uma direção nova, um rumo diverso do que se ia levando." (Joaquim Nabuco, *Minha Formação*, p. 185). **7.** Dar a entender de maneira sutil ou indireta: *Insinuou ao chefe que fora mal remunerado. Int.* **8.** Dar a entender algo de modo sutil ou indireto: *Em vez de ser franco, de afirmar, insinua. P.* **9.** Introduzir-se sutilmente, com habilidade ou dissimulação: "insinuando-se jeitosamente pelas casas, esquadrinhando todos os recantos do arraial" (Euclides da Cunha, *Os Sertões*, p. 202); "A imagem de Glorinha se insinuou mansamente no meu espírito" (Nélson de Faria, *Tiziu e Outras Estórias*, p. 95). **10.** Penetrar nos interstícios, ou por eles: "Um raio de sol, insinuando-se por uma frincha da janela, ... descia em diagonal sobre o pelego onde jaziam as sandálias." (Coelho Neto, *Obra Seleta*, I, p. 343); "A brisa se insinuava entre as flores." (Clarice Lispector, *Laços de Família*, p. 29). **11.** Captar a amizade ou a benevolência de alguém.

insinuativa. [Fem. substantivado de *insinuativo.*] *S. f.* Faculdade ou arte de se tornar insinuante.

insinuativo. *Adj.* V. *insinuante:* "Se o senhor quiser, continuou ela com certo tom insinuativo, tudo se há de arranjar." (Machado de Assis, *Páginas Recolhidas*, p. 8.)

insipidez (ê). *S. f.* Qualidade de insípido.

insípido. [Do lat. *insipidu.*] *Adj.* **1.** Que não tem sabor; que não é sápido. **2.** *Fig.* Desagradável; tedioso; monótono: *conversa insípida;* "Que dia insípido e enfadonho!" (Olegário Mariano, *Toda uma Vida de Poesia*, I, p. 215); "Começava a solene oração coral, insípida, monótona, como paisagem gaúcha." (Antônio Carlos Vilaça, *O Nariz do Morto*, p. 97). ~ V. *diabetes* —.

insipiência. [Do lat. *insipientia.*] *S. f.* Qualidade de insipiente.

insipiente. [Do lat. *insipiente.*] *Adj. 2 g.* **1.** Não sapiente; ignorante: "Mas cem, mas mil, mas dez mil clérigos maus ou insipientes, ainda que os fundam e os acrisolem, chegarão .... a produzir o equivalente de um homem de alguma inteligência e de alguma honestidade?" (Alexandre Herculano, *Opúsculos*, III, p. 41.) **2.** Desassisado, insensato. **3.** Sem cautela; imprudente. [Cf. *incipiente.*]

insistência. [Do lat. *insistentia.*] *S. f.* Ato de insistir; teima persistente; obstinação, contumácia.

insistente. [Do lat. *insistente.*] *Adj. 2 g.* **1.** Que insiste; teimoso, obstinado, perseverante. **2.** Importuno, maçador. **3.** Em que há insistência; feito com insistência; instante: *chamado insistente; apelo insistente.*

insistir. [Do lat. *insistere.*] *V. t. i.* **1.** Perseverar no que diz ou pede; persistir na afirmativa ou no pedido; instar: *Insistiu na pergunta que julgava capital;* "Ver é o supremo bem. Eu insisto em cismar / Se a alma será, talvez, uma função do olhar..." (Vicente de Carvalho, *Poemas e Canções*, p. 103); "Quase todos os teoristas do conto insistem em que só podem escrever boas histórias os que realmente têm o que contar." (R. Magalhães Júnior, *A Arte do Conto*, p. 21); "Não devo insistir sobre os efeitos psíquicos e fisiológicos da música" (Mário de Andrade, *Namoros com a Medicina*, p. 13); "Os três filhos de Bastos Leite .... insistiram por que o pai lhes consentisse irem ao encontro de Joanito Ribeiro" (Xavier Marques, *As Voltas da Estrada*, p. 73); "Roberto insistia que não havia contágio senão ao pé de doentes ou tocando-se nas roupas infectadas." (Vitorino Nemésio, *Mau Tempo no Canal*, p. 144). [Note-se nesta abonação a elipse da prep. *em.*] **2.** Teimar, obstinar-se; porfiar: *Insistiu em manter o sigilo, fossem quais fossem as ameaças;* "Suas mãos finas e dessangradas .... agitam-se como pássaros, espantando as moscas que insistem em pousar nos rostos dos pacientes." (Érico Veríssimo, *México*, p. 30). *Bit. i.* **3.** Pedir com insistência; instar. *Int.* **4.** Perseverar no que diz, ou faz; persistir numa afirmativa ou atitude; prosseguir, continuar: *Insista, não desista.* **5.** Teimar, obstinar-se, porfiar em resolução ou intento.

ínsito. [Do lat. *insitu.*] *Adj.* **1.** Inserido, introduzido. **2.** Congênito, inato: "Os nossos verdadeiros problemas, os que são verdadeiramente nossos, porque são ínsitos à nossa condição de íbero-americanos, estes permanecem despercebidos ou ignorados." (Oliveira Viana, *O Idealismo da Constituição*, p. 145.) [Cf. *incito*, do v. *incitar.*]

➧**in situ** (in sítu). [Lat.] In loco.

insituável. [De *in-*[2] + *situável.*] *Adj. 2 g.* Não situável.

insobriedade. *S. f.* Qualidade de insóbrio; falta de sobriedade.

insóbrio. [De *in-*[2] + *sóbrio.*] *Adj.* Falta de sobriedade: "o largo sacudir de braços amigos, a socialidade explosiva e insóbria" (Oliveira Viana, *Pequenos Estudos de Psicologia Social*, p. 37).

insociabilidade. *S. f.* Qualidade de insociável.

insocial. [Do lat. *insociale.*] *Adj. 2 g.* Não social; estranho à vida da sociedade. [Cf. *insociável.*]

insociável. [Do lat. *insociabile.*] *Adj. 2 g.* **1.** Não sociável; misantropo. **2.** Que não é lhano; pouco amável; intratável. [Sin. ger.: *dessociável.* [Cf. *insocial.*]

insofismável. [De *in-*[2] + *sofismável.*] *Adj. 2 g.* Não sofismável.

insofreável. [De *in-*[2] + sofreável.] *Adj. 2 g.* Não sofreável.

insofrido. [De *in-*[2] + *sofrido.*] *Adj.* **1.** Que não é sofredor, ou que o é pouco. **2.** Pouco paciente para sofrer. **3.** Impaciente, sôfrego, indomável, desinsofrido: *moço insofrido; paixão insofrida.*

insofrimento. [De *in-*[2] + *sofrimento.*] *S. m.* Estado de insofrido.

insofrível. [De *in-*[2] + *sofrível.*] *Adj. 2 g.* Que não se pode sofrer; não sofrível; insuportável.

insolação. [Do lat. *insolatione.*] *S. f.* **1.** *Meteor.* Tempo durante o qual o Sol permanece descoberto, brilhando, livre de nebulosidade, nevoeiro, etc. **2.** *Patol.* Resultado mórbido da exposição ao sol; heliose. **3.** *Med.* Exposição ao sol como meio terapêutico. V. *intermação.* [Cf. *insulação.*]

insolar. [Do lat. *insolare.*] *V. t. d.* **1.** Submeter à insolação; expor ao sol. *Int.* **2.** Ficar doente pela ação do sol. [Cf. *insular.*]

insolência. [Do lat. *insolentia.*] *S. f.* **1.** Qualidade ou caráter de insolente. **2.** Ato ou palavra insolente; atrevimento, desaforo, ousadia. **3.** Maneira insólita de proceder; inconveniência. **4.** Coisa fora do comum, insólita: *Sua beleza é uma insolência.*

insolente. [Do lat. *insolente.*] *Adj. 2 g.* **1.** Que é ofensivamente desrespeitoso em atos ou palavras; atrevido, desaforado, ousado. **2.** Grosseiro, malcriado. **3.** Desdenhoso, altivo, arrogante. **4.** Impudente, inconveniente. **5.** Que, por seu caráter fora do comum, é como uma provocação, um desafio à condição humana; inacreditável, incrível, insólito. • *S. 2 g.* **6.** Pessoa insolente.

insolidariedade. [De *in-*[2] + *solidariedade.*] *S. f.* Falta de solidariedade.

insólito. [Do lat. *insolitu.*] *Adj.* **1.** Não sólito; desusado; contrário ao costume, ao uso, às regras; inabitual: *procedimento insólito; vestes insólitas.* **2.** Anormal; incomum; extraordinário: "Do sapateiro Antônio Pequeno .... foram os sapatos de duraque, dum tamanho insólito, muito esparramados" (Camilo Castelo

Branco, *Sentimentalismo e História*, p. 241).

insolubilidade. [Do lat. *insolubilitate.*] *S. f.* Qualidade de insolúvel.

insolúvel. [Do lat. *insolubile.*] *Adj. 2 g.* **1.** Que não é solúvel. **2.** Que não se desata: *vínculo insolúvel.* **3.** Que não se pode pagar ou cobrar. **4.** Que não se pode resolver: "tudo isto me parece criar .... uma confusão indeslindável e insolúvel" (Ramalho Ortigão, *Figuras e Questões Literárias*, II, p. 117).

insolvabilidade. [Do fr. *insolvabilité.*] *S. f.* V. *insolvência.*

insolvável. [Do fr. *insolvable.*] *Adj. 2 g.* V. *insolvente.*

insolvência. [De *in-*² + *solvência.*] *S. f.* Qualidade ou situação de insolvente. [F. preferível a *insolvabilidade.*]

insolvente. [De *in-*² + *solvente.*] *Adj. 2 g.* e *s. 2 g.* Que ou quem não pode pagar o que deve: "devedor para sempre insolvente." (Euclides da Cunha, *À margem da História*, p. 58). [F. preferível a *insolvável.*]

insolvível. [De *in-*² + *solvível.*] *Adj. 2 g.* Que não pode ser pago.

insondabilidade. *S. f.* Qualidade de insondável.

insondado. [De *in-*² + *sondado.*] *Adj.* **1.** Que não está sondado. **2.** Não estudado; desconhecido.

insondável. [De *in-*² + *sondável.*] *Adj. 2 g* **1.** Não sondável; de que não se pode encontrar o fundo: *abismo insondável.* **2.** *Fig.* Inexplicável, incompreensível: *problema insondável; mistérios insondáveis.*

insone. [Do lat. *insomne*] *Adj. 2 g.* **1.** Que tem insônias; que não dorme, **2.** Em que não se dorme; passado em claro: *noite insone.*

insonhável. [De *in-*² + *sonhável.*] *Adj. 2 g.* Não sonhável; inimaginável.

insônia. [Do lat. *insomnia.*] *S. f.* Privação do sono; dificuldade grande para dormir; anipnia; vigília, espertina, insonolência: "Deito-me. Leio. Já são duas horas: / esta insônia cruel mais uma vez." (Odilo Costa, filho, *Boca da Noite*, p. 147.) [Cf. *insonia*, do v. *insoniar.*]

insoniar. [De *insônia* + *-ar*².] *V. int.* Ter insônia(s). [Pres. ind.: *insonio, insonias, insonia*, etc. Cf. *insônia.*]

insonioso (ô). *Adj.* Que tem insônia; sujeito a insônias.

insonolência. [De *in-*² + *sonolência.*] *S. f.* V. *insônia.*

insonoridade. [De *in-*² + *sonoridade.*] *S. f.* Falta de sonoridade.

insonoro (nó). [De *in-*² + *sonoro.*] *Adj.* **1.** Que não soa. **2.** Que não tem sonoridade.

insonte. [Do lat. *insonte.*] *Adj. 2 g.* Sem culpa; inocente: "Lascivos pombos, rolas meiguiceiras / sem escrúpulo amavam-se, defronte / das celas monacais, na sua insonte / simpleza" (Carlos Magalhães de Azeredo, *Vida e Sonho*, p. 112). [M. us. na poesia que na prosa.]

insopesável. [De *in-*² + *sopesável.*] *Adj. 2 g.* Não sopesável.

insopitado. [De *in-*² + *sopitado.*] *Adj.* Não sopitado: "o brado da volúpia insopitada, a fúria / do prazer latejando em uivos de luxúria!" (Menotti del Picchia, *As Máscaras*, p. LIII).

insopitável. [De *in-*² + *sopitável.*] *Adj. 2 g.* Não sopitável.

insossar. *V. t. d.* Tornar insosso. [Pres. ind.: *insosso, insossas, insossa*, etc. Cf. *insosso* (ô) e as flex. *insossa* (ô), *insossas* (ô).]

insosso (ô). [Do lat. *insulsu.*] *Adj.* **1.** Sem o sal preciso; insulso. **2.** Sem tempero; enjoativo. **3.** Diz-se da alvenaria assentada sem argamassa: "Sua direção aparente era o muro insosso, ... levantado em volta do terreiro." (José de Alencar, *O Sertanejo*, p. 178.) — V. *alvenaria* —*a e pedra* —*a.* ● *S. m.* **4.** Us. na loc. verb. *comer insosso e beber salgado.* [Flex.: *insossa* (ô), *insossos* (ô), *insossas* (ô). Cf. *insosso, insossas, insossa* do v. *insossar.*] ♦ **Comer insosso e beber salgado.** *Bras., N.E. Pop.* V. *comer da banda podre.*

inspeção. [Do lat. *inspectione.*] *S. f.* **1.** Ato de observar, de inspecionar; vistoria. [Sin., p. us.: *inspecionamento.*] **2.** Fiscalização, vistoria. **3.** Exame feito por inspetor ou por junta inspetora. **4.** Cargo de inspetor; inspetoria. **5.** Repartição ou junta encarregada de inspecionar; inspetoria.

inspecionamento. *S. m. P. us.* V. *inspeção* (1).

inspecionar. *V. t. d.* **1.** Examinar ou fiscalizar como inspetor: *inspecionar uma obra; inspecionar um colégio.* **2.** Examinar, revistar; vistoriar: *inspecionar uma tropa.* **3.** Examinar ou observar com grande atenção: "Parecia gozar o seu embaraço e a sua angústia, inspecionando-lhe o rosto sem cor como se lhe estivesse lendo todos os pensamentos." (José Régio, *O Príncipe com Orelhas de Burro*, p. 163.)

inesperado. [Do lat. *insperatu.*] *Adj. Desus.* Inesperado [q. v.]: "É uma vez, muda e calma, / Insperada e enganosa, / Ervado ferro me embebeste n'alma." (Alberto de Oliveira, *Poesias*, 1ª série, p. 230). [Cf. *inspirado.*]

inspetar. [Do lat. *inspectare.*] *V. t. d. P us.* Examinar com muita atenção; revistar, vigiar, inspecionar.

inspetor (ô). [Do lat. *inspectore.*] *S. m.* **1.** Encarregado de fazer a inspeção. **2.** Aquele que vê, observa e fiscaliza. **3.** *Bras.* Chefe de repartição aduaneira; inspetor da alfândega. ♦ **Inspetor da alfândega.** *Bras.* V. *inspetor* (3). **Inspetor escolar.** Fiscal de ensino.

inspetoria. [De *inspetor* + *-ia.*] *S. f. Bras.* Inspeção (4 e 5).

inspiração. [Do lat. *inspiratione.*] *S. f.* **1.** Ato de inspirar(-se) ou de ser inspirado. **2.** Ato de introduzir o ar nos pulmões, de inspirar (1 e 6). **3.** Qualquer estímulo ao pensamento ou à atividade criadora. **4.** *P. ext.* O resultado de uma atividade inspiradora. **5.** Pessoa ou coisa que inspira; inspirador. **6.** Entusiasmo poético; estro. **7.** *Teol.* Moção divina que, segundo a crença cristã, teria dirigido os autores dos livros da Bíblia.

inspirado. [Part. de *inspirar.*] *Adj.* **1.** Que procede sob o influxo de uma inspiração mística ou poética. **2.** Que tem ou revela inspiração (6), verdadeira inspiração: *poeta inspirado; um poema inspirado; discurso inspirado.* **3.** *Teol.* Diz-se dos autores dos livros canônicos da Bíblia. ● *S. m* **4.** Aquele que revela inspiração (6). [Cf. *insperado.*]

inspirador (ô). [Do lat. *inspiratore.*] *Adj.* **1.** Que inspira; inspirativo. **2.** Que faz recordar; que lembra. **3.** Que entusiasma, arrebata; inspirativo. ● *S. m.* **4.** Pessoa ou coisa que inspira; inspiração.

inspirar. [Do lat. *inspirare.*] *V. t. d.* **1.** Introduzir (o ar) nos pulmões. **2.** Fazer com que (uma idéia, uma concepção, etc.) se apresente; sugerir: *A presença da bela moça inspirou um poema.* **3.** Fazer sentir; incutir; infundir:"Que a minha dor nem a um amigo / Inspire dó..." (Olavo Bilac, *Poesias*, p. 5); "Aquela cara também inspira respeito" (Dionélio Machado, *Os Ratos*, p. 9); "George Sand inspirou muitas paixões violentas" (Ramalho Ortigão, *Em Paris*, p. 183). *T. d. e i.* **4.** Fazer que uma idéia, uma concepção, etc., se apresente; sugerir: *O grande acontecimento inspirou-lhe uma canção;* "Outro bambual... / O que inspirou a meu irmão o seu único poema" (Manuel Bandeira, *Estrela da Vida Inteira*, p. 204). "A paternidade inspirou tais estrofes. O amor inspira-lhe outras" (Machado de Assis, *Crítica*, p. 150). **5.** Fazer sentir; incutir, infundir: "A febre e suores noturnos chegaram a inspirar ao médico receios de lesão pulmonar." (Camilo Castelo Branco, *A Mulher Fatal*, p. 53.) *Int.* **6.** Introduzir o ar nos pulmões: "Inspirou com violência à procura de calma, e entreabriu as pálpebras já com boa dose de orgulho necessário a seu controle." (Samuel Rawet, *Os Sete Sonhos*, p. 57.) *P.* **7.** Receber inspiração. **8.** Entusiasmar-se, influenciar-se.

inspirativo. *Adj.* Que inspira; inspirador.

inspiratório. *Adj.* **1.** Próprio para inspirar. **2.** Que leva o ar aos pulmões. **3.** Relativo à inspiração.

inspirável. *Adj. 2 g.* Que pode inspirar-se.

inspissação. *S. f.* Ato ou efeito de inspissar(-se).

inspissar. [Do lat. *inspissare.*] *V. t. d.* e *p.* Tornar(-se) espesso; condensar(-se).

instabilidade. [Do lat. *instabilitate.*] *S. f.* **1.** Falta de estabilidade. **2.** Inconstância, volubilidade.

instalação. *S. f.* **1.** Ato ou efeito de instalar(-se). **2.** Conjunto de aparelhos ou de peças que compõem uma determinada utilidade (instalação elétrica, instalação hidráulica, etc.).

instalador (ô). *Adj.* e *s. m.* Que ou aquele que instala.

instaladora (ô). [Fem. substantivado do adj. *instalador.*] *S. f. Bras.* Estabelecimento que se encarrega de fazer instalações elétricas e/ou outras.

instalar. [Do fr. *installer.*] *V. t. d.* **1.** Dispor para funcionar; estabelecer: *Instalou um hotel no velho casarão.* **2.** Dar hospedagem a; alojar, abrigar: *Viu-se na obrigação de instalar em sua casa o amigo que a acompanhava.* *T. d. e i.* **3.** Dar posse de um cargo ou dignidade; investir: *O governador instalou-o na direção do trânsito.* *P.* **4.** Hospedar-se; alojar-se: "Gonçalves e Gomes de Amorim tudo preparam cuidadosamente para que Garrett se possa instalar na casa que é o seu sonho há quase um ano." (José Osório de Oliveira, *O Romance de Garrett*, p. 177.) **5.** Pôr-se a cômodo; acomodar-se:"instalando-se no sofá, explicou .... a Leopoldina a sua resolução." (Eça de Queirós, *O Primo Basílio*, p. 510). **6.** Tomar posse: *instalou-se no cargo de tesoureiro.*

instância. [Do lat. *instantia.*] *S. f.* **1.** Qualidade do que é instante. **2.** Pedido ou solicitação instante, insistente: "Uma vez satisfeitas as instâncias da carne ou o orgulho pessoal, chega a saciedade." (João Gaspar Simões, *O Mistério da Poesia*, p. 230.) **3.** Pedido urgente e repetido. **4.** *Jur.* Jurisdição; foro (ô). **5.** *Jur.* Série de atos dum processo, desde a sua apresentação a um juiz ou tribunal até à sentença decisória. **6.** *Jur.* Ordem ou grau da hierarquia judiciária. **7.** *Psican.* Segundo Freud [v. *freudiano*], cada uma das diferentes partes do psiquismo considerado como elemento dinâmico. [V. *id, ego* e *superego.*] ♦ **Em última instância.** Como último recurso; em último caso.

instantaneidade. *S. f.* Qualidade de instantâneo.

instantâneo. *Adj.* **1.** Que se dá num instante; momentâneo, rápido; súbito. — V. *aceleração* —*a*, *centro* — e *eixo* —. *S. m.* **2.** *Fot.* Fotografia com tempo de exposição muito curto.

instante. [Do lat. *instante.*] *Adj. 2 g.* **1.** Que está para acontecer, para vir; iminente: *desgraça instante.* **2.** Pertinaz, insistente: *súplicas instantes; pedido instante.* **3.** Urgente, inadiável, indispensável. ● *S. m.* **4.** Momento[1] (1): *Estarei aí num instante.* **5.** Ocasião, hora: *Irei no instante em que me chamarem, não antes.*

instar. [Do lat. *instare.*] *V. t. d.* **1.** Pedir, solicitar, com instância: *A carta instava que atendesse o pedido da visita.* *T. d. e i.* **2.** Pedir, solicitar, com instância; insistir: *Instei-o a que me acompanhasse.* *T. i.* **3.** Pedir com insistência: solicitar reiteradamente; insistir: *Só consentiu em comparecer depois de muito lhe instarem;* "Na oficina o fato causou alvoroço ....: instavam em que ele narrasse as peripécias." (Mário de Alencar, *Contos e Impressões*, p. 119); "Tinha [Ladislau Neto] amigos influentes e poderosos na política de sua terra natal, que instavam sempre pela sua adesão." (Abelardo Duarte, *Ladislau Neto*, p. 187) **4.** Pôr ou fazer instância, argumentando; questionar: *Instou violentamente contra a resposta que lhe deram.* *Bit. i.* **5.** Pedir com insistência; solicitar reiteradamente; insistir: "De novembro em diante insta [Renan] com a irmã para que volte da Polônia." (Machado de Assis, *Páginas Recolhidas*, p. 153.) *Int.* **6.** Estar iminente, próximo a suceder, a ocorrer: *Sabia que um grande perigo instava.* **7.** Persistir, insistir: *Perante a resposta negativa, não instou.* **8.** Ser necessário ou urgente; urgir: *Insta que partamos.* **9.** Solicitar, insistir: *Não pretendia aceitar o convite, porém ele instou, e terminei acedendo.*

instauração. [Do lat. *instauratione.*] *S. f.* Ato ou efeito de instaurar.

instaurador (ô). [Do lat. *instauratore.*] *Adj.* e *s. m.* Que, ou aquele que instaura, que funda, estabelece.

instaurar. [Do lat. *instaurare.*] *V. t. d.* **1.** Começar, iniciar, estabelecer; formar; promover: *instaurar um inquérito.* **2.** Fundar, inaugurar, organizar, formar: *instaurar uma revista, um jornal.* **3.** Renovar, restaurar.

instável. [Do lat. *instabile.*] *Adj. 2 g.* **1.** Não estável; inconstante, mudável, mutável: *tempo instável.* **2.** Volúvel, inconstante: *gênio instável.* **3.** Móvel, movediço [Opõe-se a *estável.*]

instigação. [Do lat. *instigatione.*] *S. f.* Ato ou efeito de instigar; incitação, sugestão, estímulo.

instigador (ô). [Do lat. *instigatore.*] *Adj.* e *s. m.* Que, ou aquele que instiga, que incita; instigante.

instigante. *Adj. 2 g.* e *s. 2 g.* Instigador: "Às perguntas sempre instigantes, ele [Joãozinho Trinta] responde com um desembaraço e um verdor de inteligência que lhe definem a personalidade." (Carlos Drummond de Andrade, *Jornal do Brasil*, 8.2.1983.)

instigar. [Do lat. *instigare.*] *V. t. d.* **1.** Incitar; estimular: *Não pretendia tomar partido, mas o amigo instigou-o.* **2.** Açular, provocar (animais). *T. d. e i.* **3.** Incitar, induzir, mover, estimular, açular, acirrar: "ficou-se [o Conde de Andeiro] algum tempo na corte de Portugal, ... instigando Leonor e D. Fernando contra D. Henrique II." (Antero de Figueiredo, *Leonor Teles*, p. 183). **4.** Procurar persuadir; aconselhar: *Instiguei-o a viajar.* [Conjug.: v. *largar.*]

instilação. [Do lat. *instillatione.*] *S. f.* Ato ou efeito de instilar(-se).

instilar. [Do lat. *instillare.*] *V. t. d.* **1.** Introduzir gota a gota; deitar às gotas: "o mundo misterioso dos insetos e infusórios zumbe, canta, voeja, destila mel ou instila o veneno." (Afonso Arinos, *Histórias e Paisagens*, p. 164). *T. d. i.* **2.** Insuflar; insinuar: *Deliberou instilar a vingança no ânimo do irmão;* "A serenidade do crepúsculo instilava nos espíritos a poesia dos momentos emotivos." (Antero de Figueiredo, *Miradouro*, p. 89). **3.** Induzir, persuadir. *P.* **4.** Insinuar-se, infiltrar-se: "Instilou-se em meu espírito um ingrediente que trouxe hipocondria e inquietude" (Ciro dos Anjos, *Abdias*, p. 81.)

instintividade. *S. f.* Qualidade de instintivo.
instintivo. *Adj.* **1.** Relativo ao instinto; instintual. **2.** Automático, maquinal; natural: *reação instintiva*. **3.** Que age guiado apenas pelo instinto; primário: *um ser instintivo.*
instinto. [Do lat. *instinctu.*] *S. m.* **1.** Fator inato de comportamento dos animais, variável segundo a espécie, e que se caracteriza, em determinadas condições, por atividades elementares e automáticas: *o instinto migratório de certas aves; o instinto de sucção dos mamíferos.* **2.** Forças de origem biológica inerentes ao homem e aos animais superiores, e que atuam, em geral, de modo inconsciente, mas com finalidade precisa, e independentemente de qualquer aprendizado: *instinto gregário; instinto sexual; instinto maternal.* **3.** Tendência natural; aptidão inata. *Possui instinto musical; É conciliador por instinto.* **4.** Impulso espontâneo e alheio à razão; intuição: *Escolheu, por instinto, a pessoa indicada para o cargo; Seu instinto o levou a cancelar a viagem.* ♦ **Instinto de conservação.** Conjunto de reações instintivas que levam o indivíduo a manter-se vivo.
instintual. *Adj. 2 g.* Instintivo (1).
institor (ô). [Do lat. *institore.*] *S. m.* Aquele que dirige ou administra negócios ou indústria, por escolha do proprietário da empresa; preposto.
institório. [Do lat. *institoriu.*] *Adj.* Referente a institor.
institucional. [De *institutione*, 'instituição', + *-al.*] *Adj. 2 g.* **1.** Relativo a instituição, ou a instituições (1). **2.** Pertencente ou relativo a, ou próprio de uma instituição. ~ V. ato —.
institucionalização. *S. f.* Ato ou efeito de institucionalizar(-se).
institucionalizado. [Part. de *institucionalizar.*] *Adj.* Tornado institucional.
institucionalizar. *V. t. d.* **1.** Dar caráter de instituição a; tornar institucional. *P.* **2.** Adquirir o caráter de instituição; tornar-se institucional.
instituição (u-i). [Do lat. *institutione.*] *S. f.* **1.** Ato de instituir; criação, estabelecimento. **2.** A coisa instituída ou estabelecida; instituto: *instituições legais.* **3.** Associação ou organização de caráter social, educacional, religioso, filantrópico, etc.: *A ONU é uma instituição internacional.* **4.** *Jur.* Nomeação (de herdeiro). **5.** *Sociol.* Estrutura decorrente de necessidades sociais básicas, com cárater de relativa permanência, e identificável pelo valor de seus códigos de conduta, alguns deles expressos em leis; instituto. **6.** *Fig.* Pessoa ou coisa que, por sua eficiência, antiguidade, etc., como que representa uma instituição (5). ~ V. *instituições.* ♦ **Instituição canônica.** Imposição dos poderes espirituais próprios de um cargo eclesiástico, feita por um superior hierárquico.
instituições (u-i). [Pl. de *instituição.*] *S. f. pl.* **1.** Leis fundamentais que regem uma sociedade política; regime. **2.** O conjunto de estruturas sociais estabelecidas pela tradição, especialmente as relacionadas com a coisa pública: *um povo apegado a suas instituições.* ~ *V. instituição.*
instituído. [Part. de *instituir.*] *Adj. Jur.* Diz-se daquele em favor de quem se institui um benefício ou direito.
instituidor (u-i ...ô). *Adj.* e *s. m.* Que ou aquele que institui.
instituir. [Do lat. *instituere.*] *V. t. d.* **1.** Dar começo a; estabelecer, criar, fundar: *Os missionários instituíram ritos apropriados para os indígenas.* **2.** Adestrar, disciplinar. **3.** Marcar, assinalar; aprazar, atempar: *instituir uma data de pagamento. T. d. e i.* **4.** Educar, instruir, formar: *Os pais o instituíram no culto do trabalho. Transobj.* **5.** Nomear, declarar por herdeiro: *O avô instituíra o rapaz seu herdeiro único; Instituiu a sobrinha como sua herdeira.* [Conjug.: v. *atribuir.*]
institutas. [Do lat. *instituta.*] *S. f. pl.* As obras elementares que encerram os princípios do direito, e especialmente o código mandado redigir por Justiniano, imperador do Oriente (533).
instituto. [Do lat. *institutu*, 'instituído'.] *S. m.* **1.** Regime particular de uma instituição ou de uma entidade; regra; regulamento; estatuto: *O secular instituto dos beneditinos foi reorganizado pelo Papa Leão XIII.* **2.** Instituição (2 e 5): *o instituto do matriarcado; o instituto do júri.* **3.** Organização de alto nível cultural dedicada ao estudo e a pesquisas de caráter especializado: *instituto de física; instituto de história.* **4.** Designação comum a certas agremiações de caráter cultural, artístico, etc.: *Instituto Histórico e Geográfico Brasileiro; Instituto da Ordem dos Advogados.* **5.** Designação comum a certos estabelecimentos de ensino médio e superior: *Instituto de Educação; Estudou no antigo Instituto Nacional de Música.* **6.** Designação comum a certos estabelecimentos de natureza diversa, mas com objetivo preciso: *instituto de cultura física.* **7.** *P. ext.* Título de organização parestatal criada para fins de previdência social, aposentadoria, pensões, etc. **8.** O local onde funciona um instituto (3 a 7). **9.** Entidade jurídica instituída e regulamentada por um conjunto orgânico de normas de direito positivo: *o instituto do pátrio poder, do fideicomisso, da posse.* ♦ **Instituto de beleza.** V. *salão de beleza.* **Instituto secular.** *Rel.* Forma de vida religiosa sem os três votos de obediência, pobreza e castidade, e às vezes sem vida em comum.
instrução. [Do lat. *instructione.*] *S. f.* **1.** Ato ou efeito de instruir(-se). **2.** Ensino (1): *instrução primária; instrução militar.* **3.** Conhecimentos adquiridos; cultura, saber, erudição: *homem de grande instrução.* **4.** Explicação dada para um determinado fim: *O aparelho vem acompanhado de um manual de instruções.* **5.** Esclarecimento ou ordem dada a pessoa encarregada de alguma negociação ou algum empreendimento. [Nesta acepç. é us., por via de regra, no pl.] **6.** *Proc. Dados.* Informação que, convenientemente codificada e introduzida num computador, como parcela de um programa, provoca a execução duma operação ou duma seqüência de operações. ♦ **Instrução criminal.** *Jur.* V. *formação de culpa.* **Instrução programada.** Método de ensino em que o conteúdo é apresentado através de uma série de quadros, cada um incluindo uma informação ao aluno, uma exigência de resposta baseada nesta informação e uma retroalimentação relativa à correção ou adequação da resposta.
instrucional. *Adj. 2 g.* De, ou pertencente ou relativo à instrução, ao ensino: *método instrucional.*
instruendo. *S. m.* Aquele que está recebendo instrução, sendo instruído.
instruir. [Do lat. *instruere.*] *V. t. d.* **1.** Transmitir conhecimentos a; ensinar. **2.** Adestrar, habilitar: *instruir um recruta.* **3.** Adestrar, exercitar, domesticar: *instruir animais.* **4.** Esclarecer, informar: *Não pode elucidar a questão porque não o instruíram a esse respeito.* **5.** *Jur.* Pôr (um processo, uma causa, etc.) em estado de ser julgado: "O Senado, impressionado com o crime, nomeou os cônsules que haviam de instruir e julgar o processo" (Aquilino Ribeiro, *Os Avós de Nossos Avós*, pp. 312-313). **6.** *Jur.* Anexar a (uma petição apresentada em juízo) documentos comprobatórios das alegações nela feitas: "tirou certidões de diversos documentos de sua representação .... e com elas instrui a petição inicial da ação ordinária." (Macedo Miranda, *As Três Chaves*, p. 75). *T. d. e i.* **7.** Esclarecer, informar, cientificar: *Instruí-o das ocorrências. P.* **8.** Receber instrução; adquirir conhecimentos. [Conjug.: v. *atribuir.*]
instrumentação. *S. f.* **1.** Ato ou efeito de instrumentar. **2.** *Mús.* Ciência que estuda as características dos diversos instrumentos, seu funcionamento, seus recursos técnicos e tímbricos, suas qualidades sonoras, suas claves, extensões, entonações, etc. [Cf., nesta acepç., *organologia* e *orquestração.*] **3.** Na teoria de controle de processos, interpretação de controles automáticos de processos industriais.
instrumentador (ô). [De *instrumentar* (2 e 3) + *-(d)or.*] *S. m. Cir.* Aquele que instrumenta [V. *instrumentar* (3)]. [Fem.: *instrumentadora.*]
instrumentadora (ô). *S. f. Cir.* Fem. de *instrumentador.*
instrumental. *Adj. 2 g.* **1.** Que serve de instrumento. **2.** Relativo a instrumentos. ~ V. *astronomia —, caso —, música —* e *recitativo —.* ● *S. m.* **3.** O conjunto de instrumentos.
instrumentalismo. [Do ingl. *instrumentalism.*] *S. m. Filos.* Doutrina de John Dewey, filósofo e educador americano (1859-1952), que constitui uma variedade do pragmatismo, e cujo traço característico é a admissão de que toda teoria é um instrumento para a ação e para a transformação da experiência.
instrumentalista[1]. [De *instrumental* + *-ista.*] *S. 2 g. Bras. Rád.* e *Telev.* Instrumentista (1 e 2).
instrumentalista[2]. [Do ingl. *instrumentalist.*] *Adj. 2 g.* **1.** Relativo ao, ou que é adepto do instrumentalismo. ● *S. 2 g.* **2.** Adepto do instrumentalismo.
instrumentar. *V. t. d.* **1.** Escrever para cada instrumento (a parte da peça musical que lhe pertence, numa execução em conjunto): "uma orquestra de famosos rabequistas que tocavam partituras de missas por eles mesmos instrumentadas." (Xavier Marques, *As Voltas da Estrada*, p. 14). **2.** *Bras. Cir.* Fornecer a (o cirurgião e auxiliares) o material diretamente utilizado no ato operatório. *Int.* **3.** *Bras. Cir.* Fornecer ao cirurgião e auxiliares o material diretamente utilizado no ato operatório. [Fut. pret.: *instrumentaria*, etc. *instrumentária*, fem. de *instrumentário.*]
instrumentário. [De *instrumento* + *-ário.*] *Adj.* ~ V. *testemunha —a.* [Fem.: *instrumentária.* Cf. *instrumentaria*, do v. *instrumentar.*]
instrumentista. *S. 2 g.* **1.** Pessoa que toca algum instrumento. **2.** Compositor de música instrumental. [Sin. (bras.): *instrumentalista* (q. v.).]
instrumento. [Do lat. *instrumentu.*] *S. m.* **1.** Objeto, em geral mais simples do que o aparelho, e que serve de agente mecânico na execução de qualquer trabalho: *instrumentos cirúrgicos; instrumentos de astronomia.* **2.** *P. ext.* Qualquer objeto considerado em sua função ou utilidade: *Os dentes e garras são os instrumentos de luta das feras.* **3.** Recurso empregado para se alcançar um objetivo, conseguir um resultado; meio: *O apelo aos instrumentos constitucionais caracteriza as democracias.* **4.** *Fig.* Pessoa que serve de intermediário: *Os profetas diziam-se instrumentos de Deus entre os homens.* **5.** Objeto que produz sons musicais. **6.** *Jur.* Ato reduzido a escrito, em forma apropriada, para que se constitua um documento que o torne concreto, autêntico, provável e oponível contra terceiros. ♦ **Instrumento de cordas.** Instrumento (5) dotado de cordas dedilháveis ou puxáveis (harpa, violão, cravo, etc.), friccionáveis (violino, violoncelo, etc.) ou percutíveis (piano). **Instrumento de percussão.** Instrumento (5) percutido com as mãos, com baquetas, etc., e que pode ter sons determinados (tímpano, xilofone, etc.) ou indeterminados (tambor, pandeiro, etc.). **Instrumento de sopro.** Instrumento (5) dotado de um tubo cilíndrico reto ou recurvado (flauta, oboé, trombone, etc.), ou de mais de um tubo (siringe, órgão, etc.), e cujo som é produzido pela vibração do ar dentro do(s) tubos(s). **Instrumento de zero.** *Fís.* Qualquer instrumento que, num dispositivo de medida, indica leitura zero quando o dispositivo está equilibrado. **Instrumento eletrodinâmico.** *Eletr.* Instrumento de medida elétrica em que há interação entre dois campos magnéticos, um dos quais provocado por uma corrente numa bobina fixa e o segundo gerado por outra corrente numa bobina móvel. **Instrumento particular.** O que é feito entre as partes, sem interveniência de tabelião. **Instrumento preparado.** *Mús. Concr.* Técnica utilizada pela primeira vez em 1948, por Pierre Schaeffer (1910-), e que consiste na revisão e transformação dos sons originais, produzidos por instrumentos tradicionais ou exóticos, e gravados em fita magnética. Essa transformação se faz mediante a manipulação da fita, de modo que torna irreconhecíveis os sons nela gravados. **Instrumento público.** O que é lavrado por tabelião, dentro de seu distrito, com observância das formalidades legais e nos limites de suas atribuições. **Instrumentos de produção.** *Econ.* Os que permitem ao homem atuar sobre a natureza e sobre os produtos que dela se extraem, com vista à produção. [Cf. *meios de produção.*] **Tocar sete instrumentos.** Dedicar-se ao mesmo tempo a diversas atividades, ou artísticas, ou culturais, etc.
instrutivo. *Adj.* Que instrui, que é próprio para instruir: *leitura instrutiva; conversação instrutiva.*
instrutor (ô). [Do lat. *instructore.*] *Adj.* e *s. m.* Que ou aquele que instrui, que ensina, que adestra.
instrutura. [Do lat. *instructura.*] *S. f.* Construção mecânica de um edifício.
ínsua. [Do lat. *insula.*] *S. f.* Pequena ilha formada por algum rio.
insuave. [Do lat. *insuave.*] *Adj. 2 g.* Não suave.
insuavidade. [Do lat. *insuavitate.*] *S. f.* Qualidade de insuave; falta de suavidade.
insubjugável. [De *in-*[2] + *subjugável.*] *Adj. 2 g.* Que não pode ser subjugado: "e agora me surgia outra vez misteriosa e insubjugável." (José Gomes Ferreira, *O Mundo dos Outros*, p. 143).
insubjugavelmente. [De *insubjugável* + *-mente.*] *Adv.* De modo insubjugável.
insubmergibilidade. *S. f.* Qualidade de insubmergível.
insubmergível. [De *in-*[2] + *submergível.*] *Adj. 2 g.* Que não se pode submergir; insubmersível.
insubmersibilidade. *S. f.* Qualidade de insubmersível.
insubmersível. [De *in-*[2] + *submersível.*] *Adj. 2 g.* Insubmergível: "Os diques submersíveis ou insubmersíveis destinados a salvarem as povoações .... — tinham em geral a duração efêmera dos seis meses de estiagem" (Euclides da Cunha, *À margem da História*, p. 43).
insubmissão. [De *in-*[2] + *submissão.*] *S. f.* Falta de submissão; caráter de insubmisso.
insubmisso. [De *in-*[2] + *submisso.*] *Adj.* **1.** Não submis-

so; altivo, independente: "Ficará na vida sem sistematização alguma, livre como um passarinho a esvoaçar para onde lhe agrada, levado apenas pelas suas intuições, *insubmisso* a fórmulas e autoridades." (Edgard Cavalheiro, *Monteiro Lobato*, I, pp. 105-106.) ● *S. m.* **2.** *Bras.* Cidadão que foi convocado para o serviço militar e não se apresentou às autoridades.
insubordinação. [De *in-*[2] + *subordinação.*] *S. f.* **1.** Falta de subordinação. **2.** Rebelião, revolta.
insubordinado. [Part. de *insubordinar.*] *Adj.* **1.** Que se insubordinou: *A tropa insubordinada terminou rendendo-se.* **2.** Que tem espírito de insubordinação; indisciplinado, insubordinável: *É um menino insubordinado, ninguém o agüenta.* ● *S. m.* **3.** Indivíduo insubordinado.
insubordinar. [De *in-*[2] + *subordinar.*] *V. t. d.* **1.** Causar insubordinação em; tornar insubordinado; revoltar, sublevar, amotinar: *insubordinar uma tripulação. P.* **2.** Cometer ato de insubordinação; sublevar-se.
insubordinável. [De *in-*[2] + *subordinável.*] *Adj. 2 g.* Incapaz de subordinar-se; rebelde, indócil, incorrigível.
insubornável. [De *in-*[2] + *subornável.*] *Adj. 2 g.* Incapaz de ser subornado; incorruptível; íntegro.
insubsistência (sis). [De *in-*[2] + *subsistência.*] *S. f.* Qualidade de insubsistente.
insubsistente (sis). [De *in-*[2] + *subsistente.*] *Adj. 2 g.* Que não pode subsistir; não subsistente: "O mais profundo pensamento / É sempre *insubsistente* e aéreo, / Porque a todo o momento / — Se perde no mistério ... " (Augusto Gil, *Luar de Janeiro*, p. 108).
insubstância. [De *in-*[2] + *substância.*] *S. f.* Ausência ou falta de substância.
insubstancial. [De *in-*[2] + *substancial.*] *Adj. 2 g.* Não substancial.
insubstancialidade. *S. f.* Qualidade ou estado de insubstancial; espiritualidade.
insubstituível. [De *in-*[2] + *substituível.*] *Adj. 2 g.* Que não pode ser substituído.
insucessível. [De *in-*[2] + *sucessível.*] *Adj. 2 g. Jur.* Que não é sucessível.
insucesso. [De *in-*[2] + *sucesso.*] *S. m.* Mau resultado; falta de bom êxito; malogro, fracasso.
insueto (é). [Do lat. *insuetu.*] *Adj.* **1.** V. *desusado.* **2.** Desabituado, desacostumado.
insuetude. *S. f.* Qualidade de insueto.
insuficiência. [Do lat. *insufficientia.*] *S. f.* **1.** Qualidade ou estado de insuficiente: *O projeto falhou pela insuficiência de meios para ocorrer às despesas.* **2.** Incompetência, incapacidade: *Sua insuficiência foi largamente comprovada.* **3.** *Med.* Incapacidade, maior ou menor, de um órgão para executar a função que lhe cabe; deficiência: *insuficiência cardíaca.*
insuficiente. [Do lat. *insufficiente.*] *Adj. 2 g.* **1.** Não suficiente ou bastante. **2.** Incompetente; incapaz. **3.** Intelectualmente fraco; medíocre.
insuflação. [Do lat. *insufflatione.*] *S. f.* Ato de insuflar.
insuflador (ô). *Adj.* **1.** Que insufla. ● *S. m.* **2.** Aparelho próprio para insuflar.
insuflar. [Do lat. *insufflare.*] *V. t. d. e i.* **1.** Encher de ar, gás ou vapor, por meio de sopro. **2.** Encher de ar soprando, tornar túrgido, soprando. **3.** Soprar, assoprar; bafejar. **4.** *Fig.* Insinuar, sugerir, inspirar, incutir: "a minha simpatia está com os .... que me *insuflam* coragem e infundem a confiança que me falta" (Domício da Gama, *Histórias Curtas*, p. 3). **5.** *Med.* Administrar sob pressão (corpos pulverizados ou gases) em superfícies ou cavidades.
ínsula. [Do lat. *insula.*] *S. f.* V. *ilha* (1). [Cf. *insula*, do v. *insular.*]
insulação. *S. f.* Insulamento. [Cf. *insolação.*]
insulado. [Part. de *insular*[2].] *Adj.* Separado, ilhado, isolado.
insulamento. *S. m.* **1.** Ato ou efeito de insular(-se). **2.** Estado do que vive insulado. [Sin. ger.: *insulação.*]
insulano. [Do lat. *insulanu.*] *Adj.* **1.** De, ou pertencente ou relativo a ínsula. ● *S. m.* **2.** Habitante ou natural de uma ínsula. [Sin. ger.: *insular, islenho, ilhéu.*]
insular[1]**.** [Do lat. *insulare.*] *Adj. 2 g.* e *s. 2 g.* V. *insulano.* [Cf. *insolar.*]
insular[2]**.** [De *ínsula* + *-ar*[2].] *V. t. d.* **1.** V. *ilhar* (1). **2.** Tornar solitário; isolar. **3.** Tornar incomunicável; separar da sociedade: *insular um doente contagioso.* **4.** Pôr (um corpo) em condições de não deixar passar a eletricidade que tem. *P.* **5.** V. *ilhar* (2). [Pres. ind.: *insulo, insulas, insula*, etc. Cf. *ínsula* e *insolar.*]
insularidade. *S. f.* Qualidade de insular[1].
insulcado. [De *in-*[2] + *sulcado.*] *Adj.* **1.** Não sulcado. **2.** *Fig.* Ainda não navegado.
insulina. [Do lat. *insula*, 'ilha', + *-ina*[1].] *S. f. Quím.* Hormônio secretado pelo pâncreas, com importante função no metabolismo dos açúcares pelo organismo.
insulínico. *Adj.* Relativo à insulina, ou por ela provocado: *choque insulínico.*
insulinoterapia. [De *insulina* + *-o-* + *-terapia.*] *S. f. Terap.* Tratamento pela insulina.
insulinoterápico. *Adj.* Referente à insulinoterapia.
insulso. [Do lat. *insulsu.*] *Adj.* **1.** Que não tem sal; insosso. **2.** *P. ext.* Que não tem sabor; insípido. **3.** *Fig.* Sem graça; desenxabido, insípido: "A natureza real tinha cedido o passo a esta natureza de convenção, natureza pálida, *insulsa*, insípida, monótona e absurda" (Latino Coelho, *Cervantes*, p. 83).
insultado. [Part. de *insultar.*] *Adj.* e *S. m.* Que ou aquele que recebeu insulto.
insultador (ô). *Adj.* **1.** Que insulta; insultante. ● *S. m.* **2.** Aquele que tem o hábito de insultar. **3.** Autor de um insulto.
insultante. [Do lat. *insultante.*] *Adj. 2 g.* Diz-se de pessoa que insulta, ou que é dada a insultar. [Cf. *insultuoso.*]
insultar. [Do lat. *insultare.*] *V. t. d.* **1.** Afrontar violentamente por obras ou palavras; ultrajar, injuriar. **2.** Atacar, investir, acometer.
insulto. [Do lat. *insultu.*] *S. m.* **1.** Injúria, ultraje, afronta, ofensa. **2.** *Med.* Ataque repentino: *Teve um insulto de congestão;* "Um dia sucumbiu-lhe o organismo ao *insulto* de uma dessas violentas pirexias que a ciência batiza com mil nomes" (Carlos de Laet, *O Frade Estrangeiro e Outros Escritos*, p. 33).
insultuoso (ô). *Adj.* Que envolve ou encerra insulto: *atitude insultuosa; gesto insultuoso.* [Cf. *insultante.*]
insumo. *S. m. Econ.* Combinação dos fatores de produção (matérias-primas, horas trabalhadas, energia consumida, taxa de amortização, etc.) que entram na produção de determinada quantidade de bens ou serviço. [Sin., ingl.: *input.*]
insuperabilidade. *S. f.* Qualidade de insuperável.
insuperável. [Do lat. *insuperabile.*] *Adj. 2 g.* **1.** Que não pode ser superado, excedido, ultrapassado: "amar é uma aventura heróica e *insuperável*" (Raquel de Queirós, *100 Crônicas Escolhidas*, p. 41). **2.** Que não se pode superar ou vencer; invencível: "A tarefa dos futuros legisladores será .... inçada de dificuldades, talvez *insuperáveis.*" (Euclides da Cunha, *Contrastes e Confrontos*, p. 225.)
insuportável. [De *in-*[2] + *suportável.*] *Adj. 2 g.* **1.** Não suportável; intolerável; *dor insuportável; criança insuportável.* **2.** Incômodo, molesto: *situação insuportável.*
insuprível. [De *in-*[2] + *suprível.*] *Adj. 2 g.* Não suprível.
insurgência. *S. f.* Qualidade ou condição de insurgente.
insurgente. [Do lat. *insurgente.*] *Adj. 2 g.* **1.** Que se insurge ou insurgiu; insurrecionado. ● *S. 2 g.* **2.** Pessoa que se acha em insurreição; rebelde, revoltoso; insurrecionado.
insurgir. [Do lat. *insurgere.*] *V. t. d.* **1.** Sublevar, revolucionar, revoltar, rebelar, insubordinar; insurrecionar. *T. i.* **2.** Sair, emergir, surgir: *Seu vulto insurgia das trevas. P.* **3.** Sublevar-se, insubordinar-se, revoltar-se, rebelar-se, insurrecionar-se: "*Insurgia-se* [José Veríssimo] contra os exageros do purismo, contra o rebuscado e o artifício do vocabulário" (Barbosa Lima Sobrinho, *A Língua Portuguesa e a Unidade do Brasil*, p. 128). [M. us. como p. Conjug.: v. *dirigir.*]
insurrecionado. [Part. de *insurrecionar.*] *Adj.* e *s. m.* V. *insurgente.*
insurrecional. [Do lat. *insurrectione*, 'insurreição', + *-al.*] *Adj. 2 g.* Respeitante a, ou que tem o caráter de insurreição.
insurrecionar. [Do lat. *insurrectione*, 'insurreição', + *-ar*[2].] *V. t. d.* e *p.* V. *insurgir* (1 e 3): "dá razão às províncias que se *insurrecionam*" (Eça de Queirós, *Crônicas de Londres*, p. 2).
insurrecto. *Adj.* e *s. m.* Insurreto [q. v.]
insurreição. [Do lat. *insurrectione.*] *S. f.* **1.** Rebelião, revolta, sublevação. **2.** *Fig.* Oposição violenta ou veemente.
insurreto. [Var. de *insurrecto* < lat. *insurrectu.*] *Adj.* e *s. m.* Que, ou aquele que se insurgiu.
insusceptível. *Adj. 2 g.* V. *insuscetível.*
insuscetível. [De *in-*[2] + *suscetível;* var. de *insusceptível.*] *Adj. 2 g.* Não suscetível (1); incapaz: *É um juiz insuscetível de corrupção.*
insuspeição. [De *in-*[2] + *suspeição.*] *S. f.* Falta de suspeição.
insuspeitado. [De *in-*[2] + *suspeitado.*] *Adj.* De que não se tem suspeita; não suspeitado: "Peguei o livro na Livraria Ramiro Costa, por acaso. Achei-me, ao folheá-lo, em teatro totalmente novo. Fui avançando, de página em página, por estradas *insuspeitadas.*" (Gilberto Amado, *Minha Formação no Recife*, p. 251.)
insuspeito. [De *in-*[2] + *suspeito.*] *Adj.* **1.** Não suspeito. **2.** Imparcial.
insustável. [De *in-*[2] + *sustável.*] *Adj. 2 g.* Que não se pode sustar; não sustável: "ficar na muda, inexplicável ânsia, / no *insustável* desejo de chorar" (Gilca da Costa Melo Machado, *Mulher Nua*, p. 113).
insustentável. [Do lat. *insustentabile.*] *Adj. 2 g.* **1.** Que não se pode sustentar: *situação insustentável.* **2.** Sem fundamento; insubsistente: *argumentação insustentável.*
intã. *S. f. Bras.* Var. de *itã.*
intáctil. *Adj. 2 g.* Intátil [q. v.]. [Pl.: *intácteis.*]
intactilidade. *S. f.* Intatilidade [q. v.].
intacto. *Adj.* V. *intato.*
intaipaba. *S. f. Bras.* V. *itaipava* (1).
intaipava. *S. f. Bras.* V. *itaipava* (1).
intangibilidade. *S. f.* Qualidade de intangível.
intangível. [De *in-*[2] + *tangível.*] *Adj. 2 g.* **1.** Em que não se pode tocar; impalpável, intátil, intocável: " 'Flor de altura' lhe chamavam [a Leonor Teles] os poetas de então — flor que mora no cimo, sobranceira a tudo, *intangível* como o céu." (Antero de Figueiredo, *Leonor Teles*, p. 40). **2.** Em cuja reputação não se pode tocar; inatacável, ilibado, intocável: *magistrado intangível.*
intanha. [Do tupi *ĩ' tã*, onom. do barulho feito por este sapo.] *S. f. Bras.* Animal anfíbio, da ordem dos anuros ou *Salientia (Ceratophrys ornata),* do tamanho de um punho, corpo esparramado, verde com listras simétricas de cor chocolate escuro. De grande voracidade, consegue deglutir até pintos de um dia; quando irritado, costuma inchar, empinando dois apêndices corniformes cefálicos, o que lhe empresta um aspecto ameaçador. [Sin.: *sapo-intanha, untanha, sapo-boi, sapo-de-chifre.*]
intátil. [Var. de *intáctil* < lat. *intactile.*] *Adj. 2 g.* V. *intangível.* [Pl.: *intáteis.*]
intatilidade. [Var. de *intactilidade.*] *S. f.* Qualidade de intátil.
intato. [Var. de *intacto* < lat. *intactu.*] *Adj.* **1.** Não tocado. **2.** Ileso, incólume. **3.** *Fig.* Puro, impoluto, intocado.
▲**inte.** [Do lat. *-inte.*] *Suf. nom.* = 'agente', 'ação', 'qualidade', 'estado': *ouvinte, constituinte, seguinte.*
inté. *Prep. Ant.* e *pop.* Até: "*Inté* veludos e crinolinas, sutaches e aljofres eram encontradiços nas vendas" (Nelson de Faria, *Cabeça-Torta*, p. 8).
integérrimo. [Do lat. *integerrimu.*] *Adj.* Superl. abs sint. de *íntegro.* ~ V. *folha* —*a.*
íntegra. [Fem. substantivado de *íntegro.*] *S. f.* **1.** Totalidade. **2.** Contexto completo de lei, etc. [Cf. *integra*, do v. *integrar.*] ◆ **Na íntegra.** Integralmente; sem faltar uma palavra.
integrabilidade. *S. f.* Qualidade do que é integrável.
integração. [Do lat. *integratione.*] *S. f.* **1.** Ato ou efeito de integrar(-se). **2.** Ação ou política que visa integrar em um grupo as minorias raciais, religiosas, sociais, etc. **3.** *Anál. Mat.* Ato de calcular uma integral. ◆ **Integração racial.** Política que objetiva integrar no seio de uma sociedade as minorias raciais. [Cf. *segregação racial.*]
integracionista. *Adj. 2 g.* **1.** Relativo à integração racial, ou que é partidário dela. ● *S. 2 g.* **2.** Partidário da integração racial.
integrado. [Part. de *integrar.*] *Adj.* **1.** Que foi objeto de integração; que se integrou. **2.** Diz-se de cada uma das partes de um todo que se completam ou complementam: *unidades integradas.* ~ V. *bem* —.
integrador (ô). [Do lat. *integratore.*] *Adj.* **1.** Que integra ou faz integração. ● *S. m.* **2.** Aquilo ou aquele que integra ou faz integração. **3.** *Eletrôn.* Circuito em que a resposta é proporcional à integral, no tempo de um impulso de entrada.
intégrafo. [Do lat. *inte(gratu)*, 'integrado', + *-grafo.*] *S. m. Anál. Mat.* Instrumento mecânico para realizar uma integração (3).
integral. [De *íntegro* + *-al.*] *Adj. 2 g.* **1.** Total, inteirc, global. **2.** Diz-se de cereal que não sofreu beneficiamento, ou que foi apenas descascado, conservando-se lhe a película: *trigo integral; arroz integral.* **3.** *P. ext.* Diz-se de alimento preparado com cereal integral: *pão integral.* Cf., nesta acepç., *semi-integral.*] ~ V. *cálculo diferencial e* —, *dose absorvida* —, *edição* —, *equação* — *e equação* — *homogênea e tempo* —. ● *S. f.* **4.** *Anál. Mat.* Designação corrente da integral definida ou de uma integral indefinida. ◆ **Integral convergente.** *Anál. Mat.* A integral imprópria que tem um valor finito.

Integral curvilínea. *Anál. Mat.* Integral de uma função tomada sobre uma curva; integral de linha. **Integral de área.** *Anál. Mat.* Integral de superfície. **Integral de fase.** *Fís.* A integral múltipla dos produtos *p. dq, onde p* é o momento generalizado associado à coordenada generalizada *q* de um sistema, estendida ao domínio completo de todas as coordenadas generalizadas. **Integral definida.** *Anál. Mat.* Diferença entre os dois valores que assume uma integral indefinida em dois pontos especificados do seu domínio. [Tb. se diz apenas *integral.*] **Integral de linha.** *Anál. Mat.* Integral curvilínea. **Integral de movimento.** *Fís.* Função das coordenadas generalizadas de um sistema em movimento, a qual é constante e independente da variável tempo. **Integral de permuta.** *Fís.* Na expressão matemática da interação de duas partículas subatômicas, integral que provém formalmente da degeneração de permuta e traduz a existência de possíveis forças de permuta entre as duas. **Integral de superfície.** *Anál. Mat.* A integral dupla de uma função sobre uma superfície; integral de área. **Integral de volume.** *Anál. Mat.* A integral tripla de uma função de três variáveis estendida a um volume. **Integral divergente.** *Anál. Mat.* A integral imprópria cujo valor, em módulo, é infinito. **Integral geral.** *Anál. Mat.* Solução geral. **Integral imprópria.** *Anál. Mat.* Integral definida em que o intervalo de integração é infinito, ou em que o integrando se torna infinito para pelo menos um ponto do intervalo. **Integral indefinida.** *Anál. Mat.* Função cuja derivada é igual ao integrando; função do limite superior de uma integral definida cujo limite inferior é arbitrário. [Sin.: *primitiva* e *antiderivada.*] **Integral particular.** *Anál. Mat.* Solução particular. **Integral singular.** *Anál. Mat.* Solução singular.

integralismo. *S. m.* **1.** Aplicação integral de uma doutrina ou sistema. **2.** *Bras.* Movimento político brasileiro de extrema-direita baseado nos moldes fascistas [v. *fascismo*], fundado em 1932 e extinto em 1937.

integralista. *Adj. 2 g.* **1.** Referente ao, ou que é partidário do integralismo (2). ● *S. 2 g.* **2.** Partidário do integralismo (2). [Sin.: *camisa-verde* ou apenas *verde* e (deprec.) *galinha-verde* ou apenas *galinha* e *periquito.*]

integralização. *S. f.* Ato ou efeito de integralizar.

integralizado. [Part. de *integralizar.*] *Adj.* Que está completo, inteiro. ~ V. *capital* —.

integralizar. [De *integral* + *-izar.*] *V. t. d.* V. *integrar* (1).

integralizável. *Adj. 2 g.* Que pode ser integralizado.

integrando. [Ger. substantivado de *integrar.*] *S. m. Anál. Mat.* Função submetida à operação de integração; função integrando.

integrante. [Do lat. *integrante.*] *Adj. 2 g.* **1.** Que integra; que completa. ~ V. *conjunção — e fator —.* ● *S. 2 g.* **2.** *Gram.* Conjunção integrante.

integrar. [Do lat. *integrare.*] *V. t. d.* **1.** Tornar inteiro: completar, inteirar, integralizar: "Lutero é o mais germânico de todos os gênios germânicos. Ele *integra*, como nenhum outro, todas as qualidades e todos os defeitos do espírito de sua raça." (Vicente Licínio Cardoso, *Pensamentos Brasileiros*, p. 29.) **2.** *Anál. Mat.* Determinar, de forma explícita, a integral de (uma função). *P.* **3.** Inteirar-se, completar-se: "O seu talento literário e o seu nacionalismo [de Afonso Arinos] combinavam-se, *integravam-se*, completavam-se." (Olavo Bilac, *Últimas Conferências e Discursos*, p. 31.) **4.** Juntar-se, tornando-se parte integrante; reunir-se, incorporar-se: "A forma da fêmea *integrou-se* no corpo do macho, / Ambos uma só pedra" (Dante Milano, *Poesias*, p. 62). **5.** Adaptar-se, acomodar-se: "Alceu [Amoroso Lima], embora nervoso, inquieto, impaciente, apressado, se *integrou* muito bem na vida, foi desde rapazinho um ser gregário" (Antônio Carlos Vilaça, *O Desafio da Liberdade*, p. 20). [Pres. ind.: *integro, integras, integra*, etc. Cf. *íntegro* e *íntegra.*]

integrativo. *Adj.* Capaz de integrar; integrador, integrante.

integrável. *Adj. 2 g.* Que pode ser integrado. ~ V. *equação diferencial —.*

integricípito. *Adj.* **1.** *Zool.* Diz-se da ave cujo bico é inteiriço. **2.** Pertencente ou relativo aos integricípitos. ● *S. m.* **3.** Espécime dos integricípitos.

integricípitos. *S. m. pl. Zool.* Insetos da ordem dos sifonápteros, subordem *Integricipita*, cuja fronte é contínua com o occipício, sem sulco ou fratura entre os dois.

integridade. [Do lat. *integritate.*] *S. f.* **1.** Qualidade de íntegro; inteireza. **2.** *Fig.* Retidão, imparcialidade. **3.** *Fig.* Inocência, pureza, castidade.

integrifólio. [Do lat. *integru*, 'íntegro', + *-i-* + *-fólio.*] *Adj. Bot.* Que tem folhas inteiras.

integripaliado. *S. m.* **1.** Espécime dos integripaliados. ● *Adj.* **2.** Pertencente ou relativo a eles.

integripaliados. *S. m. pl. Zool.* Animais metazoários, moluscos, pelecípodes, eulamelibrânquios, subordem *Integripalliata*, que têm a linha palial inteira, sem formar seio.

integrismo. [De *íntegro* + *-ismo.*] *S. m. Teol.* Atitude mental de pessoas conservadoras com respeito a sua religião que se traduz no apego mais a fórmulas que à investigação e solução dos novos problemas que se apresentam à fé. [Opõe-se a *progressismo.*]

íntegro. [Do lat. *integru.*] *Adj.* **1.** Inteiro, completo. **2.** Perfeito, exato. **3.** Reto, imparcial, inatacável. **4.** Brioso, pundonoroso. [Superl. abs. sint.: *integérrimo, integríssimo.* Cf. *integro*, do v. *integrar.*] ~ V. *folha —a.*

inteira. [Fem. substantivado do adj. *inteiro.*] *S. f. Encad.* Encadernação inteira [q. v.]: *livro com inteira de couro.*

inteiração. *S. f.* Ato de inteirar. [Cf. *interação.*]

inteirado. [Part. de *inteirar.*] *Adj.* **1.** Que se inteirou, completou, perfez. **2.** *Bras.* Completo, cabal, rematado; absoluto: *É um louco inteirado; É um sujeito bom inteirado.*

inteirar. *V. t. d.* **1.** Tornar inteiro ou completo; completar; perfazer; preencher: *Necessita dinheiro para inteirar a quantia da passagem.* **2.** Completar, terminar: *Pretendia inteirar os seus estudos no ano próximo. T. d. e i.* **3.** Dar notícia completa; informar bem; fazer ciente; cientificar: *A tudo estive atento, para inteirar o chefe do que se passava. P.* **4.** Formar-se ou constituir-se num todo; integrar-se. **5.** Informar-se bem; fazer-se ciente; cientificar-se: *Inteirou-se do conteúdo da carta, e logo depois respondeu a ela.*

inteireza (ê). *S. f.* **1.** Qualidade ou estado daquilo que é inteiro. **2.** Integridade física ou moral: "Constância, lealdade, *inteireza*, eis o que respira da prosa estirada mas sincera de D. Duarte." (Vitorino Nemésio, *Ondas Médias*, p. 31.)

inteiriçado. [Part. de *inteiriçar.*] *Adj.* Hirto, teso.

inteiriçamento. *S. m.* Ato ou efeito de inteiriçar(-se): "A grande maioria obscura .... é calma na aparência, mas não são raros os que ocultam sob o *inteiriçamento* exterior recalques tormentosos." (Gilberto Amado, *Minha Formação no Recife*, p. 176.)

inteiriçar. [Cruz. do port. ant. *enterir*, 'ficar transido de frio, sem movimento', com *inteiro.*] *V. t. d.* **1.** Tornar inteiriço ou hirto; entesar: *O frio inteiriçava os pés da criança. P.* **2.** Ficar hirto; entesar-se: "o corpo *inteiriçou-se* no supremo arranco..." (João Alphonsus, *Pesca da Baleia*, p. 34); "*inteiriçara-se* com o frio e a umidade dos serenos, nos descampados das gerais" (Nélson de Faria, *Tiziu e Outras Estórias*, p. 123). [Conjug.: v. *laçar.*]

inteiriço. [De *inteiro* + *-iço.*] *Adj.* **1.** De uma só peça: *Traga um pedaço inteiriço de pano: em duas partes não serve*; "não se lhe via uma jóia no corpo, nem uma só fita no vestido *inteiriço*, de cambraia" (Aluísio Azevedo, *O Coruja*, p. 209). **2.** *Fig.* Inflexível, rígido: *caráter inteiriço.* ~ V. *mastro —.*

inteiro. [Do lat. *integru.*] *Adj.* **1.** Em toda a sua extensão; todo, completo: *Usou a peça inteira de renda; A rua inteira foi atingida pela enchente.* **2.** Na sua totalidade: *O país inteiro vibrou com a notícia.* **3.** Que tem todas as suas partes; a que não falta nada: *A estátua, apesar do tempo, acha-se inteira*; "Está *inteira* / E boa a cigarreira. / Ele é que já não serve." (Fernando Pessoa, *Poesias de Fernando Pessoa*, p. 220). **4.** Ileso, incólume: *Apesar da batida violenta, ele saiu do carro inteiro.* **5.** Não deteriorado, quebrado ou rachado: *O vaso é antigo, mas está inteiro.* **6.** Que não diminuiu. **7.** Constituído de uma só peça; inteiriço: *vestido inteiro.* **8.** Diz-se do animal não castrado. **9.** Ilimitado, absoluto, irrestrito: *Tenho nela inteira confiança; Goza de inteira liberdade.* **10.** *Fig.* Reto, íntegro, incorruptível: *um caráter inteiro.* ~ V. *encadernação —a, equação algébrica racional —a, estaca —a, função —a, múltiplo —, número —, polinômio —, série —a, solução —a e verso —.* ● *S. m.* **11.** *Mat.* Número inteiro. ◆ **Inteiro negativo.** *Mat.* Qualquer dos números -1, -2, -3, ... **Inteiro positivo.** *Mat.* Qualquer dos números 1, 2, 3, ...

intelecção. [Do lat. *intellectione.*] *S. f.* Ato de entender, conceber, compreender.

intelectivo. [Do lat. *intellectivu.*] *Adj.* Relativo ao intelecto; do entendimento.

intelecto. [Do lat. *intellectu.*] *S. m.* V. *inteligência*[1] (1). ◆ **Intelecto agente.** *Hist. Filos.* Intelecto ativo. **Intelecto ativo.** *Hist. Filos.* Na tradição aristotélico-tomista, a faculdade cognitiva pela qual as impressões recebidas pelos sentidos, i. e., as espécies impressas [q. v.], se tornam inteligíveis, i. e., apropriadas ao intelecto passivo; intelecto agente. **Intelecto passivo** *Hist. Filos.* Na tradição aristotélico-tomista, a faculdade cognitiva pela qual as impressões dos sentidos, já espiritualizadas pelo intelecto ativo [q. v.], são plenamente conhecidas.

intelectual. [Do lat. *intellectuale.*] *Adj. 2 g.* **1.** Relativo ao intelecto: "A infanta D. Maria era uma mulher espirituosa, de grande cultura *intelectual*" (Ramalho Ortigão, *Figuras e Questões Literárias*, I, p. 154). **2.** Que possui dotes de espírito, de inteligência. ~ V. *falsidade — e obra —.* ● *S. 2 g.* **3** Pessoa que tem gosto predominante ou inclinação pelas coisas do espírito, da inteligência.

intelectualidade. [Do lat. *intellectualitate.*] *S. f.* **1.** V. *inteligência*[1] (1). **2.** As faculdades intelectuais. **3.** Conjunto de intelectuais. **4.** A classe dos intelectuais.

intelectualismo. [De *intelectual* + *-ismo.*] *S. m.* **1.** Predomínio, num sistema ou num tipo de cultura, dos elementos racionais, i. e., da inteligência e da razão. **2.** *Filos.* Doutrina segundo a qual tudo quanto existe é redutível a elementos intelectuais, i. e., a idéias e a relações entre idéias. [Cf. *idealismo* (2).] **3.** *Ét.* Doutrina que pretende justificar pela razão os fins últimos do homem.

intelectualista. *Adj. 2 g.* **1.** Relativo ao intelectualismo. **2.** Que é adepto das formas culturais ou sistemas de valores em que os elementos racionais preponderam sobre os afetivos ou volitivos. ● *S. 2 g.* **3.** Adepto dessas formas culturais ou sistemas de valores.

intelectualização. *S. f.* Ação ou efeito de intelectualizar(-se).

intelectualizado. [Part. de *intelectualizar.*] *Adj.* Que se intelectualizou.

intelectualizar. *V. t. d.* **1.** Tornar intelectual (3). **2.** Elevar à classe das coisas intelectuais. *P.* **3.** Tornar-se intelectual (3).

inteligência[1]. [Do lat. *intelligentia.*] *S. f.* **1.** Faculdade de aprender, apreender ou compreender; percepção, apreensão, intelecto, intelectualidade. **2.** Qualidade ou capacidade de compreender e adaptar-se facilmente; capacidade, penetração, agudeza, perspicácia. **3.** Maneira de entender ou interpretar; interpretação: *a boa inteligência de um texto; É vária a inteligência daquele artigo do Código Civil*; "Fala-me só coo revolver dos olhos. / Tenho-me afeito à *inteligência* deles." (Junqueira Freire, *Contradições Poéticas*, p. 192). **4.** Acordo, harmonia, entendimento recíproco: *Vivem em boa inteligência.* **5.** Relações ou entendimentos secretos; conluio, maquinação, trama. **6.** Destreza mental; habilidade: *Resolveu o problema com a sua inteligência habitual.* **7.** *Psicol.* Capacidade de resolver situações problemáticas novas mediante reestruturação dos dados perceptivos. **8.** Pessoa inteligente: *Grandes inteligências do país estavam ali reunidas.*

inteligência[2]. [Do ingl. *intelligence.*] *S. f. Angl.* V. *serviço de informações.*

inteligente. [Do lat. *intelligente.*] *Adj. 2 g.* **1.** Que tem ou revela inteligência[1]: *indivíduo inteligente; resolução inteligente; resposta inteligente.* ● *S. m.* **2.** *Lus.* Diretor de touradas.

inteligibilidade. *S. f.* Qualidade de inteligível.

inteligível. [Do lat. *intelligibile.*] *Adj. 2 g.* **1.** Que se compreende bem. **2.** Relativo à inteligência[1]. **3.** *Filos.* Que só pode ser conhecido pelo pensamento, e não pelos sentidos. **4.** *Filos.* Inserido em um sistema de significações ou relações lógicas já conhecidas.

intelijumência. *S. f. Bras., N. e N.E. Pop.* Qualidade de intelijumento.

intelijumento. [Cruz. de *inteligente* com *jumento.*] *Adj. Bras. Pop.* Curto de inteligência[1]; bronco, estúpido, burro.

➡**intelligentsia** (gên). [Do rus. *intelligentsiya*, atr. do lat. *intelligentia.*] *S. f.* Os intelectuais considerados como classe ou grupo, ou, em especial, como uma elite artística, social ou política. [Tb. se grafa *intelligentzia.*]

➡**intelligentzia** (gên). *S. f.* V. *intelligentsia.*

intemente. [De *in-*[2] + *temente.*] *Adj. 2 g.* Que não teme; não temente: *mulher intemente a Deus.*

intemerato. [Do lat. *intemeratu.*] *Adj.* Íntegro, puro, incorrupto: "Ela lá estava no seu posto, altiva, serena, *intemerata*, reta como um exemplo..." (Trindade Coelho, *Os Meus Amores*, p. 157.) [Cf. *intimorato.*]

intemperado. [Do lat. *intemperatu.*] *Adj.* Sem temperança; dissoluto, descomedido, imoderado.

intemperança. [Do lat. *intemperantia.*] *S. f.* **1.** Falta de temperança. **2.** Costume de beber e comer em excesso; glutonaria. [Sin. ger.: *destemperança.*]

intemperante. [Do lat. *intemperante.*] *Adj. 2 g.* **1.** Que não é sóbrio. **2.** Dissoluto, descomedido, imoderado. ● *S. 2 g.* **3.** Pessoa intemperante.

intempérico. *Adj.* Referente a, ou resultante de intempérie.
intempérie. [Do lat. *intemperie*.] *S. f.* **1.** Os rigores das variações das condições atmosféricas (temperatura, chuvas, ventos, umidade). **2.** Mau tempo: "E o herói caiçara do Itapanhaú, tremendo de frio e de terror sob a intempérie, apressava o passo em direção à cidade distante" (Ribeiro Couto, *Conversa Inocente*, p. 147).
intemperismo. [De *intempérie* + *-ismo*.] *S. m. Geol.* Conjunto de processos devidos à ação de agentes atmosféricos e biológicos que geram a destruição física e a decomposição química dos minerais das rochas.
intempestividade. [Do lat. *intempestivitate*.] *S. f.* Qualidade de intempestivo.
intempestivo. [Do lat. *intempestivu*.] *Adj.* **1.** Fora do tempo próprio; inoportuno. **2.** Súbito, imprevisto, inopinado.
intemporal. [De *in-*[2] + *temporal*.] *Adj.* **1.** Não temporal ou transitório; eterno, perene. **2.** Não temporal ou profano; espiritual.
intemporalidade. *S. f.* Qualidade de intemporal; ausência de temporalidade: "O tempo cronológico perde a razão de ser ante a intemporalidade da ação [no romance *Perto do Coração Selvagem*, de Clarice Lispector], que foge dele num ritmo caprichoso de duração interior." (Antônio Cândido, *Brigada Ligeira*, p. 106.)
intenção. [Do lat. *intentione*.] *S. f.* **1.** Ato de tender; intento, tenção. **2.** Vontade, desejo, pensamento. **3.** Propósito, plano, deliberação: *Minha intenção era sair logo que terminasse o trabalho.* **4.** *Liter.* O conjunto dos motivos do autor ao escrever uma obra, em oposição à obra realizada. [Cf. *intensão*.] ♦ **Segunda intenção.** Pensamento ou intenção que se oculta en-quanto se expressa outra por gesto(s) ou palavra(s). [Corresponde ao fr. *arrière-pensée*.]
intencionado. [Part. de *intencionar*.] *Adj.* Feito com intenção.
intencional. *Adj. 2 g.* **1.** Em que há, ou que revela intenção. **2.** Relativo a intenção. [Sin., p. us.: *intencionável*.] ~ V. *análise —*.
intencionalidade. *S. f.* Qualidade de intencional. ♦ **Intencionalidade da consciência.** *Filos.* Caráter próprio da consciência pelo qual a cada ato de consciência corresponde um conteúdo de consciência, i. e., toda "consciência" é "consciência de...".
intencionar. *V. t. d.* Ter a intenção de; tencionar.
intencionável. [De *intencional* + *-ável*.] *Adj. 2 g. P. us.* Intencional.
intencionista. *Adj. 2 g.* e *s. 2 g.* Diz-se de, ou sectário da opinião de que nenhum ato é válido se não é feito com intenção.
intendência. [Do fr. *intendance*.] *S. f.* **1.** Cargo ou direção de intendente. **2.** Edifício ou repartição onde o intendente exerce as suas funções.
intendente. [Do fr. *intendant*.] *S. 2 g.* **1.** Pessoa que dirige ou administra alguma coisa. ● *S. m.* **2.** *Bras.* Designação que até o primeiro quartel deste século se deu aos chefes do poder executivo municipal, hoje prefeitos. **3.** *Bras. Mil.* Oficial integrante de um quadro ou categoria especial, ao qual incumbe a execução dos serviços financeiros e de abastecimento das organizações militares.
intender. [Do lat. *intendere*.] *V. t. d.* **1.** Exercer vigilância e direção sobre; dirigir, superintender. *P.* **2.** Tornar-se mais intenso. [Cf. *entender*.]
intensão. [Do lat. *intensione*.] *S. f.* **1.** Veemência, intensidade. **2.** Aumento de tensão. **3.** *Fon.* V. *articulação* (5). [Cf. *intenção*.]
intensar. [De *intenso* + *-ar*[2].] *V. t. d.* e *p.* Intensificar(-se): "O rumor dos bailes intensava a emoção da música" (Alcides Maia, *Tapera*, p. 38).
intensidade. *S. f.* **1.** Qualidade de intenso. **2.** Grau muito elevado. **3.** *Fon.* O maior grau de força expiratória com que o som da fala é proferido, força que se manifesta acusticamente na maior ou menor amplitude de vibrações. [O acento característico da língua portuguesa é o *acento de intensidade*, e a vogal ou sílaba sobre a qual recai denomina-se *tônica*, sendo *átona* a vogal ou sílaba inacentuada. São sete as vogais tônicas orais (*a, é, ê, i, ó, ô, u*) e cinco as vogais tônicas nasais (*ã, ẽ, ĩ, õ, ũ*). Cinco são as vogais átonas orais (*a, ê, i, ô, u*) e cinco as vogais átonas nasais (*ã, ẽ, ĩ, õ, ũ*). A sílaba imediatamente anterior à tônica denomina-se *sílaba pretônica*, e a sílaba imediatamente posterior à tônica, *sílaba postônica*. Ex.: na palavra *te-a-tro*, *a* é a sílaba tônica, *te* a pretônica e *tro* a postônica.] ♦ **Intensidade do campo elétrico.** *Eletr.* Num campo elétrico, força que age num ponto, sobre uma unidade de carga elétrica positiva ali colocada; intensidade elétrica. [Símb.: *E*.] **Intensidade do campo magnético.** *Fís.* Num campo magnético, força que age, num ponto do campo, sobre uma unidade de pólo magnético ali colocada; num campo magnético, força que age sobre uma unidade de carga elétrica unitária que se move com velocidade também unitária em direção perpendicular às linhas de força do campo. [Símb.: *H*.] **Intensidade elétrica.** *Eletr.* Intensidade do campo elétrico. **Intensidade energética.** *Fís.* Fluxo de energia emitido por uma fonte pontual, numa direção e por unidade de ângulo sólido; intensidade radiante. **Intensidade luminosa.** *Fotom.* Fluxo de energia luminosa emitido, em uma dada direção e por unidade de ângulo sólido, por uma fonte pontual. **Intensidade radiante.** *Fís.* Intensidade energética. **Intensidade sonora.** *Fís.* Fluxo de energia sonora através de uma superfície normal à direção de propagação da onda.
intensificação. *S. f.* Ato ou efeito de intensificar(-se).
intensificar. *V. t. d.* e *p.* Tornar(-se) intenso ou mais intenso; intensar(-se). [Conjug.: v. *trancar*.]
intensivo. *Adj.* **1.** Que dá intensão. **2.** Que tem intensidade; ativo, veemente; intenso: "Do interior das fazendas coloniais nos vem, através das páginas de Antonil, uma impressão de operosidade intensiva." (Oliveira Viana, *Populações Meridionais do Brasil*, p. 69.) **3.** Diz-se da cultura que acumula o trabalho e o capital em terreno relativamente limitado. **4.** Que se faz com aplicação intensa, compensando com ela, em geral, a brevidade do prazo disponível: *estudo intensivo; curso intensivo.* **5.** *Gram.* Que reforça ou intensifica a idéia da ação: *partícula intensiva.* ~ V. *grandeza —a, propriedade —a* e *verbo —*.
intenso. [Do lat. *intensu*.] *Adj.* **1.** Ativo, energético, forte, impetuoso, veemente: *amor intenso; dedicação intensa.* **2.** Duro, árduo, penoso, aturado, absorvente: *trabalho intenso.* **3.** Forte, violento, rude, excessivo: "Meio-dia. Calor intenso, sufocante." (Amando Fontes, *Os Corumbas*, p. 146.) **4.** Muito ativo; animado ou movimentado em alto grau: "A vida social era intensa; reuniões, festas e chás movimentavam as classes altas." (Manuel Diegues Júnior, *Regiões Culturais do Brasil*, p. 251.)
intentar. [Do lat. *intentare*.] *V. t. d.* **1.** Tentar, tencionar, planear; projetar: *Intentou grandes obras.* **2.** Esforçar-se por; diligenciar, tentar: "Leonor deixara a mãe falar, sem intentar qualquer desculpa, sem nada mais dizer em sua defesa." (Guido Vilmar Sassi, *São Miguel*, p. 173). **3.** Empreender, cometer. **4.** *Jur.* Propor em juízo: *intentar uma ação.*
intentável. *Adj. 2 g.* Que pode ser intentado.
➧**intentio legis** (intêncio légiç). [Lat.] *Jur.* A finalidade da lei.
➧**intentio litis** (intêncio lítç). [Lat.] *Jur.* O fim a que visa o autor da lide.
intento. [Do lat. *intentu*.] *S. m.* **1.** Plano, desígnio, projeto, intenção. ● *Adj.* **2.** Aplicado, atento.
intentona. [Do esp. *intentona*.] *S. f.* **1.** Intento louco; plano insensato. **2.** Conluio e/ou tentativa de motim ou revolta.
▲**inter-.** [Do lat. *inter*.] *Pref.* = 'posição intermediária': 'reciprocidade': *intercostal; interação.* [Equiv.: *entre-*: *entrededo; entrechocar-se*.]
interacadêmico. [De *inter-* + *acadêmico*.] *Adj.* Que se realiza entre academias: *acordo interacadêmico.*
interação. [De *inter-* + *ação*.] *S. f.* **1.** Ação que se exerce mutuamente entre duas ou mais coisas, ou duas ou mais pessoas; ação recíproca: "Nesse fenômeno de interação de linguagem popular e linguagem poética o fato que nos parece mais curioso é o do aproveitamento, no curso da vida de cada um, ... de expressões usadas por poetas" (Valdemar Cavalcanti, *Jornal Literário*, p. 199); "É evidente que a obra de arte resulta da interação de fatores subjetivos e objetivos, veiculados através do meio social." (Eurílo Canabrava, *Estética da Crítica*, p. 29). **2.** *Fís.* Ação mútua entre duas partículas ou dois corpos. **3.** *Fís.* Força que duas partículas exercem uma sobre a outra, quando estão suficientemente próximas. [Cf. *inteiração*.] ♦ **Interação forte.** *Fís. Nucl.* Tipo de força de curto alcance, muito intensa, que atua entre núcleons, hiperons e alguns mésons, e é responsável pela estabilidade dos núcleons atômicos. **Interação fraca.** *Fís. Nucl.* Tipo de força responsável pelo decaimento de muitas partículas elementares, exceto de prótons, neutrinos e fótons. **Interação medicamentosa.** *Med.* e *Farmac.* Conjunto de fenômenos pelo qual os efeitos habituais de um medicamento, *in vivo*, são modificados ou pela administração, prévia ou conjunta, de outro(s) medicamento(s), ou por substâncias químicas do organismo do próprio doente, ou por constituintes de alimentos, ou por substâncias encontradas no ambiente; um medicamento pode, ainda, modificar o efeito habitual de substâncias químicas empregadas em investigações laboratoriais num paciente que o esteja recebendo. [Cf. *incompatibilidade medicamentosa*.]
interagente. *Adj. 2 g.* Que interage; em que há interação.
interagir. [De *inter-* + *agir*.] *V. int.* Agir mutuamente (dois ou mais objetos, duas ou mais coisas); interatuar, exercer interação. [Conjug.: v. *dirigir*.]
interaliado. [De *inter-* + *aliado*.] *Adj. Mil.* Diz-se de operação ou de órgão que emprega forças ou elementos ponderáveis de dois ou mais governos aliados, sob comando único, para o cumprimento de uma missão comum.
interalveolar. [De *inter-* + *alveolar*.] *Adj. 2 g. Anat.* Situado entre alvéolos.
interambulacrário. [De *inter-* + *ambulacrário*.] *Adj. Zool.* Situado entre duas áreas ambulacrárias.
interamericano. [De *inter-* + *americano*[1].] *Adj.* Relativo às, ou que se efetua entre as Américas.
interamnense. [Do lat. *interamnense*.] *Adj. 2 g.* **1.** Que vive entre rios. **2.** Pertencente ou relativo à região de Entre Douro e Minho (Portugal). ● *S. 2 g.* **3.** Natural ou habitante dessa região.
interanular. [De *inter-* + *anular*[1].] *Adj. 2 g.* Situado entre anéis.
interárabe. [De *inter-* + *árabe*.] *Adj. 2 g.* Relativo aos, ou que se efetua entre os Estados árabes.
interarticular. [De *inter-* + *articular*[1].] *Adj. 2 g.* Situado entre articulações.
interativo. *Adj.* **1.** Relativo a, ou em que há interação. **2.** *Proc. Dados.* Diz-se de aplicação na qual cada entrada vai provocar uma resposta, como, p. ex., num sistema de consulta ou de reserva de passagem aérea, onde há uma operação recíproca entre um usuário e o computador.
interatuar. [De *inter-* + *atuar*[1].] *V. int.* V. *interagir.*
interbancário. [De *inter-* + *bancário*.] *Adj.* Que se observa ou se realiza entre bancos.
intercadência. [De *inter-* + *cadência*.] *S. f.* **1.** Falta de continuidade; interrupção: "o amor apaixonado, por mais perfeito que o queiram pintar, tem sempre intercadência de desalento e de tédio que assassinam a felicidade." (Ramalho Ortigão, *Em Paris*, p. 23). **2.** Intercorrência (falando-se do tempo). **3.** *Patol.* Movimento desordenado do pulso, caracterizado por frouxidão intermitente das pulsações arteriais.
intercadente [De *inter-* + *cadente*.] *Adj. 2 g.* **1.** Não contínuo; intermitente, interrompido, interrupto, descontinuado: "o ouvir no ar em ecos intercadentes uma multidão de soluços e suspiros" (Matias Aires, *Reflexões sobre a Vaidade dos Homens*. p. 117). **2.** Irregular; variável; alternado. ~ V. *pulso —*.
intercalação. [Do lat. *intercalatione*.] *S. f.* **1.** Ato ou efeito de intercalar(-se). **2.** *Art. Gráf.* V. *acréscimo* (5). **3.** *Art. Gráf.* Sinal, palavra ou grupo de palavras em tipo diferente, numa composição. **4.** *Art. Gráf.* Folha de papel com que se permeiam folhas impressas, para evitar repintes; entrefolha.
intercalado. [Part. de *intercalar*[2].] *Adj.* Entremeado, interposto. ~ V. *charada —a*.
intercalar[1]. [Do lat. *intercalare*.] *Adj. 2 g.* Que se intercala, que se acha intercalado.
intercalar[2]. [Do lat. *intercalare*.] *V. t. d.* e *t. d.* e *i.* **1.** Pôr de permeio; interpor; inserir: "É [teu nome] o verso de ouro que regula o metro / De um poema de orfeônicos arpejos, / Que, de hora em hora, trêmulo, soletro / Intercalando sílabas de beijos." (Humberto de Campos, *Poesias Completas*, p. 33); "Nas mãos de cera, finas e mimosas, / Postas em cruz, intercalou-lhe as rosas" (Conde de Monsaraz, *Musa Alentejana*, p. 250). **2.** *Art. Gráf.* Encasar (6). *P.* **3.** Misturar-se; entremear-se.
intercalável *Adj. 2 g.* Que pode ser intercalado.
intercambiador (ô). *Adj.* e *s. m.* Que ou aquele que intercambia.
intercambiamento. *S. m.* Ato ou efeito de intercambiar.
intercambiar. [De *intercâmbio* + *-ar*[2].] *V. t. d.* **1.** Fazer ou praticar intercâmbio de: *intercambiar produtos; intercambiar relações.* **2.** Permutar, trocar. [Pres. ind.: *intercambio*, etc. Cf. *intercâmbio*.]
intercambiável. *Adj. 2 g.* Que se pode intercambiar.
intercâmbio. [De *inter-* + *câmbio*.] *S. m.* **1.** Troca, permuta. **2.** Relações de comércio ou intelectuais de nação a nação. [Cf. *intercambio*, do v. *intercambiar*.]
interceder. [Do lat. *intercedere*.] *V. t. i.* Pedir, rogar, suplicar (por outrem); intervir (a favor de alguém ou de algo): *Vendo que o amigo sofrera injustiça, interce-*

deu por ele; "Conta-se que .... intercedeu [Charles Nodier], junto do pai, em favor de uma senhora acusada de traição" (Melo Nóbrega, *O Soneto de Arvers*, p. 10).

intercelular. [De *inter-* + *celular.*] *Adj. 2 g. nat.* Localizado entre as células.

intercepção. [Do lat. *interceptione.*] *S. f.* Interceptação.

interceptação. *S. f.* Ato ou efeito de interceptar; intercepção.

interceptador (ô). *Adj.* **1.** Que intercepta; interceptante, interceptor. ● *S. m.* **2.** Aquele que intercepta; interceptor. **3.** Avião de caça, muito veloz e bem armado, que tem por função interceptar, pelo ataque, as incursões aéreas inimigas.

interceptante. *Adj. 2 g.* V. *interceptador* (1).

interceptar. [De *intercepto* + *-ar*[2].] *V. t. d.* **1.** Interromper no seu curso; deter ou impedir na passagem: *interceptar raios de luz.* **2.** Cortar, interromper: *interceptar comunicações telefônicas.* **3.** Reter, deter, empolgar (o que era destinado a outrem). **4.** Servir de, ou constituir obstáculo a: "haveria [Gonçalves Dias] .... de sofrer da humildade da mãe, que era como uma barreira a interceptar-lhe as comunicações." (Lúcia Miguel Pereira, *A Vida de Gonçalves Dias*, p. 156).

intercepto. [Do lat. *interceptu.*] *Adj.* Que se interceptou; interrompido.

interceptor (ô). [Do lat. *interceptore.*] *Adj.* e *s. m.* Que, aquele ou aquilo que intercepta. ♦ **Interceptor oceânico.** *Bras.* Galeria que se destina a recolher os esgotos sanitários e/ou pluviais, impedindo sejam lançados em diversos pontos inadequados da orla marítima.

intercervical. [De *inter-* + *cervical.*] *Adj. 2 g. Anat.* Localizado entre as vértebras cervicais.

intercessão. [Do lat. *intercessione.*] *S. f.* Ato de interceder; intervenção: "peçamo-la [a graça divina] primeiro ao Espírito Santo por intercessão da Senhora." (Pe Antônio Vieira, *Sermões*, XII, pp. 56-57). [Cf. *interseção.*]

intercessor (ô). [Do lat. *intercessore.*] *Adj.* e *s. m.* Que, ou aquele que intercede.

intercílio. [Do lat. *interciliu.*] *S. m. Anat.* V. *glabela.*

interciso. [Do lat. *intercisu.*] *Adj.* **1.** Cortado ao meio. **2.** Retalhado; truncado.

interclavicular. [De *inter* + *clavicular.*] *Adj. 2 g. Anat.* Situado entre as clavículas.

interclube. [De *inter-* + *clube.*] *Adj. 2 g. Bras.* Que se realiza ou se disputa entre dois ou mais clubes: *campeonato interclube.*

intercolegial. [De *inter-* + *colegial.*] *Adj. 2 g.* Que se efetua entre dois ou mais colégios: *concurso intercolegial.*

intercolonial. [De *inter-* + *colonial.*] *Adj. 2 g.* Que se faz de colônia para colônia.

intercolunar. *Adj. 2 g.* Relativo a intercolúnio.

intercolúnio. [Do lat. *intercolumniu.*] *S. m.* Espaço entre colunas: "levanta-a .... nos braços e senta-a num intercolúnio do pórtico" (Eugênio de Castro, *Obras Poéticas*, VI, p. 62).

intercombinação. [De *inter-* + *combinação.*] *S. f. Fís.* Transição de um átomo de um estado para outro de multiplicidade diferente. [Em geral é uma transição proibida, mas ocorre nos átomos de elementos pesados.]

intercomunicação. [De *inter-* + *comunicação.*] *S. f.* Ato ou efeito de intercomunicar-se; comunicação recíproca.

intercomunicar-se. [De *inter-* + *comunicar-se.*] *V. p.* Comunicar-se reciprocamente. [Conjug.: v. *trancar.*]

intercomunitário. [De *inter-* + *comunitário.*] *Adj.* Que existe ou se efetua entre comunidades.

intercondral. [De *inter-* + *-condr(o)-* + *-al.*] *Adj. 2 g. Anat.* Situado entre cartilagens.

interconexão. *S. f.* Conexão entre dois processos, equipamentos, idéias, etc.

intercontinental. [De *inter-* + *continental.*] *Adj. 2 g.* **1.** Relativo a dois ou mais continentes. **2.** Situado entre continentes. **3.** Que se faz de continente para continente: *comércio intercontinental.*

intercorrência. [Do lat. *intercurrentia* *intercurrere,* 'correr no intervalo de tempo'.] *S. f.* **1.** Qualidade de intercorrente. **2.** Alternativa, variação.

intercorrente. [Do lat. *intercurrente.*] *Adj. 2 g.* **1.** Que se mete de permeio. **2.** Que sobrevém enquanto outra coisa dura: "para curá-la tanto de sua loucura como da atual moléstia intercorrente, lançara mão de todos os recursos" (Lima Barreto, *Triste Fim de Policarpo Quaresma*, p. 245). ~ V. *pulso* —.

intercostal. [De *inter-* + *costa* (1) + *-al.*] *Adj. 2 g. Anat.* Localizado entre as costelas.

intercrescimento. [De *inter-* + *crescimento.*] *S. m. Geol.* Disposição interligada de dois minerais, que se deve, normalmente, à cristalização simultânea de duas fases ou à exsolução de uma fase em outra.

intercurso. [Do lat. *intercursu.*] *S. m.* Comunicação, trato: "Versátil no intercurso sexual, não desdenharia [D. Pedro I] as mulheres aparentemente menos dotadas" (Otávio Tarqüínio de Sousa, *A Vida de D. Pedro I*, I, pp. 106-107).

interdepartamental. [De *inter-* + *departamento* + *-al.*] *Adj. 2 g.* Que existe ou se efetua entre dois ou mais departamentos.

interdependência. [De *inter-* + *dependência.*] *S. f.* Dependência recíproca.

interdependente. [De *inter-* + *dependente.*] *Adj. 2 g.* Que interdepende.

interdepender. [De *inter-* + *depender.*] *V. int.* Depender reciprocamente.

interdição. [Do lat. *interdictione.*] *S. f.* **1.** Ato de interdizer (1); proibição, impedimento. **2.** Privação judicial de alguém reger sua pessoa e bens. **3.** Suspensão de funções ou de funcionamento: *A interdição do cinema da minha rua terminou ontem.* **4.** *Jur.* Privação legal do gozo ou do exercício de certos direitos no interesse da coletividade; interdito. [Sin. ger.: *interdito.*]

interdigital. [De *inter-* + *digital.*] *Adj. 2 g. Anat.* Situado entre os dedos: "Com a agitação das membranas interdigitais que lhe servem de asas o morcego disfarça a mordedura com que chupa o sangue da vítima." (Carlos de Laet, *O Frade Estrangeiro e Outros Escritos*, p. 201.)

interdisciplinar. *Adj. 2 g.* Comum a duas ou mais disciplinas ou ramos de conhecimento.

interditado. [Part. de *interditar.*] *Adj.* e *s. m. Jur.* Que ou aquele que sofreu interdição.

interditar. *V. t. d.* Declarar interdito (1 e 2); pronunciar interdito (4 a 6) contra; proibir.

interdito. [Do lat. *interdictu.*] *Adj.* **1.** Que está sob interdição; interditado. **2.** Privado de reger a sua pessoa e bens. ● *S. m.* **3.** Aquele que foi privado judicialmente de reger sua pessoa ou bens. **4.** *Jur.* Interdição (4). **5.** *Jur.* Ação intentada com o fim de proteger a posse, e que se caracteriza por uma ordem judicial de manutenção (contra turbações), de reintegração (contra esbulhos), ou por preceito proibitório (contra violência iminente). **6.** *Rel.* Pena eclesiástica que proíbe a alguém o uso e fruição de alguns bens eclesiásticos, ou que impede o acesso a lugares sagrados, como igrejas, capelas, etc.

interdizer. [Do lat. *interdicere.*] *V. t. d.* **1.** Proibir, impedir, estorvar, vedar: "O tabu é uma instituição religiosa que atribui caráter sagrado a determinada pessoa ou coisa, interdizendo qualquer contato com elas." (Ângela Vaz Leão, *História de Palavras*, p. 35.) **2.** Privar (alguém) da administração da sua pessoa e bens. **3.** Proibir eclesiasticamente (certas celebrações). *T. d.* e *i.* **4.** Impedir, estorvar, vedar, tolher: "os olhos [de Machado de Assis] estavam doentes, interdizendo-lhe as leituras e o trabalho." (Lúcia Miguel Pereira, *Machado de Assis*, 172). [Irreg. Conjug.: v. *dizer.*]

intereletródico. [De *inter-* + *eletrodo* + *-ico*[2].] *Adj. Eletrôn.* Diz-se de fenômeno que ocorre entre dois ou mais eletrodos.

interescolar. [De *inter-* + *-escolar.*] *Adj. 2 g.* Que se realiza entre escolas.

interespacejamento. *S. m. Tip.* Ato ou efeito de interespacejar.

interespacejar. [De *inter-* + *espacejar.*] *V. t. d. Tip.* Colocar espaços entre (letras de uma palavra). [Conjug.: v. *pelejar.* Cf. *espacejar.*]

interessado. [Part. de *interessar.*] *Adj.* **1.** Que tem interesse em algo. **2.** Que tem por base, ou é inspirado em interesses pessoais: *amizade interessada.* **3.** Diz-se do empregado que é co-participante dos lucros de uma firma. ● *S. m.* **4.** Indivíduo interessado.

interessante. *Adj. 2 g.* **1.** Que interessa; importante: "animais mais úteis ao gênero humano que o camelo, e mais interessantes à ciência que o mastodonte." (Ramalho Ortigão, *Primeiras Prosas*, p. 236). **2.** Que prende a atenção, a curiosidade, ou cativa o espírito: *livro interessante.* **3.** Atraente, simpático: *pessoa interessante.* **4.** Estranho, curioso: *Interessante a preocupação dele em não a contrariar!* ~ V. *estado* —.

interessar. *V. t. d.* **1.** Ser do interesse de; ser proveitoso a: *A nova lei interessa às empresas particulares;* "O restabelecimento das relações entre D. Emília e o irmão interessava Aurélia mui intimamente." (José de Alencar, *Senhora*, p. 195). **2.** Dizer respeito a. **3.** Cativar o espírito, a atenção, a curiosidade de: "A novidade do caso interessou grandemente o nosso poeta" (Machado de Assis, *Páginas Recolhidas*, p. 49). **4.** Captar o favor, a benevolência de. **5.** Mover em seu favor, captar, granjear: *Por mais que fizesse, não interessou a benevolência do chefe.* **6.** Alcançar; ferir, ofender: *A cutilada interessou-lhe as entranhas.* *T. d.* e *i.* **7.** Dar (a alguém) parte (em algum negócio); dar parte no lucro: *Ajudou o irmão, interessando-o na sua empresa.* **8.** Atrair ou provocar o interesse, a atenção, a curiosidade: "O continuado estrépito foi chamando o povo à praça e interessando-o .... naquelas carreiras desatinadas." (Xavier Marques, *As Voltas da Estrada*. p. 128.) *T. i.* **9.** Dizer respeito; ser proveitoso; importar: *Suas palavras interessavam a todos os presentes.* **10.** Ser interessante, útil, proveitoso, importante: *O acordo interessava igualmente aos dois países.* **11.** Ter interesse; tirar, auferir utilidade, lucro. **12.** Cativar o espírito, a atenção, a curiosidade: "Não sei se poderá interessar ao leitor de hoje a vida corrente de uma cidade do interior, no fim do século passado, através das impressões de uma menina" (Helena Morley, *Minha Vida de Menina*, nota introdutória). *Int.* **13.** Ter ou despertar interesse: *Vamos aos fatos: palavreado não interessa; Não insistiu, pois notou que o negócio não interessava; Não foi além da décima página: o romance não interessa.* P. **14.** Tomar interesse; empenhar-se. [Pres, subj.: *interesse, interesses*, etc. Cf. *interesse* (ê) e pl. *interesses* (ê).]

interesse (ê). [Do v. lat. *interesse*, 'estar entre, no meio; participar', substantivado.] *S. m.* **1.** Lucro material ou pecuniário; ganho. **2.** Parte ou participação que alguém tem nalguma coisa: *Qual o seu interesse na firma?* **3.** Vantagem, proveito; benefício: *Só age em seu próprio interesse.* **4.** Aquilo que convém, que importa, seja em que domínio for. **5.** Sentimento de cobiça; avidez. **6.** Procura de vantagem pessoal, de proveito. **7.** Sentimento de zelo, simpatia, preocupação ou curiosidade por alguém ou alguma coisa: *Demonstra interesse pela menina; Tem interesse por assuntos científicos.* **8.** Empenho: *Não tenho interesse na resolução do caso.* **9.** Curiosidade: *O assunto da peça não despertou o menor interesse.* **10.** Qualidade de interessante (2): *história cheia de interesse.* **11.** Relação de reciprocidade entre um indivíduo e um objeto que corresponde a uma determinada necessidade daquele. **12.** V. *juro* (1). **13.** *Jur.* Pretensão que se baseia ou pode basear-se em direito. [Pl.: *interesses* (ê) Cf. *interesse* e *interesses*, do v. *interessar.* É corrente a pronúncia *interesse* (com e aberto).]

interesseiro. *Adj.* **1.** Que só atende ao seu interesse; egoísta. **2.** Inspirado pelo interesse: *procedimento interesseiro.* **3.** Feito por interesse: *elogio interesseiro.* ● *S. m.* **4.** Indivíduo interesseiro.

interestadual. [De *inter-* + *estadual.*] *Adj. 2 g.* Que se efetua entre dois ou mais estados da mesma união política. [Cf. *interestatal.*]

interestatal. [De *inter-* + *estatal.*] *Adj. 2 g.* Que se realiza entre dois ou mais Estados, duas ou mais nações: *acordo interestatal.* [Cf. *interestadual.*]

interestelar. *Adj. 2 g. Astr.* Var. de *interstelar.*

intereuropéia. *Adj. (f).* Fem. de *intereuropeu.*

intereuropeu. [De *inter-* + *europeu.*] *Adj.* Que existe entre países da Europa ou se refere a eles: *política intereuropéia.* [Fem.: *intereuropéia.*]

interface. [De *inter-* + *face.*] *S. f.* **1.** *Fís.* Superfície em que separa duas fases de um sistema. **2.** Dispositivo físico ou lógico que faz a adaptação entre dois sistemas. **3.** *Proc. Dados.* Interconexão entre dois equipamentos que possuem diferentes funções e que não poderiam se conectar diretamente como, p. ex., o *modem* [q. v.]

interfacial. *Adj. 2 g.* Referente a interface. ~ V. *tensão* —.

interfalangiano. [De *inter-* + *falangiano.*] *Adj. Anat.* Situado entre falanges.

interfase. [De *inter-* + *fase.*] *S. f. Genét.* Fase do ciclo de divisão celular que ocorre entre duas divisões celulares sucessivas, e durante a qual ainda não se evidencia nenhum sinal de divisão.

interfemínio. [Do lat. **interfeminiu.*] *S. m. Anat.* **1.** O lugar onde se unem as coxas femininas. **2.** As partes pudendas da mulher.

interferência. [Do ingl. *interference.*] *S. f.* **1.** Intervenção (1). **2.** *Fís.* Superposição de dois ou mais trens de onda, de freqüência igual, com relações de fases constantes no tempo, e que provoca a distribuição da energia das ondas ao longo de superfícies ou linhas preferenciais e fixas no espaço. **3.** *Telecom.* Sinais espúrios que, durante o percurso de transmissão de um sinal de telecomunicações, a ele se superpõem perturbando ou mascarando o seu entendimento.

interferente. *Adj. 2 g.* Que interfere.

interferir. [Do fr. *interférer.*] *V. t. i.* **1.** Ter interferência, intervenção; intervir: *Está sempre a* interferir *nos negócios alheios.* **2.** *Fís.* Produzir interferência (2). [Irreg. Conjug.: v. *aderir.*]

interferometria. [Do ingl. *interferometry.*] *S. f. Ópt.* Conjunto de processos de medida de comprimentos e de índices de refração, ou de análise de superfícies ópticas, baseado na interferência da luz.

interferométrico. [Do ingl. *interferometric.*] *Adj.* ~ V. *radiotelescópio —.*

interferômetro. [Do ingl. *interferometer.*] *S. m. Ópt.* Instrumento em que ocorre interferência de luz ou de ondas eletromagnéticas, utilizado em medições de alta precisão. ♦ **Interferômetro de base muito longa.** *Astr.* Conjunto de radiotelescópios com diversos componentes separados entre si por muitas centenas de quilômetros, e que permite medir, com extrema precisão, as estruturas angulares das fontes de rádio [v. *fonte de rádio*]. **Interferômetro radioelétrico.** *Astr.* Sistema de alto poder resolvente, constituído pelo agrupamento ao longo de uma linha de uma série de radiotelescópios destinados a medir pequenas distâncias angulares (da ordem de um minuto de arco) e estudar as distribuições da intensidade radiante das radioestrelas. [Sin.: *radiotelescópio interferométrico, radiointerferômetro.*]

interfibrilar. [De *inter-* + *fibrilar.*] *Adj. 2 g. Anat.* Que está entre fibrilas.

interfixo (cs). [De *inter-* + *fixo.*] *Adj.* Diz-se da alavanca que tem o ponto de apoio entre a potência e a resistência. [Cf. *interpotente* e *inter-resistente.*]

interfolha (ô). [De *inter-* + *folha.*] *Adj.* (*f.*) ~ V. *toalha —.*

interfoliação. *S. f.* Ato ou efeito de interfoliar[2].

interfoliáceo. [De *inter-* + *foliáceo.*] *Adj. Bot.* Diz-se dos órgãos que nascem entre duas folhas do mesmo nó.

interfoliado. [Part. de *interfoliar*[2].] *Adj.* Que tem entrefolhas; entrefolhado.

interfoliar[1]. [De *inter-* + *foliar*[1].] *Adj. 2 g. Bot.* Diz-se do órgão situado entre duas folhas, especialmente da parte do caule entre duas folhas consecutivas.

interfoliar[2]. [De *inter-* + *-foli-* + *-ar*[2].] *V. t. d.* Pôr entrefolhas em (livro); entrefolhar.

interfonar. [De *interfone* + *-ar*[2].] *V. t. i.* e *int.* Comunicar-se por meio do interfone.

interfone. [De *inter-* + *fone.*] *S. m.* Aparelho eletracústico utilizado para a comunicação entre salas, escritórios, etc., e que consta de microfone e pequeno alto-falante.

intergaláctico. [De *inter-* + *galáctico.*] *Adj. Astr.* Que está entre as galáxias. ~ V. *absorção —a* e *espaço —.*

interganglionar. [De *inter-* + *ganglionar.*] *Adj. 2 g. Anat.* e *Zool.* Que está entre gânglios.

interginasial. [De *inter-* + *ginasial.*] *Adj. 2 g.* Que se realiza entre ginásios; intercolegial: *jogo* interginasial; *concurso* interginasial.

intergiversável. [De *in-*[2] + *tergiversável.*] *Adj. 2 g.* Não tergiversável.

interglaciário. [De *inter-* + *glaciário.*] *Adj. Geol.* Que fica entre dois períodos glaciários.

interglobular. [De *inter-* + *globular.*] *Adj. 2 g. Anat.* Que fica entre glóbulos.

interglossa. [De *inter(nacional)* + *-glossa.*] *S. f.* Plano de língua internacional, publicado em 1943 (em livro com aquele título) pelo biologista inglês Lancelot Hogben.

interglúteo. [De *inter-* + *glúteo.*] *Adj. Anat.* Situado entre as nádegas.

intergovernamental. [De *inter-* + *governamental.*] *Adj. 2 g.* Que se efetua entre dois ou mais governos ou governadores: *acordo* intergovernamental; *reunião* intergovernamental.

intergranular. [De *inter-* + *granular.*] *Adj. 2 g.* ~ V. *corrosão —.*

inter-helênico. [De *inter-* + *helênico.*] *Adj.* Que se dá, se verifica, entre os Estados da Grécia antiga, entre os helenos. [Pl.: *inter-helênicos.*]

inter-hemisférico. [De *inter-* + *hemisférico.*] *Adj.* Situado entre dois hemisférios. [Pl.: *inter-hemisféricos.*]

inter-humano. [De *inter-* + *humano.*] *Adj.* Que se verifica ou se realiza entre homens: *relações* inter-humanas. [Pl.: *inter-humanos.*]

ínterim. [Do lat. *interim.*] *S. m.* Estado interino. ♦ **Neste ínterim.** Entrementes, entretanto; neste comenós.

interinado. *S. m.* Interinidade (2).

interinar. [De *interino* + *-ar*[2].] *V. int. P. us.* Exercer cargo ou função interinamente.

interindependência. [De *inter-* + *independência.*] *S. f.* Independência mútua; estado ou condição de interdependente.

interindependente. [De *inter-* + *independente.*] *Adj. 2 g.* Independente, com reciprocidade.

interinfluência. [De *inter-* + *influência.*] *S. f.* Influência mútua.

interinidade. *S. f.* **1.** Qualidade ou estado de interino. **2.** Exercício de um cargo em caráter interino; interinado: "Já maduro, andara, em longas interinidades, a tapar as de governos do distrito, ... sem que jamais suas canseiras e zelo fossem premiados com a nomeação efetiva para um dos postos que ocupava" (Joaquim Paço d'Arcos, *Carnaval e Outros Contos*, pp. 53-54).

interino. [Do it. *interino.*] *Adj.* **1.** Provisório, temporário. **2.** Que exerce funções só durante o tempo de impedimento de outrem.

interinsular. [De *inter-* + *insular*[1].] *Adj. 2 g.* **1.** Que se efetua de ilha para ilha, ou entre diversas ilhas. **2.** Relativo às relações entre várias ilhas, particularmente quando não são do mesmo arquipélago.

interior (ô). [Do lat. *interiore.*] *Adj. 2 g.* **1.** Que está dentro; interno. [Antôn.: *exterior.*] **2.** Que se passa no âmago, no mais íntimo da alma: *vida* interior. ~ V. *mar —, navegação —, palco —, planeta —,* e *ponto —.* ● *S. m.* **3.** Aquilo que está dentro; parte interna. [Antôn.: *exterior.*] **4.** Seio, coração. **5.** Índole, caráter. **6.** Em país litorâneo, a região situada costa adentro. **7.** Toda a região de um Estado, com exclusão da sua capital: *Com a expansão dos meios de comunicação o povo do* interior *fala e se veste como o da capital.* **8.** *Mat.* Conjunto dos pontos interiores a um conjunto.

interiorano. *Adj. Bras.* **1.** Relativo ao interior do País: "Repara o viajante [o naturalista alemão Freireyss] num hábito interiorano já observado pelo Dr. Pohl" (Eduardo Frieiro, *Feijão, Angu e Couve*, p. 90). **2.** Que é do interior.

interioridade. *S. f.* Qualidade ou estado do que é interior.

interiorização. *S. f.* Ação ou efeito de interiorizar.

interiorizar. *V. t. d.* Trazer para dentro de si, incorporar ao seu mundo interior (aquilo que é exterior): "Já aos primeiros meses de vida, a criança interioriza o objeto que reconhece como bom; sente-o como um ser que lhe habitasse o ser; vota-lhe, mesmo, um culto rudimentar." (Ciro dos Anjos, *A Menina do Sobrado*, p. 262.)

interjacente. [Do lat. *interjacente.*] *Adj. 2 g.* Que está entre outras coisas; interposto.

interjeccional. *Adj. 2 g.* Interjecional.

interjecional. [De *interjectione*, 'interjeição', + *-al.*] *Adj. 2 g.* **1.** Referente à interjeição. **2.** Que tem forma de interjeição.

interjectivo. *Adj.* Interjetivo.

interjeição. [Do lat. *interjectione.*] *S. f. Gram.* Palavra ou locução com que se exprime um sentimento de dor, de alegria, de admiração, de aplauso, de irritação, etc.

interjetivo. [Do lat. *interjectivu.*] *Adj.* **1.** Expresso por interjeição. **2.** Da natureza da interjeição: *locução* interjetiva.

interlaçar. [De *inter-* + *laçar.*] *V. t. d., t. d. e i.* e *p. P. us.* V. *entrelaçar.* [Conjug.: v. *laçar.*]

interligação. *S. f.* Ação ou efeito de interligar(-se).

interligado. [Part. de *interligar.*] *Adj.* Em que há interligação: "uma vida ativa, interligada, comunicante, bem diversa daquela, fragmentária, isolada e pasmada que eu observava nas cidades caducas que cercam Belo Horizonte" (Afonso Arinos de Melo Franco, *A Alma do Tempo*, p. 74).

interligador (ô). *Adj.* e *s. m.* Que, aquele ou aquilo que interliga.

interligar. [De *inter-* + *ligar.*] *V. t. d.* e *p.* Ligar(-se) entre si (duas ou mais coisas, etc.): "Podemos notar .... que os dois planos ou grupos de imagens se interligam por meio de outra correlação" (Othon Moacir Garcia, *Esfinge Clara*, p. 24). [Conjug.: v. *largar.*]

interlineal. [De *inter-* + *lineal.*] *Adj. 2 g.* ~ V. *composição —.*

interlinear. [De *inter-* + *linear.*] *Adj. 2 g.* **1.** Que está entre linhas, ou nas entrelinhas: "Ao lermos estas páginas impiedosas, pressentimos o dardo de uma alusão ferina. Ali está, latente, um comentário interlinear" (Euclides da Cunha, *Contrastes e Confrontos*, p. 177). **2.** Relativo a entrelinhas.

interlíngua. [De *inter(nacional)* + *língua.*] *S. f.* Língua internacional elaborada em 1951 pela *International Auxiliary Language Association* sob a orientação de Alexander Gode.

interlingüista. *S. 2 g.* Pessoa versada em interlingüística.

interlingüística. [Do fr. *interlinguistique*, que figura no título *Précis d'interlinguistique générale et spéciale* (1960), obra de M. Monnerat-Dumaine.] *S. f.* Estudo comparativo das línguas internacionais ou universais, tais como o esperanto, o ido, a interlíngua, etc.

interlingüístico. [De *inter-* + *lingüístico.*] *Adj.* Relativo à interlingüística.

interlobular. [De *inter-* + *lobular.*] *Adj. 2 g. Anat.* Que está entre lóbulos.

interlocução. [Do lat. *interlocutione.*] *S. f.* **1.** Conversação entre duas ou mais pessoas. **2.** Interrupção do discurso pela fala de novos interlocutores.

interlocutor (ô). *S. m.* **1.** Aquele que fala com outro; colocutor. **2.** Aquele que fala em nome de outro.

interlocutória. [Fem. substantivado do adj. *interlocutório.*] *S.f. Jur.* V. *despacho interlocutório.*

interlocutório. [De *inter-* + lat. *locutor*, 'falado', + *-ório.*] *Adj.* **1.** Proferido no decurso de um pleito: "tirou certidões de diversos documentos de sua representação, dos pareceres, dos despachos interlocutórios, etc." (Macedo Miranda, *As Três Chaves*, p. 75). ~ V. *despacho —.* ● *S. m.* **2.** Jur. V. *despacho interlocutório.*

interlope. [Do ingl. *interlope.*] *S. m.* Entrelopo.

interlúdio. [De *inter-* + *(pre)lúdio.*] *S. m.* **1.** *Mús.* Trecho de música instrumental que se intercala entre as várias partes de uma longa composição, do tipo ópera, missa, cantata, etc.; intermédio. **2.** *Teat.* V. *entreato* (2).

interlunar. *Adj. 2 g.* Relativo ao interlúnio.

interlúnio. [Do lat. *interluniu.*] *S. m.* Tempo em que a Lua não é visível, e que principia um pouco antes e acaba um pouco depois do novilúnio.

intermação. [De *in-*[2] + *-term(o)-* + *-ação.*] *S. f. Patol.* Estado mórbido produzido pelo calor, sem ação do sol; termoplegia, calentura.

intermaxilar (cs). [De *inter-* + *maxilar.*] *Adj. 2. g. Anat.* Localizado entre os ossos maxilares.

intermear. *V. t. d., t. d. e i., int.* e *p. P. us.* V. *entremear.* [Conjug.: v. *frear.*]

intermediação. *S. f.* Ação ou efeito de intermediar (3).

intermediar. [De *intermédio* + *-ar*[2].] *V. t. d.* e *t. d. e i.* **1.** Entremear. *Int.* **2.** Estar de permeio; entremear. **3.** Intervir, interceder: *Solicitado pelo amigo, não se dispôs a* intermediar. [Conjug.: v. *mediar.* Fut. pret.: *intermediaria*, etc. Cf. *intermediária*, fem. de *intermediário.*]

intermediário. [De *intermédio* + *-ário.*] *Adj.* **1.** Que está de permeio; interposto, intermédio. ~ V. *estaca —a, freqüência —a, oficial —* e *linha —a.* ● *S. m.* **2.** V. *mediador.* **3.** Agente de negócios; corretor. **4.** Negociante que exerce suas atividades colocando-se entre o produtor e o consumidor; atravessador. [Fem.: *intermediária.* Cf. *intermediaria*, do v. *intermediar.*]

intermédio. [Do lat. *intermediu.*] *Adj.* **1.** Intermediário (1). ● *S. m.* **2.** V. *mediador.* **3.** Entremeio (1). **4.** Intervenção, interposição, mediação. **5.** *Teat.* e *Mús.* V. *entreato* (2). **6.** *Mús.* Na música instrumental, interlúdio.

intermetálico. [De *inter-* + *metálico.*] *Adj. Quím.* Diz-se de substância constituída pela combinação de dois metais em proporções definidas.

intermeter. [Do lat. *intermittere.*] *V. t. d.* e *t. d. e i.* **1.** Meter de permeio; entremear, entremeter. **2.** Intrometer (1).

➡**intermezzo** (intermédzo). [It.] *S. m. Teat.* V. *entreato* (2).

interminável. [Do lat. *interminabile.*] *Adj. 2 g.* **1.** Que não tem termo; infinito, desmedido, enorme. **2.** Prolongado, demorado. [Sin.: *intérmino.*]

interministerial. [De *inter-* + *ministerial.*] *Adj. 2 g.* Que se realiza entre ministérios ou ministros: *reunião* interministerial.

intérmino. [Do lat. *interminu.*] *Adj.* Interminável: "A noite se arrastou, intérmina, com uma pachorra de lesma." (Guido Vilmar Sassi, *Piá*, p. 19.)

intermissão. [Do lat. *intermissione.*] *S. f.* Ato ou efeito de intermitir; interrupção, intervalo.

intermisturar-se. [De *inter-* + *misturar* + *-se*[1].] *V. p.* Misturar-se mutuamente; amalgamar-se.

intermitência. [Do lat. *intermittentia* < *intermittere*, 'intermitir'.] *S. f.* **1.** Interrupção momentânea; intervalo. **2.** *Med.* Cessação temporária de um distúrbio, como o que se vê entre duas ocorrências ou paroxismos.

intermitente. [Do lat. *intermittente.*] *Adj. 2 g.* Que apresenta interrupções ou suspensões; não contínuo: "Outros parentes e alguns íntimos não merecem a pena ser citados; não tivemos uma vida comum, mas intermitente, com grandes claros de separação." (Machado de Assis, *Memórias Póstumas de Brás Cubas*, p. 37.) ~ V. *febre —.*

intermitir. [Do lat. *intermittere.*] *V. int.* **1.** Cessar por algum tempo; interromper. **2.** Manifestar-se por acessos irregulares.

intermodal. *Adj. 2 g.* ~ V. *transporte —.*

intermodulação. [De *inter-* + *modulação.*] *S. f. Eletrôn.* Modulação em freqüência de cada componente de uma onda complexa pelos outros.

intermolecular. [De *inter-* + *molecular.*] *Adj. 2 g. Anat.* Relativo a, ou localizado entre moléculas.

intermundial. [De *inter-* + *mundial.*] *Adj. 2 g.* Que se realiza entre dois mundos, dois ou mais continentes: *comércio intermundial.*

intermúndio [Do lat. *intermundiu.*] *S. m.* **1.** Espaço entre os corpos celestes ou entre os mundos. **2.** *Fig.* Solidão; ermo.

intermunicipal. [De *inter-* + *municipal.*] *Adj. 2 g.* Que se efetua entre dois ou mais municípios.

intermural. [Do lat. *intermurale.*] *Adj. 2 g.* Que está entre muros.

intermuscular. [De *inter-* + *muscular.*] *Adj. 2 g.* Situado entre os músculos.

internação. *S. f.* Ato ou efeito de internar(-se); internamento.

internacional. [Do ingl. *international.*] *Adj. 2 g.* **1.** Que se realiza entre nações. **2.** Relativo às relações entre nações. **3.** Que se espalha por diversas nações: *escritor de fama internacional.* **4.** Cujo renome se estende a diversas nações: *escritor internacional.* **5.** Que atua em vários países: *ladrão internacional.* **6.** Que vai de nação a nação: *ponte internacional; rodovia internacional.* ~V. *agência —, ampère —, caloria —, direito —, direito — privado, direito — público, escala — de temperatura, formato —, linha — de mudança de data, mandato —, sistema — de unidades e temperatura —.* • *S. f.* **7.** Associação internacional dos socialistas. • *S. 2 g.* **8.** *Bras.* Colorado[1] (6).

internacionalidade. *S. f.* Qualidade de internacional.

internacionalismo. *S. m.* **1.** Sistema de política internacional. **2.** Doutrina política daqueles que pregam a aliança internacional das classes sociais, por oposição ao nacionalismo, que cultiva de preferência o sentimento de pátria.

internacionalista. *Adj. 2 g.* **1.** Relativo ao, ou que é partidário do nacionalismo. • *S. 2 g.* **2.** Partidário do internacionalismo. **3.** Jurisconsulto especialista em direito internacional.

internacionalização. *S. f.* Ato ou efeito de internacionalizar(-se).

internacionalizar. *V. t. d.* e *p.* Tornar(-se) internacional.

internado[1]. *S. m. P. us.* Var. de *internato* (1).

internado[2]. [Part. de *internar.*] *Adj.* **1.** Diz-se de quem é obrigado a residir em certa localidade do interior, ou num edifício, donde não pode sair. • *S. m.* **2.** Indivíduo internado.

internamento. *S. m.* Internação.

internar. [De *interno* + *-ar*[2].] *V. t. d.* **1.** Pôr ou colocar dentro; introduzir. **2.** Pôr em colégio, asilo, hospital, etc.: *internar um aluno; internar um doente.* **3.** Obrigar ou forçar a residir no interior de um país com a proibição de sair dali. *P.* **4.** Meter-se; introduzir-se; entranhar-se; engolfar-se: "As tropas *internam-se* no sertão" (Ramalho Ortigão, *As Farpas*, V. p. 252); "Na floresta dos sonhos, dia a dia, / Se *interna* meu dorido pensamento" (Antero de Quental, *Sonetos*, p. 206).

internato. [Do fr. *internat.*] *S. m.* **1.** Escola ou instituição de assistência onde os alunos residem, fazem as refeições e recebem educação e instrução; pensionato. [Var. (p. us.): *internado.* Cf. *externato* e *semi-internato.*] **2.** O conjunto dos alunos internos.

internegativo. *S. m. Fot.* Negativo resultante da cópia de um original a cores ou de um cromo; é utilizado normalmente para uma cópia de um filme positivo.

internista. [Do ingl. *internist.*] *S. 2 g.* V. *generalista* (2): "Bom será entretanto que seja ministrada [a cadeira de Patologia Geral] por *internista* com boa base de laboratorista" (Pedro Nava, *Beira-Mar*, p. 240).

interno. [Do lat. *internu.*] *Adj.* **1.** Que está dentro; interior: "Entram enfim na mais remota e *interna* / Parte de antigo bosque, escuro e negro" (Basílio da Gama, *O Uraguai*, p. 78). [Superl. abs. sint.: *íntimo.*] **2.** Diz-se de aluno que mora no colégio onde estuda. **3.** Diz-se do uso peculiar a tais medicamentos: *O médico receitou-lhe vários remédios de uso interno.* ~V. *ângulo —, artéria carótida —a, banzo —, centro — de semelhança, conversão —a, dívida pública —a, energia —a, espaço —, finalidade —a, glândula de secreção —a, medicina —a, memória —a, ouvido —, perimísio —, pressão —a, produto —, produto — líquido, público —, razão —a, regimento —, secreção —a,* e *veia safena —a.* • *S. m.* **4.** Aluno que reside no colégio. **5.** Estudante de medicina que auxilia, num hospital, o corpo médico: "Chamou-se o professor F., de quem eu era então um dos *internos* na clínica hospitalar." (Júlio Dantas, *Abelhas Doiradas*, p. 66.) [Com a atual estruturação da formação médica, tal denominação está em via de ser abolida. Antôn.: *externo.*]

internódio. [Do lat. *internodiu.*] *S. m. Bot.* Intervalo entre dois artículos ou entre dois nós do caule das plantas. [Preferível *entrenó.*]

internúncio. [Do lat. *internuntiu.*] *S. m.* **1.** Agente diplomático do Vaticano, cujas atribuições correspondem às de ministro plenipotenciário. **2.** V. *mensageiro* (3): "O Padre Cabral recebera na véspera um recado do *internúncio*; foi ter com ele, e soube que .... acabava de ser nomeado protonotário apostólico." (Machado de Assis, *Dom Casmurro*, p. 106.) V. *mensageiro* (3).

▲**inter(o)-.** *El comp.* = 'interior': *íntero-anterior, íntero-superior.*

íntero-anterior. [De *íntero-* + *anterior.*] *Adj. 2 g.* Que está dentro e na parte anterior. [Pl.: *íntero-anteriores.*]

interoceânico. [De *inter-* + *oceânico.*] *Adj.* Que está entre oceanos; que liga oceanos.

interocular. [De *inter-* + *ocular*[2].] *Adj. 2 g. Anat.* Que está entre os olhos.

íntero-inferior. [De *íntero-* + *inferior.*] *Adj. 2 g.* Situado dentro e na parte inferior. [Pl.: *íntero-inferiores.*]

interoposição. [De *inter-* + *oposição.*] *S. f.* O estado dos objetos entrelaçados e mutuamente opostos.

íntero-posterior. [De *íntero-* + *posterior.*] *Adj. 2 g.* Que está dentro e na parte posterior. [Pl.: *íntero-posteriores.*]

interósseo. [De *inter-* + *ósseo.*] *Adj. Anat.* Que está entre ossos.

íntero-superior. [De *íntero-* + *superior.*] *Adj. 2 g.* Que está dentro e na parte superior. [Pl.: *íntero-superiores.*]

interparietal. [De *inter-* + *parietal.*] *Adj. Anat. 2 g.* Localizado entre os ossos parietais.

interparlamentar. [De *inter-* + *parlamentar*[1].] *Adj. 2 g.* Constituído por membros de dois ou mais parlamentos: *comissão interparlamentar; delegação interparlamentar.*

interpartidário. [De *inter-* + *partidário.*] *Adj. Bras.* Que se efetua entre partidos: *convenção interpartidária.*

interpeciolar. [De *inter-* + *peciolar.*] *Adj. 2 g. Bot.* Nascido entre folhas opostas.

interpelação. [Do lat. *interpellatione.*] *S. f.* **1.** Ato ou efeito de interpelar. **2.** *Jur.* Aviso ou advertência, judicial ou extrajudicial, que o credor faz ao devedor a fim de que este cumpra a obrigação de seu encargo, sob pena de ser constituído em mora, ou para outros efeitos que a lei faz depender dessa medida.

interpelado. [Part. de *interpelar.*] *Adj.* e *s. m.* Que ou aquele que recebe interpelação.

interpelador (ô). *Adj.* e *s. m.* Interpelante.

interpelante. [Do lat. *interpellante.*] *Adj. 2 g.* e *s. 2 g.* Que ou quem interpela; interpelador.

interpelar. [Do lat. *interpellare.*] *V. t. d.* **1.** Dirigir a palavra a (alguém) para perguntar alguma coisa. **2.** Dirigir a palavra a, demandando explicações. **3.** *Jur.* Promover a interpelação de. [Cf. *citar* (4), *notificar* (5) e *intimar* (1).]

interpenetração. [De *inter-* + *penetração.*] *S. f.* Ação de interpenetrar-se; penetração recíproca.

interpenetrar-se. [De *inter-* + *penetrar* + *se*[1].] *V. p.* Penetrar-se reciprocamente: "Um dos pontos mais interessantes da filosofia de Gabriel Marcel .... é mostrar a diferença entre os momentos em que o pensamento e a vida se encontram, se *interpenetram*, e aqueles em que se dissociam." (Alceu Amoroso Lima, *O Espírito e o Mundo*, p. 231.)

interpeninsular. [De *inter-* + *peninsular.*] *Adj. 2. g.* Situado entre penínsulas.

interpessoal. [De *inter-* + *pessoal.*] *Adj. 2 g.* Que existe ou se efetua entre duas ou mais pessoas. ~ V. *comunicação —.*

interplanetário. [De *inter-* + *planetário.*] *Adj.* **1.** Que está entre planetas. **2.** Que se efetua entre planetas: *viagem interplanetária.* ~V. *espaço —.*

interpolação. [Do lat. *interpolatione.*] *S. f.* **1.** Ato de interpolar. **2.** Trecho interpolado em alguma obra. **3.** *Mat.* Processo em que se determina o valor duma função num ponto interno dum intervalo a partir dos valores da função nas fronteiras desse intervalo. [Cf., nesta acepç.; *extrapolação* (1).] **4.** *Mat.* Ajustamento (8). ♦ **Interpolação linear.** *Mat.* A que se faz admitindo-se ser linear a variação da função.

interpolado. [Part. de *interpolar*[2].] *Adj.* ~V. *rimas —as.*

interpolador (ô). [Do lat. *interpolatore.*] *Adj.* e *s. m.* Que ou aquele que interpola.

interpolar[1]. [De *inter-* + *pólo* + *-ar*[1].] *Adj. 2 g. Fís.* Situado entre os pólos de qualquer sistema que os apresente.

interpolar[2]. [Do lat. *interpolare.*] *V. t. d.* **1.** Alterar, completar ou esclarecer (um texto), nele intercalando palavras ou frases que lhe são estranhas. **2.** Introduzir, intercalar, inserir, interserir. **3.** Interromper, suspender. **4.** Pôr de permeio; alternar, entremear. *T. d.* e *i.* **5.** Pôr de permeio; alternar, entremear. **6.** *Mat.* Ajustar (8). [Cf., nesta acepç., *extrapolar* (1).]

interpolatriz. [Do lat. *interpolatrice.*] *Adj. 2 g.* **1.** Que interpola. ~ V. *função —.* • *S. f.* **2.** Função interpolatriz.

interpontuação. [De *inter-* + *pontuação.*] *S. f.* Série de pontos que, em um discurso, indicam reticência ou supressão de uma parte do texto.

interpor. [Do lat. *interponere.*] *V. t. d.* e *t. d.* e *i.* **1.** Pôr de permeio, entremeter: *Abriu a porta e interpôs metade do corpo; Interpôs o livro entre dois outros.* **2.** Fazer intervir; expor: *Foi obrigado a interpor a sua autoridade.* **3.** Opor, contrapor. **4.** *Jur.* Entrar em juízo com (um recurso). **5.** Fazer intervir; expor. **6.** Opor, contrapor: *Interpôs embargos à execução da sentença. P.* **7.** Colocar-se entre; meter-se de permeio: *Aquelas lembranças interpunham-se entre uma infância feliz e uma juventude atormentada.* **8.** Intervir como medianeiro: "Mitigou o sofrimento dos escravos, *interpondo-se* entre eles e seus senhores" (Carlos de Laet, *O Frade Estrangeiro e Outros Escritos*, p. 28). **9.** Surgir com o caráter de obstáculo, ou como se o fosse: *Sua intransigência interpunha-se ao perdão;* "Entre mim e o carnaval, ... os mascarados, os seres mascarados se *interpunham* como uma proibição, um motivo de sofrimento, angústia." (Antônio Carlos Vilaça, *O Nariz do Morto*, p. 29.) [Sin. ger.: *entrepor.* Irreg. Conjug.: v. *pôr.*]

interporto (ô). [De *inter-* + *porto.*] *S. m.* Porto entre o de procedência e o de destino duma embarcação. [Pl.: *interportos* (ó).]

interposição. [Do lat. *interpositione.*] *S. f.* **1.** Posição entre duas coisas. **2.** *Fig.* Interrupção, intervenção. **3.** *Jur.* Ato de interpor (um recurso). ♦ **Interposição de pessoa.** *Jur.* Simulação que consiste em ocultar o verdadeiro interessado num ato jurídico, fazendo aparecer um terceiro em seu lugar.

interpositiva. [Fem. substantivado de *interpositivo.*] *S. f. Gram.* A vogal média de um tritongo. Ex.: o *a* no tritongo *uai*, de *Uruguai.*

interpositivo. *Adj.* Que se interpõe; que está interposto.

interposto. (ô). [Do lat. *interpositu.*] *Adj.* **1.** Que se interpôs. **2.** *Fig.* V. *pessoa —a.* • *S. m.* **3.** V. *entreposto.*

interpotente. [De *inter-* + *potente.*] *Adj. 2 g.* Diz-se da alavanca que tem a potência entre a resistência e o ponto de apoio. [Cf. *interfixo* e *inter-resistente.*]

interprender. *V. t. d.* **1.** V. *empreender.* **2.** Acometer; assaltar.

interpresa (ê). [Do fr. *entreprise.*] *S. f.* **1.** Empreendimento, entrepresa. **2.** Assalto imprevisto. [Pl.: *interpresas* (ê). Cf. *interpresa* e *interpresas*, do v: *interpresar.*]

interpresar. [De *interpresa* + *-ar*[2].] *V. t. d.* V. *empreender.* [Pres. ind.: *interpreso, interpresas, interpresa,* etc. Cf. *interpresa* (ê) e pl. *interpresas* (ê).]

interpretação. [Do lat. *interpretatione.*] *S. f.* **1.** Ato ou efeito de interpretar. **2.** Explicação, comentário: *interpretação de uma lei.* **3.** Arte e técnica de interpretar (5); representação, desempenho. ♦ **Interpretação simultânea.** A que é feita oral e imediatamente de um idioma para outro; tradução simultânea.

interpretador (ô). [Do lat. *interpretatore.*] *Adj.* **1.** Que interpreta; interpretante. • *S. m.* **2.** Aquele que interpreta; interpretante. **3.** *Proc. Dados.* Programa que traduz e executa cada uma das instruções de um programa-fonte. Diferentemente de um compilador [q. v.], não gera como saída um programa-objeto e sim a execução das instruções de um programa-fonte.

interpretante. [Do lat. *interpretante.*] *Adj. 2 g.* e *s. 2 g.* Interpretador.

interpretar. [Do lat. **interpretare*, por *interpretari.*] *V. t. d.* **1.** Ajuizar a intenção, o sentido de: *Não pôde interpretar o desejo da namorada.* **2.** Explicar, explanar ou aclarar o sentido de (palavra, texto, lei, etc.) **3.** Tirar de (sonho, visão, etc.) indução ou presságio: *A oniromancia é a arte de interpretar os sonhos.* **4.** Traduzir ou verter de língua estrangeira ou antiga. **5.** Representar (3) (no teatro, cinema, televisão, etc.): *Este ator interpretou bem o papel. Transobj.* **6.** Julgar, considerar, reputar: *Interpretou o seu silêncio como assentimento.* [Pres. subj.: *interprete*, etc. Cf. *intérprete.*]

interpretativo. *Adj.* **1.** Suscetível de interpretação. **2.** Que encerra elementos para a interpretação de algo.

interpretável. [Do lat. *interpretabile.*] *Adj. 2 g.* Que pode ser interpretado.

intérprete. [Do lat. *interprete.*] *S. 2 g.* **1.** Pessoa que interpreta. **2.** Pessoa que serve de língua ou de intermediário para fazer compreender indivíduos que falam idiomas diferentes. **3.** Comentarista, exegeta, hermeneuta. [Cf. *interprete*, do v. *interpretar*.]

interquartil. [De *inter-* + *quartil*.] *Adj. 2 g. Estat.* Referente a propriedades dos quartis de uma distribuição. ~ V. *amplitude* —.

inter-racial. [De *inter-* + *racial*.] *Adj. 2 g.* Que se realiza ou se observa entre raças: *cruzamento inter-racial; ódios inter-raciais.* [Pl.: *inter-raciais*.]

inter-radial. [De *inter-* + *radial*.] *Adj. 2 g.* Situado entre raios [v. *raio* (10 e 11).] [Pl.: *inter-radiais*.]

inter-regional. [De *inter-* + *regional*.] *Adj. 2 g.* Que se observa ou se realiza entre duas ou mais regiões. [Pl.: *inter-regionais*.]

interregno. (ô). [Do lat. *interregnu*.] *S. m.* **1.** Tempo que medeia entre dois reinados: "Muito amado entre fidalgos e mais gente portuguesa, havia probabilidades de ser [o infante D. João], num interregno, levantado rei de Portugal" (Antero de Figueiredo, *Leonor Teles*, pp. 164-165). **2.** Interrupção, intervalo: "Apenas alguma sede, um ou outro assopro aos moscardos que os perseguem, e olhadelas ao Sol para indagar se a meia hora de descanso do almoço estará longe. Esse plácido interregno, porém, por pouco alcança" (Fialho d'Almeida, *À Esquina*, p. 68.)

inter-rei. [De *inter-* + *rei*.] *S. m.* **1.** Na antiga monarquia romana, espécie de regente que exercia as funções do rei falecido até que se aclamasse outro rei. **2.** No tempo da república romana, magistrado que fazia as vezes dos cônsules, na ausência ou impedimento destes. [Pl.: *inter-reis*.]

inter-relação. [De *inter-* + *relação*.] *S. f.* Relação mútua: "falar sobre o Brasil, não pela história externa das instituições, mas pelo estudo das condições do meio, raça, costumes, inter-relações dos fenômenos sociais entre si — por método indutivo." (Gilberto Amado, *Minha Formação no Recife*, p. 125). [Pl.: *inter-relações*.]

inter-relacionado. [Part. de *inter-relacionar-se*.] *Adj.* Que se inter-relaciona. [Pl.: *inter-relacionados*.]

inter-relacionamento. [De *inter-* + *relacionamento*.] *S. m.* Ação ou efeito de inter-relacionar-se. [Pl.: *inter-relacionamentos*.]

inter-relacionar-se. *V. p.* Ter inter-relação.

inter-relativo. *Adj.* Em que há inter-relação. [Pl.: *inter-relativos*.]

inter-resistente. [De *inter-* + *resistente*.] *Adj. 2 g.* **1.** Diz-se da alavanca que tem a resistência entre a potência e o ponto de apoio. [Cf. *interfixo* e *interpotente*.]

intérrito. [Do lat. *interritu*.] *Adj.* Que não tem medo ou terror; destemido, intrépido.

interrogação. [Do lat. *interrogatione*.] *S. f.* **1.** Ato ou efeito de interrogar(-se); interrogatório. **2.** Ponto de interrogação.

interrogado. [Part. de *interrogar*.] *Adj.* e *s. m.* **1.** Que ou aquele a quem se interrogou. **2.** Que ou aquele que, em processo ou inquérito, foi submetido a interrogatório.

interrogador (ô). [Do lat. *interrogatore*.] *Adj.* e *s. m.* Que ou aquele que interroga; interrogante.

interrogando. [Do lat. *interrogandu*, gerundivo de *interrogare*.] *Adj.* e *s. m.* Que, ou aquele que, em processo ou inquérito, está sendo interrogado.

interrogante. *Adj. 2 g.* e *s. 2 g.* Interrogador.

interrogar. [Do lat. *interrogare*.] *V. t. d.* **1.** Fazer perguntas; inquirir, perguntar: *A polícia interrogou todas as pessoas da casa.* **2.** Dirigir a (alguém) um gesto, um olhar, como a perguntar-lhe alguma coisa: "chamou a mulher para tocar um trecho do noturno; não lhe disse o que era nem de quem era. De repente, parando, interrogou-a com os olhos." (Machado de Assis, *Várias Histórias*, p. 73.) **3.** Propor questões a; examinar: *O professor interrogou a turma com severidade.* **4.** Olhar atentamente; examinar bem; observar: "Não era certamente a Marcela de 1822; mas a beleza de outro tempo valia uma terça parte dos meus sacrifícios? Era o que eu buscava saber, interrogando o rosto de Marcela." (Machado de Assis, *Memórias Póstumas de Brás Cubas*, p. 118.) **5.** Investigar, sindicar: *interrogar as causas de um delito.* **6.** Procurar conhecer; investigar, sondar; inquirir: *interrogar os enigmas universais.* **7.** *Jur.* Proceder ao interrogatório (2) de; inquirir. *T. d. e i.* **8.** Inquirir, perguntar: *Interrogaram-no acerca do crime. Int.* **9.** Fazer perguntas, indagações, interrogações: "Viajar é interrogar. O homem interroga-se a si próprio e interroga a Natureza" (Antero de Figueiredo, *Espanha*, p. 14). *P.* **10.** Dirigir indagações a si mesmo; consultar-se, examinar-se: "O homem interroga-se a si próprio e interroga a Natureza" (Id, *ib.*, *ib.*). [Conjug.: v. *largar*.]

interrogativo. [Do lat. *interrogativu*.] *Adj.* **1.** Próprio para interrogar; interrogatório. **2.** Que encerra interrogação: *oração interrogativa.* ~ V. *pronome* —.

interrogatório. [Do lat. *interrogatoriu*.] *S. m.* **1.** Ato ou efeito de interrogar. **2.** *Jur.* Auto em que se reduzem a escrito as respostas que dá o indiciado ou o réu às perguntas feitas pela autoridade competente. ● *Adj.* **3.** Interrogativo (1).

interromper. [Do lat. *interrumpere*.] *V. t. d.* **1.** Fazer parar por algum tempo; romper ou suspender a continuidade de: "às vezes interrompo o meu trabalho para tomar-lhe as mãos, assentá-la um instante sobre os meus joelhos" (Aluísio Azevedo, *Livro de uma Sogra*, p. 34). **2.** Fazer cessar; destruir, extinguir: *Aquele clarão interrompeu, por um instante, a treva.* **3.** Deixar de fazer temporariamente: *interromper um curso.* **4.** Cortar o discurso a: *O chefe interrompeu-o com palavras de censura.* **5.** Estorvar, embaraçar; entrecortar: *Os soluços interrompiam-lhe a fala. P.* **6.** Cessar o que vinha fazendo. **7.** Parar momentaneamente de falar.

interrupção. [Do lat. *interruptione*.] *S. f.* **1.** Ato ou efeito de interromper(-se); suspensão. **2.** Aquilo que faz cessar um ato ou estado. **3.** *Ret.* Suspensão, reticência.

interruptivo. *Adj.* Interruptor (1).

interrupto. [Do lat. *interruptu*.] *Adj.* Interrompido; suspenso.

interruptor (ô). [Do lat. *interruptore*.] *Adj.* **1.** Que interrompe; interruptivo. ● *S. m.* **2.** Aquele ou aquilo que interrompe. **3.** *Fís.* Dispositivo que pode interromper ou restabelecer a continuidade num circuito elétrico, ou numa parte dele; comutador. [Cf. *disjuntor*.]

interseção. [Var. de *intersecção* < lat. *intersectione*.] *S. f.* **1.** Ato de cortar; corte; cruzamento: "Todo bom chofer de praça deve saber que, em algumas interseções de ruas, existem sinais semafóricos destinados a controlar o tráfego." (Milor Fernandes, *Lições de um Ignorante*, p. 75.) **2.** *Mat.* V. *produto* (10). **3.** *Mat.* Operação por meio da qual se forma o conjunto de todos os elementos que pertencem simultaneamente a dois ou mais conjuntos; produto. [Cf. *intercessão*.]

intersecção. *S. f.* Interseção [q. v.].

interseccional. *Adj. 2 g.* Intersecional [q. v.].

intersecional. [Var. de *interseccional*.] *Adj. 2 g.* Referente a interseção.

interserir. [Do lat. *interserere*.] *V. t. d.* e *t. d. e i.* Inserir. [Irreg. Conjug.: v. *inserir*, mas não tem, como este, um part. irreg. ao lado do regular.]

intersexual (cs). [De *inter-* + *sexual*.] *Adj. 2 g.* **1.** Que se realiza entre os sexos. **2.** Que apresenta intersexualidade.

intersexualidade (cs). [De *inter-* + *sexualidade*.] *S. f. Biol.* Estado intermediário entre os sexos; condição de quem tem características de ambos os sexos.

intersideral. [De *inter-* + *sideral*.] *Adj. 2 g. Astr.* Que está situado ou se realiza entre astros: "Mas eu resvalava nas amplidões intersiderais, e entrava a devassar o nada infindo" (Cândido Jucá [filho], *Noite Insone*, p. 48).

intersindical. [De *inter-* + *sindical*.] *Adj. 2 g.* **1.** Que se observa ou realiza entre sindicatos. **2.** Comum a dois ou mais sindicatos.

intersístole. [De *inter-* + *sístole*.] *S. f. Med.* Intervalo entre o fim da sístole auricular e o começo da sístole ventricular.

intersocial. [De *inter-* + *social*.] *Adj. 2 g.* Que ocorre entre sociedades, ou entre as várias camadas sociais.

interstelar. [De *inter-* + lat. *stella*, 'estrela', + *-ar-*[2].] *Adj. 2 g. Astr.* Que está situado, ou que se realiza, entre estrelas. ~ V. *absorção* —, *espaço* — e *matéria* —.

intersticial. *Adj. 2 g.* **1.** Relativo ou pertencente a interstícios. **2.** Que ocupa os interstícios. ~ V. *espaço* —.

interstício. [Do lat. *interstitiu*.] *S. m.* **1.** Pequeno intervalo entre as partes de um todo; intervalo. **2.** Fenda, frincha: "A luz que entrava pelos interstícios das pedras sobrepostas das paredes .... tinha a frouxidão duma alâmpada." (Júlio Brandão, *Contos Escolhidos*, p. 32.) **3.** *Histol.* e *Anat.* Pequeno intervalo, espaço ou fenda em tecido ou estrutura. **4.** *Rel.* Lapso de tempo prescrito entre a recepção de uma ordem sacra e a da seguinte. **5.** *Bras. Mil.* Tempo mínimo que um militar deve permanecer num posto[1] (4) ou graduação (4) antes de poder ser lembrado para promoção.

intertecer. [De *inter-* + *tecer*.] *V. t. d.*, *t. d. e i.* e *p.* V. *entretecer*. [Conjug.: v. *aquecer*.]

intertemporal. [De *inter-* + *temporal*.] *Adj. 2 g.* ~ V. *direito* —.

intertexto (ês). [De *inter-* + *texto*.] *S. m. Liter.* Texto literário preexistente a outro texto.

intertextual (ês). *Adj. 2 g. Liter.* Relativo ou pertencente a intertexto.

intertextualidade (ês). *S. f. Liter.* **1.** Superposição de um texto a outro. **2.** Na elaboração dum texto literário, a absorção e transformação de uma multiplicidade de outros textos. [V. *intertexto*.]

intertipo. [Do ingl. *intertype*.] *S. f. Tip.* Máquina compositora de linhas-blocos, semelhante à linotipo, e que apresenta a possibilidade de adição progressiva de magazines e moldes, à proporção das necessidades do usuário.

intertrigem. [Do lat. *intertrigine*.] *S. f. Patol.* Inflamação eritematosa da pele nas porções onde ocorrem atritos; assadura.

intertriginoso (ô). *Adj.* Relativo à, ou da natureza da intertrigem.

intertropical. [De *inter-* + *tropical*.] *Adj. 2 g.* **1.** Que habita as terras localizadas entre os dois trópicos. **2.** Relativo ou pertencente à zona tórrida.

interurbano. [De *inter-* + *urbano*.] *Adj.* **1.** Que se faz ou se verifica entre cidades ou outras aglomerações populacionais: *telefonema interurbano.* **2.** Relativo a movimentos ou contatos que se efetuam dentro dos limites de uma mesma cidade. ● *S. m.* **3.** *Bras.* Comunicação telefônica entre duas cidades.

intervalado. [Part. de *intervalar*[2].] *Adj.* Em que há intervalo (s); entremeado.

intervalar[1]. *Adj. 2 g.* Situado num intervalo.

intervalar[2]. *V. t. d.* **1.** Dispor com intervalos. *T. d. e i.* **2.** Entremear; alternar: *intervalar amabilidades com descortesias; Intervalava de acessos de tosse o longo discurso. P.* **3.** Separar-se com intervalos; estar disposto por intervalos.

intervalo. [Do lat. *intervallu*.] *S. m.* **1.** Espaço entre dois pontos. [Cf. *vão* (9).] **2.** Intermitência (1). **3.** Espaço de tempo entre dois fatos, duas épocas. **4.** Espaço entre duas linhas da pauta musical. **5.** *Anál. Mat.* Conjunto dos números reais compreendidos entre dois outros. **6.** *Fís.* Razão entre as freqüências de duas oscilações acústicas. **7.** *Mús.* Distância que separa dois sons. **8.** *Teat.* Cada um dos momentos em que a cena fica sem atores. **9.** *Teat.* V. *entreato* e *entrecena* (1). ◆ **Intervalo aberto.** *Anál. Mat.* Intervalo de que os extremos não fazem parte. **Intervalo centil.** *Estat.* Intervalo percentil. **Intervalo de confiança.** *Estat.* Intervalo não-nulo no domínio de um parâmetro de uma distribuição, em geral dependente de uma estimativa deste parâmetro, ao qual está associada uma probabilidade de a ele pertencer o parâmetro. **Intervalo fechado.** *Anál. Mat.* Intervalo de que os extremos fazem parte. **Intervalo percentil.** *Estat.* Qualquer dos intervalos limitados por dois percentis consecutivos; intervalo centil. **A intervalos.** De espaço a espaço; a espaços; intervaladamente: "no terrado da Estação, a intervalos, tocava uma banda de música." (Alcides Maia, *Tapera*, p. 97.)

intervenção. [Do lat. *interventione*.] *S. f.* **1.** Ato de intervir; interferência: *Graças à sábia intervenção dele, tudo se resolveu bem;* "devemos .... evitar as [medidas] que .... abram a mais estreita frincha à intervenção triunfante do estrangeiro na esfera superior dos nossos destinos." (Euclides da Cunha, *Contrastes e Confrontos*, p. 225). **2.** *Jur.* Ato pelo qual, no protesto de um título cambiário por falta de aceite ou pagamento, um terceiro declara que o aceita ou resgata por honra ou conta do sacador, do aceitante, ou de um dos endossatários. **3.** *Jur.* Ato de um Estado intervir nos negócios internos de outro(s). [Cf. *não-intervenção*.] **4.** *Bras.* Nos regimes federativos, ato do poder central destinado a impor medidas necessárias a manter a integridade da União, quando algum dos seus membros está submetido a anormalidade grave e que prejudique o funcionamento da Federação. **5.** *Bras.* Interferência do poder central em qualquer unidade da Federação, que se manifesta na substituição de seu governador, prefeito, etc., ou na cassação de representante do poder legislativo estadual, municipal, etc. **6.** *Med.* Operação (4). ◆ **Intervenção cirúrgica.** *Med.* V. *operação* (4). **Intervenção de terceiro.** *Jur.* **1.** A daquele que, embora não seja parte, tem legítimo interesse em intervir no processo, ou é obrigado a isto por lei e chamamento de um dos litigantes. [Cf. *assistência* (7).] **2.** Violação da independência dum Estado, em virtude da intromissão indébita de outro nos seus negócios internos ou externos. **Intervenção humanitária.** *Jur.* Princípio de direito internacional que aceita a intervenção duma comunidade de Estados nos negócios internos ou externos de outro, para evitar morticínios dos próprios nacionais do país sujeito a essa medida.

intervencionismo. *S. m.* **1.** Doutrina ou política que preconiza a intervenção dum Estado nos negócios internos ou particulares de outro(s). **2.** A prática dessa doutrina ou política.

intervencionista. *Adj. 2 g.* **1.** Relativo ao, ou próprio do intervencionismo. **2.** Que é partidário do intervencionismo. ● *S. 2 g.* **3.** Partidário dele.

interveniente. [Do lat. *interveniente*.] *Adj. 2 g.* **1.** Que intervém; interventor. **2.** *Jur.* Que pratica intervenção (cambiária, processual). ● *S. 2 g.* **3.** Pessoa que pratica intervenção (cambiária, processual): "no processo houvera diversos intervenientes, desde funcionários subalternos até o presidente da República." (Macedo Miranda, *As Três Chaves*, p. 75.)

interventivo. *Adj.* Respeitante a, ou em que há intervenção.

interventor (ô). [Do lat. *interventore*.] *Adj.* **1.** Interveniente (1). ● *S. m.* **2.** *Bras.* Aquele que o Presidente da República delega para assumir provisoriamente o governo dum estado-membro sujeito ao regime de intervenção.

interventricular. [De *inter-* + *ventricular*.] *Adj. 2 g. Anat.* Situado entre os dois ventrículos cardíacos.

interver. [De *inter-* + *ver*.] *V. t. d. e p. P. us.* V. *entrever*: "O perfume que dali se exala, já anuncia a deusa. Intervejo-a" (Antônio Feliciano de Castilho, *Amor e Melancolia*, pp. 400-401.) [Irreg. Conjug.: v. *ver*.]

interversão. [Do lat. *interversione*.] *S. f.* Ato de interverter; alteração da ordem natural ou habitual.

intervertebral. [De *inter-* + *vertebral*.] *Adj. 2 g. Anat.* Localizado entre as vértebras.

interverter. [Do lat. *intervertere*.] *V. t. d. e t. d. e i. V. inverter* (1).

➧**interview** (interviu). [Ingl.] *S. m. Jorn.* Entrevista.

intervindo. *Adj.* Que interveio.

intervir. [Do lat. *intervenire*.] *V. t. i.* **1.** Tomar parte voluntariamente; meter-se de permeio, vir ou colocar-se entre, por iniciativa própria; ingerir-se: "Sofia não interveio .... na conversa" (Machado de Assis, *Quincas Borba*, p. 35). **2.** Interpor a sua autoridade, ou os seus bons ofícios, ou a sua diligência: *O Governo Federal foi obrigado a intervir nos negócios estaduais.* **3.** Ser ou estar presente; assistir. *Int.* **4.** Ocorrer incidentemente; sobrevir: *Intervieram acontecimentos imprevistos que retardaram a chegada.* **5.** Tomar parte voluntariamente, meter-se de permeio, em discussão, conflito, etc.: "Grande altercação. Intervim. Intervieram os vizinhos, e tudo acabou em paz." (Artur Azevedo, *Contos Possíveis*, p. 40.) [Irreg. Conjug.: v. *vir*.]

➧**inter vivos.** [Lat.] *Jur.* Entre vivos.

intervizinho. [De *inter-* + *vizinho*.] *Adj.* Que se realiza ou se dá entre vizinhos.

intervocálico. [De *inter-* + *vocálico*.] *Adj. Gram.* Que está entre vogais.

intestado. [Do lat. *intestatu*.] *Adj. Jur.* Que morreu sem fazer testamento, ou cujo testamento é nulo e ilegal.

intestável. [Do lat. *intestabile*.] *Adj. 2 g.* Que não pode testar (1), fazer testamento.

intestinal. *Adj. 2 g.* Relativo ou pertencente ao intestino. ~V. *oclusão* —.

intestino. [Do lat. *intestinu*.] *Adj.* **1.** Interno, íntimo: "Um fogo intestino devorava-me." (Inglês de Sousa, *Contos Amazônicos*, p. 231.) **2.** Nacional, civil: *guerra intestina*; "Uma situação política prenhe de comoções intestinas e de guerras européias." (Latino Coelho, *Cervantes*, p. 41) ~ V. *guerra* —*a.* ● *S. m.* **3.** *Anat.* Víscera integrante do tubo digestivo, e que se estende do estômago ao ânus, admitindo duas grandes divisões: o intestino delgado e o intestino grosso. [Tb. us. no pl.] **4.** *Zool.* Enteron. ◆ **Intestino delgado.** *Anat.* Porção do tubo digestivo que se estende desde o final do piloro até a válvula ileocecal. **Intestino grosso.** *Anat.* Porção do tubo digestivo que se estende desde a válvula ileocecal até o ânus. **Intestino médio.** *Embr.* Região do embrião que se abre no saco vitelino.

intestinos. *S. m. pl. Anat.* V. *intestino* (3).

intexto (ês). [Do lat. *intextu*.] *Adj.* Entremeado, entrelaçado, entretecido.

inti. [Do quechua *inti*, 'sol'.] *S. m.* Unidade monetária, e moeda, peruana, dividida em 100 centavos, em vigor desde 1 de janeiro de 1986, quando substituiu o sol^3, valendo naquela data, cada inti, 1.000 soles.

íntima. *S. f. Anat.* Túnica íntima. [Cf. *intima*, do v. *intimar*.]

intimação. [Do lat. *intimatione*.] *S. f.* **1.** Ato de intimar ou ser intimado. **2.** *Jur.* Ciência de um ato judicial legalmente dada a alguém; notificação judicial. [Cf. *citação* (4) e *notificação* (2 e 3).] **3.** *Bras., S. Pop.* Ostentação, bazófia.

intimador (ô). [Do lat. *intimatore*.] *Adj. e s. m.* Que ou aquele que intima.

intimar. [Do lat. *intimare*.] *V. t. d.* **1.** *Jur.* Fazer intimação (2) a. [Cf. *interpelar* (3), *notificar* (5) e *citar* (4).] **2.** *Pop.* Chamar (alguém) perante a autoridade policial. **3.** *Bras., N.* Desafiar (alguém) para lutar. **4.** *Bras., N. e N.E.* Insultar, ofender, afrontar, ultrajar. *T. d. e i.* **5.** Ordenar ou determinar de modo impositivo, vivamente autoritário: *Intimou-os a comparecer*, "Pegou do braço ao piloto e ao praticante e, intimando-os ao cumprimento do dever, colocou-os logo ao leme." (Virgílio Várzea, *Nas Ondas*, p. 64.) **6.** Inculcar, denotar, significar, dar a entender, com força. *T. i.* **7.** *Bras., N.E.* Provocar para a luta; insultar; desafiar: *O rapazinho intimou com o colega. Int.* **8.** Empregar intimativa; falar com arrogância. **9.** *Bras. Pop.* Teimar: "Capitão, você não intime / Em querer ser bom piloto" (de um auto popular). [Pres. ind.: *intimo, intimas, intima*, etc. Cf. *íntimo, íntima*, e pl. *íntimas*.]

intimativa. [Fem. substantivado de *intimativo*.] *S. f.* **1.** Frase ou gesto com força de intimação; afirmação enérgica. **2.** Energia, arrogância, no mandar.

intimativo. *Adj.* **1.** Que serve para intimar. **2.** Enérgico, severo.

intimidação. *S. f.* Ato ou efeito de intimidar(-se).

intimidade. *S. f.* **1.** Qualidade de íntimo. **2.** Vida (10) íntima; vida particular: *indiscreto, quer penetrar na minha intimidade.* **3.** Trato íntimo: "O sulco trágico que assim se acentuava não lhe frustrou porém as alegrias dos morros nativos, a intimidade com os pássaros e com as árvores" (Barreto Filho, *Introdução a Machado de Assis*, p. 12); *É pessoa da minha intimidade.*

intimidador (ô). *Adj.* **1.** Que intimida; intimidante, intimidativo. ● *S. m.* **2.** Aquele que intimida.

intimidante. *Adj. 2 g.* V. *intimidador* (1).

intimidar. [De *in-*^{1} + *tímido* + *-ar*^{2}.] *V. t. d.* **1.** Tornar tímido, temeroso, receoso: "Os analfabetos invejam a instrução para si .... Se a não procuram, ... é porque os intimida a demora, a dificuldade, e o tédio de aprender." (Antônio Feliciano de Castilho, *Outono*, p. XI.) **2.** Causar medo, pavor ou apreensão a; amedrontar, assustar; apavorar: "Não dizia palavra, mas havia em todo ele uma impertinência subjacente que irritava os desconhecidos e intimidava os servidores." (Domingos Monteiro, *O Primeiro Crime de Simão Bolandas*, p. 11.) *Int.* **3.** Causar medo, pavor ou apreensão: "Além desse aviso imponderável, que obrigava a alma a tremer, manifestavam-se cousas positivas, que intimidavam e traziam o esmorecimento." (Raimundo Morais, *País das Pedras Verdes*, p. 131.) *P.* **4.** Tornar-se tímido, temeroso, receoso; atemorizar-se, assustar-se: "O guarda, vendo que os operários não se intimidavam com a presença dele, resolveu fazer uma demonstração de autoridade." (Mário de Andrade, *Contos Novos*, p. 139.)

intimidativo. *Adj.* V. *intimidador* (1).

intimismo. [De *íntimo* + *-ismo*.] *S. m. Liter.* Gênero poético avesso à grandiloqüência, e em que se procura exprimir sentimentos íntimos e, por outro lado, o sentido das coisas simples.

intimista. [De *íntimo* + *-ista*.] *Adj. 2 g.* **1.** Relativo ou pertencente ao intimismo. **2.** Diz-se do poeta que o pratica, e da respectiva poesia. ● *S. 2 g.* **3.** Poeta intimista.

íntimo. [Do lat. *intimu*.] *Adj.* **1.** Que está muito dentro. **2.** Que atua no interior. **3.** Muito cordial ou afetuoso; entranhável. **4.** Estreitamente ligado por afeição e confiança: *amigo íntimo.* **5.** Que se passa ou efetua no interior da família, ou entre pessoas muito chegadas entre si: *festa íntima.* ~V. *foro* (ô) — e *túnica* —*a.* ● *S. m.* **6.** Âmago, imo: *o íntimo da alma.* **7.** Amigo íntimo: "Era já então crença geral que ele dera os tiros, e os íntimos provavelmente o felicitavam pela sua coragem." (J. Lúcio d'Azevedo, *O Marquês de Pombal e Sua Época*, pp. 190-191.) [Cf. *intimo*, do v. *intimar*.]

intimorato. [De *in-*^{2} + *timorato*.] *Adj.* Sem temor; destemido: "Pára, conquistador intimorato e forte!" (Olavo Bilac, *Poesias*, p. 241.) [Cf. *intemerato*.]

intina. [De *int(u)(s)-* + *-ina*^{1}.] *S. f. Morfol. Veg.* Membrana interna do grão de pólen, que é delgada, hialina e rica em pectina. [Opõe-se a *exina*.]

intinção. [Do lat. *intinctione*.] *S. f. Lit.* Mistura que o sacerdote faz, antes da comunhão, de uma fração da hóstia com o vinho consagrado.

intitulação. *S. f.* Ato de intitular; designação de um título.

intitular. [Do lat. *intitulare*.] *V. t. d.* **1.** Dar título a: *Tem dificuldade em intitular seus contos. Transobj.* **2.** Denominar, chamar: *Intitularam-no de chefe. P.* **3.** Tomar ou ter por denominação ou título; denominar-se: "decorrido um ano, Zurita, que .... se intitulava professor de ginástica, ... deliberou passar-se a Madri" (Camilo Castelo Branco, *A Enjeitada*, p. 130).

intocado. [De *in-*^{2} + *tocado*.] *Adj.* V. *intato*: "plácida, límpida, intocada / essência que jazias / no não-ser mais abstrato." (Marli de Oliveira, *Ausência*, p. 32).

intocável. [De *in-*^{2} + *tocável*.] *Adj. 2 g.* **1.** Em que não se pode tocar; intangível. **2.** Inatacável, ilibado. ● *S. 2 g.* **3.** Indivíduo intocável. **4.** V. *monstro sagrado* (2).

intolerância. [Do lat. *intolerantia*.] *S. f.* **1.** Qualidade de intolerante; falta de tolerância. **2.** Intransigência (1).

intolerante. [Do lat. *intolerante*.] *Adj. 2 g.* **1.** Que não é tolerante. **2.** Que é partidário do intolerantismo. ● *S. m.* **3.** Partidário do intolerantismo.

intolerantismo. [De *intolerante* + *-ismo*.] *S. m.* **1.** Doutrina que tem por princípio a intolerância religiosa. **2.** Sistema daqueles que não admitem opiniões divergentes das suas, em questões sociais, políticas ou religiosas.

intolerável. [Do lat. *intolerabile*.] *Adj.* Não tolerável.

intonso. [Do lat. *intonsu*.] *Adj.* **1.** Não tosquiado. **2.** Hirsuto, emaranhado: "alto, magro, de intonsa barba branca, áspera como uma velha parasita ressecada num tronco" (Coelho Neto, *Sertão*, p. 201). **3.** Diz-se de livro não aparado.

intorcível. [De *in-*^{2} + *torcer* + *-ível*.] *Adj. 2 g.* Que não se pode torcer, alterar, distorcer; não torcível: "a pertinácia, a vontade obstinada, a energia intorcível de um prodigioso artífice." (Augusto Meyer, *A Forma Secreta*, p. 103).

➧**in totum** (in tótum). [Lat.] No todo; totalmente.

intoxicação (cs). *S. f.* Ato de intoxicar; envenenamento.

intoxicar (cs). [De *in-*^{1} + *tóxico* + *-ar*^{2}.] *V. t. d.* **1.** Envenenar, toxicar. *P.* **2.** Envenenar (8). [Sin. ger.: *toxicar*. Conjug.: v. *trancar*.]

▲**intra-.** [Do lat. *intra*.] *Pref.* = 'posição interior': *intrapulmonar, intra-ocular.*

intracelular. [De *intra-* + *celular*.] *Adj. 2 g. Anat.* Que está dentro da célula (2 e 3).

intracraniano. [De *intra-* + *craniano*.] *Adj. Anat.* **1.** Relativo ou pertencente ao interior do crânio. **2.** Que se situa ou ocorre dentro do crânio. ~ V. *hipertensão* —*a.*

intradérmico. [De *intra-* + *dérmico*.] *Adj. Med. e Cir.* Que se situa ou se realiza na espessura da pele.

intradilatado. [De *intra-* + *dilatado*.] *Adj. Morfol. Veg.* Dilatado por dentro.

intradorso (ô). [Do it. *intradosso*.] *S. m. Arquit.* Superfície côncava interior de um arco ou de uma abóbada. [Pl.: *intradorsos* (ô). Cf. *extradorso* (ô).]

intraduzível. [De *in-*^{2} + *traduzível*.] *Adj. 2 g.* **1.** Que não se pode traduzir, verter ou trasladar: *Na obra de Guimarães Rosa há passagens intraduzíveis.* **2.** Que não se pode traduzir ou exprimir; inexprimível: "Mortal e intraduzível desgosto foi .... o do velho e fiel Damião." (Abel Botelho, *Amanhã*, p. 478.)

intrafegável. [De *in-*^{2} + *trafegar* + *-ável*.] *Adj. 2 g.* Que não apresenta condições para ser trafegado; intransitável.

intragável. [De *in-*^{2} + *tragável*.] *Adj. 2 g.* Que não se pode tragar; insuportável.

intra-hepático. [De *intra-* + *hepático*.] *Adj. Anat.* Que está no interior do fígado. [Pl.: *intra-hepáticos*.]

intramarginal. [De *intra-* + *marginal*.] *Adj. 2 g. Morfol. Veg.* Que está entre os bordos (falando-se das nervuras das folhas e das flores).

intramedular. [De *intra-* + *medular*.] *Adj. 2 g. Anat.* Que está dentro de medula.

intramercurial. [De *intra-* + *Mercúrio* + *-al*.] *Adj.* ~V. *planeta* —.

intramuros. [Do lat. *intra muros*, 'dentro dos muros'.] *Adv.* Dentro do recinto de uma cidade. [Antôn.: *extramuros*.]

intramuscular. [De *intra-* + *muscular*.] *Adj. 2 g. Anat.* **1.** Relativo ao interior de um músculo. **2.** Que se faz ou se aplica no interior de um músculo: *injeção intramuscular.*

intranasal. [De *intra-* + *nasal*.] *Adj. 2 g. Anat.* Situado dentro do nariz.

intranqüilidade. [De *in-*^{2} + *tranqüilidade*.] *S. f.* Falta de tranqüilidade.

intranqüilizador (ô). *Adj.* Que intranqüiliza; inquietante, inquietador.

intranqüilizar. *V. t. d. e p.* Tornar(-se) inquieto, aflito, intranqüilo; desassossegar(-se), afligir(-se), inquietar(-se).

intranqüilo. [De *in-*^{2} + *tranqüilo*.] *Adj.* Que não é ou não está tranqüilo.

intransferência. [De *in-*[2] + *transferência.*] *S. f.* **1.** Qualidade de intransferível. **2.** Inalienabilidade.
intransferível [De *in-*[2] + *transferível.*] *Adj. 2 g.* Que não é transferível; inalienável.
intransigência (zi). *S. f.* **1.** Falta de transigência; intolerância. **2.** *Fig.* Austeridade de caráter; severidade, rigidez.
intransigente (zi). [De *in-*[2] + *transigente.*] *Adj. 2 g.* e *s. 2 g.* **1.** Que, ou pessoa que não transige; intolerante. **2.** *Fig.* Austero, severo, rígido, ríspido.
intransitabilidade (zi). *S. f.* Qualidade de intransitável.
intransitado (zi). [De *in-*[2] + *transitado.*] *Adj.* Não transitado; por onde não se transita.
intransitável (zi). [De *in-*[2] + *transitável.*] *Adj. 2 g.* **1.** Que não apresenta condições para ser transitado. **2.** Cujo trânsito é proibido. **3.** *Fig.* Intratável, impraticável.
intransitivar (zi). *V. t. d.* Tornar intransitivo (um verbo).
intransitivo (zi). [Do lat. *intransitivu.*] *Adj.* Intransmissível (1). ~ V. *verbo* —.
intransmissibilidade. *S. f.* Qualidade de intransmissível.
intransmissível. [De *in-*[2] + *transmissível.*] *Adj. 2 g.* **1.** Não transmissível; intransitivo. **2.** Que não se pode transmitir a outrem.
intransmutável. [De *in-*[2] + *transmutável.*] *Adj. 2 g.* Não transmutável.
intransponível. [De *in-*[2] + *transponível.*] *Adj. 2 g.* Não transponível.
intransportável. [De *in-*[2] + *transportável.*] *Adj. 2 g.* Que não se pode transportar.
intra-ocular. [De *intra-* + *ocular.*] *Adj. 2 g. Anat.* Localizado no interior do olho. [Pl.: *intra-oculares.*]
intra-oral. [De *intra-* + *oral.*] *Adj. 2 g. Anat.* Relativo ao, ou situado no interior da boca. [Pl.: *intra-orais.*]
intra-ósseo. [De *intra-* + *ósseo.*] *Adj. Anat.* Que se situa, realiza ou aplica dentro do osso. [Pl.: *intra-ósseos.*]
intrapeciolar. [De *intra-* + *peciolar.*] *Adj. 2 g. Morfol. Veg.* Situado dentro do pecíolo.
intrapulmonar. [De *intra-* + *pulmonar.*] *Adj. 2 g. Anat.* Que fica no interior dos pulmões.
intrário. [De *intra-* + *-ário.*] *Adj. Morfol. Veg.* Diz-se do embrião que se curva para dentro do albume.
intratabilidade. *S. f.* Qualidade ou estado de intratável.
intratado. [Do lat. *intractatu.*] *Adj.* **1.** Não tratado. **2.** Que não se experimentou; evitado.
intratável. [Do lat. *intractabile.*] *Adj. 2 g.* **1.** Que não é tratável. **2.** Que não se presta à convivência; insociável: "Foi Afonso de Teive para Lisboa. Como ia desgostoso e *intratável*, rejeitou a aposentadoria em casa do tio desembargador." (Camilo Castelo Branco, *Amor de Salvação*, p. 131.) **3.** *Fig.* Intransitável (3): *caminho intratável; matagal intratável.*
intratextual. [De *intra-* + *textual.*] *Adj. 2 g.* Que está contido na composição das páginas de um livro. [Cf. *fora do texto.*]
intratorácico. [De *intra-* + *torácico.*] *Adj. Anat.* **1.** Relativo ao interior do tórax. **2.** Que aí se encontra ou se realiza.
intra-uterino. [De *intra-* + *uterino.*] *Adj. Anat.* **1.** Relativo ao interior do útero. **2.** Que se encontra ou se realiza dentro do útero. [Pl.: *intra-uterinos.*]
intravascular. [De *intra-* + *vascular.*] *Adj. 2 g. Anat.* Relativo ao interior dos vasos sanguíneos e linfáticos.
intravenoso (ô). [De *intra-* + *venoso.*] *Adj. Med.* e *Cir.* **1.** Relativo ao interior da veia. **2.** Que se dá ou aplica no interior da veia: *injeção intravenosa.* ~ V. *pielografia* —a. [F. preferível a *endovenoso.*]
intrêmulo. [Do lat. *intremulu.*] *Adj.* **1.** Que não é trêmulo. **2.** *Fig.* Destemido, audaz, intrépido: "Valentes ainda ofegantes de recontros em que entravam *intrêmulos*, estremeciam, por fim, ante o assovio daqueles projetis esparsos" (Euclides da Cunha, *Os Sertões*, p. 438).
intrepidez (ê). *S. f.* Qualidade de intrépido; ausência de temor, de medo; coragem, ousadia, ânimo, valor, denodo.
intrépido. [Do lat. *intrepidu.*[*Adj.* e *s. m.* **1.** Que ou aquele que não trepida; audaz, denodado, corajoso: "A esse tempo já o marquês pisava a praça, firme e *intrépido* como os antigos romanos diante da morte." (Rebelo da Silva, *Contos e Lendas*, p. 182.) **2.** Que não tem medo; destemido, firme.
intributável. [De *in-*[2] + *tributável.*] *Adj. 2 g.* Não tributável.
intricado. [Do lat. *intricatu.*] *Adj.* **1.** Obscuro, confuso. **2.** Enredado, emaranhado. **3.** Custoso de perceber. ● *S. m.* **4.** Aquilo que é intricado: "a sombra fugidia / O *intricado* rompeu da mata escura" (Alberto de Oliveira, *Poesias*, 1ª série, p. 223). [Var.: *intrincado.*]
intricar. [Do lat. *intricare.*] *V. t. d.* **1.** Enredar, emaranhar, embaraçar. **2.** Tornar obscuro; confundir, complicar: *intricar um problema. P.* **3.** Enredar-se, embaraçar-se. **4.** Complicar-se, confundir-se. [Var.: *intrincar.* Conjug.: v. *trancar.*]
intrico. [Dev. de *intricar.*] *S. m. Bras., PE. Pop.* Coisa difícil de entender, complicada, confusa, intricada.
intriga. [Do fr. *intrigue.*] *S. f.* **1.** Enredo, bisbilhotice, mexerico. **2.** Cilada, insídia, perfídia, traição. [Dim. irreg.: *intriguelha.*] **3.** V. *enredo* (5). **4.** *Teat.* Na estrutura dramática [q. v.] de uma peça, elemento que se segue à *exposição* e culmina no *clímax* e no *desenlace*, e durante o qual se desenvolvem os caracteres e incidentes imaginados pelo autor; enredo, trama.
intrigado. [Part. de *intrigar.*] *Adj.* **1.** Em que há intriga. **2.** Cheio de curiosidade, preocupação ou desconfiança com algo. ● *S. m.* **3.** *Bras.* Inimigo, desafeto: *F. é meu velho intrigado.*
intrigalhada. *S. f.* Conjunto de intrigas.
intrigalhar. *V. int.* Armar intrigalhada.
intrigante. [Do fr. *intrigant.*] *Adj. 2 g.* **1.** Que intriga; intriguista. ● *S. 2 g.* **2.** Pessoa intrigante; intriguista. V. *leva-e-traz.*
intrigar. [Do fr. *intriguer.*] *V. t. d.* **1.** Inimizar com intrigas; mexericar, indispor, malquistar. **2.** Excitar a curiosidade de; tornar perplexo; pôr em confusão; enlear: *Aquelas palavras intrigaram-no. T. d.* e *i.* **3.** Malquistar com intrigas; enredar: *Intrigou-o com os amigos. Int.* **4.** Excitar a curiosidade. **5.** Armar intrigas ou enredos. *P.* **6.** Inimizar-se, indispor-se, desavir-se, malquistar-se. **7.** Ficar cheio de curiosidade, ou preocupação, ou desconfiança: "— Ainda ontem .... andava uma discussão danada aqui, a seu respeito, sabe? | — A meu respeito? | Oliveira *intrigou-se*: | — A meu respeito, por quê?" (Lucilo Varejão, *Visitação do Amor*, p. 89.) [Conjug.: v. *largar.*]
intriguelha (ê). *S. f.* Pequena intriga.
intriguista. *Adj. 2 g.* **1.** V. *intrigante.* ● *S. 2 g.* **2.** V. *leva-e-traz.*
intrincado. *Adj.* Var. de *intricado* [q. v.].
intrincar. *V. t. d.* e *p.* Var. de *intricar* [q. v.] [Conjug.: v. *trancar.*]
intrínseco (s). [Do lat. *intrinsecu.*] *Adj.* **1.** Que está dentro de uma coisa ou pessoa e lhe é próprio; interior, íntimo: *amor intrínseco.* **2.** Que está inseparavelmente ligado a uma pessoa ou coisa; inerente; peculiar: "A unidade *intrínseca* ao verdadeiro romance é de fato o grande obstáculo a qualquer tentativa para refazer criticamente a sua leitura." (Adolfo Casais Monteiro, *O Romance*, p. 37.) ~ V. *condução —a, coordenadas —as, viscosidade —a* e *valor —.* [Antôn.: *extrínseco.*]
▲**intro-.** [Do lat. *intro.*] *Pref.* = 'movimento para dentro': *introverter, introduzir* (< lat. *introducere*).
introdução. [Do lat. *introductione.*] *S. f.* **1.** Ato ou efeito de introduzir(-se). **2.** Admissão em um lugar. **3.** Importação (3). **4.** V. *prefácio* (1). **5.** Artigo, estudo, e principalmente livro, que serve de preparação para o estudo de uma matéria: *introdução à ciência do direito; É notável a sua introdução à física nuclear.* ◆ **Introdução parenteral.** *Med.* A que utiliza outra via que não a digestiva.
introdutivo. *Adj.* Introdutório.
introdutor (ô). [Do lat. *introductore.*] *Adj.* e *s. m.* Que, ou aquele que introduz.
introdutório. [Do lat. *introductoriu.*] *Adj.* Que serve de introdução, começo, abertura; introdutivo: *A obra tem uma nota introdutória do editor.*
introduzir. [Do lat. *introducere.*] *V. t. d.* **1.** Fazer entrar; levar para dentro. **2.** Fazer entrar em um país. **3.** Fazer ser adotado; pôr em voga: *introduzir uma moda.* **4.** Encabeçar, começar, iniciar: *As conjunções integrantes introduzem as orações substantivas. T. d.* e *c.* **5.** Fazer entrar; levar para dentro: "atravessando uma pequena casa de espera, *introduziu-o* na sala." (Conde de Ficalho, *Uma Eleição Perdida*, p. 49). **6.** Fazer penetrar, meter: *Introduziu um prego na parede.* **7.** Fazer adotar; estabelecer. *P.* **8.** Fazer-se receber ou admitir; entrar, penetrar. **9.** Fixar-se, arraigar-se. [Irreg. Conjug.: v. *aduzir.*]
intróito. [Do lat. *introitu.*] *S. m.* **1.** Começo, entrada, princípio: "você gosta de situações definidas, arranjadinhas, certas, limpinhas, aparadas. *Intróito*, desenvolvimento, epílogo." (Afrânio Peixoto, *Fruta do Mato*, p. 291). **2.** *Lit.* Oração com que principia a missa católica.
introjeção. [Do ingl. *introjection.*] *S. f. Psican.* Mecanismo psicológico pelo qual um indivíduo, inconscientemente, incorpora e passa a considerar como seus objetos característicos alheias e valores de outrem.
introjetar. *V. t. d. Psican.* Fazer introjeção de.
intrometer. [Do lat. *intromittere.*] *V. t. c.* **1.** Fazer entrar; introduzir; intercalar, interméter, entressachar: *Intrometeu os apontamentos entre folhas do livro. P.* **2.** Tomar parte; ingerir-se, imiscuir-se. **3.** Contender, implicar.
intrometida. [Fem. substantivado do adj. *intrometido.*] *S. f. Bras. Pop.* Uma das estrelas que formam o Cruzeiro do Sul; intrusa.
intrometidiço. *Adj.* V. *intrometido* (2).
intrometido. [Part. de *intrometer.*] *Adj.* **1.** Metido para dentro; introduzido. **2.** Que se mete no que não lhe diz respeito; metediço, metido, adiantado, indiscreto; abelhudo, intrometidiço. ● *S. m.* **3.** Indivíduo intrometido (2).
intrometimento. *S. m.* **1.** Ato de intrometer(-se). **2.** Modos ou ação de intrometido (2).
intromissão. *S. f.* Ato de intrometer(-se); intrometimento.
íntron. [De *intro-* + *-on.*] *S. m. Genét.* Região do ácido desoxirribonucléico de eucariotos que, após a transcrição (7), é retirada do ácido ribonucléico.
introrsar. *V. t. d.* e *p.* Tornar(-se) introrso.
introrso. [Do lat. *introrsu.*] *Adj.* Voltado para dentro. [Antôn.: *extrorso.*]
introsca. *S. 2 g. Bras. Pop.* Pessoa intrusa, intrometida.
introspeção. *S. f.* Var. de *introspecção* [q. v.].
introspecção. [Do lat. *introspectione.*] *S. f.* Observação da vida interior pelo próprio sujeito; exame que alguém faz dos próprios pensamentos e sentimentos. [Var.: *introspeção.*]
introspectividade. *S. f.* Qualidade de introspectivo. [Var.: *introspetividade.*]
introspectivo. [Do lat. *introspectu*, 'olhado para dentro', + *-ivo.*] *Adj.* **1.** Relativo ou pertencente à introspecção. **2.** Em que há introspecção. [Var.: *introspetivo.*]
introspetividade. *S. f.* Var. de *introspectividade.*
introspetivo. *Adj.* Var. de *introspectivo* [q. v.].
introversão. [De *introverso* + *-ão*[3].] *S. f.* **1.** Qualidade ou estado de introvertido. **2.** Exame íntimo da consciência: "Saía triste, muito pensativo, numa *introversão* dolorosa" (Camilo Castelo Branco, *Vulcões de Lama*, p. 258.) **3.** Volta ou desvio para dentro; inversão.
introverso. [Do lat. *introversu.*] *Adj.* V. *introvertido.*
introverter-se. [De *intro-* + lat. *vertere*, 'virar, voltar', + *-se*[1].] *V. p.* Voltar-se para dentro; recolher-se, concentrar-se: "Insular, o metropolitano, que durante a colonização ficou em Portugal, *introverteu-se*; continental o que se radicou no Brasil, extroverteu-se." (Miguel Torga, *Diário*, IX, p. 29.) [Conjug.: v. *verter.* Antôn.: *extroverter-se.*]
introvertido. [Part. de *introverter.*] *Psican. Adj.* **1.** Voltado para dentro. **2.** Metido consigo. **3.** Absorto, concentrado. [Sin., nessas acepç.: *introverso.*] ● *S. m.* **4.** Indivíduo introvertido: "O resultado foi que .... me voltei para o universo interior, abismado na contemplação do meu próprio ser, o que me tornou se não misantropo, pelo menos um *introvertido* sem remédio." (Macedo Miranda, *Pequeno Mundo outrora*, p. 9.) [Antôn.: *extrovertido.*]
intrudir. *V. t. d.* Introduzir com força (uma massa em outra preexistente). [Conjug.: v. *aludir.*]
intrujão. [De *intrujar* + *-ão*[3].] *Adj.* **1.** Que intruja. ● *S. m.* **2.** Indivíduo intrujão. **3.** *Bras.* Receptador de objetos furtados. [Fem.: *intrujona.*]
intrujar. *V. t. d.* **1.** Imiscuir-se com outras pessoas para explorá-las; lograr. **2.** Intrujir, perceber. *Int.* **3.** Contar patranhas. *P.* **4.** Fazer intrujices; enganar-se mutuamente; lograr-se.
intrujice. *S. f.* Ato de intrujar(-se).
intrujir. *V. t. d. Gír.* Perceber, compreender; intrujar.
intrujona. *Adj. (f.)* e *s. f.* Fem. de *intrujão.*
intrusa. [Fem. substantivado do adj. *intrusu.*] *S. f. Bras. Pop.* Intrometida.
intrusão. [De *intruso* + *-ão*[3].] *S. f.* **1.** Ação ou efeito de introduzir-se, contra o direito ou as formalidades, de proceder como intruso: "era um mistério a *intrusão* do Cotrim neste negócio" (Machado de Assis, *Memórias Póstumas de Brás Cubas*, p. 359). [Antôn.: *extrusão.*] **2.** Posse violenta.
intrusivo. [De *intruso* + *-ivo.*] *Adj.* ~ V. *rocha* —a.
intruso. [Do lat. *intrusu.*] *Adj.* **1.** Que se introduz em lugar, cargo, dignidade, etc., sem qualidade para tal; metediço. **2.** Ilegalmente empossado. ● *S. m.* **3.** Indivíduo intruso. **4.** *Bras., BA. Pop.* O jaspe cinzento.
intubação. *S. f.* Ato de intubar. [Cf. *entubação.*]
intubar. [De *in-*[1] + *tubo* + *-ar*[2].] *V. t. d.* Introduzir um tubo em (uma cavidade). [Cf. *entubar.*]
intuição (u-i). [De *intuir* + *-ção.*] *S. f.* **1.** Ato de ver, perceber, discenir; percepção clara ou imediata; discer-

nimento: *Não tem intuição nem para as coisas mais simples.* **2.** Ato ou capacidade de pressentir; pressentimento: *Tenho a intuição de que vai chover hoje;* "mil coisas que ela não percebia, mas começava a adivinhar na sua intuição subtil de mulher já namorada." (Conde de Ficalho, *Uma Eleição Perdida,* p. 65). **3.** *Filos.* Contemplação pela qual se atinge em toda a sua plenitude uma verdade de ordem diversa daquelas que se atingem por meio da razão ou do conhecimento discursivo ou analítico. **4.** *Filos.* Apreensão direta, imediata e atual de um objeto na sua realidade individual.

intuicionante (u-i). *Adj. 2 g.* Que intuiciona.

intuicionar (u-i). [De *intuição* + *-ar*².] *V. t. d.* e *int.* Intuir.

intuicionismo (u-i). *S. m. Filos.* Doutrina que faz da intuição o instrumento próprio do conhecimento da verdade.

intuir. [Do lat. **intuere,* por *intueri.*] *V. t. d.* e *int.* Deduzir ou concluir por intuição; intuicionar: "Como é [Carlos Drummond de Andrade] fazendeiro do ar, / O obscuro enigma dos astros / Intui, capta em claro enigma." (Manuel Bandeira, *Estrela da Vida Inteira,* p. 266); "Um verso 'quer' ser verso, em todas as latitudes. Intuir-lhe a essência, a poesia, demanda experiências." (Rosário Fusco, *Introdução à Experiência Estética,* p. 48). [Conjug.: v. *atribuir.*]

intuitivismo (u-i). [De *intuitivo* + *-ismo.*] *S. m. Filos.* Doutrina segundo a qual os conhecimentos humanos se fundam em intuições. [Cf. *intuicionismo.*]

intuitivo (u-i). *Adj.* **1.** Respeitante à, ou próprio da, ou fundado na intuição: "a sua inteligência [de Mário de Sá-Carneiro] era um dos aspectos que tomava, em certos momentos, o seu poder intuitivo de compreensão das coisas e dele próprio." (João Gaspar Simões, *O Mistério da Poesia,* p. 148). **2.** Dotado de intuição. **3.** Que se percebe por intuição; claro, manifesto, evidente: "tão intuitiva, tão evidente era para elas tal necessidade." (José Régio, *Histórias de Mulheres,* p. 300).

intuito (túi). [Do lat. *intuitu-.*] *S. m.* **1.** Objeto que se tem em vista; intento, plano. **2.** Fim, escopo.

➧**intuitus personae** (intúituç persone). [Lat.] *Jur.* Em consideração à pessoa.

intumescência. [Do lat. *intumescentia* < *intumescere,* 'intumescer'.] *S. f.* Estado de intumescente; intumescimento, tumescência.

intumescente. [Do lat. *intumescente.*] *Adj. 2 g.* Que intumesceu; túmido, inchado, tumescente.

intumescer. [Do lat. *intumescere.*] *V. t. d.* **1.** Tornar túmido; tumefazer, inchar: *A doença intumesceu-lhe as feições.* **2.** *Fig.* Encrespar, encapelar, encarneirar: "Lufadas agrestes intumesciam o mar, que rebentava e espumava." (Virgílio Várzea, *Nas Ondas,* p. 214.) *Int.* e *p.* **3.** Tornar-se túmido; aumentar de volume; tumefazer-se, inchar. **4.** Enfatuar-se, envaidecer-se, empavonar-se. [F. paral.: *tumescer.* Conjug.: v. *crescer.*]

intumescido. [Part. de *intumescer.*] *Adj.* Que intumesceu; tumefacto, túmido, inchado.

intumescimento. [De *intumescer* + *-i-* + *-mento.*] *S. m.* V. *intumescência.*

inturgescência. [Do lat. *inturgescentia.*] *S. f.* Qualidade ou estado de inturgescente; turgescência.

inturgescente. [Do lat. *inturgescente.*] *Adj. 2 g.* Que se inturgesce; turgescente, túrgido.

inturgescer. [Do lat. *inturgescere.*] *V. t. d.* **1.** Tornar túrgido ou inchado; inchar, intumescer, turgescer. *Int.* e *p.* **2.** Tornar-se túrgido ou inchado; inchar-se, intumescer-se, turgescer-se: "Seu seio nevado de amor se intumesce" (Casimiro de Abreu, *Obras,* p. 157). [Conjug.: v. *crescer.*]

▲**int(u)(s)-.** [Do lat. *intus.*] *Pref.* = 'movimento para dentro', 'posição interior': *intina, intuspecção, intussuscepção.*

intuspeção. *S. f.* Var. de *intuspecção* [q. v.].

intuspecção. [De *int(u)(s)-* + lat. *spectione,* 'observação'.] *S. f.* Observação interna do próprio observador; conhecimento de si mesmo: "A intuspecção a que algumas vezes nos leva a tristeza, a saudade, ou a mágoa, essa concentração, esse íntimo exame de nós mesmos" (Ramalho Ortigão, *Em Paris,* p. 11). [Var.: *intuspeção.*]

intuspectivo. [De *int(u)(s)-* + *-spect-* + *-ivo.*] *Adj.* Relativo a, ou próprio da intuspecção: "Não se cinge [Fernão Mendes Pinto] a anotar os fatos adstritos ao campo visual, mas os sentimentos e os estados de ânimo, o que se explica como atos de natureza intuspectiva (Aquilino Ribeiro, *Portugueses das Sete Partidas,* p. 269). [Var.: *intuspetivo.*]

intuspetivo. *Adj.* Var. de *intuspectivo* [q. v.]

intussuscepção. [De *int(u)(s)-* + lat. *susceptione,* 'ação de receber'.] *S. f.* **1.** *Biol.* Modo de crescimento dos organismos vivos, por transformação e incorporação dos elementos formadores, em contraste com o crescimento por aposição, que se observa nos minerais. **2.** *Med.* Invaginação de qualquer porção do tubo gastrintestinal em outra porção adjacente, inclusive após intervenção cirúrgica que modifique a continuidade do tubo gastrintestinal. [Cf. *invaginação.*]

inube. [Do lat. *innube.*] *Adj. 2 g.* Sem nuvens; não nublado; claro, sereno. [Var.: *inubo.*]

inúbia. *S. f.* Designação dada por poetas ao membitarará: Celebraste [refere-se a Gonçalves Dias] o domínio soberano / Das grandes tribos, o tropel fremente / Da guerra bruta, o entrechocar insano / Dos tacapes vibrados rijamente, / O maracá e as flechas, / O estridente / Troar da inúbia, e o canitar indiano..." (Olavo Bilac, *Poesias,* p. 15.) [Cf. *membi.*]

inúbil. [De *in-*² + *núbil.*] *Adj. 2 g.* Que não é núbil; que ainda não está em idade de casar. [Pl.: *inúbeis.*]

inubo. *Adj.* V. *inube.* [Cf. *ínubo.*]

ínubo. [Do lat. *innubu.*] *Adj.* V. *inupto.* [Cf. *inubo.*]

inulina. [Do lat *inula,* 'certa planta da família das compostas', + *-ina*¹.] *S. f.* Substância orgânica de composição semelhante à do amido, encontrada nos tubérculos de muitas plantas, em especial da família das compostas.

inulto. [Do lat. *inultu.*] *Adj.* **1.** Que não se vingou. **2.** Que não teve desforra; impune, invingado.

inultrapassável. [De *in-*² + *ultrapassável.*] *Adj. 2 g.* Que não pode ser ultrapassado; intransponível: "a mole imensa assentava como uma barreira inultrapassável na linha do horizonte" (Aquilino Ribeiro, *Os Avós dos Nossos Avós,* p. 134).

inumação. *S. f.* Ato de inumar; enterramento, enterro, sepultamento.

inumanidade. [Do lat. *inhumanitate.*] *S. f.* Qualidade ou procedimento de inumano; falta de humanidade; desumanidade: "Até nos desvanecemos da mesma barbaridade, chamamos à compaixão franqueza, e à inumanidade valor." (Matias Aires, *Reflexões sobre a Vaidade dos Homens,* p. 83.)

inumano. [Do lat. *inhumanu.*] *Adj.* **1.** Alheio ao sentimento de humanidade. **2.** Desumano; cruel, atroz: "O *week end,* para resumir, também é uma fuga desesperada da vida intensiva, deprimente e inumana da grande cidade [Nova Iorque]" (Fernando Sabino, *Medo em Nova Iorque. A Cidade Vazia,* p. 95).

inumar. [Do lat. *inhumare.*] *V. t. d.* Sepultar, enterrar: "Antigamente inumavam-se os mortos nas igrejas, aonde eram conduzidos, em procissões de lúgubre aspecto." (Estêvão Pinto, *Muxarabis & Balcões,* p. 309.) [Antôn.: *exumar.*]

inumatório. *Adj.* Em que se fazem inumações; próprio para inumar.

inumerabilidade. [Do lat. *innumerabilitate.*] *S. f.* Qualidade de inumerável.

inumerável. [Do lat. *innumerabile.*] *Adj. 2 g.* **1.** Que não se pode numerar ou contar; não numerável. **2.** Infinito em número; extraordinariamente numeroso. [Sin. ger.: *inúmero* e *sobrenumerável.* [Cf. *enumerável.*]

inúmero. [Do lat. *innumeru.*] *Adj.* V. *inumerável.*

inundação. [Do lat. *inundatione.*] *S. f.* **1.** Ato ou efeito de inundar(-se). **2.** Alagamento, enchente, cheia. **3.** *Fig.* Grande número de pessoas; invasão. [Sin. ger. menos us.: *inundamento.*]

inundado. [Part. de *inundar.*] *Adj.* **1.** Que se inundou; alagado. ● *S. m.* **2.** Pessoa que teve a casa, as propriedades destruídas por inundação.

inundamento. *S. m.* Inundação: "o rio ideal do Sentimento, / Que sinto fluir nas minhas veias, / Vive, / Num doce inundamento" (Da Costa e Silva, *Poesias Completas,* p. 48).

inundante. [Do lat. *inundante.*] *Adj. 2 g.* Que inunda.

inundar. [Do lat. *inundare.*] *V. t. d.* **1.** Cobrir de água; submergir, alagar: *A enchente do rio inundou a cidade.* **2.** Encher de água ou doutra substância líquida: "e a saliva inundou a boca do vagabundo." (José Rodrigues Miguéis, *Gente da Terceira Classe,* p. 103). **3.** Umedecer, molhar, banhar: *As lágrimas inundavam-lhe o rosto.* **4.** Invadir em tumulto: *Os invasores inundaram o país.* **5.** Aclarar, clarear, iluminar: "Quando o sol inundou os fundos de Cassanje, a voz cava dos tambores encerrou a feira." (Castro Soromenho, *Rajada e Outras Histórias,* p. 125.) **6.** Encher completamente; repletar: "quando .... os finos vinhos capitosos entraram a inundar as largas taças de cristal, o velho Sebastião Vinhas ergueu-se" (Virgílio Várzea, *Nas Ondas,* p. 155). **7.** Derramar, espargir, esparzir. *Int.* **8.** Transbordar, trasbordar, extravasar: *Todos os anos o Nilo inunda. P.* **9.** Cobrir-se de água. **10.** Umedecer-se, molhar-se.

inundável. *Adj. 2 g.* Que se pode inundar; sujeito a inundação.

inupto. [Do lat. *inuptu.*] *Adj.* Que não é casado ou matrimoniado; solteiro, celibatário, ínubo. [É m. us. com relação a mulheres.]

inusitado. [Do lat. *inusitatu.*] *Adj.* Não usado; não usual; incomum, estranho: "dedicara-se com inusitado entusiasmo ao problema da alfabetização de adultos" (Jorge Amado, *Teresa Batista Cansada de Guerra,* p. 55).

inusual. [De *in-*² + *usual.*] *Adj. 2 g.* Não usual; desusado.

inútil. [Do lat. *inutile.*] *Adj. 2 g.* **1.** Não útil; sem préstimo: *pessoa, coisa inútil.* **2.** Desnecessário, escusado: *É inútil você ir.* **3.** Baldado, vão, estéril: *esforço inútil.* [Sin. ger., p. us.: *desútil.*] ● *S. 2 g.* **4.** Pessoa inútil. [Pl.: *inúteis.*]

inutilidade. [Do lat. *inutilitate.*] *S. f.* **1.** Falta de utilidade; desnecessidade. **2.** Coisa ou pessoa sem préstimo, inútil.

inutilizar. *V. t. d.* **1.** Tornar inútil ou imprestável; invalidar: "E o rio sempre traiçoeiro e ruim. Quando não matava, inutilizava um vivente para o resto da vida." (Guido Vilmar Sassi, *São Miguel,* p. 101.) **2.** Destruir, danificar, quebrar: *A umidade inutilizou o relógio.* **3.** Frustrar, baldar: *A oposição inutilizou os esforços do governo. P.* **4.** Tornar-se inútil ou incapaz para algum mister.

inutilizável¹. [De *in-*² + *utilizável.*] *Adj. 2 g.* Que não é possível utilizar; não utilizável.

inutilizável². [De *inutilizar* + *-ável.*] *Adj. 2 g.* Que se pode ou deve inutilizar.

➧**in utroque jure** (in utróqüe jure). [Lat.] Em ambos os direitos, i. e., no civil e no canônico.

invacilante. [De *in-*² + *vacilante.*] *Adj. 2 g.* Não vacilante.

invadeável. [De *in-*² + *vadeável.*] *Adj. 2 g.* Que não se pode passar a vau; não vadeável: "uma série de pântanos invadeáveis" (Visconde de Taunay, *Reminiscências,* p. 119).

invadir. [Do lat. *invadere.*] *V. t. d.* **1.** Entrar à força ou hostilmente em; ocupar à força; conquistar: *No século V os bárbaros invadiram o Império Romano.* **2.** Difundir-se em; alastrar-se por; espalhar-se: *A água invadiu as ruas.* **3.** Dominar, tomar: "Foi aí que uma saudade absurda o invadiu: a saudade do que não aconteceria." (Macedo Miranda, *As Três Chaves,* p. 97.) **4.** Apoderar-se violentamente de; usurpar: *O poder executivo invadiu a competência do judiciário.*

invaginação. [De *invaginar* + *-ção.*] *S. f.* **1.** *Morfol Veg.* Formação de uma bainha (3). **2.** *Med.* Penetração de parte de uma estrutura em outra, sendo ambas do mesmo indivíduo, seja de origem embriológica, ou patológica ou cirúrgica. [Costuma ser us. como sin. de *intussuscepção* [q. v.], mas apenas o é quando seguido de adjetivo que designa a parte do tubo digestivo envolvida.]

invaginado. *Adj. Morfol. Veg.* Que apresenta invaginação (1).

invaginante. *Adj. 2 g.* Que se invagina. ~ V. *folha* —.

invaginar. [De *in-*¹ + *vagina* + *-ar*².] *V. t. d.* Ligar por meio de invaginação.

invalescer. [Do lat. *invalescere.*] *V. int. P. us.* Tornar-se forte; adquirir forças; robustecer-se. [Conjug.: v. *crescer.*]

invalidação. *S. f.* Ato ou efeito de invalidar(-se); anulação.

invalidade. [De *in-*² + *validade.*] *S. f.* Falta de validade; nulidade.

invalidado. [Part. de *invalidar.*] *Adj.* Tornado inválido (1).

invalidar. *V. t. d.* **1.** Tornar inválido; tirar o valor a; inutilizar; anular: *Aquele testemunho invalidava as provas;* "A conjugada ação de mil forças inibidoras invalida a instintiva ânsia reveladora do sofrimento. Cada palavra diz outra coisa, cada queixume vem mascarado." (Miguel Torga, *Diário,* IX, p. 56). **2.** Tornar imprestável para o desempenho de alguma função; inutilizar: *A doença invalidou -o.* **3.** Fazer perder o crédito; desacreditar. *P.* **4.** Tornar-se inválido: *O documento invalidou-se; Com os numerosos males, o homem invalidou-se.* [Sin. ger.: *desvalidar.* Pres. ind.: *invalido,* etc. Cf. *inválido.*]

invalidez (ê). *S. f.* Qualidade ou estado de inválido.

inválido. [Do lat. *invalidu.*] *Adj.* **1.** Que não vale; nulo, írrito: *Este documento é inválido.* **2.** Que perdeu o vigor; enfermo, débil, fraco, incapaz. **3.** Mutilado ou paralítico; inutilizado. ● *S. m.* **4.** Indivíduo impossibilitado de trabalhar, por velhice, doença física ou mental, mutilação ou paralisia. [Cf. *invalido*, do v. *invalidar.*]

invar. [F. abrev. de *invariável.*] *S. m. Fís.* Liga de aço e níquel, cuja dilatação é quase nula.

invariabilidade. *S. f.* Qualidade de invariável.

invariância. [De *in-*^{2} + *variância.*] *S. f. Fís.* Propriedade que tem uma grandeza ou uma variável de um sistema de manter-se constante quando o sistema se transforma ou quando se modifica a descrição dele.

invariante. [De *in-*^{2} + *variante.*] *S. m. Fís.* Grandeza ou variável que, numa transformação de um sistema, se mantém constante.

invariável. [De *in-*^{2} + *variável.*] *Adj. 2 g.* **1.** Que não varia; imutável. **2.** Constante; firme. **3.** *Gram.* Indeclinável (2). — V. *plano* —.

invasão. [Do lat. *invasione.*] *S. f.* **1.** Ato ou efeito de invadir. **2.** *Bras.* Local ocupado ilegalmente por habitações populares.

invasivo. [Do lat. *invasu*, 'invadido', + *-ivo.*] *Adj.* Que tem o caráter de invasão; em que há invasão; agressivo, hostil: *planos invasivos; ataque invasivo.*

invasor (ô). [Do lat. *invasore.*] *Adj.* e *s. m.* Que, ou aquele que invade.

invectiva. [Fem. substantivado de *invectivo.*] *S. f.* Ato ou efeito de invectivar; doesto, injúria, insulto.

invectivador (ô). *Adj.* e *s. m.* Que, ou aquele que invectiva; invectivista.

invectivar. *V. t. d.* **1.** Dirigir invectiva(s) a; atacar com violência; censurar com acrimônia; increpar; injuriar: *Furioso, invectivava os covardes;* "Descendentes dos nobres Corday d'Armans, não esposava a inauguração da soberania nacional, e invectivava apaixonadamente Mirabeau, que atraiçoava a causa dos nobres" (Camilo Castelo Branco, *Livro Negro de Padre Dinis*, p. 48). *T. i.* **2.** *Rel.* Dizer ou lançar invectiva(s): *Invectivou contra os opressores.*

invectivista. *Adj. 2 g.* e *s. 2 g.* Invectivador.

invectivo. [Do lat. *invectivu.*] *Adj.* Que tem caráter de invectiva; injurioso, insultuoso.

invedável. [De *in-*^{2} + *vedável.*] *Adj.* Não vedável.

inveja. [Do lat. *invidia.*] *S. f.* **1.** Desgosto ou pesar pelo bem ou pela felicidade de outrem. **2.** Desejo violento de possuir o bem alheio. **3.** *P. ext.* O objeto da inveja: *Era ele a inveja dos outros passistas, pela agilidade e elegância dos gestos.* ♦ **Matar de inveja.** Causar grande inveja a.

invejado. [Part. de *invejar.*] *Adj.* Que é objeto de inveja: "Invejado! a invejar os invejosos" (Castro Alves, *Poesias Escolhidas*, p. 33).

invejando. [Ger. de *invejar.*] *Adj.* V. *invejável* (1).

invejar. *V. t. d.* **1.** Ter inveja de; olhar invejosamente: *O homem sempre invejou os pássaros;* "Invejado! a invejar os invejosos" (Castro Alves, *Poesias Escolhidas*, p. 33). **2.** Desejar vivamente; apetecer, cobiçar (o que é de outrem): *Invejava o sucesso do amigo. Int.* **3.** Ter ou sentir inveja: "Nunca [Ramalho Ortigão] odiou. Quase inútil é dizer que nunca invejou." (Eça de Queirós, *Notas Contemporâneas*, p. 35.) [Tem (ao contrário da quase totalidade dos verbos em *-ejar*) o e aberto nas formas rizotônicas: *invejo* (é), *invejas* (é), *invejam* (é); *inveje* (é), *invejes* (é), *invejem* (é), etc.]

invejável. *Adj. 2 g.* **1.** Que se pode invejar; digno de inveja; invejando. **2.** De muito valor; apreciável.

invejoso (ô). [Do lat. *invidiosu.*] *Adj.* **1.** Que tem inveja: *pessoa invejosa.* **2.** Que denota ou revela inveja: *olhar invejoso.* ● *S. m.* **3.** Indivíduo invejoso: "Invejado! a invejar os invejosos" (Castro Alves, *Poesias Escolhidas*, p. 33).

invenal. [Do lat. *invenale.*] *Adj. 2 g.* **1.** Que não se pode vender; invendável. **2.** Que não se vende, não se deixa subornar; incorrutível, incorruto, insubornável.

invenção. [Do lat. *inventione.*] *S. f.* **1.** Ato ou efeito de inventar, de criar, de engendrar. **2.** Coisa nova criada ou concebida no campo da ciência, da tecnologia ou das artes: *a invenção do motor de explosão; a invenção de um logotipo.* **3.** Coisa imaginada ou inventada com astúcia ou má fé; invencionice, maquinação, fábula, mentira: *Esta história é invenção das más línguas.* **4.** Faculdade ou poder inventivo; engenho, criatividade, inventividade, inventiva. **5.** Novo meio ou expediente para alcançar um fim; criação, descoberta. **6.** O que não pertence ao mundo real; imaginação, fábula, ficção, engano. **7.** V. *descoberta* (4). **8.** *Mús.* Composição musical em estilo contrapontístico, e com caráter de um improviso. **9.** *Jur.* Achado de coisa alheia, perdida pelo dono ou possuidor. **10.** Descobrimento, achado (especialmente de relíquias): *a invenção de Santa Cruz.*

invencibilidade. *S. f.* Qualidade de invencível.

invencionar. [Do lat. *inventione*, 'invenção', + *-ar*^{2}.] *V. t. d.* Adornar com artifício.

invencioneiro. [Do lat. *inventione*, 'invenção' + *-eiro.*] *Adj.* **1.** Que inventa mentiras; embusteiro, mentiroso, astucioso. **2.** Extravagante, esquisito. ● *S. m.* **3.** Indivíduo invencioneiro.

invencionice. [Do lat. *inventione*, 'invenção' + *-ice.*] *S. f.* **1.** Ação ou dito de invencioneiro. **2.** Embuste, enredo, mentira: "a Tia Maria saiu-se com quatro pedras na mão. Tudo aquilo não passava de invencionices .... Era mentira." (José Lins do Rego, *Meus Verdes Anos*, p. 182.)

invencível. [Do lat. *invencibile.*] *Adj. 2 g.* Que não pode ser vencido; irresistível, invicto.

invendável. [De *in-*^{2} + *vendável.*] *Adj. 2 g.* Não vendável. [V. *vendável.*]

invendível. [Do lat. *invendibile.*] *Adj. 2 g.* Não vendível. [V. *vendável.*]

inventar. [De *invento* + *-ar*^{2}.] *V. t. d.* **1.** Ser o primeiro a ter a idéia de: *Thomas Edison inventou a lâmpada incandescente.* **2.** Criar na imaginação; imaginar, idear: *inventar uma história;* "Quem ama inventa as penas em que vive" (Olavo Bilac, *Poesias*, p. 44). **3.** Contar falsamente; tramar, urdir: *inventar injúrias.* **4.** Descobrir, achar: *Não conseguia inventar uma denominação adequada. T. i.* **5.** Meter na cabeça; cismar; resolver: "Pois não é que o danado do garoto inventou de ir ao programa de César de Alencar?" (Maria Julieta Drummond de Andrade, *O Valor da Vida*, p. 162). *Int.* **6.** *Bras. Pop.* Imaginar explicações ou argumentos falsos.

inventariação. *S. f.* **1.** Ato de inventariar. **2.** *Jur.* Descrição no inventário.

inventariado. [Part. de *inventariar.*] *Adj.* **1.** Que é objeto de inventário. ● *S. m.* **2.** Aquele cujos bens são dados a inventário.

inventariança. [De *inventariar* + *-ança.*] *S. f. Jur.* O cargo e a função do inventariante.

inventariante. *Adj. 2 g.* **1.** Que inventaria ou deu o rol dos bens inventariados. ● *S. 2 g.* **2.** Pessoa que inventaria ou deu o rol dos bens inventariados. **3.** *Jur.* Pessoa que o juiz nomeia para arrolar, administrar e partilhar uma herança, representando-a ativa e passivamente enquanto indivisa.

inventariar. *V. t. d.* **1.** Fazer o inventário de; arrolar. **2.** Descrever minuciosamente. **3.** Registrar, relacionar, catalogar. [Pres. ind.: *inventario*, etc. Cf. *inventário.*]

inventariável. *Adj. 2 g.* Que se pode inventariar.

inventário. [Do lat. *inventariu.*] *S. m.* **1.** Relação dos bens deixados por alguém que morreu. **2.** *P. ext.* O documento ou papel em que se acham relacionados tais bens. **3.** Lista discriminada, registro, relação, rol de mercadorias, bens, etc. **4.** Descrição ou enumeração minuciosa. **5.** *Com.* Levantamento individuado e completo dos bens e valores ativos e passivos duma sociedade mercantil ou de qualquer entidade econômica. **6.** *Jur.* Processo, formado em juízo competente, com o fim de legalizar a transferência do patrimônio do defunto a seus herdeiros e sucessores na proporção exata de seus direitos mediante a partilha. V. *benefício de inventário.* [Cf. *inventario*, do v. *inventariar.*] ♦ **Inventário cultural.** Levantamento sistemático dos bens culturais [v. *bem cultural*], visando o conhecimento e a proteção do acervo (3) de uma determinada cultura.

inventável. *Adj. 2 g.* Que pode ser inventado.

inventiva. [Fem. substantivado de *inventivo.*] *S. f.* **1.** V. *invenção* (4). **2.** V. *inventividade.* **3.** *Desus.* Invenção (2).

inventividade. *S. f.* Qualidade ou faculdade de inventar, de criar, de inovar; talento inventivo; criatividade, inventiva: "Se hoje os Estados Unidos são o centro mais importante da tecnologia de todo o mundo .... — é que a tendência ao concreto e a imaginação convertida em inventividade aumentaram de modo considerável a herança recebida da revolução industrial inglesa." (Alceu Amoroso Lima, *A Realidade Americana*, p. 91.)

inventivo. [De *invento* + *-ivo.*] *Adj.* **1.** Inventor (1). **2.** Em que há invenção ou engenho. **3.** De imaginação viva.

invento. [Do lat. *inventu.*] *S. m.* V. *invenção* (2).

inventor (ô). [Do lat. *inventore*] *Adj.* **1.** Que inventa; inventivo. ● *S. m.* **2.** Aquele que inventa; autor. **3.** Aquele que acha coisa alheia perdida. **4.** Aquele que fez uma descoberta ou criou coisa nova, industrializável.

➧**in verbis** (in vérbiç). [Lat.] Nestas palavras; textualmente.

inverdade. [De *in-*^{2} + *verdade.*] *S. f.* Falta de verdade; mentira: "Dizem, e não é inverdade, que a sua fantasia [de Castro Alves] era opulenta, e riquíssima em tintas violentas a sua paisagem." (Constâncio Alves, *Figuras*, p. 84.)

inverídico. [De *in-*^{2} + *verídico.*] *Adj.* Não verídico; inexato.

inverificável. [De *in-*^{2} + *verificável.*] *Adj. 2 g.* Que não pode ser verificado.

invernação. *S. f. Bras., S.* Ação de invernar (5); invernagem.

invernáculo. [Do lat. *hibernaculu.*] *S. m.* V. *hibernáculo* (2).

invernada^1. [Fem. substantivado de *invernado*, part. de *invernar.*] *S. f.* **1.** Inverno rigoroso; invernia. **2.** Duração do tempo invernoso. **3.** *Bras.* Chuvas prolongadas durante a estação que denominam inverno, conquanto essas chuvas, no hemisfério austral, ocorram no estio e no outono.

invernada^2. [Do esp. plat. *invernada.*] *S. f. Bras.* Designação comum a certas pastagens rodeadas de obstáculos, naturais ou artificiais, onde se guardam eqüídeos, muares e bovinos, para repousarem e recobrarem as forças. [Nas estâncias gaúchas a invernada também serve para, durante o inverno, engordar os novilhos, e às vezes fazer-se alguma criação especial, como cruzamentos, etc.]

invernadoiro. *S. m.* V. *invernadouro.*

invernador (ô). [Do esp. plat. *invernador.*] *S. m. Bras., S.* Aquele que se dedica à engorda de animais para o talho; invernista.

invernadouro. [De *invernar* + *-(d)ouro*^{1}.] *S. m.* **1.** Lugar apropriado para passar o inverno. **2.** V. *hibernáculo* (2). [Var. de *invernadoiro.*]

invernagem. [De *invernar* + *-agem*^{2}.] *S. f. Bras., S.* Invernação.

invernal. [De *inverno* + *-al.*] *Adj. 2 g.* V. *hibernal*: "o céu sempre cor de chumbo, as névoas glaciais, a lama, a tristeza invernal." (Eça de Queirós, *Cartas Familiares e Bilhetes de Paris*, p. 113).

invernar. *V. t. i.* **1.** Passar o inverno. **2.** *Bras., S. Fig.* Ir a algum lugar e lá demorar-se além do devido. *Int.* **3.** Fazer mau tempo; hibernar. **4.** *Bras., S.* Dedicar-se à profissão de invernador. *T. d.* **5.** *Bras., S.* Dispor (o gado) na invernada.

inverneira. *S. f.* Invernia (1): "Tento escrever este capítulo em dia de frigidíssima inverneira." (Camilo Castelo Branco, *A Mulher Fatal*, p. 19.)

invernia. *S. f.* **1.** Inverno rigoroso; inverneira: "fazer rosto ao frio, à neve, à chuva, ao vento, nesses dias de invernia agreste" (Antero de Figueiredo, *Toledo*, p. 96). **2.** Tempo de inverno; inverno: "Vai-se o sol a afundar. Agora, na invernia, / Logo que o sol se põe, desaparece o dia." (Bulhão Pato, *Livro do Monte*, p. 80.)

invernista. *S. m. Bras., S.* Invernador.

inverno. [Do lat. *hibernu*, i. e., *tempus hibernus*, 'tempo hibernal'.] *S. m.* **1.** Estação do ano que sucede ao outono e antecede a primavera. [No hemisfério sul, principia quando o Sol alcança o solstício de junho (dia 21) e termina quando ele atinge o equinócio de setembro (dia 21); no hemisfério norte, principia quando o Sol alcança o solstício de dezembro (dia 21) e finda quando ele atinge o equinócio de março (dia 20).] **2.** *P. ext.* Tempo frio. **3.** *Bras., N.* e *N.E.* Estação das chuvas. **4.** *Fig.* Velhice (1).

invernoso (ô). [De *inverno* + *-oso.*] *Adj.* V. *hibernal*: "exposto às inclemências de noite invernosa" (Alexandre Herculano, *Lendas e Narrativas*, II, p. 138).

inverosímil. *Adj. 2 g. Lus.* Inverossímil.

inverosimilhança. *S. f. Lus.* Inverossimilhança.

inverosimílimo. *Adj. Lus.* Inverossimílimo.

inverossímil. [De *in-*^{2} + *verossímil.*] *Adj. 2 g.* **1.** Sem verossimilhança; que não parece, não tem visos de verdadeiro; inacreditável: "A S^{ra}. Agassiz, que era quem registrava os aspectos sociológicos da jornada, teceu as mais inverossímeis anedotas a respeito da família mameluca da Amazônia." (Raimundo Morais, *País das Pedras Verdes*, p. 292.) [Pl.: *inverossímeis;* superl. abs. sint.: *inverossimílimo.*] ● *S. m.* **2.** Aquilo que é inverossímil.

inverossimilhança. [De *in-*^{2} + *verossimilhança.*] *S. f.* Falta de verossimilhança.

inverossimílimo. *Adj.* Superl. abs. sint. de *inverossímil.*

inversa. [De *inverso.*] *S. f.* Proposição de termos invertidos.

inversão. [Do lat. *inversione.*] *S. f.* **1.** Ato ou efeito de inverter(-se); contraversão. **2.** Aplicação de capital em determinado negócio ou empresa, com fim especulativo. **3.** Homossexualidade. **4.** *Gram.* e *Ret.* Anástrofe [q. v.]. ♦ **Inversão brasileira.** *Hist. Bras.* Período em que a família real portuguesa se instalou no Brasil (1808-1821), o qual se tornou sede da monarquia portuguesa, invertendo-se, pois, as relações entre colônia e metrópole.

inversionista. [Do lat. *inversione*, 'inversão', + *-ista.*] *S. 2 g. Com.* Pessoa que inverte capitais em negócio(s) ou empresa(s), visando a lucro.

inversivo. [De *inverso* + *-ivo.*] *Adj.* **1.** Que inverte; inversor. **2.** Em que há inversão.

inverso. [Do lat. *inversu.*] *Adj.* **1.** Que segue sentido, ordem, etc., contrário ao sentido ou ordem natural; invertido. **2.** Oposto, contrário. ~ V. *co-secante hiperbólica —a, co-secante —a, co-seno hiperbólico —, co-seno —, co-tangente hiperbólica —a, co-tangente —a, função circular —a, função —a, função trigonométrica —a, matriz —a, operação —a, ponto —, razão —a, secante —a, seno hiperbólico —, seno —, sentido —, tangente hiperbólica —a, tangente —a, tensão de pico — e tensão —a.* ● *S. m.* **3.** O contrário; o oposto. **4.** *Mat.* Elemento que, operado a outro, dá como resultado o elemento identidade para essa operação. ♦ **Inverso aditivo.** *Mat.* Inverso para a operação soma; simétrico.

inversor (ô). [Do lat. *inversore.*] *Adj.* **1.** Que inverte; inversivo. ~ V. *camada —a.* ● *S. m.* **2.** O que inverte. **3.** *Elétr.* Qualquer aparelho que converte corrente contínua em alternada. **4.** *Eletrôn.* Amplificador que inverte a polaridade do sinal de entrada.

invertase. *S. f. Bioquím.* Enzima produzida por bactérias responsáveis pela fermentação alcoólica, e que atua na hidrólise da sacarose, provocando a formação de glicose e frutose.

invertebrado. [De *in-*[2] + *vertebrado.*] *Adj.* **1.** Diz-se de animal que não tem vértebras. **2.** Pertencente ou relativo aos invertebrados; acordado. ● *S. m.* **3.** Animal que não tem vértebras. **4.** Espécime dos invertebrados; acordado.

invertebrados. [Pl. de *invertebrado.*] *S. m. pl. Zool.* Animais metazoários, desprovidos de notocórdio, espinha dorsal ou coluna vertebral; acordados.

inverter. [Do lat. *invertere.*] *V. t. d.* **1.** Voltar ou virar em sentido contrário ao natural; colocar às avessas; contraverter, interverter: *inverter os termos de uma proposição.* **2.** Trocar a ordem em que estão colocados (termos de fração, etc.). **3.** Alterar, mudar, trocar: *Inverteu a disposição dos móveis.* **4.** Aplicar ou investir (capitais) em. *Int.* **5.** Entre charadistas e cruzadistas, colecionar verbetes pelas suas significações, ao contrário do que normalmente se faz nos dicionários, onde se parte das palavras para os significados. *P.* **6.** Virar-se em sentido contrário; voltar-se. **7.** Tornar-se o contrário do que era.

invertido. [Part. de *inverter.*] *Adj.* **1.** Inverso (1). **2.** Homossexual (2). ~ V. *charada —a.* ● *S. m.* **3.** Homossexual (3).

invertina. [De *invert(er)* + *-ina*[1].] *S. f. Quím.* Diástase que faz a inversão da sacarose.

invertível. *Adj. 2 g.* Que se pode inverter; que pode sofrer inversão. ~ V. *contraponto —.*

invés. [Alter. de *inverso*, resultante do emprego proclítico dessa palavra em loc. adv.] *S. m.* Lado oposto; avesso. ♦ **Ao invés.** Ao contrário; ao revés. **Ao invés de.** Ao contrário de; ao revés de: *Ao invés de muito triste, é um ser intensamente alegre.* [Cf. *em vez de.*]

investida. [De *investir* + *-ida*] *S. f.* **1.** Ato ou efeito de investir. **2.** Tentativa, ensaio. **3.** Insinuação indireta; remoque.

investidor (ô). *Adj.* e *s. m.* Que ou aquele que investe.

investidura. *S. f.* **1.** Ato de investir ou dar posse. **2.** *P. ext.* A cerimônia da posse ou provimento em algum cargo.

investigação. [Do lat. *investigatione.*] *S. f.* **1.** Ato ou efeito de investigar; busca, pesquisa. **2.** Indagação minuciosa; indagação, inquirição.

investigado. [Part. de *investigar.*] *Adj.* **1.** Que é objeto de investigação. **2.** *Jur.* Que está sujeito a investigação. ● *S. m.* **3.** *Jur.* Aquele que está sujeito a investigação.

investigador (ô). [Do lat. *investigatore.*] *Adj.* **1.** Que investiga; investigante. ● *S. m.* **2.** Aquele que investiga. **3.** *Bras.* Agente de polícia.

investigante. [Do lat. *investigante.*] *Adj. 2 g.* **1.** Investigador (1). ● *S. m.* **2.** *Jur.* Autor de investigação de paternidade ou de maternidade.

investigar. [Do lat. *investigare.*] *V. t. d.* **1.** Seguir os vestígios de. **2.** Fazer diligências para achar; pesquisar, indagar, inquirir: *investigar as causas de um fato.* **3.** Examinar com atenção; esquadrinhar: "examina receoso a consciência, investiga, trépido, o futuro" (Capistrano de Abreu, *Ensaios e Estudos*, 1ª série, p. 57). [Conjug.: v. *largar.*]

investigável. [Do lat. *investigabile.*] *Adj. 2 g.* Que pode ser investigado.

investimento. *S. m.* Ato ou efeito de investir(-se).

investir. [Do lat. *investire.*] *V. t. d.* **1.** Atacar, acometer: "O touro arremete contra ele... Uma e muitas vezes o investe cego e irado" (Rebelo da Silva, *Contos e Lendas*, p. 183). *T. d. e i.* **2.** Dar, formalmente, posse ou investidura a; fazer entrar de posse; empossar: "Investindo-me no cargo de presidente, quisestes começar a Academia Brasileira de Letras pela consagração da idade." (Machado de Assis, *Outras Relíquias*, p. 93.) **3.** Aplicar ou empregar capitais: *Investiu suas economias no negócio. Transobj.* **4.** Eleger, nomear, considerar: *Investiram-no chefe. T. i.* **5.** Arremeter, atacar, acometer: "Investindo depois com o touro, ... rodeou-o estreitando em volta dele os círculos até chegar quase a pôr-lhe a mão na anca." (Rebelo da Silva, *Contos e Lendas*, p. 178); "Investiria contra a própria Divindade, se ela pudesse ter uma representação individual no mundo contingente" (Virgílio Várzea, *Nas Ondas*, p. 15); "'Não, miserável! não! tu não me fugirás!' bradava José Maria investindo para ele." (Machado de Assis, *Histórias sem Data*, p. 166); "as vagas estrugiam investindo ao ilhéu" (Coelho Neto, *Banzo*, p. 172). *Int.* **6.** Atirar-se com ímpeto; atirar-se, arremessar-se: "Maria Augusta, que se debatia entre as mulheres, libertou-se e investiu impetuosamente, com regougos, desgrenhada." (Coelho Neto, *Obra Seleta*, I, p 35); *Investiu pela sala adentro.* **7.** Aplicar ou empregar capitais em negócio(s): *Há numerosas empresas querendo investir.* **8.** *Bras. Mar.* Dirigir-se (a embarcação) para uma barra, porto, canal, etc., depois de avistá-los. *P.* **9.** Entrar na posse. **10.** Atacar, acometer: *Recuou, mas em breve se investiu com maior fúria.* **11.** Tomar encargo; encarregar-se. [Irreg. Conjug.: v. *vestir.*]

inveterado. [Do lat. *inveteratu.*] *Adj.* **1.** Muito antigo; de velha data: *São inimigos inveterados*; "inveterado atirador de perdizes e codornas, matador apaixonado de pobres e incautos veados-catingueiros" (Nélson de Faria, *Tiziu e Outras Estórias*, p. 102). **2.** Radicado profundamente; entranhado, arraigado: *erro inveterado*; "É um preconceito inveterado e falsamente legitimado por escritores respeitáveis" (Camilo Castelo Branco, *Curso de Literatura Portuguesa*, p. 7).

inveterar. [Do lat. *inveterare.*] *V. t. d.* **1.** Tornar velho, antigo. *T. d. e i.* **2.** Fixar com o tempo; introduzir, habituar, entranhar, arraigar. *P.* **3.** Arraigar-se com o tempo.

inviabilidade. *S. f.* Qualidade de inviável; inexeqüibilidade.

inviabilizar. *V. t. d.* Tornar inviável, inexeqüível.

inviável. [De *in-*[2] + *viável*[1].] *Adj. 2 g.* Não viável; inexeqüível: "um sem-número de hipóteses, todas até hoje inviáveis e vacilantes" (Euclides da Cunha, *À margem da História*, p. 317).

invicto. [Do lat. *invictu.*] *Adj.* **1.** Não vencido; que nunca sofreu derrota. **2.** Invencível. [Cf. *invito*, do v. *invitar* e adj.]

invídia. [Do lat. *invidia.*] *S. f. Poét.* Inveja.

ínvido. [Do lat. *invidu.*] *Adj. Poét.* Invejoso.

invigilância. [Do lat. *invigilantia.*] *S. f.* Falta de vigilância; desmazelo, descuido.

invigilante. [Do lat. *invigilante.*] *Adj. 2 g.* Não vigilante; descuidado.

invingado. [De *in-*[2] + *vingado.*] *Adj. Bras.* Que não se vingou; inulto.

ínvio. [Do lat. *inviu.*] *Adj.* **1.** Em que não há caminho; intransitável, impérvio: *matagal ínvio*; "Fugireis procurando um asilo, / Triste asilo por ínvio sertão" (Gonçalves Dias, *Obras Poéticas*, I, p. 31). **2.** Intransitável (caminho, estrada): "Nós ambos, mesquinhos, / Por ínvios caminhos, / Cobertos d'espinhos / Chegamos aqui!" (Id., *ib.*, p. 24).

inviolabilidade. *S. f.* **1.** Qualidade de inviolável. **2.** *Jur.* Prerrogativa pela qual certas pessoas (parlamentares, agentes diplomáticos estrangeiros) e certos lugares ficam livres da ação da justiça; imunidade.

inviolado. [Do lat. *inviolatu.*] *Adj.* Não violado; íntegro, intato: "Inês, a loura como os girassóis, / Lírio puro, inviolado, / Vai, à sombra, fiando os cândidos lençóis / Do seu noivado." (Eugênio de Castro, *Obras Poéticas*, I, p. 154.)

inviolável. [Do lat. *inviolabile.*] *Adj. 2 g.* **1.** Que não se pode ou deve violar. "Em toda a parte, pelos cantos da sua existência, estão as paredes intransponíveis, os cofres invioláveis" (Guido Vilmar Sassi, *Piá*, p. 45). **2.** *Jur.* Que está legalmente protegido contra qualquer violência e acima da ação da justiça.

inviolentado. [De *in-*[2] + *violentado.*] *Adj.* Não violentado; que procede voluntariamente.

inviril. [De *in-*[2] + *viril*[2].] *Adj. 2 g.* Não viril; afeminado, efeminado.

invirilidade. *S. f.* Qualidade ou condição de inviril; ausência de virilidade.

invirtuoso (ô). [De *in-*[2] + *virtuoso.*] *Adj.* Desvirtuoso.

invisceração. *S. f.* Ato ou efeito de inviscerar.

inviscerar. [Do lat. *inviscerare.*] *V. t. d.* Introduzir nas vísceras; entranhar.

invisibilidade. [Do lat. *invisibilitate.*] *S. f.* Qualidade de invisível.

invisibilizar. *V. t. d.* e *p.* Tornar(-se) invisível.

invisível. [Do lat. *invisibile.*] *Adj. 2 g.* **1.** Que não se vê, não se pode ver. **2.** De que não se tem conhecimento: *perigo invisível; ameaça invisível.* **3.** *Fig.* Que se esconde, não se deixa ver; que se recusa a receber qualquer (ou determinada) pessoa: *Naquele dia o ministro estava invisível.* **4.** Diz-se de um determinado grampinho muito fino, ou de linha de rede finíssima, usados para prender os cabelos [No *N.* e *N.E.* é us. como s. m.] ~ V. *economia —.* ● *S. m.* **5.** Aquilo que é invisível: "O invisível não é irreal: é o real que não é visto." (Murilo Mendes, *O Discípulo de Emaús*, p. 14.) **6.** *Bras.*, *N.* e *N.E.* Invisível (4).

inviso. [Do lat. *invisu.*] *Adj. Poét.* **1.** Não visto; nunca visto dantes: "A onda de mar e céu, redonda, / durou nos ares um sorriso. / Nenhum poder claro ou inviso / deteve no ar a débil onda." (Abgar Renault, *A Outra Face da Lua*, p. 26.) **2.** Aborrecido, odiado, detestado.

invitação. *S. f.* Invitamento.

invitamento. *S. m.* Ato ou efeito de invitar; invitação.

invitar. [Do lat. *invitare.*] *V. t. d.* **1.** V. *convidar* (1). **2.** Convocar (1). [Pres. ind.: *invito*, etc. Cf. *invicto.*]

invitatório. [Do lat. *invitatoriu.*] *Adj.* **1.** Que serve para fazer convites. ● *S. m.* **2.** *Lit.* Antífona que se diz no princípio das matinas. **3.** *Poét.* Invocação (2).

invite. [Dev. de *invitar.*] *S. m.* **1.** V. *convite* (1): "e lapas na ribeira, e sombras de penedos, / contra as calmas abrigo e invite a sonos quedos." (Antônio Feliciano de Castilho, *Geórgicas*, p. 161.) **2.** Ato de dobrar a parada no jogo. ♦ **De invite.** Por desafio.

invito. [Do lat. *invitu.*] *Adj.* **1.** Que procede contra a própria vontade. **2.** Involuntário. **3.** Forçado, contrariado, constrangido. [Cf. *invicto.*]

invitrescível. [De *in-*[2] + *vitrescível.*] *Adj. 2 g.* Que não é vitrescível ou vitrificável.

➡**in vitro.** [Lat.] *Med.* Que ocorre, ou que se pode observar, dentro de um tubo de ensaio; em meio artificial.

invivido. [De *in-*[2] + *vivido.*] *Adj.* Não vivido: "Por ti, minh'Alma! ó dedos entendidos / Com que me ponho, às vezes, a apalpar / A Idéia, o Tempo, os Astros, o luar / De outros místicos mundos invividos" (Antônio Correia d'Oliveira, *Líricas*, I, p. 110).

➡**in vivo.** [Lat.] *Med.* No corpo vivo.

invocação. [Do lat. *invocatione.*] *S. f.* **1.** Ato ou efeito de invocar; invocatória. **2.** Pedido de proteção divina para a fundação duma igreja ou de qualquer instituição. [Sin., poét., nesta acepç.: *invitatório.*] **3.** Nome do santo ou da pessoa divina cuja proteção se pediu para tal fim, e que serve de título à igreja ou instituição. **4.** *Liter.* Uma das partes da epopéia, aquela em que o poeta invoca a proteção de uma divindade ou das musas; invitatório. [As outras partes chamam-se: *proposição* [Cf. *proposição* (4)], aquela em que o poeta declara o que se propõe cantar, celebrar no seu poema, e *narração* [Cf. *narração* (2), de sentido óbvio.]

invocado. [Part. de *invocar.*] *Adj.* **1.** Que se invocou, que foi objeto de invocação. **2.** *Bras. Gír.* V. *cismado.*

invocador (ô). *Adj.* e *s. m.* Que ou aquele que invoca.

invocar. [Do lat. *invocare.*] *V. t. d.* **1.** Implorar a proteção ou auxílio de; fazer súplicas a; chamar em seu socorro: *invocar os santos*: "Debalde invoca Deus, que o não escuta" (Conde de Monsaraz, *Musa Alentejana*, p. 185). **2.** Pedir, rogar, suplicar: *invocar a proteção divina.* **3.** Alegar em seu favor; recorrer a: *Juridicamente ninguém pode invocar o desconhecimento da lei.* **4.** Evocar, conjurar. **5.** *Bras. Gír.* Irritar (alguém) repetindo com insistência algo que lhe desagrade. **6.** *Bras. Gír.* Impressionar ou preocupar vivamente: "As três mulheres do sabonete Araxá me invocam .... me hipnotizam." (Manuel Bandeira, *Estrela da Vida Inteira*, p. 135.) **7.** *Bras. Gír.* Antipatizar, embirrar, implicar: *Não sei por quê, invocou comigo, e procura prejudicar-me.* [Conjug.: v. *trancar.*]

invocativo. *Adj.* **1.** Que invoca, ou é próprio para

invocar. **2.** Que encerra invocação. [Sin. ger.: *invocatório.*]

invocatória. [Fem. substantivado de *invocatório.*] *S. f.* Invocação (1).

invocatório. *Adj.* Invocativo.

invocável. *Adj. 2 g.* Que pode ser invocado.

involução. [Do lat. *involutione.*] *S. f.* **1.** Movimento regressivo. [Antôn.: *evolução* (2).] **2.** *Mat.* Transformação que é idêntica à sua inversa.

involucelado. [De *involucelo* + *-ado*^{1}.] *Adj. Bot.* Que é provido de involucelo.

involucelo. [Dim. irreg. de *invólucro.*] *S. m. Morfol. Veg.* Invólucro parcial de cada flor ou de cada grupo de flores.

involucrado. [De *invólucro* + *-ado*^{1}.] *Adj. Morfol. Veg.* Dotado de invólucro: *umbela* i n v o l u c r a d a.

involucral. *Adj. 2 g. Morfol. Veg.* Referente a invólucro (2).

involucriforme. [De *invólucro* + *-i-* + *-forme.*] *Adj. 2 g. Bot.* Semelhante a invólucro (2).

invólucro. [Do lat. *involucru*, parox., com recuo do acento.] *S. m.* **1.** Tudo quanto serve para envolver; envoltório, involutório. **2.** *Morfol. Veg.* Cobertura de brácteas grandes e muito aproximadas, que envolve as flores.

involuntário. [Do lat. *involuntariu.*] *Adj.* Não voluntário; contrário à vontade ou independente dela; desintencional, invito.

involuta. [Do lat. *involuto*, fem. substantivado de *involutu*, 'enroscado, enrolado'.] *S. f. Geom. Anal.* Evolvente (2).

involuto. [Do lat. *involutu*, 'enroscado, enrolado'.] *Adj. Morfol. Veg.* Diz-se da prefoliação em que a folha se mostra enrolada, por ambas as margens, sobre a face interna.

involutório. *S. m.* V. *invólucro* (1).

invulgar. [De *in-*^{2} + *vulgar*^{1}.] *Adj. 2 g.* Não vulgar; incomum.

invulnerabilidade. *S. f.* Qualidade de invulnerável.

invulnerado. [Do lat. *invulneratu.*] *Adj.* **1.** Que não está ferido. **2.** *Fig.* Intato, ileso.

invulnerável. [Do lat. *invulnerabile.*] *Adj. 2 g.* **1.** Não vulnerável. **2.** Que não tem por onde possa ser atacado; inatacável, irrespondível. **3.** Imaculado, puro.

inzona. *S. f. Bras. Pop.* Embuste; intriga.

inzonar. [De *inzona* + *-ar*^{2}.] *V. t. d. Bras. Pop.* Intrigar, enredar, mexericar

inzoneiro. [De *inzona* + *-eiro.*] *Adj. Bras. Pop.* **1.** Mexeriqueiro, intrigante; mentiroso. **2.** Sonso; manhoso.

Io. [Do gr. *Io.*] *S. m. Astr.* O primeiro satélite de Júpiter, descoberto por Galileu [v. *galileano*], em 1610.

▲-io^1. *Suf. nom.* = 'coleção,' 'reunião': *gentio, mulherio, rapazio.*

▲-io^2. *Suf. nom.* = 'ação', 'referência'; 'modo de ser', 'tendência'; 'aproximação': *lavradio; doentio.* [Equiv.: *-iço, -dio* e *-diço*^{2} : *enfermiço, escorregadio, fugidiço.* Alternam-se entre si, às vezes, as formas *-dio* e *-diço: escorregadio, escorregadiço; fugidio, fugidiço.*]

iodado. *Adj. Quím.* Diz-se de sal a que se adicionou iodo.

iodar. *V. t. d.* Cobrir ou misturar com iodo. [Pres. ind.: *iodo*, etc. Cf. *iodo* (ô).]

iodato. *S. m. Quím.* Qualquer sal do ácido iódico.

iode. [Do hebr. *yod.*] *S. m.* O *i* semivocálico, i. e., dos ditongos crescentes e decrescentes. Ex.: *primário, cai, iaiá, conclui, Rui.*

iodeto (ê). *S. m. Quím.* Qualquer sal do ácido iódico.

iódico. *Adj. Quím.* Diz-se de composto que contém iodo com sua valência máxima. — V. *ácido* —.

iodídrico (i-o). Adj. — V. *ácido* — e *gás* —.

iodimetria. [De *iodo* + *-i-* + *-metr(o)-* + *-ia.*] *S. f. Quím.* Método de análise volumétrica baseado na reação de redução do iodo a iodeto.

iodimétrico. *Adj.* Relativo à iodimetria.

iodismo. *S. m.* Intoxicação pelo iodo ou composto de iodo.

iodo (ô). [Do gr. *iódes.*] *S. m. Quím.* Elemento de número atômico 53, pertencente aos halogênios, sólido, cristalino, com brilho metálico, violeta-escuro venenoso, formando diversos compostos. [Simb.: *I.* Pl.: *iodos* (ô). Cf. *iodo*, do v. *iodar.*]

iodofórmio. [De *iodo* + *fórm(ico)* + *-io*^{2}.] *S. m.* Substância orgânica, metano triiodado, empregada como anestésico local e como anti-séptico.

ioga. [Do sânscr. *yoga.*] *S. f.* **1.** *Filos.* Sistema ortodoxo de filosofia da Índia, elaborado ao longo de séculos, que constitui o lado prático do sistema sanquia, no qual se expõem os meios fisiológicos e psíquicos que devem ser empregados para se atingir a mocsa. [V. *darsana.*] **2.** *P. ext.* Técnica de ginástica que procura aplicar os princípios da ioga (1). [Cf. *iogue.*]

iogacara. [Do sânscr.] *S. m.* Escola de pensamento budista que procura transpor a técnica da ioga para o plano intelectual.

iogue. [Do sânscr. *yogê.*] *Adj. 2 g.* **1.** Referente à ioga [q. v.]. ● *S. 2 g.* **2.** Asceta indiano. **3.** Pessoa que pratica a ioga.

iogurte. [Do turco *yõghurt.*] *S. m.* Espécie de coalhada, em geral industrializada, preparada sob a ação de fermentos lácteos.

ioimbina (o-im). *S. f. Quím.* Alcalóide encontrado no quebracho e em certas plantas africanas, cristalino, incolor, venenoso, usado em medicina. [Fórm.: $C_{21}H_{26}O_3N_2$.]

ioiô^1. [Do ingl. *yoyo*, marca registrada.] *S. m.* Brinquedo constituído de dois discos unidos no centro por um pequeno cilindro no qual se prende um cordão. Deixando-se cair o ioiô, de certo modo ele sobe com o impulso, e o cordão se enrola; deverá outra vez cair e subir, sucessivamente, até que termine o impulso inicial.

ioiô^2. [De *sinhô* < *senhor.*] *S. m. Bras.* Tratamento que os escravos davam aos senhores; nhonhô, nhô. [Fem.: *iaiá.*]

ioioca. [Provavelmente de or. indígena.] *S. f. Bras.* Trepadeira da família das combretáceas *(Cacoucia coccinea)*, da Amaz. e da África tropical, de folhas opostas e ovais, e flores violáceas, muito ornamentais, arrumadas em espigas terminais muitíssimo vistosas.

iole. [Do nor. *jolle*, 'barca'.] *S. f.* Canoa estreita, leve e rápida, de uso nos esportes náuticos. [Cf. *Íole*, antr.]

íon. [Do gr. *íon*, de *iemi*, 'ir'.] *S. m. Fís.-Quím.* Átomo ou grupamento de átomos com excesso ou com falta de carga elétrica negativa; iônio, ionte.

iônico^1. *Adj.* jônico.

iônico^2. *Adj.* Relativo a íon. — V. *canhão* —, *foguete* — e *ligação* —a e *mobilidade* —a.

iônio^1. *S. m. Fís.-Quím.* V. *íon.*

iônio^2. *Adj* e *s. m.* Jônio.

ionização. *S. f.* **1.** *Fís.-Quím.* Formação de íons. **2.** *Med.* Iontoforese.

ionizado. *Adj. Fís.-Quím.* Em que se produziu ionização.

ionizar. [De *íon* + *-izar.*] *V. t. d. Fís.-Quím.* Formar íons em.

ionizável. *Adj. 2 g. Fís.-Quím.* Que pode ser ionizado.

ionona. [De *íon* + *-ona.*] *S. f. Quím.* Cetona cíclica, com dois isômetros, ambos muito odoríferos, com cheiro de violeta, usada em indústria de perfumaria. [Fórm.: $C_{13}H_{20}O$.]

ionosfera. [De *íon* + *-o-* + *-sfera.*] *S. f. Met.* Região altamente ionizada da atmosfera terrestre, e que tem aproximadamente de 40 km a 700 km de altitude.

ionte. *S. m. P. us. Fís-Quím.* V. *íon.*

iontoforese. [De *ionte* + *-o-* + gr. *phóresis*, 'ação de levar ou trazer'.] *S. f. Med.* Introdução nos tecidos, com fim terapêutico e por meio de corrente galvânica, de iontes de solúveis; ionização.

ioruba. *S. m.* **1.** Indivíduo dos iorubas, povo negro do grupo sudanês da África Ocidental, que vive no S.O. da Nigéria, no Daomé e no Togo. **2.** A língua falada pelos iorubas. ● *Adj.* **3.** Pertencente ou relativo a eles. [Sin. ger.: *iorubano, nagô.*]

iorubano. *Adj.* e *s. m.* V. *ioruba.*

iota. [Do fenício (hebr. *iode*), atr. do gr. *íota* e do lat. *iota.*] *S. m.* A 9ª letra do alfabeto grego (I, ι). ◆ **Sem faltar um iota.** Sem faltar nada.

iotacismo. [Do gr. *iotakismós*, pelo lat. *iotacismu.*] *S.m.* Vício de pronúncia que consiste na conversão de outras vogais em *i.*

ipadu. [Do tupi *ipa'du.*] *S. m.* **1.** *Bras., AM.* Arbusto ou arvoreta da família das eritroxiláceas *(Erythroxylum cataractum)*, de folhas oblongas pequenas, flores pequeninas, citrinas, e fruto drupáceo rubro, e com as mesmas propriedades da coca, embora menos intensas, sendo cultivado pelos índios do alto Amazonas. **2.** Mingau feito com pouca água. [Var.: *padu.*]

ipamerino. *Adj.* **1.** De, ou pertencente ou relativo a Ipameri (GO). ● *S. m.* **2.** O natural ou habitante de Ipameri.

ipanemense. *Adj. 2 g.* **1.** De, ou pertencente ou relativo a Ipanema (MG e RJ). ● *S. 2 g.* **2.** Natural ou habitante de Ipanema.

ipanguaçuense. *Adj. 2 g.* **1.** De, ou pertencente ou relativo a Ipanguaçu (RN). ● *S. 2 g.* **2.** Natural ou habitante de Ipanguaçu.

ipauçuense (a-u). *Adj. 2 g.* **1.** De, ou pertencente ou relativo a Ipauçu (SP). ● *S. 2 g.* **2.** Natural ou habitante de Ipauçu.

ipé. *S. m. Bras.* V. *ipê:* "Fibras do gravatá vergam sem custo / Do i p é e da braúna os arcos duros" (Gonçalves Dias, *Obras Poéticas*, II, p. 434); "abriu a seguinte inscrição no tronco de um i p é" (Artur Azevedo, *Contos Efêmeros*, p. 144); "a mata verde e ruidosa, enfeitada aqui e ali de flores de i p é" (Afrânio Peixoto, *A Esfinge*, p. 48); "Achava-se .... à sombra de um i p é" (Xavier Marques, *As Voltas da Estrada*, p. 90). [Da f. *ipé*, que não figura na grande maioria dos dicionários, há muitos outros exemplos.]

ipê. [Do tupi *ï'pé*, 'árvore cascuda'.] *S. m. Bras.* **1.** Designação comum às árvores do gênero *Tabebuia* (antes, *Tecoma)*, da família das bignoniáceas, de que há dois tipos: a de flor amarela e a de flor violácea. Muito ornamentais pela floração belíssima, são dotadas de lenho muitíssimo resistente à putrefação. O ipê é considerado árvore nacional. [Sin.: *pau-d'arco* e *peúva.* Var. pros. (menos us.): *ipé* (q. v.).] **2.** V. *peroba-de-campos.*

ipê-amarelo. *S. m. Bras.* **1.** Designação comum a várias espécies de tabebuia, da família das bignoniáceas, de flores amarelas. **2.** V. *pau-d'arco-amarelo.* [Pl.: *ipês-amarelos.*]

ipê-batata. *S. m. Bras.* V. *caroba-branca.* [Pl.: *ipês-batatas* e *ipês-batata.*]

ipê-bóia. [De *ipê* + *bóia.*] *S. m. Bras.* V. *caroba-branca.* [Pl.: *ipês-bóias* e *ipês-bóia.*]

ipê-branco. *S. m.* **1.** Árvore ornamental, da família das bignoniáceas (*Tabebuia roseo-alba*), de flores alvas, que ocorre em MG e no RJ. **2.** V. *caroba-branca.* **3.** V. *faveiro* (1). [Pl.: *ipês-brancos.*]

ipeca^1. *S. f. Bras.* F. red. de *ipecacuanha.*

ipeca^2. *Bras. S. 2 g.* **1.** Indivíduo dos ipecas, tribo aruaque do rio Içana, afluente do Negro (AM). ● *Adj. 2 g.* **2.** pertencente ou relativo a essa tribo. [Sin.: *cumadáminanei.*]

ipê-caboclo. *S. m.* Árvore da família das bignoniáceas (*Tabebuia insignis*), de flores amarelas. [Pl.: *ipês-caboclos.*]

ipecacuanha. [Do tupi *ipega'kwãi*, 'pênis de pato'.] *S. f. Bras.* Erva humilde, da família das rubiáceas (*Cephaelis ipecacuanha*), de longas raízes grossas e nodulosas, que fornece a emetina, e cujas pequenas flores se reúnem em capítulos. Vive no solo das florestas pluviais da BA e de MT. [Sin.: *cagosanga, poaia, raiz-do-brasil.*]

ipecacuanha-branca. *S. f. Bras.* Erva pilosa, da família das violáceas (*Hybanthus ipecacuanha*), de flores vistosas, muito difundida na América tropical, e que, embora usada como a ipecacuanha, não contém emetina. [Pl.: *ipecacuanhas-brancas.*]

ipecacuanha-falsa. *S. f. Bras.* Planta medicinal da família das nictagináceas (*Boerrhavia diffusa*). [Pl.: *ipecacuanhas-falsas.*]

ipecacuanha-preta. *S. f. Bras.* Subarbusto da família das rutáceas (*Psychotria emetica*), de uns 30 cm de altura, folhas opostas, com estípulas, flores pequenas e alvas, e usado como substituto da ipecacuanha. [Pl.: *ipecacuanhas-pretas.*]

ipecu. [Do tupi *ïpe'ku.*] *S. m. Bras. Amaz.* V. *pica-pau* (1).

ipecuacamirá. [Do tupi *ïpe'ku a'kã mi'rá*, 'pato de cabeça vermelha'.] *S. m. Bras. Amaz.* Ave piciforme, da família dos picídeos (*Ceophloeus lineatus* (L.)), de coloração preta, abdome listrado de branco, a cabeça dos dois sexos e estria malar do macho encarnadas, garganta branca raiada de preto, e uma estria branca do ângulo do bico até o ombro.

ipecuati. [Do tupi *ïpe'ku a* (por *a'kã*) *ti* (por *ting*), 'pato de cabeça branca'.] *S. m. Bras.* V. *pica-pau-de-cabeça-amarela.*

ipecumirim. [Do tupi *ïpe'ku mi'rï*, 'pato pequeno'.] *S. m. Bras., Amaz.* Ave piciforme, da família dos picídeos (*Melanerpes cruentatus* Bodd), de coloração preta, fronte e vértice do macho encarnados e da fêmea pretos, sobrancelha branca prolongada em fita nucal amarela, dorso inferior branco, meio do peito e do abdome encarnados, e flancos, parte das rêmiges e retrizes médias pretas listrados de branco.

ipecupará. [Do tupi *ïpe'ku pa'rá*, 'pato variegado (de cores)'.] *S. m. Bras.* Ave da família dos pícidas (*Veniliornis spilogaster* Wagler.)

ipecupinima. [Do tupi *ïpe'ku pi'nima*, 'pato pintado'.] *S. m. Bras.* Ave da família dos pícidas (*Celeus undatus* Lin.).

ipecutauá. [Do tupi *ïpe'ku ta'wá*, 'pato amarelo'.] *S. m. Bras.* Pica-pau-amarelo.

ipê-mamono. *S. m. Bras.* Árvore da família das bignoniáceas (*Tabebuia alba*), de folhas coriáceas, flores amarelas e congestas, e cujo tronco é cascudo, sendo a madeira útil como esteio e como dormente. Ocorre na floresta atlântica e no cerrado. [Pl.: *ipês-mamonos* e *ipês-mamono*.]

ipê-preto. *S. m. Bras.* V. *pau-d'arco-roxo.* [Pl.: *ipês-pretos*.]

ipequi. [Do tupi *ïpeka'i*, 'pato pequeno'.] *S. m. Bras.* Ave gruiforme, da família dos heliornitídeos (*Heliornis fulica* (Bod.)), distribuída do S. do México até a Argentina, de dorso oliváceo, alto da cabeça e pescoço pretos, sobrancelhas brancas alongando-se no pescoço, e lados da cabeça vermelho-amarelados. Os filhotes são protegidos pela mãe até se empenarem. [Var.: *pequi;* Sin.: *marrequinho, mergulhador, mergulhão, patinho-d'água, patinho-de-igapó, pecapara* ou *picapara, pecaparra*.]

iperita. *S. f. Quím.* Líquido incolor, oleoso, com ligeiro odor a alho, vesicante e venenoso, usado como gás de guerra; gás de mostarda. [Fórm.: $C_4H_8Cl_2S$.]

ipê-rosa. *S. m. Bras.* Árvore da família das bignoniáceas (Tabebuia heptaphylla), própria do RJ, de flores violáceo-claras, madeira fortíssima, e que se caracteriza pelas folhas providas de sete folíolos serreados e acuminados. [Pl.: *ipês-rosas*.]

ipê-roxo. *S. m. Bras.* V. *pau-d'arco-roxo.* [Pl.: *ipês-roxos*.]

ipê-tabaco. *S. m. Bras.* Árvore da família das bignoniáceas (*Tabebuia chrysotricha*), de porte mediano, tronco cascudo, folíolos obovados, flores amarelas, e que habita a floresta atlântica. [Pl.: *ipês-tabacos* e *ipês-tabaco*.]

ipetê. [Do ioruba.] *S. m. Bras., BA. Folcl.* Prato afro-brasileiro feito de inhame, muito semelhante ao bobó.

ipeuí. *Bras. S. 2 g.* **1.** Indivíduo dos ipeuís, denominação dada pelos índios canibais a um povo que habita na região do rio Teles Pires, imediações do Peixoto de Azevedo, alto Xingu. ● *Adj. 2 g.* **2.** Pertencente ou relativo aos ipeuís.

ipeúna. [De *ipê* + tupi *una*, 'preto'.] *S. f. Bras.* Árvore da família das bignoniáceas (*Jacaranda curialis*), do RJ, de folhas bipenadas e vistosas flores dispostas em racemo terminal.

ipiauense (a-u). *Adj. 2 g.* **1.** De, ou pertencente ou relativo a Ipiaú. (BA). ● *S. 2 g.* **2.** Natural ou habitante de Ipiaú.

ipiibense. *Adj. 2 g.* **1.** De, ou pertencente ou relativo a Ipiiba (RJ). ● *S. 2 g.* **2.** Natural ou habitante de Ipiiba.

ipíneo. *S. m.* **1.** Espécime dos ipíneos. ● *Adj.* **2.** Pertencente ou relativo a eles.

ipíneos. *S. m. pl. Zool.* Subfamília de insetos da ordem dos coleópteros, da família dos escotilídeos. Escavam galerias dentro do cerne das árvores, e alimentam-se de fungos que ali cultivam, causando danos. Ex.: a broca-do-café.

ipiraense. *Adj. 2 g.* **1.** De, ou pertencente ou relativo a Ipirá (BA). ● *S. 2 g.* **2.** Natural ou habitante de Ipirá.

ipixunense. *Adj. 2 g.* **1.** De, ou pertencente ou relativo a Ipixuna (AM e MA). ● *S. 2 g.* **2.** Natural ou habitante de Ipixuna.

■ **I.P.M.** Sigla de *inquérito policial militar.*

ipojucano. *Adj.* e *s. m.* Ipojuquense.

ipojuquense. *Adj. 2 g.* **1.** De, ou pertencente ou relativo a Ipojuca (PE). ● *S. 2 g.* **2.** Natural ou habitante de Ipojuca. [Sin. ger.: *ipojucano*.]

ipoméia. [Do gr. *ípis, ipós*, 'certo verme que rói a madeira', + *hómoia*, 'semelhante'.] *S. f.* Designação comum a várias trepadeiras ornamentais do gênero *Ipomoea*, da família das convolvuláceas, muito cultivadas pela beleza das corolas, vermelhas ou violáceas, afuniladas: "Como um cheiro do céu, na muda noite / Errava da ipoméia da montanha / A peregrina essência delicada" (Alberto de Oliveira, *Poesias*, 3ª série, p. 77).

iporaense. *Adj. 2 g.* **1.** De, ou pertencente ou relativo a Iporá (GO). ● *S. 2 g.* **2.** Natural ou habitante de Iporá.

iporangueiro. *Adj.* e *s. m.* Iporanguense.

iporanguense. *Adj. 2 g.* **1.** De, ou pertencente ou relativo a Iporanga (SP). ● *S. 2 g.* **2.** Natural ou habitante de Iporanga. [Sin. ger.: *iporangueiro*.]

ipoteuate. *Bras. S. 2 g.* **1.** Indivíduo dos ipoteuates, tribo indígena do alto igarapé Cacoal, entre o Riozinho e o Tamuripu, afluentes do Jiparaná (RO). ● *Adj. 2 g.* **2.** Pertencente ou relativo a essa tribo.

ipseidade. [Do lat. medieval *ipseitate*.] *S. f. filos.* V. *hecceidade.*

ipsilão. *S. m.* V. *hipsilo.*

ipsilon. [Do gr. *ypsilón*.] *S. m.* V. *hipsilo.*

ipsilone. *S. m. Bras. Pop.* V. *hipsilo.* ◆ **Cheio de ipsilones.** *Bras. Pop.* V. *cheio de nove-horas* (2).

➧**ipsis litteris** (ipsiç literiç). [Lat.] Textualmente; pelas mesmas letras.

➧**ipsis verbis** (ipsiç. vérbiç). [Lat.] Pelas mesmas palavras; textualmente.

➧**ipso facto.** [Lat.] Por isso mesmo.

➧**ipso jure** (ipso jure). [Lat.] *Jur.* Pelo próprio direito, de acordo com o direito.

ipu. [Contr. do tupi *ipo'ú*, 'alagadiço'.] *Bras. S. m.* **1.** Terreno úmido, adjacente a pequenos montes, e que forma várzeas ou vales por onde correm as águas que dos montes derivam: "Nós guardamos as serras, donde manam os córregos, com os frescos ipus onde cresce a maniva e o algodão" (José de Alencar, *Iracema*, p. 57). **2.** Arame com que se envolve o anzol junto à linha, a fim de que esta não seja facilmente cortada. **3.** Espécie de abelha meliponídea que nidifica no chão.

ipuã. [Do tupi *i* + *pu'ã*, 'água redonda (ao redor)'.] *S. f. Bras., AM.* Ilha (1).

ipuaçu. [De *ipu* + *-açu*.] *S. m. Bras.* Ipu de grande extensão.

ipuada. *S. f. Bras., BA.* V. *caiana.*

ipuanense. *Adj. 2 g.* **1.** De, ou pertencente ou relativo a Ipuã (SP). ● *S. 2 g.* **2.** Natural ou habitante de Ipuã.

ipuca. [Do tupi *i puka*, 'água arrebentada'.] *S. f. Bras. Amaz.* Furo no igapó.

ipueira. [Var. de *ipuera* < tupi *ï* + *pwer* por *kwer*, 'água passada, que já não corre'.] *S. f.* **1.** *Bras.* Lagoeiro formado nos lugares baixos pelo transbordamento dos rios, e onde as águas, em geral piscosas, se conservam meses a fio. **2.** *Bras., MA.* Qualquer paul. **3.** *Bras., GO.* Lagoa pequena. [Var.: *ipuera, impueira, impureira, puera*.]

ipueirense. *Adj. 2 g.* **1.** De, ou pertencente ou relativo a Ipueiras (CE). ● *S. 2 g.* **2.** Natural ou habitante de Ipueiras.

ipuense. *Adj. 2 g.* **1.** De, ou pertencente ou relativo a Ipu (CE). ● *S. 2 g.* **2.** Natural ou habitante de Ipu.

ipuera (ê). *S. f. Bras.* V. *ipueira.*

ipuiunense (ui-u). *Adj. 2 g.* **1.** De, ou pertencente ou relativo a Ipuiúna (MG). ● *S. 2 g.* **2.** Natural ou habitante de Ipuiúna.

ipuquense. *Adj. 2 g.* **1.** De, ou pertencente ou relativo a Ipuca (RJ). ● *S. 2 g.* **2.** Natural ou habitante de Ipuca.

ipuriná. *Bras. S. 2 g.* **1.** Indivíduo dos ipurinás, tribo indígena que habita as margens do Purus e pertence ao grupo aruaque. ● *Adj. 2 g.* **2.** Pertencente ou relativo a essa tribo.

ipuruna. [De provável or. tupi.] *S. f. Bras.* Fécula extraída do tecido do tronco do muríci (1).

ir. [Do lat. *ire*.] *V. int.* **1.** Passar, mover-se ou deslocar-se de um lugar para outro, por movimento próprio, impulso imprimido, qualquer mecanismo, ou com auxílio de transporte ou veículo: *Carlos viaja, e eu vou também; O criado foi com o patrão, transportando as bagagens; Um barco ia a 100 metros de distância do outro.* **2.** Ir-se embora; retirar-se; partir; ir-se: *Foram cedo porque tinham outro compromisso.* **3.** Ser mandado ou remetido: *O seu recado já foi; A carta acaba de ir.* **4.** Ser mencionado ou referido (logo depois, ou em anexo): *Vai, logo adiante, a lista dos convidados; Vai abaixo a relação dos livros que me interessam; Vão aqui os principais fatos ocorridos.* **5.** Desvanecer-se, dissipar-se, extinguir-se, ir-se: *Lá foram as suas esperanças.* **6.** V. *morrer* (1): *Foi primeiro que a mulher, embora bem mais novo. T. c.* **7.** Ir (1): *Fui a São Paulo; Vou para Brasília.* **8.** Ser levado ou transportado, voluntária ou involuntariamente: *Estava agonizante quando foi para o hospital; A jovem ia nos braços do noivo.* **9.** Comparecer, aparecer, apresentar-se: *Desde a morte da mulher não vai a parte alguma.* **10.** Proporcionar acesso; seguir (até algum lugar): *O caminho vai ao cimo da montanha.* **11.** Correr, vogar: *Após a enchente, as águas do rio iam em rebuliço.* **12.** Suceder, ocorrer, passar(-se): *Não se sabe o que vai por aquelas redondezas; Não imaginei que tal tristeza lhe ia na alma.* **13.** Ter decorrido; haver, fazer: *Vai em dois anos que não o vejo.* **14.** Progredir, continuar, achar-se; ir andando (em certo grau de adiantamento, em certa fase, de certo modo, etc.): *Como vão as obras do novo hospital?; Soube que as coisas não vão bem.* **15.** Estar, passar, achar-se (de saúde): *— Como vai seu irmão?* **16.** Harmonizar-se; combinar, condizer: *Esta cor parece que não vai bem aqui. T. i.* **17.** Dar princípio; começar, iniciar, encetar: *— Já é hora: vamos ao jogo.* **18.** Tratar, ocupar-se (de um assunto): *Vamos agora ao que importa.* **19.** Ter pouco mais ou menos, estar a perfazer (certa idade); orçar; andar (por certa idade): *Já vai nos 90 anos, e ainda está lúcido;* "Iria pelos seus sete anos" (Pedro Nava, *Balão Cativo*, p. 5). **20.** Ter decorrido (um fato) há um período aproximado de tempo, há mais ou menos um certo período: "Vai por cinqüenta anos / Que lhes dei a norma" (Manuel Bandeira, *Estrela da Vida Inteira*, p. 51). **21.** Estar mais ou menos prestes a completar-se certo período de tempo decorrido sobre (um fato): "Ia para um mês que Menino de Asas se entregara às mãos do Dr. Pacheco Fernandes." (Homero Homem, *Menino de Asas*, p. 79.) **22.** Achar-se em determinada situação, em dados termos: *A discussão ia no auge, quando a chegada do chefe a interrompeu.* **23.** Mostrar ou demonstrar tendência; tender, propender: *A resposta demonstra que o rapaz vai mais para parvo.* **24.** Simpatizar; topar; ir com a cara de: "Desde o primeiro dia não fomos um com o outro. Éramos antagônicos por dentro." (Antônio Carlos Vilaça, *O Nariz do Morto*, p. 155); *Vai com o novo auxiliar?* **25.** Harmonizar-se, combinar, condizer: *Este tom de verde não vai com o amarelo.* **26.** Importar; interessar: *Para mim, pouco vai nisso; o assunto não me interessa.* **27.** Ter relações sexuais com; copular. *Bit. i.* **28.** Passar gradualmente, por transição: *Seus pensamentos iam da mais funda tristeza a uma alegria* [illegible]*riante. T. d.* **29.** Andar por; percorrer, seguir: "O nosso [illegible] ... ia todo o caminho provando a si mesmo que não [illegible] diabos no mundo, nem almas, nem, talvez, Deus" (Alexandre Herculano, *Lendas e Narrativas*, II, p. 141); "O cabreiro ia seu caminho, mais devagar" (Conde de Ficalho, *Uma Eleição Perdida*, p. 214). **30.** Seguir, fazer: "Adeus, que vou viagem de finados..." (Laurindo Rabelo, *Poesias Completas de Laurindo Rabelo*, p. 73.) *Pred.* **31.** Estar, passar, achar-se (de saúde): *Há cerca de dois meses que não vai bem. P.* **32.** Andar, dirigir-se, caminhar, encaminhar-se: *Foi-se naquela direção.* **33.** Ir-se embora; partir, retirar-se; ir: "Foi-se, rua abaixo." (Coelho Neto, *Turbilhão*, p. 256); "E mais não disseram nesse dia, indo-se cada um aos seus negócios." (Tristão da Cunha, *Histórias do Bem e do Mal*, p. 100); *Foi-se logo que caiu a noite.* **34.** Desvanecer-se, dissipar-se, extinguir-se; ir: *Foram-se -lhe as esperanças!;* "Do café do mercado a esse outro café, foi-se -lhe boa parte da prudência" (Dionélio Machado, *Os Ratos*, p. 16). **35.** V. *morrer* (1): "— A pobre da velha é que se foi, coitada! / — Ora, antes assim. Está com Deus." (Coelho Neto, *Turbilhão*, p. 344.) **36.** Seguido de um verbo no infinitivo, exprime tempo futuro: *O conferencista vai falar sobre Machado de Assis.* **37.** Seguido de verbo no infinitivo, equivale a 'concorrer para': *O remédio vai fazer que ela melhore.* **38.** Seguido de um verbo no infinitivo, significa 'estar prestes a', 'estar em vésperas de': *Vai receber um prêmio por seu último romance.* **39.** Seguido de verbo no infinitivo, significa 'dispor-se ou preparar-se para; tencionar; propor-se': *Vamos vestir-nos para sair.* **40.** Seguido da prep. *para*, significa 'seguir uma carreira': "Eu não sei como ainda há quem vá para padre." (Manuel Ribeiro, *A Planície Heróica*, p. 47.) [Irreg. Pres. ind.: *vou, vais, vai, vamos* (ou *imos*), *ides, vão;* imperf.: *ia, ias*, etc.; perf.: *fui, foste* (ô), etc.; m.-q.-perf.: *fora* (ô), *foras* (ô), etc.; fut. pres.: *irei, irás*, etc.; imperat.: *vá, vai, ide, vão;* pres. subj.: *vá, vás*, etc.; imperf.: *fosse* (ô), *fosses* (ô), etc.; fut.: *for* (ô), *fores* (ô), etc.; inf. pess.: *ir, ires*, etc.; ger.: *indo;* part.: *ido.* Cf. *foste* e pl. *fostes; fora* e *foras; for;* o pres. subj. do v. *fossar; fósseis*, pl. de *fóssil; id*, s. m.; *íris*, s. f. e s. m.; *Íris*, top., mit. e antr., e *Vaz*, antr. Da f. *imos*, equiv. de *vamos*, registre-se este exemplo de autor moderno: "Nós imos todas contigo / À busca dele se queres." (João de Deus, *Campos de Flores*, II, p. 127.)] ◆ **Ir atrás de.** Acreditar ou confiar em; ir na conversa de: "Eu, feito um idiota, fui atrás da conversa de minha noiva..." (Adalberon Cavalcanti Lins, *Curral Novo*, p. 300). **Ir bugiar.** V. *ir às favas.* **Ir chegando.** *Fam.* Ir-se embora; ir-se; partir: *Já é tarde, eu vou chegando.* **Ir embora.** Partir, retirar; ir-se embora. [Sin., pop.: *tirar o time, tirar o time de campo*.] **Ir indo. 1.** Ir passando ou vivendo mais ou menos bem, sem novidade. **2.** Conduzir-se passavelmente, sem grande êxito nem grande insucesso, mais ou menos mediocremente, em seus negócios, ou em qualquer atividade: "Nem ótimo, nem péssimo [Venceslau Brás na presidência do Brasil.] Vai indo." (Emílio de Menezes, *Mortalhas*, p. 21.) **Ir levando.** *Bras. Pop.* Ir no vai-da-valsa. **Ir longe. 1.** Fazer progressos. **2.** Tornar-se rico, abastado; enriquecer. **3.** Prometer muito de si. **4.** Ter (um fato) ocorrido há muito tempo. **Ir muito longe.** Exceder-se. **Ir navegando.** Ir vivendo; ir levando a vida como Deus quer. **Ir para cima.** Subir, ascender (sobretudo socialmente): "— O Evaristo vai para cima, hem? / — O Evaristo? Ignoro, respondi. De que se trata? / — Secretário do interior. Creio que vão fazer dele secretário." (Graciliano Ramos, *Caetés*, pp. 215-216.) **Ir para o Acre.** *Bras.* V. *morrer* (1). **Ir por diante. 1.** Continuar, prosseguir. **2.** Não se frustrar. **Ir-se desta para melhor.** V. *morrer* (1). **Ir-se embora.** V. *Ir embora.* **Ir ter à. 1.** Chegar (3): *Caminhando, caminhando, foi ter à cidade.* **2.** Chegar até; comunicar(-se) com: *A Avenida Rio Branco vai ter à Avenida Presidente Wilson.* **Ir ter com.** Ir ao encontro de, dirigir-se a (alguém): "temia que o anônimo fosse ter com Vilela" (Machado de Assis, *Várias Histórias*, p. 9). **Ir unido.** *Tip. Ant.* Espacejar o mínimo possível as palavras de uma composição, para ganhar linhas. **Não ir com.** Não simpatizar com; não gostar de; não ir com a cara de; não ir com os cornos de: *Acha que não foi promovido porque o chefe não vai com ele.* **Foi, não foi.** Vai, não vai: *Foi não foi, está metido em brigas.* **Vá lá.** Exclamação de consentimento, concordância, tolerância ou perdão. **Ou vai, ou racha.** *Fam.* Expressão que designa algo que se quer levar até ao fim, custe o que custar. **Vai, não vai.** Volta e meia; freqüentemente; foi, não foi: *Vai, não vai, nos encontramos no cinema.*

■**Ir.** *Quím.* Símb. de *irídio.*

▲**ir-¹.** Equiv. de *em-²*.

▲**ir-².** V. *in-²*.

▲**-ir.** Desin. do inf. dos v. de tema em -i, originária do lat. *-ere* ou *-ire*, ou, por analogia, de formação vernácula: *cair* (< lat. *cadere*), repetir (< lat. *repetere*), *dormir* (< lat. *dormire*); *zunir* (t. onom), *zumbir* (t. onom.) [Alguns destes v. de formação latina apresentam em port. duas formas: *exceler* e *excelir* (< lat. *excellere*), *premer* e *premir* (< lat. *premere*).]

ira. [Do lat. *ira.*] *S. f.* **1.** Cólera, raiva, indignação. **2.** Desejo de vingança.

irá. [Do tupi *i'rá*, 'abelha'.] *S. m. Bras.* Variedade de abelha que nidifica no chão.

iracemapolense. *Adj. 2 g.* **1.** De, ou pertencente ou relativo a Iracemápolis (SP). ● *S. 2 g.* **2.** Natural ou habitante de Iracemápolis.

iracúndia. [Do lat. *iracundia.*] *S. f.* Qualidade de iracundo.

iracundo. [Do lat. *iracundu.*] *Adj.* **1.** Propenso à ira; irascível. **2.** Irado, colérico, enfurecido: "Nas bancadas houve hilaridade geral. O mestre teve de intervir, iracundo: I — Caluda, sua canalha!" (Trindade Coelho, *Os Meus Amores*, p. 170.)

irado. [Do lat. *iratu.*] *Adj.* Enraivecido, colérico, assanhado.

iraiense (a-i). *Adj. 2 g.* **1.** De, ou pertencente ou relativo a Iraí (RS). ● *S. 2 g.* **2.** Natural ou habitante de Iraí.

iranche. *Bras. S. 2 g.* **1.** Indivíduo dos iranches, tribo indígena mato-grossense, vizinha dos parecis. ● *Adj. 2 g.* **2.** Pertencente ou relativo a essa tribo.

iraniano. *Adj.* **1.** Do, ou pertencente ou relativo ao Irã (Ásia); irânico. ● *S. m.* **2.** O natural ou habitante do Irã; irânico. **3.** *Ling.* V. *indo-iraniano* (3).

irânico. *Adj.* e *s. m.* Iraniano (1 e 2).

iraponga. *S. f. Bras.* V. *araponga* (1).

irapuá. [Var. de *irapuã* < tupi *i'rá pu'ã*, 'abelha redonda'.] *S. f. Bras.* Abelha melipônida, da família dos meliponídeos (*Trigona ruficus*), preta reluzente com pernas ocre-escuras, asas escuras com reflexos violáceos na base e mais claras nas pontas. É agressiva, produz mel de sabor desagradável, e constrói o ninho dependurado nas árvores. [Var.: *arapuá, arapuã*; sin.: *abelha-cachorro, abelha-de-cachorro, mel-de-cachorro.*]

irapuã. *S. m. Bras.* **1.** V. *irapuá.* **2.** V. *torce-cabelo.*

irapuense. *Adj. 2 g.* **1.** De, ou pertencente ou relativo a Irapuã (SP). ● *S. 2 g.* **2.** Natural ou habitante de Irapuã.

irapurá. *S. m. Bras.* V. *uirapuru* (1).

irapuru. *S. m. Bras.* **1.** V. *uirapuru* (1). **2.** V. *uirapuru-verdadeiro.*

irapuruense. *Adj. 2 g.* **1.** De, ou pertencente ou relativo a Irapuru (SP). ● *S. 2 g.* **2.** Natural ou habitante de Irapuru.

iraquiano. *Adj.* **1.** De, ou pertencente ou relativo ao Iraque (Ásia). ● *S. m.* **2.** O natural ou habitante do Iraque. **3.** Dialeto árabe falado no Iraque.

irar. *V. t. d.* **1.** Causar ira a; irritar, agastar, encolerizar, enfurecer: *As calúnias iraram-no. P.* **2.** Irritar-se, agastar-se, encolerizar-se, enfurecer-se.

irara. [Do tupi *i'rá*, 'mel' + *rá*, 'tomar'.] *S. f. Bras.* Animal carnívoro da família dos mustelídeos (*Tayra barbara* Lin.); jaguapé, papa-mel.

iraraense. *Adj. 2 g.* **1.** De, ou pertencente ou relativo a Irará (BA). ● *S. 2 g.* **2.** Natural ou habitante de Irará.

irascibilidade. *S. f.* Qualidade de irascível; iracúndia.

irascível. [Do lat. *irascibile.*] *Adj. 2 g.* Que se ira com facilidade; iracundo, irritável: "Marcos Fragoso era de ânimo generoso, ornado de prendas de cavalheiro; mas tinha o gênio arrebatado e irascível." (José de Alencar, *O Sertanejo*, p. 249.)

iratapuia. *Bras. S. 2 g.* **1.** Indivíduo dos iratapuias, subgrupo indígena baniva [q. v] que habita nas margens da cachoeira do Içana (AM). ● *Adj. 2 g.* **2.** Pertencente ou relativo a essa tribo. [Sin. ger.: *mapanai.*]

iratauá. [Do tupi *wi'rá táwá*, 'ave amarela'.] *S. m. Bras. AM.* V. *uiratauá.*

iratiense. *Adj. 2 g.* **1.** De, ou pertencente ou relativo a Irati (PR). ● *S. 2 g.* **2.** Natural ou habitante de Irati.

iratim. *S. m. Bras.* V. *iraxim.*

iraúna. *S. m. Bras., Amaz.* V. *graúna.*

iraxim. [Var. de *iratim* < tupi *i'rá ting*, 'abelha branca'.] *S. f. Bras.* Abelha da família dos meliponídeos (*Melipona limão* Smith), que constrói ninho no oco das árvores, com a entrada tubiforme, e cujo nome é devido ao cheiro de limão que exala. [Var. e sin.: *aratim, arancim, abelha-limão, limão, limão-canudo, canudo.*]

ireceense (êên). *Adj. 2 g.* **1.** De, ou pertencente ou relativo a Irecê (BA). ● *S. 2 g.* **2.** Natural ou habitante de Irecê.

irenismo. [Do gr. *eiréne*, 'paz', + *-ismo.*] *S. m. Rel.* Atitude conciliadora e compreensiva para com os crentes de outras igrejas ou seitas. [Cf. *ecumenismo.*]

irenista. *Adj. 2 g.* **1.** Relativo ao, ou que é adepto do irenismo. ● *S. 2 g.* **2.** Adepto do irenismo.

irerê. [Do tupi *ire'rê*, onom.] *S. m.* e *f. Bras.* Ave anseriforme, da família dos anatídeos (*Dendrocygna viduata* (L.)), dos rios e lagoas da África tropical, Antilhas e América do Sul. A parte anterior da cabeça e a garganta são de cor branca; o occipício é preto; dorso superior amarelado, raiado de escuro; dorso inferior, cauda, rêmiges, meio do peito e barriga, pretos; coxas e flancos listrados de branco. Sua voz repete as sílabas do seu nome popular. [Sin.: *assobiadeira, chega-e-vira, marreca-apaí, apaí, marreca-do-pará, marreca-piadeira, piadeira, marreca-viúva.*]

ir-e-vir. *S. m.* O ato de andar, de viajar, para lá e para cá: "Sua vida seria sempre um ir-e-vir sem parar." (Pedro Nava, *Beira-Mar*, p. 13.) [Pl.: *ires-e-vires.*]

iri. *S. f. Bras.* V. *airi.*

iriado. [Part. de *iriar.*] *Adj.* Que tem as cores do arco-íris; matizado, irisado: "Círculos iriados dilatavam-se brilhando e desfaziam-se" (Coelho Neto, *Turbilhão*, p. 120); "por entre as folhas iriadas das begônias" (Bernardo Pinheiro, Pindela, *Azulejos*, p. 96).

irial. [De *íri(s)* (2) + *-al.*] *Adj. 2 g.* **1.** Pertencente ou relativo à íris. **2.** Brilhante, cintilante, iriante: "uma ampla corola eritrina, sulfurina, sandicina, purpurizada, irial, que, onímoda, onicolor, ... se cobaltiza, se ambreia, se acobreia" (Martins Fontes, *A Dança*, p. 64).

iriante. *Adj. 2 g.* Que iria; brilhante, cintilante, irisante: "Depois do abraço afetuoso e a gentileza das frases iriantes do escritor cearense, ... os conceitos quase entusiásticos do crítico fluminense" (Xavier Marques, *Vida de Castro Alves*, p. 121).

iriar. *V. t. d.* **1.** Dar as cores do arco-íris a; abrilhantar, matizar: "por entre as ramas mal coava um ou outro raio de luar, iriando, como pérolas transparentes, as gotas d'água" (D. João da Câmara, *Contos*, p. 116). *Int.* e *p.* **2.** Revestir-se das cores do arco-íris; matizar-se, irisar-se. [F. paral.: *irisar.*]

iriceca. [De or. indígena.] *S. f. Bras.* **1.** V. *bagre-amarelo.* **2.** V. *guarijuba.*

iricurana. [Do tupi.] *S. f. Bras.* V. *folha-redonda.*

iricuri. *S. m. Bras.* V. *aricuri.*

iridácea. *S. f.* Espécime das iridáceas.

iridáceas. *S. f. pl. Bot.* Família de plantas monocotiledôneas, da ordem das lilifloras, providas de rizomas, bolbos ou tubérculos. Perianto de seis peças corolinas, actinomorfo ou zigomorfo; estames em número de três, com anteras extrorsas; ovário ínfero, multiovulado; fruto capsular, trilocular ou unilocular, abrindo-se pelos lóculos. Há mais de 1 000 espécies, sobretudo nos países temperados, poucas das quais brasileiras. Muitíssimas são ornamentais e comuns nos jardins, como a palma-de-santa-rita.

iridáceo. *Adj.* Pertencente ou relativo às iridáceas.

irideca. [F. errônea, talvez, por *iriceca.*] *S. f. Bras.* V. *bagre-amarelo.*

iridectomia. [De *irid(o)-* + *-ectom-* + *-ia.*] *S. f. Cir.* Operação em que se faz a excisão de parte da íris.

iridectômico. *Adj.* Respeitante à iridectomia.

iridectopia. [De *irid(o)-* + *-ectop-* + *-ia.*] *S. f. Patol.* Posição anômala da íris.

iridectópico. *Adj.* Relativo à iridectopia.

iridemia. [De *irid(o)-* + *-(h)em(o)-* + *-ia.*] *S. f. Patol.* Hemorragia da íris.

iridêmico. *Adj.* Relativo à iridemia.

irideremia. [De *irid(o)-* + gr. *eremía*, 'ausência'.] *S. f. Patol.* V. *aniria.*

iridescente. [Do fr. *iridescent.*] *Adj. 2 g.* Que apresenta ou reflete as cores do arco-íris: "Frederico fitou os olhos na coroa do rio onde o Sol agora mergulhava a sua luz iridescente." (Eduardo Campos, *O Chão dos Mortos*, p. 181.)

irídico. *Adj.* Relativo ao irídio.

iridífero. [De *irídio* + *-fero.*] *Adj.* Que contém irídio.

irídio. [Do lat. científico *iridium.*] *S. m. Quím.* Elemento de número atômico 77, metálico, duro, brilhante, muito denso, utilizado em ligas especiais. [Símb.: *Ir.*]

iridite. [De *irid(o)-* + *-ite¹.*] *S. f. Patol.* Irite.

▲**irid(o)-.** [Do gr. *íris, írìdos.*] *El. comp.* = 'íris': *iridescente* (< fr. *iridescent*); *iridemia, iridoplegia.*

iridocinesia. [De *irid(o)-* + *-cines(i)-* + *-ia.*] *S. f. Med.* Movimentos de contração e expansão da íris.

iridoncose. [De *irid(o)-* + *-oncose.*] *S. f. Patol.* Tumefação da íris.

iridoplegia. [De *irid(o)-* + *-pleg-* + *-ia.*] *S. f. Patol.* Paralisia da íris.

iridoplégico. *Adj.* Relativo à iridoplegia.

iridotomia. [De *irid(o)-* + *-tom(o)-* + *-ia.*] *S. f. Cir.* Incisão da íris.

iridotômico. *Adj.* Relativo à iridotomia.

irimirim. *S. f. Bras.* Airimirim.

iriribá. *S. m. Bras.* V. *putumuju* (1).

iriribá-amarelo. *S. m. Bras.* V. *araribá-amarelo.* [Pl.: *iriribás-amarelos.*]

iriribá-rosa. *S. m. Bras.* V. *araribá-rosa.* [Pl.: *iriribás-rosas.*]

íris. [Do lat. *iris.*[*S. f. 2 n.* e *s. m. 2 n.* **1.** O espectro solar: "as cores do íris vão-se espalhando pelo céu até o afogarem num pélago de tintas gloriosas" (Afonso Arinos, *Notas do Dia*, p. 12). **2.** *Anat.* Membrana circular, colorida, com orifício central ou pupila, situada entre a córnea e a face anterior do cristalino, e na qual as variações do diâmetro da circunferência menor regulam a entrada da luz no olho: "Os olhos, castanhos-escuros, com vagas manchazinhas verdes na íris — .... não eram grandes" (Virgílio Várzea, *Nas Ondas*, p. 13). **3.** Certa pedra preciosa, quartzo irisado: "e um íris de mil matizes / na breve cinta apertado" (Tomás Ribeiro, *D. Jaime*, p. 8). **4.** Planta da família das iridáceas. **5.** *Zool.* Borboleta diurna. **6.** *Ópt.* Diafragma íris. **7.** *Fig.* Paz, bonança. [Cf. *ires*, do v. *ir*, e *iriz*, *s. f.*]

irisação. *S. f.* **1.** Ato ou efeito de irisar(-se). **2.** Propriedade que têm certos corpos de produzir raios coloridos, como o arco-íris. **3.** Os reflexos assim produzidos.

irisado. [Part. de *irisar.*] *Adj.* Iriado: "A luz multiplicava-se no seio do cristal em centos de imagens fulgentes e irisadas" (Fialho d'Almeida, *Contos*, p. 63). ~ V. *impressão —a.*

irisante. *Adj. 2 g.* V. *iriante*: "As primeiras coisas vivas e irisantes / Que Noé viu / Quando as águas desceram e o cimo dos montes / Verde e alagado surgiu" (Fernando Pessoa, *Poemas de Alberto Caeiro*, p. 43).

irisar. [De *íris* + *-ar²*.] *V. t. d.*, *int.* e *p. V. iriar*: "a luz velada .... refletia-se-lhe no corpo, irisando-lhe o peito e o ventre de tons adamascados" (Urbano Tavares Rodrigues, *Vida Perigosa*, pp. 143-144); "os poetas do Brasil quando descrevem a natureza, julgam-se, em geral, obrigados a irisar as frases e a falar em tom solene." (Roquete-Pinto, *Seixos Rolados*, p. 309); "forma humana impalpável exalando uma emanação de oiro fluido, e cintilando, flamejando, irisando-se em todas as cores do espectro solar." (Júlio Dantas, *Espadas e Rosas*, p. 100). [Cf. *irizar.*]

irisopsia. [De *íris* + *-op(s) (e)-* + *-ia.*] *S. f. Med.* Perturbação da visão, de que resulta serem os objetos vistos com contornos irisados.

iritataca. *S. f. Bras.* V. *jaritataca.*

irite. [De *íris* + *-ite¹.*] *S. f. Patol.* Inflamação da membrana íris; iridite.

iritinga. [Do tupi *i'ri*, por *u'ri*, 'bagre', + *-tinga.*] *S. f. Bras. Amaz.* V. *bagre-branco* (1).

iriz. *S. f. Bras., RJ.* Certa doença que dá no cafeeiro. [Cf. *íris*, s. f. e s. m., e *Íris*, mit., antr. e top.]

irizar. *V. int. Bras., RJ.* Ser (o cafeeiro) atacado de iriz. [Cf. *irisar.*]

irlandês. *Adj.* **1.** Da, ou pertencente ou relativo à Irlanda (Europa). ● *S. m.* **2.** O natural ou habitante da Irlanda. **3.** Língua falada na Irlanda. V. *celta* (2). [Flex.: *irlandesa* (ê), irlandeses (ê), *irlandesas* (ê).]

irmã. *S. f.* e *adj. (f.).* Fem. de *irmão.* ◆ **Irmã de caridade.** Religiosa que se dedica ao tratamento de enfermos; irmã hospitaleira. **Irmã hospitaleira.** Irmã de caridade. **Irmã**

Paula. **1.** Mulher extremamente caridosa. **2.** *P. ext.* Qualquer pessoa caridosa em extremo. **As nove irmãs.** *Poét.* As musas.
irmanação. *S. f.* Ato ou efeito de irmanar(-se).
irmanar. *V. t. d. e t. d. e i.* **1.** Tornar irmão; unir por laços fraternais: "e agora podeis sorrir, vendo o trabalho irmanar pretos e brancos" (Olavo Bilac, *Crítica e Fantasia*, p. 281). **2.** Igualar, unir, emparelhar: "Para os igualar na adversidade, como os irmanara no estro, não faltou a fortuna a Cervantes nem a Camões com as acusações de má gerência e de infidelidade no desempenho dos seus ofícios." (Latino Coelho, *Cervantes*, p. 104); *A verdadeira justiça irmana o pobre ao rico. P.* **3.** Unir-se, ajuntar-se, igualar-se.
irmandade. [Do lat. *germanitate.*] *S. f.* **1.** Parentesco entre irmãos. **2.** Associação de caráter religioso; confraria. **3.** União ou intimidade fraternal; confraternidade.
irmão. [Do lat. *germanu.*] *S. m.* **1.** Filho do mesmo pai e da mesma mãe, ou só do mesmo pai (irmão consangüíneo) ou só da mesma mãe (irmão uterino), em relação a outro(s) filho(s). **2.** Membro de confraria ou de irmandade. **3.** Correligionário, confrade, camarada. **4.** Frade ou religioso que não recebe as ordens sacras, embora tenha emitido os votos. **5.** Membro da maçonaria. **6.** Frade que não exerce cargos superiores: "Os franciscanos guardam estes lugares santos. Um irmão espanhol nos fala das descobertas .... dos sábios sobre as origens da velha Basílica." (José Lins do Rego, *Gregos e Troianos*, p. 152.) **7.** *Fig.* Coisa semelhante a outra na forma, disposição, origem, etc.: *Minha fazenda é irmã da sua: repare no estampado.* **8.** *Fig.* Um dos componentes de um par (animal, objeto): *Conseguiste no antiquário um belo castiçal, e acho que o irmão dele está lá em casa.* **9.** *Gír.* Companheiro; camarada; meu chapa. [Us. em geral no vocativo: *Vê se serve logo esta mesa, irmão!*] ● *Adj.* **10.** Diz-se de objetos que se emparelham, que são semelhantes entre si: *almas irmãs.* [Flex.: *irmã, irmãos, irmãs.*] ~ V. *primos*—*s.* ◆ **Irmãos colaços.** Pessoas amamentadas pela mesma mulher, embora filhas de mães diferentes; irmãos de leite. **Irmãos consangüíneos.** V. *irmão* (1). **Irmãos de armas.** Camaradas de guerra. **Irmãos de criação.** Pessoas criadas juntas sem serem irmãs. V. *irmão* (1). **Irmãos de leite.** Irmãos colaços. **Irmãos morávios.** Grupo cristão dissidente precursor da reforma protestante, constituído na Morávia em 1457, e que veio a florescer em 1722 em Herrnhut [v. *hernuto*]. **Irmãos siameses.** Pessoas que são inseparáveis (por alusão aos irmãos gêmeos Chang e Eng, nascidos em 1811 na Tailândia e mortos em Nova Iorque em 1874, ligados entre si por uma membrana situada à altura do peito). [V. *xifópago.*] **Irmãos uterinos.** V. *irmão* (1).
irmão-da-opa. *S. m. Pop.* V. *ébrio* (8): "Um qualquer irmão-da-opa empanturrou-se de bebidas e cambaleando, ... *cercando frango*, foi escorar-se numa esquina." (Leonardo Mota, *No Tempo de Lampião*, p. 106.) [Pl.: *irmãos-da-opa.*]
iroco (ô). *S. m. Bras.* Culto fitolátrico da gameleira, no candomblé iorubano.
ironia. [Do gr. *eiróneia*, 'interrogação', pelo lat. *ironia.*] *S. f.* **1.** Modo de exprimir-se que consiste em dizer o contrário daquilo que se está pensando ou sentindo, ou por pudor em relação a si próprio ou com intenção depreciativa e sarcástica em relação a outrem: *Voltaire foi um mestre da ironia.* **2.** Contraste fortuito que parece um escárnio: *ironia do destino.* **3.** Sarcasmo, zombaria. ◆ **Ironia socrática.** *Filos.* Modo de interrogar pelo qual Sócrates [v. *socratismo*] levava o interlocutor ao reconhecimento da sua própria ignorância.
irônico. [Do gr. *eironikós.*] *Adj.* **1.** Em que há ironia. **2.** Sarcástico, zombeteiro.
ironismo. *S. m.* Pendor para o emprego da ironia.
ironista. *S. 2 g.* Escritor, orador ou pessoa qualquer que emprega a ironia com freqüência.
ironizar. *V. t. d.* **1.** Manifestar-se com ironia a respeito de; fazer ironia sobre: *Ironizou a auto-suficiência do medalhão; Apraz-lhe ironizar a tolice humana.* **2.** Fazer ironia com: "O ser que é ser transforma tudo em flores... / E para ironizar as próprias dores / Canta por entre as águas do Dilúvio!" (Cruz e Sousa, *Últimos Sonetos*, p. 180.) **3.** Dizer ou escrever com ironia: "Como mais tarde com o Brasil, Palmerston não admitia protestos e ironizava que Portugal poderia declarar guerra, o que facilitaria sua ação." (José Honório Rodrigues, *Vida e História*, p. 166.) *Int.* **4.** Fazer ironia; troçar, zombar.
iroquês. [Do algonquino *irinakoiw*, 'verdadeiras víboras', pelo fr. *iroquois.*] *S. m.* **1.** Indivíduo dos iroqueses, família indígena norte-americana. **2.** Uma das seis tribos pertencentes a essa família. **3.** Confederação guerreira dessas seis tribos, estabelecida na região dos lagos Eriê e Ontário. **4.** Uma das línguas desses indígenas. ● *Adj.* **5.** Relativo ou pertencente aos iroqueses. [Flex.: *iroquesa* (ê), *iroqueses* (ê), *iroquesas* (ê).]
iroso (ô). *Adj.* **1.** Cheio de ira; irascível. **2.** *Fig.* Tempestuoso, proceloso.
irra. *interj.* Exprime raiva, repulsa, desaprovação, desprezo; ápage, apre, fora.
irraciocinado. [De *ir-*^{2} + *raciocinado.*] *Adj.* Que se faz ou gera sem raciocínio ou reflexão; não raciocinado: "Nem ciúmes irraciocinados nem momentos de mau humor" (Domingos Monteiro, *Enfermaria, Prisão e Casa Mortuária*, p. 27).
irracional. [Do lat. *irrationale.*] *Adj. 2 g.* **1.** No racional; onde a razão não intervém. **2.** Que não raciocina. **3.** Contrário à razão; irracionável. ~ V. *animal*—, *equação* —, *equação algébrica* — e *número* —. ● *S. m.* **4.** Animal desprovido de raciocínio. **5.** *Mat.* Número irracional.
irracionalidade. *S. f.* **1.** Qualidade de irracional. **2.** Falta de raciocínio ou de razão.
irracionalismo. [De *irracional* + *-ismo.*] *S. m. Filos.* Doutrina que nega à razão e à ciência o poder de conhecer a verdade e de resolver os problemas do homem, atribuindo esse poder a outros princípios não racionais, como, p. ex., a vontade, a intuição, os instintos; antiintelectualismo.
irracionalizar. *V. t. d.* Tornar irracional.
irracionável. [Do lat. *irrationabile.*] *Adj. 2 g.* Irracional (3).
irradiação. *S. f.* **1.** Ato ou efeito de irradiar(-se). **2.** *Fís. Nucl.* Bombardeio duma substância por um feixe de partículas. **3.** *Terap.* Tratamento feito mediante o uso de raios X ou de outra forma de radiatividade.
irradiador (ô). *Adj.* Irradiante (1).
irradiante. [Do lat. *irradiante.*] *Adj. 2 g.* **1.** Que irradia; irradiador. **2.** Que projeta em diversas direções raios ou coisas comparáveis a raios. **3.** V. *esfuziante* (2 e 3).
irradiar. [Do lat. *irradiare.*] *V. t. d.* **1.** Lançar de si, emitir, expedir (raios luminosos, caloríficos, etc.), em sentido centrífugo: *O Sol irradia a luz que permite a vida.* **2.** Espalhar, propagar, difundir: "A obra de Balzac, à medida que foi crescendo, começou a irradiar influência no sentido da observação dos costumes" (Alberto Pimentel, *O Romance do Romancista*, p. 232). **3.** Transmitir por meio de radiodifusora: *A emissora oficial irradiará o discurso do Presidente. T. i.* **4.** Propagar-se, difundir-se: *Um forte calor humano irradiava de seus olhos. Int.* **5.** Expedir raios luminosos: "O sol irradia sobre a extensão infinita da paisagem" (Olavo Bilac, *Crítica e Fantasia*, p. 34). **6.** Desenvolver-se a partir de um ponto para as partes circundantes. *P.* **7.** Difundir-se, espalhar-se, propagar-se. **8.** Transmitir-se por meio de aparelhos radiofônicos.
irré. *S. f. Bras.* V. *maria-cavaleira.*
irreajustabilidade. *S. f.* Qualidade de irreajustável.
irreajustável. [De *ir-*^{2} + *reajustável.*] *Adj. 2 g.* Não reajustável: *preço irreajustável.*
irreal. [De *ir-*^{2} + *real*^{2}.] *Adj. 2 g.* Não real; imaginário: "tudo se passava com uma lentidão de sonho, com uma doçura quase irreal." (José-Augusto França, *Despedida Breve*, p. 189).
irrealismo. *S. m.* Qualidade ou estado do que é irreal.
irrealizado. [De *ir-*^{2} + *realizado.*] *Adj.* **1.** Que não se tornou realidade, não se realizou ou efetivou; malogrado, frustrado: *sonhos irrealizados.* **2.** Que não se realizou, não realizou o seu desejo, a sua aspiração, a sua vocação; malogrado, frustrado: "É um artista irrealizado, esse homem difícil, nervoso, à procura" (Antônio Carlos Vilaça, *O Nariz do Morto*, p. 162).
irrealizabilidade. *S. f.* Qualidade de irrealizável.
irrealizável. [De *ir-*^{2} + *realizável.*] *Adj. 2 g.* Não realizável.
irrebatível. [De *ir-*^{2} + *rebatível.*] *Adj. 2 g.* Não rebatível.
irreclamabilidade. *S. f.* Qualidade de irreclamável.
irreclamável. [De *ir-*^{2} + *reclamável.*] *Adj. 2 g.* Que não pode ou não deve ser reclamado.
irreclinável. [De *ir-*^{2} + *reclinável.*] *Adj. 2 g.* Que não se pode reclinar: *cadeira irreclinável.*
irrecobrabilidade. *S. f.* Qualidade de irrecobrável; irrecuperabilidade.
irrecobrável. [De *ir-*^{2} + *recobrável.*] *Adj. 2 g.* Não recobrável; irrecuperável.
irreconciliabilidade. *S. f.* Qualidade de irreconciliável.
irreconciliado. [De *ir*^{2} + *reconciliado.*] *Adj.* Não reconciliado.
irreconciliável. [De *ir-*^{2} + *reconciliável.*] *Adj. 2 g.* Que não se pode reconciliar: "Partidos irreconciliáveis, partidários que se detestam, conciliam-se e amam-se, por um minuto ao menos." (Machado de Assis, *A Semana*, II, pp. 135-136.)
irreconhecibilidade. *S. f.* Qualidade de irreconhecível.
irreconhecível. [De *ir-*^{2} + *reconhecível.*] *Adj. 2 g.* Não reconhecível.
irrecorribilidade. *S. f.* Qualidade de irrecorrível.
irrecorrível. [De *ir-*^{2} + *recorrível.*] *Adj. 2 g.* De que não se pode recorrer: *sentença irrecorrível.*
irrecuperabilidade. *S. f.* Qualidade de irrecuperável; irrecobrabilidade.
irrecuperável. [De *ir-*^{2} + *recuperável.*] *Adj. 2 g.* Não recuperável; irrecobrável.
irrecusabilidade. *S. f.* Qualidade de irrecusável.
irrecusável. [Do lat. *irrecusabile.*] *Adj. 2 g.* **1.** Que não se pode recusar. **2.** Incontestável, inegável, irrefragável: *prova irrecusável*; "um testemunho irrecusável [as cãs dos velhos] de que viram e viveram muito" (Rebelo da Silva, *Contos e Lendas*, p. 76).
irredentismo. [Do it. *irredentismo.*] *S. m.* **1.** Movimento italiano de reivindicação, depois de 1870, dos territórios que tinham permanecido como possessões austríacas. **2.** Política de libertar de poder estranho povos da mesma raça.
irredentista. [Do it. *irredentista.*] *Adj. 2 g.* **1.** Relativo ao, ou que é partidário do irredentismo. ● *S. 2 g.* **2.** Partidário do irredentismo.
irredento. [Do it. *irredento.*] *Adj.* Não redimido.
irredimível. [De *ir-*^{2} + *redimível.*] *Adj. 2 g.* Irremível.
irredutibilidade. *S. f.* Qualidade de irredutível.
irredutível. [De *ir-*^{2} + *redutível.*] *Adj. 2 g.* **1.** Que não se pode reduzir. **2.** Indomável; invencível. **3.** Indecomponível. [F. paral.: *irreduzível.*] ~ V. *hérnia* — e *raiz* —.
irreduzível. [De *ir-*^{2} + *reduzível.*] *Adj. 2 g.* V. *irredutível.*
irreelegibilidade. *S. f.* Qualidade de irreelegível.
irreelegível. [De *ir-*^{2} + *reelegível.*] *Adj. 2 g.* Que não pode ser reeleito; não reelegível.
irrefletidamente. [Do fem. de *irrefletido* + *-mente.*] *Adv.* De modo irrefletido; sem reflexão.
irrefletido. [De *ir-*^{2} + *refletido.*] *Adj.* Que não reflete; impensado, inconsiderado; irreflexivo, irreflexo.
irreflexão (cs). [De *ir-*^{2} + *reflexão.*] *S. f.* **1.** Falta de reflexão. **2.** Precipitação, imprudência.
irreflexivo (cs). [Do lat. *irreflexivu.*] *Adj.* V. *irrefletido.*
irreflexo (cs). [Do lat. *irreflexu.*] *Adj.* **1.** Que não faz reflexo. **2.** V. *irrefletido.*
irreformabilidade. *S. f.* Qualidade de irreformável.
irreformável. [Do lat. *irreformabile.*] *Adj. 2 g.* Não reformável.
irrefragabilidade. *S. f.* Qualidade de irrefragável.
irrefragável. [Do lat. *irrefragabile.*] *Adj. 2 g.* Incontestável, irrecusável, irrefutável: "E para que um discurso tão importante e tão grave vá assentado sobre fundamentos sólidos e irrefragáveis, suponho primeiramente que sem restituição do alheio não pode haver salvação." (P^e. Antônio Vieira, *Sermões*, III, p. 319.)
irrefrangível. [De *ir-*^{2} + *refrangível.*] *Adj. 2 g.* Que não sofre refração; não refrangível.
irrefreável. [De *ir-*^{2} + *refreável.*] *Adj. 2 g.* Que não pode ser refreado; irreprimível.
irrefreavelmente. [De *irrefreável* + *-mente.*] *Adv.* De maneira irrefreável; irreprimivelmente.
irrefutabilidade. *S. f.* Qualidade de irrefutável.
irrefutado. [De *ir-*^{2} + *refutado.*] *Adj.* Não refutado; incontestado.
irrefutável. [Do lat. *irrefutabile.*] *Adj. 2 g.* Que não se pode refutar; evidente, irrecusável, incontestável.
irregenerado. [De *ir-*^{2} + *regenerado.*] *Adj.* Não regenerado; impenitente, relapso.
irregenerável. [De *ir-*^{2} + *regenerável.*] *Adj. 2 g.* Que não se pode regenerar; incorrigível.
irregressível. [Do lat. *irregressibile.*] *Adj. 2 g.* **1.** Que não pode regressar. **2.** Donde não pode haver regresso.
irregular. [De *ir-*^{2} + *regular*^{1}.] *Adj. 2 g.* **1.** Não regular; anormal: *vida irregular; conduta irregular; feições irregulares; formato irregular; aluno irregular.* **2.** Inconstante, vário, desigual: *gênio irregular; caráter irregular.* **3.** De tamanho variável; desigual: "Ao longo das pedras irregulares do calçamento passam ventando umas pobres folhas amarelas em pânico" (Mário Quintana, *Sapato Florido*, p. 70). **4.** Contrário à lei ou à justiça: *prisão irregular.* **5.** *Mil.* Diz-se das tropas não pertencentes ao exército de linha, ou regular. **6.** *Zool.* Pertencente ou relativo aos irregulares [q. v.]; exociclóideo. ~ V. *verbo* — *e irregulares.* ● *S. 2 g.* **7.** *Rel.* Pessoa que incorreu em irregularidade canônica. **8.** Espécime dos irregulares; exociclóideo.
irregulares. *S. m. pl. Zool.* Animais metazoários, equinodermos, equinóides, subclasse *Irregularia*, que têm o ânus marginal, na superfície oral ou aboral; presença de

leve simetria bilateral secundária. [Sin.: *exociclóideos.*] ~V. *irregular.*
irregularidade. *S. f.* **1.** Qualidade de irregular. **2.** Falta de regularidade: *A irregularidade na entrega da revista fê-la perder muitos assinantes.* **3.** Procedimento, ação ou situação irregular.
irreiterabilidade. *S. f.* Qualidade de irreiterável.
irreiterável. [De *ir-*[2] + *reiterável.*] *Adj. 2 g.* Não reiterável.
irrelevância. [De *ir-*[2] + *relevância.*] *S. f.* Falta de relevância.
irrelevante. [De *ir-*[2] + *relevante.*] *Adj. 2 g.* **1.** Não relevante. **2.** De pouca ou nenhuma importância; irrisório.
irreligião. [Do lat. *irreligione.*] *S. f.* **1.** Falta de religião. **2.** Ateísmo, incredulidade, impiedade.
irreligiosidade. [Do lat. *irreligiositate.*] *S. f.* Qualidade de irreligioso; falta de religião; irreligião: "Quando disparo a falar, justificando a minha *irreligiosidade*, ele entristece: não .... pelo que digo, mas porque percebe que não captei o toque de Deus." (Geraldo França de Lima, *Branca Bela*, p. 17.)
irreligioso (ô). [Do lat. *irreligiosu.*] *Adj.* **1.** Não religioso. **2.** Ateu, ímpio.
irremeável. [Do lat. *irremeabile.*] *Adj. 2 g. Poét.* Por onde não se pode tornar a passar; irregressível.
irremediabilidade. *S. f.* Qualidade de irremediável.
irremediável. [Do lat. *irremediabile.*] *Adj. 2 g.* **1.** Não remediável; sem remédio. **2.** Infalível, fatal, inevitável.
irremissibilidade. *S. f.* Qualidade de irremissível.
irremissível. [Do lat. *irremissibile.*] *Adj. 2 g.* **1.** Que não se pode remitir ou perdoar. **2.** Irremediável, inevitável: "penso no que seria o desespero, a *irremissível* catástrofe deste homem, sem família, sem noiva, sem amigos, ... se viesse .... a convencer-se de que era uma loucura essa quimera onde fechou o futuro a sete chaves." (Antônio Patrício, *Serão Inquieto*, p. 102.)
irremitente. [De *ir-*[2] + *remitente.*] *Adj. 2 g.* Não remitente; que não remite ou diminui.
irremível. [De *ir-*[2] + *remível.*] *Adj. 2 g.* Que não pode ser remido; irredimível.
irremovibilidade. *S. f.* Qualidade de irremovível.
irremovível. [De *ir-*[2] + *removível.*] *Adj. 2 g.* Que não pode ser removido ou evitado; não removível: *obstáculo irremovível*; "É claro que não me assistia o dever *irremovível* de tomar conhecimento de todas as manifestações da vida ouro-pretana naquele dia" (Carlos Drummond de Andrade, *Passeios na Ilha*, p. 69). ~ V. *descontinuidade* —.
irrenumerabilidade. *S. f.* Qualidade de irrenumerável.
irremunerado. [Do lat. *irremuneratu.*] *Adj.* Não remunerado; sem recompensa.
irremunerável. [Do lat. *irremunerabile.*] *Adj. 2 g.* Que não pode ser remunerado; impagável.
irrenunciabilidade. *S. f.* Qualidade de irrenunciável.
irrenunciável. [De *ir-*[2] + *renunciável.*] *Adj. 2 g.* Que não se pode renunciar; inabdicável.
irreparabilidade. *S. f.* Qualidade de irreparável.
irreparável. [Do lat. *irreparabile.*] *Adj. 2 g.* Que não se pode reparar, recuperar ou suprir: *dano irreparável; perda irreparável.*
irrepartível. [De *ir-*[2] + *repartível.*] *Adj. 2 g.* Que não pode ser repartido; indivisível.
irreplegível. [Do lat. **irreplegibile.*] *Adj. 2 g.* **1.** Que não se pode encher. **2.** Que não pode encher-se ou fartar-se; insaciável.
irreplicável. [Do lat. *irreplicabile.*] *Adj. 2 g.* A que não se pode replicar; irrespondível.
irrepreensibilidade. *S. f.* Qualidade de irrepreensível.
irrepreensível. [Do lat. *irreprehensibile.*] *Adj. 2 g.* Que não merece repreensão; não repreensível; perfeito, correto: "*Irrepreensível* nas maneiras, tinha [Zacarias de Góis e Vasconcelos] simpatia pelas pessoas de boa educação" (Constâncio Alves, *Figuras*, p. 36).
irrepresentabilidade. *S. f.* Qualidade de irrepresentável.
irrepresentatividade. *S. f.* Qualidade de irrepresentativo; falta de representatividade.
irrepresentativo. [De *ir-*[2] + *representativo.*] *Adj.* Não representativo.
irrepresentável. [De *ir-*[2] + *representável.*] *Adj. 2 g.* **1.** Que não pode ser representado. **2.** Que não pode ter representante.
irreprimibilidade. *S. f.* Qualidade de irreprimível.
irreprimido. [De *ir-*[2] + *reprimido.*] *Adj.* Que não se reprimiu; incontido: "Nos olhos ressequidos a sombria / Fonte de pranto, quente e *irreprimida*." (Manuel Bandeira, *Estrela da Vida Inteira*, p. 169.)
irreprimível. [De *ir-*[2] + *reprimível.*] *Adj. 2 g.* Que não se pode reprimir; insopitável: "Ria e esfregava as mãos, num contentamento *irreprimível* e transbordante." (Amando Fontes, *Os Corumbas*, p. 102.)
irreprochabilidade. *S. f.* Qualidade de irreprochável.
irreprochável. [De *ir-*[2] + *reprochável.*] *Adj. 2 g.* Que não merece reproche ou censura; impecável.
irreproduzível. [De *ir-*[2] + *reproduzível.*] *Adj. 2 g.* Não reproduzível: *fotografia irreproduzível; Disse palavras feias, irreproduzíveis.*
irrequietação. *S. f.* Qualidade ou estado de irrequieto; irrequietude.
irrequieto. [Do lat. *irrequietu.*] *Adj.* **1.** Que nunca está sossegado; que não pára nunca. **2.** Buliçoso, turbulento. **3.** Próprio de quem é irrequieto; que revela irrequietação: "a combatividade *irrequieta*, a bravura astuciosa e a ferocidade não raro sulcada de inexplicáveis lances generosos." (Euclides da Cunha, *Contrastes e Confrontos*, p. 4.)
irrequietude. *S. f.* Irrequietação.
irrescindibilidade. *S. f.* Qualidade de irrescindível.
irrescindível. [De *ir-*[2] + *rescindível.*] *Adj. 2 g.* Não rescindível.
irresgatabilidade. *S. f.* Qualidade de irresgatável.
irresgatável. [De *ir-*[2] + *resgatável.*] *Adj. 2 g.* Não resgatável.
irresignabilidade. *S. f.* Qualidade de irresignável.
irresignável. [De *ir-*[2] + *resignável.*] *Adj. 2 g.* Que não pode resignar-se ou conformar-se: *Mostrou-se irresignável à perda do neto.*
irresilível. [De *ir-*[2] + *resilível.*] *Adj. 2 g.* Não resilível; irresgatável.
irresistência. [De *ir-*[2] + *resistência.*] *S. f.* Qualidade de irresistente.
irresistente. [De *ir-*[2] + *resistente.*] *Adj. 2 g.* Que não resiste, não tem resistência; não resistente.
irresistibilidade. *S. f.* Qualidade de irresistível: "O amor daquele homem .... parecia-lhe como a afirmação gloriosa .... da *irresistibilidade* da sua sedução." (Eça de Queirós, *O Primo Basílio*, p. 225.)
irresistível. [De *ir-*[2] + *resistível.*] *Adj. 2 g.* **1.** A que não se pode resistir. **2.** Que encanta, seduz; sedutor, fascinante: "a boca .... tinha o sorriso cativante, *irresistível* (Domício da Gama, *Histórias Curtas*, pp. 233-234). **3.** Invencível, insuperável. **4.** Necessário, fatal.
irresolução. [De *ir-*[2] + *resolução.*] *S. f.* Qualidade de irresoluto; indecisão, indeterminação, hesitação.
irresoluto. [Do lat. *irresolutu.*] *Adj.* **1.** Não resoluto; hesitante, indeciso. **2.** Que não teve resolução; não resolvido: *problema irresoluto.* ● *S. m.* **3.** Indivíduo irresoluto.
irresolúvel. [Do lat. *irresolubile.*] *Adj. 2 g.* Que não se pode resolver; insolúvel: "problema sereno no campo das idéias ou mesmo resolvido e problema tempestuoso ou mesmo *irresolúvel* no campo da ação" (Fidelino de Figueiredo, *Entre Dois Universos*, p. 63).
irrespeitabilidade. *S. f.* Qualidade de irrespeitável.
irrespeitável. [De *ir-*[2] + *respeitável.*] *Adj. 2 g.* Indigno de respeito; não respeitável.
irrespirabilidade. *S. f.* Qualidade de irrespirável.
irrespirável. [Do lat. *irrespirabile.*] *Adj. 2 g.* **1.** Que não se pode respirar. **2.** Onde não se pode respirar: *A sala está irrespirável: vamos embora.*
irrespondível. [De *ir-*[2] + *respondível.*] *Adj. 2 g.* A que não se pode responder; irretorquível, irreplicável, irrefutável.
irresponsabilidade. *S. f.* Qualidade de irresponsável; falta de responsabilidade.
irresponsabilizar. *V. t. d.* e *p.* Tornar(-se) irresponsável.
irresponsável. [De *ir-*[2] + *responsável.*] *Adj. 2 g.* **1.** Que não pode ser responsabilizado pelos atos que pratica; não responsável. **2.** Que revela irresponsabilidade; próprio de quem é irresponsável: "É que a desgraçada, desde os quinze anos, ainda no *irresponsável* arrebatamento do primeiro amor, havia eleito já o homem a quem sua alma teria de pertencer por toda a vida." (Aluísio Azevedo, *O Mulato*, pp. 15-16.) ● *S. 2 g.* **3.** Pessoa irresponsável.
irrestringibilidade. *S. f.* Qualidade de irrestringível.
irrestringível. [De *ir-*[2] + *restringível.*] *Adj. 2 g.* Que não se pode restringir.
irrestrito. [De *ir-*[2] + *restrito.*] *Adj.* Não restrito; amplo, ilimitado; *solidariedade irrestrita.*
irretocável. [De *ir-*[2] + *retocável.*] *Adj. 2 g.* Que não necessita de retoque; acabado, perfeito.
irretorquível. [Do lat. *irretorquibile.*] *Adj. 2 g.* Que não se pode retorquir; irrespondível.
irretratabilidade. *S. f.* Qualidade de irretratável.
irretratável. [Do lat. *irretractabile.*] *Adj. 2 g.* Que não se pode retratar; irrevogável, imutável.
irretroatividade. *S. f.* Qualidade do que não tem efeito retroativo, do que é irretroativo.
irretroativo. [De *ir-*[2] + *retroativo.*] *Adj.* Que não retroage; não retroativo.
irrevelado. [De *ir-*[2] + *revelado.*] *Adj.* Que não se revelou, não se fez conhecer; não revelado: "Tenho muitas reservas de amor em mim, tenho muitas coisas *irreveladas*." (Augusto Frederico Schmidt, *O Galo Branco*, p. 77.)[Cf. *irrevelável.*]
irrevelável. [De *ir-*[2] + *revelável.*] *Adj. 2 g.* Que não se pode revelar ou dar a conhecer: *segredo irrevelável*; "Para experiência do teu contentamento, / crio formas que vistam meus pensamentos *irreveláveis*" (Cecília Meireles, *Obra Poética*, p. 85). [Cf. *irrevelado.*]
irreverência. [Do lat. *irreverentia.*] *S. f.* Falta de reverência; desacato; qualidade de irreverente: "Desobedecendo e revoltando-se com uma *irreverência* heróica, funda [Lutero] a liberdade do pensamento" (Ramalho Ortigão, *Figuras e Questões Literárias*, I, p. 127).
irreverenciosamente. [Do fem. de *irreverencioso* + *-mente.*] *Adv.* Irreverentemente.
irreverencioso (ô). [De *ir-*[2] + *reverencioso.*] *Adj.* V. *irreverente* (1).
irreverente. [Do lat. *irreverente.*] *Adj. 2 g.* **1.** Falto de reverência; desatencioso, incivil; irreverencioso. ● *S. 2 g.* **2.** Pessoa irreverente.
irreverentemente. [De *irreverente* + *-mente.*] *Adv.* De maneira irreverente; com irreverência; irreverenciosamente.
irreversibilidade. *S. f.* **1.** Qualidade de irreversível. **2.** *Fís.* Característica de um processo de transformação de um sistema em que o arrevesamento do tempo não provoca a inversão da transformação.
irreversível. [De *ir-*[2] + *reversível.*] *Adj. 2 g.* Que não pode voltar ao estado anterior; não reversível: *situação irreversível.* ~ V. *processo* —.
irrevocabilidade. [Do lat. *irrevocabile*, 'irrevocável', + *-i-* + *-dade.*] *S. f.* Irrevogabilidade.
irrevocável. [Do lat. *irrevocabile.*] *Adj. 2 g.* V. *irrevogável:* "Desce por fim sobre o meu coração / O olvido *irrevocável*. Absoluto." (Camilo Pessanha, *Clepsidra e Outros Poemas*, p. 171.)
irrevogabilidade. *S. f.* Qualidade de irrevogável; irrevocabilidade.
irrevogável. [Do lat. *irrevocabile.*] *Adj. 2 g.* Que não se pode revogar; não revogável; incontrastável, irrevocável: "Foi por uma tarde .... que meu pai suavemente murmurou uma daquelas suas decisões *irrevogáveis*: 'É preciso cortar os cabelos desse menino'." (Mário de Andrade, *Contos Novos*, p. 142.)
irrigação. [Do lat. *irrigatione.*] *S. f.* **1.** Rega, banho. **2.** *Agr.* Rega artificial das terras por meio de canais, canos, levadas, etc., convenientemente distribuídos pelo terreno. **3.** *Terap.* Aplicação de jacto de água (geralmente fria), ou de líquido medicinal, sobre a parte enferma.
irrigador (ô). [Do lat. *irrigatore.*] *Adj.* **1.** Que irriga. ● *S. m.* **2.** Vaso para regar; regador. **3.** Instrumento para irrigações medicinais.
irrigar. [Do lat. *irrigare.*] *V. t. d.* **1.** Molhar por meio de irrigação (2); regar. **2.** Aplicar irrigação (3) em. [Conjug.: v. *largar.*]
irrigatório. *Adj.* Próprio para irrigar.
irrigável. *Adj. 2 g.* Que pode ser irrigado.
irrisão. [Do lat. *irrisione.*] *S. f.* **1.** Zombaria, mofa, motejo, escárnio: "se nos tempos do feudalismo um castelão se lembrara de agarrar em um homem do povo e de expô-lo horas e horas à *irrisão* dos sandeus, ... esse déspota, julgado pelo critério democrático, despertaria as mais enérgicas indignações." (Carlos de Laet, *O Frade Estrangeiro e Outros Escritos*, p. 84). **2.** *P. ext.* O que é objeto ou alvo de irrisão. **3.** *P. ext.* Caso ou situação irrisória [v. *irrisório* (2)], em que parece haver uma ironia do destino: "Amarga *irrisão*! reflete: / Quando eu gozar-te pudera, / Mártir quis ser, cuidei qu'era... / E um louco fui, nada mais!" (Gonçalves Dias, *Obras Poéticas*, I, p. 347.)
irrisor (ô). [Do lat. *irrisore.*] *Adj.* e *s. m.* Que, ou aquele que escarnece; escarnecedor.
irrisório. [Do lat. *irrisoriu.*] *Adj.* **1.** Em que há irrisão (1). **2.** Que provoca ou pode provocar irrisão (1). **3.** *Fam.* Irrelevante (2): *quantia irrisória.*
irritabilidade. [Do lat. *irritabilitate.*] *S. f.* **1.** Qualidade ou estado de irritável: "A velha, com o sumiço de Macambira, tornou-se de uma *irritabilidade* frenética." (Coelho Neto, *Rei Negro*, p. 269.) **2.** *Med.* Capacidade que tem uma estrutura de reagir a certos agentes químicos ou físicos.
irritação. [Do lat. *irritatione.*] *S. f.* **1.** Ato ou efeito de irritar(-se). **2.** Estado de quem se acha irritado. **3.**

Exasperação, agastamento, irritabilidade; excitação, exaltação. **4.** *Patol.* Lesão de natureza inflamatória, localizada em pele ou mucosa, e resultante de estímulos químicos ou físicos. **5.** *Patol.* Estado de indevida sensibilidade. [Sin. ger., p. us.: *irritamento.*]

irritadiço. *Adj.* V. *irritável*^{1}.

irritado. [Part. de *irritar.*] *Adj.* **1.** Encolerizado, exasperado, agastado. **2.** Que denota ou revela irritação, agastamento, exasperação: "Do quarto próximo, chega a voz irritada da arrumadeira: — Meu Deus! a gente mal estende a cama e já vem esse cachorro deitar em cima!" (Mário Quintana, *Sapato Florido,* p. 72.) **3.** Que apresenta irritação (4): *Está com o lábio inferior irritado.*

irritador (ô). [Do lat. *irritatore.*] *Adj.* **1.** Que irrita; irritante, irritativo. ● *S. m.* **2.** Aquele que irrita.

irritamento. *S. m. P. us.* V. *irritação.*

irritante^{1}. [Do lat. *irritante.*] *Adj. 2 g.* **1.** V. *irritador* (1). **2.** Que provoca irritação; estimulante, excitante, irritativo. ● *S. m.* **3.** Substância estimulante, excitante.

irritante^{2}. [De *irritar*^{2} + *-ante.*] *Adj. 2 g. Jur. P. us.* Que anula ou irrita; que torna nulo ou írrito.

irritar^{1}. [Do lat. *irritare,* 'encolerizar'.] *V. t. d.* **1.** Produzir irritação (3) em; tornar colérico; encolerizar, exasperar, agastar; exaltar: "Eu era positivamente feia, e isso me irritava." (Maria Julieta Drummond de Andrade, *A Busca,* p. 71.) **2.** Excitar, espicaçar, provocar: *Não lhe irritem o ânimo: seu estado de saúde não é nada bom;* "Triste ironia atroz que o senso humano irrita: / Ele que doira a noite e ilumina a cidade, / Talvez não tenha luz na choupana em que habita." (Jorge de Lima, *Obra Completa,* I, p. 208). **3.** Impacientar; importunar. **4.** Produzir irritação (4) em. **5.** Produzir sensação acre, picante, irritante, em; picar: "Toda a área tem um cheiro amoniacal, acre e forte, que irrita as narinas." (Dionélio Machado, *Os Ratos,* p. 69.) [Pres. ind.: *irrito,* etc. Cf. *írrito.*]

irritar^{2}. [Do lat. *irritare,* 'anular'.] *V. t. d. Jur. P. us.* Tornar nulo ou írrito (documento, etc.). [Pres. ind.: *irrito,* etc. Cf. *írrito.*]

irritativo. *Adj.* **1.** V. *irritador* (1). **2.** V. *irritante*^{1} (2).

irritável^{1}. [Do lat. *irritabile.*] *Adj. 2 g.* **1.** Que se irrita facilmente. [Sin.: *irascível, irritadiço* e (bras., AM) *peludo.*] **2.** *Med.* Que apresenta irritabilidade (2).

irritável^{2}. [De *irritar*^{2} + *-ável.*] *Adj. 2 g. Jur. P. us.* Que pode ser irritado ou anulado.

írrito. [Do lat. *irritu.*] *Adj.* Que ficou sem efeito; nulo, vão: "bem lhe podemos chamar contrato írrito, porque não costuma produzir efeitos." (P^{e}. Manuel Bernardes, *Nova Floresta,* II, pp. 172-173). [Na linguagem jurídica é us., em geral, a expr. pleonástica *írrito e nulo.* Cf. *irrito,* do v. *irritar.*]

irrivalizável. [De *ir-*^{2} + *rivalizável.*] *Adj. 2 g.* Que não pode ter rival; não rivalizável; inigualável.

irrogação. [Do lat. *irrogatione.*] *S. f.* Ato ou efeito de irrogar.

irrogar. [Do lat. *irrogare.*] *V. t. d. e i.* **1.** Impor, infligir: *Não lhe irrogaremos nenhum desacato;* "e como entendeu D. Antônio Ferreira Viçoso ser necessário cortar a ocasião dos graves desacatos irrogados à Divina Majestade nos lugares destinados a honrá-la, mandou ordem terminante para que não se praticassem funções em tempo noturno" (P^{e}. Silvério Gomes Pimenta, *Vida de D. Antônio Ferreira Viçoso,* p. 233). **2.** Fazer recair (sobre alguém ou algo); imputar, atribuir: *Irrogaram a Pedro a responsabilidade da greve;* "No ensino primário, a instrução científica generalizada não elevou o nível da moralidade, que pelo contrário baixou. Não irrogando às ciências este resultado, o filósofo tem por certo que o seu estudo, quando separado da educação moral, desenvolve nos jovens a presunção que tende a fazê-los *déciassés.*" (Antônio Sérgio, *Ensaios,* I, p. 133.) [Conjug.: v. *largar.*]

irromper. [Do lat. *irrumpere.*] *V. int.* **1.** Entrar, surgir, brotar, com ímpeto, com violência; precipitar-se; arrojar-se: *De repente irrompeu de arma em punho o enorme homem.* **2.** Mostrar-se, ou fazer-se ouvir, de repente; brotar, romper: "Pouco depois, irromperam línguas de fogo por algumas janelas do mosteiro." (Camilo Castelo Branco, *A Enjeitada,* p. 10); "olho o extraordinário Pico irrompendo de entre nuvens magnéticas." (Raul Brandão, *As Ilhas Desconhecidas,* p. 121); "sente-se tremer um ramo. Irrompe um gorjeio. É o rouxinol." (José Vieira, *Sol de Portugal,* p. 38). **3.** Intervir; sobrevir: *Ia tudo bem, mas o destino irrompeu, transformando-lhe a existência.*

irrompimento. *S. m.* Ato ou efeito de irromper: "sentia-se nas pontas altas [das árvores], ... o irrompimento das folhas, prenunciando o milagre anual da seiva renascida." (Afonso Arinos de Melo Franco, *A Alma do Tempo,* p. 270).

irrompível. [De *ir-*^{2} + *rompível.*] *Adj. 2 g.* Que não se pode romper.

irroração. [Do lat. *irroratione.*] *S. f.* Ato ou efeito de irrorar.

irrorar. [Do lat. *irrorare.*] *V. t. d.* **1.** Aspergir ou borrifar com orvalho. **2.** Umedecer, molhar: "o pranto os meus olhos irrora..." (Gilca da Costa Melo Machado, *Mulher Nua,* p. 175).

irrotacional. [De *ir-*^{2} + *rotacional.*] *Adj. 2 g.* ~V. *campo — e vector —.*

irrupção. [Do lat. *irruptione.*] *S. f.* **1.** Ato de irromper. **2.** Invasão súbita e impetuosa. [Cf. *erupção.*]

irruptivo. [Do lat. *irruptu,* 'não rompido', + *-ivo.*] *Adj.* Que causa irrupção. [Cf. *eruptivo.*]

iru. *S. m. Bras.* Fava muito usada na culinária afro-brasileira.

iruçu. [Do tupi *i 'rá,* 'abelha', + *wa ' su,* 'grande'.] *S. f. Bras.* V. *abelha-mulata.*

iruçu-do-chão. *S. m. Bras.* V. *abelha-mulata.* [Pl.: *iruçus-do-chão.*]

iruçu-mineiro. *S. m. Bras.* V. *abelha-mulata.* [Pl.: *iruçus-mineiros.*]

▲-isa. *El. comp.* formador do feminino: *poetisa, sacerdotisa.*

isabel^{1}. [Do antr. *Isabel,* de Isabel Gibs, que introduziu na Europa, em 1816, esta videira.] *S. f.* Variedade de videira muito vulgar nos Açores e no RS. [Pl.: *isabéis.*]

isabel^{2}. [De *Isabel,* a Católica, ou da infanta Isabel, mulher do arquiduque Alberto da Áustria?] *Adj. 2 g.* **1.** Diz-se de animal cavalar que tem a cor entre branca e amarela. **2.** Da cor da camurça. **3.** De cor baça, pardacenta. [Pl.: *isabéis.*]

isabelense. *Adj. 2 g.* **1.** De, ou pertencente ou relativo a Santa Isabel (SP). ● *S. 2 g.* **2.** Natural ou habitante de Santa Isabel.

isabelino. [De *isabel* + *-ino*^{1}.] *Adj.* V. *elisabetano.*

isagoge. [Do gr. *eisagogé.*] *S. f. P. us.* Introdução, preliminares, rudimentos.

isagógico. [Do gr. *eisagogikós,* pelo lat. *isagogicu.*] *Adj. P. us.* Respeitante a isagoge.

ísate. *S. f.* Var. de *ísatis.*

ísatis. [Do gr. *isátis,* pelo lat. *isatís.*] *S. f. 2 n.* Erva ornamental, exótica, da família das crucíferas *(Isatis tinctoria),* que se caracteriza por produzir numerosas flores alvas, pequenas, que a recobrem inteiramente. [Var.: *ísate.*]

isbá. [Do russo *izbá,* 'casa rural', pelo fr. *isba.*] *S. f.* Habitação de madeira (ordinariamente pinho) peculiar a vários povos do N. da Europa e da Ásia, e que consiste em duas cabanas contíguas a um pátio coberto.

isca^{1}. [Do lat. *esca,* 'alimento'.] *S. f.* **1.** Engodo que se põe no anzol para pescar. [Sin. (no RS): *carnada.*] **2.** Combustível que recebe as faíscas do fuzil para comunicar fogo. **3.** Pedaço de febra de bacalhau. **4.** *Cult.* Tira de fígado, temperada e frita, e servida com o molho. **5.** *Fig.* Chamariz, engodo, negaça. **6.** *Bras., MG, ES* e *RS.* A mecha que se põe no isqueiro. **7.** *Bras., MG.* V. *minhoca* (1). ◆ **Comer a isca e cagar no anzol.** *Bras. Chulo.* Receber um favor e pagá-lo com ingratidão; desaparecer sem agradecimento, depois de servido. **Morder a isca.** Deixar-se lograr ou seduzir.

isca^{2}. *Interj. Bras.* Serve para incitar cães: "Incitava os cães: Isca! Isca!" (Coelho Neto, *Sertão,* p. 361.)

▲-isca. V. *-isco*^{1}.

▲-iscar. *Suf. verb.* = 'ação freqüentativa, diminutiva': *mordiscar.* [Alterna-se, às vezes, com a f. *-icar: mordiscar.*]

iscar. *V. t. d.* **1.** Pôr isca em; cevar. **2.** *Fig.* Enganar com engodo; engodar. **3.** Contaminar, eivar. **4.** *Bras.* Açular (cães). *T. d. e i.* **5.** Untar; besuntar: *Iscou a madeira da porta com breu. P.* **6.** Contaminar-se, eivar-se. [Conjug.: v. *trancar.*]

iscnócero. *S. m.* **1.** Espécime dos iscnóceros. ● *Adj.* **2.** Pertencente ou relativo a eles.

iscnóceros. *S. m. pl. Zool.* Insetos da ordem dos malófagos, subordem *Ischnocera,* desprovidos de palpos maxilares, e com antenas geralmente filiformes e sempre expostas.

iscnofonia. [Do gr. *ischnophonía.*] *S. f.* Fraqueza da voz.

iscnofônico. *Adj.* Relativo à iscnofonia.

▲isc(o)-. [Do gr. *ischo.*] *El. comp.* = 'reter, deter': *iscoblenia, iscurético.* [Equiv.: *isqu(i)-: isquidrose, isquemia.*]

▲-isco^{1}. *Suf. nom.* = 'diminuição': *chuvisco, lambisco.* [Equiv.: *-isca, -usco, -usca: talisca, chamusco, chamusca.*]

▲-isco^{2}. Equiv. de *-esco.*

iscoblenia. [De *isc(o)-* + *-blen(o)-* + *-ia.*] *S. f. Patol.* Suspensão ou retenção de fluxo, de muco.

iscoblênico. *Adj.* Referente à iscoblenia.

iscomenia. [De *isc(o)-* + *-men(o)-* + *-ia.*] *S. f. Patol.* Suspensão ou retenção do mênstruo.

iscomênico. *Adj.* Relativo à iscomenia.

iscurético. *Adj. Med.* **1.** Relativo à iscúria. **2.** Diz-se de medicamento empregado contra a iscúria.

iscuria. *S. f. Patol.* Iscúria.

iscúria. [Do gr. *ischouría,* pelo lat. *ischuria.*] *S. f. Patol.* Retenção da urina. [Var. pros.: *iscuria.*]

iscúrico. *Adj.* Respeitante à iscúria.

isenção. [Do lat. *exemptione.*] *S. f.* **1.** Ato ou efeito de eximir(-se) ou isentar(-se). **2.** Independência de caráter; desinteresse, abnegação. **3.** Imparcialidade; neutralidade: *Ponhamos de parte a amizade, busquemos agir com isenção.* **4.** *Fig.* Esquivança, desdém, desamor. **5.** *Rel.* Privilégio de algumas comunidades religiosas com respeito à jurisdição do bispo local.

isenergética. *Adj. (f.)* e *s. f. Fís.* Diz-se de, ou qualquer transformação em que a energia interna é conservada.

isenérgica. [De *is(o)-* + *enérgica,* fem. de *enérgico.*] *Adj. (f.)* e *s. f. Fís.* Diz-se de, ou qualquer transformação em que se mantém constante a energia interna de um sistema.

isentálpica. [De *is(o)-* + *entalpia* + o fem. de *-ico*^{2}.] *Adj. (f.)* e *s. f. Fís.* Diz-se de, ou qualquer transformação em que a entalpia é conservada. ~ V. *transformação —.*

isentar. *V. t. d. e i.* **1.** Tornar isento; livrar; dispensar; desobrigar, eximir: *A lei isenta-o do serviço militar por invalidez.* **2.** Fazer que fique isento; tornar livre: *Acolheu-o com a esperança de isentá-lo de punição. P.* **3.** Livrar-se, desobrigar-se; eximir-se.

isentivo. [De *isento* + *-ivo.*] *Adj.* **1.** Que isenta, exime. **2.** *Jur.* Dirimente (3). ~ V. *circunstância —a.*

isento. [Do lat. *exemptu.*] *Adj.* **1.** Desobrigado, dispensado, eximido. **2.** Desembaraçado, livre, limpo: "Padre Marcelino .... limitava-se a aconselhar que atirasse a primeira pedra aquele que se julgasse isento de pecado..." (Cândido Jucá [filho], *Noite Insone,* p. 121). **3.** Imparcial, desapaixonado, neutro: "E a sua palavra, conciliadora das duas oposições, ... dava a impressão de que nascia de um espírito limpo e isento" (Mário de Alencar, *Contos e Impressões,* p. 103). **4.** Que não tem; desprovido, sem: "Não se metia nas conversas, parecia um roceiro tosco, isento de opiniões." (Graciliano Ramos, *Viagem,* p. 15.)

isentrópica. *Adj. (f.)* e *s. f. Fís.* Diz-se de, ou qualquer transformação em que a entropia se conserva. ~ V. *transformação —.*

isídio. *S. m. Morfol. Veg.* Excrescência pequenina, provida de córtex, que surge sobre o talo de muitos liquens.

isidora. [Do antr. *Isidora,* decerto.] *S. f. Bras., N.E. Pop.* Cama de varas; jirau. [Em PE, *isidoro.*]

isidorense. *Adj. 2 g.* **1.** De, ou pertencente ou relativo a Major Isidoro (AL). ● *S. 2 g.* **2.** Natural ou habitante de Major Isidoro.

isidoro. *S. m. Bras., PE. Pop.* V. *isidora.*

islã. *S. m.* V. *islame* (2).

islame. [Do ár. *íslam,* 'resignação (à vontade de Deus)', pelo fr. *islam.*] *S. m.* **1.** Islamismo. **2.** O mundo do muçulmano; o conjunto dos povos de civilização islâmica, que professam o islamismo; islã, islão.

islâmico. [De *islame* + *-ico*^{2}.] *Adj.* Islamítico.

islamismo. [De *islame* + *-ismo.*] *S. m.* A religião maometana [v. *maometano*].

islamita. *S. 2 g.* Sectário do islamismo; maometano.

islamítico. *Adj.* Relativo aos islamitas ou ao islamismo; islâmico.

islamização. *S. f.* Ato ou efeito de islamizar(-se).

islamizado. [Part. de *islamizar.*] *Adj.* **1.** Integrado no Islame. **2.** Que adquiriu modos ou aspectos islâmicos.

islamizar. [De *islame* + *-izar.*] *V. t. d.* **1.** Difundir a religião e a civilização islâmicas: *Na Idade Média os árabes islamizaram parte da Península Ibérica.* **2.** Dar caráter ou maneiras islâmicas a. *P.* **3.** Integrar-se no Islame. **4.** Adquirir maneiras ou modos próprios dos islamitas.

islandês. *Adj.* **1.** Da, ou pertencente ou relativo à Islândia (Europa). ● *S. m.* **2.** O natural ou habitante da Islândia. **3.** O idioma falado ali. V. *germânico* (3). [Flex.: *islandesa* (ê), *islandeses* (ê), *islandesas* (ê).]

islão. *S. m.* V. *islame* (2).

islenho. [Do esp. *isleño.*] *Adj.* e *s. m.* V. *insulano.*

ismaeliano. *S. m.* Sectário do ismaelismo.

ismaelismo. [Do antr. *Ismael,* da personagem bíblica filha do profeta Abraão e da escrava Agar, a qual

Maomé (v. *maometano* e *maometismo*) considerou como tronco de sua árvore genealógica. + *ismo*.] *S. m.* Seita muçulmana constituída no séc. VIII.

ismaelita *S. 2 g.* **1.** Indivíduo dos ismaelitas, designação dada aos descendentes da união entre Abraão e a escrava Agar, que viviam, segundo a Bíblia, numa confederação de tribos no deserto da Arábia. ● *Adj. 2 g.* **2.** Pertencente ou relativo aos ismaelitas.

ismaelítico. *Adj.* Relativo ao ismaelismo, ou aos ismaelitas.

ismo. S. m. O suf. *-ismo*: *Leva o tempo a falar em futurismo, modernismo, dadaísmo e outros i s m o s.* [Us., geralmente, em tom jocoso, ou depreciativo.]

▲**-ismo.** [Do gr. *-ismos*.] *Suf. nom.*: 'doutrina, escola, teoria ou princípio artístico, filosófico, político ou religioso'; 'ato, prática ou resultado de'; 'peculiaridade de'; 'ação, conduta ou qualidade característica de'; 'condição patológica causada por'; *classicismo. positivismo, anarquismo, socialismo; batismo* (< lat. *baptismu* < gr. *baptismós*), *terrorismo, ecletismo* (< gr. *eklektismós*); *anglicismo, neologismo, heroísmo, patriotismo; alcoolismo, meteorismo.*

■**ISO.** [Ingl., *International Organization for Standardization*.] *Edit.* Organização Internacional de Normalização. [Só é utilizada a sigla em inglês.]

▲**is(o)-.** [Do gr. *ísos, e, on*.] *El. comp.* = 'igual': *isóbata, isodáctilo, isúria.*

isoalina. [De *is(o)-* + *-hal(o)-* + *-ina*^{1}.] *S. f.* Linha que liga os pontos da superfície marítima da Terra que apresentam a mesma salinidade.

isoamílico. *Adj.* ~ V. *álcool* —.

isoaxe (cs). [De *is(o)-* + lat, *axe*, 'eixo'.] *Adj. 2 g. Min.* Diz-se dos cristais que têm eixos iguais.

isobafia. [De *is(o)-* + gr. *baphé*, 'tintura', + *-ia*.] *S. f.* Estado de um corpo que só reflete uma cor.

isobáfico. *Adj.* Referente à isobafia.

isóbara. [Fem. substantivado de *isóbaro*.] *S. f. Fís.* V. *isobárica* (2).

isóbare. [De *is(o)-* + *-bare*.] *Fís. S. f.* **1.** V. *isobárica* (2). ● *Adj. 2 g.* **2.** De igual pressão atmosférica; isobárico, isóbaro. [Na Marinha de Guerra do Brasil e na de Portugal diz-se *isóbara*.]

isobárica. *Adj. (f.) Fís.* **1.** Diz-se de transformação a pressão constante. ● *S. f.* **2.** Curva que, num diagrama qualquer, é o lugar geométrico dos pontos onde a pressão tem um certo valor constante, como, p. ex., numa carta sinóptica; isóbara, isóbare.

isobárico. [De *is(o)-* + *-bari-* + *-ico*^{2}.] *Adj. Fís.* **1.** V. *isóbare* (2). **2.** Diz-se de fenômeno em que se mantém constante a pressão do sistema. ~ V. *spin* — *e transformação* —*a*.

isóbaro. *Adj.* **1.** V. *isóbare* (2). **2** *Fís. Nucl.* Diz-se de dois ou mais núcleos ou nuclídeos que têm números atômicos diferentes, mas o mesmo número de massa, como, p. ex., zircônio 90, nióbio 90, molibdênio 90. ~ V. *nuclídeos* —*s* e *isóbaros*.

isóbaros. *S. m. pl. Fís. Nucl.* Nuclídeos isóbaros. ~ V. *isóbaro.*

isóbata. [De *is(o)-* + *-bata*.] *S. f.* Linha que, nas cartas hidrográficas, liga pontos de igual profundidade.

isobriale. *S. f.* Espécime das isobriales.

isobriales. *S. f. pl. Bot.* Ordem de musgos da série das eubriinales, de esporogônio pleurocárpico, perístoma duplo, podendo parecer simples, talo reptante e folhas dísticas.

isocarpo. [De *is(o)-* + *-carpo*.] *Adj. Bot.* Que tem os frutos todos iguais. [Antôn.: *anomocarpo*.]

isocianato. [De *is(o)-* + *cianato*.] *S. m. Quím.* Designação genérica de sais ou ésteres de fórmula geral X-NCO. ◆ **Isocianato de metila.** *Quím.* Líquido incolor, de baixo ponto de ebulição, muito volátil, inflamável, tóxico poderoso, usado como intermediário na fabricação de defensivos agrícolas, agente de grande desastre industrial, com milhares de mortes, na Índia, em dezembro de 1984.

isocíclico. [De *is(o)-* + *-cicl(o)-* + *-ico*^{2}.] *Adj. Morfol. Veg.* Diz-se da flor cujos verticilos têm todos o mesmo número de elementos.

isóclina. [Fem. substantivado de *isóclino*.] *S. f.* Linha que liga os pontos da superfície terrestre de igual inclinação magnética.

isoclinal. *Geol. Adj. 2 g.* Diz-se do tipo de dobra cujos flancos mergulham com ângulos iguais e com a mesma direção.

isoclino. *Adj.* Var. pros. de *isóclino.*

isóclino. [De *is(o)-* + *-clino*.] *Adj.* Que tem a mesma inclinação magnética. [Var. pros.: *isoclino*.]

isócolo. [Do gr. *isokôlon*, pelo lat. *isocolon*.] *Adj. Gram.* Diz-se do período constituído de membros iguais.

isocólon. *Adj. Gram.* V. *isócolo.*

isócora. [De *is(o)-* + gr. *chóra*, 'espaço'.] *Adj. (f.)* e *s. f. Fís.* V. *isocórica.*

isocórica. *Adj. (f.).* e *s. f. Fís.* Diz-se de, ou qualquer transformação em que o volume se conserva; isócora, isométrica, isovolumar, isovolumétrica.

isocotilia. [De *is(o)-* + *-cotil(o)-* + *-ia*.] *S. f. Morfol. Veg.* Ocorrência de cotilédones iguais. [Opõe-se a *anisocotilia*. Cf. *heterofilia*.]

isocromático. [De *is(o)-* + *cromático*.] *Adj.* Isocrômico (1).

isocromia. [De *is(o)-* + *-crom(o)-* + *-ia*.] *S. f.* **1.** Litocromia. **2.** Imagem transparente, impregnada de verniz, por detrás da qual se aplicaram cores a óleo em camadas espessas e iguais.

isocrômico. *Adj.* **1.** Que tem coloração uniforme; isocromático. **2.** Relativo à isocromia; litocrômico.

isocronismo. *S. m.* Qualidade de isócrono.

isócrono. [Do gr. *isóchronos*.] *Adj.* **1.** Que se realiza com intervalos iguais, ou ao mesmo tempo: *movimentos i s ó c r o n o s.* **2.** Cujos movimentos se efetuam com intervalos iguais, ou simultaneamente: "E a história continuava a dois, sempre na rede, onde eles se balançavam i s ó c r o n o s como dois ponteiros de metrônomo" (Monteiro Lobato, *Urupês, Outros Contos e Coisas*, p. 433). "um coração pulsava, talvez a essa mesma hora, i s ó c r o n o com o seu" (José de Mesquita, *No Tempo da Cadeirinha*, p. 124). **3.** Que tem período independente de amplitude.

isodáctilo. [De *is(o)-* + *-dá(c)tilo*.] *Adj. Zool.* Que tem dedos iguais. [Var.: *isodátilo*.]

isodátilo. *Adj. Zool.* Var. de *isodáctilo* [q. v.].

isodiáferos. *Fís. Nucl.* **1.** *Adj. pl.* Diz-se de núcleos ou nuclídeos que têm a mesma diferença entre o número de nêutrons e o número de prótons, como, p. ex., nitrogênio 15, oxigênio 16, flúor 17. ~ V. *nuclídeos* —. ● *S. m. pl.* **2.** Nuclídeos isodiáferos [q. v.].

isodiamétrico. [De *is(o)-* + *diâmetro* + *-ico*^{2}.] *Adj.* Que tem o mesmo diâmetro (que outra coisa).

isodinamia. [De *is(o)-* + *-dinam(o)-* + *-ia*.] *S. f. Med.* Possibilidade de substituir uma substância alimentícia por outra equivalente sob o aspecto energético.

isodinâmico. *Adj.* Relativo à isodinamia.

isodonte. [De *is(o)-* + *-odonte*.] *Adj. 2 g. Zool.* Que tem todos os dentes iguais ou semelhantes.

isoédrico. [De *is(o)-* + *-edro-* + *-ico*^{2}.] *Adj. Min.* Que tem faces iguais ou semelhantes.

isoelétrico. [De *is(o)-* + *elétrico*.] *Adj.* ~ V. *ponto* —.

isoetácea. *S. f.* Espécime das isoetáceas.

isoetáceas. *S. f. pl. Bot.* Pequena família de pteridófitos, formada apenas do gênero *Isoetes*, o qual contém umas 50 espécies, sobretudo temperadas. São plantas com caule bolbiforme e folhas rosuladas, raras no Brasil.

isoetáceo. *Adj.* Pertencente ou relativo às isoetáceas.

isoetina. *S. f.* Espécime das isoetinas.

isoetinas. *S. f. pl. Bot.* Classe de pteridófitos, dotados de indúsio, cujos esporofilos são semelhantes aos trofofilos, sendo os externos portadores de macrosporângios e os internos de microsporângios. As folhas têm lígulas. Esta classe encerra tão-só a família das isoetáceas.

isofilia. [De *isofilo* + *-ia*.] *S. f. Morfol. Veg.* Igualdade das folhas dum ramo. [Opõe-se a *anisofilia*. Cf. *heterofilia*.]

isofílico. *Adj.* Relativo à isofilia.

isofilo. [De *is(o)-* + *-filo*^{1}.] *Adj. Morfol. Veg.* Diz-se do vegetal cujas folhas são iguais.

isofono. *Adj.* Isófono.

isófono. [De *is(o)-* + *-fono*.] *Adj.* Que tem voz análoga, ou igual timbre de voz. [Var.: pros.: *isofono*.]

isófoto. [De *is(o)-* + *-foto*.] *S. m.* **1.** Conjunto de pontos de igual luminância sobre uma superfície brilhante. ● *Adj.* **2.** Relativo a isófoto. ~ V. *carta* —*a*.

isógama. [De *is(o)-* + *-gam(o)-* + *-a*.] *S. f. Fís.* Na superfície da Terra, linha ao longo da qual é constante a aceleração da gravidade.

isogameta. [De *is(o)-* + *gameta*.] *S. f. Biol.* Célula sexual que se fundirá com outra semelhante.

isogametia. [De *isogameta* + *-ia*.] *S. f. Biol.* Isogamia.

isogamia. [De *is(o)-* + *-gam(o)-* + *-ia*.] *S. f. Biol.* Fusão de células sexuais iguais; isogametia. [Cf. *anisogamia*.]

isogâmico. *Adj.* Relativo à isogamia.

isogênico. [De *is(o)-* + *-gen(o)-*^{1} + *-ico*^{2}.] *Adj. Genét.* Diz-se de um conjunto de indivíduos geneticamente uniformes.

isógino. [De *is(o)-* + *-gino*.] *Adj. Morfol. Veg.* Que tem carpelos e sépalas em números iguais. [Antôn.: *anisógino*.]

isoglossa. [De *is(o)-* + *-glossa*.] *S. f. Ling.* Linha imaginária que, num mapa, une os pontos de ocorrência de traços e fenômenos lingüísticos idênticos.

isoglóssico. *Adj.* Isoglótico.

isoglótico. *Adj.* Relativo à isoglossa; isoglóssico.

isogônica. [De *isógono* + o fem. de *-ico*^{2}.] *S. f.* Linha que liga os pontos da superfície terrestre de igual declinação magnética; curva isógona.

isógono. [De *is(o)-* + *-gono*^{1}.] *Adj. Geom.* **1.** Que têm ângulos iguais. **2.** Que tem a mesma inclinação. ~ V. *curva* —*a*.

isografia. [De *is(o)-* + *-graf(o)-* + *-ia*.] *S. f.* Reprodução exata da letra manuscrita.

isográfico. *Adj.* Referente à isografia.

isoieta. [De *is(o)-* + gr. *hyetós*, 'chuva'.] *S. f. Met.* Linha que, em um mapa, liga os pontos onde são iguais as alturas de precipitação líquida recolhidas durante determinado intervalo de tempo.

isoípsa. [De *is(o)-* + gr. *hypsos*, 'altura'.] *S. f.* Curva de nível.

isolação. *S. f.* Isolamento (2): "Donzelas até, quantas .... não se estorceriam no leito ...., desvairadas pela i s o l a ç ã o?" (Aluísio Azevedo, *Casa de Pensão*, p. 168.)

isolado. *Adj.* **1.** Separado: "entravam no Grêmio, fumavam um charuto nalguma sala i s o l a d a, falando da vizinha" (Eça de Queirós, *Os Maias*, II, p. 48). **2.** Só, solitário. **3.** Pouco freqüentado. **4.** Individual, sem relação com pessoas ou coisas da mesma espécie. **5.** Que não tem contato com um corpo bom condutor de eletricidade. ~ V. *conjunto* —, *fio* —, *mar* —, *ponto* —, *singularidade* —*a* e *sistema* —.

isolador (ô). *Adj.* **1.** Que isola; isolante. ● *S. m.* **2.** *Eletr.* Componente de um circuito elétrico ou eletrônico que tem a função de o isolar eletricamente do exterior.

isolamento. *S. m.* **1.** Ato ou efeito de isolar(-se). **2.** Estado de pessoa isolada; isolação. **3.** Separação feita entre um corpo eletrizado e os corpos que o rodeiam. **4.** Edifício ou pavilhão destinado aos doentes acometidos de moléstias infeto-contagiosas, ou àqueles que se acham em observação por suspeita desse tipo de doença.

isolante. *Adj. 2 g.* **1.** Isolador: *fita i s o l a n t e.* ● *S. m.* **2.** *Eletr.* Substância que conduz muito pouca ou nenhuma corrente elétrica; substância de elevada resistividade.

isolar. [Do fr. *isoler*.] *V. t. d.* **1.** Tornar solitário; deixar só; separar ou estremar de qualquer comunicação: *I s o l a r a m-no ao saber que sua doença era infeto-contagiosa.* **2.** *Fís.* Aplicar o isolador ou o isolante a. *T. d. e i.* **3.** Separar ou estremar de qualquer comunicação: "nunca percebera de modo tão perfeito o peso de quatro paredes i s o l a n d o -o do mundo" (Lúcio Cardoso, *O Desconhecido*, p. 8). *Int.* **4.** Afastar mau agouro: *Falando em F.? Xi! Aquele sujeito dá azar. I s o l a!* [Us., em geral, fazendo-se acompanhar as palavras com um toque em objeto de madeira. Sin.: *bater na madeira, tocar na madeira, bater no pau*.] *P.* **5.** Pôr-se em isolamento; separar-se: "Os estudantes i s o l a m - s e nas repúblicas." (Raul Pompéia, *Crônicas 4*, p. 14.) **6.** Retirar-se da sociedade; afastar-se do convívio social: "O fato é que, escapando ao castigo, o homem s e i s o l a r a voluntariamente num retiro mais solitário do que o mais escondido calabouço" (Raquel de Queirós, *Crônicas Escolhidas*, p. 5).

isolateral. [De *is(o)-* + *lateral*.] *Adj. 2 g. Anat. Veg.* Que apresenta ambas as faces com igual estrutura: *folha i s o l a t e r a l*.

isolável. *Adj. 2 g.* Que pode ser isolado; separável.

isolinha. *S. f.* Isopleta.

isólogo. [De *is(o)-* + *-logo*.] *Adj.* Que tem composição análoga.

isômere. [Do gr. *isomerés*.] *Adj. 2 g.* **1.** Formado de partes semelhantes; metâmero. **2.** *Bot.* Que tem o mesmo número de peças em cada verticilo.

isomeria. [De *isômere ou isômero* + *-ia*.] *S. f.* **1.** *Quím.* Fenômeno apresentado por duas ou mais substâncias que têm os mesmos átomos na molécula, mas com diferentes disposições espaciais ou com diferentes ligações; isomerismo. **2.** *Fís. Nucl.* Isomeria nuclear. ◆ **Isomeria nuclear.** *Fís. Nucl.* Fenômeno apresentado por nuclídeos que têm o mesmo número de massa e o mesmo número atômico, mas energia diferente, ou seja, que são idênticos, mas estão em diferentes níveis de excitação. [Tb. se diz apenas *isomeria*.] **isomeria óptica.** *Fís.-Quím.* Fenômeno apresentado por duas substâncias isômeras que têm atividade óptica diferente; isomerismo óptico.

isomérico. *Adj.* Relativo à isomeria. ~ V. *transição* —*a*.

isomerismo. *S. m.* **1.** Qualidade de isômere. **2.** *Quím.* Isomeria (1). ◆ **Isomerismo óptico.** *Fís.-Quím.* Isomeria óptica.

isômero. [Do gr. *isomerés.*] *Adj.* **1.** *Fís.-Quím.* Diz-se de molécula que contém as mesmas espécies e o mesmo número de átomos que outra, mas difere dessa outra na estrutura. ~ V. *nuclídeos* —*s.* ● *S. m.* **2.** *Fís.-Quím.* Qualquer molécula dessa natureza. **3.** *Biol. Ger.* Parte ou segmento homólogo de outro. ~ V. *isômeros.*

isômeros. [Pl. de *isômero.*] *S. m. pl.* **1.** *Fís. Nucl.* Diz-se de núcleos ou nuclídeos que têm o mesmo número atômico e o mesmo número de massa, mas energias diferentes. **2.** *Quím.* Dois ou mais compostos que têm isomeria. ~ V. *isômero.*

isometria. [De *is(o)-* + *-metr(o)-*[2] + *-ia.*] *S. f. Álg. Mod.* Transformação biunívoca que preserva distâncias.

isométrica. *Adj.* (*f.*) e *s. f. Fís.* V. *isocórica.*

isométrico. [De *is(o)-* + *-metr(o)-*[2] + *-ico*[2].] *Adj.* Que tem as mesmas dimensões. ~ V. *sistema* — e *transformação* —*a.*

isometropia. [De *is(o)-* + *-metr(o)-*[2] + *op(e)-* + *-ia.*] *S. f.* Condições iguais de refração nos dois olhos.

isometrópico. *Adj.* Relativo à isometropia.

isomórfico. *Adj.* Isomorfo. ~ V. *domínios* —*s.*

isomorfismo. [De *isomorfo* + *-ismo.*] *S. m.* **1.** *Álg. Mod.* Correspondência biunívoca entre os elementos de dois grupos que preserva as operações de ambos. **2.** *Quím.* Fenômeno apresentado por substâncias diferentes que cristalizam no mesmo sistema com a mesma disposição e orientação dos átomos, das moléculas ou dos íons.

isomorfo. [De *is(o)-* + *-morfo.*] *Adj.* Que apresenta isomorfismo; isomórfico.

isonomia. [Do gr. *isonomía.*] *S. f.* **1.** Estado daqueles que são governados pelas mesmas leis. **2.** *Jur.* Igualdade de todos perante a lei, assegurada como princípio constitucional.

isonômico. *Adj.* Referente à isonomia.

isoparamétrico. [De *iso-* + *parâmetro* + *-ico*[2].] *Adj. Geom.* Que tem o mesmo parâmetro.

isopata. *S. 2 g.* Pessoa que exerce a isopatia. [Var. pros.: *isópata.*]

isópata. *S. 2 g.* Var. pros. de *isopata.*

isopatia. [De *is(o)-* + *-pat-* + *-ia.*] *S. f. Terap.* Sistema de tratamento que emprega os produtos de uma doença ou o órgão afetado, como, p. ex., tratando varíola com quantidade mínima de matéria variólica, doenças do fígado com extrato hepático, etc. [Cf. *homeopatia* e *alopatia.*]

isopático. *Adj.* Respeitante à isopatia.

isopétalo. [De *is(o)-* + *pétala.*] *Adj. Bot.* Cujas pétalas são iguais.

isopia. [De *is(o)-* + *-op(e)-* + *-ia.*] *S. f.* Igualdade de visão em ambos os globos oculares.

isopicna. [De *is(o)-* + fem. de *-picno.*] *S. f.* Linha que liga os pontos da superfície marítima da Terra em que a densidade da água é a mesma.

isopleta. *S. f.* Num gráfico, curva sobre a qual fica constante um certo parâmetro, como, p. ex., as isóbaras, as isotermas, as isentrópicas; isolinha.

isópode. [De *is(o)-* + *-pode.*] *Adj. 2 g.* **1.** *Zool.* Que tem patas iguais ou semelhantes. **2.** Pertencente ou relativo aos isópodes. ● *S. m.* **3.** Espécime dos isópodes.

isópodes. [De *is(o)-* + *-pode.*] *S. m. pl. Zool.* Animais artrópodes, crustáceos, malacostráceos, peracarídios, da ordem *Isopoda,* desprovidos de carapaça, com o corpo achatado, apêndices do sexto segmento abdominal bem desenvolvidos e patas ambulatórias semelhantes; vivem em água doce ou salgada, com algumas espécies terrestres, de vida livre ou parasitos em crustáceos e peixes.

isopoliácido. *S. m. Quím.* Ácido complexo constituído por dois ou mais resíduos ácidos idênticos.

isopor (ô). [Nome comercial.] *S. m.* **1.** Espuma de poliestireno, utilizada como isolante térmico. **2.** Artefato feito com esse material.

isopórica. [De *is(o)-* + gr. *póros,* 'passagem', 'caminho', + *-ica*[2].] *S. f. Fís.* Na superfície da Terra, linha ao longo da qual é constante a variação do campo magnético terrestre num intervalo de tempo fixo (geralmente em um ano).

isopreno. [De *is(o)-* + *pr.*, f. abrev. de *propeno,* + *-eno.*] *S. m. Quím.* Líquido incolor, de cheiro penetrante, utilizado na preparação de elastômeros sintéticos. [Fórm.: C_5H_8.]

isóptero. [De *is(o)-* + *-ptero.*] *S. m.* **1.** Espécime dos isópteros. ● *Adj.* **2.** Pertencente ou relativo a eles. [Sin. ger.: *térmita.*]

isópteros. *S. m. pl. Zool.* Animais artrópodes, da classe dos insetos, pterigotos, ordem *Isoptera,* com aparelho bucal mastigador, quatro asas membranosas iguais, com linhas transversais de sutura para a quebra espontânea. São sociais com várias castas; os *soldados* e os *operários* são ápteros desde o início da vida. São os cupins. [Sin.: *térmitas.*]

isóptica. [Fem. substantivado de *isóptico.*] *S. f. Geom. Anal.* Curva isóptica.

isóptico. [De *is(o)-* + *-óptico.*] *Adj.* ~ V. *curva* —*a.*

isoquímena. [De *is(o)-* + gr. *cheimón,* 'inverno'.] *S. f. Met.* Linha que, em um mapa, liga os pontos que apresentam a mesma temperatura média no inverno.

isorientado. [De *is(o)-* + *orientado.*] *Adj. Geol.* Diz-se dos elementos magnetizáveis pelo campo terrestre orientados segundo este campo, e dos fenocristais, vesículas, etc., orientados segundo o fluxo magmático.

isóscele. *Adj. 2 g.* ~V. *trapézio* — e *triângulo* —. [Var. de *isósceles.*]

isósceles. [Do gr. *isoskelés,* pelo lat. *isosceles.*] *Adj. 2 g.* e *2 n.* Isóscele.

isoscelia. *S. f. Geom.* Caráter do triângulo ou do trapézio isóscele.

isosférico. [De *is(o)-* + *esférico.*] *Adj.* Que tem esferas iguais.

isosmia. [De *is(o)-* + *-osm(o)-*[1] + *-ia.*] *S. f. Med.* Confusão de cheiros.

isósmico. *Adj.* Relativo à isosmia.

isosmose. [De *is(o)-* + *osmose.*] *S. f. Fís.-Quím.* Equilíbrio de soluções do mesmo número de moléculas, com a mesma pressão osmótica.

isosmóticas. *S. f. pl. Fís.-Quím.* Isotônicas.

isospôndilo. *S. m.* **1.** Espécime dos isospôndilos. ● *Adj.* **2.** Pertencente ou relativo a eles.

isospôndilos. *S. m. pl. Zool.* Animais, da classe dos peixes, neopterígios, da ordem *Isospondyli,* com nadadeiras ventrais abdominais, bexiga natatória com duto pneumático, mesocoracóide bem desenvolvido, raios das nadadeiras moles, e cauda homocerca. No grupo se incluem as sardinhas e salmões.

isosporado. [De *is(o)-* + *-sporo-* + *-ado.*] *Adj. Morfol. Veg.* Que tem os esporos iguais. (Antôn.: *heterosporado.*]

isossilábico. [De *is(o)-* + *silábico.*] *Adj.* Diz-se de palavras ou de versos que têm o mesmo número de sílabas.

isossista. [De *is(o)-* + gr. *seistós,* 'abalado'.] *S. f. Geol.* Linha que une os pontos da mesma intensidade sísmica, na propagação de um terremoto.

isostasia. [De *is(o)-* + gr. *stásis,* 'parada', + *-ia.*] *S. f. Geol.* Equilíbrio geral da crosta terrestre ao flutuar sobre o substrato fluido.

isostático. [De *is(o)-* + *-stat(o)-* + *-ico*[2].] *Adj. Geol.* Referente à isostasia. ~ V. *estrutura* —*a.*

isostêmone. [De *is(o)-* + *-stemone.*] *Adj. 2 g. Bot.* Diz-se do androceu cujos estames são em número igual ao de sépalas ou pétalas. [Opõe-se a *anisostêmone.*]

isóstero. *Adj. Quím.* Diz-se de composto que tem o mesmo número de elétrons que outro, como, p. ex., CO_2 e N_2O.

isotáctico. *Adj.* ~ V. *polímero* —.

isotalantosa. *S. f.* Linha imaginária que, em um mapa, une os pontos de igual amplitude anual média.

isoterma. [De *is(o)-* + *-terma.*] *S. f.* **1.** *Fís.* Transformação isoterma. **2.** *Met.* Linha que, num mapa, liga os pontos que apresentam a mesma temperatura.

isotérmica. *Adj.* (*f.*) e *s. f. Fís.* Diz-se de, ou qualquer transformação em que a temperatura se conserva.

isotérmico. [De *is(o)-* + *-term(o)-* + *-ico*[2].] *Adj.* Que tem a mesma temperatura; isotermo; homotermal. ~ V. *transformação* —. [Antôn.: *heterotérmico.*]

isotermo. *Adj.* V. *isotérmico.* ~ V. *transformação* —*a.*

isótipo. [De *is(o)-* + *-tipo.*] *S. m. Biol. Ger.* Espécime do mesmo indivíduo que forneceu o tipo e que leva o mesmo número de campo.

isotonia. [Do gr. *isótonos,* 'igualmente tenso', + *-ia.*] *S. f. Fís.-Quím.* Igualdade de pressão osmótica de duas soluções.

isotônico. *Adj.* **1.** Relativo à isotonia. **2.** Que apresenta isotonia: *soluções* i s o t ô n i c a s.

isótonos. *Adj. pl.* **1.** ~ V. *nuclídeos* —*a.* ● *S. m. pl.* **2.** *Fís. Nucl.* Nuclídeos isótonos.

isotopia. [De *isótopo* (v. *isótopos*) + *-ia.*] *S. f. Fís. Nucl.* Fenômeno apresentado por nuclídeos que têm o mesmo número atômico, mas números de massa diferentes.

isotópico. [De *isótopo* (v. *isótopos*) + *-ico*[2].] *Adj.* ~V. *abundância* —*a, diluição* —*a, spin* — e *troca* —*a.*

isótopos. [De *is(o)-* + gr. *tópos,* 'lugar'.] *Adj. pl.* **1.** ~ V. *nuclídeos* —. ● *S. m. pl.* **2.** *Fís. Nucl.* Nuclídeos isótopos.

isotropia. *S. f.* Qualidade ou estado de isótropo ou isotrópico. [Opõe-se a *anisotropia.*]

isotrópico. *Adj.* Que apresenta as mesmas propriedades físicas em todas as direções; isótropo. [Opõe-se a *anisotrópico.*]

isótropo. [Do gr. *isótropos.*] *Adj.* Isotrópico. ~ V. *vector*—.

isovolumar. *Adj.* (*f.*) e *s. f. Fís.* V. *isocórica.*

isovolumétrica. *Adj.* (*f.*) e *s. f. Fís.* V. *isocórica.*

isqueiro. *S. m.* Pequeno aparelho munido de uma torcida embebida de gasolina, ou de um reservatório de gás, que, inflamando-se, serve para acender cigarros e para outros fins; acendedor: "Premiu a mola do i s q u e i r o, acendeu o cigarro na chama amarelada" (Nélson de Faria, *Tiziu e Outras Estórias,* p. 74). [Sin. (bras., pop. RN e BA): *artifício.*]

isquemia. [Do gr. *ischaimos,* 'que pode deter o sangue', + *-ia.*] *S. f. Patol.* Suspensão ou baixa, localizada, de irrigação sanguínea, devida à má perfusão circulatória arterial.

isquêmico. *Adj.* **1.** Referente à isquemia. **2.** Que susta o movimento do sangue nos vasos orgânicos.

▲isqu(i)-. Equiv. de *isc(o)-.*

isquiagra. [De *isqui(o)-* + *-agra.*] *S. f. Patol.* Dor fixa nos quadris; dor ciática.

isquial. *Adj. 2 g.* V. *isquiático.*

isquialgia. [De *isqui(o)-* + *-alg(o)-* + *-ia.*] *S. f. Patol.* Dor fixa no quadril.

isquiático. [Do gr. *ischiadikós,* pelo lat. *ischiadicu* (*ischiaticu* e *sciaticu* no lat. tardio).] *Adj. Anat.* Referente ou pertencente ao ísquio ou ao quadril; isquial, ciático.

isquidrose. [De *isqui(o)-* + *-(h)idrose.*] *S. f. Patol.* Supressão do suor.

▲isqui(o)-. [Do gr. *ischíon, ou.*] *El. comp.* = 'bacia', 'quadril', 'ísquio': *isquiocele, isquiagra.*

ísquio. [Do gr. *ischíon,* 'anca', no lat. tardio *ischia, orum.*] *S. m. Anat.* A porção dorsal inferior de cada osso ilíaco, que, no período fetal da vida, constitui osso individualizado.

isquiocele. [De *isqui(o)-* + *-cele.*] *S. f. Med.* Hérnia que se processa através da chanfradura sacrociática.

isquion. *S. m. Anat.* V. *ísquio.*

isquiopagia. [Do gr. *isqui(o)-* + gr. *pag,* raiz de *pégnymi,* 'fixar', + *-ia.*] *S. f. Ter.* Anomalia congênita que consiste na união de dois gêmeos, entre si, pela área isquiática: cada um dos dois corpos apresenta seu maior eixo em linha reta e em direção oposta à de seu homólogo do outro corpo.

isquiopágico. *Adj.* Relativo à isquiopagia.

isquiópago. *Adj. Ter.* Diz-se de, ou ser que apresenta isquiopagia.

israel. [Do antr. *Israel,* do patriarca dos judeus.] *S. m.* Designação coletiva dos israelitas; hebreu. [Pl.: *israéis.*]

israelense. *Adj. 2 g.* **1.** De, ou pertencente ou relativo ao Estado de Israel. ● *S. 2 g.* **2.** Natural ou habitante do Estado de Israel. [Sin. ger.: israeliano, judeu. Cf. *israelita.*]

israeliano. *Adj.* e *s. m.* Israelense [q. v.].

israelita. [Do lat. *israelita.*] *S. 2 g.* **1.** Indivíduo do povo de Israel, dos israelitas. ● *Adj. 2 g.* **2.** Relativo ou pertencente a esse povo; israelítico. [Cf. *israelense.*] ~ V. *calendário* —.

israelítico. *Adj.* Israelita (2).

issei. *S. 2 g.* Japonês que emigra para a América. [Cf. *icei,* do v. *içar,* e *nisei.*]

isso. [Do lat. *ipsu.*] *Pron. dem.* **1.** Essa(s) coisa(s). **2.** *Deprec.* e *fam.* Essa pessoa: *I s s o é um tipo imprestável; Alô, meu velho! como vai i s s o ?* ● *Interj.* **3.** Muito bem! está certo: "— Viúva de um médico, não é?! — I s s o" (Machado de Assis, *Memorial de Aires,* p. 7). [Cf. *iço,* do v. *içar.*] ◆ **Nem por isso.** Nem tanto como se diz ou afirma. **Por isso.** Em vista disso; por esse motivo: "Alguns anos vivi em Itabira. / Principalmente nasci em Itabira. / Por i s s o sou triste, orgulhoso: de ferro." (Carlos Drummond de Andrade, *Reunião,* p. 45.)

▲-ista. [Do gr. *-istés.*] *Suf. nom.* = 'partidário ou sectário de doutrina, escola, seita, teoria ou princípio artístico, filosófico, político ou religioso'; 'que pratica': 'ocupação', 'ofício'; 'nomes gentílicos': *classicista, positivista, anarquista, socialista, budista, batista* (< lat. *baptista* < gr. *baptistés*); *moralista, criticista; violinista, artista; sulista, paulista.*

istioforídeo. *S. m.* **1.** Espécime dos istioforídeos. ● *Adj.* **2.** Pertencente ou relativo a eles.

istioforídeos. *S. m. pl. Zool.* Família de peixes actinopterígios, muito semelhantes aos peixes-espadas, com maxilar superior alongado, uma grande nadadeira dorsal e, não raro, nadadeiras pélvicas longas. São peixes de aproveitamento comercial e distribuídos muito amplamente nos diversos oceanos.

ístmico. [Do gr. *isthmikós,* pelo lat. *isthmicu.*] *Adj.* Relativo ou semelhante a istmo (1).

istmo. [Do gr. *isthmós,* 'lugar por onde se vai', pelo lat.

isthmu.] *S. m.* **1.** Faixa de terra que liga uma península a um continente. **2.** Objeto de configuração análoga à dessa faixa. **3.** *Anat.* Formação estreita que promove a união entre duas outras maiores. **4.** *Anat. P. ext.* Estrutura ou região que promove união. ◆ **Istmo das fauces.** *Anat.* Orifício cujos limites são estabelecidos pelos pilares anteriores do véu do paladar, e que comunica a boca com a faringe. **Istmo da tireóide.** *Anat.* Porção estreita que une o lobo direito da glândula tireóide ao esquerdo.

istmoplegia. [Do gr. *isthmós*, 'istmo (das fauces)', + *-pleg-* + *-ia*.] *S. f. Patol.* Paralisia do istmo das fauces.

istmoplégico. *Adj.* Referente à istmoplegia.

isto. [Do lat. *istu(d)*.] *Pron. dem.* **1.** Esta(s) coisa(s): "Ibiapina foi realmente isto: uma enorme força moral a serviço da Igreja e do Brasil." (Gilberto Freire, *Pessoas, Coisas e Animais*, p. 20.) **2.** *Deprec.* e *fam.* Esta pessoa: *Isto é um cabra muito do ordinário: Isto é um grande companheiro, isto vale ouro.* ● *S. m.* **3.** Us. na loc. *um isto.* ● *Interj.* **4.** Exprime apoio, concordância, aplauso: "— Ponha a alavanca em ponto morto. Isto! Ligue a máquina..." (Herberto Sales, *Histórias Ordinárias*, p. 86.) ◆ **Isto é.** Loc. que liga duas palavras ou duas frases, a segunda das quais explica ou retifica a anterior; quer dizer; ou seja: "Os seus olhos eram cinzentos: isto é, nem cinzentos nem de outra cor, eram um misto de cinza e verde" (João Gaspar Simões, *A Unha Quebrada*, p. 197). **Um isto.** Nem um pouco; coisa nenhuma; nada: *Não me deu um isto de auxílio; Não entende um isto do assunto.* [A expr. é acompanhada, geralmente, pelo gesto de encostar o polegar perto da extremidade do indicador.]

isuria. *S. f. Med.* Var. pros. de *isúria*.

isúria. [De *is(o)-* + *-ur(o)-* + *-ia*.] *S. f. Med.* Emissão de urina em taxa normal. [Var. pros.: *isuria*.]

isurídeo. *S. m.* **1.** Espécime dos isurídeos. ● *Adj.* **2.** Pertencente ou relativo a eles.

isurídeos. *S. m. pl. Zool.* Família de peixes elasmobrânquios, pleurotremados. Possuem focinho pontudo, não têm cúspides nos dentes, e a nadadeira dorsal é bem posterior. São extremamente vorazes e perigosos. Ex.: o anequim, o tubarão-sombreiro.

➧**it.** [Ingl., gír.] *S. m.* Magnetismo pessoal; encanto.

ita. [Das sílabas iniciais dos navios da Companhia Nacional de Navegação Costeira: 'Itaquatiara', 'Itanajé', 'Itapajé', 'Itapé', 'Itaquicé', 'Itassucé'.] *S. m. Bras.* Navio misto de cabotagem que fazia o percurso entre o N. e o S. do País: "Peguei um ita no Norte / pra vir pro Rio morar" (da canção *Tomei um Ita no Norte*, de Dorival Caymmi); "Bahia, / eu te olho e te ouço / de bordo do meu itazinho pulador" (Jorge de Lima, *Obra Poética*, p. 232).

▲**-ita**[1]. V. *-ito*[1].

▲**-ita**[2]. *Suf. nom.*: 'origem', 'pertinência': *israelita, jesuíta, barnabita.*

▲**-ita**[3]. *Suf.* designativo de mineral (1): *dolomita.* [Cf. *-ito*[2].]

itá[1]. *S. f.* Palavra tupi-guarani que entra na composição de muitos termos brasileiros, e significa 'pedra', 'metal', etc.

itá[2]. *S. m. Bras.* Meteorito que serve de fetiche natural de Xangô; pedra-de-raio.

itã. [Do tupi *i'tã*.] *Bras.* **1.** Designação comum a certos ornatos de pedra polida que se encontram nas urnas funerárias de antigos povos aborígines. **2.** V. *concha* (2). [Var.: *intã*.]

itabaianense. *Adj. 2 g.* **1.** De, ou pertencente ou relativo a Itabaiana (PB e SE). ● *S. 2 g.* **2.** Natural ou habitante de Itabaiana.

itabaianinhense. *Adj. 2 g.* **1.** De, ou pertencente ou relativo a Itabaianinha (SE). ● *S. 2 g.* **2.** Natural ou habitante de Itabaianinha.

itabapuanense. *Adj. 2 g.* **1.** De, ou pertencente ou relativo a Itabapuana (RJ). ● *S. 2 g.* **2.** Natural ou habitante de Itabapuana.

itaberaba. [Do tupi *i'tá*, 'pedra', e *berab*, 'brilhante reluzente'.] *S. f. Bras.* Palavra com que, no tempo das bandeiras, os sertanistas designavam as minas fabulosas que lhes acendiam a cobiça.

itaberabense. *Adj. 2 g.* **1.** De, ou pertencente ou relativo a Itaberaba (BA). ● *S. 2 g.* **2.** Natural ou habitante de Itaberaba.

itaberense. *Adj. 2 g.* **1.** De, ou pertencente ou relativo a Itaberá (SP). ● *S. 2 g.* **2.** Natural ou habitante de Itaberá.

itaberino. *Adj.* **1.** De, ou pertencente ou relativo a Itaberaí (GO). ● *S. m.* **2.** O natural ou habitante de Itaberaí.

itabiense. *Adj. 2 g.* **1.** De, ou pertencente ou relativo a Itabi (SE). ● *S. 2 g.* **2.** Natural ou habitante de Itabi.

itabirano. *Adj.* **1.** De, ou pertencente ou relativo a Itabira (MG). ● *S. m.* **2.** O natural ou habitante de Itabira.

itabiritense. *Adj. 2 g.* **1.** De, ou pertencente ou relativo a Itabirito (MG). ● *S. 2 g.* **2.** Natural ou habitante de Itabirito.

itabirito. [Do top. *Itabira* + *-ito*[2].] *S. m. Geol.* Rocha metamórfica, xistosa, composta essencialmente de grãos de quartzo e de lamelas de hematita micácea, minério de ferro.

itaboraiense (a-i). *Adj. 2 g.* **1.** De, ou pertencente ou relativo a Itaboraí (RJ). ● *S. 2 g.* **2.** Natural ou habitante de Itaboraí.

itabunense. *Adj. 2 g.* **1.** De, ou pertencente ou relativo a Itabuna (BA). ● *S. 2 g.* **2.** Natural ou habitante de Itabuna.

itacajaense. *Adj. 2 g.* **1.** De, ou pertencente ou relativo a Itacajá (GO). ● *S. 2 g.* **2.** Natural ou habitante de Itacajá.

itacareense (èên). *Adj. 2 g.* **1.** De, ou pertencente ou relativo a Itacaré (BA). ● *S. 2 g.* **2.** Natural ou habitante de Itacaré.

itacolomito. [Do top. *Itacolomi* + *-ito*[2].] *S. m. Geol.* Rocha metamórfica, variedade flexível de quartzito.

itacuã. [Do tupi *itaju'ã*, 'cascalho'.] *S. m. Bras.* Pedra amarelada com que se alisa a louça de barro feita à mão.

itacuru. [Do tupi.] *S. m. Bras.* V. *cupim* (2).

itacurua. *S. f. Bras.* V. *tacuruba*.

itacuruba. [Do tupi *itaku'ruba*, 'pedaços de pedra'.] *S. f. Bras.* Lugar cheio de pedregulhos e seixos miúdos; itacurumbi.

itacurubá. *S. m. Bras.* V. *cupim* (2).

itacuruçaense. *Adj. 2 g.* **1.** De, ou pertencente ou relativo a Itacuruçá (RJ). ● *S. 2 g.* **2.** Natural ou habitante de Itacuruçá.

itacurumbi. [Do tupi.] *S. m. Bras.* V. *itacuruba*.

itaeteense. (êên). *Adj. 2 g.* **1.** De, ou pertencente ou relativo a Itaetê (BA). ● *S. 2 g.* **2.** Natural ou habitante de Itaetê.

itaguaçuense. *Adj. 2 g.* **1.** De, ou pertencente ou relativo a Itaguaçu (ES). ● *S. 2 g.* **2.** Natural ou habitante de Itaguaçu.

itaguaiense (a-i). *Adj. 2 g.* **1.** De, ou pertencente ou relativo a Itaguaí (RJ). ● *S. 2 g.* **2.** Natural ou habitante de Itaguaí.

itaguajeense (èên). *Adj. 2 g.* **1.** De, ou pertencente ou relativo a Itaguajé (SP). ● *S. 2 g.* **2.** Natural ou habitante de Itaguajé.

itaguarense. *Adj. 2 g.* **1.** De, ou pertencente ou relativo a Itaguara (MG). ● *S. 2 g.* **2.** Natural ou habitante de Itaguara.

itaguatinense. *Adj. 2 g.* **1.** De, ou pertencente ou relativo a Itaguatins (GO). ● *S. 2 g.* **2.** Natural ou habitante de Itaguatins.

itaiense (a-i). *Adj. 2 g.* **1.** De, ou pertencente ou relativo a Itaí (SP). ● *S. 2 g.* **2.** Natural ou habitante de Itaí.

itaimbé (a-im). [Do tupi *i'tá*, 'pedra' e *aĩ'bé*, 'afiada, cortante'.] *S. m. S.* e *MT.* **1.** Monte agudo e escarpado. **2.** Precipício, despenhadeiro. [Var.: *itambé, taimbé.*]

itainopolense. *Adj. 2 g.* **1.** De, ou pertencente ou relativo a Itainópolis (PI). ● *S. 2 g.* **2.** Natural ou habitante de Itainópolis.

itaiopolense. *Adj. 2 g.* **1.** De, ou pertencente ou relativo a Itaiópolis (SC). ● *S. 2 g.* **2.** Natural ou habitante de Itaiópolis.

itaipaba. *S. f. Bras.* V. *itaipava*.

itaipava. [Var. de *itaipaba* < tupi *i'táĩ'pab*, 'elevação de pedra'.] *S. f.* **1.** *Bras.* Recife de pedra que atravessa um rio de margem a margem, causando o desnivelamento da corrente. [Outras var.: *intaipaba, intaipava.*] **2.** *Bras., MT.* V. *itupava*.

itaipavense. *Adj. 2 g.* **1.** De, ou pertencente ou relativo a Itaipava (RJ). ● *S. 2 g.* **2.** Natural ou habitante de Itaipava.

itaitubense. *Adj. 2 g.* **1.** De, ou pertencente ou relativo a Itaituba (PA). ● *S. 2 g.* **2.** Natural ou habitante de Itaituba.

itajaiense (a-i). *Adj. 2 g.* **1.** De, ou pertencente ou relativo a Itajaí (SC). ● *S. 2 g.* **2.** Natural ou habitante de Itajaí.

itajobiense. *Adj. 2 g.* **1.** De, ou pertencente ou relativo a Itajobi (SP). ● *S. 2 g.* **2.** Natural ou habitante de Itajobi.

itajuba. [Var. de *itaúba* tupi *i'tá ĩ'rwa*, 'pedra árvore'.] *S. f. Bras.* Certa árvore do PR.

itajubense. *Adj. 2 g.* **1.** De, ou pertencente ou relativo a Itajubá (MG). ● *S. 2 g.* **2.** Natural ou habitante de Itajubá.

itajuense. *Adj. 2 g.* **1.** De, ou pertencente ou relativo a Itaju (SP). ● *S. 2 g.* **2.** Natural ou habitante de Itaju.

itajuipense (u-i). *Adj. 2 g.* **1.** De, ou pertencente ou relativo a Itajuípe (BA). ● *S. 2 g.* **2.** Natural ou habitante de Itajuípe.

italiana. *S. f. Tip.* Letra italiana

italianada. *S. f. Bras.* **1.** Reunião de italianos. **2.** Os italianos.

italianidade. *S. f.* Qualidade ou condição de italiano.

italianismo. *S. m.* **1.** Imitação da língua e/ou dos costumes italianos. **2.** Palavra ou locução italiana usada em outra língua.

italianização. *S. f.* Ação ou processo de italianizar(-se).

italianizar. *V. t. d.* **1.** Dar caráter, aspecto, hábitos, sentimentos italianos, a. *P.* **2.** Adquirir hábitos e costumes italianos.

italiano. [Do it. *italiano.*] *Adj.* **1.** Da, ou pertencente ou relativo à Itália (Europa); itálico. ~ V. *comédia —a, cortina —a, formato —, letra —a, palco —* e *soneto —.* ● *S. m.* **2.** O natural ou habitante da Itália. **3.** *Ling.* Língua oficial da Itália, românica, falada também na Suíça italiana e em São Marinho (Europa meridional). [É a continuação histórica do dialeto toscano medieval convertido em língua literária no séc. XIII.]

italianofilia. *S. f.* Qualidade, caráter ou sentimento de italianófilo. [Antôn.: *italianofobia.*]

italianófilo. [De *italiano* + *-filo*[2].] *Adj.* e *s. m.* **1.** Amigo da Itália. **2.** Simpatizante dos italianos e de seus costumes. [Antôn.: *italianófobo.*]

italianofobia. *S. f.* Qualidade, caráter ou sentimento de italianófobo. [Antôn.: *italianofilia.*]

italianófobo. [De *italiano* + *-fobo.*] *Adj.* e *s. m.* **1.** Inimigo da Itália. **2.** Que, ou aquele que é contra os italianos e seus costumes. [Antôn.: *italianófilo.*]

itálico. [Do gr. *italikós*, pelo lat. *italicu.*] *Adj.* **1.** Italiano (1). **2.** Relativo ou pertencente à itália antiga. **3.** *Art. Gráf.* Diz-se do tipo de realce inclinado para a direita, cujo primeiro desenho foi calcado na letra chanceleresca cursiva; grifo. **4.** *Hist. Filos.* Pertencente ou relativo aos itálicos [V. *itálico* (9)], ou às suas doutrinas. **5.** *Restr.* Pitagórico (1). **6.** *Ling.* Pertencente ou relativo ao itálico (11). ~ V. *escola —a, e letra —a.* ● *S. m.* **7.** *Art. Gráf.* Tipo itálico (3); grifo, letra grifa, letra itálica. **8.** *P. ext.* Qualquer tipo de talhe inclinado representativo de variante que, para fins de realce, habitualmente acompanha uma fonte de desenho vertical; grifo. **9.** *Hist. Filos.* Segundo o historiador grego Diógenes Laércio (séc. III), cada um dos pensadores que desenvolveram sua atividade filosófica na Magna Grécia: Ferécides, os pitagóricos, Xenófanes, os eleatas, os atomistas e os epicuristas. [Opõe-se a *jônico* (q. v.).] **10.** *Restr.* Pitagórico (3). **11.** *Ling.* Grupo de idiomas indo-europeus falados outrora na Península Itálica, e que se divide em dois subgrupos: **a)** o osco-úmbrio, que compreende o osco (língua dos antigos samnitas), o sabélico (grupo de dialetos quase desconhecidos falados entre Sâmnio e a Umbria) e o úmbrio (o mais setentrional dos dialetos itálicos e o mais conhecido); **b)** o latino, representado principalmente pelo latim (o dialeto de Roma), que mais tarde veio a tornar-se língua nacional.

italiota. [Do gr. *italiótes*, pelo lat. *italiota.*] *S. 2 g.* **1.** Indivíduo dos italiotas, designação comum às populações primitivas da Itália central: latinos, úmbrios, samnitas, etc. ● *Adj. 2 g.* **2.** Pertencente ou relativo aos italiotas.

ítalo. [Do gr. *italós*, pelo lat. *italu.*] *Adj.* **1.** Relativo à Itália. **2.** Italiano, romano, latino. ● *S. m.* **3.** Habitante da Itália.

▲**ítalo-.** [De *ítalo.*] *El. comp.* = *ítalo-brasileiro.*

ítalo-brasileiro. *Adj.* **1.** Relativo ou pertencente à Itália e ao Brasil, a italianos e brasileiros: "A tão celebrada harmonia ítalo-brasileira já tem passado pedaços desagradáveis" (Antônio de Alcântara Machado, *Cavaquinho e Saxofone*, p. 79). **2.** Que tem ascendentes desses dois povos. ● *S. m.* **3.** Aquele que tem ascendentes italianos e brasileiros. [Flex.: *ítalo-brasileira, ítalo-brasileiros, ítalo-brasileiras.*]

italófono. [De *ítalo-* + *-fono.*] *Adj.* e *s. m.* Diz-se de, ou indivíduo que fala o italiano.

italvense. *Adj. 2 g.* **1.** De, ou pertencente ou relativo a Italva (RJ). ● *S. 2 g.* **2.** Natural ou habitante de Italva.

itamaca. *S. f. Bras.* Rede (2) usada por indígenas do alto Amazonas.

itamaracaense. *Adj. 2 g.* **1.** De, ou pertencente ou relativo a Itamaracá (PE). ● *S. 2 g.* **2.** Natural ou habitante de Itamaracá.

itamarandibano. *Adj.* **1.** De, ou pertencente ou relativo a Itamarandiba (MG). ● *S. m.* **2.** O natural ou habitante de Itamarandiba.

itambacuriense. *Adj. 2 g.* **1.** De, ou pertencente ou relativo a Itambacuri (MG). ● *S. 2 g.* **2.** Natural ou habitante de Itambacuri.

itambaracaense. *Adj. 2 g.* **1.** De, ou pertencente ou relativo a Itambaracá (PR). ● *S. 2 g.* **2.** Natural ou habitante de Itambaracá.

itambé. *S. m. Bras., S.* e *MT.* V. *itaimbé.*

itambeense (eên). *Adj. 2 g.* **1.** De, ou pertencente ou relativo a Itambé (BA). ● *S. 2 g.* **2.** Natural ou habitante de Itambé.

itamojiense. *Adj. 2 g.* **1.** De, ou pertencente ou relativo a Itamoji (MG). ● *S. 2 g.* **2.** Natural ou habitante de Itamoji.

itamontense. *Adj. 2 g.* **1.** De, ou pertencente ou relativo a Itamonte (MG). ● *S. 2 g.* **2.** Natural ou habitante de Itamonte.

itangá. *Bras. Adj. 2 g.* e *s. 2 g.* Ramarama.

itanhanduense. *Adj. 2 g.* **1.** De, ou pertencente ou relativo a Itanhandu (MG). ● *S. 2 g.* **2.** Natural ou habitante de Itanhandu.

itanhaense. *Adj. 2 g.* **1.** De, ou pertencente ou relativo a Itanhaém (SP). ● *S. 2 g.* **2.** Natural ou habitante de Itanhaém.

itanhomiense. *Adj. 2 g.* **1.** De, ou pertencente ou relativo a Itanhomi (MG). ● *S. 2 g.* **2.** Natural ou habitante de Itanhomi.

itaoca. [Do tupi *ita'oka*, 'casa de pedra'.] *S. f. Bras.* Caverna, furna, lapa.

itaocarense. *Adj. 2 g.* **1.** De, ou pertencente ou relativo a Itaocara (RJ). ● *S. 2 g.* **2.** Natural ou habitante de Itaocara.

itapacino. *Adj.* **1.** De, ou pertencente ou relativo a Itapaci (GO). ● *S. m.* **2.** O natural ou habitante de Itapaci.

itapagipense. *Adj. 2 g.* **1.** De, ou pertencente ou relativo a Itapagipe (MG). ● *S. 2 g.* **2.** Natural ou habitante de Itapagipe.

itapanhoacanga. *S. f. Bras., MG.* V. *canga*[3].

itaparicano. *Adj.* **1.** Da, ou pertencente ou relativo à ilha de Itaparica (BA). ● *S. m.* **2.** O natural ou habitante de Itaparica.

itapeba. [Do tupi *ita'pewa*, 'pedra chata'.] *S. f. Bras., N.* Recife de pedra que corre paralelamente à margem de rio. [Var.: *itapeva.*]

itapecerica. [Do tupi *i'tá*, 'pedra', + *pé*, abrev. de *pewa*, 'chata', + *si'rika*, ger. de *si'rig*, 'deslizar'; 'laje escorregadia'.] *S. f. Bras., S.* Monte granítico, de encostas lisas e escorregadias.

itapecericano[1]. *Adj.* **1.** De, ou pertencente ou relativo a Itapecerica (MG). ● *S. m.* **2.** O natural ou habitante de Itapecerica.

itapecericano[2]. *Adj.* **1.** De, ou pertencente ou relativo a Itapecerica da Serra (SP). ● *S. m.* **2.** O natural ou habitante de Itapecerica da Serra.

itapecuim (u-ím). *S. m. Bras.* V. *cupim* (2).

itapecuruense. *Adj. 2 g.* **1.** De, ou pertencente ou relativo a Itapecurumirim (MA). ● *S. 2 g.* **2.** Natural ou habitante de Itapecurumirim. [Cf. *itapicuruense.*]

itapema. [De *tapema*, com *i* protético.] *S. f. Bras., AM.* V. *gavião-tesoura.*

itapemirinense. *Adj. 2 g.* **1.** De, ou pertencente ou relativo a Itapemirim (ES). ● *S. 2 g.* **2.** Natural ou habitante de Itapemirim.

itaperunense. *Adj. 2 g.* **1.** De, ou pertencente ou relativo a Itaperuna (RJ). ● *S. 2 g.* **2.** Natural ou habitante de Itaperuna.

itapetinense. *Adj. 2 g.* **1.** De, ou pertencente ou relativo a Itapetim (PE). ● *S. 2 g.* **2.** Natural ou habitante de Itapetim.

itapetinguense. *Adj. 2 g.* **1.** De, ou pertencente ou relativo a Itapetinga (BA). ● *S. 2 g.* **2.** Natural ou habitante de Itapetinga.

itapetiningano. *Adj.* **1.** De, ou pertencente ou relativo a Itapetininga (SP) ● *S. m.* **2.** O natural ou habitante de Itapetininga.

itapeuá. [Do tupi.] *S. m. Bras.* Arvoreta da família das mirtáceas (*Eugenia flavescens*), peculiar à caatinga baiana, de folhas ovado-acuminadas, coriáceas, flores pequenas, com quatro pétalas e muitos estames, e fruto bacáceo; marfim, mocuguê.

itapeva. *S. f. Bras., N.* Var. de *itapeba* [q. v.].

itapevense. *Adj. 2 g.* **1.** De, ou pertencente ou relativo a Itapeva (SP). ● *S. 2 g.* **2.** Natural ou habitante de Itapeva.

itapicuim (u-ím). [Do tupi *i'tá*, 'pedra' + *piku'i*, 'o tenro de dentro'.] *S. m. Bras., Amaz.* Cupim (1).

itapicuru. [Do tupi.] *S. m. Bras.* Grande árvore da família das leguminosas (*Goniohachis marginata*), que habita as florestas da BA e ES, de folhas com dois pares de folíolos coriáceos, cinco pétalas, com 1 cm de comprimento, e cujo fruto é um legume largo e coriáceo, sendo a madeira, roxa, excelente, usada para tacos e móveis.

itapicuruense. *Adj. 2 g.* **1.** De, ou pertencente ou relativo a Itapicuru (BA). ● *S. 2 g.* **2.** Natural ou habitante de Itapicuru. [Cf. *itapecuruense.*]

itapipoquense. *Adj. 2 g.* **1.** De, ou pertencente ou relativo a Itapipoca (CE). ● *S. 2 g.* **2.** Natural ou habitante de Itapipoca.

itapiranga. [Do tupi *itapi'rãga.*] *S. m. Bras., SP.* Designação comum às conchas róseas.

itapiranguense. *Adj. 2 g.* **1.** De, ou pertencente ou relativo a Itapiranga (AM). ● *S. 2 g.* **2.** Natural ou habitante de Itapiranga.

itapirense. *Adj. 2 g.* **1.** De, ou pertencente ou relativo a Itapira (SP). ● *S. 2 g.* **2.** Natural ou habitante de Itapira.

itapiri. *S. m. Bras., Amaz.* Var. protética de *tapiri* [q. v.].

itapiúna. [Do tupi.] *S. f. Bras.* Árvore da família das voquisiáceas (*Callisthene major*), comum nos cerrados e matas secas do Brasil, de boa madeira, folhas pequenas e aproximadas, pequenas flores com uma única pétala, e fruto capsular.

itapolino. *Adj.* **1.** De, ou pertencente ou relativo a Itápolis (SP). ● *S. m.* **2.** O natural ou habitante de Itápolis.

itaporanense. *Adj. 2 g.* **1.** De, ou pertencente ou relativo a Itaporã (MS). ● *S. 2 g.* **2.** Natural ou habitante de Itaporã.

itaporanguense[1]. *Adj. 2 g.* **1.** De, ou pertencente ou relativo a Itaporanga (PB e SP). ● *S. 2 g.* **2.** Natural ou habitante de Itaporanga. [Cf. *itapuranguense.*]

itaporanguense[2]. *Adj. 2 g.* **1.** De, ou pertencente ou relativo a Itaporanga d'Ajuda (SE). ● *S. 2 g.* **2.** Natural ou habitante de Itaporanga d'Ajuda. [Cf. *itapuranguense.*]

itapu. [Var. de *atapu.*] *S. m. Bras., BA.* V. *búzio* (1).

itapuá. [Do tupi *itapu'ã.*] *S. m. Bras., AM.* Arpão curto, com ponta de ferro, usado na pesca da tartaruga, do pirarucu, etc. [Var. pros.: *itapuã.*]

itapuã. *S. m. Bras. AM.* Var. pros. de *itapuá* [q. v.].

itapuiense (u-i). *Adj. 2 g.* **1.** De, ou pertencente ou relativo a Itapuí (SP). ● *S. 2 g.* **2.** Natural ou habitante de Itapuí.

itapuranguense. *Adj. 2 g.* **1.** De, ou pertencente ou relativo a Itapuranga (GO). ● *S. 2 g.* **2.** Natural ou habitante de Itapuranga. [Cf. *itaporanguense.*]

itaquaquecetubano. *Adj.* **1.** De, ou pertencente ou relativo a Itaquaquecetuba (SP). ● *S. m.* **2.** O natural ou habitante de Itaquaquecetuba.

itaquarense. *Adj. 2 g.* **1.** De, ou pertencente ou relativo a Itaquara (BA). ● *S. 2 g.* **2.** Natural ou habitante de Itaquara.

itaquatiara. [Do tupi *i'tá kwati'ara*, 'pedra riscada'.] *S. f. Bras., AM.* Inscrição de rochedos e paredes de caverna; inscrição rupestre.

itaquatiarense. *Adj. 2 g.* **1.** De, ou pertencente ou relativo a Itaquatiara (AM). ● *S. 2 g.* **2.** Natural ou habitante de Itaquatiara.

itaquiense. *Adj. 2 g.* **1.** De, ou pertencente ou relativo a Itaqui (RS). ● *S. 2 g.* **2.** Natural ou habitante de Itaqui.

▲**-itar.** [Do lat. *-(i)tare.*] *Suf. verb.* = 'ação freqüentativa, diminutiva': *saltitar* (< lat. *saltitare*).

itararé. [Do tupi *i'tá rá ré*, 'pedra escavada'.] *S. m. Bras., S.* Curso subterrâneo das águas dum rio através de rochas calcárias. [Sin., na BA, MG e GO: *sumidouro.* Cf. *grunado.*]

itarareense (eên). *Adj. 2 g.* **1.** De, ou pertencente ou relativo a Itararé (SP). ● *S. 2 g.* **2.** Natural ou habitante de Itararé.

itaririense. *Adj. 2 g.* **1.** De, ou pertencente ou relativo a Itariri (SP). ● *S. 2 g.* **2.** Natural ou habitante de Itariri.

itarumense. *Adj. 2 g.* **1.** De, ou pertencente ou relativo a Itarumã (GO). ● *S. 2 g.* **2.** Natural ou habitante de Itarumã.

itatibano. *Adj.* e *s. m.* Itatibense.

itatibense. *Adj. 2 g.* **1.** De, ou pertencente ou relativo a Itatiba (SP). ● *S. 2 g.* **2.** Natural ou habitante de Itatiba. [Sin. ger.: *itatibano.*]

itatinguense. *Adj. 2 g.* **1.** De, ou pertencente ou relativo a Itatinga (SP). ● *S. 2 g.* **2.** Natural ou habitante de Itatinga.

itatirense. *Adj. 2 g.* **1.** De, ou pertencente ou relativo a Itatira (CE). ● *S. 2 g.* **2.** Natural ou habitante de Itatira.

itatubano. Adj. **1.** De, ou pertencente ou relativo a Itatuba (PB). ● *S. m.* **2.** O natural ou habitante de Itatuba.

itauá. [Var. de *ituá* < tupi *itu'á.*] *S. m. Bras.* Planta gimnosperma da família das gnetáceas (*Gnetum nodiflorum*): ituá.

itauaçu. *S. m. Bras., Amaz.* V. *uaçu.*

itaúba. [Do tupi *i'tá ïwa*, 'pedra-árvore'.] *S. f. Bras.* Árvore de família das lauráceas (*Mezilaurus itauba*), da Amaz., e MT, de folhas espessas e obovado-oblongas, flores insignificantes, e cujos frutos são bagas negras, sendo a madeira, amarela, das mais resistentes, usada sobretudo em construção naval; itaúba-vermelha.

itaúba-vermelha. *S. f.* Itaúba. [Pl.: *itaúbas-vermelhas.*]

itaubarana (a-u). [De *itaúba* + *-rana.*] *S. f. Bras.* Arvoreta da família das leguminosas (*Sweetia nitens*), da Amaz., de flores pequenas e racemosas, madeira dura, mas escassa, e cujas folhas têm sete a nove folíolos, oblongos e coriáceos, sendo o fruto um legume grosso.

itauense (u-a). *Adj. 2 g.* **1.** De, ou pertencente ou relativo a Itaú (RN). ● *S. 2 g.* **2.** Natural ou habitante de Itaú.

itauçuense (a-u). *Adj. 2 g.* **1.** De, ou pertencente ou relativo a Itauçu (GO). ● *S. 2 g.* **2.** Natural ou habitante de Itauçu.

itaueirense. *Adj. 2 g.* **1.** De, ou pertencente ou relativo a Itaueira (PI). ● *S. 2 g.* **2.** Natural ou habitante de Itaueira.

itaúna. [Do tupi *i'tá una*, 'pedra preta'.] *S. f. Bras.* Designação comum a várias rochas negras, como o basalto, o diabásio, o diorito, etc.

itaunense (a-u). *Adj. 2 g.* **1.** De, ou pertencente ou relativo a Itaúna (MG). ● *S. 2 g.* **2.** Natural ou habitante de Itaúna.

▲**-ite**[1]. [Do gr. *ítis*, atr. do lat. *-ite.*] *Suf.* designativo de doença inflamatória do órgão, tecido, etc., a que se refere o radical: *adenite, amigdalite, bronquite.*

▲**-ite**[2]. [Do gr. *-ites.*] *Suf.* us. na formação de termos de mineralogia: *dendrite.* [Equiv.: *-ita*[3] e *-ito*[2]. pirita, arenito.]

ité. [Do tupi *i té*, 'diferente, diverso'; 'feio, repelente'.] *Adj. 2 g. Bras., SP.* Sem gosto; insípido.

item. [Do lat. *item.*] *Adv.* **1.** Da mesma forma; também. [Us. em contas e numerações.] ● *S. m.* **2.** Cada um dos artigos ou incisos duma exposição escrita, dum regulamento, dum contrato, etc.

iteração. [Do lat. *iteratione.*] *S. f.* **1.** Ato de iterar; repetição. **2.** *Álg.* Processo de resolução de uma equação mediante uma seqüência de operações em que o objeto de cada uma é o resultado da que a precede.

iterado. [Part. de *iterar.*] *Adj.* Em que houve iteração; repetido.

iterar. [Do lat. *iterare.*] *V. t. d.* Tornar a fazer ou a dizer; repetir, reiterar.

iterativo. [Do lat. *iterativu.*] *Adj.* **1.** Que serve para iterar. **2.** Repetido, reiterado. ~ V. *verbo* —.

iterável. [Do lat. *iterabile.*] *Adj. 2 g.* Que pode ou deve ser iterado.

itérbio. [Do lat. científico *Ytterbium* < top. *Ytterby.*] *S. m. Quím.* Elemento de número atômico 70, pertencente aos lantanídeos. [Símb.: *Yb.*]

➧**iter criminis** (íter críminiç). [Lat., 'caminho do crime'.] *Jur.* O conjunto dos atos preparatórios e executórios dum crime.

iterícia. *S. f. Patol.* V. *icterícia.*

itérico. *Adj.* e *s. m. Med.* Var. de *ictérico.*

itinerante. [Do lat. *itinerante.*] *Adj. 2 g.* **1.** Que viaja, que percorre itinerários. ~ V. *agricultura*—. ● *S. 2 g.* **2.** Pessoa itinerante.

itinerário. [Do lat. *itinerariu.*] *Adj.* **1.** Concernente ou relativo a caminhos. ● *S. m.* **2.** Descrição de viagem; roteiro. **3.** Caminho que se vai percorrer, ou se percorreu: *Qual o seu itinerário na França?* **4.** Caminho, trajeto, percurso: *Percorreu longo itinerário até chegar à alta posição atual.*

itinguense. *Adj. 2 g.* **1.** De, ou pertencente ou relativo a Itinga (MG). ● *S. 2 g.* **2.** Natural ou habitante de Itinga.

itiquirano. *Adj.* e *s. m.* Itiquirense.

itiquirense. *Adj. 2 g.* **1.** De, ou pertencente ou relativo a Itiquira (MT). ● *S. 2 g.* **2.** Natural ou habitante de Itiquira. [Sin. ger.: *itiquirano.*]

itirapinense. *Adj. 2 g.* **1.** De, ou pertencente ou relativo a Itirapina (SP). ● *S. 2 g.* **2.** Natural ou habitante de Itirapina.

itirapuanense. *Adj. 2 g.* **1.** De, ou pertencente ou relativo a Itirapuã (SP). ● *S. 2 g.* **2.** Natural ou habitante de Itirapuã.

itiruçuense. *Adj. 2 g.* **1.** De, ou pertencente ou relativo a Itiruçu (BA). ● *S. 2 g.* **2.** Natural ou habitante de Itiruçu.

itiubense (i-u). *Adj. 2 g.* **1.** De, ou pertencente ou relativo a Itiúba (BA). ● *S. 2 g.* **2** Natural ou habitante de Itiúba.

▲**-ito**[1]. [Do it. *-etto.*] *Suf. nom.* = 'diminuição': *pequenito.* [Equiv.: *-(z)ito: jardinzito.* Fem.: *-ita*[1], *-(z)ita: manita, florzita.*]

▲**-ito**[2]. *Suf.* designativo de rocha (3): *dolomito.* [Cf. *-ita*[3].]

▲**-ito**[3]. Equiv. de *-ato*[2].

itogapuque. *Bras. S. 2 g.* **1.** Indivíduo dos itogapuques, tribo indígena do rio Madeirinha, afluente esquerdo do rio Roosevelt, região do Tapajós-Madeira. ● *Adj. 2 g.* **2.** Pertencente ou relativo a essa tribo. [Sin. ger.: *ntogapi-*

de e *ntogapigue.*]

itomídeo. *S. m.* **1.** Espécime dos itomídeos. ● *Adj.* **2.** Pertencente ou relativo a eles.

itomídeos. *S. m. pl. Zool.* Família de insetos da ordem dos lepidópteros; borboletas de asas transparentes, nervuras levemente coloridas. As lagartas atacam a folha do manacá.

itororó. [Do tupi *ï toró'ró,* 'água sussurrante'.] *S. m. Bras., MT.* Pequena cachoeira ou salto.

itoupava. *S. f. Bras.* V. *itupava.*

itria. *S. m. Quím.* Óxido de ítrio, pulverulento, cristalino, amarelado. [Fórm.: Y_2O_3.]

ítrio. [De *itérbio.*] *S. m. Quím.* Elemento de número atômico 39, metálico, branco-acinzentado, leve. [Símb. Y.]

itu. [Do tupi.] *S. m. Bras.* Árvore da família das leguminosas (*Dialium divaricatum*), de folhas com folíolos ovados e acuminados, flores minutas e paniculadas, frutos piriformes, com polpa edule, e madeira duríssima e pesada. Ocorre da Amaz. à BA.

ituá. *S. m. Bras.* Itauá [q. v.].

ituá-açu. [De *ituá* + *-açu.*] *S. m. Bras.* Planta da família das gnetáceas (*Gnetum urens*), de caule trepador amplas folhas coriáceas, flores de sexos separados, dispostas em espigas, e fruto capsular, cuja amêndoa é comestível depois de assada. Ocorre na floresta amazônica. [Pl.: *ituás-açus.*]

ituaçuense. *Adj 2 g.* **1.** De, ou pertencente ou relativo a Ituaçu (BA). ● *S. 2 g.* **2.** Natural ou habitante de Ituaçu.

ituano. *Adj.* **1.** De, ou pertencente ou relativo a Itu (SP). ● *S. m.* **2.** O natural ou habitante de Itu.

ituberaense. *Adj. 2 g.* **1.** De, ou pertencente ou relativo a Ituberá (BA). ● *S. 2 g.* **2.** Natural ou habitante de Ituberá.

▲-itude. Equiv. de *-idão.*

ituetense. *Adj. 2 g.* **1.** De, ou pertencente ou relativo a Itueta (MG). ● *S. 2 g.* **2.** Natural ou habitante de Itueta.

ituí. [Do tupi *itu'i.*] *S. m. Bras., Amaz.* V. *tuvira.*

ituiana. *Bras. S. 2 g.* **1.** Indivíduo dos ituianas, tribo indígena da região ainda inexplorada do rio Cotomuru (N. do PA). ● *Adj. 2 g.* **2.** Pertencente ou relativo a essa tribo.

ituí-cavalo. *S. m. Bras.* Peixe teleósteo, caraciforme, da família dos ginotídeos (*Apteronotus albifrons* (L.)), do AM e Paraguai, de coloração pardo-escura. É um dos maiores representantes da família. [Pl.: *ituís-cavalos* e *ituís-cavalo.*]

ituipinima (u-i). [Do tupi.] *S. m. Bras.* V. *carapó.*

ituí-terçado. *S. m. Bras., Amaz.* V. *carapó.* [Pl.: *ituís-terçados* e *ituís-terçado.*]

ituituí (ituí). [Do tupi *itui'tui.*] *S. m. Bras.* **1.** V. *maçarico* (4). **2.** V. *maçarico-de-coleira.*

ituiutabano (ui-u). *Adj.* **1.** De, ou pertencente ou relativo a Ituiutaba (MG). ● *S. m.* **2.** O natural ou habitante de Ituiutaba.

itumbiarense. *Adj. 2 g.* **1.** De, ou pertencente ou relativo a Itumbiara (GO). ● *S. 2 g.* **2.** Natural ou habitante de Itumbiara.

itupava. [De *itupeva* < tupi *itu pewa,* 'cachoeira chata', com infl. de *itaipava.*] *S. f. Bras., S.* Pequena queda d'água; itaipava, itoupava, itupeba, entaipaba.

itupeba. *S. f. Bras.* V. *itupava.*

itupeva. *S. f. Bras., S.* V. *itupava.*

itupiranguense. *Adj. 2 g.* **1.** De, ou pertencente ou relativo a Itupiranga (PA). ● *S. 2 g.* **2.** Natural ou habitante de Itupiranga.

ituramense. *Adj. 2 g.* **1.** De, ou pertencente ou relativo a Iturama (MG). ● *S. 2 g.* **2.** Natural ou habitante de Iturama.

ituveravense. *Adj. 2 g.* **1.** De, ou pertencente ou relativo a Ituverava (SP). ● *S. 2 g.* **2.** Natural ou habitante de Ituverava.

iuá. *S. f. Bras.* Ubá[1].

iualapiti (i-u). *Bras. S. 2 g.* **1.** Indivíduo dos iualapitis, tribo indígena que habita nas terras da margem esquerda do rio Culisevo, alto Xingu (MT). ● *Adj. 2 g.* **2.** Pertencente ou relativo a essa tribo.

iuane. *S. m.* Unidade monetária, e moeda, da China dividida em 100 sens.

iúca. [Do taino *Jucca.*] *S. f.* **1.** Gênero de liliáceas ornamentais originárias da América. **2.** V. *agave* (1).

iuçá (i-u). [Do tupi *yu'hab,* part. de *u,* 'comer'.] *S. m. Bras.* **1.** V. *prurido* (1). **2.** V. *coceira.*

iuçara (i-u). [Do tupi; v. *juçara.*] *S. f. Bras.* V. *açaí* (1).

iucatano (i-u). *Adj.* e *s. m.* V. *iucatego.*

iucatego (i-u). [Do esp. *yucatego.*] *Adj.* **1.** Do ou pertencente ou relativo ao Iucatã (México). ● *S. m.* **2.** O natural ou habitante do Iucatã. [Sin.: *iucatano, iucateque.*]

iucateque (i-u). *Adj. 2 g.* e *s. 2 g.* V. *iucatego.*

iugoslavo (i-u). [Do servo-croata *jusgoslav,* 'eslavo do sul'.] *Adj.* **1.** Da, ou pertencente ou relativo à Iugoslávia (Europa); jugoslavo. ● *S. m.* **2.** O natural ou habitante da Iugoslávia; jugoslavo.

iuiu. *S. m. Bras., GO.* V. *cuiú-cuiú.*

iunense (i-u). *Adj. 2 g.* **1.** De, ou pertencente ou relativo a Iúna (ES). ● *S. 2 g.* **2.** Natural ou habitante de Iúna.

iuquicé (i-u). [Do tupi.] *S. m.* Vinho feito com a polpa do fruto da bacabaçu [q. v.].

iurará (i-u). [Do tupi.] *S. f. Bras., Amaz.* V. *tartaruga-do-amazonas.*

iuraracangaçu (i-u). *S. f. Bras.* Cabeçuda (1).

iurta. [Do mongol *yurt,* atr. do russo *yurta* e do fr. *iourte.*] *S. f.* Espécie de tenda, de forma cilíndrica e cupular, utilizada pelos povos nômades das regiões árticas e da Ásia Central.

iurumi (i-u). [Do tupi.] *S. m. Bras.* V. *tamanduá-bandeira.*

iva. [Do gaul. *ivos,* pelo fr. *ive.*] *S. f.* Planta da família das labiadas, espécie de jenipi (*Ptarmica moschata,* ou *Ajuga iva*).

ivantiji. [De provável or. indígena.] *S. m. Bras.* V. açoita-cavalos (1).

▲-ível. Equiv. de *-ável.*

ivirapema. [Do tupi *ïbi rá pema,* 'pau trançado'.] *S. m. Bras.* V. *tacape.*

ivirapeme. *S. m. Bras.* V. *tacape:* "Durava esta festa pelo menos dois dias e de ordinário três. No primeiro atam ao pescoço do prisioneiro a maçarana, que é feita de algodão ou de embira, e pintam a maça, tangapema, como escrevem alguns, ou i v e r a p e m e como escrevem outros, com a qual deverá ser sacrificado." (Gonçalves Dias, *O Brasil e a Oceânia,* p. 131.)

ivitinga. [Do tupi.] *S. f.* **1.** V. *açoita-cavalos* (1). **2.** V. *tapeacuaçu.*

ivolandense. *Adj. 2 g.* **1.** De, ou pertencente ou relativo a Ivolândia (GO). ● *S. 2 g.* **2.** Natural ou habitante de Ivolândia.

ivuranhê. *S. m. Bras.* V. *buranhém* (1).

ixe. *Interj. Bras.* Exclamação irônica, ou de desprezo: "Que magreza é essa! .... I x e ! Você precisa tomar cuidado." (Coelho Neto, *Treva,* p. 81.)

▲ixo- (cs). [Do gr. *ixýs, ýos.*] *El. comp.* = 'lombo': *ixocifose, ixomielite.*

ixocifose (cs). [De *ixo-* + *cifose.*] *S. f. Patol.* Cifose lombar.

ixodídeo (cs). *S. m.* **1.** Espécime dos ixodídeos. ● *Adj.* **2.** Pertencente ou relativo a eles.

ixodídeos (cs). *S. m. pl. Zool.* Família de carrapatos hematófagos, da ordem dos acarinos. Parasitam a pele nas regiões mais vascularizadas. Ex.: o carrapato-estrela, parasito do boi, do cão, do cavalo e do próprio homem.

ixomielite (cs). [De *ixo-* + *mielite.*] *S. f. Patol.* Inflamação do segmento lombar da medula espinhal.

ixora (cs). [Do lat. científico *Ixora,* do sânscr. *Ishvara,* divindade hindu.] *S. f.* Designação comum aos arbustos ornamentais do gênero *Ixora,* da família das rubiáceas, de flores pequenas, brancas ou vermelhas, reunidas em inflorescências maciças.

▲-izar. [Do lat. *-(i)zare.*] *Suf. verb.* = 'ação factitiva': *realizar, fertilizar.*

J

j. *S. m.* **1.** A 10ª letra do nosso alfabeto. Representa a consoante fricativa palatoalveolar sonora [3]: *já, lajedo.* [V. *alfabeto fonético internacional.*] **2.** *Fís.* Símb. de *joule.* [Com maiúscula, nesta acepç.] ● Num. **3.** O 10º em uma série indicada pelas letras do alfabeto: *casa J* (ou *casa j*). **4.** A 10ª, num grupo de séries: *série J* (ou *série j*).

já. [Do lat. *jam.*] *Adv.* **1.** Neste momento; agora: *Já chegam os convivas, já principia a festa;* "Anoiteceu. O passarinho já não canta." (Carlos Lacerda, *A Casa do Meu Avô*, p. 13). **2.** Sem demora, sem detença; agora mesmo; logo, imediatamente: "Aqui vos trago provisões: tomai-as, / As vossas forças restaurai perdidas, / E a caminho, e já!" (Gonçalves Dias, *Obras Poéticas*, II, p. 27.) **3.** Nesse tempo; então. **4.** Em algum ou qualquer tempo passado: "Já viste, minha Marília, / avezinhas que não façam / os seus ninhos no verão?" (Tomás Antônio Gonzaga, *Marília de Dirceu*, p. 19.) **5.** Antecipadamente; de antemão: *Espero que, ao chegar, já me aches pronto.* **6.** Em todo caso; até mesmo; até: *Não creio que isto seja verdade, porém já admito que seja.* ● *Conj.* **7.** Ora: "Já raivosa, já em mavioso soluçar, contou Teodora o que ouvira ao mestre-escola." (Camilo Castelo Branco, *A Queda dum Anjo*, p. 230.) ◆ **Já, já.** Logo, logo: *Quero que você vá já, já.* **Já que.** Visto que; uma vez que; dado que: "As três graças atenienses têm nomes amáveis, já que, na Grécia, tudo é jovem e jucundo" (Martins Fontes, *A Dança*, p. 12); "já que aqui está, / Não nos recuse a honra que dará à nossa mesa..." (Domingos. Carvalho da Silva, *Liberdade embora tarde*, p. 22). **De já hoje.** Desde muito. **Desde já.** Desde este momento; a partir de agora: *Desde já lhe agradecemos tudo o que fizer por nós.*

jabá. [De provável or. tupi.] *Bras. S. m.* e *f.* V. *charque*: " — O que é que vocês têm pra comer hoje? Farofa com jabá?" (Amando Fontes, *Os Corumbas*, p. 106); "Quem sustenta a casa, compra a farinha, o feijão, o jabá, ... é ela, Filipa" (Jorge Amado, *Teresa Batista Cansada de Guerra*, p. 68); "Há dias já que o zunzunzum cresce a bordo pela constância da jabá à mesa, sob todas as formas" (Lauro Palhano, *O Gororoba*, p. 184).

jabaana. *Bras. S. 2 g.* **1.** Indivíduo dos jabaanas, tribo indígena aruaque do rio Marauia, afluente esquerdo do rio Negro. ● *Adj. 2 g.* **2.** Pertencente ou relativo a essa tribo.

jabaculê. *S. m. Bras. Gír.* **1.** V. *gorjeta* (2). **2.** V. *dinheiro* (3).

jabara. *S. f. Bras.* V. *jaribara.*

jabarandaia. [Do tupi, decerto.] *S. f. Bras., GO.* V. *mandachuva.*

jabebiretê. [Do tupi *yabe'bir*, 'arraia', + *e'tê*, 'verdadeira'.] *S. f. Bras.* Raia-lixa.

jabiraca. *S. f. Bras.* **1.** *bruxa* (2). *Bras., N.E.* Roupa velha e/ou malfeita.

jabiru. *S. m. Bras.* **1.** V. *jaburu.* **2.** V. *tuiuiú.*

jabô. [Do fr. *jabot.*] *S. m.* Espécie de gravata larga feita de um ou mais babados superpostos, usada atualmente sobretudo na moda feminina.

jaboatãoense. *Adj. 2 g.* **1.** De, ou pertencente ou relativo a Jaboatão (PE). ● *S. 2 g.* **2.** Natural ou habitante de Jaboatão.

jaborandi. [Do tupi *yaborã'di.*] *S. m. Bras.* **1.** Arbusto da família das rutáceas (*Pilocarpus jarborandi* e outras espécies), de flores minutas ordenadas em racemos espiciformes, fruto capsular, e de cujas folhas, providas de glândulas translúcidas, se extrai a pilocarpina. **2.** Arbusto da família das piperáceas (*Othonia corcovadensis*), de flores inconspícuas, em racemos alongados, e cujas folhas, oblongas, agudas, exercem, quando mascadas, certo efeito anestésico sobre a mucosa bucal. **3.** V. *bétis.*

jaborandi-do-mato. *S. m. Bras.* V. *aperta-ruão* (2). [Pl.: *jaborandis-do-mato.*]

jaborandi-do-rio. *S. m. Bras.* V. *fruto-de-morcego.* [Pl.: *jaborandis-do-rio.*]

jaborandiense. *Adj. 2 g.* **1.** De, ou pertencente ou relativo a Jaborandi (SP). ● *S. 2 g.* **2.** Natural ou habitante de Jaborandi..

jabota. *S. f. Bras.* A fêmea do jabuti[1] (1).

jaboti. *S. m. Bras.* V. *jabuti.*

jaboticaba. *S. f. Bras.* V. *jabuticaba.*

jabre. *S. m. Bras., CE. Gír.* Grande rombo ou buraco.

jaburu. [Var. de *jabiru* < tupi *yabi'ru.*] *S. m. Bras.* **1.** Designação comum às aves ciconiformes, de grande porte, da família dos ciconídeos, gêneros *Mycteria* L. e *Jabiru* Hell, as quais freqüentam grandes rios ou lagoas, preferindo os pantanais, se alimentam de peixes e outros animais aquáticos, vivem em bandos, e constroem ninhos coletivos; jabiru, tapucaja. **2.** V. *tuiuiú.* **3.** Pessoa esquisita, desajeitada, mal-amanhada, feiosa. **4.** Pequena roleta cujos números têm figuras de bichos: "Vemos jogos de toda a natureza, inclusive uma versão americana e estilizada do nosso jaburu. Roletas da mais variada espécie." (Érico Veríssimo, *A Volta do Gato Preto*, p. 38.)

jaburu-moleque. *S. m. Bras.* Ave ciconiforme, da família dos ciconídeos (*Mycteria americana* L.), das zonas temperadas e tropicais das duas Américas, de coloração branca, rêmiges e cauda pretas, pele da cabeça e do pescoço nua, cinzento-enegrecida; passarão, cabeça-seca, trepa-moleque, cabeça-de-pedra. [Pl.: *jaburus-moleques.*]

jabutá. [Do tupi.] *S. m. Bras.* **1.** Trepadeira da família das cucurbitáceas (*Anisosperma passiflora*), nativa no RJ e SP, de folhas íntegras, membranáceas, ovadas, acuminadas e trinérveas, flores unissexuais, minutas e racemosas, gavinhas filiformes, e cujo fruto, ovóide, carnoso, com até 15 cm de comprimento, contém sementes de uns 4 cm de largura e levemente aladas. **2.** V. *andiroba* (2).

jabutapitá. *S. m. Bras.* Batiputá [q. v.].

jabuti[1]. [Do tupi *yabu'ti.*] *S. m.* **1.** *Bras.* Reptil da ordem dos quelônios, da família dos testudinídeos (*Testudo tabulata* Spix.), comum nas matas brasileiras, desde a Amaz. ao ES, MG e MT. Tem carapaça alta, provida de escudos poligonais, de centro amarelo e com desenhos em relevo, cabeça retrátil, coberta por escudos amarelos, e quelhos; comprimento: até 70 cm. Alimenta-se de frutos em geral. A fêmea, chamada *jabota*, é maior que o macho, chamado *carumbé* ou *jabuti-carumbé*, tendendo ao avermelhado, e com plastrão convexo, e não côncavo como no macho; alimenta-se de frutos em geral. [Sin.: *jabutipiranga, jabutitinga.*] **2.** *Bras.* Árvore da família das voquisiáceas (*Erisma calcaratum*), **3.** *Bras., N.* e *N.E.* Engenho rudimentar para descaroçamento de algodão. [Var.: *jabutim.*]

jabuti[2]. *Bras. S. 2 g.* **1.** Indivíduo dos jabutis, tribo indígena das cabeceiras do rio Branco, afluente da margem direita do Guaporé (RO). ● *Adj. 2 g.* **2.** Pertencente ou relativo a essa tribo.

jabutia. [Do tupi.] *S. f. Bras.* Variedade de ipê.

jabuti-aperema. *S. m. Bras., Amaz.* V. *aperema.* [Pl.: *jabutis-aperemas* e *jabutis-aperema.*]

jabutiba. [Do tupi]. *S. f. Bras.* Certa árvore da flora paulista.

jabutibóia. [De *jabuti* + tupi *mbói*, 'cobra'.] *S. f. Bras.* Reptil ofídio, da família dos colubrídeos (*Leimadophis reginae* (L.)), da região tropical, de L. a O. do País, de coloração olivácea ou esverdeada na região superior, geralmente com escamas marginadas de negro, formando um esquema reticular, e cauda com faixa escura de cada lado, lábio superior amarelo, e abdome amarelado com pontos escuros; boipeba, goipeba.

jabuticaba. [Do tupi *ïapoti'kaba*, 'frutas em botão'.] *S. f. Bras.* O fruto da jabuticabeira. [Sin. pop. (em SP): *fruita.*]

jabuticaba-de-cipó. *S. f. Bras.* V. *abutua-grande* (1). [Pl.: *jabuticabas-de-cipó.*]

jabuticabal. *S. m. Bras.* Quantidade mais ou menos considerável de jabuticabeiras dispostas proximamente entre si.

jabuticabalense. *Adj. 2 g.* **1.** De, ou pertencente ou relativo a Jabuticabal (SP). ● *S. 2 g.* **2.** Natural ou habitante de Jabuticabal.

jabuticabeira. *S. f. Bras.* Árvore da família das mirtáceas (*Myrciaria cauliflora*), nativa e muito cultivada, de flores alvas e com muitos estames, folhas pequenas, com glândulas translúcidas, e sobre cujo tronco, liso, aparecem os frutos, deliciosas bagas suculentas.

jabuticabeira-branca. *S. f. Bras.* Arbusto ou arvoreta ornamental, da família das mirtáceas (*Gomidesia reticulata*), cultivada em parques, de folhas oblongas e agudas, flores pequenas e cimosas, e bagas alvacentas e ovadas; jabuticabeira-peluda. [Pl.: *jabuticabeiras-brancas.*]

jabuticabeira-do-mato. S. f. Bras. Árvore da família das mirtáceas (*Myrciaria jaboticaba*), muito semelhante à jabuticabeira. [Pl.: *jabuticabeiras-do-mato.*]

jabuticabeira-peluda. *S. f. Bras.* Jabuticabeira-branca. [Pl.: *jabuticabeiras-peludas.*]

jabuti-carumbé. *S. m., Bras. Amaz.* V. *Carumbé* (2).

jabuticatubense. *Adj. 2 g.* **1.** De, ou pertencente ou relativo a Jabuticatubas (MG). ● *S. 2 g.* **2.** Natural ou habitante de Jabuticatubas.

jabutiense. *Adj. 2 g.* **1.** De, ou pertencente ou relativo a Jabuti (PR). ● *S. 2 g.* **2.** Natural ou habitante do Jabuti

jabutifede. *Bras. S. 2 g.* **1.** Indivíduo dos jabutifedes, tribo indígena que habita entre os igarapés Cacoal e Riozinho, afluente do Jiparaná (RO). ● *Adj. 2 g.* **2.** Pertencente ou relativo a essa tribo.

jabutim. *S. m. Bras.* Var. de *jabuti[1].*

jabuti-machado. *S. m. Bras.* Reptil da ordem dos quelônios, da família dos quelídeos (*Platemys platyce-*

phala Schw), que ocorre na Amaz., de coloração parda com mancha preta quadrangular na região distal da carapaça, lado superior do pescoço provido de tubérculos grandes e agudos, e comprimento de até 30 cm. Vive em regiões alagadiças e lagoas. [Sin.: *machadinha.* Pl.: *jabutis-machados* e *jabutis-machado.*]

jabutipé. [Do tupi?] *S. m. Bras.* Árvore cuja madeira é utilizada em construções.

jabutipiranga. *S. m. Bras.* V. *jabuti.*

jabutitinga. *S. m. Bras.* V. *jabuti.*

jaca[1]. [Do malaiala *chakha.*] *S. f.* **1.** O fruto da jaqueira (1). **2.** *Bras.* V. *cartola* (2). **3.** *Bras. Gír.* Tolerância nos exames escolares; jaqueira. [Cf. *bica* (4).] **4.** *Bras., AL.* V. *bunda*[1] (1). ♦ **Cortar jaca.** *Bras., PE.* e *AL. Gír.* Adular, lisonjear, bajular.

jaca[2]. *S. m.* Chefe superior de várias tribos africanas: régulo de régulos.

jacá. [Do tupi *aya'ka.*] *S. m. Bras.* Espécie de cesto feito de taquara ou de cipó, e de forma variável, para conduzir carga, em geral de comestíveis, às costas de animais: "berços de cipó e balaios de taquara; j a c á s sem fundo" (Euclides da Cunha, *Os Sertões,* p. 581).

jaça[1]. *S. f.* **1.** Substância heterogênea em pedra preciosa: "o preconcebido desejo de encontrar muitas j a ç a s nos diamantes, muita areia no ouro" (Olavo Bilac, *Últimas Conferências e Discursos,* p. 10). **2.** *Fig.* Mancha, falha: *caráter sem j a ç a .*

jaça[2]. [Do lat. *jacere,* 'jazer'.] *S. f. Chulo.* **1.** Prisão, calabouço. **2.** Cama (1).

jacaçu. [Do tupi, decerto.] *S. m. Bras.* V. *pomba-trocaz.*

jaca-de-pobre. *S. f. Bras.* V. *biribá-verdadeiro.* [Pl.: *jacas-de-pobre.*]

jaca-do-pará. *S. f. Bras.* Árvore da família das anonáceas (*Annona muricata*), muito cultivada na Amaz., de flores grandes, grossas, trímeras, com muitos estames e pistilos, folhas amplas, coriáceas e agudas, e deliciosos frutos bacáceos. [Pl.: *jacas-do-pará.*]

jacaió. [Do tupi, decerto.] *S. m. Bras.* V. *ariramba-da-mata-virgem.*

jacama. *S. f. Bras., N.* V. *coração-de-boi.*

jacamacira. [Do tupi *yakama'siri.*] *S. m. Bras.* V. *bico de-agulha.*

jacamaici. [Do tupi.] *S. m. Bras.* V. *ariramba-da-mata-virgem.*

jacamar. [Do tupi?] *S. m. Bras.* V. *ariramba-da-mata-virgem.*

jacamarici. [Do tupi.] *S. m. Bras.* V. *ariramba-da-mata-virgem.*

jacami. *S. m. Bras.* Jacamim [q. v.].

jacamim. [Var. nasalada de *jacami* < tupi *yaka'mi.*] *S. m. Bras.* **1.** Árvore da família das apocináceas (*Aspidosperma inundatum*), nativa na floresta inundável da Amaz., de folhas agregadas na ponta dos ramos, oblongas e acuminadas, flores dispostas em curtas cimeiras, tomentosas e tubulosas, e cujo fruto é um amplo folículo lenhoso, sendo a madeira compacta, dura, lisa e amarela. **2.** Designação comum a várias aves gruiformes, da família dos psofídeos, gênero *Psophia* L. da região Amaz., cujas penas da cabeça são curtas e eretas. Das sete espécies descritas para o gênero, seis ocorrem no Brasil. Adaptam-se muito bem ao cativeiro, tornando-se autênticos vigias de terreiro ou de habitações de caboclos.

jacamim-copejuba (pè). *S. m. Bras. Amaz.* Ave gruiforme, da família dos psofídeos (*Psophia leucopter ochroptera* Pelz.), da região setentrional da Amaz., de coloração preta, dorso lavado de pardo, rêmiges do braço e parte interior das coberteiras da asa superior ocráceos. Vive na mata virgem, e alimenta-se de frutas, sementes e pequenos animais. [Pl.: *jacamins-copejubas* e *jacamins-copejuba.*]

jacamim-copetinga (pè). *S. m. Bras.* Jacamim-de-costas-brancas. [Pl.: *jacamins-copetingas* e *jacamins-copetinga.*]

jacamim-de-costas-brancas. *S. m. Bras.* Ave gruiforme, da família dos psofídeos (*Psophia leucoptera* Spix.), da margem direita do rio Solimões e margem esquerda do Madeira, de coloração preta, dorso pardacento, coberteiras das asas e peito anterior com brilho metálico verde-azulado, rêmiges do braço e parte das coberteiras superiores da asa brancas. Alimentam-se de frutas, sementes, insetos e vegetais. [Sin.: *jacamim-copetinga.* Pl.: *jacamins-de-costas-brancas.*]

jacamim-de-costas-escuras. *S. m. Bras.* Ave gruiforme, da família dos psofídeos (*Psophia viridis obscura* Pelz.), da margem direita do baixo Amazonas, de coloração preta, com o alto do dorso, coberteiras superiores das asas e rêmiges do braço pardo-escuras com brilho esverdeado, e tarso escuro. [Sin.: *jacamim-preto, jacamim-una, jacamim-de-costas-pretas.* Pl.: *jacamins-de-costas-escuras.*]

jacamim-de-costas-pretas. *S. m. Bras.* V. *jacamim-de-costas-escuras.* [Pl.: *jacamins-de-costas-pretas.*]

jacamim-preto. *S. m. Bras.* V. *jacamim-de-costas-escuras.* [Pl.: *jacamins-pretos.*]

jacamim-una. *S. m. Bras.* V. *jacamim-de-costas-escuras.* [Pl.: *jacamins-unas.*]

jacamincá. [De *jacamim* + tupi *caá,* 'planta, mato'.] *S. f. Bras.* Planta da família das comelináceas *commelina serrulata).*

jaçanã. [Do tupi *ñaha'nã.*] *S. f.* **1.** *Bras.* Ave caradriiforme, da família dos jacanídeos (*Jacana spinosa jacana* (L.)), distribuída por todo o País, de dorso vermelho-castanho vivo, uropígio e cauda mais escuros, rêmiges da mão verde-claras com pontas pretas, e cabeça, nuca e parte inferior pretas; nhaçanã, nhançanã, nhanjaçanã, piaçoca, piaçó, japiaçoca, japiaçó, cafezinho, marrequinha, ferrão. **2.** *Bras.* V. *vitória-régia.*

jacanarana. [Do tupi.] *S. f. Bras., MT.* V. *cururubóia.*

jacanídeo. *S. m.* **1.** Espécime dos jacanídeos. ● *Adj.* **2.** Pertencente ou relativo a eles. [Sin. ger.: *parrídeo.*]

jacanídeos. *S. m. pl. Zool.* Aves caradriiformes, da família *Parridae,* caracterizadas pelo bico alongado e fino (menos de 2 cm de largura na base), e pela unha do dedo posterior extraordinariamente alongada, permitindo-lhes caminhar sobre folhas de plantas aquáticas. Alimentam-se de vermes e artrópodes. São as piaçocas e jaçanãs. [Sin.: *parrídeos.*]

jacapá. [Do tupi *jaka'pa.*] *S. m. Bras. V. pipira* (1).

jacapani. *S. m. Bras., Amaz.* V. *japacanim* (2).

jacapanim. *S. m. Bras., Amaz.* V. *japacanim* (2).

jacapé. [Do tupi.] *S. m. Bras.* Erva da família das gramíneas (*Andropogon nardus*), de raízes aromáticas, e cujas folhas fornecem, por destilação, um óleo essencial usado em perfumaria.

jacapu. [Do tupi *jaka'pu.*] *S. m. Bras.* Ave da família dos traupídeos (*Compsothraupis loricata* (Licht.)).

jacaraciense. *Adj. 2 g.* **1.** De, ou pertencente ou relativo a Jacaraci (BA). ● *S. 2 g.* **2.** Natural ou habitante de Jacaraci.

jacaranda. *S. f.* Árvore ornamental, da família das bignoniáceas (*Jacaranda mimosaefolia*), nativa no Brasil, folhas com numerosos folíolos, minutos e delicados, flores dotadas de corola vistosa e azul, que inclui quatro estames e um estaminódio, e cápsula lenhosa, com inúmeras sementes aladas. [Cf. *jacarandá.*]

jacarandá. [Do tupi *yakarã'tã.*] *S. m. Bras.* **1.** Árvore da família das leguminosas (*Machaerium villosum*), comum no Brasil, de folhas penadas, flores pequeninas, violáceas, legume alado e lenhoso, e que fornece madeira de lei, de cor escura e desenhos variados, que imita o verdadeiro jacarandá-da-baía; jacarandá-paulista. **2.** V. *cipó-violeta.* **3.** V. *faveiro* (1). [Cf. *jacaranda.*]

jacarandá-branco. *s. m. Bras.* V. *faveiro* (1). [Pl.: *jacarandás-brancos.*]

jacarandá-cabiúna. *S. f.* **1.** *Bras.* Árvore da família das leguminosas (*Dalbergia violacea*), largamente dispersa nos cerrados, e cujo lenho é muito semelhante ao do jacarandá-da-baía, sendo os folíolos, no entanto, pequeninos, e a casca da árvore notavelmente espessa e suberosa. **2.** V. *cabiúna* (1). **3.** V. *cabiúna-do-campo.* [Pl.: *jacarandás-cabiúnas* e *jacarandás-cabiúna.*]

jacarandá-caroba. *S. m. Bras.* V. *carobinha.* [Pl.: *jacarandás-carobas* e *jacarandás-caroba.*]

jacarandá-da-baía. *S. m. Bras.* Árvore da família das leguminosas (*Dalbergia nigra*), de folhas penadas, com folíolos pequenos, flores pequeninas, legume com asa circular, monospermo, e cuja madeira, a mais bela e valiosa do Brasil, hoje só encontrada no S. da BA, é negra, rica em desenhos variados, resistente, fácil de trabalhar, indicada particularmente para móveis finos e objetos de aborno. [Pl.: *jacarandás-da-baía.*]

jacarandá-de-espinho. *S. m. Bras.* Árvore da família das leguminosas (*Machaerium leucopterum*), de tronco tortuoso, ramos com espinhos estipulares, folhas penadas, pubescentes, flores minutas, racemosas, legume alado e tomentoso, e cuja madeira se pode usar em marcenaria e carpintaria. Ocorre no S. do País. [Pl.: *jacarandás-de-espinho.*]

jacarandá-do-pará. *S. m. Bras.* Árvore da família das leguminosas (*Dalbergia spruceana*), muito semelhante ao legítimo jacarandá-da-baía, inclusive pela madeira, igualmente apreciada, mas com folíolos maiores e agudos, e que habita certas matas da Amaz. [Pl.: *jacarandás-do-pará.*]

jacarandá-mimoso. *Bras. S. m.* Árvore ornamental, da família das bignoniáceas (*Jacaranda mimosifolia*), de belas flores azuis, folhas penadas, com folíolos minutos, fruto capsular, com sementes aladas, e cuja madeira não tem serventia. Nativa, é cultivada nas ruas da cidade do Rio de Janeiro e de outras. [Pl.: *jacarandás-mimosos.*]

jacarandá-paulista. *S. m. Bras.* Jacarandá (1). [Pl.: *jacarandás-paulistas.*]

jacarandá-preto. *S. m. Bras.* **1.** V. *cabiúna* (1). **2.** V. *caroba.* [Pl.: *jacarandás-pretos.*]

jacarandá-roxo. *S. m. Bras.* Árvore da família das leguminosas (*Machaerium firmum*), de madeira violáceo-escura com listas amarelas, apreciada para mobiliário fino. Ocorre em MG e no RJ. [Pl.: *jacarandás-roxos.*]

jacarandatã. [De *jacarandá* + tupi *ã'tã,* 'duro'.] *S. m. Bras.* Árvore da família das leguminosas (*Machaerium ledicellatum*), de folíolos glabros e obtusos, flores pequeninas e paniculadas, legume provido de longa asa coriácea, e cuja madeira é pouco importante, embora de boa qualidade. Ocorre em MG e no RJ.

jacaratiá. [Do tupi.] *S. m. Bras.* Árvore da família das caricáceas (*Jacaratis dodecaphylla*), de folhas com oito a 12 folíolos digitados, flores unissexuais em pés separados, e cujo fruto é uma baga comestível. É toda recoberta de espinhos, e produz látex, utilizado como vermífugo violento. Ocorre da BA ao RS.

jacaré. [Do tupi *yaka'ré.*] *S. m.* **1.** *Bras.* Designação comum a todos os reptis crocodilianos da família dos aligatorídeos, especialmente o *Caiman yacare* (Daud.), restrito à bacia do Paraguai, que atinge até 2,40m de comprimento. [Cf. *jacaretinga.*] **2.** *Bras.* Iguaria feita com jacaré (1). **3.** Espécie de colher de pedreiro com que se introduz argamassa nas juntas das alvenarias. **4.** Alcoolatura de almíscar. **5.** Aparelho com que, nas farmácias, se apertam rolhas; lagarto. **6.** *Bras.* Árvore da família das leguminosas (*Piptadenia gonoacantha*), de ramos alados e espinhos, folíolos numerosos e pequeninos, flores alvas e em espigas cilíndricas, melíferas, e cujo fruto é um legume achatado e coriáceo, servindo a madeira para fazer carvão de boa qualidade; monjolo. **7.** *Eletr.* Terminal elétrico, cuja forma lembra a cabeça de um crocodilo e que se utiliza para realizar ligações rápidas e não permanentes. **8.** *Mar. Bras. Gír.* Material furtado à corporação, ou ao navio; gato. **9.** *Bras.* No jogo do bicho [q. v.], o 15.º. grupo (8), que abrange as dezenas 57, 58, 59 e 60, e corresponde ao número 15. **10.** *Bras.* Esporte aquático, que consiste em deslizar na crista da onda, no sentido do seu deslocamento, avançando com ela em direção à praia. **11.** *Bras., AM.* e *PA.* Designação comum a arenitos ou conglomerados cimentados por limonito, que, nos rios, têm aspecto de jacaré; cabeça-de-jacaré, pedra-do-pará. **12.** *Bras., BA.* Espécie de facão sertanejo. **13.** *Bras.* Peça fixa para desvio dos trilhos ferroviários. **14.** *Bras., SP.* Espécie de candeeiro de querosene. **15.** *Gír.* Indivíduo que fica à porta das igrejas esperando a passagem da namorada.

jacaré-açu. *S. m. Bras.* Reptil crocodiliano, da família dos aligatorídeos (*Melanosuchus niger* (Spix.)), restrito à Amaz., corpo preto com faixas amarelas transversais estreitas e espaçadas, e manchas pretas nas mandíbulas. É a maior espécie brasileira, podendo atingir até 5m de comprimento. [Pl.: *jacarés-açus.*]

jacarearu (è). [Do tupi *yakarea'ru.*] *S. m. Bras.* V. *raiz-de-jacaré-açu.*

jacaré-copaíba. *S. m. Bras.* Árvore da família das leguminosas (*Eperua oleifera*), de folíolos ovais e coriáceos, flores com duas bractéolas, legume amplo e espesso, e cujo tronco fornece resina escura, usada na fabricação de verniz. [Pl.: *jacarés-copaíbas* e *jacarés-copaíba.*]

jacaré-coroa. *S. m. Bras.* Designação comum aos reptis crocodilianos da família dos aligatorídeos, gênero *Paleosuchus* Gray, com duas espécies: *P. trigonatus* (Schn.), de focinho comprido e estreito, restrita à Amaz., Guianas e Venezuela, e a *P. palpebrosus* (Cuv.), de focinho curto e largo, e que não atinge 2m de comprimento. É o jacaré de maior distribuição no Brasil. [Var.: *jacaré-curuá;* sin.: *curulana.* Pl.: *jacarés-coroas* e *jacarés-coroa.*]

jacaré-curuá. *S. m. Bras.* V. *jacaré-coroa.* [Pl.: *jacarés-curuás* e *jacarés-curuá.*]

jacaré-de-óculos. *S. m. Bras.* Jacaretinga. [Pl.: *jacarés-de-óculos.*]

jacaré-de-papo-amarelo. *S. m. Bras.* Reptil crocodiliano, da família dos aligatorídeos (*Caiman latirostris* (Daud.)), do litoral do RN ao RS, e bacias dos rios São Francisco, Doce, Paraíba, Paraná e Paraguai, cujo comprimento vai até 2,10m. Diferencia-se dos demais por ter apenas três séries transversais de grandes escudos nucais e focinho quase tão largo quanto comprido. [Pl.:

jacarés-de-papo-amarelo. Sin.: ururau, arurá.]

jacaré-do-mato. *S. m. Bras.* Arbusto da família das mirsináceas (*Cybianthus detergens*), amplamente distribuído no País, de flores com pontoações rubras e dispostas em cachos alongados, folhas coriáceas e acuminadas, e fruto drupáceo, pequenino e esférico; farinha-seca. [Pl.: *jacarés-do-mato.*]

jacareí. [Do tupi.] *S. m. Bras.* Planta da família das ramnáceas (*Gouania sp.*).

jacareiense[1] (è-i). *Adj. 2 g.* **1.** De, ou pertencente ou relativo a Jacareí (SP). ● *S. 2 g.* **2.** Natural ou habitante de Jacareí.

jacareiense[2] (è-i). *Adj. 2 g.* **1.** De, ou pertencente ou relativo a Conceição de Jacareí (RJ). ● *S. 2 g.* **2.** Natural ou habitante de Conceição de Jacareí.

jacarerana (è). [De *jacaré* + *-rana.*] *S. m. Bras., Amaz.* Reptil lacertílio, da família dos teídeos (*Crocodilurus lacertinus* Spix.), de hábitos aquáticos, dorso pardo, pintado de preto, dedos com anéis pretos, e barriga amarela com pintas negras esparsas. [A presença de quilha caudal motivou a designação genérica.]

jacaretafá (è). *Bras. S. 2 g.* **1.** Indivíduo dos jacaretafás, tribo indígena do PA. ● *Adj. 2 g.* **2.** Pertencente ou relativo a essa tribo.

jacaretinga (è). [De *jacaré* + tupi *tinga*, 'branco'.] *S. m. Bras.* Reptil crocodiliano, da família dos aligatorídeos (*Caiman crocodilus* (L.)), restrito às bacias do Amazonas e do Parnaíba, e cujo comprimento é de até 2,20m. Diferencia-se do jacaré (1) [q. v.] por possuir o focinho mais comprido que largo, e ter a mandíbula com máculas pretas. [Sin.: *jacaré-de-óculos.*]

jacareúba. [De *jacaré* + tupi *ïba*, 'árvore'.] *S. f. Bras.* Árvore da família das gutíferas (*Calophylum brasiliense*), de ampla distribuição no País, com folhas oblongas, coriáceas e dotadas de nervuras apertadas, flores alvas, com numerosos estames, fruto pequeno e esférico, e madeira forte e útil. [Var.: *jacareúva;* sin: *guanandi, landi, lanti, lantim.*]

jacareúva (è). *S. f. Bras.* V. *jacareúba.*

jacarezeiro. *Adj.* **1.** De, ou pertencente ou relativo a Jacaré dos Homens (AL). ● *S. m.* **2.** O natural ou habitante de Jacaré dos Homens.

jacarezinhense (carè). *Adj. 2 g.* **1.** De, ou pertencente ou relativo a Jacarezinho (PR). ● *S. 2 g.* **2.** Natural ou habitante de Jacarezinho.

jacarina. [Do tupi *yaka'rini.*] *S. f. Bras.* V. *tiziu.*

jacatirão. [Do tupi *yakati rõ.*] *S. m. Bras.* **1.** Árvore da família das melastomatáceas, pertencente a diversas espécies do gênero *Miconia*, de folhas oblongas, acuminadas e com nervuras curvas, flores insignificantes, tomentosas e densamente paniculadas, fruto capsular, casca tanífera, e cuja madeira se usa para postes e vigas. **2.** V. *lacre-branco.*

jacatirica. *S. f. Bras.* V. *jaguatirica.*

jacatupé. [Do tupi *yakatu'pé.*] *S. m. Bras.* Trepadeira da família das leguminosas (*Pachyrhizus tuberosus*), de folhas forrageiras com três folíolos amplos e rombóides, flores alvas e vistosas, legume linear e achatado, sementes avermelhadas, tidas como tóxicas, e cujas raízes, tuberosas, são feculentas e alimentícias. Ocorre na América tropical. [Var.: *jacutupé, jocotupé.*]

jacazinho (cà). [Dim. de *jacá.*] *S. m. Bras., SP.* Pequeno cesto que se enterra no chão com a muda de café nele plantada.

jaceguai. [Do tupi.] *S. m. Bras.* Certa planta da família das cucurbitáceas.

jacente. [Do lat. *jacente.*] *Adj. 2 g.* **1.** Que jaz; que está situado. **2.** Imóvel, estacionário. [F. paral., us. nestas acepç.: *jazente.*] ~ V. *estátua — e herança —.* ● *S. m.* **3.** Viga longitudinal das pontes, sobre a qual se fixam as travessas do tabuleiro. ~ V. *jacentes.*

jacentes. [Pl. substantivado do adj. *jacente.*] *S. m. pl.* Baixios, recifes. ~ V. *jacente.*

jaci. [Do tupi.] *S. m. Bras.* **1.** Palmeira (*Scheelea wallisii*) de 6 a 13 m de altura, folhas com 10 m, pecíolo muito curto e com mais de 200 segmentos, espata com uns 2 m, noz de uns 5 cm de diâmetro, e cuja polpa é mole. Ocorre na Amaz. **2.** *Folcl.* Comprido colar de conchas e ossos usado pelos tupinambás.

jacina. [Do tupi *ya'sina.*] *S. m. Bras.* V. *libélula.*

jacinta. *S. f. Bras., AM.* Certa libélula da Amazônia.

jacintense. *Adj. 2 g.* **1.** De, ou pertencente ou relativo a Jacinto (MG). ● *S. 2 g.* **2.** Natural ou habitante de Jacinto.

jacintino. [Do gr. *hyakínthinus*, pelo lat. *hiacinthinu.*] *Adj.* **1.** Relativo ao jacinto. **2.** Da cor do jacinto.

jacinto. [Do gr. *hyákinthos*, pelo lat. *hiacinthu.*] *S. m.* Erva da família das liliáceas (*Hyacinthus orientalis*), universalmente afamada pela beleza das flores, dispostas em inflorescências maciças, com corola azul, branca ou rósea, muito perfumada, e cujas folhas são lineares, compridas, sendo o fruto uma cápsula globosa. Muito cultivada nas cidades serranas do Brasil.

jacitara. [Do tupi *yasi'tara.*] *S. f. Bras.* Designação comum a várias espécies de palmeira do gênero *Desmoncus*, ricas em acúleos pungentes e compridos, e de caule delgado, alongado e escandente; urubamba, titara.

jacobéia[1]. *S. f.* Planta da família das compostas (*Senecio jacobaea*).

jacobéia[2]. *Adj. (f.)* **1.** Fem. do adj. *jacobeu.* ● *S. f.* **2.** Fem. do s. m. *jacobeu.* **3.** Seita de jacobeus.

jacobeu. *Adj. e s. m.* **1.** Diz-se de, ou partidário de uma seita política e religiosa de fanáticos que principiou em tempos de D. João V, em Portugal (séc. XVIII). **2.** *Fig.* Hipócrita, falso. [Fem.: *jacobéia.*]

jacobiano. [Do antr. *Jacobi*, de Karl Gustav Jacob Jacobi (1804-1851), matemático alemão, + *-ano.*] *S. m. Anál. Mat.* Determinante funcional que contém as derivadas parciais primeiras de *n* funções de *n* variáveis.

jacobice. *S. f.* **1.** Ação ou dito próprio de jacobeu (2). **2.** *Fig.* Hipocrisia, fingimento, falsidade.

jacobina. [Do tupi *yakrvãa'pina.*] *S. f. Bras., BA.* Terreno impróprio para a lavoura, revestido de mato baixo, comumente cerrado e espinhoso.

jacobinense. *Adj. 2 g.* **1.** De, ou pertencente ou relativo a Jacobina (BA). ● *S. 2 g.* **2.** Natural ou habitante de Jacobina.

jacobinice. *S. f.* Ação ou dito próprio de jacobino (2 e 3).

jacobinismo. *S. m.* **1.** Partido, doutrina ou idéias dos jacobinos. **2.** *P. ext.* Opiniões revolucionárias ou exaltadas; radicalismo.

jacobinizar. *V. t. d.* e *p.* Tornar(-se) jacobino.

jacobino. [Do fr. *jacobin.*] *S. m.* **1.** Membro de um clube político revolucionário fundado em Paris em 1789. **2.** *P. ext.* Partidário exaltado da democracia. **3.** *Bras.* Inimigo de estrangeiros; nacionalista estreito; xenófobo. ● *Adj.* **4.** Pertencente ou relativo a, ou próprio de jacobino.

jacobita[1]. [Do antr. *Jacob*, do monge Jacob Baradai, + *-ita*[2].] *S. 2 g.* Membro de uma seita religiosa que teve por chefe o bispo de Edessa, Jacob, no séc. VI.

jacobita[2]. [Do ingl. *jacobite.*] *S. 2 g.* Designação comum na Inglaterra, após a revolução de 1688, aos partidários de Jaime II e da casa dos Stuarts.

já-começa. *S. f. 2 n. Bras. Pop.* **1.** V. *cachaça* (1). **2.** V. *prurido* (1). **3.** V. *coceira.* **4.** V. *sarna* (1).

jacruaru. *S. m. Bras., Amaz.* V. *jacuraru.*

jactação. [Do lat. *jactatione.*] *S. f. Med. Ant.* Agitação desordenada de membros, originária de perturbação nervosa. [Var.: *jatação.*]

jactância. [Do lat. *jactantia.*] *S. f.* **1.** Vaidade, ostentação, gabo. **2.** Orgulho, arrogância; altivez. **3.** V. *fanfarrice* (2). [Var.: *jatância.*]

jactanciosidade. *S. f.* Qualidade de jactancioso. [Var.: *jatanciosidade.*]

jactancioso (ô). *Adj.* **1.** Que tem ou revela jactância. **2.** V. *fanfarrão* (1). [Var.: *jatancioso.* Sin. ger.: *jactante.*]

jactante. [Do lat. *jactante.*] *Adj. 2 g.* **1.** *Ant.* Que padece de jactação. **2.** V. *jactancioso.* [Var.: *jatante.*]

jactar-se. [Do lat. *jactare* + *se*[1].] *V. p.* Ter jactância, gabar-se, ufanar-se, gloriar-se, vangloriar-se, blasonar, bazofiar: "A fortuna me fez o engenho frio, / Do qual já não me j a c t o , nem me abono" (Luís de Camões, *Os Lusíadas*, X, 9). [Var.: *jatar-se.*]

jacto. [Do lat. *jactu.*] *S. m.* **1.** Ímpeto, impulso. **2.** Saída impetuosa de um líquido ou de um gás. **3.** *P. ext.* V. *golfada* (2). **4.** *Bras.* Avião a jacto. [Var.: *jato.*] ♦ **Jacto auxiliar de decolagem.** V. *reforçador* (3). **Jacto de luz.** Feixe luminoso que se manifesta subitamente. **A jacto.** A toda a pressa; com extraordinária velocidade. **De um jacto.** De uma só vez.

jacu. [Do tupi *ya'ku.*] *S. m. Bras.* Designação comum a várias aves galiformes, da família dos cracídeos, gênero *Penelope* Mer., freqüentes nas matas primitivas do País. Alimentam-se, sobretudo, de frutas e folhas.

jacuabina. *S. f. Bras.* Antiga designação dada ao sertão aurífero da BA.

jacuacanga. [Do tupi *yakua'kãg*, 'cabeça de jacu'.] *S. f. Bras.* V. *cana-de-macaco* (1 e 2).

jacuaçu. *S. m. Bras., AM.* Ave galiforme, da família dos cracídeos (*Penelope jacquacu* Spix.), da bacia amazônica, de coloração parda com as coberteiras da asa e do peito marginadas de branco, e sobrancelha preta seguida de uma estria branca.

jacuanga. [Do tupi.] *S. f. Bras.* V. *cana-de-macaco* (2).

jacuapeti. [De *jacu* + tupi *a'pé*, 'superfície', + *tĩ*, 'branca'.] *S. m. Bras.* V. *jacutinga* (1).

jacuaru. *S. m. Bras.* V. *jacuraru.*

jacuba. *S. f.* **1.** *Bras.* Refresco ou pirão feito com água, farinha de mandioca, e açúcar ou mel, e por vezes temperado com cachaça. [Sin., no AM, *chibé;* no PA e MA, *tiquara, chibé;* em PE, *gonguinha;* em vários estados do N.E., *sebereba.*] **2.** *Bras., PE.* e *AL.* V. *garapa* (1).

jacucaca. [Do tupi *yaku'kag.*] *S. m. Bras.* Ave galiforme, da família dos cracídeos (*Penelope superciliaris jacucaca* Spix.), do S. do Pl. e BA, de dorso pardo-escuro, rêmiges do braço distintamente marginadas de vermelho, e abdome vermelho-escuro.

jacucanga. [Do tupi *yaku'kãg.*] *S. m. Bras.* Erva ruderal, da família das boragináceas (*Heliotropium indicum*), originária da Ásia, de folhas amplas e ásperas, flores minutas, azuladas e ordenadas em espigas compridas, e cujo fruto é uma noz pequenina.

jacu-cigano. *S. m. Bras., GO.* V. *cigana* (2). [Pl.: *jacus-ciganos.*]

jacuecanguense. *Adj. 2 g.* **1.** De, ou pertencente ou relativo a Jacuecanga (RJ). ● *S. 2 g.* **2.** Natural ou habitante de Jacuecanga.

jacuguaçu. [De *jacu* + *-guaçu.*] *S. m. Bras.* Ave galiforme, da família dos cracídeos (*Penelope obscura bronzina* Hell.), do S.E. do País, de coloração escura com tons avermelhados do dorso e abdome, e penas do peito, do dorso e das coberteiras das asas orladas de branco, e pescoço de cor uniforme. Comprimento: até 74 cm.

jacuí. [Do tupi *yaku'i*, 'jacu pequeno'.] *S. m. Bras.* Espécie de pequeno jacu.

jacuiense (u-i). *Adj. 2 g.* **1.** De, ou pertencente ou relativo a Jacuí (MG). ● *S. 2 g.* **2.** Natural ou habitante de Jacuí.

jacuipense (u-i). *Adj. 2 g.* **1.** De, ou pertencente ou relativo a Riachão do Jacuípe (BA). ● *S. 2 g.* **2.** Natural ou habitante de Riachão do Jacuípe.

jaculação. [Do lat. *jaculatione.*] *S. f. Ant.* **1.** Tiro (1) de artilharia; tiro. **2.** O espaço percorrido pelo tiro.

jacular. [Do lat. *jaculare.*] *V. t. d.* **1.** V. *ejacular* (1). **2.** Lançar, arremessar. **3.** Ferir com arma de arremesso. *Int.* **4.** *Restr.* Ejacular (4).

jaculatória. [Fem. substantivado de *jaculatório.*] *S. f.* Oração curta e fervorosa: "Alguma pessoa tinha ensinado a ele rezar j a c u l a t ó r i a e fazer o pelo-sinal." (João Guimarães Rosa, *Corpo de Baile*, I, p. 371.)

jaculatório. [Do lat. *jaculatoriu.*] *Adj.* **1.** Que expede jactos. **2.** Próprios para arremessar.

jacumã. [Do tupi *yaku'mã.*] *S. m.* **1.** *Bras., Amaz.* Remo indígena, em forma de pá. **2.** *Bras., Amaz.* Governo de uma canoa com um remo de mão em uma de suas extremidades: "Sentado ao j a c u m ã , dava grandes remadas espaçadas" (José Veríssimo, *Cenas da Vida Amazônica*, p. 118). **3.** *Bras., PE.* Andaime feito de três paus conjugados a dois terços de altura, empregado na construção dos currais-de-peixe.

jacumaíba. [Do tupi *yakumã 'iba.*] *S. m. Bras., PA* e *MA.* Piloto de canoa em pontos onde é arriscada a navegação. [Var.: *jacumaúba.*]

jacumaúba. *S. m. Bras., PA* e *MA.* Var de *jacumaíba:* "aos doze anos .... sabia governar um escaler ou uma canoa, ... e meu remo não se deixava bater facilmente pelo remo de pá de qualquer j a c u m a ú b a pescador de piabas." (Aluísio Azevedo, *Pegadas*, p. 84).

jacu-molambo. *S. m. Bras., MG.* V. *taiaçuíra.* [Pl.: *jacus-molambos* e *jacus-molambo.*]

jacundá. [Do tupi *ñakaĩ'dá.*] *S. m. Bras.* **1.** Designação comum a várias espécies de peixes teleósteos, percomorfos, da família dos ciclídeos, gênero *Crenicichla* Heckel, de aspecto semelhante ao da traíra, e cuja nadadeira dorsal é dividida em uma parte espinhosa e outra ramosa, unidas, que ocupam quase todo o dorso, tendo muitas espécies um ocelo típico na cauda; nhacundá, guenza. **2.** Mariquita (2). **3.** Erva da família das marantáceas (*Calathea ornata*), oriunda das matas úmidas, de alto valor ornamental pelas grandes folhas verdes com riscas brancas, róseas ou purpúreas na face inferior, e largamente cultivada. **4.** *Bras., AM. Folcl.* Dança de roda, indígena, propiciatória da pesca do jacundá (1), e que deu origem a outras variações coreográficas mestiças sem caráter religioso.

jacundá-açu. *S. m. Bras.* V. *jacundá-branco.* [Pl.: *jacundás-açus.*]

jacundá-branco. *S. m. Bras.* Peixe teleósteo, percomorfo, da família dos ciclídeos (*Crenicichla johanna* Heckel), da Amaz. e Paraguai, de coloração geral clara, nadadeiras dorsal e caudal escuras, sem máculas, com uma faixa clara em toda a extensão, e base das peitorais e regiões dos olhos mais escuras; joana-guenza, jacundá-açu, jacundatotó, jacundá-piranga, jacundá-cabeçudo, guenza-branca. [Pl.: *jacundás-brancos*.]

jacundá-cabeçudo. *S. m. Bras.* V. *jacundá-branco*. [Pl.: *jacundás-cabeçudos*.]

jacundá-coroa. *S. m. Bras.* Peixe teleósteo, percomorfo, da família dos ciclídeos (*Crenicichla saxatalis* (L.)), da Amaz. e Paraguai, de coloração geral olivácea, mácula na base da nadadeira caudal e outra na dorsal, e uma faixa escura longitudinal da altura dos olhos até a extremidade da peitoral. Alimenta-se de outros peixes. [Pl.: *jacundás-coroas* e *jacundás-coroa*.]

jacundá-piranga. [De *jacundá-* + *piranga*[2] (2).] *S. m. Bras.* V. *jacundá-branco*. [Pl.: *jacundás-pirangas*.]

jacundatotó (dá). *S. m. Bras.* V. *jacundá-branco*.

jacundá-verde. *S. m. Bras.* Peixe teleósteo percomorfo, da família dos ciclídeos (*Crenicichla lepidota* Heckel), do S. do Brasil e países limítrofes, de coloração verde-cinza com manchas escuras transversais, mácula negra pós-opercular e outra na base da nadadeira caudal; guenza-verde. [Pl.: *jacundás-verdes*.]

jacupará. *S. f. Bras.* V. *jacutinga* (1).

jacupeba. [De *jacu* + tupi *pewa*, 'chato'.] *S. m. Bras.* V. *jacupemba*.

jacupema. *S. m. Bras.* V. *jacupemba*.

jacupemba. *S. m. Bras.* Ave galiforme, da família dos cracídeos (*Penelope superciliaris* Tem. com a subespécie Spix), comum no Brasil central e oriental, de dorso bruno-avermelhado, com as coberteiras das asas orladas de castanho e as penas da cabeça, pescoço e peito orladas de cinza-claro; jacupema, jacupeba, jacuvelho.

jacupiranguito. [Do top. *Jacupiranga* + *-ito*[2].] *S. m. Petr.* Rocha magmática intrusiva, composta essencialmente de magnetita e augita, e que pode conter também nefelina.

jacupiranguense. *Adj. 2 g.* **1.** De, ou pertencente ou relativo a Jacupiranga (SP). ● *S. 2 g.* **2.** Natural ou habitante de Jacupiranga.

jacu-porco. *S. m. Bras., BA.* V. *taiaçuíra*. [Pl.: *jacus-porcos*.]

jacuraru. [Var. de *jacuruaru* < tupi *yakurua'ru*.] *S. m. Bras., Amaz.* Designação comum aos reptis lacertílios do gênero *Tupinambis* Daud e Teius Mer, especialmente o *Tupinambis nigropunctatus* Spix, da Amaz., de coloração geral verde-olivácea com manchas e faixas pretas no dorso e flanco, lado inferior amarelado, e cuja pele tem valor comercial na região. Seus hábitos são os mesmos do teiú. [Var.: *jacuaru, jacuruaru, jacruaru, caruaru*.]

jacuriense. *Adj. 2 g.* **1.** De, ou pertencente ou relativo a São José do Jacuri (MG). ● *S. 2 g.* **2.** Natural ou habitante de São José do Jacuri.

jacuru. [Do tupi *xaku'ru* (onom.).] *S. m. Bras.* V. *joão-bobo*.

jacururu. *S. m. Bras., Amaz.* V. *jacuraru*.

jacurutu. [Do tupi *yakuru'tu*.] *S. m. Bras.* Ave estrigiforme, da família dos estrigídeos (*Bubo virginianus nacurutu* (Vieil.)), da região cisandina, de coloração amarelada no dorso, com numerosas pintas e faixas estreitas castanho-escuras, rêmiges e retrizes com faixas mais largas, garganta e pescoço anterior brancos. Tem penacho desenvolvido acima dos olhos, e pertence ao grupo das corujas ou dos mochos-orelhudos. Vive nas matas e capoeiras, saindo à noite em busca de alimentação, constituída sobretudo de pequenos mamíferos. [Var.: *inhacurutu*; Sin.: *coruja-orelhuda, corujão-orelhudo, mocho-orelhudo*.]

jacuruxi. [Do tupi *yakuru'xi*.] *S. m. Bras., Amaz.* Reptil lacertílio, da família dos teídeos (*Dracaena guianensis* Daud.), da Amaz., de coloração geral verde-pardacenta tendendo ao ferruginoso, e amarelo-avermelhada da nuca para a cabeça. As escamas do corpo formam escudos, dando ao animal aspecto de jacaré; tem até 80 cm de comprimento, vive nos igapós, possui hábitos arborícolas, alimenta-se de aruás, e é capaz de passar longas horas dentro da água.

jacu-taquara. *S. m. Bras.* V. *juruva*. [Pl.: *jacus-taquaras* e *jacus-taquara*.]

jacutinga. [De *jacu* + tupi *tĩga*, 'branco'.] *S. f. Bras.* **1.** Designação comum às aves galiformes, da família dos cracídeos, gênero *Pipile* Bon., que ocorrem no C.O. e S.E. do País, especialmente a *P. jacutinga* (Spix), que se diferencia das demais espécies por ter a região entre o bico e os olhos azul, a parte nua da garganta vermelha, plumagem preta com brilho azul, e alto da cabeça, barbas externas das coberteiras das asas e orlas das penas do peito brancas. Ocorre nas matas virgens, é arborícola, raramente descendo ao chão; alimenta-se de toda sorte de pequenos frutos e bagas, não desprezando outros alimentos. [Sin.: *jacuapeti, jacupará, peru-do-mato*.] **2.** Minério de ferro hematítico, pulverulento, friável e, em geral, aurífero.

jacutupé. *S. m. Bras.* V. *jacatupé*.

jacu-velho. *S. m. Bras.* V. *jacupemba*. [Pl.: *jacus-velhos*.]

jade. *S. m. Min.* Designação comum a diversos minerais duros, compactos e esverdeados, geralmente empregados em objetos de adorno, em estatuetas, etc., entre os quais a jadeíta.

jadeíta. [De *jade* + *-ita*[3].] *S. f. Min.* Mineral monoclínico, esverdeado, do grupo dos piroxênios, silicato de alumínio e sódio, empregado em objetos de adorno, em estatuetas, etc.

jã-de-la-foice. *S. m. Bras., SE e alguns outros estados do N.E.* V. *fogo-fátuo* (1).

jaez (ê). [Do ár. *jahaz*.] *S. m.* **1.** Aparelho e adorno para bestas: "Inda corcéis, de nítidos j a e z e s, / contra o vasto clarão trotam rinchando / dos longes do arredor" (Antônio Feliciano de Castilho, *A Noite do Castelo*, p. 25). **2.** *Fig.* Qualidade, espécie, sorte, laia. "Antes .... de Bento Teixeira e de versejadores de igual j a e z, ... versejaram também padres jesuítas" (José Veríssimo, *História da Literatura Brasileira*, p. 45). [Pl.: *jaezes* (ê). Cf. *jaezes*, do v. *jaezar*.]

jaezar. *V. t. d.* e *p.* V. *ajaezar*. [Pres. sub.: *jaeze, jaezes*, etc. Cf. *jaezes* (ê), pl. de *jaez*.]

jafético. *Adj.* De, ou descendente de Jafet, filho de Noé.

jagodes. *S. m. 2 n.* **1.** *Pop.* Homem ordinário, que não merece crédito; indivíduo importuno, apalermado. **2.** Pessoa malconformada; estafermo. **3.** *Bras.* Grande boneco de louça que representa um chinês ventrudo cuja boca é o orifício de uma caixa de cartas, etc.

jagoirana. [Do tupi?] *S. f. Bras.* Certa árvore leguminosa.

jaguacacaca. [Do tupi *yagwa'kaka*.] *S. f.* **1.** V. *jaritataca*. **2.** V. *lontra*.

jaguacinim. [Var. de *guaxinim*.] *S. m. Bras.* V. *mão-pelada*.

jaguacininga. [Do tupi.] *S. f. Bras.* V. *cachorro-do-mato-vinagre*.

jaguamitinga. [Do tupi.] *S. f. Bras.* V. *raposa-do-campo*.

jaguané[1]. [Alter. de *jaguaré*.] *S. m. Bras.* Cãozinho selvagem com riscas.

jaguané[2]. *Bras., RS. Adj. 2 g.* **1.** Diz-se de animal vacum que tem o fio do lombo e a barriga brancos, e o lado das costelas preto (*jaguané-preto*) ou vermelho (*jaguané-vermelho*). **2.** *Fig.* Diz-se do jogo de cartas ou de víspora quando feito errado, por inadvertência ou má-fé. ● *S. m.* **3.** Esse jogo.

jaguané-preto. *S. m. Bras., RS.* V. *jaguané*[2] (1). [Pl.: *jaguanés-pretos*.]

jaguané-vermelho. *S. m. Bras., RS.* V. *jaguané*[2] (1). [Pl.: *jaguanés-vermelhos*.]

jaguapé. [Do tupi *yawa'pé*.] *S. m. Bras.* V. *irara*.

jaguapeba. [Do tupi *ya'wa*, 'cão', + *-peba*.] *S. m. Bras.* Variedade de cães domésticos de pernas curtas. [Var.: *jaguapeva*.]

jaguapeva. *S. m. Bras.* **1.** Var. de *jaguapeba*. ● *Adj. 2 g.* **2.** *Bras., SP.* Diz-se de animais e de indivíduos desbriados.

jaguapitãense. *Adj. 2 g.* **1.** De, ou pertencente ou relativo a Jaguapitã (PR). ● *S. 2 g.* **2.** Natural ou habitante de Jaguapitã. [Var.: *jaguapitense*.]

jaguapitanga. *S. f. Bras.* V. *raposa-do-campo*.

jaguapitense. *Adj. 2 g.* e *s. 2 g.* Jaguapitãense.

jaguapoca. [Do tupi *ya'wa*, 'cão', é incerta a origem do 2.º elemento.] *S. m. Bras., SP.* Cão sem raça.

jaguaquarense. *Adj. 2 g.* **1.** De, ou pertencente ou relativo a Jaguaquara (BA). ● *S. 2 g.* **2.** Natural ou habitante de Jaguaquara.

jaguar. [Do tupi-guar. *ya'wara*, designação genérica dos animais do gênero *Felis*.] *S. m.* Carnívoro fissípede, da família dos felídeos (*Panthera [Jaguarius] onça*), de coloração amarelo-avermelhada, com manchas pretas arredondadas ou irregulares, porém simétricas, em todo o corpo, encontrado (salvo no Chile e nos Andes) em toda a América, desde o S.E. dos E.U.A. Tem cerca de 1,50 m de comprimento, afora a cauda, que tem 60 cm, e 80 cm de altura. É considerado a fera mais terrível da América, e alimenta-se da caça e da pesca de animais, preferindo grandes peças. [Sin.: *jaguarapinima, jaguaretê, canguçu, acanguçu, onça, onça-pintada, pintada, tigre*. Cf. *jaguara*.]

jaguara. [Do tupi-guar. *ya'wara*.] *S. m.* **1.** *Bras., PR* e *RS.* Cão ordinário. **2.** *Bras., PR.* Pessoa ordinária, de mau caráter. [Cf. *jaguar*.]

jaguaraçá. *S. m. Bras.* V. *jaguaruçá*.

jaguaracambé. [Do tupi *ya'wara*, 'cão', + *a'kãg*, 'cabeça', + tupi *peba*, 'branco'.] *S. m. Bras., S.* V. *cachorro-do-mato-vinagre*.

jaguaraçuense. *Adj. 2 g.* **1.** De, ou pertencente ou relativo a Jaguaraçu (MG). ● *S. 2 g.* **2.** Natural ou habitante de Jaguaraçu.

jaguaraíva. [Do tupi *ya'wara*, 'cão', + *a'iwa*, 'ruim, mau'.] *S. m. Bras.* Cachorro que não serve para a caça.

jaguaramuru. [De provável or. tupi.] *S. m. Bras.* V. *babosa-branca*.

jaguarapinima. [Do tupi *ya'wara*, 'onça', + *pi'nima*, 'pintada'.] *S. m. Bras.* V. *jaguar*.

jaguarariense. *Adj. 2 g.* **1.** De, ou pertencente ou relativo a Jaguarari (BA). ● *S. 2 g.* **2.** Natural ou habitante de Jaguarari.

jaguaré. [Do tupi *yawa'ré*.] *S. m. Bras.* Jaguané[1] [q. v.].

jaguareçá. *S. m. Bras.* V. *jaguaruçá*.

jaguarembense. *Adj. 2 g.* **1.** De, ou pertencente ou relativo a Jaguarembé (RJ). ● *S. 2 g.* **2.** Natural ou habitante de Jaguarembé.

jaguarense. *Adj. 2 g.* **1.** De, ou pertencente ou relativo a Jaguarão (RS). ● *S. 2 g.* **2.** Natural ou habitante de Jaguarão.

jaguaretê. [Do tupi *yaware'te*, 'onça verdadeira'.] *S. m. Bras.* V. *jaguar*.

jaguariaivense (a-i). *Adj. 2 g.* **1.** De, ou pertencente ou relativo a Jaguariaíva (PR). ● *S. 2 g.* **2.** Natural ou habitante de Jaguariaíva.

jaguaribano. *Adj.* **1.** De, ou pertencente ou relativo a Jaguaribe (CE). ● *S. m.* **2.** O natural ou habitante de Jaguaribe.

jaguariçá. *S. m. Bras.* V. *jaguaruçá*.

jaguariense. *Adj. 2 g.* **1.** De, ou pertencente ou relativo a Jaguari (RS). ● *S. 2 g.* **2.** Natural ou habitante de Jaguari.

jaguaripense. *Adj. 2 g.* **1.** De, ou pertencente ou relativo a Jaguaripe (BA). ● *S. 2 g.* **2.** Natural ou habitante de Jaguaripe.

jaguaritaca. *S. m. Bras.* V. *jaritataca*.

jaguariunense (i-u). *Adj. 2 g.* **1.** De, ou pertencente ou relativo a Jaguariúna (SP). ● *S. 2 g.* **2.** Natural ou habitante de Jaguariúna.

jaguaruanense. *Adj. 2 g.* **1.** De, ou pertencente ou relativo a Jaguaruana (CE). ● *S. 2 g.* **2.** Natural ou habitante de Jaguaruana.

jaguaruçá. [Var. de *jaguareçá* tupi *ya'wara*, 'onça', + *e'sá*, 'olho'.] *S. m. Bras.* Peixe teleósteo, bericomorfo, da família dos holocentrídeos (*Holocentrus adscensionis* (Ozb.)), do Atlântico, de dorso vermelho, abdome róseo-esbranquiçado, flancos com faixas amarelas, e nadadeiras amarelas e vermelhas. É pescado em alto-mar, e seu comprimento atinge 24 cm. [Outras var.: *jaguaraçá, jaguariçá, jaguriçá* e *juguriçá*; sin.: *joão-cachaça*.]

jaguaruna. [De *jaguar* + *-una*.] *S. f. Bras.* V. *suçuarana* (1).

jaguarundi. [Do tupi *yawaũ'di*.] *S. m. Bras.* V. *gato-mourisco*.

jaguarunense. *Adj. 2 g.* **1.** De, ou pertencente ou relativo a Jaguaruna (SC). ● *S. 2 g.* **2.** Natural ou habitante de Jaguaruna.

jaguatirica. [Do tupi *yawati'rika*.] *S. f. Bras.* **1.** Mamífero carnívoro, fissípede, da família *Felidae* (*Pantera [Jaguarius] pardalis*), que atinge cerca de 85 cm de comprimento e 40 cm de altura. Cor ruivo-amarelada, com manchas redondas orladas de preto; na nuca apresenta cinco ou seis estrias pretas. Ocorre em todo o Brasil e América Meridional; vive em matas e banhados, e alimenta-se de aves e pequenos mamíferos. [Var.: *jacatirica*; sin.: *maracajá, gato-do-mato-grande, gato-açu*.]

jagunçada. *S. f. Bras.* Conjunto ou grupo de jagunços; jagunçaria.

jagunçaria. *S. f. Bras.* Jagunçada.

jagunço. [De *zaguncho* (q. v.).] *S. m.* **1.** *Bras.* V. *capanga* (3). **2.** *Bras., PE* e *AL.* Chuço (1). **3.** *Bras., BA.* Indivíduo do grupo de fanáticos e revolucionários de Antônio Conselheiro (1828-1897), na campanha de Canudos (1896-1897).

jaguriçá. *S. m. Bras.* V. *jaguaruçá*.

jaibara. *S. f. Bras., BA.* V. *jaribara*.

jaibradeira. *S. f. Bras.* Ferramenta com que os tanoeiros abrem o jaibro das aduelas, semelhante a um graminho, e que tem, em vez do ponteiro, uma lâmina curva com três dentes de serra.

jaibro. *S. m. Bras.* **1.** Depressão longitudinal das ombreiras das portas e janelas, na qual estas se alojam. **2.** Sulco próximo às extremidades das aduelas dos barris, das pipas, etc., no qual se encaixa o testo. **3.** Rombo, sulco.

jaicó. *Bras. S. 2 g.* **1.** Indivíduo dos jaicós, tribo indígena extinta, do PI, cuja língua é considerada como jê. ● *Adj. 2 g.* **2.** Pertencente ou relativo a essa tribo. [Var.: *jeicó*.]

jaicoense (ò). *Adj.* 2 *g.* **1.** De, ou pertencente ou relativo a Jaicós (PI). ● *S.* 2 *g.* **2.** Natural ou habitante de Jaicós.

jainismo. [Do sânscr., pelo ingl. *jainism.*] *S. m. Filos.* Escola heterodoxa da Índia, fundada por Maavira no séc. VI a.C., e caracterizada principalmente pela aceitação das doutrinas do carma e do ainsa, que levam a moral ascética extremamente severa, e pela oposição ao sistema de castas do bramanismo. [V. *darsana.*]

jainista. *Adj.* 2 *g.* **1.** Pertencente ou relativo ao, ou que é partidário do jainismo. ● *S.* 2 *g.* **2.** Partidário do jainismo.

jalão. *S. m. Bras.* V. *jamelão.*

jalapa. [Do top. *jalapa.*] *S. f.* Designação comum a diversas espécies das famílias das convolvuláceas e das apocináceas, cujas partes aéreas são trepadeiras, sendo as flores vistosas e coloridas, e com tubérculos subterrâneos tidos popularmente como purgativos.

jalapão. [Aum. de *jalapa.*] *S. m. Bras.* **1.** Planta trepadeira, da família das convolvuláceas (*Operculina macrocarpa*), de folhas membranáceas e magnas, flores vistosas, afuniladas e raiadas, e cujo fruto é uma cápsula com sementes globosas, sendo o tubérculo purgativo; batata-de-purga. **2.** V. *gafanhoto* (4).

jalapa-verdadeira. *S. f.* V. *maravilha* (5). [Pl.: *jalapas-verdadeiras.*]

jalapinha. [Dim. de *jalapa.*] *S. f. Bras.* **1.** Planta da família das convolvuláceas (*Ipomoea sinuata*), muito semelhante ao jalapão (1). **2.** Espirradeira-do-campo.

jalde. [Do fr. ant. *jalne* (atualmente *jaune*), atr. do esp. *jalde.*] *Adj.* 2 *g.* V. *jalne:* "Como se fora um grande bando de borboletas j a l d e s, pondo uma nota desesperada de amarelo-vivo no escuro daquela terra" (Belmiro Braga, *Cantos e Contos*, p. 29).

jaldinino. *Adj.* Que tem a cor jalde. V. *jalne.*

jaleca. [De *jaleco.*] *S. f.* Jaqueta (1): "Uma camisola de lã crua vestia-lhe o tronco, com j a l e c a de saragoça por cima" (Fialho d'Almeida, *O País das Uvas*, p. 188).

jaleco. [Do turco *jelek.*] *S. m.* **1.** Casaco curto, semelhante à jaqueta: "Ao tirá-lo o maço de papel do bolso do j a l e c o, refranziu jocosamente a cara para Aurélia" (José de Alencar, *Senhora*, p. 221). **2.** Fardeta. **3.** *Bras.* Alcunha de português. V. *galego* (4). **4.** *Bras.* V. *tamanduá-colete.*

jalesense. *Adj.* 2 *g.* **1.** De, ou pertencente ou relativo a Jales (SP). ● *S.* 2 *g.* **2.** Natural ou habitante de Jales.

jalne. [Do fr. ant. *jalne* (atualmente *jaune*).] *Adj.* 2 *g.* Amarelo vivo, da cor do ouro: "O monumento do Ipiranga guardou entre seus muros um bacio de prata e um móvel apócrifo em memória de quem, conta a lenda, fora aquela que, ao pé do Príncipe e rebelde, se lembrara de arrancar uma folha verde e j a l n e ao ervaçal da colina da Independência, para lhe fazer das cores o símbolo da Pátria libertada e autônoma." (Alberto Rangel, *Dom Pedro Primeiro e a Marquesa de Santos*, p. XIV.) [F. paral.: *jalde.* Sin.: *jaldinino, gualdo.*]

jalofo (ô). *S. m.* **1.** Indivíduo dos jalofos, povo da costa da África Ocidental que vive entre o Senegal e Gâmbia. ● *Adj.* **2.** Pertencente ou relativo a esse povo. **3.** Rude, boçal, bárbaro: "E tocam tudo ao realejo, / J a l o f o s, pobres fadistas" (Luís Delfino, *Esboço da Epopéia Americana*, p. 148).

jamacaí. [Do tupi *yamaka'í.*] *S. m. Bras.* Pássaro que destrói as lagartas, como o japu.

jamacaru. [Do tupi *yamaka'ru.*] *S. m. Bras.* Mandacaru.

jamaicano. *Adj.* **1.** Da, ou pertencente ou relativo à Jamaica (Antilhas). ● *S. m.* **2.** O natural ou habitante da Jamaica.

jamaiquinho. [Do top. *Jamaica*, donde talvez provenha?] *S. m. Bras., SP.* Galináceo da raça garnisé.

jamais. [Do lat. *jam magis* jam., 'já', + *magis*, 'mais'.] *Adv.* **1.** Em tempo nenhum; nunca: "— Jamais esquecerei o olhar que me volveste, / Cecília, à hora da partida..." (Eugênio de Castro, *Obras Poéticas*, III, p. 134). **2.** Em algum ou qualquer tempo passado; já: "Ó gente temerosa, não te espantes, / que este dia deitou ao mundo a vida / mais desgraçada que j a m a i s se viu!" (Luís de Camões, *Rimas*, p. 198); "conheceis vós o povo?! o que o povo padece / ouviram-no j a m a i s os ouvidos dos reis?" (Antônio Feliciano de Castilho, *O Outono*, p. 48). **3.** Principalmente, sobretudo: "O pai falava tantas vezes no Sr. Júlio, j a m a i s agora, sabendo que o esperavam" (Conde de Ficalho, *Uma Eleição Perdida*, p. 38.)

➡**jamais entendu** (jamésantandü) [Fr., 'nunca ouvido'.] *Neurol.* e *Psiq.* Ilusão epiléptica [q. v.] que representa manifestação epiléptica crítica, e durante a qual o paciente interpreta mal sensação ou sensações sonora(s) que percebe bem, não mais a(s) reconhecendo, embora lhe(s) seja(m) familiar(es). [Cf. *déjà entendu.*]

➡**jamais vécu** (jamé vecü). [Fr., 'nunca vivido'.] *Neurol.* e *Psiq.* Ilusão epiléptica [q. v.] que representa manifestação epiléptica crítica, e durante a qual o paciente interpreta mal situação ou situações que percebe bem, não mais a(s) reconhecendo, embora lhe(s) seja(m) familiar(es). [Cf. *déjà vécu.*]

➡**jamais vu** (jamé vü). [Fr., 'nunca visto.] *Neurol. e Psiq.* Ilusão epiléptica [q. v.] que representa manifestação epiléptica crítica, e durante a qual o paciente interpreta mal objeto(s) que percebe bem, não mais o(s) reconhecendo, embora lhe(s) seja(m) familiar(es). [Cf. *déjà vu.*]

jamamandi. *Bras. S.* 2 *g.* **1.** Indivíduo dos jamamandis, tribo indígena que habita as florestas entre os rios Purus e Juruá, e pertence à família aruaque. ● *Adj.* 2 *g.* **2.** Pertencente ou relativo a essa tribo.

jamanta[1]. *S. f. Bras.* Peixe elasmobrânquio, hipotremado, da família dos mantídeos (*Manta birostris* (Walb)), dos mares tropicais, de coloração cinzento-escura e cabeça com dois lóbulos ou "chifres" em forma de nadadeiras, o qual atinge até 5 m de diâmetro por três de comprimento, podendo seu peso chegar a 1 tonelada e meia.

jamanta[2]. *S. m.* **1.** *Bras.* Indivíduo mal-amanhado. **2.** *Bras.* Certo calçado caseiro. **3.** *Bras., MA.* Grande papagaio (5) de talas de madeira, que se empina com linha reforçada. **4.** *Bras.* Caminhão grande, tipo reboque, usado para transportar diversos automóveis ao mesmo tempo; carreta: "O caminhão ganha em tamanho, ficando 'j a m a n t a', nome do autocarga com extensa carroceria separada da cabina." (Marcos Vinícios Vilaça, *Em torno da Sociologia do Caminhão*, p. 18.)

jamaparense. *Adj.* 2 *g.* **1.** De, ou pertencente ou relativo a Jamapará (RJ). ● *S.* 2 *g.* **2.** Natural ou habitante de Jamapará.

jamaracaú. [Do tupi.] *S. m. Bras.* Espécie de mandacaru.

jamaru. [Do tupi *yama'ru.*] *S. m. Bras., AM.* Planta da família das cucurbitáceas (*Cucurbita idolatrica*), cujo fruto, de casca espessa e forte, é utilizado, segundo a maneira por que o cortam, ou como alguidar, ou como caixa ou canastra para guardar objetos.

jamba. *S. f.* Cada uma das duas partes iguais de que se compõe uma porta ou uma janela, quando aparelhadas em colunas.

jambé. *S. m. Bras.* Iguaria feita com o fruto do caruru.

jambeado. [De *jambo* + *-eado.*] *Adj.* Da cor do jambo[2]; moreno-claro tirante a róseo ou a avermelhado: "o moreno j a m b e a d o daquele colo de sultana" (Afonso Arinos, *Pelo Sertão*, p. 50).

jambeirense. *Adj.* 2 *g.* **1.** De, ou pertencente ou relativo a Jambeiro (SP). ● *S.* 2 *g.* **2.** Natural ou habitante de Jambeiro.

jambeiro. [De *jambo*[2] + *-eiro.*] *S. m.* Árvore da família das mirtáceas (*Eugenia malaccensis*), originária da Índia e bastante cultivada no Brasil, de folhas amplas, brilhantes e oblongas, flores vistosas, vermelhas e com numerosos estames, e frutos rubros, grandes e saborosos; jambo-rosa, jambo-vermelho.

jambete. [De *jambo* + *-ete*, aportug. da desin. francesa *-ette.*] *S. f. Bras.* Mulata clara, de pele tirante a róseo ou avermelhado.

jâmbico. [Do gr. *iambikós*, pelo lat. *iambicu.*] *Adj.* Var. de *iâmbico* [q. v.].

jambo[1]. [Do gr. *íambos*, pelo lat. *iambu.*] *S. m.* Var. de *iambo* ~ V. *jambos.*

jambo[2]. [Do sânscr. *jambu.*] *S. m.* O fruto do jambeiro. ~V. *jambos.*

jambo-branco. *S. m.* **1.** Arvoreta da família das mirtáceas (*Eugenia aquae*), originária de Java, semelhante ao jambeiro, mas com frutos menores e apenas rosados, que contêm muita água. É bem menos difundida no Brasil do que o jambeiro. **2.** O fruto dessa arvoreta. [Pl.: *jambos-brancos.*]

jambolão. [Do concani *jambulam.*] *S. m. Bras.* V. *jamelão.*

➡**jamboree** (djémmbori). [Ingl.] *S. m.* Congresso internacional de escoteiros.

jambo-rosa. *S. m.* V. *jambeiro.* [Pl.: *jambos-rosas* e *jambos-rosa.*]

jambos. [Pl. de *jambo*[1].] *S. m. pl.* Var. de *iambos.* ~V. *jambo.*

jambo-vermelho. *S. m.* V. *jambeiro.* [Pl.: *jambos-vermelhos.*]

jambu. [Do tupi *ya'mbu.*] *S. m.* **1.** Erva da família das compostas (*Wulffia stenoglossa*), amplamente distribuída no País, de folhas oblongas e ásperas, flores em capítulos áureos, e cujos frutos são aquênios relativamente grandes, procurados pelos pássaros. **2.** Nhambu.

jamburana. [Do tupi *yamburana*, 'semelhante ao jambu'.] *S. f. Bras.* Arbusto da família das piperáceas (*Piper tuberculatum*), tido popularmente por medicinal, de folhas lanceoladas, acuminadas, e glabras superiormente, flores inconspícuas e ordenadas em espigas compactas, mais curtas que as folhas. Ocorre do MA ao CE.

jamegão. *S. m. Pop.* Assinatura, firma, rubrica: "O dinheiro .... rodava sem questão desde as manápulas calejadas até a gaveta dos comerciantes. Caíam cheques do céu com o j a m e g ã o de Nosso Senhor." (João de Araújo Correia, *Sem Método*, p. 51.)

jamelão. [Var. de *jambolão* > concani *jambulam.*] *S. m. Bras.* Árvore da família das mirtáceas (*Eugenia jambolana*), originária da Ásia e muito vulgar entre nós, de folhas oblongas e coriáceas, flores com numerosos estames, e cujo fruto, comestível, é uma baga que expele um corante violáceo; jambolão, jalão.

jaminauá. *Bras. S.* 2 *g.* **1.** Indivíduo dos jaminauás, tribo indígena do rio Tarauacá, pertencente à família lingüística pano. ● *Adj.* 2 *g.* **2.** Pertencente ou relativo a essa tribo.

➡**jam session** (djém séxion). [Ingl.] *S. m. Mús.* **1.** Reunião de músicos de *jazz* que improvisam livremente. **2.** Qualquer concerto de *jazz.*

janaína. *S. f. Bras.* V. *iemanjá.*

jananaíra. [Do tupi.] *S. m. Bras.* Certa figura da mitologia amazônica. [Var.: *janauíra.*]

janari. [Do tupi, provavelmente.] *S. m. Bras.* Árvore da região amazônica.

janatuba. [De provável or. tupi.] *S. f. Bras.* Árvore pouco importante, da família das meliáceas (*Guarea pendula*), nativa no Brasil, de folhas penadas, com folíolos oblíquos, flores pequeninas, ordenadas em cachos compostos, e fruto capsular.

janaú. *S. m. Bras., PA. Folcl.* Animal encantado que anda em bando pelas florestas embriagando as vítimas com o seu fartum para depois devorá-las.

janaúba. [De provável or. tupi] *S. f. Bras.* Arbusto da família das apocináceas (*Himatanthus drastica*), dotado de látex em todas as suas partes, flores campanuladas, amplas e alvas, folhas lanceoladas, moles e grandes, fruto capsular, e cuja casca, venenosa, é tida por febrífuga. Ocorre do PA a MG.

janaubense (a-u). *Adj.* 2 *g.* **1.** De, ou pertencente ou relativo a Janaúba (MG). ● *S.* 2 *g.* **2.** Natural ou habitante de Janaúba.

janauira. *S. m. Bras.* **1.** Jananaíra. **2.** V. *cachorro-do-mato-vinagre.*

jandaia. [Do tupi ñe'ndai.] *S. f. Bras.* Designação comum às espécies de psitaciformes da família dos psitacídeos, gênero *Aratinga* Spix, comuns em todo o País, especialmente a *A. jantaya* (Gmel.) do N.E., de coloração amarela, dorso verde, asas azuladas, cauda do verde ao azul com ponta escura. Vive em bandos, sobretudo nas regiões dos carnaubais, e se adapta bem ao cativeiro. Os jovens são quase totalmente verdes. [Sin. em MG e SP *maritaca, nhandaia, nandaia, periquito-rei.*]

jandaiense. *Adj.* 2 *g.* **1.** De, ou pertencente ou relativo a Jandaia do Sul (GO). ● *S.* 2 *g.* **2.** Natural ou habitante de Jandaia do Sul.

jandaiense-do-sul. *Adj.* 2 *g.* **1.** De, ou pertencente ou relativo a Jandaia do Sul (PR). ● *S.* 2 *g.* **2.** Natural ou habitante de Jandaia do Sul. [Pl.: *jandaienses-do-sul.*]

jandaíra. [Do tupi *yanda'ira.*] *S. f. Bras.* Espécie de abelha.

jandairense (a-i). *Adj.* 2 *g.* **1.** De, ou pertencente ou relativo a Jandaíra (BA). ● *S.* 2 *g.* **2.** Natural ou habitante de Jandaíra.

jandiá. [Do tupi *ñandi'á.*] *S. m. Bras.* V. *jundiá* (1).

jandiparaíba. [Do tupi.] *S. m.* Árvore da família das lecitidáceas (*Gustavia brasiliensis*), de folhas coriáceas, flores amplas e vistosas, e cujos frutos são pixídios, sendo a madeira muito resistente à putrefação e utilizada para obras externas; janiparindiba.

jandiroba. *S. f. Bras.* V. *andiroba* (2). [Var.: *jendiroba.*]

janduí. *Bras. S.* 2 *g.* **1.** Indivíduo dos janduís, tribo indígena que dominava as ribeiras do Açu, Moçoró e Apodi, no RN, e pertencia ao grupo cariri. ● *Adj.* 2 *g.* **2.** Pertencente ou relativo a essa tribo.

janeira. [De *janeiro.*] *S. f. Bras.* V. *azulão* (4). ~ V. *janeiras.*

janeiras. [De *janeiro.*] *S. f. pl. Lus.* **1.** Cantigas populares do dia de ano-bom: "Crianças, de porta em porta, / Sob as goteiras, / Geladas, — que desatino! — / Andam cantando as j a n e i r a s, / Em louvor do Deus menino." (Conde de Monsaraz, *Musa Alentejana*, p. 175.) **2.** Boas-festas. **3.** Presentes de ano-bom. **4.** Designação comum a algumas plantas cujas flores abrem em janeiro. ~ V. *Janeira.*

janeireiro[1]. *Adj.* **1.** Relativo ao mês de janeiro; janeirinho. **2.** Nascido nesse mês. **3.** Que só nesse mês aparece ou se cria.

janeireiro[2]. *S. m. Lus.* Cantador de janeiras.

janeirinho. *Adj.* Janeireiro[1] (1).

janeiro. [Do lat. *Januariu.*] *S. m.* O primeiro mês dos calendários juliano e gregoriano, com 31 dias. ~V. *janeiros.*

janeiros. [Pl. de janeiro.] *S. m. pl.* Anos de idade: *Chegou aos noventa j a n e i r o s com plena lucidez.* ~V. *janeiro.*

janela. [Do lat. vulg. *januella*, dim. de *janua*, 'porta'.] *S.*

f. **1.** Abertura na parede dum edifício para deixar que nele entre a luz e o ar. **2.** *Geol.* Abertura produzida pela erosão, e que deixa descoberto o substrato de camadas mais antigas. **3.** *Pop.* Qualquer buraco, abertura ou rasgão. **4.** Claro que fica num documento e corresponde a uma palavra que faltou e se deve escrever. [Cf. (nesta acepç.): *abertas*.] **5.** *Art. Gráf.* Abertura feita em folha de papel, cartão, etc., protegida ou não por material transparente, para deixar ver o que lhe fica por baixo, como no chamado *envelope de janela*. **6.** *Fís. Nucl.* Num dispositivo de detecção de partículas, parte da sua envoltória que é suficientemente delgada para permitir a passagem das partículas. **7.** *Tip.* Furo em fôrma tipográfica, causado por tipo caído ou retirado; broca. ~ V. *janelas*. ♦ **Janela atmosférica.** *Astr.* Faixa de freqüências eletromagnéticas, pela qual as radiações externas ao nosso planeta chegam ao solo. [V. *janela de rádio* e *janela óptica*.] **Janela basculante.** Janela com batentes móveis, movidos por báscula (2), proporcionando a entrada de ar e luz sem devassar o interior. [Tb. se diz apenas *basculante*.] **Janela de peito.** Janela com peitoril ou parapeito um pouco acima do pavimento. **Janela de rádio.** *Astr.* Janela atmosférica que abrange a faixa de radiações radielétricas. **Janela de sacada.** Janela aberta ao rés do pavimento, se este for em andar alto. **Janela galáctica.** *Astr.* Região do céu onde são raros os objetos do nosso sistema galáctico, e que por isso permite ver com facilidade as galáxias externas. **Janela óptica.** *Astr.* Janela atmosférica que abrange a faixa das radiações visíveis. **Janela pivotante.** Janela que gira em torno de um eixo vertical. **Entrar pela janela.** Ingressar em escola, universidade, emprego público, etc., sem a prestação de concurso normalmente obrigatório ou valendo-se de expedientes escusos.

janelão. [Aum. de *janela*.] *S. m.* Janela muito grande.

janelar. [De *janela* + *-ar*[2].] *V. int.* Estar ou ficar à janela.

janelas. [Pl. de *janela*.] *S. f. pl. Pop.* Os olhos. ~ V. *janela*.

janeleira. *Adj.* (*f.*) **1.** Diz-se de mulher que gosta de ficar à janela. **2.** Namoradeira.

janeleiro. *Adj.* **1.** Que gosta de estar à janela: "Por último, era para j a n e l e i r o o triste sujeito... Era de ver-se, ... com os cotovelos enterrados numa almofada vermelha, engolfado em alheado cismar" (Cândido Jucá [filho], *Noite Insone*, p. 167). ● *S. m.* **2.** Aquele que costuma estar à janela.

jangada. [Do malaiala *changadam'*.] *S. f.* **1.** Armação feita com as madeiras de um navio para salvamento de náufragos. **2.** Conjunto de pequenas embarcações ligadas umas às outras. **3.** Construção ligeira, em forma de grade, para transportes sobre água; caranguejola. **4.** *Bras., N.E.* Embarcação típica, usada para pescaria, com linha constituída de seis paus roliços de jangadeira, unidos por três ou quatro cavilhas de madeira dura, que atravessam os quatro paus do centro, sendo os dois de fora mais grossos, encavilhados nos que lhes ficam imediatamente juntos, de modo a situarem-se em plano ligeiramente superior ao deles. Os dois paus do centro chamam-se *meios;* os dois seguintes, *mimburas;* e os dois de fora, *bordos*. Sobre essa estrutura erguem-se dois bancos, constituído cada um de quatro hastes de madeira dura presas verticalmente às mimburas, e sobre as quais se fixa horizontalmente uma tábua: o mais de vante, o *banco de mastro,* serve de apoio do mastro da jangada; e o mais de ré, o *banco do mestre,* serve de apoio a quem dirige a jangada por meio dum remo que se encaixa entre a mimbura e o meio de boreste. Entre os dois meios, à ré, há uma fenda, pela qual se enfia verticalmente a *tábua de bolina,* uma prancha de madeira dura, comprida e estreita, destinada a reduzir o caimento da jangada quando navega à bolina. A vela é de baioneta, com retranca ou sem ela. ♦ **Jangada do alto.** *Bras., N.E.* Jangada própria para navegação no alto-mar.

jangada-brava. *S. f. Bras.* Árvore da família das tiliáceas *(Heliocarpus americanus),* amplamente dispersa na América tropical, de folhas amplas, serrilhadas e acuminadas, flores com sexos separados, e cujo fruto é cápsula com longos pêlos, sendo a madeira leve e mole. Atinge 6 a 15 m de altura. [Pl.: *jangadas-bravas*.]

jangada-do-campo. *S. f. Bras.* V. *babosa-branca*. [Pl.: *jangadas-do-campo*.]

jangadeira. *S. f. Bras.* Árvore da família das tiliáceas (*Apeiba tibourbou*), de folhas grandes e muito pilosas, flores lúteas e densamente pubescentes, e cujo fruto é uma cápsula globosa e rica em longos acúleos, lembrando um ouriço-do-mar, sendo a madeira, leve e macia, própria para a fabricação de jangadas. Ocorre na América tropical. [Sin.: *pau-de-jangada*.]

jangadeiro. *S. m. Bras.* Dono ou patrão de jangada.

jângal. [Do sânscr. *jangala,* atr. do ingl. *jungle*.] *S. m.* Floresta, selva, mata. [F. paral.: *jângala*. Pl.: *jângales*.]

jângala. *S. m.* Jângal.

jangalamarte. *S. m. Bras., PE.* V. *gangorra*[1] (1). [F. paral.: *jangalamaste;* var.: *joão-galamarte*.]

jangalamaste. *S. m. Bras., PE.* V. *jangalamarte*.

janguismo. [Do antr. *Jango* + *-ismo*.] *Bras. S. m.* **1.** Pensamento ou ação política de João Goulart (1918-1976), dito Jango, estadista brasileiro que foi presidente da República. **2.** Adesão ao janguismo (1), ou simpatia por ele.

janguista. *Bras. Adj. 2 g.* **1.** Relativo ao, ou próprio do janguismo. **2.** Que é partidário do janguismo (1). ● *S. 2 g.* **3.** Partidário dele.

janhar. *S. m. Bras., RJ. Folcl.* Velório dos ciganos, em que se mostravam, entre lamentações, as virtudes e os objetos de uso do morto, e a esposa, de rastos, só se erguia quando o caixão ia para o cemitério.

janicefalia. *S. f.* Conformação de janicéfalo.

janicéfalo. [Do mit. *Jano,* deus romano de duas faces, + *-i-* + *-céfalo*.] *S. m. Terat.* Monstro fetal duplo, que tem uma cabeça e duas faces, uma em oposição à outra; janicípite. ♦ **Janicéfalo assimétrico.** *Terat.* Aquele que tem uma face perfeita e outra quase perfeita. **Janicéfalo parasito.** *Terat.* O que tem duplicação parcial da cabeça no plano frontal.

janicefálico. *Adj.* Relativo à janicefalia, ou ao janicéfalo.

janicípite. *S. 2 g. Terat.* Janicéfalo.

janiparindiba. [De provável or. tupi.] *S. f. Bras.* Jandiparaíba.

janismo. *Bras. S. m.* **1.** Pensamento ou ação política de Jânio Quadros, (1917- —), estadista brasileiro que foi presidente da República. **2.** Adesão ao janismo, ou simpatia por ele.

janista. *Bras. Adj. 2 g.* **1.** Relativo ao, ou próprio do janismo. **2.** Que é partidário do janismo (1). ● *S. 2 g.* **3.** Partidário dele.

janistroques. *S. m. 2 n. Pop.* V. *joão-ninguém*.

janitá. [De provável or. tupi.] *S. f. Bras.* Designação comum a algumas árvores da família das moráceas, dos gêneros *Clarisia* e *Sahagunia,* de folhas coriáceas, duras, lactescentes, madeira avermelhada, dura e aproveitável, e frutos bacáceos, comestíveis.

janízaro. [Do turco *jeñixeri,* 'nova tropa'.] *S. m.* **1.** Antigamente, soldado turco de infantaria, da guarda do sultão. **2.** *Fig.* Satélite de um tirano. **3.** Tropa ou guarda empregada violentamente contra o povo.

janota. [Do fr. *janot,* 'tolo'.] *Adj. e s. m.* Diz-se de, ou indivíduo vestido com apuro exagerado; garrido, elegante, peralta: "Quando vejo algum pretenso j a n o t a de fraque e chapéu-de-coco, penso logo num grande sacrifício para aplacar os manes do Beau Brummel" (Santo-Tirso, *De rebus pluribus*, p. 179).

janotada. *S. f.* **1.** Conjunto ou grupo de janotas. **2.** V. *janotice* (2). **3.** V. *gamenhice*. [Sin. ger.: *janotaria*.]

janotar. *V. int.* Trajar com excesso de apuro, como um janota; luxar, pompear, galear, janotear.

janotaria. *S. f.* **1.** V. *janotada*.

janotear. *V. int.* V. *janotar*. [Conjug.: v. *frear*.]

janotice. *S. f.* **1.** Qualidade, hábitos ou modos de janota; janotismo. **2.** Tafularia, garridice, janotada. **3.** V. *gamenhice*.

janotismo. *S. m.* **1.** Apuro exagerado no trajar: "Já não tinha o mesmo tipo mal-ajeitado ....; agora, um terno de casimira cinzenta .... dava-lhe ares domingueiros de j a n o t i s m o." (Aluísio Azevedo, *Casa de Pensão*, p. 94.) **2.** Janotice (1).

jansenismo. [Do fr. *jansénisme*.] *S. m.* Doutrina de Jansênio (1585-1638), teólogo holandês e bispo de Ipres, sobre a graça e a predestinação e sobre a capacidade moral do homem presente, e que foi adotada na abadia de Port-Royal por várias correntes espirituais com tendência ao rigorismo moral.

jansenista. [Do fr. *janséniste*.] *Adj. 2 g.* **1.** Relativo ao, ou que é sectário do jansenismo. **2.** *P. ext.* Rigorista (2). ● *S. 2 g.* **3.** Sectário do jansenismo.

janta. [Dev. de *jantar*.] *S. f. Pop.* Jantar (3 e 4): "acabara de jantar a j a n t a modesta de um pobre artista" (Rui Santos, *Teixeira Moleque*, p. 108).

jantar. [Do lat. *jantare,* f. vulg. de *jentare*.] *V. int.* **1.** Tomar o jantar (3 e 4): "Almoçou com prazer, ... deu um grande passeio a pé, j a n t o u" (Júlio Ribeiro, *A Carne*, p. 68). *T. d.* **2.** Comer as iguarias do jantar (3); *J a n t o u um bife com fritas;* "Joaquim acabara de j a n t a r a janta modesta de um pobre artista" (Rui Santos, *Teixeira Moleque*, p. 108). ● *S. m.* **3.** Uma das refeições do dia, na parte da noite. **4.** A comida que constitui essa refeição: *O j a n t a r está pronto.* [Sin. pop. nas acepç. 3 e 4: *janta*.]

jantarão. *S. m.* Jantar opíparo; banquete.

jantarola. [De *jantar* (3) + *-ola*.] *S. f. Bras., S.* Jantar festivo, muito animado: "A j a n t a r o l a e o resto do festo iam ser no dia seguinte — que foi o do caso." (Simões Lopes Neto, *Contos Gauchescos e Lendas do Sul*, p. 142.)

jante. *S. f. Bras., N.* e *N.E.* e *lus. Autom.* Aro da roda dos veículos automóveis. ♦ **Na jante.** *Bras., AL. Pop.* Muito mal de vida; em situação lastimável; na última lona.

januaíra. [Do tupi.] *S. m. Bras., Amaz.* V. *cachorro-do-mato-vinagre*.

januarense[1]. *Adj. 2 g.* **1.** De, ou pertencente ou relativo a Januária (MG). ● *S. 2 g.* **2.** Natural ou habitante de Januária.

januarense[2]. *Adj. 2 g.* **1.** De, ou pertencente ou relativo a Januário Cicco (RN). ● *S. 2 g.* **2.** Natural ou habitante de Januário Cicco.

januária. [Do top. *januária* (MG), onde a princípio era fabricada.] *S. f. Bras. MG. Pop.* V. *cachaça* (1).

jaó. [Voc. onom.] *S. m. e f. Bras.* Designação comum a várias espécies de tinamídeos do gênero *Crypturellus* Brab. & Chumb., especialmente às duas seguintes; *undulatus* (Tem.) e as suas subespécies, do Brasil central, de coloração escura com listras transversais, largas e estreitas, brancas e a *C. noctivagus* (Wied.), do PI ao RS, de coloração mais ou menos semelhante à da primeira, coberteiras das asas pretas com faixas amarelas, peito castanho, barriga amarelada, nuca e pescoço posterior avermelhado, e cujo piado nostálgico é emitido geralmente ao escurecer, sob a forma de quatro notas características. Como alimento é dos mais procurados, e sua caça faz-se com o auxílio de um pio especial, de espera. [Var.: *juó;* sin.: *macucau, macucauá* e *zabelê*.]

japa. [Var. de *inhapa*.] *S. f. Bras., S.* V. *gorjeta* (2).

japá. [Do tupi *ya'pá*.] *S. m. Bras., AM.* Espécie de esteira feita de palmas de várias palmeiras, usada em pequenas toldas de embarcações e para cobrir os interstícios de cumeeira nas barracas, substituindo nestas, por vezes, a madeira para as portas e janelas: "a chuva recrudescia de violência, ... caindo em cheio sobre o Padre e o sacristão que se foram meter sob o j a p á da canoa" (Inglês de Sousa, *O Missionário*, p. 260).

japacani. *S. m. Bras.* V. *japacanim* (1 e 2).

japacanim. [Var de *japacani* tupi *yapaka'ni*.] *S. m. Bras.* **1.** Ave falconiforme, da família dos acipitrídeos (*Rupornis magnirostris* (Gmel.)), do L. da Venezuela, Guianas e N.O. do Brasil, de dorso pardo-acinzentado, garganta cinzenta, peito vermelho-claro, abdome vermelho-claro listrado de branco, parte das rêmiges pardas com tons amarelados, outra parte pardo-escura listrada de vermelho, cauda cinzenta listrada de preto. Alimenta-se doutras aves e também de artrópodes de maior porte. [Sin.: *gavião pega-pinto*.] **2.** Ave da família dos mimídeos (*Donacobius atricapillus* (L.)), de larga distribuição geográfica, de coloração dorsal parda, cabeça mais escura, com o vértice e os lados pretos, abdome amarelo-ocráceo listrado de preto nos flancos, e ponta das rêmiges e espelho brancos. Alimenta-se de insetos. [Sin.: *japacanim-do-brejo, jacapani e jacapanim, agami, agaú, angaú, angu, assobia-cachorro, assobiador, batuquira, casaca-de-couro, pássaro-angu, pintassilgo-do-brejo, sabiá-cachorro, sabiá-do-brejo, sabiá-do-piri, sabiá-guaçu, uirá-angu, viola*.]

japacanim-do-brejo. *S. m. Bras.* V. *japacanim* (2). [Pl.: *japacanins-do-brejo*.]

japana. [Do tupi *ya'pana*.] *S. f. Bras.* Planta da família das compostas (*Eupatoriu ayapana* Vent.).

japani. [De provável or. tupi.] *S. m. Bras.* Árvore da família das leguminosas (*Parkia oppositifolia*), alta, copada e espessada, de folhas com numerosos folíolos pequenos, flores muito numerosas, em capítulos densos e terminais, legume lenhoso e grosso, e madeira sem valor. Ocorre na Amaz. [Var.: *japanim*.]

japanim. *S. m. Bras.* Var. nasalada de *japani* [q. v.].

japão. *Adj.* **1.** V. *japonês*. (1). ● *S. m.* **2.** V. *japonês* (2). "Um casal de borboletas, — que os j a p õ e s têm por símbolo da fidelidade, por observarem que, se pousam de flor em flor, andam quase sempre aos pares, — um casal delas acompanhou por muito tempo o passo do cavalo" (Machado de Assis, *Quincas Borba*, pp. 239-240). [Fem.: *japoa*.] **3.** Papel do japão [q. v.]: "no doirado as aparas ao alto das páginas das edições preciosas, impressas em holanda, china ou j a p ã o ." (Afrânio Peixoto, *Poeira da Estrada*, p. 111).

japara. [De provável or. tupi.] *S. f. Bras., BA.* Opaba.

japaratubense. *Adj. 2 g.* **1.** De, ou pertencente ou relativo a Japaratuba (SE). ● *S. 2 g.* **2.** Natural ou habitante de Japaratuba.

japecanga. [Do tupi *yapé'kanga*.] *S. f. Bras.* V. *salsaparrilha*.

japeraçaba. [Do tupi, decerto.] *S. f. Bras.* Certa palmeira (*Attalea funifera*).

japi. *S. m.* V. *japim*.

japiaçó. [Var. de *japiaçoca*.] *S. m. Bras. MA.* V. *jaça- nã* (1).
japiaçoca. [Do tupi *yapia'soka*, var: *japiaçó*.] *S. f. Bras. MA.* V. *jaçanã* (1).
japicaí. [De provável or. tupi.] *S. m. Bras.* Preparação de certas folhas vegetais com a qual se atordoam os peixes para pescá-los.
japicuru. [Do tupi.] *S. m. Bras.* V. *bacupari-do-campo.*
japiim. *S. m. Bras., Amaz.* V. *japim.*
japim. [Var. de *japi* tupi *ya'pi*.] *S. m. Bras.* Ave passeriforme, da família dos icterídeos (*Cacicus cela* (L.)), largamente distribuída no Brasil e países limítrofes, de coloração negra, dorso inferior, uropígio, crisso e parte basal da cauda amarelo-vivos e bico claro. [Var.: *japi, japiim*; sin.: *baguá, bom-é, xexéu, joão-conguinho*.]
japim-da-mata-encarnado. *S. m. Bras.* V. *japim-de-costa-vermelha.* [Pl.: *japins-da-mata-encarnados*.]
japim-de-costa-vermelha. *S. m. Bras.* Ave passeriforme, da família dos icterídeos (*Cacicus haemorrhous* (L.)), da Amaz., de coloração preta, dorso inferior e uropígio encarnados, e bico claro; japim-do-mato, japim-da- mata-encarnado, guaxe. [Pl.: *japins-de-costa-vermelha*.]
japim-do-mato. *S. m. Bras.* V. *japim-de-costa-vermelha.* [Pl.: *japins-do-mato*.]
japira. *S. m. Bras., BA.* V. *guaxe* (1).
japirense. *Adj. 2 g.* **1.** De, ou pertencente ou relativo a Japira (PR). • *S. 2 g.* **2.** Natural ou habitante de Japira.
japoa (ô). *Adj. (f.)* e *s. f.* Fem. de japão (1 e 2): "Há .... obras-primas sobre a vida j a p o a e mais coisas relativas aos japões." (Luís Guimarães, *Samurais e Mandarins*, p. 13.)
japoatonense. *Adj. 2 g.* **1.** De, ou pertencente ou relativo a Japoatã (SE). • *S. 2 g.* **2.** Natural ou habitante de Japoatã.
japona[1]. [Substantivação de *japona*, fem. ant. de *japão* (o moderno é *japoa* — q. v.).] *S. f.* **1.** *Mar.* Abrigo de frio, curto, espécie de jaquetão em geral de pano azul-ferrete, usado por oficiais e praças por cima do uniforme: "Moços e marinheiros, ... encolhidos e trêmulos de frio, nas suas já alagadas j a p o n a s d'oleado, ... cantavam pressagamente" (Virgílio Várzea, *Nas Ondas*, p. 16). **2.** Casaco esportivo, de lã grossa, inspirado no modelo da japona (1), e adotado na indumentária masculina e feminina. **3.** *Bras.* Alcunha dada aos portugueses. V. *galego* (4).
japona[2]. [Der. regress. de *japonês*.] *S. 2 g. Bras.* Alcunha dada aos japoneses.
japonês. *Adj.* **1.** Do, ou pertencente ou relativo ao Japão (Ásia); japão, japônico, nipônico. ~ V. *balão* —. • *S. m.* **2.** O natural ou habitante do Japão; japão, nipônico. [Flex.: *japonesa* (ê), *japonesas* (ê), *japoneses* (ê). Cf. *japonesa, japonesas* e *japoneses*, do v. *japonesar*.] **3.** Língua de filiação obscura, falada no Japão.
japonesar. *V. t. d.* Dar caráter ou feição japonesa a; japonizar. [Pres. ind.: *japoneso, japonesas, japonesa*, etc.; pres. subj.: *japonese, japoneses*, etc. Cf. *japonesa* (ê), *japoneses* (ê), *japonesas* (ê), flex. de *japonês*.]
japônico. *Adj.* V. *japonês* (1).
japonismo. *S. m.* **1.** A maneira de ser dos japoneses. **2.** Imitação dessa maneira de ser. **3.** Gosto ou paixão de tudo que se refere ao Japão — língua, costumes, arte, etc.: "Os irmãos Goncourts gabam-se de terem sido na Europa os inventores do j a p o n i s m o." (Machado de Assis, *A Semana*, II, p. 340.)
japonizar. *V. t. d.* **1.** Japonesar. **2.** Dar nova cozedura a (louça de porcelana) a fim de torná-la semelhante à porcelana do Japão.
japu. [Do tupi *ya'pu*.] *S. m. Bras.* Designação comum a várias aves passeriformes da família dos icterídeos, especialmente as dos gêneros *Gymnostinops* Scl. e *Ostinops* Cab., que têm a cauda longa e amarela, e o bico forte, igualmente amarelo. As do primeiro têm a base da mandíbula nua; as do segundo, empenada. [Sin.: *sapu, rubixá*.]
japuaçu. [Do tupi *yapua'su*, 'japu grande'.] *S. m. Bras.* **1.** Ave passeriforme, da família dos icterídeos (*Gymnostinops bifasciatus* (Spix)), da Amaz., de cor vermelho-escura, alto da cabeça, nuca, garganta e peito pretos, retrizes médias pardo-oliváceas escuras, retrizes laterais amarelas, e parte do bico geralmente encarnada; japuguaçu, japu-grande, japu-gamela e rei-congo. **2.** V. *joão-congo.*
japuçá. [Do tupi, decerto.] *S. m. Bras.* V. *sauá.*
japuçá-de-coleira. *S. m. Bras.* Espécie de macaco (*Callicebus torquatus* Hoffmanns.). [Pl.: *japuçás-de-coleira*.]
japucanimpium. [Do tupi.] *S. m. Bras., Amaz.* V. *cancã[2]* (3).
japu-do-bico-encarnado. *S. m. Bras.* Ave passeriforme, da família dos icterídeos (*Cymnostinops yuracares* (Laf. & d'Orb.)), da Amaz. e países limítrofes, de coloração oliváceo-amarelada clara, dorso inferior, uropígio, asas e parte posterior do abdome vermelho-escuros, cauda amarela com as retrizes médias pardo-esverdeadas, e ponta do bico amarelo; jabó. [Pl.: *japus-do--bico-encarnado*.]
japu-gamela. *S. m. Bras., BA.* **1.** V. *joão-congo.* **2.** V. *japuaçu* (1). [Pl.: *japus-gamelas* e *japus-gamela*.]
japu-grande. *S. m. Bras.* V. *japuaçu* (1). [Pl.: *japus--grandes*.]
japuguaçu. [Do tupi *yapuwa'su*, 'japu grande'.] *S. m. Bras.* **1.** V. *japuaçu* (1). **2.** V. *joão-congo.*
japuí. [Do tupi *yapu'i*, 'japu pequeno'.] *S. m. Bras.* V. *guaxe* (1).
japuíra. [Do tupi.] *S. m.* **1.** *Bras., MT.* V. *joão-congo.* **2.** *Bras., SP.* V. *guaxe* (1).
japujuba. [Do tupi *ya'pu*, 'japu', + *'yuba*, 'amarelo'.] *S. f. Bras.* V. *guaxe* (1).
japurá. *S. m. Bras.* V. *jupará.*
japuraense. *Adj. 2 g.* **1.** De, ou pertencente ou relativo a Japurá (AM). • *S. 2 g.* **2.** Natural ou habitante de Japurá.
japuruxitá. [Do tupi *yapuruxi'tã*.] *S. m. Bras., Amaz.* Espécime de molusco gastrópode, cujo nome comum ainda não está bem correlacionado com o científico.
japu-verde. *S. m. Bras.* Ave passeriforme, da família dos icterídeos (*Ostinops viridis* (Mül.)), da Amaz., de coloração oliváceo-clara, dorso inferior, uropígio e parte posterior do abdome vermelhos, parte das asas preta, cauda amarela, com as retrizes médias verdes enegrecidas, e bico claro com ponta encarnada. [Pl.: *japus-verdes*.]
jaque. [Do ingl. *jack*.] *S. m. Lus. Mar.* V. *jeque* (2).
jaqueira. *S. f.* **1.** Grande árvore da família das moráceas (*Artocarpus integra*), originária da Ásia e extremamente difundida no Brasil, de flores femininas e masculinas no mesmo espécime, dispostas em espigas compactas, folhas oblongas e coriáceas, frutos bacáceos, muito apreciados, e madeira amarela, aproveitável. **2.** Jaca[1] (3).
jaqueiral. *S. m.* Quantidade mais ou menos considerável de jaqueiras dispostas proximamente entre si.
jaqueta (ê). [Do fr. *jaquette*.] *S. f.* **1.** Casaco curto, que chega só até a cintura ou mal a ultrapassa; jaleca: "saía de casa vestido .... de calças e j a q u e t a de veludo verde" (Ramalho Ortigão, *Em Paris*, p. 126). [Cf. *véstia*.] **2.** *Encad.* Sobrecapa (1). • *S. m.* **3.** *Bras.* Indivíduo emperrado em hábitos e modos de vida antigos.
jaquetão. [Aum. de *jaqueta*.] *S. m.* Paletó trespassado na frente, em geral, com quatro ou seis botões: "O Coronel Javali não comparecia aos Leões senão de terno escuro, j a q u e t ã o de oito botões" (José Sarney, *Norte das Águas*, p. 160).
jaquiranabóia. [Do tupi *yaki'rana*, 'aquilo que é semelhante a piolho', + *-mbói*, 'cobra[1]'.] *S. f. Bras.* V. *jequitiranabóia.*
jará. [Do tupi *ya'ra*.] *S. f.* e *m. Bras.* Palmeira (*Leopoldinia pulchra*) da região amazônica, de folhas com 1,5 a 2 m, bainhas desfiadas como uma rede, espatas pequenas, com espigas unissexuais, e noz globosa. Atinge até 4 m de altura. [Sin.: *jaraiúba* ou *jaraiúva*.]
jaracambeva. [Certamente do tupi.] *S. f. Bras.* Certa cobra (*Xendon merremii* Wagler).
jaracatiá. [Do tupi *yarakati'a*.] *S. m. Bras.* Planta da família das caricáceas (*Jaracatia dodecaphylla*); mamoeiro-do-mato.
jaraguá. [Do tupi *yara'wa*.] *S. m.* **1.** *Bras.* Capim da família das gramíneas (*Hyparrhenia rufa*), de origem africana, muitíssimo espalhado pelos pastos do Brasil como uma das principais forragens para o gado bovino, e que alcança uns 2m de altura, produzindo inflorescências cor de ferrugem; provisório. **2.** *Bras., GO.* Campo onde medra esse capim. **3.** *Bras. Folcl.* Personagem fantástica do bumba-meu-boi [q. v.], a qual pode apresentar as mais diversas formas e comportamentos. **4.** *Bras., RJ. Folcl.* Peça principal dos folguedos do Natal e de S. João: um homem com caveira de cavalo na cabeça e camisolão até os pés, guiado pelo dono, e que dá passos e arremetidas à frente dos músicos. **5.** *Bras., RJ. Folcl.* Esse folguedo.
jaraguaense. *Adj. 2 g.* **1.** De, ou pertencente ou relativo a Jaraguá do Sul (SC). • *S. 2 g.* **2.** Natural ou habitante de Jaraguá do Sul. [Cf. *jaragüense*.]
jaraguamuru. [De provável or. tupi.] *S. m. Bras.* Árvore da família das boragináceas (*Cordia grandifolia*), que lembra a babosa-branca [q. v.].
jaraguariense. *Adj. 2 g.* **1.** De, ou pertencente ou relativo a Jaraguari (MS). • *S. 2 g.* **2.** Natural ou habitante de Jaraguari.
jaragüense. *Adj. 2 g.* **1.** De, ou pertencente ou relativo a Jaraguá (GO). • *S. 2 g.* **2.** Natural ou habitante de Jaraguá. [Cf. *jaraguaense*.]
jaraiúba. [Do tupi *ya'ra*, 'jará', + *iwa*, 'árvore'.] *S. f. Bras.* V. *jará.* [Var.: *jaraiúva*.]
jaraiúva. [Var. de *jaraiúba*.] *S. f. Bras.* V. *jará.*
jaramataia. [De provável or. tupi.] *S. f. Bras.* Espécie de árvore da família das leguminosas.
jarana. [De provável or. tupi.] *S. f. Bras.* Árvore da família das lecitidáceas (*Holopyxidium jarana*), da mata amazônica, de folhas lanceoladas e coriáceas, flores vistosas, sésseis e alvas, e cujo fruto é cápsula circuncisa, sendo a madeira dura e resistente.
jarandeua. [De provável or. tupi.] *S. f. Bras.* Árvore da família das leguminosas (*Pithecolobium latifolium*), de folhas com três a cinco folíolos amplos e acuminados, flores pequenas, róseas e em capítulos, legume coriáceo e curvo, e cuja madeira é boa para construções. Ocorre na América tropical.
jaranganha. [De provável or. tupi.] *S. f. Bras.* Erva da família das amarilidáceas (*Bomarea edulis*), difundida pela América do Sul, de folhas lanceoladas, alongadas, flores vistosas, paniculadas, fruto capsular, e de cujo rizoma parte o caule trepador, tendo as raízes tubérculos comestíveis.
jará-oluá. [Do ioruba.] *S. m. Bras., BA.* O santuário do candomblé. [Pl.: *jarás-oluás*.]
jará-orixá. [Do ioruba.] *S. m. Bras., BA.* O quarto dos santos. [Pl.: *jarás-orixás*.]
jaraqui. [Do tupi *yara'ki*.] *S. m. Bras.* **1.** Peixe teleósteo, caraciforme, da família dos caracídeos (*Prochilodus brama* Val.), da Amaz., muito comum em Manaus, e cujo corpo apresenta listras negras horizontais na parte de cima da linha lateral, mais acentuadas na parte posterior. [Var.: *jeraqui*.] **2.** Bebida feita do suco da mandioca.
jararaca. [Do tupi *yara'raka*.] *S. f.* **1.** *Bras.* Designação comum a várias espécies de reptis ofídios, da família dos crotalídeos, gênero *Bothrops* Wagl., que ocorrem em todo o Brasil, e têm presas anteriores solenoglifas, cauda afilada bruscamente, sem guizo, cabeça triangular e revestida de escamas. Embora venenosas, são cobras mansas; vivem geralmente isoladas, e alimentam-se de roedores e outros animais de pequeno porte; medem 1 m a 1,50m de comprimento. A espécie mais comum no Brasil é a *Bothrops jararaca* (Wied.), a *jararaca-verdadeira* [q. v.]. **2.** *Bras. Pop.* Pessoa de mau gênio. **3.** *Bras., CE.* Roupa escura, em especial de casimira.
jararaca-da-mata. *S. f. Bras.* V. *jararaca-verdadeira.* [Pl.: *jararacas-da-mata*.]
jararaca-da-praia. *S. f. Bras., RS.* Reptil ofídio, da família dos colubrídeos (*Lystrophis dorbygnyi* (Dum. & Bid.)), do S. do Brasil e países vizinhos, de coloração cinzenta, manchada de castanho no dorso, e parte ventral vermelha com manchas azuladas. Comprimento: até 60cm; vive nas dunas, alimentando-se de pequenos sáurios. [Sin.: *cobra-nariguda*, ou apenas *nariguda*. Pl.: *jararacas-da-praia*.]
jararaca-da-seca. *S. f. Bras.* Reptil ofídio, da família dos crotalídeos (*Bothrops erythromelas* (Amaral)), do CE à BA, de dorso pardo-avermelhado, com longas manchas laterais escuras, triangulares, próximas entre si, e cabeça com faixa clara terminal sobre o focinho. [Pl.: *jararacas-da-seca*.]
jararaca-de-barriga-vermelha. *S. f. Bras.* V. *jararaquinha-do-campo* (1). [Pl.: *jararacas-de-barriga-vermelha*.]
jararaca-do-banhado. *S. f. Bras., S.* V. *jararacuçu-do-brejo.* [Pl.: *jararacas-do-banhado*.]
jararaca-do-campo. *S. f. Bras.* V. *jararaca-verdadeira.* [Pl.: *jararacas-do-campo*.]
jararaca-do-cerrado. *S. f. Bras.* V. *jararaca-verdadeira.* [Pl.: *jararacas-do-cerrado*.]
jararaca-do-rabo-branco. *S. f. Bras.* V. *jararaca-pintada.* [Pl.: *jararacas-do-rabo-branco*.]
jararaca-dormideira. *S. f. Bras.* V. *jararaca-verdadeira.* [Pl.: *jararacas-dormideiras*.]
jararaca-do-tabuleiro. *S. f. Bras., N.E.* V. *cobra-lisa.* [Pl.: *jararacas-do-tabuleiro*.]
jararacambeva. *S. f. Bras., MG.* V. *boipeva.*
jararaca-pintada. *S. f. Bras.* Reptil ofídio, da família dos crotalídeos (*Bothrops neuwieddi* (Wagl.)), distribuída por todo o Brasil, com cerca de 10 subespécies, de coloração geral pardo-arruivada, com manchas pardo-escuras orladas de branco, parte ventral amarelada, e quatro manchas escuras sobre a cabeça. Comprimento: até 90cm. [Sin.: *tirapéia, jararaca-do-rabo-branco, boca-de-sapo, rabo-de-osso.* Pl.: *jararacas-pintadas*.]
jararaca-preguiçosa. *S. f. Bras.* V. *jararaca-verdadeira.* [Pl.: *jararacas-preguiçosas*.]
jararaca-preta. *S. f. Bras.* V. *cotiara* (1).
jararaca-verdadeira. *S. f. Bras.* Reptil ofídio, da família

dos crotalídeos (*Bothrops jararaca* (Wied.)), conhecida da BA para o S., de dorso oliváceo em estreitas manchas laterais, irregulares, ou triangulares, com vértices confluentes. É responsável pela maioria dos acidentes ofídicos no País, contribuindo com cerca de 50% dos acidentes comprovados pelo Instituto Butantã. Comprimento: até 1,60m. Alimenta-se de roedores e outros pequenos animais. [Sin.: *jararaca-do-campo, jararaca-do-cerrado, jararaca-dormideira, jararaca-preguiçosa, jararaca-da-mata*. Pl.: *jararacas-verdadeiras*. Cf. *jararaca*.]

jararaca-verde. *S. f. Bras.* Reptil ofídio, da família dos crotalídeos (*Bothrops bilineata* (Wied.)), comum desde a BA até o extremo N. do País, de dorso verde com uma série de pintas amarelo-avermelhadas de cada lado da linha vertebral e uma listra punctiforme, amarela, de cada lado do ventre. Habita as matas, preferindo abrigar-se em palmeiras; comprimento: até 1m. [Sin.: *juricana, paraambóia, patioba, cobra-papagaio, surucucu-pindoba, surucucu-de-patioba, surucucu pinta-de-ouro, ouricana, uricana, surucucu-de-pindoba*. Pl.: *jararacas-verdes*.]

jararacuçu. *S. f.* e *m. Bras.* Reptil ofídio, da família dos crotalídeos (*Bothrops jararacussu* Lacerda), comum nas regiões baixas e alagadiças desde o litoral S. e L. até a região centro-oeste, de dorso amarelo-escuro com largas manchas laterais levemente unidas ou confluentes; comprimento: até 2,20m. [Sin.: *jararacuçu-verdadeiro, surucucu, surucucu-dourada, surucucu-tapete, urutu-dourado, urutu-estrela, patrona*.]

jararacuçu-do-brejo. *S. f.* e *m. Bras.* Reptil ofídio, da família dos colubrídeos (*Eudryas bifossatus* (Rad.)), de coloração básica amarelo-carregada, com manchas acastanhadas, linhas longitudinais amarelas no terço anterior, e parte ventral branco-amarelada com manchas. Comprimento: até 2m. Vive próximo de rios e banhados, alimentando-se sobretudo de rãs. Embora não seja venenosa, costuma picar com freqüência, sendo espécie agressiva. [Sin.: *jararaca-do-banhado, cobra-nova*. Pl.: *jararacuçus-do-brejo*.]

jararacuçu-tipiti. *S. f.* e *m. Bras.* V. *boipeva*. [Pl.: *jararacuçus-tipitis*.]

jararacuçu-verdadeiro. *S. f.* e *m. Bras.* V. *jararacuçu*. [Pl.: *jararacuçus-verdadeiros*.]

jararaquinha-do-campo. *S. f. Bras., S.* **1.** Reptil ofídio, da família dos colubrídeos (*Leimadophis almadensis* (Wagl.)), do N., C. e E. do País, de coloração dorsal castanho-escura com manchas acentuadas dos lados, bem visíveis próximo da cabeça, uma estria verde lateral da cabeça à cauda, e abdome vermelho com manchas cinzento-azuladas. Comprimento: até 1m. São fugidias e alimentam-se de anuros de pequeno porte. [Sin.: *cobra-espada, jararaca-de-barriga-vermelha*.] **2.** Reptil ofídio, da família dos colubrídeos (*Liophis jaegeri* (Gunt.)), da região central e S. do País. [Pl.: *jararaquinhas-do-campo*.]

jaratacaca. *S. f. Bras.* V. *jaritataca*.

jaratataca. *S. f. Bras.* V. *jaritataca*.

jarazal. *S. m. Bras., Amaz.* Quantidade mais ou menos considerável de jarás dispostos proximamente entre si.

jarda. [Do ingl. *yard*.] *S. f.* Unidade fundamental de comprimento, do sistema inglês, equivalente a 3 pés ou 914 mm: "Três palmos de carabina e seis j a r d a s de chão liso nos separavam um do outro." (Geir Campos, *O Vestíbulo*, p. 27). [Simb.: *yd*.]

jardim. [Do fr. *jardin*.] *S. m.* **1.** Terreno, em geral com alamedas, onde se cultivam plantas ornamentais, úteis, ou para estudo. **2.** *Fig.* País fértil em culturas variadas. ♦ **Jardim botânico.** Local onde se cultivam e expõem espécimes botânicos. **Jardim de popa.** *Constr. Nav.* Espécie de sacada, na popa de antigos navios de guerra de grande porte, que se comunica por meio de portas com as acomodações do comandante. **Jardim zoológico.** Local, geralmente nas grandes cidades, destinado à exposição permanente de espécimes mais ou menos raros de animais. [Tb. se diz apenas *zoológico* e *zôo*.]

jardim-de-infância. *S. m.* Escola para crianças menores de seis anos: "Minha primeira escola foi o Instituto de Educação Infantil, um j a r d i m - d e - i n f â n c i a que ficava na Rua Figueiredo Magalhães" (Afonso Arinos Filho, *Primo Canto*, p. 23). [Pl.: *jardins-de-infância*. Cf. *escola maternal*.]

jardim-de-inverno. *S. m.* Área de estar de uma casa, envidraçada e com fartura de luz, onde, em geral, se cultivam plantas e flores. [Pl.: *jardins-de-inverno*.]

jardinagem. *S. f.* **1.** Cultura de jardins. **2.** A arte de cultivar jardins: "tinham nascido flores singelas para frutificarem vulgarmente; uma j a r d i n a g e m milagrosa as converteu .... em flores dobradas, mais fragrantes" (Antônio Feliciano de Castilho, *Amor e Melancolia*, p. 263). **3.** Processo de silvicultura que consiste em cortar em diversos pontos da mata ou floresta, salteadamente, as árvores em idade de serem aproveitadas na indústria.

jardinar. *V. t. d.* **1.** Cultivar (um jardim). *Int.* **2.** Cultivar um jardim. **3.** Tratar de um jardim como recreação: "O mais do tempo é gasto em hortar, j a r d i n a r e ler" (Machado de Assis, *Dom Casmurro*, p. 5).

jardineira. *S. f.* **1.** Mulher que trata de jardins. **2.** Móvel de sala ou varanda onde se colocam plantas. **3.** *P. ext. Desus.* Mesa onde se põem flores e outros objetos de adorno: "Não havia um quadro, uma flor, um ornato, um livro — apenas sobre a j a r d i n e i r a uma estatueta de Napoleão I" (Eça de Queirós, *Os Maias*, I, p. 221). **4.** Caixa onde se plantam flores ou pequenos arbustos. **5.** Maneira de apresentar certos pratos, rodeando-os de legumes de várias qualidades. **6.** Calça, *short* ou saia com peitilho quadrado costurado na cintura, e com alças que se cruzam e prendem atrás. **7.** *Bras.* Grande carro de transporte coletivo, geralmente ônibus [q. v.], com bancos paralelos. **8.** *Bras.* V. *ônibus*: "Do avião saltamos para a j a r d i n e i r a, a caminho da cidade." (Carlos Drummond de Andrade, *A Bolsa & a Vida*, p. 63.) **9.** *Bras.* Professora de jardim-de-infância. **10.** *Bras., RS.* Carro de quatro rodas, puxado a cavalo, de uso nas estâncias. **11.** *Bras., PR* e *SC.* V. *balainha*.

jardineiro. *S. m.* Aquele que trata de jardins e/ou sabe jardinagem.

jardinense[1]**.** *Adj. 2 g.* **1.** De, ou pertencente ou relativo a Jardim (CE e MS). ● *S. 2 g.* **2.** Natural ou habitante de Jardim.

jardinense[2]**.** *Adj. 2 g.* **1.** De, ou pertencente ou relativo a Jardim do Seridó (RN). ● *S. 2 g.* **2.** Natural ou habitante de Jardim do Seridó.

jardinense[3]**.** *Adj. 2 g.* **1.** De, ou pertencente ou relativo a Bom Jardim (PE). ● *S. 2 g.* **2.** Natural ou habitante de Jardim.

jardinense[4]**.** *Adj. 2 g.* **1.** De, ou pertencente ou relativo a Santo Antônio do Jardim (SP). ● *S. 2 g.* **2.** Natural ou habitante de Santo Antônio do Jardim.

jardinete (ê). [Do fr. *jardinet*.] *S. m.* Pequeno jardim: "modesta residência, cercada de um j a r d i n e t e" (Afonso Arinos de Melo Franco, *A Alma do Tempo*, p. 374).

jardinista. *S. 2 g.* **1.** Pessoa que gosta muito de jardins. **2.** Paisagista (2).

jardinopolense. *Adj. 2 g.* **1.** De, ou pertencente ou relativo a Jardinópolis (SP). ● *S. 2 g.* **2.** Natural ou habitante de Jardinópolis.

jarê. [De or. afr., decerto.] *S. m. Bras.* Dança fetichista negra da BA, sobretudo da região de Lençóis.

jareré[1]**.** *S. m. Bras.* Var. de *jereré*[1].

jareré[2]**.** *S. m. Bras., SP.* Var. de *jereré*[2].

jareuá. [Do tupi *yare 'wa*.] *S. f. Bras.* Espécie de palmeira (*Cocos aequatorialis*).

jargão[1]**.** [Do fr. *jargon*.] *S. m.* **1.** Linguagem corrompida. **2.** Língua estrangeira que não se compreende. **3.** Gíria profissional: "Para eles [os doutores javaneses] é boa literatura a que é constituída por vastas compilações de cousas de sua profissão, escritas laboriosamente em um j a r g ã o enfadonho com fingimento de língua arcaica." (Lima Barreto, *Histórias e Sonhos*, p. 55.)

jargão[2]**.** *S. m. Min.* Variedade hialina ou enfumaçada de zirconita.

jaribara. [De provável or. tupi.] *S. f.* **1.** *Bras.* Galhada de árvores abatidas que ficam presas às ramagens de outras e cobertas de trepadeiras e epífitas. **2.** *Bras., GO.* Trecho de vegetação arbustiva ou herbácea, à margem de um rio. [Var.: *jaibara, jabara jebara*.]

jarina. [Do tupi *ya 'rina*.] *S. f. Bras.* Palmeira baixa e de estipe grosso (*Phytelephas macrocarpa*), da Amaz., de flores odoríferas, e cujas sementes, grandes e extremamente duras, se empregam no fabrico de botões. Cada cacho fornece de seis a sete frutos. [Sin.: *marfim-vegetal*.]

jarinuense. *Adj. 2 g.* **1.** De, ou pertencente ou relativo a Jarinu (SP). ● *S. 2 g.* **2.** Natural ou habitante de Jarinu.

jaritacaca. *S. f. Bras.* V. *jaritataca*.

jaritataca. [Var. de *jaratacaca* < tupi *yarata 'kaka*.] *S. f. Bras.* Mamífero carnívoro, da família dos mustelídeos (*Conepatus chilensis amazonicus*), amplamente destribuído no N. do País, de coloração preta, com uma faixa branca dorsal dividida longitudinalmente ao meio por uma linha preta. Mede 50 cm. além da cauda, que só tem 15 cm e muito pilosa, branca e empenachada; é provido de uma glândula anal que secreta e faz projetar, como defesa, um líquido fétido, irritante e nauseante. Ofiófago, não é sensível aos venenos das cobras peçonhentas. [Var.: *jaritacaca, jaratataca, jeritataca, jaguaritaca, jaguacacaca, iritataca maratataca*. Sin.: *maritafede, cangambá*.]

jarivá. [Var. de *jerivá*, com *dissimilação*.] *S. m. Bras., Amaz.* Palmeira silvestre (*Astrocarum acaule*), das catingas do rio Negro, desprovida de estipe, com folhas de cerca de 3 m, pecíolo aculeado e escamoso, flores ordenadas em espigas longamente pedunculadas, e nozes edules com 2 cm de diâmetro.

jaroba. [Do tupi *ya ' rob*.] *S. f. Bras.* Arbusto escandente, da família das bignoniáceas (*Tanaecium albiflorum*), oriundo da Jamaica e cultivado no S. do País, de folhas com três folíolos (o do meio transformado em gavinhas), flores amplas, vistosas e racemosas, e fruto capsular que contém sementes aladas.

jarovização. [Do russo *yarovoe*, 'grão da primavera', + *-izar-* + *-ção*.] *S. f. Bot.* Vernalização.

jarra. [Do ár. *jarrâ*.] *S. f.* **1.** Vaso para água ou para flores; jarro: "Coloca-a [a rosa] em água numa j a r r a antiga" (Augusto Gil, *Versos*, p. 85). **2.** *Fig.* Jarreta (1). **3.** *Ant. Mar.* Tanque de ferro, munido de um chupadouro ou de uma torneira, donde a marinhagem tirava água para beber.

jarrão. *S. m.* **1.** Jarra (1) grande, que adorna salões, etc. **2.** *Fam.* Mulher de certa idade, que, não querendo ou não sendo tirada para dançar, fica sempre sentada, enquanto os outros dançam.

jarreta (ê). *S. 2 g.* **1.** Pessoa que se veste mal, ou à antiga; jarra. **2.** Pessoa ridícula. **3.** *Desus.* V. *ébrio* (8). [Pl.: *jarretas* (ê). Cf. *jarreta* e *jarretas*, do v. *jarretar*.]

jarretar. *V. t. d.* **1.** Cortar os jarretes a. **2.** Cortar (algum membro); amputar, decepar. **3.** Suprimir, eliminar, cortar: *J a r r e t o u vários capítulos dos originais do romance*. **4.** Destruir, aniquilar. **5.** Inutilizar, impossibilitar: *O governo, com a medida que tomou, j a r r e t o u os meus planos*. [Pres. ind.: *jarreto, jarretas, jarreta*, etc.; pres. subj.: *jarrete, jarretes*, etc. Cf. *jarreta* (ê), pl. *jarretas* (ê), e *jarrete* (ê), pl. *jarretes* (ê).]

jarrete (ê). [Do fr. *jarret*.] *S. m. Anat.* **1.** A parte da perna situada atrás da articulação do joelho. **2.** Nervo ou tendão da perna dos quadrúpedes; curvejão; curvilhão: "tinha o boi as pernas delgadas e o j a r r e t e nervoso dos grandes corredores." (José de Alencar, *O Sertanejo*, p. 219.) [Sin. ger. (bras. pop.): *rejeito*. Pl.: *jarretes* (ê). Cf. *jarrete* e *jarretes*, do v. *jarretar*.]

jarreteira. [Do fr. *jarretière*.] *S. f.* **1.** *Ant.* Liga[1] (6). **2.** Ordem de cavalaria instituída na Inglaterra por Eduardo III (1312-1377).

jarrilho. [Dim. de *jarro*[2].] *S. m. Ant.* Salsaparrilha.

jarrinha. [Dim. de *jarra*.] *S. f. Bras.* **1.** V. *cipó-de-cobra* (1). **2.** V. *cipó-mil-homens* (1).

jarrinha-arraia. *S. f. Bras.* V. *cipó-mil-homens* (1). [Pl.: *jarrinhas-arraias* e *jarrinhas-arraia*.]

jarrinha-preta. *S. f. Bras.* V. *cipó-mil-homens* (1). [Pl.: *jarrinhas-pretas*.]

jarro[1]**.** [De *jarra*.] *S. m.* Vaso alto e bojudo, com asa e bico, próprio para água, e usado, em geral, para deitar água às mãos ou na bacia onde se lavam as mãos; jarra. [Cf. *gomil*.]

jarro[2]**.** [Do lat. arum.] *S. m.* V. *taioba* (1).

jaru. *Bras. S. 2 g.* **1.** Indivíduo dos jarus, tribo indígena do alto do Madeira. ● *Adj. 2 g.* **2.** Pertencente ou relativo a essa tribo.

jarumá. *Bras. S. 2 g.* **1.** Indivíduo dos jarumás, tribo indígena caraíba da bacia do alto Xingu. ● *Adj. 2 g.* **2.** Pertencente ou relativo a essa tribo. [F. paral.: *arumá*.]

jaruva. [De provável or. tupi.] *S. f. Bras., S.* V. *espinho-de-cristo*. (1).

jasmim. [Do persa *jasāmin*.] *S. m.* **1.** Designação comum a várias espécies do gênero *Jasminum*, da família das oleáceas, arbustos escandentes ou trepadeiras cujas flores, tubulosas e alvas, emitem forte perfume. Originário da Ásia, acha-se muito difundido no Brasil. [Sin.: *jasmineiro*.] **2.** A flor do jasmim (1).

jasmim-amarelo. *S. m.* V. *gelsêmio*. [Pl.: *jasmins-amarelos*.]

jasmim-azul. *S. m. Bras.* **1.** V. *cinamomo*. **2.** V. *bela-emília*. [Pl.: *jasmins-azuis*.]

jasmim-da-beirada. *S. m. Bras.* Cipó da família das hipocrateáceas (*Salacia serrata*), das matas atlânticas, de folhas oblongas e crassas, flores mínimas, trímeras e ordenadas em cimeiras axilares, e fruto elipsóide, com sementes avantajadas. [Pl.: *jasmins-da-beirada*.]

jasmim-da-itália. *S. m. Bras., SP.* V. *Arrebenta-boi* (1). [Pl.: jasmins-da-itália.]

jasmin-da-virgínia. *S. m.* V. *gelsêmio*. [Pl.: *jasmins-da-virgínia*.]

jasmim-de-cachorro. *S. m. Bras., SP.* Dejeto de cão, seco, em geral de cor clara, que se usava outrora para curar sarampo; jasmim-do-campo. [Pl.: *jasmins-de-*

-*cachorro*.]

jasmim-de-soldado. *S. m. Bras.* V. *cinamomo*. [Pl.: *jasmins-de-soldado*.]

jasmim-de-veneza. *S. m.* Trepadeira ornamental, da família das bignoniáceas *(Campsis radicans)*, oriunda da América do Norte, de folhas penadas com folíolos ovados, acuminados, serreados, pubescentes na face inferior, flores tubuloso-afuniladas, cistosas, amarelas e con limbo escarlate, em cachos; cápsula com duas valvas e um septo provido de sementes, e cujos ramos se prendem por meio de raízes em forma de grahpos. [Pl.: *jasmins-de-veneza*.]

jasmim-do-cabo. *S. m. Bras.* **1.** V. *bela-emília*. **2.** Gardênia. [Pl.: *jasmins-do-cabo*.]

jasmim-do-campo. *S. m. Bras., N.E.* e *MG*. Jasmim-de-cachorro. [Pl.: *jasmins-do-campo*.]

jasmim-do-imperador. *S. m. Bras.* Flor-do-imperador. [Pl.: *jasmins-do-imperador*.]

jasmim-do-mato. *S. m. Bras.* **1.** Arvoreta da família das apocináceas *(Peschiera latiflora)*, da região amazônica, de folhas nítidas, pequenas, flores alvas, tubulosas e arrumadas em cimeiras, e cujo fruto é um folículo com as sementes envolvidas em arilo vermelho. Todas as suas partes são lactescentes. **2.** V. *bacupariaçu*. [Pl.: *jasmins-do-mato*.]

jasmim-laranja. *S. m. Bras.* Arvoreta ornamental, da família das rutáceas *(Murraya exotica)*, originária da Ásia, de folhas penadas, escuras e aromáticas, flores pequeninas e cimosas, muito perfumadas, e cujo fruto é uma baga ovóide. [Pl.: *jasmins-laranjas* e *jasmins-laranja*.]

jasmim-manga. *S. m. Bras.* Arvoreta da família das apocináceas *(Plumeria rubra)*, muitíssimo cultivada nos jardins brasileiros, de tronco mole e lactescente, folhas compridas, oblongas e agudas, e flores vistosas, alvas ou rubras, perfumadas e afuniladas. [Pl.: *jasmins-mangas* e *jasmins-manga*.]

jasmim-porcelana. *S. m. Bras.* Arbusto ornamental, da família das apocináceas *(Peschiera coronaria)*, semelhante ao jasmim-do-mato (1). [Pl.: *jasmins-porcelanas* e *jasmins-porcelana*.]

jasmim-verde. *S. m. Bras.* Arbusto ornamental, da família das solanáceas *(Cestrum nocturnum)*, de folhas lanceoladas, moles, flores tubulosas, estreitas e citrinas, que desprendem à noite violento perfume, e cujo fruto é baga globosa e minuta. [Pl.: *jasmins-verdes*.]

jasmim-vermelho. *S. m. Bras.* Flor-de-coral (3). [Pl.: *jasmins-vermelhos*.]

jasmináceo. *Adj.* Relativo a jasmim; jasmíneo.

jasmineiro. *S. m.* Jasmim (1).

jasmíneo. *Adj.* Jasmináceo.

jaspe. [Do hebr. *jasepe*, pelo gr. *iaspis* e pelo lat. *jaspe*.] *S. m. Min.* Variedade semicristalina de quartzo opaco, de cores diversas, sendo a cor mais comum a vermelha.

jaspeado. [De *jaspe* + *-ado*[1].] *Adj.* Semelhante ao jaspe na cor, nos matizes ou nos veios: "Um lenço posto no liso / Dos teus ombros j a s p e a d o s , / Os cabelos destrançados..." (Gonçalves Crespo, *Obras Completas*, p. 316.)

jaspear. *V. t. d.* Dar a cor, a aparência de jaspe, a: "Quando terminou [de ler a carta], j a s p e a v a -lhe a fisionomia essa lividez marmórea, que tantas vezes depois a empanava" (José de Alencar, *Senhora*, p. 196); "Que mortal palidez o teu rosto j a s p e i a !" (Eugênio de Castro, *Obras Poéticas*, IV, p. 118.) [Conjug.: v. *frear*.]

jáspeo. *Adj.* Da cor do jaspe: "Saberia o que vinham eles lhe anunciar, despejadas assim das grades de ferro, no tonto movimento de um banco escapadiço e j á s p e o de mariposas funestas?" (Alberto Rangel, *Sombras n'Água*, p. 668.)

jaspe-sanguíneo. *S.m. Min.* Heliotrópio (A).

jáspico. *Adj.* Referente ao jaspe.

jassídeo. *S. m.* e *adj.* Cicadelídeo.

jassídeos. *S. m. pl. Zool.* Cicadelídeos.

jatação. *S. f.* Var. de *jactação*.

jataí. [Do tupi *yata'i*.] *Bras. S. m.* **1.** Árvore da família das leguminosas *(Hymenaea courbaril)*, da Amaz. e N.E., de folhas com dois folíolos coriáceos, flores vistosas, amarelas e mais ou menos cimosas, e cujo fruto é grossa e longa vagem que contém arilo farináceo comestível. O tronco cede resina adequada à fabricação de verniz. [Sin.: *jatobá, jutaí, pão-de-ló-de-mico*.] **2.** V. *butiá-verdadeiro*. ● *S. f.* **3.** Abelha melipônida, da família dos meliponídeos *(Trigona jaty)*, de cabeça e tórax pretos, abdome escuro com o primeiro segmento amarelo, e pernas escuras com tons amarelados. Nidifica em árvores ocas, nos interstícios de pedras, em rochas e muros; a entrada do ninho é um tubo semelhante a um dedo de luva, geralmente ramificado, o que originou as designações *sete-portas* e *três-portas*.

jataíba. [Do tupi *yata'iwa*.] *S. f. Bras.* V. *tatajuba* (1). [Var.: *jataúba*.]

jataí-da-terra. *S. f. Bras.* Abelha da família dos meliponídeos (*Melipona lineata* Lep.). [Pl.: *jataís-da-terra*.]

jataiense (a-i). *Adj. 2 g.* **1.** De, ou pertencente ou relativo a Jataí (GO). ● *S. 2 g.* **2.** Natural ou habitante de Jataí.

jataí-mondé. *S. m. Bras.* Árvore da família das leguminosas (*Pletogyne discolor*), peculiar à floresta atlântica, de folhas com dois folíolos acuminados, flores pequeninas e numerosas, em racemos compostos, legume coriáceo, com asa muito reduzida, e cuja madeira, violácea, é de primeira qualidade para mobiliário e tacos de luxo. [Pl.: *jataís-mondés* e *jataís-mondé*.]

jataí-mosquito. *S. f. Bras.* V. *abelha-mosquito*. [Pl.: *jataís-mosquitos* e *jataís-mosquito*.]

jataipeva (a-i). [Do tupi *yata'i*, 'jataí', + *pewa*, 'chato'.] *S. m. Bras.* Árvore da família das leguminosas (*Dialium dubium*), muito difundida no Brasil, cujo fruto é um legume piriforme, indeiscente e provido de polpa comestível, e cujo lenho, duríssimo, cega os machados.

jataí-preta. *S. f. Bras.* V. *abelha-mosquito*. [Pl.: *jataís-pretas*.]

jatância. *S. f.* V. *jactância*.

jatanciosidade. *S. f.* Var. de *jactanciosidade*.

jatancioso (ô). *Adj.* V. *jactancioso*.

jatante. *Adj. 2 g.* Var. de *jactante*.

jatar-se. *V. p.* V. *jactar-se*.

jataúba. *S. f. Bras.* V. *jataíba*.

jatecuba. [Talvez de or. tupi.] *S. m. Bras.* V. *bicho-do-pé*.

jati. [F. sincopada de *jataí*.] S. f. Bras., *CE*. V. *abelha-mosquito*.

jatica. [Var. de *jetica*.] *S. f. Bras.* V. *batata-doce*.

jaticá. [Do tupi *yati'ka*.] *S. m. Bras., AM.* Arpão de haste longa, com o qual se arpoa a tartaruga.

jato. *S. m.* V. *jacto*.

jatobá. [Do tupi *yata'wá*.] *S. m. Bras.* V. *jataí* (1).

jatobá-do-campo. *S. m. Bras.* Arvoreta da família das leguminosas (*Hymenaea stigonocarpa*), abundante nos cerrados, de folhas com dois folíolos amplos e espessos, flores vistosas, magnas e amarelas, e fruto comestível, sendo muito saborosa a massa doce que envolve as sementes. [Pl.: *jatobás-do-campo*.]

jatobaense. *Adj. 2 g.* **1.** De, ou pertencente ou relativo a Jatobá (PB). ● *S. 2 g.* **2.** Natural ou habitante de Jatobá.

jatobá-mirim. [Do tupi *yata'wa mi'rĩ*, 'jatobá pequeno'.] *S. m. Bras.* Árvore da família das leguminosas (*Copaifera trichiofficinalis*), de folhas penadas, flores minutas e ordenadas em cachos, e cujo fruto é um legume pequeno e monospermo. O tronco produz um óleo tido pelo povo como medicinal. [Pl.: *jatobás-mirins*.]

jator (ô). *S. m. Mar.* Lanterna elétrica portátil, de pilhas.

jatrofa. *S. f.* Gênero de plantas (*Jatropha*) da família das euforbiáceas, caracterizado pela riqueza em glândulas e pelas sementes fortemente purgativas.

jatuarana. *S. f. Bras., Amaz.* Peixe teleósteo, caraciforme, da família dos caracídeos (*Hemiodus microlepis* Kner), da Amaz. e Paraguai, de coloração clara com mácula negra sobre a linha lateral ao nível da porção posterior da nadadeira dorsal.

jatuaúba. [Do tupi *yatua'iba*.] *S. f. Bras.* **1.** V. *carrapeta* (2). **2.** V. *camboatã-branca*.

jatuaúba-branca. *S. f. Bras.* Árvore da família das meliáceas (*Guarea trichilioides*), muito comum no RJ, de tronco grosso e curto, folhas penadas, com folíolos oblíquos, flores pequeninas, em racemos alongados e compostos, fruto capsular e madeira sem préstimo. [Pl.: *jatuaúbas-brancas*.]

jatuaúba-preta. *S. f. Bras.* Árvore da família das meliáceas (*Guarea costulata*), nativa na região amazônica e semelhante à jatuaúba-branca [q. v.] [Pl.: *jatuaúbas-pretas*.]

jaturana. [Do tupi.] *S. f. Bras.* Arvoreta da família das meliáceas (*Trichilia singularis*), de caracteres idênticos aos da jatuaúba-branca [q. v.].

jau. [Do mal. *jau*.] *Adj.* e *s. m.* Javanês. [Cf. *jaú*, s. m., e Jaú, top.]

jaú[1]. [Do tupi *ya'ú*.] *S. m. Bras.* Peixe teleósteo, siluriforme, da família dos pimelodídeos (*Paulicea luetkeni* (Steind)), das bacias do Amazonas e Paraná, de coloração parda, com manchas escuras e abdome branco, sendo os jovens exemplares chamados *jaupocas*, amarelados, com manchas violáceas. Mede até 1,5 m e pesa até 120 kg; é um dos maiores peixes brasileiros. [Sin.: *jundiá-da-lagoa* Cf. *jau*.]

jaú[2]. *S. m. Bras.* Espécie de andaime móvel, provido de roldanas e preso por cordas ao teto de um edifício, e utilizado para serviços de pintura e reparos externos. [Cf. *bailéu* (1).]

jauá. *S. m. Bras.* V. *chauá*.

jauaperi. *Bras. S. 2 g.* **1.** Indivíduo dos jauaperis, tribo indígena do rio Jauaperi, afluente esquerdo do rio Negro. ● *Adj. 2 g.* **2.** Pertencente ou relativo a essa tribo.

jauaraicica (a-i). [Do tupi *ya'wara i'sika*, 'resina de cão.] *S. f. Bras.* Espécie de resina escura, de cheiro ativo e acre sabor, empregada como breu ou betume.

jauarana (a-u). [Do tupi *ya'wara* + *-rana*, 'semelhante a cão'.] *S. m. Bras., AM.* O peixe-cachorro quando bem desenvolvido.

jauarataceua (a-u). [De provável or. tupi.] *S. f. Bras.* Certa planta medicinal do AM.

jauari. [Do tupi *yawa'ri*.] *S. m. Bras.* Palmeira de estipe alto, delgado e muito elegante (*Astrocaryum jauari*), folhas de uns 3 m, acumuladas na ponta do caule, fornecedoras de fibras, e flores de sexos separados, nozes, sem sabor, de 3 a 5 cm de comprimento. Vive ao longo de muitos rios da Amazônia.

jauarizal. *S. m. Bras.* Bosque de jauaris.

jauense (a-u). **1.** De, ou pertencente ou relativo a Jaú (SP). ● *S. 2 g.* **2.** Natural ou habitante de Jaú.

jaula. [Do fr. ant. *jaole*, modernamente *geôle*.] *S. f.* Prisão para feras; gaiola.

jaulapiti. *Bras. S. 2 g.* **1.** Indivíduo dos jaulapitis, tribo indígena aruaque das cabeceiras do rio Xingu. ● *Adj. 2 g.* **2.** Pertencente ou relativo a essa tribo.

jaúna. *Bras. S. 2 g.* **1.** Indivíduo dos jaúnas, tribo indígena do rio Apaporis, pertencente à família lingüística tucano. ● *Adj. 2 g.* **2.** Pertencente ou relativo a essa tribo.

jaupati (a-u). [De provável or. tupi.] *S. m. Bras.* Certa planta de fibras têxteis.

jaupoca (a-u). [De *jaú*[1] + tupi *poka*, 'barulhento'.] *S. m. Bras.* V. *jaú*[1].

javaé. *Bras. S. 2 g.* **1.** Indivíduo dos javaés, tribo indígena que habita o interior da ilha do Bananal, aparentada com os carajás, da mesma região. ● *Adj. 2 g.* **2.** Pertencente ou relativo a essa tribo. [Var.: *xavajé*.]

javali. [Do ár. *jabalii*, 'montês'.] *S. m.* **1.** Animal mamífero (*Sus scrofa*), da ordem dos artiodáctilos, subordem dos suiformes, família *Suidae*. É a mais conhecida e a principal das espécies de porcos selvagens; distribui-se desde a Europa até a Ásia Central, e do Báltico até o norte da África. Há uma subespécie hindu (*Sus scrofa cristatus*) que habita a Índia e Sri Lanka. Todas as variedades de porcos domésticos são originárias dessas duas formas. O javali passa grande parte do dia fossando a terra em busca de plantas e animais, e torna-se furioso quando perturbado. Os adultos têm pêlo cinza-claro uniforme, indo até o negro; os filhotes apresentam cor de terra clara com listras negras. [Sin.: *javardo, porco-bravo, porco-montês*. Fem.: *javalina* e *gironda*[1] (q. v.).] **2.** Iguaria feita com javali (1).

javalina. *S. f.* A fêmea do javali. [Cf. *gironda*[1].]

javanês. *Adj.* **1.** De, ou pertencente ou relativo a Java (Oceânia). ● *S. m.* **2.** O natural ou habitante de Java. **3.** O idioma de Java. [Sin.: *jau*. Flex.: *javanesa* (ê), *javaneses* (ê), *javanesas* (ê).]

javardo[1]. [De *jav(ali)* + *-ardo*.] *S. m.* **1.** V. *javali* (1): "soldados em grupos, ... disparando à toa as carabinas, num fanfarrear irritante e numa alacridade feroz de monteiro no último lance de uma batida a j a v a r d o s ." (Euclides da Cunha, *Os Sertões*, p. 273). **2.** *Fig.* Homem grosseiro, brutal; brutamontes. ● *Adj.* **3.** Nojento, porco, imundo.

javardo[2]. *Adj.* Diz-se de certa variedade de trigo rijo.

javari. [Var. de *jauari*.] *S. m. Bras.* Espécie de palmeira.

Javé. *S. m.* Jeová [q. v.].

javevó. *Adj. 2 g. Bras., SP.* Diz-se de pessoa de aspecto desagradável, mal trajada, feia.

já-vi-ontem. *S. m. 2 n. Bras., Pop.* Comida que sobrou do dia anterior e que é servida sem alteração ou transformada em outro prato.

javradeira. *S. f.* Ferramenta usada para javrar.

javrar. *V. t. d.* Abrir javres em.

javre. [Do fr. *jable*.] *S. m.* Encaixe na extremidade das aduelas dos tonéis, no qual se embutem os tampos.

jazente. [De *jazer* + *-nte*.] *Adj. 2 g.* **1.** V. *jacente* (1 e 2). ● *S. f. Constr. Nav.* **2.** Peça de ferro fundido, ou armação reforçada de chapas ou cantoneiras, e sobre a qual se apóia uma torre, canhão, máquina ou aparelho. **3.** *Constr. Nav.* Cada uma das grossas vigas de madeira encastoadas na cantaria das carreiras de construção naval, e sobre as quais assentam os picadeiros ou o berço que sustém a embarcação.

jazer. [Do lat. *jacere*.] *V. int.* **1.** Estar deitado, estendido no chão ou na cama: "de tanta angústia se tomou, que os maus humores se lhe extravasaram, E .... jazeu uma semana no seu vasto leito, entregue às drogas do Mestre Álvaro Porcalho" (Eça de Queirós, *Últimas Páginas*, p. 350); *O doente jazia no quarto.* **2.** Estar morto, ou como morto: "Alexandre Herculano não jaz: existe em nós" (Rui Barbosa, *Ensaios Literários*, p. 17); "Rezaram por alma de Esmeralda, que jazia no esquife branco, de palmito cruzado nas mãos frias." (José Cardoso Pires, *Jogos de Azar*, p. 131). **3.** Estar sepultado, inumado: *Ao pé daquele monumento jazem os heróis da pátria.* **4.** Estar imóvel, sereno, quieto, tranqüilo. **5.** Estar situado, colocado; ficar: *A fazenda jaz entre duas colinas.* **6.** Apoiar-se, assentar. **7.** Habitar, morar, viver: "A infância não morre. O anjo que somos, nos primeiros anos, jaz, como enterrado, em nossa memória." (Teixeira de Pascoais, *Obras Completas*, VII, p. 120.) *Pred.* **8.** Permanecer, continuar: "as semanas passavam, e todo esse belo material de experimentação, sob a luz branca da clarabóia, jazia virgem e ocioso." (Eça de Queirós, *Últimas Páginas*, p. 193). *P.* **9.** Permanecer, estar, encontrar-se; jazer-se: "Há no meu peito uma porta / A bater continuamente; / Dentro a esperança jaz morta / E o coração jaz doente." (José Albano, *Rimas*, p. 20.) *P.* **10.** V. *jazer* (9). [Pres. ind.: *jazo, jazes, jaz*, etc.; perf.: *jazi, jazeste*, etc. Conjuga-se em todas as formas.]

jazida. *S. f.* **1.** Ato de jazer. **2.** Lugar onde alguém jaz. **3.** *Fig.* Quietude, serenidade, calma. **4.** *Bras.* Depósito natural de uma ou mais substâncias úteis, inclusive os combustíveis naturais. [Sin.: *jazimento* e (lus.) *jazigo*.] **5.** *Med. P. us.* Posição, postura, atitude. ♦ **Jazida arqueológica.** Sítio arqueológico. **Jazida de impregnação.** Emanações minerais que se difundem em camadas permeáveis, impregnando-lhes os poros. **Jazida paleontológica.** Sítio paleontológico.

jazido. [Part. de *jazer*.] *Adj.* Que jaz: "o corpo jazido e ensangüentado" (Haroldo Maranhão, *As Peles Frias*, p. 157).

jazigo. [De *jazer*.] *S. m.* **1.** V. *sepultura* (1): "E no dia seguinte, à hora da visita ao cemitério, o jazigo de Feliciano de Medeiros era todo ele .... um caprichoso arranjo dos mais belos crisântemos" (José Régio, *Histórias de Mulheres*, p. 336). **2.** *P. ext.* Pequena edificação, nos cemitérios, destinada ao sepultamento de várias pessoas: *O jazigo dos aviadores é no cemitério S. João Batista; Foi enterrado no jazigo da família.* **3.** Monumento funerário. **4.** *Lus.* V. *jazida* (4). **5.** *Fig.* Depósito, reservatório. **6.** *Fig.* Abrigo; refúgio.

jazimento. *S. m.* **1.** Ato ou efeito de jazer. **2** V. *jazida* (4).

jazitura. *S. f. Geom. Proj.* Propriedade comum a uma família de planos paralelos.

➧**jazz** (djaz ou djéz). [Ingl.] *S. m.* Música profana, vocal ou instrumental, dos negros norte-americanos, que se tornou progressivamente, depois da I Guerra Mundial, uma forma de expressão quase universal. [Pl.: *jazzes*.]

➧**jazz-band** (djazbând ou djèzbând). [Do ingl. *jazz band*.] *S. m. Mús.* Conjunto de jazz, de mais de sete elementos, no qual predominam os instrumentos de sopro. [Pl.: *jazz-bands*.]

jazzista. *S. 2 g. Bras.* Compositor, intérprete, conhecedor e/ou grande admirador do *jazz*.

jazzístico. *Adj.* Pertencente ou relativo ao jazz.

jé. *Bras. S. 2 g.* e *adj. 2 g.* Var. pros. de *jê* [q. v.].

jê. *Bras. S. 2 g.* **1.** Indivíduo dos jês, grupo etnográfico a que pertence o grosso dos tapuias dos escritores antigos. ● *Adj. 2 g.* **2.** Pertencente ou relativo aos jês. [Var. pros.: *jé*. Cf. *gê*.]

jeba. *S. f. Bras., S. Chulo.* O pênis. [Cf. *geba* (ê), s. f., e *geba*, do v. *gebar*.]

jebara. *S. f. Bras.* V. *jaribara*.

jebaru. [De provável or. tupi.] *S. m. Bras.* Árvore da família das leguminosas *(Eperua purpurea)*, habitante da região amazônica, de bela copa, violácea, folhas com três folíolos coriáceos, flores vistosas, amplas e legume plano, de uns 15 cm de comprimento.

jebebraju. *S. m. Bras.* Certa árvore da flora catarinense.

jebimba. *S. f. Bras.* Tavolagem (1) de ínfima ordem.

jebu. [Voc. onom.] *S. m. Bras., PE.* Chabu.

jeca. [F. red. de *jeca-tatu*.] *Bras. S. 2 g.* **1.** V. *jeca-tatu*. ● *Adj. 2 g.* **2.** V. *caipira* (4). **3.** *P. ext.* V. *cafona* (1).

jeca-tatu. [De *Jeca Tatu*, personagem de Monteiro Lobato, do conto "Urupês", da obra homônima.] *S. m. Bras.* Nome e símbolo do caboclo do interior do Brasil. [Pl.: *jecas-tatus*. F. red.: *jeca* (q. v.).]

jecoral. [Do lat. *jecorale*.] *Adj. 2 g.* V. *hepático* (1).

jecorário. [Do lat. *jecorariu*.] *Adj.* V. *hepático* (1).

jegue. [Do ingl. *jack-ass*.] *S. m. Bras., N., N.E.* e *C.O.* **1.** V. *jumento* (1): "Imaginava-se tangendo o jegue na estrada, com os caçuás entupidos." (Jorge Medauar, *Água Preta*, p. 33.) **2.** *Fig.* V. *burro* (8).

jeguedê. [De or. afr., decerto.] *S. m. Bras., S.* **1.** Instrumento de percussão, de origem africana. **2.** Dança dos negros, ao som desse instrumento.

jeicó. *Bras. S. 2 g.* e *adj. 2 g.* Var. de *jaicó*.

jeira. *S. f.* **1.** Jugada (1). **2.** *Bras.* Antiga unidade de medida de área de superfície agrária, equivalente a 400 braças quadradas, ou seja, 0,2 hectare: "fez-lhe a doação de uma quinta com trinta jeiras de terra." (Guerra Junqueiro, *Contos para a Infância*, p. 64). **3.** Serviço de um jornaleiro em cada dia, e o respectivo salário. ♦ **À jeira.** À jorna.

jeitão. [Aum. de *jeito*.] *S. m. Bras. Fam.* **1.** Aspecto, aparência, feição, jeito. **2.** Jeito, modo de ser, de agir, muito pessoal, bem peculiar: "gritava com aquele jeitão presunçoso: I — Ó, psiu, ocê mesmo, marmanjo de preto...! Me traz duas espumantes e qualquer tiragosto!" (Antônio Celso Alves Pereira, *Rua do Quenta-Sol*, p. 37).

jeito. [Do lat. *jactu*.] *S. m.* **1.** Modo, maneira: "Mirou-a por tanto tempo e de tal jeito, que ela se sentiu incomodada" (Amando Fontes, *Os Corumbas*, p. 83). **2.** Feição, feitio, aspecto: *Tem o jeito de uma pêra.* **3.** Disposição de espírito; índole, caráter, feição, feitio: "Tinha Tavares Bastos o jeito grave dos que amadurecem cedo demais." (Valdemar Cavalcanti, *Jornal Literário*, p. 194.) **4.** Propensão, pendor: *Não tem jeito para a música;* "não parava em emprego nenhum, não obedecia aos patrões, não tinha perseverança, não tinha jeito mesmo para o trabalho." (Mário Matos, *Casa das Três Meninas*, p. 117). **5.** Habilidade, capacidade; arte: "Ninguém sabia histórias mais bonitas que a velha Tidu. Nem tinha mais jeito para as contar." (Reginaldo Guimarães, *Uma Blusa no Cais*, p. 46.) **6.** Torcedura (2): *Dei um jeito no pé, que não estou podendo andar.* **7.** Arrumação, arranjo: *Dê um jeito nesta sala, que está toda desarrumada.* **8.** *Bras. Fam.* Jeito ou modo de proceder próprio de pessoas bem-educadas; boas maneiras, bons modos; modos: — *Tenha jeito, menino: não ande gritando pela rua;* "Um marmanjão do seu tamanho, não tem jeito, não tem vergonha, sempre dando incômodos." (Guido Vilmar Sassi, *Piá*, p. 90). ♦ **A jeito.** De molde; a calhar; convenientemente, oportunamente. **Ao jeito de.** Ao modo de; à maneira de: *Escreveu um romance ao jeito de Zola.* **Com jeito.** Com habilidade; com perfeição. **Dar um jeito a.** *Bras.* Encontrar uma solução ou saída para (determinada situação). **Dar um jeito em.** *Bras.* **1.** Fazer com que se comporte convenientemente; submeter à disciplina. **2.** Consertar, reparar, compor: *Dei um jeito na televisão.* **Daquele jeito.** *Bras. Fam.* Expr. com que se traduzem numerosas idéias, em geral pejorativas: *Saiu e deixou o quarto daquele jeito* (em desordem); *Você bem sabe que F. trabalha daquele jeito* (mal, sem vontade, ou pouco); *Portou-se daquele jeito* (mal, de modo inconveniente). **Desculpar o mau jeito.** Expr. muitas vezes irônica (us. em geral no imperativo), com que se inicia uma crítica, uma restrição, ou se pede desculpa de incômodo que se vai causar a outrem: *Desculpe o mau jeito, mas acho que você não agiu certo; Pedi-lhe que desculpasse o mau jeito, mas eu tinha de lhe desarrumar os papéis.* **Fazer jeito.** Ser conveniente, útil; convir. **Levar jeito para.** Ter jeito, aptidão, queda, para: *Ele não leva jeito para desenhar, leva muito para música.* **Sem jeito.** Acanhado, embaraçado, atado: *Queria falar, mas estava sem jeito.* **Ser de jeito.** Ser possível; dar certo: "Gosto muito de crianças: / Não tive um filho de meu. / Um filho!... Não foi de jeito ..." (Manuel Bandeira, *Estrela da Vida Inteira*, p. 173.)

jeitoso (ô). *Adj.* **1.** Que tem jeito; hábil. **2.** De boa aparência; elegante, airoso: *Não é bonita, mas é bem jeitosa.* **3.** Conveniente, apropriado, adequado: *Sempre encontra soluções jeitosas para as dificuldades.*

jejá. *S. f. Bras., CE.* Inseto himenóptero, da família dos formicídeos (*Camponotus abdominalis* Fabr.), de coloração escura com o abdome amarelado ou pardo-claro. Como as demais espécies do gênero, procura substâncias açucaradas. [Cf. *formiga-açucareira*.]

jeje (ê). *S. 2 g.* **1.** Indivíduo dos jejes, povo negro do Daomé (África). ● *Adj. 2 g.* **2.** Pertencente ou relativo a esse povo.

jejé. *S. m. Bras. Gír.* V. *cadeia* (3). [Cf. *jejê*.]

jejê. *Adj. 2 g. Bras., BA.* Diz-se do bovino que tem certa cor de pêlo. [Cf. *jejé*.]

jeju. [Do tupi *ye'yu*.] *S. m. Bras.* Peixe teleósteo, caraciforme, da família dos caracídeos (*Hoplerythrinus unitaeniatus* (Spix)), dos rios Amazonas, Paraguai e São Francisco, de coloração semelhante à da traíra, com faixa preta ao longo da linha lateral, e comprimento de até 30 cm. É carnívoro e pode resistir por longo tempo à escassez de oxigênio e à dessecação. [Sin.: *traíra-pixuna, traíra-pixúria, jiju*.]

jejuador (ô). *Adj.* e *s. m.* **1.** Que ou aquele que jejua. **2.** Que ou aquele que gosta de jejuar ou costuma fazê-lo.

jejuar. *V. int.* **1.** Praticar o jejum (1); abster-se de comer: *Devem os católicos jejuar na sexta-feira santa;* "Confessa-se, jejua e assiste às missas" (Conde de Monsaraz, *Musa Alentejana*, p. 225). **2.** Abster-se de algo. **3.** Continuar na ignorância de algo. *T. i.* **4.** Ser ignorante; ignorar.

jejuíra. [De provável or. tupi.] *S. f. Bras.* V. *chibatã*.

jejum. [Do lat. *jejunu*.] *S. m.* **1.** Abstinência ou abstenção total ou parcial de alimentação em determinados dias, por penitência ou prescrição religiosa ou médica. **2.** Estado de quem não come desde o dia anterior. **3.** *Fig.* Privação ou abstenção de alguma coisa. **4.** *Fam.* Desconhecimento de determinado assunto. ♦ **Quebrar o jejum.** **1.** Comer ou beber tendo estado até então em jejum. **2.** Ingerir alimentos antes do tempo estabelecido para terminar o jejum. [Sin. (no N.E.): *quebrar o cuspe*.]

jejunal. *Adj. 2 g. Anat.* Relativo ou pertencente ao jejuno (3).

jejunite. [De *jejuno* + *-ite*[1].] *S. f. Patol.* Inflamação do jejuno (3).

jejuno. [Do lat. *jejunu*.] *Adj.* **1.** Que está em jejum. **2.** Ignorante, insipiente: *É jejuno em literatura.* ● *S. m.* **3.** *Anat.* Parte do intestino delgado entre o duodeno e o íleo.

jejunostomia. [De *jejuno* + *-s-* + *-tom(o)-* + *-ia*.] *S. f. Cir.* Comunicação do jejuno com o meio exterior, construída cirurgicamente e com o objetivo de alimentar um paciente.

jejunostômico. *Adj.* Relativo à jejunostomia.

jembê. [Do quimb. *ji-bêmbê*, 'beldroega'.] *S. m. Bras., MG.* Certo esparregado de quiabo e outras ervas, com lombo de porco salgado e angu.

jembezeiro (bê). *S. m. Bras., MG.* Aquele que é perito no preparo do jembê.

jemiá. *Bras. S. 2 g.* **1.** Indivíduo dos jemiás, tribo indígena amazonense das margens do Juruá. ● *Adj. 2 g.* **2.** Pertencente ou relativo a essa tribo.

jendiroba. [Var. de *jandiroba*.] *S. f. Bras.* **1.** *andiroba* (2). **2.** V. *fava-de-santo-inácio-falsa*.

jeneúna. [Do tupi *yene una*.] *S. f. Bras.* Árvore ornamental, da família das leguminosas (*Cassia leiandra*), de grandes flores amarelas reunidas em inflorescências amplas, fruto capsular, e que fornece madeira para construção. Ocorre no N.E. e no C.O.

jenipapada. *S. f. Bras., N.* e *N.E.* Doce feito de jenipapo cortado em pedacinhos e misturado com açúcar, sem ir ao fogo: "serviam-nos umbuzada, uma delícia, melhor do que jenipapada" (Gilberto Amado, *História da Minha Infância*, p. 268).

jenipaparana. [De *jenipapo* + *-a-* + *-rana*.] *S. f. Bras.* Árvore da família das lecitidáceas (*Gustavia augusta*), de flor grande, alva e rósea, e cuja madeira, branca e flexível, é usada em marcenaria.

jenipaparana-da-mata. *S. f. Bras.* Árvore da família das lecitidáceas (*Gustavia brasiliana*), da região amazônica, de madeira dura, útil para vários fins, folhas oblongas, acuminadas, coriáceas e serrilhadas, flores vistosas, alvas, com estames soldados, e cujo fruto é um pixídio globoso e crasso. [Pl.: *jenipaparanas-da-mata*.]

jenipapeiro. *S. m. Bras.* Árvore baixa e grossa, da família das rubiáceas (*Genipa americana*), de folhas oblongas e agudas, flores longas, tubulosas e alvas, e cujo fruto, o jenipapo, é uma baga fortemente aromática e muito apreciada para licores, sendo a madeira, clara, utilizada no fabrico de coronhas e raquetes. Ocorre em todo o País.

jenipapim. [De *jenipapo* + *-fim* (em vez de *inho*).] *S. m. Bras.* Arbusto da família das rubiáceas (*Tocoyena formosa*), que ocorre na restinga e no cerrado, de folhas amplas e rugosas, flores muito compridas, tubulosas, amarelas, e cujo fruto é uma baga dura com numerosas sementes; jenipapo-do-campo.

jenipapo. [Do tupi *ñandi'pab*, 'mancha escura na região lombar dos mestiços'.] *S. m. Bras.* **1.** Fruto do jenipapeiro, cujo suco é usado por certos indígenas para escurecer a pele, e do qual se faz um licor muito popular no N. e N.E. do Brasil. **2.** Mancha escura na parte inferior da região dorsal das crianças, considerada como sinal de mestiçagem.

jenipapo-do-campo. *S. m. Bras.* Jenipapim. [Pl.: *jenipapos-do-campo*.]

jenneriano. [Do antr. *Jenner* + *-ano*.] *Adj.* **1.** Pertencente ou relativo a Edward Jenner, médico inglês (1749-1823), o descobridor da vacina antivariólica, ou próprio dele. **2.** Diz-se da vacinação antivariólica.

jennerização. [Do antr. *Jenner* + *-izar-* + *-ção.*] *S. f. Med.* Produção de imunidade a uma doença pela inoculação de uma forma atenuada do vírus causador da doença.

jenolim. *S. m.* Cor amarelada, de uso na pintura.

Jeová. [De *Jehovah*, transliteração das quatro letras (IHVH, JHVH, JHWH, YHVH e YHWH) que designavam Deus, cujo nome era tido por sacratíssimo, não podendo ser pronunciado em voz alta.] *S. m.* Designação de Deus no Antigo Testamento; Javé.

jeovismo. [De *Jeová* + *-ismo.*] *S. m.* **1.** A tradição religiosa dos hebreus, tal como é descrita nos livros do Antigo Testamento em que Deus é denominado *Jeová*. **2.** A época histórica correspondente a essa tradição.

jeovista. *Adj. 2 g.* **1.** Referente ao jeovismo. **2.** Que é adepto do jeovismo. **3.** Diz-se de alguns textos do Pentateuco nos quais Deus recebe o nome de *Jeová*, e que certos críticos distinguem dos textos eloístas quanto à época e origem; jeovístico. ● *S. 2 g.* **4.** Adepto do jeovismo.

jeovístico. *Adj.* Jeovista (3).

jeque. *S. m.* **1.** *Bras., PE.* Peça componente dos desvios nas estradas de ferro. **2.** *Bras. Mar. G.* V. *bandeira da proa.* [Sin., lus., nesta acepç.: *jaque.*]

jequeriense. *Adj. 2 g.* **1.** De, ou pertencente ou relativo a Jequeri (MG). ● *S. 2 g.* **2.** Natural ou habitante de Jequeri.

jequi. [Do tupi *ye'kei.*] *S. m.* **1.** *Bras., N.E.* Cesto para pesca, muito oblongo, afunilado, feito de varas finas e flexíveis; cacuri. ● *Adj. 2 g.* **2.** *Bras. Amaz.* e *N.E.* Justo, apertado; jequito: *Esta blusa não dá mais para a menina usar: está muito* j e q u i. ◆ **Botar num jequi.** *Bras., AL. Fig.* Deixar em situação difícil, em apuros.

jequiá. *S. m. Bras.* Cesto aberto.

jequice. *S. f. Bras.* **1.** Ato ou maneiras próprias de jeca. **2.** *P. ext.* Cafonice, miquelinice.

jequieense (èên). *Adj. 2 g.* **1.** De, ou pertencente ou relativo a Jequié (BA). ● *S. 2 g.* **2.** Natural ou habitante de Jequié.

jequiricense. *Adj. 2 g.* **1.** De, ou pertencente ou relativo a Jequiriçá (BA). ● *S. 2 g.* **2.** Natural ou habitante de Jequiriçá.

jequirioba. [Do tupi.] *S. f. Bras.* **1.** Arbusto da família das solanáceas *(Solanum jequirioba)*, de amplas folhas membranáceas, flores cimosas, afuniladas, com estames amarelos e anteras poricidas, e cujo fruto é uma baga. **2.** V. *juciri.*

jequiriti. [Do tupi *yukiri'ti.*] *S. m. Bras.* Trepadeira da família das leguminosas *(Abrus precatorius)*, comum nas regiões tropicais, de folhas com numerosos folíolos pequenos e oblongos, flores pequenas, vermelhas ou róseas, legume curto, com quatro a seis sementes, vermelhas com mancha negra, e que encerram uma proteína tóxica.

jequitá. [Do tupi.] *S. m. Bras.* Palmeira *(Desmoncus rudentum)* de até 20 m de altura e apenas 2 cm de diâmetro, a qual ascende pelo tronco das árvores, e cujas folhas são providas de acúleos negros, servindo as hastes para a fabricação de bengalas. Ocorre no C.O. do País.

jequitaiense (a-i). *Adj. 2 g.* **1.** De, ou pertencente ou relativo a Jequitaí (MG). ● *S. 2 g.* **2.** Natural ou habitante de Jequitaí.

jequitibá. [Do tupi *yekïti'bá.*] *S. m. Bras.* Designação comum a duas árvores de tronco muito grosso e alto, da família das lecitidáceas *(Cariniana estrillensis* e *C. legalis)*, também chamadas, respectivamente, *jequitibá-vermelho* e *jequitibá-branco*, de folhas coriáceas, oblongas e acuminadas, flores pequeninas, alvas e paniculadas, e cujos frutos são cápsulas que contêm sementes aladas e se abrem por fenda circular, sendo a madeira, róseo-acastanhada ou bege-rosada, hoje muito usada em carpintaria. Ocorrem do N.E. ao S. do País: "Vegetação bravia. A floresta é do Norte: / Coqueiros, bambuais, j e q u i t i b á s frondosos" (Jorge de Lima, *Obra Poética*, I, p. 209). [Sin.: *jequitibá-rosa.*]

jequitibá-branco. *S. m. Bras.* Árvore da família das lecitidáceas *(Cariniana legalis).* V. *jequitibá.* [Pl.: *jequitibás-brancos.*]

jequitibaense[1]. *Adj. 2 g.* **1.** De, ou pertencente ou relativo a Jequitibá (MG). ● *S. 2 g.* **2.** Natural ou habitante de Jequitibá.

jequitibaense[2]. *Adj. 2 g.* **1.** De, ou pertencente ou relativo a Presidente Soares (MG). ● *S. 2 g.* **2.** Natural ou habitante de Presidente Soares.

jequitibá-rosa. *S. m. Bras.* V. *jequitibá.* [Pl.: *jequitibás-rosas.*]

jequitibá-vermelho. *S. m. Bras.* Árvore da família das lecitidáceas *(Cariniana estrellensis).* V. *jequitibá.* [Pl.: *jequitibás-vermelhos.*]

jequitiguaçu. [Do tupi.] *S. m.* V. *saboeiro* (3).

jequitirana. [Do tupi.] *S. f. Bras.* V. *falso-oró.*

jequitiranabóia. *S. f. Bras.* Inseto homóptero da família dos fulgorídeos, caracterizado por ter a região anal das asas posteriores reticulada, com muitas nervuras transversais; a cabeça, cujo aspecto lembra a do sáurio, torna-o muito temido pelo povo. É inofensivo, embora seja voz corrente que sua picada pode secar uma árvore ou matar um homem. [Sin., e alguns deles var.: *jaquiranabóia, jitiranabóia, jiquitirambóia, cigarra-cobra, cobra-de-asa, cobra-do-ar.*]

jequito. *Adj. Bras., Amaz.* V. *jequi* (2).

jeraqui. *S. m. Bras., GO.* Var. de *jaraqui* (1).

jerarquia. *S. f.* Hierarquia [q. v.]: "as mulheres de todas as j e r a r q u i a s, exceto as que pertencem a essa classe de contrabando a que se chama o *demimonde.*" (Ramalho Ortigão, *Em Paris*, p. 210).

jeratataca. [F. dissimilada de *jeratacaca.*] *S. f. Bras.* O manacá, em diversas partes do País.

jereba. [Do tupi *ye'rebae*, 'o que se revira'.] *S. m. Bras.* **1.** Animal ruim de montaria, magro e/ou fraco. **2.** Arreios. **3.** Indivíduo desajeitado ou desleixado, lambuzão. **4.** *Bras.* V. *urubu-de-cabeça-vermelha.* ● *S. f.* **5.** *Bras., SP. Pop.* V. *meretriz.* **6.** *Bras., GO. Pop.* V. *sarna* (1). **7.** *Bras., BA.* Espécie de raia[2] (1) grande.

jerematáia. [Do tupi *ye'rema* por *yu'rema*, 'jurema', + *taia*, 'picante'.] *S. f. Bras.* Jirimate.

jeremiada. [Do fr. *jérémiade.*] *S. f.* Lamúria ou queixa importuna e vã: "Altamirano lançou os *Poemas ao Portador*, mirrada reunião de lamentos, gemidos, j e r e m i a d a s, ... sombras cemiteriais e anseios de morte." (Marques Rebelo, *A Mudança*, p. 234.)

jeremiar. [Do antr. *Jeremias*, de um profeta bíblico autor de *Lamentações*, + *-ar*[2].] *V. t. d.* **1.** Dizer ou proferir entre lamúrias. *Int.* **2.** Choramingar, lastimar-se, lamuriar(-se).

jeremoabense. *Adj. 2 g.* **1.** De, ou pertencente ou relativo a Jeremoabo (BA). ● *S. 2 g.* **2.** Natural ou habitante de Jeremoabo.

jereré[1]. [Do tupi *yere'ré.*] *S. m. Bras., N.E.* e *SP.* Aparelho para a pesca de camarões, siris, pitus e peixes miúdos, e que é uma espécie de rede presa a um semicírculo de madeira e munida de longo cabo; landuá, puçá: "Pesca de facho e rede ou de curral, / de anzol, tarrafa, covo e j e r e r é" (A. S. de Mendonça Júnior, *Poemas fora da Moda*, p. 25); "Anzol de isca não levava: só rede, facão, o j e r e r é pequeno para os siris" (Jorge Medauar, *Água Preta*, p. 106). [Var.: *jareré.*]

jereré[2]. *S. m. Bras., SP.* V. *sarna* (1). [Var.: *jareré.*]

jereré[3]. [T. onom.?] *S. m. Bras., BA.* V. *garoa*[1] (3).

jererê. *S. m. Bras.* V. *baseado*[2].

jeribá. *S. m. Bras.* V. *jeribazeiro.*

jeribazeiro (bà). [De *jeribá* + *-z-* + *-eiro.*] *S. m. Bras.* Palmeira *(Arecastrum romanzoffianum)*, comum na orla litorânea, de estipe alto e elegante, folhas com numerosos segmentos, e cujos cocos são ricos em mucilagem adocicada, razão por que os apreciam muito as crianças; baba-de-boi, coquinho, jeribá ou jerivá. [Var.: *jerivazeiro.*]

jeribita. [De provável or. afr.] *S. f. Bras. Pop.* V. *cachaça* (1): "— Que é da j e r i b i t a? Um trago é bom para cortar algum ar que a gente apanhe." (Afonso Arinos, *Pelo Sertão*, p. 32.)

jericada. *S. f.* **1.** Bando de jericos. **2.** V. *asneira* (1).

jerico. *S. m.* **1.** V. *jumento* (1): "A família veio por aí acima, entregue ao passo conformado daqueles heróicos j e r i c o s de Monsanto" (Fernando Namora, *Retalhos da Vida de um Médico*, p. 11). **2.** *Fig.* V. *burro* (8).

jericó. [De *rosa-de-jericó* (seca sem morrer, como esta).] *S. m. Bras.* Erva da família das selagineláceas *(Selaginella convoluta)*, que ocorre na caatinga nordestina, e cujas folhas gozam da propriedade de, durante a estação seca, enrolar-se em bola, abrindo-se de novo ao chegarem as chuvas. Não produz flores, reproduzindo-se por meio de esporos situados em esporângios.

jericoense (òên). *Adj. 2 g.* **1.** De, ou pertencente ou relativo a Jericó (PB). ● *S. 2 g.* **2.** Natural ou habitante de Jericó.

jericuntino. *Adj.* **1.** De, ou pertencente ou relativo a Jericó, antiga cidade palestina. ● *S. m.* **2.** O natural ou habitante de Jericó.

jerimbamba. *S. f. Bras., MG. Pop.* Briga de que resulta morte. [Cf. *turumbamba.*]

jerimu. *S. m. Bras., N.* e *N.E.* V. *jerimum.*

jerimum. [Var. de *jerimu* tupi *yuru'mu*, com nasalação.] *S. m. Bras., N.* e *N. E.* **1.** V. *abóbora* (1). **2.** V. *aboboreira.* **3.** V. *abóbora-moranga.*

jerimunzeiro. [De *jerimum* + *-z-* + *-eiro.*] *S. m. Bras., N.* e *N. E.* V. *aboboreira.*

jerimuzeiro. [De *jerimu* + *-z-* + *-eiro.*] *S. m. Bras., N.* e *N. E.* **1.** V. *aboboreira.* **2.** V. *jeriva-sem-folha.*

jeritataca. *S. f. Bras.* V. *jaritataca.*

jerivá. [Do tupi *jeri'wa.*] *S. m.* **1.** *Bras., V. jeribazeiro.* **2.** V. *jerivá-sem-folha.*

jerivá-sem-folha. *S. m. Bras., RS.* Pessoa alta e magra; jerivá. [Tb. se diz apenas *jerivá;* sin.: *jerimuzeiro.* Pl.: *jerivás-sem-folha.*]

jerivazal (vá). *S. m. Bras., S.* Quantidade mais ou menos considerável de jerivás ou jeribazeiros dispostos proximamente entre si.

jerivazeiro (vá). *S. m. Bras.* V. *jeribazeiro.*

jeriza. [De *ojeriza*, com aférese.] *S. f. Bras.* e *ant.* Raiva, ira, ódio, ojeriza.

jero. *S. m.* V. *cola*[2]. [Cf. *gero*, do v. *gerar.*]

jeróglifo. *S. m.* Var. de *hieróglifo.*

jeronimense. *Adj. 2 g.* **1.** De, ou pertencente ou relativo a São Jerônimo da Serra (PR). ● *S. 2 g.* **2.** Natural ou habitante de São Jerônimo da Serra.

jeropari. *S. m. Bras.* V. *jurupari* (3).

jeropiga. [Possivelmente de um **xaropiga*, de *xarope.* É adocicada.] *S. f.* **1.** Bebida feita de mosto, aguardente e açúcar. **2.** Vinho cuja fermentação foi suspensa, com aguardente na proporção de 20 a 25 por cento. [Cf. (nesta acepç.) *vinho abafado.*] **3.** Vinho ordinário; zurrapa.

jerosolimita. *Adj. 2 g.* e *s. 2 g.* V. *hierosolimita.*

jerosolimitano. *Adj.* e *s. m.* V. *hierosolimitano:* "Chegamos a Jerusalém num anoitecer de violeta e ouro... Celebrava-se então a festa dos Tabernáculos, e todos os j e r o s o l i m i t a n o s haviam saído de suas casas" (Eugênio de Castro, *Obras Poéticas*, II, 152).

jerra. [Do esp. plat. *yerra.*] *S. f. Bras., RS.* Piquenique.

jérsei. [Do top. ingl. *Jersey.*] *S. m.* Tecido de tricô muito fino, feito à máquina em ponto de meia [q. v.], com linha de algodão, lã ou seda, natural ou sintética, e que se vende em peças ou em roupas confeccionadas. [Cf. *malha*[1] (2).]

jeru. [De *ajeru*, com aférese.] *S. m. Bras.* **1.** V. *papagaio* (1). **2.** V. *moleiro* (3).

jeruense. *Adj. 2 g.* **1.** De, ou pertencente ou relativo a Tomar do Jeru (SE). ● *S. 2 g.* **2.** Natural ou habitante de Tomar do Jeru.

jerumba. *El. s. f. Bras., N. E. Pop.* Us. na loc. *comer jerumba.* ◆ **Comer jerumba.** V. *comer da banda podre.*

jerumenhense. *Adj. 2 g.* **1.** De, ou pertencente ou relativo a Jerumenha (PI). ● *S. 2 g.* **2.** Natural ou habitante de Jerumenha.

jerupoca. [De *jurupoca*, com dissimilação.] *S. m. Bras.* V. *jurupoca.*

jeruti. [F. dissimilada de *juriti.*] *S. f. Bras.* V. *juriti.*

jeruva. [F. dissimilada de *juruva.*] *S. f. Bras.* V. *juruva.*

jesuanense. *Adj. 2 g.* **1.** De, ou pertencente ou relativo a Jesuânia (MG). ● *S. 2 g.* **2.** Natural ou habitante de Jesuânia.

jesuíta. [Do lat. mod. *jesuita.*] *S. m.* **1.** Membro da Sociedade de Jesus ou Companhia de Jesus, ordem religiosa, fundada por Inácio de Loyola (1491-1556); loyolista. **2.** *Fig. Deprec.* Indivíduo dissimulado, astucioso, fingido, hipócrita. [Sin. ger.: *inaciano* ● (deprec.) *loyola.*]

jesuítico. *Adj.* **1.** Pertencente ou relativo aos jesuítas [v. *jesuíta* (1)], ou próprio deles; inaciano. **2.** Diz-se do estilo arquitetônico das igrejas construídas na Europa no séc. XVI, e depois na América Latina. **3.** *Fig. Deprec.* Dissimulado, astucioso, fingido, hipócrita. **4.** *Fig. Deprec.* Fanático, faccioso.

jesuitismo (u-i). *S. m.* **1.** Sistema, caráter, moral jesuítica. **2.** *Fig. Pej.* Falta de franqueza; dissimulação. **3.** *Fig. Pej.* Fanatismo, facciosismo.

jesus. [Do hier. *Jesus*, de *Jesus Cristo.*] *Interj.* Indica espanto, dor, surpresa, admiração: "Mulher e filhos! A Mulherzinha / Tão loira e alegre, J e s u s, J e s u s!" (Antônio Nobre, *Só*, p. 46).

jesus-meu-deus. *S. m. 2 n. Bras., BA.* V. *tico-tico-do-mato* (1).

jetaicica (a-i). [Do tupi *yata'i i'sika*, 'resina do jataí'.] *S. f. Bras.* V. *anime.*

jetatura. [Do it. *jettatura.*] *S. f.* **1.** V. *mau-olhado.* **2.** V. *caiporismo.*

jetica. [Do tupi *ye'tika.*] *S. f. Bras.* V. *batata-doce.* [Var.: *jatica.*]

jeticarana. [Do tupi *jetica* + *-rana.*] *S. f. Bras.* V. *batata-de-caboclo.*

jeticuçu. [Do tupi *yetiku'su.*] *S. m. Bras.* Trepadeira

ornamental, da família das convolvuláceas (*Ipomoea hederacea*), originária da Ásia, de folhas cordiformes e membranáceas, flores vistosas, azuis e com tubo corolino branco, fruto capsular, e raiz tuberosa, purgativa.
jetom. [Do fr. *jeton.*] *S. m.* **1.** Tento (no jogo). **2.** Pequena ficha que se entrega a cada um dos membros presentes de certas corporações, e que lhes serve para cobrarem determinada remuneração. **3.** Essa remuneração.
➡**jeton** (jetõ). [Fr.] *S. m.* V. *jetom.*
➡**jeu de mots** (jê de mô). [Fr.] *S. m.* Trocadilho, calembur.
ji. *S. m.* V. *jota*[1]. [Pl.: *jis*, Cf. *giz.*]
jia. [Do tupi *yu'i* + a desin. fem. port. a.] *S. f.* **1.** *Bras.* Designação comum aos anuros leptodactilídeos, gênero *Leptodactilus* Fitz., também chamados *rãs*, por terem a pele nua, viverem sempre junto à água e serem comestíveis. [Cf. *rã.*] **2.** *Bras., PE* e *AL. Pop.* Produto de roubo; furto.
jiba. *S. f.* Certa erva medicinal da ilha de São Tomé. [Cf. *giba.*]
jibóia. [Do tupi *y'bói* + a desin. fem. port. a.] *S. f. Bras.* Reptil ofídio, da família dos boídeos (*Constrictor constrictor* (L.)), comum em todo o Brasil, de coloração geral cinza-violácea, com faixas de cor escura no dorso e desenhos laterais ovóides ou rômbicos. Vive nas florestas ou campos, é arborícola, e alimenta-se de roedores e aves; comprimento: até 4 m. Apesar de não ser venenosa, sua mordedura dói e pode causar infecção. A pele é largamente usada na confecção de artefatos de couro.
jiboiaçu (òi). [De *jibóia* + *-açu.*] *S. f. Bras.* Grande serpente de rio.
jiboiar (òi). [De *jibóia* + *-ar*[2].] *Bras. V. int.* **1.** Digerir em repouso uma refeição farta: *Comeu, comeu, e está j i b o i a n d o. T. d.* **2.** Digerir em repouso (uma refeição farta): "é difícil encontrá-los em estado de pijama, j i b o i a n d o o jantar, em imaginárias cadeiras na calçada" (Haroldo Maranhão, *A Estranha Xícara*, p. 175). [Pres. ind.: *jibóio, jibóias, jibóia, jiboiamos, jiboiais, jibóiam.*]
jibóia-verde. *S. f. Bras.* V. *ararambóia.* [Pl.: *jibóias-verdes.*]
jibóia-vermelha. *S. f. Bras.* V. *salamanta.* [Pl.: *jibóias-vermelhas.*]
jibonã. [Do *ioruba.*] *S. f. Bras.* Auxiliar da mãe-de-santo, que acompanha as filhas durante a iniciação, ensinando-as, alimentando-as e fiscalizando-as.
jibungo. [Do quimb. *jibungw.*] *S. m. Bras. Gír.* V. *dinheiro* (3).
jiçara. *S. f. Bras.* V. *juçara.*
jiçuí. [De provável or. tupi.] *Adj. 2 g. Bras., N. E. Pop.* Arrepiado (falando-se da epiderme).
jiga[1]. [Do ingl. *jig.*] *S. f.* V. *giga*[2] (2).
jiga[2]. [Do ingl. *jigg.*] *S. f.* No séc. XVII, espécie de farsa que se representava entre os atos das peças maiores.
jigajoga. *S. f.* **1.** Antigo jogo de cartas. **2.** Jogo de cabra-cega. **3.** Coisa transitória, passageira. **4.** Ludíbrio, escárnio, jogo. **5.** V. *jogo* (14): "podia ser um trunfo apreciável na j i g a j o g a pública." (Aquilino Ribeiro, *As Três Mulheres de Sansão*, p. 155).
jigue. [Do ingl. *jig.*] *S. m. Tec.* Equipamento para separar materiais de densidades diferentes (minérios, carvões, p. ex.) mediante o movimento alternado, vertical, de uma corrente de líquido (água, em geral), que faz sobrenadar o material mais leve e submergir o mais pesado.
jiju. *S. m. Bras.* V. *jeju.*
jiló. [Do quimb. *njilu.*] *S. m. Bras.* Fruto do jiloeiro.
jiloeiro (lò). [De *jiló* + *-eiro.*] *S. m. Bras.* Erva anual, da família das solanáceas (*Solanum gilo*), de origem duvidosa, talvez africana, e muito cultivada no Brasil, de folhas oblongas e agudas, flores alvas e racemosas, com estames porosos, e cujos frutos, bagas piriformes e vermelhas, apreciadíssimos como alimento, têm acentuado sabor amargo.
jimbelê. [De provável or. afr.] *S. m. Bras.* V. *canjica* (1).
jimbo. [Do quimb. *njimbu.*] *S. m. Bras. Gír.* V. *dinheiro* (3): "tem o seu punhado de ações; tem o j i m b o cá na casa, onde por bem dizer é sócio comanditário" (Aluísio Azevedo, *O Mulato*, p. 31).
jimbongo. [Do quimb. *jimbongo.*] *S. m. Bras. Gír.* V. *dinheiro* (3).
jimbra. *S. f. Bras. Gír.* V. *dinheiro* (3).
jindiba. *S. f.* Certa árvore africana.
jinga. *S. 2 g.* **1.** Indivíduo dos jingas, tribo africana do Congo. ● *Adj. 2 g.* **2.** Pertencente ou relativo a essa tribo. [Cf. *ginga*, do v. *gingar* e *s. f.*]
➡**jingle** (djingl'). [Ingl.] *S. m.* Curta mensagem musicada de propaganda.
jingo. [Voc. afr.] *S. m.* Cachimbo (1). [Cf. *gingo*, do v. *gingar*, e s. m.]
jingoísmo. [Do ingl. *jingoism* < *jingo*, partidário de guerra imediata contra a Rússia, em 1878, + *-ismo.*] *S. m.* Chauvinismo arrogante e belicoso.
jingoísta. [Do ingl. *jingoist.*] *Adj. 2 g.* e *s. m.* Partidário do jingoísmo.
jingoto (ô). *S. m.* Vara delgada e flexível para açoitar; açoite.
jinjibirra. [Do ingl. *ginger-beer.*] *S. f.* **1.** *Bras.* Bebida fermentada, feita de frutos, gengibre, açúcar, ácido tartárico, fermento de pão, e água. [Sin. (no N. E.): *champanha-de-cordão* e *cerveja-de-barbante.*] **2.** *Bras. Pop.* V. *cachaça* (1). [*Jinjibirra* é a grafia adotada pelo Vocabulário da Academia Brasileira. Talvez fosse melhor *gengibirra.*]
jinriquixá. [Do jap. *jinrikisha*, 'homem-força-carro'.] *S. m.* Carrinho de duas rodas puxado por homem, de uso no Oriente.
jinsão. [Do chin. de Pequim *jen*[2] *-shen*[1].] *S. m. Bras.* Planta ornamental, da família das araliáceas (*Aralia quinquefolia*), originária da América do Norte, de raiz tuberosa e aromática, folhas com cinco folíolos agudos e denteados, flores esverdeadas e insignificantes, e fruto bacáceo e carnoso.
jipão. *S. m. Bras.* Viatura militar, espécie de jipe de grandes proporções.
jipe. [Do ingl. *jeep.*] *S. m.* Pequeno automóvel dotado de tração nas quatro rodas, para transporte de reduzido número de pessoas, fabricado, por ocasião da II Guerra Mundial, para fins militares, e atualmente usado sobretudo em serviços rurais.
jipi. [Do tupi amazonense, decerto.] *S. m. Bras. Amaz.* Árvore da família das sapotáceas, gênero *Sideroxylon*, cuja madeira, forte e resistente à putrefação, se usa em obras hidráulicas.
jipijapá. *S. m. Bras.* Bombonaça.
jipioca. [De provável or. tupi.] *S. f. Bras.* Grande cipó da família das leguminosas (*Entada polyphylla*) comum nas margens dos rios amazônicos, de folhas bipenadas, com folíolos pequenos e numerosos, flores amareladas, reunidas em espigas cilíndricas, e legume achatado e longo, rico em sementes. [Var.: *jipooca.*]
jipooca. *S. f. Bras.* Var. de *jipioca.*
jipoúba. [Do tupi.] *S. f. Bras.* Manopé-da-praia.
jique. *S. m. Bras.* V. *imbuzeiro.*
jiquipanga. *S. f. Bras., N.* Divertimento, pagodeira, pândega.
jiquitaia. [Do tupi *yiki'tai*, 'sal picante'.] *S. f. Bras.* **1.** Pimenta-malagueta (*Capsicum baccatum* e *Capsicum pendulum*) seca e reduzida a pó. **2.** Molho (ô) de pimenta. **3.** Qualquer molho ou caldo picante. **4.** *Bras.* V. *formiga lava-pé.*
jiquitiranabóia. [Cruz.de *jequiranabóia* com *jiquitirana.*] *S. f. Bras.* V. *jequitiranabóia.*
jirabana. [Provavelmente do tupi.] *S. f. Bras., SC.* Certo tipo de pesca.
jirau. [Do tupi *yi'rab.*] *S. m. Bras.* **1.** Estrado de varas sobre forquilhas cravadas no chão, usado para guardar panelas, pratos, legumes, etc.: "Em frente, ou no chão, ou sobre um j i r a u de madeira, vasos, paneiros, pedaços de panelas, restos de potes, cheios de flores." (José Veríssimo, *Cenas da Vida Amazônica*, pp. 342-343.) **2.** Armação de madeira sobre a qual se edificam as casas a fim de evitar a água e a umidade. **3.** *P. ext.* Qualquer armação de madeira em forma de estrado ou palanque. **4.** Cama de varas: "quedou imóvel, em aparente tranqüilidade, sobre o j i r a u soerguido do solo por quatro espeques toscos" (Coelho Neto, *Sertão*, p. 20). **5.** *Arquit.* No interior de um compartimento, piso (3) a meia altura que cobre, apenas parcialmente, a sua área. [Cf. *pódio* (5).] **6.** *Bras.* Sobreloja (1 e 2).
jiriba. *S. f. Bras.* V. *juruva.*
jiribana. [Var. de *xeripana* < tupi *seri'pana.*] *S. f. Bras., AM.* Corda de laçar, trançada de finos relhos.
jiribanda. [Alter. de *sarabanda* (q. v.)?] *S. f.* Admoestação violenta [v. *descompostura* (2)]: *A mãe da pequena passou-lhe uma j i r i b a n d a séria.*
jirigote. *S. m. Pop.* Velhaco, trapaceiro, estradeiro, trampolineiro.
jirimate. [Do tupi. Cf. *jeremataia.*] *S. m. Bras.* Arvoreta da família das verbenáceas (*Vitex garneriana*), própria do RJ, toda recoberta de pêlos alvacentos, dotada de folhas simples, coriáceas e lanceoladas, flores em cimeiras axilares, lanuginosas, e fruto drupáceo, mais ou menos carnoso e envolvido pelo cálice ampliado; jeremataia [q. v.].
jiripoca. *S. f. Bras.* V. *jurupoca.*
jiriquiti. *S. m. Bras., ES.* V. *galhudo* (4).
jiritana. *S. f. Bras.* Variedade de feijão.
jirote. *S. m. Gír.* Malandro, vadio.
jitirana. [Do tupi *yetirana*, 'falsa batata'.] *S. f. Bras.* Trepadeira ornamental, da família das convolvuláceas (*Ipomoea coccinea* e *Merremia glabra*), de flores amplas, afuniladas, alvas ou rubras, e fruto capsular.
jitiranabóia. [F. red. de *jequitiranabóia.*] *S. f. Bras.* V. *jequitiranabóia.*
jitirana-de-leite. *S. f.* Arbusto da família das asclepiadáceas (*Ganolobus gangliosus*), caracterizado pela presença de látex em todas as suas partes e pelo pólen congregado em polínios. [Pl.: *jitiranas-de-leite.*]
jito[1]. *S. m.* Cano que conduz o metal derretido para o molde por encher.
jito[2]. *Adj. Bras., Amaz. Pop.* Pequenino, miúdo.
jitó. [De possível or. indígena.] *S. m. Bras.* V. *ataúba.*
jiu-jítsu. [Do jap. *jujutsu*, 'dez astúcias'.] *S. m.* Sistema de luta corporal em que se procura imobilizar o adversário mediante golpes de destreza aplicados a pontos sensíveis do corpo; jujútsu.
joalharia. *S. f.* Joalheria [q. v.].
joalheiro. [Do fr. *joaillier.*] *S. m.* **1.** Fabricante e/ou vendedor de jóias. **2.** Engastador de pedras preciosas. ● *Adj.* **3.** Relativo a jóia; de jóia: *indústria j o a l h e i r a.*
joalheria. [De *joalheiro* + *-eria.*] *S. f.* Estabelecimento de comércio de jóias; joalharia.
joana-guenza. *S. f. Bras.* V. *jacundá-branco.* [Pl.: *joanas-guenzas.*]
joanete (ê). [Do esp. *juanete*, com infl. do antr. *João.*] *S. m.* **1.** *Marinh.* Cada um dos mastaréus que espigam dos mastaréus de gávea por entre as aberturas das pegas de joanete [a partir de vante, denominam-se *joanete de proa* (no mastro do traquete), *joanete grande* (no mastro grande) e *sobregata* (no mastro da gata)]: "um belo patacho de Pernambuco, ... com a mastreação airosa e artística um tanto curva e puxando um pouco pelos estais dos mastaréus grandes e do j o a n e t e" (Virgílio Várzea, *Nas Ondas*, p. 2). **2.** *Marinh.* Vergas que cruzam nos mastaréus de joanete. **3.** *Marinh.* Velas que se largam nas vergas de joanete; denominam-se, a partir de vante, *joanete de proa, joanete grande* e *sobregata.* **4.** *Med.* Deformação crônica na articulação do primeiro metatarsiano com a falange correspondente do primeiro pododáctilo, do que resulta desvio da linha média do primeiro pododáctilo, que se afasta da linha média do corpo ou em direção aos outros pododáctilos: "De vez em quando .... examinava os meus pés desfeados pelos calos e pelos j o a n e t e s." (Aluísio Azevedo, *Demônios*, pp. 128-129).
joaninha. *S. f. Bras.* **1.** Designação comum aos insetos coleópteros da família dos coccinelídeos, de corpo geralmente oval ou hemisférico, cabeça escondida pelo protórax, e élitros cobrindo o abdome de cores vistosas e desenhos variados. Vivem sob plantas, e algumas espécies alimentam-se de pulgões e cochonilhas, sendo, assim, úteis à lavoura. **2.** Peixe teleósteo, percomorfo, da família dos ciclídeos (*Crenicichla lacustris* (Cast.)), da região L. e S. do Brasil, de coloração pardo-acinzentada, com numerosos pontos negros sobre o corpo, mácula negra na base da nadadeira caudal e outra oblíqua abaixo do olho, nadadeira dorsal contínua, ocupando quase todo o dorso, e comprimento de até 25 cm [Sin. nesta acepç.: *maria-guenza, michola, cabeça-amarga, joaninha-guenza, mixorne.*] **3.** V. *alfinete de segurança.* **4.** *Bras., S.* Fusca [q. v.], pintado de azul e branco, e provido de sirena, usado pela polícia militar; patrulhinha.
joaninha-guenza. *S. f. Bras.* V. *joaninha* (2). [Pl.: *joaninhas-guenzas.*]
joanino[1]. *Adj.* **1.** Relativo a João ou Joana. **2.** Respeitante aos reis de nome João, e especialmente a D. João III, de Portugal.
joanino[2]. *Adj.* **1.** De, ou pertencente ou relativo a São João da Aliança (GO). ● *S. m.* **2.** O natural ou habitante de São João da Aliança.
joanopolense. *Adj. 2 g.* **1.** De, ou pertencente ou relativo a Joanópolis (SP). ● *S. 2 g.* **2.** Natural ou habitante de Joanópolis.
joão. [Do antr. *João*, decerto.] *S. m.* **1.** *Bras.* V. *fruta-de-manteiga.* **2.** *Bras. Fut.* Jogador que é driblado com facilidade.
joão-balão. *S. m. Bras.* Balalão. [Pl.: *joão-balões, joões-balões* e *joões-balão.*]
joão-barbudo. *S. m. Bras.* Ave da família dos bucconídeos (*Malacoptila striata* (Spix.)), do S. E. do Brasil, de coloração castanha com estrias longitudinais amarelas na cabeça e no dorso, peito com faixa branca orlada de preto por baixo. Alimenta-se de insetos, tendo especial predileção por borboletas, e seu nome provém das

vibrissas ou filoplumas na base do bico. [Sin.: *joão-doido, jururu.* Pl.: *joões-barbudos.*]
joão-barreiro. *S. m. Bras., S.* V. *joão-de-barro.* [Pl.: *joões-barreiros.*]
joão-bobo. *S. m. Bras.* Ave pisciforme, da família dos buconídeos (*Nystalus chacuru* (Vieil.)), das zonas campestres de quase todo o Brasil, de dorso pardo-avermelhado, com faixas pretas transversais, faces pretas com manchas brancas, abdome branco, e coleira branca no pescoço. Nidifica em galerias, na terra, de preferência em barrancos, e se alimenta de insetos. Sua grande distribuição geográfica lhe granjeou numerosos nomes populares. [Sin.: *joão-tolo, paulo-pires, rapazinho-dos-velhos* (q. v.), *chacuru, chicolerê, dormião, fevereiro, jacuru* ou *jucuru, macuru, sucuru, pedreiro.* Pl.: *joões-bobos.*]
joão-cachaça. *S. m. Bras., ES.* V. *jaguaruçá.* [Pl.: *joões-cachaças* e *joão-cachaças.*]
joão-congo. *S. m. Bras.* Ave passeriforme, da família dos icterídeos (*Ostinops decumanus maculosus* Chapm.), com ampla distribuição geográfica no País, de coloração preta, com dorso posterior, uropígio e crisso vermelhos, cauda amarela com as duas retrizes medianas pretas, e bico amarelado; nidifica em colônias, e alimenta-se de frutas, insetos e outros produtos da mata: "o laranjal pejado, cuja grimpa era de momento a momento assaltada por densas revoadas de guaxos e joões-congos" (Hugo de Carvalho Ramos, *Tropas e Boiadas,* p. 17). [Var.: *joncongo;* sin.: *rei-congo, japuaçu, japuguaçu, japu-gamela, japuíra, guaxe* ou *guaxo.*] [Pl.: *joões-congos* e *joão-congos.*]
joão-conguinho. *S. m. Bras., GO.* V. *japim.* [Pl.: *joões-conguinhos* e *joão-conguinhos.*]
joão-correia. *S. m. Bras., SP.* Árvore tortuosa, de regular desenvolvimento, folhas miúdas e arredondadas, e cuja madeira se usa em cangas de boi, esteios, postes, etc. [Pl.: *joões-correias* e *joões-correia.*]
joão-corta-pau. [T. onom.] *S. m. Bras.* V. *bacurau* (1). [Pl.: *joões-corta-pau.*]
joão-da-costa. *S. m. Bras.* V. *cipó-capador.* [Pl.: *joões-da-costa.*]
joão-de-barro. *S. m. Bras.* Designação comum a várias aves passeriformes da família dos furnarídeos (*Furnarius rufus* (Gmel), *F. leucopus* Se., *F. minor* Pelz, *F. figulus* (Linch.) e *Fr. badius* (Linch.)). A espécie mais comum é a *F. r. badius* (Linch.), do S.E. do País, de peito cuja cor varia do vermelho ao branco, e corpo cor de canela. [Sin.: *joão-barreiro, barreiro, amassa-barro, maria-de-barro, oleiro, forneiro, pedreiro.* Pl.: *joões-de-barro.*]
joão-de-cristo. *S. m. Bras.* V. *caga-sebo* (1). [Pl.: *joões-de-cristo.*]
joão-deitado. *S. m. Bras., MG.* Cobu[2]. [Pl.: *joões-deitados.*]
joão-de-leite. *S. m. Bras.* V. *fruta-de-manteiga.* [Pl.: *joões-de-leite.*]
joão-de-pau. *S. m.* **1.** *Bras.* Ave passeriforme da família dos furnarídeos (*Phacellodoums rufifrons* (Wied.)), do L., N.E. e S.O. do País, de dorso marrom-claro, e fronte castanho-avermelhada; constrói o ninho com gravetos, pendurado em galhos de árvore sem utilizar as forquilhas; alimenta-se de insetos. [Sin.: *carrega-madeira.*] **2.** *Bras., Amaz.* Remo de mão amarrado na popa de uma montaria, tripulada por um só pescador, que rema da proa, pronto para arpoar; "A metade de um remo, fixa à popa, chamado joão-de-pau, não a deixava [a conoa] desviar-se da linha reta, nem guinar." (José Veríssimo, *Cenas da Vida Amazônica,* p. 90.) [Pl.: *joões-de-pau.*]
joão-dias. *S. m. Bras.* V. *sebastião* (1). [Pl.: *joões-dias* e *joão-dias.*]
joão-doido. *S. m. Bras.* V. *joão-barbudo.* [Pl.: *joões-doidos.*]
joão-do-mato. *S. m. Bras.* Ave piciforme, da família dos buconídeos (*Notharchus swainsoni* (Gray & Mitch.)), do S.E. do País, de dorso preto, fronte, coleira, pescoço anterior, garganta e face brancos, peito negro, abdome amarelado, e base da maxila com pêlos em forma de bigodes; capitão-do-mato, capitão-de-bigode. [Pl.: *joões-do-mato.*]
joão-fernandes. *S. m.* **1.** V. *joão-ninguém.* **2.** *Bras., RS.* Variante do fandango. [Pl.: *joões-fernandes.*]
joão-galafoice. *S. m. Bras., AL.* V. *fogo-fátuo* (1). [Pl.: *joões-galafoices.*]
joão-galamarte. *S. m. Bras.* V. *gangorra*[1] (1): "Fiquei outro, ninguém viu-me / Mais o meu pião jogar, / E nem o joão-galamarte / No terreiro ao bom luar" (Juvenal Galeno, *Lendas e Canções Populares,* p. 241). [Pl.: *joão-galamartes.*]
joão-gomes. *S. m. Bras.* V. *maria-gomes.* [Pl.: *joões-gomes* e *joão-gomes.*]
joão-grande. *S. m.* **1.** *Bras.* Ave da família dos fregatídeos (*Fregata magnificens rothschildi* Math.). **2.** *Bras., SP.* V. *alcatraz*[1]. **3.** *Bras., RS.* Indivíduo alto. [Pl.: *joões-grandes.*]
joão-graveto. *S. m. Bras., MG.* V. *cochico*[2] (1). [Pl.: *joões-gravetos.*]
joão-magro. *S. m. Bras.* V. *bicho-pau* (1). [Pl.: *joões-magros.*]
joão-mede-léguas. *S. m. Bras.* V. *bacurau* (1). [Pl.: *joões-mede-léguas.*]
joão-mole. *S. m. Bras.* Arbusto da família das nictagináceas (*Pisonia tomentosa*), ocorrente da Amaz. a MG e GO, de folhas oblongas e tomentosas, flores insignificantes, alvacentas e cimosas, e cuja madeira serve para cabos de ferramentas. [Pl.: *joões-moles.*]
joão-ninguém. *S. m.* Indivíduo insignificante, sem importância; sujeito à-toa. [Sin.: *joão-fernandes, badameco, badana, bangalafumenga, beldroegas, berdamerda, berebere, bicho-careta, borra-botas, brochote, bunda, bunda-suja, fabiano, fubica, futrica, gato-pingado, janistroques, lagalhé* ou *leguelhé, maenga, mequetrefe, ningres-ningres, zé-dos-anzóis, zé-dos-anzóis-carapuça, zé-da-véstia, zé-prequeté.* Pl.: *joões-ninguém.*]
joão-paulino. *S. m. Bras.* V. *joão-teimoso.* [Pl.: *joões-paulinos.*]
joão-pestana. *S. m. Pop.* O sono. [Pl.: *joões-pestanas* e *joão-pestanas.*]
joão-pinto. *S. m. Bras.* Ave passeriforme, da família dos icterídeos (*Icterus croconotus* (Wagl.)), da Amaz., de coloração geral preta, e cabeça e abdome amarelos. Como as demais do gênero, é muito ornamental e apreciada para gaiola. [Cf. *rouxinol* (2). Pl.: *joões-pintos* e *joão-pintos.*]
joão-pobre. *S. m. Bras.* Ave passeriforme, da família dos tiranídeos (*Serpophaga nigricans* (Vieil.)), distribuída desde SP, MT e MG até a Argentina e o Paraguai, de dorso cinzento-azulado, topete negro com penas brancas, asas escuras com faixas cinzentas, e abdome branco. Freqüenta matas e alimenta-se de insetos. [Pl.: *joões-pobres.*]
joão-redondo. *S. m. Bras., PB.* V. *mamulengo* (2). [Pl.: *joões-redondos.*]
joão-teimoso. *S. m.* Boneco que se ergue sobre uma base semiesférica, na qual se concentra a maior parte de seu peso, e que por isso retorna à posição vertical quando tentam derrubá-lo; teimoso, joão-paulino. [Pl.: *joões-teimosos.*]
joão-teneném. *S. m. Bras.* Ave passeriforme, da família dos furnarídeos gênero *Synallaxis* Vieil., com 11 espécies distribuídas pelo País, de coloração geral pardo-olivácea, ou cor de canela, variando a cauda do pardo ao vermelho ou preto. [Sin.: *joão-tiriri, bentererê, pichororé, turucué.* Pl.: *joões-tenenéns* e *joão-tenenéns.* Cf. *curutié.*]
joão-tiriri. *S. m. Bras.* V. *joão-tenerém.* [Pl.: *joões-tiriris* e *joão-tiriris.*]
joão-tolo. *S. m. Bras.* V. *joão-bobo.* [Pl.: *joões-tolos.*]
joão-torrão. *S. m. Bras.* A larva terrestre dos mirmeliônidas. [Pl.: *joões-torrões* e *joão-torrões.*]
joão-torresmo. *S. m. Bras.* V. *pão-de-galinha.* [Pl.: *joões-torresmo* e *joão-torresmos.*]
joão-velho. *S. m. Bras.* V. *pica-pau-de-cabeça-amarela.* [Pl.: *joões-velhos.*]
joaquinense[1]. *Adj. 2 g.* **1.** De, ou pertencente ou relativo a São Joaquim (SC). ● *S. 2 g.* **2.** Natural ou habitante de São Joaquim.
joaquinense[2]. *Adj. 2 g.* **1.** De, ou pertencente ou relativo a São Joaquim da Barra (SP). ● *S. 2 g.* **2.** Natural ou habitante de São Joaquim da Barra.
joça. [Do prov. minhoto e alentejano *jouça,* 'bosta', ou do prov. da Beira Alta *joiça,* 'excremento'.] *S. f. Bras. Gír.* Coisa complicada, ou ruim, ou sem valia, esquisita ou mal conhecida: "Só gosto de Taguató porque ele fala bem, e é capaz de endireitar esta joça." (M. Cavalcanti Proença, *Manuscrito Holandês,* p. 160.)
joçal. *S. m. Bras., O. de SP.* A felpa da cana-de-açúcar.
joco-sério. [De *joco(so)* + *sério.*] *Adj.* Meio jocoso, meio sério; sério-cômico. [Pl.: *joco-sérios.*]
jocosidade. *S. f.* Qualidade de jocoso; graça; gracejo, facécia, chiste.
jocoso (ô). [Do lat. *jocosu.*] *Adj.* Que provoca o riso; chistoso, faceto, alegre.
jocotupé. *S. m. Bras.* V. *jacatupé.*
joeira[1]. [De *joio* + *-eira,* com dissimilação do primeiro *i.*] *S. f.* Peneira com que se separa o trigo do joio: crivo.
joeira[2]. [Dev. de *joeirar.*] *S. f.* Joeiramento.
joeiradora (ô). *S. f.* Máquina que serve para joeirar os grãos.
joeiramento. *S. m.* Ato de joeirar; joeira.
joeiranense. *Adj. 2 g.* **1.** De, ou pertencente ou relativo a Joeirana (ES). ● *S. 2 g.* **2.** Natural ou habitante de Joeirana.
joeirar. *V. t. d.* **1.** Passar (o trigo) pela joeira[1]: "Nos terraços, rodeados de balaustradas, mulheres diligentes sacudiam os tapetes, joeiravam o trigo" (Eça de Queirós, *A Relíquia,* pp. 199-200). **2.** Passar pela joeira ou pelo crivo; cirandar, peneirar. **3.** Examinar ou averiguar minuciosamente. **4.** Escolher, separando com cuidado o que é bom do que é mau. [Sin. ger.: *outar* ou *utar.*]
joeireiro[1]. [De *joeira*[1] + *-eiro.*] *S. m.* Aquele que faz joeiras; peneireiro.
joeireiro[2]. [De *joeira*[2] + *-eiro.*] *S. m.* Aquele que joeira, que faz joeira[2].
joelhaço. *S. m.* Joelhada (1): "Seus métodos são certamente pouco ortodoxos, embora ele mesmo se descreva como 'freudiano barbaridade'. E parece que dão certo, pois sua clientela aumenta. Foi ele que desenvolveu a terapia do joelhaço." (Luís Fernando Veríssimo, *O Analista de Bajé,* p. 23.)
joelhada. *S. f.* **1.** Pancada com o joelho; joelhaço. **2.** *Bras. Cap.* Golpe traumatizante em que o capoeirista se aproveita de um descuido do adversário para atingi-lo com o joelho.
joelheira. *S. f.* **1.** A parte da armadura correspondente ao joelho. **2.** Peça de couro para proteger os joelhos das bestas. **3.** Peça de malha elástica, ou de lã, às vezes acolchoada, com que se protegem os joelhos contra o frio, distensão, durante a prática de certos esportes, etc. **4.** A parte das calças correspondente ao joelho: *Rasgou, numa queda, a joelheira das calças.* **5.** Deformação das calças no lugar dessa parte: "As calças .... tinham duas fortes joelheiras, enquanto as bainhas erám roídas pelo tacão de um botim sem misericórdia nem graxa." (Machado de Assis, *Memórias Póstumas de Brás Cubas,* p. 105.) **6.** Ferimento nos joelhos das bestas. **7.** Peça de madeira em que se assentam os joelhos durante certos trabalhos domésticos, como, p. ex., lavar assoalho: "Havendo sol, vêm mulheres lavar roupa. Arrimam-se às joelheiras, as pernas nuas fora da saia sungada" (José Vieira, *Sol de Portugal,* p. 36).
joelheiro. *Adj.* Que chega até o joelho.
joelho (ê). [Do lat. vulg. *genuculu,* dim. de *genu,* atr. da f. arc. *geolho,* com metátese.] *S. m.* **1.** *Anat.* Segmento de membro inferior que compreende a articulação da coxa e perna e todas as partes moles que a circundam. **2.** *P. ext.* A parte da veste correspondente ao joelho: *Tirou o pesado facão que lhe pendia do cinto e limpou-o no joelho da calça.* **3.** Aparelho que prende os instrumentos topográficos aos respectivos tripés. **4.** Articulação especial entre várias peças móveis de aparelhos ou de máquinas. ♦ **Ajuntar joelhos.** *Bras., BA* e *MG. Pop.* Na região são-franciscana, estar inativo, sem trabalho.
joelhudo. *Adj.* Que tem joelhos grossos.
jogada. [Fem. substantivado de *jogado.*] *S. f.* **1.** Ato ou efeito de jogar. **2.** Lanço (10). **3.** V. *jogo* (14). **4.** *Bras.* Esquema de negócio, prévia e engenhosamente arquitetado, com vista a determinado fim em geral lucrativo ou vantajoso: *Ganhou muito dinheiro naquela jogada da importação.* **5.** *P. ext.* Qualquer negócio tramado, e elaborado por meio de ardis, maquiavelicamente. [Cf. *jugada.*] ♦ **Morar na jogada.** *Bras. Gír.* Entender, compreender uma explicação, uma situação, etc. **Tirar da jogada.** Liquidar, eliminar.
jogadeira. [De *jogar* + *-deira.*] *S. f.* Na sinuca, a bola branca ou amarela, que, impelida com o taco, deve acertar as outras.
jogado. [Part. de *jogar.*] *Adj.* **1.** Que se jogou; arriscado ao jogo. **2.** *Bras.* Caído, prostrado, inerte. **3.** *Bras.* Abandonado, desamparado: *Pobre e doente, vive por aí, esquecido, jogado.*
jogador (ô). *Adj.* **1.** Que joga por hábito, profissão ou vício. ● *S. m.* **2.** Aquele que joga por hábito, profissão ou vício. **3.** Aquele que sabe jogar. [Cf. *jugador.*]
jogar. [Do lat. *jocare.*] *V. t. d.* **1.** Entregar-se ao, ou tomar parte no jogo de; executar as diversas combinações de (um jogo): "fumar, beber cerveja e jogar o xadrez" (Ramalho Ortigão, *A Holanda,* p. 208); "Entraram na delegacia, os quatro soldados jogando bozó em cima do banco." (José Bezerra Filho, *Fogo!,* p. 51). **2.** Aventurar ou arriscar ao jogo; perder no jogo: *Jogou a roupa do corpo.* **3.** Manejar com destreza ou habilmente. **4.** Pôr em risco; arriscar, aventurar: *Os pilotos de prova jogam a vida constantemente.* **5.** Lançar em alguma direção; arremessar, atirar: *As crianças jogavam pedras.* **6.** Dizer ou fazer brincadeira. *T. d.* e *i.* **7.**

Pop. V. atacar[1] (10): *Jogou a mão na do assaltante.* **8.** Arriscar temerariamente; aventurar: *Jogar a vida com um facínora.* **9.** Lançar em alguma direção; arremessar, atirar, dar: *Jogaram-lhe pedras.* **10.** Dizer ou fazer por brincadeira. *T. i.* **11.** Combinar, condizer, harmonizar-se. **12.** Fazer apostas em jogo: *Jogar em corridas de cavalos.* **13.** Basear-se, fundar-se, estribar-se: *Defendeu bem a tese, jogando com excelentes autores. Int.* **14.** Entregar-se ao jogo; ter hábito ou vício do jogo: "Já se *jogava* no tempo da Escritura; lançaram-se dados sobre a túnica de Jesus Cristo." (Machado de Assis, *A Semana,* II, p. 162.) **15.** Brincar, divertir-se, folgar. **16.** Oscilar, balançar(-se): "O silêncio noturno da ruazinha de arrabalde é cortado .... pelo bonde, que passa, ruidoso e *jogando*, na rua principal" (Telmo Vergara, *Contos da Vida Breve,* p. 21). *P.* **17.** Atirar-se, lançar-se, arremessar-se, despenhar-se, precipitar-se: "E eu me lembro .... dessa pobre mulher que se *jogou* do andar de um prédio alto para morrer." (João Clímaco Bezerra, *O Homem e Seu Cachorro,* p. 46). [Conjug.: v. *largar.* Pres. ind.: *jogo,* etc. Cf. *jogo* (ô) e *jugar.*] ♦ **Jogar fora.** Desfazer-se de; botar fora: *A criança, enfastiada, jogou fora o brinquedo.*

jogata. *S. f.* **1.** Partida de jogo. **2.** Jogatina (1 e 2).

jogatina. [Do it. *giocatina.*] *S. f.* **1.** O hábito ou vício do jogo; jogata. **2.** Exercício continuado, hábito ou vício do jogo; jogata: *Vive na jogatina.* **3.** O jogo, sobretudo o jogo de azar: *Aquela casa é um antro de jogatina.*

➡**jogging** (djóguin'). [Ingl.] *S. m.* **1.** Ação de correr lentamente ou andar, em passos ritmados, com fins higiênicos. **2.** Vestuário esportivo, composto de calça e blusão, em geral do mesmo tecido e cor, usado sobretudo para fazer *jogging* (1).

jogo (ô). [Do lat. *jocu,* 'gracejo', 'zombaria', que tardiamente tomou o lugar de *ludus.*] *S. m.* **1.** Atividade física ou mental organizada por um sistema de regras que definem a perda ou o ganho: *jogo de damas; jogo de futebol.* **2.** Brinquedo, passatempo, divertimento: *jogo de armar; jogos de salão.* **3.** Passatempo ou loteria sujeito a regras e no qual, às vezes, se arrisca dinheiro: *jogo de cartas; jogo do bicho.* **4.** Regras que devem ser observadas quando se joga. **5.** Jogo de azar. **6.** O vício de jogar: *É dado ao jogo.* **7.** Maneira de jogar: *O jogo dele é muito perigoso.* **8.** Série de coisas que forma um todo ou uma coleção: "Da sacra vestimenta avultam na brancura / De pistolas um *jogo* e a forma de um punhal." (Gonçalves Crespo, *Obras Completas,* p. 337.) **9.** Conjugação harmoniosa de peças mecânicas com o fim de movimentar um maquinismo: *um jogo de manivelas.* **10.** Mecanismo de direção de um veículo: *o jogo dianteiro de um carro.* **11.** Balanço transversal [q. v.]: *Enjoou muito com o jogo do navio.* **12.** Escárnio, ludíbrio, jigajoga. **13.** Manha, astúcia, ardil. **14.** Vicissitudes, alternativas, vaivéns; jogada, jigajoga: *o jogo político.* **15.** Aposta[1] (1). **16.** Comportamento ou atitude de alguém que visa a obter vantagens de outrem: *jogo franco; jogo dissimulado.* **17.** *Mús.* Na técnica instrumental, a maneira como cada artista se serve dos recursos técnicos próprios ao seu instrumento. **18.** *Mús.* Conjunto de registros do órgão ou do harmônio. **19.** *Psicol.* Jogo (1 e 2) empregado como meio de investigação ou tratamento psicológico. **20.** *Teat.* Uma das mais antigas composições dramáticas da Idade Média, principalmente na Alemanha, França e Espanha, constituída de breves diálogos, cenas ou recitações e representações em praça pública de trovadores e jograis. [Pl.: *jogos* (ó). Cf. *jogo,* do v. *jogar.*] ♦ **Jogo cênico.** No espetáculo teatral, o conjunto orgânico das marcações dos atores, diálogos, jogos de luz, movimentações de cenários, divisões em cenas, atos e intervalos, ritmo, atmosfera, etc.; jogo de cena, jogo dramático. **Jogo da péla.** Jogo muito praticado outrora, que consistia em atirar uma bola (a péla) de um lado para o outro, com a mão ou com o auxílio de um instrumento (raquete, bastão, pandeiro, etc.), em local aparelhado para esse fim. [Tb. se diz apenas *péla.*] **Jogo das escondidas.** V. *esconde-esconde.* **Jogo da verdade.** Jogo de salão [q. v.] em que cada um dos participantes se propõe responder com sinceridade a tudo quanto lhe for perguntado. **Jogo da vermelhinha.** Certo jogo de azar em que há só três cartas, duas de naipe preto e uma de naipe vermelho, com as quais o banqueiro faz uma espécie de prestidigitação, deixando-as voltadas para baixo. O parceiro ganha se acerta qual delas é a vermelha. [Tb. se diz apenas *vermelhinha.*] **Jogo de azar.** Aquele em que a perda ou o ganho dependem mais da sorte que do cálculo, ou somente da sorte, como, p. ex., o jogo da roleta e do monte. **Jogo de bolsa.** Especulação (contrato aleatório) em operações de compra e venda (títulos, mercadorias) que não obriga à entrega do objeto negociado, resolvendo-se apenas com o pagamento da diferença dos preços de cada transação. **Jogo de botão.** Futebol de botão. **Jogo de cena.** *Teat.* V. *jogo cênico.* **Jogo de damas.** V. *damas.* **Jogo de empurra.** Ato de atribuir alguém uma incumbência, responsabilidade, etc., a outrem, que por sua vez atribui a um terceiro, e assim por diante. **Jogo de fios.** O ato de produzir figuras estendendo fios entre os dedos das mãos e, algumas vezes, também pelos pés. **Jogo de mímica.** V. *jogo de salão.* **Jogo de palitinhos.** *Bras.* V. *porrinha.* **Jogo de salão.** Passatempo organizado em reuniões sociais, que consta de adivinhações, sorteios, etc., com objetivo puramente lúdico, como, por ex., o jogo de mímica, o de prendas, o da verdade. **Jogo do bicho.** *Bras.* Tipo de loteria na qual se joga sobre os finais 0000 a 9999, cujas dezenas correspondem a 25 grupos [V. *grupo* (8)], cada um com o nome de um animal, a saber: avestruz, águia, burro, borboleta, cachorro, cabra, carneiro, camelo, cobra, coelho, cavalo, elefante, galo, gato, jacaré, leão, macaco, porco, pavão, peru, touro, tigre, urso, veado, vaca. **Jogo do osso.** *Bras., RS.* Tava (2). **Jogo dramático.** *Teat.* V. *Jogo cênico.* **Jogo eletrônico.** Jogo, provido de memória (13), que opera através de sistema de circuitos eletrônicos. **Jogo limpo. 1.** Jogo (1 e 2) leal, que respeita as regras. **2.** *Fig.* Aceitação serena, elegante, de uma situação difícil ou adversa. [Corresponde, nesta acepç., ao ingl. *fair-play.*] **Jogos de prendas.** Jogos em que quem perde entrega um objeto ou prenda ao ganhador, o qual escolherá a pena que o perdedor tem de cumprir. **Jogos eqüírios.** Corridas de cavalo com que em Roma se festejava Marte. [Tb. se diz apenas *eqüírios.*] **Jogos florais.** Antigos jogos que se celebravam em honra de Flora, deusa das flores e dos jardins, e que ainda hoje são celebrados nalgumas cidades. [Tb. se diz apenas *florais.*] **Jogos malabares.** Jogos de posições e movimentos difíceis e extravagantes, com peloticas, prestidigitações, pantomimas e habilidades manuais. **Jogos olímpicos. 1.** Aqueles que de quatro em quatro anos se celebravam na Grécia antiga, em honra de Júpiter. **2.** Competições esportivas internacionais que se realizam, em geral, de quatro em quatro anos, e em país previamente estabelecido. **Abrir o jogo.** Falar com toda a franqueza. **Esconder o jogo.** *Bras. Gír.* Ocultar as verdadeiras intenções de um comportamento, de uma atitude, etc. **Fazer o jogo de.** Colaborar com o(s) objetivo(s) de, atuando com dissimulação ou sem consciência do que faz. **Ter jogo de cintura.** Ter muito jeito, muita habilidade, para sair de situações difíceis.

jogo-da-bola. *S. m.* Jogo em que se fazem rolar bolas a fim de derrubar certo número de paus eretos. [Pl.: *jogos-da-bola.* Cf. *boliche* (1).]

jogo-da-glória. *S. m.* V. *glória* (10). [Pl.: *jogos-da-glória.*]

jogo-da-velha. *S. m. Bras.* Jogo em que dois parceiros desenham, num papel, linhas paralelas, duas horizontais e duas verticais, em cruz, formando nove casas, nas quais se assinalam os pontos, ganhando o que primeiro consegue unir três pontos em linha reta, diagonal ou perpendicular. [Pl.: *jogos-da-velha.*]

jogral. [Do provenç. *joglar,* com metátese.] *S. m.* **1.** Na Idade Média, trovador ou intérprete de poemas e canções de caráter épico, romântico ou dramático: "Acima do bobo ou manielo, mas confundido às vezes com ele, estava o *jogral*. O *jogral* era conjuntamente instrumentista, bailarino, cantor e, até, improvisador." (Alexandre Herculano, *O Monge de Cister,* II, p. 256.) **2.** *Teat.* Aquele que interpreta poemas ou canções; recitador, declamador, trovador. **3.** Farsista, truão, chocarreiro, histrião. [Fem.: *jogralesa.*]

jogralesa (ê). *S. f.* Fem. de *jogral.* [Sin. do fem. da acepç. 1 de jogral: *péla.*]

jogralesca (ê). [Fem. substantivado de *jogralesco.*] *S. f.* Cantiga de jogral.

jogralesco (ê). *Adj.* Relativo a, ou próprio de jogral.

jogralidade. *S. f.* Ato ou dito de jogral (3); truanice, chocarrice.

jogue. *Adj. 2 g.* e *s. 2 g.* V. *iogue.*

joguetar. [De *joguete* + *-ar*[2].] *V. int.* V. *joguetear.* [Pres. subj.: *joguete, joguetes,* etc. Cf. *joguete* (ê) e pl. *joguetes* (ê).]

joguete (ê). [De *jogo* + *-ete,* ou do esp. *juguete.*] *S. m.* **1.** Mofa, brinquedo, ludíbrio, zombaria. **2.** Pessoa ou coisa que é alvo de ludíbrio ou mofa. [Pl.: *joguetes* (ê). Cf. *joguete* e *joguetes,* do v. *joguetar.*]

joguetear. [De *joguete* + *-ear.*] *V. int.* **1.** Brincar com ditos; gracejar, joguetar. **2.** Esgrimir, por brincadeira; joguetar. [Conjug.: v. *frear.*]

➡**John Bull** (djôn bull). [Ingl., 'João Touro'.] *S. m.* Personagem caricatural que simboliza o povo inglês, sobretudo no que ele tem de pesado e obstinado.

jóia. [Do fr. ant. *joie,* 'jóia', que convém não confundir com o atual *joie,* 'alegria'.] *S. f.* **1.** Artefato de matéria preciosa, de metal ou de pedrarias e que se usa como adorno, como anéis, colares, tiaras, brincos, broches, etc. [Sin., no RS.: *memória, prenda.*] **2.** *Fig.* Pessoa ou coisa de grande valor, ou muito boa, ou de aspecto agradável: "Era uma *jóia* de rapaz; lembra-se dele, pois não lembra...?" (Aquilino Ribeiro, *Alemanha Ensangüentada,* p. 187); *Este quadro é uma jóia; A casa estava uma jóia.* **3.** *Mar.* Engrossamento existente na parte externa da boca de algumas bocas-de-fogo, destinado a melhor resistir às violentas pressões que aí se exercem quando o projetil deixa a boca-de-fogo. **4.** *Bras.* Quantia paga, em geral de uma só vez, pelos que são admitidos ao quadro de sócios de certas associações, clubes, etc. [Sin. lus., nesta acepç.: *propina.*] *Adj. 2 g.* **5.** *Bras. Gír.* muito bom ou bonito; excelente: *A festa estava jóia; Comprou um vestido jóia.*

➡**joint venture** (djóint vêntjâr). [Ingl.] Associação de empresas, não definitiva, para explorar determinado(s) negócio(s), sem que nenhuma delas perca sua personalidade jurídica.

joinvilense (o-in). *Adj. 2 g.* **1.** De, ou pertencente ou relativo a Joinvile (SC). ● *S. 2 g.* **2.** Natural ou habitante de Joinvile.

joio. [Do lat. *loliu,* atr. de uma f. *lioliu < *joliu,* por dissimilação.] *S. m.* **1.** Erva anual, da família das gramíneas (*Lolium temulentum*), que cresce caracteristicamente nas plantações de trigo, cespitosa, de folhas lineares e ásperas, flores mínimas, associadas em espiguetas que formam espigas, a qual tem um princípio tóxico e chega a atingir 80 cm de altura: "E, quando caia [o trigo] na mó da azenha, / Não seja o caso que às vezes tenha / *Joio* ou mistura de grãos de ervilha." (Conde de Monsaraz, *Musa Alentejana,* p. 16.) **2.** *Fig.* Coisa daninha, ruim, que surge entre as boas e as corrompe.

joio-castelhano. *S. m. Bras.* V. *azevém.* [Pl.: *joios-castelhanos.*]

jojoba. [Do esp. do México *jojoba.*] *S. f.* Planta arbustiva originária do sudoeste dos Estados Unidos e noroeste do México, da família das buxáceas *(Simmondsia Chinensis (Link.) Schn.),* cuja semente produz 50% de óleo de ampla utilidade e 50% de torta com cerca de 32% de proteína que contém aminoácidos essenciais, como a lisina e a metionina. Pelo seu elevado teor de proteína bruta, essa torta supera a do babaçu e a do trigo, aproximando-se das mais nobres, como a do algodão, a da soja e a do girassol. Serve para o fabrico de rações e é ótimo fertilizante. As folhas constituem excelente forragem para caprinos e coelhos. A jojoba vegeta bem nas terras brasileiras do N.E. e do N. de MG e GO.

joldra. *S. f.* Var. de *choldra:* "De golpe ergue-se o Cura, e à *joldra* amotinada / Voa, dá ordens, clama" (Gonçalves Crespo, *Obras Completas,* p. 340).

joliz. [Do fr. *joli?*] *Adj. 2 g. Ant.* Alegre, amável.

jomirim. *S. m. Bras.* Var. de *juá-mirim.*

joncongo. [F. contrata de *joão-congo.*] *S. m. Bras.* V. *joão-congo.*

jongar. *V. int. Bras.* Dançar o jongo. [Conjug.: v. *largar.*]

jongo. [Do quimb. *jihungu.*] *S. m. Bras., MG.* V. *caxambu* (2).]

jongueiro. *S. m. Bras.* Dançador ou cantador de jongos.

jônico. [Do gr. *ionikós,* pelo lat. *ionicu.*] *Adj.* **1.** Pertencente ou relativo à antiga Jônia, ou aos jônios. **2.** Diz-se de um dos dois dialetos eminentemente literários da Grécia antiga, falado nas ilhas e colônias gregas. [F. paral.: *iônico.* Sin. ger.: *jônio.*] ~ V. *ordem* —*a.*

jônio. [Do gr. *iónios,* pelo lat. *ioniu.*] *S. m.* **1.** Indivíduo dos jônios, povos gregos que habitaram a Jônia. **2.** O dialeto jônico (2). ● *Adj.* **3.** V. *jônico.* [F. paral.: *iônio.*]

jóquei. [Do ingl. *jockey.*] *S. m. Turfe.* **1.** Clube de reuniões de corridas de cavalos; jóquei-clube. **2.** O cavaleiro que monta nessas corridas; ginete, redeador, montaria.

jóquei-clube. *S. m.* Jóquei (1). [Pl.: *jóqueis-clubes* e *jóqueis-clube.*]

joqueta (ê). *S. f. Bras.* Fem. de *jóquei* (2).

jordanense. *Adj. 2 g.* **1.** De, ou pertencente ou relativo a Campos de Jordão (SP). ● *S. 2 g.* **2.** Natural ou habitante de Campos de Jordão.

jordaniano[1]. *Adj.* **1.** Da, ou pertencente ou relativo à Jordânia (Ásia). ● *S. m.* **2.** O natural ou habitante da Jordânia.

jordaniano[2]. [Do antr. *Jordan* (v. *jordanion*) + *-i-* + *-ano.*] *Adj.* ~ V. *espécie* —*a.*

jordânico. *Adj.* Relativo ou pertencente ao rio Jordão (Ásia).
jordanion. [Do antr. *Jordan*, de David S. Jordan (1851-1931), naturalista americano, + *-i-* + *-on*.] *S. m. Biol. Ger.* Espécie definida por caracteres morfológicos de pequena monta, porém constantes. [Sin.: *jordanon, espécie jordaniana*.]
jordanon. *S. m. Biol. Ger.* V. *jordanion*.
jorge-grande. *S. m. Bras.* Variedade de tabaco (1). [Pl.: *jorges-grandes*.]
jorge-pequeno. *S. m. Bras.* Variedade de tabaco (1). [Pl.: *jorges-pequenos*.]
jorna. [Der. regress. de *jornal*[1] (1).] *S. f.* **1.** Salário diário; jornal: "Recebem contentes ao sábado as jornas, / E vão derretê-las à boca das dornas, / De noite, nas tascas, à luz da candeia." (Conde de Monsaraz, *Musa Alentejana*, 161.) **2.** *Bras., S.* V. *bebedeira* (1). ♦ **À jorna.** Por salário diário; como diarista; à jeira: "Soube depois que se sujeitara a trabalhar à jorna." (Fernando Namora, *Retalhos da Vida de um Médico*, p. 258.) **Tomar uma jorna.** *Bras., S.* V. *embriagar* (4).
jornada. [Do provenç. *jornada*.] *S. f.* **1.** Marcha ou caminho que se faz num dia: "em cinqüenta e seis dias de duras jornadas venceu trezentas e trinta e duas léguas de caminhos aspérrimos" (Antero de Figueiredo, *Jornadas em Portugal*, p. 190). **2.** Viagem por terra: "Eu viajo nas minhas recordações e relembro bocados de jornadas que fiz na nossa terra" (Id., *ib.*, p. 14). **3.** Ação ou expedição militar. **4.** Duração do trabalho diário: "Na América Latina a jornada legal de trabalho é de 8 horas" (Clóvis Caldeira, *Menores no Meio Rural*, p. 60). **5.** *Teat.* Cada ato de uma peça, no antigo teatro espanhol e português: "foi também ele [Torres Naharro] que inventou os intróitos ou prólogos e que deu aos atos a denominação de jornadas, seguida depois constantemente pelos autores espanhóis nas divisões dos seus dramas." (Alexandre Herculano, *Opúsculos*, IX, p. 121). **6.** *Bras., N.E.* Cena cantada diante do presepe, nos pastoris.
jornadear. *V. int.* **1.** Fazer jornada(s); andar de jornada: "O prudente arcebispo .... jornadeava vagarosamente, na sua mula romana" (Antero de Figueiredo, *Jornadas em Portugal*, p. 198). *T. c.* **2.** Encaminhar-se em jornada (2): "Jornadeando do país de Betemaniane para a citada terra, não se esqueceu de sacudir à saída o pó das alpargatas." (Aquilino Ribeiro, *Portugueses das Sete Partidas*, p. 163.) *T. d.* **3.** Fazer (jornada): "E jornadeio em fantasia / Essas jornadas que eu fazia / Ao velho Douro, mais meu Pai." (Antônio Nobre, *Só*, p. 61). [Conjug.: v. *frear*.]
jornal[1]. [Do lat. diurnale, *'diário', i. e., salário por um dia de trabalho*.] *S. m.* Paga de cada dia de trabalho; salário, jorna.
jornal[2]. [Do it. *giornale*.] *S. m.* **1.** Gazeta diária. **2.** Periódico (5). **3.** Escrito no qual se relatam os acontecimentos dia a dia; diário: *Pode-se acompanhar o acontecido pelo jornal do comandante.* **4.** *P. ext.* Noticiário (1) transmitido pelo rádio, televisão ou cinema. ♦ **Jornal de empresa.** *House organ.* [q. v.].
jornaleco. *S. m. Deprec.* Jornal[2] (1) insignificante ou mal redigido.
jornaleiro. *S. m.* **1.** Operário a quem se paga jornal[1] (1); ganhador, ganha-dinheiro: "Lá voltam do trabalho os jornaleiros / Cantando atrás dos bois" (Conde de Monsaraz, *Musa Alentejana*, p. 185). **2.** *Bras.* Vendedor ou entregador de jornais; gazeteiro: "jornaleiros anunciavam o lançamento de uma bomba atômica no Pacífico" (Ledo Ivo, *O Flautim*, p. 61). ● *Adj.* **3.** Que é feito seguidamente; diário: "a labutação jornaleira começava ali ainda com o escuro." (José de Alencar, *O Sertanejo*, p. 195).
jornalismo. [De *jornal*[2] + *-ismo*.] *S. m.* **1.** A profissão de jornalista. **2.** A imprensa periódica; periodismo: *Todo o jornalismo noticiou a nova.* **3.** Os jornalistas: *O jornalismo em peso compareceu à festa.*
jornalista. *S. 2 g.* Pessoa que dirige ou redige um jornal[2], ou que a ele fornece colaboração.
jornalístico. *Adj.* Relativo a jornal[2], a jornalista ou ao jornalismo.
jórnea. *S. f. Ant.* Certo vestuário: manto largo, aberto aos lados e sem mangas: "as jórneas decotadas, deixando entrever as golas" (Alexandre Herculano, *O Monge de Cister*, II, p. 254).
jorra (ô). *S. f.* **1.** Breu com que se besuntam por dentro talhas e outras vasilhas de barro. **2.** As escórias de ferro que se separam nas forjas. [Pl.: *jorras* (ô). Cf. *jorra* e *jorras*, do v. *jorrar*.]
jorramento. *S. m.* **1.** Jorro (1). **2.** Inclinação que se dá ao paramento de um muro ou de uma parede.
jorrante. *Adj. 2 g.* Que jorra ou borbotoa; borbotoante.
jorrão. [De *zorra*[1] + *-ão*[1], com palatalização.] *S. m.* Utensílio para apanhar a terra ou para arrastar fardos, semelhante a um leito de carro, sem rodas.
jorrar[1]. [De *jorro* + *-ar*[2].] *V. int.* **1.** Brotar, correr, rebentar, em jorro ou com ímpeto; rebentar: "agarrado ao estai da bujarrona e firme como uma estátua, sob o aguaceiro contínuo jorrando do céu" (Virgílio Várzea, *Nas Ondas*, pp. 33-34). **2.** Sair ou brotar com muita fluência, sem esforço: "há escritores de cujas penas privilegiadas jorram crônicas e artigos" (Aires da Mata Machado Filho, *Falar, Ler e Escrever*, p. 34.) **3.** Formar bojo ou saliência. *T. d.* **4.** Fazer sair em jorro; lançar com ímpeto: *O poço jorrou petróleo.* **5.** Lançar de si; emitir: *Palmeava, gritava, jorrava entusiasmo.* [Pres. ind.: *jorro, jorras, jorra*, etc. Cf. *jorro* (ô), s. m., *jorra* (ô), s. f., e pl. *jorras* (ô). [F. paral.: *chorrar*.]
jorrar[2]. [De *jorra* (1) + *-ar*[2].] *V. t. d.* Besuntar com jorra (1). [Pres. ind.: *jorro, jorras, jorra*, etc. Cf. *jorro* (ô), s. m., *jorra* (ô), s. f., e pl. *jorras* (ô).]
jorro (ô). [T. onom.] *S. m.* **1.** Saída impetuosa de um líquido; jorramento. **2.** *P.* ext. V. *golfada* (2): "Um jorro de sangue esguichava do chão" (Fernando Sabino, *O Homem Nu*, p. 64). [F. paral.: *chorro*. Pl.: *jorros* (ô). Cf. *jorro*, do v. *jorrar*.]
jorro-jorro (o tônico fechado). *S. m. Bras.* V. chapéu-de-napoleão. [Pl.: *jorros-jorros* e *jorro-jorros*.]
jôruri. [Do jap.] *S. m.* Teatro popular de bonecos, japonês, originário do séc. XII e de influência chinesa, com cenas de grande violência e sanguinolentas, mas ao mesmo tempo com elementos cômicos.
joseense (èên). *Adj. 2 g.* **1.** De, ou pertencente ou relativo a São José dos Campos (SP). ● *S. 2 g.* **2.** Natural ou habitante de São José dos Campos.
josefense (josè). *Adj. 2 g.* **1.** De, ou pertencente ou relativo a São José (SC). ● *S. 2 g.* **2.** Natural ou habitante de São José.
josé-mole. *S. m. Bras.* V. *opilião*. [Pl.: josés-moles.]
josezinho (é). [De *Josezinho*, hipocorístico de *José*.] *S. m. Ant.* Capote sem mangas, com cabeção e pouca roda: "Sabe lá o visco que eram as raparigas da cidade, nas madrugadas frescas desse Rossio, aí por 1830, todas embrulhadas nos seus josezinhos de baetão vermelho!" (Júlio Dantas, *Figuras de ontem e de hoje*, p. 35.)
jota[1]. [Do fenício, atr. do gr. *iôta* e do lat. *iota*.] *S. m.* **1.** O nome da letra *j*. [Sin., em AL, SE e BA: *ji*. Pl.: *jotas* ou *jj*.] **2.** *Ant.* Pouca coisa; coisa nenhuma; nada.
jota[2]. [Do esp. *jota*.] *S. f.* **1.** *Mús.* Canção e dança popular espanhola, em andamento rápido e compasso ternário, que é uma espécie de valsa, porém mais livre, dançada por pares que se defrontam e ocasionalmente se dispõem em círculos, e acompanhada de guitarra, bandurras, castanholas, pandeiro, címbalos, triângulo, etc.: "Somem-se os últimos ecos / Duma jota aragonesa." (Antônio Boto, *As Canções*, p. 94.) **2.** *Mús.* Música que acompanha essa dança.
joule (jaule). [Do antr. *Joule*, de James Prescott Joule (1818-1889), físico inglês.] *S. m. Fís.* Unidade de medida de energia no Sistema Internacional, igual ao trabalho realizado por uma força constante de um newton, cujo ponto de aplicação se desloca da distância de um metro na direção da força; a energia transportada por segundo em um condutor percorrido por uma corrente elétrica invariável de um ampère, sob uma diferença de potencial constante igual a um volt. [Símb.: *J*.]
➧**journée des dupes** (jurnê de dup). [Fr., 'Dia dos Logrados'.] Alusão à data de 11 de novembro de 1630, assim chamada por terem sido desiludidos em sua expectativa de derrubar o Cardeal de Richelieu, primeiro-ministro da França, os inimigos deste, especialmente Maria de Médicis e Ana de Áustria.
jovem. [Do lat. *juvene*.] *Adj. 2 g.* **1.** Que é moço, que está na idade juvenil; juvenil. [Superl. abs. sint.: *juveníssimo*.] **2.** Produzido ou criado pelos jovens, pela juventude: *música jovem; teatro jovem.* **3.** Diz-se do animal de tenra idade. ~ V. *poder* —. ● *S. 2 g.* **4.** Pessoa moça.
jovial. [Do lat. *joviale*, 'de Jove ou Júpiter' e, daí, 'feliz', 'alegre'.] *Adj. 2 g.* **1.** Alegre, prazenteiro, folgazão: "O melro, eu conheci-o: / Era negro, vibrante, luzidio, / Madrugador, jovial" (Guerra Junqueiro, *A Velhice do Padre Eterno*, p. 153). **2.** Engraçado, espirituoso, chistoso: "A sua vida flui constantemente nova, / Fazem-no rir os joviais anões tafuis..." (Eugênio de Castro, *Obras Poéticas*, III, p. 142.)
jovialidade. *S.f.* **1.** Qualidade de jovial. **2.** Dito jovial, alegre. **3.** Bom humor; facécia.
jovializante. [De *jovializar* + *-nte*.] *Adj. 2 g.* Que jovializa, que alegra: "no ar, jovializante, juvenilizante, cheio de sons, de cores e faiscâncias e bandeiras desfraldadas, revoejavam pássaros de asas pandas" (Martins Fontes, *A Alegria*, p. 45).
jovializar. *V. t. d.* **1.** Tornar jovial; animar com graças; alegrar: "Subam, jovializando o ar, canções suaves" (Vicente de Carvalho, *Poemas e Canções*, p. 224). *Int.* **2.** Mostrar-se jovial, prazenteiro.
juá. [Do tupi *yu'á*.] *S. m. Bras.* **1.** O fruto do juazeiro. **2.** V. *arrebenta-cavalo* (1). **3.** V. *juciri*. [Pl.: *juás*. Cf. *Joás*, antr.] ♦ **Juá arrebenta-cavalo.** *Bras.* V. *arrebenta-cavalo* (1).
juá-bravo. *S. m. Bras.* V. *arrebenta-cavalo* (1). [Pl.: *juás-bravos*.]
juaçabense. *Adj. 2 g.* **1.** De, ou pertencente ou relativo a Juaçaba. (SC). ● *S. 2 g* **2.** Natural ou habitante de Juaçaba.
juá-mirim. *S. m.* Arvoreta da família das mirsináceas (*Rapanea ovalifolia*), de folhas oblongas e ásperas, flores inconspícuas, dispostas em umbelas, com pontoações rubras, fruto drupáceo, e de cuja madeira se fazem pequenas obras e carvão. Ocorre do ES a SP. [Var.: *jomirim*. Pl.: *juás-mirins*.]
juapoca. [Do tupi *yua'poka*.] *S. m. Bras.* Camapu (1).
juati. [Do tupi.] *S. m. Bras.* V. *arrebenta-cavalo* (1).
juazeirense[1] (à). *Adj. 2 g.* **1.** De, ou pertencente ou relativo a Juazeiro (BA). ● *S. 2 g.* **2.** Natural ou habitante de Juazeiro.
juazeirense[2] (à). *Adj. 2 g.* **1.** De, ou pertencente ou relativo a Juazeiro do Norte (CE). ● *S. 2 g.* **2.** Natural ou habitante de Juazeiro do Norte.
juazeirinhense. *Adj. 2 g.* **1.** De, ou pertencente ou relativo a Juazeirinho (PB). ● *S. 2 g.* **2.** Natural ou habitante de Juazeirinho.
juazeiro (à). [De *juá* + *-z-* + *-eiro*.] *S. m. Bras.* Árvore alta e copada, da família das ramnáceas (*Zizyphus joazeiro*), característica da caatinga nordestina, de folhas trinérveas, flores pequeninas, fruto drupáceo, amarelo, com polpa edule, e cuja casca é rica em saponina e serve como sabão e dentifrício. Fornece ao gado sombra e alimento, não perdendo a folhagem durante a seca.
juba. [Do lat. *juba*.] *S. f.* Crina de leão.
jubacanga. *S. f. Bras.* Ave psitaciforme, da família dos psitacídeos (*Aratinga auricapilla* (Kuhl)), distribuída da BA para o S. Coloração verde na nuca, bochechas, pescoço, região dorsal superior, coberteiras das asas e parte basilar da barba externa das rêmiges maiores; cabeça e fronte amarelas; tórax e abdome rubescente. [Sin.: *ajurujubacanga*.]
jubado. [Do lat. *jubatu*.] *Adj.* Que tem juba.
jubaí. [Do tupi *yu'aí*.] *S. m. Bras.* V. *tamarindo* (1).
jubeba. [Var. de jurubeba, por síncope.] *S. f. Bras.* Jurubeba-grande. [Cf. *jumbeba*.]
juberi. *Bras. S. 2 g.* **1.** Indivíduo dos juberis, tribo indígena do alto Purus. ● *Adj. 2 g.* **2.** Pertencente ou relativo a essa tribo.
jubilação. [Do lat. *jubilatione* ou de *jubilar*[2] + *-ção*.] *S. f.* **1.** Ato ou efeito de jubilar[2] ou jubilar-se, de encher (-se) de júbilo; grande alegria; contentamento: "Tornava o filho pródigo à paterna / Casa, e não via em nada a antiga e terna / Jubilação da instante cotovia." (Manuel Bandeira, *Estrela da Vida Inteira*, p. 236.) **2.** Aposentadoria (honrosa, por via de regra) de professor. **3.** Desligamento ou afastamento de um aluno da Universidade. [V. *jubilado* (2).]
jubilado. [Part. de *jubilar*[2].] *Adj.* **1.** Que obteve jubilação (2); emérito: *professor jubilado.* **2.** Diz-se de aluno que é desligado de um curso superior por já o estar cursando por um período excessivo de acordo com os estatutos da Universidade. [A jubilação pode ser por trancamento de matrícula ou por um número excessivo de reprovações na mesma ou em diferentes matérias.]
jubilar[1]. [De *jubileu* + *-ar*[1].] *Adj. 2 g.* Concernente a jubileu ou a aniversário solene.
jubilar[2]. [Do lat. *jubilare*.] *V. t. d.* **1.** Encher de júbilo, de contentamento; alegrar muito. **2.** Conceder jubilação (2) a; aposentar (com honra, por via de regra). **3.** Impor jubilação (3) a. *Int.* **4.** Encher-se de júbilo: "O Cantalício .... presenteava-me sempre com alguns fogos: e era com esses que eu mais jubilava porque eram meus, só meus, e podia queimá-los, quando me aprouvesse" (Virgílio Várzea, *Histórias Rústicas*, pp. 94-95). **5.** Sofrer jubilação (3). *P.* **6.** Encher-se de júbilo. **7.** Obter a jubilação (2). [Pres. ind.: *jubilo*, etc. Cf. *júbilo*.]
jubileu. [Do hebr. *jobel*, trombeta que de 50 em 50 anos anunciava o ano festivo, atr. do gr. *iobelaios* e do lat. *jubilaeu*.] *S. m.* **1.** Indulgência plenária concedida pelo Papa em várias solenidades: "No ano de 1517 mandou

o Papa Leão Décimo promulgar j u b i l e u e larguíssimas indulgências a todos os que concorressem com certa esmola para a guerra contra os turcos, e fábrica do Templo Vaticano de S. Pedro." (Pe Antônio Vieira, *Sermões*, VII, p. 181.) **2.** Solenidade em que se recebe tal indulgência. **3.** Entre os antigos hebreus, remição de servidão, dívidas e culpas de 50 em 50 anos. **4.** O qüinquagésimo aniversário de casamento, de exercício de uma função, de uma instituição, de um estabelecimento comercial ou industrial, etc. **5.** *P. ext.* Data aniversária de uma instituição, de um estabelecimento, etc. ♦ **Jubileu de coral.** Jubileu (5) que comemorou o 35º aniversário. **Jubileu de prata.** Jubileu (5) que comemora o 25º aniversário. [Cf. *bodas* (ô).]

júbilo. [Do lat. *jubilu.*] *S. m.* Grande contentamento; alegria intensa: "No dia seguinte o doutor Sepúlveda, nadando em j ú b i l o , foi ter com o general e contou-lhe tudo." (Artur Azevedo, *Contos Fora de Moda*, p. 30.) [Cf. *jubilo*, do v. *jubilar.*]

jubiloso (ô). *Adj.* Cheio de júbilo ou alegria; muito alegre; contentíssimo.

jucá¹. [Do tupi *yu'ká*, 'matar' (sua madeira, duríssima, era usada para tacapes).] *S. m. Bras.* Pau-ferro.

jucá². *Bras. S. 2 g.* **1.** Indivíduo dos jucás, tribo indígena da margem ocidental do rio Jaguaribe (N.E.). ● *Adj. 2 g.* **2.** Pertencente ou relativo a essa tribo.

jucaense. *Adj. 2 g.* **1.** De, ou pertencente ou relativo a Jucás (CE). ● *S. 2 g.* **2.** Natural ou habitante de Jucás.

juçana. [Do tupi *yu'sana.*] *S. f. Bras.* Armadilha ou laço para apanhar passarinhos.

juçana-bipiiara. *S. f. Bras.* Certa armadilha para apanhar pássaros pelos pés. [Pl.: *juçanas-bipiiaras* e *juçanas-bipiiara.*]

juçana-juripiiara. *S. f. Bras.* Certa armadilha para apanhar pássaros pelo pescoço. [Pl.: *juçanas-juripiiaras* e *juçanas-juripiiara.*]

juçana-pitereba. *S. f. Bras.* Certa armadilha para apanhar pássaros pelo meio do corpo. [Pl.: *juçanas-piterebas* e *juçanas-pitereba.*]

juçapé. *S. m. Bras.* Sapé (1) [q. v.]

juçara. [Do tupi *yu'sara.*] *S. f. Bras.* **1.** Palmeira delgada, alta e elegante (*Euterpe edulis*), própria da floresta atlântica, de folhas longas e segmentadas, flores em espigas, frutos pequeninos, drupáceos, e cujo gomo terminal, longo e macio, constitui o chamado *palmito*; *palmito-juçara.* **2.** V. *açaí.* [Var.: *jiçara.*]

juçaral. *S. m. Bras.* Quantidade mais ou menos considerável de juçaras dispostas proximamente entre si: "Pelas nascentes, j u ç a r a i s e buritis." (José Sarney, *Norte das Águas*, p. 162.)

juçarense. *Adj. 2 g.* **1.** De, ou pertencente ou relativo a Juçara (PR). ● *S. 2 g.* **2.** Natural ou habitante de Juçara.

juciri. [Do tupi *yusi'ri.*] *S. m. Bras.* Erva mais ou menos trepadeira, da família das solanáceas (*Solanum juciri*), nativa no RJ e SP, de folhas penadas, lanceoladas e membranáceas, flores alvas, vistosas e racemosas, e cujo fruto é uma baga globosa pequena, com cerca de 1 cm de diâmetro, sendo as raízes e folhas consideradas calmantes; jequirioba, juquiri, juá, caruru-de-espinho.

juciri-de-comer. *S. m. Bras.* Planta da família das solanáceas (*Solanum balbisii*), semelhante ao juciri, porém com frutos vermelhos que atingem 25 mm de diâmetro. [Pl.: *juciris-de-comer.*]

jucu. *S. m. Bras.* Espécie de canela¹ (1).

jucubaúba. *S. m. Bras.* O homem que vai ao leme, nas canoas. [Cf. *jacumaúba.*]

jucuna. *Bras. S. 2 g.* **1.** Indivíduo dos jucunas, tribo indígena que habita a margem esquerda do Japurá, pertencente à família aruaque. ● *Adj. 2 g.* **2.** Pertencente ou relativo a essa tribo.

jucundidade. [Do lat. *jucunditate.*] *S. f.* Qualidade de jucundo.

jucundo. [Do lat. *jucundu.*] *Adj.* Alegre, aprazível, prazenteiro, jovial: "Herodias sorri com seu sorrir j u c u n d o " (Eugênio de Castro, *Obras Poéticas*, IV, p. 20).

jucuri. [Talvez do tupi.] *S. m. Bras.* Certa árvore cujas fibras servem para cordas e tecidos.

jucuru. [De *jacuru*, com assimilação.] *S. m. Bras.* V. *joão-bobo.*

jucurutu. [De *jacarutu*, com assimilação.] *S. m. Bras.* Ave da família dos bubonídeos (*Bubo magellanicus* Gm.).

jucurutuense. *Adj. 2 g.* **1.** De, ou pertencente ou relativo a Jucurutu (RN). ● *S. 2 g.* **2.** Natural ou habitante de Jucurutu.

judaico. [Do lat. *judaicu.*] *Adj.* Pertencente ou relativo a judeus; judeu.

judaísmo. [Do lat. *judaismu.*] *S. m.* **1.** Ambiente social, cultural, político e religioso do povo hebreu, formado a partir da volta do exílio babilônico (538 a.C.), e no qual se formou o cristianismo. **2.** Os judeus. ♦ **Judaísmo alexandrino.** *Rel.* Tipo de judaísmo profundamente influenciado pelo pensamento grego.

judaizante (a-i). [Do lat. *judaizante.*] *Adj. 2 g.* e *s. 2 g.* Que ou quem judaíza.

judaizar (a-i). [Do lat. *judaizare.*] *V. int.* **1.** Observar os ritos e leis dos judeus. *T. d.* **2.** Converter ao judaísmo. **3.** Emprestar com usura.

judas. [Do antr. *Judas*, personagem do Novo Testamento.] *S. m. 2 n.* **1.** *Fig.* Amigo falso; traidor. **2.** Boneco ou estafermo que se costuma queimar no sábado de aleluia. **3.** *Bras.* Indivíduo mal trajado.

judeu. [Do lat. *judaeu.*] *Adj.* **1.** Da, ou pertencente ou relativo à Judéia (Ásia). **2.** De, ou pertencente ou relativo a Israel (Ásia); israelense. **3.** Judaico. ● *S. m.* **4.** Natural ou habitante da Judéia. **5.** Natural ou habitante de Israel; israelense. **6.** Aquele que segue a religião judaica. **7.** *Pop.* Indivíduo mau, avarento, usurário. **8.** *Bras.* Espécie de virado ou tutu de feijão. **9.** *Bras.* Espécie de bolo de milho. **10.** *Bras., AM. Pop.* Sírio³ (2). **11.** *Bras., MG. Pop.* V. cigano (1). **12.** *Bras., MG.* Ceia (1): "As negras fazem para nós um j u d e u de frangos de molho pardo, lombo de porco, arroz e angu." (Helena Morley, *Minha Vida de Menina*, p. 32.) **13.** *Bras., SC.* Alcunha que os conservadores, ditos *cristãos*, davam aos liberais. **14.** *Bras.* V. *papa-terra* (3). [Fem. (nas acepç. 1 a 7 e (bras.) 10 e 11): *judia.*] ♦ **Judeu errante.** Indivíduo que está sempre viajando.

judeu-alemão. *S. m. Líng.* Iídiche. [Pl.: *judeus-alemães.*]

judeu-cristão. *Adj.* **1.** Relativo, simultaneamente, aos judeus e aos cristãos. ● *S. m.* **2.** Judeu que aderiu ao cristianismo. [Flex.: *judeu-cristã, judeu-cristãos, judeu-cristãs.*]

judeu-cristianismo. *S. m. Rel.* **1.** Fase histórica do cristianismo em que este era uma seita judaica. **2.** A doutrina correspondente a essa fase do cristianismo. **3.** Tradição e meio religioso-cultural do cristianismo primitivo. [Pl.: *judeu-cristianismos.*]

judia. [Do esp. *judía.*] *S. f.* **1.** Fem. de *judeu* [q. v.]. **2.** Capa curta e enfeitada, usada até o fim do séc. XIX. **3.** *Lus.* Certo peixe.

judiação. *S. f. Bras.* V. *judiaria².*

judiar. [De *judeu* + *-i-* + *-ar²*, 'tratar como, antigamente, se tratavam os judeus'; 'escarnecer, maltratar'.] *V. t. i.* **1.** Escarnecer, mofar, zombar: *j u d i a r com alguém.* **2.** Fazer judiaria²; fazer sofrer; atormentar, maltratar: *j u d i a r dos animais;* "Frio, muito e muito frio, j u d i a n d o da gente pobre." (Guido Vilmar Sassi, *Piá*, p. 13); "Agora ele não j u d i a v a só com os animais ...., ele saqueava povoações e matava gente" (Franklin Távora, *O Cabeleira*, p. 110). [Pres. ind.: *judio, judias, judia*, etc.]

judiaria¹. [De *judia* + *-aria.*] *S. f.* **1.** Grande porção de judeus. **2.** Bairro destinado aos judeus.

judiaria². [De *judiar.*] *S. f.* Ato de judiar; maus-tratos; apoquentação. [Sin. bras.: *judiação.*]

judicante. [Do lat. *judicante.*] *Adj. 2 g.* **1.** Que julga; judicativo. **2.** Que exerce as funções de juiz.

judicativo. [Do lat. *judicatu* + *-i-* + *-ivo.*] *Adj.* **1.** Judicante. **2.** Que tem a faculdade de julgar. **3.** Que sentencia.

judicatório. [Do lat. *judicatoriu.*] *Adj.* **1.** Próprio para julgar. **2.** Relativo a julgamento.

judicatura. [Do lat. *judicatum* *judicare*, 'julgar' + *-ura.*] *S. f.* **1.** Poder de julgar. **2.** Estado, função, cargo ou dignidade de juiz; magistratura. **3.** *P. ext. Bras.* O poder judiciário de um estado.

judicial. [Do lat. *judiciale.*] *Adj. 2 g.* **1.** Que tem origem no poder judiciário ou perante ele se realiza. **2.** Respeitante a juiz, a tribunais ou à justiça; forense. [Sin. ger.: *judiciário.*] ~ V. *dia* — e *inquérito* —.

judiciar. [Do lat. *judiciu*, 'juízo', + *-i-* + *-ar².*] *V. int.* Decidir judicialmente. [Fut. pret.: *judiciaria*, etc. Cf. *judiciária*, fem. de *judiciário.*]

judiciário. [Do lat. *judiciariu.*] *Adj.* **1.** Relativo ao direito processual ou à organização da justiça; judicial. [Fem.: *judiciária*. Cf. *judiciaria*, do v. *judiciar.*] ~ V. *decreto* —, *direito* — e *poder* —. ● *S. m.* **2.** O poder judiciário.

judicioso (ô). [Do lat. *judiciu*, 'juízo', + *-oso.*] *Adj.* **1.** Que julga com acerto; avisado, sensato, prudente: *homem j u d i c i o s o .* **2.** Que revela acerto, juízo; acertado: *orientação j u d i c i o s a ;* "O fato é que, classificado Augusto dos Anjos durante certo período como simbolista, ... os teóricos, subseqüentemente, principiaram a impugnar o critério, ... — quando, em tratamento mais j u d i c i o s o , não há como deixar de reconhecer-lhe a cabida dentro do simbolismo" (Antônio Houaiss, *Seis Poetas e Um Problema*, p. 43). **3.** *Fig.* Sentencioso: *tom j u d i c i o s o .*

judô. [Do jap. *ju dô*, 'nobre modo'.] *S. m.* Jogo esportivo de combate e defesa, que se baseia na agilidade e flexibilidade do jogador, e inspirado nas técnicas do antigo jiu-jítsu.

judoca. *S. 2 g. Bras.* Jogador de judô; judoísta.

judoísta. [De *judô* + *-ista.*] *S. 2 g. Bras.* Judoca.

jugada. [De *jugo* + *-ada¹.*] *S. f.* **1.** Terra que uma junta de bois pode lavrar em um dia; jeira. **2.** *Ant.* Tributo que recaía em terras lavradas, por vezes pago em pão (1). [Cf. *jogada*, do v. *jogar* e s.f.]

jugadar. *V. t. d.* Medir (o pão da jugada [2]). [Pres. ind.: *jugado, jugadas, jugada*, etc. Cf. *jogada*, do v. *jogar* e s. f.]

jugadeiro. *Adj.* **1.** Referente a jugada. ● *S. m.* **2.** Cultivador ou dono de jugada.

jugado. *S. m.* **1.** Espécime dos jugados. ● *Adj.* **2.** Pertencente ou relativo a eles. [Cf. *jogado.*]

jugador (ô). [De *jugar* + *-(d)or.*] *S. m.* Instrumento de ferro com que se abatem carneiros no matadouro. [Cf. *jogador.*]

jugados. *S. m. pl. Zool.* Insetos da ordem dos lepidópteros, subordem *Jugatae*, desprovidos de probóscida ou trompa espiraladas. As veias das asas são iguais nos dois pares; asas anteriores com um jugo ou pequeno lóbulo na margem posterior, e as posteriores sem frênulo. [Cf. *jogados*, pl. de *jogado.*]

jugal. [Do lat. *jugale.*] *Adj. 2 g.* **1.** Concernente ao casamento; matrimonial. **2.** *Anat.* Pertencente ou relativo à bochecha.

jugar. [De *jugo* (lugar onde assenta o jugo) + *-ar².*] *V. t. d.* Abater (reses) pela seção da medula espinhal. [Conjug.: v. *largar*. Cf. *jogar.*]

juglandácea. *S. f.* Espécime das juglandáceas.

juglandáceas. *S. f. pl. Bot.* Família de plantas floríferas, que constitui a ordem das juglandales, é composta de árvores e arbustos de folhas penadas e sem estípulas alternas, flores inconspícuas dispostas em espigas, anemófilas, fruto em forma de drupa ou noz, e rodeado de uma cúpula. As nozes de Natal pertencem a esta família, que só ocorre nos climas frios do Velho Mundo.

juglandáceo. *Adj.* Pertencente ou relativo às juglandáceas.

juglandales. *S. f. pl. Bot.* Ordem de dicotiledôneas arquiclamídeas caracterizada pelas flores nuas ou de perigônio simples, unissexuais, contando as masculinas dois a 40 estames, e as femininas dois carpelos concrescentes em um ovário unilocular. Compreende apenas a família das juglandáceas.

jugo. [Do lat. *jugu.*] *S. m.* **1.** Canga¹ (1). **2.** *P. ext.* A junta de bois. **3.** *Fig.* Opressão, sujeição. **4.** *Fig.* Submissão, obediência. **5.** *Fig.* Autoridade, domínio. **6.** *Morfol. Veg.* Par de folíolos de uma folha composta, desde que fiquem opostos no raque.

jugoslavo. *Adj.* e *s. m.* Iugoslavo.

jugular¹. [Do lat. *jugulu*, 'garganta', 'pescoço', + *-ar¹.*] *Adj. 2 g.* **1.** *Anat.* Relativo ou pertencente à garganta ou ao pescoço. ~ V. *veia* —. ● *S. f.* **2.** *Anat.* Veia jugular.

jugular². [Do lat. *jugulare.*] *V. t. d.* **1.** Debelar, extinguir, sufocar: *j u g u l a r uma epidemia;* "havendo-se insurgido na alta Itália os povos da margem do Pó, as tropas foram distraídas para esse lado, de um modo que, j u g u l a que não j u g u l a a revolta, a expedição só tarde se pôs de rumo ao primeiro destino." (Aquilino Ribeiro, *Os Avós de Nossos Avós*, pp. 128-129). **2.** Dominar, subjugar; vencer: "Os denodados lapuzes sempre conseguiram j u g u l a r o adversário" (Id., *Aldeia*, p. 289). **3.** Decapitar, degolar. **4.** Assassinar, matar.

juguriçá. *S. m. Bras.* V. *jaguaruçá.*

juiponga (u-i). [Do tupi *yu'i*, 'rã', + *po'mong*, 'batedora'.] *S. f. Bras.* V. *sapo-ferreiro.*

juiz (u-í). [Do lat. vulg. **judice*, por *judice.*] *S. m.* **1.** Aquele que tem o poder de julgar. **2.** Aquele que julga; julgador. **3.** Membro de um júri. **4.** Árbitro (3). **5.** Membro do Poder Judiciário. **6.** Diretor de uma festa ou solenidade. [Fem.: *juíza*, pl.: *juízes.*] ♦ **Juiz de casamento.** *Bras.* Autoridade não pertencente à magistratura togada, que processa e julga as habilitações dos nubentes e perante a qual se efetua a solenidade do casamento. **Juiz de Direito. 1.** Magistrado judicial que, em cada comarca, julga segundo a prova dos autos e segundo o direito. [Por oposição a *juiz de fato* ou *jurado* (membro do tribunal do júri), que julga segundo a sua consciência, sem fundamentar a sua decisão.] **2.** Magistrado da primeira instância, em oposição a *desembargador*, que é magistrado da instância superior; juiz togado. **Juiz de fato.** V. *juiz de direito* (1). **Juiz de fora.** Magistrado brasileiro do tempo colonial. **Juiz de linha.** *Fut.* Bandeirinha (1). **Juiz de paz.** Antiga autoridade incumbida de conciliar partes desavindas, processar e julgar cobranças de pouco valor, e praticar outros atos civis ou criminais de sua alçada, inclusive a realização de casamentos. **Juiz togado.** V. *juiz de direito* (2). **Casar no juiz.** *Bras. Pop.* Casar-se civilmente: "— Lá na pensão tu vais dizer .... que tu casas comigo no juiz e no padre." (Josué Montelo, *Cais da Sagração*, p. 20).

juíza. [Fem. de *juiz.*] *S. f.* **1.** Mulher que exerce as funções de juiz. **2.** Mulher que dirige certas festividades de igreja.

juizado (u-i). *S. m.* **1.** Cargo de juiz (5). **2.** O local onde o juiz exerce suas funções. ◆ **Juizado de menores.** *Jur.* Juízo de menores.

juiz-de-forano. *Adj.* e *s. m.* V. *juiz-forano*: "Em sua casa moravam o supracitado Romeu .... o juiz-de-forano Hamilton de Paula" (Pedro Nava, *Beira-Mar*, p. 85). [Pl.: *juiz-de-foranos.*]

juiz-do-mato. *S. m. Bras.* V. *bico-de-brasa.* [Pl.: *juízes-do-mato.*]

juiz-forano. *Adj.* **1.** De, ou pertencente ou relativo a Juiz de Fora (MG). ● *S. m.* **2.** O natural ou habitante de Juiz de Fora: "ele escreveu o caso ao juiz-forano Antônio Nogueira Penido" (Pedro Nava, *Beira-Mar*, p. 14). [Sin. ger.: *juiz-de-forano* e *juiz-forense*. Pl.: *juiz-foranos.*]

juiz-forense. *Adj. 2 g.* e *s. 2 g.* V. *juiz-forano.* [Pl.: *juiz-forenses.*]

juízo. [Do lat. *judiciu.*] *S. m.* **1.** Ato de julgar; julgamento. **2.** Conceito, parecer, opinião: "todos .... tinham contado quaisquer aventuras amorosas, ... expandindo os seus juízos gerais sobre mulheres." (José Régio, *História de Mulheres*, p. 9). **3.** Tino, circunspeção, ponderação, siso: "em tempo de mais juízo, mais sensatez, maior messe de ensinamentos domésticos" (Mário Sete, *Senhora de Engenho*, p. 15). **4.** Foro ou tribunal onde se processam e julgam os pleitos, se administra justiça. **5.** *Lóg.* Estabelecimento de uma relação determinada entre dois ou mais termos (sujeito e predicado), relação que pode assumir o caráter de ser verdadeira ou falsa. **6.** *Pop.* Mente, pensamento: *Não me sai do juízo aquela cena triste;* "E, lá de longe, nos socavões daquelas matas, eu não tirava o juízo daquela filha" (Viriato Correia, *Novelas Doidas*, p. 127). **7.** *Jur.* Entidade judiciária (constituída pelo juiz singular ou órgão colegiado) em que a instância se forma e se exercita. ◆ **Juízo administrativo.** *Jur.* O poder executivo, através dos seus órgãos, investido de função judicante em assuntos que lhe tocam. **Juízo *ad quem.*** Aquele para o qual sobe o processo, em grau de recurso. **Juízo analítico.** *Filos.* Segundo Kant [v. *kantismo*], juízo de atribuição no qual o predicado está contido no sujeito. Ex.: *Todos os corpos são extensos.* [Cf. *juízo sintético.*] **Juízo apodíctico.** *Filos.* Segundo Kant [v. *kantismo*], juízo cuja afirmação ou negação é considerada como necessária. Ex.: a alma humana é necessariamente imortal. [Cf. *juízo assertórico* e *juízo problemático.*] **Juízo *a quo.*** Aquele donde o recurso procede. **Juízo arbitral.** *Jur.* Órgão judicante criado pela vontade das partes, as quais se louvam, mediante compromisso escrito, em árbitros que lhes resolvam as pendências judiciais e extrajudiciais. **Juízo assertórico.** *Filos.* Segundo Kant [v. *kantismo*], juízo cuja afirmação ou negação é considerada como real. Ex.: *A alma humana é mortal.* [Cf. *juízo apodíctico* e *juízo problemático.*] **Juízo categórico.** *Lóg.* Juízo cuja afirmação ou negação não admite condição ou alternativa. Ex.: O dinheiro traz felicidade. [Os juízos de atribuição são os mais simples juízos categóricos.] **Juízo coletivo.** V. *juízo singular.* **Juízo de atribuição.** *Lóg.* Juízo em que se afirma ou se nega uma qualidade de um sujeito que é considerado como um ser ou como um conjunto de seres portadores dessa qualidade, que só neles subsiste. [Sin.: *juízo de inerência, juízo de predicação.* Cf. *juízo de relação.*] **Juízo de delibação.** *Jur.* Processo e julgamento de competência do Supremo Tribunal Federal, com o fim de se verificar se uma sentença estrangeira pode ser homologada e executada no território nacional. [Cf. *homologação* (3).] **Juízo de Deus.** Prova judiciária pelo fogo, por ferro em brasa, água fervendo, duelo, etc., pela qual se decidia, na Idade Média, da inocência ou culpabilidade dum acusado; ordálio. **Juízo de inclusão.** *Filos.* Aquele em que a relação entre os termos é a relação existente entre uma classe que é gênero e outra que é espécie. Ex.: Pedreiros são operários. **Juízo de inerência.** *Lóg.* V. *juízo de atribuição.* **Juízo de menores.** *Jur.* Órgão do poder judiciário incumbido da assistência, proteção, defesa, processo e julgamento dos menores abandonados e delinqüentes de menos de 18 anos; juizado de menores. **Juízo de predicação.** *Lóg.* V. *juízo de atribuição.* [Tb. se diz apenas *predicação.*] **Juízo de realidade.** *Filos.* O que enuncia um fato ou uma relação entre fatos. [Opõe-se a *juízo de valor.*] **Juízo de relação.** *Lóg.* Juízo em que entre o predicado e o sujeito se estabelece uma relação pela qual a cada um deles se atribui um caráter que subsiste, e só subsiste, em função dessa relação. Ex.: Paulo é filho de José. [Cf. *juízo de atribuição.*] **Juízo de Salomão.** O que se baseia mais no bom senso que na letra da lei. **Juízo de valor.** *Filos.* O que enuncia uma apreciação. [Opõe-se a *juízo de realidade.*] **Juízo Final.** *Rel.* Segundo a doutrina da Igreja, aquele pelo qual, no fim do mundo, Deus há de julgar os bons e os maus. **Juízo hipotético.** *Lóg.* Juízo que afirma ou nega uma relação de implicação. Ex.: Se *estudares*, passarás nos exames. **Juízo indefinido.** *Lóg.* **1.** Juízo em que o sujeito é indeterminado quanto à quantidade. Ex.: O trabalho não traz riqueza. **2.** Segundo Kant [v. *kantismo*], juízo afirmativo em que o predicado é negativo. Ex.: *A alma é não mortal.* **Juízo problemático.** *Filos.* Segundo Kant [v. *kantismo*], juízo cuja afirmação ou negação é considerada como possível. Ex.: *É possível que a alma humana seja imortal.* [Cf. *juízo apodíctico* e *juízo assertórico.*] **Juízo singular.** Aquele em que funciona um só juiz. [Por oposição a *juízo coletivo* ou *tribunal.*] **Juízo sintético.** *Filos.* Segundo Kant [v. *kantismo*], juízo de atribuição em que o predicado está fora do conceito do sujeito, embora ligado a ele de maneira determinada. Ex.: *Os corpos são pesados.* [Cf. *juízo analítico.*] **Juízo universal.** *Jur.* Aquele em que, no interesse de certas situações jurídicas objetivas criadas pela lei, devem ser processadas e julgadas todas as ações e pretensões que de qualquer maneira lhes digam respeito, como, p. ex., o juízo da falência, o da testamentaria, o do concurso de credores, etc.

jujuba. [Do gr. *zízyphon*, atr. do lat. *zizyphy.*] *S. f. Bras.* **1.** Árvore da família das ramnáceas (*Zizyphus jujuba*), originária da Índia, mas subespontânea no Brasil, semelhante ao juazeiro, porém muito menor. Ocorre da BA a SP. [Sin.: *macieira-de-anáfega.*] **2.** O fruto dessa árvore. **3.** O suco ou massa desse fruto. **4.** Bala (5) feita de jujuba (3).

jujútsu. *S. m. Jiu-jítsu.*

julata. *S. f. Bras., MT.* V. *aijulata.*

julavento. [Do it. *giulavento*, 'sob o vento'.] *S. m.* V. *sotavento.*

julepo. [Do persa *gul-āb*, pelo ár. *julāb* (vulg. *juleb*).] *S. m.* Bebida calmante, que tem por base um xarope.

julgado. [Part. de *julgar.*] *Adj.* **1.** Que foi objeto de julgamento. **2.** Imaginado, pensado. ~ V. *coisa —a.* ● *S. m.* **3.** Território de jurisdição de alguns juízes. **4.** Cargo desses juízes. **5.** *Jur.* Matéria decidida em sentença ou acórdão; sentença, decisão. **6.** *Lus.* Território de jurisdição dos juízes municipais. **7.** O cargo desses juízes. ◆ **Passar em julgado.** **1.** Tornar-se (uma sentença) irrecorrível, visto haver decorrido o prazo estabelecido para a interposição do recurso. **2.** *P. ext.* Liquidar-se definitivamente (qualquer assunto), de modo que a respeito dela não reste dúvida.

julgador (ô). *Adj.* **1.** Que julga. ● *S. m.* **2.** Aquele que julga; juiz, árbitro.

julgamento. *S. m.* **1.** Ato de julgar. **2.** Sentença, decisão. **3.** Apreciação, exame. **4.** Audiência (6). ◆ **Julgamento prejudicial.** *Bras. Jur.* No processo civil, julgamento prévio da ação penal, capaz de afetar o desfecho da ação reparatória do dano resultante do crime. [Tb. se diz apenas *prejudicial.*]

julgar. [Do lat. *judicare.*] *V. t. d.* **1.** Decidir como juiz ou árbitro: *julgar uma pendência.* **2.** Dar sentença, sentenciar. **3.** Supor, imaginar, conjeturar: *Os tiranos julgam que o mundo é imutável.* **4.** Formar opinião sobre; avaliar: *Não se deve julgar o que não se conhece. T. d.* e *i.* **5.** *P. us.* Dar, adjudicar: *julgar bens a um parente.* **6.** *P. us.* Sentenciar, condenar: *julgar alguém à morte. Transobj.* **7.** Ter na conta de; reputar, considerar: "Vendo-o acessível e branco, ... observadores de argúcia contestável julgaram-no demasiado tolerante e condescendente." (Graciliano Ramos, *Linhas Tortas*, p. 91); "Ambiente provinciano que julga ousadia a verdade e irreverência a franqueza." (Antônio de Alcântara Machado, *Cavaquinho e Saxofone*, p. 10). *T. i.* **8.** Formar juízo crítico; avaliar, apreciar, ajuizar: *Inculto, pretende julgar do merecimento de um sábio. Int.* **9.** Pronunciar sentença; sentenciar, decidir. *P.* **10.** Ter-se por; considerar-se: "cada um, desanimado, / Já se julga bem feliz / Com ser menos desgraçado." (Raimundo Correia, *Poesias*, p. 194). [Conjug.: v. *largar.*]

julho. [Do lat. *juliu.*] *S. m. Cronol.* O sétimo mês dos calendários juliano e gregoriano, com 31 dias.

juliana.[1] *S. f.* Peixe da família dos gadídeos (*Molua elongata*).

juliana[2]. [Do fr. *julienne.*] *Adj. (f.)* e *s. f.* Diz-se de, ou sopa feita com várias espécies de ervas e legumes picados: "Jantar: sopa, podendo ser de legumes, juliana, de carne com farinha de milho, de cará ou inhame" (Eduardo Frieiro, *Feijão, Angu e Couve*, p. 212).

julianácea. *S. f.* Espécime das julianáceas.

julianáceas. *S. f. pl. Bot.* Família de dicotiledôneas arquiclamídeas que forma a ordem das julianales. Engloba plantas lenhosas dióicas, com folhas alternas e penadas, flores masculinas em panículas e as femininas solitárias ou em cimeiras. Há poucas espécies dos climas frios.

julianáceo. *Adj.* Pertencente ou relativo às julianáceas.

julianales. *S. f. pl. Bot.* Ordem de plantas floríferas que encerra somente a família das julianáceas. Caracteriza-se pelas flores unissexuais, sendo as masculinas isostêmones e haploclamídeas; as femininas são nuas e com ovário unilocular.

juliano. [Do lat. *julianu.*] *Adj.* Relativo à reforma cronológica de Júlio César [v. *cesáreo*[1] (1).] ~ V. *calendário —* e *correção —a.*

julião. *S. m. Bras., MG.* Larva dos insetos da ordem dos siálidas.

júlida. *S. m.* **1.** Espécime dos júlidas. ● *Adj. 2 g.* **2.** Pertencente ou relativo a eles.

júlidas. *S. m. pl. Zool.* Ordem de artrópodes miriápodes da classe dos diplópodes. Ex.: o gongoló, o piolho-de-cobra, o embuá.

juliforme. *S. m.* **1.** Espécime dos juliformes. ● *Adj.* **2.** Pertencente ou relativo a eles.

juliformes. *S. m. pl. Zool.* Artrópodes miriápodes, diplópodes, ordem *juliformia.* Corpo com 40 ou mais somitos; machos com gonópodes formados pelo primeiro ou pelos dois pares de pernas do sétimo somito; desprovidos de glândulas sericígenas na extremidade do corpo.

júlio. *Adj.* V. *cesáreo*[1] (1): *Lei Júlia.*

júlio-mesquitense. *Adj. 2 g.* **1.** De, ou pertencente ou relativo a Júlio Mesquita (SP). ● *S. 2 g.* **2.** Natural ou habitante de Júlio Mesquita. [Pl.: *júlio-mesquitenses.*]

juma. *Bras. S. 2 g.* **1.** Indivíduo dos jumas, tribo indígena do AM. **2.** Dialeto indígena cavaíba da família tupi-guarani, tronco lingüístico tupi. ● *Adj. 2 g.* **3.** Pertencente ou relativo a essa tribo.

jumana. *S. 2 g.* e *adj. 2 g. Bras.* V. *ximana.*

jumbeba. [Do tupi *yu*, 'espinho', + *mbeb*, 'chato'.] *S. f. Bras.* Cactácea arborescente (*Opuntia brasiliensis*), de caule estipiforme, cilíndrico e espinhoso, e cujos cladódios se assemelham a raquetes cheias de espinhos e suculentas, sendo os frutos bagas moles. Vive no litoral, de N. a S. do País. [F. paral.: *jurumbeba* (q. v.). Cf. *jubeba.*]

jumenta. *S. f.* A fêmea do jumento [q. v.].

jumentada. [De *jumento* (1) + *-ada*[1].] *S. f.* Asneira, asnice, tolice, parvoíce.

jumental. *Adj. 2 g.* Pertencente ou relativo ao jumento.

jumento. [Do lat. *iumentu.*] *S. m.* **1.** Animal mamífero da ordem dos perissodáctilos, gênero *Equus*, espécie *Equus asinus* L., facilmente domesticável, muito difundido no mundo, e utilizado desde tempos imemoriais como animal de tração e carga. É ungulado e tem pêlo duro, de coloração extremamente variada, indo do castanho-fulvo ao cinza-escuro. [Sin. pop. *asno, burro, jerico* (q. v.) e (bras.) *jegue.*] **2.** V. *burro* (8). **3.** Indivíduo muito bruto, muito grosseiro; cavalo. **4.** Indivíduo de grande potência sexual.

junça. [Do lat. *juncea*, 'de junco', i. e., 'planta de junco'.] *S. f.* **1.** *Bras.* Erva estolonífera, da família das ciperáceas (*Cyperus esculentus*), cosmopolita, de folhas lineares e muito agudas, flores mínimas, reunidas em pequenas espigas secas, e rizoma tuberoso e comestível. **2.** *Bras., AL. Pop.* V. *cachaça* (1).

juncácea. *S. f.* Espécime das juncáceas.

juncáceas. *S. f. pl. Bot.* Família de monocotiledôneas, da ordem das liliifloras, que compreende plantas graminiformes dos lugares úmidos. Flores hermafroditas e actinomorfas; ovário súpero, unilocular ou trilocular. Fruto: cápsula loculicida. Contém cerca de 350 espécies, dos países temperados e frios.

juncáceo. [De *junco* + *-áceo.*] *Adj.* Pertencente ou relativo às juncáceas.

juncada. *S. f.* **1.** Grande porção de juncos. **2.** Pancada com junco.

juncal. *S. m.* Quantidade mais ou menos considerável de juncos, dispostos proximamente entre si; junqueira.

junção. [Do lat. *junctione.*] *S. f.* **1.** Ato de juntar(-se). **2.** Ponto onde duas ou mais coisas se unem ou juntam; confluência; reunião, junta, juntura.

juncar. *V. t. d.* **1.** Cobrir de juncos. **2.** *P. ext.* Cobrir de folhas ou flores: "Panos vistosos nas janelas, flores e folhas juncando o chão." (Graciliano Ramos, *Caetés*, p. 215.) **3.** Encher, cobrir: "daí a pouco .... tapetes juncavam o chão, e os homens sentados em roda passavam de mão em mão um pichel de vinho." (Eça de Queirós, *Últimas Páginas*, p. 58). *T. d. e i.* **4.** Cobrir (de folhas, flores, ramos): *Juncaram o chão de cravos e rosas.* **5.** Alastrar, cobrir. [Conjug.: v. *trancar.*]

junco[1]. [Do lat. *juncu.*] *S. m.* **1.** Designação comum a numerosas plantas herbáceas das famílias das ciperáceas e juncáceas, lisas, delgadas e flexíveis, de folhas graminiformes, flores inconspícuas, que habitam lugares úmidos, e das quais nem todas as espécies são nativas; escirpo. **2.** *Bengala de junco.* **3.** Chibata (1).

junco[2]. [Do chin. *jonk.*] *S. m.* **1.** *Ant.* Navio de guerra chinês da época dos descobrimentos portugueses, com dois ou três mastros, e velas distendidas por meio de fasquias insertas em bainhas próprias. [Alguns juncos tinham o costado protegido com várias camadas de tabuado, que as balas da época não conseguiam varar.] **2.** *Ant.* Navio mercante chinês, semelhante ao junco de guerra, com os castelos menos alterosos. **3.** Designação genérica dada pelos europeus a diversas embarcações chinesas de grande boca, elevada borda-livre, popa alterosa e lançada, aparelhadas com dois ou três mastros inteiriços, e velas de pendão distendidas por meio de várias fasquias, em geral de bambu.

junco-agreste. *S. m. Bras.* Erva da família das ciperáceas *(Heleocharis flavescens)*, dispersa pela América tropical, de rizoma filiforme, hastes com uns 30 cm de altura, folhas estreitas, flores mínimas, reunidas em espigas pequenas, e que serve como forragem, de qualidade inferior. Ocorre de preferência em lugares úmidos. [Pl.: *juncos-agrestes.*]

junco-ananico. *S. m. Bras.* Erva da família das ciperáceas *(Heleocharis geniculata)*, vulgar na América tropical e semelhante ao junco-agreste [q. v.]; junco-popoca. [Pl.: *juncos-ananicos.*]

junco-bravo. *S. m. Bras.* Erva da família das ciperáceas *(Cyperus articulatus)* habitante de lugares úmidos, na BA, de colmo cilíndrico e septado, sem folhas, raiz tuberosa, e empregada no fabrico de esteiras, podendo servir como forragem, de pouco valor. [Pl.: *juncos-bravos.*]

junco-da-praia. *S. m. Bras.* Erva da família das ciperáceas (*Cyperus schoenomorphus*), idêntica ao junco-bravo. [Pl.: *juncos-da-praia.*]

junco-de-três-quinas. *S. m. Bras.* Erva da família das ciperáceas (*Rhynchospora cyperoides*), africana e tropical-americana, de caule trígono, até 1 m de altura, folhas pouco numerosas, lineares, flores inconspícuas, congregadas em espiguetas, e que fornece forragem de baixa qualidade. Ocorre em terrenos tufosos e arenosos. [Pl.: *juncos-de-três-quinas.*]

junco-do-banhado. *S. m. Bras.* Erva da família das juncáceas (*Juncus microcephalus*), nativa no México, Argentina e Brasil, de caule até 1 m de altura, achatado, folhas lineares, longas, flores trímeras com pétalas agudas e avermelhadas, e fruto largo e obovóide. [Pl.: *juncos-do-banhado.*]

junco-florido. *S. m. Bras.* V. *bútomo.* [Pl.: *juncos-floridos.*]

junco-manso. *S. m. Bras.* Erva da família das ciperáceas (*Heleocharis mutata*), comum no PA, em lugares brejosos, de caule triangular, com folhas lineares, e que se usa em esteiras e obras trançadas. [Pl.: *juncos-mansos.*]

junco-miúdo. *S. m. Bras.* Erva da família das ciperáceas (*Cyperus gracilescens*), semelhante ao junco-bravo. [Pl.: *juncos-miúdos.*]

junco-popoca. *S. m. Bras.* Junco-ananico. [Pl.: *juncos-popocas* e *juncos-popoca.*]

jundiá. [Do tupi *yundi'á.*] *S. m. Bras.* **1.** Designação genérica dos bagres [v. *bagre* (1)]. [Var.: *nhandiá, jandiá.*] **2.** Planta da família das labiadas; meladinha-falsa.

jundiá-da-lagoa. *S. m. Bras., Amaz.* Jaú[1]. [Pl.: *jundiás-da-lagoa.*]

jundiaiense (a-i). *Adj. 2 g.* **1.** De, ou pertencente ou relativo a Jundiaí (SP). ● *S. 2 g.* **2.** Natural ou habitante de Jundiaí.

jundu. [Do tupi *jũ'du.*] *S. m. Bras.* Vegetação adjacente às dunas ou às praias, caracterizada pela freqüência de formas xerofíticas: "para o fundo da extensa baía, destacando na verdura do jundu, fulgia ao sol faiscante um lençol estendido a prumo entre duas estacas" (Vicente de Carvalho, *Luisinha*, p. 8). [Var.: *nhundu.*]

jungermanniale. *Adj. 2 g.* **1.** Pertencente ou relativo às jungermanniales. ● *S. f.* **2.** Espécime das jungermanniales.

jungermanniales. *S. f. pl. Bot.* Ordem de hepáticas da subclasse das hepaticales, dotadas de caule, mais raramente talosas, e que possuem folhas. ◆ **Jungermanniales anacrógenas.** *Bot.* Ordem de hepáticas, com talo e folhas; estrutura dorsiventral. Esporogônio dorsal.

jungir. [Do lat. *jungere.*] *V. t. d.* **1.** Ligar por jugo; emparelhar, juntar: *jungir os bois;* "foi ele Érícton, o inventor da quadriga, o audaz que ousou primeiro / jungir quatro corcéis, e impávido e altaneiro / deixar-se arrebatar das rodas na vertigem." (Antônio Feliciano de Castilho, *As Geórgicas de Virgílio*, p. 155). **2.** Unir, atar, ligar, prender. **3.** Submeter, subjugar: *jungir um povo. T. d. e i.* **4.** Ligar, prender ou atar a veículo ou máquina agrícola: *jungir os animais ao arado.* **5.** Submeter, sujeitar. [Defect. Não se conjuga na 1ª pess. sing. do pres. ind. nem, portanto, no pres. subj. É, em geral, m. us. nas 3as pess.]

junho. [Do lat. *Juniu.*] *S. m. Cronol.* O sexto mês dos calendários juliano e gregoriano, com 30 dias.

junino. [Do lat. *Juniu*, 'junho', + *-ino.*] *Adj. Bras.* Relativo ao, ou que se realiza no mês de junho: "Há qualquer coisa de melancólico nestas festas juninas, nesses fogos, nessa insistência em conservar-se a tradição dos dias dedicados aos barulhentos São João, Santo Antônio e São Pedro." (Augusto Frederico Schmidt, *O Galo Branco*, p. 146.)

júnior. [Do lat. *junior.*] *Adj.* **1.** O mais jovem (de dois). Emprega-se (às vezes abreviadamente) após o nome de uma pessoa para indicar que é a mais jovem da família que tem aquele nome: *Raimundo Magalhães Júnior; Carlos Araújo, Jr.* ● *S. m.* **2.** *Esport.* Designação dada aos que fazem parte da turma de concorrentes mais moços. [Pl.: *juniores* (ô). Antôn.: *sênior.*]

juniperáceo. *Adj.* Relativo ou semelhante ao junípero.

junípero. [Do lat. *juniperu.*] *S. m.* Zimbro[1].

junqueira[1]. *S. f.* Juncal.

junqueira[2]. *S. f. Bras.* Variedade de gado vacum, corpulenta e forte, proveniente do N. de MG. [Cf. *junqueiro.*]

junqueirense. *Adj. 2 g.* **1.** De, ou pertencente ou relativo a Junqueiro (AL). ● *S. 2 g.* **2.** Natural ou habitante de Junqueiro.

junqueiro. *Adj. Bras.* Diz-se de certo tipo bovino resultante da seleção feita pelo criador Junqueira no gado caracu. [Cf. *junqueira*[2].]

junqueiropolense. *Adj. 2 g.* **1.** De, ou pertencente ou relativo a Junqueirópolis (SP). ● *S. 2 g.* **2.** Natural ou habitante de Junqueirópolis.

junquilho. [Do esp. *junquillo.*] *S. m.* **1.** Erva ornamental, da família das amarilidáceas (*Narcisus jonquilla*), originária das terras temperadas, de flores douradas e perfumadas, bolbo pequeno, folhas estreitas, canaliculadas, com 30 a 35 cm, e cujo escapo sustenta duas a cinco flores amplas. **2.** A flor dessa planta.

junta. *S. f.* **1.** Ponto de junção e reunião; juntura, junção. **2.** Articulação, juntura: "retorcia-se, ... rilhando os dentes; .... as suas juntas estalavam como em deslocamento." (Coelho Neto, *Obra Seleta*, I, p. 789). **3.** Ponto ou superfície em que aderem dois objetos. **4.** Par, parelha: "Comprou a olhos fechados uma junta de bois fulvos como dois leões." (João de Araújo Correia, *Cinza do Lar*, p. 16.) **5.** Reunião de pessoas convocadas para determinado fim; comissão. **6.** Conferência de médicos junto a um enfermo, um dos quais geralmente o assiste. **7.** *Constr.* Intervalo entre dois tijolos, ou duas pedras justapostas, em uma alvenaria. **8.** *Constr. Nav.* Ligação de duas peças fixas, feita por aparafusamento de superfícies planas às quais se interpõe, via de regra, uma substância vedante, como borracha, amianto, etc. **9.** *Constr. Nav.* Esta substância vedante. *Geol.* Superfície mais ou menos nítida que corta a rocha independentemente dos planos de estratificação que porventura existam. **10.** *Bras.* Designação comum a várias plantas. **11.** *Bras., PE.* V. *mutirão* (1). ◆ **Junta comercial.** *Bras.* Órgão administrativo ao qual incumbe efetuar o registro público do comércio, matrícula do comerciante, registro dos seus contratos, e outras funções correlatas. **Junta de bois.** Parelha de bois ajoujados para trabalharem: "Os carros tirados por juntas de bois avançavam nas estradas trazendo festivos matutos." (Melo Morais Filho, *Festas e Tradições Populares do Brasil*, p. 151.) **Junta de conciliação e julgamento.** *Jur. Bras.* Órgão judicante de primeira instância da Justiça do Trabalho, constituído por um juiz-presidente e dois vogais, um destes representante dos empregadores, e outro dos empregados. **Cortar na junta.** *Bras.* Chegar à hora exata da refeição.

juntada. [De *juntar* + *-ada*[1].] *S. f.* **1.** Ato de juntar ou anexar (peças em um processo). **2.** Termo de junção, em processo forense.

junta-de-cobra. *S. f. Bras.* Arbusto pequeno, da família das acantáceas (*Ruellia* sp.), cujas flores têm corola afunilada e coloração violácea-pálida. [Pl.: *juntas-de-cobra.*]

junta-mole. *S. f. Bras.* Erva da família das amarantáceas (*Amarantus* sp.), de flores insignificantes, de aparência seca. [Pl.: *juntas-moles.*]

juntar. *V. t. d.* **1.** Ajuntar [q. v.]. **2.** *Bras., MG,* e *RJ. Pop.* Agredir, subjugando; bater em; atacar. *T. d. e i., int.* e *p.* **3.** Ajuntar(-se): "Perto, uma bica de água murmurante / Juntava o seu murmúrio ao dos pinhais..." (Augusto Gil, *Luar de Janeiro*, p. 74); "Aguardava serenamente a hora de se ir juntar à companheira desaparecida." (José Régio, *O Príncipe com Orelhas de Burro*, p. 35); "Às alegrias juntam-se as tristezas" (Augusto dos Anjos, *Eu*, p. 78).

junteira. *S. f.* **1.** Plaina pequena, utilizada para abrir juntas à beira das tábuas; juntoura. **2.** *Bot.* Planta da família das comelináceas *(Cartonema anomala)*.

junto[1]. *S. m.* Junta (3) das aduelas.

junto[2]. [Do lat. *junctu.*] *Adj.* **1.** Unido, anexo, pegado. **2.** Próximo, chegado. ● *Adv.* **3.** Juntamente. **4.** Ao pé; ao lado; perto. ◆ **Por junto.** **1.** De uma vez; ao mesmo tempo. **2.** Em grosso; por atacado.

juntoira. *S. f.* Var. de *juntoura* [q. v.].

juntoura. *S. f.* **1.** Junteira (1). **2.** Pedra que vai de uma face da parede à outra; ajuntoura. [Var.: *juntoira.*]

juntura. [Do lat. *junctura.*] *S. f.* **1.** Junção, reunião, junta. **2.** *Anat.* Articulação, junta. **3.** Ponto onde duas peças se juntam; linha de união ou de junção: "Opulentos galeões, pelas junturas rotas, / Vertem ouro, troféus inúteis, vis monturos" (Vicente de Carvalho, *Poemas e Canções*, p. 242).

juó. *S. m. Bras.* V. *jaó.*

jupará. [Do tupi *yupa'rá.*] *S. m. Bras.* Carnívoro da família dos procionídeos *(Potus flavus* Schreb.); japurá, jurupará, macaco-da-meia-noite.

juparaba. [Do tupi *yupa'rab*, 'pintado de amarelo'.] *S. f. Bras.* V. *periquito-de-asa-branca.*

jupati. [Do tupi *yupa'ti.*] *S. m. Bras.* **1.** Palmeira *(Raphia vinifera)* de estipe fundamente anelado, folhas largas, penatissectas e crespas, flores unissexuais, e cuja noz é do tamanho de um ovo. Atinge uns 3 m de altura, e habita praias na região amazônica, onde se usa para construir casas rústicas; ocorre também na África, onde serve para fabricar uma espécie de vinho. **2.** V. *cuíca* (1).

jupiá. [De provável or. tupi.] *S. m. Bras., Amaz.* e *MT.* Redemoinho ou voragem no meio dos rios.

jupindá. [De provável or. tupi.] *S. m. Bras.* Erva da família das caparidáceas *(Cleome psoralaefolia)*, disseminada pela América tropical, aculeada e glandulosopilosa, de folhas com três a cinco segmentos oblongos, lanceolados, acuminados, serrados e ciliados, flores vistosas, róseas, dispostas em inflorescências terminais compactas, e cujo fruto é uma síliqua cilíndrica, glandulosa, inserida em longo estipe e dotada de numerosas sementes.

Júpiter. [Do lat. *Jupiter.*] *S. m.* **1.** *Astr.* O maior planeta do sistema solar, com um diâmetro 11 vezes maior que o da Terra e uma massa 318 vezes superior. É visível à vista desarmada como uma estrela de magnitude -2,5 no momento de máximo brilho, e, observado ao telescópio, apresenta a forma de um disco achatado e atravessado por faixas escuras paralelas ao equador, que delimitam entre si zonas mais claras. No interior de tais faixas se observam marcas superficiais de formas irregulares e coloração particular; duas destas formações se distinguem das restantes: a *Mancha Vermelha* e a *Perturbação Austral.* [Júpiter possui 12 satélites, quatro deles particularmente notáveis: *Io, Europa, Ganimedes* e *Calisto.*] **2.** *Mitol.* O pai dos deuses entre os romanos, correspondente ao Zeus dos gregos.

jupiteriano. [De *Júpiter* + *-i-* + *-ano.*] *Adj.* **1.** Relativo ou pertencente ao planeta Júpiter. **2.** Que tem caráter dominador. **2. 3.** Muito altivo; imperioso, arrogante.

jupuá. *Bras. S. 2 g.* **1.** Indivíduo dos jupuás, tribo indígena das margens do Apaporis. ● *Adj. 2 g.* **2.** Pertencente ou relativo a essa tribo.

juqui. *Bras. S. 2 g.* **1.** Indivíduo dos juquis, tribo indígena da região do rio Amazonas. ● *Adj. 2 g.* **2.**

Pertencente ou relativo a essa tribo.
juquiá. [Var. de *jequiá* < tupi *yeke'á*.] *S. m. Bras.* Cuvu.
juquiaense. *Adj. 2 g.* **1.** De, ou pertencente ou relativo a Juquiá (SP). ● *S. 2 g.* **2.** Natural ou habitante de Juquiá.
juquirai. [Do tupi *yu'kìra*, 'sal', + *ï*, 'água'.] *S. m. Bras.* Pimenta moída com sal, condimento indígena.
juquiri. [Do tupi *yuki'ri*.] *S. m. Bras.* **1.** Árvore da Amaz., dotada de pêlos fulvos, da família das leguminosas (*Machaerium ferox*), mais ou menos escandente, de folhas com numerosos folíolos oblongos e emarginados no ápice, flores pequeninas, paniculadas e pubescentes, legume coriáceo, alado, madeira dura e escura. **2.** V. *juciri.*
juquiriaçu. [Do tupi *yukiria'su*, 'juquiri grande'.] *S. m. Bras.* Árvore da família das leguminosas (*Machaerium sp.*), semelhante ao juquiri.
juquiri-bravo. *S. m. Bras.* Arbusto da família das leguminosas (*Mimosa duckei*), habitante da região amazônica, de folhas bipenadas, com numerosos folíolos pequeninos, flores insignificantes em densas inflorescências, e cujo fruto é legume articulado e coriáceo. [Pl.: *juquiris-bravos.*]
juquiri-carrasco. *S. m. Bras.* Arbusto prostrado, ou algo escandente, da família das leguminosas (*Schrankia leptocarpa*), distribuído da Amaz. até o RJ, de folhas bipenadas, com numerosos folíolos membranáceos, flores minutas, dispostas em glomérulos, e legume fino e cilíndrico, apreciado para cercas vivas. [Pl.: *juquiris-carrascos.*]
juquiri-grande. *S. m. Bras.* Arbusto mais ou menos prostrado, da família das leguminosas (*Mimosa asperta*), que vegeta da Amaz. a SP., de ramos e folhas avermelhados e densamente pilosos, flores inconspícuas, alvas e arrumadas em glomérulos, e legume achatado e com pêlos rijos, sendo forragem de segunda classe. [Pl.: *juquiris-grandes.*]
juquiri-manso. *S. m. Bras.* Erva aquática, da família das leguminosas (*Neptunia oleracea*), que ocorre em ilhas flutuantes do rio Amazonas, de folhas bipenadas, com folíolos lineares, flores pequeninas, amarelas, ordenadas em glomérulos, e que constitui alimento para o gado e para o homem. [Pl.: *juquiris-mansos.*]
juquiri-rasteiro. *S. m. Bras.* V. *dormideira* (2). [Pl.: *juquiris-rasteiros.*]
juquirizinho. [Dim. de *juquiri.*] *S. m. Bras.* Arbusto erecto e aculeado, da família das leguminosas (*Mimosa orthocarpa*), próprio do PA, de folhas dotadas de glândulas e muitos folíolos lineares, flores minutas agregadas em glomérulos, e legume curto, membranáceo e coberto de pêlos glandulosos esparsos.
jura[1]. [Dev. de *jurar.*] *S. f.* **1.** Ato de jurar; juramento. **2.** Praga (1).
jura[2]. [Der. regress. de *jurubita* (q. v.).] *S. f. Bras., PB. Pop.* V. *cachaça* (1).
jurado. [Part. de *jurar.*] *Adj.* **1.** Solenemente declarado. **2.** Protestado com juramento. **3.** *Bras.* Ameaçado (de agressão ou morte). ~ V. *inimigo* —. ● *S. m.* **4.** Cada um dos cidadãos que compõem o tribunal do júri; juiz de fato.
jurador (ô). *Adj.* e *s. m.* Que ou aquele que jura ou tem por hábito jurar.
juramentado. [Part. de *juramentar.*] *Adj.* Ajuramentado: "— Veja o que é a vida, comentava o Alípio, escrevente juramentado do cartório" (Mário Matos, *Casa das Três Meninas*, p. 121). ~ V. *escrevente* —.
juramentar. *V. t. d.* e *p.* Ajuramentar.
juramento. [Do lat. *juramentu.*] *S. m.* **1.** Ato de jurar; jura. **2.** Afirmação ou promessa solene, em que se toma por testemunha uma coisa que se tem como sagrada. ♦ **Juramento de sangue.** Pacto de sangue. **Juramento hipocrático.** Código de deontologia médica legado por Hipócrates a seus discípulos, e que o médico, ao formar-se, jura cumprir.
jurão. *S. m. Bras.* Casa erguida sobre estacaria, para resistir às inundações.
jurar. [Do lat. *jurare.*] *V. t. d.* **1.** Declarar ou prometer solenemente; afirmar sob juramento: *A testemunha jurou dizer a verdade.* **2.** Invocar, chamar: *jurar o nome de Deus.* **3.** Afirmar categoricamente; afiançar: *Jurou que se vingaria. T. d. e i.* **4.** Declarar ou afirmar sob juramento: *Jurou-lhe amor eterno.* **5.** Prometer formalmente; afirmar, afiançar. *Transobj.* **6.** Reconhecer através de juramento: *O povo jurou-a por sua rainha. T. i.* **7.** Fazer juramento: *Jurou pela felicidade de seus filhos.* **8.** Fazer juramento; imbuir-se do propósito; tomar a resolução: *Jurou de vingá-lo.* **9.** Proferir imprecações; praguejar. *Int.* **10.** Prestar ou proferir juramento. [Pres. subj: *jure*, etc. Cf. *júri.*]
jurará. [Do tupi *yura'ra.*] *S. m. Bras., MA.* V. *tartaruga-do-amazonas:* "Vêem-se enormes trouxas de doce seco, corações unidos de cocada, ... jurarás doirados, ... pombos cheios de fitas" (Aluísio Azevedo, *O Mulato*, p. 96).
jurássico. [Do fr. *jurassique.*] *Adj.* e *s. m.* V. *período* —.
➡**jure et facto.** [Lat.] De direito e de fato.
jurema[1]. [Do tupi *yu'rema.*] *S. f.* **1.** *Bras.* Arbusto ou arvoreta armada de espinhos, da família das leguminosas (*Pithecolobium tortum*), muito difundida no litoral brasileiro, de ramos em ziguezague e muito duros, folhas com numerosos folíolos pequenos, flores alvacentas ou esverdeadas, agregadas em pequenos glomérulos, legume recurvado como alça intestinal, grosso e rígido, sendo a madeira dura, pouco utilizável. **2.** *Bras.* Bebida feita com a casca, raízes ou frutos dessa planta, com propriedades alucinógenas. **3.** *Bras., SP. Pop.* Trabalho ou tarefa difícil, árdua.
jurema[2]. [De *juro.*] *S. m. Bras., RJ. Gír.* Juro (1), ou juros.
jurema-branca. *S. f. Bras.* Arvoreta muito espinhosa, da família das leguminosas (*Pithecolobium diversifolium*), vulgar nas caatingas nordestinas, de folhas com folíolos pequenos e lineares, flores miúdas, organizadas em espigas cilíndricas, e legume linear e quase séssil. [Pl.: *juremas-brancas.*]
juremação. [De *jurema*[1] + *-ção.*] *S. f. Bras., N.E.* Iniciação nos catimbós, quando o iniciando cai em transe sob a ação do suco de jurema [v. *jurema* (2)].
jurema-da-pedra. *S. f. Bras.* Trepadeira da família das leguminosas (*Camptosema ulei*), própria de lugares secos, de folhas com poucos folíolos coriáceos, flores vistosas, em inflorescências compactas, e cujo fruto é um legume coriáceo. [Pl.: *juremas-da-pedra.*]
juremal. *S. m. Bras.* Quantidade mais ou menos considerável de juremas dispostas proximamente entre si.
jurema-mirim. *S. f. Bras.* Arbusto esparsamente aculeado, da família das leguminosas (*Mimosa ophthalmocentra*), difundido no PA e PI, de folhas sésseis, com folíolos numerosos, pequeninos, lineares e brilhantes, flores insignificantes, ordenadas em espigas cilíndricas, e legume subséssil e glabro, com seis a 12 artículos. [Pl.: *juremas-mirins.*]
jurema-preta. *S. f. Bras.* Arbusto rico em acúleos e pêlos glandulosos, da família das leguminosas (*Mimosa hostilis*), amplamente difundido nas caatingas do N.E., de folhas com numerosos folíolos pequenos e oblongos, flores mínimas, com quatro pétalas e estames, congregadas em espigas cilíndricas, e legume quase séssil, curto e recoberto de pêlos viscosos. [Pl.: *juremas-pretas.*]
juremeiro. [De *jurema*[1] (2) + *-eiro.*] *S. m. Bras., N.* V. *mago* (3).
juremense. *Adj. 2 g.* **1.** De, ou pertencente ou relativo a Jurema (PE). ● *S. 2 g.* **2.** Natural ou habitante de Jurema.
jureminha. [Dim. de *jurema.*] *S. f. Bras.* Arbusto da família das leguminosas (*Mimosa malacocentra*), análogo à jurema-preta.
juri. *Bras. S. 2 g.* **1.** Indivíduo dos juris, tribo indígena do rio Japurá. ● *Adj. 2 g.* **2.** Pertencente ou relativo a essa tribo. [Cf. *júri*, s. m., e *jure*, do v. *jurar.*]
júri. [Do ingl. *jury.*] *S. m.* **1.** Tribunal judiciário constituído por um juiz de direito, que é o seu presidente, e certo número de cidadãos (*jurados*), entre os quais se sorteiam os que formarão, como *juízes de fato*, o conselho de sentença, para julgar os crimes de sua exclusiva competência; tribunal do júri: "O Dr. Camacho estava em Vassouras defendendo um réu no júri." (Machado de Assis, *Quincas Borba*, p. 162.) **2.** Comissão incumbida de examinar ou avaliar o mérito de pessoas ou coisas: *O resultado apresentado pelo júri do concurso de contos foi acertadíssimo.* [Cf. *juri*, s. m., e *jure*, do v. *jurar.*]
juricana. [Do tupi, talvez.] *S. f. Bras., BA.* V. *jararacaverde.*
juricidade. *S. f.* V. *juridicidade.*
juridicidade. *S. f.* **1.** Qualidade ou caráter de jurídico. **2.** Conformação ao direito; legalidade, licitude.
jurídico. [Do lat. *juridicu.*] *Adj.* **1.** Relativo ou pertencente ao direito. **2.** Conforme aos princípios do direito; lícito, legal. ~ V. *ato* —, *fato* —, *negócio* —, *ordem* —*a*, *personalidade* —*a* e *pessoa* —*a*.
jurígeno. [Do lat. *jure*, 'direito', + *-i-* + *-geno.*] *Adj.* Que produz ou cria um direito.
jurimágua. *Bras. S. 2 g.* **1.** Indivíduo dos jurimáguas, tribo indígena pertencente à família tupi-guarani, que outrora habitou no alto Amazonas. ● *Adj. 2 g.* **2.** Pertencente ou relativo a essa tribo. [Sin. ger.: *jurimaná.*]
jurimaná. *S. 2 g.* e *adj. 2 g. Bras.* Jurimágua.
juripiranguense. *Adj. 2 g.* **1.** De, ou pertencente ou relativo a Juripiranga (PB). ● *S. 2 g.* **2.** Natural ou habitante de Juripiranga.
jurisconsulto. [Do lat. *jurisconsultu.*] *S. m.* Homem versado na ciência do direito e que faz profissão de dar pareceres acerca de questões jurídicas; jurisperito, jurisprudente, jurista: "Além de legislador e de mestre, Clóvis Beviláqua projetou-se como escritor e jurisconsulto. Seus livros ainda hoje gozam de primazia .... e seus pareceres alcançaram excepcional autoridade" (San Tiago Dantas, *Figuras do Direito*, p. 81).
jurisdição. [Do lat. *jurisdictione.*] *S. f.* **1.** Poder atribuído a uma autoridade para fazer cumprir determinada categoria de leis e punir quem as infrinja em determinada área. **2.** Área territorial dentro da qual se exerce este poder; vara. **3.** Alçada, competência. **4.** *Fig.* Poder, influência. **5.** *Rel.* Faculdade concedida a um clérigo para exercer as suas ordens numa determinada diocese. **6.** *Bras., CE.* Responsabilidade do vaqueiro em uma fazenda. ♦ **Jurisdição contenciosa.** *Jur.* A que o juiz exerce ao conhecer, julgar e executar os litígios. **Jurisdição graciosa.** *Jur.* A que o juiz exerce a propósito de fatos que não são objeto de litígio, visando a completar, aprovar ou dar eficácia a certos atos particulares; jurisdição voluntária. **Jurisdição voluntária.** *Jur.* Jurisdição graciosa.
jurisdicionado [Part. de *jurisdicionar.*] *S. m.* **1.** Aquele que está sob a jurisdição de um juiz de direito. **2.** *Rel.* Aquele que recebeu jurisdição (5).
jurisdicional. *Adj. 2 g.* Pertencente ou respeitante a jurisdição. ~ V. *mar* —.
jurisdicionar. *V. t. d.* Submeter à jurisdição de.
➡**juris et de jure** (júriç et de jure). [Lat., 'de direito e por direito'.] *Jur.* **1.** Estabelecido por lei como verdade. **2.** Diz-se da presunção legal que não admite prova em contrário.
jurisperícia. [Do lat. *jurisperitia.*] *S. f.* Qualidade de jurisperito.
jurisperito. [Do lat. *jurisperitu.*] *S. m.* V. *jurisconsulto.*
jurisprudência. [Do lat. *jurisprudentia.*] *S. f.* **1.** Ciência do direito [v. *direito* (13)] e das leis. **2.** Conjunto de soluções dadas às questões de direito pelos tribunais superiores. **3.** Interpretação reiterada que os tribunais dão à lei, nos casos concretos submetidos ao seu julgamento.
jurisprudencial. *Adj. 2 g.* Relativo à jurisprudência.
jurisprudente. [Do lat. *jurisprudente.*] *S. 2 g.* V. *jurisconsulto.*
jurista[1]. [Do lat. medieval *jurista.*] *S. 2 g.* V. *jurisconsulto.*
jurista[2]. [De *juro* + *-ista.*] *S. 2 g.* **1.** Pessoa que empresta dinheiro a juros. **2.** Possuidor de títulos da dívida pública.
➡**juris tantum** (júriç tântum). [Lat.] *Jur.* **1.** Que pertence só ao direito. **2.** Resultante do próprio direito. **3.** Diz-se da presunção legal que prevalece até prova em contrário.
juriti. [Var. dissimilada de *juruti* < tupi *yuru'ti.*] *S. f. Bras.* Designação comum a várias espécies de aves columbiformes, da família dos columbídeos, gêneros *Leptoptila* Sw. e *Oreopeleia* Reich., distribuídas por todo o Brasil, de coloração geral parda, com tons avermelhados, oliváceos ou brancacentos. Freqüentam o fundo dos quintais e as roças nas fazendas do interior e têm canto agradável e nostálgico. [Outra var.: *jeruti.*]
juriti-azul. *S. f. Bras.* V. *rola-azul.* [Pl.: *juritis-azuis.*]
juriti-da-mata-virgem. *S. f. Bras.* V. *juriti-verdadeira.* [Pl.: *juritis-da-mata-virgem.*]
juriti-grande. *S. f. Bras.* V. *juriti-verdadeira.* [Pl.: *juritis-grandes.*]
juritipiranga. [Var. de *jurutipiranga* < tupi *yuru'ti*, 'juruti', + *pirã'ga*, 'vermelha'.] *S. f. Bras.* V. *juriti-vermelha.*
juritiubim (i-u). [De *juriti* + *-ubim.*] *S. f. Bras.* Palmeira (*Geonoma camana*) de reduzido porte, e muito elegante, ocorrente na Amaz., flores unissexuais, ordenadas em curtas e finas espigas, e nozes globosas, de pequenas dimensões.
juriti-verdadeira. *S. f. Bras.* Ave columbiforme, da família dos columbídeos (*Leptoptila rufaxilla* (Rich. & Bern.)), com quatro subespécies em todo o Brasil, e que se distingue das demais por ter a fronte e o vértice cinzento-azulados claros, nuca vinácea, dorso pardo-oliváceo, e coberteiras inferiores da cauda brancas; juriti-da-mata-virgem, juriti-grande. [Pl.: *juritis-verdadeiras.*]
juriti-vermelha. *S. f. Bras.* **1.** Ave columbiforme, da família dos columbídeos (*Oreopeleia violacea* (Tem. & Knip)), do N.E. e L. do País, de coloração dorsal purpúrea com brilho metálico, dorso inferior pardacen-

to, peito vináceo, barriga branca, tendo a fêmea dorso pardo-oliváceo. **2.** Ave columbiforme, da família dos columbídeos *(Oreopeleia montana* (L.)), distribuída do S. do México até o Paraguai e quase todo o Brasil. Macho de dorso e peito purpúreo-avermelhados, e barriga amarelo-ocre; fêmea com dorso bronze-oliváceo. [Sin. ger.: *juritipiranga, pariri, pomba-cabocla.* Pl.: *juritis-vermelhas.*]

juro. [Do lat. *jure.*] *S. m.* **1.** Lucro, calculado sobre determinada taxa, de dinheiro emprestado ou de capital empregado; rendimento, interesse. [Sin. (bras., RJ, gír.): *jurema.*] **2.** *Fam.* Recompensa (2). **3.** *Ant.* Jus, direito. ♦ **Juro composto.** O que se soma ao capital para o cálculo de novos juros nos tempos seguintes. **Juro simples.** O que não se soma ao capital para o cálculo de novos juros nos tempos seguintes. **Pagar com juros.** *Bras.* Pagar caro.

juru. [De *ajuru*, com aférese.] *S. m. Bras.* **1.** Designação tupi de *papagaio* (1). **2.** V. *moleiro* (3).

juruaçu. [Do tupi *yurua'su*, 'ajuru (ou juru) grande'.] *S. m. Bras.* V. *moleiro* (3).

juruaense. *Adj. 2 g.* **1.** De, ou pertencente ou relativo a Juruá (AM). ● *S. 2 g.* **2.** Natural ou habitante de Juruá.

jurubeba. [Do tupi *yuru'beba.*] *S. f. Bras.* Designação comum a várias espécies do gênero *Solanu*, da família das solanáceas, tidas popularmente por medicinais, de folhas moles, podendo ter acúleos, flores vistosas, alvas, com estames amarelos e porosos, e fruto bacáceo, sendo muitos deles ruderais. [Cf. *jurumbeba.*]

jurubeba-grande. *S. f. Bras.* Arbusto ou arvoreta aculeada, da família das solanáceas *(Solanum grandiflorum)*, amplamente distribuído no interior do País, de folhas variáveis, moles, flores grandes, vistosas, violáceo-pálidas, e cujo fruto, do mesmo nome, é uma baga amarela, adocicada, aromática, e comestível, que serve para fazer geléia; jubeba. [Pl.: *jurubebas-grandes.*]

jurubebal. *S. m. Bras.* Quantidade mais ou menos considerável de jurubebas dispostas proximamente entre si.

jurubita. [Var. de *jeribita.*] *S. f. Bras. Pop.* V. *cachaça* (1).

jurueba. [De provável or. tupi.] *S. f. Bras.* V. *papagaio-do-peito-roxo.*

jurujuba. [Do tupi *yuru'jub.* 'pescoço amarelo'.] *S. f. Bras.* Erva humilde *(Verbena chamaedryfolia)*, largamente distribuída no País, de folhas membranáceas, globosas; verberão, camaradinha.

jurumbeba. [Do tupi *yuru'mbeba*, 'espinho de folha chata'.] *S. f. Bras.* Jumbeba [q. v.]. [Cf. *jurubeba.*]

jurumim. [Do tupi *yuru'mi*, com nasalação.] *S. m. Bras.* V. *tamanduá-bandeira.*

juruna. *Bras. S. 2 g.* **1.** Indivíduo dos jurunas, tribo indígena tupi da região do Xingu. ● *Adj. 2 g.* **2.** Pertencente ou relativo a essa tribo.

juruparã. *S. m. Bras.* V. *jupará.* [Cf. *jurupará.*]

jurupará. [Certamente do tupi.] *S. f. Bras., MT.* Seta ervada. [Cf. *juruparã.*]

jurupari. [Do tupi.] *S. m. Bras.* **1.** Um demônio dos tupis. **2.** Entre missionários, o diabo cristão. **3.** Peixe de rio da família dos ciclídeos *(Geophagus daemon* Heck.). [Var. nesta acepç.: *jeropari.*] **4.** *Bras.* V. *macaco-de-cheiro.* **5.** Planta da família das leguminosas *(Eperua grandiflora).*

juruparipindá. [Do tupi *yuru'ri píndá*, 'anzol do diabo'.] *S. m. Bras., Amaz.* Acará-chibante.

juruparipiruba. [Do tupi.] *S. f. Bras.* Planta medicinal da Amaz.

jurupari-tapuio. *Bras. S. m.* **1.** Indivíduo dos juruparis-tapuios, subtribo dos índios tarianas que habita a parte superior do Juareté e pertence à família aruaque. ● *Adj.* **2.** Pertencente ou relativo a essa subtribo [Pl. *juruparis-tapuios.*]

jurupema. *S. f. Bras.* V. *urupema.*

jurupensém. *S. m. Bras.* V. *jurupoca.*

jurupetinga. *S. f. Bras.* Espécie de jurubeba.

jurupiranga. [Do tupi *yu'ru*, 'boca', + *pirãga*, 'vermelha'.] *S. f. Bras., PA.* V. *guarijuba.*

jurupixuna. [Do tupi *yu'ru*, 'boca', + *pi'xuna*, 'preta'.] *S. m. Bras.* V. *macaco-de-cheiro.*

jurupoca. [Do tupi *yu'ru*, 'boca', + *'poka*, ger. de *pog*, 'arrebentar'.] *S. f. Bras.* Peixe teleósteo, siluriforme, da família dos pimelodídeos *(Hemisorubin platyrhynchos* (Val.)), com ampla distribuição no Brasil, de coloração geral escura, com manchas amareladas, comprimento de até 45 cm, boca com prognatismo acentuado, e cabeça pequena em relação ao corpo. [Var.: *jerupoca, jiripoca;* sin.: *jurupensém.*]

jururá. [Do tupi *yura'ra.*] *S. f. Bras.* V. *tartaruga-do-amazonas.*

jururu. [Do tupi *xearu'ru*, 'estar tristonho'.] *Adj. 2 g. Bras.* **1.** Triste, melancólico. V. *tristonho* (1): "a ouvir o arrulho jururu dos pombos no sapê" (Coelho Neto, *Sertão*, p. 29). **2.** Acabrunhado, abatido, cururu: "Nem fique aí para um canto, todo jururu, a pensar que .... nunca ninguém no mundo sofreu tão grande e amarga injustiça." (Vivaldo Coaraci, *Cata-Vento*, p. 207.) ● *S. m.* **3.** *Bras.* V. *joão-barbudo.*

jurutau. *S. m. Bras., Amaz.* V. *urutau.*

juruté. [De provável or. tupi.] *S. m. Bras.* Planta frutífera de SP.

juruti. *S. f. Bras.* Juriti [q. v.].

jurutiense. *Adj. 2 g.* **1.** De, ou pertencente ou relativo a Juruti (PA). ● *S. 2 g.* **2.** Natural ou habitante de Juruti.

juruva. [De provável or. tupi.] *S. f. Bras.* Ave trogoniforme, da mata virgem, da família dos momotídeos, gêneros *Baryphthengus* Cab. & Hein. e *Momotus* Briss., o primeiro com duas espécies e o segundo com uma só, formando cinco subespécies em território brasileiro. Cantam ao amanhecer e ao anoitecer; duas das penas medianas da cauda são longas, com porção subapical desprovida de barbas, cortadas pela própria ave, que assim se enfeita; dorso verde ou oliváceo, com outros matizes no corpo; alimentam-se de insetos. [Var. e sin.: *jeruva, jiriba, pirapuia, pururu, taquara, jacu-taquara, siriú, siriuva, udu, uritutu, formigão.*]

juruviara. [De possível or. tupi.] *S. f. Bras.* Ave passeriforme, da família dos vireonídeos *(Vireo chivi* (Vieil)), distribuída por todo o Brasil, de coloração verde, o alto da cabeça cinzento-escuro marginado de preto, sobrancelha branca, parte inferior branco-esverdeada, flancos amarelados, e crisso amarelo-claro.

juruvoca. [De provável or. tupi.] *S. f. Bras.* Arbusto da família das teáceas *(Laplacea semiserrata)*, amplamente disperso no Brasil, de folhas grossas, coriáceas, flores vistosas, amplas, alvas e com muitos estames, e fruto capsular.

jus. [Do lat. *jus.*] *S. m.* Direito (11): "o Diabo vinha, lamentando-se de que a Esperança começasse de entrar no coração dos homens; que ele Diabo tinha jus antiqüíssimo de desesperar toda a gente" (Alexandre Herculano, *Lendas e Narrativas*, I, p. 260); "Receavam talvez igual destino / Ao do fero ouvidor, se no conflito / Que há muito trazem com o grande Almada / O jus do povo defender quiserem" (Machado de Assis, *Outras Relíquias*, p. 175). ♦ **Fazer jus a. 1.** Tratar de merecer (algo). **2.** Ser merecedor de; merecer: "Boa Conceição! Chamavam-lhe 'a santa', e fazia jus ao título, tão facilmente suportava os esquecimentos do marido." (Id., *Páginas Recolhidas*, p. 78.)

➡**jus agendi** (juç agêndi). [Lat.] *Jur.* Direito de agir.

jusante. [Do fr. ant. *jusant*, 'maré baixa'.] *S. f.* **1.** *Desus.* Vazante da maré. [Antôn.: *montante.*] **2.** O sentido em que correm as águas de uma corrente fluvial. ♦ **A jusante.** Para o lado em que vaza a maré, ou um curso de água: "brigas de morte porque a mulher de um lavou roupa a montante do córrego, a outra querendo beber água a jusante." (Josué Guimarães, *A ferro e fogo*, p. 31). [Antôn.: *a montante.*]

juscelinismo. *Bras. S. m.* **1.** Pensamento ou ação política de Juscelino Kubitschek de Oliveira (1902-1976), estadista brasileiro que foi presidente da República. **2.** Adesão ao juscelinismo (1), ou simpatia por ele.

juscelinista. *Bras. Adj. 2 g.* **1.** Relativo ao, ou próprio do juscelinismo. **2.** Que é partidário do juscelinismo (1) ● *S. 2 g.* **3.** Partidário dele.

➡**jus condendum** (juç condêndum). [Lat.] *Jur.* Direito por constituir; direito futuro.

➡**jus conditum** (juç cônditum). [Lat.] *Jur.* Direito constituído; direito vigente.

➡**jus eundi** (juç êundi). [Lat.] *Jur.* Direito de ir e vir.

➡**jus sanguinis** (juç sângüiniç). [Lat., 'direito de sangue'.] *Jur.* Princípio que só reconhece como nacional a pessoa nascida de pais nacionais.

➡**jus soli** (juç sóli). [Lat., 'direito do solo'.] *Jur.* Princípio segundo o qual a pessoa tem a nacionalidade do país onde nasce.

▲**justa-.** [Do lat. *juxta.*] *Pref.* = 'posição ao lado': *justafluvial, justapor.*

justa[1]. [Dev. de *justar[1].*] *S. f.* **1.** Combate entre dois cavaleiros armados de lança, na Idade Média; torneio. **2.** *P. ext.* Luta, combate, pugna, contenda: "Era um austríaco, que se fazia passar por belga, loiro, delgado, ... incansável nas justas amorosas, sempre bem-disposto." (Urbano Tavares Rodrigues, *A Noite Roxa*, p. 100.) **3.** *P. ext.* Questão, pendência.

justa[2]. [De *justo.*] *S. f. Ant.* Vaso ou taça em que se punha o vinho para cada conviva.

justa[3]. [Der. regress. de *justiça.*] *S. f. Bras. Gír.* A polícia.

justa[4]. [Fem. de *justo.*] *El. s. f.* Us. na loc. adv. *à justa.* ♦ **À justa.** Nem mais nem menos; precisamente, exatamente.

justador (ô). [De *justar[1]* + *-(d)or.*] *Adj.* e *s. m.* **1.** Que, ou aquele que justa, que entra em justa ou ajuste. **2.** *Fig.* Rival, competidor.

justafluvial. [De *justa-* + *fluvial.*] *Adj. 2 g.* Que está nas margens de um rio; ribeirinho.

justalinear. [De *justa-* + *linear.*] *Adj. 2 g.* ~ V. *tradução* —.

justamarítimo. [De *justa-* + *marítimo.*] *Adj.* Que está ao lado do mar.

justapor. [De *justa-* + *pôr.*] *V. t. d.* e *t. d. e i.* **1.** Pôr ao lado; pôr junto; aproximar: *justapor pedras; justapor uma pedra a outra. P.* **2.** Pôr-se em contigüidade; juntar-se: "É a família um conjunto novo, cuja existência se justapõe à de cada um dos seus membros." (Alceu Amoroso Lima, *A Realidade Americana*, p. 232) [Irreg. Conjug.: v. *pôr.*]

justaposição. *S. f.* **1.** Ato ou efeito de justapor(-se): "convém advertir que pela simples justaposição da história das técnicas, das ciências e da economia não se chega à integração do complexo da história." (Fidelino de Figueiredo, *Entre Dois Universos*, p. 72). **2.** Situação de contigüidade; aposição. **3.** Modo de crescimento, nos corpos inorgânicos, consistente na agregação sucessiva de novas moléculas ao núcleo primitivo. **4.** *Gram.* V. *composição* (7).

justaposto (ô). [Do lat. *juxtapositu.*] *Adj.* Que está junto, unido, ou em contigüidade; sobreposto. ~ V. *charada* —*a.*

justar[1]. [Do lat. vulg. **juxtare*, 'pôr junto' (*juxta*, 'junto'), pelo cat. *justar.*] *V. int.* **1.** Participar de justa[1]; combater, competir: "Sou mancebo de alta laia: / Não trabalho e sei justar." (Manuel Bandeira, *Estrela da Vida Inteira*, p. 26.) *T. d.* e *t. d. e i.* **2.** Esgrimir, jogar.

justar[2]. [De *justo* + *-ar[2]*] *V. t. d.* **1.** V. *ajustar* (1 a 7). **2.** Assoldadar, assalariar. *T. d. e i.* e *t. i.* **3.** V. *ajustar* (9 a 11).

➡**juste-milieu** (jüçt'-miliê). [Fr.] *S. m.* **1.** Modo de proceder igualmente distante de dois extremos opostos. **2.** Método de governo que consiste em se manter igualmente afastado dos partidos extremos da direita e da esquerda.

justeza (ê). [Do lat. *justitia.*] *S. f.* **1.** Qualidade daquilo que é justo; exatidão, precisão, certeza. **2.** *Fís.* Propriedade duma balança analítica que permanece equilibrada quando pesos iguais são colocados em seus pratos.

justiça. [Do lat. *justitia.*] *S. f.* **1.** Conformidade com o direito; a virtude de dar a cada um aquilo que é seu. **2.** A faculdade de julgar segundo o direito e melhor consciência. **3.** Conjunto de magistrados judiciais e pessoas que servem junto deles. **4.** O pessoal dum tribunal. **5.** *P. ext.* O poder judiciário [q. v.]. ♦ **Justiça do trabalho.** *Jur.* Complexo de órgãos integrantes do poder judiciário federal a que compete, basicamente, conciliar e julgar os dissídios individuais e coletivos entre empregados e empregadores, e as demais controvérsias oriundas de relações de trabalho. **Fazer justiça pelas próprias mãos.** Vingar-se pessoalmente de mal cuja punição caberia à justiça.

justiçado. [Part. de *justiçar.*] *Adj.* e *s. m.* Que ou aquele que foi supliciado ou punido com a morte.

justiçamento. *S. m.* Ato ou efeito de justiçar.

justiçar. [De *justiça* + *-ar[2].*] *V. t. d.* **1.** Punir com a morte ou com suplício; supliciar: "para isso haveriam de o perseguir como um rebelde, de o torturar como um criminoso, de o justiçar como um bandido" (Ramalho Ortigão, *As Farpas*, I, p. 88). **2.** *Ant.* Aplicar severa justiça a. [Conjug.: v. *laçar.*]

justiceiro. *Adj.* **1.** Amante da justiça. **2.** Rigoroso na aplicação da lei; imparcial, inflexível, severo, justiçoso.

justicialismo. [Do esp. *justicialismo.*] *S. m.* Peronismo [q. v.] [Neologismo criado por Juan Domingo Perón para caracterizar sua concepção política]: "Se ela [Isabelita Perón] é herdeira do justicialismo, a ela caberá erguer a bandeira dos descamisados e marchar à frente do povo." (José Carlos de Oliveira, *Jornal do Brasil*, 9.1.1981.)

justicialista. [Do esp. *justicialista.*] *Adj. 2 g.* **1.** Pertencente ou relativo ao, ou partidário do justicialismo. ● *S. 2 g.* **2.** Partidário dele. [Sin. ger.: *peronista.*]

justiçoso (ô). *Adj.* V. *justiceiro* (2).

justificação. [Do lat. *justificatione.*] *S. f.* **1.** Ação ou efeito de justificar(-se). **2.** Razão, causa; desculpa. **3.** Prova judicial. **4.** *Jur.* Comprovação judicial de algum fato, mediante documentos e testemunhas, a fim de servir de prova em processo regular. **5.** *Teol.* Passagem, sob o influxo da graça divina, do estado de pecado para o estado de graça, ou estado de justiça.

justificado. [Part. de *justificar.*] *Adj.* **1.** Que teve ou tem justificação. ● *S. m.* **2.** *Jur.* Aquele que é citado para a justificação, como parte. **3.** *Teol.* O cristão em estado de graça ou de justiça.

justificador (ô). *Adj.* **1.** Que justifica: "revelara-lhe mesmo miudamente a história dela, dolorosa e j u s t i f i c a d o r a" (Eça de Queirós, *Os Maias*, II, p. 262). ~ V. *martelo* —. ● *S. m.* **2.** Aquele que justifica. **3.** *Tip.* Aparelho do fundidor de tipos, munido de réguas ajustáveis, entre as quais se colocava uma fila de caracteres para acabamento por meio de plaina especial (normalização da altura, abertura do canal, etc.). **4.** *Tip.* Peça corrediça do componedor tipográfico, por meio da qual se estabelece a medida. **5.** *Tip.* Aparelho que justifica as linhas de matrizes nas máquinas compositoras.

justificante. [Do lat. *justificante.*] *Adj. 2 g.* **1.** Que justifica ou pretende justificar. ● *S. 2 g.* **2.** *Jur.* Pessoa que promove, em juízo, uma justificação.

justificar. [Do lat. *justificare.*] *V. t. d.* **1.** Demonstrar ou provar a inocência de: *Os depoimentos o j u s t i f i c a v a m.* **2.** Tornar justo; reabilitar. **3.** Provar em juízo. **4.** Legitimar, desculpar: *Nenhum argumento pode j u s t i f i c a r a opressão;* "Embora escrito [o drama *Beatriz Cenci* de Gonçalves Dias] .... justamente quando o romantismo estava em seu esplendor, a j u s t i f i c a r todas as audácias, o poeta tomara por base um tema cuja transposição para a cena exigia muito tato." (Eugênio Gomes, *Espelho contra Espelho*, p. 132). **5.** Dar razão a; fundamentar. **6.** Demonstrar, provar. **7.** *Tip.* Fazer aumentar ou diminuir de tamanho (a linha), modificando o espacejamento, a coluna, a página, o número de linhas ou o entrelinhamento, para que obedeçam à medida. **8.** Fazer passar do pecado à graça. *P.* **9.** Provar a sua inocência ou a boa razão de seu procedimento. **10.** Demonstrar ou provar que é ou tem direito a ser considerado. [Conjug.: v. *trancar.*]

justificativa. [Fem. substantivado de *justificativo.*] *S. f.* Causa, prova ou documento que comprova a realidade dum fato ou a veracidade duma proposição. [Cf. *dirimente.*]

justificativo. *Adj.* Que serve para justificar.

justificável. *Adj. 2 g.* Que pode ser justificado.

justilho. [Do esp. *justillo.*] *S. m.* Espécime de colete muito justo: "Um j u s t i l h o preto, curto e chanfrado, cerrava-lhe a cintura mimosa" (José de Alencar, *Guerra dos Mascates*, p. 55).

➧**Justizmord** (iustítsmord). [Al.] *S. m.* Condenação de um inocente à morte.

justo. [Do lat. *justu.*] *Adj.* **1.** Conforme à justiça, à eqüidade, à razão: *motivo j u s t o; pena j u s t a.* **2.** Imparcial, reto; íntegro: *homem j u s t o.* **3.** Exato, preciso: *Apareceu no momento j u s t o.* **4.** Legítimo, fundado: *pretensão j u s t a.* **5.** Que se ajusta ou adapta perfeitamente; ajustado: *O assunto é delicado, e cumpre saber a maneira j u s t a de o tratar.* **6.** *P. ext.* Apertado, estreito: "o vestido .... , de cetim branco, mangas compridas, muito j u s t o, a acompanhar as linhas do seu corpo bem-feito." (Josué Montelo, *Cais da Sagração*, p. 15). **7.** *Mús.* Diz-se de alguns intervalos: a oitava, a quinta, a quarta. ~ V. —*as núpcias,* —*preço* e —*título.* ● *Adv.* **8.** Exatamente, precisamente. ● *S. m.* **9.** Homem virtuoso. ◆ **Pagar o justo pelo pecador. 1.** Ser castigado ou repreendido aquele que não tem culpa, ficando impune o culpado. **2.** Sofrer uma parte inocente de um grupo o mesmo castigo que atingiu a parte culpada, por ser impossível identificar os responsáveis.

justura. [De *justo* + *-ura.*] *S. f.* **1.** Ato de justar ou ajustar. **2.** Forma que o ferrador dá à ferradura, dobrando-a de baixo para cima na parte anterior.

juta. [Do sânscr. *jata.* atr. de línguas indianas e do inglês.] *S. f.* **1.** Erva sublenhosa, anual, da família das tiliáceas *(Corchorus capsularis)*, originária da Índia, e cultivada intensamente na Amaz., para obtenção de suas valiosas fibras têxteis. Folhas serreadas e acuminadas; flores lúteas, pequenas e cimosas; o fruto é uma cápsula com cinco valvas, chegando a 5 m de altura o caule, que, macerado em água, liberta as fibras. **2.** O tecido feito com esta fibra.

jutaí. [Do tupi *yuta'i.*] *S. m. Bras.* V. *jataí* (1).

jutaiense (a-i). *Adj. 2 g.* **1.** De, ou pertencente ou relativo a Jutaí (AM). ● *S. 2 g.* **2.** Natural ou habitante de Jutaí.

jutaipeba (a-i). [Do tupi *juta'i*, 'juraí', + *'peiva* 'chato'.] *S. m. Bras.* Designação comum a duas plantas da família das leguminosas: *Hymenaea martiana* e *Dialium divaricatum.* [Sin. da última: *pororoca, capororoca.*]

jutaí-pororoca. *S. m. Bras.* Árvore da família das leguminosas (*Hymenea parvifolia*), semelhante ao jataí. [Pl.: *jutaís-pororocas* e *jutaís-pororoca.*]

jutairana (a-i). [Do tupi *yutai'rana*, 'falso jutaí'.] *S. f. Bras.* Árvore da família das leguminosas (*Crudia parivoa*), de folhas com três folíolos ovais e acuminados, flores com 10 estames e ovário hirsuto, e cuja madeira, rija e escura, é indicada para marcenaria. Ocorre na floresta amazônica.

juta-paulista. *S. f. Bras.* Arbusto ornamental, da família das malváceas (*Hibiscus kitaibelifolius*), de folhas lobadas, e cúpreas muitas vezes, flores enormes, vistosas, afuniladas, com estames congregados em um tubo central, fruto capsular, e cultivado no País para a indústria têxtil. [Pl.: *jutas-paulistas.*]

juto. [Do lat. *jutu.*] *S. m.* **1.** Indivíduo dos jutos, povo germânico que habitava a Jutlândia (atual Dinamarca). ● *Adj.* **2.** Pertencente ou relativo aos jutos.

jutuaúba. [Do tupi, decerto.] *S. f. Bras.* Árvore da família das meliáceas, do gênero *Guarea.*

jutubarana. [Certamente do tupi.] *S. f: Bras., N.E.* V. *tubarana.*

juuna. [Do tupi *yu*, 'espinho' + *-una*, 'preto'.] *S. f. Bras.* Arbusto aculeado e piloso, da família das solanáceas (*Solanum juripeba*), bastante difundido no Brasil, de folhas geminadas, oblongas e acuminadas, flores violáceas, pubescentes e vistosas, e cujo fruto é uma baga globosa e glabra, tida por medicinal.

juvá. *S. m. Bras., RS.* V. *palombeta.*

juvenais. [Do lat. *juvenalia.*] *S. m. pl.* Jogos romanos instituídos por Nero [v. *neroniano*].

juvenalesco (ê). *Adj.* Pertencente ou relativo a Juvenal, poeta satírico latino, nascido em c. 60 d. C. e morto em idade muito avançada, ou próprio dele ou de seu estilo; juvenaliano.

juvenaliano. *Adj.* Juvenalesco.

juvenato. *S. f.* **1.** Em certas ordens, centro de formação para quem se destina à vida religiosa. **2.** Nestas ordens, estágio antes ou depois do noviciado.

juvenê. *S. m. Bras.* Árvore do Sul, pertencente à família das rutáceas (gênero *Xanthoxylum*); juvevê.

juvenescer. [Do lat. *juvenescere.*] *V. t. d.* e *p.* Tornar(-se) jovem; rejuvenescer. [Conjug.: v. *crescer.*]

juvenescimento. *S. m.* Ação ou efeito de juvenescer(-se); rejuvenescimento.

juvenil [Do lat. *juvenile.*] *Adj. 2 g.* **1.** Da, relativo à, ou próprio de juventude: *ardor j u v e n i l; anos j u v e n i s.* **2.** *P. ext.* Jovem (1): *um ar j u v e n i l.* **3.** *Bras.* Diz-se de departamento, torneio, equipe, etc., de clube esportivo, constituído apenas de adolescentes. ● *S. m.* **4.** *Bras.* Clube ou torneio esportivo apenas de adolescentes.

juvenília. [Do lat. *juvenilia.*] *S. f.* As obras ou escritos da mocidade de um autor.

juvenilidade. [Do lat. *juvenilitate.*] *S. f.* **1.** Qualidade de juvenil; juventude, mocidade: "conservando [Ferdinand Denis] na mais adiantada idade, alegre, ridente, cheia de vegetação e de seiva a j u v e n i l i d a d e do seu espírito" (Ramalho Ortigão, *Em Paris*, p. 69). **2.** Idade juvenil, idade moça; juventude, mocidade; "uma figura de homem, belo e forte, em plena j u v e n i l i d a d e, caído por terra" (Martins Fontes, *Terras da Fantasia*, p. 41).

juvenilizante. [De *juvenilizar* + *-nte.*] *Adj. 2 g.* Que reanima, remoça, rejuvenesce: "no ar, jovializante, j u v e n i l i z a n t e, cheio de sons, de cores, e faiscâncias .... , revoejavam pássaros de asas pandas" (Martins Fontes, *A Alegria*, p. 45).

juveníssimo. [Do lat. *juvene*, 'jovem', + *íssimo.*] *Adj.* Superl. abs. sint. de *jovem.*

juventa. [Do lat. *juventa.*] *S. f.* Juventude (1).

juventude. [Do lat. *juventute.*] *S. f.* **1.** Idade moça; mocidade, adolescência, juventa: "os sítios onde passara a sua infância e lhe corriam felizes os anos da j u v e n t u d e." (José de Alencar, *O Sertanejo*, p. 33). **2.** A gente moça; mocidade: *Toda a j u v e n t u d e compareceu ao festival.* **3.** Fase do ciclo de um lago na qual este recebe mais água do que perde e por isso tem maior duração.

juvevê. *S. m. Bras.* Juvenê.

juvira. *S. m. Bras.* V. *tuvira.*

k. *S. m.* **1.** Letra considerada como pertencente ao nosso alfabeto, mas que só se usa em abreviaturas consagradas internacionalmente, nalguns vocábulos estrangeiros introduzidos no português, e em palavras derivadas de nomes próprios em que figura tal letra: *kantismo, kepleriano, shakespeariano,* etc. Representa, nessas palavras, a consoante oclusiva velar surda [*k*]. [V. *alfabeto fonético internacional.*] **2.** Símb. de *quil(o)-*[3] [q. v.]. **3.** *Quím.* Símb. de *potássio.* **4.** *Fís.* Símb. de *constante de Boltzmann.* **5.** *Fís.* Símb. do *kelvin.* ● *Num.* **6.** O undécimo, em uma série indicada pelas letras do alfabeto: *estante K* (ou *estante k*). **7.** A undécima, num grupo de séries: *série K* (ou *série k*). [Com maiúscula, nas acepç. 2, 3 e 5.]

■ **°K.** *Fís.* Símb. de grau *Kelvin,* hoje substituído por *K.*

➡**kabuqui** (bú). [Jap.] *S. m. Teat.* V. *cabúqui.*

kafkiano. *Adj.* **1.** Pertencente ou relativo a Franz Kafka, escritor alemão nascido na Tcheco-Eslováquia (1883-1924), ou próprio desse autor, ou que o lembra: "Recolhime ao meu mundo interior — como a personagem de *A Metamorfose,* de Kafka. É verdade: quando li a descrição k a f k i a n a, eu me disse com angústia — esse homem sou eu .... Em que espécie de bicho se terá transformado o homem k a f k i a n o?" (Antônio Carlos Vilaça, *O Nariz do Morto,* p. 50.) ● *S. m.* **2.** Grande admirador de Kafka e/ou profundo conhecedor de sua obra.

➡**kaiser.** [Al.] *S. m.* V. *cáiser.*

➡**kamikaze.** [Jap.] *S. m.* **1.** Na II Guerra Mundial, ataque suicida realizado por piloto de avião japonês. **2.** O avião ou o piloto utilizados em tal ataque.

kanga. *S. f.* V. *canga*[4].

kantiano. *Adj.* e *s. m.* Kantista.

kantismo. *S. m. Filos.* Doutrina de Immanuel Kant, filósofo alemão (1724-1804), caracterizada principalmente pela intenção de determinar os limites, o alcance e o valor da razão, concluindo pela redução do campo do conhecimento racional aos objetos de experiência possível (o que significa a negação da possibilidade de conhecimento racional dos objetos da metafísica e da religião) e pela necessidade de fundamentar a moral em imperativos categóricos gerados pela razão prática.

kantista. *Adj. 2 g.* **1.** Pertencente ou relativo ao kantismo [q. v.] ou a Kant. **2.** Que é partidário do kantismo. ● *S. 2 g.* **3.** Partidário dele. [Sin. ger.: *kantiano.*]

➡**karaokê.** [Jap., 'espaço vazio'.] *S. m.* Casa noturna onde qualquer cliente pode cantar ao microfone, acompanhado por músicos da casa ou por *playbacks* instrumentais.

kardecismo. *S. m.* Doutrina religiosa de Allan Kardec (1804-1869), pensador espírita francês.

kardecista. *Adj. 2 g.* **1.** Pertencente ou relativo a Allan Kardec, ou ao kardecismo. **2.** Que é adepto do kardecismo. ● *S. 2 g.* **3.** Adepto dessa doutrina.

➡**kart.** [Ingl.] *S. m. Autom.* Pequeno veículo automóvel dotado de embreagem automática, sem carroceria, nem caixa de mudanças, nem suspensão.

➡**karting.** [Ingl.] *Autom.* Corrida de *karts;* kartismo.

kartismo. [De *kart* + *-ismo.*] *S. m. Karting.*

kartista. [De *kart* + *-ista.*] *S. 2 g. Autom.* Pessoa que pratica o kartismo. [Cf. *cartista.*]

kartódromo. [De *kart* + *-o-* + *-dromo.*] *S. m.* Pista para corridas de *karts.*

■ **kc.** *Desus.* Símb. de *quilociclo.*

■ **kcal.** *Fís.* Símb. de *grande-caloria.*

➡**kelper** (kélper). [Ingl.] *S. 2 g.* Natural ou habitante das Ilhas Falklands ou Malvinas (América do Sul) [v. *malvinense*]: "Os ilhéus se intitulam k e l p e r s, nome que deriva de uma alga marrom abundante na região" (*Jornal do Brasil,* 13.4.1982).

kelvin. [Do antr. *Kelvin,* de William Thomson, lord Kelvin, físico inglês (1824-1907).] *S. m. Fís.* Intervalo unitário de temperatura na Escala Absoluta de Temperatura. [Denominava-se *grau Kelvin* ou *grau absoluto.* Símb.: *K.*]

kepleriano. *Adj.* Pertencente ou relativo ao astrônomo alemão Johann Kepler (1571-1638), ou próprio dele. ~ V. *sistema* —.

➡**ketchup** (kètchâp). [Ingl.] *S. m.* Molho consistente de tomate em conserva e outros condimentos.

■ **keV.** *S. m. Fís. Nucl.* Unidade de medida de energia igual a 1000 elétrons-volt e equivalente a $1{,}602 \times 10^{-16}$ J.

keynesiano. *Adj.* **1.** Pertencente ou relativo ao economista britânico John Maynard Keynes (1883-1946), ou próprio dele. **2.** Que é adepto da doutrina desse economista. ● *S. m.* **3.** Adepto dessa doutrina.

keyserlinguiano (cai). *Adj.* **1.** Pertencente ou relativo a Alexander Hermann Keyserling (1880-1946), filósofo e escritor alemão. **2.** Que é seguidor e/ou grande admirador da sua obra.● *S. m.* **3.** Seguidor e/ou grande admirador desse autor.

■ **kg.** *Fís.* Símb. de *quilograma*[1].

■ **kgf.** *Fís.* Símb. de *quilograma-força.*

■ **kgf.m.** Símb. de *quilogrâmetro.*

■ **kHz.** Símb. de *quilohertz.*

➡**ki.** [Jap.] *S. m. Teat.* Nô [q. v.] cujas personagens principais são demônios e espíritos malignos.

➡**kibutz.** [Hebr.] *S. m.* Pequena fazenda coletiva, em Israel. [Cf. *colcós.*]

kierkegaardiano (quir). *Adj.* **1.** Pertencente ou relativo ao filósofo e teólogo dinamarquês Sören Aabye Kierkegaard (1813-1855), ou à sua doutrina. **2.** Que é partidário dessa doutrina. ● *S. m.* **3.** Partidário dela.

➡**kilt.** [Ingl.] *S. m.* **1.** Saiote pregueado e parcialmente trespassado, que vai da cintura até os joelhos, feito de lã quadriculada em cores correspondentes aos diversos clãs, e que faz parte do traje típico masculino escocês. **2.** *Moda.* Saia feminina semelhante ao *kilt* (1), porém de diversos comprimentos.

kimberlito. *S. m. Geol.* Rocha magmática vulcânica brechada, essencialmente composta de olivina alternada, flogopita, piroxênios e piropo. É a rocha matriz do diamante, e ocorre sob a forma de chaminés ou diques.

➡**king.** [Ingl.] *S. m.* Jogo do bridge [q. v.] simplificado.

kirsch (kirx). [Al., 'cereja'.] *S. m.* Aguardente de cereja.

➡**kit** (kêt). [Ingl.] *S. m.* Estojo com conjunto de utensílios.

➡**kitchenette** (kitxenet'). [Ingl.] *S. f.* Cozinha pequena ou reduzida, ou parte de um compartimento ou armário dispostos como cozinha, característica dos apartamentos de quarto e sala ou conjugados.

➡**kitsch** (kitch). [Al.] *Adj. 2 g.* e *2 n.* Diz-se de material artístico, literário, etc., considerado como de má qualidade, em geral de cunho sentimentalista, sensacionalista, imediatista, e produzido com o especial propósito de apelar para o gosto popular: "O k i t s c h é a estética do *digestivo,* do 'culinário', do agradável-que-não-reclama-raciocínio." (José Guilherme Merquior, *Formalismo e Tradição Moderna,* pp. 13-14).

➡**Kjökkenmödding** (xekenmeding). [Din.] *S. m.* Sambaqui.

■ **kl.** Abrev. de *quilolitro.*

➡**klaxon** (klácson). [Ingl.] *S. m.* Buzina de automóvel.

■ **km.** Símb. de *quilômetro.*

■ **km/h.** Símb. de *quilômetro por hora.*

kneippismo (cnai). *S. m.* Sistema terapêutico de Sebastian Kneipp, alemão (1821-1897), que preconiza certas formas de hidroterapia.

kneippista (cnai). *Adj. 2 g.* **1.** Pertencente ou relativo a Sebastian Kneipp, ou ao kneippismo [q. v.]. **2.** Que é adepto do kneippismo; que o preconiza. ● *S. 2 g.* **3.** Adepto do kneippismo.

➡**knob** (nób). [Ingl.] *S. m. Radiotéc.* V. *botão* (15).

➡**knock-out** (nocáut). [Ingl.] *S. m.* V. *nocaute.* [Abrev.: *K.O.*]

➡**know-how** (nôu-ráu). [Ingl.] *S. m.* Designa os conhecimentos técnicos, culturais e administrativos.

■ **K.O.** Abrev. de *nocaute* (1).

■ **Kr.** *Quím.* Símb. de *criptônio.*

➡**Krach** (kráh). [Al.] *S. m.* Quebra financeira.

krishnamurtiano. *Adj.* Pertencente ou relativo ao pensador indiano Jiddu Krishnamurti (1895), ou próprio dele.

➡**kümmel** (cúmel). [Al.] *S. m.* Licor alcoólico aromatizado com cominhos, fabricado sobretudo na Alemanha e na Rússia.

■ **kVA.** Símb. de *quilovolt-ampère.*

■ **kW.** Símb. de *quilowatt.*

■ **kwh.** Símb. de *quilowatt-hora.*

➡**kyogen.** [Jap.] *S. m. Teat.* Pequena farsa ou entremez cômico do teatro japonês, cujos temas se baseiam nas lendas e nos contos populares.

➡**kyrie.** [Da loc. gr. *Kyrie eleison,* 'Senhor, tende piedade'.] *S. m. 2 n. Lit.* Parte da missa (1) que se inicia com esta invocação, recitada ou cantada. [V. *liturgia da missa.* Cf. *ordinário* (10).]

L

l. *S. m.* **1.** A 11ª. letra do nosso alfabeto. [V. *alfabeto fonético internacional*.] **2.** A forma desta letra: *um quarto em L*. **3.** Símb. de *litro*. **4.** *Geogr.* Abrev. de *leste*. ● *Num.* **5.** No sistema romano de numeração, é símbolo do número 50. **6.** Undécimo, numa série indicada pelas letras do alfabeto: *casa L* (ou *casa l*). **7.** A undécima, num grupo de séries: *série L* (ou *série l*). [Cf. *ele, lê*. Com maiúscula, nas acepç. 2, 4 e 5.]

la. [Do lat. *illa*.] F. arc. de a[2], ou seja, do art. def. fem. a e do pron. pess. oblíquo da 3ª pess., fem., *a*, este ainda hoje us. depois de formas verbais terminadas em *r, s* ou *z*, depois dos pronomes *nos* e *vos* e depois do advérbio *eis*. [Cf. *lá*.]

■ **La.** *Quím.* Símb. de *lantânio*. [Cf. *lá*.]

lá[1]. [V. *ut*.] *S. m. Mús.* **1.** O nome do sexto grau da escala diatônica ou natural de *dó*[2] (1). [Cf. *A*[1] (4) e *ut*.] **2.** O sinal que representa essa nota na pauta. [Cf. *A*[1] (4).] **3.** V. *diapasão* (5). Cf. *la*.]

lá[2]. [Do lat. *ad illac*, atr. do arc. *alá*.] *Adv.* **1.** Naquele lugar; ali: *Lá, bem longe da cidade, vive ele*. **2.** Àquele lugar; ali: *Cheguei de Curitiba, e não sei quando voltarei lá*. **3.** Adiante, além: *Queria ir só até Florianópolis, mas foi para lá*. **4.** Entre eles; naquela terra; algures: *Cá e lá, é tudo a mesma coisa*. **5.** Nesse tempo (futuro); então: *Até lá já se terá resolvido o caso*. **6.** Partícula de realce, reforço, que, anteposta ou posposta a um verbo, lhe imprime a idéia de começo imediato de ação: *Lá vou eu!*, ou que se usa, não raro com valor afetivo, após o pronome oblíquo referente à pessoa com quem se fala: *Conte-me lá como foi a festa; Diga-nos lá o que sabe do caso*; ou que, conforme a entonação que se lhe dê, assume, pelo menos aproximadamente, o valor de um advérbio de negação: *Sei lá!; Lá inventar potocas, isso ele não faz; Mas isso é lá possível*; "Graciliano podia lá viver numa cidade assim!" (Artur Azevedo, *Contos Possíveis*, p. 171); "Tenho lá cara de general!" (Fernando Sabino, *A Falta Que Ela Me Faz*, p. 52)."— Eleição?... cortou abruptamente o Jango. Lá quero saber disso!" (Vieira Pires, *Querência*, p. 49). [Se o verbo antecedente ou seguinte ao *lá* estiver na 1ª. pess., é preferível (mas p. us. no Brasil) o *cá*: *Sei cá!*] **7.** Usa-se antes de advérbios de lugar: "Em Toledo. Lá fora, a vida tumultua / E canta." (Olavo Bilac, *Poesias*, p. 240.) [Cf. *la*.] ◆ **Lá de dentro.** *Bras., RS.* Assim dizem os habitantes da fronteira quando se referem ao N. do Estado e à região do litoral (os habitantes dessas zonas são *lá de dentro*). **Lá de fora.** *Bras., RS.* Dizem assim os habitantes da campanha com relação à fronteira. [São *lá de fora* os habitantes dessa região.] **Meio lá, meio cá. 1.** Em estado de indecisão; sem saber o que faça ou o que diga. **2.** Um tanto indisposto. **Para lá de.** Mais do que: *Possui para lá de um bilhão*; "Eduarda era para lá de linda." (Fontes Ibiapina, *Congresso de Duendes*, p. 73); "Você é pra lá de boa, Maria!" (Miroel Silveira, *Bonecos de Engonço*. p. 64).

lã. [Do lat. *lana*.] *S. f.* **1.** Pêlo que cobre o corpo de certos animais. **2.** Fazenda tecida com esse pêlo. **3.** Lanugem de certas plantas. **4.** V. *carapinha* (1). **5.** *Bras., N.E.* O algodão em rama, no sertão de PE e dos estados vizinhos. ◆ **Lã de escória.** Fibra que se obtém pela ação de um sopro de ar sobre escória fundida, e usada na fabricação de isolantes térmicos e acústicos. **Lã de vidro.** Isolante térmico constituído de finas fibras de vidro, que se obtém com forte sopro de ar sobre vidro em fusão. **Ir buscar lã e sair tosquiado. 1.** Tentar lograr e sair logrado. **2.** Pretender pregar uma peça e sair troçado. [Sin. ger.: *ir buscar lã e vir tosquiado*.] **Ir buscar lã e vir tosquiado.** Ir buscar lã e sair tosquiado.

labá. [Do ioruba.] *S. f. Bras.* Sacola que contém os preceitos de Xangô.

labaça[1]. [Do lat. *labathia (de *labathu*).] *S. f. Bras.* Erva da família das poligonáceas (*Rumex crispus*), de folhas oblongas, crespas, e flores inconspícuas, que da Europa emigrou para o Brasil, onde, aliás, não é comum.

labaça[2]. *S. f. Bras.* Suplemento de madeira que se prega nas faces das cavernas dos barcos e dos navios para receber o tabuado que nessas peças se deve colocar.

labaçal. [De *labaça*[1] + *-al*.] *S. m. Bras.* Quantidade mais ou menos considerável de labaças [v. *labaça*[1]] dispostas proximamente entre si.

labaçol. *S. m.* Variedade de labaça[1]. [Pl.: *labaçóis*.]

laba-laba. *S. f. Bras.* Árvore da família das voquisiáceas (*Qualea rosea*), da floresta amazônica, de folhas ovadas, acuminadas e coriáceas, flores amplas, alvas por fora e róseas por dentro, com uma grande pétala, e cujo fruto é uma cápsula longa e lenhosa, com sementes aladas, sendo a madeira indicada para construção e tabuado. [Pl.: *laba-labas*.]

labão. *S. m.* Antigo militar chinês; loção.

labareda (ê). *S. f.* **1.** Grande chama; língua de fogo. **2.** *Fig.* Vivacidade, ardor, impetuosidade. ● *S. m.* **3.** Homem azafamado. [Var.: *lavareda*.]

lábaro. [Do gr. bizantino *lábaron*, pelo lat. *labaru*.] *S. m.* **1.** Estandarte dos exércitos romanos. **2.** V. *bandeira* (1): "Brasil, de amor eterno seja símbolo / O lábaro que ostentas estrelado" (Osório Duque Estrada, *Hino Nacional Brasileiro*).

labatu. *S. m. Bras., BA. Folcl.* Negro velho, meio doido, que causa assombrações durante o dia.

labelado. [De *labelo* + *-ado*[1].] *Adj.* Que tem feitio de lábio; labiado.

➧**la belle époque** (la bel êpóque). [Fr. 'a bela época'.] Os primeiros anos do séc. XX, considerados como uma época de vida agradável e fácil. [V. *belle époque*.]

labelo. [Do lat. *labellu*.] *S. m.* **1.** Pequeno lábio. **2.** *Morfol. Veg.* A pétala superior, maior e de coloração distinta das demais, que se encontra nas flores das orquídeas e das leguminosas. **3.** *Zool.* Bordo revirado de certas conchas.

labéu. *S. m.* **1.** Nota infame ou infamante. **2.** Mancha na reputação; desdouro, desonra.

lábia[1] [De *lábio*, certamente.] *S. f.* **1.** Astúcia, manha; solércia. **2.** Falas melífluas com que se procura iludir alguém ou captar agrado ou favores: "Entre o caçador que mata setenta tatus em um dia e o comerciante que tem lábias para convencer o freguês de que o gato é lebre — que distância enorme!" (Graciliano Ramos, *Linhas Tortas*, p. 55.) [Sin., bras., gír. (nesta acepç.): *papa*.] **3.** V. *palavreado* (2).

lábia[2]. [Do lat. *labia*, pl. de *labium*.] *S. f. Anat.* Os grandes lábios [q. v.] e os pequenos lábios [q. v.].

labiada. [Fem. substantivado do adj. *labiado*.] *S. f.* **1.** Espécime das labiadas. ● *Adj.* (*f.*) **2.** Pertencente ou relativo a elas.

labiadas. [Pl. de *labiada*.] *S. f. pl. Bot.* Família de plantas floríferas, da ordem das tubifloras, que engloba ervas e arbustos, raramente árvores. Folhas opostas; flores vistosas, coloridas, zigomorfas; corola labiada; estames didínamos; gineceu com dois carpelos biovulados; ovário com quatro lóculos, e o estilete ginobásico. Fruto: cocos monospérmicos. Todos os órgãos encerram óleos essenciais. Há perto de 3 000 espécies temperadas e tropicais, não poucas no Brasil, muitas delas ornamentais e medicinais.

labiado. [De *lábio* + *-ado*[1].] *Adj.* **1.** Labelado. **2.** *Bot.* Diz-se da planta de corola simpétala, de cinco pétalas, duas das quais, soldadas, formam uma porção superior oposta à porção inferior constituída por três pétalas também soldadas, e que apresentam o aspecto de um lábio. **3.** Pertencente ou relativo aos labiados. ● *S. m.* **4.** Espécime dos labiados.

labiados. [Pl. de *labiado*.] *S. m. pl.* Animais de lábios alongados, grossos, ou de cor diversa da do resto do corpo.

labial. [Do lat. *labiale*.] *Adj. 2 g.* **1.** Relativo ou pertencente aos lábios. **2.** *Gram.* Que se pronuncia com os lábios. ● *S. f.* **3.** *Gram.* Fonema labial.

labialismo. *S. m.* Falar defeituoso por excessivo emprego de sons labiais.

labialização. *S. f. Gram.* Ato de labializar.

labializar. [De *labial* + *-izar*.] *V. t. d.* **1.** Tornar labial. **2.** Pronunciar com os lábios.

labidógnata. *S. f. e adj.* (*f.*) V. *araneomorfa*.

labidógnatas. *S. f. pl. Zool.* V. *araneomorfas*.

lábil. [Do lat. *labile*.] *Adj. 2 g.* **1.** Sujeito a escorregar, a cair. **2.** Variável, instável: *pressão lábil*. **3.** Passageiro, transitório. **4.** *Geol.* Diz-se de terreno ou de rocha instável. [Pl.: *lábeis*.]

labilidade. *S. f.* **1.** Qualidade de lábil. **2.** *Psiq.* Instabilidade emocional: tendência a demonstrar, alternadamente, estados de alegria e tristeza.

lábio. [Do lat. *labiu*.] *S. m.* **1.** *Anat.* Borda ou margem carnuda e vermelha. [Cf. *beiço*.] **2.** *Anat.* Cada um dos lábios [v. *lábio* (1)], um superior e outro inferior, que constituem o contorno da fenda bucal. **3.** Parte ou objeto semelhante ao lábio: *os lábios de uma ferida*. **4.** *Morfol. Veg.* Parte em que se divide a corola bilabiada. [Dim. irreg. (nas 4 acepçs.): *labelo*. Cf. na última *labíolo*.] ◆ **Lábio leporino.** *Patol.* Deformidade que, em seu grau máximo, se constitui de fenda unilateral ou bilateral, e de que participam o lábio superior, a rebordа alveolar, a abóbada palatina e o véu do paladar; lagoquilia. **Grandes lábios.** *Anat.* As bordas da vulva. **Pequenos lábios.** *Anat.* As duas pequenas pregas da pele situadas, uma de cada lado, entre o grande lábio e o orifício da vagina.

labiodental. [De *lábio* + *dental*.] *Adj. 2 g. e s. f. Fon.* —V. *consoante* —.

labíolo. [Dim. irreg. de *lábio*.] *S. m. Morfol. Veg.* Lábio inferior da corola bilabiada; barba. [Cf. *lábio* (4).]

labionasal. [De *lábio* + *nasal*.] *Adj. 2 g. e s. 2 g. Fon.* Diz-se da, ou a consoante caracterizada por uma oclusão labial e escapamento do ar, em parte pela cavidade nasal.

labiopalatal. [De *lábio* + *palatal.*] *Adj.* 2 *g. Anat.* Relativo ao lábio e ao palato: "anomalias labiopalatais" (*USP Informações*, SP, nº 47).

labiosidade. *S. f.* Qualidade ou maneiras de labioso[2].

labioso[1] (ô). [Do lat. *labiosu.*] *Adj.* Que tem lábios grandes.

labioso[2] (ô). *Adj.* Que tem, ou em que há lábia[1].

labirinteira. *S. f. Bras., N.E.* Mulher que faz labirinto (7): "Em qualquer recanto, em qualquer palhoça, tinha labirinteiras e rendeiras" (Moreira Campos, *Os Doze Parafusos*, p. 28).

labiríntico. [Do lat. *labyrinthicu.*] *Adj.* **1.** Relativo a labirinto. **2.** Tortuoso, sinuoso: "Andamos a Rua D. Manuel e outras, que a cruzam, labirínticas." (Ribeiro Couto, *A Cidade do Vício e da Graça*, p. 110.) **3.** *Fig.* Confuso, enredado, emaranhado.

labirintiforme. [De *labirinto* + *-i-* + *-forme.*] *Adj.* 2 *g.* **1.** Que tem forma de labirinto. **2.** *Zool.* Diz-se dos dentes em que o esmalte se deposita em lâminas contínuas, e que com a abrasão mostram linhas sinuosas contínuas.

labirintite. [De *labirinto* + *-ite*[1].] *S. f. Patol.* Inflamação, pouco freqüente, do labirinto, vulgarmente confundida com a síndrome de Ménière [q. v.].

labirinto. [Do gr. *labyrinthos*, pelo lat. *labyrinthu.*] *S. m.* **1.** Edifício composto de grande número de divisões, corredores, galerias, etc., e de feitio tão complicado que só a muito custo se lhe acerta com a saída. **2.** Jardim cortado por numerosas ruas entrelaçadas e intrincadas. **3.** Desenho ou traçado formado de linhas sinuosas, à imitação de um labirinto. **4.** *Fig.* Disposição irregular e confusa; dédalo: *As ruas de Alfama e da Mouraria, em Lisboa, são um labirinto.* **5.** *Fig.* Coisa complicada, confusa, obscura: "De ano para ano as contas iam-se enredando, complicando-se em misteriosos labirintos de juros de juros." (Conde de Ficalho, *Uma Eleição Perdida*, p. 195.) **6.** *Anat.* Sistema de cavidades ou canais intercomunicantes. [Encontram-se labirintos em diversas partes do corpo humano: *osso etmóide, ouvidos internos, rins.*] **7.** *Bras., N., N.E.* e *MG.* V. *crivo* (7). ◆ **Labirinto membranoso.** *Anat.* Formação membranosa existente no ouvido interno, no interior do labirinto ósseo, e que contém a endolinfa [q. v.]. **Labirinto ósseo.** *Anat.* Formação óssea existente no ouvido interno e se compõe de canais semicirculares, vestíbulo e cóclea, que contém a perilinfa [q. v.].

lablade. *S. f.* Trepadeira ornamental da família das leguminosas (*Dolichos lablab*), de folhas com três folíolos amplos, rombóides, flores papilionáceas alvas e vistosas, e legume semelhante ao do feijoeiro, com sementes comestíveis grandes e nutritivas.

labor (ô). [Do lat. *labore.*] *S. m.* Trabalho, faina, lavor. [Pl.: *labores* (ô). Cf. *labores*, do v. *laborar.*]

laboração. [Do lat. *laboratione.*] *S. f.* **1.** Ato ou efeito de laborar; elaboração: "O mar é um cérebro em laboração" (Gilca da Costa Melo Machado, *Poesias*, p. 275). **2.** Atividade, exercício, trabalho.

laborão. *S. m. Bras., N.E.* Grande labor; trabalho intenso.

laborar. [Do lat. *laborare.*] *V. int.* **1.** Exercer o seu mister; entrar em função; funcionar: *Na luta contra o inimigo a artilharia aérea laborou com pleno êxito.* **2.** Trabalhar, labutar, lidar: *Para terminar a obra na data marcada, os operários laboravam noite e dia.* **3.** *Marinh.* Trabalhar (um cabo) em gornes. *T. d.* **4.** Fazer, trabalhar, realizar. **5.** Amanhar, cultivar (as terras); lavrar. *T. i.* **6.** Trabalhar, labutar, lidar: "Dentro dos seus muros, só os escravos laboram na faina dos açúcares." (Oliveira Viana, *Populações Meridionais do Brasil*, p. 96.) **7.** Cair, incidir, incorrer (em erro, engano, equívoco), trabalhando, lidando, pesquisando: "Desde que Seabra .... disse, erradamente, que João Penha nasceu em 29 de abril de 1839, todos os biógrafos do poeta .... laboram no mesmo engano." (Campos de Figueiredo, *in* João Gaspar Simões, *Perspectiva da Literatura Portuguesa do Século XIX*, I, p. 427.) [Pres. ind.: *laboro*, etc.; pres. subj.: *labore, labores*, etc. Cf. *laboro* (ô), s. m. e *labores* (ô), pl. de *labor.*]

laboratorial. *Adj.* 2 *g.* De, ou relativo a laboratório: *exame laboratorial.*

laboratório. [Do fr. *laboratoire.*] *S. m.* **1.** Lugar destinado ao estudo experimental de qualquer ramo da ciência, ou à aplicação dos conhecimentos científicos com objetivo prático (exame e/ou preparo de medicamentos, fabricação de explosivos, exame de líquidos e tecidos do organismo, etc.) **2.** Lugar onde se efetuam trabalhos fotográficos ou cinematográficos, como, p. ex., revelação, ampliações, montagem de filmes. **3.** Parte de um forno de revérbero onde se põe a matéria sobre a qual atua o combustível. **4.** *Fig.* Teatro de notáveis operações ou transformações.

laboratorista. *S.* 2 *g. Bras.* Técnico de laboratório (1).

laboriosidade. *S. f.* **1.** Qualidade de laborioso (1). **2.** Zelo, diligência, esforço.

laborioso (ô). [Do lat. *laboriosu.*] *Adj.* **1.** Amigo de trabalhar; trabalhador: "no meio dum povo laborioso e enérgico, em cujo seio floresciam as roças, abundavam as pescarias, constatavam-se as lutas com o inimigo." (Raimundo Morais, *País das Pedras Verdes*, p. 293). **2.** Trabalhoso, difícil, custoso, árduo: "A laboriosa foi a organização do núcleo de países confederados militarmente pelo tratado de Paris." (Fidelino de Figueiredo, *Entre Dois Universos*, p. 86); "Enquanto trabalhava, levada pelo hábito de sua vida laboriosa, tirara um fuso da cintura, e .... começara a fiar as pastas de algodão que estavam dentro de uma cabaça" (José de Alencar, *O Sertanejo*, p. 102).

laborista. [Do ingl. *laborist.*] *Adj.* 2 *g.* **1.** Pertencente ou relativo ao partido inglês *Labour Party.* **2.** Trabalhista (3). ● *S.* 2 *g.* **3.** Trabalhista (7).

laboro (ô). [Dev. de *laborar.*] *S. m. Bras. Pop.* Labor. [Pl.: *laboros* (ô). Cf. *laboro*, do v. *laborar.*]

laborterapia. [De *labor* + *-terapia.*] *S. f.* **1.** *Psiq.* V. *terapia ocupacional.* **2.** Nas penitenciárias, atividade semelhante à terapia ocupacional e que objetiva a reintegração social do condenado.

laborterápico. *Adj.* Relativo à laborterapia.

labradorita. [Do top. *Labrador* + *-ita*[3].] *S. f. Min.* Mineral triclínico, do grupo dos feldspatos (plagioclásio), mistura isomorfa de albita e anortita, variando esta última de 50 a 70 por cento. [Var.: *lavradorita.*]

labreado. [Part. de *labrear.*] *Adj. Bras., N.E.* Sujo, emporcalhado, breado, lambrecado.

labrear. [De *brear.*] *V. t. d. Bras., N.E.* Emporcalhar, brear, lambrecar, lambregar. V. *sujar* (1). [Conjug.: v. *frear.*]

labrego (ê). [De *lavrar.*] *Adj.* **1.** V. *lapuz.* **2.** *Fig.* Malcriado, grosseiro. ● *S. m.* **3.** V. *lapuz*: "Riamo-nos dos labregos, dos lapuzes, dos labrostes da falsa aristocracia." (Agripino Grieco, *Zeros à Esquerda*, p. 193.) **4.** Arado provido de varredouro para limpar da terra as raízes. **5.** *Bras. Desus.* Alcunha de portugueses. V. *galego* (4). **6.** *Bras., BA.* Designação vulgar do falso topázio ou citrina.

labrense. *Adj.* 2 *g.* **1.** De, ou pertencente ou relativo a Lábrea (AM). ● *S.* 2 *g.* **2.** Natural ou habitante de Lábrea.

labrídeo. *S. m.* **1.** Espécime dos labrídeos. ● *Adj.* **2.** Pertencente ou relativo a eles.

labrídeos. *S. m. pl. Zool.* Família de peixes actinopterígios, percomorfos. Ex.: o papagaio, o peixe-rei, etc.

labro. [Do lat. *labru.*] *S. m. Zool.* **1.** Lábio superior que entra na formação das peças bucais do inseto. **2.** O lábio superior dos mamíferos.

labroso (ô). [De *labro* + *-oso.*] *Adj. Zool.* Diz-se da concha univalve que tem a extremidade externa grossa e revirada.

labrosta. [De *lavrar.*] *Adj.* e *s. m.* V. *lapuz.* [Var.: *labroste.*]

labroste. *Adj.* e *s. m.* Var. de *labrosta*: "Com .... o terno remendado e limpinho de labroste serrano, tio Marto veio à fala" (Vitorino Nemésio, *O Retrato do Semeador*, p. 135).

labrusca. [Do lat. *labrusca*, 'vinha selvagem'.] *S. f.* Casta de uva portuguesa.

labrusco. [Provavelmente do lat. *labruscu*, 'fruto de labrusca'.] *Adj.* **1.** Rude, tosco, inculto, agreste, montês. ● *S. m.* **2.** Indivíduo labrusco.

laburno. [Do lat. *laburnu.*] *S. m.* Arbusto ornamental europeu, da família das leguminosas (*Cytisus laburnum*), de profusas flores amarelas, arrumadas em racemos terminais pêndulos, folhas com três folíolos, e legume comprido e linear.

labuta. [Dev. de *labutar.*] *S. f.* Trabalho, lida, labor; labutação.

labutação. *S. f.* **1.** V. *labuta.* **2.** Ato ou efeito de labutar.

labutador (ô). *Adj.* e *s. m.* Que ou aquele que labuta.

labutar. [De *labor?*] *V. int.* **1.** Trabalhar duramente e com perseverança; lidar, laborar: *Muito labutou para conseguir a posição que hoje tem.* **2.** Esforçar-se, empenhar-se: *Labutou com afinco para arrancar as raízes da árvore.* *T. d.* **3.** Levar, suportar, viver: *Labutou uma vida penosa, e não teve qualquer recompensa.*

labuzar. *V. t. d.* V. *lambuzar.*

laca. [Do sânscr. *lakxa*, 'cem mil', atr. do ár. *lakk.*] *S. f.* **1.** Resina vermelha extraída de várias plantas; gomalaca. **2.** Combinação de uma substância corante com um mordente e diversas outras substâncias. **3.** Espécie de verniz que se obtém pela precipitação de um corante orgânico sobre uma base inorgânica e que é usado na pintura de automóveis.

laçaço. [Do esp. plat. *lazazo.*] *S. m. Bras., RS.* Golpe dado com o laço (6). [Cf. *lançaço.*]

laçada. [De *laçar* + *-ada*[1].] *S. f.* **1.** Nó corredio. **2.** Nó que se desata facilmente, e que apresenta uma alça. [Cf., nesta acepç.: *laço* (1).] **3.** No tricô ou crochê, alça feita com o fio que se passa na agulha sem executar o ponto. [Cf. *lassada*, fem. do part. de *lassar.*]

laçador (ô). *S. m. Bras., RS.* Homem destro no exercício de laçar, no manejo do laço (6).

lacaiada. *S. f.* **1.** Dito ou ato próprio de lacaio. **2.** Grupo ou grande número de lacaios.

lacaiar. *V. t. d. Bras.* Servir de lacaio (1 e 2) a.

lacaiesco (ê). *Adj.* Relativo a, ou próprio de lacaio (1 e 2).

lacaio. [Do esp. *lacayo.*] *S. m.* **1.** Criado de libré, que acompanha o amo em passeio ou jornada. **2.** *Fig.* Homem sem dignidade, desprezível; sabujo; amouco. **3.** *Bras., BA.* O quartzo cor de fumaça.

lacambeche. *S. m. Bras., CE.* Antiga espingarda de pederneira: "O sertanejo abaixa-se ligeiro qual um maracajá e puxa o gatilho do lacambeche" (Gustavo Barroso, *Heróis e Bandidos*, p. 140).

lacão. *S. m. Ant.* e *prov. port.* V. *presunto* (1).

lação. *S. m.* V. *laço* (1).

laçar. *V. t. d.* **1.** Prender com laços; atar; enlaçar. **2.** *Bras.* Prender (um homem, um cavalo ou um boi) por meio do laço. **3.** Atar, apertar. *P.* **4.** Prender-se por laço. **5.** Enforcar-se. [O ç transforma-se em c antes de *e*: *lace, laces, lace, lacei*, etc. Pres. ind.: *laço*, etc. Fut. do pret.: *laçaria.* Cf. *lasso*, adj., e *lassaria*, do v. *lassar.*]

laçarada. *S. f.* Conjunto de laços para enfeite.

laçaria. *S. f.* **1.** Ornatos em forma de laço (1). **2.** Ornatos em pedra ou talha: "Na vasta quadra aparelhada para o festim ...., o vento geme por entre frisos e laçarias dos delgados colunelos." (Rebelo da Silva, *Contos e Lendas*, pp. 37-38.) **3.** Porção de laços. **4.** Fitas enlaçadas. [Cf. *lassaria*, do v. *lassar.*]

laçarote. *S. m.* Laço (1) grande e vistoso.

laçarrão. *S. m.* Aum. de *laço* (1) [q. v.].

lacedemônio. [Do lat. *lacedaemoniu.*] *Adj.* **1.** De, ou pertencente ou relativo a Lacedemônia, Lacônia ou Esparta (Grécia). ● *S. m.* **2.** O natural ou habitante de Lacedemônia. [Sin. ger.: *lacônio, espartano.*]

laceira. [De *laço* + *-eira.*] *S. f. Bras.* *S.* Rama de cipós entrelaçados. (1).

laceração. [Do lat. *laceratione.*] *S. f.* Ato ou efeito de lacerar.

lacerante. [Do lat. *lacerante.*] *Adj.* 2 *g.* V. *dilacerante*: "uma idéia ia-o atravessando, lacerante, angustiosa" (Eça de Queirós, *Os Maias*, II, p. 206).

lacerar. [Do lat. *lacerare.*] *V. t. d.* e *p.* Dilacerar: "quase lhe queria mal por ela não reter essas lágrimas infindáveis que laceravam o seu coração." (Eça de Queirós, *Os Maias*, II, p. 155).

lacerável. *Adj.* 2 *g.* Que se pode lacerar.

lacerdinha. [Do antr. *Lacerda* (v. *lacerdismo*) + *-inha.*] *S. m. Bras.* Inseto tisanóptero, da família dos fleotripídeos (*Gynaikothrips ficorum* (Marshall)), introduzido no Brasil em 1961, originário da Ásia Oriental. É praga, entre nós, de *Ficus retusa* var. *nitida* Thunb; os adultos têm olhos vermelhos; comprimento: de 2 a 2,5 mm. [Sin.: *amintinha, barbudinho, azucrinol.*]

lacerdismo. *Bras. S. m.* **1.** Pensamento ou ação política de Carlos Lacerda (1914-1977), ex-governador do antigo Estado da GB. **2.** Adesão ao lacerdismo (1), ou simpatia por ele.

lacerdista. *Bras. Adj.* 2 *g.* **1.** Relativo ao, ou próprio do lacerdismo. **2.** Que é partidário do lacerdismo (1). ● *S.* 2 *g.* **3.** Partidário do lacerdismo (1).

▲**lacerti-.** [Do lat. *lacertus, i.*] *El. comp.* = 'lagarto': *lacertiforme.*

lacertiforme. [De *lacerti-* + *-forme.*] *Adj.* 2 *g.* Semelhante ao lagarto.

lacertílio. [Do lat. mod. *lacertilia*, de *lacertu*, 'lagarto'.] *S. m.* e *adj.* Sáurio.

lacertílios. *S. m. pl. Zool.* Sáurios.

lacete (ê). *S. m.* **1.** Laço (1) pequeno. **2.** Parte da fechadura por onde passa o fecho. **3.** Curva e contracurva de estrada. **4.** Marcha coleante do trem de ferro. **5.** Empedrado feito em estrada macadamizada a fim de que as enxurradas não a descarnem.

lacha. [Talvez cruz. de *acha*[1] com *lasca.*] *S. f. Bras., N.E. Pop.* Acha[1]. [Cf. *laxa*, do v. *laxar.*]

lacífero. [De *laca* + *-i-* + *-fero.*] *Adj.* Que produz laca (1).

lacínia. [Do lat. *lacinia.*] *S. f. Morfol. Veg.* Segmento de qualquer órgão foliáceo, profundo, estreito e agudo no ápice. [Aplica-se muito ao cálice e à corola. Var.: *lacínio*.]

laciniado. [Do lat. *laciniatu*.] *Adj. Bot.* Recortado em tiras irregulares, formando filamentos.

lacínio. *S. m. Morfol. Veg.* Var. de *lacínia*. [q. v.].

lacistemácea. *S. f.* Espécime das lacistemáceas.

lacistemáceas. *S. f. pl. Bot.* Pequena família de árvores tropicais, da qual ocorre no Brasil o gênero *Lacistema*.

lacistemáceo. *Adj.* Pertencente ou relativo às lacistemáceas.

laço. [Do lat. **laceu*, por *laqueu*.] *S. m.* **1.** Nó que se desata sem esforço, e que apresenta uma, duas ou mais alças: *O enfeite do vestido era um* l a ç o *de fita;* "João Ribeiro não sabe dar l a ç o de gravata." (Joaquim Ribeiro, *9 Mil Dias com João Ribeiro*, p. 35). [Cf. *laçada* (2). Aum.: *lação, laçarrão;* dim. irreg.: *lacete*.] **2.** Armadilha de caça. **3.** *Fig.* Estratagema, ardil; traição. **4.** Aliança, vínculo, união: *unir-se pelos* l a ç o s *do matrimônio*. **5.** *Geom. Anal.* Numa curva que tem um ponto nodal, qualquer segmento da curva que limita uma região fechada; alça. **6.** *Bras.* Arma de apreensão: corda de couro trançado, de 15 a 25 m de comprimento, com um nó corredio numa das extremidades. [Cf. *lasso*, do v. *lassar* e adj.] ◆ **Laços dos ofícios.** *Folcl. Lus.* Dança em que os brincantes, usando a mímica e empunhando pauzinhos com laços vistosos, imitam o barbeiro, o carpinteiro, o sapateiro e outros oficiais em função, sem perderem o ritmo coreográfico; dança dos paulitos. **Pegado a laço.** *Bras.* Muito bronco; bem pouco inteligente.

lacobricense. *Adj. 2 g.* e *s. 2 g.* Lacobrigense.

lacobrigense. [Do lat. *lacobrigense*.] *Adj. 2 g.* **1.** De, ou pertencente ou relativo à cidade de Lagos (Portugal). ● *S. 2 g.* **2.** Natural ou habitante dessa cidade. [F. paral.: *lacobricense*.]

laço-de-amor. *S. m. Bras.* Planta epífita, da família das gasneráceas *(Episcia sp.)* [Pl.: *laços-de-amor*.]

lacolito. *S. m.* V. *lacólito*.

lacólito. [Do gr. *lákkos*, 'cisterna', + *-lito*.] *S. m. Geol.* Intrusão de massa de rocha eruptiva, em forma de lentilha ou de campânula, em terrenos sedimentares ou metamórficos, de tal maneira que as camadas superiores à massa magmática se encurvam, acomodando-se a ela.

lacomancia. [Do gr. *láchos*, 'sorte, acaso', + *-mancia*.] *S. f.* Adivinhação por meio de dados.

lacomante. [Do gr. *láchos*, 'sorte, acaso', + *-mante*.] *S. 2 g.* Pessoa que pratica a lacomancia.

lacomântico. *Adj.* Respeitante à lacomancia, ou a lacomante.

lacondé. *Bras. S. 2 g.* **1.** Indivíduo dos lacondés, tribo indígena nambiquara do curso superior do rio Roosevelt (RO). ● *Adj. 2 g.* **2.** Pertencente ou relativo aos lacondés.

lacônico. [Do gr. *lakonikós*, pelo lat. *laconicu*.] *Adj.* Conciso, breve, resumido: *estilo* l a c ô n i c o; *exposição* l a c ô n i c a.

lacônio. [Do gr. *lakon, onos*, + *-io*[2].] *Adj.* e *s. m.* V. *lacedemônio*.

laconismo. *S. m.* Modo breve, conciso, lacônico, de falar ou de escrever.

laconizar. *V. t. d.* **1.** Tornar lacônico, conciso; resumir; sintetizar: l a c o n i z a r *uma narração*. *Int.* **2.** Falar pouco e por poucas palavras.

laco-paco. *S. m. Bras., AL.* Bebida feita com aguardente, maracujá e açúcar. [Pl.: *laco-pacos*.]

laços-espanhóis. *S. m. pl. Bras.* Erva anual, da família das compostas (*Gaillardia picta*), oriunda dos E.U.A., ornamental, de folhas denteadas e lanceoladas, e flores vermelhas em capítulos grandes.

lacraia. [De *lacrau*.] *S. f. Bras.* Designação comum aos artrópodes miriápodes, quilópode, com cerca de 200 espécies no Brasil. Têm apenas um par de patas em cada segmento do corpo, sendo o primeiro par provido de quelíceras para inoculação de peçonha. Embora muito temidos, causam acidentes de pequena monta. [Var.: *alacraia;* sin.: *centopéia, escolopendra, rabo-de-tesoura*.] ◆ **Ter lacraia no bolso.** *Bras. Fam.* Ser pouco amigo de gastar; ser avarento.

lacrainha (a-í). *S. f. Bras.* Designação comum aos insetos da ordem dos dermápteros, caracterizados por terem na extremidade do abdome uma pinça córnea. São terrestres, noturnos, inofensivos, e esvoaçam em torno de focos de iluminação. [Sin.: *tesoura* e *tesourinha*.]

lacranar. [Do esp. plat. *alacranear*.] *V. t. d. Bras., RS.* Lacerar, dilacerar.

lacrar. *V. t. d.* Pôr lacre (1) em; selar ou fechar com lacre (1).

lacrau. [Do ár. *al-'agrab*.] *S. m. Bras.* V. *escorpião* (1).

lacre. [De um **lácar* < *laca*, com *r* paragógico.] *S. m.* **1.** Mistura de substância resinosa com qualquer matéria corante, empregada para fechar garrafas, selar e fechar cartas, etc. **2.** *Bras.* Arvoreta da família das gutíferas (*Vismia cayennensis*), de folhas oblongas, acuminadas, com glândulas e nervuras apertadas, flores avermelhadas, bem visível, dotada de glândulas negras, e cujo fruto, bacáceo, contém pequenas sementes. Ocorre das Antilhas ao alto Amazonas e atinge 6 ou 7 m de altura. **3.** *Bras.* V. *satélite* (7). **4.** *Bras., N.E.* Capoeira de mato xerófilo, ralo, alto, do tipo dos agrestes. **5.** *Bras., MG. Pop.* O jaspe vermelho.

lacreada. [Fem. substantivado de *lacreado*, part. de *lacrear*.] *S. f.* Ornato esmaltado feito de laca ou de lacre.

lacrear. *V. t. d.* **1.** Ornar com lacre. **2.** Dar cor de lacre (5) a. [Conjug.: v. *frear*.]

lacre-branco. *S. m. Bras.* Arvoreta da família das melastomatáceas (*Miconia minutiflora*), de folhas oblongo-lanceoladas, longamente acuminadas e com três nervuras longitudinais, flores mínimas, dispostas em panículas, e fruto bacáceo. Ocorre do México ao S. do Brasil, e atinge 3 a 4 m de altura. [Sin.: *jacatirão*. Pl.: *lacres-brancos*.]

lacrecanha. [De *lacraia?*] *S. f. Bras.* Mulher velha e desdentada.

lacrimação. [Do lat. *lacrimatione*.] *S. f.* Derramamento de lágrimas [F. paral.: *lagrimação*.]

➧**lacrima Christi** (lácrima crísti). [Lat., 'lágrima de Cristo'.] Certo vinho moscatel proveniente das vinhas cultivadas nas faldas do Vesúvio.

lacrimal. [Do lat. *lacrima*, 'lágrima', + *-al*.] *Adj. 2 g.* **1.** Relativo às lágrimas. **2.** Diz-se do aparelho (6) que segrega as lágrimas. ● *S. m.* **3.** *Anat.* Pequeno osso, em número de dois, cada um deles situado dentro de cada cavidade orbitária. **4.** *Arquit.* Face vertical de uma cornija, terminada por pequeno sulco ou pingadeira, e que se destina a impedir que a água da chuva escorra pelo entablamento. **5.** *Bras.* V. *olho-d'água:* "o defluir do l a c r i m a l onde o passaredo beberica" (Afonso Arinos, *Histórias e Paisagens*, p. 60).

lacrimante. [Do lat. *lacrimante*.] *Adj. 2 g.* V. *lacrimoso* (2): "Não és Ofélia, a virgem l a c r i m a n t e, / Que ao luar nos jardins vaga e delira" (Gonçalves Crespo, *Obras Completas*, p. 92).

lacrimar. [Do lat. *lacrima*, 'lágrima', + *-ar*[2].] *V. int.* Deitar lágrimas; chorar; lagrimar.

lacrimatório. [Do lat. **lácrimatoriu* < *lacrimatu*, part. de *lacrimare*, 'verter lágrimas'.] *Adj.* **1.** Relativo a lágrimas. ● *S. m.* **2.** Vaso que se depositava nas sepulturas romanas e, ao que se supunha, guardava lágrimas dos visitantes: "Lembra-se daquele pequeno bronze em forma de l a c r i m a t ó r i o, com um gênio chorando à borda?" (Domício da Gama, *Histórias Curtas*, p. 2.)

lacrimável. [Do lat. *lacrimabile*.] *Adj. 2 g. P. us.* Digno de dó; lamentável, lastimável.

lacrimejamento. *S. m.* **1.** Ação de lacrimejar; lacrimejo. **2.** Corrimento de lágrimas ou de gotas líquidas. [F. paral.: *lagrimejamento*.]

lacrimejante. *Adj. 2 g.* Que lacrimeja. [F. paral.: *lagrimejante*.]

lacrimejar. [De *lacrim(o)-* + *-ejar*.] *V. int.* **1.** Deitar algumas lágrimas: "Ele a segura com as mãos, o rosto afogueado, os olhos l a c r i m e j a n d o." (Guido Vilmar Sassi, *Piá*, p. 63.) **2.** Chorar; choramingar. **3.** Deitar lágrimas por irritação. *T. d.* **4.** Chorar, prantear: *Muito* l a c r i m e j o u *a morte do amigo*. [F. paral.: *lagrimejar*. Conjug.: v. *pelejar*.]

lacrimejo (ê). [Dev. de *lacrimejar*.] *S. m.* Lacrimejamento (1).

▲**lacrim(o)-.** [Do lat. *lacrima, ae*.] *El. comp.* = 'lágrima': *lacrimogêneo; lacrimal*.

lacrimogêneo. [De *lacrim(o)-* + *-gen(o)-*[2] + *-eo*.] *Adj.* e *s. m.* **1.** Diz-se do, ou o que provoca ou produz lágrimas: *gases* l a c r i m o g ê n e o s. **2.** Diz-se do, ou o que faz chorar, prantear.

lacrimoso (ô). [Do lat. *lacrimosu*.] *Adj.* **1.** Que chora; choroso: "Olhei de um lado, de outro, procurando .... um jeito de fugir daquela ordem, muito aflito. Preferi o instinto e fixei os olhos já l a c r i m o s o s em mamãe." (Mário de Andrade, *Contos Novos*, pp. 142-143.) **2.** Aflito, lastimoso, lacrimante: "rojou-se-lhe aos pés, agarrou-lhe as mãos, l a c r i m o s a, desesperada" (Machado de Assis, *Histórias sem Data*, p. 51). **3.** Que provoca lágrimas; aflitivo, torturante: "Mergulha-se em angústias l a c r i m o s a s / Nos ermos dum castelo abandonado" (Cesário Verde, *Obra Completa*, p. 49). [F. paral.: *lagrimoso*.] ~ V. *drama* —.

lacrimotomia. [De *lacrim(o)* + *-tom(o)-* + *-ia*.] *S. f. Cir.* Incisão de saco ou de canalículo lacrimal.

lacrimotômico. *Adj.* Relativo à lacrimotomia.

lactação. [Do lat. *lactatione*.] *S. f.* **1.** Formação, secreção e excreção do leite. **2.** Ato ou efeito de amamentar.

lactalbumina. [De *láct(i)-* + *albumina*.] *S. f. Quím.* Albumina presente no leite, usada em adesivos e vernizes.

lactância. [De *lactante*.] *S. f.* **1.** Alimentação da criança por meio de leite, no período de mama. **2.** Quadra da vida em que a criança mama.

lactante. [Do lat. *lactante*.] *Adj. 2 g.* **1.** Que produz leite. **2.** Que lacta. ● *S. f.* **3.** Mulher que aleita, que amamenta. [Cf. *lactente*.]

lactar. [Do lat. *lactare*.] *V. t. d.* **1.** Amamentar; aleitar. *Int.* **2.** Mamar (7). [Fut. pret.: *lactaria*, etc. Cf. *lactária*, fem. de *lactário*.]

lactário. [Do lat. *lactariu*.] *Adj.* **1.** Que secreta suco leitoso. [Fem.: *lactária;* cf. *lactaria*, do v. *lactar*.] ● *S. m.* **2.** Estabelecimento de assistência ao lactente.

lactase. [De *lact(i)-* + *-ase*[1].] *S. f.* Fermento que desdobra a lactose em glicose e galactose.

lactato. [De *lact(i)-* + *-ato*[2].] *S. m. Quím.* Designação comum aos sais e ésteres dos ácidos lácticos.

lactente. [Do lat. *lactente*.] *Adj. 2 g.* e *s. 2 g.* Diz-se de, ou ser que ainda mama. [Cf. *lactante* e *latente*.]

lácteo. [Do lat. *lacteu*.] *Adj.* **1.** Relativo ou semelhante ao, ou próprio do leite. **2.** Da cor do leite; lactescente: "Virgens de l á c t e o colo" (Eugênio de Castro, *Obras Poéticas*, II, p. 19). [Var.: *láteo;* sin. ger.: *leitento, leitoso*.]

lactescência. *S. f.* Qualidade de lactescente. [Var.: *latescência*.]

lactescente. [Do lat. *lactescente*.] *Adj. 2 g.* **1.** Que tem a cor e/ou a consistência do leite; leitoso, lácteo, lacticinoso. **2.** *Bot.* Provido de látex. [Var.: *latescente*.]

▲**lact(i)-.** [Do lat. *lac, lactis*.] *El. comp.* = 'leite': *lactífugo; lactose*. [Equiv.: *lacto-: lactômetro*.]

lacticemia. [De *láctico* + *-(h)em(o)-* + *-ia*.] *S. f. Patol.* Presença de ácido láctico no sangue.

lacticêmico. *Adj.* Relativo à lacticemia.

lacticínio. [Do lat. *lacticiniu*.] *S. m.* **1.** Preparado comestível feito com leite, ou em que ele entra como principal elemento. **2.** Qualquer produto da indústria do leite. [Var. *laticínio*.]

lacticinoso (ô). [De *lacticínio* + *-oso*.] *Adj.* V. *lactescente* (1). [Var.: *laticinoso*.]

láctico. [De *lact(i)-* + *-ico*[2]] *Adj.* Relativo ao leite. ~ V. *ácido* —. [Var.: *lático*.]

lacticolor (ô). [do lat. *lacticolore*.] *Adj. 2 g.* Branco como o leite; lácteo: *pele* l a c t i c o l o r.

lacticultor (ô). [De *lact(i)-* + *cultor*.] *S. m.* Aquele que explora a lacticultura.

lacticultura. [De *lact(i)-* + *cultura*.] *S. f.* Produção industrial do leite.

lactífago. [De *lact(i)* + *-fago*.] *Adj.* Que se nutre de leite; lactívoro.

lactífero. [De *lact(i)-* + *-fero*.] *Adj.* **1.** Que produz ou conduz leite ou suco lactiforme. **2.** *Anat.* Diz-se dos canais que conduzem o leite até o mamilo.

lactiforme. [De *lact(i)-* + *-forme*.] *Adj. 2 g.* Semelhante ao leite.

lactífugo. [De *lact(i)-* + *-fugo*[2].] *Adj.* **1.** Que faz estancar a produção do leite. ● *S. m.* **2.** Medicamento lactífugo.

lactígeno. [De *lact(i)-* + *-geno*[1].] *Adj.* Que aumenta a produção do leite.

lactirróseo. [De *lact(i)-* + *róseo*.] *Adj.* Que é, ao mesmo tempo, lacticolor e cor-de-rosa.

lactívoro. [De *lact(i)-* + *-voro*.] *Adj.* Lactífago.

▲**lact(o)-.** Equiv. de *lact(i)-*.

lactobacilo. [De *lact(o)-* + *bacilo*.] *S. m.* Qualquer dos vários bacilos do gênero *Lactobacillus*, família *Lactobacillaceas*, com forte produção de ácido, sobretudo de ácido láctico, razão por que coagulam o leite.

lactodensimetria. *S. f.* Emprego do lactodensímetro.

lactodensimétrico. *Adj.* Relativo à lactodensimetria, ou ao lactodensímetro.

lactodensímetro. [De *lact(o)-* + *densímetro*.] *S. m.* Instrumento com que se determina a densidade do leite.

lactômetro. [De *lact(o)-* + *-metro*.] *S. m.* Instrumento que permite avaliar a pureza e a densidade do leite; galactômetro, pesa-leite.

lactoridácea. *S. f.* Espécime das lactoridáceas.

lactoridáceas. *S. f. pl. Bot.* Família de dicotiledôneas, da ordem das ranales, composta apenas da *Lactoris fernandeziana*, da ilha Juan Fernández. Folhas com glândulas translúcidas; flores trímeras, com dois verticilos estaminais e um carpelar.

lactoridáceo. *Adj.* Pertencente ou relativo às lactoridáceas.

lactose. [De *lact(o)-* + *ose.*] *S. f. Quím.* Açúcar encontrado no leite dos mamíferos, branco, pulverulento, cristalino. [Fórm.: $C_{12}H_{22}O_{11}$.]

lactosuria. *S. f. Patol.* Lactosúria.

lactosúria. [De *lactose* + *-úria.*] *S. f. Patol.* Presença de lactose na urina, de ocorrência freqüente durante a amamentação. [Var. pros.: *lactosuria.*]

lactucário. [De *lactuc(i)-* + *-ário.*] *S. m.* Suco extraído da alface, e que se usa como sucedâneo fraco do ópio.

▲**lactuc(i)-.** [Do lat. *lactuca, ae.*] *El. comp.* = 'alface': *lactucário.*

lacuna. [Do lat. *lacuna.*] *S. f.* **1.** V. *vácuo* (2). **2.** Falha, **falta**, omissão. **3.** *Bot.* Cavidade intercelular. **4.** *Fís.* Num cristal, defeito pontual constituído por uma vacância na rede cristalina.

lacunar. *Adj. 2 g.* Que apresenta lacunas; lacunoso. [Pl.: *lacunares.* Cf. *lacunáris,* pl. de *lacunári.*]

lacunari. *S. m. Bras., Amaz.* V. *tucunaré* (1). [Pl.: *lacunaris.* Cf. *lacunares,* pl. de *lacunar.*]

lacunário. [Do lat. *lacunariu.*] *S. m.* **1.** Espaço entre vigas. **2.** Ornato nos intercolúnios das arquitraves.

lacunosidade. *S. f.* Qualidade ou estado de lacunoso.

lacunoso (ô). [Do lat. *lacunosu.*] *Adj.* **1.** Lacunar. **2.** Que tem falhas, ou em que falta alguma coisa.

lacustre. [Do fr. *lacustre.*] *Adj. 2 g.* **1.** Relativo a lago (1). **2.** Que está sobre ou às margens de um lago: *cidade lacustre.* **3.** Que vive nos lagos: *plantas lacustres.* ~ V. *águas —s, cidade —, corrente —, emissário —, maré —, navegação —* e *lacustres.*

lacustres. [Pl. substantivado de *lacustre.*] *S. m. pl.* Os povos que habitavam as cidades lacustres. ~ V. *lacustre.*

lacuteio. *S. m. Bras., N.E. Pop.* Grande agitação; barulho, barafunda.

lada[1]. [De *lado.*] *S. f.* **1.** Faixa navegável de rio, paralela à margem. **2.** Corrente de água.

lada[2]. [Do gr. *lêdon,* pelo lat. *lada.*] *S. f.* Estevão (1).

ladainha (a-í). [Do gr. *litaneía,* pelo lat. *litania.*] *S. f.* **1.** Oração formada por uma série de invocações curtas e respostas repetidas. **2.** *Fig.* Relação, narração, discurso, ou conversa longa e fastidiosa; lengalenga, cantilena. [Sin.: *litania,* f. erudita de *ladainha.*]

ladainhense (a-i). *Adj. 2 g.* **1.** De, ou pertencente ou relativo a Ladainha (MG). ● *S. 2 g.* **2.** Natural ou habitante de Ladainha.

ladairo. [Var. de *ladário* < lat. *litanariu.*] *S. m.* Procissão de penitência, por voto a algum santuário. [Cf. *círio* (2).] ~ V. *ladairos.*

ladairos. [Pl. de *ladairo;* var. de *ladários.*] *S. m. pl.* Preces públicas por ocasião de alguma calamidade. ~ V. *ladairo.*

ladane. *S. m. Bras., BA.* Acólito que ajudava o chefe supremo dos malês nas cerimônias religiosas e nas mandingas. [F. paral.: *ladano.*]

ladanífero. [Do lat. *ladanu,* 'ládano', + *-i-* + *-fero.*] *Adj.* Que produz ládano.

ladano. *S. m.* V. *ladane.* [Cf. *ládano,*]

ládano. [Do lat. *ladanu.*] *S. m.* Goma-resina que se extrai, sobretudo, da esteva (*Cistus sp.*). [Cf. *ladano.*]

ladarense. *Adj. 2 g.* **1.** De, ou pertencente ou relativo a Ladário (MS). ● *S. 2 g.* **2.** Natural ou habitante de Ladário.

ladário. *S. m.* Ladairo [q. v.] ~ V. *ladários.*

ladários. *S. m. pl.* V. *ladairos.* ~ V. *ladário.*

ladeamento. *S. m.* Ato ou efeito de ladear.

ladear. *V. t. d.* **1.** Acompanhar indo ao lado: "Alas de tropa *ladeavam* o préstito." (Camilo Castelo Branco, *Perfil do Marquês de Pombal,* p. 15); *Dois soldados ladeavam o assaltante.* **2.** Estar situado ao lado de: *Duas guaritas ladeiam o portão do palácio.* **3.** Correr paralelamente a, ou ao lado de: *O rio ladeia o vale.* **4.** Atacar de lado; flanquear. **5.** Não tratar diretamente de; esquivar-se à enfrentar; usar de subterfúgios com relação a; subterfugir; contornar: *ladear um problema;* "Como era sagaz de entendimento, *ladeou* quantos empeços, encontros, dificuldades se lhe pospuseram na jornada" (Aquilino Ribeiro, *Portugueses das Sete Partidas,* p. 163). **6.** *Fig.* Contornar (3). *Int.* **7.** Andar (a cavalgadura) para os lados, de través: "Uma das rodas ficara entalada numa fossa, o animal *ladeava* esforçando-se, e o cocheiro, a fustigá-lo, cacarejava sacudindo as rédeas." (Coelho Neto, *Turbilhão,* p. 33.) [Conjug.: v. *frear.*]

lã-de-camelo. *S. f.* Gingerlina. [Pl.: *lãs-de-camelo.*]

ladeira. [De *lado* + *-eira.*] *S. f.* **1.** Inclinação mais ou menos acentuada de terreno; rampa. **2.** Rua mais ou menos íngreme. **3.** V. *vertente* (3). ◆ **Ladeira de subida.** *Bras.* Designação comum às depressões situadas na escarpa oriental da serra de Ibiapaba (CE).

ladeirame. *S. m.* **1.** Série de ladeiras. **2.** Ladeiramento (1).

ladeiramento. *S. m.* **1.** Ladeira extensa e íngreme; ladeirame. **2.** Terreno em aclive, em ladeira.

ladeirento. *Adj.* Disposto em ladeira; inclinado, declivoso; ladeiroso: "velha rua mal empedrada, *ladeirenta*" (Eça de Queirós, *A Ilustre Casa de Ramires,* p. 123).

ladeiro. *Adj.* **1.** Que está ao lado. **2.** Que pende para o lado: "Uma rapariguita .... débil, ruço o cabelo, os ombros *ladeiros,* o peito raso" (Abel Botelho, *Amanhã,* p. 13).

ladeiroso (ô). [De *ladeira* + *-oso.*] *Adj.* V. *ladeirento.*

ladeza (ê). *S. f. Náut. Ant.* Latitude (3).

ladineza (ê). *S. f. Bras.* Ladinice.

ladinice. *S. f.* Qualidade, modos ou ato de ladino. [Sin. bras.: *ladineza.*]

ladino. [Do lat. *latinu.*] *Adj.* **1.** Intelectualmente fino. **2.** Astuto, manhoso, esperto; finório: "apareceu no Bairro um tal Pedro, falador, *ladino,* .... prometendo mundos e fundos aos jornaleiros que quisessem ir com ele trabalhar no sertão de São Paulo." (Amadeu de Queirós, *Os Casos do Carimbamba,* p. 74). **3.** *Bras.* Dizia-se do escravo ou do índio que já falava o português, tinha instrução religiosa e sabia fazer o serviço ordinário da casa ou dos campos. **4.** *Ling.* V. *rético* (2). ● *S. m.* **5.** Indivíduo ladino (2). **6.** V. *rético* (4). **7.** Qualquer dos dialetos sefarditas falados na Grécia, Turquia, Palestina e N. da África. ~ V. *ladinos.*

ladinos. [Pl. de *ladino.*] *S. m. pl.* População rética da região alpina central e oriental (Suíça, Áustria e Itália). ~ V. *ladino.*

lado. [Do lat. vulg. *latu.*] *S. m.* **1.** Região lateral de qualquer corpo. **2.** Lugar situado à direita ou à esquerda de alguém ou de algo: *Voltou a cabeça para o lado.* **3.** Parte oposta a outra: *o outro lado do rio.* **4.** Qualquer face de um objeto, em relação às outras que o compõem: *os lados de uma caixa.* **5.** Direção, rumo: *Foi para este lado.* **6.** Lugar, sítio, parte, banda: *Vivia pelos lados do São Francisco.* **7.** Partido, facção, grupo: *Houve inúmeras baixas no lado inimigo.* **8.** Face, aspecto, ângulo, feição: "Daí as nossas diligências, que, se perdem pelo *lado* estético, lucram pelo *lado* moral." (Machado de Assis, *A Semana,* II, p. 164.) **9.** Costado de embarcação. **10.** Linha de parentesco: *É meu primo pelo lado materno.* **11.** *Geom.* Qualquer dos segmentos de reta que constituem um polígono. ● *Adj.* **12.** *Ant.* Largo. ◆ **Lado a lado.** Juntamente; a par; em par; ombro a ombro: *Lado a lado trabalharam muitos anos para o sustento dos filhos;* "Tantas horas passamos *lado a lado.*" (Mário da Silva Brito, *O Fantasma sem Castelo,* p. 390). **Lado da Epístola.** Epístola (5). **Lado de laçar.** *Bras., RS.* O lado direito do cavalo, que é o lado onde se conduz o laço. **Lado de montar.** *Bras., RS.* O lado esquerdo do cavalo. **Lado do Evangelho.** O lado esquerdo do altar, em relação aos assistentes, onde se lêem os dois Evangelhos, na missa (oposto ao *lado da Epístola*). **Ao lado de. 1.** A favor de; favoravelmente a: *Esteve sempre ao lado do amigo, nas questões que este travou; Na briga, fiquei ao lado dele.* **2.** De acordo com o parecer, a opinião de; a favor de: *Em relação à autoria de* As Cartas Chilenas, *estou ao lado de Afonso Arinos e Rodrigues Lapa: são de Tomás Antônio Gonzaga.* **3.** Ligado ou pertencente ao mesmo partido, facção ou grupo que: *Estava ao lado dos pemedebistas e passou-se para o governo.* [Sin. ger.: *do lado de.*] **Cortar pelos dois lados.** *Bras. Chulo.* Praticar a pederastia ativa e passivamente. **De lado. 1.** Obliquamente; de través: *olhar de lado; A escoliose o faz andar de lado.* **2.** De ilharga; sobre o flanco: *dormir de lado.* **De lado a lado.** De um extremo ao outro; de lés a lés: *O tiro alcançou-o de lado a lado;* "os calceteiros, / Com lentidão, terrosos e grosseiros, / Calçam *de lado a lado* a longa rua." (Cesário Verde, *Obra Completa,* p. 98). **Do lado de.** Ao lado de. **Olhar de lado.** Olhar (para alguém) com desprezo; desdenhosamente; olhar de lado para. **Olhar de lado para.** Olhar de lado. **Pôr de lado. 1.** Não levar em conta, em consideração; desprezar: *Pôs de lado vários argumentos, por haver muitos outros de maior peso.* **2.** Deixar (alguma coisa) para exame ou cogitação ulterior. **3.** Abandonar, desprezar, desamparar: *Por causa da amante pôs de lado a mulher.* [Sin. ger.: *pôr de parte.*]

ladra. [Fem. de *ladro[3].*] *Adj. (f.)* **1.** Diz-se de mulher que furta ou rouba. ● *S. f.* **2.** Mulher ladra. [Sin., nesta acepç.: *ladrona, ladroa.*] **3.** Vara para apanhar frutas. [Cf., nesta acepç., *cambo[1].*] ~ V. *ladras.*

ladrado. [Do lat. *latratu.*] *S. m. Pop.* **1.** V. *latido* (1). **2.** *Fig.* V. *maledicência* (2).

ladrador (ô). *Adj.* Que ladra ou late; ladrante.

ladrante. [Do lat. *latrante.*] *Adj. 2 g.* **1.** Ladrador. **2.** Que se assemelha a ladrido.

ladrão. [Do lat. *latrone.*] *Adj.* **1.** Que furta; ladro. ● *S. m.* **2.** Aquele que furta ou rouba; gatuno, ladro, larápio, rato, amigo do alheio. [Fem.: *ladra, ladrona, ladroa;* aum.: *ladravaz, ladravão, ladroaço, ladronaço.*] **3.** *Fig.* Homem sem consciência; biltre. **4.** *Fam.* Brejeiro, maganão. **5.** Broto que surge da base do tronco ou de raízes, na planta com cavalo (3); gomeleiras, ladroeiro. [Cf. *rebentão* (1).] **6.** Tubo de descarga posto nos depósitos de água, banheiras, pias, etc., para escoamento automático do excesso de líquido: "Um encanamento ao longo da Praia de Itanhangá conduzia o líquido para a residência. A escravos destacados para esse serviço cumpria manobrar a bomba e manter cheia a caixa, cujas sobras, por um '*ladrão*', alimentavam um tanque construído junto ao poço." (Vivaldo Coaraci, *Paquetá,* p. 42.) **7.** Vaso onde se recolhe o líquido que excede de um recipiente. **8.** *Tip.* Fragmento ou dobra de papel que intercepta a impressão, produzindo frade (6). ◆ **Botar pelo ladrão.** *Bras., MA.* V. *vomitar* (11). **Sair pelo ladrão.** *Bras.* Ser em grande abundância (dinheiro, bens): *Está riquíssimo, o dinheiro lhe sai pelo ladrão.*

ladrar. [Do lat. *latrare.*] *V. int.* **1.** Dar ladridos ou latidos; latir, balsar: "o cão *ladrou* fortemente" (Inglês de Sousa, *Contos Amazônicos,* p. 153). **2.** Gritar à toa; esganiçar-se. *T. d.* **3.** Proferir com violência: *ladrar impropérios.* **4.** Soltar, fazer ouvir, ladrando: "os cães da manada *ladravam* terríveis coros d'alarme, pondo os ganhões de sobreaviso." (Fialho d'Almeida, *O País das Uvas,* p. 198). [Normalmente não é us. nas 1as pess.] ● *S. m.* **5.** Ladrido, latido: "ouviu o *ladrar,* compassado e grave, de dois rafeiros." (Conde de Ficalho, *Uma Eleição Perdida,* p. 209).

ladraria. [Do fr. *ladrerie.*] *S. f.* Cisticercose do porco, devida à infestação de seus músculos, de suas vísceras, pelas ladras [q. v.].

ladras. *S. f. pl.* Larvas de *Taenia solium.* [Cf. *solitária* (1).] ~ V. *ladra.*

ladravão. *S. m.* V. *ladravaz.*

ladravaz. *S. m.* Grande ladrão. [Sin.: *ladroaço, ladravão* e (bras.) *ladronaço.*]

ladriço. *S. m.* Corda que prende ao travão o pé do cavalo.

ladrido. [De *ladrar,* com infl. de *latido.*] *S. m.* V. *latido* (1): "bramia [o cão] o seu *ladrido* soturno que reboava contínuo pelas pastagens silenciosas." (Amadeu de Queirós, *Os Casos do Carimbamba,* p. 37.)

ladrilhado. [Part. de *ladrilhar.*] *Adj.* Coberto ou revestido de ladrilhos.

ladrilhador (ô). *Adj.* e *s. m.* Que ou aquele que ladrilha.

ladrilhagem. *S. f.* Ato ou operação de ladrilhar.

ladrilhar. *V. t. d.* **1.** Cobrir ou revestir (uma parede ou o solo) com ladrilhos: "*Ladrilharam,* rebocaram e caiaram o prédio" (Graciliano Ramos, *Infância,* p. 224). **2.** *Fig.* Cobrir, juncar: "o generalíssimo de uma guerra fratricida que, poucos meses depois, *ladrilhava* com duzentos cadáveres as ruas de Braga." (Camilo Castelo Branco, *Maria da Fonte,* p. 98). *Int.* **3.** Exercer o mister de ladrilhador.

ladrilheiro. *S. m.* Fabricante ou assentador de ladrilhos; azulejador.

ladrilho. [Do esp. *ladrillo,* 'tijolo'.] *S. m.* **1.** Peça, em geral quadrada ou retangular, de cerâmica, de barro cozido ou de cimento, empregada no revestimento de paredes ou de pavimentos. **2.** Tijolo (1) para forrar o chão. **3.** Pavimento ou chão ladrilhado: *Não pise no ladrilho.* **4.** Doce em pasta, bastante sólido, e que se apresenta em pequenos blocos regulares: "São rosários de pinhões, / *Ladrilhos* de marmelada, / Uma seirinha com figos / E um copo de limonada." (Eugênio de Castro, *Obras Poéticas,* IX, p. 45.) [Cf., nesta acepç.: *tijolo* (3).] ◆ **Ladrilho hidráulico.** Ladrilho de cimento, feito na prensa hidráulica.

ladro[1]. [Dev. de *ladrar.*] *S. m.* V. *latido* (1): "De repente, o cão pôs-se em pé e arremeteu, com um grande *ladro.*" (Alexandre Herculano, *Lendas e Narrativas,* II, p. 36.)

ladro[2]. [Do lat. *latu,* 'largo, chato', com epêntese.] *S. m.* V. *chato* (5). [Tb. us. como adj., no comp. *piolho-ladro.*]

ladro[3]. [Do lat. *latro* (nom.).] *Adj.* **1.** Ladrão (1). **2.** Próprio de ladrões: *gíria ladra.* ● *S. m.* V. *ladrão* (2).

ladroa (ô). *Adj. (f.)* e *s. f.* V. *ladra* (1 e 2).

ladroaço. [De *ladro[2]* + *-aço.*] *S. m.* V. *ladravaz.*

ladroagem. [De *ladro[2]* + *-agem.*] *S. f.* **1.** V. *ladroeira.* **2.**

A classe dos ladrões.

ladroar. [De *ladro*[2] + *-oar.*] *V. t. d.* Roubar, furtar. [Conjug.: v. *coroar.*]

ladroeira. [De *ladro*[2] + -eira.] *S. f.* **1.** Roubo, furto. **2.** Descaminho continuado de valores. [Sin. ger.: *ladroagem* e *ladroíce.*]

ladroeirar. *V. int.* Praticar ladroeira(s).

ladroeiro. [De *ladrão* + *-eiro.*] *S. m.* V. *ladrão* (5).

ladroíce. [De um lat. **latroniciu*, f. metatética, por *latrociniu.*] *S. f.* V. *ladroeira.*

ladroísmo. *S. m.* O costume ou prática da ladroíce.

ladrona. [Fem. de *ladrão* (q. v.).] *Adj. (f.)* e *s. f.* V. *ladra* (1 e 2).

ladronaço. [De *ladrão* + *-aço.*] *S. m. Bras., RS.* V. *ladravaz.*

➧**lady** (lêidi). [Ingl.] *S. f.* **1.** Título que na Inglaterra se dá às senhoras da nobreza. **2.** Tratamento dado às senhoras de elevada posição social e/ou de maneiras refinadas.

lafaietense. *Adj. 2 g.* **1.** De, ou pertencente ou relativo a Conselheiro Lafaiete (MG). ● *S. 2 g.* **2.** Natural ou habitante de Conselheiro Lafaiete.

lagalhé. *S. m.* V. *joão-ninguém*: "o José Antônio Pereira, aquele l a g a l h é que o Fonseca tirara da lama das estradas, ... imparia de bazófia" (Inglês de Sousa, *O Missionário*, p. 288). [F. paral.: *leguelhé, lheguelhé.*]

lagamal. [Alter. de *lagamar.*] *S. m. Bras., BA.* **1.** Trecho do curso de um rio onde as águas se remansam por ocasião das enchentes. **2.** Clareira (1) espaçosa, entre mangues. [Cf. *lagamar.*]

lagamar. [De *lago* + *mar*[1], talvez.] *S. m.* **1.** Cova no fundo do mar ou de um rio; pego. **2.** Baía ou golfo abrigado, no interior de um rio ou de uma enseada; alagamar. **3.** Lagoa de água salgada. **4.** *Bras., MG.* Inundação pluvial pelas margens dos rios. [Cf. *lagamal.*]

lagão. [Do birmanês, *hlo-gah?*] *S. m.* Embarcação asiática, semelhante à galé (1); lagoa.

lagar. *S. m.* **1.** Espécie de tanque onde se espremem e se reduzem a líquido certos frutos, especialmente as uvas: "as mós dos moinhos, as galgas do azeite e os fusos dos l a g a r e s do vinho" (Antônio Feliciano de Castilho, *Amor e Melancolia*, p. 342). **2.** Estabelecimento ou local onde se acha esse tanque ou outras instalações afins: "Bem-vindos pés lavados que o calcastes [ao vinho], enquanto gemiam cántigas sensuais, no tanque do l a g a r." (José Vieira, *Sol de Portugal*, p. 162.) [Dim. irreg.: *lagariça.*]

lagarada. *S. f.* **1.** Porção de frutos que se lança de cada vez no lagar. **2.** Resultado da lagarada.

lagaragem. *S. f.* **1.** Conjunto de trabalhos feitos no lagar para a produção de vinho ou de azeite. **2.** Paga que se dá, em gêneros, ao lagareiro (1).

lagareiro. *S. m.* **1.** Dono de lagar. **2.** Aquele que trabalha em lagares: "Pela vindima, obrigava os l a g a r e i r o s a lavar as pernas antes de esmagar as uvas." (João de Araújo Correia, *Terra Ingrata*, p. 149.)

lagariça. *S. f.* **1.** Pequeno lagar. **2.** *Lus.* Líquido entornado ou espalhado pelo solo.

lagariço. *Adj.* **1.** Próprio de lagar. ● *S. m.* **2.** *Bras.* Vaso de madeira, de ferro ou de louça, onde se espremem frutos.

lágaro. [Do gr. *lagarós.*] *S. m.* Hexâmetro em que figura uma sílaba breve em vez de longa.

lagarta. [Do lat. **lacarta*, por *lacerta.*] *S. f.* **1.** Designação comum às larvas dos insetos lepidópteros, cujo tipo é eruciforme. São polípodes, e têm o corpo vermicular alongado e mole, três pares de patas verdadeiras no tórax, e pernas abdominais do tipo reduzido, sob a forma de protuberâncias. **2.** A primeira fase da vida das borboletas até à metamorfose em crisálida. **3.** *Mec.* Dispositivo que facilita a circulação das rodas dos tratores ou dos tanques, fazendo que se movam em terrenos inacessíveis a viaturas comuns. ♦ **Lagarta mede-palmo.** *Bras.* Designação comum às larvas dos insetos lepidópteros da família dos geometrídeos. O tipo de locomoção, característico, dá a impressão de que o inseto está medindo a superfície de deslocamento, donde o nome. São comuns as formas dicromáticas. [Tb. se diz apenas *mede-palmo.* Sin.: *medideira* e *geômetra.*]

lagarta-aranha. *S. f. Bras.* Designação da forma jovem do inseto lepidóptero da família dos eucleídeos (*Phobetron hipparchis* (Cramer)), praga da laranjeira e de várias outras plantas cultivadas e silvestres, e que, à primeira vista, se confunde com uma aranha. A coloração geral é cor de vinho clara. [Sin.: *sauí.* Pl.: *lagartas-aranhas* e *lagartas-aranha.*]

lagarta-cabeluda. *S. f. Bras.* V. *tatarana.* [Pl.: *lagartas-cabeludas.*]

lagarta-de-fogo. *S. f. Bras.* V. *tatarana.* [Pl.: *lagartas-de-fogo.*]

lagarta-de-vidro. *S. f. Bras.* Larva dum inseto lepidóptero, da família dos dalcerídeos (*Dalcera abrasa* (Jerr. Soch.)), que se caracteriza por ser cheia de verrugas transparentes como o vidro. [Pl.: *lagartas-de-vidro.*]

lagarta-dos-coqueiros. *S. f. Bras.* Designação comum às lagartas dos insetos lepidópteros da família dos brassolídeos, gênero *Brassolis* L., de hábitos noturnos; os adultos aparecem nos meses de setembro e outubro; as espécies mais comuns, *B. sophorae* (L.) e *B. astyra* (God.), destroem completamente as folhas de coqueiros e palmeiras. [Pl.: *lagartas-dos-coqueiros.*]

lagarta-lesma. *S. f.* Forma larvar de algumas famílias de lepidópteros, caracterizada por um aspecto gelatinoso semelhante ao dos moluscos gastrópodes pulmonados conhecidos como lesmas. [Pl.: *lagartas-lesmas* e *lagartas-lesma.*]

lagarta-rosada. *S. f. Bras.* A larva do lepidóptero *Platyedra gossypiella* (Saund.), da família dos gelequídeos, praga terrível da semente do algodoeiro. [Pl.: *lagartas-rosadas.*]

lagarta-rosca. *S. f. Bras.* V. *rosca* (5). [Pl.: *lagartas-roscas* e *lagartas-rosca.*]

lagartear. *V. int. Bras.* Expor-se ao sol para se aquecer, à maneira do lagarto. [Conjug.: v. *frear.*]

lagarteira. *S. f.* Buraco ou toca onde se recolhem os lagartos.

lagarteiro. [De *lagarto* + *-eiro.*] *Adj.* Manhoso, ardiloso, astuto.

lagartense. *Adj. 2 g.* **1.** De, ou pertencente ou relativo a Lagarto (SE). ● *S. 2 g.* **2.** Natural ou habitante de Lagarto.

lagartixa. [Do esp. *lagartija.*] *S. f.* **1.** Designação comum a várias espécies de reptis lacertílios, de pequeno porte, especialmente da família dos geconídeos, com dedos providos de lâminas transversais adesivas que lhes permitem subir em paredes lisas, pedreiras ou troncos escorregadios. Cerca de 15 espécies ocorrem no Brasil. [Sin.: *osga* (bras., AM, PA e MA), *catonga* (N.E.), *briba* (PB), *víbora* e *sardanisca* ou *sardanita.*] **2.** Antiga peça, pequena, de atilharia. **3.** *Bras.* Mulher magra e de talhe flexível. **4.** *Bras., RJ* e *PR. Gír. Montanh.* Alpinista, excursionista, montanhista.

lagartixa-das-dunas. *S. f. Bras.* Reptil lacertílio, da família dos iguanídeos (*Liolaemus occipitalis* Mert.), das praias arenosas do S. do País, de coloração cinzento-esbranquiçada, comprimento de até 12 cm, e cauda curta. Três espécies são conhecidas no Brasil. [Pl.: *lagartixas-das-dunas.*]

lagarto. [Do lat. **lacartu*, por *lacertu.*] *S. m.* **1.** *Bras.* Designação comum a várias espécies de lacertílios da família dos teídeos, de porte médio e grande, especialmente os do gênero *Tupinambis* Daud. e *Teius* Mer. Tem língua bífida e protraível; o grupo é representado no Brasil por umas 40 espécies. [Sin.: *teiú.*] **2.** *Pop.* O bíceps. **3.** Jacaré (4) **4.** *Bras., S.* Carne dura do bovino, entre a chã-de-dentro e a chã-de-fora, usada, em geral, para assar. [Sin., nesta acepç.: *paulista* (AL, SE e BA) e *tatu'* (RS).]

lagarto-do-mar. *S. m. Bras.* V. *peixe-lagarto.* [Pl.: *lagartos-do-mar.*]

lagena. [Do lat. *lagena.*] *S. f.* **1.** Vaso de barro com asas. **2.** Antigo vaso lageniforme, de colo estreito. [Dim. irreg.: *lagênula.*]

lageniforme. [De *lagena* + *-i-* + *-forme.*] *Adj. 2 g.* Semelhante a uma garrafa.

lagênula. *S. f.* Pequena lagena.

lago. [Do lat. *lacu.*] *S. m.* **1.** Extensão de água cercada de terras. [Sin., no AM: *água-redonda.*] **2.** *P. ext.* Tanque irregular de jardim. **3.** Grande porção de líquido derramado ou empoçado, em geral no chão: *Em um l a g o de sangue jazia o homem assassinado.* ♦ **Lago coberto.** *Bras., MA.* Brejo coberto de buritis. **Lago de barragem.** Lago formado em áreas onde as águas são represadas por aluviões pluviais, restingas, detritos de origem vulcânica e morainas. **Lago de cratera.** Cratera-lago. **Lago de depressão.** O resultante de acumulação de águas de rios e de chuvas numa depressão fechada. **Lago de erosão.** O que se forma em áreas escavadas pela ação destrutiva das águas correntes *(erosão fluvial)* e das geleiras *(erosão glacial).* **Lago de origem mista.** Lago, em geral profundo, originário de mais de um fator (erosão fluvial, tectonismo, etc.). **Lago residual.** Lago correspondente a antigos mares cujas águas se evaporaram parcialmente. **Lago tectônico.** Lago resultante do tectonismo, que se forma em trechos fraturados ou desabados da superfície terrestre. **Lago vulcânico.** O que se forma, geralmente, em antiga cratera de vulcão.

▲**lag(o)-.** [Do gr. *lagós.*] *El. comp.* = 'lebre': *lagoquilia; lagoftalmo.*

lagoa[1] (ô). [Do lat. **lacona* (em vez de *lacuna*).] *S. f.* **1.** Lago pouco extenso. [No Brasil é corrente chamar *lagoa* a qualquer lago (1) (q. v.).] [Var.: *alagoa.* Aum.: *lagoão* (q. v.); dim.: *lagoacho.*] **2.** Porção de água estagnada; charco.

lagoa[2] (ô). *S. f.* Lagão.

lagoacho. *S. m.* Lagoa[1] (1) pequena; lagoinha, lagoazinha.

lagoano. *Adj.* e *s. m.* Lagoense[1].

lagoão. [Aum. de *lagoa*[1].] *S. m. Bras., RS.* Lagoa[1] (1) grande e funda que se forma no curso dos arroios e das sangas.

lagoa-santense. *Adj. 2 g.* **1.** De, ou pertencente ou relativo a Lagoa Santa (MG). ● *S. 2 g.* **2.** Natural ou habitante de Lagoa Santa. [Pl.: *lagoa-santenses.*]

lagoa-sequense. *Adj. 2 g.* **1.** De, ou pertencente ou relativo a Lagoa Seca (PB). [Pl.: *lagoa-sequenses.*]

lagocéfalo. [De *lag(o)-* + *-céfalo.*] *Adj. Zool.* Cuja cabeça é semelhante à da lebre, i. e., cujo lábio superior é fendido.

lagoeiro. [De *lago* + *-eiro.*] *S. m.* **1.** Depósito de água de chuva. **2.** Lugar alagado.

lagoense[1]. *Adj. 2 g.* **1.** De, ou pertencente ou relativo a Lagoa dos Gatos (PE). ● *S. 2 g.* **2.** Natural ou habitante de Lagoa dos Gatos. [Sin. ger.: *lagoano.*]

lagoense[2]. *Adj. 2 g.* **1.** De, ou pertencente ou relativo a Lagoa Dourada (MG). ● *S. 2 g.* **2.** Natural ou habitante de Lagoa Dourada.

lagoense[3]. *Adj. 2 g.* **1.** De, ou pertencente ou relativo a Lagoa Vermelha (RS). ● *S. 2 g.* **2.** Natural ou habitante de Lagoa Vermelha.

lagoftalmo. [De *lag(o)-* + *-oftalmo.*] *S. m. Patol.* Estado mórbido em que não há oclusão completa das pálpebras.

lagoinhense (o-i). *Adj. 2 g.* **1.** De, ou pertencente ou relativo a Lagoinha (SP). ● *S. 2 g.* **2.** Natural ou habitante de Lagoinha.

lago-mar.[De *lago* + *mar*[1].] *S. m.* V. *mar fechado.* [Pl.: *lagos-mares.*]

lagomorfo. *S. m.* **1.** Espécime dos lagomorfos. ● *Adj.* **2.** Pertencente ou relativo a eles.

lagomorfos. *S. m. pl. Zool.* Animais mamíferos da ordem *Lagomorpha*, caracterizados por terem dentes incisivos de crescimento contínuo, em número de quatro no maxilar superior e apenas dois no maxilar inferior; caninos ausentes; cauda curta e grossa. São os coelhos, lebres e tapitis.

lago-pedrense. *Adj. 2 g.* **1.** De, ou pertencente ou relativo a Lago da Pedra. (MA) ● *S. 2 g.* **2.** Natural ou habitante de Lago da Pedra. [Pl.: *lago-pedrenses.*]

lagópode. [Do gr. *lagopus*, pelo lat. *lagopode.*] *Adj. 2 g.* **1.** *Zool.* Que tem patas semelhantes às da lebre. **2.** *Bot.* Diz-se dos órgãos vegetais recobertos de cotão ou de pêlos. ● *S. m.* **3.** *Bras.* Animal lagópode.

lagoquilia. [De *lago-* + *-quil(o)-*[2] + *-ia.*] *S. f. Patol.* Lábio leporino.

lagosta (ô). [Do lat. **locusta*, por *lacusta.*] *S. f.* **1.** Designação comum aos crustáceos decápodes, macruros, da família dos palinurídeos, cujo corpo, robusto, é revestido de espessa carapaça provida de tubérculos e espinhos, e pode, nalgumas espécies, atingir até 50 cm de comprimento, e cujas antenas são extremamente longas. Vivem no fundo do mar, longe da costa e a grande profundidade, e são utilizados aos milhares, anualmente, para alimentação do homem. Sua pesca se faz com redes e armadilhas. **2.** Prato feito com ela. **3.** *Fig.* Pessoa de tez muito avermelhada.

lagosta-comum. *S. f. Bras.* Crustáceo decápode, macruro, da família dos palinurídeos *(Palinurus argus* (Latreille)), com os pedúnculos das antênulas do mesmo comprimento dos das antenas, abdome com manchas claras maiores destacando-se das outras, na parte superior, e segmentos com sulcos transversais silíferos. Ocorre desde a Carolina do Norte (E.U.A.) até SP, com maior densidade no CE e em PE; é a espécie mais utilizada comercialmente no Brasil. [Pl.: *lagostas-comuns.*]

lagosta-gafanhoto. *S. f.* V. *tamburutaca.* [Pl.: *lagostas-gafanhotos* e *lagostas-gafanhoto.*]

lagostim. [Dim. de *lagosta.*] *S. m.* Designação comum às espécies de crustáceos decápodes, macruros, da família dos cilarídeos, parecidas com a lagosta, porém facilmente reconhecíveis pela ausência de longas antenas. A espécie *Scyllarides brasiliensis* Ramos tem coloração vermelho-arroxeada muito viva, medindo de 12 a 27 cm de comprimento. Vive no fundo do mar.

lagostinha. [Dim. de *lagosta.*] *S. f. Bras.* Espécie de crustáceo decápode, macruro, da família dos nefropsídeos *(Nephrops rubellus* C. Moreira), do Atlântico e

Pacífico, de coloração geral rósea, com a base dos espinhos do cefalotórax e quelípodes rubros, sendo a extremidade branca, e comprimento de até 15 cm.

lagrangiana. [Do antr. *Lagrange*, de Joseph Louis Lagrange, matemático e astrônomo francês (1736-1831), + *-i-* + *-ana*[1].] *S. f. Fís.* Função das coordenadas generalizadas de um sistema, igual à diferença entre a energia cinética e a energia potencial, ambas expressas em termos daquelas coordenadas.

lágrima. [Do lat. *lacrima*.] *S. f.* **1.** Secreção aquosa, levemente alcalina, de glândula lacrimal, que serve para umidificar a conjuntiva. **2.** Pingo de qualquer líquido; gota. **3.** Objeto que tem forma de lágrima. **4.** Suco destilado por diversos vegetais. **5.** *Pop.* Um tudo-nada; um pouquinho. [Cf. *lagrima*, do v. *lagrimar*.] ~ V. *lágrimas*. ♦ **Lágrima sabéia.** O incenso (1). **Chorar lágrimas de sangue. 1.** Verter sentido pranto. **2.** Sentir dor ou arrependimento profundo.

lagrimação. [De *lagrimar* + *-ção*.] *S. f.* Lacrimação.

lágrima-de-moça. *S. f. Bras.* V. *lírio-do-brejo*. [Pl.: *lágrimas-de-moça*.]

lágrima-de-nossa-senhora. *S. f. Bras.* V. *biurá*: "Chocalhavam-lhe no pescoço as contas escuras de 'lágrimas-de-nossa-senhora'" (Afonso Arinos, *Histórias e Paisagens*, pp. 37-38). [Pl.: *lágrimas-de-nossa-senhora*.]

lágrima-de-santa-maria. *S. f. Bras.* V. *biurá*. [Pl.: *lágrimas-de-santa-maria*.]

lagrimal. *Adj. 2 g.* e *s. m.* Var. de *lacrimal*.

lagrimante. [De *lagrimar* + *-ante*.] *Adj. 2 g.* Lacrimante.

lagrimar. [De *lágrima* + *-ar*[2].] *V. int.* V. *lacrimar*: "Levanta as mãos, como ele levantava; / E vendo-o lagrimar, também chorava." (Santa Rita Durão, *Caramuru*, p. 52); "— Lagrimava primeiro; dava o exemplo da sensibilidade" (Camilo Castelo Branco, *Vulcões de Lama*, p. 135). [Pres. ind.: *lagrimo, lagrimas, lagrima*, etc. Cf. *lágrima* e *lágrimas*.]

lágrimas. [Pl. de *lágrima*.] *S. f. pl.* Choro; pranto. [Cf. *lagrimas*, do V. *lagrimar*.] ♦ **Lágrimas de crocodilo.** As que não vêm da alma; as que não são sinceras; choro fingido. ~ V. *lágrima*.

lagrimejamento. [De *lagrimejar* + *-mento*.] *S. m.* Lacrimejamento.

lagrimejante. [De *lagrimejar* + *-ante*.] *Adj. 2 g.* Lacrimejante.

lagrimejar. [De *lágrima* + *-ejar*.] *V. t. d.* e int. V. *lacrimejar*. [Conjug.: V. *pelejar*.]

lagrimoso (ô). [De *lágrima* + *-oso*.] *Adj.* Lacrimoso: "A criança ia lagrimosa e carecida de meiguices e consolações" (Camilo Castelo Branco, *Amor de Salvação*, p. 59).

laguna. [Do lat. *lacuna*.] *S. f.* **1.** Lago de barragem, formado de águas salgadas, e proveniente do trabalho de acumulação das águas do mar. [Sin., lus.: *albufeira*.] **2.** Lago de águas salgadas que se forma no interior dum recife coralígeno. **3.** Braço de mar pouco profundo, entre bancos de areia ou ilhas, na embocadura de certos rios. **4.** *Bras., Amaz.* Baixada inundada, à margem de um rio. **5.** *Ant.* Pequena cavidade ou fossa [v. *fossas*]; *fosseta*.

lagunense[1]. *Adj. 2 g.* **1.** De, ou pertencente ou relativo a Laguna (SC). ● *S. 2 g.* **2.** Natural ou habitante de Laguna.

lagunense[2]. *Adj. 2 g.* **1.** De, ou pertencente ou relativo a Guia Lopes da Laguna (MS). ● *S. 2 g.* **2.** Natural ou habitante de Guia Lopes da Laguna.

lai. [Do celta, pelo fr. *lai*.] *S. m.* Pequeno poema, em versos octossílabos, que os jograis da Idade Média cantavam, com acompanhamento de harpa. [Pl.: *lais*. Cf. *Laís*, antr., f. menos correta, porém usual, de *Lais*.]

laia[1]. *S. f.* Qualidade; jaez; casta; feitio; estofa: *Não se meta com indivíduos desta laia*; "Sou mancebo de alta laia: / Não trabalho e sei justar." (Manuel Bandeira, *Estrela da Vida Inteira*, p. 26.) ♦ **À laia de.** À moda de; à maneira de; à feição de; à guisa de: "Deixa-me contar a história à laia de novela" (Machado de Assis, *Páginas Recolhidas*, p. 25).

laia[2]. *S. f. Gír.* Prata (1).

laiana. *Bras. S. 2 g.* **1.** Indivíduo dos laianas, tribo aruaque do sul-mato-grossense. ● *Adj. 2 g.* **2.** Pertencente ou relativo a essa tribo.

laical. [De *laico* + *-al*.] *Adj. 2 g.* **1.** V. *leigo* (1). **2.** Referente a, ou próprio de leigo; leigal.

laicalismo. *S. m.* **1.** Procedimento laical. **2.** Atribuições estranhas ao poder eclesiástico.

laicato. [De *laico* + *-ato*[1].] *S. m.* Laicismo (1).

laicidade. [De *laico* + *-i-* + *-dade*.] *S. f.* Qualidade de laico ou leigo.

laicificar. [De *laico* + *-i-* + *-ficar*.] *V. t. d.* Laicizar. [Conjug.: v. *trancar*.]

laicismo. [De *laico* + *-ismo*.] *S. m.* **1.** Estado ou caráter de laico; laicato. **2.** Doutrina que proclama a laicidade absoluta das instituições sócio-políticas e da cultura, ou que pelo menos reclama para estas autonomia em face da religião.

laicizar. [De *laico* + *-izar*.] *V. t. d.* Tornar laico ou leigo; excluir o elemento religioso ou eclesiástico de (organização estatal, ensino, etc.); laicificar.

laico. [Do lat. *laicu*.] *Adj.* **1.** V. *leigo* (1). **2.** Que vive no, ou é próprio do mundo, do século; secular (por oposição a *eclesiástico*): "As crianças .... reclamam em comício público que o ensino seja laico; as igrejas, nas horas de celebração, ficam desertas." (Aquilino Ribeiro, *Alemanha Ensangüentada*, p. 41.)

laicra. [Do ingl. *Lycra*, marca registrada.] *S.f.* Certo fio elastano que, agregado a outros fios (como, p. ex., de algodão, seda, náilon), confere elasticidade aos tecidos.

lais. *S. m. Marinh.* **1.** Cada uma das extremidades de uma verga: "Os [marinheiros] que ofereciam resistência nas abordagens ou davam combate, era içados, depois, no lais das vergas" (Virgílio Várzea, *Mares e Campos*, p. 103). **2.** Extremidade oposta ao pé, num pau de surriola. [Pl.: *laises*. Cf. *Laís*, antr. f. menos boa, porém usual, de *Lais*.] ♦ **Lais de guia.** *Marinh.* Nó que se dá no chicote de um cabo, formando uma alça ou balso, e serve para encapelá-lo ou para fazer um laço de correr.

✤**laisser-aller.** (lèssê-alê). [Fr.] *S. m.* Abandono, displicência, intervenção no que fazem os outros. **2.** *Restr.* Expr. com que se indica a não interferência do Estado em determinadas atividades econômicas de seus cidadãos.

laitu. *S. m. Bras.* Pirarara.

laivar. *V. t. d.* Pôr laivos em; sujar, manchar.

laivo. *S. m.* Mancha, nódoa: "O céu se cobre de arroxeados laivos" (Afonso Schmidt, *Mocidade*, p. 55). ~ V. *laivos*.

laivos. [Pl. de *laivo*.] *S. m. pl.* **1.** Noções elementares superficiais; rudimentos, tinta(s), tintura(s), fumaça(s). **2.** Vestígios, mostras, indícios, traços: "Recorrer à graça forçada, mesmo quando tenha, aqui e além, laivos de oportunidade ou de ironia, é sacrificar o que há de mais belo ao cômico" (Luís Forjaz Trigueiros, *Pátio das Comédias*, p. 121). [Tb. us. (porém menos) no sing.] **3.** Marca, ferrete. ~ V. *laivo*.

laja. *S. f.* V. *laje*: "entre dormir a sesta numa alfombra tapetada de folhas e numa laja à torreira, prefere [a cabra] a laja" (Aquilino Ribeiro, *Luís de Camões*, II, p. 88).

lajão. *S. m.* Grande laje.

laje. *S. f.* **1.** Pedra de superfície plana geralmente quadrada ou retangular; lousa: "eu fazia a volta dentro do pátio revestido de lajes" (Osmã Lins, *Nove, Novena*, p. 156). **2.** *Constr.* Obra contínua de concreto armado, a qual constitui sobrado, teto de um compartimento, ou piso. [F. paral.: *laja* e *lájea*; var.: *lajem*. Dim. irreg.: *lajota*.] ♦ **Laje nervurada.** *Constr.* Aquela que tem nervuras [v. *nervura* (7)], em geral na parte inferior.

lájea. *S. f.* V. *laje*: "Sem pão, sem abrigo, por noites geladas / Pousei minha fronte nas lájeas do chão." (Soares de Passos, *Poesias*, p. 119); "Lá dormia descansado / Sob a lájea tumular." (Id., *ib.*, p. 97).

lajeadense. *Adj. 2 g.* **1.** De, ou pertencente ou relativo a Lajeado (RS). ● *S. 2 g.* **2.** Natural ou habitante de Lajeado.

lajeado. [Part. de *lajear*.] *Adj.* **1.** Revestido de lajes. ● *S. m.* **2.** Pavimento lajeado; lajedo, lajeiro, lajeamento. **3.** *Bras.* Arroio ou regato cujo leito é de rocha. **4.** *Bras., RS.* Trecho do campo coberto de pedras grandes. **5.** *Bras., PE, AL* e *BA*. V. *lajeiro* (1).

lajeador (ô). *S. m.* Aquele que lajeia, que assenta lajes.

lajeamento. *S. m.* **1.** Ação de lajear. **2.** V. *lajeado* (2).

lajear. *V. t. d.* **1.** Assentar lajes em; cobrir de lajes. *P.* **2.** Cobrir-se de lajes. [Conjug.: v. *frear*.]

lajedo (ê). *S. m.* **1.** V. *lajeado* (2). **2.** V. *lajeiro* (1): "O ângulo do rio Capibaribe internava-se na direção do sul por entre uns lajedos alcantilados que se sumiam dentro de um capão de mato." (Franklin Távora, *O Cabeleira*, p. 63.)

lajeiro. [De *laje* + *-eiro*.] *S. m.* **1.** *Bras.* Vasto afloramento de rocha, mais ou menos plano. [Sin. (PE, AL e BA): *lajeado, lajedo*.] **2.** V. *lajeado* (2).

lajem. *S. f.* **1.** V. *laje*: "A égua vinha chouteando pelo atalho pedregoso, estacando de quando em quando, ao topar uma lajem mais escorregadia." (Alberto Braga, *Novos Contos*, p. 6.) **2.** *Bras., N.* Grande porção de pedras que obstruem um trecho de rio.

lajense[1]. *Adj. 2 g.* **1.** De, ou pertencente ou relativo a São José da Laje (AL). ● *S. 2 g.* **2.** Natural ou habitante de São José da Laje.

lajense[2]. *Adj. 2 g.* **1.** De, ou pertencente ou relativo a Lajes (RN). ● *S. 2 g.* **2.** Natural ou habitante de Lajes.

lajiano[1]. *Adj.* **1.** De, ou pertencente ou relativo a Lajes (SC). ● *S. m.* **2.** O natural ou habitante de Lajes.

lajiano[2]. *Adj.* **1.** De, ou pertencente ou relativo a Laje do Muriaé (RJ). ● *S. m.* **2.** O natural ou habitante de Laje do Muriaé.

lajinhense. *Adj. 2 g.* **1.** De, ou pertencente ou relativo a Lajinha (MG). ● *S. 2 g.* **2.** Natural ou habitante de Lajinha.

lajista. *Adj. 2 g.* **1.** De, ou pertencente ou relativo a Laje (BA). ● *S. 2 g.* **2.** Natural ou habitante de Laje.

lajota. *S. f.* Pequena laje: "Fronteou o terreiro de secar café, ... formado por lajotas de arenito rosa, rejuntadas, que propiciavam excelente secagem." (Francisco Marins, ... e a *Porteira Bateu!*, p. 159.)

lalau. [De *ladrão*, provavelmente.] *S. m. Bras. Gír.* V. *descuidista*.

▲**-lalia.** [Do gr. *laliá, âs*.] *El. comp.* = 'palavra', 'loquacidade': *dislalia*.

▲**lal(o)-.** [Do gr. *lalein*.] *El. comp.* = 'falar', 'tagarelar': *laloplegia, lalomania*.

lalomania. [De *lal(o)-* + *-mania*.] *S. f. Patol.* Loquacidade mórbida; mania oratória.

laloplegia. [De *lal(o)-* + *-pleg-* + *-ia*.] *S. f. Patol.* Paralisia dos órgãos da linguagem.

lama[1]. [Do lat. *lama*.] *S. f.* **1.** Lodo (ô) (1). **2.** *Fig.* V. *lodo* (ô) (1). **3.** *Fig.* V. lodo (ô) (3): *Vive na lama; Tirou o pobre-diabo da lama.*

lama[2]. [Do tibetano *blama*.] *S. m.* Sacerdote budista, entre os mongóis e os tibetanos: "O Tibete é uma vasta Tebaida misteriosa. Um terço de sua população é de lamas — monges miseráveis e repulsivos" (Euclides da Cunha, *Contrastes e Confrontos*, p. 112).

lama[3]. [De *lhama*.] *S. m.* V. *alpaca*[1] (1).

lamaçal. *S. m.* **1.** Lugar onde há muita lama[1]; atoleiro, lamaceira, maceiro, lamedo, lameira, lameiro, lodeira, lodeiro, ludreiro, enxurdeiro. **2.** V. *pântano* (2).

lamaceira. *S. f.* V. *lamaçal* (1).

lamaceiro. *S. m.* **1.** V. *lamaçal* (1). **2.** V. *pântano* (2).

lamacento. *Adj.* **1.** Cheio ou coberto de lama[1]; enlameado, lamoso: *estradas lamacentas*; "É um bafo quente de infância que me vem da beira lamacenta do Paraíba" (Carlos Lacerda, *A Casa do Meu Avô*, p. 14). **2.** Semelhante a lama[1]; lamoso: *barro lamacento*.

lamaico. [De *lama*[2] + *-aico*.] *Adj.* Referente ao lamaísmo.

lamaísmo. [De *lama*[2] + *-ismo*,] *S. m. Filos.* Religião dominante do Tibete, originada no séc. VII, do budismo maaiana, associado aos cultos mágicos locais e ao tantrismo, e cujo chefe supremo é o Dalai-Lama.

lamaísta. *Adj. 2 g.* e *s. 2 g.* Diz-se de, ou sectário do lamaísmo.

lamarão. [De *lama*[1] + *-arão*.] *S. m.* **1.** Grande lamaçal. **2.** Lodo que fica descoberto quando a maré vaza. **3.** *Bras., PB* e *PE*. Lagoa formada nas depressões do terreno em tempo de chuvas.

lamarckianismo. [De *lamarckiano* + *-ismo*.] *S. m. Biol. Ger.* Lamarckismo.

lamarckiano. *Adj.* e *s. m.* Lamarckista.

lamarckismo. *S. m. Biol. Ger.* Doutrina evolucionista de Lamarck [v. *lamarckista*], que sustenta a transmissão hereditária dos caracteres adquiridos por ação do ambiente; lamarckianismo.

lamarckista. *Adj. 2 g.* **1.** Pertencente ou relativo a Jean Baptiste de Lamarck, naturalista francês (1744-1829), ou próprio dele ou de sua doutrina. **2.** Que é partidário desta. ● *S. 2 g.* **3.** Partidário do lamarckismo. [Sin. ger.: *lamarckiano*.]

lamartiniano. *Adj.* **1.** Pertencente ou relativo a Alphonse de Lamartine, poeta romântico francês (1790-1869), ou próprio dele. ● *S. m.* **2.** Grande admirador e/ou profundo conhecedor da obra de Lamartine. [Sin. ger.: *lamartinista*.]

lamartinista. *Adj. 2 g.* e *s. 2 g.* Lamartiniano.

lamaseria. [Do fr. *lamaserie*.] *S. f.* Convento budista, local onde habitam lamas [v. *lama*[2]].

lamba. [Do quimb. *lamba*.] *El. s. m.* Us. na loc. *passar lamba*. ♦ **Passar lamba.** *Bras.* Levar vida de cachorro; passar mal.

lambada. [Var. de *lombada*, com assimilação] *S. f.* **1.** Paulada, cacetada. **2.** *Fig.* V. *descompostura* (2). **3.** *Bras.* Golpe de chicote, tabica ou rebenque; lapada, lamborada. **4.** *Bras.* Pedaço alongado tirado de alguma coisa. **5.** *Bras. Gír.* V. *bicada*[1] (5). [Sin. ger., no N. e N.E. *lapada*.]

lambaio. [De *lamber*?] *S. m. Bras.* **1.** Vassoura, ordinariamente feita de panos velhos ou de estopa, e que, presa à extremidade de uma vara, serve para lavar os fornos de padaria. **2.** Vassoura de embira (geralmente vermelha) com que se limpa, nos engenhos de bangüê, a espuma do açúcar nas bordas da tacha de cozer. **3.** Vassoura de aniagem, usada na lavagem de tachos e alguidares: "Limpava, com lambaio de aniagem, as bordas do tacho grande de fazer sabão de decoada" (Nélson de Faria, *Tiziu e Outras Estórias*, p. 180). **4.** Servente ou criado de baixa condição.

lambamba. [De *lamber*?] *S. m.* e *adj. Bras., SE* e *MG. Pop.* Beberrão de cachaça: "uns restinhos de pinga aqui, outros acolá, somavam-se aos milhões de sobras que formam o rio caudaloso onde se dessedentam e afogam mágoas as almas de todos os lambambas deste mundo." (Nélson de Faria, *Tiziu e Outras Estórias*, p. 166).

lambança. [De *lamber*?] *S. f.* **1.** Coisa que se pode lamber ou comer. **2.** *Fig.* Tumulto, barulheira, algazarra. **3.** *Bras.* Gabolice, bazófia, jactância. **4.** *Bras.* Censura, repreensão, recriminação. **5.** *Bras.* Enredo, mexerico, intriga. **6.** *Bras.* Enredo, embuste, embrulho. **7.** *Bras.* Trapaça no jogo. **8.** *Bras. P. ext.* Roubo, ladroeira. **9.** *Bras.* Conversa fiada; mentira, patranha, peta. **10.** *Bras.* Vadiagem, preguiça, inércia. **11.** *Bras.* Agrado fingido; adulação. **12.** *Bras.* Desordem em conseqüência de muito falatório. **13.** *Bras.* Serviço malfeito.

lambanceador (ô). [De *lambancear* + *-(d)or*.] *Adj.* e *s. m. Bras., RS.* Lambanceiro.

lambancear. [De *lambança* + *-ear*.] *V. int. Bras.* **1.** Fazer lambança (5); intrigar, enredar. **2.** Conversar demais. [Conjug.: v. *frear*.]

lambanceiro. *Adj.* e *s. m. Bras.* Diz-se de, ou aquele que faz lambança ou gosta de lambança. [Sin. (no RS): *lambanceador*.]

lambão. [De *lamber*?] *Adj.* e *s. m.* **1.** Que ou aquele que é lambareiro (1). **2.** Que ou aquele que se lambuza ao comer. **3.** Que, ou aquele que não sabe lidar com as coisas sem sujar-se; lambuzão, lambarão. **4.** *Fig.* Que, ou aquele que faz mal o seu serviço ou a sua arte; matão. **5.** Tolo, palerma, parvo. [Fem.: *lambona*.]

lambar. [De *lamb(ada)* + *-ar*[2].] *V. t. d. Bras.* Dar lambadas em; chicotear; vergastar. [Fut. pres.: *lambarei, lambarás*, etc. Cf. *lambaraz*.]

lambarão. *Adj.* e *s. m. Bras.* **1.** V. *lambão* (3). **2.** V. *lambuzão*. [Fem.: *lambarona*.]

lambarar. *V. int.* Comer, gostar de lambarices [v. *lambarice* (2)]; ser lambareiro; lambujar.

lambaraz. *Adj. 2 g.* e *s. 2 g.* V. *lambareiro* (1 e 3). [Cf. *lambarás*, do v. *lambar*.]

lambareiro. [De *lamber*?] *Adj.* **1.** Que é guloso, amigo de lambarices; lambão, lambaraz, lambaz, lambeiro, lambisqueiro, lambujeiro: "Os mineiros foram sempre muito lambareiros, amigos de doces e quitandas" (Eduardo Frieiro, *Feijão, Angu e Couve*, p. 213). **2.** Mexeriqueiro, bisbilhoteiro, intrigante, chocalheiro. ● *S. m.* **3.** Aquele que é guloso; lambão, lambaraz, lambaz, lambeiro, lambisqueiro, lambujeiro. **4.** Mexeriqueiro, bisbilhoteiro, intrigante, chocalheiro. **5.** *Ant. Marinh.* Gato de grande tamanho, ligado a um cabo com mão e sapatilho no chicote, que servia para levar a âncora à posição horizontal de descanso, quando a embarcação estivesse navegando. [Cf., nesta acepç., *turco do lambareiro*.]

lambari. [Var. de *alambari* < tupi *arawi'ri*.] *S. m. Bras.* **1.** Designação comum a numerosas espécies de peixes teleósteos, caraciformes, da família dos caracídeos, subfamília dos tetragonopteríneos, com cerca de 300 espécies conhecidas. Têm tamanho reduzido, nutrem-se de invertebrados aquáticos, sementes, restos de animais, etc. e são muito apreciados para alimentação no interior do Brasil. [Sin.: *piaba*. Var.: (bras., N.E.): *alambari*. Cf. *matupiri* (3).] **2.** Serrote de lâmina muito estreita.

lambarice. *S. f.* **1.** Qualidade de lambareiro. **2.** Guloseima, gulodice, gulosice; lambujem.

lambari-do-rabo-vermelho. *S. m. Bras.* Lambariguaçu. [Pl.: *lambaris-do-rabo-vermelho*.]

lambariense. *Adj. 2 g.* **1.** De, ou pertencente ou relativo a Lambari (MG). ● *S. 2 g.* **2.** Natural ou habitante de Lambari.

lambariguaçu. [De *lambari* + *-guaçu*.] *S. m. Bras.* Peixe teleósteo, caraciforme, da família dos caracídeos (*Astyanax fasciatus* (Cuv.)), da região cisandina, de dorso cinza-escuro, passando a prateado no abdome, nadadeira caudal e círculo em torno dos olhos vermelhos, e comprimento de até 18 cm; lambari-do-rabo-vermelho.

lambari-pintado. *S. m. Bras.* V. *canivete* (5). [Pl.: *lambaris-pintados*.]

lambari-piquira. *S. m. Bras., SP.* V. *piquira* (6). [Pl.: *lambaris-piquiras*.]

lambari-prata. *S. m. Bras.* Peixe teleósteo, caraciforme, da família dos caracídeos (*Hyphessobrycon reticulatus* Ellis), do S.E. do País, de coloração prateada com uma mácula escura atrás do opérculo e outra na base da nadadeira caudal. [Pl.: *lambaris-pratas* e *lambaris-prata*.]

lambarizinho. [Dim. de *lambari*.] *S. m. Bras.* Designação comum às espécies menores do gênero *Astyanax* [v. *lambariguaçu*] e afins.

lambarona. *Adj. (f.)* e *s. f.* Fem. de *lambarão* [q. v.].

lambaz. [De *lamber*?] *Adj. 2 g.* **1.** V. *lambareiro* (1). ● *S. m.* **2.** V. *lambareiro* (3). **3.** *Marinh.* Molho de fios de carreta, formando uma espécie de vassoura, que se emprega a bordo para enxugar os conveses, as antepararas, etc.: "Marinheiros vassoiravam o convés, enquanto outros iam passando o lambaz onde já não havia água." (Adolfo Caminha, *Bom-Crioulo*, p. 67.)

lambazar. *V. t. d.* Enxugar ou varrer com o lambaz (3).

lambda. [Do fenício, atr. do gr. *lámbda* e do lat. *lambda*.] *S. m.* **1.** A 11ª. letra do alfabeto grego (Λ, λ), correspondente ao ele. **2.** *Anat.* A parte do crânio onde se unem as suturas sagitais com a lambdóide.

lambdacismo. [Do gr. *lambdakismós*, pelo lat. *lambdacismu*.] *S. m.* Pronúncia viciosa da letra *l*, que consiste em dobrá-la, repeti-la muito, ou articulá-la em lugar do *r*. Ex.: *colda* em vez de *corda*.

lambda-zero. *S. m. Fís. Nucl.* Bárion que no estado fundamental tem massa igual a 1,197 unidade de massa atômica, spin igual a um meio, paridade mais, e carga nula. [Pl.: *lambdas-zeros*.]

lambdóide. [Do gr. *lambdoeidés*.] *Adj. 2 g.* **1.** Que tem forma de lambda. V. *sutura* —. ● *S. f.* **2.** *Anat.* Sutura lambdóide.

lambe-botas. [De *lamber* + *bota*[1].] *S. 2 g.* e *2 n.* V. *bajulador* (2).

lambe-cu. [De *lamber* + *cu*.] *S. 2 g.* V. *bajulador* (2). [Pl.: *lambe-cus*.]

lambedeira. *Adj.* **1.** Fem. de *lambedor*. ● *S. f.* **2.** Fem. de *lambedor* (4 e 5). **3.** *Bras. Pop.* Faca estreita e comprida; faca de ponta; bicuda, cotruco, espinho, espinho-de-santo-antônio, lapiana, pajeú, parnaíba, pernambucana, tijubina.

lambedela. *S. f.* V. *lambidela* (1).

lambedor (ô). *Adj.* **1.** Que lambe. **2.** *Bras.* V. *bajulador* (2). **3.** Himenóptero (2). ● *S. m.* **4.** *Bras.* Aquele que lambe. **5.** *Bras.* Indivíduo lambedor (2), bajulador. [Fem. (nessas acepç.): *lambedeira*.] **6.** Loque (2): "o velho Ingá referiu-se às virtudes medicinais daquela árvore — jataí —, de cujo entrecasco os curandeiros fazem um 'lambedor' — espécie de xarope — ótimo para limpar os brônquios." (Ulisses Lins de Albuquerque, *Um Sertanejo e o Sertão*, pp. 234-235.) **7.** *Bras., BA.* Terreno salgado e alagadiço. **8.** Himenóptero (1).

lambedores (ô). [Pl. de *lambedor*.] *S. m. pl. Zool.* Himenópteros.

lambedura. *S. f.* V. *lambidela* (1).

lambe-esporas. [De *lamber* + *espora*.] *S. 2 g.* e *2 n.* **1.** *Bras.* V. *leva-e-traz*. **2.** *Bras., RS.* V. *bajulador* (2).

lambeiro. *Adj.* e *s. m.* V. *lambareiro* (1 e 3).

lambel. [Do fr. *lambel*.] *S. m.* **1.** *Heráld.* Cotica de brasão, em geral distintiva de ramo não primogênito. **2.** *Ant.* Alambel. [Pl.: *lambéis*. Cf. *lambeis*, do v. *lamber*.]

lambe-lambe. [Da 3ª. pess. sing. do pres. ind. de *lamber*, repetida.] *S. m. Bras., RJ. Pop.* **1.** Fotógrafo ambulante. **2.** A primeira fila dos teatros de revistas. [Pl.: *lambe-lambes*.]

lambe-olhos. [De *lamber* + *olho*.] *S. f. 2 n. Bras.* **1.** Abelha da família dos meliponídeos (*Melipona duckei* Friese); lambe-sapo. **2.** Frecheira (2).

lambe-pratos. [De *lamber* + *prato*.] *S. 2 g.* e *2 n. Fam.* Limpa-pratos.

lamber. [Do lat. *lambere*, 'lavar, banhar' (o rio).] *V. t. d.* **1.** Passar a língua sobre: *O cão lambia, contente, o seu dono.* **2.** Ingerir, lambendo: "Teu cavalo nitrindo na savana / lambe as úmidas gramas em meus dedos." (Castro Alves, *Poesias Escolhidas*, p. 441). **3.** Comer com sofreguidão; devorar; engolir: *Lambeu tudo o que lhe puseram à frente na mesa.* **4.** Tocar de leve; atingir de passagem; roçar: "não conseguia mais o pouco de calma que a princípio sentira, quando as ondas vinham lamber-lhe os pés" (Valdomiro Autran Dourado, *Nove Histórias em Grupos de Três*, p. 22); "A frouxa luz da alabastrina lâmpada / Lambe voluptuosa os teus contornos" (Castro Alves, *Poesias Escolhidas*, p. 68). **5.** Estender-se por cima de, ao longo de, destruindo, devastando: "E as chamas começaram a lamber o negro costado da escuna, crepitando com o derreter de alcatrão" (Galpi, *Narrativas Brasileiras*, p. 81). **6.** Aperfeiçoar com requinte; apurar demais; polir: *Lambe os seus escritos, antes de publicá-los.* **7.** Corroer, desgastar. **8.** Correr por; banhar: *Naquela região o mar lambe suavemente as brancas areias.* **9.** *Bras. Pop.* Adular, bajular: *Vive lambendo os poderosos.* *Int.* **10.** *Bras., RJ.* Pegar fogo, incendiar-se (o balão). *P.* **11.** Passar a língua sobre si mesmo. **12.** Dar sinais de alegria; demonstrar satisfação: "Boi solto lambe-se todo" (prov.). [Pres. ind.: *lambo, lambes, lambe, lambemos, lambeis, lambem.* Cf. *lambéis*, pl. de *lambel*.]

lambert. [Do antr. *Lambert*, de Johann H. Lambert (?-1777), físico alemão.] *S. m. Fotom.* Unidade de medida de luminância, igual a $10^4/\pi$ candelas por metro quadrado.

lambe-sapo. [De *lamber* + *sapo*.] *S. f. Bras.* Lambe-olhos. [Pl.: *lambe-sapos*.]

lambe-sujo. [De *lamber* + *sujo*.] *S. m. Bras., SE. Folcl.* Folguedo popular, de caráter dramático, que lembra a luta contra os quilombos. [Pl.: *lambe-sujos*.]

lambeta (ê). [De *lamber* (8).] *Adj. 2 g.* e *s. 2 g. Bras., RS.* **1.** Intrigante, mexeriqueiro, lambanceiro, lambeteiro. **2.** V. *bajulador* (1 e 2). [Sin. ger.: *lambeteiro*.]

lambetear. [De *lambeta* + *-ear*.] *V. int. Bras., S.* Proceder como lambeta; fazer adulações ou mexericos. [Conjug.: v. *frear*.]

lambeteiro. *Adj.* e *s. m. Bras., S.* **1.** V. *lambeta* (1). **2.** V. *bajulador* (1 e 2).

lambição. [De *lamber* (8).] *S. f. Bras. Pop.* Adulação, bajulação, engrossamento.

lambida. [De *lamber* + *-ida*.] *S. f.* V. *lambidela* (1).

lambidela. *S. f.* **1.** Ato ou efeito de lamber; lambedela, lambedura, lambida. **2.** *Fig.* Lisonja, adulação, bajulação. **3.** V. *gorjeta* (2). [F. paral.: *lambedela*.]

lambido. [Part. de *lamber*.] *Adj.* **1.** Que se lambeu. **2.** Diz-se da obra de arte (pintura, poesia, etc.) demasiado polida, suave em excesso. **3.** *Bras.* Desgracioso, desenxabido. **4.** *Bras.* Afetado, presumido, delambido. **5.** *Lus. Fam.* Apurado no vestir; bem-posto.

lambiscada. [De *lambiscar* + *-ada*[1].] *S. f.* Ato ou efeito de lambiscar uma vez.

lambiscador (ô). *Adj.* e *s. m. Bras.* Diz-se de, ou indivíduo que gosta de lambiscar petiscos; guloso.

lambiscar. [De *lamber* + *-iscar*.] *V. t. d.* **1.** Comer pouco; debicar: "Tudinha estava com enjôos, lambiscando uma que outra guloseima, sem querer se alimentar e dormir direito." (Nélson de Faria, *Tiziu e Outras Estórias*, pp. 150-151.) *Int.* **2.** Comer pouco; debicar. **3.** Comer com freqüência, mas pouco de cada vez, da mesma comida ou, sobretudo, de várias; paparicar: "o gargalhar de dous ou três gastrônomos obstinados, que lambiscavam ainda a um canto da mesa, teimosos em disputarem sobre a superioridade deste ou daquele prato" (Afonso Arinos, *Pelo Sertão*, p. 138). [Conjug.: v. *trancar*.]

lambiscaria. *S. f.* **1.** Ação de lambiscar. **2.** *Bras.* V. *gulodice* (2).

lambisco. [Dev. de *lambiscar*.] *S. m.* **1.** Pequena porção de comida. **2.** Pouca coisa.

lambisgóia. [De *lamber*?] *S. f.* **1.** Mulher delambida. **2.** Pessoa intrometida, metediça, atrevida. **3.** Pessoa magra, desenxabida, antipática.

lambisqueiro. [De *lambisco* + *-eiro*.] *Adj.* e *s. m.* V. *lambareiro* (1 e 3).

lambona. *Adj. (f.)* e *s. f.* Fem. de *lambão* [q. v.].

lamborada. *S. f. Bras.* V. *lambada* (3).

lambrecado. [Part. de *lambrecar*.] *Adj.* V. *labreado*.

lambrecar. *V. t. d. Bras.* V. *labrear*. [Conjug.: v. *trancar*.]

lambregar. *V. t. d. Bras., N.* V. *labrear*. [Conjug.: v. *regar*.]

lambrequim. [Do médio neerl., atr. do fr. *lambrequin*.] *S. m.* Lambrequins.

lambrequinado. [De *lambrequim* + *-ado*[1].] *Adj.* Ornado de lambrequins.

lambrequins. *S. m. pl.* **1.** Ornatos que pendem do elmo sobre o escudo ou que o circundam. **2.** Ornatos de recortes de madeira ou de lâmina metálica para beiras de telhados, cortinas, cantoneiras, etc.: "Alguns proprietários, poupando a platibanda e os lambrequins, não esquecem de dar ao telhado do edifício o jeito característico e de rematar as duas extremidades da cumeeira com as flechas características." (Lima Barreto, *Vida e Morte de M. J. Gonzaga de Sá*, p. 114.). [Tb. é us. no sing.]

lambreta (ê). [Do it. *lambretta*, nome comercial.] *S. f.* V. *motoneta*.

lambretista. *S. 2 g. Bras.* Pessoa que costuma transportar-se em lambreta ou motoneta: "— Legal! — exclamou o lambretista do Posto 6, quando contei a ele que no Bairro de Fátima se fundou a Associação de

Lambretistas." (Carlos Drummond de Andrade, *A Bolsa & a Vida*, p. 41.)
lambri. [Do fr. *lambris*.] *S. m.* V. *lambris*: "O Coronel Andrade .... entrava preso no grande salão de audiências, de decoração pesada e lustroso lambri negro." (Carlos Drummond de Andrade, *A Bolsa & a Vida*, p. 38.)
lambril. *S. m.* V. *lambris*.
lambrim. *S. m. Pop.* V. *lambris*.
lambris. [Do fr. *lambris*, tomado como pl.] *S. m. pl.* Revestimento de madeira, azulejos, mármore, etc., aplicado até certa altura das paredes internas da peça dum edifício. [Tb. us. no sing., com as f. *lambril* e *lambri*. Var. pop.: *lambrim*.]
lambrisamento. *S. m. Bras.* Ato ou efeito de lambrisar.
lambrisar. *V. t. d. Bras.* Guarnecer (uma parede) de lambris.
lambu. *S. m.* e *f. Bras., PB.* V. *inhambu*: "Também falam da caipora que pegou um sujeito na estrada, um tal de Pepé, caçador de lambu." (José Lins do Rego, *Fogo Morto*, p. 63.)
lambuçar. *V. t. d.* e *p. P. us.* V. *lambuzar*. [Conjug.: v. *laçar*.]
lambuja. [Dev. de *lambujar*.] *S. f. Bras.* **1.** Lambujem (5 e 6). **2.** V. *gorjeta* (2).
lambujar. [De *lambuj(em)* + *-ar*[2].] *V. int.* Andar à lambujem; lambarar.
lambujeiro. *Adj.* e *s. m.* Que, ou aquele que lambuja; guloso, lambareiro.
lambujem. [De *lamber*?] *S. f.* **1.** Ato de comer gulodices. **2.** V. *lambarice* (1). **3.** Resto de comida que fica no prato. **4.** *Fig.* Pequeno lucro com que se seduz alguém. **5.** *Bras.* Vantagem que um jogador concede ao parceiro; lambuja. **6.** *Bras.* O que se ganha ou dá além do combinado; quebra, inhapa; lambuja. **7.** *Bras.* V. *gorjeta* (2).
lambuzada. [De *lambuzar* + *-ada*[1].] *S. f. Pop.* **1.** Ato ou efeito de lambuzar(-se). **2.** Coisa que suja. **3.** Mancha, nódoa ou vestígio de substância gordurosa ou pastosa; besuntadela, lambuzadela.
lambuzadela. *S. f.* **1.** Ato ou efeito de lambuzar(-se) levemente. **2.** V. *lambuzada* (3). **3.** Pintura ligeira. **4.** *Fig.* Leves noções; rudimentos: *Tem apenas umas lambuzadelas de psicologia.*
lambuzado. [Part. de *lambuzar*.] *Adj.* Sujo, emporcalhado.
lambuzão. *Adj.* e *s. m. Bras.* **1.** Diz-se de, ou aquele cujo vestuário é pouco asseado, desleixado ou negligente. **2.** V. *lambão* (2). [Sin. ger.: *lambarão*. Fem.: *lambuzona*.]
lambuzar. [De *lamber*?] *V. t. d.* **1.** Sujar, emporcalhar; besuntar, principalmente de comida. **2.** Pôr nódoas de gordura em. *P.* **3.** Sujar-se, emporcalhar-se (principalmente de comida): "Quem nunca comeu mel, quando come se lambuza" (prov.); "Vivia nos salões de beleza, lambuzando-se de cremes." (Gilvã Lemos, *Jutaí Menino*, p. 192). [F. paral.: *enlambuzar, labuzar* e (p. us.) *lambuçar*.]
lambuzeira. *S. f.* V. *meleira* (1).
lambuzona. *Adj. (f.)* e *s. f.* Fem. de *lambuzão* [q. v.].
lamecense. [Do lat. *lamecense*.] *Adj. 2 g.* **1.** De, ou pertencente ou relativo a Lamego (Portugal). ● *S. 2 g.* **2.** Natural ou habitante de Lamego.
lamecha. *Adj.* e *s. m.* Que, ou aquele que está ridícula ou tolamente enamorado; baboso, bajoujo, coió.
lamecharia. *S. f.* V. *lamechice*.
lamechice. *S. f.* Qualidade, ato, modos ou dito de lamecha; lamechismo, lamecharia.
lamechismo. *S. m.* V. *lamechice*.
lamedo (ê). *S. m. Bras.* V. *lamaçal* (1): "O lamedo dera-lhe, no vau do Anicuns, um trabalhão" (Hugo de Carvalho Ramos, *Tropas e Boiadas*, p. 4).
lamego (ê). [Do top. lus. *Lamego*?] *S. m. Bras., SP.* Pãozinho coberto com creme de ovos.
lameira. [De *lama*[1] + *-eira*.] *S. f.* **1.** V. *lamaçal* (1). **2.** V. *lameiro* (2).
lameirão. *S. m.* **1.** Grande lameiro. **2.** V. *pântano* (2).
lameiro. [De *lama*[1] + *-eiro*.] *S. m.* **1.** V. *lamaçal* (1). **2.** Terra alagadiça que produz muito pasto; lameira. **3.** Terras que surgem com a vazante dos rios e são aproveitadas para cultivo. **4.** *Mar.* Embarcação de ferro, com caixas de ar nas extremidades e portas no fundo, destinada a transportar lama proveniente de dragagem do porto. ● *Adj.* **5.** *Turfe. Gír.* Diz-se do cavalo que corre melhor em pista molhada.
lamela. [Do lat. *lamella*.] *S. f.* **1.** Placa ou lâmina muito delgada. **2.** Folha (1) delgada.
lamelação. *S. f.* Disposição ou divisão em lamelas.
lamelado. [Part. de *lamelar*[2].] *Adj.* **1.** Que tem lamelas: "Os xistos lamelados e as cristas de ardósia limpam o longo itinerário das grandes nuvens de pó que a caminho de Ouro Preto e de Mariana desabam no transeunte." (Vitorino Nemésio, *O Segredo de Ouro Preto*, p. 335.) **2.** Disposto em, ou composto de lâminas.
lamelar[1]. [De *lamela* + *-ar*[1].] *Adj. 2 g.* V. *lameloso*.
lamelar[2]. [De *lamela* + *-ar*[2].] *V. t. d.* **1.** Guarnecer com lâminas ou lamelas. **2.** Dividir em lâminas; laminar.
▲**lameli-.** [Do lat. *lamella, ae*.] *El. comp.* = 'pequena lâmina': *lamelibrânquio, lameliforme*.
lamelibrânquio. [De *lameli-* + *-brânquio*.] *S. m.* e *adj.* V. *pelecípode*.
lamelibrânquios. [Pl. de *lamelibrânquio*.] *S. m. pl. Zool.* V. *pelecípodes*.
lamelicórneo. [De *lameli-* + *-corne-* + *-eo*.] *Adj.* **1.** Diz-se de antena que termina em massa folhosa. **2.** Pertencente ou relativo aos lamelicórneos. ● *S. m.* **3.** Espécime dos lamelicórneos.
lamelicórneos. [Pl. de *lamelicórneo*.] *S. m. pl. Zool.* Divisão de insetos coleópteros pentâmeros.
lamelífero. [De *lameli-* + *-fero*.] *Adj.* V. *lameloso*.
lameliforme. [De *lameli-* + *-forme*.] *Adj. 2 g.* Que tem forma de lâmina.
lamelípede. [De *lameli-* + *-pede*.] *Adj. 2 g. Zool.* Que tem pés achatados.
lamelirrostro. [De *lameli-* + *-rostro*.] *Adj.* **1.** Cujo bico é guarnecido de lâminas. **2.** Pertencente ou relativo aos lamelirrostros. ● *S. m.* **3.** Espécime dos lamelirrostros.
lamelirrostros. [Pl. de *lamelirrostro*.] *S. m. pl. Zool. Desus.* Designação comum às aves anseriformes e fenicopterídeas.
lameloso (ô). [De *lamela* + *-oso*.] *Adj.* Que tem lâminas; laminoso, lamelífero, lamelar, laminar.
lamentação. [Do lat. *lamentatione*.] *S. f.* **1.** Ato ou efeito de lamentar(-se). **2.** Queixa acompanhada de gemidos e gritos; lamento, lamúria. **3.** Manifestação, por meio de palavras, de sofrimento moral; lamúria, lamento; gemido; queixa. **4.** Canto fúnebre; elegia, nênia.
lamentador (ô). [Do lat. *lamentatore*.] *Adj.* e *s. m.* Que, ou aquele que lamenta ou se lamenta.
lamentar. [Do lat. *lamentare*.] *V. t. d.* **1.** Chorar ou prantear com gemidos, gritos ou lamentação. **2.** Lastimar, deplorar, lamuriar: "O rapaz .... descreveu a morte, toda a agonia da infeliz, lamentando a grande perda" (Coelho Neto, *Turbilhão*, p. 333). **3.** Afligir-se, magoar-se, por causa de: *Não lamente o que se passou e não pode ser corrigido.* **4.** Pronunciar como em lamentação (2). *P.* **5.** Manifestar mágoa; queixar-se, lastimar-se, lamuriar-se, carpir-se.
lamentável. [Do lat. *lamentabile*.] *Adj. 2 g.* **1.** Digno de ser lamentado; digno de dó, de compaixão; lastimoso, lastimável, deplorável, lamentoso: "Como o socorro não descia do céu, cada manhã ele recomeçava desesperadamente .... as suas súplicas lamentáveis" (Eça de Queirós, *Últimas Páginas*, pp. 294-295). **2.** Digno de ser censurado; censurável, deplorável: *Não sei como desculpar-me pelo incidente lamentável de ontem, na festa.*
lamento. [Do lat. **lamentu*, sing. de *lamenta*, 'gemidos, lamentações'.] *S. m.* **1.** V. *lamentação* (2 e 3). **2.** Pranto, choro. **3.** *Mús.* Nas óperas dos sécs. XVII e XVIII, episódio lírico-dramático, para canto ou recitativo, que antecedia o desfecho.
lamentoso (ô). *Adj.* **1.** Que tem caráter de lamentação ou lamento: "Pouco a pouco foram esmaecendo os murmúrios e os latidos lamentosos, como nênias em longínquo campo-santo." (Fidelino de Figueiredo, *Entre Dois Universos*, p. 238); *Irrita-me a sua voz sempre lamentosa.* **2.** V. *lamentável* (1): "Havia um fato, um triste, lamentoso fato, que tudo explicava" (Herberto Sales, *Dados Biográficos do Finado Marcelino*, p. 201). **3.** Plangente, lastimoso, triste: *O cantador tirava de sua viola sons lamentosos, que a todos comoviam.*
lâmia. [Do lat. *lamia*.] *S. f.* Entre os antigos, monstro fabuloso que, segundo a crendice popular, aparecia sob forma feminina para chupar o sangue das crianças e praticar outros malefícios.
lâmina. [Do lat. *lamina*.] *S. f.* **1.** Chapa delgada de metal, ou de outro material. **2.** Fragmento chato e delgado de qualquer substância; lasca. **3.** Pequena placa de vidro, que serve de porta-objeto em microscopia. **4.** Folha de instrumento cortante. **5.** *Veter.* Parte do cravo que entra no casco da cavalgadura, e que termina em ponta. **6.** *Anat.* Faixa delgada de qualquer tecido (5). [Dim. irreg.: *lamela, lamínula*. Cf. *lamina*, do v. *laminar*.] ◆ **Lâmina bimetálica.** Lâmina feita de dois metais diferentes e soldados, usada para abrir e fechar contatos em termostatos e em chaves térmicas de retardo. **Lâmina vertebral.** *Anat.* Cada uma de duas peças chatas existentes na vértebra e que, em seu aspecto póstero-medial, se fundem, completando o buraco vertebral.
laminação. *S. f.* **1.** Ato ou efeito de laminar[2]; laminagem. **2.** *Ind. Pap.* Processo de conversão do papel ou do cartão, por meio da junção de folha(s) com lâmina(s) de plástico, alumínio ou outro material.
laminado[1]. [De *lâmina* + *-ado*[2].] *Adj.* Que tem feitio de lâmina.
laminado[2]. [Part. de *laminar*[2].] *Adj.* **1.** Composto ou feito de lâminas. **2.** Diz-se de chapa de metal que se obtém por laminação. V. *papel* —. ● *S. m.* **3.** Produto siderúrgico obtido mediante passagem no laminador (3).
laminador (ô). *Adj.* **1.** Que lamina. ● *S. m.* **2.** Aquele que lamina. **3.** Máquina com que se fazem lâminas ou se reduz a espessura das peças de metal. **4.** *Eng. Ind.* Máquina constituída de cilindros de pressão, com abertura variável, entre os quais se faz passar material que deve ser adelgaçado.
laminagem. *S. f.* **1.** Laminação (1). **2.** *Geol.* Adelgaçamento das camadas resultante de dobramentos.
laminar[1]. [De *lâmina* + *-ar*[1].] *Adj. 2 g.* V. *lameloso*. ~ V. *escoamento* — e *movimento* —.
laminar[2]. [De *lâmina* + *-ar*[2].] *V. t. d.* **1.** Reduzir a lâminas; chapear; lamelar. **2.** Proteger (estampas, livros, etc.), fazendo aderir a ambas as faces das folhas estragadas um papel transparente especial. [Cf., nesta acepç., *telar*.] **3.** *Ind. Pap.* Preparar (papel ou cartão) pelo processo de laminação. [Pres. ind.: *lamino, laminas, lamina*, etc. Cf. *lâmina*.]
laminável. *Adj. 2 g.* Que pode ser laminado.
laminectomia. [Do lat. *lamina*, 'lâmina', + *-ectom* + *-ia*.] *S. f. Cir.* Resseção de lâmina vertebral.
laminectômico. *Adj.* Relativo à laminectomia.
laminoso (ô). [Do lat. *laminosu*.] *Adj.* V. *lameloso*.
lamínula. [De *lâmina* + *-ula*.] *S. f.* **1.** Lâmina de pequena espessura. **2.** *Ópt.* Pequena lâmina com que se recobrem preparações para observação ao microscópio. ◆ **Lamínula de fase.** *Ópt.* Na observação microscópica, por contraste de fase, lamínula que intercepta os raios luminosos e determina as diferenças de fase que tornam conspícuas as características do objeto examinado. **Lamínula de meia-onda.** *Ópt.* Placa plano-paralela, birrefringente, que produz uma diferença de marcha de meio comprimento de onda entre o raio ordinário e o extraordinário em que se divide uma radiação monocrômica que a atravessa. **Lamínula de onda.** *Ópt.* Placa plano-paralela, birrefringente, que produz uma diferença de caminho óptico de um comprimento de onda entre o raio ordinário e o extraordinário em que se divide uma radiação monocromática que a atravessa.
lamiré. [Das notas musicais *lá, mi* e *ré*, a primeira das quais serve para afinação de instrumentos.] *S. m.* **1.** *Mús.* A nota *lá*, que, no sistema medieval das mutações [v. *mutação* (4)], passava a ser chamada *mi* e *ré*. **2.** *Mús.* V. *diapasão* (5). **3.** *Pop.* V. *repreensão* (1). [Var.: *alamiré*.] ◆ **Dar o lamiré.** *Fig.* **1.** Dar a primeira voz, o sinal de começo: "Como um maestro que dá o lamiré para iniciar o coro das vozes, ... Raul Brandão, para escrever, tem de conquistar esse espaço da alma onde o mundo não é como é, senão como ele o absorve e deforma." (João Gaspar Simões, *O Mistério da Poesia*, p. 98.) **2.** Dar o tom, a nota, o caráter. **Dar um lamiré.** Dar pequenas indicações que espertem a lembrança ou a memória.
lamoja. [De *lama*[1].] *S. f.* Barrela de água e barro.
lamoso (ô). [De *lama*[1] + *-oso*.] *Adj.* V. *lamacento*.
lampa[1]. *S. f.* Seda da China.
lampa[2]. [Fem. substantivado de *lampo*.] *S. m.* **1.** Fruto lampo apanhado na noite de S. João. **2.** Variedade de figueira.
lampa[3]. *S. f. Pop.* Lâmpada. ◆ **Levar as lampas a.** Levar vantagem a; mostrar-se superior a; vencer: "Os espanhóis gozam, desde remotos tempos, créditos de espertos e ambidestros no manusear de cartas, e em todos os ardis da tavolagem. Graças ao seu professorado em Portugal, hoje não havemos medo que nos levem as lampas em manhas e cavilações" (Camilo Castelo Branco, *As Três Irmãs*, p. 75).
lâmpada. [Do gr. *lampás, ádos*, 'archote', pelo lat. *lampada*.] *S. f.* **1.** Vaso com uma torcida e líquido combustível, para alumiar. **2.** *P. ext.* Qualquer aparelho destinado a iluminar. **3.** Pequeno recipiente que contém álcool ou essência mineral e serve para aquecer. **4.** *Fís.* Fonte de radiação eletromagnética visível, infravermelha ou ultravioleta. **5.** *Fís.* V. *lâmpada de incandescência*. ◆ **Lâmpada Carcel.** *Fotom.* Padrão de intensidade luminosa utilizado no séc. XIX, e equivalente a uma lâmpada que queimava óleo de colza em condições

estandardizadas. V. *carcel* (2). **Lâmpada de incandescência.** *Fís.* Fonte luminosa constituída por um filamento metálico levado à incandescência, numa atmosfera inerte, por uma corrente elétrica; lâmpada elétrica. [Tb. se diz apenas *lâmpada.*] **Lâmpada de mercúrio.** *Ópt.* Lâmpada em que ocorre uma descarga elétrica em vapor de mercúrio. **Lâmpada de segurança.** Aquela em que a chama está cercada por uma rede de arame, de malhas muito finas, que permite entrar impunemente numa atmosfera carregada de grisu, sem perigo de explosão. **Lâmpada de sódio.** *Ópt.* Lâmpada espectral a vapor de sódio. **Lâmpada elétrica.** *Fís.* V. *Lâmpada de incandescência.* **Lâmpada espectral.** *Ópt.* Fonte luminosa cujo espectro de emissão é rico em raias. **Lâmpada fluorescente.** *Ópt.* Fonte luminosa que emite radiação de fluorescência.

lampadário. [Do lat. *lampadariu.*] *S. m.* **1.** Suporte vertical para uma ou mais lâmpadas; candelabro, lucerna, lumeeira. **2.** Peça destinada a iluminação, presa ao teto ou a um braço, em geral por meio de correntes, de onde pendem dispositivos para um ou mais focos de luz.

lampadeiro. *S. m.* **1.** Fabricante de lâmpadas. **2.** Haste de suporte de lâmpada.

lampadejar. [De *lâmpada* + *-ejar.*] *V. int.* **1.** Emitir luz; brilhar, fulgir. **2.** Tremeluzir, bruxulear. [Conjug.: v. *pelejar.* Normalmente é defect., conjugável só nas 3as pess.]

▲lampado-. [Do gr. *lampás, ádos.*] *El. comp.* = 'archote': *lampadofórias.*

lâmpado. [F. aferética de *relâmpado?*] *S. m. Ant.* Relâmpago [q. v.].

lampadodromia. [De *lampado-* + *-drom(o)-* + *-ia.*] *S. f.* Na Grécia antiga, corrida de archotes.

lampadofórias. [De *lampado-* + *-foro-* + *-ias*, pl. de *-ia.*] *S. f. pl.* Na Grécia antiga, festas religiosas durante as quais se organizavam lampadodromias.

lampadóforo. [De *lampado-* + *-foro.*] *S. m.* Aquele que levava o archote ou dava o sinal de partida, nas lampadodromias.

lampadomancia (cí). [De *lampado-* + *-mancia.*] *S. f.* Adivinhação que os antigos faziam observando as variações da chama duma lâmpada ou de um archote.

lampadomante. [De *lampado-* + *-mante.*] *S. 2 g.* Pessoa que praticava a lampadomancia.

lampadomântico. *Adj.* Relativo à lampadomancia, ou a lampadomante.

lampana. *S. f.* **1.** V. *mentira* (1). **2.** V. *bofetada* (1).

lamparão. *S. m. Patol.* Forma cutânea ulcerativa do mormo; laparão.

lamparina. [Do esp. *lamparilla.*] *S. f.* **1.** Pequena lâmpada. **2.** Pequeno recipiente com um líquido iluminante (óleo, querosene, etc.) no qual se mergulha um pequeno disco de madeira, de cortiça ou de metal traspassado por um pavio que, aceso, fornece luz atenuada; luminária: "no pequenino oratório florido, a *lamparina* de azeite coava a sua luz longínqua para um crucifixo doloroso" (Enéias Ferraz, *Adolescência Tropical*, p. 15). [Cf. *candeia*[1] (1).] **3.** O pequeno disco da lamparina. **4.** Maçarico de gasolina para soldar. **5.** *Pop.* Bofetada na orelha. ♦ **Acender a lamparina.** *Bras. Pop.* V. *embriagar* (4).

lampeiro. [De *lampo*[2] + *-eiro.*] *Adj.* **1.** V. *lampo*[2]. **2.** Serelepe, buliçoso, espevitado. **3.** Apressado, lesto.

lampejante. *Adj. 2 g.* Que lampeja: "A que um dia fora aclamada, / envolta em vestes *lampejantes*, / onde o que não fosse ouro e prata / era de flores de brilhantes..." (Cecília Meireles, *Obra Poética*, p. 852.)

lampejar. [De *lampo*[1] (hoje prov. lus.) + *-ejar.*] *V. int.* **1.** Emitir lampejo (1); brilhar momentaneamente. **2.** Emitir lampejo (2); faiscar, cintilar, relampaguear: "Desde maio as enxadas e as fouces dos escravos *lampejavam* ao sol" (Melo Morais Filho, *Festas e Tradições Populares do Brasil*, p. 292); "tomou de cima de uma cadeira o guarda-chuva em cujo punho *lampejava* uma grande cabeça de cão de prata maciça" (Júlio Dantas, *Espadas e Rosas*, pp. 124-125). *T. d.* **3.** Emitir, irradiar: *A estrela lampejava clarões azulados.* [Conjug.: v. *pelejar.*]

lampejo (ê). [Dev. de *lampejar.*] *S. m.* **1.** Clarão ou brilho repentino. **2.** Faísca, fagulha, centelha, chispa. **3.** *Fig.* Manifestação rápida e/ou brilhante duma idéia.

lampião. [Do it. *lampione.*] *S. m.* **1.** Tipo de lanterna de grandes dimensões, elétrica ou com reservatório para combustível, portátil ou fixa em um teto, esquina ou parede. [Sin., bras., gír.: *lúzio.*] **2.** *P. ext.* Poste de iluminação das ruas.

lampinho. *Adj.* Que não tem barba; desbarbado, imberbe.

lampíride. [Do gr. *lampyrís, -ídos*, pelo lat. *lampyride.*] *S. f.* V. *pirilampo:* "são vaga-lumes, são *lampírides* candentes, / Lucilando, a bailar, pelo bosque sombrio" (Martins Fontes, *Verão*, p. 40).

lampirídeo. *S. m.* **1.** Espécime dos lampirídeos. ● *Adj.* **2.** Pertencente ou relativo a eles.

lampirídeos. *S. m. pl. Zool.* Família de insetos coleópteros em que a porção apical do abdome é luminescente. Os segmentos luminosos podem ser reconhecidos pelo colorido amarelo-esverdeado. Emitem luz intermitente. [Ex.: os vaga-lumes.]

lampírio. *S. m.* V. *pirilampo.*

lampiro. *S. m.* V. *pirilampo.*

lampo[1]. *S. m. Prov lus.* Relâmpago [q. v.].

lampo[2]. *Adj.* Diz-se do fruto que vem fora de tempo, especialmente os de uma casta de figo; temporão, lampeiro.

lampreia. [Do lat. vulg. *lampreda.*] *S. f.* Peixe ciclóstomo do Velho Mundo, muito saboroso e apreciado (*Petromyzon marinus* Lin.).

lampreia-dos-rios. *S. f.* Certo peixe (*Petromyzon fluviatilis* Lin.). [Pl.: *lampreias-do-mar.*]

▲lampro-. [Do gr. *lamprós, á, ón.*] *El. comp.* = 'brilhante': *lamprófiro, lamprômetro.*

lamprófiro. [De *lampro-* + *(pór)firo.*] *S. m. Pet.* Designação comum a rochas magmáticas melanocráticas, em geral porfiríticas, que ocorrem sob a forma de diques.

lamprômetro. [De *lampro-* + *-metro.*] *S. m. Fís.* Instrumento com que se mede a intensidade da luz.

lampsana. [Alter., já verificada em lat., de *lapsana.*] *S. f.* Planta anual, de flores amarelas, da família das compostas (*Lampsana communis*).

lamúria. [Do lat. *lemuria*, 'festas em honra dos lêmures', nas quais naturalmente havia lamentações.] *S. f.* **1.** Lamentação (2 e 3). **2.** Lengalenga de desgraças, para se alcançar o que se pede; choradeira.

lamuriante. *Adj. 2 g.* **1.** Que faz lamúria, que lamuria; queixumeiro, lamuriento. **2.** Que tem caráter de lamúria; que envolve lamúria; lamuriento: *voz lamuriante; pedido lamuriante.*

lamuriar. *V. int.* e *p.* **1.** Fazer lamúria; prantear-se; lamentar-se, lastimar-se: "O pai prossegue, nas recriminações, ajudado agora pela mãe, que se *lamuria* .... : — É uma barbaridade... filhos... Dão trabalho quando são pequenos... mais ainda depois de grandes..." (Guido Vilmar Sassi, *Piá*, p. 91.) *T. d.* **2.** Dizer entre lamúrias, ou em tom de lamúria: *Lamuriava queixas infindas contra o amigo;* "o estranho mendigo puxou a sacola para debaixo dos joelhos, *lamuriou*: — Uma esmolinha por amor de Deus!" (José Régio, *O Príncipe com Orelhas de Burro*, p. 147). [Pres. ind.: *lamurio, lamurias, lamuria*, etc. Cf. *lamúria.*]

lamuriento. *Adj.* V. *lamuriante.*

lana-caprina. [Do lat. *lana*, 'lã', + *caprina*, 'de cabra'.] *El. s. f.* Us. na loc. *de lana-caprina.* ♦ **De lana-caprina.** Insignificante; de pouca monta; de nonada: "Mas estamos a perder um tempo precioso com uma questão de *lana-caprina.*" (Aquilino Ribeiro, *Quando ao Gavião Cai a Pena*, p. 226.)

lanada. [Do lat. *lanata*, fem. de *lanatu.*] *S. f.* Haste envolvida em lã numa das extremidades, usada para limpar o interior das peças de artilharia.

lanar. [Do lat. *lanare.*] *Adj. 2 g.* Referente à lã.

lança. [De uma língua pré-romana, talvez o celtibero, atr. do lat. *lancea.*] *S. f.* **1.** Arma ofensiva ou de arremesso: haste de madeira terminada por ferro pontiagudo. **2.** Soldado armado de lança. **3.** Varal de carruagem. **4.** *Constr. Nav.* Pau-de-carga. **5.** *Bras. Gír.* Punga[1] (4). **6.** *Bras., N.E.* Alavanca (de bonde). ● *S. m.* **7.** *Bras. Gír.* V. *punguista.* ♦ **Meter uma lança em África.** Realizar empresa dificílima; conseguir grande vantagem. **Quebrar lanças por.** Lutar, lidar, disputar-se, por: *Quebra lanças por seus amigos.*

lança-bombas. [De *lançar* + o pl. de *bomba*[1].] *S. m. 2 n.* Aparelho para lançar bombas.

lança-chamas. [De *lançar* + o pl. de *chama*[1].] *S. m. 2 n. G. Quím.* Arma portátil ou motorizada que projeta e inflama combustível gelatinoso para incendiar material e/ou pessoal.

lançaço. [Do esp. plat. *lanzazo.*] *S. m. Bras.* Lançada. [Cf. *laçaço.*]

lançada. *S. f.* **1.** Ferimento produzido por lança. **2.** Golpe de lança. [Sin., bras.: *lançaço.*]

lançadeira. [De *lançar* + *-deira.*] *S. f.* **1.** Peça de tear, que contém um cilindro ou canela por onde passa o fio da tecelagem. **2.** Peça semelhante, nas máquinas de costura: "Suas mãos iam e vinham estirando o pano, endireitando a *lançadeira*, cortando fios, formando pregas." (Reginaldo Guimarães, *Uma Blusa no Cais*, p. 45.) **3.** *Pop.* Pessoa inquieta, buliçosa, agitada, que está sempre a andar de um lado para outro.

lançadiço. [De *lançar* + *-diço*[1].] *Adj.* Próprio para se jogar fora; desprezível.

lançado. [Part. de *lançar.*] *Adj.* **1.** Que se lançou. **2.** Posto na praça (3): *Seu último livro lançado teve boa crítica.* **3.** Posto em voga. **4.** Que foi escriturado. **5.** Que foi registrado na repartição fiscal para efeitos de tributação. **6.** *Jur.* Que sofreu lançamento (9). ● *S. m.* **7.** Coisa vomitada; vômito.

lançador[1] (ô). [Por *lanceador* (q. v.)?] *S. m. Ant.* Guerreiro armado de lança.

lançador[2] (ô). [De *lançar* + *-(d)or.*] *Adj.* **1.** Que lança. **2.** *Bras.* Diz-se de cinema que exibe filmes em primeira mão. ● *S. m.* **3.** Aquele que lança. **4.** Aquele que lança ou oferece lanços nos leilões. **5.** Funcionário público encarregado de fazer o lançamento dos contribuintes.

lançadura. [De *lançar* + *-(d)ura.*] *S. f.* Ato ou efeito de lançar(-se).

lança-gases. [De *lançar* + o pl. de *gás.*] *S. m. 2 n.* Aparelho ou artefato para lançar gases.

lançamento. *S. m.* **1.** Ato de lançar(-se); lanço, lance. **2.** Ato de dar a conhecer ao público, de exibir, alguma coisa ou pessoa: *lançamento de um filme, de um livro, de um novo produto de beleza; lançamento de um autor.* **3.** Livro, filme ou qualquer produto de que se fez o lançamento (2): *um novo lançamento da Livraria José Olímpio.* **4.** Ato de lançar à água uma embarcação. **5.** Escrituração em livro comercial. **6.** Distribuição das contribuições. **7.** *Bot.* Rebento das árvores; broto, gomo. **8.** *Constr.* V. *assentamento* (3). **9.** *Jur.* Ato pelo qual, em certos casos, o juiz afasta da ação penal pública o acusador privado (*querelante*), por não haver ele apresentado o libelo no devido prazo, declarando-a perempta ou devolvendo-a ao Ministério Público. **10.** Ato administrativo-fiscal que consiste em inscrever em livros próprios os contribuintes de impostos diretos e de taxas, constituindo-os devedores da Fazenda Pública pelas importâncias lançadas. **11.** *Veter.* Ato de cobrição. ♦ **Lançamento de dardos.** *Atlet.* Prova em que o atleta arremessa, com uma das mãos, um dardo que deve tocar o solo dentro de determinada área. **Lançamento de disco.** *Atlet.* Prova em que o atleta, colocado num círculo, ali toma impulso para o arremesso, realizando uma rotação de 180º. **Lançamento de martelo.** *Atlet.* Prova exclusivamente para homens em que o lançador arremessa o martelo (12). **Lançamento de peso.** *Atlet.* Prova que consiste em lançar, com uma das mãos, à maior distância possível, uma bola de bronze ou de ferro com determinadas especificações.

lançante. *Adj. 2 g.* **1.** Que lança. ● *S. m.* **2.** *Bras. Marinh.* Espia[2] (1) dirigida para vante na proa ou para ré na popa, e que constitui parte da amarração de uma embarcação ao cais ou a outra embarcação. [Cf. *espringue* e *través* (5).] **3.** *Bras., SP* a *RS.* V. *vertente* (3). **4.** *Bras., MG, RS* e *MT.* Declive forte num cerro ou numa coxilha: "Que disparada! Por tacuruzais e buracama de tuco-tuco, ... por *lançantes* de coxilhas e moles das canhadas" (Simões Lopes Neto, *Contos Gauchescos e Lendas do Sul*, p. 227).

lança-perfume. [De *lançar* + *perfume.*] *S. m. Bras.* **1.** Recipiente cilíndrico, de vidro ou de metal, que contém cloreto de etila perfumado mantido sob pressão e lançado em jacto, e que se usa especialmente durante o carnaval. **2.** O líquido do lança-perfume (1). [V. *rodó.* Pl.: *lança-perfumes.*]

lançar. [Do lat. *lanceare*, 'manejar ou atirar a lança'.] *V. t. d.* **1.** Atirar com força; arremessar, arrojar: *lançar pedras; lançar discos.* **2.** Jogar, arremessar, estendendo, estirando: *lançar redes ao mar.* **3.** Despejar, entornar: *Lançou o vinho do tonel.* **4.** Verter, derramar: *Desesperada, lançava lágrimas abundantes.* **5.** Deitar pela boca; vomitar. **6.** Exalar, espargir, esparzir: *As flores lançavam suave perfume.* **7.** Emitir, expedir: *O objeto lança fortíssimo jacto de luz.* **8.** Expelir, deitar: *O doente lançava sangue pela boca.* **9.** Dar, soltar: *lançar gritos.* **10.** Fazer brotar; fazer germinar: *As árvores começam a lançar rebentos.* **11.** Dizer em tom alto e claro; proferir: *lançar pregões.* **12.** Pôr em voga: *lançar uma moda.* **13.** Pôr à venda, depois de editado: *lançar um livro.* **14.** Exibir (um novo filme). **15.** Fazer o lançamento (4) de. *T. d.* e *i.* **16.** Atribuir, imputar: *Lançou ao mais velho dos irmãos a responsabilidade da falta.* **17.** Oferecer como lanço, em leilão: *Lançou 30 mil cruzados na antiga mesa holandesa.* **18.** Dirigir, volver: "*Lançou* um olhar enternecido à filha" (Coelho Neto, *Treva*, p. 266). *Int.* **19.** Vomitar (12): "Uma vontade de cuspir, de *lançar* apertava-me a glote" (João do Rio, *Dentro da Noite*, p.

163). *P.* **20.** Atirar-se, arremessar-se; precipitar-se, arrojar-se: *Lançou-se, em pranto, sobre o divã.* **21.** Abalançar(-se), arriscar-se, aventurar-se, arrojar-se: *lançar-se a grandes empreendimentos.* **22.** Vazar as suas águas; precipitar-se; desaguar (correntes fluviais). **23.** Pôr-se; deitar: *Lançou-se a correr na direção da casa.* **24.** Entregar-se inteiramente: *Lançou-se no vício.* **25.** Desaguar; desembocar: *O Madeira lança-se no Amazonas.* [Conjug.: v. *laçar.*]

lançarote. *S. m.* Aquele que auxilia o cavalo no ato da padreação.

lancastriano. *Adj.* **1.** De, ou pertencente ou relativo a Lancastre (Inglaterra). ● *S. m.* **2.** O natural ou habitante de Lancastre. **3.** Partidário da Casa de Lancastre, dinastia inglesa (1399-1461) que deu origem, com sua rival, a Casa de Iorque, em 1422, à Guerra das Duas Rosas.

lançaté-de-vovô. *S. m. Bras., BA.* A igreja do Bonfim, morada de Oxalá. [Pl.: *lançatés-de-vovô.*]

lança-torpedos. [De *lançar* + *torpedo.*] *S. m. 2 n.* Aparelho a bordo de navio de guerra, para lançar torpedos.

lance. [Dev. de *lançar.*] *S. m.* **1.** Ato ou efeito de lançar; lançamento, lanço. **2.** Lanço (3). **3.** Acontecimento, fato: *Foram televisionados os melhores lances do jogo.* **4.** Situação, ocorrência: *Sua viagem foi cheia de lances maravilhosos; Enfrentou lances terríveis para alcançar a vitória.* **5.** Caso ou situação difícil; conjuntura: *Em que lance se meteu!* **6.** V. *vicissitude*: *os lances da sorte.* **7.** Aventura; risco, perigo: *Viajou de dia: temia os lances que poderia ter de enfrentar.* **8.** Impulso, rasgo: *Num lance de bravura, pôs-se à frente dos rebeldes.* **9.** Etapa, fase. **10.** Jogada (1). **11.** *Pesc.* Operação que vai desde o lançamento de um apetrecho de pesca ao mar até o seu recolhimento. **12.** *Teat.* Situação ou movimento dramático de uma peça; lance dramático. [Cf. *lanço.*] ♦ **Lance de casas.** Seqüência de casas contíguas; lanço de casas, quarteirão, correnteza. **Lance de olhos. 1.** Relance, olhadela. **2.** *Fig.* Análise superficial. **Lance dramático.** *Teat.* Lance (12). **Lance extremo.** Momento ou perigo máximo. **Lance livre.** *Basq.* Arremesso livre da cabeça do garrafão. [É a cobrança da falta (9), da falta dupla ou da falta técnica.] **De um lance.** De uma só vez; sem interrupção. **Em cima do lance.** V. *na bucha.* **Errar o lance.** Não acertar; dar em falso; falhar.

lanceada¹. [De *lancear¹* + *-ada¹.*] *S. f. Bras., MA.* Luta entre papagaios de papel.

lanceada². [De *lancear²* + *-ada¹.*] *S. f. Bras., PA.* Pescaria com rede de arrasto.

lanceador (ô). [De *lancear¹* + *-(d)or.*] *Adj.* e *s. m.* Que ou quem lanceia ou alanceia.

lancear¹. [Do lat. *lanceare*, 'manejar a lança'.] *V. t. d.* **1.** Ferir com lança; alancear. **2.** *Fig.* Afligir; angustiar. [Conjug.: v. *frear.*]

lancear². [De *lanço* + *-ear.*] *V. int. Bras.* Pescar com rede. [Conjug.: v. *frear.*]

lanceiro. [Do lat. *lanceariu.*] *S. m.* **1.** Soldado armado de lança. **2.** Cabide de lanças. **3.** Fabricante de lanças. **4.** *Bras. Gír.* V. *punguista.* ~ V. *lanceiros.*

lanceiros. [Pl. de *lanceiro.*] *S. m. pl.* Variante inglesa da quadrilha dançante: "Havia muitos amadores de piano, que executavam de ouvido valsas, polcas, quadrilhas francesas, lanceiros, mazurcas e *schottisches*" (Eduardo Frieiro,* *Feijão, Angu e Couve*, p. 208). ~ V. *lanceiro.*

lanceolado. [Do lat. *lanceolatu.*] *Adj.* Cujo feitio é semelhante ao da lança; lanceolar: "E há em corpo o viço e a tenaz fibra / Dos vegetais dos trópicos, lustrosos, / Lanceolados, ríspidos e agudos..." (Raimundo Correia, *Poesias*, p. 75.) [Cf. *hastiforme.*]

lanceolar. [Do lat. *lanceola*, 'lança pequena', + *-ar¹.*] *Adj. 2 g.* Lanceolado: "os pés calçam balugas pontiagudas, ornadas e armadas de acicates lanceolares." (Júlio Dantas, *Abelhas Doiradas*, p. 210).

lanceta (ê). [Do *fr. lancette.*] *S. f.* **1.** Instrumento cirúrgico de dois gumes: "O meu avô tinha uma lanceta para sarjar tumores" (José Lins do Rego, *Meus Verdes Anos*, p. 66). **2.** Cutelo pequeno com que se abatem reses no matadouro. **3.** Planta da família das compostas (*Solidago microglossa*). **4.** *Bras.* V. *cavalinha* (3). [Pl.: *lancetas* (ê). Cf. *lanceta* e *lancetas*, do v. *lancetar.*]

lancetada. *S. f.* Golpe de lanceta (1 e 2).

lancetar. *V. t. d.* Cortar ou abrir com lanceta (1): *lancetar um abscesso.* [Pres. ind.: *lanceto, lancetas, lanceta*, etc. Cf. *lanceta* (ê) e pl. *lancetas* (ê).]

lanceteira. [De *lanceta* + *-eira.*] *S. f.* Instrumento semelhante à lima¹, usado pelos serralheiros e espingardeiros.

lancha. *S. f.* **1.** Embarcação à vela, a remo ou a motor, para navegação costeira, para transporte ou para outro serviço dentro dos portos: *Os passageiros embarcaram numa lancha que os levou até o grande navio.* **2.** *Lus.* Embarcação miúda empregada nos serviços de bordo, com forma de escaler, propulsão a remo, vela ou motor, e usada para transportar objetos ou pessoal, auxiliar a realização de certas fainas, etc. [Nos primitivos navios à vela, andava a reboque na popa.] **3.** *Bras. Mar. G.* Qualquer das embarcações miúdas cuja propulsão normal é a motor. **4.** *Bras.* Pequena embarcação a vapor ou a motor, com cobertura permanente para proteção dos passageiros. **5.** *Bras., Amaz.* Embarcação de convés corrido, máquina possante, empregada como rebocador dos batelões de gado do baixo Amazonas e do rio Branco. **6.** *Bras., BA.* Embarcação semelhante ao barco baiano, mas que dele difere em ter a popa fechada. **7.** *Bras. Fam.* Calçado muito grande e/ou deformado pelo uso. **8.** *Bras. Fam.* Pé grande espalmado; prancha.

lancha-canhoneira. *S. f. Ant.* Lancha menor do que a canhoneira e provida de canhão. [Pl.: *lanchas-canhoneiras.*]

lanchada. *S. f.* A carga de uma lancha.

lanchão. *S. m.* Lancha aberta, de grande porte; boi.

lanchar. *V. int.* **1.** Comer lanche; fazer lanche: *Tinha fome, saiu para lanchar*; "Por que não ia com ela ver as obras? Era só lanchar um pouco, e partiriam imediatamente." (Machado de Assis, *Quincas Borba*, p. 350). *T. d.* **2.** Comer como lanche: *Lanchou umas torradas e café com leite.*

lancha-torpedeira. *S. f. Mar. G.* Pequeno barco de guerra, a motor, velocíssimo, equipado de tubos lança-torpedos. [Pl.: *lanchas-torpedeiras.*]

lanche. [Do ingl. *lunch*, 'almoço'.] *S. m.* **1.** Merenda (1). **2.** *P. ext.* Refeição pequena:

lancheira. *S. f.* Maleta onde se leva lanche; merendeira.

lancheiro¹. [De *lancha* + *-eiro.*] *S. m. Bras.* **1.** Tripulante de baleeira. **2.** *Bras., S.* Patrão de lancha.

lancheiro². [De *lanche* + *-eiro.*] *S. m. Bras.* Empregado de bar, botequim ou lanchonete encarregado sobretudo da preparação de lanches.

lanchonete. [Do ingl. *luncheonette.*] *S. f. Bras.* Estabelecimento especializado no preparo de refeições ligeiras, servidas geralmente no balcão.

lanciforme. [De *lança* + *-i-* + *-forme.*] *Adj. 2 g.* Que tem forma de lança.

lancil. *S. m.* **1.** Laje de cantaria, longa e delgada, utilizada sobretudo em pavimentações, resguardos de estradas, e vergas de janelas. **2.** Meio-fio (1).

lancinante. [Do lat. *lancinante.*] *Adj. 2 g.* **1.** Que lancina ou golpeia. **2.** Que se faz sentir por fisgadas: *dor lancinante.* **3.** Muito doloroso; pungente, aflitivo: "Soltou um grito lancinante e começou a soluçar" (Domingos Monteiro, *Enfermaria, Prisão e Casa Mortuária*, p. 128); "E é isto o que por vezes sentimos com lancinante certeza na obra de Machado de Assis — a delícia do absurdo, a eloqüência da contradição, a voluptuosidade do nada." (Augusto Meyer, *À sombra da Estante*, p. 99.)

lancinar. [Do *lat. lancinare.*] *V. t. d.* **1.** Picar, golpear; pungir. **2.** Atormentar, afligir, torturar; pungir: "Doemlhe as lágrimas que lhe encharcam a alma, e o espanto que a lancina" (Patrícia Joyce, *Anúncio de Casamento*, p. 95).

lanço. [Dev. de *lançar.*] *S. m.* **1.** Ato ou efeito de lançar; arremesso, tiro, jacto, lance, lançamento. **2.** *Pop.* V. *vômito.* **3.** Oferta de preço em leilão ou em venda; lance, monta: "anunciou-se a venda da quinta de Real de Oleiros ...., a requerimento dos credores. José Maria Guimarães cobriu todos os lanços." (Camilo Castelo Branco, *Noites de Insônia*, IV, p. 26). **4.** O peixe apanhado na rede. **5.** V. *lance de casas.* **6.** Lado de uma rua, de um corredor. **7.** Seção de uma estrada, de um muro. **8.** Parte duma escada compreendida entre dois patamares: "A cada lanço de escadaria vencido, alargava o panorama as suas riquezas de paisagem" (Fialho d'Almeida, *O País das Uvas*, p. 75). **9.** Movimento de volta da lançadeira (1). **10.** Em certos jogos, ação de lançar sobre a mesa os dados, as cartas ou outros elementos de jogo; jogada. **11.** Os pontos marcados pelos dados, cada vez que são lançados. **12.** *Fig.* Sorte, fortuna, casualidade. **13.** *Bras.* Posição, postura. [Cf. *lance.*] ♦ **Lanço de casas.** V. *lance de casas.* **A lanço.** V. *a talho de foice.* **A poucos lanços.** A pouca distância; perto, próximo.

lançol. *S. m. Ant.* e *pop.* Lençol. [Pl.: *lançóis.*]

landa. [Do celta, pelo fr. *lande.*] *S. f.* Descampado onde apenas medram ervas silvestres: "uma ruiva planície imensa em abandono, / a landa mais queimada e estéril que ainda vi" (Carlos Magalhães de Azeredo, *Vida e Sonho*, p. 231). [Cf. *lande².*]

landau. [Do top. al. *Landau.*] *S. m.* Carruagem de quatro rodas, com dupla capota que se levanta e abaixa: "Voltavam landaus e vitórias das grandes noites no Lírico." (E. di Cavalcanti, *Viagem da Minha Vida*, I, p. 30.) [F. paral.: *landô* e *landó.*]

lande¹. [Do lat. *glande.*] *S. f.* Glande do carvalho, do sobreiro, etc.

lande². [Do fr. *lande.*] *S. m.* Designação comum a vastas charnecas da França. [Cf. *landa.*]

landeira. [De *lande¹* + *-eira.*] *S. f.* Montado de sobreiros.

landgrave. [Do al. *Landgraf.*] *S. m.* Título ou dignidade dalguns príncipes alemães. [Fem.: *landgravina.*]

landgraviado. *S. m.* Landgraviato.

landgraviato. *S. m.* Dignidade, cargo ou funções de landgrave; landgraviado.

landgravina. [Do al. *Landgrafin.*] *S. f.* Fem. de *landgrave.*

landi. [De *nandi < guanandi*, com dissimilação.] *S. m. Bras.* V. *jacareúba.*

landirana. [De *landi* + *-rana.*] *S. f. Bras.* Árvore silvestre cujo tronco exsuda resina amarela e elástica.

landó. [Do fr. *landau.*] *S. m.* Landau [q, v.]: "o Dr. Luís da Rosa, de leiteiro, apeara-se de um landó do Pintado, para não dar nas vistas." (Vitorino Nemésio, *Mau Tempo no Canal*, p. 132).

landô. [Do fr. *landau.*] *S. m.* Landau [q. v.]: "O landô, outro carro de luxo — carruagem de quatro rodas, com dupla capota que se erguia e abaixava —, serviria de desembarque da família Batista, no Cais Pharoux" (Miécio Tati, *O Mundo de Machado de Assis* p. 69).

lândrias. *S. f. pl.* Chulo. V. *nádegas.*

landuá. *S. f.* **1.** *Bras., N.E.* Jereré¹. **2.** *Bras., PE.* Boato falso; mentira.

➧**Landwehr** (lándver). [Al.] *S. f.* Na Alemanha, na Áustria e na Suíça, a primeira reserva do exército, formada de uma parte da população armada.

lanfranhudo. *Adj.* e *s. m. Bras. Gír.* **1.** V. *valentão* (1 e 3). **2.** Desajeitado, mal-amanhado, mocorongo.

langabote. [Do ingl. *long-boat.*] *S. m. Ant.* Embarcação miúda, em geral movida a remo, usada no Oriente.

langanho. *S. m.* **1.** *Bras.* Carne de qualidade má. **2.** *Bras. Fig.* Coisa mole, viscosa, repugnante. **3.** *Bras., N.E.* Celenterado da classe das hidromedusas, temidíssimo pelos pescadores das lagoas em razão da causticidade dos seus filamentos. V. *caravela* (3). [Cf. *langonha.*]

langonha. *S. f. Chulo.* V. *esperma.* [Cf. *langanho.*]

langor (ô). [Do lat. *languore.*] *S. m.* Languidez: "Do Espanhol as cantilenas / Requebradas de langor, / Lembram as moças morenas, / As andaluzas em flor." (Castro Alves, *Poesias Escolhidas*, p. 328.)

langoroso (ô). [De *langor* + *-oso.*] *Adj.* **1.** V. *lânguido* (1). **2.** V. *lânguido* (3): "Olhos negros e langorosos, cerrando as pálpebras com preguiça ou como amortecidos por insônias." (Gonzaga Duque, *ap.* Melo Nóbrega, *Evocação de B. Lopes*, p. 41.)

langua (ú). [Duma língua africana.] *S. f. Geol.* Planície geologicamente moderna, constituída por sedimentações e aluviões, e às vezes, até, ainda periodicamente inundada pelas águas do mar.

langue. [De *languir*; f. verbal erroneamente tomada por adjetivo, em vez de *lânguido.*] *Adj. 2 g.* V. lânguido: "E inclinou-se, langue e desfalecida." (José de Alencar, *Lucíola*, p. 128); "Quem é aquela criaturinha langue / De longas mãos liriais e olhos de louca?" (Austro Costa, *Mulheres e Rosas*, p. 24); "Tua voz quente e langue / tem lascivo sabor de pecado e de sangue." (Menotti del Picchia, *As Máscaras*, p. LIII).

➧**langue.** [Fr., 'língua'.] *S. f. Ling.* Língua (11).

languenho. [De *langanho.*] *S. m. Bras., N.* e *N.E.* **1.** Carne escurecida. **2.** Fragmentos de carne.

languente. [Do lat. *languente.*] *Adj. 2 g.* V. *lânguido.* [Cf. *languento.*]

languento. [Alt. de *languente.*] *Adj. Pop.* **1.** Doentio, enfermiço, achacadiço, achacoso. **2.** V. *niquento* (3). [Cf. *languente.*]

languescente. [Do lat. *languescente.*] *Adj. 2 g.* Que languesce.

languescer. [Do lat. *languescere.*] *V. int.* **1.** Tornar-se lânguido; perder as forças; enfraquecer(-se), debilitar-se, definhar(-se). **2.** Diminuir de zelo e atividade. [Sin.: *alanguidar-se, elanguescer, enlanguescer, languir.* Conjug.: v. *crescer.*]

languidez (ê). *S. f.* Estado ou qualidade de lânguido; langor.

lânguido. [Do lat. *languidu.*] *Adj.* **1.** Sem forças; sem

energia; frouxo, fraco, abatido, debilitado, extenuado, langoroso. **2.** Mórbido, doentio. **3.** Voluptuoso, sensual, langoroso: *olhares lânguidos*. [Var. pros.: *lângüido*: sin.: *langue, languente*.]
lângüido. *Adj.* V. *lânguido*.
languinhento. [De *languir*, possivelmente.] *Adj.* **1.** Que não tem firmeza; sem vigor. **2.** Fraco, debilitado, abatido. **3.** Viscoso, pegajoso. **4.** Mole e úmido. **5.** Que come pouco, que tem fastio.
languir. [Do lat. *languere*.] *V. int.* V. *languescer*: "O sol a pino dardeja raios de fogo sobre as areias natais; as aves emudecem; as plantas *languem*." (José de Alencar, *Iracema*, p. 45.) [Defect., não conjugável nas f. em que ao *g* da raiz se seguiria *o* ou *a*. V. *extinguir*.]
lanhar. [Do lat. *laniare*.] *V. t. d.* **1.** Dar golpes em; ferir; maltratar. **2.** Golpear para salgar (o peixe). **3.** Mortificar, afligir; espezinhar, oprimir. **4.** Deturpar, alterar, estropiar: *Ignorante e falto de autocrítica, é mestre em lanhar línguas estrangeiras*. [Var. us. nas 3 primeiras acepç.: *alanhar*.]
lanho. [Dev. de *lanhar*.] *S. m.* **1.** Golpe de instrumento cortante: "uns barbeiros falavam com toda a gente na loja, menos comigo, ... dando-me tesouradas irremediáveis na trunfa, ou *lanhos* indeléveis na cara" (José Rodrigues Miguéis, *Léah*, pp. 132-133). **2.** *Bras.* Pedaço de carne em tiras; lardo.
laniádeo. *Adj.* Semelhante à pega parda.
lanífero. [Do lat. *laniferu*.] *Adj.* Lanígero [q. v.].
lanificial. *Adj. 2 g.* Referente a lanifícios.
lanifício. [Do lat. *lanificiu*.] *S. m.* **1.** Obra ou tecido de lã. **2.** Manufatura de lã. [Cf. *linifício*.]
lanígero. [Do lat. *lanigeru*.] *Adj.* **1.** Que tem lã. **2.** Que produz ou cria lã: *gado lanígero*. **3.** Diz-se de todo ser coberto de pêlos semelhantes à lã ou à lanugem: *planta lanígera*. [F. paral.: *lanífero*. Cf. *linígero*.]
lanolina. [Do lat. *lana*, 'lã', + *ol(eu)*, 'óleo', + *-ina*^{1}.] *S. f. Quím.* Mistura de colesterol e seus ésteres, obtida da gordura da lã, e usada como base de pomadas e cosméticos.
lanosidade. [Do lat. *lanositate*.] *S. f.* Qualidade de lanoso.
lanoso (ô). [Do lat. *lanosu*.] *Adj.* **1.** Relativo a lã **2.** Que tem lã. **3.** Semelhante à lã: *o cabelo crespo e lanoso dos pretos*. [Sin., nestas acepç.: *lanudo, lanzudo*.] **4.** *Morfol. Veg.* Coberto de pêlos longos, crespos e suaves, que recordam a lã: *folha lanosa*.
lansquenê. [Do médio alto-al. *Landsknecht*, 'servidor do país', pelo fr. *lansquenet*.] *S. m.* **1.** Designação comum, no séc. XV, aos mercenários de infantaria alemães. **2.** Jogo de cartas, semelhante ao trinta-e-um. [F. paral.: *lansquenete*; sin. bras., na 2ª acepç.: *mereré*.]
lansquenete (ê). *S. m.* V. *lansquenê*.
lantanídeos. [De *lantânio*.] *S. m. pl. Quím.* Grupo de elementos, de número atômico entre 57 e 71, de propriedades metálicas muito parecidas, e que compreende: cério, disprósio, érbio, európio, gadolínio, hólmio, itérbio, lantânio, lutécio, neodímio, prasiodímio, promécio, samário, térbio e túlio; lantanídios, terras-raras.
lantanídios. *S. m. Quím.* V. *lantanídeos*.
lantânio. [Do gr. *lanthan*, raiz de *lantháno*, 'esconder' + *-io*^{1}.] *S. m. Quím.* Elemento de número atômico 57, pertencente aos lantanídeos, de que é um dos mais abundantes. [Símb.: *La*.]
lantejoila. *S. f.* V. *lentejoula*.
lantejoilar. *V. t. d.* V. *lentejoular*.
lantejoula. *S. f.* V. *lentejoula*: "As túnicas, de cetim alvíssimo, iam até os pés. Umas terminavam em bordados de *lantejoulas* ou em imitação de arminho" (Maria Julieta Drummond de Andrade, *O Valor da Vida*, p. 27).
lantejoular. *V. t. d.* V. *lentejoular*.
lanterna. [Do gr. *lamptér*, pelo lat. *lanterna*.] *S. f.* **1.** Utensílio feito ou guarnecido de matéria transparente, como o vidro, no qual se põe uma luz protegida contra o vento. **2.** Lâmpada elétrica portátil alimentada por pilhas. **3.** Dispositivo de iluminação colocado à frente, ou de sinalização, colocado atrás ou ao lado, de automóveis, locomotivas, etc. **4.** Parte superior do farol onde se encontra o foco luminoso. **5.** Clarabóia numa cúpula ou num zimbório. **6.** Fresta por onde entra luz ou claridade. **7.** Lanterninha (1 e 2). [Us. tb., nesta acepç. como s. 2 g.] ◆ **Lanterna furta-fogo.** Lanterna provida de um dispositivo especial que lhe permite não iluminar quem a traz. **Lanterna mágica.** Aparelho óptico que reflete e amplia imagens a distância.
lanterna-de-aristóteles. *S. f. Zool.* Aparelho mastigatório dos eleuterozoários e quinóides, composto de 40 peças calcárias, cinco das quais correspondem a fortes dentes. [Pl.: *lanternas-de-aristóteles*.]
lanternagem. [De *lanterna* + *-agem*^{2}; antigamente se amolgavam com freqüência, em choque com outras viaturas, as lanternas das seges.] *S. f. Bras.* **1.** Operação de desamolgar carrocerias ou peças de carroceria de automóveis; trabalho de lanterneiro (5). **2.** Parte das oficinas de automóveis onde se faz a lanternagem (1).
lanternar. *V. t. d. Bras. P. us.* Fazer a lanternagem (1) de.
lanterneiro. *S. m.* **1.** Fabricante de lanternas. **2.** Aquele que limpa, acende e apaga lanternas ou lampiões públicos. **3.** Faroleiro^1. **4.** Condutor de lanternas em procissão. **5.** *Bras.* Operário especializado em lanternagem (1).
lanterneta (ê). [Dim. de *lanterna*.] *S. f. Artilh.* Projetil formado por uma caixa cheia de metralha.
lanternim. [Do it. *lanternino*.] *S. m.* **1.** Telhado sobreposto nas cumeeiras, que permite a ventilação de grandes salas, oficinas, etc. **2.** Carreta onde engrena a roda dentada movida pelas velas de um moinho.
lanterninha. [Dim. de *lanterna* (em alusão às pequenas lanternas traseiras das composições ferroviárias).] *S. f.* e *2 g. Bras.* **1.** Clube esportivo que nas competições tira o último lugar; lanterna. **2.** *P. ext.* O último colocado em qualquer competição; lanterna. **3.** Vaga-lume (2): *Empregou-se como lanterninha do novo cinema*.
lanti. [Alter. de *landi*.] *S. m. Bras.* V. *jacareúba*.
lantim. [Alter. de *landi*.] *S. m. Bras.* V. *jacareúba*.
lanudo. [Do lat. *lana*, 'lã' + *-udo*.] *Adj.* V. *lanoso* (1 a 3).
lanugem. [Do lat. *lanugine*.] *S. f.* **1.** Pêlo fino que antecede barba [v. *buço* (1)]: "uma *lanugem* em vez de bigode, cabelo castanho riçado" (Xavier Marques, *Jana e Joel*, p. 139). **2.** *P. ext.* Pêlo fino, aveludado; penugem. **3.** *Morfol. Veg.* Pêlo macio que cobre algumas folhas ou frutos.
lanugento. *Adj.* Que tem lanugem; lanuginoso.
lanuginoso (ô). [Do lat. *lanuginosu*.] *Adj.* **1.** Que é da natureza da lã. **2.** Lanugento. **3.** *Morfol. Veg.* Coberto de lanugem (3): *pétala lanuginosa*.
lanzudo. [De *lã* + *-z-* + *udo*.] *Adj.* **1.** V. *lanoso* (1 a 3). **2.** V. *lapuz*. **3.** *Bras.* V. *sortudo* (1). ● *S. m.* **4.** Indivíduo lanzudo (2 e 3).
laosiano (a-o). *Adj.* **1.** Da, ou pertencente ou relativo à República do Laos (sudoeste da Ásia). ● *S. m.* **2.** O natural ou habitante da República do Laos.
lapa^1. [Do voc. pré-céltico *lappa*, 'pedra'.] *S. f.* **1.** Grande pedra ou laje que forma um abrigo: "Longe, as feras carniceiras / Uivam nas *lapas*." (Olavo Bilac, *Poesias*, p. 266.) **2.** *Lus.* Animal molusco, gastrópode, da família dos patelídeos (*Patella vulgata* L.), do Adriático, Mediterrâneo e Atlântico, de coloração externa castanho-amarelada e interna branco-esverdeada ou alaranjada, e comprimento de 4 a 5 cm. É utilizado como alimento pelas classes pobres. **3.** *Lus.* Molusco gastrópode, da família dos patelídeos (*L. athletica* Bean.), de coloração externa cinzento-acastanhada, e interna esbranquiçada com zonas radiais um pouco escuras. **4.** *Bras.* Chão de uma mina em exploração. [O teto chama-se *capa* e as partes laterais, *pés-direitos*.] **5.** *Bras., N.* e *N.E.* V. *lapo* (4).
lapa^2. *S. f. Lus. Pop.* V. *bofetada* (1).
lapada. [De *lapo* + *-ada*^{1}.] *S. f.* **1.** *Bras., N.* e *N.E.* V. *lambada*. **2.** *Prov. lus.* V. *bofetada* (1). **3.** *Prov. lus.* Pedrada (1 e 2).
lapalissada. [Do fr. *lapalissade*.] *S. f.* Truísmo de uma evidência formal simplória ou ridícula.
lapantana. *Adj. 2 g.* e *s. 2 g.* Simplório; bobo.
lapão^1. [De *lapa*^{1} + *-ão*^{1}.] *S. m.* **1.** Grande lapa^1 (1). **2.** Lasca de pedra em parede de alvenaria.
lapão^2. [De *lapa*^{1} + *-ão*^{2}.] *Adj.* e *s. m. Deprec.* V. *lapuz*.
lapão^3. *Adj.* **1.** Da, ou pertencente ou relativo à Lapônia, região setentrional da Finlândia (Europa); lapônio. ● *S. m.* **2.** O natural ou habitante da Lapônia; lapônio. **3.** O idioma ugro-finês falado pelos lapões. V. *uralo-altaico*. (3).
laparão^1. *S. m. Patol.* **1.** Lamparão. **2.** Intumescência ganglionar e dos vasos linfáticos, nas pessoas atacadas de mormo.
laparão^2. *S. m. Lus.* Grande lapa^1 (2).
▲laparo-. [Do gr. *lapára, lapáre, es.*] *El. comp.* = 'ilharga': *laparocele, laparotomia*.
láparo. [De uma raiz ibero-românica **lapp*.] *S. m.* **1.** Filhote de coelho. **2.** O macho da lebre ainda novo.
laparocele. [De *laparo-* + *-cele*.] *S. f. Patol.* **1.** *Desus.* Hérnia lombar. **2.** Hérnia ventral.
laparoscopia. [De *laparo-* + *-scop-* + *-ia*.] *S. f. Med.* Visualização da cavidade abdominal mediante o uso do laparoscópio, que é introduzido através da parede abdominal anterior; abdominoscopia.
laparoscópico. *Adj.* Relativo à laparoscopia.
laparoscópio. [De *laparo-* + *-scop-* + *-io*^{2}.] *S. m.* Endoscópio com que se pratica a laparoscopia.
laparostomia. [De *laparo-* + *stom(a)-* + *-ia*.] *S. f. Cir.* Processo destinado a participar por vezes do tratamento de graves peritonites e que consiste em, após intervenção cirúrgica abdominal, deixar aberta, intencionalmente, a parte abdominal, pelos seus aspectos anterior e laterais. [Cf. *laparotomia*.]
laparostômico. *Adj.* Relativo à laparostomia. [Cf. *laparotômico*.]
laparotomia. [De *laparo-* + *-tom(o)-* + *-ia*.] *S. f. Cir. Obsol.* **1.** Incisão em flanco, para tratamento de hérnia lombar. **2.** Qualquer incisão destinada a abrir a cavidade abdominal. [Cf. *laparostomia*.]
laparotômico. *Adj.* Referente à laparotomia. [Cf. *laparostômico*.]
lapear^1. *V. t. d. Bras., N.* e *N.E.* Cortar com o chicote ou lapo; chicotear, vergastar. [Conjug.: v. *frear*.]
lapear^2. *V. int. Bras., N.E. Pop.* Andar a pé. [Conjug.: v. *frear*.]
lapedo (ê). [De *lapa*^{1} (1) + *-edo*.] *S. m.* Lugar onde há muitas lapas [v. *lapa*^{1} (1)]: "De atros covões o aranhol / Enliça-se a cada arbusto; / Sobre o *lapedo* cascatas / Espumam, fervendo ao sol." (Alberto de Oliveira, *Poesias*, 2ª série, p. 253.)
lapela. *S. f.* Parte anterior e superior de um casaco voltada para fora; rebuço.
lapense. *Adj. 2 g.* **1.** De, ou pertencente ou relativo a Bom Jesus da Lapa (BA). ● *S. 2 g.* **2.** Natural ou habitante de Bom Jesus da Lapa.
lapiana. [De *lapo* (3)?] *S. f. Bras. Pop.* V. *lambedeira* (3).
lapiano. *Adj.* **1.** De, ou pertencente ou relativo a Lapa (PR). ● *S. m.* **2.** O natural ou habitante de Lapa.
lápida. *S. f.* Var. de *lápide*: "Um irmão dele .... fez-lhe exéquias, e, numa capela da família, lhe pôs em uma *lápida* de mármore branco .... um epitáfio que espero vejam todos quantos aqui sois." (Camilo Castelo Branco, *Mosaico e Silva de Curiosidades*, p. 133.) [Cf. *lapida*, do v. *lapidar*.]
lapidação. [Do lat. *lapidatione*.] *S. f.* **1.** Ato ou efeito de lapidar; lapidagem. **2.** Oficina em que se lapidam pedras preciosas. **3.** *Ant.* Suplício que consistia em apedrejar o criminoso. **4.** *Fig.* Educação, aperfeiçoamento.
lapidador (ô). *Adj.* e *s. m.* Que, ou aquele que lapida.
lapidagem *S. f.* Lapidação (1).
lapidar^1. [Do lat. *lapidare*.] *Adj. 2 g.* **1.** Relativo a lápide. **2.** Gravado em pedra: *inscrição lapidar*. **3.** Breve, conciso; preciso: *estilo lapidar*; "Lembramo-nos .... da simplicidade *lapidar* daquela definição de Santo Tomás de Aquino: 'O belo é o que agrada à vista'." (Willy Lewin, *Ensaios de Circunstância*, p. 5.) **4.** Artístico, primoroso, perfeito: *Seu livro tem páginas lapidares*; "Maria da Cunha, temperamento lírico de primeira grandeza, ... foi, acima de tudo, uma sonetista *lapidar*." (Júlio Dantas, *Abelhas Doiradas*, p.177.) ~ V. *letra* —.
lapidar^2. [Do lat. *lapidare*, 'apedrejar'.] *V. t. d.* **1.** Maltratar ou matar com pedradas; apedrejar: "não haverá, então, da Lorena à Pomerânia, pedras bastantes para *lapidar* o Moisés fraudulento." (Eça de Queirós, *Ecos de Paris*, p. 51.) **2.** Talhar, polir, lavrar, aperfeiçoar (pedra preciosa). **3.** Dar educação a; polir, aperfeiçoar; cultivar, educar: *Lapidou o seu rude irmão antes de apresentá-lo à sociedade*. **4.** Aperfeiçoar, polir: *Enviou o filho à Europa para lapidar-lhe a educação*. [Pres. ind.: *lapido, lapidas, lapida*, etc.; pres. subj.: *lapide*, etc.; fut. pret.: *lapidaria*, etc. Cf. *lápida* e *lápide*, s. f., e *lapidária*, fem. de *lapidário* e s. f.]
lapidaria. *S. f.* **1.** Arte de lapidar^2. **2.** Estabelecimento ou oficina de lapidário. [Cf. *lapidária*, fem. de *lapidário* e s. f.]
lapidária. [Fem. substantivado do adj. *lapidário*.] *S. f. P. us.* Epigrafia. [Cf. *lapidaria*, do v. *lapidar* e s. f.]
lapidário. [Do lat. *lapidariu*.] *Adj.* **1.** Referente a, ou próprio de inscrições lapidares: "encontrara um sinete emblemático com a palavra *Amabo* em letras *lapidárias* entre uma rosa e um crânio." (Domício da Gama, *Histórias Curtas*, p. 217). ● *S. m.* **2.** Aquele que lapida pedras preciosas: "Prometo .... escrever a favor .... dos tintureiros, dos *lapidários*, dos cambistas" (Machado de Assis, *Crônicas*, I, pp. 235-236). **3.** Instrumento para polir pedras preciosas, para trabalhar nas peças de relojoaria, etc. [Fem.: *lapidária*. Cf. *lapidaria*, do v. *lapidar*.]
lápide. [Do lat. *lapide*.] *S. f.* **1.** Pedra com qualquer inscrição comemorativa: "Ao fundo da sala, uma grande *lápide*, onde está insculpido *in extenso* o termo da fundação da abadia." (Afonso Arinos, *Histórias e Paisagens*, p. 204.) **2.** Laje tumular. [Var.: *lápida*. Cf. *lapide* e *lapida*, do v. *lapidar*.]
lapídeo. [Do lat. *lapideu*.] *Adj.* Que tem a dureza da pedra; lapidoso, pedroso.
lapidescência. *S. f.* Qualidade de lapidescente.
lapidescente. [Do lat. *lapidescente*.] *Adj. 2 g.* Que se lapidifica ou petrifica.
▲lapidi-. [Do lat. *lapis, idis*.] *El. comp.* = 'pedra':

lapidícola, lapidificar.

lapidícola. [De *lapidi-* + *-cola.*] *Adj. 2 g.* Diz-se dos animais que habitam ou nidificam entre pedras, ou nas fendas dos rochedos.

lapidificação. *S. f.* Ato ou efeito de lapidificar(-se).

lapidificar. [De *lapidi-* + *-ficar.*] *V. t. d.* **1.** Tornar em pedra; petrificar. *P.* **2.** Adquirir a consistência de pedra; petrificar-se. [Conjug.: v. *trancar.* Pres. ind.: *lapidifico,* etc. Cf. *lapidífico.*]

lapidífico. [De *lapidi-* + *-fico.*] *Adj.* Próprio para a formação de pedras. [Cf. *lapidifico,* do v. *lapidificar.*]

lapidoso (ô). [Do lat. *lapidosu.*] *Adj.* **1.** V. *pedregoso.* **2.** V. *lapídeo.*

lapiga. *S. m. Bras.* Garrote magro.

lapijar. *V. int.* Fazer traços ou riscos com o lápis. [Cf. *lapisar.*]

lapíli. [Do it. *lapilli,* pl. de *lapillo,* 'pedrinha'.] *S. m. pl. Geol.* Produtos sólidos provenientes das erupções vulcânicas, do tamanho da avelã.

lapiloso (ô). [Do lat. *lapillu,* 'pedrinha', + *-oso.*] *Adj. Bot.* Diz-se do fruto que apresenta corpos muito duros no mesocarpo, como, p. ex., as peras.

lapinha. [Dim. de *lapa*[1].] *S. f.* **1.** Certa representação popular antiga. **2.** *Bras., N.E.* Nicho ou presépio que se forma pelas festas de Natal e Reis. **3.** *Bras., N.E. Pop.* O pastoril (4), sem a inclusão de danças e cantos estranhos aos assuntos natalinos.

lápis. [Do it. *lapis.*] *S. m. 2 n.* **1.** Estilete de grafita envolvido em madeira, cilíndrico ou oitavado, para escrever ou desenhar. **2.** Pedaço de qualquer substância com que se escreve, risca ou desenha. **3.** Qualquer objeto com o feitio de cilindro longo e fino, semelhante ao lápis (1). **4.** Desenho a lápis. ◆ **Lápis dermográfico.** Lápis especial, usado em medicina para marcações na pele. **Lápis hemostático.** Bastão de alume, usado para estancar pequenos sangramentos. **Lápis infernal.** Nitrato de prata fundido em forma de cilindro. **Lápis litográfico.** Lápis composto de cera, sabão, sebo, etc., e pigmento, para desenho no processo litográfico. [V. *tinta litográfica.*]

lapisada. *S. f.* Traço a lápis.

lapisar. *V. t. d.* Desenhar ou escrever a lápis. [Cf. *lapijar.*]

lapiseira. *S. f.* **1.** Tubo de metal, matéria plástica, etc., onde se encaixa um estilete de grafita, e que é usado como lápis. **2.** Caixa onde se guardam lápis. [Sin. ger.: *porta-lápis.*]

lápis-lazúli. [Do it. *lapisllazzulli* < lat. *lapis* e do persa *lasward,* atr. do árabe.] *S. m.* Lazurita. [Pl.: *lápis-lazúlis.*]

lápis-tinta. *S. m.* Lápis cuja mina[1] (9), feita de matéria especial, dá um traço indelével, e que tem os mesmos empregos que a tinta de cópia: "Em um exemplar d'Os Timbiras [de Gonçalves Dias], edição de Leipzig, ... alguém escreveu a l á p i s - t i n t a : 'Versos duros, malferindo os ouvidos.'" (Carlos Drummond de Andrade, *Confissões de Minas,* p. 36.) [Pl.: *lápis-tintas* e *lápis-tinta.*]

laplaciano. *Adj.* **1.** Pertencente ou relativo a Pierre Simon Laplace, astrônomo e matemático francês (1749-1827), ou próprio dele. ~ V. *operador* —. ● *S. m.* **2.** Seguidor das teorias de Laplace. **3.** *Cálc. Vect.* Escalar[1] (2) ou vector que se obtém quando se multiplica o quadrado do operador nabla por uma função escalar ou vectorial, respectivamente. [Símb.: ∇^2.]

laplatense. *Adj. 2 g.* De, ou pertencente ou relativo à cidade de La Plata (República Argentina). ● *S. 2 g.* Natural ou habitante dessa cidade.

lapo. [T. onom.] *S. m. Bras., N.* e *N.E.* **1.** Tira de sola que se põe na ponta dos relhos e chicotes. **2.** Lambada, lapada, chicotada. **3.** Golpe dado com faca. **4.** Naco, pedaço; fragmento; lapa: "Os espinhos de rasga-beiço tiraram-lhe um l a p o do rosto" (Adalberon Cavalcanti Lins, *Curral Novo,* p. 62).

lapônio[1]. *Adj.* e *s. m.* V. lapão[3] (1 e 2).

lapônio[2]. [De *lapa*[1], decerto.] *Adj.* e *s. m.* V. *lapuz.*

lapso. [Do lat. *lapsu.*] *S. m.* **1.** Espaço de tempo: "Espantou-se de o ver tão acabado no l a p s o de quatro anos" (Camilo Castelo Branco, *A Enjeitada,* p. 140). **2.** Erro cometido por descuido, distração, ou esquecimento; engano involuntário: "dando e recebendo todos os trocos sem um só esquecimento, sem o menor equívoco, sem um único l a p s o." (Ramalho Ortigão, *Em Paris,* p. 165). **3.** Falta, privação, falha: "— Há uma doença especial, ... um l a p s o da memória; o Tomé Gonçalves perdeu inteiramente a noção de pagar." (Machado de Assis, *Histórias sem Data,* p. 19.) **4.** Deslize, escorregadela, culpa. ● *Adj.* **5.** Incurso em erro, culpa ou pecado.

➧**lapsus linguae** (lápsuç lingüe). [Lat.] Erro involuntário na conversação; lapso.

lapuz. [De *lapa*[1].] *Adj. 2 g.* e *s. m.* Diz-se de, ou indivíduo grosseiro, rude, tosco, labrosta, labroste, lanzudo, labrego, lapônio, lapão: "O provinciano mais l a p u z , depois de concluir o seu jantar com um cálice de tócai e um creme gelado .... , compreende .... o consolo .... de pôr brilhantina no bigode e conversar de cousas delicadas." (Ramalho Ortigão, *Em Paris*, pp. 95-96); "Rîamo-nos dos labregos, dos l a p u z e s , dos labrostes da falsa aristocracia." (Agripino Grieco, *Zeros à Esquerda,* p. 193.)

lapuzice. *S. f.* Qualidade, ato ou modos de lapuz.

laquê. [Do fr. *laqué.*] *S. m.* Produto com que se vaporizam os cabelos a fim de fixar o penteado.

laqueação[1]. *S. f.* Ação ou efeito de laquear[2].

laqueação[2]. *S. f.* Ato ou operação de laquear[3].

laqueado. [Part. de *laquear*[3].] *Adj.* Coberto ou pintado com laca; "Ele está imóvel na cama l a q u e a d a , o cabelo enorme, a barba castanha maior ainda" (Cordeiro de Andrade, *Anjo Negro,* p. 135).

laqueador (ô). [De *laquear*[3] + *-(d)or.*] *S. m.* Aquele que trabalha em laquear móveis, em laqueação[2]: "Sem hesitar chamou estofador, l a q u e a d o r , o homem dos tapetes e o dos espelhos..." (Malu de Ouro Preto, *Siri na Noite sem Lua,* p. 40).

laquear[1]. [Do lat. *laqueare.*] *S. m.* Dossel de leito; sobrecéu.

laquear[2]. [Do lat. *laqueare,* 'enlaçar'.] *V. t. d. Cir.* Ligar[2] (11). [Conjug.: v. *frear.*]

laquear[3]. *V. t. d. Bras.* **1.** Cobrir com laca. **2.** Pintar (móveis) com tinta de esmalte. [Conjug.: v. *frear.*]

laquear[4]. *V. t. d. Bras.* Vaporizar (os cabelos) com laquê. [Conjug.: v. *frear.*]

laqueário. [Do lat. *laqueariu.*] *S. m.* gladiador que tolhia os movimentos do adversário arremessando-lhe uma corda com nó corredio.

laquedivo. *Adj.* **1.** Das, ou pertencente ou relativo às ilhas Laquedivas (Oceano Índico). ● *S. m.* **2.** O natural ou habitante dessas ilhas.

lar. [Do lat. *lare.*] *S. m.* **1.** A parte da cozinha onde se acende o fogo. **2.** Lareira (1): "Foi então, no silêncio da noite, enquanto o azinho seco ardia no l a r , que eu ouvi a história dessa encantadora mulher" (Júlio Dantas, *Abelhas Doiradas,* pp. 197-198). **3.** *Fig.* A casa de habitação. **4.** *Fig.* A família (1): "Eis meu l a r , minha casa, meus amores" (Casimiro de Abreu, *Obras,* p. 108). **5.** *Fig.* O torrão natal; a pátria: "— Flor dos trópicos — cá na Europa fria / Eu definho, chorando noite e dia / Saudades do meu l a r ." (*Id., ib.,* p. 90.) **6.** Ninho ou toca de animal. ~ V. *lares.* ◆ **Lar da prensa.** Superfície da prensa onde assenta o vinhaço. **Lar do pão.** A parte do pão que assenta sobre o lar do forno. **Do lar.** Prendas domésticas [q. v.].

laracha. *S. f.* **1.** Chalaça, gracejo, motejo. **2.** *Bras. Gír.* Impostura, embuste, logro; mentira. ● *S. m.* **3.** Aquele que diz facécias ou pretende ser gracioso.

larachear. *V. int.* Dizer larachas. [Conjug.: v. *frear.*]

larada. *S. f.* **1.** Cinza ou borralho do lar. **2.** Nódoa de líquido entornado.

larafi. *S. m. Bras.* Purgatório dos malês [v. *malê* (1)].

laranja. [Do sânscr. *naranga,* pelo persa *narrang* e pelo ár. *naranja.*] *S. f.* **1.** O fruto da laranjeira. **2.** Pessoa, ingênua, simples ou sem importância. ● *S. m.* **3.** Alaranjado (4 e 5): *O l a r a n j a assenta-lhe muito bem.* ● *Adj. 2 g.* e *2 n.* **4.** Alaranjado (2): "camisa l a r a n j a" (Davi Antunes, *Briguela,* p. 135); "Negro e l a r a n j a , o japiim, sendo o pássaro mais esquivo, ... foi o primeiro alado que se aproximou do selvagem." (Raimundo Morais, *País das Pedras Verdes,* p. 47.) **5.** Diz-se da cor laranja: *terno de cor l a r a n j a .*

laranja-amarga. *S. f. Bras.* V. *laranja-da-terra.* [Pl.: *laranjas-amargas.*]

laranja-aperu. *S. f. Bras.* **1.** Laranjeira silvestre, do PR. **2.** O fruto dessa laranjeira. [Pl.: *laranjas-aperus* e *laranjas-aperu.*]

laranja-azeda. *S. f. Bras.* V. *laranja-da-terra.* [Pl.: *laranjas-azedas.*]

laranja-cravo. *S. f. Bras.* **1.** V. *tangerina* **2.** V. *tangerineira.* [Pl.: *laranjas-cravos* e *laranjas-cravo.*]

laranjada. *S. f.* **1.** Bebida feita com o sumo da laranja, açúcar e água. **2.** Porção de laranjas. **3.** Arremesso de laranjas.

laranja-da-baía. *S. f. Bras.* **1.** Variedade brasileira da laranjeira *(Citrus sinensis),* obtida por enxerto, e cujo fruto apresenta no cimo um segundo verticilo, saliente, de carpelos menores. **2.** O fruto dessa árvore. [Sin. ger.: *laranja-de-umbigo.* Pl.: *laranjas-da-baía.*]

laranja-da-china. *S. f. Bras.* **1.** Variedade de laranjeira *(Citrus aurantium sinensis).* **2.** O fruto dessa árvore [Pl.: *laranjas-da-china.*]

laranja-da-terra. *S. f. Bras.* **1.** Árvore da família das rutáceas *(Citrus aurantium).* **2.** O fruto dessa árvore. [Sin. ger.: *laranja-amarga, laranja-azeda.* Pl.: *laranjas-da-terra.*]

laranja-de-umbigo. *S. f. Bras.* Laranja-da-baía. [Pl.: *laranjas-de-umbigo.*]

laranjaiense. *Adj. 2 g.* **1.** De, ou pertencente ou relativo a Laranjais (RJ). ● *S. 2 g.* **2.** Natural ou habitante de Laranjais.

laranjal. *S. m.* Quantidade mais ou menos considerável de laranjeiras dispostas proximamente entre si.

laranjalense[1]. *Adj. 2 g.* **1.** De, ou pertencente ou relativo a Laranjal (MG). ● *S. 2 g.* **2.** Natural ou habitante de Laranjal.

laranjalense[2]. *Adj. 2 g.* **1.** De, ou pertencente ou relativo a Laranjal Paulista (SP). ● *S. 2 g.* **2.** Natural ou habitante de Laranjal Paulista.

laranja-mimosa. *S. f. Bras., S.* de *SP, PR* e *N.* de *SC.* **1.** V. *tangerina.* **2.** V. *tangerineira.* [Pl.: *laranjas-mimosas.*]

laranjão. [De *laranjo* + *-ão.*] *S. m. Bras.* Certa raça bovina do Piauí.

laranja-pêra. *S. f. Bras.* **1.** Variedade de laranjeira *(Citrus sinensis),* de frutos doces, sumarentos, cuja forma alongada lembra a de uma pêra. **2.** O fruto dessa árvore. [Pl.: *laranjas-peras* e *laranjas-pêra.*]

laranjarana. [De *laranja* + *-rana.*] *S. f. Bras.* Árvore da família das rizoforáceas *(Cassipourea guianensis),* habitante dos mangues da região amazônica, de folhas coriáceas, luzidias, flores pequenas, e cujo tronco se sustenta sobre características raízes aéreas, que servem de escora à árvore toda.

laranjeira. *S. f.* Árvore da família das rutáceas *(Citrus aurantium,* tb. dita *C. sinensis),* provida de espinhos, flores, alvas e nectaríferas, e folhas compostas, muito aromáticas, e cujo fruto, a laranja, é uma grande baga, muito apreciada como alimento. Originária da Ásia, cultiva-se na maior parte do globo, e apresenta inúmeras variedades, às vezes bem diferentes da espécie original.

laranjeira-do-mato. *S. f. Bras.* V. *cataguá*[1]. [Pl.: *laranjeiras-do-mato.*]

laranjeirense. *Adj. 2 g.* **1.** De, ou pertencente ou relativo a Laranjeiras (SE). ● *S. 2 g.* **2.** Natural ou habitante de Laranjeiras.

laranjeirense-do-sul. *Adj. 2 g.* **1.** De, ou pertencente ou relativo a Laranjeiras do Sul (PR). ● *S. 2 g.* **2.** Natural ou habitante de Laranjeiras do Sul. [Pl.: *laranjeirenses-do-sul.*]

laranjeiro. *S. m.* **1.** *Bras.* Vendedor de laranjas. **2.** *Bras., RJ* e *SP.* Plantador de laranjas.

laranjinha. [Dim. de *laranja.*] *S. f.* **1.** *Bras.* V. *espinho-de-vintém.* **2.** *Bras.* Aguardente de cana perfumada com casca de laranja: "Os copos não demoravam vazios, e Paulo já começava a sentir-se atordoado quando, ao fim do jantar, Mamede foi .... buscar a l a r a n j i n h a ." (Coelho Neto, *Turbilhão,* pp. 130-131.) **3.** *Bras., N.E.* V. *limão-de-cheiro.*

laranjinha-do-campo. *S. f. Bras.* V. *bacupari-do-campo.* [Pl.: *laranjinhas-do-campo.*]

laranjinha-do-mato. *S. f. Bras.* Árvore da família das rutáceas *(Fagara monogyna),* nativa do ES, de folhas com três folíolos arredondados e providos de glândulas, flores unissexuais, organizadas em panículas, tronco sem acúleos, e cujo fruto é um pequeno folículo com sementes globosas, sendo a madeira amarela, lisa e aproveitável para mobiliário. [Pl.: *laranjinhas-do-mato.*]

laranjo. *Adj. Bras.* Diz-se do animal vacum que tem o pêlo de cor tirante à da laranja: "vinham eles .... a cavalo e em carros puxados por juntas de dez bois, formada cada junta, a capricho, de animais de pêlo igual: ou todos pretos, ou alvações, l a r a n j o s ; malhados, bragados, caraças." (Xavier Marques, *As Voltas da Estrada,* p. 16).

larapiar. [De *larápio* + *-ar*[2].] *V. t. d.* Furtar, surrupiar, abafar. [Pres. ind.: *larapio.* etc. Cf. *larápio.*]

larápio. *S. m.* V. *ladrão* (2). [Cf. *larapio,* do v. *larapiar.*]

larário. [Do lat. *larariu.*] *S. m.* Capelinha dos deuses lares, entre os antigos romanos e os etruscos.

lardeadeira. *S. f.* Agulha para lardear.

lardear. *V. t. d.* **1.** Entremear (uma peça de carne) com fatias de lardo (1). **2.** *Fig.* Fincar, crivar, cravar. *T. d.* e *i.* **3.** Entressachar, entremear; intercalar. [Sin.: *alardar.* Conjug.: v. *frear.*]

▲**lardi-.** [Do lat. *lardum, i.*] *El. comp.* = 'toucinho': *lardiforme, lardívoro.*

lardiforme. [De *lardi-* + *-forme.*] *Adj. 2 g.* Que tem forma de lardo.

lardívoro. [De *lardı* + -*voro*.] *Adj.* Que se alimenta de lardo: *vermes lardívoros*

lardizabalácea. *S. f.* Espécime das lardizabaláceas.

lardizabaláceas. *S. f. pl. Bot.* Família de dicotiledôneas, da ordem das ranales, composta de lianas com folhas palmadas ou penadas e flores solitárias ou racemosas. Há umas 15 espécies, exclusivas da zona temperada.

lardizabaláceo. *Adj.* Pertencente ou relativo às lardizabaláceas.

lardo. [Do lat. *lardu*.] *S. m.* **1.** Toicinho, sobretudo toicinho em tiras ou talhadinhas para entremear peças de carne. **2.** *Fig.* Condimento; enfeite, ornato: "Assim reflexiona, com lardo de latim do Gênesis, o Sr. Padre Casimiro Vieira. o generalíssimo de uma guerra fratricida que, poucos meses depois, ladrilhava com duzentos cadáveres as ruas de Braga." (Camilo Castelo Branco *Maria da Fonte*, p. 98.) **3.** *Fig.* Recheio (4): "Tudo isto era expendido na tréplica de José Hipólito com grande lardo de zombarias e sarcasmos em estilo picaresco." (Id., *Novelas do Minho*, IV. p. 83.) **4.** *Bras.* Lanho (2).

laré. *El. s. m.* Us. na loc. *andar ao laré.* ◆ **Andar ao laré. 1.** Passar a vida ociosamente; vadiar. **2.** Andar fora dos eixos; funcionar irregularmente. **3.** Andar em situação precária.

lareira. [Fem. substantivado de *lareiro*.] *S. f.* **1.** A laje do lar (1), em que se acende o fogo; lar. **2.** Fornalha onde se faz fogo para aquecimento de interiores, fogão, chaminé: "sentia-me confortavelmente ali, junto daquela grave lareira antiga onde um fogo carinhoso crepitava." (Julio Dantas, *Abelhas Doiradas*, p. 196).

lareiro. [Do lat. *larariu*.] *Adj.* Relativo ou pertencente a lar, ou a lareira.

lares. [Do lat. *lares*.] *S. m. pl.* Deuses domésticos, entre os etruscos e os romanos. ~ V. *lar*.

larga¹. [Dev. de *largar*.] *S. f.* Ato ou efeito de largar.

larga². [Fem. substantivado do adj. *largo* (*largo²*).] *S. f.* **1.** Fig. Largueza, liberdade; folga: *Ontem, entre amigos, deu largas à sua veia humorística.* **2.** Aumento, ampliação, desenvolvimento. **3.** *Bras.* Campo sem divisas. ◆ **À larga. 1.** Com largueza; com abundância; à grande: "continuava a viver à larga, à grande, gastando, dando, esbanjando." (Antero de Figueiredo, *Jornadas em Portugal*, p. 388). **2.** À vontade; a gosto; comodamente; à tripa forra: "sentou-se na cadeira em que estivera antes, e respirou à larga." (Machado de Assis, *Casa Velha*, p. 86). **Criar na larga.** *Bras.* Criar sem cercas divisórias, na plena comunidade da terra. **Dar largas a.** V. *dar asas a: "Deu largas à sua alma, e contou-me tudo, como quem precisava dum confidente." (Camilo Castello Branco, A Mulher Fatal*, p. 95); "Só poderia extasiar-se, dar largas à sua imaginação, sem ser interrompido" (Coelho Neto, *Treva*, p. 104).

largação. [De *largar* + *ção*.] *S. f. Bras., MG.* Separação de fato de um casal, i. e., sem ser por desquite ou divórcio.

largada. [De *largar* + -*ada¹*] *S. f.* **1.** Ato de largar. **2.** Partida de um lugar. **3.** Chiste; piada. **4.** *Bras.* Ação de começar a correr, abrindo competição ou corrida de cavalos, automóveis, etc. **5.** *Bras., RS.* Façanha, proeza.

largado. [Part. de *largar*.] *Adj.* **1.** Que se largou. **2.** *Bras.* Abandonado; desprezado. **3.** *Bras.* Diz-se do cavalo de que ninguém mais cuida, por ser indomável, e daquele que, sendo manso, há muito tempo não é montado. **4.** *Bras.* Desmaiado, desfalecido. **5.** *Bras. Fig.* Turbulento, irrequieto; incorrigível. **6.** *Bras.* V. *valentão* (1). **7.** *Bras.* Que se abandona, que não cuida de si; muito displicente no trajar, nas maneiras.

largar. [De *largo* + -*ar²*.] *V. t. d.* **1.** Soltar (o que se segura): *Não largava a pasta em que estavam os documentos; Não largou por um instante o braço da mulher.* **2.** Deixar cair: *O cão largou o bocado que tinha entre os dentes.* **3.** Pôr em liberdade; deixar fugir: *Apanhou o pássaro, mas logo depois o largou.* **4.** Perder de vista; desviar-se ou afastar-se de: *Seus olhos não largavam a namorada.* **5.** Pôr de parte; deixar, abandonar: *largar as armas.* **6.** Deixar, abandonar, desamparando: *Largou a mulher e cinco filhos.* **7.** Tornar lasso ou pendente; deixar livre; soltar; alargar: *Largou as rédeas, deixando o cavalo galopar.* **8.** Desferir, desfraldar: *largar as velas.* **9.** Emitir, soltar; dar: *Largou uma boa gargalhada.* **10.** *Pop.* Dizer, proferir; soltar: *Largou uma boa piada*; "Um sujeito chega, atenta .... naqueles desconhecidos .... . Outro larga uma opinião à-toa." (Graciliano Ramos, *Angústia*, p. 5). *T. d. e i.* **11.** Lançar, impelir: *Largou o cão contra o assaltante.* **12.** Passar; ceder: *Largou a chefia ao seu sucessor.* **13.** Conceder, dar, doar: *Largou ao irmão boa parte da herança. T. i.* **14.** Deixar, cessar: *Largue de ser tolo! Int.* **15.** Partir, ir-se; fazer-se ao largo: "Larguei do Laerte e andei zanzando, batendo pernas uns dois dias" (Nélson de Faria, *Tiziu e Outras Estórias*, p. 18). **16.** Fazer-se ao largo; ir-se: *A embarcação largou pela madrugada.* **17.** *Bras. Pop.* Perder a viveza; esvaecer(-se), desbotar: *A cor desta chita não larga. P.* **18.** Separar-se; afastar-se. **19.** Escapar-se, soltar-se, desprender-se: "Jana largou-se dos braços do irmão Cosme, e cruzando os seus na testa, encostou-se a um portal, soluçando." (Xavier Marques, *Jana e Joel*, p. 137.) **20.** Ir-se, partir, sem demora e/ou com precipitação: "Liquidou o negócio que o marido mantinha na Corte e largou-se para Porto das Caixas" (Barbosa Lima Sobrinho, *Presença de Alberto Torres*, p. 14). **21.** Pôr-se, deitar-se, ficar-se: *Largou-se a dormir durante o expediente.* **22.** *Chulo.* Soltar ventosidades; peidar. [Mudar o *g* em *gu* antes de *e*: *larguei, largue, larguemos, larguem*, etc.]

largífluo. [Do lat. *largifluu*.] *Adj. Poét.* Que corre abundantemente.

largo¹. [Do it. *largo*.] *Mús. S. m.* **1.** Andamento largo, pausado. **2.** Trecho musical nesse andamento. ● *Adv.* **3.** Em largo¹ (1).

largo². [Do lat. *largu*, 'abundante, rico'.] *Adj.* **1.** Que tem grande extensão transversal. **2.** Amplo, grande, extenso; vasto: "jovem herdeiro de largas propriedades lá para bandas de Póvoa e Meadas." (José Régio, *Histórias de Mulheres*, p. 101). **3.** Que não é estreito ou apertado; folgado: *vestido largo.* **4.** Longo, demorado: *Tiveram larga conversa a respeito do apartamento.* **5.** Importante, considerável. **6.** Generoso, dadivoso; liberal: *Não mede gastos para nada; é homem largo.* **7.** Copioso, abundante: *Saboreavam com delícia larga a ceia de Natal.* **8.** *Bras. Pop.* Aberto (24). ● V. *bitola — a, mar —, vento —* e *voga —a.* ● *S. m.* **9.** V. *largura* (1). **10.** Praça (1). **11.** V. *alto-mar* (1). ● *Adv.* **12.** Com largueza; largamente: "gastava largo e dava muitas esmolas." (Machado de Assis, *Esaú e Jacó*, p. 15); "O sorriso era instantâneo, mas também folgado e largo." (*Id., Dom Casmurro*, p. 169). ◆ **Ao largo. 1.** Com pormenores; minuciosamente, particularizadamente. **2.** Guardando distância; sem dar intimidade: "Essa gente se trata ao largo. Pouca intimidade." (José Sarney, *Norte das Águas*, p. 94.) **Ao largo de.** Longe de; a distância; afastadamente: *passar ao largo da costa.* **Fazer-se ao largo. 1.** *Mar.* Navegar para o largo; afastar-se da costa: "Quando se fez ao largo a nave escura / Na praia essa mulher ficou chorando, / No doloroso aspecto figurando / A lacrimosa estátua da amargura." (Gonçalves Crespo, *Obras Completas*, p. 331.) **2.** Mudar de lugar; sair; andar. **Passar ao largo.** *Mar.* Passar longe; passar de largo. **Passar de largo.** V. *passar ao largo.* **Prometer largo e dar estreito.** Fazer promessa(s) de vulto e dar muito menos que o prometido.

largueador (ô). *Adj.* e *s. m.* Que, ou aquele que largueia.

larguear. [De *largo²* + -*ear*.] *V. t. d.* **1.** Despender largamente; prodigalizar, prodigar. **2.** Alargar (1). *Int.* **3.** Gastar largamente; ser pródigo. [Conjug.: v. *frear*.]

largueirão. *Adj. Pop.* Muito largo² (3). [Fem.: *largueirona*.]

largueirona. *Adj. Pop.* Fem. de *largueirão*.

largueto (ê). [Do it. *larghetto*.] *S. m. Mús.* **1.** Andamento menos vagaroso que o largo² (1). **2.** Trecho musical nesse andamento.

largueza (ê). *S. f.* **1.** V. *largura* (1). **2.** *Fig.* Generosidade; liberalidade. **3.** Desafogo, folga, abastança: *Vive bem, com muita largueza.* **4.** Desregramento, esbanjamento, desperdício, dissipação.

largura. *S. f.* **1.** Qualidade de largo; largueza, largo, anchura. **2.** A menor dimensão de uma superfície plana horizontal, em contraposição a *comprimento* **3.** *Tip.* Medida de linha de uma página, coluna, etc., expressa tipometricamente. ◆ **Largura de banda.** *Eletrôn.* Num amplificador, largura da banda de freqüências em que o fator de amplificação não é inferior a um valor determinado, usualmente a metade do máximo do fator de amplificação. **Largura de nível.** *Fís. Nucl.* Em um nível excitado de um núcleo atômico, incerteza existente na sua energia, inversalmente proporcional à vida média do nível.

lariço. [Do gr. *lárix, ikos*, 'arbusto', pelo lat. **laricíu*, de *larice*.] *S. m. Bot.* Gênero de coníferas dos países temperados, do qual algumas espécies atingem até 40 m de altura e produzem a chamada *terebintina-de-veneza*.

laridão. [F. aferética de **alaridão*.] *S. m. Bras.* Alarido intenso de cães perseguindo a caça.

larídeo. [Do gr. *láros*, 'gaivota', + -*ideo*.] *S. m.* **1.** Espécime dos larídeos. ● *Adj.* **2.** Pertencente ou relativo a eles.

larídeos. [Pl. de *larídeo*.] *S. m. pl. Zool.* Aves lariformes [q. v.], da família *Laridae*, as quais vivem no mar, freqüentando as costas e os grandes rios, se alimentam de peixes e detritos orgânicos, e nidificam em colônias. São as gaivotas, corta-mares, trinta-réis e andorinhas-do-mar.

lariforme. [Do gr. *láros*, 'gaivota', + -*i*- + -*forme*.] *S. m.* **1.** Espécime dos lariformes. ● *Adj. 2 g.* **2.** Pertencente ou relativo a eles.

lariformes. *S. m. pl. Zool.* Aves neórnites, neógnatas, consideradas por alguns autores como uma ordem: lariformes. Têm os três dedos anteriores reunidos por membrana, pernas mais curtas que o corpo, excluído o pescoço, bico com ponta aguda e ventas ordinárias, não prolongadas em tubo. São as gaivotas.

laringalgia. [De *laring(o)*- + -*alg(o)*- + -*ia*.] *S. f. Patol.* Neuralgia laríngea.

laringálgico. *Adj.* Relativo à laringalgia.

laringe. [Do gr. *lárygx*.] *S. f.* ou *m. Anat.* Conduto musculocartilaginoso, com revestimento interno mucoso, situado imediatamente acima da traquéia e abaixo da raiz da língua, e que tem por função, entre outras, intervir no mecanismo da fonação e evitar a penetração de alimento na traquéia.

laríngeo. *Adj.* Relativo ou pertencente à laringe; laringiano. ~ V. *difteria —a.*

laringiano. *Adj.* Laríngeo.

laringismo. [De *laringe* + -*ismo*.] *S. m. Med.* Espasmo do laringe.

laringite. [De *laring(o)*- + -*ite¹*.] *S. f. Patol.* Inflamação da laringe.

▲**laring(o)-.** [Do gr. *lárygx, yggos*.] *El. comp.* = 'laringe': *laringografia; laringalgia.*

laringocele. [De *laring(o)*- + -*cele*.] *S. f. Med.* Anormalidade constituída por saco aéreo que se comunica com a cavidade do laringe, e principalmente durante a tosse, produz no pescoço uma visível tumoração.

laringofissura. [De *laring(o)*- + *fissura*.] *S. f. Cir.* Laringotomia mediana.

laringografia. [De *laring(o)*- + -*graf(o)*- + -*ia*.] *S. f.* **1.** Descrição do laringe. **2.** Estudo radiológico do laringe após instilação, neste órgão, de substância de contraste.

laringográfico. *Adj.* Referente à laringografia.

laringologia. [Do *laring(o)*- + -*log(o)*- + -*ia*.] *S. f.* Ramo da medicina que estuda o laringe em todos os seus aspectos.

laringológico. *Adj.* Relativo à laringologia.

laringologista. *S. 2 g.* Especialista em laringologia.

laringoplegia. [De *laring(o)*- + -*pleg*- + -*ia*.] *S. f. Patol.* Paralisia do laringe.

laringoplégico. *Adj.* Relativo à laringoplegia.

laringoscopia. *S. f.* Observação interior do laringe, por meio de laringoscópio (observação direta) ou de espelho laríngeo (observação indireta).

laringoscópio. [De *laring(o)*- + -*scop*- + -*io²*.] *S. m.* Instrumento com que se realiza a observação direta do laringe.

laringóstomo. [De *laring(o)*- + -*stomo*.] *Adj. Zool.* Diz-se do animal articulado cuja boca é uma espécie de tromba, formada pelo esôfago.

laringotomia. [De *laring(o)*- + -*tom(o)*- + -*ia*.] *S. f. Cir.* Incisão no laringe, que pode ser realizada em níveis diversos do órgão, e variar em extensão.

laringotraqueal. *Adj. 2 g.* ~ V. *difteria —.*

laroiê. [Do ioruba.] *S. m. Bras., BA.* Saudação especial a Exu.

laroz. *S. m.* Barrote que sustenta a tacaniça; larva.

➡**l'art pour l'art** (lar pur lar). [Fr.] A arte pela arte.

larva. [Do lat. *larva*, 'fantasma; máscara fantasma'.] *S. f.* **1.** O primeiro estado dos insetos, depois de saírem do ovo: "No segredo da larva delicada / A borboleta mora, / Antes que veja a luz, que estenda as asas, / Que surja fora!" (Gonçalves Dias, *Obras Poéticas*, II, p. 152.) **2.** Laroz. **3.** Entre os antigos romanos, espírito malfazejo de um morto que vagueava entre os vivos para os aterrorizar.

larváceo. *S. m.* **1.** Espécime dos larváceos. ● *Adj.* **2.** Pertencente ou relativo a eles. [Sin. ger.: *apendiculária*.]

larváceos. *S. m. pl. Zool.* Animais cordados, tunicados, da classe *Larvacea*, composta de larvas minúsculas, permanentes, isoladas, de vida livre, com notocórdio, corda nervosa e duas fendas branquiais; apendiculárias.

larvado. [Do lat. *larvatu*.] *Adj.* **1.** Insidioso, disfarçado; atípico. **2.** *Med.* Diz-se de moléstia ou sintoma ainda não aparente, ou que se manifesta de modo incompleto: *epilepsia larvada.* **3.** *Fig.* Desequilibrado, mas com intervalos de lucidez.

larval. [Do lat. *larvale.*] *Adj. 2 g.* **1.** Relativo a larva; larvar, larvário. **2.** *Poét.* Relativo a fantasma [v. *larva* (3)]; medonho, horrível, assustador.

larvar. *Adj. 2 g.* V. *larval* (1).

larvário. *Adj.* V. *larval* (1).

larvófago. [De *larva* + -o- + *-fago.*] *S. m.* Animal que se nutre de larvas: *peixe larvófago.*

lasanha. [Do it. *lasagna.*] *S. f.* **1.** Massa alimentícia cortada em tiras relativamente largas. **2.** Iguaria preparada com esta massa em camadas entremeadas de recheio de carne, molho branco e mozarela.

lasca. *S. f.* **1.** Fragmento de madeira, pedra ou metal. [Sin.: *estilhaço* e (bras., N.E., pop.) *laxa.*] **2.** Fragmento fino e longo; fatia, talhada: *uma lasca de queijo.* **3.** Espécie de jogo de azar. **4.** *Bras. Chulo.* A vulva.

lascado. [Part. de *lascar.*] *Adj.* **1.** Rachado ou quebrado em lascas; mutilado. **2.** *Bras., CE.* Adoidado; estabanado. **3.** *Bras., CE.* Pobríssimo, paupérrimo. **4.** *Bras. Gír.* A toda a pressa; em disparada, à disparada: *Veio de Petrópolis lascado.*

lasca-peito. [De *lascar* + *peito.*] *S. m. Bras. Pop.* Cigarro muito forte, e/ou ordinário, que contém alta dosagem de nicotina e alcatrão; mata-rato, arranca-peito, arromba-peito, arrebenta-peito. [Pl.: *lasca-peitos.*]

lascar. *V. t. d.* **1.** Partir ou fazer lascas em; rachar. **2.** Tirar lascas de. **3.** Partir, quebrar. **4.** *Bras. Fam.* Fazer, produzir, etc., por efeito ou como por efeito de uma resolução súbita, ou por um ímpeto: *Amolei-me com aquilo, e lasquei um protesto; Amanhã eu lasco uma carta ao Governador; Jogou querosene na roupa da mulher, que estava dormindo, e lascou fósforo;* "O rapaz se queimou e lascou em árabe bem castiço um palavrão" (Adevaldo Fernandes Sampaio, *O Sol na Rede*, pp. 23-24). *Int.* e *p.* **5.** Fazer-se em lascas; fender-se, estilhaçar-se. [Conjug.: v. *trancar.*] ♦ **De lascar.** *Bras. Fam.* Profundamente desagradável, ou irritante, ou decepcionante, etc.; dos diabos: *É uma ingratidão de lascar!; Fez-me uma de lascar;* "Na lombada da serra o sol é de lascar .... / Nem uma folha só fazendo movimento." (Ascenso Ferreira, *Catimbó e Outros Poemas*, p. 125); "no Maracanã, os sanitários são de lascar." (João Saldanha, *Jornal do Brasil*, 16.2.1982).

lascívia. [Do lat. *lascivia.*] *S. f.* **1.** Qualidade ou modos de lascivo. **2.** Luxúria, libidinagem, sensualidade, cabritismo.

lascivo. [Do lat. *lascivu*, 'saltante', 'devasso'.] *Adj.* **1.** *Desus.* Brincalhão; travesso: "Está o lascivo e doce passarinho / com o biquinho as penas ordenando" (Luís de Camões, *Rimas*, p. 139). **2.** Sensual, libidinoso, lúbrico; desregrado: "foi ladrão pérfido, sacrílego, e vanglorioso, e tão lascivo, que ordenou que em dia de Páscoa as mulheres lhe cantassem hinos no meio da igreja, tão profanos, que os ouvidos pios tinham horror de admiti-los." (P[e] Manuel Bernardes, *Nova Floresta*, II, p. 290). **3.** Em que há ou como que há lascívia; sensual, libidinoso, lúbrico: *movimentos lascivos; a ondulação lasciva do seu corpo.* ● *S. m.* **4.** Indivíduo sensual, libidinoso, lascivo: "Grande lascivo, esperate a voluptuosidade do nada." (Machado de Assis, *Memórias Póstumas de Brás Cubas*, p. 22.)

➧**laser** (lêiser). [Ingl., das iniciais de *light amplification by stimulated emission of radiation.*] *S. m. Tec.* Fonte de luz monocromática, muito intensa, coerente e colimada, na qual a emissão de radiação se faz pelo estímulo de um campo externo, com aplicações variadas e crescentes na indústria, na engenharia e na medicina. ♦ ***Laser* a cristal.** *Tec. Laser* em que a radiação é emitida por um cristal, como, p. ex., granada de alumínio e ítrio. ***Laser* a gás.** *Tec. Laser* em que a radiação é emitida por um gás, como, p. ex., o neônio, ou mistura de hélio e neônio.

lasqueado. *Adj. Bras., RS.* A quem não se pode dar crédito; que não é sério; leviano.

lassar. [Do lat. *lassare.*] *V. t. d.* Tornar lasso: "Margarida sorriu; mas mostrou-se reservada, lassou um pouco as rédeas do bridão e compôs o cabelo." (Vitorino Nemésio, *Mau Tempo no Canal*, p. 121.) [Pres. ind.: *lasso*, etc.; fut. do pret.: *lassaria*, etc.; part.: *lassado*, fem. *lassada.* Cf. *laço*, s. m., *laçaria*, s. f., *laçada*, s. f., e *laçar*, v.]

lassear. *V. int. Bras., MG.* Tornar-se lasso, frouxo; afrouxar. [Conjug.: v. *frear.*]

lassidão. *S. f.* **1.** Qualidade ou estado de lasso. **2.** Prostração de forças; prostração, cansaço, fadiga: "Pouco a pouco foi-o tomando um cansaço, uma inércia, uma infinita lassidão da vontade" (Eça de Queirós, *Os Maias*, II, p. 492). **3.** Tédio, fastio, enfastiamento. [Sin.: *lassitude* e *laxidão.*]

lassitude. [Do lat. *lassitudine.*] *S. f.* V. *lassidão*: "Mas Jacinto não podia erguer-se do divã, ao qual aderia toda a sua lassitude." (Urbano Tavares Rodrigues, *A Noite Roxa*, p. 95.)

lasso. [Do lat. *lassu.*] *Adj.* **1.** Cansado, fatigado, enervado: "Acolhe-me a lassa fronte, / ó meu Travesseiro amigo" (Antônio Feliciano de Castilho, *Amor e Melancolia*, p. 125). **2.** Frouxo, bambo, relaxado, laxo. **3.** Gasto, laxo: *trinco lasso.* **4.** Devasso, dissoluto. [Pl.: *lassos.* Cf. *laço*, s. m., e *Laços*, top.]

➧**last but not least** (laçt bat nat liçt). [Ingl.] O último, mas não o menos importante.

lástima. [Dev. de *lastimar.*] *S. f.* **1.** Compaixão, pena, piedade, dó, comiseração: *Causa lástima o estado do velho casarão senhorial.* **2.** Tristeza, miséria, desgraça, infortúnio: "Minha paz, minha alegria, / Minha coragem, roubaste-mas... / E hoje a minh'alma sombria / É como um poço de lástimas ..." (Manuel Bandeira, *Estrela da Vida Inteira*, p. 54.) **3.** Aquilo que merece ser lastimado; mal, dano: *Sossegue: à sua filha não acontecerá a menor lástima.* **4.** Queixa, pranto, lamento, lamentação: "Sobe aos céus a lástima solene do cantochão dos ofícios dos defuntos" (Antero de Figueiredo, *Toledo*, p. 161). **5.** *Deprec.* Coisa ou pessoa inútil. [Cf. *lastima*, do v. *lastimar.*]

lastimado[1]. [Part. de *lastimar*[1].] *Adj.* Deplorado, lamentado, pranteado.

lastimado[2]. [Part. de *lastimar*[2].] *Adj. Bras., RS.* Machucado, ferido.

lastimador (ô). *Adj.* e *s. m.* Que ou aquele que lastima.

lastimadura. [Do esp. plat. *lastimadura* (v. *lastimar*[2]).] *S. f. Bras., RS.* Machucadura; ferimento.

lastimar[1]. [Do gr. *blasphemô*, 'ferir com palavras', pelo lat. vulg. *blastemare*, alter. de *blasphemare*, com a acepç. de 'ferir fisicamente, machucar'.] *V. t. d.* **1.** Deplorar, lamentar, compadecer: *Lastimou profundamente a perda do amigo.* **2.** Causar dor a; afligir, angustiar: *Lastimava-os a tristeza do ambiente.* **3.** Ter pena de; apiedar-se, compadecer-se, condoer-se de: "O que eu adoro em ti — lastima-me e consola-me! / O que eu adoro em ti, é a vida." (Manuel Bandeira, *Estrela da Vida Inteira*, p. 90.) *P.* **4.** Queixar-se, lamentar-se: "Lastimam-se alguns indivíduos por sentirem pesado o fardo da vida. Mas nem por isso deixam de correr com ele." (Pontes de Miranda, *Obras Literárias*, p. 51.) **5.** Afligir-se, angustiar-se. [Pres. ind.: *lastimo, lastimas, lastima*, etc. Cf. *lástima.*]

lastimar[2]. [Do esp. plat. *lastimar.*] *V. t. d. Bras., S.* Machucar, ferir: *Na queda, lastimou a perna.* [Pres. ind.: *lastimo, lastimas, lastima*, etc. Cf. *lástima.*]

lastimável. [De *lastimar*[1] + *-ável.*] *Adj. 2 g.* V. *lamentável* (1): "Atira-se às águas; num grito medonho / A mãe lastimável — 'Meu filho! bradou" (Gonçalves Dias, *Obras Poéticas*, II, p. 55).

lastimeira. *S. f.* **1.** Hábito de lastimar-se. **2.** Muitas lástimas ou queixas; lamúria excessiva.

lastimoso (ô). [De *lástima* + *-oso.*] *Adj.* **1.** V. *lamentável* (1): *Está numa situação lastimosa.* **2.** Próprio de quem se lastima; choroso, triste, plangente: *Aborrece a todos com sua voz sempre lastimosa.*

lastração. *S. f.* Ato ou efeito de lastrar; lastramento.

lastrador (ô). *Adj.* e *s. m.* Que, ou aquele que lastra.

lastragem. [De *lastrar* + *-agem.*] *S. f. Bras.* Ato de pôr lastro no leito das vias férreas; lastramento, lastreamento.

lastramento. *S. m.* **1.** Lastração. **2.** V. *lastragem.*

lastrar. [De *lastro*[1] + *-ar*[2].] *V. t. d.* **1.** Carregar com lastro[1], deitar ou pôr lastro[1] em; lastrear. **2.** Tornar mais firme, aumentando o peso; lastrear. **3.** Espalhar-se ou alastrar-se por; cobrir, juncar: "Uma forte lufada .... levantou as folhas secas que lastravam o solo" (Inglês de Sousa, *O Missionário*, p. 259). *Int.* **4.** Alastrar(-se), propagar-se.

lastreamento. *S. m. Bras.* V. *lastragem.*

lastrear. *V. t. d.* Lastrar (1 e 2). [Conjug.: v. *frear.*]

lastro[1]. [Do hol. *last*, 'carga', atr. do fr.] *S. m.* **1.** Tudo quanto se mete no porão do navio para lhe dar estabilidade. **2.** Areia que vai na barquinha do aeróstato. **3.** Depósito em ouro que serve de garantia ao papel-moeda. **4.** *Fig.* Assento, base, firmeza. **5.** *Fam.* Qualquer alimento com que se prepara o estômago para melhores comidas, ou para beber. **6.** Peça que se coloca nos tratores e nas máquinas agrícolas para proporcionar maior estabilidade e penetração no solo; contrapeso. **7.** *Bras., N.E.* O conjunto de paus que formam o corpo das jangadas. **8.** *Bras., MG.* Locomotiva usada nos trabalhos de manobras do material rodante das estradas de ferro, ou nos de socorro. ♦ **Em lastro.** *Mar. Merc.* Diz-se de embarcação que não conduz carga e por isso navega lastrada.

lastro[2]. [De *balastro*, por aférese.] *S. m. Bras.* Camada resistente e permeável, geralmente de pedra britada ou de outro material semelhante, colocada sob os dormentes de uma via férrea para suportar e distribuir à plataforma os esforços por eles transmitidos; balastro.

■ **l. at.** *Fís.* Símb. de *atmosfera litro*

lata. [Do ant. b.-lat. *lata*, de or. céltica ou germânica, e com o sentido de 'vara longa' (v., logo adiante, a acepç. 1).] *S. f.* **1.** *Lus.* Cada cana ou vara transversal de parreira. **2.** Folha-de-flandres. **3.** Recipiente feito desse material. **4.** *Constr. Nav.* Cada uma das vigas de madeira de menor seção que os vaus, e que se intercalam entre eles, apoiadas nos dormentes para reforçar a estrutura sobre a qual se apóia o pavimento. **5.** *Bras. Pop.* V. *calhambeque* (2). **6.** *Bras. Pop.* Rosto, cara: *Meteu a mão na lata do pobre-diabo.* **7.** *Bras. Pop.* Recusa amorosa: *Deu a lata ao namorado.*

latacho. *S. m. Bras.* V. *carcamano* (1).

latada. [De *lata* + *-ada*[1].] *S. f.* **1.** Grade de varas ou de canas, para sustentar parreiras ou qualquer outra planta sarmentosa [v. *lata* (1)]: "extensas latadas vergavam ao peso das abóboras .... e dos maracujás de diversos tamanhos" (Aluísio Azevedo, *O Mulato*, p. 147). **2.** Pancada com lata. **3.** Assuada feita a noivos, na noite do casamento, com barulho de latas e panelas. **4.** *Pop.* V. *bofetada* (1). **5.** *Bras., N.* e *N.E.* Cobertura improvisada (em geral de folhas de coqueiro) para abrigar alguém ou alguma coisa.

lata-de-lixo. *S. m. Bras., RJ.* Pé-sujo. [Pl.: *latas-de-lixo.*]

latagão. *S. m.* Homem robusto e de grande estatura: "o Balbino, um latagão ruivo, robusto, entroncado" (Virgílio Várzea, *Mares e Campos*, p. 150). [Fem.: *latagona.*]

latagona. *S. f.* Fem. de *latagão.*

latâneo. [Do lat. *latu*, 'lado'.] *Adj. Ant.* Que fica ao lado; lateral.

latanhado. [Part. de *latanhar.*] *Adj. Bras., AL. Pop.* Ferido, lanhado.

latanhar. *V. t. d.* e *p. Bras., AL. Pop.* Ferir(-se), arranhar(-se), lanhar(-se): "Saí me arrastando, me latanhando todo nas pedras e nos espinhos" (Adalberon Cavalcanti Lins, *Curral Novo*, p. 166).

latão. [Do turco, atr. do ár. *latun* e do ant. fr. *laton*, atualmente *laiton.*] *S. m.* **1.** Liga de cobre e zinco. **2.** *Bras.* Vasilha de zinco, estanhada por dentro, própria para transportar leite. ♦ **Latão almirantado.** Latão com, aproximadamente, 77% de cobre, 22% de zinco e 1% de estanho, muito resistente à corrosão, e usado em peças e equipamentos navais. **Latão amarelo.** O que tem teor de cobre entre 63% e 66%, amarelado, dúctil, resistente, com boa processabilidade a frio. **Latão vermelho.** O que contém 85% de cobre e tem coloração avermelhada, sendo muito resistente à corrosão.

lataria. *S. f. Bras.* **1.** Grande porção de latas. **2.** *P. ext.* Produtos alimentares enlatados. **3.** *Pop.* A carroceria do automóvel (por oposição ao *chassi* e ao *motor*): *Foi uma batida ligeira, só amassou a lataria.*

latear. *V. t. d.* Enfeitar ou guarnecer com ornatos de lata (2) ou latão. [Conjug.: v. *frear.*]

lategaço. *S. m.* Lategada.

lategada. *S. f.* Pancada ou açoite com látego; lategaço.

látego. *S. m.* **1.** Açoite de correia ou de corda; azorrague [v. *chicote* (1)]: "Aos ríspidos estalos / Do impaciente látego, os cavalos / Correm veloz, larga e fogosamente..." (Raimundo Correia, *Poesias*, p. 17). **2.** *Fig.* Castigo, flagelo. **3.** V. *inquerideira.* **4.** *Bras., RS.* Tira de couro cru com a qual se apertam os arreios, e que faz parte da cincha.

latejante. *Adj. 2 g.* Que lateja.

latejar. [De *latir* (3).] *V. int.* **1.** Pulsar, palpitar: "um fogo subiu-lhe à cabeça; latejaram -lhe as fontes" (Aluísio Azevedo, *O Mulato*, p. 137); *O ferimento doía e latejava.* **2.** Arquejar, arfar. [Conjug.: v. *pelejar.* Sin. p. us.: *later* e *latir.*]

latejo (ê). [Dev. de *latejar.*] *S. m.* **1.** Ato de latejar; pulsação. **2.** *Bras., AL. Pop.* Grande pressa ou agitação; azáfama, lufa-lufa. **3.** *Bras., AL. Pop.* Confusão de vozes, zoada.

latência. *S. f.* **1.** Qualidade ou estado de latente. **2.** Período de inatividade entre um estímulo e a resposta por ele provocada. **3.** *Fisiol.* Período de latência [q. v.]. **4.** *Psicol.* Presença de elementos psíquicos esquecidos na esfera subliminar da consciência, donde podem ressurgir.

latente. [Do lat. *latente.*] *Adj. 2 g.* **1.** Que permanece escondido; que não se manifesta; oculto. **2.** *Fig.* Subentendido. **3.** Disfarçado, dissimulado: "E tivemos de enfrentar disciplina redobrada, que encontrava animosidade *latente*, esbarrava contra sessenta corpos irrequietos, barulhentos, de reflexos inesperados." (Ricardo Ramos, *Tempo de Espera*, p. 54.) ~ V. *calor* —, *calor — de fusão, calor — de sublimação, calor — de vaporização, raiz* — e *vida* —. [Cf. *lactente*.]

láteo. *Adj.* Var. de *lácteo* [q. v.].

later¹. *V. int. P. us.* V. *latejar* [Defect., só conjugável nas 3ªs. pess.]

later². [Do lat. *latere*.] *V. int. Desus.* Estar oculto ou latente. [Defect., unipess.]

lateral. [Do lat. *laterale*.] *Adj. 2 g.* **1.** Relativo ao lado. **2.** Que está ao lado: *porta lateral*. **3.** Que está ao lado, à margem de algo: *questão lateral*. ~ V. *consoante —, corte —, fachada —, faixa —, linha —* e *ramificação —*. ● *S. f.* **4.** *Fon.* Consoante lateral. **5.** *Bras. Fut.* Linha (8) que vai de córner a córner, sem passar pelo gol, e que representa o comprimento do campo, quadra, etc.; linha de lado; linha lateral. ● *S. m.* **6.** *Bras. Fut.* Infração que consiste em lançar a bola fora do campo, por essa linha. **7.** *Bras. Fut.* Cobrança dessa infração, mediante arremesso manual: "Tira esse *lateral* direito, ô palhaço!" (Armando Nogueira, *Na Grande Área*, p. 77.) ● *S. 2 g.* **8.** *Bras. Fut.* Jogador cujo campo de ação é próximo à lateral (5).

lateralidade. *S. f.* Qualidade ou estado de lateral.

lateranense. [Do lat. *tardio lateranense*.] *Adj. 2 g.* De, ou pertencente ou relativo a Latrão, palácio romano que durante 10 anos foi residência dos papas, ou a qualquer das quatro basílicas maiores de Roma (S. João de Latrão), onde se realizaram cinco concílios ecumênicos, chamados por isso *lateranenses*.

laterício. [Do lat. *latericiu*.] *Adj.* **1.** De tijolo (1). **2.** De cor avermelhada como o tijolo.

laterita. [Do lat. *later*, 'tijolo'.] *S. f. Geol.* Designação comum aos solos vermelhos das zonas úmidas e quentes. [Cientificamente é o solo cujos elementos principais são o hidróxido de alumínio e o de ferro, tendo as águas pluviais lixiviado a sílica e diversos cátions. Sendo a rocha rica em alumina, a laterita que dela se provier terá o nome de *bauxita*, o principal minério de alumínio.]

laterítico. *Adj.* **1.** Relativo à laterita. **2.** Formado de laterita, ou que a contém.

laterização. *S. f. Geol.* Processo de intemperismo próprio dos climas quentes e úmidos, pelo qual se forma a laterita.

▲**-látero.** [Do lat. *latus, eris*.] *El. comp.* = 'lado': *eqüilátero* (< lat. *aequilateru*).

latescência. *S. f.* Var. de *lactescência*.

latescente. *Adj. 2 g.* Var. de *lactescente*.

látex (cs). [Do lat. *latex*, 'água nascente', 'líquido', 'leite'.] *S. m. 2 n. Bot.* Suco espesso, quase sempre alvo, raramente amarelo ou rubro, que dimana de muitas plantas mediante ferimento. É uma emulsão cujos componentes mais importantes são resinas e borracha. [F. paral.: *látice*.]

▲**lati-.** [Do lat. *latus, a, um*.] *El. comp.* = 'largo', 'amplo': *latílabro, latifloro*.

latíbulo. [Do lat. *latibulu*.] *S. m.* **1.** Lugar oculto; esconderijo: "como fez um malvado homem, que punha à janela de umas damas, de cujo torpe lucro participava ...., uma sagrada Imagem da Virgem das Virgens, que havia furtado para atrair com sua formosura os que passavam, e afreguesar aquele infame *latíbulo* de pecados." (Pe. Manuel Bernardes, *Nova Floresta*, II, p. 225). **2.** *Poét.* Morada dos deuses; céu.

látice. [Do lat. *latice*.] *S. m.* Látex.

laticífero. [Do lat. *latice*, 'látice, látex', + *-fero*.] *Adj.* Que produz látex.

laticínio. *S. m.* Var. de *lacticínio*.

laticinoso (ô). *Adj.* Var. de *lacticinoso*.

laticlávio. [Do lat. *laticlaviu*.] *S. m.* Aquele que usava o laticlavo.

laticlavo. [Do lat. *laticlavu*.] *S. m.* **1.** Na Roma antiga, larga orla de púrpura que guarnecia a túnica de senadores e patrícios eminentes, como insígnia de dignidade. **2.** A própria túnica do senador romano.

látíco. *Adj.* Var. de *láctico* [q. v.].

laticolo. [De *lati-* + *-colo*.] *Adj. Zool.* Que tem pescoço largo.

laticórneo. [De *lati-* + *-corne-* + *-eo*.] *Adj. Zool.* Que tem antenas ou cornos largos.

latido. *S. m.* **1.** Ação de latir ou ladrar; a voz do cão; ladrido, ladrado, ladro: "Dentro em pouco os *latidos* dos cães anunciavam a descoberta da caça" (Joaquim Manuel de Macedo, *Os Romances da Semana*, p. 157). **2.** *Fig.* Remorso: *latidos da consciência*. **3.** *Fig.* Palavras tolas.

latifloro. [De *lati-* + *-floro*.] *Adj. Bot.* Dotado de flores largas.

latifoliado. *Adj. Morfol. Veg.* Latifólio [q. v.].

latifólio. [Do lat. *latifoliu*.] *Adj. Morfol. Veg.* Dotado de folhas largas: latifoliado. [Opõe-se a *angustifólio*.]

latifundiado. *Adj.* Em que há latifúndios.

latifundiário. *Adj.* **1.** Relativo a latifúndio: *economia latifundiária*. ● *S. m.* **2.** Dono de latifúndio. [Opõe-se a *minifundiário*.]

latifúndio. [Do lat. *latifundiu*.] *S. m.* **1.** Na antiga Roma, grande domínio privado da aristocracia. **2.** Propriedade rural, característica de países subdesenvolvidos, de monocultura e com terras incultas, explorada por um só proprietário, que utiliza mão-de-obra não especializada, mediante salário muito baixo. [Atualmente, tanto em países capitalistas como em países socialistas desenvolvidos, há latifúndios que são grandes empresas rurais industrializadas, cujo sistema de exploração e relações de produção se transformaram. Opõe-se a *minifúndio*.]

latílabro. [De *lati-* + lat. *labru*, 'lábio'.] *Adj. Zool.* Que tem lábios grossos.

latim. [Do lat. *latine*, 'em língua latina'.] *S. f.* **1.** Língua indo-européia do grupo itálico, primitivamente, falada no Lácio, antiga região da Itália, e, paulatinamente, em todo o império romano, e cuja existência está documentada desde o séc. VII a. C. V. *itálico* (11). **2.** *Fig.* Coisa difícil de compreender. ♦ **Latim de cozinha.** *Pop.* Mau latim. **Latim de missa.** Latim fácil de ler e interpretar. **Latim macarrônico.** Linguagem vulgar com desinências latinas: "Faz discursos em *latim macarrônico* ou em inglês de farsa" (Ramalho Ortigão, *As Farpas*, I, p. 253). **Latim vulgar.** A língua realmente falada pelo povo romano e que, envolvendo de modo divergente nas diversas províncias do império, foi aquela que propriamente deu origem às chamadas *línguas românicas* ou *neolatinas*. **Perder o seu latim.** Fazer alguma coisa em vão: *Perdi o meu latim aconselhando-o a que estudasse.*

latímano. [De *lati-* + *-mano*.] *Adj. Zool.* Que tem mãos largas.

latina. *S. f. Tip.* Letra latina.

latinada. *S. f.* **1.** Erro contra as regras do latim, na sintaxe, na grafia ou na pronúncia. **2.** Discurso em latim.

latinar. *V. int.* **1.** Falar, escrever ou traduzir latim. *T. d.* **2.** Escrever em latim. **3.** Traduzir do latim.

latinaria. *S. f.* Conhecimento de latim.

latinice. *S. f.* Uso indevido ou presumido do latim.

latinidade. *S. f.* **1.** A língua latina; o latim. **2.** Regras para falar e escrever latim: "Fez seus estudos de *latinidade* no seminário bracarense o filho único do morgado da Agra de Freimas" (Camilo Castelo Branco, *A Queda dum Anjo*, pp. 9-10). **3.** Rigorosa composição em latim. **4.** Estudo dos principais e mais difíceis clássicos latinos. **5.** O conjunto dos povos latinos. **6.** Condição ou caráter latino.

latiniparla. [De *latino* + *-i-* + *parlar*.] *S. 2 g. Deprec.* Pessoa que alardeia latinaria, que se dá por sabedora do latim.

latinismo. *S. m.* **1.** Locução peculiar à língua latina. **2.** Construção gramatical própria do latim.

latinista. *S. 2 g.* Grande conhecedor da língua e literatura latinas. [Sin. p. us.: *latino*.]

latinização. *S. f.* **1.** Ato ou efeito de latinizar. **2.** Palavra ou construção latinizada.

latinizado. *Adj.* A que se deu forma ou inflexão latina; adaptado ao latim; alatinado.

latinizante. [Do lat. *latinizante*.] *Adj. 2 g.* **1.** Que latiniza. **2.** *Rel.* Diz-se de quem, vivendo em país onde se pratica o rito grego, cultua a Igreja católica de Roma, que tem no latim a sua língua oficial.

latinizar. [Do lat. *latinizare*.] *V. t. d.* **1.** Tornar latino; alatinar. **2.** Dar inflexão latina a. *Int.* **3.** Falar latim, ou empregar expressões latinas.

latino. [Do lat. *latinu*.] *Adj.* **1.** Relativo ao latim. **2.** Dito ou escrito em latim. **3.** De, ou pertencente ou referente aos povos de origem latina: *mundo latino; línguas latinas*. **4.** *Ling.* Diz-se de um dos subgrupos do itálico (11). **5.** Relativo à Igreja de Roma. **6.** *Mar.* Diz-se do navio que arma velas latinas. ~ V. *cruz —a, i —, letra —a, vela —a* e *verga —a*. ● *S. m.* **7.** O natural ou habitante do Lácio. **8.** Descendente dos antigos romanos. **9.** O subgrupo lingüístico latino. **10.** *P. us.* Latinista.

▲**latino-.** *El. comp.* = 'latim', 'latino', 'neolatino': *latino-clássico; latino-americano*.

latino-americano. [De *latino-* + *americano*.] *Adj.* **1.** Pertencente ou relativo aos países americanos de línguas neolatinas, inclusive o Canadá (francês): *romancista latino-americano; a civilização latino-americana*. ● *S. m.* **2.** Indivíduo latino-americano. [Pl.: *latino-americanos*. Cf. *ibero-americano*.]

latino-clássico. [De *latino-* + *clássico*.] *Adj.* Relativo ou pertencente ao latim clássico. [Pl.: *latino-clássicos*.]

latinório. *S. m. Fam.* **1.** Mau latim. **2.** Trecho de latim mal traduzido ou mal aplicado. **3.** Latim eclesiástico: "lá se imaginava .... carregando o missal de um lado do altar para outro, com mesuras graciosas e *latinórios* difíceis, balançando o turíbulo cheio de sufocante incenso queimado" (Inglês de Sousa, *O Missionário*, p. 384).

latípede. [Do lat. *latipede*.] *Adj. 2 g. Zool.* Que tem pés largos.

latipene. [De *lati-* + *-pene*.] *Adj. 2 g. Zool.* Que tem penas largas.

latir. [Do lat. *glattire*, 'dar latidos agudos'.] *V. int.* **1.** Dar ou soltar latidos; ladrar: "um cão *latiu*, outros responderam" (Josué Montelo, *A Noite sobre Alcântara*, p. 90). **2.** *Fig.* Gritar (1). **3.** *P. us.* V. *latejar* (1): "com o coração a *latir*, não de cansaço, mas ao ritmo de uma velha e teimosa esperança." (Domingos Monteiro, *Contos de Natal*, p. 51). [Defect., normalmente só conjugável nas 3ªs pess.; e nunca se usa nas f. em que ao *t* da raiz se seguiria *o* ou *a*.]

latirina. *S. f.* Substância tóxica extraída de plantas do gênero *Lathyrus*. [V. *latirismo*.]

latirismo. [Do gr. *láthyros*, 'grão-de-bico', + *-ismo*.] *S. m.* Intoxicação resultante do uso de farinha feita com grãos de plantas do gênero *Lathyrus*, e que se caracteriza por paraplegia espástica, dor, hiperestesia e parestesia.

latirrostro. [De *lati-* + *-rostro*.] *Adj. Zool.* Que tem bico largo.

latitude. [Do lat. *latitudine*.] *S. f.* **1.** Qualidade de lato; largueza, largura. **2.** Liberdade de ação: *Deu-lhe toda a latitude para organizar seus esquemas de trabalho.* **3.** Na esfera terrestre, ângulo que faz com o plano do equador terrestre o raio que passa por determinado observador ou determinada localidade; arco do meridiano compreendido entre determinado observador ou determinada localidade e o equador terrestre; latitude terrestre. **4.** Clima; região: *Consegue viver nas latitudes mais diversas.* **5.** *Fot.* Propriedade que tem uma emulsão fotográfica de tolerar afastamentos mais ou menos acentuados da exposição correta e ainda assim produzir fotografias perfeitas. ♦ **Latitude areocêntrica.** *Astr.* Latitude de um astro, ou de um ponto da superfície do planeta Marte, referida ao centro desse planeta. **Latitude areográfica.** *Astr.* Latitude de um ponto na superfície do planeta Marte, em relação ao seu disco aparente. **Latitude celeste.** *Astr.* Latitude eclíptica. **Latitude crescida.** *Náut.* Distância em minutos do equador, medida entre o equador e um dado paralelo, na projeção de Mercator. **Latitude eclíptica.** *Astr.* Ângulo da direção de um ponto da esfera celeste com o plano da eclíptica; latitude celeste. **Latitude eclíptica geocêntrica.** *Astr.* Latitude eclíptica de um ponto da esfera celeste, referida ao centro da Terra. **Latitude eclíptica heliocêntrica.** *Astr.* Latitude eclíptica de um ponto da esfera celeste, referida ao centro do Sol. [Tb. se diz apenas *latitude heliocêntrica*.] **Latitude galáctica.** *Astr.* Ângulo da direção de um ponto da esfera celeste com o plano galáctico. **Latitude geocêntrica.** *Astr.* Ângulo que a reta que une o centro da Terra a um dado ponto de sua superfície faz com o plano do equador. **Latitude geográfica.** *Astr.* Ângulo que a vertical em um ponto da superfície da Terra faz com o plano do equador. **Latitude heliocêntrica.** *Astr.* **1.** Latitude de um astro referida ao centro do Sol. **2.** Latitude eclíptica heliocêntrica. **Latitude heliográfica.** *Astr.* Latitude de um ponto da superfície do Sol, referida ao seu disco aparente. **Latitude norte.** *Geog.* A latitude (3) contada a partir do equador em direção ao pólo norte. **Latitude planetocêntrica.** *Astr.* Latitude de um astro, ou de um ponto na superfície de um planeta, em relação ao centro desse planeta. **Latitude planetográfica.** *Astr.* Latitude de um ponto na superfície de um planeta, em relação a um sistema de coordenadas ligado ao seu disco aparente. **Latitude selenocêntrica.** *Astr.* Latitude de um astro, ou de um ponto da superfície lunar, em relação ao centro da Lua. **Latitude selenográfica.** *Astr.* A de um ponto da superfície lunar, em relação ao disco aparente da Lua. **Latitude sul.** *Geog.* A latitude (3) contada a partir do equador em direção ao pólo sul. **Latitude terrestre.** Latitude (3).

latitudinal. *Adj. 2 g.* Relativo a latitude.

latitudinário. *Adj.* **1.** Largo; dilatado; extensivo. **2.** De interpretação arbitrária.

lato. [Do lat. *latu*.] *Adj.* Largo, amplo, dilatado, extenso: *o sentido lato e o sentido restrito de uma palavra.*

latoaria. *S. f.* Oficina ou ofício de latoeiro.

latoeiro. *S. m. P. us.* **1.** Fabricante ou vendedor de lata (2) e/ou de latão. **2.** V. *funileiro* (2).
latomia. *S. f. Bras., N.E., MG* e *GO. Pop.* **1.** Assuada, ruído, barulho: "Era certo que os homens tinham muito cachorro na tapera, a l a t o m i a que eles faziam não deixava dúvida" (José J. Veiga, *A Hora dos Ruminantes*, p. 34). **2.** Choro alto. **3.** *Bras., S.* Conversa fiada.
➧**lato sensu** (lato sênsu). [Lat.] Em sentido lato. [Antôn.: *stricto sensu*.]
▲**-latra.** [Do gr. *latreýo*.] *El. comp.* = 'que cultua', 'que adora'; *autólatra, alcoólatra*.
latria. [Do lat. *latria*.] *S. f.* **1.** Adoração devida a Deus. [Cf. *dulia*.] **2.** *Fig.* Adoração, culto.
▲**-latria.** [Do gr. *latreía, as*.] *El. comp.* = 'culto', 'adoração': *idiolatria, iconolatria*.
latrina. [Do lat. *latrina*.] *S. f.* **1.** Recinto ou dependência de casa com vaso ou escavação no solo para dejeções. [Sin. (muitos deles pop. ou bras., e o último lus.): *privada, sentina, cloaca, reservado, retrete* ou *retreta, casa-comum, comua, banco, cagatório, casinha, secreta, aparelho, banheiro, cafoto, cambrone, dejetório, gabinete, patente, quartinho* e *necessária*.] **2.** V. *vaso sanitário*. **3.** *Ant.* Lugar onde se fazem dejeções; cloaca.
latrinário. *Adj.* **1.** Relativo a latrina. **2.** Que vive em latrina (3). **3.** *Fig.* Sórdido, imundo, repugnante, cloacino.
latrineiro. *S. m.* Guardador e/ou limpador de latrinas.
latrocinar. [Do lat. **latrocinare*, por *latrocinari*.] *V. t. d.* Cometer latrocínio contra; roubar com violência.
latrocínio. [Do lat. *latrociniu*.] *S. m.* Roubo ou extorsão violenta, à mão armada: "Os atuais assaltantes de estradas, ou mais adequadamente de caminhões carregados, usam várias 'táticas' para consumar os l a t r o c í n i o s." (Mauro Mota, *Geografia Literária*, p. 89.)
lauda[1]. *S. f.* **1.** Página de livro. **2.** Cada lado de uma folha de papel. **3.** *Edit.* Cada uma das folhas de um original (10), escritas de um só lado. **4.** *Edit.* Impresso padronizado com espaço delimitado para datilografia, utilizado correntemente para redação de matérias jornalísticas e para apresentação de originais [v. *original* (10)].
lauda[2]. [Do it. *lauda*.] *S. f.* **1.** Cada um dos cantos religiosos (em geral de oito versos de 11 sílabas cada um), na literatura medieval italiana. **2.** *Teat.* Na Itália do séc. XIII, representação dramática ligada ao rito litúrgico católico: "Durante a Quaresma, em que eram diárias as representações, as l a u d a s ilustravam o Evangelho do dia" (Sábato Magaldi, *Temas da História do Teatro*, p. 114).
laudabilidade. [Do lat. *laudabilitate*.] *S. f.* Qualidade de laudável; louvabilidade.
laudanina. *S. f. Quím.* Alcalóide do ópio, cristalino, incolor. [Fórm.: $C_{20}H_{25}O_4N$.]
laudanizado. [Part. de *laudanizar*.] *Adj.* Que contém láudano.
laudanizar. *V. t. d.* Preparar ou misturar com láudano; deitar láudano em.
láudano. [Do gr. *ládanon*, pelo lat. *ladanum* e pelo ár. *lâdan*.] *S. m.* Medicamento cuja base é o ópio, ligado a outros ingredientes.
laudatício. [Do lat. *laudaticiu*.] *Adj.* V. *laudatório*.
laudativo. [Do lat. *laudativu*.] *Adj.* V. *laudatório*.
laudatório. [Do lat. *laudatoriu*.] *Adj.* **1.** Relativo a louvor. **2.** Que encerra louvor: *discurso l a u d a t ó r i o*. [Sin. ger.: *laudatício, laudativo, panegirical*.]
laudável. [Do lat. *laudabile*.] *Adj. 2 g.* V. *louvável*.
laúde. *S. m. P. us.* Alaúde. [Pl.: *laúdes*. Cf. *laudes*.]
laudel. *S. m.* Antiga vestidura militar própria para defender contra as espadas: "Uns vinham defendidos com armaduras e cotas de malha de aço, outros com l a u d é i s, que eram mantos de algodão acolchoado, onde todos os golpes morriam perdidos." (Oliveira Martins, *História de Portugal*, I, p. 278.) [Pl.: *laudéis*.]
laudêmio. [Do lat. medieval *laudemiu*, pelo it. *laudemio*.] *S. m.* Pensão ou prêmio que o foreiro paga ao senhorio direto, quando há alienação do respectivo prédio por parte do enfiteuta.
laudes. [Do lat. *laudes*, 'louvores'.] *S. m. pl.* Na liturgia católica, hora canônica [v. *horas canônicas* (1)] rezada após as matinas, e constituída sobretudo de salmos de louvor. [Cf. *lauda*[2] e *laúdes*, pl. de *laúde*.]
laudéu. *Bras. S. 2 g.* **1.** Indivíduo dos laudéus, tribo indígena que dominou em MT. ● *Adj. 2 g.* **2.** Pertencente ou relativo a essa tribo.
laudo. [Do lat. *laudo*, 'eu louvo' (i. e., 'aprovo')] *S. m.* **1.** Parecer do louvado ou árbitro; louvação, louvamento. **2.** Peça escrita, fundamentada, na qual os peritos expõem as observações e estudos que fizeram e registram as conclusões da perícia.

laué. *S. m. Bras., S.* da *BA.* Certo cação.
laulau. *S. m. Bras.* V. *mapará* (2).
launim. *S. m.* Canção de amor cantada pelas bailarinas indianas.
laura. [Do lat. laura.] *S. f. Ant.* Cada uma das celas ou covas que vários anacoretas ocupavam no mesmo ermo: "Simeão por si mesmo escolheu o deserto que lhe convinha, nas terras sagradas da Palestina, ao longe de Jerusalém. Ali a princípio habitou uma l a u r a, como lhe chamavam, espécie de aldeia de monges e ascetas separados em cabanas esparsas como ilhas de desolação e de morte." (João Ribeiro, *Floresta de Exemplos*, pp. 33-34.)
laurácea. *S. f.* Espécime das lauráceas.
lauráceas. *S. f. pl. Bot.* Família de dicotiledôneas, da ordem das ranales, composta de árvores e arbustos de folhas alternas e flores inconspícuas, flores diclamídeas, trímeras, em geral hermafroditas, androceu com três a quatro verticilos (que por via de regra contêm estaminódios), anteras deiscentes mediante válvulas, e ovário súpero, unilocular e uniovulado. Fruto baciforme ou drupáceo, muitas vezes cupulado. Há umas 1.000 espécies, dominantes nos países quentes. O Brasil é rico em representantes, muitos dos quais dão excelentes madeiras.
lauráceo. *Adj.* Pertencente ou relativo às lauráceas.
láurea. [Do lat. *laurea*, 'coroa de louro'.] *S. f.* Laurel (1 e 2). ♦ **Láurea de doutor.** A borla doutoral.
laureado. [Do lat. *laureatu*.] *Adj.* **1.** Que recebeu láurea ou laurel. **2.** Festejado; aplaudido, louvado: *prosador l a u r e a d o; jogador l a u r e a d o.* ● *S. m.* **3.** Aquele que recebeu láurea ou laurel: *Os l a u r e a d o s sentiram-se muito honrados com a distinção.*
laurear[1]. [Do lat. *laureare*.] *V. t. d.* **1.** Coroar ou cingir de louros. **2.** Premiar por mérito literário, artístico, etc.; galardoar, premiar. **3.** Aplaudir, festejar. **4.** Enfeitar, adornar, exornar. [Conjug.: v. *frear*.]
laurear[2]. *V. int.* Andar em vagabundagem atrás de mulheres. [Conjug.: v. *frear*.]
laurel. [Do provenç. ant. *laurier*, pelo esp. *laurel*.] *S. m.* **1.** Coroa de louros; láurea, lauréola. **2.** *Fig.* Galardão, prêmio, láurea, lauréola. **3.** *Fig.* Preito, homenagem. [Pl.: *lauréis*.]
laurência. *S. f.* Gênero de plantas lobeliáceas.
laurenciano. [Do antr. lat. *Laurentiu* + *-ano*.] *Adj.* **1.** Relativo ao rio São Lourenço (E.U.A.). **2.** *Geol.* Diz-se do mais antigo dos ciclos orogenéticos da era proterozóica. [Cf. *lourenciano*.]
laurêncio. *S. m. Quím.* Elemento transurânico, de número atômico 103, obtido artificialmente pelo bombardeio de núcleos pesados, e cujos isótopos são todos instáveis. [Símb.: *Lw*.]
laurentino. [Do lat. *laurentinu*.] *Adj.* V. *láureo*.
láureo. [Do lat. *laureu*.] *Adj.* **1.** Relativo a louro[1]. **2.** Feito de louro[1]. [Sin. ger.: *laurentino, laurino*.]
lauréola. *S. f.* **1.** V. *laurel* (1 e 2). **2.** *Bot.* Designação comum a algumas plantas.
▲**lauri-.** [Do lat. *laurus, i* ou *us*.] *El. comp.* = 'loureiro': *laurifólio, laurífero* (< lat. *lauriferu*).
láurico. [De *lauri-* + *-ico*[2].] *Adj.* ~ V. *ácido* —.
lauricomo. [Do lat. *lauricomu*.] *Adj. Poét.* Coroado ou coberto de louros.
laurífero. [Do lat. *lauriferu*.] *Adj.* **1.** Coroado de louros. **2.** Que tem ou produz louros. [F. paral.: *laurígero*.]
laurifólio. [De *lauri-* + *-fólio*.] *Adj. Bot.* Que tem folhas semelhantes às do loureiro.
laurígero. [Do lat. *laurigeru*.] *Adj.* Laurífero.
laurino. [Do lat. *laurinu*.] *Adj.* V. *láureo*.
➧**laus Deo** (lauç dé). [Lat., 'louvado seja Deus'.] Expressão que alguns autores, em geral religiosos, põem, às vezes, no fim de um livro, em sinal de gratidão.
lausperene. [Do lat. *laus*, 'louvor', + *perenne*, 'perene'.] *S. m.* Adoração permanente do Santíssimo Sacramento nas igrejas duma cidade: "mestre-cantante em l a u s p e r e n e s, jubileus e todas as missas do Pontifical." (Aquilino Ribeiro, *Dom Frei Bertolameu*, p. 72).
lauto. [Do lat. lautu, 'lavado'.] *Adj.* Suntuoso, magnificente; abundante; opíparo; "tomaram de comum a l a u t a refeição com que, era costume, se fortaleciam para o jejum da Expiação." (João Ribeiro, *Crepúsculo dos Deuses*, p. 90).
laúza. *S. f. Bras. Gír.* Barulho, algazarra, desordem, bagunça. [F. paral.: *alaúza*.]
lava. [Do napolitano *lava*, 'torrente que lava o solo'.] *S. f.* **1.** *Pet.* Rocha magmática natural que se derrama, ou se derramou outrora, na superfície da Terra. **2.** *Pet.* Magma que se encontra ainda na cratera do vulcão. **3.** *Fig.* Língua de fogo; chama. **4.** *P. ext.* Aquilo que abrasa ou como que abrasa, consome, devora; ardor, chama: "apaixonado e ardente, devorado pela l a v a incandescente duma paixão súbita e mortal" (Inglês de Sousa, *O Missionário*, p. 301). **5.** *Fig.* Torrente, enxurrada.
lavabo. [Do lat. *lavabo*, 'lavarei', a primeira palavra do lavabo (2).] *S. m.* **1.** Ato de o sacerdote cristão lavar os dedos ao celebrar a missa. **2.** Oração que ele reza nessa ocasião. **3.** Quadro onde está impressa esta oração. **4.** Pano com que, na missa, o sacerdote enxuga os dedos depois de os lavar. **5.** Nos claustros, fonte de abluções para uso dos monges. **6.** Reservatório de água, com torneira, à entrada de uma sacristia, de um refeitório, etc.; pia, lavatório. **7.** Lavanda (3). **8.** *Bras.* Lavatório (5).
lava-bunda. [De *lavar* + *bunda*[1].] *S. m. Bras.* V. *libélula*. [Pl.: *lava-bundas*.]
lava-cabelos. [De *lavar* + o pl. de *cabelo*.] *S. m. 2 g. Bras.* Árvore ornamental, da família das leguminosas *(Poeppigia procera)*, de folhas com muitos folíolos pequenos e oblongos, flores amarelas, com pilosidade ferrugínea e arrumada em cimeiras, e legume estipitado, com poucas sementes. Ocorre de Cuba ao RJ.
lavação. [Do lat. *lavatione*.] *S. f.* Ato ou efeito de lavar (-se); lavagem.
lava-cu. [De *lavar* + *cu*.] *S. m. Bras., SE.* Besouro preto, de asas transparentes.
lavada. [Fem. substantivado de *lavado*.] *S. f.* **1.** Espécie de rede de pescar. **2.** V. *lavagem* (1).
lavadaria. *S. f.* V. *lavanderia*.
lavadeira. *S. f.* **1.** Mulher que lava roupa; lavandeira: "os negros cantando no pomar ou na horta, as l a v a d e i r a s batendo roupa no córrego." (Coelho Neto, *Treva*, p. 39.) **2.** Máquina para lavagens de lãs nas fábricas de lanifícios. **3.** Lavadora. **4.** *Bras.* Lavandeira (2 e 3). **5.** V. *libélula*. **6.** *Bras., BA.* Nas Lavras Diamantinas, o tanque onde se lava o cascalho por meio de bateias.
lavadeira-de-nossa-senhora. *S. f. Bras., Amaz.* V. *viuvinha* (1). [Pl.: *lavadeiras-de-nossa-senhora*.]
lavadeiro. [De *lavar* + *-deiro*.] *S. m.* **1.** Homem que lava roupa profissionalmente. **2.** Cesto com que nalgumas praias se mede a sardinha. **3.** Fossa para depósito de águas pluviais.
lavadela. *S. f.* Lavagem ligeira.
lava-dente. [De *lavar* + *dente*.] *S. m. Pop.* Beberete. [Pl.: *lava-dentes*.]
lavado. [Part. de *lavar*.] *Adj.* **1.** Que se lavou; que passou por lavagem (1). **2.** Asseado, limpo. **3.** Claro, límpido, puro: "Os sinos tocam a noivado, / No Ar l a v a d o !" (Antônio Nobre, *Só*, p. 68.)
lavadoiro. *S. m.* Lavadouro [q. v.].
lavador (ô). *Adj.* **1.** Que lava. ● *S. m.* **2.** Aquele que lava. **3.** Instrumento agrícola com que se prepara o alimento vegetal para a ração dos animais. **4.** *Bras., SP.* No terreiro de café, grande calha com água corrente para limpar os grãos das impurezas que escaparam do joeiramento.
lavadora (ô). *S. f. Bras.* Máquina de lavar roupa, automática, de uso caseiro ou não; lavadeira.
lavadouro. [Var. de *lavadoiro*.] *S. m.* **1.** Local ou tanque onde se lava roupa: "Tenho chacarinha, flores, legume, uma casuarina, um poço e l a v a d o u r o." (Machado de Assis, *Dom Casmurro*, p. 4.) **2** 2. Pedra sobre a qual as lavadeiras passam sabão na roupa.
lavadura. *S. f.* **1.** V. *lavagem* (1). **2.** A água na qual se lavou a louça de comer.
lavagem. *S. f.* **1.** Ato ou efeito de lavar(-se); lavadura, lavação, lavada, lavamento. **2.** Retribuição do trabalho de lavar. **3.** Separação por meio de água das partes úteis de um minério. **4.** Restos de comida que se dão aos porcos; paparrotada, paparrotagem. **5.** *Med.* Irrigação de órgão, como o estômago, o intestino, a vagina, etc., com o fim de remover corpos estranhos e substâncias nocivas. **6.** *Bras.* V. *clister*. **7.** *Bras.* V. *descompostura* (2). **8.** *Bras.* V. *repreensão* (1). **9.** *Bras. Gír. Esport.* Vitória folgada. **10.** *Bras., BA.* Nas Lavras Diamantinas, cascalho já revolvido, que se encontra em garimpos mal trabalhados. ♦ **Lavagem a seco.** Processo de limpeza de roupas por meio de produtos químicos. **Lavagem cerebral.** Método pelo qual, por meio de cansaço sistematicamente produzido, de agentes químicos, persuasão e doutrinação, se procura converter pessoas privadas de livre determinação de sua vontade, a um credo, em geral político, que não abraçariam se estivessem em liberdade; lavagem de cérebro. **Lavagem da cabeça.** *Bras* Prática religiosa afro-brasileira em que se prepara a cabeça dos médiuns para expurgar do paciente o mal e protegê-lo contra possível ameaça, feita com suco de ervas diluído, acompanhado de palavras mágicas e preces. **Lavagem das contas.** *Bras.* Lavagem das contas

[v. *conta* (13)] e búzios, feita pelo babalaô em vaso de barro, com sabão da Costa e suco de certas folhas, conforme o santo, e que as pessoas usarão ao pescoço como proteção. **Lavagem de cérebro.** Lavagem cerebral.

lavamento. *S. m.* V. *lavagem* (1).

lavanca. *S. f. Pop.* F. aferética de *alavanca* (1): "O trem arranca. / O maquinista baixou a lavanca a 4 pontos." (Jorge de Lima, *Obra Completa*, I, p. 248.)

lavanda. [Do it. *lavanda*, pelo fr. *lavande*.] *S. f.* **1.** Alfazema. **2.** Água-de-colônia feita com a essência dessa planta. **3.** Pequena taça com água, que se põe na mesa para se lavarem os dedos, durante as refeições, ou no fim delas; lavabo. [Cf. *purificador* (4).]

lavandaria. *S. f.* V. *lavanderia*.

lavandeira. *S. f.* **1.** Lavadeira (1). **2.** *Bras.* Ave passeriforme, da família dos tiranídeos (*Xolmis dominicana* (Vieil.)), do S. do Brasil, de coloração branca com a coroa da cabeça pardo-avermelhada, dorso pardo-escuro, cauda e faixa na asa pretas e freqüenta os campos nos pampas; lavadeira. [Cf. *pombinha-das-almas*.] **3.** *Bras.* Ave passeriforme, da família dos tiranídeos (*Fluvicola climazura* (Vieil.)), que ocorre do MA à BA, de dorso cinzento-claro, abdome branco, asa escura com espelho branco, uma lista preta da comissura do bico até a nuca, e que se alimenta de insetos e freqüenta as proximidades das habitações humanas. [Sin.: *lavadeira* e (lus.) *boieira*.] **4.** V. *libélula*.

lavandeira-de-nossa-senhora. *S. f. Bras.* V. *viuvinha* (1). [Pl.: *lavandeiras-de-nossa-senhora*.]

lavanderia. [Do lat. tardio *lavandaria*, moldado em *lavanda*, ger. substantivado de *lavare*, 'lavar', e que significa 'roupas que devem ser lavadas'.] *S. f.* **1.** Estabelecimento onde se lavam e passam a ferro peças quaisquer de vestuário; tinturaria: "montava uma grande lavanderia, limpava os ternos com muito cuidado e mandava vendê-los nas portas" (Cordeiro de Andrade, *Anjo Negro*, p. 46). **2.** Parte da casa, hotel, caserna, etc., onde a roupa é lavada e passada a ferro. [F. paral.: *lavandaria* (p. us. no Brasil) e *lavadaria* (desus. no Brasil).]

lavândula. *S. f.* Subarbusto fortemente aromático da família das labiadas (*Lavandula vera*), da região mediterrânea européia, de folhas lanceoladas, revolutas e pequenas, flores violáceas, pequeninas, reunidas em espiga, e do qual se extrai essência para perfumaria.

lava-pé. [De *lavar* + *pé*.] *S. m. Bras.* V. *formiga lava-pé*. [Pl.: *lava-pés*.]

lava-pés. [De *lavar* + o pl. de *pé*.] *S. m. 2 n.* **1.** Cerimônia litúrgica, em quinta-feira santa, na qual se celebra o haver Jesus lavado os pés aos seus discípulos. **2.** *Bras.* Últimos repiquetes que se produzem quando, em fins de abril e durante maio, se acentua a vazante nos rios da bacia amazônica. **3.** *Bras.* V. *formiga lava-pé*. [Nesta acepç., tb. se diz lava-pé.]

lava-pratos. [De *lavar* + *prato*[1].] *S. m. 2 n. Bras.* **1.** Arbusto da família das leguminosas (*Cassia sclerocarpa*), comum em todo o País, de folhas com dois pares de folíolos oblongos e um tanto pilosos, flores lúteas, vistosas e ordenadas em racemos, e legume comprido e lenhoso. **2.** V. *fedegoso-verdadeiro*. **3.** V. *fedegoso-grande*.

lavar. [Do lat. *lavare*.] *V. t. d.* **1.** Limpar banhando; tirar com água as impurezas de; banhar, abluir. **2.** Correr (rio, mar, etc.) junto de; regar, banhar: *As águas puras do riacho lavavam a planície*. **3.** Tornar puro; purificar, mundificar, expurgar: *Seu procedimento correto nos últimos tempos lavou sua culpa*. *Int.* **4.** Trabalhar como lavadeira; exercer a profissão de lavadeira: "é ela, a bem dizer, quem sustenta a casa com o que faz lavando e engomando." (Coelho Neto, *Turbilhão*, p. 305.) **5.** Saber lavar; ser capaz de lavar: *E ótima dona de casa: se necessário, lava, cozinha, faz todo o serviço*. *P.* **6.** Banhar-se (6): "desceu ao banheiro, lavou-se, mudou de roupa" (Aluísio Azevedo, *O Coruja*, p. 138). **7.** Justificar-se; reabilitar-se.

lavareda (ê). *S. f.* V. *labareda*: "rompeu um incêndio no bairro .... — e em breve, foi por todo o casario .... uma imensa lavareda." (Eça de Queirós, *Últimas Páginas*, p. 288.)

lavarinto. [Alter. de *labirinto*.] *S. m.* **1.** *Bras., N.* e *N.E.* V. *crivo* (7). **2.** *Bras., S.* da *BA*. Cabo empregado na pesca da baleia.

lavático. [Do lat. *lavatu*, 'lavado', + *-ico*[2].] *Adj.* Que serve para clister; lavativo.

lavativo. *Adj.* Lavático.

lavatório. [Do lat. *lavatoriu*.] *S. m.* **1.** Utensílio ou móvel com os apréstos necessários para lavar as mãos e o rosto. **2.** Ato de lavar. **3.** *Fig.* Purificação, expurgação. **4.** *Bras.* Pia com água corrente e escoamento, usada para o mesmo fim. **5.** *Bras. P. ext.* Banheiro (2), em geral com lavatório (4); lavabo. **6.** *Bras., AM.* Poça ou pequeno lago onde os animais costumam banhar-se.

lavável. *Adj. 2 g.* Que pode ser lavado sem inconveniente: *seda lavável; pratos de papel laváveis*.

lavinense. *Adj. 2 g.* **1.** De, ou pertencente ou relativo a Lavínia (SP). ● *S. 2 g.* **2.** Natural ou habitante de Lavínia.

lavoira. *S. f.* V. *lavoura*.

lavor (ô). [Do lat. *labor*, 'trabalho'.] *S. m.* **1.** V. *trabalho* (10). **2.** Qualquer trabalho manual. **3.** Lavor (2) de caráter artístico ou artesanal, executado com cuidado e habilidade: *os lavores de mosaico da basílica de S. Marcos*. **4.** Lavor (2) ornado de desenhos, entalhes, etc.; lavrado. **5.** Obra de agulha feita por desenho; lavrado. **6.** Ornato em relevo, lavrado: "Espaçoso é o salão: jarras a cada canto; / Admira-se o lavor do tecto de pau-santo." (Gonçalves Crespo, *Obras Completas*, p. 264.) **7.** Cristalização superficial nas salinas. [Pl.: *lavores* (ô). Cf. *lavores*, do v. *lavorar*.]

lavorar. *V. t. d.* Fazer lavores em; lavrar, ornar. [Pres. subj.: *lavore*, *lavores*, etc. Cf. *lavores* (ô), pl. de *lavor*.]

lavoso (ô). *Adj.* **1.** Referente a lava (1 e 2). **2.** Que é da natureza da lava (1 e 2): *solo lavoso*.

lavoura. [Dev. do ant. *lavorar* < lat. *laborare*, 'trabalhar'.] *S. f.* **1.** Preparação do terreno para a sementeira ou plantação; lavra. **2.** Amanho e/ou cultivo da terra; lavra, lavradio, lavragem, lavramento; agricultura. **3.** Terreno lavrado e cultivado; lavra, lavrada. **4.** *Bras.* Trabalho habitual ou profissão. [Var.: *lavoira*.]

lavra[1]. [Dev. de *lavrar*.] *S. f.* **1.** Ato de lavrar. **2.** V. *lavoura* (1 a 3). **3.** *Bras.* Terreno de mineração; lugar onde se extrai ouro ou diamante. **4.** *Bras., RS.* Lavoura de algodão. ◆ **Ser da lavra de.** Ser da fabricação, da execução, da autoria, da criação de: *Esta bandeja é da lavra de um prateiro inglês; Os versos são da minha lavra*.

lavra[2]. [Do gr. mod. *laúra*.] *S. f.* Mosteiro cujos habitantes viviam em celas separadas, dentro de um só muro.

lavrada. [De *lavrar* + *-ada*[1].] *S. f.* V. *lavoura* (3).

lavradeira. *S. f.* **1.** Mulher de lavrador. **2.** Mulher que trabalha na lavoura ou lavra; camponesa. **3.** Mulher que faz rendas ou lavores de agulha. **4.** *Bras., BA.* A formiga *Atta sexdens*.

lavradeiro. [De *lavrar* + *-deiro*.] *Adj.* Diz-se de animal que se emprega na lavoura.

lavradio. [De *lavrado* + *-io*[2].] *Adj.* **1.** Próprio para ser lavrado; arável: "Da varanda alpendrada a vista abrangia um raio amplo e exuberante de terras lavradias" (Coelho Neto, *Rei Negro*, p. 7). ● *S. m.* **2.** V. *lavoura* (2): *terras de lavradio*.

lavrado. [Part. de *lavrar*.] *Adj.* **1.** Que se lavrou; arado, cultivado: *grande extensão de terra lavrada*. **2.** Ornado de lavores [v. *lavor* (5 e 6)]. **3.** Escrito em atas, livros de registro, etc.; registrado: *escritura lavrada em cartório*. ● *S. m.* **4.** Lavor (4 a 6): "Fino artista chinês, enamorado, / Nele [no vaso] pusera o coração doentio / Em rubras flores de um sutil lavrado" (Alberto de Oliveira, *Poesias*, 1ª série, p. 177). **5.** Terra lavrada. **6.** *Bras., Marajó.* Campo a perder de vista, sem árvores nem arbustos. **7.** *Bras., MG.* Território ou região onde se lavrou ou trabalhou em lavra de ouro ou diamante. **8.** *Bras., MT.* Jóia de ouro maciço.

lavrador (ô). *Adj.* **1.** Que lavra a terra, ou que serve para lavrar (1): *povo lavrador, animal lavrador*. ● *S. m.* **2.** Aquele que trabalha na lavoura; agricultor. **3.** Aquele que possui propriedades lavradias; agricultor. **4.** Proprietário de salinas. **5.** *Bras., N.E.* Indivíduo a quem um senhor de engenho concede uma casa e um trato de terreno de sua propriedade, sob a condição de plantar um mínimo de cana-de-açúcar, partilhando o produto.

lavradoragem. *S. f.* **1.** Grande porção de lavradores. **2.** Os lavradores.

lavradorita. *S. f. Min.* Var. de *labradorita*.

lavragem. *S. f.* **1.** Ato ou efeito de lavrar; lavramento. **2.** V. *lavoura* (2): "a alta classe colonial volta-se .... para a lavragem das terras." (Oliveira Viana, *Populações Meridionais do Brasil*, p. 66.) **3.** Lavor das madeiras.

lavra-mão. [De *lavrar* + *mão*[1].] *S. m. Bras., RS.* Planta da família das compostas (*Chuquiragua tomentosa*). [Pl.: *lavra-mãos*.]

lavramento. *S. m.* **1.** V. *lavoura* (2). **2.** Feitio ou cunhagem das moedas.

lavrante. *Adj. 2 g.* **1.** Que lavra. ● *S. 2 g.* **2.** Artista que trabalha em ouro e prata.

lavrar. [Do lat. *laborare*, 'trabalhar'.] *V. t. d.* **1.** Sulcar (a terra) com arado ou charrua; arar, amanhar, cultivar. **2.** Fazer ou abrir ornatos ou lavores em; lavorar. **3.** Desenhar em bordado. **4.** Aplainar, preparar (a madeira). **5.** Explorar (minas). **6.** Lapidar[2] (2): *lavrar um diamante*. **7.** Cunhar (moeda). **8.** Gastar, desgastar; corroer; sulcar: *As águas lavraram as rochas*. **9.** Exarar por escrito; escrever, redigir: "Esses versos foram compostos quando Arvers lavrava escrituras no cartório de Guyet-Desfontaines." (Melo Nóbrega, *O Soneto de Arvers*, p. 23); *lavrar uma sentença; lavrar uma ata*. **10.** Emitir; expressar: *Lavraram na sepultura um belo epitáfio*. **11.** Alastrar-se, propagar-se, grassar: "Lavravam as febres, afugentando os bugres ribeirinhos." (Cornélio Pires, *Quem Conta um Conto...*, p. 204); "posto que o seu ânimo de ferro lhe não consentisse o soltar um só queixume, o incêndio lavrava lá dentro" (Alexandre Herculano, *Lendas e Narrativas*, II, p. 325).

lavratura. *S. f. Bras.* Ato de lavrar (escritura, documento): *A lavratura do contrato será feita amanhã*.

lavrense[1]. *Adj. 2 g.* **1.** De, ou pertencente ou relativo a Lavras (MG). ● *S. 2 g.* **2.** Natural ou habitante de Lavras.

lavrense[2]. *Adj. 2 g.* **1.** De, ou pertencente ou relativo a Lavras da Mangabeira (CE). ● *S. 2 g.* **2.** Natural ou habitante de Lavras da Mangabeira.

lávrense[3]. *Adj. 2 g.* **1.** De, ou pertencente ou relativo a Lavras do Sul (RS). ● *S. 2 g.* **2.** Natural ou habitante de Lavras do Sul.

lavrinhense. *Adj. 2 g.* **1.** De, ou pertencente ou relativo a Lavrinhas (SP). ● *S. 2 g.* **2.** Natural ou habitante de Lavrinhas.

lavrita. [De *lavra*[1] + *-ita*[3].] *S. f. Bras.* Carbonado (2).

laxação. [Do lat. *laxatione*.] *S. f.* **1.** Ato ou efeito de laxar. **2.** Lassidão, frouxidão.

laxante. [Do lat. *laxante*.] *Adj. 2 g.* **1.** Que laxa. **2.** Que afrouxa, que relaxa. ● *S. m.* **3.** Purgante de efeito brando, que induz evacuação de fezes moles, não causando dor nem irritação intestinal; minorativo, laxativo.

laxar. [Do lat. *laxare*.] *V. t. d.* **1.** Tornar frouxo; relaxar, afrouxar. **2.** Alargar, dilatar. **3.** Tornar livre; desimpedir. **4.** Atenuar, aliviar. [Pres. ind.: *laxo*, *laxas*, *laxa*, etc. Cf. *lacha*.]

laxativo. [Do lat. *laxativu*.] *Adj.* e *s. m.* V. *laxante* (3).

▲**lax(i)-.** [Do lat. *laxus*, *a*, *um*.] *El. comp.* = 'frouxo', 'solto': *laxifloro*; *laxismo*.

laxidão. *S. f.* V. *lassidão*.

laxifloro (cs). [De *lax(i)-* + *-floro*.] *Adj. Bot.* Cujas flores são muito afastadas umas das outras.

laxismo (cs). [De *lax(i)-* + *-ismo*.] *S. m.* **1.** Na teologia moral, tendência a fugir ao dever e à lei, com base em razões pouco ou mal fundamentadas. **2.** *P. ext.* Sistema filosófico, político, etc., que preconiza idéias pouco severas, amplas e conciliatórias. [Opõe-se a *rigorismo*.]

laxista (cs). *Adj. 2 g.* **1.** Pertencente ou relativo ao laxismo. ● *S. 2 g.* **2.** Adepto da aplicação dele.

laxo. [Do lat. *laxu*.] *Adj.* Lasso (2 e 3).

lazão. *Adj.* e *s. m.* Var. aferética de *alazão*: "Minha mulher tinha um burrinho lazão" (Ramalho Ortigão, *Contos e Páginas Dispersas*, p. 164); "— Eu ia adiante, esquipando, quando um cavalo bravio .... correu furioso para brigar com o lazão." (José de Alencar, *O Sertanejo*, p. 106). [Fem.: *lazã*.]

lazarado. [Part. de *lazarar*.] *Adj.* **1.** V. *leproso* (1). ● *S. m.* **2.** V. *leproso* (5).

lazarar. [Do lat. *lacerare*, 'despedaçar', com infl. de *lázaro*.] *V. t. d.* **1.** Tornar lazarento, chaguento. **2.** Transmitir doença ou mal repelente a. [Pres. ind.: *lazaro*, etc. Cf. *lázaro*, s. m., e *Lázaro*, antr.]

lazarento[1]. [Do antr. *Lázaro*, o homem coberto de úlceras da parábola do evangelho de S. Lucas.] *Adj.* e *s. m.* **1.** Que, ou aquele que tem pústulas, chagas; lázaro. **2.** V. *leproso* (1 e 5).

lazarento[2]. *Adj.* V. *lazeirento*.

lazareto (ê). [Do it. *lazaretto*.] *S. m.* **1.** Edifício para quarentena de indivíduos suspeitos de contágio. **2.** *Ant.* V. *leprosário*.

lazaria. [De *lázaro* + *-ia*.] *S. f. Bras.* e *prov. lus.* Epizootia dos suínos.

lazarina. [Do antr. *Lazzarino*, nome de um espingardeiro milanês do séc. XVI.] *S. f.* **1.** Arma de fuzil e de pequeno calibre, de fabricação belga, outrora utilizada pelos pretos africanos. **2.** *Bras.* Espingarda de passarinhar, de cano fino e longo; pica-pau: "A um canto do copiar, cinco ou seis carabinas de caça, de carregar pela boca, lazarinas e clavinotes, rebrilhavam, polidas e limpas." (Gustavo Barroso, *Terra de Sol*, p. 178.)

lazarismo. *S. m.* Qualidade ou missão de lazarista.

lazarista. [Do fr. *lazariste*.] *S. 2 g.* Membro da congregação religiosa fundada por S. Vicente de Paulo com o fim de evangelizar a gente pobre do campo. [Como a primeira casa onde funcionou a Congregação tivesse o nome de "Casa de S. Lázaro", em que se cuidava dos leprosos, erroneamente ficaram sendo chamados *lazaristas*.]

lázaro. [V. a etim. em *lazarento.*] *S. m.* **1.** V. *leproso* (5). **2.** *Lazarento*[1] (1). [Cf. *lazaro*, do v. *lazarar.*]

lazarone. [Do it. *lazarone.*] *S. m.* **1.** Mendigo de Nápoles. **2.** *P. ext.* Mendigo, vadio: "Era um l a z a r o n e esfarrapado, que à beira do caminho se abrigava do sol, sob uma árvore." (Fialho d'Almeida, *Pasquinadas*, p. 199.)

lazarônico. *Adj.* Referente a, ou próprio de lazarone.

lazeira. [Do lat. vulg. **lacerıa* < *lacerare*, 'despedaçar'.] *S. f.* **1.** Qualquer casta de males; desgraça, miséria: "ninguém tem pena de ti [burro], quando comido de l a z e i r a, e carregado de anos, ... ficas abandonado no caminho" (Olavo Bilac, *Ironia e Piedade*, p. 139). **2.** V. *lepra* (1). **3.** *Pop.* Grande apetite de comer; fome. **4.** *Mar.* Espaço para arrumar uma carga ou outro material, ou para realizar uma manobra. **5.** *Mar.* Espaço que se considera suficiente para a evolução do navio. **6.** *Mar.* Espaço, a bordo, delimitado para a manobra de um cabo ou aparelho de força.

lazeirar. *V. Int.* Ter lazeira (3); estar afaimado.

lazeirento. *Adj. Pop.* Que tem lazeira; esfomeado, famélico, lazarento.

lazer (ê). [Do lat. *licere*, 'ser lícito', atr. do arc. *lezer.*] *S. m.* **1.** Ócio, descanso, folga, vagar: " 'Conversa mole', 'conversa fiada', 'papo' implicam desocupação, l a z e r, senso do prazer e da volúpia" (Gilberto Amado, *Sabor do Brasil*, p. 31). **2.** Tempo de que se pode livremente dispor, uma vez cumpridos os afazeres habituais. **3.** Atividade praticada nesse tempo; divertimento, entretenimento, distração, recreio.

lãzinha. [Dim. de *lã.*] *S. f.* Tecido de lã fino e leve.

lãzudo. [De *lã* + *-z-* + *-udo.*] *Adj. Bras. Gír.* Que tem cabelos compridos; cabeludo.

lazulita. [De *lápis-lazúli* + *-ita.*[3]] *S. f. Min.* Mineral monoclínico, azul, fosfato básico de alumínio, ferro e magnésio.

lazurita. [Do lat. mod. *lazur*, 'lápis-lazúli', + *-ita*[3].] *S. f. Min.* Mineral monométrico, azul-ultramar, silicato de alumínio e sódio e sulfato de sódio, na proporção de três do primeiro para um do segundo, usado como matéria ornamental; lápis-lazúli.

➧**lazzo** (látso). [It., 'ato ou dito cômico'.] *S. m. Teat.* Na *commedia dell'arte* [q. v.], chiste, truanice, gracejo de zombaria.

lé[1]. [Do ioruba.] *S. m. Bras., BA. Mús.* Nos candomblés, o atabaque menor. [Cf. *lê*, do v. *ler* e s. m.]

lé[2]. *El. s. m.* Us. nas expr. *lé com lé, cré com cré; lé com lé e cré com cré; cré com cré, lé com lé; cré com cré e lé com lé.* [Cf. *lê*, do v. *ler* e s. m.] ♦ **Lé com lé, cré com cré.** V. *cré com cré, lé com lé.* **Lé com lé e cré com cré.** V. *cré com cré, lé com lé*: "A primeira coisa de que V. Mercê se deve lembrar é que cada um é como cada um; l é c o m l é, e c r é c o m c r é; cada qual com os da sua igualha." (Antônio Feliciano de Castilho, *ap.* João da Silva Correia, *A Linguagem da Mulher*, p. 104.)

lê. *S. m.* Nome da letra *l*; ele. [Pl.: *lês* ou *ll.* Cf. *l* e *lé.*]

➧**lead** (lid). [Ingl.] *S. m.* **1.** *Teat.* O papel ou personagem principal de uma peça. **2.** *Jorn.* A abertura da notícia, da reportagem, etc., na qual se procura dar o fato, objetiva e sinteticamente, com o fim de responder às questões: o quê, quem, quando, onde, como e por quê. [Cf. *lied.*]

leal. [Do lat. *legale.*] *Adj. 2 g.* **1.** Sincero, franco e honesto. **2.** Fiel aos seus compromissos. [Sin. (desus.): *lealdoso.*] ● *S. m.* **3.** Moeda portuguesa que no tempo de D. João I correspondia a dez-réis, e que era o real[1] (2) de boa lei (8), por oposição aos reais de liga muito baixa do reinado anterior. [Pl.: *leais.* Cf. *liais*, do v. *liar*, e *leiais*, do v. *ler.*]

lealdação. *S. f.* **1.** Ato ou efeito de lealdar. **2.** Verificação aduaneira. [Sin. ger.: *lealdamento.*]

lealdade. [Do lat. **legalitate.*] *S. f.* Qualidade, ação ou procedimento de quem é leal.

lealdado. [Part. de *lealdar.*] *Adj.* **1.** Que se lealdou. **2.** Diz-se do açúcar muito limpo.

lealdador (ô). *S. m.* Aquele que lealda.

lealdamento. *S. m.* Lealdação.

lealdar. [Do lat. **legalitare.*] *V. t. d.* Legalizar, dando ao manifesto [v. *dar ao manifesto*] na alfândega; alealdar; registrar, manifestar.

lealdoso (ô). [De um **lealdadoso*, com haplologia.] *Adj. Desus.* Leal (1 e 2).

leão. [Do lat. *leone.*] *S. m.* **1.** O mais conhecido dos mamíferos da ordem dos carnívoros, da família dos felídeos (*Panthera leo*), o qual habita as estepes e as savanas densamente cobertas de arbustos. Atualmente restrito à África, chegou a habitar a Península Balcânica, na Europa. Pode atingir 2,70 m de comprimento da cauda à cabeça, e pesar 200 a 250 kg; a cor varia do amarelo-laranja ao cinzento amarelado. Predador, caça nas aguadas, onde surpreende, principalmente, zebras e antílopes. Gestação de três meses, com dois a três filhotes de cada vez. [Fem.: *leoa;* dim. irreg.: *leãozete, leônculo.*] **2.** *Fig.* Homem valente, corajoso. **3.** *Fig.* Homem de mau gênio, áspero, intratável. **4.** *Fig.* Homem célebre, alvo de todas as atenções: "era sem dúvida um dos príncipes da moda, um dos l e õ e s da Rua do Ouvidor" (José de Alencar, *A Pata da Gazela*, p. 164); "Pessoa de Melo e Osório, os l e õ e s da moda, ambos de polainas, ... vão deixando na calçada um rasto de inveja." (Augusto Meyer, *No Tempo da Flor*, p. 14). **5.** *Fig.* Grande conquistador de mulheres. **6.** *Astr.* A quinta constelação do zodíaco, situada no hemisfério norte, a 10 h e 30 min. de ascensão reta e 15º de declinação norte. **7.** O quinto signo do zodíaco, relativo aos que nascem entre 23 de julho e 22 de agosto. **8.** Membro da *International Association of Lions Clubs*, associação benemerente de âmbito mundial, fundada na cidade de Dalas (Texas, E.U.A.) em 1917. [Fem., nesta acepç.: *domadora.*] **9.** *Bras.* No jogo do bicho [q. v.], o 16º grupo (8), que abrange as dezenas 61, 62, 63 e 64, e corresponde ao número 16. **10.** *Bras. Irôn.* Órgão arrecadador do imposto de renda: "um projeto do Senador José Sarney transita pelas mesas do Congresso, propondo que o l e ã o seja menos voraz com as empresas que continuam acreditando na cultura." (Rui Castro, *Folha de S. Paulo*, 28.9.1983). [Cf. *Lião*, top.] ♦ **Leão do Norte.** O Estado de Pernambuco. **Leão Menor.** *Astr.* Pequena constelação boreal, ao N. do Leão e ao S. da Ursa Maior.

leão-de-barca. *S. m. Bras., BA. Folcl.* V. *carranca* (5). [Pl.: *leões-de-barca.*]

leão-de-chácara. *S. m. Bras. Gír.* Guardião de casas de diversões. [Pl.: *leões-de-chácara.*]

leão-do-mar. *S. m.* Lobo-do-mar. [Pl.: *leões-do-mar.*]

leão-marinho. *S. m.* V. *lobo-marinho.* [Pl.: *leões-marinhos.*]

leãozete (ê). *S. m.* Dim. de *leão* (1) [q. v.].

➧**leasing.** (lízin'). [Ingl.] *S. m. Econ.* Arrendamento mercantil de bens móveis ou imóveis, entre pessoas jurídicas.

leba. [Do daomeano *Legba.*] *S. m. Bras., BA. Folcl.* Divindade jeje correspondente ao Exu dos iorubanos.

➧**Lebensraum** (lébençráum). [Al.] *S. m.* Espaço vital.

lebracho. *S. m.* O macho da lebre (1), ainda novo: "Haviam abatido nove coelhos e um l e b r a c h o" (Aquilino Ribeiro, *Maria Benigna*, p. 136). [Cf. *lebrão.*]

lebrada. *S. f.* Guisado de lebre (1).

lebrão. *S. m.* O macho da lebre (1). [Cf. *lebracho.*]

lebre. [Do lat. *lepore.*] *S. f.* **1.** Mamífero lagomorfo, da família dos leporídeos, gênero *Lepus* L., com várias espécies espalhadas pelas regiões neártica e paleártica. Compreende animais próximos dos coelhos, porém maiores e mais bem dotados para a corrida, graças à conformação das patas posteriores, dispostas para o salto e muito maiores que as anteriores. Ao contrário dos coelhos, não cavam tocas e parem os filhos em ninhos sobre o solo. As lebres não ocorrem em natureza no Brasil. [Masc.: *lebrão* e *lebracho* (q. v.).] **2.** Iguaria feita de lebre (1). **3.** *Bras.* V. *tapiti*[1]. **4.** *Marinh.* Poleame semelhante a dois moitões unidos pela base, munido cada um de gorne com a competente roda. É usado para retorno de cabos de manobra, dando passagem a amantilhos, talhas de lais, etc., que nele gurnem. **5.** *Astr.* Constelação austral, ao S. de Órion, ao N. da Columba, a O. do Cão Maior e a E. do Erídano.

lebré. [De *lebre.*] *S. m.* **1.** Cão de fila. **2.** V. *lebréu.* [Cf. *libré.*]

lebréia. [De *nebrina*?] *S. f. Bras., MG. Pop.* V. *chuvisco* (1).

lebreiro. *Adj.* Diz-se do cão que caça lebres.

lebrel. [De *lebre* (1).] *S. m.* V. *lebréu.* [Pl.: *lebréis.*]

lebréu. [De *lebre.*] *S. m.* Cão amestrado na caça das lebres; lebrel, lebré: "O som das trompas, os latidos dos l e b r é u s, os relinchos dos cavalos" (Rebelo da Silva, *Contos e Lendas*, p. 34). [Cf. *galgo* (1).]

lecanicefalóideo. *S. m.* **1.** Espécime dos lecanicefalóides. ● *Adj.* **2.** Pertencente ou relativo a eles.

lecanicefalóideos. *S. m. pl. Zool.* Animais platelmintos, cestóideos, da ordem *Lecanicephaloidea*, os quais têm o escólex dividido em duas partes, uma superior, com disco ou ramificações, e outra inferior, com quatro ventosas. São parasitos de elasmobrânquios.

lecanomancia. [Do gr. *lekanomanteía.*] *S. f.* Antiga adivinhação, mediante a observação de tanques, lagos, do som ou de fenômenos produzidos por objetos ao cair no fundo de uma bacia cheia de água, etc.

lecanomante. [Do gr. *lekanomantis.*] *S. 2 g.* Pessoa que praticava a lecanomancia.

lecanomântico. *Adj.* Relativo à lecanomancia, ou a lecanomante.

lecheguana. *S. f. Bras., RS.* V. *lechiguana.*

lechetrez (ê). [Do esp. *lechetrezna.*] *S. m.* V. *maleiteira.*

lechia. [Var. de *lichi* < chin. *li-chi.*] *S. f. Bot.* Planta da família das sapindáceas (*Nephelium litchi*), de arilo rubro comestível. Ocorre nas regiões quentes da Ásia. [F. paral.: *lichia; var.: lichi.*]

lechiguana. [Do quíchua *lachiuana*, pelo esp. plat.] *S. f. Bras., RS.* V. *enxuí.* [Var.: *lecheguana* ou *lichiguana.*] ♦ **Tirar lechiguana.** *Bras., RS.* Passar muito frio durante a noite por falta de coberta.

lecionando. [Ger. de *lecionar.*] *Adj.* **1.** Diz-se daquele que recebe lições de alguém. ● *S. m.* **2.** Discípulo, aluno.

lecionar. [Do lat. *lectione*, 'lição', + *-ar*[2].] *V. t. d.* **1.** Dar lições de; explicar em modo de lição; ensinar: "L e c i o n a v a ciências e história natural e sentia muita falta de exemplares para explicar melhor, para prender a atenção dos alunos." (Valdomiro Autran Dourado, *Nove Histórias em Grupos de Três*, p. 205.) **2.** Instruir, ensinar, doutrinar. *T. d.* e *i.* **3.** Ensinar, explicar: "L e c i o n o u - l h e o grego a Tomás Morus Linacre, que, por sua vez, o aprendera com o professor de Leão X — o famoso Policiano." (Iva Lins, *Tomás Morus e a Utopia*, p. 4.) *Int.* **4.** Dedicar-se ao magistério; exercê-lo; ensinar: "no principal colégio onde eu l e c i o n a v a, o diretor ... me deu algumas horas extraordinárias." (Valdomiro Autran Dourado, *Nove Histórias em Grupos de Três*, p. 166); *É professora de grande prática: l e c i o n a desde os 18 anos. P.* **5.** Tomar lições; estudar.

lecionário. [Do lat. *lectione*, 'lição', + *-ário.*] *S. m.* Livro que contém as lições ou leituras inscritas no ofício divino.

lecionista. *S. 2 g.* Pessoa que leciona particularmente: "Raras vezes ia à cidade dar conta ao l e c i o n i s t a dos seus estudos preparatórios." (Camilo Castelo Branco, *O Bem e o Mal*, p. 108.)

lecitidácea. *S. f.* Espécime das lecitidáceas.

lecitidáceas. *S. f. pl. Bot.* Família de dicotiledôneas, da ordem das mirtales, constituída de árvores com folhas alternas e grandes flores vistosas, hermafroditas, heteroclamídeas, cálice e corola com quatro a seis peças, estames numerosos e soldados pela base, ovário ínfero, com um ou até muitos óvulos. Fruto característico: pixídio. Compreende umas 150 espécies, intertropicais. O Brasil é rico em espécies, distinguindo-se entre elas a castanha-do-pará *(Bertholletia excelsa)* e as sapucaias *(Lecythis).* Produzem também boas madeiras.

lecitidáceo. *Adj.* Pertencente ou relativo às lecitidáceas.

lecitina. [De *lécito*[1] + *-ina*[1].] *S. f. Quím.* Cada unidade de uma classe de substâncias fosfatadas encontradas no cérebro e medula dos animais, e que são constituintes importantes das células.

lécito[1]. [Do gr. *lékithos*, 'gema de ovo', + *-ina*[1].] *S. m.* **1.** Gema de ovo. **2.** Vitelo nutritivo do ovo.

lécito[2]. [Do gr. *lékythos*, atr. do lat. *lecythu.*] *S. m.* Vaso de feitio alongado, para perfumes ou para óleos, entre os gregos antigos.

leco[1]. *S. m. Ant.* Criado, lacaio.

leco[2]. *Adj. Bras., SP. Pop.* Fraco, desamparado, ou caipora.

lecre. [Alter. de *leque.*] *S. m. Bras.* Ave passeriforme, da família dos tiranídeos *(Onychorhynchus coronatus* (Mul.)), da Amaz., de coloração pardo-olivácea, asas finamente pintadas de amarelo, crista alongada na cabeça vermelha, pintada de preto-azulado, e cauda avermelhada; maria-lecre, leque.

lectícola. [Do lat. *lectu*, 'leito', + *-cola.*] *Adj. 2 g.* Diz-se dos percevejos que habitam nos leitos ou camas. [Var.: *letícola.*]

lectocéfalo. [Do gr. *lektós*, 'limitado', + *-céfalo.*] *Adj.* e *S. m.* Que ou o que tem cabeça pequena.

leda. [De *Leda*, mit. e antr.] *S. f.* Gênero de moluscos bivalves. [Pl.: *ledas.* Cf. *leda* (ê) e *ledas* (ê), flex. de *ledo* (ê), e *Leda* (ê), antr., fem. de *Ledo* (ê).]

ledeburita. *S. f. Metal.* Eutético da austenita e da cementita, com 4% de carbono e 96% de ferro, com fusão a 1145ºC, presente em alguns aços.

ledice. [Do arc. *lediça* < lat. *lactittia.*] *S. f.* Qualidade de ledo; alegria, contentamento, prazer. ~ V. *ledices.*

ledices. [Pl. de *ledice.*] *S. f. pl.* Galantarias; gracejos, jovialidades, facécias: "Leonor [Leonor Teles] deixou-se cortejar, e de leve .... alimentou-lhe o enleio, com lindas manhas e gentis l e d i c e s" (Antero de Figueiredo, *Leonor Teles*, p. 339). ~ V. *ledice.*

ledo (ê). [Do lat. *laetu.*] *Adj.* Risonho, contente, alegre, jubiloso: "Já mimosas as flores desabrocham, / Já mais ledos os pássaros gorjeiam" (Gonçalves Dias, *Obras Poéticas*, II, p. 446.) [Flex.: *leda* (ê), *ledos* (ê), *ledas* (ê) Cf. *leda*, s. f., e *Leda*, *mit.* e *antr.*]

ledor (ô). *Adj.* e *s. m.* Que ou aquele que lê; leitor.

lega. [De *legra?*] *S. f. Bras., BA.* Instrumento com que se extrai o látex da maniçoba.

legação. [Do lat. *legatione.*] *S. f.* **1.** Ato de legar (1): *O direito de legação é a faculdade que têm os Estados soberanos de receber agentes diplomáticos.* **2.** Exercício de legacia. **3.** O tempo que dura uma legacia. **4.** Qualquer missão destinada a tratar dos interesses de um Estado junto a uma potência estrangeira, por meio de funcionários diplomáticos ou de representantes extraordinários. **5.** Missão diplomática de caráter permanente, e imediatamente inferior a embaixada, chefiada por ministro plenipotenciário. **6.** O pessoal que compõe uma legação (5). **7.** A sede duma legação (5).

legacia. *S. f.* Cargo, dignidade ou jurisdição de legado[2]; legação.

legado[1]. [Do lat. *legatu*, 'dádiva deixada em testamento'.] *S. m.* **1.** Valor previamente determinado, ou objeto previamente individuado, que alguém deixa a outrem por meio de testamento: "Seria possível que sua mãe tivesse tido coragem de desfazer-se daquela casa, ... único legado do morto?" (Coelho Neto, *Obra Seleta*,I, p. 185.) **2.** *Fig.* Aquilo que alguém transmite a outrem, que uma geração, escola literária, etc., transmite à posteridade, etc.: "— Não tive filhos, não transmiti a nenhuma criatura o legado da nossa miséria." (Machado de Assis, *Memórias Póstumas de Brás Cubas*, p. 382); *É importante o legado do romantismo.*

legado[2]. [Do lat. *legatu*, 'embaixador', 'enviado'.] *Adj.* **1.** Diz-se de pessoa que exerce uma legação (4): *funcionário legado; cardeal legado.* ● *S. m.* **2.** Na antiga Roma, comissário do Senado encarregado de fiscalizar a administração das províncias. **3.** Pessoa enviada por um governo ou por um chefe de Estado a outro governo para tratar de negócios relativos a uma legação: *O legado do príncipe viajou com grande comitiva.* **4.** Prelado que era outrora encarregado pelo Papa de governar territórios pontifícios. **5.** Núncio pontifício. **6.** Legado a *latere.* ♦ **Legado *a latere.*** Prelado incumbido pelo Papa de uma missão extraordinária, quase sempre transitória. [Tb. se diz apenas *legado.*]

legal. [Do lat. *legale.*] *Adj. 2 g.* **1.** Conforme ou relativo à lei. **2.** *P. ext.* V. *jurídico* (2). **3.** *Bras. Pop.* Regular, certo; em ordem: *Não se preocupe: está tudo legal.* **4.** *Bras. Pop.* Palavra-ônibus que exprime numerosas idéias apreciativas: ótimo, perfeito, excelente, leal, digno, etc.: "Mudei de roupa: .... camisa vermelha, um mocassim legal." (Rubem Fonseca, *A Coleira do Cão*, p. 166.) [V. *bacana.*] ~ V. *caução —, depósito —, dia —, hora —* e *medicina —.* ● *Adv.* **5.** *Bras. Pop.* De modo legal (3).

legalidade. [Do lat. medieval *legalitate.*] *S. f.* **1.** Qualidade ou estado de legal; conformidade com a lei; legitimidade. **2.** *P. ext.* Juridicidade (2). **3.** Sistema, partido ou grupo dos que estão com a lei, dos legalistas.

legalista. *Adj. 2 g.* **1.** Relativo à lei, às normas legais. **2.** Diz-se de quem pugna pelo respeito às leis ou pelo governo legal. ● *S. 2 g.* **3.** Pessoa legalista (2).

legalização. *S. f.* Ato ou efeito de legalizar.

legalizado. [Part. de *legalizar.*] *Adj.* **1.** Tornado legal. **2.** Autenticado; legitimado; justificado.

legalizar. *V. t. d.* **1.** Tornar legal; dar força de lei a. **2.** Autenticar; legitimar; justificar.

legar. [Do lat. *legare.*] *V. t. d.* **1.** Enviar como legado[2] (3), ou como legação (4). *T. d.* e *i.* **2.** Deixar como legado[1] [q. v.]; transmitir, transferir: "Dizem-no discípulo de um grande filósofo, que lhe legara imensos bens" (Machado de Assis, *Quincas Borba*, p. 254); "deu então [Joaquim Nabuco] à sua atitude um ar impassível, de uma serenidade olímpica — como se .... quisesse legar à posteridade o modelo ideal da sua própria estátua." (Oliveira Viana, *Pequenos Estudos de Psicologia Social*, pp. 207-208). [Conjug.: v. *regar.*]

legatário. [Do lat. *legatariu.*] *S. m.* Aquele a quem se deixou um legado[1]; herdeiro testamentário.

➧**legato.** [It.] *S. m.* e *adj.* V. *ligado* (3 e 6).

legatório. *Adj.* **1.** Respeitante a legados. **2.** Que envolve legados.

legba. [Do daomeano.] *S. m. Bras., BA. Folcl.* V. *Leba.*

legenda. [Do lat. *legenda*, 'coisas que devem ser lidas'.] **1.** Relato da vida dos santos. **2.** Lenda (2). **3.** Letreiro, rótulo, inscrição, dístico. **4.** Texto explicativo que acompanha uma ilustração, uma gravura, numa reprodução de obra-de-arte, em um mapa, etc., e compreende de título, explicações, dísticos, etc. **5.** Inscrição gravada em moeda ou medalha. **6.** Divisa inscrita no escudo de armas. **7.** *Cin.* Letreiro aposto a uma película cinematográfica para apresentação do filme ou com a tradução, não raro resumida, das falas dos artistas; letreiro.

legendação. *S. f. Jorn.* Ato ou efeito de legendar.

legendar. *V. t. d. Jorn.* Pôr legenda (4 e 7) em. [Fut. pret.: *legendaria*, etc. Cf. *legendária*, fem. de *legendário.*]

legendário. *Adj.* **1.** Relativo a legendas. **2.** Lendário (1 e 2): "Dejazet, a célebre atriz, cujo tipo se tornou legendário, passou pela mais engraçada criatura que tem tido a Europa." (Ramalho Ortigão, *Em Paris*, p. 189.) ● *S. m.* **3.** Coleção de legendas [v. *legenda* (1)]. **4.** Autor de legendas [v. *legenda* (1 e 2)] [Fem.: *legendária.* Cf. *legendaria*, do v. *legendar.*]

legião. [Do lat. *legione.*] *S. f.* **1.** Corpo do antigo exército romano constituído de infantaria e cavalaria. **2.** Corpo ou divisão de exército: "foi aqui que ficaram sepultadas as legiões dos Faraós, quinze mil homens e mil e duzentos carros." (Eça de Queirós, *Notas Contemporâneas*, p. 21). **3.** *Fig.* Ajustamento de pessoas, multidão.

legibilidade. *S. f.* Qualidade de legível.

legiferação. *S. f.* Ato de legiferar.

legiferar. [Do lat. *legiferu*, 'que estabelece leis', + *-ar*[2].] *V. int.* Legislar (1).

▲**-légio.** [Do lat. *legere.*] *El. comp.* = 'que colhe', 'que recolhe': *sortilégio, florilégio.*

legionário. [Do lat. *legionariu.*] *Adj.* **1.** Relativo ou pertencente à legião. ● *S. m.* **2.** Soldado legionário.

▲**legis-.** Equiv. de *lego-.*

legislação. [Do lat. *legislatione.*] *S. f.* **1.** Conjunto de leis acerca de determinada matéria. **2.** A ciência das leis. **3.** A totalidade das leis dum Estado, ou de determinado ramo do direito.

legislado. [Part. de *legislar.*] *Adj.* **1.** Convertido em lei. **2.** Disciplinado por leis.

legislador (ô). [Do lat. *legislatore.*] *Adj.* **1.** Que legisla; legislativo. ● *S. m.* **2.** Aquele que legisla. **3.** Membro de órgão legislativo.

legislar. [Der. regress. de *legislador.*] *V. int.* **1.** Estabelecer ou fazer leis. *T. i.* **2.** Fazer impor leis; legiferar. *T. d.* **3.** Estabelecer, ordenar, decretar, formular (leis, regras, princípios, etc.): *A Academia Brasileira de Letras legislou regras ortográficas.* **4.** Determinar, preceituar.

legislativo. *Adj.* **1.** Referente ao poder de legislar, ou à legislação; legislatório. **2.** Que legisla; legislador: *assembléia legislativa.* — V. *poder —.* ● *S. m.* **3.** Poder legislativo.

legislatório. [Do lat. *legislatore*, 'legislador', + *-io.*] *Adj.* **1.** Que obriga como lei; que tem força de lei: *medida legislatória.* **2.** Legislativo (1).

legislatura. [Do ingl. *legislature*, atr. do fr. *législature.*] *S. f.* **1.** Reunião de deputados e senadores (poder legislativo) em assembléia. **2.** Espaço de tempo durante o qual os legisladores exercem os seus poderes: "eleito deputado provincial em 187 ..., cumpriu o prazo da legislatura e abandonou a carreira." (Machado de Assis, *Relíquias de Casa Velha*, p. 111).

legislável. *Adj. 2 g.* Que pode ser legislado ou convertido em lei.

legisperito. [Do lat. *legisperitu.*] *S. m.* Aquele que é perito em leis; legista.

legista[1]. *S. 2 g.* F. red. de *médico-legista.*

legista[2]. [Do lat. *legista.*] *Adj. 2 g.* **1.** Que conhece ou estuda as leis. ● *S. 2 g.* **2.** Pessoa que conhece a fundo as leis; legisperito.

legítima. [Fem. substantivado do adj. *legítimo.*] *S. f.* **1.** Parte da herança reservada por lei aos herdeiros necessários (descendentes e ascendentes), e da qual, portanto, não se pode dispor livremente: "Mandou-lhe .... entregar a legítima de sua mãe, que era uma quinta a meia légua distante" (Camilo Castelo Branco, *Doze Casamentos Felizes*, p. 205). **2.** Certa divisão das salinas. [Cf. *legitima*, do v. *legitimar.*]

legitimação. *S. f.* **1.** Ato ou efeito de legitimar. **2.** *Jur.* Situação jurídica do possuidor legitimado de um título cambiário.

legitimado. [Part. de *legitimar.*] *Adj.* **1.** Tornado legítimo. **2.** *Jur.* Diz-se, em direito cambiário, daquele que possui o título de modo autorizado ou, ao menos, não contrariado pelas declarações nele escritas. ~ V. *filho —.* ● *S. m.* **3.** V. *filho legitimado.*

legitimador (ô). *Adj.* e *s. m.* Que, ou aquele que legitima.

legitimar. *V. t. d.* **1.** Tornar legítimo para todos os efeitos da lei; legalizar: *Legitimou os documentos.* **2.** Tornar legítimo (4); autenticar: "Em Faulkner e em Guimarães Rosa, o primitivismo legitima tudo." (Hélio Pólvora, *A Força da Ficção*, p. 24). **3.** Reconhecer como legítimo ou autêntico (quaisquer poderes, títulos, ou posse de algo). **4.** Habilitar para o exercício de certos atos ou o gozo de certos direitos, uma vez preenchidos os requisitos legais. **5.** Equiparar (o filho ilegítimo) à situação legal dos legítimos, em conseqüência do posterior casamento dos pais. [Sin. ger.: *lidimar.* Pres. ind.: *legitimo, legitimas, legitima*, etc., fut. pret.: *legitimaria*, etc. Cf. *legítimo, legítima*, e *legitimária*, fem. de *legitimário.*]

legitimário. *Adj.* Relativo à legítima (1). [Fem.: *legitimária.* Cf. *legitimaria*, do v. *legitimar.*] ~ V. *herdeiro —.*

legitimável. *Adj. 2 g.* Que pode ser legitimado.

legitimidade. *S. f.* **1.** Qualidade ou estado de legítimo. **2.** Legalidade (1). **3.** Em uma monarquia, direito de sucessão por ordem de primogenitura. **4.** Doutrina política dos legitimistas.

legitimismo. *S. m.* Partido, opinião ou sentimento dos legitimistas.

legitimista. *Adj. 2 g.* **1.** Relativo a legitimidade. **2.** Que defende o princípio da dinastia legítima. ● *S. m.* **3.** Em Portugal, defensor das pretensões de D. Miguel de Bragança, ou de seus descendentes, ao trono: "Calisto era legitimista quieto, calado, e incapaz de empecer a roda do progresso" (Camilo Castelo Branco, *A Queda dum Anjo*, p. 13). **4.** Na França, sequaz do ramo mais velho dos Bourbons, destronado em 1830.

legítimo. [Do lat. *legitimu.*] *Adj.* **1.** Conforme a lei; legal. **2.** Fundado no direito, na razão ou na justiça. **3.** Que tem origem na lei, ou está protegido por ela. **4.** Autêntico, genuíno, lídimo: *legítima aguardente de Parati.* **5.** Lógico, procedente, concludente. [Cf. *legitimo*, do v. *legitimar.*] ~ V. *baixo —, filho —, sucessão —a* e *—a defesa.*

legível. [Do lat. *legibile.*] *Adj. 2 g.* **1.** Que se pode ler. **2.** Que está escrito em caracteres nítidos.

▲**lego-.** [Do lat. *lex, legis.*] *El. comp.* = 'lei': *legografia.* [Equiv.: *legis-*: *legislativo.*]

legografia. [De *lego-* + *-graf(o)-* + *-ia.*] *S. f.* Descrição das leis.

legográfico. *Adj.* Referente à legografia.

legorne. *Adj. 2 g.* **1.** Diz-se de uma raça de galinha poedeira oriunda do Mediterrâneo, ou de espécime dessa raça: "Tivera o intuito de empolgar uma galinha legorne, poedeira, que soubera existir no quintal do Trancoso..." (Cândido Jucá [filho], *Noite Insone*, p. 87.) ● *S. 2 g.* **2.** Espécime dessa raça.

legra. [Do lat. *ligula.*] *S. f.* **1.** Instrumento com que se examinam as fraturas do crânio. **2.** Ferramenta de aço em forma de meia-cana, para limpar, ou alegrar[2], as juntas das alvenarias, quando o material deva ficar aparente. [Cf. *legre.*]

legração. *S. f.* Ato ou efeito de legrar; legradura.

legradura. *S. f.* **1.** Legração. **2.** Raspagem ou limpeza de ossos cariados ou fraturados.

legrar. *V. t. d.* **1.** Trabalhar com a legra ou examinar com ela.

legre. [Altern. de *legra.*] *S. m. Bras., RS.* Instrumento de aço, de ponta curvada, com o qual se emparelha o casco do cavalo.

légua. [Do celta, pelo lat. tardio *leuga.*] *S. f.* Antiga unidade brasileira de medida itinerária, equivalente a 3.000 braças, ou seja, 6.600 metros. ♦ **Légua de beiço.** *Bras.* Indicação vaga de distância, aquém da realidade, por homens da roça, com o beiço inferior distendido na direção que se deve percorrer: *Disse-me que dali até à cidade podem ser três léguas, mas não acredito: são léguas de beiço.* **Légua de sesmaria.** *Bras.* Antiga unidade de medida de superfície agrária, equivalente a um quadrado de 3.000 braças de lado, ou seja, 4.356 hectares. **Légua marítima.** *Náut. Ant.* Medida itinerária cujo valor diferia de nação para nação. [Em Portugal, a correspondência entre a légua marítima e o grau do meridiano terrestre variou: no tempo de João de Lisboa (séc. XVI) era de 16 2/3 por grau; Duarte Pacheco (séc. XVI) indicava 18 por grau, valor esse que depois foi adotado por Manuel Pimentel (1650-1719); em fins do séc. XV, usava-se a relação 17 1/2 por grau.] **Às léguas.** A toda a pressa; às sete léguas: *Daquele chato eu fujo às léguas.* **Às sete léguas.** Às léguas. **De légua e meia.** Extraordinariamente grande; muito comprido ou extenso.

leguelhé. *S. m. Bras.* V. *lagalhé.*

leguleio. [Do lat. *leguleiu*, 'observador exato das formalidades legais'.] *S. m.* **1.** Aquele que interpreta à letra e servilmente a lei, sem atender ao espírito e intenção do legislador. **2.** *Fig.* Advogado chicaneiro; rábula: "burguesia de acumuladores de empregos, de políticos de honestidade suspeita, de leguleios afreguesados, de médicos milagrosos ou de ricos desavergonhados" (Lima Barreto, *Histórias e Sonhos*, p. 53).

legume. [Do lat. *legumen.*] *S. m.* **1.** *Morfol. Veg.* Fruto seco, que se abre por duas fendas, característico das leguminosas e constituído de um só carpelo; vagem. **2.** *Bras.* V. *hortaliça.* **3.** *Bras., N. E.* Qualquer cereal, no sertão. **4.** *Bras., PB. Pop.* V. *cachaça* (1). **5.** *Bras., RS. Pop.* V. *dinheiro* (3).

legumina. [De *legume* + *-ina*[1].] *S. f.* Albumina vegetal, substância extraída dos grãos das leguminosas.

leguminário. [Do lat. *leguminariu.*] *Adj.* Relativo a legumes.

▲**legumini-.** [Do lat. *legumen, inis.*] *El. comp.* = 'legume': *leguminívoro.*

leguminiforme. [De *legumini-* + *-forme.*] *Adj. 2 g. Bot.* Diz-se dos órgãos vegetais mais ou menos parecidos com um legume.

leguminívoro. [De *legumini-* + *-voro.*] *Adj.* Que se nutre de legumes.

leguminosa. [Fem. substantivado de *leguminoso.*] *S. f.* Espécime das leguminosas.

leguminosas. [Pl. de *leguminosa.*] *S. f. pl. Bot.* Família de dicotiledôneas, da ordem das rosales, que engloba árvores, arbustos, ervas e trepadeiras de folhas compostas e estipuladas, flores vistosas, pentâmeras, hermafroditas, geralmente zigomorfas, androceu diplostêmone, ovário unicarpelar, súpero e multiovulado. Fruto típico: legume. Há mais de 13.000 espécies em todo o orbe, muitíssimas no Brasil. Compreende três subfamílias: mimosoídeas, cesalpinoídeas e papilionoídeas. O feijão é um exemplo vulgar.

leguminoso (ô). [Do lat. *leguminosu.*] *Adj. Bot.* Que frutifica em vagem.

legumista. *S. 2 g.* **1.** Especialista em plantas leguminosas. **2.** Pessoa que semeia ou cultiva especialmente legumes.

lei. [Do lat. *lege.*] *S. f.* **1.** Regra de direito ditada pela autoridade estatal e tornada obrigatória para manter, numa comunidade, a ordem e o desenvolvimento. **2.** Norma ou conjunto de normas elaboradas e votadas pelo poder legislativo. [Cf. nesta acepç., *decreto-lei.*] **3.** Obrigação imposta pela consciência e pela sociedade: *lei da honra; lei da hospitalidade; lei moral.* **4.** Domínio, poder, mando: *Submeteu-se à lei do mais forte.* **5.** Norma, preceito, princípio, regra: *lei poética; leis gramaticais.* **6.** Condição imposta pelas coisas, pelas circunstâncias: *a lei do destino; a lei da morte; a lei da selva.* **7.** Religião, crença: "Que gente será esta, em si diziam, / Que costumes, que lei, que Rei teriam?" (Luís de Camões, *Os Lusíadas,* I, 45.) **8.** Título (12) de moeda ou metal: *ouro de lei; No governo de D. João I os portugueses cunhavam moeda de boa lei.* **9.** *Filos.* Relação necessária entre fenômenos, entre momentos de um processo ou entre estados de um ser, e que lhes expressa a natureza ou a essência. **10.** *Filos.* Fórmula geral que enuncia uma relação constante entre fenômenos de uma dada ordem; lei natural: *a lei da gravitação universal; a lei da oferta e da procura.* ◆ **Lei adjetiva.** A que constitui o direito adjetivo; lei formal, lei processual. **Lei Afonso Arinos.** A que proíbe a discriminação racial no Brasil, proposta por Afonso Arinos de Melo Franco (1905-) e aprovada em 3 de julho de 1951. **Lei Áurea.** A da abolição da escravatura no Brasil, assinada a 13 de maio de 1888 pela Princesa Isabel: "Com a Lei Áurea, os libertos, homens e mulheres, disseminaram-se pela terra do cativeiro" (Silva Guimarães, *Os Borrachos,* p. 51). **Lei básica.** A constituição de um Estado; lei fundamental. **Lei da boa razão.** Antiga lei interpretativa das Ordenações Filipinas. **Lei da oferta e da procura.** Oscilação dos preços dos bens de consumo, determinada pela relação entre a sua procura por parte do consumidor e a sua presença no mercado. **Lei da rolha.** *Bras.* Lei de censura à imprensa. **Lei da selva.** O império ou domínio da força bruta (como no tempo em que o homem habitava a selva). **Lei de Bode** (ô). *Astr.* Lei de Titius-Bode. **Lei de exceção.** Lei que determina uma derrogação nos princípios que regem normalmente o direito de um Estado. **Lei de Hubble.** *Cosm.* Lei segundo a qual a distância das galáxias em relação à Terra é linearmente proporcional ao seu desvio para o vermelho, somente para velocidade de recessão bem inferiores à velocidade da luz; lei do desvio para o vermelho. **Lei de luvas.** *Bras.* A que regula as condições e o processo de renovação dos contratos de locação de imóveis destinados a fins comerciais e industriais. **Lei de Lynch.** Justiça sumária feita pelo povo, que se apodera do criminoso e o julga, condena e executa imediatamente. V. *linchar.* **Lei de meios.** **1.** Autorização de acesso ao dinheiro público, que as câmaras legislativas, por ocasião do recesso parlamentar, concedem ao governo. **2.** *Bras.* O orçamento da República. **Lei de Pogson.** *Astr.* Lei estabelecida pelo astrônomo americano Norman Pogson (1809-1891), e segundo a qual a diferença de magnitude entre duas estrelas é igual a 2,5 vezes o logarítmo decimal do inverso da relação de seus brilhos. **Lei de talião.** V. *pena de talião.* **Lei de Titius-Bode.** *Astr.* Relação empírica que dá aproximadamente as distâncias dos planetas ao Sol, descoberta pelo astrônomo alemão Johann Tietz Titius (1729-1796) e divulgada pelo astrônomo alemão Johann Elert Bode (1747-1826). [Tb. se diz apenas *lei de Bode.*] **Lei do caboclo.** *Bras.* V. *linha do caboclo.* **Lei do desvio para o vermelho.** *Cosm.* Lei de Hubble. **Lei do menor esforço.** Tendência comodista a exercer qualquer atividade da maneira mais fácil e/ou rápida, sem atender à qualidade do resultado final. **Lei dos grandes números.** *Estat.* Teorema que afirma ser a probabilidade de um evento o limite estocástico da freqüência relativo da ocorrência do evento. **Lei do ventre livre.** *Bras.* A que declarou livres os filhos de escravos a começar de 28 de setembro de 1871, data de sua assinatura. [Tb. se diz apenas *ventre livre.*] **Lei extravagante.** Cada uma das que não se achavam inseridas nas ordenações ou código portugueses. **Lei formal.** V. *lei adjetiva.* **Lei fundamental.** Lei básica. **Lei marcial.** Lei militar instituída num país em ocasião de perigo, e que provoca a suspensão da lei ordinária. **Lei material.** Lei substantiva. **Lei moral.** *Filos.* Princípio que deve guiar a ação humana com o fim de dotá-la de caráter moral. P. ex.: segundo Kant [v. *kantismo*], há uma única lei moral, que assim se enuncia: 'Atue sempre como se a regra de conduta de cada vez adotada devesse tornar-se um princípio universal válido.' **Lei natural.** *Filos.* Lei (10). **Lei orgânica.** A que serve de fundamento a uma instituição (de direito público ou privado). **Lei pessoal.** **1.** A que regula o estado e a capacidade das pessoas. **2.** A que rege a pessoa, em qualquer lugar estrangeiro onde se encontre. **Lei processual.** V. *lei adjetiva.* **Lei sálica.** Lei dos francos, que excluía do trono as mulheres: "Lá, ... havia uma espécie de lei sálica, que não permitia princesa no trono" (Lima Barreto, *Vida e Morte de M. J. Gonzaga de Sá,* p. 262). **Leis do espírito.** *Filos.* Princípios fundamentais que definem as características do pensamento lógico. [Admitem-se tradicionalmente três leis do espírito: o *princípio de identidade, o princípio de contradição e o princípio do terceiro excluído.*] **Lei seca.** **1.** Lei que vigorou nos E.U.A., e que proibia a venda de bebidas alcoólicas. **2.** *P. ext.* Proibição de venda ou consumo de bebidas alcoólicas: *Por causa da hepatite o médico submeteu-o à lei seca.* **Lei substantiva.** A que constitui o direito substantivo; lei material. **Lei suntuária.** Lei que, em caráter excepcional, o governo promulga em época de crise, para restringir o luxo e os gastos imoderados. **À lei de.** **1.** Segundo a regra ou o costume de: *Vive à lei de sua terra.* **2.** Ao sabor de; ao capricho de: "Em redor da capela, crescia a erva à lei da Natureza." (João de Araújo Correia, *Terra Ingrata,* p. 187.) **Sem lei nem grei.** V. *sem lei nem rei.* **Sem lei nem rei.** Sem rumo, sem orientação, sem governo; sem rei nem roque; sem lei, nem rei nem roque, sem lei nem grei: "A Dama Branca que eu encontrei, / Faz tantos anos, / Na minha vida sem lei nem rei, / Sorriu-me em todos os desenganos." (Manuel Bandeira, *Estrela da Vida Inteira,* p. 67.) **Sem lei, nem rei nem roque.** V. *sem lei nem rei:* "Vegetava feliz, sem lei, nem rei nem roque." (Vicente de Carvalho, *Poemas e Canções,* p. 152.)

leiautar. *V. t. d. Bras.* Fazer leiaute de.

leiaute. [Do ingl. *layout.*] *S. m. Bras.* **1.** *Pop.* Esboço de anúncio, em que se apresentam ressaltados os seus diversos elementos (título, texto, ilustração, etc.). **2.** *P. ext.* Esboço, projeto, planejamento ou esquema de uma obra, apresentados graficamente. **3.** Distribuição física de elementos num determinado espaço.

leiautista. *S. 2 g.* Pessoa que faz leiaute.

leibniziano (lai). *Adj.* **1.** Pertencente ou relativo a, ou próprio de Gottfried Wilhelm Leibniz (1646-1716), filósofo e matemático alemão. ● *S. m.* **2.** Adepto e/ou grande admirador de Leibniz.

leicenço. *S. m.* V. *furúnculo.*

leigaço. [De *leigo* + *-aço.*] *Adj.* e *s. m. Fig.* Ignorantão.

leigal. [De *leigo* + *-al.*] *Adj. 2 g.* Laical (2).

leigar. *V. t. d.* e *p. Ant.* Tornar(-se) leigo; secularizar(-se). [Conjug.: v. *largar.*]

leigo. [Do lat. *laicu.*] *Adj.* **1.** Que não é clérigo; laical, laico: *ensino leigo;* "Essa é certamente uma das razões que leva grande número de pais, por instinto ou por intuição, a preferir os colégios religiosos aos leigos para a educação dos filhos." (Vivaldo Coaraci, *Todos Contam Sua Vida,* p. 201.) **2.** Que pertence ao povo cristão como tal e não à hierarquia eclesiástica. **3.** *Fig.* Que é estranho ou alheio a um assunto; desconhecedor: *É leigo em política.* ● *S. m.* **4.** Indivíduo leigo: "Nos outros dias podeis-vos confessar, se sois leigo, ao confessor aprovado pelo vosso bispo, ou seu vigário; e se sois religioso, ao confessor aprovado pelo vosso prelado, e não a outro" (P[e]. Antônio Vieira, *Sermões,* VII, p. 188); "leigos duma enfronhada ignorância são investidos de encargos cujos atritos nem os especialistas, os professos na ciência vingam sempre desbastar." (Camilo Castelo Branco, *Serões de São Miguel de Ceide,* II, p. 55).

leiguice. *S. f.* Ato ou dito de leigo.

leilão. [Do ár. vulg. *al-ā'lām.*] *S. m.* **1.** Venda pública de objetos a quem oferecer maior lance; leiloamento, almoeda, arrematação, hasta, praça. **2.** *Bras. Jur.* Hasta pública. [Cf. *licitação.*]

leiloamento. *S. m.* **1.** Ato de leiloar. **2.** V. *leilão* (1). **3.** *Jur.* Contrato com o leiloeiro ou agente de leilões para a venda em público; pregão de mercadorias em geral.

leiloar. *V. t. d.* **1.** Pôr em leilão (1): "Quando voltei, ... informaram-me que a Caixa Econômica havia leiloado o meu relógio. Fiquei perdido no mundo, sem noiva, sem esperança, sem saber que horas eram..." (José Carlos de Oliveira, *A Revolução das Bonecas,* p. 54). **2.** Apregoar em leilão (1). [F. paral.: *aleiloar.* Conjug.: v. *coroar.*]

leiloeiro. *S. m.* **1.** Pregoeiro em leilões. **2.** Organizador de leilões.

leira. [Do lat. *glarea,* 'cascalho'.] *S. f.* **1.** Sulco aberto na terra para receber a semente. **2.** Canteiro entre dois regos, por onde corre água; alfobre, tabuleiro. **3.** Pequeno campo cultivado. **4.** Elevação de terra entre dois sulcos: "Nas leiras, dispostas com simetria agradável, verdejavam .... legumes de todas as castas" (Trindade Coelho, *Os Meus Amores,* p. 92).

leirão. [Aum. de *leira.*] *S. m. Bras., N. E.* Grande leira aberta em terreno úmido e sujeito a inundação, para facilitar o arejamento e drenagem do solo e evitar o apodrecimento dos tubérculos aí plantados.

leirar. *V. t. d.* Dividir (terreno) em leiras; aleirar.

leiriense. *Adj. 2 g.* **1.** De, ou pertencente ou relativo a Leiria (Portugal). ● *S. 2 g.* **2.** Natural ou habitante de Leiria.

leishmânia (lich). [Do antr. *Leishman,* de W. B. Leishman, bacteriologista escocês (1865-1926), + *-ia.*] *S. f. Zool.* Animal protozoário, mastigóforo, zoomastigino, da ordem dos protomonadinos, da mesma família dos tripanossomas, com ciclo vital em dois hospedeiros, sendo um deles vertebrado e outro o inseto vector. O gênero *Leishmania* Ronald Ross reúne parasitos do homem e dos animais domésticos, sendo o mais conhecido o *L. brasiliensis,* causador da úlcera de Bauru.

leishmaniose (lich). [De *leishmânia* + *-ose.*] *S. f. Patol.* Doença causada por protozoários do gênero *Leishmania.* ◆ **Leishmaniose visceral.** *Patol.* Calazar.

leita. [De *leite.*] *S. f.* Ova leitosa e de consistência mole.

leitado. [De *leite* + *-ado*[1].] *Adj.* Que cria suco leitoso.

leitão. [De *leite* + *-ão.*] *S. m.* **1.** Porco novo; bácoro, bacorinho. **2.** Iguaria feita com o leitão (1). [Fem.: *leitoa.*]

leitar[1]. [De *leite* + *-ar*[1].] *Adj. 2 g.* **1.** Relativo ao leite. **2.** Que tem a cor do leite; leitoso.

leitar[2]. *V. int.* **1.** Criar leite ou suco leitoso. **2.** Fazer sentir o sabor do leite ou suco leitoso que contém: "Com Seu Avelino aprendi a comer castanhas cruas que leitavam na boca deliciosamente" (Francisco Ribeiro Sampaio, *Renembranças,* p. 89).

leitaria. *S. f.* Leiteria [q. v.]

leitariga. [De *leite.*] *S. f.* V. *maleiteira.*

leite. [Do lat. *lacte.*] *S. m.* **1.** Líquido branco, opaco, segregado pelas glândulas mamárias das fêmeas dos animais mamíferos. **2.** Suco branco de alguns vegetais. **3.** Qualquer líquido leitoso: *leite de coco; leite de amêndoa.* ◆ **Leite de cal.** Pasta de cal aérea e água, usada em caiações. **Leite de gado.** *Bras., C. E.* Leite de vaca. **Leite de magnésia.** Suspensão aquosa de hidróxido de magnésio, empregada como antiácido e laxante. **Leite desnatado.** V. *leitelho.* **Leite homogeneizado.** O que foi submetido à ação de homogeneizador com o intuito de reduzir os tamanhos dos glóbulos de gordura. **Leite magro.** V. *leitelho.* **A leite de pato.** *Bras. Pop.* **1.** Sem receber dinheiro; sem provento, sem remuneração; de graça: *trabalhar a leite de pato.* **2.** Sem apostas a dinheiro; de graça: *jogar a leite de pato;* "Sei que é desagradável, para quem ganha, ver um amigo perder sempre... mesmo a leite de pato, como estamos fazendo." (Nélson de Faria, *Cabeça-Torta,* p. 116.) **Dar o leite.** *Bras., PB.* Dar informações precisas embora mastigadas. **Esconder o leite.** *Bras. Pop.* **1.** Encobrir, fingir, dissimular, ocultar alguma coisa. **2.** Negar o que havia prometido. **3.** *Bras., RS. Pop.* Mostrar-se medroso. **Tirar leite de pedra.** Fazer ou tentar fazer o impossível. **Tirar leite de vaca morta.** *Bras., RS.* Lamentar-se de males para os quais já não há remédio.

leite-creme. *S. m.* Creme quase líquido, de leite, farinha de trigo e gemas: "fritos [os filhoses] em banha de porco ou cozidos ao forno e após comidos com mel de cana ou recheados com leite-creme." (Atos Damasceno, *O Carnaval Porto-alegrense no século XIX*, p. 9). [Pl.: *leites-cremes.*]

leite-de-cachorro. *S. m. Bras.* Designação comum a numerosas espécies de trepadeiras leitosas do gênero *Oxypetalum*, da família das asclepiadáceas, de flores vistosas, pólen congregado em massas, e frutos capsulares, com sementes envoltas em copiosa lã; cipó-de-leite. [Pl.: *leites-de-cachorro.*]

leite-de-camelo. *S. m. Bras., BA.* V. *leite-de-onça.* [Pl.: *leites-de-camelo.*]

leite-de-onça. *S. m. Bras.* **1.** Batida preparada com cachaça e leite condensado. **2.** Alexânder. **3.** *P. ext.* Dose de leite-de-onça. [Sin. ger.: na BA: *leite-de-camelo.* Pl.: *leites-de-onça.*]

leitegada. *S. f. Pop.* Conjunto dos leitões nascidos de um só parto; leitoada: "as leitegadas reunidas aos cuinchos em volta das porcas de mamas flácidas" (Coelho Neto, *Obra Seleta*, I, p. 443).

leiteira. *S. f.* **1.** Vaso onde se serve leite à mesa. **2.** Panela onde se ferve o leite. **3.** Vendedora de leite. **4.** *Bras.* Designação comum a numerosas espécies de arbustos do gênero Sapium, da família das euforbiáceas, de folhas estreitas e muito lactescentes, flores minutas em espiga, e frutos em forma de cápsulas tricocas; burra-leiteira. **5.** *Bras.* Formiga da subfamília dos mirmicíneos (*Crematogaster quadriformis* Rog.).

leiteiro. *Adj.* **1.** Que produz leite. **2.** Que conduz leite: "— Chico, a que horas passa o trem leiteiro?" (Ézio Pinto Monteiro, *Chico*, p. 13.) **3.** *Bras. Pop.* Que tem multa sorte, especialmente no jogo. ● *S. m.* **4.** Vendedor de leite. **5.** *Bras.* Arbusto da família das apocináceas (*Peschiera affinis*), comum no C. O. e N. E. do Brasil, muito rico em látex pegajoso, de folhas oblongas, flores alvas, vistosas e ordenadas em cimeiras terminais compactas, e cujo fruto é um folículo verrucoso, com sementes envolvidas em arilo rubro e carnoso. **6.** *Bras., SP.* V. *cascudo-preto.*

leitelho (ê). [De leite + *-elho.*] *S. m.* Leite ácido, semidesnatado, portanto pobre em gorduras, resíduo da fabricação da manteiga, muito usado sob a forma de leite em pó; leite desnatado; leite magro.

leitento. *Adj.* **1.** V. *lácteo.* **2.** Que deita leite. **3.** Que segrega líquido semelhante a leite.

leiteria. *S. f.* **1.** Lugar destinado a receber e tratar o leite para consumo ou para produção de seus derivados. **2.** Casa comercial especializada na venda de leite e lacticínios. **3.** Estabelecimento especializado no preparo de refeições ligeiras à base de leite e derivados. **4.** *Bras. Pop.* Grande sorte; boa sorte: *Ganhou um milhão. Que leiteria!* [F. paral.: *leitaria.*]

➧Leitmotiv (laitmotíf). [Al., 'motivo condutor'.] *S. m* **1.** *Mús.* Tema associado, no decurso de todo o drama musical, a uma personagem, uma situação, um sentimento, ou um objeto. **2.** *Liter.* Repetição, no decurso de uma obra literária, de determinado tema, a qual envolve uma significação especial. **3.** *P. ext.* Tema ou idéia sobre a qual se insiste com freqüência. [Tb. se usa o correspondente vernáculo, *motivo condutor.*]

leitneriácea. *S. f.* Espécime das leitneriáceas.

leitneriáceas. *S. f. pl. Bot.* Família de dicotiledôneas, da ordem das leitneriales, composta de vegetais lenhosos, dióicos, de folhas alternas, flores em espiga, dialipétalas, e fruto drupáceo. Os poucos representantes são da zona temperada.

leitneriáceo. *Adj.* Pertencente ou relativo às leitneriáceas.

leitneriale. *S. f.* Espécime das leitneriales.

leitneriales. *S. f. pl. Bot.* Ordem de plantas dicotiledôneas, arquiclamídeas de flores unissexuais, sendo as masculinas nuas e as femininas monoclamídeas, e que compreende unicamente a família das leitneriáceas.

leito. [Do lat. *lectu.*] *S. m.* **1.** Armação de madeira, ferro, vime, etc., que sustenta o enxergão e o colchão da cama. **2.** A própria cama: "O pobre leito meu desfeito ainda / A febre aponta da noturna insônia." (Álvares de Azevedo, *Obras Completas*, I, p. 151.) **3.** *P. ext.* Tudo aquilo em que alguém se deixa ou se pode deitar como num leito: *leito de palha; leito de relva.* **4.** Superfície aplainada de caminho, rua, estrada, etc. **5.** Extensão de terreno mais ou menos profunda, sobre a qual corre um curso de água; álveo. [Cf., nesta acepç., *mãe-do-rio* (1).] **6.** Camada estratificada: *leito de humo.* **7.** Grade de ferro sobre a qual se faziam deitar os condenados a tortura, colocando-lhes chamas por baixo. **8.** Camadas horizontais, juntas, das pedras e tijolos de cantaria ou alvenaria. **9.** Qualquer superfície em que se assenta um revestimento (3 e 4), especialmente a superfície regularizada, obtida por terraplenagem, sobre a qual se assenta o pavimento. **10.** *Fig. Jur.* Casamento: *filhos do segundo leito.* ◆ **Leito de enchente.** Leito maior. **Leito de estiagem.** Leito menor. **Leito de Procusto. 1.** Leito de ferro onde, segundo a mitologia grega, este famigerado salteador estendia aqueles que capturava, cortando-lhes os pés quando o ultrapassavam e estirando-os quando não lhe alcançavam o tamanho. **2.** *P. ext.* Situação independente da vontade do indivíduo em que este peca e sofre as conseqüências, quer por excesso, quer for falta. **Leito do vento.** Direção em que o vento sopra. **Leito maior.** A largura máxima do leito de um curso de água; leito de enchente. **Leito médio.** A largura média do leito de um curso de água. **Leito menor.** A largura mínima do leito de um curso de água; leito de estiagem. **Leito ungueal.** *Anat.* Superfície sobre a qual repousa a face profunda de cada unha.

leitoa (ô). *S. f.* A fêmea do leitão.

leitoada. [De *leitão* + *-ada*[1].] *S. f.* **1.** Leitegada. **2.** Refeição cuja principal iguaria é de leitões.

leitoado. [De *leitão* + *-ado*[1].] *Adj. Fig.* Gordo, anafado, nédio.

leitor (ô). [Do lat. *lectore.*] *Adj.* **1.** Que lê; ledor. ● *S. m.* **2.** Aquele que lê; ledor: "A obra em si mesma é tudo: se te agradar, fino leitor, pago-me da tarefa" (Machado de Assis, *Memórias Póstumas de Brás Cubas*, p. X). **3.** Aquele que, numa casa editora, tem a incumbência de ler e julgar os manuscritos propostos. **4.** Professor comissionado em uma universidade estrangeira para ensino de língua e literatura de seu país. **5.** Aquele que tem o segundo grau na hierarquia eclesiástica das ordens menores. **6.** Aquele que, nos seminários ou conventos, lê alto durante as refeições.

leitora (ô). [Fem. de *leitor.*] *S. f. Eletrôn.* Parte de um computador eletrônico que extrai informação de um registro.

leitorado. [De *leitor* + *-ado*[2].] *S. m.* **1.** Cargo ou ofício de leitor. **2.** Duração do cargo de leitor (4). **3.** *Rel.* O grau de leitor (5).

leitoral. *Adj. 2 g. P. us.* Referente a leitor.

leitoril. [Do lat. *lectorile.*] *S. m.* Atril.

leitoso (ô). [Do lat: *lactosu.*] *Adj.* **1.** V. *lácteo.* **2.** V. *lactescente* (1): "uma água infamemente salobra com uns longes cor de ferro, avermelhada algumas vezes, leitosa outras" (Gustavo Barroso, *Terra de Sol*, p. 23).

leitura. [Do lat. medieval *lectura.*] *S. f.* **1.** Ato ou efeito de ler. **2.** Arte de ler. **3.** Hábito de ler. **4.** Aquilo que se lê: *Não sei qual é a sua leitura.* **5.** O que se lê, considerado em conjunto: *homem de muita leitura.* **6.** Arte de decifrar e fixar um texto de autor, segundo determinado critério. **7.** *Fís.* Observação da indicação dum instrumento de medida. **8.** *Fís.* O resultado de uma medida realizada com um instrumento. **9.** *Proc. Dados.* Aquisição da informação com base em alguma forma de armazenamento. ◆ **Leitura acelerada.** V. *leitura dinâmica.* **Leitura da fala.** Apreensão, por parte dos surdos, daquilo que lhes dizem, mediante a observação dos movimentos orofaciais. **Leitura dinâmica.** Método recente de leitura, que permite a apreensão sintética e instantânea de um juízo ou raciocínio completo, e não uma seqüência linear de idéias, como nos dá a leitura comum; leitura rápida, leitura acelerada, leitura fotográfica. **Leitura dramática.** *Teat.* Leitura interpretada de uma peça, seja pelos atores, pelo diretor ou por apenas um ator diante do público, durante a qual os atores dão todas as inflexões vocais necessárias, mas sem marcações (ou apenas com os movimentos indispensáveis), e cujas rubricas são lidas pelo diretor ou por outro ator. **Leitura fotográfica.** V. *leitura dinâmica.* **Leitura rápida.** V. *leitura dinâmica.*

leiturista. *S. 2 g.* Funcionário que lê as marcações de consumo de água e gás.

leiva. [Do lat. *gleba*, 'torrão de terra', atr. de uma f. **glebea.*] *S. f.* **1.** Porção de terra entre dois sulcos. **2.** Sulco do arado. **3.** V. *gleba* (1). **4.** Cada um dos torrões de terra gramada que, transplantados, formam relvados nas praças e jardins.

leixamento. *S. m.* **1.** *Ant.* Ato de leixar. **2.** Desamparo, abandono.

leixão. *S. m.* Penedo na costa marítima; laje marítima.

leixar. [Do lat. *laxare*, 'afrouxar', 'desapertar'.] *V. t. d.* e *t. i. Ant.* Deixar.

lelé. *Adj. 2 g.* e *s. m. Bras. Gír.* Maluco, doido, gira; lelé da cuca: "Quero ser mico de circo se o nosso Moacir não está meio lelé!" (Nélson Rodrigues, *100 Contos Escolhidos. A Vida como Ela É*, II, p. 43.) [Cf. *lelê.*] ◆ **Lelé da cuca.** *Bras. Gír.* V. *lelé.*

lelê[1]. *S. m. Bras., MG. Pop.* Confusão, intriga. [Cf. *lelé.*]

lelê[2]. [Do ioruba.] *S. m. Bras.* Bolo de milho e leite de coco, preparado em tabuleiro. [Cf. *lelé.*]

lelê[3]. *S. m. Bras., MA. Folcl.* Dança de remota influência francesa e coreografia variada, com os pares dispostos em filas de homens e de mulheres, dividida em quatro partes: chorado, dança-grande, talavera e cajueiro. [Sin.: *dança-do-lelê.*]

lelequice. [Cruz. de *lelé* + *(malu)quice.*] *S. f. Bras.* Maluquice, doidice, tolice: "O doutor acredita mesmo que saiu esse livro, ou é lelequice dele?" (Carlos Drummond de Andrade, *De Notícias & Não Notícias Faz-se a Crônica*, p. 7.)

lema. [Do gr. *lêmma*, pelo lat. *lemma.*] *S. m.* **1.** Proposição que prepara a demonstração de outra. **2.** *Fig.* Preceito escrito: sentença, emblema, divisa: "O mote dos antigos era: *fundar povoações!*" Hoje, o lema dos modernos, em relação aos sertões, é grandíloquo: *arrasar tudo!*" (Oliveira Viana, *Pequenos Estudos de Psicologia Social*, p. 167.) **3.** *Med.* Sebo palpebral, secreção da glândula de Meibômio. **4.** *Morfol. Veg.* Glumela inferior da espícula das gramíneas.

▲-lema[1]. [Do gr. *lémma, atos.*] *El. comp.* = 'casca', 'invólucro': *neurilema, sarcolema.*

▲-lema[2]. [Do gr. *lêmma, atos.*] *El. comp.* = 'proposição': *dilema* (< lat. *dilema* < gr. *dílemma*), *trilema.*

lemane. *S. m. Bras.* V. *lemano.*

lemano. *S. m. Bras.* Grão-sacerdote dos malês.

lemático. [Do gr. *lemmatikós.*] *Adj.* **1.** Pertencente ou relativo a lema. **2.** Que tem o caráter de lema.

Lembá. [Do ioruba.] *S. m. Bras., BA, Folcl.* Representação de Oxalá nos candomblés de influência angolana; Lembarenganga.

Lembarenganga. *S. m. Bras., BA. Folcl.* Lembá.

lembradiço. [De *lembrar* + *-(d)iço*[1].] *Adj.* e *s. m.* Diz-se de, ou aquele que tem boa memória.

lembrado. [Part. de *lembrar.*] *Adj.* **1.** Que se conservou na memória. **2.** Que deixou de si lembrança; memorável. **3.** Que tem boa memória; lembradiço.

lembrador (ô). *Adj.* e *s. m.* Que ou o que lembra ou serve para lembrar.

lembrança. *S. f.* **1.** Ato ou efeito de lembrar(-se). **2.** Coisa que se apresenta em um dado momento na memória. **3.** Coisa própria para ajudar a memória; lembrete. **4.** V. *reminiscência* (1). **5.** Alvitre, inspiração, idéia. **6.** V. *presente* (8). ~ V. *lembranças.*

lembranças. [Pl. de *lembrança.*] *S. f. pl.* Cumprimentos; recomendações. ~ V. *lembrança.*

lembrar. [Do lat. *memorare*, atr. do arc. *nembrar*, com dissimilação.] *V. t. d.* **1.** Trazer à memória, por analogia ou semelhança; fazer recordar; recordar: *A paisagem lembrava a fazenda onde passara a infância;* "Ranchos alegres, mondando as searas, / Que rico assunto para os pintores! Lembram vistosos bandos de araras" (Conde de Monsaraz, *Musa Alentejana*, p. 16); "Do Espanhol as cantilenas / Requebradas de langor / Lembram as moças morenas, / As andaluzas em flor." (Castro Alves, *Poesias Escolhidas*, p. 328.) **2.** Dar a idéia de; sugerir; alvitrar, propor: *Lembrou que fossem à cidade mais próxima chamar um médico.* **3.** Ter lembrança de; recordar; lembrar-se ou recordar-se de: "Inda hoje, o livro do passado abrindo, / Lembro-as e punge-me a lembrança delas" (Olavo Bilac, *Poesias*, p. 53). *T. d. e i.* **4.** Fazer notar; notar, advertir; recordar: *Lembrou-lhe polidamente que lhe cabia cumprir a promessa.* **5.** Fazer lembrado; recomendar: *Pediu que o lembrassem às demais pessoas da família. T. i.* **6.** Vir à lembrança; vir à idéia; ocorrer: "como tudo cansa, esta monotonia acabou por exaurir-me também. Quis variar, e lembrou-me escrever um livro." (Machado de Assis, *Dom Casmurro*, p. 5); "Lembram-me pormenores daquela noite da apresentação." (Camilo Castelo Branco, *A Mulher Fatal*, p. 13.) *P.* **7.** Ter lembrança; recordar-se: "Minha mãe era mui bela, / — Eu me lembro tanto dela, / De tudo quanto era seu!" (Junqueira Freire, *Obras Poéticas*, I, p. 99); *Lembrei-me de que era tarde, e saí;* "Mas ao passar pela Rua do Conde lembrou-se que Madalena lhe dissera morar ali" (Machado de Assis, *Contos Fluminenses*, p. 99). [Do cruzamento, p. ex., da construção *lembro-me de haver falado* com *lembra-me haver falado* resulta uma terceira: *lembra-me de haver falado.* Vejam-se estes exemplos: "Voltei depois que ela entrou em casa, e só muito depois é que me lembrou de ver as horas."

(Machado de Assis, *Relíquias de Casa Velha*, p. 25); "Toda a vida me há de lembrar da sua figurinha impassível e tanada." (Fialho d'Almeida, *Pasquinadas*, p. 329).]

lembrete (ê). [De *lembr(ar)* + *-ete*.] *S. m.* **1.** Papel com apontamento. **2.** *P. ext.* Lembrança (3). **3.** *Fam.* V. *repreensão* (1). **4.** *Fam.* Leve castigo.

leme. *S. m.* **1.** *Constr. Nav.* Peça ou dispositivo instalado na popa da embarcação, e que serve para lhe dar direção, para governá-la. **2.** Dispositivo instalado na cauda do avião e que regula a direção do aparelho. **3.** Ferro que se embebe no vão da fêmea e sobre o qual se move a porta ou a janela. **4.** *Fig.* Direção, governo, governança. ◆ **Leme de fortuna.** *Marinh.* V. *esparrela* (4). **Leme de ló.** *Marinh.* Posição do leme com sua porta voltada para barlavento. **Leme horizontal.** *Constr. Nav.* Cada um dos lemes que governam o submarino no plano vertical (profundidade). **Leme vertical.** *Constr. Nav.* Cada um dos lemes que governam o submarino no plano horizontal (rumo). **Perder o leme.** Ficar atarantado, sem saber o que fazer; desnortear-se, desorientar-se. **Ter o leme.** Governar, administrar, dirigir.

lemense. *Adj. 2 g.* **1.** De, ou pertencente ou relativo a Leme (SP). ● *S. 2 g.* **2.** Natural ou habitante de Leme.

lemiste. [Do ingl. antiq. *lemster* top. *Lemster*, cidade onde se fabricava este tecido.] *S. m.* Tecido de lã, preto e fino: "De lemiste com forro de cetim azul era a casaca bem trabalhada" (José de Alencar, *Guerra dos Mascates*, p. 59).

lemna. [Do gr. *lémna*.] *S. f.* **1.** Gênero de plantas aquáticas da família das lemnáceas [q. v.]. **2.** Lentilha-d'água. [Cf. *lena*, s. f., e *Lena*, antr. e top.]

lemnácea. *S. f.* Espécime das lemnáceas.

lemnáceas. [Pl. de *lemnácea*; v. *lemnáceo*.] *S. f. pl. Bot.* Família de monocotiledôneas muito peculiares pelo tamanho mínimo e forma laminar das plantinhas aquáticas, com raízes ou sem elas, desprovidas de folhas, e cujas flores são unissexuais e nuas, com um só estame e carpelo. Flutuam nas águas, em todas as regiões não muito frias.

lemnáceo. [De *lemna* + *-áceo*[1].] *Adj.* **1.** Semelhante a lentilha. [Cf. *lenticular*.] **2.** Pertencente ou relativo às lemnáceas.

lemniscata. [Do lat. *lemniscata*, 'ornada de fitas'; a sua forma, um 8, lembra um laço de fitas.] *S. f. Geom.* Lugar geométrico dos pontos de um plano cujas distâncias a dois pontos fixos desse plano são constantes.

lemniscático. *Adj. 2 g.* Relativo a lemniscata.

lemnisco. [Do gr. *lemnískos*, 'fita', pelo lat. *lemniscu*.] *S. m.* **1.** *Ant.* Fita pendente da coroa dos vencedores. **2.** Tira, em geral de seda, que prende os selos aos diplomas, às cartas, etc. **3.** Sinal gráfico formado por um traço entre dois pontos (÷), e que indica uma passagem transcrita da Bíblia, porém não literalmente. **4.** Sinal gráfico formado por um traço com dois pontos em cima ( ), e que indica transposição de palavra, de períodos. **5.** *Anat.* Feixe de fibras nervosas longitudinais que vão do bulbo raquiano ao tálamo.

lemosi. *Adj. 2 g.* V. *limusino* (1 e 2).

lemosim. *Adj. 2 g.* V. *limusino* (1 e 2).

lempa. *S. f. Bras.* Pérola que se pesca em algumas ilhas da costa brasileira.

lempira. [Do esp. amer. *lempira* < antr. *Lempira*, de um chefe indígena que lutou contra a conquista espanhola.] *S. f.* Unidade monetária, e moeda, de Honduras, que se divide em 100 centavos.

lemural. *Adj. 2 g.* Relativo a lêmure.

lêmure. [De *lêmures*.] *S. f.* Designação vulgar de lemuróide. ~ V. *lêmures*.

lêmures. [Do lat. *lemures*.] *S. m. pl.* Espectros, fantasmas, duendes: "Há larvas, há lêmures / Atrás destas moitas. / Mulas-sem-cabeça, / Visagens afoitas." (Manuel Bandeira, *Estrela da Vida Inteira*, p. 202.) ~ V. *lêmure*.

lemuriano. *Adj.* **1.** Relativo ou semelhante aos lêmures. ● *S. m.* **2.** *Desus.* Lemuróide (1).

lemuróide. *S. m.* **1.** Espécime dos lemuróides. [Sin. (desus.): *lemuriano*.] ● *Adj. 2 g.* **2.** Pertencente ou relativo a eles.

lemuróides. *S. m. pl. Zool.* Animais metazoários, cordados, vertebrados, mamíferos, primatas, subordem *Lemuroidea*, de focinho pontudo, alongado, pelagem densa e sedosa, o segundo dedo externo curto ou rudimentar, provido de garra, e os demais com unhas. A cauda é longa, nunca preênsil.

lena[1]. [Do lat. *lena*.] *S. f.* Alcoviteira (1). [Cf. *lemna*.]

lena[2]. [Do lat. *laena*.] *S. f.* **1.** Vestimenta usada pelos flâmines sobre a toga. **2.** Manto de inverno que usavam os romanos de distinção. [Cf. *lemna*.]

lenano. *Adj.* Relativo ao rio Lena (Ásia).

lençalho. [De *lenço* + *-alho*.] *S. m. Pej.* Lenço grande e ordinário: "Onde está esse forneiro / Sempre a pingar... não sei quê / No lençalho tabaqueiro, / E a tossir: hhê! hhê! hhê! hhê!?" (João de Deus, *Campo de Flores*, II, p. 117.)

lençaria. *S. f.* **1.** Fábrica ou loja de lenços. **2.** Porção de lenços. **3.** Quantidade de toda sorte de peças de pano de linho ou de algodão: *armário repleto de lençaria branca*; "regaçou a roupa da cama e espreguiçou-se entre as alvas lençarias" (José de Alencar, *Lucíola*, p. 149). **4.** Negócio de tecidos de linho ou de algodão.

lenço. [Do lat. vulg. *lenteu* < lat. *linteu*.] *S. m.* **1.** Pedaço quadrado de tecido que serve para uma pessoa se assoar, ou para ornar e resguardar a cabeça ou o pescoço. **2.** Antigo tecido de linho e algodão. **3.** *Marc.* Lado de gaveta.

lençoense (ò). *Adj. 2 g.* **1.** De, ou pertencente ou relativo a Lençóis (BA). ● *S. 2 g.* **2.** Natural ou habitante de Lençóis. [Cf. *lençoisense*.]

lençoiense (òi). *Adj. 2 g.* **1.** De, ou pertencente ou relativo a Lençóis Paulista (SP). ● *S. 2 g.* **2.** Natural ou habitante de Lençóis Paulista. [Cf. *lençoense*.]

lençóis. [Pl. de *lençol*.] *S. m. pl. Bras., MA.* Série de dunas que se prolongam desde o golfo do Maranhão até à foz do Parnaíba. ~ V. *lençol*.

lençol. [Do lat. *linteolu*.] *S. m.* **1.** Cada uma das peças de linho, de algodão ou de outro tecido que guarnecem a cama, uma sobre o colchão e a outra para servir de coberta. **2.** Aquilo que cobre ou envolve como um lençol: *lençol de neve*. **3.** Lençol petrolífero. **4.** *Fut.* Bola chutada ou passada, em balão, por sobre o adversário, cobrindo-o; chapéu. **5.** *Ant.* Mortalha. [Pl.: *lençóis*.] ~ V. *lençóis*. ◆ **Lençol de água.** V. *lençol freático*. **Lençol de água subterrâneo.** Corrente líquida subterrânea que corre sobre uma camada de terreno impermeável. [Tb. se diz apenas *lençol subterrâneo*.] **Lençol de lava.** Derrame de lava em grande extensão. **Lençol freático.** Lençol de água subterrâneo que se forma em profundidade relativamente pequena; lençol superficial, lençol de água. **Lençol petrolífero.** Jazida de petróleo acumulado em camadas geológicas mais ou menos extensas e profundas. [Tb. se diz apenas *lençol*.] **Lençol profundo.** Lençol de água que se forma a grandes profundidades. **Lençol subterrâneo.** Lençol de água subterrâneo. **Lençol superficial.** V. *lençol freático*. **Em maus lençóis. 1.** Envolvido em negócio difícil e arriscado. **2.** Sem meios de defesa contra acusação bem fundada.

lenço-papel. *S. m.* Lenço descartável fabricado com papel macio e esterilizado, vendido em caixa. [Pl.: *lenços-papéis* e *lenços-papel*.]

lenda. [Do lat. *legenda*, 'coisas que devem ser lidas'.] *S. f.* **1.** Tradição popular: "lembrei-lhe eu que, segundo uma antiga lenda, eram sempre fatais aos Maias as paredes do Ramalhete." (Eça de Queirós, *Os Maias*, II, p. 511). **2.** Narração escrita ou oral, de caráter maravilhoso, na qual os fatos históricos são deformados pela imaginação popular ou pela imaginação poética; legenda. **3.** *Fig.* V. *mentira* (1). **4.** Lengalenga.

lendário. [De *lenda* + *-ário*.] *Adj.* **1.** Que tem o caráter de lenda. **2.** Relativo a lenda. [Sin., nessas acepç.: *legendário*.] ● *S. m.* **3.** *Bras.* Conjunto de lendas.

lêndea. [Do lat. vulg. *lendina* < *lendis*, *lendinis*, ao lado do clássico *lens*, *lendis*.] *S. f.* **1.** Designação comum aos ovos de piolho, anopluros e malófagos, que em geral se agarram à base dos pêlos. **2.** *Bras., N.E.* Pedacinho; insignificância.

lendeaço. *S. m.* Grande porção de lêndeas.

lendeoso (ô). *Adj.* Que tem lêndeas; cheio delas.

lene. [Do lat. *lene*.] *Adj. 2 g. Poét.* Brando, suave, doce, macio.

leneanas. [Do gr. *Lénaia*, *on* + *-ana*[1].] *S. f. pl. Teat.* Entre os antigos gregos, festas dramáticas celebradas no inverno, em fins de janeiro, e cujo programa compreendia uma procissão e um duplo concurso, trágico e cômico. [V. *dionisíacas urbanas* e *dionisíacas rurais*.]

lêneo. [Do gr. *lenaîos*, pelo lat. *lenaeu*.] *Adj.* De, ou relativo a Baco; báquico [q. v.].

lengalenga. *S. f.* Conversa, narração ou discurso monótono, fastidioso, enfadonho; arenga, ladainha, lenda.

lengalengar. *V. int.* Fazer lengalenga. [Conjug.: v. *largar*.]

lenha. [Do lat. *ligna*, pl. de *lignu*.] *S. f.* **1.** Porção de ramos, achas ou fragmentos de troncos de árvores reservados para servirem de combustível. **2.** *Fig.* Surra, sova, pancadaria. **3.** *Bras. Gír.* Disputa automobilística. **4.** *Bras. Gír.* Coisa difícil, arriscada ou perigosa: "Foi a maior lenha conseguir atravessar essa fauna e chegar ao toalete para consertar a fachada antes de entrar no ar." (Marisa Raja Gabaglia, *Milho pra Galinha, Mariquinha*, p. 50.) ◆ **Baixar a lenha em.** *Bras. Pop.* V. *meter a lenha em*. **Deitar lenha na fogueira.** Atiçar uma discórdia; excitar um ressentimento. **Entrar na lenha.** *Bras.* Ser surrado. **Fazer lenha. 1.** *Autom.* Apostar corrida; lenhar. **2.** *Bras. Mar. G.* Causar estrago(s): *Ao atracar, fez lenha no cais.* **Meter a lenha em.** *Bras. Pop.* **1.** Surrar, espancar, esbordoar, ripar. **2.** Dizer mal de; criticar, malhar. [Sin. ger.: *baixar a lenha em, baixar o sarrafo em, meter a ripa em*.]

lenha-branca. *S. f. Bras.* Arbusto ou arvoreta da família das celastráceas *(Maytenus obtusifolia)*, comum na restinga, de folhas elípticas, grossas e obtusas, flores minutíssimas, esverdeadas e dispostas em pequenas inflorescências, e fruto capsular, com uma semente envolvida em arilo carnoso e alvo; limãozinho, carne-de-anta, congonha-brava-de-folha-miúda. [Pl.: *lenhas-brancas*.]

lenhada. [De *lenhar* (4) + *-ada*[1].] *S. f. Bras., N. Chulo* Cópula, coito.

lenhador (ô). *S. m.* **1.** Cortador ou rachador de lenha. [Sin.: *lenheiro, mateiro* e (no S.) *lenhateiro*.] **2.** *Bras. Autom.* Indivíduo que faz lenha [v. *fazer lenha* (1)]. ● *Adj. Bras. Autom.* **3.** Diz-se de lenhador (2).

lenhar. *V. int.* **1.** *P. us.* Cortar lenha para queimar. **2.** *P. us.* Abastecer-se de lenha para para o consumo doméstico. **3.** *Bras. Autom.* Fazer lenha (1) [q. v.]. **4.** *Bras., N. Chulo.* Ter relações sexuais; copular.

lenhateiro. [De *lenha* + *-t-* + *-eiro*.] *S. m. Bras., S.* **1.** V. *lenhador* (1). **2.** Lenheiro (2).

lenheira. *S. f. Bras., RS.* Lugar, no mato, de onde se tira lenha. [Cf. *linheira*.]

lenheiro. *S. m.* **1.** V. *lenhador* (1). **2.** Negociante de lenha; lenhateiro. **3.** *Bras.* Lugar onde se empilha a lenha cortada. [Cf. *linheiro*.]

lenhificação. [De *lenhificar* + *-ção*.] *S. f. Anat. Veg.* Lignificação.

lenhificado. [Part. de *lenhificar*.] *Adj.* Que se lenhificou; lignificado.

lenhificar. [De *lenha* + *-ficar*.] *V. t. d.* e *p.* **1.** Tornar(-se) lenhoso. **2.** Lignificar-se. [Conjug.: v. *trancar*.]

lenhina. [De *lenha* + *-ina*[1].] *S. f. Anat. Veg.* Lignina.

lenho. [Do lat. *lignu*.] *S. m.* **1.** *Anat. Veg.* O principal tecido de sustentação e condução da seiva bruta nos caules e raízes, caracterizado pela presença de elementos traqueais; xilema. **2.** Madeiro (1). **3.** *Fig.* Embarcação: "Três entes respiram sobre o frágil lenho que vai singrando veloce, mar em fora." (José de Alencar, *Iracema*, p. 49.) ◆ **Sagrado Lenho.** Santo Lenho. [Tb. se pode grafar com iniciais minúsculas.] **Santo Lenho.** A cruz de Cristo; Sagrado Lenho. [Tb. se pode grafar com iniciais minúsculas.]

lenhoso (ô). [Do lat. *lignosu*.] *Adj.* **1.** Que tem a natureza, o aspecto e a consistência do lenho ou madeira; lígneo: "Seus grossos frutos lenhosos [da castanheira] .... encerram cerca de doze castanhas em gomos duros" (Raimundo Morais, *País das Pedras Verdes*, p. 195). **2.** Relativo ao, ou da natureza do lenho (1); xilemático: *parênquima lenhoso*. [Cf. *linhoso*.]

▲**leni-.** [Do lat. *lenis*, *e*.] *El. comp.* = 'brando', 'leve': *lenificar*.

lenidade. [Do lat. *lenitate*.] *S. f.* Brandura, suavidade, doçura, mansidão; leniência.

leniência. [De *leniente*.] *S. f.* V. *lenidade*.

leniente. [Do lat. *leniente*.] *Adj. 2 g.* **1.** Que tem lenidade. **2.** V. *lenitivo* (1).

lenificar. [De *leni-* + *-ficar*.] *V. t. d.* Lenir. [Conjug.: v. *trancar*.]

lenimento. [Do lat. *lenimentu*.] *S. m.* **1.** Aquilo que embrandece, suaviza, mitiga. **2.** *Med.* Remédio para lenir ou suavizar dores: "o deputado de Miranda respondia que viera de sua terra a cauterizar as chagas do corpo social, e não a cobri-las de adesivos e lenimentos" (Camilo Castelo Branco, *A Queda dum Anjo*, p. 61). [Sin. ger.: *lenitivo*. Cf. *linimento*.]

leninismo. [Do antr. *Lenin* + *-ismo*.] *S. m.* Desenvolvimento teórico e prático do marxismo [q. v.] realizado por Vladimir Ilitch Ulianov, dito Lenin, russo (1870-1924), que se baseia no caráter democrático da tomada de decisões internas, como princípio organizativo do partido comunista, e no estabelecimento do poder absoluto da classe operária como primeira etapa na construção do socialismo. [Cf. *comunismo* (2 a 5).]

leninista. *Adj. 2 g.* **1.** Relativo a, ou próprio de Lenin ou do leninismo. **2.** Que é partidário ou seguidor do leninismo. ● *S. 2 g.* **3.** Partidário ou seguidor dele.

lenir. [Do lat. *lenire*.] *V. t. d.* Abrandar, suavizar, aplacar, mitigar; lenificar: "Feliz quem pode a dor lenir cantando" (Gonçalves Dias, *Obras Poéticas*, II, p. 447). [Defect. Só se conjuga nas f. em que ao *n* da raiz se segue um *i*.]

lenitivo. [Do lat. *lenitu*, de *lenire*, 'abrandar, lenir', + *-ivo*.] *Adj.* **1.** Próprio para lenir; leniente, calmante: *remédio lenitivo.* ● *S. m.* **2.** Lenimento: "um dos recantos mais aprazíveis do orbe, em que toda a dor parecia abrandar e ter lenitivo" (Joaquim Paço d'Arcos, *Neve sobre o Mar*, p. 149). **3.** *Fig.* Alívio, conforto, consolação: "Não há dor que não receba da grande Música certo lenitivo" (Fidelino de Figueiredo, *Música e Pensamento*. p. 57).

lenização. [De um **lenizar*, por *lenir*, + *-ção*.] *S. f. Fon.* Abrandamento (2).

lennoácea. *S. f.* Espécime das lennoáceas.

lennoáceas. *S. f. pl. Bot.* Família de dicotiledôneas, da ordem das tubifloras, formada de parasitos aclorofilados de raízes, com folhas reduzidas a escamas, flores em címulas, corola com cinco- a oito lóbulos, androceu com o mesmo número de estames. Fruto drupáceo. Há apenas umas poucas espécies, norte-americanas.

lennoáceo. *Adj.* Pertencente ou relativo às lennoáceas.

lenocínio. [Do lat. *lenociniu*.] *S. m.* Crime contra os costumes, caracterizado sobretudo pelo fato de se prestar assistência à libidinagem alheia, ou dela se tirar proveito, e cujas modalidades são o proxenetismo, o rufianismo e o tráfico de mulheres; alcovitice, alcoviteirice.

lenqüência. [Alter. de *eloqüência*.] *S. f. Bras., PE. Pop.* Falação, fala, discurso; eloqüência.

lentar. [Do lat. *lentare*.] *V. t. d.* **1.** Tornar lento (7); amolentar. **2.** Tornar lento (8); umedecer, lentejar. *Int.* **3.** Tornar-se um pouco úmido; lentejar. **4.** Transpirar um pouco. [Sin. ger.: *lentescer*.]

lente¹. [Do lat. *lente*, 'lentilha'.] *S. f. Ópt.* Corpo transparente, limitado por duas superfícies refratoras, das quais pelo menos uma é curva. [V. *objetiva*. Dim. irreg.: *lentícula*.] ◆ **Lente anastigmática.** *Ópt.* Lente composta que não tem astigmatismo. **Lente anesférica.** *Ópt.* Aquela em que as superfícies refratoras não são esféricas. **Lente aplanética.** *Ópt.* Lente corrigida para aberração cromática e esférica. **Lente apocromática.** *Ópt.* Lente corrigida para aberração cromática em três comprimentos de onda. **Lente azulada.** *Fot.* Lente de objetiva fotográfica, recoberta por uma camada anti-refletora e que tem uma coloração azul quando examinada por reflexão. **Lente bicôncava.** *Ópt.* Lente divergente com as duas superfícies côncavas e a espessura na parte central menor que nas bordas. **Lente biconvexa.** *Ópt.* Lente convergente com as duas superfícies convexas e a espessura na parte central maior que nas bordas. **Lente bifocal.** *Ópt.* Lente com dois focos diferentes. **Lente coletora.** *Ópt.* Lente de campo. **Lente colimadora.** *Ópt.* A que tem a função de colimar um feixe luminoso. [Tb. se diz apenas *colimadora*.] **Lente composta.** *Ópt.* Sistema formado por duas ou mais lentes justapostas ou acopladas. **Lente convergente.** *Ópt.* A que tem potência positiva; a que forma uma imagem real de um objeto no infinito. **Lente de campo.** *Ópt.* Num instrumento óptico, lente que forma a imagem da pupila de entrada na pupila de saída; lente coletora. **Lente de contato.** *Ópt.* Disco de matéria plástica especial, côncavo de um lado e convexo do outro, que se aplica diretamente sobre a córnea a fim de corrigir certos vícios de refração. **Lente delgada.** *Ópt.* A que tem os planos principais coincidentes, e cuja espessura é, portanto, pequena em relação aos raios das superfícies refratoras. **Lente divergente.** *Ópt.* A que tem potência negativa, que forma uma imagem virtual de um objeto no infinito. **Lente eletrônica.** *Eletrôn.* Dispositivo em que campos elétricos e/ou magnéticos, com distribuição apropriada de linhas de força, provocam a deflexão de feixes de elétrons. **Lente eletrostática.** *Eletrôn.* Lente eletrônica construída por um campo elétrico obtido pela aplicação de tensões elétricas entre eletrodos metálicos de diferentes formas. **Lente espessa.** *Ópt.* Aquela em que os planos principais não coincidem, e cuja espessura é grande, portanto, diante dos raios das superfícies refratoras. **Lente gravitacional.** *Astr.* e *Fís.* Propriedade que tem um intenso campo gravitacional de desviar os raios luminosos que lhes passam próximos e provenientes de um objeto celeste mais afastado, produzindo, em conseqüência, uma distorção da imagem desse objeto ou, até mesmo, a formação de imagens múltiplas; miragem gravitacional. **Lente hemissimétrica.** *Ópt.* Lente composta, constituída por duas partes, sendo uma delas uma imagem especular ampliada da outra. **Lente hipercromática.** *Ópt.* Aquela que tem um pequeno cromatismo para as raias F e C, destinado a compensar a aberração cromática em outras regiões do espectro. **Lente holossimétrica.** *Ópt.* Lente hemissimétrica em que a razão de ampliação é igual à unidade. **Lente plano-côncava.** *Ópt.* Lente esférica em que uma superfície é plana e a outra esférica e com a convexidade voltada para o plano. **Lente plano-convexa.** *Ópt.* Lente esférica em que uma superfície é plana e outra esférica e com a concavidade voltada para o plano. **Lente supercromática.** *Ópt.* A que é corrigida para a aberração cromática numa faixa relativamente grande do espectro. **Lente toroidal.** *Ópt.* Aquela em que uma das superfícies refratoras é toroidal e a outra plana ou esférica.

lente². [Do lat. *legente*, 'que lê'.] *Adj. 2 g.* **1.** *Ant.* V. *leitor* (1). ● *S. 2 g.* **2.** *Obsol.* Professor de escola superior ou secundária. **3.** *Ant.* V. *leitor* (2).

lentear. [De *lento* (1 a 5) + *-ear*.] *V. t. d.* Tornar lento, vagaroso: *lentear o andamento de uma música.* [Conjug.: v. *frear*.]

lenteiro. [De *lento* (8) + *-eiro*.] *S. m.* Terra úmida e pantanosa.

lentejar. [De *lento* (8) + *-ejar*.] *V. t. d.* **1.** Umedecer; lentar. *Int.* **2.** Tornar-se um tanto úmido; lentar. [Conjug.: v. *pelejar*. É m. us. como defect., só nas 3ªs. pess.]

lentejoila. *S. f.* V. *lentejoula*: "prendeu o lenço na sua cinta bordada de lentejoilas" (Aluísio Azevedo, *Pegadas*, p. 196).

lentejoilar. *V. t. d.* V. *lentejoular*.

lentejoula. [Do esp. *lentejuela*.] *S. f.* Pequena palheta de metal, de madrepérola ou de matéria plástica, circular e furada, que se cose ao tecido para o enfeitar, dando-lhe um aspecto cintilante; paetê. [Var.: *lentejoila*, *lantejoula*, *lantejoila*.]

lentejoular. *V. t. d.* Enfeitar de lentejoulas. [Var.: *lentejoilar*, *lantejoular*, *lantejoilar*.]

lentescente. [Do lat. *lentescente*.] *Adj. 2 g.* Viscoso, pegajoso.

lentescer. [Do lat. *lentescere*.] *V. t. d.* e *int.* V. *lentar*. [Conjug.: v. *crescer*.]

lenteza (ê). *S. f. P. us.* V. *lentidão*: "Os nossos clássicos escreviam com lenteza e com vagar é que compunham." (João Ribeiro, *Páginas de Estética*, p. 137.)

lentibulariácea. *S. f.* Espécime das lentibulariáceas.

lentibulariáceas. *S. f. pl. Bot.* Família de dicotiledôneas, da ordem das tubifloras, que contém delicadas plantas herbáceas próprias das águas doces ou de lugares muito úmidos, raramente dotadas de raízes, e com folhas normais e transformadas em utrículos, flores vistosas, hermafroditas, pentâmeras e zigomorfas, corola bilabiada e calcarada, androceu com dois estames, e fruto capsular. Há quase 250 espécies nas terras tropicais e temperadas, muitas no Brasil.

lentibulariáceo. *Adj.* Pertencente ou relativo às lentibulariáceas.

lenticela. [Do fr. *lenticelle*.] *S. f. Anat. Veg.* Pequena abertura na periderme das plantas lenhosas, cercada de rebordo e bem visível, que permite as trocas gasosas e é constituída de células suberizadas e frouxamente agregadas; lentícula, lentilha.

lenticelado. *Adj. Anat. Veg.* Que tem lenticelas.

lentícula. [Do lat. *lenticula*.] *S. f.* **1.** Lente¹ pequena. **2.** *Anat. Veg.* V. *lenticela*.

lenticular. [Do lat. *lenticulare*.] *Adj. 2 g.* **1.** Que tem forma de lente ou de lentilha; lentiforme. **2.** *Anat.* Diz-se de um dos ossículos do ouvido. ● *S. m.* **3.** Instrumento com que se fura o casco dos animais.

lentidão. [Do lat. *lentitudine*, com mudança de sufixo.] *S. f.* **1.** Qualidade do que é lento. **2.** Vagar, morosidade, pachorra; demora. **3.** Umidade leve; lentura. [Sin. ger., p. us.: *lenteza* e *lentor*.]

lentiforme. [Do lat. *lente*, 'lentilha', + *-i-* + *-forme*.] *Adj. 2 g.* Lenticular (1) ~ V. *buril* —.

lentigem. [Do lat. *lentigine*.] *S. f.* V. *sarda²*: "Sardas, lentigens não escuras, mas também não tão claras" (José Sarney, *Norte das Águas*, p. 31).

lentiginoso (ô). [Do lat. *lentiginosu*.] *Adj.* V. *sardento*.

lentigo. [Do lat. *lentigo*.] *S. m.* V. *sarda²*.

lentígrado. [De *lento* + *-i-* + *-grado¹*.] *Adj.* Que caminha lentamente. [Sin. (poét): *tardígrafo*. Antôn.: *citígrado*.]

lentilha. [Do lat. *lenticula*.] *S. f.* **1.** Pequena trepadeira anual, da família das leguminosas *(Lens esculenta)*, de origem asiática, cultivada universalmente, de folhas penadas, com folíolos minutos, flores papilionáceas, pequenas, alvacentas ou algo violáceas, e legume curto, com uma ou duas sementes discóides, muito apreciadas como alimento. **2.** Semente dessa leguminosa. **3.** *Anat. Veg.* V. *lenticela*. **4.** *Geol.* Forma que tomam certos depósitos entre camadas estratificadas. **5.** Pellet (2) [q. v.]

lentilha-d'água. *S. f.* Designação comum a várias espécies do gênero *Lemna*, da família das lemnáceas, que vivem flutuando sobre as águas paradas e são as menores plantas floríferas; lemna. [Pl.: *lentilhas-d'água*.]

lentilha-do-campo. *S. f. Bras.* Pequeno arbusto recoberto de pêlos ásperos, da família das leguminosas *(Aeschunomene hystrix)*, que habita a região campestre, de folhas com vários folíolos oblongos, flores papilionáceas, pequeninas e ordenadas em cachos, e legume articulado. [Pl.: *lentilhas-do-campo*.]

lentilhoso (ô). *Adj.* Abundante em lentilhas.

lentiscal. *S. m. Lus.* Terreno onde crescem lentiscos em abundância; lentisqueira.

lentisco. [Do lat. *lentiscu*.] *S. m. Lus.* Aroeira-da-praia.

lentisqueira. *S. f. Lus.* Lentiscal.

lento. [Do lat. *lentu*.] *Adj.* **1.** Vagaroso, moroso, demorado. **2.** Vagaroso, pausado, compassado: *O orador causou impressão por seus movimentos lentos mas enérgicos.* [Antôn. (nessas acepç.): *célere*.] **3.** Que se processa com vagar, com lentidão: *morte lenta.* **4.** Fraco ou espaçado: *pulso lento.* **5.** Pachorrento, ronceiro; preguiçoso. **6.** Pouco agitado; brando, manso: *Um vento ora rijo, ora lento, soprou toda a manhã.* **7.** Pouco rijo; mole, frouxo. **8.** Levemente molhado; úmido: *corpo lento.* ~ V. *câmara —a*, *cortina —a*, *explosivo —*, *fogo —* e *pano —*. ● *Adv.* **9.** *Mús.* Vagarosamente, num andamento entre o largo e o adágio. ● *S. m.* **10.** *Mús.* Peça musical executada nesse andamento. ◆ **Lento e lento.** Pouco a pouco; gradualmente; lentamente; lento lento: "E Santa Luzia, deserta, foi emudecendo como um corpo que, lento e lento, esmorece e expira." (Coelho Neto, *Sertão*, p. 98.) **Lento lento.** V. *lento e lento*.

▲-(l)ento. [Do lat. *-(l)entu-*.] *Suf. nom.* = 'provido ou cheio de'; 'que tem o caráter de': *gafeirento; pedrento; vidrento; virulento* (lat. *virulentu*), *purulento* (< lat. *purulentu*).

lentor (ô). [Do lat. *lentore*.] *S. m. P. us.* V. *lentidão*.

lentura. [De *lento* (8) + *-ura*.] *S. f.* **1.** Leve umidade; lentidão. **2.** Orvalho, relento.

leoa (ô). [Calcado no arc. *leom*, o lat. *leaena* não poderia dar *leoa*.] *S. f.* **1.** A fêmea do leão (1) [q. v.] **2.** *Fig.* Mulher de mau gênio e instintos ferinos. **3.** Mulher vaidosa, muito enfeitada.

leoba. *S. f. Bras.* Paquete (3).

leocádio. [Do antr. *Leocádio*?] *S. m. Bras., BA.* V. *candeeiro* (1). [Cf. *leucádio*.]

leoflorestano. [Do lat. *leo*, 'leão', + *floresta* + *-ano*.] *Adj.* **1.** De, ou pertencente ou relativo a Floresta dos Leões (PE), atual Carpina. ● *S. m.* **2.** O natural ou habitante de Floresta dos Leões.

leonado. *Adj.* Da cor do leão; fulvo.

leôncule. *S. m.* Dim. de *leão* (1) [q. v.].

leone. [Do lat. *leone*.] *S. m.* Unidade monetária, e moeda, de Serra Leoa (África), dividida em 100 cêntimos.

leoneira. *S. f.* **1.** Caverna de leões. **2.** Jaula para leões.

leonês. [Do esp. *leonés*.] *Adj.* **1.** De, ou pertencente ou relativo ao antigo reino ou à atual província de Leão (Espanha). ● *S. m.* **2.** O natural ou habitante desse reino ou dessa província. [Flex.: *leonesa* (ê), *leoneses* (ê), *leonesas* (ê). Cf. *lionês*.]

leônico. *Adj.* Relativo a leão; leonino. ~ V. *Veias —as*.

leonino. [Do lat. *leoninu*.] *Adj.* **1.** Pertencente ou relativo ao leão, ou próprio dele, ou que o lembra: "Bela cabeleira leonina, castanha, ondeada, descendo sobre as orelhas" (Pedro Nava, *Beira-Mar*, p. 87); "Cabrera .... era incontestavelmente um cabo-de-guerra de mérito superior e de bravura leonina." (Bulhão Pato, *Memórias*, I, p. 21.) **2.** Desleal, pérfido. **3.** Fraudulento, doloso: "A fúria, para consentir nesse casamento, aferrou-se às mais leoninas exigências; impôs condições as mais humilhantes para o futuro genro." (Aluísio Azevedo, *Livro de uma Sogra*, p. 2.) **4.** De qualquer dos papas cognominados Leão. **5.** Diz-se de, ou pertencente ou relativo ao indivíduo nascido sob o signo de Leão. ~ V. *contrato —*, *face —a* e *verso —*. ● *S. m.* **6.** Indivíduo leonino (5).

leonístico. *Adj.* Relativo a leão (8), ou à associação a que pertence.

leontíase. [Do gr. *leontíasis*.] *S. f. Patol.* Hipertrofia bilateral e simétrica dos ossos da face e do crânio, levando a uma expressão facial semelhante à de leão; face leonina. ◆ **Leontíase óssea.** *Patol.* Facies leonina vista na lepra.

leopardo. [Do gr. *leópardos*, pelo lat. *leopardu*.] *S. m.* **1.** Animal mamífero *(Panthera pardus)*, da ordem dos carnívoros, da família Felidae, da África e Ásia. Lembra um gato doméstico, cabeça redonda, nariz pequeno, cauda fina e longa, garras finas e compridas, corpo amarelado, coberto com manchas pretas, muito variáveis de forma. É o felídeo de mais ampla distribuição no mundo, sendo encontrado desde o Mediterrâneo até a cidade do Cabo, no continente africano. [Sin., desus.: *pardo*. Cf. *pantera* (1).] **2.** *Fig.* A nação inglesa.

leopoldense¹. *Adj. 2 g.* **1.** De, ou pertencente ou relativo a São Leopoldo (RS). ● *S. 2 g.* **2.** Natural ou habitante de São Leopoldo.

leopoldense². *Adj. 2 g.* **1.** De, ou pertencente ou relativo a Leopoldo de Bulhões (GO). ● *S. 2 g.* **2.** Natural ou habitante de Leopoldo de Bulhões.

leopoldinense¹. *Adj. 2 g.* **1.** De, ou pertencente ou relativo a Leopoldina (MG). **2.** Relativo à Estrada de Ferro Leopoldina ou à zona por ela servida. ● *S. 2 g.* **3.** Natural ou habitante de Leopoldina.

leopoldinense². *Adj. 2 g.* **1.** De, ou pertencente ou relativo a Colônia Leopoldina (AL). ● *S. 2 g.* **2.** Natural ou habitante de Colônia Leopoldina.

leopoldinense³. *Adj. 2 g.* **1.** De, ou pertencente ou relativo a Santa Leopoldina (ES). ● *S. 2 g.* **2.** Natural ou habitante de Santa Leopoldina. [Sin. ger.: *cachoeirano³*.]

leopolense. *Adj. 2 g.* **1.** De, ou pertencente ou relativo a Leópolis (PR). ● *S. 2 g.* **2.** Natural ou habitante de Leópolis.

➡**le physique du rôle** (lê fisique dü rôl'). [Fr.] O físico ou aparência adequada ao papel ou função que desempenha: *Aquele ministro tem* l e p h y s i q u e d u r ô l e.

▲**lepi-.** [Do gr. *lépis, ídos*.] *El. comp.* = 'casca', 'escama': *lepicena*. [Equiv.: *lepido-* e *-lépide*: *lepidócero; polilépide, tetralépide*.]

lepicena. [De *lepi-* + gr. *kenós*, 'vazio'.] *S. f. Bot.* A gluma exterior das gramíneas.

▲**-lépide.** V. *lepi-*.

lepidez (ê). *S. f.* Qualidade de lépido.

▲**lepido-.** V. *lepi-*.

lépido. [Do lat. *lepidu*, 'engraçado', 'jovial'.] *Adj.* **1.** Risonho, jovial, alegre: "Também se era preciso, passava muito a gosto a noute em claro: e no dia seguinte estava l é p i d o e bem-disposto, como se não houvera novidade." (Visconde de Taunay, *Histórias Brasileiras*, p. 187.) **2.** Gracejador, motejador. **3.** Ligeiro, lesto, ágil: "Ginoca, l é p i d a como uma cabrita, descia ao curral e vinha puxando a vaca" (Júlia Lopes de Almeida, *Ânsia Eterna*, p. 68).

lepidocarpo. [De *lepido-* + *-carpo*.] *Bot.* **1.** *Adj.* Que tem frutos escamosos. ● *S. m.* **2.** Gênero de vegetais fósseis (*Lepidocarpon*).

lepidocentróide. *S. m.* **1.** Espécime dos lepidocentróides. ● *Adj. 2 g.* **2.** Pertencente ou relativo a eles.

lepidocentróides. *S. m. pl. Zool.* Animais equinodermas, equinóides, regulares, ordem *Lepidocentroida*, providos de carapaça flexível, com placas imbricadas e dentes sulcados.

lepidócero. [De *lepido-* + *-cero¹*.] *Adj. Zool.* Que tem pequenas escamas nas antenas.

lepidodendrácea. *S. f.* Espécime das lepidodendráceas.

lepidodendráceas. *S. f. pl. Paleob.* Família de pteridófitos fósseis, que se desenvolveram muito do devoniano até o fim do carbonífero, e que eram fetos de grandes dimensões, com órgãos reprodutivos ordenados em estróbilos.

lepidodendráceo. *Adj.* Pertencente ou relativo às lepidodendráceas.

lepidóideo. [De *lepido-* + *-óide-* + *-eo*.] *Adj.* Semelhante a escamas.

lepidolita. [De *lepido-* + *-lita*.] *S. f. Min.* Mineral monoclínico do grupo das micas, fluorsilicato hidratado de alumínio, lítio e potássio, empregado no preparo de compostos de lítio.

lepidóptero. [De *lepido-* + *-ptero*.] *S. m.* **1.** Espécime dos lepidópteros. ● *Adj.* **2.** Pertencente ou relativo a eles. [Sin. ger.: *glossado*.]

lepidopterologia. [De *lepidóptero* + *-log(o)-* + *-ia*.] *S. f.* Parte da entomologia que trata dos insetos lepidópteros.

lepidopterológico. *Adj.* Referente à lepidopterologia.

lepidopterologista. *S. 2 g.* Especialista em lepidopterologia; lepidopterólogo.

lepidopterólogo. *S. m.* Lepidopterologista.

lepidópteros. *S. m. pl. Zool.* Animais artrópodes, holometabólicos, da classe dos insetos, ordem *Lepidoptera*, cujo aparelho bucal, do adulto, é formado por uma tromba espiralada. Têm quatro asas, membranosas, recobertas de escamas; as larvas, eruciformes, fitófagas, têm aparelho bucal mastigador; a pupa é de forma variável, alojada em casulo ou crisálida. São as borboletas e as mariposas. [Sin.: *glossados*.]

lepidossirenídeo. *S. m.* **1.** Espécime dos lepidossirenídeos. ● *Adj.* **2.** Pertencente ou relativo a eles. [Sin. ger.: *dipnêumone* e *lepidossirênio*.]

lepidossirenídeos. *S. m. pl. Zool.* Animais peixes, osteícles, coanictes, dipnóicos, da família *Lepidosirenidae*, de pulmão duplo, escamas pequenas e nadadeiras filamentosas. São as pirambóias e os protópteros. [Sin.: *dipnêumones* e *lepidossirênios*.]

lepidossirênio. *S. m.* e *adj.* V. *lepidossirenídeo*.

lepidossirênios. *S. m. pl. Zool.* V. *lepidossirenídeos*.

lepidoto. *Adj. Morfol. Veg.* Escamoso (2): *folíolo* l e p i d o t o.

lepíptero. [De *lepi-* + *-ptero*.] *S. m. Zool.* Gênero de peixes acantopterígios.

lepisma. [Do gr. *lépisma*.] *S. m.* **1.** *Bot.* Escama membranosa que se encontra na base do ovário de certas plantas. **2.** V. *traça¹* (1).

lepismatídeo. *S. m.* **1.** Espécime dos lepismatídeos. ● *Adj.* **2.** Pertencente ou relativo a eles.

lepismatídeos. *S. m. pl. Zool.* Família de insetos tisanuros [q. v.], ápteros, que destroem tecidos e papel. São as traças.

leporelíneo. *S. m.* **1.** Espécime dos leporelíneos. ● *Adj.* **2.** Pertencente ou relativo a eles.

leporelíneos. *S. m. pl. Zool.* Gênero de peixes teleósteos, da família dos caracídeos, próprios dos rios da América do Sul. Grandes, comprimidos lateralmente, têm os dentes projetados para fora e os lábios carnudos.

leporídeo. [Do lat. *lepore*, 'lebre', + *-ídeo*.] *S. m.* **1.** Espécime dos leporídeos. ● *Adj.* **2.** Pertencente ou relativo a eles.

leporídeos. [Pl. de *leporídeo*.] *S. m. pl. Zool.* Família de mamíferos roedores, da ordem dos lagomorfos, que têm quatro incisivos superiores e dois inferiores, e à qual pertencem a lebre e o coelho.

leporíneo. [Do lat. *leporinu*, 'leporino', + *-eo*.] *S. m.* **1.** Espécime dos leporíneos. ● *Adj.* **2.** Pertencente ou relativo a eles.

leporíneos. [Pl. de *leporíneo*.] *S. m. pl. Zool.* Grupo de peixes de água doce dos rios da América do Sul (gênero *Leporinus*).

leporino. [Do lat. *leporinu*.] *Adj.* Relativo à, ou próprio da lebre. ~ V. *lábio* —.

lepra. [Do gr. *lépra*, pelo lat. *lepra*.] *S. f.* **1.** *Patol.* Infecção crônica devida a uma micobactéria (*Mycobacterium leprae*) descrita, em 1874, por Gerhard Armauer Hansen (1841-1912), médico norueguês. [Sin.: *hanseníase, gafa, gafo, lazeira, elefantíase-dos-gregos, mal de Hansen, mal-bruto, mal-de-lázaro, mal-de-são-lázaro, mal-morfético, morféia* e (bras.) *mal, mal-do-sangue, mal-de-cuia, guarucaia, macota, macutena*.] **2.** *Pop.* Sarna de cachorro. **3.** *Fig.* Vício que se propaga como a lepra. **4.** *Bras., S.* Pessoa ruim, imprestável.

▲**lepr(o)-.** [De *lepra*.] *El. comp.* = 'lepra': *leprologia, leproma*.

leprologia. [De *lepr(o)-* + *-log(o)-* + *ia*.] *S. f.* Parte da medicina que se ocupa da lepra.

leprológico. *Adj.* Referente à leprologia.

leprologista. *S. 2 g.* Especialista em lepra; leprólogo.

leprólogo. *S. m.* Leprologista.

leproma. [De *lepra* + *-oma*.] *S. m.* Nódulo granulomatoso superficial que constitui a lesão característica da lepra.

leprosaria. *S. f.* V. *leprosário*.

leprosário. [Do fr. *léproserie*.] *S. m.* Hospital de leproso. [Sin.: *gafaria, leprosaria, leprosório* e (ant.) *lazareto*.]

leproso (ô). [Do lat. *leprosu*.] *Adj.* **1.** Que tem lepra (1); morfético, garro, hanseniano, lazarento, lazarado e (bras.) camunhengue, maldelazento, macotena, macuteno.] **2.** Da natureza da lepra: *sarna* l e p r o s a. **3.** *P. ext.* Nojento, asqueroso, repugnante. **4.** *Fig.* Vicioso, corruto. ● *S. m.* **5.** Aquele que tem lepra; morfético, hanseniano, lázaro, lazarento, lazarado e (bras.) camunhengue, maldelazento, macotena, macuteno. **6.** Indivíduo leproso (2 e 3).

leprosório. *S. m.* V. *leprosário*.

leptinito. [De *lept(o)-* + *-in(o)-¹* + *-ito²*.] *S. m. Pet.* Rocha metamórfica de textura semelhante à do gnaisse, formada de faixas paralelas de composição mineralógica diferente.

leptito. [De *lept(o)-* + *-ito²*.] *S. m. Pet.* Rocha metamórfica finamente granulada, composta essencialmente de quartzo e feldspato, e que pode contar alguns minerais fêmicos e derivar de antigos tufos ou de rochas porfiríticas ácidas.

▲**lept(o)-.** [Do gr. *leptós, é, ón*.] *El. comp.* = 'delgado', 'miúdo', 'magro', 'alongado': *leptofilo, leptorrino; leptospira*.

leptocárdio. *S. m.* **1.** Espécime dos leptocárdios. ● *Adj.* **2.** Pertencente ou relativo a eles.

leptocárdios. *S. m. pl. Zool.* Animais cordados, acrânios, cefalocordados, da classe *Leptocardii*, delicados, segmentados. Epiderme com uma camada única, desprovida de escamas; fendas branquiais numerosas. [Cf. *cefalocordados* e *anfioxos*.]

leptocúrtica. [De *lepto-* + gr. *kyrtós*, 'inchação', + *-ica²*.] *Adj. (f.) Estat.* Diz-se da distribuição de probabilidade mais achatada que a distribuição normal.

leptodactilídeo. *S. m.* **1.** Espécime dos leptodactilídeos. ● *Adj.* **2.** Pertencente ou relativo a eles.

leptodactilídeos. *S. m. pl. Zool.* Família de anfíbios da ordem *Salientia* e da subordem *Procoela*.

leptodonte. [De *lept(o)-* + *-odonte*.] *Adj. 2 g. Zool.* Que tem dentes miúdos.

leptofilo. [De *lept(o)-* + *-filo¹*.] *Adj.* Diz-se da planta que tem folhas delgadas.

leptolino. *S. m.* e *adj.* Hidróide.

leptolinos. *S. m. pl. Zool.* Hidróides.

leptologia. [De *lept(o)-* + *-log(o)-* + *-ia*. *S. f.* **1.** *Ret.* Discurso delicado, fino, sutil. **2.** Estilo minucioso e culto.

leptológico. *Adj.* Referente à leptologia.

leptomedusa. *S. f.* **1.** Espécime das leptomedusas. ● *Adj. 2 g.* **2.** Pertencente ou relativo a elas. [Sin. ger.: *caliptoblasto, caliptoblástico, campanulário*.]

leptomedusas. *S. f. pl. Zool.* Animais metazoários, celenterados, hidrozoários, subordem *Leptomedusae*, cuja teca forma cálices em torno dos pólipos. Têm urna protetora para os gonóforos. [Sin.: *caliptoblastos, caliptoblásticos, campanulários*.]

leptomeninge. [De *lept(o)-* + *meninge*.] *S. f. Anat.* Denominação dada à aracnóide e pia-máter reunidas.

leptomeningite. [De *lept(o)-* + *meningite*.] *S. f. Patol.* Inflamação da aracnóide e da pia-máter.

leptomórfico. [De *lept(o)-* + *-morf(o)-* + *-ico²*.] *Adj.* ~ V. *cristal* —.

lépton. [Do gr. *leptós, é, ón*.] *S. m. Fís. Nucl.* Qualquer partícula com massa menor que a do próton, e que é um férmion.

leptônico. *Adj. Fís.* Referente a lépton. ~ V. *era* —*a*.

leptoprosopia. [De *lept(o)-* + *-prosop(o)-* + *-ia*.] *S. f. Antrop.* Conjunto de características faciais que inclui face estreita, órbitas pequenas e redondas, nariz longo, narinas estreitas e boca pequena, sendo o índice facial superior a 90.

leptoprosopo (zô). [De *lept(o)-* + *-prosopo*.] *Adj.* e *s. m.* Diz-se de, ou indivíduo que apresenta leptoprosopia.

leptorrinia. *S. f. Antrop.* Qualidade ou estado de leptorrino. [Cf. *platirrinia* e *mesorrinia*.]

leptorrino. [De *lept(o)-* + *-rino*.] *Adj.* e *s. m. Antrop.* Diz-se de, ou indivíduo de nariz proeminente, alongado e estreito, cujo índice nasal é inferior a 48. [Os brancos são quase todos leptorrinos. Cf. *platirrino* e *mesorrino*.]

leptospira. [De *lept(o)-* + gr. *speira*, 'espiral'.] *S. f. Med.* Gênero de espiroqueta que se apresenta como um microrganismo retilíneo ou encurvado, e cujo aparelho locomotor é constituído apenas por um filamento espesso, enrolado à maneira de hélice em volta do cilindro citoplásmico. [A espécie *Leptospira interrogans*, com numerosos sorogrupos (v. *sorogrupo*) produz leptospiroses.]

leptospirose. [De *leptospira* + *-ose*.] *S. f. Patol.* Infecção produzida por sorogrupo da *Leptospira interrogans* [v. *leptospira*].

leptossômico. [De *leptossomo* + *-ico²*.] *Adj.* e *s. m.* Na tipologia de Kretschmer, diz-se de, ou tipo corporal magro e esbelto, correspondente ao caráter esquizotímico; leptossomo, longilíneo.

leptossomo. [De *lept(o)-* + *-somo*.] *Adj.* e *s. m.* V. *leptossômico*.

leptotiflopídeo. *S. m.* **1.** Espécime dos leptotiflopídeos. ● *Adj.* **2.** Pertencente ou relativo a eles.

leptotiflopídeos. *S. m. pl. Zool.* Família de anfíbios conhecidos vulgarmente como *ápodos*, e que vivem na terra cavando galerias. São de corpo alongado, formado por segmentos muito próximos, de cor pardo-cinza ao rosa, e com a cabeça pouco nítida. Conhecidos vulgarmente como *minhocões, cobras-de-duas-cabeças* e *cobras-cegas*.

leque. [Do top. *Liú Kiú*, ilhas da Ásia, atr. do port. ant. *lequio*, i. e., *abano lequio*.] *S. m.* **1.** Espécie de abano com varetas cobertas por uma faixa de papel ou pano especial e articuladas por um eixo comum na extremidade inferior, de modo que se pode abrir e fechar com facilidade, para agitar o ar; abanico. **2.** Parte da escada onde a linha de piso apresenta curvatura. **3.** Qualquer coisa que tem a forma ou a disposição de um leque aberto: "Os pavões abrem leques para o luar..." (Ronald de Carvalho, *Poemas e Sonetos*, p. 164); "Os leques das bananeiras, de novo tomaram formas humanas" (Ascenso Ferreira, *Catimbó e Outros Poemas*, p. 43); *Na sua cara há um leque de rugas*. **4.** *Fig.* Conjunto de idéias, planos, sugestões, problemas, etc., que, partindo de um, se desdobram, como que à feição de um leque que se abre. **5.** Molusco bivalve, da família dos pectinídeos *(Chlamys nodosus* (L.)), da costa atlântica. A estrutura raiada da concha no sentido longitudinal e as faixas ou linhas semicirculares transversais dão-lhe o aspecto de um leque, motivo de seu nome popular. Nesta espécie as conchas ou valvas são iguais. O gênero *Pecten* Lamarck, com 14 espécies no Brasil, tem concha direita ou superior côncava e a esquerda ou inferior plana. Vivem no fundo, não se fixando nas rochas. **6.** *Lus.* Molusco bivalve, da família dos pectinídeos *(Pecten maximus* (L)), e outras espécies do gênero do Atlântico e Mediterrâneo, de valva direita branca e esquerda vermelha. É usado como alimento. [Sin., nesta acepç., *pente, vieira*.] **7.** V. *lecre*. ♦ **Leque de aluvião.** *Geol.* Cone de aluvião; cone de dejeção.

lequéssia. [Alter. de *eloqüência*? Se o é, deveria ser grafado com c e não *ss*.] *S. f. Bras., GO. Pop.* **1.** V. *bebedeira* (1). **2.** Vadiação, vadiagem, gandaia.

ler. [Do lat. *legere*.] *V. t. d.* **1.** Percorrer com a vista (o que está escrito) proferindo ou não as palavras, mas conhecendo-as: *Já leu todos os romances de Balzac*; *"Leio Luís de Camões, o nosso poeta"* (Odilo Costa, filho, *Boca da Noite*, p. 76). **2.** Pronunciar em voz alta; recitar (o que está escrito). **3.** Ver e estudar (coisa escrita). **4.** Decifrar ou interpretar o sentido de: *O paleógrafo leu com facilidade a inscrição do monumento asteca*. **5.** Reconhecer, perceber; decifrar: *Nada ele disse, porém a moça leu amor em seus olhos*. **6.** Explicar ou prelecionar como professor: "As primeiras aulas públicas que existiram em Portugal, e nas quais se lia gramática, lógica e teologia, abriram-se no mosteiro de Alcobaça durante o reinado de Afonso III." (Ramalho Ortigão, *As Farpas*, I, p. 237.) **7.** Interpretar o aspecto de (radiografia), o resultado de (teste), etc. **8.** Adivinhar; predizer: *ler a sorte*. *T. d. e i*, **9.** Explicar ou prelecionar como professor: *Lia aos discípulos filologia portuguesa*. *T. i.* **10.** Inquirir, perscrutar: *Fitou-o com firmeza, procurando ler em sua expressão*. *Int.* **11.** Ver as letras do alfabeto e juntá-las em palavras, repetindo-as mentalmente ou em voz alta: *Já está na escola, mas ainda não sabe ler*; "O mais do tempo é gasto em hortar, jardinar e ler" (Machado de Assis, *Dom Casmurro*, p. 5). [Irreg. Conjug.: v. *crer*. Pres. ind.: *leio, lês, lê*, etc.; imperf. ind.: *lia, lias, lia, líamos, líeis, liam*; perf.: *li, leste* (ê), *leu, lemos, lestes* (ê), *leram* (ê); fut. pret.: *leria*, etc.; pres. subj.: *leia, leias, leia, leiamos, leiais, leiam*. Cf. *lé*, s. m.; *liamos* e *liais*, do v. *liar*; *leste*, pl. *lestes*; *l'eu*, s. m.; *léria*, s. f.; *Léia*, antr. e top.; *leais*, pl. de *leal*; e *Leais*, pl. do antr. *Leal*.]

lerca. *S. f.* Vaca muito magra. ~ V. *lercas*.

lercas. [Pl. de lerca?] *S. f. pl.* Pelancas, pelhancas. ~ V. *lerca*.

lerdaço. *Adj.* V. *lerdo* (2).

lerdeador (ô). *Adj. e s. m. Bras.* Que ou aquele que lerdeia; vagaroso, descansado, pachorrento.

lerdear. [De *lerdo* + *-ear*] *V. int. Bras.* **1.** Andar devagar, mostrando-se lerdo; demorar-se. **2.** Perder tempo; descuidar-se. [Conjug.: v. *frear*.]

lerdeza (ê). *S. f. Bras.* Qualidade de lerdo, preguiçoso, tardio nos movimentos; lerdice: "Desde manhã esta lerdeza, esta preguiça..." (Telmo Vergara, *Contos da Vida Breve*, p. 215.)

lerdice. *S. f. Bras.* Lerdeza.

lerdo. [Do cat. *llord*, atr. do esp. *lerdo*?] *Adj.* **1.** Lento ou pesado nos movimentos; pouco diligente; vagaroso. **2.** Tolo, aparvalhado, parvo, estúpido; lerdaço.

leréia. [Alter. de *léria*.] *S. f. Bras.* V. *conversa mole* (2).

léria. *S. f.* **1.** Fala astuciosa; patranha, falácia, lábia. **2.** V. *conversa mole* (2). ● *S. 2 g.* **3.** Pessoa tagarela, mas sem serventia. [Cf. *leria*; do v. *ler*.]

lero-lero. *S. m. Bras. Gír.* V. *conversa mole* (2). [Pl.: *lero-leros*.]

leruê. *S. m. Bras., CE.* V. *maneiro-pau*.

lés. [Do fr. ant. *lez* ou *les*, 'ao lado de', 'perto de'.] *El. s. m.* Us. nas expr. *de lés a lés* e *lés a lés*. ♦ **De lés a lés.** De um lado a outro; de ponta a ponta; completamente, inteiramente: "A aurora .... tomou o horizonte de lés a lés." (Aquilino Ribeiro, *Estrada de Santiago*, p. 257.) [Tb. se diz simplesmente *lés a lés*.] **Lés a lés.** De lés a lés: "Às vezes as comadres zangam-se e desacobrem-se os segredos. Há insultos soezes varando lés a lés o ar pesado da ilha." (Papiniano Carlos, *Terra com Sede*, p. 231.)

lesado. [Part. de *lesar*.] *Adj.* **1.** Que sofreu lesão. **2.** Ferido ou prejudicado física ou moralmente; leso. **3.** *Bras., CE.* V. *leso* (3).

lesa-gramática. [Do fem. de *leso* (1) + *gramática*.] *S. f.* Atentado contra a gramática; violação das normas gramaticais. [Pl.: *lesas-gramáticas*.]

lesa-majestade. [Do fem. de *leso* (1) + *majestade*.] *S. f.* Crime de lesa-majestade. [Pl.: *lesas-majestades*.]

lesa-ortografia. [Do fem. de *leso* (1) + *ortografia*.] *S. f.* Atentado contra a ortografia; desrespeito às normas ortográficas. [Pl.: *lesas-ortografias*.]

lesante. *Adj. 2 g.* **1.** Que lesa. ● *S. 2 g.* **2.** Pessoa que lesa, prejudica ou danifica.

lesão. [Do lat. *laesione*.] *S. f.* **1.** Ato ou efeito de lesar. **2.** Pancada, contusão. **3.** Dano, prejuízo. **4.** Ofensa, injúria, ultraje. **5.** *Jur.* Violação de um direito. **6.** *Med.* Dano produzido em estrutura ou órgão. ♦ **Lesão corporal.** *Jur.* Ofensa à saúde ou à integridade corporal de alguém. **Lesão funcional.** *Med.* Aquela em que há alteração de função, sem que se encontre alteração anatômica. **Lesão orgânica.** *Med.* Aquela que apresenta alteração anatômica.

lesa-pátria. [Do fem. de *leso* (1) + *pátria*.] *S. f.* Crime de lesa-pátria. [Pl.: *lesas-pátrias*.]

lesar. [Do lat. **laesare*, freqüentativo de *laedere*, 'prejudicar'.] *V. t. d.* **1.** Causar lesão a; ofender fisicamente; contundir; ferir. *O motorista lesou um transeunte*. **2.** Ofender, molestar. **3.** Ofender o crédito ou a reputação de. **4.** Violar o direito de. **5.** Prejudicar; desservir: *lesar o fisco*. *Int.* **6.** Mostrar-se leso ou pateta. **7.** Andar sem destino. V. *vaguear*[1] (1 e 2). *P.* **8.** Causar lesão a si mesmo.

lesa-razão. [Do fem. de *leso* (1) + *razão*.] *S. f.* Crime de lesa-razão. [Pl.: *lesas-razões*.]

lésbia. [Fem. de *lésbio* (1).] *S. f.* V. *lésbica*.

lesbiana. [Fem. substantivado de *lesbiano*.] *S. f.* V. *lésbica*.

lesbianismo. [De *lesbiano* + *-ismo*.] *S. m.* Homossexualismo feminino; safismo. [Cf. *tribadismo*.]

lesbiano. [Do top. *Lesbos*, ilha grega, + *-i-* + *-ano*.] *Adj.* **1.** V. *lésbico* (2 e 3). **2.** V. *lésbio* (1).

lésbica. [Fem. substantivado de *lésbico*.] *S. f.* Mulher homossexual. [Sin.: *lésbia, lesbiana, mulher-homem, mulher-macho* e (bras., chulo) *sapatão*.]

lésbico. [De *lésbio* + *-ico*[2].] *Adj.* **1.** V. *lésbio* (1). **2.** Diz-se do amor de uma mulher a outra; lesbiano, lésbio. **3.** Diz-se da mulher homossexual; lesbiano, lésbio. [V. *lésbica*.]

lésbio. [Do gr. *lésbios*, pelo lat. *lesbiu*.] *Adj.* **1.** De, ou pertencente ou relativo a Lesbos, ilha grega; lésbico, lesbiano. **2.** Lésbico (2 e 3). ● *S. m.* **3.** O natural ou habitante de Lesbos. **4.** O dialeto grego falado na ilha de Lesbos.

lesco-lesco. *S. m. Bras. Gír.* Trabalho diário e aturado; a lida cotidiana. [Pl.: *lesco-lescos*.]

lese. [Do fr. *laise*.] *S. f.* Tecido bordado, em geral de algodão.

leseira. [De *leso* + *-eira*.] *S. f.* **1.** *Bras.* Moleza, languidez, preguiça. **2.** *Bras., N.E.* Qualidade ou ação de indivíduo leso ou tolo; tolice; idiotice. ● *S. 2 g.* **3.** *Bras., N.E.* Pessoa lesa, tola. V. *tolo* (8).

lesim. [Do lat. *laesio*, 'lesão', 'ferida', + *-im*.] *S. m.* **1.** Veio da madeira. **2.** Pequeno fio ou sulco natural, em algumas pedras e mármores.

lesionar. [Do lat. *laesione*, 'lesão', + *-ar*[2].] *V. t. d. e p.* Causar lesão a; lesar: *A queda lesionou-o fortemente*.

lesivo. *Adj.* Que lesa; que causa lesão.

lesma (ê). [Do lat. *limace*.] *S. f.* **1.** Designação comum aos moluscos gastrópodes das famílias dos limacídeos, de concha muito reduzida e oculta sob o manto, e dos vaginulídeos, desprovidos de concha. Vivem em lugares úmidos, e alimentam-se exclusivamente de vegetais, causando danos a certas plantas cultivadas. [Sin.: *tintureiro-das-pedras* e *cumbé*.] **2.** Planária. **3.** *Fig.* Pessoa indolente, mole, vagarosa. **4.** *Fig.* Pessoa sem graça, insípida, desenxabida. [Pl.: *lesmas* (ê). Cf. *lesma* e *lesmas*, do v. *lesmar*.]

lesma-do-coqueiro. *S. f. Bras., N.E.* V. *barata-do-coqueiro*. [Pl.: *lesmas-do-coqueiro*.]

lesma-do-mar. *S. f.* V. *aplísia*. [Pl.: *lesmas-do-mar*.]

lesmar. [De *lesma* (3) + *-ar*[2].] *V. int. Bras.* **1.** Andar ou fazer as coisas com extremo vagar. **2.** Ficar parado sem fazer nada. [Pres. ind.: *lesmo, lesmas, lesma*, etc. Cf. *lesma* (ê) e pl. *lesmas*-(ê).]

lés-nordeste. [De *lés*, f. abrev. de *leste*, + *nordeste*.] *S. m.* És-nordeste.

leso (é). [Do lat. *laesu*.] *Adj.* **1.** Lesado (2): "Gama, embora ferido, um braço leso de todo, persistia em combater." (Aquilino Ribeiro, *Portugueses das Sete Partidas*, p. 119). **2.** Tolhido, paralítico: *estar leso de uma perna*. **3.** *Bras.* Idiota, amalucado, lesado [v. *tolo* (1 a 3)]: "Joaquina Maluca, você ficou lesa / não sei por que foi!" (Jorge de Lima, *Obra Completa*, I, p. 303.) ● *S. m.* **4.** Indivíduo leso, idiota. V. *tolo* (8).

leso-patriotismo. [De *leso* (1) + *patriotismo*.] *S. m.* Crime de leso-patriotismo. [Pl.: *lesos-patriotismos*.]

lesoto (ô). *Adj.* **1.** Do, ou pertencente ou relativo ao Reino de Lesoto (sul da África). ● *S. m.* **2.** O natural ou habitante do Reino de Lesoto.

lés-sudeste. [De *lés*, f. abrev. de *leste*, + *sudeste*.] *S. m.* V. *és-sueste*.

lés-sueste. [De *lés*, abrev. de *leste*, + *sueste*.] *S. m.* V. *és-sueste*.

lestada. *S. f.* Vento forte e/ou persistente que sopra de leste: "o mar está sempre inquieto e, no inverno, varrem-no procelas desfeitas, suestadas, lestadas irresistíveis" (Virgílio Várzea, *Nas Ondas*, p. 197).

leste. [Do fr. *l'est*.] *Adj. 2 g.* e *s. m.* **1.** V. *este*. [Na Marinha do Brasil e na de Portugal a f. us. é exclusivamente *leste*.] **2.** *Geog. Bras.* V. *grande região*. [Abrev.: *L.* Pl.: *lestes*. Cf. *leste* (ê) e *lestes* (ê), do v. *ler*.]

lesto (é). *Adj.* **1.** Presto de movimentos; ágil, ligeiro, lépido: "Depois, lesto, de um salto, o corpo ergueu, / E andou, pesado de melancolia..." (Goulart de Andrade, *Poesias*, p. 73.) **2.** Ativo, diligente, expedito: *tropas lestas*. ● *Adv.* **3.** Rápido, rapidamente; lestamente: *Subiram lesto a escada*.

letal. [Do lat. *letale*.] *Adj. 2 g.* **1.** Que produz a morte; mortal, mortífero, fatal, letífero, letífico: "Vendo-a negra suar letal peçonha, / Rodar em modo hostil a aguda cauda. / Fugir deixa das mãos sem tino as rédeas" (Antônio Feliciano de Castilho, *As Metamorfoses*, I, p. 76). **2.** Referente à morte; lúgubre.

letalidade. *S. f.* Qualidade de letal.

letão. *Adj.* **1.** Da, ou pertencente ou relativo à República Socialista Soviética da Letônia (Europa). **2.** Diz-se da língua falada nessa república. ● *S. m.* **3.** O natural ou habitante dessa república. **4.** *Ling.* V. *báltico* (3). [Sin. ger.: *leto*. Cf. *litão*.]

letargia. [Do gr. *lethargía*, pelo lat. *lethargia*.] *S. f.* **1.** Estado patológico observado em diversas afecções do sistema nervoso central, como encefalites, tumores, etc., caracterizado por um sono profundo e duradouro do qual só com dificuldade, e temporariamente, pode o paciente despertar. **2.** Estado de insensibilidade característico do transe mediúnico. **3.** *Fig.* Sono profundo. **4.** *Fig.* Desinteresse, indiferença, apatia. **5.** *Fig.* Estado de abatimento moral ou físico; depressão. **6.** Falta de ação; inércia, torpor. **7.** Vida latente. [Sin. ger.: *letargo*.]

letargiar. *V. t. d.* Causar letargia a; lançar ou prostrar em letargia.

letárgico. [Do gr. *lethargikós*, pelo lat. *lethargicu*.] *Adj.* **1.** Relativo a letargia. **2.** Atacado de letargia. ~ V. *encefalite* —a.

letargo. [Do gr. *léthargos*, pelo lat. *lethargu*.] *S. m.* Letargia: "Dormia .... o mancebo com aquele sono cativo dos homens de vontade, que se governam ainda mesmo quando sopitados no letargo dos sentidos" (José de Alencar, *O Sertanejo*, p. 72).

letéia. *Adj. (f.)* Fem. de *leteu*.

leteu. [Do gr. *lethaîos*, pelo lat. *lethaeu*.] *Adj.* **1.** Do, ou relativo ao Letes, um dos cinco rios do Inferno mitológico. **2.** Infernal (1). [Fem.: *letéia*.]

▲**leti-.** [Do lat. *letum*, *i*.] *El. comp.* = 'morte': *letissimulação*. [Equiv.: *leto-*: *letomania*.]

letícia. [Do lat. *laetitia*.] *S. f.* **1.** *Poét.* Ledice, alegria. **2.** *Astr.* Asteróide com cerca de 10km de diâmetro, descoberto em 1856.

lético. *Adj.* **1.** Relativo aos letões ou a sua língua. ● *S. m.* **2.** *Ling.* V. *báltico* (3).

letícola. *Adj. 2 g.* Var. de *lectícola*.

letífero. [Do lat. *laetiferu*.] *Adj.* V. *letal* (1).

letificante. [Do lat. *laetificante*.] *Adj. 2 g.* Letífico[2].

letificar. [Do lat. *laetificare*.] *V. t. d.* Tornar alegre ou ledo; encher de júbilo; alegrar. [Conjug.: v. *trancar*. Pres. ind.: *letifico*, etc. Cf. *letífico*.]

letífico[1]. [Do lat. *letificu*.] *Adj.* V. *letal* (1). [Cf. *letifico*, do v. *letificar*.]

letífico[2]. [Do lat. *laetificu*.] *Adj.* Que alegra ou letifica; letificante. [Cf. *letifico*, do v. *letificar*.]

letissimulação. [De *leti-* + *simulação*.] *S. f.* Simulação de morte, praticada por certos animais, em geral como autodefesa.

letivo. [Do lat. *lectu*, part. de *legere*, 'ler', + *-ivo*.] *Adj.* **1.** Em que há lições ou aulas: *ano, mês, dia letivo*. **2.** Referente a aulas, às atividades escolares: *movimento*

letivo. ~ V. ano— e dia—.
leto. *Adj.* e *s. m.* V. *letão.*
▲leto-. Equiv. de *leti-.*
leto-lituano. *Adj.* Da, ou pertencente ou relativo à Letônia e à Lituânia (Europa). [Pl.: *leto-lituanos.*]
letológico. [Do gr. *lethaîos, a, on,* 'que faz esquecer', + *-log(o)-* + *-ico²*.] *Adj.* Diz-se da afasia caracterizada pelo esquecimento de palavras que se quer empregar, sem comprometimentos dos órgãos da fonação e da inteligência.
letomania. [De *leto-* + *-mania.*] *S. f.* Monomania de suicídio.
letra (ê). [Do lat. *littera.*] *S. f.* **1.** *Fon.* Cada um dos sinais gráficos elementares com que se representam os vocábulos na língua escrita. [Há uma relação entre a letra na língua escrita e o fonema na língua oral, mas não há uma correspondência rigorosa entre estes; p. ex., o fonema /s/ pode ser representado pela letra *c (*antes de *e* e *i),* por *ç (*antes de *a, o* e *u),* por *s, ss* e por *x.* Cf. *consoante* (4), *vogal* (3), *fonema, grafema* e *grafia.*] **2.** Forma de escrevê-los: *letra gótica; letra itálica.* **3.** *Tip.* Tipo (9). **4.** Caligrafia (2): *Sua letra é muito bonita.* **5.** Sentido claramente expresso pela escrita: *seguir à risca a letra da lei.* **6.** Texto em verso de certas músicas, correspondente à parte que deve ser cantada. **7.** Documento de uma operação de câmbio. [V. *título de crédito.*] **8.** *Bras. Fut.* Jogada em que se chuta a bola passando um pé por trás do outro. ~ V. *letras.* ♦ **Letra aberta.** Letra vazada. **Letra a letra.** V. *à letra: Traduziu letra a letra o artigo do jornal.* **Letra anelada.** *Caligr.* Letra cujo traçado forma um anel, como o *l,* o *h,* etc. **Letra antropomorfa.** Letra ornamental cujos traços são formados pelo desenho de uma ou mais figuras humanas. **Letra ascendente.** *Tip.* Aquela que, como o *d* ou o *b,* ocupa os três-quartos superiores do corpo do tipo. [Cf. *ascendente* (4).] **Letra bastarda.** Letra gótica cursiva do séc. XV, com elementos da chanceleresca, descendentes pontudos, ascendentes às vezes com anéis, e da qual derivam os modernos tipos góticos. [V. *fratura* (4) e *Schwabacher.* Cf. *bastarda* e *bastardo* (8).] **Letra binária.** *Tip.* Letra de dois pontos [q. v.]. **Letra capital.** *Tip.* **1.** V. *letra de caixa-alta.* **2.** V. *letra capitular.* [Tb. se diz apenas *capital.*] **Letra capitular.** *Tip.* A letra grande que inicia um capítulo, um artigo ou cada item de um impresso; letra capital, capital, letra inicial, inicial. [Tb. se diz apenas *capitular.* Cf. *letra de dois pontos* e *letrina.*] **Letra caudata.** *Tip.* Versal escritural ou itálica, com traços ornamentais em forma de cauda. **Letra chanceleresca.** *Caligr.* Letra humanística cursiva, desenvolvida na Itália no séc. XV, e que se tornou, com suas múltiplas variantes, a escrita normal do Ocidente. [Sin.: *letra de chancelaria, bastarda.* Cf. *letra humanística.*] **Letra chanceleresca cursiva.** *Paleogr.* Versão corrente da letra chanceleresca, adotada na chancelaria papal para uso em breves, e desenvolvida como escrita literária, ligeira e de pequeno módulo, constituindo a origem do tipo itálico; letra humanística cursiva. [Cf. *letra humanística.*] **Letra chanceleresca formada.** *Caligr.* Versão estilizada da letra chanceleresca, adotada na chancelaria papal nos sécs. XV e XVI, para documentos diplomáticos. **Letra cortesã.** *Paleogr.* Letra redonda, cerrada, de pequeno módulo e com ligaturas, usada na Península Ibérica nos sécs. XV e XVI. [V. *letra processual.*] **Letra crenada.** *Tip.* A que tem crena; letra projetada, tipo crenado. **Letra curta.** *Tip.* Letra média. **Letra de caixa-alta.** *Tip.* Maiúscula tipográfica, assim chamada por ficar situada na parte superior da caixa; capital, letra capital, versal, letra versal. [Tb. se diz apenas *caixa-alta.*] **Letra de caixa-baixa.** *Tip.* Minúscula tipográfica, assim chamada por se localizar na parte inferior da caixa. [Tb. se diz apenas *caixa-baixa.*] **Letra de câmbio.** Título de crédito formal e completo, ao portador ou nominativo, circulável por meio do endosso, em que alguém *(sacador)* ordena a outrem *(sacado)* que pague a um terceiro *(tomador),* em certo tempo e lugar, determinada quantia. **Letra de câmbio marítimo.** O instrumento do contrato de câmbio marítimo ou empréstimo de dinheiro a risco; letra de risco. **Letra de chancelaria.** *Caligr.* V. *letra chanceleresca.* **Letra de dois pontos.** *Tip.* Letra ornamental ou lisa, usada como inicial e disposta de modo que ocupe a altura de duas linhas do texto; letra binária. [Cf. *letra capitular.* V. *letra montante.*] **Letra de forma.** A mais formal de todas as espécies de letra gótica, muito profunda, geométrica e cerrada, e que serviu de modelo aos primeiros tipos de imprensa. [V. *textura.* Cf. *letra de fôrma.*] **Letra de fôrma.** V. *tipo*¹ (10): "Não era .... a primeira vez que via trabalhos de sua autoria em *letra de fôrma.*" (Pascoal Carlos Magno, *Sol sobre as Palmeiras,* p. 95.) [Cf. *letra de fôrma.*] **Letra de imprensa.** V. *tipo*¹ (10). **Letra de médico.** Letra muito ruim, mais ou menos ininteligível. **Letra de risco.** Letra de câmbio marítimo. **Letra descendente.** *Tip.* A que, como o *p* ou o *g,* ocupa três-quartos inferiores do tipo. [Cf. *descendente* (5).] **Letra de soma.** V. *letra gótica.* **Letra dominical. 1.** Cada uma das sete primeiras letras do alfabeto latino que, no calendário eclesiástico, indicam os dias da semana, assim chamadas porque no curso do ciclo solar os domingos são sucessivamente designados por cada uma delas. **2.** *Cronol.* Uma das sete primeiras letras do alfabeto romano, a qual, posta em correspondência ordenada com um dos sete primeiros dias de um ano, corresponde ao primeiro domingo desse ano. **Letra do tesouro.** Título emitido pelo governo, e que vence juros convencionais; título de dívida pública. **Letra empastelada.** *Tip.* Tipo solto ou matriz de compositora, misturado com os de outra sorte ou fonte. **Letra escolástica.** *Ant.* Letra gótica. **Letra francesa.** *Paleogr.* V. *minúscula carolina.* **Letra garrafal.** Letra grande e perfeitamente legível: "Assim nasceram .... estes *Contos* e *Lendas,* escritos .... em *letra* grada, direita, e *garrafal*" (Rebelo da Silva, *Contos e Lendas,* p. 9). **Letra glífica.** *Ant.* Hieróglifo. **Letra gorda.** Letra grossa e malfeita. **Letra gótica.** *Paleogr.* Letra angulosa e de linhas quebradas, formada, entre os sécs. XII e XIII, mediante progressivo fraturamento dos traços da minúscula carolina. [A letra gótica perfeita e acabada, chamada *letra de forma,* produziu depois as variantes ditas *letra de soma* e *letra bastarda.* Sin. (ant.): *letra escolástica.* V. *alfabeto gótico.*] **Letra grífica.** V. *itálico* (7). **Letra hipotecária.** Título de crédito endossável, nominativo ou ao portador, emitido por banco de crédito real, sob garantia de todo o seu ativo, representado este pelos créditos hipotecários do banco emissor contra terceiros. [Cf. *cédula hipotecária.*] **Letra historiada.** Inicial ornamental que inclui figuras, muitas vezes alusivas ao texto. **Letra humanística.** *Paleogr.* Designação dada no séc. XIX à letra livresca vertical, surgida nos escritórios dos calígrafos florentinos quatrocentistas, como recriação da minúscula carolina, e que serviu de modelo aos primeiros tipos romanos de caixa-baixa. [Cf. *letra chanceleresca, letra chanceleresca cursiva* e *minúscula carolina.*] **Letra humanística cursiva.** *Paleogr.* Letra chanceleresca cursiva [q. v.]. **Letra imobiliária.** Título de promessa de pagamento, nominal ou ao portador, emitido por sociedade de crédito imobiliário, e que vence juros e correção monetária. **Letra inglesa.** *Caligr.* e *Tip.* Letra escritural de traços finos e talhe inclinado. [Tb. se diz apenas *inglesa.* Cf. *bastardo* e *rondo.*] **Letra inicial.** *Tip.* V. *letra capitular.* **Letra italiana.** *Tip.* Tipo de ostensão, da classe dos mecanais, caracterizado pelos traços horizontais acentuadamente mais grossos que os verticais. [Tb. se diz apenas *italiana.* Cf. *mecanal.*] **Letra itálica.** V. *itálico* (7). **Letra lapidar.** *Paleogr.* Letra monumental [q. v.]. **Letra latina.** *Tip.* Designação dada pelos franceses, no séc. XIX, aos primeiros tipos incisos. [Tb. se diz apenas *latina.*] **Letra livresca.** *Paleogr.* Letra formal, legível, executada à mão pousada e reservada, em qualquer escrita, à cópia de livros. **Letra longa.** *Tip.* Letra plena. **Letra maiúscula.** V. *maiúscula.* **Letra média.** *Tip.* Aquela que, como o *a* e o *m,* ocupa cerca da metade do corpo do tipo, na parte média; letra curta. **Letra minúscula.** Minúscula. **Letra moçárabe.** *Paleogr.* Letra toledana [q. v.]. **Letra montante.** *Tip.* Inicial que, ao contrário da letra de dois pontos, se projeta acima da linha a que dá começo. [Cf. *montante* (8).] **Letra monumental.** *Paleogr.* A letra reservada às inscrições epigráficas; letra lapidar. **Letra morta.** Preceito escrito que não se cumpriu, ou que já não tem autoridade nem valia. **Letra plena.** *Tip.* A que, como o *q* e o *j,* ocupa todo o corpo do tipo; letra longa. **Letra processual.** *Paleogr.* Letra usada na Península Ibérica nos sécs. XV, XVI e XVII, variante irregular da letra cortesã [q. v.], de módulo maior, e com grande número de ligaturas, como se vê na carta de Pêro Vaz de Caminha. **Letra projetada.** *Tip.* V. *letra crenada.* **Letra ramista.** Consoante ramista. **Letra redonda.** *Tip.* V. *tipo*¹ (10): "Claramente que, em matéria de *letra redonda,* o grande século [o XVI] regista muitos mais prosadores e poetas" (Miguel Torga, *Traço de União,* p. 82). [Cf. *redondo* (8).] **Letras gordas.** Letras grossas e malfeitas. **Letras monogramáticas.** Monograma. **Letras transferíveis.** *Tip. V. caracteres transferíveis.* **Letra superior.** *Paleogr.* Abreviatura que consiste em pequena letra elevada, geralmente vogal, e que indica supressão de sílaba média ou terminação de palavra. [Cf. *elevado* (5).] **Letra tabelioa.** *Caligr.* Letra larga, travada e malfeita. **Letra tirada.** *Caligr.* Letra da escrita corrente, inclinada e travada, executada com rapidez e sem levantamento da pena. **Letra toledana.** *Paleogr.* Um dos nomes dados na Península Ibérica à variante local da escrita cursiva latina, por haver sido mais cultivada em Toledo; letra moçárabe. **Letra travada.** *Caligr.* A que é unida a outra por meio de ligatura. **Letra vazada.** *Tip.* A que é formada por linha de contorno, com espaços internos em branco; letra aberta. **Letra versal.** *Tip.* V. *letra de caixa-alta.* [Tb. se diz apenas *versal.*] **À letra. 1.** Palavra por palavra; literalmente: *Traduziu à letra vários períodos.* **2.** *Fig.* Com rigor; à risca: *Seguiu à letra os conselhos do amigo;* "O seu ardor épico [De Camões], ... tomado *à letra,* .... lançou as bases dum patriotismo altissonante." (Miguel Torga, *Traço de União,* p. 129). [Sin. ger.: *letra a letra, ao pé da letra.*] **As sagradas letras.** A Bíblia, ou a Escritura Sagrada. **Com todas as letras.** Com todos os pormenores; explicitamente, claramente. **De letra.** *Bras. Pop.* Com um pé nas costas: *tirar de letra; fazer de letra.* **De letras gordas. 1.** Que lê e escreve muito mal. **2.** Sem ilustração; inculto: *É homem poderoso, mas de letras gordas.* **Levantar letra.** *Tip.* V. *compor* (11). **Levantar letras.** *Tip.* V. *compor* (11). **Passar à letra.** *Encad.* Colacionar (3). **Primeiras letras.** Os rudimentos da instrução primária: leitura, escrita, noções de aritmética, etc.
letradal. *Adj. 2 g.* Referente a, ou próprio de letrado.
letradete (ê). *Adj.* Um tanto letrado.
letradice. *S. f. Deprec.* **1.** Presunção ou prosápia de letrado. **2.** V. *bacharelada.*
letrado. [Do lat. *litteratu.*] *Adj.* **1.** Versado em letras; erudito. ● *S. m.* **2.** Indivíduo letrado; literato. **3.** *P. ext.* Jurisconsulto [q. v].
letra-guia. *S. f. Bibliogr.* Pequena letra escrita ou impressa no espaço em branco que nos manuscritos e incunábulos se reservava à pintura das iniciais. [Pl.: *letras-guias* e *letras-guia.*]
letras (ê). *S. f. pl.* **1.** Carta, missiva, epístola: "Tinha [Henriqueta Renan] soletrado a alma dele [Ernest Renan], à medida que lhe recebia as *letras*" (Machado de Assis, *Páginas Recolhidas,* p. 150). **2.** O cultivo da literatura e/ou da língua, ou das humanidades: *É dado às letras e pouco interessado nas ciências.* **3.** Conjunto de conhecimentos relativos a elas: *É um pobre homem sem letras.* **4.** Letras apostólicas. ~ V. *letra.* ♦ **Letras apostólicas.** Bulas e outros atos emanados da Santa Sé. [Tb. se diz apenas *letras.*]
letraset. [Nome comercial] *S. f.* V. *caracteres transferíveis.*
letrear. [De *letra* + *-ear.*] *V. t. d.* e *int.* Deletrear. [Conjug.: v. *frear.*]
letreirista. *S. 2 g.* **1.** Artista gráfico especializado em criar letreiros. **2.** Operário que monta letreiros.
letreiro. [De *letra* + *-eiro.*] *S. m.* **1.** Inscrição em tabuleta, com qualquer tipo de informação. **2.** V. *legenda* (3). **3.** *Cin.* Legenda (7). **4.** *Bras.* No interior do País, designação comum às inscrições mais ou menos curiosas, descobertas em rochas: pinturas, pedras lavradas, pedras riscadas, pedras pintadas ou itaquatiaras.
letria. *S. f. Pop.* Var. aferética de *aletria.*
letrilha. [Do esp. *letrilla.*] *S. f. P. us.* Copla (1).
letrina. [Do fr. *lettrine.*] *S. f.* Letra grande e ornamental que inicia capítulo de livro. [Cf. *letra capitular.*]
letrista. *S. 2 g. Bras.* **1.** Artista gráfico especializado no desenho de letras. **2.** Pessoa que pinta letras em fachadas ou tabuletas de lojas.
letrudo. [De *letra* + *-udo.*] *S. m. Pop. Pej.* Sabichão, letrado, erudito.
leu. [Do rom. *leu,* 'leão'.] *S. m.* Unidade monetária, e moeda, da Romênia. [Pl.: (no rom.): *lei.* Cf. *léu.*]
léu. [Do provenç. *leu.*] *S. m.* Vagar, ocasião, ensejo: "Por sinal que nas terras onde assistia o dito cacique, a expedição de Orellana esteve mais de uma vez acampada para construir um bergantim, tendo pois *léu* suficiente para fazer indagações." (Afonso Arinos, *Lendas e Tradições Brasileiras,* p. 42.) [Cf. *leu,* do v. *ler* e s. m.] ♦ **Ao léu. 1.** À vontade; à toa: "Distraidíssimo, assim, vendo os meus aposentos, / Deixo-me ir, embalado, *ao léu,* devaneando" (Martins Fontes, *Verão,* p. 146). **2.** A descoberto; à mostra; nu: *cabeça ao léu.* **Ao léu de.** Ao acaso de; ao sabor de; ao capricho de: "E vamos, / Sem rumo e sem destino, / *Ao léu do* Sonho / E à mercê da Vida." (Mário Pederneiras, *Ao léu do Sonho e à mercê da Vida,* p. 7.)
leucádio. [Do lat. *leucadiu.*] *Adj.* **1.** Da, ou pertencente ou relativo à ilha de Lêucade, na costa da Grécia. ● *S. m.* **2.** O natural ou habitante dessa ilha. **3.** Sobrenome de Apolo, que tinha nela um templo. [Cf. *leocádio* e o antr. *Leocádio.*]
leucanto. [Do gr. *leukanthés.*] *Adj. Bot.* Que tem ou

produz flores de cor branca.

leucemia. [De *leuc(o)-* + *-(h)em(o)-* + *-ia*.] *S. f. Patol.* Hemopatia fatal, de que há vários tipos, que se caracteriza por aumento notável no número de leucócitos e seus precursores no sangue, associado à infiltração celular em diversos órgãos e estruturas do corpo, como fígado, baço, medula óssea, nodos linfáticos, e cuja evolução pode ser aguda ou crônica, podendo ocorrer, ou não, aumento de células anormais no sangue. Entre as principais manifestações clínicas estão a anemia, hemorragias internas, etc.

leucêmico. *Adj.* **1.** Relativo a, ou que tem o caráter de leucemia: *estado leucêmico.* **2.** Atacado de leucemia: *doente leucêmico.* • *S. m.* **3.** Aquele que tem leucemia. [F. paral.: *leuquêmico.*]

leucina. [De *leuc(o)-* + *-ina*[1].] *S. f. Quím.* Aminoácido cristalino, incolor, encontrado freqüentemente nas proteínas. [Fórm.: $C_6H_{13}O_2N$.]

leucita. [De *leuc(o)-* + *-ita*[3].] *S. f. Min.* Mineral pseudomonométrico, de estrutura cristalina monoclínica, silicato de potássio e alumínio, e que se pode usar como fertilizante potássico; anfigênio.

leucito. [De *leuc(o)-* + *-ito*[2].] *S. m.* Plastídio.

▲leuc(o)-. [Do gr. *leukós, é, ón.*] *El. comp.* = 'branco': *leucorréia, leucemia.* [Equiv.: *-leuco: ocroleuco.*]

▲-leuco. Equiv. de *leuc(o)-*.

leucocarpo. [Do gr. *leukókarpos.*] *Adj. Bot.* Que dá frutos brancos.

leucocéfalo. [Do gr. *leukoképhalos.*] *Adj. Zool.* Cuja cabeça é branca.

leucocitário. *Adj.* Pertencente ou relativo ao leucócito.

leucocisto. [De *leuc(o)-* + *-cisto.*] *S. m. Morfol. Veg.* Célula aclorofilada, leptodérmica e perfurada, que se encontra nos musgos do gênero *Leucobryum*, e que tem por função armazenar água.

leucócito. [De *leuc(o)-* + *-cito.*] *S. m. Citol.* Glóbulo branco do sangue: "A timidez, afirma Metchnikof, diminui a defesa do organismo, e os *leucócitos* e o sangue perdem parte do poder defensivo contra as infecções." (A. Austregésilo, *Obras Completas*, III, p. 46.)

leucocitose. [De *leucócito* + *-ose.*] *S. f. Patol.* Aumento transitório da taxa de leucócitos no sangue.

leucócomo. [De *leuc(o)-* + *-como.*] *Adj.* **1.** Que tem cabelos brancos. **2.** *Bot.* Diz-se das plantas de folhas brancas.

leucodermia. [De *leuc(o)-* + *-derm(o)-* + *-ia.*] *S. f. Med.* Forma de perda de pigmentação melânica cutânea, adquirida e localizada, e que se distingue da vitiligem [q. v.] só porque sua etiologia é mais ou menos conhecida; leucopatia.

leucodérmico. *Adj.* Relativo à leucodermia.

leucodonte. [Do gr. *leukodous, óntos.*] *Adj. 2 g. Zool.* Cuja dentadura é branca.

leucoma. [Do gr. *leúkoma*, 'clara de ovo'.] *S. m. Patol.* Opacificação branca e densa da córnea.

leucomaína. [Do gr. *leúcoma*, 'clara de ovo' (= albumina), + *-ina*[1].] *S. f. Bioquím.* Designação genérica de diversos produtos nitrogenados resultantes do desdobramento anaeróbico das proteínas nos tecidos animais.

leuconíquia. [De *leuc(o)-* + *-onic(o)-* + *-ia.*] *S. f. Med.* Manchas brancas nas unhas. [Sin.: *albugem, selenose* e (pop.) *mentira*. Cf. *lúnula* (3).]

leuconóide. *S. f. Zool.* Esponja cuja estrutura interna apresenta câmaras vibráteis, onde se alojam células especiais, ditas coanócitos.

leucopatia. [De *leuc(o)-* + *-pat-* + *-ia.*] *S. f.* V. **1.** *Med.* Leucodermia. **2.** *Patol.* Alteração patológica em leucócitos.

leucopático. *Adj.* Referente à leucopatia.

leucopenia. [De *leuc(o)-* + gr. *penía*, 'pobreza'.] *S. f.* Diminuição do número de leucócitos no sangue.

leucopênico. *Adj.* Referente à leucopenia.

leucoplasia. [De *leuc(o)-* + *-plas(i)-* + *-ia.*] *S. f. Patol.* Qualquer tipo de espessamento de epitélios estratificados com o desenvolvimento de placas brancas opacas, e que pode sofrer transformação maligna.

leucoplasta. *S. m. Citol.* Plastídio incolor, encontrado em qualquer tecido vegetal, e que pode transformar os hidratos de carbono solúveis em insolúveis; ex.: os açúcares em amido.

leucorréia. [De *leuc(o)-* + *-réia.*] *S. f. Patol.* Corrimento branco da vagina ou do útero. [Sin., pop.: *flores brancas.*]

leucorréico. *Adj.* Relativo à leucorréia.

leucose. [De *leuc(o)-* + *-ose.*] *S. f. Patol.* Proliferação de tecido formador de leucócitos.

leucotomia. [De *leuc(o)-* + *-tom(o)-* + *-ia.*] *S. f. Cir. Psiq.* Lobotomia frontal.

leucotriquia. [De *leuc(o)-* + *-triqu(i)-* + *-ia.*] *S. f.* **1.** Discromia dos cabelos ou dos pêlos. **2.** Embranquecimento dos cabelos.

leuquemia. *S. f. Patol.* Leucemia.

leuquêmico. *Adj.* Leucêmico.

lev. *S. m.* Unidade monetária, e moeda, da Bulgária. [Pl.: *leva.*]

leva. [Dev. de *levar.*] *S. f.* **1.** *Ant. Mar.* Ato de levantar âncora para navegar. **2.** Alistamento de tropa; recrutamento. **3.** *P. us.* Condução dum grupo de presos ou de militares: *Várias pessoas assistiram à leva dos prisioneiros.* **4.** Grupo, magote: "As portas e as janelas das ruas por onde passava a nova *leva* de recrutas estavam apinhadas de gente." (Inglês de Sousa, *Contos Amazônicos*, p. 25.) **5.** *Pop.* V. *andadura* (1).

levada. [De *levar* + *-ada*[1].] *S. f.* **1.** Ato de levar. **2.** Corrente de água que se desvia de um rio para regar ou para mover algum engenho: "Por entre as vinhas aparecia em malhas o verde mais fechado das hortas ...., enquanto ao lado sussurrava a *levada* correndo pelas regueiras." (Rebelo da Silva, *Contos e Lendas*, p. 12.) **3.** Cascata, cachoeira. **4.** Levantamento do cerco de uma praça, de uma cidade; levantamento. **5.** *Bras., N.* Elevação de terreno. **6.** *Bras., CE.* Rego que conduz a água destinada à irrigação. **7.** *Bras., BA.* Rego que conduz para os tanques águas pluviais. **8.** *Bras., BA.* Corte feito nas orelhas das reses para marcá-las.

leva-dente. [De *levar* + *dente.*] *S. m. Pop.* **1.** V. *mordedura* (1). **2.** V. *repreensão* (1). [Pl.: *leva-dentes.*]

levadia. [De *levar.*] *S. f. Bras., BA.* Agitação das ondas do mar.

levadiça. [Fem. substantivado de *levadiço.*] *S. f.* Ponte levadiça: "O velho Egas Ramires, fechado na sua Torre, com a *levadiça* erguida, ... nega acolhida a El-Rei D. Fernando e Leonor Teles" (Eça de Queirós, *A Ilustre Casa de Ramires*, p. 8).

levadiço. [De *levado*, part. de *levar*, na acepç. de 'levantar', + *-iço.*] *Adj.* **1.** Que se levanta ou baixa facilmente: "O cavaleiro atravessou então, seguido dos seus, a ponte *levadiça* da cárcova" (Alexandre Herculano, *O Bobo*, pp. 221-222). **2.** Movediço, móvel: *barraca levadiça.* ~ V. *ponte* —a.

levadinho. [Dim. de *levado*[2].] *Adj. Pop.* e *fam.* V. *levado*[2].

levadio. [De *levado*, part. de *levar*, na acepç. de 'levantar', + *-io*[2].] *Adj.* Diz-se do telhado formado de telhas soltas.

levado[1]. *S. m. Bras., Marajó.* Sinal que se faz na orelha do gado cortando-lhe uma fina tira na direção do comprimento.

levado[2]. [Part. de *levar.*] *Adj. Pop.* **1.** Travesso, traquina(s), irrequieto. **2.** Indócil, indisciplinado. [Sin. ger.: *levantadiço* (1) e (fam.) *levadinho.*] ~ V. — *da breca*, — *da carepa*, — *da casqueira*, — *do diabo* e — *dos diabos.*

levadoira. *S. f.* Var. de *levadoura.*

levador (ô). *Adj.* **1.** Que leva ou conduz. • *S. m.* **2.** Aquele que conduz ou transporta.

levadoura. [De *levar* + *-(d)oura*, fem. de *-(d)ouro*[1].] *S. f.* Embarcação com aparelhos para descarregar navios. [Var.: *levadoira.*]

leva-e-traz. [Da 3ª pess. sing. do pres. ind. de *levar* + a mesma pess. de *trazer.*] *S. 2 g.* e *2 n. Bras.* e *prov. lus.* Pessoa intrigante, mexeriqueira; arengueiro, chocalheiro, enredeiro, espoleta, intrigante, intriguista, lambe-esporas, mexeriqueiro, fofoqueiro, mexedor.

leva-leva. [Da 3ª pess. sing. do pres. ind. de *levar*, repetida.] *S. m.* Grande agitação, rebuliço intenso: "um *leva-leva* entre os caboclos arranchados sob o alpendre do negócio" (Coelho Neto, *Banzo*, p. 43).

levamento. *S. m. Desus.* **1.** Ato de levar(-se). **2.** Roubo, furto.

levantada. [De *levantar* + *-ada*[1].] *S. f.* **1.** Ato de levantar(-se); levantar. **2.** Ato de levantar-se da cama. **3.** A porção de peixe apanhada numa rede ou trazida num barco.

levantadiço. [De *levantado* + *-(d)iço*[1].] *Adj.* **1.** V. *levado*[2]. **2.** Descuidado, irrefletido. **3.** V. *levantado* (6).

levantado. [Part. de *levantar.*] *Adj.* **1.** Posto em pé. **2.** Alto, elevado: *íngremes e levantadas serras.* **3.** Diz-se do mar cavado, picado, áspero. **4.** Sublime, excelso, nobre: *estilo levantado*; "E essas lágrimas derramadas sobre um túmulo, ... são o mais *levantado* prêmio que pode ansiar o gênio." (Ramalho Ortigão, *Primeiras Prosas*, p. 16). **5.** Insubordinado, insurrecionado, revolucionado: *um povo levantado.* **6.** Doidivanas, levantadiço, estróina. ~ V. *composição* —a e *tipo* —.

levantador (ô). *Adj.* **1.** Que levanta. **2.** Que amotina; que revolta. • *S. m.* **3.** Instrumento destinado a levantar ou a deslocar para cima formação anatômica, no todo ou em parte. **4.** *Anat.* Músculo que levanta alguma parte do corpo.

levantadura. *S. f.* Levantamento (1).

levantamento. *S. m.* **1.** Ato ou efeito de levantar(-se); levantadura. **2.** V. *revolta* (2): "Houve um *levantamento* de mineiros — índios e negros, insuflados por alguns despeitados contra o guarda-mor" (Afonso Arinos, *Pelo Sertão*, p. 93). **3.** Levada (4). **4.** Acréscimo, aumento, elevação. **5.** Arrolamento (1): *o levantamento do estoque de uma casa comercial.* **6.** *Estat.* Conjunto de operações para determinar as características de um fenômeno de massa. ◆ **Levantamento arquitetônico.** *Arquit.* O conjunto das operações de medida de comprimentos, larguras e alturas duma edificação, necessárias à sua representação gráfica em planta baixa, corte ou detalhe construtivo. **Levantamento expedito.** Levantamento topográfico que não exige grande precisão, executado para fins de reconhecimento e de anteprojeto. **Levantamento topográfico.** Conjunto de operações de medida de distâncias, ângulos e alturas, necessárias à preparação de uma planta topográfica.

levantante. *Adj. 2 g. Heráld.* Diz-se do animal representado sobre as patas traseiras e com as dianteiras levantadas.

levanta-pé. [De *levantar* + *pé.*] *S. m.* Correia que mantém levantado o pé dum animal durante uma operação. [Pl.: *levanta-pés.*]

levantar. [Do lat. *levantare, part. pres. *levante*, de *levare*, 'erguer'.] *V. t. d.* **1.** Pôr ao alto; alçar, erguer: *Levantou a taça, brindando o convidado.* **2.** Pôr em posição ereta; pôr direito; erguer: *levantar a cabeça.* **3.** Dar mais altura a; tornar mais alto: *Levantou o muro para melhor proteger o seu jardim.* **4.** Dirigir (os olhos, o olhar, a vista) para o alto. **5.** Erigir, edificando ou reedificando: *levantar as paredes de uma construção.* **6.** Arvorar, hastear, içar: *levantar a bandeira.* **7.** Erguer do chão, apanhar (o que estava caído). **8.** Erguer do chão; suspender: *Levantou a criança e ninou-a nos braços.* **9.** Fazer subir ao ar, espalhando: *Na terra batida, o carro levantava poeira.* **10.** Aumentar, fazer crescer (o preço de algo). **11.** Colocar a postos; aparelhar, aprestar: *levantar soldados.* **12.** Aumentar de volume, elevar: *levantar a voz.* **13.** Exaltar, sublimar; enobrecer, engrandecer: *Tais ensinamentos levantam o espírito do homem.* **14.** Provocar, promover, suscitar: "Esta história de confissão, a que o povo não está habituado, ..., *levantara* uma grande celeuma." (Inglês de Sousa, *O Missionário*, p. 105.) **15.** Conseguir, obter (dinheiro), por empréstimo ou por outro meio: *Teve de levantar num banco 10.000 cruzados; Necessitou levantar com urgência meio milhão, e viu-se forçado a vender a casa.* **16.** Entusiasmar, incitar, excitar: *A bebida levantou-lhe o ânimo.* **17.** Remover, afastar: *Só a custo levantou os obstáculos que se opunham ao seu plano.* **18.** Tornar sem efeito; abolir, revogar: "A verdadeira caridade não consiste só em minorar a pena, mas também em *levantar* a culpa." (Ramalho Ortigão, *Primeiras Prosas*, p. 282.) **19.** Fazer cessar; encerrar: *Levantou a sessão antes do tempo marcado.* **20.** Sugerir, propor; lembrar, lançar: *levantar uma candidatura.* **21.** Alcançar, obter, conquistar: *Com sua obra de ficcionista já levantou vários prêmios; A égua levantou o Prêmio Brasil.* **22.** Fazer o levantamento topográfico de. **23.** Dar realce, vida, a; realçar, avivar: *O vermelho levanta a fisionomia da Laura.* **24.** Arrolar, inventariar, após um trabalho de pesquisa ou investigação; fazer a estatística de: "Precisamos .... de *levantar* a cartografia lingüística das regiões culturais brasileiras" (Celso Cunha, *Língua, Nação, Alienação*, p. 28). **25.** Fazer o levantamento arquitetônico de. **26.** Fazer partir (a caça). **27.** *Tip.* Apanhar (a letra) na caixa para levá-la ao componedor. [Cf. *compor* (11).] **28.** *Bras., RS.* Tirar (o gado) do campo ou de outro lugar onde está. *T. d.* e *i.* **29.** Elevar, erguer, alçar: *Levantou o pensamento a Deus; Levanta os olhos ao céu.* **30.** Erigir em homenagem: *Mandaram levantar-lhe um túmulo. Transobj.* **31.** Eleger por aclamação; aclamar: *Em meio ao clamor popular levantaram-no por seu rei. Int.* **32.** Altear-se, erguer-se; levantar-se: *Enormes ondas começavam a levantar.* **33.** Sair da cama; levantar-se: "Piá continua *levantando* cedo, todos os dias, para ir à vila levar o leite." (Guido Vilmar Sassi, *Piá*, p. 94.) **34.** Subir de preço. **35.** Tornar-se alto ou mais alto; crescer. **36.** Fazer que algo realce, adquira vida: *É preciso pintar a sala com uma cor que levante.* **37.** *Bras. Chulo.* Ter ereção; ter potência sexual: *Está velhinho, mas ainda* *levanta.* **38.** Pôr-se de pé; firmar-se nos pés; erguer-se: *Ao ouvirem o Hino Nacional, todos os presentes se levantaram.* **39.** Sair da cama: "Teixeira levantou-se, naquela manhã, ainda mais cedo." (Rui Santos, *Teixeira Moleque*, p. 73.) **40.** Exaltar-se, pronunciar-se, manifestar-se, protestando. **41.** Sublevar-se, rebelar-se. **42.** Desenvolver-se, desencadear-se; surgir: *Grande temporal ameaçava levantar-se.* **43.** Raiar, surgir, aparecer: "Iluminada horizontalmente pelo sol, que se ia apenas levantando, a aldeia parecia acordar" (Conde de Ficalho, *Uma Eleição Perdida*, p. 185). **44.** Reabilitar-se, reerguer-se: *Com este brilhante exame, o candidato levanta-se.* **45.** Recuperar a saúde; convalescer. ● *S. m.* **46.** Ato de levantar(-se); levantada.

levante¹. [Do it. *levante.*] *S. m.* **1.** *Astr.* e *Geog.* V. *este* (1 e 2). **2.** Os países do Mediterrâneo oriental.

levante². [Dev. de *levantar.*] *S. m.* **1.** Ato de levantar (-se); alevante. **2.** *Bras.* e *prov. lus.* V. *revolta (2).* **3.** *Bras.* Erva fortemente aromática, da família das labiadas (*Mentha silvestris*), de folhas moles, verde-escuras e crenadas, flores azuladas e pequeníssimas, e atualmente cultivada no Brasil para extração do mentol; hortelã, alevante. ● *Adj.* **4.** ~ V. *ponte* —. ♦ **De levante. 1.** Sem reflexão; sem meditação; impensadamente. **2.** Sem persistência; sem constância. **3.** Sem sossego; espalhafatosamente. **4.** Prestes a partir: *estar de levante.*

levântico. [De *levante¹* + *-ico²*.] *Adj.* Levantino (1).

levantino. *Adj.* **1.** Dos, ou pertencente ou relativo aos países do Levante¹ (2). [Sin.: *levântico* e (ant.) *levantisco.*] ● *S. m.* **2.** O natural ou habitante desses países. [Sin., ant.: *levantisco.*]

levantisco. [De *levante¹* + *-isco²*.] *Adj.* e *s. m. Ant.* V. *levantino*: "Sagunto era uma cidade de chatins, compósita, meio levantisca" (Aquilino Ribeiro, *Os Avós dos Nossos Avós*, p. 254).

levanto. [Dev. de *levantar.*] *S. m.* **1.** Ato de fazer levantar a caça. **2.** O ímpeto com que ela sai da toca.

levar. [Do lat. *levare.*] *V. t. d.* **1.** Fazer passar de um lugar para outro; transportar. **2.** Portar¹ (1): *Levava consigo uma pasta; Disseram-lhe que, ao sair, levasse os seus pertences.* **3.** Arrastar, puxar: *Os burros levavam a carroça;* "há uma superior formosura, que constitui o belo universal, o belo que prende e leva todos os olhos." (Camilo Castelo Branco, *Amor de Salvação*, p. 65). **4.** Retirar, afastar: *Pediu que levasse dali aquele impostor.* **5.** Conduzir, guiar: "Era rara a noite em que não saía de casa, levando o Paulinho pela mão" (Mário Donato, *A Parábola das 4 Cruzes*, p. 83). **6.** Seguir (direção, caminho): *Saiu daqui levando o rumo do norte.* **7.** Ir acompanhado de; ter como séquito ou cortejo; levar após si: *O carro presidencial levava mais de 100 automóveis.* **8.** Ter; usar: *leva apenas o nome paterno.* **9.** Ter em seu poder: *Horas depois de chegar, ainda levava as cartas que o embaixador lhe confiara.* **10.** Ter em vista; visar a: *levava um péssimo intento.* **11.** Ser portador de; transmitir: *Não quis levar a incumbência.* **12.** Ir em, ou estar animado de (grande velocidade). **13.** Sentir (dor, alegria, etc.), partindo ou ausentando-se: *Saiu de sua terra levando saudades.* **14.** Lidar ou conviver com, de modo conveniente, hábil: *Sabe levar crianças e velhos.* **15.** Apagar, delir: *As águas da chuva levaram a inscrição.* **16.** Pôr fora; expulsar, repelir: *Levou o assaltante a bordoadas.* **17.** Causar a morte de; matar: (2): "Recorda-se quando ela teve aquela pneumonia que a ia levando" (Luís Forjaz Trigueiros, *Ainda Há Estrelas no Céu*, p. 154). **18.** Passar, consumir, tomar (certo período de tempo): *Levou a tarde a chorar.* **19.** Passar (a vida); viver: *Leva uma boa vida.* **20.** Obter, receber: *Levou o melhor prêmio.* **21.** Ter como paga ou preço: *Traduziu o livro, e levou 3.000 cruzados.* **22.** Tirar; roubar, furtar: *Levou todo o dinheiro que havia na gaveta.* **23.** Arrancar; desprender: "Nova e mais tesa rajada / Zune, zune, ininterrupta, / Telhas leva, ramos parte" (Alberto de Oliveira, *Poesias*, 3ª série, p. 116). **24.** Usar como vestuário ou parte do vestuário; trajar, vestir, trazer: "A rainha levava um trajo de brocado cor-de-rosa" (Fialho d'Almeida, *Vida Errante*, p. 286). **25.** Exigir para ter valia; dever ter; precisar, requerer, demandar: *Esta carta leva três selos de um cruzado.* **26.** Exigir para ficar conveniente; precisar, necessitar, requerer: *A saia leva dois metros de fazenda.* **27.** Ganhar, lucrar: *Levou uma bolada na transação.* **28.** Fazer representar; exibir: *Amanhã este cinema levará um bom filme.* **29** *Mar.* Suspender, levantar, recolher: *levar âncora; levar a vela.* **30.** *Teat.* Pôr em cena; encenar: *O Teatro de Arena vai levar uma peça de Shakespeare. T. d.* e *i.* **31.** Conduzir; trazer: "Quincas Borba .... sentou-se ofegante. Rubião acudiu, levando-lhe água" (Machado de Assis, *Quincas Borba*, p. 13). **32.** Fazer chegar: *Leva a sua bondade a tal extremo que parece um santo.* **33.** Portar¹ (1) para dar: *No aniversário do amigo levou-lhe uma gravata.* **34.** Induzir, mover, decidir: *As circunstâncias levaram-no a proceder mal. Transobj.* **35.** Manter, conservar; trazer: *Levava a cabeça erguida. T. c.* **36.** Ir ter; conduzir: *Todos os caminhos levam a Roma. Int.* **37.** *Fam.* Apanhar pancada; ser castigado fisicamente: *A criança comportou-se mal, e acabou levando.* **38** Receber castigo. **39.** *Bras.* Levar ou passar o tempo: *Nada faz, e leva a falar dos que trabalham.* **40.** Ter (dada capacidade); poder, conter: *Esta vasilha leva mais de dois litros. P.* **41.** Pôr-se a caminho, partir (a embarcação). **42.** Deixar-se dominar: *Levou-se pela ira e fez um escarcéu.* ♦ **Levar a bem.** Consentir, aprovar. **Levar a mal. 1.** Não consentir; reprovar. **2.** Melindrar-se ou ofender-se com.

leve. [Do lat. *leve.*] *Adj. 2 g.* **1.** De pouco peso (1): *carga leve;* "Olha agora aquela criança / Perseguindo pela alameda / Uma borboletinha mansa, / Leve como um fio de seda" (Ribeiro Couto, *Poesias Reunidas*, p. 93). **2.** Que recebe ou leva pouco peso ou pressão: *estômago leve; A mala está muito leve.* [Sin. bras. e ant. (nessas acepç.): *leviano.*] **3.** De pouca densidade: *leve camada de tinta; o alumínio é um metal leve.* **4.** Que se movimenta com desembaraço, agilmente, à solta: *bailarina leve;* "E as breves / Falenas / Vão leves, / Serenas, / Em bando / Girando, / Valsando, /Voando / No ar!..." (Castro Alves, *Obra Completa*, p. 316.) **5.** De forma delicada, delgada, graciosa: *Divisavam-se, de longe, as linhas leves das mesquitas.* **6.** Que mal se percebe pelos sentidos; indistinto, tênue, ligeiro, suave, delicado: *leve fragrância; leve rubor; aragem leve.* **7.** Pouco carregado; mal acentuado; esbatido, ligeiro: *leve maquilagem; traços leves.* **8.** Quase imperceptível; insignificante: *ruído leve.* **9.** Sem importância, sem gravidade; ligeiro: *ferimentos leves; falta leve.* **10.** Aliviado, desoprimido: *consciência leve.* **11.** Que agasalha pouco; pouco espesso; ligeiro; *tecido leve; roupa leve.* **12.** De fácil digestão; ligeiro: *comida leve.* **13.** Parco, sóbrio, frugal: *refeição leve.* ~ V. *indústria —, peso —, raia —, sono — e vinho —.* ● *Adv.* **14.** Levemente; de leve: "Batem leve, levemente, / Como quem chama por mim..." (Augusto Gil, *Luar de Janeiro*, p. 27.) ~ V. *leves.* ♦ **Ao de leve.** De leve: *Passou-lhe a mão pelos cabelos, ao de leve, carinhosa;* "Recebeu-a Aurélia ao de leve surpresa" (José de Alencar, *Senhora*, p. 196). **De leve. 1.** Sem exercer pressão; levemente: *escovar a roupa de leve; bater de leve na porta.* **2.** Pela rama; superficialmente, levemente: *Conhece o assunto de leve.* [Sin. ger.: *ao de leve.*]

levedação. *S. f.* Ato ou efeito de levedar.

levedado. [Part. de *levedar.*] *Adj.* Que fermentou; lêvedo.

levedar. *V. t. d.* **1.** Tornar lêvedo; fazer fermentar. *Int.* **2.** Fermentar (a massa); fazer-se lêvedo: "enquanto esperam que na cozinha negra o pão levede na encardida masseira." (Antero de Figueiredo, *Jornadas em Portugal*, p. 144). [F. paral.: *alevedar.* Pres. ind.: *levedo*, etc. Cf. *lêvedo* e *levedo* (ê).]

levedo (ê). [Dev. de *levedar.*] *S. m. Bras.* Lêvedo (1). [Pl.: *levedos* (ê). Cf. *levedo, do v. levedar.*]

lêvedo. [Do lat. vulg. **levitu*, por *levatu.*] *S. m.* **1.** Designação genérica de certos fungos unicelulares da família das sacaromicetáceas, agentes de fermentação, empregados na preparação de bebidas alcoólicas não destiladas e na panificação; levedura. [Alguns lêvedos são patogênicos para o homem, porém outros são úteis, como o *Saccharomyces cervistas*, usado na indústria da cerveja. No Brasil, a pronúncia corrente é *levedo* (ê).] ● *Adj.* **2.** Levedado: "educava-os a seu modo, punha-os obedientes como pedaços de massa lêveda em mãos de padeira habilidosa." (João de Araújo Correia, *Terra Ingrata*, p. 182). [Cf. *lêvedo*, do v. *levedar*, e *levedo* (ê), s. m.]

levedura. [De *levedo* + *-ura.*] *S. f.* **1.** Lêvedo (1). **2.** Fermento (1 e 2).

levemente. *Adv.* V. *de leve.*

leves. [Pl. substantivado do adj. *leve.*] *S. m. pl.* Pulmões de aves; bofes. ~ V. *leve.*

levez (ê). *S. f.* V. *leveza.*

leveza (ê). *S. f.* **1.** Qualidade de leve. **2.** V. *leviandade.* [F. paral.: *levez.*]

levezinho. *Adv.* Muito de leve: "Bates-me à porta, levezinho..." (Sebastião da Gama, *Cabo da Boa Esperança*, p. 81.) ♦ **De levezinho.** Muito de leve; levezinho: "De levezinho, sobre os seus ombros / poisei as mãos." (Id. *ib.*, p. 116.)

leviandade. *S. f.* Qualidade, caráter, conduta ou ato de leviano (1 e 2); levidão, leveza, ligeirice, ligeireza.

leviano. [Do esp. *leviano.*] *Adj.* **1.** Que julga ou procede irrefletidamente; precipitado, inconsiderado, imprudente. **2.** Sem seriedade; inconstante: *mulher leviana.* **3.** *Bras.* e *ant.* Que exige pouco esforço; maneiro, leve: "Exilou-a da sala, onde apenas desempenhava levianos e delicados serviços" (Bernardo Guimarães, *A Escrava Isaura*, p. 35). **4.** *Bras.* Que leva pouca carga. ● *S. m.* **5.** Indivíduo leviano.

leviatã. [Do hebr. *liwjathan*, 'animal que se enrosca'.] *S. m.* Monstro do caos, na mitologia fenícia, identificado, na Bíblia, como um animal aquático ou reptil.

levidade. [Do lat. *levitate.*] *S. f.* **1.** Leveza física. [Sin., p. us.: *levidão.*] **2.** *Fig.* Destreza, habilidade.

levidão. *S. f. P. us.* **1.** Levidade (1). **2.** *Fig.* V. *leviandade.*

levigação. [Do lat. *laevigatione.*] *S. f.* Processo de separação dos componentes sólidos de uma mistura pulverulenta, mediante o arraste preferencial das partículas menos densas por um fluido que escoa através do sólido.

levigar. [Do lat. *laevigare.*] *V. t. d.* Sujeitar à levigação. [Conjug.: v. *largar.*]

levípede. [Do lat. *levipede.*] *Adj. 2 g. Poét.* **1.** Que tem pé leve. **2.** Que anda com presteza: "bocejando alguns, falando animadamente outros, levípedes, de faces rubras" (Afonso Arinos, *Pelo Sertão*, p. 138).

levirado. *S. m.* Var. de *levirato.*

levirato. [Do lat. *levir*, 'cunhado', + *-ato¹*.] *S. m. Etnol.* Instituição matrimonial muito difundida entre povos naturais, especialmente entre os antigos hebreus, que impunha à viúva o casamento com o irmão ou com o herdeiro do nome de seu defunto marido, a fim de assegurar a continuidade da família, ou, segundo a Bíblia, a descendência na linha masculina, ou patrilinearidade. [Var.: *levirado.*]

levirrostro. [De *leve* + *-i-* + *-rostro.*] *Adj. Zool.* Que tem bico leve.

levisita. [Do antr. *Lewis*, de Winford Lee Lewis, químico americano (1878-1943), + *-ita²*.] *S. f. G. Quím.* Gás de combate, vesicante, com cheiro de gerânio. [Fórm.: $ClCHCHAsCl_2$.]

levita¹. [Do lat. *levita.*] *S. m.* **1.** Membro da tribo de Levi, entre os hebreus. **2.** Sacerdote da antiga Jerusalém. **3.** *P. ext.* Sacerdote (2): "— Fala comigo, senhor padre? | — Se lhe serviu a carapuça, menina, a culpa não é minha — respondeu o austero levita" (Camilo Castelo Branco, *Doze Casamentos Felizes*, p. 83).

levita². [Do esp. *levita.*] *S. f.* **1.** Longo redingote masculino, anterior à sobrecasaca. **2.** *Irôn.* Sobrecasaca.

levitação. [De *levitar* + *-ção.*] *S. f.* **1.** Ato ou efeito de levitar. **2.** *Fig.* Estado dos santos em êxtase.

levitar. [Do lat. **levitu*, part. pass. vulg., por *levatu*, de *levare*, 'levantar'.] *V. int.* e *p.* **1.** Erguer-se (pessoa ou coisa) acima do solo, nas experiências mágicas, ou como que em tais experiências, sem que nada visível a sustenha ou suspenda: "senti-me livre, sutil, incoercível, levitando e fugindo num vôo angélico para as altas esferas" (Xavier Marques, *A Cidade Encantada*, pp. 48-49); "Seu corpo cheio de música pareceu levitar-se, escorregar no vácuo, oscilar." (Menotti del Picchia, *O Árbitro*, p. 75). *T. d.* **2.** Erguer, como nessas experiências: "criando nesse corpo asas morais que pareciam levitá-lo acima do solo, ágil, por esses caminhos fora" (Antero de Figueiredo, *Toledo*, p. 98).

levítico. *Adj.* **1.** Pertencente ou relativo aos levitas. ● *S. m.* **2.** O terceiro livro do Pentateuco [q. v.]. **3.** Certa planta umbelífera medicinal.

levogiro. [Do lat. *laevu*, 'esquerdo', + gr. *gyros*, 'volta'.] *Adj. Quím.* Diz-se de substância que desvia para a esquerda o plano de polarização da luz. ~ V. *curva —a.* [Antôn.: *dextrogiro.*]

levulose. [Do lat. *laevu*, 'esquerdo', + *-l-* + *-ose.*] *S. f. Quím.* Frutose.

▲**lex-.** [Do gr. *léxis, eos.*] *El. comp.* = 'ação de falar', 'palavra', 'alocução': *dislexia.*

lexema (cs). [De *lex-* + a terminação de *fonema.*] *S. m. Ling.* Semantema.

lexemático (cs). *Adj.* Relativo a, ou em que há lexema.

lexical (cs). *Adj. 2 g.* Pertencente ou relativo ao léxico ou aos vocábulos de um idioma; léxico. ~ V. *significado —.*

▲**lexico-.** [Do gr. *lexikós, é, ón.*] *El. comp.* = 'léxico': *lexicologia, lexicografia.*

léxico (cs). [Do gr. *lexikón.*] *S. m.* **1.** Dicionário de línguas clássicas antigas. **2.** Dicionário dos vocábulos usados por um autor ou por uma escola literária; léxicon. **3.** Dicionário abreviado. **4.** *P. ext.* Dicionário. **5.** Conjunto de vocábulos de um idioma. ● *Adj.* **6.** Lexical: *análise léxica; família léxica* (palavras

cognatas). ~ V. *análise* —a.
lexicografar (cs). [De *lexicógrafo* + *-ar*[2].] *V. t. d.* e *int.* V. *dicionarizar.* [Pres. ind.: *lexicografo*, etc. Cf. *lexicógrafo.*]
lexicografia (cs). *S. f.* A ciência do lexicógrafo.
lexicográfico (cs). *Adj.* Respeitante à lexicografia.
lexicógrafo (cs). [Do gr. *lexikográphos.*] *S. m.* Autor de dicionário ou de trabalho a respeito de palavras duma língua; dicionarista; lexicólogo. [Cf. *lexicografo*, do v. *lexicografar.*]
lexicologia (cs). [De *lexico-* + *-log(o)-* + *-ia.*] *S. f.* **1.** Parte da gramática que se ocupa do valor etimológico e das várias acepções das palavras. **2.** Estudo dos elementos de formação das palavras. [F. paral.: *lexiologia.*]
lexicológico (cs). *Adj.* Respeitante à lexicologia; lexiológico.
lexicólogo (cs). [De *lexico-* + *-logo.*] *S. m.* **1.** Dicionarista, lexicógrafo. **2.** Especialista em lexicologia.
léxicon (cs). *S. m.* Léxico (2): "O léxicon de Shakespeare, não obstante os seus quinze mil vocábulos, parece não possuir expressões bastantes que frisassem à sua vasta ideologia." (Camilo Castelo Branco, *Otelo, o Mouro de Veneza*, p. 10.)
Lexiogênico (cs). [Do gr. *lexis*, 'palavra', + *-o-* + *-gen(o)-*[1] + *-ico*[2].] *Adj.* Respeitante à formação das palavras.
lexiologia (cs). [Do gr. *lexis*, 'palavra', + *-o-* + *-log(o)-* + *-ia.*] *S. f.* Lexicologia.
lexiológico (cs). *Adj.* Lexicológico.
➧**lexis** (lécsis). [Gr.] *S. f. 2 n. Filos.* Enunciado suscetível de ser verdadeiro ou falso, mas que é considerado, independentemente de afirmação ou negação, apenas quanto ao seu conteúdo.
lezira. *S. f.* Var. de *lezíria*: "Vinham os lamarões, as leziras funestas, / De água paralisada e decomposta ao sol" (Olavo Bilac, *Poesias*, p. 264).
lezíria. [Do ár. *ál-ja-zīrā*, 'a ilha'.] *S. f.* Terra plana e alagadiça, nas margens dum rio: "Todos os dias a paz das lezírias do Ribatejo e das terras transtaganas era alarmada por tropéis de cavaleiros de lanças erguidas" (Antero de Figueiredo, *Leonor Teles*, p. 198). [Var.: *lezira.*]
■**lg.** *Mat.* Símb. de *logaritmo decimal.*
lhama[1]. [Do esp. *llama*, 'chama'.] *S. f.* Tecido de fio de prata ou de ouro: "Querubins alados em coxins de lhama / Cuidarão teu corpo com meiguices de ama..." (Luís Guimarães [filho], *Pedras Preciosas*, p. 98); "Hoje, a lua no crescente .... estende o manto de lhama de prata sobre a face levemente crespa das águas." (Alexandre Herculano, *Lendas e Narrativas*, II, p. 115).
lhama[2]. [Do quíchua *lhama*, pelo esp. amer. *llama.*] *S. m.* **1.** Ruminante sul-americano, da família dos camelídeos (*Lama glama*), de pelagem longa e lanosa, e que é tido como uma espécie domesticada do guanaco. **2.** V. *alpaca*[1] (1).
lhaneza (ê). [De *lhano* + *-eza.*] *S. f.* **1.** Franqueza, sinceridade, lisura. **2.** Singeleza, candura, simplicidade. **3.** Afabilidade, amabilidade, delicadeza. [Sin. ger.: *lhanura.*]
lhano. [Do esp. *llano.*] *Adj.* **1.** Sincero, franco, chão: "E ela respondia lhana e afável, como era próprio do seu gênio, a toda a gente" (Aquilino Ribeiro, *Estrada de Santiago*, p. 174). **2.** Simples, despretensioso, desafetado: "Andresa recebeu-nos com a lhana hospitalidade da gente da nossa terra." (Inglês de Sousa, *Contos Amazônicos*, p. 220.) **3.** Afável, amável, delicado. ~ V. *lhanos.*
lhanos. [Do esp. *llanos.*] *S. m. pl.* Extensas planícies de vegetação herbácea, na América do Sul. ~ V. *lhano.*
lhanura. [Do esp. *llanura.*] *S. f.* **1.** V. *lhaneza.* **2.** Planura (2) [v. *planalto*]: "O silêncio parecia dilatar as lhanuras, engrandecer as colinas" (Alcides Maia, *Ruínas Vivas*, p. 13).
lhe. [Do lat. *illi* (dativo de *ille*).] *Pron. pess.* **1.** A ele, a ela (ou a você, ao senhor, a V. Sª. etc): "Acontecera-lhe .... vê-lo de relance na rua" (Machado de Assis, *Histórias sem Data*, p. 73); "encontrando a filha sozinha, abriu-lhe o coração." (Id., *ib.*, p. 73); "O passado .... pareceu-lhe melancólico" (Camilo Castelo Branco, *Agulha em Palheiro*, p. 63), *Dou-lhe parabéns, meu amigo.* **2.** Nele, nela (ou em você, no senhor em V. Sª. etc): "Amparai-o! insuflai-lhe o amor da vida!" (Alberto de Oliveira, *Poesias*, 3ª. série, p. 13); "Eu habituar-me-ia a bater-lhe" (José Régio, *Histórias de Mulheres*, p. 264); *Não lhe acho graça.* **3.** Para ele, para ela (ou para você, para o senhor, para V. Sª. etc.): "Comprou um brinquedo custoso para a criança, comprou-lhe balas" (França Júnior, *Folhetins*, p. 532). **4.** Dele, dela (ou de você, do senhor, de V. Sª., etc.): "O [peixe] do meio trazia uma concha na boca, e lançou-a na areia, mesmo aos pés do rapaz. Quando ele a abriu, achou-lhe dentro o anel de oiro" (Guerra Junqueiro, *Contos para a Infância*, p. 237); "já não lhe devo nada, nem o senhor a mim; contudo preferia nunca mais lhe pôr a vista em cima!" (Aluísio Azevedo, *O Coruja*, p. 302). **5.** Ante ele; ante ela (ou ante você, ante o senhor, ante V. Sª., etc.); a seus olhos: "O passado .... pareceu-lhe melancólico: a poesia dos impérios pulverizados avultou-lhe como horrenda soledade" (Camilo Castelo Branco, *Agulha em Palheiro*, p. 63). **6.** Por vezes (com elegância para o estilo), vale como possessivo: "A gravata de cetim preto, com um aro de aço por dentro, imobilizava-lhe o pescoço" (Machado de Assis, *Dom Casmurro*, p. 11); "A resina corre-lhe do tronco [do cajueiro]" (Humberto de Campos, *Memórias*, p. 199). **7.** Pode funcionar como dativo ético: *Recomendou ao pequeno que se portasse direito, que não lhe fizesse travessuras na casa do vizinho.* [Pl. *lhes.* Antigamente era invariável [v. *lho* (2).]: "As flores, por onde passa, / Se o pé lhe acerta de pôr, / Ficam de inveja sem cor, / E de vergonha com graça" (Francisco Rodrigues Lobo, *Éclogas*, p. 246); "Regougavam no cume dos outeiros / Esfaimadas raposas; na floresta / Lhe respondiam mochos agoureiros." (P. A. Correia Garção, *Obras Poéticas e Oratórias*, p. 28). [Desse uso, comuníssimo até o séc. XVIII, encontram-se exemplos ainda em fins do séc. XIX e no atual: "Eu lhe digo aos senhores" (Almeida Garrett, *Viagens na Minha Terra*, p. 61); "As freiras de Santa Clara, até o ano de 1500, recebiam portagem das mercadorias que passavam pelo rio Douro. Naquele ano foi-lhe cassado o direito" (Camilo Castelo Branco, *Mosaico e Silva de Curiosidades*, p. 41); "Os coelhos devoram tudo. É uma praga. I — Dê-lhe tiros." (Raul Brandão, *Os Pescadores*, p. 227). Repare-se no trecho seguinte, onde aparece três vezes o *lhe*, respectivamente com as acepç. 6, 4 e 2: "Apoiou a cabeça à mão que antes lhe afagava o queixo. Mas o criado punha-lhe o café diante. Ele deitou-lhe açúcar, mexeu-o rapidamente" (Armindo Rodrigues, *A Vida perto de Nós*, pp. 73-74).
lheguelhé. *S. m.* V. *joão-ninguém.*
lho[1]. Contr. do pron. pess. *lhe* com o pron. pess. *o* e o pron. dem. neutro *o*: "Pedia um mote, davam-lho, ele glosava-o prontamente" (Machado de Assis, *Memórias Póstumas de Brás Cubas*, p. 40); "— Vou. Quando embarcas? / —Daqui a três dias. / — Vou. / Agradeci-lho de joelhos." (Id., *ib.*, p. 61). [Flex.: *lha, lhos, lha.*]
lho[2]. *Ant.* e *pop.* Contr. do pron. pess. *lhe* (= *lhes*) com o pron. pess. *o* e com o pron. dem. neutro *o*: *Os presentes que sempre lhe dou, este ano não lhos dei;* "Oh, passaram hoje pior noite do que eu. Que lho leve Deus em conta e lhes perdoe como eu perdoei já." (Almeida Garrett, *Frei Luís de Sousa*, p. 129). [Flex.: *lha, lhos, lhas.*]
lhufas. *Pron. indef. Bras.* V. *nada* (1): "No reino dos mestres e doutores em letras que entendem (quando entendem) de um autor e de um método, mas não entendem lhufas de literatura" (José Guilherme Merquior, *Jornal do Brasil*, 10.8.1980).
li[1]. [Do chin. *li.*] *S. m.* Medida itinerária chinesa, equivalente a cerca de 576 metros.
li[2]. [Do chin. *le.*] *S. m.* Pequena moeda chinesa, de estanho ou de cobre.
li[3]. *S. m.* Fórmula de tratamento respeitoso, entre os chineses.
■ **li.** *Quím.* Simb. de *lítio.*
lia. [Do fr. *lie.*] *S. f.* **1.** V. *borra* (1): "Já mil vezes provei, e de joelhos, a lia / Do cálix da amargura e da melancolia." (Martins Fontes, *Poesias*, V, p. 113.) **2.** Bagaço de que se faz a aguapé. ~ V. *lias.*
liaça. [Do fr. *liasse.*] *S. f.* Feixe de palhas no qual se envolvem os vidros para não se quebrarem durante o transporte. [Seria mais acorde com a etimologia a escrita *liassa.*]
liação. *S. f.* Ato ou efeito de liar(-se).
liadoiro. *S. m.* Liadouro [q. v.]
liadouro. [De *liar* + *-(d)ouro*; var. de *liadoiro.*] *S. m.* Pedra que ressai de uma parede e se embute noutra para ligá-la e segurá-la.
liamba. [Do quimb. *liamba.*] *S. f. Bras.* V. *maconha*: "Nas cidades os viciados elegantes absorvem o ópio, a cocaína, a morfina; por aqui há pessoas que ainda fumam liamba" (Graciliano Ramos, *Linhas Tortas*, p. 83.)
liame (â). [Do lat. *ligamen.*] *S. m.* Aquilo que prende ou liga uma coisa a outra; ligação: "E eis que rompendo os liames que o prendem à vida normal, procura, dentro de suas lembranças, faltas veniais, descuidos, coisas sem importância, para arquitetar com essas insignificâncias uma história incoerentemente dramática" (Jorge de Lima, *Guerra dentro do Beco*, p. 21).
liana. [Do fr. *liane.*] *S. f. Morfol. Veg.* Trepadeira lenhosa, geralmente de grande tamanho, semelhante a cipó: "Em troncos velhos viçavam lianas e parasitas" (Júlia Lopes de Almeida, *Ânsia Eterna*, p. 97).
liança. [De *liar* + *-ança.*] *S. f. Ant.* **1.** Atadura, ligadura. **2.** Aliança, ligação, união.
liar. [Do lat. *ligare.*] *V. t. d.* e *p.* Ligar[2] (1 e 21): "Lia-se além a tudo uma enrediça" (Alberto de Oliveira, *Poesias*, 3ª série, p. 283). [Pres. ind., *lio, lias, lia, liamos, liais, liam*; pres. subj.: *lie, lies, lie, liemos, lieis, liem.* Cf. *líamos* e *líeis*, do v. *ler*; *leais*, pl. de *leal*; e *Leais*, pl. do antr. *Leal.*]
lias. [Do ingl. *lias.*] *S. m.* O conjunto das camadas da parte inferior do terreno jurássico. ~ V. *lia.*
liássico. *Adj.* **1.** Relativo a lias. **2.** Em que há lias.
libação. [Do lat. *libatione.*] *S. f.* **1.** Ato de libar. **2.** Entre os pagãos, ritual religioso que consistia em derramar um líquido de origem orgânica (vinho, óleo, leite, etc.) como oferenda a qualquer divindade. **3.** Ato de libar ou de beber, mais por prazer que por necessidade. ~ V. *libações.*
libações. [Pl. de *libação.*] *S. f. pl.* Copos de vinho tomados por prazer ou para brindar. ~ V. *libação.*
libambo. [Do quimb. *libambo.*] *S. m. Bras.*, *N.* e *N.E.* **1.** Cadeia de ferro à qual se atava pelo pescoço um lote de condenados, quando tinham de sair das prisões a serviço: "ajoujam-nos [aos escravos] pelo pescoço com a pesada cadeia, o libambo, em caso de rebeldia." (João Ribeiro, *História do Brasil*, p. 206). **2.** Grupo de pessoas; turba, rancho. [Cf. *libombo.*]
libame. [Do lat. *libamine.*] *S. m.* Nos sacrifícios romanos, oferenda aos deuses.
libanês. *Adj.* **1.** Do, ou pertencente ou relativo ao Líbano (Ásia). • *S. m.* **2.** O natural ou habitante do Líbano. [Flex.: *libanesa* (ê), *libaneses* (ê), *libanesas* (ê).]
libanomancia. *S. f.* Entre os antigos, adivinhação pela direção e forma da fumaça do incenso.
libanomante. *S. 2 g.* Pessoa que praticava a libanomancia.
libanomântico. *Adj.* Referente à libanomancia, ou a libanomante.
libar. [Do lat. *libare.*] *V. t. d.* **1.** Beber, sorver, tragar, delibar. **2.** Tragar o conteúdo de : *Libaram as taças espumantes.* **3.** Chupar, sugar: "as abelhas, / Com jeito leve e brando, / Libam mel nesses lábios entreabertos" (Luís Guimarães [filho], *Pedras Preciosas*, p. 98). **4.** Experimentar; gozar: *libar infinitos prazeres. Int.* **5.** Fazer libações.
libelar. *V. int. Jur.* Articular o libelo (2).
libelático. *Adj.* e *s. m.* Dizia-se do, ou o cristão que, no tempo das perseguições, comprava a certos magistrados um libelo (3) no qual se certificava que ele fazia sacrifícios aos deuses.
libelinha. [De *libelulinha*, dim. de *libélula*, por haplologia.] *S. f.* V. *libélula.*
libelista. *S. 2 g.* **1.** Pessoa que faz libelo (2). **2.** Pessoa que formula acusações.
libelo (bé). [Do lat. *libellu.*] *S. m.* **1.** *Jur.* Exposição articulada daquilo que se pretende provar contra um réu, apresentada após a sentença de pronúncia, à qual se deve conformar. **2.** Artigo ou escrito de caráter satírico ou difamatório; panfleto: "É [o livro *Max Havelaar*, do holandês Multatuli] .... um libelo terrível contra o governo holandês e contra a sua política colonial." (Ramalho Ortigão, *A Holanda*, p. 273.) **3.** *Obsol.* Entre os antigos romanos, declaração, atestado, certificado, solicitação, súplica, etc., por escrito.
libélula. [Do lat. *libellula.*] *S. f.* Inseto da ordem dos odonatos, de corpo estreito, com dois pares de asas membranosas muito transparentes, e com larvas, carnívoras e voracíssimas, que se desenvolvem nas águas correntes, nas estagnadas, ou mesmo no interior de plantas bromeliáceas: "Havia pombos que arrulhavam em redor de Josefina e libélulas que valsavam com seus vestidos de gaze e seus adereços de ametista." (Cecília Meireles, *Obra Poética*, p. 1002.) [Sin.: *libelinha, cambito, canzil, cavalinho-de-judeu, cavalinho-do-diabo, cavalo-de-judeu, cavalo-judeu, donzelinha, jacina, lava-bunda, lavadeira, lavandeira, odonata, macaquinho-de-bambá, pito, ziguezigue.*]
libélula-móvel. *S. f. Pet.* Bolha gasosa no interior das inclusões líquidas dos minerais. [Pl.: *libélulas-móveis.*]
libelulóideo. *S. m.* e *adj.* V. *odonato.*
libelulóideos. *S. m. pl. Zool.* V. *odonatos.*

libente. [Do lat. *libente.*] *Adj. 2 g.* Agradável, afável, amável.
líber. [Do lat. *liber,* 'livre'.] *S. m. Anat. Veg.* O tecido condutor da seiva elaborada ou orgânica nos vegetais vasculares. Compõe-se de elementos crivosos, células parenquimatosas, fibras e esclerócitos. Pode ser primário e secundário. Acha-se localizado para fora do lenho. [Sin.: *floema.* Pl.: *líberes.* Cf. *liberes,* do v. *liberar.*]
liberação. [Do lat. *liberatione.*] *S. f.* **1.** Ato ou efeito de liberar(-se); libertação. **2.** Quitação ou extinção de uma dívida ou obrigação. **3.** Desoneração, exoneração, dispensa. **4.** *Com.* Cancelamento geral das restrições legais ao livre mercado de certas mercadorias. **5.** *Bras. Com.* Ordem em favor do comprador para entrega de certa partida de mercadoria, cuja distribuição se acha eventualmente sujeita à fiscalização oficial. **6.** *Jur.* Libertação de condenado pelo cumprimento da pena ou por outra causa legal.
liberado. [Part. de *liberar.*] *Adj.* **1.** Tornado livre. **2.** Desobrigado, dispensado. **3.** Que se tornou ou está livre de ônus ou restrições. **4.** *Jur.* Que é beneficiário da liberação (6). • *S. m.* **5.** *Bras. Jur.* O sentenciado que se acha em livramento condicional.
liberal. [Do lat. *liberale.*] *Adj. 2 g.* **1.** Amigo de dar; generoso, dadivoso, pródigo. **2.** Que é partidário do liberalismo (1), ou que nele se funda: *político liberal; doutrina liberal.* **3.** Que tem idéias ou opiniões avançadas, amplas, tolerantes, livres: *indivíduo liberal.* **4.** Próprio de homem liberal (2): *idéias liberais.* ~ V. *artes liberais* e *profissões liberais.* • *S. 2 g.* **5.** Partidário do liberalismo político e econômico; liberalista. **6.** Pessoa que professa opiniões liberais.
liberalão. [De *liberal* + *-ão.*] *S. m. Deprec.* Aquele que ridiculamente alardeia liberalismo. [Fem.: *liberalona.*]
liberalengo. *Adj. Deprec.* Liberalesco.
liberalesco (ê). *Adj.* Relativo ou pertencente ao partido liberal; liberalengo.
liberalidade. [Do lat. *liberalitate.*] *S. f.* **1.** Qualidade ou condição de liberal (1); liberalismo. **2.** Donativo feito por indivíduo liberal, generoso; *Sempre vivem das liberalidades de um parente afastado.* **3.** Ato pelo qual se conferem gratuitamente a outrem vantagens, bens e direitos.
liberalismo. [De *liberal* + *-ismo.*] *S. m.* **1.** O conjunto de idéias e doutrinas que visam a assegurar a liberdade individual no campo da política, da moral, da religião, etc., dentro da sociedade. **2.** Qualidade de liberal (5 e 6). **3.** Liberalidade (1). ♦ **Liberalismo econômico.** Doutrina segundo a qual existe uma ordem natural para os fenômenos econômicos, a qual tende ao equilíbrio pelo livre jogo da concorrência e da não-intervenção do Estado. **Liberalismo político.** Doutrina que visa a estabelecer a liberdade política do indivíduo em relação ao Estado e preconiza oportunidades iguais para todos.
liberalista. *Adj. 2 g.* **1.** Relativo ao liberalismo (1 e 2). • *S. 2 g.* **2.** Liberal (5).
liberalização. *S. f.* Ato ou efeito de liberalizar(-se).
liberalizante. *Adj. 2 g.* Que liberaliza; tendente a liberalizar; que promove ou ajuda a liberalização: "O pronunciamento do BIP é importante, na medida em que lembra ao governo o dever de inserir, na pauta das medidas liberalizantes, a plena restituição do direito de informação e de crítica." (Carlos Castelo Branco, *Jornal do Brasil,* 25/10/70.)
liberalizar. *V. t. d.* **1.** Dar com liberalidade: prodigalizar: "No tempo do Império, a magnanimidade do soberano, o empenho de dar pompa e luminosidade à coroa, a necessidade de celebrar e perpetuar os fastos da dinastia eram outros tantos incentivos à munificência com que se liberalizavam graças e recompensas a artistas e homens de letras." (Alberto Ramos, *Prosas de Ariel,* p. 37.) **2.** Tornar mais liberal (uma atividade econômica, um regime político, etc.). *T. d. e i.* **3.** Dar com liberalidade; prodigalizar: liberalizou*-lhe bens e honrarias;* "Afonso I, liberalizando-lhe [à Ordem do Templo] doações e privilégios, ... confiara quase exclusivamente ao seu valor a guarda e defesa dos territórios conquistados nela." (Rebelo da Silva, *Contos e Lendas,* p. 74.) *P.* **4.** Tornar-se liberal, partidário do liberalismo.
liberalona. *S. f.* Fem. de *liberalão.*
liberando. [Do lat. *liberandu.*] *S. m. Jur.* O condenado que pleiteia livramento condicional, ou que está em condições de obtê-lo.
liberar. [Do lat. *liberare.*] *V. t. d.* **1.** Tornar livre ou quite, desobrigar, de uma obrigação de dívida. **2.** *Bras.* Autorizar, como medida geral, o livre mercado de (certas mercadorias). **3.** *Bras.* Conseguir ou conceder a liberação de (determinada cota de mercadoria, cuja distribuição o Estado controla e fiscaliza em épocas anormais). *T. d. e i.* **4.** Libertar, livrar: *A psicanálise* liberou*-o de seus complexos.* **5.** Desobrigar, isentar, livrar: liberou*-o do encargo.* [Pres. ind.: *libero,* etc.; pres. subj.: *libere, liberes,* etc. Cf. *líbero,* s. m., *Líbero,* antr., e *líberes,* pl. de *líber.*]
liberativo. [Do lat. *liberatu* < *liberare,* 'livrar, libertar', + *-ivo.*] *Adj.* **1.** Que liberta; libertador. **2.** Que desobriga; isentivo.
liberatório. [Do lat. *liberatu* < *liberare,* 'livrar, libertar' + *-ório.*] *Adj.* **1.** Referente a liberação (2). **2.** Próprio para liberar ou representar valores pecuniários.
liberdade. [Do lat. *libertate.*] *S. f.* **1.** Faculdade de cada um se decidir ou agir segundo a própria determinação: *Sua* liberdade*, ninguém a tolhia.* **2.** Poder de agir, no seio de uma sociedade organizada, segundo a própria determinação, dentro dos limites impostos por normas definidas: liberdade *civil;* liberdade *de imprensa;* liberdade *de ensino.* **3.** Faculdade de praticar tudo quanto não é proibido por lei. **4.** Supressão ou ausência de toda a opressão considerada anormal, ilegítima, imoral: Liberdade *não é libertinagem;* Liberdade *de pensamento é um direito fundamental do homem* **5.** Estado ou condição de homem livre: *dar* liberdade *a um prisioneiro, a um escravo.* **6.** Independência, autonomia: *O Brasil conquistou a* liberdade *política em 1822.* **7.** Facilidade, desembaraço: liberdade *de movimentos.* **8.** Permissão, licença: *Tem* liberdade *de deixar o país.* **9.** Confiança, familiaridade, intimidade (às vezes abusiva): *Desculpe-me, tomei a* liberdade *de vir aqui sem telefonar-lhe; Muito comunicativo, toma às vezes certas* liberdades *que me aborrecem.* **10.** *Bras.* V. *risca* (4): "Trazia os cabelos caprichosamente penteados, com uma abertura ao meio, formando liberdade." (De Araújo Costa, *O Menino e o Tempo,* p. 29.) **11.** *Filos.* Caráter ou condição de um ser que não está impedido de expressar, ou que efetivamente expressa, algum aspecto de sua essência ou natureza. [Quanto à liberdade humana, o problema consiste quer na determinação dos limites que sejam garantia de desenvolvimento das potencialidades dos homens no seu conjunto — as leis, a organização política, social e econômica, a moral, etc. —, quer na definição das potencialidades que caracterizam a humanidade na sua essência, concebendo-se a liberdade como o efetivo exercício dessas potencialidades, as quais, concretamente, se manifestam pela capacidade que tenham os homens de reconhecer, com amplitude sempre crescente, os condicionamentos, implicações e conseqüências das situações concretas em que se encontram, aumentando com esse reconhecimento o poder de conservá-las ou transformá-las em seu próprio benefício.] ~ V. *liberdades.* ♦ **Liberdade de imprensa.** Direito concedido a todos de publicar alguma coisa sem necessidade de autorização ou de censura prévia, sob as penas da lei no caso de abuso. **Liberdade de indiferença.** *Filos.* Livre-arbítrio. **Liberdade de linguagem. 1.** Violação das normas gramaticais. **2.** Linguagem grosseira. **Liberdade de pensamento.** Direito do indivíduo de externar suas opiniões ou crenças. **Liberdade provisória.** *Jur.* Liberdade revogável, concedida ao réu quando a comprovação da verdade dispensa a sua detenção durante o sumário de culpa. **Liberdade sob palavra.** *Jur.* Concessão feita a um prisioneiro, mediante compromisso de não se evadir, e que lhe autoriza a locomoção fora do estabelecimento carcerário. **Liberdade vigiada.** *Jur.* Medida revogável que consiste na entrega de um menor delinqüente a pessoa ou instituição que, fiscalizada por um delegado do tribunal, se incumbirá da reeducação do menor.
liberdades. [Pl. de *liberdade.*] *S. f. pl.* **1.** Imunidades, franquias, direitos. **2.** Intimidades sensuais: *tomar* liberdades *com uma mulher.* ~ V. *liberdade.*
libéria. *Adj. e s. m. Bras.* Diz-se de, ou certa variedade de café proveniente da Libéria (África).
liberiano[1]. *Adj.* **1.** Da, ou pertencente ou relativo à Libéria (África). • *S. m.* **2.** O natural ou habitante da Libéria.
liberiano[2]. *Adj. Bot.* Relativo ou pertencente ao líber.
líbero. *S. m. Bras. Fut.* Zagueiro que atua à frente ou na retaguarda da linha de beques, sem marcar especialmente nenhum adversário, e que tem por função aproveitar as ocasionais sobras de disputas de bola, ou cobrir as eventuais falhas de seus companheiros. [Cf. *libero,* do v. *liberar.*]
liberolenhoso (lì...ô). *Adj.* Relativo ao líber e ao lenho.
libérrimo. [Do lat. *liberrimu.*] *Adj.* Superl. abs. sint. de livre, livríssimo: "Milton é célebre, porque esqueceu as malquerenças partidárias da sua pátria, para celebrar em rasgos inspirados e libérrimas concepções a queda e a redenção da humanidade." (Latino Coelho, *Cervantes,* pp. 185-186.)
libertação. *S. f.* Ato ou efeito de libertar(-se); liberação.
libertador (ô). *Adj.* **1.** Que liberta, que dá liberdade, que torna livre: *movimento* libertador. **2.** Próprio para libertar, para dar liberdade: *palavras* libertadoras. **3.** *Bras.* Relativo ou pertencente ao Partido Libertador, extinto em 1965. • *S. m.* **4.** Aquele que liberta. **5.** Membro do Partido Libertador.
libertar. [Do lat. *libertas,* 'liberdade', + *-ar[2].*] *V. t. d.* **1.** Dar liberdade a; tornar livre; livrar: *A Lei Áurea* libertou *os escravos.* **2.** Descarregar, desobstruir. **3.** Tornar livre ou quite; liberar. *T. d. e i.* **4.** Tornar livre; liberar, livrar. **5.** Desobrigar, desembaraçar, livrar: Libertou*-o do compromisso. P.* **6.** Pôr-se em liberdade; tornar-se livre; livrar-se, escapar-se: *O preso conseguiu* libertar-se. **7.** Livrar-se da influência de; livrar-se, emancipar-se: "Como observa um crítico norte-americano, na segunda metade do século XVIII a poesia liberta-se do princípio da imitação" (Vítor Manuel de Aguiar e Silva, *Teoria da Literatura,* p. 141); "dizia Sêneca que a única maneira de se libertar da obsessão da morte é enfrentá-la, e pensar constantemente na morte." (Gustavo Corção, *Lições de Abismo,* p. 73). [Fut. pret.: *libertaria,* etc. Cf. *libertária,* fem. de *libertário.*]
libertário. [Do fr. *libertaire.*] *Adj.* e *s. m.* **1.** Partidário da liberdade absoluta. **2.** Anarquista (2). [Fem.: *libertária.* Cf. *libertaria,* do v. *libertar.*]
libertense. *Adj. 2 g.* **1.** De, ou pertencente ou relativo a Liberdade (BA). • *S. 2 g.* **2.** Natural ou habitante de Liberdade.
liberticida. [Do lat. *libertas,* 'liberdade', + *-i-* + *-cida.*] *Adj. 2 g.* e *s. 2 g.* Que ou quem destrói ou tenta destruir as liberdades ou imunidades de um país.
liberticídio. [Do lat. *libertas,* 'liberdade', + *-i-* + *-cídio.*] *S. m.* Destruição ou tentativa de destruição das liberdades ou imunidades de um país.
libertinagem. [De *libertino* + *-agem[2].*] *S. f.* Devassidão, desregramento, licenciosidade, crápula.
libertino. [Do lat. *libertinu,* 'filho de liberto'.] *Adj.* **1.** Livre de qualquer peia moral; devasso, dissoluto, depravado, licencioso. **2.** *Ant.* Incrédulo, ímpio. • *S. m.* **3.** Indivíduo libertino.
libertista. [Do lat. *libertas,* 'liberdade', + *-ista.*] *Adj. 2 g.* e *s. 2 g.* Partidário do livre-arbítrio.
liberto. [Do lat. *libertu.*] *Adj.* **1.** Diz-se de escravo que passou à condição de livre. **2.** Posto em liberdade; livre, solto. **3.** Livre, salvo. **4.** Isento de preconceitos, de superstições, etc.: *consciência* liberta. • *S. m.* **5.** Escravo que passou à condição de livre.
líbico. [Do gr. *libykós,* pelo lat. *libycu.*] *Adj.* **1.** Líbio (1). • *S. m.* **2.** Líbio (2). **3.** *Ling.* Língua camítica falada pelos antigos berberes. **4.** *Rest.* O dialeto árabe falado pelos líbios.
libidibi. [Do caraíba (da Venezuela) *diwidiui,* atr. do esp. *dividivi,* com dissimilação.] *S. m.* Árvore da família das leguminosas, subfamília cesalpiniácea (*Caesalpinia coriaria*).
libidinagem. *S. f.* **1.** Vida ou ato de libidinoso. **2.** Lascívia, sensualidade, voluptuosidade.
libidinosidade. *S. f.* Qualidade de libidinoso.
libidinoso (ô). [Do lat. *libidinosu.*] *Adj.* **1.** Relativo ao prazer sexual, ou que o sugere; voluptuoso, sensual: *olhar* libidinoso. **2.** Que procura constantemente e sem pudor satisfações sexuais: *um velho* libidinoso. **3.** Lascivo, dissoluto, devasso. • *S. m.* **4.** Indivíduo libidinoso.
libido (bí). [Do lat. *libido,* 'desejo violento, paixão, luxúria'.] *S. f.* **1.** Instinto ou desejo sexual. **2.** *Psican.* Energia motriz dos instintos de vida, i. e., de toda a conduta ativa e criadora do homem. [Cf. *pulsão* (2).]
líbio. *Adj.* **1.** Da, ou pertencente ou relativo à Líbia (África do Norte). • *S. m.* **2.** O natural ou habitante da Líbia. [Sin. ger.: *líbico.*]
libita. [Alter. de *levita[2].*] *S. f. Bras.* Espécie de túnica sem mangas.
libitina. [Do mit. lat. *Libitina,* a deusa dos ritos funerais da Roma antiga.] *S. f. Poét.* A morte.
líbito. [Do lat. *libitu,* 'vontade, gosto, prazer'.] *S. m. P. us.* Vontade; arbítrio; talante.
libombo. [De *libambo.*] *S. m. Bras., PE.* Leva de sertanejos que anualmente emigram, em busca de trabalho, para a zona da mata, ou o Sul, como eles dizem. [Cf. *libambo.*]
libra. [Do lat. *libra.*] *S. f.* **1.** Medida de massa, igual a 0,4535923 kg, utilizada no sistema inglês de pesos e medidas; libra-massa. **2.** V. *arrátel.* **3.** Antiga moeda simbólica, que correspondia, originariamente, ao valor

de uma libra de ouro ou de prata. **4.** Moeda real cujo valor variou conforme os tempos e os lugares. **5.** Unidade monetária, e moeda, do Reino Unido da Grã-Bretanha, da Irlanda, dividida, até fevereiro de 1971, em 20 xelins, cada um dos quais se dividia, por sua vez, em 12 *pense* [v. *pêni*], e, a partir dessa data , em 100 *pense* [v. *pêni*] **6.** Unidade monetária, e moeda, do Líbano, da Turquia, da Síria, do Sudão, da Líbia, do Chipre e do Egito, dividida em 100 piastras. **7.** O sétimo signo do zodíaco, relativo aos que nascem entre 23 de setembro e 22 de outubro; Balança. **8.** *Astr.* A sétima constelação do Zodíaco, situada no hemisfério sul a 15h30min de ascensão reta e 15º de declinação sul. ♦ **Libra esterlina.** A libra (5) do Reino Unido da Grã-Bretanha; soberano.

libração. [Do lat. *libratione*, 'balanço, oscilação'.] *S. f.* **1.** Ato ou efeito de librar(-se). **2.** Oscilação regular de um corpo até equilibrar-se. **3.** *Astr.* Movimento oscilatório, real ou aparente, de um corpo celeste. ♦ **Libração diurna.** *Astr.* Libração lunar aparente, produzida pela paralaxe diurna. **Libração em latitude.** *Astr.* Libração lunar aparente, que se traduz pela mudança, em latitude, do ponto central do disco lunar. **Libração em longitude.** *Astr.* Libração lunar aparente, que se traduz pela mudança, em longitude, do ponto central do disco lunar. **Libração física.** *Astr.* Libração real de um dos eixos da Lua. **Libração lunar.** Qualquer deslocamento, real ou aparente, dos eixos lunares em relação às suas posições médias. **Libração óptica.** *Astr.* A soma das librações em latitude e em longitude.

libra-massa. *S. f.* Libra (1). [Pl.: *libras-massas* e *libras-massa*.]

libra-peso. *S. f.* Unidade de peso, igual a 4,44822 N ou 0,45392 kgf, usada no sistema inglês de pesos e medidas. [Pl.: *libras-pesos* e *libras-peso*.]

librar. [Do lat. *librare*.] *V. t. d.* **1.** Pôr em equilíbrio; equilibrar. **2.** Suster no ar; suspender. *T. d. e i.* **3.** Fundamentar, basear; concentrar: *O réu libra sua esperança de absolvição no depoimento da testemunha.* **4.** Elevar, erguer, suspender: "O *Gênio do Cristianismo* [de Chateaubriand] é uma compendiosa exposição de sublimes lances, que .... libram o pensamento ao êxtase da contemplação pura." (Ramalho Ortigão, *Primeiras Prosas*, p. 28.) *P.* **5.** Suspender-se, sustentar-se (no ar); alar-se: "Para ir ter à grota sobre a qual se libravam os urubus, não era preciso entrar a mata" (Franklin Távora, *O Cabeleira*, p. 141); "paira [um pinhém] um momento no ar; libra-se um pouco nas asas" (Silva Guimarães, *Os Borrachos*, p. 13). **6.** Fundamentar-se, basear-se: *Libraram-se todos em tua afirmação.*

libré. [Do fr. *livrée*.] *S. f.* **1.** Uniforme ou fardamento de criado de casas nobres: "Os criados, equipados, de couraça e espada, vestiam librés de seda verde e branca" (Ramalho Ortigão, *O Culto da Arte em Portugal*, p. 156). **2.** *Pop.* Terno, uniforme, farda [q. v.]. **3.** *Fig.* Aspecto exterior; aparência. [Cf. *lebré*.]

libretista. *S. 2 g.* Pessoa que escreve libreto(s).

libreto (ê). [Do it. *libretto*, 'livrinho'.] *S. m.* Texto ou argumento de uma ópera, opereta ou comédia musicada.

libriano. *S. m.* **1.** Indivíduo nascido sob o signo da Libra (8). ● *Adj.* **2.** Diz-se de, ou pertencente ou relativo a libriano (1).

librina. [Alter. de *neblina*.] *S. f. Bras. Pop.* V. *chuvisco* (1).

librinar. [Alter. de *neblina* + *-ar*[2].] *V. int. Bras. Pop.* Neblinar; chuviscar.

libuno. *Adj.* e *s. m. Bras.* Var. de *lobuno*.

libúrnia. [Do lat. *liburna*.] *S. f.* Embarcação usada no transporte de trigo do Egito para Roma, no início da era cristã.

liburno. [Do lat. *liburnu*.] *S. m.* Em Roma, escravo que transportava a cadeirinha ou liteira de nobres ou ricos.

liça[1]. [Do fr. *lice*.] *S. f.* **1.** Lugar destinado a torneios, justas, combates, correrias, etc. **2.** *P. ext.* Luta, briga, combate. **3.** *Fig.* Lugar onde se discutem altas questões. [Var.: *lice*. Cf. *lissa*.]

liça[2]. [De *liço*.] *S. f. Bras.* Peça de máquina de tecidos, semelhante a um pente fechado, utilizada para levantar os fios. [Cf. *lissa*.]

licaenídeo. *S. m.* e *adj.* V. *licenídeo*.

licaenídeos. *S. m. pl. Zool.* V. *licenídeos*.

licantropia. [Do gr. *lykanthropía*.] *S. f.* **1.** *Med.* Doença mental em que o enfermo se julga transformado em lobo. **2.** Suposta metamorfose do homem em lobo: "Essa transformação de uma criatura humana num lobo chama-se 'licantropia' " (Olavo Bilac, *Conferências Literárias*, p. 159).

licantropo (ô). [Do gr. *lykaánthropos*.] *S. m.* **1.** Alienado que sofre de licantropia. **2.** *P. ext.* Lobisomem.

lição. [Do lat. *lectione*.] *S. f.* **1.** Matéria ou tema ensinado ou explicado pelo professor ao aluno. **2.** Aquilo que é aprendido ou assimilado pelo aluno através dos ensinamentos do professor. **3.** Unidade didática no conjunto de cada matéria ou curso, destinada ao ensino e ministrada por meio de explicações em classe ou de textos; aula: *um curso em 10 lições*. **4.** Trabalho escolar preparado pelo aluno para ser apresentado ao professor. **5.** Exposição didática feita pelo professor, aula, preleção. **6.** Leitura litúrgica. **7.** Forma particular de um texto, em comparação a outra forma do mesmo texto. **8.** *Fig.* Ensinamento, conselho ou exemplo que serve de orientação à conduta, ao procedimento: *Quem é você para me dar lições?* **9.** *Fig.* Experiência que serve de exemplo ou de aviso, especialmente em caso de falta ou erro: *Que isto lhe sirva de lição.* **10.** *Fig.* V. repreensão (1).

liçarol. *S. m.* Cada uma das travessas que seguram os liços. [Pl.: *liçaróis*.]

lice. *S. f.* Var. de *liça*[1].

liceal. *Adj. 2 g.* Relativo a liceu.

liceidade. *S. f.* V. *licitude*.

licença. [Do lat. *licentia*.] *S. f.* **1.** Consentimento, permissão, autorização. **2.** Autorização para faltar ao serviço durante um determinado período. **3.** Permissão outorgada pela autoridade competente para o estabelecimento de uma indústria ou comércio ou para o exercício de uma atividade, em geral mediante o pagamento de uma taxa. **4.** Documento que atesta a concessão de uma licença. **5.** V. *licenciamento*. **6.** *Fig.* Vida ou procedimento dissoluto; desregramento moral: "A multidão infrene, despida de preconceitos e de moral, imergia à rédea solta na licença." (Veiga Miranda, *Pássaros Que Fogem...*, p. 54.) **7.** *Bras., BA. Folcl.* Permissão que os orixás pedem, por intermédio da iniciada, para dançar e cantar no terreiro; agô. ♦ **Licença de corso.** V. *carta de corso*. **Licença especial.** *Bras.* Licença (2) a que tem direito o funcionário público depois de cada decênio de exercício efetivo. [Sin. (desus.): *licença-prêmio*.] **Licença poética.** Liberdade que toma o poeta, algumas vezes, de transgredir as normas da poética ou da gramática.

licença-prêmio. *S. f. Bras.* Licença especial. [Pl.: *licenças-prêmios* e *licenças-prêmio*.]

licenciação. *S. f. P. us.* V. *licenciamento*.

licenciado. [Part. de *licenciar*.] *Adj.* **1.** Que tem licença, ou está autorizado por licença. **2.** Que foi dispensado ou despedido. **3.** Que tem licenciatura (2). ● *S. m.* **4.** Aquele que tem a licenciatura (2). **5.** *Bras.* Aquele que exerce profissão liberal devidamente autorizado, embora não haja cursado o ensino superior.

licenciamento. *S. m.* Ato ou efeito de licenciar(-se). [Sin.: *licenciatura*, *licença* e (p. us.) *licenciação*.]

licenciando. [De *licenciar* + *-ando*.] *S. m.* Aquele que é candidato à licenciatura (2).

licenciar. *V. t. d.* **1.** Conceder licença (2) a; isentar temporariamente de serviço. **2.** Mandar embora; despedir. *P.* **3.** Tomar licença (2); entrar de licença (2). **4.** Tomar grau de licenciatura (2).

licenciatura. *S. f. Bras.* **1.** V. *licenciamento*. **2.** Grau universitário que dá ao seu portador a faculdade de exercer o magistério do ensino médio. **3.** Ato de conferir esse grau.

licenciosidade. *S. f.* Qualidade ou caráter de licencioso.

licencioso (ô). [Do lat. *licentiosu*.] *Adj.* **1.** Que usa de excessiva licença; indisciplinado, desregrado. **2.** Sensual, libidinoso; libertino. **3.** Próprio de quem é licencioso: *atitudes licenciosas*. ● *S. m.* **4.** Indivíduo licencioso.

licenídeo. *S. m.* **1.** Espécime dos licenídeos. ● *Adj.* **2.** Pertencente ou relativo a eles.

licenídeos. *S. m. pl. Zool.* Família de insetos da ordem dos lepidópteros, borboletas pequenas, delicadas e brilhantes. Ex.: a bandeirinha, a azulzinha. [Sin. ger.: *licaenídeos*.]

liceu. [Do gr. *Lykâios*, pelo lat. *Lycaeu*.] *S. m.* **1.** *Obsol.* Em Atenas, designação da escola onde Aristóteles [v. *aristotélico*] ensinava filosofia. **2.** Estabelecimento de ensino secundário e/ou profissional: *liceu de artes e ofícios*. **3.** Curso que se faz num desses estabelecimentos: "Terminado o liceu, ... tinha [Lima Barreto] que enfrentar, agora, as bancas dos exames de preparatórios, para depois ingressar no curso superior" (Francisco de Assis Barbosa, *A Vida de Lima Barreto*, p. 59). **4.** *P. ext.* Designação comum a certas agremiações culturais com fins didáticos. **5.** *Bras., MG. Pop.* V. *prostíbulo*.

lichi. *S. f.* V. *lechia*.

lichia. *S. f.* V. *lechia*.

lichiguana. [Var. de *lecheguana*.] *S. f. Bras., S.* V. *enxuí*.

liciatório. [Do lat. *liciatoriu*.] *S. m.* Pente do tear por onde passam os fios da teia ou urdidura.

lício. [Do gr. *lykion*, pelo lat. *lyciu*.] *S. m.* Arbusto espinhoso cujo suco se empregava em medicina.

licitação. [Do lat. *licitatione*.] *S. f.* **1.** Ato ou efeito de licitar; oferta de lanços num leilão ou hasta pública. **2.** *Jur.* Ato em que, para possibilitar a partilha, os herdeiros e o cônjuge sobrevivente disputam entre si, por meio de lanços, a adjudicação de bens não susceptíveis de divisão cômoda e que não caibam na parte de um só deles, ficando obrigado o adjucatário a repor em dinheiro a diferença. [Cf. *torna*[1] (2).]

licitador (ô). [Do lat. *licitatore*.] *Adj.* e *s. m.* Licitante.

licitante. [Do lat. *licitante*.] *Adj. 2 g.* e *s. 2 g.* Que ou quem licita; licitador.

licitar. [Do lat. **licitare*, por *licitari*.] *V. int.* **1.** Oferecer qualquer quantia no ato de arrematação, de adjudicação, hasta pública ou partilha judiciária. *T. d.* **2.** Pôr em almoeda, leilão ou hasta pública: "Nas propriedades agrícolas licitavam-se os produtos, o gado, as alfaias; as terras davam-se de renda." (J. Lúcio d'Azevedo, *O Marquês de Pombal e Sua Época*, p. 198.) **3.** Oferecer lanço sobre. **4.** Promover [a licitação (2)] de, entre os co-herdeiros e o cônjuge sobrevivente. [Pres. ind.: *licito*, etc. Cf. *lícito*.]

lícito. [Do lat. *licitu*.] *Adj.* **1.** Conforme a lei; legal. **2.** *P. ext.* V. *jurídico* (2). **3.** Permitido por lei; legal, justo. **4.** Admissível, permissível; justo: "Antes de vir para a mesa, já a tia Palmira .... devia ter relatado ao tio João do entusiasmo do Júlio no baile, e das esperanças que daí me era lícito acalentar." (Maria Archer, *Nada Lhe Será Perdoado*, p. 100.) ● *S. m.* **5.** Aquilo que é justo ou permitido. [Cf. *licito*, do v. *licitar*.]

licitude. *S. f.* **1.** Qualidade de lícito. **2.** Conformidade ao direito; juridicidade, legalidade. [Sin. ger.: *liceidade*.]

licnóbio. [Do gr. *lychnobios*, pelo lat. *lychnobiu*.] *S. m.* Aquele que vela de noite ou que faz da noite dia.

licnomancia (cí). [Do gr. *lychnomanteía*.] *S. f.* Advinhação por meio de lâmpadas ou brandões.

licnomante. *S. 2 g.* Pessoa que pratica a licnomancia.

licnomântico. *Adj.* Relativo à licnomancia ou a licnomante.

licnuco. [Do gr. *lychnoûchos*, pelo lat. *lychunuchu*.] *S. m.* Entre os antigos gregos e romanos, tipo de lampadário de vários braços.

▲**lico-.** [Do gr. *lýkos, ou*.] *El comp.* = 'lobo (ô)': *licopódio*, *licorrexia*.

liço. [Do lat. *liciu*, 'fio', 'trama'.] *S. m.* Cada um dos fios, entre dois liçaróis do tear, que sobem e descem para serem atravessados pelos fios da tecelagem.

licopodiácea. *S. f.* Espécime das licopodiáceas.

licopodiáceas. *S. f. pl. Bot.* Família de pteridófitos que constitui a ordem das licopodiales. São fetos providos de folhas minutas, parecendo escamosos, e esporofilos em espigas. O gênero básico é *Lycopodium*, com umas 200 espécies, muitas brasileiras, e numerosas das quais são fósseis.

licopodiáceo. *Adj.* **1.** Pertencente ou relativo às licopodiáceas. **2.** Referente ou semelhante a elas.

licopodiale. *S. f.* Espécime das licopodiales.

licopodiales. *S. f. pl. Bot.* Ordem de pteridófitos cujos esporângios são isosporados. Prótalo muito desenvolvido; folhas sem lígula. Abarca apenas a família das licopodiáceas.

licopódio. [Do lat. cient. *lycopodium* gr. *lýkos*, 'lobo (ô)' + *poús, odós*, 'pé'.] *S. m.* **1.** Erva rasteira, da família das licopodiáceas (*Lycopodium cernuum*), largamente difundida no Brasil e alhures, de caule fino e muito ramificado, folhas minúsculas, escamiformes, e que se reproduz por meio de esporos, os quais constituem um pó fino, hidrófugo, outrora usado em farmácia para isolar pílulas, e ainda hoje para outros fins. **2.** Esse pó.

licor (ô). [Do lat. *liquore*, 'líquido'.] *S. m.* **1.** Bebida aromatizada e doce, obtida pela mistura de álcool ou aguardente com substância geralmente de origem vegetal, adicionada de sacarose, glicose ou mel. **2.** Designação comum a vários produtos líquidos (químicos ou farmacêuticos), especialmente àqueles em cuja composição entra o álcool. **3.** *Desus.* Humor (1). **4.** Qualquer líquido. **5.** O conteúdo de um cálice de licor (1): *Tomou seis licores, além de outras bebidas.* [Cf. *liquor*.] ♦ **Licor negro.** *Tec.* Na indústria de papel, o líquido resultante do cozimento da polpa celulósica e que contém, em suspensão e em solução, muitas substâncias valiosas (sulfetos, carbonatos, sulfato de sódio, cloreto de sódio, alumina, entre outras) que são recuperadas por tratamento especial; lixívia negra.

licoreira. *S. f.* Licoreiro.
licoreiro. *S. m.* Utensílio de mesa, que contém garrafa e cálices, ou copinhos para licor; licoreira.
licorexia (cs). [De *lic(o)-* + *-orex-* + *-ia.*] *S. f. Patol.* V. *bulimia.*
licorista. *S. 2 g.* Fabricante e/ou vendedor de licores.
licorne. [Do lat. *unicorne*, com aférese e dissimilação.] *S. m.* **1.** Animal fabuloso, que tem corpo de cavalo e um chifre no meio da testa, símbolo da virgindade, da pureza, nas lendas da Idade Média; unicórnio: "alões, hipogrifos e licornes desataram a morder-lhe nas pernas e a puxá-lo." (Aquilino Ribeiro, *Estrada de Santiago*, p. 313). **2.** *Bras.* V. *anhuma.*
licoroso (ô). *Adj.* Que tem o aroma e o teor alcoólico do licor, e é açucarado como ele. ~ V. *vinho* —.
licorrexia (cs). *S. f. Med.* V. *licorexia.*
licosídeo. *S. m.* **1.** Espécime dos licosídeos. ● *Adj.* **2.** Pertencente ou relativo a eles.
licosídeos. *S. m. pl. Zool.* Família de aranídeos peçonhentos, com mais de 1.000 espécies, das quais a mais comum, a *Lycosa raptoria*, mede de 15 a 30 mm no cefalotórax, atingindo cerca de 7 cm com as patas distendidas.
licranço. *S. m. Lus.* Designação comum a alguns reptis como a cobra-de-vidro [q. v.] e a cobra-de-duas-cabeças [q. v.].
lictor (ô). [Do lat. *lictore.*] *S. m.* Oficial que, na antiga Roma, acompanhava os magistrados com um molho de varas e uma machadinha para as execuções da justiça. [Var.: *litor.*]
lictório. [Do lat. *lictoriu.*] *Adj.* Pertencente ou relativo a lictor. [Var.: *litório.*]
licurana. *S. f. Bras.* V. *urucurana* (1).
licuri. *S. m. Bras.* F. aferética e dissimilada de *aricuri* [q. v.].
licurizal. *S. m. Bras.* Quantidade mais ou menos considerável de licurizeiros dispostos proximamente entre si.
licurizeiro. [De *licuri* + *-z-* + *-eiro.*] *S. m. Bras.* V. *aricuri.*
lida[1]. [Dev. de *lidar.*] *S. f.* **1.** Ato ou efeito de lidar. **2.** V. *trabalho* (8).
lida[2]. [De *ler* + *-ida.*] *S. f. Bras. Fam.* Leitura (1) mais ou menos ligeira: *Deu uma lida no artigo e fez duas emendas.*
lidador (ô). *Adj.* e *s. m.* **1.** Que ou aquele que lida ou peleja; combatente. **2.** Que ou aquele que lida, luta, labuta; trabalhador, lutador.
lidar. [Do lat. *litigare.*] *V. t. d.* **1.** Tomar parte em, participar de (combate, lutas): "Andei longes terras, / Lidei cruas guerras" (Gonçalves Dias, *Obras Poéticas*, II, p. 23). **2.** Sofrer, passar (vida de fadiga, trabalho, etc.). **3.** Dar combate a; repta. **4.** *Taur.* Correr, farpear (touros). *T. i.* **5.** Sustentar combate moral; lutar: *O sacerdote lidava, com ardor, com vícios e paixões.* **6.** Trabalhar com afã; esforçar-se, afadigar-se: "lidava deveras [Antônio Vieira] por avantajar-se aos demais seus condiscípulos" (João Francisco Lisboa, *Obras*, IV, p. 10). **7.** Trabalhar, ocupar-se: "Lidou Roquete-Pinto com índios, minerais, plantas, bichos, gravuras, filmes, rendas paraguaias, sambaquis." (Carlos Drummond de Andrade, *Fala, Amendoeira*, p. 243.) *Int.* **8.** Pelejar em batalha ou duelo. **9.** Trabalhar; labutar: *Para ganhar a vida, lida noite e dia.* ● *S. m.* **10.** Lida[1]: "Não sou soldado / afeito a rude lidar?" (Stella Leonardos, *Romanceiro do Bequimão*, p. 111.)
lide[1]. [Do ingl. *lead.*] *S. m. Jorn.* Período inicial de uma matéria jornalística no qual se apresenta um resumo das informações contidas no relato que se segue.
lide[2]. [Do lat. *lite.*] *S. f.* **1.** V. *trabalho* (8): "Nos claustros, nos descampados, em meio das multidões, durante as lides mais pesadas, orava constantemente" (Eça de Queirós, *Contos*, p. 151). **2.** Contenda, combate, luta. **3.** Questão judicial; litígio, pendência. **4.** V. *toureação.*
líder. [Do ingl. *leader.*] *S. m.* **1.** Indivíduo que chefia, comanda e/ou orienta, em qualquer tipo de ação, empresa ou linha de idéias. **2.** Guia, chefe ou condutor que representa um grupo, uma corrente de opinião, etc. **3.** *Restr.* O representante de uma bancada parlamentar numa assembléia. **4.** Indivíduo, grupo ou agremiação que ocupa a primeira posição em qualquer tipo de competição: *O Flamengo é o líder do campeonato.* [Pl.: *líderes.* Cf. *lideres*, do v. *liderar.*]
liderado. [Part. de *liderar.*] *Adj.* e *s. m.* Que ou aquele que está sob a liderança de outrem, que obedece a um líder.
liderança. *S. f.* **1.** Função de líder. **2.** Capacidade de liderar; espírito de chefia. **3.** Forma de dominação baseada no prestígio pessoal e aceita pelos dirigidos.
liderar. *V. t. d.* **1.** Dirigir na condição de líder (1 a 3). **2.** Ocupar a posição de líder (4) em (qualquer competição): *Este candidato lidera as pesquisas de opinião pública.* [Pres. subj.: *lidere, lideres*, etc. Cf. *líderes*, pl. de *líder.*]
lidicense. *Adj. 2 g.* **1.** De, ou pertencente ou relativo a Lídice (RJ). ● *S. 2 g.* **2.** Natural ou habitante de Lídice.
lidimar. [De *lídimo* + *-ar[2]*.] *V. t. d.* V. *legitimar.* [Pres. ind.: *lidimo*, etc. Cf. *lídimo.*]
lidimidade. *S. f.* Qualidade de lídimo; legitimidade, autenticidade.
lídimo. [Do lat. *legitimu*, 'conforme a lei'.] *Adj.* **1.** Legítimo, autêntico: "Conjeturo ser esta a lídima e autêntica heroína com suas intermitências de borrachona e malandra." (Camilo Castelo Branco, *Maria da Fonte*, p. 50.) **2.** Vernáculo, puro, genuíno. [Cf. *lidimo*, do v. *lidimar.*]
lídio. [Do gr. *lydios*, pelo lat. *lydiu.*] *Adj.* **1.** Da, ou pertencente ou relativo à Lídia (Ásia Menor). ● *S. m.* **2.** O natural ou habitante da Lídia.
lidita. [Do top. *Lídia* + *-ita[3]*.] *S. f. Min.* Variedade preta de jaspe, utilizada como pedra de toque; pedra-da-lídia. [Cf. *lidite.*]
lidite. [Do ingl. *lyddite.*] *S. f.* Explosivo poderoso, que contém ácido pícrico e se usa na fabricação de bombas. [Cf. *lidita.*]
lido[1]. [Do b.-lat. *liti?*] *S. m.* Entre os germanos da Idade Média, colono ou servo de categoria superior.
lido[2]. [Part. de *ler.*] *Adj.* **1.** Que se leu ou se lê: *Pôs fora os jornais lidos; José de Alencar é, ainda, autor muito lido.* **2.** Que tem conhecimentos adquiridos pela leitura; erudito, versado: *homem lido e viajado.*
liechtensteiniense (ein = áin). *Adj. 2 g.* **1.** Do, ou pertencente ou relativo ao Principado de Liechtenstein (Europa ocidental). ● *S. 2 g.* **2.** Natural ou habitante do Principado de Liechtenstein.
➡**Lied** (lid). [Al.] *S. m.* **1.** *Mús.* Poema estrófico, geralmente sentimental e destinado ao canto. **2.** *Mús.* Canção escrita sobre um desses poemas, e que se caracteriza pela unidade de inspiração entre a música e a poesia. **3.** *Mús.* Na música instrumental, estrutura especial em que geralmente se escreve o segundo movimento (lento) da sonata, e que se baseia num tema principal semelhante ao da canção alemã, ou comporta duas, três e até cinco seções. [Pl.: *lieder.* Cf. *lead.*]
lienal. [De *lien(o)-* + *-al.*] *Adj. 2 g.* Esplênico.
lienite. [De *lien(o)-* + *-ite[1]*.] *S. f. Patol.* Inflamação do baço.
▲**lien(o)-.** [Do lat. *lienis, is.*] *El. comp.* = 'baço[1]': *lienocele; lienite.*
lienocele. [De *lien(o)-* + *-cele.*] *S. f. Patol.* Hérnia do baço.
lienteria. [Do gr. *leientería*, pelo lat. *lienteria.*] *S. f. Patol.* Diarréia em que as substâncias ingeridas são eliminadas sem que se lhes tenha feito a digestão.
lientérico. [Do gr. *leienterikós*, pelo lat. *lientericu.*] *Adj.* **1.** Relativo à, ou que sofre de lienteria. ● *S. m.* **2.** Aquele que sofre desse mal.
lierne. [Do fr. *lierne.*] *S. m. Arquit.* Nervuras cruzadas, no intradorso de abóbadas ogivais.
➡**lifo.** [Ingl., das iniciais de *last in, first out.*] *S. m. Tec.* Sistema de armazenamento ou estocagem em que a última peça estocada é a primeira a ser retirada do estoque.
liforme. [Alter. de *uniforme.*] *S. m. Bras. Pop.* Uniforme (5 a 8): "Dinheiro costurado pelo lado de dentro do liforme, arma no quarto, mestre Firmino passou a perna no burro e foi embora" (Juarez Barroso, *Mundinha Panchico e o Resto do Pessoal*, p. 35).
➡**lifting** (líftin). [Ingl.] *S. m. Cir. Plást.* Estiramento da pele e tecido subcutâneo, obtido cirurgicamente, e que pode ser executado em vários locais do corpo, como face, pescoço, dorso de mão. [Sin.: *ritidectomia, ritidoplastia.*]
liga[1]. [Dev. de *ligar[2]*.] *S. f.* **1.** V. *ligação* (1). **2.** Aliança, união, pacto. **3.** Associação de indivíduos ou de grupos ou partidos para defesa de interesses comuns, ou para alcançar determinados fins, de ordem social, política, filantrópica, cultural, etc.: *liga contra a poluição; A liga dos partidos da direita garantiu a vitória de seu candidato.* **4.** Partido, facção; bando. **5.** Aliança ou confederação de Estados para fins defensivos ou agressivos; coligação. **6.** Tira elástica em forma de anel, que cinge a meia à perna, ou presilha de elástico, unida a um cinto ou a uma cinta, que segura o alto das meias, a fim de conservá-las esticadas nas pernas: "Todas de azul e branco .... desfilando com meia preta e liga roxa no salão de espelhos." (Dalton Trevisan, *O Vampiro de Curitiba*, p. 12.) [Sin., ant., nesta acepç.: *jarreteira.*] **7.** Tira de tecido grosso e entrançado. **8.** Resultado da adição de duas ou mais substâncias que formam uma pasta uniforme de características específicas do fim a que se destina: *Mesmo depois de sovada, a massa deste pastel não fez boa liga.* **9.** *Metal.* Material metálico constituído por dois ou mais metais, e em certos casos por elementos não metálicos, obtido pela fusão de seus constituintes, e cujas propriedades são satisfatórias para utilizações particulares: "De Cecília os cabelos / Eram novelos / De ouro sem liga" (Eugênio de Castro, *Obras Poéticas*, III, p. 134). ● *S. 2 g.* **10.** *Bras.* Bom companheiro; amigo inseparável, camarada.
liga[2]. [Do esp. plat. *liga.*] *S. f. Bras., S.* Felicidade no jogo, em amores ou em qualquer outra coisa.
ligá. *S. m. Bras., S.* e C.O. Ligal.
ligação. [Do lat. *ligatione.*] *S. f.* **1.** Ato ou efeito de ligar (-se); ligamento, ligadura, liga. **2.** Junção, união. **3.** Aquilo que liga; ligamento. **4.** Relação, vinculação; conexão: *Seu último livro não tem ligação com os anteriormente publicados.* **5.** Afinidade de sentimentos; vínculo, amizade, ligamento. **6.** Relação amorosa e sensual. **7.** *Bras.* O ato ou efeito de ligar o telefone: *fazer uma ligação para São Paulo.* ~ V. *ligações.* ♦ **Ligação à massa.** *Eletr.* Conexão entre um circuito e um corpo, usualmente ligado à terra, cujo potencial se toma como o de referência do circuito. **Ligação covalente.** *Fís.-Quím.* Ligação homopolar em que existe um orbital molecular correspondente à combinação dos orbitais de dois elétrons de valência de dois átomos. **Ligação dupla.** *Fís-Quím.* Ligação covalente entre dois átomos, formada por uma ligação sigma e uma ligação pi. É característica dos alcenos e cetonas. **Ligação em delta.** *Eng. Elétr.* Conexão dos condutores de um circuito trifásico de maneira que formem um triângulo. **Ligação em estrela.** *Eng. Elétr.* Conexão dos condutores de um circuito linfático de modo que formem uma estrela de três pontas. **Ligação em paralelo.** *Eletr.* Conexão de dois ou mais componentes de um circuito a um mesmo par de terminais. **Ligação em série.** *Eletr.* Ligação de dois ou mais componentes de um circuito na qual o terminal de saída de cada um está ligado ao de entrada do que lhe segue. **Ligação heteropolar.** *Fís-Quím.* Ligação entre dois átomos, que pode ser atribuída, com aproximação bastante boa, às forças eletrostáticas que se exercem entre íons de diferentes sinais; ligação iônica, ligação polar. **Ligação homopolar.** *Fís.-Quím.* Aquela em que a atração eletrostática é nula ou desprezível. **Ligação iônica.** *Fís.-Quím.* V. *ligação heteropolar.* **Ligação metálica.** *Fís.-Quím.* A causada pela energia associada a orbitais que se estendem pela rede cristalina de um metal e possibilitam a formação de grande número de estruturas ressonantes. **Ligação não localizada.** *Fís.-Quím.* A de um orbital que não pode ser localizado em núcleos determinados de uma molécula, e na qual um elétron participa de mais de uma ligação entre os átomos. **Ligação orientada.** *Fís.-Quím.* Aquela a que está associado um orbital molecular que tem uma orientação preferencial no espaço. **Ligação pi** ( ). *Fís.-Quím.* A que é formada por elétrons p, e cujo orbital tem planos de simetria que passam pela linha que une dois núcleos atômicos. **Ligação polar.** *Fís.-Quím.* V. *ligação heteropolar.* **Ligação sigma** ( ). *Fís.-Quím.* A que pode ser feita por elétrons ou elétrons p, e cujo orbital é distribuído simetricamente em relação à linha que une dois núcleos. **Ligação simples.** *Fís.-Quím.* Ligação covalente entre dois átomos, da qual participam dois elétrons; apresenta a simetria de uma ligação sigma. **Ligação tripla.** *Fís.-Quím.* Ligação covalente entre dois átomos, formada por uma ligação sigma e duas ligações pi. É característica dos alcenos e das nitrilas.
ligações. [Pl. de *ligação.*] *S. f. pl.* Curvas traçadas no papel para aprendizagem da escrita. ~ V. *ligação.*
ligada. [De *ligar[2]* + *-ada[1]*.] *S. f. Bras. Fam.* V. *telefonema* (1).
ligado. [Part. de *ligar[2]*.] *Adj.* **1.** Que se ligou; junto, pegado, unido. **2.** Que tem alguma relação; relacionado. **3.** *Mús.* Que é executado sem interrupções. **4.** *Bras. Gír.* Que está sob efeito de droga. **5.** *Bras. Gír.* Absorto, concentrado: *Estava tão ligado na leitura do livro que não me ouviu chamá-lo.* **6.** *Metal.* Diz-se de metal a que se adicionaram outros metais a fim de conseguir-se uma liga (9). ~ V. *campo* — e *nível* —. ● *S. m.* **7.** *Mús.* Trecho ligado (3) e que é indicado por uma ligadura (4). [Nas acepç. 3 e 7 há o correspondente it. *legato.*]
ligadura. [Do lat. *ligatura.*] *S. f.* **1.** V. *ligação* (1). **2.** Faixa, atadura, atilho, ligamento. [Sin., nestas acepç.: *ligatura.*] **3.** *Cir.* Ato de ligar ou ocluir, de modo definitivo ou temporário, intencional ou acidentalmen-

te, em geral por meio de fios de natureza variável, estruturas ocas tais como artérias, veias, etc., como parte principal ou secundária de processo cirúrgico, ou curativo, ou paliativo, ou experimental. **4.** *Mús.* Linha curva (ou), de dimensão variável, que une duas notas iguais, juntando o valor de ambas, ou indica que duas ou mais notas de nomes diferentes devem ser executadas sem interrupção do som.

ligal. *S. m. Bras., S.* e *C. O.* Couro cru, de boi, com que se recobrem as cargas transportadas por animais, a fim de as proteger contra a chuva; ligá.

ligame. [Do lat. *ligamen.*] *S. m.* **1.** Ligação, conexão, laço, vínculo. **2.** Impedimento matrimonial.

ligâmen. *S. m.* V. *ligame.* [Pl.: *ligamens* e, p. us. no Brasil, *ligâmenes.*]

ligamentar. *Adj. 2 g.* De, ou referente a ligamento (3).

ligamento. [Do lat. *ligamentu.*] *S. m.* **1.** V. *ligação* (1, 3 e 5). **2.** V. *ligadura* (2). **3.** *Anat.* Estrutura constituída por tecido fibroso, forte, que se insere, pelas extremidades, em ossos ou cartilagens, constituindo, assim, meio de união de articulações ou de partes ósseas ou cartilaginosas. **4.** *Anat.* Prega peritoneal que se estende de parede abdominal à víscera abdominal, desde que esta última não pertença ao tubo digestivo.

ligamentoso (ô). *Adj. Desus.* Análogo ao ligamento (3).

ligante. *Adj. 2 g.* **1.** *Fís.-Quím.* Diz-se de qualquer elemento, ser ou conceito pertinente a uma ligação química estável. ~ V. *orbital* —. ● *S. m.* **2.** Aquilo que liga. ♦ **Ligante betuminoso.** *Constr.* Betume com acentuadas propriedades aglomerantes.

ligar[1]. [Alter. de *ligal.*] *S. m. Bras., RS.* Ligário.

ligar[2]. [Do lat. *ligare.*] *V. t. d.* **1.** Apertar, prender, atar com laço ou ligadura; fazer nó ou laço em; prender, fixar; liar: *ligar uma meia.* **2.** Juntar novamente (o que está separado, cortado): *Ligou os dois fios da instalação.* **3.** Fazer aderir, pegar: *A argamassa liga os tijolos de uma construção.* **4.** Pôr em comunicação: *O corredor liga os dois quartos.* **5.** Pôr em contato; unir: *A estrada liga os dois estados.* **6.** Tornar conexo ou coerente: *Não se expressava bem, não conseguiu ligar as idéias.* **7.** Unir por vínculos morais ou afetivos: *A temporada que passaram juntos ligou-os para sempre.* **8.** Estabelecer relações entre; aproximar: *ligar dois países.* **9.** Combinar, misturar: *ligar metais.* **10.** Pôr em funcionamento (sistema elétrico); abrir: *ligar a luz;* "abriu a janela, ligou a televisão." (Ricardo Ramos, *Os Inventores Estão Vivos,* p. 29). **11.** *Cir.* Fazer a ligadura (3) de; laquear. **12.** Acionar o motor de (veículo), para que se ponha em marcha: "O pai sentou-se diante do guidão e ligou o carro, esperando que esquentasse." (Valdomiro Autran Dourado, *Nove Histórias em Grupo de Três,* p. 182.) **13.** *Bras.* Fazer girar o disco de (o telefone), para estabelecer ligação. *T. d. e i.* **14.** Emulsionar, combinar; misturar: *ligar uma substância com outra.* **15.** Unir, prender; vincular: *ligar o seu destino ao de outrem.* **16.** Estabelecer relação de causa e efeito entre (duas coisas ou dois fatos); relacionar, associar: "Achei-a um pouco retraída ..... Não liguei isto ao casamento" (Machado de Assis, *Relíquias de Casa Velha,* p. 32). *T. i.* **17.** Prestar atenção; atender: *Distraído, não ligou ao que lhe diziam;* "Ninguém ligou ao bêbedo" (Carlos Drummond de Andrade, *Cadeira de Balanço,* p. 78); "Consciente da sua força, não ligava mais para o fato." (Dias da Costa, *Canção do Beco,* p. 80). **18.** *Bras.* Comunicar-se, ou tentar comunicar-se, por telefone; telefonar, tocar: *Liguei para o João e falei-lhe sobre o caso; Liguei para ele, mas sem resultado.* *Int.* **19.** Unir, aderir; soldar-se: *metais que não ligam.* **20.** *Bras.* Fazer girar o disco do telefone para estabelecer ligação; discar: "Quando não nos chamava o telefone, éramos nós que ligávamos para fora." (Malu de Ouro Preto, *Siri na Noite sem Lua,* p. 127.) **21.** Possibilitar (o telefone) que se faça ligação: *Há dias que o meu telefone não liga.* *P.* **22.** Unir-se por vínculos morais, afetivos ou carnais; liar-se: "Afastando-se da casa de Charles Nodier, Arvers dedicou-se à literatura teatral, ligando-se às rodas alegres" (Melo Nóbrega, *O Soneto de Arvers,* p. 34). **23.** Ter relação; relacionar-se, prender-se: *Os motivos de sua viagem ligavam-se à sua saúde;* "aquela zombaria ligava-se, com certeza, à fuga da irmã" (Coelho Neto, *Turbilhão,* p. 227). **24.** Formar aliança; coligar-se: *Na II Guerra Mundial, a Alemanha, Itália e Japão ligaram-se contra os aliados;* "A pátria é um elo, que se liga, intermediariamente, com estes dous outros elos, a família e a humanidade." (Olavo Bilac, *Últimas Conferências e Discursos,* p. 231). **25.** Unir-se em combinação química; combinar-se. [Conjug.: v. *largar.*]

ligar[3]. [Do esp. plat. *ligar.*] *V. int. Bras., RS.* Ser feliz no jogo ou em qualquer outra coisa; ter sorte; estar de sorte [Conjug.: v. *largar.*]

ligário. [F. paragógica de *ligar[1].*] *S. m. Bras., RS.* Couro de bezerro tirado de maneira que dele se possa fazer uma carona; ligar.

ligatura. [Do lat. *ligatura.*] *S. f.* **1.** Liame entre letras escritas ou impressas. **2.** *Tip.* Reunião, num só tipo, de duas ou mais letras ligadas entre si, por constituírem encontro freqüente numa língua. [Cf. *logotipo.*] **3.** V. *ligadura* (1 e 2).

ligeira. [Fem. substantivado do adj. *ligeiro.*] *S. f.* **1.** Ligeireza, rapidez. **2.** *Liter. Pop. Bras.* Estrofe monorrima em a ou e, cantada em diálogo, sob a forma de quadra bipartida, da qual o primeiro cantador diz os dois primeiros versos, com o refrão "ai, d-a, dá", e o segundo os dois últimos, com refrão "ai". **3.** *Bras., Marajó.* Corda que os vaqueiros e carreiros passam na laçada que prende a rês bravia pela raiz dos chifres, e com a qual a desfazem e soltam o animal, sem perigo de cornada. **4.** *Bras., CE. Pop.* V. *diarréia.* **5.** *Bras., CE, PE* e *AL.* Cabo de manobra da jangada e da canoa de embono, o qual serve para sustentar a verga no balanço. **6.** *Bras., GO.* Desafio entre cantadores. ♦ **À ligeira. 1.** De modo aligeirado; aligeiradamente, apressadamente. **2.** Com roupas leves; à fresca. **3.** Sem aparato ou pompa; sem formalidades: "Vou partir para ver a minha terra; e vou à ligeira, escoteiro, sem malas civilizadas. .... sem programas antecipados" (Antero de Figueiredo, *Jornadas em Portugal,* pp. 55-56).

ligeireza (ê). *S. f.* **1.** Qualidade de ligeiro. **2.** Rapidez, velocidade, celeridade. **3.** Presteza de movimentos; agilidade. **4.** *Fig.* V. *leviandade* (1). **5.** *Bras.* Tratantada, velhacaria.

ligeirias. [De *ligeiro* + o pl. de *-ia.*] *S. f. pl. Ant.* Chocarrices, gracejos.

ligeirice. [De *ligeiro* + *-ice.*] *S. f.* V. *leviandade* (1).

ligeiro. [Do fr. *léger,* 'leve'.] *Adj.* **1.** Leve (6, 7, 11 e 12): "a folhagem nova das faias, fria e trêmula na aragem ligeira." (Conde de Ficalho, *Uma Eleição Perdida,* p. 144); *maquilagem ligeira; tecido ligeiro; comida ligeira.* **2.** Rápido, veloz. **3.** Presto de movimentos; ágil, lesto. **4.** Vivo, irrequieto, buliçoso. **5.** Pouco profundo; superficial: *ferimento ligeiro* **6.** Pouco sólido; pouco firme: *Construções ligeiras ladeavam a estrada.* **7.** Inconstante, volúvel. **8.** Que denota ligeireza, leviandade: *moça de costumes ligeiros.* **9.** *Mús.* Diz-se da voz que executa com facilidade passagens [v. *passagem* (12)] no registro (16) agudo: *soprano ligeiro; tenor ligeiro.* **10.** *Ant.* Pouco trabalhoso; fácil. **11.** *Bras.* Desonesto em negócios; tratante. ● *S. m.* **12.** *Bras., Amaz.* Remador de igarités, montarias, ubás e outras embarcações indígenas. **13.** *Bras., S.* Indivíduo que caminha a pé pelo leito da via férrea. ● *Adv.* **14.** Rapidamente; às pressas, à pressa: *Saltaram ligeiro do trem.*

ligídeo. *S. m.* e *adj.* V. *ligiídeo.*

ligídeos. *S. m. pl. Zool.* V. *ligiídeos.*

ligiídeo. *S. m.* **1.** Espécime dos ligiídeos. ● *Adj.* **2.** Pertencente ou relativo a eles.

ligiídeos. *S. m. pl. Zool.* Família de crustáceos da ordem *Isopoda,* subordem *Oniscoidea,* onde se encontram os crustáceos terrestres mais bem-sucedidos. Existem em todas as regiões do globo, até nos pólos. Ex.: as baratinhas-d'água *(Ligia).*

lígio. [Do fr. *lige.*] *Adj.* e *s. m.* No regime feudal, dizia-se de, ou vassalo que se achava ligado ao seu príncipe para o servir em tudo, ou que, havendo recebido terras do soberano, ficava mais obrigado a servi-lo, na paz e na guerra.

lígneo. [Do lat. *ligneu.*] *Adj.* Lenhoso [q. v.]. [Cf. *líneo.*]

▲lign(i)-. [Do lat. *lignum, i.*] *El. comp.* = 'madeira, lenho[2]': *lignina, lignícola.*

lignícola. [De *lign(i)-* + *-cola.*] *Adj. 2 g.* Que vive na madeira ou lenho: *insetos lignícolas.*

lignificação. [De *lignificar(-se)* + *-ção.*] *S. f. Bot.* Deposição de lignina nas paredes celulares dos vegetais superiores; lenhificação.

lignificado. [Part. de *lignificar-se.*] *Adj. Bot.* Que se lignificou; lenhificado.

lignificar-se. [De *lign(i)-* + *-ficar-* + *se[1].*] *V. p. Bot.* Impregnar-se de lignina; lenhificar-se. [Conjug.: v. *trancar.* Normalmente é defect., só conjugável nas 3as pess.]

ligniforme. [De *lign(i)-* + *-forme.*] *Adj. 2 g.* Que tem a natureza ou a aparência da madeira.

lignina. [De *lign(i)-* + *-ina[1].*] *S. f. Anat. Veg.* Substância que se deposita nas paredes das células vegetais conferindo a estas notável rigidez. É o que dá consistência à madeira, a qual pode conter até 25% de lignina. [Sin.: *lenhina.*]

lignito. [De *lign(i)-* + *-ito[2].*] *S. f. Linhito.*

lignívoro. [De *lign(i)-* + *-voro.*] *Adj.* e *s. m.* Xilófago.

lígula. [Do lat. *ligula.*] *S. f.* **1.** Entre os romanos, medida de capacidade para líquidos. **2.** *Morfol. Veg.* Corola das flores periféricas do capítulo das compostas. **3.** *Morfol. Veg.* Apêndice membranáceo ou piloso localizado entre o limbo e a bainha, nas folhas das gramíneas. **4.** *Zool.* Peça estiliforme do lábio inferior dos insetos.

liguláceo. *Adj. Morfol. Veg.* Referente ou semelhante à lígula (2 e 3).

ligulado. [De *ligul(i)-* + *-ado[1].*] *Adj. Morfol. Veg.* Que tem lígulas; ligulífero, liguloso. [Cf. *lingulado.*]

ligular. *Adj. 2 g.* Relativo ou semelhante a lígula.

▲ligul(i)-. [Do lat. *ligula, ae.*] *El. comp.* = 'lígula (2 e 3)': *liguliforme, liguliflоro; ligulado.*

ligulífero. [De *ligul(i)-* + *-fero.*] *Adj. Bot.* V. *ligulado.*

liguliflоro. [De *ligul(i)-* + *-floro.*] *Adj. Morfol. Veg.* Que tem flores liguladas.

liguliforme. [De *ligul(i)-* + *-forme.*] *Adj. 2 g. Morfol. Veg.* Que tem forma de lígula.

liguloso (ô). [De *ligul(i)-* + *-oso.*] *Adj. Bot.* V. *Ligulado.*

ligura. [De *ligar[2].*] *S. f. Bras., N.* Corda que prende o chifre de um boi ao fueiro de um carro, com o objetivo de amansar o animal.

lígure. [Do lat. *ligure*] *S. 2 g.* **1.** Indivíduo dos lígures, povo primitivo que, antes do séc. VI a. C., cobria extenso território do N. da Península Itálica. ● *S. m.* **2.** A língua falada pelos lígures, que parece formada por dois estratos: *um pré-ariano* e outro mais recente, *indo-europeu.* ● *Adj. 2 g.* **3.** Pertencente ou relativo à Ligúria, ou aos lígures. [Sin.: *ger.: lígúrio.*]

ligúrio. *Adj.* e *s. m.* Lígure.

ligústica. *S. f.* Planta e fruto medicinal *(Ligusticum levisticum).*

lila. [Do top. *Lille* (França).] *S. f.* Antigo tecido de lã, fino e lustroso.

lilá. *S. m.* e *adj. 2 g.* Lilás: "Uma piscina enorme, rodeada de trepadeiras lilás." (Laura Oliveira Rodrigo Otávio, *Elos de uma Corrente,* p. 210.)

lilacíneo. *Adj.* Da cor do lilás.

lilás. [Var. de *lilá* persa, atr. do ár. *lilāk,* 'azulado', e do fr. *lilas.*] *S. m.* **1.** Arbusto da família das oleáceas *(Syringa),* cujas flores, dispostas em cachos, têm coloração branca ou arroxeada. **2.** A flor desse arbusto. **3.** O perfume dessa flor. **4.** A sua cor violeta-claro. [V. *de cor* (3).] ● *Adj. 2 g.* **5.** Da cor arroxeada do lilás (2): "Veste um conjunto lilás, decotado" (Viana Moog, *Um Rio Imita o Reno,* p. 64); "É uma paisagem de serranias lilases" (Antero de Figueiredo, *Jornadas em Portugal,* p. 204). **6.** Diz-se dessa cor: *blusa de cor lilás.* [F. paral.: *lilá.* Pl.: *lilases.*]

lilás-da-índia. *S. m. Bras.* V. *cinamomo.* [Pl.: *lilases-da-índia.*]

lili. *S. m. Bras., PE. Pop.* V. *mau-olhado.*

▲lili-. [Do lat. *lilium, ii.*] *El. comp.* = 'lírio': *liliforme, liliflоro.*

liliácea. *S. f.* Espécime das liliáceas.

liliáceas. *S. f. pl. Bot.* Família de monocotiledôneas, da ordem das liliflоras, muito semelhante às amarilidáceas e iridáceas. Distingue-se pelo ovário súpero e seis estames, e compreende perto de 3.000 espécies, inúmeras ornamentais, outras medicinais, e das quais poucas habitam os trópicos.

liliáceo. [Do lat. *liliaceu.*] *Adj.* Pertencente ou relativo às liliáceas.

liliflоras. *S. f. pl. Bot.* Ordem de monocotiledôneas caracterizada pelas vistosas flores homoclamídeas ou heteroclamídeas, hexâmeras e hermafroditas, e cujo endosperma é carnoso ou cartilaginoso, com reservas graxas.

liliflоro. [De *lili-* + *-floro.*] *Adj. Morfol. Veg.* Que tem flores semelhantes às do lírio.

liliforme. [De *lili-* + *-forme.*] *Adj. 2 g.* que tem a forma de lírio; lirióide. [Cf. *liriforme.*]

liliputiano. [Do ingl. *lilliputian.*] *Adj.* **1.** De Liliput, país imaginário do romance *Viagens de Gulliver,* do escritor inglês Jonathan Swift (1667-1745), no qual os habitantes tinham apenas seis polegadas de altura. **2.** *P. ext.* Muito pequeno. ~ V. *edição* —*a.* ● *S. m.* **3.** Habitante de Liliput.

lima[1]. [Do lat. *lima.*] *S. f.* **1.** Ferramenta manual, de aço, cuja superfície é lavrada de estrias muito próximas entre si, e utilizada para polir, ou desbastar ou raspar metais ou outros objetos duros. **2.** *P. ext.* Tudo aquilo que corrói ou gasta.

lima[2]. [Dev. de *limar.*] *S. f.* V. *limadura.*

lima[3]. [Do ár. *līmā.*] *S. f.* Fruto da limeira; lima-da-pérsia.

lima⁴. *S. f. Bras., N.E.* F. red. de *lima-de-cheiro* [q. v.].
limácida. *S. m.* e *adj. 2 g.* V. *limacídeo.*
limácidas. *S. m. pl. Zool.* V. *limacídeos.*
limacídeo. [Do lat. *limace*, 'lesma', + *-ídeo.*] *S. m.* **1.** Espécime dos limacídeos. ● *Adj.* **2.** Pertencente ou relativo a eles.
limacídeos. *S. m. pl. Zool.* Família de moluscos gastrópodes cujo tipo é a lesma.
limaciforme. [Do lat. *limace*, 'lesma', + *-forme.*] *Adj. 2 g.* **1.** Diz-se do animal que tem aspecto de lesma. ● *S. m.* **2.** Animal limaciforme.
limacomorfo. *S. m.* **1.** Espécime dos limacomorfos. ● *Adj.* **2.** Pertencente ou relativo a eles.
limacomorfos. *S. m. pl. Zool.* Artrópodes miriápodes, diplópodes, da ordem *Limacomorpha*, cujo corpo tem 22 somitos. O macho tem gonópodes formados pelo primeiro ou pelos dois pares de pernas do último somito.
limada. *S. f. Bras.* Refresco de lima³.
lima-da-pérsia. *S. f.* **1.** V. *limeira.* **2.** Lima³. [Pl.: *limas-da-pérsia.*]
lima-de-cheiro. *S. m. Bras., N.E.* V. *limão-de-cheiro.* [Pl.: *limas-de-cheiro.*]
limador (ô). [De *limar*¹ + *-(d)or.*] *Adj.* e *s. m.* Que ou aquele que lima.
lima-duartino. *Adj.* **1.** De, ou pertencente ou relativo a Lima Duarte (MG). ● *S. m.* **2.** O natural ou habitante de Lima Duarte. [Pl.: *lima-duartinos.*]
limadura. *S. f.* **1.** Ato ou efeito de limar¹. **2.** *Fig.* Aperfeiçoamento, polimento. [Sin. ger.: *lima, limagem.*]
limagem. *S. f.* V. *limadura.*
limalha. [Do fr. *limaille.*] *S. f.* **1.** Pó ou partículas caídas de um metal quando é limado. **2.** *Bras., N.E.* Certo busca-pé grande.
limano. *S. m. Bras.* V. *lemano.*
limantrídeo. *S. m.* **1.** Espécime dos limantrídeos. ● *Adj.* **2.** Pertencente ou relativo a eles.
limantrídeos. *S. m. pl. Zool.* Insetos da ordem dos lepidópteros, mariposas de tamanho médio, larvas cabeludas, e que vivem em árvores.
limão. [Do persa *limu(n)*, atr. do ár. *laimûn.*] *S. m.* **1.** O fruto do limoeiro. **2.** A cor verde-amarelada, ou amarelo-esverdeada, desse fruto. [V. *de cor* (3).] **3.** *Bras., N.E.* V. *iraxim.* ● *Adj. 2 g.* e *2. n.* **4.** Da cor do limão (1): *vestido limão.* **5.** Diz-se dessa cor: *camisa de cor limão.*
limão-bravo. *S. m. Bras.* V. *fruta-de-cachorro* (1). [Pl.: *limões-bravos.*]
limão-canudo. *S. m. Bras.* V. *iraxim.* [Pl.: *limões-canudos* e *limões-canudo.*]
limão-cravo. *S. m.* Arvoreta da família das rutáceas (*Citrus bigaradia*), oriunda da Índia, de folhas elípticas, crenadas e ricas em óleo essencial, flores alvas e perfumadas, bagas globosas, avermelhadas e muito ácidas, e cujos frutos são muito usados em culinária e para fazer refrescos. [Pl.: *limões-cravos* e *limões-cravo.*]
limão-de-caiena. *S. m. Bras.* v. *bilimbi.* [Pl.: *limões-de-caiena.*]
limão-de-cheiro. *S. m. Bras.* Pequena esfera oca, de cera ou de borracha, cheia de água perfumada, que se usava nos folguedos do entrudo. [Sin. (no N.E.): *lima, lima-de-cheiro, laranjinha.* Pl.: *limões-de-cheiro.*]
limão-doce. *S. f. Bras. Pop.* Lima³. [Pl.: *limões-doces.*]
limão-do-mato. *S. m. Bras.* **1.** Arbusto trepador, da família das rubiáceas (*Randia spinosa*), de espinhos fortes, folhas oblongas e membranáceas, flores tubulosas e alvas, e frutos amarelos, semelhantes a um limão pequeno. Ocorre em toda a América tropical. **2.** V. *bacupariaçu.* **3.** V. *fruta-de-cachorro* (1). [Pl.: *limões-do-mato.*]
limão-francês. *S. m. Bras.* Arbusto ornamental da família das rutáceas (*Triphasia aurantiola*), oriundo da China, de folhas com três folíolos ovados e emarginados, flores alvas, solitárias e com três pétalas, e cujo fruto é uma baga vermelha semelhante ao café, encerrando polpa doce e uma semente; limãozinho-do-jardim. [Pl.: *limões-franceses.*]
limão-galego. *S. m. Bras.* Arvoreta espinhosa e aromática, da família das rutáceas (*Citrus medica*), originária da Pérsia, de folhas com pecíolo alado, aromáticas, flores alvas e vistosas, em cimeiras, e muito cultivada graças aos frutos. [Pl.: *limões-galegos.*]
limãorana. [De *limão* + *-rana.*] *S. m. Bras.* Árvore da família das moráceas (*Chlorophora tinctoria*), de folhas amplas e membranáceas, flores insignificantes, unissexuais e congregadas em espigas alongadas, fruto bacáceo, e madeira amarela, lisa e excelente para confeccionar canoas de tronco inteiro. Ocorre da América Central ao S. do Brasil. [Sin. *oiticica, tatajuba.*]
limãorana-da-várzea. *S. m. Bras.* Arbusto ou arvoreta da família das rubiáceas (*Chomelia anisomeris*), peculiar à BA e MG, de ramos com espinhos, folhas escuras, ovadas, barbadas na axilas das nervuras, flores patentes, tubulosas e pubérulas, e drupa elipsóide, com uns 7 mm de comprimento. [Pl.: *limãoranas-da-várzea.*]
limãoranazinho. [Dim. de *limãorana.*] *S. m. Bras.* Arbusto da família das rubiáceas (*Machaonia spinosa*), de ramos espinhosos, folhas lanceoladas ou oblongas, castanhas, flores mínimas arranjadas em címulas que se ordenam em panículas corimbiformes, e fruto dicoco ornado com longos pêlos brancos. Mede apenas 1 a 2 m de altura, e ocorre da Colômbia ao Brasil central. [Sin.: *limãozinho.*]
limãozinho. [Dim. de *limão.*] *S. m. Bras.* **1.** Designação comum a várias plantas muito dessemelhantes entre si, como, p. ex., *Machaonia spinosa* [v. *limãoranazinho*], *Poiretia angustifolia, Polygala Klotschii,* etc. **2.** V. *lenha-branca.*
limãozinho-do-jardim. *S. m.* Limão-francês. [Pl.: *limõezinhos-do-jardim.*]
limar¹. [Do lat. *limare.*] *V. t. d.* **1.** Desgastar, raspar ou polir com lima¹ (1): "havia uma mesa de pinho, onde Tópsius estudava o mapa da Palestina, enquanto eu .... passeava, limando as unhas." (Eça de Queirós, *A Relíquia*, p. 126). **2.** Polir, corrigir, aperfeiçoar: "Torce [o poeta], aprimora, alteia, lima / A frase" (Olavo Bilac, *Poesias*, p. 2). **3.** Acostumar ao trato social; polir, civilizar. **4.** Corroer, gastar.
limar². *V. t. d.* Temperar com limão e azeite.
limar³. *V. t. d. Bras.* Esfregar (a vela da jangada) com limo de pau e água salgada, para fazê-la mais durável.
limatão. [Do esp. *limatón.*] *S. m.* Lima¹ (1) de comprimento grande, com seção circular, as mais comuns, podendo ter, também, seção quadrada.
límbico. *Adj.* Referente ao limbo.
limbífero. [Do lat. *limbu*, 'limbo', + *-i-* + *-fero.*] *Adj.* Que tem limbo.
limbo. [Do lat. *limbu*, 'orla'.] *S. m.* **1.** Orla, borda, rebordo. **2.** Rebordo do disco de um instrumento de medição, sobre o qual é marcada a graduação angular. **3.** *Morfol. Veg.* Porção laminar, ampliada, dos órgãos foliáceos, como a própria folha, as pétalas, sépalas, etc. **4.** *Rel.* Lugar onde, segundo a teologia católica posterior ao séc. XIII, se encontram as almas das crianças muito novas que, embora não tivessem alguma culpa pessoal, morreram sem o batismo que as livrasse do pecado original. **5.** *Fam.* Lugar para onde se atiram as coisas inúteis.
limeira. *S. f.* Árvore da família das rutáceas (*Citrus bergamia*), originária da Índia, de ramos com espinhos pequenos, folhas ovadas, verde-brilhantes e denteadas, flores alvas, perfumadas, arrumadas em cachos, baga amarelo-clara e umbilicada, e cujo fruto, a lima, é apreciado; limeira-da-pérsia, lima-da-pérsia.
limeira-da-pérsia. *S. f.* V. *limeira.* [Pl.: *limeiras-da-pérsia.*]
limeirense. *Adj. 2 g.* **1.** De, ou pertencente ou relativo a Limeira (SP). ● *S. 2 g.* **2.** Natural ou habitante de Limeira.
limenho. [Do esp. *limeño.*] *Adj.* **1.** De, ou pertencente ou relativo a Lima, capital do Peru. ● *S. m.* **2.** O natural ou habitante de Lima.
limiar. [Do lat. *liminare.*] *S. m.* **1.** Soleira da porta: "O limiar daquela porta, ... tinha-o passado sacudindo o pó de seus sapatos" (Almeida Garrett, *Viagens na Minha Terra*, p. 213). **2.** Patamar junto à porta. **3.** *Fig.* Entrada, começo, início: "Tanto é assim que se pode pôr, no limiar do mundo moderno, o princípio da livre discussão" (Mário Casassanta, *Machado de Assis e o Tédio à Controvérsia*, p. 7). **4.** *Fisiol.* Intensidade mínima abaixo da qual um estímulo deixa de produzir uma determinada resposta. [Var., ant. e pop., nas acepç. 1 a 3: *lumiar.*] ◆ **Limiar absoluto.** *Fisiol.* A excitação mínima capaz de produzir uma sensação. **Limiar de audibilidade.** *Fís.* A menor intensidade de um som que pode ser percebida pelo ouvido de um observador. **Limiar diferencial.** *Fisiol.* A quantidade mínima que é necessário aumentar numa excitação para que o ser estimulado perceba uma modificação da sensação. **Limiar fotelétrico.** *Fís.* O maior comprimento de onda de uma radiação eletromagnética que, incidindo sobre uma superfície, é capaz de provocar o efeito fotelétrico.
limícola. [De *limo* + *-i-* + *cola.*] *S. f.* e *adj. 2 g.* Caradriiforme.
limícolas. *S. f. pl. Zool.* Caradriiformes.
limiforme. [Do lat. *lima*¹ (1) + *-i-* + *-forme.*] *Adj. 2 g.* Áspero como a lima.
liminar. [Do lat. *liminare*, 'da soleira'.] *Adj. 2 g.* **1.** Posto à entrada, à frente. **2.** Que antecede o assunto ou objeto principal; preliminar: *palavras* liminares. **3.** *Dir.* Diz-se do que ocorre no princípio de um processo. ~ V. *folhas* —*es.* ● *S. m.* **4.** Aquilo que é liminar.
limitação. [Do lat. *limitatione.*] *S. f.* **1.** Ato ou efeito de limitar(-se). **2.** Determinação, fixação, delimitação: *executar uma tarefa sem* limitação *de tempo;* limitação *de preços.* **3.** Contenção, restrição, diminuição: limitação *da natalidade;* limitação *de um poder.* **4.** Insuficiência, mediocridade: limitação *intelectual.*
limitado. [Part. de *limitar.*] *Adj.* **1.** Que apresenta limites ou limitações. **2.** Fixado, estipulado, delimitado: *edição com tiragem* limitada; *prazo* limitado. **3.** Restrito, reduzido: *Confiava no rapaz, porém de modo* limitado. **4.** Subordinado, dependente; circunscrito: *O campo de ação do gerente é* limitado. ~ V. *edição* —*a, função* —*a, guerra* —*a, propriedade* —*a* e *seqüência* —*a.*
limitador (ô). *Adj.* **1.** V. *limitante.* ● *S. m.* **2.** *Eng. Eletrôn.* Circuito destinado a limitar superiormente a um dado valor a amplitude dum sinal elétrico. **3.** *Ópt.* Diafragma que limita a abertura dum instrumento óptico.
limitante. *Adj. 2 g.* Que limita, restringe; limitativo, limitador: *horário* limitante.
limitar. [Do lat. *limitare.*] *V. t. d.* **1.** Determinar os limites de, ou servir de limite a; estremar: *Uma cerca viva* limitava *o grande pátio;* "umas colinas baixas, vestidas do verde frio dos olivais, limitavam o horizonte" (Conde de Ficalho, *Uma Eleição Perdida*, p. 30). **2.** Reduzir a determinadas proporções; restringir, diminuir: Limitou *as despesas, para não recorrer a empréstimos.* **3.** Fixar, estipular, marcar, designar, escolher: *O ministro* limitou *os seus dias de audiência.* *T. i.* **4.** Ter como limite(s); confinar; limitar-se: *O terreno* limita *com o rio P.* **5.** Consistir unicamente; não passar; restringir-se, cingir-se, circunscrever-se: *Seus gastos* limitam-se *ao mínimo; Seu desjejum* limita-se *a uma xícara de café.* **6.** Não ir além; não passar; contentar-se, restringir-se, cingir-se: "Padre Marcelino, se o consultavam, limitava-se a aconselhar que atirasse a primeira pedra aquele que se julgasse isento de pecado..." (Candido Jucá [filho], *Noite Insone*, p. 121.) **7.** Ter como limite(s); confinar: *O Brasil* limita-se *com todos os países sul-americanos, exceto o Chile e o Equador.*
limitativo. *Adj.* **1.** V. *limitante.* **2.** Que serve de limite a alguma coisa.
limite. [Do lat. *limite.*] *S. m.* **1.** Linha de demarcação; raia: *A bola caiu bem no* limite *do campo.* **2.** Linha real ou imaginária que separa dois terrenos ou territórios contíguos; estrema, baliza, divisa, fronteira: *marcar os* limites *da propriedade; Acidentes geográficos muitas vezes constituem o* limite *de regiões, de países.* **3.** Parte ou ponto extremo; fim, termo: *Os antigos pensavam que o mar se estendia sem* limites; *Este assunto não tem* limite. **4.** Extremo longínquo; confim: *Mora nos* limites *da serra.* **5.** Momento, data, época, etc., que marca o começo e/ou o fim de um espaço de tempo: *os* limites *de um período;* limite *de idade.* **6.** Ponto que não se deve ou não se pode ultrapassar; fronteira, raia: *Paciência tem* limite; *Foi além do* limite *de suas forças.* [Sin., nestas acepç.: *linde,* ■ *linda.*] **7.** *Anál. Mat.* Elemento L em cuja vizinhança de dimensões arbitrária e estão contidos todos os elementos de uma seqüência-infinita L (n), a partir de um n_0 que é função de ϵ . **8.** *Anál. Mat.* Elemento L em cuja vizinhança de dimensão ϵ estão contidos todos os pontos do contradomínio de uma fração f(x), desde que x esteja na vizinhança δ (ϵ) de um ponto x_0 do domínio da função. ◆ **Limite de confiança.** *Estat.* Qualquer dos dois extremos dum intervalo de confiança. **Limite de elasticidade.** *Fís.* A maior tensão de tração que pode ser aplicada a um sistema elástico.
limítrofe. [Do lat. tardio *limitrophu*, pelo fr. *limithrophe.*] *Adj. 2 g.* Contíguo à fronteira de uma região; confinante, lindeiro: *países* limítrofes.
limnantácea. *S. f.* Espécime das limnantáceas.
limnantáceas. *S. f. pl. Bot.* Família de plantas floríferas, da ordem das sapindales, formada de ervas anuais semelhantes às geraniáceas. Flores solitárias, axilares; carpelos reunidos em ovário plurilocular, separando-se na maturidade. Só há cinco representantes norte-americanos.
limnantáceo. *Adj.* Pertencente ou relativo às limnantáceas.
limneído. *S. m.* **1.** Espécime dos limneídos. ● *Adj.* **2.**

Pertencente ou relativo a eles.

limneídos. *S. m. pl. Zool.* Família de moluscos gasterópodes, pulmonados, da qual o gênero mais comum é o *Limnea.* São hospedeiros intermediários da *Fasciola hepatica.*

▲limni-. Equiv. de *limno-.*

limnimetria. [De *limni-* + *-metr(o)-*[2] + -ia.] *S. f.* V. *limnometria.*

limnimétrico. *Adj.* V. *limnométrico.*

limnímetro. [De *limni-* + *-metro.*] *S. m.* V. *limnômetro.*

▲limno-. [Do gr. *limne, es.*] *El. comp.* = 'pântano', 'lago': *limnófilo, limnologia.* [Equiv.: *limni-*: *limnimetria.*]

limnófilo. [De *limno-* + *-filo.*] *Adj.* Que habita nas águas estagnadas.

limnografia. [De *limno-* + *-graf(o)-* + -ia.] *S. f.* V. *limnometria.* [Cf. *linografia.*]

limnográfico. [De *limno-* + *-graf(o)-* + *-ico*[2].] *Adj.* V. *limnométrico.* [Cf. *linográfico.*]

limnógrafo. [De *limno-* + *-grafo.*] *S. m.* Aparelho que registra continuamente a variação dos níveis de lagos e cursos de água. [Cf. *linógrafo, limnômetro* e *molinete* (3).]

limnologia. [De *limno-* + *-log(o)-* + *-ia.*] *S. f.* Parte da biologia que trata das águas doces e de seus organismos, principalmente do ponto de vista ecológico.

limnológico. *Adj.* Referente à limnologia.

limnologista. *S. 2 g.* Especialista em limnologia; limnólogo.

limnólogo. *S. m.* Limnologista.

limnomedusa. [De *limno-* + *medusa.*] *S. f.* **1.** Espécime das limnomedusas. ● *Adj. 2 g.* **2.** Pertencente ou relativo a elas.

limnomedusas. *S. f. pl. Zool.* Ordem de animais de classe *Hydrozoa,* medusas de corpo achatado, com quatro a seis canais radiais e numerosos tentáculos marginais. Ex.: *Craspedacusta sowerbii,* das águas doces da Amazônia.

limnometria. [De *limno-* + *-metr(o)-* + *-ia.*] *S. f.* Processo de determinação das variações periódicas de nível de lagos, de cursos de água, etc., mediante o emprego do limnômetro; limnimetria, limnografia.

limnométrico. *Adj.* Respeitante à limnometria; limnimétrico, limnigráfico.

limnômetro. [De *limno-* + *-metro.*] *S. m.* Aparelho de medição dos níveis de lagos e cursos de água. [Cf. *limnógrafo* e *molinete* (3).]

limnoplancto. [De *limno-* + *plancto.*] *S. m. Ecol.* Plancto das águas doces.

limnoplâncton. *S. m. Ecol.* V. *limnoplancto.*

limo. [Do lat. *limu.*] *S. m.* **1.** *Bot.* Qualquer alga, filamentosa ou não, que forme massas verdes na água doce. **2.** V. *lodo* (1). **3.** *P. ext.* Sujidade verde nos dentes. **4.** *Fig.* Aquilo que é baixo ou imundo.

limoal. [De *limão* + *-al.*] *S. m.* Quantidade mais ou menos considerável de limoeiros dispostos proximamente entre si.

limoctônia. [Do gr. *limoktonía.*] *S. f.* Morte por inanição.

limoeirense[1]**.** *Adj. 2 g.* **1.** De, ou pertencente ou relativo a Limoeiro (PE). ● *S. 2 g.* **2.** Natural ou habitante de Limoeiro.

limoeirense[2]**.** *Adj. 2 g.* **1.** De, ou pertencente ou relativo a Limoeiro do Norte (CE). ● *S. 2 g.* **2.** Natural ou habitante de Limoeiro do Norte.

limoeirense[3]**.** *Adj. 2 g.* **1.** De, ou pertencente ou relativo a Limoeiro de Anadia (AL). ● *S. 2 g.* **2.** Natural ou habitante de Limoeiro de Anadia.

limoeiro. *S. m.* Arvoreta espinhosa e aromática, da família das rutáceas (*Citrus limonum*), originária da Índia, de folhas grandes, ovadas, com o pecíolo desprovido de asa, flores solitárias, com a corola ampla alva externamente, e por dentro purpúrea, e cujo fruto, o limão, bicudo, amarelo e sucoso, globoso ou elipsóide, é muitíssimo utilizado.

limoeiro-bravo. *S. m. Bras.* Arbusto da família das monimiáceas (*Siparuna brasiliensis*), habitante da floresta pluvial atlântica, de folhas opostas, amplas, elípticas e tomentosas, flores pequeninas, apétalas, citrinadas, ordenadas em fascículos, e cujo fruto é um sincarpo bacáceo fortemente aromático quando esmagado, sendo o odor semelhante ao do limão; limoeiro-do-mato. [Pl.: *limoeiros-bravos.*]

limoeiro-do-campo. *S. m. Bras.* V. *benjoeiro* (2). [Pl.: *limoeiros-do-campo.*]

limoeiro-do-mato. *S. m. Bras.* **1.** Limoeiro-bravo. **2.** V. *fruta-de-cachorro* (1). **3.** V. *cataguá.* [Pl.: *limoeiros-do-mato.*]

limonada. *S. f.* **1.** Bebida refrigente, feita com o sumo de limão ou essência desse fruto, água e açúcar. **2.** *P. ext.* Qualquer bebida gasosa ligeiramente açucarada e acidulada. ♦ **Limonada gasosa.** Água saturada de ácido carbônico e perfumada com sumo ou essência de limão. [Tb. se diz apenas *gasosa.*] **Limonada purgativa.** Aquela a que se ajunta um sal purgativo.

limonadeiro. *S. m.* Fabricante e/ou vendedor de limonadas.

limoneno. [De *limão* + *-eno.*] *S. m. Quím.* Terpeno existente em muitos frutos (limão, laranja, etc.) e em diversos óleos essenciais, líquido, com cheiro característico do limão. [Fórm.: $C_{10}H_{16}$.]

limonita. *S. f. Min.* V. *limonito.*

limonítico. *Adj.* Relativo ou pertencente a limonito.

limonito. [Do fr. *limon* 'lama' + *-ito*[2].] *S. m. Min.* Mineral amorfo, hidróxido de ferro natural, freqüentemente concrecionado, estalactítico, compacto ou terroso, de cor castanha ou preta, brilho metálico, usado como pigmento amarelo ou como minério de ferro. [Sin.: *hematita parda* e (bras.) *caboclo-lustroso.*]

limosidade. *S. f.* **1.** Qualidade de limoso. **2.** Conjunto de limos.

limosino. [Do fr. *limousin.*] *Adj.* V. *limusino.*

limoso (ô). [Do lat. *limosu.*] *Adj.* Que tem limo.

limote. *S. m.* Lima[1] (1) de três quinas, com a forma de um triângulo eqüilátero.

limpa[1]**.** [Dev. de *limpar.*] *S. f.* **1.** V. *limpamento.* **2.** Alimpa (2). **3.** Clareira estéril, da charneca. **4.** *Bras. Gír.* Saque[2] completo; roubo total; limpeza. **5.** *Bras., N.* e *N.E.* V. *monda* (1).

limpa[2]**.** [Fem. substantivado do adj. *limpo.*] *S. f. Bras., N.E. Pop.* V. *cachaça* (1).

limpa-banco. [De *limpar* + *banco* (1).] *S. m. Bras., RS, PR* e *SP.* Chimarrita (1). [Pl.: *limpa-bancos.*]

limpa-botas. [De *limpar* + *bota*[1].] *S. m. 2 n. Fam.* Engraxate.

limpa-campo. [De *limpar* + *campo.*] *S. m. Bras.* V. *muçurana* (1). [Pl.: *limpa-campos.*]

limpação. *S. f.* **1.** V. *limpamento.* **2.** *Bras., PE.* Série de operações finais na edificação de um prédio, tais como ornato, pintura, etc.

limpadeira. [De *limpar* + *-deira.*] *S. f.* Colher muito estreita e de cabo comprido, com que se limpam os furos feitos na pedra pela broca.

limpadela. *S. f.* **1.** Ato ou efeito de limpar de leve, ou uma vez. **2.** V. *limpamento.*

limpado. [Part. de *limpar.*] *S. m. Bras.* Terreno limpo de mato.

limpador (ô). *Adj.* **1.** Que limpa. ● *S. m.* **2.** Aquele ou aquilo que limpa. **3.** *Agr.* Máquina para joeirar e limpar o trigo. ♦ **Limpador de pára-brisas.** Sistema de varetas com lâminas de borracha, adaptado aos pára-brisas dos automóveis e caminhões, que, executando um movimento ritmado, assegura visibilidade ao motorista em caso de chuva, névoa, etc.

limpadura. *S. f.* V. *limpamento.* ~ V. *limpaduras.*

limpaduras. [Pl. de *limpadura.*] *S. f. pl.* Os restos de comida que sobejam nos pratos. ~ V. *limpadura.*

limpa-mato. [De *limpar* + *mato.*] *S. f. Bras., N.E.* **1.** V. *salamanta.* **2.** V. *muçurana* (1). [Pl.: *limpa-matos.*]

limpamento. *S. m.* Ato ou efeito de limpar(-se); limpação, limpadura, limpadela, limpa, limpeza, alimpa, alimpadura.

limpa-pasto. [De *limpar* + *pasto.*] *S. f. Bras.* V. *muçurana* (1). [Pl.: *limpa-pastos.*]

limpa-penas. [De *limpar* + *pena*[1].] *S. m. 2 n.* Utensílio de escritório, com que se limpam as penas.

limpa-pés. [De *limpar* + *pé.*] *S. m. 2 n. Bras.* Grade de ferro horizontal própria para tirar a terra ou qualquer sujidade aderente à sola do calçado.

limpa-plantas. [De *limpar* + *planta.*] *S. m. 2 n. Bras.* V. *coridora.*

limpa-pratos. [De *limpar* + *prato*[1].] *S. m. 2 n. Bras.* Comilão, glutão; lambe-pratos.

limpar. *V. t. d.* **1.** Tornar limpo, asseado; tirar a sujidade a: *Limpou quase todos os cômodos da casa; limpava as mãos com as pequenas toalhas quentes e perfumadas que eram distribuídas*" (Maria Julieta Drummond de Andrade, *Um Buquê de Alcachofras,* p. 14). **2.** Livrar de impureza(s); purificar: *Limpou o ferimento antes de proceder ao curativo.* [Sin., p. us., nessas acepç.: *emundar.*] **3.** Enxugar, secar: "Com uma das mãos, ele segurava o trapézio, enquanto com a outra *limpava* o suor da testa." (Aluísio Azevedo, *Pegadas,* p. 196.) **4.** Tornar limpo, esvaziando o conteúdo de: *Esfaimado, limpou o prato de comida que lhe serviram.* **5.** Tornar sereno e sem nuvens: *A borrasca limpou o firmamento.* **6.** Livrar de matérias estranhas ou prejudiciais; joeirar: *Limpar o arroz, o feijão, o trigo.* **7.** Tirar os ramos inúteis a (uma árvore). **8.** Fazer desaparecer; delir, expungir. **9.** Esfregar para tornar brilhante; polir: *limpar um metal.* **10.** Ganhar (tudo) a outrem no jogo. **11.** Furtar, roubar: *Na rua deserta o assaltante limpou o transeunte.* **12.** Deixar inteiramente sem recursos ou sem dinheiro. **13.** Escoimar de maus elementos, vagabundos, delinqüentes, marginais: A polícia está procurando *limpar* a cidade. *T. d.* e *i.* **14.** Livrar de impureza(s); purificar: "Vinha pedir-me que lhe *limpasse* o coração da lepra da luxúria." (Machado de Assis, *Várias Histórias,* pp. 28-29.) *P.* **15.** Tornar-se limpo; desembaraçar-se de sujidade. **16.** Purificar-se por meio de certas cerimônias ou abluções. **17.** Enxugar as lágrimas. **18.** *Fam.* Assoar-se, esmoncar-se. **19.** Desfazer a má impressão que produziu em alguém, o mau conceito em que é tido, reconquistando-lhe a amizade e/ou o apreço: *Procure limpar-se com o seu chefe, que está irritado com você.* [F. paral., menos us.: *alimpar.*]

limpa-tipos. [De *limpar* + *tipo.*] *S. m. 2 n.* Massa com que se limpam os tipos das máquinas de escrever.

limpa-trilho. *S. m. Bras.* V. *limpa-trilhos.* [Pl.: *limpa-trilhos.*]

limpa-trilhos. [De *limpar* + *trilho.*] *S. m. 2 n. Bras.* Espécie de grade ou chapa de ferro fixada à frente das locomotivas para desviar da linha pedras ou outros corpos que possam constituir riscos à circulação dos trens; grelha, saca-boi, limpa-trilho: "Sentados no *limpa-trilhos,* os quatro companheiros de viagem .... pudemos observar a paisagem e admirar o excelente estado de conservação da linha." (Afonso Arinos, *Histórias e Paisagens,* p. 161.)

limpa-vidro. [De *limpar* + *vidro.*] *S. m. Bras.* Designação comum aos peixes siluriformes, da família dos loricarídeos, especialmente os do gênero *Otocinclus Cope,* com cerca de 19 espécies brasileiras. São cascudos ou acaris, largamente utilizados para limpeza dos aquários; vivem agarrados ao vidro, pedras ou plantas, e alimentam-se de algas e detritos em geral. [Pl.: *limpa-vidros.*]

limpa-viola. [De *limpar* + *viola.*] *S. f. Bras.* Arbusto da família das compostas (*Clibadium rotundifolium*), de folhas ovadas, agudas, denteadas e coriáceas, utilizadas como lixas por serem muito ásperas, flores em capítulos ordenados em panículas corimbiformes, e cujos frutos são pequenos aquênios. Tem cerca de 2 m de altura. [Pl.: *limpa-violas.*]

limpeza (ê). *S. f.* **1.** Qualidade de limpo, de asseado. **2.** V. *limpamento.* **3.** Esmero, apuro, aprimoramento: *trabalho feito com toda a limpeza.* **4.** *Fam.* Coisa bem-feita, bem-acabada, caprichada: *Seus cadernos são uma limpeza.* **5.** *Fig.* Correção, decência; pureza: *limpeza da alma.* **6.** *Fig.* Desaparecimento total de qualquer coisa: *O Natal ocasionou uma limpeza nas prateleiras das lojas.* **7.** *Bras. Gír.* Limpa[1] (4). **8.** *Bras. Gír.* Prisão de maus elementos, vagabundos, delinqüentes, etc.; prisão em massa: *A polícia está fazendo uma limpeza na cidade.* ♦ **Limpeza de mãos.** Honradez, probidade, decência. **Limpeza pública.** Serviço de remoção do lixo das residências e vias públicas de uma cidade.

limpidez (ê). *S. f.* **1.** Qualidade de límpido. **2.** *Fig.* Ingenuidade, sinceridade; pureza.

límpido. [Do lat. *limpidu.*] *Adj.* **1.** Que não é turvo; transparente, translúcido; claro: *água límpida; cristal límpido; olhar límpido.* **2.** Nítido, claro, limpo; puro: "E a cotovia .... / Vai pelo azul um cântico vibrando, / Tão *límpido,* tão alto, que parece / Que é a estrela do céu que está cantando." (Guerra Junqueiro, *A Morte de D. João,* p. 311); *som límpido.* **3.** Polido, brilhante, luzidio. **4.** Sem nuvens; desanuviado; claro, limpo: "As estrelas, no céu muito *límpido,* brilhavam, divinamente distantes." (Manuel Bandeira, *Estrela da Vida Inteira,* p. 93.) **5.** Ingênuo, simples, puro: "Cantai! cantai as *límpidas* cantigas!" (Antônio Nobre, *Só,* p. 120.)

limpo. [Do lat. *limpidu,* 'claro, transparente'.] *Adj.* **1.** Sem mancha; asseado, lavado: *vestido limpo.* **2.** Diz-se da terra que foi mondada, joeirada. **3.** Não misturado com substâncias estranhas: *arroz limpo.* **4.** V. *límpido* (2 e 4). **5.** Nitidamente perceptível; visível, claro: *Vê-se ao longe o contorno limpo da serraria.* **6.** Bem-feito, bem-acabado, aprimorado, perfeito: *Seus trabalhos são sempre muito limpos.* **7.** Isento, livre: *A vida lhe correu limpa de obstáculos.* **8.** Sem dano ou lesão; são, escorreito: *Saiu limpo do acidente.* **9.** Apurado, correto, escorreito: *linguagem limpa.* **10.** *Fig.* Sem mácula; puro, imaculado: *consciência limpa.* **11.** *Fig.* Honesto, honrado, probo: *homem limpo em negó-*

cios. **12.** Livre de descontos ou de gastos quaisquer; líquido: "Poderia chegar ao fim do ano com duzentos mil cruzeiros *limpinhos*, sem necessidade de se juntar a terceiros. Tudo sozinho, nada de sociedades" (Otávio Issa, *Os Inquietos*, p. 8). **13.** *Fam.* que desfruta da confiança (de outrem): *estar, ficar, continuar limpo com alguém.* **14.** *Bras. Gír.* V. *pronto* (10). ~ V. *campo —, compor —, de fonte — a e jogo —.* ● *S. m.* **15.** *Bras.* Faixa de terreno desprovida naturalmente de vegetação: "O pasto seco, porém substancioso e nutritivo, acama-se nos '*limpos*', nos prados, nas capoeiras" (Gustavo Barroso, *Terra de Sol*, p. 14). **16.** *Bras.* V. *pronto* (12). ● *Adv.* **17.** Com limpeza; limpamente: *confie nele, trabalha muito limpo.* ◆ **Tirar a limpo.** Investigar para obter esclarecimentos. [Cf. *pôr em pratos limpos.*]

limusine. [Do fr. *limousine.*] *S. f.* Tipo de automóvel de passeio, inteiramente fechado e muito espaçoso.

limusino. [Do fr. *limousin.*] *Adj.* **1.** De, ou pertencente ou relativo a Limoges ou ao Limusino (França). **2.** Diz-se do verso hendecassílabo empregado pelos poetas provençais da escola de Limoges. [Sin., nestas acepç.: *lemosi, lemosim, lemosino.*] ● *S. m.* **3.** Natural ou habitante de Limoges ou do Limusino. **4.** O dialeto da região limusina.

linácea. *S. f.* Humiriácea.

lináceas. *S. f. pl. Bot.* Humiriáceas.

lináceo. [De *lin(o)-* + *-áceo*[1].] *Adj.* **1.** Relativo ou semelhante ao linho. **2.** Humiriáceo.

linalol. *S. m. Quím.* Álcool terpênico, de que se conhecem três isômeros ópticos, líquido com odor agradável, encontrado em diversos óleos essenciais. [Pl.: *linalóis.*]

linária. [De *lin(o)-* + *-ária.*] *S. f.* Valverde (2).

lince. [Do gr. *lygx*, pelo lat. *lynce.*] *S. m. Zool.* Mamífero carnívoro, da família dos felídeos (*Felis lynx* (Lin.), ao qual os antigos atribuíam o poder de ver através das paredes; lobo-cerval [q. v.].

linchador (ô). *Adj.* e *s. m.* Que ou aquele que lincha.

linchagem. *S. f. P. us.* Linchamento.

linchamento. *S. m.* Ato ou efeito de linchar. [Sin., p. us.: *linchagem.*]

linchar. [Do antr. *Lynch* + *-ar*[2].] *V. t. d.* Justiçar ou executar sumariamente, sem qualquer espécie de julgamento legal, segundo as normas instituídas por William Lynch (1742-1820) nos E.U.A.

linda. [Dev. de *lindar.*] *S. f.* V. *limite* (1 a 6).

lindaço. [Do esp. plat. *lindazo.*] *Adj. Bras., RS.* Muito lindo: "O cadete tinha uma paixão braba por uma moça *lindaça*" (Simões Lopes Neto, *Contos Gauchescos e Lendas do Sul*, p. 189).

linda-flor *S. f. Bras.* Erva da família das compostas (*Coreopsis tinctoria*), cultivada em jardins, originária da América do Norte, de folhas penatissectas com segmentos lineares, e flores amarelas muito ornamentais, dispostas em capítulos. [Pl.: *lindas-flores.*]

lindar. [Do lat. *limitare.*] *V. t. d.* **1.** Pôr lindas em; limitar, balizar, demarcar: "O caminho era ruim, apenas indicado por velhos muros afogados em silvas e cheios de musgo ...., que *lindavam* as tapadas." (D. João da Câmara, *Contos*, p. 1.) **2.** *T. i.* Confinar, estremar-se: "E foram-se estendendo e alargando campos sem fim, perdendo o verde no azul das distâncias, e ainda *lindando* com outras estâncias" (Simões Lopes Neto, *Contos Gauchescos e Lendas do Sul*, p. 298).

linde. [Do lat. *limite.*] *S. m.* V. *limite* (1 a 6): "Assim passou com este pequeno povo de Portugal: pequeno como Atenas nos *lindes* estreitos da sua terra, porém grande na pujança insaciável das suas ambições." (Latino Coelho, *Elogio Histórico de José Bonifácio*, p. 179); "um deserto empantanado, a estirar-se sem *lindes*, para sudoeste" (Euclides da Cunha, *À margem da História*, p. 55).

lindeira. [De *linda* + *-eira*, talvez.] *S. f.* **1.** Verga superior da porta ou da janela, que firma e une as ombreiras entre si. **2.** Ombreira da porta.

lindeiro. *Adj.* **1.** Relativo a linda ou limite. **2.** Limítrofe.

lindeza (ê). *S. f.* **1.** Qualidade ou estado de lindo. **2.** Formosura, beleza. **3.** Primor, perfeição. [Sin. bras., pop.: *lindura.*]

lindinha. [Dim. do fem. de *lindo.*] *S. f. Bras. Pop.* V. *cachaça* (1).

lindo. *Adj.* **1.** Agradável à vista ou ao espírito; belo, bonito, formoso: *mulher linda; dia lindo; versos lindos.* **2.** Gracioso, delicado; mimoso: *As lindas borboletas alegram a paisagem; O colar é um lindo trabalho de ourivesaria.* **3.** Bem aprestado; elegante, airoso: *A noiva estava linda.* **4.** Delicado, sensível; distinto; sutil: *um lindo gesto de generosidade.* **5.** Apurado, perfeito, primoroso; puro: *Escreve um lindo português; Tem móveis em lindo estilo D. João V.*

lindo-azul. *S. m. Bras., RJ.* V. *sanhaço-frade.* [Pl.: *lindos-azuis* e *lindo-azuis.*]

lindoiense (ói). *Adj. 2 g.* **1.** De, ou pertencente ou relativo a Águas de Lindóia (SP). ● *S. 2 g.* **2.** Natural ou habitante de Águas de Lindóia.

lindota. *Adj. (f.).* Fem. de *lindote.*

lindote. *Adj.* Um tanto lindo. [Fem.: *lindota.*]

lindura. *S. f. Bras. Pop.* V. *lindeza.*

lineal. [Do lat. *lineale.*] *Adj. 2 g.* **1.** *P. us.* Linear [q. v.]. **2.** *Tip.* Diz-se do tipo de obra de traços de uma só espessura e sem serifas; etrusco, grotesco. ● *S. m.* **3.** *Tip.* Obra lineal; bastão.

lineamento. [Do lat. *lineamentu.*] *S. m.* **1.** Traço, linha. **2.** Produção de uma linha. ~ V. *lineamentos.*

lineamentos. [Pl. de *lineamento.*] *S. m. pl.* **1.** Traços gerais; esboço, delineamento: "Nascido .... aos 19 de março de 1534, exatamente o ano em que D. João III completava os *lineamentos* do seu projeto de povoamento do Brasil, segundo o plano das capitanias hereditárias, Anchieta foi recebido pelos jesuítas .... no dia 1 de maio de 1551." (Carlos de Laet, *O Frade Estrangeiro e Outros Escritos*, p. 16.) **2.** Feições fisionômicas, ou linhas do corpo humano. **3.** Primeiras noções; rudimentos. ~ V. *lineamento.*

lineano. *Adj.* **1.** Relativo a Lineu (Carl von Linné), naturalista e médico sueco (1707-1778), ou ao sistema de classificação taxionômica dos seres vivos baseado em caracteres morfológicos e com nomenclatura binomial, por ele estabelecidos. **2.** Diz-se da espécie classificada segundo o sistema lineano.

linear. [Do lat. *lineare.*] *Adj. 2 g.* **1.** Relativo ou próprio de linha (8): *medida linear.* **2.** Que apresenta a disposição de linha (8); semelhante a esta ou a um traço: *os sulcos lineares do arado.* **3.** que se representa por meio de linhas: *desenho linear; perspectiva linear.* **4.** *Fig.* Que dá idéia de seguir uma linha reta; sem desvios, ou complicações, ou complexidade, ou, às vezes, profundeza; claro, simples, direto: *argumento linear; raciocínio linear; romance linear.* [F. paral., p. us.: *lineal.*] ~ V. *amplificador —, coeficiente —, combinação —, deformação —, dependência —, equação —, equação diferencial —, equação diferencial ordinária —, equação diferencial homogênea, equação diferencial parcial —, escrita —, folha —, fotogravura —, função —, interpolação —, operação —, programação —, regressão —, sistema —, soma — e transformação —.*

linearidade. [De *linear* + *-i-* + *-dade.*] *S. f.* Qualidade do que é linear: "Não se imagina a simultaneidade profusa dos incidentes que formam um episódio como o que narro! Entretanto, para reproduzi-lo na escrita, devo estendê-lo no plano da sucessividade, antecedentes e conseqüentes, como pontos na linha que o espírito, na sua *linearidade*, é forçado a seguir." (Gilberto Amado, *Depois da Política*, p. 50.)

linense. *Adj. 2 g.* **1.** De, ou pertencente ou relativo a Lins (SP). ● *S. 2 g.* **2.** Natural ou habitante de Lins.

líneo. [Do lat. *lineu.*] Adj. Relativo ao, ou próprio do linho. [Cf. *lígneo.*]

lineolar. [Do lat. *lineola*, dim. de *linea*, 'linha', + *-ar*[1].] *Adj. 2 g. Bot.* Diz-se dos órgãos vegetais em que se observam linhas, ou que têm a aparência de uma linha ou traço.

linfa. [Do gr. *nymphe*, 'água', pelo lat. *limpha.*] *S. f.* **1.** *Anat.* Líquido transparente, amarelado ou incolor, de reação alcalina, que contém em suspensão glóbulos brancos, principalmente linfócitos e com freqüência glóbulos de gordura, e circula no organismo em vasos próprios, chamados *vasos linfáticos.* **2.** Qualquer líquido aquoso semelhante à linfa. **3.** *Poét.* A água: "Vergéis mimosos, encantadas ilhas, / O sol, a neve e as *linfas* murmurosas..." (Eugênio de Castro, *Obras Poéticas*, II, p. 212).

linfadenectomia. [De *linf(o)-* + *-aden(o)-* + *-ectom-* + *-ia.*] *S. f. Cir.* Ressecção cirúrgica de nodo linfático.

linfadenectômico. *Adj.* Relativo à linfadenectomia.

linfadenia. [De *linf(o)-* + *adenia.*] *S. f. Patol.* Hipertrofia de nodos linfáticos.

linfadenoma. [De *linf(o)-* + *adenoma.*] *S. m. Patol.* Linfoma.

linfadenopatia. [De *linf(o)-* + *-aden(o)-* + *-pat(o)-* + *-ia.*] *S. f. Patol.* Aumento anormal das glândulas linfáticas.

linfadenopático. *Adj.* **1.** Relativo a linfadenopatia. **2.** que apresenta linfadenopatia. ~ V. *toxoplasmose —a.*

linfagogo (ô). [De *linf(o)-* + *-agogo.*] *S. m.* Substância que aumenta a produção da linfa.

linfangioma. [De *linf(o)-* + *angioma.*] *S. m. Patol.* Tumor formado pela proliferação de espaços e de vasos linfáticos.

linfangite. [De *linf(o)-* + *-ang(io)-* + *-ite*[1].] *S. f. Patol.* Inflamação nos vasos linfáticos.

linfático. [De *linfa* + *-t-* + *-ico*[2].] *Adj.* **1.** Relativo a linfa. **2.** Que contém linfa: *vasos linfáticos.* **3.** Em que predomina a linfa. **4.** *Fig.* Sem vida, sem vigor, sem energia; apático. ~ V. *folículo — e gânglio —.*

linfatismo. *S. m.* **1.** *Med. Desus.* Estado mórbido constituído de apatia física e hipertrofias de gânglios linfáticos, das vegetações adenóides, e do timo. **2.** Constituição ou temperamento linfático (3).

linfatizar. *V. t. d.* Tornar linfático.

linfedema. [De *linf(o)-* + *edema.*] *S. m. Patol.* Tumefação de tecido subcutâneo causada por drenagem linfática insuficiente numa determinada área, e que pode ocorrer, p. ex., em obstruções linfáticas por linfangites, filariose, obstrução neoplásica, etc., e constitui edema duro, que não deixa cacifo.

▲**linf(o)-.** [De *linfa.*] *El. comp.* = 'linfa': *linfogranuloma, linfadenia, linfóide.*

linfócito. [De *linf(o)-* + *-cito.*] *s. m.* Variedade de glóbulos brancos ou leucócitos que se origina nos tecidos reticulares dos nodos linfáticos.

linfocitose. [De *linfócito* + *-ose.*] *S. f.* Aumento de linfócitos no sangue.

linfogranuloma. [De *linf(o)-* + *granuloma.*] *S. m. Patol.* Granuloma necrótico do tecido linfático. ◆ **Linfogranuloma inguinal.** *Patol.* V. *linfogranuloma venéreo.* **Linfogranuloma maligno.** *Patol.* V. *doença de Hodgkin.* **Linfogranuloma venéreo.** Doença venérea transmitida por uma raça de clamídia e que se manifesta, inicialmente, por lesão ulcerativa primária e transitória de órgãos genitais, seguida de linfadenomegalia regional. Em etapas mais avançadas pode surgir elefantíase da genitália externa, bem como estenoses retais. [Sin.: *linfogranuloma inguinal, doença de Nicolas-Favre* e (obsol.) *quarta-moléstia venérea.*]

linfogranulomatose. [De *linfogranuloma* + *-t-* + *-ose.*] *S. f. Patol.* **1.** Granuloma infeccioso do sistema linfático. **2.** V. *doença de Hodgkin.*

linfóide. [De *linf(o)-* + *-óide.*] *Adj. 2 g.* Semelhante à linfa.

linfoma. [De *linf(o)-* + *-oma.*] *S. m. Patol.* Tumor dos gânglios linfáticos.

linfopatia. [De *linf(o)-* + *-pat-* + *-ia.*] *S. f. Patol.* Doença ou afecção do sistema linfático.

linforragia. [De *linf(o)-* + *-ragia.*] *S. f. Patol.* Derramamento persistente de linfa, por corte ou ruptura de vaso(s) linfático(s).

linforrágico. *Adj.* Referente à linforragia.

linga[1]. [De *eslinga*, por aférese.] *S. f. Marinh.* Aparelho feito de varão de ferro, corrente ou cabo, com que se prendem objetos pesados que se quer içar ou arriar. [Sin., ant.: *eslinga.*]

linga[2]. [Do sânscr. *linga.*] *S. m.* Representação dos órgãos genitais masculinos em diversos emblemas e amuletos fálicos, símbolos do poder genésico, adorados na Índia, no culto do deus Xiva.

lingada. *S. f. Marinh.* A porção de objetos que a linga[1] levanta de uma vez: "fios aéreos de aço, onde correm macacos também, de aço, levando e trazendo *lingadas* .... de artigos importados e produtos regionais" (Raimundo Morais, *País das Pedras Verdes*, p. 168).

lingão. *S. m. Tip.* Bloco de metal ou de madeira que, atingindo até o corpo 144, constitui a peça mais volumosa de uma guarnição (10); quadrilongo.

lingar. *V. t. d.* **1.** Cingir com linga[1]. **2.** Levantar com linga[1]. [Sin. (ant.): *eslingar.* Conjug.: v. *largar.*]

➧**lingerie** (lenj'ri). [Fr.] *S. m.* Roupa de dormir ou roupa de baixo feminina.

lingotamento. *S. m. Bras.* Ato ou efeito de transformar em lingotes.

lingote. [Do fr. *lingot.*] *S. m.* **1.** Barra de metal fundido. **2.** Projetil cilíndrico. **3.** Tira metálica. **4.** *Tip.* Lâmina de metal-tipo que faz parte da guarnição (10) e cuja força de corpo varia de 6 a 20 pontos. [Cf. *entrelinha* (5).] **5.** *Tip. P. us.* Linha-bloco.

lingoteira. *S. f.* Molde onde se formam em lingotes os metais em fusão.

língua. [Do lat. *lingua.*] *S. f.* **1.** *Anat.* Órgão muscular alongado, móvel, situado na cavidade bucal, a cuja parede inferior está preso pela base, e que serve para a degustação, para a deglutição e para a articulação dos sons da voz. **2.** Designação comum a diversos objetos que têm semelhança com esse órgão. **3.** O conjunto das palavras e expressões usadas por um povo, por uma nação, e o conjunto de regras da sua gramática; idioma. **4.** A língua vernácula. **5.** Modo de expressão escrita ou verbal de um autor, de uma escola, de uma época; estilo; linguagem: *a língua de Graciliano Ramos.* **6.** *Fig.* A linguagem (5) própria de uma pessoa ou de um grupo: *Naquela família não há conflito de gerações: pai e filho usam a mesma língua.* **7.** *Ling.* Sistema de signos que permite a comunicação entre os membros de uma comunidade. [Em fr., *langue.*] **8.** Qualquer dos sons emitidos por um animal e que imitam a voz humana: fala: *Sempre acha graça na língua do seu papagaio.* ● *S. m.* **9.** *Bras.* Linguará. **10.** *P. ext.* Intérprete (2): "Era um gosto vê-lo falar inglês com os ingleses, espanhol com os espanhóis, francês com os franceses. Era o língua de bordo." (Peregrino Júnior, *A Mata Submersa e Outras Histórias da Amazônia,* p. 302.) ◆ **Língua afiada.** V. *língua de palmo.* **Língua aglutinante.** Cada uma daquelas que, não tendo flexões, se caracterizam pela união dos elementos constitutivos dos vocábulos. **Língua analfabética.** Cada uma daquelas que não têm alfabeto. **Língua azul.** Língua auxiliar de comunicação internacional, elaborada por Léon Bollack, em fins do século passado. [O nome foi adotado por sugestão de *langue verte* (argô ou gíria).] **Língua católica.** Língua auxiliar de comunicação internacional, lançada em 1892 pelo Dr. Liptay. **Língua comprida.** V. *língua de palmo.* **Língua da geleira.** Verdadeiro rio gelado que desce do nevado, percorrendo um vale glacial. **Língua de fogo.** Labareda, chama. **Língua declinativa.** Qualquer das línguas em que há declinação, como, p. ex., o latim, o alemão e o húngaro. **Língua de palmo. 1.** A língua do mexeriqueiro, do indiscreto, do maldizente. **2.** O próprio mexeriqueiro, o indiscreto, o maldizente. [Sin. ger.: *língua afiada, língua comprida, língua de prata, língua de trapo.*] **Língua de palmo e meio.** A do falador incorrigível· língua de sogra; língua-de-badalo. **Língua de prata.** V. *língua de palmo e meio.* [Cf. *língua-de-sogra.*] **Língua de trapo.** V. *língua de palmo.*[Cf. *língua-de-trapos.*] **Língua *d'oc*.**[De *língua* + *oc* (< ant. provenç. *oc,* 'sim', < lat. *hoc*).] O conjunto dos dialetos do S. da França, com exceção dos do País Basco, em que a partícula afirmativa *oui,* 'sim', se pronunciava *oc.* [Cf. *língua* d'oil.] **Língua *d'oïl*.**[De *língua* + *oil* (< ant. fr. *o,* 'sim', + *il,* 'ele', pron. pess.).] O conjunto dos dialetos do N. da França, em que a partícula afirmativa *oui,* 'sim', se pronunciava *oïl.* [Cf. *língua* d'oc.] **Língua do pê.** Tipo de linguagem lúdica resultante da adjunção, a cada sílaba do vocábulo, de uma nova sílaba iniciada por *p* seguido da vogal (ou ditongo decrescente) da sílaba anterior, mais a parte restante dessa sílaba, se houver. Ex.: *demais: de-pe-mais-pais; língua: lin-pin-gua-pa· Marta: mar-par-ta-pa: dramático: dra-pa-ma-pa-ti-pi-co-po.* **Língua extinta.** Língua inteiramente desaparecida, e da qual não resta nenhum documento. **Língua franca. 1.** Mescla de italiano com francês, espanhol, árabe grego e turco, falada na área do Mediterrâneo, sobretudo no Levante. **2.** *P. ext.* Língua híbrida, ou variante dialetal única, usada como meio de comunicação entre povos de línguas diferentes; língua geral. **Língua geral. 1.** V. *tupi* (2). **2.** Língua franca. **Língua mãe.** Língua da qual outra deriva: *A língua mãe do português é o latim.* **Língua materna.** A do país natal. **Língua morta.** A que já não é falada comumente por nenhum povo, sendo conhecida só por documentos escritos. **Línguas neolatinas.** V. *línguas românicas.* **Línguas novilatinas.** V. *línguas românicas.* **Línguas românicas.** As línguas modernas derivadas do latim: o português, o espanhol, o galego, o catalão, o francês, o provençal, o franco-provençal, o italiano, o romeno, o rético e o sardo; línguas neolatinas, línguas novilatinas, línguas romances. **Línguas romances.** V. *línguas românicas:* "O latim *caput* passou às línguas romances regularmente segundo as leis fonéticas, porém com fortuna vária quanto à aplicação." (M. Said Ali, *Meios de Expressão e Alterações Semânticas,* p. 89.) **Língua suja.** A do indivíduo obsceno em palavras, desbocado. [Cf. *língua-suja.*] **Língua tonal.** *Ling.* Aquela que faz uso fonêmico do tom (19). **Língua viperina. 1.** A língua malévola, venenosa, do maldizente. **2.** O próprio maldizente. **Língua viva.** A que é comumente falada por um ou mais povos ou nações. **Bater com a língua nos dentes.** V. *dar com a língua nos dentes.* **Com a língua de fora.** Muito cansado; exausto. **Com língua de palmo.** Contra a vontade; a contragosto; malgrado: *Há de pagar com língua de palmo o que fez comigo.* **Cortar língua.** *Bras. Pop.* Falar, exprimir-se, em língua estrangeira. **Dar à língua. 1.** Tagarelar, parolar, taramelar; linguajar; dar de língua, correr o badalo: "E conversavam, enquanto Angelina punha a mesa. Cancela sentia-se satisfeito, loquaz: gostava de dar à língua" (Aluísio Azevedo, *O Mulato,* p. 218). **2.** V. *dar com a língua nos dentes.* **Dar com a língua nos dentes.** Falar indiscretamente; revelar um segredo; bater com a língua nos dentes; dar à língua; dar de língua: "Barnabé podia dar com a língua nos dentes acerca do negócio, nalguma noite em que fosse para a tenda do Agostinho jogar a bisca a vinho" (Alexandre Herculano, *Lendas e Narrativas,* II, p. 240). **Dar de língua. 1.** V. *dar à língua* (1): "— Que é prosearem? / — É conversar, dar de língua, explicou Cirino." (Visconde de Taunay, *Inocência,* p. 184.) **2.** V. *dar com a língua nos dentes.* **De língua passada.** Informado de antemão sobre como proceder ou orientar-se em dado caso. **Desenferrujar a língua.** Falar muito depois de longo tempo de silêncio. **Dobrar a língua. 1.** Emendar o que se acabou de dizer. **2.** *Bras.* Falar com respeito, depois de ser advertido pela pessoa a quem se tratou desrespeitosamente: "Pois Seu Inacinho... / 'Dobre a língua, negro atrevido', pensou Inacinho. 'Eu sou é coronel, 'tá ouvindo? Coronel Inácio de Jesus Vieira'." (Guido Vilmar Sassi, *São Miguel,* p. 158.) **Engolir a língua.** Calar, por conveniência, alguma coisa que estava em ponto de ser dita: "Sempre me deu uma coraçonada para fazer umas perguntas... mas engoli a língua." (Simões Lopes Neto, *Contos Gauchescos e Lendas do Sul,* p. 127.) **Estar com algo debaixo da língua.** Ter debaixo da língua. **Estar com a língua coçando.** Estar com vontade de falar algo que não deva. **Não falar a mesma língua. 1.** Não se entender, não se harmonizar (com outrem); pensar diferentemente. **2.** Não se entender, pensar diferentemente (duas ou mais pessoas). **3.** Ter interesses diferentes (duas ou mais pessoas). **Pagar pela língua.** *Fam.* Sofrer más conseqüências, ou castigo, por ser linguarudo: *Fala mal das filhas alheias, e a dele deu um mau passo: pagou pela língua.* **Puxar pela língua de.** Fazer (em geral por meios hábeis ou astuciosos) com que alguém fale, se expanda, se manifeste. **Solto de língua.** V. *linguareiro*[1]. **Ter a língua maior que o corpo.** *Fam.* Ser muito falador, muito indiscreto. **Ter debaixo da língua.** Estar quase a lembrar-se de algo que momentaneamente esqueceu; estar com algo debaixo da língua: *Um momento, tenho debaixo da língua o nome dessa cidade.* **Trocar de língua.** *Bras.* Conversar, palestrar.

língua-de-badalo. *S. 2 g.* V. *língua de palmo e meio:* "Ó língua-de-badalo, / ficou lá fora o pobre do cavalo ao sol desta manhã?" (Domingos Carvalho da Silva, *Liberdade embora tarde,* p. 17.) [Pl.: *línguas-de-badalo.*]

língua-de-boi. *S. f.* V. *búgula.* [Pl.: *línguas-de-boi.*]

língua-de-cão. *S. f.* Cinoglossa. [Pl.: *línguas-de-cão.*]

língua-de-gato. *S. f.* **1.** *Grav.* Buril-escopro. **2.** *Bras.* Pequeno biscoito achatado, oblongo, em geral feito de farinha, ovos e manteiga. **3.** *Bras.* Pequeno tablete de chocolate semelhante a esse biscoito. [Pl.: *línguas-de gato.*]

língua-de-mulata. *S. f. Bras.* Peixe teleósteo, heterossomo, da família dos cinoglossídeos (*Symphurus plagusia* (Schn.)), da costa brasileira, com cerca de 15 cm., e de pequeno valor comercial. Possui a morfologia dos soleídeos [v. *linguado* (5)]; vive no fundo do mar, e alimenta-se de outros peixes de pequeno porte. [Pl.: *línguas-de-mulata.*]

língua-de-sogra. *S. f.* Brinquedo que consiste em uma tira dupla de papel colado enrolada sobre si mesma e em cuja extremidade há um apito, e que, ao ser soprada, se desenrola, produzindo um assobio. [Pl.: *línguas-de-sogra.* Cf. *língua de sogra.*]

língua-de-sola. *S. f. Bras., PB.* V. *língua-de-sogra.* [Pl.: *línguas-de-sola.*]

língua-de-teju. *S. f. Bras.* Designação comum a várias plantas muito dessemelhantes entre si, como, p. ex., *Tournefortia laevigata, Casearia capinifolia* e *Maytenus salicifolia.* [Pl.: *línguas-de-teju.*]

língua-de-trapos. *S. 2 g.* **1.** Criança que ainda não sabe falar corretamente. **2.** Pessoa que fala de modo confuso, que articula mal as palavras. [Sin., lus. (nesta acepç.): *boca-de-favas.* Pl.: *línguas-de-trapos.* Cf. *língua de trapo.*]

língua-de-tucano. *S. f. Bras.* Erva da família das umbelíferas (*Eryngium pristis*), da região campestre do S. e C. O. do Brasil, fortemente armada de acúleos pungentes, com folhas lineares, longas e coriáceas, flores inconspícuas, alvacentas, congregadas em amplas panículas terminais, e fruto subdividido em dois, cada um com uma semente. Constitui praga nos pastos sulinos. [Pl.: *línguas-de-tucano.*]

língua-de-vaca. *S. f. Bras.* **1.** Pequena erva rosulada, ruderal, da família das compostas (*Chaptalia integerrima*), de folhas espatuladas, com tomento branco e denso na página inferior, flores alvacentas e minutíssimas em capítulos solitários na ponta de compridos pedúnculos; buglosa. **2.** Suçuaia. [Pl.: *línguas-de-vaca.*]

linguado. [De *língua* + *-ado*[1].] *S. m.* **1.** Lâmina comprida. **2.** Barra ou lingote de ferro gusa. **3.** Tira de papel na qual se escreve (hoje bem menos que outrora) para a imprensa, sobretudo. **4.** *Pop.* Língua (1 e 2) grande. **5.** Designação comum a várias espécies de peixes teleósteos, heterossomos, da família dos soleídeos, caracterizados pela forma oval e achatada do corpo, com uma única nadadeira dorsal, a nadadeira ventral confluente e a caudal arredondada no ápice, e com os dois olhos e as duas narinas situadas de um lado só da cabeça. Vivem pousados no fundo do mar ou de rios sobre o flanco esquerdo. São coloridos na face superior e sem coloração na inferior; sua carne é boa, bastante procurada nos mercados; alimenta-se de sardinhas e crustáceos. [Sin.: *aramaçá, solha.*] **6.** Peixe teleósteo, heterossomo, da família dos soleídeos (*Paralichthys brasiliensis* (Ranz.)), cujo tamanho pode alcançar 1 m, e cujo peso chega a 12 kg. É a espécie de linguado mais apreciada no Brasil. [Sin.: *rodovalho, catraio.*]

linguado-da-areia. *S. m. Bras.* Peixe teleósteo, heterossomo, da família dos soleídeos (*Syacium papilosum* (L.)), da costa brasileira, de morfologia idêntica à dos demais representantes da família. Comprimento: até 35 cm. Freqüenta praias ou fundos arenosos. [V. *linguado.* (5). Pl.: *linguados-da-areia.*]

linguafone. [Marca registrada.]. *S. m.* Sistema de ensino de línguas vivas por meio de discos ou fitas fonográficas. [Var.: *linguafono.*]

linguafono. *S. m.* Var. de *linguafone.*

linguagem. [Do provenç. *lenguatge.*] *S. f.* **1.** O uso da palavra articulada ou escrita como meio de expressão e de comunicação entre pessoas. **2.** A forma de expressão pela linguagem (1) própria de um indivíduo, grupo, classe, etc.: *linguagem infantil; linguagem erudita; a linguagem de um documento jurídico.* **3.** O vocabulário específico usado numa ciência, numa arte, numa profissão, etc.; língua. **4.** Vocabulário; palavreado: *linguagem obscena; linguagem pobre.* **5.** Tudo quanto serve para expressar idéias, sentimentos, modos de comportamento, etc., e que exclui o uso da linguagem (1): *linguagem musical; a linguagem do olhar.* **6.** V. *língua* (5). **7.** *Ling.* Todo sistema de signos que serve de meio de comunicação entre indivíduos e pode ser percebido pelos diversos órgãos dos sentidos, o que leva a distinguir-se uma linguagem visual, uma linguagem auditiva, uma linguagem tátil, etc., ou, ainda, outras mais complexas, constituídas, ao mesmo tempo, de elementos diversos. [A lingüística tem por objeto, em particular, o estudo da *linguagem auditiva,* a qual se baseia essencialmente no uso da voz, e é chamada, também, *linguagem falada* ou *linguagem articulada.* Cf. *linguagem,* do v. *linguajar.*] ◆ **Linguagem afetiva.** A que exprime sentimentos e emoções que um indivíduo experimenta ou que deseja provocar no ânimo do interlocutor. **Linguagem articulada.** V. *linguagem* (7). **Linguagem auditiva.** V. *linguagem* (7). **Linguagem cognitiva.** *Ling.* V. *linguagem referencial.* **Linguagem de máquina.** *Proc. Dados.* Linguagem de programação projetada para interpretação e uso direto do computador, sem necessidade de processamento adicional ou tradução prévia. Utiliza-se de um sistema de codificação formado por combinações de dígitos binários. [Cf. *linguagem simbólica.*] **Linguagem denotativa.** *Ling.* V. *linguagem referencial.* **Linguagem de programação.** *Proc. Dados.* Linguagem em que se expressa um conjunto de ações de forma aceitável pelo computador. **Linguagem de programação de alto nível.** *Proc. Dados.* linguagem de programação [q. v.] que se assemelha ao inglês comum, o que torna mais fácil seu aprendizado e uso na definição de programas de computador. Ex.: PL/I, FORTRAN, BASIC, COBOL, PASCAL. [Cf. *linguagem de máquina.*] **Linguagem falada.** V. *linguagem* (7) **Linguagem figurada.** Maneira de falar ou de escrever em que se utilizam figuras de retórica. **Linguagem lúdica.** Uso especial de uma língua feita em geral para crianças ou adolescentes com fim recreativo, como, p. ex., a *língua do pê* [q. v.] **Linguagem referencial.** *Ling.* A que encerra uma função referencial [q. v.], i. e., tem como finalidade a comunicação de informações. [Sin.: *linguagem cognitiva, linguagem denotativa.*] **Linguagem simbólica.** *Proc. Dados.* Linguagem de programação onde códigos simbólicos e mnemônicos são utilizados no lugar de códigos de máquina. Os programas escritos nesta linguagem vão exigir procedimentos de tradução antes de serem diretamente executáveis. [Cf. *linguagem de máquina.*]

Linguagem-fonte. *S. f. Proc. Dados.* Formato original de um programa de computador escrito em linguagem simbólica. [Pl.: *linguagens-fontes* e *linguagens-fonte*.]

linguagem-objeto. *S. f.* **1.** *Proc. Dados.* Formato final de um programa de computador após processamentos de tradução. **2.** *Semiol.* A linguagem descrita em metalinguagem. [Pl.: *linguagens-objetos* e *linguagens-objeto*.]

linguagista. *S. 2 g.* Especialista em coisas de linguagem.

linguajar. [De *linguagem* + *-ar*[2].] *V. int* **1.** Falar indiscriminadamente; dar à língua; dar de língua; tagarelar. [Pres. subj.: *linguaje, linguajes, linguaje, linguajemos, linguajeis, linguajem.* Cf. *linguagem*.] ● *S. m.* **2.** Modo de falar; dialeto; fala.

lingual. *Adj. 2 g.* Pertencente ou relativo à língua (1). ~V. *amígdala* —.

linguará. [Alter. de *linguaral*.] *S. m.* Intérprete dos brancos junto aos bugres, e vice-versa; linguaral, língua. [Pl.: *linguarás*. Cf. *linguaraz*.]

linguarado. [De *língua* + *-r-* + *-ado*.] *Adj. e s. m. P. us.* V. *linguareiro*.

linguaral. [Alter. de *linguaraz*.] *S. m. Bras.* V. *linguará*.

linguarão. [De *língua* + *-arão*.] *Adj. e s. m.* V. *linguareiro*. [Fem.: *linguarona*.]

linguaraz. [De *língua* + *-r-* + *-az*.] *Adj. 2 g. e s. 2 g.* V. *linguareiro*. [Cf. *linguarás*, pl. de *linguará*.]

linguareiro. [De *língua* + *-r-* + *-eiro*.] *Adj.* **1.** Que é falador, mexeriqueiro, maldizente, maledicente; de língua solta: *uma velhinha linguareira*; "afoutamente se pode afirmar que na Europa e na América a imprensa é superficial, linguareira e sectária." (Eça de Queirós, *Ecos de Paris*, p. 204). ● *S. m.* **2.** Indivíduo linguareiro: "E fez ...., umas sobre outras, uma porção de perguntas, nas quais se reconhecia o linguareiro desocupado das ruas de Óbidos." (José Veríssimo, *Cenas da Vida Amazônica*, p. 63.) [Sin. ger.: *linguarão, linguaraz, linguarudo* e (p. us.) *linguarado*.]

linguarona. *Adj. (f.) e s. f.* Fem. de *linguarão* [q. v.].

linguarudo. *Adj.* **1.** V. *linguareiro* (1). ● *S. m.* **2.** V. *linguareiro* (2). **3.** *Bras.* Molusco gastrópode, da família dos olivídeos (*Lintricula auricularia* (Lam.)), da costa atlântica, e cujo comprimento vai até 4 cm. O nome popular resulta de seu pé lingüiforme, que ele utiliza para se enterrar na areia quando deposto pela onda no lagamar. [Sin.: *pavacaré, calorim, betu*.]

língua-suja. *S. 2 g.* Pessoa desbocada, dada a usar palavras obscenas. [Pl.: *línguas-sujas*. Cf. *língua suja*.]

linguatulídeo. *S. m. e adj.* Pentastomídeo.

linguatulídeos. *S. m. pl. Zool.* Pentastomídeos.

lingüeirão. [De *língua* + *-eirão*.] *S. m.* Língua (1) muito grande.

lingüeta (ê). *S. f.* **1.** *P. us.* Língua (1) pequena. **2.** Qualquer objeto pequeno semelhante a uma língua. **3.** Fiel da balança. **4.** Peça chata e delgada que faz parte dalguns instrumentos de sopro. **5.** Peça móvel, de ferro, das fechaduras, que se encaixa, quando movida pela chave, na chapatesta, trancando a porta ou gaveta. **6.** Dispositivo móvel para fechar portas sem o auxílio da chave: "constatou [o serralheiro] que nada poderia fazer, desde que a porta do chuveiro não dispunha propriamente de fechadura, mas de uma simples lingüeta (Fernando Sabino, *Medo em Nova Iorque. A Cidade Vazia*, p. 118). **7.** *Anat.* Pequena expansão destinada a inserção. **8.** Pedaço de couro utilizado como fecho em pastas, valises, malas, etc. **9.** Pedaço de couro que, no sapato de atacador, protege o peito do pé. **10.** Ladeira ou rampa em cais, junto à qual atracam as embarcações. **11.** *Mús.* V. *martinete* (3). **12.** *Bras., PE.* Rampa natural que se inclina para o mar ou para o rio. **13.** *Ant.* Rampa, num cais, para embarque e desembarque de passageiros.

lingüiça. *S. f.* **1.** Enchido de carne de porco em tripa delgada. [Cf. *chouriço* (1).] **2.** *Bras., Gír. de jornal.* Grande quantidade de notícias sem interesse; tripa. ♦ **Lingüiça de padre.** *Bras. Pop.* Paio (1). **Encher lingüiça.** *Fam.* **1.** Dizer ou escrever coisas que não vêm ou mal vêm a propósito da matéria tratada. **2.** Ocupar tempo com outra coisa que não a combinada ou esperada.

lingüífero. [De *língua* + *-i-* + *-fero*.] *Adj.* Que tem língua, ou órgãos em forma de língua.

lingüiforme. [De *língua* + *-i-* + *-forme*.] *Adj. 2 g.* Que tem forma de língua.

lingüinha. [Dim. de *língua*.] *S. 2 g. e adj. 2 g. Bras. Pop.* V. *gago*.

lingüista. *S. 2 g.* Pessoa versada em lingüística ou no estudo das línguas.

lingüística. [Do fr. *linguistique*.] *S. f.* A ciência da linguagem e, em particular, da linguagem articulada [v. *linguagem* (7).]. ♦ **Lingüística estrutural.** *Ling.* Gramática estrutural.

lingüístico. *Adj.* **1.** Relativo à lingüística: *estudos lingüísticos.* **2.** Próprio da língua: *fato lingüístico* **3.** Que tem por base a língua: *comunidade lingüística; geografia lingüística.* ~ V. *signo* —.

lingulado. [Do lat. *lingulatu*.] *Adj.* Que tem forma de pequena língua. [Cf. *ligulado*.]

linguodental. *Adj. 2 g. e s. f.* V. *consoante* —.

linha. [Do lat. *linea*, 'fio, corda'; 'limite'.] *S. f.* **1.** Fio de fibras de linho torcidas usado para coser, bordar, fazer renda, etc. **2.** Qualquer fio de algodão, seda, fibra sintética, etc., usado para os mesmos fins. **3.** Qualquer cordel, guita ou barbante grosso, utilizado para diversos fins: *O operário estendeu a linha para marcar o meio-fio: O menino deu mais linha ao papagaio.* **4.** Qualquer fio com anzol para pescar. **5.** Sistema de fios ou de cabos que conduzem energia elétrica, ou estabelecem comunicações por telégrafo ou telefone: *linhas de alta tensão.* **6.** Serviço regular de comunicações telegráficas ou telefônicas: *Todos os telefones estão com as linhas interrompidas.* **7.** Contato ou conexão que permite efetuar uma ligação telefônica: *A linha está ocupada; O telefone não está dando linha.* **8.** Traço contínuo de uma só dimensão, i. e., que só tem comprimento: *linha horizontal; linha sinuosa.* **9.** O efeito produzido pelo traçado ou pela combinação de linhas [v. *linha* (8)] na forma exterior de alguma coisa: *edifício de linhas sóbrias; A linha da arquitetura gótica tende para a verticalidade.* **10.** *Fig.* Traço, risco, lineamento: *Levantou, em linhas gerais, um excelente perfil do escritor.* **11.** Traço contínuo, visível ou imaginário que separa duas coisas contíguas; limite: *a linha das fronteiras de uma propriedade.* **12.** Cada um dos traços que sulcam a palma das mãos: *a linha da vida; a linha da cabeça.* **13.** Série de pessoas ou de objetos dispostos numa mesma direção: *árvores plantadas em linha; Ao ser dado o sinal de partida, os cavalos não estavam em linha.* **14.** Série de unidades militares em posições alinhadas: *linha de defesa; linhas de fortificações.* **15.** *P. ext.* Trincheira ou entrincheiramento. **16.** *P. ext.* Frente de combate. **17.** Série de palavras, em geral formando um sentido, e escritas numa mesma direção de um lado a outro da página: *Rabiscou umas rápidas linhas para o amigo; Uma lauda contém, em geral, de 30 a 35 linhas.* **18.** Traço imaginário em uma determinada direção: *linha de mira; linha de tiro.* **19.** Rumo, direção: *seguir em linha reta.* **20.** Processo; técnica; orientação: *Seus romances seguem todos a mesma linha; Está pintando na mesma linha de antes.* **21.** Orientação teórica adotada por grupo ou indivíduo: *Os psicanalistas de linha freudiana reuniram-se; A linha política deste partido é a conciliação.* **22.** Série de graus de parentesco, em uma família: *descender de sábios em linha direta; primo pela linha materna.* **23.** Correção de maneiras, de procedimento: *andar na linha; manter a linha; perder a linha; Comportou-se no jantar com muita linha.* **24.** Aprumo, gravidade, dignidade, altivez: *Não se perturbou nem atemorizou: portou-se com muita linha.* **25.** Regra de conduta; norma, lei: *a linha do dever.* **26.** Bom gosto; esmero, elegância: *vestir-se com linha.* **27.** Tipo de corte do vestuário: *linha trapézio; linha saco.* **28.** *Bras.* V. *ferrovia*: "comprou duas latas de querosene, derramou-as em dois vagões da linha, incendiou-os" (Osmã Lins, *Nove, Novena*, p. 99). **29.** *Bras.* V. *trilho*[1] (5): *O bonde saiu da linha.* **30.** Serviço regular de transporte entre dois pontos; carreira: *linha férrea; O fim da linha dos ônibus interestaduais fica próximo do centro da cidade.* **31.** Antiga unidade de medida de comprimento, equivalente a um duodécimo de polegada (3), ou seja, 2,3 milímetros. **32.** O equador (1). **33.** *Álg. Mod.* Numa matriz, conjunto dos elementos situados na mesma horizontal. **34.** *Constr.* Trave ou barrote horizontal sobre o qual assentam as pernas da tesoura. **35.** *Fís.* V. *maxwell.* **36.** *Fotograv.* Cada uma das raias da retícula, contadas por centímetro ou polegada: *retícula de 60 linhas.* **37.** *Fut.* Os cinco jogadores atacantes; linha de ataque. **38.** *Mat.* Numa tabela, conjunto de símbolos que se dispõem numa horizontal. **39.** *Mús.* Cada um dos traços horizontais e paralelos que formam a pauta. **40.** *Bras., N.E. Mús.* No catimbau[1] (1), cântico que precede e anuncia a chegada do mestre. **41.** *Bras. Mús.* Nos candomblés bantos, o mesmo que nação (5). **42.** *Tip.* Série de caracteres compostos manual, mecânica ou fotograficamente, que perfaz certa medida de largura. **43.** *Tip.* Reta ideal que passa pela base das letras curtas, e a que deve obedecer o ordenamento horizontal da composição. **44.** *Geom.* Num espaço, lugar dos pontos que só têm um grau de liberdade; subespaço unidimensional de um espaço com duas ou mais dimensões. **45.** *Bras., BA.* Afloramento das rochas auríferas ou diamantíferas; filão. **46.** *Bras., RJ. Folcl.* Mesa (12). ~ V. *linhas.* ♦ **Linha aérea.** Serviço regular de transportes aéreos entre determinados pontos. **Linha agônica.** *Geofís.* Lugar em que os pontos sobre a superfície terrestre têm a declinação magnética nula, e nos quais a agulha magnética aponta para o norte verdadeiro. Varia com o decorrer do tempo. **Linha auroral.** *Geofís.* Linha espectral observável no espectro de uma aurora polar. **Linha branca.** *Tip.* A que é formada por quadrados ou outro material branco [q. v.], não produzindo impressão. **Linha cheia.** *Tip.* A que preenche toda a medida. [V. *cheio* (11).] **Linha chinesa.** Linha (21) político-revolucionária fundamentada no maoísmo [q. v.]. **Linha colateral.** *Jur.* Parentesco entre pessoas de um só tronco, mas que não descendem umas das outras; linha indireta, linha transversal, linha oblíqua. **Linha cotidal.** *Geofís.* Linha de igual fase para as marés das bacias oceânicas. A rede de linhas cotidais que fornece a variação da programação da maré obtém-se pelo conhecimento da hora da preamar nos pontos da bacia. **Linha cruzada.** V. *paradiafonia.* **Linha curta.** **1.** *Tip.* A que constitui parágrafo completo sem ocupar toda a medida. **2.** *P. ext.* Linha quebrada. **Linha curva.** *Geom.* Curva (1). **Linha das apsides.** *Astr.* Linha que une o apoastro ao periastro. **Linha de alta tensão.** Linha (5) alimentada com tensão (4) muito elevada, da ordem de milhares de volts; linhão. **Linha de ataque.** *Fut.* Linha (37). **Linha de atraso.** *Eletrôn.* Linha de transmissão de impulsos elétricos que produz nestes um retardo. **Linha de batalha.** *Mil.* Disposição adotada pelas diferentes unidades sobre o terreno de batalha. **Linha de campo.** *Fís.* Num campo vectorial, linha que em cada ponto é tangente ao vector do campo. **Linha de componedor.** *Tip.* V. *linha de compor.* **Linha de compor.** *Tip.* Lâmina de metal, de medida variável, usada para facilitar o arranjo dos tipos no componedor, auxiliar o esvaziamento deste ou suster a tomada, na distribuição: linha de componedor, linha de medida. **Linha de corrente.** *Fís.* Linha do campo de velocidades de um fluido em movimento; trajetória que uma pequena partícula de um fluido em movimento descreve no interior da massa fluída. **Linha de corso.** *Bras.* Linha de anzóis lançada ao mar para fisgar as cavalas enquanto a jangada corre. **Linha de corte.** *Art. Gráf.* Pequeno traço dado nas margens de uma arte-final, que serve para indicar o formato do impresso, e de guia para o corte no acabamento. **Linha de crédito.** *Fin.* Compromisso assumido por um banco de que dará a um cliente crédito até um limite máximo. **Linha de emenda.** *Tip.* Linha-bloco com que o linotipista substitui a linha podre. **Linha de flutuação.** *Constr. Nav.* Linha determinada pela interseção do contorno exterior do casco da embarcação com a superfície da água em que esta flutua. [Tb. se diz apenas *flutuação*.] **Linha de força.** *Fís.* Linha de campo de um campo de força. **Linha de fundo.** *Bras. Fut.* Linha que vai de um córner ao outro, passando pelo gol. **Linha de indução.** *Fís.* **1.** Linha de força de um campo magnético. **2.** V. *maxwell.* **Linha de isoamplitude.** *Geog.* Linhas imaginárias que unem os pontos de uma mesma amplitude térmica anual. **Linha de lado.** *Fut.* V. *lateral* (5). **Linha de medida.** *Tip.* V. *linha de compor.* **Linha de mira.** Linha imaginária que tem origem no olho do atirador, passa pelos pontos de mira e se prolonga até o alvo. **Linha de montagem.** Instalação organizada para operar em cadeia a fabricação ou montagem de determinado(s) produto(s). **Linha de navegação.** Serviço regular de transporte marítimo entre pontos estabelecidos. **Linha de nota.** *Tip.* V. *risca de nota.* **Linha de piso.** *Arquit.* Linha imaginária em uma escada sobre a qual assentam os pés de quem sobe ou desce apoiando-se no corrimão. **Linha de prumo.** *Mar.* Linha graduada em metros, braças ou, antigamente, em pés, ligada por uma das extremidades a uma chumbada, com que se medem profundidades no mar. **Linha de quadratim.** *Tip.* Risca de quadratim. **Linha de rumo constante.** *Geom.* Loxodrômia esférica. **Linha de simples aderência.** Sistema de tração por mera aderência. P. ex.: a linha ferroviária, na qual o deslocamento das composições é assegurado pelo simples atrito que se desenvolve e, portanto, sem auxílio de cabos ou cremalheira. **Linha de tiro.** *Bras.* Lugar onde se fazem exercícios com armas de fogo portáteis. **Linha de transmissão.** *Eletr.* Condutor ou conjunto de condutores elétricos que dirigem a transmissão da energia elétrica ou eletromagnética de um a outro ponto. **Linha de umbanda.** *Bras.* A prática do culto banto, especialmente no RJ. **Linha de universo.** *Fís.* No contínuo espaço-tempo, linha descrita por um ponto cujas coordenadas espaciais são invariáveis. **Linha divisora de águas.** Divisor de águas. **Linha divisória.** *Fut.* A que divide o campo ao meio; linha intermediária. **Linha do caboclo.** *Bras., RJ.* Prática fetichista negra, à qual se misturam entidades da mítica ameríndia; lei do caboclo, religião do caboclo. **Linha do sertão.** *Bras.* Linha dos fundos, nas sesmarias. **Linha dos nodos.** *Astr.* Intersecção do plano da órbita de um astro com um plano fundamental de referência. **Linha dura.** *Bras.* **1.** Política que preconiza a adoção de medidas severas contra a corrupção e a subversão. **2.** O conjunto dos partidários e simpatizantes dessa política. **3.** Aqueles que a orientam, que estão à frente dela. [Cf. *linha-dura.*] **Linha enforcada.** *Tip.* Aquela cuja composição destoa das normas tipográficas, especialmente a linha quebrada que inicia página ou coluna. **Linha espectral.** *Fís.* Raia espectral. **Linha férrea.** V. *ferrovia.* **Linha focal.** *Ópt.* V. *focal* (2). **Linha geodésica.** *Topog.* V *geodésica.* **Linha indireta.** V. *linha colateral.* **Linha intermediária.** *Fut.* Linha divisória. **Linha internacional de mudança de data.** *Astr.* Linha convencional, que coincide aproximadamente com o antimeridiano de Greenwich, estabelecida por acordo internacional para o início da contagem de cada dia civil em toda a Terra: na medida em que a linha da meia-noite avança para oeste, principia esse dia civil nas sucessivas longitudes, até alcançar novamente a linha internacional de mudança de data, quando começa novo dia. [Um viajante, ao cruzar a linha internacional de mudança de data de leste para oeste, adianta de um dia a sua data; ao cruzá-la de oeste para leste, atrasa a data de um dia.] **Linha lateral.** *Bras. Fut.* V. *lateral* (5). **Linha média.** *Fut.* Grupo de jogadores que, mais ou menos em linha, fazem a ligação entre o ataque e a defesa de um time. **Linha mediana.** *Anat.* Linha imaginária que divide o corpo em duas partes iguais, e que é utilizada pelos anatomistas e cirurgiões como referência. **Linha mestra.** Linha ou orientação fundamental: *as l i n h a s m e s t r a s da psicanálise.* **Linha mista.** *Geom.* A formada de segmentos de reta e arcos e curvas. **Linha oblíqua.** *Jur.* V. *linha colateral.* **Linha podre.** *Tip.* A que está errada, na composição linotípica, e se substitui por linha de emenda. **Linha poligonal.** *Geom.* Conjunto de segmentos de reta que unem os pontos consecutivos de uma seqüência de pontos coplanares; linha **quebrada.** [Tb. se diz apenas *poligonal.*] **Linha quebrada.** **1.** *Geom.* V. *linha poligonal.* **2.** *Tip.* A que não chega ao fim da medida; viúva. **Linha reta.** **1.** *Geom.* Reta (3). **2.** *Jur.* Parentesco entre o genitor e os procriados. **Linhas de Fraunhofer.** *Astr.* Raias de Fraunhofer. **Linha suplementar.** *Mús.* Cada um dos fragmentos de linha que servem para a notação dos sons que figuram fora da pauta. **Linha transversal.** V. *linha colateral.* [Tb. se diz apenas *transversal.*] **Andar na linha.** Proceder de acordo com o esperado ou com o desejado. **Compor à linha certa.** *Tip.* Compor de modo que o granel termine em linha cheia, para que se possa juntar a outro, quando o original é composto por mais de um tipógrafo; compor a dois. **Por linhas transversas.** Indiretamente: *Conta seus pensamentos por linhas transversas.* **Por uma linha.** V. *por um triz* (1). **Saber as linhas com que se cose.** Conhecer as próprias dificuldades, os apertos por que passa. **Sair da linha.** Portar-se mal, em relação a determinada expectativa; sair fora dos trilhos; pisar fora do rego. **Tirar uma linha.** *Bras. Pop.* **1.** *Desus.* Namoricar, namoriscar, flertar. **2.** Observar intencionadamente. **3.** Ver como alguém ou algo se conduz.

linha-bloco. *S. f. Tip.* Linha inteiriça de caracteres, fundida em máquina linotipo ou congênere, ou em tituleira. [Sin., p. us.: *lingote.* Pl.: *linhas-blocos* e *linhas-bloco.*]

linhaça. *S. f.* A semente do linho.

linhada. [De *linha* + *-ada*[1].] *S. f. Bras.* **1.** Lance de anzol. **2.** Espiadela, olhada. **3.** Namoro a distância.

linha-d'água. *S. f.* **1.** *Constr. Nav.* Faixa pintada ao longo do casco do navio na altura até onde ele mergulha nas condições comuns de carregamento. **2.** *Ind. Pap.* Cada um dos traços, visíveis por transparência, que caracterizam os papéis avergoados, e são produzidos pelos pontusais e vergaturas da fôrma, ou pelo rolo filigranador. [Pl.: *linhas-d'água.* Cf. *marca-d'água* e *papel linha-d'água.*]

linha-de-fé. *S. f. Mar.* Traço fixo no interior da cuba de uma agulha, repetidora, etc., destinado a indicar a direção da linha axial da embarcação, como referência para a leitura dos rumos. [Pl.: *linhas-de-fé.*]

linha-do-vento. *S. f. Mar.* **1.** Direção de onde sopra o vento. **2.** Trajetória do vento. [Pl.: *linhas-do-vento.*]

linha-dura. *Bras. Adj. 2 g.* e *2 n.* **1.** Relativo a, ou próprio da linha dura [q. v.]. **2.** Que é partidário ou simpatizante da linha dura. ● *S. 2 g.* **3.** Partidário ou simpatizante dela. [Pl. do s. 2 g.: *linhas-duras.* Cf. *linha dura.*]

linhagem[1]. [De *linha* + *-agem*[2].] *S. f.* **1.** Genealogia, geração, estirpe, família. **2.** *Fig.* Condição social.

linhagem[2]. [De *linho* + *-agem*[2].] *S. f.* Tecido grosso de linho.

linhagista. [De *linhagem* + *-ista.*] *S. 2 g.* Pessoa que se consagra a investigações genealógicas; genealogista.

linhal. *S. m.* Terreno semeado de linho (1).

linhão[1]. [De *linha* (5) + *-ão*[1].] *S. m.* Linha de alta tensão.

linhão[2]. [De *linho* + *-ão*[1].] *S. m.* Tecido semelhante ao linho (2), porém mais encorpado e de trama mais aberta.

linharense. *Adj. 2 g.* **1.** De, ou pertencente ou relativo a Linhares (ES). ● *S. 2 g.* **2.** Natural ou habitante de Linhares.

linhas. [Pl. de *linha.*] *S. f. pl.* **1.** Carta, missiva: *Viajou há cerca de um mês, e ainda não me mandou umas l i n h a s.* **2.** Fortificações: *as l i n h a s de frente do exército aliado.* **3.** *Bras., PE.* Toadas rimadas que os feiticeiros cantam nas sessões de xangô. ~ V. *linha.*

linheira[1]. [De *linho* + *-eira.*] *S. f.* **1.** Mulher que prepara ou asseda o linho para ser fiado. **2.** Mulher que negocia em linho. [Cf. *lenheira.*]

linheira[2]. [De *linha* + *-eira.*] *S. f. Bras., GO.* Caminho estreito; vereda. [Cf. *lenheira.*]

linheiro[1]. [De *linho* + *-eiro.*] *S. m.* **1.** Indivíduo que prepara ou asseda o linho para ser fiado. **2.** Aquele que negocia em linho. **3.** Linho (1). [Cf. *lenheiro.*]

linheiro[2]. [De *linha* + *-eiro.*] *S. m.* **1.** Aquele que negocia em fios ou linhas. [Cf. *lenheiro.*] ● *Adj.* **2.** Que tem linha; bem-posto, bem-apessoado; elegante. **3.** Que não é torto; reto: "Que fazia ainda Anselmo em pé, ... mirando .... as águas do canal dourado, onde o mimoso barco movia o mastro l i n h e i r o e grande ....!" (Xavier Marques, *Jana e Joel*, p. 4).

linhito. [Alter., pouco aceitável, de *lignita.*] *S. f.* Carvão fóssil, da era mesozóica, o qual corresponde a um estágio intermediário entre a turfa e o carvão betuminoso, e pode conservar ainda a estrutura lenhosa e encerrar 57 a 80% de carbono.

linho. [Do lat. *linu.*] *S. m.* **1.** Erva anual, da família das lináceas (*Linum usitatissimum*), de folhas pequenas, lanceoladas e trinérveas, flores minutas, azuis e isoladas, fruto capsular, com sementes ricas em mucilagem e óleo secativo, de alto valor em pintura, e cujo caule fornece a fibra de mesmo nome, muito importante na indústria de tecidos; linheiro. **2.** Tecido de linho: *camisas de excelente l i n h o*; "E bordava o l i n h o para o seu noivado" (Martins Fontes, *Verão*, p. 238).

linhol. [De *linho* + *-ol.*] *S. m.* Fio grosso com que os sapateiros cosem o calçado, e usado também para coser lona: "Este sapateiro, batendo solas ou cosendo viras, ponto a ponto, com l i n h o l encerado, conversa demoradamente com o povo" (Antero de Figueiredo, *Jornadas em Portugal*, p. 80). [Pl.: *linhóis.*]

linhoso (ô). *Adj.* Semelhante ao linho, ou da natureza dele. [Cf. *lenhoso.*]

linhote. [De *linha* + *-ote.*] *S. m.* Trave que vai duma parede a outra para segurá-las: "O Terêncio estava falquejando um l i n h o t e pra cumeeira do galpão." (Darci Azambuja, *Coxilhas*, p. 51.)

linifício. [De *lin(o)* + *-i-* + *fic(o)-* + *-io*[2].] *S. m.* **1.** Manufatura de linho. **2.** Artefato de linho. [Cf. *lanifício.*]

linígero. [Do lat. *linigeru.*] *Adj.* **1.** Que tem linho. **2.** Que anda vestido de linho. [Cf. *lanígero.*]

linimentar. *V. t. d.* **1.** Aplicar linimento a; friccionar com linimento. **2.** *Fig.* Abrandar, suavizar, acalmar, aplacar.

linimento. [Do lat. *linimentu.*] *S. m.* **1.** Medicamento untuoso, para fricções. **2.** *P. ext.* Tudo o que serve para acalmar, abrandar, suavizar. [Cf. *lenimento.*]

linina. [De *lin(o)-* + *-ina*[1].] *S. f. Biol. Desus.* Acromatina.

➧**linkage editor** (linkeidj éditor). [Ingl.] *Proc. Dados.* Programa que converte a saída fornecida pelo compilador em um programa de carga; editor de ligação.

▲**lin(o)-.** [Do lat. *linum, i.*] *El. comp.* = 'linho': *linária, liníffero.*

linocompositor (ô). [De *lin(o)-* + *compositor.*] *S. m. P. us.* V. *linotipista.*

linografia. [De *lin(o)-* + *-graf(o)-* + *-ia.*] *S. f.* **1.** Qualquer processo de imprimir sobre pano. [Cf. *histotipia.*] **2.** Espécie de oleogravura obtida por ampliação de fotografia sobre tela, depois pintada a óleo. [Cf. *limnografia.*]

linográfico. *Adj.* Referente à linografia. [Cf. *limnográfico.*]

linógrafo. [De *lino(tipo)* + *-grafo.*] *S. f. Tip.* Compositora (3) de linhas-blocos, menor e mais simples que a linotipo. [Cf. *limnógrafo.*]

linoléico. [De *lin(o)-* + *oléico.*] *Adj.* ~ V. *ácido* —.

linolênico. *Adj.* ~ V. *ácido* —.

linóleo. [Do ingl. *linoleum.*] *S. m.* **1.** Tecido impermeável, feito de juta e untado com óleo de linhaça e cortiça em pó, usado para tapete. **2.** Tapete fabricado desse tecido: "E um l i n ó l e o novo cobria o chão, ocultando sabe Deus que buracos no soalho." (Fernando Sabino, *O Medo em Nova Iorque. A Cidade Vazia*, p. 33.)

linoleogravura. [De *linóleo* + *gravura.*] *S. f.* **1.** Gravura em relevo, executada à faca e goiva em placa de linóleo. **2.** Estampa obtida por esse processo. [Sin. ger.: *gravura em linóleo.*]

linômetro. [Do lat. *linea*, 'linha', + *-o-* + *-metro.*] *S. m. Tip.* Tipômetro [q. v.] constituído por uma régua de seção triangular ou quadrada, graduada segundo vários corpos, e usada principalmente no cálculo de linhas de composição.

linotipadora (ô). [De *linotipar* + *-(d)or-* + *-a.*] *S. f.* Linotipo.

linotipar. *V. t. d. Tip.* **1.** Compor em linotipo. **2.** *P. ext.* Compor em máquina congênere da linotipo.

linotipia. *S. f. Tip.* **1.** Arte de compor em linotipo. **2.** *P. ext.* Arte de compor em máquina congênere da linotipo. [Cf., nesta acepç., *fotocomposição, composição mecânica* e *mecanotipia.*] **3.** Seção ou oficina da composição linotípica.

linotípico. *Adj.* Relativo a linotipo, ou à linotipia.

linotipista. *S. 2 g.* Operador de linotipo. [Sin., p. us.: *linocompositor, linotipógrafo.*]

linotipo. [De *Linotype*, nome comercial.] *S. f. Tip.* **1.** Compositora (3) mecânica provida de teclado mediante o qual se reúnem as matrizes que, dispostas nos canais de um ou mais magazines, são levadas sucessivamente ao componedor, onde formam a linha, ao molde, onde é fundida a linha-bloco, e ao distribuidor, por onde retornam ao magazine. **2.** *P. ext.* Qualquer compositora de linhas-blocos de funcionamento análogo. [Sin. ger.: *linotipadora.*]

linotipógrafo. *S. m. P. us.* V. *linotipista.*

lintel. [Do ant. fr. *lintel* (hoje *linteau*).] *S. m. Arquit.* Dintel (2) [q. v.].

lio. [Dev. de *liar.*] *S. m.* **1.** Atilho, liame: "finas ripas de mororó seguras de l i o s arrochados" (Gustavo Barroso, *Terra de Sol*, p. 191). **2.** Feixe; molho: "uma loura de porte fino, que trazia um grande l i o de violetas" (Gastão Cruls, *De Pai a Filho*, p. 22).

▲**lio-**[1]. [Do gr. *leîos, a, on.*] *El comp.* = 'liso', 'plano': *liócomo, liodermo.*

▲**lio-**[2]. [Do gr. *lýein.*] *El. comp.* = 'soltar, dissolver, solver': *liófilo, liólise.*

liocarpo. [De *lio-*[1] + *-carpo.*] *Adj. Bot.* Que tem frutos lisos.

liocéfalo. [De *lio-*[1] + *-cefalo.*] *Adj. Zool.* Que tem cabeça lisa.

liócomo. [De *lio-*[1] + *-como.*] *Adj.* Que tem cabelos lisos ou corredios.

liodermo. [De *lio-*[1] + *-dermo.*] *Adj. Zool.* **1.** Cuja pele é lisa. **2.** Cujos tegumentos exteriores são nus.

liofilização. [De *liofilizar* + *-ção.*] *S. f.* Processo de secagem e de eliminação de substâncias voláteis realizado em temperatura baixa e sob pressão reduzida.

liofilizado. [Part. de *liofilizar.*] *Adj.* Que foi submetido a liofilização.

liofilizador (ô). *Adj.* e *s. m.* Diz-se de, ou aparelho que liofiliza.

liofilizar. [De *lio-*[2] + *-fil(o)-*[2] + *-izar.*] *V. t. d.* Efetuar a liofilização de.

liófilo. [De *lio-*[2] + *-filo.*] *S. m. Fís.-Quím.* Solução coloidal cujas micelas têm forte afinidade pela fase dispersora. ● *Adj.* ~ V. *colóide* —.

liófobo. [De *lio-*[2] + *-fobo.*] *S. m.* **1.** *Fís.-Quím.* Sol[4] em que as micelas não têm afinidade pela fase dispersora. ● *Adj.* ~ V. *colóide* —.

liólise. [De *lio-*[2] + *-lise.*] *S. f. Fís.-Quím.* Numa solução de sal de ácido fraco ou de base fraca, a ação do solvente sobre o soluto, da qual resulta a formação do ácido ou da base; solvólise.

liômero. *S. m.* **1.** Espécime dos liômeros. ● *Adj.* **2.** Pertencente ou relativo a eles.

liômeros. *S. m. pl. Zool.* Animais, da classe dos peixes, neopterígios, ordem *Lyomeri*, marinhos, abissais. Negros, de boca enorme e estômago distensível, desprovidos de escamas e de corpo angüiforme. Os raios das nadadeiras são moles; costelas e nadadeiras caudais e ventrais ausentes.

liomioma. [De *lio-* + *mioma.*] *S. m. Patol.* Mioma de fibras lisas.

lionês. [Do fr. *lyonnais.*] *Adj.* **1.** De ou pertencente ou relativo a Lião (França). ● *S. m.* **2.** O natural ou habitante de Lião. [Sin. ger.: *lugdunense.* Flex.: *lionesa* (ê), *lioneses* (ê), *lionesas* (ê). Cf. *leonês.*]

lionetídeo. *S. m.* **1.** Espécime dos lionetídeos. ● *Adj.* **2.** **Pertencente ou relativo a eles.**

lionetídeos. *S. m. pl. Zool.* Família de insetos da ordem dos lepidópteros: mariposas pequenas, com asas muito estreitas; as larvas são pragas da agricultura e parasitam plantas como o cafeeiro, produzindo manchas ferruginosas.

liópode. [De *lio-* + *-pode.*] *Adj. 2 g. Zool.* Cuja planta do pé é lisa.

liospermo. [De *lio-* + *-spermo.*] *Adj. Bot.* Que tem sementes lisas.

liótrico. [De *lio-* + *-trico.*] *Adj. Zool.* Que tem o pêlo acamado e liso.

lioz. *Adj. 2 g.* e *s. 2 g.* Diz-se de, ou pedra calcária branca e dura usada em cantaria, estatuária, etc.

liparito. [Do top. *Lipari* (ilhas Lipari, Grécia) + *-ito*[2].] *S. m.* Riólito.

liparocele. [Do gr. *liparós*, 'gorduroso' + *-cele.*] *S. f. Patol.* **1.** V. *lipoma.* **2.** Hérnia que contém matéria gordurosa.

lípase. [De *lip(o)-* + *-ase*[2].] *S. f.* Diástase que decompõe as gorduras em glicerol e ácidos graxos.

▲lipe-. [Do gr. *lýpe, es.*] *El. comp.* = 'tristeza', 'aflição': *lipemania.*

lipemania. [De *lipe-* + *-mania.*] *S. f. Desus.* Melancolia delirante.

lipemaníaco. *Desus. Adj.* **1.** Referente à lipemania, ou que a tem. ● *S. m.* **2.** Aquele que a tem.

lipemia. [De *lip(o)-* + *-(h)em(o)-* + *-ia.*] *S. f. Med.* Presença de gordura no sangue.

lipêmico. *Adj.* Referente à lipemia.

lípide. *S. m. Quím.* V. *lipídio.*

lipídeo. *S. m. Quím.* V. *lipídio.*

lipídio. [De *lip(o)-* + *-ídio.*] *S. m. Quím.* Qualquer substância que hidrolisada fornece ácidos carboxílicos com grande cadeia de carbono; lípide, lipídeo.

lipidograma. [De *lípide* + *-o-* + *-grama.*] *S. m.* Registro da taxa de lípides ou lipídios encontrados no sangue.

▲lip(o)-. [Do gr. *lípos, eos-ous.*] *El. comp.* = 'gordura': *lipúria, lipossolúvel.*

▲lipo-. [Do gr. *leípo.*] *El. comp.* = 'deixar', 'abandonar': *lipograma.*

lipoaspiração. [De *lip(o)-* + *aspiração.*] *S. f. Cir. Plást.* Processo em que se realiza aspiração de gordura subcutânea por meio de cânula ligada a bomba de sucção.

lipocromo. [De *lip(o)-* + *-cromo.*] *S. m.* Luteína.

lipógnato. *S. m.* e *adj.* V. *anopluro.*

lipógnatos. [Pl. de *lipógnato.*] *S. m. pl. Zool.* V. *anopluros.*

lipograma. [De *lipo-* + *-grama.*] *S. m.* Composição literária feita com o propósito de nela não se empregar (em) determinada(s) letra(s) do alfabeto.

lipogramático. *Adj.* Referente a lipograma.

lipogramatista. *S. 2 g.* Pessoa que compõe lipogramas.

lipóide. [De *lip(o)-* + *-óide.*] *Adj. 2 g.* De aspecto ou consistência semelhante à da gordura.

lipólise. [De *lip(o)-* + *-lise.*] *S. f. Bioquím.* Desdobramento das gorduras em ácidos graxos e seus sais pela ação da bile e do suco pancreático.

lipolítico. *Adj.* Respeitante à lipólise.

lipoma. [De *lip(o)-* + *-oma.*] *S. m. Patol.* Tumor benigno e indolor, formado pela proliferação de células gordurosas; liparocele, esteatoma.

lipomatose. [De *lipoma* + *-t-* + *-ose.*] *S. f. Patol.* Condição mórbida caracterizada por acúmulos anormais de gordura em tecidos.

lipomatoso (ô). [De *lipoma* + *-t-* + *-oso.*] *Adj.* Da natureza do lipoma.

lipoproteína. [De *lip(o)-* + *proteína.*] *S. f. Bioquím.* Substância orgânica resultante da combinação de um lipídio e uma proteína, e que, solúvel em meio aquoso, constitui o veículo de transporte das gorduras no organismo.

lipóptero. *S. m.* e *adj.* Malófago.

lipópteros. *S. m. pl. Zool.* Malófagos.

liposo (ô). [Do lat. **lipposu*, moldado em *lippu*, 'remelento'.] *Adj.* V. *remeloso.*

lipossolúvel. [De *lip(o)-* + *solúvel.*] *Adj. 2 g.* Diz-se da substância solúvel nas gorduras.

lipotimia. [Do gr. *lipothymía.*] *S. f. Patol.* V. *síncope* (1): "A subida .... foi impossível; tremia, suava, palpitava, parecia ameaçado da *lipotimias* e só subiu guiado por mim!" (A. Austregésilo, *Obras Completas*, III, p. 53.)

lipotímico. *Adj.* Relativo à lipotimia.

lipuria. *S. f. Patol.* Lipúria [q. v.].

lipúria. [De *lip(o)-* + *-ur(o)-* + *-ia.*] *S. f. Patol.* Presença de gordura na urina. [Var. pros.: *lipuria.*]

liquação. [Do lat. *liquatione.*] *S. f.* **1.** *Fís.* Separação, mediante fusão, dos componentes de uma mistura sólida. **2.** Separação de substâncias heterogêneas liquefeitas.

liquefação. [Do lat. tardio *liquefactione.*] *S. f.* **1.** Ato ou efeito de liquefazer(-se), de tornar(-se) líquido. **2.** *Fís.* Passagem de uma substância do estado gasoso ao estado líquido.

liquefativo. *Adj.* Que se liquefaz.

liquefator (ô). *S. m. Fís.* Aparelho para liquefazer um gás.

liquefazer. [Do lat. *liquefacere.*] *V. t. d.* **1.** Tornar líquido: "Lá fora a umidade crescia, *liquefazendo* a crusta da terra." (Aluísio Azevedo, *Pegadas*, p. 141.) **2.** Fundir; derreter. *P.* **3.** Reduzir-se ao estado líquido; liquescer: "e como na expansão duma válvula há o vapor que se *liquefaz*, havia naquela fúria lágrimas disfarçadas" (Coelho Neto, *Turbilhão*, p. 43). **4.** Fundir-se, derreter-se. [Sin.: *liquidificar.* Irreg. Conjug.: v. *fazer.*]

liquefeito. [Do lat. *liquefactu.*] *Adj.* Que se liquefez; tornado líquido. ~ V. *gás — de petróleo.*

líquen. [Do gr. *leichén*, pelo lat. *lichen.*] *S. m.* **1.** *Bot.* Vegetal criptogâmico formado pela íntima associação de uma alga verde ou azul com um fungo superior. As algas ficam dentro do talo, formando camada verde. Vivem nos lugares mais inóspitos, comumente sobre rochas e cascas de árvores, e reproduzem-se por esporos fúngicos. Multiplicação vegetativa por sorédios. Produzem substâncias peculiares, e uma série não pequena de antibióticos. **2.** *Med.* Designação comum a diversas espécies de dermatoses populares. [Pl.: *liquens* e, p. us. no Brasil, *líquenes.*]

liquenáceo. *Adj.* Relativo ou semelhante ao líquen.

líquen-da-islândia. *S. m.* Cetrária. [Pl.: *liquens-da-islândia* e (p. us. no Brasil) *líquenes-da-islândia.*]

liquênico. *Adj.* ~ V. *ácido —.*

liquenografia. [De *líquen* + *-o-* + *-graf(o)-* + *-ia.*] *S. f.* Parte da botânica que trata dos liquens.

liquenográfico. *Adj.* Relativo à liquenografia.

liquenógrafo. *S. m.* Especialista em liquenografia.

liques. *S. m. 2 n.* **1.** O cinco de ouros no truque[3]. **2.** V. *truque*[3].

liquescer. [Do lat. *liquescere.*] *V. int.* Tornar-se líquido; liquefazer-se. [Conjug.: v. *aquecer.* Normalmente é defect., conjugável só nas 3as. pess.]

líquida. *S. f. Fon.* Consoante líquida.

liquidação. *S. f.* **1.** Ato ou efeito de liquidar(-se). **2.** Resgate (de um título). **3.** Extinção de obrigações. **4.** Apuramento de contas e pagamento dos respectivos saldos. **5.** Conjunto de atos tendentes a realizar o ativo das sociedades civis ou mercantis em dissolução, assim como o das massas falidas, pagar-lhes o passivo e compartir o saldo que houver, segundo determine a lei ou o contrato em cada caso. [Cf., nesta acepç., *informação* (7).] **6.** Cálculo judicial do imposto de transmissão *causa mortis* nos inventários, com a discriminação das parcelas a cargo de cada um dos beneficiários da partilha: "Regulados os preliminares para a *liquidação* da herança, Rubião tratou de vir ao Rio de Janeiro" (Machado de Assis, *Quincas Borba*, p. 32). **7.** Ato judicial com que se dá começo à execução, e que visa a determinar o valor, espécie e quantidade das coisas que a parte vencida tem de pagar ou de entregar, e que, na sentença exeqüenda, ficaram ilíquidas ou indeterminadas. **8.** *Com.* Apuração, em épocas preestabelecidas, das operações realizadas a termo nas bolsas, mediante a entrega das mercadorias e títulos negociados, ou o pagamento da diferença das cotações, ou, ainda, pelo aprazamento das partes; apuramento. **9.** *Com.* Venda de mercadorias a preços abaixo do normal para renovação dos estoques ou extinção do negócio. [Var. pros.: *liqüidação.*]

liqüidação. *S. f.* V. *liquidação.*

liquidador (ô). *Adj.* **1.** Que liquida. **2.** Que liquida ou apura contas; liquidatário, liquidante. ● *S. m.* **3.** Indivíduo liquidador. [Var. pros.: *liqüidador.*]

liqüidador (ô). *Adj.* e *s. m.* V. *liquidador.*

liquidâmbar. [Do lat. científico *Liquidambar*, 'âmbar líquido'.] *S. m.* **1.** Gênero de árvores nativas das regiões quentes da Ásia e da América, das quais se extraem resinas balsâmicas, utilizadas sobretudo em perfumaria ou como estimulantes das vias respiratórias. **2.** A resina dessas árvores. [Var.: *liqüidâmbar.* Pl.: *liquidâmbares.*]

liqüidâmbar. *S. m.* Liquidâmbar [q. v.]. [Pl.: *liqüidâmbares.*]

liquidando. *Adj.* Que está sendo liquidado; que está em liquidação. [Var. pros.: *liqüidando.*]

liqüidando. *Adj.* Liquidando [q. v.].

liquidante. *Adj. 2 g.* **1.** V. *liquidador* (2). **2.** Conclusivo, terminante: *argumento liquidante.* ● *S. 2 g.* **3.** Pessoa física ou jurídica encarregada de liquidação duma sociedade civil ou comercial. [Cf. *síndico* (6). Var. pros.: *liqüidante.*]

liqüidante. *Adj. 2 g.* e *s. 2 g.* V. *liquidante.*

liquidar. [De *líquido* + *-ar*[2].] *V. t. d.* **1.** Fazer liquidação de: *liquidar uma herança, uma partida de mercadoria.* **2.** Pagar, resgatar (um título). **3.** Solver (uma obrigação). **4.** *Fig.* Tirar a limpo; averiguar, apurar: *liquidar uma dúvida.* **5.** *Fig.* Arrasar, inutilizar. **6.** *Fig.* Matar (1): "Antônio Silvino *liquidara* o seu maior inimigo." (José Lins do Rego, *Meus Verdes Anos*, p. 255.) **7.** Pôr termo a (assunto ou questão difícil, desagradável, constrangedora); encerrar. *Int.* **8.** Terminar ou encerrar transações comerciais. *P.* **9.** Acabar-se, destruir-se, aniquilar-se: *Com o abuso do álcool, o rapaz liquidou-se.* [Var. pros.: *liqüidar.* Pres. ind. *liquido*, etc. Cf. *líquido.*]

liqüidar. *V. t. d., int.* e *p.* V. *liquidar.* [Pres. ind.: *liqüido*, etc. Cf. *líquido.*]

liquidatário. *Adj.* **1.** V. *liquidador* (2). ● *S. m.* **2.** Liquidante, em especial aquele que promove a liquidação da massa falida, nos regimes em que tal função não cabe ao síndico. [Var. pros.: *liqüidatário.*]

liqüidatário. *Adj.* e *s. m.* Liquidatário [q. v.].

liquidável. *Adj. 2 g.* Que se pode liquidar. [Var. pros.: *liqüidável.*]

liqüidável. *Adj. 2 g.* V. *liquidável.*

liquidez (ê). *S. f.* **1.** Qualidade ou estado de líquido. **2.** *Jur.* Caráter ou estado da obrigação que é certa quanto à sua existência e determinada quanto ao seu objeto [Var. pros.: *liqüidez.*]

liqüidez (ê). *S. f.* Liquidez. [q. v.]

liquidificação. *S. f.* Ato ou efeito de liquidificar(-se). [Var. pros.: *liqüidificação.*]

liqüidificação. *S. f.* Liquidificação [q. v.].

liquidificador (ô). *Adj.* **1.** Que liquidifica; liquidificante. ● *S. m.* **2.** Aparelho elétrico destinado a misturar ou a triturar determinados alimentos, tais como bebidas, frutas, legumes, etc. [Var. pros.: *liqüidificador.*]

liqüidificador (ô). *Adj.* e *s. m.* V. *liquidificador.*

liquidificante. *Adj. 2 g.* Que liquidifica ou promove a liquidificação; liquidificador. [Var. pros.: *liqüidificante.*]

liqüidificante. *Adj. 2 g.* Liquidificante [q. v.].

liquidificar. [De *líquido* + *-i-* + *-ficar.*] *V. t. d.* e *p.* V. *liquefazer.* [Var. pros.: *liqüidificar.* Conjug.: v. *trancar.*]

liqüidificar. *V. t. d.* e *p.* Liquidificar [q. v.]. [Conjug.: v. *trancar.*]

liquidificável. *Adj. 2 g.* Suscetível de liquidificar-se. [Var. pros.: *liqüidificável.*]

liqüidificável. *Adj. 2 g.* Liquidificável.

líquido. [Do lat. *liquidu.*] *Adj.* **1.** Que flui ou corre, tomando sempre a forma dos recipientes em que se encontra: *alimento líquido.* [Opõe-se a *sólido* (2).] **2.** Diz-se do valor que não está sujeito a reduções ou a encargos: *preço líquido; renda líquida.* [Cf., nesta acepç., *bruto* (10).] **3.** *Fig.* Verificado, apurado. ~ V. *ativo —, consoante —a, cristal —, direito — e certo, dívida —a, estado —, lucro —, produto interno —, produto nacional —, sabão —, tonelagem — a* e *trabalho —.* ● *S. m.* **4.** Substância líquida. **5.** Alimento líquido; bebida. **6.** *Fís.* Fluido incompressível, ou muito pouco compressível, no qual as interações moleculares são relativamente grandes. [Var. pros.: *líqüido.* Cf. *liquido*, do v. *liquidar.*] ◆ **Líquido amniótico.** *Anat.* Líquido que enche a placenta, banhando e protegendo o feto. **Líquido cefalorraquiano.** *Anat.* e *Med.* O que existe nos quatro ventrículos encefálicos, espaço subaracnóideo e canal medular central; líquor cerebrospinal, liquor. **Líquido de Dakin.** Solução de hipoclorito de sódio neutralizado por 0,5 por cento de ácido bórico, empregada como anti-séptico. [Sin., bras.: *água-da-guerra.*] **Líquido e certo.** Não passível de dúvida ou contestação. **Líquido ideal.** *Fís.* O que tem o coeficiente de viscosidade igual a zero e é incompressível. **O precioso líquido.** A água.

líqüido. *Adj.* e *s. m.* Líquido [q. v.]. [Cf. *liqüido*, do v. *liqüidar.*]

liquor (ô). [Do lat. *liquor.*] *S. m.* **1.** V. *licor* (2). **2.** *Anat.* e *Med.* V. *líquido cefalorraquiano.* [Cf. *licor.*] ◆ **Liquor cerebrospinal.** *Anat.* e *Med.* V. *líquido cefalorraquiano.* [Tb. se diz apenas *liquor.*]

liquórico. *Adj.* Relativo a, ou que contém liquor.

▲lir-. [Do gr. *lýra, as.*] *El. comp.* = 'lira[1]': *liriforme; lirado.*

lira[1]. [Do gr. *lyra*, pelo lat. *lyra.*] *S. f.* **1.** Instrumento musical de cordas, cuja origem se perde nos tempos mitológicos, usado por todos os povos da Antiguidade, e que tinha a forma de um U cortado no alto por uma barra onde se fixavam as extremidades superiores das cordas. **2.** *Bras. Pop.* Conjunto musical, ou banda, dirigido por um maestro. **3.** *Bras. Pop.* Repertório de letras de músicas populares reunidas em volume. **4.** *Bras., N.E.* Viola, entre os cantadores. **5.** *Fig.* Estro poético. **6.** Ave cuja cauda é em forma de lira (1). **7.** *Astr.* Constelação boreal, ao S. do Dragão, a O. do Cisne, ao N. da Raposa, e a O. e N. de Hércules.

lira[2]. [Do it. *lira.*] *S. f.* Unidade monetária, e moeda, da Itália, do Vaticano, da República de Malta e de São Marinho, dividida em 100 centésimos.

lirado. [De *lir(i)-* + *-ado*[1].] *Adj.* ~ V. *folha —a.*

lirial. *Adj. 2 g.* **1.** Que tem a cor ou a pureza do lírio: "Pede o seio *lirial* beijos de gladiador." (Eugênio de Castro, *Obras Poéticas*, IV, p. 76): "Quem era aquela criaturinha langue / De longas mãos *liriais* e olhos de louca?" (Austro-Costa, *Mulheres e Rosas*, p. 24). ● *S. m.* **2.** *Bras.* Quantidade mais ou menos considerável de pés de lírio dispostos proximamente entre si.

lírica. [Fem. substantivado do adj. *lírico* (2).] *S. f.* **1.** Coleção de poesias líricas. **2.** O gênero lírico da poesia. **3.** Poesia lírica [V. *lírico* (2)]: "dava tratos à Musa escrevendo copiosas e alambicadas *líricas*" (Coelho Neto, *A Conquista*, p. 72). [Cf. *lirica*, do v. *liricar.*]

liricar. *P. us. V. t. d.* **1.** Tornar lírico. *Int.* **2.** Fazer poesia lírica, versos líricos. [Conjug.: v. *trancar*. Pres. ind.: *lirico, liricas, lirica*, etc. Cf. *lírico* e *lírica.*]

lírico. [Do gr. *lyrikós*, pelo lat. *lyricu.*] *Adj.* **1.** Relativo a lira[1] (2). **2.** Diz-se do gênero de poesia em que o poeta canta as suas emoções e sentimentos íntimos. **3.** Que tem ou revela lirismo: *prosador lírico*. **4.** *Fig.* Sentimental; sonhador; apaixonado. **5.** Em que se representam óperas [v. *ópera* (1)]: *teatro lírico*. ~ V. *cena —a* e *drama —*. ● *S. m.* **6.** Poeta cultor de poesia lírica. [Sin., bras.: *lirista*. Cf. *lirico*, do v. *liricar.*]

liriforme. [De *lir(i)-* + *-forme.*] *Adj. 2 g.* Que tem forma de lira[1] (1). [Cf. *liliforme.*]

lírio. [Do lat. *liliu*, com dissimilação.] *S. m.* **1.** Designação comum a numerosas plantas da família das liliáceas, providas de flores alvas, amplas e perfumadas. São exóticas, porém cultivadas como ornamentais em jardins. **2.** V. *açucena* (1). **3.** A flor dessa planta; açucena, lis. **4.** *Fig.* Símbolo da inocência e da pureza; açucena. ◆ **Lírio convale.** V. *lírio-do-vale.*

lírio-amarelo. *S. m.* Planta amarilidácea do gênero *Hippeastrum*, de flores amarelas ou alaranjadas; amarílis. [Pl.: *lírios-amarelos.*]

lírio-branco. *S. m.* V. *açucena* (1). [Pl.: *lírios-brancos.*]

lírio-d'água. *S. m.* V. *gólfão*[2]. [Pl.: *lírios-d'água.*]

lírio-da-índia. *S. m.* V. *cinamomo*. [Pl.: *lírios-da-índia.*]

lírio-das-pedras. *S. m. Bras.* Designação comum a diversas espécies, em geral de grande porte, da família das veloziáceas, habitantes de rochas no Brasil central, de grandes flores alvas ou azuladas e frutos verrucosos. [Pl.: *lírios-das-pedras.*]

lírio-de-petrópolis. *S. m. Bras.* V. *lírio-do-brejo*. [Pl.: *lírios-de-petrópolis.*]

lírio-do-amazonas. *S. m. Bras.* Planta da família das amarilidáceas *(Eucharis grandiflora)*. [Pl.: *lírios-do-amazonas.*]

lírio-do-brejo. *S. m. Bras.* Grande erva rizomatosa, da família das zingiberáceas *(Hedychium flavescens)*, muito comum na zona litorânea em habitats úmidos, de folhas enormes, delicadas, e flores belíssimas, com uma pétala maior e um só filete, alvas e depois amareladas, que exalam intenso e agradável perfume: lágrima-de-moça, lírio-de-petrópolis, lírio-do-vale: "A moça foi encontrada .... junto a um riacho meu conhecido, coberto de *lírios-do-brejo* que embalsamavam a noite com seu perfume dolente." (Carlos Lacerda, *A Casa do Meu Avô*, p. 104.) [Pl.: *lírios-do-brejo.*]

lírio-do-mar. *S. m.* Designação comum aos animais equinodermos, crinóideos, com aspecto de vegetais, pedunculados ou sésseis, pés ambulacrários desprovidos de ventosas, madreporito ausente, sem espinhos ou pedicelárias. São conhecidas cerca de 630 espécies vivas e 5.000 fósseis. [Pl.: *lírios-do-mar.*]

lírio-dos-astecas. *S. m.* Flor-tigre. [Pl.: *lírios-dos-astecas.*]

lírio-dos-tintureiros. *S. m.* Erva alta e de base lenhosa, da família das resedáceas *(Reseda luteola)* de origem africana, de folhas espatuladas, obtusas, podendo ser mais ou menos recortadas, flores esverdeadas, odoríferas, com numerosos estames e ordenadas em racemos espiciformes, e cápsula que se abre no ápice. Outrora foi empregado em tinturaria como fonte de corante amarelo. [Pl.: *lírios-dos-tintureiros.*]

lírio-do-vale. *S. m.* **1.** Planta ornamental, da família das liliáceas (*Convalaria majalis*) de pequenas flores alvas, campaniformes, agrupadas em cachos, muito comum na Europa, onde é objeto de colheita e comércios intensos a primeiro de maio, e utilizada em farmácia e perfumaria. [Tb. se diz apenas *lírio*. Sin.: *lírio convale, convalária.*] **2.** *Bras.* V. *lírio-do-brejo*. [Pl.: *lírios-do-vale.*]

lirióide. [De *lir(i)-* + *-óide.*] *Adj. 2 g.* Liliforme [q. v.].

lírio-roxo. *S. m.* Pequena erva da família das iridáceas *(Cypella longifolia)*, nativa do Brasil, de flores azuis, muito ornamentais, folhas compridas e ensiformes, fruto capsular, e cujo escapo parte de um bolbo subterrâneo. [Pl.: *lírios-roxos.*]

lírio-roxo-do-campo. *S. m. Bras.* V. *bariricô*. [Pl.: *lírios-roxos-do-campo.*]

lírio-verde. *S. m.* Cólquico. [Pl.: *lírios-verdes.*]

lirismo. [De *lira*[1] + *-ismo.*] *S. m.* **1.** Caráter de poesia lírica. **2.** O conjunto da poesia lírica: *a história do lirismo português*. **3.** Subjetivismo poético: *Sua poesia é de intenso lirismo*. **4.** Modo de exprimir-se em arte que evoca a poesia lírica: *o lirismo de Chopin*. **5.** *Fig.* Maneira apaixonada, poética, de sentir, de viver; entusiasmo, ardor, exaltação. **6.** *Estét.* Segundo o crítico italiano Benedetto Croce (1866-1952), símbolo da arte em geral, como expressão de sentimentos.

lirista[1]. [Do gr. *lyristés*, pelo lat. *lyristes.*] *S. 2 g.* Tocador de lira[1] (2).

lirista[2]. [De *lira*[1] + *-ista.*] *S. 2 g. Bras.* Cultor do gênero lírico; poeta lírico; lírico.

lis. [Do fr. *lis*, como t. heráldico.] *S. m.* **1.** V. *lírio* (3): "Ao fim de um relvado, em que se balançavam corolas de *lises*, ... uma cabeça de Pã .... mirava-se na água fria dum tanque." (Gustavo Barroso, *A Ronda dos Séculos*, p. 84.) **2.** Flor-de-lis (2): "trazei a coroa real, a espada, as esporas, a dalmática azul, as botinas de seda estreladas de *lises* de ouro" (Ramalho Ortigão, *As Farpas*, XI, pp. 89-90). [Pl.: *lises.*]

lisa. [Fem. de *liso.*] *Adj. (f.)* **1.** *Bras., Marajó.* Diz-se da vaca que ainda não emprenhou. ● *S. f.* **2.** *Ind. Pap.* V. *calandra*[1] (1). **3.** *Ind. Pap.* V. *lissa* (2). **4.** *Bras. Pop.* V. *cachaça* (1): "E o Zico, bebendo a *lisa*, / na boca — a fazer careta — / passa a manga da camisa." (Cornélio Pires, *Cenas e Paisagens da Minha Terra*, p. 48.) [Cf. *liza*, do v. *lizar.*]

lisado. [De *lise* + *-ado*[1].] *S. m.* Suspensão que se obtém artificialmente, em meio ácido e sob alta pressão, em geral, com a polpa de órgãos frescos extraídos de animais recentemente abatidos.

lisboês. *Adj.* e *s. m.* V. *lisboeta*. [Flex.: *lisboesa* (ê), *lisboeses* (ê), *lisboesas* (ê).]

lisboeta (ê). *Adj. 2 g.* **1.** De, ou pertencente ou relativo a Lisboa, capital de Portugal. ● *S. 2 g.* **2.** Natural ou habitante de Lisboa. [Sin. ger.: *lisbonense, lisbonino, lisbonês, lisboês, olisiponense* e (joc.) *alfacinha.*]

lisboetizar. *V. t. d.* **1.** Dar modos e/ou costumes de lisboeta a. *P.* **2.** Adquirir modos e/ou costumes de lisboeta.

lisbonense. *Adj. 2 g.* e *s. 2 g.* V. *lisboeta.*

lisbonês. *Adj.* e *s. m.* V. *lisboeta*. [Flex.: *lisbonesa* (ê), *lisboneses* (ê), *lisbonesas* (ê).]

lisbonino. *Adj.* e *s. m.* V. *lisboeta.*

lise. [Do gr. *lysis.*] *S. f.* **1.** *Patol.* Destruição, como a que ocorre em células, incluindo bactérias. **2.** *Quím.* Decomposição, como a que ocorre numa substância química. **3.** *Cir.* Liberação duma estrutura ou dum órgão de suas aderências. **4.** *Med.* Cessação gradual dos sintomas e sinais de uma condição mórbida.

▲lis(e)-. Equiv. de *-lise.*

▲-lise. [Do gr. *lýsis, eos.*] *El. comp.* = 'dissolução', análise: *electrólise, plasmólise*. [Equiv.: *lis(e)-: lisérgico.*]

lisérgico. [De *lis(e)-* + *-erg(o)-*[2] + *-ico*[2].] *Adj. Quím.* ~ V. *ácido —.*

➡liseuse (lizêz'). [Fr.] *S. f.* Peça do vestuário feminino, espécie de casaquinho, usada sobre a camisola.

lisim. *S. m.* V. *lesim.*

lisímetro. [De *lis(e)-* + *-i-* + *-metro.*] *S. m.* Aparelho destinado a medir, pela velocidade de infiltração da água, a permeabilidade de um solo.

lisina. [De *lis(e)-* + *-ina*[1].] *S. f. Bacter.* **1.** Anticorpo que produz lise de células diversas (tais como células sanguíneas, bactérias, etc.) quando, em presença de complemento (6), reagem com antígeno correspondente. **2.** Aminoácido essencial ao crescimento normal em crianças e à manutenção do equilíbrio nitrogenado no adulto.

lísio. [De *lis(e)-* + *-io*[2].] *Adj.* Resultante duma dissolução química.

liso. *Adj.* **1.** Cuja superfície é plana ou sem asperezas: *pedra lisa*. **2.** Suave ao tato; macio: *pele muito lisa*. **3.** Diz-se do pêlo ou cabelo que não é ondulado ou encaracolado. **4.** Sem pregas ou ornatos: *Vestia uma blusa lisa muito elegante*. **5.** Diz-se de tecido não trabalhado e de uma só cor. **6.** *Fig.* Franco, sincero, lhano, leal: "bom e extremoso pai de família, *liso* e sincero em seus negócios" (Bernardo Guimarães, *O Seminarista*, p. 15). **7.** *Bras. Pop.* V. *pronto* (10). **8.** *Bras. Pop.* Diz-se do cigarro sem filtro: *Só fuma Continental liso*. ~ V. *calandra —a, canto —, músculo —, trompa —a* e *trompete —*. ● *S. m.* **9.** Lisura (1): "Um lenço posto no *liso* / Dos teus ombros jaspeados" (Gonçalves Crespo, *Obras Completas*, p. 316). **10.** Adepto do partido dos lisos. [q. v.]. **11.** *Bras. Pop.* V. *pronto* (12). **12.** *Bras., N.E.* Rês de pêlo de cor clara sem manchas. **13.** *Bras., RS.* Gole de cachaça. [Cf. *lizo*, do v. *lizar.*] ~ V. *lisos*. ◆ **Liso, leso e louco.** *Bras., N.E. Pop.* Absolutamente liso (7); em péssima situação financeira; a nenhum.

lisogenia. [De *lis(e)* + *-o-* + *-gen(o)-*[1] + *-ia.*] *S. f. Genét.* Capacidade de integração de um bacteriófago ao genoma bacteriano.

lisogênica. [De *lis(e)-* + *-o-* + *-gen(o)-*[1] + o fem. de *-ico*[2].] *Adj. (f.) Genét.* Diz-se de bactéria que possui um bacteriófago integrado ao seu cromossomo.

lisol. [De *lis(e)-* + *-ol.*] *S. m.* Produto líquido antisséptico, formado pela mistura de cresóis e sabão. [Pl.: *lisóis.*]

lisonja. [Do esp. *lisonja.*] *S. f.* **1.** Louvor afetado; adulação, bajulação, louvaminha: "usa de mil *lisonjas*, mil enganos, / Por conseguir o seu desejo bruto." (Diogo Bernardes, *Obras Completas*, III, p. 121.) **2.** *Fig.* Mimo, afago, carícia.

lisonjaria. [De *lisonja* + *-aria.*] *S. f.* **1.** Ato ou hábito de lisonjear. **2.** Palavras lisonjeiras: "o jornalista que não exercita uma crítica intrépida dos homens e dos partidos, ou se desfaz em *lisonjarias* indecorosas" (Euclides da Cunha, *Contrastes e Confrontos*, p. 176).

lisonjeador (ô). *Adj.* **1.** Que lisonjeia; lisonjeiro. **2.** Que satisfaz o amor-próprio: *O que dizem dele é bem lisonjeador*. ● *S. m.* **3.** Aquele que lisonjeia.

lisonjear. *V. t. d.* **1.** Procurar agradar com lisonjas; elogiar com excesso de afetação; adular, incensar: *Lisonjeia as pessoas ilustres, esperando obter favores*. **2.** Agradar a; satisfazer, deleitar: "uma aliança com oa Seabras da Sovereira *lisonjeava-lhe* todas as vaidades." (Conde de Ficalho, *Uma Eleição Perdida*, p. 196); *Procurava, por todos os modos, lisonjear o chefe*. *P.* **3.** Sentir prazer, deleitar-se, desvanecer-se, recebendo lisonjas. **4.** Sentir orgulho com; orgulhar-se, honrar-se, vangloriar-se, desvanecer-se: "A mocidade .... afasta-se dos princípios que os pais lhe incutiram no berço, *lisonjejando-se* duma falsa ciência que nada explica" (Inglês de Sousa, *Contos Amazônicos*, p. 37). [Conjug.: v. *frear.*]

lisonjeiro. [De *lisonja* + *-eiro.*] *Adj.* **1.** Que lisonjeia; adulador, lisonjeador. **2.** Prometedor; satisfatório: *Seu estado de saúde é lisonjeiro*.

lisos. [Pl. substantivado de *liso.*] *S. m. pl. Bras.* Partido oposicionista de AL, que fez a revolução de 1844, por oposição a *cabeludos* [q. v.]. ~ V. *liso.*

lissa. *S. f.* **1.** Cordel vertical no tear ordinário. **2.** *Ind. Pap.* Espécie de calandra [q. v.] para alisar papel em folhas, formada por cilindros de ferro, entre os quais se fazem repetidamente passar grupos de folhas entremeadas com chapas de metal; lissadeira, lisa. [Cf. *liça.*]

lissadeira. *S. f. Ind. Pap.* V. *lissa.*

lissencéfalo. [De *liss(o)-* + *encéfalo.*] *Adj.* De cérebro liso (sem circunvoluções).

▲liss(o)-. [Do gr. *lissós, é, ón.*] *El. comp.* = 'liso': *lissencéfalo, lissótrico.*

lissocarpácea. *S. f.* Espécime das lissocarpáceas.

lissocarpáceas. *S. f. pl. Bot.* Família de dicotiledôneas, da ordem das ebenales, constituída da espécie única *Lissocarpa benthami*, árvore amazônica, de folhas alternas e flores vistosas, em cimeiras axilares, com androceu diplostêmone e monadelfo, e ovário quadrilocular, cada lóculo biovulado. Fruto indeiscente, monospérmico ou dispérmico.

lissocarpáceo. *Adj.* Pertencente ou relativo às lissocarpáceas.

lissótrico. [De *liss(o)-* + *-trico.*] *Adj.* e *s. m.* Que, ou aquele que tem cabelos lisos e corredios. [Cf. *ulótrico, euplócamo* e *eutícomo.*]

lista. [Do germ. *lísta (al. mod. *Leiste*), pelo fr. *liste.*] *S. f.* **1.** Relação de nomes de pessoas ou de coisas; relação, rol, listagem. **2.** Tira de pano ou de papel comprida e estreita. **3.** Esteira de embarcação; listão. **4.** V. *listra* (1 e 2): "sob um toldo de seda às listas azuis e brancas, estendia-se um tapete" (Ramalho Ortigão, *Últimas Farpas*, p. 281). "O estranho era perceber tia Lores mais linda que nunca, com novos xales de cores outonais, de listas arco-íris, brancos como nuvens." (Irene Moutinho. *Até agora. Nada*, p. 109.) **5.** *P. us. Bras.* V. *cardápio.* **6.** *Bras. Pop.* No jogo do bicho, a relação das apostas feita pelo bicheiro; lista de bicho. ◆ **Lista civil.** A dotação de um chefe de Estado. ou da família real, paga pela nação. **Lista de bicho.** *Bras.* Lista (6). **Lista negra. 1.** Relação de pessoas, firmas comerciais, etc., consideradas prejudiciais aos interesses de um país, de uma sociedade. de um partido, etc., notadamente em tempo de guerra. **2.** *Fig.* Relação de pessoas ou coisas cujo contato se pretende passar a evitar: *Depois do que ele me fez, está na minha lista negra.*

listado. [De *lista* (4) + *-ado*[1].] *Adj.* Listrado: "mal tivera tempo de dar ao pescoço um laço com o lenço listado" (Jaime d'Altavila. *Lógica de um Burro*. p. 9).

listagem. *S. f.* **1.** V. *lista* (1). **2.** Lista contínua, em computador.

listão. *S. m.* **1.** Lista grande. **2.** Risca comprida e larga. **3.** Tira. faixa, cinta. **4.** *Lista* (3). **5.** Régua de carpinteiro. ● *Adj.* **6.** Diz-se do touro que apresenta no dorso uma faixa ou lista de cor diversa da do resto do corpo.

listar. *V. t. d.* V. *listrar.* [Pres. subj.: *liste*, ... *listeis, listem.* Cf. *listéis*, pl. de *listel.*]

listário. [De *lista* + *-ário.*] *S. m. Bras., MG. Ant.* Feitor encarregado de registrar o número e peso dos diamantes encontrados.

listel. [Do it. *listello*, pelo fr. *listel.*] *S. m. Arquit.* Moldura que acompanha outra maior que separa as caneluras de uma coluna; filete, mocheta. [Pl.: *listéis*. Cf. *listeis*, do v. *listar.*]

listra. [Var. epentética de *lista.*] *S. f.* **1.** Num tecido, linha ou faixa de cor diferente; risca: "brancas as saias às listras pretas, castanhas ou azuis; cinzentas às riscas vermelhas, azuis, castanhas ou brancas" (Ramalho Ortigão, *As Farpas*, I, p. 31). **2.** Risca, traço: *As rodas do velocípede deixaram várias listras no chão.* [Sin. ger. (sobretudo pop.): *lista.*]

listrado. [Part. de *listrar.*] *Adj.* Que tem listras ou riscas; listado, riscado: *tecido listrado*; "camisas brancas, listradas, de manga curta ou comprida" (Carlos Drummond de Andrade, *Cadeira de Balanço*, p. 75).

listrão. *S. m.* Grande listra: "um listrão vermelho, na banda do levante, ... pôs-lhe na cabeça um relevo de batalhador de outras eras" (Afonso Arinos, *Pelo Sertão*, p. 155).

listrar. *V. t. d.* Entremear ou ornar de listras; riscar, listar: "As barras vinham quebrando, como diz o povo, exprimindo com essa imagem as faixas de luz que listram o horizonte ao despontar da aurora" (José de Alencar, *O Sertanejo*, p. 74); "Chapadas de luz listram-lhe de veios claros o veludo do calção" (Maria Archer, *Fauno Sovina*, p. 177).

lisura. *S. f.* **1.** Qualidade de liso; liso. **2.** Suavidade no tato; macieza. **3.** *Fig.* Boa fé; franqueza, sinceridade; honradez. [Antôn. (nesta acepç.): *deslisura.*]

▲-lita. V. *-lit(o).*

litagogia. *S. f.* Propriedade ou qualidade de litagogo.

litagogo (ô). [De *lit(o)-* + *-agogo.*] *Adj.* e *s. m.* Diz-se de, ou substância a que se atribui a propriedade de expulsar os cálculos da bexiga, dos rins, etc.

litania. [Do gr. *litaneía*, 'oração', 'súplica', pelo lat. *litania.*] *S. f.* V. *ladainha*: "ajoelhada diante do santuário por essa noite fora a rezar litanias" (Camilo Castelo Branco, *Mistérios de Fafe*, p. 30).

litão. *S. m.* Cação pequeno e seco. [Cf. *letão.*]

litargírio. [Do gr. *lithárgyros*, pelo lat. *lithargyru* + *-io*[2].] *S. m. Quím.* Monóxido de chumbo, cristalino, amarelo ou vermelho, usado como pigmento.

▲-lite. V. *lit(o)-.*

liteira[1]. [Do fr. *litière.*] *S. f.* Espécie de cadeirinha coberta, sustentada por dois longos varais e conduzida por duas bestas ou dois homens, um colocado à frente e outro colocado atrás: "Inês fora acordada do seu dormir febril pela guizalhada dos machos duma liteira, que parara à porta." (Camilo Castelo Branco, *Doze Casamentos Felizes*, p. 81.)

liteira[2]. *S. f.* Tecido de estopa e de lã, tinto de preto, outrora usado no vestuário das camponesas alentejanas.

liteireiro. *S. m.* Aquele que conduz ou guia uma liteira[1].

literal. [Do lat. *litterale.*] *Adj. 2 g.* **1.** Conforme a letra (5) do texto: *citação literal.* **2.** Exato, rigoroso, restrito: "A mentira, às vezes. é mais verdadeira do que a verdade literal." (Nestor Vítor. *Folhas Que Ficam*, p. 14.) **3.** Claro. expresso, formal. ~ V. *tradução* —.

literalidade. *S. f.* Qualidade de literal.

literalismo. *S. m.* Processo ou prática de interpretação literal.

literalista. *Adj. 2 g.* e *s. 2 g.* Que ou quem, no entendimento dos textos, adota o literalismo; textualista.

literariedade. *S. f.* Qualidade de literário.

literário. [Do lat. *litterariu.*] *Adj.* Respeitante a letras, à literatura ou a qualquer espécie de cultura adquirida pelo estudo ou pela leitura: *crítica literária; o mundo literário; pendor literário.* ~V. *bagagem* —a e *editor* —.

literataço. [De *literato* + *-aço.*] *S. m. Deprec.* V. *literatiço* (1).

literatagem. *S. f. Deprec.* **1.** A classe dos literatos. **2.** Os literatos ridículos.

literateiro. [De *literato* + *-eiro.*] *S. m. Deprec.* V. *literatiço* (1).

literatejar. [De *literato* + *-ejar.*] *V. int.* Fazer literatura ordinária ou ridícula. [Conjug.: V. *pelejar.*]

literatelho (ê). [De *literato* + *-elho.*] *S. m. Deprec.* V. *literatiço* (1).

literatice. [De *literato* + *-ice.*] *S. f.* **1.** Literatura ruim ou ridícula. **2.** Mania ridícula da literatura; literatismo.

literaticho. [De *literato* + *-icho.*] *S. m. Deprec.* V. *literatiço* (1).

literatiço [De *literato* + *-iço.*] *S. m.* **1.** *Deprec.* Literato reles, ordinário, de meia-tigela; literataço, literateiro, literatelho, literaticho, literatiqueiro. ● *Adj.* **2.** Mediocremente letrado.

literatiqueiro. *S. m. Deprec.* V. *literatiço* (1).

literatismo. *S. m.* Literatice (2).

literato. [Do lat. *litteratu.*] *S. m.* **1.** Profissional da literatura; escritor. **2.** Homem versado em literatura ou em letras; letrado.

literatura. [Do lat. *litteratura.*] *S. f.* **1.** Arte de compor ou escrever trabalhos artísticos em prosa ou verso. **2.** O conjunto de trabalhos literários dum país ou duma época. **3.** Os homens de letras: *A literatura brasileira fez-se representar no colóquio de Lisboa.* **4.** A vida literária. **5.** A carreira das letras. **6.** Conjunto de conhecimentos relativos às obras ou aos autores literários: *estudante de literatura brasileira; manual de literatura portuguesa.* **7.** Qualquer dos usos estéticos da linguagem: *literatura oral* [q. v.]. **8.** *Fam.* Irrealidade, ficção: *Sonhador, tudo quanto diz é literatura.* **9.** Bibliografia: *Já é bem extensa a literatura da física nuclear.* **10.** Conjunto de escritos de propaganda de um produto industrial. ◆ **Literatura comparada.** Estudo comparado de duas ou mais literaturas ou tipos de literatura, com o fim de se lhes verificarem as influências e inter-relações. **Literatura de cordel.** Romanceiro popular nordestino, em grande parte contido em folhetos pobremente impressos e expostos à venda pendurados em cordel, nas feiras e mercados. **Literatura de ficção.** O romance, a novela e o conto. [Tb. se diz apenas *ficção*. Sin.: *ficcionismo.*] **Literatura de vanguarda.** A que se caracteriza pela reação contra os moldes literários muito explorados das gerações imediatamente anteriores. **Literatura oral.** O conjunto das lendas e/ou narrativas transmitidas por tradição.

literaturar. [De *literatura* + *-ar*[2].] *V. t. d. P. us.* Dar feição literária a; descrever literariamente.

literomania. [Do lat. *littera*, 'letra', + *-o-* + *mania.*] *S. f.* Mania de escrever, de querer ser homem de letras.

literomaníaco. *Adj.* e *s. m.* Que ou aquele que tem literomania.

litíase. [Do gr. *lithíasis.*] *S. f. Patol.* Formação de pedras ou cálculos. ◆ Litíase biliária. *Patol.* Colelitíase.

lítico[1]. [Do gr. *lithikós.*] *Adj.* Relativo a pedra.

lítico[2]. *Adj. Bras., PE.* **1.** Puro, verdadeiro, legítimo, lídimo. **2.** Sem mistura.

litigante. [Do lat. *litigante.*] *Adj. 2 g.* **1.** Relativo a litígio. **2.** Que litiga. ● *S. 2 g.* **3.** Pessoa que o faz.

litigar. [Do lat. *litigare.*] *V. t. d.* **1.** Pleitear ou questionar em juízo. *T. i.* **2.** Ter litígio, demanda ou questão: *Litigavam os dois em matérias religiosas.* **3.** Entrar em luta; pelejar, lidar; contender: *Por mais de sete séculos os habitantes da Península Ibérica litigaram contra os mouros. Int.* **4.** Ter litígio, demanda ou questão. **5.** Pelejar, lidar, contender. [Conjug.: v. *largar.*]

litigável. [De *litigar* + *-ável.*] *Adj. 2 g.* **1.** Sobre que pode haver litígio ou demanda. **2.** Discutível, contestável. [Sin. ger.: *litigioso.*]

litigiar. [De *litígio* + *-ar*[2].] *V. t. d., t. d.* e *i.* e *int.* V. *litigar.* [Pres. ind.: *litigio*, etc. Cf. *litígio.*]

litígio. [Do lat. *litigiu.*] *S. m.* **1.** Questão judicial; pleito, demanda, pendência. **2.** *Fig.* Disputa, contenda, pendência: "É natural que entre os dois estados do Sul venha ainda a ferver litígio semelhante aos das sete cidades gregas que disputavam a honra de ser berço de Homero" (Lúcio de Mendonça, *Caricaturas Instantâneas*, p. 42). [Cf. *litigio*, do v. *litigiar.*]

litigioso (ô). [Do lat. *litigiosu.*] *Adj.* **1.** Que envolve litígio: *desquite litigioso.* **2.** Que está dependente de sentença. **3.** V. *litigável.* ~ V. *bens* —s.

litina. [De *lítio* + *-ina*[1].] *S. f. Quím.* Hidróxido de lítio.

lítio. [De *lit(o)-* + *-io*[2].] *S. m. Quím.* Elemento de número atômico 3, metálico, alcalino, branco prateado, muito leve, muito reativo. [Simb.: *Li.*]

▲litis-. [Do lat. *lis, litis.*] *El. comp.* = 'processo', 'demanda': *litisconsorte, litispendência.*

litisconsórcio. [De *litis-* + *consórcio.*] *S. m. Jur.* Vínculo que prende num processo dois ou mais litigantes, na posição de co-autores ou de co-réus, considerados uns e outros, salvo disposição legal em contrário, como litigantes distintos nas suas relações com a parte adversa, de maneira que os atos de um não aproveitam nem prejudicam aos demais.

litisconsorte. [De *litis-* + *consorte.*] *S. 2 g. Jur.* Pessoa que demanda juntamente com outrem no mesmo processo, segundo as regras do litisconsórcio; colitigante, comparte.

litiscontestação. [De *litis-* + *contestação.*] *S. f. Jur.* Fenômeno processual que ocorre com a contestação expressa ou tácita do réu às pretensões do autor e consiste na inalterabilidade do objeto do litígio e na impossibilidade de o autor desistir do pleito sem anuência do réu.

litispendência. [De *litis-* + *pendência.*] *S. f. Jur.* **1.** Situação dum processo que está tramitando em juízo. **2.** Tempo de duração dum processo em juízo. **3.** Existência simultânea de duas ou mais demandas, provocando litígio a propósito da mesma relação jurídica.

litispendente. *Adj. 2 g.* Relativo a litispendência.

▲lit(o)-. [Do gr. *líthos, ou.*] *El. comp.* = 'pedra'; 'cálculo[3]': *litagogo, litogravura.* [Equiv.: *-lita, -lite, -lit(o)-* e *-lito*: *sepiolita; ondontólite, zoólite; neolítico; acrólito.*]

▲-lit(o)-. V. *lit(o)-.*

▲-lito. V. *lit(o)-.*

litobiomorfo. *S. m.* **1.** Espécime dos litobiomorfos. ● *Adj.* **2.** Pertencente ou relativo a eles.

litobiomorfos. *S. m. pl. Zool.* Artrópodes miriápodes, quilópodes, ordem *Lithobiomorpha*; corpo com espiráculos laterais; pernas longas, em número de 15 pares. No grupo se incluem os menores centípedes, geralmente de dois a 30 mm de comprimento.

litocarpo. [De *lit(o)-* + *-carpo.*] *S. m.* Fruta fóssil.

litocenose. [De *lit(o)-* + gr. *kénosis.*] *S. f. Cir.* Extração de fragmentos de cálculos pela uretra, depois de serem esmagados na bexiga.

litóclase. [De *lit(o)-* + *-clase.*] *S. f. Geol.* Qualquer fratura natural que se apresenta nas rochas.

litoclasia. [De *lit(o)-* + *-clas(e)-* + *-ia.*] *S. f. Cir.* Litoclastia.

litoclastia. [De *lit(o)-* + *-clast(o)-* + *-ia.*] *S. f. Cir.* Processo de reduzir a fragmentos os cálculos da bexiga; litoclasia.

litoclasto. [De *lit(o)-* + *-clasto.*] *S. m.* Instrumento cirúrgico utilizado na litoclastia.

litocola. [Do gr. *lithókolla*, pelo lat. *lithocolla.*] *S. f.* Betume usado para fixar pedras preciosas.

litocromia. [De *lit(o)-* + *-crom(a)-* + *-ia.*] *S. f. P. us.* **1.** Oleogravura. **2.** *P. us.* Cromolitografia.

litocrômico. *Adj.* Relativo à litocromia; isocrômico.

litocromista. *S. 2 g.* Pessoa versada em litocromia.

litodiálise. [De *lit(o)-* + *diálise.*] *S. f. Cir.* **1.** Dissolução de cálculos por meio da ação de substâncias químicas; litólise. **2.** Esmagamento de cálculos.

litofagia. *S. f. Zool.* Qualidade de litófago.

litófago. [De *lit(o)-* + *-fago.*] *Adj. Zool.* Diz-se dos moluscos que, introduzindo-se nos rochedos, lá permanecem aderentes às superfícies pétreas.

litofilo. [De *lit(o)-* + *-filo*[1].] *S. m.* Folha fóssil. [Cf. *litófilo.*]

litófilo. [De *lit(o)-* + *-filo*[2].] *Adj.* Que cresce ou se desenvolve nos rochedos; rupestre. [Cf. *litofilo.*]

litófito. [De *lit(o)-* + *-fito.*] *S. m.* Produção marinha pétrea, de forma arborescente.

litogenesia. [De *lit(o)-* + *-genes(e)-* + *-ia.*] *S. f. Geol.* Estudo das leis que presidem à formação das pedras.

litogenético. *Adj.* Referente à litogenesia.

litoglifia. [Do gr. *lithoglyphía.*] *S. f.* Arte de gravar sobre pedra.

litoglífico. *Adj.* Respeitante à litoglifia.

litóglifo. [Do gr. *lithoglyphos.*] *S. m.* **1.** Especialista em litoglifia. **2.** V. *gravura rupestre.*

litografar. [De *lit(o)-* + *-graf(o)-* + *-ar*².] *V. t. d.* **1.** Gravar ou imprimir pelo processo litográfico. **2.** *Fig.* Fixar, estereotipar. [Pres. ind.: *litografo,* etc. Cf. *litógrafo.*]

litografia. [De *lit(o)-* + *-graf(o)-* + *-ia.*] *S. f.* **1.** Processo de gravura em plano, executado sobre pedra calcária, chamada *pedra litográfica,* ou sobre placa de metal (em geral, zinco ou alumínio), granidas, e baseado no fenômeno de repulsão entre as substâncias graxas e a água, usadas na tiragem, o qual impede que a tinta de impressão adira às partes que absorveram a umidade, por não terem sido inicialmente cobertas pelo desenho, feito também a tinta oleosa. **2.** Estampa obtida por esse processo; litogravura: "finquei os olhos numa litografia muito ruim do Visconde de Sepetiba, que já achei pendente de um prego, no meu quarto de pensão" (Machado de Assis, *Páginas Recolhidas,* p. 58). **3.** Oficina litográfica. [V. *autografia* (3), *cromolitografia, espargido* (2), *granir* (2), *metalografia* (3), *preparação* (3) e *planografia* (1).]

litográfico. *Adj.* Relativo à litografia. ~ V. *calcário* —, *lápis* —, *papel* —, *pedra* —*a* e *tinta* —*a.*

litógrafo. [De *lit(o)-* + *-grafo.*] *S. m.* Aquele que grava, desenha ou imprime pelo processo litográfico. [Cf. *litografo,* do v. *litografar.*]

litogravura. [De *lit(o)-* + *gravura.*] *S. f.* Litografia (2): "A sala toda adornada com litogravuras baratas, representando santos." (Guido Vilmar Sassi, *São Miguel,* p. 19.)

litóide. [Do gr. *lithoeidés.*] *Adj. 2 g.* Que tem o aspecto ou a constituição da pedra. ~ V. *brilho* —.

litolábio. [Do gr. *lithólabos* + *-io*².] *S. m. Cir.* Instrumento destinado a apreender cálculo vesical por ocasião do esmagamento deste.

litólatra. [De *lit(o)-* + *-latra.*] *S. 2 g.* Praticante da litolatria.

litolatria. [De *lit(o)-* + *-latra-* + *-ia.*] *S. f.* Culto ou adoração da pedra.

litolátrico. *Adj.* Relativo à litolatria.

litólise. [De *lit(o)-* + *-lise.*] *S. f. Cir.* Litodiálise (1).

litologia. [De *lit(o)-* + *-log(o)-* + *-ia.*] *S. f.* Parte da geologia que tem por objeto o estudo das rochas. ♦ **Litologia humana.** Tratado dos cálculos e concreções que se formam no organismo humano. **Litologia submarina.** Ramo da oceanografia física que trata da origem e natureza dos depósitos marinhos.

litológico. *Adj.* Respeitante à litologia.

litologista. *S. 2 g.* Litólogo.

litólogo. *S. m.* Especialista em litologia; litologista.

litomalacia. [De *lit(o)-* + *-malacia.*] *S. f. Med.* Amolecimento espontâneo de certos cálculos.

litomancia. [De *lit(o)-* + *-mancia.*] *S. f.* Adivinhação por meio de pedras.

litomante. [De *lit(o)-* + *-mante.*] *S. 2 g.* Pessoa que pratica a litomancia.

litomântico. *Adj.* Relativo à litomancia, ou a litomante.

litômetro. [De *lit(o)-* + *-metro.*] *S. m.* Instrumento com que se medem pedras.

litopédio. [De *lit(o)-* + *-ped(o)-* + *-io*².] *S. m. Med.* Feto morto e calcificado.

litopônio. [De *lit(o)-* + gr. *pónos,* 'trabalho', 'artefato', + *-io*².] *S. m. Quím.* Pigmento branco, constituído pela mistura de sulfato de bário e sulfeto de zinco.

litor (ô). *S. m.* Var. de *lictor.*

litoral. [Do lat. *littorale,* 'da praia' (subentende-se *terreno).*] *Adj. 2 g.* **1.** Relativo à beira-mar. [Sin.: *litorâneo* e (poét.) *litóreo.*] ~ V. *mar* —. ● *S. m.* **2.** Região banhada pelo mar ou situada à beira-mar; costa. **3.** V. *praia* (1).

litorâneo. [Do lat. *littore,* 'litoral', + *-âneo.*] *Adj.* V. *litoral* (1): "longe, fulgiam, as luzes litorâneas de Niterói" (Coelho Neto, *Turbilhão,* p. 154). ~ V. *depósito* — e *região* —*a.*

litóreo. [Do lat. *littoreu.*] *Adj. Poét.* V. *litoral* (1). [Cf. *litório.*]

litorina. [Do it. *littorina.*] *S. f. Bras.* Automotriz.

litorinídeo. *S. m.* **1.** Espécime dos litorinídeos. ● *Adj.* **2.** Pertencente ou relativo a eles.

litorinídeos. *S. m. pl. Zool.* Família de moluscos gastrópodes, marinhos, freqüentemente fixos às rochas, comestíveis, pertencentes à ordem *Mesogastropoda.*

litório. *Adj.* Var. de *lictório.* [Cf. *litóreo.*]

litosfera. [De *lit(o)-* + *-sfera.*] *S. f. Geofís.* A parte externa consolidada da Terra; *crosta da Terra, crosta terrestre, orosfera.* [Cf. *hidrosfera.*]

litosférico. *Adj.* Relativo à litosfera.

litospermo. [De *lit(o)-* + *-spermo.*] *Adj. Bot.* Cujas sementes são duras e pedregosas.

litoteca. [De *lit(o)-* + *-teca.*] *S. f. Litogr.* Parte da oficina litográfica onde se armazenam as pedras. [Cf. *zincoteca.*]

lítotes. [Do lat. *litotes.*] *S. f. 2 n. Ret.* Modo de afirmação por meio da negação do contrário. Ex.: *Não é nada tolo* (por 'é muito esperto').

litotomia. [Do gr. *lithotomía.*] *S. f. Cir. Desus.* V. *cistotomia.*

litotômico. *Adj.* Relativo à litotomia.

litotomista. *S. 2 g.* Cirurgião especialista em litotomia.

litotrícia. [De *lit(o)-* + raiz gr. *trit* *tetere,* 'esmagar', + *-ia,* pelo fr. *lithotritie.*] *S. f. Cir.* Litotripsia.

litotripsia. [De *lit(o)-* + raiz gr. *tript* *tríbo,* 'esmagar', 'triturar', + *-ia.*] *S. f. Cir.* Operação que consiste no esmagamento de cálculos no interior da bexiga, para que os fragmentos possam ser retirados pela uretra; litotrícia.

litotríptico. [De *lit(o)-* + raiz gr. *tript* *tríbo,* 'esmagar', 'triturar', + *-ico*².] *Adj. Med.* Diz-se de qualquer recurso (físico, químico) que tem a propriedade de fracionar ou dissolver cálculos urinários.

litrácea. *S. f.* Espécime das litráceas.

litráceas. *S. f. pl. Bot.* Família de vegetais superiores, da ordem das mirtales, que contém formas herbáceas e lenhosas. Têm folhas opostas, fruto capsular, flores vistosas, heteroclamídeas e hermafroditas, com receptáculo unido ao cálice, androceu diplostêmone, e ovário súpero, com muitos óvulos. Compreende umas 500 espécies, dos países quentes e temperados, havendo boa representação no Brasil. Várias são ornamentais.

litráceo. *Adj.* Pertencente ou relativo às litráceas.

litragem. [De *litro* + *-agem*².] *S. f.* **1.** Quantidade em litros. **2.** Medição aos litros.

litro. [Do fr. *litre.*] *S. m.* **1.** Unidade de medida de capacidade, igual a um decímetro cúbico. [Símb.: *l.*] **2.** Garrafa de litro.

➾**litteratim** (literátim). [Lat.] *Adv.* Palavra por palavra; textualmente.

lituano. *Adj.* **1.** Da, ou pertencente ou relativo à República Socialista Soviética da Lituânia (Europa). **2.** Diz-se da língua falada nessa república. ● *S. m.* **3.** O natural ou habitante da República Socialista Soviética da Lituânia. **4.** *Ling.* V. *báltico* (3).

litura. [Do lat. *litura.*] *S. f.* Rasura (1).

liturgia. [Do gr. *leitourgía,* 'função pública', pelo lat. eclesiástico medieval *liturgia.*] *S. f.* O culto público e oficial instituído por uma igreja; ritual: *a liturgia católica; a liturgia anglicana;* "nos vastos pátios dos grandes conventos, então em toda a riqueza das suas alfaias, dos seus paramentos, dos seus azulejos, em toda a pompa da liturgia, o acampamento popular à espera da procissão" (Joaquim Nabuco, *Um Estadista do Império,* I, p. 3). ♦ **Liturgia da missa.** Culto público e oficial instituído pela Igreja Católica para a missa (1), cujo rito sofreu alterações a partir do Concílio Vaticano II (1962-1965), e que consta das seguintes partes: ritos iniciais (saudação, ato penitencial, *Kyrie* e Glória); liturgia da palavra (duas leituras do Antigo e do Novo Testamento, aleluia, evangelho, homilia, credo ou profissão de fé); liturgia eucarística (oferendas, prefácio, *Sanctus, Benedictus,* cânon romano ou introdução à consagração); rito da comunhão (pai-nosso *Agnus Dei,* comunhão) e ritos finais (oração e bênção final). [V. *missa* (1).]

litúrgico. [Do gr. *leitourgikós.*] *Adj.* Relativo à liturgia. ~ V. *ano* — e *drama* —.

liturgista. *S. 2 g.* Pessoa versada em liturgia; liturgo.

liturgo. *S. m.* Liturgista.

livel (é). [Do lat. vulg. *libellu, dim. de *libra,* 'balança'.] *S. m.* **1.** Nível [q. v.]. **2.** *Bras., PE. Constr.* Vigota que une transversalmente as asnas de uma tesoura (6), mais ou menos a meio comprimento delas.

livelar. [De *livel* + *-ar*².] *V. t. d., t. d. e i. e p. P. us.* V. *nivelar:* "a noite cerrou-se; .... o negrume livelara as superfícies" (Alcides Maia, *Ruínas Vivas,* p. 78); "a Revolução Francesa veio livelar as classes sociais." (Padre Arlindo Ribeiro da Cunha, *A Língua e a Literatura Portuguesa,* p. 416).

lividez (ê). *S. f.* Qualidade ou estado de lívido; livor: "Pude ver na obscuridade que ele empalidecia até à lividez" (José Rodrigues Miguéis, *Gente da Terceira Classe,* p. 200). ♦ **Lividez cadavérica.** A palidez característica do cadáver.

lívido. [Do lat. *lividu.*] *Adj.* **1.** De cor entre o branco e o preto, aproximadamente plúmbea. **2.** Azul desmaiado; azulado; tirante a violáceo: "Duas velas ardiam espalhando tristemente uma lívida claridade funérea." (Coelho Neto, *Treva,* p. 144.) **3.** Diz-se de qualquer dessas cores: *Era um céu de cor lívida; Está macérrimo, com a pele de tom lívido.* [Sin. ger.: *livoroso.*]

➾**living** (lívin). [Do ingl. *living room.*] *S. m.* Sala de estar.

livor (ô). [Do lat. *livore.*] *S. m.* **1.** Lividez: "Branca, sob o livor do escapulário níveo, / Heloísa ergue as mãos, numa nuvem de incenso..." (Olavo Bilac, *Poesias,* p. 201). **2.** *Med.* Mancha lívida, de cor azul com orla negra.

livoroso (ô). *Adj.* Que tem ou apresenta livor; lívido.

livra. [Do imperat. de *livrar.*] *Interj. Bras.* Exprime admiração, ou advertência de perigo, ou desafogo depois que um perigo passou, ou, ainda, repugnância, etc.; safa.

livrador (ô). [Do lat. *liberatore* ou de *livrar* + *-(d)or.*] *Adj.* e *s. m.* Que ou aquele que livra; libertador.

livralhada. [De *livro* + *-alho-* + *-ada*¹.] *S. f. Fam.* Porção de livros; livroxada.

livramentano. *Adj.* **1.** De, ou pertencente ou relativo a Nossa Senhora do Livramento (MT). ● *S. m.* **2.** O natural ou habitante de Nossa Senhora do Livramento. [Sin. ger.: *livramentense.*]

livramentense¹. *Adj. 2 g.* **1.** De, ou pertencente ou relativo a Livramento do Brumado (BA). ● *S. 2 g.* **2.** Natural ou habitante de Livramento do Brumado.

livramentense². *Adj. 2 g.* e *s. 2 g.* Santanense⁷.

livramentense³. *Adj. 2 g.* e *s. 2 g.* Livramentano.

livramento. [Do lat. *liberamentu,* ou de *livrar,* + *-mento.*] *S. m.* **1.** Ato ou efeito de livrar(-se); livrança. **2.** Soltura de alguém que se achava preso. **3.** Libertação, resgate. **4.** *Med.* Expulsão das secundinas, o que constitui o remate do parto. ♦ **Livramento condicional.** *Jur.* Soltura antecipada, mediante certas condições, do condenado que, uma vez preenchidos os requisitos legais, se presume socialmente recuperado. [Cf. *patronato* (5).]

livrança. [De *livrar* + *-ança.*] *S. f.* **1.** Livramento (1). **2.** Cédula ou ordem escrita de pagamento.

livrar. [Do lat. *liberare.*] *V. t. d.* **1.** Dar a liberdade a; tornar livre; soltar, libertar: *O menino livrou o pássaro preso.* **2.** Isentar de mal ou perigo; salvar; resguardar; defender. **3.** Tirar de embaraço ou posição difícil; salvar: *Entregou-se ao inimigo para livrar os demais companheiros. T. d. e i.* **4.** Tirar de embaraço ou situação difícil; salvar: *Livrei -o da amolação.* **5.** Libertar (4 e 5). **6.** Pôr a salvo de mal ou perigo; salvar; resguardar; defender: *Livrou a família da invasão inimiga enviando-a para lugar seguro. P.* **7.** Tornar-se livre; libertar-se. **8.** Ser absolvido. **9.** Fugir, safar-se, escapar: *livrar-se de um compromisso, de um interrogatório.* ♦ **Livrar-se solto.** Defender-se (o indiciado ou réu) em liberdade independente de fiança.

livraria. [Do lat. *libraria.*] *S. f.* **1.** Loja de livros. **2.** Quantidade mais ou menos considerável de livros.

livre. [Do lat. *liber.*] *Adj. 2 g.* **1.** Que pode dispor de sua pessoa; que não está sujeito a algum senhor (por oposição a *servil, escravo*): *trabalhadores livres.* **2.** Que não está privado de sua liberdade física; que não está prisioneiro; solto: *É homem livre, e nunca esteve preso.* **3.** Que teve absolvição de crime ou delito: *Apesar de muito inculpado no processo, acabou saindo livre.* **4.** Desprendido, solto: *uma astronave livre no espaço; O cachorro, livre da coleira, mordeu o primeiro passante descuidado.* **5.** Que tem o poder de decidir e de agir por si mesmo; independente: *espírito livre; nação livre.* **6.** Que goza dos seus direitos civis e políticos: *Todo cidadão livre deve votar.* **7.** Cujo funcionamento sem coerção ou discriminação é garantido por lei: *eleições livres.* **8.** Sem formalidade, obstáculos ou proibições; autorizado, permitido: *censura livre; entrada livre.* **9.** Dispensado, desobrigado, isento: *Mercadoria livre de impostos.* **10.** Desprovido, privado, isento: *Homem livre de preconceitos.* **11.** Desembaraçado, disponível, desocupado: *O lugar está livre, pode sentar-se; Aceito o convite para jantar domingo: estou livre.* **12.** Desimpedido, desembaraçado: *Foi rápida a viagem a Petrópolis: a estrada estava livre.* **13.** Que não está casado. **14.** Desregrado, descomedido, licencioso: *vida livre; linguagem livre.* **15.** Espontâneo, natural: *A criança é muito livre, e por isso verdadeira.* **16.** Que não tem limites; imenso, infinito: *A imaginação é totalmente livre.* [Superl. abs. sint.: *libérrimo* e *livríssimo.*] ~ V. *bens* —*s, cálice* —, *campo* —, *discurso indireto* —, *energia* —, *energia* — *de Gibbs, energia* — *de Helmholtz, entalpia* —, *escoamento* —, *estilo indireto* —, *feira* —, *luta* —, *mar* —, *mercado* —, *nutação* —, *oscilação* —, *porto* —, *pulso* —, *tradução* —, *vão* —, *ventre* —, *verso* — e *vôo* —. ♦ **Livre e desembaraçado.** Fórmula com que se indica estar alguém ou algo isento de dívida ou encargo que o possa onerar ou embaraçar.

livre-alvedrio. *S. m. P. us.* Livre-arbítrio. [Pl.: *livres-alvedrios.*]

livre-arbítrio. *S. m. Filos.* Possibilidade de exercer um poder sem outro motivo que não a existência mesma desse poder; liberdade de indiferença. [Refere-se o livre-arbítrio principalmente às ações e à vontade humana, e pretende significar que o homem é dotado do poder de, em determinadas circunstâncias, agir sem motivos ou finalidades diferentes da própria ação. [Sin., p. us.: *livre-alvedrio.* Pl.: *livres-arbítrios.*]

livre-câmbio. *S. m.* Permuta de mercadorias entre duas nações, sem impostos aduaneiros; livre-troca. [Pl.: *livres-câmbios.*]

livre-cambismo. *S. m.* Sistema daqueles que preconizam o livre-câmbio. [Opõe-se a *protecionismo.* Pl.: *livre-cambismos.*]

livre-cambista. *Adj. 2 g.* **1.** Relativo ao, ou que é partidário do livre-cambismo. ● *S. 2 g.* **2.** Partidário do livre-cambismo. [Opõe-se a *protecionista.* Pl.: *livre-cambistas.*]

livreco. [De *livro* + *-eco*[1].] *S. m. Deprec.* **1.** Pequeno livro. **2.** Livro sem valor; livro reles [v. *livro* (1 a 3)].

livre-cultismo. [De *livre-culto* + *-ismo.*] *S. m.* Sistema ou doutrina da liberdade de cultos; livre-culto. [Pl.: *livre-cultismos.*]

livre-cultista. *Adj. 2 g.* **1.** Relativo ao, ou partidário do livre-cultismo. ● *S. 2 g.* **2.** Partidário do livre-cultismo. [Pl.: *livre-cultistas.*]

livre-culto. *S. m.* Livre-cultismo. [Pl.: *livres-cultos.*]

livre-docência. *S. f. Bras.* Docência-livre. [Pl.: *livres-docências.*]

livre-docente. *S. m., s. 2 g.* e *adj. 2 g.* V. *docente-livre.* [Pl.: *livres-docentes.*]

livreiro. [Do lat. *librariu.*] *Adj.* **1.** Relativo à produção de livros; livresco: *comércio l i v r e i r o.* [Cf. *bibliográfico* e *bibliaco.*] ● *S. m.* **2.** Comerciante de livros.

livre-pensador (ô). *S. m.* Aquele que, em matéria religiosa, pensa livremente, só aceitando as doutrinas que se harmonizam com a sua razão. [Pl.: *livres-pensadores.*]

livresco (ê). [De *livro* + *-esco.*] *Adj.* **1.** Livreiro (1): *indústria l i v r e s c a.* **2.** Apropriado a livros: *escrita l i v r e s c a.* **3.** Adquirido por meio de livros, sem experiência própria: *cultura l i v r e s c a;* "certa erudição l i v r e s c a, abuso de nomenclatura e alguma preocupação ensinante" (Fidelino de Figueiredo, *Entre Dois Universos,* p. 197). **4.** Dado às leituras, aos livros, ou influenciado por eles: "Era [Fagundes Varela] pouco l i v r e s c o, embora não tanto como pareceu a Alberto Faria; inculto, é que não." (Melo Nóbrega, *Arredores da Poesia,* p. 10); "Aluísio Branco, l i v r e s c o até a medula e ameaçado de perigosa intoxicação literária, não fora uma sensibilidade muito fina e muito pura" (Agripino Grieco, *Evolução da Prosa Brasileira,* p. 228). ~ V. *letra* —*a.*

livreta (ê). [Do esp. plat. *libreta.*] *S. f. Bras.* Livrete (2).

livrete (ê). [Do fr. *livret.*] *S. m.* **1.** Pequeno livro [v. *livro* (1 e 2)]. **2.** Caderneta para diversos fins; livreta.

livre-troca. *S. f.* Livre-câmbio. [Pl.: *livres-trocas.*]

livrilho. [Dim. de *livro.*] *S. m.* **1.** A parte interna da casca dos vegetais. **2.** Livrinho de mortalhas de cigarros.

livríssimo. *Adj.* Libérrimo.

livro. [Do lat. *libru.*] *S. m.* **1.** Reunião de folhas ou cadernos, soltos, cosidos ou por qualquer outra forma presos por um dos lados, e enfeixados ou montados em capa flexível ou rígida. **2.** Obra literária, científica ou artística que compõe, em regra, um volume. [Dim. irreg. (nesta acepç.): *livrete;* deprec.: *livreco;* aum. deprec.: *livrório.*] **3.** Seção do texto de uma obra, contida num tomo, e que pode estar dividida em partes: *o segundo l i v r o da* Eneida. **4.** Registro para certos tipos de anotações, sobretudo comerciais: *l i v r o de contas; l i v r o de despesas.* **5.** *Fig.* Aquilo que instrui como um livro: *o l i v r o da Natureza.* **6.** Coleção de peças diplomáticas relativas a uma questão, publicadas por um governo para conhecimento do público: *l i v r o branco.* **7.** V. *folhoso* (2): "Diziam que havia retirado do l i v r o de um touro tocoió uma maçã, do tamanho de um ovo de sariema" (Nélson de Faria, *Tiziu e Outras Estórias,* p. 205). **8.** *Docum.* Publicação não-periódica impressa contendo no mínimo 49 páginas, excluídas as capas. [Cf. *folheto* (1).] ◆ **Livro brochado.** Livro cosido a fio têxtil ou metálico, e coberto com capa de papel ou cartolina; brochura [q. v.]. **Livro carcelado.** Álbum para colagem de recortes, fotografias, etc., cujas folhas estão separadas por carcelas, a fim de que não excedam a espessura do dorso. **Livro cartonado.** Livro cujo bloco de cadernos recebe uma capa de cartão revestida de papel, impressa na lombada e, em geral, também nas pastas. [V. *cartonagem* (4).] **Livro comercial.** Cada um dos livros em branco para o registro e contabilização de operações mercantis, com riscado variado, segundo os fins para que servem. **Livro da sabedoria.** Um dos livros do Antigo Testamento. **Livro das Crônicas.** Paralipômenos (1). **Livro de bolso.** Livro de tamanho reduzido e, em geral, de preço módico. **Livro de cabeceira.** O livro predileto. **Livro de espiral.** Caderno de espiral. **Livro de horas.** Livro litúrgico, que contém as preces das horas canônicas e outras matérias de culto. **Livro de ouro.** Livro onde se registram nomes ilustres, nomes de pessoas que contribuem para determinado fim altruístico, ou, ainda, em que se inscrevem comentários elogiosos a alguém ou a algum fato. **Livro de ponto.** Livro em branco onde os empregados apõem suas assinaturas para assinalar a presença ao trabalho. [Tb. se diz apenas *ponto.*] **Livro de quarenta folhas.** *Pop.* Baralho de cartas. **Livro de registro.** Aquele em que as bibliotecas, museus, arquivos, etc., fazem o registro [q. v.] dos livros e doutras peças adquiridas; livro de tombo. **Livro de texto.** Livro didático. **Livro de tombo.** Livro de registro [q. v.]. **Livro didático.** O destinado ao ensino, e cujo texto deve obedecer aos programas escolares; livro de texto. **Livro dos mortos.** Obra da antiguidade egípcia que objetivava guiar os mortos para o além, mediante orações e exorcismos. **Livro em branco.** Livro encadernado, de páginas pautadas, utilizado para registros diversos em firmas comerciais. **Livro em rolo.** Forma do livro manuscrito anterior ao códice: tira de papiro, e também de pergaminho, onde os antigos escreviam e pintavam ilustrações, geralmente em colunas, no sentido da largura, e a qual se conservava enrolada numa vaneta *(umbílico)* e guardada em estojo *(capsa).* [Cf. *códice* (1).] **Livro encadernado.** Aquele cuja capa, em geral de papelão, é forrada de couro, pano, percalina, pergaminho, etc., e cujos cadernos são costurados e bem firmemente presos à cobertura. **Livro fiscal.** Cada um dos livros de escrituração prescritos por lei, que possibilitam o controle do exato cumprimento de obrigações tributárias impostas pelo Estado. **Livro tabular.** V. *livro xilografado.* **Livro tabulário.** V. *livro xilografado.* **Livro xilografado.** O que, antes da invenção dos tipos móveis e até certo tempo depois, era impresso com pranchas de madeira gravadas, contendo principalmente imagens, que se estampavam de um lado só de cada folha, para colagem à seguinte; livro xilográfico, livro tabular, livro tabulário, xilógrafo. **Livro xilográfico.** V. *livro xilografado.* **Falar como um livro.** Usar de vocabulário escolhido, esmerado. **Paginar a livro aberto.** *Tip.* Paginar atribuindo número às folhas, em vez de às páginas; numerar por folhas; foliar. **Paginar a livro fechado.** *Tip.* Paginar atribuindo número a cada página. **Ser um livro aberto.** Ser do conhecimento de todos; não ser segredo: *Sua vida é um l i v r o a b e r t o.*

livrório. *S. m. Deprec.* Livro grande e fútil; cartapácio. [V. *livro* (2).]

livroxada. *S. f. Deprec.* Livralhada: "acontece freqüentemente que estes livros, pela maior parte, não são lidos e nem ao menos abertos. / Essa l i v r o x a d a vai-se então acumulando a um canto" (Eduardo Frieiro, *Os Livros Nossos Amigos,* p. 119).

lixa. *S. f.* **1.** Papel ao qual se aglutina substância abrasiva, usado para polir metais, madeiras, etc. **2.** Designação comum aos peixes do gênero *Esqualo,* cuja pele serve para polir madeiras ou metais. **3.** A pele de qualquer desses peixes. ● *Adj. 2 g.* e *2 n.* **4.** *Bras.* Diz-se do vacum que tem certa cor de pêlo. ◆ **Lixa de água.** Lixa (1) muito fina, própria para trabalhos delicados.

lixação. *S. f. Bras.* Ação ou operação de lixar (1 e 2); lixamento.

lixadeira. *S. f.* Instrumento, máquina ou aparelho próprio para lixar (1 e 2).

lixador (ô). *Adj.* **1.** Que lixa. ● *S. m.* **2.** Aquele que lixa. **3.** *Bras.* Lixadeira de serraria.

lixamento. *S. m. Bras.* Lixação.

lixar. *V. t. d.* **1.** Desgastar ou polir com lixa. **2.** *P. ext.* Polir, brunir. *P.* **3.** Indignar-se, enfurecer-se. **4.** Sofrer contratempo, desengano(s). **5.** Ter mau fim; levar o diabo; arruinar-se. **6.** *Bras. Gír.* Não se incomodar; não dar importância: *Não foi premiado, mas está s e l i x a n d o com o prêmio.*

lixa-vegetal. *S. f.* V. *cavalinha* (1). [Pl.: *Lixas-vegetais.*]

lixeira[1]. [De *lixa* + *-eira.*] *S. f. Bras.* V. *sambaíba-de-minas-gerais.*

lixeira[2]. [De *lixo* + *-eira.*] *S. f.* **1.** Monte de lixo; monturo. **2.** Lugar onde se deposita lixo; monturo. **3.** *P. ext.* Lugar muito sujo, imundo.

lixeiro. *S. m. Bras.* Carregador de lixo.

lixento. *Adj.* V. *lixoso.*

lixívia. [Do lat. *lixivia.*] *S. f.* **1.** V. *barrela.* **2.** *Quím.* Solução de carbonato de sódio ou de potássio, usada para lavagem de tecido, remoção de tinta, e com outras aplicações. **3.** *Quím.* Solução ou suspensão de materiais resultante de um processo industrial. [Cf. *lixivia,* do v. *lixiviar.*] ◆ **Lixívia negra.** *Tec.* Licor negro.

lixiviação. *S. f.* **1.** Ato ou efeito de lixiviar. **2.** Operação de separar de certas substâncias, por meio de lavagem, os sais nelas contidos.

lixiviador (ô). *S. m.* Aparelho para lixiviar.

lixiviar. *V. t. d.* **1.** Aplicar lixívia ou barrela a; lavar com lixívia. **2.** Fazer lixiviações em. [Pres. ind.: *lixivio, lixivias, lixivia,* etc. Cf. *lixívia.*]

lixo. *S. m.* **1.** Aquilo que se varre da casa, do jardim, da rua, e se joga fora; entulho. **2.** *P. ext.* Tudo o que não presta e se joga fora. **3.** Sujidade, sujeira, imundície. **4.** Coisa ou coisas inúteis, velhas, sem valor. **5.** *Fig.* V. *ralé* (1). ◆ **Lixo atômico.** *Fís. Nucl.* Conjunto de detritos resultantes de fusão nuclear e que, em razão de sua radioatividade, devem ser isolados, longe de regiões povoadas, até que ela venha a cessar. **Lixo espacial.** *Astron.* Conjunto de detritos que, provenientes de objetos lançados pelo homem no espaço, circulam ao redor da Terra com a velocidade de cerca de 28.000 km/h, e que se compõem de estágios de foguetes, satélites desativados, tanques de combustível e fragmentos de aparelhos que explodiram, como, p. ex., as armas anti-satélites.

lixoso (ô). *Adj.* **1.** Cheio de lixo. **2.** Sujo, imundo, porco. [Sin. ger.: *lixento.*]

lizar. *V. t. d.* Voltar, revolver (a meada ou tecido que está em banho para tomar cor). [Pres. ind.: *lizo, lizas, liza,* etc. Cf. *liso, lisa,* e o mit. *Lisa.*]

lizardense. *Adj. 2 g.* **1.** De, ou pertencente ou relativo a Lizarda (GO). ● *S. 2 g.* **2.** Natural ou habitante de Lizarda.

■**lm.** *Fotom.* Símb. de *lúmen*[1].

lo. [Do lat. *illu.*] **1.** F. arc. do art. def. masc, sing. [Flex.: *la, los, las.* Cf. *ló.*] **2.** F. arc. do pron. pess. oblíquo da 3ª. pess., masc. sing., ainda hoje empregada depois de formas verbais acabadas em *r, s* ou *z,* após os pronomes *nos* e *vos,* e o advérbio *eis.* Ex.: *Sabe amá-l o, e é incapaz de feri-l o : Fazes boa prosa, e, quanto a versos, tu faze-l o s admiravelmente; Irado, pega do papel e redu-l o a pedacinhos; Conhecem o fato, e no-l o contaram; Grande mal vos fizeram eles, e fizeram-vo-l o calculadamente; Ei- l o, chegou!;* "Este livro f i - l o sem sentir" (Joaquim Ribeiro, *9 Mil Dias com João Ribeiro,* p. 9). "E ei- l a, a morte, e ei- l o, o fim!" (Olavo Bilac, *Poesias,* p. 268). [Flex.: *la, los, las.* Cf. *ló.*] **3.** F. arc. do pron. dem. da 3ª. pess. *(o).* [Flex.: *la, los, las.*] **4.** F. arc. do pron. dem. neutro *(o),* ainda hoje usada nos mesmos casos em que o o é *lo* (2): *Quer viajar, mas não pode fazê- l o agora; Tu és um misantropo, e confessa-l o ; Rompeu com a família, e di- l o a toda a gente; A moça está muito mal, seu próprio irmão no- l o disse; Não posso comparecer, e já vo- l o comuniquei; Como os fatos ocorreram, ei- l o aí, no relato que acabo de fazer.* [Cf. *ló.*]

ló[1]. [De um *lof.* nórdico, pelo fr. *lof.*] *S. m. Marinh.* **1.** Cada uma das metades da embarcação para um e outro bordo. **2.** O lado da embarcação voltado para barlavento. [Cf. *lo.*] ◆ **De ló.** *Marinh.* Chegado à linha do vento, à bolina.

ló[2]. *S. m.* Tecido fino como escumilha: "Branca trazia um vestido cor de céu de tafetá de Granada, com sobresaia de l ó da China e longa cauda" (Júlio Ribeiro, *Padre Belchior de Pontes,* p. 70). [Cf. *lo.*]

loa (ô). [Dev. de *loar.*] *S. f.* **1.** *Teat.* Nos teatros português e espanhol dos sécs. XVI e XVII, introdução ou prólogo de dramas e comédias, destinado a captar a simpatia e maior participação dos espectadores: "e tão completamente esqueceram as tentativas dramáticas feitas antes dele que o tiveram [a Lope de Rueda] em conta de inventor da divisão em jornadas ou atos, e dos prólogos chamados intróitos e depois l o a s ." (Alexandre Herculano, *Opúsculos,* IX, p. 123). **2.** *Fig.* Discurso laudatório; elogio, apologia. ~ V. *loas.* ◆ **Loa sacramental.** *Teat.* No teatro espanhol do séc. XVI, aquela que antecedia as encenações dos autos sacramentais.

loando. [Var. de *loango.*] *S. m. Bras.* V. *surubim.*

loango. *S. m. Bras.* **1.** V. *surubim.* [Var.: *loando.*] **2.** Designação vulgar de uma raça bovina da BA.

loar. *V. t. d. P. us.* Fazer loas (1) a; louvar. [Conjug.: v. *coroar.*]

loas (ô). [Pl. de *loa.*] *S. f. pl.* **1.** Cantigas populares em honra dos santos. **2.** Parlapatice. V. *mentira* (1). ~ V. *loa*.

loasácea. *S. f.* Espécime das loasáceas.

loasáceas. *S. f. pl. Bot.* Família de dicotiledôneas, da ordem das parietales, que encerra sobretudo ervas, comumente dotadas de pêlos urticantes. Flores actinomorfas e hermafroditas: androceu isômero ou, mais geralmente, com estames em número indefinido; gineceu com três a sete carpelos: ovário unilocular, com óvulos sobre placentas parietais. Há quase 200 espécies americanas.

loasáceo. *Adj.* Pertencente ou relativo às loasáceas.

loba. *S. f. Pop.* V. *antecor* (1). [Pl.: *lobas*. Cf. *loba* (ô) e pl. *lobas* (ô).]

loba[1] (ô). *S. f.* **1.** A fêmea do lobo. **2.** *Desus.* V. *meretriz*. **3.** *Bras.* No carteado, jogo que um parceiro recebe inteiramente pronto das mãos do carteador, e que o habilita, de imediato, a bater a parada. [Cf. *relancinho* (1).] [Pl: *lobas* (ô). Cf. *loba* e pl. *lobas*]

loba[2] (ô). *S. f.* Batina: "enfiado numa casaca preta que parecia uma loba de clérigo" (Júlio Dantas, *O Amor em Portugal no Século XVIII*, p. 349).

lobacho. [De *lobo* (ô) + *-acho*.] *S. m.* Lobo pequeno; lobato.

lobado. [De *lobo* + *-ado*[1].] *Adj.* **1.** Dividido em lobos ou lóbulos; lobulado, lobular: *folíolo lobado* **2.** Pertencente ou relativo aos lobados. ~ V. *folha* —*a*. ● *S. m.* **3.** Espécime dos lobados.

lobados. *S. m. pl. Zool.* Animais ctenóforos, tentaculados, ordem *Lobata*. Têm o corpo comprimido lateralmente, dois grandes lobos orais e tentáculos desprovidos de bainhas.

lobal. [De *lobo* (ô) + *-al*.] *Adj. 2 g.* **1.** Lupino. **2.** *Fig.* Sanguinário, cruel, ferino.

lobão. [Aum. de *loba*.] *S. m. Pop.* V. *antecor* (1).

lobar. [De *lobo* + *-ar*[1].] *Adj. 2 g.* ~ V. *pneumonia* —.

lobatense. *Adj. 2 g.* **1.** De, ou pertencente ou relativo a Monteiro Lobato (SP). ● *S. 2 g.* **2.** Natural ou habitante de Monteiro Lobato. [Cf. *lobatiano*.]

lobatiano. *Adj.* **1.** Relativo ou pertencente ao escritor brasileiro Monteiro Lobato (1882-1948), ou próprio dele. **2.** Que é seu admirador e/ou conhecedor profundo de sua obra. ● *S. m.* **3.** Admirador e/ou conhecedor profundo da obra de Monteiro Lobato. [Cf. *lobatense*.]

lobato. [Dim. de *lobo* (ô).] *S. m.* Lobacho: "ele sabia que era a época em que as lobas deitam as ninhadas e precisam de se alimentar, para darem leite aos lobatos vorazes." (Gustavo Barroso, *Livro dos Milagres*, pp. 121-122).

lobaz. [De *lobo* (ô) + *-az*.] *S. m.* Lobo grande.

➜**lobby** (lóbi). [Ingl.] *S. m. Econ.* Pessoa ou grupo que, nas ante-salas do Congresso, procura influenciar os representantes do povo no sentido de fazê-los votar segundo os próprios interesses ou de grupos que representam. [A atividade do *lobby* é legal nos E.U.A.]

lobecão. [De *lobo* (ô) + *e* + cão.] *S. m.* Animal que é cruza de cão e lobo.

lobectomia. [De *lobo* + *-ectom-* + *-ia*.] *S. f. Cir.* Extirpação cirúrgica de qualquer lobo.

lobectômico. *Adj.* Relativo à lobectomia.

lobeiro[1]. [De *lobo* (ô) + *-eiro*.] *Adj.* **1.** Que caça lobos. **2.** Semelhante a lobo, ou a atributo de lobo: *pelame lobeiro*. ● *S. m.* **3.** Caçador de lobos. **4.** Cavalo que tem pelame lobeiro.

lobeiro[2]. *Adj.* Diz-se de uma qualidade de trigo rijo.

lobélia. [Do antr. *Lobel*, de Matthias de Lobel, botânico flamengo (1538-1616), + *-ia*.] *S. f.* Gênero de plantas herbáceas ornamentais *(Lobelia syphilitica)*, que contêm um suco venenoso e cáustico.

lobeliáceo. *Adj.* Pertencente ou relativo ou semelhante à lobélia.

lobelina. [De *lobélia* + *-ina*[1].] *S. f. Quím.* Alcalóide que se obtém da *Lobelia inflata*, monoácido, e que, aquecido com água, produz acetofenona.

lobélio. *S. m. Arquit.* Segmento de círculo inscrito em certas ogivas, e que forma festão, ou uma folha, traçada por vários círculos que se interceptam.

lobinho[1]. [Dim. de *lobo*.] *S. m. Pop.* Quisto sebáceo subcutâneo; lúpia, calombo: "Mulatinho magro, vestido de azul e vermelho, um lobinho saliente atrás da orelha." (M. Cavalcanti Proença, *Manuscrito Holandês*, p. 109.) [Var. (bras., pop.): *lombinho*.]

lobinho[2]. [Dim. de *lobo* (ô).] *S. m. Bras.* Aprendiz de escoteiros com menos de 10 anos de idade.

lobisomem. [Do lat. *lupus homo*, 'homem lobo'.] *S. m.* Homem que, segundo a crendice vulgar, se transforma em lobo e vagueia nas noites de sexta-feira pelas estradas, assustando as pessoas, até encontrar quem, ferindo-o, o desencante.

lóbi. [Do ingl. *lobby*, 'corredor (3)'.] *S. m.* V. *lobby*.

lobista. [De *lóbi* + *-ista*.] *S. 2 g.* Pessoa que se dá à prática do *lobby*.

lobo. [Do gr. *lobós*, 'extremidade da orelha'.] *S. m.* **1.** *Anat.* Porção de um órgão demarcada com maior ou menor nitidez, como, p. ex., no cérebro, na glândula tireóide, etc., podendo a demarcação ser estabelecida por fissuras, sulcos, tecido conjuntivo saliente, ou, então, pela forma. [Dim. irreg.: *lóbulo*.] **2.** Parte convexa de um meandro. **3.** Certo jogo popular. **4.** *Morfol. Veg.* Segmento dos órgãos foliáceos que se caracteriza por ser pouco profundo, não alcançando a metade entre a margem e o eixo central. [Pl.: *lobos*. Cf. *lobo* (ô) e pl. *lobos* (ô), e *Lobo* (ô), astr., antr. e top., e *Lobos* (ó), top. pl.]

lobo (ô). [Do lat. *lupu*.] *S. m.* **1.** Mamífero da ordem dos carnívoros, família *Canidae*, que habita grandes regiões da Europa, Ásia e América do Norte. Dele existem muitas subespécies geográficas, que diferem em tamanho, cor e forma; a cor, p. ex., vai desde o castanho-acinzentado dos lobos da Eslováquia até o branco-cinza das regiões de tundra; os das estepes são avermelhados e de patas longas. Adultos, pesam de 44 a 55kg e atingem 1,50m. É o animal que maior número de lendas, falácias e concepções errôneas tem originado, entre elas a do lobisomem. O cão usado no Alasca para puxar trenó é o resultado do cruzamento do lobo com o cão. [Aum.: *lobaz*; dim. irreg.: *lobacho*, *lobato*.] **2.** *Bras. Impr.* V. *guará*[2]. **3.** *Fig.* Homem sanguinário, cruel. [Pl.: *lobos* (ô). Cf. *lobo* e pl. *lobos*.] **4.** *Astr.* Constelação austral, ao S. da Libra, a O. do Escorpião, a E. do Centauro e ao N. da Bússola. ◆ **Comer como um lobo.** Comer muito e com avidez. **Entre lobo e cão.** V. *entre o lobo e o cão*: "A Academia das Ciências fará o seu dicionário .... . Consultá-lo-emos nas horas de entre lobo e cão, após as fadigas quotidianas" (João Ribeiro, *Cartas Devolvidas*, p. 185). **Entre o lobo e o cão.** À boca da noite, ao escurecer; ao lusco-fusco; entre lobo e cão.

lobo-cerval. [De *lobo* (ô) + *cerval*.] *S. m.* O lince de Portugal *(Lynx guardiana)*. [Pl.: *lobos-cervais*.]

lobo-do-mar. [De *lobo* (ô) + *do* + *mar*[1].] *S. m.* Marinheiro experimentado, muito amigo da vida marítima; leão-do-mar. [Pl.: *lobos-do-mar*.]

lobolobo (ô). *S. m. Bras.* Arbusto da família das violáceas *(Rinorea physiphora)*, das matas fluminenses, de folhas lanceoladas, glandulosas no ápice e serreadas na margem, que podem ser ingeridas como espinafre, flores racemosas, pequeninas, e fruto capsular.

lobo-marinho. [De *lobo* (ô) + *marinho*.] *S. m. Bras.* Designação comum às espécies de mamíferos carnívoros, pinípedes, da família dos otarídeos, especialmente *Otaria flavescens* (Shaw) e *Arctocephalus australis* (Zimm.), do Atlântico e Pacífico sul, de coloração negra e membros locomotores transformados em nadadeiras. Diferenciam-se das focas pela presença de pequenas orelhas. Raramente atingem o RJ. [Sin.: *leão-marinho*, *urso-do-mar*. Pl.: *lobos-marinhos*.]

loboso (ô). *S. m.* e *adj.* Amebino.

lobosos. *S. m. pl. Zool.* Amebinos.

lobotomia. [De *lobo* + *-tom(o)-* + *-ia*.] *S. f. Cir.* Incisão em lobo (1). ◆ **Lobotomia frontal.** *Cir. Psiq.* Transeção metódica de ou dos lobos frontais, indicada em certas condições mórbidas mentais, como síndromes esquizofrênicas, ou em caso de dores intratáveis de outra forma. [Essa intervenção foi proposta pelo neurologista português Egas Moniz (1874-1955). Tb. se diz lobotomia pré-frontal; sin.: *leucotomia*. **Lobotomia pré-frontal.** V. *lobotomia frontal*.

lobregar. *V. t. d.* Tornar lôbrego. [Conjug.: v. *chegar*. Pres. ind.: *lobrego*, etc. Cf. *lôbrego* e *lobrigar*.]

lôbrego. [De *lúgubre*, com metátese?] *Adj.* **1.** V. *lúgubre* (3): "O polígono de São Julião da Barra, com suas muralhas a prumo e lôbrego casario, foi a triste imagem dum cárcere para quem buscava a amplidão." (Joaquim Paço d'Arcos, *Neve sobre o Mar*, p. 26.) **2.** V. *lúgubre* (4). [Cf. *lobrego*, do v. *lobregar*.]

lobreguidão. *S. f.* Qualidade ou estado de lôbrego.

lobrigador (ô). *Adj.* e *s. m.* Que ou aquele que lobriga.

lobrigar. *V. t. d.* **1.** Ver a custo; ver indistintamente; entrever; perceber; bispar: "Achei-as [as portas do templo] bem fechadas, mas lobriguei luz por baixo delas." (Machado de Assis, *Várias Histórias*, p. 23.) **2.** Ver por acaso. **3.** Ver ao longe: "Não! isso é demais para o brasileiro que ainda não saiu das praias e lobriga ainda na orla do horizonte as imagens das caravelas conquistadoras." (João Ribeiro, *Cartas Devolvidas*, pp. 88-89.) **4.** Notar, perceber, entender. [Conjug.: v. *largar*. Cf. *lobregar*.]

lobulado. [De *lóbulo* + *-ado*[1].] *Adj.* V. *lobado* (1).

lobular. *Adj. 2 g.* **1.** Que tem a natureza do lóbulo. **2.** V. *lobado*. (1).

lóbulo. [De *lobo* + *-ulo*.] *S. m.* **1.** Pequeno lobo: "Laura corara até aos lóbulos das orelhas." (Camilo Castelo Branco, *A Mulher Fatal*, p. 36.) **2.** Divisão profunda nas folhas ou nas flores. ◆ **Lóbulo de antena.** *Eng. Eletrôn.* Porção do diagrama direcional de uma antena limitada por um ou dois cones de nulos.

lobuloso (ô). *Adj.* Que apresenta lóbulos ou está dividido em lóbulos.

lobuno. [Do esp. plat. *lobuno*.] *Adj.* e *s. m. Bras.*, *MG* e *S.* Diz-se de, ou animal cavalar ou vacum de pêlo escuro, acinzentado: "O corcel lobuno .... sacode vaidosamente a cabeça" (Afonso Arinos, *Pelo Sertão*, p. 62); "E bem montado, vinha, num bagual lobuno rabicano de machinhos altos" (Simões Lopes Neto, *Contos Gauchescos e Lendas do Sul*, pp. 132-133); "O lobuno refugou, bufando." (Id., *ib.*, p. 134). [Var.: *libuno*.]

loca. *S. f.* **1.** Esconderijo do peixe sob uma laje debaixo da água; toca subaquática. **2.** Gruta pequena; lapa, toca, furna: "Um lagarto teiú dorminhoco escorregara duma pedra e sovertera-se numa loca de tatu" (Albertino Moreira, *Boca-Pio*, p. 42).

locação. [Do lat. *locatione*.] *S. f.* **1.** Ato ou efeito de locar. **2.** Aluguel; arrendamento. **3.** A remuneração correspondente à locação (2): *pagar a locação de um imóvel*. **4.** Compra de bilhetes horas antes de um espetáculo teatral e por isso onerados com uma percentagem. **5.** *Bras.* Conjunto de operações com que se marcam, no terreno, os pontos definidores da posição de uma obra que nele se vai executar. [Sin., nesta acepç.: *implantação*.] **6.** Lugar, fora do estúdio cinematográfico, onde se filmam cenas externas.

locador (ô). [Do lat. *locatore*.] *S. m.* **1.** Aquele que no contrato de locação (verbal ou escrito) se obrigou a ceder algo ou a prestar um serviço. **2.** Senhorio; arrendador.

locadora (ô). [Fem. de *locador*.] *S. f.* Agência comercial que trata de aluguéis.

locago. [Do gr. *lochagos*.] *S. m.* Na Grécia antiga, comandante de um loco[1] (1).

local. [Do lat. *locale*.] *Adj. 2 g.* **1.** Relativo ou pertencente a determinado lugar; localista, lugareiro: *tradições locais*. **2.** *Med.* Circunscrito ou limitado a uma região: *afecção local*. ~ V. *cor*—, *grupo*—, *hora*— e *tempo* —. ● *S. m.* **3.** Lugar, sítio ou ponto referido a um fato. ● *S. f.* **4.** Notícia publicada por um jornal acerca da localidade em que ele se edita. **5.** *Bras.* Qualquer notícia de um fato ou acontecimento publicada em um jornal: "quero a notícia feita com talento. É preciso que a local emocione." (Coelho Neto, *A Conquista*, p. 240).

localidade. [De *local* + *-i-* + *-dade*.] *S. f.* **1.** Lugar determinado. **2.** Povoação; lugarejo. ◆ **Localidade clássica.** *Bot.* Localidade de onde procede o tipo de uma espécie, isto é, onde esta foi colhida pela primeira vez.

localismo. *S. m.* Defesa sistemática dos interesses locais.

localista. *Adj. 2 g. Bras.* **1.** V. *local* (1). ● *S. 2 g.* **2.** Redator da seção noticiosa dum jornal. **3.** Pessoa que publica as notícias de uma localidade.

localização. *S. f.* **1.** Ato ou efeito de localizar(-se). **2.** *Psicol.* Suposta relação entre as faculdades psíquicas e determinadas partes do cérebro.

localizado. [Part. de *localizar*.] *Adj.* Que se localizou ou localiza. ~ V. *guerra* —*a*.

localizar. *V. t. d.* **1.** Determinar o local de; locar. **2.** Tornar local; fixar ou limitar a determinado lugar. **3.** Inteirar-se do paradeiro de: "pegou o telefone e pediu uma ligação para São Paulo. Fez várias ligações mas não conseguiu localizar o Cavalcante." (Osvaldo França Júnior, *Um dia no Rio*, p. 10). *T. d.* e *c.* **4.** Fixar, limitar ou estabelecer em determinado lugar: "cogitou de requerer ao Conselho a concessão daquelas terras para ali localizar cinqüenta famílias de colonos estrangeiros." (Xavier Marques, *As Voltas da Estrada*, p. 296). **5.** Imaginar num determinado ponto. *P.* **6.** Fixar-se, colocar-se, estabelecer-se (em certo lugar): *A firma veio a localizar-se na Rua da Alfândega*; "A questão religiosa .... localizou-se durante a época dos banhos no sítio da Ponte de Algés" (Ramalho Ortigão, *As Farpas*, V. p. 47).

localizável. *Adj. 2 g.* Que pode ser localizado.

locanda. [Do it. *locanda*.] *S. f.* **1.** V. *taberna* (1 e 2). **2.** V. *tenda* (3).

locandeiro. [Do it. *locandiere*.] *S. m.* **1.** Proprietário de locanda. **2.** V. *locatário*: "Havia muito tempo, desconfiava o Eduardo que a sua locandeira sentia por ele uma dessas paixões serôdias e abjetas" (Artur Azevedo,

Contos Possíveis, p. 83).

loção¹. [Do lat. *lotione*.] *S. f.* **1.** Lavagem; ablução. **2.** Líquido próprio para lavagens higiênicas ou medicinais. **3.** *Bras.* Líquido perfumado, para a cútis ou os cabelos. [Cf. *loução*.]

loção². *S. m.* Labão. [Cf. *loução*.]

locar. [Do lat. *locare*.] *V. t. d.* **1.** Dar de aluguel ou de arrendamento; alugar. **2.** Localizar (1). **3.** *Mat.* Marcar, num diagrama ou num gráfico (um ponto de coordenadas conhecidas); plotar. **4.** *Bras.* Proceder à locação (5) de. [Conjug.: v. *trancar*. Pres. ind.: *loco*, etc. Cf. *loco* (ô) e *louco*.]

locário. [Do lat. *locariu*.] *S. m. Teat.* Entre os antigos romanos, aquele que se encarregava da venda ou distribuição dos teatros.

locatário. [Do lat. *locatariu*.] *S. m.* Aquele que se obrigou, no contrato de locação (verbal ou escrito), a receber a coisa alugada ou a prestação de serviços; alugador, inquilino; locandeiro. [Cf. *rendeiro*¹.]

locativo. [Do lat. *locatu*, part. de *locare*, + *-ivo*.] *Adj.* **1.** Referente a locação. **2.** *Gram.* Diz-se do caso (5) de alguns nomes, no sânscrito e no latim, que exprimem relação de lugar. ~ V. *valor* —. ● *S. m.* **3.** *Gram.* O caso locativo.

locé. *El. s. m.* Us. na loc. adv. *a locé*. ♦ **A locé.** *Bras. N.E.* De modo agradável; bem: *ir a locé*.

➧**lockout** (lokáut). [Ingl.] *S. m.* Coligação de patrões que, em resposta à ameaça de greve de seus operários, fecham as suas oficinas.

locionar. *V. t. d.* Aplicar loção¹ (2) a.

loco¹. [Do gr. *lóchos*.] *S. m.* **1.** Fila de 16 homens, unidade fundamental da falange macedônia. **2.** Disposição dos antigos exércitos gregos. [Pl.: *locos*. Cf. *loco* (ô), pl. *locos* (ô), e *louco*, pl. *loucos*.]

loco². [Do ioruba.] *S. m. Bras.* Orixá representado pela gameleira branca. [Pl.: *locos*. Cf. *loco* (ô), pl. *locos* (ô), e *louco*, pl. *loucos*.]

▲**loco-.** [Do lat. *locus*, *i*.] *El. comp.* = 'lugar': *locomoção*, *locomover*.

loco (ô). [Var. de *locro* quíchua *rokro*, pelo esp. plat. *locro*.] *S. m. Bras.* Carne guisada com milho, prato típico dos trabalhadores paraguaios em MT. [Pl.: *locos* (ô). Cf. *loco*, s. m., pl. *locos*; *loco*, do v. *locar*; e *louco*, pl. *loucos*.]

➧**loco citato.** [Lat., 'no trecho citado'.] Remissão, num livro, a um trecho mencionado anteriormente.

locomobilidade. *S. f.* Qualidade de locomóvel.

locomoção. [De *loco-* + lat. *motione*, 'movimento'.] *S. f.* Ato ou efeito de andar ou de transportar-se de um lugar para outro, de locomover-se.

locomotiva. [Do ingl. *locomotive*.] *S. f.* **1.** Máquina a vapor, elétrica, de motor térmico, etc., que opera a tração dos trens nas estradas de ferro. [Sin., pop., bras: *balduína*.] **2.** *Bras., PE. Folcl.* Passo do frevo em que o dançarino principia com o corpo agachado e os braços abertos para a frente e dá pequenos saltos, encolhendo e estirando alternadamente cada uma das pernas.

locomotividade. [De *loco-* + *motivo* (adj.) + *-i-* + *-dade*.] *S. f.* Faculdade de locomoção, inerente aos animais.

locomotivo. [De *loco-* + *motivo* (adj.).] *Adj.* Referente à locomoção.

locomotor (ô). [De *loco-* + *motor* (adj.).] *Adj.* Que opera a locomoção. [Fem.: *locomotora* e *locomotriz*] ~ V. *ataxia —a progressiva*.

locomotora (ô). *S. f.* Fem. de *locomotor* [q. v.].

locomotriz. *Adj.* (*f.*) Fem. de *locomotor* [q. v.]

locomóvel. [De *loco-* + *móvel*.] *Adj. 2 g.* **1.** Que pode locomover-se. ● *S. f.* **2.** Máquina de vapor sobre rodas.

locomover-se. [De *loco-* + *mover* + *se*¹.] *V. p.* Mudar de lugar; deslocar-se: "Já gravemente atingido pela paralisia, o poeta [Félix Arvers] não podia *locomover-se*" (Melo Nóbrega, *O Soneto de Arvers*, p. 31).

loco-tenente. [De *loco-* + lat. *tenente*, 'que ocupa, ocupante'.] *S. m.* Lugar-tenente: "Depois de distribuir porções de seus territórios a *loco-tenentes* e solarengos, ... acabar assim achincalhado e sem vintém!" (Alberto Rangel, *Papéis Pintados*, pp. 222-223.) [Pl.: *loco-tenentes*.]

locro (ô). *S. m. Bras.* Loco [q. v.]

loctal. *Adj. 2 g.* ~ V. *base* —.

locução. [Do lat. *locutione*.] *S. f.* **1.** Modo especial de falar; linguagem: *locução expressiva*. **2.** Maneira de dizer; dição, dicção. **3.** *Gram.* Reunião de palavras equivalente a uma só. Ex.: *se bem que*, locução conjuntiva; *depois de*, locução prepositiva; *de modo algum*, locução adverbial. **4.** *Mús.* Válvula na parte superior do órgão (5).

locucionar. [Do lat. *locutione*, 'locução', + *-ar*¹.] *V. t. d. P. us.* Dizer, pronunciar, articular, exprimir.

loculado. [Do lat. *loculatu*.] *Adj.* Dividido em lóculos.

loculamento. [Do lat. *loculamentu*.] *S. m. Morfol. Veg.* Lóculo (2).

locular. [Do lat. *loculare*.] *Adj. 2 g. Morfol. Veg.* Que tem lóculos separados por septos.

loculicida. [De *lóculo* + *-i-* + *-cida*.] *Adj.* (*f.*). *Morfol. Veg.* Diz-se da deiscência longitudinal, em que se abre cada lóculo separadamente.

lóculo. [Do lat. *loculu*.] *S. m.* **1.** Pequena cavidade. **2.** *Morfol. Veg.* Cavidade do ovário e do pericarpo das plantas; loculamento.

loculoso (ô). [Do lat. *loculosu*.] *Adj.* Que tem lóculos.

locupletação. [Do lat. *locupletatione*.] *S. f.* Ato ou efeito de locupletar(-se); locupletamento.

locupletamento. *S. f.* Locupletação.

locupletar. [Do lat. *locupletare*.] *V. t. d.* **1.** Tornar rico; enriquecer. **2.** Encher em demasia; saciar; fartar: *locupletar a boca*. **3.** Encher completamente; abarrotar, atestar, repletar: "*locupleta*, abastece os meus celeiros!..." (Raimundo Correia, *Poesias*, p. 252.) *T. d. e i.* **4.** Encher completamente; abarrotar, atestar, repletar: "Povo do deserto, era nas cidades recatadas do interior que estabeleciam [os sarracenos] suas cortes e as *locupletavam* de mimos de arte e esplêndidas jóias como as odaliscas." (Aquilino Ribeiro, *Estrada de Santiago*, p. 80) *P.* **5.** Tornar-se rico; enriquecer(-se): *locupletar-se com a miséria alheia*. [Sin., bras., N.E., pop., nesta acepç.: *empapar-se*.] **6.** Encher-se em demasia; saciar-se; fartar-se.

lócus. [Do lat. *locus*, 'lugar'.] *S. m. Genét.* Posição de um determinado gene num cromossomo.

locusta. [Do lat. *locusta*.] *S. f.* Espigueta (1).

locustário. [Do lat. *locusta*, 'gafanhoto', + *-ario*.] *Adj.* Semelhante ou relativo ao gafanhoto [q. v.].

locustídeo. *S. m.* **1.** Espécime dos locustídeos. ● *Adj.* **2.** Pertencente ou relativo a eles. [V. *acrídeo*.]

locustídeos. *S. m. pl. Zool.* Família de insetos da ordem dos ortópteros.

locustódeo. *S. m.* e *adj.* V. *tetigonióideo*.

locustódeos. *S. m. pl. Zool.* V. *tetigonióideos*.

locutor (ô). [Do lat. *locutore*, 'aquele que fala'.] *S. m.* Profissional encarregado de ler textos, de irradiar ou apresentar programas ao microfone das estações radioemissoras ou televisores. [Substitui o ingl. *speaker*.]

locutório. [Do lat. *locutu*, part. de *loqui*, 'falar', + *-ório*.] *S. m.* **1.** Compartimento separado por grades, donde falam as pessoas recolhidas em conventos com as de fora que as procuram: "Havia no fundo da sala, entre as portas do serviço, duas janelas gradeadas como o *locutório* dos conventos" (José de Alencar, *O Sertanejo*, p. 151). **2.** Compartimento semelhante nas prisões, lazaretos, etc. [Sin. ger.: *palratório*, *parlatório*.]

lodaça. [Alter. de *audácia*.] *S. f.* **1.** *Bras., CE. Pop.* Audácia. ● *S. 2 g.* **2.** *Bras., BA.* Pessoa muito escura. ● *Adj. 2 g.* **3.** *Bras., BA.* Diz-se de pessoa com tal característica. ~ V. *lodaças*.

lodaçal. [De *lodo* (ô) + *-aço-* + *-al*.] *S. m.* **1.** Lugar em que há muito lodo. **2.** *Fig.* Vida desregrada, de devassidão. **3.** *Fig.* Lugar aviltante, imoral.

lodaças. [Pl. de *lodaça*.] *S. f. pl. Pop.* Lábias; astúcias; gabolice. ~ V. *lodaça*.

lodacento. [De *lodo* (ô) + *-aço* + *-ento*.] *Adj.* V. *lodoso*: "Na zina da secura, atiram-se, perdidos, / À *lodacenta* vala, aos charcos corrompidos!" (Bulhão Pato, *Livro do Monte*, p. 45.)

lódão. [Do gr. *lotós*, pelo lat. *lotu*.] *S. m.* Designação comum a diversas plantas ninfeáceas. [F. paral.: *lodo*. Pl.: *lódãos*.]

lodeira. [De *lodo* (ô) + *-eira*.] *S. f.* **1.** Lodeiro (1). **2.** V. *lamaçal* (1).

lodeiro. [De *lodo* (ô) + *-eiro*.] *S. m.* **1.** lugar onde há muito lodo (ô); lodeira. **2.** V. *lamaçal* (1).

lodícula. [Do lat. *lodicula*.] *S. f. Morfol. Veg.* Glumélula.

lodo. [Do gr. *lotós*, pelo lat. *lotu*.] *S. m.* Lódão. [Pl.: *lodos*. Cf. *lodo* (ô) e pl. *lodos* (ô).]

lodo (ô). [Do lat. *lutu*.] *S. m.* **1.** Argila muito mole, quase fluida, que contém matéria orgânica; vasa, limo, lama. **2.** *Fig.* Ignomínia, baixeza, degradação; lama, sarjeta. [Pl.: *lodos* (ô). Cf. *lodo* e pl. *lodos*.]

lodoso (ô). [Do lat. *lutosu*.] *Adj.* **1.** Que tem lodo (ô) ou lama; lamacento. **2.** *P. ext.* Sujo, emporcalhado. [Sin. ger.: *lodacento*.]

loendral. *S. m.* Quantidade mais ou menos considerável de loendros dipostos proximamente entre si.

loendro. [Do lat. *lorandru*, com dissimilação.] *S. m.* V. *espirradeira*: "as ribeiras quase secas, orladas de *loendros* floridos" (Conde de Ficalho, *Uma Eleição Perdida*, p. 22).

loess. *S. m. Geol.* V. *loesse*.

loesse. [Do al. *Löss*.] *S. m. Geol.* Sedimento eólico amarelado, sem estratificação, constituído essencialmente de finas partículas de quartzo, sempre angulosas, disseminadas em cimento argiloso, colorido de amarelo pelo óxido de ferro, e que por vezes encerra partículas calcárias.

loeste. *S. m. Desus.* Oeste.

lófio. *S. m. Bras.* V. *peixe-pescador*.

▲**lofo-.** [Do gr. *lóphos*, *ou*.] *El. comp.* = 'crista', 'penacho': *lofócomo*.

▲**-lofo-.** V. *lofo-*: *anfolofótrico*.

lofobrânquio. [De *lofo-* + *-brânquio*.] *S. m.* **1.** Espécime das lofobrânquias. ● *Adj.* **2.** Pertencente ou relativo a eles. **3.** Que tem as brânquias em forma de tufos.

lofobrânquios. *S. m. pl. Zool.* Animais metazoários, cordados, vertebrados, peixe osteictes, com brânquias providas de lamelas em forma de tufos. [V. *solenictes*.]

lofócomo. [De *lofo-* + *-como*.] *Adj.* Cujo cabelo é eriçado em forma de penacho.

lofodonte. *Adj. 2 g. Zool.* Diz-se dos animais em que os tubérculos primitivos dos dentes se desenvolvem em cristas. É o que ocorre nos mamíferos artiodáctilos.

lofóforo. [De *lofo-* + *-foro*.] *S. m. Zool.* O conjunto dos tentáculos que circundam, total ou parcialmente, a boca dos briozoários, braquiópodes e alguns outros moluscos marinhos ou de água doce. Têm, às vezes, a forma de ferradura.

lofópode. [De *lofo-* + *-pode*.] *S. m.* e *adj.* Gimnolemado.

lofópodes. [Pl. de *lofópode*.] *S. m. pl. Zool.* Gimnolemados.

■ **log.** *Mat.* Símb. de *logaritmo decimal*.

logadectomia. [De *logad(o)-* + *-ectom-* + *-ia*.] *S. f. Cir.* Ablação da conjuntiva.

logadectômico. *Adj.* Relativo à logadectomia.

logadite. [De *logad(o)-* + *-ite*¹.] *S. f. Patol.* Inflamação das conjuntivas; conjuntivite.

▲**logad(o)-.** [Do gr. *logádes*, *on*.] *El. comp.* = 'esclerótica', 'conjuntiva': *logadite*, *logadectomia*.

loganiácea. *S. f.* Espécime das loganiáceas.

loganiáceas. *S. f. pl. Bot.* Família de dicotiledôneas, da ordem das contortas, composta de plantas geralmente lenhosas. Flores cimosas, tetrâmeras ou pentâmeras, e hermafroditas; corola tubulosa; ovário bilocular, com numerosos óvulos. Folhas opostas, com produções estipulares. Fruto: cápsula, baga ou drupa. Conhecem-se umas 600 espécies, dos países intertropicais. São comuns no Brasil, onde o gênero *Strychnos* é importante por ser a base do curare.

loganiáceo. *Adj.* Pertencente ou relativo às loganiáceas.

logarítmico. *Adj.* Referente aos logaritmos. ~ V. *decremento* — e *derivada* —*a*.

logaritmo. [Do lat. mod. *logarithmu*.] *S. m. Mat.* **1.** Expoente a que se deve elevar um número constante para se obter outro número. **2.** V. *logaritmo decimal*. ♦ **Logaritmo binário.** *Mat.* Logaritmo de um número na base dois. **Logaritmo decimal.** *Mat.* O expoente a que se deve elevar o número 10 para se obter outro número. [Tb. se diz apenas *logaritmo*; sin.: *logaritmo de Briggs*. Símb.: *lg* e *log*.] **Logaritmo de Briggs.** *Mat.* V. *logaritmo decimal*. **Logaritmo hiperbólico.** *Mat.* V. *logaritmo neperiano*. **Logaritmo natural.** *Mat.* V. *logaritmo neperiano*. **Logaritmo neperiano.** *Mat.* O expoente a que se deve elevar o número e para se obter outro número; logaritmo hiperbólico, logaritmo natural.

logastenia. [De *log(o)-* + *astenia*.] *S. f.* Dificuldade que tem a criança em aprender a ler e escrever.

logastênico. *Adj.* Relativo à logastenia.

➧**loggia** (lódja). [It.] *S. f.* Galeria ou arcada aberta.

lógica. [Do gr. *logiké*, pelo lat. *logica*.] *S. f.* **1.** *Filos.* Na tradição clássica, aristotélico-tomista, conjunto de estudos que visam a determinar os processos intelectuais que são condição geral do conhecimento verdadeiro. [Distinguem-se a *lógica formal* e a *lógica material*.] **2.** *Filos.* Conjunto de estudos tendentes a expressar em linguagem matemática as estruturas e operações do pensamento, deduzindo-as de número reduzido de axiomas, com a intenção de criar uma linguagem rigorosa, adequada ao pensamento científico tal como o concebe a tradição empírico-positivista; lógica simbólica. **3.** *Filos.* Conjunto de estudos, originados no hegelianismo, que têm por fim determinar categorias racionais válidas para a apreensão da realidade concebida como uma totalidade em permanente transformação; lógica dialética. [São categorias dessa lógica a contradição, a totalidade, a ação recíproca, a síntese, etc.] **4.** Tratado ou compêndio de lógica. **5.** Exemplar de um desses tratados ou compêndios. **6.** Coerência de raciocínio, de idéias. **7.** Maneira de raciocinar particular a um indivíduo ou a um grupo: *a lógica da criança; a lógica do primitivo; a lógica do louco.* **8.** *Fig.* Seqüência coerente, regular e necessária de acontecimentos, de coisas. [Cf. *logica*, do v. *logicar*.] ♦ **Lógica dialética.** *Filos.* Lógica (3). **Lógica formal.** *Filos.* **1.** Na tradição clássica, o estudo das formas (conceitos, juízos e raciocínios) e leis do pensamento. **2.** Na tradição empirista e positivista, o estudo da estrutura das proposições e das operações pelas quais, com base nessa estrutura, se deduzem conclusões. **Lógica material.** *Filos.* Estudo da relação entre as formas e leis do pensamento e a verdade, i. e., estudo das operações do pensamento que conduzem a conhecimentos verdadeiros. [Cf. *lógica transcendental*.] **Lógica simbólica.** *Filos.* Lógica (2). **Lógica transcendental.** *Filos.* Segundo Kant [v. *kantismo*], ciência do entendimento puro e do conhecimento racional, pela qual se determinam os conceitos que se relacionam aos objetos independentemente da experiência, e anteriormente a ela. [Cf. *lógica material*.]

logicar. *V. int.* **1.** Discorrer logicamente, com lógica; raciocinar. **2.** Ostentar conhecimentos de lógica. [Conjug.: v. *trancar.* Pres. ind.: *logico, logicas, logica*, etc. Cf. *lógico* e *lógica*.]

logicismo. *S. m. Filos.* **1.** Doutrina que atribui à lógica autonomia absoluta, não tomando em consideração qualquer problema relativo à sua gênese psicológica ou histórico-social. **2.** Doutrina que pretende serem as relações matemáticas redutíveis às relações da lógica. [Cf. *panlogismo*.]

lógico. [Do gr. *logikós*, pelo lat. *logicu*.] *Adj.* **1.** Relativo a lógica (1 a 3). **2.** Conforme às regras, às leis da lógica (1 a 3): *dedução lógica.* [Cf., nestas acepç., *ilógico* (2) e *alógico* (2).] **3.** Conforme à lógica, ao bom senso; coerente, racional: *Seus argumentos, lógicos em extremo, convenceram-me.* **4.** Relativo à inteligência, ou baseado nela: *Razões lógicas cederam às sentimentais.* **5.** Que raciocina com justeza, exatidão, coerência: *indivíduo lógico; espírito lógico.* **6.** Que resulta, natural ou inevitavelmente, de uma dada situação, de um dado, de um fato: *Dirigia bêbedo, e a conseqüência lógica foi o desastre ocorrido.* **7.** *Fam.* Claro, evidente: — *Vai à festa amanhã?* — *Lógico que vou.* ~ V. *Análise —a, anterioridade —a, circuito —, empirismo —, operações —as, e positivismo —* e *unidade aritmética e —a.* ● *S. m.* **8.** Indivíduo versado em lógica. [Cf. *logico*, do v. *logicar*.]

logística[1]. [Do lat. mod. *logista* < gr. *logistiké*, 'relativo ao cálculo'.] *S. f.* **1.** Denominação dada pelos gregos à parte da aritmética e da álgebra concernente às quatro operações. **2.** *Filos.* Conjunto de sistemas de algoritmos aplicado à lógica.

logística[2]. [Do fr. *logistique*.] *S. f.* Parte da arte da guerra que trata do planejamento e da realização de: **a)** projeto e desenvolvimento, obtenção, armazenamento, transporte, distribuição, reparação, manutenção e evacuação de material (para fins operativos ou administrativos); **b)** recrutamento, incorporação, instrução e adestramento, designação, transporte, bem-estar, evacuação, hospitalização e desligamento de pessoal; **c)** aquisição ou construção, reparação, manutenção e operação de instalações e acessórios destinados a ajudar o desempenho de qualquer função militar; **d)** contrato ou prestação de serviços.

logístico. *Adj.* Relativo à logística.

logo[1]. [Do lat. *locu*.] *S. m. Ant.* **1.** Lugar. **2.** Morada; residência.

logo[2]. [Do lat. *loco*, f. red. de *in loco*, 'no lugar, ali mesmo'.] *Adv.* **1.** Sem tardança; imediatamente: *Cumpre ir logo chamar o médico.* **2.** Com a maior brevidade: *Espero que me faça logo esta tradução.* **3.** Com algum espaço de tempo; daqui a pouco. **4.** Mais tarde. **5.** Em tempo imediatamente seguinte a outro, numa série; em seguida; após. **6.** Exatamente, justamente. **7.** Ainda por cima; por cúmulo: *Infelizmente adoeceu — e logo naquele mês, quando estava cheio de compromissos!*, "Pois Henriqueta .... não se lembrou de ter um retrato do menino! E logo o retrato de corpo inteiro, aquele da mesa de estudo!" (João Gaspar Simões, *A Unha Quebrada*, p. 203). ● *Conj.* **8.** Por conseguinte; portanto. ♦ **Logo, logo.** Com a maior urgência; imediatamente; já, já. **Logo mais.** Dentro em pouco; em breve. **Logo que.** No momento em que; assim que; mal: "Ontem, logo que tive notícia da crise ministerial, recolhi-me a casa para esperar os acontecimentos." (Machado de Assis, *Crônicas de Lélio*, p. 85.) **Desde logo. 1.** Desde aquele momento. **2.** Logo, portanto **Para logo.** Sem demora; de pronto: "A alma, se o vento lha fizera dobrar, para logo retomou a posição dos outros dias" (Machado de Assis, *Iaiá Garcia*, p. 280). **Tão logo.** Mal, apenas; logo que: "Acendia, tão logo anoitecia, um candeeiro de querosene" (Povina Cavalcanti, *Volta à Infância*, p. 18).

▲**log(o)-.** [Do gr. *lógos, ou*.] *El. comp.* = 'palavra', 'tratado', 'estudo', 'ciência'; 'que estuda', 'que trata': *logomaquia, logogrifo.* [Equiv.: *-log: monólogo* (< gr. *monológos*), *psicólogo*.]

▲**-logo.** Equiv. de *log(o)-*.

logografia. [Do gr. *logographía*.] *S. f.* V. *estenografia.*

logográfico. [Do gr. *logographikós*.] *Adj.* Respeitante à logografia; estenográfico.

logógrafo. [Do gr. *logográphos*.] *S. m.* **1.** Designação comum aos primeiros escritores gregos. **2.** Autor de um glossário. **3.** V. *estenógrafo.*

logogrífico. *Adj.* **1.** Relativo a logogrifo. **2.** *Fig.* Enigmático, obscuro: *linguagem logogrífica.*

logogrifo. [De *log(o)-* + gr. *grîphos*, 'rede', 'enigma'.] *S. m.* **1.** Modalidade de charada em que as letras da palavra insinuada pelo conceito, parcialmente combinadas, formam outras palavras que é preciso adivinhar para se chegar àquela. **2.** Coisa enigmática, obscura.

logomania. [De *log(o)-* + *-mania*.] *S. f. Psiq.* Loquacidade exagerada, que se observa em certos doentes neuróticos e psicóticos.

logomaníaco. *Adj.* **1.** Relativo a, ou que tem logomania. ● *S. m.* **2.** Aquele que a tem.

logomaquia. [Do gr. *logomachía*, 'luta de palavras'.] *S. f.* **1.** Discussão acerca do sentido ou origem de uma palavra, ou palavras; questão sobre palavras. **2.** Palavreado inútil: "Meu amigo, há nas grandes obras de arte e ciência um pensamento filosófico embutido. Para o exumar da massa de emoção estética e da massa de fatos objetivos torna-se necessário abrir o espírito a linguagens diferentes das logomaquias dos metafísicos" (Fidelino de Figueiredo, *Um Homem na Sua Humanidade*, pp. 85-86).

logomáquico. *Adj.* Que encerra logomaquia: *discurso logomáquico; estilo logomáquico.*

logomarca. *S. f. Prop.* **1.** Marca (23) que reúne graficamente letras do nome da empresa e elementos formais puros, abstratos. [Cf. *símbolo-marca*.] **2.** Qualquer representação gráfica padronizada e distintiva utilizada como marca (23); representação visual de uma marca (23). [Sin. ger.: *logotipo*.]

logopedia. [De *log(o)-* + *-pedia*.] *S. f.* Ramo da foniatria que se dedica ao estudo e à correção dos defeitos da fala.

logopédico. *Adj.* Referente à logopedia.

logopedista. *S. 2 g.* Especialista em logopedia.

logorréia. [De *log(o)-* + *-réia*.] *S. f.* **1.** Necessidade incoercível de falar. **2.** Hábito de falar com excesso; verborragia.

logorréico. *Adj.* **1.** Relativo à, ou que sofre de logorréia. ● *S. m.* **2.** Aquele que sofre desse mal.

➧**logos.** [Gr.] *S. m. Filos.* **1.** O princípio de inteligibilidade; a razão. **2.** Segundo Heráclito [v. *heraclitismo*], o princípio supremo de unificação, portador do ritmo, da justiça e da harmonia que regem o Universo. **3.** Segundo Platão [v. *platonismo*], o princípio de ordem, mediador entre o mundo sensível e o inteligível.

logosofia. [De *log(o)-* + *-sof(o)-* + *-ia*] *S. f.* Doutrina ético-filosófica fundada pelo pensador argentino González Pecotche (1901-1963), e que tem por objeto ensinar o homem a chegar à autotransformação mediante um processo de evolução consciente, libertando assim o pensamento das influências sugestivas.

logosófico. *Adj.* Relativo à logosofia.

logósofo. [De *log(o)-* + *-sofo*.] *S. m.* Especialista em logosofia.

logotecnia. [Do gr. *logotéchnes*, 'artista da palavra', + *-ia*.] *S. f.* Ciência da significação e emprego das palavras.

logotécnico. *Adj.* **1.** Referente à logotecnia. ● *S. m.* **2.** Especialista em logotecnia.

logotipia. [De *log(o)-* + *-tip(o)-* + *-ia*] *S. f. Tip.* Sistema de composição tipográfica baseada no uso de logotipos.

logotípico. *Adj.* Respeitante à logotipia, ou ao logotipo.

logotipo. [De *log(o)-* + *tipo*.] *S. m.* **1.** *Tip.* Grupo de letras fundidas em um só tipo, formando sigla ou palavra, usualmente representativas de marca comercial ou de fabricação. [Cf., nestas acepç., *ligatura* (2).] **2.** *P. ext.* Marca constituída por grupo de letras, sigla ou palavra, especialmente desenhada para uma instituição, empresa, etc. **3.** *Prop.* Logomarca. [Melhor seria *logótipo*.]

logótipo. *S. m. Tip.* V. *logotipo.*

logração. *S. f.* **1.** Ato ou efeito de lograr; logramento, logro. **2.** V. *logro* (2).

logradeira. *Adj.* (*f.*) e *s. f.* Diz-se de, ou mulher que logra outrem, que é trapaceira.

logradoiro. *S. m.* V. *logradouro.*

logrador[1] (ô). *Adj.* e *s. m.* Que ou aquele que logra; trapaceiro, intrujão.

logrador[2] (ô). [Alter. de *logradouro*.] *S. m. Bras., N.E.* Seção da fazenda de criação em lugar afastado, onde estão situados curral, aguada, etc., e aonde vai o vaqueiro tratar o gado e principalmente dos animais feridos, que ali se restabelecem. [Cf. *logradouro* (3).]

logradouro. [Var. de *logradoiro*.] *S. m.* **1.** O que é ou pode ser logrado ou fruído por alguém. **2.** *Urb.* Espaço livre, inalienável, destinado à circulação pública de veículos e de pedestres, e reconhecido pela municipalidade, que lhe confere denominação oficial. São as ruas, travessas, becos, avenidas, praças, pontes, etc. **3.** Pastagem pública para o gado. [Cf., nesta acepç., *logrador*[2].]

logramento. *S. m.* Ato ou efeito de lograr; logração, logro.

logrão. [De *lograr* + *-ão*[3].] *S. m.* **1.** Aquele que logra; burlador, logrador, intrujão. **2.** Indivíduo interesseiro, ganancioso, ávido. [Fem.: *logrona*.]

lograr. [Do lat. **lucrare*, por *lucrari*, 'ganhar'.] *V. t. d.* **1.** Gozar; obter; fruir, desfrutar, desfruir: *Apesar de seus esforços, não logrou o cargo a que aspirava.* **2.** Tirar lucro de; aproveitar. **3.** Conseguir, alcançar: *Logrou a felicidade graças a uma sábia filosofia de vida;* "nenhum dos passageiros lograra, até aquele momento, avistar o paquete" (Virgílio Várzea, *Nas Ondas*, p. 149). **4.** Enganar com astúcia; burlar, intrujar, defraudar: *Logrou o companheiro, passando-lhe a nota falsa. Int.* **5.** Fazer o seu efeito; produzir o resultado que se esperava: *O seu dito satírico logrou. P.* **6.** Aproveitar-se, gozar. **7.** Render, aumentar. [Pres. ind.: *logro*, etc. Cf. *logro* (ô).]

logrativo. *Adj.* Que logra; logrador, trapaceiro.

logro (ô). [Do lat. *lucru*.] *S. m.* **1.** Ato ou efeito de lograr; logramento. **2.** Engano propositado contra alguém; artifício ou manobra ardilosa para iludir. [Sin., nesta acepç.: *burla, burlaria, borla, dolo, fraude, logração, trapaça, trapaçaria, batota, trapalhada, trapalhice, garatusa, manganilha, mofatra* e (bras.) *caxixe, embrulho, manta, papironga*.] **3.** Gozo, fruição. **4.** *Ant.* Lucro, usura. [Pl.: *logros* (ô). C. f. *logro*, do v. *lograr*.]

logrona. *S. f.* V. *logrão.*

loiça. *S. f.* V. *louça.*

loiçaria. *S. f.* Louçaria.

loiceira. *S. f.* Var. de *louceira* [q. v.].

loiceiro. *S. m.* Var. de *louceiro* [q. v.].

lóio. [Do antr. *Elói*, de *Santo Elói*.] *Adj.* Da congregação de São João Evangelista (— - c. 100 d. C.), que tinha por padroeiro Santo Elói (c. 588-660), ou relativo a ela.

loira[1]. *S. f.* Loura[1].

loira[2]. *S. f.* Var. de *loura*[2].

loiraça. *S. 2 g.* Louraça.

loirecer. *V. t. d.* e *int.* V. *lourecer.* [Conjug.: v. *aquecer*.]

loireira. *S. f.* Loureira.

loireiral. *S. m.* Var. de *loureiral.*

loireiro. *S. m.* Var. de *loureiro* [q. v.].

loirejante. *Adj. 2 g.* V. *lourejante:* "fomes de Ugolino que rompe seus ferros, e se defronta com lautos estendais de loirejantes iguarias." (Camilo Castelo Branco, *A Queda dum Anjo*, p. 71).

loirejar. *V. int.* e *t. d.* V. *lourejar.* [Conjug.: v. *pelejar*.]

loiro[1]. *S. m.* Var. de *louro*[1]. ~ V. *loiros.*

loiro[2]. *S. m. Fam.* Louro[2].

loiro[3]. *Adj.* Louro[3]: "a vi, como quem vê num vago sonho de ópio, / Uma loira mulher..." (Menotti del Picchia, *As Máscaras*, p. XII).

loiro-abacate. *S. m. Bras.* V. *louro-abacate.* [Pl.: *loiros-abacates* e *loiros-abacate*.]

loiro-amarelo. *S. m.* V. *louro-amarelo.* [Pl.: *loiros-amarelos*.]

loiro-branco. *S. m. Bras.* V. *louro-branco.* [Pl.: *loiros-brancos*.]

loiro-cereja. *S. m.* V. *louro-cereja.* [Pl.: *loiros-cerejas* e *loiros-cereja*.]

loiro-cheiroso. *S. m. Bras.* V. *louro-cheiroso.* [Pl.: *loiros-cheirosos*.]

loiro-cravo. *S. m. Bras.* V. *louro-cravo.* [Pl.: *loiros-cravos* e *loiros-cravo*.]

loiro-da-beira. *S. m. Bras.* V. *louro-da-beira.* [Pl.: *loiros-da-beira*.]

loiro-da-terra. *S. m. Bras.* V. *louro-da-terra.* [Pl.: *loiros-da-terra*.]

loiro-de-casca-preta. *S. m. Bras.* V. *louro-de-casca-*

preta. [Pl.: *loiros-de-casca-preta.*]

loiro-do-igapó. *S. m. Bras.* V. *louro-do-igapó.* [Pl.: *loiros-do-igapó.*]

loiro-inhamuí. *S. m. Bras.* V. *louro-inhamuí.* [Pl.: *loiros-inhamuís* e *loiros-inhamuí.*]

loiro-mamorim. *S. m. Bras.* V. *louro-mamorim.* [Pl.: *loiros-mamorins* e *loiros-mamorim.*]

loiro-pardo. *S. m.* V. *louro-pardo.* [Pl.: *loiros-pardos.*]

loiro-pimenta. *S. m. Bras.* V. *louro-pimenta.* [Pl.: *loiros-pimentas* e *loiros-pimenta.*]

loiro-preto. *S. m. Bras.* V. *louro-preto.* [Pl.: *loiros-pretos.*]

loiro-rosa. *S. m. Bras.* V. *louro-rosa.* [Pl.: *loiros-rosas* e *loiros-rosa.*]

loiros. *S. m. pl.* Var. de *louros.* ~ V. *loiro*[1].

loiro-tamancão. *S. m. Bras.* V. *louro-tamancão.* [Pl.: *loiros-tamancões* e *loiros-tamancão.*]

loiro-tamanco. *S. m. Bras.* V. *louro-tamanco.* [Pl.: *loiros-tamancos* e *loiros-tamanco.*]

loiro-vermelho. *S. m. Bras.* V. *louro-vermelho.* [Pl.: *loiros-vermelhos.*]

loisa. *S. f.* V. *lousa.*

loita. [Do arc. *luita.*] *S. f. Ant.* e *pop.* Luta: "Acabo de ter uma *loita* com o sargento Malaquias" (Jaime d'Altavila, *Lógica de um Burro,* p. 25). [Cf. *luita* e *aloite.*]

loja. [Do fr. *loge,* 'pequena cabana de guarda florestal'.] *S. f.* **1.** Casa térrea. **2.** Num edifício, dependência destinada a atividades comerciais, industriais, etc. **3.** *P. ext.* Estabelecimento comercial: *loja de três andares.* [Deprec., nas acepçs. 2 e 3: *lojeca.*] **4.** Loja maçônica. **5.** *Bot.* Cada uma das subdivisões da antera ou do ovário. ◆ **Loja de capela.** *Lus.* V. *armarinho.* **Loja de miudezas.** *Bras.* V. armarinho. **Loja de secos e molhados.** Armazém de secos e molhados. **Loja de varejo.** A que vende a varejo. **Loja maçônica. 1.** Casa de associação maçônica. **2.** *P. ext.* Qualquer seção de uma ordem maçônica. [Tb. se diz, nas duas acepçs., apenas *loja.*]

lojeca. *S. f. Deprec.* Pequena loja (2 e 3).

lojista. *S. 2 g.* **1.** Dono ou diretor de loja(s) de comércio. ● *Adj. 2 g.* **2.** Diz-se de quem tem loja de comércio: *comerciante lojista.* **3.** Relativo a esse tipo de loja: *organização lojista; comércio lojista.*

loligídeo. [Do lat. *loligo, inis,* 'lula', + *-ídeo.*] *Adj.* **1.** Relativo ou semelhante à lula ou ao choco[1] (3). **2.** Pertencente ou relativo aos loligídeos. ● *S. m.* **3.** Espécime dos loligídeos.

loligídeos. *S. m. pl. Zool.* Família de moluscos que tem como tipo a lula.

lólio. [Do lat. *loliu.*] *S. m.* Designação científica do joio (gênero *Lolium*).

loló. *S. m. Bras., PB.* Cheirinho-da-loló.

lomba. [De *lombo.*] *S. f.* **1.** Crista arredondada de colina, serra ou monte. **2.** Ladeira, declive. **3.** Pequeno monte de terra ou de areia, natural ou formado pela ação do vento. **4.** *Bras., RS.* Declividade dos pequenos morros e das coxilhas baixas; lombada: "precipitou-se declive abaixo e só foi parar além dos chorões, onde a *lomba* terminava" (Érico Veríssimo, *Noite,* p. 10). **5.** *Bras.* e *prov. lus.* Indisposição para o trabalho; preguiça, indolência; lombeira.

lombada[1]. [De *lombo* + *-ada*[1].] *S. f.* **1.** Dorso do boi. **2.** Lado do livro onde fica a costura, oposto ao corte da frente; lombo, dorso. **3.** *Encad.* A tira de couro ou de pano que, na meia-encadernação, cobre o lombo e parte dos planos: "Os livros, intactos, mostravam as *lombadas*: alguns encadernados." (Maria José de Queirós, *Homem de Sete Partidas,* p. 137.)

lombada[2]. [De *lomba* + *-ada*[1].] *S. f.* **1.** Lomba (1) extensa. **2.** *Bras., RS.* Lomba (4).

lombar. [De *lombo* + *-ar*[1].] *Adj. 2 g.* Relativo ou pertencente ao lombo; lombeiro.

lombardo[1]. [De *lombo* + *-ardo.*] *Adj.* Diz-se do touro de pêlo preto, acastanhado no lombo.

lombardo[2]. [Do lat. *longobardu,* pelo it. *lombardo.*] *Adj.* **1.** Da, ou pertencente ou relativo à Lombardia (Itália). **2.** Diz-se da escola de pintura da Lombardia, e em especial de um meio sorriso irônico e enigmático que normalmente as suas figuras apresentam. ● *S. m.* **3.** O natural ou habitante da Lombardia. **4.** O dialeto dessa região. [Sin. ger.: *longobardo.*]

lomba-verde. *S. f. Bras.* Pequeno arbusto, da família das compostas *(Tessaria absinthioides),* do extremo S. do Brasil e países vizinhos, de folhas lanceoladas, agudamente serrilhadas, e capítulos com poucas flores, hermafroditas, dispostas em panículas. [Pl.: *lombas-verdes.*]

lombear. [De *lombo* + *-ear.*] *V. t. d.* **1.** *Bras., PR.* Ferir o lombo de (animal). [Us. com relação à sela.] **2.** *Bras., RS.* Torcer o lombo ou a espinha dorsal (cavalo meio arisco, quando montado). **3.** Fazer movimento(s) com o lombo por causa de pancada recebida no corpo, ou de cócega, ou de qualquer dor física; torcer-se, contorcer-se. [Conjug.: v. *frear.* Cf. *lombear-se.*]

lombear-se. [De *lomba* (5) + *-ear* + *se*[1].] *V. p. Bras., RS.* **1.** Ter preguiça ou lomba. **2.** Retardar a execução dum trabalho por preguiça ou por medo à responsabilidade. [Conjug.: v. *frear.* Cf. *lombear.*]

lombeira. [Fem. substantivado do adj. *lombeiro.*] *S. f. Bras.* e *prov. lus.* **1.** Moleza de corpo; quebrantamento de forças. **2.** V. *sonolência* (2 e 4). **3.** V. *lomba* (5).

lombeiro. [De *lombo* + *-eiro.*] *Adj.* **1.** Lombar. ● *S. m.* **2.** Couro ou pêlo do lombo de certos animais.

lombelo (ê). [De *lombo.*] *S. m.* Músculo do gado bovino, correspondente ao pequeno psoas no homem.

lombilhar. [De *lombilho* + *-ar*[2].] *V. t. d. Bras., RS.* Montar com freqüência (um cavalo encilhado, obrigando-o a contínuos trabalhos e exercícios).

lombilharia. [Do esp. plat. *lomillería.*] *S. f. Bras., S.* Estabelecimento onde se fabricam e/ou vendem lombilhos.

lombilheiro. [Do esp. plat. *lomillero.*] *S. m. Bras., RS.* Indivíduo que fabrica e/ou vende lombilhos e, em geral, objetos de montaria.

lombilho. [Do esp. plat. *lomillo.*] *S. m. Bras., S.* **1.** O apero que substitui, nos arreios, a sela comum, o selim e o serigote. **2.** Músculo lombar da rês, muito apreciado para assado no forno.

lombinho[1]. [Dim. de *lombo.*] *S. m.* **1.** O lombo dos suínos. **2.** *Bras.* Peça muito tenra de carne que se tira da região lombar da rês, do porco, etc. **3.** *Bras.* O assado dessa carne.

lombinho[2]. [Dim. de *lobo,* por infl. de *calombo.*] *S. m. Bras. Pop.* V. *lobinho*[1]: "O *lombinho,* no meio da testa, crescia, interceptando-lhe a luz dos olhos." (Inglês de Sousa, *O Missionário,* p. 239.)

lombo. [Do lat. *lumbu.*] *S. m.* **1.** Costas, dorso. **2.** Parte carnosa aos lados da espinha dorsal, nos animais; costaneiro: *lombo de porco.* **3.** V. *lombada*[1] (2). **4.** *Fig.* Qualquer superfície convexa não esférica. **5.** *Fig.* Elevação, altura, eminência. ◆ **Lombo falso.** *Encad.* V. *falso-dorso.* **Endurecer o lombo.** *Bras., S.* **1.** Tornar-se (o cavalo) de lombo duro, i. e., contrair-se para corcovear. **2.** *Fig.* Rebelar-se contra uma determinação; não ceder; teimar.

lombociatalgia. [De *lombo* + *(nervo) ciát(ico)* + *-alg(o)-* + *-ia.*] *S. f. Med.* Dor que se manifesta em região lombar e em distribuição de nervo ciático.

lombociatálgico. [De *lombo* + *(nervo) ciát(ico)* + *-alg(o)-* + *-ico*[2].] *Adj.* Que apresenta lombociatalgia.

lombra. *S. f. Bras.* Efeito ou resultado do uso da maconha.

lombrical. [De *lombric(i)-* + *-al.*] *Adj. 2 g.* **1.** Relativo a lombrigas; lombricóide, lumbricário. **2.** Semelhante a uma lombriga; lumbricário. **3.** *Anat.* Diz-se de cada um de quatro pequenos músculos que se inserem na terceira falange dos quatro últimos dedos de cada mão e cada pé; lombricóide. [F. paral.: *lumbrical.*]

▲**lombric(i)-.** Equiv. de *lumbric(i)-.*

lombricito. [De *lombric(i)-* + *-ito*[2].] *S. m.* Petrificação com a forma de lombriga.

lombricóide. [De *lombric(i)-* + *-óide.*] *Adj. 2 g.* **1.** V. *lombrical* (1). **2.** *Anat.* Lombrical (3). ● *S. m.* **3.** V. *lombriga.*

lombriga. [Do lat. *lumbricu,* 'minhoca', com mudança de gênero.] *S. f.* Designação comum aos animais asquelmintos, nematódeos, da família dos ascarídeos, especialmente *Ascaris lumbricoides* L., parasito do intestino do homem. Têm boca com três lábios e esôfago sem ventrículo; comprimento: 15 a 49 cm. As larvas passam através do aparelho circulatório e pulmões para se fixarem definitivamente no intestino; alimentam-se do quimo intestinal. [Sin.: *lombricóide, bicha.*]

lombrigueira. [De *lombrigar* + *-eira.*] *S. f. Bras.* **1.** V. *fava-de-impigem.* **2.** V. *arapabaca* (2).

lombrigueiro. [De *lombriga* + *-eiro.*] *S. m. Bras.* Vermífugo, particularmente o que é veiculado em óleo de rícino.

lombrosiano. *Adj.* **1.** Que tem os traços físicos do criminoso, segundo as teorias de Cesare Lombroso, criminologista italiano (1836-1909): *tipo lombrosiano.* **2.** Que é partidário das teorias de Lombroso. ● *S. m.* **3.** Partidário dessas teorias.

lombudo. *Adj.* Que tem grandes lombos.

lomento. [Do lat. *lomentu.*] *S. m. Morfol. Veg.* Legume articulado, comum nas leguminosas, indeiscente e subdividido em porções que se separam ao alcançarem a maturidade.

lona[1]. [Do top. *Olonne,* da cidade francesa onde se fabricava esse tecido.] *S. f.* **1.** Tecido resistente, de linho grosso, de algodão ou de cânhamo, do qual se fazem sacos, velas, toldos, tendas, etc. **2.** Tecido que, depois de sofrer tratamento à base de látex, é utilizado na fabricação de pneus, de freios, etc. **3.** *P. ext.* Tenda de circo itinerante. **4.** *Bras.* Na porrinha [q. v.], o total de zero, i. e., a ausência de moedas ou de palitos de fósforos na mão dos jogadores. ◆ **Na lona.** *Pop.* V. *na última lona* (1). **Na última lona.** *Bras. Pop.* **1.** Sem recurso algum, em petição de miséria; na lona: *Não posso pagar seu almoço: estou na última lona.* **2.** Em péssimo estado; quase de todo imprestável: *A roupa do mendigo está na última lona.*

lona[2]. *S. f. Burl.* Léria, palavrório.

lonado. [De *lona*[2] + *-ado*[1].] *Adj.* Que tem a consistência ou a natureza da lona (1): *brim lonado.*

lonca. [Do esp. plat. *lonja.*] *S. f. Bras., RS.* **1.** Parte do couro do cavalar ou do muar da região do flanco, desde a base do pescoço até às nádegas, e limitada pelo fio do lombo e por uma linha média que vem do peito até o ânus, passando pela parte inferior da barrigada. **2.** *Bras., MG* e *S.* Tira muito fina que se retira do couro pelado e raspado para fazer trançados: "uma tira de cartilagem, mole e comprida, parecendo *lonca* fina de couro sem curtir." (Nélson de Faria, *Tiziu* e *Outras Estórias,* p. 175); "laço de dez braças, de seis *loncas* finas e bem trançadas." (Id., *ib.,* p. 148). ◆ **Dar a lonca.** *Bras., RS. Pop.* V. *morrer* (1).

londrinense. *Adj. 2 g.* **1.** De, ou pertencente ou relativo a Londrina (PR). ● *S. 2 g.* **2.** Natural ou habitante de Londrina.

londrino. *Adj.* **1.** De, ou pertencente ou relativo a Londres, capital da Inglaterra. ● *S. m.* **2.** O natural ou habitante de Londres.

longa. [Fem. substantivado do adj. *longo.*] *S. f.* **1.** *Mús.* Figura musical antiga, equivalente a duas breves. **2.** *Gram.* Sílaba ou vogal acentuada.

longada. [De *longo* + *-ada*[1].] *S. f. Desus.* Ato de ir para longe; afastamento; viagem. ◆ **De longada. 1.** Por longo tempo, com delonga; demoradamente. **2.** Para longe; de viagem: "No Norte [de Portugal], o povo ajunta-se em magotes e lá segue *de longada,* bailando e cantarolando" (Antero de Figueiredo, *Jornadas em Portugal,* p. 29).

longaense. *Adj. 2 g.* **1.** De, ou pertencente ou relativo a Alto Longá (PI). ● *S. 2 g.* **2.** Natural ou habitante de Alto Longá.

longal. *Adj. 2 g.* Dilatado; comprido, longo.

longa-metragem. *S. m. Bras. Cin.* Filme com a duração média de 100 minutos, geralmente de caráter artístico ou recreativo, e que constitui a principal atração de um programa cinematográfico; filme de longa-metragem. [Pl.: *longas-metragens.* Cf. *metragem* (3).]

longamira. [De *longa* + *mira.*] *S. f.* V. *óculo* (1).

longana. [Do chin. *long-ien.*] *S. f. Bras.* Planta da família das sapindáceas (*Nephelium longana*).

longânime. [Do lat. *longanime.*] *Adj. 2 g.* **1.** Bondoso, magnânimo, generoso. **2.** Corajoso, intrépido, bravo. **3.** Paciente, resignado. [Var.: *longânimo.*]

longanimidade. [Do lat. *longanimitate.*] *S. f.* **1.** Firmeza de ânimo: "nunca articulou uma acusação contra Flores. Sofria todos os desmandos do marido com resignação e *longanimidade.*" (Lima Barreto, *Clara dos Anjos,* p. 131). **2.** Magnanimidade, generosidade: "Toda a *longanimidade* do leitor será .... necessária para desculpar as imperfeições da obra." (Oliveira Martins, *História de Portugal,* I, p. X.)

longânimo. *Adj.* V. *longânime.*

longarina. [Do fr. *longrine,* com epêntese.] *S. f.* **1.** Qualquer viga disposta segundo o comprimento de uma estrutura. **2.** *Constr. Nav.* Cada uma das vigas estruturais do casco da embarcação, dispostas no sentido de proa a popa, e que amarram as cavernas entre si; longitudinal. [F. paral.: *longarino.* Cf. *transversina.*] ~ V. *longarinas.*

longarino. *S. m.* Longarina [q. v.].

longe. [Do lat. *longe.*] *Adv.* **1.** A grande distância, no espaço ou no tempo; distante. ● *Adj. 2 g.* **2.** Distante, remoto, longínquo: "Andei *longes* terras" (Gonçalves Dias, *Obras Poéticas,* II, p. 23); "P[e]. Paulo fora chamado, às pressas, aos Tocos, lugar *longe* e inóspito." (Geraldo França de Lima, *Branca Bela,* p. 88.) ● *Interj.* **3.** Exprime aversão ou ordem de afastamento. ~ V. *longes.* ◆ **Longe em longe.** V. *de longe em longe:* "*Longe em longe,* em queixume, um pio d'ave soava." (Coelho Neto, *Banzo,* p. 80.) **De longe. 1.** De grande distância, no tempo ou no espaço: *Acaba de regressar de longe; Sua loucura não é recente: vem* de longe. **2.** Com grande vantagem ou superioridade em relação à(s) outra(s) pessoa(s) ou coisa(s): *Eça de Queirós é, de longe, o maior romancista português; O romance* Fogo Morto *é de longe, segundo muitos, a obra-prima de José Lins do Rego.* **De longe a longe.** De longe em longe: "Os meus sete anos de serra, só de longe a longe interrompidos por algumas breves excursões a Coimbra, ... contiveram .... ócios para eu pensar em alguma coisa mais duradoira e menos egoísta que as rosas e os amores" (Antônio Feliciano de Castilho, *Amor e Melancolia*, p. 337). **De longe em longe.** Com largos intervalos de tempo ou de espaço; de longe a longe; longe em longe: "Vivi meio recluso, indo de longe em longe a algum baile, ou teatro, ou palestra" (Machado de Assis, *Memórias Póstumas de Brás Cubas*, p. 137); "só de longe em longe despontavam ainda alguns tufos ralos de estevas de branca flor e de tojeiras de flor amarela." (Garibaldino de Andrade, *O Sol e a Nuvem*, p. 54).

longerão. [Do fr. *longeron.*] *S. m. Bras.* Longarina do estrado das locomotivas.

longes. [Pl. substantivado do adj. *longe.*] *S. m. pl.* **1.** Objetos representados em tela como distantes. **2.** Leve semelhança; traços vagos; indícios: *Sua fisionomia tem uns longes da de Manuel:* "E havia nessa voz tamanha heroicidade / E uma energia tal, que uns longes de piedade / Cintilaram no olhar do torvo guerrilheiro." (Gonçalves Crespo, *Obras Completas*, p. 339). **3.** Grandes distâncias de tempo ou de espaço: *O nascimento de Dante remonta aos longes de 1265; Acompanhou com a vista o vôo da ave, até que ela se perdeu nos longes.* **4.** Impressão vaga; desconfiança; suspeita; pressentimento: "— E tenho meus longes de que, mais dia menos dia, aí o temos pela proa com a Srª. D. Madalena." (Rebelo da Silva, *Contos e Lendas*, p. 84.) ~ V. *longe.*

longevidade. [Do lat. *longaevitate.*] *S. f.* **1.** Qualidade de longevo. **2.** Vida longa, dilatada: "Autoridades científicas estão de acordo quanto à longevidade dos quelônios. Havia, há poucos anos, e talvez ainda lá esteja hoje, na ilha de Santa Helena, a tartaruga que foi vista pelos olhos de Napoleão." (Eurico Santos, *Histórias, Lendas e Folclore de Nossos Bichos*, p. 148).

longevo (é). [Do lat. *longaevu.*] *Adj.* **1.** Que tem muita idade; grandevo, idoso; macróbio: "Tagore, ... poeta precoce e longevo, começou a escrever aos 13 anos e manteve, durante cerca de 65, fecunda atividade literária." (Martins Napoleão, *Pequena Antologia de Poemas Alheios*, p. 63.) **2.** *Poét.* Duradouro, vivedouro, vivaz.

▲longi-. [Do lat. *longus, a, um.*] *El. comp.* = 'longo, extenso': *longicaule, longimetria.* [Equiv.: *-longo: quadrilongo.*]

longicaule. [De *longi-* + *caule.*] *Adj. 2 g. Bot.* Cuja haste é longa.

longicórneo. [De *longi-* + *-corn(e)-* + *-eo.*] *S. m.* e *adj.* Cerambicídeo.

longicórneos. *S. m. pl. Zool.* Cerambicídeos.

longifólio. [De *longi-* + *-fólio.*] *Adj. Bot.* Macrofilo.

longilíneo. [De *longi-* + lat. *linea.*] *Adj.* **1.** Diz-se de animal que tem o corpo mais longo do que a média da sua raça. **2.** V. *leptossômico.* **3.** *P. ext.* Delgado e alongado: *mãos longilíneas.* [Antôn.: *brevilíneo.*]

longilobado. [De *longi-* + *lobado.*] *Adj.* Dividido em lóbulos alongados.

longímano. [Do lat. *longimanu.*] *Adj.* Que tem mãos longas.

longimetria. [De *longi-* + *-metr(o)-*[2] + *-ia.*] *S. f.* Medição trigonométrica das grandes distâncias.

longimétrico. *Adj.* Referente à longimetria.

longínquo. [Do lat. *longinquu.*] *Adj.* **1.** Remoto; afastado, distante: *Da casa, longínqua, mal se percebia o contorno.* **2.** Que de uma grande distância nos chega à vista ou ao ouvido: *Quebrava o silêncio da tarde uma toada longínqua.* **3.** Que aconteceu há muito tempo; remoto: *Vieram-lhe à memória fatos longínquos e desde muito esquecidos.* **4.** Que há de vir muito tarde; porvindouro, futuro: *Casar, ter sua casa, seus filhos, era para ele plano longínquo.* [Var.: *longíquo.* (q. v.).]

longipalpo. [De *longi-* + *palpo.*] *Adj. Zool.* Que tem palpos longos.

longípede. [Do lat. *longipede.*] *Adj. 2 g.* Que tem pés compridos; mecópode. [Antôn.: *brevípede.*]

longipene. [De *longi-* + *-pene.*] *Adj. 2 g.* **1.** Que tem penas longas. [Antôn.: *brevipene.*] **2.** Pertencente ou relativo aos longipenes. ● *S. f.* **3.** Espécime dos longipenes.

longipenes. [Pl. de *longipene.*] *S. f. pl. Zool. Desus.* Designação comum aos animais metazoários, cordados, vertebrados, aves, palmípedes, com asas e caudas muito longas, vôo possante. São os albatrozes e as gaivotas.

longipétalo. [De *longi-* + *-pétalo.*] *Adj. Bot.* Que tem pétalas longas.

longíquo. [De *longínquo*, com dissimilação.] *Adj.* longínquo: "Silêncio! ... Mas além, confuso e brando, / O som longíquo vem se aproximando / Do galopar de estranha cavalgada." (Raimundo Correia, *Poesias*, p. 111); "ouvia-se a espaços um mugir e urrar longíquo" (Alexandre Herculano, *O Bobo*, p. 308). [Note-se a expressividade da f. *longíquo*, com o *i* desnasalado, no exemplo de Raimundo Correia, onde o verso em que ela figura é cheio de sons nasais. Há outras ocorrências de *longíquo*, nesses mesmos autores e em numerosos outros, portugueses e brasileiros.]

longirrostro. [De *longi-* + *-rostro.*] *Adj. Zool.* Cujo bico é comprido. [Antôn.: *brevirrostro.*]

longistilo. [De *longi-* + *-stilo.*] *Adj. Morfol. Veg.* Que tem estilete comprido: *flor longistila.*

longitarso. [De *longi-* + *tarso.*] *Adj.* Cujo tarso é longo.

longitroante. [De *longi-* + *troante.*] *Adj. 2 g.* **1.** Que troa ao longe. **2.** Que reboa por muito tempo.

longitude. [Do lat. *longitudine.*] *S. f.* **1.** Distância, lonjura. **2.** *Astr.* Ângulo polar, em um plano fundamental orientado, contado de uma origem arbitrária até à projeção de um ponto da esfera celeste sobre esse plano. **3.** *Geom. Anal.* Num sistema de coordenadas cilíndricas ou esféricas, o ângulo que um plano meridiano faz com o plano inicial. **4.** *Geog.* Na esfera terrestre, arco do equador terrestre compreendido entre o meridiano que passa pelo observatório astronômico de Greenwich (subúrbio de Londres) e o meridiano que passa pelo observador; longitude terrestre. ♦ **Longitude areocêntrica.** *Astr.* Longitude de um astro, ou de um ponto da superfície de Marte, em relação ao centro desse planeta. **Longitude areográfica.** *Astr.* Longitude de um ponto da superfície de Marte em relação ao disco aparente desse planeta. **Longitude celeste.** *Astron.* Na esfera celeste, arco do equador compreendido entre o ponto vernal e o meridiano celeste que passa por determinado astro. **Longitude do nodo ascendente.** *Astr.* Elemento da órbita de um astro, correspondente à distância angular do ponto vernal medida no plano fundamental (eclíptica ou equador) até o ponto de interseção com o plano da órbita, em que o astro passa do hemisfério sul para o norte. **Longitude do periastro.** *Astr.* Soma do ângulo no plano fundamental, entre o ponto vernal e a linha dos nodos, e do ângulo no plano da órbita, entre a linha dos nodos e a linha dos apsides, medido na direção do movimento do astro na sua órbita. **Longitude eclíptica.** *Astr.* Ângulo diedro entre o plano que contém o eixo perpendicular ao plano da eclíptica mais um dado ponto da esfera celeste, e um plano de referência que passa por aquele eixo. **Longitude eclíptica geocêntrica.** *Astr.* Longitude eclíptica de um ponto da esfera celeste, referida ao centro da Terra. [Tb. se diz apenas *longitude geocêntrica.*] **Longitude eclíptica heliocêntrica.** *Astr.* Longitude eclíptica de um ponto da esfera celeste, referida ao centro do Sol. [Tb. se diz apenas *longitude heliocêntrica.*] **Longitude geocêntrica.** *Astr.* Longitude eclíptica geocêntrica. **Longitude heliocêntrica.** *Astr.* Longitude eclíptica heliocêntrica. **Longitude hermocêntrica.** *Astr.* Longitude de um astro, ou de um ponto na superfície de Mercúrio, em relação ao centro desse planeta. **Longitude hermográfica.** *Astr.* Longitude de um ponto da superfície de Mercúrio, em relação ao disco aparente desse planeta. **Longitude planetocêntrica.** *Astr.* Longitude de um astro, ou de um ponto da superfície de um planeta, em relação ao centro desse planeta. **Longitude planetográfica.** *Astr.* Longitude de um ponto na superfície de um planeta, em relação a um sistema de coordenadas ligado ao disco aparente desse planeta. **Longitude selenocêntrica.** *Astr.* Longitude de um astro, ou de um ponto da superfície lunar, em relação ao centro da Lua. **Longitude selenográfica.** *Astr.* Longitude de um ponto da superfície lunar, em relação ao disco da Lua. **Longitude terrestre.** *Geog.* Longitude (4).

longitudinal. [Do lat. *longitudine*, 'longitude', + *-al.*] *Adj. 2 g.* **1.** Relativo ao comprimento. **2.** Colocado no sentido do comprimento, ao comprido. **3.** Referente a longitude. **4.** Que está na direção do eixo principal de dado órgão. ~ V. *balanço — e onda —.* ● *S. f.* **5.** *Constr. Nav.* Longarina (2).

longo. [Do lat. *longu.*] *Adj.* **1.** Que se estende em sentido longitudinal; comprido, extenso: "Quem era aquela criaturinha langue / de longas mãos liriais e olhos de louca?" (Austro-Costa, *Mulheres e Rosas*, p. 24.) **2.** Demorado, duradouro; dilatado: *discurso longo, cansativo.* **3.** Que remonta a muito tempo; que vem ou data de longe: *uma longa amizade.* **4.** *Fon.* Diz-se da vogal ou da sílaba que tem maior duração que outra. V. *quantidade* (5). [Aum. irreg.: *longueirão.*] ~ V. *elixir da —a, vida, onda —a, letra —a, sílaba —a* e *tonelada —a.* ● *S. m.* **5.** Comprimento (2): *O tecido mede 50 cm de largura por 2 m de longo.* **6.** Vestido que atinge a altura do tornozelo, e que geralmente se usa à noite, com traje a rigor ou sem ele, ou ainda em cerimônias, como casamentos, etc. "E o grande espelho do armário refletiu o homem de smoking e a mulher de longo abraçados com volúpia." (Marina Colasanti, *A Morada do Ser*, p. 107.) [Cf., nesta acepç., *maxivestido.*] ● *Adv.* **7.** Longamente, demoradamente: "Um tiro que levasse a vida ao meu amigo .... far-me-ia padecer muito e longo" (Machado de Assis, *Casa Velha*, p. 154). ♦ **Ao longo de. 1.** No sentido longitudinal: *Há muitas casas ao longo da estrada; A água lhe escorria ao longo do corpo.* **2.** À margem de; à beira de; junto a: *Sua casa está situada ao longo da estrada.* **De longo a longo.** Em toda a extensão; de fio a pavio: *Leu os manuscritos de longo a longo.*

▲-longo. Equiv. de *longi-.*

longobardo. *Adj.* e *s. m.* V. *lombardo*[2].

longor (ô). *S. m. P. us.* **1.** V. *longuidão* (2). **2.** *Fig.* V. *longura.*

➡long-play (lon' plei). [Ingl.] *S. m.* Disco fonográfico, de 10 a 12 polegadas, que gira com velocidade angular de 33,33 voltas por minuto, e cuja trilha sonora é gravada em microssulcos. [Sin.: *elepê.* Sigla: *LP.* Cf. *compacto* (5).]

➡long-playing (lon' pleiin'). [Ingl.] *Adj.* Diz-se de qualquer dispositivo referente a um *long-play.*

longueirão. [Aum. irreg. de *longo.*] *Adj.* Muito longo.

longuidão. *S. f.* **1.** Qualidade de longo: "os parentes que a olhavam [a velha] como se a censurassem pela longuidão de sua existência." (Ledo Ivo, *O Flautim*, p. 106). **2.** Extensão longitudinal; longor, longura.

longura. [De *longo* + *-ura.*] *S. f.* **1.** V. *longuidão* (2). "Não os entibiava a longura das viagens a bravura das tempestades, a perspectiva do martírio" (Latino Coelho, *Cervantes*, p. 179.) **2.** *Fig.* Demora, delonga, longor.

lonita. [De *lona* + *-ita*[1].] *S. f.* Tecido grosso de algodão, menos encorpado que a lona: "Pensou .... na cortina de lonita alegre" (Maria Julieta Drummond de Andrade. *O Valor da Vida*, p. 143).

lonjura. [De *longe* + *-ura.*] *S. f.* Grande distância; longitude: "Um barco vislumbrado na lonjura / Negava-se ao destino de ter cais" (Miguel Torga, *Diário*, IX, p. 126); "na largueza daqueles campos, na lonjura daqueles morros" (Albertino Moreira, *Boca-Pio*, pp. 65-66).

lonqueador (ô). *S. m. Bras., RS.* Aquele que lonqueia couros.

lonquear. [Do esp. plat. *lonjear.*] *V. t. d. Bras., RS.* Preparar (o couro), limpando-o e raspando-o, a fim de o cortar, depois, em tiras finas, para trabalhos de trança, como, p. ex., laços, sogas, rebenques, cabeçadas, rédeas. [Conjug.: v. *frear.*]

lontra. [Do lat. *lutra.*] *S. f.* Animal mamífero da ordem dos carnívoros, da família dos mustelídeos. A lontra brasileira *(Lutra paranaensis)* tem cerca de 70 cm de comprimento e 30 cm de cauda, e o corpo é revestido de pêlos longos, pardo-cinzentos. [Sin.: *jaguacacaca, cachorro-d'água.*]

lopesco (ê). *Adj.* Pertencente ou relativo ao dramaturgo espanhol Lope de Vega (1562-1635), ou a sua obra.

loquacidade. [Do lat. *loquacitate.*] *S. f.* Qualidade de loquaz; verbosidade, verbiagem, tagarelice, loqüela.

loquacíssimo. [Do lat. *loquacissimu.*] *Adj.* Superl. abs. sint. de *loquaz.*

loquaz. [Do lat. *loquace.*] *Adj. 2 g.* **1.** Falador, palrador; palavroso, verboso: "E era como um doido a meter-se no serviço de todos, muito expedito, loquaz, alegre" (Trindade Coelho, *Os Meus Amores*, p. 78). **2.** Facundo, eloqüente. [Superl. abs. sint.: *loquacíssimo.*]

loque. [Do lat. medieval *lohac* ár. *lo oq.*] *S. m.* **1.** Fórmula farmacêutica xaroposa, na qual entram gomas, óleos e essências, e usada nas afecções do pulmão, da laringe e da garganta; eclegma. **2.** Medicação caseira para o mesmo fim; lambedor.

loqüela. [Do lat. *loquela.*] *S. f.* **1.** Faculdade da fala; fala. **2.** V. *loquacidade:* "A descrição exagerada das experimentações deu rebate à porção sentimental da cidade, e excitou a loqüela de alguns sofistas" (Machado de Assis, *Histórias sem Data*, p. 97).

loquete (ê). [Do fr. *loquet.*] *S. m.* Cadeado ou ferrolho: "empurrou a porta de pranchas velhas, que não tinha

loquete para ser mais hospitaleira." (Eça de Queirós, *Contos*, p. 144). [Var.: *aloquete*.]
loquial. *Adj. 2 g.* Relativo aos lóquios.
loquiometria. [De *lóquio(s)* + *-metr(o)-*^{1} + *-ia*.] *S. f. Patol.* Retenção dos lóquios no útero, com possível distensão deste.
loquiorragia. [De *lóquio(s)* + *-ragia*.] *S. f. Patol.* Evacuação excessiva dos lóquios.
loquiorrágico. *Adj.* Referente à loquiorragia.
lóquios. [Do gr. *lóchia*.] *S. m. pl. Med.* Líquido sanguíneo, serossanguinolento e, finalmente, seroso, de acordo com a data do parto e a fase do puerpério, que escorre dos órgãos genitais femininos.
▲-loquo. [Do lat. *loquu*.] *El. comp.* = 'que fala': *ventríloquo* (lat. *ventriloquu*), *altíloquo*.
loraço. [Por *louraço* *louro*^{3} + *-aço*.] *S. m. Bras., MG.* Alcunha dos alemães. [Cf. *louraça*.]
lorantácea. *S. f.* Espécime das lorantáceas.
lorantáceas. *S. f. pl. Bot.* Família de dicotiledôneas parasitas, da ordem das santalales, que vivem sobre outras plantas ou unidas às raízes destas. Folhas, quando presentes, opostas; flores inconspícuas ou muito grandes, vistosas e coloridas; perigônio quase sempre hexâmero; estames isômeros; ovário indiferenciado, unilocular, sem óvulo organizado. Pseudofruto (composto do receptáculo) bacáceo. Há cerca de 1.500 espécies, do mundo inteiro, e são disseminadas no Brasil, onde recebem a designação geral de *erva-de-passarinho*.
lorantáceo. *Adj.* Pertencente ou relativo às lorantáceas.
lordaça. [De *lorde* + *-aça*.] *S. 2 g. Bras., CE. Pop.* V. *estrangeiro* (7). [Cf. *lordaço*.]
lordaço. [De *lorde* + *-aço*.] *Adj.* e *s. m. Bras., GO. Pop.* Diz-se de, ou indivíduo rico, abastado, opulento. [Sin. do s. m., na BA: *lordeza*. Cf. *lordaça*.]
lordar. [De *lorde* + *-ar*^{2}.] *V. int.* Viver à farta, à larga, gastando como um lorde.
lorde. [Do ingl. *lord*.] *S. m.* **1.** Título honorífico inglês. **2.** Título conferido a certos altos funcionários ou a certos ministros ingleses no exercício de suas funções. **3.** Membro da câmara alta do parlamento inglês. **4.** *Pop.* Homem que vive com ostentação. ● *Adj. 2 g.* **5.** Próprio de lorde; rico; caro. **6.** Cheio de exigências, de luxo; luxento.
lordeza (ê). *S. 2 g. Bras., BA.* V. *lordaço*.
lordose. [Do gr. *lórdosis*, 'ação de curvar'.] *S. f.* **1.** *Anat.* Convexidade anterior, normal, nos segmentos cervical e lombar da coluna vertebral. **2.** *Med.* Curvatura de osso ou de órgão, que dá origem a convexidade anterior. **3.** *Med.* Curvatura exagerada, de convexidade anterior, da coluna vertebral, e que se pode originar ou como compensação (p. ex., compensação de luxação congênita dos quadris), ou como conseqüência de paralisia (p. ex., na insuficiência de músculos espinhais ou de músculos abdominais). [Cf., nesta acepç., *escoliose* e *cifose*.]
loré. *S. f. Bras., AL.* V. *alpercata*.
lorenense. *Adj. 2 g.* **1.** De, ou pertencente ou relativo a Lorena (SP). ● *S. 2 g.* **2.** Natural ou habitante de Lorena.
loretense^{1}. *Adj. 2 g.* **1.** De, ou pertencente ou relativo a Loreto (MA). ● *S. 2 g.* **2.** Natural ou habitante de Loreto.
loretense^{2}. *Adj. 2 g.* **1.** De, ou pertencente ou relativo a Doutor Loréti (RJ). ● *S. 2 g.* **2.** Natural ou habitante de Doutor Loréti.
➡lorgnon (nhon). [Fr.] *S. m.* Lornhão.
lorica. [Do lat. *lorica*.] *S. f. Morfol. Veg.* **1.** Envoltório especial que se encontra em um grupo raro de algas unicelulares, com a forma de um cone aberto na base, mas invertido. **2.** *Zool.* Carapaça protetora dos rotíferos e dos infusórios. [Cf. *loriga*.]
loricado. *S. m.* **1.** Espécime dos loricados. **2.** V. *poliplacóforo* (1). **3.** Crocodiliano (1). ● *Adj.* **4.** Pertencente ou relativo aos loricados. **5.** V. *poliplacóforo* (2). **6.** Crocodiliano (2).
loricados. *S. m. pl. Zool.* **1.** Animais metazoários, rotíferos, ploimos, subordem *Loricata*, de corpo coberto por uma lorica. **2.** V. *poliplacóforos*. **3.** Crocodilianos.
loricarídeo. *S. m.* **1.** Espécime dos loricarídeos. ● *Adj.* **2.** Pertencente ou relativo a eles.
loricarídeos. *S. m. pl. Zool.* Família de peixes da ordem dos siluróides, de boca ventral e lábios grossos. Encontrado nos rios da América do Sul. Ex.: o acariaçu.
loriga. [Do lat. *lorica*.] *S. f.* Saio de malha com escamas de metal, usado pelos guerreiros da Idade Média: "um raio de sol, entrando milagrosamente, iluminou em cheio a figura do herói que aparecia armado de loriga e bravoneiras" (Oliveira Martins, *A Vida de Nun'Álvares*, p. 16). [Cf. *lorica*.]
lorigado. [Do lat. *loricatu*.] *Adj.* Revestido de loriga.
lorigão. [Aum. de *loriga*.] *S. m.* Saião de malha.
lornhão. [Do fr. *lorgnon*.] *S. m.* Instrumento de óptica, formado de duas lentes engastadas em uma armação sem hastes, com um cabo, e que se põe sobre o nariz.
loro. [Do lat. *loru*.] *S. m.* **1.** Correia dupla afivelada à sela ou selim para sustentar o estribo: "passou revista .... nos arreios do baio e da rosilha, depois nos cascos; e .... foi .... aqui apertando um loro, ali afrouxando uma cilha" (José de Alencar, *Til*, p. 43). **2.** Tira de couro macio destinada a atar ou prender qualquer objeto ou manter preso animal de pequeno porte ou ave. **3.** Parte da cabeça das aves, compreendida entre a base do bico e o olho. ◆ **Aos loros.** Em ziguezagues; serpeando, coleando: *andar aos loros*. **Encurtar os loros.** *Bras., S.* Calar-se.
loroiê. [Do ioruba.] *S. m. Bras.* Saudação ao orixá Exu.
lorota. *S. f. Bras.* **1.** *Pop.* V. *mentira* (1). **2.** Conversa fiada; piada, gabolice, bazófia.
lorotagem. [De *lorota* + *-agem*^{2}.] *S. f. Bras.* **1.** V. *mentira* (1). **2.** Uma porção de lorotas.
lorotar. *V. int. Bras.* Dizer lorotas; mentir.
loroteiro. [De *lorota* + *-eiro*.] *Adj.* e *s. m. Bras.* V. *mentiroso* (1 e 4).
lorpa (ô). *Adj. 2 g.* e *s. 2 g.* **1.** V. *tolo* (1 a 3 e 8). **2.** Grosseiro, boçal: *um sujeito estúpido, lorpa*; "Temos vivido, e com a mais lorpa das inconsciências, a endeusar .... os arautos e fomentadores .... da partilha do Brasil" (Alberto Rangel, *Textos e Pretextos*, pp. 42-43).
lorpice. *S. f.* Qualidade, ato, dito ou modos de lorpa.
lorquiano. *Adj.* **1.** Pertencente ou relativo a Federico Garcia Lorca, poeta e dramaturgo espanhol (1899-1936): "Os personagens do teatro lorquiano têm muita vida interior" (Euríalo Canabrava, *Estética da Crítica*, p. 224). ● *S. m.* **2.** Admirador e/ou profundo conhecedor de sua obra.
lorto (ô). *S. m. Bras., RJ. Chulo.* V. *nádegas*.
losângico. *Adj.* Que tem forma de losango.
losango. [Do fr. *losangue*.] *S. m. Geom.* Quadrilátero plano que tem os lados iguais, e dois ângulos agudos e dois obtusos; rombo.
losna. [Do gr. *alóe oxinés*, 'aloés azedo', pelo lat. *aloxina*, atr. do arc. *alosna*.] *S. f.* **1.** Designação comum a diversas plantas da família das compostas. **2.** V. *absinto* (1).
losna-do-algarve. *S. f. Lus.* Planta lenhosa, da família das compostas (*Artemisia arborescens*), vulgar nas praias do Algarve (Portugal) e cultivada como planta medicinal; losna-menor. [Pl.: *losnas-do-algarve*.]
losna-do-maranhão. *S. f. Bras.* Planta da família das compostas (*Artemisia sp.*). [Pl.: *losnas-do-maranhão*.]
losna-menor. *S. f. Lus.* Losna-do-algarve. [Pl.: *losnas-menores*.]
lota. [Dev. de *lotar*.] *S. f.* **1.** Lugar onde se calcula o imposto do pescado. **2.** Lugar onde se vende peixe sobretudo a revendedores. **3.** Porção de peixe que se vende em leilão; lote. **4.** Maneira de vender peixe, em leilão, por lotes.
lotação^{1}. *S. f.* **1.** Ato ou efeito de lotar. **2.** Cálculo de um rendimento. **3.** *P. ext.* Orçamento (1). **4.** Rendimento de um lugar. **5.** Beneficiação de vinho por meio de misturas. **6.** A capacidade dum veículo, duma sala de espetáculos, etc. **7.** Número de servidores públicos que devem ter exercício em cada repartição, dos homens que devem constituir a tripulação de um navio de guerra, etc.
lotação^{2}. *S. m. Bras.* F. red., e muito m. us., de *autolotação*.
lotada. [De *lote* + *-ada*^{1}.] *S. f. Bras., RJ.* V. *vara*^{1} (15).
lotador (ô). [De *lotar* + *-(d)or*.] *S. m.* Aquele que faz lotes ou lotações.
lotar. *V. t. d.* **1.** Dividir em lotes. **2.** Fixar, determinar o número de. **3.** Determinar a lotação de; calcular, avaliar. **4.** Completar a lotação^{1} (6) de; encher: *Os amantes de ópera lotaram o teatro*. **5.** Sortear (1). **6.** Misturar (vinhos). *T. d.* e *i.* **7.** Colocar funcionário ou empregado em (determinado setor, repartição, etc.); *O Governo lotou vários funcionários na Secretaria de Obras*. *Int.* **8.** Completar a lotação^{1} (6): *O cinema ainda não lotou*. [Pres. ind.: *loto*, etc.; pres. subj.: *lote*, *lotes*, etc. Cf. *loto* (ô), s. m., e *Lótis*, mit.]
lotaria. *S. f. Desus. no Brasil.* Var. de *loteria* [q. v.].
lote^{1}. [Do fr. *lot*.] *S. m.* **1.** Quinhão que cabe a alguém numa partilha. **2.** Objeto ou grupo de objetos leiloados de uma vez. **3.** Determinada quantidade de objetos, geralmente da mesma natureza. **4.** Magote de pessoas; rancho. **5.** Qualidade de um gênero, de uma mercadoria; padrão. **6.** Qualidade, espécie, laia, jaez: "tinha fama .... de ser uma das sibilas que melhor atinavam com os futuros .... . Rira-me eu sempre de gente desse lote." (Antônio Feliciano de Castilho, *Amor e Melancolia*, p. 321.) **7.** *Ant. Mar. G.* Categoria de um navio em função do seu deslocamento, poder ofensivo, etc. **8.** *Urb.* Porção de terra, autônoma, que resulta de loteamento (q. v.) ou desmembramento (q. v.), e cuja testada é voltada para logradouro público reconhecido ou projetado. **9.** *Bras.* Área pequena de terreno, urbano ou rural, destinada a construções ou a pequena agricultura. **10.** *Bras.* Cada grupo de animais cargueiros, em geral de sete, com um condutor, em que se dividem as tropas de carga: "Sua tropa de três lotes — cada lote dez burros! — era a melhor que batia o sertão aquém de Jacobina" (Nélson de Faria, *Cabeça-Torta*, p. 7).
lote^{2}. *S. m.* Var. de *lota* (3).
loteado. [Part. de *lotear*.] *Adj.* Dividido em lotes.
loteamento. *S. m. Urb.* **1.** Parcelamento da terra em lotes [v. *lote*^{1} (8)] fazendo-se necessária a abertura ou prolongamento de logradouros públicos para os quais tenham testada. **2.** O projeto dessa divisão de terras.
lotear. *V. t. d. Bras.* **1.** Dividir (um terreno) em lotes, para fins de construção ou de cultivo: "resolveu o Dr. Alambari Luz desfazer-se de porções consideráveis das terras, loteando-as." (Vivaldo Coaraci, *Paquetá*, p. 45). **2.** Dividir (um terreno urbano) em lotes e vendê-los para pagamento em prestações. [Us. tb., às vezes, como int. Conjug.: v. *frear*.]
loteca. [De *loteria*.] *S. f. Bras. Pop.* V. *loteria esportiva*.
loteria. [Do it. *lotteria*.] *S. f.* **1.** Toda espécie de jogo de azar em que se tiram à sorte prêmios aos quais correspondem bilhetes numerados. **2.** *Fig.* Coisa ou negócio aleatório, dependente do acaso, da sorte. **3.** *Turfe.* Páreo em que estão inscritos muitos cavalos, ficando muito difícil indicar o provável vencedor. [Var., desus. no Brasil, *lotaria*.] ◆ **Loteria esportiva.** Loteria oficial em que os ganhadores são os que acertam os resultados de determinados jogos de futebol previamente escolhidos. [Sin., pop.: *loteca*.]
lotérico. *Adj.* **1.** De, ou pertencente ou relativo a loteria: *bilhete lotérico*. **2.** *Turfe.* Diz-se do páreo em que o elevado número de competidores dificulta muito um prognóstico sobre seu resultado. ● *S. m. Bras.* **3.** Empregado de estabelecimento de loteria.
loto^{1}. [Do gr. *lotós*, pelo lat. *lotu*.] *S. m.* **1.** Designação comum a várias plantas aquáticas da família das ninfeáceas, gêneros *Nelumbo* e *Nymphaea*. **2.** Flor de qualquer dessas plantas. [F. paral.: *lótus*. Pl.: *lotos*. Cf. *loto* (ô) e pl. *lotos* (ô).]
loto^{2}. [F. red. de *loteria*.] *S. f. Bras.* Loteria oficial em que se sorteiam cinco dezenas, ganhando aqueles que acertarem a quina (todas as cinco dezenas — o prêmio maior), a quadra (quatro das cinco dezenas) ou o terno (três das cinco dezenas.) [Pl.: *lotos*. Cf. *loto* (ô) e pl. *lotos* (ô).]
loto (ô). [Do it. *lotto*.] *S. m.* **1.** Jogo de azar em que se empregam cartões, numerados de 1 a 90, que os jogadores vão marcando à medida que esses números, impressos em pedrinhas de madeira ou de outro material qualquer, são tirados, ao acaso, de um saco, ganhando aquele que primeiro preencher os cinco números de uma linha ou, se combinado, o cartão todo; víspora, quino: "Encontrou-as muito abandonadas, ... jogando em volta da mesa um loto desanimado." (Conde de Ficalho, *Uma eleição Perdida*, pp. 136-137.) **2.** O conjunto de cartões e pedras numeradas com que se joga esse jogo. [Pl.: *lotos* (ô). Cf. *loto*, s. m., pl. *lotos*, e *loto*, do v. *lotar*.]
loto-amarelo. *S. m.* Planta aquática, da família das ninfeáceas (*Nelumbo lutea*), originária do S. da América do Norte, de flores amarelas, e com um círculo amarelado em torno do ponto de inserção do pecíolo na folha. [F. paral.: *lótus-amarelo*. Pl.: *lotos-amarelos*.]
loto-azul. *S. m.* Planta aquática, da família das ninfeáceas (*Nymphaea coerulea*), originária da África, de flores azuis. [F. paral.: *lótus-azul*. Pl.: *lotos-azuis*.]
lotoídea. *S. f.* Papilionácea.
lotoídeas. *S. f. pl. Bot.* Papilionáceas.
lotoídeo. *Adj.* Papilionáceo.
loto-índico. *S. m.* Planta aquática da família das ninfeáceas (*Nelumbo nucifera*), originária da Índia, de flores amarelas, e rizomas e sementes comestíveis, ricos em amido. [F. paral.: *lótus-índico*. Pl.: *lotos-índicos*.]
loto-sagrado-do-egito. *S. m.* Planta aquática, da família das ninfeáceas (*Nymphaea lotus*), originária da Índia, e cultivada em lagos pela grande beleza das folhas, arredondadas, escavadas na base e denteadas, e das flores, alvas, com até 25 cm de diâmetro, e muitos estames e pétalas, e cujas sementes são comestíveis. [F. paral.: *lótus-sagrado-do-egito*. Pl.: *lotos-sagrados-do-*

-*egito*.]
lótus. [Do lat. *lotus* (nom.).] *S. m. 2 n.* Loto [q. v.].
lótus-amarelo. *S. m.* Loto-amarelo. [Pl.: *lótus-amarelos*.]
lótus-azul. *S. m.* Loto-azul. [Pl.: *lótus-azuis*.]
lótus-índico. *S. m.* Loto-índico. [Pl.: *lótus-índicos*.]
lótus-sagrado-do-egito. *S. m.* Loto-sagrado-do-egito. [Pl.: *lótus-sagrados-do-egito*.]
louca. [Fem. substantivado do adj. *louco*.] *S. f. Bras. Pop.* Loucura (1). [Geralmente só us. em loc., como *dar a louca em* ('enlouquecer'), *estar com a louca* ('estar doido'), etc.] ◆ **Dar a louca em.** V. *louca.* **Estar com a louca.** V. *louca.*
louça. *S. f.* **1.** Artefato de barro, porcelana, etc., para uso doméstico, especialmente para serviço de mesa. **2.** Conjunto desses artefatos; aparelho: *A louça de jantar está incompleta.* **3.** Qualquer produto cerâmico: *vendedor de louças; seção das louças.* **4.** *Restr.* Conjunto de vasos sanitários que forma a instalação dum banheiro. **5.** Material de que se fazem esses objetos: *cafeteira de louça.* **6.** *Pop.* Coisa excelente, fina; primor, mimo. **7.** *Bras. Pop.* V. *urinol* (1). **8.** *Bras., CE.* Café pequeno, cafezinho. [Só se emprega (sobretudo em botequins) ao fazer o pedido: *Rapaz, traga-me aí três louças.* **9.** *Bras., CE.* Xícara em que se serve, nos bares, o cafezinho. [F. paral.: *loiça*.] ◆ **Louça de chacota.** Louça ordinária. **Louça sanitária.** Aparelho sanitário.
louçã. *Adj.* (*f.*) Fem. de *loução*: "a freqüência daqueles agudos conceitos, ornados de razões pomposas, que tudo vem a ser as plumas mais louçãs de que a Poesia se reveste" (D. Francisco Manuel de Melo, *Apólogos Dialogais*, pp. 309-310).
louçainha (a-í). [Var. de *louçania*, com metátese.] *S. f.* **1.** Objeto de luxo no vestuário. **2.** Ornato, adorno, enfeite, gala: "velha presumida e caprichosa, arremedando com remendadas garridices, na decrepidez precoce, as singelas louçainhas da idade juvenil." (Latino Coelho, *Cervantes*, p. 201.)
louçainhar (a-i). [De *louçainha* + *-ar*²*.*] *V. t. d.* Tornar loução; louçanear.
louçainho (a-í). [De *louçainha*.] *Adj.* Garrido; enfeitado, vistoso, ataviado; loução.
louçanear. *V. t. d.* Louçainhar. [Conjug.: v. *frear*.]
louçania. *S. f.* **1.** Qualidade de loução. **2.** Garbo, garridice, elegância.
loução. *Adj.* **1.** V. *louçainho.* **2.** Gracioso, elegante, gentil: "Os cabelos, densos e louros, ... molduravam-lhe o lindo rosto oval, estético e loução" (Virgílio Várzea, *Nas Ondas*, pp. 23-24). **3.** Viçoso, fresco, vigoroso: *fisionomia louçã; laranjais louçãos.* [*Flex.*: *louçã* (q. v.), *louçãs, louçãos.* Cf. *loção*.]
louçaria. [De *louça* + *-aria*.] *S. f.* **1.** Estabelecimento onde se vende louça. **2.** Grande quantidade de louças. [F. paral.: *loiçaria*.]
louceira. *S. f.* **1.** Mulher que fabrica ou vende louça. **2.** V. *guarda-louça* (1). [F. paral.: *loiceira*.]
louceiro. *S. m.* **1.** Fabricante ou vendedor de louça. **2.** V. *guarda-louça* (1). [F. paral.: *loiceiro*.]
louco¹. [F. red. de *erva-de-louco*.] *S. m. Bras.* Arbusto subescandente, muito ornamental, da família das plumbagináceas (*Plumbago scandens*), de folhas ovadas, agudas, membranáceas, com limbo amplo, flores alvas, vistosas, arranjadas em espigas, com cálice glanduloso, corola afunilada, e cápsula dotada de cinco sulcos. Ocorre da BA ao RJ. [Sin.: *queimadeira*.]
louco². *Adj.* **1.** Que perdeu a razão; alienado, doido, demente: "Rola-me na cabeça o cérebro oco. / Porventura, meu Deus, estarei louco?!" (Augusto dos Anjos, *Eu*, p. 112.) **2.** Que está fora de si; contrário à razão ou ao bom senso; insensato: *A gritaria das crianças o põe louco.* **3.** Dominado por paixão intensa; apaixonado, perdido: *louco de amor; É louco por música.* **4.** Que se porta de maneira pouco sensata, inconveniente; esquisito, excêntrico: *É louco; tranca-se no quarto e não fala com ninguém.* **5.** Imprudente, imoderado, temerário: *Constantemente dirige bêbado: é louco mesmo.* **6.** Estróina, extravagante, doidivanas: *É um louco: em dois meses dissipou a fortuna em farras.* **7.** Travesso, brincalhão, folgazão. **8.** Fora do comum; incomum, enorme, extraordinário: *Seu último livro está fazendo um sucesso louco.* **9** Diz-se daquilo que revela loucura: *amor louco; Suas aspirações são inteiramente loucas.* — V. *bicha* —*a.* ● *S. m.* **10.** Indivíduo louco: "Um dia num alfarrábio / Eu li que um louco vivia, / Toda a noite e todo o dia, / Uma estátua a namorar." (Guimarães Passos, *Versos de um Simples*, p. 35.) [Pl.: *loucos.* Cf. *loco* (ô), s. m., pl. *locos* (ô); *loco*, s. m. pl. *locos*, e *loco*, do v. *locar*.]

loucura. *S. f.* **1.** Estado ou condição de louco; insanidade mental. [Sin., pop.: *maluqueira*.] **2.** Ato próprio de louco. **3.** Falta de discernimento; irreflexão, absurdo, insensatez, doidice, louquice: *Foi uma loucura começar este trabalho.* **4.** Imprudência, temeridade, louquice: *Chove torrencialmente: é loucura sairmos agora.* **5.** Tudo que foge às normas, que é fora do comum; grande extravagância; louquice: *A reunião de ontem foi agitadíssima: uma loucura; O preço do apartamento é uma loucura, baratíssimo.* **6.** Pessoa, animal ou coisa a que se devota grande amor ou entusiasmo: "O menino Lima Barreto adorava a todos esses animais, mas a sua loucura eram os pombos." (Francisco de Assis Barbosa, *A Vida de Lima Barreto*, p. 50.)
louletano. *Adj.* **1.** De, ou pertencente ou relativo a Loulé (Portugal). ● *S. m.* **2.** O natural ou habitante de Loulé.
louquejar. [De *louco* + *-ejar*.] *V. int.* **1.** Fazer loucuras; cometer imprudências, tropelias, diabruras. **2.** Brincar, doidejar: "seu hálito infantil / É branda viração a louquejar subtil / No verde laranjal das Hespérides..." (Eugênio de Castro, *Obras Poéticas*, VI, p. 106). [Conjug.: v. *pelejar*.]
louquice. [De *louco* + *-ice*.] *S. f.* V. *loucura* (3 a 5).
loura¹. [Fem. substantivado de *louro*³.] *S. f.* **1.** Mulher de cabelo louro. **2.** *Fam.* Libra esterlina. **3.** *Bras. Gír.* Cerveja: "A gaita anda curta para o scotch mas dá para molhar a garganta com uma 'loura'." (Vinícius de Morais, *Para Viver um Grande Amor*, p. 179.) [F. paral.: *loira*.]
loura². *S. f.* Lura. [Var.: *loira*.]
louraça. [De *louro*³ + *-aça*.] *S. 2 g.* **1.** Pessoa que tem o cabelo de um louro deslavado. **2.** *Fig.* Pessoa simplória, bisonha, ingênua. [F. paral.: *loiraça*. Cf. *loraço*.]
lourecer. [De *louro*³ + *-ecer*.] *V. t. d.* e *int.* V. *lourejar.* [Conjug.: v. *aquecer*. F. paral.: *loirecer*.]
loureira. *Adj.* (*f.*) **1.** Diz-se de mulher provocante, sedutora, que procura agradar a todos. ● *S. f.* **2.** Mulher loureira. **3.** V. *meretriz.* [F. paral.: *loireira*.]
loureiral. *S. m.* Quantidade mais ou menos considerável de loureiros dispostos proximamente entre si. [Var.: *loireiral*.]
loureiro. [Do b.— lat. *laurariu*, i. e., *arbos laurariu*.] *S. m.* Arvoreta da família das lauráceas (*Laurus nobilis*), originária do Mediterrâneo, de folhas oblongas, coriáceas, fortemente aromáticas, utilizadas como condimento, flores inconspícuas e umbeladas, e cujo fruto é uma pequena baga escura e amarga. Fornece óleo essencial usado em banhos, e já foi muito cultivada graças a suas folhas, usadas para cingir os vencedores nos jogos e batalhas. [Var.: *loireiro*; sin.: *louro*.]
lourejante. *Adj. 2 g.* **1.** Que loureja. **2.** Tirante a louro; amarelado: "Era uma profusão magnífica de frondes lourejantes." (Godofredo Rangel, *Andorinhas*, p. 144.) [F. paral.: *loirejante*.]
lourejar. *V. int.* **1.** Tornar-se louro; enlourar, amarelecer, lourecer: "Murcham as flores, e lourejam as messes." (Camilo Castelo Branco, *Doze Casamentos Felizes*, p. 57.) **2.** Apresentar a cor loura; lourecer, amarelejar: "Loureja o ipê com as áureas flores." (Alberto de Oliveira, *Poesias*, 2ª série, p. 306.) *T. d.* **3.** Tornar louro; lourecer, alourar: "Um homenzinho gordo, de .... pequeno bigode castanho, em parte lourejado pelo fumo." (Aluísio Azevedo, *Casa de Pensão*, p. 110.) ● *S. m.* **4.** Ato de lourejar: "É o lourejar das messes nos roçados." (Padre Antônio Vieira, *Sertão Brabo*, p. 17.) [F. paral.: *loirejar*. Conjug.: v. *pelejar*. M. us. nas 3ªs pess.]
lourenciano. *Adj.* **1.** De, ou pertencente ou relativo a São Lourenço do Sul (RS). ● *S. m.* **2.** O natural ou habitante de São Lourenço do Sul. [Cf. *laurenciano*.]
louridão. *S. f.* Qualidade daquele ou daquilo que é louro³: "Mas como foi esse índio? Todos sabem. / Ele mora no vosso olhar já verde, / na vossa louridão, no vosso passo" (Jorge de Lima, *Obra Completa*, I, p. 660).
louro¹. [Do lat. *lauru*.] *S. m.* **1.** Designação comum às árvores da família das lauráceas que produzem madeira de boa qualidade, muito usada na Amaz. e BA. [Sin., no L. e S.: *canela*.] **2.** Loureiro. **3.** Folha de loureiro. [Var.: *loiro*¹.] — V. *louros.*
louro². [Var. de *loiro* < mal. *nori*.] *S. m. Fam.* V. *papagaio* (1).
louro³. *Adj.* **1.** Que tem a cor amarelo-tostado, a cor média entre o dourado e o castanho-claro: *fumo louro; cabelos louros.* **2.** Diz-se do cabelo dessa cor. ● *S. m.* **3.** Essa cor: "Os cabelos, densos e louros, de um louro seco de feno maduro, molduravam-lhe .... o lindo rosto oval" (Virgílio Várzea, *Nas Ondas*, p. 24). **4.** Indivíduo que tem o cabelo louro. [F. paral.: *loiro*.]

louro-abacate. *S. m. Bras.* **1.** Árvore da família das lauráceas (*Pleurothyrium cuneifolium*), de folhas obovadas, coriáceas e tomentosas na página inferior, flores minutas, ferrugíneas e paniculadas, e fruto bacáceo. Fornece madeira parda de pouca duração. [Sin.: *abacaterana*.] **2.** V. *canela-guaiacá* (1). [Var.: *loiro-abacate*. Pl.: *louros-abacates* e *louros-abacate*.]
louro-amarelo. *S. m.* Árvore da família das boragináceas (*Cordia alliodora*), de folhas oblongas, amplas e tomentosas na página inferior, flores alvas, vistosas, reunidas em panículas compactas, e cujo fruto é uma pequena drupa com cálice e corola marcescentes, sendo a madeira, clara e leve, utilizada para canoas, móveis e construções. [Var.: *loiro-amarelo*. Pl.: *louros-amarelos*.]
louro-branco. *S. m. Bras.* Árvore da família das lauráceas (*Ocotea guianensis*), nativa nas matas da Amaz., de folhas com indumento piloso, alvacento na face inferior, flores muito pequenas, cimosas, e cuja madeira, branca e leve, é utilizada sobretudo no fabrico de pasta de celulose para papel; louro-tamanco. [Var.: *loiro-branco*. Pl.: *louros-brancos*.]
louro-cereja. *S. m.* Arvoreta ornamental, da família das rosáceas (*Prunus laurocerasus*), nativa na Europa e Pérsia, de folhas oblongo-obovadas, coriáceas, brilhantes e providas de glândulas, flores minutas, alvas e racemosas, e cujo fruto é uma drupa pequenina e escura. As folhas fornecem, destiladas, a água de louro-cereja. [Var.: *loiro-cereja*. Pl.: *louros-cerejas* e *louros-cereja*.]
louro-cheiroso. *S. m. Bras.* V. *casca-preciosa* (1). [Var.: *loiro-cheiroso*. Pl.: *louros-cheirosos*.]
louro-cravo. *S. m. Bras.* Árvore da família das lauráceas (*Dicypellium caryophyllatum*), que recende fortemente a cravo em todas as suas partes, de folhas oblongas, acuminadas e coriáceas, flores pequeninas, unissexuais, ordenadas em racemos curtos, e baga oval. Ocorre da Amaz. à Serra do Mar. [Var.: *loiro-cravo*. Pl.: *louros-cravos* e *louros-cravo*.]
louro-da-beira. *S. m. Bras.* Árvore da família das lauráceas (*Ocotea laxiflora*), habitante do PA, de folhas oblongo-lanceoladas, acuminadas, coriáceas, e pilósulas, flores minutas, dispostas em panículas, frouxas e glabras, unissexuais, e madeira sem valor. [Var.: *loiro-da-beira*. Pl.: *louros-da-beira*.]
louro-da-terra. *S. m. Bras.* V. *craveiro-da-terra.* [Var.: *loiro-da-terra*. Pl.: *louros-da-terra*.]
louro-de-casca-preta. *S. m. Bras.* V. *canela-preta-verdadeira.* [Var.: *loiro-de-casca-preta*. Pl.: *louros-de-casca-preta*.
louro-do-igapó. *S. m. Bras.* Árvore da família das lauráceas (*Nectandra amazonum*), de folhas oblongo-lanceoladas, grandes e pilosas na página inferior, flores insignificantes, ordenadas em panículas corimbiformes, e cujo fruto é uma pequena baga cupulada, sendo a madeira, pardo-amarelada, utilizada em construções internas. Ocorre das Caraíbas a MG e RJ. [Var.: *loiro-do-igapó*. Pl.: *louros-do-igapó*.]
louro-inhamuí. *S. m. Bras.* Árvore da família das lauráceas (*Ocotea barcellensis*), do alto Amazonas e PA, de folhas elípticas, acuminadas e coriáceas, flores pequeninas, dispostas em panículas rufas, baga esférica, com cúpula grossa, e cujo tronco, quando perfurado, deixa escorrer uma espécie de terebintina, de uso local; nhamuí, louro-mamorim. [Var.: *loiro-inhamuí*. Pl.: *louros-inhamuís* e *louros-inhamuí*.]
louro-mamorim. *S. m. Bras.* V. *louro-inhamuí.* [Var.: *loiro-mamorim*. Pl.: *louros-mamorins* e *louros-mamorim*.]
louro-pardo. *S. m. Bras.* Árvore da família das boragináceas (*Cordia trichotoma*), muito freqüente do N.E. ao S. do País, de folhas amplas, oblongas, agudas, ricamente tomentosas, com pêlos estrelados, e flores vistosas, alvas, ordenadas em grandes inflorescências, sendo o fruto uma drupa pequenina com cálice e corola persistentes, e a madeira, pardo-clara, leve e macia, empregada em estruturas de aeronaves e embarcações. [Var.: *loiro-pardo*. Pl.: *louro-pardos*.]
louro-pimenta. *S. m. Bras.* Árvore da família das lauráceas. (*Ocotea canaliculata*), nativa no N. do Brasil e nas Guianas, de folhas lanceoladas, coriáceas e pilosas na página inferior, flores minutas, ferrugíneo-tomentosas e congregadas em panículas, fruto bacáceo e cupulado, e cuja madeira, pardo-escura, serve em marcenaria. [Var.: *loiro-pimenta*. Pl.: *louros-pimentas* e *louros-pimenta*.]
louro-preto. *S. m. Bras.* **1.** Árvore da família das lauráceas (*Nectandra mollis*), própria das matas pluviais, semelhante ao louro-do-igapó, e cuja madeira é estimada para uma série de usos. **2.** V. *canela-baraúna.*

[Var.: *loiro-preto.* Pl.: *louros-pretos.*]

louro-rosa. *S. m. Bras.* Árvore da família das lauráceas *(Aniba parviflora)*, habitante da Amaz., de folhas elípticas, brilhantes em cima e pubescentes embaixo, flores muito pequenas (1 mm), congregadas em inflorescências paniculadas minutas, fruto bacáceo,e (cuja madeira, amarelo-esverdeada, cheira a rosa e é facilmente trabalhável. [Var.: *loiro-rosa.* Pl.: *louros-rosas.*]

louros. [Pl.: de *louro*[1].] *S. m. pl. Fig.* Glórias, triunfos, lauréis: *os l o u r o s da vitória.* [Var.: *loiros.*] ~ V. *louro*[1].

louro-tamancão. *S. m. Bras.* Árvore da família das lauráceas *(Ocotea acutangula)*, de folhas ovadas, nitidamente verdes na página superior e acinzentadas na inferior, flores unissexuais, arrumadas em panículas multifloras, cinéreas e tomentosas, fruto bacáceo, e que não fornece madeira por ser de pequenas dimensões. Ocorre da América Central à BA. [Var.: *loiro-tamancão.* Pl.: *louros-tamancões* e *louros-tamancão.*]

louro-tamanco. *S. m. Bras.* Louro-branco. [Var.: *loiro-tamanco.* [Pl.: *louros-tamancos* e *louros-tamanco.*]

louro-vermelho. *S. m. Bras.* **1.** Árvore da família das lauráceas *(Ocotea rubra)*, peculiar à Amaz., de folhas coriáceas, obtusas no ápice, longamente acuminadas, e glabras, flores pequeninas, rubro-tomentosas, ordenadas em panículas, e cujo fruto é uma baga cupulada, sendo a madeira, de coloração vermelha, excelente para mobiliário e construção. **2.** V. *canela-inhaíba.* [Var.: *loiro-vermelho.* Pl.: *louros-vermelhos.*]

lousa. [De um pré-romano **lausa* lat. vulg. *lausia.*] *S. f.* **1.** Laje (1). **2.** Pedra tumular rasa, que assenta sobre a sepultura: "A l o u s a tumular o corpo fecha e cobre / De sombra e de abandono" (Vicente de Carvalho, *Poemas e Canções*, p. 226). **3.** Lâmina de ardósia enquadrada em madeira para nela se escrever ou desenhar com ponteiros da mesma pedra; ardósia: "Agarrando a maleta de pau, onde se espremiam o velho livro de leitura, a l o u s a desbeiçada e dois ou três cadernos ...., disparou em direção à escola." (Macedo Miranda, *Pequeno Mundo outrora*, p. 55.) [Var.: *loisa.*] ◆ **Lousa de maçacote.** *Arquit.* Pavimento revestido com argamassa; piso ou chão cimentado.

louva-a-deus. [De *louvar* + *a*[3] + *Deus.*] *S. m. 2 n.* Inseto mantódeo, da família dos mantídeos, predadores, com cerca de 400 espécies na região neotrópica, e cujas pernas anteriores são raptoriais. Realiza a postura em grandes ootecas. O nome popular provém do seu porte quando pousado, que lembra uma pessoa ajoelhada em oração. [Sin.: no N.E., *põe-mesa;* em MG, *bendito.*]

louvabilidade. *S. f.* Qualidade de louvável; laudabilidade.

louvabilíssimo. *Adj.* Superl. abs. sint. de *louvável.*

louvação. *S. f.* **1.** Ato ou efeito de louvar(-se); louvor; louvamento. **2.** Avaliação ou parecer dos louvados; laudo, louvamento. **3.** Escolha de louvados ou peritos. **4.** *Bras.* Composição poética popular, ordinariamente em setissílabos e monorrima, em homenagem a pessoas ou em comemoração de casamentos, nascimentos, batizados, apartações, vaquejadas e outras festas sertanejas.

louvado. [Part. de *louvar.*] *Adj.* **1.** Que recebeu louvor. ● *S. m.* **2.** *Jur.* Indivíduo nomeado ou escolhido para avaliar, decidir alguma demanda ou sobre ela apresenta laudo; avaliador, árbitro, perito. ~ V. *Deus* —.

louvador (ô). *Adj.* e *s. m.* Que ou aquele que louva.

louvamento. *S. m.* V. *louvação* (1 e 2).

louvaminha. [De *louvar.*] *S. f.* V. *lisonja* (1).

louvaminhar. *V. t. d.* Tecer louvaminhas a; lisonjear: "Sempre ... V. Ex[a]. é pelos seus discípulos e amigos l o u v a m i n h a d o e turibulado — como o grande homem do Vocabulário, ... restaurador da Ordem gramatical" (Eça de Queirós, *Últimas Páginas*, p. 441).

louvaminheiro. *Adj.* **1.** Diz-se daquele que tem por hábito louvaminhar; adulador, bajulador, gabador. **2.** Que encerra ou envolve louvaminha: *palavras l o u v a m i n h e i r a s.* ● *S. m.* **3.** Aquele que tem por hábito louvaminhar; adulador, bajulador, gabador.

louvaminhice. *S. f.* Hábito de fazer louvaminhas, de louvaminhar.

louvar. [Do lat. *laudare*, atr. do arc. *loar.*] *V. t. d.* **1.** Dirigir louvor(es) a; elogiar, gabar: "O Bóris l o u v o u o seu gesto, mostrou a grandeza da sua caridade." (João Clímaco Bezerra, *O Homem e Seu Cachorro*, p. 34); *Comia com apetite, l o u v a n d o as iguarias que eram servidas.* **2.** Exaltar, enaltecer, glorificar. **3.** Confirmar com elogio; aprovar; aplaudir. **4.** V. *bendizer: Em suas orações l o u v a todos os santos.* **5.** Calcular o valor de; avaliar: *l o u v a r bens. P.* **6.** Gabar-se, jactar-se, vangloriar-se. ◆ **Louvar-se em. 1.** Aceitar ou fazer sua a opinião de (alguém); aprovar o parecer de (alguém). **2.** *Jur.* Nomear para seu louvado ou árbitro, em causa dependente de avaliação.

louvável. *Adj. 2 g.* Que se deve louvar; digno de louvor; laudável.

louveira. *S. f. Bras.* Árvore da família das leguminosas (*Cyclolobium clausenii*), de folhas quase cordiformes, membranáceas, reticuladas e venosas, flores ferrugíneas, tomentosas e racemosas, e legume orbicular, com valvas aderentes. Ocorre em MG.

louvor (ô). [Do arc. *loor* > *loar*, 'louvar'.] *S. m.* **1.** V. *louvação* (1). **2.** Elogio, gabo, encômio. **3.** Glorificação, exaltação: *l o u v o r a Deus.*

lovelace. [Do antr. *Lovelace*, de uma personagem do romance *Clarisse Harlowe*, do inglês Samuel Richardson (1689-1761). *S. m.* Namorador inescrupuloso; sedutor.

lovelaciano. *Adj.* Relativo a, ou próprio de lovelace [q. v.].

▲**lox(o)-.** [Do gr. *loxós, é, ón.*] *El. comp.* = 'oblíquo', 'inclinado': *loxodrômia.*

loxodrômia (cs). [De *lox(o)-* + *-drom(a)-* + *-ia.*] *S. f. Geom.* Curva reversa que corta um feixe de planos sob um ângulo constante. [A pronúncia correta seria *loxodromia.* Cf. *ortodrômia.*] ◆ **Loxodrômia esférica.** *Geom.* e *Náut.* Curva esférica que corta os planos meridianos sob um ângulo constante; linha de rumo constante.

loxodrômico (cs). *Adj.* Referente à loxodrômia.

loxodromismo (cs). [De *lox(o)-* + *-drom(o)-* + *-ismo.*] *S. m.* Marcha em direção oblíqua.

loxsomácea (cs). *S. f.* Espécime das loxsomáceas.

loxsomáceas (cs). *S. f. pl. Bot.* Família de pteridófitos, da ordem das eufilicales, caracterizada pelos esporângios dotados de anel completo e oblíquo, os quais se agrupam em soros localizados num receptáculo marginal. Frondes coriáceas, penadas. Contam apenas quatro espécies, da Nova Zelândia.

loxsomáceo (cs). *Adj.* Pertencente ou relativo às loxsomáceas.

loyola. [Do antr. *Loyola*, de Santo Inácio de Loyola (1491-1556), fundador da Companhia de Jesus.] *S. m. Deprec.* V. *jesuíta* (2).

loyolista. [De *loyola* + *-ista.*] *S. m.* Jesuíta (1).

■**LP.** Sigla de *long-play* [q. v.].

■**Lu.** *Quím.* Símb. de *lutécio*[2].

lua. [Do lat. *luna.*] *S. f.* **1.** Satélite da Terra, cuja evolução em torno desta dura cerca de 27 dias e 8 horas, tempo que igualmente gasta para girar em torno de seu próprio eixo. Por essa razão, a face lunar voltada para nós é sempre a mesma. Não tem luz própria, mas reflete a do Sol, de forma diferente, conforme a posição onde se encontra. Tais variações se denominam *fases*, e podem ser: *lua cheia*, quando o reflexo da luz solar é feito por toda a superfície visível da Lua; *lua nova*, quando o Sol ilumina a outra face lunar, e a Lua não pode, assim, refletir sobre a Terra a luz solar; *quarto crescente* e *quarto minguante*, quando só uma metade da superfície visível é iluminada. Não tem atmosfera e sua superfície, seca e muito acidentada, apresenta montanhas e crateras. As regiões planas chamam-se, impr., de *mares.* [Nesta acepç., com inicial maiúscula.] **2.** Espaço de um mês lunar: "poucas l u a s tinham passado, quando .... encontrou, sentado pensativamente numa pedra, um homem, um velho" (Eça de Queirós, *Últimas Páginas*, p. 269). **3.** Satélite de um planeta qualquer: *as l u a s de Saturno e de Júpter.* **4.** Signa mourisca do crescente. **5.** Qualquer objeto semelhante ao disco lunar. **6.** Círculo de ouro ou de prata que os timores trazem ao pescoço como sinal de haverem cortado cabeças de inimigos. **7.** Mau humor, neurastenia, por influência outrora atribuída à Lua: *estar de l u a.* **8.** *Pop.* Comportamento estranho, capricho, fantasia: *Não se pode contar com ele; é de l u a.* **9.** *Pop.* V. *menstruação* (1). **10.** *Pop.* Aluamento (2). **11.** *Alg.* A prata. **12.** *Bras.* Parte dianteira, arqueada, da sela. ◆ **Lua artificial.** *Astron.* Satélite artificial. **Lua cheia.** *Astr.* V. *Lua* (1). [Sin.: *plenilúnio.*] **Lua cinzenta.** *Astr.* Região da Lua que apresenta a luz cinzenta [q. v.]. **Lua nova.** *Astr.* V. *Lua* (1). [Sin.: *novilúnio.*] **Na Lua.** Em estado de alheamento, de abstração; muito distraído: *estar, andar, viver n a L u a.* [Sin.: *no mundo da Lua.*]

lũa. *S. f. Ant.* e *pop.* Lua (1): "Cinco vezes a L ũ a se escondera" (Luís de Camões, *Os Lusíadas*, III, 59); "— Num [v. *num*[2]] falei! Num falei que chovia de noite? Agora é chuva até a entrada da l ũ a nova" (Bernardo Élis, *Veranico de Janeiro*, p. 102). ~ V. *luma.*

lua-de-mel. *S. f.* **1.** O primeiro mês ou os primeiros dias seguintes ao do casamento, em geral aproveitados para maior intimidade entre o casal. [V. *ano-de-noivos.*] **2.** Os primeiros dias vividos numa situação nova e agradável, lisonjeira, honrosa: *Sua l u a - d e - m e l com a política, uma vez eleito senador, é notória.*

luandense. *Adj. 2 g.* **1.** De, ou pertencente ou relativo a Luanda (Angola, África) ou à cidade do mesmo nome (PR). ● *S. 2 g.* **2.** Natural ou habitante de Luanda.

luar. [De arc. *lúar* lat. *lunare* (adj.), com desnasalação.] *S. m.* **1.** Luminosidade refletida pela Lua ao ser iluminada pelo Sol. **2.** O clarão que a Lua espalha sobre a Terra.

luarento. *Adj.* Diz-se do tempo, da noite, etc., em que há luar; banhado de luar: "da brancura da noite l u a r e n t a" (Antero de Figueiredo, *Jornadas em Portugal*, p. 163); "a visão larga do céu estrelado ou l u a r e n t o." (João de Araújo Correia, *Sem Método*, p. 74).

lubambeiro. [De *lubambo* + *-eiro.*] *Adj.* e *s. m. Bras. Pop.* **1.** Desordeiro, arruaceiro. **2.** Mexeriqueiro, intrigante.

lubambo. *S. m. Bras.* **1.** *Pop.* Barulho, algazarra, desordem. **2.** Enredo, mexerico, intriga. **3.** Luta corporal prolongada.

lubricar. [Do lat. *lubricare.*] *V. t. d.* **1.** Tornar lúbrico (1 e 2); lubrificar. **2.** *Pop.* Laxar (o ventre) com purgante. [Conjug.: v. *trancar.* Pres. ind.: *lubrico*, etc. Cf. *lúbrico.*]

lubricidade. [Do lat. *lubricitate.*] *S. f.* **1.** Qualidade de lúbrico (1 e 2). **2.** *Fig. Lascívia, sensualidade, cabritismo.*

lúbrico. [Do lat. *lubricu.*] *Adj.* **1.** Escorregadio, resvaladiço. **2.** Úmido ou liso a ponto de fazer escorregar. **3.** *Fig.* Lascivo, sensual: *um velho devasso, l ú b r i c o;* "Num frenesi l ú b r i c o agarrou-a, levantou-a nos braços e a sombra dos dois corpos enlaçados tremia nos muros negros da cozinha fuliginosa." (Coelho Neto, *Turbilhão*, p. 304). [Cf. *lubrico, do v. lubricar.*]

lubrificação. *S. f.* Ato ou efeito de lubrificar.

lubrificado. [Part. de *lubrificar.*] *Adj.* Em que se fez lubrificação.

lubrificador (ô). *Adj.* Lubrificante (1).

lubrificante. *Adj. 2 g.* **1.** Que lubrifica; lubrificador. ~ V. *óleo* —. ● *S. m.* **2.** Substância oleosa que serve para lubrificar.

lubrificar. [De *lúbri(co)* + *-ficar*, com síncope.] *V. t. d.* **1.** Tornar lúbrico ou escorregadio; umedecer; lubricar. **2.** Untar com substância oleosa a fim de atenuar o atrito: "o delicado oferecimento da Agência Chevrolet para l u b r i f i c a r o meu automóvel" (Fernando Sabino, *Medo em Nova Iorque. A Cidade Vazia*, p. 166). *P.* **3.** Tornar-se lúbrico ou escorregadio. [Conjug.: v. *trancar.*]

lubrificável. *Adj. 2 g.* Que se pode ou deve lubrificar.

lucanário. *S. m. Constr.* Intervalo de duas vigas.

lucano. [Do lat. *lucanu.*] *S. m.* **1.** Indivíduo dos lucanos, povo montanhês da antiga Itália. [V. *sabelo* (1).] ● *Adj.* **2.** Pertencente ou relativo a esse povo.

lucão. *S. m.* Rede de pesca.

lucarna. [Do fr. *lucarne.*] *S. f.* **1.** Abertura no teto de uma casa para dar luz. **2.** *P. ext.* Fresta (1): "Outra porta dava para um vestíbulo muito escuro onde ele improvisou, para obter alguma iluminação, uma l u c a r n a que varava a parede e ia dar num respiradouro enviesado por cima da varanda." (Carlos Lacerda, *A Casa do Meu Avô*, p. 80.) [Sin. ger.: *luzerna* e *lucerna.*]

luceliense. *Adj. 2 g.* **1.** De, ou pertencente ou relativo a Lucélia (SP). ● *S. 2 g.* **2.** Natural ou habitante de Lucélia.

lucenense. *Adj. 2 g.* **1.** De, ou pertencente ou relativo a Lucena (PB). ● *S. 2 g.* **2.** Natural ou habitante de Lucena.

lucerna. [Do lat. *lucerna.*] *S. f. Ant.* **1.** V. *lucarna.* **2.** V. *lumeeira* (3). **3.** Tipo de lanterna colocada no alto. **4.** V. *lampadário* (1).

lucernárida. *S. f. adj. 2 g.* V. *estauromedusa.*

lucernáridas. *S. f. pl. Zool.* V. *estauromedusa.*

lucescente. [Do lat. *lucescente.*] *Adj. 2 g. Poét.* **1.** Que principia a luzir, a brilhar. **2.** Que se apresenta brilhante.

luchar. *V. t. d. Lus.* Sujar, emporcalhar. [Fut. pret.: *lucharia*, etc. Cf. *luxaria* e *luxar.*]

▲**luc(i)-.** [Do lat. *lux, lucis.*] *El. comp.* = 'luz': *lúcula, lucilar, luciluzir.*

lucianopolense. *Adj. 2 g.* **1.** De, ou pertencente ou relativo a Lucianópolis (SP) ● *S. 2 g.* **2.** Natural ou habitante de Lucianópolis.

lucidar. [Do lat. *lucidare.*] *V. t. d.* **1.** Passar (um desenho) para o papel vegetal, deixando transparecer as linhas. **2.** Reproduzir (um desenho) contra a luz e sobre um vidro. [Pres. ind.: *lucido*, etc. Cf. *lúcido.*]

lucidez (ê). *S. f.* **1.** Qualidade ou estado de lúcido. **2.** *Fig.* Penetração e clareza de inteligência; perspicácia; acuidade. **3.** Funcionamento normal das faculdades mentais: "só naquela manhã recobrara a presença de espírito, a lucidez necessária para relacionar os fatos com as pessoas" (Inglês de Sousa, *O Missionário*, p. 312).

lúcido. [Do lat. *lucidu.*] *Adj.* **1.** Que luz; resplandecente; brilhante, luzente: "E nunca as estrelas turvas! / É sempre lúcido o céu!" (Bulhão Pato, *Livro do Monte*, p. 66); "Nunca do amor a resplendente chama / Te fulgurou na lúcida pupila" (João Penha, *Rimas*, p. 31). **2.** Transparente, límpido, diáfano. **3.** Claro, conciso, preciso: *Fez uma exposição lúcida de alguns problemas nacionais.* **4.** *Fig.* Que tem clareza e penetração de inteligência: que mostra uso de razão: *espírito lúcido.* **5.** Diz-se do período em que um louco apresenta lucidez (3): *intervalos lúcidos.* —V. *câmara —a.* [Cf. *lucido*, do v. *lucidar.*]

Lúcifer. [Do lat. *Lucifer*, 'o que leva o archote', 'a estrela da manhã'.] *S. m.* **1.** V. *diabo* (2). **2.** *Astr.* Entre os antigos romanos, o planeta Vênus. [Pl.: *Lucíferes.*]

luciferário. [Do lat. *Lucifer*, 'o que leva o archote,' + *-ário.*] *S. m.* Aquele que leva lanterna em procissões: "Dois luciferários .... erguem nos braços incomensuráveis as lanternas opacas" (Alphonsus de Guimaraens, *Obra Completa*, p. 406).

luciferianismo. *S. m.* Doutrina herética de Lúcifer, bispo de Cagliari, na Sardenha (séc. IV).

luciferiano. [Do mit. e antr. *Lúcifer* + *-i-* + *-ano.*] *Adj.* **1.** V. *luciferino*: "Mas há sobretudo a máscara luciferiana da soberba e portanto uma beleza falsa e destruidora" (Alceu Amoroso Lima, *A Realidade Americana*, p. 152). **2.** Relativo ao luciferianismo. ● *S. m.* **3.** Aquele que o pratica. **4.** Sectário dele.

luciférico. *Adj.* V. *luciferino.*

luciferino. *Adj.* **1.** Relativo a, ou próprio de Lúcifer (1); demoníaco, diabólico, luciférico, luciferiano: *espíritos luciferinos; orgulho luciferino.*

luciferismo. *S. m.* Culto prestado a Lúcifer (1) como verdadeiro Deus.

lucífero. [Do lat. *luciferu.*] *Adj. Poét.* Que dá ou traz luz.

lucífugo. [Do lat. *lucifugu.*] *Adj.* **1.** Que foge da luz. **2.** *P. ext.* Noctívago.

lucilação. *S. f.* Ato ou efeito de lucilar.

lucilância. *S. f.* Qualidade de lucilante.

lucilante. *Adj. 2 g.* Que lucila.

lucilar. [De *luc(i)-*, com o final de *cintilar.*] *V. int.* **1.** Brilhar com pouca intensidade; luzir frouxamente: "Contra a parede lateral da igreja começou a distinguir o vulto dum homem à altura de cujo rosto lucilava a brasa do cigarro." (Érico Veríssimo, *O Tempo e o Vento*, I, p. 5.) **2.** V. *tremeluzir.*

luciluzir. [De *luc(i)-* + *luzir.*] *V. int.* **1.** Luzir a espaços, como o pirilampo; tremeluzir; lucilar: "Agora ressumantes de mar [as pernas], com gotas suspensas, que luciluziam um momento e se esfiavam, escorriam-lhe ao longo das coxas, empoçando na areia." (Urbano Tavares Rodrigues, *Vida Perigosa*, p. 36). **2.** Tremeluzir, lucilar (o pirilampo): "Os vaga-lumes erravam luciluzindo como fagulhas d'astros" (Coelho Neto, *Sertão*, p. 142). [Unipess.]

lucímetro. [De *luc(i)-* + *-metro.*] *S. m.* Aparelho que serve para comparar o brilho das diferentes regiões do céu.

lucina. [Do lat. *Lucina*, nome de Diana.] *S. f. Poét.* A Lua.

lucinídeo. *S. m.* **1.** Espécime dos lucinídeos. ● *Adj.* **2.** Pertencente ou relativo a eles.

lucinídeos. *S. m. pl. Zool.* Família de moluscos da classe dos pelecípodes, de concha arredondada, com estrias ou lâminas concêntricas. Encontrados em todos os mares. Gênero comum: lucina.

lúcio. [Do lat. *luciu.*] *S. m.* Peixe da ordem dos acantopterígios (*Esox lucius* Lin.), semelhante à perca, com 1,5 m de comprimento, cabeça pontuda, corpo achatado, coloração verde com raias verticais pardas, nadadeiras fortes e cauda triangular. Vive em rios e lagos da Europa, e alimenta-se de outros peixes; sua carne, branca e gordurosa, é muito apreciada.

lucipotente. [De *luc(i)-* + *potente.*] *Adj. 2 g. Poét.* Que esparge luz intensa; que ilumina tudo.

lucivelo. [De *luc(i)-* + lat. *velu*, 'véu'.] *S. m. Bras.* V. *abajur* (1).

lucivéu. [De *luc(i)-* + *véu.*] *S. m. Bras.* V. *abajur* (1).

luco. [Do lat. *lucu.*] *S. m.* Bosque: "os bosques, os vergéis, os lucos das deidades." (Antônio Feliciano de Castilho, *Geórgicas de Virgílio*, p. 71).

lucrar. [Do lat. **lucrare*, por *lucrari.*] *V. t. d.* **1.** Tirar vantagem de; aproveitar: *Lucrou bem a situação privilegiada em que se encontrava.* **2.** Gozar, desfrutar: *Lucrou todas as vantagens dumas férias à beira-mar.* **3.** Conseguir, lograr: *Lucrou sair-se bem na difícil tarefa.* *T. i.* **4.** Tirar lucros, vantagens; adquirir proveito: *Nada lucrou com a longa vida de labuta.* *Int.* **5.** Auferir lucro: *Vendeu tudo, mas sem lucrar.*

lucratividade. *S. f.* Qualidade de lucrativo.

lucrativo. [Do lat. *lucrativu.*] *Adj.* Que dá lucro ou vantagem; vantajoso, útil, lucroso.

lucro. [Do lat. *lucru.*] *S. m.* **1.** Ganho, vantagem ou benefício que se obtém de alguma coisa, ou com uma atividade qualquer: *lucros da terra; lucros intelectuais e morais; Sabe viver: obtém lucros enormes em tudo quanto faz.* **2.** *P. ext.* Vantagem, proveito, interesse, ganho, utilidade. **3.** *Econ.* Benefício livre de despesas que se obtém na exploração de uma atividade econômica. ◆ **Lucro bruto.** Diferença entre o preço de venda e o de compra, sem se levarem em conta as despesas ocorridas entre essas duas operações. **Lucro cessante.** *Jur.* Lucro que razoavelmente se deixou de auferir. [Cf. *dano emergente.*] **Lucro líquido.** Diferença entre o preço de venda e o total das quantias gastas na realização da operação ou na produção da mercadoria.

lucroso (ô). [Do lat. *lucrosu.*] *Adj.* V. *lucrativo.*

luctífero. [Do lat. *luctiferu.*] *Adj. Poét.* **1.** Que causa luto[1] (1). **2.** Desastroso, calamitoso, funesto. [Var.: *lutífero.*]

luctíssono. [Do lat. *luctisonu.*] *Adj. Poét.* Que tem som lúgubre; que soa lugubremente. [Var.: *lutíssono.*]

lucubração. [Do lat. *lucubratione.*] *S. f.* **1.** Trabalho prolongado e paciente feito à noite e à luz. **2.** *P. ext.* Meditação grave; cogitação profunda: "Todos os gêneros de literatura lhe deveram [à Companhia de Jesus] desvelos e carinhos. Toda a erudição sacra e profana, doutas e zelosas lucubrações." (Latino Coelho, *Cervantes*, p. 180.) **3.** *P. ext.* Meditação, cogitação: "não há a leviandade criminosa de aceitar sem exame .... meras convenções de gramáticos e glotólogos, ensimesmados em suas lucubrações claustrais." (João Ribeiro, *Cartas Devolvidas*, p. 35). [F. paral.: *elucubração.*]

lucubrar. [Do lat. *lucubrare.*] *V. int.* **1.** Trabalhar de noite e à luz. **2.** Estudar de noite. **3.** *P. ext.* Meditar, refletir, pensar. *T. i.* **4.** Dedicar-se (a longos trabalhos intelectuais): *Passou anos lucubrando na sua portentosa obra.* *T. d.* **5.** Fazer com trabalho, durante a noite: *Lucubrou pacientemente a sua tese.* **6.** Estudar ou aprender, trabalhando com desvelo.

lúcula. [Do lat. *luce*, 'luz,' + *-ula.*] *S. f. Astr.* Granulação luminosa que entra na composição da fotosfera do Sol.

luculento. [Do lat. *luculentu.*] *Adj. Poét.* **1.** Brilhante, esplêndido. **2.** Ótimo, excelente, magnífico, esplêndido: "durante o almoço, em que se imolaram luculentíssimos acepipes e beberam vinhos velhos da França, ... não se versou outro tema." (Aquilino Ribeiro, *Alemanha Ensangüentada*, p. 175).

lucúleo. *Adj.* V. *luculiano*: "Os banquetes lucúleos de Ribeirão exigiam farta carnagem e esvaziavam de cada vez uma adega." (Xavier Marques, *As Voltas da Estrada*, p. 23.)

luculiano. [Do lat. *lucullianu.*] *Adj.* Próprio de Luculo, político e general romano (c. 106 - c.57 a.C.) afamado pelo seu luxo; lucúleo, magnificente, lauto, suntuoso: *ceia luculiana.*

lucuma. *S. f. Bras.* Árvore da família das sapotáceas, do gênero *Lucuma.*

lucunari. *S. m. Bras., Amaz.* V. *tucunaré* (1).

ludâmbulo. [De *lud(i)-* + *-âmbulo.*] *S. m. P. us. Bras.* Turista.

▲**lud(i)-.** [Do lat. *ludus, i.*] *El. comp.* = 'jogo', 'divertimento': *ludâmbulo; lúdico.*

ludião. [Do lat. *ludione.*] *S. m. Fís.* Aparelho mergulhador que contém uma pequena bolha de ar e que emerge de, ou imerge em, um líquido, conforme a pressão que sobre este se exerce. [F. paral.: *lúdio.*]

ludibriante. *Adj. 2 g.* Que ludibria; ludibrioso.

ludibriar. *V. t. d.* **1.** Tratar com ludíbrio; zombar ou troçar de; escarnecer: *Ateu, costuma ludibriar qualquer sentimento religioso.* *T. i.* **2.** Não fazer caso; desdenhar, zombar: *Rico, ludibria dos pobres.* [Pres. ind.: *ludibrio*, etc. Cf. *ludíbrio.*]

ludibriável. *Adj. 2 g.* Que pode ou deve ser ludibriado.

ludíbrio. [Do lat. *ludibriu.*] *S. m.* **1.** V. *zombaria*: "nem aos ludíbrios e insolências das guardas, nem aos desprezos do Rei, ... respondeu [Cristo], resistiu, ou mostrou diferente semblante" (Pe Antônio Vieira, *Sermões*, VII, pp. 267-268). **2.** Objeto de zombaria ou desprezo: "As nações muçulmanas .... anularam-se umas, desapareceram outras, e .... ei-las aí estão as que restam, ludíbrio da humanidade, corruptas, decadentes" (Alexandre Herculano, *Opúsculos*, III, pp. 110-111). **3.** Engano, logro. [Cf. *ludibrio*, do v. *ludibriar.*]

ludibrioso (ô). *Adj.* **1.** Que envolve ludíbrio: *situação ludibriosa.* **2.** Ludibriante.

lúdico. [De *lud(i)-* + *-ico*[2].] *Adj.* Referente a, ou que tem o caráter de jogos, brinquedos e divertimentos: a *atividade lúdica das crianças;* "Temos entre nós, sentado à mesa da pequena casa lusitana, José Lins do Rego, que na companhia de um punhado de jogadores do Flamengo atravessou o Atlântico. Na adulta consciência de um dos seus maiores escritores, e na destreza lúdica da sua mocidade, visita-nos a descomunal grandeza do Brasil" (Miguel Torga, *Traço de União*, p. 31). — V. *linguagem — a.*

lúdio. [Do lat. *ludiu.*] *S. m.* Ludião.

ludismo. [De *lud(i)-* + *-ismo.*] *S. m.* Qualidade ou caráter de lúdico.

ludo. [Do lat. *ludu.*] *S. m.* **1.** Tipo de jogo em que as pedras se movimentam segundo o número de casas indicado pelos dados. **2.** *P. us.* Jogo, brinquedo, divertimento.

ludoterapia. [De *lud(i)-* + *-o-* + *-terapia.*] *S. f. Terap.* Tratamento de doentes mentais por meio de brinquedos, divetimentos, jogos (inclusive esportivos).

ludoterápico. *Adj.* Referente à ludoterapia.

ludovicense. *Adj. 2 g.* e *s. 2 g.* São-luisense.

ludreiro. [De *ludro* + *-eiro.*] *S. m.* V. *lamaçal* (1).

lúdrico. [Do lat. *ludricu.*] *Adj.* **1.** Relativo a jogos, divertimentos, espetáculos públicos. **2.** Que move ao riso; ridículo.

ludro. *Adj.* **1.** Diz-se da lã antes de ser preparada, i. e., da lã suja; churdo. **2.** Diz-se do líquido turvo, como o das enxurradas: "Foi no inverno. As águas ludras da serra vinham engrossadas de pedraço e de corpos de reses" (Fernando Namora, *Retalhos da Vida de um Médico*, p. 156). [Sin., nessas acepç.: *ludroso.*] **3.** Sujo, sórdido, churdo.

ludroso (ô). [De *ludro* + *-oso.*] *Adj.* Ludro (1 e 2).

lues (lu-ès). [Do lat. *lues.*] *S. f. 2 n.* V. *sífilis.*

luético. [De *lue(m)*, 'lues', + *-t-* + *-ico*[2].] *Adj.* Relativo à, ou da natureza da lues.

lufa. [Do ingl. *loof.*] *S. f.* **1.** V. *rajada*[1] (1). **2.** *Fig.* Afã, azáfama.

lufada. [De *lufa* + *-ada*[1].] *S. f.* **1.** V. *rajada*[1] (1): "A ventania redobra e nas lufadas que passam viajam gritos, catástrofes, lamentos." (Raul Brandão, *Os Pobres*, p. 32.) **2.** *Bras., MT.* Método de pesca fluvial em que os peixes são atordoados, à noite, pelo fogo de fachos, chegando a saltar dentro das canoas; facheada. [Cf., nesta acepç., *piracema.*] ◆ **Às lufadas.** Com intermitência; intermitentemente.

lufa-lufa. [De *lufa* (2), repetido.] *S. f.* Grande afã, grande pressa ou agitação; azáfama: "Voltava com a alma cheia de rumores de bordo, a lufa-lufa das gentes que entravam e saíam" (Machado de Assis, *Quincas Borba*, p. 244). [Pl.: *lufa-lufas.*]

lufar. [De *lufa* + *-ar*[2].] *V. int.* **1.** Soprar com força variável (o vento): "no convés, onde o vento lufava .... bojando as velas a um bordo, a cena era totalmente outra" (Virgílio Várzea, *Histórias Rústicas*, p. 48). **2.** Ofegar (1).

lugar. [Do ant. *logar.* lat. *locale* (adj.), 'local'.] *S. m.* **1.** Espaço ocupado; sítio: *Em que lugar estavas que eu não te vi?* **2.** Espaço (2): *já não há lugar nesta sala para outra estante.* **3.** Sítio ou ponto referido a um fato: *data e lugar de nascimento.* **4.** Espaço próprio para determinado fim: *Este vão é o lugar ideal para o armário.* **5.** Ponto de observação; posição, posto: *Do seu lugar, a sentinela avisou da aproximação do inimigo; O recepcionista não estava no seu lugar.* **6.** Esfera, roda, ambiente: *Freqüenta lugares suspeitos; Aquilo é lugar de perdição.* **7.** Povoação, localidade: *A capital e os lugares vizinhos sofreram muito com a cheia.* **8.** Região, país: *Os costumes variam com os lugares.* **9.** Posição, situação: *Que faria você se estivesse em meu lugar?* **10.** Classe, categoria, ordem: *Ponha-se no seu lugar, não suporto má-criação!* **11.** Ocupação, emprego, função, cargo: *Temos de arranjar um lugar para ele: está desempregado.* **12.** Assento marcado e determinado: *Para o espetáculo desta noite ainda há 10 lugares.* **13.** Posição determinada num conjunto, numa escala, numa série; colocação: *Passou em segundo lugar no vestibular de letras.* **14.** Oportunidade, ensejo, vez, ocasião: *Domine-se: não dê lugar a sentimentos agressivos.* **15.** Tempo, folga, vaga: *Embora ferido, teve lugar de se salvar do incêndio.* **16.** Direção, rumo, destino: *Seguiu por este lugar há pouco tempo.* **17.** Trecho ou passagem de um livro, de uma obra: *O episódio de Inês de Castro é um dos mais* *famosos* lugares de Os Lusíadas. **18.** *Geom.* Lugar geométrico. [Pl.: *lugares.* Cf. *lúgar* e pl. *lúgares.*] ♦ **Lugar geométrico.** *Geom.* Conjunto de pontos que satisfazem a uma ou mais condições. [Tb. se diz apenas *lugar.*] **Lugar mais limpo.** *Bras., N.E. Fam.* Expr. com que se indica não estar um objeto ou uma pessoa no lugar onde tinham por certo encontrá-lo: *Guardei bem guardado o queijo, e quando o procurei,* lugar mais limpo; *Pediu-me que fosse à casa dele, fui, e* lugar mais limpo. **Dar lugar a.** Ter como resultado; causar, originar. **Em lugar de.** Em vez de; em substituição a: "Mas a visão em lugar / de vir cair-lhe nos braços, / voa por esses espaços / Até já mal se avistar..." (João de Deus, *Campo de Flores*, I, p. 80). **Ir para bom lugar.** V. *morrer* (1). **Não conhecer o seu lugar.** *Fam.* Não ser capaz de reconhecer sua posição inferior em relação a outrem ou a algo; não se enxergar. **Não esquentar lugar.** Não demorar em parte alguma aonde vá. [Cf. *não esquentar o lugar.*] **Não esquentar o lugar.** Não se demorar em visita; não esquentar o banco. [Cf. *não esquentar lugar.*] **Ter lugar.** *Gal.* Realizar-se, efetuar-se; ocorrer: "ainda ninguém esqueceu esse interessante e nobre leilão que em 1855 teve lugar no edifício da Academia das Belas-Artes." (Joaquim Manuel de Macedo, *Os Romances da Semana*, p. 5). **Um lugar ao sol.** Situação relevante, vantajosa, próspera, na vida prática, na sociedade: *Todos buscam* um lugar ao sol; *F. não conseguirá nunca* um lugar ao sol.

lúgar. [Do ingl. *lugger.*] *S. m.* Antigo navio à vela, de mastreação constituída de gurupés e três mastros de lúgar [v. *mastro de lúgar*]. [Var., lus., *lugre.* Pl.: *lúgares.* Cf. *lugares*, pl. de *lugar.*]

lugar-comum. *S. m.* **1.** Fonte de onde se podem tirar argumentos, provas, etc., para quaisquer assuntos. **2.** *P. ext.* Fórmula, argumento ou idéia já muito conhecida e repisada. **3.** Coisa trivial; trivialidade. [Sin., nas acepç. 2 e 3: *chapa, chavão, clichê.* Pl.: *lugares-comuns.*]

lugareiro. *Adj.* Relativo a lugar, a terra; local, localista: *termos* lugareiros.

lugarejo (ê). [De *lugar* + *-ejo.*] *S. m.* Povoado pequeno.

lugar-tenente. [Adapt. do lat. *locum tenens* 'o que ocupa o lugar'.] *S. 2 g. Desus. Pessoa* que desempenha temporariamente as funções de outrem, que o substitui: "Quando Amru, lugar-tenente do Califa — que era o lugar-tenente de Deus — conquistou o Egito, cercou uma antiga fortaleza, junto do Nilo" (Eça de Queirós, *O Egito*, p. 188). [F. paral.: *loco-tenente.* Pl.: *lugar-tenentes.*]

lugdunense. [Do lat. *lugdunense.*] *Adj. 2 g.* e *s. 2 g.* Lionês.

lugente. [Do lat. *lugente.*] *Adj. 2 g.* Plangente; lastimoso; lamentoso: "No outro dia, ao partir, quis ver de perto / Aquele mar de voz lugente e rude" (Alberto de Oliveira, *Poesias*, 3ª série, p. 293).

lugre. [Do ingl. *lugger.*] *S. m. Lus.* Lúgar.

lúgubre. [Do lat. *lugubre.*] *Adj. 2 g.* **1.** Relativo a luto[1], fúnebre. **2.** Que é sinal de luto[1], de morte: *dobre* lúgubre. **3.** Triste, soturno, fúnebre, funesto, lôbrego: *voz* lúgubre. **4.** Escuro, sombrio, sinistro, medonho, lôbrego: lúgubre *masmorra.* **5.** Letal (2).

lugubridade. *S. f.* Qualidade ou estado de lúgubre.

luís. [Do antr. *Luís.*] *S. m.* **1.** Antiga moeda francesa de ouro, cuja cunhagem principiou sob Luís XIII (séc. XVII). **2.** Antes de 1828, moeda de ouro francesa equivalente a 20 francos. [Pl.: *luíses.*]

luís-cacheiro. [Alter. de *ouriço-cacheiro.*] *S. m. Bras. S. da BA* e *N. de MG.* V. *ouriço-cacheiro.* [Pl.: *luís-cacheiros.*]

luís-correense. *Adj. 2 g.* **1.** De, ou pertencente ou relativo a Luís Correia (PI). ● *S. 2 g.* **2.** Natural ou habitante de Luís Correia. [Pl.: *luís-correenses.*]

luís-gomense. *Adj. 2 g.* **1.** De, ou pertencente ou relativo a Luís Gomes (RN). ● *S. 2 g.* **2.** Natural ou habitante de Luís Gomes. [Pl.: *luís-gomenses.*]

luita. [Do lat. *lucta*, com vocalização.] *S. f. Arc.* Luta. [Cf. *loita* e *aloite.*]

luitar. [Do lat. *luctare*, com vocalização.] *V. int. Arc.* Lutar.

lula. *S. f.* **1.** Molusco cefalópode, dibranquiado, decápode, da família dos loliginídeos (*Loligo brasiliensis* Blainv.), do Atlântico, de coloração amarelada com manchas escarlates, podendo mudar de cor segundo com o meio ambiente, corpo alongado, com nadadeiras triangulares do lado oposto à cabeça, provido de dez tentáculos com ventosas, dois dos quais são mais finos e alongados. Sua carne é muito estimada nos mercados. **2.** Iguaria feita com lula (1). [Sin., bras.: *calamar.*]

lulu. *S. m.* Lulu-da-pomerânia.

lulu-da-pomerânia. *S. m.* Cão de pequeno porte, originário da Alemanha, e que tem orelhas pontudas e retas, focinho afilado e pelagem basta e comprida de coloração variada e uniforme; lulu. [Pl.: *lulus-da-pomerânia.*]

luma. [Do lat. *luna*, 'lua'; cf. *uma* lat. *una.*] *S. f. Bras., N.E. Pop.* Lua (1): "Mandou pra ela essa loa: / Vóis não me quê? qui m'importa! / Se a luma cheia fô boa / Vou cantá na tua porta." (Mardoqueu Nacre, *Fuloreios*, p. 93, *ap.* Mário Marroquim, *A Língua do Nordeste*, p. 68.) [V. *lũa.*]

lumaquela. [Do it. *lumachella.*] *S. f.* Calcário formado por fragmentos de conchas, as quais ainda se podem ver com nitidez.

lumaréu. [De *lume* + *-aréu.*] *S. m.* Fogueira, fogacho, fogaréu.

lumbagem. *S. f.* Lumbago.

lumbágico. *Adj.* Referente a lumbago.

lumbago. [Do lat. *lumbago.*] *S. m.* dor em região lombar; lumbagem.

lumbrical. [De *lumbric(i)-* + *-al.*] *Adj. 2 g.* V. *lombrical.*

lumbricário. [De *lumbric(i)-* + *-ário.*] *Adj.* V. *lombrical* (1 e 2).

▲**lumbric(i)-.** [Do lat. *lumbricus, i.*] *El. comp.* = 'lombriga': *lumbricário, lumbricida.* [Equiv.: *lombric(i)-: lombrical.*]

lumbricida. [De *lumbric(i)-* + *-cida.*] *Adj. 2 g.* Que mata lombrigas.

lume. [Do lat. *lumen.*] *S. m.* **1.** Fogo (1): "Apanhou umas folhas de laranjeira, foi à cozinha, fez lume e, enchendo uma caneca d'água, pô-la ao fogo" (Coelho Neto, *Treva*, p. 328). **2.** Luz; clarão, fulgor, brilho: "Não somos como o Céu, onde sobre o negrume / De noite procelosa arde o sereno lume / Das estrelas" (Alberto de Oliveira, *Póstuma*, p. 75). **3.** Vela, círio. **4.** *Fig.* Perspicácia, penetração, esperteza. **5.** *Fig.* Ilustração, saber; doutrina: *Guia-os o* lume *da razão.* **6.** *Fig.* V. *luminar* (2): "S. Jerônimo, o grande lume da Igreja, depunha a pena para lavar os pés aos camelos dos viageiros que lhe pernoitavam no mosteiro" (Ramalho Ortigão, *Primeiras Prosas*, p. 280). **7.** *Anat.* Espaço entre as paredes de um vaso. [Cf. *lúmen.*] ♦ **Ao lume de.** À superfície de; à tona de (a água). **Dar a lume.** V. *publicar* (5). **Ter lume de.** Ter algum conhecimento de (algo). **Trazer a lume.** Tornar patente; mostrar, patentear. **Vir a lume.** Ser publicado; ver o dia: *Só daqui a um mês o seu romance* virá a lume.

lumeeira. [De *lume* + *-eira.*] *S. f.* **1.** Archote de palha. **2.** V. *lampadário* (1). **3.** Fogo, fogueira, fogaréu, lume, lucerna. **4.** Luz intensa; clarão. **5.** Abertura por onde se côa luz; fresta, lucarna: "Luzes passavam entre as ameias e pelas lumeeiras do castelo, lá no alto do píncaro." (Gustavo Barroso, *Livro dos Milagres*, p. 107). **6.** V. *pirilampo.* **7.** Bandeira de porta ou de janela; lumeeiro.

lumeeiro. [De *lume* + *-eiro.*] *S. m.* **1.** Astro, luzeiro. **2.** Lumeeira (7). **3.** V. *pirilampo.*

lúmen. [Do lat. *lumen.*] *S. m. Fotom.* No Sistema Internacional, unidade de fluxo luminoso igual uo fluxo luminoso emitido, no interior de um ângulo sólido de um esferorradiano, por uma fonte pontual de intensidade invariável de uma candela, e que emite, uniformemente, em todas as direções. [Símb.: *lm.* Pl.: *lumens* e (p. us. no Brasil) *lúmenes.* Cf. *lume.*]

lume-pronto. *S. m.* Fósforo ordinárim, de madeira e enxofre, já desusado.

lumiar. *S. m. Ant.* e *pop.* Var. dissimilada de *limiar:* "Nisto ali se apresenta o Padre Anchieta / No lumiar da porta" (Gonçalves de Magalhães, *A Confederação dos Tamoios*, p. 186).

luminância. [Do ingl. *luminance.*] *S. f. Fotom.* V. *brilhância.*

luminancímetro. [De *luminância* + *-metro.*] *S. m. Fotom.* Nitômetro.

luminar. [Do lat. *luminare.*] *Adj. 2 g.* **1.** Que dá ou esparge luz. ● *S. m.* **2.** *Fig.* Homem notabilíssimo, preeminente, na ciência, e também nas artes ou nas letras; lume, luminária, luzeiro, astro: *Pontes de Miranda é um* luminar *da ciência jurídica.*

luminária. [Do lat. *luminária.*] *S. f.* **1.** Lamparina (2). **2.** Pequena lanterna. **3.** *P. ext.* Aquilo que alumia. **4.** *Fig.* V. *luminar* (2). **5.** *Bras.* Qualquer objeto, como lustre, aplique, etc., destinado a iluminar por meio da eletricidade. **6.** *Bras., SP.* Doce de coco contido num canudinho feito de massa de farinha de trigo. [Sin.: no N., *queijadinha;* no RJ, *viúva.*] ~ V. *luminárias.*

luminárias. [Pl. de *luminária.*] *S. f. pl.* Iluminação por motivo de festa ou de regozijo público: "Nos relvados, em frente das moradias, as árvores de Natal não espalham na alvura fofa do chão os reflexos silenciosos e multicores das suas luminárias" (José Rodrigues Miguéis, *Gente da Terceira Classe*, p. 53). ~ V. *luminária.*

luminarista. *S. 2 g. Burl.* Pessoa que enfeita com luminárias.

luminescência. [Do lat. **luminescentia.*] *S. f. Fís.* Emissão de luz por uma substância, provocada por qualquer processo que não seja o aquecimento. [Cf. *fluorescência.*]

luminescente. [De um lat. **luminescere.*] *Adj. 2 g.* Que tem a propriedade de emitir luz em temperatura ordinária.

luminímetro. [Do lat. *lumini*, 'lume', + *-ia-* + *-metro.*] *S. m. Fotom.* Todo instrumento destinado a medir o fluxo luminoso de uma fonte.

luminóforo. [Do lat. *lumine*, 'lume' + *-o-* + *-foro.*] *S. m. Fís.-Quím.* Fluoróforo.

luminosidade. *S. f.* **1.** Qualidade de luminoso. **2.** O atributo de uma cor (2) que indica o maior ou menor grau de luz por ela refletida: *O amarelo é a cor de maior* luminosidade. **3.** *Astr.* Potência radiante emitida por uma estrela. ♦ **Luminosidade anti-solar.** *Astr.* V. *luz anti-solar.* **Luminosidade do céu noturno.** *Astr.* Luminosidade geral e difusa do céu, proveniente de fenômenos de luminescência de átomos e moléculas da alta atmosfera, e que se adiciona à luminosidade própria das estrelas.

luminoso (ô). [Do lat. *luminosu.*] *Adj.* **1.** Que dá ou esparge luz própria. **2.** Que reflete luz: *tinta* luminosa. **3.** Brilhante, resplandecente, luzente: "Uma estrela cadente riscou o céu, deixando um rastro luminoso." (Domingos Monteiro, *Contos do Natal*, p. 28.) **4.** Belo, formoso: "um crepúsculo cheio de harmonias consoladoras e de luminosas esperanças para uma radiante aurora." (Ramalho Ortigão, *Em Paris.* p. 263). **5.** Claro, evidente, lúcido: *raciocínio* luminoso. **6.** Ilustrativo, elucidativo, esclarecedor: *preleção* luminosa. **7.** Ilustre, brilhante, magnífico: *talentos* luminosos. **8.** *Fig.* Que compreende com facilidade: lúcido, perspicaz: *espírito* luminoso. ~ V. *bóia —a, emitância —a, excitação —a, fluxo —, intensidade —a, ondas —as, radiância —a, raio —* e *sinal —.* ● *S. m.* **9.** *Bras.* Anúncio luminoso.

lumioso (ô). *Adj. Antiq.* Luminoso: "as lumiosas / Estrelas" (Antônio Ferreira, *Obras Completas*, I, p. 65); "bem uma semana ela ficou se lembrando deles, ... falando da serra lumiosa, do rio gemedor" (Bernardo Élis, *Veranico de Janeiro*, p. 93).

lumpemproletariado. [Do al. *Lumpenproletariat.*] *S. m. Sociol.* Na sociologia marxista, camada social carente de consciência política, constituída pelos operários que vivem na miséria extrema e por indivíduos direta ou indiretamente desvinculados da produção social e que se dedicam a atividades marginais, como, p. ex., o roubo e a prostituição. [Sin. vulg., bras.: *lumpesinato.*]

lúmpen. [Do al. *Lumpen.*] *S. 2 g.* **1.** *Sociol.* Pessoa que faz parte do lumpemproletariado. **2.** *Bras. Gír.* Pessoa vadia, que não se dedica a nenhuma atividade socialmente produtiva. [Pl.: *lumpens* e (p. us. no Brasil) *lúmpenes.*]

lumpesinagem. [De *lumpesinar* + *-agem*[2].] *S. f. Bras. Gír.* **1.** Ação própria de lúmpen (2). **2.** *P. ext.* Ócio, vagabundagem.

lumpesinar. *V. int. Bras. Gír.* Levar vida ociosa, como a de lúmpen (2); vadiar, vagabundear, vagabundar.

lumpesinato. *S. m. Bras.* Lumpemproletariado.

luna. [Do lat. *luna*, 'lua'.] *S. f. Geom.* Porção de uma esfera limitada por dois semiplanos que se iniciam num diâmetro da esfera. [Cf. *fuso* (4).]

lunação. [Do lat. *lunatione.*] *S. f. Astr.* Revolução sinódica da Lua.

lunado. [Do lat. *lunatu.*] *Adj.* **1.** Que tem cornos em forma de meia-lua: "A garupa da vaca era palustre e bela, / uma penugem havia em seu queixo formoso; / e na fronte lunada onde ardia uma estrela / pairava um pensamento em constante repouso." (Jorge de Lima, *Obra completa*, I, p. 638.) **2.** *P. ext.* V. *cornífero.*

lunanco. [Do esp. plat. *lunanco.*] *Adj. Bras., RS.* Diz-se do animal e, p. ext., da pessoa que tem depressão de uma das ancas, proveniente de lesão, congênita ou acidental, do ângulo externo do ílio.

lunanquear. [Do esp. plat. *lunanquear.*] *Bras., RS.* **1.** *V. int.* Tornar-se lunanco. **2.** *T. d.* Causar, por qualquer modo, esse defeito físico a (cavalo). [Conjug.: v. *frear.*]

lunar. [Do lat. *lunare.*] *Adj. 2 g.* **1.** Relativo à Lua; selênico. **2.** Pertencente à, ou próprio da Lua, ou que a lembra: "Veste o quimão de cambraia, / Mostra-te ao fulgor lunar." (Manuel Bandeira, *Estrela da vida Inteira*, p. 26); "a vossa palidez romântica e lunar!" (Cesário Verde, *Obra Completa*, p. 108). ~ V. *ano —,* *calendário —, ciclo —, cratera —, disco —, eclipse —, equação —, espaço —, libração —, mês —, nutação — e sonda —.* • *S. m.* **3.** Sinal congênito na pele, atribuído ao influxo lunar.

lunarejo (ê). [Do esp. plat. *lunarejo.*] *Adj. Bras., RS.* Diz-se do animal que apresenta qualquer sinal no pêlo.

lunário. [Do lat. *luna,* 'lua', *+-ário.*] *S. m. Calendário em que o tempo é computado por luas.*

lunático. [Do lat. *lunaticu.*] *Adj.* **1.** Que é sujeito à influência da Lua. **2.** *Fig.* Maníaco, visionário, aluado: "a alma do poeta / Lunático, imbecil, místico, iluminado" (Guerra Junqueiro, *Pátria,* pp. 52-53). • *S. m.* **3.** Indivíduo lunático: "um maluco agoureiro e cismático, / Com aquelas visões estranhas de lunático" (Id., *ib.,* p. 32).

lunauta. [Do lat. *luna,* 'Lua', *+nauta,* com haplologia.] *S. 2 g.* Astronauta que realizou vôo interplanetário à Lua.

lundês. *Adj. 2 g.* **1.** Da, ou relativo à região de Lunda (Angola, África). • *S. 2 g.* **2.** Natural ou habitante de Lunda. [Flex.: *lundesa* (ê), *lundeses* (ê), *lundesas* (ê).]

lundu[1]. De or. afr. *S. m. Bras.* **1.** Dança de par solto, de origem africana, que teve seu esplendor no Brasil em fins do séc. XVIII e começos do séc. XIX. **2.** Dos meados do séc. XIX em diante, canção solista, influenciada pelo lirismo da modinha e freqüentemente de caráter cômico. [Var.: *lundum.*]

lundu[2]. [De *calundu,* por aférese.] *S. m. Bras.* V. *amuo* (1): "Rixas tivemos, e lundus muitos ela com minha mãe, que isso faz parte da vida." (Moreira Campos, *Portas Fechadas,* p. 262.)

lundum. *S. f. Bras.* Var. de *lundu*[1]: "A mucama de Iaiá tange os piuns, / balança a rede, / canta um lundum" (Jorge de Lima, *Obra Completa,* I, p. 299).

lunduzeiro. [De *lundu*[2] + *-z-* + *-eiro.*] *Adj.* e *s. m. Bras., N.E.* Diz-se de, ou aquele (especialmente criança) que se amua com facilidade.

luneta (ê). [Do fr. *lunette.*] *S. f.* **1.** *Ópt.* V. *telescópio refrator.* **2.** *Ópt.* Telescópio refrator de pequena abertura. **3.** V. *óculo* (1): "Depois de haver verificado a clareza dos vidros, ... pôs a luneta com gesto lento no nariz" (José Veríssimo, *Cenas da Vida Amazônica,* p. 142). **4.** Parte da guilhotina sobre a qual se atravessa o pescoço do condenado. **5.** Aro de aço para medir o calibre das balas. **6.** *Rel.* Parte da custódia pela qual se segura a hóstia. ~ V. *lunetas.* ♦ **Luneta astronômica.** *Ópt.* Telescópio refrator. **Luneta de Galileu.** *Ópt.* Luneta com ocular divergente. **Luneta de leitura.** *Ópt.* Luneta utilizada em alguns instrumentos para facilitar a leitura de escalas. **Luneta de passagem.** *Astr.* Instrumento astronômico para determinação da hora e da longitude, e que utiliza a observação da passagem meridiana de estrelas; luneta meridiana, luneta de trânsito, meridiana. **Luneta de trânsito.** *Astr.* V. *luneta de passagem.* **Luneta equatorial.** *Astr.* V. *equatorial* (3). **Luneta meridiana.** *Astr.* V. *luneta de passagem.* **Luneta zenital.** *Astr.* Instrumento destinado a estudar os movimentos do pólo, e que determina com a maior precisão possível a variação da latitude num determinado lugar. **Luneta zenital fotográfica.** *Astr. P. Us.* V. *tubo zenital fotográfico.*

lunetas (ê). [Pl. de *luneta.*] *S. f. pl. Bras. Pop.* V. *óculos.* ~ V. *luneta.*

lunfardo. [Do esp. plat. *lunfardo.*] *S. m. Bras.* **1.** Ladrão, gatuno; marginal. **2.** Gíria da ralé de Buenos Aires (Argentina) e seus arredores, muito usada nos tangos.

lunícola. [Do lat. *luna* + *-i-* + *-cola.*] *Adj. 2 g.* e *s. 2 g.* Selenita (1).

luniforme. [Do lat. *luna* + *-i-* + *-forme.*] *Adj. 2 g.* Que tem forma de meia-lua; lunulado, lunular, semilunar.

lunissolar. [Do lat. *luna,* 'lua', + *Sol*[1] + *-ar*[1].] *Adj. 2 g.* Que depende ao mesmo tempo das ações da Lua e do Sol. ~ V. *calendário —.*

lúnula. [Do lat. *lunula.*] *S. f.* **1.** Cada um dos satélites dos planetas Júpiter e Saturno. **2.** Tudo que tem forma de meia-lua. **3.** Mancha esbranquiçada e semilunar na base da unha; meia-lua. [Cf., nesta acepç.: *leuconíquia.*] **4.** *Rel.* Pequena peça de ouro ou de prata que prende ao ostensório a hóstia sagrada; meia-lua.

lunulado. [De *lúnula* + *-ado*[1].] *Adj.* V. *luniforme.*

lunular. [De *lúnula* + *-ar*[1].] *Adj. 2 g.* **1.** V. *luniforme.* **2.** Que tem lúnula.

lupa[1]. [Do fr. *loupe.*] *S. f.* **1.** *Ópt.* Lente simples, ou composta, empregada como instrumento óptico de ampliação; microscópio simples. **2.** *Bras. Gír. Irôn.* Óculos.

lupa[2]. *S. f.* Tumor no joelho dalguns animais.

lupa[3]. *El. s. f.* Us. na loc. *à lupa.* ♦ **À lupa.** *Marinh.* Às lupadas, aos puxões: *içar o escaler à lupa.*

lupada. [De *lupa*[2] (v. *à lupa*) + *-ada*[1].] *S. f. Marinh.* Cada um dos puxões dados em um cabo, quando se ala intermitentemente.

lupanar. [Do lat. *lupanare.*] *S. m.* V. *prostíbulo:* "vinho .... bebido em ignóbeis lupanares, em companhia de ladrões e facínoras reclamados pela forca" (Camilo Castelo Branco, *Quatro Horas Inocentes,* p. 75).

lupanga. *S. f.* Espada pequena usada pelos cafres.

lupercais. [Do lat. *Lupercalia.*] *S. f. pl.* Festas anuais celebradas, na Roma antiga, a 15 de fevereiro, em honra do deus Pã.

lupercense. *Adj. 2 g.* **1.** De, ou pertencente ou relativo a Lupércio (SP). • *S. 2 g.* **2.** Natural ou habitante de Lupércio.

luperco. [Do lat. *lupercu.*] *S. m.* Sacerdote de Pã, entre os antigos romanos.

lúpia. [De *lupa*[2].] *S. f.* V. *lobinho*[1].

lupinastro. [De *lupin(o)-* + *-astro.*] *S. m.* Variedade de trevo *(Trifolium lupinaster).*

lupino. [Do lat. *lupinu.*] *Adj.* Relativo ou pertencente a lobo; lobal.

▲**lupin(o)-.** [Do lat. *lupinus, i.*] *El. comp.* = 'tremoço': *lupinastro, lupinotoxina.*

lupinose. [De *lupin(o)-* + *-ose.*] *S. f. Patol.* Intoxicação motivada pela ingestão de sementes de plantas do gênero *Lupinus,* ou tremoços.

lupinotoxina (cs). [De *lupin(o)-* + *toxina.*] *S. f.* Alcalóide venenoso dos tremoços.

lupo. [Do lat. *lupu.*] *S. m. Med.* V. *lúpus.*

lupulina. *S. f.* **1.** Erva anual, das leguminosas *(Medicago lupulina),* de folhas trifolioladas com folíolos ovados ou orbiculares, flores amareladas, pequeninas e congregadas em glomérulos, e legume espiralado e escuro. É importante forrageira em terras temperadas. **2.** Substância balsâmica e amarga contida no lúpulo; lúpulo.

lúpulo. [Do lat. *lupulu.*] *S. m.* **1.** Planta volúvel, da família das moráceas *(Humulus lupulus),* oriunda da Europa, de folhas ovadas, cordadas, e denteadas na margem, flores unissexuais, insignificantes e ordenadas em espigas, providas de glândulas secretoras de substância amarga, tida como tônica e sedativa, e utilizada na fabricação de cerveja. O fruto é um aquênio. [Sin.: *pé-de-galo.*] **2.** Lupulina (2).

lúpus. [Do lat. *lupus.*] *S. m. 2 n. Med. Obsol.* Lesão cutânea, destrutiva, semelhante a mordida de lobo. [Atualmente o t. só é us. quando acompanhado do adj. que especifica o tipo] ♦ **Lúpus eritematoso.** *Med.* Doença do tecido conjuntivo, de origem desconhecida, ubiqüitária, que apresenta sinais gerais (febre, emagrecimento, astenia) e manifestações cutâneas, cardiovasculares, renais, nervosas e articulares, dentre outras. **Lúpus vulgar.** *Med.* Forma de tuberculose cutânea.

lura. [Do lat. *lura, à boca do odre'?*] *S. f.* **1.** Esconderijo de coelhos e de outros animais; toca, covil: "uma enorme ratazana espavorida saltou de sua lura, e, acossada pela cadela, correu .... em direitura às duas senhoras" (Camilo Castelo Branco, *Quatro Horas Inocentes,* p. 75). **2.** Qualquer buraco; cova. [F. paral.: *loura.*]

lurar. *V. t. d.* Fazer luras em; esburacar; escavar: "O sol destas terrar semi-áridas é paradoxal e caprichoso: acelerando a reprodução das sementes atrasa o surto dos ramos, encarquilha as folhas e obriga as raízes a lurarem o subsolo em busca de reservas de seiva." (Vitorino Nemésio, *Caatinga e Terra Caída,* p. 89.)

lúrido. [Do lat. *luridu.*] *Adj.* **1.** Pálido, lívido. **2.** *Poét.* Escuro, sombrio: "Gibeá! Gibeá sinistro! As lúridas ramagens / Dos olmos cantam inda ao sopro das aragens / Os salmos que Davi cantava à harpa divina..." (Goulart de Andrade, *Poesias,* p. 132.)

lusco. [Do lat. *luscu.*] *Adj.* **1.** Vesgo, estrábico. **2.** Que tem só um olho. **3.** *Pop.* Cego (1). ♦ **Entre lusco e fusco.** Ao lusco-fusco. **Ir entre lusco e fusco.** Ir sem instruções, ou com instruções vagas.

lusco-fusco. S. m. **1.** A hora do crepúsculo vespertino; o anoitecer: "O sol chegou ao poente. Veio o lusco-fusco." (Franklin Távora, *O Cabeleira,* p. 142.) **2.** A hora do crepúsculo matutino: o amanhecer, o alvorecer: "Havia .... quem dissesse que, nas madrugadas de alguns domingos, quando a senhora Perpétua Rosa saía para a missa das almas, se enxergava ao lusco-fusco um vulto que, cosendo-se com os choupos, se aproximava da porta de Bernardina" (Alexandre Herculano, *Lendas e Narrativas,* II, p. 150); "no lusco-fusco da madrugada" (Antero de Figueiredo, *Leonor Teles,* p. 168). [Var.: *lusque-fusque* e (bras., S.) *fusco-fusco.*] **3.** *Bras., RJ.* Indivíduo mulato, pardo.

lusíada. [Do mit. *Luso,* do filho ou descendente de Baco (v. *báquico*) que teria povoado a parte mais ocidental da Península Ibérica, + *-i-* + *-ada*[1].] *Adj. 2 g.* e *s. 2 g.* V. *lusitano.*

lusismo. [De *luso* + *-ismo.*] *S. m.* Palavra, construção ou pronúncia de uso só português; lusitanismo.

lusitânico. [Do lat. *lusitanicu.*] *Adj.* Lusitano (2).

lusitanidade. [De *lusitano* + *-i-* + *-dade.*] *S. f.* **1.** Qualidade ou caráter de lusitano. **2.** Sentimento exacerbado de patriotismo dos lusitanos. **3.** A família lusitana; os lusitanos.

lusitanismo. *S. m.* **1.** Costume próprio dos lusitanos. **2.** *Lusismo.* **3.** Portuguesismo (1).

lusitanizar. *V. t. d.* **1.** Tornar lusitano; aportuguesar. *Int.* **2.** Tratar de coisas lusitanas.

lusitano. [Do lat. *lusitanu.*] *Adj.* **1.** De, ou pertencente ou relativo à Lusitânia e aos seus habitantes. **2.** De, ou pertencente ou relativo a Portugal ou aos portugueses; lusitânico. • *S. m.* **3.** O natural ou habitante da Lusitânia ou de Portugal. [Sin. ger.: *luso, lusíada.*]

luso. [T. criado pelos humanistas do Renascimento, com base no lat. *lusitanu.*] *Adj.* e *s. m.* V. *lusitano.*

▲**luso-.** *El. comp.* = 'português, lusitano': *luso-brasileiro.*

luso-africano. [De *luso-* + *africano.*] *Adj.* De, ou pertencente ou relativo a Portugal e à África, ou de origem portuguesa e africana. [Flex.: *luso-africana, luso-africanos, luso-africanas.*]

luso-brasileiro. [De *luso-* + *brasileiro.*] *Adj.* **1.** De, ou pertencente ou relativo a Portugal e ao Brasil, ou de origem portuguesa e brasileira. • *S. m.* **2.** Indivíduo de origem portuguesa e brasileira. [Flex.: *luso-brasileira, luso-brasileiros, luso-brasileiras.*]

lusofobia. [De *luso-* + *-fob(o)-* + *-ia.*] *S. f.* Ódio aos portugueses, a Portugal. [Antôn.: *lusofilia.*]

lusófobo. [De *luso-* + *-fobo.*] *Adj.* e *s. m.* Que ou aquele que tem lusofobia. [Antôn.: *lusófilo.*]

lusofilia. [De *luso-* + *-fil(o)-*[2] + *-ia.*] *S. f.* Amor ou grande admiração a Portugal, aos portugueses, ou a tudo que seja português. [Antôn.: *lusofobia.*]

lusófilo. [De *luso-* + *-filo*[2].] *Adj.* e *s. m.* Que ou aquele que tem lusofilia. [Antôn.: *lusófobo.*]

lusofonia. [De *lusófono* + *-ia.*] *S. f.* Adoção da língua portuguesa como língua de cultura ou língua franca por quem não a tem como vernácula; tal ocorre, p. ex., em vários países de colonização portuguesa.

lusófono. [De *luso-* + *-fono.*] *Adj.* e *s. m.* Diz-se de, ou indivíduo ou povo que fala o português.

lusoparlante. [De *luso-* + **parlante,* 'que fala'.] *Adj. 2 g.* Diz-se de pessoa cujo idioma é o português.

lusório. [Do lat. *lusoriu.*] *Adj.* **1.** Relativo ou pertencente ao jogo, à brincadeira. **2.** Que tem caráter de jogo ou de brinquedo.

lusque-fusque. *S. m.* V. *fusco-fusco:* "E entrou a verrumar-nos a cabeça a idéia de colher os ovos todos do pomar e fazer uma surpresa à minha avó, que costumava dar-se a esse trabalho à tardinha, no lusque-fusque." (Francisco Ribeiro Sampaio, *Renembranças,* p. 15.) [Pl.: *lusque-fusques.*]

lustra. [De *lustroso* (5).] *S. m. Bras. Gír.* V. *vagabundo* (7).

lustração. [Do lat. *lustratione.*] *S. f.* **1.** Ato ou efeito de lustrar. **2.** Lavagem, purificação. **3.** Cerimônia pela qual os pagãos purificavam uma pessoa, uma casa, um campo, etc.

lustradela. *S. f.* Ato ou efeito de lustrar de leve, ou de cada vez.

lustrador (ô). *Adj.* **1.** Que lustra. • *S. m.* **2.** Aquele que lustra. ~ V. *cilindro —.*

lustral. [Do lat. *lustrale.*] *Adj. 2 g.* **1.** Que serve para purificar ou lustrar: *banho lustral;* "Vamos fazer dos áridos rochedos / Manar a água lustral e apetecida, / Pelo ansioso coração bebida / No silêncio e na sombra d'arvoredos." (Cruz e Sousa, *Últimos Sonetos,* p. 81.) **2.** Diz-se da água do batismo cristão. ~ V. *água —.* • *S. f.* **3.** Água lustral: "Noss'alma fica da clarividência / Dos astros e dos anjos e dos santos, / Fica lavada na lustral dos prantos" (Cruz e Sousa, *Últimos Sonetos,* p. 23).

lustra-móveis. [De *lustrar* + o pl. de *móvel.*] *S. m. 2 n.* Preparado que serve para limpar móveis e lhes dar lustre.

lustrar. [Do lat. *lustrare.*] *V. t. d.* **1.** Dar brilho ou lustre a; tornar brilhante ou polido; polir: "era falso que D. Tonica não lustrasse as unhas" (Machado de Assis, *Quincas Borba,* p. 252). **2.** Engraxar: *lustrar sapatos.* **3.** Purificar com água lustral. **4.** Purificar, limpar. **5.** Andar por, percorrer, examinando; perlustrar: *lustrar uma região.* **6.** Freqüentar ou visitar assiduamente. **7.** Instruir, esclarecer; ilustrar. *Int.* **8.** Brilhar, luzir, resplandecer: "apreciava o marido feito lorde, o cabelo lustrando de brilhantina" (Jorge Medauar, *Água Preta,* p. 121).

lustre. [Do it. *lustro,* pelo fr. *lustre.*] *S. m.* **1.** Brilho ou polimento que se dá a um objeto ou que ele reflete naturalmente. **2.** *Fig.* Brilhantismo, esplendor, magnificência. **3.** *Fig.* Honra, glória, fama. **4.** *Fig.* Gentileza, graça, louçania. **5.** Luminária (5) de vários braços, suspensa do teto: "Os lustres de cristal e ouro alumiando os mais belos colos da cidade" (Machado de Assis, *Quincas Borba,* p. 155).

lustrilho. [De *lustre* + *-ilho.*] *Adj.* **1.** V. *lustroso* (1). ● *S. m.* **2.** Fazenda de lã lustrosa.

lustrina. [Do fr. *lustrine.*] *S. f.* Tecido de seda, de algodão ou de lã, muito lustroso, usado sobretudo para forro: "Sumidas dentro dos capuzes negros de lustrina, duas Religiosas corriam os dedos pálidos pelas contas dos seus rosários." (Eça de Queirós, *A Relíquia,* p. 119).

lustrino. [De *lustre* + *-ino*[1]] *Adj.* **1.** V. *lustroso* (1). **2.** Diz-se de lã estambrada e luzente.

lustro[1]**.** [Do lat. *lustru.*] *S. m.* Qüinqüênio: "Jovem não era nem poeta o Freire; / Tinha oito lustros e falava em prosa" (Machado de Assis, *Outras Relíquias,* p. 129).

lustro[2]**.** [Dev. de *lustrar.*] *S. m.* Polimento, lustre: "cadeiras pesadas de jacarandá, sem lustro" (Coelho Neto, *Treva,* p. 80).

lustroso (ô). *Adj.* **1.** Que tem lustre; lustrino, lustrilho, reluzente, luzido: "as palmas lustrosas dos milharais intermináveis." (Alceu Amoroso Lima, *A Realidade Americana,* p. 31). **2.** Luzido, pomposo, esplendoroso: "às aclamações que partiam dos sobrados com o perfume das flores que caíam, a lustrosa passeata distribuía proclamações e poesias" (Melo Morais Filho, *Festas e Tradições Populares do Brasil,* p. 114). **3.** Magnífico, insigne, ilustre. **4.** *Bras. Gír.* Diz-se de quem está vestido com roupa lustrosa pelo uso. ● *S. m.* **5.** *Bras. Gír.* V. *vagabundo* (7). ~ V. *papel* —.

luta. [Do lat. *lucta,* atr. do arc. *luita.*] *S. f.* **1.** Combate corpo a corpo, sem armas, entre dois atletas que, observando certas regras, procuram derrubar um ao outro: *luta livre; luta de boxe.* **2.** Qualquer tipo de combate corpo a corpo: *luta armada.* **3.** Peleja, batalha; guerra: *lutas civis.* **4.** Antagonismo entre forças contrárias; conflito: *luta entre o bem e o mal; luta de classes.* **5.** *Fig.* Esforço, empenho: *luta contra o alcoolismo; luta pela vida.* ◆ **Luta livre.** Esporte em que dois atletas lutam com permissão para aplicar qualquer espécie de golpe. **Luta romana.** Esporte em que dois atletas lutam por fazer o adversário tocar o tapete com as duas espáduas. **Ir à luta.** *Bras. Fam.* Lutar para obter o que se deseja; ir à vida.

lutador (ô). [Do lat. *luctatore.*] *Adj.* **1.** Que luta. ● *S. m.* **2.** Atleta que pratica a luta (1). **3.** Aquele que luta para alcançar algum fim.

lutar[1]**.** [Do lat. *luctare.*] *V. int.* **1.** Travar luta; combater, brigar, pelejar, pugnar. **2.** Despender todas as forças, trabalhar com aferro, para atingir certo objetivo: *Sua natural inércia impede-o de lutar — jamais conseguirá o que pretende. T. i.* **3.** Combater, brigar, pelejar, pugnar: "lutavam pela verdade abstrata e tinham como fim a salvação do mundo." (Eça de Queirós, *Cartas Familiares e Bilhetes de Paris,* p. 183). **4.** Despender todas as forças, trabalhar com aferro, para atingir certo objetivo: *Lutou pelo cargo de diretor, mas o seu nome foi preterido.* **5.** Arcar, arrostar: *lutar com dificuldades. Bit. i.* **6.** Contender, disputar, competir: *Lutou com o irmão por parte da herança. T. d.* **7.** Travar (luta, combate): "leoa que amamentas as almas modernas que hão de lutar a grande luta" (Lúcio de Mendonça, *Horas do Bom Tempo,* p. 316).

lutar[2]**.** [Do lat. *lutare.*] *V. t. d.* Tapar ou fechar com luto[2].

luteciano. *Adj.* **1.** De, ou pertencente ou relativo a Lutécia (SP). ● *S. m.* **2.** O natural ou habitante de Lutécia.

lutécio[1]**.** [Do lat. *lutetium* < *Lutetia,* 'Lutécia' (v. *lutécio*[2]).] *S. m. Quím.* Elemento de número atômico 71, pertencente aos lantanídeos. [Símb.: *Lu.*]

lutécio[2]**.** *Adj.* **1.** Da, ou pertencente ou relativo à Lutécia, antiga cidade da Gália, hoje Paris. ● *S. m.* **2.** O natural ou habitante da Lutécia.

▲**lutei-.** Equiv. de *lut(e)(o)-.*

luteicórneo. [De *lutei-* + *-corn(e)-* + *-eo.*] *Adj. Zool.* Que tem chifres ou antenas amarelas.

luteína. [De *lutei-* + *ina*[1].] *S. f.* Pigmento amarelo da gema do ovo; lipocromo.

lúteo. [Do lat. *luteu.*] *Adj.* Amarelo tirante a vermelho.

▲**lut(e)(o)-.** [Do lat. *luteum, i.*] *El. comp.* = 'cor amarelada, amarelo': *luteína, lutina.* [Equiv.: *lutei-: luteicórneo.*]

luteranismo. [De *luterano* + *-ismo.*] *S. m.* **1.** Doutrina religiosa de Martinho Lutero, teólogo e reformador alemão (1483-1546). **2.** A seita religiosa desse reformador.

luterano. *Adj.* **1.** Pertencente ou relativo a Lutero (v. *luteranismo*), ou próprio dele. **2.** Que é sectário do luteranismo. ● *S. m.* **3.** Sectário deste.

luteria. *S. f.* **1.** Fabricação de instrumento de corda com caixa de ressonância. **2.** Conjunto de tais instrumentos. [É a f. que se deve usar em vez de luteraria.]

lutífero. *Adj. Poét.* Var. de *luctífero.*

lutina. [De *lut(e)(o)-* + *-ina*[1].] *S. f. Quím. Obsol.* V. *progesterona.*

lutíssono. *Adj. Poét.* Var. de *luctíssono* [q. v.].

lutito. [Do lat. *luto,* 'lodo', + *-ito*[2].] *S. m. Pet.* Designação comum aos sedimentos elásticos finíssimos, argilosos.

lutjanídeo. *S. m.* **1.** Espécime dos lutjanídeos. ● *Adj.* **2.** Pertencente ou relativo a eles.

lutjanídeos. *S. m. pl. Zool.* Família de peixes teleósteos, da ordem dos percomorfos, que habita os mares temperados desde o Golfo do México e o Mar das Antilhas até o S. do Brasil. Ex.: mulata, caranha, rabo-aberto.

luto[1]**.** [Do lat. *luctu.*] *S. m.* **1.** Sentimento de pesar ou dor pela morte de alguém. **2.** Os sinais exteriores de tal sentimento, em especial o traje, preto quase sempre, que se usa quando se está de luto: "Minha mãe chorava, cosendo o luto, entre duas visitas de pêsames." (Machado de Assis, *Relíquias de Casa Velha,* p. 95.) **3.** O tempo durante o qual se usa o luto[1] (2). **4.** Tristeza profunda; consternação, dó: "Em 1855 o cólera-mórbus enchia de luto e lágrimas a cidade de Rio de Janeiro" (Joaquim Manuel de Macedo, *Os Romances da Semana,* p. 3); "a alma, em gotas mansas, / Chora, abismada no luto / Das minhas desesperanças." (Manuel Bandeira, *Estrela da Vida Inteira,* p. 18). **5.** *Fig.* A morte. ◆ **Luto aliviado.** Luto[1] (2) menos rigoroso, que se guarda após a morte de um parente afastado, ou que se segue ao luto fechado, quando as pessoas enlutadas se permitem usar roupas de cores sóbrias, mas não alegres. **Luto fechado.** Luto[1] (2) que se guarda nos primeiros tempos após a morte de um parente próximo, e cujo traje é completamente negro; luto pesado: "apareceu outra vez na corte o poeta, que vinha .... de fechar os olhos ao parente, e trazia luto fechado." (Machado de Assis, *Contos sem Data,* p. 93). **Luto pesado.** Luto fechado.

luto[2]**.** [Do lat. *lutu.*] *S. m.* Massa de diversas composições que, endurecendo com o calor, veda inteiramente as frinchas dos aparelhos de destilação e impossibilita a saída das substâncias voláteis contidas em frascos, retortas, matrazes, etc.

lutulência. *S. f.* Qualidade de lutulento.

lutulento. [Do lat. *lutulentu.*] *Adj.* Que tem lodo; lodoso, lamacento: "Tanta erva rasteira, tanta planta daninha, tantos fungos que só brotam e crescem nos rincões úmidos, lodosos, lutulentos da psique!" (A. Austregésilo, *Obras Completas,* VI, p. 41.) [Cf. *lutuoso.*]

lutuoso (ô). [Do lat. *luctuosu.*] *Adj.* **1.** Coberto de luto[1] (2): "viu ele um vulto lutuoso de mulher" (Joaquim Paço d'Arcos, *Carnaval e Outros Contos,* p. 164). **2.** *Fig.* Fúnebre, lúgubre, triste. [Cf. *lutulento.*]

luva. *S. f.* **1.** Peça de vestuário que se ajusta à mão e aos dedos, para agasalho, adorno, proteção ou higiene: *luva de pelica; luvas cirúrgicas.* **2.** Peça que reveste a mão, feita de tecido esponjoso ou felpudo e utilizada no banho ou na limpeza. **3.** Peça que reveste a mão, feita de couro e recheada de crina ou espuma de borracha, para amortecer a força dos golpes de boxe. **4.** Utensílio de crina usado para limpar bestas (ê). **5.** Peça tubular, provida de roscas nas extremidades, para conexão de canos e tubos. **6.** Ferragem de reforço, que envolve uma sambladura. **7.** *Tec.* Peça rosqueada internamente nas duas extremidades, e com a qual se efetua a conexão de dois tubos com roscas externas. ~ V. *luvas.* ◆ **Assentar como uma luva.** Convir perfeitamente: *O vestido assenta-lhe como uma luva.* **Atirar a luva.** Reptar, desafiar. **Dar com luva de pelica.** Responder ou agir de modo delicado, porém irônico ou mordaz: *Deu-lhe com luva de pelica indo ao jantar como se nada houvera.* **Escrever com luva branca.** Escrever usando da maior delicadeza. **Levantar a luva.** Aceitar o repto ou desafio.

luvaria. *S. f.* Fábrica de luvas, ou estabelecimento onde se vendem.

luvas. [De *luva.*] *S. f. pl.* **1.** Recompensa que se dá como retribuição de serviço prestado, ou como incentivo. **2.** Soma paga pelo inquilino ao senhorio na ocasião da assinatura do contrato de locação dum prédio, independentemente do aluguel mensal que terá de pagar: "Difícil já está sendo .... deixar o apartamento que ocupo, cujo dono, que me exigiu luvas para entrar, só falta exigir-me luvas para sair." (Fernando Sabino, *Medo em Nova Iorque. A cidade Vazia,* p. 231.) **3.** *Jur.* Valor do aviamento que se cobra no ato da venda ou da transferência de estabelecimento comercial ou industrial. ~ V. *luva.*

luveiro. *S. m.* Fabricante e/ou vendedor de luvas; luvista.

luvista. *S. 2 g.* Luveiro.

lux (cs). [Do lat. *lux.*] *S. 2 g. Fotom.* Unidade de medida de iluminamento no Sistema Internacional, igual ao iluminamento de uma superfície plana cuja área é de 1 m^2, e que recebe, perpendicularmente, um fluxo luminoso de um lúmen uniformemente distribuído. [Símb.: *lx.*]

luxação. [Do lat. *luxatione.*] *S. f.* **1.** Deslocação de certos órgãos. **2.** *Patol.* Deslocamento permanente das superfícies que compõem uma articulação e que, assim, perdem suas relações anatômicas normais. Pode originar-se de traumatismo, malformação (*luxação congênita*) ou de lesões outras, como artrites que incidam sobre articulação (*luxação patológica* ou *espontânea*). [Cf., nesta acepç., *entorse.*]

luxar[1]**.** [Do lat. *luxare.*] *V. t. d.* **1.** Praticar a luxação de. **2.** Deslocar, desarticular. [Cf. *luchar.*]

luxar[2]**.** [De *luxo* + *-ar*[2].] *V. int.* **1.** Ostentar luxo; pompear: *A moça não é rica, e gosta de luxar.* **2.** *Bras., S.* Negar por afetação; fazer luxo. [Cf. *luchar.*]

luxaria. *S. f. Bras. Pop.* Luxo demasiado; excesso de luxo: "Já pensando nas coisas da cidade, nos homens bonitos que viu por lá, na luxaria das donas, nos namoros..." (Albertino Moreira, *Boca-Pio,* p. 130.) [Cf. *lucharia,* do v. *luchar.*]

luxemburguês. *Adj.* **1.** Do, ou pertencente ou relativo ao grão-ducado de Luxemburgo (Europa). ● *S. m.* **2.** O natural ou habitante de Luxemburgo. [Flex.: *luxemburguesa* (ê), *luxemburgueses* (ê), *luxemburguesas* (ê).]

luxento. *Adj. Bras.* **1.** V. *cheio de luxo.* **2.** V. *niquento* (3).

luxímetro (cs). [De *lux-* + *-i-* + *-metro.*] *S. m. Fotom.* Qualquer instrumento destinado a medir o iluminamento de uma superfície.

luxo. [Do lat. *luxu.*] *S. m.* **1.** Modo de vida caracterizado por grandes despesas supérfluas e pelo gosto da ostentação e do prazer; fausto, ostentação, magnificência: *O luxo em que vivia admirava a todos; Gastou a herança em luxo e dissipações.* [Sin., (bras., MG) *cuca.*] **2.** Caráter do que é custoso e suntuoso: *Trajava um vestido de um luxo e elegância extraordinária.* **3.** Bem ou prazer custoso e supérfluo; superfluidade, luxaria: *Seu único luxo é beber uísque importado.* **4.** Viço, vigor, esplendor. **5.** *Bras. Fig.* Dengues, melindres. **6.** *Bras.* Recusa fingida de alguém a fazer ou aceitar alguma coisa; negação afetada; afetação. ◆ **Cheio de luxo.** *Bras. Fam.* e *pop.* Diz-se do indivíduo implicante, pretensioso, manhoso, exigente, luxento; cheio de chove-não-molha, cheio de frescura, cheio de histórias, cheio de galizia, cheio de merda, cheio de nós pelas costas, cheio de nove-horas, cheio de novidades, cheio de terra. **Dar-se ao luxo de.** Dar-se ao capricho, à fantasia, à extravagância de; permitir-se o luxo de: *Inteligente, dá-se ao luxo de não comparecer às aulas de que não gosta.* **Fazer luxo.** *Bras. Pop.* Negar por cerimônia ou afetação. **Permitir-se o luxo de.** Dar-se ao luxo de.

luxuário. *Adj.* Relativo a luxo (1 e 2).

luxuosidade. *S. f.* Qualidade de luxuoso.

luxuoso (ô). *Adj.* **1.** Em que há luxo; que ostenta luxo; faustuoso, ostentoso: *sala luxuosa.* **2.** Que traja com luxo. **3.** Farto, abundante; esplêndido: *Uma luxuosa cabeleira emoldura-lhe o rosto.*

luxúria. [Do lat. *luxuria.*] *S. f.* **1.** Viço ou exuberância das plantas. **2.** Incontinência, lascívia; sensualidade. **3.** Dissolução, corrução, libertinagem. **4.** *Bras., AL.* Esperma, sêmen. [Cf. *luxuria,* do v. *luxuriar.*]

luxuriante. [Do lat. *luxuriante.*] *Adj. 2 g.* Viçoso, exuberante, luxurioso: "O crepúsculo veio lento, depois, enquanto o navio beirava as margens de uma vegetação luxuriante." (Herman Lima, *Garimpos,* p. 12.)

luxuriar. [Do lat. *luxuriare.*] *V. int.* **1.** Viçar, vicejar. **2.** *Fig.* Entregar-se a libertinagens. *T. d.* **3.** Estimular à luxúria. [Pres. ind.: *luxurio, luxurias, luxuria,* etc. Cf. *luxúria.*]

luxurioso (ô). [Do lat. *luxuriosu.*] *Adj.* **1.** V. *luxuriante.* **2.** Sensual, libidinoso, lascivo. **3.** Licencioso, devasso, dissoluto. ● *S. m.* **4.** Indivíduo luxurioso.

luz. [Do lat. *luce*.] *S. f.* **1.** *Fís.* Radiação eletromagnética capaz de provocar sensação visual num observador normal; radiação eletromagnética de comprimento de onda compreendido aproximadamente entre 4 000 A° e 7 800 A°. **2.** Claridade emitida pelos corpos celestes: "Um dilúvio de l u z cai da montanha: / Eis o dia! eis o Sol!" (Antero de Quental, *Sonetos*, p. 137.) **3.** Claridade emitida por corpos que não a possuem, mas que a refletem de outros; reflexo: *a l u z dos planetas*. **4.** Claridade, luminosidade. **5.** Qualquer dos objetos empregados como iluminantes (vela, lampião, lâmpada, etc.). **6.** A claridade resultante do funcionamento de qualquer desses objetos: *Ótima a decoração do apartamento, sobretudo quanto aos efeitos de l u z*; "incerta e fina / L u z, que mal bruxuleia pequenina..." (Id., *ib.*, p. 253). **7.** Brilho, fulgor, cintilação: *a l u z dos olhos*. **8.** *Fig.* Aquilo ou aquele que esclarece, ilumina ou guia o espírito: *as l u z e s da fé*; "Sou o espírito, a l u z!... tu és tristeza" (Id., *ib.*, p. 263). **9.** *Fig.* Faculdade de percepção; juízo, inteligência. **10.** *Fig.* Esclarecimento, elucidação: *Sua crítica emprestou l u z à obra*. **11.** *Fig.* Evidência, certeza, verdade: "Da discussão nasce a l u z" (prov.). **12.** *Fig.* Ilustração, saber: *homem de muita l u z*. **13.** *Fig.* Notoriedade, publicidade. **14.** *Fig.* Influência (2): *Sem l u z e s estranhas não teria feito o que fez*. **15.** *Anat.* Cavidade central de um órgão tubuloso. **16.** *Constr.* Espaço entre colunas, paredes, etc.; vão livre. **17.** *Mecân.* Folga ou distância entre duas peças, duas superfícies. **18.** *Bras.* Espaço de terreno que, numa corrida, um dos corredores leva de dianteira a outro(s). **19.** *Bras.* Espaço livre, nas construções urbanas, destinado ao recebimento da luz solar. **20.** *Bras., RJ. Gír. ladra.* V. *dinheiro* (3). ~ V. *luzes*. ♦ **Luz anti-solar.** *Astr.* Luminosidade difusa, muito fraca, que aparece no céu como mancha oval de cinco a oito graus de diâmetro, sobre a eclíptica, na direção oposta ao Sol. [Sin.: *luminosidade anti-solar, clarão anti-solar*. Cf. *luz zodiacal*.] **Luz artificial.** *Fot.* Qualquer luz que não provenha, direta ou indiretamente, do Sol. **Luz cinzenta.** *Astr.* Iluminação da superfície da Lua, produzida pela luz solar refletida da superfície terrestre sobre o satélite. **Luz circularmente polarizada.** *Ópt.* Luz polarizada em que o vector elétrico está sobre um plano que efetua um movimento de rotação uniforme em torno da direção de propagação da luz. **Luz de marcha.** *Mar.* Dispositivo luminoso destinado a indicar, à noite, a velocidade do navio e as alterações ocorridas neste, segundo convenções próprias. **Luz difusa.** *Fot.* A que ilumina um objeto sem provir de uma fonte localizada, e não provoca sombras ou contrastes acentuados. **Luz dirigida.** *Fot.* A que provém de uma ou mais fontes bem localizadas e ilumina um objeto de maneira não uniforme, provocando contrastes e sombras acentuados. **Luz do Tabor.** V. *onfalópsico*. **Luz elipticamente polarizada.** *Ópt.* Aquela em que o vector elétrico gira uniformemente em torno da direção de propagação e a sua extremidade descreve uma hélice cilíndrica elíptica. **Luzes de navegação.** *Mar.* Luzes que por força de acordos internacionais relativos à segurança da navegação, toda embarcação é obrigada a mostrar em períodos de obscuridade, a fim de que as demais embarcações sejam informadas da direção do seu movimento e das suas dimensões. [Constam dos faróis de bordo (vermelho a bombordo e verde a boreste) e de uma ou duas luzes brancas (segundo o comprimento da embarcação) fixas no mastro de vante e no de ré.] **Luz fria.** *Fís.* A que é emitida num fenômeno de luminescência. **Luz monocromática.** *Ópt.* A que contém radiação de um único comprimento de onda. **Luz natural.** *Fot.* A proveniente do Sol. **Luz negra. 1.** *Fís.* Radiação ultravioleta com comprimento de onda entre 3.200 A° e 4.000 A°. **2.** *Teat.* Luz ultravioleta que se projeta sobre cenários ou figurinos executados em material fluorescente ou fosforescente, para destacá-los por inteiro do resto da cena, que permanece em completa escuridão. **Luz planopolarizada.** *Ópt.* Luz polarizada. **Luz polarizada.** *Ópt.* Aquela em que o vector elétrico vibra constantemente em um mesmo plano; luz planopolarizada. **Luz terrestre.** *Astr.* Luz refletida pela Terra no espaço, e que pode iluminar outros astros, especialmente a Lua. **Luz verde. 1.** Ausência de obstáculos ou empecilhos; caminho aberto: *O Presidente deu ao líder do partido l u z v e r d e para promover os entendimentos*. **2.** V. *sinal verde*. **Luz zodiacal.** *Astr.* Luminosidade tênue que se estende na região do zodíaco, após o ocaso e antes do nascer do Sol, produzida pela reflexão da luz solar em partículas meteoríticas que se localizam próximo ao plano da eclíptica. [Cf. *luz anti-solar*.] **À luz de.** Segundo o modo de ver, o critério, os princípios, de: *À l u z d a ciência tal fato é inconcebível*. **A todas as luzes.** Sob todos os aspectos; de todos os pontos de vista. **Dar à luz. 1.** Parir (1 e 3): *D e u à l u z uma bela menina; Está grávida, prestes a d a r à l u z*. **2.** Editar, publicar. **Lançar luz sobre.** Esclarecer, ilustrar, elucidar (alguma coisa, algum assunto). **Perder a luz. 1.** Ficar cego; cegar. **2.** Perder os sentidos; esmorecer. **Perder a luz da razão.** Perder a razão; enlouquecer.

luzecu. [De *luzir* + *cu*.] *S. m. Bras.* V. *pirilampo*.

luzeiro. *S. m.* **1.** Qualquer coisa que emite luz, que brilha; farol. **2.** Astro, estrela: "Não tem ela uma senda florida, / De perfumes, de flores bem cheia, / Onde vague com passos incertos, / Quando o céu de l u z e i r o s se arreia." (Gonçalves Dias, *Obras Poéticas*, I, p. 61.) **3.** *Fig* V. *luminar* (2). ~ V. *luzeiros*.

luzeiros. [Pl. de *luzeiro*.] *S. m. pl.* **1.** *Fig.* Os olhos [v. *olho* (1)]. ~ V. *luzeiro*.

luze-luze. [De *luzir* + *luzir*.] *S. m. Pop.* V. *pirilampo*. [Pl.: *luzes-luzes* e *luze-luzes*.]

luzendro. *S. m.* Aneto.

luzense. *Adj. 2 g.* **1.** De, ou pertencente ou relativo a Luz (MG). ● *S. 2 g.* **2.** Natural ou habitante de Luz.

luzente. [Do lat. *lucente*.] *Adj. 2 g.* Que luz ou brilha; lúcido, luminoso; luzidio: *metal l u z e n t e*; "Os olhos [da cascavel] pequeninos, fixos, l u z e n t e s como diamantes negros, pareciam despedir relâmpagos gelados." (Júlio Ribeiro, *A Carne*, p. 185.)

luzerna[1]. [Do lat. *lucerna*, 'candeia'.] *S. f.* **1.** Grande luz; clarão. **2.** V. *lucarna*.

luzerna[2]. [Do fr. *luzerne*.] *S. f.* Alfafa.

luzernal. [De *luzerna*[2] + *-al*.] *S. m.* V. *alfafal*.

luzerneira. [De *luzerna*[2] + *-eira*.] *S. f.* V. *alfafal*.

luzes. [Pl. de *luz*.] *S. f. pl.* Desenvolvimento, progresso; ciência: *as l u z e s do século*. ~ V. *luz*.

luzetro. *S. m.* V. *maleiteira*.

luzia. *S. m. Bras.* Epíteto que se dava no princípio do Segundo Reinado aos liberais exaltados, originário do combate ocorrido, no ano de 1842, em Santa Luzia (MG), no qual o então Barão de Caxias derrotou os rebeldes mineiros: "não era propriamente conservador, mas saquarema, como os liberais eram l u z i a s." (Machado de Assis, *Esaú e Jacó*, p. 143.) [Cf. *ximango* (2) e *saquarema* (1).]

luzianense. *Adj. 2 g.* **1.** De, ou pertencente ou relativo a Luziânia (GO). ● *S. 2 g.* **2.** Natural ou habitante de Luziânia.

luzidio. [De *luzido* + *-io*[2].] *Adj.* Luzente, brilhante, nítido, polido: *superfície l u z i d i a*; *pelagem l u z i d i a*; "O melro, eu conheci-o: Era negro, vibrante, l u z i d i o, / Madrugador, jovial" (Guerra Junqueiro, *A Velhice do Padre Eterno*, p. 153).

luzido. [Part. de *luzir*.] *Adj.* **1.** Vistoso, brilhante, pomposo: *corte l u z i d a*; "Passou depois o rei Almançor seguido dos mais l u z i d o s cavaleiros da Barbaria" (Ramalho Ortigão, *As Farpas*, II, p. 180). **2.** V. *lustroso* (1). ● *S. m.* **3.** Aquilo que é luzidio: *l u z i d o dos fardões acadêmicos*.

luziê. *S. m. Bras.* Variedade de cana-de-açúcar.

luziense. *Adj. 2 g.* **1.** De, ou pertencente ou relativo a Santaluz (BA). ● *S. 2 g.* **2.** Natural ou habitante de Santaluz.

luzilandense. *Adj. 2 g.* **1.** De, ou pertencente ou relativo a Luzilândia (PI). ● *S. 2 g.* **2.** Natural ou habitante de Luzilândia.

luziluzir. [De *luzir* + *luzir*.] *V. int. Bras.* V. *tremeluzir*: "E preso o olhar ao fumo vão das nuvens / Conglomeradas longe, em cujos cimos / L u z i l u z i a m súbitos relâmpagos." (Alberto de Oliveira, *Poesias*, 3ª série, p. 219.) [Unipess.]

luzimento. *S. m.* **1.** Ação ou efeito de luzir. **2.** Brilho, claridade: "Rompe a manhã. O pássaro pipila, / Desce do oriente um l u z i m e n t o vago" (João Ribeiro, *Versos*, p. 97). **3.** Brilho intenso; esplendor: "A casa .... amesquinhava-a com o l u z i m e n t o dos móveis, o brilho do espelho" (Xavier Marques, *Jana e Joel*, p. 98). **4.** Pompa, fausto, aparato: "estava requisitada .... uma força de oito da cavalaria, não só para dar l u z i m e n t o à procissão, mas também para manter a ordem" (João da Silva Correia, *Farândola*, p. 24).

lúzio. [De *luz*.] *S. m.* **1.** *Burl.* V. olho (1): "Foi botar os l ú z i o s na ciganinha, e .... ficou pelo beiço" (Visconde de Taunay, *Ao Entardecer*, p. 82); "correu a tomar os óculos, que assentou em cima dos salientes l ú z i o s." (Id., *Inocência*, p. 93.) **2.** *Bras. Gír.* Lampião (1).

luzir. [Do lat. *lucere*.] *V. int.* **1.** Emitir luz; irradiar claridade; brilhar; resplandecer: "Era uma estrela sozinha / L u z i n d o no fim do dia." (Manuel Bandeira, *Estrela da Vida inteira*, p. 164); "Nem tudo que l u z é ouro" (prov.). **2.** Refletir a luz. [Aplica-se a superfícies polidas.] **3.** *Fig.* Desenvolver-se; medrar. **4.** Dar na vista; fazer efeito: *Sua proclamada vocação oratória não l u z i u no discurso*. **5** V. *brilhar* (2): "Uma das nossas folhas deu notícia de haver morrido em Paris uma bailarina, que l u z i u nos últimos anos do império" (Machado de Assis, *A Semana*, II, p. 81). *T. d.* **6.** Fazer brilhar; irradiar: *No verão, a aurora l u z mais cedo os seus primeiros clarões*. *T. i.* **7.** Aproveitar; lucrar. [No sentido próprio é unipess.]

■ **Lw.** *Quím.* Símb. de *laurêncio*.

■ **lx.** *Fotom.* Símb. de *lux*.

Lycra (ái). [Ingl., marca registrada.] *S. m.* V. *laicra*.

m. *S. m.* **1.** A 12ª letra do nosso alfabeto. [V. *alfabeto fonético internacional.*] **2.** Símb. de *mega-*. **3.** Símb. de *metro*. **4.** Símb. de *mili-*. ● *Num.* **5.** No sistema romano de numeração, é símb. do número 1.000. **6.** O duodécimo, numa série indicada pelas letras do alfabeto: *prateleira M* (ou *prateleira m*). **7.** A duodécima, num grupo de séries: *série M* (ou *série m*). [Cf. *eme.*] Com maiúscula, nas acepç. 2 e 5.]

ma. Contr. dos pron. *me* e *a*: "Trazia a carta consigo .... . Creio haver dito que era de um dos Regentes. Leu-ma duas vezes." (Machado de Assis, *Memórias Póstumas de Brás Cubas*, pp. 86-87.) [Cf. *má.*]

■ **MA.** Sigla do Estado do Maranhão.

má. [Do lat. *mala.*] *Adj. (f.)* Fem. de *mau*. [Cf. *ma.*]

maaiana. [Do sânscr.] *S. m.* **1.** V. *budismo maaiana*. ● *Adj. 2 g.* **2.** ~ V. *budismo* —.

mabaça. *S. 2 g. Bras.* V. *babaça*.

mabóia. [Talvez do tupi.] *S. f. Bras.* Arvoreta da família das caparidáceas (*Morisonia americana*), originária da América Central, cultivada como ornamental, e de folhas brilhantes, flores alvas, com 6 a 20 estames, e baga globosa.

mabolo. *S. m.* Planta da família das ebenáceas (*Diospyros mabolo*).

maca. [Do taíno *hamaca.*] *S. f.* **1.** *Mar.* Cama de lona, suspensa, onde dormem, a bordo, os marinheiros. **2.** *Med.* Leito dotado de rodas para transporte de pacientes, em circunstâncias várias. [Cf. *padiola* (2).] **3.** Cama de lona dobrável e facilmente transportável. **4.** *Bras., N.* Saco de couro para roupa, que, em viagem, se amarra à garupa. ◆ **Meter na maca.** *Bras., CE. Pop.* Enganar, burlar, lograr, intrujar.

maça. *S. f.* **1.** Clava. **2.** Arma de ferro ou de outro material, com uma extremidade esférica provida de pontas aguçadas. **3.** Pilão cilíndrico usado pelos calceteiros; maço. **4.** Instrumento com que se maça o linho. [Cf. *massa* e o antr. *Massa.*]

maçã. [Do lat. *matiana*, i. e., *mala matiana*, 'maçãs de Mácio'.] *S. f.* **1.** O fruto da macieira. [Dim. irreg.: *maçanilha.*] **2.** Parte arredondada do cabo da espada, que protege o punho. **3.** V. *maçaneta* (2). **4.** *Bras.* Variedade de cana-de-açúcar. **5.** *Bras.* Bola de pêlos feltrados que se encontra no estômago dos bovinos e do jacaré. ◆ **Maçã do peito.** *Bras.* A carne de rês que fica logo abaixo do pescoço. **Maçã do rosto.** A região malar; pômulo: "as maçãs do rosto proeminentes e descarnadas, o nariz adunco" (Alberto Braga, *Novos Contos*, p. 64).

macaá. *S. m. Bras.* V. *acauã*.

macaba. [Do tupi.] *S. f. Bras.* Árvore frutífera sertaneja.

macabrear. *V. int.* Apresentar-se macabro, ocasionalmente ou por sua natureza. [Conjug.: v. *frear.*]

macabrismo. *S. m.* Qualidade ou caráter de macabro.

macabro (cá). [Do fr. *macabre.*] *Adj.* **1.** Diz-se de uma dança alegórica da Idade Média, na qual se representava a Morte arrastando consigo pessoas de todas as idades e condições. **2.** Respeitante a essa dança, ou que a faz lembrar: "Uma das sombras, aquela que, com esgares de louco, a arrebatava em volteios macabros pelo ar, em nuvens de fumaça sufocante, estava ali corporizada, bem nítida, contando o dinheiro furtado." (Domingos Olímpio, *Luzia-Homem*, p. 133.) **3.** Que desfila lugubremente. **4.** Fúnebre, funéreo, lúgubre, tétrico, medonho: *visão macabra*; "De baixo, lobrigavam-se, por instantes, imensas sombras humanas, deformadas, macabras, deslizando caricaturalmente sobre o fundo inflamado de um aposento, e desaparecendo de súbito." (Carlos Magalhães de Azeredo, *Casos do Amor e do Instinto*, p. 391.) **5.** Afeiçoado a coisas tristes, sombrias: *indivíduo macabro*.

macabuense. *Adj. 2 g.* **1.** De, ou pertencente ou relativo a Conceição de Macabu (RJ). ● *S. 2 g.* **2.** Natural ou habitante de Conceição de Macabu.

macaca. [Fem. de *macaco.*] *S. f.* **1.** A fêmea do macaco. **2.** Mulher feia. **3.** V. *caiporismo*. **4.** *Bras., CE.* Vaca sem cria. **5.** *Bras., PB* e *AL.* Chicote de cabo curto e grosso, para açoitar animais de carga. **6.** *Bras., S.* V. *gripe*. **7.** V. *corcoroca* (1 e 2). **8.** *Bras., RJ. Tip.* Entre gráficos e revisores, asterisco(s) que se coloca(m) entre parágrafos.

macacaacã. [De *macaca* (1) + tupi *a'kã*, 'cabeça'.] *S. f. Bras.* V. *cacaurana*.

macacacacau. [Alter. de *macacaacã*, com infl. de *cacau.*] *S. f. Bras.* V. *cacaurana*.

macacada. *S. f.* **1.** Macacaria (1). **2.** V. *macaquice* (1). **3.** *Bras.* Os amigos, ou as pessoas da família; a turma: "Tens família numerosa, / só de filhos uma grosa, / fora avós, tios e manas? / Vence a crise desgraçada! / veste toda a macacada / nas Casas Pernambucanas!" (Antigo anúncio em bondes cariocas.)

macaca-de-auditório. *S. f. Bras. Pop.* Mulher entusiasta de cantores de rádio ou de televisão e que freqüenta os programas de auditório. [Pl.: *macacas-de-auditório.*]

macacaiandu. [De *macaca* (1) + tupi *ñã'du*, 'aranha'.] *S. f. Bras., Amaz.* Espécie de aranha de porte grande, arborícola, peçonhenta, de abdome preto, listrado de amarelo, e cujo nome comum ainda não está bem correlacionado com o científico.

macacal. *Adj. 2 g.* Relativo, pertencente ou semelhante ao ou próprio do macaco. V. *simiesco*.

macacão. [Aum. de *macaco.*] *S. m.* **1.** Sujeito finório, astuto, manhoso. **2.** *Bras.* Indivíduo feio e grotesco. **3.** *Bras.* Vestimenta inteiriça, folgada, feita de tecido consistente, usada por operários, mecânicos e outros trabalhadores braçais: "tirou o paletó, vestiu um macacão e pôs-se a trabalhar." (Francisco de Assis Barbosa, *Santos Dumont Inventor*, p. 29). **4.** *Bras.* Vestimenta esportiva, semelhante a essa, para homens e mulheres.

macacapuranga. *S. f. Bras., Amaz.* Árvore da família das lauráceas (*Aniba fragrans*), de lenho produtor de perfumado óleo essencial, o qual, destilado, pode servir em perfumaria.

macacar. *V. t. d. P. us.* Macaquear. [Conjug.: v. *trancar.*]

macacarecuia. *S. f. Bras.* V. *castanha-de-macaco*.

macacaria. *S. f.* **1.** Porção ou bando de macacos; macacada. **2.** V. *macaquice* (1).

macacaúba. [Do tupi amazônico *makaka'iwa*, 'árvore do macaco'.] *S. f. Bras., Amaz.* Designação comum a duas árvores da família das leguminosas (*Platymiscium trinitatis* e *P. ulei*), produtoras de belas madeiras que vão do pardo-avermelhado até o vermelho-escuro e que servem particularmente para confecção de objetos de luxo.

macaco. [De or. afr.] *S. m.* **1.** Designação comum a todas as espécies de primatas, aplicada, no Brasil, em acepção restrita, aos cebídeos em geral. [A designação *mico*, também bastante usada no Brasil, costuma aplicar-se às espécies do gênero *Cebus* Erxleben, no S., e às espécies de pequeno porte, ou sagüis, no N.] [Sin.: *mono, símio, bugio*. Cf. *cebídeos* e *calitriquídeos.*] **2.** *Fig.* Aquele que arremeda ou imita grotescamente. **3.** Indivíduo muito feio. **4.** Maquinismo, provido de manivela, para levantar grandes pesos; bugio. **5.** O peso que, no bate-estacas, cai de certa altura sobre a cabeça da estaca, afundando-a. **6.** *Marinh.* Dispositivo usado para esticar e graduar a tensão de cabos e correntes fixos. **7.** *Bras.* Designação comum às pequenas espécies costeiras de peixes da família dos blenídeos, em geral de coloração escura, freqüentadores de rochas e rochedos, e sem valor comercial. A espécie mais conhecida é *Parablennius pilicornis* (Cuv.). **8.** *Bras.* V. *grilo-toupeira* (1). **9.** *Bras.* No jogo do bicho [q. v.], o 17º grupo (8), que abrange as dezenas 65, 66, 67 e 68, e corresponde ao número 17. **10.** *Bras.* V. *amarelinha*[2]. **11.** *Bras., sertão do N.E.* V. *mata-cachorro* (2). **12.** *Bras.* Paralelepípedo (3). **13.** *Bras., sertão da BA.* Ajudante de vaqueiro. **14.** *Bras., BA. Pop.* V. *casa de penhor*. **15.** *Bras., RJ.* Pilar que leva apenas dois tijolos. **16.** *Bras., MG.* e *RS.* Galho que cai da árvore sobre o caminhante. ● *Adj.* **17.** V. *simiesco*. **18.** Diz-se do cavalo de pêlo escuro. ◆ **Macaco velho.** *Bras.* **1.** Indivíduo astuto, ladino. **2.** Indivíduo experiente. **Macaco velho não mete a mão em cumbuca.** *Prov. bras.* Indivíduo sagaz, experiente, não cai em esparrela. **Cada macaco no seu galho.** *Prov.* Cada um deve ater-se à sua condição ou função. **Dar no macaco.** *Bras., BA. Chulo.* Masturbar-se (o homem). **Ir pentear macacos.** *Bras.* V. *ir às favas*. **Mandar pentear macacos.** *Bras.* V. *mandar às favas*.

macacoa (ô). *S. f.* **1.** *Fam.* Doença sem gravidade. **2.** *Bras., S.* V. *gripe*.

macaco-adufeiro. *S. m. Bras, MT.* V. *macaco-da-noite*. [Pl.: *macacos-adufeiros.*]

macaco-aranha. *S. m. Bras.* Cuatá. [Pl.: *macacos-aranhas* e *macacos-aranha.*]

macaco-cabeludo. *S. m. Bras., MT.* V. *parauaçu*. [Pl.: *macacos-cabeludos.*]

macaco-da-meia-noite. *S. m. Bras.* V. *jupará*. [F. paral.: *macaco-da-meia-noute*. Pl.: *macacos-da-meia-noite.*]

macaco-da-meia-noute. *S. m. Bras.* Macaco-da-meia-noite [q. v.]. [Pl.: *macacos-da-meia-noute.*]

macaco-da-noite. *S. m. Bras.* Designação comum aos primatas platirrinos da família dos cebídeos, de vida noturna, dotados de olhos grandes que vêem mal durante o dia, orelhas curtas e cobertas de pêlo abundante, e cauda longa, mas não preênsil; macaco-adufeiro, caraí, cara-raiada, ciá, eiá, miriquiná. [F. paral.: *macaco-da-noute*. Pl.: *macacos-da-noite.*]

macaco-da-noute. *S. m. Bras.* Macaco-da-noite [q. v.].[Pl.: *macacos-da-noute.*]

macaco-de-bando. *S. m. Bras., BA.* Macaco da família

dos cebídeos (*Cebus xanthosternos* Kuhl). [Pl.: *macacos-de-bando.*]

macaco-de-cheiro. *S. m. Bras.* Espécie de símio (*Saimiri sciureus* L.); boca-preta, jurupari, jurupixuna. [Pl.: *macacos-de-cheiro.*]

macaco-inglês. *S. m. Bras.* **1.** V. *uacari-vermelho.* **2.** V. *cacajau.* **3.** V. *caiarara*: "Entre os símios repontavam os guaribas .... ; o caiarara, louro, focinho vermelho, crismado de m a c a c o - i n g l ê s" (Raimundo Morais, *País das Pedras Verdes*, p. 58). [Pl.: *macacos-ingleses.*]

macaco-patrona. *S. m. Bras., Amaz.* Árvore da família das rubiáceas (*Henriquezia verticillata*), cujas flores, rosadas e vistosas, se organizam em inflorescências simples, e cujos frutos são cápsulas com poucas sementes magnas. [Pl.: *macacos-patronas* e *macacos-patrona.*]

macaco-prego. *S. m. Bras.* Designação comum a todas as espécies de primatas cebídeos do gênero *Cebus* Erxleben, muito libidinosos. O nome origina-se do fato de, no momento da ereção, o pênis apresentar a glande dilatada em forma de cabeça de prego. [Pl.: *macacos-pregos* e *macacos-prego.* Cf. *mico* (1) e *caiarara.*]

macacu. *S. m. Bras.* Certa árvore tintória.

macacuano. *Adj.* **1.** De, ou pertencente ou relativo a Cachoeiras de Macacu (RJ). ● *S. m.* **2.** O natural ou habitante de Cachoeiras de Macacu.

maçada. *S. f.* **1.** Pancada com maço ou maça; maçadura. **2.** Paulada, cacetada, bordoada. **3.** Pesca com tarrafa. [Cf., nesta acepç., *camboa* (3).] **4.** Trapaça no jogo. **5.** Trabalho, atividade ou situação enfadonha, fastidiosa, aborrecida, cansativa. **6.** V. *surra* (2).

macadame. [Do antr. *Mac Adam*, de John London Mac Adam, engenheiro inglês (1758-1836).] *S. m.* **1.** Sistema de calçamento de estradas de rodagem, que consiste numa camada de pedra britada com cerca de 0,30 m de espessura, aglutinada e comprimida. **2.** A massa resultante dessa mistura. **3.** Estrada empedrada com macadame (1). ♦ **Macadame hidráulico.** Macadame (2) cujo aglutinante é saibro, ou outro material semelhante, e água.

macadamização. *S. f.* Ato ou efeito de macadamizar.

macadamizado. [Part. de *macadamizar.*] *Adj.* Empedrado ou calcetado com macadame (1): *estrada m a c a d a m i z a d a.*

macadamizar. *V. t. d.* Empedrar ou calcetar com macadame (1).

maçã-de-adão. *S. f.* V. *pomo-de-adão.* [Pl.: *maçãs-de-adão.*]

maçadiço. *Adj.* **1.** Que se maça facilmente. **2.** V. *malhadeiro* (4).

maçador (ô). *Adj.* e *s. m.* Que ou aquele que maça. V. *maçante* (1 e 2).

maçadura. *S. f.* **1.** Maçada (1). **2.** Sinal de pancada no corpo; pisadura. **3.** Maçagem.

macaense¹. *Adj. 2 g.* e *s. 2 g.* Macaísta [q. v.].

macaense². *Adj. 2 g.* **1.** De, ou pertencente ou relativo a Macaé (RJ). ● *S. 2 g.* **2.** Natural ou habitante de Macaé.

maçagem. *S. f.* Ato de maçar o linho; maçadura. [Cf. *massagem.*]

maçaguá. [Do tupi.] *S. m. Bras.* V. *acauã.*

macaia. [Do quimb. *ma'kaña.*] *S. f. Bras., BA, MG* e *SP.* Tabaco de má qualidade; macaio. ♦ **Pitar macaia.** *Bras., SP. Pop.* V. *morrer* (1): "quando todos pensavam que ele um belo dia p i t a s s e m a c a i a, de amarelão ou hética, justou-se como zelador do cemitério." (Valdomiro Silveira, *Os Caboclos*, p. 150).

macaíba. [Var. de *macaúba.*] *S. f. Bras.* V. *coco-de-catarro.*

macaibeira (a-i). [De *macaíba* + *-eira.*] *S. f. Bras.* V. *coco-de-catarro.*

macaibense (a-i). *Adj. 2 g.* **1.** De, ou pertencente ou relativo a Macaíba (RN). ● *S. m.* **2.** Natural ou habitante de Macaíba.

macaio. [De *macaia.*] *S. m.* **1.** *Bras., RJ.* Macaia (1). ● *Adj.* **2.** *Bras., O.* de *SP.* Ruim, gasto, imprestável.

maçaió. *Bras., N.E.* Maceió.

macaísta. *Adj. 2 g.* **1.** De, ou pertencente ou relativo a Macau (China). ● *S. 2 g.* **2.** Natural ou habitante de Macau. [Sin. ger.: *macaense.* Cf. *macauense.*]

macajá. [Var. de *mucajá.*] *S. m. Bras.* V. *coco-de-catarro.*

macajuba. *S. f. Bras.* V. *coco-de-catarro.*

macajubense. *Adj. 2 g.* **1.** De, ou pertencente ou relativo a Macajuba (BA). ● *S. 2 g.* **2.** Natural ou habitante de Macajuba.

maçal. *S. m.* Soro de leite, que se obtém batendo o queijo.

macaloba. *Bras. S. f.* Bebida que se obtém mediante a fermentação e destilação da mandioca ou do milho, a que se acrescentam algumas folhas; é bebida muito usada pelos índios zorós [v. *zoró¹* (1)].

macamã. [De or. afr., talvez.] *S. m. Bras.* V. *mocamau.*

macamba. [Do quimb. *ma'kãba*, 'amigos, camaradas'.] *S. 2 g. Bras., RJ. Ant.* **1.** Designação que davam as quitandeiras aos seus fregueses. **2.** Termo com que os escravos do litoral freqüentemente designavam os seus parceiros conviventes na mesma fazenda ou sujeitos ao mesmo senhor. **3.** A mulher, na seita cabula.

maçambará. [Do quimb. *masã'bala.*] *S. m. Bras.* Grande capim da família das gramíneas (*Sorghum halepense*), o qual é cosmopolita nos trópicos e comum no Brasil, de colmos altos e grossos, folhas lineares, longamente acuminadas, com cerca de 80 cm de comprimento por 2 a 4 cm de largura, cujas espículas compõem panículas piramidais, e que floresce no primeiro ano, podendo ser anual ou perene; peripomonga, sorgo-de-alepo.

maçambique. *S. m. Bras.* V. *cernambi* (3). [Cf. *moçambique.*]

macambira. [Do tupi *makã'bira.*] *S. f. Bras., NE.* Planta da família das bromeliáceas (*Bromelia laciniosa*), de folhas rígidas e espinhosas, muito dispersa nas regiões secas nordestinas, onde o povo, premido pela fome resultante da seca, prepara com as folhas dela uma espécie de pão, sem qualquer valor nutritivo.

macambira-de-pedra. *S. f. Bras.* Planta da família das bromeliáceas (*Dyckia sp.*); macambira-de-serrote. [Pl.: *macambiras-de-pedra.*]

macambira-de-serrote. *S. f. Bras.* Macambira-de-pedra. [Pl.: *macambiras-de-serrote.*]

macambiral. *S. m. Bras.* Quantidade mais ou menos considerável de macambiras dispostas proximamente entre si.

macambirense. *Adj. 2 g.* **1.** De, ou pertencente ou relativo a Macambira (SE). ● *S. 2 g.* **2.** Natural ou habitante de Macambira.

macambo. *S. m. Bras.* V. *cacau-do-peru.*

macambuziar. *V. int.* Tornar-se macambúzio. [Pres. ind.: *macambuzio*, etc. Cf. *macambúzio.*]

macambuzice. *S. f. Bras.* V. *macambuzismo.*

macambúzio. *Adj.* Carrancudo, sorumbático, taciturno, triste: "O João não respondia, m a c a m b ú z i o, metido no quarto, numa resistência passiva." (Conde de Ficalho, *Uma Eleição Perdida*, p. 197.) [Cf. *macambuzio*, do v. *macambuziar.*]

macambuzismo. *S. m. Bras.* Qualidade, estado ou maneiras de macambúzio; melancolia, amuo, macambuzice.

macamecrã. *Bras. S. 2 g.* **1.** Indivíduo dos macamecrãs, grupo indígena meridional dos craós, do rio Manuel Alves Pequeno. ● *Adj. 2 g.* **2.** Pertencente ou relativo aos macamecrãs.

macaná. [De or. americana.] *S. m. Bras.* Espécie de maça ou clava usada pelos indígenas, feita de madeira muito dura e pesada.

maçaneta (ê). [Dim. de *maçã.*] *S. f.* **1.** Ressalto esférico, cônico ou piramidal, que serve de ornamento a certos objetos, ou por onde se pega para fazer funcionar o trinco das portas: "voltou-se hirta, agarrando-se à m a ç a n e t a da cama" (Coelho Neto, *Turbilhão*, p. 145); "E já se encaminhava para a porta, a mão na m a ç a n e t a" (Moreira Campos, *Portas Fechadas*, p. 171). **2.** A parte mais alta da sela, na dianteira; cepilho, maçã: "um dia passado no engenho de meu cunhado Araújo Beltrão, onde eu passeava pela primeira vez a cavalo, montado na m a ç a n e t a e seguro por um escravo" (Oliveira Lima, *Memórias*, p. 9). **3.** Maceta¹ (3). [Pl.: *maçanetas* (ê). Cf. *maçaneta* e *maçanetas*, do v. *maçanetar.*]

maçanetar. *V. t. d.* Dar a forma de maçaneta (1) a. [Pres. ind.: *maçaneto, maçanetas, maçaneta*, etc. Cf. *maçaneta* (ê) e pl. *maçanetas* (ê).]

maçangana. *S. f. Bras., PE. Pop.* V. *cachaça* (1).

maçanilha. [Do esp. *manzanilla.*] *S. f.* Pequena maçã; maçãzinha, maçãzita.

macanjice. *S. f.* Qualidade de macanjo (1 a 3).

macanjo. *Adj.* **1.** *Gír.* Velhaco, falso. **2.** *Gír.* Reles, vulgar. ● *S. m.* **3.** Indivíduo macanjo. **4.** *Ant.* Patacão falso.

maçante. *Adj. 2 g.* **1.** Que maça, enfada, aborrece, entedia: *indivíduo m a ç a n t e; trabalho m a ç a n t e.* [Sin.: *maçador, amolador, amolante, cacete, chato, estopador, estopante, estopento, pau, paulificante, peto, sorna*, e, com referência apenas a pessoas, *peroba, sequista, seringador.*] ● *S. 2 g.* **2.** Pessoa maçante; maçador, amolador, arrazoador, cacete, caceteiro, chato, enzampa, escova, morrinha, muquirana, peroba, peúva, sequista, seringador, sorna.

macanudo. [Do esp. plat. *macanudo.*] *Adj. Bras., RS.* **1.** Admirável pela força, poder, prestígio, inteligência, beleza, etc.; bacana. **2.** Muito bom; excelente; bacana.

mação¹. *S. m.* Maçom.

mação². *S. m.* Maço grande.

macapaense. *Adj. 2 g.* **1.** De, ou pertencente ou relativo a Macapá, capital do Território do Amapá. ● *S. 2 g.* **2.** Natural ou habitante de Macapá.

maçapão. [Do napolitano *martrapane*, pelo it. *marzapane.*] *S. m.* Bolo de farinha de trigo com ovos e amêndoas. [Pl.: *maçapães.*]

maçaquaia. *S. f. Bras., RS.* Machacá (2).

maçaquara. [De provável or. tupi.] *S. f. Bras.* Armadilha para camarões em esteiros ou em rios.

macaqueação. *S. f.* V. *macaquice* (1).

macaqueador (ô). *Adj.* e *s. m.* Que ou aquele que macaqueia.

macaquear. *V. t. d.* **1.** Arremedar, como o fazem os macacos. **2.** Imitar de maneira ridícula. [Sin., p. us.: *macacar.* Conjug.: v. *frear.*]

macaqueiro. [De *macaco* + *-eiro.*] *Adj.* **1.** V. *simiesco.* ● *S. m.* **2.** *Bras.* Árvore da família das meliáceas (*Guarea francavillana*), de pequeno tamanho, folhas com 10 a 12 folíolos, obovado-elípticos, e flores pequeninas, paniculadas. **3.** V. *carrapeta* (2). **4.** *Bras.* Canteiro que talha os paralelepípedos (macacos) para calçamento. **5.** *Bras., S.* da *BA.* Trabalhador rural da lávoura do cacau. **6.** *Bras., MG.* V. *caipira* (1).

macaquice. [De *macaco* + *-ice.*] *S. f.* **1.** Ato ou efeito de macaquear; macacada, macacaria, macaqueação. **2.** Comportamento hipócrita e interesseiro; carinho interesseiro; adulação, lisonja.

macaquinho¹. *S. m.* Dim. de *macaco.* ♦ **Ter macaquinhos no sótão.** *Fam.* Ser amalucado.

macaquinho². [Dim. de *macacão.*] *S. m.* Macacão (4) de calças curtas.

macaquinho-de-bambá. *S. m. Bras.* V. *libélula.* [Pl.: *macaquinhos-de-bambá.*]

maçar. *V. t. d.* **1.** Bater com maço ou maça. **2.** Bater ou golpear com pau ou com outro instrumento. **3.** Enfadar, repetindo assuntos, conversas, etc.; importunar, aborrecer, amolar, chatear: "Mas esta carta começa a alongar-se indefinidamente, e eu não quero m a ç a r - te." (Miguel Torga, *Traço de União*, p. 157.) *Int.* **4.** Ser maçador; chatear, amolar. [Conjug.: v. *laçar.* Pres. ind.: *maço, maças, maça*, etc. Cf. *massa*, s. f., e *Massa*, antr.]

maçará. [Var. de *macerá* (q. v.).] *S. m. Bras., PA.* Espécie de cercado, nos riachos e nos rios, com porta pela qual entra o peixe. [Cf. *pari.*]

maçarana. [Do tupi.] *S. f.* Muçurana: "Durava esta festa pelo menos dois dias e de ordinário três. No primeiro atam ao pescoço do prisioneiro a m a ç a r a n a, que é feita de algodão ou de embira, e pintam a maça, tangapema, como escrevem alguns, ou *iverapeme* como escrevem outros, com a qual deverá ser sacrificado." (Gonçalves Dias, *O Brasil e a Oceânia*, p. 131.)

maçarandiba. [Var. de *maçaranduba.*] *S. f. Bras.* Gênero de plantas mirtáceas da flora brasileira.

maçaranduba. [Do tupi *masarã'duwa.*] *S. f. Bras.* Designação comum a duas árvores da família das sapotáceas, *Manilkara elata*, do L., e *Mimusops huberi*, do N., produtoras de madeiras de lei vermelhas, duras e resistentes, que servem para obras externas. [Sin. ger.: *maçarandubeira*; da última, *maçaranduba-do-pará.*]

maçaranduba-do-pará. *S. f. Bras., N.* V. *maçaranduba.* [Pl.: *maçarandubas-do-pará.*]

maçaranduba-vermelha. *S. f. Bras.* Árvore da família das sapotáceas (*Mimusops subsericia.*) [Pl.: *maçarandubas-vermelhas.*]

maçarandubeira. *S. f. Bras.* V. *maçaranduba.*

maçarandubense. *Adj. 2 g.* **1.** De, ou pertencente ou relativo a Maçaranduba (PB). ● *S. 2 g.* **2.** Natural ou habitante de Maçaranduba.

macaraniense. *Adj. 2 g.* **1.** De, ou pertencente ou relativo a Macarani (BA). ● *S. 2 g.* **2.** Natural ou habitante de Macarani.

macaréu. *S. m.* Onda de arrebentação que, próximo à foz pouco profunda de certos rios, por ocasião da maré montante, irrompe de súbito em sentido oposto ao do fluxo das águas do rio, e, seguida de ondas menores, sobe rio acima, por vezes com forte ruído e devastação das margens, amortecendo-se à medida que avança: "As aluviões, os enxurros da cordilheira, ... em luta com a força das marés que se encrespavam em m a c a r é u s, foram depositando sedimentos, detritos, em torno dos núcleos penhascosos do Guaíbe e do Monserrate." (Júlio Ribeiro, *A Carne*, p. 118.) [Resulta do fato de as águas do rio irem represando o fluxo da maré, formando um desnível crescente que, em dado instante, rompe o equilíbrio e se precipita rio acima. Cf. *pororoca.*]

maçaricão. [Aum. de *maçarico* (4).] *S. m. Bras.* **1.** Ave caradriiforme, da família dos recurvirrostrídeos (*Himantopus himantopus mexicanus* (Mul.)), que nidifica desde os E.U.A. até a porção setentrional da América do Sul, inclusive no N. do Brasil: PA, MA e PI. Tem dorso preto, fronte, vértice e parte inferior do corpo brancos, e pernas avermelhadas. [Sin.: *perna-de-pau.*] **2.** *Bras.* Maçarico-de-bico-torto.

maçarico. *S. m.* **1.** Tubo por onde se sopra a chama para lhe dar poder oxidante ou redutor; maçarico bucal. **2.** Aparelho que permite obter chama a uma temperatura muito elevada, por combustão do hidrogênio (ou do acetileno) com o oxigênio. **3.** Lâmpada de pressão usada pelos funileiros. **4.** *Bras.* Designação comum às aves caradriiformes, da família dos caradrídeos, escolopacídeos e recurvirrostrídeos, gêneros *Charadrius* L., *Arenaria* Briss., *Capella* Fren., que têm pernas e bicos muito longos, dedos livres, com três anteriores e um posterior. Vivem nas praias marítimas, margens de rios e lagoas do interior. São comuns nas duas Américas. [Sin., nesta acepç.: *batuíra, otuituí, ituituí, tarambola, pesca-em-pé.* Cf. *batuíra-do-campo.*] **5.** *Bras., N.E.* Nos engenhos de bangüê, a parte do assentamento que conduz as chamas à chaminé. ♦ **Maçarico bucal.** Maçarico (1).

maçarico-d'água-doce. *S. m. Bras.* V. *narceja.* [Pl.: *maçaricos-d'água-doce.*]

maçarico-de-bico-torto. *S. m. Bras.* Ave caradriiforme, da família dos escolopacídeos (*Numenius phaeopus hudsonicus* Lath.), que nidifica na costa ártica da América do Norte, de onde, pelo inverno, emigra para o S., alcançando o Equador, Chile e muitos pontos da costa setentrional do Brasil. Tem dorso pardo, pintado de cinzento-amarelado, parte inferior clara, raiada de pardo na garganta e no peito. [Sin.: *maçaricão.* Pl.: *maçaricos-de-bico-torto.*]

maçarico-de-coleira. *S. m. Bras.* Ave caradriiforme, da família dos caradriídeos (*Charadrius collaris* Vieil.), freqüente do S. do México ao N. da Argentina, de dorso em tons pardo e cinzaclaros, fronte branca, com uma fita preta no vértice, e atrás dela outra, avermelhada, que continua nos lados do pescoço; lado inferior branco, com uma fita preta no peito. Freqüenta o litoral e margens de rios e lagoas dos países tropicais da América, onde vive de maneira curiosa: às carreiras, fazendo paradas súbitas à procura de alimento. [Sin.: *ituituí, batuituí, batuíra.* Pl.: *maçaricos-de-coleira.*]

maçarico-pequeno. *S. m. Bras.* Ave caradriiforme, da família dos escolopacídeos (*Tringa solitaria* Wils.), do N. da América setentrional, atingindo quase toda a costa da América do Sul. Coloração dorsal parda, rêmiges da mão enegrecidas, retrizes laterais brancas listradas de preto, abdome branco. [Sin.: *batuirinha.* Pl.: *maçaricos-pequenos.*]

maçarico-preto. *S. m.* **1.** *Bras.* V. *tapicuru*^{1}. **2.** *Bras., RS.* V. *coró-coró.* [Pl.: *maçaricos-pretos.*]

maçarico-real. *S. m.* Ave ciconiforme, da família dos tresquiornitídeos (*Harpiprion caerulescens* (Vieil.)), do S. O. do Brasil, Argentina, Uruguai e Paraguai. Coloração plúmbea, cauda, asas e bico pretos, pernas cor de salmão e crista desenvolvida; freqüenta terrenos alagadiços e banhados. [Pl.: *maçaricos-reais.*]

maçaroca. *S. f.* **1.** Fio que o fuso enrolou em torno de si. **2.** Molho, feixe. **3.** Espiga de milho. **4.** Rolo de cabelo. **5.** *Bras.* Bola que se forma na cauda dos cavalos por crinas tão emaranhadas que não é possível desenredá-las com o pente. **6.** *Bras. N.* Extremidade cabeluda da cauda dos bovídeos. **7.** *Bras., CE.* Certo felino selvagem. **8.** *Bras., S.* Intriga, enredo, mexerico, mexericada.

maçarocada. [De *maçaroca* + *-ada*^{1}.] *S. f. Bras.* V. *mixórdia* (1).

maçarocar. *V. int. Bras., S.* Fazer maçaroca; emaranhar, enredar. [Conjug.: v. *trancar.* Pres. ind.: *maçaroco,* etc. Cf. *maçaroco* (ô).]

maçaroco (ô). [De *maçaroca.*] *S. m.* Rolo de cabelo encrespado a ferro. [Pl.: *maçarocos* (ô). Cf. *maçaroco,* do v. *maçarocar.*]

maçaroqueira. *S. f. Bras.* Máquina para fazer maçarocas, que substitui o fuso.

maçarral. *Adj. 2 g.* V. *mazorral.*

macarrão. [Do it. *maccherone.*] *S. m.* **1.** Massa de farinha de trigo em forma de canudinhos, ou com outro feitio, da qual se fazem sopas e outros cozinhados. **2.** *Marinh.* Peça metálica vazada, de boca aberta ou fechada, e que serve para guia dos gualdropes do leme, ou dos amantilhos das vergas, ou das amuras das velas. [Por vezes tem um rodete na parte vazada. Cf., nesta acepç., *sapata* (8).] **3.** *Bras.* Canudo de tecido, envernizado ou não, que se usa como isolador de fios elétricos. **4.** *Bras., SP. Fig.* Indivíduo mole, indolente, sem préstimo.

macarronada. *S. f. Bras.* Iguaria feita de macarrão cozido, ao qual se acrescenta manteiga, queijo e, por vezes, molho de tomate ou qualquer outro molho.

macarronar. *V. int.* Falar ou expressar-se de maneira macarrônica.

macarrone. [De *macarrão.*] *S. m. Bras.* V. *carcamano* (1).

macarrônea. *S. f.* Composição literária no gênero macarrônico.

macarroneiro. *S. m. Bras., SP.* Fabricante de macarrão e de massas congêneres.

macarronete (ê). *S. m.* Macarrão (1) muito delgado; espaguete.

macarrônico. [Do it. *maccheronico.*] *Adj.* **1.** Diz-se do gênero irônico de poesia ou prosa em que à língua original se adicionam, burlescamente, palavras latinas ou de outra língua. **2.** Diz-se de qualquer idioma pronunciado ou escrito erradamente. **3.** Irônico, burlesco, jocoso. **4.** Que escreve macarronicamente. ~ V. *latim* —.

macarronismo. *S. m.* O gênero macarrônico.

macarronista. *S. 2 g.* Pessoa que cultiva o macarronismo.

macarthismo. [Do antr. *MacCarthy* + *-ismo.*] *S. m.* **1.** Atitude política radicalmente infensa ao comunismo, e que se desenvolveu nos E.U.A. com a campanha desencadeada pelo Senador Joseph Raymond MacCarthy [1909-1957] quando presidente do Senate's Government Operations Committee. **2.** *P. Ext.* Qualquer atitude anticomunista radical.

macarthista. *Adj. 2 g.* **1.** Relativo ao, ou que é adepto do macarthismo. ● *S. 2 g.* **2.** Adepto do macarthismo.

macau. [Do top. *Macau,* decerto.] *Bras. Adj.* **1.** Diz-se de porco de certa raça brasileira. ● *S. m.* **2.** Porco dessa raça. **3.** V. *arara-vermelha.*

macauã. [Do tupi *maka'wã.*] *S. m. Bras.* V. *acauã.*

macaúba. [Do tupi *ma'ká ï'ba,* 'árvore da macaba'.] *S. f. Bras.* V. *coco-de-catarro.*

macaubalense (a-u). *Adj. 2 g.* **1.** De, ou pertencente ou relativo a Macaubal (SP). ● *S. 2 g.* **2.** Natural ou habitante de Macaubal.

macaubense (a-u). *Adj. 2 g.* **1.** De, ou pertencente ou relativo a Macaúbas (BA). ● *S. 2 g.* **2.** Natural ou habitante de Macaúbas.

macauense. *Adj. 2 g.* **1.** De, ou pertencente ou relativo a Macau (RN). ● *S. 2 g.* **2.** Natural ou habitante de Macau. [Cf. *macaísta.*]

macaxeira. [Var. de *macaxera* < tupi *maka'xera.*] *S. f. Bras., N.* e *N.E.* V. *mandioca* (1 e 2): "no meio do bosque abrirei um roçado que nos há de dar farinha, macaxeira, feijão" (Franklin Távora, *O Cabeleira,* p. 232).

macaxeiral. [Var. de *macaxeral.*] *S. m. Bras.* Plantação ou roça de macaxeiras.

macaxera (ê). *S. f. Bras., N.* e *N.E.* Macaxeira: "o cará, a batata-doce, a macaxera" (Raimundo Morais, *País das Pedras Verdes,* p. 204).

macaxeral. *S. m. Bras.* Macaxeiral [q. v.].

macê. [Do ioruba.] *S. m. Bras.* Bagaço residual do cozimento de ervas sagradas, posto ao lado da pedra do orixá.

mácea. [Alter. de *almácega.*] S. f. Recipiente de pedra, ou gamela, onde comem ou bebem os animais: "procurou uma mácea de porcos e deitou-se na sujidade e adormeceu." (João Ribeiro, *Floresta de Exemplos,* p. 223).

macédio. *S. m. Bot.* Massa formada pela conglutinação de esporos, comum em liquens.

macedônia. [Do fr. *macédoine.*] *S. f.* **1.** Iguaria feita com diversos legumes ou frutas. **2.** *Fig.* Amálgama de assuntos ou gêneros em uma só composição literária.

macedônico. *Adj.* Macedônio (1).

macedônio. *Adj.* **1.** Da, ou pertencente ou relativo à Macedônia (Europa); macedônico. ● *S. m.* **2.** O natural ou habitante da Macedônia.

macega. *S. f.* **1.** Erva daninha que surge nas searas. **2.** *Bras., S.* O capim dos campos, quando seco e tão crescido que dificulta o trânsito. **3.** *Bras., RS.* Arbusto rasteiro que viceja, em geral, nos campos de qualidade inferior.

macegal. *S. m. Bras.* Extensão considerável de terreno coberto de macega.

macegoso (ô). *Adj. Bras.* Maceguento.

maceguento. *Adj. Bras.* Diz-se do campo abundante em macega; macegoso.

maceió. [Var. de *maçaió,* talvez de or. tupia.] *S. m. Bras., N.E.* Lagoeiro, no litoral, formado pelas águas do mar nas grandes marés, e também pelas águas da chuva: "Espiou por uma das janelas com a mão em pala sobre os olhos, defendendo-se da reverberação do sol na chapa lisa do maceió cheio pela maré." (Gustavo Barroso, *Mississípi,* p. 88.)

maceioense (ôen). *Adj. 2 g.* **1.** De, ou pertencente ou relativo a Maceió, capital de AL. ● *S. 2 g.* **2.** Natural ou habitante de Maceió.

maceira. *S. f. P. us.* F. paral de *macieira:* "As maceiras vergadas fortemente, / Parecem, duma fauna surpreendente, / Os pólipos enormes diluviais." (Cesário Verde, *Obra Completa,* p. 124).

maceiro. [De *maça*^{2} + *-eiro.*] *S. m.* Cada um dos oficiais ou empregados que levavam as maças, em certas cerimônias religiosas ou civis, e traziam uma maça como distintivo; porta-maça. [Cf. *masseiro.*]

macela. [De *maçã* + *-ela.*] *S. f.* **1.** Camomila. **2.** *Bras.* Erva da família das compostas (*Achyrocline satureoides*), alvacenta, de capítulos amarelos, cujo talo, folhas e capítulos recendem agradavelmente, e que é usada para chás medicamentosos e para encher travesseiros. [Var.: *marcela.*]

macela-do-mato. *S. f. Bras.* Planta herbácea, da família das amarantáceas *(Telanthera ramosissima),* cujas inflorescências, paleáceas e secas por natureza, se parecem com os capítulos da macela, embora sem apresentar as mesmas propriedades; perpétua-do-mato. [Pl.: *macelas-do-mato.*]

macelão. [De *macela* + *-ão*^{1}.] *S. m.* Variedade de macela; amaranto. [Var.: *marcelão.*]

macerá. [Do tupi amazonense *mase' rá.*] *S. m. Bras., Amaz.* Aparelho de pesca; cilindro de madeira, oco, que se arma como arapuca. [Cf. *maçará.*]

maceração. [Do lat. *maceratione.*] *S. f.* **1.** Ato ou efeito de macerar; maceramento. **2.** *Anat.* Processo destinado a decompor, por contato longo com água corrente, as partes moles de um cadáver, no preparo do esqueleto. **3.** *Obst.* O conjunto das alterações degenerativas em feto morto e retido no útero, com modificações de coloração e amolecimento de tecidos, que eventualmente se desintegram.

macerado. [Part. de *macerar.*] *Adj.* **1.** Que sofreu maceração; submetido à maceração: *planta macerada.* **2.** *Fig.* Mortificado, abatido, macilento: *rosto macerado.* **3.** *Fig.* Desgostoso, aflito, angustiado: *criatura macerada; espírito macerado.* ● *S. m.* **4.** *Farmac.* Resultado líquido de maceração: *macerado de quina.*

maceramento. *S. m.* Maceração (1).

macerante. *Adj. 2 g.* Que macera.

macerar. [Do lat. *macerare.*] *V. t. d.* **1.** Amolecer (uma substância sólida) pela ação de um líquido ou por meio de pancadas. **2.** Impregnar (um líquido) com os princípios solúveis de uma substância sólida. **3.** Machucar (um corpo) para extrair-lhe o suco. **4.** *Fig.* Mortificar (o corpo) por penitência; torturar. *Int.* **5.** Provocar maceração. *P.* **6.** Mortificar o corpo, por penitência; torturar-se: "Os sagrados deveres .... de instrutora de muitas noviças, de guardiã dos segredos e mistérios de seu rito, fizeram-na vacilar e lutar, sofrer e macerar-se." (Vasconcelos Maia, *O Leque de Oxum,* p. 58.)

macéria. [Do lat. *maceria.*] *S. f.* Muro, parede ou qualquer obra de alvenaria em que não há barro ou argamassa.

macérrimo. [Do lat. *macerrimu.*] *Adj.* Superl. abs. sint. de *magro;* magríssimo: "galinha de pescoço pelado, cachorros macérrimos ladrando." (Marques Rebelo, *A Mudança,* p. 379). [É anormal o superl. *magérrimo,* apesar de muito comum.]

maceta^{1} (ê). [De *maço* ou de *maça* + *-eta.*] *S. f.* **1.** Pequeno maço (1) de ferro usado pelos pedreiros. **2.** Peça cilíndrica para desfazer e moer tintas. **3.** Baqueta grossa e curta, de grande cabeça almofadada, com que se percute o bombo e o tantã; maçaneta. [Pl.: *macetas* (ê). Cf. *maceta* e *macetas,* do v. *macetar.*]

maceta^{2} (ê). [Do esp. plat. *maceta.*] *Adj. 2 g. Bras., RS.* Diz-se do animal cavalar ou muar que, por doente ou defeituoso das mãos, tem os machinhos mais grossos que de costume. [Pl.: *macetas* (ê). Cf. *maceta* e *macetas,* do v. *macetar.*]

maceta^{3} (ê) *S. f. Ant.* Escarradeira, cuspideira. [Pl.: *macetas* (ê). Cf. *maceta* e *macetas,* do v. *macetar.*]

macetação. *S. f. Bras.* Operação que consiste em macetar as fibras de um vegetal para que se separem facilmente.

macetada. *S. f. Bras.* Golpe de maceta ou macete.

macetado. [Part. de *macetar*^{3}.] *Adj. Bras. Gír.* Diz-se de pessoa que maceteia, que é hábil em fazer uso de macete (3).

macetar¹. [De macetá¹ ou de *macete* + *-ar*².] *V. t. d.* Bater com a maceta ou o macete em. [Pres. ind.: *maceto, macetas, maceta,* etc.; pres. subj.: *macete, macetes,* etc. Cf. *maceta* (ê), pl. *macetas* (ê), e *macete* (ê), pl. *macetes* (ê).]
macetar². [De *maceta*² + *-ar*².] *V. t. d. Bras., RS.* Tornar (a cavalgadura) maceta, por haver viajado nela em caminhos ruins, muito pedregosos. [F. paral.: *macetear.* Pres. ind.: *maceto, macetas, maceta,* etc.; pres. subj.: *macete, macetes,* etc. Cf. *maceta* (ê), pl. *macetas* (ê) e *macete* (ê), pl. *macetes* (ê).]
macetar³. [De *macete* (3) + *-ar*².] *V. t. d.* e *int. Macetear*². [Pres. ind.: *maceto, macetas, maceta.* etc.; pres. subj.: *macete, macetes,* etc. Cf. *maceta* (ê), pl. *macetas* (ê), e *macete* (ê), pl. *macetes* (ê).]
macete (ê). [Dim. de *maço.*] *S. m.* **1.** Maço (1) com que os escultores trabalham em madeira, e que os carpinteiros e marceneiros usam especialmente para bater no cabo dos formões. **2.** *Bras., S.* Pau curto usado para sovar couro. **3.** *Bras. Gír.* Recurso muito engenhoso ou astucioso para se fazer ou obter algo: *O encenador deu bons m a c e t e s para os atores.* **4.** Tudo que resulta da aplicação desse recurso. [Pl.: *macetes* (ê). Cf. *macete* e *macetes,* do v. *macetar.*]
maceteado. [Part. de *macetear.*] *Adj. Bras. Gír.* Que revela macete (3), ou apresenta peculiaridade(s) resultante(s) de macete: *um plano m a c e t e a d o ; uma casa m a c e t e a d a .*
macetear¹. [De *maceta*² + *-ear.*] *V. t. d. Bras., RS.* macetar². [Conjug.: v. *frear.*]
macetear². [De *macete* (3) + *-ar*².] *V. t. d.* **1.** *Bras.* Fazer, criar (qualquer coisa em que se pôs em prática o macete (3)). *Int.* **2.** *Bras. Gír.* Fazer uso de macete (3). [Sin. ger.: *macetar*³. Conjug.: v. *frear.*]
macetudo. [De *maceta*² + *-udo.*] *Adj.* **1.** *Bras., RS,* Diz-se do animal maceta, quando a doença ou defeito está muito desenvolvido. **2.** *Bras. Fig.* Diz-se de animal ou pessoa velha, inútil, de pouco préstimo.
mach. [Do antr. *Mach,* de Ernst Mach, físico, psicólogo e filósofo austríaco (1838-1916).] *S. f.* **1.** V. *número de Mach.* **2.** *Fís. Nucl.* Unidade de medida de concentração de radônio em água, igual a $3{,}64 \times 10^{-10}$ curies por litro.
macha. [Fem. de *macho.*] *S. f.* Peça de dobradiça que encaixa na outra, a fêmea; macho.
machacá. [De *machacaz.*] *S. m.* **1.** *Bras., N.* Boi mal castrado. **2.** *Bras., S.* Balainho que os negros amarravam aos tornozelos para ritmar as suas danças (sobretudo os bailados *moçambique* e *quimbumbi*), e que, cheio de frutinhas secas, produzia um ruído de chocalho; maçaquaia.
machacali. [Do malê.] *S. m. Bras.* Entre os malês, casa onde se fazem orações.
machacaz. [De *macho* + *-acaz.*] *S. m.* **1.** Homem corpulento, desajeitado, pesadão. **2.** Indivíduo espertalhão, astucioso, finório. ● *Adj.* **3.** Diz-se de indivíduo machacaz.
machada. [De *machado.*] *S. f.* Machado pequeno, que se maneja com uma só mão: "O troço de cavaleiros disparou com a m a c h a d a em punho, desbastando o mato de uma e outra banda" (José de Alencar, *O Sertanejo,* p. 42).
machadada. *S. f.* Golpe de machado ou machada.
machadar. *V. int.* **1.** Trabalhar com o machado ou a machada; dar golpes de machado. **2.** *Restr.* Rachar lenha com machado.
machadeiro. [De *machado* + *-eiro.*] *S. m. Bras.* **1.** Indivíduo encarregado de derrubar florestas. **2.** Cortador de madeira para a fabricação do carvão.
machadense¹. *Adj. 2 g.* **1.** De, ou pertencente ou relativo a Machado (MG). ● *S. 2 g.* **2.** Natural ou habitante de Machado.
machadense². *Adj. 2 g.* **1.** De, ou pertencente ou relativo a Álvares Machado (SP). ● *S. 2 g.* **2.** Natural ou habitante de Álvares Machado.
machadiana. *S. f.* Coleção das obras de Machado de Assis [v. *machadiano.*] e/ou sobre esse autor.
machadiano. *Adj.* **1.** Relativo ou pertencente ao escritor brasileiro Machado de Assis (1839-1908), ou próprio dele. **2.** Que é seu admirador e/ou conhecedor profundo de sua obra. ● *S. m.* **3.** Admirador e/ou conhecedor profundo da obra de Machado de Assis.
machadinha. *S. f.* **1.** Pequena machada. **2.** *Bras.* Jabuti-machado.
machadinho. [Dim. de *machado.*] *S. m. Bras., AM.* **1.** Sinal feito na orelha do gado, semelhante a um machado. **2.** V. *seringueiro* (1).
machado. [Do lat. **marculatu* < *marculu,* 'pequeno martelo'.] *S. m.* **1.** Instrumento cortante que se usa, encabado, para rachar lenha, aparelhar madeira, etc. **2.** *Ant. Mar.* Instrumento para picar mastros, viradores, amarras, etc. **3.** *Bras.* Certa tartaruga do Tocantins.
machado-de-âncora. *S. m. Etnol.* Machado semilunar, de pedra, típico das tribos jês do Brasil Oriental, semelhante a uma âncora. [Pl.: *machados-de-âncora.*]
machador (ô). [De um **machadador* < *machadadar,* com haplologia.] *S. m. Bras.* Aquele que, nos matadouros, divide em duas partes, com o machado, o corpo dos suínos abatidos.
macha-fêmea. [Do fem. de *macho* + *fêmea.*] *S. f.* Dobradiça (1) de duas peças. [Pl.: *machas-fêmeas.*]
machão. [Aum. de *macho.*] *S. m.* **1.** *Pleb.* Mulher robusta e de modos grosseiros ou varonis; machoa, machona, marimacho, mulher-homem, mulher-macho, homaça, virago. **2.** *Pop* Latagão. **3.** *Bras., S.* Indivíduo que alardeia, ridiculamente, a sua masculinidade. **4.** V. *valentão* (3). ● *Adj.* **5.** V. *valentão* (1).
macharrão. [De *macho* + *-arro* + *-ão*¹.] *S. m.* **1.** Macho (2) grande. **2.** *Bras., MT.* O macho adulto da onça: "Andava bombeando o camarada, à espreita .... , que nem cachorro onceiro em rastro de m a c h a r r ã o ." (M. Cavalcanti Proença, *Manuscrito Holandês,* p. 80.)
machatim. *S. m. Teat. Ant.* **1.** Dança ou pantomima que representava duelos, lutas e combates. **2.** Comediante que atuava nessas pantomimas.
machê. [Do part. pass. do fr. *mâcher,* 'mastigar'.] *Adj.* ~ V. *papel* —.
macheado. [Part. de *machear.*] *Adj.* **1.** Dobrado em machos; pregueado. **2.** *Bras., N.E.* Diz-se do milharal que macheou [v. *machear* (3)]. ● *S. m.* **3.** Dobradura do pano em machos.
machear. [De *macho* + *-ear.*] *V. t. d.* **1.** Dobrar (pano, obras de costura, etc.) em machos [v. *macho* (5)]. **2.** Ter (o animal macho) coito com (a fêmea). *Int.* **3.** *Bras., N.E.* Ficar (o milharal) com grande predominância de flores masculinas. [Conjug.: v. *frear.* Cf. *machiar.*]
machego (ê). [De *macho* + *-ego* (ê).] *S. m. Pop.* Macho ordinário. [Cf. *manchego.*]
macheiro. [De *macho* + *-eiro.*] *S. m.* **1.** V. *chaparreiro* (1). [Var.: *machieiro.*] ● *Adj.* **2.** *Bras., N.E.* Diz-se do touro e do garanhão cujos produtos são, predominantemente, do sexo masculino.
machetada. *S. f.* Golpe de machete.
machete (ê). [Do esp. *machete.*] *S. m.* **1.** Sabre de artilheiro, com dois gumes. **2.** Faca de mato. **3.** V. *cavaquinho* (1). **4.** Descante popular. ◆ **Machete de Braga.** *Lus.* V. *cavaquinho* (1).
machetinho. [Dim. de *machete.*] *S. m. Lus.* V. *cavaquinho* (1).
macheza (ê). [De *macho* + *-eza.*] *S. f. Bras.* V. *machismo*¹ (2).
machial. *S. m.* **1.** Chaparral. **2.** Lugar inculto, destinado a pastagem.
machiar. *V. int.* Tornar-se máchio; secar, esterilizar-se, degenerar. [Pres. ind.: *machio,* etc. Cf. *máchio* e *machear.*]
machidão. *S. f.* V. *machismo*¹ (2): "os limites que a nossa comunidade, com o seu rígido código de moral, honra e m a c h i d ã o , impunha" (Autran Dourado, *As Imaginações Pecaminosas,* p. 43).
machieiro. *S. m.* Var. de *macheiro* (1).
machim. [Alter. de *machinho.*] *S. m. Bras., N.* **1.** V. *cavaquinho* (1). **2.** Articulação do pé dos cavalos. [Cf. *maxim.*]
machinho. [Dim. de *macho.*] *S. m. Bras.* **1.** A parte da pata do cavalo que fica mais perto do casco. **2.** Burrinho novo. **3.** V. *cavaquinho* (1).
machio. [De *macho* + *-io*².] *S. m.* Ato de machear ou ter coito (falando-se de animais). [Cf. *máchio.*]
máchio. *Adj.* **1.** Chocho, peco. **2.** Diz-se de árvore que, por qualquer acidente na vegetação, ficou enfezada, raquítica, com folhagem escassa e encrespada. [Cf. *machio,* do v. *machiar* e s. m.]
machismo¹. [De *macho* + *-ismo.*] *S. m.* **1.** Atitude ou comportamento de quem não aceita a igualdade de direitos para o homem e a mulher, sendo contrário, pois, ao feminismo [q. v.]. **2.** *Bras. Pop.* Qualidade, ação ou modos de macho (3 e 4); macheza, machidão.
machismo². [Do antr. *Ernest Mach* (1838-1916) + *-ismo.*] *S. m.* Empiriocriticismo.
machista. *Adj. 2 g.* **1.** Relativo ao, ou que é adepto do machismo¹ (1). ● *S. 2 g.* **2.** Pessoa machista.
macho. [Do lat. *masculu.*] *S. m.* **1.** Animal do sexo masculino. **2.** V. *mulo:* "O rapaz ficou um instante parado na porta, vendo a carruagem descer a rua ao trote largo dos m a c h o s castanhos." (Conde de Ficalho, *Uma Eleição Perdida,* pp. 149-150.) **3.** Homem (física e sexualmente). **4.** V. *valentão* (3). **5.** Dobradura do pano em pregas [v. *prega* (1)] opostas. **6.** Macha. **7.** Colchete (para vestuários, decoração, etc.) que se encaixa no outro (fêmea). **8.** Instrumento para concavar a madeira. **9.** Molde de barro empregado na fabricação de peças ocas. **10.** *Tec.* Peça de formato cônico ou cilíndrico, provida de um orifício, e que gira no interior do corpo de certas válvulas, possibilitando a interrupção rápida do fluxo de fluido. **11.** *Ant.* Grilhão (3). **12.** *Chulo.* Amante, amásio. ● *Adj.* **13.** Masculino. **14.** Diz-se de certos animais que têm o mesmo nome para ambos os sexos: *tigre m a c h o .* **15.** *Pop.* Forte, robusto; másculo. **16.** *Bras.* V. *valentão* (1).
machoa (ô). [Fem. de *machão.*] *S. f.* V. *machão* (1).
macho-de-joão-gomes. *S. m. Bras.* V. *guarandi.* [Pl.: *machos-de-joão-gomes.*]
macho-e-fêmea. *S. m. Constr.* Tipo de encaixe em que uma saliência se adapta a uma reentrância. [Pl.: *machos-e-fêmeas.*]
machona. [Fem. de *machão.*] *S. f.* V. *machão* (1).
machorra (ô). [De *macho.*] *Adj. (f.)* e *s. f.* Diz-se de, ou fêmea estéril, infecunda: "depois da lei do ventre livre já não valia a pena ter muitas escravas. Salvo as m a c h o r r a s para o serviço doméstico, as pretas cativas caíram em funda depreciação." (Xavier Marques, *As Voltas da Estrada,* p. 134).
machuca. [Dev. de *machucar.*] *S. f.* V. *machucação* (1).
machucação. *S. f.* **1.** Ato de machucar, machucadura, machuca. **2.** V. *machucado* (2).
machucado. [Part. de *machucar.*] *Adj.* **1.** Que sofreu machucadura: *Caiu de lugar alto, e ficou m a c h u c a d o ; Tem a perna m a c h u c a d a da pancada que levou.* ● *S. m.* **2.** Efeito de machucar-se; contusão, pisadura, machucadura, machucação, machucão. **3.** Lugar ou parte machucada: *Gritou quando lhe tocaram no m a c h u c a d o do braço.*
machucador (ô). *Adj.* **1.** Que machuca. ● *S. m.* **2.** Aquele que machuca. **3.** *Bras.* Espécie de almofariz, em geral de madeira, para esmagar temperos, feijão, etc.
machucadura. [De *machucar* + *-(d)ura.*] *S. f.* **1.** V. *machucação* (1). **2.** V. *machucado* (2). **3.** Trilhadura, amolgadela.
machucão. [De *machucar.*] *S. m. Bras.* V. *machucado* (2).
machucar. [Do esp. *machucar.*] *V. t. d.* **1.** Esmagar (um corpo) com o peso e/ou dureza de outro. **2.** Triturar, esmigalhar. **3.** Debulhar (cereais); esbagoar. **4.** Pisar, trilhar. **5.** Amarrotar, amarfanhar, amachucar: *m a c h u c a r o chapéu.* **6.** Fazer feridas em; produzir chaga ou contusão em; ferir: *O golpe m a c h u c o u -o.* **7.** Melindrar, ofender, magoar. **8.** *Bras. Gír.* Possuir sexualmente; faturar. *P.* **9.** Produzir ferimento ou contusão em si mesmo: "Caiu de mau jeito, roçando as pernas por todos os galhos, m a c h u c a n d o - s e ." (Lia Correia Dutra, *Navio sem Porto,* p. 131.) **10.** Melindrar-se, magoar-se. **11.** *Bras. Gír.* Sair-se mal; estrepar-se. [F. paral.: *amachucar.* Conjug.: v. *trancar.*]
machucho. *Adj.* e *s. m.* **1.** Diz-se de, ou indivíduo influente ou rico. **2.** Diz-se de, ou indivíduo astuto, finório, machacaz.
machuchu. *S. m. Bras.* V. *chuchu.*
maciar. [De *macio* + *-ar*².] *V. t. d. P. us.* Amaciar (1).
macicez (ê). [De *maciço* + *-ez.*] *S. f.* **1.** Qualidade de maciço. **2.** *Med.* Som surdo, abafado, obtido mediante a percussão de uma área do corpo humano. [Sin. ger.: *matidez.*]
maciço. [Do esp. *macizo.*] *Adj.* **1.** Que não é oco; compacto: *parede m a c i ç a .* **2.** Diz-se de coisa compacta cujo elemento componente ocupa todo o volume aparente. **3.** Espesso, cerrado: *mata m a c i ç a .* **4.** Anormalmente grande, ou forte, ou pesado: "Afonso era um pouco baixo, m a c i ç o , de ombros quadrados e fortes" (Eça de Queirós, *Os Maias,* I, p. 18). **5.** Em grande quantidade, comparando-se ao que é comum: *dose m a c i ç a de barbitúricos; presença m a c i ç a de espectadores.* **6.** *Fig.* Sólido, inabalável: *princípios m a c i ç o s .* ● *S. m.* **7.** Grande massa, corpo, ou conjunto: *um m a c i ç o de relva.* **8.** Arvoredo ou mata fechada, sem clareiras: "os bosquezinhos de arbustos, os m a c i ç o s de árvores silvestres, as veigas de boninas" (Alexandre Herculano, *Lendas e Narrativas,* I, p. 15). **9.** Conjunto de montanhas grupadas em volta de um ponto culminante. **10.** *Geol.* Formação eruptiva de grandes dimensões.
macieira. [De *maçã* + *-eira,* atr. das f. **maçaeira,* **maçaeira,* **maceeira.*] *S. f.* Árvore da família das rosáceas (*Malus silvestris*), própria dos climas temperados e produtora dos excelentes frutos, ditos *maçãs,* de baixo rendimento no Brasil. [F. paral., p. us.: *maceira.*]
macieira-de-anáfega. *S. f.* Jujuba (1). [Pl.: *macieiras-de-*

anáfega.]

macieira-de-boi. *S. f. Bras.* Árvore da família das sapotáceas (*Sideroxylon rugosum*), nativa na floresta amazônica, de folhas onduladas e membranáceas, flores pequenas e dispostas em compactos fascículos axilares, e cujo fruto é uma baga globosa, amarela e com polpa edule. [Pl.: *macieiras-de-boi.*]

macieira-do-cerrado. *S. f. Bras. C. O.* Árvore da família das compostas (*Piptocarpha rotundifolia*), de grandes folhas arredondadas, casca grossa e sulcada, de frutos insignificantes, e que se mostra vulgar nos cerrados. [Pl.: *macieiras-do-cerrado.*]

maciez (ê). *S. f.* Qualidade de macio, macieza: "pálpebras brancas, de uma m a c i e z de pétalas" (Virgílio Várzea, *Nas Ondas*, p. 189).

macieza (ê). *S. f.* Maciez: "Toda a m a c i e z a e paz daqueles dias breves / Submersas vejo" (Eugênio de Castro, *Obras Poéticas*, VI, p. 49).

macilência. *S. f.* Aspecto de macilento.

macilento. [Do lat. *macillentu.*] *Adj.* **1.** Magro e pálido; descarnado: *corpo m a c i l e n t o*; "descorado, pálido, m a c i l e n t o, mirrado, as faces sumidas, os olhos encovados" (Pe Antônio Vieira, *Sermões*, VIII, p. 380). **2.** Amortecido, quebrado, mortiço: *olhar m a c i l e n t o.*

macio. *Adj.* **1.** Suave ao tato; brando, suave: *colchão m a c i o.* **2.** Não íngreme; sem asperezas: *caminho m a c i o.* **3.** Liso, plano: *superfície m a c i a.* **4.** Aprazível, agradável: "Despertou num quarto de luz m a c i a, crepuscular, coada por seda cor-de-rosa." (Maria Archer, *Fauno Sovina*, p. 208.) **5.** *Fig.* Brando, suave, manso: *falà m a c i a.* ~V. *raia* —a. ● *S. m.* **6.** Maciez, macieza: "a sua pele lustrosa tem o m a c i o grosso dos veludos." (João do Rio, *As Religiões no Rio*, p. 206). ◆ **No macio.** *Bras.* Na maciota: *Ganha dinheiro n o m a c i o.*

maciota. [De *macio* + *-ota.*] *El. s. f. Bras.* Us. na loc. *na maciota.* ◆ **Na maciota.** *Bras.* **1.** Sem esforço; sem se alterar; calmamente, tranqüilamente: "Não dava mostra de aborrecimento, fizera tudo na m a c i o t a." (Ricardo Ramos, *Os Caminhantes de Santa Luzia*, p. 48.) **2.** Sem complicações ou dificuldades; em paz; serenamente, tranqüilamente: "É tudo ia indo na m a c i o t a, Deus ajudando" (Albertino Moreira, *Boca-Pio*, p. 32). [Sin. ger.: *no macio.*]

macis. [Do fr. *macis.*] *S. m.* **1.** *Bot.* Arilo da noz-moscada, que reveste a grossa semente. **2.** Óleo dele extraído. [Pl.: *macises.*]

macla. [Do fr. *macle.*] *S. f. Crist.* Agrupamento regular de dois indivíduos cristalinos dos quais um se deduz do outro, ou pela rotação em torno de um eixo (*eixo de geminação*) ou pela reflexão especular em relação a um plano (*plano de geminação*).

maço. [De *maça.*] *S. m.* **1.** Espécie de martelo de madeira usado por carpinteiros, escultores, calceteiros, etc.: "Arranca o estatuário ũa pedra dessas montanhas, tosca, bruta, dura, informe, e depois que desbastou o mais grosso, toma o m a ç o e o cinzel na mão, e começa a formar um homem" (Pe Antônio Vieira, *Sermões*, III, p. 419). **2.** Maça (3). [Dim. irreg.: *macete.*] **3.** *Tip.* Martelo de pau utilizado pelos encadernadores para bater os cadernos, e pelos impressores para golpear o tamborete no trabalho de assentar a fôrma tipográfica. [Cf. *macete* (1).] **4.** Conjunto de coisas atadas no mesmo liame ou contidas no mesmo invólucro: *um m a ç o de folhas; um m a ç o de cigarros.* **5.** *Bras.* Baralho preparado para dar ganho a algum dos parceiros.

maçom. [Do fr. *maçon.*] *S. m.* **1.** *Ant.* Pedreiro (1). **2.** Membro da maçonaria. [Sin.: *pedreiro-livre, franco-maçom* e (bras.) *bode-preto.* F. paral.: *mação.*]

maçonaria. [Do fr. *maçonnerie.*] *S. f.* **1.** Sociedade parcialmente secreta, cujo objetivo principal é desenvolver o princípio da fraternidade e da filantropia; associação de pedreiros-livres; franco-maçonaria. **2.** *Ant.* e *gal.* Arte ou obra de pedreiro. **3.** *Fig. Pop.* Combinação, acordo, entendimento secreto, entre duas ou mais pessoas: *Há entre aqueles sujeitos uma m a ç o n a r i a que só eles entendem.*

maconha. [Do quimb. *ma'kaña.*] *S. f. Bras.* Variedade de cânhamo (*Cannabis sativa* var. *indica*), cujas folhas e flores se usam como narcótico e produzem sensações semelhantes às provocadas pelo ópio. [Sin., vários deles pop. ou de gír.: *liamba, aliamba, diamba, riamba, bagulho, bengue, birra, dirígio* ou *dirijo, erva, fuminho, fumo, fumo-de-angola, cânhamo, haxixe, mato, pango, soruma, manga-rosa, massa, tabanagira.* Cf. *haxixe.*]

maconhado. *Adj.* e *s. m. Bras.* Que ou aquele que está sob o efeito da maconha.

maconheiro. *S. m. Bras.* **1.** Vendedor de maconha. **2.** Indivíduo viciado em fumar maconha. [Sin., bras., nesta acepç.: *boqueiro, fumeiro, puxador* e *chincheiro.*]

maçônico. *Adj.* Pertencente ou respeitante à maçonaria. ~ V. *loja* —*a* e *toque* —.

maçonizar. *V. t. d.* **1.** Tornar maçom (2). *Int.* **2.** Trazer adepto(s) à maçonaria (1).

macorongo. [De *mocorongo?*] *S. m. Bras., SP.* Amante explorador da amásia. [Cf. *mocorongo.*]

maçorral. [Do esp. *mazorral.*] *Adj. 2 g.* V. *mazorral.*

macota. [Do quimb. *ma'kota*, 'os maiores'.] *S. m.* **1.** *Bras.* Homem de prestígio e influência na sua localidade, por dinheiro ou posição política. **2.** *Bras.* O maior de todos; o mais importante; macoteiro. **3.** *Bras., BA. Folcl.* Personagem que dirige e organiza o maculelê. ● *S. f.* **4.** *Bras.* Má sorte; caiporismo, macaca. **5.** V. *lepra* (1). ● *Adj. 2 g.* **6.** *Bras.* Grande, enorme; macoteiro: "viram que uma outra coisa também se fora ajuntando, crescendo sem que eles reparassem, e era enorme agora, guaçu, m a c o t a, gigantesca!" (Mário de Andrade, *Os Contos de Belasarte*, p. 37). **7.** Superior em qualquer sentido; poderoso.

macotear. *V. int. Bras.* Ter influência, prestígio (como um macota). [Conjug.: v. *frear.*]

macoteiro. [De *macota* + *-eiro.*] *Adj.* **1.** *Bras., SP.* V. *macota* (6): "teceu a choça dali a dez braças, para a banda de cima, rente com o tronco m a c o t e i r o de um saguaraji" (Valdomiro Silveira, *Os Caboclos*, p. 118). ● *S. m.* **2.** Macota (2).

macotena. [De *macota* (4) + *-ena.*] *Adj. 2 g.* e *s. 2 g. Bras., SP. Pop.* V. *leproso* (1 e 5). [Cf. *macutena* e *macuteno.*]

macouba. [Do top. *Macouba* (Martinica).] *S. f.* Variedade de fumo da Martinica que cheira a rosa.

macramé. [Do fr. *macramé.*] *S. m.* **1.** Espécie de passamanaria feita de cordão trançado e com nós. **2.** Tipo de linha ou fio próprio para bordados, filés e crochês.

macranto. [De *macr(o)-* + *-anto.*] *Adj. Bot.* Diz-se das plantas que têm flores grandes. [Antôn.: *micranto.*]

macrencefalia. [De *macr(o)-* + *encéfalo* + *-ia.*] *S. f. Med.* Desenvolvimento excessivo do encéfalo.

macrencefálico. *Adj.* Relativo à macrencefalia.

má-criação. *S. f.* **1.** Qualidade de quem é malcriado. **2.** Ato ou dito grosseiro ou incivil: "ora passava semanas sem aparecer, ora vinha dias seguidos, especialmente para embirrar conosco e com quem estivesse, na mais completa das m á s - c r i a ç õ e s." (José Augusto França, *Despedida Breve*, p. 223). [Pl.: *más-criações* e *má-criações.*]

macro. [Do gr. *macrós, á, ón.*] *S. m.* Sinal em forma de hífen (-), que se sobrepõe a uma vogal para indicar que é longa. [Cf. *ápice* (4) e *braquia.*]

▲**macr(o)-.** [Do gr. *makrós, á, ón.*] *El. comp.* = 'longo', 'grande': *macropsia, macrócero.*

macrobia. [De *macróbio.*] *S. f.* Estado de quem é macróbio. [Cf. *macróbia*, fem. de *macróbio.*]

macróbio. [Do gr. *makróbios.*] *Adj.* **1.** V. *longevo* (1). ● *S. m.* **2.** Aquele que vive muito. **3.** Aquele que tem idade avançada: "M a c r ó b i o s soturnos passam, trôpegos, trêmulos, na morna calma das tardes abrasadoras." (Graciliano Ramos, *Linhas Tortas*, p. 73.) [Fem.: *macróbia.* Cf. *macrobia.*]

macrobiótica. [Do gr. *makrobíotos*, 'de vida longa' + *-ica*[2].] *S. f.* **1.** Arte de prolongar a vida e de torná-la mais saudável pela observação de determinadas regras de higiene e alimentação. **2.** Dieta com base em cereais integrais, legumes e frutas frescas.

macrobiótico. [Do gr. *makrobíotos*, 'de vida longa', + *-ico*[2].] *Adj.* Relativo à, ou em que se observam os preceitos da macrobiótica: *alimentação m a c r o b i ó t i c a.* ~ V. *dieta* —*a.*

macrocefalia. *S. f.* Qualidade de macrocéfalo. [Antôn.: *microcefalia* e *nanocefalia.*]

macrocefálico. *Adj.* Relativo à macrocefalia, ou a macrocéfalo. [Antôn.: *microcefálico* e *nanocefálico.*]

macrocéfalo. [Do gr. *makroképhalos.*] *Adj.* e *s. m.* Que ou aquele que tem a cabeça, ou parte dela, anormalmente grande. [Antôn.: *microcéfalo* e *nanocéfalo.*]

macrocerco. [Do gr. *makrókerkos.*] *Adj. Zool.* Que tem cauda longa.

macrócero. [De *macr(o)-* + *-cero*[1].] *Adj. Zool.* Que tem cornos longos ou antenas compridas. [Antôn.: *micrócero.*]

macrocisto. [De *macr(o)-* + *-cisto.*] *S. m. Patol.* Bexiga volumosa.

macrócito. [De *macr(o)-* + *-cito.*] *S. m. Patol.* **1.** Hemácia grande. **2.** Bexiga volumosa.

macrócomo. [Do gr. *makrókomos.*] *Adj.* Que tem cabeleira comprida ou longos filamentos.

macrocosmo. [De *macr(o)-* + *-cosmo.*] *S. m.* **1.** O mundo grande, o Universo como um todo orgânico, em oposição ao ser humano (*microcosmo*), segundo as doutrinas filosóficas que admitem uma correspondência entre as partes constitutivas do Universo e as partes constitutivas do homem. **2.** *Restr.* O mundo das coisas grandes, por oposição ao das pequenas; *o microcosmo atômico e o m a c r o c o s m o das galáxias.* [Antôn.: *microcosmo.*]

macrocosmologia. [De *macrocosmo* + *-log(o)-* + *-ia.*] *S. f.* Tratado ou ciência de todo o Universo.

macrocosmológico. *Adj.* Respeitante à macrocosmologia.

macrodáctilo. [Do gr. *makrodáktylos.*] *Adj.* **1.** Que tem os dedos, das mãos ou dos pés, muito compridos. [Antôn.: *microdáctilo.*] **2.** *Zool.* Que tem prolongamentos em forma de dedos. [Var. ger.: *macrodátilo.*]

macrodasióideo. *S. m.* **1.** Espécime dos macrodasióideos. ● *Adj.* **2.** Pertencente ou relativo a eles.

macrodasióideos. *S. m. pl. Zool.* Animais asquelmintos, gastrotríquios, da ordem *Macrodasyoidea*, com tubos adesivos presentes na região anterior, na lateral e posterior, e desprovidos de protonefrídios. São hermafroditas e vivem nas praias marinhas, geralmente na areia.

macrodátilo. *Adj.* V. *macrodáctilo.*

macroeconomia. [De *macr(o)-* + *economia.*] *S. f.* Ramo da ciência econômica que estuda os aspectos globais de uma economia, especialmente o seu nível geral de produção e renda, e as inter-relações entre os seus diferentes setores: *Os economistas costumam dizer que a m a c r o e c o n o m i a estuda a floresta, enquanto a microeconomia estuda as árvores.* [Cf. *microeconomia.*]

macroeconômico. *Adj.* Referente à, ou próprio da macroeconomia.

macroencefalia. *S. f.* V. *macrencefalia.*

macroestado. [De *macr(o)-* + *estado.*] *S. m. Fís.* Estado de um sistema constituído por grande número de partículas, e que se caracteriza por um número pequeno de grandezas extensivas e intensivas.

macroestesia. [De *macr(o)-* + *estesia.*] *S. f.* Perturbação da sensibilidade em decorrência da qual os objetos dão a impressão de muito maiores.

macrofilia. [De *macrofilo* + *-ia.*] *S. f. Bot.* Qualidade de macrofilo. [Antôn.: *microfilia.*]

macrofilo. [Do gr. *makróphyllos.*] *Adj. Bot.* Dotado de folhas grandes; longifólio. [Antôn.: *microfilo.*]

macroftalmo. [De *macr(o)-* + *oftalmo.*] *Adj. Zool.* Que tem olhos muito grandes, olhos bovinos.

macrogameta. [De *macr(o)-* + *gameta.*] *S. m. Biol.* O gameta feminino (óvulo dos animais e oosfera dos vegetais). [Cf. *microgameta.*]

macrogastria. [De *macr(o)-* + *-gastr(o)-* + *-ia.*] *S. f. Patol.* Dilatação do estômago.

macrogástrico. *Adj.* Relativo à macrogastria.

macroglossia. [De *macr(o)-* + *-gloss(o)-* + *-ia.*] *S. f.* Desenvolvimento excessivo da língua. [Antôn.: *microglossia.*]

macroglosso. [De *macr(o)-* + *-glosso.*] *Adj.* Que apresenta macroglossia. [Antôn.: *microglosso.*]

macrogonídio. [De *macr(o)-* + *gonídio.*] *S. m. Bot.* Gonídio de tamanho maior, quando há diversificação entre eles. [Opõe-se a *microgonídio.*]

macrólofo. [De *macr(o)-* + *-lofo.*] *Adj. Zool.* Que tem penacho na cabeça.

macrologia. [Do gr. *makrología.*] *S. f. Ret.* Estilo difuso; elocução prolixa.

macrológico. *Adj.* Referente à, ou próprio da macrologia.

macromelia. [De *macr(o)-* + *-mel(o)-*[1] + *-ia.*] *S. f. Ter.* Desenvolvimento excessivo de membro superior ou inferior. [Antôn.: *micromelia.*]

macromélico. *Adj.* Relativo à macromelia.

macrometeorito. [De *macr(o)-* + *meteorito.*] *S. m. Astr.* Meteorito de massa suficientemente grande para atingir o solo terrestre.

macromolécula. [De *macr(o)-* + *molécula.*] *S. f. Quím.* Molécula com grande número de átomos.

macromolecular. *Adj. 2 g.* Constituído de macromoléculas.

macronúcleo [De *macr(o)-* + *núcleo.*] *S. m. Bot.* V. *euciliados.*

macropétalo. [De *macr(o)-* + *-pétalo.*] *Adj. Bot.* Que tem pétalas grandes. [Antôn.: *micropétalo.*]

macropia. [De *macr(o)-* + *-op(s)(e)-* + *-ia.*] *S. f.* V. macropsia.

macrópode. [Do gr. *makropodós.*] *Adj. 2 g. Zool.* Que tem longos pés, barbatanas ou pedúnculos.

macropolímero. *S. m. Quím.* Polímero de massa molecular elevada.

macropomo. [De *macr(o)-* + gr. *pôma*, 'tampa'.] *Adj.* Que tem grandes opérculos.

macropsia. [De *macr(o)-* + *-op(s)(e)-* + *-ia.*] *S. f. Med.* Distúrbio visual em que o paciente vê um objeto com tamanho maior do que o real; megalopia.

macróptero. [Do gr. *makrópteros.*] *Adj. Zool.* Que tem grandes asas ou membranas alares. [Antôn.: *micróptero.*]

macrorregião. [De *macr(o)-* + *região.*] *S. f. Geog.* Grande região constituída por extensos blocos territoriais que se caracterizam pelo predomínio de certo número de traços comuns (humanos, físicos, econômicos e sociais).

macrorregional. *Adj.* Relativo a macrorregião.

macrorrinco. [Do gr. *makrórrhygchos.*] *Adj. Zool.* Que tem bico ou focinho comprido.

macrorrizo. [Do gr. *makrórrizos.*] *Adj. Bot.* Que tem grandes raízes.

macroscelia. [Do gr. *makroskelés*, 'de longas pernas' + *-ia.*] *S. f. Med.* Desenvolvimento exagerado dos membros inferiores.

macroscélico. *Adj.* Referente à, ou da natureza da macroscelia.

macróscio. [Do gr. *makróskios.*] *Adj.* Diz-se dos habitantes do globo que, recebendo muito obliquamente os raios do Sol, projetam, ao meio-dia, uma grande sombra.

macroscópico. [De *macr(o)-* + *-scop-* + *-ico*².] *Adj.* **1.** Diz-se das observações feitas à vista desarmada. **2.** Relativo ao exame do que é grande. [Sin. ger.: *megascópico.* Antôn.: *microscópico.*]

macrossomatia. [De *macr(o)-* + *-somat(o)-* + *-ia.*] *S. f. Patol.* Macrossomia.

macrossomático. *Adj.* V. *macrossômico.*

macrossomia. [De *macr(o)-* + *-som(o)-* + *-ia.*] *S. f. Patol.* Monstruosidade caracterizada pela excessiva grossura ou grandeza de todo o corpo; macrossomatia. [Cf. *microssomia.*]

macrossômico. *Adj.* Relativo à, ou em que há macrossomia.

macróstico. [De *macr(o)-* + *-stico.*] *Adj.* Que está escrito em linhas muito compridas.

macrostilo. [De *macr(o)-* + *-stilo.*] *Adj. Bot.* Diz-se da folha que tem estiletes compridos.

macrotársico. [De *macr(o)-* + *-tars(o)-* + *-ico*².] *Adj. Zool.* Que tem tarsos compridos.

macruro. [De *macr(o)-* + *-uro.*] *Adj.* **1.** Que tem cauda longa. **2.** Pertencente ou relativo aos macruros. ● *S. m.* **3.** Espécime dos macruros.

macruros. [Pl. de *macruro.*] *S. m. pl. Zool.* Animais metazoários, artrópodes, crustáceos, malacostráceos, decápodes, com abdome completamente desenvolvido, longo e simétrico, estendido fora da carapaça. São os camarões, as lagostas e as tamburutacas.

mactrismo. [Do gr. *maktrismós.*] *S. m.* Certa dança cômica, entre os antigos gregos.

macu. *Bras. S. 2 g.* **1.** Indivíduo dos macus, tribo indígena que habita nas margens dos afluentes direitos do rio Negro, na margem esquerda do Japurá (AM) e na margem esquerda do alto Urariqüera (RR). ● *Adj. 2 g.* **2.** Pertencente ou relativo a essa tribo.

macuca¹. *S. f.* Espécie de pereira silvestre.

macuca². [De or. afr.] *S. f.* Certa moeda que corria entre os negros de Angola. [Cf. *macuta.*]

macuca³. *S. f. Bras.* V. *macuco.*

macucar. [De *macuco* + *-ar*²; o macuco [q. v.] vive isolado.] *V. int. Bras., SP. Pop.* **1.** Falar sozinho e zangado. **2.** Encolerizar-se, irritar-se, enraivecer-se, enfurecer-se: "Mas a moça m a c u c o u de repente, sentou-se, falou firme e áspero" (Valdomiro Silveira, *Os Caboclos*, p. 53). [Conjug.: v. *trancar.*]

macucau. [Do tupi amazonense *maku'kawa.*] *S. m. Bras., Amaz.* V. *jaó.*

macucauá. *S. m. Bras., Amaz.* V. *jaó.*

macuco. [Do tupi *ma'kuku.*] *S. m. Bras.* Designação comum às aves tinamiformes, da família dos tinamídeos, gênero *Tinamus* Lath., com cauda pequena, escondida pelas penas das coberteiras e parte posterior do tarso áspera. Vivem exclusivamente nas matas virgens, e os maiores representantes da ordem ocorrem no Brasil, onde há, ao todo, cinco espécies. [Var.: *macuca;* sin.: *tona.*]

macuco-do-pantanal. *S. m. Bras.* Ave da família dos tinamídeos (*Tinamus serratus* Spix). [Pl.: *macucos-do-pantanal.*]

macucu. [Do tupi *maku'ku.*] *S. m. Bras.* **1.** Designação comum a diversas árvores da família das leguminosas (gênero *Aldina*) **2.** Designação comum a diversas árvores da família das rosáceas (gêneros *Couepia*, *Hirtella*, e *Parinarium*).

macucurana. [De *macucu* + *-rana.*] *S. f. Bras.* Árvore da família das rosáceas (*Licania americana*), de folhas rigidamente coriáceas e frutos que são pequenas drupas, e cujas flores, inconspícuas, se ordenam em espigas.

macucu-verdadeiro. *S. f. Bras.* Arvoreta da família das aqüifoliáceas (*Ilex macoucoua*), peculiar à floresta amazônica, de folhas coriáceas e revolutas, flores pequenas e frutos drupáceos. [Pl.: *macucus-verdadeiros.*]

maçudo. *Adj.* **1.** Que tem forma de maça. **2.** *Fig.* Maçador, indigesto, monótono (escrito ou discurso). [Cf. *massudo.*]

mácula. [Do lat. *macula.*] *S. f.* **1.** Nódoa, mancha: "E límpida, sem m á c u l a, alvacenta / A lua a estrada solitária banha..." (Raimundo Correia, *Poesias*, p. 112.) **2.** *Fig.* Desdouro, deslustre, labéu: "Meu cunhado, o médico, algumas vezes me disse que seu irmão .... era uma das poucas vítimas da castidade sem sombra de m á c u l a que o clero podia apresentar como exemplo." (Camilo Castelo Branco, *Serões de S. Miguel de Ceide*, III, p. 71.) **3.** *Fig.* Estigma, ferrete. **4.** *Anat.* Área que se distingue da circunjacência pela cor ou por outra característica. **5.** *Astr.* Mancha escura na superfície do Sol ou de qualquer outro astro luminoso. **6.** *Med.* Alteração de coloração na pele sem que esta apresente saliência. **7.** *Med.* Opacidade, bem caracterizada, da córnea, visível, à luz do dia, como mancha cinzenta. [Cf. *macula*, do v. *macular.*]

maculado. [Part. de *macular.*] *Adj.* **1.** Manchado, enodoado, sujo. **2.** *Fig.* Infamado, desonrado, aviltado.

maculador (ô). *Adj.* Que macula.

macular. [Do lat. *maculare.*] *V. t. d.* **1.** Pôr manchas em; sujar: "Um rastilho de pó amarelado m a c u l a v a o vestido preto da moça." (Júlio Ribeiro, *A Carne*, p. 46.) **2.** *Fig.* Desdourar, deslustrar, infamar, enxovalhar. *P.* **3.** Incorrer em desonra; deslustrar-se. [Pres. ind.: *maculo, maculas, macula*, etc. Cf. *mácula*, s. f., e *Mácula*, antr.]

maculatura. [De *macular* + *-(t)ura.*] *S. f. Art. Gráf.* Folha mal impressa, suja ou repintada, que se aproveita como descarga. [Cf. *perdidos.*]

maculável. *Adj. 2 g.* **1.** Que se pode macular ou enodoar. **2.** Suscetível de pecar, ou de incorrer em falhas.

maculelê. *S. m. Bras., BA. Folcl.* Misto de jogo e dança de bastões, de Santo Amaro, remanescente dos antigos cucumbis.

maculiforme. [De *macula* + *-i-* + *-forme.*] *Adj. 2 g.* Que tem forma de pequena mancha ou mácula.

maculirrostro. [De *macula* + *-i-* + *-rostro.*] *Adj. Zool.* Diz-se da ave que tem o bico malhado.

maculo. [Do quimb. *ma'kulu.*] *S. m. Bras.* Doença dos negros novos, quando era intenso o tráfico da escravatura, caracterizada por diarréia com relaxamento do esfíncter anal; corrução, mal-de-bicho: "a cidade-espectro, onde o que o ouro construiu a horrível moléstia local arruinou, esse 'm a c u l o' em que um esfíncter se dilata por tal forma, que a mão inteira pode sondar o intestino!" (Alberto Rangel, *Sombras n'Água*, p. 14.)

maculopapular (mà). *Adj. 2 g.* Que apresenta máculas e pápulas.

maculoso (ô). [Do lat. *maculosu.*] *Adj.* Salpicado de manchas, nódoas, máculas; manchado, maculado.

macuma. [De *mucama*, com metátese.] *S. f. Bras.* Escrava que acompanhava a senhora quando esta saía à rua. [Cf. *mucama.*]

macumã¹. [De or. tupi.] *S. f. Bras.* Espécie de palmito pequeno, usado na cozinha como tempero.

macumã². *Bras. S. 2 g.* **1.** Indivíduo dos macumãs, tribo indígena da região do Amazonas. ● *Adj. 2 g.* **2.** Pertencente ou relativo a essa tribo.

macumba. [Do quimb. *ma'kũba.*] *S. f. Bras.* **1.** Sincretismo religioso afro-brasileiro, derivado do candomblé, com elementos de várias religiões africanas, de religiões indígenas brasileiras e do cristianismo. **2.** O ritual sincrético que lhe corresponde. [Cf., nessas acepç., *candomblé.*] **3.** Por derivação, magia negra. **4.** V. *bruxaria* (1 e 2). **5.** Instrumento de percussão, espécie de reco-reco, de origem africana, e que produz um som de rapa.

macumbeiro. *S. m. Bras.* **1.** Partidário e/ou praticante da macumba. ● *Adj.* **2.** Que é praticante da macumba.

macuna. *Bras. S. 2 g.* **1.** Indivíduo dos macunas, tribo indígena das margens do Apaporis. ● *Adj. 2 g.* **2.** Pertencente ou relativo a essa tribo.

macunabe. *Bras. S. 2 g.* e *adj. 2 g.* V. *puinave.*

macungo. *S. m. Bras.* V. *berimbau* (2).

macuni. *Bras. S. 2 g.* **1.** Indivíduo dos macunis, tribo indígena de MG, pertencente à família maxacali. ● *Adj. 2 g.* **2.** Pertencente ou relativo a essa tribo.

maçunim. [De or. indígena, decerto.] *S. m. Bras., Al.* Variedade de molusco comestível, muito miúdo.

macuquense. *Adj. 2 g.* **1.** De, ou pertencente ou relativo a Macuco (RJ). ● *S. 2 g.* **2.** Natural ou habitante de Macuco.

macuquinho. [Dim. de *macuco.*] *S. m. Bras.* Ave passeriforme, da família dos furnarídeos (*Lochmias nematura* (Lich.)), do Brasil central e meridional, de dorso pardacento e pintas brancas, dispostas como se fossem gotas, na garganta e barriga. Nidifica em galerias nas margens dos rios, e quase todos os nomes populares que recebe vêm do hábito de procurar moscas na saída dos canos de esgoto ou valas de despejos. [Sin.: *tridi, presidente-da-porcaria, presidente-das-porcarias, capitão-da-porcaria, capitão-das-porcarias.*]

macurape. *Bras. S. 2 g.* **1.** Indivíduo dos macurapes, tribo da bacia do rio Guaporé, cuja língua foi classificada como tupióide. ● *Adj. 2 g.* **2.** Pertencente ou relativo a essa tribo.

macuripal. [Do tupi, possivelmente.] *S. m. Bras.* Certo fruto silvestre.

macuru. [Do tupi *maku'ru.*] *S. m. Bras.* **1.** V. *rapazinho-dos-velhos.* **2.** V. *joão-bobo.* **3.** Balanço formado por dois círculos de grossas talas ou de madeira flexível, separados de um palmo um do outro e ligados por cordas que o suspendem do teto, onde deixam as crianças entregues a si próprias.

macuta. [Do quimb. *mu'kuta*, 'certa moeda de pequeno valor'.] *S. f. Bras., MG. Pop.* Coisa sem valor. [Cf. *macuca*².]

macutena. [De *macotena.*] *S. f. Bras., MG.* **1.** V. *lepra* (1): "Sem compreender o que se passava, um abantesma, embrulhado em trapos imundos, perfilou no ombro a vara da pedincha e espantado voltava para todos os lados a face roxa e tumefacta, em que a m a c u t e n a roera as cartilagens das narinas..." (Alberto Rangel, *Fura-Mundo*, p. 60.) **2.** *Fig.* Pessoa azarenta. [Cf. *macotena* e *macuteno.* Se *macotena* vem, realmente, de *macota* (4) [= *lepra*], não nos parece razoável a distinção gráfica entre o vocábulo que significa o doente e o referente à doença.]

macuteno. *Adj.* e *s. m.* V. *leproso* (1 e 5): "Não dizem que anda m a c u t e n a, lá na Praia Grande (que anda leprosa, em Niterói)" (Afonso Arinos de Melo Franco, *A Alma do Tempo*, p. 10). [Em nota de rodapé, o autor esclarece: "Vem de 'mal cutâneo'. *Macutenos* era como em Paracatu se chamavam os leprosos". É curiosa a etimologia apontada. Compare-a com a de *macotena.*]

macuxi. *Bras. S. 2 g.* **1.** Indivíduo dos macuxis, tribo indígena caraíba de Rondônia. ● *Adj. 2 g.* **2.** Pertencente ou relativo a essa tribo.

madagascarense. [Do top. *Madagáscar* + *-ense.*] *Adj. 2 g.* e *s. 2 g.* Malgaxe (1 e 2).

madalena¹. [Do antr. *Madalena.*] *S. f.* Mulher dedicada à vida religiosa, em reparação do passado airado ou libertino. ◆ **Madalena arrependida.** Pessoa que, havendo procedido mal com outra, vem depois dar provas de arrependimento.

madalena². [Do fr. *madeleine.*] *S. f.* Bolinho leve, de forma oblonga, estriado, feito de farinha de trigo, ovos, manteiga, açúcar e limão.

madalenense. *Adj. 2 g.* **1.** De, ou pertencente ou relativo a Santa Maria Madalena (RJ). ● *S. 2 g.* **2.** Natural ou habitante de Santa Maria Madalena.

madama. [Do fr. *madame.*] *S. f.* **1.** Senhora, dama. **2.** *Pop.* Dona-de-casa; patroa. **3.** *Pop.* Mulher, esposa. **4.** *Bras. Chulo.* V. *meretriz.* **5.** *Bras., MG. Fam.* Costureira. **6.** *Bras., MG. Fam.* V. *parteira* (1). [F. paral., gal.: *madame.*]

madame. *S. f. Gal.* V. *madama.*

madamismo. *S. m. Fam.* **1.** Multidão de madamas ou senhoras. **2.** As senhoras.

madapolão. [Do top. *Madapolão* (Índia), importante centro de tecelagem do algodão.] *S. m.* **1.** Tecido branco e consistente, de lã. **2.** *Bras., N.E.* V. *morim:* "levava o restante ao mercado onde trocava os alqueires por peças de m a d a p o l ã o ou de zuarte e morim" (Coelho Neto, *Sertão*, p. 278).

madarose. [Do gr. *madárosis*, 'calvície'.] *S. f. Patol.* Queda dos pêlos, em especial dos cílios.

madefação. [Do lat. **madefactione*, calcado em *madefactu*, 'umedecido'.] *S. f.* Ato de madeficar.

madeficar. [Do lat. *mad*, raiz de *madidu*, 'úmido, mádido', + *-e-* + *-ficar.*] *V. t. d.* **1.** Tornar úmido; banhar. **2.** Umedecer (uma substância) na preparação de um medicamento. [Conjug.: v. *trancar.*]

madeira¹. [Do lat. *materia.*] *S. f.* **1.** Cerne das árvores, anatomicamente constituído pelo lenho secundário morto. [Cf. *alburno.*] **2.** V. *madeiro* (1). **3.** *Bras. P. ext.* Árvore (1). **4.** *Bras., Amaz.* Entre os seringueiros, a árvore da borracha. **5.** *Bras., RJ. Gír.* Bengala; cacete, pau, porrete. **6.** *Bras.* Violão; viola. ~ V. *madeiras.* ♦ **Madeira compensada.** *Bras.* Compensado². **Madeira de lei. 1.** Madeira dura ou rija, própria para construções e trabalhos expostos às intempéries; madeira dura: "A mata de preciosas m a d e i r a s d e l e i, poderia ser ainda explorada com a montagem de uma serraria." (Xavier Marques, *As Voltas da Estrada,* p. 297.) **2.** *Fig.* O que é bom, durável, resistente. [Opõe-se a *madeira-branca.*] **Madeira dura.** Madeira de lei (1). **Bater na madeira.** *Bras. Fam.* V. *isolar* (4).

madeira². [Do top. *Madeira.*] *S. m.* Vinho generoso, da ilha da Madeira (Portugal): "bocejando alguns, falando animadamente outros, levípedes, de faces rubras, aos estos de um xerez ancião, ou de um m a d e i r a longo tempo sopitado em garrafas poentas." (Afonso Arinos, *Pelo Sertão,* p. 138). ~ V. *madeiras.*

madeira-branca. *S. f.* Qualquer essência florestal de contextura mole, e de segunda qualidade, seja qual for a cor do seu lenho. [Opõe-se a *madeira de lei.* Pl.: *madeiras-brancas.*]

madeiral. *S. m.* Arvoredo de que se tiram madeiras.

madeirame. [De *madeira*¹ + *-ame.*] *S. m.* Madeiramento.

madeiramento. *S. m.* **1.** Porção de madeira. **2.** Madeira que constitui a armação de uma casa: "A casa ficou a arder com altas labaredas rubras, crepitando o m a d e i r a m e n t o seco, as velhas vigas de aroeira, os caibros de mororó." (Gustavo Barroso, *Terra de Sol,* p. 145.) **3.** Estrutura ou armação de madeira: "Os tectos das pequenas igrejas esverdinham-se de musgo; .... crescem os tortulhos na base do m a d e i r a m e n t o dos altares" (Ramalho Ortigão, *As Farpas,* I, p. 10). [Sin. ger.: *madeirame.*]

madeirar. *V. t. d.* **1.** Pôr armação de madeira em: "os carpinteiros principiaram a ajeitar os pranchões aparelhados, m a d e i r a n d o a plataforma." (Euclides da Cunha, *Contrastes e Confrontos,* p. 192). *Int.* **2.** Trabalhar em madeira. **3.** Colocar armação de madeira em algum edifício.

madeiras. [Pl. de *madeira.*] *S. f. pl. Mús.* Na orquestra, designação genérica dos instrumentos de sopro feitos de madeira. ~ V. *madeira*¹.

madeireira. [Fem. substantivado do adj. *madeireiro.*] *S. f.* Empresa ou estabelecimento comercial que se dedica à exploração industrial e/ou comercial da madeira.

madeireiro. *S. m. Bras.* **1.** Negociante de madeira. **2.** Cortador de madeira nas matas. **3.** Aquele que trabalha em madeira. ● *Adj.* **4.** *Bras., S.* Relativo ao comércio ou à indústria de madeiras.

madeirense. *Adj. 2 g.* **1.** Da, ou pertencente ou relativo à ilha da Madeira (Portugal). ● *S. 2 g.* **2.** Natural ou habitante da Madeira.

madeiro. [De *madeira*¹.] *S. m.* **1.** Peça ou tronco grosso de madeira; madeira, lenho. **2.** Cruz (3): "e Jesus Cristo num m a d e i r o, escorrendo sangue, é a imagem divina da liberdade." (Guerra Junqueiro, *Vibrações Líricas,* p. 87). **3.** *Bras., AM.* Chifre de gado vacum.

madeixa. [Do lat. *mataxa.*] *S. f.* **1.** Pequena meada. **2.** Negalho (1). **3.** Porção de cabelos da cabeça; mecha, melena: "Na cabeça, penteada em bandós de grossas m a d e i x a s alouradas, alvejava um lenço de cambraieta" (Camilo Castelo Branco, *Sentimentalismo e História,* p. 213).

madeixar-se. *V. p.* Cobrir-se de madeixas.

➧**mademoiselle** (madmuazél'). [Fr., 'senhorita'.] *S. f.* Tratamento que se dá à mulher solteira.

madgiar. *Adj. 2 g.* e *s. 2 g.* V. *magiar.*

mádido. [Do lat. *madidu.*] *Adj. Poét.* Umedecido, orvalhado.

madona. [Do it. *madonna,* 'minha senhora'.] *S. f.* **1.** Nossa Senhora. **2.** Imagem ou pintura que representa Nossa Senhora.

madorna. [De *modorra,* com dissimilação.] *S. f.* V. *modorra:* "sofrera o primeiro impacto da presença dela quando, passando por uma m a d o r n a, na rede, fora despertado com o oferecimento de uma xícara de café." (Nélson de Faria, *Cabeça-Torta,* p. 53).

madornar. [De *madorna* + *-ar*².] *V. t. d.* **1.** V. *modorrar* (1). *Int.* e *p.* **2.** V. *modorrar* (2). **3.** *Bras.* Cochilar, dormitar: "arranchei-me aqui para m a d o r n a r um pedaço e pegou de mim uma tal bebedeira de sono que estou que não posso comigo." (José de Alencar, *O Sertanejo,* p. 77). [F. paral.: *amadornar.*]

madorra (ô). [De *modorra,* com dissimilação.] *S. f.* V. *modorra.* [Pl.: *madorras* (ô). Cf. *madorra* e *madorras,* do v. *madorrar.*]

madorrar. [De *madorra* + *-ar*².] *V. t. d., int.* e *p.* V. *modorrar.* [Pres. ind.: *madorro, madorras, madorra,* etc. Cf. *madorra* (ô) e pl. *madorras* (ô).]

madorrento. [De *madorra* + *-ento.*] *Adj.* V. *modorrento.*

madraçar. [De *madraço* + *-ar*².] *V. int.* V. *madrecear.* [Conjug.: v. *laçar.*]

madraçaria. *S. f.* Vida ou caráter de madraço: "Eça de Queirós, para descrever a preguiça, a m a d r a ç a r i a lisboeta, usa de um vocabulário inigualável" (Martins Fontes, *Terras da Fantasia,* p. 118).

madraceador (ô). *Adj.* e *s. m.* Diz-se de, ou aquele que madraceia.

madracear. *V. int.* Levar vida de madraço; mandriar, madraçar. [Conjug.: v. *frear.*]

madraceirão. [De *madraço* + *-eirão.*] *Adj.* e *s. m.* Que ou aquele que é grande madraço. [Fem.: *madraceirona.*]

madraceirona. *Adj. (f.)* e *s. f.* Fem. de *madraceirão.*

madracice. *S. f.* **1.** Qualidade de madraço. **2.** Madraçaria.

madraço. [Do ár. *matrâ,* 'lugar onde algo é atirado'; 'lugar onde se atira o corpo'; 'colchão'.] *Adj.* e *s. m.* V. *mandrião* (1 e 2): "Num botequim, ... abancados a mesas sórdidas, preguiçavam m a d r a ç o s " (Coelho Neto, *Turbilhão,* p. 60). [Aum.: *madraceirão.*]

madras. [Do fr. *madras.*] *S. m. 2 n.* Tecido de algodão, etc., em geral xadrez, utilizado em decoração, vestuário, lenços, etc.

madrasta. [Do lat. **matrasta,* pej. de *mater,* 'mãe'.] *S. f.* **1.** Mulher casada, em relação aos filhos que o marido teve de matrimônio anterior. **2.** *Fig.* Mãe ou mulher descaroável. [Nessas acepç. é fem. de *padrasto.*] ● *Adj. (f.)* **3.** Pouco carinhosa; ingrata, má: *terra m a d r a s t a;* "Sei que é grande maçada / Morrer, mas morrerei / — Quando fores servida — / Sem maiores saudades / Desta m a d r a s t a vida, / Que, todavia, amei." (Manuel Bandeira, *Estrela da Vida Inteira,* p. 292).

madrasto. [Do top. *Madrasta* (Índia), centro de fabricação de tapeçarias, tecidos, etc.] *S. m. Bras., N.E.* V. *morim:* "Era um pacote grande com dois cortes de fazenda para vestido .... ; m a d r a s t o para roupa branca, peças de rendas .... para enfeites." (Xavier Marques, *Jana e Joel,* p. 61.)

madre. [Do lat. *mater,* 'mãe'.] *S. f.* **1.** *Desus.* Mãe (1). [Atualmente us. só nas loc. *Madre de Deus* e *Santa Madre Igreja.*] **2.** Religiosa professa; freira. **3.** Superiora de comunidade religiosa feminina. **4.** Diretora ou regente de recolhimento, asilo, hospital, etc. **5.** *Anat.* V. *útero:* "Já se murmura na corte, dentro e fora do palácio, que a rainha, provavelmente, tem a m a d r e seca" (José Saramago, *Memorial do Convento,* p. 11). **6.** *Arquit.* Viga horizontal sobre a qual assentam barrotes: "O forno estava levantado junto de um pilar de pedra, sobre o qual uma viga de aroeira se erguia, suportando a m a d r e." (Afonso Arinos, *Pelo Sertão,* p. 39.) **7.** Matriz dos metais. **8.** *Bras.* V. *mãe-do-rio* (1). **9.** A parte mais grossa do vinho ou do vinagre, que assenta no fundo das vasilhas; mãe. **10.** *Constr. Nav.* A parte central, mais grossa, de que se formam o mastro, o cabrestante e outras partes do aparelho do navio, quando não são feitos de uma peça única. **11.** *Marinh.* Cabo de fibra ou de algodão, em torno do qual se cocham os cordões de um cabo calabroteado ou de um cabo metálico. **12.** *Mús.* Corda principal dos bordões, de aço, tripa ou seda, em torno da qual se enrola o fio de cobre ou de prata. ♦ **Madre do leme.** *Constr. Nav.* **1.** Eixo que penetra no casco do navio e transmite movimento ao leme. **2.** Parte reforçada nos lemes de certas embarcações (antigas ou miúdas), à qual se prendem as governaduras, e que se prolonga acima da porta do leme para fixar-lhe a cana ou a meia-lua.

madre-deusense. *Adj. 2 g.* **1.** De, ou pertencente ou relativo a Madre de Deus (MG). ● *S. 2 g.* **2.** Natural ou habitante de Madre de Deus. [Pl.: *madre-deusenses.*]

madrepérola. [Adapt. do lat. medieval *mater perlarum.*] *S. f.* **1.** Substância nacarada da concha dos moluscos, quimicamente composta de carbonato de cálcio depositado em camadas finíssimas. **2.** Parte nacarada da concha desse animal. **3.** Placa crivada na abertura externa do canal central do aparelho irrigador dos equinodermos; madreporita.

madreperolado. [De *madrepérola* + *-ado*¹.] *Adj.* **1.** Semelhante a madrepérola: "A praia parecia um canteiro vivo de estranhas flores m a d r e p e r o l a d a s faiscando de leve no escuro..." (Malu de Ouro Preto, *Siri na Noite sem Lua,* p. 264.) **2.** Revestido ou guarnecido de madrepérola.

madrépora. [Do it. *madrepora.*] *S. f.* Animal celenterado, antozoário, zoantário, madreporário, de esqueleto compacto e calcário. Pólipos diminutos, situados em cálices superficiais, desprovidos de sifonóglifo. São todos marinhos, na maioria coloniais, e formadores de recifes. [Sin.: *coral-branco.*]

madreporário. *S. m.* **1.** Espécime dos madreporários. ● *Adj.* **2.** Pertencente ou relativo a eles.

madreporários. *S. m. pl. Zool.* Animais celenterados, zoantários, ordem *Madreporaria,* de exosqueleto compacto e calcário, pólipos pequenos ou minúsculos, situados em pequenas cavidades do esqueleto, seis tentáculos, geralmente sem sifonóglifos, e músculos fracos. Coloniais, na maioria; vivem em mares quentes. São os corais rochosos.

madrepórico. *Adj.* Referente a madrépora. ~ V. *placa —a.*

madreporífero. [De *madrépora* + *-fero.*] *Adj.* Que contém ou produz madréporas.

madreporiforme. [De *madrépora* + *-forme.*] *Adj. 2 g.* Que tem forma ou aspecto de madrépora.

madreporita. *S. f.* Placa externa e dorsal dos equinodermos, com um orifício, e que faz parte do sistema irrigador desses animais; placa madrepórica. [Cf. *madreporite.*]

madreporite. [De *madrépora* + *-ite*².] *S. f.* Madrépora fóssil. [Cf. *madreporita.*]

madressilva. [Do lat. medieval *matrisilva.*] *S. f.* Trepadeira da família das caprifoliáceas (*Lonicera caprifolium*), de origem estrangeira, muito apreciada como ornamental graças às suas bonitas e perfumadas flores, e cujas folhas são pequenas, porém muito numerosas.

madria. *S. f.* Ondas revoltas, encapeladas.

madrigal. [Do it. *madrigale.*] *S. m.* **1.** Pequena composição poética, engenhosa e galante. **2.** Poesia pastoril. **3.** Galanteio dirigido a damas. **4.** *Mús.* Composição poético-musical que, no séc. XIV e sob a forma de desenvolvimento e aperfeiçoamento da frótola, no séc. XVI, constituiu um dos gêneros mais importantes da música profana italiana, no qual o elemento literário tem papel preponderante. Era escrita para uma ou mais vozes (cinco e até seis no madrigal clássico do séc. XVI), com acompanhamento instrumental (alaúde, clavicímbalo, harpa), ou sem ele, e foi sob a sua influência que se operou a secularização da música, mediante a utilização de textos profanos e o emprego de fórmulas melódicas novas, de um cromatismo intenso.

madrigalesco (ê). [Do it. *madrigalesco.*] *Adj.* Referente a, ou que tem caráter de madrigal.

madrigalista. *Adj. 2 g.* e *s. 2 g.* Que ou quem faz madrigais: "Ele é poeta e gentil-homem m a d r i g a l i s t a entre os heróis da sua raça." (Martins Fontes, *A Dança,* p. 52.)

madrigalizar. *V. int.* Fazer madrigais.

madrigaz. [De um **magridaz,* com metátese.] *S. m.* Indivíduo magro, macilento, escaveirado, feio.

madrija. [De *madre.*] *S. f. Bras., BA.* Designação dada à baleia-mãe, para distingui-la do baleote. [Var.: *madrijo.*]

madrijo. *S. m. Bras.* Var. de *madrija* [q. v.].

madrileno. [Do esp. *madrileño.*] *Adj.* **1.** De, ou pertencente ou relativo a Madri, capital da Espanha. ● *S. m.* **2.** O natural ou habitante de Madri. [Sin. ger.: *madrilense, madrilês, matritense.*]

madrilense. [Do top. *Madri* + *-l-* + *-ense.*] *Adj. 2 g.* e *s. 2 g.* V. *madrileno.*

madrilês. [Do top. *Madri* + *-l-* + *-ês.*] *Adj.* e *s. m.* V. *madrileno.* [Flex.: *madrilesa* (ê), *madrileses* (ê), *madrilesas* (ê).]

madrinha. [Do lat. **matrina,* dim. afetivo de *mater,* 'mãe'.] *S. f.* **1.** Mulher que serve de testemunha em batizados, crismas e casamentos, e que assim fica sendo chamada, em relação ao neófito ou à pessoa que se crisma ou casa. **2.** Aquela que dá o nome, batiza ou inaugura: *É a m a d r i n h a do novo transatlântico.* **3.** *Fig.* Protetora, auxiliadora, patrocinadora. **4.** *Bras.* Égua ou besta que serve de pastora e guia duma tropa de muares; égua madrinha. **5.** *Bras., BA.* Mãe-de-santo, nos candomblés de caboclo. ♦ **Madrinha de apresentação.** *Bras.* **1.** Mulher que leva o batizando até à igreja, onde o entrega à madrinha. [Sin., em MG.: *madrinha de carrego.*] **2.** Mulher que representa o padrinho ou a madrinha, quando impedidos de comparecer ao batismo. **Madrinha de carrego.** *Bras., MG.* Madrinha de apresentação (1). **Madrinha de guerra.** Pessoa do sexo feminino que, durante a primeira e a segunda guerras mundiais, escrevia a combatentes, aos quais, na maioria das vezes, jamais vira, animando-os, e enviava-lhes presentes de objetos e iguarias.

madrinhar. *V. t. d. Bras., S.* V. *amadrinhar* (3 a 5).

madrinheiro. *S. m. Bras., S.* O rapaz que anda na égua madrinha com o fim de regular o tempo da marcha da tropa ou da tropilha.
madrugada. [Fem. substantivado de *madrugado*, part. de *madrugar*.] *S. f.* **1.** V. *manhã* (2). **2.** *P. ext.* Período entre zero hora e o amanhecer: *Eram duas horas da madrugada.* **3.** *Fig.* Antecipação; precocidade.
madrugador (ô). *Adj.* e *s. m.* **1.** Que ou aquele que madruga. **2.** *Fig.* Que ou aquele que é diligente ou antecede outrem em qualquer ação ou serviço.
madrugar. [Do lat. **maturicare* < *madurare*, 'amadurecer'; 'apressar, acelerar', donde 'levantar-se cedo'.] *V. int.* **1.** Levantar-se da cama bem cedo: "madrugava como um pássaro e só adormecia pela noite dentro." (João de Araújo Correia, *Terra Ingrata*, p. 220.) **2.** Praticar algum ato antes do tempo próprio. **3.** Preceder outrem em qualquer coisa. **4.** Aparecer antes do tempo, ou muito cedo; manifestar-se precocemente. [Conjug.: v. *largar*.]
maduração. [De *madurar* + *-ção*.] *S. f.* **1.** Sazonamento da fruta; amadurecimento. **2.** *Patol.* Supuração de abscesso. [Sin. ger.: *maturação, amadurecimento*.]
madurador (ô). [De *madurar* + *-(d)or*.] *Adj.* Que faz madurar ou amadurecer.
madural. [De *maduro*[2] + *-al*.] *Adj.* (*f.*) Diz-se de uma espécie de azeitona; toural, negral.
madurão. *Adj.* Muito maduro[1] (4): *Já é madurão, anda pelos cinqüenta anos.* [Fem.: *madurona*.]
madurar. [Do lat. *maturare*.] *V. t. d.* e *int.* V. *amadurecer*: "O tempo madura os frutos, / branqueia nossos cabelos" (Tiago de Melo, *Vento Geral*, p. 89);"achou melhor colher o arroz mesmo sem ele madurar de todo. (Nélson de Faria, *Tiziu e Outras Estórias*, p. 72).
madurecer. [De *maduro* + *-ecer*.] *V. t. d.* e *int.* V. *amadurecer*. [Conjug.: v. *aquecer*.]
madureiro. [De *maduro* + *-eiro*.] *S. m.* Lugar apropriado para se pôr a fruta a amadurecer.
madurês. [Do pop. *Madura* (Ásia) + *-ês*.] *S. m.* Um dos idiomas da Malásia. [Cf. *madurez*.]
madurez (ê). *S. f. P. us.* Madureza. [Cf. *madurês*.]
madureza (ê). *S. f.* **1.** Qualidade ou estado de maduro; sazonamento, maturação. **2.** Efeito de madurar. **3.** *Fig.* Estado do que está plenamente desenvolvido; amadurecimento, maturidade: *madureza de espírito.* **4.** *Fig.* Circunspecção, prudência: *Pensou com madureza acerca do problema.* [Var., p. us.: *madurez*.]
maduro[1]. *S. m. Bras., RJ.* Bebida fermentada, feita de cabaú misturado com água.
maduro[2]. [Do lat. *maturu*.] *Adj.* **1.** Amadurecido, maturado, sazonado: *fruto maduro.* **2.** *Fig.* Plenamente desenvolvido; completamente formado: *indivíduo maduro; espírito maduro.* **3.** *Fig.* Refletido, prudente, ponderado; amadurecido, maturado: *É muito maduro, incapaz de leviandades, apesar de ainda moço;* "um maduro estudo da questão colonial." (Ramalho Ortigão, *As Farpas*, IV, p. 256). **4.** Que já não é moço; já avançado em anos: "Outras mulheres, velhas ou maduras, entravam ou saíam de vários quartos" (Vasconcelos Maia, *O Leque de Oxum*, p. 57). **5.** Supurado (abscesso).
maduromicose. [De *madur(ela)* + *-o-* + *micose*.] *S. f. Patol.* Infecção crônica produzida por actinomicetos, que compromete, principalmente, o pé e, em casos raros, outras partes do corpo, e se caracteriza pela formação de múltiplos abscessos e fístulas, e pelo desenvolvimento de tecido de granulação.
madurona. *Adj.* (*f.*) Fem. de *madurão*.
mãe. [Do lat. *mater*, 'mãe'.] *S. f.* **1.** Mulher, ou qualquer fêmea, que deu à luz um ou mais filhos. **2.** Pessoa muito boa, dedicada, desvelada: "— Ó piedosa Mulher, Mãe dos Abandonados, / *Miserere mei!...*" (Gomes Leal, *A Mulher de Luto*, p. 183); *Pedro é uma mãe para os amigos.* **3.** *Fig.* Fonte, origem, berço: "A idéia da morte, lembra o poeta Valéry, representa a mola das leis, a mãe das religiões.... o excitante essencial da glória e dos grandes amores" (Carlos Drummond de Andrade, *Passeios na Ilha*, p. 195); *A Grécia foi a mãe do teatro ocidental.* **4.** V. *mãe-do-rio* (1). **5.** Madre (9). **6.** *Bras.* Nos esportes, jogador que, atuando mal, beneficia o adversário. ● *Adj. 2 g.* **7.** Materno, maternal. **8.** *Bras. Gír.* Muito grande; forte, intenso: *Tomou um pileque mãe; Levou uma surra mãe.* ~V. *língua*—. ◆ **Mãe de Deus.** V. *Nossa Senhora* (1). **Mãe de família.** Mulher casada e com filhos. [Cf. *mãe-de-família*.] **Falar na mãe de.** Usar de palavras ofensivas à honra da mãe de. **Ficar como a mãe de S. Pedro.** Não ter onde ficar. **Nossa Mãe.** V. *Nossa Senhora* (1).
mãe-benta. [De *mãe* + o antr. *Benta*, de Benta Maria da Conceição Torres, doceira famosa que viveu pelo tempo da Regência.] *S. f. Bras.* Espécie de pequeno bolo feito de farinha de trigo, coco e ovos. [Pl.: *mães-bentas*.]
mãe-boa. *S. f. Bras.* Planta escandente da família das vitáceas (*Cissus alata*), de flores pequeninas e ordenadas em cachos, e cujos frutos são pequenas bagas que recordam, de longe, uvas, e que, segundo o povo, tem propriedades medicinais. [Pl.: *mães-boas*.]
mãe-caridosa. *S. f. Bras. Gír.* V. *ambulância* (3). [Pl.: *mães-caridosas*.]
mãe-carinhosa. *S. f. Bras. Gír.* V. *ambulância* (3). [Pl.: *mães-carinhosas*.]
mãe-d'água. *S. f. Bras.* **1.** Ente fantástico, espécie de sereia de rios e lagos; iara, uiara, aiuara-aiuara, boiaçu. **2.** Fonte ou reservatório de água. **3.** *Pop.* V. *água-viva* (2). **4.** *Fig.* Pessoa que chora facilmente. **5.** *Constr.* Arca-d'água. [Pl.: *mães-d'água*.]
mãe-da-lua. *S. f. Bras., BA.* V. *urutau*: "Dir-se-ia uma voz de mulher e tinha uma melodia esquisita e monótona. Era o canto da mãe-da-lua." (Aluísio Azevedo, *O Mulato*, p. 223.) [Pl.: *mães-da-lua*.]
mãe-da-mata. *S. f. Bras., Amaz.* Duende da floresta, que preside aos destinos da flora e da fauna que a habitam. [Pl.: *mães-da-mata*.]
mãe-da-taoca (ô). *S. f. Bras., Amaz.*, Designação comum às aves passeriformes, da família dos formicarídeos, gênero *Phlegopsis* Reich., de coloração pardo-olivácea, cabeça, garganta e peito pretos e asas, cauda e crisso vermelhos. [Pl.: *mães-da-taoca* (ô).]
mãe-da-tora. *S. f. Bras., Amaz.* Ave pásseriforme, da família dos formicarídeos (*Pyriglena leuconota* (Spix)), de coloração preta, com uma mancha dorsal branca, tendo a fêmea a parte superior pardo-escura, um pouco avermelhada, garganta esbranquiçada e abdome preto. Vive na mata e alimenta-se de insetos. [Pl.: *mães-da-tora*.]
mãe-de-anhã. *S. f. Bras.* Peixe da família dos locarídeos (*Kronichthys subteres*). [Pl.: *mães-de-anhã*.]
mãe-de-família. *S. f.* V. *bela-margarida*. [Pl.: *mães-de-família*. Cf. *mãe de família*.]
mãe-de-porco. *S. f. Bras.* V. *taiaçuíra*. [Pl.: *mães-de-porco*.]
mãe-de-santo. *S. f. Bras.* Sacerdotisa de candomblé ou macumba [v. *pai-de-santo*]; ialorixá. [Pl.: *mães-de-santo*.]
mãe-de-saúva. *S. f. Bras.* **1.** V. *cobra-de-duas-cabeças*. **2.** V. *cobra-cega* (1). [Pl.: *mães-de-saúva*.]
mãe-de-tucano. *S. f. Bras., Amaz.* V. *anambeúna*. [Pl.: *mães-de-tucano*.]
mãe-do-anhã. *S. f. Bras.* V. *anhá*. [Pl.: *mães-do-anhã*.]
mãe-do-camarão. *S. f. Bras.* V. *tamburutaca*. [Pl.: *mães-do-camarão*.]
mãe-do-corpo. *S. f. Bras. Pop.* V. *útero*. [Pl.: *mães-do-corpo*.]
mãe-do-fogo. *S. f.* **1.** *Bras., Amaz.* Tronco seco de madeira branca, que conserva o fogo por muitos dias. **2.** *Bras., RS.* Tição grande, que conserva o fogo para o dia seguinte, no fogão do galpão das estâncias. [Pl.: *mães-do-fogo*.]
mãe-do-ouro. *S. f. Bras., PR.* Ente fantástico que, segundo a superstição popular, guarda as minas de ouro. [Pl.: *mães-do-ouro*.]
mãe-do-rio. *S. f. Bras.* **1.** Leito do rio até o extremo das margens, quando o rio, transbordando, alaga as terras ribeirinhas; madre, mãe. [Cf. *leito* (5).] **2.** V. *boiúna*. [Pl.: *mães-do-rio*.]
mãe-do-sol. *S. f. Bras., Amaz.* **1.** Inseto coleóptero, da família dos buprestídeos (*Euchroma gigantea* (L.)), de coloração metálica brilhante, e revestido de abundante eflorescência de cor amarela. Os adultos podem atingir 8 cm de comprimento e são usados como adorno pelos índios e habitantes do interior. Vivem em paineiras, embiruçus e figueiras. **2.** V. *príncipe*[1] (8). [Pl.: *mães-do-sol*.]
mãe-joana. *S. f. Bras.* V. *água-viva* (2). [Pl.: *mães-joanas* e *mãe-joanas*.]
maenga. *S. m.* **1.** *Bras., PE. Pop.* Soldado de polícia, ou guarda-civil. [V. *mata-cachorro* (2).] **2.** *Bras. Pop.* V. *joão-ninguém*.
mãe-parida. *S. f. Bras.* V. *rabanada*[1]. [Pl.: *mães-paridas*.]
mãe-pequena. *S. f. Bras. Substituta imediata da mãe-de-santo ou do pai-de-santo nos candomblés.* [Pl.: *mães-pequenas*.]
maeruna. *S. 2 g.* e *adj. 2 g. Bras.* V. *majuruna*.
mães-do-bicho. *S. f. pl. Bras., Amaz. Folcl.* Personagens míticos que protegem as espécies animais da destruição pelo homem.
maestre. *S. m. Ant.* Mestre.
maestria. [De *maestre* + *-ia*.] *S. f.* V. *mestria*: "A pintura portuguesa, que no século XVI atingiu um limite de maestria nunca mais alcançada, deriva inicialmente da influência de Flandres" (Ramalho Ortigão, *Arte Portuguesa*, II, p. 240).
maestrina. [Do it. *maestrina*.] *S. f.* Fem. de *maestro*.
maestrino. [Do it. *maestrino*, dim. pejorativo.] *S. m.* Compositor de música ligeira.
maestro. [Do it. *maestro*, 'mestre'.] *S. m.* **1.** Compositor musical. **2.** Regente de orquestra. [Fem.: *maestrina*.]
mãe-velha. *S. f. Bras., N.E. Folcl.* Rede grande, bem usada e confortável. [Pl.: *mães-velhas*.]
mafabé. *Adj. 2 g. Bras., SP.* Diz-se de pessoa sem nenhum préstimo.
mafamético. *Adj.* Pertencente ou relativo a Mafamede ou Mafoma (designações de Maomé [v. *maometano*.]
mafarrico. *S. m. Pop.* V. *diabo* (2): "Deus me perdoe se a pequena não parecia instrumento do mafarrico para me atentar." (José Cardoso Pires, *Jogos de Azar*, p. 133.)
mafaú. *S. m. Bras.* Variedade de cajueiro.
má-fé. *S. f.* Intenção dolosa; perfídia. [pl.: *más-fés*.]
máfia. [Do dialeto siciliano *mafia*, 'audácia' 'bazófia', 'insolência', provavelmente do ár. *mahyah*, 'ufanismo', 'bazófia'.] *S. f.* **1.** Sociedade secreta, fundada na Itália no séc. XIX para garantir a segurança pública, e posteriormente acusada de participação em numerosos crimes. **2.** *P. ext.* Grupo criminoso bem organizado.
mafião. *Adj.* e *s. m. Bras. Pop.* Covarde, poltrão.
mafioso (ô). [Do it. *mafioso*.] *S. m.* **1.** Membro da máfia: "Mafiosos japoneses disputam a chefia do crime organizado" (*Jornal do Brasil*, 15.7.1984). **2.** *P. ext.* Indivíduo hábil e inescrupuloso. ● *Adj.* **3.** Que é membro da máfia. **4.** Próprio de, ou que lembra um mafioso (1 e 2): *atitude mafiosa; cara mafiosa.*
mafomista. *S. 2 g.* Partidário de Mafoma ou Maomé [v. *maometano*].
má-formação. *S. f.* Malformação. [Pl.: *más-formações*.]
mafrense. *Adj. 2 g.* **1.** De, ou pertencente ou relativo a Mafra (Portugal e SC). ● *S. 2 g.* **2.** Natural ou habitante de Mafra.
mafuá. *S. m. Bras., RJ.* Feira ou parque de diversões com barracas, jogos, carrosséis, etc.: "procissões, bandas de música, circos, mafuás" (Osmã Lins, *Nove, Novena*, p. 91).
mafurá. [De or. indígena, certamente.] *S. m. Bras.* V. *pacupeba*.
maga. [Fem. de *mago*.] *S. f.* Mulher que pratica magia (1); feiticeira, bruxa, mágica.
magalânico. *Adj.* **1.** Pertencente ou relativo ao navegador português Fernão de Magalhães (1480-1521). **2.** Da, ou pertencente ou relativo à província ou ao estreito de Magalhães (Chile). ● *S. m.* **3.** O natural ou habitante dessa província.
magalhense. *Adj. 2 g.* **1.** De, ou pertencente ou relativo a Magalhães de Almeida (MA). ● *S. 2 g.* **2.** Natural ou habitante de Magalhães de Almeida.
magana. *S. f.* **1.** *Mús.* Espécie de tocata antiga. **2.** Mulher desenvolta e/ou lasciva. ● *Adj.* (*f.*) Namoradeira.
maganagem *S. f.* **1.** Grupo de pessoas maganas. **2.** V. *maganice*.
maganão. [De *magano* + *-ão*[1].] *Adj.* e *s. m.* Que ou aquele que pratica muitas maganices ou é muito magano; pândego.
maganeira. *S. f.* V. *maganice*.
maganice. *S. f.* Ato ou dito de magano; maganeira, maganagem: "Dizia-lhe então maganices de velho amoroso" (Fialho d'Almeida, *Lisboa Galante*, p. 101).
magano. *Adj.* **1.** Jovial, engraçado, travesso; atrevido, malicioso. ● *S. m.* **2.** Indivíduo magano. **3.** Indivíduo de baixa extração.
magarefe. [De possível or. ár.] *S. m.* **1.** Aquele que mata e esfola reses nos matadouros; açougueiro, carniceiro, carneador: "A fazenda vendia gado no pêlo e matava para o mercado, cortando, na vila, com os seus magarefes." (José Vieira, *Vida e Aventura de Pedro Malasarte*, p. 211.) **2.** *Fig.* V. *açougueiro* (3).
magari. *Bras. S. 2 g.* **1.** Indivíduo da extinta tribo indígena dos magaris, do alto Amazonas. ● *Adj. 2 g.* **2.** Pertencente ou relativo a essa tribo.
magazine. [Do ingl. *magazine* < fr. *magasin* ou it. *magazzino*.] *S. m.* **1.** *Bras.* Publicação periódica, geralmente ilustrada e de caráter recreativo: "Num desses magazines americanos em que você contenta a sua moderada curiosidade do mundo exterior li uma teoria justificativa da história curta." (Domício da Gama, *Histórias Curtas*, p. VI.) [Cf. *revista*[2].] **2.** Casa onde se vendem artigos de modas; loja. **3.** *Tip.* Receptáculo de forma trapezoidal montando ao alto da linotipo e congêneres, e em cujos canais deslizam as matrizes

para o componedor, quando se aciona o teclado. [Sin., p. us.: *armazém, depósito.*]

magbá. [Do ioruba.] *S. m.* Sacerdote de Xangô que se encarregava de manter vivo o seu culto na Terra, depois que se tornou orixá.

magdaleão. [Do gr. *magdaliá*, 'miolo de pão', 'pasta amassada em forma de cilindro'.] *S. m. Farmac.* Medicamento enrolado em cilindro.

magdense. *Adj. 2 g.* **1.** De, ou pertencente ou relativo a Magda (SP). ● *S. 2 g.* **2.** Natural ou habitante de Magda.

mageense (êên). *Adj. 2 g.* **1.** De, ou pertencente ou relativo a Magé (RJ). ● *S. 2 g.* **2.** Natural ou habitante de Magé.

magenta. [Do top. *Magenta* (Itália).] *Adj. 2 g.* **1.** V. *carmim* (4 e 5). ● *S. m.* **2.** V. *carmim* (1 e 2). [Em fotogravura é usada em lugar do vermelho, nos filtros e tintas, para maior fidelidade ao original. Cf. *ciano*.]

magérrimo. *Adj.* V. *macérrimo.*

magia. [Do gr. *mageía*, pelo lat. *magia*.] *S. f.* **1.** Arte ou ciência oculta com que se pretende produzir, por meio de certos atos e palavras, e por interferência de espíritos, gênios e demônios, efeitos e fenômenos extraordinários, contrários às leis naturais; mágica, bruxaria. **2.** Religião ou doutrina dos magos; magismo. **3.** *Fig.* Magnetismo, fascinação, encanto, mágica. **4.** *Sociol.* Instituição baseada na crença da força sobrenatural, regulada pela tradição, e constituída de práticas, ritos e cerimônias em que se apela para as forças ocultas e se procura alcançar o domínio do homem sobre a natureza. ◆ **Magia branca.** Umbanda (1). **Magia imitativa.** Aquela em que se imita a causa desejada. **Magia negra.** Magia (1) praticada com maus propósitos; bruxaria, necromancia, nigromancia. **Magia simpática.** Aquela em que se pretende ter ação sobre pessoa ou objeto distante, dos quais se possui uma parte.

magiar. [Do húng. *magyar*.] *Adj. 2 g.* e *s. 2 g.* V. *húngaro* (1 e 2).

mágica. [Fem. substantivado do adj. *mágico*.] *S. f.* **1.** V. *magia* (1). **2.** V. *prestidigitação*. **3.** V. *maga*. **4.** *Fig.* V. *magia* (3). [Cf. *magica*, do v. *magicar*.]

magicar. [De *maginar*, por infl. de *mágico*?] *V. t. d.* **1.** *Fam.* Pensar, ruminar. *T. i.* e *int.* **2.** Cismar muito; andar apreensivo; maginar. **3.** Pensar; cismar, devanear: "podia magicar à vontade nas regiões inexploradas daquele país imenso, ... percorrer em sonhos aquele Far West com búfalos de imaginação" (José Gomes Ferreira, *O Mundo dos Outros*, p. 63). [Conjug.: v. *trancar*. Pres. ind.: *magico, magicas, magica*, etc. Cf. *mágico* e *mágica*.]

mágico. [Do gr. *magikós*, pelo lat. *magicu*.] *Adj.* **1.** Respeitante à magia. **2.** Extraordinário, sobrenatural, fantástico. **3.** Encantador, delicioso, fascinante, mago. ~ V. *arte —a, lanterna —a, olho —, quadrado —* e *realismo —*. ● *S. m.* **4.** V. *mago* (3). **5.** V. *prestidigitador* (1): *os mágicos do circo*. [Cf. *magico*, do v. *magicar*.]

maginação. [De *imaginação*, por aférese.] *S. f. Ant.* e *pop.* Imaginação.

maginar. [De *imaginar*, por aférese.] *V. int.* **1.** *Ant.* e *pop.* Imaginar: "— Você nem magina como eu ando!" (Amando Fontes, *Os Corumbás*, p. 114.) **2.** *Bras. Pop.* V. *magicar* (2).

magismo. *S. m.* **1.** Prática de magia (1). **2.** Magia (2).

magisterial. *Adj. 2 g.* **1.** Referente a magistério. **2.** Na Igreja Católica, diz-se de definição proveniente de um órgão do magistério.

magistério. [Do lat. *magisteriu*.] *S. m.* **1.** Cargo de professor. **2.** Exercício desse cargo; ensino, professorado. **3.** A classe dos professores. **4.** Designação comum, outrora, a certos compostos, minerais principalmente, aos quais se atribuíam virtudes extraordinárias. **5.** Na Igreja Católica, exercício da autoridade de ensinar, ligada ao episcopado ou ao supremo pontificado.

magistocéfalo. *Adj.* V. *megalocéfalo*.

magistrado. [Do lat. *magistratu*.] *S. m.* **1.** Indivíduo investido de múnus público, i. e., delegatário de poderes da nação ou do poder central, para governar ou distribuir justiça. **2.** *Restr.* Juiz, desembargador, ministro.

magistral. [Do lat. *magistrale*.] *Adj. 2 g.* **1.** Relativo ou pertencente a mestre. **2.** *Fig.* Perfeito, completo, exemplar. ● *S. m.* **3.** Cônego que exerce o magistério, principalmente de teologia.

magistralidade. *S. f.* **1.** Qualidade de magistral ou de magistrado. **2.** Tom pomposamente magistral; pedantismo.

magistrando. [Do lat. *magistru*, 'mestre', com a desin. de ger. que existe em *bacharelando, doutorando, formando*, etc.] *S. m.* Candidato a mestre.

magistrático. *Adj.* De, ou respeitante a magistrado.

magistratura. [Do lat. *magistratu*, 'magistrado', + *-ura*.] *S. f.* **1.** Dignidade ou funções de magistrado. **2.** A classe dos magistrados. **3.** Duração do cargo do magistrado. ◆ **Magistratura em pé.** O Ministério Público.

magma. [Do gr. *mágma*, 'pasta de farinha de trigo amassada', pelo lat. *magma*.] *S. m.* **1.** Massa natural fluida, ígnea, de origem profunda, e que, ao esfriar-se, se solidifica, originando a rocha magmática. **2.** Matéria espessa que fica depois de se espremer uma substância. **3.** Qualquer substância pastosa e viscosa, como a lava, o vidro derretido, etc. **4.** *Med.* Linimento espesso. **5.** *Tec.* Num cristalizador, a solução saturada de onde precipitam os cristalitos.

magmático. [Do gr. *mágma, atos* (v. *magma*) + *-ico*[2].] *Adj.* Referente a magma. ~ V. *corrosão —a* e *rocha —a*.

magnanimidade. [Do lat. *magnanimitate*.] *S. f.* **1.** Qualidade de magnânimo. **2.** Ato próprio de quem é magnânimo.

magnânimo. [Do lat. *magnanimu*.] *Adj.* **1.** Que tem grandeza de alma; generoso, liberal, bizarro, longânime. **2.** Próprio de alma nobre e generosa: *gesto magnânimo*.

magnata. [Do lat. tardio *magnates*. *S. m.* **1.** Antiga designação dos membros da alta nobreza, na Polônia e na Hungria. **2.** Pessoa importante, poderosa, influente ou ilustre. V. *mandachuva*. **3.** Grande capitalista [F. paral.: *magnate*.]

magnate. [Do lat. tardio *magnates*, 'senhores', 'potentados', 'pessoas gradas', tomado no sing.] *S. m.* Magnata.

magnê. *Bras. S. 2 g.* **1.** Indivíduo dos magnês, tribo indígena de MT. ● *Adj. 2 g.* **2.** Pertencente ou relativo a essa tribo.

magnésia. [Do top. gr. *Magnesía*, pelo lat. *Magnesia*, atr. do fr. *magnésie*.] *S. f. Quím.* O óxido de magnésio, branco, cristalino, usado como refratário e em medicina. [Fórm.: M_gO.]

magnesiano. *Adj.* **1.** Relativo ao magnésio, ou à magnésia. **2.** Que contém, ou tem por base, o magnésio ou a magnésia. [Sin. ger.: *magnésico*.].

magnésico. *Adj.* Magnesiano.

magnésio. [Do lat. cient. *magnesium*.] *S. m. Quím.* Elemento de número atômico 12, metálico, branco-prateado, leve, reativo. [Símb.: *Mg*.]

magnesita. [De *magnésio* + *-ita*[3].] *S. f. Min.* Mineral trigonal, carbonato de magnésio, largamente empregado na manufatura de refratários [v. *refratário* (6)] especiais e na fabricação de vários sais de magnésio.

magnetelétrico. [De *magneto-* + *elétrico*.] *Adj. Fís. Desus.* Diz-se de fenômeno em que estão presentes campo magnético e campo elétrico.

magnético. [Do gr. *magnetikós*, pelo lat. *magneticu*, atr. do fr. *magnétique*.] *Adj.* **1.** Relativo ao magneto ou imã, ou ao magnetismo. **2.** Que tem a propriedade de atrair o ferro como o magneto. ~ V. *acoplamento —, agulha —a, balança —a, banda —a, birrefringência —a, blindagem —a, cabeça —a, campo —, campo — terrestre, circuito —, declinação —a, densidade de fluxo —, dipolo —, disco —, equador —, espelho —, fita —a, fluxo —, fluxo de indução —a, inclinação —a, indução —a, intensidade do campo —, pólo —, pólo — terrestre, potencial —, rumo —, salto —, tambor —* e *tempestade —a*. **3.** *Fig.* Que exerce atração forte ou influência profunda; atraente, fascinador, sedutor: *olhar magnético*.

magnetismo. [Do fr. *magnétisme*.] *S. m.* **1.** *Fís.* Designação comum às propriedades características dos campos e das substâncias magnéticas. **2.** Influência exercida por um indivíduo na vontade de outro(s). **3.** *Fig.* Propriedade de atrair, de encantar, de seduzir; atratividade, fascinação, encantamento. ◆ **Magnetismo animal.** Segundo Mesmer [v. *mesmeriano*], força vital de que são dotados certos indivíduos, e que propicia uma série de fenômenos paranormais. [Cf. *mesmerismo*.] **Magnetismo terrestre.** *Geofís.* Geomagnetismo.

magnetita. [Do fr. *magnétite*.] *S. f. Min.* Mineral monométrico, óxido de ferro fortemente magnético, minério de ferro.

magnetização. *S. f.* **1.** Ato ou efeito de magnetizar. **2.** *Fís.* Processo em que se magnetiza um corpo; imantação. **3.** *Fís.* Momento magnético de um corpo por unidade de volume; imantação.

magnetizador (ô). *Adj.* **1.** Que magnetiza; magnetizante. ● *S. m.* **2.** Aquele que magnetiza.

magnetizante. *Adj. 2 g.* Magnetizador (1).

magnetizar. [Do fr. *magnétiser*.] *V. t. d.* **1.** Comunicar o magnetismo a: *magnetizar uma agulha*. **2.** Dominar a vontade de; ter influência em. **3.** Atrair, encantar, fascinar: *O espetáculo magnetizava-o.*

magnetizável. *Adj. 2 g.* Suscetível de ser magnetizado.

magneto. [F. abrev. de *magnetelétrica* (subentende-se *máquina*).] *S. m. Fís.* V. *ímã* (1).

▲**magnet(o)-.** [Do gr. *mágnes, etos*.] *El. comp.* = 'magneto', 'ímã': *magnetogenia, magnetômetro.*

magnetoelétrico. *Adj.* V. *magnetelétrico*.

magnetogenia. [De *magnet(o)-* + *-gen(o)-* + *-ia*.] *S. f.* Estudo dos fenômenos magnéticos.

magnetogênico. *Adj.* Referente à magnetogenia.

magnetógrafo. [De *magnet(o)-* + *-grafo*.] *S. m. Astr.* Instrumento baseado no efeito Zeeman, e destinado a estudar o campo magnético do Sol.

magnetologia. [De *magnet(o)-* + *-log(o)-* + *-ia*.] *S. f.* **1.** Estudo das ações magnéticas de ímãs e correntes elétricas, e das propriedades magnéticas da matéria. **2.** Ciência do magnetismo.

magnetológico. *Adj.* Referente à magnetologia.

magnetômetro. [De *magnet(o)-* + *-metro*.] *S. m. Fís.* Instrumento para medição de variáveis de um campo magnético.

magnetomotriz. [De *magnet(o)-* + *motriz*.] *Adj. 2 g.* ~V. *força —.*

magneton. *S. m. Fís. Nucl.* V. *magnéton*.

magnéton. [De *magnet(o)-* + *-on*.] *S. m. Fís. Nucl.* Unidade natural para a medição do momento magnético de uma partícula, especialmente do elétron e do próton, igual ao produto da carga elétrica da partícula pela constante de Planck dividido por quatro   vezes a massa da partícula.

magnetoóptica. [De *magnet(o)-* + *óptica*.] *S. f.* Parte da física que investiga a influência dos campos magnéticos sobre a emissão, absorção e propagação da luz.

magnetopausa. [De *magnet(o)-* + *pausa*.] *S. f. Met.* Limite externo da magnetosfera, que separa a zona de ação do campo magnético terrestre do vento solar.

magnetoquímica. [De *magnet(o)-* + *química*.] *S. f.* Parte da físico-química que investiga a estrutura das substâncias por métodos baseados em fenômenos magnéticos.

magnetoquímico. *Adj.* Relativo à magnetoquímica.

magnetorrotação. [De *magnet(o)-* + *rotação*.] *S. f. Ópt.* Atividade óptica provocada pela ação de um campo magnético sobre substância opticamente inativa.

magnetoscópio. [De *magnet(o)-* + *-scop-* + *-io*[2].] *S. m.* Instrumento destinado a determinar a força magnética.

magnetoscópico. *Adj.* Relativo ao magnetoscópio.

magnetosfera. [De *magnet(o)-* + *-sfera*.] *S. f. Met.* Zona da atmosfera terrestre, além da ionosfera, na qual a taxa de ionização é próxima à unidade, as colisões são desprezíveis, e que se estende, por alguns milhares de quilômetros, até a magnetopausa, limite que a separa do espaço interplanetário.

magnetostática. [De *magnet(o)-* + *-stat(o)-* + *-ica*[2].] *S. f. Fís.* Parte do magnetismo que estuda as propriedades e características dos campos magnéticos invariáveis com o tempo.

magnetostático. *Adj.* Referente à magnetostática. ~ V. *campo —*.

magnetostrição. [De *magnet(o)-* + um lat. **strictione*, calcado em *strictu*, de *stringere*, 'comprimir, apertar'.] *S. f. Fís.* Deformação de um corpo provocada pela ação de um campo magnético.

magnétron. [De *magnet(o)-* + *-tron*, com haplologia.] *S. f. Eletrôn.* Válvula termiônica para gerar microondas.

magnicida. [Do lat. *magnu* + *-i-* + *-cida*.] *S. 2 g.* Pessoa que comete magnicídio.

magnicídio. [Do lat. *magnu* + *-i-* + *-cídio*.] *S. m.* Assassínio de grande homem, de pessoa eminente.

magnífica. *S. m. Pop.* O *magnificat* [q. v.] rezado pelo povo quando troveja. [Cf. *magnifica*, do v. *magnificar*.]

magnificação. [Do lat. *magnificatione*.] *S. f.* Ato ou efeito de magnificar(-se).

magnificar. [Do lat. *magnificare*.] *V. t. d.* **1.** Engrandecer, louvando; exaltar, glorificar: "Amemos com fervor, honremos, cantemos, magnifiquemos a harpa de ouro em que chorou Camões." (Martins Fontes, *A Dança*, p. 97.) **2.** Ampliar as dimensões de (um objeto); aumentar. *P.* **3.** Mostrar-se grande, magnífico; engrandecer-se. [Conjug.: v. *trancar*. Pres. ind.: *magnifico, magnificas, magnifica*, etc. Cf. *magnífico* e *magnífica*.]

➧**magnificat** (magnificat.) [Lat.] *S. m.* Cântico de alegrias que a Virgem Maria dirigiu ao Espírito Santo por ocasião da Anunciação, e cuja primeira palavra é *magnificat* ('enaltece'). [Cf. *magnífica*.]

magnificatório. *Adj.* Que magnifica, exalta; glorificador.

magnificável. *Adj. 2 g.* Digno de ser magnificado ou engrandecido.

magnificência. [Do lat. *magnificentia*.] *S. f.* **1.** Qualidade de magnificente; grandiosidade, suntuosidade, pompa, esplendor: "o deslumbrante espetáculo que pressentiu [Sarah Bernhardt] ao aproximar-se de nossas montanhas, a magnificência do incomparável cenário que a cerca por todos os lados." (Joaquim Nabuco, *Escritos e Discursos Literários*, p. 41.) **2.** Ostentação, aparato, luxo, brilho. **3.** Liberalidade, munificência, generosidade. ♦ **Vossa Magnificência.** Tratamento que se dá a reitor de universidade.

magnificente. [Do lat. *magnificente.*] *Adj. 2 g.* **1.** Grandioso, suntuoso. **2.** Luxuoso, brilhante, ostentoso. **3.** Generoso, liberal. [Sin. ger.: *magnífico.*]

magnificentíssimo. [Do lat. *magnificentissimu.*] *Adj.* Superl. abs. sint. de *magnífico.*

magnífico. [Do lat. *magnificu.*] *Adj.* **1.** Magnificente. **2.** Muito bom ou muito belo; excelente: "Qualquer dos três compartimentos estava luxuosamente mobiliado e o leito era m a g n í f i c o." (Artur Azevedo, *Contos Cariocas*, p. 57.) [Superl. abs. sint.: *magnificentíssimo.* Cf. *magnifico*, do v. *magnificar.*]

magniloqüência. [Do lat. *magniloquentia.*] *S. f.* Qualidade ou caráter de magnílоquo, estilo ou linguagem elevada; eloqüência.

magniloqüentíssimo. *Adj.* Superl. abs. sint. de *magnílоquo.*

magnílоquo (co). [Do lat. *magniloquu.*] *Adj.* V. *eloqüente* (1). [Superl. abs. sint.: *magniloqüentíssimo.*]

magnitude. [Do lat. *magnitudine.*] *S. f.* **1.** Qualidade de magno; grandeza: "Como que a natureza quedava em humilhação extática, adorando silenciosamente o grande astro a pino, na glória de toda a sua m a g n i t u d e" (Coelho Neto, *Turbilhão*, p. 86). **2.** *Fig.* Importância, gravidade: *a* m a g n i t u d e *do problema.* **3.** *Astr.* O brilho de um astro, caracterizado por um número positivo ou negativo, que é tanto maior quanto menor é o brilho do astro. [A magnitude, que modernamente substitui *grandeza*, pode ser *absoluta* e *aparente.*]

magno. [Do lat. *magnu.*] *Adj.* **1.** Grande; importante. **2.** Epíteto de certas personagens célebres: *Alexandre* M a g n o, *Carlos* M a g n o. ~ V. *aula —a, carta —a, conclusões —as, veia safena —a* e *Magna Carta.*

magnoleira. [De *magnólia* + *-eira.*] *S. f. Bras.* Magnólia (1): "nem um só dia deixamos de ir pousar à sombra olente das suas m a g n o l e i r a s em flor" (Oliveira Viana, *Pequenos Estudos de Psicologia Social*, p. 42).

magnólia. [Do lat. cient. *Magnolia*, com base no antr. *Magnol*, de Pierre Magnol (1638-1715), botânico francês.] *S. f.* **1.** Árvore da família das magnoliáceas (*Magnolia grandiflora*), cultivada como ornamental e procedente das terras boreais, cujas flores, grandes, alvas e perfumadas, são muito belas e estimadas; magnoleira. **2.** A flor dessa árvore.

magnólia-branca. *S. f. Bras.* Pinho-do-brejo. [Pl.: *magnólias-brancas.*]

magnoliácea. [De *magnólia* + *-ácea.*] *S. f.* Espécime das magnoliáceas.

magnoliáceas. *S. f. pl. Bot.* Família de dicotiledôneas, da ordem das ranales, que engloba árvores muito ornamentais pela beleza das flores. Folhas alternas; flores com grande número de peças em cada verticilo; perianto petalóide; carpelos livres, com um ou vários óvulos; fruto múltiplo, de natureza capsular ou indeiscente. Conhecem-se umas 100 espécies, basicamente dos países temperados; no Brasil há apenas duas espécies nativas.

magnoliáceo. *Adj.* Pertencente ou relativo às magnoliáceas.

magnólia-de-petrópolis. *S. f. Bras., L.* Árvore da família das magnoliáceas (*Michelia champaca*), exótica, muito estimada como ornamento de ruas e jardins, sobretudo nas áreas mais frias, e cujas flores são amareladas, sendo o fruto um folículo múltiplo. [Pl.: *magnólias-de-petrópolis.*]

mago. [Do iraniano, atr. do gr. *mágos* e do lat. *magu.*] *S. m.* **1.** Antigo sacerdote zoroástrico, entre os medos e persas. **2.** *Ant.* Astrólogo; adivinho. **3.** Homem que pratica a magia (1). [Sin., nesta acepç.: *feiticeiro, bruxo, mágico* (bras., N.), *juremeiro* e (impr.) *necromante* e *nigromante.*] **4.** Cada um dos três reis que foram a Belém adorar o Menino Jesus. ● *Adj.* **5.** *Fig.* V. *mágico* (3): *os* m a g o s *sons do violino;* "Enche o meu peito, num encanto m a g o, / O frêmito das coisas dolorosas..." (Florbela Espanca, *Sonetos Completos*, p. 97.)

mágoa. [Do lat. *macula.*] *S. f.* **1.** Mancha ou nódoa proveniente de contusão. **2.** *Fig.* Desgosto, amargura, pesar, tristeza. **3.** *Fig.* Sentimento ou impressão desagradável causada por ofensa ou desconsideração; descontentamento, desagrado. **4.** *Fig.* Dó, lástima, pena. [Cf. *magoa* (ô), do v. *magoar.*]

magoado. [Part. de *magoar.*] *Adj.* **1.** Ferido, pisado, contundido. **2.** Melindrado, ofendido, suscetibilizado. **3.** Aflito, contristado. **4.** Repassado de mágoa, de pesar; dorido, dolorido, lastimoso: *palavras* m a g o a d a s.

magoante. *Adj. 2 g.* Magoativo.

magoar. [Do lat. *maculare.*] *V. t. d.* **1.** Ferir, pisar, contundir: "encontrou-se na calçada, a pisar as pedras que lhe m a g o a v a m os pés macios." (Joaquim Paço d'Arcos, *Carnaval e Outros Contos*, p. 119). **2.** Melindrar, ofender, suscetibilizar: *Aquela negativa* m a g o o u *seu orgulho.* **3.** Afligir, contristar, melindrar. *Int.* **4.** Provocar mágoa: *Muitas vezes a verdade* m a g o a. *P.* **5.** Sofrer contusão no corpo. **6.** Contristar-se, afligir-se, melindrar-se. [Conjug.: v. *coroar.* Pres. ind.: *magôo, magoas* (ô), *magoa* (ô), etc. Cf. *mágoa.*]

magoativo. *Adj.* Que produz mágoa; que magoa; magoante.

magodo. [Do gr. *magodós.*] *S. m. Teat.* Na antiga comédia grega, ator burlesco que representava papéis de homem vestido de mulher.

magofonia. [Do gr. *magophónia.*] *S. f.* Festa de aniversário da matança dos magos, entre os persas.

magonçalo. *S. m. Bras.* V. *urucurana* (1).

magonga. *S. f. Bras.* V. *mangonga* (1).

magonguê. *S. m.* V. *mangonguê.*

magote. [Talvez do esp. *magote.*] *S. m.* V. *quantidade* (3).

magra. [Fem. substantivado do adj. *magro.*] *S. f. Bras. Pop.* **1.** V. *tuberculose.* **2.** A morte humana; a morte: "Quem é mordido desse bicho não tem raiva, o que tem é medo. Tem um medo danado. O que quer é fugir da m a g r a, de qualquer maneira." (Rute Guimarães, *Água Funda*, p. 169.) **3.** V. *magro* (7).

magreira. [De *magro* + *-eira.*] *S. f. Pop.* Magreza causada por doença.

magrelo. [De *magro.*] *Adj.* e *s. m. Bras.* V. *magricela:* "Lá passa o homem alto, m a g r e l o, a melena escorrendo do chapelão de palha" (Telmo Vergara, *Contos da Vida Breve*, p. 238).

magrém. [De *magro.*] *S. f.* **1.** V. *magreza.* **2.** *Bras., BA.* Entre os sertanejos, a estação da seca.

magreta (ê). *Adj.* (*f.*) Fem. de *magrete.*

magrete (ê). *Adj. Fam.* Um tanto magro; magruço. [Fem.: *magreta.*]

magrez (ê). *S. f.* V. *magreza:* "Um rapaz franzino, meio alto, de roupa clara, mostrando na m a g r e z malsã de desnutrido um estranho constrangimento". (Gilberto Amado, *Depois da Política*, p. 145).

magreza (ê). *S. f.* Qualidade ou estado de magro; magrém, magrez.

magricela. [De *magriço* + *-ela.*] *Adj. 2 g.* **1.** Diz-se de pessoa muito magra, pouco robusta; magrelo, magricelo, magriz, magriço, magrizel, magrizela, magruço: "era uma negrinha, m a g r i c e l a, um frangalho de nada" (Machado de Assis, *Páginas Recolhidas*, p. 7). ● *S. 2 g.* **2.** Pessoa muito magra; magrelo, magricelo, magrizela, magrizel, magriz, magriço, mirra.

magricelo. *Adj.* e *s. m. Bras.* V. *magricela.*

magriço[1]. [Do antr. *Magriço*, alcunha de Álvaro Gonçalves Coutinho, personagem da história de cavalaria *Doze de Inglaterra.*] *S. m.* **1.** Paladino das damas; defensor dedicado das mulheres. **2.** Defensor piegas e/ou ridículo de coisas fúteis.

magriço[2]. [De *magro* + *-iço.*] *Adj.* e *s. m.* V. *magricela.*

magrinha. [Fem. substantivado de *magrinho*, dim. de *magro.*] *S. f. Pop.* **1.** *Bras., BA.* V. *tuberculose.* **2.** *Bras., SP.* Espingarda fina, de pequeno calibre.

magríssimo. *Adj.* Macérrimo [q. v.].

magriz. [De *magro.*] *Adj.* e *s. m.* V. *magricela.*

magrizel. [De *magriz.*] *Adj.* e *s. m.* V. *magricela.* [Pl.: *magrizéis.*]

magrizela. [De *magriz.*] *Adj. 2 g.* e *s. 2 g.* V. *magricela:* "Assesta para nós os olhos .... certo sujeito m a g r i z e l a e vestido de preto" (Aquilino Ribeiro, *Alemanha Ensangüentada*, p. 120); "A morte era representada por um indivíduo m a g r i z e l a, com máscara de caveira" (Martins Fontes, *A Dança*, p. 28).

magro. [Do lat. *macru.*] *Adj.* **1.** Falto de tecido adiposo; que tem carnes escassas: *indivíduo* m a g r o. **2.** Que tem pouca ou nenhuma gordura ou sebo: *filé* m a g r o. **3.** *Fig.* Pouco rendoso: *um* m a g r o *emprego.* **4.** Insignificante, escasso, parco: m a g r o s *vencimentos;* "um pobre monge / Tem uma pobre cela e m a g r a ceia" (Almeida Garrett, *Camões*, p. 29). [Superl. abs. sint.: *magríssimo* e *macérrimo* (q. v.).] **5.** Diz-se dos dias ou do tempo em que a Igreja não permite comer carne. **6.** *Tip.* Claro (21). **7.** *Bras.* Diz-se das cartas pertencentes aos naipes de ouros e paus: *valete* m a g r o; *ás* m a g r o. [Tb. us. como s. f., mas só em relação à palavra *carta: Só batia a parada com* m a g r a s.] ~ V. *argamassa —a, argila —a, cal —a, concreto —, dia —, leite —* e *sábado —.* ● *S. m.* **8.** Indivíduo magro (1).

magruço. [De *magro* + *-uço.*] *Adj. Bras.* **1.** V. *magricela* (1): "e Dona Emerenciana, grandona, m a g r u ç a, de saias largas, fazia a demonstração diante de Lucinda" (Albertino Moreira, *Boca-Pio*, p. 125). **2.** Magrete.

maguari. [Var. de *baguari.*] *S. m. Bras.* Ave ciconiforme, da família dos ardeídeos (*Ardea cocoi* L.)), das costas marítimas e, principalmente, das águas interiores da América do Sul. Dorso cinzento-escuro; cabeça, crista, estria no meio da garganta, meio do peito e da barriga, e rêmiges, pretos, o restante do abdome branco. [Sin.: *mauari, socó-grande, garça-parda.*]

magusto. *S. m.* **1.** Fogueira para assar castanhas. **2.** As castanhas assadas em fogueira.

maí. [Do daomeano.] *S. 2 g.* **1.** Indivíduo do grupo tribal jeje, oriundo do N. do Daomé. ● *Adj. 2 g.* **2.** Pertencente ou relativo aos maís. [Sin. ger.: *marrim.*]

maia[1]. [De *maio.*] *S. f. Lus.* **1.** Antiga festa popular portuguesa, nos primeiros dias de maio. **2.** Grande boneca de palha de centeio, farelos e trapos, vestida de branco, que no 1º de maio os algarvios colocam no meio da casa, dançando e cantando em torno dela. **3.** Mulher que se adorna com mau gosto.

maia[2]. *S. 2 g.* **1.** Indivíduo dos maias, povo indígena da América Central e parte do México, notável por seu grau de civilização. ● *S. m.* **2.** A língua indígena desse povo, ainda hoje falada no México. ● *Adj. 2 g.* **3.** Pertencente ou relativo a esse povo.

maiá. [De provável or. indígena.] *S. m. Bras.* Planta da família das sapotáceas (*Chromolucuma rubiflora*).

maiacácea. *S. f.* Espécime das maiacáceas.

maiacáceas. *S. f. pl. Bot.* Família de plantas floríferas, da ordem das farinosas, de flores actinomorfas, heteroclamídeas e hermafroditas, androceu com três estames epipétalos, gineceu tricarpelar e ovário unilocular, com placenta parietal. As plantas desta família têm aspecto de licopódio, e habitam coleções líquidas ou lugares úmidos. Há umas 10 espécies sul-americanas.

maiacáceo. *Adj.* Pertencente ou relativo às maiacáceas.

▲**maieuso-.** [Do gr. *maíeusis, eos.*] *El. comp.* = 'parto': *maieusofobia, maieusomania.*

maieusofobia. [De *maieuso-* + *-fob(o)-* + *-ia.*] *S. f. Psiq.* Medo mórbido do parto.

maieusofóbico. *Adj.* Relativo à maieusofobia.

maieusomania. [De *maieuso-* + *-mania.*] *S. f. Psiq.* Loucura que por vezes sobrevém ao parto.

maieusomaníaco. *Adj.* Relativo à maieusomania.

maiêutica. [Fem. substantivado de *maiêutico.*] *S. f.* **1.** Processo dialético e pedagógico socrático, em que se multiplicam as perguntas a fim de obter, por indução dos casos particulares e concretos, um conceito geral do objeto em questão. **2.** *Obst.* V. *obstetrícia.*

maiêutico. [Do gr. *maieutikós.*] *Adj.* Relativo à maiêutica.

mailo. [Equiv. do adv. *mais* e do art. *lo*[1].] *Lus. Ant.* e *pop.* Em companhia do; junto com o; com o; a mailo: "A minha Noiva sairá de casa / M a i l a sua Mãe, m a i l o s seus Irmãos." (Antônio Nobre, *Só*, pp. 44-45.) [Var.: *malo.*] ♦ **A mailo. 1.** Em companhia do; junto com o; com o; mailo: "Lá vai o Bernardo da Silva do Mar, / A m a i l o s quatro filhinhos" (Id., *ib.*, p. 35). **2.** Com o; contra o: "E a Mãe-Madrinha, do tempo da guerra / A m a i l o s Franceses, / Quando ia ao confesso, à ermida da serra, / Levava-me, às vezes." (id., *ib.*, p. 15.)

mainá. *S. m.* Pássaro originário da Índia (*Eulabes religiosa*), que imita com facilidade a fala humana.

mainaua. *Bras. S. 2 g.* **1.** Indivíduo dos mainauas, tribo indígena do alto rio Envira e do Purus (AC). ● *Adj. 2 g.* **2.** Pertencente ou relativo a essa tribo.

mainça (a-ín). [De *mão*[1].] *S. f.* **1.** V. *mancheia.* **2.** Remate do fuso.

mainel. [De *mão*[1].] *S. m.* Corrimão. [Pl.: *mainéis.*]

maio. [Do lat. *Maiu.*] *S. m.* **1.** *Cronol.* O quinto mês dos calendários juliano e gregoriano, com 31 dias. **2.** *Fig.* Tempo de flores e alegrias; primavera: *A vida lhe foi um eterno* m a i o. ● *Adj.* **3.** Maiozinho (2): *lírios* m a i o s.

maiô. [Do fr. *maillot.*] *S. m.* Traje de banho feminino, feito, em geral, de tecido de malha, que molda o corpo (modernamente apenas o torso). [Cf. *biquíni* (1).]

maioba. *S. f.* V. *fedegoso-verdadeiro.*

maiólica. [Do it. *maiolica.*] *S. f.* Faiança italiana, em especial a do Renascimento. [Var. *majólica.*]

maionese. [Do fr. *mayonnaise.*] *S. f. Cul.* Espécie de molho frio, feito de azeite, vinagre, sal e gema de ovo batidos juntos.

maionga. *S. f. Bras., BA.* Banho ritual de folhas, pela madrugada, durante o noviciado, nos candomblés não nagôs. [Var. pros.: *maiongá.* Cf. *ariaxé.*]

maiongá. *S. f. Bras., BA.* Maionga [q. v.].

maiongongue. *S. 2 g.* e *adj. 2 g. Bras.* V. *iecuana.*

maior. [Do lat. *majore.*] *Adj. 2 g.* **1.** Que excede outro em tamanho, espaço, intensidade, duração, grandeza, número, importância, etc.; máximo, superior: *o maior dos artistas; um maior período de tempo; o maior lápis.* **2.** Que chegou à maioridade; maior de idade. [Sin. (bras., pop.) nesta acepç.: *de maior.*] **3.** Que tem mais que determinada idade: *maior de 20 anos.* ~V. *maiores, Cão —, força —, leito —, modo —, premissa —, quinta-feira —, redondilha —, semi-eixo —, sexta-feira —, termo —* e *Ursa —.* • *S. 2 g.* **4.** Indivíduo maior (2). [Antôn.: *menor.*] ♦ **Maior de idade.** V. *maior* (2). **De maior.** *Bras. Pop.* **1.** V. *maior* (2): *F. é de maior.* **2.** Da maior importância ou significação: *questão de maior.* **Ser o maior.** *Bras. Fam.* Estar por cima dos demais; ser mais notável ou importante que os demais; ser o tal: *Este cantor é o maior.*

maioral. [De *maior* + *-al.*] *S. m.* **1.** O chefe, o cabeça. **2.** Aquele que se distingue dos outros pela sua superioridade; maior, superior. **3.** O maior de todos (os animais de um rebanho). **4.** *Bras.* V. *mandachuva.* **5.** *Bras., CE.* V. *diabo* (2). **6.** *Bras., RS.* O boleeiro da diligência. **7.** *Bras., RS.* Capataz de tropa ou de estância.

maioral-mor. *S. m.* O principal dos maiorais. [Pl.: *maiorais-mores.*]

maioranta. *S. f. Bras.* V. *fanfã.*

maior-de-todos. *S. m.* V. *dedo médio.* [Pl.: *maiores-de-todos.*]

maiores. [Pl. de *maior.*] *S. m. pl.* Antepassados, ascendentes, avós: *honremos os nossos maiores.* ~ V. *maior.*

maioria. *S. f.* **1.** Qualidade maior; superioridade, excelência: *Há grandeza na maioria dos seus feitos.* **2.** O maior número; a maior parte: *A maioria das mulheres usa cosméticos.* **3.** Pluralidade de votos em um sufrágio, assembléia, sociedade; corporação, etc.: *eleito por pequena maioria; aprovado por maioria.* **4.** A pluralidade de votos favoráveis: *O partido não tem maioria na Câmara.* **5.** Partido ou aliança de partidos que, no parlamento, compreende o maior número de votos. [Antôn.: *minoria.*] ♦ **Maioria absoluta.** Número igual ou superior à metade do total dos votos e mais um ou mais meio. **Maioria relativa.** Simples superioridade numérica de votos.

maioridade. [De *maior* + *idade.*] *S. f.* **1.** A idade em que o indivíduo entra no pleno gozo de seus direitos civis; estado de maior. [No Brasil, 21 anos.] **2.** Desenvolvimento completo de uma sociedade. ♦ **Maioridade política.** A idade (no Brasil, 18 anos) em que o indivíduo fica habilitado, mediante o alistamento eleitoral, para o exercício dos direitos políticos.

maiorista. [De *maior* ou de *maioria* + *-ista.*] *S. 2 g.* **1.** Partidário do sistema eleitoral baseado na maioria dos votos. **2.** *Bras.* Partidário da antecipação da maioridade do imperador D. Pedro II.

maiormente. [De *maior* + *-mente.*] *Adv.* Mormente: "A exigência do marido em receber o Rubião, como dantes, era excessiva; maiormente pela causa dada." (Machado de Assis, *Quincas Borba*, p. 95.)

maiorquino. *Adj.* **1.** Da, ou pertencente ou relativo à ilha Maiorca (ilhas Baleares). • *S. m.* **2.** Natural ou habitante da Maiorca.

maiozinho. *Adj.* **1.** Referente a maio. **2.** Que aparece ou floresce em maio; maio: *cerejas maiozinhas.*

maipoca. [Do tupi. (O final, *poka*, é ger. de *pog*, 'arrebentar'.)] *S. f. Bras., AM.* Replantação duma roça de mandioca, feita ou à proporção que ela é desmanchada, ou depois de retiradas todas as raízes aproveitáveis; muiuíra.

maipuré. [Do tupi amazonense *maipu're.*] *S. m. Bras., Amaz.* **1.** V. *marianita*[2]. **2.** Periquito-de-cabeça-preta. **3.** V. *aruaque.*

maipuridjana. *Bras. S. 2 g.* **1.** Indivíduo dos maipuridjanas, tribo indígena que habita no rio Panamá e na bacia do Chipariuini (N. do PA). • *Adj. 2 g.* **2.** Pertencente ou relativo a essa tribo.

mair (a-i). *S. m. Bras.* **1.** Designação que davam aos franceses os indígenas brasileiros. **2.** Herói cultural dos índios urubu-caapor [q. v.]. "Houve um tempo, e já vai longe, em que entre os índios urubu-caapor os homens nada faziam. Mair .... criara homens e mulheres extraindo-os de uma madeira..." (Edilson Martins, *Páginas Verdes*, p. 103).

mairá. [Do tupi amazonense *mai'rá.*] *S. f. Bras., Amaz.* Arbusto escandente, da família das icacináceas (*Humirianthera duckei*), dotado de grande tubérculo subterrâneo rico em amilo, que é aproveitado na fabricação de uma espécie de maisena, usada na alimentação; mandiocaçu.

mairata. [Do tupi.] *S. m. Bras.* Um dos gênios da teogonia tupi.

mairiense. *Adj. 2 g.* **1.** De, ou pertencente ou relativo a Mairi (BA). • *S. 2 g.* **2.** Natural ou habitante de Mairi.

mairiporanense. *Adj. 2 g.* **1.** De, ou pertencente ou relativo a Mairiporã (SP). • *S. 2 g.* **2.** Natural ou habitante de Mairiporã.

mairipotabense. *Adj. 2 g.* **1.** De, ou pertencente ou relativo a Mairipotaba (GO). • *S. 2 g.* **2.** Natural ou habitante de Mairipotaba.

mais. [Do lat. *magis.*] *Adv.* **1.** Designa aumento, grandeza, superioridade ou comparação: *Sua riqueza cresce cada dia mais; São Paulo é o mais populoso dos estados do Brasil; E mais difícil fazer do que criticar.* **2.** Exprime limite: *Seu apartamento não vale mais 20.000 cruzados.* **3.** Além disso; também, igualmente: *Protestou sua inocência, e mais desafiou os seus acusadores a que provassem o contrário.* **4.** Com preferência; preferentemente, antes: *Mais quer ser pobre e altivo que rico e sabujo.* **5.** Outra(s) vez(es); de novo: *Não tratemos mais desses assuntos.* **6.** Com a negativa, pode ter o valor de *já*: *Velho, não trabalha mais* [Os puristas preferem: *já não trabalha.*] **7.** Com a negativa, também indica cessação de ação, equivalendo a 'nunca mais': "Viu-a boiar [a taça] suspendida, / Té que as ondas a levaram: / Os olhos se lhe toldaram, / E não bebeu mais em vida!" (Antero de Quental, *Raios de Extinta Luz*, p. 137.) • *S. m.* **8.** O resto, o restante: *Já contei alguma coisa; o mais fica para depois.* **9.** A maior quantidade ou parte; o maior número: *Passa o mais do tempo a estudar: O mais das vezes, acorda tarde.* • *Prep.* **10.** *Pop.* Em companhia de; com: *Vou morar mais você;* "E jornadeio em fantasia / Essas jornadas que eu fazia / Ao velho Douro, mais meu pai." (Antônio Nobre, *Só*, p. 38); "Foi a Xapecó buscá-lo, mais Napoleão que lhe deu algumas instruções de como dirigir o veículo." (Guido Vilmar Sassi, *São Miguel*, p. 179). • *Conj. adit.* **11.** E (1): "Encheu, minha Marília, o grande Jove / de imensos animais de toda a espécie / as terras, mais os ares" (Tomás Antônio Gonzaga, *Marília de Dirceu*, p. 57); "papai mais mamãe querem que eu vá estudar para padre." (Bernardo Guimarães, *O Seminarista*, p. 9). • *Pron. indef.* **12.** Maior, ou em maior quantidade, em maior número: *Poucos têm mais entusiasmo pela ciência do que eu; Vendeu mais livros este mês que no anterior.* **13.** Outros, restantes, demais: "Não negues, confessa / Que tens certa pena / Que as mais raparigas / Te chamem morena." (Guerra Junqueiro, *A Musa em Férias*, p. 109.) [Cf. *maís.*] ♦ **Mais e mais.** Cada vez mais; a mais e mais: *Os desentendimentos tornaram-se mais e mais graves.* **Mais hoje, mais amanhã.** *Fam.* Em breve, dentro em pouco; em futuro mais ou menos próximo. **Mais para lá do que para cá. 1.** Prestes a morrer: *Salvou-se da queda por milagre: esteve 10 dias mais para lá do que para cá.* **2.** Um tanto afeminado. **A mais. 1.** Além do necessário, do essencial, do devido, ou do ideal; de mais: *Por engano, deu-me você dinheiro a mais.* **2.** V. *além disso*: "o fazendeiro, avelhuscado por força de sucessivas decepções e, a mais, roído pelo cancro feroz dos juros, ... coçava cem vezes ao dia a coroa da cabeça grisalha." (Monteiro Lobato, *Urupês, Outros Contos e Coisas*, pp. 96-97). **A mais e mais.** Mais e mais: "Tinha já contado casos de fé sincera e castiça, outros de indiferença, dissimulação e versatilidade; os dois ascetas estavam a mais e mais anojados" (Machado de Assis, *Várias Histórias*, p. 27). **De mais. 1.** Capaz de causar estranheza; anormal: *Não vejo nada de mais em sua resposta.* **2.** A mais: "Ou a Fé toda completa, cabal, absoluta, sem um átomo de menos, sem um átomo de mais ... ou nenhuma fé." (Antônio Feliciano de Castilho, *O Presbitério da Montanha*, p. 116.) [Cf. *demais.*] **De mais a mais.** Além de tudo; ainda por cima; ainda em cima, além disso. **E mais. 1.** Mais; e; e também: "das brancas ovelhinhas tiro leite, / e mais as finas lãs, de que me visto." (Tomás Antônio Gonzaga, *Marília de Dirceu*, p. 1). **2.** E contudo; e note-se que: "Não mofes dos meus quinze anos, leitor precoce. Com dezessete, Des Grieux (e mais era Des Grieux) não pensava ainda na diferença dos sexos." (Machado de Assis, *Dom Casmurro*, p. 101); "Que importa onde os pés se firmam, / Se é porque o olhar se erga à luz? / Bem podre é o chão dos mortos, / E mais lá se hasteia a cruz!" (Antero de Quental, *Primaveras Românticas;* p. 153). **Sem mais nem mais.** V. *sem mais nem menos.* **Sem mais nem menos 1.** Sem motivo, sem razão, sem quê nem para quê. **2.** De pronto, de repente; sem mais preâmbulos: "Viera... um cigano de arribação, ... atirado a conquistador, e, sem mais nem menos, se metera com ela" (Visconde de Taunay, *Ao Entardecer*, p. 38). [Sin. ger.: *sem mais nem mais.*]

maís. [Do taíno, pelo esp. *maíz.*] *S. m. Bot.* Variedade de milho graúdo. [Cf. *mais.*]

maisena. [Nome comercial (grafado com *z*), registrado.] *S. f.* **1.** Certo produto farináceo constituído de amido de milho. **2.** *Bras.* Biscoito doce, em geral de forma alongada, feito de farinha de trigo, ovos e maisena.

mais-que-perfeito. *Adj.* e *s. m. Gram.* Diz-se de, ou tempo verbal que indica ação ou estado passado com relação ao perfeito (8): *Comprou uma casa, e pouco antes adquirira um automóvel.* [Usa-se muitas vezes (geralmente na linguagem literária) em lugar do futuro do pretérito e do imperfeito do subjuntivo. Ex.: "Por serva, por escrava te servira [= serviria], / Se não temera [= temesse] de chamar senhora / A vil Paraguaçu" (Santa Rita Durão, *Caramuru*, VI, p. 40).] [Pl.: *mais-que-perfeitos.*]

maisquerer. [De *mais* + *querer.*] *V. t. d.* e *t. d. e i.* Querer mais a; preferir, antepor: *Dos livros que me oferece, mais quero o de Sartre; Mais quer a paz do que a riqueza; Mais queremos as ciências do que as letras.* [Conjug.: v. *querer.*]

mais-que-tudo. *S. m. 2 n.* Pessoa a quem muito se ama, a quem se dedica o maior afeto.

mais-valia. *S. f.* Na economia marxista, o suplemento do trabalho não remunerado, e que é, pois, fonte de lucro capitalista. [Pl.: *mais-valias.*]

maitá. [F. apocopada de *maitaca.*] *Bras. S. 2 g.* **1.** Indivíduo dos maitás, tribo indígena das margens de um afluente do rio Parimá, que nasce na serra Surucucus (RR). • *Adj. 2 g.* **2.** Pertencente ou relativo a essa tribo.

maitaca. [Var. de *baitaca.*] *S. f. Bras.* **1.** Ave psitaciforme, da família dos psitacídeos (*Pionus menstruus* (L.)), distribuída por grande parte do País, de coloração verde, cabeça, garganta e peito anterior azuis, crisso e mancha no meio da garganta vermelhos; suia. **2.** A *P. maximiliani* (Kuhl.), com uma subespécie no N.E. e outra no S.E.; suia. **3.** *Bras., PE* e *SP.* Sujeito falador, tagarela; papagaio.

maitaca-da-cabeça-vermelha. *S. f. Bras.* V. *cuiú-cuiú* (1). [Pl.: *maitacas-da-cabeça-vermelha.*]

maitaca-roxa. *S. f. Bras.* Ave psitaciforme da família dos psitacídeos (*Pionus fuscus* (Mul.)), do AM, PA e MA, de coloração parda, alto da cabeça azul, parte inferior do corpo lavada de violáceo, crisso e parte basal da cauda vermelhos, e rêmiges e ponta da cauda azul-escuras. [Sin.: *paraguaí, paranaí, papagainho-roxo.* [Pl.: *maitacas-roxas.*]

➡**maître** (métr'). [Fr.] *S. m.* Maître-d'hôtel.

➡**maître-d'hôtel** (métr'-dôtél). [Fr.] *S. m.* Garçom que superintende o serviço dos outros garçons. [Tb. se diz apenas *maître.*]

maiuíra (íu). *S. f. Bras.* V. *amboré.*

maiuruna (ai). *Bras. 2 g.* **1.** Indígena dos maiurunas, tribo das margens do Jabor. • *Adj. 2 g.* **2.** Pertencente ou relativo a essa tribo.

maiúscula. [Fem. substantivado de *maiúsculo.*] *S. f.* Letra maior que as outras, de formato peculiar, usada geralmente como inicial de período, de nome próprio ou de palavra que se quer destacar; letra maiúscula: "Os títulos que eu pusera na capa do caderno, caprichando nas maiúsculas, estavam reproduzidos em clichê" (Ribeiro Couto, *Prima Belinha*, p. 188). [Cf. *minúscula.*]

maiusculizar. *V. t. d.* **1.** Tornar maiúsculo. **2.** Escrever com inicial maiúscula.

maiúsculo. [Do lat. *majusculu.*] *Adj.* **1.** ~ V. *abecedário —, alfabeto —* e *letra —a.* **2.** *Tip.* Diz-se do caráter de tamanho maior das duas formas com que é representada uma mesma letra no alfabeto. V. *letra de caixa-alta.* **3.** *Bras. Fig.* Grande, excelente, superior, extraordinário: *escritor maiúsculo; problemas maiúsculos.* [Antôn.: *minúsculo.*]

majestade. [Do lat. *majestate.*] *S. f.* **1.** Grandeza suprema; elevação, excelência, superioridade, magnificência, sublimidade: *a majestade divina; a majestade da epopéia.* **2.** Aspecto grandioso e imponente; imponência: *a majestade do templo;* "o Marquês de Pombal, entrando na praça em toda a majestade de sua elevada estatura, levantou nos braços o velho fidalgo" (Rebelo da Silva, *Contos e Lendas*, p. 185). **3.** Gravidade, nobreza, altivez, solenidade, respeitabilidade: *a majestade do semblante real.* **4.** Título que se dá ao soberano de um Estado e a sua mulher. **5.** O poder supremo. ♦ **Sua Majestade Católica.** Título que se dava aos reis da Espanha. **Sua Majestade Imperial.** Título dado aos imperadores.

majestático. [Do lat. *majestate*, 'majestade', + *-ico*[2].]

Adj. **1.** Relativo a majestade ou poder supremo. **2.** Respeitável, augusto, majestoso. ~ V. *plural* —.

majestoso (ô). [De um **majestatoso*, com haplologia.] *Adj.* **1.** Que tem majestade, nobreza, grandeza. **2.** Imponente, suntuoso. **3.** Sublime, belo. **4.** V. *majestático* (2).

majólica. *S. f.* Var. de *maiólica.*

major. [Do lat. *majore*, 'maior', pelo fr. *majeur.*] *S. m.* **1.** V. *hierarquia militar.* **2.** Oficial que detém o posto de major. [É m. us. *major*, abreviadamente, para designar *major-aviador.*] **3.** *Bras.* V. *taperá.*

majoração. [Do fr. *majoration.*] *S. f. Bras.* Ato ou efeito de majorar.

majorana. *S. f. Bras.* V. *fanfá.*

majorar. [Do fr. *majorer.*] *V. t. d. Bras.* Tornar maior; aumentar: *majorar o preço de algum produto.*

major-aviador. *S. m.* **1.** V. *hierarquia militar.* **2.** Oficial que detém o posto de major-aviador. [V. *major.* Pl.: *majores-aviadores.*]

major-brigadeiro. *S. m.* **1.** V. *hierarquia militar.* **2.** Oficial que detém o posto de major-brigadeiro. [Tb. se diz, no Brasil, apenas *brigadeiro* (v. *brigadeiro* [3]).]

majoria. *S. f.* Posto ou função de major.

majoritário. [Do fr. *majoritaire.*] *Adj. Bras.* **1.** Relativo ou pertencente à maioria. **2.** Que conta com a maioria dos eleitores: *partido majoritário.* [Antôn.: *minoritário.*]

majuba. [Do tupi, decerto.] *S. f. Bras., Amaz.* Erva da família das campanuláceas *(Sphenoclea zeylanica)*, de folhas amplas e mínimas flores alvas.

majubim. *Bras. S. 2 g.* **1.** Indivíduo dos majubins, indígenas do rio Ricardo Franco, afluente do Jiparaná (RO). ● *Adj. 2 g.* **2.** Pertencente ou relativo a essa tribo.

majuruna. *Bras. S. 2 g.* **1.** Indivíduo dos majurunas, do rio Javari (AM), que se chamam a si próprios *moriques.* ● *Adj. 2 g.* **2.** Pertencente ou relativo a essa tribo. [Tb. se diz *maxuruna, maxirona, maeruna.*]

➧**make-up** (meikàp.). [Ingl.] *S. m.* Maquilagem.

mal[1]. [Do lat. *malu.*] *S. m.* **1.** Aquilo que é nocivo, prejudicial, mau; aquilo que prejudica ou fere: *Não deseje mal ao próximo;* "Maldita sejas pelo Ideal perdido! / Pelo mal que fizeste sem querer! / Pelo amor que morreu sem ter nascido!" (Olavo Bilac, *Poesias*, p. 221.) **2.** Aquilo que se opõe ao bem, à virtude, à probidade, à honra. **3.** Estado mórbido; moléstia, enfermidade, doença: *Seu mal é incurável.* **4.** Epidemia; calamidade. **5.** Angústia, tormento, mágoa, sofrimento, aflição. **6.** Desgraça, infelicidade, infortúnio. **7.** Dano, estrago, prejuízo: *A geada fez muito mal aos cafezais.* **8.** Opinião desfavorável ou caluniosa: *O crítico disse mal do espetáculo; Vive a dizer mal dos outros.* **9.** Inconveniente, desvantagem: *O mal é que só agora soube da notícia.* **10.** *Filos.* Privação ou imperfeição; mal metafísico. **11.** *Ét.* O contrário de bem (1). **12.** *Bras., S.* V. *lepra* (1). **13.** *Bras., N.* V. *raiva* (1). [Pl.: *males.* Antôn.: *bem.*] ~ V. *males.* ◆ **Mal comicial.** *Patol.* V. *epilepsia.* **Mal das montanhas.** *Med.* O conjunto de fenômenos resultantes de adaptação insuficiente à redução de oxigênio e a grandes altitudes: dispnéia, alterações de pressão arterial e da freqüência do pulso, cefaléia, etc. **Mal de Hansen.** V. *lepra* (1). **Mal de Parkinson.** *Patol.* V. *doença de Parkinson.* **Mal de Pott.** *Patol.* Espondilodiscite tuberculosa. **Mal metafísico.** *Filos.* Mal (10). **Cortar o mal pela raiz.** Destruir inteiramente, e em tempo, aquilo que prejudica ou molesta, evitando conseqüências irremediáveis. **Deitar para mal.** Levar a mal. **Fazer mal.** Proceder mal; incorrer em falta; errar: *Você fez mal em ter vindo aqui.* **Fazer mal a.** **1.** Causar dano a; prejudicar. **2.** Contundir, machucar, ferir. **3.** *Bras.* Seduzir, deflorar, desflorar: *Fez mal à moça;* "um moleque de S. Bernardo fizera mal à filha do mestre-de-açúcar" (Graciliano Ramos, *S. Bernardo*, p. 33). **Levar a mal.** Levar para o mau sentido; deitar para mal: *Não leve a mal estas palavras.* **Não fazer mal a uma mosca.** Ser incapaz de prejudicar alguém; ser brando, bondoso. **Querer mal a.** Desejar que aconteçam males a; ter ódio a.

mal[2]. [Do lat. *male.*] *Adv.* **1.** De modo mau, irregular, ou diferente do que devia ser: *Os negócios vão mal.* **2.** De modo imperfeito; erradamente, desacertadamente, incorretamente: *falar, escrever mal.* **3.** De maneira que não satisfaz o gosto ou vontade, ou a necessidade: *Jantou mal; Dormiu mal.* **4.** Rudemente, duramente: *O delegado tratou-os mal.* **5.** De maneira desfavorável ou ofensiva: *Falou mal de todos.* **6.** Pouco, escassamente: *verdades mal sabidas.* **7.** A custo; dificilmente, dificultosamente: *Abatidíssimo, mal conseguia dar alguns passos.* **8.** Contra a virtude, o bem, a justiça, o direito, a probidade, a moral, as boas normas: *julgar mal; pensar mal; portar-se mal.* **9.** Rapidamente: apenas; de leve; *Mal provou a comida.* **10.** Nunca, jamais: *Mal pensava que o doente escapasse.* **11.** Gravemente enfermo: *O interno está mal.* **12.** Em desavença; em desacordo: *Vive mal com os homens por amor de Deus.* [Antôn.: *bem.*] ● *Conj.* **13.** Logo que; apenas; mal que: *Mal chegaram, tiveram de partir.* ◆ **Mal e porcamente.** Sem perícia ou zelo; muito mal: *Limpou a sala mal e porcamente.* **Mal que.** V. *mal* (13): "Tertuliano, mal que o viu, atirou-se-lhe nos braços" (Artur Azevedo, *Contos Fora da Moda*, pp. 12-13). **A mal.** Contra a vontade; à força. **De mal.** Com as relações de amizade cortadas: *Velhos amigos, hoje estão de mal.* **De mal a pior.** Com tendência a piorar ainda mais; cada vez pior; *A situação vai de mal a pior.* **Dizer mal de.** Fazer restrições, ataques a; fazer má ausência de.

mala. [Do fr. *malle.*] *S. f.* **1.** Saco de couro ou pano, ordinariamente fechado com cadeado: *malas bancárias.* **2.** Espécie de caixa de madeira, de couro, lona, plástico, etc., destinada, em geral, ao transporte de roupas em viagem. [Dim. irreg.: *maleta, malote;* aum. irreg.: *malotão.*] **3.** *P. ext.* Mala (1) para o transporte de correspondência; mala postal. **4.** *P. ext.* A correspondência postal. **5.** *Chulo.* O estômago. **6.** *Bras.* Golpe dado em falso no jogo da pelota. **7.** *Bras., S. Chulo.* Os órgãos genitais masculinos. ◆ **Mala de garupa.** *Bras., RS.* Pequeno saco, com uma abertura no centro, no sentido longitudinal, o qual se põe na parte posterior do lombilho ou do serigote, à maneira de alforjes. **Mala direta.** *Prop.* Sistema de divulgação de produtos e serviços através de distribuição seletiva, via postal, de impressos (carta-circular, *folder*, catálogo, etc.) **Mala postal.** Mala (3). **Arrastar a mala.** *Bras., N.E. Fam.* Ser logrado; levar um bolo. [Cf. *arrastar mala.*] **Arrastar mala.** *Bras., MG, SP* e *MT. Pop.* Roncar bravatas; fazer ameaças. [Cf. *arrastar a mala.*] **De mala e cuia.** *Bras.* V. *com armas e bagagens.*

malabar. [Do top. *Malabar* (Ásia).] *Adj. 2 g.* **1.** V. *malabarense* (1). ~ V. *jogos* —es. ● *S. 2 g.* **2.** V. *malabarense* (2). **3.** *Bras.* Variedade de gado bovino originária do cruzamento do touro zebu com vaca da terra.

malabarense. *Adj. 2 g.* **1.** Da, ou pertencente ou relativo à região de Malabar (Ásia). ● *S. 2 g.* **2.** Natural ou habitante dessa região. [Sin. ger.: *malabar, malabarita.*]

malabarismo. [De *(jogos) malabarés* + *-ismo.*] *S. m.* **1.** Exercício de jogos malabares; habilidades de malabarista. **2.** *Fig.* Habilidade para lidar com situações difíceis, inseguras, instáveis: *Firmou-se no cargo graças aos seus malabarismos.*

malabarista. *S. 2 g.* **1.** Pantomineiro que executa jogos malabares, tais como equilibrismo, habilidades com peloticas, etc.; equilibrista, pelotiqueiro. **2.** *Fig.* Pessoa que joga habilmente com as circunstâncias; equilibrista. [Cf. *malabarita.*]

malabarita. [Do top. *Malabar* (Ásia) + *-ita*[2].] *Adj. 2 g.* e *s. 2 g.* V. *malabarense.* [Cf. *malabarista.*]

malaca. [De *mal*[1].] *S. f. Bras., SP.* Moléstia, doença. ~ V. *malacas.*

mal-acabado. [De *mal*[2] + *acabado.*] *Adj.* **1.** Mal-executado, malfeito: "santos mal-acabados, imagens de linhas duras, objetivavam a religião mestiça em traços incisivos de manipansos: Santos Antônios proteiformes e africanizados, de aspecto bronco, de fetiches; Marias Santíssimas, feias como megeras..." (Euclides da Cunha, *Os Sertões*, p. 185). [Antôn.: *bem-acabado.*] **2.** *Bras.* Diz-se de indivíduo esquipático, malfeito de corpo. [Pl.: *mal-acabados.*]

malacacheta (ê). *S. f. Bras.* V. *mica* (1).

malacachetense. *Adj. 2 g.* **1.** De, ou pertencente ou relativo a Malacacheta (MG). ● *S. 2 g.* **2.** Natural ou habitante de Malacacheta.

malacafento. [De *malaca.*] *Adj. Bras.* Adoentado, achacado, indisposto.

malacara. [Do esp. plat. *malacara.*] *Adj. 2 g.* e *s. 2 g.* **1.** *Bras., RS.* Diz-se de, ou eqüídeo que, sem ser escuro, tem a testa branca, com uma listra da mesma cor desde o focinho até o alto da cabeça. [Cf. *picaço* (1).] **2.** *Bras., SP.* Diz-se de, ou animal que tem a cara assinalada de listras ou malhas brancas. [Var.: *malacaro.*] ◆ **Malacara bragado.** *Bras., RS.* Diz-se de, ou bovídeo que tem os mesmos sinais do eqüídeo malacara.

malacaro. *Adj.* e *s. m. Bras., S.* Var. de *malacara.*

malacas. *S. f. pl. Bras., PE* e *AL. Pej.* Seios murchos e pendentes. ~ V. *malaca.*

malacatifa. *S. f. Bras., PB. Pop.* V. *cobra* (1).

malacia. [Do gr. *malakía*, 'moleza', pelo lat. *malacia.*] *S. f.* **1.** V. *calma* (4). **2.** *Fig.* Debilidade, fraqueza. **3.** Perversão do apetite que leva o doente a comer coisas extravagantes. [Cf. *malácia*, fem. de *malácio.*]

▲**-malacia.** [Do gr. *malakía*, as.] *El. comp.* = 'moleza', 'flacidez': *miomalacia, litomalacia.*

malacicte. *S. m.* **1.** Espécime dos malacictes. ● *Adj. 2 g.* **2.** Pertencente ou relativo a eles.

malacictes. *S. m. pl. Zool.* Animais da classe dos peixes, neopterígios, ordem *Malacichthyes.* Têm o corpo mole, o esqueleto fracamente ossificado, nadadeiras medianas longas, com numerosos raios, desprovidos de espinhos. Ocorrem no Oceano Pacífico.

malácio. [De *malácia.*] *Adj.* Relativo ou semelhante à malacia. [Fem.: *malácia.* Cf. *malacia.*]

▲**malaco-.** [Do gr. *malakós, é, ón.*] *El. comp.* = 'mole', 'brando': *malacodermo, malacozoário.*

malacocotíleo. *S. m.* e *adj.* Digêneo.

malacocotíleos. *S. m. pl. Zool.* Digêneos.

malacodermo. [De *malaco-* + *-dermo.*] *Adj. Zool.* Que tem pele mole.

malacologia. [De *malaco-* + *-log(o)-* + *-ia.*] *S. f. Zool.* Tratado acerca dos moluscos. [Cf. *conquiliologia.*]

malacológico. *Adj.* Referente à malacologia.

malacologista. *S. 2 g.* Especialista em malacologia.

mal-aconselhado. [De *mal*[2] + *aconselhado.*] *Adj.* Que, em virtude de receber maus conselhos, procede sem tino. [Pl.: *mal-aconselhados.*]

malacópode. [De *malaco-* + *-pode.*] *S. m.* **1.** Espécime dos malacópodes. ● *Adj. 2 g.* **2.** Pertencente ou relativo a eles. [Sin. ger.: *estelecópode.*]

malacópodes. *S. m. pl. Zool.* Designação usada por alguns autores para agrupar os animais das classes dos tardígrados e onicóforos, reunidos no ramo *Malacopoda.* [Sin.: *estelecópodes.*]

malacopterígio. [De *malaco-* + *-pterígio.*] *Adj. Zool.* **1.** Que tem barbatanas moles. [Diz-se dos peixes.] **2.** Pertencente ou relativo aos malacopterígios. ● *S. m.* **3.** Espécime dos malacopterígios.

malacopterígios. *S. m. pl. Zool.* Animais metazoários, cordados, vertebrados, peixes, osteíctes, cujos raios das nadadeiras são moles e formados por anéis encadeados.

malacostráceo. [De *malaco-* + *-ostrac(o)-* + *-eo.*] *S. m.* **1.** Espécime dos malacostráceos. ● *Adj.* **2.** Pertencente ou relativo a eles.

malacostráceos. *S. m. pl. Zool.* Animais metazoários, artrópodes, crustáceos, subclasse *Malacostraca*, com 14 ou 15 segmentos no tronco, oito pares de apêndices torácicos, seis pares de apêndices abdominais, e telso inteiro.

mal-acostumado. [De *mal*[2] + *acostumado.*] *Adj.* Que se acostumou mal; mal-habituado. [Pl.: *mal-acostumados.*]

malacozoário. [De *malaco-* + *-zoário.*] *S. m.* e *adj.* Molusco.

malacozoários. *S. m. pl. Zool.* Moluscos.

maladia. [Do it. *malattia*, ou do fr. *maladie.*] *S. f. Ant.* Doença, moléstia.

malafa. *S. m. Bras., BA.* Bebida alcoólica distribuída entre os assistentes, nos candomblés de caboclo.

malafaia. *S. f. Bras.* Planta da família das ocnáceas *(Cespedezoa spathulata).*

mal-afamado. [De *mal*[2] + *afamado.*] *Adj.* Que tem má fama, reputação má; malconceituado: "Sempre havia alguém para lhe emprestar dinheiro .... . Quem sabe, faziam-no para assim arriscar-se no jogo sem ir aos cassinos proibidos, às espeluncas mal-afamadas?" (Jorge Amado, *Dona Flor e Seus Dois Maridos*, p. 144.) [Pl.: *mal-afamados.* Antôn.: *bem-afamado.*]

mal-afeiçoado[1]. [De *mal*[2] + *afeiçoado*[1].] *Adj.* Que não tem afeição a; que não sente inclinação por. [Pl.: *mal-afeiçoados.*]

mal-afeiçoado[2]. [De *mal*[2] + *afeiçoado*[2].] *Adj.* Que tem má feição, mau aspecto; malfeito, mal-ajeitado. [Pl.: *mal-afeiçoados.*]

mal-afortunado. [De *mal*[2] + *afortunado.*] *Adj.* V. *mal-aventurado.* [Pl.: *mal-afortunados.* Antôn.: *bem-afortunado.*]

málaga. [Do top. *Málaga.*] *S. m.* Vinho proveniente de Málaga (Espanha).

malagma. [Do gr. *málagma*, pelo lat. *malagma*, 'emplastro', 'cataplasma'.] *S. m.* Medicamento tópico destinado a amolecer os tecidos.

mal-agoirado. *Adj.* V. *mal-agourado:* "Tive o seu retrato, que, infelizmente, um acaso destruiu, ... numa mal-agoirada mudança." (Bulhão Pato, *Memórias*, I, p. 5.) [Pl.: *mal-agoirados.*]

mal-agourado. [De *mal*[2] + *agourado*, part. de *agourar*, var. de *mal-agoirado.*] *Adj.* Que tem mau agouro, presságio ruim; infausto, agourento. [Pl.: *mal-agourados.*]

mal-agradecido. [De *mal*^{2} + *agradecido*.] *Adj*. e *s. m. Bras*. Ingrato, desagradecido. [Antôn.: *bem-agradecido*.]

malaguenha. [Do esp. *malagueña*.] *S. f.* **1.** *Mús*. Canção espanhola. **2.** *Mús*. Dança espanhola do grupo do fandango, em compasso ternário, e alternado com a canção.

malaguenho. [Do esp. *malagueño*.] *Adj*. **1.** De, ou pertencente ou relativo a Málaga (Espanha). ● *S. m.* **2.** O natural ou habitante de Málaga. [Sin. ger.: *malaguês*.]

malaguês. *Adj*. e *s. m*. Malaguenho. [Flex.: *malaguesa* (ê), *malagueses* (ê), *malaguesas* (ê).]

malagueta (ê). *S. f.* **1.** Espécie de pimenta, muito ardida, da família das solanáceas (*Capsicum fructescens*); pimenta-malagueta. **2.** *Marinh*. Pino de metal que se prende verticalmente em um mastro, antepara, turco, etc., a fim de nele dar-se volta a cabos de laborar. **3.** *Marinh. Ant*. Cada um dos pinos que se dispunham em torno das rodas de leme antigas para que o timoneiro as pudesse manejar com firmeza. **4.** *Teat*. Cada uma das pequenas varas de madeira ou de ferro dispostas em série contínua nas traves da varanda [q. v.], nas quais se amarram as cordas que sustentam os cenários no urdimento. **5.** *Bras., Amaz*. Fruto novo do cacaueiro. **6.** *Bras., PE*. Pedaço de pau onde se enrola o fio dos papagaios de papel.

malaiala. *S. m*. O idioma malabarense.

malaio. *Adj*. **1.** Da ou pertencente ou relativo à Malásia (Ásia). ● *S. m.* **2.** Natural ou habitante da Malásia. [Sin., nessas acepç.: *malásio*.] **3.** *Ling*. O idioma da Malásia. V. *malaio-polinésio* (3).

malaio-polinésio. *Adj*. **1.** Pertencente ou relativo à Malásia e à Polinésia. **2.** Pertencente ou relativo ao malaio-polinésio (3). ● *S. m.* **3.** Família de línguas faladas no Pacífico, na área compreendida entre a ilha de Madagáscar (O.) e a ilha de Páscoa (E.), e entre Formosa (N.) e Nova Zelândia (S.). [Divide-se em quatro subgrupos: o *indonésio* (ao qual pertencem, entre outros, o tagalo, da República das Filipinas, o malaio, da Malásia e da Indonésia, e o malgaxe, de Madagáscar), o *melanésio*, o *micronésio* e o *polinésio* (que acolhe umas 20 línguas, entre as quais as das ilhas Samoa, Havaí, Taiti e Nova Zelândia).] [Pl.: *malaio-polinésios*.]

mal-ajambrado. *Adj. Bras*. V. *mal-amanhado*: "Dr. Cláudio, baixo, mal-ajambrado, sempre metido numa capa de gabardine." (Antônio Olavo Pereira, *Fio de Prumo*, p. 66.) [Pl.: *mal-ajambrados*. Antôn.: *bem-ajambrado*.]

mal-ajeitado. [De *mal*^{2} + *ajeitado*, part. de *ajeitar*.] *Adj*. V. *mal-amanhado*. [Pl.: *mal-ajeitados*.]

malali. *Bras. S. 2 g.* **1.** Indígena da extinta tribo dos malalis, que viviam entre os rios Doce e Mucuri. ● *Adj. 2 g.* **2.** Pertencente ou relativo a essa tribo.

mal-amada. [De *mal*^{2} + o fem. de *amado*.] *Adj*. (*f*.) e *s. f*. Diz-se de, ou mulher irrealizada, não correspondida no seu amor: "porque a menina feiinha hoje, futura estudante da PUC, acabaria psicóloga automática mal-amada e inda mais rica." (Haroldo Maranhão, *As Peles Frias*, p. 53). [Pl: *mal-amadas*. Cf. *bem-amado*.]

mal-amanhado. [De *mal*^{2} + *amanhado*.] *Adj*. Que está mal vestido; mal-posto, mal-ajambrado, mal-ajeitado, mal-apresentado, mal-arranjado, mal-arrumado, mal-enjorcado. [Pl.: *mal-amanhados*.]

malamba. [Do quimb. *lama*, 'desgraça'.] *S. f. Bras., PE.* **1.** Desgraça, infelicidade. **2.** Lamúria, choradeira.

malambeiro. *Adj*. e *s. m. Bras., PE.* Diz-se de, ou aquele que é dado a contar aos outros as suas infelicidades ou malambas.

mal-americano. [De *mal*^{1} + *americano*.] *S. m*. V. *sífilis*. [Pl.: *males-americanos*.]

malampança. *S. f. Bras*. Manampança.

malandança. [De *malandante*.] *S. f. Ant*. Desgraça, desdita, infortúnio.

malandante. [De *mal*^{2} + *andante*^{1}.] *Adj. 2 g.* **1.** *Desus*. Infeliz, desventurado. ● *S. m.* **2.** *Ant*. Ladrão de estrada.

malandéu. [Alter. de *malandréu*.] *S. m. Bras., BA*. V. *malandro* (1 a 3).

malandra. [Fem. de *malandro*.] *S. f.* Mulher de ínfima estirpe; vagabunda.

malandragem. *S. f.* **1.** Súcia de malandros. **2.** Qualidade, ato, dito, modos ou vida de malandro. [Sin., nesta acepç.: *malandrice* e (bras., Amaz.) *maranha*.]

malandrar. *V. int*. Levar vida de malandro; mandriar. [F. paral., bras.: *malandrear*.]

malandrear. *V. int. Bras*. V. *malandrar*. [Conjug.: v. *frear*.]

malandres. *S. m. pl*. Ferimentos transversais na prega do joelho de uma cavalgadura.

malandréu. *S. m*. V. *malandro* (1 a 3).

malandrice. *S. f.* V. *malandragem* (2): "não podia continuar naquela vida de malandrice, precisava arranjar-se" (Coelho Neto, *Turbilhão*, pp. 148-149); "Antônio .... grulha .... as suas malandrices sensuais à criada" (José Vieira, *Sol de Portugal*, p. 39).

malandrim. [Var. de *malandrino*.] *S. m*. V. *malandro* (1 a 3).

malandrino. [Do it. *malandrino*.] *Adj*. **1.** Que tem hábitos, modos ou ares de malandro. **2.** Respeitante a malandro. ● *S. m*. **3.** V. *malandro* (1 a 3): "Quase nada rendia o tal negócio, porque .... o malandrino, guloso e glutão por natureza, comia o melhor do que pretendia expor à venda." (Visconde de Taunay, *Ao Entardecer*, p. 38.) [Var.: *malandrim*.]

malandro. [Der. regress. de *malandrim*.] *S. m*. **1.** Indivíduo dado a abusar da confiança dos outros, ou que não trabalha e vive de expedientes; velhaco, patife. **2.** Indivíduo preguiçoso, madraço, mandrião. **3.** Gatuno, ladrão. [Sin., nessas acepç.: *malandréu*, *malandrim* ou *malandrino*, *malandrinho* e (BA) *malandéu*.] **4.** *Bras*. Indivíduo esperto, vivo, astuto, matreiro. ● *Adj*. **5.** Que é malandro.

mal-apanhado. [De *mal*^{2} + *apanhado*.] *Adj*. V. *mal-apessoado*. [Pl.: *mal-apanhados*. Antôn.: *bem-apanhado*.]

mal-apessoado. [De *mal*^{2} + *apessoado*.] *Adj*. Que tem má aparência; malparecido, mal-apanhado: "O Leonardo, fazendo-se-lhe justiça, não era nesse tempo de sua mocidade mal-apessoado, e sobretudo era maganão." (Manuel Antônio de Almeida, *Memórias de um Sargento de Milícias*, p. 109.) [Pl.: *mal-apessoados*. Antôn.: *bem-apessoado*.]

mala-posta. [Do fr. *malle-poste*.] *S. f.* Diligência que transportava as malas do correio e, por vezes, passageiros: "Em 1862 já havia a mala-posta para Coimbra e Porto." (Bulhão Pato, *Memórias*, II, p. 141.) [Pl.: *malas-postas*.]

mal-apresentado. [De *mal*^{2} + *apresentado*, part. de *apresentar* (18).] *Adj*. V. *mal-amanhado*. [Pl.: *mal-apresentados*. Antôn.: *bem-apresentado*.]

malaqueiro. *Adj*. e *s. m*. Malaquês.

malaquês. *Adj*. **1.** De, ou pertencente ou relativo a Malaca (Ásia). ● *S. m*. **2.** O natural ou habitante de Malaca. [Sin. ger.: *malaqueiro*. Flex.: *malaquesa* (ê), *malaqueses* (ê), *malaquesas* (ê).]

malaquita. [Do gr. *malachítes*, pelo lat. *malachites*.] *S. f. Min*. Mineral monoclínico de coloração verde, carbonato básico de cobre, minério de cobre.

malar^1. [Do lat. *mala*, 'maxilar superior', 'maçã do rosto', + *-ar*^{1}.] *S. m*. **1.** *Anat*. Cada um de dois ossos de forma quadrangular situados, um de cada lado, na bochecha, e que se articulam com outros ossos da face e do crânio. ● *Adj. 2 g.* **2.** Diz-se do, ou relativo ao osso malar, ou às maçãs do rosto: "a proeminência dos ossos malares ia dando, aos rostos, feição definitiva de caveiras" (João da Silva Correia, *Farândola*, p. 39); "Era magra de faces, sem que se lhe vissem as proeminências malares" (Camilo Castelo Branco, *Cenas da Foz*, p. 99).

malar^2. [De *mala* (6) + *-ar*^{2}.] *V. int. Bras*. Errar no jogo da pelota. [Fut. pret.: *malaria*, etc. Cf. *malária*.]

malaria. [De *mala* (1 e 2) + *-aria*.] *S. f.* **1.** Porção de malas. **2.** Lugar onde se fabricam ou vendem malas. [Cf. *malária*.]

malária. [Do it. *malaria*.] *S. f. Patol*. Infecção que pode incidir no homem e noutros mamíferos, assim como em aves e anfíbios, causada por protozoários do gênero *Plasmodium*, do qual há cerca de 50 espécies. [Sin.: *febre intermitente*, *febre palustre*, *febres*, *maleita* ou *maleitas*, *paludismo* ou *impaludismo*, *perniciosa*, *sezão* ou *sezões*, *sezonismo*, *acréscimo* ou *acréscimos*, *batedeira* (bras. e prov. lus.); *tremedeira* e *carneirada* (bras.). Cf. *malaria*, do v. *malar* e s. f.]

malárico. *Adj*. Referente à malária.

▲malario-. [De *malária*.] *El. comp*. = 'malária': *malariologia*.

malariologia. [De *malario-* + *-log(o)-* + *-ia*.] *S. f.* Parte da medicina que estuda especialmente a malária.

malariológico. *Adj*. Relativo à malariologia.

malariologista. *S. 2 g.* Especialista em malariologia.

malarioterapia. [De *malario-* + *-terapia*.] *S. f. Med*. Forma de tratamento utilizada, principalmente, na paralisia geral, e que consiste em infectar o paciente com uma das espécies que causam malária no homem.

malarioterápico. *Adj*. Relativo à malarioterapia.

mal-arranjado. [De *mal*^{2} + *arranjado*.] *Adj*. V. *mal-amanhado*. [Pl.: *mal-arranjados*. Antôn.: *bem-arranjado*.]

mal-arrumado. [De *mal*^{2} + *arrumado*, part. de *arrumar*.] *Adj*. **1.** V. *mal-amanhado*. ● *S. m*. **2.** *Bras., SP*. Terreno coberto de grandes pedaços de rocha, sobre os quais se transita com dificuldade. [Pl.: *mal-arrumados*.]

malas-arte. *Adj. 2 g.* **1.** Mal-azado (1). **2.** Var. de *malas-artes* (1, 2 e 3). ● *S. 2 g*. **3.** Pessoa malas-arte. ~ V. *malas-artes*.

malas-artes. [Do esp. *malas artes*, 'artes más'.] *Adj. 2 g.* e *2 n.* **1.** Diz-se de pessoa infeliz, miserável, malaventurada. **2.** Diz-se de pessoa trapalhona, intrigante, trampolineira, burlona. [Var.: *malas-arte* (q. v.).] ● *S. 2 g.* e *2 n.* **3.** Indivíduo malas-artes. ● *S. f. pl.* **4.** Trapalhadas, trampolinadas, intrigas, embaraços, confusões. [Cf. *Malasarte*, pros.]

malásio. [Do top. *Malásia* (Ásia).] *Adj*. e *s. m*. Malaio (1 e 2).

mal-assada. [De *mal*^{2} + *assada* fem. do part. de *assar*.] *S. f.* **1.** V. *fritada* (3). **2.** *Bras*. Espécie de cataplasma que se prepara com plantas medicinais. [Pl.: *mal-assadas*.]

mal-assombrado. [De *mal*^{2} + *assombrado*.] *Bras. Adj*. **1.** Diz-se do lugar ou casa onde, segundo a crença popular, aparecem fantasmas [v. *fantasma* (3)]. ● *S. m*. **2.** V. *fantasma* (3). [Pl.: *mal-assombrados*.]

mal-assombramento. [De *mal-assombrado*.] *S. m. Bras*. V. *fantasma* (3). [Pl.: *mal-assombramentos*.]

mal-assombro. [De *mal*^{2} + *assombro* (por *mau-assombro*), com infl. de *mal-assombrado*.] *S. m. Bras*. V. *fantasma* (3). [Pl.: *mal-assombros*.]

malauiano (au-i). *Adj*. **1.** Do, ou pertencente ou relativo à República do Malauí (leste da África). ● *S. m*. **2.** O natural ou habitante da República do Malauí. [F. paral.: *malaviano*.]

mal-aventurado. [De *mal*^{2} + *aventurado*.] *Adj*. e *s. m*. Infeliz, desgraçado, desventurado: *criatura mal-aventurada; os mal-aventurados*. [Sin.: *malventuroso*, *mal-afortunado*, *malsorteado*. Pl.: *mal-aventurados*. Antôn.: *bem-aventurado*.]

malaviano. *Adj*. e *s. m*. Malauiano.

mal-avindo. [De *mal*^{2} + *avindo*.] *Adj*. Desavindo, malquisto, discorde. [Pl.: *mal-avindos*. Antôn.: *bem-avindo*.]

mal-avisado [De *mal*^{2} + *avisado*.] *Adj*. Imprudente, imponderado, irrefletido: *rapaz mal-avisado; atitude mal-avisada*. [Pl.: *mal-avisados*. Antôn.: *bem-avisado*.]

malaxadeira. [De *malaxar* + *-deira*.] *S. f.* Malaxador.

malaxador (ô). *S. m*. Aparelho para malaxar a manteiga ou a nata, no fabrico do queijo; malaxadeira.

malaxar. [Do lat. *malaxare* < gr. *malásso*, 'amolecer'.] *V. t. d.* Amassar para fazer emplastro. **2.** Mexer ou bater muito (uma substância) a fim de torná-la compacta. **3.** Aplicar massagem em. **4.** Cansar, fatigar, extenuar.

mal-azado. [De *mal*^{2} + *azado*.] *Adj*. **1.** Que não é azado; impróprio, desajeitado, inadequado. ● *S. m*. **2.** Indivíduo desajeitado, mal-azado.

malbaratador (ô). *Adj*. e *s. m*. Que ou aquele que malbarata.

malbaratar. *V. t. d.* **1.** Vender abaixo do custo; vender com prejuízo. **2.** Empregar ou gastar de forma inconveniente; dissipar, desperdiçar, desbaratar: "Desonestos, malbaratavam a régia subvenção federal que receberam" (Marques Rebelo, *O Trapicheiro*, p. 407). *T. d.* e *i.* **3.** Empregar ou aplicar indevidamente: *Malbarata o raciocínio em tolices*. [F. paral.: *malbaratear*.]

malbaratear. [De *mal*^{2} + *baratear*.] *V. t. d.* e *t. d.* e *i. Bras*. V. *malbaratar*. [Conjug.: v. *frear*.]

malbarato. [Dev. de *malbaratar*.] *S. m*. **1.** Venda a preço vil, ou que deixa prejuízo. **2.** Depreciação. **3.** *Fig*. Desprezo, menosprezo.

mal-bruto. [De *mal*^{1} + *bruto*.] *S. m*. V. *lepra* (1). [Pl.: *males-brutos*.]

mal-caduco. [De *mal*^{1} + *caduco*.] *S. m. Bras. Pop*. V. *epilepsia*. [Pl.: *males-caducos*.]

mal-canadense. [De *mal*^{1} + *canadense*.] *S. m*. V. *sífilis*. [Pl.: *males-canadenses*.]

malcasado^1. [Alter. de *malcassá*.] *S. m. Bras., SE*. Espécie de beiju [q. v.] feito de tapioca com leite de coco e assado a fogo brando, envolto em folhas de bananeira. [Em PE e AL, esse beiju se faz de massa de mandioca recheada de coco ralado.]

malcasado^2. [De *mal*^{2} + *casado*.] *Adj*. **1.** Que vive mal com seu consorte. **2.** Que desposou pessoa de condição inferior.

malcassá. [Alter. de *acaçá* (q.v.)?] *S. m. Bras*. Malcasado^1 [q. v.].

mal-céltico. [De *mal*^{1} + *céltico*.] *S. m*. V. *sífilis*. [Pl.: *males-célticos*.]

malcheiroso (ô). [De *mal*^{2} + *cheiroso*.] *Adj*. Que cheira mal; fedorento, fétido: "Estavam nus, abraçados, suarentos, malcheirosos" (Antônio d'Elia, *Os Pistoleiros de Pistóia*, p. 112).

mal-com-cristo. [De *mal*^{2} + *com* + *Cristo*.] *Adj. 2 g.* e *2 n. Bras., AL. Pop.* V. *encarapinhado.*

mal-com-deus. [De *mal*^{2} + *Deus*.] *Adj. 2 g.* e *2 n. Bras., AL. Pop.* V. *encarapinhado.*

malcomido. [De *mal*^{2} + *comido*.] *Adj.* **1.** Que se alimenta mal. **2.** Magro por insuficiência de alimento: "E toda a negrada, malcomida, ... vivia faminta, entresilhada" (Coelho Neto, *Treva*, p. 252).

malcomportado. [De *mal*^{2} + *comportado*.] *Adj.* Que procede ou se comporta mal. [Antôn.: *bem-comportado*.]

malconceituado. [De *mal*^{2} + *conceituado*.] *Adj.* Que não desfruta de bom conceito, mal-afamado. [Antôn.: *bem-conceituado*.]

malconduzido. [De *mal*^{2} + *conduzido*, part. de *conduzir*.] *Adj.* Que não teve boa orientação; que não foi bem encaminhado: *negócio malconduzido.*

malconfiar. [De *mal*^{2} + *confiar*.] *V. t. d.* e *i.* e *int.* Não confiar inteiramente; desconfiar em parte.

malconformado. [De *mal*^{2} + *conformado*.] *Adj.* Que tem má conformação ou configuração; malproporcionado.

malconservado. [De *mal*^{2} + *conservado*.] *Adj.* **1.** Que envelheceu prematuramente; envelhecido, avelhantado, avelhentado: *homem malconservado.* **2.** Que se desgastou prematuramente por falta de conservação: *automóvel malconservado.*

malcontentadiço. [De *mal*^{2} + *contentadiço*.] *Adj.* Que só a muito custo se contenta.

malcontente. [De *mal*^{2} + *contente*.] *Adj. 2 g.* V. *descontente* (1 e 2): "Move-se no casarão, malcontente, com ar de condenada, como se levasse o próprio peso às costas." (Osmã Lins, *Nove, Novena*, p. 167.)

malcriadamente. [Do fem. de *malcriado* + *-mente*.] *Adv.* De modo malcriado; com maneiras próprias de quem o é; com má-criação: "E ele, a quem toda a gente respeitava, tinha que aturar aquele avantesma a exigir, malcriadamente." (Maria Archer, *Fauno Sovina*, pp. 10-11.)

malcriado. [De *mal*^{2} + *criado*.] *Adj.* **1.** Descortês, indelicado; grosseiro, mal-ensinado. [Antôn.: *bem-criado* (1).] ● *S. m.* **2.** Indivíduo malcriado. [Sin. ger.: *mal-educado*.]

malcuidado. [De *mal*^{2} + *cuidado*, part. de *cuidar*.] *Adj.* Que não foi objeto de maior cuidado ou zelo: "Talvez um dia o meu amor se extinga, / Como fogo de Vesta malcuidado / Que sem o zelo da Vestal não vinga" (Machado de Assis, *Poesias Completas*, p. 44).

mal-da-baía-de-são-paulo. *S. m.* V. *sífilis.* [Pl.: *males-da-baía-de-são-paulo*.]

maldade. [Do lat. *malitate*.] *S. f.* **1.** Qualidade ou caráter de mau; perversidade, crueldade; iniqüidade, malvadez. [Antôn.: *bondade*.] **2.** Ação má, perversa, cruel; malvadez. [Antôn.: *bondade*.] **3.** Malícia; mordacidade. **4.** *Fam.* Turbulência, travessura, traquinada. [Sin. (bras., PA), nessas acepç.: *malineza*.] **5.** *Bras., RS.* Pus proveniente de úlcera; pus.

maldadoso (ô). [De *maldade* + *-oso*.] *Adj. Bras.* **1.** V. *maldoso.* **2.** Maléfico, danoso, nocivo.

mal-da-pinta. *S. m. Patol.* V. *caraté.* [Pl.: *males-da-pinta*.]

mal-da-praia. [De *mal*^{1} + o fem. de *do*^{1} + *praia*.] *S. m. Bras.* V. *erisipela.* [Pl.: *males-da-praia*.]

maldar. [Da raiz de *maldade*, *maldoso*, etc., + *-ar*^{2}.] *Bras. V. t. d.* **1.** Formar na mente, conceber (um mau juízo, uma suspeita má): "Quando a mulher dele .... descobriu que uma das crias da casa estava se empanzinando, maldou, logo, logo, que o velho Tonico era o dono da arte." (Nélson de Faria, *Tiziu e Outras Estórias*, p. 176.) *T. i.* e *int.* **2.** Fazer mau juízo; ter má suspeita: *Não confia em ninguém: malda de todos e de tudo; Leva o tempo a maldar.*

mal-das-ancas. [De *mal*^{1} + o fem. pl. de *do*^{1} + o pl. de *anca*.] *S. m. Bras.* V. *mal-de-escancha.* [Pl.: *males-das-ancas*.]

mal-da-terra. [De *mal*^{1} + o fem. sing. de *do* + *terra*.] *S. m. Bras., S.* V. *ancilostomíase.* [Pl.: *males-da-terra.* Cf. *mal-de-terra*.]

mal-de-amores. [De *mal*^{1} + *de* + o pl. de *amor*.] *S. m. Bras., CE. Pop.* Qualquer doença venérea; doença-do-mundo. [Pl.: *males-de-amores*.]

mal-de-ano. [De *mal*^{1} + *de* + *ano*^{1}.] *S. m. Bras.* Epizootia dos bovídeos (*Carbunculo symptomatico*). [Pl.: *males-de-ano*.]

mal-de-bicho. [De *mal*^{1} + *de* + *bicho*.] *S. m. Bras.* V. *maculo.* [Pl.: *males-de-bicho*.]

mal-de-cadeiras. [De *mal*^{1} + *de* + o pl. de *cadeira*.] *S. m. Bras.* V. *mal-de-escancha.* [Pl.: *males-de-cadeiras*.]

mal-de-chupança. *S. m. Bras., BA.* V. *bexiga-do-cacau.*

mal-de-coito. [De *mal*^{1} + *de* + *coito*^{1}.] *S. m.* V. *sífilis.* [Pl.: *males-de-coito*.]

mal-de-cuia. [De *mal*^{1} + *de* + *cuia*.] *S. m. Bras., SP. Pop.* V. *lepra* (1). [Pl.: *males-de-cuia*.]

mal-de-engasgo. [De *mal*^{1} + *de* + *engasgo*.] *S. m. Bras.* Afecção esofagiana em que há distúrbio de deglutição; mal-de-engasgue; engasgo ou engasgue, entalo, entalação. [Pl.: *males-de-engasgo*.]

mal-de-engasgue. [De *mal*^{1} + *de* + *engasgue*.] *S. m. Bras.* V. *mal-de-engasgo.* [Pl.: *males-de-engasgue*.]

mal-de-escancha. [De *mal*^{1} + *de* + *escancha*.] *S. m. Bras., MA.* Epizootia que, nas regiões paludosas, acomete os cavalos e os inutiliza para sempre. [Tb. se diz apenas *escancha*; sin., em regiões diversas: *mal-das-ancas, mal-de-cadeiras, mal-dos-quartos, quebra-bunda, durina.* Pl.: *males de-escancha*.]

mal-de-fiúme. [De *mal*^{1} + *de* + o top. *Fiúme* (Iugoslávia).] *S. m.* V. *sífilis.* [Pl.: *males-de-fiúme*.]

mal-de-franga. *S. m.* V. *sífilis.* [Pl.: *males-de-franga*.]

mal-de-frenga. [De *mal*^{1} + *de* + *frenga*.] *S. m.* V. *sífilis.* [Pl.: *males-de-frenga*.]

mal-de-garapa. [De *mal*^{1} + *de* + *garapa*.] *S. m. Bras.* Tripanossomíase dos eqüídeos. [Pl.: *males-de-garapa*.]

mal-de-gota. [De *mal*^{1} + *de* + *gota* (ô).] *S. m. Bras.* V. *epilepsia.* [Pl.: *males-de-gota*.]

mal-de-lázaro. [De *mal*^{1} + *de* + o antr. *Lázaro*, de S. Lázaro.] *S. m.* V. *lepra* (1): "via-se repudiado de todos,porque o negro mal-de-lázaro iria de mal a pior" (Valdomiro Silveira, *Os Caboclos*, p. 73). [Pl.: *males-de-lázaro*.]

maldelazento. [De *mal-de-lázaro* + *-ento*, com síncope.] *Adj.* e *s. m. Bras.* Que ou aquele que sofre de mal-de-lázaro; leproso [q. v.].

mal-de-luanda. [De *mal*^{1} + *de* + o top. *Luanda*.] *S. m.* Escorbuto: "Muitos dos que escapam à morte nos navios negreiros vêm definhar nos caminhos do Brasil, atacados do mal-de-luanda ou de outras moléstias de mau caráter." (Eduardo Frieiro, *O Mameluco Boaventura*, p. 18.) [Pl.: *males-de-luanda*.]

mal-de-monte. [De *mal*^{1} + *de* + *monte*.] *S. m. Bras., N.E.* V. *erisipela.* [Pl.: *males-de-monte*.]

mal-de-nápoles. [De *mal*^{1} + *de* + o top. *Nápoles*.] *S. m.* V. *sífilis.* [Pl.: *males-de-nápoles*.]

mal-de-santa-eufêmia. [De *mal*^{1} + *de* + *Santa Eufêmia*.] *S. m.* V. *sífilis.* [Pl.: *males-de-santa-eufêmia*.]

mal-de-são-jó. [De *mal*^{1} + *de* + *São Jó*.] *S. m.* V. *sífilis.* [Pl.: *males-de-são-jó*.]

mal-de-são-lázaro. [De *mal*^{1} + *de* + *São Lázaro*.] *S. m.* V. *lepra* (1). [Pl.: *males-de-são-lázaro*.]

mal-de-são-névio. [De *mal*^{1} + *de* + *São Névio*.] *S. m.* V. *sífilis.* [Pl.: *males-de-são-névio*.]

mal-de-são-semento. [De *mal*^{1} + *de* + *São Semento*.] *S. m.* V. *sífilis.* [Pl.: *males-de-são-semento*.]

mal-de-secar. [De *mal*^{1} + *de* + *secar*.] *S. m.* **1.** *Bras.* V. *tuberculose.* **2.** *Bras., BA.* A tuberculose dos bovídeos. [Pl.: *males-de-secar*.]

mal-de-sete-dias. [De *mal*^{1} + *de* + *sete* + o pl. de *dia*.] *S. m.* Tétano do recém-nascido: "Cadê meu filho? É isso que vosmecê me pergunta, é? .... Morreu de mal-de-sete-dias, nhor sim!" (Nélson de Faria, *Bazé*, p. 96.) [Pl.: *males-de-sete-dias*.]

mal-de-terra. [De *mal*^{1} + *de* + *terra*.] *S. m. Lus.* V. *epilepsia.* [Pl.: *males-de-terra.* Cf. *mal-da-terra*.]

mal-de-vaso. *S. m. Bras., RS.* Ferida na raiz dos cascos dos eqüídeos e bovídeos. [Sin., noutras regiões: *mal-dos-cascos.* Pl.: *males-de-vaso*.]

maldição. [Do lat. *maledictione*.] *S. f.* **1.** Ato ou efeito de amaldiçoar ou maldizer. **2.** V. *praga* (1). **3.** Desgraça, infortúnio, calamidade.

maldiçoar. [De *maldição* + *-ar*^{2}.] *V. t. d.* V. *amaldiçoar:* "A mãe dela meteu o relho na menina.... Chegou inté a maldiçoar a pobrezinha!" (Nélson de Faria, *Tiziu e Outras Estórias*, p. 183.) [Conjug.: v. *coroar*.]

maldigno. [De *mal*^{2} + *digno*.] *Adj. P. us.* Indigno.

maldisposto (ô). [De *mal*^{2} + *disposto*.] *Adj.* Incomodado, achacado, indisposto. [Antôn.: *bem-disposto*.]

maldita. [Fem. substantivado do adj. *maldito*.] *S. f.* **1.** Impingem rebelde. **2.** Pústula maligna. **3.** *Bras. Pop.* V. *erisipela.*

maldito. [Do lat. *maledictu*.] *Adj.* **1.** Diz-se daquele ou daquilo a que se lançou maldição; condenado, amaldiçoado: *filhos malditos.* **2.** Pernicioso, execrando, funesto: *guerra maldita.* **3.** Muito mau; perverso, malvado, maligno: *assassinos malditos.* [Antôn., nessas acepç.: *bendito*.] **4.** Molesto, enfadonho; amaldiçoado: *Esta maldita caminhada nunca termina.* [Junto ao verbo *ser*, no imperativo e no pres. do subj., exprime imprecação contra alguém: *Sê maldito!; Maldito sejas!*] ~ V. *serpente—a.* ● *S. m.* **5.** Indivíduo maldito; amaldiçoado: "Caricaturas tétricas e errantes / Dos malditos, dos réus, dos suicidas" (Cruz e Sousa, *Poesias*, p. 195). **6.** *Bras. Pop.* V. *diabo* (2).

malditoso (ô). [De *mal*^{2} + *ditoso*.] *Adj. P. us.* Desditoso, infeliz.

maldivense. *S. m.* Língua dravídica falada nas ilhas Maldivas (oceano Índico).

maldivo. *Adj.* **1.** Das, ou pertencente ou relativo às ilhas Maldivas (oceano Índico). ● *S. m.* **2.** O natural ou habitante das ilhas Maldivas.

maldizente. [Do lat. *maledicente*.] *Adj. 2 g.* e *s. 2 g.* Que ou quem fala mal dos outros, tem má língua; maledicente, malédico, malfalante. [Antôn.: *bendizente*.]

maldizer. [Do lat. *maledicere*.] *V. t. d.* **1.** Praguejar contra; lançar imprecações contra; amaldiçoar: "pensava em morrer, maldizendo a vida" (Inglês de Sousa, *O Missionário*, p. 339). *T. i.* **2.** Dizer mal; blasfemar: *maldizer de alguém;* "O céu que ofendes e de que maldizes, / Basta-me entanto: amo-o com seus fulgores" (Alberto de Oliveira, *Poesias*, 4ª série, p. 42). **3.** Lastimar-se, lamentar-se. *Int.* **4.** Falar mal de alguém. [Antôn.: *bendizer.* Irreg. Conjug.: v. *dizer*.] ● *S. m.* **5.** V. *maledicência* (2).

mal-do-monte. [De *mal*^{1} + *do*^{1} + *monte*.] *S. m.* V. *erisipela.* [Pl.: *males-do-monte*.]

mal-do-pinto. [De *mal*^{1} + *do*^{1} + *pinto*.] *S. m. Patol.* V. *caraté.* [Pl.: *males-do-pinto*.]

maldormido. [De *mal*^{2} + *dormido*.] *Adj.* **1.** Que dormiu mal; que dormiu pouco e/ou intranqüilamente: *Acordou maldormido, indisposto.* **2.** Em que se dormiu mal: "Maldormida, entremeada de sonhos ininterruptos, de sobressaltos e ânsias foi a noute que precedeu a publicação." (Machado de Assis, *Histórias da Meia-Noite*, p. 164); "Aquela sensação opressiva de calor na cabeça e aquele quebranto que lhe amolentava o corpo .... não eram apenas da noite maldormida e sim da gripe que por fim a dominava." (Josué Montelo, *Os Degraus do Paraíso*, p. 53). [Antôn.: *bem-dormido*.]

mal-do-sangue. [De *mal*^{1} + *do*^{1} + *sangue*.] *S. m. Bras. Pop.* V. *lepra* (1). [Pl.: *males-do-sangue*.]

mal-dos-aviadores. [De *mal*^{1} + o pl. de *do*^{1} + o pl. de *aviador*.] *S. m. Med.* V. *doença de descompressão.* [Pl.: *males-dos-aviadores*.]

mal-dos-cascos. [De *mal*^{1} + o pl. de *do*^{1} + o pl. de *casco*.] *S. m. Bras.* **1.** Febre aftosa dos bovídeos e eqüídeos. **2.** Mal-de-vaso. [Pl.: *males-dos-cascos*.]

mal-dos-chifres. [De *mal*^{1} + o pl. de *do*^{1} + o pl. de *chifre*.] *S. m. Bras.* Epizootia do gado vacum, localizada na base dos chifres, e que lhes origina a queda. [Sin., N.E.: *roedeira.* Pl.: *males-dos-chifres*.]

mal-dos-cristãos. [De *mal*^{1} + o pl. de *do*^{1} + o pl. de *cristão*.] *S. m.* V. *sífilis.* [Pl.: *males-dos-cristãos*.]

mal-dos-mergulhadores. [De *mal*^{1} + o pl. de *do*^{1} + o pl. de *mergulhador*.] *S. m. Med.* V. *doença de descompressão.* [Pl.: *males-dos-mergulhadores*.]

maldoso (ô). [De *maldadoso*, com haplologia.] *Adj.* **1.** Que tem ou encerra maldade; de má índole; mau. **2.** Que toma sempre em mau sentido as palavras e ações dos outros. **3.** Travesso, malicioso. [Sin. ger.: *maldadoso* (1).]

mal-dos-peitos. [De *mal*^{1} + o pl. de *do*^{1} + o pl. de *peito*.] *S. m. Bras. Pop.* V. *tuberculose.* [Pl.: *males-dos-peitos*.]

mal-dos-quartos. [De *mal*^{1} + o pl. de *do*^{1} + o pl. de *quarto*.] *S. m. Bras.* V. *mal-de-escancha.* [Pl.: *males-dos-quartos*.]

maldotado. [De *mal*^{2} + *dotado*.] *Adj.* Diz-se daquele a quem a natureza favoreceu escassamente com seus dons ou dotes. [Antôn.: *bem-dotado*.]

mal-do-veado. [De *mal*^{1} + *do*^{1} + *veado*.] *S. m. Pop.* V. *tétano.* [Pl.: *males-do-veado*.]

malê. [De or. afr.] *Bras. S. 2 g.* **1.** Indivíduo dos malês, muçulmanos brasileiros de origem africana, dos quais há reduzidos núcleos na BA e RJ. ● *Adj. 2 g.* **2.** Pertencente ou relativo aos malês. ~ V. *malês.*

maleabilidade. [De um lat. *malleabilitate < *malleabile < *malleare, 'malhar'.] *S. f.* **1.** Qualidade ou propriedade de maleável. **2.** *Fig.* Docilidade, flexibilidade: *maleabilidade de espírito.*

maleabilizar. *V. t. d.* Tornar maleável.

maleáceo. [Do lat. *malleu*, 'malho, martelo', + *áceo*^{1}.] *Adj.* Relativo ou semelhante a martelo.

malear^1. [Do lat. *malleu*, 'malho, martelo', + *-ar*^{1}.] *Adj. 2 g. Anat.* Referente ao, ou próprio do martelo (6).

malear^2. [De um lat. *malleare, 'malhar'.] *V. t. d.* **1.** Transformar em lâmina(s). **2.** Distender (um metal) a

martelo. **3.** Dar marteladas em. **4.** Tornar dócil, flexível; abrandar, suavizar. [Conjug.: v. *frear*.]
maleável. [Do fr. *malléable*.] *Adj. 2 g.* **1.** Que pode ser maleado ou malhado. **2.** Flexível, dobrável: "Tão finos e belos são alguns chapéus-do-chile, brancos, sedosos, maleáveis, que se podem guardar em carteiras de bolso" (Raimundo Morais, *País das Pedras Verdes*, p. 94). **3.** *Fig.* Flexível, dócil: *caráter maleável*.
malebra. [Var. de *maleva*.] *Adj.* e *s. m. Bras., RS.* *maleva.*
maledicência. [Do lat. *maledicentia*.] *S. f.* **1.** Qualidade de maldizente. **2.** Ação de maldizente; detração, difamação, murmuração, ladrado, maldizer.
maledicente. [Do lat. *maledicente*.] *Adj. 2 g.* e *s. 2 g.* V. *maldizente*. [Superl. abs. sint.: *maledicentíssimo*.]
maledicentíssimo. [Do lat. *maledicentissimu*.] *Adj.* Superl. abs. sint. de *maledicente* e *malédico*.
malédico. [Do lat. *maledicu*.] *Adj.* e *s. m.* V. *maldizente*. [Superl. abs. sint.: *maledicentíssimo*.]
mal-educado. [De *mal*^{2} + *educado*.] *Adj.* e *s. m.* V. *malcriado*. [Pl.: *mal-educados*. Antôn.: *bem-educado*.]
maleficência. [Do lat. *maleficentia*.] *S. f.* **1.** Qualidade de maléfico. **2.** Disposição ou tendência para fazer o mal. [Antôn.: *beneficência*.]
maleficentíssimo. [Do lat. *maleficentissimu*.] *Adj.* Superl. abs. sint. de *maléfico*.
maleficiar. [De *malefício* + *-ar*^{2}.] *V. t. d.* **1.** Fazer mal a; prejudicar, danificar, malfazer. **2.** Exercer influência maléfica em; enfeitiçar, encantar, embruxar. [Pres. ind.: *maleficio*, etc. Cf. *malefício*.]
malefício. [Do lat. *maleficiu*.] *S. m.* **1.** Ato de maleficiar; dano, mal, prejuízo. [Antôn.: *benefício* (1 e 2).] **2.** Feitiço, bruxedo, sortilégio. [Cf. *maleficio*. do v. *maleficiar*.]
maléfico. [Do lat. *maleficu*.] *Adj.* **1.** Que faz ou atrai o mal; maligno. **2.** Disposto para o mal; malévolo, mau. **3.** Danoso, prejudicial, nocivo: "É certo que .... a notícia da devastadora epidemia em S. Paulo .... produz já maléficos frutos" (Eduardo Prado, *Coletâneas*, II, p. 190). [Superl. abs. sint.: *maleficentíssimo*. Antôn.: *benéfico*.]
maléico. *Adj.* ~ V. *ácido* —.
maleiforme. [Do lat. *malleu*, 'malho, martelo', + *-i-* + *-forme*.] *Adj. 2 g.* Que tem forma de martelo. [Cf. *maliforme*.]
maleiro. *S. m.* **1.** Fabricante e/ou vendedor de malas. **2.** A parte de um armário onde se guardam malas. **3.** *Bras., MT.* Na zona diamantífera, o baiano (3).
maleita. [Do lat. *maledicta*, i. e., *febris maledicta*, 'febre maldita'.] *S. f.* V. *malária*. [Us. tb. no pl.]
maleita-brava. *S. f. Bras.* Infecção palustre grave, produzida, em geral, pelo parasito da terçã maligna. [Pl.: *maleitas-bravas*.]
maleitas. [Pl. de *maleita*.] *S. f. pl.* V. *malária*.
maleiteira. [De *maleita* + *-eira*.] *S. f. Bras., Amaz.* Arbusto ou arvoreta da família das euforbiáceas (*Euphoria cotinoides*), lactescentes, cujas inflorescências se arrumam em panículas, e cujas folhas, venenosas para peixes, servem para pescar quando trituradas e lançadas na água; lechetrez, leitariga, luzetro.
maleitoso (ô). *Adj.* **1.** Doente de maleita. **2.** Que provoca maleita: *região maleitosa*. ● *S. m.* **3.** Indivíduo atacado de maleita.
mal-e-mal. [De *mal*^{2} + *e*^{2} + *mal*^{2}.] *Adv.* **1.** *Bras.* Pouco mais ou menos; sofrivelmente. **2.** Parcamente, escassamente.
malemba. [Do ioruba.] *S. f. Bras.* Correspondente angola-conguês de Oxalá.
malembe. *S. m. Bras.* Cântico de misericórdia, em que se suplica perdão aos orixás nos candomblés bantos.
mal-empregado. [De *mal*^{2} + *empregado*, part. de *empregar*.] *Adj.* **1.** Empregado ou aplicado sem proveito, em vão: *esforço mal-empregado*; "Nenhum dinheiro lhe parecia [ao cartaginês] tão mal-empregado como o pré que dava à tropa" (Aquilino Ribeiro, *Os Avós dos Nossos Avós*, p. 53). **2.** Que constitui dom imerecido: *Mal-empregada tanta beleza em mulher tão má!* [Pl.: *mal-empregados*.]
mal-encarado. [De *mal*^{2} + *en-* + *cara* + *-ado*^{1}.] *Adj.* **1.** Que tem má cara; carrancudo. **2.** Que revela, pela aparência, má índole, maus instintos, mau caráter: "Devia imaginá-lo um grande e mal-encarado bandido" (Vanda Fabian, *Zé Canarinho*, p. 27). [Antôn.: *bem-encarado*.] ● *S. m.* **3.** *Bras. Pop.* V. *diabo* (2): "João de Almeida / fez um pacto / com o mal-encarado. / Ficou rico / de um dia para o outro." (H. Dobal, *A Serra das Confusões*, "O Pacto".) [Pl.: *mal-encarados*.]
malencolia. *S. f. Ant.* e *pop.* V. *melancolia* (1 a 3).
malenconia. *S. f. Ant.* e *pop.* V. *melancolia* (1 a 3).
mal-enganado. [De *mal*^{2} + *enganado*.] *Adj.* Muito enganado. [Pl.: *mal-enganados*.]
mal-engraçado. [De *mal*^{2} + *engraçado*.] *Adj.* Não engraçado; desengraçado. [Pl.: *mal-engraçados*.]
mal-enjorcado. [De *mal*^{2} + o part. do lus. *enjorcar*, 'entrajar mal ou às pressas'.] *Adj. Bras.* V. *mal-amanhado*. [Pl.: *mal-enjorcados*.]
mal-ensinado. [De *mal*^{2} + *ensinado*.] *Adj.* V. *malcriado* (1). [Pl.: *mal-ensinados*.]
mal-entendido. [De *mal*^{2} + *entendido*.] *Adj.* **1.** Mal interpretado; mal compreendido. **2.** Que entende mal ou forma das coisas opinião errada. ● *S. m.* **3.** Equívoco, confusão, qüiproquó. **4.** Desentendimento, altercação, briga. [Pl.: *mal-entendidos*.]
mal-entrajado. [De *mal*^{2} + *entrajado*, part. de *entrajar*.] *Adj.* V. *maltrapilho* (1). [Pl.: *mal-entrajados*.]
maleolar. *Adj. 2 g. Anat.* Relativo ou pertencente aos maléolos.
maléolo. [Do lat. *malleolu*, 'martelinho'.] *S. m. Anat.* Cada uma das duas eminências ósseas situadas uma na face interna, e outra na externa, da extremidade inferior de cada perna, e que constituem os tornozelos.
maleotomia. [Do lat. *malleu*, 'amarelo', + *-tom(o)-* + *-ia*.] *S. f. Cir.* **1.** Seção do martelo (6) na ancilose óssea do ouvido médio. **2.** *Cir.* Separação por seção cirúrgica dos ligamentos que, em cada perna, mantém unidos os maléolos.
males. [Pl. de *mal*^{1}.] *S. m. pl.* V. *sífilis*. ~ V. *mal*.
malês. *Adj.* **1.** Da, ou pertencente ou relativo à República do Máli (África), antigo Sudão francês. ● *S. m.* **2.** O natural ou habitante da República do Máli. [Flex.: *malesa* (ê), *maleses* (ê), *malesas* (ê).] ~ V. *malê*.
mal-escocês. [De *mal*^{1} + *escocês*.] *S. m.* V. *sífilis*. [Pl.: *males-escoceses*.]
malesherbiácea. *S. f.* Espécime das malesherbiáceas.
malesherbiáceas. *S. f. pl. Bot.* Família de dicotiledôneas, da ordem das parietales, que compreende ervas ou subarbustos de folhas alternas, com flores actinomorfas, hermafroditas, pentâmeras e com receptáculo tubuloso; gineceu e androceu sobre androginóforo; três carpelos concrescentes, com numerosos óvulos. Engloba o gênero *Malesherbia*, composto de 25 espécies andinas.
malesherbiáceo. *Adj.* Relativo às malesherbiáceas.
mal-estar. [De *mal*^{2} + *estar*.] *S. m.* **1.** Indisposição ou perturbação orgânica; doença de pouca gravidade; incômodo: *um mal-estar no estômago*. **2.** Ansiedade mal definida; inquietação. **3.** situação incômoda; constrangimento, embaraço: *Sua grosseria provocou um grande mal-estar*; "Se as coisas continuassem naquele pé, romperia com os primos, criaria mal-estares na família." (Macedo Miranda, *Lady Godiva*, p. 127). [Pl.: *mal-estares*. Antôn.: *bem-estar*.]
mal-estreado. [De *mal*^{2} + *estreado*, part. de *estrear*.] *Adj.* **1.** Que teve má estréia; que principiou mal, sob mau agouro. **2.** Feio; malparecido, mal-apanhado. [Pl.: *mal-estreados*.]
maleta (ê). *S. f.* Pequena mala; malote [q. v.].
maleva. [Var. de *malevo*.] *Adj. 2 g. Bras., RS. Pop.* **1.** V. *malevolente* (1). **2.** Genioso, rancoroso. **3.** Diz-se do cavalo que por qualquer motivo corcoveia. ● *S. m.* **4.** Bandido, malfeitor. [Var.: *malebra*.]
malevão. *Adj.* e *s. m. Bras., RS.* Aum. de *maleva*.
malevo. [Do esp. plat. *malevo*.] *Adj.* e *s. m. Bras., RS.* V. *maleva*.
malevolência. [Do lat. *malevolentia*.] *S. f.* Qualidade ou ação de malevolente. [Antôn.: *benevolência*.]
malevolente. [Do lat. *malevolente*.] *Adj. 2 g.* **1.** Que tem má índole; mau, maléfico, malévolo. **2.** Que tem má vontade contra alguém; malquerente: "e Cervantes, naquele concílio de poetas, em vão se esforça por achar um lugar vago, que a fortuna contrária e malevolente o obriga a ficar de pé." (Latino Coelho, *Cervantes*, p. 142). [Antôn.: *benevolente*.]
malevolentíssimo. [Do lat. *malevolentissimu*.] *Adj.* Superl. abs. sint. de *malevolente* e *malévolo*. [Antôn.: *benevolentíssimo*.]
malévolo. [Do lat. *malevolu*.] *Adj.* V. *malevolente* (1). [Superl. abs. sint.: *malevolentíssimo*. Antôn.: *benévolo*.]
malfadado. [De *mal*^{2} + *fadado*.] *Adj.* **1.** Que tem mau fado, má sorte; desditoso, desgraçado: *criatura malfadada*; "parecia-nos fantástico que alguém teimasse em viver nessas terras malfadadas". (Fernando Namora, *Retalhos da Vida de um Médico*, p. 22). [Antôn.: *bem-fadado*.] ● *S. m.* **2.** Indivíduo malfadado.
malfadar. [De *mal-* + *fadar*.] *V. t. d.* **1.** Vaticinar má sorte a; profetizar mau fado a. **2.** Destinar à desgraça. **3.** Tornar infeliz; infelicitar, desgraçar. [Antôn.: *bem-fadar*.]
malfalado. [De *mal*^{2} + *falado*.] *Adj.* De que, ou de quem se fala ou falou mal; mal-afamado.
malfalante. [De *mal*^{2} + *falante*.] *Adj. 2 g.* e *s. 2 g.* V. *maldizente*. [Cf. *bem-falante*.]
malfazejo (ê). [De *malfazer*.] *Adj.* Amigo de fazer mal; malfeitor, malfazente. [Antôn.: *benfazejo*.]
malfazente. [De *malfazer* + *-nte*.] *Adj. 2 g.* V. *malfazejo*.
malfazer. [Do lat. *malefacere*.] *V. t. d.* **1.** Fazer mal, causar prejuízo a. *Int.* **2.** Fazer mal a outrem; causar-lhe danos: "A liberdade de malfazer a ninguém se deve permitir, a de fazer bem sobeja a todos." (Marquês de Maricá, *Máximas, Pensamentos e Reflexões*, p. 29.) *T. i.* **3.** Fazer mal; causar prejuízo: *De boa índole, não malfaz a ninguém*. [Irreg. Conjug.: v. *fazer*. P. us., salvo no infinitivo e no gerúndio. Antôn.: *bem-fazer*^{1}.]
malfeito. [Do lat. *malefactu*.] *Adj.* **1.** Feito sem perfeição; mal executado, mal fabricado. **2.** Que tem má configuração; deforme: "o nariz [era] largo e malfeito, ponteado de sardas escuras." (Lia Correia Dutra, *Navio sem Porto*, p. 107). **3.** *Fig.* Mau, injusto, iníquo: "Um sentimento de vergonha tomou-o: Parece impossível... 'É malfeito o que estou a fazer .... Vou-me deitar...'" (Domingos Monteiro, *O Primeiro Crime de Simão Bolandas*, pp. 48-49.) [Antôn.: *bem-feito*.] ● *S. m.* **4.** *Bras.* e *ant.* V. *malfeitoria*. **5.** *Bras., S.* V. *bruxaria* (1 e 2).
malfeitor (ô). [Do lat. *malefactore*.] *S. m.* **1.** Aquele que comete crimes ou delitos condenáveis; celerado, facinoroso, facínora. ● *Adj.* **2.** V. *malfazejo*. [Antôn.: *benfeitor*.]
malfeitoria. [De *malfeitor* + *-ia*.] *S. f.* **1.** Malefício, dano, prejuízo. **2.** Delito, crime. [Sin., bras.: *malfeito*. Antôn., bras. e ant.: *benfeitoria* (3).]
malfeliz. [De *mal*^{2} + *feliz*.] *Adj. 2 g. P. us.* Infeliz (1).
malferido. [Part. de *malferir*.] *Adj.* **1.** Ferido gravemente ou mortalmente. **2.** Renhido, cruento, sangrento: *combate malferido*.
malferir. [De *mal*^{2} + *ferir*.] *V. t. d.* **1.** Ferir gravemente ou mortalmente: "Malferiram-lhe o coração amoroso e o soberano cru [D. Pedro I de Portugal] mordeu ferozmente o coração do matador da idolatrada Inês de Castro." (A. Austregésilo, *Obras Completas*, I, p. 281.) **2.** Tornar (um combate) renhido, cruento. [Irreg. Conjug.: v. *ferir*.]
malformação. [Do fr. *malformation*.] *S. f. Patol.* Formação anormal ou defeituosa, de origem congênita ou hereditária; má-formação.
malformado. [De *mal*^{2} + *formado*.] *Adj.* **1.** Que apresenta malformação. **2.** Que tem sentimentos ou tendências más: *espírito malformado*.
mal-francês. [De *mal*^{1} + *francês*.] *S. m.* V. *sífilis*: "Dizia-se à boca pequena que era o mal-francês .... Atribuía-se a doença a contacto impuro com mulher mundana." (João de Araújo Correia, *Terra Ingrata*, p. 142.) [Pl.: *males-franceses*.]
malga. [Do gr. *magida*, acusativo de *magís*, pelo lat. *magida*, atr. das f. **madiga*, **madga*.] *S. f.* Tigela ou prato fundo vidrado, branco ou de cor: "A um canto da arca, as malgas vidradas, as canecas de estanho reluziam bem limpas." (Eça de Queirós, *Últimas Páginas*, p. 13.)
malgalante. [De *mal*^{2} + *galante*.] *Adj. 2 g.* Descortês para com senhoras.
mal-gálico. [De *mal*^{1} + *gálico*.] *S. m.* V. *sífilis*. [Pl.: *males-gálicos*.]
malganho. [De *mal*^{2} + *ganho*.] *Adj.* Ganho ou adquirido por meios ilícitos: *dinheiro malganho*; *cargo malganho*.
malgastar. [De *mal*^{2} + *gastar*.] *V. t. d.* Gastar mal; desbaratar, malbaratar, esbanjar. [Conjug.: v. *gastar*.]
malgaxe. [Do malgaxe (3), atr. do fr. *madécasse*, *malgache*.] *Adj. 2 g.* **1.** Da, ou pertencente ou relativo à República Malgaxe (antiga ilha de Madagáscar); madagascarense. ● *S. 2 g.* **2.** Natural ou habitante da República Malgaxe; madagascarense. ● *S. m.* **3.** O idioma malgaxe. V. *malaio-polinésio* (3).
mal-germânico. [De *mal*^{1} + *germânico*.] *S. m.* V. *sífilis*. [Pl.: *males-germânicos*.]
Malgostoso (ô). [De *mal*^{2} + *gostoso*.] *Adj.* Que tem mau gosto ou sabor; não gostoso.
malgovernar. [De *mal*^{2} + *governar*.] *V. t. d.* Governar mal, gastando acima de suas posses: *Por malgovernar os seus bens terminou arruinando-se*.
malgradado. [Do *malgrado* + *-ado*^{1}.] *Adj.* Contrariado, contrafeito.
malgrado. [De *malo* + *grado*^{1}, com síncope.] *S. m.* **1.** Desagrado, desprazer, mau grado: *Tudo foi feito a*

nosso malgrado. • *Prep.* **2.** Não obstante; apesar de; a despeito de: "Malgrado propósito de não causar incômodo, duas semanas depois pensei em aceitar o oferecimento do parente." (Daniel de Carvalho, *De Outros Tempos*, p. 51.)

malha¹. [Do lat. *macula*, pelo fr. *maille*.] *S. f.* **1.** Cada uma das alças ou voltas de um fio (de lã, seda, algodão, etc.) quando trabalhado por certos processos manuais ou mecânicos. **2.** Tecido feito à mão ou à máquina, cujas malhas se ligam entre si formando carreiras superpostas, e que, por ser feito, em geral, com um só fio, se desfia facilmente. [A malha feita à máquina pode não ser sujeita a desfiar-se mediante o emprego de um segundo fio no sentido transversal. Cf. *jérsei*.] **3.** Roupa colante, feita de malha, que geralmente consiste em uma só peça (de calças compridas, e com ou sem mangas), e que, por sua elasticidade, é usada por bailarinos, acrobatas, ginastas, etc. **4.** Tecido de malha com fios metálicos, usado na Idade Média, como proteção, em vestimentas de combate: "vibrada [a espada] com ânsia, colhera pelo ombro esquerdo o velho fronteiro e, rompendo a grossa malha do lorigão, penetrara na carne até o osso." (Alexandre Herculano, *Lendas e Narrativas*, II, p. 94). **5.** Espaço aberto entre os nós de rede ou de tecido similar. **6.** Dimensão dos furos de uma peneira (para medir a finura de certos produtos). **7.** *Eletr.* Num circuito elétrico, conjunto de condutores ou de componentes que formam um caminho fechado. **8.** *Bras., SP.* Suéter ou casaquinho de malha¹ (2).

malha². [Do lat. *macula*.] *S. f.* **1.** Espaço de coloração diferente na pele dos animais; mancha natural. **2.** Porção de pêlos do animal destacada do todo da pelagem. **3.** Descoloração no conjunto da vegetação de um terreno.

malha³. [Do lat. *magalia, ium*, 'tendas de nômades', 'choupanas'.] *S. f.* Malhada² (1).

malha⁴. [Dev. de *malhar¹*.] *S. f.* **1.** Ato de malhar¹; malhada, malhação. **2.** V. *surra* (1). **3.** *Bras. Esport.* Jogo que consiste em lançar chapas ou discos de metal malhado (ou outro objeto similar, como, p. ex., ferraduras) contra pequenas estacas postas a distância convencionada; chinquilho, paleta. **4.** Disco de metal utilizado nesse jogo. [Cf., nesta acepç., *conca* (2).]

malha⁵. [De *mealha*.] *S. f.* Mealha (1).

mal-habituado. [De *mal²* + *habituado*.] *Adj.* Mal-acostumado. [Pl.: *mal-habituados*.]

malhação. [De *malhar¹* + *-ção*.] *S. f.* **1.** Ação de malhar; malhada, malha. **2.** *Fig.* Zombaria, escarnecimento, escárnio, gozação. **3.** *Fig.* Crítica acerba, demolidora, violenta. [Sin., bras., nas acepç. 2 e 3: *pichação*.]

malhada¹. [De *malhar¹* + *-ada¹*.] *S. f.* **1.** Ato de malhar¹; malhação, malha. **2.** Pancada com malho. **3.** Lugar onde se malha.

malhada². [De *malha³* + *-ada¹*.] *S. f.* **1.** Cabana de pastores; malha. **2.** Curral de gado: "Levara uma vida livre, solto nos campos, ajudando a tocar o gado para a malhada, a meter as vacas no curral." (Inglês de Sousa, *O Missionário*, p. 52). **3.** Rebanho de ovelhas. **4.** *Bras.* Lugar sombreado por grandes árvores, onde o gado costuma proteger-se da soalheira; malhador. **5.** *Bras., N.E.* Lugar onde se reúne comumente o gado, para ser trabalhado. **6.** *Bras., Pl.* Baixa úmida, onde medra vegetação análoga à dos agrestes, com predomínio de palmeiras. **7.** *Bras., BA.* Lugar onde o gado costuma dormir, em lotes. **8.** *Bras., BA.* Plantação de fumo pouco extensa. **9.** *Bras., BA.* Lugar de uma plantação de capim de corte. **10.** *Bras., BA.* Área gramada à frente da casa, nas fazendas de criação da caatinga.

malhada³. [De *malha¹* + *-ada¹*.] *S. f.* Enredo, trama.

malhadeiro¹. [De *malhar¹* + *-deiro*.] *S. m.* **1.** Instrumento de malhar¹ (1 e 2). **2.** Aquele que é malhado, espancado. **3.** Aquele que é alvo de zombarias ou críticas. • *Adj.* **4.** Diz-se de indivíduo malhadeiro; malhadiço, maçadiço.

malhadeiro². [De *malhada²* + *-eiro*.] *S. m.* **1.** Aquele que mora em malhada² (1); pastor: "Tínhamos ido .... em busca de um porco, que o malhadeiro atalaiara na véspera." (Conde de Ficalho, *Uma Eleição Perdida*, p. 169.) **2.** Homem rústico, lapuz.

malhadense. *Adj. 2 g.* **1.** De, ou pertencente ou relativo a Malhada dos Bois (SE). • *S. 2 g.* **2.** Natural ou habitante de Malhada dos Bois.

malhadiço. [De *malhar¹* + *-(d)iço¹*.] *Adj.* **1.** V. *malhadeiro* (4). **2.** Que não faz caso de ser malhado, criticado.

malhado¹. [Part. de *malhar¹*.] *Adj.* Que se malhou; batido ou calçado com malho.

malhado². [De *malha²* + *-ado¹*.] *Adj.* **1.** Que tem malhas ou manchas: *touro malhado*. • *S. m.* **2.** *Bras.* Certo arbusto pitosporáceo.

malhadoiro. [De *malhar¹* + *-(d)oiro¹*.] *S. m.* Malhadouro.

malhador¹ (ô). [De *malhar¹* + *-(d)or*.] *Adj.* e *s. m.* Que ou aquele que malha.

malhador² (ô). [De *malhar²* + *-(d)or*.] *S. m. Bras., RS* e *GO.* Malhada² (4).

malhador³ (ô). *Adj.* **1.** De, ou pertencente ou relativo a Malhador (SE). • *S. m.* **2.** O natural ou habitante de Malhador.

malhadouro. [De *malhar¹* + *-(d)ouro¹*, var. de *malhadoiro*.] *S. m.* Lugar onde se malham cereais.

malhal. [De *malho* + *-al*.] *S. m.* Travessa de madeira dos lagares de vinho.

malhão¹. [De *malho* + *-ão³*?] *S. m.* **1.** Tiro por alto, no jogo da bola. **2.** A bola com que se faz esse tiro.

malhão². *S. m. Lus.* Canção popular dançada, sem tipo definido.

malhar¹. [De *malho* + *-ar²*.] *V. t. d.* **1.** Bater com malho ou martelo em: *malhar o ferro*. **2.** Debulhar (cereais) na eira; bater com mangual. **3.** Espancar, contundir. **4.** Zombar de; escarnecer de; troçar de. **5.** *Fam.* Tesourar (3). *T. i.* **6.** V. *surrar* (2): *Malhou impiedosamente no menino*. **7.** Bater com malho ou martelo: *Não adianta admoestá-lo: é malhar em ferro frio. Int.* **8.** Dar pancadas; espancar. **9.** Bater com malho ou martelo.

malhar². [De *malhada²* + *-ar²*, com síncope.] *V. int. Bras.* **1.** Estar (o gado) na malhada² (4); proteger-se da soalheira. **2.** Juntar-se (o gado), conforme a hora, em determinados locais dos cercados, para pastar.

malharia. [De *malhar¹* + *-aria*.] *S. f.* **1.** A arte de fabricar tecidos de malha. **2.** Indústria de malha ou de jérsei. **3.** Fábrica ou loja de roupas de malha. **4.** Artigos de malha (em tecido ou confeccionados).

malheirão. [De *malhar¹*.] *S. m. Lus.* Brincadeira que consiste em sentar-se um participante às costas do adversário, dando-lhe pancadas com o punho cerrado, até que ele adivinhe quantos dedos o esmurrador tem abertos na outra mão.

malhetar. *V. t. d.* **1.** Fazer malhetes em. **2.** Encaixar (peça de madeira ou metal) em outra. [Pres. subj.: *malhete, malhetes*, etc. Cf. *malhete* (ê) e pl. *malhetes* (ê).]

malhete (ê). [De *malho* + *-ete*.] *S. m.* **1.** Encaixe especial que se faz nas extremidades de duas vigas, pranchões, etc., a fim de o conjunto resistir aos esforços de tração. **2.** Pequeno malho ou maço. **3.** *Marinh.* Travessão existente em cada elo de amarra, destinado a aumentar-lhe a resistência, impedir que se deforme, e reduzir a possibilidade de que a amarra tome cocas [v. *coca³*]. **4.** *Ant. Constr. Nav.* Cada um dos vergalhões de ferro que se prendem horizontalmente aos ovéns de uma enxárcia para mantê-los afastados uns dos outros. [Pl.: *malhetes* (ê). Cf. *malhete* e *malhetes*, do v. *malhetar*.]

malho. [Do lat. *maleu*.] *S. m.* **1.** Grande martelo de ferro ou de madeira, sem unhas nem orelhas. **2.** Maço de calceteiro. **3.** Matraca (1).

malhoada. [De *malha¹*.] *S. f.* Conluio, tramóia.

mal-humorado. [De *mal²* + *humorado*.] *Adj.* **1.** Que tem maus humores; achacado, adoentado. **2.** *Fig.* Que está de, ou tem mau humor (3); irritado, aborrecido. [Antôn., nesta acepç.: *bem-humorado*. Pl.: *mal-humorados*.]

▲**mal(i)-.** [Do lat. *malum, i.*] *El. comp.* = 'maçã': *maliforme; málico*.

malícia. [Do lat. *malitia*.] *S. f.* **1.** Tendência para o mal; má índole. **2.** Esperteza, vivacidade. **3.** Sagacidade, astúcia, manha, ronha. **4.** Brejeirice, marotice: *Tem um ar de malícia no olhar*. **5.** Intenção maldosa, satírica ou fescenina: *Sente-se a malícia de suas palavras*. [Sin., nestas acepçs.: *maliciosidade*.] **6.** Dito picante, mordaz. **7.** *Bras.* V. *dormideira* (2). [Cf. *malicia*, do v. *maliciar*.]

malícia-d'água. *S. f. Bras.* Erva da família das leguminosas (*Neptunia oleracea*), natante nos rios e águas estagnadas, de caule esponjoso, rico em ar, pequenas flores que se arrumam em glomérulos, e legumes minutos. [Pl.: *malícias-d'água*.]

malícia-de-mulher. *S. f. Bras.* V. *dormideira* (2). [Pl.: *malícias-de-mulher*.]

maliciador (ô). *Adj. Bras.* Malicioso (1).

maliciar. *V. t. d.* **1.** Atribuir malícia a. **2.** Tomar em mau sentido; interpretar mal. **3.** Desconfiar de; suspeitar. *T. i.* **4.** Fazer mau juízo: *Malicia de tudo*. [Pres. ind.: *malicio, malicias, malicia*, etc. Cf. *malícia*.]

maliciosidade. [Do lat. *malitiositate*.] *S. f.* Qualidade de malicioso; malícia.

malicioso (ô). [Do lat. *malitiosu*.] *Adj.* **1.** Que tem malícia: "O cura era um velhote conservado, / Malicioso, alegre, prazenteiro" (Guerra Junqueiro, *A Velhice do Padre Eterno*, p. 154). [Sin., bras.: *maliciador*.] **2.** Em que há, ou que revela malícia. • *S. m.* **3.** Indivíduo malicioso: "o seu rosto exprimia uma angústia suprema, em que alguns maliciosos sonharam ver um êxtase de amor." (Inglês de Sousa, *Contos Amazônicos*, p. 148.)

málico. [De *mal(i)-* + *-ico²*.] *Adj.* ~ V. *ácido* —.

maliforme. [De *mal(i)-* + *-forme*.] *Adj. 2 g.* Que tem forma de maçã. [Cf. *maleiforme*.]

maligna. [Fem. substantivado do adj. *maligno*.] *S. f.* **1.** *Pop.* Febre perniciosa; de mau caráter. **2.** *Pop.* Febre tifóide; tifo. **3.** *Bras.* Febre palustre; maleita, sezão. [Var., ant. e pop.: *malina*.]

malignar. [De *maligno* + *-ar²*.] *V. t. d.* **1.** Tornar mau ou maligno. **2.** Viciar, corromper, perverter. *Int.* **3.** Recrudescer (uma doença); tornar-se maligno; agravar-se.

malignidade. [Do lat. *malignitate*.] *S. f.* Qualidade de maligno. [Antôn.: *benignidade*.]

maligno. [Do lat. *malignu*.] *Adj.* **1.** Propenso para o mal; mau, maléfico: *caráter maligno*. **2.** Pernicioso, nocivo, danoso: *influência maligna*. **3.** Que atrai ou prognostica o mal ou a desgraça; funesto, fatal: *estrela maligna*. [Var., ant. e pop., nestas acepçs.: *malino*.] **4.** *Med.* Diz-se de mal que tende a piorar progressivamente e levar à morte. ~ V. *espírito —, linfogranuloma —, neoplasma —, pústula —a* e *tumor —*. [Antôn.: *benigno*.] • *S. m.* **5.** V. *diabo* (2).

mal-ilírico. [De *mal¹* + *ilírico*.] *S. m.* V. *sífilis*. [Pl.: *males-ilíricos*.]

malina¹. [De um b.-lat. *malina* < *maligna*.] *S. f.* Maré muito alta.

malina². [Fem. substantivado do adj. *malino*.] *S. f. Ant.* e *pop.* Var. de *maligna*.

malina³. [Do top. *Malinas* (Bélgica).] *S. f.* **1.** Renda muito fina, de origem belga. **2.** Raça belga de galinhas.

malinado. [De *malino*, i. e., 'que sofre de doença maligna', + *-ado¹*.] *Adj. Pop.* Sifilítico (2).

malinar. [De *malino* (2) + *-ar²*; var. de *malignar*.] *V. int. Bras., N.* Fazer travessuras (as crianças).

malinconia. *S. f. Ant.* e *pop.* Melancolia.

malincônico. *Adj. Ant.* e *pop.* Melancólico.

malinês. *Adj.* **1.** Da, ou pertencente ou relativo à República do Mali (oeste da África). • *S. m.* **2.** O natural ou habitante da República do Mali. [Flex.: *malinesa* (ê), *malineses* (ê), *malinesas* (ê). Cf. *malineza*.]

malineza (ê). [De *malino* + *-eza*.] *S. f. Bras., PA. Pop.* V. *maldade* (1 a 4). [Cf. *malinesa* (ê), fem. de *malinês*.]

má-língua. [De *má* + *língua*.] *S. f.* **1.** Vício de dizer mal de pessoas ou coisas; maledicência. • *S. 2 g.* **2.** Pessoa maledicente: "advertiu o pedreiro que não fosse má-língua, que não andasse a difamar os seus discípulos" (Camilo Castelo Branco, *A Brasileira de Prazins*, p. 26). • *Adj. 2 g.* **3.** Diz-se de pessoa maledicente: "Zeferino debatia-se num azedume de desesperado, muito má-língua, insano de paixão, a degenerar para facínora em teorias de escavar meio mundo." (Id., *ib.*, p. 303.) [Pl.: *más-línguas*.]

malinha. [Dim. de *mala*.] *S. f. Bras., AL.* Espécie de ganzá semelhante a uma mala, usado por cantadores de coco e de toadas, e feito de cipó de títara.

malinidade. [Var. de *malignidade*.] *S. f. Bras.* Maldade, perversidade, malignidade.

malino. [Var. de *maligno*.] *Adj.* **1.** *Ant.* e *pop.* Maligno: "Tanto podem malinas criaturas, / Que por fazer escuras as estrelas, / Dizem que falta nelas claridade!" (Fr. Agostinho da Cruz, *Obras*, p. 38.) **2.** *Bras. Pop.* Travesso, traquinas (diz-se de crianças). • *S. m.* **3.** *Bras. Pop.* V. *diabo* (2).

mal-intencionado. [De *mal²* + *intencionado*.] *Adj.* Que tem más intenções ou má índole; propenso ao mal, maldoso. [Pl.: *mal-intencionados*. Antôn.: *bem-intencionado*.]

malíssimo. [Do lat. *malu*, 'mau' + *-íssimo*.] *Adj.* Superl. abs. sint. de *mau*; péssimo.

maljeitoso (ô). [De *mal-²* + *jeitoso*.] *Adj.* V. *desajeitado* (1).

malletense. *Adj. 2 g.* **1.** De, ou pertencente ou relativo a Mallet (PR). • *S. 2 g.* **2.** Natural ou habitante de Mallet.

malmandado. [De *mal²* + *mandado*.] *Adj.* Que não faz o que lhe mandam fazer; que não cumpre ordens; desobediente. [Antôn.: *bem-mandado*.]

malmente. *Adv.* Mal; incompletamente.

malmequer. [De *mal²* + *me* + a 3ª. pess. sing. do pres. ind. do v. *querer*.] *S. m.* Bem-me-quer.

malmequer-amarelo. *S. m.* V. *flor-das-almas*. [Pl.: *malmequeres-amarelos*.]

malmequer-de-campina. *S. m. Bras.* Erva da família das compostas (*Wedelia paludosa*), nativa, mas bastante cultivada como ornamental, de caule rastejante, o qual se espalha sobre amplas superfícies, folhas inteiras ou trilobadas, sempre membranáceas, e cujos capítulos, amarelos e grandes, nunca ausentes, a enfeitam. [Pl.: *malmequeres-de-campina.*]

malmequer-do-campo. *S. m. Bras.* Grindélia. [Pl.: *malmequeres-do-campo.*]

malmequer-do-rio-grande. *S. m. Bras.* Girassol-do-mato. [Pl.: *malmequeres-do-rio-grande.*]

malmequer-grande. *S. m. Bras.* Arbusto da família das compostas (*Heliopsis scabra*), procedente da América do Norte, cultivado em jardins, que atinge 1 m de altura, cujas folhas, opostas, são ásperas, e cujos capítulos, amarelos, são poucos ou solitários. [Pl.: *malmequeres-grandes.*]

mal-morfético. [De *mal*[1] + *morfético.*] *S. m.* V. *lepra* (1). [Pl.: *males-morféticos.*]

mal-napolitano. [De *mal*[1] + *napolitano.*] *S. m.* V. *sífilis.* [Pl.: *males-napolitanos.*]

malnascido. [De *mal*[2] + *nascido.*] *Adj.* **1.** Nascido com má sorte; malfadado. **2.** Que tem má índole, má inclinação. **3.** De baixa estirpe. [Antôn., nas acepçs. 2 e 3: *bem-nascido.*]

malo[1]**.** [Do lat. *malu*, 'mau'.] *Adj.* ~ V. *alto-e-malo.*

malo[2]**.** [Do esp. plat. *malo.*] *Adj. Bras., RS.* Mau, violento, irascível, colérico, impetuoso.

malo[3]**.** *Adv. Lus.* Var. de *mailo* [q. v.]: "ia ela, ... pela romaria d'agosto, té ao monte que ensombra a vila, malo pai, e os irmãos" (Fialho d'Almeida, *O País das Uvas*, p. 176).

maloca. [Do araucano *malocan*, 'fazer hostilidade', pelo esp. plat. *maloca.* (Depois da pacificação dos pampas, o termo passou a designar 'aldeia de índios'.)] *S. f.* **1.** *Bras.* Casa de habitação índia, que aloja diversas famílias. **2.** *Bras.* Aldeia indígena. **3.** *Bras.* Esconderijo. **4.** *Bras., PA.* Cardume de peixes. **5.** *Bras., N.E.* Gado que os vaqueiros ajuntam e conduzem para os currais, por ocasião das vaquejadas. **6.** *Bras., N.E.* Gado que costuma pascer em certos e determinados pastos, nas fazendas de criação. **7.** *Bras., N.E.* Grupo de gente que não inspira confiança. **8.** *Bras., Al.* Esconderijo feito na areia da praia. **9.** *Bras., S.* Grupo de salteadores, de bandidos.

malocado. [Part. de *malocar.*] *Adj. Bras.* **1.** Que vive em maloca (2); aldeado. **2.** Escondido, oculto.

malocar. [De *maloca* + *-ar*[2]]. *V. t. d. Bras.* **1.** Aldear (índios). **2.** Gír. Esconder, ocultar, dissimular. *P.* **3.** *Gír.* Esconder-se, ocultar-se. [Conjug.: v. *trancar.* Cf. *malucar.*]

malófago. *S. m.* **1.** Espécime dos malófagos. ● *Adj.* **2.** Pertencente ou relativo a eles. [Sin. ger.: *lipóptero.*]

malófagos. *S. m. pl. Zool.* Animais artrópodes da classe dos insetos, ordem *Mallophaga*, ectoparasitos de vertebrados homeotermos. São ápteros, com aparelho bucal mastigador; alimentam-se de restos de pêlos, penas e fragmentos da epiderme; comprimento: até 6 mm. São os piolhos mastigadores encontrados nas aves e mamíferos. [Sin.: *lipópteros.*]

malogrado. [Part. de *malograr.*] *Adj.* Que se malogrou; frustrado, malsucedido, gorado: "A sua [idéia] era o angustioso desassossego das maternidades malogradas. Perdera um filho e o procurava." (Domício da Gama, *Histórias Curtas*, p. 121.)

malograr. [De *mal*[2] + *lograr.*] *V. t. d.* **1.** Fazer desaparecer ou gorar: esperdiçar, inutilizar, frustrar: *Os novos acontecimentos malogravam seus planos. P.* **2.** Não ir avante; gorar-se, frustrar-se. **3.** Perder-se prematuramente. [Pres. ind.: *malogro*, etc. Cf. *malogro* (ô).]

malogro (ô). [Dev. de *malograr.*] *S. m.* Efeito de malograr-se; falta de êxito; insucesso, fracasso. [Pl.: *malogros* (ô). Cf. *malogro* do v. *malograr.*]

maloio. [Alter. de *saloio*?] *S. m.* Camponês, aldeão.

malônico. [Do fr. *malonique.*] *Adj.* ~ V. *ácido* —.

maloqueiro. [De *maloca* + *-eiro.*] *S. m.* **1.** *Bras., AL.* Denominação comum a rapazinhos que andam pelas ruas, sujos e descalços, de ordinário em grupo, pedindo dinheiro emprestado, praticando pequenos furtos, etc. [Alguns deles pernoitam em esconderijos feitos na areia da praia, denominados *malocas. Sin., no RJ, SP e RS: pivete* (3).] **2.** *Bras., AL. P. ext.* Indivíduo maltrapilho ou mal-educado. **3.** *Bras., RS.* Aquele que faz parte de maloca (9); salteador, bandido.

malotão. [De *malote* + *-ão*[1].] *S. m.* **1.** Grande mala. **2.** Pacote ou trouxa grande.

malote. [Dim. de *mala.*] *S. m.* **1.** Pequena mala; maleta. **2.** Peça de oleado em que os soldados envolvem o capote. **3.** *P. ext. Bras.* Serviço particular para transporte e entrega rápida de correspondência ou encomendas.

mal-ouvido. [De *mal*[2] + o part. de *ouvir.*] *Adj.* e *s. m. Bras.* Que, ou aquele que não ouve conselhos, que é desobediente. [Pl.: *mal-ouvidos.* Antôn.: *bem-ouvido.*]

malparado. [Part. de *malparar.*] *Adj.* **1.** Em situação desfavorável ou perigosa; periclitante, arriscado: "Amores malsucedidos, negócios malparados,.... conduzem as vítimas até à barraca do feiticeiro" (Raimundo Morais, *País das Pedras Verdes*, p. 230). **2.** Que corre o risco de perder-se ou comprometer-se: *dinheiro malparado;* "Achando .... malparada a administração da justiça, do que muito sofria a população, o governador apresentou severa denúncia contra o ouvidor Pedro de Unhão Castelo Branco" (Vivaldo Coaraci, *O Rio de Janeiro no Século 17*, p. 486). [Antôn.: *bem-parado.*]

malparar. [De *mal*[2] + *parar.*] *V. t. d.* Submeter a mau destino; aventurar, arriscar.

malparecido. [De *mal*[2] + *parecido.*] *Adj.* Que tem aparência má; que não é bonito; feio. [Antôn.: *bem-parecido.* V. *parecido.*]

malparição. [De *malparir* + *-ção.*] *S. f. Bras.* Aborto provocado.

malparir. [De *mal*[2] + *parir.*] *V. int.* Ter mau parto; abortar.

malpassado. [De *mal*[2] + *passado* (10).] *Adj. Bras.* Diz-se da iguaria (principalmente carnes e ovos) levada ao fogo por pouco tempo, de modo que não fique totalmente cozida ou frita: *bife malpassado.*

malpighiácea. [Do antr. *Malpighi*, de Marcello Malpighi, anatomista italiano (1628-1694), + *-ácea.*] *S. f.* Espécime das malpighiáceas.

malpighiáceas. *S. f. pl. Bot.* Família de dicotiledôneas lenhosas, da ordem das geraniales, com folhas opostas, estípulas e glândulas; flores hermafroditas, diplostêmones; cálice provido de conspícuas glândulas; ovário trilocular, com um óvulo em cada lóculo. Há cerca de 600 espécies tropicais, numerosas delas no Brasil.

malpighiáceo. *Adj.* Pertencente ou relativo às malpighiáceas. ~ V. *pêlo* —.

malpinguinho. [Var. de *mapinguim* < top. *Baependi* (MG), local de onde provinha a maior parte do fumo sulino.] *S. m. Bras., N.* e *N.E.* Fumo importado dos estados do Sul, especialmente de MG. [Outra var.: *mapinguinho.*]

mal-polaco. [De *mal*[1] + *polaco.*] *S. m.* V. *sífilis.* [Pl.: *males-polacos.*]

malposto (ô). [De *mal*[2] + *posto*[1].] *Adj.* V. *mal-amanhado.* [Antôn.: *bem-posto* (2). Flex.: *malposta, malpostos, malpostas.*]

malprocedido. *Adj. Bras.* Que procede ou se porta mal; mal-educado. [Antôn.: *bem-procedido.*]

malpropício. [De *mal*[2] + *propício.*] *Adj.* Pouco adequado; impróprio.

malproporcionado. *Adj.* Disposto irregularmente; malconformado, inarmônico. [Antôn.: *proporcionado.*]

malquerença. [De *malquerer.*] *S. f.* Qualidade ou estado de malquerente: "Solidárias, esqueciam brigas antigas, rivalidades, malquerenças." (Lia Correia Dutra, *Navio sem Porto*, p. 103.) [Antôn.: *benquerença.*]

malquerente. *Adj. 2 g.* Que malquer alguém; malevolente, inimigo. [Antôn.: *benquerente.*]

malquerer. [De *mal*[2] + *querer.*] *V. t. d.* **1.** Querer mal a; ser inimigo de; aborrecer, detestar: "Vira-se a última página do romance *As Desencantadas*, de Pierre Loti malquerendo o romancista pela impressão profunda de tristeza que ele nos influiu ao findar." (José Vieira, *Sol de Portugal*, p. 59.) [Irreg. Conjug.: v. *querer.* Part.: *malquerido* e *malquisto.* Antôn., nesta acepç.: *bem-querer*[2].] ● *S. m.* **2.** Aversão, inimizade. [Antôn., nesta acepç.: *bem-querer*[1] (1).]

malquerido. *Adj.* V. *malquisto.* [Antôn.: *bem-querido.*]

malquistar. [De *malquisto* + *-ar*[2].] *V. t. d.* e *t. d.* e *i.* **1.** Tornar malquisto; tornar inimigo; inimizar, indispor: *Aquela questão malquistou os amigos; Malquistaram-no com os superiores. Int.* **2.** Causar inimizade ou malquerença. *P.* **3.** Adquirir inimizade; inimizar-se: "O soberbo é um tolo: perde sempre sem ganhar, malquistando-se com todos." (Marquês de Maricá, *Máximas, Pensamentos e Reflexões*, p. 29.) [Antôn.: *benquistar.*]

malquisto. [De *mal*[2] + *quisto*[2].] *Adj.* **1.** Que é objeto de antipatia, de malquerença; antipatizado, odiado. **2.** Malvisto, mal-afamado. [Sin. ger.: *malquerido.* Antôn.: *benquisto.*]

malroupido. [De *mal*[2] + *roupido.*] *Adj.* e *s. m.* V. *maltrapilho.*

malsã. *Adj. (f.)* Fem. de *malsão:* "Tal era a predisposição malsã do meu espírito .... refratário a toda a disciplina, que o melhor título dum homem ou dum animal à minha afeição era ser desprezado por todos." (Inglês de Sousa, *Contos Amazônicos*, pp. 177-178).

malsão. [De *mal*[2] + *são*[2].] *Adj.* **1.** Não sadio; doentio; insalubre: "Este lugar úmido e malsão apenas recebia a tênue claridade de duas troneiras que davam para a cárcova." (Alexandre Herculano, *O Bobo*, p. 253.) **2.** Ainda não completamente curado; mal curado. **3.** Maligno, mau; mórbido, doentio. **4.** Maléfico, mau, daninho, nocivo: *influência malsã; convívio malsão.* [Flex.: *malsã, malsãos, malsãs.*]

malsatisfeito. [De *mal*[2] + *satisfeito.*] *Adj.* Descontente, malcontente.

malseguro. [De *mal*[2] + *seguro.*] *Adj.* Que não está bem preso; que não foi segurado com perfeição.

malsim. [Do hebr. *malxin*, 'delator', talvez pelo esp. *malsín.*] *S. m.* **1.** Fiscal alfandegário. **2.** Zelador dos regulamentos policiais; beleguim. **3.** *P. ext.* Espião; denunciante; delator. ● *Adj. 2 g.* **4.** Que malsina; que descobre o que se queria encobrir. **5.** Que acusa ou calunia.

malsinação. *S. f.* Ato ou efeito de malsinar; denúncia.

malsinar[1]**.** [De *malsim* + *-ar*[2].] *V. t. d.* **1.** Denunciar, na qualidade de malsim; delatar. **2.** Descobrir, denunciar. **3.** Torcer o sentido de; tomar em mau sentido; desvirtuar. **4.** Censurar, condenar: "a despeito da piedade do rei, ousa malsinar os frades que vão à Ásia e julga-os elementares na ruína do império índico." (Camilo Castelo Branco, *História e Sentimentalismo*, p. 126).

malsinar[2]**.** [De *mal*[2] + lat. *signare*, 'marcar', 'assinalar'.] *V. t. d.* **1.** Desejar mal a. **2.** Agourar mal de.

malsisudo. [De *mal*[2] + *sisudo.*] *Adj.* Não sisudo; desassisado.

malsoante. [De *mal*[2] + *soante.*] *Adj. 2 g.* Malsonante. [Antôn.: *bem-soante.*]

malsofrido. [De *mal*[2] + *sofrido.*] *Adj.* Que não é sofrido ou resignado; insofrido, impaciente.

malsonância. *S. f.* Qualidade de malsonante.

malsonante. [De *mal*[2] + *sonante.*] *Adj. 2 g.* **1.** Que soa mal; que não tem eufonia. **2.** Desafinado, dissonante. [F. paral.: *malsoante.* Antôn.: *bem-sonante.*]

malsorteado. [De *mal*[2] + *sorte* + *-ado*[1].] *Adj.* V. *mal-aventurado.*

malsucedido. [De *mal*[2] + *sucedido.*] *Adj.* Que teve mau sucesso, ou insucesso; malogrado, frustrado: "Amores malsucedidos, negócios malparados, ... conduzem as vítimas até à barraca do feiticeiro" (Raimundo Morais, *País das Pedras Verdes*, p. 230). [Antôn.: *bem-sucedido.*]

malta[1]**.** [Do top. *Malta*, ilha do Mediterrâneo de onde saíam bandos aventureiros para trabalhar nas colheitas européias.] *S. f.* **1.** Conjunto ou reunião de gente de condição inferior. **2.** Bando, grupo, súcia: "Ah bandidos, corja, malta de salteadores e de malfeitores!" (Milton Dias, *Entre a Boca da Noite e a Madrugada*, p. 18.) **3.** Rancho de trabalhadores que se transportam juntos de um para outro ponto em busca de trabalhos agrícolas. [Cf. *maltesia.*] **4.** Vida airada; tuna: *andar na malta.*

malta[2]**.** [Do gr. *máthan*, 'mistura de pez com cera', pelo lat. *maltha.*] *S. f. Min.* Asfalto viscoso que se assemelha ao alcatrão.

maltado. [Part. de *maltar.*] *Adj.* A que se adicionou malte; que contém malte: *farináceo maltado.*

maltagem. *S. f.* Ato de maltar; preparação do malte.

maltar. *V. t. d.* **1.** Transformar (a cevada) em malte. **2.** Tratar com malte: *maltar a cerveja.*

maltase. [De *malte* + *-ase.*] *S. f. Bioquím.* Diástase da hidrólise da maltose em duas moléculas de glicose.

malte. [Do ingl. *malt.*] *S. m.* Produto da germinação das sementes da cevada, para emprego industrial, utilizado no fabrico de cervejas, farináceos e outros produtos alimentícios.

maltense. *Adj. 2 g.* **1.** De, ou pertencente ou relativo a Malta (PB). ● *S. 2 g.* **2.** Natural ou habitante de Malta.

maltês[1]**.** *S. m.* Trabalhador que faz parte de malta[1] (3). [Pl.: *malteses* (ê).]

maltês[2]**.** *Adj.* **1.** De, ou pertencente ou relativo a Malta, ilha do Mediterrâneo central. **2.** Diz-se de gato cinzento: "Um gato maltês, esgrouviado, fouveiro, ia e vinha" (Coelho Neto, *Miragem*, p. 288). ● *S. m.* **3.** O natural ou habitante de Malta. **4.** O idioma de Malta. **5.** Cavaleiro da Ordem de Malta. [Flex.: *maltesa* (ê), *malteses* (ê), *maltesas* (ê).]

maltesaria. *S. f.* V. *maltesia.*

maltesia. [De *maltês*[1] + *-ia.*] *S. f.* Rancho de malteses; maltesaria. [Cf. *malta*[1] (3).]

malthusianismo. [De *malthusiano* + *-ismo.*] *S. m. Econ.* Teoria econômica formulada pelo economista inglês

Malthus em 1798, no seu livro *Essay on Population*, segundo a qual existe um determinado nível de população que garante a renda *per capita* máxima, de sorte que qualquer aumento ou queda do número de habitantes baixa a eficiência econômica do país. ♦ **Malthusianismo econômico.** *Econ.* Restrição sistemática da produção a fim de manter os preços em alta.

malthusiano. *Adj.* **1.** Pertencente ou relativo a Malthus [v. *malthusianismo*], ou próprio dele. **2.** Relativo ao malthusianismo.

maltose. [De *malte* + *-ose.*] *S. f. Quím.* Sacarídeo cristalino, incolor, que se obtém pela decomposição enzimática do amido. [Fórm.: $C_{12}H_{22}O_{11}$.]

maltosuria. *S. f. Med.* Var. de maltosúria.

maltosúria. [De *maltose* + *-ur(o)-*[2] + *-ia.*] *S. f. Med.* Presença de maltose na urina. [Var. pros.: *maltosuria.*]

maltrabalhado. [De *mal*[2] + *trabalhado.*] *Adj.* Que não foi trabalhado com perfeição; não trabalhado como deveria.

maltrapido. [De *mal*[2] + *trapo* + *(vest)ido.*] *Adj. e s. m.* V. *maltrapilho:* "Enjoavam-no os espetáculos do mulherio *maltrapido, alastrado no chão à porta dos casebres*" (João de Araújo Correia, *Terra Ingrata*, p. 150).

maltrapilho. [De *mal*[2] + *trapo* + *-ilho.*] *Adj.* **1.** Que anda malvestido, roto, esfarrapado; mal-entrajado, maltrapido, malroupido, esmolambado, estrapilho, roto, pelintra, tribufe ou tribufu ou trubufu. ● *S. m.* **2.** Indivíduo maltrapilho; maltrapido, malroupido, esfarrapado, esmolambado, estrapilho, farroupa , farroupilha, fraca-roupa, pelintra, pelintrão, pelitrapo, roto, samango, trolha.

maltratar. [De *mal*[2] + *tratar.*] *V. t. d.* **1.** Tratar com violência; infligir maus tratos a; bater em; espancar: *Não se devem maltratar os animais.* **2.** Lesar fisicamente; mutilar. **3.** Tratar com palavras rudes; tratar mal; receber mal. **4.** Insultar, ultrajar, vexar. **5.** Danificar, estragar, arruinar: *As crianças maltratam qualquer objeto.* **6.** Bater, açoitar. **7.** Causar dano(s) ou prejuízo(s) a.

mal-triste. [De *mal* + *triste.*] *S. m. Bras.* V. *babesíase.* [Pl.: *males-tristes.*]

mal-turco. [De *mal*[1] + *turco.*] *S. m.* V. *sífilis.* [Pl.: *males-turcos.*]

malucagem. *S. f. Bras.* V. *maluqueira.*

malucar. *V. int.* **1.** Dizer ou praticar maluquices; maluquear. **2.** Andar pensativo ou cismático. *T. i.* **3.** Meditar ou cismar como maluco: "não me cansei de *malucar* na situação trágica do português que procura atingir qualquer meta dentro da pátria." (Miguel Torga, *Diário*, IX, p. 43.) [Conjug.: v. *trancar.* Cf. *malocar.*]

maluco. [De *mal*[1].] *Adj.* **1.** Diz-se de alienado mental; doido, louco; idiota. **2.** Que age como se fosse doido; tonto, zonzo, gira. **3.** V. *tolo* (1 a 3). **4.** Diz-se de indivíduo doidivanas, estouvado. **5.** Extravagante, excêntrico, esquisito. **6.** Absurdo, desarrazoado: *Comprou a casa por um preço maluco, quase o dobro do que vale.* ● *S. m.* **7.** Indivíduo maluco. **8.** V. *tolo* (8).

maludo[1]. [De *mal*[1] + *-udo.*] *Adj. e s. m. Bras., AL* e *MG. Pop.* V. *valentão* (1 e 3).

maludo[2]. [De *mala* (7) + *-udo.*] *Adj. e s. m.* **1.** *Bras., S. Chulo.* Diz-se de, ou homem que tem os órgãos genitais muito grandes. **2.** *Bras., RS.* Diz-se de, ou cavalo inteiro; garanhão.

malunga. [De *malungo.*] *S. f. Bras. Pop.* V. *cachaça* (1).

malungo. [Do quimb. *ma'lūga*, 'companheiro'.] *S. m.* **1.** Camarada, companheiro. **2.** Título que os escravos africanos davam àqueles que tinham vindo da África no mesmo navio. **3.** *Bras.* Irmão colaço ou irmão de criação.

maluquear. *V. int.* Malucar (1). [Conjug.: v. *frear.*]

maluqueira. *S. f.* **1.** Doença ou estado de maluco; loucura. **2.** Ato ou dito de maluco. **3.** Extravagância, excentricidade, esquisitice. **4.** Tolice, bobagem, idiotice. [Sin. ger.: *maluquice* e (bras.) *malucagem.*]

maluquice. *S. f.* V. *maluqueira.*

mal-usar. [De *mal*[2] + *usar.*] *V. t. d.* Usar ou empregar mal; abusar de.

maluvo. [Do quimb. *ma'lufu.*] *S. m.* Bebida fermentada, muito apreciada pelos indígenas africanos; marufo.

malva. [Do lat. *malva.*] *S. f.* **1.** Erva medicinal clássica, da família das malváceas (*Malva silvestris*), originária da Europa, e cujas folhas e flores encerram mucilagem, razão por que é usada em medicina. ● *S. m.* **2.** A cor rosa-arroxeada da flor da malva. ● *Adj. 2 g.* **3.** Diz-se dessa cor: "Belfort aconchegou-se à almofada de setim *malva*, acendeu uma cigarrilha do Egito com o seu monograma em ouro" (João do Rio, *Dentro da Noite*, p. 16).

malva-branca. *S. f. Bras.* Erva lenhosa, da família das malváceas (*Sida carpinifolia*), de flores amarelas, e cujas hastes, flexíveis, servem para fazer toscas vassouras; vassoura. [Pl.: *malvas-brancas.*]

malvácea. *S. f.* Espécime das malváceas.

malváceas. *S. f. pl. Bot.* Família de dicotiledôneas, da ordem das malvales, que compreende plantas lenhosas, de folhas alternas e estipuladas, não raro lobadas, flores vistosas, solitárias ou cimosas, hermafroditas, com estames concrescidos pelos filetes em coluna central, anteras monotecas, grãos de pólen aculeados, e ovário súpero, multilocular e multiovulado. Há umas 1.000 espécies, nos países tropicais e temperados, muitas delas nativas no Brasil.

malvaceira. *S. f. Bras.* Espécie de malva ornamental.

malváceo. [De *malva* + *-áceo*[1].] *Adj.* **1.** Referente ou semelhante à malva. **2.** Pertencente ou relativo às malváceas.

malvada. [Fem. substantivado do adj. *malvado.*] *S. f. Bras. Pop.* V. *cachaça* (1).

malvadez (ê). *S. f.* Qualidade ou ato de malvado; maldade, crueldade, perversidade; malvadeza.

malvadeza (ê). *S. f.* V. *malvadez:* "podia ter dito que tinha sido de pura *malvadeza*, de covardia dos dois" (Autran Dourado, *As Imaginações Pecaminosas*, p. 109).

malvado. [Do lat. vulg. *malefatius*, *malefatu, 'malfadado', atr. do cat. *malvat.*] *Adj.* **1.** Que pratica atos cruéis, ou é capaz de praticá-los; cruel, mau, celerado, perverso. ● *S. m.* **2.** Indivíduo malvado; mau. **3.** V. *diabo* (2).

malva-do-campo. *S. f.* Carapiá (1). [Pl.: *malvas-do-campo.*]

malvaísco. *S. m.* V. *malvavisco.*

malvale. *S. f.* Espécime das malvales.

malvales. *S. f. pl. Bot.* Ordem de plantas floríferas, arquiclamídeas, heteroclamídeas, andróginas, de corola contorta, cálice valvar, e com estames numerosos, concrescidos em coluna central.

malvalistro. [Alter. de *malvaísco.*] *S. m. Bras.* Certa planta da família das malváceas (*Sida micrantha*), abundante em MG.

malva-maçã. *S. f. Bras.* Erva da família das geraniáceas (*Pelargonium odoratissimum*), muito estimada como ornamental por causa das folhas arredondadas e perfumadas, e cujas flores são pequenas e se congregam em inflorescências compactas. [Pl.:*malvas-maçãs* e *malvas-maçã.*]

malvar. *S. m.* Grande quantidade de malvas dispostas proximamente entre si; campo de malvas.

malva-reloginho. *S. f. Bras.* Erva lenhosa, da família das malváceas (*Sida acuta*), largamente dispersa no Brasil, de folhas oblongas e crenadas, e flores amarelas, e pequenas; vassoura, tupixá. [Pl.: *malvas-reloginhos* e *malvas-reloginho.*]

malvarisco. [Alter. de *malvaísco.*] *S. m. Bras.* **1.** V. *capeba-do-campo.* **2.** V. *capeba-do-norte* (2).

malva-rosa. *S. f.* Planta medicinal clássica, da família das malváceas (*Althaea rosea*), cujas propriedades terapêuticas são semelhantes às do malvavisco [q. v.], mas que não ocorre no Brasil. [Pl.: *malvas-rosas* e *malvas-rosa.*]

malvasia. [Do top. *Monembasie* (Malvasia nos países mediterrâneos), talvez pelo esp. *malvasía.*] *S. f.* **1.** Variedade de uva muito doce e odorífera. **2.** Vinho feito dessa uva: "Na vidraça .... empraleirava-se uma exposição de garrafas de *malvasia*" (Eça de Queirós, *O Primo Basílio*, p. 184).

malvavisco. [Do lat. *malva hibiscu.*] *S. m.* Planta medicinal clássica, da família das malváceas (*Althaea officinalis*), originária da Europa, e cuja raiz, de sabor adocicado, contém mucilagem e açúcar, sendo usada como corretivo e excipiente; altéia, malvaísco.

malventuroso (ô). [De *mal*[2] + *venturoso.*] *Adj.* V. *malaventurado.*

malversação. [Do fr. *malversation.*] *S. f.* **1.** Falta no exercício de um cargo ou na gerência de dinheiros; dilapidação. **2.** Má administração; má gerência.

malversador (ô). *Adj. e s. m.* Que ou aquele que malversa; dilapidador.

malversar. [De *mal*[2] + *versar*[1].] *V. t. d.* **1.** Administrar mal. **2.** Fazer subtrações ou desvios abusivos de; dilapidar: *malversar os bens públicos.*

malvinense. *Adj. 2 g.* **1.** Das, ou pertencente ou relativo às ilhas Malvinas ou Falklands (América do Sul). ● *S. 2 g.* **2.** Natural ou habitante dessas ilhas. [Sin. ger.: *malvinês.*]

malvinês. *Adj. e s. m.* Malvinense. [Flex.: *malvinesa* (ê), *malvineses* (ê), *malvinesas* (ê).]

malvisto. [De *mal*[2] + *visto.*] *Adj.* **1.** Mal conceituado; mal-afamado, suspeito, trasvisto. **2.** Inimizado, antipatizado, malquisto. [Antôn.: *bem-visto.*]

malvo. *S. m. Bras.* Fibra têxtil de certas árvores.

▲**mam-.** [De *mão.*] *El. comp.* = 'mão': *mamposta.* [Equiv.: *man-. mancheia.*]

mama. [Do lat. *mamma.*] *S. f.* **1.** Órgão glandular, em número de dois ou mais, característico dos mamíferos, e que na fêmea produz o leite, sendo normalmente atrofiado no macho. **2.** Leite que as crianças sugam do seio da mãe ou da ama. **3.** O período da amamentação. **4.** V. *mamadura.*

mamã. [T. onom.] *S. f.* **1.** Mãe, na linguagem das criancinhas. **2.** *Lus.* Tratamento carinhoso que o adulto dá a sua mãe (no Brasil, *mamãe*). **3.** *Bras.* V. *ama-de-leite.*

mama-cadela. *S. f. Bras., C.O.* Arbusto da família das moráceas (*Brosimum gaudichaudii*), muito comum no cerrado, leitosa, cuja raiz pode ser empregada para perfumar tabaco, e cuja infrutescência, amarela, é utilizada pelas crianças como chicle, pois não se desfaz na boca. [Pl.: *mamas-cadelas* e *mamas-cadela.*]

mamada. *S. f. Bras.* V. *mamadura.*

mama-de-cachorra. *S. f. Bras. C.O.* Subarbusto da família das mirtáceas (*Phyllocalyx formosus*), de folhas obovadas, coriáceas, e flores solitárias, pequenas, que prolifera pelo cerrado. [Pl.: *mamas-de-cachorra.*]

mamadeira. [De *mamar* + *-deira.*] *S. f.* **1.** Instrumento para extrair o leite do peito da mulher. **2.** Garrafinha provida de chupeta, para amamentar crianças artificialmente; biberão. **3.** *Bras., RS.* V. *muçurana* (1).

mama-de-porca. *S. f. Bras.* V. *camboatã-branca.* [Pl.: *mamas-de-porca.*]

mamado. [Part. de *mamar.*] *Adj. Pop.* **1.** Desapontado, desiludido. **2.** Enganado, logrado. **3.** *Bras., S. Gír.* Meio embriagado.

mamadura. *S. f.* **1.** Ato de mamar. **2.** Tempo que dura a amamentação. [Sin. ger.: *mama* e (bras.) *mamada.*]

mamãe. [De *mamã*, com infl. de *mãe.*] *S. f. Bras.* V. *mamã* (2).

mamãe-de-aluana. *S. f. Bras., SE. Pop.* V. *mamãe-de-luanda.* [Pl.: *mamães-de-aluana.*]

mamãe-de-aruana. *S. f. Bras., SE. Pop.* V. *mamãe-de-luanda.* [Pl.: *mamães-de-aruana.*]

mamãe-de-luana. *S. f. Bras., SE. Pop.* V. *mamãe-de-luanda.* [Pl.: *mamães-de-luana.*]

mamãe-de-luanda. [De *mamãe* + *de* + top. *Luanda.*] *S. f. Bras., SE. Pop.* V. *cachaça* (1). [Var.: *mamãe-de-luana*, *mamãe-de-aluana, mamãe-de-aruana.* Pl.: *mamães-de-luanda.*]

mamãe-e-papai. *S. m. 2 n. Bras. Chulo.* Papai-e-mamãe.

mama-em-onça. [De *mamar* + *em* + *onça*[2].] *S. m. 2 n. Bras. Pop.* **1.** Indivíduo interesseiro, ou caça-dotes. **2.** Indivíduo casado com mulher feia.

mamãe-sacode. [De *mamãe* + a 3ª pess. sing. do pres. ind. de *sacudir.*] *S. f. 2 n.* **1.** *Bras., CE. Pop.* V. *cachaça* (1). **2.** *Bras., BA.* Espécie de espanador feito de flecha e papel de seda, que os mascarados agitavam no rosto das pessoas, pelo carnaval.

mamãe-vem-aí. *S. m. 2 n. Bras., PE.* V. *fecho ecler.*

mamãezada. [De *mamãe* + *-z-* + *-ada*[1].] *S. f. Bras., N.E.* **1.** Falta de moralidade no serviço público, com descaso ou conivência dos responsáveis; filhotismo político ou administrativo; compadrio. **2.** Abuso de confiança; fraude. **3.** Intriga, perfídia.

mamaiacu. [Do tupi *mamya'tu.*] *S. m. Bras.* Peixe teleósteo, plectógnato, da família dos tetrodontídeos (*Colomesus psittacus* (Schan.)), da Amaz., de coloração parda com seis faixas escuras transversais no dorso, as duas faixas entre as nadadeiras dorsal e peitorais às vezes fundidas em uma só, e o corpo revestido de espinhos. Comprimento: até 18 cm. Sua carne é tida por venenosa. [Sin.: *baiacu-de-água-doce.*]

mamaindê (a-ĩn). *Bras. S. 2 g.* **1.** Indivíduo dos mamaindês, tribo indígena das cabeceiras do rio Branco ou Cabixi, afluente direito do alto Guaporé. ● *Adj. 2 g.* **2.** Pertencente ou relativo a essa tribo.

mamalhudo. *Adj. Pop.* Mamudo.

mamaluco. *S. m. Bras.* Var. assimilada de *mameluco.*

mama-na-égua. [De *mamar* + *na*[1] + *égua.*] *S. m. 2 n. Bras., CE. Pop.* **1.** V. *tolo* (8): "— Tenha cuidado, tio Armando. Olhe o que o médico disse, / — Ah! Aquele *mama-na-égua* sabe lá de nada! (Juarez Barroso, *Mundinha Panchico e o Resto do Pessoal*, p. 16.) **2.** Indivíduo mofino, incapaz, inepto.

mamangá. [Do tupi *mamã'gana;* f. apocopada de *mamangaba.*] *S. m. Bras.* **1.** Arbusto da família das leguminosas (*Cassia medica*), de ampla dispersão no território nacional, dotado de ramos angulosos e folhas com quatro folíolos coriáceos, e cujas flores amarelas têm sete estames e se organizam em racemos dispostos em panículas. **2.** V. *fedegoso-grande*. **3.** V. *fedegoso-verdadeiro*.

mamangaba. [Do tupi *mamã'gab*.] *S. f. Bras.* **1.** Designação comum às espécies de insetos himenópteros da família dos bombídeos que representam as grandes abelhas sociais. Constroem ninho no solo, entre touceiras de capim ou barrancos, e o mel que produzem é pouco e de má qualidade: a picada é muito dolorosa, porém passageira. [Sin.: *abelhão, vespa-de-rodeio, marimbondo-mangangá*.] **2.** Designação comum às abelhas solitárias da família dos xilocopídeos, cujos ninhos são feitos geralmente em paus podres ou madeira mole. [Var. ger.: *mangangá, mangangaba, mamangava, mangangava*.]

mamangava. *S. f. Bras.* V. *Mamangaba*.

mamanguapense. *Adj. 2 g.* **1.** De, ou pertencente ou relativo a Mamanguape (PB). • *S. 2 g.* **2.** Natural ou habitante de Mamanguape.

mamão. [De *mama* + *-ão*[1].] *Adj.* **1.** Que ainda mama. **2.** Que mama abundantemente. • *S. m.* **3.** Rebento que rouba o suco à haste da planta. **4.** Bezerro ou burro de um ano. **5.** O fruto do mamoeiro, de feitio semelhante ao da mama, cor amarela, e polpa espessa e suculenta; papaia. **6.** *Bras.* Mamote (3).

mamão-macho. *S. m. Bras.* **1.** Mamoeiro-macho. **2.** *Pop.* Cara-de-mamão-macho. [Pl.: *mamões-machos*.]

mamar. [Do lat. tardio *mammare*.] *V. t. d.* **1.** Sugar ou chupar (o leite da mãe ou da ama-de-leite). [Sin., pop.: *chuchar*.] **2.** Sugar (qualquer coisa): "vivia mamando seu charuto" (Pedro Nava, *Beira-Mar*, p. 20); "Mamei teus peitos de pedra / constelados de prenúncios." (Cecília Meireles, *Obra Poética*, p. 38). **3.** Aprender ou adquirir durante a infância. **4.** Enganar, lograr, ludibriar. *T. d.* e *i.* **5.** Obter, extorquir. **6.** *Bras.* Ter percentagens ou lucros desabonadores em alguma empresa ou administração pública. *Int.* **7.** Sugar leite de mama ou teta; lactar. **8.** *Bras. Gír.* Embriagar-se, embebedar-se. [Fut. pret.: *mamaria*, etc. Cf. *mamária*, fem. de *mamário*.] ♦ **De mamando a caducando.** *Bras., MG* e *GO.* Da meninice até a velhice; da infância à idade madura.

mamário. *Adj.* Relativo às mamas. ~ V. *papila —a*. [Fem.: *mamária*. Cf. *mamaria*, do v. *mamar*.]

mamarracho. [Do esp. *mamarracho*.] *S. m.* **1.** Mau pintor; pinta-monos. **2.** Pintura ruim, de má qualidade: "As Academias das Ciências e Belas-Artes, professorado d'escolas industriais, ... deveriam ligar-se e contribuir para limpar as igrejas da afronta dos mamarrachos que as habitam, deixando nelas apenas as esculturas e pinturas de mérito" (Fialho d'Almeida, *Estâncias d'Arte e de Saudade*, p. 56).

mamarreis. *S. m. 2 n. Bras., RJ.* Peixe teleósteo, perciforme da família dos aterinídeos (*Xenomelaniris brasiliensis* (Quoy & Gain.)), do Atlântico, conhecido desde o México ao Brasil, onde é muito comum; coloração brancacenta com faixa lateral prateada, dorso com reflexos azulados. Tem cerca de 8 cm de comprimento e alimenta-se de crustáceos, algas e detritos lançados ao mar.

mamata. [De *mamar*.] *S. f. Bras.* **1.** Empresa ou administração pública em que mamam os políticos e funcionários desonestos. **2.** V. *comedeira*. **3.** V. *negociata*. [Cf. *papata*.]

mamaurana. [De *mamão* + *-rana*.] *S. f. Bras., N.* Designação comum a duas espécies de árvores cujo alburno filamentoso serve para cordas e para calafetar navios.

mambaré. *Bras. S. 2 g.* **1.** Indivíduo dos mambarés, tribo indígena de MT. • *Adj. 2 g.* **2.** Pertencente ou relativo a essa tribo.

mambembar. *V. int. Bras., S.* Percorrer o país como membro de mambembe (3); mambembear.

mambembe. *Bras. S. m.* **1.** Lugar afastado, ermo. **2.** Ator, ou grupo teatral amador e de má qualidade. **3.** Grupo teatral volante: "Os romances, contos, novelas e peças de teatro de Alexandre Dumas andam até hoje pelos palcos, quer os dos modestos mambembes, que se exibem em humildes e improvisados pavilhões, quer os das casas de espetáculos mais sofisticadas" (Mário da Silva Brito, *Diário Intemporal*, p. 57). • *Adj. 2 g.* **4.** Medíocre, ordinário, inferior; zambembe: "Sociedade mambembe, sem diretoria, sem amor ao pavilhão" (Marques Rebelo, *Marafa*, p. 57).

mambembear. *V. int. Bras.*, Mambembar. [Conjug.: v. *frear*.]

mambembeiro. *Adj. Bras.* Relativo a mambembe.

mambembo. *S. m. Bras.* V. *atobá*.

mambira. *S. 2 g. Bras., RS.* **1.** V. *caipira* (1). • *Adj. 2 g.* **2.** Rude, rústico.

mambirada. *S. f. Bras., RS.* Reunião de mambiras; gauchada.

mambo. [Do zulo *im-amba*, 'cobra'.] *S. m.* Música e dança originária da América Central.

mambucabense. *Adj. 2 g.* **1.** De, ou pertencente ou relativo a Mambucaba (RJ). • *S. 2 g.* **2.** Natural ou habitante de Mambucaba.

mambucão. [De *mumbuca*, com dissimilação, + *-ão*[1].] *S. m. Bras.* V. *mumbuca*.

mamelão. [Do fr. *mamelon*.] *S. m.* Mamilão.

mamelonado. *Adj. Bras.* Que tem forma de mamelão ou mamilão.

mameluco. [Do ár. *mamluk*, 'escravo, pajem, criado'.] *S. m.* **1.** Soldado de uma milícia turco-egípcia primeiramente constituída de escravos, mas que depois se tornou senhora do Egito, sendo derrotada por Napoleão, na batalha das Pirâmides, e exterminada por Mehemet-Ali em 1811. **2.** *Bras.* Filho de índio com branco: "o mameluco, originado das relações entre o branco e o indígena" (Manuel Diegues Júnior, *Etnias e Culturas do Brasil*, p. 99). **3.** *Bras. PA.* Mestiço de branco com curiboca. [Var.: *mamaluco*.]

mameto-de-inquice. *S. f. Bras., BA.* Mãe-de-santo, nos candomblés de Angola e do Congo. [Pl.: *mametos-de-inquice*.]

mamífero. [De *mama* + *-i-* + *-fero*.] *Adj.* **1.** Que tem mamas. **2.** Pertencente ou relativo aos mamíferos; pilífero, mastozoário. • *S. m.* **3.** Espécime dos mamíferos; pilífero, mastozoário.

mamíferos. *S. m. pl. Zool.* Animais cordados, da classe *Mammalia*, com o corpo recoberto de pêlos, pele com numerosas glândulas, crânio com dois côndilos occipitais, maxilares geralmente com dentes diferenciados, em alvéolos, coração com quatro cavidades, e diafragma entre as cavidades torácica e abdominal. Macho com pênis, faz fecundação interna; fêmea com glândulas mamárias que segregam leite para alimentar os filhos. São os primatas, cetáceos e carnívoros. [Sin.: *pilíferos, mastozoários*.]

mamiforme. [De *mama* + *-i-* + *-forme*.] *Adj. 2 g.* V. *mamilar*[2] (2).

mamila. *S. f.* V. *mamilo* (1).

mamilão. [Aum. de *mamilo*.] *S. m.* Eminência de forma arredondada; mamelão.

mamilar[1]. [Do lat. *mamillare*.] *S. m.* Faixa ou lenço que as mulheres usam para velar os seios.

mamilar[2]. [De *mamilo* + *-ar*[1].] *Adj. 2 g.* **1.** Pertencente ou relativo ao mamilo. **2.** Que tem forma de mamilo; mamiloso, mamiforme.

mamilária. *S. f. Bot.* Gênero de cactáceas ornamentais da América Central e do México.

mamilho. [De *mama* + *-ilho*.] *S. m. Ant.* Proeminência de metal, na superfície interna das bocas-de-fogo. [Cf. *mamilo*.]

mamilo. [Do lat. *mamilla*, com troca de gênero.] *S. m.* **1.** O bico da mama (1): mamila, maminha; bico do peito. **2.** *P. ext.* Mama (1). **3.** Aquilo que tem a forma de mamilo: *mamilos de cupim*. [Cf. *mamilho*.]

mamiloso (ô). *Adj.* **1.** Que tem mamilo. **2.** V. *mamilar*[2] (2).

maminha. [Dim. de *mama*.] *S. f.* **1.** V. *mamilo* (1). **2.** A mama do homem. **3.** A parte mais macia da alcatra (1).

maminha-de-cadela. *S. f. Bras.* V. *espinho-de-vintém*. [Pl.: *maminhas-de-cadela*.]

maminha-de-porca. *S. f. Bras.* **1.** V. *espinho-de-vintém*. **2.** V. *tamanqueira*. [Pl.: *maminhas-de-porca*.]

mamite. [De *mama* + *-ite*[1].] *S. f. Patol.* V. *mastite*.

mamoeiro. *S. m.* **1.** Planta da família das caricáceas (*Carica papaya*), cuja baga, o mamão, é muito estimada. O caule, mole e leitoso, mede alguns metros de altura e não se ramifica; as flores são sexualmente variadas, havendo as masculinas, as femininas e as hermafroditas; o látex é importante por encerrar a papaína, um fermento. [Sin.: *papaieira, papaia, pinoguaçu*.] **2.** *Bras., PE. Pop.* V. *ébrio* (8).

mamoeiro-do-mato. *S. m. Bras.* **1.** Designação comum a várias espécies de *Carica*, de frutos pequenos e sem préstimo, e que vivem nas matas. **2.** Jaracatiá. [Pl.: *mamoeiros-do-mato*.]

mamoeiro-macho. *S. m. Bras.* Árvore da família das caricáceas (*Carica microcarpa*); mamão-macho. [Pl.: *mamoeiros-machos*.]

mamografia. [De *mama* + *-o-* + *-graf(o)-* + *-ia*.] *S. f. Radiol.* Radiografia de mama, sem uso de contraste, feita com equipamento especial; mastografia, senografia.

mamográfico. *Adj.* Relativo à mamografia.

mamona. [Do quimb. *mumono*, com infl. de *mamão*.] *S. f.* **1.** Planta medicinal da família das euforbiáceas (*Ricinus communis*), de fruto capsular ovóide, achatado, de tamanho variável, com superfície lisa, brilhante e acinzentada, e da qual se extrai o óleo de rícino; mamoneira, carrapateira, carrapato. **2.** V. *caturra* (4). **3.** A semente da mamoneira.

mamoneira. [De *mamona* + *-eira*.] *S. f.* V. mamona (1).

mamoneiro. [De *mamona* + *-eiro*.] *S. m.* V. *carrapateira*.

mamoninho-bravo. *S. m.* V. *estramônio*. [Pl.: *mamoninhos-bravos*.]

mamorana. [Do tupi amazonense mod. *mamao rana* < port. *mamão* + *-rana*.] *S. f.* **1.** *Bras., Amaz.* Árvore da família das bombacáceas (*Pachyra aquatica*), originária da Amaz., muito empregada na arborização de ruas, com folhas compostas e amplas, flores muito grandes, alvacentas e ricas em estames, e frutos grandes, cápsulas ferrugíneas. **2.** V. *castanheiro-do-maranhão*.

mamorana-grande. *S. f. Bras.* Árvore da família das bombacáceas (*Bombax insigne*), de porte maior que o da mamorana, porém não usada em arborização urbana. [Pl.: *mamoranas-grandes*.]

mamoso (ô). *Adj.* **1.** Que tem mamas. **2.** Que tem forma de mama.

mamote. [De *mama* + *-ote*.] *Adj.* **1.** *Ant.* Ridículo, tolo. • *S. m.* **2.** Criança que ainda mama. **3.** *Bras.* Animal crescido que ainda mama; mamão. **4.** *Ant.* Pequena elevação de terra ou de areia em forma de peito de mulher.

mamoto (ô). [De *mamote*.] *S. m.* V. *nonato* (4).

mampar. *V. t. d.* e *int. Bras., S. Pop.* Comer (1 e 15).

mamparra. *S. f.* **1.** V. *súcia*. **2.** Simulação de trabalho; cera. **3.** *Bras.* Pouca disposição para o trabalho; preguiça. **4.** *Bras., N.* Pequeno roubo. **5.** Velhacaria, trapaça. ~ V. *mamparras*.

mamparras. [Pl. de *mamparra*.] *S. f. pl.* Evasivas, escapatórias, subterfúgios. ~ V. *mamparra*.

mamparreação. *S. f. Bras.* Ação de mamparrear.

mamparreador (ô). *Adj.* e *s. m. Bras.* Que ou aquele que mamparreia; mamparreiro.

mamparrear. [De *mamparra* + *-ear*.] *V. int. Bras.* **1.** Enganar ou enredar para dilatar os prazos. **2.** Perder tempo; mangar, remanchar. **3.** Usar de evasivas ou subterfúgios; fingir. **4.** Ficar inerte ou sem trabalhar; vadiar: "aquele ao menos estaria no eito, a ajudá-lo no cabo da enxada, enquanto o mulherio inútil mamparrearia por ali, a espiolhar-se ao sol." (Monteiro Lobato, *Urupês, Outros Contos e Coisas*, p. 35). [Var. ou f. paral.: *pamparrear*. Conjug.: v. *frear*.]

mamparreiro. *Adj.* e *s. m. Bras.* Mamparreador.

mamposta. [De *mam-* + o fem. de *posto*[2].] *S. f.* **1.** Tropas de reserva. **2.** Prisão de alguém e o ato de levá-lo à cadeia. ♦ **De mamposta.** De propósito.

mamposteiro. [De *mamposta* + *-eiro*.] *S. m. Ant.* **1.** Pessoa encarregada de substituir outra em cargo, função ou negócio. **2.** Recebedor de esmolas para cativos: "Bulas da Santa Cruzada, mamposteiros da Trindade, bentinhos, breves e escapulários eram vendidos aos quilos e resolviam todos os problemas." (Antônio Celso, *A Porta de Jerusalém*, p. 22.)

mamposteria. *S. f. Ant.* Ofício de mamposteiro.

mamucha. [De *mamar*.] *S. f. Bras., MG.* Chupa (2).

mamudo. *Adj.* Que tem grandes mamas; mamalhudo.

mamujar. *V. int.* Mamar aos poucos, com intervalos, sem apetite.

mamulengo. *S. m. Bras., N.E.* **1.** V. *fantoche* (1 e 2). **2.** Teatro de fantoches [q. v.], rico em situações cômicas e satíricas. [Nesta acepç., tb. é us. no pl. Sin.: *presepe* e (na PB) *joão-redondo*.] ~ V. *mamulengos*.

mamulengos. [Pl. de *mamulengo*.] *S. m. pl. Bras., N.E.* V. *mamulengo* (2).

mamulengueiro. *S. m. Bras. Teat.* O titereiro do mamulengo (1).

mamulo. *S. m. Bras., RS. Grande mama* (1).

mamuri. [Do tupi *mamu'ri*.] *S. m. Bras.* V. *matrinxã*.

mamute. [Do ostíaco, atr. do russo *mamot* e do fr. *mammouth*.] *S. m. Zool.* Elefante fóssil que viveu na Europa e na Ásia no período quaternário.

▲**man-.** Equiv. de *mam-*.

mana[1]. *S. m.* Entre os melanésios, o conjunto de forças sobrenaturais provenientes dos espíritos e que operam num objeto ou numa pessoa.

mana[2]. [Hipocorístico de *irmã*.] *S. f. Fam.* e *ant.* Irmã.

maná. [Do hebr. *man*, atr. do lat. *manna*.] *S. m.* **1.** Alimento que, segundo a Bíblia, Deus mandou, em forma de chuva, aos israelitas no deserto. [Seria um líquen (*Lecanora esculenta*) ainda hoje comum na mesma região, e que, transportado pelo vento, cai à maneira de chuva e é usado como alimento.] **2.** Suco resinoso e açucarado de algumas plantas. **3.** *Fig.*

Alimento delicioso; ambrosia. **4.** *Fig.* Coisa excelente, vantajosa, deliciosa: *Aquele dote foi um maná.* **5.** Planta medicinal da família das oleáceas (*Fraxinus ornus*).

manacá. [Do tupi *mana'ká*.] *S. m. Bras.* Arbusto da família das solanáceas (*Brunfelsia hopeana*), muito apreciado como ornamental para jardins e praças, cujas flores são grandes, indo a corola de esbranquiçada a azul, gerando belo efeito quando muito numerosas, e cujo fruto é uma baga verde; eratataca.

manacá-açu. *S. m. Bras.* Arbusto da família das solanáceas (*Brunfelsia grandiflora*), semelhante ao manacá, mas que tem flores maiores; mancenilheira. [Pl.: *manacás-açus.*]

manacá-da-serra. *S. m. Bras.* V. *flor-da-quaresma.* [Pl.: *manacás-da-serra.*]

manaçaia. *S. f. Bras.* Var. de *mandaçaia.*

manação. [Do lat. *manatione.*] *S. f.* Ato ou efeito de manar; emanação.

manacapuruense. *Adj. 2 g.* **1.** De, ou pertencente ou relativo a Manacapuru (AM). ● *S. 2 g.* **2.** Natural ou habitante de Manacapuru.

manacarana. [De *manacá* + *-rana.*] *S. f. Bras., Amaz.* Arvoreta da família das violáceas (*Papayrola grandiflora*), de folhas grandes, flores carnosas, que se ordenam em espigas, e cápsulas ovóides, com 4 cm de diâmetro.

mana-chica. *S. f. Bras., ES.* **1.** Cantiga de roda infantil. **2.** *Bras., RJ.* Espécie de quadrilha, popular na cidade de Campos. **3.** *Bras., SP.* Certa modalidade do fandango (6). [Pl.: *manas-chicas* e *mana-chicas.*]

manada. [Do esp. *manada.*] *S. f.* **1.** Rebanho de gado grosso: "Nuvens esverdeadas / Corriam pelo ar como grandes manadas / De búfalos." (Guerra Junqueiro, *A Velhice do Padre Eterno*, p. 29.) **2.** *Bras., RS.* Magote de éguas ou burras (quarenta ou cinqüenta), que acompanham um garanhão. **3.** *Fig.* V. *súcia.*

manadeira. [De *manar* + *-deira.*] *S. f.* V. *manancial* (1 a 3).

manadeiro. [De *manar* + *-deiro.*] *S. m.* V. *manancial* (1 a 3).

manadio. *Adj.* **1.** Referente a manada. **2.** Que anda em manada.

✦**manager** (mênedjâr). [Ingl.] *S. m.* Empresário (2).

managüenho. *Adj.* e *s. m.* Managüense.

managüense. *Adj. 2 g.* **1.** De, ou pertencente ou relativo à cidade de Manágua, capital da Nicarágua. ● *S. 2 g.* **2.** Natural ou habitante de Manágua. [Sin. ger.: *managüenho.*]

manaí. *S. m. Bras., N.* V. *manati.* [Cf. *manai*, do v. *manar.*]

manaíba. [Var. de *maniva* < tupi *mani'iwa.*] *S. f. Bras.* Tolete do caule do aipim ou da mandioca, cortado para plantio; muda de aipim ou de mandioca.

manaié. *S. 2 g.* e *adj. 2 g. Bras.* V. *ararandeuara.*

manajara. *S. f. Bras.* V. *acapurana.*

manajó. *Bras. S. 2 g.* **1.** Indivíduo dos manajós, tribo indígena oriunda dos tupinambás, do MA. ● *Adj. 2 g.* **2.** Pertencente ou relativo a essa tribo.

mana-joana. *S. f. Bras., RJ.* Espécie de quadilha (3) simplificada. [Pl.: *manas-joanas* e *mana-joanas.*]

manalvo. [De *man-* + *alvo.*] *Adj.* Diz-se do eqüídeo que tem manchas alvas nas extremidades dos membros anteriores.

manampança. *S. f. Bras.* Espécie de beiju espesso, feito de massa de mandioca, temperado com açúcar e erva-doce, e que, depois de ser colocado entre folhas de bananeira, se põe a tostar no forno de farinha de mandioca; malampança.

manancial. [Do esp. *manantial.*] *S. m.* **1.** Nascente de água; olho-d'água; fonte. **2.** *Fig.* Fonte perene e abundante: *um manancial de sabedoria.* **3.** *Fig.* Origem, princípio, fonte: *A ociosidade é o manancial de todos os vícios.* [Sin. (de 1 a 3): *manadeira, manadeiro.*] ● *Adj. 2 g.* **4.** Que mana ou corre sem cessar.

mananga. *S. m. Bras., Amaz.* V. *pajé* (1).

manangüera. *Adj. 2 g.* e *s. 2 g. Bras., SP. Pop.* Diz-se de, ou pessoa magra, abatida, fanada.

manante. [Do lat. *manante.*] *Adj. 2 g.* Que mana, corre, flui; corrente.

manantial. [Do esp. plat. *manantial.*] *S. m. Bras., RS.* Atoleiro, pântano, tremedal.

manapuçá. [Do tupi *manapu'sa.*] *S. m. Bras.* Designação comum a espécies do gênero *Mouriria*, melastomatáceas cujas folhas não são curvinérveas.

manápula. *S. f.* V. *manopla* (3): "na manápula calosa do campônio, o enxadão move-se na constância sacramental dos ritos." (Miguel Torga, *Diário IX*, p. 84).

manar. [Do lat. *manare.*] *V. t. d.* **1.** Verter incessantemente e/ou em abundância: *A fonte manava uma água límpida.* **2.** Dar origem a; criar, produzir, derramar. **3.** Verter, ressumar, destilar. *T. i.* **4.** Brotar, irromper: *A água mana da rocha.* **5.** Emanar, proceder, provir: "E traços firmes, de integridade absoluta, integridade que não era só física, manava da alma." (Vasconcelos Maia, *O Leque de Oxum*, p. 53.) *Int.* **6.** Correr em abundância; fluir, brotar. [Imperat. *mana*, ... *manai, manem.* Cf. *manaí.*]

manata. [Alter. pop. de *magnata.*] *S. m. Pop.* **1.** Velhaco, patife. **2.** Ladrão, larápio. **3.** Peralvilho, peralta, janota. **4.** Personagem importante; figurão, magnata. V. *mandachuva.*

manati. [Do caraíba *mana'ti.*] *S. m. Bras.* Animal mamífero, sirênio, da família dos sirenídeos (*Trichechus mamatus* L.), das Antilhas, costa da Venezuela e Guianas até o litoral do PA; tem a cor e o aspecto geral do peixe-boi [q. v.] fluvial da Amaz. [Var.: *manatim, manaí.* Sin.: *vaca-marinha.*]

manátida. *S. m.* Manatídeo (2).

manátidas. *S. m. pl. Zool.* Manatídeos.

manatídeo. *Adj.* **1.** Pertencente ou relativo aos manatídeos. ● *S. m.* **2.** Espécime dos manatídeos.

manatídeos. *S. m. pl. Zool.* Família de mamíferos da ordem dos sirênios, à qual pertence o peixe-boi.

manatim. *S. m. Bras.* V. *manati.*

manau. *Bras. S. 2 g.* **1.** Indivíduo dos manaus, tribo indígena aruaque que habitava as margens do rio Negro. ● *Adj. 2 g.* **2.** Pertencente ou relativo a essa tribo.

manauara. *Adj. 2 g.* e *s. 2 g. P. us.* Manauense.

manauê. [De possível or. afr.] *S. m. Bras.* Espécie de bolo feito de fubá de milho, mel e outros ingredientes: "repletas as mesas da fina canjica de milho verde, manauês, carás, melado" (Melo Morais Filho, *Festas e Tradições Populares do Brasil*, p. 190). [Var.: *manuê.*]

manauense. *Adj. 2 g.* **1.** De, ou pertencente ou relativo a Manaus, capital do AM. ● *S. 2 g.* **2.** Natural ou habitante de Manaus. [Sin ger., p. us.: *manauara.*]

mancada. [De *mancar*[2] + *-ada*[1].] *S. f. Bras.* **1.** Erro, lapso, falha, cincada: *Aquele casamento foi uma mancada.* **2.** Ação inoportuna, indiscreta ou bisonha; gafe: *O rapaz vive dando mancada.*

mancador (ô). [De *mancar*[1] + *-(d)or.*] *Adj.* e *s. m. Bras., S.* **1.** Diz-se de, ou cavalo que anda mancando. **2.** Diz-se de, ou mau cavaleiro, que deixa o cavalo manco.

mancal. *S. m.* **1.** Dispositivo, em geral de ferro ou de bronze, sobre o qual se apóia um eixo girante, deslizante ou oscilante, e que lhe permite o movimento com um mínimo de atrito. **2.** V. *dobradiça (1).* ◆ **Mancal de escora.** *Bras. Constr. Nav.* Mancal com ranhuras circulares, onde se encaixam filetes abertos no eixo propulsor de embarcação, o que impede que este se desloque no sentido axial dentro do primeiro. [Sobre os mancais de escora se exerce o esforço de impulsão, que faz os navios a hélice movimentarem-se pelas suas máquinas.]

mancar[1]. [De *manco* + *-ar*[2].] *V. t. d.* **1.** Tornar manco; fazer manco; aleijar. *Int.* **2.** V. *coxear* (1). *P.* **3.** Fazer-se manco; ficar manco. **4.** *Bras. Gír.* Capacitar-se de que está sendo inoportuno, inconveniente, ou está cometendo erro, engano: *Apesar das indiretas, o maçante não se mancou.* [Conjug.: v. *trancar.*]

mancar[2] [Do fr. *manquer.*] *V. int. Bras.* e *ant.* Falhar em relação a compromisso; faltar. [Conjug.: v. *trancar.*]

mancarrão. [Do esp. plat. *mancarrón.*] *Adj.* e *s. m. Bras., RS.* Diz-se de, ou cavalo velho, ou manco, sem préstimo.

manceba (ê). [Fem. de *mancebo.*] *S. f.* **1.** Mulher nova, jovem. **2.** Mulher amancebada [v. *concubina* (1)]: "a admissão da filha na casa-grande, como manceba, se o casamento fosse impossível." (Nélson de Faria, *Cabeça-Torta*, p. 78).

mancebia. [De *mancebo* + *-ia.*] *S. f.* **1.** *Ant.* Mocidade, juventude. **2.** *Ant.* Os mancebos, os moços. **3.** Estado de quem vive amancebado [v. *amancebar-se*]; amancebamento, concubinato. **4.** Vida desregrada, dissoluta. **5.** *Desus.* Prostíbulo [q. v.].

mancebil. *Adj. 2 g.* Referente a, ou próprio de mancebo (1); juvenil.

mancebo (ê). [Do lat. vulg. hispânico *mancipu lat. *mancipiu*, tirado da expr. *homo mancipii*, genitivo de mancipium, 'propriedade'.] *S. m.* **1.** V. *rapaz* (3): "Quando chegou a Lisboa, Camões tinha quase 19 anos. Era um formoso mancebo, forte, galhardo" (Olavo Bilac, *Últimas Conferências e Discursos*, p. 245). **2.** *Desus.* Aquele que vive em mancebia. **3.** *P. us.* Criado (2). **4.** *Bras.* Cabide para roupa, formado de uma haste com diversos braços: "aos pés da cama um mancebo para roupas, com muitos braços." (Júlio Ribeiro, *A Carne*, p. 83). **5.** *Bras., S.* Pedaço de pau ao qual se penduram candeias: "O Cabeludo .... tirara com a mão esquerda o lampião de azeite, de um mancebo ao meio da casa" (Valdomiro Silveira, *Os Caboclos*, p. 71). **6.** *Ant. Mar.* Marinheiro a quem, pela falta de prática, não se podiam confiar serviços de responsabilidade a bordo; bói. ● *Adj.* **7.** *Desus.* Juvenil, jovem.

mancenilha. [Do esp. *manzanilla.*] *S. f.* Árvore da família das euforbiáceas (*Hippomane mancinella*), nativa na América Central, de folhas serreadas, e cujas flores se apresentam em espiga, sendo o fruto uma baga e o látex venenoso.

mancenilheira. [De *mancenilha* + *-eira.*] *S. f.* Manacá-açu.

mancha. [Do lat. *macula.*] *S. f.* **1.** Nódoa, laivo: *manchas de sangue.* **2.** Malha[2] (1): *as manchas da pele do leopardo.* **3.** Cada toque na distribuição das tintas em um quadro; pincelada. **4.** *Fig.* Labéu na reputação; desdouro, deslustre, mácula: *caráter sem manchas.* **5.** A cama do javali. **6.** *Bras.* Certa doença que ataca o fumo. **7.** *Bras.* Carbúnculo do gado vacum. **8.** *Bras., PR.* Concentração abundante de erveiras em um dado terreno. **9.** *Bibliogr.* A parte impressa da página, por oposição às margens. ◆ **Mancha branca.** *Astr.* Marca superficial, branca, de duração efêmera, que aparece em zonas de diferente latitude do planeta Saturno e tem permitido determinar-lhe o período de rotação. **Mancha vermelha.** *Astr.* Marca superficial, rósea, situada na zona temperada sul do planeta Júpiter, e observada pela primeira vez em 1665, por J. D. Cassini, astrônomo francês de origem italiana (1625-1712). Parece tratar-se de massa gasosa flutuante na superfície do planeta.

mancha-de-ferro. *S. f. Bras.* Fungo devastador dos cafezais (*Sphoerella coffeicola*). [Pl.: *manchas-de-ferro.*]

manchado. [Part. de *manchar.*] *Adj.* **1.** Que se manchou; enodoado, sujo. **2.** Que tem manchas ou malhas; malhado: *Voltou-se a usar tecido manchado.* **3.** *Fig.* Maculado, deslustrado, desacreditado, infamado.

mancha-gorda. *S. f. Bras.* Praga que ataca diversas leguminosas, produzida pelos esporos de um criptógamo (*Ceromyces phaseolorum*). [Pl.: *manchas-gordas.*]

mancha-negra. *S. f. Bras., MT.* Certa epizootia dos bovídeos. [Pl.: *manchas-negras.*]

manchão[1]. [Aum. de *mancha.*] *S. m. Bras.* **1.** Mancha no terreno, onde jaz enterrado o diamante de aluvião. **2.** *Ind. Pap.* Prensa de manchão. **3.** *Pop.* Remendo que se improvisa nos pneumáticos estragados ou furados.

manchão[2]. *S. m.* Nos jogos de bilhar e sinuca, taco especial, com uma cruzeta de metal na ponta, para auxiliar o jogador a firmar o taco principal.

manchar. *V. t. d.* **1.** Sujar com mancha ou nódoa; sujar, enodoar: *manchar a roupa.* **2.** Fazer mancha em: *manchar o tecido.* **3.** Infamar, denegrir, desonrar: *manchar uma reputação. P.* **4.** Sujar-se, enodoar-se. **5.** Ficar desonrado, denegrido.

mancha-roxa. *S. f. Bras.* Mancha na pele, produzida por hemorragia subcutânea. [Sin., N.E.: *roncha.* Pl.: *manchas-roxas.*]

manchear. *V. t. d. Bras.* Provocar a fermentação de (o cacau). [Conjug.: v. *frear.*]

manchega (ê). [Fem. de *manchego.*] *S. f.* V. *seguidilha* (1).

manchego (ê). [Do esp. *manchego.*] *Adj.* **1.** Da, ou pertencente ou relativo à Mancha (Espanha central). **2.** Diz-se do herói cervantesco D. Quixote, fidalgo da Mancha. **3.** V. *seguidilha* (1). ● *S. m.* **4.** O natural ou habitante da Mancha. [Cf. *machego.*]

mancheia. [De *man-* + *cheia.*] *S. f.* Porção de coisas, ou quantidade de uma coisa, que a mão pode abranger; mainça, maunça, manípulo, punhado, mão-cheia: "Atirava mancheias de farinha à boca" (Coelho Neto, *Treva*, p. 325); "Aqui tens ouro, mancheias de ouro" (Eugênio de Castro, *Obras Poéticas*, III, p. 219). ◆ **A mancheias. 1.** Em grande quantidade; abundantemente; à farta: "Tendo dinheiro e mancheias, os peruanos quiseram ter uma esquadra." (Eduardo Prado, *Coletâneas*, II, p. 208). **2.** Prodigamente; à larga: "A fortuna me favorecia a mãos-cheias e a mancheias eu a derramava por quantos vinham acolher-se à minha sombra." (Afonso Arinos, *O Contratador dos Diamantes*, p. 86.) [Tb. se diz *a mãos-cheias* e *às mãos-cheias.*]

manchesteriano. *Adj.* **1.** De, ou pertencente ou relativo a Manchester (Grã-Bretanha). ● *S. m.* **2.** O natural ou habitante de Manchester.

manchete. [Do fr. *manchette.*] *S. f. Bras.* **1.** Título principal, em letras garrafais, na primeira página de um jornal: "*A Voz do Povo* dizia, em manchete: 'A revolução está praticamente extinta!' " (Ribeiro Couto, *Prima Belinha*, p. 68.) **2.** *P. ext.* Título de notícia, em

letras maiores, em jornal ou revista.
manchil. [Do ár. *manjil.*] *S. m.* **1.** Cutelo de açougueiro. **2.** Antiga arma branca de guerra.
manchilha. [Dim. de *mancha?*] *S. f. Bras., MT.* Certa epizootia dos bovídeos.
mancho. *Adj. Bras.* Falho, defeituoso. [Diz-se em especial da andadura dos cavalos.]
manchu. *Adj. 2 g.* **1.** Da, ou pertencente ou relativo à Manchúria (Ásia). ● *S. 2 g.* **2.** Natural ou habitante da Manchúria. *S. m.* **3.** Língua altaica falada pelos manchus. V. *uralo-altaico* (3). [F. paral.: *mandchu.*]
▲-mancia. [Do gr. *manteía, as.*] *El. comp.* = 'adivinhação', 'predição': *actinomancia, cartomancia.*
mancinismo. [Do it. *mancinismo.*] *S. m.* Uso predominante ou preferente da mão esquerda; canhotismo, sinistrismo.
mancípio. [Do lat. *mancipiu*, 'escravo'.] *S. m. Ant.* **1.** Escravo (4). **2.** *P. ext.* Indivíduo ou coisa dependente.
manco. [Do lat. *mancu*, 'maneta'.] *Adj.* **1.** Diz-se de pessoa ou de animal a que falta mão ou pé, ou que não pode servir-se de algum braço ou perna. **2.** V. *coxo* (1). **3.** Defeituoso, imperfeito, incompleto: *verso m a n c o.* **4.** Ignorante, bronco, estúpido, tapado. **5.** Diz-se do objeto a que falta(m) alguma(s) das coisas que lhe são próprias. **6.** Vagaroso, lento. ● *S. m.* **7.** Indivíduo manco. **8.** V. *coxo* (4).
mancolista. *S. f.* Relação de peças que faltam (a uma coleção), ou para completar (um conjunto).
mancômetro. [De *mancar*[1] (4) + *-metro.*] *S. m. Bras. Burl.* Desconfiômetro.
mancomunação. *S. f.* Ato ou efeito de mancomunar(-se); mancomunagem.
mancomunado. [Part. de *mancomunar.*] *Adj.* Combinado, ajustado, concertado, conluiado.
mancomunagem. *S. f.* Mancomunação.
mancomunar. [De *man-* + *comum* + *-ar*[2].] *V. t. d. e t. d. e i.* **1.** Ajustar, combinar, convencionar, contratar: *Os dois m a n c o m u n a r a m um plano sinistro; M a n c o m u n o u com os outros fazer uma brincadeira. P.* **2.** Pôr-se de acordo; combinar-se, concertar-se, conluiar-se, acomunar-se: "Falsamente e indignamente acusado perante o povo de .... s e m a n c o m u n a r com o inimigo, Cornélio de Witt é preso e posto a tormentos." (Ramalho Ortigão, *A Holanda*, p. 175.)
mancornar. [De *man-* + *corno* + *-ar*[2].] *V. int. Taur.* Segurar com as mãos os cornos do touro, derrubando-o: *É muito hábil em m a n c o r n a r.*
mancueba (ê). *S. m. Bras.* V. *cuba*[3] (2 e 3).
manda[1]. [Dev. de *mandar.*] *S. f.* **1.** Sinal de referência com o qual se remete o leitor para outro ponto de um texto; chamada. **2.** *Ant.* Disposição testamentária; mandado.
manda[2]. *S. m. Bras., SP. Pop.* F. red. de *mandachuva* [q. v.].
mandaçaia. [Do tupi *mãda'saya.*] *S. f. Bras.* Inseto himenóptero, da família dos meliponídeos *(Melipona anthidioides)*, de cabeça e tórax pretos, abdome com faixas amarelas interrompidas no meio de cada segmento, asas ferrugíneas, e 10 a 11 mm de comprimento. Nidifica em árvores ocas; os ninhos, com boca de barro, são grandes e em geral contêm muitos litros de mel. [Var.: *amanaçaia, manaçaia.*]
mandaçaia-do-chão. *S. f. Bras. Zool.* Espécie de abelha meliponídea (*Melipona santhilarri* Lep.). [Pl.: *mandaçaias-do-chão.*]
mandacaru. [Do tupi *mãdaka'ru.*] *S. m. Bras., N.E.* Grande cacto (*Cereus jamacaru*), de porte arbóreo, tronco grosso e ramificado, que pode fornecer madeira na base, flores enormes, alvas, que se abrem à noite, e cujos ramos têm de quatro a cinco ângulos, sendo o fruto uma baga espinhosa. É planta das mais características da caatinga nordestina, e serve de alimento ao gado na seca. [Var.: *jamacaru.*]
mandachuva. [De *mandar* + *chuva.*] *S. m. Bras.* **1.** Homem importante ou influente; figurão, mandarim. **2.** Chefe, cabeça, líder. **3.** Chefe político no interior. [Sin. ger.: *magnata, magnate* ou *manata, caudilho* e (bras.) *manda-tudo, manda, cacique, morubixaba, chefão, maioral, pajé, paredro, mandarim, gunga-muxique, gunga, cacutu, tupinambá, tutu, tutumumbuca, tutunqué, jabarandaia.* Quase todos estes sin. se referem principalmente à 3ª acepç. da palavra.]
mandada. [De *mandar* + *-ada*[1].] *S. f. Bras.* Ato de distribuir as cartas do baralho entre os parceiros de jogo.
mandadeiro. *S. m.* **1.** Aquele que cumpre mandados ou leva mensagens; mensageiro. ● *Adj.* **2.** Relativo a mandado ou ordem.
mandado[1]. *S. m. Bras., RS. Pop.* F. red. de *mandado-de-deus.*
mandado[2]. [Part. de *mandar.*] *Adj.* **1.** Diz-se daquele a quem mandaram. **2.** Que se mandou; dirigido, remetido; enviado: *cartas m a n d a d a s.* **3.** Orientado, comandado. ● *S. m.* **4.** Aquele a quem mandaram. **5.** V. *mandamento* (1). **6.** Recado, incumbência, mandamento. **7.** Ordem ou determinação imperativa. **8.** Ordem escrita que emana de autoridade judicial ou administrativa. **9.** Mandamento (3). **10.** *Ant.* Manda[1] (2). ◆ **Mandado de segurança.** *Jur.* Garantia constitucional para proteção de direito individual líquido e certo, não amparado por hábeas-córpus, contra ilegalidade ou abusos de poder, seja qual for a autoridade que os cometa.
mandado-de-deus. *S. m. Bras., RS. Pop.* O raio. [V. *corisco* (2).] [F. red.: *mandado.* Pl.: *mandados-de-deus.*]
mandador (ô). *Adj. e s. m.* **1.** Mandante (1 e 2). **2.** Mandão (1 e 3).
mandaguari. [Do tupi.] *S. m. Bras.* Inseto himenóptero, apídeo, da família dos meliponídeos (*Nannotrigona (Scaptotrigona) postica* (Latreille)), de cor preta, com abdome bruno, asas enfumaçadas com nervuras mais claras. Facilmente confundível com a tibuna. [Sin.: *benjoim, benjoí, bojuí, bijuí.*]
mandaguariense. *Adj. 2 g.* **1.** De, ou pertencente ou relativo a Mandaguari (PR). ● *S. 2 g.* **2.** Natural ou habitante de Mandaguari.
mandala. [Do sânscr.] *S. m. Filos.* No tantrismo, diagrama composto de círculos e quadrados concêntricos, imagem do mundo e instrumento que serve à meditação.
mandalete (ê). [Alter. do lus. *mandarete.*] *S. m.* **1.** Recado, mandado, incumbência. **2.** Moço de recados. **3.** *Bras., RS.* Pessoa (geralmente criança ou velho) que trabalha numa estância, em serviços leves ou na transmissão de recados ou ordens. [F. paral.: *mandarete.*]
manda-lua. [Alter. de *mãe-da-lua.*] *S. f. Bras.* V. *urutau.* [Pl.: *manda-luas.*]
mandamental. *Adj. 2 g.* Que encerra ou exprime mandamento.
mandamento. *S. m.* **1.** Ato ou efeito de mandar; mandado, mando. **2.** Mandado[2] (6). **3.** Prescrição, preceito, regra. **4.** A ordem contida num mandado ou num preceito legal. **5.** *Rel.* Cada um dos preceitos do decálogo. **6.** *Rel.* Cada um dos preceitos da Igreja.
mandância. *S. f. Pej.* Ação abusiva de mandar; mando abusivo.
mandante. [Do lat. *mandante.*] *Adj. 2 g.* **1.** Que manda; mandador. ● *S. 2 g.* **2.** Pessoa que manda; mandador. **3.** Pessoa que incita a certos atos; instigador. **4.** *Jur.* Pessoa que outorga um mandato. [Antôn., nas acepç. 2 a 4: *mandatário.*]
mandão. [De *mandar* + *-ão*[2].] *Adj.* **1.** Diz-se daquele que manda com arrogância, ou que gosta de mandar; mandador. **2.** Despótico, tirânico, opressor. ● *S. m.* **3.** Aquele que manda com arrogância, ou que gosta de mandar; mandador. **4.** Déspota, tirano, opressor. [Fem.: *mandona.*]
mandapuçá. [Var. de *manapuçá* < tupi *manapu'sa.*] *S. m. Bras.* Arvoreta da família das melastomatáceas (*Mouriria pusa*), que se expande do CE a MG, de folhas duras e quase sem nervuras, flores pequenas e alvas, e cujos frutos são minutas bagas negras.
mandar. [Do lat. *mandare.*] *V. t. d.* **1.** Exigir que se faça; ordenar: *M a n d a r a m que a multidão se dispersasse.* **2.** Determinar, preceituar, prescrever: *Fazia o que a consciência m a n d a v a .* **3.** Dirigir como chefe; comandar. **4.** Ter poder ou autoridade sobre; governar. **5.** Emitir, irradiar, expedir: *Às seis horas o Sol já m a n d a v a seus raios.* **6.** Enviar, remeter: *M a n d a r e i cartas; Gosta de m a n d a r flores. T. d. e i.* **7.** Ordenar que vá: *M a n d o u - o ao dentista.* **8.** Enviar, remeter, expedir: "a viúva Noronha m a n d o u uma carta a D. Carmo" (Machado de Assis, *Memorial de Aires*, p. 88). **9.** Atirar, arremessar: *M a n d o u - l h e uma pedra.* **10.** Enviar como presente ou dádiva. **11.** Desterrar, degredar, exilar. **12.** *Pop.* V. *atacar* (10): *M a n d o u a mão na cara do agressor. Transobj.* **13.** Nomear, escolher, eleger: *O Governador m a n d o u - o por juiz de direito do interior. T. i.* **14.** Exercer poder ou autoridade: *m a n d a r em alguém. Int.* **15.** Exercer o poder ou mando; governar, dominar, reger: "Ó glória de m a n d a r, ó vã cobiça / Desta vaidade, a quem chamamos Fama" (Luís de Camões, *Os Lusíadas*, IV, 95). **16.** Dar ordens: *Seu tom era de quem m a n d a e não pede. P.* **17.** *Bras. Pop.* Ir (-se) embora, ausentar-se de um local; ir-se: *F. se m a n d o u cedo.* **18.** *Bras. Pop.* V. *fugir* (1 e 2): *Com a chegada da polícia, os gatunos se m a n d a r a m;* "No dia seguinte, o Lulu saiu com a Glorinha e eu m e m a n d e i para São Conrado" (Maria Julieta Drummond de Andrade, *Um Buquê de Alcachofras*, p. 50). ◆ **Mandar bugiar.** Despedir (um importuno) com desprezo, com raiva. **Mandar e desmandar.** *Bras.* Exercer poderes totais, absolutos; fazer e desfazer: *Sempre m a n d o u e d e s m a n d o u no seu trabalho;* "Chega um forasteiro qualquer e faz aqui o que bem entende! M a n d a e d e s m a n d a, como um senhor de engenho!" (Gilvã Lemos, *Jutaí Menino*, p. 73). **Mandar embora.** Despedir (2). **Mandar-se dizer.** *Bras. RS.* Exprimir-se bem a respeito de um assunto, mostrando conhecê-lo: *M a n d o u - s e d i z e r na mesa-redonda sobre tóxicos.*
mandaravê. *S. f. Bras.* Arbusto da família das leguminosas (*Calliandra tweediei*), cultivado como ornamental e procedente do extremo sul do País, cujas inflorescências apresentam longos estames rubros de belo efeito, e cujas folhas, bem como os legumes, são de pequenas dimensões; esponjinha, quebra-foice.
mandarete (ê). [De *mandar* + *-ete.*] *S. m. Lus.* V. *mandalete.*
mandari. *S. m. Desus.* Mandarim [q. v.].
mandarim. [Var. de *mandari* (q. v.) < sânscr. *mantri*, 'conselheiro', 'ministro', pelo malaio *măntări*, com visível infl. de *mandar.*] *S. m.* **1.** Alto funcionário público, na antiga China. [Fem.: *mandarina.*] **2.** Dialeto oficial da China. **3.** *Fig.* V. *mandachuva* (1): *os m a n d a r i n s da política.*
mandarina[1]. *S. f.* Mulher de mandarim (1).
mandarina[2]. [Do esp. plat. *mandarina.*] *S. f. Bras., RS.* V. *tangerina.*
mandarinado. *S. m.* Mandarinato.
mandarinato. *S. m.* **1.** Qualidade ou funções de mandarim (1). **2.** *Fig.* Classe privilegiada, dos que mandam. [F. paral.: *mandarinado.*]
mandarinete (ê). *S. m.* Mandarim (1) de classe inferior.
mandarová. *S. m. Bras.* V. *mandorová.*
mandaruvá. *S. m. Bras.* V. *mandorová.*
mandassaia. *S. f. Bras., RS.* Espécie de abelha que produz excelente mel.
mandatário. [Do lat. *mandatariu.*] *S. m.* **1.** Aquele que recebe mandato: "Respeitáveis m a n d a t á r i o s na Assembléia Legislativa intrigavam para desligar o Norte [do Sul do Brasil]" (Alberto Rangel, *Textos e Pretextos*, p. 8.) **2.** Executor de ordens ou mandatos. **3.** Representante, procurador, delegado. [Antôn.: *mandante.*]
mandatício. *Adj.* Relativo a mandato ou procuradoria. ~ V. *endosso* —.
mandato. [Do lat. *mandatu.*] *S. m.* **1.** Autorização que alguém confere a outrem para praticar em seu nome certos atos; procuração, delegação. **2.** Missão, incumbência. **3.** Ordem ou preceito de superior para inferior; mandado. **4.** Poderes políticos outorgados pelo povo a um cidadão, por meio de voto, para que governe a nação, estado ou município, ou o represente nas respectivas assembléias legislativas. ◆ **Mandato em causa própria.** Aquele em que o mandatário age com poderes para administrar certo negócio como coisa sua, auferindo todas as vantagens dele provenientes. [Cf. *procuração* (1).] **Mandato imperativo.** O que impõe ao deputado eleito pelo povo a obrigação de votar de um certo modo. **Mandato internacional.** Decisão pela qual a Organização das Nações Unidas confia a uma grande potência a administração dum território determinado, a fim de progressivamente o conduzir ao governo de si mesmo.
manda-tudo. [De *mandar* + *tudo.*] *S. m. 2 n. Bras., RS.* V. *mandachuva.*
mandauaca. *Bras. S. 2 g.* **1.** Indivíduo dos mandauacas, tribo indígena aruaque do rio Baria (bacia do rio Negro). ● *Adj. 2 g.* **2.** Pertencente ou relativo a essa tribo.
mandchu. *Adj. 2 g. e s. 2 g.* V. *manchu.*
mandê. *Adj. 2 g. e s. 2 g.* V. *mandinga* (1 e 3).
mandembe. *S. m. Bras., MG* e *GO.* Lugar cheio de mato cerrado, e, pois, de acesso difícil; mandengo.
mandengo. *S. m. Bras., MG* e *GO.* Mandembe.
mandestro (ê). *Adj.* Var. sincopada de *manidestro.*
mandi. [Do tupi *mãdi'i.*] *S. m. Bras.* **1.** Designação comum a várias espécies de peixes siluriformes, especialmente da família dos pimelodídeos, cujos primeiros aguilhões das nadadeiras peitorais e dorsal são rijos e geralmente serrilhados. Costumam emitir, ao sair da água, um som semelhante a um choro. **2.** V. *caipira* (1). [Var.: *mandim.*]
mandiaçu. [De *mandi* + *-açu.*] *S. m. Bras.* Peixe teleósteo, siluriforme, da família dos pimelodídeos (*Duopalatinus emarginatus* (Val.)), do rio São Francisco. [Var.: *mandiguaçu*; sin.: *mandi-urutu.*]
mandi-amarelo. *S. m. Bras.* V. *mandi-pintado* (1). [Pl.:

mandis-amarelos.]
mandiba. [Var. de *maniva.*] *S. f. Bras.* Espécie de mandioca. [Var.: *mandiva.*]
mandi-bandeira. *S. m. Bras.* Peixe teleósteo, siluriforme, da famlia dos pimelodídeos *(Leiarius pictus* Muel., & Trosch.)), da Amaz. e Paraguai, de coloração geral amarelo-laranja, com máculas pretas; nadadeira dorsal muito desenvolvida, com manchas negras; barbilhões, também pintados, atingindo a extremidade posterior do corpo; e comprimento de até 70 cm. [Sin.: *mandi-da-pedra, peixe-preto, peixe-negro.* Pl.: *mandis-bandeiras* e *mandis-bandeira.*]
mandibé. *S. m. Bras., MA.* V. *mandubi*^{2} (1).
mandi-branco. *S. m. Bras.* Peixe teleósteo, siluriforme, da família dos pimelodídeos, gênero *Pimelodus* Loc., cuja pele é branca. [Sin.: *manditinga.* Pl.: *mandis-brancos.*]
mandíbula. [Do lat. *mandibula.*] *S. f.* **1.** *Anat.* Osso único, em forma de ferradura, que constitui a queixada inferior do homem e onde se implantam os dentes inferiores: "Falta-lhe [à parisiense] o sólido arcabouço da mulher britânica: os fortes ossos, os largos dentes, as grossas mandíbulas de carnívoro" (Ramalho Ortigão, *Notas de Viagem,* p. 9). **2.** Cada uma das duas partes em que se divide o bico das aves. **3.** Cada uma das duas peças móveis e duras que ladeiam a boca de certos insetos. **4.** *Mec.* Por analogia, qualquer peça, ou ferramenta, cuja ação é semelhante à de um maxilar.
mandibulado. *S. m.* **1.** Espécime dos mandibulados. ● *Adj.* **2.** Pertencente ou relativo a eles. [Sin. ger.: *antenado.*]
mandibulados. *S. m. Zool.* Animais artrópodes, subramo *Mandibulata.* Corpo com duas partes (cabeça e tronco), ou com três (cabeça, tronco com pernas locomotoras, e abdome); um ou dois pares de antenas, um par de mandíbulas e um ou mais pares de maxilas. São os crustáceos, os insetos e os miriápodes. [Sin.: *antenados.*]
mandibular. *Adj. 2 g.* Pertencente ou relativo à mandíbula.
mandibuliforme. [De *mandíbula* + *-i-* + *-forme.*] *Adj. 2 g.* Que tem feitio de mandíbula.
mandi-casaca. *S. m. Bras.* V. *mandi-pintado* (1). [Pl.: *mandis-casacas* e *mandis-casaca.*]
mandi-chorão. *S. m. Bras., L.* **1.** Peixe teleósteo, siluriforme, da família dos pimelodídeos *(Rhamdella robinsoni* Fowl.), de PE, e outras espécies do gênero, de porte pequeno, com longos barbilhões. São espécies que emitem, ao sair da água, sons semelhantes ao do choro. **2.** Peixe teleósteo, siluriforme, da família dos pimelodídeos *(Rhamdia sebae* (Val.)) largamente distribuído pelo Brasil. [Sin.: *bagre-de-lagoa.*] **3.** Peixe teleósteo, siluriforme, da família dos pimelodídeos *(Pimelodella brasiliensis* (Steind.)), dos rios Paraíba e Paraguai. [F. red.: *chorão.* Pl.: *mandis-chorões.*]
mandicumbá. *S. m. Bras.* V. *anujá.*
mandi-da-pedra. *S. m. Bras.* V. *mandi-bandeira.* [Pl.: *mandis-da-pedra.*]
mandiguaçu. [De *mandi* + *-guaçu.*] *S. m. Bras.* V. *mandiaçu.*
mandiguaru. [De *mandi* + tupi *wa'ru,* 'indivíduo que come'.] *S. m. Bras.* V. *mandipinima.*
mandigüera. [Do tupi *mã'dem,* 'inútil', + *Kwer,* 'velho'?] *S. m. Bras., SP.* Leitãozinho que nasce enfezado e que por isso os criadores suprimem desde logo, a fim de vingarem melhor os mais robustos.
mandijuba. [De *mandi* + tupi *yub,* 'amarelo'.] *S. m. Bras.* V. *mandi-pintado* (1).
mandil. [Do lat. *mantele,* 'toalha', pelo ár. *mandil,* 'lenço'.] *S. m.* **1.** Pano grosseiro para rodilhas e esfregões. **2.** Avental de cozinheiro. **3.** Pano de limpeza.
mandileiro. *S. m. Bras.* e *prov. lus.* Mandrião, preguiçoso, madraço.
mandim. *S. m. Bras.* Var. nasalada de *mandi.*
mandinga. [Do top. *Mandinga* (África).] *S. 2 g.* **1.** Indivíduo dos mandingas, raça de negros cruzada com elementos berbere-etiópicos que sofreram a influência maometana, e que eram tidos por grandes mágicos e feiticeiros; mandê. ● *S. f.* **2.** V. *bruxaria* (1 e 2). ● *Adj. 2 g.* **3.** Pertencente ou relativo aos mandingas; mandê.
mandingado. [Part. de *mandingar.*] *Adj.* Enfeitiçado, embruxado.
mandingar. *V. t. d.* Fazer mandinga a; enfeitiçar, embruxar, encarochar. [Conjug.: v. *largar.*]
mandingaria. *S. f. Bras.* Prática da mandinga^{1}; feitiçaria, bruxaria.
mandingueiro. *Adj.* **1.** Que faz mandinga (2); mandiguento, mandraqueiro. ● *S. m.* **2.** Indivíduo mandingueiro (1); mandinguento, mandraqueiro. **3.** *Bras., Amaz.* V. *uirapuru-verdadeiro.*
mandinguento. *Adj.* e *s. m.* V. *mandingueiro* (1 e 2).
mandioca. [Do tupi *mãdi'og.*] *S. f. Bras.* **1.** Planta leitosa, da família das euforbiáceas (*Manihot utilíssima*), cujos grossos tubérculos radiculares, ricos em amido, são de largo emprego na alimentação, e da qual há espécies venenosas, que servem para fazer farinha de mesa. **2.** O tubérculo dessa planta. [Sin., nessas acepç.: *aipi, aipim, castelinha, uaipi, macaxeira, mandioca-doce, mandioca-mansa, maniva, maniveira, pão-de-pobre.*] *S. m.* **3.** *Bras., BA.* Certo partido político conservador, na Monarquia. **4.** *Bras., BA.* Adepto desse partido. ♦ **Render que só mandioca de várzea.** *Bras., AL. Fam.* Não cessar; ser interminável: *Aquela conversa está rendendo que só mandioca de várzea.*
mandiocaba. [De *mandioca.*] *S. f. Bras., AM.* Mingau de arroz adoçado com manipueira.
mandioca-baroa. *S. f.* V. *batata-baroa.* [Pl.: *mandiocas-baroas.*]
mandioca-brava. *S. f. Bras.* V. *faveleiro.* [Pl.: *mandiocas-bravas.*]
mandiocaçu. [De *mandioca* + *-açu.*] *S. f. Bras.* Mairá.
mandioca-doce. *S. f. Bras.* **1.** V. *aipim* (1). **2.** V. *mandioca* (1 e 2). [Pl.: *mandiocas-doces.*]
mandiocal. [De *mandioca* (1) + *-al.*] *S. m. Bras.* Quantidade mais ou menos considerável de mandiocas dispostas proximamente entre si. [Sin., em alguns estados: *roça, manival.*]
mandioca-mansa. *S. f. Bras.* **1.** V. *aipim* (1). **2.** V. *mandioca* (1 e 2). [Pl.: *mandiocas-mansas.*]
mandiola. *S. f. Bras., BA.* **1.** Revolução, revolta, sedição. **2.** Barulho, desordem.
mandioqueira. *S. f. Bras.* Árvore da família das araliáceas (*Didymopanax morototoni*), cujo elegante tronco é ramoso só no ápice, cujas folhas são digitadas, amplas, sendo as flores e frutos insignificantes, porém dispostos em grandes panículas.
mandioqueiro. *S. m.* **1.** *Bras., PE.* Pequeno lavrador que trabalha em terras aforadas ou arrendadas, dedicando-se quase unicamente à plantação de mandioca. **2.** *Bras., MG.* V. *caipira* (1): "É [a mandioca]..... usada geralmente [pelos mineiros], sobretudo pela gente da roça, ao ponto de o nosso caipira ser dito por antonomásia o mandioqueiro." (Eduardo Frieiro, *Feijão, Angu e Couve,* p. 201.)
mandioquinha. [Dim. de *mandioca.*] *S. f. Bras.* **1.** V. *bucho-de-boi.* **2.** V. *batata-baroa.*
mandioquinha-brava. *S. f. Bras.* V. *chapéu-de-frade* (3). [Pl.: *mandioquinhas-bravas.*]
mandioquinha-do-campo. *S. f. Bras.* **1.** Arbusto da família das bignoniáceas (*Zeyhera montana*), próprio do cerrado, cujo caule é suberoso e sendo os frutos grandes cápsulas verrucosas. **2.** Arbusto da família das araliáceas (*Didymopanax vinosum*), também do cerrado, cujo caule não tem súber, sendo os frutos pequenas drupas. [Pl.: *mandioquinhas-do-campo.*]
mandi-peruano. *S. m. Bras.* V. *mapará.* [Pl.: *mandis-peruanos.*]
mandipinima. [De *mandi* + tupi *pi'nima,* 'pintado'.] *S. m. Bras.* Peixe teleósteo siluriforme da família dos pimelodídeos (*Pimelodus ornatus* Kner), distribuído por todo o Brasil, de coloração amarelada com manchas irregulares pelo corpo. [Sin.: *mandiguaru* e *cabeçudo.*]
mandi-pintado. *S. m.* **1.** *Bras.* Peixe teleósteo, siluriforme, da família dos pimelodídeos (*Pimelodus maculatus* Lac.), com larga distribuição na América cisandina e cujo corpo apresenta pintas escuras sobre fundo amarelado; mandi-amarelo, mandi-casaca, bagre-pintado, mandijuba, mandiúba, mandiúva, curiacica-da-branca. **2.** *Bras., SP.* Peixe teleósteo, siluriforme, da família dos pimelodídeos (*Impafinis piperatus* Eig. & Norris). [Pl.: *mandis-pintados.*]
manditinga. [De *mandi* + *-tinga.*] *S. m. Bras.* Mandi-branco.
mandiúba. [De *mandi* + tupi *u,* 'preto'; var.: *mandiúva.*] *S. m. Bras.* V. *mandi-pintado* (1).
mandi-urutu. *S. m. Bras.* V. *mandiaçu.* [Pl.: *mandis-urutus* e *mandis-urutu.*]
mandiúva. [Var. de *mandiúba.*] *S. m. Bras.* V. *mandi-pintado* (1).
mandiva. *S. f. Bras.* Var. de *mandiba.*
mandizinho. [Dim. de *mandi.*] *S. m. Bras.* V. *anujá.*
mando. [Dev. de *mandar.*] *S. m.* **1.** Poder ou direito de mandar; autoridade, comando. **2.** V. *mandamento* (1).
mandobi. *S. m. Bras.* V. *amendoim.*
mandola. [Do it. *mandola.*] *S. f.* Antigo instrumento da família do alaúde, com braço curto e quatro pares de cordas em uníssono; mandora.
mandolim. [Do it. *mandolino.*] *S. m.* **1.** Mandolina. **2.** Var. de *bandolim.*
mandolina. [Do it. *mandolino.*] *S. f.* Pequena mandola; mandolim.
mandolinata. [Do it. *mandolinata.*] *S. f.* Peça executada em mandolina.
mandolinete (ê). [Dim. de *mandolina.*] *S. m.* Instrumento italiano, pequena mandolina: "Cornamusas, mandolinetes, flautas sicilianas, violas de amor, ... acompanham a dança" (Martins Fontes, *A Dança,* p. 42).
mandona. *S. f.* e *adj.* (*f.*) V. *mandão.*
mandonismo. [De *mandão* + *-n* + *-ismo.*] *S. m. Bras.* Costume e abuso do mando (1); prepotência.
mandora. [Do fr. *mandore.*] *S. f.* Mandola.
mandorová. [De *marandová,* com metátese.] *S. m. Bras.* Designação comum às lagartas de insetos lepidópteros da família dos enfingídeos, que se alimentam de euforbiáceas, têm geralmente grande porte, e corpo desprovido de cerdas urticantes. [Var.: *mandruvá, druvá, manduruvá, mandarová, mandaruvá, marandová;* sin.: *gervão.* Cf. *tatarana.*]
mandraca. [De possível or. afr.] *S. f. Bras.* **1.** V. *bruxaria* (1 e 2): "previa as alterações meteorológicas, era bem iniciado em mandracas e simpatias." (Antônio Versiani, *Viola de Queluz,* p. 34). **2.** Beberagem de feitiçaria. [Cf. *mandraco.*]
mandraco. [De *mandraca.*] *S. m. Bras., RS.* Amuleto usado pelos jogadores — moeda velha, objeto qualquer, que conduzem no bolso. [Cf. *mandraca.*]
mandrágora. [Do gr. *mandragóras,* pelo lat. *mandagora.*] *S. f. Bot.* Gênero de plantas da família das solanáceas muito usadas em feitiçaria na Antiguidade e na Idade Média.
mandrana. [De *mandrião.*] *Adj. 2 g.* e *s. 2 g.* V. *mandrião* (1 e 2).
mandranice. *S. f.* Qualidade, modos ou vida de mandrana: "vivia ele na mandranice, sem emprego, sem trabalho, ... sempre de violão ao peito" (Viriato Correia, *Novelas Doidas,* p. 238). [Cf. *mãndria.*]
mandraqueiro. [De *mandraca* + *-eiro.*] *Adj.* e *s. m. Bras., S.* e *C.* V. *mandingueiro.*
mandraquice. [De *mandraca* + *-ice.*] *S. f. Bras.* V. *bruxaria* (1 e 2).
mândria. [Do esp. *mandria.*] *S. f.* Qualidade, modos ou vida de mandrião (2); mandriice. [Cf. *mandranice, s. f.,* e *mandria,* do v. *mandriar.*]
mandrianar. *V. int.* V. *mandriar.*
mandrião. [De *mândria* + *-ão*^{2}.] *Adj.* **1.** Preguiçoso, ocioso, indolente; vadio, madraço, mandrana. ● *S. m.* **2.** Indivíduo preguiçoso, madraço, mandrana. [Fem.: *mandriona.*] **3.** Roupão curto e ligeiro para uso doméstico de mulheres e crianças: "usava habitualmente uma *matinée,* o curto e amplo traje caseiro também chamado mandrião." (Carolina Nabuco, *Oito Décadas,* p. 8).
mandriar. *V. int.* Levar vida de mandrião; viver ociosamente; madracear, preguiçar, mandrianar, mandrionar. [Pres. ind.: *mandrio, mandrias, mandria,* etc. Cf. *mândria.*]
mandriice. *S. f.* Mândria: "estirado no fundo da igarité sobre um tupé macio, cruzara os braços e as pernas numa regalada mandriice" (Inglês de Sousa, *O Missionário,* pp. 293-294).
mandril^{1}**.** [Do fr. *mandrin.*] *S. m.* **1.** Ferramenta semelhante ao escareador, especialmente usada para retificar e calibrar furos. **2.** *Cir.* Haste que se introduz em certas cânulas para dar-lhes inflexibilidade transitória e guiá-las. **3.** Fio metálico que se introduz na luz das agulhas de injeção para conservar-lhes a permeabilidade.
mandril^{2}**.** [Do ingl. *mandrill.*] *S. m.* Grande mono da costa da Guiné (*Papio mormon* (Lin.)).
mandrilagem. *S. f.* Ato de mandrilar.
mandrilar. *V. t. d.* Alisar com mandril^{1} (1).
mandriona. *Adj.* (*f.*) e *s. f.* V. *mandrião* (1 e 2).
mandrionar. [De *mandrião* + *-ar*^{2}.] *V. int.* V. *mandriar.*
mandruvá. *S. m. Bras.* V. *mandorová.*
mandu. [Do tupi *mandu,* 'feixe ambulante'.] *Adj. 2 g.* e *s. 2 g.* **1.** *Bras. Pop.* V. *tolo* (1 a 3 e 8). ● *S. m.* **2.** *Bras., BA. Folcl.* Tipo do carnaval de rua, com uma cabeçorra formada por uma urupema coberta com anágua, tendo o paletó, comprido e desajeitado, as mangas estiradas por um cabo de vassoura, à maneira de braços abertos. **3.** *Bras., BA.* Paletó malfeito, muito frouxo.
mandubé. *S. m. Bras.* V. *mandubi*^{2} (1).
mandubi^{1}**.** [Do tupi *mãdu'bi.*] *S. m. Bras.* V. *amendoim.*
mandubi^{2}**.** [Var. de *mandubé* tupi *mãdu'be.*] *S. m. Bras.* **1.** Designação comum a um peixe teleósteo, siluriforme, da família dos ageneiosídeos (*Ageneiosus brevifilis* Val.), e a outras espécies do gênero ocorrentes em todo o Brasil. São de porte médio ou pequeno, com

a nadadeira dorsal situada logo atrás da cabeça, e aguilhão bem desenvolvido. [Sin.: *andubé, mandibé, mandubé, manduvá.*] **2.** V. *palmito-de-ferrão.*

mandubiguaçu. [De *mandubi* + *-guaçu.*] *S. m. Bras.* Arbusto da família das euforbiáceas (*Jatropha curcas*), que se encontra cultivado em jardins em virtude das inflorescências rubras e folhagem ornamental, e cujas sementes dão 40 a 60% dum óleo que contém uma proteína tóxica, responsável por violento efeito purgativo; pinhão-de-purga.

mandubirana. [De *mandubi* + *-rana.*] *S. f. Bras.* V. *amendoeirana* (1).

manducação. [Do lat. *manducatione.*] *S. f.* Ato de manducar.

manducar. [Do lat. *manducare.*] *V. t. d.* e *int.* Comer, mastigar: "a manducar apetitosos farnéis de .... galinha assada e bolinhos de bacalhau" (João da Silva Correia, *Farândola*, p. 85). [Conjug.: v. *trancar.*]

manducativo. *Adj.* Referente a manducação ou a comezaina; manducatório.

manducatório. *Adj.* **1.** Próprio para manducar; comível, comestível, manducável. **2.** V. *manducativo.*

manducável. *Adj. 2 g.* Que se pode manducar; manducatório, comestível, comível.

mandupitiú. [De *mandu*, f. red. de *mandubi*, + tupi *piti'u*, 'mau cheiro'.] *S. m. Bras.* Planta da família das leguminosas, semelhante ao amendoim.

manduquinha. *S. m. Bras., AM.* V. *tintureiro* (6).

mandureba. *S. f. Bras., N.E. Pop.* V. *cachaça* (1): "Temava, ciscava o chão com as unhas, num arrastado mole, dava um tombo, tornava a equilibrar-se, ... não se sabe como. A mandureba escanchava-se-lhe no cangote e zombava de tudo." (Francisco Julião, *Cachaça*, p. 51).

manduricão. [Do tupi *madu'ri* + *-c-* + *-ão*[1].] *S. m. Bras.* Espécie de abelha meliponídea (*Melipona interrupta*).

manduruva. [De *mandorová.*] *S. f. Bras.* Larva dos lepidópteros esfingídeos, que ataca as plantações de fumo, ao S. do País.

manduruvá. *S. m. Bras.* V. *mandorová.*

manduvá. *S. m. Bras.* V. *mandubi*[2] (1).

manduvira. *S. f. Bras.* Planta da família das leguminosas (*Manduvira crotalaria*).

manduvira-grande. *S. f. Bras., C.O.* Erva da família das leguminosas (*Crotalaria paulina*), da área campestre, que se caracteriza pelas folhas unifolioladas e pelos legumes glabros, e cujas flores são amarelas. [Pl.: *manduviras-grandes.*]

manduvirana. *S. f. Bras.* V. *favinha-brava.*

manduvira-pequena. *S. f. Bras., L.* e *S.* Erva da família das leguminosas (*Crotalaria vitelina*), própria da zona florestada austro-oriental, e que se caracteriza pelas folhas trifolioladas e pelos legumes pubescentes, e cujas flores são amarelas. [Pl.: *manduviras-pequenas.*]

mané. [F. apocopada de *manema* < tupi *ma'nema.*] *S. m. Bras.* e *prov. lus.* **1.** Indivíduo inepto, desleixado, negligente. **2.** V. *tolo* (8). [Sin. ger.: *mané-coco* (bras. e lus.), *manema* e *manembro* (bras.).]

maneabilidade. [De *maneável.*] *S. f.* **1.** Qualidade de maneável. **2.** *Mil.* Conjunto de exercícios preparatórios de combate, para mostrar a mecânica dos movimentos mais comuns em campanha e aperfeiçoar a capacidade de decisão dos quadros e a rapidez de execução da tropa, sem prejuízo da ordem e da coesão.

maneado. [Part. de *manear*[2].] *Adj.* Preso com maneia ou corda: "no mover-se enredou as esporas no timãozinho que caíra, e testavilhou maneado ..." (Simões Lopes Neto, *Contos Gauchescos e Lendas do Sul*, p. 144).

maneador (ô). [Do esp. plat. *maneador.*] *S. m. Bras., S.* **1.** Correia de couro no freio do cavalo. **2.** Aquele que maneia [v. *manear*[2]] as bestas. ♦ **Passar os maneadores em.** *Bras., RS. Fig.* Amarrar, atar (alguém).

manear[1]. [De *man-* + *-ear.*] *V. t. d.* V. *manejar* (1 e 2). [Conjug.: v. *frear.*]

manear[2]. [Do esp. plat. *manear.*] *V. t. d. Bras.* Prender com a maneia ou corda. [Conjug.: v. *frear.*]

manear[3]. [Do esp. ant. *manear.*] *V. t. d.* e *p.* V. *menear* (1 e 5): "Quais verdes varas de árvores copada / Se assopra a viração do meio-dia, / De uma parte a outra parte se maneiam, / Assim de medo os vis no chão perneiam." (Santa Rita Durão, *Caramuru*, p. 46). [Conjug.: v. *frear.*]

maneável. *Adj. 2 g.* Fácil de ser maneado ou manejado; manejável.

maneca. [Der. regress. de *manequim.*] *S. f.* V. *modelo* (9).

maneco. [Der. regress. de *manequim.*] *S. m.* V. *modelo* (9).

mané-coco. [De *mané* + *coco* (ô).] *S. m. Bras.* e *prov. lus.* **1.** V. *mané.* **2.** V. *tolo* (8). [Pl.: *manés-cocos* e *manés-coco.*]

mané-do-jacá. *S. m. Bras., SP. Pop.* V. *tolo* (8). [F. red.: *mané-jacá.* Pl.: *manés-do-jacá.*]

mané-gostoso (ô). *S. m. Bras., N.E.* **1.** *Teat.* Personagem do bumba-meu-boi, que aparece com andas a cantar coplas. **2.** *P. ext.* Qualquer pessoa com andas. **3.** V. *fantoche* (2). **4.** Sujeito mal-amanhado. [Pl.: *manés-gostosos.*]

maneia. [Do esp. plat. *manea.*] *S. f. Bras.* Correia que prende o cavalo pelas mãos, para que não corra.

maneio. [Dev. de *manear*[1].] *S. m.* **1.** Ato de manear[1]; manuseio. **2.** Trabalho ou exercício manual. **3.** Laboração, atividade, exercício. **4.** Administração, direção, gerência: *o maneio das herdades.* **5.** *Ant.* Lucro, ganho; vantagem, proveito. **6.** *Ant.* Espécie de contribuição industrial. ~ V. *maneios.*

maneios. [Pl. de *maneio.*] *S. m. pl.* Gorduras superficiais ou tecido adiposo das reses. ~ V. *maneio.*

maneira. [Fem. substantivado de *maneiro.*] *S. f.* **1.** Modo ou forma particular de ser ou de agir: *maneira de falar, de andar*; "Ser poeta não é uma ambição minha. / É a minha maneira de estar sozinho." (Fernando Pessoa, *Poemas de Alberto Caeiro*, p. 20); "há maneiras novas de escrever cousas velhas." (Abgar Renault, *O Romantismo na Poesia Inglesa*, I, p. 95). **2.** Cunho pessoal das obras de um escritor ou de um artista; estilo: *Gosto da maneira de Picasso.* **3.** Feição exterior; forma, feitio, configuração: *Curiosa a maneira deste objeto.* **4.** Costume, hábito, moda, uso: *Vive à maneira européia.* **5.** Meio, modo, forma: *Urdem mil maneiras de o enganar.* **6.** V. *meio* (9). **7.** V. *meio* (11): *Não encontrou maneira de entrevistar o visitante.* **8.** Circunstância, condição: *Em maneira nenhuma nos permitem agir desta forma.* **9.** *Bras.* e *prov. lus.* Abertura posterior ou lateral das saias ou blusas a partir do cós, para permitir que elas passem pelos ombros e pelas cadeiras. ~ V. *maneiras.* ♦ **À maneira de.** À imitação de; à moda de; à feição de: *É uma grande sala à maneira de auditório; O exército atacou à maneira de impetuosa torrente.* **À maneira que.** À medida que; à proporção que: "pela curva da costa os farolins se apagavam .... , à maneira que as embarcações eram puxadas." (Virgílio Várzea, *Histórias Rústicas*, p. 81). **De maneira que.** De modo que; de sorte que; de forma que; a ponto que: *Trabalha em excesso, de maneira que se acha estafado.*

maneira-negra. *S. f. Art. Gráf.* Gravura à maneira-negra. [Pl.: *maneiras-negras.*] ♦ **À maneira-negra.** *Art. Gráf.* Mediante o processo de gravura à maneira-negra.

maneirar. [De *maneira* + *-ar*[2].] *Bras. Gír. V. t. d.* **1.** Remediar ou contornar temporariamente, ou resolver (embaraço, dificuldade, problema), mediante expedientes ou recursos hábeis: *O oficial de justiça maneirou o despejo, porque o inquilino é pobre. Int.* **2.** Acomodar as coisas; dar um jeito.

maneiras. [Pl. de *maneira.*] *S. f. pl.* **1.** Modos habituais de agir: *pessoa de maneiras distintas; homem de maneiras acafajestadas.* **2.** Afabilidade de trato; lhaneza; boas maneiras: *Dá gosto tratar com ele: é pessoa de maneiras.* ~ V. *maneira.* ♦ **Boas maneiras.** V. *maneiras* (2). **Ter maneiras.** Ser bem-educado.

maneirismo. [De *maneira* + *-ismo.*] *S. m.* **1.** Estilo, caráter ou processos dos pintores ou autores maneiristas. **2.** V. *amaneiramento* (2).

maneirista. [De *maneira* + *-ista.*] *Adj. 2 g.* e *s. 2 g.* **1.** Diz-se de, ou artista ou escritor que utiliza processos convencionais e monótonos, revelando afetação: *pintor maneirista.* **2.** Que ou quem tem modos estudados, na fala e nos gestos.

maneiro. [Do lat. *manuariu*, 'manejável'.] *Adj.* **1.** Fácil de manejar; manual: *livro maneiro.* **2.** De fácil uso ou manobra: *vestido maneiro; barco maneiro.* **3.** Que exige pouco esforço; leve: *trabalho maneiro.* **4.** *Hábil, jeitoso: É muito dado e maneiro.* **5.** Acostumado a vir comer à mão: *ave maneira.* **6.** *Bras.* Diz-se de pessoa ágil: *atleta maneiro.* **7.** *Bras. Gír.* V. *bacana* (1).

maneiro-pau. *S. m. Bras., CE, MG* e *RJ. Folcl.* Dança de roda em que cada brincante bate ritmadamente o seu bastão, uma vez contra o do brincante que lhe fica à esquerda e outra vez contra o do que lhe fica à direita. [Var.: *mineiro-pau*; sin.: *leruê* (no CE). Pl.: *maneiros-paus.*]

maneiroso (ô). *Adj.* Que tem boas maneiras; afável, delicado.

mané-jacá. *S. m. Bras., SP. Pop.* F. red. de *mané-do-jacá.* [Pl.: *manés-jacás* e *manés-jacá.*]

manejar. [Do it. *maneggiare.*] *V. t. d.* **1.** Mover ou executar com as mãos; manusear, manear: *manejar um instrumento.* **2.** Governar com as mãos; manear. **3.** Trabalhar com; manear: "Enquanto ela [Virginia Woolf] manejou a pena de escritora tinha-se a impressão de que a vara mágica de Próspero já não estava no fundo da terra." (Eugênio Gomes, *Espelho contra Espelho*, p. 248.) **4.** Administrar, dirigir, manear: *manejar um negócio.* **5.** Traçar, delinear, projetar, manear. **6.** Dispor, dirigir, controlar, manear: *Um líder pode manejar as massas.* **7.** Ter conhecimento de; exercitar, praticar, manear: *manejar um idioma estrangeiro. Int.* **8.** Trabalhar com as mãos (o cavalo). [Conjug.: v. *pelejar.*]

manejável. *Adj. 2 g.* Maneável.

manejo (ê). [Dev. de *manejar.*] *S. m.* **1.** Ato de manejar; manuseio, maneio. **2.** Exercício de equitação. **3.** Lugar onde se exercitam cavalos; picadeiro. **4.** Administração, gerência, direção, maneio: *manejo dos negócios.* **5.** Faina, lida, trabalho. ~ V. *manejos.*

manejos (ê). [Pl. de *manejo.*] *S. m. pl.* **1.** Manobras militares. **2.** Ardis, astúcias, artimanhas, embustes. ~ V. *manejo.*

manelo (ê). [Do lat. *manu*, 'mão'.] *S. m.* Pequena porção de coisas que se podem abarcar na mão: *um manelo de algodão.*

manema. [Do tupi *ma'nema.*] *S. m. Bras.* **1.** V. *mané* (1). **2.** V. *tolo* (8). **3.** Farinha grossa de mandioca.

mané-magro. [De *Mané*, hipocorístico de *Manuel*, + *magro.*] *S. m. Bras.* V. *bicho-pau* (1). [Pl.: *manés-magros.*]

manembro. [F. paragógica de *manema.*] *S. m. Bras.* **1.** V. *mané.* **2.** V. *tolo* (8).

manemolência. [De algum *Mané Mole*, personificação da moleza, + *-ência.*] *S. f. Bras., N.E. Pop.* **1.** Moleza, indisposição, fraqueza. **2.** Vagar, fleuma, pachorra. **3.** Má sorte; infelicidade, caiporismo. [Var.: *manimolência.*]

manemolente. *Adj. 2 g. Bras., N.E. Pop.* Que tem ou revela manemolência. [Var.: *manimolente.*]

manengüera. *Adj. 2 g. Bras.* **1.** Fraco, débil. **2.** Fanado, murcho.

manente. [Do lat. *manente.*] *Adj. 2 g.* Que não muda de condição, estado ou lugar; permanente.

manequim. [Do b.-al. *mannekin*, pelo fr. *mannequin.*] *S. m.* **1.** Boneco que representa homem ou mulher e é usado para estudos artísticos ou científicos, ou para trabalhos de costureira ou alfaiate, ou, ainda, para exposição de roupas em lojas, vitrinas, etc. **2.** *Fig.* Pessoa sem vontade própria; autômato, fantoche. **3.** Medida para roupas feitas: *F. veste manequim 42.* ● *S. 2 g.* **4.** V. *modelo* (9).

manes. [Do lat. *manes.*] *S. m. pl.* **1.** Entre os antigos romanos, as almas dos mortos, consideradas como divindades e invocadas sobre os túmulos. **2.** *P. ext.* As almas, os espíritos.

maneta (ê). [De *man-* + *-eta.*] *Adj. 2 g.* e *s. 2 g.* **1.** Diz-se de, ou pessoa a quem falta um braço, ou uma das mãos; manita. ● *S. m.* **2.** *Bras.* Cabo da rede do xaréu.

manete. [Do fr. *manette.*] *S. m. Bras.* **1.** Acelerador de motor de avião. **2.** *Radiotéc.* V. *botão* (15).

manetear, *V. int. Bras., S.* Tornar-se maneta (1). [Conjug.: v. *frear.*]

maneteneri. *Bras. S. 2 g.* **1.** Indígena dos maneteneris, tribo que habita o rio Acre e pertence ao grupo aruaque. ● *Adj. 2 g.* **2.** Pertencente ou relativo a essa tribo.

manfarrico. *S. m. Pop.* V. *diabo* (2).

manga[1]. [Do lat. *manica*, 'manga de túnica'.] *S. f.* **1.** Parte do vestuário onde se enfia o braço. **2.** Filtro afunilado, para líquidos. **3.** Qualquer peça de forma tubular que reveste ou protege outra peça: *a manga do candeeiro.* **4.** V. *tromba-d'água* (1). **5.** V. *mangueira*[1]. **6.** Parte do eixo dum veículo que se encontra dentro da caixa de graxa e recebe todo peso do carro. ♦ **Manga perdida.** Manga bem larga e comprida, e sem punho. **Arregaçar as mangas.** Dispor-se a trabalhar a sério, a agir sem tréguas. **Em mangas de camisa.** Sem casaco, jaqueta ou veste semelhante: "Andava sempre em mangas de camisa e de calças arregaçadas" (Afonso Arinos, *Pelo Sertão*, p. 69). [Cf. *em camisa.*] **Pôr as mangas de fora.** *Bras. Fam.* V. *botar as manguinhas de fora.* **Ser manga de colete.** *P. us.* Ser muito raro, muito escasso: *É um paspalhão: inteligência, ali, é manga de colete.*

manga[2]. [Do lat. **manica* < *manus*, 'exército, hoste'.] *S. f.* **1.** Hoste de tropas. **2.** Grupo, ajuntamento, bando, turma.

manga[3]. [Do mal. *manga*]. *S. f.* **1.** O fruto da mangueira[2]. **2.** Mangueira[2].

manga[4]. [Do esp. plat. *manga.*] *S. f.* **1.** *Bras., AM.* Parede de cerca que vai da beira até as asas dos currais-de-peixe, perpendicularmente ao rio. **2.** *Bras., MA.* Espécie de corredor com paredes de varas, que conduz a um rio ou um igarapé e serve para guiar os bois que vão ser embarcados. **3.** *Bras., CE* a *BA* e *MG* a *GO.* Pastagem cercada onde se guarda o gado. **4.** *Bras., BA.* Na rede de pescar denominada *calão,* a parte que fica nas extremidades, onde se puxam as cordas. **5.** *Bras., RS.* Cercas divergentes, a partir da porta do curral, que servem para facilitar a entrada, nele, do gado. **6.** *Bras., RS.* Linha formada por pessoas a pé ou a cavalo para obrigar o animal a passar por determinado ponto, ou fazê-lo entrar para a mangueira.

mangaba. [Do tupi *mã'gava.*] *S. f. Bras.* O fruto da mangabeira: baga do tamanho de um limão, polposa e doce.

mangabal. [De *mangaba* + *-al.*] *S. m. Bras.* Quantidade mais ou menos considerável de mangabeiras dispostas proximamente entre si.

mangabar. [De *mangaba* + *-ar*[2].] *V. t. d. Bras.* Extrair (o látex) da mangabeira.

mangabarana. [De *mangaba* + *-rana.*] *S. f. Bras.* Árvore da família das sapotáceas *(Sideroxylum* sp.*).*

mangabeira. *S. f. Bras.* Arvoreta da família das apocináceas *(Hancornia speciosa),* freqüente em cerrados e no litoral nordestino, que produz fruto comestível, a mangaba, e látex útil na fabricação de borracha, e cujas flores são grandes e alvas.

mangabeirense. *Adj. 2 g.* **1.** De ou pertencente ou relativo a São Raimundo das Mangabeiras (MA). ● *S. 2 g.* **2.** Natural ou habitante de São Raimundo das Mangabeiras.

mangabeiro.]De *mangaba* + *-eiro.*] *S. m. Bras.* Aquele que se dedica à extração do látex da mangabeira.

mangabinha-do-norte. *S. f. Bras.* Árvore da família das apocináceas *(Hancornia minor),* [Pl.: *mangabinhas-do-norte.*]

mangação. *S. f.* Ato de mangar. V. *zombaria.*

mangaço. *S. m. Bras., RS.* Pancada com o mango[2]; relhada.

manga-d'água. *S. f.* V. *aguaceiro* (1). [Pl.: *mangas-d'água.*]

manga-da-praia. *S. f. Bras. Bot.* V. *abaneiro.* [Pl.: *mangas-da-praia.*]

manga-de-alpaca. *S. m.* Funcionário público, em especial o amanuense: "— Não, meu sogro será apenas m a n g a - d e - a l p a c a não sei em que repartição" (Aquilino Ribeiro, *Estrada de Santiago,* p. 121). [Pl.: *mangas-de-alpaca.*]

mangador (ô). *Adj.* e *s. m.* Que ou aquele que manga ou gosta de mangar; zombador, mangão.

mangagá. [Var. de *mangangá.*] *Adj. 2 g. Bras. Pop.* Muito grande; enorme.

mangal. [De *mangue* + *-al.*] *S. m. Bras.* V. *mangue* (1).

mangalaça. *S. f.* **1.** Vadiagem, mandriice, vagabundagem. **2.** *P. ext.* Mancebia, amigação.

mangalaço. *Adj.* **1.** Vagabundo, vadio. **2.** Tunante, biltre, patife.

manga-larga. *Adj.* e *s. m. Bras.* Diz-se de, ou cavalo de certa raça obtida em MG, produto do cruzamento do puro-sangue *Alter* com éguas: "À frente de todos, num cardão estrelo, m a n g a - l a r g a , ... ia Tranqüilino, todo ancho" (Nélson de Faria, *Tiziu e Outras Estórias,* p. 204). [Pl.: *mangas-largas.*]

mangalho. [De *mango* + *-alho.*] *S. m.* **1.** *Chulo.* Pênis grande. **2.** *Bras., PE.* Produtos da pequena lavoura e da indústria doméstica vendidos nas feiras e mercados do interior. [Nesta acepç., é m. us. no pl.] ~ V. *mangalhos.*

mangalhos. [Pl. de *mangalho.*] *S. m. pl. Bras., PE.* Mangalho (2). ~ V. *mangalho.*

mangalô. [De possível or. afr.] *S. m. Bras.* V.*feijão-de-porco* (1).

mangalô-amargo. *S. m. Bras.* V. *feijão-de-lima* (1). [Pl.: *mangalôs-amargos.*]

▲**mangan-.** *El. comp.* = manganês: *manganina, manganífero.*

manganato. [De *mangan-* + *-ato*[2].] *S. m. Quím.* Qualquer sal com o ânion divalente MnO_4^{-2}.

manganês. [Do fr. *manganese.*] *S. m. Quím.* Elemento de número atômico 25, metálico, cinzento, mole, denso, usado em diversas ligas. [Pl.: *manganeses.* Símb. *Mn.*]

manganesífero. [De *manganês* + *-i-* + *-fero.*] *Adj.* Manganífero.

mangangá. [Do tupi *mãgã'gá.*] *S. m. Bras.* **1.** Peixe teleósteo, escleropáreo, da família dos escorpenídeos, gênero *Scorpaena,* do Atlântico. A espécie *S. brasiliensis* Cuv. tem coloração parda com manchas pretas, três máculas maiores nos flancos, abdome amarelado, axila branca, maculada de negro, e cabeça, opérculo e pré-opérculo armados de espinhos. É peixe de fundo, sabidamente peçonhento, razão do nome *Scorpaena* (escorpião), bem como do nome popular *mangangá.* Tem os acúleos das nadadeiras ligados a glândulas de peçonha, porém sua carne é boa. A espécie *S. plumieri* Bloch possui axila negra com máculas brancas; em *S. grandiocornis* Cuv., ela é cinzenta com ocelos negros. [Sin.: *beatinha* e *beatriz.*] **2.** V. *mamangaba.*

mangangaba. [Do tupi *mãgã'kaba.*] *S. f. Bras., RS.* V. *mamangaba.*

mangangá-liso. *S. m. Bras.* Peixe teleósteo, haplódoco, da família dos batracoidídeos *(Nautopaedium porosissimum* (Val.)), do Atlântico, de coloração geral escura, parte inferior e nadadeiras peitorais, e que tem pequenas zebruras, brancas, a dorsal e a anal marginadas de preto. Vive no fundo do mar, tem forma de bagre e pele viscosa, e é sem valor comercial. [Sin., impr.: *bacalhau.* Pl.: *mangangás-lisos.*]

mangangava. *S. f. Bras., RJ.* V. *mamangaba.*

mangânico. [De *mangan-* + *-ico.*[2].] *Adj.* Relativo a, ou que contém manganês.

manganífero. [De *mangan-* + *-i-* + *-fero.*] *Adj.* Que tem ou produz manganês; manganesífero.

manganilha. *S. f.* **1.** Astúcia, artimanha, ardil. **2.** V. *logro* (2).

manganina. [De *mangan-* + *-ina*[1].] *S. m. Quím.* Liga de cobre, manganês e níquel, utilizada na fabricação de resistores elétricos.

manganita. [De *mangan-* + *-ita*[3].] *S. f. Min.* Mineral ortorrômbico preto-acinzentado, óxido de manganês hidratado, minério de manganês.

manganito. [De *mangan-* + *-ito*[3].] *S. m. Quím.* Qualquer sal com o ânion divalente MnO_3^{-2}.

manganometria. *S. f. Quím.* Método de titulação de substâncias redutoras em solução que utiliza como agente oxidante e titulante uma solução de permanganato de potássio.

manganométrico. *Adj.* Relativo à manganometria.

mangão[1]. *S. m.* Manga[1] (1) muito larga.

mangão[2]. *Adj.* e *s. m.* Que, ou aquele que gosta de mangar, mangador. [Fem.: *mangona.*]

mangar. [De *mango*[1] + *-ar*[2].] *V. t. i.* **1.** Caçoar, afetando seriedade. **2.** V. *zombar* (1): *M a n g u e i com o rapaz, e ele não desconfiou;* "em casa faziam chacota, m a n g a - v a m comigo, e diziam ser ela a minha namorada..." (Francisco Ribeiro Sampaio, *Renembranças,* p. 2); "Havia .... o caso de um que m a n g o u dos olhos remelentos de um velho cego. No outro dia de manhã, seus olhos boiavam na remela." (Jorge Medauar, *Água Preta,* p. 58). **2.** Iludir, enganar. *Int.* **3.** Troçar, zombar. **4.** *Bras., S.* Demorar, remanchar, mamparrear. [Conjug.: v. *largar.*]

mangará. [Do tupi *mãga'rá.*] *S. m. Bras., N.E.* Ponta terminal da inflorescência da bananeira, formada pelas brácteas que cobrem as pequenas pencas de flores abortadas; coração.

mangará-mirim. *S. m. Bras.* Mangarito. [Pl.: *mangarás-mirins.*]

mangarataia. [Do tupi *mãgara'taya.*] *S. f. Bras.* V. *açafrão-da-terra.*

mangaratibano. *Adj.* **1.** De, ou pertencente ou relativo a Mangaratiba (RJ). ● *S. m.* **2.** O natural ou habitante de Mangaratiba.

mangarito. [De *mangará* + *ito*[1].] *S. m. Bras.* Erva da família das aráceas *(Xanthosoma violaceum),* de origem incerta, produtora de rizoma farináceo e comestível, cujas grandes folhas são sagitadas e cobertas de pruína azulada, e que alcança uns 50 cm de comprimento; mangará-mirim.

mangarobeira. *S. f. Bras.* V. *mangue-vermelho.*

manga-rosa. *S. f. Bras.* **1.** Variedade de manga[3] (1), de casca rosada. **2.** Maconha de boa qualidade. [Pl.: *mangas-rosas* e *mangas-rosa.*]

mangaua. [Do tupi *amazonense.*] *S. 2 g. Bras., AM.* **1.** Tratamento que dão os afilhados aos filhos do padrinho, e vice-versa. **2.** Irmão de leite. **3.** Irmão de criação.

mango[1]. [Do lat. vulg. * *manicu* < *manica,* 'manga'; 'arpão, croque'.] *S. m.* **1.** Uma das varas do mangual. **2.** *Chulo.* O pênis. **3.** *Bras.* e *prov. lus. Gír.* Mil-réis.

mango[2]. [Do esp. plat. *mango.*] *S. m. Bras., RS.* Relho de cabo tosco, feito de madeira, com açoiteira larga de couro não trançado: "chapéu de barbicacho e o m a n - g o pendurado pelo fiel." (Darci Azambuja, *Coxilhas,* p. 55).

mangoça. [De *mango*[1].] *S. f. Bras., CE. Pop.* Mangofa [q. v.].

mangofa. [De *mango*[1].] *S. f. Bras., CE. Pop.* V. *zombaria.* [F. paral.: *mangoça.*]

mangolar. *V. int. Bras., N.* V. *Mangonar.*

mangona[1]. *S. f.* **1.** Preguiça, indolência, mandriice. ● *S. m.* **2.** Homem preguiçoso.

mangona[2]. *S. f. Bras.* V. *mangonga* (1).

mangona[3]. *Adj. (f.)* e *s. f.* Fem. de *mangão*[2] [q. v.].

mangonar. [De *mangona*[1] + *-ar*[2].] *V. int.* Ter mangona[1]; vadiar, preguiçar, mangonear. [Var.: *mangolar.*]

mangonear. [De *mangona*[1] + *-ear.*] *V. int.* V. *mangonar.* [Conjug.: v. *frear.*]

mangonga. *S. f.* **1.** *Bras.* Peixe elasmobrânquio, pleurotremado, da família dos carcharídeos *(Carcharias taurus* Raf), do Atlântico, Pacífico e Mediterrâneo, de coloração pardo-cinérea com manchas redondas, escuras, pouco distintas, no dorso, e lado inferior branco. É espécie encontrada no mercado, e pode atingir 2,5 m de comprimento. Comum nas águas do S do País; não é agressiva. [Sin.: *cação-da-areia.* Var.: *mangona* e *magonga.*] **2.** *Bras., RJ.* Restos de comida que se dão aos porcos.

mangongu. *S. m. Bras.* V. *pererenga.*

mangonguê. *S. m. Bras., RN.* Tambor cilíndrico, coberto com pele em uma das extremidades, e percutido alternadamente com os dedos unidos de ambas as mãos; magonguê.

mangorra (ô). *S. f. Bras., RS.* Tristeza, melancolia.

mangorrear. [De *mangorra* + *-ear.*] *V. t. d. Bras., S.* **1.** Trair, enganar, engodar, burlar. **2.** Aborrecer, irritar, apoquentar, amolar. [Conjug.: v. *frear.*]

mangostão. [Do mal. *mangistan.*] *S. m.* **1.** Planta da família das gutíferas *(Garcinia mangostana),* originária da Ásia, e cujo fruto é considerado o mais saboroso do mundo. **2.** O fruto dessa planta, que é uma baga polpuda, de cerca de 5/7 cm de diâmetro, violáceo-escura, de sementes grandes e chatas.

mangote. [De *manga*[1] + *-ote.*] *S. m.* **1.** *Bras., N.E.* Pequena rede de pesca. **2.** Mangueira[1] curta. **3.** *Mar.* Mangueira[1] usada como tubo de aspiração de bombas móveis de incêndio, reforçada por uma espiral de arame para resistir à deformação provocada pelo vácuo relativo que se faz no seu interior.

mangra. [Do lat. *macula,* 'mancha', atr. de *macla,* **mancla,* **mangla.*] *S. f.* Doença das plantas, em especial das gramíneas, devida à excessiva umidade do ar, ou ao orvalho, e que impede que os frutos e espigas medrem.

mangrado. [Part. de *mangrar.*] *Adj.* **1.** Atacado de mangra. **2.** Diz-se do fruto que não vingou, definhado. ◆**A mangrado.** Expr. us. na loc. *comprar a mangrado* [q. v.].

mangrar. *V. t. d.* **1.** Produzir mangra em; impedir o desenvolvimento de. *Int.* e *p.* **2.** Não vingar; definhar(-se). **3.** Inutilizar-se, malograr-se, perder-se.

mangrove. *S. m. Fitogeog.* V. *mangue* (1).

mangrueiro. *Adj. Bras., RS. Pop.* Impertinente, exigente.

mangrulho. [Do esp. plat. *mangrullo.*] *S. m.* **1.** *Bras.* Posto militar de observação, em lugar elevado, e formado de madeiras toscas. **2.** *Mar.* Armação, metálica ou de madeira, erigida sobre um baixio, e sobre a qual se fixa uma luz ou um farolete como auxílio à navegação, ou uma bandeira ou outro sinal para outros fins.

manguá. *S. m. Bras.* Alter. de *mangual* (2) [q. v.].

mangual. [Do lat. *manuale,* 'movido à mão'.] *S. m* **1.** Instrumento que serve para malhar cereais, composto de dois paus (o *mango* e o *pírtigo)* ligados por uma correia: "Apenas no fim de um beco se ouvia o barulho de m a n g u a l com que se bate o trigo" (Guerra Junqueiro, *Contos para a Infância,* p. 179). **2.** *Bras.* Correia com que se açoitam os animais; relho; manguá, manjola. **3.** *Constr. Nav.* Dispositivo de metal fixado ao pé do pau de surriola, e por meio do qual este se prende ao cachimbo, fixando ao costado da embarcação.

mangualada. *S. f. Bras.* **1.** Pancada de mangual (2). **2.** *Fig.* Salto de cobra.

manguapa. *Adj 2 g. Bras.* Diz-se do eqüídeo de boa andadura.

manguara. [F. paragógica de *manguá.*] *Bras. S. f.* **1.** Espécie de bastão mais grosso na parte inferior, largamente usado para auxiliar a marcha em terreno escorregadio. **2.** Vara própria para conduzir aves domésticas, amarradas pelos pés e nela enfiadas. **3.** Instrumento de madeira para bater feijão. **4.** *Bras., SP.* V. *cacete* (1). ● *S. m.* **5.** *Fig.* Manguarão.

manguarão. [Aum. de *manguara.*] *S. m. Bras.* Homem alto e magro; manguara.

manguari. [F. nasalada de *maguari.*] *S. m. Bras.* V. *galalau.*

mangue. *S. m.* **1.** *Fitogeog.* Comunidade dominada por árvores ditas *mangues* [v. *mangue* (2)], dos gêneros *Rhizophora, Laguncularia* e *Avicennia,* que se localiza, nos trópicos, em áreas justamarítimas sujeitas às marés.

O solo é uma espécie de lama escura e mole. [Sin.: *mangal, mangrove, manguezal.*] **2.** Cada uma das plantas dotadas de raízes-escoras [v. *raiz-escora*], que aí vegetam. **3.** *Bras. Gír.* Zona do baixo meretrício.

mangueação. *S. f. Bras., RS.* Ato de manguear.

mangueador (ô). *Adj. e s. m. Bras., RS.* Que ou aquele que mangueia.

manguear. [Do esp. plat. *manguear.*] *V. t. d. Bras., RS.* **1.** Guiar (o gado) quando passa algum rio a nado, ou para a mangueira[3] quando se acha em terra. **2.** Tentar enganar com manhas ou artifícios. [Conjug.: v. *frear.*]

mangue-branco. *S. m. Bras.* **1.** Árvore da família das combretáceas *(Laguncularia racemosa)*, espalhada nos mangues litorâneos, cujo tronco não tem raízes-escoras na base, cujas pequenas flores se apresentam em cacho, e cujos frutos, drupáceos, achatados, flutuam na água. **2.** V. *sereíba.* [Pl.: *mangues-brancos.*]

mangue-bravo. *S. m. Bras.* V. *abaneiro.* [Pl.: *mangues-bravos.*]

mangue-da-praia. *S. m. Bras.* V. *abaneiro.* [Pl.: *mangues-da-praia.*]

mangueira[1]. [De *manga*[1] + *-eira.*] *S. f.* Tubo de lona, borracha, plástico, ou outro material, para condução de água ou de ar; manga, borracha.

mangueira[2]. [De *manga*[3] + *-eira.*] *S. f.* Árvore da família das anacardiáceas *(Mangifera indica)*, de origem asiática, de flores pequeninas e ordenadas em tirsos, e cujo fruto é uma drupa carnosa e saborosa, do qual há numerosas variedades. [Sin.: *manga.*]

mangueira[3]. [Do esp. plat. *manguera.*] *S. f. Bras., RS.* Grande curral de gado, de pedra ou de madeira, junto ao edifício da estância.

mangueiral. [De *mangueira*[2] + *-al.*] *S. m.* Quantidade mais ou menos considerável de mangueiras [v. *mangueira*[2]] dispostas proximamente entre si.

mangueirão. [De *mangueira*[3] + *-ão*[1].] *S. m. Bras., S.* Curral muito grande para tropas e animais.

mangueirense[1]. *Adj. 2 g.* **1.** De, ou pertencente ou relativo a Mangueirinha (PR). ● *S. 2 g.* **2.** Natural ou habitante de Mangueirinha.

mangueirense[2]. *Adj. 2 g.* **1.** Do, ou pertencente ou relativo ao morro da Mangueira (RJ). ● *S. 2 g.* Natural ou habitante da Mangueira.

mangueirense[3]. *Adj. 2 g. Bras., RJ.* **1.** Pertencente ou relativo à Escola de Samba Estação Primeira de Mangueira: *Verde e rosa são as cores mangueirenses.* **2.** Que é membro ou grande admirador dessa escola de samba. ● *S. 2 g.* **3.** Indivíduo mangueirense[3] (2).

mangueiro[1]. [De *mangueira*[3].] *S. m. Bras.* Pequeno curral.

mangueiro[2]. [De *manga*[1] + *-eiro.*] *S. m. Bras.* Cilindro de madeira usado pelas engomadeiras para passar a ferro as mangas dos vestidos.

mangueiro[3]. [De *mangue* + *-eiro.*] *S. m. Bras., Amaz.* V. *mangue-vermelho.*

mangueiro[4]. [De *mangar?*] *Adj. Bras., SP. Pop.* **1.** Manhoso, astuto. **2.** Renitente, teimoso. **3.** Vagaroso, lento.

manguense. *Adj. 2 g.* **1.** De, ou pertencente ou relativo a Manga (MG). ● *S. 2 g.* **2.** Natural ou habitante de Manga.

manguerana. [De *mangue* + *-rana.*] *S. f. Bras., Amaz.* Arbusto da família das gutíferas *(Tovomita brasiliensis)*, de 2 a 3 m de porte, folhas pequenas e membranáceas, flores minutas e pouco numerosas, e cápsulas que não ultrapassam 2 cm de diâmetro.

mangue-vermelho. *S. m. Bras.* Árvore da família das rizoforáceas *(Rhizophora mangle)*, que vive nos mangues do litoral, cujo tronco é sustentado por grossas raízes-escoras basais, cujo embrião pode começar a crescer dentro do fruto, o qual se enterra na lama do mangue, onde cresce rápido, e cuja casca, rica em tanino, é aproveitada; mangueiro, mangarobeira, mapareíba. [Pl.: *mangues-vermelhos.*]

manguezal. [De *mangue* + *-z-* + *-al.*] *S. m. Bras.* V. *mangue* (1).

manguinha. [Dim. de *manga*[1].] *S. f.* Manga[1] (1) pequena. ◆ **Botar as manguinhas de fora.** *Bras. Fam.* Agir revelando qualidades ou denunciando intenções que, em geral, anteriormente se ocultavam; pôr as manguinhas de fora, pôr as mangas de fora. **Pôr as manguinhas de fora.** *Bras. Fam.* V. *botar as manguinhas de fora.*

manguito[1]. [De *manga*[1] + *-ito*[1].] *S. m.* **1.** Pequena manga usada como enfeite ou abrigo dos pulsos: "as mangas da casaca muito apertadas, as mãos a emergirem das rendas dos manguitos" (Artur Azevedo, *Contos fora da Moda, p. 36).* **2.** *Ant.* Regalo (5) de peles. **3.** *Med.* Retalho de pele e de tecido conjuntivo difuso que se desseca em um membro amputado a fim de cobrir a extremidade do coto.

manguito[2]. [De *mango*[1] + *-ito*[1].] *S. m. Chulo.* Gesto obsceno que consiste em dobrar o braço com o punho fechado e segurar a dobra do cotovelo com a outra mão. [Sin.: *banana* (bras.) e *armas de S. Francisco* (lus.).]

manguito[3]. [De *manga*[2] + *-ito*[1].] *S. m. Bras.* Pequena manga[3].

manguriú. [Do guar. *mãguri'u.*] *S. m. Bras., GO.* V. *bagre-sapo* (4).

mangustão-amarelo. *S. m.* V. *bacupari* (2). [Pl.: *mangustões-amarelos.*]

mangusto. [Do concani *mongus*, com infl. do fr. *mangouste.*] *S. m.* Mamífero da Índia e da África, que habita as margens dos rios e se alimenta de cobras e ratos.

manguxo. *S. m. Bras., BA.* V. *bambão* (2).

manguzá. *S. m. Bras., N.E.* V. *munguzá.*

manha. [De um lat. vulg. **mania.* 'habilidade manual' < *manus*, 'mão'.] *S. f.* **1.** Destreza, desembaraço, habilidade, desenvoltura: *a coragem e a manha do guerreiro.* **2.** V. *malícia* (3): *O político agiu com inteligência e manha.* **3.** Ardil, artimanha: *as manhas do adversário.* **4.** Defeito ou mau hábito difícil de perder; sestro. **5.** Qualidade e/ou defeito que dificulta a compreensão, o uso ou o manejo de uma coisa: *Este relógio tem manhas que só eu entendo.* **6.** *Bras. Fam.* Choro infantil sem causa; birra, choradeira. ~ V. *manhas.*

manhã. [Do lat. vulg. **maneana*, i. e., *hora maneana*, 'hora matinal'.] *S. f.* **1.** Tempo que vai do nascer do Sol ao meio-dia. **2.** A alvorada, o amanhecer, o alvorecer; madrugada: *A manhã surgia luminosa.* **3.** V. *madrugada* (2): *São duas da manhã.* **4.** *P. ext.* A primeira parte, as primeiras horas do dia. **5.** *Fig.* Princípio, começo; desabrochar: *a manhã da vida.* [Pl.: *manhãs.* Cf. *Manhães*, antr.] ◆ *Adv.* **6.** De manhã. ◆ **De manhã.** Antes do meio-dia; pela manhã; manhã. **De manhã cedo.** **1.** De madrugada. **2.** Pouco após o nascer do Sol. **Pela manhã.** V. *de manhã.*

manhas. [Pl.: de *manha.*] *S. f. pl. Desus.* Costumes, hábitos. ~ V. *manha.*

manhãzinha. [Dim. de *manhã.*] *S. f.* O começo da manhã. ◆ **De manhãzinha.** De manhã bem cedo; de madrugada.

manheira. *S. f. Bras., Fam.* Manha (6) prolongada.

manheirar. [De *manheira* + *-ar*[2].] *V. int.* **1.** Fazer manha (6), ou manheira. **2.** Mostrar-se lento e de má vontade no trabalho. **3.** Fingir-se doente. **4.** Tentar (o gado) fugir ou empacar.

manheirento. *Adj. Bras., RS.* Que se mostra sempre manheiro ou manhoso; muito manheiro.

manheiro. *Adj. Bras., RS.* **1.** Manhoso (1 e 3). **2.** Que tem o hábito de manheirar: *gado manheiro.* **3.** Diz-se do fumo que não queima com facilidade. **4.** Diz-se do negócio demorado, difícil. [Sin. ger.: *manhento.*]

manhento. *Adj. Bras., RS.* V. *manheiro.*

manho. *Adj. Desus.* Desnorteado, tonto; aparvalhado, pateta.

manhosar. [De *manhoso* + *-ar*[2].] *V. int. Bras., CE. Fam.* Ficar na cama entredormido, preguiçosamente. [Pres. ind.: *manhoso*, etc. Cf. *manhoso* (ô).]

manhosidade. *S. f.* Qualidade, modos ou artes de manhoso: "O selvagem deu aos descendentes que enveredam pelo crime .... manhosidades necessárias às tocaias e fugas." (Gustavo Barroso, *Heróis e Bandidos*, p. 63.)

manhoso (ô). *Adj.* **1.** Que tem ou revela manha(s); manheiro. **2.** Em que há, ou que é feito com manha: *pergunta manhosa.* **3.** *Bras., Fam.* Diz-se de criança que faz manha (6), que é birrenta, chorona, manheira. [Cf. *manhoso*, do v. *manhosar.*]

manhuaçuense. *Adj. 2 g.* **1.** De, ou pertencente ou relativo a Manhuaçu (MG). ● *S. 2 g.* **2.** Natural ou habitante de Manhuaçu.

manhuara. [Var. de *maniuara.*] *S. f. Bras.* Nome indígena da saúva [q. v.], usado em algumas regiões do País.

▲**mani-[1].** [Do gr. *manía, as.*] *El. comp.* = 'loucura', 'tendência', 'louco', 'inclinado': *manicômio.* [Equiv.: *-mania* e *-mano*[1]: *iconomania, melomania, cleptômano.*]

▲**mani-[2].** [Do lat. *manus, us.*] *El. comp.* = 'mão': *maniforme, manipresto.* [Equiv.: *manu-* e *-mano*[2]: *manufatura; quadrúmano* (< lat. *quadrumanu*).]

mania. [Do gr. *manía*, 'loucura', pelo lat. *mania.*] *S. f.* **1.** *Psiq.* Síndrome mental caracterizada por exaltação eufórica do humor, excitação psíquica, hiperatividade, insônia, etc., e, em certos casos, agitação motora em grau variável. **2.** *Psiq.* Uma das duas fases alternativas da psicose maníaco-depressiva [q. v.]. **3.** *Fig.* Excentricidade, extravagância, esquisitice. **4.** Gosto exagerado ou imoderado por alguma coisa; obcecação resultante de desejo imoderado: *mania de grandeza.* **5.** O alvo desse gosto ou desejo: *Colecionar borboletas tornou-se a sua mania.* **6.** Mau costume; hábito prejudicial; vício: *a mania do jogo.* **7.** Idéia fixa doentia; obsessão: *mania de perseguição.*

▲**-mania.** V. *mani-*[1].

maníaco. [Do lat. medieval *maniacu.*] *Adj.* **1.** Que sofre de mania(s). **2.** *P. ext.* Excêntrico, extravagante, esquisito. **3.** Diz-se de indivíduo obstinado, teimoso, obcecado por alguma coisa. **4.** Que tem caráter de mania (1): *preocupação maníaca.* ● *S. m.* **5.** Indivíduo maníaco.

maníaco-depressivo. *Adj.* **1.** Que sofre de psicose maníaco-depressiva. ~ V. *psicose—a.* ● *S. m.* **2.** Aquele que sofre de psicose maníaco-depressiva. [Pl.: *maníaco-depressivos.*]

maniatar. [De *mani-*[2] + atar.] *V. t. d.* **1.** Atar mãos de. **2.** Impedir os movimentos de. **3.** Privar da liberdade; forçar, constranger, subjugar. *T. d. e i.* **4.** Prender, ligar, amarrar. [Var.: *manietar.*]

manica. [Do esp. plat. *manija.*] *S. f. Bras., RS.* V. *boleadeiras.*

manicaca. *S. m. Pop.* **1.** Indivíduo apalermado, atoleimado; palerma. **2.** *Bras., N.E.* Indivíduo tratante, covarde, fracalhão; mucufa, mutanje.

manicla. [Var. de *manica.*] *S. f. Bras., RS.* V. *boleadeiras.*

maniçoba. [Do tupi *mani'hob.*] *S. f. Bras.* **1.** Arvoreta da família das euforbiáceas (*Manihot glaziovii*), própria do N.E., da qual se extraiu, no passado, o látex, para produzir borracha, que é de segunda classe, e cujo fruto é uma cápsula que se abre em três porções; maniçobeira. **2.** Alimento feito de grelos de mandioca misturados com carne ou peixe, e só temperado com sal e pimenta: "O Sr. Porfírio atacou .... um prato seu predileto, a maniçoba, preparado com mocotós de paca e grelos de mandioca" (José Veríssimo, *Cenas da Vida Amazônica*, p. 2).

maniçobal. [De *maniçoba* (1) + *-al.*] *S. m. Bras.* Quantidade mais ou menos considerável de maniçobas dispostas proximamente entre si.

maniçobeira. *S. f. Bras.* Maniçoba (1).

maniçobeiro. *S. m. Bras.* Extrator do látex da maniçoba.

manicomial. *Adj. 2 g.* Referente a manicômio.

manicômio. [De *mani-*[1] + *-cômio.*] *S. m.* Hospital de doidos.

maniconia. *S. f. Bras., N.E. Pop.* Mancha na pele, arroxeada e indolor.

manicora. *S. f. Arquit.* Ornato que representa um animal híbrido, com cabeça de serpente e tronco globoso.

manicórdio. [De *monocórdio* < gr. *monochórdon*, 'instrumento musical de uma corda', pelo lat. *monochordon*, com infl. de mão.] *S. m.* Instrumento de teclado, da família do clavicórdio, e que já existia no fim do séc. XV; monocórdio.

manicoreense (èên). *Adj. 2 g.* **1.** De, ou pertencente ou relativo a Manicoré (AM). ● *S. 2 g.* **2.** Natural ou habitante de Manicoré.

manicuera. [Do tupi *maniku'era.*] *S. f. Bras., N.* **1.** Espécie de mandioca. **2.** V. *manipueira.*

manicujá. [Do tupi *maniku'ya.*] *S. m. Bras., AM.* Cova feita para plantar a haste da maniva.

manícula. [Do lat. *manicula*, 'mãozinha'.] *S. f.* **1.** Membro anterior do mamífero. **2.** Espécie de luva de couro usada pelos sapateiros e correeiros para não se cortarem com o fio. **3.** *Bras.* Manivela (1).

manicura. [Do fr. *manicure.*] *S. f. Fem. de manicuro.*

manicurado. *Adj. Bras.* Diz-se das mãos, ou das unhas das mãos, tratadas por manicura ou manicuro.

manicuro. [Do fr. *manicure.*] *S. m.* Aquele que se dedica ao tratamento das mãos ou das unhas das mãos. [Fem.: *manicura.*]

manicurto. [De *mani-*[2] + *curto.*] *Adj.* **1.** Que tem mãos curtas. **2.** *Fig.* V. *avaro* (1). ● *S. m.* **3.** *Fig.* V. *avaro* (3).

manidestro (ê). [De *mani-*[2] + *destro.*] *Adj.* Diz-se daquele que é mais hábil com a mão direita, ou que se serve preferentemente dela. [Var.: *mandestro.*]

manietar. *V. t. d. e t. d. e i.* V. maniatar: "A cerca, ela está ali, alta, intransponível. .... A cerca, ... impedindo-lhe a evasão, tolhendo-lhe os passos, manietando-a." (Guido Vilmar Sassi, *Piá, p. 33.)*

manifestação. [Do lat. *manifestatione.*] *S. f.* **1.** Ato ou efeito de manifestar(-se); expressão. **2.** Revelação, esclarecimento, demonstração: "O meio físico em que decorreu a existência de Antero [Antero de Quental] deixou no seu espírito uma impressão profunda, de que ficaram muitas manifestações na sua obra." (José Bruno Carneiro, *Antero de Quental*, I, p. 70.) **3.**

Expressão pública e coletiva de uma opinião ou sentimento: *manifestação contra a alta de preços.* ◆ **Manifestação epiléptica crítica.** *Neurol* e *Psiq.* Fenômeno, de que há vários tipos, que surge durante uma descarga epiléptica, revelando crise epiléptica [q. v], sendo diagnosticado por meios clínicos e/ou por eletrencefalografia.

manifestador (ô). [Do lat. *manifestatore.*] *Adj.* e *s. m.* Manifestante.

manifestante. [Do lat. *manifestante.*] *Adj. 2 g.* e *s. 2 g.* Que ou quem (se) manifesta; manifestador.

manifestar [Do lat. *manifestare.*] *V. t. d.* **1.** Tornar manifesto, público, notório; divulgar, declarar: *manifestar uma opinião.* **2.** Dar sinais de; apresentar, revelar, exprimir, patentear: *Seu rosto manifestava alegria.* **3.** Dar ao manifesto [v. esta loc.] na alfândega ou em outra estação fiscal; lealdar. **4.** Interpor (um recurso). *T. d.* e *i.* **5.** Declarar, mostrar, revelar: "Tinha .... de ser grato a esse homem, de manifestar-lhe a todos os instantes o meu reconhecimento" (Júlio Dantas, *Espadas e Rosas*, p. 126). *P.* **6.** Fazer-se conhecer; revelar-se, mostrar-se: "A vocação dos espanhóis para a prosa narrativa .... manifestou-se muito cedo." (Eduardo Frieiro, *O Alegre Arcipreste*, p. 49.) **7.** Patentear-se, exprimir-se. **8.** *Esp.* Dar-se (um espírito) a conhecer por meio de sinais físicos.

manifesto. [Do lat. *manifestu.*] *S. m.* **1.** Coisa manifestada. **2.** Declaração pública ou solene das razões que justificam certos atos ou em que se fundamentam certos direitos. **3.** Programa político, religioso, estético, etc. **4.** Relação que se entrega aos fiscais da fazenda pública dos gêneros expostos à venda e sujeitos ao pagamento de direitos. **5.** Rol ou inventário, completo e minudente, da carga que um navio mercante traz a bordo. **6.** O documento escrito que contém quaisquer dessas declarações. ● *Adj.* **7.** Patente, claro, evidente, notório, flagrante: *injustiça manifesta.* ◆ **Dar ao manifesto. 1.** Fazer declaração de (as mercadorias que um navio traz, ou aquelas que expõe à venda). **2.** *Fig.* Declarar; confessar.

maniflautista. [De *mani-*[2] + *flautista.*] *S. 2 g.* Pessoa que com as mãos produz sons semelhantes aos da flauta.

maniforme. [De *mani-*[2] + *-forme.*] *Adj. 2 g.* Que tem forma de mão.

manigância. [Do fr. *manigance.*] *S. f.* **1.** Arte de prestidigitador; malabarismo, manobra: "O hipnotizador suspendeu as manigâncias, e ficou uns instanes imóvel" (José Rodrigues Miguéis, *Gente da Terceira Classe*, p. 199). **2.** *Fig.* Manobra misteriosa; intriga, enredo, artimanha. [Cf. *manigancia*, do v. *maniganciar.*]

maniganciar. *V. int. Bras.* Fazer manigâncias. [Pres. ind.: *manigancio, manigancias, manigancia*, etc. Cf. *manigância.*]

manigrafia[1]. [De *mani-*[1] + *-graf(o)-* + *-ia.*] *S. f. Psiq.* Maniografia.

manigrafia[2]. [De *mani-*[2] + -graf(o)- + -ia.] S. f. A arte de escrever à mão; escrita manual.

manilha[1]. [Do esp. *manilla.*] *S. f.* **1.** Argola com que se enfeitam os pulsos e, entre alguns povos, a parte mais delgada da perna. **2.** Grilheta. (1). **3.** Tubo de cerâmica, de concreto ou de aço, que compõe canalizações para escoamento de águas e esgotos. **4.** *Marinh.* Acessório constituído por um vergalhão metálico em forma de U, com um pino (*cavirão*) atravessado ente as duas extremidades, e que se emprega para unir quartéis de amarra, cabos de aço, etc.

manilha[2]. [Do fr. *manille.*] *S. f.* **1.** Denominação comum a algumas cartas de baralho, em certos jogos. **2.** Jogo de vaza, de quatro parceiros, em que a carta de maior valor, denominada *manilha*, é o sete de todos os naipes, seguindo-se o ás, o rei, o valete, a dama e as cartas brancas, pelo seu real valor.

manilha[3]. [Do top. *Manilha* (Filipinas).] *S. f.* Variedade de fumo.

manilha[4] *S. f.* **1.** Designação comum aos papéis feitos de abacá, de fibras extremamente fortes. **2.** Produto que imita esse papel, obtido de fibra de juta. ● *Adj.* **3.** ~ V. *papel* —.

manilhão. [Aum. de *manilha*[1].] *S. m. Marinh.* Manilha[1] (4) grande, reforçada.

manilhar. [De *manilha*[1] + *-ar*[2].] *V. t. d.* **1.** Ornar com manilhas. **2.** Canalizar em manilhas. **3.** *Marinh.* Prender ou unir (amarra, cabo, etc.) por meio de manilha[1] (4).

manilheiro[1]. *S. m.* Fabricante de manilhas [v. *manilha*[1]].

manilheiro[2]. *S. m.* Jogador de manilha[2] (2).

manilhinha. [Dim. de *manilha*[4].] *Adj.* ~ V. *papel* —.

manilúvio. [Do lat. medieval *maniluviu.*] *S. m.* Banho, de ordinário quente, que se dá às mãos.

manimbé. [Do tupi *manĩ'bé.*] *S. m. Bras.* V. *tico-tico-do-campo.*

manimolência. *S. f. Bras., N.E. Pop.* Var. de *manemolência:* "A sessão havia começado quando ele [Clóvis Beviláqua] entrou na sua manimolência" (Gilberto Amado, *Depois da Política*, p. 234).

manimolente. *Adj. 2 g. Bras., N.E. Pop.* Var. de *manemolente.*

manina. [Var. de *maninha.*] *Adj. (f.) Bras.* Diz-se de vaca estéril, machorra.

maninelo. *S. m.* **1.** V. *bobo* (1): "É o jogral de Restelo; jogral e maninelo que foi; beato e santo que será." (Alexandre Herculano, *O Monge de Cister*, I, p. 157.) **2.** Bobo, idiota, palerma. **3.** Homem efeminado. ● *Adj.* **4.** Bobo, idiota, palerma. **5.** Diz-se de maninelo (3).

maninha. *Adj. (f.)* Fem. de *maninho.* [Var.: *manina.*]

maninhar. [De *maninho* + *-ar*[2].] *V. t. d.* Deixar sem cultura (uma terra).

maninhez (ê). *S. f.* Qualidade ou estado de maninho.

maninho. [Do lat. hispânico **manninu* < lat. ibérico *manna*, 'estéril'.] *Adj.* **1.** V. *estéril* (1): *égua maninha.* **2.** Não aproveitável ou não aproveitado para o cultivo; inculto, estéril [q.v.]: "e Adão tem fome, nesse areal maninho, onde só alvejam cardos que o vento estorce." (Eça de Queirós, *Contos*, p. 180). **3.** Bravo, silvestre: *plantas maninhas.* **4.** Que não tem dono; que é de logradouro público. ● *S. m.* **5.** Terra inculta, brava: "os negros auxiliavam a natureza capinando as roças, lançando fogo aos maninhos, para aproveitar o terreno em semeaduras prósperas" (Coelho Neto, *Rei Negro*, p. 10). ~ V. *maninhos.*

maninhos. [Pl. substantivado do adj. *maninho.*] *S. m. pl.* Bens de morto que não deixou filhos. ~ V. *maninho.*

manino. *Adj.* **1.** Diminuto, pequenino. **2.** Muito pouco; escasso.

maniografia. [De *mani-*[1] + *-o-* + *-graf(o)-* + *-ia.*] *S. f.* Descrição das várias formas de insanidade mental; manigrafia.

maniográfico. *Adj.* Referente à maniografia.

maniota. [Do esp. *maniota.*] *S. f.* Peia com que se prendem as mãos dos animais.

manipanso. [De provável or. afr.] *S. m.* **1.** Ídolo africano: "santos mal-acabados, imagens de linhas duras, objetivavam a religião mestiça em traços incisivos de manipansos: Santos Antônios proteiformes e africanizados, de aspecto bronco, de fetiches; Marias Santíssimas, feias como megeras..." (Euclides da Cunha, *Os Sertões*, p. 185). [V. *fetiche* (1).] **2.** *Burl.* Indivíduo obeso.

manipresto. [De *mani-*[2] + *presto.*] *Adj.* Expedito de mãos; destro, expedito; prestimano: "foi direito a ele [ao candeeiro] no escuro como se o avistasse, e, manipresto, a manobra da manga de vidro e de acendê-lo durou instantes." (Alberto Rangel, *Sombras n'Água*, p. 131).

manipuçá. [Var. de *manapuçá* (q. v.).] *S. m. Bras.* **1.** Árvore da família das melastomáceas. **2.** O fruto dessa árvore.

manipueira. [De *manipuera* (var. de *manicuera* < tupi *maniku'era*), por ultracorreção.] *S. f. Bras., N.* e *N.E.*, e *MG.* Suco leitoso da mandioca ralada, obtido por compressão, e que contém o veneno da planta (evaporado o veneno, ao fogo ou ao sol, faz-se do líquido o molho denominado *tucupi*); manicuera, água-brava, água-de-goma: "Uma semana atrás, Tininho, ... meninozinho de três anos, tinha bebido manipueira no tipiti de uma das fazendas vizinhas. .... Quando encontraram o corpinho dele, enrodilhado e cinzento, dos cantos da boquinha roxa escorriam fios de leite grosso e adocicado." (Nélson de Faria, *Cabeça-Torta*, p. 52.)

manipuera (ê). *S. f. Bras., N.* e *N.E.* V. *manipueira.*

manipulação. *S. f.* Ato ou modo de manipular.

manipulador (ô). *S. m.* **1.** Aquele que manipula. **2.** Transmissor (3).

manipular[1]. [Do lat. *manipulare.*] *Adj. 2 g.* **1.** Relativo ao manípulo (3 e 4). ● *S. m.* **2.** Entre os antigos romanos, cada um dos soldados de um manípulo (4).

manipular.[2] [Do fr. *manipuler.*] *V. t. d.* **1.** Preparar com a mão; imprimir forma a (alguma coisa) com a mão. **2.** Preparar (medicamentos) com corpos simples. **3.** Engendrar, forjar, maquinar: *manipular um plano.* **4.** Fazer funcionar; pôr em movimento; acionar. [Pres. ind.: *manipulo*, etc. Cf. *manípulo.*]

manipulário. [Do lat. *manipulariu.*] Chefe de um manípulo (4), na milícia romana.

manipulável. [De *manipular*[2] + *-ável.*] *Adj. 2 g.* Que pode ser manipulado.

manípulo. [Do lat. *manipulu.*] *S. m.* **1.** Feixe de ervas, de flores, ou de qualquer coisa semelhante, que a mão pode abranger formando um arco com os dedos polegar e indicador. **2.** *P. ext.* V. *mancheia.* **3.** Haste coroada de sinais simbólicos, que servia de bandeira às tropas romanas. **4.** Troço (ô) de soldados ao qual essa haste servia de bandeira. **5.** Pequena estola pendente do braço esquerdo do sacerdote, de uso facultativo quando ele diz missa: "o abade com a sobrepeliz da cor dos seus cabelos, a estola e o manípulo" (Bernardo Pinheiro, Pindela, *Azulejos*, p. 32). **6.** Cabo ou pega de objeto ou arma branca: *o manípulo da espada.* [Cf. *manipulo*, do v. *manipular.*]

maniqueísmo. [De *maniqueu* + *-ismo.*] *S. m.* **1.** *Filos.* Doutrina do persa Mani ou Manes (séc. III), sobre a qual se criou uma seita religiosa que teve adeptos na Índia, China, África, Itália e S. da Espanha, e segundo a qual o Universo foi criado e é dominado por dois princípios antagônicos e irredutíveis: Deus ou o bem absoluto, e o mal absoluto ou o Diabo. **2.** *P. ext.* Doutrina que se funda em princípios opostos, bem e mal.

maniqueísta. *Adj. 2 g.* **1.** Relativo ao, ou que é sectário do maniqueísmo. ● *S. 2 g.* **2.** Sectário do maniqueísmo. [Sin. ger.: *maniqueu.*]

maniquete (ê). [Do lat. *manica*, 'manga[1]', + *-ete.*] *S. m.* Adorno, ordinariamente de renda, que guarnece a manga da alva dos sacerdotes.

maniqueu. [Do lat. tardio *manichaeu*, 'sectário de Mani'.] *Adj.* e *S. m.* Maniqueísta: "atolando-se nos mistérios lúbricos e imundos com que aqueles hereges maniqueus solenizavam as vigílias de determinadas noites, renovando os horrores atribuídos aos gnósticos." (Inglês de Sousa, *O Missionário*, p. 60).

manirroto (ô). [De *mani-*[2] + *roto.*] *Adj.* **1.** Que é grande gastador; esbanjador, perdulário: "Pompeava Felisberto Caldeira, na larga generosidade de fidalgo venturoso e manirroto, a riqueza deslumbradora do contrato que havia celebrado com a Real Fazenda para extração dos diamantes" (Afonso Arinos, *Pelo Sertão*, p. 137). **2.** V. *mãos-rotas.*

manistérgio. *S. m.* V. *manutérgio.*

manita. *S. f.* **1.** *Fam.* Mãozinha. ● *S. 2 g.* **2.** Maneta (1). ● *Adj. 2 g.* **3.** Maneta (1).

manitenere. *Bras. S. 2 g.* **1.** Indivíduo dos maniteneres, tribo indígena da margem esquerda do alto Purus e seus afluentes (AC). ● *Adj. 2 g.* **2.** Pertencente ou relativo a essa tribo.

manitó. [De *manitu* < algonquino *manitu*, 'espírito'.] *S. m.* **1.** Designação que os índios algonquinos, dos E.U.A., dão a uma força mágica não personificada, mas inerente a todas as coisas, pessoas, fenômenos naturais e atividades. **2.** Gênio tutelar, ou demônio, entre índios americanos: "Os manitós, que moram pendurados / Nas tabas d'itajuba, que as protejam [às nações vizinhas]" (Gonçalves Dias, *Obras Poéticas*, II, p. 252). [F. paral.: *manitô.*]

manitô. *S. m.* V. *manitó:* "Manitôs lhe não falem nos sonhos" (Gonçalves Dias, *Obras Poéticas*, II, p. 32).

manitsauá. *Bras. S. 2 g.* **1.** Indivíduo dos manitsauás, tribo indígena das margens do rio Manitsauá-mirim, afluente esquerdo do alto Xingu. ● *Adj. 2 g.* **2.** Pertencente ou relativo a essa tribo.

manitu. *S. m.* V. *manitó.*

maniuara (niu). [Do tupi *mani'wara.*] *S. f. Bras., Amaz.* V. *saúva.*

maniva. [Do tupi *mani'iwa.*] *S. f. Bras., N.* e *N.E.* **1.** Manaíba. **2.** V. *mandioca* (1 e 2).

manival. [De *maniva* + *-al.*] *S. m. Bras., PA. mandiocal.*

maniveira. [De *maniva* + *-eira.*] *S. f. Bras.* V. *mandioca* (1 e 2).

manivela. [Do fr. *manivelle.*] *S. f.* **1.** Peça de máquina, a que se imprime movimento com a mão. [Sin., bras.: *manícula.*] **2.** Peça de ferro ou de madeira sujeita a qualquer força motriz, e que transmite movimento de rotação a um engenho ou máquina.

manivelar. *V. int.* **1.** Dar à manivela. *T. d.* **2.** *Fig.* Agenciar (2).

manivérsia. *S. f. Pop.* Patifaria, velhacaria, tranquibérnia.

manja[1]. [Dev. de *manjar.*] *S. f. Lus.* **1.** Ato de comer. **2.** Comida, refeição.

manja[2]. *S. f. Bras.* V. *esconde-esconde.*

manjado. [Part. de *manjar.*] *Adj. Bras. Gír.* Que é perfeita ou amplamente conhecido: *assunto manjado; pessoa manjada.*

manjadoira. [Var. de *manjadoura.*] *S. f.* V. *manjedoura.*

manjadoura. *S. f.* V. *manjedoura:* "Os três Reis Magos tinham-se ido embora / Em dromedários calmos, ao luar... / Seus presentes de brilho singular, / Dispunha-os São José na manjadoura." (Eugênio de Castro, *Obras Poéticas*, VI, p. 133.) [Var.: *manjedoura.*]

manjaleco. *S. m. Bras., N.E.* Marmanjo.

manja-léguas. [De *manjar* (1) + o pl. de *légua.*] *S. 2 g.* e

2 n. P. us. Pessoa que caminha muito; andarilho.
manjaléu. [Talvez alter. de *manja-léguas*.] *S. m. Bras., N.E.* V. *papão* (1).
manjangome. *S. m. Bras., PB* e *PE.* V. *maria-gomes*.
manjar. [Do fr. *manger*, ou do it. *mangiare*.] *V. t. d.* **1.** *Ant.* V. *comer* (1). **2.** *Bras. Gír.* Observar, espionar; informar-se. **3.** *Gír.* Conhecer (pessoa ou coisa): *Ninguém* m a n j a *esse sujeito; F.* m a n j a *matemática.* **4.** *Gír.* Entender, compreender, perceber: *Ninguém* m a n j o u *uma palavra. T. i.* **5.** *Gír.* Ter conhecimento; entender: *O rapaz* m a n j a *de astronomia. Int.* **6.** *Ant.* V. *comer* (15). ● *S. m.* **7.** Qualquer substância alimentícia. **8.** Iguaria delicada e apetitosa. **9.** *Fig.* Aquilo que alimenta ou deleita o espírito.
manjar-branco. [De *manjar* (7) + *branco*.] *S. m.* Iguaria feita com leite e maisena, servida, em geral, com compota de ameixa-preta. [Pl.: *manjares-brancos*.]
manjarra. [De *almanjarra*, com aférese.] *S. f. Bras.* Prensa empregada na manipulação do tabaco.
manjável. *Adj. 2 g.* Que pode ser manjado ou comido; comível, comestível.
manjedoira. *S. f.* Var. de *manjedoura* [q. v.].
manjedoura. [Var. de *manjadoura* < it. *mangiatoia*.] *S. f.* Tabuleiro em que se põe comida para os animais nas estrebarias. [Var.: *manjedoira*.]
manjericão. *S. m.* **1.** Designação comum ao manjericão-cheiroso e ao manjericão-dos-jardins. **2.** *Bras., PA* e *RN.* Mato rasteiro que se avista no horizonte.
manjericão-cheiroso. *S. m.* Erva da família das labiadas (*Ocimum gratissimum*) de ramos quadrangulares, folhas pequenas, flores pouco atraentes, em cachos, e que, cujos componentes, graças ao forte aroma, são usados como condimento; manjericão. [Pl.: *manjericões-cheirosos*.]
manjericão-dos-jardins. *S. m.* Erva da família das labiadas (*Ocimum minimum*), de ramos quadrangulares, folhas pequenas, flores pouco atraentes, em cachos, e cujos componentes, graças ao forte aroma, se usam como condimento; manjericão. [Pl.: *manjericões-dos-jardins*.]
manjerico. *S. m.* Der. regress. de *manjericão* (1): "subira à varanda a regar os m a n j e r i c o s" (Trindade Coelho, *Os Meus Amores*, p. 183).
manjerioba. [Do tupi.] *S. f. Bras.* **1.** V. *fedegoso-verdadeiro*. **2.** V. *fedegoso-de-folha-torta*.
manjerioba-grande. *S. f. Bras.* V. *dartrial*. [Pl.: *manjeriobas-grandes*.]
manjerona[1]. *S. f.* Erva européia, da família das labiadas (*Origanum majorana*), cultivada em hortas e jardins. Ramos avermelhados; folhas oblongo-ovadas, inteiras, moles, obtusas e tomentosas; flores alvas ou violáceas; cálice com lobos desiguais; glomérulos curtos e axilares; o fruto é uma noz pequenina. É espécie aromática e oleífera, usada como tônico e tempero culinário.
manjerona[2]. *Bras. S. 2 g.* **1.** Indivíduo dos manjeronas, tribo indígena da região do Amazonas. ● *Adj. 2 g.* **2.** Pertencente ou relativo a essa tribo.
manjerona-do-campo. *S. f.* Erva da família das labiadas (*Glechon spathulata*), dos campos do S., rica em óleo essencial aromático, cujas folhas são minutíssimas e arredondadas, sendo as flores pequeninas, e que é tida por medicinal; amáraco. [Pl.: *manjeronas-do-campo*.]
manjola. *S. f. Bras.* V. *mangual* (2).
manjolão. S. m. Bras., PE. V. *galalau*.
manjolinho. *S. m. Bras., MT.* Rancho (9) de paredes feitas de troncos.
manjua. [Do fr. ant. *manjue*.] *S. f. Lus.* **1.** Comida, alimentos. **2.** Sardinha (1).
manjuba. *S. f. Bras.* **1.** Designação comum a várias espécies de peixes teleósteos, isospôndilos, da família dos engraulídeos, de grande valor econômico, pois cerca de 22 espécies desses peixes têm sido utilizadas em indústrias pesqueiras diversas. Os gêneros mais conhecidos são: *Anchoviella* Fowl. e *Anchoa* Jord. & Everm. Diferencia-se da sardinha por ter a parte inferior da boca aberta até a parte posterior dos olhos e a cabeça terminada em um "focinho". Realiza migrações periódicas, e certas espécies sobem os rios para desovar. Formam grandes cardumes, e sua pesca é feita de setembro a abril. [Sin.: *aletria, arenque, xangó, pipitinga, pititinga*.] **2.** V. *enchova* (2). **3.** *Bras. Chulo.* O pênis. **4.** *Bras., BA* e *SP.* Comida; refeição. **5.** *Bras., MG.* Enxame de peixes novos que procuram as cabeceiras dos rios. [Var.: *manjuva*.]
manjuva. *S. f. Bras.* V. *manjuba*.
▲mano-. [Do gr. *manós, é, ón*.] *El. comp.* = 'raro', 'pouco denso': *manômetro, manóstato*.
▲-mano[1]. V. *mani-*[1].
▲-mano[2]. V. *mani-*[2].
mano[1]. [F. hipocorística de *irmão*.] *S. m. Fam.* e *ant.* **1.** Irmão (1). **2.** Cunhado. **3.** Amigo, camarada, colega. ● *Adj.* **4.** Muito amigo; íntimo. **5.** Inseparável, unido.
mano[2]. [Do lat. *manu*.] *S. f. Ant.* Mão. [Subsiste em algumas loc., como, p. ex., *mano a mano, de mano a mano*.] ♦ **Mano a mano.** **1.** Familiarmente, com intimidade; mão por mão; de mano a mano: "E fomos conversando m a n o a m a n o pela estrada fora, ... um ao lado do outro" (Raul Brandão, *Memórias*, II, p. 249). **2.** V. *mão por mão* (1). **De mano a mano.** **1.** V. *mano a mano* (1). **2.** Sem dar partido algum (no jogo).
manobra. [Do fr. *Manoeuvre*.] *S. f.* **1.** Ação de fazer funcionar à mão um aparelho, máquina, etc. **2.** Conjunto de ações ou movimentos para alcançar um fim desejado. **3.** Prestidigitação, pelotica, manigância. **4.** Movimento de tropas em campanha. **5.** Vaivéns de locomotivas, nas estações ferroviárias, para organizar os trens nas linhas convenientes. **6.** *Mar. G.* Movimento ou conjunto de movimentos destinados a levar à melhor posição, em relação ao inimigo, um navio ou grupo de navios: *A* m a n o b r a *de aproximação da força naval não foi pressentida.* **7.** *Mar. G.* Conjunto de movimentos de uma força operativa, realizado com o fim de criar uma situação favorável para alcançar um objetivo estratégico. **8.** *Marinh.* Trabalho ou faina de marinharia, como içar ou arriar uma embarcação, arriar um mastaréu, etc. **9.** *Ant. Marinh.* Mareação (em navios à vela). **10.** *Teat.* O conjunto das cordas, roldanas e alavancas destinadas à sustentação e à movimentação dos cenários. **11.** *Teat.* A movimentação desse conjunto. **12.** *Fig.* Trama habilidosa ou ardilosa para alcançar determinado fim; astúcia, artimanha, manha. ~ V. *manobras*. ♦ **Colher à manobra.** *Marinh.* Dispor (cabo) de modo que fique pronto e safo para a manobra seguinte. **Mentir à manobra.** *Marinh. Desus.* Falhar na manobra: *O navio* m e n t i u *à* m a n o b r a *de virar por d'avante.*
manobrabilidade. *S. f.* **1.** Capacidade da aeronave de executar manobras. **2.** Capacidade da formatura aérea de mudar de rumo, altura ou velocidade sem se lhe prejudicarem as características táticas. [Cf. *maneabilidade*.]
manobrar. [Do fr. *manoeuvrer*.] *V. t. d.* **1.** Realizar manobra(s) com; fazer executar movimentos. **2.** Encaminhar ou governar com habilidade; agenciar, dirigir. **3.** Servir-se de artifícios em; praticar com astúcia. **4.** Executar movimentos em, para fazer funcionar; acionar: "O engenheiro m a n o b r a v a a bomba de ar e, sendo somente ele conhecedor daquele segredo, não podia mostrar, ao vivo, como funcionava o tal escafandro." (Nélson de Faria, *Cabeça-Torta*, p. 121.) *Int.* **5.** Realizar exercícios militares. **6.** Realizar qualquer exercício. **7.** Lidar, trabalhar. **8.** Atuar, agir. **9.** Empregar os meios e diligências necessárias para conseguir certo resultado.
manobras. [Pl. de *manobra*.] *S. f. pl.* **1.** Operação militar figurada, realizada no mar, no ar, em terra ou na carta geográfica, para fins de adestramento: *A esquadra está em* m a n o b r a s. **2.** *Marinh.* Cabos com que se orientam as velas em relação ao vento. ~ V. *manobra*.
manobrável. *Adj. 2 g.* Que pode ser manobrado.
manobreiro. *S. m.* **1.** Aquele que faz ou dirige manobras. **2.** Manobrista (1). **3.** *Ant. Mar.* Livro acerca de manobras marinheiras. **4.** *Bras.* Indivíduo incumbido das manobras nas linhas férreas. **5.** *Bras.* Indivíduo incumbido de manobrar veículos automóveis em estacionamentos, garagens, etc.; manobrista.
manobrista. *S. 2 g.* **1.** Pessoa que conhece e pratica bem as manobras das embarcações; manobreiro. **2.** *Bras.* Manobreiro (5).
manoca. [De *mão*[1].] *S. f. Bras., BA.* Molho de cinco a seis folhas de fumo, assim dispostas para a seca.
manocagem. *S. f. Bras., BA.* Operação de manocar o fumo.
manocar. [De *manoca* + *-ar*[2].] *Bras., BA. V. t. d.* **1.** Fazer manocas de (folhas de fumo): "Adiante, num quintal, sob uma ramada, duas velhas m a n o c a m largas e verdes folhas de fumo" (Alberto Rabelo, *Contos do Norte*, p. 119). *Int. Fazer manocas.* [Conjug.: v. *trancar*.]
manocórdio. [De *monocórdio*, com infl. de *mão*.] *S. m. Mús.* V. *manicórdio*.
manojo (ô). [Do esp. *manojo*.] *S. m.* **1.** Molho ou feixe que se pode abarcar com a mão; manolho. **2.** *Bras., RS.* Espécie de novelo que o traçador do laço faz com cada um dos tentos da trança, e que vai desenrolando-se à proporção que for necessário, por efeito duma laçada especial. [Pl.: *manojos* (ô).]
mano-juca. [De *mano*[1] + *Juca*, hipocorístico de *José*.] *S. m. Bras., RS. P. us.* V. *caipira* (1). [Pl.: *manos-jucas*.]
manola (ô). [Do esp. *manola*.] *S. f.* Moça espanhola do povo.
manolho (ô). [Do lat. **manuculu*, por *manipulu*, 'punhado'.] *S. m.* Manojo (1). [Pl.: *monolhos* (ó).]
manométrico. *Adj.* Referente ao manômetro.
manômetro. [De *mano-* + *-metro*.] *S. f. Fís.* Instrumento para medir pressões.
manopé. [Do tupi *mano'pé*.] *S. m. Bras.* Árvore da família das leguminosas (*Parkia discolor*), cujo tronco, curto, está, geralmente, mergulhado na água dos igapós, na Amaz. Folhas amplas, dotadas de pequenos folíolos, muito numerosos; flores congregadas em capítulos violáceo-escuros presos a pedúnculos curtos e pendentes; vagem comprida, lenhosa e deiscente.
manopé-da-praia. *S. m. Bras.* Árvore de grande porte, da família das leguminosas (*Parkia discolor*), da floresta amazônica, cujas flores se agrupam em densas inflorescências capituliformes e cujos legumes são compridos, sendo a madeira de pouco préstimo; jipoúba. [Pl.: *manopés-da-praia*.]
manopla. [Do lat. *manu*, 'mão'.] *S. f.* **1.** Luva de ferro, que fazia parte das antigas armaduras de guerra. **2.** Chicote longo, de cocheiro. **3.** *Fig.* Mão grande e malfeita; manzorra, manápula: "E estendeu a m a n o p l a calejada, triturando, num aperto de mão amigo, minha pobre e delicada mão de citadino." (Nélson de Faria, *Tiziu e Outras Estórias*, p. 89.)
manoseado. [Part. de *manosear*.] *Adj. Bras., RS.* Amansiado. [Cf. *manuseado*, do v. *manusear*.]
manoseador (ô). [Do esp. plat. *manoseador*.] *S. m. Bras., RS.* Amansiador.
manosear. [Do esp. plat. *manosear*.] *V. t. d. Bras., RS.* Amansiar. [Conjug.: v. *frear*. Pres. ind.: *manoseio*, etc. Cf. *manuseio*, do v. *manusear*, este verbo, e *manuseio*, s. m.]
manoseio. [Do esp. plat. *manoseo*.] *S. m. Bras., RS.* Ato de manosear; domesticação, doma. [Cf. *manuseio*, do v. *manusear* e s. m.]
manossolfa. [De *mano*[2] + *solfa*.] *S. f. Mús.* Sistema de orientar o solfejo pelas diversas disposições dos dedos e das mãos.
manóstato. [De *mano-* + *-stato*.] *S. m.* Sistema graças ao qual a pressão é mantida constante; pressóstato.
manotaço. [Do esp. plat. *manotazo*.] *S. m. Bras., RS.* **1.** Pancada que o cavalo dá com uma das patas dianteiras, ou com as duas, quando perseguido ou tolhido; manoteio. **2.** Pancada que uma pessoa dá com a mão.
manoteador (ô). [Do esp. plat. *manoteador*.] *Adj. Bras., RS.* **1.** Diz-se do cavalo que tem o sestro de manotear. **2.** Diz-se de quem costuma dar manotaços.
manotear. [Do esp. plat. *manotear*.] *V. t. d.* e *int. Bras., RS.* **1.** Dar manotaços (o cavalo). **2.** Pegar um objeto súbita e rapidamente. [Conj.: v. *frear*.]
manoteio. [Dev. de *manotear*.] *S. m. Bras., RS.* Manotaço (1).
manotudo. [Do esp. plat. *manota*, 'mão grande', + *-udo*.] *Adj. Bras., SP. Pop.* De mãos grandes. [Cf. *mãozudo*.]
manquecer. [De *manco* + *-ecer*.] *V. int.* Ficar ou tornar-se manco. [Conjug.: v. *aquecer*.]
manqueira. *S. f.* **1.** Defeito de ser manco. **2.** Ato de manquejar; coxeadura, rengueira. **3.** *Fig.* Defeito usual; falta, vício, senão. **4.** *Bras.* Carbúnculo sintomático, epizootia dos bovinos e cavalares que os faz andarem mancos. **5.** *Bras., BA* e *MG.* Na região do médio São Francisco, dança popular de compasso binário, executada por um conjunto de sanfona, violão, reco-reco, pandeiro e ganzá, cujo passo é mancado e acentuado no segundo tempo de cada compasso, com desenvolvimento melódico de andamento vagaroso.
manquejante. *Adj. 2 g.* Que manqueja.
manquejar. [De *manco* + *-ejar*.] *V. int.* **1.** V. *coxear* (1). **2.** *Fig.* Ser defeituoso; claudicar: *O raciocínio do filósofo* m a n q u e j a *em muitos pontos.* **3.** Andar pouco ou lentamente (uma embarcação). *T. i.* **4.** Ter faltas; fraquejar, claudicar. **5.** Faltar, carecer. [Conjug.: . v. *pelejar*.]
manquetear. [De *manco*.] *V. int. Bras.* V. *coxear* (1). [Conjug.: v. *frear*.]
manquiçapá. *S. m. Zool.* Macaco do gênero Ateles (*Ateles variegatus*); coatá-branco.
manquitar. [De *manco*.] *V. int. Bras., S.* V. *coxear* (1).
manquitó. [De *manco*.] *Adj.* e *s. m. Pop.* V. *coxo* (1 e 4).
manquitola. [F. *paragógica de manquitó*.] *Adj.* e *s. m. Bras. pop.*, e *ant.* V. *coxo* (1 e 4).
manquitolar. [De *manquitola* + *-ar*[2].] *V. int. Bras. Pop.* V. *coxear* (1): "Atrás deles, caxingando, perrengue, Toniquinho da Samambaia .... Toniquinho m a n q u i t o l a v a, fazendo força para acompanhar os dois." (Nélson de Faria, *Tiziu e Outras Estórias*, p. 55.)

mansão. [Do lat. *mansione.*] *S. f.* **1.** Residência de grandes dimensões e luxo requintado. **2.** Habitação, morada, domicílio. **3.** *Teat.* Nas representações simultâneas do teatro medieval, cada um dos diferentes cenários que eram construídos sobre palcos longitudinais, nos pavimentos dos palcos superpostos, ou ao longo das ruas e praças das cidades. [Cf., nesta acepç., *estação* (16).]

mansarda. [Do fr. *mansarde.*] *S. f.* **1.** Arquit. Telhado formado por águas [v. *água* (12)] quebradas, com duas inclinações, sendo a inclinação inferior quase vertical e a superior quase horizontal. **2.** *Arquit.* O último andar de uma edificação, formado pela inclinação inferior do telhado em mansarda (1). **3.** Morada miserável.

mansarrão. *Adj.* e *s. m.* Que ou aquele que é muito manso e sossegado, que tem muita pachorra. [Fem.: *mansarrona.*]

mansarrona. *Adj. (f.)* e *s. f.* Fem. de *mansarrão.*

mansidão. *S. f.* **1.** Qualidade ou estado de manso. **2.** Índole ou procedimento pacífico de quem é manso; brandura: "Viveu seus anos com mansidão e justiça, humildade e firmeza, amor e comiseração." (Osmã Lins, *Nove, Novena*, p. 137.) **3.** Serenidade, tranqüilidade, calma: "o corpo lirial de Mecênia ia boiando, boiando na mansidão das vagas" (Virgílio Várzea, *Nas Ondas*, p. 187). [Sin. ger.: *mansuetude.*]

mansinho. [Dim. de *manso.*] *Adv.* V. *de manso* (1 e 2): "A gente estava .... sentado no terreiro, olhando a lua, e o bacurau vinha vindo, pula daqui, pula dali, mansinho." (Coelho Neto, *Banzo*, p. 24.) ♦ **De mansinho.** V. *de manso* (1 e 2): "A madrugada veio vindo, de mansinho, de mansinho, no bico dos sabiás." (Francisco Julião, *Cachaça*, p. 86.)

manso. [Do lat. vulg. *mansu*, der. regress. de *mansuetu*, 'domesticado'.] *Adj.* **1.** De gênio brando, ou índole pacífica; bondoso, pacato: *rapaz manso.* **2.** Sereno, sossegado, tranqüilo, quieto: *águas mansas.* **3.** Domesticado, amansado: *cavalo manso* **4.** Não silvestre; cultivado: *pinheiro manso.* ~V. *almoço — e sorró —.* ● *S. m.* **5.** *Bras.* Trecho de rio em que as águas parecem paradas. [Sin., no AM : *dia.*] **6.** *Bras., AM* e *PA.* Seringueiro prático, ou pessoa afeita aos costumes da terra. ● *Adv.* **7.** V. *de manso* (1): "E a guiga vogando manso, sem ruído" (Fialho d'Almeida, *A Cidade do Vício*. p. 38). ♦ **Manso e manso.** V. *de manso* (1): "a manhã que apenas se erguia do leito de marfim, se espreguiçava e estendia manso e manso por toda a amplidão dos horizontes cor de pérola" (João Francisco Lisboa, *Obras*, IV, p. 555). **Manso de baixo.** *Bras., RS.* Diz-se do cavalo que, embora manso, não se deixa montar. **De manso. 1.** Devagar, calmamente, manso, mansamente, manso e manso; de leve; mansinho, de mansinho; no manso: "A louca, muito de mansm, num passo receoso, ... abeirou-se do filho." (Camilo Castelo Branco, *Vulcões de Lama*, p. 271. **2.** À socapa; sorrateiramente; mansinho, de mansinho: *Fugiu de manso.* **No manso.** *Bras. Pop.* V. *de manso* (1).

mansuetário. [Do lat. *mansuetariu.*] *S. m.* Entre os antigos romanos, domador de animais.

mansuetude. [Do lat. *mansuetudine.*] *S. f.* Mansidão: "possuía .... uma tal expressão de mansuetude e bondade que prendia a quem a via pela primeira vez" (Virgílio Várzea, *Histórias Rústicas*, p. 90).

manta. [De *manto.*] *S. f.* **1.** Grande pano de lã, do feitio de um cobertor, e que serve para agasalhar: "vivia embrulhado em uma manta de lã, por cima do sobretudo" (Aluísio Azevedo, *Casa de Pensão*, p. 104). **2.** Lenço grande usado como xale, para agasalhar a cabeça e os ombros. **3.** Tira de seda, de lã ou de outro tecido, com que se forma laço ao pescoço, servindo de gravata. **4.** Xairel grosso, ou sobreanca, de lã. **5.** Rego para plantação de bacelo. **6.** Camada de folhas caídas, ainda não decompostas, em uma floresta ou mata; camada humífera, folhada, rapão, sarapueira, sarapieira. **7.** Cardume, bando: *manta de sardinhas.* **8.** *Grav.* Feltro que se mete na prensa de talho-doce, juntamente com a placa e o papel, para auxiliar a penetração deste nos entalhes. **9.** *Bras. N.E.*, e *prov. lus.* Gravata (das mais comuns, não as gravatas-borboletas): "Trazia uma gravata — ele dizia manta — estofada que nem o assento duma poltrona antiga." (João de Araújo Correia, *Sem Método*, p. 27.) **10.** *Bras.* Grande pedaço de carne ou de peixe, curado pela exposição ao sol: "mostrava o vinho engarrafado em casa, as mantas de carne-seca ressumbrando sal" (Aluísio Azevedo, Casa de Pensão, p. 103). **11.** *Bras.* V. *logro* (2). **12.** *Bras.* Prejuízo em negócio. **13.** *Bras., S.* Porção de carne de rês, das costelas ou do peito. ♦ **Manta de toicinho.** Toicinho da metade de um porco. **Pintar a manta.** V. *pintar o sete*: "Como é que um cidadão goiano nascido tão longe .... foi fazer o diabo e pintar a manta no Rio de Prata, ... é o que custa crer." (Visconde de Taunay, *Ao Entardecer*, pp. 81-82.) **Tomar uma manta.** *Bras., SP. Pop.* Ser ludibriado em compra ou em troca, adquirindo o mau como bom.

mantar. [De *manta* (5) + *-ar*[2].] *V. t. d.* Cavar (a terra) em mantas para plantar bacelo. [Pres. subj.: *mante, mantes, ... manteis, mantem.* Cf. *mantéis*, pl. de *mantel* e s. m. pl., e *mantém*, do v. *manter* e s. m.]

▲-mante. [Do gr. *mantís, eos.*] *El. comp.* = 'que adivinha', 'profeta': *actinomante, cartomante.*

mantear. *V. t. d.* **1.** Colocar (alguém) sobre uma manta segura pelas quatro pontas, e fazê-lo saltar ao ar, sacudindo a manta com força. **2.** *Fig.* Importunar, arreliar, cacetear, chatear. **3.** *Bras.* Enganar dolosamente; trapacear. **4.** *Bras., S.* Cortar em mantas (a rês); retalhar. **5.** *Taur.* Incitar ou chamar (o touro) com a capa ou manta. *Int.* **6.** Cavar a terra, fazendo manta. [Conjug.: v. *frear.*]

mantearia. *S. f.* **1.** Ofício de manteeiro. **2.** Casa onde se guarda quanto pertence à mesa real. **3.** O conjunto dos mantéis.

mantedor (ô). [De *manter* + *-(d)or.*] *Adj.* e *s. m.* V. *mantenedor* (1 a 3).

manteeiro. [De *mantel* + *-eiro*, com síncope do *l.*] *S. m.* Funcionário a quem competia a guarda dos mantéis da casa real.

manteiga. *S. f.* **1.** Substância gorda e alimentícia, que se extrai da nata do leite. **2.** Substância gordurosa dalgumas plantas. **3.** Designação comum, outrora, a alguns cloretos metálicos. **4.** Variedade de feijão. **5.** *Pop.* Adulação, bajulação, lisonja. **6.** *Bras., AM.* Qualquer óleo vegetal ou animal. **7.** *Bras. Gír.* Vantagem concedida por um compelidor; lambujem. ♦ **Manteiga de açaí.** *Bras.* Massa, mais ou menos oleosa, que fica depositada na água onde escaldam e trituram o açaí (2), para o refresco. **Manteiga de cacau.** *Bras.* Substância sólida, pouco consistente, branco-amarelada, obtida pela expressão das sementes do cacaueiro, e usada em confeitaria e em farmácia. **Manteiga derretida.** *Fam.* Pessoa que chora ou se melindra à toa. **Manteiga de tartaruga.** *Bras.* Substância oleosa que se prepara com as gemas dos ovos da tartaruga. **Manteiga em focinho de cachorro.** *Bras., N.E. Pop.* V. *manteiga em venta de gato.* **Manteiga em focinho de gato.** V. *manteiga em venta de gato.* **Manteiga em venta de gato.** *Bras., N.E. Pop.* Coisa que não dura, que cedo se gasta, ou sem firmeza; manteiga em focinho de gato, manteiga em focinho de cachorro. **Manteiga vegetal.** Manteiga fabricada com óleo de coco babaçu. **Boa para cortar manteiga.** *Fam. Irôn.* Diz-se de faca sem fio. **Passar manteiga em focinho de cachorro.** *Bras., N.E. Pop.* Passar manteiga em venta de gato. **Passar manteiga em focinho de gato.** *Bras., N.E. Pop.* Passar manteiga em venta de gato. **Passar manteiga em venta de gato.** *Bras., N.E. Pop.* **1.** Dar conselhos ou fazer o bem a quem não sabe ouvir ou agradecer. **2.** Fazer qualquer coisa debalde; perder o tempo. [Sin. ger.: *passar manteiga em focinho de gato, passar manteiga em focinho de cachorro.*]

manteigaria. *S. f.* Local onde se fabrica e/ou vende manteiga.

manteigoso (ô). *Adj.* **1.** Que tem muita manteiga. **2.** Que tem o sabor de manteiga. **3.** Untuoso, gordurento. [Sin. ger.: *manteiguento.*]

manteigueira. *S. f.* Recipiente em que se serve, à mesa, a manteiga.

manteigueiro. *S. m.* **1.** Fabricante e/ou vendedor de manteiga. ● *Adj.* **2.** Que gosta muito de manteiga. ~ V. *papel —.*

manteiguento. *Adj.* Manteigoso [q. v.].

manteiro. *S. m.* Fabricante e/ou vendedor de mantas.

mantéis. [Pl. de *mantel.*] *S. m. pl. Ant.* Roupas e pertences de mesa. [Cf. *manteis*, do v. *mantar.*] ~ V. *mantel.*

mantel. [Do lat. *mantele.*] *S. m.* **1.** Toalha de altar ou de mesa. **2.** Capa[1] (1). ~ V. *mantéis.* [Pl.: *mantéis* Cf. *manteis*, do v. *mantar*, e *mantéu*[1].]

mantelado. [De *manteler* + *-ado*, com síncope.] *Adj. Heráld.* Que tem manteler.

mantelão. [De *mantelete* + *-ão*[1], com síncope.] *S. m.* Mantelete (1) grande, usado por monsenhores.

manteler. *S. m. Heráld.* Figura constituída por duas linhas curvas, com as extremidades voltadas para os dois lados inferiores do escudo, formando dois meios escudos.

mantelete (ê). [Do fr. *mantelet.*] *S. m.* **1.** Vestidura curta, usada por dignitários eclesiásticos sobre o roquete. **2.** Pequena capa, leve e com rendas, para senhora: "uma ou duas dúzias de vestidos todos de cetim ou de veludo, ... decotados ou subidos, com os seus .... manteletes respectivos" (Ramalho Ortigão, *As Farpas*, V. p. 177). **3.** Capa curta com que os antigos cavaleiros cobriam o escudo e o capacete. **4.** *Fort. Ant.* Parapeito ou abrigo ligeiro, às vezes providos de rodas, para proteção das tropas que cercavam uma praça.

mantém. [Var. de *mantel.*] *S. m.* Toalha de mesa; mantel. [Cf. *mantem*, do v. *mantar.*]

mantena. *Adj. 2 g.* **1.** Bras., GO. Bom; ótimo. **2.** *Bras., SP.* Personagem que desempenha o papel do rei dos cristãos e dos mouros, nas cavalhadas da cidade de Franca.

mantença. [Do lat. vulg. **manutenentia.*] *S. f.* **1.** Aquilo que mantém ou sustenta; sustento, alimento, mantimento. **2.** Despesas feitas com a conservação dalguma coisa; manutenção, custeio, mantimento.

mantenedor (ô). [Do esp. *mantenedor.*] *Adj.* **1.** Que mantém, sustenta, protege ou defende. ● *S. m.* **2.** Aquele que mantém ou sustenta. **3.** Defensor, campeão. [Sin., nestas acepç: *mantedor.*] **4.** *Ant.* O cavaleiro principal, nos torneios.

mantenense. *Adj. 2 g.* **1.** De, ou pertencente ou relativo a Mantena (MG). ● *S. 2 g.* **2.** Natural ou habitante de Mantena.

mantenopolitano. *Adj.* **1.** De, ou pertencente ou relativo a Mantenópolis (ES). ● *S. m.* **2.** O natural ou habitante de Mantenópolis.

manter. [Do lat. *manutenere*, 'ter na mão'.] *V. t. d.* **1.** Prover do necessário à subsistência; sustentar: *manter uma família.* **2.** Observar, cumprir: *Manteve a palavra até o fim.* **3.** Conservar, sustentar: *Apesar de tudo, mantinha seu ponto de vista.* **4.** Defender, respeitar: *Nas piores situações, manteve os seus princípios.* **5.** Sustentar em determinada posição ou no gozo de algum direito: *O Presidente manteve o seu ministro.* **6.** Fazer permanecer em algum lugar: *Seus interesses mantinham-no fora do país. P.* **7.** Alimentar-se, sustentar-se. **8.** Conservar-se, permanecer: "A situação política em Portugal mantém-se instável, e a outorga da Carta Constitucional por D. Pedro IV, em 1826, estabelece o liberalismo" (Feliciano Ramos, *História da Literatura Portuguesa*, p. 441). **9.** Resistir com êxito. [Irreg. Conjug.: v. *ter.* Pres. ind.: *mantenho, manténs, mantém*, etc. Cf. *mantem*, do v. *mantar.*]

mantéu[1]. [Var. de *mantel*, com vocalização.] *S. m.* **1.** Capa com colarinho, usada geralmente por frades: "Cada pobre, sob o abrigo da sua telha-vã, ... se agacha no seu mantéu ao calor da lareira." (Eça de Queirós, *A Cidade e as Serras*, p. 164). **2.** Colarinho encanudado, ou com abas pendentes. **3.** Saia lisa, sem pregas.

mantéu[2]. [Do gr. *manteion, ou*, 'residência do adivinho', pelo lat. *manteu.*] *S. m.* Entre os antigos, local onde se pronunciavam oráculos.

manteúdo. [Part. de *manter*, com a desin. arc. *-udo.*] *Adj.* **1.** Mantido, sustentado: *concubina teúda e manteúda.* **2.** *Bras.* Diz-se do cavalo ou boi robusto e que se mantém assim, apesar do trabalho ou da idade: "já montado — no Cabiúna manteúdo, animal fino, de frente alçada e pescoço leve" (João Guimarães Rosa, *Sagarana*, p. 11).

mântica. [Do lat. *mantica.*] *S. f.* Pequeno saco; alforje, bornal.

manticostumes. [De *manter* + *costume*[1], possivelmente.] *S. m.* Aquilo que mantém, que conserva os costumes ou as tradições.

mântida. *Adj. 2 g.* e *s. m.* V. *mantódeo.*

mântidas. *S. m. pl. Desus. Zool.* V. *mantódeos.*

mantídeo. *Adj.* e *s. m.* V. *mantódeo.*

mantídeos. *S. m. pl. Zool.* V. *mantódeos.*

mantilha. [Do esp. *mantilla.*] *S. f.* **1.** Manta para a proteção dos ombros e da cabeça. **2.** Véu fino de seda, rendas, etc., com que as mulheres adornam a cabeça e os ombros: "Arrumavam, as mulheres de então, suas cabeleiras .... com inúmeros grampos, flores, marrafas, alfinetes, cobrindo-as com mantilhas rendadas ou de gaze." (Osmã Lins, *Nove, Novena*, p. 23.) **3.** *P. ext.* Véu, cendal. [Cf. *matilha.*]

mantimento. [Do arc. **manteimento* < *mantiimento.*] *S. m.* **1.** Ato de manter(-se): "nunca aceitava dinheiro; quando muito pequenas oferendas para o seu vestuário e mantimento" (Domingos Monteiro, *Contos do Natal*, p. 46). **2.** V. *mantença* (1). **3.** V. *mantença* (2). **4.** Alimento do espírito; satisfação, regalo. ~ V. *mantimentos.*

mantimentos. [Pl. de *mantimento.*] *S. m. pl.* V. *víveres.* ~ V. *mantimento.*

mantinha. [Dim. de *manta* (10).] *S. f. Bras., BA. Folcl.*

Bife grelhado, muito fino e despojado de gordura.

mantissa. [Do lat. *mantissa*, 'o excedente do peso, a quebra'.] *S. f. Mat.* A parte decimal de um logaritmo. [Cf. *característica* (2).]

manto. [Do lat. *mantu.*] *S. m.* **1.** Vestidura larga, comprida e sem mangas, usada para abrigo da cabeça e do tronco. **2.** Capa de cauda e roda que se prende nos ombros: *manto real*. **3.** Hábito de certas freiras. **4.** *Fig.* Aquilo que encobre alguma coisa; véu, disfarce, capa: *o manto da hipocrisia*. **5.** Aquilo que cobre ou se estende: *o manto de verdura dos campos*. **6.** Escuridão, trevas: *o manto da noite*. **7.** *Zool.* Prega do corpo dos moluscos, responsável pela formação da concha. **8.** *Geol.* Camada do globo terrestre situada entre a descontinuidade de Mohorovicic e a de Gutenberg, e que se costuma subdividir em *manto superior*, constituído provavelmente de silicatos compactos, como a olivina, e *manto inferior*, formado, presumivelmente, de sulfetos e óxidos. ♦ **Manto de decomposição.** *Geol.* Manto de intemperismo. **Manto de intemperismo.** *Geol.* Material superficial que sofreu intemperismo e que recobre a rocha fresca, e cuja espessura varia de alguns centímetros a dezenas de metros. [Sin.: *manto de decomposição*. Cf. *regolito*.] **Manto inferior.** *Geol.* V. *manto* (8). **Manto superior.** *Geol.* V. *manto* (8).

mantô. [Do fr. *manteau.*] *S. m.* **1.** Vestimenta semelhante ao manto (1) que as mulheres usam por cima de outro vestuário. **2.** V. *casacão*.

mantódeo. *S. m.* **1.** Espécime dos mantódeos. ● *Adj.* **2.** Pertencente ou relativo a eles. [Sin. ger.: *ootecário, mantóideo, mantídeo.*]

mantódeos. *S. m. pl. Zool.* Animais artrópodes, da classe dos insetos, ortópteros, da subordem ou ordem *Mantodea*, de corpo de tamanho médio ou grande, protórax longo, cabeça livre, pernas anteriores muito alongadas, fêmures e tíbias fortemente espinhosos, adaptados para segurar a presa. Põem ovos em grandes ootecas. São predadores, conhecidos pelo nome popular de *louva-a-deus*. [Sin.: *ootecários, mantóideos, mantídeos.*]

manto-do-diabo. *S. m. Bras.* Espécie de lírio silvestre. [Pl.: *mantos-do-diabo.*]

mantóideo. *S. m.* e *adj.* V. *mantódeo*.

mantóideos. *S. m. pl. Zool.* V. *mantódeos*.

mantopaque. *S. m. Bras.* V. *barbado*[1] (6).

mantra. [Do sânscr. *mantra*, 'instrumento para conduzir o pensamento'.] *S. m. Filos.* No tantrismo, fórmula encantatória que tem o poder de materializar a divindade invocada.

mantuano. [Do lat. *mantuanu.*] *Adj.* **1.** De, ou pertencente ou relativo a Mântua (Itália). ● *S. m.* **2.** O natural ou habitante de Mântua.

mantuca. [Do ioruba.] *S. f. Bras.* Feitiço de excremento de animais, usado na magia negra.

▲**manu-.** V. *mani-*[2].

manual. [Do lat. *manuale.*] *Adj. 2 g.* **1.** Relativo a mão: *habilidade manual*. **2.** Feito com as mãos: *trabalho manual*. **3.** Que é manobrado ou acionado com as mãos: *máquina manual*. **4.** Maneiro (1). ~ V. *abecedário —, alfabeto —, câmbio —, composição —, margeação —, prelo —* e *terraplenagem —*. ● *S. m.* **5.** Pequeno livro. **6.** Livro que contém noções essenciais acerca de uma ciência, de uma técnica, etc.; compêndio, epítome: *manual de geografia*. **7.** Livro de ritos e rezas; breviário. **8.** *Mús.* Teclado de órgão. [Cf., nesta acepç. *pedaleira.*]

manuário. [De *manu-* + *-ário.*] *Adj.* e *s. m. Tip.* Diz-se de, ou tipo de ostensão de estilo gótico ou de outro, sem ligaturas, em que predominam as características do desenho à mão livre. [V. *tipo gótico*. Cf. *escritural.*]

manubial. [Do lat. *manubiale.*] *Adj. 2 g.* Relativo aos despojos do inimigo.

manúbrio. [Do lat. *manubriu.*] *S. m.* **1.** *Anat.* Parte superior, ou punho, do esterno. **2.** *Zool.* Tubo central que principia na parte interna da umbela, nas medusas, e apresenta na extremidade livre a boca, seguida de um canal esofagiano que se abre nos canais radiais da umbela. **3.** *Ant.* Manípulo (6): *o manúbrio da adaga*.

manudução. [De *manu-* + lat. *ductione*, 'ação de conduzir'.] *S. f.* Ato de guiar pela mão.

manuê. *S. m. Bras.* Var. de *manauê*: "o mucunzá ...., a coalhada escorrida e os fofos manuês assados em folha de bananeira!..." (Domingos Olímpio, *Luzia-Homem*, p. 66).

manuel-de-abreu. [Var. de *manuel-de-breu* antr. *Manuel* + *de* + *breu.*] *S. m. Bras.* V. *abreu* (2). [Pl.: *manuéis-de-abreu.*]

manuel-de-barro. [Do antr. *Manuel* + *de* + *barro.*] *S. m. Bras., N.E.* Pássaro da família dos furnarídeos (*Furnarius figulus* Licht.) [Pl.: *manuéis-de-barro.*]

manuel-de-breu. *S. m. Bras.* V. *manuel-de-abreu*. [Pl.: *manuéis-de-breu.*]

manuelino. [Do antr. *Manuel* + *-ino*[1].] *Adj.* **1.** De, ou pertencente ou relativo a D. Manuel I, rei de Portugal (1469-1521), ou à sua época. **2.** De estilo manuelino [q. v.]: "Nós florões manuelinos da janela / Papeiam aves" (Gonçalves Crespo, *Obras Completas*, p. 310). ~ V. *estilo —*. ● *S. m.* **3.** Estilo manuelino.

manuel-magro. [Do antr. *Manuel* + *magro.*] *S. m. Bras.* V. *bicho-pau* (1). [Pl.: *manuéis-magros.*]

manuel-ribense. *Adj. 2 g.* **1.** De, ou pertencente ou relativo a Manuel Ribas (PR). ● *S. 2 g.* **2.** Natural ou habitante de Manuel Ribas. [Pl.: *manuel-ribenses.*]

manuel-vaqueiro. [Do antr. *Manuel* + *vaqueiro.*] *S. m. Bras., PB.* Pequeno passarinho da família dos furnarídeos (*Certhiaxis cinnamomea cearensis* (Cory)). [Pl.: *manuéis-vaqueiros.*]

manufato. [Do lat. *manufactu*, 'feito à mão', 'fabricado'.] *S. m. P. us.* Manufatura; artefato.

manufator (ô). [De *manu-* + lat. *factore*, 'o que faz, fator'.] *S. m.* **1.** Aquele que manufatura. **2.** Proprietário de indústria manufatureira; fabricante. ● *Adj.* **3.** Referente a manufatura; manufatureiro.

manufatura. [De *manu-* + o lat. *factura*, 'feitura'.] *S. f.* **1.** Trabalho manual. **2.** Obra feita à mão. **3.** Grande estabelecimento industrial; fábrica, indústria: *manufatura têxtil*. **4.** Produto de estabelecimento dessa espécie; artefato.

manufaturação. *S. f.* Ato ou efeito de manufaturar.

manufaturado. [Part. de *manufaturar.*] *Adj.* **1.** Resultante de manufatura (1), ou fabricado em manufatura (3): *produtos manufaturados*. ● *S. m.* **2.** Produto manufaturado.

manufaturador (ô). *Adj.* e *s. m.* Que ou aquele que manufatura.

manufaturar. [De *manufatura* + *-ar*[2].] *V. t. d.* **1.** Produzir com trabalho manual; fazer: *manufaturar utensílios de couro*. **2.** Fabricar ou produzir em manufatura (2); fabricar.

manufaturável. *Adj. 2 g.* Que se pode manufaturar.

manufatureiro. *Adj.* Respeitante a manufatura; manufator.

manuleio. [De *mão*[1]?] *S. m. Bras., C. O. Pop.* Conchavo político.

➡**manu militari** (mánu militári). [Lat.] *Dir.* Por força militar; recorrendo à força militar; coercitivamente.

manumissão. [Do lat. *manumissione.*] *S. f.* Ato ou efeito de manumitir; alforria, libertação: "Àqueles a quem o berço fizera escravos restava a esperança de obterem da generosidade de seus senhores uma liberdade mais ou menos completa. Eram as manumissões de duas espécies: uma absoluta, condicional outra." (Alexandre Herculano, *História de Portugal*, III, p. 262.)

manumisso. [Do lat. *manumissu.*] *Adj.* e *s. m.* Diz-se de, ou escravo que teve manumissão ou alforria; liberto.

manumissor (ô). [Do lat. *manumissore.*] *S. m.* Aquele que deu alforria, que manumitiu.

manumitente. [Do lat. *manumittente.*] *Adj. 2 g.* Que manumite ou manumitiu.

manumitir. [Do lat. *manumittere.*] *V. t. d.* Dar alforria a; libertar, resgatar, alforriar.

manuscrever. [De *manu-* + lat. *scribere*, 'escrever'.] *V. t. d.* Escrever à mão: "Molho a pena na tinta e quero apenas / manuscrever teu nome na entrelinha." (Gilberto Mendonça Teles, *Plural de Nuvens*, p. 36.) [Part., irreg.: *manuscrito.*]

manuscrito. [Do lat. *manu scriptu*, 'escrito à mão'.] *S. m.* **1.** Aquilo que se escreveu à mão. **2.** Tip. Designação corrente do tipo escritural. **3.** *Edit.* Original (10) de texto, mesmo que mecanografado. ● *Adj.* **4.** Escrito à mão. **5.** *Tip.* Diz-se de manuscrito (2).

manusdei. [Do lat. *manus Dei*, 'mão de Deus'.] *S. m. Farmac.* Antigo emplastro vulnerário.

manuseação. *S. f.* V. *manuseio*.

manuseado. [Part. de *manusear.*] *Adj.* Que foi objeto de manuseio.

manuseamento. *S. m.* V. *manuseio*.

manusear. [Do lat. *manus*, 'mão', + *-ear.*] *V. t. d.* **1.** Pegar ou mover com a mão; manejar: *manusear a espada*. **2.** Folhear, compulsar: "Nem à Academia de Letras .... quis Machado de Assis legar a sua biblioteca, porque mãos alheias não deviam manusear livros lidos e relidos por Carolina" (Lúcia Miguel Pereira, *Machado de Assis*, p. 261). **3.** Amarrotar, enxovalhar. [Conjug.: v. *frear*. Pres. ind.: *manuseio*, etc. Part.: *manuseado*. Cf. *manoseio, manoseado* e *manosear.*]

manuseável. *Adj. 2 g.* Que pode ser manuseado.

manuseio. [Dev. de *manusear.*] *S. m.* Ato de manusear; manuseação, manuseamento. [Cf. *manoseio*, do v. *manosear* e s. m.]

manustérgio. *S. m.* V. *manutérgio*.

manutenção. [Do lat. medieval *manutentione*, 'ação de segurar com a mão'.] *S. f.* **1.** Ato ou efeito de manter (-se). **2.** As medidas necessárias para a conservação ou a permanência de alguma coisa ou de uma situação: *manutenção da ordem*. **3.** V. *mantença* (2): *Todos na família contribuem para a manutenção da casa*. **4.** Os cuidados técnicos indispensáveis ao funcionamento regular e permanente de motores e máquinas: *manutenção de elevadores*.

manutenir. [Der. regress. de *manutenível* (q. v.).] *V. t. d.* **1.** *Bras. Jur.* Conceder mandado de manutenção a. **2.** Manter, conservar. **3.** Manter-se, sustentar-se. [Defect., só conjugável nas formas em que ao segundo *n* se segue um i: *manutenimos, manutenis, manutenia, manutenirei*, etc.]

manutenível. [Da loc. lat. *manu tenere*, 'segurar com a mão' + *-ível.*] *Adj. 2 g.* Que se pode manter ou manutenir.

manutérgio. [Do lat. *manutergiu.*] *S. m.* Toalha com que o sacerdote enxuga as mãos depois de lavá-las, durante a missa. [Var.: *manistérgio* e *manustérgio*. Sin., ant.: *tersol.*]

manzanza. *Adj. 2 g.* e *s. 2 g. Bras.* Mazanza.

manzanzar. *V. int. Bras.* Mazanzar [q. v.].

manzape. *S. m.* **1.** *Bras., N.* Bolo de milho ou de farinha de mandioca. **2.** *Bras., N.* Bolo malfeito. **3.** *Bras., N.E.* Pau ou chicote com que se castiga alguém. **4.** *Bras., N.E.* *Chulo.* O pênis.

manzorra (ô). [Aum. de *mão*[1].] *S. f.* V. *manopla* (3).

manzuá. *S. m. Bras.* Armadilha enredada para pescar lagosta.

mão[1]. [Do lat. *manu.*] *S. f.* **1.** *Anat.* Segmento terminal de cada membro superior, que se segue ao punho, dotado de grande mobilidade e apurada sensibilidade, e que se destina, sobretudo, à preensão e ao exercício do tato. [Sin., gír.: *patola*. **2.** Cada uma das extremidades dos membros superiores dos quadrúmanos e anteriores dos quadrúpedes. **3.** Extremidade, depois de cortada, de qualquer membro das reses. **4.** Garra de algumas aves. [Aum. irreg. (principalmente da *mão*[1] (1): *manzorra* ou *mãozorra, manopla, manápula*; dim. irreg.: *manita.*] **5.** Poder, posse, domínio. **6.** Domínio, mando, autoridade; controle: *O governo passara às mãos dos republicanos*. **7.** Supervisão, orientação: *A obra passara pelas mãos de pessoa capaz*. **8.** Habilidade, destreza: *Fez o trabalho com mão de mestre*. **9.** Maneira peculiar de agir, ação ou influência de alguém, revelada por certo(s) indício(s); dedo: *Via-se na arrumação dos livros a mão da bibliotecária capaz; Em toda essa intrigalhada anda a mão do Alberto*. **10.** Lado, direção ou posição indicada por cada uma das mãos: "está sentado [Nosso Senhor Jesus Cristo] à mão direita de Deus Padre" (do Credo). **11.** Pequeno feixe ou porção de coisas que se abrange ou apreende com a mão: *duas mãos de vagens*. **12.** Camada de cal, verniz, tinta, etc., sobre uma superfície; demão. **13.** V. *gavinha*. **14.** Carda miúda e aparelhada com que se penteiam os panos. **15.** Peça com que se pisa qualquer coisa no almofariz ou no pilão. **16.** Ponteiro de relógio. **17.** Lanço completo de jogo de cartas. **18.** No jogo de cartas, o parceiro que joga em primeiro lugar. **19.** *Marinh.* Arremate em forma de alça, feito no chicote de um cabo para prendê-lo num cabeço, tope de mastro, haste, moitão, etc. **20.** *Constr. Nav.* Peça fixa, em forma de olhal, que abraça o turco próximo ao seu pé, e dentro da qual pode ele girar. **21.** *Mús.* Extremidade livre do braço das guitarras e instrumentos congêneres, onde se encontra um mecanismo de tarraxas e parafusos, destinados a retesar as cordas. **22.** *Pap.* Quantidade de papel igual a cinco cadernos, ou 25 folhas, ou à 25ª parte de uma resma. **23.** *Bras.* Numa rua ou estrada, o sentido em que o veículo deve transitar; mão de direção: *Esta rua dá mão para a praia*. [Cf., nesta acepç., *contramão.*] **24.** *Bras. P. ext.* Nas ruas ou estradas de mão dupla, o lado que se convencionou o uso da mão (23): *Na grande maioria dos países adota-se a mão à direita*. [Cf., nesta acepç., *mão dupla, mão única* e *contramão.*] **25.** *Bras., N.E.* Alavanca de madeira que se introduz nos alvéolos transversais do fuso do arrocho [v. *arrocho* (4)], e com a qual se imprime a esse fuso o movimento rotativo. **26.** *Bras.* Medida usada pelos sertanejos para venda do milho não debulhado, e que consta de 50 espigas em PE, de 25 em AL, de 60 em SP, de 64 no RS. **27.** *Bras. Basq.* Cestinha (1 e 2). ~ V. *sonda de mão*. ♦ **Mão de direção.** Mão (23). **Mão de ferro.** Potência tirânica; tirania, despotismo, opressão. **Mão de frade.** Mão macia, de quem não se dá a tarefas pesadas. **Mão de gengibre.** *Bras., CE. Pop.* Mão engelhada ou mirrada. **Mão de linho.** Doze estrigas juntas. **Mão de macaco.** *Med.* Mão (1) em que se observa atrofia da musculatura do tênar, e que ocorre em algumas doenças da medula espinhal; mão simiesca. **Mão de parteiro.** *Med.* Mão (1) que apresenta contração tetânica, estando o polegar em adução forçada e os outros dedos semifletidos sobre a palma. **Mão dupla.** *Bras.* Mão (23) nos dois sentidos: *Você poderá entrar de qualquer lado nesta rua, pois é de mão dupla.* **Mão na roda.** *Bras.* Ajuda propícia; auxílio oportuno. **Mão por baixo, mão por cima.** Cautelosamente. **Mão por mão. 1.** Um contra um; mano a mano: "Amália e eu, pacificamente sentados muito mão por mão a uma sombra do jardim, toucávamos de .... amores-perfeitos as suas bonecas" (Antônio Feliciano de Castilho, *Amor e Melancolia,* p. 195). **2.** V. *mano a mano* (1). **Mãos de anéis.** Mãos delicadas. **Mãos de fada.** Mãos de mulher habilidosa em trabalhos manuais, especialmente nos de costura. **Mão simiesca.** *Med.* Mão de macaco. **Mãos postas.** Mãos erguidas, palma com palma, para rezar ou suplicar. [Cf. *mãos-postas,* pl. de *mão-posta.*] **Mão única.** *Bras.* Mão (23) em um único sentido: *Nos grandes centros urbanos a tendência é estabelecer mão única para as ruas estreitas.* **Mão zamba.** A mão (1) congenitamente torcida sobre o antebraço. **Abrir mão de.** Pôr de parte; desistir de; desabrir mão de: "Ultimamente parecia enojado de uma e de outra [a política e a sociedade], mas não tendo em que matar o tempo, não abriu mão delas." (Machado de Assis, *Relíquias de Casa Velha,* p. 52.) **Agüentar a mão.** *Bras.* **1.** Enfrentar ou suportar situação penosa ou trabalhosa; agüentar o repuxo, agüentar a parada, agüentar as pontas. **2.** Esperar ou aguardar pacientemente; agüentar as pontas: *Agüente a mão, que as coisas vão melhorar.* **À mão. 1.** Com a mão. **2.** Ao alcance; pertinho; em posição fácil de pegar: *Foi à biblioteca, tomou o livro que estava mais à mão.* **Andar com as mãos nas algibeiras.** Estar ocioso; andar de mãos nas algibeiras. **Andar de mãos nas algibeiras.** Andar com as mãos nas algibeiras. **A quatro mãos. 1.** Executado por duas pessoas no mesmo piano (trecho musical). **2.** Escrito por duas pessoas (livro): "Há vinte anos, Lobato e Rangel [Monteiro Lobato e Godofredo Rangel] escrevem *No Minarete,* um romance a quatro mãos, *O Queijo de Minas ou A História de um Nó Cego*" (Fausto Cunha, *Situações da Ficção Brasileira,* p. 111). **Assentar a mão.** Adquirir destreza ou segurança, adestrar-se, aperfeiçoar-se, numa atividade manual ou noutra qualquer: "assentarei a mão para alguma obra de maior tomo." (Machado de Assis, *Dom Casmurro,* p. 6). **Banhar as mãos no sangue de.** Matar, assassinar (alguém). **Botar a mão na consciência.** Pôr a mão na consciência. **Colher às mãos.** Prender, agarrar, apanhar. **Com a mão do gato.** Sorrateiramente. **Com a mão na consciência.** Com toda a verdade, e ânimo de absoluta justiça. **Com a mão na massa.** Trabalhando em determinada coisa de que no momento se trata; com as mãos na massa: *estar ou achar-se com a mão na massa.* **Com ambas as mãos.** Da melhor vontade; com as duas mãos: "Estêvão .... aceitou a oferta com ambas as mãos" (Machado de Assis, *A Mão e a Luva,* p. 54). **Com as duas mãos.** Com ambas as mãos: "Em vez de levar a mal, o rapaz aceitou com as duas mãos o recurso, que se lhe oferecia" (Franklin Távora, *O Matuto,* p. 58). **Com as mãos na massa.** Com a mão na massa. **Com as mãos vazias.** V. *com uma mão atrás e outra adiante.* **Com mão de ferro.** Com a máxima energia; com pulso firme. **Com mão diurna e noturna. 1.** Dia e noite. **2.** Constantemente, incessantemente; com mão noturna e diurna. **Com mão noturna e diurna.** Com mão diurna e noturna. **Com uma mão atrás e outra adiante.** Em estado de penúria; sem recursos; com as mãos vazias: *Chegou aqui com uma mão atrás e outra adiante, e hoje é rico;* "Saí com uma mão atrás e outra adiante, e fui ser caixeiro de um bruto, um ingrato, que, ao fim de oito anos, em vez de me dar sociedade, passou a casa a um sujeito meu desafeto." (Artur Azevedo, *Contos fora da Moda,* p. 56.) **Dar a mão a. 1.** Estender a mão para cumprimentar. **2.** Ajudar, auxiliar, amparar; dar uma mão a, dar uma mãozinha a: "Devo muitos obséquios à família deste rapaz. Lembras-te daquele velho, de que te falei, aquele que foi quem me deu a mão lá no Norte?... Pois este é o sobrinho" (Aluísio Azevedo, *Casa de Pensão,* p. 9). **Dar a mão ao bolo.** *Bras.* V. *dar a mão à palmatória.* **Dar a mão à palmatória.** Confessar o erro; reconhecer que errou; dar-se por vencido. [Tb. se diz *dar as mãos à palmatória;* sin., bras.: *dar a mão ao bolo.*] **Dar as mãos à palmatória.** V. *dar a mão à palmatória.* **Dar de mão a.** Pôr de lado; abandonar, renunciar; deixar de mão, largar de mão: "Eu quisera ter ido .... para contemplar essa moça que dá de mão ao mundo e suas agitações, troca .... o figurino vário como a fortuna pelo vestido único e perpétuo de uma congregação." (Machado de Assis, *A Semana,* II, p. 79.) **Dar mão forte a.** Dar todo o apoio ou toda a razão a; prestigiar. **Dar uma mão a.** *Bras.* V. *dar a mão a* (2). **Deitar a mão a.** Apoderar-se de; agarrar; deitar a mão em: "Se pode, à socapa, deita a mão a alguma dessas pirâmides de frutos que sedutoramente se elevam às portas das mercearias." (Graciliano Ramos, *Linhas Tortas,* p. 31.) **Deitar a mão em.** Deitar a mão a. **Deixar de mão.** V. *dar de mão a.* **De mão beijada.** De graça; gratuitamente: "Não se via José Moura ali, alegre como se o Dr. Luís se houvesse chamado para lhe entregar o Pindoba; de mão beijada, com as dívidas esquecidas?" (José Lins do Rego, *Usina,* p. 197.) **De mão em mão.** Da mão de um para a de outro; de pessoa para pessoa. **De mãos atadas.** Impossibilitado de agir; maniatado, manietado. **De mãos largas.** Liberal, generoso, dadivoso. **De mãos limpas.** Íntegro, incorrutível, insubornável. **Desabrir mão de.** Abrir mão de. **De segunda mão.** Que passou por um ou mais donos; já usado: *bicicleta de segunda mão.* **Em boas mãos.** Confiado a pessoa capaz, competente, e/ou de confiança: *Confiada a pessoa com tais qualidades, a minha causa está em boas mãos.* **Em mão. 1.** Palavras que se escrevem (em geral abreviadamente: *E. M.*) no sobrescrito de carta cuja entrega ao respectivo destinatário se confia a um particular, e não ao correio. **2.** Diz-se desse modo de enviar correspondência: *Mandei-lhe uma carta em mão.* [Tb. se diz *em mão própria.*] **Em mão própria.** Em mão. [Abrev.: *E. M. P.*] **Em primeira mão. 1.** Sem ninguém ter usado antes de quem adquiriu, do dono: *Tem muitos livros, todos adquiridos em primeira mão.* **2.** Sem que ninguém tenha divulgado antes; com prioridade: *Este jornal sempre dá notícias em primeira mão.* **Em segunda mão. 2.** Sendo o adquirente ou dono o segundo (ou terceiro, etc.) a usar: *Muitos dos seus livros foram comprados em segunda mão, nos sebos.* **2.** Já tendo sido divulgado antes; sem prioridade: *A notícia saiu naquele jornal em segunda mão.* [Tb. se diz (é claro) *em terceira mão,* etc.] **Estender a mão a. 1.** Pedir uma coisa a (alguém) como grande favor, ou como esmola. **2.** Dispor-se a proteger; a ajudar. **Fazer com as mãos e desmanchar com os pés.** Fazer um favor, uma caridade, um benefício a alguém, mas em seguida proceder de modo inamistoso, ou deselegante, ou desdenhoso, etc. **Fazer mão baixa em.** Rapinar, furtar, surripiar: "Fazia mão baixa no que podia — o mais importante era gado e pessoas na idade juvenil aproveitáveis como escravo — e abalava" (Aquilino Ribeiro, *Os Avós dos Nossos Avós,* p. 282). **Fazer mão de gato.** *Bras., N.E.* V. *roubar* (2). **Feito por mão de mestre.** Feito a primor, excelentemente. **Ficar na mão.** Ser logrado. **Fora de mão.** Em lugar de acesso difícil; contramão: *A casa é boa, mas fica fora de mão.* **Forçar a mão.** V. *forçar a nota.* **Jogar de mão. 1.** Ser o primeiro a jogar. **2.** Dar coices com as mãos (cavalgadura). **Lançar mão de.** Servir-se, utilizar-se, valer-se, de: "Jacob lança mão do meio extremo: mata a mísera mocinha e deita o seu corpo ao rio." (Alphonsus de Guimaraens, *Obra Completa,* p. 418.) **Largar de mão.** V. *dar de mão a.* **Lavar as mãos de. 1.** Não tomar a responsabilidade de. **2.** Furtar-se às conseqüências de. **Levantar as mãos ao céu.** Agradecer a Deus um benefício, ou dar-se por satisfeito com ele. **Limpo de mãos.** Honrado, íntegro. **Meter a mão em. 1.** Tomar conhecimento de (assunto ou pessoa); examinar, estudar. **2.** Passar a mão em (2): *Meteu a mão no dinheiro alheio.* **3.** Bater em; espancar, agredir. **Meter a mão em cumbuca.** *Bras.* Cair em esparrela, em logro; deixar-se ludibriar. **Meter mãos à obra.** Atirar-se com afinco a um trabalho; pôr mãos à obra. **Molhar a mão de.** Dar gratificação ou gorjeta a; gratificar. **Não ter mão de si.** Não se conter; não ter mão em si. **Não ter mão em si.** Não ter mão de si: "E o Pedro já não teve mão em si: jogou-se p'ra grota abaixo, numa aflição e num desespero sem termos." (Valdomiro Silveira, *Os Caboclos,* p. 161.) **Não ter mãos a medir.** Não se conter; esbanjar, distribuir inconsideradamente. **Nas mãos de. 1.** À mercê de; à discrição de: *Vai ficar nas mãos dos credores.* **2.** Na dependência de; pendente da solução de: *O caso não está nas mãos do diretor.* **Nem à mão de Deus Padre.** Nem com a maior insistência; de modo nenhum. **Passar a mão em.** *Bras.* **1.** Lançar mão de; apanhar. **2.** Desviar, subtrair, furtar, surripiar; meter a mão em. **Passar a mão pela cabeça de. 1.** Perdoar falta(s) a, poupar (alguém). **2.** Proteger, livrando de castigo; alisar: "— Este menino está ficando impossível. Não sei o que ele viu. Cândida, não passe a mão pela cabeça dele que é pior. Só a pancada..." (Cordeiro de Andrade, *Anjo Negro,* p. 105.) **Pedir a mão de.** Pedir em casamento: *Pediu a mão da moça, e casa em breve.* **Pôr a mão em.** Tocar ou mexer em. **Pôr a mão na consciência.** Pensar, meditar, a fim de reconhecer se está ou não em falta ou erro. **Pôr a mão no fogo por. 1.** Dar testemunho de confiança em (alguém). **2.** Responsabilizar-se por (alguém). [Tb. se diz *pôr as mãos no fogo por.*] **Pôr as mãos.** Uni-las em atitude súplice para rezar: "ajoelhou-se à beira do leito, pôs as mãos, e .... exclamou: / — Tu não morres, não, minha filha?" (Camilo Castelo Branco, *A mulher Fatal,* p. 111). **Pôr as mãos no fogo por.** Pôr a mão no fogo por. **Por baixo da mão.** Às escondidas; às ocultas; à sorrelfa. **Pôr mãos à obra.** Meter mãos à obra: "Eis o réu que sobe a forca. Passou pela turba um frêmito. O carrasco pôs mãos à obra." (Machado de Assis, *Quincas Borba,* pp. 80-81.) **Sair na mão.** *Bras.* Vir às mãos. **Ser uma mão na roda.** *Bras. Fam.* Constituir ajuda grande e oportuna: *Se me emprestar o dinheiro, será uma mão na roda.* **Sob mão.** *Bras. Mar. G.* Sob controle. **Ter a mão furada.** *Bras.* Ser pródigo, esbanjador, manirroto. **Ter a mão pesada.** Incomodar ou molestar ao mais leve toque. **Ter entre mãos.** Estar trabalhando em. **Ter mão. 1.** Suspender o que estava fazendo, ou deixar de fazer o que ia fazer. **2.** Tomar cautela. **3.** Deter-se, parar. **Ter mão de pilão.** *Bras.* Ser desajeitado, inábil, em trabalhos manuais. **Ter mão em. 1.** Não deixar sair das mãos; segurar, agarrar. **2.** Amparar, suster. **Ter mão leve. 1.** Estar sempre disposto a bater, a espancar. **2.** *Bras. Gír.* Ser gatuno, ratoneiro, ladrão. [Cf. *mão-leve.*] **Ter na mão.** Ter (alguém) ao sabor da sua vontade, de seus caprichos; dominar (alguém). **Vir às mãos.** Lutar; brigar. [Sin., bras.: *sair na mão.*] **Vir com as mãos a abanar.** Vir com as mãos abanando. **Vir com as mãos abanando.** Trazê-las vazias; vir com as mãos a abanar.

mão². [Trad. do concani *hāt* < sânscr. *hasta,* 'mão, braço'.] *S. f. Luso-asiat.* Medida linear de Goa. [Pl.: *mãos.*]

mão³. [Do concani *man* < sânscr. *māna,* rad. *ma,* 'medir'.] *S. f. Luso-asiat.* **1.** Antigo peso indiano. **2.** Certa medida de capacidade de Damão. [Pl.: *mãos.*]

mão-aberta. *S. 2 g. Bras.* **1.** V. *mãos-rotas.* **2.** Mãos-largas. [Pl.: *mãos-abertas.*]

mão-boba. [De *mão*¹ + *boba* (ô).] *S. f.* **1.** Gesto de quem procura disfarçadamente, com um ar vago, distraído, tocar com a mão o corpo de outra pessoa com intenção libidinosa ou de furto. ● *S. m.* **2.** Indivíduo que tem o hábito de praticar esse gesto.

mão-cheia. *S. f.* V. *mancheia.* [Pl.: *mãos-cheias.*] ~ V. *mãos-cheias.* ◆ **A mãos-cheias.** V. *a mancheia.* **Às mãos-cheias.** V. *a mancheia.* **De mão-cheia.** Ótimo, excelente; de encher as medidas; de enche-mão: "o Dr. Tavares, um advogado de mão-cheia" (Aluísio Azevedo, *Casa de Pensão,* p. 103).

mão-curta. [De *mão*¹ + o fem. de *curto*².] *S. m. Bras.* V. *veado-roxo.* [Pl.: *mãos-curtas.*]

mão-de-branco. *S. m. Bras., Amaz.* Planta herbácea, da família das amarilidáceas (*Alstroemeria amazonica*), cujas flores, lindamente coloridas, são muito ornamentais. [Pl.: *mãos-de-branco.*]

mão-de-cabelo. *S. m. Bras., MG.* Ente fantástico, que a superstição popular representa com forma humana, vestido de branco, e cujas mãos são feitas de longos cabelos. [Pl.: *mãos-de-cabelo.*]

mão-de-faca. *S. m. Bras. Folcl.* V. *axogum.* [Pl.: *mãos-de-faca.*]

mão-de-finado. *S. 2 g.* V. *avaro* (3). [Pl.: *mãos-de-finado.*]

mão-de-gato. *S. f. Bras. Amaz.* Arvoreta da família das conaráceas (*Connarus erianthus*), de folhas coriáceas, flores amarelas, reunidas em espigas, e folículos internamente pubescentes. [Pl.: *mãos-de-gato.*]

mão-de-leitão. *S. 2 g. Bras., S.* V. *avaro* (3). [Pl.: *mãos-de-leitão.*]

mão-de-obra. *S. f.* **1.** Trabalho manual de operário, artífice, etc.: "Na marcenaria francesa é inexcedível a perfeição da mão-de-obra nos móveis de luxo" (Ramalho Ortigão, *Notas de Viagem,* p. 192). **2.** Despesa com esse trabalho. **3.** Aqueles que o realizam: *Há muita falta de mão-de-obra especializada.* **4.** *Bras.* Coisa difícil, complicada. [Sin., lus. (nesta acepç.): *bico-de-obra.*] [Pl.: *mãos-de-obra.*]

mão-de-onça. *S. f. Bras., Amaz.* Arbusto escandente, da família das marcgraviáceas (*Marcgravia coriacea*), cujas folhas são coriáceas, cujas inflorescências, grandes, portam enormes brácteas vermelhas em forma de dedo de luva, cheias de néctar, sendo as flores bem menores do que elas, e cujos frutos alcançam 15 mm de diâmetro. [Pl.: *mãos-de-onça.*]

mão-de-onze. *S. f. Bras., MG.* Hora decisiva; hora de aperto. [Pl.: *mãos-de-onze.*]

mão-de-padre. *S. m. Bras., MG.* Indivíduo preguiçoso; malandro. [Pl.: *mãos-de-padre.*]

mão-de-vaca. *S. f. Bras., N.E.* **1.** Mocotó (1). **2.** Iguaria preparada com o mocotó (1). [Pl.: *mãos-de-vaca.*]

mão-francesa. *S. f.* Espécie de braço ou cantoneira, de ferro ou de madeira, destinado a sustentar beirais de telhado, caixas-d'água, etc. [Pl.: *mãos-francesas.*]

mão-furada. *S. 2 g. Bras. Fam.* V. *mãos-rotas.* [Pl.: *mãos-furadas.*]

mão-inglesa. *S. f.* Mão (24) à esquerda. [Pl.: *mãos-inglesas.*]

maoísmo. *S. m.* Desenvolvimento teórico e prático do marxismo-leninismo [q. v.], realizado por Mao Tsé-Tung (1893-1976), estadista chinês, que prega a tomada do poder pelo proletariado e o desencadeamento da revolução cultural proletária durante a construção do socialismo, a fim de eliminar a ideologia burguesa. [Cf. *comunismo* (2 a 5).]

maoísta. *Adj. 2 g.* **1.** Relativo a, ou próprio do maoísmo. **2.** Que é partidário ou seguidor do maoísmo. ● *S. 2 g.* **3.** Partidário ou seguidor dessa doutrina.

mão-leve. *S. 2 g. Bras. Gír.* Gatuno, ratoneiro, ladrão. [Pl.: *mãos-leves.* Cf. *ter mão leve.*]

maometa. *Adj. 2 g.* e *s. 2 g. Desus.* V. *maometano.*

maometano. [Do it. *maomettano.*] *Adj.* **1.** Pertencente ou relativo a Maomé, ou ao maometismo [q. v.]. **2.** Que é sectário da religião de Maomé. [Sin., nessas acepç.: *alcoranista, maomético, muçulmano, mosleme, moslim* e (desus.) *maometa.*] ● *S. m.* **3.** Sectário do maometismo. [Sin.: *islamita, muçulmano, mosleme, moslim* e (desus.) *maometa.*]

maomético. *Adj.* V. *maometano* (1 e 2).

maometismo. [Do fr. *mahométisme.*] *S. m.* Religião fundada por Maomé (570-652); alcorão, islamismo, muçulmanismo.

mão-morta. *S. f.* Bens de mão-morta. [Pl.: *mãos-mortas.*]

mão-pelada. *S. m. Bras.* Animal mamífero, carnívoro, da família dos canídeos (*Procyon cancrivorous* (Cuvier)), de coloração cinzento-amarelada, salpicada de preto, cauda com anéis pretos e amarelos. Freqüenta brejos e manguezais, onde caminha com facilidade, por ser plantígrado. Mede 65 cm de corpo e 40 cm de cauda, e alimenta-se de pequenos animais e vegetais. [Sin.: *guaxinim, iguanara, jaguacinim.* Pl.: *mãos-peladas.*]

mão-pendente. *S. f.* Oferta ou presente para suborno; peita. [Pl.: *mãos-pendentes.*]

mão-posta. *S. f.* **1.** Premeditação, prevenção, previdência. **2.** Coisa reservada para ocasião oportuna. **3.** Combinação, acordo. [Pl.: *mãos-postas.* Cf. *mãos postas.*]

maori. *S. 2 g.* **1.** Indivíduo dos maoris, indígenas da Nova Zelândia, da raça polinésia. ● *Adj. 2 g.* **2.** Pertencente ou relativo aos maoris.

mãos-atadas. *S. 2 g.* e *2 n.* **1.** Pessoa acanhada, indecisa, perplexa, sem expediente. **2.** V. *avaro* (3).

mãos-cheias. *El. s. f. pl.* Us. nas loc. adv. *a mãos-cheias* e *às mãos-cheias.* ~ V. *mão-cheia.* ◆ **A mãos-cheias.** V. *a mancheias:* "A fortuna me favorecia a mãos-cheias e a mancheias eu a derramava por quantos vinham acolher-se à minha sombra" (Afonso Arinos, *O Contratador dos Diamantes,* p. 86.) **Às mãos-cheias.** V. *a mancheias.*

mãos-de-sapo. *S. f. 2 n. Bras.* V. *cruz-de-malta* (2).

mãos-largas. *S. 2 g.* e *2 n.* Pessoa generosa, liberal, dadivosa; mão-aberta.

mãos-rotas (rô). *S. 2 g.* e *2 n.* Pessoa perdulária; pródigo, gastador, esbanjador; oneômano; mão-furada, mão-aberta, manirroto: "O Damião das Regueiras, / Sem altar, par'cia um santo; / Era no dar um mãos-rotas, / Ninguém dava mais, nem tanto!" (Eugênio de Castro, *Obras Poéticas,* IX, p. 23); "era um mãos-rotas para a pobreza" (Luís de Magalhães, *O Brasileiro Soares,* p. 23).

mão-tenente. *El. s. f.* Us. na loc. adv. *à mão-tenente.* ◆ **À mão-tenente. 1.** Com mão firme, com força; vigorosamente. **2.** A pequena distância; à queima-roupa: "Aí é que é ferir a salvo e à mão-tenente!" (Antônio Feliciano de Castilho, *As Geórgicas de Virgílio,* p. 191.) [Var. ger.: *à mão-tente.* Tb. se usa (pouco) *mão-tente* (q. v.).]

mão-tente. *Adv.* V. *à mão-tenente:* "Seca a seara, forçoso ceifá-la célere e mão-tente" (Fialho d'Almeida, *À Esquina,* p. 62). ◆ **À mão-tente.** V. *à mão-tenente:* "Seria batalha crua em que se terçariam à mão-tente, como gládios fulmíneos, estas lâminas de gume embotado." (Aloísio de Castro, *Excertos,* p. 57.)

mãozada. *S. f. Pop.* **1.** Aperto forte de mão. **2.** *Bras.* e *prov. lus.* Porção de coisas que se podem abranger numa das mãos.

mãozinha. [Dim. de *mão*[1].] *S. f.* **1.** Haste terminada em garra, para coçar as costas. ● *S. 2 g. Bras. N.E. Pop.* **2.** Pessoa a quem falta uma das mãos; maneta. ◆ **Dar uma mãozinha a.** *Bras.* V. *dar a mão a* (2).

mãozinha-preta. *S. m. Bras. Pop.* Ente fantástico ou assombração em forma de mãozinha negra, solta no ar. [Pl.: *mãozinhas-pretas.*]

mãozudo. *Adj.* Que tem mãos grandes e grosseiras: "homem grandalhão, mãozudo" (Nélson de Faria, *Tiziu e Outras Estórias,* p. 202). [Cf. *manotudo.*]

mapa. [Do lat. *mappa.*] *S. m.* **1.** Representação, em superfície plana e em escala menor, de um terreno, país, território, etc.; carta geográfica. **2.** Quadro sinóptico; gráfico, quadro: *mapas bancários.* **3.** Lista descritiva; catálogo, relação: *mapa dos funcionários.* ◆ **Mapa da mina.** *Bras. Gír.* Expediente para alcançar com facilidade um objetivo difícil ou custoso. **Não estar no mapa.** *Bras. Gír.* Ser fora do comum; ser fora de série; não estar no gibi. **Sair do mapa.** *Bras. Pop.* Desaparecer, sumir. **Tirar um mapa.** *Bras. Pop.* Observar com atenção; guardar o que se está observando.

mapã. *S. m. Bras. Bot.* Planta da família das euforbiáceas (*Hippomane sp.*).

mapa-do-brasil. *S. m. Bras., SP. Pop.* Pessoa muito velha e rugosa. [Pl.: *mapas-do-brasil.*]

mapa-múndi. [Do lat. vulg. *mappa mundi,* 'mapa do mundo'.] *S. m.* Mapa que representa toda a superfície da Terra, em dois hemisférios. [Pl.: *mapas-múndi.*]

mapanai. *Bras. S. 2 g.* e *adj. 2 g.* Iratapuia.

mapará. [Do tupi *mapa'ra.*] *S. m. Bras.* **1.** Peixe teleósteo, siluriforme, da família dos auquenipterídeos (*Auchenipterus nuchalis* (Spix.)), dos rios Amazonas, Paraguai e Parnaíba. **2.** Peixe teleósteo, siluriforme, da família dos hipoftalmídeos (*Hypophtalmus edentatus* Spix), da Amaz. e Paraguai, de dorso cinza-azulado, com reflexos metálicos e abdome branco, nadadeiras peitorais e ventrais muito próximas, e a anal ocupando quase toda a parte inferior do abdome. [Var.: *mapurá;* sin.: *peixe-gato, olho-de-gato, mandi-peruano, mapará-de-cametá, laulau.*]

mapará-de-cametá. *S. m. Bras.* V. *mapará.* [Pl.: *maparás-de-cametá.*]

maparajuba. [De provável or. tupi.] *S. f. Bras., N.* Árvore da família das sapotáceas *(Manilkara paraensis),* da floresta amazônica, que fornece madeira de lei, semelhante à maçaranduba.

mapareíba. [De provável or. tupi.] *S. f. Bras.* V. *mangue-vermelho.*

mapati. [Do tupi *mapa'ti.*] *S. m. Bras.* V. *cucura.*

mapeamento. *S. m.* **1.** *Bras.* Ato ou efeito de mapear. **2.** *Mat.* Aplicação de uma configuração em outra. ◆ **Mapeamento conformal.** *Anál. Mat.* Transformação de uma região em outra, por meio da qual se estabelece uma correspondência biunívoca entre os pontos das duas e se conservam invariáveis os ângulos; mapeamento conforme. **Mapeamento conforme.** *Anál. Mat.* Mapeamento conformal.

mapear. *V. t. d. Bras.* Fazer ou levantar o mapa de: *mapear uma região.* [Conjug.: v. *frear.* Cf. *mapiar.*]

maperoá. *S. m. Bras.* Árvore da família das esterculiáceas *(Basiloxylon rex);* farinha-seca, pau-rei.

mapiação. [De *mapiar* + *-ção.*] *S. f. Bras., MT. Pop.* Conversação inútil; conversa fiada; parolagem, tagarelice; mapiagem, pauteação.

mapiador (ô). *Adj.* e *s. m. Bras., MT. Pop. Que ou aquele que é dado à mapiação, que gosta de mapiar.*

mapiagem. *S. f. Bras., MT.* V. *mapiação:* "— Escute. Por que é que você .... não dá um pulo aqui em casa para uma mapiagem?" (M. Cavalcanti Proença, *Manuscrito Holandês,* p. 237.)

mapiar. [Alter. de *papear.*] *V. int. Bras., MT.* **1.** V. *tagarelar* (1). **2.** Conversar futilidades; pautear. [Cf. *mapear.*]

mapidiã. *Bras. S. 2 g.* **1.** Indivíduo dos mapidiãs, tribo indígena aruaque do S. da serra de Acaraí, no AP. ● *Adj. 2 g.* **2.** Pertencente ou relativo a essa tribo.

mapinguari. *S. m. Bras. Amaz. Folcl.* Gigante lendário semelhante ao homem, porém coberto de pêlos, e que usa uma armadura de cascos de tartaruga: "O mapinguari é o duende mais poderoso, considera-se o dono da mata." (Tiago de Melo, *Mormaço na Floresta,* p. 90.)

mapinguim. *S. m. Bras.* V. *malpinguinho.*

mapinguinho. *S. m. Bras.* V. *malpinguinho:* "uma corda de fumo mapinguinho" (Jaime d'Altavila, *Lógica de um Burro,* p. 17).

mapironga. [Do tupi *mbae,* 'coisa', + *pi'rãga,* 'vermelha'.] *S. f. Bras., PE. Pop.* Espinha; furúnculo.

mapixi. *S. m. Bras.* Planta da família das mirtáceas (*Myrcia lanceolata*).

mapoão. *S. m. Bras.* Planta venenosa, cujo suco os índios empregam para ervar as flechas.

mapoteca. [De *mapa* + *-o-* + *-teca.*] *S. f.* **1.** Coleção de mapas e cartas geográficas. **2.** Móvel onde se guardam.

mapuá[1]. *Bras. S. 2 g.* **1.** Indivíduo dos mapuás, tribo indígena do PA. ● *Adj. 2 g.* **2.** Pertencente ou relativo a eles.

mapuá[2]. *S. m. Bras.* Planta da família das ciclantáceas (*Cyclanthus bipartitus*).

mapuche. [Do araucano *maputche,* 'homem da terra'.] *S. 2 g.* Designação que a si mesmos dão os araucanos.

mapurá. *S. m. Bras.* Var. de *mapará.*

maqueira. [Do tupi *ma'pera;* o *i* é caso de ultracorreção.] *S. m. Bras., AM.* Rede para dormir, tecida, comumente, com as fibras do tucum: "para descansar da escandalosa mandriice, atirava o corpo para o fundo duma excelente maqueira de tucum, armada no copiar" (Inglês de Sousa, *O Missionário,* pp. 367-368).

maqueta (ê). [Do fr. *maquette.*] *S. f.* **1.** Esboço de uma estátua, ou de outra obra de escultura, moldado em barro ou em cera. **2.** Miniatura de projeto arquitetônico ou de engenharia: *maqueta de um edifício, de um navio.* [F. paral., m. us. no Brasil: *maquete.*]

maquete. *S. f.* Maqueta [q. v.].

maquetista. *Adj. 2 g.* e *s. 2 g.* Que ou quem faz maquetas.

maqui. [Do fr. *maquis.*] *S. m.* **1.** Vegetação espessa (arbustos, urzes, etc.) característica de certas regiões mediterrâneas. **2.** Na França, local de difícil acesso onde se reuniam os membros do movimento de resistência clandestina à ocupação alemã (1940-1944) durante a II Guerra Mundial. **3.** Esse movimento. ● *S. 2 g.* **4.** Militante desse movimento.

maquia. [Do ár. vulg. *makîlâ,* 'medida para grãos'.] *S. f.* **1.** Antiga medida de cereais, correspondente a 4,5 litros: "algumas côdeas de pão, restos de peixe, ou uma maquia de lentilhas" (Eça de Queirós, *Últimas Páginas,* p. 285). **2.** Porção de grão ou de azeitona, de farinha ou de azeite, que moleiros ou lagareiros tiram em paga do seu trabalho. **3.** V. *dinheiro* (3): "nem que lhes dessem boa maquia, nem os rachassem de alto a baixo, punham pé na fazenda." (Aquilino Ribeiro, *Alemanha Ensangüentada,* p. 169). **4.** Lucro, ganho. **5.** V. *gorjeta* (2).

▲-maquia. [Do gr. *-machía.*] *El. comp.* = 'combate', 'luta': *tauromaquia* (< gr. *tauromaquía*); *logomaquia* (< gr. *logomaquía*).

maquiador (ô). [De *maquiar*[2] + *-(d)or.*] *S. m.* Aquele que maquia.

maquiadura. *S. f.* Ato de maquiar[1].

maquiagem. [Do fr. *maquillage.*] *S. f.* **1.** Ato ou efeito de maquiar(-se); pintura. **2.** O conjunto dos produtos de beleza, como base, pó-de-arroz, ruge, batom, sombra, rímel, etc., utilizados para maquiar[2] (1). [Sin., ingl.: *make-up.*]

maquiar[1]. *V. t. d.* **1.** Medir com maquia (1): *maquiar milho.* **2.** Subtrair parte de; desfalcar. *Int.* **3.** Cobrar a maquia.

maquiar[2]. [Do fr. *maquiller.*] *V. t. d.* **1.** Aplicar cosméticos em (o rosto) para embelezamento, realce ou disfarce. **2.** *Fig.* Mascarar, disfarçar. *P.* **3.** Maquiar (1) o próprio rosto.

maquiavelice. *S. f.* **1.** Ato ou dito maquiavélico. **2.** Astúcia, manha, ardil.

maquiavélico. *Adj.* **1.** Pertencente ou referente ao, ou próprio do maquiavelismo; maquiavelista. **2.** *Fig.* Que tem, ou em que há perfídia, dolo, má fé; astuto, velhaco, ardiloso.

maquiavelismo. [Do antr. *Maquiavel* + *-ismo.*] *S. m.* **1.** Sistema político exposto por Niccolò Machiavelli, dito Maquiavel (1469-1527), escritor e estadista florentino, em sua obra *O Príncipe,* e caracterizado pelo princípio amoralista de que os fins justificam os meios. **2.** Política desprovida de boa fé. **3.** Procedimento astucioso, velhaco, traiçoeiro; velhacaria, perfídia: "Nem uma palavra .... de repreensão ao maquiavelismo de forçar os judeus, por delongas, a deixar expirar o prazo marcado sem sair do reino" (Hernâni Cidade, *Lições de Cultura e Literatura Portuguesas,* I, p. 218).

maquiavelista. *Adj. 2 g.* **1.** Maquiavélico (1). **2.** Que é partidário do maquiavelismo. ● *S. 2 g.* **3.** Pessoa que o segue.

maquiavelizar. *V. int.* **1.** Proceder com maquiavelismo (3). *T. d.* **2.** Tornar maquiavélico (2).

maquidum. *S. m. Bras.* Pequena cadeira; assento, banco.

maquilador (ô). [De *maquilar* (1) + *-(d)or.*] *S. m.* V. *maquiador.*

maquilagem. [Do fr. *maquillage.*] *S. f.* V. *maquiagem.*

maquilar. [Do fr. *maquiller.*] *V. t. d. e p.* V. *maquiar*[2].

maquimono. [Do jap. *maki,* 'rolo', + *mono,* 'coisa'.] *S. m.* Pintura japonesa, feita sobre papel ou seda, que se enrola num cilindro de pau, e mais longa, porém mais estreita, do que o caquemono [q. v.].

máquina. [Do gr. dórico *machané,* pelo lat. *machina.*] *S. f.* **1.** Aparelho ou instrumento próprio para comunicar movimento ou para aproveitar, pôr em ação ou transformar uma energia ou um agente natural; motor: *máquina a vapor, máquina elétrica.* **2.** O conjunto orgânico das peças dum instrumento; maquinismo, mecanismo: *a máquina do relógio.* **3.** Veículo locomotor: *a máquina do trem.* **4.** Utensílio, instrumento: *máquina de guerra; máquina de calcular.* **5.** *Fig.* Estrutura orgânica e harmônica: *a máquina do corpo humano.* **6.** *Fig.* Construção importante, complexa, ou suntuosa. **7.** *Fig.* Entidade ou organismo complexo: *a máquina do Estado.* **8.** *Fig.* Multiplicidade de coisas que se relacionam entre si; complexidade, enredamento: *a máquina das transações comerciais.* **9.** *Fig.* Pessoa sem idéias próprias e que procede como autômato. **10.** *Bras., SP* e *GO.* Automóvel (3). **11.** *Bras. Gír.* V. *revólver.* ♦ **Máquina alternativa.** Máquina a vapor dotada de cilindros cujos êmbolos transmitem a um eixo, por meio de conectores e manivelas, o seu movimento alternativo em movimento de rotação. [Cf. *turbina a vapor.*] **Máquina a vapor.** A que utiliza o vapor de água como elemento intermediário da transformação da energia latente no combustível em energia mecânica. [São as mais comuns a *máquina alternativa* e a *turbina a vapor.*] **Máquina cilíndrica. 1.** *Art. Gráf.* V. *prensa planocilíndrica.* **2.** *Ind. Pap.* Máquina de papel, especialmente utilizada para produzir cartão, na qual o elemento formador da folha é constituído por um ou mais cilindros cobertos de tela, os quais giram parcialmente mergulhados no tanque da pasta, sendo a parte seca idêntica à da máquina plana; máquina de fôrma redonda, máquina de tambor. **Máquina compositora.** *Tip.* Qualquer máquina em que se realiza composição mecânica [q. v.]. [Tb. se diz apenas *compositora.*] **Máquina contínua.** *Ind. Pap.* Máquina de papel. **Máquina de costura.** Máquina para conserto ou fabrico de roupas ou de calçados. **Máquina de endereçar.** Adressógrafo. **Máquina de filmar.** V. *câmara* (11). **Máquina de fôrma redonda.** *Ind. Pap.* V. *máquina cilíndrica.* **Máquina de gravar. 1.** *Grav.* Aparelho com que se traçam no metal linhas geométricas ou irregulares, formando grisados, azurados, etc., em geral para constituírem o fundo das chapas destinadas à impressão de papéis fiduciários. **2.** *Fotograv.* Tanque destinado à mordaçagem de clichês, dotado de dispositivo para borrifo contínuo do ácido. **Máquina de impressão.** V. *prensa* (2). **Máquina de papel.** *Ind. Pap.* Máquina de grande porte, na qual modernamente se fabrica o papel em folha contínua, cuja formação começa na parte úmida, mediante esgotamento da suspensão celulótica numa tela plana sem fim (*máquina plana*), ou num ou mais cilindros cobertos de tela (*máquina cilíndrica*), e se completa na seção de prensas e na secaria; máquina contínua. **Máquina de tambor. 1.** V. *prensa de rotação simples.* **2.** *Ind. Pap.* V. *máquina cilíndrica* (2). **Máquina detonadora.** *Expl.* Explosor. **Máquina fotográfica.** *Fot.* Instrumento para projetar e registrar sobre uma chapa fotográfica a imagem de um objeto; câmara fotográfica, câmara, câmera. **Máquina impressora.** V. *prensa* (2). **Máquina motriz.** V. *motor* (2). **Máquina operatriz.** Qualquer máquina dotada de um conjunto de ferramentas acionadas mecanicamente, e que se destina a dar forma à matéria-prima; máquina-ferramenta. **Máquina plana. 1.** *Ind. Pap.* Máquina de papel em que a folha se forma numa tela metálica sem fim (*mesa de fabricação*) tendida horizontalmente entre dois rolos e dotada de movimento de translação, longitudinal (às vezes tb. de balanço lateral), e que se constitui de cadeia de variados dispositivos cuja combinação atinge, por vezes, mais de 100 m de comprimento. Divide-se em duas grandes seções: parte úmida e parte seca. **2.** *Art. Gráf.* V. *prensa plana.* **Máquina registradora.** Espécie de cofre, muito usado em casas comerciais, dotado de teclado e maquinismo para registro das importâncias nele depositadas, e que, em geral, emite comprovantes de pagamento. [Tb. se diz apenas *registradora;* sin.: caixa *registradora.*] **Máquina rotativa.** *Art. Gráf.* V. *prensa rotativa.* **Máquina rotoplana.** V. *prensa rotoplana.* **Máquina simples.** *Fís.* Designação tradicional comum a três máquinas: *alavanca, roldana e plano inclinado.* **Máquina térmica.** Qualquer sistema que, operando segundo um ciclo, transforma calor em trabalho.

máquina-caixão. *S. f. Fot.* Câmara-caixão. [Pl.: *máquinas-caixões e máquinas-caixão.*]

maquinação. [Do lat. *machinatione.*] *S. f.* Ato ou efeito de maquinar; trama, enredo, manobra, conluio.

maquinador (ô). [Do lat. *machinatore.*] *Adj.* **1.** Que maquina; maquinante. ● *S. m.* **2.** Aquele que maquina.

máquina-ferramenta. *S. f.* Máquina operatriz. [Pl.: *máquinas-ferramentas.*]

maquinal. [Do lat. *machinale.*] *Adj. 2 g.* **1.** Respeitante a máquinas. **2.** *Fig.* Inconsciente, automático, reflexo, mecânico: *gesto maquinal.*

maquinalidade. *S. f.* Qualidade de maquinal (2); automatismo.

maquinante. *Adj. 2 g.* Maquinador (1).

maquinar. [Do lat. **machinare,* por *machinari.*] *V. t. d.* **1.** Projetar (um ardil); traçar (algo) com artifícios; preparar, urdir, tramar: *Maquinou uma traição.* **2.** Projetar, intentar, planear. *T. i.* **3.** Conspirar, conjurar: *Maquina contra as instituições.* [Pres. ind.: *maquino, maquinas, maquina,* etc. Cf. *máquina.*]

maquinaria. *S. f.* **1.** Conjunto de máquinas; maquinário. **2.** Conjunto dos maquinistas ou operários que trabalham em máquinas. **3.** A arte de maquinista. [É corrente (ao menos no Brasil), embora não recomendável, a pronúncia *maquinária.*]

maquinário. *S. m. Bras.* Maquinaria (1).

maquiné. *S. m. Bras., CE.* V. *bicudo* (10).

maquineta (ê). [De *máquina* + *-eta.*] *S. f.* **1.** Pequena máquina. **2.** Santuário ou sacrário onde se expõe o sacramento sobre o altar. **3.** Pequeno oratório ou armário envidraçado. **4.** Redoma enfeitada, que contém uma imagem devota.

maquinismo. [Do fr. *machinisme.*] *S. m.* **1.** O conjunto das peças dum aparelho ou máquina; mecanismo: *o maquinismo do aspirador de pó.* **2.** Conjunto de máquinas: *o maquinismo da fábrica.* **3.** Arte de maquinista. **4.** Aparelho para fazer executar movimentos: *maquinismo de moinho.* **5.** *Teat.* O conjunto dos cenários móveis, projetores, refletores, alçapões e demais efeitos e dispositivos mecânicos, visuais e sonoros de um teatro.

maquinista. [Do fr. *machiniste.*] *S. 2 g.* **1.** Pessoa que inventa, constrói ou conduz máquinas, principalmente locomotivas e máquinas de navios a vapor. **2.** *Teat.* Contra-regra ou operário encarregado da manipulação dos maquinismos de um teatro: "fazer funcionar a tempo o chamado 'aparato do teatro', peças de magnífico espetáculo, de que acintemente dou notícia para encovar o orgulho dos maquinistas modernos." (Camilo Castelo Branco, *O Judeu,* II, p. 111).

maquiritare. *S. 2 g.* e *adj. 2 g. Bras.* V. *iecuana.*

mar[1]. [Do lat. *mare.*] *S. m.* **1.** A massa de águas salgadas do globo terrestre; oceano. [Sin., desus.: *ponto.*] **2.** Cada uma das porções em que está dividido o oceano. **3.** *Ocean. Fís.* Agitação do mar produzida por um vento presente. **4.** Grande massa de água salgada situada no interior de um continente: *o mar Mediterrâneo.* [Distinguem-se os mares em *costeiros, continentais* e *fechados.*] **5.** *Fig.* Grande quantidade ou extensão; imensidade, oceano: *um mar de areias;* "Ao lado dos oficiantes, espalhado, um mar de utensílios, balangandãs, cachimbos" (Luís da Câmara Cascudo, *Meleagro,* p. 191); "Até onde a vista alcança, é aquele mar de capim verde e agitado, batido de sol, ondulado pelo vento" (Nélson de Faria, *Cabeça-Torta,* p. 9). **6.** Abismo moral; oceano: *o mar das paixões.* ♦ **Mar aberto.** Porção ampla de mar sem acidentes geográficos que lhe dificultem a navegação. **Mar adjacente.** V. *mar territorial.* **Mar alto.** V. *alto-mar* (1 e 2). **Mar continental.** Mar que se caracteriza por se achar intimamente ligado ao continente, através do qual às vezes penetra de maneira profunda, e que se comunica com o oceano ou com outro mar por meio de estreita passagem; mar interior, mar mediterrâneo. **Mar costeiro.** Mar que se comunica com o oceano que o forma por uma abertura mais ou menos ampla, deixando de sofrer a influência das terras continentais e, de certa maneira, participando da vida e das características dos oceanos. **Mar da Lua.** Extensa planície que pode ser notada na face da Lua. **Mar de lama.** Ambiente, ou situação, de grande degradação moral, de corrupção. **Mar de leite.** Mar de rosas (1): "Deus te leve a salvo, brioso e altivo barco, por entre as vagas revoltas .... . Soprem para ti as brandas auras; e para ti jaspeie a bonança mares de leite!" (José de Alencar, *Iracema,* p. 50.) **Mar de rosas. 1.** Mar sereno, bonançoso; mar de leite: "O barco sempre em mar de rosas, todo azul e tranqüilo como um lago suíço." (José Lins do Rego, *Gregos e Troianos,* p. 117.) **2.** *Fig.* Período de felicidade. **Mar de sargaço.** *Fitogeog.* Área do Oceano Atlântico, entre 20 e 35 graus de latitude N, na qual se vêem, flutuando à deriva, enormes quantidades de sargaço, originadas da multiplicação vegetativa, e que constituem sério empecilho à navegação. **Mar encapelado.** Mar de ondas alterosas. **Mar encarneirado.** *Ocean. Fís.* Mar recoberto de muitos carneiros [v. *carneiro* (3)]. **Mar fechado.** O que não apresenta comunicação alguma com o oceano, constituindo um vasto lago de águas salgadas, e que sofre absoluta influência das terras continentais que o circundam; mar isolado, lago-mar. **Mar interior.** V. *mar continental.* **Mar isolado.** V. *mar fechado.* **Mar jurisdicional.** V. *mar territorial.* **Mar largo.** V. *alto-mar* (1). [Tb. se diz apenas *largo.*] **Mar litoral.** V. *mar territorial.* **Mar livre.** V. *alto-mar* (2). **Mar mediterrâneo.** V. *mar continental.* **Mar pequeno.** O que apresenta pouca ondulação. **Mar pleno.** V. *alto-mar* (2). **Mar territorial.** Faixa marítima adjacente ao litoral de determinado Estado, sobre a qual este exerce soberania, limitada apenas pelo direito de passagem inocente aos navios estrangeiros. [A fixação da sua largura tem constituído uma das mais controvertidas questões de direito internacional público, variando entre três, seis, 12 e 200 milhas marítimas. Sin. desus.: *mar adjacente, mar jurisdicional, mar litoral.*] **De mar a mar.** De ponta a ponta; completamente, totalmente. **Fazer-se ao mar.** Sair de um porto, principiando a navegar; dirigir ao mar alto: "Ímpetos de voltar, fugido, para o mato, / De me fazer ao mar numa casca de noz" (Vicente de Carvalho, *Poemas e Canções,* p. 157). **Nem tanto ao mar nem tanto à terra.** Nada de exageros; fiquemos no meio-termo; nem oito nem oitenta. **Pleno mar.** V. *alto-mar* (1): "'Stamos em pleno mar... Doudo no espaço / Brinca o luar — dourada borboleta" (Castro Alves, *Poesias Escolhidas,* p. 325). **Por mar.** Pela via marítima: *Enviou toda a bagagem por mar.*

mar[2]. [Do siríaco *mar.*] *S. m.* Bispo maronita de origem siríaca.

mará[1]. [Do araucano.] *S. m.* Mamífero sul-americano, da família dos roedores.

mará[2]. [Do tupi *ma'ra.*] *S. f. Bras., AM.* Vara que serve para impelir a canoa, quando esta é posta em movimento, e também para prendê-la no porto, fixando-a no chão.

maraãense. *Adj. 2 g.* **1.** De, ou pertencente ou relativo a Maraã (AM). ● *S. 2 g.* **2.** Natural ou habitante de Maraã.

marabá. [Do tupi *mara'bá.*] *S. 2 g. Bras.* **1.** Mestiço de francês com índia. **2.** Filho de índio com branco. **3.** *Bras., Amaz.* Filho das ervas.

marabaense[1]. *Adj. 2 g.* **1.** De, ou pertencente ou relativo a Marabá (PA). ● *S. 2 g.* **2.** Natural ou habitante de Marabá.

marabaense[2]. *Adj. 2 g.* **1.** De, ou pertencente ou relativo a Marabá Paulista (SP). ● *S. 2 g.* **2.** Natural ou habitante de Marabá Paulista.

marabaxo. *S. m. Bras., AM. Folcl.* Dança de negros.

marabitana. *Bras. S. 2 g.* **1.** Indivíduo dos marabitanas, tribo indígena das margens do rio Negro. ● *Adj. 2 g.* **2.** Pertencente ou relativo a esses índios. [F. paral.: *marapitana.*]

marabu [Do fr. *marabout.*] *S. m.* **1.** Entre os muçulmanos, eremita ou asceta que se consagra à prática e ensino da vida religiosa. [Var.: *marabuto;* sin.: *morabito* e *morabita.*] **2.** Espécie de cegonha que habita na África e na Índia. ~ V. *marabus.*

marabus. [Pl. de *marabu* (2).] *S. m. pl.* Enfeites de penas de marabu. V. *marabu.*

marabuto. [Do ár. *murabiT,* 'eremita'.] *S. m.* **1.** V. *marabu* (1). **2.** Templo rural onde o marabu (1) faz serviço. **3.** *Bras.* Alcunha depreciativa dada aos portugueses. [V. *galego* (4).]

maraca. *S. m.* e *f. Bras.* V. *maracá.*

maracá. [Do tupi *mbara'ká.*] *S. m. Bras.* **1.** Instrumento chocalhante que era usado pelos índios nas solenidades religiosas e guerreiras; bapo, maracaxá, xuatê. **2.** Chocalho que acompanha certas músicas e danças populares, como, p. ex., o samba e o baião. **3.** Chocalho que serve de brinquedo às crianças. **4.** *Bras.* V. *xiquexique* (2). ● *S. f.* **5.** *Bras., Amaz.* V. *cascavel* (3). ♦ **Enfeitar o maracá.** *Bras., PE. Pop.* Alterar ou modificar um caso,

uma história, um acontecimento, pela tendência à invencionice, pelo gosto de fantasiar; pôr as tintas: *O caso não foi bem assim: ele e n f e i t o u o m a r a c á.*
maracabóia. *S. f. Bras.* V. *cascavel* (3).
maracaense. *Adj. 2 g.* **1.** De, ou pertencente ou relativo a Maracás (BA). ● *S. 2 g.* **2.** Natural ou habitante de Maracás.
maracaiense (a-i). *Adj. 2 g.* **1.** De, ou pertencente ou relativo a Maracaí (SP). ● *S. 2 g.* **2.** Natural ou habitante de Maracaí.
maracajá. [Do tupi *mbaraka'ya*.] *S. m. Bras. Amaz.* a *BA*. V. *jaguatirica*. [Var.: *bracaiá*.]
maracajá-preto. *S. m. Bras.* V. *gato-mourisco*. [Pl.: *maracajás-pretos*.]
maracajuano. *Adj.* **1.** De, ou pertencente ou relativo a Maracaju (MS). ● *S. m.* **2.** O natural ou habitante de Maracaju. [Sin. ger.: *maracajuense*.]
maracajuense. *Ad. 2 g.* e *s. 2 g.* Maracajuano.
maracaná. *Bras. S. 2 g.* **1.** Indivíduo dos maracanás, tribo indígena que habitava na região das serras ao S. do rio Uraricoera (RR). ● *Adj. 2 g.* **2.** Pertencente ou relativo a essa tribo.
maracanã. [Do tupi *maraka' nã*.] *S. f. Bras.* Designação comum às seguintes aves psitaciformes, da família dos psitacídeos: **a)** *Propyrrhura maracana* (Vieil.), distribuída por quase todo o Brasil, verde, com vértice verde-azulado, fronte escarlate, dorso inferior e meio do abdome escarlate-claros, parte basal da cauda vermelho-escura, e parte terminal e rêmiges azuis; **b)** *Diopsittaca nobilis* (L.), da Amaz.; **c)** *Psittacara leucophthalma* (Mul.), comum em todo o Brasil, verde, com o encontro e coberteiras inferiores menores da asa encarnados. [Sin.: *araguaí, araguari, ararinha, aruaí*.]
maracanã-açu. *S. f. Bras.* Maracanã-guaçu. [Pl.: *maracanãs-açus*.]
maracanã-do-buriti. *S. m. Bras.* Ave psitaciforme, da família dos psitacídeos (*Orthopsittaca manilata* (Bod.)), do N. do Brasil, O. da BA e S. do PI, de coloração geral olivácea, uropígio amarelado, e rêmiges com reflexos azulados nos canutilhos e na parte média. Alimenta-se de frutos em geral. [Sin.: *ararinha*. Pl.: *maracanãs-do-buriti*.]
maracanã-guaçu. *S. f. Bras.* Ave psitaciforme, da família dos psitacídeos (*Ara severa* (L.)), da Amaz., N. de MT e S. da BA, de coloração verde, cabeça verde-azulada, rêmiges e ponta da cauda azuis, e encontro vermelho; maracanã-açu. [Pl.: *maracanãs-guaçus*.]
maracanense. *Adj. 2 g.* **1.** De, ou pertencente ou relativo a Maracanã (BA). ● *S. 2 g.* **2.** Natural ou habitante de Maracanã.
maracarecuia. *S. m. Bras.* V. *castanha-de-macaco*.
maracatiara. [Do tupi *maraka' ti*, 'maracatim', + *yara*, 'senhor'.] *S. m. Bras., Amaz.* Em certas regiões, comandante de navio.
maracatim. [Do tupi *maraka' ti*.] *S. m. Bras., Amaz.* Antiga igarité de selvagens.
maracatu. [Talvez de or. afr.] *S. m. Bras., PE.* **1.** Cortejo carnavalesco que baila ao som de instrumentos de percussão, acompanhando uma mulher que na extremidade de um bastão conduz uma bonequinha ricamente enfeitada, a *calunga*. **2.** *Mús.* Música popular inspirada nessa dança.
maracaxá. *S. m. Bras.* V. *maracá* (1).
maracha. *Bras. S. 2 g.* **1.** Indivíduo dos marachas, tribo indígena que vive isolada no ângulo de terra formado pelos rios Uini e Nhamundá (N. do PA). ● *Adj. 2 g.* **2.** Pertencente ou relativo a essa tribo.
marachão. *S. m.* **1.** Pequena represa. **2.** Mota[1] (1).
marachitere. *Bras. S. 2 g.* **1.** Indivíduo dos marachiteres, tribo indígena das margens do alto rio Mucajaí (RR). ● *Adj. 2 g.* **2.** Pertencente ou relativo a essa tribo.
marachó. *S. 2 g.* e *adj. 2 g. Bras.* V. *maratchó*.
maracotão. [Do esp. *melocotón*.] *S. m.* O fruto do maracoteiro [q. v.].
maracoteiro. *S. m. Bot.* Espécie de pessegueiro durázio, cujo fruto é o maracotão, de casca aveludada e polpa rija e aderente ao caroço.
maracuguara. *S. m. Bras.* V. *cangulo* (1).
maracujá. [Do tupi *mboruku'ya*.] *S. m. Bras.* O fruto do maracujazeiro.
maracujá-açu. *S. m. Bras.* Trepadeira da família das passifloráceas (*Passiflora quadrangularis*), cujos enormes frutos chegam a pesar cinco quilos. [Pl.: *maracujás-açus*.]
maracujá-azul. *S. m. Bras.* Trepadeira da família das passifloráceas (*Passiflora coerulea*), produtora de frutos comestíveis de coloração azul. [Pl.: *maracujás-azuis*.]
maracujá-branco. *S. m. Bras.* Planta da família das passifloráceas (*Passiflora capsularis*). [Pl.: *maracujás-brancos*.]
maracujá-de-cacho. *S. m. Bras.* Designação comum a duas plantas da família das passifloráceas: *Passiflora ovalis* e *Tetrastyllis ovalis*. [Pl.: *maracujás-de-cacho*.]
maracujá-de-cobra. *S. m. Bras.* Planta fibrosa do MA. [Pl.: *maracujás-de-cobra*.]
maracujá-de-cortiça. *S. m. Bras.* Pequena trepadeira da família das passifloráceas (*Passiflora suberosa*), de caule corticento, que produz frutos pequeninos e sem préstimo. [Pl.: *maracujás-de-cortiça*.]
maracujá-de-pedra. *S. m. Bras.* Planta da família das passifloráceas (*Passiflora serrata*). [Pl.: *maracujás-de-pedra*.]
maracujá-grande. *S. m. Bras.* Trepadeira avantajada, da família das passifloráceas (*Passiflora alata*), e cujos os, amarelos e do tamanho de um chuchu, são saborosos. [Pl.: *maracujás-grandes*.]
maracujá-melão. *S. m. Bras.* Grande trepadeira da família das passifloráceas (*Passiflora macrocarpa*), que produz frutos de até um quilo, porém pouco importantes como alimento. [Pl.: *maracujás-melões* e *maracujás-melão*.]
maracujá-mirim. *S. m. Bras.* Trepadeira da família das passifloráceas (*Passiflora edulis*), produtora do maracujá habitualmente consumido, com fruto do tamanho de um limão grande, cuja polpa, ácida, especial para refrescos, já está industrializada no N.E.; maracujá-suspiro. [Pl.: *maracujás-mirins*.]
maracujá-pintado. *S. m. Bras.* Planta da família das passifloráceas (*Passiflora mucronata*). [Pl.: *maracujás-pintados*.]
maracujá-sururuca. *S. m. Bras.* Planta da família das passifloráceas (*Passiflora setacea*), [Pl.: *maracujás-sururucas* e *maracujás-sururuca*.]
maracujá-suspiro. *S. m. Bras.* Maracujá-mirim. [Pl.: *maracujás-suspiros* e *maracujás-suspiro*.]
maracujá-vermelho. *S. m. Bras.* Planta da família das passifloráceas (*Passiflora rubra*). [Pl.: *maracujás-vermelhos*.]
maracujazeiro (já). [De *maracujá* + *-z-* + *-eiro*.] *S. m. Bras.* Planta da família das passifloráceas, de que há várias espécies.
maradijó. *S. 2 g.* e *adj. 2 g. Bras.* V. *maratchó*.
marafa. [Der. regress. de *marafona*.] *S. f. Bras., RJ. Gír.* Vida desregrada, licenciosa, libertina: *ser da m a r a f a; viver na m a r a f a.*
marafaia. [F. eufemística de *marafona*.] *S. f. Bras., PE.* V. *meretriz*.
marafo. [De or. afr.] *S. m. Bras., RJ. Gír.* V. *cachaça* (1).
marafona. *S. f.* **1.** Boneca de trapos: "As crianças, no adro, faziam m a r a f o n a s com os farrapos brancos" (Fernando Namora, *Retalhos da Vida de Um Médico*, p. 70). **2.** V. *meretriz*.
marafonear. [De *marafona* (2) + *-ear*.] *V. int.* Tratar com marafonas. [Conjug.: v. *frear*.]
marafoneiro. [De *marafona* (2) + *-eiro*.] *S. m.* Indivíduo que convive com marafonas.
marafunda. [Alter. de *barafunda*.] *S. f. Bras., SP. Pop.* Confusão, tumulto, barafunda: "fiquei encantada quando confessou que seu quarto é uma m a r a f u n d a, que fica doido procurando papel, um lápis, um apontamento." (Geraldo França de Lima, *Branca Bela*, p. 102).
maragatada. *S. f. Bras., RS.* O grupo dos maragatos; os maragatos.
maragatagem. *S. f. Bras., RS.* Ação própria de maragato; maragatice, maragatismo.
maragatear. *V. int. Bras., RS.* Fazer política ou ação própria de maragato. [Conjug.: v. *frear*.]
maragatice. *S. f. Bras., RS.* V. *maragatagem*.
maragatismo. *S. m. Bras., RS.* **1.** V. *maragatagem*. **2.** O partido dos maragatos.
maragato. [Do esp. uruguaio *maragato*.] *S. m. Bras., RS.* **1.** Participante da Revolução Federalista de 1893, chefiada por Silveira Martins (1834-1901), contrário ao partido então dominante, cujo chefe era Júlio de Castilhos (1860-1903). **2.** Adepto desse movimento e dessa política. **3.** Participante do movimento da Aliança Libertadora de 1923, liderado por Assis Brasil (1857-1938), infenso ao partido do então presidente do RS, Borges de Medeiros (1863-1961).
maragogiense. *Adj. 2 g.* **1.** De, ou pertencente ou relativo a Maragogi (AL). ● *S. 2 g.* **2.** Natural ou habitante de Maragogi.
maragogipano. *Adj.* e *s. m.* Maragogipense.
maragogipe. [Do top. *maragogipe*.] *Adj.* e *s. m. Bras.* Diz-se de, ou certa variedade de café.
maragogipense. *Adj. 2 g.* **1.** De, ou pertencente ou relativo a Maragogipe (BA). ● *S. 2 g.* **2.** Natural ou habitante de Maragogipe. [Sin. ger.: *maragogipano*.]
maraialense. *Adj. 2 g.* **1.** De, ou pertencente ou relativo a Maraial (PE). ● *S. 2 g.* **2.** Natural ou habitante de Maraial.
marajá[1]. [Do sânscr. *maha raja*, 'grande rei'.] *S. m.* Título dos príncipes ou potentados da Índia: "Você acredita que um m a r a j á da China... I — Perdão, da Índia. I — Ou isso. Que um m a r a j á da Índia ganhe a mixaria de 200 a 300.000 cruzeiros mensais?" (Carlos Drummond de Andrade, *Cadeira de Balanço*, p. 106.) [Fem.: *marani*. Cf. *rajá*.]
marajá[2]. [Do tupi *mara'yá*.] *S. f. Bras.* Designação comum a diversas palmeiras do gênero *Bactrias*.
marajatina. [De *marajá*[2].] *S. f. Bras.* Quantidade mais ou menos considerável de marajás dispostos proximamente entre si.
marajó. [Do top. *Marajó*.] *S. m.* **1.** *Bras., PA.* Vento que sopra pela tarde sobre a baía de Guajará (ilha de Marajó). ● *S. 2 g.* e *adj. 2 g.* **2.** *Bras.* V. *maratchó*.
marajoara. [Do tupi *marayo'ara*.] *Bras. Adj. 2 g.* **1.** Da, ou pertencente ou relativo à ilha de Marajó (PA): "os vasos de cerâmica, a maravilhosa cerâmica m a r a j o a r a, cuja arte fazia o assombro dos etnólogos" (Viana Moog, *Um Rio Imita o Reno*, p. 95). ● *S. 2 g.* **2.** Natural ou habitante dessa ilha. *S. m.* **3.** Bras., PA. Vento nordeste que sopra com força nas florestas de Marajó. **4.** V. *sambaíba-de-minas-gerais*.
marajuba. *S. f. Bras.* **V.** *guaruba*.
marambá. [Do tupi *mara'mba*.] *S. m. Bras.* Certa árvore do PA.
marambaia. *S. m. Bras. Mar. Gír.* **1.** Marítimo sem grande amor à profissão, que prefere viver em terra a estar embarcado. [Cf. *patesca*.] **2.** Marinheiro namorador.
marambaiar. *V. int. Bras. Mar. Gír.* Viver e proceder como marambaia.
maramimi. *S. 2 g.* e *adj. 2 g. Bras.* V. *maromomi*.
marandová. *S. m. Bras.* **1.** V. *mandorová*. **2.** Indivíduo de mau gênio.
maranduba. [Do tupi *mara'dub*, 'o que vier'.] *S. f.* **1.** *Bras.* História de guerra ou de viagem. **2.** *Bras., N.* e *N. E.* História inverossímil ou fabulosa. [Var.: *maranduva*.]
maranduva. *S. f. Bras.* Var. de *maranduba* [q. v.]
marangatuano. *Adj.* **1.** De, ou pertencente oú relativo a Marangatu (RJ). ● *S. m.* **2.** O natural ou habitante de Marangatu.
maranguapense. *Adj. 2 g.* **1.** De, ou pertencente ou relativo a Maranguape (CE). ● *S. 2 g.* **2.** Natural ou habitante de Maranguape.
maranha. *S. f.* **1.** Porção de fibras ou fios enredados. **2.** Teia de lã por apisoar. **3.** Crespidão, grenha: *a m a r a n h a dos cabelos.* **4.** *Fig.* Coisa intrincada; emaranhamento, enredo, complicação, teia: *a m a r a n h a dos seus raciocínios; Não me vou meter nessa m a r a n h a.* **5.** Intriga, embrulhada, confusão: *as m a r a n h a s do mexeriqueiro.* **6.** Combinação, conluio, pacto: *Andava de m a r a n h a com o patife.* **7.** Astúcia, esperteza: *as m a r a n h a s do jogador.* **8.** *Bras., Amaz.* Manha, velhacaria. **9.** *Bras., Amaz.* Ação de furtar-se ao trabalho; malandragem.
maranhão[1]. [De *maranha* + *-ão*[1], decerto.] *S. m.* **1.** Mentira (1). **2.** Intriga caluniosa; mexerico, fofoca. **3.** *Bras.* V. *flamingo*: "o m a r a n h ã o dorme ainda, em pé no meio do brejo, com a cabeça metida embaixo da asa e uma das pernas encolhida." (José de Alencar, *O Sertanejo*, p. 213).
maranhão[2]. *S. m. Desus.* Maranhense[1] (2).
maranhar. [De *maranha* + *-ar*[2].] *V. t. d.* e *p.* V. *emaranhar*.
maranhense[1]. *Adj. 2 g.* **1.** De, ou pertencente ou relativo ao Estado do MA. ● *S. 2 g.* **2.** Natural ou habitante desse estado. [Sin., desus.: *maranhão*.]
maranhense[2]. *Adj. 2 g.* **1.** De, ou pertencente ou relativo a São Sebastião do Maranhão (MG). ● *S. 2 g.* **2.** Natural ou habitante de São Sebastião do Maranhão.
maranho. [Dev. de *maranhar*?] *S. m.* **1.** Molho de tripas. **2.** Iguaria feita de miúdos de carneiro com arroz, bocados de galinha, etc.
maranhoso (ô). [De *maranhão*[1] + *-oso*.] *Adj.* **1.** Que diz maranhões. V. *mentiroso* (1). **2.** Intrigante, mexeriqueiro, fofoqueiro.
marani. [Do sânscr. *maha rani*, 'grande rainha'.] *S. f.* Mulher de marajá[1]. [Cf. *rani*.]
maranta. *S. f.* Designação comum a diversas plantas, em geral ornamentais, da família das marantáceas.
marantácea. *S. f.* Espécime das marantáceas.
marantáceas. *S. f. pl. Bot.* Família de monocotiledôneas da ordem das escitamíneas, composta de ervas dotadas de ampla e bela folhagem, flores hermafroditas, assimétricas e heteroclamídeas, quatro a cinco estames, sendo

fértil apenas a metade de um deles, e ovário unilocular ou trilocular, com um óvulo em cada lóculo. Compreende perto de 400 espécies peculiares aos trópicos, muitas delas plantadas nos jardins, em virtude da sua beleza e suavidade.

marantáceo. *Adj.* Pertencente ou relativo às marantáceas.

marapá. [Do tupi *mara'pá*.] *S. m. Bras., N.* Espécie de pinheiro.

marapajuba. [De *marapá* + *yub*, 'amarelo'.] *S. f. Bras.* Árvore da família das sapotáceas (*Mimusops paraensis*).

marapinima. [Do tupi *ma'ra*, por *ïmi'na*, 'madeira', + *pi'nima*, 'manchada'.] *S. f. Bras. Bot.* Árvore da região do AM.

marapitana. *S. 2 g.* e *adj. 2 g. Bras.* V. *marabitana*.

marapuama. [Do tupi *marapu'ama*.] *S. f. Bras.* Certa erva medicinal de que se faz um chá um tanto amargo e estimulador da circulação. [Var.: *marapuana*.]

marapuana. *S. f. Bras.* Var. de *marapuama*.

marasca. [Do it. *marasca*.] *S. f.* Variedade de cereja amarga, empregada no fabrico do marasquino.

marasmado. [Part. de *marasmar*.] *Adj.* **1.** V. *marasmático*: "e na ânsia de agitar [Camilo Castelo Branco] expressões marasmadas, de tornar rútilas as esmaecidas, e dúcteis as agrestes, desarticula prefixos, muda desinências, divorcia partículas verbalmente casadas" (Antero de Figueiredo, *Jornadas em Portugal*, p. 179). **2.** Caído em marasmo.

marasmante. *Adj. 2 g.* V. *marasmático*.

marasmar. *V. t. d.* **1.** Causar marasmo a. *Int.* e *p.* **2.** Cair em marasmo.

marasmático. *Adj.* Que tem ou encerra marasmo; apático, marasmódico, marasmante, marasmado.

marasmo. [Do gr. *marasmós*.] *S. m. Med.* **1.** Fraqueza extrema; debilidade, extenuação, atonia. **2.** *Med.* Desgaste progressivo, e emaciação, sem causa detectável, sobretudo aqueles que se observam na infância. **3.** *Fig.* Enfraquecimento das forças morais; falta de coragem; desânimo. **4.** Indiferença, apatia. **5.** Tristeza profunda; melancolia. **6.** Falta de atividade; paralisação, inatividade, estagnação: *marasmo administrativo*. ♦ **Marasmo infantil.** *Patol.* V. *atrepsia*.

marasmódico. *Adj.* V. *marasmático*.

marasquino. [Do it. *maraschino*.] *S. m.* Licor branco, fabricado com marascas.

marata. [Do hindustani *marhata*.] *S. 2 g.* **1.** Indivíduo dos maratas, povo da Índia meridional. ● *S.m.* **2.** O idioma falado por esse povo. ● *Adj. 2 g.* **3.** Pertencente ou relativo aos maratas.

maratataca. *S. f. Bras.* V. *jaritataca*.

maratauá. [Do tupi *marata'wá*.] *S. m. Bras., AM.* Árvore própria para construções.

maratchó. *Bras. S. 2 g.* **1.** Indivíduo dos maratchós, tribo indígena da região dos rios Panamá e Marapi (N. do PA). ● *Adj. 2 g.* **2.** Pertencente ou relativo a essa tribo. [F. paral.: *marachó, maradjó, marajó*.]

maratiácea. *S. f. Bot.* Espécime das maratiáceas.

maratiáceas. *S. f. pl. Bot.* Família de pteridófitos esporangiados que constitui a ordem das maratiales e se compõe de plantas robustas, de caule curto ou rizomatoso, folhas amplas, muito subdivididas, com apêndices estipuliformes, e dotadas de canais mucilaginíparos. Há umas 60 espécies intertropicais.

maratiáceo. *Adj.* Pertencente ou relativo às maratiáceas.

maratiale. *S. f.* Espécime das maratiales.

maratiales. *S. f. pl. Bot.* Ordem das filicíneas esporangiadas que engloba unicamente a família das maratiáceas.

maratimba. *S. 2 g. Bras.* V. *caipira* (1).

maratona. [Do top. *Maratona* (v. *maratônio*).] *S. f.* **1.** Corrida pedestre de cerca de 42 km (distância de Maratona a Atenas), comemorativa do feito do soldado de Maratona. **2.** *P. ext.* Corrida a pé, de longo percurso. **3.** *P. ext.* Competição esportiva, lúdica, ou intelectual. **4.** *Fig.* Atividade (política, p. ex.) muito intensa: "Tancredo fez maratona no Rio e discursou na hora do almoço em Ipanema" (*Jornal do Brasil*, 11.9.1984).

maratônio. [Do gr. *marathónios*, pelo lat. *marathoniu*.] *Adj.* **1.** De, ou pertencente ou relativo a Maratona, antiga cidade de Ática (Grécia), ou à atual região que lhe corresponde. ● *S. m.* **2.** O natural ou habitante dessa cidade ou região.

maratonista. *S. 2 g.* Pessoa que toma parte em maratona (2): "Pia Nascimento, a mais linda maratonista, ... vai levar hoje para as ruas a experiência de suas corridas de um ateliê para outro, na Itália" (*Jornal do Brasil*, 7.8.1982).

maratro. [Do gr. *márathron*, pelo lat. *marathru*.] *S. m.* V. *funcho*

marau. [Do fr. *maraud*.] *S. m.* **1.** Mariola, malandro, patife: "disseram-lhe [ao bispo] .... que o religioso solitário mantinha uma estalagem, onde se iam embebedar e jogar os maraus dos arredores" (Gustavo Barroso, *Livro dos Milagres*, p. 44). **2.** Indivíduo espertalhão, astucioso, finório, que não se deixa enganar.

marauá. *S. 2 g. Bras.* **1.** Indígena da extinta tribo aruaque dos marauás, da região dos rios Juruá e Jutaí (AM). ● *Adj. 2 g.* **2.** Pertencente ou relativo a essa tribo.

marauaná. *Bras. S. 2 g.* **1.** Indivíduo dos marauanás, tribo indígena das cabeceiras do rio Cachorro, afluente do Trombetas (N. do PA). ● *Adj. 2 g.* **2.** Pertencente ou relativo a essa tribo.

marauense[1]. *Adj. 2 g.* **1.** De, ou pertencente ou relativo a Marau (RS). ● *S. 2 g.* **2.** Natural ou habitante de Marau.

marauense[2] (a-u). *Adj. 2 g.* **1.** De, ou pertencente ou relativo a Maraú (BA). ● *S. 2 g.* **2.** Natural ou habitante de Maraú.

maraunita (a-u). [Do top. *Maraú* + *-n-* + *-ita*[3].] *S. f. Geol.* Espécie de linhita formada principalmente de algas claras, riquíssima em matérias voláteis, encontrada em Maraú (BA); turfa de Maraú.

maravalhas. *S. f. pl.* **1.** Aparas de madeira; lascas, cavacos: "O Natário .... trabalhava de marceneiro, diante da casa, entre sarrafos e maravalhas" (Coelho Neto, *Treva*, p. 196). **2.** Gravetos para fogo; acendalhas. **3.** *P. ext.* Pedacinhos; fragmentos: "Aí vai ela, ... lutando contra as maravalhas de gelo que se lhe derretem na cara" (Fialho d'Almeida, *O País das Uvas*, p. 176). **4.** *Fig.* V. *ninharia*.

maravedi. [Do ar. *murābiti*, referente aos almorávides; eles é que cunharam a moeda.] *S. m.* Antiga moeda gótica, que teve curso em Portugal e na Espanha: "Mas só encontrava .... algum pobre menestrel que, a troco dum maravedi, lhe cantava um vilancete" (Eça de Queirós, *Últimas Páginas*, pp. 392-393). [Var.: *maravidil*; sin.: *morabitino*.]

maravidil. *S. m.* V. *maravedi*.

maravilha. [Do lat. *mirabilia*.] *S. f.* **1.** Ato ou fato extraordinário, surpreendente, admirável, assombroso: *as maravilhas da ciência, do heroísmo*. **2.** Prodígio, portento, milagre: *as maravilhas de Deus*. **3.** Pessoa ou coisa extraordinária, digna de admiração: *O campeão é a maravilha da cidade*. **4.** Beleza, encanto, fascinação, fascínio: *as maravilhas da poesia; as maravilhas artísticas*. **5.** *Bras.* Planta herbácea, da família das nictagináceas (*Mirabilis jalapa*), originária do México, subespontânea no Brasil, que apresenta vistosas flores, de coloração variada, sendo por isso muito ornamental, cuja raiz é purgativa, e que foi muito empregada em experiências de genética, em estudos de transmissão de caracteres; bonina, jalapa-verdadeira. **6.** *Bras.* Carmim (2) de um rosa arroxeado e berrante. **7.** *Bras.* Espécie de empada. ● *Adj. 2 g.* e *2 n.* **8.** *Bras.* Da cor do carmim (2); de um rosa arroxeado e berrante. **9.** Diz-se dessa cor: *flores cor maravilha*. ♦ **À maravilha.** V. *às mil maravilhas*. **Às maravilhas.** V. *às mil maravilhas*: "A torre antiga e a mulher velha, emparelhadas nessa aldeia, casam-se às maravilhas no emblema do passado" (Alberto Rangel, *Livro de Figuras*, p. 116). **Às mil maravilhas.** Muito bem; excelentemente, primorosamente; à maravilha; às maravilhas: "O Leonardo retirou-se contente vendo que seu plano saía às mil maravilhas" (Manuel Antônio de Almeida, *Memórias de um Sargento de Milícias*, p. 173). **Oitava maravilha.** Pessoa ou coisa que se julga, ou como que se julga, digna de figurar ao lado das sete maravilhas do mundo. [Us., por vezes, ironicamente.]

maravilhador (ô). *Adj.* e *s. m.* Que, ou aquele que maravilha, que produz admiração ou pasmo; fascinador: *paisagem maravilhadora dos olhos; É um maravilhador*.

maravilha-do-sertão. *S. f. Bras.* Chá muito saboroso, que se faz com as flores da catinga-de-porco. [Pl.: *maravilhas-do-sertão*.]

maravilhamento. *S. m.* Ato ou efeito de maravilhar(-se); admiração, espanto, pasmo.

maravilhar. *V. t. d.* **1.** Provocar admiração, assombro, pasmo, em: *O espetáculo maravilhava a assistência*; "alatinou o jovem More [Tomás Morus], à moda dos humanistas, o próprio nome, transmundando-o em Morus, e foi com ele que maravilhou a Europa do tempo e passou à posteridade." (Ivã Lins, *Tomás Morus e a Utopia*, p. 4). *Int.* **2.** Provocar admiração, assombro, pasmo: *A sua erudição maravilhava*. *P.* **3.** Encher-se de admiração, assombro, pasmo.

maravilhense. *Adj. 2 g.* **1.** De, ou pertencente ou relativo a Maravilhas (MG). ● *S. 2 g.* **2.** Natural ou habitante de Maravilhas.

maravilhoso (ô). *Adj.* **1.** Que maravilha; que causa admiração; supreendente, espantoso: *fenômeno maravilhoso*. **2.** Excelente, primoroso, magnífico: *vinho maravilhoso*. **3.** Belo, encantador: *olhar maravilhoso*. ● *S. m.* **4.** Aquilo que encerra maravilha, que é extraordinário ou sobrenatural: *O maravilhoso está presente em muitas das histórias infantis*.

maraximbé. [Var. de *muiraximbé* < tupi *mïraxï'pé*.] *S. m. Bras.* Árvore da família das icacináceas (*Emmotum fagifolium*), que se distribui do AM à BA, de grandes folhas coriáceas e madeira de algum préstimo, flores inconspícuas e paniculadas, e cujos frutos são drupas duríssimas; muiraximbé.

marca[1]. [Do suevo * *marka*, ou dev. de *marcar*.] *S. f.* **1.** Ato ou efeito de marcar. **2.** Sinal que se faz num objeto para reconhecê-lo: *Pôs uma marca nos embrulhos*. **3.** Desenho ou etiqueta de produtos industriais: *A marca desta seda são três estrelas*. **4.** Categoria, qualidade, espécie, tipo: *Esta é a marca de café preferida pelo mercado externo*. **5.** Ferrete (1): *Usou a marca em brasa*. **6.** Impressão, selo, cunho: *a marca de prata*. **7.** Impressão (que fica no espírito): *O seu convívio deixou funda marca no meu ser*. **8.** Carimbo (2 e 3). **9.** Labéu, estigma, ferrete. **10.** Sinal, nota ou indicação para se recordar algo: *Fez uma marca no livro*. **11.** Firma, assinatura, rubrica. **12.** Nódoa ou vestígio de doença ou contusão: *marcas de pancadas; as marcas da varíola*. **13.** Limite, fronteira, marco: *as marcas das Guianas*. **14.** Tento[2] (2). **15.** Letra, nome ou emblema feito à tinta ou à linha numa peça de roupa. **16.** Sinal que se faz nas árvores por ocasião do inventário dos cortes. **17.** Medida reguladora; padrão, bitola: *Não atingiu a marca*. **18.** *Fig.* Grau, categoria, jaez: *Raros são os homens desta marca*. **19.** *Fig.* Cunho, selo: *a marca do gênio*. **20.** *Teat.* Cada uma das rubricas que o ator acrescenta ao seu texto, e que o auxiliam na composição de sua personagem. **21.** *Teat.* Marcação (3). **22.** *Prop.* Nome, expressão, forma gráfica, etc., que individualiza e identifica uma empresa, um produto ou uma linha de produtos. [Cf. *logotipo* (2 e 3), *logomarca* e *símbolo-marca*.] **23.** *Bras., PR. Folcl.* Dança regional que faz parte de um fandango. ♦ **Marca de Plimsoll.** *Mar. Merc.* Conjunto de marcas feitas no costado de navio mercante, a meia nau, para indicar a imersão máxima em que pode navegar, nas diversas estações climáticas e nos diversos mares, a fim de assegurar-lhe reserva de flutuabilidade suficiente à sua segurança. **De marca.** **1.** De qualidade; de importância; marcante: *personalidade de marca*. **2.** *Deprec.* De péssima qualidade; da pior espécie; de marca maior: *malandro de marca*; "— O que você é — disse ela — é um preguiçoso de marca." (José Carlos Oliveira, *A Revolução das Bonecas*, p. 55). **De marca maior.** **1.** Fora do comum; que excede os limites vulgares: "A Mara é uma fútil, uma desfrutável, e uma gastadeira de marca maior!" (Telmo Vergara, *Contos da Vida Breve*, p. 115.) **2.** De marca (2): *É um tratante de marca maior*. **Sair de marca quente.** *Bras., RS.* Sair desconfiado, ressabiado.

marca[2]. [Do fin. *markka*.] *S. f.* Unidade monetária, e moeda, da Finlândia (Europa).

marcação. *S. f.* **1.** Ato ou efeito de marcar. **2.** *Mar.* Direção em que visamos uma aeronave, embarcação, acidente geográfico, ou qualquer outro objeto situado fora da nossa embarcação, e caracterizada pelo ângulo que o vertical de visada faz com a direção do norte (*marcação verdadeira*) ou com a direção da nossa proa (*marcação relativa*). **3.** *Teat.* Indicação e coordenação, pelo diretor, dos movimentos e atitudes dos atores numa peça; marca. **4.** *Teat.* Tais movimentos e atitudes: "O conjunto harmonizava-se ao toque do diretor, que acentuou o aspecto plástico das marcações e os efeitos de luz." (Sábato Magaldi, *Panorama do Teatro Brasileiro*, p. 194.) **5.** *Edit.* Indicação, em manuscrito, das especificações tipográficas (tipo, corpo, medidas, etc.) necessárias à composição. [Cf. diagramação.] **6.** *Bras., RS.* Ferra (1). ♦ **Marcação relativa.** *Mar.* V. *marcação* (2). **Marcação verdadeira.** *Mar.* V. *marcação* (2). **Estar de marcação com.** *Bras.* Fazer de (alguém) alvo de perseguição contínua; ter marcação com. **Ter marcação com.** *Bras.* Estar de marcação com.

marca-d'água. *S. f.* V. *filigrana* (4). [Pl.: *marcas-d'água*. Cf. *linha-d'água*.]

marca-de-judas. *S. 2 g. Bras., N. Pop.* Pessoa de pequena estatura. [Pl.: *marcas-de-judas*.]

marcado. [Part. de *marcar*.] *Adj.* **1.** Que recebeu marca; assinalado: *roupa marcada*. **2.** Indicado, reservado: *lugar marcado*. **3.** Estigmatizado, condenado: *É um pobre homem marcado*. **4.** Distinto, eminente:

É um dos juízes mais marcados. **5.** *Bras., RS.* Diz-se daquele que faz negócios escusos ou vive a enganar os outros em transações. ~ V. *átomo* —, *cheque* — e *molécula* —*a*. ● *S. m.* **6.** *Bras., RS.* Aquele que engana os outros em negócios; traficante, tratante.

marcador (ô). *Adj.* **1.** Que marca. ● *S. m.* **2.** Aquele que marca. **3.** *Bras.* Quadro onde se marcam os pontos ganhos em um jogo (futebol, basquetebol, bilhar, etc.); placar. **4.** *Bras.* A indicação contida nesse quadro; placar. **5.** *Bras., RS.* Marqueiro. **6.** *Bras., S.* Aquele que, munido de facão de mato, foice ou machado, assinala com um talho na casca dos pinheiros ou de outras árvores, os que devem ser abatidos, fazendo a um só tempo a sua classificação de acordo com a grossura dos troncos. **7.** *Edit.* Aquele que executa a marcação (5). **8.** Fita ou linha presa à lombada de uma publicação encadernada, com que se assinalam as páginas de leitura.

marçagão. *S. m.* O mês de março, quando áspero e desabrido.

marca-grande. *S. m. Bras.* Fazendeiro abastado. [Pl.: *marcas-grandes.*]

marçalino. *Adj.* Relativo ao mês de março.

marca-mês. [De *marcar* + *mês*.] *S. m. Bras., AL. Pop.* Folhinha (2) constituída por um bloco de pequeninas folhas, que se destacam uma a uma. [Pl.: *marca-meses.*]

marçano. *S. m.* **1.** Aprendiz de caixeiro. **2.** *P. ext.* Aprendiz, principiante.

marcante. *Adj. 2 g.* **1.** Que marca; que assinala; que distingue: *traços marcantes.* **2.** Que deixa marca; que sobressai, se evidencia: *personalidade marcante;* "Eu ardia por pintar .... o carão patibular do oficial homicida, em que todos apontavam estigmas marcantes do criminoso nato..." (Cândido Jucá [filho], *Noite Insone*, p. 106).

marcapasso. [Trad. errônea do ingl. *pacemaker*] *S. m. Fisiol.* Objeto ou substância que influencia a freqüência com que ocorre um determinado fenômeno. ◆ **Marcapasso cardíaco artificial.** *Fisiol.* Instrumento que, mediante impulsos elétricos, estimula a contração muscular cardíaca, limitada a uma certa freqüência.

marca-pés. [De *marcar* + o pl. de *pé*.] *S. m. 2 n. Bras.* Barro com que se purifica o açúcar.

marcar. [De or. germ., atr. do lomb. **markjan*, **markan*, e do it. *marcare*.] *V. t. d.* **1.** Pôr marca ou sinal em; assinalar: *marcar um lugar.* **2.** Indicar, apontar: "o relógio branco marca três horas" (Lígia Fagundes Teles, *Seminário dos Ratos*, p. 64). **3.** Ser o traço distintivo de; dar caráter especial a: *Aqueles acontecimentos marcaram época.* **4.** Demarcar, delimitar: *marcar uma divisa.* **5.** Fixar, determinar: *marcar um prazo;* "As velhas datas que marcam o seu fim [da Idade Média] — 1453, 1492, 1517, a queda de Constantinopla, a descoberta da América, a Reforma Luterana — não são bastante precisas" (Oto Maria Carpeaux, *A Cinza do Purgatório*, p. 257). **6.** Revelar, patentear. **7.** Calcular, contar. **8.** Firmar, fixar: *O partido marcou sua posição.* **9.** Bordar ou aplicar marca (15) em. **10.** Enodoar, macular: *Seus crimes o marcaram para sempre.* **11.** Ferir, contundir, machucar. **12.** Produzir impressão em; impressionar, influir: "O livro que mais fundamente marcou a minha adolescência foi *A Educação Sentimental*, de Flaubert." (Augusto Frederico Schmidt, *O Galo Branco*, p. 400.) **13.** Observar (alguém) atentamente, sobretudo para surpreender em falta: *Durante dois meses os detectives marcaram os contraventores.* **14.** *Bras.* Discar (2): *Fui ao telefone e marquei 265-9528.* **15.** *Fís. Nucl.* Introduzir um indicador isotópico ou radioativo em (um sistema). **16.** *Bras.* Assinalar (o gado) a ferro em brasa. **17.** *Fut.* Colocar-se junto a um jogador adversário para impedir que atue livremente: "Briegel .... foi escalado .... no meio-campo com a função de marcar Michel Platini." (*Jornal do Brasil*, 8.7.1982.) **18.** *Fut.* Fazer (gol): *Adílio marcou o gol decisivo da partida entre Flamengo e Santos.* **19.** Fazer a marcação de. [Cf. *diagramar*.]. *Int.* **20.** *Bras.* Deixar marca, traços, sinais, de sua presença, atuação, etc.: *É uma personalidade que marca.* **21.** *Mar.* Determinar, medir a marcação (2). **22.** Bordar ou aplicar marca (15): "E ela que lhe guardaria? Pode ser que um lenço marcado com o nome dele e uma âncora na ponta, porque ela sabia marcar muito bem." (Machado de Assis, *Histórias sem Data*, p. 169). [Conjug.: v. *trancar*.]

marca-símbolo. *S. f.* Símbolo-marca. [Pl.: *marcas-símbolo.*]

marcassita. [Do arameu *makkashitha*, atr. do ár. *markashita*.] *S. f. Min.* Mineral ortorrômbico, sulfeto de ferro: "produto da venda de um broche de marcassita, presente do rapaz de olhos verdes." (Mário Donato, *A Parábola das 4 Cruzes*, p. 35).

marcela. *S. f.* Var. de *macela*.

marcelão. [Aum. de *marcela*.] *S. m.* Var. de *macelão*.

marcelina. *S. f.* Religiosa da Congregação de S. Marcelo.

marcelinense[1]. *Adj. 2 g.* **1.** De, ou pertencente ou relativo a Marcelino Vieira (RN). ● *S. 2 g.* **2.** Natural ou habitante de Marcelino Vieira.

marcelinense[2]. *Adj. 2 g.* **1.** De, ou pertencente ou relativo a Marcelino Ramos (RS). ● *S. 2 g.* **2.** Natural ou habitante de Marcelino Ramos.

marcenaria. *S. f.* Oficina, arte ou obras de marceneiro.

marceneirar. *V. int. P. us.* Exercer a profissão de marceneiro; trabalhar de marceneiro.

marceneiro. *S. m.* Oficial que trabalha a madeira com mais arte do que o carpinteiro (1) [q. v.].

marcescência. *S. f.* Qualidade ou estado de marcescente.

marcescente. [Do lat. *marcescente*.] *Adj. 2 g.* **1.** Que murcha, que seca. **2.** *Bot.* Diz-se do cálice que persiste no fruto depois de a flor haver murchado; murchoso.

marcescível. [Do lat. *marcescibile*.] *Adj. 2 g.* que murcha ou pode murchar.

marcgraviácea. *S. f.* Espécime das marcgraviáceas.

marcgraviáceas. *S. f. pl. Bot.* Família de dicotiledôneas, da ordem das parietales, que compreende arvoretas e arbustos, alguns epifíticos, com folhas geralmente dimorfas, flores vistosas, coloridas, em inflorescências racemiformes ou umbeliformes, muitas vezes acompanhadas de nectários em forma de sacos, pétalas mais ou menos concrescentes, no mínimo três estames, e fruto capsular. Conhecem-se perto de 100 espécies da América tropical, não poucas brasileiras.

marcgraviáceo. *Adj.* Pertencente ou relativo às marcgraviáceas.

marcha. [Dev. de *marchar*.] *S. f.* **1.** Ato ou efeito de marchar: *A marcha é exercício saudável.* **2.** Jornada a pé; andada, caminhada: *a marcha dos caçadores mata adentro.* **3.** Modo de andar; andadura, passo: *a marcha do cavalo.* **4.** Cortejo, préstito, séquito: *marcha triunfal.* **5.** Passo cadenciado (de um indivíduo, ou de um corpo de tropas): *O batalhão seguiu em marcha acelerada.* **6.** Seqüência, sucessão: *a marcha dos acontecimentos.* **7.** Progresso, andamento, desenvolvimento: *a marcha da ciência.* **8.** *Mec.* Cada uma das posições das engrenagens da caixa de marchas que permitem, em diferentes condições de rodagem, imprimir ao veículo o regime adequado e o avanço ou recuo conveniente, como a primeira marcha, a segunda marcha, a terceira marcha, a quarta marcha e a marcha a ré. **9.** *Mús.* Peça musical em compasso binário ou quaternário, com os tempos fortes acentuados, e com andamentos variados, e que se destina a marcar ou evocar o ritmo cadenciado do passo de uma pessoa, ou de um grupo de pessoas em marcha: *marcha militar; marcha nupcial; marcha fúnebre.* **10.** *Bras. Mús.* Gênero de música popular urbana, nascida nos ranchos e cordões carnavalescos, em compasso binário, e cuja coreografia consiste num andar ritmado, em voltas. **11.** *Cronol.* V. *marcha de um relógio.* ◆ **Marcha anserina.** *Med.* Aquela em que o doente ginga como o pato. **Marcha a ré.** *Mec.* V. *marcha* (8). [Tb. se diz apenas *ré*.] **Marcha ao acaso.** *Estat.* Processo estocástico em que as variáveis aleatórias são as posições de um móvel sobre uma reta na qual ele só pode ocupar pontos que formam um conjunto discreto. **Marcha a vante.** *Mar.* Aquela que faz uma embarcação avançar. **Marcha de um relógio.** *Cronol.* Variação do estado de um relógio em um dia; marcha diurna. [Tb. se diz apenas *marcha*.] **Marcha diurna.** *Cronol.* V. *marcha de um relógio.* **Marcha harmônica.** *Mús.* Pequeno grupo de acordes que se reproduz simetricamente a intervalos iguais, ascendentes ou descendentes; progressão harmônica. **Marcha oblíqua.** Marcha em diagonal. **A marchas forçadas.** Com toda a rapidez e sem interrupções; em marcha forçada. **Em marcha forçada.** A marchas forçadas. **Primeira marcha.** *Mec.* V. *marcha* (8). [Tb. se diz apenas *primeira*.] **Quarta marcha.** *Mec.* V. *marcha* (8). [Tb. se diz apenas *quarta*.] **Segunda marcha.** *Mec.* V. *marcha* (8). [Tb. se diz apenas *segunda*.] **Terceira marcha.** *Mec.* V. *marcha* (8). [Tb. se diz apenas *terceira*.]

marcha-caminheira. *S. f. Bras., N.E. Folcl.* Peça musical de zabumba (2), que acompanha a procissão nas festas do padroeiro. [Pl.: *marchas-caminheiras.*]

marcha-de-estrada. *S. m. Bras. Folcl.* Marcha que a zabumba (2) executa, ininterruptamente, ao sair da sede a caminho de uma festa. [Pl.: *marchas-de-estrada.*]

marchadeira. [Fem. de *marchador* (ô).] *S. f. Bras.* Denominação dada às mulheres que, em 1964, participaram da chamada passeata pela democracia, protestando contra o então presidente João Goulart (1918-1976). [Tb. us. no m.]

marchador (ô). *Adj.* **1.** Diz-se de cavalo de passo largo e compassado. ● *S. m.* **2.** Cavalo marchador. **3.** Aquele que marcha, que paga as despesas de outrem; coronel, marchante. **4.** *Bras.* V. *marchadeira.*

➧**marchand** (marchã). [Fr.] *S. m. Bras.* Indivíduo que negocia com quadros e/ou outros objetos de arte.

marchantaria. *S. f.* Negócio ou profissão de marchante.

marchante. [Do fr. *marchand*, 'comerciante'.] *S. m.* **1.** Aquele que compra gado para vendê-lo abatido, aos açougues; boiadeiro: "No lugar ocupado pela cruz tinha ele assassinado um ano antes um marchante de gados para lhe roubar o dinheiro que trazia da feira" (Franklin Távora, *O Cabeleira*, pp. 234-235). **2.** *Bras., N.* e *N.E.*, e *prov. lus.* Dono ou empregado de açougue. **3.** *Bras., S.* Aquele que sustenta uma concubina. **4.** *Bras.* Aquele que paga para os outros; marchador, coronel.

marchantiale. *S. f.* Espécime das marchantiales.

marchantiales. *S. f. pl. Bot.* Ordem de hepáticas da subclasse das hepaticales, que se caracteriza pelo gametófito talóide e dorsiventral.

marchar. [Do fr. *marcher*.] *V. int.* **1.** Andar, caminhar. **2.** Caminhar a passo cadenciado. **3.** Seguir os devidos trâmites. **4.** Progredir, avançar. **5.** *Bras. Pop.* Arcar com as despesas. *T. i.* **6.** Arcar (com as despesas): *O genro leva uma vida de nababo, e o sogro marcha nos gastos.*

marcha-rancho. *S. f. Bras.* Marcha (10) de andamento lento, composta para ser cantada e dançada, originalmente, pelos ranchos carnavalescos. [Pl.: *marchas-ranchos* e *marchas-rancho*.]

marche-marche. [De *marche*, do v. *marchar*, repetido.] *S. m.* **1.** O mais rápido dos passos militares. [Pl.: *marches-marches* e *marche-marches*.] ● *Interj.* **2.** Voz para a execução desse passo. ◆ **A marche-marche.** No passo mais rápido; apressadamente: "voltou imediatamente ao ponto onde fizera alto a tropa, que ele ordenou seguisse a marche-marche." (Franklin Távora, *Lourenço*, p. 46).

marcheta (ê). [Var. de *marchete*.] *S. f.* **1.** Parte do manto onde se pregam as fitas. **2.** Marchete. [Pl.: *marchetas* (ê). Cf. *marcheta* e *marchetas*, do v. *marchetar*.]

marchetado. [Part. de *marchetar*.] *Adj.* **1.** Que se marchetou; que tem obra ou lavor de marchetaria; tauxiado: *escudo marchetado;* "Todo aquele metal se lhe está sucessivamente transformado perante a fantasia, em perfumes e grinaldas, em cítaras de marfim marchetado" (Antônio Feliciano de Castilho, *A Lírica de Anacreonte*, p. 14). **2.** *Fig.* Matizado, adornado. ● *S. m.* **3.** Obra de marchetaria.

marchetar. *V. t. d.* **1.** Fazer (obra de marchetaria). **2.** *Fig.* Adornar com manchas coloridas; matizar, esmaltar; tauxiar: "Nalgumas lagoas mais quietas, ... repontam no esmalte verde dos charões vegetais .... as folhas numerosas da vitória-régia. Marchetam a superfície." (Raimundo Morais, *Na Planície Amazônica*, p. 27.) **3.** *Fig.* Realçar, salientar. *T. d. e i.* **4.** Embutir, tauxiar: *Marchetou de ouro a cadeira.* **5.** Entremear, entressachar: *Marchetou o discurso de sentenças latinas.* [Pres. ind.: *marcheto, marchetas, marcheta*, etc.; pres. subj.: *marchete, marchetes*, etc. Cf. *marcheta* (ê), pl. *marchetas* (ê), e *marchete* (ê), pl. *marchetes* (ê).]

marchetaria. *S. f.* **1.** Arte de incrustar, embutir ou aplicar peças recortadas de madeira, marfim, tartaruga, bronze, etc., em obra de marcenaria, formando desenhos. **2.** A obra executada segundo essa arte. **3.** Obra marchetada; tauxia.

marchete (ê). [Dev. de *marchetar*.] *S. m.* Cada uma das peças que se marchetam ou embutem na madeira; marcheta. [Pl.: *marchetes* (ê). Cf. *marchete* e *marchetes*, do v. *marchetar*.]

marcheteiro. *S. m.* Oficial que trabalha em marchetaria; embutidor.

marchinha. [Dim. de *marcha*.] *S. f. Bras.* Marcha (10) de andamento vivo e ritmo binário.

marcial. [Do lat. *martiale*.] *Adj. 2 g.* **1.** Da, respeitante à, ou próprio da guerra; bélico: "Chamando as turbas, / Soam buzinas, marciais trombetas, / Sonoros carrilhões!" (Eugênio de Castro, *Obras Poéticas*, V. p. 40.) **2.** Belicoso, aguerrido. **3.** Relativo a militares ou a guerreiros. [Sin.: ger.: *márcio, guerreiro*.] **4.** *Med.* Referente a compostos de ferro, ou que os contém: *medicação marcial.* ~ V. *corte* (ô) — e *lei* —.

marcialidade. *S. f.* Qualidade de marcial.

marcializar. *V. t. d.* Tornar marcial.

marcialmente. [De *marcial* + *-mente.*] *Adv.* De modo ou com aspecto marcial: "Finda a guerra, as bandeiras que ondulavam m a r c i a l m e n t e se enrolam para o sono dos museus" (Constâncio Alves, *Figuras,* p. 82).

marciano. [De um lat. *martianu.] *Adj.* **1.** Relativo ao planeta Marte; marciático. ● *S. m.* **2.** Suposto habitante desse planeta.

marciático. [Do lat. *martiaticu.*] *Adj.* Marciano (1).

márcido. [Do lat. *marcidu.*] *Adj.* **1.** Sem viço, sem frescor; murcho. **2.** Sem vigor; frouxo, flácido.

márcio. [Do lat. *martiu.*] *Adj.* V. *marcial.*

marco[1]. [De *marca.*] *S. m.* **1.** Sinal de demarcação, ordinariamente de pedra ou de granito oblongo, que se põe nos limites territoriais. [Cf. *baliza* (1).] **2.** Coluna, pirâmide, cilindro, etc., em granito ou mármore, para assinalar um local ou acontecimento: *o m a r c o da fundação da cidade.* **3.** Qualquer acidente natural que se aproveita para sinal de demarcação. **4.** *Fig.* Fronteira, limite: *os m a r c o s do conhecimento.* **5.** A parte fixa das portas e janelas que guarnece o vão. [Chamam-se *ombreiras* as partes verticais, e *padieira* a superior.] **6.** Antiga unidade de medida de peso, equivalente a 8 onças [v. *onça[1]* (1)], ou seja, 230 gramas aproximadamente. ◆ **Marco quilométrico.** Pequeno poste ou estaca colocado à margem de uma estrada, e que indica a distância desta ao ponto inicial dessa estrada.

marco[2]. [Do al. *Mark.*] *S. m.* Unidade monetária, e moeda, da República Federal da Alemanha (*marco alemão*) e da República Democrática Alemã (*marco oriental*), dividida em 100 fênigues. ◆ **Marco alemão.** V. *marco[2].* **Marco oriental.** V. *marco[2].*

março. [Do lat. *martiu.*] *S. m.* O terceiro mês dos calendários juliano e gregoriano, com 31 dias. [Cf. *marso.*]

marcofilia. [De *marca[1]* + *-o-* + *-fil(o)-[2]* + *-ia.*] *S. f.* Estudo das marcas e carimbos em envelopes.

marcofílico. *Adj.* Relativo à marcofilia.

marcomano. [Do lat. *marcomanu.*] *S. m.* **1.** Indivíduo dos marcomanos, povo antigo da Germânia que habitou as margens do Danúbio e do Reno. ● *Adj.* **2.** Pertencente ou relativo a esse povo.

marcondense. *Adj. 2 g.* **1.** De, ou pertencente ou relativo a Alfredo Marcondes (SP). ● *S. 2 g.* **2.** Natural ou habitante de Alfredo Marcondes.

mar-de-almirante. *S. m. Bras. Mar. G.* Estado do mar bonançoso, com boa visibilidade. [Pl.: *mares-de-almirante.*]

mar-de-espanhense. *Adj. 2 g.* **1.** De, ou pertencente ou relativo a Mar de Espanha (MG). ● *S. 2 g.* **2.** Natural ou habitante de Mar de Espanha. [Pl.: *mar-de-espanhenses.*]

▲**mare-.** [Do lat. *mare, is.*] *El. comp.* = 'mar': *maremoto.* [Equiv.: *mareo-*: *mareômetro.*]

maré[1]. [Do fr. *marée.*] *S. f.* **1.** *Geofís.* Movimento periódico das águas do mar, pelo qual elas se elevam ou se abaixam em relação a uma referência fixa no solo. É produzido pela ação conjunta da Lua e do Sol, e, em muito menor escala, dos planetas; a sua amplitude varia para cada ponto da superfície terrestre, e as horas de máximo *(preamar)* e mínimo *(baixa-mar)* dependem fundamentalmente das posições daqueles astros. **2.** *Fig.* Fluxo e refluxo dos acontecimentos humanos: *Cresce a m a r é da insatisfação dos jovens.* **3.** *Fig.* Oportunidade, ensejo, ocasião, sazão: *É esta a minha m a r é de sorte.* **4.** *Fig.* Disposição de espírito; tendência, humor: *Ele não está hoje de boa m a r é .* **5.** Aglomeração de gente; multidão, mar: *uma m a r é de manifestantes.* **6.** *Bras.* Terreno à beira-mar ou à beira-rio, em que se faz sentir o fluxo e o refluxo da maré. **7.** *Bras., PA.* Distância itinerária de um ponto a outro nas viagens fluviais em que se faz sentir a ação do fluxo e refluxo do mar. ◆ **Maré alta.** A altura máxima que as águas do mar atingem durante o fenômeno da maré; preamar, maré-cheia. **Maré atmosférica.** *Geofís.* Variação da altura da atmosfera, devida à ação gravitacional da Lua e do Sol, e análoga à que se produz nos mares. **Maré baixa.** *Geofís.* V. *baixa-mar.* **Maré da crosta.** *Geofís.* V. *maré terrestre.* **Maré de carvoeiro.** *Bras., Amaz.* Coisa precária, passageira. **Maré de lua.** V. *maré de sizígia.* **Maré de quadratura.** *Ocean. Fís.* Maré de pequena amplitude, que se segue ao dia de quarto crescente ou quarto minguante; maré de quarto. **Maré de quarto.** *Ocean. Fís.* Maré de quadratura. **Maré descendente.** *Geofís.* V. *vazante da maré.* **Maré de sizígia.** Maré de grande amplitude, que se segue ao dia de lua cheia ou de lua nova; água-viva, maré de lua. **Maré direta.** *Geofís.* Maré formada do lado da Terra onde se encontram simultaneamente o Sol e a Lua. **Maré lacustre.** *Geofís.* Maré das águas dos grandes lagos. **Maré montante.** *Geofís.* Fluxo da maré. **Maré oposta.** *Geofís.* A que se produz do lado da Terra oposto àquele onde se acham simultaneamente o Sol e a Lua. **Maré sólida.** *Geofís.* V. *maré terrestre.* **Maré terrestre.** *Geofís.* Movimento periódico ascendente e descendente da crosta terrestre, produzido pela ação conjunta da Lua e do Sol; maré sólida, maré da crosta. **Maré vazia.** *Geofís.* V. *baixa-mar.* **Remar contra a maré.** V. *ir contra a corrente.*

maré[2]. *S. f. Bras., MG* e *GO.* V. *amarelinha[2].*

mareação. *S. f. Ant.* Ato ou efeito de marear(-se); mareagem.

mareado. [Part. de *marear.*] *Adj.* **1.** *Marinh.* Governado, dirigido, manobrado (embarcação). **2.** Enjoado em viagem por mar. **3.** Embaciado, manchado; oxidado: *prata m a r e a d a .* **4.** *Bras., RS.* Que está um tanto ébrio; tocado, alegre.

mareagem. *S. f.* **1.** Ato ou efeito de marear (1 e 2); mareação. **2.** *Marinh.* Ângulo que faz a direção da quilha de uma embarcação a vela e a direção do vento, quando navegando.

mareante. [De *marear* + *-nte.*] *Adj. 2 g.* **1.** Que mareia [v. *marear* (1)]. ● *S. m.* **2.** Homem do mar; navegante, navegador, marinheiro: "as veleiras barcas, contra a força e arte dos destros m a r e a n t e s , não venceram o impulso que as levava contra as penedias da barra." (Camilo Castelo Branco, *O Santo da Montanha,* p. 292).

marear. [De *mar[1]* + *-ear.*] *V. t. d.* **1.** *Obsol.* Navegar: "Ajuda o nosso empenho; o mar é chão, mas largo; / m a r e i a -me o baixel, pois mo tomaste a cargo." (Antônio Feliciano de Castilho, *As Geórgicas de Virgílio,* p. 69.) **2.** *Marinh.* Manobrar ou manejar (uma embarcação à vela). **3.** Provocar enjôo em: *O balanço da embarcação m a r e a v a -os.* **4.** Tirar o brilho a; deslustrar, embaciar, oxidar. **5.** Difamar, desonrar, desdourar. **6.** *Taur.* Estontear (o touro) com passes de capote e muleta. *Int.* **7.** *Ant.* Andar embarcado; navegar. **8.** Enjoar a bordo. *P.* **9.** Orientar-se no mar. **10.** Perder o brilho; deslustrar-se, embaciar-se. **11.** Governar-se nas suas ações; dirigir-se. **12.** Perturbar-se; zangar-se. **13.** *Bras., RS.* Embriagar-se, embebedar-se. [Conjug.: v. *frear.*]

marechal. [Do germ. *marahskalk,* 'criado que trata dos cavalos', atr. do fr. *maréchal.*] *S. m.* **1.** V. *hierarquia militar.* **2.** Oficial que detém o posto de marechal. **3.** *Bras.* Designação comum a *marechal-de-exército* e *marechal-de-campo.* **4.** Chefe supremo do exército em caso de guerra. ◆ **Marechal de Ferro.** Antonomásia de Floriano Peixoto (1839-1895). [V. *florianismo* e *florianista.*]

marechalado. *S. m.* Marechalato.

marechalato. *S. m.* Cargo ou dignidade de marechal; marechalado.

marechal-de-campo. *S. m.* **1.** V. *hierarquia militar.* **2.** Oficial que detinha o posto de marechal-de-campo. **3.** Feldmarechal. [V. *marechal* (3). Pl.: *marechais-de-campo.*]

marechal-de-exército. *S. m.* **1.** V. *hierarquia militar.* **2.** Oficial que detinha o posto de marechal-de-exército. [V. *marechal* (3). Pl.: *marechais-de-exército.*]

marechal-do-ar. *S. m.* **1.** V. *hierarquia militar.* **2.** Oficial que detém o posto de marechal-do-ar. [Pl.: *marechais-do-ar.*]

maré-cheia. *S. f.* V. *maré alta.* [Pl.: *marés-cheias.*]

maregrafista. *S. 2 g.* Funcionário encarregado do marégrafo; mareografista, espia-maré.

marégrafo. [De *mare-* + *-grafo.*] *S. m. Geofís.* Instrumento destinado à medição e ao registro do nível médio do mar a qualquer hora, com o fim de estudar as marés. [Sin.: *marêmetro, mareógrafo, mareômetro* e (bras.) *espia-maré.*]

maregrama (è). [De *mare-* + *-grama.*] *S. m. Geofís.* Gráfico que se obtém com o marégrafo.

mar-e-guerra. *S. m. Bras.* F. red. de *capitão-de-mar-e-guerra* [q. v.] [Pl.: *mar-e-guerras.*]

mareiro. *Adj.* **1.** Diz-se de vento que vem ou sopra do mar: "findaram as nortadas; / Veio o vento m a r e i r o e as noites orvalhadas." (Bulhão Pato, *Livro do Monte,* p. 50). **2.** Propício à navegação. ● *S. m.* **3.** Vento do mar: "A tarde era de verão, serena e calmosa, mas ajudada por um m a r e i r o .... salgadio e fresco." (Bulhão Pato, *Memórias,* III, p. 335.)

marejada. [De *marejar* + *-ada[1].*] *S. f.* Leve agitação das ondas do mar; marulho.

marejar. [De *mar* + *-ejar.*] *V. t. d.* **1.** Verter, gotejar, destilar. **2.** Deixar transparecer; patentear, revelar. *T. i.* **3.** Brotar, borbulhar, ressumar: "Dos olhos m a r e j a v a m -lhe as lágrimas." (Tobias Monteiro, *História do Império, II. O Primeiro Reinado,* I, p. 234.) *Int.* **4.** Ressumar pelos poros (um líquido). **5.** Borbulhar, borbotar: "Cavou a areia com as unhas, esperou que a água m a r e j a s s e" (Graciliano Ramos, *Vidas Secas,* p. 15). *P.* **6.** Cobrir-se, encher-se (de lágrimas): "os olhos m a r e j a v a m - s e -lhe a cada momento de lágrimas." (José Veríssimo, *Cenas da Vida Amazônica,* p. 263). [Conjug.: v. *pelejar.* Cf. *merejar.*]

marel. *Adj.* e *s. m.* Diz-se de, ou animal destinado a padreação; padreador. [Pl.: *maréis.*]

marela. [Der. regress. de *amarelinha[2].*] *S. m. Bras.* V. *amarelinha[2]*: "Ouvindo-as de longe, os meninos emudeciam, parando de jogar onça, firo ou m a r e l a" (Gustavo Barroso, *Mississípi,* p. 32).

marema. [Do it. *maremma.*] *S. f.* Designação comum aos pântanos do litoral da Itália.

maremático. *Adj.* Relativo a maremas (particularmente falando-se de febres).

maré-me-leva-maré-me-traz. *S. 2 g.* e *2 n. Bras. Fam.* Pessoa fraca, indecisa, irresoluta, sem vontade e/ou convicção.

marêmetro. [De *mare-* + *-metro.*] *S. m. Geofís.* V. *marégrafo.*

maremoço (ô). [De *mare-* + *moço.*] *S. m. Bras., RJ. P. us.* Aquele que, nos aerobarcos, atende aos passageiros.

maremoto. [De *mare-* + *-moto.*] *S. m. Geofís.* Grande agitação do mar provocada pelas oscilações sísmicas.

▲**máreo-.** Equiv. de *mare-.*

mareografista. [De *mareógrafo* + *-ista.*] *S. m.* V. *maregrafista.*

mareógrafo. [De *mareo-* + *-grafo.*] *S. m.* V. *marégrafo.*

mareômetro. [De *mareo-* + *-metro.*] *S. m.* V. *marégrafo.*

maresia. [De *maré.*] *S. f.* **1.** Cheiro característico vindo do mar, por ocasião da vazante, sobretudo em praias onde abundam algas ou onde há lama. **2.** *Bras., MA.* Banzeiro (6), nos rios ou na costa. **3.** *Bras., GO* e *MT.* Ondas encapeladas que se formam nalguns pontos do rio Araguaia. **4.** *Bras.* Cheiro forte de maconha.

mareta (ê). [Do it. *maretta.*] *S. f.* **1.** Pequena onda. **2.** Onda de rio. [Sin., no RS: *maretada.*]

maretada. *S. f. Bras., RS.* Mareta (2).

marfado. [Part. de *marfar.*] *Adj.* **1.** Amuado, zangado, desgostoso **2.** Raivoso, enfurecido, irado.

marfar. *V. t. d.* e *p.* **1.** Enfurecer(-se), enraivecer(-se); ofender(-se). **2.** Desgostar(-se), amuar(-se), enfadar(-se).

marfim. [Do ár. *'azm al-fil,* 'osso de elefante'.] *S. m.* **1.** Substância fina e resistente, de um branco leitoso, de que são constituídas as presas ou defesas do elefante, e que é muito usada para delicados trabalhos de entalhe. **2.** *P. ext.* A parte compacta e branca que constitui a maior parte dos dentes dos mamíferos. **3.** Objeto ou obra de marfim (1). **4.** *Fig.* Aquilo que é muito branco e liso: *colo de m a r f i m .* **5.** *Bras.* V. *bucho-de-boi.* **6.** *Bras.* V. *itapeuá.* **7.** *Bras.* V. *pau-marfim* (1). ◆ **Deixar correr o marfim.** **1.** Ser indiferente aos sucessos, ao que vai pelo mundo. **2.** Não se preocupar com as conseqüências dum ato.

marfim-vegetal. *S. m. Bras.* Jarina. [Pl.: *marfins-vegetais.*]

marfinense. *Adj. 2 g.* e *s. 2 g.* V. *ebúrneo[2].*

marfiniano. *Adj.* e *s. m.* V. *ebúrneo[2].*

marfinizar. *V. t. d.* **1.** Dar aparência de marfim a: "A aragem fria do rio endurecia-lhe a pele do rosto que os anos iam m a r f i n i z a n d o ." (Joaquim Paço d'Arcos, *Carnaval e Outros Contos,* p. 22.) *P.* **2.** Tomar aparência de marfim.

marga. [Do lat. *marga.*] *S. f. Geol.* Calcário argiloso, ou argila com maior ou menor teor em calcário; marna.

margagem. *S. f.* Ato ou efeito de margar.

margar. *V. t. d.* Corrigir ou adubar (o terreno) com marga. [Conjug.: v. *largar.*]

margárico. [De *margar(ina)* + *-ico[2].*] *Adj.* ~V. *ácido*—.

margarida. [Do gr. *margarítes,* 'pérola', pelo lat. *margarita.*] *S. f.* **1.** Gênero de plantas da família das compostas. [F. paral., p. us.: *margarita.*] **2.** *Bras.* Renda cearense na qual se distinguem, sob um fundo de pontos variados, desenhos de margaridas. **3.** *Bras.* Michole. **4.** *Bras., SP.* Formiguinha.

margarida-amarela. *S. f.* Planta ornamental da família das compostas *(Chrysanthemum coronarium),* de flores amarelas dispostas em capítulos. [Pl.: *margaridas-amarelas.*]

margarida-anual. *S. f.* Planta anual, da família das compostas *(Bellis annua),* caulescente, de flores dispostas em capítulos relativamente pequenos; margarida-do-campo. [Pl.: *margaridas-anuais.*]

margarida-do-campo. *S. f.* Margarida-anual. [Pl.: *margaridas-do-campo.*]

margarida-do-transval. *S. f.* Gérbera. [Pl.: *margaridas-do-transval.*]

margarida-menor. *S. f.* Erva acaule *(Bellis silvestris)*, de folhas oblongas e elípticas, atenuadas em pecíolo, e flores dispostas em capítulos grandes com o pedúnculo não espesso. [Pl.: *margaridas-menores.*]

margarida-rasteira. *S. f.* V. *bela-margarida.* [Pl.: *margaridas-rasteiras.*]

margaridinha. [Dim. de *margarida.*] *S. f.* V. *bela-margarida.*

margarina. [Do fr. *margarine.*] *S. f.* Substância pastosa e gordurosa, semelhante à manteiga, resultante da mistura de palmitina e estearina, e que se extrai dos sebos e óleos vegetais.

margarita. [Do gr. *margarítes*, 'pérola', pelo lat. *margarita.*] *S. f.* **1.** Pérola (1). **2.** Molusco margaritáceo. **3.** *Min.* Mineral monoclínico do grupo das clintonitas, ou micas frágeis, silicato ácido de alumínio e cálcio. **4.** *P. us.* Margarida (1).

margaritáceo. [De *margarita* + *-áceo.*] *Adj.* Diz-se dos moluscos que produzem pérolas.

margaritífero. [De *margarita* + *-i-* + *-fero.*] *Adj.* Que produz pérolas.

margeação. *S. f. Art. Gráf.* Operação de margear (5), realizada folha a folha pela mão do impressor *(margeação manual)*, ou por dispositivo mecânico da prensa *(margeação automática).* [Sin., p. us.: *marginação.*] ♦ **Margeação automática.** *Art. Gráf.* V. *margeação.* **Margeação manual.** *Art. Gráf.* V. *margeação.*

margeador (ô). *S. m. Art. Gráf.* Impressor, pautador ou dobrador, encarregado da operação de margear (5). [Sin., p. us.: *marginador.*]

margeante. *Adj. 2 g.* Que margeia ou margina: "adubou os cafezeiros margeantes ao caminho" (Monteiro Lobato, *Urupês, Outros Contos e Coisas*, p. 97).

margear. *V. t. d.* **1.** Fazer margem em. **2.** Seguir pela margem de; ir ao longo ou ao(s) lado(s) de: "Margeando o rio, subiram os seis homens." (Cornélio Pires, *Quem Conta um Conto...*, p. 205.) **3.** Guarnecer as margens de; marginar: *A cerca margeava o rio.* **4.** Mostrar-se, ou ficar situado, à margem ou às margens de: "Que lindo o verde, em nuanças meio incertas, / Margeando, lado a lado, as estradas desertas!" (Olegário Mariano, *Toda uma Vida de Poesia*, I, p. 51.) **5.** *Art. Gráf.* Pôr (a folha) na prensa ou na máquina respectiva, para imprimir, pautar ou dobrar, encostando-a nas balizas ou nos esquadros, ou enfiando-a em punçturas. [Sin., p. us., nesta acepç.: *marginar.* Conjug.: v. *frear.*]

margem. [Do lat. *margine.*] *S. f.* **1.** Parte em branco ao redor de uma folha manuscrita ou impressa, a qual parte pode às vezes conter ilustrações e notas. **2.** Linha ou faixa que limita ou circunda alguma coisa; borda, beira, orla: *a margem de um escudo.* **3.** O terreno que ladeia um curso de água ou que circunda um lago; beira, orla. [Cf., nesta acepç.: *riba* (1).] **4.** O litoral, a costa. **5.** Leira de terra lavrada compreendida entre dois sulcos. **6.** *Fig.* Espaço livre, de tempo ou de lugar: *Não há margem para fazermos o trabalho.* **7.** *Fig.* Ensejo, ocasião, oportunidade: *Demos aos litigantes margem de prepararem suas defesas.* **8.** *Morfol. Veg.* A parte mais externa que circunscreve um órgão foliáceo; bordo. ♦ **Margem direita.** A margem de um curso de água que fica à direita de quem olha para jusante. **Margem esquerda.** A margem de um curso de água que fica à esquerda de quem olha para jusante. **À margem.** De parte; de lado: *pôr à margem; ficar à margem.* **À margem de. 1.** À beira de; ao lado: *casa situada à margem da estrada de ferro.* **2.** A respeito de; com respeito a; a propósito de: *À margem da História* (título de uma das obras de Euclides da Cunha). **3.** Fora do âmbito ou ação de: *Vive à margem da lei.* **Dar margem a.** Dar ocasião, proporcionar ensejo, a. **Deitar à margem.** Abandonar, desprezar; lançar à margem. **Lançar à margem.** Deitar à margem.

marginação. *S. f.* **1.** Ato de marginar. **2.** *Art. Gráf. P. us.* Margeação [q. v.].

marginado. [Part. de *marginar.*] *Adj.* **1.** Que tem, ou forma, margem. **2.** Escrito na margem de livro ou de manuscrito.

marginador (ô). *S. m. Art. Gráf. P. us.* Margeador.

marginal. [Do lat. *margine*, 'margem', + *-al.*] *Adj. 2 g.* **1.** Da margem (1 e 2), ou a ela relativo, ou feito, traçado escrito, desenhado nela: *A largura marginal do livro é pequena; Há na obra umas notas marginais. O volume contém ilustrações marginais.* **2.** V. *ribeirinho* (2). **3.** V. *ripícola.* **4.** Feito ou elaborado à margem de algum assunto: *comentários marginais.* **5.** *Bras.* Diz-se de pessoa que vive à margem da sociedade ou da lei como vagabundo, mendigo ou delinqüente; fora-da-lei. ~ V. *homem —, nota — e terreno —.* ● *S. 2 g.* **6.** *Bras.* Indivíduo marginal (5); fora-da-lei: *A polícia prendeu diversos marginais.*

➡**marginalia** (marginália). [Lat.] *S. m. pl.* Anotações à margem dum livro.

marginalidade. *S. f. Sociol.* Condição de indivíduo marginal.

marginalismo. [De *marginal* + *-ismo.*] *S. m. Econ.* Escola econômica que aplica, para suas deduções, o princípio adotado na matemática superior, ou seja: as grandezas variam de maneira contínua, de sorte que as relações entre essas variações podem ser expressas através de derivadas, diferenciais e integrais.

marginalização. *S. f.* Ato ou efeito de marginalizar(-se).

marginalizado. [Part. de *marginalizar.*] *Adj.* Posto à margem de uma sociedade, de um grupo, da vida pública, etc.

marginalizar. *V. t. d.* **1.** Impedir que participe de; pôr à margem de uma sociedade, de um grupo, da vida pública, etc.: *Os grupos racistas procuram marginalizar os negros;* "A academia cultista de Mariana, até agora marginalizada ou minimizada pelos estudiosos das letras coloniais, não constitui fenômeno isolado na história da cultura implantada em Minas no século do ouro." (Afonso Ávila, *Resíduos Seiscentistas em Minas*, I, p. 60.) *P.* **2.** Tornar-se marginal (6).

marginar. [Do lat. *marginare.*] *V. t. d.* **1.** Margear (3): "Uma vez, ia eu de trem, vi-o pelas tristes ruas que marginam o início da Central" (Lima Barreto, *Vida e Morte de M. J. Gonzaga de Sá*, p. 63). **2.** Anotar à margem de (livro, folha, etc.). **3.** *Art. Gráf. P. us.* Margear (5). [Fut. pret.: *marginaria*, etc. Cf. *marginária*, fem. de *marginário.*]

marginário. [Do lat. *margine*, 'margem', + *-ário.*] *Adj. Bot.* Diz-se dos septos formados pelo bordo dos carpelos que entram no interior do fruto. [Fem.: *marginária.* Cf. *marginaria*, do v. *marginar.*]

marginatura. [Do lat. *marginatu*, part. pass. de *marginare*, 'marginar', + *-ura.*] *S. f. Bot.* Estado de marginário.

▲**margin(i)-.** [Do lat. *margo, inis.*] *El. comp.* = 'margem, borda': *marginiforme; marginário.*

marginiforme. [De *margin(i)-* + *-forme.*] *Adj. 2 g.* Semelhante a uma cercadura.

mar-golfo. *S. m.* Variedade de mar costeiro que tem uma só abertura. [Pl.: *mares-golfos* e *mares-golfo.*]

margoso (ô). *Adj.* Semelhante à, ou que contém marga.

margrave. [Do al. *Markgraf*, 'conde da marca', i. e., que governa a região da marca (13), pelo fr. *margrave.*] *S. m.* Título que outrora se dava aos príncipes soberanos de certos estados fronteiriços da Alemanha: "Era uma alemã do Holstein: viera com seu irmão — mandado pelo Margrave para adestrar os falcões" (Eça de Queirós, *Cartas Inéditas de Fradique Mendes*, p. 148). [Fem.: *margravina.*]

margraviado. *S. m.* Margraviato.

margraviato. *S. m.* Cargo ou dignidade de margrave; margraviado.

margravina. [Do al. *Markgräfin*, pelo fr. *margrevine.*] *S. f.* Fem. de *margrave.*

margueira. *S. f.* Concentração ou depósito de marga.

margueiro. *S. m.* Aquele que apanha marga.

maria. *S. m. Bras. Cul.* Biscoito doce, de farinha de trigo e ovos, arredondado e bem fino. [Cf. *Mária*, antr.]

maria-besta. [Do antr. *Maria* + *besta* (ê).] *S. f. Bras., PB.* Pássaro da família dos tiranídeos (*Elaenia flavogaster* (Thunb.)) [Pl.: *marias-bestas.*]

maria-branca. [Do antr. *Maria* + o fem. de *branco.*] *S. f.* **1.** *Bras., MG.* Ave passeriforme, da família dos tiranídeos *(Xolmis cinerea* (Vieil.), de coloração cinza, ponta das retrizes e asas escuras, e a fronte, margens das rêmiges do braço, uropígio e parte basal da cauda brancos; mocinha-branca, primavera. [Cf. *pombinha-das-almas.*] **2.** *Bras., MG* e *SP. Pop.* V. *cachaça* (1). [Pl.: *marias-brancas.*]

maria-cadeira. [Do antr. *Maria* + *cadeira.*] *S. f. Bras.* Cadeirinha (3). [Pl.: *marias-cadeiras* e *marias-cadeira.*]

maria-caraíba. [Do antr. *Maria* + *caraíba.*] *S. f. Bras.* **1.** V. *alma-de-gato* (1). **2.** V. *chincoã.* [Pl.: *marias-caraíbas* e *marias-caraíba.*]

maria-cavaleira. [Do antr. *Maria* + *cavaleira.*] *S. f. Bras.* Designação comum a várias aves passeriformes, da família dos tiranídeos, gênero *Myarchus* Cab., especialmente o *M. tyrannulus* Scl., o *M. swainsoni amazonus* Zim. e o *M. ferox australis* Hellm., todos com larga distribuição geográfica no Brasil, de coloração geral parda, acinzentada ou esverdeada; pai-agostinho, irré. [Pl.: *marias-cavaleiras.*]

maria-chiquinha. [Do antr. *Maria* + o hipocorístico *Chiquinha* < *Chica* < *Francisca.*] *S. f. Bras. Fam.* Penteado em que se dividem os cabelos ao meio; do alto até a nuca, formando duas madeixas laterais, amarradas junto à cabeça. [Pl.: *marias-chiquinhas.*]

maria-com-a-vovó. [Do antr. *Maria* + *com* + a^2 + *vovó.*] *S. f. Bras., PA.* Ave passeriforme, da família dos dendrocolaptídeos (*Synallaxis rutilans omissa* Hart.), da Amaz., de coloração escura, dorso lavado de oliváceo, coberteiras superiores das asas vermelhas, e, geralmente, no dorso e no peito algumas manchas da mesma cor. Alimenta-se de insetos. [Pl.: *marias-com-a-vovó.*]

maria-condé. *S. f. Bras.* Certo brinquedo infantil. [Pl.: *marias-condés* e *maria-condés.* Cf. *bacondê.*]

maria-da-mata. *S. f. Lus. Folcl.* Monstro cornígero com lume nos olhos, transformação popular de antiga divindade. [Pl.: *marias-da-mata.*]

maria-da-serra. [Do antr. *Maria* + *da* + *serra.*] *S. f. Bras.* Sarrinho. [Pl.: *marias-da-serra.*]

maria-da-toca. [Do antr. *Maria* + *da* + *toca.*] *S. f. Bras.* V. *amboré.* [Pl.: *marias-da-toca.*]

maria-de-barro. [Do antr. *Maria* + *de* + *barro.*] *S. f. Bras., CE.* V. *joão-de-barro.* [Pl.: *marias-de-barro.*]

maria-é-dia. [Voc. onom.] *S. f. 2 n.* **1.** *Bras.* Ave passeriforme, da família dos tiranídeos (*Elaenia flavogaster* (Thumb.)), distribuída desde SP e MT até a Amaz., de dorso cinzento-escuro, abdome amarelo-claro, penas da cabeça formando um topete, e que se alimenta de insetos: "E de leve, ligeira, a 'maria-é-dia' bateu as asas na telha, piando-lhes: já é dia, já é dia." (Dalcídio Jurandir, *Três Casas e Um Rio*, p. 91.) [Sin.: *maria-já-é-dia, marido-é-dia, maridedia, guaracava, cucurutado, bem-te-vi-miúdo, topetuda.*] **2.** *Bras.* Ave passeriforme, da família dos tiranídeos (*Empidonomus varius rufinus* (Spix)), distribuída do AM ao ES, de coloração parda, asas marginadas de cor esbranquiçada, cauda e coberteiras superiores da cauda marginadas de vermelho, mancha amarela no vértice, e peito e abdome amarelos, pintados de pardo. [Sin.: *marido-é-dia* e (na Amaz.) *peitica.*] **3.** *Bras., MT.* Ave passeriforme, da família dos tiranídeos (*Thryotorus leucotis rufiventris* Scl.); marido-é-dia. **4.** *Bras.* V. *tico-tico* (1).

maria-faceira. [Do antr. *Maria* + o fem. de *faceiro.*] *S. f. Bras.* Ave ciconiforme, da família dos ardeídeos (*Syrigma sibilatrix* (Tem.)), da Argentina, do Uruguai e do S. do Brasil, de dorso acinzentado, parte inferior branca, coberteiras das asas vermelhas com estrias cinzentas, peito amarelado, coroa e topete azul-escuros e bico vermelho com ponta preta. Vive na beira de rios e lagos, e alimenta-se de pequenos peixes. [Sin.: *coaracinumbi, coaracimimbi.* [Pl.: *marias-faceiras.*]

maria-farinha. [Do antr. *Maria* + *farinha.*] *S. f. Bras.* V. *espia-maré* (3). [Pl.: *marias-farinhas* e *maria-farinhas.*]

maria-fumaça. [Do antr. *Maria* + *fumaça.*] *S. f.* e *m.* **1.** *Bras., S.* Trem (8) com locomotiva a vapor: "duas vezes por dia viaja .... ensardinhado num vagão de primeira classe de uma maria-fumaça" (Vivaldo Coaraci, *91 Crônicas Escolhidas*, p. 196); "romance principiado em Inhaúma, alimentado com desespero no maria-fumaça, nas ruas mal iluminadas" (Ricardo Ramos, *Matar um Homem*, p. 102). ● *S. 2 g.* **2.** *Bras.* Pessoa que fuma demasiadamente. [Pl.: *marias-fumaças* e *marias-fumaça.*]

mariagombe. *S. f. Bras.* V. *maria-gomes.*

maria-gomes. [Var. de *mariangombe* < quimb. *rimiria ngombe*, 'língua de vaca'.] *S. f. Bras.* Pequena erva da família das portulacáceas (*Talinum patens*), introduzida e hoje muito divulgada no Brasil, cuja folhagem, macia e mucilaginosa, entra em saladas, e cujas flores são violáceas, pequenas, sendo os frutos cápsulas ínfimas: mariagombe, manjangome, joão-gomes. [Pl.: *marias-gomes.*]

maria-guenza. [Do antr. *Maria* + o fem. de *guenzo.*] *S. f. Bras., MT.* V. *joaninha* (2). [Pl.: *marias-guenzas.*]

maria-isabel. [Dos antr. *Maria* e *Isabel.*] *S. f. Bras., Araguaia.* Prato feito de arroz e carne-seca. [Pl.: *marias-isabéis* e *maria-isabéis.*]

maria-já-é-dia. [Voc. onom.] *S. f. 2 n. Bras.* V. *maria-é-dia* (1).

maria-judia. [Do antr. *Maria* + o fem. de *judeu.*] *S. f. Bras., CE.* V. *tico-tico* (1). [Pl.: *marias-judias.*]

maria-lecre. *S. f. Bras.* V. *lecre.* [Pl.: *marias-lecres* e *marias-lecre.*]

marialva. *Adj. 2 g.* **1.** Referente às regras de cavalgar a gineta estabelecidas pelo Marquês de Marialva, D. Pedro de Alcântara de Meneses, notável cavaleiro português (1711-1799). ● *S. m.* **2.** Bom cavaleiro.

marialvense. *Adj. 2 g.* **1.** De, ou pertencente ou relativo a Marialva (PR). ● *S. 2 g.* **2.** Natural ou habitante de Marialva.

maria-macumbé. *S. f. Bras., S.* V. *pique*[1] (3). [Pl.: *marias-macumbés* e *maria-macumbés.*]

maria-mijona. [Do antr. *Maria* + o fem. de *mijão.*] *Bras. Pop S. f.* **1.** Mulher, moça ou criança cujo vestido ou saia tem aspecto deselegante, desajeitado, por ser bem mais longo que o normal. [Pl.: *marias-mijonas.*] ● *Adj. 2 g.* e *2 n.* **2.** Diz-se de vestido ou saia excessivamente compridos em relação ao comprimento ditado pela moda.

maria-minha. *S. f. Bras., BA.* V. *trapoerabarana.* [Pl.: *marias-minhas.*]

maria-mole. [Do antr. *Maria* + *mole*[2].] *S. f. Bras.* **1.** Espécie de sapato muito macio e de sola fina. **2.** V. *flor-das-almas.* **3.** V. *folha-redonda.* **4.** V. *socozinho* (1). **5.** Peixe teleósteo, percomorfo, da família dos pomacentrídeos (*Pomacentrus fuscus* (Cuv.)), do Atlântico, na costa do Brasil do N. até o RJ, de coloração castanha com manchas azuis oblongas nas escamas da cabeça, mancha negra na base das nadadeiras peitorais e as narinas muito próximas aos olhos. **6.** Peixe teleósteo, percomorfo, da família dos cianídeos (*Cyanoscion striatus* (Cuv.)), do Atlântico, conhecido do Brasil ao Rio da Prata, de coloração prateada, tirante ao cinzento no dorso, com uma estria escura no dorso e nos flancos. É pescado com redes, sendo muito abundante nas costas do RJ. O nome vulgar provém do fato de sua carne ser mole e decompor-se rapidamente. Alimenta-se de peixes e crustáceos, e mede até 50 cm. **7.** V. *bicho-pau* (2). [Pl.: *marias-moles.*]

maria-mucanguê. *S. f. Bras., RJ.* Certo divertimento de crianças, semelhante à maria-macumbé. [Pl.: *marias-mucanguês* e *marias-mucanguê.*]

maria-mulata. [Do antr. *Maria* + o fem. de *mulato.*] *S. f. Bras.* V. *guarandi.* [Pl.: *marias-mulatas.*]

mariana. [Do antr. *Mariana?*] *S. f. Bras.* V. *fruta-de-sabiá.*

maria-nagô. [Do antr. *Maria* + *nagô.*] *S. f. Bras., BA.* Peixe teleósteo, percomorfo, da família dos cianídeos (*Eques lanceolatus* (L.)), do Atlântico, desde a América Central até a BA, de coloração amarelo-clara, ornada de faixas pretas marginadas de branco. Os desenhos do corpo, com aparência semelhante aos usados pelos negros da raça nagô, motivaram-lhe o nome vulgar. [Pl.: *marias-nagôs* e *marias-nagô.*]

marianeira. *S. f.* **1.** *Bras., L.* Arbusto da família das solanáceas (*Aureliana lucida*), da floresta pluvial, de folhas geminadas e subcoriáceas, flores esbranquiçadas, que medem 2 cm, e cujo fruto é uma baga das grandes, que atinge 10 cm de diâmetro. **2.** V. *fruta-de-sabiá.*

marianense. *Adj. 2 g.* **1.** De, ou pertencente ou relativo a Mariana (MG). ● *S. 2 g.* **2.** Natural ou habitante de Mariana.

mariangombe. *S. f. Bras.* V. *maria-gomes.*

mariangu. *S. m. Bras.* V. *curiango.*

marianinha. [Do antr. *Mariana* + *-inha;* hipocorístico.] *S. f.* **1.** *Bras.* V. *marianita.* **2.** *Bras., BA.* V. *trapoerabarana.*

marianismo. [De *mariano* + *-ismo.*] *S. m.* Promoção do culto ou da devoção à Virgem Maria, na Igreja Católica.

marianita. [Do antr. *Mariana* + *-ita*[1].] *S. f. Bras.* Ave psitaciforme, da família dos psitacídeos (*Pionites leucogaster* (Kuhl)), da Amaz., de coloração verde, alto da cabeça e nuca alaranjados, garganta amarela, flancos e coxas verdes, coberteiras inferiores da cauda amarelas, e abdome branco. [Sin.: *marianinha, mariquita, maipuré, periquito-d'anta.*]

marianjica. [Do antr. *Maria* + *anjo* + *-ica*[1]?] *S. f. Bras., PE.* Larva de certo coleóptero, que investe contra a cana-de-açúcar, brocando-a da parte inferior até o olho.

mariano. [Do antr. *Maria,* a mãe de Jesus, + *-ano.*] *Adj.* **1.** Da, ou relativo à Virgem Maria, ou ao seu culto: "Naquele dia, em pleno mês *m a r i a n o*, além da missa conventual, celebrava-se um casamento de gente rica." (Inglês de Sousa, *O Missionário,* p. 101.) ● *S. m.* **2.** Frade da Ordem dos Marianos. [Cf. *marista* (1).]

maria-peidorreira. [Do antr. *Maria* + o fem. de *peidorreiro.*] *S. f. Bras.* V. *açucena-do-mato.* [Pl.: *marias-peidorreiras.*]

maria-pereira. [Do antr. *Maria Pereira?*] *S. f. Bras.* Árvore da família das rubiáceas (*Posoqueria macropus*), habitante das matas, de flores conspícuas, alvas e cheirosas, corola tubulosa, fruto semelhante a um limão amarelo, e folhas opostas e estipuladas. [Pl.: *marias-pereiras* e *marias-pereira.*]

mariapolense. *Adj. 2 g.* **1.** De, ou pertencente ou relativo a Mariápolis (SP). ● *S. 2 g.* **2.** Natural ou habitante de Mariápolis.

maria-preta. [Do antr. *Maria* e do fem. de *preto* (ê).] *S. f.* **1.** V. *caraxixu.* **2.** V. *catinga-de-bode.* **3.** V. *doce-amarga.* **4.** V. *baraúna* (1). **5.** *Bras.* Ave passeriforme, da família dos tiranídeos, gênero *Knipolegus Boie,* particularmente as espécies *K. lophotes* Helem.. do C e S. do Brasil, completamente preta, com base das rêmiges branca, e a *K. nigerrimus* (Vieil.), de bico azul, a fêmea com manchas vermelho-pardas na garganta. Ambas são de regiões descampadas e se alimentam só de insetos. [Pl.: *marias-pretas.*]

maria-pretinha. [Do antr. *Maria* + o fem. do dim. de *preto.*] *S. f. Bras.* V. *caraxixu.* [Pl.: *marias-pretinhas.*]

maria-rendeira. *S. f. Bras., SE.* V. *rendeira*[2](2). [Pl.: *marias-rendeiras.*]

maria-rita. [Dos antr. *Maria* e *Rita.*] *S. f. Bras., MG.* Designação comum a duas espécies de vespas (*Polistes versicolor* Oliv. e *Polistes canadensis* L.). [Pl.: *marias-ritas* e *marias-rita.*]

maria-rosa. [Dos antr. *Maria* e *Rosa.*] *S. f. Bras.* Espécie de palmeira (*Cocos procopiana* Glaz.). [Pl.: *marias-rosas* e *marias-rosa.*]

maria-seca. [De *Maria,* antr., + o fem. do adj. *seco* (ê).] *S. f. Bras.* V. *bicho-pau* (1 e 2). [Pl.: *marias-secas.*]

maria-sem-vergonha. *S. f. Bras.* Erva suculenta, da família das balsamináceas (*Impatiens sultani*), originária de Zanzibar, e que cresce espontaneamente no Brasil, de folhas elíptico-lanceoladas, moles, glabras, acuminadas; flores rubras, alvas e violáceas, vistosas, com quatro pétalas cruzadas; cálice com uma sépala longamente calcarada; cinco estames, reunidos no centro da flor; cápsula herbácea, que se abre explosivamente, espalhando sementes mínimas: "fica [o jardineiro] a me olhar, sem entender, ... quando peço que me respeite as avencas da garagem, o musgo da escada, o araçá torto, o risco alegre das *m a r i a s - s e m - v e r g o n h a*, os morangos silvestres" (Elsie Lessa, *A Dama da Noite,* p. 161). [Pl.: *marias-sem-vergonha.*]

mariaté. *Bras. S. 2 g.* **1.** Indivíduo dos mariatés, tribo indígena aruaque dos rios Içá e Japurá. ● *Adj. 2 g.* Pertencente ou relativo a essa tribo. [Var.: *muriaté.*]

maria-vai-com-as-outras. *S. 2 g.* e *2. n. Bras. Fam.* Pessoa fraca, sem vontade, que se deixa levar pelos outros; carneiro, carneirinho: "Benevenor, atolado nos livros, era um *m a r i a - v a i - c o m - a s - o u t r a s*, seria um bagaço nas mãos de Tiotônia." (Nélson de Faria, *Tiziu e Outras Estórias,* p. 48.)

maria-velha. [Do antr. *Maria* + o fem. de *velho.*] *S. f. Bras., RS.* V. *gaivota* (1). [Pl.: *marias-velhas.*]

maria-vitória. [Dos antr. *Maria* e *Vitória,* ou alter. de *palmatória,* por infl. da terminação desta?] *S. f. Bras., CE. Pop.* V. *palmatória* (1). [Pl.: *marias-vitórias* e *marias-vitória.*]

maribondo. *S. m. Bras.* Var. de *marimbondo* [q. v.].

maribondo-caboclo. *S. m. Bras.* V. *marimbondo-caboclo.* [Pl.: *maribondos-caboclos.*]

maribondo-caçador. *S. m. Bras.* V. *marimbondo-caçador.* [Pl.: *maribondos-caçadores.*]

maribondo-cavalo. *S. m. Bras.* Var. de *marimbondo-cavalo* [q. v.]. [Pl.: *maribondos-cavalos* e *maribondos-cavalo.*]

maribondo-chapéu. *S. m. Bras.* V. *marimbondo-chapéu.* [Pl.: *maribondos-chapéus* e *maribondos-chapéu.*]

maribondo-mangangá. *S. m. Bras.* Var. de *marimbondo-mangangá* [q. v.]. [Pl.: *maribondos-mangangás* e *maribondos-mangangá.*]

maribondo-tatu. *S. m. Bras.* V. *marimbondo-tatu.* [Pl.: *maribondos-tatus* e *maribondos-tatu.*]

marica. [Do tupi amaz. *ma'rika,* alter. do port. *barriga.*] *S. f. Bras., Marajó.* Fina faixa de carne sob o pêlo do ventre, formada pelo músculo cuticular. ~ V. *maricas.*

maricá. [Do tupi *mari'ká.*] *S. m. Bras.* V. *espinho-de-maricá.*

maricaense (cà). *Adj. 2 g.* **1.** De, ou pertencente ou relativo a Maricá (RJ). ● *S. 2 g.* **2.** Natural ou habitante de Maricá.

maricagem. *S. f. Bras.* Ação ou modos de maricas (1 e 2).

maricão. [De *maricas* (1 e 2) + *-ão*[1].] *S. m.* V. *efeminado* (5).

maricas. [Do hipocorístico *Maricas* < *Maria* + *-ica*[1] + *-s.*] *S. m. 2 n.* **1.** V. *efeminado* (5): "Era um menino bem-procedido, religioso, andava tão limpo e tão levado, às vezes aparecia perfumado na escola — um *m a r i c a s*, diziam os outros meninos." (Oto Lara Resende, *Boca do Inferno,* p. 84.) **2.** V. *medroso* (5). [Sin., nestas acepç., *maricão, mariquinhas.*] **3.** *Bras.* Espécie de cachimbo de fumar maconha; boi. ~ V. *marica.* ● *Adj. 2 n.* **4.** V. *efeminado* (1).

maricaua. *S. m. Bras.* V. *toé.*

maricazal. *S. m. Bras., S.* Quantidade mais ou menos considerável de maricás dispostos proximamente entre si.

maricona. *S. f. Gír.* Homossexual efeminado e idoso.

maridado. [Part. de *maridar.*] *Adj.* Que se maridou ou casou; casado: *mulher m a r i d a d a.*

maridagem. *S. f.* **1.** Ato ou efeito de maridar(-se). **2.** Vida de casados; casamento. **3.** *Fig.* Harmonia entre duas ou mais coisas. [Sin. ger.: *maridança.*]

maridança. *S. f.* Maridagem.

maridar. [De *marido* + *-ar*[2].] *V. t. d.* **1.** Casar (uma mulher). *T. d. e i.* **2.** Unir, enlaçar, juntar. *T. i.* **3.** Casar (a mulher); *M a r i d o u com um primo. P.* **4.** Casar-se (uma mulher). **5.** Enlaçar-se, enrolar-se.

maridedia. [De *marido-é-dia,* por síncope.] *S. f. Bras.* V. *maria-é-dia* (1).

marido. [Do lat. *maritu.*] *S. m.* Homem casado, em relação à mulher a quem se uniu; cônjuge do sexo masculino; esposo. [Fem.: *mulher.*] ◆ **Marido da professora.** *Bras. Pop.* Indivíduo sem independência financeira, e geralmente dominado pela mulher. [Sin., AL: *quincas* ou *quinca.* Cf. *chupim* (3) e *calça-curta.*]

marido-é-dia. [Alter. de *maria-é-dia.*] *S. f. 2 n. Bras.* V. *maria-é-dia* (1 a 3).

mariense[1]. *Adj. 2 g.* **1.** De, ou pertencente ou relativo a Maria da Fé (MG). ● *S. 2 g.* **2.** Natural ou habitante de Maria da Fé.

mariense[2]. *Adj. 2 g.* **1.** De, ou pertencente ou relativo a Coração de Maria (BA). ● *S. 2 g.* **2.** Natural ou habitante de Coração de Maria.

marigüi. *S. m. Bras.* V. *maruim.*

mariliense. *Adj. 2 g.* **1.** De, ou pertencente ou relativo a Marília (SP). ● *S. 2 g.* **2.** Natural ou habitante de Marília.

marimã. *Bras. S. 2 g.* **1.** Indivíduo dos marimãs, tribo indígena que habita nas margens do Riozinho, afluente do Cunhuã (AM). ● *Adj. 2 g.* **2.** Pertencente ou relativo a essa tribo.

marimacho. [Do antr. *Maria* + *macho.*] *S. m.* V. *machão* (1).

marimari. [Do tupi *ma'ri ma'ri.*] *S. m. Bras.* Árvore da família das leguminosas (*Cassia grandis*), oriunda da floresta amazônica e amplamente cultivada nas ruas do Rio de Janeiro, e cujas flores são róseas e vistosas, sendo os frutos longas vagens.

marimba. [Do quimb. *marimba.*] *S. f.* **1.** Instrumento de percussão, que consiste numa série de lâminas de madeira ou de metal, graduadas em escala, percutidas, com duas baquetas, e dispostas sobre cabaças ou tubos de metal, que funcionam como caixa de ressonância. [Cf. *xilofone* (1), *balafo* e *tímpano* (8).] **2.** Na África, tambor dos cafres. **3.** *Bras., PA.* Berimbau (2). **4.** *Bras., RJ.* Piano ruim.

marimbá. *S. m. Bras.* Peixe teleósteo percomorfo, da família dos esparídeos (*Diplodus argenteus* (Val.)), do Atlântico, de dorso prateado tirante a cinza e abdome branco. São caracteres marcantes da espécie uma mancha preta na parte superior do pedúnculo da cauda e uma faixa amarela na sua margem. Comprimento: 50 cm. [Sin.: *pinta-no-cabo.*]

marimbar[1]. *V. int.* Tocar marimba.

marimbar[2]. *V. int.* **1.** Ganhar o jogo do marimbo. *T. d.* **2.** *Fig.* e *chulo.* Lograr, burlar, enganar, embair. **3.** *Bras., RJ. Gír.* Andar à toa; vaguear, vagar, vagabundear, vagabundar.

marimbau. [De *berimbau,* com infl. de *marimba?*] *S. m. Bras. Mús.* V. *berimbau* (1 e 2).

marimbo. *S. m.* Certo jogo de cartas.

marimbondo. [Do quimb. *ma,* pref. pl., + *rimbondo,* 'vespa'.] *S. m. Bras.* **1.** Designação comum aos insetos himenópteros da família dos vespídeos, caracterizados por terem as asas anteriores, quando em repouso, longitudinalmente dobradas, a primeira célula discoidal muito longa, três células cubitais, e garras simples. O nome comum costuma estender-se aos vespídeos em geral, incluindo outras famílias, entre elas os pompilídeos ou marimbondos-caçadores e os eumenídeos, de garras dentadas. [Sin.: *caba.* Cf. *vespa*[1] (1).] **2.** Alcunha que os portugueses davam aos brasileiros na época da independência. **3.** Alcunha dos sediciosos pernambucanos que em 1852 se manifestaram em protesto contra a execução do decreto imperial de 18 de junho de 1851, que instituiu o registro de nascimentos e óbitos. **4.** *Bras., GO.* Dança jocosa, de roda, com dançarino solista no centro, e ao som de instrumentos de percussão. [Var.: *maribondo.*]

marimbondo-caboclo. *S. m. Bras.* Inseto himenóptero, da família dos vespídeos (*Polistes canadensis*), vermelho-queimado, asas escuras ou negras, articulações dos pés amarelas, antenas claras, com o meio preto, e o comprimento de até 28 mm. O ninho, com até 15 cm de diâmetro, é abandonado no inverno, quando a fêmea fecundada procura abrigo, e no começo da primavera ela dá início a um novo ninho. [Var.: *maribondo-caboclo*. Sin.: *caba-de-igreja, cabatã, cabapitã, cavapitã, cabapiranga* e *caboclo*. Pl.: *marimbondos-caboclos*.]

marimbondo-caçador. *S. m. Bras.* Designação comum aos marimbondos da família dos pompilídeos, especialmente aos de gênero *Pepsis Fabricius*, de larga distribuição geográfica. Com sua picada paralisa as aranhas, que são levadas para servirem de alimento às larvas recém-nascidas. [Var.: *maribondo-caçador;* sin.: *marimbondo-cavalo, mata-cavalo, vespa-caçadora, vespa-de-cobra, vespão, caçador-de-aranha, caba-caçadeira, come-cobra, come-aranha, cavalo-do-cão, caçununguçu*. Pl.: *marimbondos-caçadores*.]

marimbondo-cavalo. *S. m. Bras.* V. *marimbondo-caçador*. [Var. *maribondo-cavalo*. Pl.: *marimbondos-cavalos* e *marimbondos-cavalo*.]

marimbondo-chapéu. *S. m. Bras.* Inseto himenóptero, da família dos vespídeos (*Apoica pallida* Oliv.), grande, de coloração amarelada, relativamente manso, e que não voa durante o dia, donde o nome popular de vespa-cega. Constrói as casas em forma de chapéu de beiju. [Var.: *maribondo-chapéu;* sin.: *beijucaba, caba-de-ladrão, caba-cega, vespa-cega*. Pl.: *marimbondos-chapéus* e *marimbondos-chapéu*.]

marimbondo-mangangá. *S. m. Bras.* V. *mamangaba* (1). [Var.: *maribondo-mangangá*. Pl.: *marimbondos-mangangás* e *marimbondos-mangangá*.]

marimbondo-tatu. *S. m. Bras.* Inseto himenóptero, da família dos vespídeos (*Synoeca cyanea*), de coloração azul-metálica, asas escuras, desenhos avermelhados na cabeça, e 24 mm de comprimento. Constrói o ninho de casca rugosa em forma de casco de tatu, preso a um tronco. É temido pela braveza com que ataca e pela dor que a sua ferroada provoca. [Var.: *maribondo-tatu;* sin.: *cabatatu, tatucaba, tatucaua, vespa-tatu*. Pl.: *marimbondos-tatus* e *marimbondos-tatu*.]

marimbu. *S. m. Bras., BA.* Terra embrejada, à margem dos rios: "impossível distinguir onde acabava o rio e começava a terra firme. Era o marimbu solitário e miasmático — ondulante bosque aquático aglutinando lama, folhas e hastes no pântano, para em seguida se fundir na mata" (Herberto Sales, *Além dos Marimbus*, p. 11).

marimonda. *S. m. Bras.* Certo macaco da família dos cebídeos, do gênero *Ateles*.

marina. [Do it. *marina*, 'litoral marítimo'; 'localidade marítima'.] *S. f. Bras.* O conjunto das instalações necessárias aos serviços e comodidades dos usuários de um porto para pequenas e médias embarcações (sobretudo de esporte e/ou de lazer). ~ V. *marinas*.

marinada. [Do fr. *marinade*.] *S. f.* Vinha-d'alhos.

marinar. [Do fr. *mariner*.] *V. t. d.* Pôr em marinada.

marinas. [Do lat. *marinas*.] *S. f. pl.* As plantas que nascem e vivem no mar. [Var.: marinhas.] ~ V. *marina*.

➧**marine** (mérin'). [Ingl.] *S. m.* Fuzileiro naval dos E.U.A.

marinete. [Do antr. *Marinetti*, de Filippo Tommaso Marinetti, escritor italiano (1876-1944).] *S. f. Bras., SE* e *BA.* V. *ônibus*: "Quando chegamos à Cidade Baixa, ... vi uma marinete no ponto, com passageiros a introduzirem-se nela em respeitável fila." (Herberto Sales, *Dados Biográficos do Finado Marcelino*, p. 25.)

maringá. *Adj. 2 g. Bras.* Diz-se do bovídeo ou do caprino de pêlo claro salpicado de negro.

maringaense. *Adj. 2 g. Bras.* **1.** De, ou pertencente ou relativo a Maringá (PR). ● *S. 2 g.* **2.** Natural ou habitante de Maringá.

maringuim. *S. m. Bras.* V. *maruim*.

marinha. [Fem. substantivado de *marinno*[1].] *S. f.* **1.** Praia, margem, beira-mar. **2.** Aquilo que diz respeito ao serviço de bordo dos navios, à atividade de marinheiro, à navegação por mar. **3.** Conjunto de navios. **4.** Forças navais ou navios de guerra com a sua equipagem: a *marinha brasileira*. **5.** Salina (1). **6.** Desenho, pintura ou página literária inspirada em motivo marítimo: *as marinhas de Pancetti; Virgílio Várzea deixou muitas marinhas*. **7.** *Bras., PR.* O litoral, em oposição à serra e aos campos do interior. ~ V. *marinhas*. ◆ **Marinha de guerra.** Força armada por intermédio da qual o governo executa a política naval da nação por ele dirigida. **Marinha mercante.** Setor das atividades econômicas de uma nação encarregado do transporte de utilidades sobre água.

marinhagem[1]. [De *marinho*[1] + *-agem*[2].] *S. f.* O conjunto dos marinheiros; marinharia, maruja: "A sua brava marinhagem [do navio] era ainda a mesma e aguardava, com impaciência e ansiedade, a volta do grande chefe marujo." (Virgílio Várzea, *Nas Ondas*, p. 78.)

marinhagem[2]. [De *marinhar* + *-agem*[1].] *S. f.* Arte e faina de navegar ou marinhar; mareação, mareagem.

marinhar. [De *marinha* + *-ar*[2].] *V. t. d.* **1.** Prover de marinheiros. *Int.* **2.** Executar serviços necessários à manobra da embarcação, e que competem aos marinheiros: "A autoridade do antigo mestre do barco, o seu hábito de mandar em Joel como num filho adotivo que ele ensinara a marinhar e ganhar a vida" (Xavier Marques, *Jana e Joel*, p. 76). **3.** *P. ext.* Saber navegar. **4.** Trepar, subir: "agarrando-se aos galhos, guindou-se, foi marinhando pela árvore acima" (Coelho Neto, *Treva*, p. 158). **5.** *Marinh.* Subir à mastreação. **6.** *Marinh.* Subir ao convés pelo costado.

marinharesco (ê). [Do it. *marinaresco*.] *Adj.* Relativo a, ou próprio de marinha; marinhesco.

marinharia. [De *marinha* + *-aria*.] *S. f.* **1.** Os conhecimentos náuticos desenvolvidos e sistematizados pelos navegadores portugueses desde o Infante D. Henrique até fins do séc. XVII. [Tais conhecimentos foram depois muito ampliados e aprofundados, e passaram a constituir a ciência e arte da navegação sobre água, denominada *náutica*.] **2.** A arte ou profissão de marinheiro, restrita, na concepção de hoje, a atividades menores, tais como dar nós, fazer trabalhos com cabos, lona, brim, realizar pequenas manobras de peso a bordo, dirigir embarcações miúdas, tratar do exterior do navio. [Cf. *arte do marinheiro, arte naval*, e *náutica*.] **3.** V. *marinhagem*[1].

marinhas. *S. f. pl.* Var. de *marinas*. ~ V. *marinha*.

marinheiro. [De *marinha* + *-eiro*.] *Adj.* **1.** Relativo à marinhagem: *atividades marinheiras*. **2.** Pertencente ou relativo a, ou próprio de marinheiro (5): "Vestia a roupa marinheira" (Antônio de Alcântara Machado, *Novelas Paulistanas*, p. 62). **3.** *Mar.* Diz-se da embarcação que, possuindo boas qualidades náuticas, é fácil de manobrar com qualquer espécie de tempo. ● *S. m.* **4.** Homem do mar. **5.** V. *marítimo* (5 e 6). **6.** V. *hierarquia militar*. **7.** Militar que detém a posição hierárquica de marinheiro. **8.** *Mar. Merc.* Tripulante de convés, com mais de dois anos de serviço, capaz de ser timoneiro de embarcação e conhecedor de marinharia. [Cf., nesta acepç., *moço de convés*.] **9.** *Bras.* Espécie de crustáceo decápode, braquiúrio, da família dos grapsídeos (*Aratus pisonis* (Milne Edw.)), de carapaça trapezoidal, coloração cinza-escura e quelas amarelo-claras. Vive nos mangues, porém não mora em buracos, preferindo subir aos arbustos. [Sin., nesta acepç.: *aratu-marinheiro, aratu-da-pedra, aratupinima, aratu, aratupeba* e *carapinha*.] **10.** *Bras.* Planta da família das meliáceas (*Guarea trichilioides* L.). **11.** *Bras.* Grão de cereal que não foi beneficiado ao passar pelas máquinas. **12.** *Bras.* V. *galego* (4). [Nesta acepç. é m. us. no N.] **13.** *Bras., CE.* Qualquer estrangeiro. **14.** *Bras., PB.* No interior, negociante grossista das capitais. **15.** *Bras., AL. Pop.* Coco verde cuja polpa já se acha endurecida. ◆ **Marinheiro de primeira classe.** *Mar. G.* Terceira graduação na hierarquia do pessoal subalterno da Marinha do Brasil. **Marinheiro de primeira viagem.** *Fig.* Indivíduo sem prática, que faz uma coisa pela primeira vez. **Marinheiro de segunda classe.** *Mar. G.* Segunda graduação na hierarquia do pessoal subalterno da Marinha do Brasil.

marinhesco (ê). *Adj.* Marinharesco.

marinhista. *S. 2 g.* Pintor(a) de marinhas, ou escritor(a) que trata de assuntos relacionados com o mar.

marinho[1]. [Do lat. *marinu*.] *Adj.* **1.** Do, ou relativo ao mar: *aragem marinha; estudos marinhos*. **2.** Que habita o mar, ou dele provém: *animais marinhos*. [F. paral.: *marino;* sin.: *marítimo*.] ~ V. *acumulação —a, corrente —a, depósito —, regressão —a, transgressão —* a e *trombeta —a*.

marinho[2]. *Adj. 2 g.* e *2 n.* e *s. m.* F. red. de *azul-marinho*.

marinismo. [Do antr. *Marini*, de Giambattista Marini (1569-1625), poeta italiano.] *S. m.* Estilo literário que floresceu na Itália no séc. XVII e se caracteriza pela afetação, pelo preciosismo. [Cf. *gongorismo*.]

marinista[1]. *Adj. 2 g.* **1.** Relativo ao, ou próprio do marinismo. **2.** Que é sectário do marinismo. ● *S. 2 g.* **3.** Sectário dele.

marinista[2]. [Do it. *marina*, 'pintura cujo tema é o mar', + *-ista*.] *S. 2 g.* Pintor de marinhas; marinhista.

marino. [Do lat. *marinu*.] *Adj.* V. *marinho*[1].

mariola[1]. *S. m.* **1.** Moço de fretes; homem de recados. **2.** Tratante, biltre, patife, marau, velhaco: "a mulher .... abondonava os filhos .... ; de vez em quando abalava com um mariola que lhe dava uns dias de pândega e de maus-tratos." (Joaquim Paço d'Arcos, *Carnaval e Outros Contos*, p. 129). ● *Adj. 2 g.* **3.** Que tem mau caráter; patife, velhaco; sem-vergonha.

mariola[2]. *S. f. Bras.* Pequeno tijolo de doce de banana, envolto em papel.

mariolada. *S. f.* **1.** Ação ou dito de mariola[1]. **2.** Bando de mariolas; os mariolas. [Sin. ger.: *mariolagem*.]

mariolagem. *S. f.* Mariolada.

mariolar. *V. int.* **1.** Realizar serviço de mariola[1] (1). **2.** Levar vida de malandro. **3.** Vadiar, mandriar: "— Olá, rapaz! que andas por aí a mariolar, em vez de ires direito para a escola?" (D. João da Câmara, *Contos*, p. 58.)

mariolatria. [Do antr. *Maria*, mãe de Jesus, + *-o-* + *-latria*.] *S. f.* Adoração excessiva da Virgem Maria, de forma estranha ao dogma cristão.

mariolátrico. *Adj.* Respeitante à mariolatria.

marionete. [Do fr. *marionette*.] *S. f.* **1.** V. *títere* (1). **2.** V. *fantoche* (2).

mariposa (ô). [Do esp. *mariposa*.] *S. f.* **1.** *Bras.* Designação comum aos insetos lepidópteros noturnos ou crepusculares, cujas antenas são filiformes ou clavadas. As larvas tecem casulos onde vivem quando se transformam em ninfas. [Sin.: *bruxa*. Cf. *borboleta* (1).] **2.** Jóia com o ornato do feitio de borboleta. **3.** *Bras., S.* Espécie de draga puxada a boi ou a cavalo e empregada em escavações para açude. **4.** *Bras., RJ.* V. *meretriz*. [Pl.: *mariposas* (ô). Cf. *mariposas*, do v. *mariposar*.]

mariposa-cigana. *S. f. Bras.* Inseto lepidóptero, da família dos limantrídeos (*Lymantria dispar* (L.)), introduzido na América através de casulos vindos da França. Praga de várias plantas, é arborícola e polífago, com lagartas gregárias de cores vistosas, revestidas de pêlos. [Pl.: *mariposas-ciganas*.]

mariposar. *V. int.* Adejar como mariposa; borboletear, mariposear. [Pres. ind.: *mariposo, mariposas, mariposa*, etc. Cf. *mariposa* (ô) e pl. *mariposas* (ô).]

mariposear. *V. int.* V. *mariposar*. [Conjug.: v. *frear*.]

mariquina. [Var. de *muriquina* (q.v.).] *S. f. Bras. Pop.* V. *buriqui*.

mariquinha[1]. [Var. de *muriquina* (q. v.).] *S. m. Bras.* V. *buriqui*. ~ V. *mariquinhas*.

mariquinha[2]. [Do hipocorístico *Mariquinha* < *Maricas*.] *S. f.* **1.** *Bras., SP.* Tripeça volante para serviço de cozinha. [Cf. *mariquita* (5)]. **2.** *Bras. Pop.* V. *mentira* (1). **3.** *Bras. Pop.* V. *fanfarrice* (2). ~ V. *mariquinhas*.

mariquinhas[1]. [Do hipocorístico *Mariquinhas* < *Maricas* (v. *maricas*).] *S. m. 2 n.* V. *efeminado* (5) ~ V. *mariquinha*.

mariquinhas[2]. [Var. de *muriquina* (q. v.).] *S. m. 2 n. Bras.* V. *buriqui*. ~ V. *mariquinha*.

mariquita. [Do hipocorístico *Mariquita* < *Maricas* + *-ita*[1]. decerto.] *S. f. Bras.*, **1.** Peixe teleósteo, percomorfo, da família dos serranídeos (*Callidulus flaviventris* (Cuv.)), do Atlântico, de coloração esverdeada e abdome prateado, e que mede cerca de 30 cm. **2.** Designação dada ao *Eudulus auriga* (Val.), muito comum em toda a costa do Brasil, de cor branco-amarelada. [Sin, nestas acepç.: *jacundá*.] **3.** Ave passeriforme, da família dos compsotlipídeos (*Compsothlypispitiayumi* (Vieil.)), distribuída do México à Argentina, de dorso oliváceo, garganta, peito e lado ventral amarelos, cabeça, parte interior das coberteiras e pescoço anterior azul-esbranquiçados, asas escuras, e parte exterior das coberteiras com ponta branca. Vive nas matas e capoeiras, sendo ótima caçadora de aranhas e insetos. **4.** V. *marianita*. **5.** Tripeça de madeira na qual se pendura o caldeirão que vai ao fogo. [Cf., nesta acepç., *mariquinha*[2] (1).]

mariri. *Bras. S. m.* Nome que os indígenas do AC, na fronteira com o Peru, dão à *ayahuasca* [q. v.].

mariricó. *S. m. Bras.* Var. de *bariricó*.

mariricó-bravo. *S. m. Bras.* V. *falsa-tiririca*. [Pl.: *mariricós-bravos*.]

mariscada. *S. f. Bras.* Prato feito de vários tipos de mariscos.

mariscador (ô). *S. m. Bras.* Aquele que marisca ou que sabe mariscar (1); marisqueiro.

mariscar. *V. t. d.* **1.** Colher, apanhar (mariscos). **2.** Procurar, catar: *mariscar pedras preciosas*. **3.** Apanhar, colher, levar. *Int.* **4.** Colher ou apanhar mariscos: "Ah! queres viver na beira da praia, mariscando e pescando com o teu Joel?" (Xavier Marques, *Jana e Joel*, p. 13.) **5.** *Bras.* Pescar; caçar. **6.** Catar ou ciscar insetos pelo chão: "Em torno do canto solitário a que ele se abrigara, com um livro, juritis mariscavam." (Coelho Neto, *Treva*, p. 41.) **7.** *Bras., AM.* Pescar de tarrafa. [Conjug.: v. *trancar*.]

marisco[1]. [De *mar* + *-isco*.] *S. m. Bras.* **1.** Designação comum a todos os animais invertebrados marinhos que podem servir de alimento ao homem. [Em sentido restrito, designa apenas os moluscos e crustáceos:

lagosta, camarão, mexilhão, amêijoa, etc. **2.** *Bras. Gír.* Indivíduo ligado ao mar, profissional ou afetivamente.

marisco². *S. m. Bras.* **1.** Espécie de gato bravo. **2.** Instrumento com a forma de garras, ou colher de ferro denteada e munida de um cabo, com que se despolpa o coco partido em duas metades. [Por vezes essa colher é presa a uma tábua com quatro pés, que serve de assento a quem utiliza o marisco.]

marisma. [Do esp. *marisma.*] *S. f.* Terreno alagadiço à beira de mar ou rio.

marisqueira. [De *marisco*¹ + *-eira.*] *S. f. Bras.* Peixe de mar da família dos cienídeos (*Micropogon furnnieri* Desm.).

marisqueiro. *Adj.* e *s. m.* Que, ou aquele que marisca ou gosta de mariscar: ave *marisqueira*.

marista. [Do fr. *mariste.*] *S. 2 g.* **1.** Religioso da Congregação dos Maristas, consagrada ao ensino, e fundada em 1817, por Marcellin Champagnat (1789-1840), eclesiástico francês. [Cf. *mariano* (2).] ● *Adj. 2 g.* **2.** Relativo aos maristas.

maritaca. [Alter. de *maitaca.*] *S. f. Bras., MG* e *SP.* Designação comum às jandaias [V. *jandaia*], especialmente a duas espécies; a *Aratinga aurea* (Gmel.) e a *A. aurica pilla* (Kuhl), ambas com larga distribuição geográfica. A primeira tem coloração verde, com a fronte vermelho-alaranjada, marginada de azul, abdome verde-amarelado, parte das rêmiges azuis. [Var.: *maritacaca.*]

maritacaca. *S. f. Bras., PE.* Var. de *maritaca.*

maritafede. [De *marita(caca)* + a 3ª pess. sing. do pres. ind. do v. *feder.*] *S. f. Bras.* V. *jaritataca.*

marital. [Do lat. *maritale.*] *Adj. 2 g.* **1.** Relativo a marido. **2.** Referente ao matrimônio; conjugal. ~ V. *autoridade* —.

maritataca. [Do tupi *marita'kaka.*] *S. f. Bras.* V. *jaritataca.*

mariticida. [Do lat. *maritu,* 'marido', + *-i-* + *-cida.*] *S. f.* Mulher que mata o marido.

mariticídio. [Do lat. *maritu,* 'marido', + *-i-* + *-cídio.*] *S. m.* Crime da mulher que mata o marido, da mariticida.

maritimidade. *S. f.* Estado ou qualidade do que é marítimo ou ligado ao mar.

maritimista¹. *S. 2 g. Bras.* Especialista em direito comercial marítimo.

maritimista². [Do ingl. *maritimist.*] *Adj. 2 g.* **1.** Diz-se de estratégia que se apóia basicamente em atividades, forças e operações marítimas. ● *S. 2 g.* **2.** Pessoa que adota essa estratégia. [Cf. *continentalista.*]

marítimo. [Do lat. *maritimu.*] *Adj.* **1.** V. *marinho*¹: "Vi claramente visto o lume vivo / Que a *marítima* gente tem por santo" (Luís de Camões, *Os Lusíadas,* V, 18). **2.** Que ocorre no mar ou se realiza por mar: *pesca marítima; viagem marítima; tragédia marítima; comércio marítimo.* **3.** Relativo à marinha (2 e 3) em geral. **4.** *Restr.* Relativo à marinha mercante: *tráfego marítimo; regulamento marítimo.* [Cf. *naval* (2).] ~ V. *alfândega —a, brisa —a, câmbio —, cerimonial —, clima —, corrente —a, direito —, fortuna —a, légua —a, letra de câmbio —, milha —a, monção —a, navegação —a, obstrução —a, parceria —a, poder —, protesto —, risco —, terminal —, testamento —* e *tráfego —.* ● *S. m.* **5.** Indivíduo que exerce atividade profissional a bordo de uma embarcação mercante; marinheiro, marujo. **6.** *Bras.* Indivíduo que trabalha na marinha mercante; marinheiro.

marizeira. [De *mari-* + *-z-* + *eira.*] *S. f. Bras.* Planta da família das leguminosas, subfamília papilionácea (*Geoffraea superba*).

marlierense. *Adj. 2 g.* **1.** De, ou pertencente ou relativo a Marliéria (MG). ● *S. 2 g.* **2.** Natural ou habitante de Marliéria.

marlota. [Do gr. *malloté,* pelo ár. *mallūtā.*] *S. f.* Espécie de capote curto, com capuz, usado pelos mouros.

marlotar. [De *marlota* + *-ar*²] *V. t. d.* Dar aspecto rugoso a: enrugar, amarrotar, enxovalhar.

➧**marketing** (márquetin). [Ingl.] *S. m. Econ.* Conjunto de estudos e medidas que provêem estrategicamente o lançamento e a sustentação de um produto ou serviço no mercado consumidor, garantindo o bom êxito comercial da iniciativa. [Correspondente em port., p. us.: *mercadologia.*]

marma. [Do esp. *merma?*] *S. f.* Chapa lisa de ferro, com a qual se arredonda o vidro nas fábricas.

mar-mancha. [De *mar*¹ + *mancha,* < fr. *manche,* 'manga¹', 'braço de mar'.] *S. m.* Mar costeiro com duas ou mais saídas, pelas quais se comunica com o oceano; mar-manga. [Pl.: *mares-manchas,* e *mares-mancha.*]

mar-manga. [De *mar*¹ + *manga*¹, trad. do fr. *manche.*] *S. m.* Mar-mancha. [Pl.: *mares-mangas* e *mares-manga.*]

marmanjo. *S. m.* **1.** Homem adulto: "lustrosas comissões recebiam as senhoras ..., enquanto os *marmanjos* ficavam logo conversando coisas urgentes no meio das salas e no vão das portas." (Policarpo Feitosa, *Gisinha,* p. 44). **2.** Homem abrutalhado. **3.** Moço corpulento; rapagão. **4.** Mariola, tratante, velhaco.

marmelada. *S. f.* **1.** Doce pastoso, de marmelo. **2.** *Pop.* Vantagem, pechincha. **3.** *Bras.* Variedade de capim. **4.** *Bras.* Negócio desonesto; mamata. **5.** *Bras.* Conluio entre os participantes de um jogo ou competição, a fim de que o resultado seja favorável àquele a quem convém sair vencedor.

marmelada-brava. *S. f. Bras.* Arbusto da família das rubiáceas (*Amajoua guianensis*), de 1/2 m de porte, distribuído por todo o País, e cujas flores são unissexuais, pequenas, sendo o fruto uma baga amarela do tamanho de uma uva. [Pl.: *marmeladas-bravas.*]

marmelada-de-cachorro. *S. f. Bras.* Designação comum a arbustos e árvores da família das rubiáceas (*Thieleodoxa lanceolata* e *Alibertia* spp.), comuns nos cerrados do C.O., que se caracterizam pelos frutos carnosos e agridoces, os quais podem ser ingeridos como alimento, e cuja polpa escura lembra a marmelada. (1). [Pl.: *marmeladas-de-cachorro.*]

marmelada-de-cavalo. *S. f. Bras.* **1.** Pequena erva da família das leguminosas (*Desmodium discolos*), cujos legumes se fragmentam em pequeninos artículos, que grudam no pêlo dos animais e na roupa humana; carrapicho. **2.** V. *feijão-de-boi* (1 e 2). [Pl.: *marmeladas-de-cavalo.*]

marmeladeiro. *S. m. Bras., GO.* Vendedor de marmelada (1).

marmeleiral. *S. m. Bras.* Quantidade mais ou menos considerável de marmeleiros dispostos proximamente entre si.

marmeleiro. *S. m.* Árvore da família das rosáceas (*Pyrus cydonia*) que apresenta ramos em forma de longas varas, e cujos frutos (marmelos) são grandes, carnosos, ácidos e adstringentes, especialmente recomendáveis para doces.

marmeleiro-da-china. *S. m. Bras.* Árvore da família das rosáceas (*Pyrus sinensis* Poir.) [Pl.: *marmeleiros-da-china.*]

marmeleiro-do-campo9 *S. m. Bras.* Arbusto da família das euforbiáceas (*Maprounea brasiliensis*), comum nos cerrados, cujos frutos são insignificantes cápsulas tricocas e cujas flores são inconspícuas. [Pl.: *marmeleiros-do-campo.*]

marmelo. [Do gr. *melímelon,* pelo lat. *melimelu.*] *S. m.* **1.** O fruto do marmeleiro. [q. v.] **2.** Marmeleiro.

marmita. [Do fr. *marmite.*] *S. f.* **1.** Panela de metal, com tampa. **2.** Vaso prismático, de folha-de-flandres, em que os soldados comem o rancho. **3.** Conjunto de vasilhas adaptado a um suporte, e que serve para o transporte de comida.

marmita-de-gigante. *S. f.* Cavidade cilíndrica alongada, nos leitos dos rios. [Pl.: *marmitas-de-gigante.*]

marmiteiro. *S. m. Bras.* **1.** Empregado que entrega em domicílios marmitas com comida fornecida por pensões. **2.** Operário que, no trabalho, come de sua marmita. **3.** *Bras. Fig.* Alcunha que em 1945 se deu aos partidários de Getúlio Vargas [v. *getulista* (3)], por alusão ao prestígio deste perante os operários.

marmo. [De *magno.*] *Adj. Bras., N.E.* e *MG.* **1.** Muito grande; enorme: "O veeiro de malacacheta podre, um trem *marmo*, deste tamanho, misturada com osso-de-cavalo, e aquela trenheira toda, ... 'tá rumeando pro lado de cá de suas terras'." (Nélson de Faria, *Bazé,* pp. 118-119.) **2.** Ótimo, excelente.

marmoraria. *S. f.* Estabelecimento ou oficina onde se fazem trabalhos em mármore. [Cf. *marmorária,* fem. de *marmorário.*]

marmorário. [Do lat. *marmorariu.*] *Adj.* **1.** Relativo a mármore (1); marmóreo. ● *S. m.* **2.** Aquele que trabalha em mármore; marmorista. [Fem.: *marmorária.* Cf. *marmoraria.*]

mármore. [Do gr. *mármaros,* pelo lat. *marmore.*] *s. m.* **1.** Calcário metamorfizado e recristalizado, duro e compacto, de cores variadas, que se pode polir, e que se emprega em obras de arquitetura e escultura. **2.** Escultura executada em mármore: *os mármores de Fídias.* **3.** Peça ou placa de mármore (1), usada como prateleira, como revestimento, etc.: *os mármores da cozinha.* **4.** *Fig.* Aquilo que é frio, duro ou branco tal como o mármore: *o mármore das faces do cadáver.* **5.** *Fig.* Dureza de coração; insensibilidade, indiferença, frieza. **6.** *Tip.* Cofre das prensas mecânicas ou dos prelos de provas. **7.** *Tip.* Mesa de superfície plana e lisa, outrora de pedra e hoje de metal, onde se faz a imposição e o engradamento das fôrmas.

marmoreação. *S. f.* **1.** Ato ou efeito de marmorear (1). **2.** *Encad.* Processo para dar a folhas de papel, ou ao corte de um livro, aspecto semelhante ao do mármore, por meio de tintas salpicadas na superfície de veículo gomoso, usualmente o tragacanto, e às quais se imprime movimento ondulatório, em geral com instrumento apropriado [*pente*], antes de fazê-las aderir, por contato, ao papel ou ao corte; marmorização.

marmoreado. [Part. de *marmorear.*] *Adj.* ~ V. *papel —.*

marmoreador (ô). [De *marmorear* (2) + *-(d)or.*] *S. m. Encad.* Pessoa que se ocupa no trabalho de marmoreação; marmorizador.

marmorear. *V. t. d.* **1.** Dar aspecto de mármore a: "ressequidos líquenes seculares que se incrustam no granito, *marmoreando* -o." (Antero de Figueiredo, *Jornadas em Portugal,* p. 244). **2.** *Encad.* Dar a aparência de mármore a (papel ou corte de livro); marmorizar. [Conjug.: v. *frear.*]

marmoreira. *S. f.* Pedreira de mármore.

marmóreo. [Do lat. *marmoreu.*] *Adj.* **1.** Semelhante ou relativo ao mármore (1); marmorário. **2.** Feito de mármore (1). "estas *marmóreas* escadas / de horror tremer me parecem" (Antônio Feliciano de Castilho, *Amor e Melancolia,* p. 33). **3.** Da cor do mármore (1) branco: "essa *marmórea* tez." (Alberto de Oliveira, *Poesias,* 2ª série, p. 36). **4.** *Fig.* Que tem, ou em que existe a insensibilidade de mármore: *indiferença marmórea;* "com algumas daquelas palavras *marmóreas* ditas sem amargura nem pena, e destinadas a pôr na cova desses medíocres amores, seu epitáfio." (Fialho d'Almeida, *O País das Uvas,* p. 106).

marmorista. *S. 2 g.* **1.** Serrador ou polidor de mármore. **2.** Pessoa que faz esculturas de mármore. [Sin. ger.: *marmorário.*]

marmorização. [De *marmorizar* + *-ção.*] *S. f.* **1.** Transformação do calcário em mármore. **2.** *Patol.* Estado de um órgão cuja superfície externa toma o aspecto do mármore, apresentando-se com raias e veias que imitam essa rocha. **3.** *Encad.* Marmoreação (2).

marmorizado. [Part. de *marmorizar.*] *Adj.* ~ V. *papel —.*

marmorizador (ô). *Adj.* **1.** Que marmoriza. ● *S. m.* **2.** *Encad.* Marmoreador.

marmorizar. *V. t. d.* **1.** Transformar em mármore. **2.** *Encad.* Marmorear (2). **3.** *Fig.* Dar a aparência ou a cor, a brancura do mármore, a.

marmota¹. [Do fr. *marmotte.*] *S. f.* **1.** Pequeno quadrúpede roedor. **2.** *Bras., N.E. Pop.* V. *fantasma* (3). **3.** *Bras., N.E.* e *C. Pop.* V. *espantalho* (1 e 2).

marmota². *S. f.* F. red. de *pescada-marmota.*

marna. [Do fr. *marne.*] *S. f. Geol.* Marga.

marnel. *S. m.* V. *pântano:* "E eu, agitado e aflito, a submergir-me todo, / A conspurcar-me todo / No pútrido *marnel* de esverdinhado lodo." (Alberto de Oliveira, *Poesias,* 4ª série, p. 59.) [Pl.: *marnéis.*]

marnota. [De *mar*¹.] *S. f.* **1.** Terreno baixo que pode ser alagado pela água do mar ou de um rio. **2.** Parte da salina onde se acumula a água para o fabrico do sal.

marnoteiro. *S. m.* **1.** Marnoto. **2.** Aquele que dirige o trabalho dos marnotos; inspetor de marnotos. [Var., nesta acepç.: *marroteiro.*]

marnoto (ô). [De *marnota.*] *S. m.* Aquele que trabalha nas salinas; marnoteiro.

maro. [Do gr. *máron,* pelo lat. *maru.*] *S. m.* Erva ou subarbusto da família das labiadas (*Teucrium marum*), aromática, originária do Mediterrâneo, cultivada no Brasil, de folhas pequeninas e ovadas, e flores violáceas e densamente ordenadas em racemos.

maroiço. *S. m.* Var. de *marouço.* ~ V. *maroiços.*

maroiços. *S. m. pl.* Var. de *marouços.* ~ V. *maroiço.*

marola. [De *mar*¹.] *S. f. Bras.* Ondulação na superfície do mar: "Espreitou o céu enfarruscado e as *marolas* repetidas que se quebravam, insistentes, contra a amurada" (Reginaldo Guimarães, *Uma Blusa no Cais,* p. 24).

marolinho. *S. m. Bras.* V. *cabeça-de-negro* (1).

marolinho-do-campo. *S. m. Bras.* Planta da família das anonáceas (*Rollinia* sp.). [Pl.: *marolinhos-do-campo.*]

marolo (ô). *S. m. Bras.* V. *araticum* (2).

maroma. [Do ár. vulg. *mabrūmâ,* 'cordão'.] *S. f.* **1.** Corda grossa; cabo, calabre. **2.** Corda em que se equilibram funâmbulos, arlequins e certas personagens cômicas. **3.** *Bras., AM.* Armação de espeques altos e isolados, sobre a qual se constrói a habitação, à borda dos rios. **4.** *Bras., AM. P. ext.* Essa habitação. [Cf. *maromba*² (1 e 2).]

maromba¹. [Var. de *maroma* (q.v.).] *S. f.* **1.** Vara com que os funâmbulos ou arlequins mantêm o equilíbrio na maroma; contrapeso. **2.** *Fig.* Situação que se sustenta com dificuldade. **3.** *Bras.* Atitude dúbia de quem não se quer definir, aguardando os acontecimentos. **4.** *Bras.* Esperteza, malandragem. **5.** *Bras., RS.* Cabo de aço ou de fibras que, passando através de um curso de água, presas as extremidades uma em cada margem, serve para nele puxarem os tripulantes de uma barca de passagem, a fim de conduzirem esta de um lado para o outro.

maromba[2]. *S. f.* **1.** *Bras., AM.* Jirau onde se põe o gado por ocasião das cheias. **2.** *Bras., AM.* Jangada, comumente de imbaúba, para transporte de gado. [Cf., nessas acepç., *maroma* (3 e 4).] **3.** *Bras., N.* Lote ou magote de bois. **4.** *Bras., RJ.* Máquina de fabricar tijolos. **5.** *Bras., S.* Entre os pescadores, exemplar adulto da sardinha quando atinge mais de 20 cm de comprimento. **6.** *Bras.* Sardinha-verdadeira.

marombado. [Part. de *marombar.*] *Adj. Bras., CE.* **1.** V. *mentiroso* (1). **2.** V. *fanfarrão* (1).

marombar. [De *maromba*[1] + *-ar*[2].] *Bras. V. int.* **1.** Procurar equilibrar-se; tentear. **2.** Utilizar a maromba[1] (5) para fazer a barca andar. **3.** *Fig.* Vadiar no trabalho; fugir a compromisso. **4.** Usar de dissimulação; enganar. **5.** Hesitar entre alvitres opostos, quando se trata de interesse próprio. **6.** Embaraçar um negócio por má vontade ou por interesses inconfessáveis. [F. paral.: *marombear.*]

marombear. *V. int. Bras., RS.* Marombar. [Conjug.: v. *frear.*]

marombeiro. [De *maromba* + *-eiro.*] *Adj.* e *s. m. Bras.* Que ou aquele que lisonjeia ou adula, manhosa ou interessadamente.

marombista. *Adj. 2 g.* e *s. 2 g. Bras.* **1.** Diz-se de, ou pessoa que maromba, que costuma furtar-se a compromissos. **2.** Aproveitador, oportunista. **3.** Participante do grupo político que durante as Regências Trinas (1831-1835) não se definiu nem pelos moderados, no poder, nem pelos exaltados ou restauradores, oposicionistas.

maromimi. *S. 2 g.* e *adj. 2 g. Bras.* V. *maromomi.*

maromomi. *Bras. S. 2 g.* **1.** Indígena da extinta tribo não tupi dos maromomis, da capitania de São Vicente. ● *Adj. 2 g.* **2.** Pertencente ou relativo a essa tribo. [Var.: *maromimi, marumimi, maramimi, miramomi, guaramemi.*]

maronês. *Adj.* **1.** De, ou pertencente ou relativo à serra do Marão (Portugal). ● *S. m.* **2.** O natural ou habitante desta serra. [Flex.: maronesa (ê), *maroneses* (ê), *maronesas* (ê).]

maronita. [Do antr. *Maron,* figura lendária de patriarca medieval, + *-ita*[2].] *S. 2 g.* **1.** Indivíduo dos maronitas, católicos do Líbano. ● *Adj. 2 g.* **2.** Pertencente ou relativo aos maronitas.

mároo. [Do lat. *marohu.*] *S. m.* **1.** Indivíduo dos mároos, antigo povo da Índia. ● *Adj.* **2.** Pertencente ou relativo aos mároos.

marosca. *S. f.* Trapaça, enredo, logro, ardil.

marotagem. [De *maroto* (4) + *-agem*[2].] *S. f.* **1.** V. *maroteira.* **2.** Multidão de marotos.

marotear. *V. int.* Viver ou proceder como maroto (4). [Conjug.: v. *frear.*]

maroteira. *S. f.* Ato próprio de maroto (4); patifaria, velhacaria, malandrice, marotagem.

marotismo. *S. m.* Qualidade ou ação de maroto (4).

maroto (ô). *Adj.* **1.** Ladino, esperto; brejeiro: *criança marota.* **2.** Malicioso, picante: *anedota marota.* **3.** Velhaco, tratante, malandro, desavergonhado, patife. ● *S. m.* **4.** Indivíduo maroto; malandro, marau: " — Vou aproveitar o tempo, enquanto esperamos pelo Alencar, a arrancar as orelhas àquele maroto!" (Eça de Queirós, *Os Maias,* II, p. 398.) **5.** *Bras.* Alcunha dada aos portugueses no Brasil, principalmente na BA, a começar da época da Independência. V. *galego* (4).

marouço. [De *mar*[1].] *S. m.* Mar encapelado: "ora bem salientes e nítidas [as canoas] na crista elevada da mareta espumante, ora ocultas e submersas na cava funda do marouço em fúria" (Virgílio Várzea, *Nas Ondas,* p. 144). [Var.: *maroiço.*] ~ V. *marouços.*

marouços. [Pl. de *marouço.*] *S. m. pl.* Ondas grandes e encapeladas. [Var.: *moroiços.*] ~ V. *marouço.*

marqueiro. [De *marca* + *-eiro.*] *S. m. Bras., RS.* O encarregado de marcar os animais, a ferro quente, nas estâncias de criação; marcador.

marquês. [Do lat. tardio *markense,* 'governador de marca (fronteira)'.] *S. m.* V. *barão* (1). [Flex.: *marquesa* (ê), *marqueses* (ê), *marquesas* (ê).]

marquesa[1] (ê). [Fem. de *marquês.*] *S. f.* **1.** Senhora que tem marquesado. **2.** Mulher de marquês. **3.** Espécie de canapé largo, com assento de palhinha.

marquesa[2] (ê). *S. f.* V. *marquise.*

marquesa-de-belas. *S. f. Bras.* V. *cipó-de-são-joão.* [Pl.: *marquesas-de-belas.*]

marquesado (ê). *S. m.* **1.** Cargo ou dignidade de marquês. **2.** Terras que constituíam o domínio e solar de marquês ou marquesa.

marquesal. *Adj. 2 g.* Relativo ou pertencente a marquês ou marquesa.

marquesinha (ê). [Dim. de *marquesa*[2].] *S. f.* **1.** Toldo que abriga, em campanha, tenda dos oficiais. **2.** Sombrinha outrora usada pelas senhoras.

marquesvã. *S. m. Cronol.* O segundo mês do calendário israelita, com 29 ou 30 dias.

marquise. [Do fr. *marquise,* 'toldo'.] *S. f. Gal.* Espécie de alpendre ou cobertura saliente, na parte externa de um edifício, destinada a servir de abrigo: *Quando começou a chuva, os transeuntes refugiaram-se debaixo da marquise.* [Sin.: *marquesa.*]

marquisete. [Do fr. *marquisette.*] *S. f.* Tecido fino de algodão, de trama larga, formando desenhos.

marra. [Do lat. *marra.*] *S. f.* **1.** Pequena enxada para mondar. **2.** Marrão[2]. **3.** Rego ou valeta ao lado do caminho. **4.** Clareira em vinhedos e olivais. **5.** Jogo de rapazes, semelhante ao pique. ♦ **Na marra.** *Bras. Pop.* **1.** Mediante emprego de violência; à viva força: *A polícia invadiu o recinto na marra.* **2.** A qualquer preço: *Resolveu estudar na marra.* **3.** Contra vontade; a contragosto: "Não acho maravilhoso envelhecer. A gente envelhece na marra, porque não há mesmo outro jeito" (Lígia Fagundes Teles, *A Disciplina do Amor,* p. 109). [Sin. ger.: *no peito e na raça.*].

marrã. [Fem. de *marrão.*] *S. f.* **1.** Porca nova que deixou de mamar. **2.** Carne fresca de porco. **3.** *Bras., N.E.* Ovelha nova.

marraco. [De *marra.*] *S. m.* V. *enxadão* (2).

marrada. *S. f.* Ato de marrar[1] (1 e 2): "afrontava .... as violentas marradas e o coice rápido dos marruás." (Amadeu de Queirós, *Os Casos do Carimbamba,* p. 37).

marrafa. [Do antr. *Maraffi,* dançarino italiano que viveu em Lisboa em fins do séc. XVIII.] *S. f.* **1.** Madeixa (3) riçada e caída na testa. **2.** Cada uma das partes em que se divide o cabelo, por meio de uma risca. **3.** *Bras., PE.* Pequeno pente ornamental usado pelas senhoras: "Arrumavam, as mulheres de então, suas cabeleiras .... com inúmeros grampos, flores, marrafas, alfinetes, cobrindo-as com mantilhas rendadas ou de gaze." (Osmã Lins, *Nove, Novena,* p. 23.) **4.** *Bras., SP.* Modalidade do fandango.

marraio. *S. m. Bras.* **1.** Palavra que, em certos jogos (como o jogo de gude), dá ao primeiro parceiro que a grita o direito de ser o último a jogar. **2.** *P. ext.* O parceiro que primeiro gritou essa palavra: *Quem é o marraio?*

marralhar. *V. int.* **1.** Ser ou mostrar-se marralheiro. *T. i.* **2.** Teimar ou insistir procurando convencer alguém ou lograr alguma coisa.

marralheiro. [Do esp. *marullero.*] *Adj.* **1.** Que usa de astúcias para convencer ou iludir; manhoso, astuto, espertalhão. **2.** Preguiçoso, madraço, indolente, mandrião.

marralhice. *S. f.* Qualidade de quem é marralheiro.

marrano. [Do esp. *marrano.*] *Adj.* e *s. m.* **1.** Diz-se de, ou designação injuriosa dada outrora aos mouros e judeus. **2.** Diz-se de, ou indivíduo excomungado, sujo, imundo, porco. **3.** *Bras., RS.* Diz-se de, ou gado ruim.

marrão[1]. [Do ár. *mharram,* 'proibido'; o Alcorão proíbe comer carne de porco.] *S. m.* Pequeno porco desmamado. [Fem.: *marrã.*]

marrão[2]. [De *marra* + *-ão*[1].] *S. m.* Grande martelo de ferro com que se quebram pedras; marra.

marrão[3]. [F. aferética de *chimarrão,* certamente.] *Adj.* e *s. m. Bras.; RS.* Diz-se de, ou rês bravia, selvagem, indomável: *carneiro marrão; Foi difícil amansar o marrão.*

marraque. *S. m. Bras.* Emblema ou símbolo, ao jeito de cetro, usado outrora pelos caciques.

marrar[1]. [De *marra* + *-ar*[2].] *V. int.* **1.** Arremeter com a cornada (animal cornígero). **2.** Arremeter e bater com a cabeça. *T. i.* **3.** Encontrar-se ou topar de frente com alguma coisa; defrontar, deparar.

marrar[2]. *V. int.* Bater com o marrão[2].

marrasquino. *S. m.* V. *marasquino.*

marraxo. *S. m. Bras.* Peixe elasmobrânquio, pleurotremado, da família dos galeorrinídeos (*Eulamia lamia* (*Bainv.*)), do Atlântico e Mediterrâneo, de dorso cinzento-claro e abdome branco. Mede 3 a 4 m de comprimento, e é espécie muito voraz e agressiva. [Sin.: *cação-de-rio.*]

marreca. *S. f.* **1.** A fêmea do marreco. **2.** *Bras.* Designação comum aos anatídeos de pequeno porte. ♦ **Marreca asa-branca.** *Bras.* V. *marreca-cabocla.*

marreca-anaнaí. *S. f. Bras.* Ave passeriforme, da família dos anatídeos (*Nettion brasiliense* (Gmel.)), da América do Sul cisandina, de dorso superior pardo, dorso inferior e coberteiras superiores das asas pretos com lustro azul-metálico, rêmiges do braço pardo-claras marginadas de branco, peito vermelho, e alto da cabeça e estria na nuca pardo-escuros. [Tb. se diz apenas *ananaí;* Sin.: *marreca-dos-pés-encarnados.* Pl.: *marrecas-ananaís* e *marrecas-ananaí.*]

marreca-apaí. [De *marreca* + tupi *apa'i,* 'pato que ainda não voa'.] *S. f. Bras.* V. *irerê.* [Pl.: *marrecas-apaís* e *marrecas-apaí.*]

marreca-assobiadeira. *S. f. Bras.* Ave anseriforme, da família dos anatídeos (*Nettion flavirostre* (Vieil.)), dos países meridionais da América do Sul. No Brasil, ocorre apenas no extremo sul. Tem coloração dorsal cinzento-escura, cabeça com faixas pretas transversais, lado inferior esbranquiçado, peito manchado de preto, e duas faixas amarelas nas asas. [F. red.: *assobiadeira;* f. paral.: *marreca-assoviadeira.* Pl.: *marrecas-assobiadeiras.*]

marreca-assoviadeira. *S. f. Bras.* V. *marreca-assobiadeira.* [Pl.: *marrecas-assoviadeiras.*]

marreca-cabocla. *S. f. Bras.* Ave anseriforme, da família dos anatídeos (*Dendrocygna autumnalis discolor* Scl. & Salv.), do centro da América do Sul até o Panamá, de dorso superior pardo-castanho, dorso inferior, rêmiges e barriga pretos, e coberteiras superiores menores das asas vermelho-claras; marreca-grande-de-marajó; marreca-asa-branca. [Pl.: *marrecas-caboclas.*]

marreca-caneleira. *S. f. Bras., RS.* V. *marrecapéua.* [Pl.: *marrecas-caneleiras* e *marrecas-caneleira.*]

marreca-carijó. *S. f. Bras., RS.* Ave anseriforme, da família dos anatídeos (*Querquedula versicolor* (Vieil.)), do S. da América do Sul. No Brasil, aparece apenas no extremo sul. Coloração castanha ou leonada, carijó, capuz castanho, asas cinzentas com pontas pardas, espelho azul-esverdeado, e dorso e cauda brancos, raiados de negro. [Sin.: *marrequinho-do-campo.* Pl.: *marrecas-carijós.*]

marreca-do-pará. *S. f. Bras.* V. *irerê.* [Pl.: *marrecas-do-pará.*]

marreca-dos-pés-encarnados. *S. f. Bras., RS.* V. *marreca-ananaí.* [Pl.: *marrecas-dos-pés-encarnados.*]

marreca-grande-de-marajó. *S. f. Bras. Amaz.* V. *marreca-cabocla.* [Pl.: *marrecas-grandes-de-marajó.*]

marrecão. [Aum. de *marreca.*] *S. m. Bras.* **1.** Ave anseriforme, da família dos anatídeos (*Neochen jubata* (Spix)), do O. e S. do Brasil, de coloração ocrácea, tirante ao castanho na cabeça, pescoço e peito, dorso preto com penas castanho-claras, asas escuras e espelho branco. É espécie rara, arborícola, freqüentando rios e lagos. **2.** Ave anseriforme, da família dos anatídeos (*Metopiana peposaca* (Vieil.)), que ocorre do S. do Brasil até o Chile. O macho tem dorso preto com finas estrias brancas, espelho da asa acentuadamente branco, abdome vermiculado de cinza e branco, bico vermelho com carúncula na base, e pernas vermelhas. A fêmea tem dorso pardo e abdome branco. [Sin. ger.: *ganso.*]

marrecapeba. *S. f. Bras., AM.* V. *marrecapéua.*

marrecapéua. *S. f. Bras.* Ave anseriforme, da família dos anatídeos (*Dendrocygna bicolor* (Vieil.)), do L. da África, S. da Ásia e da América do Sul tropical e temperada, de dorso preto, parte das coberteiras superiores da cauda e todas as inferiores amareladas, asas pretas, coberteiras superiores menores da asa castanho-escuras, e parte anterior da cabeça e garganta pardas. [Sin.: *marrecapeba* e *marreca-caneleira.*]

marreca-piadeira. *S. f. Bras., RS.* V. *irerê.* [Pl.: *marrecas-piadeiras.*]

marrecarana. [De *marreca* + *-rana.*] *S. f. Bras., SP.* Espécie de marreca (*Nomonyx dominicus* Lin.).

marreca-toicinho. *S. f. Bras.* Ave anseriforme, da família dos anatídeos (*Paecilonitta bahamensis* (L.)), das Antilhas, Guianas, N. e L. do Brasil, de coloração dorsal preta, com todas as penas pintadas e marginadas de vermelho, cauda vermelho-clara, parte inferior vermelho-clara pintada de preto, e asas verde-escuras com espelhos verde-metálicos; paturi-do-mato. [Var.: *marreca-toucinho.* Pl.: *marrecas-toicinhos* e *marrecas-toicinho.*]

marreca-toucinho. *S. f. Bras.* V. *marreca-toicinho.* [Pl.: *marrecas-toucinhos* e *marrecas-toucinho.*]

marreca-viúva. *S. f. Bras.* V. *irerê.* [Pl.: *marrecas-viúvas.*]

marreco. *S. m.* Designação comum ao macho da ave anseriforme, da família dos anatídeos, *Anas platyrhynchos* L., e a outras espécies do gênero. Atualmente existem várias raças domésticas, cosmopolitas. No

Brasil o nome é usado para todos os anatídeos de pequeno porte.

marrequeiro. [De *marreco* + *-eiro.*] *Adj.* De, ou relativo a marreco. ~ V. *boi* —.

marrequém. *S. f. Bras.* V. *ararinha-de-cabeça-encarnada.*

marrequém-de-igapó. *S. f. Bras.* Ave psitaciforme, da família dos psitacídeos (*Pyrrhura picta amazonum* Hellm.), do AM, PA, N. do MT, e GO, de coloração geral verde, cabeça parda, fronte azul, faces encarnado-escuras, região auricular pardo-amarelada, dorso inferior e a maior parte da cauda vermelho-escuros, garganta e peito ocre-claros, listrados de cinzento-escuro, encarnado o meio do abdome, e azuis as margens das rêmiges. [Pl.: *marrequéns-de-igapó.*]

marrequinha. [Dim. de *marreca.*] *S. f.* **1.** *Bras.* V. *paturi.* **2.** *Bras., BA.* V. *jaçanã* (1).

marrequinho. [Dim. de *marreco.*] *S. m. Bras., GO.* V. *ipequi.*

marrequinho-do-brejo. *S. m. Bras., MG.* V. *curutié.* [Pl.: *marrequinhos-do-brejo.*]

marrequinho-do-campo. *S. m. Bras.* Marreca-carijó. [Pl.: *marrequinhos-do-campo.*]

marreta (ê). [De *marra* + *-eta.*] *S. f.* **1.** Marrão[2] pequeno, mas de cabo comprido. **2.** *Bras.* Grande cacete. **3.** *Bras.* Apelido dado pelos brasileiros, nos tempos da Independência, aos portugueses. V. *galego* (4). **4.** *Bras.* Designação dada ao partido político situacionista de Pernambuco, e aos seus adeptos, na época da candidatura do General Dantas Barreto, da oposição, ao governo do Estado. **5.** *Bras.* Antiga agremiação partidária do CE. ● *S. m.* **6.** *Bras.* Adepto dessa agremiação; aciolista. [Pl.: *marretas* (ê). Cf. *marreta* e *marretas*, do v. *marretar.*] ♦ **Fazer marreta.** *Bras.* Trapacear no jogo de conluio com um ou mais parceiros; empandilhar.

marretada. *S. f.* **1.** Pancada ou golpe com marreta (1). **2.** *Bras.* Cacetada, bordoada. **3.** *Bras. Chulo.* Cópula carnal; trepada.

marretar. *V. t. d.* **1.** Bater com marreta em. **2.** *Bras.* Espancar, surrar. **3.** Desbaratar, destroçar. **4.** *Bras., N.E. Pop.* Passar conto-do-vigário em. **5.** *Bras., N.E. Pop.* Explorar, lesar; trapacear, burlar. *Int.* **6.** Bater ou espancar com marreta. **7.** Bater em alguém; espancar: "malharam sobre aquela massa nua e arquejante, com remos, com varas, com tesouras, com pás de ferro, ... ferindo, arpoando, marretando, retalhando" (Júlio Dantas, *Abelhas Doiradas*, p. 187). **8.** *Bras. Chulo.* Copular (2). [Pres. ind.: *marreto, marretas, marreta*, etc. Cf. *marreta* (ê) e pl. *marretas* (ê).]

marreteiro. *S. m.* **1.** *Bras.* Operário que com a marreta percute a broca para abrir câmaras de mina nas pedreiras. **2.** *Bras., N.E. Pop.* Trapaceiro, vigarista; ladrão. **3.** *Bras., SP.* Vendedor ambulante.

marrim. *S. 2 g.* e *adj. 2 g.* Maí.

marroada[1]. [De *marrão*[2] + *-ada*[1].] *S. f.* Pancada com marrão[2].

marroada[2]. [De *marrão*[1] + *-ada*[1].] *S. f.* Manada ou vara de marrões [v. *marrão*[1]].

marroaz. [De *marrar*[1].] *Adj. 2 g.* **1.** Teimoso, obstinado cabeçudo. ● *S. m.* **2.** *Ant.* Pequeno navio de vela usado na costa da Arábia e do Mar Vermelho. [Cf. *marruás*, pl. de *marruá.*]

marrom. [Do fr. *marron.*] *Adj. 2 g.* Castanho (1): "Vestia um costume marron, avivado no peito por um pequeno lenço branco" (Xavier Placer, *Doze Histórias Curtas*, p. 17). ~ V. *imprensa* —. ● *S. m.* **2.** Castanho (3).

marroque. *S. m. Bras., AL. Pop.* Pão dormido, já meio duro.

marroquim. [Do ár. *marroki*, 'de Marrocos', donde primeiro vinha este couro, pelo fr. *marroquin.*] *S. m.* Pele de cabra ou de bode, tingida do lado da flor e já preparada para artefatos: "Raparigas de cor, arrastando servilhas de marroquim vermelho ou verde, ofereciam aos olhos dos homens o busto moreno meio nu" (Inglês de Sousa, *O Missionário*, p. 407).

marroquinar. *V. t. d.* Transformar em marroquim.

marroquino. [Do ár. *marroki*, pelo fr. *marroquin.*] *Adj.* **1.** De, ou pertencente ou relativo a Marrocos (África). ● *S. m.* **2.** O natural ou habitante de Marrocos.

marrote. [De *marrão*[1] + *-ote.*] *S. m. Bras., S.* Porco pequeno, ainda não castrado.

marroteiro. *S. m.* Var. de *marnoteiro* (2).

marroxo (ô). *S. m.* Resto, refugo, rebotalho.

marruá. [Alter. de *marroaz.*] *S. m. Bras.* **1.** Novilho que não foi domesticado: "Depois outro campeiro vinha; mais um laço desenrolava no ar, outra laçada sobre a primeira, e o marruá se imobilizava na imobilidade da invernada, donde o gado fugia espavorido!" (Amadeu de Queirós, *Os Casos do Carimbamba*, p. 38.) **2.** Boi bravo; touro, marruás. **3.** Aquele que se deixa enganar facilmente; indivíduo inexperiente, calouro. [Pl. (e var.): *marruás.* Cf. *marroaz.*]

marruás. [Var. de *marruá.*] *S. m. Bras., MG* e *SP.* V. *marruá* (2): "Tão longe andavam os dois, ele e sua desassisada teimosia, que não percebeu, rezingando, no coice, um marruás alvacento, tocoió .... . De repente o bicho entufou-se, desgarrou, investiu." (Nélson de Faria, *Tiziu e Outras Estórias*, p. 213.) [Pl.: *marruases.* Cf. *marroaz.*]

marruco. *S. m. Bras.* Touro ou boi destinado à reprodução: "— Pois é: o menino saiu com o copinho dele para o pai encher de leite, e tinha um marruco brabeza do sertão que ninguém num lembrava." (Bernardo Élis, *Veranico de Janeiro*, p. 22.)

marrueiro. *S. m. Bras., CE.* Domador de touros ou marruás.

marselhês. *Adj.* **1.** De, ou pertencente ou relativo a Marselha (França). ~ V. *telha* —a. ● *S. m.* **2.** O natural ou habitante de Marselha. [Flex.: *marselhesa* (ê), *marselheses* (ê), *marselhesas* (ê).]

marselhesa (ê). [Do fr. *Marseillaise.*] *S. f.* O hino nacional francês, com letra e música de Rouget de Lisle (1760-1836), capitão do exército francês, e que foi composto por ocasião da declaração de guerra da França à Áustria, em 1792. [Com inicial maiúscula.]

marsília. [Do antr. *Marsigli* (*Marsilius*), de Luigi Ferdinando Marsigli (-1730), naturalista italiano.] *S. f.* Gênero de plantas criptogâmicas (*filicíneas*) que crescem nas águas estagnadas; trevo-d'água. [Cf. *Marcília*, antr.]

marsiliácea. *S. f.* Espécime das marsiliáceas.

marsiliáceas. *S. f. pl. Bot.* Família de pteridófitos, da ordem das hidropteridales, caracterizada pelos esporocarpos constituídos de um segmento foliar com numerosos soros andróginos. São plantas aquáticas ou de lugares úmidos, delicadas e graciosas. Há umas 60 espécies, algumas brasileiras.

marsiliáceo. *Adj.* Pertencente ou relativo às marsiliáceas.

marsipobrânquio. *S. m.* e *adj.* V. *ciclostomado.*

marsipobrânquios. *S. m. pl. Zool.* V. *ciclostomados* (1).

marso. [Do lat. *marsu.*] *S. m.* **1.** Indivíduo dos marsos, antigo povo do Lácio. ● *Adj.* **2.** Pertencente ou relativo a esse povo. [Cf. *março.*]

marsupiais. *S. m. pl. Zool.* Animais mamíferos, da ordem *Marsupialia*. Aplacentários; fêmeas com marsúpio (1) ou dobras marsupiais circundando as tetas; útero e vagina duplos; os ovos se desenvolvem no útero, nascendo os filhotes prematuramente e agarrando-se às tetas na bolsa marsupial até se desenvolverem de todo. São os gambás, as cuícas, os coalas e os cangurus.

marsupial. [Do lat. científico *marsupiale.*] *Adj. 2 g.* **1.** Pertencente ou relativo a marsúpio (1), ou aos marsupiais. **2.** Que tem forma de bolsa. **3.** Que tem órgão em forma de bolsa. ● *S. m.* **4.** Espécime dos marsupiais; marsúpio.

marsupialidade. *S. f.* Qualidade de marsupial.

marsupialização. [De *marsupial* + *-izar-* + *-ção.*] *S. f. Cir.* Operação que consiste em fazer a exérese de porção da parede anterior de um quisto, com ou sem ressecção da pele suprajacente, suturando-se as bordas restantes das paredes do quisto às camadas da pele adjacente.

marsúpio. [Do gr. *marsypion*, pelo lat. *marsupiu.*] *S. m.* **1.** A bolsa formada pela pele do abdome dos marsupiais. **2.** Marsupial (4).

marta. [Do germ., pelo fr. *martre, marte.*] *S. f.* **1.** Gênero de mamíferos carnívoros e digitígrados, de pele muito apreciada. **2.** A pele desse animal: "Vestia um modesto vestido de seda, e agasalhava-se em uma capa de martas." (Camilo Castelo Branco, *A Mulher Fatal*, p. 97.)

martagão. [Provavelmente do turco *martagan*, 'espécie de turbante'.] *S. m. Bot.* Certa espécie de lírio (*Lilium martagon*).

marte. [Do lat. *Marte*, 'deus da guerra'.] *S. m. Astr.* **1.** O quarto planeta em ordem de afastamento do Sol, e o único do sistema solar que apresenta aspectos e características análogos aos da Terra. Nitidamente menor que esta, Marte tem um diâmetro de 6 800 km, e a sua massa, deduzida da observação dos seus dois satélites, Fobos e Deimos, é 0,107 vezes a da Terra. [Sin.: *Ares* e *Planeta Vermelho.*] **2.** *Mitol.* O deus da guerra, entre os antigos romanos. [F. paral., ant.: *Mavorte.* Cf. *Ares*[2] (2).] **3.** *Fig.* Homem guerreiro; cabo-de-guerra. **4.** *Fig.* A guerra.

martel. [De *martelo* (11), com apócope.] *S. m. Bras. RS.* Copo para bebida, rústico. [Pl.: *martéis.*]

martelada. *S. f.* **1.** Pancada com martelo (1 e 2). **2.** Ruído de pancada semelhante à do martelo: *Sentia marteladas no ouvido.*

martelador (ô). *S. m.* **1.** Aquele que martela. **2.** *Fig.* Indivíduo importuno, maçante, irritante.

martelagem. *S. f.* Ato de martelar; martelamento.

martelamento. *S. m.* Martelagem.

martelão. [De *martelar.*] *S. m. Bras. Gír.* Indivíduo que só aprende à força de muito repetir. [Fem.: *martelona.*]

martelar. *V. t. d.* **1.** Bater com o martelo em: "crava no pau, às marteladas, um prego de grande cabeça chata, junto desse prego martela outro" (Ramalho Ortigão, *A Holanda*, p. 272). **2.** Fazer soar; dar: *O relógio martelou 12 horas.* **3.** Bater seguidamente em, como se desse marteladas: "Como será que o Seu Júlio consegue ler o jornal, enquanto a filha martela o piano?" (Telmo Vergara, *Contos da Vida Breve*, p. 25.) **4.** Aturdir, atordoar, como se desse marteladas em: *Martelavam os seus ouvidos com aquele assunto desagradável. Int.* **5.** Dar marteladas. **6.** Insistir, teimar, para persuadir ou para alcançar alguma coisa: *Tanto martelou que acabou conseguindo o apoio do sócio.* **7.** Bater com força. [F. paral.: *amartelar.*]

marteleiro. [De *martelo* + *-eiro?*] *S. m. Bras.* Chapéu-armado (2).

martelejar. *V. int. P. us.* Dar marteladas; martelar. [Conjug.: v. *pelejar.*]

martelete (ê). *S. m.* **1.** Pequeno martelo; martelinho. **2.** Espora mourisca.

martelinho. [Dim. de *martelo.*] *S. m.* **1.** Martelete (1). **2.** Copo de meio quartilho.

martelo. [Do lat. *martellu*, por *martulu.*] *S. m.* **1.** Instrumento de ferro, em geral com cabo de pau, destinado a bater, quebrar e, especialmente, cravar pregos na madeira. **2.** Pequeno malho usado por juízes, leiloeiros, etc. **3.** Peça dos relógios de parede que faz soar as horas. **4.** *Fig.* Pessoa que persegue e procura exterminar um mal: *martelo dos vícios.* **5.** *Fig.* Pessoa importuna, maçadora: *Despede esse martelo!* **6.** *Anat.* Um dos ossículos do ouvido. **7.** *Mús.* Cada uma das pequenas peças de madeira que, movidas pela pressão dos dedos sobre as teclas, percutem as cordas do piano e as fazem vibrar. [Dim. irreg.: *martelete.*] **8.** *Bras. Liter. Pop.* Estrofe composta de decassílabos, muito usada nos versos heróicos ou mais satíricos, nos desafios. Os martelos mais empregados são o *gabinete* e o *agalopado.* **9.** *Bras.* V. *peixe-martelo.* **10.** *Bras.* Ninfa de certos mosquitos, depositada na água estagnada. **11.** Antiga unidade de medida de capacidade para líquidos, equivalente a 1/4 de um quartilho, ou seja, 166 mililitros: "bebia dois martelos de restilo, ficava meio troviscado" (Nélson de Faria, *Tiziu e Outras Estórias*, p. 113). **12.** *Atlet.* Esfera de bronze ou de ferro presa a um cabo de aço o qual tem, na extremidade oposta, uma espécie de argola que o atleta empunha para o lançamento. ♦ **Martelo agalopado.** *Bras. Liter. Pop.* Estrofe de seis pés decassílabos, de toada violenta, improvisada pelos cantadores sertanejos nos seus desafios; martelo de seis pés, galope. [Tb. se diz apenas *agalopado.* V. *martelo* (8).] **Martelo de seis pés.** *Bras. Liter. Pop.* V. *martelo agalopado.* **Martelo justificador.** *Tip.* Peça da linotipo que põe os espaçadores em posição de fundir, e os mantém erguidos, para realizar a justificação; bloco de justificação.

martelona. *S. f. Bras. Gír.* Fem. de *martelão.*

➧**martenot** (martenô). [Fr.] *S. m.* Instrumento de música eletrônica, provido de teclado, e que tem o nome de seu inventor, Maurice Martenot (1898-1980).

martensita. *S. f. Metal.* Solução sólida de carbono, ou de carboneto de ferro, em ferro beta, presente em diversos tipos de aço.

martensítico. *Adj.* Da natureza da martensita, ou que a contém. ~ V. *aço* —.

martilhar. [Do esp. plat. *martillar.*] *V. t. d. Bras., S.* **1.** Engatilhar (arma de fogo); emartilhar. **2.** Aprontar (um cavalo) para correr com velocidade. *Int.* e *p.* **3.** Preparar-se, aprontar-se.

martim. *S. m. Bras., S.* V. *martim-pescador.*

martim-cachá. [Do antr. *Martim* + *cachá*, onom.; var.: *martim-cachaça.*] *S. m. Bras.* V. *martim-pescador-grande.* [Pl.: *martins-cachás* e *martins-cachá.*]

martim-cachaça. [F. paragógica de *martim-cachá.*] *S. m. Bras.* V. *martim-pescador-grande.* [Pl.: *martins-cachaças* e *martins-cachaça.*]

martim-grande. *S. m. Bras.* V. *martim-pescador.* [Pl.: *martins-grandes.*]

martim-pererê. [Alter. de *matimpererê* (q. v.), com infl. do antr. *Martim.*] *S. m. Bras.* V. *saci* (2). [Pl.: *martins-*

pererês.]

martim-pescador. [Trad. do fr. *martin-pêcheur.*] *S. m. Bras.* Designação comum às espécies de aves da ordem dos trogoniformes, da família dos alcedinídeos, gêneros *Megaceryle* Kaup e *Chloroceryle* Kaup, freqüentadores dos rios e lagos do Brasil, de coloração quase sempre azul ou verde-metálica, com várias outras cores intercaladas. Nidificam nas barrancas dos rios, em galerias construídas por eles mesmos, e alimentam-se exclusivamente de peixes, donde o seu nome popular. [Sin.: *martim, martim-grande, papa-peixe, pica-peixe, ariramba* e *urarirana.* Pl.: *martins-pescadores.*]

martim-pescador-grande. *S. m. Bras.* Ave coraciforme, da família dos alcedinídeos (*Megaceryle torquata* (L.)), do México, América Central e América meridional, de dorso escuro com tons azul-claros, nuca e garganta brancas, rêmiges e cauda pretas listradas de branco, peito ferrugíneo e barriga branca. Na fêmea o peito é cinza-azulado e a barriga ferrugínea. [Sin.: *martim-cachá, martim-cachaça, matraca, flecha-peixe, ariramba-grande, uarirama.* Pl.: *martins-pescadores-grandes.*]

martim-pescador-pequeno. *S. m. Bras.* Espécie de martim-pescador (*Chloroceryle americana* (Gmel.)), conhecido da BA para o N., até a Colômbia, de coloração verde tirante ao bronzeado, asas e cauda pintadas de branco, garganta, fita nucal e meio do abdome brancos, e peito ferrugíneo. A fêmea é idêntica ao macho, mas com a garganta ocre-clara e o peito da mesma cor, pintado de verde. [Sin.: *ariramba-pequena.* Pl.: *martins-pescadores-pequenos.*]

martim-pescador-pintado. *S. m. Bras.* Ave trogoniforme, da família dos alcedinídeos (*Ceryle inda* (L.)), do C. e S. da América, de dorso verde-escuro tirante ao bronzeado, rêmiges e cauda pintadas de branco, fita nucal e parte inferior do corpo ferrugíneas. [Sin.: *ariramba-pintada.* Pl.: *martins-pescadores-pintados.*]

martim-pescador-verde. *S. m. Bras.* Ariramba-verde. [Pl.: *martins-pescadores-verdes.*]

martinense[1]. *Adj. 2 g.* **1.** De, ou pertencente ou relativo a Martins (RN). ● *S. 2 g.* **2.** Natural ou habitante de Martins.

martinense[2]. *Adj. 2 g.* **1.** De, ou pertencente ou relativo a Domingos Martins (ES). ● *S. 2 g.* **2.** Natural ou habitante de Domingos Martins.

martinete (ê). [Do fr. *martinet.*] *S.o.* **1.** Martelo grande e pesado, movido por água ou vapor, e utilizado para distender barras de ferro e malhar a frio o ferro ou o aço. **2.** Penacho dos grous e de outras aves. **3.** *Mús.* Peça do mecanismo do cravo correspondente ao martelo do piano, e na qual se fixa o bico da pena, ou pedaço de couro duro ou de plástico, que faz vibrar as cordas; saltador, lingüeta. **4.** *Mús.* Canção espanhola pertencente ao grupo das canções flamengas. **5.** *Zool.* Espécie de andorinha de asas longas. **6.** *Zool.* O gavião. **7.** *Bot.* Flor amarantácea, semelhante ao penacho dos grous.

martingale. [Do fr. *martingale.*] *S. m.* Espécie de meio cinto, folgado e em geral preso por botão, usado mais comumente na parte posterior de vestidos, mantôs ou redingotes.

martinho-campense. *Adj. 2 g.* **1.** De, ou pertencente ou relativo a Martinho Campos (MG). ● *S. 2 g.* **2.** Natural ou habitante de Martinho Campos. [Pl.: *martinho-campenses.*]

martíni[1]. *S. m.* Coquetel feito com vermute seco e gim, servido gelado e com uma azeitona verde.

martíni[2]. [De *Martini,* marca registrada.] *S. m.* Espécie de vermute: "Ele bebeu chope. E eu dois *martínis* doces." (Dalton Trevisan, *Essas Malditas Mulheres,* p. 14.)

martiniácea. *S. f.* Espécime das martiniáceas.

martiniáceas. *S. f. pl. Bot.* Família de dicotiledôneas tubifloras, composta de plantas herbáceas, de flores zigomorfas, hermafroditas, com androceu didínamo e ovário subdividido em quatro cavidades, com numerosos óvulos, e fruto peculiar, em forma de cápsula lenhosa provida de dois longos apêndices que recordam chifres. Existem apenas 10 espécies, todas americanas.

martiniáceo. *Adj.* Pertencente ou relativo às martiniáceas.

martinica. [Do top. *Martinica* (Antilhas)?] *S. f.* **1.** *Bras., MA.* Espécie de calça larga usada pela gente do povo: "São casacas, paletós, jaquetas, calças modernas, antigas *martinicas*" (João Francisco Lisboa, *Obras,* IV, p. 557). **2.** *Bras., Pl.* Quaisquer calças.

martinopolense. *Adj. 2 g.* **1.** De, ou pertencente ou relativo a Martinópolis (SP). ● *S. 2 g.* **2.** Natural ou habitante de Martinópolis.

mártir. [Do gr. mártyr, 'testemunha', pelo lat. *martyre.*] *S. 2 g.* **1.** Pessoa que sofreu tormentos, torturas ou a morte por sustentar a fé cristã. [Cf., nesta acepç., *confessor* (2).] **2.** Pessoa que sofre tormentos ou a morte por causa de suas crenças ou opiniões: *Fr. Caneca é um grande mártir da nossa história.* **3.** Quem se sacrifica, sofre ou perde a vida por um trabalho, experiência, etc.: *mártir da ciência.* **4.** Pessoa que sofre, que padece muito: *É um mártir da gota.* [Pl.: *mártires.*]

martírio. [Do gr. *martyrion,* 'testemunho', pelo lat. *martyriu.*] *S. m.* **1.** Sofrimento ou suplício de mártir. **2.** Tormento ou grande sofrimento. **3.** Arbusto da família das euforbiáceas (*Euphorbia splendens* Boj.): "o pomar é vedado por uma sebe de trepadeiras: glicínias, martírios, rosas-de-todo-o-ano." (Antônio Correia d'Oliveira, *Líricas,* p. 132).

martirização. *S. f.* Ação de martirizar(-se).

martirizador (ô). *Adj.* **1.** Que martiriza; martirizante. ● *S. m.* **2.** Aquele que martiriza.

martirizante. *Adj. 2 g.* Martirizador (1).

martirizar. *V. t. d.* **1.** Dar tratos ou martírios a; fazer sofrer o martírio. **2.** Afligir; atormentar; mortificar: "Ritinha a falar de uma moléstia que .... a *martirizara* durante meses." (Coelho Neto, *Turbilhão,* p. 305). *P.* **3.** Mortificar-se; afligir-se.

martirológico. *Adj.* Referente a martirológio.

martirológio. [Do gr. *mártyr,* 'testemunha (mártir)', + *-log(o)-* + *-io*[1].] *S. m.* **1.** Lista dos mártires, com a narração dos seus martírios. **2.** *P. ext.* Relação de vítimas.

martirologista. *S. 2 g.* Autor de martirológio.

martirólogo. [De *mártir* + *-o-* + *-logo.*] *S. m.* Indivíduo versado na história dos mártires.

martita. [Do mit. *Marte* + *-ita*[3].] *S. f. Min.* Mineral monométrico, sesquióxido de ferro, pseudomorfose de magnetita que se transformou em hematita, conservando a forma primitiva. É um dos satélites do diamante. [Sin., bras.: *cativo, cativo-de-chumbo.*]

maruá. *Bras. S. 2 g.* **1.** Indivíduo dos maruás, indígenas do Norte. ● *Adj. 2 g.* **2.** Pertencente ou relativo aos maruás.

marubá. [De provável or. tupi.] *S. m. Bras.* Arvoreta da família das simarubáceas (*Simarouba officinalis*), semelhante ao marupá [q. v.].

marufle. [Do fr. *maroufle.*] *S. m.* Cola muito forte, usada pelos pintores para reforçar uma tela com outra ou para aplicar a mesma tela sobre madeira ou parede.

marufo. *S. m.* Var. de *maluvo* [q. v.].

maruí (u-í). *S. m. Bras.* V. *maruim.*

maruim (u-í). [Var. nasalada de *maruí* < tupi *mberu'i,* 'mosca pequena'.] *S. m. Bras.* Designação vulgar dos insetos dípteros da família dos ceratopogonídeos. São nematóceros, de pequeno porte, com 1 a 2 mm de comprimento, antenas com 14 artículos nos dois sexos. As larvas e ninfas vivem na água doce ou salgada; só as fêmeas são hematófagas. Transmitem a filariose ao homem e aos animais domésticos por meio de picadas dolorosas. [Var.: *meruí, meruim, maringuim, marigüi, miruim, muruim;* sin.: *mosquito-do-mangue, mosquito-palha, mosquito-pólvora, catuqui* ou *catuquim, bembé.*]

maruinense (u-i). *Adj. 2 g.* **1.** De, ou pertencente ou relativo a Maruim (SE). ● *S. 2 g.* **2.** Natural ou habitante de Maruim.

maruja. [De *marujo.*] *S. f.* V. *marinhagem*[1]: "Ao tope dos mastaréus dos demais navios de guerra e dos mercantes de que se apossara a *maruja* insurrecta, palpitava .... uma infinidade de bandeirinhas brancas" (Virgílio Várzea, *Nas Ondas,* pp. 202-203).

marujada. *S. f.* **1.** Gente do mar; os marujos. **2.** Multidão de marujos. **3.** *Bras., N.E. Folc.* V. *fandango* (10).

marujo. [De *mar.*] *S. m.* **1.** Homem do mar; marinheiro. **2.** V. *marítimo* (5). **3.** *Bras.* V. *azulino* (5). ~ V. *marujos.* ● *Adj.* **4.** Marítimo, marinheiro: *vida maruja.* **5.** V. *azulino* (3).

marujos. *S. m. Bras., N.E. Folcl.* V. *fandango* (1). ~ V. *marujo.*

marulhada. *S. f.* V. *marulho.*

marulhado. [Part. de *marulhar.*] *Adj.* Tocado ou coberto pelas ondas em marulho.

marulhante. *Adj. 2 g.* Que marulha.

marulhar. [De *marulho* + *-ar*[2].] *V. int.* **1.** Agitar-se (o mar), formando ondas. **2.** Imitar o ruído das ondas. **3.** Agitar-se (as ondas) produzindo marulho: "As ondas *marulhavam* de encontro às bordas do barco" (D. João da Câmara, *Contos,* p. 75).

marulheiro. *Adj.* Diz-se de vento que provoca marulho.

marulho. [Cruz. de *mar* com *barulho.*] *S. m.* **1.** Movimento das águas do mar, de caráter permanente e, algumas vezes, quase imperceptível. **2.** Marejada. **3.** *P. ext.* Revolvimento ou agitação das ondas do mar: "vago e cristalino *marulho* das ondas" (Virgílio Várzea, *O Brigue Flibusteiro,* p. 138). **4.** *Fig.* Barulho, tumulto, confusão. [Sin. ger.: *marulhada.*]

marulhoso (ô). *Adj.* **1.** Em que há marulho. **2.** Inquieto, agitado.

marumbé. *S. m. Bras., SP.* Espécie de feijão.

marumbi. *S. m. Bras., BA.* Lagoa cheia de tabuas.

marumimi. *S. 2 g.* e *adj. 2 g. Bras.* V. *maromomi.*

marupá. [Do tupi *maru'pa.*] *S. m. Bras.* Arvoreta da família das simarubáceas (*Simarouba amara*), de madeira branca e leve, empregada em caixotaria e forros, casca amarga, considerada medicinal, folhas compostas e flores insignificantes; papariúba, paraíba, marupaúba.

marupapiranga. [De *marupá* + tupi *pi'rãga,* 'vermelho'.] *S. f. Bras.* Planta da família das iridáceas (*Eleutherine bulbosa* (Mill.) Urb.).

marupaúba. [Do tupi *marupa'iwa.*] *S. f. Bras.* V. *marupá.*

marupiara. [Do tupi *marupi'ara.*] *S. 2 g. Bras., AM.* **1.** Pessoa feliz na caça ou na pesca. **2.** Pessoa feliz nos negócios e nos amores. [Antôn.: *panema.*]

marxismo (cs). [Do antr. *Marx* + *-ismo.*] *S. m. Filos.* Doutrina dos filósofos alemães Karl Marx (1818-1883) e Friedrich Engels (1820-1895), fundada no materialismo dialético, e que se desenvolveu através das teorias da luta de classes e da elaboração do relacionamento entre o capital e o trabalho, do que resultou a criação da teoria e da tática da revolução proletária.

marxismo-leninismo. *S. m.* O conjunto das idéias sociais, políticas e econômicas desenvolvidas pelo marxismo [q. v.] e pelo leninismo [q. v.]. [Pl.: *marxismos-leninismos.* Cf. *comunismo* (2 a 5).]

marxista (cs). *Adj. 2 g.* **1.** Relativo ao, ou que é partidário do marxismo. ~ V. *socialismo* —. ● *S. 2 g.* **2.** Partidário do marxismo.

marxista-leninista. *Adj. 2 g.* **1.** Relativo ao, ou próprio do marxismo-leninismo. ● *S. 2 g.* **2.** Partidário ou seguidor do marxismo-leninismo. [Pl.: *marxistas-leninistas.*]

marzagonense. *Adj. 2 g.* **1.** De, ou pertencente ou relativo a Marzagão (GO). ● *S. 2 g.* **2.** Natural ou habitante de Marzagão.

marzão. [De *mar* + *-z-* + *-ão*[1].] *S. m. Bras. Pop.* **1.** Grande mar. **2.** V. *alto-mar* (1). **3.** Mar agitado. **4.** Grande massa de água.

marzipã. [Do it. *marzapane.*] *S. m.* Pasta de amêndoas e açúcar.

marzoco (ô). [Do it. *marzocco.*] *S. m.* Indivíduo que pretende fazer rir com as suas graçolas.

mas[1]. [Do lat. *magis.*] *Conj.* **1.** Exprime oposição ou restrição; porém, todavia, entretanto, no entanto, contudo: "Dai-me nã fúria grande e sonorosa, / E não de agreste avena, ou frauta suda; / *Mas* de tuba canora e belicosa, / Que o peito acende, e a cor ao gesto muda." (Luís de Camões, *Os Lusíadas,* I, 5); "apanhei o embrulho e segui / Segui, *mas* não sem receio." (Machado de Assis, *Memórias Póstumas de Brás Cubas,* p. 149); *É bondoso, mas não o demonstra.* **2.** No princípio da oração, indica relação com idéia anterior: — *Mas, doutor, por que não a quer tratar?* **3.** Exprime causa de uma ação: *Recebi-o mal, mas ele me deu motivos para isso.* **4.** Denota censura a palavras ou ações alheias: — *Mas como é que você fala mal do seu amigo?;* "— Paulina! — disse Tomás quase em delírio. — *Mas* para que partes? — continuou Paulina em tom de voz repassada de meiga exprobração." (Júlio Dinis, *Sertões da Província,* I, p. 72). ● *Adv.* **5.** Denota corroboração do que se acabou de dizer; sim, decerto: *Saiu-se muito bem, mas muito bem;* "trazia no chapéu uma pluma branca, *mas* branca que parecia neve." (Gonçalves Dias, *Teatro,* p. 7.) ● **6.** *Pal. denot.* Indica reforço: "Embora homens de trabalho .... , não tinham as unhas roídas dos tintos. Tinham *mas* era mãos adamadas" (João da Silva Correia, *Farândola,* p. 130). ● *S. m.* **7.** Dificuldade, obstáculo, estorvo: *Este mas lhe atrapalha a vida.* **8.** Defeito, senão: *Afora esse mas, ele é perfeito.* [Cf. *más,* pl. de *má.*] ♦ **Mas também.** Reforço do sentido de *também,* em correlação com *não só* ou *não somente: Não só é talentoso, mas também esforçado; Não só fez a sua parte mas também auxiliou os companheiros.* [Sin.: *senão também.*] **Nem mas nem meio mas.** Expressão de quem não admite desculpas ou controvérsias.

mas[2]. Contr. do pron. pess. *me* e do pron. pess. *as:* "Minha paz, minha alegria, / Minha coragem, roubaste-*mas* ..." (Manuel Bandeira, *Estrela da Vida Inteira,* p. 54.) [Cf. *más,* pl. de *má.*]

masacá. *Bras. S. 2 g.* **1.** Indivíduo dos masacás, tribo indígena do curso médio do rio Pimenta Bueno, afluente do Jiparaná (RO). ● *Adj. 2 g.* **2.** Pertencente ou relativo a

essa tribo.
masacará. *Bras. S. 2 g.* **1.** Indígena dos masacarás, das proximidades de Juazeiro, parentes lingüísticos dos camacãs. ● *Adj. 2 g.* **2.** Pertencente ou relativo a esses índios.
masca. [Dev. de *mascar.*] *S. f.* **1.** Aquilo que se masca. **2.** pedaço de fumo usado para mascar.
mascador (ô). *Adj.* e *s. m.* **1.** Que ou aquele que masca. **2.** *Bras., RS.* Diz-se do, ou o galo que, brigando, não raro pega o adversário com o bico, mas não lhe bate com os tarsos.
mascaladenite. [Do gr. *maschále*, 'axila', + *-aden(o)-* + *-ite*[1].] *S. f. Patol.* Inflamação de gânglios da axila.
mascalefidrose. [Do gr. *maschále*, 'axila', + gr. *ephídrosis*, 'transpiração fácil ou abundante'.] *S. f. Med.* Sudação excessiva na região axilar.
mascaliatria. [Do gr. *maschále*, 'axila', + *-iatria.*] *S. f. Med.* Unção na axila.
mascaliátrico. *Adj.* Relativo à mascaliatria.
mascar. [Do lat. *masticare.*] *V. t. d.* **1.** Mastigar sem engolir: "Habituaram-se [os portugueses e seus descendentes imediatos] a dormir em redes, à maneira dos índios. Alguns, como Vasco Coutinho, o donatário do Espírito Santo, iam ao ponto de beber e *mascar* fumo." (Sérgio Buarque de Holanda, *Raízes do Brasil*, p. 16.) **2.** Comer, ingerir, mastigando devagar. **3.** Repisar (palavras), pronunciando-as indistintamente; resmungar. **4.** *Fam.* Planear, meditar. **5.** *Fam.* Dar a entender; insinuar. **6.** *Bras., CE. Pop.* Obter por meios astuciosos, enganando, logrando. *Int.* **7.** Mascar (1) fumo ou tabaco: "erguia-se *mascando* com as gengivas sem dentes, cuspia para os cantos a pasta negra do fumo" (Coelho Neto, *Sertão*, pp. 28-29). **8.** Fingir mastigação: "O arrais, sentado ao leme, *masca*, imóvel, com o olhar apático de um boi que rumina." (Ramalho Ortigão, *A Holanda*, p. 85.) **9.** Falar entre dentes; resmungar. [Conjug.: v. *trancar.* M.-q.-perf.: *mascara*, etc. Cf. *máscara.*]
máscara. [Do it. *maschera.*] *S. f.* **1.** Objeto de cartão, pano ou madeira, que representa uma cara, ou parte dela, e destinado a cobrir o rosto, para disfarçar a pessoa que o põe. **2.** Peça para resguardo do rosto, na guerra ou na esgrima. **3.** Molde que se tira do rosto dos cadáveres. **4.** Pano fino com que as mulheres cobriam o rosto para ocultá-lo ou proteger a cútis. **5.** Peça de tela com que se resguarda o rosto na cresta das colmeias. **6.** Dispositivo de tela metálica usado para proteção do rosto de operários: *máscara de soldador.* **7.** *Anest.* Peça integrante da aparelhagem de anestesia ou de ventilação artificial, que se aplica à boca e nariz do paciente. **8.** Equipamento de borracha com viseira de vidro, destinado a proteger os olhos e o nariz dos mergulhadores. **9.** Atadura especial aplicada ao rosto como curativo. **10.** *Cir.* e *Med.* Peça retangular, de pano ou de outro material, destinada a cobrir boca e nariz de médicos e pessoal de enfermagem em salas de operação, berçários, salas de tratamento intensivo, etc. **11.** Aparelho em forma de capuz com viseiras, provido de dispositivo especial que filtra e purifica o ar que se respira: *máscara contra gases; máscara respiratória.* **12.** Camada de creme, pasta, geléia, ou qualquer cosmético, que se aplica ao rosto para tratamento tópico (limpeza, fechamento dos poros, revitalização, etc.). **13.** Fisionomia característica. **14.** *P. ext.* Fisionomia; rosto, face. **15.** *Fig.* Aparência enganadora; disfarce: *É um egoísta, com a máscara da abnegação.* **16.** *Bras., N.E.* Tapume de couro que se aplica à vista das reses bravias, obrigando-as a ver apenas de soslaio e a andar devagar. **17.** *Teat.* Reprodução estilizada do rosto humano ou animal, esculpida em barro, madeira, cortiça, papelão, e guarnecida de pêlos, cores, etc., com que os atores cobrem o rosto, ou parte dele, na caracterização de suas personagens. [Us. sobretudo nas primitivas manifestações dramáticas e nos antigos teatros greco-romano e oriental.] **18.** *Teat.* Expressão fisionômica do ator, a qual reflete o estado emocional da personagem que ele interpreta: "oferecia assim [Cacilda Becker], a cada um dos espectadores, um pouco dessa sensibilidade e dessa inteligência, por intermédio das personagens que interpretava. A *máscara*, a atitude corporal, as inflexões, o comportamento cênico, eram da personagem; uma certa qualidade do olhar, da vibração interior, da paixão humana, eram de Cacilda." (Yan Michalski, *Jornal do Brasil*, 15.6.1969). **19.** *Teat.* Personagem-tipo de determinado gênero teatral: *O Arlequim, a Colombina, o Pantaleão e o Briguela são algumas das máscaras da* commedia dell'arte. **20.** *Teat.* Gênero dramático: "as duas *máscaras* fundamentais do teatro grego — a da tragédia e a da comédia — nasceram do mesmo culto dionisíaco." (Sábato Magaldi, *Temas da História do Teatro*, p. 62). **21.** *Art. Gráf.* Tela de seda, ou de outro material, usada no processo de serigrafia. **22.** *Tip.* Pedaço de papel forte estendido entre as palhetas da minerva e recortado de modo que limite a área da fôrma, quando esta tem grandes claros, capazes de atingir e manchar o papel, ou quando há partes que não devem ser impressas; frasqueta. [Cf., nesta acepç., *bandeira* (9).] **23.** *Fotograv.* Diapositivo, negativo ou combinação diapositivo-negativo, que se superpõe ao negativo obtido por seleção cromática, a fim de corrigir defeito dessa seleção, eliminando absorções parasitas de cores. **24.** *Fotograv.* Recorte de papel preto ou equivalente que se coloca sobre a placa sensibilizada a fim de obstruir as partes que não devem ser copiadas. **25.** *Proc. Dados.* Palavra-filtro. [Cf. *mascara*, do v. *mascarar.*]
mascarada. *S. f.* **1.** Grupo de pessoas com máscara. **2.** Festa de que participam pessoas mascaradas; baile de máscaras.
mascarado. [Part. de *mascarar.*] *Adj.* **1.** Que está com máscara; disfarçado com máscara; encaretado. **2.** *Fig.* Dissimulado, falso, fingido. **3.** *Bras.* Diz-se de bateria composta de canhões ocultos no mato. **4.** Diz-se do cavalo e/ou do boi que têm cara branca ou uma grande malha no rosto. ● *S. m.* **5.** Pessoa com máscara, mascarada. **6.** *Fig.* Indivíduo dissimulado, falso, hipócrita. **7.** *Bras. Gír.* Profissional, artista, etc., de mérito, mas convencido, e que por isso não procura esforçar-se.
mascaragem. *S. f. Fotograv.* Ato ou efeito de superpor máscara (21 e 22).
mascarão. *S. m.* Ornato de pedra, cimento ou gesso, em forma de cara ou de máscara, usado em cimalhas, chafarizes, etc.: "uma coluna sem capitel, outra com o soclo roído, os *mascarões* das fachadas comidos de sífilis" (Urbano Tavares Rodrigues, *A Noite Roxa*, p. 27). [Cf. *carranca* (4).]
mascarar. *V. t. d.* **1.** Pôr máscara em; disfarçar com máscara: *Mascarou o rosto para praticar o assalto.* **2.** Disfarçar, dissimular: "conseguia *mascarar* .... a sua falta de verdadeira cultura, conversando como se discursasse, encadeando .... foguetões de retórica." (Lima Barreto, *Vida e Morte de M. J. Gonzaga de Sá*, p. 225.) **3.** Tapar, ocultar: *Galhos e folhas secas mascaravam o buraco. P.* **4.** Pôr máscara; disfarçar-se com máscara. **5.** Vestir-se com traje de mascarado. **6.** *Bras. Gír.* Tornar-se mascarado (7). [F. paral.: *emascarar.* Pres. ind.: *mascaro, mascaras, mascara*, etc. Cf. *máscara* e *mascarar.*]
mascarilha. [Do esp. *mascarilla.*] *S. f.* Pequena máscara, que apenas cobre parte do rosto e se usa sobretudo com dominó; meia-máscara.
mascarra. [Dev. de *mascarrar.*] *S. f.* **1.** V. *farrusca* (2). **2.** Sujidade, nódoa, **3.** *Fig.* Labéu, estigma, ferrete.
mascarrar. [Do esp. *mascarar*, 'tisnar'.] *V. t. d.* **1.** Pôr mascarras em. **2.** Pintar mal. **3.** Escrever mal. **4.** Deitar borrões em; borrar; emporcalhar. [Cf. *mascarar.*]
mascatagem. *S. f. Bras.* V. *mascataria.*
mascataria. *S. f. Bras.* Profissão de mascate; mascatagem, mascateagem.
mascate. [Do top. *Mascate*, porto da península arábica (Ásia).] *S. m. Bras.* **1.** Mercador ambulante que percorre as ruas e estradas a vender objetos manufaturados, panos, jóias, etc. **2.** A mercadoria por ele vendida. **3.** Alcunha depreciativa dada outrora aos portugueses do Recife pelos brasileiros que habitavam Olinda, e da qual veio o nome à Guerra dos Mascates, começada em 1710, em PE, entre as duas facções. [Cf., nesta acepç., *caneludo* (3) e *galego* (4).]
mascateação. *S. f. Bras.* Ação de mascatear; mascateagem.
mascateagem. *S. f. Bras.* **1.** V. *mascataria.* **2.** Mascateação.
mascatear. *V. int. Bras.* **1.** Exercer a profissão de mascate. *T. d.* **2.** Vender (mercadorias) pelas ruas. [Conjug.: v. *frear.*]
mascavado. [Part. de *mascavar.*] *Adj.* **1.** Diz-se do açúcar não refinado; mascavo: "Açúcar branco, açúcar mulatinho, açúcar *mascavado*, assim eram classificados os produtos da grande indústria regional" (Xavier Marques, *As Voltas da Estrada*, pp. 11-12). **2.** *Fig.* Estragado, adulterado, falsificado, impuro; ruim, mau. **3.** *Fig.* Incorreto, errado, imperfeito: *linguagem mascavada.*
mascavar. [V. *menoscabar.*] *V. t. d.* **1.** Separar e juntar (o açúcar de pior qualidade). **2.** *Fig.* Falsificar; adulterar. **3.** Pronunciar ou escrever usando de linguagem incorreta e impura: *Mascava algumas palavras, e a muito custo.*
mascavinho. *Adj.* e *s. m.* Diz-se do, ou o açúcar um pouco mais claro que o mascavo.
mascavo[1]. [Dev. de *mascavar.*] *S m.* Ato de mascavar.
mascavo[2]. [Part. irreg. de *mascavar.*] *Adj.* Mascavado (1).
masco. *Bras. S. m.* **1.** Indivíduo dos mascos, tribo indígena das fronteiras do AC e Peru. ● *Adj.* **2.** Pertencente ou relativo a essa tribo.
mascotar. [De *mascoto* + *ar-*[2].] *V. t. d.* **1.** Pisar, esmagar, calcar, com mascoto. **2.** Mascar, mastigar. [Pres. ind.: *mascoto*, etc. Cf. *mascoto* (ô).]
mascote. [Do fr. *mascotte.*] *S. f.* **1.** Pessoa, animal ou coisa a que se atribui o dom de dar sorte, de trazer felicidade: "*mascotes*, muitas vezes de bicho, revelando procedência totêmica, ou de bruxas, ... são comuns e agora de uso nos automóveis." (Renato Almeida, *Inteligência do Folclore*, p. 44.) **2.** Animal ou objeto de particular estimação de uma pessoa ou de um grupo. **3.** Planta da família das cucurbitáceas (*Gurania malacophylla*).
mascoto (ô). [Do fr. *massicot?*] *S. m.* Grande martelo usado na fabricação de moedas. [Pl.: *mascotos* (ô). Cf. *mascoto*, do v. *mascotar.*]
masculifloro. [Do lat. *masculu* + *-i-* + *-floro.*] *Adj. Bot.* Que tem flores masculinas.
masculinidade. *S. f.* Qualidade de masculino ou de másculo; virilidade.
masculinizar. *V. t. d.* **1.** Tornar masculino. **2.** Atribuir gênero masculino, ou dar forma masculina, a. **3.** *Fig.* Dar aparência de sexo masculino a. *P.* **4.** Tomar aparência e/ou modos próprios do sexo masculino.
masculino. [Do lat. *masculinu.*] **1.** Que é do sexo dos animais machos; macho: *pássaro masculino.* **2.** Relativo a, ou próprio de macho; másculo: *voz masculina.* **3.** *Fig.* Varonil, enérgico, forte, másculo: *coragem masculina.* **4.** *Gram.* Diz-se das palavras ou nomes que pela terminação e concordância designam seres masculinos ou como tal considerados. — V. *rimas —as.* ● *S. m.* **5.** *Gram.* O gênero masculino.
másculo. [Do lat. *masculu.*] *Adj.* **1.** Relativo ao homem, ou a animal macho; masculino. **2.** *P. ext.* Vigoroso, varonil, viril: "saíra robustecido na fé e na crença, e com a segurança do seu valor próprio, da sua *máscula* energia, da sua inquebrantável força de vontade." (Inglês de Sousa, *O Missionário*, p. 69.)
masdeísmo. [Do avéstico *masdâo*, 'onisciente', epíteto do deus Ahura', + *-ismo*, pelo fr. *mazdéisme.*] *S. m.* Religião antiga dos iranianos (persas e medos), caracterizada pela divinização das forças naturais e pela admissão de dois princípios em luta, *aura-masda* e *arimã.* [Cf. *avesta*, *zervanismo* e *zoroastrismo.*]
masdeísta. *Adj. 2 g.* **1.** Referente ao, ou que é adepto do masdeísmo. ● *S. 2 g.* **2.** Adepto do masdeísmo.
➧**maser** (mêiser). [Ingl., das iniciais de *microwave amplification by simulated emission of radiation.*] *S. f. Fís.* Classe de amplificadores e osciladores em que se utilizam sistemas atômicos ou moleculares para produzir amplificação com baixo nível de ruído, em microondas.
masmarro. *S. m. Deprec.* **1.** Donato. **2.** Frade interesseiro; fradalhão. **3.** Mariola, marmanjo, velhaco.
más-más. [De *mas*[1] + *mas*[1].] *S. m. 2 n.* Reserva, incerteza; reticência.
masmorra (ô). [Do ár. *maTmôrâ.*] *S. f.* **1.** Prisão subterrânea. **2.** *P. ext.* Lugar ou aposento sombrio, triste, lúgubre.
masoquismo. [Do fr. *masochisme* < antr. *Masoch*, de Leopold Sacher Masoch, romancista austríaco (1836-1895).] *S. m.* **1.** Perversão sexual em que a pessoa só tem prazer ao ser maltratada física ou moralmente; algolagnia passiva: "Ao sadismo cândido da infância vieram misturar-se as complicações do *masoquismo*, as equívocas correntes subterrâneas, de crueldade e sofrimento, que levam os homens a compor tragédias, e tanta vez a vivê-las." (Tristão da Cunha, *Histórias do Bem e do Mal*, pp. 115-116.) **2.** *P. ext.* Prazer que se sente com o próprio sofrimento. [Cf. *sadismo* e *sadomasoquismo.*]
masoquista. *Adj. 2 g.* **1.** Relativo ao, ou próprio do masoquismo: *tendência masoquista.* **2.** Que é dado à prática do masoquismo. **3.** *P. ext.* Que se deleita com o próprio sofrimento. ● *S. 2 g.* **4.** Indivíduo masoquista. [Cf. *sádico* ou *sadista.*]
massa. [Do gr. *máza*, pelo lat. *massa.*] *S. f.* **1.** Quantidade de mais ou menos considerável de matéria sólida ou pastosa, em geral de forma indefinida. [Cf. *pasta* (1 e 2).] **2.** *P. ext.* Quantidade relativamente grande de um fluido: *massa de água; massa de ar.* **3.** Aglomerado de elementos (em geral da mesma natureza) que formam um conjunto: *massa de edifícios, de penedos.* **4.** A

totalidade, ou grande maioria: *a* massa *dos ouvintes.* **5.** Mistura de farinha com água ou com outro líquido, formando pasta: massa *de bolo.* **6.** Comestível cru, de farinha de cereais amassada, destinado a ser cozido: massa *alimentícia.* **7.** Qualquer iguaria feita com essa massa: *O prato de* massa *hoje foi lasanha.* **8.** Substância mole e pastosa preparada para determinado fim; pasta: massa *de tomate;* massa *de porcelana;* massa *de pedreiro.* **9.** Número considerável de pessoas que mantêm entre si uma certa coesão de caráter social, cultural, econômico, etc.: *alfabetização da* massa. (Nesta acepç., opõe-se a *indivíduo* (3). **10.** Turba, multidão. **11.** Aquilo que nossos sentidos apreendem como um todo: massa *arquitetônica;* massa *orquestral; as* massas *de luz e sombra de um quadro.* **12.** *Fig.* Constituição, composição, substância, essência: *A honestidade lhe está na* massa *do sangue.* **13.** *Fig.* Quantidade, volume: massa *de serviços, de conhecimentos.* **14.** *Pop.* V. *dinheiro* (3). **15.** *Bras.* Mandioca ralada que, depois de espremida no *tipiti*, é peneirada antes de ir ao forno, onde pelo cozimento se completa a fabricação da farinha e das diversas espécies de beijus. **16.** *Bras., BA.* V. *maconha.* **17.** *Fís.* Grandeza fundamental da física que mede a inércia de um corpo, e que é igual à constante de proporcionalidade existente entre uma força que atua sobre o corpo e a aceleração que esta força lhe imprime, e cuja unidade de medida, no Sistema Internacional, é o quilograma. [Cf., nesta acepç., *peso* (1).] **18.** *Ind. Pap.* A pasta (9) de papel diluída em água para entrar na máquina contínua. **19.** *Jur.* Pecúlio de uma sociedade ou coletividade; receita, fundo. **20.** *Jur.* Universalidade dos bens, direitos, ações e obrigações do devedor falido; massa falida. **21.** *Jur.* A comunidade legal dos credores do devedor falido. ● *Adj. 2 g.* **22.** *Bras. Gír.* V. *bacana* (1). [Cf. *maça.*] ~ V. *massas.* ◆ **Massa acústica.** *Fís.* Inertância. **Massa atômica.** *Fís.-Quím.* Razão entre a massa de um átomo de um nuclídeo e 1/12 da massa de um átomo do nuclídeo carbono 12. [Tb. se diz, impr., *peso atômico.*] **Massa cinzenta.** *Bras.* Inteligência, cérebro: *O rapaz tem muita* massa cinzenta. **Massa comum.** *Jur.* O conjunto dos bens pertencentes indistintamente a duas ou mais pessoas. **Massa crítica.** *Fís. Nucl.* Quantidade mínima de material físil puro, com uma determinada forma geométrica, necessária para sustentar uma reação em cadeia. **Massa em repouso.** *Fís.* Massa de um corpo medida num sistema de referência em relação ao qual ele está em repouso. **Massa específica.** *Fís.* Medida de massa da unidade de volume dum corpo; massa volumar, massa volumétrica. **Massa falida.** *Jur.* Massa (20). **Massa fraca.** Argamassa magra. **Massa fundamental.** *Pet.* V. *base* (25). **Massa gravitacional.** *Fís.* Quociente do módulo do peso de um corpo pelo módulo da aceleração da gravidade. **Massa grossa.** Cafelo. **Massa inercial.** *Fís.* A que se define mediante a inércia de um corpo. **Massa molecular.** *Fís.-Quím.* Soma das massas atômicas dos átomos que constituem uma molécula; relação entre a massa de uma molécula e a unidade unificada de massa atômica. [Tb. se diz, impr., *peso molecular.*] **Massa para rolos.** *Tip.* Matéria gelatinosa, constituída principalmente de melaço e cola animal, usada para fazer os rolos das prensas; pasta para rolos. **Massa puba.** *Bras., N.* e *N.E.* A que se faz com a mandioca cevada [v. *cevar* (7)]. [Tb. se diz apenas *puba.*] **Massa volumar.** *Fís.* V. *massa específica.* **Massa volumétrica.** *Fís.* V. *massa específica.* **Desmanchar a massa do sangue.** *Bras., SP. Pop.* Tornar-se morfético. **Em massa.** No conjunto; no total; globalmente: *A assembléia reagiu* em massa; "os homens da Prefeitura vieram em massa, dias depois, para reabrir a rua" (Antônio Carlos Vilaça, *A Descoberta do Morro*, p. 32).

massa-bruta. *S. 2 g. Fam.* Pessoa rude, bronca, e/ou muito corpulenta. [Pl.: *massas-brutas.*]

massacrante. *Adj. 2 g. Bras.* Que massacra, maça, apoquenta; maçante; muito chato.

massacrar. [Do fr. *massacrer.*] *V. t. d.* **1.** Matar cruelmente; chacinar. **2.** *Bras. Fig.* Maçar, apoquentar, cacetear, cacetar, chatear. **3.** *Bras.* Pôr em situação particularmente embaraçosa, penosa ou humilhante; oprimir; torturar; esmagar: *O professor* massacrou *o aluno no exame.* **4.** Abalar moralmente; arrasar: *A morte do pai* massacrou *toda a família.* **5.** *Bras.* Cansar, fatigar, estafar.

massacre. [Do fr. *massacre.*] *S. m.* **1.** Morticínio cruel; matança, carnificina. **2.** *Bras. Fig.* Ato ou efeito de massacrar (2 a 5).

massagada. [De *massa*, provavelmente.] *S. f.* Grande confusão de coisas. V. *mixórdia* (1).

massageador (ô). *S. m.* Aparelho com que se fazem massagens.

massagear. *V. t. d.* **1.** Dar massagens em: Massageia *diversas pessoas; É preciso* massagear *o ventre e as coxas. Int.* **2.** Fazer massagens: *Sabe* massagear *excelentemente.* [Conjug.: v. *frear.*]

massagem. [Do fr. *massage.*] *S. f.* Compressão metódica do corpo, ou de parte dele, para melhorar a circulação ou para que se obtenham outras vantagens terapêuticas. [Cf. *maçagem.*]

massagista. *S. 2 g.* Pessoa cuja profissão é fazer massagens.

massame. [De *massa* + *-ame.*] *S. m.* **1.** Leito ou lastro de poços e cisternas, feito de pedra e argamassa. **2.** *Constr.* Lastro de pedras ou tijolos britados e argamassa de cimento, que serve de alicerce para assentamento de ladrilhos. **3.** *Marinh.* Conjunto de cabos, fixos ou de laborar, existentes a bordo para manobra da embarcação: "o mar castigava o navio de través e os balanços eram tão insuportáveis que a mastreação, o massame ameaçavam ruir." (Virgílio Várzea, *Nas Ondas*, pp. 29-30).

massamorda (ô). *S. f.* **1.** Comida malfeita; gororoba. **2.** Espécie de açorda (1). **3.** V. *mixórdia* (1).

massapé. *S. m. Bras., S.* Massapê [q. v.].

massapê. [Var. de *massapé* (q. v.) < *massa* + *pé*?] *S. m.* **1.** *Bras., N.* e *N.E.* Terra argilosa de SE e BA, formada pela decomposição dos calcários cretáceos, preta quase sempre, e ótima para a cultura da cana-de-açúcar: "Os nossos ricos massapês provavam ser terras de primeira ordem para as plantações da matéria-prima: a cana." (Alberto Passos Guimarães, *Quatro Séculos de Latifúndio*, p. 44.) **2.** *Bras., S.* Solo argiloso proveniente da alteração intempérica de rochas graníticas e gnáissicas.

massapeense (êên). *Adj. 2 g.* **1.** De, ou pertencente ou relativo a Massapê (CE). ● *S. 2 g.* **2.** Natural ou habitante de Massapê.

massaroco (ô). [De *massa.*] *S. m.* Pedaço de fermento com que se leveda o pão.

massas. [Pl. de *massa.*] *S. f. pl.* **1.** Aglomeração de gente; multidão, massa. **2.** O povo; a população. ~ V. *massa.*

massau. *S. m. Bras., AL.* V. *sagüi.*

masseira. [De *massa* + *-eira.*] *S. f.* **1.** Grande tabuleiro onde se amassa a farinha para fabricar o pão: "Leveda o pão, no bojo da masseira" (Antônio Correia d'Oliveira, *A Minha Terra*, V, p. 16). **2.** Calha por onde corre a água que cai dos alcatruzes. **3.** *Bras.* Prancha com que, no arrocho (4), se cobre a massa (15), e que recebe o brinqueto.

masseiro. *S. m. Bras.* Aquele que nas padarias prepara a massa. [Cf. *maceiro.*]

masseter (tér). [Do gr. *massetér*, 'mastigador'.] *S. m. Anat.* Cada um de dois músculos faciais que se estendem de cada maxilar superior à metade correspondente da mandíbula: "correu, furioso, as maxilas cerradas, os masseteres salientes" (Herman Lima, *Tijipió*, p. 147).

massetérico. *Adj.* Masseterino.

masseterino. *Adj.* Relativo ou pertencente ao masseter; massetérico.

mássico. *Adj. Fís.* Relativo a unidade de massa (17).

massicote. [Do fr. *massicot.*] *S. m. Quím.* Monóxido de chumbo, branco, pulverulento. [Fórm.: PbO.]

massificação. *S. m.* Ato ou efeito de massificar(-se).

massificado. [Part. de *massificar.*] *Adj.* Que se massificou [v. *massificar*].

massificar. [De *massa* + *-ficar.*] *V. t. d.* **1.** Orientar e/ou influenciar (o indivíduo) por meio da *comunicação de massa* [q. v.] no sentido de transformar-lhe e/ou estereotipar-lhe as reações e a conduta. *P.* **2.** Massificar (1) a si próprio. [Conjug.: v. *trancar.*]

➧**mass media** (maç mídia). [Ingl.] V. *meios de comunicação de massa.*

massoca. [Cruz. de *massa* com *paçoca.*] *S. f. Bras.* Produto farináceo da mandioca, fabricado no MA. [Cf. *paçoca.*]

Massorá. [Do hebr. *massorat*, 'tradição'.] *S. f.* O conjunto dos comentários críticos e gramaticais acerca da Bíblia (sobretudo o Velho Testamento) feitos por doutores judeus.

massoreta (ê). *S. m.* Cada um daqueles que colaboraram na Massorá.

massorético. *Adj.* Respeitante à Massorá ou aos massoretas.

massoterapia. *S. f.* Tratamento por meio de massagens.

massoterápico. *Adj.* Relativo à massoterapia.

massudo. *Adj.* **1.** Que tem aspecto de massa. **2.** Volumoso, encorpado, grosso, cheio. **3.** Compacto, espesso: *sopa* massuda. **4.** Pesado, grosseiro, corpulento: *camponês* massudo. [Cf. *maçudo.*]

mastadenite. [De *mast(o)-* + *adenite.*] *S. f. Patol.* V. *mastite.*

mastalgia. [De *mast(o)-* + *-alg(o)-* + *-ia.*] *S. f. Patol.* Mastodinia.

mastaréu. [Do fr. ant. *mâsterel*, atual *mâtereau.*] *S. m.* **1.** *Constr. Nav.* Mastro suplementar fixado ao mastro real para aumentar-lhe a guinda: "rumas de lemes, velas e mastaréus, destroços de barcas e ferros de arados" (Fialho d'Almeida, *Contos*, p. 341). **2.** *Marinh.* Cada uma das vergônteas que espigam por cima dos mastros ou de outros mastaréus, através das aberturas circulares das pegas respectivas. [Nos navios de três mastros e pano redondo há os seguintes, a contar da proa e de baixo para cima: *mastaréus de gávea* (velacho, gávea, gata), *mastaréus de joanete* (joanete de proa, joanete grande, sobregata) e *mastaréus de sobrejoanete* (sobrejoanete de proa, sobrejoanete grande, sobregatinha).] ◆ **Mastaréu de gávea.** *Marinh.* V. *mastaréu* (2). **Mastaréu de joanete.** *Marinh.* V. *mastaréu* (2). **Mastaréu de sobrejoanete.** *Marinh.* V. *mastaréu* (2). **Espigar um mastaréu.** *Marinh.* Fazê-lo subir, em prolongamento ao mastro.

mastatrofia. [De *mast(o)-* + *atrofia.*] *S. f. Patol.* Atrofia da mama.

mastatrófico. *Adj.* Relativo à mastatrofia.

mastectomia. [De *mast(o)-* + *-ectom-* + *-ia.*] *S. f. Cir.* Ablação de mama em extensão variável, podendo ser total.

mastectômico. *Adj.* Relativo à mastectomia.

mástica. *S. f. P. us.* Mástique [q. v.].

masticatório. [Do lat. *masticatu*, de *masticare*, 'mastigar' + *-(t)ário.*] *S. m.* Aquilo que se mastiga para provocar a salivação ou desodorizar a boca; mastigatório.

mastigação. [Do lat. *masticatione.*] *S. f.* Ato ou efeito de mastigar.

mastigado. [Part. de *mastigar.*] *Adj.* **1.** Triturado com os dentes. **2.** *Fig.* Bem preparado; bem planejado. **3.** Mal articulado; dito por entre os dentes. **4.** *Bras.* Quase resolvido; facilitado. **5.** *Bras., N.E.* e *MG.* V. *encarapinhado:* "a deleitável morena — mistura de índio, negro e sangue branco. Resultara disso aquela perfeição cor de cobre e com reflexos do mesmo metal no cabelo ainda bem mastigado." (Pedro Nava, *Beira-Mar*, p. 320).

mastigadoiro. [De *mastigar* + *-(d)oiro*[2].] *S. m.* Mastigadouro [q. v.].

mastigador (ô). *Adj.* Que mastiga ou tem o hábito de mastigar.

mastigadouro. [De *mastigar* + *-(d)ouro*[2]; var. de *mastigadoiro.*] *S. m.* Espécie de freio que facilita a mastigação dos cavalos.

mastigar. [Do lat. *masticare.*] *V. t. d.* **1.** Triturar com os dentes: "E calados, um instante, ... iam mastigando o pudim." (Eça de Queirós, *A Capital*, p. 238.) **2.** Apertar com os dentes; morder: *O cavalo, espumando,* mastigava *o freio.* **3.** Pronunciar indistintamente; dizer por entre os dentes; resmungar: "fechou os olhos fatigados e, ... mastigando as sílabas, repetiu o aviso." (Antero de Figueiredo, *Leonor Teles*, pp. 61-62). **4.** Repetir, repisar (as palavras). **5.** *Fig.* Ponderar, examinar, pesar (um assunto, um negócio, etc.) *Int.* **6.** Pronunciar as palavras indistintamente; resmungar. [Conjug.: v. *largar.*]

mastigatório. *S. m.* **1.** Masticatório. ● *Adj.* **2.** Relativo à mastigação.

mastigável. *Adj. 2 g.* Próprio para ser mastigado: *comprimidos* mastigáveis.

mastigóforo. [Do gr. *mastigophóros*, pelo lat. *mastigophoru.*] *S. m.* **1.** Espécime dos mastigóforos. ● *Adj.* **2.** Pertencente ou relativo a eles. [Sin. ger.: *flagelado.*]

mastigóforos. *S. m. pl. Zool.* Animais do sub-ramo dos plasmodromos, classe *Mastigophora*, caracterizados por terem um ou mais flagelos para locomoção. São os flagelados, de vida livre ou parasitos. [Sin.: *flagelados.*]

mastim. [Do fr. ant. *mastin*, atual *mâtin.*] *S. m.* **1.** Cão para guarda de gado. **2.** Cão bulhento.: "Os mastins negros vão ladrando à Lua..." (Augusto dos Anjos, *Eu*, p. 69.) **3.** *Fig.* Pessoa de má língua, difamadora, maledicente. **4.** V. *beleguim.*

mástique. [Do gr. *mastíche*, pelo lat. *mastiche* e pelo fr. *mastic.*] *S. m.* Almécega (1). [Var., p. us.: *mástica.*] ◆ **Mástique asfáltico.** Mistura que contém 15 a 25% de betume.

mastite. [De *mast(o)-* + *-ite*[1].] *S. f. Patol.* Inflamação de mama; mamite, mastadenite.

▲**mast(o)-.** [Do gr. *mastós*, *oû.*] *El. comp.* = 'mama': *mastozoologia, mastalgia.*

mastodinia. [De *mast(o)-* + *-odin(o)-* + *-ia.*] *S. f. Patol.* Dor em mama; mastalgia.

mastodonte. [De *mast(o)-* + *odonte.*] *S. m.* **1.** Proboscideo fóssil, corpulento e de constituição análoga à do elefante, que surgiu no oligoceno e se extinguiu no plistoceno. **2.** *Fig.* Pessoa de extraordinária corpulência.

mastodôntico. *Adj.* **1.** Relativo ou pertencente a, ou próprio de mastodonte. **2.** Corpulento, agigantado, gigantesco.

mastografia. [De *mast(o)-* + *-graf(o)-* + *-ia.*] *S. f.* V. *mamografia.*

mastográfico. *Adj.* Referente à mastografia.

mastóide. [Do gr. *mastoeidés.*] *Adj. 2 g.* Que tem forma de mama; mastóideo. ~ V. *apófise* —.

mastóideo. *Adj.* Mastóide [q. v.]. ~ V. *apófise* —*a.*

mastoidite. [De *mastóide* + *-ite*[1].] *S. f. Patol.* Inflamação da apófise mastóide.

mastologia. [De *mast(o)-* + *-log(o)-* + *-ia.*] *S. f.* Estudo da mama.

mastológico. *Adj.* Relativo à mastologia.

mastoncose. [De *mast(o)-* + *-oncose.*] *S. f. Patol.* Tumor de mama.

mastoptose. [De *mast(o)-* + *-ptose.*] *S. f. Patol.* Queda ou ptose de mama.

mastozoário. [De *mast(o)-* + *-zoário.*] *Adj.* e *s. m.* V. *mamífero* (2 e 3).

mastozoários. *S. m. pl.* V. *mamíferos.*

mastozoologia. [De *mast(o)-* + *zoologia.*] *S. f.* Tratado dos mamíferos.

mastozoológico. *Adj.* Concernente à mastozoologia.

mastozoólogo. *S. m.* Zoólogo especialista em mastozoologia.

mastozoótico. [De *mast(o)-* + *-zoo-* + *-t-* + *-ico*[2].] *Adj.* V. *terreno* —.

mastreação. *S. f.* **1.** Ato ou efeito de mastrear. **2.** *Const. Nav.* O conjunto dos mastros de uma embarcação: "a fragata, ... sem governo, sem velas, deitava-se toda sobre o bordo da amura, com a m a s t r e a ç ã o despedaçada" (Virgílio Várzea, *Nas Ondas,* p. 221).

mastrear. *V. t. d.* Pôr mastros em (embarcação); emastrar, emastrear. [Conjug.: v. *frear.*]

mastro. [Do frâncico *mast,* atr. do fr. ant. *mast,* atual *mât,* e do arc. *masto.*] *S. m.* **1.** *Constr. Nav.* Longa peça de madeira ou de ferro, de seção circular, que se ergue acima do convés, no plano diametral da embarcação, para suster as velas (nas embarcações à vela), antenas, paus de carga, luzes de posição e de marcha, e outros acessórios necessários aos serviços da embarcação. **2.** Madeiro alto para uso de ginastas. **3.** Haste sobre a qual se iça a bandeira. ♦ **Mastro da bandeira.** *Constr. Nav.* Haste fincada na popa da embarcação, e na qual se iça a bandeira nacional. [Nos navios de guerra a bandeira nacional só é içada neste mastro quando o navio está fundeado, amarrado a bóia ou atracado a cais ou a outro navio. Em viagem, a bandeira é içada no penol de uma pequena carangueja instalada no mastro de combate.] **Mastro da gata.** *Const. Nav.* Em navios de três mastros, o último a contar da proa, se nele armar pano redondo. **Mastro da mezena.** *Constr. Nav.* **1.** O último mastro, a ré, nos navios à vela de quatro mastros, que enverga uma vela latina (a mezena), em carangueja. **2.** Em navios de três mastros, o último a contar da proa, se armar pano redondo (vela da mezena): "Presa ao m a s t r o d a m e z e n a / Saudosa bandeira acena / Às vagas que deixa após." (Castro Alves. *Obra Completa,* p. 278.) [Tb. se diz apenas *mezena.*] **Mastro de brique.** *Ant. Constr. Nav.* Aquele que espiga dois mastaréus cruza quatro vergas, e enverga quatro velas redondas (inclusive o de ré, que iça uma vela latina sem gafetope). **Mastro de cocanha.** Mastro untado com sebo, e em cujo topo se põem alguns prêmios, para quem se aventure a ir lá buscá-los. [Tb. se diz apenas *coconha.* Sin., bras.: *pau-de-sebo.*] **Mastro de combate.** *Bras. Mar. G.* Pequeno mastro colocado na parte de ré da superestrutura de navios de guerra de pequeno porte para içar a bandeira nacional em viagem. **Mastro de contramezena.** *Ant. Constr. Nav.* Mastro de ré, nos galeões; contramezena. **Mastro de escuna.** *Ant. Const. Nav.* Aquele que espiga um mastaréu, cruza três vergas e enverga duas velas latinas. **Mastro de galera.** *Ant. Const. Nav.* Aquele que espiga três mastaréus, cruza quatro vergas, e enverga quatro velas redondas (exceto o de ré, que enverga três velas redondas e uma vela latina em gafetope). **Mastro de lúgar.** *Ant. Constr. Nav.* Aquele que espiga um mastaréu e enverga uma vela latina e gafetope. **Mastro do traquete.** *Constr. Nav.* O primeiro mastro a contar da proa, em navios de mais de um mastro, se ele não for o principal (o que pode acontecer em navios de dois mastros). **Mastro grande.** *Constr. Nav.* O maior dos mastros do navio: em navios de dois mastros, pode ser o primeiro ou o segundo a contar da proa; em navios de três mastros, é o segundo a contar da proa; em navios de quatro ou cinco mastros, é o terceiro a contar da proa. [Tb. se diz apenas *grande.*] **Mastro inteiriço.** *Constr. Nav.* Mastro constituído de uma só peça. **Mastro real.** *Constr. Nav.* Cada uma das compridas e grossas peças cilíndricas, de madeira ou de ferro, que, nos antigos navios à vela, erguiam-se em direção aproximadamente vertical, com a parte inferior atravessando as cobertas e o pé apoiado na sobrequilha, e de cuja parte superior espigavam os mastaréus.

mastruço. [Do lat. vulg. **masturtiu,* por *nasturtiu.*] *S. m. Bras.* Pequena erva da família das crucíferas (*Senebiera pinnatifida*), que aparece ocasionalmente em canteiros e vasos, e cujas folhas, muito subdivididas, têm propriedades medicinais. [Var.: *mastruz* e *mentruz.*]

mastruz. *S. m.* V. *mastruço.*

masturbação. [Do lat. *masturbatione.*] *S. f.* Ato de masturbar(-se); vício solitário; auto-erotismo. [Cf. *onanismo* (1).]

masturbador (ô). [Do lat. *masturbatore.*] *Adj.* e *s. m.* Que ou aquele que (se) masturba; onanista.

masturbar. [Do lat. *masturbare.*] *V. t. d.* **1.** Provocar o orgasmo em, pela fricção da mão ou por meio de instrumento adequado. *P.* **2.** Provocar o orgasmo pela fricção da mão ou por meio de instrumento próprio; onanizar-se.

masturbatório. *Adj.* **1.** Relativo à masturbação. **2.** Que serve para masturbar.

mata[1]. [Do lat. tardio *matta.*] *S. f.* **1.** Terreno onde medram árvores silvestres; floresta, charneca, selva, bosque, mato. **2.** Floresta (1). **3.** Grande quantidade de árvores da mesma espécie: *m a t a de eucaliptos.* **4.** *Fig.* Floresta (2). **5.** *Fig.* Grande quantidade; imensidade, mar. **6.** *Bras.* Uma das zonas geográficas em que se dividem PE e estados vizinhos, entre a praia e o agreste, caracterizada pela fertilidade do solo e pela exuberância e grande porte da vegetação. **7.** *Bras.* A zona sueste cafeeira de MG. ♦ **Mata ciliar.** *Bot.* V. *galeria* (8). **Mata virgem.** *Bras.* Floresta natural e primitiva, ainda não explorada: "Era um alto jequitibá, relíquia da antiga m a t a v i r g e m" (José de Alencar, *O Tronco do Ipê,* p. 172).

mata[2]. *S. f. Bras., RS.* V. *matadura* (1).

mata-baiano. [De *matar* + *baiano.*] *S. m. Bras., SC.* Vento que sopra dos Andes pelo inverno e prenuncia as nevadas. [Pl.: *mata-baianos.*]

mata-barata. [De *matar* + *barata.*] *S. m. Bras.* Subarbusto de baixo porte, da família das leguminosas (*Andira humilis*), muito comum no cerrado, cujas flores são violáceas, em panículas, e cujas drupas têm um vasto embrião, venenoso para mamíferos. [Pl.: *mata-baratas.*]

mata-bicho. [De *matar* + *bicho.*] *S. m. Pop.* **1.** Uma dose de aguardente ou de outra bebida alcoólica. **2.** *Bras.* V. *cachaça* (1): "— Bem, disse o vendeiro, venha tomar um martelo de aguardente. / O convite ao m a t a - b i c h o .... era .... excelente pretexto para novas e mais firmes entabulações." (Eduardo Frieiro, *O Mameluco Boaventura,* p. 16.) **3.** *Bras.* V. *gorjeta* (2). [Pl.: *mata-bichos.*]

mata-boi. [Do esp. plat. *matabuey.*] *S. m. Bras., RS.* Correia de couro cru que, nas carretas, prende ao leito o eixo a fim de que este não salte fora, nalgum solavanco. [Pl.: *mata-bois.*]

mata-borrão. [De *matar* + *borrão.*] *S. m.* **1.** Papel não encolado, que serve para absorver tinta ou qualquer outro líquido; papel mata-borrão, papel-chupão, chupão, papel de chupar. **2.** O conjunto constituído por esse papel adaptado ao berço (6). **3.** *Bras. Fig. Gír.* V. *ébrio* (8). [Pl.: *mata-borrões.*]

mata-burro. [De *matar* + *burro.*] *S. m. Bras.* Ponte de traves espaçadas, destinada a vedar o trânsito de animais: "Quando os caminhões passavam, os bichos espirravam em disparada, apostando carreira até o m a t a - b u r r o ou à porteira fechada." (Permínio Asfora, *Vento Nordeste,* p. 245.) [Pl.: *mata-burros.*]

mata-cachorro. [De *matar* + *cachorro.*] *S. m.* **1.** *Bras., N.O.* e *C.* Árvore da família das simarubáceas (*Simarouba versicolor*), cujas folhas, penadas, são muito longas, e cujas flores, inconspícuas, se acham ordenadas em amplas panículas. **2.** *Bras., N.* Alcunha de soldado de polícia. [Sin., nesta acepç.: *cabeça-seca, cachimbo, calango, carango, gafonha, galo-enfeitado, guita, macaco, maenga, meganha, morcego, praça, urbano.*] **3.** *Bras., BA.* Servente de circo, que põe e tira os tapetes, arma e desarma os trapézios, etc. [Sin., nesta acepç., em AL: *charuto.* Pl.: *mata-cachorros.*]

matacalado. [De *matar* + *calado.*] *S. m. Bras., Amaz.* Árvore da família das flacourtiáceas (*Patrisia acuminata*), considerada venenosa para mamíferos, de folhas lanceoladas e acuminadas, flores que medem 5 a 6 cm de diâmetro e não têm corola, estames numerosos, e frutos que são cápsulas bacáceas.

matacão. [De *matar* + *cão*[1].] *S. m.* **1.** Pedra solta, muito grande e arredondada. **2.** Grande fatia ou pedaço: "Ela me ojerizou tanto, que eu soltei nela um m a t a c ã o de pedra" (Afonso Arinos, *Pelo Sertão,* p. 32). **3.** Suíças, costeleta ou talhe de barba que deixa o queixo a descoberto. **4.** *Bras.* Fragmento de rocha cujo diâmetro máximo está compreendido entre 25 cm e 1 m.

mata-cão. [De *matar* + *cão*[1].] *S. m.* Erva da família das ranunculáceas (*Aconitum napellus*), originária da Europa, de belas flores, cuja importância resulta de conter aconitina, alcalóide venenoso, razão por que já teve largo emprego em terapêutica. [Pl.: *mata-cães.*]

mata-cavalo. [De *matar* + *cavalo.*] *S. m. Bras.* **1.** Erva ruderal, muito dispersa, da família das solanáceas (*Solanum aculeatissimum*), caracterizada pela enorme quantidade de acúleos altamente pungentes no caule e nas folhas, as quais são lobadas, grandes e membranáceas, sendo os frutos bagas amarelas, ricas em sementes e pobres em polpa. **2.** V. *marimbondo-caçador.* [Pl.: *mata-cavalos.*] ♦ **A mata-cavalo.** A galope; à desfilada; a toda a brida.

mataco. [Do quimb. *ma'taku.*] *S. m. Bras.* **1.** *Pop.* Nádegas. **2.** Tatu-bola (3).

mata-cobra. [De *matar* + *cobra.*] *S. m.* Porrete, cacete. [Pl.: *mata-cobras.*]

matado[1]. [Part. de *matar.*] *Adj.* **1.** *Bras.* Malfeito, malacabado: *trabalho m a t a d o.* **2.** *Bras.* Ruim, desvalioso: *auxílio m a t a d o.* **3.** *Bras., N.E.* Diz-se do fruto colhido antes do tempo e amadurecido artificialmente. ~ V. *morte* —*a.*

matado[2]. [Do esp. plat. *matado.*] *Adj. Bras.* Cheio de mataduras (cavalo).

matadoiro. [De *matar* + *-(d)oiro*[1].] *S. m.* V. *matadouro.*

matador (ô). *Adj.* **1.** Que mata; mortífero, mortal: "No frio m a t a d o r das madrugadas" (Augusto dos Anjos, *Eu,* p. 65). ● *S. m.* **2.** Aquele que mata; assassino. **3.** Em touradas, o espada (3), a quem cabe matar o touro. **4.** *Fig.* Indivíduo enfadonho, maçante, cacete, importuno. **5.** *Bras., S.* Homem irresistível, encantador, sedutor. ~ V. *matadores.*

matadora (ô). *Adj.* e *s. f.* **1.** Fem. de *matador.* ● *S. f.* **2.** *Bras., S.* Mulher encantadora, fascinante, irresistível.

matadores (ô). [Pl. de *matador.*] *S. m. pl.* Tudo quanto é necessário a determinado fim; os trunfos principais. ~V. *matador.*

matadouro. [De *matar* + *-(d)ouro;* var. de *matadoiro.*] *S. m.* **1.** Lugar onde se abatem reses para consumo público. [Sin.: *corte, açougue* e (bras., CE) *matança.*] **2.** Carnificina, morticínio, massacre, açougue. **3.** Lugar muito insalubre.

matadura. [Do esp. *matadura.*] *S. f.* **1.** Ferida no couro das cavalgaduras, produzida pelo roçar dos arreios. [F. red.: *mata;* sin.: *unha.*] **2.** *P. ext.* Ferimento, ferida. **3.** *Fig.* Defeito moral; balda.

mata-fome. [De *matar* + *fome.*] *S. m.* **1.** *Bras.* Árvore da família das verbenáceas (*Cordia sellowiana*), de folhas ovadas, acuminadas e pubescentes, flores dispostas em cimeiras, tendo o cálice tomentoso e a corola reflexa, e cujo fruto é uma noz pequenina. **2.** V. *cipó-timbó.* [Pl.: *mata-fomes.*]

matagal. [De *mata*[1].] *S. m.* **1.** Brenha (1). **2.** Terreno coberto de plantas bravas; mato. **3.** *Fig.* Conjunto de coisas densas, enredadas ou eriçadas.

mata-galego. [De *matar* + *galego.*] *S. m. Bras.* Veículo (principalmente ônibus) cuja dianteira não difere da traseira. [Pl.: *mata-galegos.*]

mata-gato. [De *matar* + *gato.*] *S. m. Bras.* **1.** Peixe teleósteo, caraciforme, da família dos caracídeos (*Brycon falcatus* Muel & Troch.), da Amaz. **2.** Chapazinha de matéria plástica ou de metal, com orifícios, para facilitar o apagamento com borracha; rasurador. [Pl.: *mata-gatos.*]

matagoso (ô). [De *matagal* + *-oso,* com síncope.] *Adj.* Coberto de plantas silvestres: "Aquele canto de serra áspera e m a t a g o s a era todo o universo para o José Bento" (Conde de Ficalho, *Uma Eleição Perdida,* p. 215).

mata-grandense. *Adj. 2 g.* **1.** De, ou pertencente ou relativo a Mata Grande (AL). ● *S. 2 g.* **2.** Natural ou habitante de Mata Grande. [Pl.: *mata-grandenses.*]

mata-junta. [De *matar* + *junta.*] *S. f.* **1.** *Constr.* V. *guarnição* (9). **2.** Qualquer fasquia que serve para tapar a junta entre tábuas. [Pl.: *mata-juntas.*]

mata-leopardos. [De *matar* + *leopardo.*] *S. m. 2 n.* Espécie de acônito.

matalotado. *Adj.* Provido de matalotagem.

matalotagem. [Do fr. *matelotage.*] *S. f.* **1.** *Ant.* Provisão de mantimentos para a marinhagem ou para outras pessoas que embarcam. **2.** *P. ext.* Provisão de víveres; matula. **3.** *Ant.* Conjunto dos matalotes ou marujos. **4.** *Fig.* Montão de coisas confusas; amálgama, salgalhada.

matalote. [Do fr. *matelot.*] *S. m.* **1.** Marinheiro, marujo. **2.** *Ant.* Companheiro de viagem no mar. **3.** *Ant.* Companheiro de serviço. **4.** *Mar. G.* Navio que navega mais próximo de outro, em uma formatura. [Há matalote de vante, de ré, de boreste ou de bombordo, conforme a posição ocupada.]

matamatá. [Do tupi *matama'ta.*] *S. m. Bras., Amaz.* **1.** Grande árvore da família das lecitidáceas (*Eschweilera matamata*), da floresta amazônica, de flores vistosas, com os estames soldados, frutos pixídios lenhosos, e cuja madeira é forte e resistente. **2.** Reptil da ordem dos quelônios, da família dos quelídeos (*Chelys fimbriata* Schn.), da Amaz., de carapaça com dois sulcos dorsais profundos, escudos ásperos, plastrão estreito, cabeça terminada em pequena tromba, boca muito larga, lado inferior com franjas e pequenos barbilhões. Vive nas lagoas e águas paradas, metido na lama, e alimenta-se de pequenos peixes. Por seu aspecto antediluviano e hediondo é muito procurado para exibição em aquários e jardins zoológicos.

mata-mata. *S. m. Jog. Inf.* Brincadeira de bola de gude, em que cada jogador procura atingir com a própria bola a bola do outro, para ter direito a apoderar-se dela. [Pl.: *matas-matas* e *mata-matas.*]

matambre. [Do esp. plat. *matambre.*] *S. m. Bras., RS.* **1.** Carne que cobre as costelas do boi e é a primeira que se retira depois do couro; vaqueira. [Cf., nesta acepç., *matame.*] **2.** Assado feito com essa carne.

matame. *S. m.* **1.** *Bras.* Recortes angulares na extremidade de folhos, camisas de mulher, toalhas, lenços, lençóis, etc. **2.** *Bras., RJ.* Carne que fica pegada ao couro depois da esfola. [Cf., nesta acepç., *matambre.*]

mata-me-embora. [De *matar* + *me* + *embora.*] *S. m. 2 n.* V. *capim-de-burro.*

mata-moiros. *S. m. 2 n.* V. *mata-mouros.*

mata-moscas. [De *matar* + o pl. de *mosca.*] *S. m. 2 n.* Substância tóxica para exterminar moscas.

mata-mosquito. [De *matar* + *mosquito.*] *S. m. Bras.* Funcionário dos departamentos de higiene a quem compete destruir os focos de larvas de mosquitos. [Pl.: *mata-mosquitos.*]

mata-mouros. [Do esp. *matamoros.*] *S. m. 2 n.* **1.** Valentão, ferrabrás. **2.** Fanfarrão, bravateador. [Var.: *mata-moiros.*]

matanaué. *S. 2 g.* e *adj. 2 g. Bras.* Matanavi.

matanavi. *Bras. S. 2 g.* **1.** Indivíduo dos matanavis, tribo indígena do rio Castanha, bacia do alto Madeira, da família lingüística dos muras. ● *Adj. 2 g.* **2.** Pertencente ou relativo a essa tribo. [F. paral.: *matanaué.*]

matança. [De *matar* + *-ança.*] *S. f.* **1.** Assassínio de muitas pessoas; morticínio, mortandade, carnificina: *matança dos cristãos; matança dos inimigos.* **2.** Abatimento de reses para consumo. **3.** *Fig.* e *fam.* Trabalho afincado, persistente; faina, afã. **4.** *Bras. Fut.* Jogo violento ou bruto. **5.** *Bras. CE.* V. *matadouro* (1). **6.** *Bras., N.* Dinheiro obtido ilicitamente.

mata-negro. [Do *matar* + *negro.*] *S. f. Bras.* Espécie de mandioca. [Pl.: *mata-negros.*]

matão. [De *matar* + *-ão*[3].] *Bras. Adj.* e *s. m.* **1.** Que ou aquele que executa mal o seu serviço; lambão. [Fem.: *matona.*] **2.** Diz-se de, ou jóquei que procede com deslealdade, tentando apertar os concorrentes contra a cerca nas curvas da pista de corridas. **3.** *Fut.* Diz-se de, ou jogador que habitualmente comete faltas contra os adversários.

mata-olho. [De *matar* + *olho.*] *S. m. Bras., RJ.* Árvore leitosa e com cheiro de alho, da família das euforbiáceas (*Ophtalmoblapton pedunculare*), da floresta pluvial, folhas longamente acuminadas, flores unissexuais, ordenadas em espigas, e cujo fruto é tricoca; olho-de-santa-luzia, árvore-de-santa-luzia, santa-luzia, grumaré. [Pl.: *mata-olhos.*]

mata-pasto. [De *matar* + *pasto.*] *S. m.* **1.** *Bras.* Arbusto da família das leguminosas (*Cassia bicapsularis*), de flores amarelas e legumes roliços, e cuja casca é tida por medicinal; caquera, tareroque. **2.** V. *dartrial.* [Pl.: *mata-pastos.*]

mata-pau. [De *matar* + *pau.*] *S. m.* **1.** *Bras.* Designação aplicada a espécies dos gêneros *Ficus* (moráceas) e *Clusia* (gutíferas), as quais se desenvolvem sobre outras árvores, matando-as e ocupando-lhes os lugares. **2.** Fruteira (4). [Pl.: *mata-paus.*]

mata-peixe. [De *matar* + *peixe.*] *S. m. Bras.* V. *cipó-timbó.* [Pl.: *mata-peixes.*]

matapi. [Do tupi *mata'pi.*] *S. m.* **1.** *Bras.* V. *cucura.* **2.** *Bras., Amaz.* Covo oblongo, feito de jacitara, e com abertura na base.

mata-piolho. [De *matar* + *piolho.*] *S. m. Pop.* V. *dedo polegar* (1). [Pl.: *mata-piolhos.*]

mata-porcos. [De *matar* + o pl. de *porco.*] *S. m. 2 n. Bras., RS.* V. *pergídeos.*

matar. *V. t. d.* **1.** Tirar violentamente a vida a; assassinar: *Os imperadores romanos mataram milhares de cristãos.* [Sin. (bras., pop.): *aliviar, apagar, dar cabo de, dar cabo do canastro de, despachar, despachar para o outro mundo, destacar, assentar o cabelo de, abotoar o paletó de, fechar o paletó de, mandar para o outro mundo, mandar para os quintos, quebrar.*] **2.** Causar a morte de; privar da vida: "A bala que o matou foi um ponto final luminoso de renúncia e de sacrifício." (Júlio Dantas, *Figuras de ontem e de hoje*, p. 30.) **3.** Tirar o viço de; fazer murchar; emurchecer, secar: *O frio intenso matou a plantação.* **4.** Fazer desaparecer; desvanecer, destruir: *Aqueles acontecimentos mataram-lhe a esperança.* **5.** Fazer cessar; extinguir, apagar. **6.** Saciar, satisfazer: "Foi ao pote de água, ... bebeu com sofreguidão. Matou a sede" (Nélson de Faria, *Tziu e Outras Estórias*, p. 85). **7.** Enfadar, afligir, mortificar. **8.** Prejudicar, arruinar, desacreditar: *Os desmandos dos diretores matarам a firma.* **9.** Prejudicar a saúde de. **10.** Cansar muito; fatigar, afadigar, estafar. **11.** Fazer apressadamente e mal: *matar um serviço.* **12.** Decifrar, adivinhar (charadas, palavras cruzadas, etc.). **13.** *Bras. Gír.* Deixar de comparecer a (aula, ou trabalho); gazear, gazetear: *Matou duas aulas de português*; "Você mata o serviço hoje e vamos ao cinema." (Nélson Rodrigues, *100 Contos Escolhidos. A Vida como Ela É*, II, p. 95.) **14.** *Bras. Fut.* V. *amortecer* (6). **15.** *Bras. Gír.* Consumir até o fim (cigarro, bebida, comida): *Sozinho, matou o queijo que o pai comprara para todos; Pode matar esta cerveja pois já bebi bastante.* *Int.* **16.** Causar morte(ʳ): "febre tremedeira, sezão das que matavam em poucos dias" (Nélson de Faria, *Tiziu e Outras Estórias*, p. 132). **17.** Ser assassino. **18.** Abater reses para o consumo público. **19.** *Bras. Fut.* Amortecer a bola. *P.* **20.** Dar a morte a si mesmo, suicidar-se: "Vatel levou o amor-próprio profissional ao ponto de se matar por causa de simples deficiência numa ceia servida ao rei Luís XIV." (Eduardo Frieiro, *Feijão, Angu e Couve*, p. 22.) **21.** Cansar-se muito; fatigar-se, afadigar-se. **22.** Consagrar-se inteiramente; sacrificar-se. [Part.: *matado* e *morto.*] ◆ **A matar.** Condizendo, combinando, quadrando muito bem, admiravelmente: *Com a pele que tem a menina, o róseo fica-lhe a matar; Sua gravata está a matar.*

matarana. [De provável or. tupi.] *S. f.* **1.** *Bras.* Grande erva da família das zingiberáceas (*Renealmia sylvestris*), do interior da floresta atlântica, que, além das amplas folhas, tem belas flores, reunidas em inflorescências terminais, e cujas cápsulas encerram sementes aromáticas. **2.** Maça de pau rijo, esquinada na extremidade mais grossa e aguçada na outra.

mata-rato. [De *matar* + *rato*[1].] *Adj.* e *s. m. Bras.* Mata-ratos [q. v.]: "tragando profundas fumaças do mata-rato ..." (Augusto Meyer, *No tempo da Flor*, p. 21). [Pl.: *mata-ratos.*]

mata-ratos. [De *matar* + *rato*[1].] *Adj. 2 g.* e *2 n.* **1.** Próprio para matar ratos. ● *S. m. 2 n.* **2.** Veneno que mata ratos. **3.** Vinho, charuto [v. *quebra-queixo* (1)] ou cigarro barato ou de má qualidade. [F. paral.: *mata-rato.*]

mataréu. [De *mata* ou *mato.*] *S. m. Bras.* Mataria: "A região era todo um mataréu virgem de majestosa beleza." (Monteiro Lobato, *Urupês, Outros Contos e Coisas*, p. 527.)

matari. *S. m. Bras.* Certo fruto silvestre.

mataria. *S. f. Bras.* Grande extensão de mata ou mato; mataréu: "Nada viu senão árvores em profusão numa mataria compacta colorindo o verde cume." (José Fonseca Fernandes, *Joatão e a Ilha*, p. 43.)

mataru. [De or. indígena, decerto.] *S. m. Bras., MT.* Vaso de barro utilizado na fabricação de azeite de peixe.

mata-sano. *S. m.* V. *mata-sanos.* [Pl.: *mata-sanos.*]

mata-sanos. [Do esp. *matasanos.*] *S. m. 2 n.* Médico inábil; curandeiro, charlatão. [Var.: *mata-sano.*]

matassa. *S. f.* A seda antes de ser fiada.

matataúba. [Do tupi.] *S. f. Bras.* V. *sambacuim.*

➡**match** (métx). [Ingl., 'torneio'.] *S. m. Esport.* Partida entre dois jogadores ou duas equipes.

mate[1]. [Do ár. *mat*, da expr. *xah mat*, 'o rei (está) morto'.] *S. m.* **1.** Xeque-mate. **2.** Ponto de tricô em que se apanham duas malhas duma vez, para estreitá-las ou fechá-las. **3.** V. *remate* (3).

mate[2]. [Do quíchua *mati*, pelo esp. plat. *mate.*] *S. m.* **1.** Erva-mate. **2.** As folhas dessa árvore, secas e pisadas. **3.** A bebida feita com a infusão dessas folhas assim preparadas; chá-mate. ◆ **Mate chimarrão.** *Bras.* O que se toma sem açúcar. **Mate de armada curta.** *Bras., RS.* Mate quentíssimo, a ponto de queimar a boca.

mate[3]. [Do fr. *mat.*] *Adj. 2 g.* e *2 n.* **1.** Diz-se da tinta ou pintura fosca, não polida. **2.** Sem brilho; embaciado, empanado, fosco. **3.** Trigueiro-claro: "Ega ficou deslumbrado com .... a sua frescura mate de camélia branca." (Eça de Queirós, *Os Maias*, II, p. 270); "essa pele trigueira, esse tom mate, ... meio curtido, e no entanto saudável." (Ricardo Ramos, *Matar um Homem*, p. 85.)

mate[4]. [Do ingl. *matte.*] *S. f. Metal.* Mistura de sulfetos que se obtém na metalurgia de minérios sulfetados. ◆ **Mate de cobre.** *Metal.* Estádio intermediário na metalurgia do cobre, no qual a massa fundida contém apenas sulfeto de cobre e de ferro.

mateador (ô). *S. m. Bras., S.* Aquele que gosta muito de mate[2] (3), que é dado a matear[1]; matista.

matear[1]. *V. int. Bras., RS.* **1.** Tomar o mate[2] (3): "Jango não ia à cidade. Ficava na charqueada conversando, pitando, mateando." (Vieira Pires, *Querência*, p. 51.) **2.** Congonhar. [Conjug.: v. *frear.*]

matear[2]. *V. int. Bras., RS.* Matejar (1). [Conjug.: v. *frear.*]

mate-bastardo. *S. m. Bras.* V. *caami* (2). [Pl.: *mates-bastardos.*]

mateense. *Adj. 2 g.* **1.** De, ou pertencente ou relativo a São Mateus (ES). ● *S. 2 g.* **2.** Natural ou habitante de São Mateus.

mate-espúrio. *S. m. Bot.* V. *caami* (1). [Pl.: *mates-espúrios.*]

mate-falso. *S. m. Bot.* Congonha (1). [Pl.: *mates-falsos.*]

mateirense. *Adj. 2 g.* **1.** De, ou pertencente ou relativo a Mateira (GO). ● *S. 2 g.* **2.** Natural ou habitante de Mateira.

mateiro[1]. *S. m.* **1.** Aquele que guarda matas ou florestas. **2.** V. *lenhador* (1). **3.** *Bras.* Explorador de matas, que através delas se guia sem bússola, quase por mero instinto. **4.** *Bras.* Espécie de veado (*Mazama americana* Erxl.). **5.** *Bras., Amaz.* Abridor de estradas de seringa na mata. **6.** *Bras., Amaz.* O encarregado da fiscalização dessas estradas. **7.** *Bras., BA.* Morador da Zona da Mata. **8.** *Bras., BA. P. ext.* V. *caipira* (1).

mateiro[2]. [De *mate*[2] + *-eiro.*] *S. m. Bras., S.* Indivíduo que explora a erva-mate.

matejar. *V. int.* **1.** Andar no mato; passar o dia no mato. [F. paral., us. no RS: *matear.*] **2.** Cortar lenha no mato. [Conjug.: v. *pelejar.*]

matelassê. [Do fr. *matelassé(e).*] *Adj. 2 g.* **1.** Diz-se de tecido, ou material congênere, acolchoado e preso ao forro por pespontos formando desenhos em relevo: *chintz matelassê.* **2.** Feito ou guarnecido com tecido (ou outro material) matelassê: *colcha matelassê; bolsos matelassês.* ● *S. m.* **3.** Obra de costura feita com tecido (ou outro material) matelassê. [Cf. *capitonê.*]

matemática. [Fem. substantivado do adj. *matemático.*] *S. f.* **1.** Ciência que investiga relações entre entidades definidas abstrata e logicamente. **2.** Tratado ou compêndio de matemática. **3.** Exemplar de um desses tratados ou compêndios. ◆ **Matemática elementar.** As primeiras noções de matemática. **Matemáticas aplicadas.** As que consideram as grandezes em determinados campos ou assuntos. **Matemáticas puras.** Aquelas que, como a álgebra, a geometria, a topologia, estudam as propriedades da grandeza em abstrato.

matematicidade. *S. f.* Qualidade de matemático (2); exatidão matemática, rigorosa.

matemático. [Do gr. *mathematikós*, 'relativo à instrução', pelo lat. *mathematicu.*] *Adj.* **1.** Relativo à matemática. **2.** *Fig.* Que tem a precisão rigorosa da matemática; rigoroso, exato, preciso: *certeza matemática; compasso matemático.* ~V. *análise —a, esperança —a, física —a, geografia —a* e *indução —a.* ● *S. m.* **3.** Aquele que é versado em matemática.

matematismo. *S. m.* Doutrina segundo a qual tudo acontece conforme às leis matemáticas.

matense. *Adj. 2 g.* **1.** De, ou pertencente ou relativo a Mata de São João (BA). ● *S. 2 g.* **2.** Natural ou habitante de Mata de São João.

mateologia [Do gr. *mataiologia.*] *S. f.* Estudo inútil de assuntos superiores ao alcance do entendimento humano.

mateológico. *Adj.* Pertencente ou relativo à mateologia.

mateologista. *S. 2 g.* Pessoa que se dedica à mateologia; mateólogo.

mateólogo. *S. m.* Mateologista.

mateotecnia. [Do gr. *mataiotechnía.*] *S. f.* Ciência vã, inútil, fantástica.

matéria. [Do lat. *materia*.] *S. f.* **1.** Qualquer substância sólida, líquida ou gasosa que ocupa lugar no espaço. **2.** Substância capaz de receber certa forma, ou em que atua determinado agente: *O carvão é matéria combustível; O barro é matéria dúctil;* "o vivo e puro amor de que sou feito, / como a matéria simples busca a forma." (Luís de Camões, *Rimas*, p. 142). **3.** Substância sólida de que se faz qualquer obra: *muro de matéria resistente.* **4.** *Pop.* Pus que se forma nas feridas: "um cancro fervendo em bichos, manando podridão e matéria" (Pe. Antônio Vieira, *Sermões*, VII, p. 185). **5.** Assunto ou objeto de discurso, composição, conversação, etc.: "Ao chá, conversamos primeiramente de letras, e pouco depois de política, matéria introduzida por ele" (Machado de Assis, *Páginas Recolhidas*, p. 162). **6.** Motivo, pretexto, ocasião; oportunidade: *Os fatos não lhe davam matéria para agir como queria;* "ia fazendo matéria de tudo quanto via no campo e na serra pera louvar a Deus" (Fr. Luís de Sousa, *Vida de D. Fr. Bertolameu dos Mártires*, I, p. 96). **7.** Causa, objeto: *Ali o voto se tornou matéria de chantagem.* **8.** *Jorn.* Notícia, reportagem, artigo, texto qualquer, de jornal ou revista: *Este jornal só dá boa matéria; Aquela matéria não interessa ao público.* **9.** *Filos.* O que é transformado ou utilizado pelo trabalho do homem para um determinado fim. [Nesta acepç., opõe-se a *forma* (15).] **10.** *Filos.* O que dá realidade concreta a uma coisa individual, que é objeto de intuição no espaço e dotado de uma massa mecânica. **11.** *Filos* Aquilo a que se atribui força ou energia, que é princípio de movimento. **12.** *Tip.* Texto ou composição tipográfica. **13.** Disciplina escolar: *A matemática é matéria básica.* **14.** Ausência de sentimentos; materialidade, vulgaridade. **15.** Corporalidade, carnalidade: *o espírito e a matéria.* ♦ **Matéria corrida.** *Tip.* V. *composição corrida.* **Matéria degenerada.** *Astr.* Matéria muito densa, formada quase só de núcleos atômicos, e que constitui a maior parte das estrelas denominadas *anãs brancas.* **Matéria interstelar.** *Astr.* Matéria de pouca densidade, poeira ou gases, que se encontra nos espaços interstelares. [Cf. *poeira cósmica.*] **Matéria médica.** *Obsol.* **1.** O conjunto das substâncias empregadas na medicina para debelar as doenças. **2.** Parte da medicina que trata dos medicamentos. **Matéria plástica.** Matéria sintética de constituição macrocelular, dotada de grande maleabilidade, facilmente transformável mediante o emprego de calor e pressão, e que serve de matéria-prima para a fabricação dos mais variados objetos: vasos, toalhas, cortinas, bijuterias, carrocerias, roupas, sapatos, etc.; plástico. **Matéria pré-estelar.** *Astr.* Matéria gasosa capaz de vir a constituir-se em estrela, pelo efeito de contração gravitacional e de reações físicas simultâneas. **Matéria primeira.** *Filos.* Segundo a filosofia aristotélica e escolástica, princípio fundamental de que procedem todos os seres do mundo físico e que, com a forma, constitui os corpos. **Matéria viva.** Substância complexa e heterogênea que compõe os seres vivos.

material. [Do lat. *materiale.*] *Adj. 2 g.* **1.** Pertencente ou relativo a matéria. **2.** Não espiritual. **3.** Grosseiro, rude, bronco. **4.** Sensual, carnal. **5.** Maciço, pesado. **6.** Prático, utilitário, objetivo: *O valor material do livro.* **7.** *Jur.* Referente à matéria, em oposição à forma. V. *direito.* ~V. *balanço —, causa —, lei —, lógica —, onda —, ponto —, reta —* e *superfície —.* ● *S. m.* **8.** Aquilo que é relativo à matéria: *Interessa-lhe mais o material que o espiritual.* **9.** Conjunto dos objetos que constituem ou formam uma obra, construção, etc. **10.** Mobiliário ou conjunto de utensílios de uma escola ou de outro estabelecimento. **11.** Armamento ou petrechos militares. **12.** Petrechos, utensílios: *material de maquilagem.* **13.** *Bras., S.* Alvenaria (3), em contraposição à madeira: *Casa de material.* **14.** *Bras. Gír.* Corpo, geralmente feminino. ♦ **Material de ablação.** *Astron.* Material usado na proteção de um veículo espacial, e que se destina a ser consumido pela ablação durante o regresso à superfície terrestre. **Material branco.** *Tip.* Conjunto das peças mais baixas que os tipos, constituído por guarnições, entrelinhas, quadrados e espaços, que servem para impor e engradar a fôrma ou estabelecer os claros da composição. [V. *branco* (22) e *claro* (28).] **Material rodante.** Conjunto dos veículos ferroviários, que compreende os de tração (locomotivas e automotrizes) e os rebocados (carros de passageiros, vagões de carga, e outros). **Material subjetivo.** *Paleogr.* Aquele sobre o qual se executa a escrita. [Cf. *suporte de impressão.*]

materialão. [De *material* + *-ão*[1].] *Adj.* e *s. m.* Que ou aquele que é grosseiramente materialista; brutal, bestial. [Fem.: *materialona.*]

materialeira. *S. f. Burl.* Coisa ou ato material, estúpido, grosseiro, sem espírito.

materialidade *S. f.* **1.** Qualidade do que é material. **2.** Sentimentos vis, baixos, vulgares; bruteza, estupidez. **3.** Ausência de sensibilidade, de finura, de compreensão. **4.** *Jur.* O conjunto de elementos objetivos que materializam ou caracterizam um crime ou contravenção, um ilícito penal.

materialismo. [De *material* + *-ismo.*] *S. m.* **1.** Vida voltada unicamente para os gozos e bens materiais. **2.** *Filos.* Tendência, atitude ou doutrina que admite ou que a matéria, concebida segundo o desenvolvimento paralelo das ciências, ou que as chamadas condições concretas materiais são suficientes para explicar todos os fenômenos que se apresentem à investigação, inclusive os fenômenos mentais, sociais ou históricos. O materialismo se afirma sobretudo ante o problema da origem do mundo (que dispensa a criação divina e se explica em termos evolutivos), o problema ético (dele resultando moral hedonística), o problema psicológico (orientando a pesquisa no sentido de estabelecer as relações diretas entre os fenômenos psíquicos e as reações do organismo aos estímulos ambientais), e o problema do conhecimento (em que afirma a adequação da razão ao conhecimento do mundo, adequação que se evidencia pelo incessante progresso do conhecimento científico). ♦ **Materialismo dialético.** Doutrina fundamental do marxismo, cuja idéia central é que o mundo não pode ser considerado como um complexo de coisas acabadas, mas de processos, onde as coisas e os reflexos delas na consciência, i. e., os conceitos, estão em incessante movimento, gerado pelas mudanças qualitativas que decorrem necessariamente do aumento de complicação quantitativa. **Materialismo histórico.** Doutrina do marxismo, que afirma que o modo de produção da vida material condiciona o conjunto de todos os processos da vida social, política e espiritual. **Materialismo mecanicista.** *Filos.* Doutrina que explica os fenômenos da natureza reduzindo-os a processos mecânicos, i. e., a processos que se explicam pelas leis do movimento dos corpos no espaço e por mudanças puramente quantitativas.

materialista. *Adj. 2 g.* **1.** Relativo ao materialismo; materialístico. Que é partidário do materialismo. ● *S. 2 g.* **3.** Partidário dele. **4.** *Bras., RJ.* Negociante de materiais de construção.

materialístico. *Adj.* Materialista (1).

materialização. *S. f.* **1.** Ato ou efeito de materializar (-se). **2.** *Fís. Nucl.* Produção de par constituído por uma partícula e sua antipartícula, como, p. ex., um pósiton e um elétron. **3.** *Filos.* Na escolástica, a individuação de uma forma pela matéria.

materializador (ô). Adj. Que materializa; materializante.

materializante. *Adj. 2 g.* Materializador.

materializar. *V. t. d.* **1.** Tornar material. **2.** Considerar material. **3.** Atribuir as qualidades de matéria a. **4.** Tornar bronco, estúpido, material; embrutecer. **5.** *Espir.* Fazer manifestar-se (o espírito) sob forma material. *P.* **6.** *Espir.* Manifestar-se (o espírito) sob forma material; tornar-se corpóreo; corporificar-se. **7.** Tornar-se bronco, estúpido, material; embrutecer(-se).

materialona. *Adj. (f.)* e *s. f.* V. *materialão.*

matéria-prima. [De *matéria* + o fem. de *primo*[2].] *S. f.* **1.** A substância bruta principal e essencial com que é fabricada alguma coisa: *as matérias-primas da indústria automobilística.* **2.** *Fig.* Base, fundamento: *A vida urbana é a matéria-prima dos seus romances.* [Pl.: *matérias-primas.*]

matério-espiritual. *Adj. 2 g. Bras.* Que é ao mesmo tempo material e espiritual. [Pl.: *matério-espirituais.*]

maternal. *Adj. 2 g.* Materno (1 e 2): "crianças que desapareciam, outras que iam morrer no braços maternais num sofrimento lancinante" (Coelho Neto, *Treva*, p. 266). ~ V. *escola —.*

maternidade. [De *materno* + *-i-* + *-dade.*] *S. f.* **1.** Qualidade ou condição de mãe, **2.** *Jur.* Laço de parentesco que une a mãe ao filho. **3.** Estabelecimento de assistência para mulheres no último período da gravidez. ♦ **Vossa Maternidade.** Tratamento dado às religiosas que são madres.

materno. [Do lat. *maternu.*] *Adj.* **1.** Relativo a, ou próprio de mãe; maternal: *amor materno.* **2.** *Fig.* Afetuoso, dedicado, carinhoso, maternal: *afagos maternos.* **3.** Diz-se de parentesco do lado da mãe: *avô materno.* ~ *V. língua —a.*

matesiologia. [Do gr. *máthesio* 'ato de ensinar', + *-log(o)-* + *-ia.*] *S. f.* Ciência do ensino em geral.

matesiológico. *Adj.* Relativo à matesiologia.

matetê. [Do quimb. *ma'tete.*] *S. m. Bras., PE.* Caldo grosso, muito temperado, e que se engrossa com farinha peneirada.

mateu. *S. m. Bras., N.E. Pop.* V. *mateus*: "Os congos, ou reisados. O rei de congo. A rainha. O mateu correndo com um chicote para dar nos moleques." (Carlos de Gusmão, *Boca da Grota*, p. 5.)

Mateus. [Do antr. *Mateus.*] *S. m. 2 n. Bras., N.E.* Personagem-tipo do bumba-meu-boi [q. v.], auxiliar do capitão, que representa o criado tonto, agitado e brincalhão, que espanca e é espancado pelas outras personagens, e está quase sempre acompanhado de outro criado, o bastião. [Muitas vezes se apresenta com uma armação de madeira e pano pintado em volta da cintura, o que lhe empresta a aparência de estar a cavalo. Var., pop.: *mateu;* sin, no RJ: *muleiro.*]

mateus-lemense. *Adj. 2 g.* **1.** De, ou pertencente ou relativo a Mateus Leme (MG). ● *S. 2 g.* **2.** Natural ou habitante de Mateus Leme. [Pl.: *mateus-lemenses.*]

mateus-sulino. *Adj.* **1.** De, ou pertencente ou relativo a São Mateus do Sul (PR). ● *S. m.* **2.** O natural ou habitante de São Mateus do Sul. [Pl.: *mateus-sulinos.*]

maticar. *V. int.* Dar sinal, latindo (o cão que segue a pista da caça): "Os cachorros maticavam, piando separados .... Veado foi acuado num capão de mato" (João Guimarães Rosa, *Corpo de Baile*, I, p. 76). [Defect. Conjug.: v. *trancar*, porém só nas 3as pess.]

matico-falso. *S. m. Bras.* V. *aperta-ruão* (2). [Pl.: *maticos-falsos.*]

matidez (ê). [Do fr. *matité.*] *S. f.* **1.** Qualidade do som surdo, abafado, como o que se ouve ao percutir a coxa. **2.** *Med.* Macicez.

matiense[1]. *Adj. 2 g.* **1.** De, ou pertencente ou relativo a Matias Olímpio (PI). ● *S. 2 g.* **2.** Natural ou habitante de Matias Olímpio.

matiense[2]. *Adj. 2 g.* **1.** De, ou pertencente ou relativo a Matias Barbosa (MG). ● *S. 2 g.* **2.** Natural ou habitante de Matias Barbosa.

matilha. *S. f.* **1.** Grupo de cães de caça. **2.** *Fig.* Chusma de vadios; corja, súcia, malta. **3.** *Bras. Mar. G.* Alcatéia (4). [Cf. *mantilha.*]

matimpererê. [Var. de *matintaperera* (q. v.).] *S. m. Bras., Amaz.* V. *saci* (1 e 2).

matina. [Do lat. *matutina* (fem. de *matutinu*), i. e., 'hora matutina', 'hora matinal'.] *S. f.* **1.** Matinada (1 e 2): "Julieta do céu! Ouve... a calhandra / Já rumoreja o canto da matina." (Castro Alves, *Obra Completa*, p. 123.) **2.** *Pop.* Manhã (1). ~ V. *matinas.*

matinada. [Fem. substantivado de *matinado*, part. de *matinar.*] *S. f.* **1.** Madrugada, alvorada, matina. **2.** Canto de matinas; matina. **3.** Ruído forte. **4.** Algazarra, vozearia, vozeria: "A mesa das crianças afogava .... os ruídos desta, na sua contínua e infinita matinada ..." (Virgílio Várzea, *Nas Ondas*, p. 155.) **5.** Festa ou espetáculo matinal. [Sin., bras., N. e N.E.: *matinal.*] ● *Adj. 2 g.* **6.** *Bras., SP. Pop.* Palrador, loroteiro, mentiroso, matinador. **7.** *Bras., SP. Pop.* Amalucado, adoidado, espeloteado, desmiolado, matinador.

matinador (ô). *Adj.* **1.** *Bras., SP. Pop.* V. *matinada* (6 e 7). ● *S. m.* **2.** *Bras., AL. Folcl.* A mais importante figura da cavalhada, que dirige os ensaios e conduz os torneios nas festas dos padroeiros locais e no Natal.

matinal. [De *matina* + *-al.*] *Adj. 2 g.* **1.** V. *matutino* (1 e 2): *brisa matinal; indivíduo matinal.* ● *S. f.* **2.** *Bras., N.* e *N.E.* Matinada (5).

matinar. [De *matina* + *-ar*[2].] *V. t. d.* **1.** Fazer acordar de manhã; despertar, chamar. **2.** Tentar ensinar ou convencer; adestrar. *Int.* **3.** Levantar-se da cama bem cedo; madrugar. **4.** Cantar matinas. **5.** *Bras.* Pensar com aferro em determinado assunto; matutar, cismar.

matinas. [Do lat. *matutina* (subentende-se *hora*), + *-s.*] *S. f. pl* **1.** Na liturgia católica, a primeira parte do ofício divino rezada de madrugada [v. *horas canônicas* (1)]: "As mãos saídas da cogula tremiam agora nas folhas finas do Breviário. São 5,45 e vai começar o ofício das matinas." (Gerardo Melo Mourão, *O Valete de Espadas*, p. 90.) **2.** Breviário que contém as orações da manhã. **3.** Matineiro (2). ~ V. *matina.*

matinê. [Do fr. *matinée.*] *S. f.* **1.** Festa ou espetáculo realizado à tarde; vesperal: "Fui eu que tive a idéia de nos encontrarmos no cinema, para a matinê do filme com Sabu." (Osmã Lins, *Nove, Novena*, p. 53.) [Cf. *soirée.*] **2.** *Bras.* Espécie de blusa solta, folgada, que as mulheres outrora usavam em casa: "o vulto pequenino e simpático de D. Sazinha, sempre irrepreensível na sua saia escura e na matinê branca muito engomada." (Pedro Nava, *Beira-Mar*, p. 41.)

matineiro. *Adj. Ant.* **1.** Dizia-se do livro por onde se rezavam as matinas. ● *S. m.* **2.** Esse livro, matinas. [Sin. ger.: *matutinário.*] ~ V. *matineiros.*

matineiros. [Pl. de *matineiro.*] *S. m. pl.* Confraria religiosa que reza e canta diariamente as matinas. ~ V. *matineiro.*

matinhense. *Adj. 2 g.* **1.** De, ou pertencente ou relativo a Matinha (MA). ● *S. 2 g.* **2.** Natural ou habitante de Matinha.

matintapereira. [Var. de *matintaperera*, com ultracorreção.] *S. m. Bras., Amaz.* V. *saci* (2).

matintaperera (ê). [Do tupi *matintape're.*] *S. m.* e *f. Bras., Amaz.* V. *saci* (1 e 2): "E vinham, então, na ronda feiticeira das divindades silvestres, a matintaperera, o curupira, o jurupari, o anhangá, que desnorteiam e perdem os incautos, quando não lhes bebem o sangue vampiricamente." (Raimundo Morais, *País das Pedras Verdes*, p. 132.)

matipuí. *Bras., S. 2 g.* **1.** Indígena da tribo caraíba dos matipuís, da região dos rios formadores do Xingu ● *Adj. 2 g.* **2.** Pertencente ou relativo a essa tribo.

matirão. *S. m. Bras., AM.* V. *dorminhoco* (3).

matiri. [Do tupi *mati'ri.*] *S. m. Bras., PA.* Espécie de saco-feito da fibra do tucum.

matista. *S. 2 g. Bras., RS.* Mateador.

matitaperê. [Var. de *matintaperera.*] *S. m. Bras., Amaz.* V. *saci* (2).

matiz. *S. m.* **1.** Combinação de cores diversas num todo: "Caminha o Timbira, que a turba rodeia, / Garboso nas plumas de vário matiz." (Gonçalves Dias, *Obras Poéticas*, II, p. 19); *bordado a matiz.* **2.** V. *nuança* (1): "porque as suas asas [da borboleta] não têm os matizes de oiro coruscantes das alegrias primaveris." (Camilo Castelo Branco, *Serões de São Miguel de Ceide*, III, p. 93). **3.** Cor delicada, suave: "eram loendros de corolas brancas, carmíneas, purpúreas, heliotrópios de matizes evanescentes" (Carlos Magalhães de Azeredo, *Casos do Amor e do Instinto*, p. 312). **4.** O atributo de uma cor (2), que indica a predominância de determinada cor primária ou secundária. **5.** *Fig.* Gradação sutil, quase imperceptível; nuança: *Não percebeu os matizes de ironia daquelas observações.* **6.** *Fig.* Colorido no estilo. **7.** *Fig.* Opinião ou cor política: *Seu partido tem um matiz socialista.*

matização. *S. f.* Ato ou efeito de matizar(-se).

matizar. [De *matiz* + *-ar*[2].] *V. t. d.* **1.** Variar ou dar diferentes graduações a (as cores); nuançar. **2.** Dar cores diversas a; colorir. **3.** Adornar, ornar, enfeitar, alindar: "A flor purpúrea que matiza o prado, / Se o vento da manhã lhe entorna o cálix, / Perde aroma talvez" (Gonçalves Dias, *Obras Poéticas*, I, p. 56). *P.* **4.** Apresentar cores diversas: "A amendoeira cobria-se de flores, os bosques enfolhavam-se, as veigas vestiam-se e matizavam-se" (Rebelo da Silva, *Contos e Lendas*, p. 171).

mato. [De *mata*[1].] *S. m.* **1.** Terreno inculto onde medram plantas agrestes; brenha, charneca, mata. **2.** O conjunto dessas plantas, antes e depois de cortadas. **3.** *Bras.* O campo (por oposição à cidade); a roça. **4.** *Bras.* V. *maconha.* **5.** *Bras., PE.* Designação comum, entre os habitantes do Recife, aos subúrbios dessa capital. ♦ **Mato bom.** *Bras., PR.* Mato cuja vegetação luxuriante revela a fertilidade do terreno onde se desenvolve e o torna próprio, depois da derrubada, para a cultura. **Mato grosso.** *Bras.* Selva, floresta, mata. **Mato mau.** *Bras., PR.* Mato cujo terreno é escasso de humo, sendo, assim, impróprio para a cultura; catanduva, catanduba. **Botar no mato.** *Bras., N.E.* Jogar fora. **Cair no mato.** *Bras. Pop.* V. *fugir* (1 e 2). **Capar o mato.** *Bras., BA* e *GO. Pop.* Dar o fora. V. *fugir* (1 e 2). **Ganhar o mato.** *Bras. Fig. Pop.* V. *fugir* (1 e 2): "O cangaceiro ganhou o mato e foi ter à sua furna." (Gustavo Barroso, *Heróis e Bandidos*, p. 185.) [Sin.: *cair no mato.*] **Ir ao mato.** *Bras., N.E. MG* e *GO. Fig. Pop.* Ir defecar. **No mato sem cachorro.** *Bras. Pop.* Em situação embaraçosa, difícil, em apuros, sem contar com nenhum auxílio; na várzea sem cachorro: *estar, ficar, continuar no mato sem cachorro.* **Ser mato.** *Bras. Pop.* Existir em abundância: *É riquíssimo: dinheiro ali é mato:* "Gente doente é mato .... Meio arredado da minha casa, fica o Coelho que está morre-não-morre há muitos anos" (Visconde de Taunay, *Inocência*, p. 27).

matõense. *Adj. 2 g.* **1.** De, ou pertencente ou relativo a Matões (MA). ● *S. 2 g.* **2.** Natural ou habitante de Matões. [Cf. *matonense.*]

mato-grossense. *Adj. 2 g.* **1.** De, ou pertencente ou relativo a Mato Grosso antigo (estado, ou município). ● *S. 2 g.* **2.** Natural ou habitante de Mato Grosso. [Pl.: *mato-grossenses.*]

mato-grossense-do-sul. *Adj. 2. g.* **1.** De, ou pertencente ou relativo a MS. ● *S. 2 g.* **2.** Natural ou habitante desse estado. [Pl.: *mato-grossenses-do-sul.*]

matóide. *Adj. 2 g.* Amalucado, doido, tresloucado: "Desequilibrado, matóide, Carolino estava ali em parada íntima de perversão poética." (João do Rio, *As Religiões no Rio*, p. 164.)

matolão. [De *malotão*, com metátese.] *S. m. Bras., N., N.E.* e *MG.* Alforje de couro, de bocal fechado por correias, onde os sertanejos conduzem roupa e utensílios de viagem: "Não carregava alforjes ou matolão, nem montava em jerebas" (Nélson de Faria, *Tiziu e Outras Estórias*, p. 148). [Cf. *matulão.*]

matombo. *S. m. Bras.* Var. de *matumbo.*

matona. *Adj. (f.)* e *s. f.* Fem. de *matão* (1).

matonense. *Adj. 2 g.* **1.** De, ou pertencente ou relativo a Matão (SP). ● *S. 2 g.* **2.** Natural ou habitante de Matão. [Cf. *matõense.*]

matoniácea. *S. f.* Espécime das matoniáceas.

matoniáceas. *S. f. pl. Bot.* Família de pteridófitos, da ordem das eufilicales, que tem os esporângios reunidos, em número de seis a nove, em torno de uma columela soral, o indúsio peltado, e o anel incompleto e oblíquo. Foram muito abundantes no jurássico, mas hoje vivem só algumas espécies, em Bornéu e adjacências.

matoniáceo. *Adj.* Pertencente ou relativo às matoniáceas.

matorral. [Do esp. *matorral.*] *S. m. Bras., RS.* e *prov. lus.* Terreno coberto de mato alto e espesso.

matoso (ô). *Adj.* Cheio, coberto de mato; em que há muito mato.

matozinhense. *Adj. 2 g.* **1.** De, ou pertencente ou relativo a Matozinhos (MG). ● *S. 2 g.* **2.** Natural ou habitante de Matozinhos.

matraca. [Do ár. *miTragâ*, 'martelo'] *S. f.* **1.** Instrumento de percussão, formado por tabuinhas movediças, ou argolas de ferro, que, ao serem agitadas, percutem a prancheta em que se acham presas e produzem uma série rápida de estalos secos; malho **2.** *Fig.* Zombaria, troça, chacota. **3.** *Fig.* Apupo(s), vaia. **4.** *Bras.* Pessoa loquaz, tagarela, faladora. [Sin., em SP, nesta acepç: *matraca-da-quaresma.*] **5.** *Bras.* V. *borralhara.* **6.** *Bras.* V. *martim-pescador-grande.* **7.** *Bras.* Ave passeriforme, da família dos formicarídeos (*Batara cinerea* (Vieil.)), do sudeste do Brasil. O macho tem coloração cinzenta com topete preto, e a fêmea é pardo-amarelada. Freqüenta as matas, alimentando-se de insetos, como as demais espécies da família. [Sin., nesta acepç.: *rabilhão rajadão.*] **8.** *Bras., Gír.* V. *metralhadora.* **9.** *Bras. Gír.* Qualquer arma de fogo.

matraca-da-quaresma. *S. f. Bras., SP. Fam.* Matraca (4). [Pl.: *matracas-da-quaresma.*]

matracar. [De *matraca* + *-ar*[2].] *V. int.* **1.** Insistir em algo com impertinência. **2.** Bater fortemente à porta de uma casa, para que a abram. *T. d.* **3.** Matraquear. **4.** Repetir monotonamente. **5.** Maçar, aborrecer, enfadar, amolar. [Conjug.: v. *trancar.*]

matracolejante. *Adj. 2 g. Bras.* Que matracoleja.

matracolejar. *V. int. Bras.* Soar como matraca; produzir grande ruído. [Normalmente é defect., conjugável só nas 3as pess. [Conjug.: v. *pelejar.*]

matraqueado. [Part. de *matraquear.*] *Adj.* **1.** Experiente, experimentado, matreiro. **2.** Vaiado, troçado, motejado. ● *S. m.* **3.** Ruído de matraca, ou semelhante ao da matraca: *o matraqueado das aves migradoras.*

matraqueador (ô). *Adj.* e *s. m.* Que ou aquele que matraqueia.

matraquear. *V. int.* **1.** Tocar matraca. **2.** Produzir som semelhante ao da matraca: *Passos matraqueavam no corredor.* **3.** *Bras.* V. *tagarelar. T. d.* **4.** Dar vaias em; vaiar, apupar. *T. d.* e *i.* **5.** Transmitir experiência a; ensinar, adestrar: *Matraqueei-o nos segredos da profissão.* [Conjug.: v. *frear.*]

matraz. [Do fr. *matras.*] *S. m.* Balão de vidro, de fundo chato, cujo colo pode ser fechado, e que permite efetuar reações sob pressão e temperaturas inferiores a 100 graus.

matreirar. *V. int. Bras., S.* **1.** Tornar-se (um animal) arisco ou matreiro, por haver fugido para o mato. **2.** *Fig.* Mostrar-se matreiro, esperto, astuto. **3.** Eximir-se, com evasivas, de ultimar um negócio, ceder alguma coisa ou chegar a acordo; marombar. [F. paral.: *matreirear.*]

matreirear. *V. int. Bras., S.* Matreirar [q. v.]. [Conjug.: v. *frear.*]

matreirice. *S. f.* Qualidade, ato, dito ou modos de matreiro.

matreiro. [Do esp. *matrero.*] *Adj.* **1.** Muito experiente; astuto, sabido, experimentado, matraqueado: "Pé ante pé, abafando a respiração, silencioso como o mais matreiro dos gatos, eu ia direto ao maço de cigarros sobre a mesinha-de-cabeceira" (Marques Rebelo, *A Guerra Está em Nós*, p. 317). **2.** *Bras., S.* Esquivo, arisco. [Diz-se de animal e, p. ext., de pessoa.]

▲matr(i)-. [Do lat. *mater, tris.*] *El. comp.* = 'mãe': *mátrio, matriarcado.*

matriarca. [De *matr(i)-* + *-arca.*] *S. f.* A mulher, considerada como base ou chefe da família.

matriarcado. [De *matriarca* + *-ado*[2].] *S. m.* Organização social e política na qual a mulher exerce autoridade preponderante: "Entre os bijajoses, na Guiné, que adotam o matriarcado, o marido fica sempre em casa e, durante a gravidez da mulher, a quem compete trabalhar, mantém-se de resguardo. Exatamente como procediam os nossos índios sob o complexo da couvade." (Arnon de Melo, *África*, p. 360).

matriarcal. *Adj. 2 g.* Referente a matriarca, ou ao matriarcado, ou próprio daquela ou deste.

matricária. [Do lat. *matricale*, 'relativo à matriz', 'o útero' (subentende-se *erva*), com troca de sufixo.] *S. f.* V. *camomila.*

matricial. *Adj. 2 g.* ~ V. *álgebra* —, *cálculo* — e *impressora* —.

matricida. [Do lat. *matricida.*] *S. 2 g.* Assassino da própria mãe.

matricídio. [Do lat. *matricidiu.*] *S. m.* Crime de quem matou a própria mãe, de matricida.

matrícula. [Do lat. *matricula*, 'rol, registro público'.] *S. f.* **1.** Lista ou relação de pessoas sujeitas a certos serviços ou encargos: *a matrícula de um hospital.* **2.** Ato ou efeito de matricular(-se): *a época das matrículas no colégio.* **3.** Taxa paga por quem se matricula numa aula; propina. **4.** *Jur.* Inscrição em registros oficiais ou particulares com o fim de legalizar o exercício de certas profissões ou autorizar o gozo de certos direitos: *matrícula de motoristas.* [Cf. *matricula*, do v. *matricular.*]

matriculado. [Part. de *matricular.*] *Adj.* **1.** Inscrito na matrícula. **2.** *Pop.* Experiente, experimentado; capaz, matreiro, matraqueado.

matriculando. *S. m.* Aquele que vai ou pretende matricular-se: "Era [o Padre Sousa Caldas] tão precoce e tão apegado aos estudos que ingressou na Universidade de Coimbra com permissão especial, pois lhe faltavam ainda três anos para alcançar a idade mínima exigida aos matriculandos." (R. Magalhães Júnior, in *Discursos Acadêmicos*, V, p. 17.)

matricular. *V. t. d.* e *p.* Inscrever(-se) nos registros de matrícula: "indo .... para o Recife, concluir estudos, prestar exames, matricular-se na Faculdade." (Mário Sete, *Senhora de Engenho*, p. 15). [Pres. ind.: *matriculo, matriculas, matricula*, etc. Cf. *matrícula.*]

matrilinear. [De *matr(i)-* + *linear.*] *Adj. 2 g. Etnol.* Em que a sucessão se faz por linha materna: *comunidade matrilinear.*

matrilocal. [De *matr(i)-* + *local.*] *Adj. 2 g. Etnol.* Relativo à instituição segundo a qual o marido, pelo casamento, é obrigado a seguir a mulher, passando a morar na localidade dela (casa, acampamento, aldeia, etc.).

matrimonial. [Do lat. *matrimoniale.*] *Adj. 2 g.* Relativo a matrimônio; conjugal, jugal. ~ V. *enlace* —.

matrimoniar. [De *matrimônio* + *-ar*[2].] *V. t. d.* e *t. d.* e *i.* **1.** Esposar (1 a 6). *P.* **2.** Esposar (7): "A menina, que houvesse de matrimoniar-se com o morgado de Roboredo, casava pelo menos com dez gerações de Antunes" (Camilo Castelo Branco, *Doze Casamentos Felizes*, p. 34). [Pres. ind. *matrimonio*, etc. Cf. *matrimônio.*]

matrimoniável. *Adj. 2 g.* Que pode matrimoniar-se.

matrimônio. [Do lat. *matrimoniu.*] *S. m.* União legítima de homem com mulher; casamento. [Cf. *matrimonio*, do v. *matrimoniar.*]

matrinxã. [Do tupi?] *S. m. Bras., Amaz.* Designação comum a algumas espécies de peixes teleósteos, caraciformes, da família dos caracídeos, do gênero *Brycon* Muel. & Trosch. [cf. *piracanjuva*], especialmente o *B. brevicauda* Guent., o *B. hilarii* (Val.), o *B. matrinchao* Fowl e outros, de dentição forte, carne saborosa, e com até 50 cm de comprimento. Coloração geral oliváceo-dourada, com nadadeiras caudal e anal lavadas de vermelho; algumas espécies são prateadas. Habitam águas limpas, e sua pesca se faz com anzóis com isca de frutas ou carne de outros peixes. [F. paral.: *matrinxão*; sin.: *mamuri.*]

matrinxão. *S. m. Bras.* V. *matrinxã.*

mátrio. [De *matr(i)-* + *-io*[2].] *Adj.* Relativo a mãe: *o mátrio poder.*

matritense. [Do top. lat. tardio *Matritum*, 'Madri'.] *Adj. 2 g.* e *s. 2 g.* V. *madrileno.*

matriz. [Do lat. *matrice.*] *S. f.* **1.** Lugar onde algo se gera ou cria: *matriz aurífera.* **2.** Órgão das fêmeas dos mamíferos onde se gera o feto; útero [q. v.] **3.** Manancial, nascente, fonte. **4.** Molde para a fundição de qualquer peça. **5.** Clichê (1). **6.** *Tip.* Molde de metal para a fundição de tipos. **7.** *Tip.* Chapa transparente, utilizada nas máquinas fotocompositoras, na qual se acham gravadas letras ou outros sinais para projeção sobre uma superfície sensibilizada e conseqüente formação de linhas, colunas e páginas de composição, prontas para imediato transporte para as chapas litográficas. **8.** *Tip.* Contramolde de gesso, cera, chumbo, etc., tirado de uma composição tipográfica, para posterior reprodução através da estereotipia ou da galvanotipia. **9.** Estêncil. **10.** Chapa ou película fotográfica. **11.** Peça metálica que serve de molde para a fabricação de discos. **12.** Contramolde em gesso para a confecção dos moldes de cerâmica. **13.** Gravação sonora da qual se podem tirar cópias em discos ou fitas. **14.** Porção de rocha que envolve um fóssil e onde este deixa o molde. **15.** Agrupamento ordenado de elementos estatísticos. **16.** *Álg. Mod.* Arranjo retangular de elementos de um conjunto. **17.** *Jur.* Estabelecimento principal, centralizador de todos os negócios e controlador das sucursais; administração central; casa matriz; sede. **18.** V. *gravura* (3). **19.** Igreja matriz. **20.** V. *útero.* **21.** Reprodutriz. **22.** *Bras. Gír.* A casa da mulher legítima. **23.** *Bras. Gír.* Essa mulher. [Cf., nesta acepç.: *filial* (5).] ● *Adj.* (*f.*) **24.** Que é fonte ou origem; básico: *O latim é uma língua matriz.* **25.** Principal, superior, primordial: *idéia matriz.* **26.** Reprodutriz. ~ V. *casa* — e *igreja* —. ♦ **Matriz anti-simétrica.** *Álg. Mod.* Aquela em que o elemento a_{jk} é igual a $-a_{kj}$; matriz igual ao negativo da sua transposta. **Matriz da unha.** *Anat.* Tecido sobre o qual jaz o aspecto posterior da unha; matriz ungueal. **Matriz deslizadora.** *Tip.* Matriz-gaveta. **Matriz diagonal.** *Álg. Mod.* A que tem todos os elementos iguais a zero, exceto os da diagonal principal. **Matriz escalar.** *Álg. Mod.* Matriz diagonal em que todos os elementos são iguais. **Matriz identidade.** *Álg. Mod.* Matriz quadrada em que os elementos da diagonal principal são iguais à unidade, e todos os demais nulos; matriz unidade. **Matriz inversa.** *Álg. Mod.* Matriz cujo produto por outra é igual à matriz identidade. **Matriz não-singular.** *Álg. Mod.* Matriz que tem uma matriz inversa. **Matriz quadrada.** *Álg. Mod.* Aquela em que o número de linhas é igual ao de colunas. **Matriz retangular.** *Álg. Mod.* Aquela em que o número de linhas é diferente do de colunas. **Matriz seca.** *Tip.* V. *flã.* **Matriz simétrica.** *Álg. Mod.* Matriz quadrada igual à sua transposta; matriz quadrada em que cada elemento a_{jk} é igual ao elemento a_{kj}. **Matriz singular.** *Álg. Mod.* Matriz quadrada cujo determinante é igual a zero. **Matriz transposta.** *Álg. Mod.* Matriz quadrada que se obtém de outra substituindo-se, nesta, cada elemento pelo seu simétrico em relação à diagonal principal. [Tb. se diz apenas *transposta.*] **Matriz ungueal.** *Anat.* Matriz da unha. **Matriz unidade.** *Álg. Mod.* Matriz identidade.

matrização. *S. f. Tip.* Ato ou efeito de matrizar; matrizagem.

matrizador (ô). [De *matrizar* + *-(d)or.*] *S. m. Tip.* Gráfico que se ocupa na confecção de matrizes de estereotipia. [Cf. *moldador.*]

matrizagem. *S. f. Tip.* Matrização.

matrizar. *V. t. d. Tip.* Formar a matriz estereotípica de (composição tipográfica).

matriz-gaveta. *S. f. Tip.* Matriz alongada, de comprimento variável, que se introduz no bloco de gaveta da linotipo para fundir fios e orlas; matriz deslizadora. [Pl.: *matrizes-gavetas* e *matrizes-gaveta.*]

matroca. [Voc. expressivo, para rimar com *troca.*] *El. s. f.* Us. na loc. adv. *à matroca.* ♦ **À matroca. 1.** Ao acaso; à toa; de qualquer maneira: *andar à matroca; deixar tudo à matroca.* **2.** *Mar.* Sem governo, sem rumo; ao sabor do vento ou da correnteza; à deriva: *A embarcação ficou à matroca.* [Sin. lus., nesta acepç.: *ao som do mar.*]

matrona. [Do lat. *matrona.*] *S. f.* **1.** Entre os antigos romanos, mulher legalmente casada, esposa. **2.** Mulher respeitável por idade, estado e procedimento: "A Srª Brízida de Sousa ... era matrona de mais de cinqüenta anos." (Rebelo da Silva, *Contos e Lendas*, p. 58.) **3.** Mulher madura e corpulenta.

matronaça. [De *matrona* + *-aça.*] *S. f. Fam.* Mulher muito gorda, corpulenta, grandalhona; mulheraça.

matronal. [Do lat. **matronale.*] *Adj. 2 g.* Relativo a, ou próprio de matrona: "vestida a capricho, sem o requinte da extrema juventude, mas também sem a rigidez matronal" (Machado de Assis, *Histórias sem Data*, p. 128).

matrucar. *V. t. d. Bras., RJ.* Espostejar (1) (reses abatidas). [Conjug.: v. *trancar.*]

matruco. *S. m. Bras., RJ.* **1.** Cada um dos quartos das reses abatidas. **2.** Trem de carga da Estrada de Ferro Central do Brasil, destinado a conduzir carne verde para o entreposto de São Diogo. **3.** V. *galego* (4).

matruqueiro. *S. m. Bras., RJ.* Magarefe que matruca as reses abatidas.

matula[1]. *S. f.* Multidão de gente ordinária, de vadios; súcia, corja, matulagem: "Era a desolação e a dor por onde quer que passassem; cidades reverberando ao clarão dos incêndios, após o saque pela matula infrene" (Gastão Cruls, *4 Romances*, p. 92). [Cf. *mátula.*]

matula[2]. [Der. regress., muito alterado, de *matalotagem.*] *S. f. Bras.* **1.** Alforje para viagem; farnel. **2.** Matalotagem (2). [Cf. *mátula.*]

mátula. [Do lat. *matula.*] *S. f. Ant.* **1.** V. *urinol* (1). **2.** Vaso, gamela, alguidar. [Cf. *matula.*]

matulagem. *S. f.* **1.** V. *matula*[1]. **2.** Vida de vadios ou matula; vadiagem.

matulão. [De *matula*[1] + *-ão*[2].] *S. m.* Vadio, estróina: "— Sai, cão tinhoso! .... Sai fora, matulão, antes que te mande para as profundas do inferno!" (Eduardo Frieiro, *O Mameluco Boaventura*, p. 66.) [Fem.: *matulona.* Cf. *matolão.*]

matulona. *S. f.* V. *matulão.*

matumbo. [Do quimb. *ma'tumbu*, 'montículos'.] *S. m.* **1.** *Bras., SP.* Leirão preparado nas várzeas do litoral para plantio de tubérculos, a fim de evitar que apodreçam; vala. **2.** Elevação de terra entre sulcos. [Var.: *matombo.*]

mantungada. *S. f. Bras., RS.* Porção de matungos; matungama.

matungama. *S. f. Bras., RS.* Matungada.

matungão. *S. m. Bras., RS.* **1.** V. *matungo* (1 e 2). **2.** Cavalo corpulento e sem vivacidade.

matungo. [Do esp. plat. *matungo.*] *S. m.* **1.** *Bras., SP.* Cavalo sem raça. **2.** *Bras., SP.* Cavalo forte, bom. **3.** *Bras., RS.* Cavalo velho, sem préstimo; pilungo. [No RS o termo tende a ser aplicado a qualquer cavalo.] [Sin. ger.: *matungão.*] **4.** *Bras.* V. *berimbau* (2).

matupá. [Do tupi *matu'pa.*] *S. m. Bras., Amaz.* **1.** Massa compacta e considerável de capim aquático, que se encosta à beira dos rios e lagos. **2.** Barranco flutuante despegado da margem do rio, e que desce nas enchentes, coberto de canaranas, marurés e outras plantas; pariatã, periantã. [V. *balseiro* (3).]

matupiri. [Do tupi *matupi'ri.*] *S. m.* **1.** *Bras.* Peixe teleósteo, caraciforme, da família dos caracídeos (*Tetragonopterus chalceus* Agass.), da Amaz., de coloração prateada, dorso denegrido e abdome branco. Alimenta-se de invertebrados aquáticos, sementes, e toda sorte de restos animais. **2.** *Bras.* V. *canivete* (5). **3.** *Bras., Amaz.* Peixe tetragonopterídeo, de modo geral. [Cf. *lambari.*]

maturação. [De *maturar* + *-ção.*] *S. f.* **1.** Ato ou efeito de maturar; amadurecimento. **2.** V. *maduração.* **3.** *Psicol.* Processo de transformação e desenvolvimento de um órgão ou organismo para o exercício pleno de suas funções, e que se prende essencialmente à idade. **4.** Fase da evolução dos gametas em que estes se tornam aptos para a fecundação. **5.** *Fam.* V. *maduração* (2). **6.** *Fig.* Desenvolvimento, desabrochamento, aperfeiçoamento: *maturação do espírito.*

maturado. [Part. de *maturar.*] *Adj.* Que se maturou; maduro.

maturador (ô). *Adj.* Maturativo (1).

maturaqué. *S. m. Bras.* V. *traíra* (1).

maturar. [Do lat. *maturare.*] *V. t. d. e int.* V. *amadurecer* (1, 6 e 9): "Ela [a árvore] nos fala .... do sol estival, que lhe maturou os frutos." (Bulhão Pato, *Livro do Monte*, Introdução).

maturativo. [Do lat. *maturatu*, part. pass. de *maturare*, + *-ivo.*] *Adj.* **1.** Que produz ou auxilia a maturação; maturador. **2.** *Med.* Que promove a supuração: *emplastro maturativo.*

maturescência. *S. f.* Qualidade ou estado de maduro ou maturescente: "e cem outras árvores da floresta parecem precipitar a maturescência de suas bagas ...., para que mais cedo os alvos dentes da ninfa as mordam com delícia." (Monteiro Lobato, *Urupês, Outros Contos e Coisas*, p. 420).

maturescente. [Do lat. *maturescente.*] *Adj. 2 g.* Que está amadurecendo: *caquis maturescentes.*

maturi. [Do tupi *matu'ri.*] *S. m. Bras., N.E.* Caju novo, ou, propriamente, a castanha verde, grande e mole do caju antes do desenvolvimento do pedúnculo.

maturidade. [Do lat. *maturitate.*] *S. f.* **1.** V. *madureza* (3). **2.** *Psicol.* Estado em que há maturação (3). **3.** Época desse desenvolvimento; idade madura. **4.** *Fig.* Perfeição, excelência, primor: *Sua arte atingiu a maturidade.* **5.** *Fig.* Firmeza, precisão, exatidão: *Revela maturidade de estilo.* **6.** *Fig.* Circunspecção, siso, prudência. **7.** Fase do ciclo vital de um lago na qual se registra certo equilíbrio entre o recebimento e a perda de suas águas.

maturrangada. *S. f. Bras., RS.* **1.** Grande número de maturrangos. **2.** Falta cometida na arte de montar. **3.** Serviço de campo malfeito, como se fora executado por um maturrango.

maturrangar. [De *maturrango* + *-ar*[2].] *V. int. Bras., RS.* V. *maturranguear.* [Conjug.: v. *largar.*]

maturrango. [Do esp. plat. *maturrango.*] *S. m. Bras., RS.* **1.** Indivíduo que monta mal a cavalo. **2.** Aquele que não entende do trabalho do campo, e que é bisonho nas lides com o gado ou cavalos. [Var.: *maturrengo.*]

maturranguear. [Do esp. plat. *maturranguear.*] *V. int. Bras., RS.* Fazer coisa de maturrango. [Var.: *maturrenguear;* sin.: *maturrangar.* Conjug.: v. *frear.*]

maturrão. *S. m. Bras., RS.* Besta velha e/ou cega, inútil para o serviço.

maturrengo. *S. m. Bras., RS.* Var. de *maturrango.*

maturrenguear. *V. int. Bras., RS.* V. *maturranguear.* [Conjug.: v. *frear.*]

maturu. *S. m. Bras.* Vaso de barro para fabricação de azeite de peixe.

matusalém. [Do antr. *Matusalém* (v. *matusalênico*).] *S. m. Fam.* Indivíduo muito velho; ancião, macróbio.

matusalêmico. *Adj.* Matusalênico: "O marechal mergulhou mais a face adunca nas barbas matusalêmicas (João do Rio, *As Religiões no Rio*, p. 213).

matusalênico. *Adj. Bras.* **1.** Pertencente ou relativo a Matusalém, patriarca bíblico que viveu, segundo a tradição, 969 anos. **2.** *Fig.* Longevo. [F. paral.: *matusalêmico.*]

matusquela. *S. 2 g. Bras., RJ. Gír.* Pessoa maluca, amalucada, adoidada.

matutação. *S. f.* Ato de matutar.

matutada. [De *matuto* (6) + *-ada*[1].] *S. f. Bras., N.* Grupo de matutos.

matutagem[1]. *S. f. Bras.* Matutice.

matutagem[2]. *S. f. Bras., N.E. Pop.* Alter. de *matalotagem.* ♦ **Fazer matutagem.** Abater uma rês, comumente para fins festivos.

matutar. [De *matuto* + *-ar*[2].] *V. int.* **1.** Pensar ou refletir em algo; cismar, ruminar. *T. d.* **2.** Planejar, intentar, pretender. *T. i.* **3.** Pensar insistentemente; meditar, parafusar: *Matutou muito na questão;* "Duvidava e acreditava ao mesmo tempo. Fiquei até doente, matutando sobre aquilo." (Nélson de Faria, *Tiziu e Outras Estórias*, p. 53).

matutice. *S. f.* Aparência, modos ou ação de matuto; matutagem.

matutina. [F. abrev. de *estrela matutina.*] *S. f.* **1.** V. *vênus* (2). **2.** *Bras. Mar. G.* Toque de corneta ou de apito, destinado a despertar a guarnição para os trabalhos diários.

matutinal. [Do lat. *matutinale.*] *Adj. 2 g.* V. *matutino* (1 e 2).

matutinário. [Do lat. *matutinas*, 'matinas', + *-ário.*] *Adj. e s. m.* V. *matineiro.*

matutinense. *Adj. 2 g.* **1.** De, ou pertencente ou relativo a Matutina (MG). ● *S. 2 g.* **2.** Natural ou habitante de Matutina.

matutino. [Do lat. *matutinu.*] *Adj.* **1.** Da, ou relativo à, ou próprio da manhã; matutinal, matinal: "A matutina luz, serena e fria, / As estrelas do pólo já apartava" (Luís de Camões, *Os Lusíadas*, III, 45); *o orvalho matutino;* "e, do lado das montanhas, desciam tons matutinos de natureza que desperta." (Aluísio Azevedo, *Casa de Pensão*, p. 148). **2.** Diz-se de indivíduo madrugador; matinal, matutinal. ~ V. *crepúsculo* — e *estrela* —a. ● *S. m.* **3.** Jornal que aparece pela manhã: "Ortulano leu no matutino lisboeta a notícia do passamento do antigo condiscípulo" (Joaquim Paço d'Arcos, *Carnaval e Outros Contos*, p. 163).

matuto. [De *mato* + *-uto.*] *Adj.* **1.** Que vive no mato, na roça [v. *caipira* (3)]: *indivíduo matuto.* **2.** Pertencente ou relativo ao, ou próprio do mato, da roça; caipira: *histórias matutas.* **3.** *Bras., N.* e *N.E.* Acanhado, tímido, desconfiado. **4.** Dado a matutar; cismático, cogitabundo. **5.** *Fam.* Finório, sabido, matreiro. ● *S. m.* **6.** *Bras.* V. *caipira* (1). **7.** *Bras.* Sujeito ignorante e ingênuo. [Cf., nas acepç. 1, 2 e 6, *provinciano.*]

mau. [Do lat. *malu.*] *Adj.* **1.** Que causa mal, prejuízo ou moléstia: *maus ares; fruta má.* **2.** Malfeito; imperfeito, irregular: *tradução má.* **3.** De má qualidade; inferior: *mau tecido.* **4.** Nefasto, funesto: *maus acontecimen-*

tos; maus presságios. **5.** V. *malvado* (1): *pessoa má.* **6.** *Fam.* Traquina(s), travesso: *menino mau.* **7.** Nocivo, prejudicial, ruim: *mau convívio; mau negócio.* **8.** Árduo, difícil: *maus caminhos.* **9.** Contrário à razão, à justiça, ao dever, à virtude: *maus costumes; ação má.* **10.** Irrefletido, inconveniente, inoportuno: *má palavra.* **11.** Que não cumpre seus deveres: *mau pai; mau aluno.* **12.** Rude, áspero, grosseiro: *maus modos.* **13.** Inábil, incapaz, desastrado: *mau mecânico.* **14.** Sem talento; sem arte: *mau ator, mau pintor.* **15.** Escasso, diminuto: *má colheita.* ~V. *anjo —, — gosto, mato —, — sucesso, má vida, de —s bofes, de —s fígados, ter —s bofes, ter —s fígados* e *má vontade.* ● *S. m.* **16.** Tudo o que é mau: *Todos preferem o bom ao mau.* **17.** Indivíduo de má índole, malvado, de maus costumes: "Os mortos voltarão varrendo os vivos, / E os *maus* se afogarão na própria lama!" (Olavo Bilac, *Tarde*, p. 27). **18.** *Bras.* V. *diabo* (2). ● *Interj.* **19.** Designativa de reprovação ou descontentamento. [Cf. *maú.*]

maú. [Do tupi *ma'u.*] *S. m. Bras.* Ave passeriforme, da família dos cotingídeos (*Perissocephalus tricolor* (Mul.)), da Amaz., de dorso pardo tirante ao amarelo, fronte, parte da cabeça, loros e região orbital nus, com poucas cerdas negras, asas e cauda negras, coberteiras inferiores da asa brancas, e mento nu, com cerdas brancas. Costuma emitir um grito parecido com o berro do bezerro, o que lhe granjeou o nome popular. [Sin.: *urutauí, urutaí, ave-capuchinha.* Cf. *mau.*]

mauaense. *Adj. 2 g.* **1.** De, ou pertencente ou relativo a Mauá (SP). ● *S. 2 g.* **2.** Natural ou habitante de Mauá.

mauaiana. *Bras. S. 2 g.* **1.** Indivíduo dos mauaianas, tribo indígena que habita na região dos formadores do rio Mapuera (PA). ● *Adj. 2 g.* **2.** Pertencente ou relativo a essa tribo.

mauari. *S. m. Bras.* V. *maguari.*

mauaua. *Bras. S. 2 g.* **1.** Indivíduo dos mauauas, tribo indígena da margem esquerda do rio Jauaperi (RR). ● *Adj. 2 g.* **2.** Pertencente ou relativo a essa tribo.

maúba. [Do tupi *ma'uba.*] *S. f. Bras., Amaz.* Árvore da família das lauráceas (*Licaria mahuba*), da floresta pluvial, de folhas alternas e obovadas, flores esverdeadas, tomentosas, cujo fruto é uma baga provida de cúpula, e cuja madeira, amarela e fétida, é útil para construção.

mau-caráter. *S. m.* Pessoa de má índole, velhaca, de mau caráter: "o fato é que se tornou um *mau-caráter* de primeira, e um péssimo marido." (Cora Rónai Vieira e Paulo Rónai, *Aventuras de Fígaro*, p. 60). [Pl.: *maus-caracteres.*]

maué. *Bras. S. 2 g.* **1.** Indivíduo dos maués, indígenas, que habitam o rio Tapajós e são considerados tupis. ● *Adj. 2 g.* **2.** Pertencente ou relativo aos maués.

mauesense (auè). *Adj. 2 g.* **1.** De, ou pertencente ou relativo a Maués (AM). ● *S. 2 g.* **2.** Natural ou habitante de Maués.

maueza (ê). [De *mau* + *-eza.*] *S. f. Bras., SP. Pop.* Maldade, ruindade: "Histórias! *mauezas* de cafumangos que não têm preceito e falam dos dentes pra fora." (Valdomiro Silveira, *Os Caboclos*, p. 154.)

maújo. *S. m.* Instrumento de calafate, para tirar estopa das fendas.

maula. [Do esp. plat. *maula.*] *Adj. 2 g. Bras., RS.* Diz-se de homem ou de cavalo ruim, mole, fraco, covarde.

maulieni. *Bras. S. 2 g.* **1.** Indivíduo dos maulienis, tribo indígena aruaque do rio Aiari. ● *Adj. 2 g.* **2.** Pertencente ou relativo a essa tribo. [Sin.: *cana-tapuia.*]

maunça (a-ún). [De *mão.*] *S. f.* **1.** V. *mancheia.* **2.** A parte fina ou remate do fuso.

mau-olhado. [De *mau* + *olhado.*] *S. m.* **1.** Qualidade que se atribui a certas pessoas de causarem desgraça àqueles para quem olham. **2.** O mau efeito dessa qualidade. [Sin. ger.: *jetatura* e (bras., PE, pop.) *lili.* Pl.: *maus-olhados.*]

mauresco (ê). [De *mauro* + *-esco.*] *Adj.* **1.** V. *mourisco* (1). **2.** V. *mouro* (4).

Mauricéia. *S. f.* A cidade do Recife (PE), assim cognominada em evocação a Maurício de Nassau [v. *nassoviano*].

mauriciano. *Adj.* **1.** De, ou pertencente ou relativo a Maurício (ilha do Oceano Índico). ● *S. m.* **2.** Natural ou habitante de Maurício.

mauriense[1]. [De *mauro* + *-i-* + *-ense.*] *Adj. 2 g.* **1.** V. *mourisco* (1). **2.** V. *mouro* (4).

mauriense[2]. [Do antr. *Mauro*, de S. Mauro, + *-i-* + *-ense.*] *Adj. 2 g.* De, ou pertencente ou relativo a S. Mauro (c. 518-584), monge francês, ou à Congregação de S. Mauro, fundada em 1618, na França.

mauritânia. [Do top. *Mauritânia.*] *S. f.* Erva da família das cariofiláceas (*Dianthus barbatus*), originária da Ásia e cultivada como ornamental nos jardins, de folhas largas e flores numerosas, e pétalas denteadas, alvas ou vermelhas, dispostas em densas cimeiras.

mauritano. *Adj.* **1.** Da, ou pertencente ou relativo à Mauritânia (África Ocidental). ● *S. m.* **2.** O natural ou habitante da Mauritânia; mouro.

mauritiense. *Adj. 2 g.* **1.** De, ou pertencente ou relativo a Mauriti (CE). ● *S. 2 g.* **2.** Natural ou habitante de Mauriti.

mauro. [Do lat. *mauru.*] *Adj.* e *s. m.* V. *mouro* (1 e 4).

máuser. [Do antr. *Mauser*, dos alemães Peter Paul Mauser (1838-1914) e seu irmão Wilhelm Mauser (1834-1882), inventores de armas de fogo.] *S. f. Bras.* **1.** Carabina automática, de fabricação alemã, cujo primeiro modelo substituiu o fuzil de agulha. **2.** Certo tipo de pistola automática, pequena, achatada, de linhas predominantemente retas, e que se municiona pela coronha. [Pl.: *máuseres.*]

mausoléu. [Do gr. *mausóleion*, pelo lat. *mausoleu*, em alusão ao túmulo que Artemisa, viúva de Mausolo, rei da Cária, antiga cidade da Ásia Menor, mandou erguer ao marido.] *S. m.* **1.** Sepulcro de Mausolo (rei da Cária — séc. IV a. C.), em Halicarnasso, tido como uma das sete maravilhas do mundo antigo. **2.** *P. ext.* Sepulcro suntuoso: "dura mais [a nossa vaidade] do que nós mesmos, e se introduz nos aparatos últimos da morte. Que maior prova do que a fábrica de um elevado *mausoléu*? .... querem [os homens] que a suntuosidade do túmulo sirva de inspirar veneração, como se fossem relíquias as suas cinzas" (Matias Aires, *Reflexões sobre a Vaidade dos Homens*, pp. 1-2).

maus-tratos. [De *mau* + *trato[1]*.] *S. m. pl. Jur.* Crime de quem expõe a perigo a vida ou a saúde de pessoa que se acha sob sua autoridade, guarda ou vigilância, para fins de educação, ensino, tratamento ou custódia, seja privando-a de alimentação ou cuidados indispensáveis, seja impondo-lhe trabalho excessivo ou impróprio, seja abusando de meios corretivos ou disciplinares.

mau-vizinho. *S. m. Bras.* Arbusto da família das leguminosas (*Mimosa maloasina*). [Pl.: *maus-vizinhos.*]

mauzão. [De *mau-* + *-z-* + *-ão[1]*.] *Adj.* e *s. m. Fam.* Que ou aquele que é muito mau; perverso. [Fem.: *mauzona.*]

mauzona. *Adj.* (*f.*) e *s. f. Fam.* Fem. de *mauzão.*

maviosidade. *S. f.* Qualidade de mavioso.

mavioso (ô). [De *amavioso*, com aférese.] *Adj.* **1.** Afável, afetuoso, terno: "Que mais pudera fazer um pai muito *mavioso* com um filho único e muito merecedor de ser amado?" (Frei Luís de Sousa, *Vida de D. Fr. Bertolameu dos Mártires*, II, p. 31.) **2.** Piedoso, compassivo. **3.** Brando, suave, doce, harmonioso: *voz maviosa;* "Pelas corolas túmidas de orvalho / Suspirava um favônio, carinhoso, / Com invisíveis mãos pulsando, leve, / Doce alaúde, ou bandolim *mavioso*" (Raimundo Correia, *Poesias*, p. 50). **4.** Que enternece ou comove; enternecedor: *palavras maviosas.* [Cf. *amavioso.*]

mavórcio. [Do lat. *mavortiu.*] *Adj.* **1.** Relativo a Mavorte ou Marte. **2.** Aguerrido, guerreiro, belicoso. [F. paral.: *mavórtico.*]

mavorte. [Do lat. *Mavorte.*] *S. m. Mit.* Marte (2).

mavórtico. [Do lat. *Mavorte*, 'Marte, deus da guerra', + *-ico[2]*.] *Adj.* V. *mavórcio.*

mavortismo. *S. m.* Qualidade ou caráter de mavórtico; belicosidade.

mavotsinin. *Bras. S. m.* Herói cultural das tribos do alto Xingu, do Parque Indígena do Xingu, em MT, autor da mãe do Sol e da Lua.

maxacali. *Bras. 2 g.* **1.** Indivíduo dos maxacalis, tribo indígena que vive na região dos formadores do rio Itanhaém, N.E. de MG, próximo à fronteira com a BA. ● *Adj. 2 g.* **2.** Pertencente ou relativo a essa tribo. [F. paral.: *maxacari.*]

maxacari. *Bras. S. 2 g.* e *adj. 2 g.* Maxacali.

maxambeta (ê). *S. f. Bras., SP.* V. *mentira* (1).

maxambomba. [Do ingl. *machine-pump*, 'bomba mecânica', atr. do lus. *maximbombo*, que designou um ascensor mecânico para ladeiras íngremes.] *S. f.* **1.** Carruagem de estrada de ferro, com mais de um pavimento. **2.** *Bras., N.* e *C.O.* Trole usado nos portos fluviais para serviço de carga e descarga dos vapores. **3.** *Bras.* Veículo desconjuntado e velho; calhambeque. **4.** *Bras., RJ.* V. *carrossel.*

máxi[1] (cs). *S. m.* F. red. de *maxicasaco* [q. v.].

máxi[2] (cs). *S. m.* F. red. de *maxivestido* [q. v.].

máxi[3] (cs). *S. f.* **1.** F. red. de *maxissaia* [q. v.]. ● *Adj. 2 g.* e *2 n.* **2.** Diz-se de traje feminino que segue a moda da maxissaia: *Os mantôs máxi só ficam bem em mulheres altas.*

▲**maxi-.** [Do lat. *maximu.*] *El. comp.* = 'máximo', 'muito grande': *maxicasaco, maxissaia.*

maxicasaco (cs). [De *maxi-* + *casaco.*] *S. m.* Casaco longo, que chega à altura do tornozelo. [A moda surgiu nos fins da década de 60. F. red.: *máxi.*]

maxicote. *S. m.* Argamassa feita de areia, cal, terra e água.

maxidesvalorização (cs). [De *maxi-* + *desvalorização.*] *S. f.* Desvalorização (2) muito elevada: "O mercado argentino acredita numa *maxidesvalorização* do peso." (*Jornal do Brasil*, 26.3.1981.) [Antôn.: *minidesvalorização.*]

maxila (cs). [Do lat. *maxilla.*] *S. f. Anat.* **1.** Cada um dos ossos em que se implantam os dentes. **2.** Osso que se articula com o maxilar inferior; "correu, furioso, as *maxilas* cerradas, os masseteres salientes" (Herman Lima, *Tijipió*, p. 147).

maxilar (cs). [Do lat. *maxillare*, 'do queixo'.] *Adj. 2 g.* **1.** Pertencente ou relativo à maxila. ● *S. m.* **2.** Cada um dos dois ossos em que se implantam os dentes superiores: "Um enorme vinco .... franzia-lhe a face de lés a lés, desde o *maxilar* ao occipital" (João da Silva Correia, *Farândola*, p. 120).

maxilípede (cs). [De *maxila* + *-i-* + *-pede.*] *S. m.* Cada um dos apêndices situados atrás das maxilas dos crustáceos, e que o animal utiliza para captar os alimentos e levá-los à boca.

maxilípode (cs). [De *maxila* + *-i-* + *-pode.*] *S. m.* V. *maxilípede.*

maxilite (cs). [De *maxila* + *-ite[1]*.] *S. f. Patol.* Inflamação de maxila.

maxiloso (cs...ô). *Adj.* Que tem grandes maxilas.

maxim. *S. m. Luso-afr.* Longa faca para cortar erva. [Cf. *machim.*]

máxima (ss). [Fem. substantivado de *máximo.*] *S. f.* **1.** Princípio básico e indiscutível de ciência ou arte; axioma. **2.** Sentença ou doutrina moral: *as máximas do Evangelho.* **3.** Conceito, aforismo, pensamento, apotegma: "alguém, que não foi o Marquês de Maricá, escreveu que louvor em boca própria é vitupério. Não conheço o autor da *máxima*" (Machado de Assis, *A Semana*, II, p. 18). **4.** Provérbio, anexim. **5.** *Mús. Ant.* Figura com o valor de oito semibreves.

maximalismo (ss). *S. m.* Bolchevismo.

maximalista (ss). [Do fr. *maximaliste*, adaptação do russo *bolchévik*, 'maioria', t. que passou, posteriormente, a designar 'partidário do máximo de ação, i. e., da ação revolucionária direta e imediata'.] *Adj. 2 g.* e *s. 2 g.* Diz-se de, ou aquele que, entre os adeptos de um partido de esquerda, adota intransigentemente o seu programa máximo (socialização dos meios de produção, destituição da burguesia, etc.). [V. *minimalista.*]

maximante (ss). *S. m. Anál. Mat.* No domínio de uma função, ponto em que esta tem um máximo. [Opõe-se a *minimante.*]

maximário (ss). [De *máxima* + *-ário.*] *S. m.* Coleção de máximas [v. *máxima* (3)].

máxime (cs...è). [Do lat. *maxime.*] *Adv.* Principalmente, especialmente, mormente: *Acelera-se a industrialização, máxime no sul do País.*

maximização (ss). [De *maximizar* + *-ção.*] *S. f.* Processo pelo qual se determina o maior valor que uma grandeza pode assumir.

maximizar (ss). *V. t. d. Bras.* **1.** Elevar ao máximo. **2.** Superestimar, sobreestimar: *Procura maximizar a sua participação na luta.* **3.** Proceder à maximização de. **4.** *Mat.* Fazer (uma função) assumir um valor máximo. [Antôn.: *minimizar.*]

máximo (ss). [Do lat. *maximu.*] *Adj.* **1.** Maior que todos; que está acima de todos: *a máxima potência; o máximo poeta; pena máxima.* **2.** Absoluto, rigoroso, estrito: *o máximo silêncio; o máximo cuidado.* ~ V. *círculo —, penalidade —a* e *seqüência —a.* ● *S. m.* **3.** O mais alto grau a que pode chegar uma quantidade variável: *o máximo da cotação do título.* **4.** Aquilo que é mais alto ou maior: *O pico da Neblina tem o máximo de elevação entre as montanhas do Brasil.* **5.** O último grau possível; o ponto mais alto; o cúmulo: *A discussão chegou ao máximo.* **6.** *Mat.* Elemento de um conjunto que é maior que outro qualquer elemento desse conjunto. ◆ **Máximo divisor comum.** *Mat.* O maior inteiro que divide simultaneamente cada membro de um conjunto de inteiros. [Símb.: *MDC.*] **No máximo.** **1.** No estrito limite maior de: *Andará no máximo 30 quilômetros; Chegarei no máximo às 8 horas.* **2.** Na melhor hipótese: *Será, no máximo, um comerciário.*

maxirona. *Bras. S. 2 g.* e *adj. 2 g.* V. *majuruna.*

maxissaia (cs). [De *maxi-* + *saia.*] *S. f.* Saia longa, que chega à altura do tornozelo. [A moda surgiu nos fins da década de 60. F. red.: *máxi.*]

maxivestido (cs). [De *maxi-* + *vestido.*] *S. m.* Vestido longo, que segue a moda da maxissaia [q. v.]. [F. red.:

máxi. Cf. *longo* (6).]

maxixar. *V. int. Bras.* Dançar o maxixe²: "Os pares dançarinos m a x i x a v a m calados." (Antônio de Alcântara Machado, *Novelas Paulistanas,* p. 78.)

maxixe¹. [Do quimb. *maxi'xi.*] *S. m. Bras.* O fruto do maxixeiro. [Sin., BA, pop.: *galinha-arrepiada.*]

maxixe². [Do antr. *Maxixe,* apelido de um conhecido boêmio, bom dançarino, que teria inventado este passo.]. *S. m. Bras.* Dança urbana, geralmente instrumental, de par unido, originária da cidade do Rio de Janeiro, onde apareceu entre 1870 e 1880, como resultado da fusão da habanera e da polca com uma adaptação do ritmo sincopado africano. Era em compasso binário simples, andamento rápido, e caracterizavam-na requebros de quadris, voltas, quedas e movimentos de rosca (parafusos), acompanhados de passos convencionados ou improvisados pelos dançarinos. Foi substituída pelo samba, na segunda década do séc. XX.

maxixeiro¹. [De *maxixe¹* + *-eiro.*] *S. m. Bras.* Planta escandente, da família das cucurbitáceas (*Cucumis anguria*), de origem africana, cultivada graças a seus frutos, comestíveis, bagas carnosas dotadas de múltiplos apêndices, que as tornam eriçadas.

maxixeiro². [De *maxixe²* + *-eiro.*] *S. m. Bras.* **1.** Aquele que dança ou gosta de dançar o maxixe. ● *Adj.* **2.** Que dança ou gosta de dançar o maxixe.

maxubi. *Bras. S. 2 g.* **1.** Indivíduo dos maxubis, tribo indígena da bacia do Guaporé, cuja língua é considerada como isolada. ● *Adj. 2 g.* **2.** Pertencente ou relativo aos maxubis.

maxuruna. *S. 2 g. e adj. 2 g. Bras.* V. *majuruna.*

maxwell (cs). [Do antr. *Maxwell,* de James Clark Maxwell, físico escocês (1831-1879).] *S. m. Fís.* Unidade de medida de fluxo de indução magnética no sistema c.g.s. eletromagnético, igual a 10^{-8} Wb; linha de indução, linha. [Símb.: *Mx.* Pl.: *maxwells.*]

maxwelliano (cs...uel). *Adj.* Pertencente ou relativo a James C. Maxwell [v. *maxwell*], ou próprio dele.

maza. [Do ioruba.] *S. f. Bras., RJ. Folcl.* Água usada nas cerimônias de macumba; mazia.

mazaganense. *Adj. 2 g.* **1.** De, ou pertencente ou relativo a Mazagão (AP). ● *S. 2 g.* **1.** Natural ou habitante de Mazagão.

mazagrã. [Do top. *Mazagran* (África), pelo fr. *mazagran.*] *S. m.* Café frio que se mistura a gelo triturado e açúcar, e que às vezes é regado de rum, conhaque ou limão.

mazama. [Do náuatle.] *S. m. Zool.* Espécie de veado americano (*Cervus virginianus.*).

mazanza. *Adj. 2 g. e s. 2 g. Bras.* **1.** Diz-se de, ou indivíduo indolente, preguiçoso. **2.** Diz-se de, ou indivíduo apalermado, aparvalhado, toleirão. **3.** Diz-se de, ou pessoa desajeitada, desastrada. [F. paral.: *manzanza.*]

mazanzar. *V. int. Bras.* **1.** Demorar na feitura de um trabalho; remanchar. **2.** Agir como mazanza. **3.** Ficar apalermado, apatetado. [F. paral.: *manzanzar.*]

mazaroio. *S. m. Bras., RN. Gír.* Grande quantidade ou porção; trabalho; remanchar. **2.** Agir como mazanza. **3.** Ficar apalermado, apatetado. [F. paral.: *manzanzar.*]

mazela. [Do lat. vulg. **macella,* por *macula,* 'mancha'.] *S. f.* **1.** Ferida, chaga. **2.** Doença, enfermidade, moléstia: "E começa a enumerar suas m a z e l a s — doenças de toda espécie, da mais requintada patogenia" (Fernando Sabino, *O Homem Nu,* pp. 35-36). **3.** Aquilo que aflige ou apoquenta; aborrecimento, desgosto. **4.** *Fig.* Defeito moral; mancha na reputação; labéu, matadura.

mazelado. [Part. de *mazelar.*] *Adj.* V. *mazelento.*

mazelar. *V. t. d.* **1.** Encher de mazelas; ferir, chagar, machucar; amazelar. **2.** Molestar, desgostar, afligir, atormentar. **3.** Cobrir de labéu; manchar, macular, desacreditar. *P.* **4.** Encher-se de mazelas; amazelar-se. **5.** Condoer-se, amargurar-se.

mazeleiro. *Adj.* V. *mazelento* (1).

mazelento. *Adj.* Cheio de mazelas; ferido, chagado, chaguento; mazelado, mazeleiro.

mazia. *S. f. Bras., RJ. Folcl.* Maza.

mazombice. *S. f.* Qualidade ou ação de mazombo.

mazombo. *S. m. Deprec.* **1.** Indivíduo nascido no Brasil, de pais estrangeiros, especialmente portugueses. ● *Adj.* **2.** Sorumbático, macambúzio, mal-humorado.

mazorca. [Do esp. plat. *mazorca.*] *S. f. Bras.* **1.** Perturbação da ordem; tumulto, desordem. **2.** *Fam.* Barulho, baderna.

mazorqueiro. *Adj. e s. m. Bras.* Que ou aquele que promove mazorcas; desordeiro.

mazorral. *Adj. 2 g.* Grosseiro, rude, incivil, mazorro. [F. paral.: *maçorral* e *maçarral.*]

mazorro (ô). [Talvez do ár. *manzōr,* 'escasso'.] *Adj.* **1.** Mazorral. **2.** Preguiçoso, indolente. **3.** Sorumbático, macambúzio, tristonho. ● *S. m.* **4.** Indivíduo mazorral.

mazurca. [Do pol. *mazurka,* pelo fr. *mazurka.*] *S. f.* Dança popular polonesa, originariamente cantada e dançada, em compasso ternário, com uma acentuação característica no segundo tempo, e que, no Brasil do séc. XIX, foi dança de salão: "viu-o nas salas da dança, conduzindo uma senhora ao passo da m a z u r c a" (Aluísio Azevedo, *O Coruja,* p. 56).

mbacaiá. *S. m. Bras.* Planta herbácea, da família das zingiberáceas (*Costus spicatus*), cultivada em virtude da beleza das flores, que são vistosas, branco-avermelhadas e dispostas em cachos de grande efeito ornamental, e cujas folhas são amplas e belas.

mbaiá¹. *S. m. Bras., MT.* Espécie de caçada na qual o caçador se envolve em ramagens verdes a fim de, com a aparência de arbusto, iludir os animais e aproximar-se deles.

mbaiá². *Bras. S. 2 g.* **1.** Indivíduo dos mbaiás, tribo indígena guaicuru do S.O. de MT. ● *Adj. 2 g.* **2.** Pertencente ou relativo a essa tribo.

mbatará. [Do tupi *mbata'rá,* 'choca⁴'.] *S. m. Bras.* **1.** V. *borralhara.* **2.** V. *choca⁴.*

mbiá. *Bras. S. 2 g.* **1.** Indivíduo dos mbiás, tribo indígena guarani do Paraguai oriental, do N.E. da Argentina e do S. do Brasil. ● *Adj. 2 g.* **2.** Pertencente ou relativo a essa tribo.

mboi. [Do tupi *mbói,* 'cobra'.] *S. f. Bras.* V. *cobra¹* (1).

mbóia. [De *mboi.*] *S. f. Bras.* V. *cobra¹* (1).

mbuí. *S. m. Bras.* Erva da família das compostas (*Solidago microglossa*), muito difundida, considerada medicinal pelo povo, e cujas pequeninas flores se reúnem em capítulos amarelos; os quais, por seu turno, se congregam em bonitas panículas; erva-lanceta.

■ **MDC.** *Mat.* Símb. de *máximo divisor comum.*

me. [De *mi,* contr. do lat. *mihi.*] Forma átona do pronome *eu,* a qual funciona como objeto direto ou, na maioria dos casos, como objeto indireto, correspondendo a: **1.** A mim: "Uma pesada, rude canseira / Toma-me todo." (Manuel Bandeira, *Estrela da Vida Inteira,* p. 42); "Contou-m e o que ocorrera." (Nestor de Holanda, *Memórias do Café Nice,* p. 19). **2.** A mim, ante mim; a meus olhos: "Divide-se a noite para que m e apareças / e prolongues tua presença entre sonhos cortados." (Cecília Meireles, *Obra Poética,* p. 406); *Surgiu-m e de repente aquela visão; Deparou-se-m e um soberbo espetáculo.* **3.** Em mim: "Passaram à minha vista, sem m e acordarem animalidade nem espiritualidade, suaves raparigas pálidas." (João de Araújo Correia, *Sem Método,* p. 18). **4.** Para mim; destinado ou dirigido a mim: *Compre-m e um bonito presente no dia dos meus anos;* "Canta-m e cantigas, manso, muito manso..." (Guerra Junqueiro, *Os Simples,* p. 119). **5.** De mim: "Perdoai-m e se eu choro! perdoai-m e / Lágrimas que por si m e estão brotando" (Antônio Feliciano de Castilho, *Escavações Poéticas,* p. 253); "Entristeces-m e com esse juízo estreito que m e fazes." (Fialho d'Almeida, *Aves Migradoras,* p. 186). **6.** Tem, às vezes, caráter reflexivo: *Cortei-m e; Feri-m e seriamente.* **7.** Com certos verbos, pode indicar a voz passiva: *Batizei-m e naquela igreja; Eduquei-m e em São Paulo.* **8.** Por vezes (com elegância para o estilo), vale como possessivo: *Lançou-se-m e aos pés;* 'Entrei. Um gênio carinhoso e amigo, / O fantasma talvez do amor materno, / Tomou-m e as mãos" (Luís Guimarães, *Sonetos e Rimas,* p. 11); "Dói-m e a cabeça." (Augusto dos Anjos, *Eu,* p. 123). **9.** Pode funcionar como dativo ético: "E ver agora um ninguém / Vir-m e ao Porto dar a lei." (João de Deus, *Campo de Flores,* II, p. 97); "Graziela só ama os autores bons. .... Sabe-m e de cor o Garrett, o melhor Junqueiro, o Eça crítico." (João de Araújo Correia, *Sem Método,* p. 66); "— Ninguém m e põe hoje o pé fora do portão. Quero todos estudando perto de mim." (Osvaldo Orico, *Vinha do Senhor,* p. 59); "D. Lucrécia, vós com esses vestidos de luto! Pois não é hoje um dia de .... festa para nós ambas! Oh! mudai-m o s, mudai-m o s breve" (Gonçalves Dias, *Teatro,* p. 105). [Cf. *mê* e *mi.*]

mê. *S. m.* Eme. [Pl.: *mês* ou *mm.* Cf. *me* e *mi.*]

meã. *Adj. (f.)* Fem. de *meão:* "Moreninha de cabelos pretos, m e ã de estatura." (A. J. de Figueiredo, *Conceição, Minha Namorada,* p. 16.)

meação. [De *mear* + *-ção.*] *S. f.* **1.** Divisão em duas partes iguais. **2.** Divisão de uma parede ou de um muro em duas partes, cada uma delas pertencente a um proprietário. **3.** Direito de co-propriedade entre dois vizinhos sobre um ou mais objetos. **4.** *Jur.* A metade ideal dos bens comuns dos cônjuges, pertencente a cada um deles.

mea-culpa. [Do lat. *mea culpa,* 'minha culpa', palavras que fazem parte do ato de contrição.] *El. s. m.* Us. na loc. *fazer mea-culpa.* ◆ **Fazer mea-culpa.** Reconhecer o seu erro, a sua culpa; arrepender-se.

meada. [Fem. substantivado de *meado.*] *S. f.* **1.** Porção de fios dobrados. **2.** *Fig.* Enredamento, confusão, mixórdia: "Para que iria .... enredar-se numa m e a d a d'amarguras domésticas, por um excesso de cavalheirismo romântico?" (Eça de Queirós, *Os Maias,* II, p. 267.) **3.** *Fig.* Intriga, enredo, mexerico. [Cf. *miada.*]

meadeira. *S. f. Bras.* Máquina de fazer meadas.

meado. [Part. de *mear.*] *Adj.* **1.** Chegado ao meio ou próximo do meio: *ano m e a d o.* ● *S. m.* **2.** A parte média ou mediana; o meio: "no m e a d o do décimo século, posto que esse distrito fosse assaz povoado, o seu aspecto assemelhava-se ao de um deserto" (Alexandre Herculano, *Lendas e Narrativas,* I, pp. 3-4). [Tb. us. no pl.: *nos m e a d o s do ano.* Cf. *miado.*]

mealha. [Do lat. vulg. **medalia,* f. dissimilada de *medialia,* pl. de *mediale* (subentende-se aes), 'cobre': moeda de cobre que valia a metade de um dinheiro.] *S. f.* **1.** Moeda antiga, de cobre, do valor de meio ceitil; malha: "Quereis vós, senhor, um conselho, e não vos custará nem m e a l h a?" (Alexandre Herculano, *Lendas e Narrativas,* II, p. 17.) **2.** *Fig.* Pequena porção de qualquer coisa; migalha, partícula.

mealheiro. *s. m.* **1.** Conjunto de mealhas. **2.** *P. ext.* Pecúlio (1). **3.** Cofrezinho ou caixinha com uma fenda por onde se põe dinheiro a juntar: *m e a l h e i r o de barro.* ● *Adj.* **4.** Que apenas consta de mealhas, de pouco dinheiro. **5.** Que dá lucro pequeno: *negócio m e a l h e i r o.*

meandrar. *V. int.* Formar meandros: serpear, serpejar, serpentear: "Jequiá [rio alagoano], com seu afluente Jequiazinho, atravessa a lagoa de igual nome e chega ao mar em um vale .... , depois de m e a n d r a r" (Ivã Fernandes Lima, *Geografia de Alagoas,* pp. 49-50).

meândrico. [Do lat. *maiandricu.*] *Adj. P. us.* **1.** Que tem meandros ou sinuosidades. **2.** *Fig.* Difícil de compreender; emaranhado, confuso.

meandro. [Do top. *Meandro,* rio muito sinuoso da Ásia.] *S. m.* **1.** Sinuosidade, rodeio, volteio de curso de água, de caminho, etc.: *os m e a n d r o s do rio;* "no meio daqueles escuros e tortuosos m e a n d r o s, o camareiro hesitou, retendo a respiração e pondo-se a escutar atentamente." (Alexandre Herculano, *O Monge de Cister,* II, p. 154). **2.** *Fig.* Emaranhamento, complicação, dificuldade: *os m e a n d r o s do problema; os m e a n d r o s da alma.* **3.** *Fig.* Enredo, intriga, confusão: *os m e a n d r o s políticos.*

meante¹. *S. m.* **1.** Espécime dos meantes. ● *Adj.* **2.** Pertencente ou relativo a eles.

meante². [De *mear* + *-nte.*] *Adj. 2 g.* **1.** Dividido ao meio. **2.** Que vai em meio: "Em janeiro mete obreiro; mês m e a n t e, que não ante" (prov. lus.).

meantes. *S. m. pl. Zool.* Animais anfíbios, caudados, ordem *Meantes,* de corpo delgado, brânquias persistentes, maxilares com revestimento córneo, e desprovidos de membros posteriores e pálpebras. São aquáticos e não ocorrem no Brasil.

meão. [Do lat. *medianu.*] *Adj.* **1.** V. *mediano* (1). **2.** Nem grande nem pequeno; mediano, médio: *estatura m e ã;* "Troncudo e gordo, m e ã o de estatura, rosto redondo" (Jorge Amado, *Teresa Batista Cansada de Guerra,* p. 76). **3.** V. *medíocre* (2). **4.** *Bras., CE.* Diz-se do cavalo cuja marcha habitual é o meio. [Flex.: *meã, meãos, meãs.*] ● *S. m.* **5.** Peça central do tampo das vasilhas. **6.** Peça central, grossa, da roda dos carros, na qual se embebe o eixo e assentam as cambas. **7.** *Bras., MA. Folcl.* Tambor médio, de madeira escavada a fogo, com a abertura superior coberta de couro, para a percussão, usado no tambor-de-crioula; chamador. [Pl.: *meãos.*]

mear. [Do lat. *mediare.*] *V. t. d.* **1.** Dividir ou partir ao meio; amear, dimidiar. **2.** Chegar à metade de (um trabalho, uma tarefa); pôr em meio. *Int.* e *p.* **3.** Chegar ao meio: "Corria o ano de 1575. M e a v a-se o mês de abril, e ainda el-rei D. Sebastião se demorava em Évora" (Conde de Sabugosa, *Embrechados,* p. 25). [Conjug.: v. *frear.* Cf. *miar.*]

meato. [Do lat. *meatu.*] *S. m.* **1.** Pequeno canal. **2.** Orifício externo de canal. **3.** Intervalo que dá passagem. **4.** Caminho, via, conduto. **5.** *Anat.* Designação comum a alguns orifícios de conduto (2), como, p. ex., o meato urinário e o meato auditivo externo. **6.** *Bot.* Espaço intercelular vegetal cheio de ar ou de resina.

meca. [Do top. *Meca* (Ásia)?] *El. s. f.* V. *ceca.*

mecanal. *Adj. e s. m. Tip.* Diz-se do, ou tipo de ostensão de estrutura retangular ou quadrada, traços quase sempre uniformes, e serifas em forma de barra simples ou com curvatura interna, a cuja família pertence o tipo de máquina. [Cf. *letra italiana*.]

mecânica. [Do gr. *mechaniké*, 'a arte de construir uma máquina', pelo lat. *mechanica*.] *S. f.* **1.** Ciência que investiga os movimentos e as forças que os provocam. **2.** Obra, atividade ou teoria que trata de tal ciência: a *mecânica de Laplace*. **3.** O conjunto das leis do movimento. **4.** Estrutura e funcionamento orgânicos; mecanismo: a *mecânica do aparelho digestivo*; *a mecânica do relógio*. **5.** Atividade relacionada com máquinas, motores, mecanismos. **6.** Aplicação prática dos princípios de uma arte ou ciência. **7.** Tratado ou compêndio de mecânica. **8.** Exemplar de um desses tratados ou compêndios. **9.** *Fig.* Combinação de meios, de recursos; mecanismo: *a mecânica política*. ◆ **Mecânica analítica.** *Fís.* Estudo matemático-dedutivo da mecânica (1); mecânica racional. **Mecânica celeste.** *Fís.* Parte da mecânica clássica que investiga o movimento dos corpos celestes. **Mecânica clássica.** A que se baseia nas leis de Newton; mecânica newtoniana. **Mecânica dos solos.** Estudo do comportamento dos maciços terrosos sob a ação de esforços externos e internos. **Mecânica estatística.** Parte da física que investiga os sistemas macroscópicos mediante o estudo da sua estrutura microscópica e dos fenômenos de massa que esta provoca. **Mecânica newtoniana.** *Fís.* Mecânica clássica. **Mecânica ondulatória.** *Fís.* Mecânica quântica. **Mecânica quântica.** Parte da física em que se investigam os fenômenos ocorrentes com partículas, átomos e moléculas, e em que, abandonando-se a admissão clássica da continuidade dos processos subatômicos, se aceita a ocorrência de fenômenos discretos quantificados; mecânica ondulatória. **Mecânica racional.** *Fís.* Mecânica analítica.

mecanicismo. [De *mecânico* + *-ismo*.] *S. m. Filos.* Doutrina que admite que determinado conjunto de fenômenos, ou mesmo toda a natureza, se reduz a um sistema de determinações mecânicas. [Afirma-se esta doutrina sobretudo por conceber o movimento como determinado por lei causal rigorosa, e por negar todo tipo de finalismo ou de qualidade oculta para a determinação dos fenômenos naturais.]

mecanicista. *Adj. 2 g.* Relativo ao mecanicismo. ~ V. *materialismo* —.

mecânico. [Do gr. *mechanikós*, pelo lat. *mechanicu*.] *Adj.* **1.** Pertencente ou relativo à mecânica: *princípios mecânicos*. **2.** Executado por máquina ou mecanismo. **3.** *Filos.* Relativo a processo em que se pode determinar uma série de fases subordinadas e dependentes umas das outras. **4.** *Filos.* Relativo a processo em que cada momento é determinado por condições antecedentes invariáveis. **5.** *Fig.* Maquinal, automático, reflexo: *gestos mecânicos*. ~V. *artes —as, composição —a, equilíbrio —, estabilização —a, freio —, olho —, pá —a, pasta —a, perna —a, pólvora —a* e *rocha —a*. ● *S. m.* **6.** Profissional da mecânica (5). **7.** Indivíduo de origem ou condição modesta; trabalhador: "parecia-lhe melhor que os toureadores, sendo fidalgos, servissem o Estado com a pena ou com a espada, e, sendo mecânicos, que lavrassem, tecessem e ganhassem honradamente a vida" (Rebelo da Silva, *Contos e Lendas*, p. 174).

mecanismo. [Do fr. *mécanisme*.] *S. m.* **1.** Disposição das partes constitutivas de uma máquina; maquinismo. **2.** Mecânica (4): *o mecanismo da eletrola; o mecanismo do corpo humano*. **3.** *Fig.* Funcionamento orgânico; processo de funcionamento: *o mecanismo do raciocínio; o mecanismo administrativo; o mecanismo da sociedade*. **4.** *Fig.* Mecânica (9): *o mecanismo diplomático*. **5.** *Fig.* Parte material ou externa da linguagem, independentemente do sentido das palavras. **6.** *Mús.* Estudo prático de qualquer instrumento, mediante exercícios com que se obtém igualdade na movimentação dos dedos, flexibilidade, velocidade, resistência, força, domínio da sonoridade, etc.; técnica. ◆ **Mecanismo de defesa.** *Psicol.* Qualquer dos processos psicológicos inconscientes, como, p. ex., a sublimação, a projeção, a regressão, utilizados, segundo as circunstâncias, para diminuir a angústia ou as tensões resultantes dos conflitos internos; defesa.

mecanização. *S. f.* Ação ou efeito de mecanizar.

mecanizado. [Part. de *mecanizar*.] *Adj.* Em que houve mecanização. ~ V. *terraplenagem —a*.

mecanizar. [De *mecan(o)-* + *-izar*.] *V. t. d.* **1.** Prover de máquinas e meios mecânicos: *mecanizar a agricultura*. **2.** Organizar mecanicamente. **3.** Dispor a organização de (mecanismos). **4.** Tornar maquinal ou mecânico.

▲**mecan(o)-.** [Do gr. *mechané, ês*.] *El. comp.* = 'máquina', 'engenho': *mecanotipia, mecanizar*.

mecanografado. [Part. de *mecanografar*.] *Adj.* Que se mecanografou.

mecanografar. [De *mecan(o)-* + *-graf(o)+* + *-ar*[2].] *V. t. d.* Organizar ou reproduzir por meio mecanográfico.

mecanografia. [De *mecan(o)-* + *-graf(o)-* + *-ia*.] *S. f.* **1.** Arte, técnica ou processo de utilizar máquinas para apuração e organização de documentos, para auxiliar a escrita ou o cálculo, etc. **2.** Atividade que compreende a fabricação, venda e manutenção de máquinas, dactilográficas, taquigráficas, contábeis, computadores, etc.

mecanográfico. *Adj.* Relativo à mecanografia.

mecanógrafo. *S. m.* Especialista em mecanografia.

mecanoquímico. [De *mecan(o)-* + *químico*.] *Adj.* ~V. *pasta —a*.

mecanoscrito. [De *mecan(o)-* + *escrito*.] *S. m.* Texto obtido por mecanografia; dactiloscrito.

mecanoterapia. [De *mecan(o)-* + *-terapia*.] *S. f. Med.* Emprego de aparelho mecânico no tratamento de doenças, ou como auxiliar de exercícios terapêuticos.

mecanoterápico. *Adj.* Referente à mecanoterapia.

mecanotipia. [De *mecan(o)-* + *-tip(o)-*[2] + *-ia*.] *S. f. Tip.* Arte de compor mecanicamente. [Cf. *composição mecânica, fotocomposição, linotipia* e *monotipia*[1].]

mecáptero. *S. m.* e *adj.* V. *mecóptero*.

mecápteros. *S. m. pl. Zool.* V. *mecópteros*.

meças. [Dev. de *medir*, no pres. subj.] *S. f. pl.* Medição, comparação, cotejo. ◆ **Pedir meças a. 1.** Exigir a medição, a avaliação de. **2.** Exigir satisfação, explicações a. **3.** Não temer comparações com: *Em coisas de educação pede meças a quem quer que seja*; "securas cálidas a pedir meças à vastidão dos espaços" (João da Silva Correia, *Farândola*, p. 11).

mecê. *Pron. pess. Bras. Pop.* V. *você*: "agora mecê carece de dormir. Eu também." (João Guimarães Rosa, *Estas Estórias*, p. 140.)

mecenas. [Do antr. *Mecenas*, estadista romano (69 a. C. - 8 d. C.) protetor de artistas e homens de letras.] *S. m. 2 n. Fig.* Patrocinador generoso, protetor das letras, ciências e artes, ou dos artistas e sábios.

mecenato. *S. m.* Condição, título ou papel de mecenas.

mecênico. *Adj.* Relativo a, ou próprio de mecenas.

mecha. [Do fr. *mèche*.] *S. f.* **1.** Feixe ou torcida de fios ou filamentos. **2.** Torcida ou pavio de vela ou lampião. **3.** V. *madeixa* (3): "perdia-me a olhar-lhe os cabelos bem arrumados, viajando pelas ondas caídas para trás alisando as mechas irrequietas que saltavam pelas orelhas." (Reginaldo Guimarães, *Uma Blusa no Cais*, p. 46.) **4.** Pequenas madeixas [v. *madeixa* (3)] tingidas de cor mais clara que a do cabelo. **5.** Rastilho, estopim. **6.** pedaço de papel ou de pano embebido em enxofre, e que serve especialmente para defumar pipas e tonéis. **7.** Pedaço de gaze que se introduz numa ferida ou numa abertura cirúrgica, para que elas não fechem ou para funcionar como dreno. **8.** *Constr. Nav.* Parte de seção quadrada em que termina o pé do mastro, e destinada a entrar na carlinga. **9.** *P. ext.* Qualquer parte de seção quadrada destinada a encaixar num vazado aberto em outra peça. [Cf. *mexa* (ê), do v. *mexer*.]

mechado. [Part. de *mechar*.] *Adj.* Em que se fez mecha (4): "Preciso de um espelho, ... uma peruca mechada e uma patinete." (Luís Fernando Veríssimo, *Jornal do Brasil*, "Domingo", ano 4, nº 165.)

mechar. *V. t. d.* **1.** Pôr mecha em. **2.** Defumar com mecha. **3.** Ligar por meio de mecha. **4.** Comunicar fogo a. **5.** Fazer mecha (4) em. [Pres. ind.: *mecho, mechas, mecha, mechamos, mechais, mecham*; pres. subj.: *meche, meches, meche, mechemos, mecheis, mechem*. Cf. o pres. ind. e o pres. subj. do v. *mexer*.]

mechoacão. [Do top. *Mechoacán* (México).] *S. m.* Planta convolvulácea, purgativa (*Convolvulus mechoacana*).

meco. *S. m. Gír.* **1.** Sujeito, tipo, indivíduo. **2.** Indivíduo libertino, devasso. **3.** Espertalhão, malandro. **4.** *Bras., SC.* Pala[2] curto, de lã grosseira: "Se faz frio ou chove, um velho meco, muito surrado, lhe cobre o corpo." (Guido Vilmar Sassi, *Piá*, p. 94.)

▲**meco-.** [Do gr. *mêkos, eos, ous*.] *El. comp.* = 'comprimento', 'tamanho': *mecômetro, mecópode*.

mecômetro. [De *meco-* + *-metro*.] *S. m.* Instrumento cirúrgico em forma de compasso, com que se mede o comprimento do feto.

mecônio. [Do gr. *mekónion*, 'suco de dormideira (2)', pelo lat. *meconiu*.] *S. m.* **1.** *Fisiol.* Substância escura ou esverdeada, e viscosa, que constitui o ferrado[1] (1). **2.** Variedade de ópio.

mecópode. [De *meco-* + *-pode*.] *Adj. 2 g.* Longípede. [Antôn.: *brevípede*.]

mecóptero. *S. m.* **1.** Espécime dos mecópteros. ● *Adj.* **2.** Pertencente ou relativo a eles. [Sin. ger.: *mecáptero, panorpato, panorpino*.]

mecópteros. *S. m. pl. Zool.* Animais artrópodes, da classe dos insetos da ordem *Mecoptera*, de aparelho bucal mastigador; asas, quando presentes, iguais, estreitas e com numerosas nervuras, podendo ser vestigiais ou ausentes; antenas longas e plurissegmentadas (até 50 segmentos). Põem ovos no solo, e as larvas são eruciformes e saprófagas. Holometabólicos, vivem em vegetação densa e sombria. [Sin.: *mecápteros, panorpatos, panorpinos*.]

meda. [Do lat. *meta*.] *S. f.* **1.** Montão de molhos de trigo, palha, centeio, etc., sobrepostos de modo que formem aproximadamente um cone. **2.** *Fig.* Acervo, monte, montão: *uma meda de papéis*; "deitado em cima da meda das batatas." (João de Araújo Correia, *Terra Ingrata*, p. 197). **3.** Pilha de troncos e galhos a que se põe fogo para obter carvão vegetal.

medalha. [Do it. *medaglia*.] *S. f.* **1.** Peça metálica, de ordinário redonda ou ovalada, com emblema, efígie e inscrição. **2.** Insígnia de ordem honorífica; venera, condecoração. **3.** Placa de metal de uso obrigatório em certas profissões: *medalha de comissário*. **4.** Prêmio que se confere aos vencedores de concursos, torneios, competições, exposições, etc.: *medalha de ouro; medalha de bronze*. **5.** Peça que representa e/ou inclui um objeto de devoção religiosa. **6.** *Arquit.* Medalhão[1] (2). **7.** *Bras.* Tipo de bico de renda com bordados circulares ou ovalados.

medalhão[1]**.** [Aum. de *medalha*.] *S. m.* **1.** Medalha grande. **2.** *Arquit.* Baixo-relevo oval ou circular utilizado como ornato nos edifícios suntuosos; medalha: "ao centro das paredes os medalhões de César, Augusto, Nero e Massinissa." (Machado de Assis, *Dom Casmurro*, p. 4). **3.** Jóia circular, oval ou oblonga, com fecho que prende as duas faces e moldura, em geral, numa delas, que se destina a guardar retratos, cabelos, etc., e é dotada de pequena argola para pendurar: "Glória usava no peito um broche com um medalhão de duas faces." (Raquel de Queirós, *As Três Marias*, p. 9.) **4.** Retrato ou quadro rodeado de moldura circular ou oval. **5.** *Fig. Deprec.* Homem importante; figurão. **6.** *Fig. Deprec.* Indivíduo nulo, sem valor real, porém guindado a posições relevantes pelo dinheiro ou pela influência de boas amizades, jeitosamente conseguidas.

medalhão[2]**.** [Do fr. *médaillon*.] *S. m. Cul.* Bife (1), ou qualquer peça de peixe, lagosta, patê, presunto, etc., apresentada sob a forma de medalhão[1] (1). [Cf. *chatobriã*.]

medalhar. *V. t. d.* Gravar em medalha; comemorar ou consagrar por meio de medalha: *medalhar a conquista do tricampeonato mundial*.

medalhário. [De *medalha* + *-ário*.] *S. m.* Medalheiro.

medalheiro. *S. m.* **1.** Lugar onde se expõem ou guardam medalhas; coleção de medalhas. **2.** Fabricante de medalhas. [Sin. ger.: *medalhário*.]

medalhista. *S. 2 g.* **1.** Especialista em medalhística. **2.** Pessoa que coleciona medalhas.

medalhística. [De *medalhista* + *-ica*[2].] *S. f.* Estudo das medalhas e ordens honoríficas.

medalhonismo. [De *medalhão*[1].] *S. m.* **1.** Influência ou predomínio dos medalhões [v. *medalhão*[1] (5 e 6)]. **2.** O culto dos medalhões.

medão. [Do lat. vulg. hispânico *metulu, dim. do lat. *meta*, 'meda', pelo esp. *médano*.] *S. m.* Monte de areia ao longo da costa. [Var.: *medo*. Cf. *duna*. Pl.: *médãos*.]

medeixes. [De *me* + a 2ª pess. sing. pres. subj. de *deixar*.] *S. m. pl. Bras. Fam.* Desdéns fingidos; esquivanças.

mede-léguas. [Da 3ª pess. sing. do pres. ind. de *medir* + o pl. de *légua*.] *S. m. 2 n. Bras.* V. *bacurau* (1).

mede-palmo. [Da 3ª pess. sing. do pres. ind. de *medir* + *palmo*.] *S. m. Bras.* **1.** V. *lagarta mede-palmo*. ● *Adj.* **2.** ~ V. *lagarta* —. [Pl.: *mede-palmos*.]

média. [Do lat. *media*, pl. de *medium*, 'o meio', 'o espaço intermediário'.] *S. f.* **1.** *Estat.* Numa distribuição, valor que se determina segundo uma regra estabelecida *a priori* e que se utiliza para representar todos os valores da distribuição. **2.** Quantidade, estado ou coisa que se situa em determinada eqüidistância dos pontos extremos. **3.** Nota estipulada como mínima para aprovação escolar. **4.** *Anat.* Túnica média. **5.** *Bras.* Café com leite, servido em xícara grande: "não me sobrava dinheiro algum para um concerto, um cinema, uma distração mais cara do que a média ou o café pequeno nos botequins." (Lia Correia Dutra, *Navio sem Porto*, p. 236). [Cf. *media*, do v. *medir*.] ◆ **Média aritmética.** *Mat.* O quociente da soma de *n* valores por *n*. **Média cúbica.** *Mat.* Raiz cúbica da média aritmética dos cubos de valores dados. **Média geométrica.** *Mat.* Raiz enésima do produto de *n* valores dados. **Média harmônica.** *Mat.*

O inverso da média aritmética dos inversos de um conjunto de valores. **Média proporcional.** *Mat.* Média geométrica de dois valores. **Média quadrática.** *Mat.* Raiz quadrada da média aritmética dos quadrados de valores dados. **Fazer média.** *Bras.* Procurar agradar, criar para si uma boa situação junto a alguém, a um grupo, etc., visando a tirar proveito.

➧media (mídia). [Ingl.] V. *mídia*.

mediação. [Do lat. *mediatione.*] *S. f.* **1.** Ato ou efeito de mediar. **2.** Intervenção, intercessão, intermédio: *Conheci-o por mediação do deputado.* **3.** *Jur.* Intervenção com que se busca produzir um acordo: *O litígio foi resolvido por mediação do juiz.* **4.** *Jur.* Processo pacífico de acerto de conflitos internacionais, no qual (ao contrário do que se dá na arbitragem) a solução é sugerida e não imposta às partes interessadas. **5.** Agenciamento, corretagem. **6.** *Mat.* Operação de somar termo a termo duas frações ordinárias. **7.** *Rel.* Segundo a doutrina da Igreja Católica, função de Maria e dos Santos junto a Cristo e a Deus.

mediador (ô). [Do lat. *mediatore.*] *Adj.* e *s. m.* Que, ou aquele que medeia ou intervém; medianeiro, mediatário, intermediário, intermédio.

medial. [Do lat. *mediale.*] *Adj. 2 g.* **1.** Que ocupa o meio; que está no meio; central, médio. **2.** Diz-se da letra que fica no meio da palavra: *O r é a letra medial da palavra força.* **3.** *Anat.* Diz-se de estrutura que se encontra mais próxima à linha mediana [q. v.]. ~ V. *falange* —. ● *S. f.* **4.** Letra medial. **5.** *Estat.* Reta que, num diagrama de dispersão, divide o conjunto de pontos em dois conjuntos com igual número de pontos.

mediana. [Fem. substantivado do adj. *mediano.*] *S. f.* **1.** *Geom.* Num triângulo, segmento de reta que une um vértice ao meio do lado oposto. **2.** *Estat.* Numa distribuição de freqüência acumulada, valor da variável aleatória que corresponde ao valor 0,5 da distribuição.

medianeiro. [De *mediano* + *-eiro.*] *Adj.* e *s. m.* **1.** V. *mediador*: "entremetia-se [Roma] nos negócios de todas as nações, oferecendo-se como medianeira, aliada, árbitra, protetora, vingadora de tortos" (Aquilino Ribeiro, *Os Avós dos Nossos Avós*, p. 72). **2.** Compositor (3). **3.** Que ou aquele que executa os desígnios de; intermediário. **4.** Que ou aquele que intervém a favor de; intercessor.

mediania. *S. f.* **1.** Qualidade ou condição de mediano (1). **2.** Termo médio: "Feijó, como político, é um paradoxo e fica à parte da mediania da nossa mentalidade étnica: as qualidades mestras do seu caráter não são exatamente as do caráter nacional." (Oliveira Viana, *Pequenos Estudos de Psicologia Social*, p. 184.) **3.** Meio-termo entre a riqueza e a pobreza. **4.** *Const. Nav.* Interseção de um convés com o plano diametral da embarcação.

medianiz. [De *mediano.*] *S. f. Tip.* A margem interna da página de um livro, que, nos antigos formatos, deitados em ramas onde apenas cabiam duas páginas, corresponde à cruzeira (1).

mediano. [Do lat. *medianu.*] *Adj.* **1.** Que está no meio, ou entre dois extremos; intermediários, médio, meão: "enamorou-se de uma viúva, senhora de condição mediana e parcos meios de vida" (Machado de Assis, *Quincas Borba*, p. 5). **2.** V. *meão* (2). **3.** Que não é bom nem mau; médio, medíocre. **4.** V. *medíocre* (2). **5.** Que está na situação de mediania (3). ~ V. *afastamento* —, *estatura* —*a*, e *linha* —*a*.

mediante. [Do lat. *mediante.*] *Adj. 2 g.* **1.** Que medeia; que intervém; que serve de auxílio. ● *Prep.* **2.** Por meio de; por intermédio de; com auxílio ou intervenção de: *Venceu mediante grande esforço; Salvou-se mediante a graça de Deus;* "Em 1609, mediante o Conde Filipe de Nassau, Maurício reconciliou-se com a irmã, e admitiu-os nos seus estados." (Camilo Castelo Branco, *D. Luís de Portugal*, pp. 113-114). **3.** Por meio de; servindo-se ou valendo-se de: "era homem expedito nisto de enforcar a gente na janela de qualquer cidadão, mediante seis varas de corda." (Camilo Castelo Branco, *Noites de Insônia*, IV, p. 42). **4.** A troco de: "rejubilava-se agora ao ponto de lhes propor que almoçassem e jantassem com ela, mediante uma estipulada mensalidade." (Aluísio Azevedo, *O Coruja*, p. 65). ● *S. m.* **5.** Tempo decorrido entre dois fatos ou duas épocas. ● *S. f.* **6.** *Mús.* O terceiro grau da escala diatônica e/ou a primeira nota modal [q. v.].

mediar. [Do lat. *mediare.*] *V. t. d.* **1.** Dividir ao meio; repartir em duas partes iguais. **2.** Intervir como árbitro ou mediador: *Uma das funções mais importantes da O.N.U. é mediar a paz.* *T. i.* **3.** Ficar no meio de dois pontos; distar: *A rapidez dos meios de transporte tem diminuído muito a distância que medeia entre os povos.* **4.** Decorrer ou ter decorrido entre duas épocas: "Entre nós e a queda simbólica da Bastilha já medeia um século" (Eça de Queirós, *Cartas Familiares e Bilhetes de Paris*, p. 180); *Entre a independência do Brasil e a proclamação da República medeiam 67 anos.* **5.** Ser mediador ou árbitro. [Irreg. Conjug.: v. *odiar*. Pres. ind.: *medeio, medeias, medeia*, etc. Cf. *Medéia*, antr.]

mediastinal. *Adj. 2 g.* Do, ou pertencente ou relativo ao mediastino.

mediastinite. [De *mediastino* + *-ite*[1].] *S. f. Patol.* Inflamação do mediastino.

mediastino. [Do lat. *mediastinu*, 'que está no meio'.] *S. m. Anat.* Espaço, no tórax, compreendido entre o esterno, por diante, a coluna vertebral, por trás, a base do pescoço, por cima, o músculo diafragma, por baixo, e, de cada lado, uma das regiões pleuropulmonares, e no qual estão incluídos numerosos órgãos e estruturas anatômicas.

mediatário. *Adj.* e *s. m.* V. *mediador*.

mediato. [Do lat. *mediatu.*] *Adj.* **1.** Que está em relação com outra(s) pessoa(s) ou coisa(s) por meio de uma terceira; indireto: *causa mediata.* **2.** *Filos.* Diz-se do que é condicionado, dependente de outro. ~ V. *percussão* —*a*.

mediatriz. [Do lat. *mediatrice.*] *S. f. Geom.* Perpendicular ao meio de um segmento de reta.

médica[1]. *S. f.* Fem. de *médico*[2] (2). [Cf. *medica*, do v. *medicar*.]

médica[2]. [Do lat. *medica*, 'alfafa', 'luzerna'.] *S. f. Lus.* Espécie de alfafa. [Cf. *medica*, do v. *medicar*.]

medicação. [Do lat. *medicatione.*] *S. f.* Ato de medicar; tratamento mediante o uso de medicamentos. [Sin., obsol.: *medicamentação*.] ♦ **Medicação pré-anestésica.** *Anest.* Aquela que se faz com antecedência variável no período pré-operatório, antes do paciente ser submetido a anestesia, e que atua como auxiliar desta, visando, entre outros benefícios no paciente, à redução da ansiedade. [Sin., impr.: *pré-anestésico*.]

medical. [De *médico*[2] + *-al.*] *Adj. 2 g.* **1.** V. *medicinal* (1). **2.** Relativo a, ou próprio de médico.

medicamentação. [De *medicamentar* + *-ção.*] *S. f. Obsol.* Medicação.

medicamentar. *Obsol.* *V. t. d.* **1.** Dar medicamento a; medicar. *P.* **2.** Tratar-se com medicamento; medicar-se.

medicamento. [Do lat. *medicamentu.*] *S. m.* Substância ou preparado que se utiliza como remédio (2); fármaco.

medicamentoso (ô). [Do lat. *medicamentosu.*] *Adj.* Que tem propriedades de medicamento; medicativo.

medicança. [De *médico*[2] + *-ança.*] *S. f. Deprec.* A classe médica; os médicos.

medicando. [Ger. de *medicar.*] *Adj.* e *s. m.* Que ou aquele que vai ser medicado.

medição. *S. f.* **1.** Ato ou efeito de medir; medida. **2.** *Constr.* Cálculo das quantidades de serviços executados e dos materiais empregados numa obra, para fins de pagamento e verificação da observância do projeto. **3.** *Bras., BA.* Ato de mandar medir uma faixa de terras devolutas pertencentes ao Estado. **4.** Essas mesmas terras demarcadas. **5.** *Fís.* Medida (13).

medicar. [Do lat. *medicare.*] *V. t. d.* **1.** Tratar com medicamentos; aplicar remédios a: "Juvenal temera pela saúde do pai. Prevenira-se, medicando-o, fazendo com que ele se recolhesse ao quarto." (Nélson de Faria, *Cabeça-Torta*, p. 111.) [Sin., pop.: *mezinhar* e, obsol., *medicamentar*.] **2.** prescrever medicamento para. *Int.* **3.** Tratar enfermos com medicamentos. *P.* **4.** Tomar remédios. [Sin. ger., desus., *medicinar*. Conjug.: v. *trancar*. Pres. ind.: *medico, medicas, medica*, etc. Cf. *médico* e *médica*.]

medicastro. [De *médico*[2] + *-astro.*] *S. m.* **1.** Aquele que faz curativos sem diploma nem aptidões de médico; curandeiro. **2.** *Deprec.* Médico incapaz.

medicativo. [Do lat. *medicatu*, part. pass. de *medicare* + *-ivo.*] *Adj.* Medicamentoso.

medicatriz. [De um lat. **medicatrice*, fem. de *medicator*, 'aquele que medica'.] *Adj. (f.)* Que tem a propriedade de curar; que tem virtudes curativas ou a natureza de medicamento: *substância medicatriz;* "senti-lhe [em José de Alencar] mais de uma vez a alma enojada e abatida. Mas a arte, que é a liberdade, era a força medicatriz do seu espírito." (Machado de Assis, *Páginas Recolhidas*, p. 130).

medicável. *Adj. 2 g.* Que pode ser medicado.

medicina. [Do lat. *medicina.*] *S. f.* **1.** Arte ou ciência de evitar, curar ou atenuar as doenças. **2.** Sistema medicinal: *a medicina dos indígenas; medicina alopática; medicina homeopática.* **3.** *Fig.* Aquilo que remedeia um mal; socorro, auxílio: *a medicina cristã.* ♦ **Medicina interna.** V. *clínica médica*. **Medicina legal.** A que aplica os conhecimentos médicos às questões jurídicas. **Medicina nuclear.** Ramo da medicina em que, com fim diagnóstico ou terapêutico, se aplica sofisticada tecnologia nuclear proveniente da física, química, engenharia, etc.

medicinal. [Do lat. *medicinale.*] *Adj. 2 g.* **1.** Relativo à medicina; médico, medical. **2.** Que serve de medicamento ou de remédio; que cura: *plantas medicinais.* **3.** *Fig.* Que remedeia ou cura qualquer mal moral.

medicinar. [De *medicina* + *-ar*[2].] *V. t. d., int.* e *p. Desus.* V. *medicar*.

medicineiro. [De *medicina* + *-eiro.*] *S. m.* Arbusto da família das euforbiáceas (*Jatropha officinalis*), cujas grandes sementes encerram apreciável cópia de óleo drástico, cujos frutos são cápsulas que abrem em três partes, e que tem látex em todos os seus componentes.

médico[1]. [Do lat. *medicu*, 'medo'.] *Adj.* Relativo à Média ou aos medos: *as guerras médicas.* [V. *medo*[2]. Fem.: *médica*. Cf. *medico* e *medica*, do v. *medicar*, e *Médica*, top.]

médico[2]. [Do lat. *medicu.*] *Adj.* **1.** V. *medicinal*: *ciências médicas.* ~ V. *clínica* —*a*, *diatermia* —*a*, *matéria* —*a* e *química* —*a*. ● *S. m.* **2.** Aquele que está habilitado a exercer a medicina. **3.** *Fig.* Aquilo que pode restabelecer a saúde (física ou moral): *O tempo é grande médico.* [Fem.: *médica*. Cf. *medico* e *medica*, do v. *medicar*, e *Médica*, top.] ♦ **Médico espiritual.** Confessor ou orientador moral. **Médico feiticeiro.** *Etnol.* Indivíduo que, nas tribos indígenas, se especializou na arte de curar doentes aplicando-lhes práticas mágicas, acrescidas, às vezes, de medicações empíricas e rudimentares.

▲médico-. [Do lat. *medicu.*] *El. comp.* = 'médico', 'medicinal': *médico-hospitalar, médico-legal.*

médico-cirurgião. *S. m.* V. *cirurgião*. [Pl.: *médicos-cirurgiões* e *médicos-cirurgiães*.]

médico-dentário. [De *médico-* + *dentário.*] *Adj.* Relativo à medicina e à odontologia: *assistência médico-dentária.* [Pl.: *médico-dentários*.]

médico-hospitalar. [De *médico-* + *hospitalar*[1].] *Adj. 2 g.* Relativo ao serviço médico e ao atendimento hospitalar: *a rede médico-hospitalar do Estado.* [Pl.: *médico-hospitalares*.]

médico-legal. [De *médico-* + *legal.*] *Adj. 2 g.* Relativo à medicina legal. [Pl.: *médico-legais*.]

médico-legista. [De *médico-* + *legista.*] *S. m.* O que se dedica à medicina legal. [F. red.: *legista*. Pl.: *médicos-legistas*.]

medida. [Fem. substantivado de *medido.*] *S. f.* **1.** Medição (1). **2.** V. *padrão*[1] (2): *medida de comprimento; O litro é medida de capacidade.* **3.** Qualquer objeto destinado a medir uma quantidade: *Tomou duas medidas do remédio.* **4.** Limite, termo: *ultrapassar a medida.* **5.** Grau, alcance: *a medida do seu interesse.* **6.** Regra, norma: *a justa medida.* **7.** Moderação, comedimento: *agir com medida.* **8.** Dimensão, tamanho: *tomar a medida do blusão.* **9.** O número de sílabas de um verso. **10.** Disposição, providência: *Tomou medidas imediatas.* **11.** *Fig.* Meio de comparação e julgamento; padrão, estalão: *Vê os outros pela sua medida.* **12.** *Anál. Mat.* Qualquer função aditiva de um conjunto que só é nula quando seu argumento é o conjunto vazio. **13.** *Fís.* Ato ou processo de comparar uma grandeza com outra com o objetivo de associar à primeira um número característico do seu valor em face da grandeza com a qual foi comparada; medição. **14.** *Fís.* O resultado de um processo de medida. **15.** *Tip.* Largura, e às vezes também altura, de uma composição tipográfica. **16.** *Tip.* Fio ou peça de material branco com que o paginador estabelece a altura da página. ♦ **Medida de assimetria.** *Estat.* Qualquer parâmetro dedutível ou associável a uma distribuição de freqüência, e que caracteriza a assimetria da distribuição em relação a um de seus membros. **Medida de dispersão.** *Estat.* Qualquer parâmetro dedutível ou associável a uma distribuição de freqüência, e que mede ou caracteriza o agrupamento dos membros da distribuição em torno de um deles. **Medida de posição.** *Estat.* Qualquer parâmetro dedutível ou associável a uma distribuição de freqüência, e que caracteriza a posição da distribuição num sistema de coordenadas determinado; medida de tendência central. **Medida de segurança.** *Jur.* Providência substitutiva ou complementar da pena, sem caráter expiatório ou aflitivo, mas de índole assistencial, preventiva e reçuperatória, e que consiste em certas restrições pessoais e patrimoniais (internamento em manicômio, em colônia agrícola, liberdade vigiada, interdições, confisco, etc.), fundada na periculosidade e não na responsabilidade do criminoso. **Medida de tendência central.** *Estat.* Medida de posição. **À medida**

de. Consoante, conforme, segundo: *Damos-lhes auxílio à* medida *dos seus merecimentos.* **À medida que.** À proporção que; conforme: "À medida que a menina ia crescendo, a Senhora Antunes .... ia-lhe ensinando o que a sua tenra idade comportava" (Bernardo Guimarães, *O Seminarista*, p. 25). **Encher as medidas. 1.** Satisfazer plenamente. **2.** Chegar ao limite insuportável; encher: *Este sujeito me* enche *as* medidas.

medidagem. *S. f.* **1.** Foro, antigo, que se pagava ao medidor de pão e vinho. **2.** Trabalho de medir. **3.** O que se concede ou se paga por esse trabalho.

medideira. [De *medir* + *-deira.*] *S. f. Bras.* V. *lagarta mede-palmo.*

medidor (ô). *Adj.* **1.** Que mede. ● *S. m.* **2.** Aquele que mede. **3.** Qualquer instrumento destinado a efetuar medições: medidor *de pressão.* **4.** *Bras., SP.* V. *contador* (5).

medieval. [De *medievo* + *-al*, ou do fr. *médieval.*] *Adj. 2 g.* Da Idade Média, a ela referente, ou próprio dela; mediévico, medievo, médio.

medievalidade. *S. f.* Qualidade de medieval.

medievalismo. *S. m.* **1.** Complexo de tendências, ideais, costumes, etc., próprios da Idade Média; a civilização medieval. **2.** Predileção pelo estudo e conhecimento da Idade Média. **3.** Designação de modernas escolas de filosofia, sociologia e política que recomendam a revivificação dos ideais da Idade Média [Sin. ger.: *medievismo.*]

medievalista. *Adj. 2 g.* **1.** Relativo ao, ou que é partidário do medievalismo (3). ● *S. 2 g.* **2.** Partidário do medievalismo (3). **3.** Pessoa versada em assuntos da Idade Média. [Sin. ger.: *medievista.*]

mediévico. [De *medievo* + *-ico*[2].] *Adj.* V. *medieval.*

medievismo. [De *medievo* + *-ismo.*] *S. m.* Medievalismo.

medievista. [De *medievo* + *-ista.*] *Adj. 2 g.* e *s. 2 g.* Medievalista.

medievo. [Do lat. *mediu*, 'médio', + *aevu*, 'idade, evo', com infl. de *coevo, grandevo, longevo.*] *Adj.* **1.** V. *medieval.* ● *S. m.* **2.** O período medieval; a Idade Média: *a arte do* medievo.

medimarímetro. [De *medi(o)-* + *-mare-* + *-i-* + *-metro.*] *S. m.* Instrumento com que se determina o nível do mar.

medinense. *Adj. 2 g.* **1.** De, ou pertencente ou relativo a Medina (MG). ● *S. 2 g.* **2.** Natural ou habitante de Medina.

médio. [Do lat. *mediu.*] *Adj.* **1.** Que está no meio ou entre dois pontos: *lugar* médio. **2.** Que ocupa ou exprime o meio-termo: *limão grande,* médio *e miúdo; posição* média*, não radical; tom* médio. **3.** Que se calcula tirando a média (1): *resultado* médio*; opinião* média. **4.** V. *medieval.* **5.** Diz-se da instrução ou do ensino destinado à formação do adolescente que já tenha concluído o curso primário, e do curso em que se ministra esta instrução. **6.** *Mús.* Na escala geral dos sons, diz-se da região central que se estende do dó2 ao dó4. ~ V. *aceleração —a, afastamento —, afastamento quadrático —, afastamento quadrático — da média, calor específico —, caloria —a, centro — da Lua, classe —, curso —, dedo —, dia solar —, distância —a, ensino —, erro —, hora —a, Idade —a, intestino —, leito —, letra —a, linha —a, — a burguesia, nuvem —a, onda —a, Oriente —, ouvido —, pêndula —a, peso —, saldo —, sol*[1] *—, tempo solar—, termo —, túnica —a, vogal —a* e *voz —a.* ● *S. m.* **7.** *Fut.* Jogador que ocupa uma das três posições da linha intermediária duma equipe: a direita, o centro ou o meio, e a esquerda, donde *médio direito, centromédio* (cabeça-de-área) e *médio esquerdo.* [Fem.: *média.* Cf. *media*, do v. *medir.*] ◆ **Médio direito.** *Bras. Fut.* V. *médio* (7). **Médio esquerdo.** *Bras. Fut.* V. *médio* (7).

▲**medi(o)-.** [Do lat. *medius, a, um.*] *El. comp.* = 'médio': *medial, mediocracia.*

mediocracia. [De *medi(o)-* + *-cracia*, por infl. de *aristocracia, autocracia, democracia.*] *S. f.* **1.** Predomínio social das classes médias, da burguesia (2): "Não as vá procurar [as moças] na alta sociedade ....! mas indague-as cá por baixo, na mediocracia, que as há de descobrir." (Aluísio Azevedo, *Casa de Pensão*, p. 49.) **2.** Mesocracia.

mediocrão. *S. m. Deprec.* Indivíduo muito medíocre (2). [Fem.: *mediocrona.*]

mediocrático. *Adj.* Referente à mediocracia.

medíocre. [Do lat. *mediocre.*] *Adj. 2 g.* **1.** V. *mediano* (3). **2.** Sem relevo; comum, ordinário, vulgar, mediano, meão: *escritor* medíocre. ● *S. 2 g.* **3.** Pessoa medíocre. *S. m.* **4.** Aquilo que é medíocre: *Prefere o mau ao* medíocre.

mediocridade. [Do lat. *mediocritate.*] *S. f.* **1.** Qualidade de medíocre. **2.** Falta de mérito: *a* mediocridade *do autor, de um romance.* **3.** Pessoa medíocre: "Frederico Savigny, o insigne mestre de direito romano, ... dizia do alto da sua cadeira .... que o concurso oral era a porta aberta às mediocridades." (Ramalho Ortigão, *As Farpas*, VIII, p. 136.)

mediocrização. *S. f.* Ato ou efeito de mediocrizar(-se).

mediocrizar. *V. t. d.* e *p.* Tornar(-se) medíocre; vulgarizar(-se).

mediocrona. *S. f. Deprec.* Fem. de *mediocrão.*

médio-passivo. *Adj. Gram.* — ~V. *verbo* —. [Pl.: *médio-passivos.*]

medir. [Do lat. **metire, por metiri.*] *V. t. d.* **1.** Determinar ou verificar, tendo por base uma escala fixa, a extensão, medida ou grandeza de; comensurar: medir *um terreno.* **2.** Ser a medida de: *A aparência nem sempre* mede *a essência.* **3.** Regular convenientemente; comedir; refrear, conter, moderar: *O orador* media *suas palavras.* **4.** Ajustar, adequar, proporcionar: Media *os ataques segundo a reação do adversário.* **5.** Avaliar, considerar, ponderar, calcular: *O atleta* mediu *o obstáculo e saltou.* **6.** Olhar provocadoramente, como em desafio. **7.** Andar em toda a extensão ou em todos os sentidos; percorrer: *Nervoso,* media *o quarto a passos rápidos.* **8.** Tirar o máximo proveito de; aproveitar: *É homem que* mede *os minutos.* **9.** Contar as sílabas de, escandir (versos). **10.** Pesar (4). *Int.* **11.** Ter a extensão, comprimento ou altura de: "De vários tamanhos, as maiores [urnas funerárias] mediam setenta centímetros de diâmetro" (Raimundo Morais, *País das Pedras Verdes*, p. 282). *T. d.* e *i.* **12.** Regular, adequar, proporcionar: *Sabe* medir *os seus gastos pela sua renda.* *P.* **13.** Competir, bater-se, lutar. **14.** Parecer igualar ou exceder; rivalizar. [Irreg. Pres. ind.: *meço, medes, mede, medimos, medis, medem;* imperf. ind.: *media*, etc.; pres. subj.: *meça, meças, meça, meçamos, meçais, meçam.* Cf. *média*, fem. de *médio* e s. f., e *Média* e *Messa*, top.]

meditabundo. [Do lat. *meditabundu.*] *Adj.* Que medita profundamente; pensativo, meditativo, cogitabundo.

meditação. [Do lat. *meditatione.*] *S. f.* **1.** Ato ou efeito de meditar; concentração intensa do espírito; reflexão. **2.** Oração mental, que consiste sobretudo em considerações e processos mentais discursivos, e que se opõe à contemplação.

meditador (ô). [Do lat. *meditatore.*] *Adj.* e *s. m.* Que ou aquele que medita.

meditar. [Do lat. *meditare.*] *V. t. d.* **1.** Submeter a um exame interior; pensar em: Meditou *o problema anos a fio.* **2.** Estudar, ponderar, considerar: meditar *a obra dos filósofos;* "gastando as noites, não a folgar pelas locandas, mas a meditar os poetas italianos" (Machado de Assis, *Páginas Recolhidas*, p. 185). **3.** Projetar, intentar, planear, planejar. *Int.* e *t. i.* **4.** Fazer meditação; refletir, pensar: *Esteve o dia inteiro a* meditar; "Já meditaste alguma vez no destino do nariz, amado leitor?" (Machado de Assis, *Memórias Póstumas de Brás Cubas*, p. 140). ● *S. m.* **5.** Meditação.

meditativo. [Do lat. *meditatu*, part. pass. de *meditare*, 'meditar' + *-ivo.*] *Adj.* V. *meditabundo.*

meditável. *Adj. 2 g.* Digno de ser meditado.

mediterrâneo. [Do lat. *mediterraneu.*] *Adj.* **1.** Situado no meio de terras; situado entre terras; interior. **2.** Mediterrânico. ~ V. *mar* —. ● *S. m.* **3.** Mar interior, especialmente o que está entre a Europa e a África.

mediterrânico. *Adj.* **1.** Relativo ao Mediterrâneo (3): *clima* mediterrânico. **2.** Situado à beira do Mediterrâneo (3). [Sin. ger.: *mediterrâneo.*]

médium. [Do lat. *medium.*] *S. 2 g.* Segundo o espiritismo, o intermediário entre os vivos e a alma dos mortos. [Pl.: *médiuns.*]

▲**mediun(i)-.** [Do lat. *medium, medii.*] *El. comp.* = 'meio', 'intermediário': *mediúnico, mediunidade.*

mediúnico. *Adj.* Relativo a, ou próprio de médium.

mediunidade. *S. f.* Qualidade de médium.

➧**medley** (médlei). [Ingl.] *S. m. Esport.* Competição aquática em que o nadador realiza quatro provas consecutivas; nado borboleta, nado de costas, nado de peito e nado livre.

medo[1]. *S. m.* Var. de *médão.* [Pl.: *medos.* Cf. *medo* (ê) e pl. *medos* (ê).]

medo[2]. [Do lat. *medu.*] *Adj.* **1.** Da, ou pertencente ou relativo à Média (Ásia); médico. ● *S. m.* **2.** O natural ou habitante da Média. **3.** *Ling.* O idioma dos medos. V. *indo-iraniano* (3). [Pl.: *medos.* Cf. *medo* (ê) e pl. medos (ê).]

medo (ê). [Do lat. *metu.*] *S. m.* **1.** Sentimento de grande inquietação ante a noção de um perigo real ou imaginário, de uma ameaça; susto, pavor, temor, terror. **2.** V. *Receio* (1 e 2). ◆ **A medo.** Timidamente, hesitantemente: "É que, à noite, lírio branco, /Os astros guardam segredo / Dos beijos dados a medo ..." (Gonçalves Crespo, *Obras Completas*, p. 316.) **Não ter medo de caretas.** Não se amedrontar com ameaças. **Pelar-se de medo.** Ter um medo que se péla. **Ter medo da própria sombra.** Assustar-se ou apavorar-se por qualquer motivo. **Ter um medo que se péla.** Ter medo excessivo; pelar-se de medo.

medonho. [De *medo* (ê).] *Adj.* **1.** Que causa medo; terrífico, assustador: *tempestade* medonha; "Uivam os ventos funerais medonhos..." (Olavo Bilac, *Poesias*, p. 181). **2.** Horrendo, horrível, hediondo: *animal* medonho*, brincos* medonhos. **3.** Funesto, desgraçado, fatal: medonho *destino.*

medorréia. [Do gr. *médos*, 'partes genitais do homem', + *-réia.*] *S. f. Patol.* Corrimento pela uretra.

medra. [Dev. de *medrar.*] *S. f.* V. *medrança* (1).

medrança. *S. f.* **1.** Ato ou efeito de medrar; crescença, medra. **2.** Estado do que está medrando ou crescendo: "Os dois porcos holandeses do Sr. D. Álvaro — a melhor coisinha que em medrança e boa ceva havia nas redondezas — jaziam ali cravados de metralha" (João da Silva Correia, *Farândola*, p. 108). **3.** Melhoramento, progresso.

medrar[1]. [Do esp. *medrar.*] *V. int.* **1.** Crescer, vegetando; desenvolver-se: "Lá no solo onde o cardo apenas medra / Boceja a Esfinge colossal de pedra / Fitando o morno céu." (Castro Alves, *Obra Completa*, p. 292.) **2.** Ganhar corpo; crescer, desenvolver-se: "Eram dois selvagens criados à lei da natureza, medrando à bruta na calaçaria da roça e das senzalas." (Coelho Neto, *Rei Negro*, p. 14.) **3.** Prosperar, adiantar-se: *A cidade* medrou *muito nos últimos anos.* **4.** Aumentar, crescer, ampliar-se: "Uma palavra ouvida aí em certa hora desfaz muitas vezes um erro que levou dez anos a medrar e a engrossar no nosso entendimento" (Ramalho Ortigão, *Em Paris*, p. 109). **5.** Manifestar-se com exuberância. **6.** Alcançar bom êxito; ser bem aceito; prosperar, desenvolver-se: "o humor só medra onde existe alguma coisa a corrigir. *Ridendo Castigat.*" (Lindolfo Collor, *Europa 1939*, p. 19). *T. d.* **7.** Fazer crescer; desenvolver. **8.** Aumentar a fortuna de; fazer prosperar. **9.** Melhorar (alguma coisa).

medrar[2]. *V. int. Bras. Gír.* Ter medo. [Quanto ao 1º *r*, epentético, v. *medroso.*]

medrica. *S. 2 g.* V. *medroso* (5). [Var.: *medricas.*]

medricas. [Var. de *medrica.*] *S. 2 g.* e *2 n.* V. *medroso* (5).

medronhal. *S. m.* Quantidade mais ou menos considerável de medronheiros dispostos proximamente entre si.

medronheiro. [De *medronho* + *-eiro.*] *S. m.* Arvoreta da família das ericáceas Arbutus unedo, européia, que apresenta frutos semelhantes ao morango na forma e na coloração.

medronho. *S. m.* **1.** O fruto do medronheiro. ● *Adj.* **2.** *Bras.* Diz-se de um parafuso com forma de medronho.

medroso (ô). [De um lat. hispânico **metoroso*, der. de **metor* (moldado em voc. lat. como *timor*, 'temor' etc.), atr. do arc. *medoroso, mederoso.*] *Adj.* **1.** Que tem medo; acovardado, temeroso, receoso. **2.** Tímido, acanhado. **3.** *Fig.* Pouco nítido; hesitante, dúbio, fraco: *a* medrosa *claridade da manhã.* **4.** *P. us.* Que causa medo; amedrontador, medonho. ● *S. m.* **5.** Indivíduo que de tudo tem medo; medrica, maricas, cagarolas.

medula. [Do lat. *medulla.*] *S. f.* **1.** *Anat.* Denominação comum a certos órgãos, porções de órgão, ou estruturas, de constituições e funções diferentes, e que se caracterizam por ter uma situação central em relação à formação ou órgão em cujo interior se encontram. **2.** *Anat.* Medula espinhal. **3.** *Morfol. Veg.* Porção central do talo liquênico, constituída de hifas frouxamente entrelaçadas. **4.** *Anat. Veg.* Porção parenquimatosa e central do caule, e às vezes da raiz, das plantas superiores, típica da estrutura primária. **5.** *Fig.* A parte mais íntima; o interior; âmago, essência: *a* medula *do poema.* ◆ **Medula espinhal.** *Anat.* A parte do sistema nervoso central contida na coluna vertebral. [Tb. se diz apenas, impr., *medula.*] **Medula óssea.** *Anat.* Matéria mole encontrada em cavidades de ossos, e constituída por uma rede de tecido conjuntivo entre cujas malhas se encontram variados tipos celulares; tutano. **Medula supra-renal.** *Anat.* Porção interna de cada glândula supra-renal, de cor pardo-avermelhada, e que sintetiza, armazena e libera catecolaminas. **Até a medula. 1.** Até o último ponto. **2.** Demasiadamente, demasiado; em excesso. **Até a medula dos ossos.** De modo penetrante e profundo; até o mais íntimo do corpo.

medular[1]. [Do lat. *medullare*.] *Adj. 2 g.* **1.** Relativo ou pertencente a medula. **2.** *Fig.* Essencial, fundamental, principal.

medular[2]. [De *medula* + *-ar[2]*.] *V. int. Desus.* Percorrer as medulas.

medulosácea. *S. f.* Espécime das medulosáceas.

medulosáceas. *S. f. pl. Bot.* Família de gimnospermas, da classe das cicadofilicales, caracterizada pelos macrosporângios desprovidos de cúpula, pelo caule polistélico e pela porção cortical externa sem traves floemáticas reticulares.

medulosáceo. *Adj.* Pertencente ou relativo às medulosáceas.

meduloso (ô). [Do lat. *medullosu*.] *Adj.* **1.** Que tem canal medular. **2.** Que contém medula. **3.** Diz-se da maneira de bem pintar ou esculpir um objeto flexível e macio. **4.** Aveludado, macio.

medusa. [Do mit. *Medusa*, de uma das três Górgones (v. *Górgone*).] *S. f.* **1.** Forma individual dos animais celenterados, de vida livre, comumente pelágicos, em feitio de sino ou de guarda-sol transparente, corpo gelatinoso, marginado por tentáculos, com boca situada numa área saliente da superfície côncava. São as cifomedusas e hidromedusas. [Cf. *água-viva* (2).] **2.** *Fig.* V. *bruxa* (2). ~ V. *medusas*.

medusaginácea. *S. f.* Espécime das medusagináceas.

medusagináceas. *S. f. pl. Bot.* Família de plantas floríferas, da ordem das parietales, cujas flores são actinomorfas e hermafroditas. Perianto pentâmero, com cálice gamossépalo; androceu polistêmone; gineceu multicarpelar, com ovário multilocular. Encerra apenas o gênero *Medusogyne*, composto de arbustos de folhas opostas e flores paniculadas, e não ocorre no Brasil.

medusagináceo. *Adj.* Pertencente ou relativo às medusagináceas.

medusandrácea. *S. f.* Espécime das medusandráceas.

medusandráceas. *S. f. pl. Bot.* Família de plantas floríferas, da ordem das medusandrales, constituída por uma espécie arbórea dos Camarões (África).

medusandráceo. *Adj.* Pertencente ou relativo às medusandráceas.

medusandrale. *S. f.* Espécime das medusandrales.

medusandrales. *S. f. pl. Bot.* Ordem de dicotiledôneas que compreende unicamente a família monotípica das medusandráceas.

medusário. *Adj.* Semelhante à medusa (1).

medusas. *S. f. pl. Zool.* Formas pelágicas dos animais hidrozoários e acalefos, geralmente em forma de campainha, ou sino, ou disco achatado, com uma projeção mediana ventral, o *manúbrio*, e providas de gônadas. Sua porção dilatada é a umbrela, em cuja borda há certo número de tentáculos. ~ V. *medusa*.

meduséia. *Adj. (f.)* Fem. de *meduseu*.

meduseu. [Do gr. *medousaîos*, pelo lat. *medusaeu*.] *Adj.* **1.** *Mitol.* Relativo ou pertencente a Medusa, uma das três Górgones, a princípio muito bela, e à qual a deusa Minerva, por castigo, trocou a cabeleira magnífica em espantosas serpentes, além de lhe dar aos olhos o poder de converter em pedra tudo quanto olhasse. **2.** *Fig.* Horrendo, apavorante; medúsico. [Fem.: *meduséia*.]

medúsico. *Adj.* V. *meduseu* (2).

meeira. [Fem. substantivado de *meeiro*.] *S. f. Bras.* Colheita de algodão, a segunda, em seguida à baixeira [q. v.]. [Cf. *ponteira* (6).]

meeiro. [De *meio* + *-eiro*.] *Adj.* **1.** Que tem de ser dividido ao meio; que se pode partir em dois quinhões iguais. **2.** Que tem direito à metade dos bens. **3.** *Bras., N.E.* Diz-se do cavalo cuja marcha habitual é o meio (16). ● *S. m.* **4.** Aquele que tem metade em certos bens ou interesses. **5.** *Agr.* Aquele que planta em terreno alheio, repartindo o resultado das plantações com o dono das terras.

➧**meeting** (mítin'). [Ingl.] *S. m.* Reunião popular em que se discutem questões de interesse público; comício.

mefistofélico. [Do antr. *Mefistófeles* + *-ico[2]*.] *Adj.* **1.** Relativo a, ou próprio de Mefistófeles, demônio intelectual das lendas germânicas, e personagem do *Fausto*, drama de Goethe [v. *goethiano*]. **2.** Pérfido, maldoso, sarcástico: *Tem um ar mefistofélico*. **3.** Diabólico, infernal. ~ V. *charada —a*.

mefítico. [Do lat. *mephiticu*.] *Adj.* Que tem cheiro nocivo; podre, fétido, pestilencial, pestilento: *gases mefíticos*; "Os seus habitantes, que não respiram o ar *mefítico* das suas ruas estreitas e charcosas, desfrutam a aragem pura, que vem da serra da Estrela" (Gonçalves Dias, *Meditação*, p. 109).

mefitismo. *S. m.* **1.** Qualidade de mefítico.

▲**mega-.** *Pref.* que, anteposto ao nome duma unidade de medida, forma o nome de uma unidade derivada um milhão de vezes maior que a primeira. [Símb.: *M*.]

▲**meg(a)-.** [Do gr. *mégas, mégale, méga*.] *El comp.* = 'grande': *megascópio; megohm*. [Equiv.: *megal(o)-, -megal(o)-, -mego*: *megalocéfalo, megalanto; hepatomegalia, micrômego*.]

megaciclo. [De *meg(a)-* + *-ciclo*.] *S. m. Fís.* V. *megahertz*.

megacólon. [De *meg(a)-* + *cólon*.] *S. m. Med.* Dilatação aguda ou crônica do cólon, sem aumento de comprimento, e que pode ter causas diversas.

megadrilo. *S. m. Entomol.* Gênero de insetos da ordem dos dípteros, da família *Asilidade*, que se encontra na região etiópica.

megaesôfago. [De *meg(a)-* + *esôfago*.] *S. m. Med.* Distúrbio funcional esofagiano em que está prejudicado, em grau variável, o funcionamento do esfíncter inferior do órgão, a que se associam perturbações da eficácia do peristaltismo.

megafone. [De *meg(a)-* + *-fone*.] *S. m.* Espécie de porta-voz (1). [F. paral, p. us: *megafono*.]

megafono. [De *meg(a)-* + *-fono*.] *S. m. P. us.* Megafone.

megagrama. [De *mega-* + *-grama*.] *S. m.* Um milhão de gramas, ou seja, uma tonelada.

megahertz. [De *mega-* + *hertz*.] *S. m. Fís.* Unidade de medida de freqüência, igual a um milhão de hertz. [Símb. *MHz*.]

megalanto. [De *megal(o)-* + *-anto*.] *Adj. Morfol. Veg.* Que tem flores grandes.

megalegoria. [Do gr. *megalegoría*.] *S. f.* Estilo enfático pomposo.

megalino. *S. m.* Megálio.

megálio. [Do gr. *megaleîon*, pelo lat. *megaliu*.] *S. m.* Delicioso perfume, antigo, feito de óleo de avelã-da-índia, ou de bálsamo, de cana-da-arábia, da junça, da canela, etc.; megalino.

megalítico. [De *megal(o)-* + *lit(o)-* + *-ico[2]*.] *Adj.* **1.** Diz-se dos monumentos pré-históricos feitos de grandes blocos de pedra, com o dólmen e o menir. **2.** *P. ext.* Feito de grandes pedras.

megálito. [De *meg(a)-* + *-lito*.] *S. m.* Pedra monumental dos tempos pré-históricos.

▲**megal(o)-.** V. *meg(a)-*.

▲**-megal(o)-.** V. *meg(a)-*.

megaloblasto. [De *megal(o)-* + *-blasto*.] *S. m. Patol.* Célula grande, imatura, que apresenta núcleo e de que provirá série anormal de hemácias.

megalocefalia. *S. f.* Qualidade de megalocéfalo.

megalocefálico. *Adj.* Relativo à megalocefalia.

megalocéfalo. [De *megal(o)-* + *-céfalo*.] *Adj.* Que tem cabeça excessivamente grande; magistocéfalo, megistocéfalo.

megalócito. [De *megal(o)-* + *-cito*.] *S. m. Patol.* Hemácia de diâmetro enorme, que atinge entre 12 e 25 micros.

megalógono. [De *megal(o)-* + *-gono[1]*.] *Adj. Crist.* Diz-se dos cristais cujas faces formam entre si ângulos muito obtusos.

megalografia. [De *megal(o)-* + *-graf(o)-* + *-ia*.] *S. f.* **1.** Descrição de fatos grandiosos. **2.** Desenho ou pintura desses fatos.

megalográfico. *Adj.* Relativo à megalografia.

megalógrafo. *S. m.* Aquele que faz megalografias.

megalomania. [De *megal(o)-* + *-mania*.] *S. f.* Mania de grandeza; superestima doentia de si mesmo: "Tornava-se rajá, nababo, xá da Pérsia, e tonteava-nos com sua *megalomania*." (Agripino Grieco, *Recordações de um Mundo Perdido*, p. 280.)

megalomaníaco. *Adj.* **1.** Referente à megalomania, ou próprio de megalômano. **2.** Que tem megalomania. ● *S. m.* **3.** Megalômano.

megalômano. *S. m.* Aquele que tem megalomania; megalomaníaco.

megalopia. [De *megal(o)-* + *-op(s)(e)-* + *-ia*.] *S. f.* Macropsia.

megalópico. *Adj.* Relativo à megalopia.

megalopigídeo. *S. m.* **1.** Espécime dos megalopigídeos. ● *Adj.* **2.** Pertencente ou relativo a eles.

megalopigídeos. *S. m. pl. Zool.* Família de insetos da ordem dos lipidópteros. São mariposas com densa cobertura de escamas entremeadas de cerdas onduladas, e cujas larvas, muito peludas, apresentam substância urticante, causadora de queimaduras e irritação da pele. Ex.: taturanas, lagartas-de-fogo, ursos, etc.

megalópole. [De *megal(o)-* + *-pole*.] *S. f.* **1.** Grande metrópole (2). **2.** *Urb.* Grande aglomeração populacional polinuclear constituída pela reunião articulada de várias áreas metropolitanas cujos limites se interpenetram, redistribuindo as atribuições urbanas num território muito mais extenso. [Ex.: Nos E.U.A., a faixa costeira de Boston a Washington, compreendendo ainda as regiões metropolitanas de Nova Iorque, Filadélfia e Baltimore.]

megalóporo. [De *megal(o)-* + *-poro*.] *Adj.* Que tem grandes poros.

megalóptero. *S. m.* **1.** Espécime dos megalópteros. ● *Adj.* **2.** Pertencente ou relativo a eles. [Sin. ger.: *coridálido, sialidiforme, sialóideo, rafídido, rafidióideo*.]

megalópteros. *S. m. pl. Zool.* Insetos da ordem dos neurópteros, subordem *Megaloptera*, com dois pares de asas transparentes e veias ramificadas próximas à margem. As larvas têm aparelho bucal mastigador; os adultos, mandíbulas muito desenvolvidas. [Sin.: *coridálidos, sialidiformes, sialóideos, rafídidos, rafidióideos*.]

megalosplenia. [De *megal(o)-* + *-splen-* + *-ia*.] *S. f. Patol.* Esplenomegalia.

megalosplênico. *Adj.* Relativo a megalosplenia; esplenomegálico.

megalossauro. [De *megal(o)-* + *-sauro*.] *S. m.* Espécie de grande lagarto fóssil.

meganha. *S. m. Bras.* V. *mata-cachorro* (2): "Sozinho, brigou com meia dúzia de *meganhas*." (Reginaldo Guimarães, *Uma Blusa no Cais*, p. 5.)

megaohm. *S. m. Eletr.* Megohm [q. v.].

megaparsec. [De *mega-* + *parsec*.] *S. m. Astr.* Unidade de distância equivalente a 1 milhão de parsecs, ou 3.260.000 anos-luz.

megarense. *Adj. 2 g.* e *s. 2 g.* Megárico.

megárico. [Do gr. *megarikós*, pelo lat. *megaricu*.] *Adj.* **1.** Da, ou pertencente ou relativo à região de Mégara (Grécia). ~ V. *escola —a*. ● *S. m.* **2.** O natural ou habitante de Mégara. [Sin. ger.: *megarense*.]

megascolecídeo. *S. m.* **1.** Espécime dos megascolecídeos. ● *Adj.* **2.** Pertencente ou relativo a eles.

megascolecídeos. *S. m. pl. Zool.* Família de vermes anelídeos. [V. *minhoca-louca*.]

megascópico. *Adj.* **1.** Relativo ao megascópio. **2.** Macroscópio.

megascópio. [De *meg(a)-* + *-scop-* + *-io[2]*.] *S. m.* Instrumento com que se obtêm cópias aumentadas de pequenos quadros ou de outros objetos.

megatério. [De *meg(a)-* + gr. *theríon*, 'fera', pelo lat. científico *megatherium*.] *S. m.* Grande mamífero desdentado, fóssil nos terrenos terciários e quaternários da América.

megatérmico. [De *meg(a)-* + *térmico*.] *Adj. Ecol. Veg.* Que exige temperaturas elevadas o ano inteiro; megatermo: *vegetação megatérmica*.

megatermo. [De *meg(a)-* + *-termo*.] *Adj. Ecol. Veg.* Megatérmico.

megaton. [De *mega-* + *ton(elada)*.] *S. m. Fís. Nucl.* Unidade de medida empregada para avaliar a energia que se desprende numa explosão nuclear, e equivalente à energia libertada na explosão de um milhão de toneladas de trinitrotolueno, ou, aproximadamente, a 10^{15} calorias.

megera (gé). [Do mit. *Megera*, de uma das três Fúrias (q. v.).] *S. f.* **1.** Mulher de mau gênio, cruel. [Sin., bras.: *biraia*.] **2.** Mãe desnaturada. **3.** V. *bruxa* (2).

megistane. *S. m.* e *adj. 2 g.* Casuariforme.

megistanes. *S. m. pl. Zool.* Casuariformes.

megistocéfalo. [Do gr. *mégistos*, 'máximo', + *-céfalo*.] *Adj.* V. *megalocéfalo*.

▲**-mego.** V. *meg(a)-*.

megohm. [Var. de *megaohm* < *mega-* + *ohm*.] *S. m. Eletr.* Unidade de medida de resistência elétrica, igual a um milhão de ohms. [Símb.: *M*, *Ω*.]

➧**mehr Licht!** (mér lixt). [Al., 'mais luz'.]. As últimas palavras de Goethe [v. *goethiano*].

meia[1]. [Abrev. da ant. loc. *meia-calça*.] *S. f.* **1.** Peça tecida em malha, lã, algodão, seda ou náilon, para cobrir o pé e a perna ou parte dela. **2.** Ponto de malha com que se fabrica essa peça e outras de vestuário: *camisa de meia*. ~ V. *meias*. ◆ **Meia elástica.** Meia espessa e elástica, destinada a conter a dilatação das varizes.

meia[2]. *Num.* O número 6, usado na fala, para evitar confusão com o número 3: *Os ônibus da linha quatro-três-quatro (434) e quatro-meia-quatro (464) unem o Grajaú ao Leblon*.

meia[3]. *S. f.* F. red. de *meia-entrada*.

meia[4]. *S. f. Encad.* F. red. de *meia-encadernação*.

meia[5]. [Do fem. de *meio[1]* (21).] *S. f.* Antiga medida portuguesa para líquidos.

meia-água. [Do fem. de *meio[1]* (19) + *água*.] *S. f.* **1.** Telhado de um só plano. **2.** *P. ext.* Habitação com esse telhado: "Vicente dera-lhe um quarto na *meia-água* junto da cozinha." (Antônio Celso, *A Porta de Jerusalém*, p. 29.) [Var.: *meiágua*. Pl.: *meias-águas*.]

meia-armador. [Do fem. substantivado de *meio*[1] (19), subentendendo-se *posição, ou voc. equiv.*, + *armador.*] *S. m. Bras. Fut.* Jogador que atua principalmente na zona do meio de campo, entre a defesa e o ataque, e cuja função é limpar a jogada [q. v.] e alimentar o ataque: "No time da minha rua eu sou m e i a - a r m a d o r." (João Saldanha, *Os Subterrâneos do Futebol*, p. 161.) [Tb. se diz apenas *armador*. Pl.: *meias-armadores.*]

meia-calça. [De *meia*[1] + *calça.*] *S. f.* Meia (1) que vai até à cintura. [Pl.: *meias-calças.*]

meia-cana[1]. [Do fem. de *meio*[1] (19) + *cana.*] *S. f.* **1.** Moldura côncava de um lado e convexa do outro, em forma de cana[1]. **2.** Lima em forma de segmento de círculo, de espingardeiros, carpinteiros e marceneiros. **3.** Peça das armaduras antigas, que cobria a parte anterior da perna. **4.** *Mús.* Var. de *meia-canha*. [Pl.: *meias-canas.*]

meia-cana[2]. *S. f. Bras., RS.* Var. de *meia-canha*. [Pl.: *meias-canas.*]

meia-cancha. [Do fem. de *meio*[1] (19) + *cancha.*] *S. f. Bras. Fut.* Área imaginária, paralela às linhas que dividem o campo. [Pl.: *meias-canchas.*]

meia-canha. [Do esp. plat. *mediacaña.*] *S. f. Bras., RS.* Baile rural do grupo do fandango, ao som de uma polca. [Var.: *meia-cana*. Pl.: *meias-canhas.*]

meia-cara. [Do fem. de *meio*[1] (19) + *cara;* da loc. *de meia cara.*] *S. 2 g. Bras.* O escravo que, depois de proibido o tráfico, era importado por contrabando, sem se pagarem direitos aduaneiros, de meia-cara [q. v.]. [Pl.: *meias-caras.*]

meia-claridade. [Do fem. de *meio*[1] (19) + *claridade.*] *S. f.* Meia-luz: "Pela janela entreaberta a luz fria da manhã entrava no quarto, enchendo-o duma serena m e i a - c l a r i d a d e." (D. João da Câmara, *Contos*, p. 18.) [Pl.: *meias-claridades.*]

meia-colher. [Do fem. de *meio*[1] (19) + *colher.*] *S. m. Bras., SP.* Trolha[1] (4). [Pl.: *meias-colheres.*]

meia-confecção. [Do fem. de *meio*[1] (19) + *confecção.*] *S. f.* Confecção (2) que é acabada segundo as medidas exatas de quem a compra. [Pl.: *meias-confecções.*]

meia-coronha. [Do fem. de *meio*[1] (19) + *coronha.*] *S. f. Bras., N.E. Pop.* V. *calça meia-coronha*. [Pl.: *meias-coronhas.*]

meia-direita. [Do fem. de *meio*[1] (19) + *direita.*] *Bras. Fut. S. f.* **1.** A posição que ocupa um jogador, na linha dianteira, entre o centro e o ponta-direita. ● *S. m.* **2.** O jogador que ocupa essa posição: "quase todo o estádio ouve o palavrão com que o m e i a - d i r e i t a, de bola no pé, saúda o m e i a - e s q u e r d a que o procura" (Orígenes Lessa, *A Desintegração da Morte*, p. 98). [Pl.: *meias-direitas.*]

meia-encadernação. [Do fem. de *meio*[1] (19) + *encadernação.*] *S. f.* Encadernação em que a cobertura da lombada, ou da lombada e cantoneiras, é de um material, e a das pastas de outro. [Tb. se diz apenas *meia*, ou, para especificar o material da lombada, *encadernação em meio-couro, meio-couro, encadernação em meio-pano, meio-pano*, etc. Pl.: *meias-encadernações*. Cf. *encadernação inteira.*]

meia-entrada. [Do fem. de *meio*[1] (21) + *entrada.*] *S. f. Bras.* Ingresso para casas de espetáculos, que é vendido pela metade do preço a estudantes, menores, etc. [Tb. se diz apenas *meia*. Pl.: *meias-entradas.*]

meia-espessura. [Do fem. de *meio*[1] (21) + *espessura.*] *S. f. Fís. Nucl.* Espessura de um absorvedor que é capaz de reduzir à metade a intensidade de um feixe de partículas que o atravessa. [Pl.: *meias-espessuras.*]

meia-esquadria. [Do fem. de *meio*[1] (21) + *esquadria.*] *S. f.* **1.** Linha que divide ao meio um ângulo reto. **2.** A metade de esquadria. **3.** A ligação de duas peças de madeira feita segundo uma linha a 45 graus. [Pl.: *meias-esquadrias.*]

meia-esquerda. [Do fem. de *meio*[1] (19) + *esquerda.*] *Bras. Fut. S. f.* **1.** A posição do jogador que ocupa, na linha dianteira, lugar entre o ponta-esquerda e o centro. ● *S. 2 g.* **2.** Jogador que ocupa essa posição. [Pl.: *meias-esquerdas*]

meia-estação. [Do fem. de *meio*[1] (19) + *estação.*] *S. f.* Os dias do ano que não são nem muito quentes nem muito frios: *O brim é ótimo tecido para m e i a - e s t a ç ã o*. [Pl.: *meias-estações.*] ◆ **De meia-estação.** Diz-se de roupa, moda, etc., adequadas à meia-estação.

meiágua. [Var. sincopada de *meia-água.*] *S. f. Bras., N.E.* **1.** meia-água. **2.** Casa de meia-água: "Mas antes que atingisse a m e i á g u a pintada a ocre, houve um sacolejo forte e o carro brecou." (Ricardo Ramos, *Os Caminhantes de Santa Luzia*, p. 21.)

meia-idade. [Do fem. de *meio*[1] (19) + *idade.*] *S. f.* **1.** A idade dos 30 aos 50 anos. [Pl.: *meias-idades.*] **2.** A Idade Média: "um Romance moderno, dum realismo épico, em dous robustos volumes, formando um estudo ricamente colorido da M e i a - I d a d e Portuguesa..." (Eça de Queirós, *A Ilustre Casa de Ramires*, p. 24).

meia-lagarta. [Do fem. de *meio*[1] (19) + *lagarta* (3).] *S. f.* Veículo militar blindado e com rolamentos mistos de rodas e lagartas. [Pl.: *meias-lagartas.*]

meia-laranja. [Do fem. de *meio*[1] (19) + *laranja.*] *S. f.* **1.** *Bras.* Morro de conformação pouco acidentada, parecido à metade de uma laranja. **2.** *Constr. Nav.* Armação de metal que se coloca em escotilha de passagem de pessoal para sustentar uma cobertura de lona que a protege da chuva. [Pl.: *meias-laranjas.*]

meia-légua. [Do fem. de *meio*[1] (19) + *légua.*] *S. f. Bras.* Espingarda de longo alcance. [Pl.: *meias-léguas.*]

meia-língua. [Do fem. de *meio*[1] (19) + *língua.*] *S. f.* Linguagem confusa, pouco inteligível, particularmente de criança ou de estrangeiro que não domina um determinado idioma. [Pl.: *meias-línguas.*]

meia-lona. [Do fem. de *meio*[1] (19) + *lona.*] *S. m.* e *f.* Tecido grosso, de linho cru ou branco. [Pl.: *meias-lonas.*]

meia-lua. [Do fem. de *meio*[1] (19) + *lua.*] *S. f.* **1.** *Astr.* Aspecto da Lua quando, em quarto crescente ou quarto minguante, se apresenta dicotomizada. **2.** Semicírculo. **3.** Lúnula (3). **4.** *Arquit.* Construção em forma de semicírculo, à maneira de anfiteatro. **5.** *Bras. Cap.* Golpe traumatizante em que o jogador se vira de costas, baixa o tronco e levanta uma das pernas em semicircunferência para atingir o adversário, no tronco ou na cabeça, com o calcanhar. [Cf. *meia-lua solta.*] **6.** *Bras., S.* Sinal com a forma de um crescente, localizado no meio da testa de certos animais. [Pl.: *meias-luas.*] ◆ **Meia-lua solta.** *Bras. Cap.* Meia-lua (5) aplicada com as mãos no ar, a fim de que o golpe adquira maior velocidade.

meia-luva. [Do fem. de *meio*[1] (19) + *luva.*] *S. f.* V. *mitene*. [Pl.: *meias-luvas.*]

meia-luz. [Do fem. de *meio*[1] (19) + *luz.*] *S. f.* Claridade dúbia, indecisa; penumbra, meia-claridade: *a m e i a - l u z da madrugada;* "Ao pôr-do-sol, pela tristeza / Da m e i a - l u z crespuscular, / Tem a toada de uma reza / A voz do mar." (Vicente de Carvalho, *Poemas e Canções*, p. 31.) [Pl.: *meias-luzes.*]

meia-máscara. [Do fem. de *meio*[1] (19) + *máscara.*] *S. f.* Mascarilha. [Pl.: *meias-máscaras.*]

meia-morada. [Do fem. de *meio*[1] (19) + *morada.*] *S. f. Bras., MA.* Casa térrea que, pelo número e disposição dos cômodos, apresenta na fachada principal, em geral situada no alinhamento da rua, duas ou três janelas localizadas num mesmo lado da porta de entrada: "a m e i a - m o r a d a de beiral saliente onde o Dr. Estêvão tinha reaberto o seu consultório" (Josué Montelo, *Cais da Sagração*. p. 9). [Pl.: *meias-moradas*. Cf. *morada-inteira* e *porta-e-janela.*]

meia-nau. [Do fem. de *meio*[1] (19) + *nau.*] *S. f. Constr. Nav.* **1.** Nos antigos navios à vela, a parte situada entre o mastro do traquete e o mastro grande. **2.** *Constr. Nav. Bras.* Parte da embarcação eqüidistante da proa e da popa, ou estreita faixa para um e outro lado dessa parte: "De m e i a - n a u para vante, no convés, a gente andava toda alagada, ensopada, enterrada n'água até o pescoço" (Virgílio Várzea, *Nas Ondas*, p. 45). [Pl.: *meias-naus*. Cf. *meio-navio.*]

meia-noite. [Do fem. de *meio*[1] (21) + *noite.*] *S. f.* A hora ou momento que divide a noite em duas partes iguais; as 24 horas. [F. paral.: *meia-noute*. Pl.: *meias-noites.*]

meia-noute. [Do fem. de *meio*[1] (21) + *noute.*] *S. f.* Meia-noite. [Pl.: *meias-noutes.*]

meia-pataca. [Do fem. de *meio*[1] (21) + *pataca.*] *S. f.* **1.** *Fam.* Quantia insignificante; nonada, ninharia: *Comprou o sítio por m e i a - p a t a c a*. **2.** *Bras.* V. *alma-de-gato* (1). [Pl.: *meias-patacas*. Cf. *meia pata.*] ◆ **De meia-pataca.** V. *de meia-tigela:* "não vamos confundir e comparar Cardoso e Sª com cartomante ou ocultista desses por aí, ... ou com adivinhos de m e i a - p a t a c a, quiromantes chinfrins." (Jorge Amado, *Dona Flor e Seus Dois Maridos*, p. 499).

meia-pontense. *Adj. 2 g.* **1.** De Meia Ponte, hoje Pirenópolis (GO). ● *S. 2 g.* **2.** Natural ou habitante de Meia Ponte. [Pl.: *meia-pontenses.*]

meia-porta. [Do fem. de *meio*[1] (19) + *porta.*] *S. f.* Nos trípticos, cada uma das duas portas laterais que fecham cobrindo o painel central. [Pl.: *meias-portas.*]

meia-praça. [Do fem. de *meio*[1] (19) + *praça.*] *S. m. Bras., BA* e *MG.* Garimpeiro que recebe provisões de outrem e trabalha para si e para o seu fornecedor. [Pl.: *meias-praças.*]

meia-quarta. [Do fem. de *meio*[1] (21) + *quarta*[1].] *S. f. Ant. Náut.* Cada uma das 32 subdivisões da rosa-dos-ventos situada entre os pontos cardeais ou colaterais e as quartas [v. *quarta*[1] (12)]. [Pl.: *meias-quartas.*]

meia-rédea. [Do fem. de *meio*[1] (19) + *rédea.*] *S. f.* Andadura do cavalo, mais rápida que o galope comum e menos do que a carreira. [Pl.: *meias-rédeas.*]

meia-rotunda. [Do fem. de *meio*[1] (21) + *rotunda.*] *S. f.* Construção semicircular. [Pl.: *meias-rotundas.*]

meias. [Fem. pl. de *meio*[1] (1).] *S. f. pl.* Contrato em que se dividem por igual lucros e perdas entre duas partes contratantes. ~ V. *meia*. ◆ **A meias.** De sociedade; de combinação; em colaboração: "Mal sabia .... que a filha honesta e querida do judeu era uma judia de baixa condição, tirada pelo esperto Isaías duma viela de Alfama, para servir aos seus planos e ganhar com ele, a m e i a s, o dinheiro dos mineiros petulantes e tolos." (Gustavo Barroso, *A Ronda dos Séculos*, p. 266.)

meia-sola. [Do fem. de *meio*[1] (21) + *sola.*] *S. f.* Remendo em calçado, que substitui a metade anterior da sola. [Pl.: *meias-solas.*]

meia-sombra. [Do fem. de *meio*[1] (19) + *sombra.*] *S. f.* Penumbra; meia-luz: "Nítida era agora a zona de luz que a lâmpada recortava na m e i a - s o m b r a" (Augusto Meyer, *No Tempo da Flor*, p. 69). [Pl.: *meias-sombras.*]

meia-tarde. [Do fem. de *meio*[1] (19) + *tarde.*] *S. f.* Hora ou momento que divide a tarde em duas partes aproximadamente iguais: "A gente das proximidades, essa, desde m e i a - t a r d e, a bem dizer enxameava a casa" (Virgílio Várzea, *Mares e Campos*, p. 129). [Pl.: *meias-tardes.*]

meia-tigela. [Do fem. de *meio*[1] (19) + *tigela.*] *El. s. f.* Us. na loc. adj. *de meia-tigela*. ◆ **De meia-tigela.** Sem valor, sem importância; ordinário, insignificante, medíocre, vulgar; de meia-pataca: "Esse promotorzinho de m e i a - t i g e l a não dá nem para a saída." (Macedo Miranda, *As Três Chaves*, p. 82.)

meia-tinta. [Do fem. de *meio*[1] (19) + *tinta.*] *S. f.* **1.** Graduação de cores; matiz: "Luzes indistintas / Vão transparecer / Entre as m e i a s - t i n t a s / Que há no amanhecer." (Martins Fontes, *Vulcão*, p. 44.) **2.** Tom de uma cor, entre luz e sombra. **3.** Gravura à meia-tinta. **4.** *Fig.* Disfarce, dissimulação. [Pl.: *meias-tintas.*]

meia-vida. [Do fem. de *meio*[1] (21) + *vida.*] *S. f. Fís. Nucl.* Tempo necessário para que se reduza à metade, por desintegração, a massa de uma amostra de um nuclídeo radioativo; período. [Pl.: *meias-vidas.*]

meia-volta. [De *meia*, fem. de *meio*[1] (21) + *volta.*] *S. f.* **1.** Movimento circular do corpo, de que resulta ficar de costas para o local que estava à sua frente. **2.** *Mil.* Movimento de ordem unida executado por uma tropa (em marcha ou parada), para marchar ou colocar-se na direção oposta. **3.** *Marinh.* Volta muito usada como base ou parte de vários nós, e que é também dada no chicote de cabos finos, para não deixá-lo desgornir de um gorne, ou para não deixá-lo descochar. [Cf. *cote.*] **4.** *Marinh.* O simples retorno do cabo por trás de um objeto cilíndrico, de modo que a pernada que retorna fique em direção oposta à do vivo do cabo. [Pl.: *meias-voltas.*]

meigo. [Do gr. *magikós*, pelo lat. *magicu*, 'mágico', 'encantador'.] *Adj.* **1.** Amável, afável, bondoso: *palavras m e i g a s*. **2.** Carinhoso, terno, afetuoso: *filha m e i g a*. **3.** Doce, suave, brando: *voz m e i g a*.

meiguice. *S. f.* **1.** Qualidade, ato ou dito de meigo; carinho, ternura. **2.** Doçura, brandura, suavidade. ~ V. *meiguices*.

meiguiceiro. *Adj.* Dado a fazer meiguices; carinhoso, terno.

meiguices. [Pl.: de *meiguice.*] *S. f. pl.* **1.** Afagos, mimos, carícias. **2.** Palavras afetuosas. ~ V. *meiguice*.

meijoada. *S. f.* Var. aferética de *ameijoada*[2].

meimendro. [Do lat. tardio *milimindru.*] *S. m.* Planta medicinal e tóxica, da família das solanáceas (*Hyoscyamus niger*), nativa da Europa, que encerra vários alcalóides de grande atividade fisiológica, e cujas flores são grandes e vistosas; hiosciamo, velenho.

meiminho. [Do lat. **miniminu*, dim. de *minimu.*] *Adj.* e *s. m. Pop.* V. *dedo mínimo*.

meinácu. *Bras. S. 2 g.* **1.** Indígena aruaque dos meinácus, tribo das cabeceiras do Xingu. ● *Adj. 2 g.* **2.** Pertencente ou relativo a essa tribo.

meio[1]. [Do lat. *mediu.*] *S. m.* **1.** Ponto eqüidistante, ou mais ou menos eqüidistante, dos extremos; metade: *Depois de marcar o m e i o da linha vamos dividi-la em duas partes iguais; O vento partiu no m e i o as amarras do navio.* **2.** Ponto eqüidistante, ou mais ou menos eqüidistante, de diversos outros em sua periferia; centro: *Dois diâmetros se cruzam no m e i o da circunferên-*

cia; *A lancha manobrava no m e i o da baía.* **3.** Momento eqüidistante, ou mais ou menos eqüidistante, do início e do fim; metade: *Estamos no m e i o da viagem, mais outras duas horas e chegaremos; Saímos no m e i o do filme.* **4.** Posição intermediária entre dois seres ou objetos: *A fotografia mostra o menino no m e i o, entre o pai e a mãe.* **5.** Situação de permeio: *O homem sumiu-se no m e i o da multidão.* **6.** Lugar onde se vive, com suas características e condicionamentos geofísicos; ambiente: *No séc. XX o homem saiu do m e i o, lançando-se ao espaço sideral.* **7.** Esfera social ou profissional onde se vive ou trabalha; ambiente, círculo: *Habituado à simplicidade, não se adaptou ao m e i o grã-fino.* **8.** Recurso(s) empregado(s) para alcançar um objetivo; expediente, método: *Os fins não justificam os m e i o s; Tem procurado, por todos os m e i o s, sair da má situação em que se acha.* **9.** Maneira de agir; modo, forma, caminho, maneira: *Este é o único m e i o legal para concretizarmos o negócio.* **10.** Aquilo que exerce uma função intermediária na realização de alguma coisa; via, caminho: *m e i o s de comunicação; m e i o de acesso.* **11.** Poder para praticar uma ação; possibilidade, capacidade, maneira: *Onde arranjar m e i o s para contentar a todos?* **12.** Cada uma das ordens em que se subdividem os talhos das salinas. **13.** *Mat.* Denominação comum ao segundo e terceiro termos de uma proporção. **14.** *Fís.* Corpo ou ambiente onde ocorrem determinados fenômenos especiais. **15.** *Coreog.* Conjunto de exercícios que, sem apoio de barra, os bailarinos executam no meio da sala de aula. **16.** *Bras., N.E.* Andadura do cavalo, mais rápida que a estrada (6) e menos que a baralha. **17.** *Bras., N.E.* Na jangada (4), cada um dos dois paus roliços situados junto à mediania (4) da embarcação. **18.** *Bras. Chulo.* O ânus. ● *Adj.* **19.** Incompleto, inacabado: *Esboçou um m e i o riso; O enfermo teve uma m e i a síncope.* **20.** Que encerra um conteúdo pela metade: "Em volta de um fogareiro, sobre brasas, a miúdo ateadas, fumava num *caburé* m e i o d'água espessa camada de cera fundida." (Melo Morais Filho, *Festas e Tradições Populares do Brasil*, pp. 124 125.) ~ V. —*a dúzia.* ● *Num.* **21.** Metade de um; metade da unidade; um meio: *m e i a laranja; m e i o quilômetro; m e i o quilo.* ~ V. *meios.* ● *Adv.* **22.** Por metade; um pouco; um tanto; quase: *Anda m e i o doente.* [Há muitos exemplos, no português antigo como no moderno, desse advérbio flexionado (caso de concordância por atração): "a cabeça do Rubião m e i a inclinada" (Machado de Assis, *Quincas Borba*, p. 67); "casou m e i a defunta" (Id., *Várias Histórias*, p. 97); "a mesma mulher, sempre nua ou m e i a despida" (Eça de Queirós, *A Cidade e as Serras*, p. 366); "Uns caem m e i o s mortos, e outros vão / A ajuda convocando do Alcorão." (Luís de Camões, *Os Lusíadas*, III, 50); "cinzeiros com cigarros m e i o s fumados" (José Régio, *Histórias de Mulheres*, pp. 45-46).] ♦ **Meio ambiente.** O conjunto de condições naturais e de influências que atuam sobre os organismos vivos e os seres humanos. **Meio a meio.** Em duas partes iguais; pela metade: *Dividiram a despesa m e i o a m e i o.* **Meio circulante.** *Fin.* O total dos valores em circulação num determinado país. **Meio da rua.** V. *olho da rua.* **Meio de comunicação.** *Teor Com.* Canal ou cadeia de canais que liga a fonte ao destinatário (ou o emissor ao receptor) na transmissão de uma mensagem — p. ex., a televisão, a telegrafia, a fala/audição, a página impressa, etc.; veículo de comunicação. **Meio de mundo.** *Bras., N.E.* V. *cafundó* (3). **Meio do mundo.** *Bras., N.E.* V. *cafundó* (3). **Meio exterior.** A água, o ar, a terra. **Meio geográfico.** Conjunto de características que influem na vida dos seres vivos sobre a Terra. **Meios de comunicação de massa.** Meios ou veículos utilizados na comunicação de massa [q. v.]; *mass media.* **Meios de produção.** *Econ.* Elementos que constituem a condição material da produção (6), e que compreendem os objetos de trabalho [q. v.] e os instrumentos de produção [q. v.]. [Cf. *modo de produção.*] **Embolar o meio de campo.** *Bras.* Causar confusão ou embaraço; atrapalhar. **Em meio.** Pelo meio. **Pelo meio.** Sem estar concluído; sem ter chegado ao fim; em meio: *Abandonou o trabalho p e l o m e i o.* **Por meio de.** Por intermédio de; pelo emprego de; mediante: *A dominação romana exercia-se p o r m e i o d a s armas.*

meio². *S. m. Bras., RS.* F. abrev. de *meio-real.*

meio-busto. [De *meio*¹ (19) + *busto.*] *S. m.* Retrato ou efígie em que se representa unicamente a cabeça e o pescoço. [Pl.: *meios-bustos.*]

meio-chumbo. [De *meio*¹ (19) + *chumbo* (2).] *S. m. Bras., SP.* Carrapatinha. [Pl.: *meios-chumbos.*]

meiocica. *S. f. Bras., MA.* Subproduto da fabricação da farinha.

meio-claro. [De *meio*¹ (22) + *claro.*] *Adj. e s. m. Tip.* Diz-se do, ou o tipo (ou fio) que, quanto à fôrça dos traços, se classifica entre o normal e o claro; meio-fino. [Pl.: *meio-claros.* Cf. *claro* (21).]

meio-copeiro. [De *meio*¹ (19) + *copeiro* (5).] ~ V. *engenho* —. [Pl.: *meio-copeiros.*]

meio-corpo. [De *meio*¹ (19) + *corpo.*] *S. m.* A parte superior de uma figura humana desde a cintura. [Pl.: *meios-corpos.*]

meio-couro. [De *meio*¹ (19) + *couro.*] *S. m.* V. *meia-encadernação.* [Pl.: *meios-couros.*]

meio-de-campo. *S. m.* **1.** A posição que ocupa um jogador, no meio do campo. **2.** Jogador que ocupa essa posição. [Pl.: *meios-de-campo.*]

meio-dia. [De *meio*¹ (21) + *dia.*] *S. m.* **1.** Hora ou momento que divide ao meio o dia alumiado; as 12 horas. **2.** O ponto cardeal sul. [Até o séc. XV, as terras e mares conhecidos dos europeus situavam-se ao N. do Trópico de Câncer; portanto, ao passar o Sol pelo meridiano local (meio-dia), fazia-o sempre na direção do S.] **3.** O auge; o máximo vigor; o esplendor: "Cláudio Manuel, ... homem solitário na multidão, alto, muito erecto, ... em pleno m e i o - d i a dos seus trinta e nove anos, que eram também o m e i o - d i a do seu espírito, começava, por força do hábito, a compor os primeiros versos de um soneto" (Caio de Melo Franco, *O Inconfidente Cláudio Manuel da Costa*, pp. 23-24). [Pl.: *meios-dias.*] ♦ **Meio-dia aparente.** *Astr.* Instante em que o centro do Sol está no meridiano superior.

meio-feriado. [De *meio*¹ (19) + *feriado.*] *S. m.* Feriado em que só se trabalha a metade do expediente normal: "Houvera m e i o - f e r i a d o, o expediente fechara mais cedo." (Carlos Heitor Cony, *A Verdade de Cada Dia*, p. 99.) [Pl.: *meios-feriados.*]

meio-fino. [De *meio*¹ (19) + *fino*¹.] *Adj.* e *s. m. Tip.* Meio-claro. [Pl.: *meios-finos.*]

meio-fio. [De *meio*¹ (19) + *fio.*] **1.** Arremate entre o plano do passeio e o da pista de rolamento de um logradouro: "Um marinheiro embriagado achava-se sentado no m e i o - f i o da calçada" (Érico Veríssimo, *Noite*, p. 57). [Sin: *lancil* (bras., SP), *guia* e (bras., CE) *fio-de-pedra.*] **2.** Chanfradura no batente da porta ou em caixilhos. **3.** *Náut.* Anteparo que vai da popa à proa, no porão, e serve para equilibrar a carga. [Pl.: *meios-fios.*]

meio-grosso. [De *meio*¹ (22) + *grosso.*] *Adj.* e *s. m.* Diz-se de, ou certa qualidade de rapé: "Há charutos, há o m e i o - g r o s s o, e o cigarro." (Camilo Castelo Branco, *O Que Fazem Mulheres*, p. 21.) [Pl.: *meio-grossos.*]

meio-largo. [De *meio*¹ (22) + *largo*².] *Adj. Tip.* Diz-se do tipo que, quanto à largura, se classifica entre o normal e o largo. [Pl.: *meio-largos.*]

meio-luto. [De *meio*¹ (19) + *luto.*] *S. m.* Luto¹ (2) aliviado. [Pl.: *meios-lutos.*]

meio-médio. [De *meio*¹ (19) + *médio.*] *Adj.* ~ V. *peso* —. [Pl.: *meio-médios.*]

meio-navio. [De *meio*¹ (19) + *navio.*] *S. m. Constr. Nav.* **1.** Região do navio situada próxima ao seu plano longitudinal. **2.** *Ant.* Designação do que hoje se denomina meia-nau [q. v.] na Marinha do Brasil. [Pl.: *meios-navios.*]

Meio-Norte. [De *meio*¹ (22) + *norte.*] *S. m. Geogr. Bras.* V. *grande região.* [É de rigor o uso das iniciais maiúsculas.]

meio-pano. [De *meio*¹ (19) + *pano.*] *S. m.* V. *meia-encadernação.* [Pl.: *meios-panos.*]

meio-peixe. [De *meio*¹ (19) + *peixe.*] *S. m. Bras., BA.* O baleote já maior que o seguilhote. [Pl.: *meios-peixes.*]

meio-pesado. [De *meio*¹ (22) + *pesado.*] *Adj.* ~ V. *peso* —. [Pl.: *meio-pesados.*]

meio-preto. [De *meio*¹ (22) + *preto.*] *Adj.* e *s. m. Tip.* Diz-se do, ou o tipo (ou fio) que, quanto à fôrça dos traços, se classifica entre o normal e o preto. [Pl.: *meio-pretos.*]

meio-quadratim. [De *meio*¹ (21) + *quadratim.*] *S. m. Tip.* Espaço de grossura igual à metade do corpo a que pertence. [Pl.: *meios-quadratins.* V. *ene.*]

meio-quilo. [De *meio*¹ (19) + *quilo.*] *S. m. Bras. Gír.* Indivíduo de estatura baixa. [Pl.: *meios-quilos.*]

meio-real. [De *meio*¹ (21) + *real*¹ (2).] *S. m. Bras., RS.* Cem réis — a metade de um real, que na fronteira gaúcha equivalia a duzentos réis. [F. red.: *meio.* Pl.: *meios-reais.*]

meio-redondo. [De *meio*¹ (22) + *redondo.*] *S. m. Arquit.* Bareta. [Pl.: *meio-redondos.*]

meio-relevo. [De *meio*¹ (19) + *relevo.*] *S. m. Escult.* Figura ou ornato em que metade do vulto ressai de um plano, no sentido da espessura. [Pl.: *meios-relevos.* Cf. *baixo-relevo.*]

meios. [Pl.: de *meio*¹.] *S. m. pl.* Bens pecuniários; recursos, haveres: *Não tem m e i o s para levar vida luxuosa.* ~ V. *meio.*

meiose. [Do gr. *meíosis*, 'diminuição'.] *S. f. Citol.* Processo de divisão pelo qual as células filhas têm metade dos cromossomos da célula-mãe; miose.

meio-serviço. [De *meio*¹ (21) + *serviço* (12).] *S. m.* A metade das peças de louça e/ou de vidro que constituem um serviço de mesa. [Pl.: *meios-serviços.*]

meio-sono. [De *meio*¹ (19) + *sono.*] *S. m.* Sono em que os sentidos não estão inteiramente adormecidos; sonolência, modorra. [Pl.: *meios-sonos.*]

meio-soprano. [De *meio*¹ (19) + *soprano.*] *S. m.* **1.** Gênero de voz feminina entre soprano e contralto. Cantora que tem essa voz. [Pl.: *meios-sopranos.*]

meios-termos. [De *meio*¹ (19) + o pl. de *termo* (ê).] *S. m. pl.* **1.** Expressões incompletas e/ou ambíguas; tergiversações. **2.** Atos que nada resolvem ou decidem. ~ V. *meio-termo.*

meiota. [De *meio*¹ (21).] *S. f. Bras. Gír.* **1.** Porção de maconha. **2.** A metade duma garrafa de cachaça, servida na própria garrafa.

meio-termo. [De *meio*¹ (21) + *termo* (ê).] *S. m.* **1.** Termo a igual distância de dois extremos. **2.** *Fig.* Moderação, comedimento; ecletismo. ~ V. *meios-termos.* [Pl.: *meios-termos.*]

meiótico. *Adj.* **1.** Relativo à meiose; miótico. **2.** Alotípico.

meio-tijolo. [De *meio*¹ (19) + *tijolo.*] *S. m.* V. *parede frontal.* [Pl.: *meios-tijolos.*]

meio-tom. [De *meio*¹ (19) + *tom.*] *S. m.* **1.** *Mús.* Semitom [q. v.] **2.** Som emitido com nuanças doces, suaves ou abafadas: "E acalentava: ó-ó-ó-ó — prolongado gemido, ... com um requebro dolente de m e i o s - t o n s." (Camilo Castelo Branco, *Vulcões de Lama*, p. 215.) **3.** *Pint.* V. *nuança* (1): "Nos dias de tempestade .... a paisagem se perde em m e i o s - t o n s sutis: o verde dos coqueiros se torna profundo, sem brilho, pesado; a praia se cobre de um cinzento fosco, úmido, ameaçador." (James Amado, *Chamado do Mar*, p. 13.) **4.** Atributo de um desenho, estampa, fotografia, etc., que apresenta nuanças de preto ou de qualquer cor. [Pl.: *meios-tons.*]

meio-vôo. [De *meio*¹ (19) + *vôo.*] *S. m. Heráld.* Posição intermédia entre o vôo estendido e o vôo abatido. [Pl.: *meios-vôos.*]

meirinhaço. [De *meirinho*¹ + *-aço.*] *S. m.* Meirinho¹ (1 e 2) de mau caráter: "vou com isto à justiça, e apesar de ser ele um m e i r i n h a ç o muito velhaco, há de se haver comigo." (Manuel Antônio de Almeida, *Memórias de um Sargento de Milícias*, p. 116).

meirinhado. *S. m.* **1.** Cargo de meirinho¹ (1). **2.** Território de jurisdição do meirinho¹ (2).

meirinhar. *V. int.* Exercer as funções de meirinho¹.

meirinho¹. [Do lat. *majorinu*, 'um tanto maior'.] *S. m.* **1.** Antigo funcionário judicial, correspondente ao oficial de justiça de hoje [v. *beleguim*]: "andava ele de cartório em cartório, acotovelando-se com m e i r i n h o s, escrivães, juízes, e advogados" (Lima Barreto, *Triste Fim de Policarpo Quaresma*, p. 71). **2.** Antigo magistrado, de nomeação régia, e que governava amplamente um território ou comarca. **3.** V. *beleguim.* ● *Adj.* **4.** Diz-se do gado que pelo verão pasta nas montanhas e pelo inverno na planície. **5.** *P. ext.* Diz-se da lã desse gado.

meirinho². *S. m. Bras.* V. *papa-mosca* (1).

meirinho-mor. [De *meirinho*¹ + *mor.*] *S. m.* O chefe, o principal dos meirinhos. [Pl.: *meirinhos-mores.*]

meiru-de-preto. *S. m. Bras.* Certa planta da família das anonáceas. [Pl.: *meirus-de-preto.*]

meizinha. [Do lat. *medicina*, 'remédio'.] *S. f. Bras., N.E.* e *MG*, e *ant.* Remédio, mezinha: "Cataplasmas de farinha de mandioca, m e i z i n h a s e chás caseiros não lhe davam alívio, não faziam regredir a moléstia." (Nélson de Faria, *Tiziu e Outras Estórias*, p. 63.)

mel¹. [Do lat. *melle.*] *S. m.* **1.** Substância doce elaborada pelas abelhas, do suco das flores, e por elas depositada em alvéolos especiais. **2.** Suco espesso e doce que se extrai de certas plantas. **3.** *Fig.* Doçura, suavidade: *o m e l de suas palavras.* **4.** *Bras.* Melado¹ (4). [Pl.: *meles* e *méis.*] ♦ **Mel cabaú.** *Bras.* O que purga das fôrmas de açúcar e corre para o tanque, onde é recolhido. [Tb. se diz apenas *cabaú.* Sin.: *mel de tanque.*] **Mel de dedo.** Mel pouco doce. **Mel de engenho.** *Bras.* O caldo da cana depois de cozido, e que se apura a fim de ir para as fôrmas. **Mel de furo.** *Bras.* O que escorre dos furos das fôrmas de açúcar, nos bangüês. **Mel de pau.** *Bras.* O mel das abelhas uruçu, jataí e outras, que o juntam no oco dos paus ou árvores.

[C.f. *mel-de-pau.*] **Mel de tanque.** *Bras.* V. *mel cabaú.* **Mel de toicinho.** *Bras., BA.* Mel feito com rapadura e toicinho, que os garimpeiros, depois de lhe adicionarem farinha de mandioca, comem como sobremesa. **Mel de uruçu.** *Bras.* Mel fabricado pela abelha uruçu. **Mel silvestre.** O que as abelhas e outros insetos fabricam pelo mato. **Mel virgem.** O primeiro que se extrai dos favos. **Ficar sem mel nem cabaça.** *Bras. Fig.* Ter prejuízo duplo, não conseguir nenhuma de duas coisas esperadas; perder o mel e a cabaça. **Perder o mel e a cabaça.** *Bras.* Ficar sem mel nem cabaça.

mel[2]. *S. m. Fís.* Unidade de medida de altura de um som, igual a um milésimo da altura que um observador atribui a um som simples, de freqüência igual a 1.000 Hz, 40 db acima do seu limiar de audibilidade. [Pl.: *mels.*]

mela. *S. f.* **1.** Doença dos vegetais, que lhes impede o crescimento. **2.** Lacuna em uma escritura. **3.** *P. ext. Pop.* Caquexia. **4.** Calva parcial. **5.** *Bras.* V. *bebedeira* (1). **6.** *Bras.* V. *podridão-parda.* **7.** *Bras., S.* V. *surra* (1). **8.** *Bras., MA.* Designação comum aos oásis dos campos talados pelas secas.

▲mela-. [Do gr. *mélas, aina, an.*] *El. comp.* = 'negro', 'sombrio', 'escuro': *meláfiro.* [Equiv.: *melan(o)-* e *-melano: melanospermo, melanita, calomelano.*]

melaceiro. *S. m.* Vendedor de melaço.

melaço. [De *mel*[1] + *-aço.*] *S. m.* Líquido viscoso, fezes de cristalização do açúcar: "Quando o melaço começava na resfriadeira a engrossar, a cobrir-se de espuma amarela, ela .... tirava uma dedada grande, lambia-a com prazer" (Júlio Ribeiro, *A Carne*, p. 38).

meladinha. [Dim. do fem. de *melado*[1].] *S. f.* **1.** *Bras.* V. *hortelã-do-brasil.* **2.** *Bras., N.* Bebida feita de cachaça e mel.

meladinha-falsa. *S. f. Bras.* Jundiá (2). [Pl.: *meladinhas-falsas.*]

melado[1]. [De *mel*[1] + *-ado*[1].] *Adj.* **1.** Da cor do mel. **2.** *Bras., N.E.* Diz-se de cavalo dessa cor. ● *S. m.* **3.** Calda grossa, feita com rapadura e usada como sobremesa. **4.** *Bras., N.E.* A calda grossa do açúcar, de que se faz rapadura; mel. **5.** *Bras., S.* Mel de engenho. **6.** *Bras. Gír.* Sangue (1).

melado[2]. [Part. de *melar*[1].] *Adj.* **1.** Adoçado com mel: *leite melado.* **2.** *Bras.* Sujo ou lambuzado de mel ou de qualquer substância pegajosa. **3.** *Bras.* Demasiado doce ou adocicado: *café melado.*

melado[3]. [Part. de *melar*[2].] *Adj.* **1.** Chocho, peco: *planta melada.* **2.** Que apresenta mossas ou falhas no gume: *facão melado.* **3.** *Bras., N.E.* V. *embriagado* (1).

melado[4]. [Do esp. plat. *melado.*] *Adj.* **1.** *Bras., RS.* Diz-se do animal ou do indivíduo albino. **2.** *Bras., MT.* Diz-se do indivíduo louro.

melador (ô). *S. m. Bras.* Tirador de mel nas matas.

meladura. [De *melado*[1] + *-(d)ura.*] *S. f.* Caldeirada de sumo de cana-de-açúcar.

meláfiro. [De *mela-* + *(pór)firo* (q. v.).] *S. m. Pet.* Qualquer basalto amigdalóide rico em minerais do grupo das zeólitas, e que não raro se altera, em virtude da sua alta permeabilidade.

melafólio. [De *mela-* + *-fólio.*] *S. m.* V. *acanto* (1).

melalgia. [De *mel(o)-*[1] + *-alg(o)-* + *-ia.*] *S. f. Med.* Dor em membro superior ou inferior.

melambo. *S. m. Bras.* Árvore da família das magnoliáceas *(Drimys winteri)*, bastante comum, de bonitas flores alvas, e considerada medicinal pelo povo.

mela-mela. [Da 3ª pess. sing. do pres. ind. de *melar*[1], repetida.] *S. m. 2 n. Bras., N.E.* Certa brincadeira do carnaval de rua do Recife: "O mela-mela — brincadeira do carnaval de rua do Recife em que os foliões se divertem jogando água, talco e goma nos outros — poderá voltar a ser proibido" (*Jornal do Brasil*, 2.2.1978).

melanagogo (ô). [De *melan(o)-* + *-agogo.*] *Adj.* e *s. m. Med. Obsol.* Dizia-se de, ou medicamento que se supunha ter a propriedade de fazer expelir os humores negros, ou atrabílis.

melananto. [De *melan(o)-* + *-anto.*] *Adj. Bot.* Que tem flores negras.

melança. *S. f. Bras.* **1.** Colheita de mel de abelhas. **2.** *Bras. Fam.* Logro, engodo. **3.** *Bras., N.* e *N.E.* V. *meleira* (1).

melancia. [De *balancia*, f. arc. e ainda hoje pop., com infl. de *melão.*] *S. f.* **1.** Planta herbácea, prostrada, da família das cucurbitáceas *(Citrullus vulgaris)*, de origem africana, de folhas bastante subdivididas, e cultivada por causa dos frutos, enormes bagas uniloculares e polispermas, muito sucosas, de casca verde e polpa vermelha com sementes negras; melancieira. **2.** O fruto dessa planta. **3.** Variedade de maçã; melancieira. **4.** *Bras.* Pessoa que, fingindo-se politicamente oposta à esquerda, na realidade a ela pertence ou com ela simpatiza. **5.** *Bras., RS.* Designação dada, durante a revolução de 1925, àqueles que, dizendo-se governistas, no íntimo eram revoltosos.

melancia-da-praia. *S. f. Bras., PE.* **1.** V. *arrebenta-cavalo* (1). **2.** V. *babá*[2] (1). [Pl.: *melancias-da-praia.*]

melancia-de-cobra. *S. f. Bras.* Planta herbácea, da família das cucurbitáceas *(Cucumis* sp.*).* [Pl.: *melancias-de-cobra.*]

melancial. *S. m.* **1.** Quantidade mais ou menos considerável de melancias ou melancieiras dispostas proximamente entre si. **2.** Colheita ou produção de melancias.

melancieira. *S. f.* **1.** Melancia (1 e 3). **2.** Vendedora de melancias.

melancieiro. *S. m.* Vendedor de melancias.

melancolia. [Do gr. *melagcholía*, pelo lat. *melancholia.*] *S. f.* **1.** Estado mórbido de tristeza e depressão. **2.** Estado de languidez e tristeza indefinida: *a melancolia dos românticos;* "Esta noite estou triste e não sei a razão. / Vou, para espairecer minha melancolia, / Ouvir o mar" (Ribeiro Couto, *Poesias Reunidas*, p. 89). **3.** Desgosto, pesar, tristeza. [Sin., ant. e pop. (nessas acepç.): *malencolia, malenconia, malinconia.*] **4.** *Psiq.* Afecção mental caracterizada por depressão em grau variável, sensação de incapacidade, perda de interesse pela vida, podendo evoluir para ansiedade, insônia, tendência ao suicídio e, eventualmente, delírio de autoacusação.

melancólico. [Do gr. *melagcholikós*, pelo lat. *melancholicu.*] *Adj.* **1.** Que sofre de melancolia, ou a tem. **2.** Em que há, ou tocado ou impregnado de melancolia: *música melancólica.* [Var.: *merencório* e (ant. e pop.) *malincônico.*]

melancolizador (ô). *Adj.* Que melancoliza; entristecedor.

melancolizar. *V. t. d.* e *p.* Tornar(-se) melancólico; entristecer(-se): "Dúbias, errantes sombras vespertinas, / Presságios maus, de que sua alma é cheia, / Melancolizam tudo o que o rodeia..." (Raimundo Correia, *Poesias*, p. 167); "Melancoliza-se quem não dá a expressão necessária ao que lhe volteia na alma" (Pontes de Miranda, *Obras Literárias*, p. 165).

melanconiales. *S. f. pl. Micol.* Classe de fungos diminutos e parasitos que dá origem a manchas negras nas plantas, gerando a moléstia dita *antracnose.*

melanemia. [De *melan(o)-* + *-(h)em(o)-* + *-ia.*] *S. f. Patol.* Presença de formações negras no sangue, como, p. ex., na hemocromatose.

melanêmico. *Adj.* **1.** Referente à, ou que sofre de melanemia. ● *S. m.* **2.** Aquele que sofre de melanemia.

melanésio. *Adj.* **1.** Da, ou pertencente ou relativo à Melanésia, um dos três grandes agrupamentos das ilhas do Pacífico. **2.** Pertencente às raças que povoam as ilhas melanésias. ● *S. m.* **3.** O natural ou habitante da Melanésia. **4.** Indivíduo da raça melanésia. **5.** *Ling.* Um dos subgrupos do malaio-polinésio [q. v.].

melangástreo. [De *melan(o)-* + *-gastr(o)-* + *-eo.*] *Adj. Zool.* Diz-se do animal cujo ventre é negro.

melania. [Do gr. *melanía*, 'negrume'.] *S. f.* **1.** Qualidade de escuro ou sombrio. **2.** Tecido ondeado de lã ou de seda, que era usado em decoração (2).

melânico. *Adj.* Que apresenta melanismo; negro.

melanina. [De *melan(o)-* + *-ina*[1].] *S. f.* **1.** *Fisiol.* e *Patol.* Pigmento negro encontrado em locais diversos, como pele, pêlos, certos tumores, etc. **2.** Matéria negra segregada pelos moluscos cefalópodes.

melanismo. [De *melan(o)-* + *-ismo.*] *S. m.* **1.** Anomalia que se caracteriza pela cor acidentalmente negra ou escura, no pêlo dos animais. **2.** *Patol.* Melanose.

melanita. [De *melan(o)-* + *-ita*[3].] *S. f. Min.* Variedade negra titanífera da andradita.

melanizar. [De *melan(o)-* + *-izar.*] *V. t. d. P.* us. Tornar escuro.

▲melan(o)-. V. *mela-.*

▲-melano. V. *mela-.*

melanocarpo. [De *melan(o)-* + *-carpo.*] *Adj. Bot.* Que dá frutos negros.

melanocéfalo. [De *melan(o)-* + *-céfalo.*] *Adj. Zool.* Que tem cabeça negra.

melanocéraso. [De *melan(o)-* + gr. *chérasos* 'cerejeira'.] *S. m. Obsol.* Beladona.

melanócero. [De *melan(o)-* + *-cero.*] *Adj. Zool.* Que tem negros os cornos ou as antenas.

melanócito. [De *melan(o)-* + *-cito.*] *S. m. Histol.* Célula produtora de melanina.

melanodermia. [De *melan(o)-* + *-derm(o)-* + *-ia.*] *S. f. Med.* Aumento da quantidade de melanina na pele, o qual determina o aparecimento de áreas hiperpigmentadas, e que pode dever-se a uma produção excessiva de melanina por melanócitos presentes em quantidade normal, ou a aumento do número dessas células.

melanofícea. *S. f.* V. *feofícea.*

melanofíceas. *S. f. pl. Bot.* V. *feofíceas.*

melanofíceo. *Adj.* V. *feofíceo.*

melanoftalmo. [Do gr. *melanóphtalmos.*] *Adj. Zool.* **1.** Que tem olhos negros; melanope. **2.** Que tem manchas cercadas de um círculo negro com o feitio de um olho.

melanoma. [De *melan(o)-* + *-oma.*] *S. m. Patol.* Tumor constituído de células pigmentadas por melanina.

melanope. [De *melan(o)-* + *-ope.*] *Adj. 2 g. Zool.* Melanoftalmo (1).

melanóptero. [Do gr. *melanópteros.*] *Adj. Zool.* Que tem asas ou élitros negros.

melanorragia. [De *melan(o)-* + *-ragia.*] *S. f. Med.* V. *melena*[2].

melanorréia. [De *melan(o)-* + *-réia.*] *S. f. Med.* V. *melena*[2].

melanose. [Do gr. *melánosis.*] *S. f.* **1.** *Patol.* Pigmentação melânica excessiva; melanismo. **2.** *Fitopatol.* Moléstia criptogâmica, caracterizada pela produção de manchas pretas nas folhas das plantas. **3.** *Med.* Impregnação dos tecidos por melanina.

melanospermo. [De *melan(o)-* + *-spermo.*] *Adj. Bot.* Diz-se dos vegetais cujas sementes são negras.

melanóstomo. [De *melan(o)-* + *-stomo.*] *Adj. Zool.* Que tem boca negra.

melanótico. [Do gr. *melanótes*, 'negrume', + *-ico*[2].] *Adj.* **1.** Relativo à, ou que tem o caráter de melanose. **2.** Que tem melanose. ● *S. m.* **3.** Aquele que a tem. [Cf. *melanótrico.*]

melanótrico. [Do gr. *melanóthrix, melanóthrichos.*] *Adj.* Que tem cabelos negros. [Cf. *melanótico.*]

melanoxanto (cs). [De *melan(o)-* + *-xanto.*] *Adj.* Que é amarelo e negro.

melântemo. [Do gr. *melánthemon*, pelo lat. *melanthemu.*] *S. m. Obsol.* A camomila.

melantéria. [Do gr. *melantería*, pelo lat. *melanteria.*] *S. f.* **1.** Espécie de pez outrora usado por cordoeiros. **2.** Espécie de greda com que se tingia de negro o calçado.

melanterita. [De *melantéria* + *-ita*[3].] *S. f. Min.* Mineral monoclínico, sulfato ferroso hidratado.

melanuria. *S. f.* Var. pros. de *melanúria.*

melanúria. [De *melan(o)-* + *-ur(o)-* + *-ia.*] *S. f. Patol.* Emissão de urina negra ou de urina que, posta em repouso, se torna negra. [Var. pros.: *melanuria.*]

melanuro. [De *melan(o)-* + *-uro.*] *Adj. Zool.* Que tem cauda negra.

melão. [Do lat. *melone.*] *S. m.* **1.** O fruto do meloeiro. [Aum.: *meloa.*] **2.** Meloeiro.

melão-caboclo. *S. m. Bras.* V. *cruá.* [Pl.: *melões-caboclos.*]

melão-de-morcego. *S. m. Bras.* V. *abóbora-do-mato.* [Pl.: *melões-de-morcego.*]

melão-de-são-caetano. *S. m. Bras.* Trepadeira herbácea, da família das cucurbitáceas *(Momordica charantia)*, muito espalhada pelos arredores das cidades, de fruto peculiar por ser uma baga carnosa que se abre como cápsula, de cor vermelha e sabor adocicado, e que é tida por medicinal. [Tb. se diz apenas *são-caetano.* Pl.: *melões-de-são-caetano.*]

melão-de-soldado. *S. m. Bras.* Planta da família das quenopodiáceas (*Basella* sp.); sabão-de-soldado. [Pl.: *melões-de-soldado.*]

melar[1]. [De *mel*[1] + *-ar*[2].] *V. t. d.* **1.** Adoçar, untar ou cobrir com mel. **2.** Dar cor de mel a. **3.** *Bras., N., N.E.* e *MG.* Sujar com mel ou qualquer outra substância. **4.** *Bras. Fig.* Anular, invalidar. *Int.* **5.** Ficar melado[1]. **6.** *Bras.* Fazer mel. **7.** *Bras.* Ir ao mato procurar mel. **8.** *Bras.* Não sair a contento; não dar certo; falhar, gorar. **9.** *Bras. Fig.* Melar (4). *P.* **10.** *Bras., N., N.E.* e *MG.* Sujar-se com mel ou com outra substância.

melar[2]. [De *mela* + *-ar*[2].] *V. t. d.* **1.** Causar mela (1) a. **2.** Fazer mossas em. **3.** Cortar, recortar; retalhar. *Int.* **4.** Ter mela (1). **5.** Ficar peco ou chocho. **6.** *Bras.* Embebedar-se, embriagar-se.

melasma. *S. f. Patol.* Condição mórbida que surge sob a forma de máculas pardas, de diâmetro variável de um a mais centímetros, nas têmporas, bochechas e fronte. Ocorre freqüentemente na gravidez e na menopausa, em mulheres que usam anticoncepcionais orais, sendo raro o seu aparecimento fora das circunstâncias mencionadas, ou em homens.

melasmo. [Do gr. *melasmós.*] *S. m. Med. Desus.* Melanodermia.

melastomácea. *S. f.* Espécime das melastomáceas; melastomatácea, memecilácea.

melastomáceas. *S. f. pl. Bot.* Família de plantas floríferas, da ordem das mirtales, constituída de ervas, arbustos e árvores, com folhas opostas, flores actinomorfas, hermafroditas, particularmente vistosas pelo tamanho e colorido, corola dialipétala, androceu diplostêmone, com anteras porícidas e dotadas de apêndices basais muito variáveis, e fruto capsular bacáceo. Há umas 2 000 espécies, todas essencialmente tropicais; no Brasil, onde existem abundantemente, muitas são conhecidas como *quaresmeiras.* [Sin.: *melastomatáceas, memeciláceas.*]

melastomáceo. *Adj.* Pertencente ou relativo às melastomáceas; melastomatáceo, memeciláceo.

melastomatácea. *S. f.* V. *melastomácea.*

melastomatáceas. *S. f. pl. Bot.* V. *melastomáceas.*

melastomatáceo. *Adj.* V. *melastomáceo.*

melatrofia. [Do gr. *mélos,* 'membro', + *atrofia.*] *S. f. Patol.* Atrofia de um membro.

melcatrefe. *Adj.* e *s. m. Pop.* Alter. de *mequetrefe.*

melcochado. [Do esp. *melcocha,* 'mel cozido', + *-ado*[1].] *S. m.* Seda furta-cor.

mel-de-anta. *S. m. Bras.* Espécie de abelha meliponídea (*Melipona flavipennis* Sm.). [Pl.: *méis-de-anta.*]

mel-de-cachorro. *S. m. Bras.* V. *irapuá.* [Pl.: *méis-de-cachorro.*]

mel-de-pau. *S. m.* **1.** *Bras.* Designação comum às abelhas meliponídeas que nidificam em paus ocos. **2.** *Bras., Amaz.* Coisa complicada, misteriosa, que não se conhece ou não se conhece bem. [Pl.: *méis-de-pau.* Cf. *mel de pau.*]

mel-de-sapo. *S. m. Bras.* Espécie de abelha meliponídea (*Melipona fuscipensis*). [Pl.: *méis-de-sapo.*]

▲-mele. Equiv. de *mel(o)-*[1].

melé. *S. m. Bras., AL.* V. *curinga* (1). [Cf. *melê.*]

melê[1]**.** *S. f. Bras. Pop.* V. *meleira* (1). [Cf. *melé.*]

melê[2]**.** *S. m. Bras., GO.* Torra (2). [Cf. *melé.*]

melê[3]**.** [Do fr. *mêlée.*] *S. m. Bras., RJ, C.O.* e *S. Gír. Gal.* Confusão, barulho, desordem, rolo. [Cf. *melé.*]

meleca. [De *mel* + *-eca.*] *S. f. Bras. Pop.* Secreção nasal ressequida. [Sin., no N.E.: *catota.*]

meleira. *S. f. Bras.* **1.** Sujeira produzida por mel ou por outra substância; sujeira, lambuzeira, melança, melê. **2.** *Bras., RS.* Colmeia de abelha silvestre.

meleiro. *S. m.* **1.** Negociante de mel. **2.** *Bras., PE.* Tirador de mel. **3.** *Bras., PE.* Vendedor ambulante de mel de engenho ou de mel de furo. **4.** *Bras., S.* Caçador de mel. **5.** *Bras., S.* Espécie de pica-pau.

melena[1]**.** [Do esp. *melena.*] *S. f.* **1.** Cabelos longos e soltos: "Através da neblina matinal, algodoando .... o telhado à mourisca do palácio do Senhor Governador Visconde de Barbacena, se ajuntavam curiosos para contemplar o rosto plúmbeo do Alferes [Tiradentes], emoldurado nas longas melenas empastadas de sal e de coalhos de sangue enegrecido." (Alberto Rangel, *Quando o Brasil Amanhecia,* p. 313.) **2.** V. *madeixa* (3). **3.** Crina ou juba.

melena[2]**.** [Do gr. *mélaina,* i. e., *émesis mélaina,* 'vômito negro'.] *S. f. Med.* Eliminação de fezes enegrecidas por pigmentos sangüíneos; melanorragia, melanorréia.

melenudo. [De *melena*[1] + *-udo.*] *Adj.* Que tem grandes melenas; guedelhudo, cabeludo.

méleo. [Do lat. *melleu.*] *Adj. Poét.* V. *melífluo* (2).

melete (ê). *S. m. Bras.* V. *tamanduá-colete.*

melga. *S. f.* Mosquito-berne.

melgaciano. *Adj.* **1.** De, ou pertencente ou relativo a Barão de Melgaço (MT). ● *S. m.* **2.** O natural ou habitante de Barão de Melgaço.

melgaço. [De *mel,* certamente.] *Adj. Bras., N.* Louro; melado.

melgueira. [De um possível lat. **mellicaria.*] *S. f.* **1.** Cortiço com favos de mel. **2.** *Fig.* Dinheiro junto às ocultas. **3.** *Fig.* Fonte de rendimento fácil; pechincha. **4.** *Fig.* Usufruto ou gozo tranqüilo.

melharuco. [Alter. de *abelharuco,* com infl. de *mel.*] *S. m.* V. *abelheiro* (4).

melhor. [Do lat. *meliore.*] *Adj. 2 g.* **1.** Comp. de super. de *bom;* mais bom: *Seu trabalho é melhor que o nosso; É o melhor de todos;* "Porque essas honras vãs, esse ouro puro / Verdadeiro valor não dão à gente; / Melhor é merecê-los sem os ter / Que possuí-los sem os merecer." (Luís de Camões, *Os Lusíadas,* IX, 93); "Fora melhor não ter nascido, fora, / Do que andar, como eu ando, degredado / Por esta Costa d'África da Vida." (Antônio Nobre, *Só,* p. 126); "as melhores, mais doces namoradas / são as de Santo Antônio do Monte e Santa Rita." (Carlos Drummond de Andrade, *Reunião,* p. 37). [Não é normal o uso de *mais bom,* embora dele haja exemplos em um Antônio Feliciano de Castilho: "O moço mais garrido, / mais amável, mais bom, dar-se-ia por ditoso / se chegasse a abraçar corpinho tão mimoso." (*Fausto,* p. 226), e num Ramalho Ortigão: "Nunca em minha vida conheci homem mais justo, mais fundamentalmente honrado, mais simples, mais bravo e mais bom." (*As Farpas,* III, p. 261). O mesmo se dirá de *mais mau,* do qual também há exemplos, como este, do citado Ramalho Ortigão: "é desprezado aquele .... que mais mau é pelo que finge ser do que por aquilo que realmente é." (*Primeiras Prosas,* p. 148), e este outro, de Manuel Ribeiro: "Um cachorro, que não há peste maior no povo, ... mais mau que um fariseu, que dês que vossemecê se veio embora .... é um inferno naquela casa." (*A Planície Heróica,* pp. 241-242).] ● *S. m.* **2.** O que é superior a tudo o mais. **3.** O que é acertado ou sensato: *O melhor é irmos embora. S. f.* **4.** El. us. na loc. *levar a melhor.* ● *Adv.* **5.** Comp. de *bem:* mais bem; de modo mais perfeito ou completo, acertado, justo, normal, etc.: "Oxalá que ande ele melhor avisado na organização de uma escola normal de teatro" (Machado de Assis, *Crônicas,* I, p. 92); "A sua composição há de parecer melhor no livro, ... onde suas qualidades serão melhor apreciadas" (Id., *ib., ib.,* p. 342); "composições análogas de mais largas dimensões e melhor delineadas e vestidas." (Alexandre Herculano, *Lendas e Narrativas,* I, p. VII); "Além de aparecer melhor armado e dominando os mares, os seus recursos financeiros [de Cartago] ofereciam-lhe possibilidade de todo defesa a Roma." (Aquilino Ribeiro, *Os Avós dos Nossos Avós,* p. 78); *Falou melhor que os demais; Vai melhor de saúde; Está passando melhor.* [Em casos como os dos exemplos de Herculano e de Aquilino, em que o *melhor* modifica um particípio ou adjetivo participial, prefere-se *mais bem* a *melhor: mais bem vestido; mais bem mobiliado;* e antes de advérbios de modo só se emprega *mais bem: Falou mais bem concatenadamente que das outras vezes; No fim do discurso pronunciou as palavras mais bem distintamente que no princípio.* Idêntica observação, *mutatis mutandis,* aplica-se a *pior.* Antôn. ger.: *pior.*] ◆ **Levar a melhor. 1.** Vencer uma contenda. **2.** Vencer, dominar, sobrepujar. **3.** Demonstrar que tem razão. **No melhor da festa.** Na melhor ocasião ou momento; quando menos se esperava: *Estava ótimo o piquenique, mas, no melhor da festa, caiu um temporal.*

melhora. [Dev. de *melhorar.*] *S. f.* **1.** Ato ou efeito de melhorar(-se). **2.** Transição para melhor estado ou condição; melhoria. [Sin., bras., pop., nestas acepç.: *melhorada.*] **3.** Melhoramento (1).

melhorada. [De *melhor* + *-ada*[1].] *S. f. Bras. Pop.* V. *melhora* (1 e 2).

melhorado. [Part. de *melhorar.*] *Adj.* Tornado melhor; aperfeiçoado; corrigido.

melhorador (ô). *Adj.* e *s. m.* Que ou aquele que torna melhor, e/ou faz melhoramentos.

melhoramento. *S. m.* **1.** Benfeitoria, beneficiamento; melhoria: *O inquilino fez vários melhoramentos na casa.* **2.** Adiantamento; progresso: *Notava-se melhoramento no país nos últimos anos.*

melhorar. [Do lat. *meliorare.*] *V. t. d.* **1.** Tornar melhor ou superior; fazer prosperar: *Queria melhorar sua situação.* **2.** Restituir a saúde a; fazer convalescer; aliviar: *Os remédios melhoraram-no.* **3.** Reparar, reformar, aperfeiçoar: *melhorar uma casa. T. i.* **4.** Adquirir melhores condições; passar a situação mais próspera: *melhorar de vida; Tem melhorado no emprego. Int.* **5.** Pôr-se ou tornar-se melhor; melhorar-se. "Se chovesse, tudo havia de melhorar: a dor de cabeça cessaria, a angústia que lhe comprimia o peito seria aliviada" (Érico Veríssimo, *Noite,* pp. 105/106). **6.** Entrar em convalescença; ir recuperando a saúde. **7.** Melhorar (4): *Está no cargo há três anos, e ainda não melhorou.* **8.** Abrandar (o tempo); serenar, amainar. *P.* **9.** Melhorar (5).

melhorável. *Adj. 2 g.* Que pode ser melhorado.

melhoria. *S. f.* **1.** Melhora (2). **2.** Melhoramento (1) **3.** Melhor estado; superioridade.

▲meli-. [Do lat. *mel, mellis.*] *El comp.* = 'mel': *melissugo, melívoro.*

meliácea. *S. f.* Espécime das meliáceas.

meliáceas. *S. f. pl. Bot.* Família de plantas floríferas, da ordem das geraniales, formada de árvores com folhas penadas e flores inconspícuas, actinomorfas e hermafroditas. Os estames se apresentam soldados pelos filetes em tubo; o fruto é uma cápsula lenhosa, geralmente magna. Existem perto de 800 espécies, todas tropicais; no Brasil, incluem os cedros e as canjeranas.

meliáceo. *Adj.* Pertencente ou relativo às meliáceas.

meliana. [Do fr. *mélienne,* i. e., *terre mélienne.*] *Adj. (f.)* e *s. f.* Diz-se de, ou qualidade de terra que os pintores misturam nas tintas para melhor conservação delas.

meliantácea. *S. f.* Espécime das meliantáceas.

meliantáceas. *S. f. pl. Bot.* Família de plantas superiores, da ordem das sapindales, que engloba espécies lenhosas da África. Flores hermafroditas e pentâmeras; o fruto é uma cápsula loculícida, com uma semente em cada loja.

meliantáceo. *Adj.* Pertencente ou relativo às meliantáceas.

meliante. [Do esp. *maleante.*] *S. 2 g.* **1.** Malandro, vadio, vagabundo: "Juca foi autuado em flagrante / Como meliante" (do samba *Juca,* de Chico Buarque de Holanda). **2.** Velhaco, patife, biltre: "há os meliantes que devastam o rio e o monte de suas espécies animais" (Aquilino Ribeiro, *Aldeia,* p. 107).

melicéride. [Do gr. *melikerís, idos.*] *S. f. Patol.* Melicéris.

melicéris. [Do gr. *melikerís,* pelo lat. *meliceris.*] *S. f. 2 n. Patol.* Quisto cujo conteúdo é uma substância semelhante a mel na consistência e na cor; melicéride.

melícia. [Do esp. *melizza.*] *S. f.* Morcela doce que contém uma mistura de amêndoas, banha de porco, açúcar, canela, etc. [Cf. *milícia.*]

mélico[1]**.** [Do gr. *melikós,* pelo lat. *melicu.*] *Adj.* Musical, harmonioso; melodioso.

mélico[2]**.** [De *mel*[1] + *-ico*[2].] *Adj.* **1.** Relativo a mel. **2.** *Fig.* V. *melífluo* (2).

meleiro. [De *meli-* + *-eiro.*] *Adj.* **1.** Carinhoso meigo. **2.** Lisonjeiro por interesse; que tem lábia; untuoso, melífluo.

melífero. [Do lat. *melliferu.*] *Adj.* **1.** Que produz mel: *planta melífera;* "Dos himenópteros melíferos do vale [amazônico] é [a jandaíra] o mais perfeito, produzindo um néctar louro, fresco" (Raimundo Morais, *País das Pedras Verdes,* pp. 48-49). **2.** Próprio de mel. [Sin. ger.: *melífico.*]

melificação. *S. f.* Ato ou efeito de melificar.

melificador (ô). [De *melificar* + *-(d)or.*] *S. m.* Vaso onde se aquecem os favos para que larguem o mel.

melificar. [Do lat. *mellificare.*] *V. t. d.* **1.** Transformar em mel. **2.** Adoçar com mel. **3.** Tornar doce como o mel. *Int.* **4.** Fabricar mel (as abelhas). [Conjug.: v. *trancar.* Pres. ind.: melifico, etc. Cf. *melífico.*]

melífico. [Do lat. *mellificu.*] *Adj.* **1.** V. *melífero.* **2.** Relativo a mel; mélico. **3.** *Fig.* V. *melífluo* (2). [Cf. *melifico,* do v. *melificar.*]

melifluentar. [Do lat. *mellifluente* + *-ar*[2].] *V. t. d.* Tornar melífluo, suave.

melifluidade (u-i). *S. f.* Qualidade de melífluo.

melífluo. [Do lat. *mellifluu.*] *Adj.* **1.** Que flui como o mel, ou deita mel. [Cf. *dulcífluo.*] **2.** *Fig.* Suave, doce; brando; harmonioso, melífico, mélico, méleo: "Decerto nunca os camponeses de Pinheiro Chagas pensaram em ser transformados no bardo casquilho, de voz melíflua, gesto enfeitiçado e olhos revirando de ternura que era o Quim Teobaldo." (Afonso Arinos, *Histórias e Paisagens,* p. 25.) **3.** De voz e/ou maneiras brandas ou doces. **4.** *Deprec.* V. *melieiro* (2).

melilita. [De *meli-* + *-lita.*] *S. f. Min.* Mineral tetragonal, de composição química complexa, mistura isomorfa de silicato de alumínio e cálcio e silicato de magnésio e cálcio.

meliloto (ô). [Do gr. *melílotos,* pelo lat. *melilotos.*] *S. m.* Gênero de plantas da família das leguminosas, subfamília papilionácea a que pertence o trevo-de-cheiro.

melindano. *Adj.* **1.** De, ou pertencente ou relativo a Melinde (Índia). ● *S. m.* **2.** O natural ou habitante de Melinde.

melindrar. [De *melindre* + *-ar*[2].] *V. t. d.* **1.** Suscetibilizar (1): *A brincadeira melindrou-o.* **2.** Ofender, magoar. *P.* **3.** Suscetibilizar-se, ofender-se, magoar-se.

melindrável. *Adj. 2 g.* Suscetível de melindrar-se.

melindre. [Do esp. *melindre.*] *S. m.* **1.** Delicadeza no trato; amabilidade. **2.** Hesitação de consciência: escrúpulo. **3.** Recato, pudor. **4.** Facilidade de magoar-se, de ofender-se; suscetibilidade. **5.** Coisa frágil, delicada. **6.** Aspargo. [Var., nesta acepç.: *melindro.*] **7.** Bolo em que entra mel. **8.** *Bras.* Afetação, amaneiramento. ~ V. *melindres.*

melindres. [Pl. de *melindre.*] *S. m.* V. *beijo-de-frade:* "melindres, malmequeres, manjeronas, trevos .... e outras flores vulgares." (José Veríssimo, *Cenas da Vida Amazônica,* p. 12). ~ V. *melindre.*

melindrice. [De *melindre* + *-ice.*] *S. f. Bras.* Qualidade, caráter ou temperamento de quem se melindra com facilidade; melindrismo.

melindrismo. *S. m. Bras.* Melindrice.

melindro. *S. m.* Var. de *melindre* (6).

melindrosa. [Fem. substantivado de *melindroso.*] *S. f.* **1.** *Bras. Obsol.* Mocinha afetada, exagerada nas maneiras

e no vestir. **2.** *Bras. Fut.* A bola.
melindroso (ô). [De *melindre* + *-oso.*] *Adj.* **1.** Delicado, sensível, mimoso. **2.** Escrupuloso, cuidadoso, exato: *consciência* m e l i n d r o s a. **3.** Muito suscetível. **4.** Débil, frágil, fraco: *saúde* m e l i n d r o s a. **5.** Isento de malícia; inocente: *os* m e l i n d r o s o s *sonhos da meninice.* **6.** Difícil, complicado, árduo: *problemas* m e l i n d r o s o s. **7.** Arriscado, perigoso, delicadíssimo: *Submeteu-se a uma operação* m e l i n d r o s a. **8.** Embaraçoso, apertado: *situação* m e l i n d r o s a **9.** Afetado, amaneirado.
melinita. [Do fr. *mélinite.*] *S. f.* Explosivo mais poderoso que a dinamite, feito com ácido pícrico.
meliorativo. [Do lat. *melioratu*, part. pass. de *meliorare*, 'melhorar', + *-ivo.*] *Adj.* Que exprime ou envolve melhora.
meliorismo. [Do lat. *meliore*, 'melhor', + *-ismo.*] *S. m.* Doutrina segundo a qual o mundo não é de todo bom nem de todo mau, mas necessita e pode ser melhorado.
meliorista. *Adj. 2 g.* **1.** Pertencente ou relativo ao, ou que é adepto do meliorismo. ● *S. 2 g.* **2.** Adepto desta doutrina.
melípona. [De *meli-* + gr. *ponos*, 'o produto do trabalho'; 'o mel produzido pelo trabalho das abelhas'.] *S. f.* Gênero de insetos himenópteros da família dos apídeos.
meliponicultor (ô). [De *melípona* + *-i-* + *-cultor.*] *S. m.* Aquele que se dedica à criação de abelhas para extrair-lhes o mel.
meliponicultura. [De *melípona* + *-i-* + *cultura.*] *S. f.* Atividade de meliponicultor.
meliponida. [De *melípona* + *-ida.*] *S. m.* e *adj. 2 g.* V. *meliponídeo.*
meliponidas. *S. m. pl. Zool.* V. *meliponídeos.*
meliponídeo. [De *melípona* + *-ídeo.*] *S. m.* **1.** Espécime dos meliponídeos. ● *Adj.* **2.** Pertencente ou relativo a eles.
meliponídeos. *S. m. pl. Zool.* Família de insetos himenópteros representada pelas abelhas sociais encontradas tipicamente nas regiões tropicais do mundo. São conhecidas como *abelhas indígenas*, ou *abelhas sem ferrão*, por terem esse apêndice muito atrofiado.
melisma. [Do gr. *mélisma*, 'melodia'.] *S. m. Mús.* **1.** Espécie de vocalização ornamental, de número indeterminado de notas, usada no canto gregoriano. **2.** *P. ext.* Ornamento melódico que consiste na divisão de um determinado tempo musical num grupo de notas de valor breve, a fim de enriquecer a melodia.
melismático. *Adj. Mús.* Diz-se do canto que se realiza com melismas [v. *melisma* (1)].
melissa. [Do gr. *mélissa*, 'abelha'.] *S. f.* V. *erva-cidreira* (1).
melíssico. [De *meliss(o)-* + *-ico²*.] *Adj.* ~ V. *ácido* —.
▲meliss(o)-. [Do gr. *mélissa, es.*] *El. comp.* = 'abelha': *melissografia.*
melissografia. [De *meliss(o)-* + *-graf(o)-* + *ia.*] *S. f.* **1.** Tratado acerca das abelhas. **2.** Descrição dos costumes das abelhas.
melissográfico. *Adj.* Relativo à melissografia.
melissógrafo. *S. m.* Especialista em melissografia.
melissugo. [De *meli-* + *sug*, raiz do lat. *sugere*, 'sugar'.] *Adj.* Que suga o suco das flores.
melito. [Do lat. *mellitu*, 'de mel', 'preparado com mel'.] *Adj.* **1.** Diz-se de qualquer dos preparados farmacêuticos em que entra mel. ~ V. *diabetes* —. ● *S. m.* **2.** Qualquer desses preparados. [É m. us. como s. m.]
meliturgia. [Do gr. *melitourgía.*] *S. f.* A indústria das abelhas.
melitúrgico. *Adj.* Relativo à meliturgia.
melituria. *S. f. Patol.* Melitúria.
melitúria. [De *meli-* + *-t-* + *-ur(o)-²* + *-ia.*] *S. f. Patol.* Presença de qualquer açúcar na urina; diabetes açucarada, diabetes açucarado. [Var. pros.: *melituria.*]
melívoro. [De *meli-* + *-voro.*] *Adj. Zool.* Que se alimenta de mel.
▲mel(o)-¹. [Do gr. *mélos, eos-ous.*] *El. comp.* = 'canto', 'melodia'; 'membro', 'parte': *melodrama, melofone; melômele, melalgia.* [Equiv.: *-mele: melômele.*]
▲mel(o)-². [Do gr. *mêlon, ou.*] *El. comp.* = 'maçã do rosto', 'face': *meloplastia.* [Equiv.: *melono-: melonoplastia.*]
meloa (ô). *S. f.* Grande melão (1).
meloal. [De *melão* + *-al.*] *S. m.* Quantidade mais ou menos considerável de meloeiros dispostos proximamente entre si: "Dos canteiros do m e l o a l .... levanta-va-se pouco a pouco uma umidade tênue que adoçava o ar morno da noite." (Conde de Ficalho, *Uma Eleição Perdida*, p. 228.)
melodia. [Do gr. *melodía*, 'canto cadenciado', pelo lat. *melodia.*] *S. f.* **1.** *Mús.* Sucessão rítmica, ascendente ou descendente, de sons simples, a intervalos diferentes, e que encerram certo sentido musical. **2.** *Mús.* Peça para uma só voz ou para um canto uníssono. **3.** *Mús.* Registro de órgão, de tubos flautados, de 8', com timbre entre a flauta e a trompa. **4.** Musicalidade, sonoridade: *a* m e l o d i a *dos versos.* **5.** *Pop.* Qualquer composição musical constituída por um conjunto de frases que têm as características da melodia (1), embora associadas a elementos de outra natureza: "E a orquestra, quase sem pausa, rompeu numa m e l o d i a de ritmo rápido e sacudido" (Érico Veríssimo, *Noite*, p. 138.) [Cf. *melódia.*] ◆ **Melodia acompanhada.** *Mús.* Processo de acompanhar por meio de harmonias uma melodia solista. **Melodia infinita.** *Mús.* A que se desenvolve livremente, sem obediência a nenhuma forma preestabelecida.
melódia. [De *melodia*, com hiperbibasmo de intenção jocosa.] *Hl. s. f. Bras. Gír.* Us. na expr. *deu-se a melódia.* [Cf. *melodia*, do v. *melodiar*, e s. f.] ◆ **Deu-se a melódia.** *Bras. Gír.* Aconteceu o que não se esperava, o que não era desejável.
melodiar. [De *melodia* + *-ar²*.] *V. t. d.* **1.** Modular (a voz ou o canto) com suavidade; melodizar. **2.** Tornar melodioso; melodizar: m e l o d i a r *um verso. Int.* **3.** Cantar ou tocar melodiosamente: "Os grilos e os sapos, alternados, m e l o d i a v a m monótonos." (Ribeiro Couto, *Prima Belinha*, p. 217); "O divino pianista m e l o d i a v a ao piano." (Machado de Assis, *Quincas Borba*, p. 285). **4.** Soar melodiosamente. *P.* **5.** Tornar-se melodioso. [Pres. ind.: *melodio, melodias, melodia*, etc. Cf. *melódia.*]
melodia-tenor. *S. f. Mús.* A melodia gregoriana; canto firme. [Pl.: *melodias-tenores* e *melodias-tenor.*]
melódica. [Fem. substantivado do adj. *melódico.*] *S. f.* **1.** Instrumento que produz sons pelo atrito de umas pontas de metal sobre um cilindro de aço. **2.** Clavicórdio com um registro de flauta, construído em 1770 por J. A. Stein (1728-1792). **3.** Caixa de música. **4.** Teoria da melodia.
melódico. [Do gr. *melodikós.*] *Adj.* **1.** V. *melodioso.* **2.** Relativo a melodia. **3.** *Mús.* Diz-se do intervalo cujos sons se ouvem sucessivamente. ● *S. m.* **4.** Certo piano mecânico; melódio.
melódio. *S. m. Mús.* Melódico (4).
melodioso (ô). *Adj.* **1.** Em que há melodia. **2.** Suave, doce, agradável: *voz* m e l o d i o s a. [Sin. ger.: *melódico* e *módulo.*]
melodista. [De *melodia* + *-ista.*] *Adj. 2 g.* **1.** Diz-se da corrente musical que considera o elemento melódico a parte essencial de uma composição. **2.** Que é adepto dessa corrente. ● *S. 2 g.* **3.** Adepto dessa corrente. **4.** Compositor de melodias.
melodizar. [De *melodia* + *-izar.*] *V. t. d.* Melodiar (1 e 2).
melodrama. [De *mel(o)-¹* + *drama.*] *S. m.* **1.** *Teat.* Gênero dramático originário da França, no qual os diálogos são entremeados de música, e que se desenvolveu a começar do séc. XVIII, principalmente graças ao dramaturgo italiano Pietro Metastasio (1698-1782). **2.** *Teat.* Peça demasiado sentimental e romântica, com situações e diálogos turbulentos e pomposos, mas de caracterização escassa e superficial: "Este é o público real, palpitante ..... Nos m e l o d r a m a s do São Pedro, comove-se; nas revistas do São José e do Carlos Gomes, gargalha; nas operetas do Recreio, extasia-se..." (Ribeiro Couto, *A Cidade do Vício e da Graça*, p. 36.) **3.** *Teat.* Peça teatral de má qualidade. [Sin., nessas acepç.: *drama sentimental*, e (deprec.) *drama lacrimoso.*] **4.** *Mús.* Composição que se destina a dar realce a uma pantomima ou comentar o comportamento cênico de um personagem.
melodramático. *Adj.* **1.** Relativo ao melodrama. **2.** Que tem caráter ou apresenta situações de melodrama.
melodramatizar. *V. t. d.* Transformar em melodrama; tornar melodramático.
melodramaturgo. [De *melo(drama)* + *dramaturgo.*] *S. m.* Autor de melodramas.
meloeiro. [De *melão* + *-eiro.*] *S. m.* Planta rasteira e herbácea da família das cucurbitáceas (*Cucumis melo*), cultivada por causa dos apreciados frutos, grandes bagas amarelas ou verdes, uniloculares e polispermas, cheias de polpa sucosa e saborosa; melão.
melofone. [De *mel(o)-¹* + *-fone.*] *S. m.* Espécie de acordeão com fole duplo e com a forma da antiga viela² de roda. [Var., p. us.: *melofono.*]
melofono. [De *mel(o)-¹* + *-fono.*] *S. m. P. us.* Var. de *melofone.*
melografia. [De *mel(o)-¹* + *-graf(o)-* + *-ia.*] *S. f.* Arte de escrever música.
melográfico. *Adj.* Respeitante à melografia.
melógrafo. [De *mel(o)-¹* + *-grafo.*] *S. m.* **1.** Aquele que escreve ou copia música. **2.** Mecanismo que se adapta ao órgão ou ao piano para fixar no papel o que se toca ou improvisa no teclado.
meloídeo. *S. m.* **1.** Espécime dos meloídeos. ● *Adj.* **2.** Pertencente ou relativo a eles.
meloídeos. *S. m. pl. Zool.* Família de insetos coleópteros, de corpo estreito e alongado, élitros macios e flexíveis, e pronoto muito estreito que a cabeça e os élitros. O representante principal é a cantárida [q. v.], entre as espécies que habitam o Brasil figura a *vaquinha*, da qual há vários gêneros que atacam folhas e flores de plantas cultivadas, como, p. ex., as da batata-inglesa, do tomateiro, da pimenteira.
melolontíneo. *S. m.* **1.** Espécime dos melolontíneos. ● *Adj.* **2.** Pertencente ou relativo a eles.
melolontíneos. *S. m. pl. Zool.* Subfamília de insetos da ordem dos coleópteros, família *Melolontidae*. São escaravelhos comuns, cujo tipo é a *Melolonha vulgaris.*
melolontóide. *S. f.* Escarabeiforme (3).
melomania. [De *mel(o)-¹* + *-mania.*] *S. f.* Paixão doentia, exagerada, pela música.
melomaníaco. [De *mel(o)-¹* + *maníaco.*] *Adj.* e *s. m.* Melômano.
melômano. [De *mel(o)-¹* + *-mano.*] *Adj.* e *s. m.* Diz-se de, ou aquele que tem melomania; melomaníaco.
melômele. [De *mel(o)-¹* + *-mele.*] *S. m. Ter.* Monstro que tem membros rudimentares, inseridos nos membros normais.
melomelia. *S. f. Ter.* Monstruosidade de melômele.
meloniforme. [Do lat. *melone*, 'melão', + *-forme.*] *Adj. 2 g.* Cuja forma semelha à do melão.
▲melono-. Equiv. de *mel(o)-²*.
melonoplastia. [De *melono-* + *-plast-* + *-ia.*] *S. f. Cir.* Meloplastia².
melonoplástico. *Adj.* Referente à melonoplastia.
melopéia. [Do gr. *melopoía*, pelo lat. *melopoeia.*] *S. f.* **1.** *Mús.* Entre os gregos, a arte de compor melodias, mediante a utilização de seus elementos: sons, intervalos, modos, tons de transposição. **2.** *Mús.* Peça musical para acompanhamento de um recitativo (4). **3.** Forma de declamação agradável ao ouvido. **4.** Toada monótona; cantilena: "As mulheres ouvem .... cantando m e l o p é i a s sinistramente doces. Essas m e l o p é i a s .... repetem sem modalidade, por tempo indeterminado, a mesma frase." (João do Rio, *As Religiões no Rio*, p. 9.)
meloplastia¹. [De *mel(o)-¹* + *-plast-* + *-ia.*] *S. f. Cir.* Intervenção plástica ou reparadora nos membros superiores e/ou inferiores.
meloplastia². [De *mel(o)-²* + *-plast-* + *-ia.*] *S. f. Cir.* Intervenção plástica ou reparadora da(s) bochecha(s); melonoplastia.
melosa. [Fem. substantivado de *meloso.*] *S. f.* Praga que ataca as laranjeiras.
melose. [Do gr. *mélosis.*] *S. f. Med.* Ato de sondar, de explorar com a sonda.
meloso (ô). [Do lat. *mellosu.*] *Adj.* **1.** Semelhante ao mel; doce. **2.** Brando, maneiroso, melífluo. **3.** *Bras.* Excessivamente sentimental; piegas, baboso.
melote. [Do gr. *meloté.*] *S. m.* Pele de carneiro com a lã.
meloterapia. [De *mel(o)-¹* + *-terapia.*] *S. f. Terap.* Tratamento de certas moléstias, sobretudo nervosas, por meio da música.
meloterápico. *Adj.* Referente à meloterapia.
melrão. [De *melro* + *-ão¹*.] *S. m. Bras.* V. *graúna.*
melro. [Do lat. *merulu*, com síncope, do *u* e metátese do *r.*] *S. m.* **1.** Designação comum às aves passeriformes da família dos turdídeos, especialmente o *Turdus merula* L., cujo macho é preto, com bico amarelo-alaranjado, e cuja fêmea tem dorso preto, ventre pardo-escuro malhado de pardo-claro, e a garganta e a parte superior do peito pardas com malhas esbranquiçadas. [Fem.: *mélroa.*] **2.** *Fig.* Indivíduo sagaz, finório; espertalhão. **3.** *Bras.* V. *graúna.* **4.** *Bras.* V. *soldado* (9).
mélroa. *S. f.* Fem. de *melro* (1).
melroado. [De *melro* + *ado¹*.] *Adj.* Diz-se do eqüídeo que tem a cor escura do melro.
melro-pintado. *S. m. Bras.* V. *chupim-do-brejo.* [Pl.: *melros-pintados.*]
melro-pintado-do-brejo. *S. m. Bras.* V. *chupim-do-brejo.* [Pl.: *melros-pintados-do-brejo.*]
mel-rosado. *S. m. Farmac.* Preparado feito de mel e pétalas de rosas secas; rodomel. [Pl.: *méis-rosados* ou *meles-rosados.*]
melúria. [Cruz. de *mel* com *lamúria*?] *S. f.* **1.** *Pop.* Lamentação habitual; queixa astuciosa. **2.** Ato ou palavra manhosa, untuosa. **3.** *Bras., S.* Agrado, lisonja. ● *S. 2 g.*

4. *Pop.* Pessoa dissimulada.
memactérion. [Do gr. *maimakteriōn*, pelo fr. *mémactérion.*] *S. m. Cronol.* O quarto mês do calendário grego, com 30 dias, correspondente ao mês de setembro do calendário gregoriano.
membé. *S. m. Bras.* V. *membi* (1).
membeca. [Do tupi *me'mbeka*, 'mole'.] *Adj. 2 g.* **1.** *Bras.* Brando, mole, tenro. ● *S. f.* **2.** *Bras.* Planta herbácea, da família das gramíneas (*Paspalum repens*), provida de rizoma repente e inflorescências em espiga, duas das quais se inserem no ápice do pedúnculo.
membi. [Do tupi *me'mbi.*] *S. m. Bras.* **1.** Flauta indígena, feita da tíbia dos animais ou dos inimigos; memi, membé, mibu, mimô, mumu. [Cf. *inúbia* e *mimê.*] **2.** Árvore da família das leguminosas (*Cassia apoucouita*), ornamental em virtude das grandes flores amarelas, que preenchem a copa e têm 10 estames férteis e semelhantes.
membitarará. *S. m. Bras.* Trombeta guerreira dos índios tupis-guaranis, feita de dois pedaços de maçaranduba, colados e unidos um ao outro por tranças de cipós fortes. [Sin. poét.: *inúbia.*]
membixuê. *S. m. Bras.* Flauta dupla com que os indígenas acompanham seus cantos de tristeza, e que se assemelha à quena peruana.
membrado. [De *membro* + *-ado*[1].] *Adj. Heráld.* Diz-se das aves representadas nos escudos com pernas de diferente esmalte.
membrana. [Do lat. *membrana.*] *S. f.* **1.** *Anat.* Designação genérica da fina camada de tecido que recobre uma superfície ou serve de divisão a um espaço ou órgão. **2.** *Anat. Veg.* Envoltório das células formado por condensação periférica do protoplasma, e que por isso difere da parede (3). **3.** Pele, película. **4.** Tecido fino ou placa que separa duas partes, e que recebe ou transmite vibrações: *membrana do microfone; membrana do tambor.* [Dim. irreg.: *membrânula.*] ♦ **Membrana ceratogênica.** *Vet.* Revestimento dos pés dos eqüídeos, constituído por extensão da pele adaptada à função de gerar o casco. **Membrana de Descemet.** *Anat.* Membrana hidatóide. **Membrana hidatóide.** *Anat.* Lâmina limitante posterior da córnea; membrana de Descemet. **Membrana mucosa.** *Anat.* Membrana que reveste internamente diversos órgãos e que é umidificada por secreção líquida que contém, quase sempre, quantidade maior ou menor de muco. [Tb. se diz apenas *mucosa.*] **Membrana pituitária.** *Anat.* Pituitária (1). **Membrana sinovial.** *Anat.* O mais interno dos dois folhetos da cápsula articular de uma articulação sinovial, e que apresenta superfície lisa que reveste aquela cápsula. **Membrana timpânica.** *Anat.* A que separa o ouvido externo do médio.
membranáceo. [Do lat. *membranaceu.*] *Adj.* Que tem a consistência de uma membrana; fino e translúcido; membranoso.
membranela. [De *membrana* + *-ela.*] *S. f.* Lâmina ondulante, formada pela fusão de fileiras de cílios.
membraniforme. [De *membrana* + *-i-* + *-forme.*] *Adj. 2 g.* Que tem forma de membrana.
membranofone. [De *membrana* + *-o-* + *-fone.*] *S. m. Mús.* Segundo a classificação de Curt Sachs (1881-1959) e de E. M. von Hornbostel (1877-1935), qualquer dos instrumentos dotados de membrana.
membranoso (ô). *Adj.* **1.** Que tem membranas ou é da natureza delas. **2.** Membranáceo. ~ V. *labirinto* —.
membranudo. *Adj.* Provido de grande membrana.
membrânula. [Do lat. *membranula.*] *S. f.* Pequena membrana.
membro. [Do lat. *membru.*] *S. m.* **1.** *Anat.* Cada um dos quatro apêndices do tronco, dois superiores e dois inferiores, de cada lado, ligados a ele por meio de articulações, e que realizam movimentos diversos, entre os quais a locomoção. **2.** Pessoa pertencente a uma corporação, associação, família, agrupamento, etc.: *membro do Instituto Histórico; membro do júri.* **3.** Parte de um todo (estrutura, organização, comunidade, etc.): *Seu país é membro da ONU.* **4.** *Gram.* Parte de frase ou de período. **5.** V. *membro genital.* ♦ **Membro genital.** O pênis. [Tb. se diz apenas *membro;* sin.: *membro viril.*] **Membros inferiores.** As pernas e os pés (do homem). **Membros superiores.** Os braços e as mãos (do homem). **Membro viril.** V. *membro genital.*
membrudo. *Adj.* **1.** Que tem membros grandes e vigorosos: "chamou pelo Anacleto, um mulataço membrudo, que o acompanhava sempre, como guarda-costas" (Lúcio de Mendonça, *Esboços e Perfis,* p. 63). **2.** *Fig.* Vigoroso, forte, robusto.
memecilácea. *S. f.* V. *melastomácea.*
memeciláceas. *S. f. pl. Bot.* V. *melastomáceas.*
memeciláceo. *Adj.* V. *melastomáceo.*
memento. [Do lat. *memento,* 'lembra-te'.] *S. m.* **1.** Cada uma das duas preces do cânon da missa: "Está armada no corpo da igreja uma essa .... . Diante dela se realiza um solene memento por alma dos mortos" (Mário Sete, *Arruar,* p. 263). **2.** Marca que serve para lembrar qualquer coisa. **3.** Papel ou caderneta onde se anotam coisas que devem ser lembradas; memorial, memorando, memória. **4.** Essa anotação; apontamento, memória. **5.** Livrinho onde se acham resumidas as partes essenciais de uma questão.
memi. *S. m. Bras.* V. *membi* (1).
memorando[1]. [Adapt. do lat. *memorandum,* 'que deve ser lembrado'.] *S. m.* **1.** V. *memento* (3). **2.** Participação ou aviso por escrito. **3.** Impresso comercial, de formato menor que o de carta, usado para comunicações breves. **4.** Nota diplomática de uma nação para outra sobre o estado de uma questão. [Este aport. do lat. *memorandum* é, pode-se dizer, recente; por volta da década de trinta, usava-se o voc. lat.]
memorando[2]. [Do lat. *memorandu.*] *Adj.* V. *memorável:* "Preciosos como poesia, preciosos também como pintura dos costumes da mais memoranda nação num século de grandeza, são [os *Amores,* de Ovídio], ... aos olhos do moralista, severo, uma abominação e um escândalo." (Antônio Feliciano de Castilho, *Os Amores de Ovídio,* p. 29.)
memorândum. [Do lat. *memorandum.*] *S. m.* V. *memorando*[1].
memorar. [Do lat. *memorare.*] *V. t. d.* **1.** Trazer à memória; tornar lembrado; lembrar, recordar: "As filhas do Mondego a morte escura / Longo tempo chorando memoraram" (Luís de Camões, *Os Lusíadas,* III, 135); "memorando a sorte do marido, estremecia de horror" (José de Alencar, *O Sertanejo,* p. 338). **2.** Comemorar, solenizar.
memorativo. [Do lat. *memoratu,* part. pass. de *memorare,* 'lembrar', + *-ivo.*] *Adj.* Comemorativo (1).
memorável. [Do lat. *memorabile.*] *Adj. 2 g.* **1.** Digno de permanecer na memória. **2.** Célebre, notável. [Sin. ger.: *memorando, memorial, memorioso* e *memoroso.*]
mêmore. [Do lat. *memore.*] *Adj. 2 g. Poét.* De que há lembrança; lembrado.
memória. [Do lat. *memoria.*] *S. f.* **1.** Faculdade de reter as idéias, impressões e conhecimentos adquiridos anteriormente: *Tem boa memória.* **2.** Lembrança, reminiscência, recordação: *A memória daqueles dias.* **3.** Celebridade, fama, nome. **4.** Monumento comemorativo. **5.** Relação, relato, narração: *Escreveu a memória da guerra.* **6.** V. *memento* (3). **7.** V. *memento* (4). **8.** Vestígio, lembrança, sinal: *Da tragédia não restou memória alguma.* **9.** Aquilo que serve de lembrança. **10.** Nota diplomática; memorial: *O governo recebeu uma memória do embaixador francês.* **11.** Dissertação acerca de assunto científico, literário ou artístico, para ser apresentada ao governo, a uma corporação, a uma academia, etc., ou ser publicada. **12.** *Ant.* Anel comemorativo: "Nos dedos refulgem anéis e memórias." (Alcântara Machado, *Vida e Morte do Bandeirante* p. 94.) [Cf. *memória* (15).] **13.** *Proc. Dados.* Dispositivo no qual informações podem ser introduzidas, conservadas e do qual podem ser posteriormente recuperadas; armazenador; dispositivo de armazenamento. **14.** *Proc. Dados.* Memória principal. **15.** *Bras., AM, MG* e *RS.* Anel (1). [Cf. *memória* (12).] **16.** *Bras., RS.* V. *jóia* (1). [Cf. *memoria,* do v. *memoriar.*] ~ V. *memórias.* ♦ **Memória afetiva.** *Teat.* Nos exercícios para atores segundo o método de Stanislavski [q.v.], utilização, pelos intérpretes, das experiências de suas vidas pregressas, para que construam e representem as suas personagens com o máximo de autenticidade e verdade psicológica. **Memória de anjo.** Memória excelente, extraordinária: "o que mais me admira é a sua memória: o senhor, com efeito, tem uma memória de anjo!" (Aluísio Azevedo, *O Mulato,* p. 99). **Memória de elefante.** Grande capacidade de memorização; memória extraordinária. **Memória de galo.** Memória fraca. **Memória descritiva.** *Arquit.* e *Urb.* Documento escrito que acompanha os desenhos de um projeto de urbanização, de arquitetura, de instalação prediais, etc., no qual são explicados e justificados os critérios adotados, as soluções, e outros pormenores. (Sin.: *memorial descritivo.*) **Memória interna.** *Proc. Dados.* V. *memória principal.* **Memória nacional.** Pesquisa que envolve fatos históricos, sociais e artísticos, e a cultura material correspondente, e visa revitalizar de modo permanente o passado e o presente do país. **Memória primária.** *Proc. Dados.* V. *memória principal.* **Memória principal.** *Proc. Dados.* Memória interna do computador na qual os dados e instruções de um programa a ser executado são armazenados, posteriormente recuperados para processamento e para onde os resultados destes processamentos são enviados. Cada posição ou localização da memória principal é identificada por um endereço; memória interna, memória primária. [Tb. se diz, apenas, memória.] **Memória RAM.** *Proc. Dados.* V. *RAM.* **Memória ROM.** *Proc. Dados.* V. *ROM.* **Memória secundária.** *Proc. Dados.* Aquela que não faz parte intrínseca do computador, estando porém diretamente conectada ao mesmo e por ele controlada. Ex.: disco magnético, fita magnética, etc. Sua função principal é incrementar a capacidade da memória primária. **Memória visual.** Faculdade de reter, de lembrar posteriormente, pessoa, coisa ou fato vistos. **De memória.** De cor: *pronunciou o discurso de memória.*
memorial. [Do lat. *memoriale.*] *S. m.* **1.** V. *memento* (3). **2.** Escrito que relata fatos memoráveis; memórias: o *memorial de Santa Helena.* **3.** Petição escrita. **4.** Memória (10). ● *Adj. 2 g.* **5.** V. *memorável: fatos memoriais.* ♦ **Memorial descritivo.** *Arquit.* e *Urb.* Memória descritiva. **Memorial do Senhor.** *Rel.* V. *eucaristia* (1).
memorialista. [De *memorial* + *-ista.*] *S. 2 g.* Autor de memórias. [Cf. *memorista.*]
memorialística. [De *memorialista* + *-ica*[2].] *S. f.* **1.** O gênero literário das memórias (3): *Desde cedo se consagra à história e à memorialística.* **2.** Conjunto de produções desse gênero: *A memorialística brasileira não é muito ampla.*
memorião. *S. m. Fam.* Boa memória; facilidade em decorar ou em reter conhecimento adquirido.
memoriar. *V. t. d.* **1.** Reduzir a uma memória (5 e 11). **2.** Fazer uma memória (5 e 11) acerca de. [Pres. ind.: *memorio, memorias, memoria,* etc. Cf. *memória.*]
memórias. [Pl. de *memória.*] *S. f. pl.* **1.** Narrações históricas escritas por testemunhas presenciais. **2.** Memorial (2). **3.** Escrito em que alguém conta a sua vida. [Cf. *memorias,* do v. *memoriar.*] ~ V. *memória.*
memoriável. *Adj. 2 g.* Que se pode memoriar (1 e 2).
memorioso (ô). [Do lat. *memoriosu.*] *Adj.* **1.** Dotado de grande memória. **2.** V. *memorável.*
memorista. [De *memória* + *-ista.*] *S. 2 g.* Autor de dissertações acadêmicas. [Cf. *memorialista.*]
memorização. *S. f.* Ato ou efeito de memorizar.
memorizar. *V. t. d.* **1.** Trazer à memória; tornar lembrado. **2.** Reter na memória; aprender de cor.
memoroso (ô). *Adj.* V. *memorável.*
mênade. [Do gr. *mainás, ádos,* pelo lat. *maenade.*] *S. f.* **1.** V. *bacante* (1): "as bacantes ou mênades mastigavam hera, à conta de cujas propriedades excitantes e tóxicas alguns lhes levavam a fúria, como adverte Frazer." (Péricles Eugênio da Silva Ramos, *O Amador de Poemas,* p.46); "E nunca, mais do que naquele momento, Isa era a amante insofrida, a mênade insaciável." (Gastão Cruls, *Contos Reunidos,* p.347).
➧**ménage** (mênáj). [Fr.] *S. m.* **1.** O conjunto dos trabalhos domésticos. **2.** Todos aqueles que compõem uma família. **3.** O marido e a mulher, na vida comum. **4.** A vida doméstica.
➧**ménage à trois** (mênáj' a truá). [Fr.] *Irôn.* Casal de três: marido, mulher e amante.
menagem. [De *homenagem,* por aférese.] *S. f.* **1.** *Jur.* Prisão fora do cárcere, que a justiça militar concede sob promessa ou palavra do preso de que não sairá do lugar onde se acha ou que lhe for designado. **2.** *Ant.* Homenagem.
menálio. [Do gr. *mainálios,* pelo lat. *maenaliu.*] *Adj.* **1.** Relativo ao monte Mênalo, na Arcádia, consagrado ao deus Pã. **2.** *Poét.* Pastoril, bucólico.
menarca. [Do gr. *mén,* 'mês' ('menstruação'), + *arch,* rad. de *árcho,* 'começar'.] *S. f.* A primeira menstruação.
menarquia. [De *menarca* + *-ia.*] *S. f. Med.* V. *menstruação* (1).
menção. [Do lat. *mentione.*] *S. f.* **1.** Lembrança incidental; o ato de nomear ou citar algo ou alguém; referência, citação: *Fez menção da ocorrência; Não há menção, nesta obra, a várias figuras importantes.* **2.** Gesto(s) de quem se dispõe a praticar um ato; intento, tenção: *Fez menção de sair* **3.** Registro, nota: *fato digno de menção.* ♦ **Menção honrosa.** **1.** Distinção conferida a uma obra não premiada, porém merecedora de citação. **2.** Distinção atribuída a pessoa que se distinguiu em exame, concurso, certame, etc.
menchevique. [Do russo *menshevik,* 'menor', 'minoria'.] *Adj. 2 g.* **1.** Diz-se da ala minoritária no II Congresso do Partido Operário Social Democrata da Rússia (1903). **2.** Relativo a, ou próprio dessa ala. **3.** Que é membro dessa ala. ●

S. 2 g. **4.** Membro dessa ala. [Sin. ger.: *menchevista.* Cf. *bolchevique* e *minimalista.*]

mencheviquismo. *S. m.* Sistema político dos mencheviques; menchevismo. [Cf. *bolchevismo* e *minimalismo.*]

menchevismo. *S. m.* Mencheviquismo.

menchevista. *Adj. 2 g.* e *s. 2 g.* Menchevique. [Cf. *bolchevista.*]

mencionado. [Part. de *mencionar.*] *Adj.* De que se fez menção; referido, citado.

mencionar. *V. t. d.* **1.** Fazer menção de, ou referência a; referir, citar: *O colunista mencionou todos os presentes à festa.* **2.** Referir, relatar, expor, narrar: *Mencionou o episódio em todos os pormenores.*

mencragnotire. *Bras. S. 2 g.* **1.** Indivíduo dos mencragnotires, divisão dos índios caiapós que vive no S. do PA e em MT. ● *Adj. 2 g.* **2.** Pertencente ou relativo a esses indígenas.

mendace. [Do lat. *mendace.*] *Adj. 2 g. Obsol.* V. *mendaz:* "Nas ondas mendaces / Senti pelas faces / Os silvos fugaces / Dos ventos que amei." (Gonçalves Dias, *Obras Poéticas,* II, p. 23).

mendacidade. [Do lat. *mendacitate.*] *S. f.* **1.** Qualidade de mendaz; falsidade, hipocrisia. **2.** Traição, perfídia.

mendacíssimo. [Do lat. *mendacissimu.*] *Adj.* Superl. abs. sint. de *mendaz.*

mendáculo. *S. m. Bras.* Defeito moral; labéu, mancha, mazela, ferrete.

mendaz. [Do lat. *mendace.*] *Adj. 2 g.* **1.** Mentiroso, hipócrita, falso. **2.** Traiçoeiro, desleal, pérfido: " 'Mal hajas tu, mendaz Fortuna! Certo, / Que enorme dita, ou desventura enorme, / É tudo um sonho!' — diz Nasá enfim —" (Raimundo Correia, *Poesias Completas,* p. 77). [Superl. abs. sint.: *mendacíssimo.*]

mendelévio. *S. m. Quím.* Elemento de número atômico 101, transurânico, artificial. [Simb.: *Mv.*]

mendeliano. *Adj.* Respeitante ao mendelismo [q. v.] ou a Mendel.

mendelismo. *S. m. Biol.* Doutrina de Gregor J. Mendel, cientista austríaco (1822-1884), que estabelece as leis da hereditariedade dos caracteres biológicos, as quais se fundam na teoria cromossômica e põem em relevo a descontinuidade do patrimônio hereditário.

mendense. *Adj. 2 g.* **1.** De, ou pertencente ou relativo a Mendes (RJ). ● *S. 2. g.* **2.** Natural ou habitante de Mendes.

mendicância. [Do lat. *mendicu,* 'mendigo', + *-ância.*] *S. f.* Mendicidade [q. v].

mendicante. [Do lat. *mendicante.*] *Adj. 2 g.* e *s. 2 g.* **1.** Que ou quem mendiga: "o que mais agradava a D. Tareja era a passagem dos monges mendicantes" (Eça de Queirós, *Últimas Páginas,* p. 346). **2.** Diz-se de ordens religiosas que, proibidas de terem bens, vivem da caridade alheia.

mendicidade. [Do lat. *mendicitate.*] *S. f.* **1.** Ato de mendigar; mendigação. **2.** A classe dos mendigos; os mendigos. **3.** Qualidade ou estado de mendigo. [Sin. ger.: *mendicância.*]

mendigação. [Do lat. *mendicatione.*] *S. f.* Ato de mendigar.

mendigar. [Do lat. *mendicare.*] *V. t. d.* **1.** Pedir por esmola; esmolar. **2.** Ganhar ou obter dificilmente (os meios necessários para viver). **3.** Pedir com humildade ou pleitear servilmente. **4.** Procurar com minúcia; esquadrinhar. *T. d. e i.* **5.** Pedir com humildade, ou pleitear servilmente: "Mendiguei um alívio ao céu da Itália" (Fagundes Varela, *Poesias Completas,* I, p. 132). *Int.* **6.** Pedir esmola; esmolar: "Começou então pela cidade a mendigar para os seus pobres." (Eça de Queirós, *Últimas Páginas.* p. 294); "Mademoiselle Pauline mendiga nas ruas do Porto." (Camilo Castelo Branco, *A Mulher Fatal,* p. 14). **7.** Pedir esmola para si; viver de esmolas; esmolar: *Vive de mendigar.* [Conjug.: v. *largar.*]

mendigo. [Do lat. *mendicu.*] *S. m.* Aquele que pede esmola para viver; mendicante, pedinte, esmoleiro: "E o mendigo da aldeia, o velho cego, / Sobre o duro grabato, em choça humilde, / Achou a paz." (Alexandre Herculano, *Poesias,* p. 116.)

mendo. *Bras. S. m.* **1.** Indivíduo dos mendos, tribo indígena do N. ● *Adj.* **2.** Pertencente ou relativo a essa tribo.

mendubi. [Do tupi *mãdu' bi.*] *S. m.* **1.** *Bras.* V. *amendoim.*

mendubi-bravo. *S. m. Bras.* V. *boi-gordo.* [Pl.: *mendubis-bravos.*]

mendubim-de-veado. *S. m. Bras.* V. *feijão-cru.* [Pl.: *mendubins-de-veado.*]

mendubirana. [De *mendubi* + *-rana.*] *S. f. Bras.* Erva da família das leguminosas (*Cassia diphylla*), de folhas simples e obovadas, flores amarelas de 10 estames férteis e cujos legumes medem de 2 a 5 cm.

menduí. [Alter. de *mendubi.*] *S. m. Bras.* V. *amendoim.*

meneador (ô). *Adj.* e *s. m.* Que ou aquele que meneia ou maneja.

meneamento. *S. m.* V. *meneio* (1 e 2).

menear. [De *manear,* com assimilação.] *V. t. d.* **1.** Mover de um para outro lado; manear: "A rapariga meneou a cabeça afirmativamente" (Aluísio Azevedo, *O Cortiço,* p. 204); "Três gregas de alvos pés, pubescentes e esguias, / Torcendo os corpos nus, donde acre aroma escapa, / Dançam meneando véus, flexíveis como enguias." (Manuel Bandeira, *Estrela da Vida Inteira,* p. 69.) **2.** Mover com desenvoltura (braços, pernas, quadris); saracotear. **3.** Manejar; manusear: *menear um pincel.* **4.** Dirigir, gerir; administrar: *menear negócios P.* **5.** Mover-se; mexer-se; agitar-se. **6.** Mover-se de um para outro lado; oscilar; manear: "Também lá se meneia o cipreste / Sobre o corpo que à terra desceu." (Alexandre Herculano, *Poesias,* p. 80.) **7.** Saracotear-se, bambolear(-se). [Conjug.: v. *frear.*]

meneável. *Adj. 2 g.* **1.** Que se pode menear. **2.** *Fig.* Flexível, dócil, maleável.

menecma. [Do antr. *Menecmo,* de dois personagens gêmeos idênticos, da comédia *Menaechmi,* de Plauto (v. *plautino*).] *S. 2 g.* Pessoa que tem notável semelhança física com outra; sósia: "Se lhe indagavam de tal passagem da sua provável autoria na produção do seu menecma, ele, que dava e recebia rascunhos, esboços, paradigmas, no companheiro de trabalho se revia como num duplo." (Atílio Milano, *Literatura Dissipada,* p. 79.)

meneio. [Dev. de *menear.*] *S. m.* **1.** Ato ou efeito de menear(-se); balanço, oscilação, meneamento: *os meneios do barco.* **2.** Movimento do corpo ou de alguma parte dele; meneamento: "Parecia até que a provocava com os seus sorrisos, ... os meneios do corpo, a fala cantada e gostosa." (Nélson de Faria, *Cabeça-Torta,* p. 53.) **3.** Gesto, ademã(s), ademane(s): "O gesto bem talhado, / o airoso meneio e a postura" (Luís de Camões, *Rimas,* p. 300). **4.** Trejeito, momice. **5.** *Fig.* Ardil, astúcia, manobra. **6.** Governo, direção: *o meneio da empresa.* **7.** Mão-de-obra; custeio; custo: *o meneio da construção.* **8.** Emprego, aplicação: *o meneio do capital.*

menestrel. [Do fr. ant. *menestriel.*] *S. m.* **1.** Poeta medieval. **2.** Cantor medieval, de origem plebéia, a serviço de um rei, de um nobre ou de um trovador; cantor ambulante: "Os romances, as xácaras, as baladas e os solaus, com as suas castelãs, os seus paladinos, os seus pajens, os seus menestréis e os seus respectivos atributos .... , pediam um cenário de fortificação feudal" (Ramalho Ortigão, *O Culto da Arte em Portugal,* p. 30). **3.** *P. ext.* Trovador [q. v], cantor, músico: "tinha [D. Manuel] menestréis mouriscos que cantavam e tangiam em alaúdes e pandeiros." (Oliveira Martins, *História de Portugal,* II, p. 19). **4.** Poeta (1). **5.** Atualmente, nos E.U.A., comediante negro ambulante. [Pl.: *menestréis.*]

meneteneri. *Bras. S. 2 g.* **1.** Indivíduo dos meneteneris, tribo indígena, de língua aruaque, dada ao comércio. Foram acossados pelos ipurinãs para montante do Purus, onde habitam. ● *Adj. 2 g.* **2.** Pertencente ou relativo a essa tribo.

menfita. [Do gr. *memphítes,* pelo lat. *menphites.*] *Adj. 2 g.* **1.** De, ou pertencente ou relativo a Mênfis (Egito); menfítico. ● *S. 2 g.* **2.** Natural ou habitante de Mênfis.

menfítico. [De *menfita* + *-ico*[2].] *Adj.* Menfita (1): "Ela [a Grécia] possuía danças guerreiras como a menfítica, e danças cômicas que satirizavam os aleijões do corpo e as falhas morais." (Martins Fontes, *A Dança,* p. 16.)

mengar. *V. int. Bras. Chulo.* Fazer com o corpo movimentos eróticos. [Conjug.: v. *largar.*]

mengo. [Hipocorístico de *Flamengo,* do Clube de Regatas do Flamengo.] *Adj.* e *s. m. Bras.* V. *flamenguista.*]

menhã. *S. f. Bras. Pop.* e *ant.* Manhã.

menicaca. *S. 2 g. Pop.* Pessoa caricata, ridiculamente pretensiosa, toda perfumada e maquilada.

menién. *Bras. S. 2 g.* **1.** Indivíduo dos meniéns, tribo indígena camaçã, do rio Jequitinhonha. ● *Adj. 2 g.* **2.** Pertencente ou relativo a essa tribo.

menierismo. [Do antr. *Ménière,* de Prosper Ménière (1798-1862) e Émile-Antoine Ménière (1839-1905), médicos franceses, + *-ismo.*] *S. m. Patol.* Manisfestação frusta da síndrome de Ménière [q. v.].

menilita. [Do fr. *ménilite.*] *S. f. Min.* Variedade impura da opala (1) que aparece em concreções de cor castanha ou cinza-escura.

menina. [Fem. de *menino.*] *S. f.* **1.** Criança do sexo feminino. **2.** Mulher nova e/ou solteira; mocinha, garota. **3.** Tratamento familiar e afetuoso dado às pessoas de sexo feminino, crianças e adultos. ◆ **Menina de cinco olhos.** *Fam.* V. *palmatória* (1). **Menina do olho.** Pupila (3). **Menina dos olhos.** Pessoa a quem se quer muito: "Todos sabemos que tio Geraldo é a menina dos olhos de vovó. Ninguém pode dizer dele uma coisinha que seja, que vovó logo ralha." (Helena Morley, *Minha Vida de Menina,* p. 68.)

meninada. *S. f.* Bando ou porção de meninos e/ou meninas; criançada.

menina-moça. *S. f.* Menina no início da puberdade. [Pl.: *meninas-moças.*]

menineiro. *Adj.* **1.** Que tem aspecto de menino; semelhante a menino; ameninado: *um marmanjo menineiro.* **2.** V. *meninil:* "avistei com gosto a imensa barriga, as bochechas menineiras do chefe da Estação" (Eça de Queirós, *A Cidade e as Serras,* p. 200). **3.** Que gosta de crianças ou é muito carinhoso com elas.

meninez (ê). *S. f.* V. *infância* (1).

meninge. [Do gr. *mênigx.*] *S. f. Anat.* Cada uma das três membranas que envolvem o encéfalo e a medula espinhal, e que são, a partir da mais externa para a mais interna, a dura-máter, a aracnóide e a pia-máter.

meníngeo. *Adj.* Da meninge, ou relativo a ela.

meningismo. [De *meninge* + *-ismo.*] *S. m. Patol.* Forma frusta de meningite.

meningite. [De *meninge* + *-ite*[1].] *S. f. Patol.* Inflamação das meninges. [Sin. (bras., CE): *espasmo.* V. *paquimeningite* e *leptomeningite.*]

meningítico. *Adj.* Relativo à meningite.

▲**mening(o)-.** [Do gr. *mênigx, iggos.*] *El. comp.* = 'membrana fina': *meningose.*

meningoencefalite. [De *mening(o)-* + *encefalite.*] *S. f. Patol.* Inflamação que inclui comprometimento meníngeo e encefálico.

meningose. [De *mening(o)-* + *-ose.*] *S. f. Anat.* União de dois ossos por meio de estruturas membranosas.

meninice. *S. f.* **1.** V. *infância* (1). **2.** Atos, modos ou palavras próprios de menino; infantilidade, criancice.

meninico. *S. m. Bras., N.E.* Iguaria feita com vísceras de carneiro.

meninil. *Adj. 2 g.* Relativo a, ou próprio de menino; menineiro, infantil, pueril.

menino. *S. m.* **1.** Criança do sexo masculino. [Sin., bras. na maioria: *pequeno, miúdo, rapaz, garoto, guri, crila, curumi* ou *curumim, piá.*] **2.** Tratamento familiar e afetuoso entre parentes e amigos, ainda que adultos. ● *Adj. P. us.* **3.** V. *meninil:* "Joaquina Maluca, você ficou lesa / não sei por que foi! / Você tem um resto de graça menina, / na boca, nos peitos, / não sei onde e..." (Jorge de Lima, *Obra Completa,* I, p. 303.) ◆ **Menino de ouro.** Menino ou rapazinho muito mimado. **Menino de peito.** Criança de peito.

menino-branco. *S. m. Bras., PR. Folcl.* Menino chupado pela bruxa, e que, ao abrir a boca, mostra um enorme buraco, que vai até o estômago, só se curando depois de alguém o benzer. [Pl.: *meninos-brancos.*]

meninório. *S. m. Fam.* **1.** Meninote [q. v.]. **2.** Criançola. **3.** Espertalhão, finório.

meninota. [De *menina* + *-ota.*] *S. f. Bras.* Mocinha, garota.

meninote. *S. m. Bras.* Menino já taludo; garoto, rapazola, rapazote, meninório.

menipéia. *Adj. (f.)* e *s. f.* Fem. de *menipeu.* ~ V. *sátira*—.

menipeu. [Do antr. *Menipo* + *-eu.*] *Adj.* **1.** Pertencente ou relativo a Menipo de Gadara (séc. III a. C.), filósofo e satirista grego, ou próprio dele, ou que o imita. **2.** Que é seu admirador e/ou profundo conhecedor de sua obra, ou imitador dela. ● *S. m.* **3.** Admirador e/ou profundo conhecedor da obra de Menipo, ou seu imitador. [Fem.: *menipéia.*]

menir. [Do bretão[1] (4) *men,* 'pedra', + *hir,* 'comprida', pelo fr. *menhir.*] *S. m.* Monumento megalítico, que consiste num bloco de pedra levantado verticalmente. [Cf. *dólmen.*]

menisco. [Do gr. *menískos,* 'crescente'.] *S. m.* **1.** Lente delgada, de vidro, constituída de uma face convexa e outra côncava. **2.** Superfície curva de líquido contido em tubo capilar. **3.** Figura geométrica, côncava de um lado e convexa do outro. **4.** *Anat.* Fibrocartilagem em forma de meia-lua, presente entre algumas superfícies articulares. **5.** *Fís.* Superfície curva que se forma na interface duma fase líquida com outra fase líquida ou gasosa.

meniscóide. [De *menisco* + *-óide.*] *Adj. 2 g. Anat.* Que tem forma de menisco; meniscóideo.

meniscóideo. *Adj. Anat.* Meniscóide.

menispermácea. *S. f.* Espécime das menispermáceas.

menispermáceas. *S. f. pl. Bot.* Família de plantas superiores, da ordem das ranales, composta de grandes cipós dotados de folhas palmatinérveas e flores inconspícuas, sendo as masculinas dímeras ou trímeras, perigônio simples ou duplo e fruto drupáceo. Há umas 400 espécies, próprias das regiões tropicais, como o Brasil; algumas fornecem substâncias curarizantes, que os índios utilizavam.

menispermáceo. *Adj.* Pertencente ou relativo às menispermáceas.

▲**men(o)-.** [Do gr. *mén, menós.*] *El. comp.* = 'mês'; 'mênstruo': *menorragia, menopausa; menarca.*

menológio. [De *men(o)-* + *-log(o)-* + *-io*².] *S. m.* **1.** *Lit.* Catálogo dos mártires, ou martirológio, na Igreja grega. **2.** *Ant.* Descrição ou tratado dos meses.

menopausa. [De *men(o)-* + gr. *paûsis,* 'cessação'.] *S. f.* Cessação da menstruação; menostasia. [Cf. *climatério.*]

menor. [Do lat. *minore.*] *Adj. 2 g.* **1.** Comp. irreg. de *pequeno;* mais pequeno: *um vaso pequeno, outro menor.* [É corretíssimo, e de uso muito largo, o comp. *mais pequeno (v. pequeno).*] **2.** Diz-se da pessoa que ainda não atingiu a maioridade. **3.** De segundo grau; de segundo plano: "Fiz-me arquiteto? Não pude! / Sou poeta menor, perdoai!" (Manuel Bandeira, *Estrela da Vida Inteira,* p. 173.) **4.** Ínfimo, mínimo: *Não lhe deu a menor atenção.* **5.** Hierarquicamente inferior; subordinado, subalterno. ~ V. *Cão —, círculos —es, determinante —, frade —, Leão —, leito —, modo —, premissa —, redondilha —, semi-eixo —, termo —, trajes —es* e *Ursa —.* ● *S. 2 g.* **6.** Indivíduo menor (2). [Antôn.: *maior.*] ● *S. f.* **7.** V. *guimba.* ~V. *menores.* ♦ **De menor.** De menor idade; que ainda não atingiu a maioridade.

menorá. [Do hebr. *menorah.*] *S. m.* **1.** Candelabro sagrado, com sete braços, um dos símbolos do antigo templo judeu de Jerusalém. **2.** Candelabro com variável número de braços, usado principalmente nos serviços religiosos do judaísmo.

menores. [Pl. de *menor.*] *S. m. pl.* Detalhes, pormenores, minúcias, minudências: *Descreveu a ocorrência com todos os menores.* ~V. *menor.* ♦ **Em menores.** Em trajes menores: "pôs-se em menores, quero dizer, despiu os calções e o colete, e ficou em ceroulas e chinelas" (Manuel Antônio de Almeida, *Memórias de um Sargento de Milícias,* p. 210). **Por menores.** Detalhadamente, minuciosamente: por miúdo.

menoridade. [De *menor* + *-i-* + *-dade.*] *S. f.* **1.** Estado ou condição de pessoa menor (2); idade até aos 21 anos. **2.** A parte ou quantidade menor de um todo; minoria: *a menoridade dos votantes.*

menorista. *S. m.* Clérigo de ordens menores. [Cf. *menorita.*]

menorita. [Do lat. ecles. *minorita.*] *S. m.* Religioso franciscano. [Cf. *menorista.*]

menorítico. *Adj.* Pertencente ou relativo aos menoritas.

menorragia. [De *men(o)-* + *-ragia.*] *S. f. Med.* Perda uterina excessiva de sangue, ocorrendo em intervalos regulares e sendo o período de perda mais duradouro que o habitual na menstruação.

menorrágico. *Adj.* Respeitante à menorragia.

menorréia. [De *men(o)-* + *-réia.*] *S. f.* V. *menstruação* (1).

menos. [Do lat. *minus.*] *Pron. indef.* **1.** Comp. de *pouco;* inferior em número ou quantidade: *Há menos pessoas aqui do que lá; Tenho menos dinheiro que você.* **2.** Inferior em condição ou posição: *Não sou menos humano que ele, nem menos compreensivo.* **3.** Mínimo, menor: *Seu menos rendimento é de 100 cruzados por dia.* ● *Adv.* **4.** Em número ou quantidade menor: *A roseira floriu menos que antes.* **5.** Com menos intensidade: *Trabalha menos; Chove menos.* ● *S. m.* **6.** Aquilo que tem a menor importância; o que é mínimo: *O menos que lhe pode acontecer é abrir falência.* **7.** *Bras.* O menor preço: *Qual é o menos que o senhor pode fazer nestas laranjas?* ● *Prep.* **8.** À exceção de; exceto, afora, salvo: *Todos saíram, menos o médico; Esqueço tudo, menos as injúrias.* ♦ **A menos.** Em quantidade ou teor menor (que o que se esperava encontrar); de menos: *Achei três vestidos a menos.* **A menos que.** A não ser que; salvo se: *Não ficará bom, a menos que siga a orientação do médico.* **Ao menos.** No mínimo; quando mais não seja; ainda que seja somente; pelo menos; quando menos: *Dê-lhe ao menos alguns centavos.* **De menos.** A menos: "Ou a Fé toda completa, cabal, absoluta, sem um átomo de menos, sem um átomo de mais... ou nenhuma Fé." (Antônio Feliciano de Castilho, *O Presbitério da Montanha,* p. 116.) **Pelo menos.** V. *ao menos.* **Quando menos.** V. *ao menos.*

menoscabador (ô). *Adj.* e *s. m.* Que ou aquele que menoscaba.

menoscabar. [De um lat. *minuscapare.] *V. t. d.* **1.** Reduzir a menos; deixar incompleto; tornar imperfeito. **2.** Fazer pouco de; ter em pouca consideração; depreciar, desprezar.

menoscabo. [Dev. de *menoscabar.*] *S. m.* Ato ou efeito de menoscabar; menosprezo [q. v.].

menospreçamento. [De *menospreçar* + *-mento.*] *S. m. P. us.* V. *menosprezo.*

menospreçar. [Do esp. *menospreciar.*] *V. t. d.* V. *menosprezar.* [Pres. ind.: *menospreço,* etc. Cf. *menospreço* (ê).]

menospreço (ê). [Do esp. *menosprecio.*] *S. m.* V. *menosprezo:* "pois me pesa, deveras, o menospreço com que por aí costumam falar do meu cantinho natal." (Visconde de Taunay, *Ao Entardecer,* p. 81). [Pl.: *menospreços* (ê). Cf. *menospreço,* do v. *menospreçar.*]

menosprezador (ô). *Adj.* e *s. m.* Que ou aquele que menospreza; desprezador, desdenhador.

menosprezar. [Do esp. *menospreciar.*] *V. t. d.* Ter em menos conta ou em pouco apreço; não fazer caso de; depreciar; desprezar; desdenhar, menospreçar: "Se alguém menosprezar teu manto pobre, / Ri-te do fátuo, que se julga nobre!" (Tomás Ribeiro, *D. Jaime,* p. 4.) [Pres. ind.: *menosprezo,* etc. Cf. *menosprezo* (ê).]

menosprezível. *Adj. 2 g.* Digno de menosprezo ou desprezo; desprezível, desdenhável.

menosprezo (ê). [Do esp. *menosprecio.*] *S. m.* Ato ou efeito de menosprezar: "Seu menosprezo [de Virginia Woolf] deliberado e consciente pelos fatos exteriores é deveras curioso. Assim, em *To the Lighthouse* só por acaso é que se sabe da morte da Mrs. Ramsay" (Eugênio Gomes, *Espelho contra Espelho,* p. 250). [Sin.: *desprezo, menospreço, menoscabo* e, p. us., *menospreçamento.* Pl.: *menosprezos* (ê). Cf. *menosprezo,* do v. *menosprezar.*]

menostasia. [De *men(o)-* + gr. *estasi,* 'parado', + *-ia.*] *S. f.* **1.** Supressão da menstruação. **2.** Menopausa [q. v.].

mensageiro. [Do fr. *messager,* atr. do ant. *messageiro.*] *Adj.* **1.** Que leva e traz mensagem. **2.** Que anuncia ou pressagia; anunciador, pressagiador: *aves mensageiras de bom tempo.* ~ V. *ácido ribonucléico —.* ● *S. m.* **3.** Aquele que leva e traz mensagens; emissário, núncio, internúncio. **4.** Aquele ou aquilo que anuncia ou pressagia; anunciador, pressagiador: *mensageiro de boas novas.* **5.** Indivíduo que entrega mensagens, encomendas, etc.; rápido, próprio.

mensagem. [Do fr. *message,* atr. do ant. *messagem.*] *S. f.* **1.** Comunicação, notícia ou recado verbal ou escrito. **2.** Ato escrito e solene com que o chefe de Estado se dirige ao Legislativo para expor atividades do seu governo, propor orçamentos, encaminhar projetos de lei ou apresentar razões de veto. **3.** Felicitação ou discurso escrito, dirigido a uma autoridade. **4.** Comunicação oficial entre altos paredros do Estado. **5.** A essência da obra de um filósofo, poeta romancista, dramaturgo, etc., e que é a contribuição original por ele trazida à cultura humana. **6.** *Teor. Inf.* Estrutura organizada de sinais que serve de suporte à comunicação; o enunciado considerado apenas ao nível do plano de expressão, com exclusão dos conteúdos investidos. ♦ **Levar a mensagem a Garcia.** **1.** Desempenhar-se de missão difícil, enfrentando todos os obstáculos e perigos. **2.** Dizer o que pensa, custe o que custar: "o importante, para o verdadeiro escritor, é levar a sua mensagem a Garcia. Dizer o que pensa. Emitir o seu juízo na hora própria." (Josué Montelo, *Jornal do Brasil,* 29.7.1980).

mensal. [Do lat. tardio *mensuale.*] *Adj. 2 g.* **1.** Relativo a mês: *lucro mensal.* **2.** Que dura um mês: *contrato mensal.* **3.** Que se efetua de mês em mês: *exposição mensal.* **4.** Que se paga ou se recebe por mês: *prestação mensal.* [Sin. ger. (bras., RS): *mensual.*] ~ V. *nutação —.*

mensalidade. [De *mensal* + *-i-* + *-dade.*] *S. f.* **1.** Quantia em dinheiro referente a um mês; mesada. **2.** Quantia paga mensalmente a uma instituição. [Cf. *anuidade* (3)].

mensalista. *Adj. 2 g.* e *s. 2 g.* **1.** Diz-se de, ou empregado que recebe o seu salário contratado por mês. **2.** Diz-se de, ou funcionário público contratado que tem ordenado mensal, e cuja função é de caráter transitório.

mensário¹. [Do lat. *mensis,* 'mês', + *-ário.*] *S. m.* Publicação periódica mensal.

mensário². [Do lat. *mensa,* 'mesa', + *-ário.*] *Adj.* Relativo a mesa, ou àquilo que se come à mesa.

➡**mens legis** (menç. légiç). [Lat.] *Jur.* O espírito da lei; o fim social a que ela visa.

menso. *Adj. Bras., PE.* Torto; manco.

menstruação. [De *menstruar* + *-ção.*] *S. f. Med.* **1.** Perda fisiológica de sangue de origem uterina, de caráter cíclico, e que, habitualmente, retorna a cada período de cerca de quatro semanas, desde que não tenha ocorrido gravidez durante a fase em que a mulher e as fêmeas em algumas outras espécies de primatas se encontram em período de reprodução. [Sin.: *catamênio, menorréia, menarquia, mênstruo, regras* e (pop.) *boi, chico, conjunção, costume, embaraço, escorrência, incômodo, lua, mês, paquete, período, pingadeira, purgação do mês, sangue, veículo, visita, volta-da-lua.*] **2.** Período menstrual [q. v.]. ♦ **Menstruação artificial.** A que é produzida por meios artificiais, como intervenção cirúrgica ou irradiação.

menstruada. [Do lat. *menstruata.*] *Adj. (f.)* Diz-se da mulher que está com o mênstruo, ou que o tem regularmente; incomodada.

menstrual. [Do lat. *menstruale.*] *Adj. 2 g.* Relativo ao mênstruo. ~ V. *ciclo —* e *período —.*

menstruar. *V. int.* **1.** Ter o fluxo menstrual. **2.** *Fam.* Ter o primeiro mênstruo. [Pres. ind.: *menstruo,* etc. Cf. *mênstruo.*]

mênstruo. [Do lat. *menstruu.*] *S. m.* **1.** V. *menstruação* (1). **2.** Líquido dissolvente usado para se extraírem de um sólido os princípios ativos contidos nesse. [Cf. *menstruo,* do v. *menstruar.*]

mensual. [Do esp. plat. *mensual.*] *Bras., RS. Adj. 2 g.* **1.** Mensal. ● *S. m.* **2.** O assalariado, o empregado.

mensura. [Do lat. *mensura,* 'medida', 'instrumento para medir'.] *S. f. Ant.* **1.** Medida. **2.** *Desus.* Compasso musical.

mensurabilidade. *S. f.* Qualidade de mensurável.

mensuração. [Do lat. *mensuratione.*] *S. f.* Ato de medir ou mensurar; medição.

mensurador (ô). [Do lat. *mensuratore.*] *Adj.* e *s. m.* Que ou aquele que mensura; medidor.

mensurar. [Do lat. *mensurare.*] *V. t. d.* **1.** Determinar a medida de; medir: "Falamos de valor. Quem define o valor? Quem o mensura?" (Rosário Fusco, *Introdução à Experiência Estética,* p. 51.) **2.** Ter por medida.

mensurável. [Do lat. *mensurabile.*] *Adj. 2 g.* Que se pode medir; comensurável, dimensível. [Antôn.: *imensurável, incomensurável.*]

menta. [Do gr. *mínthe,* pelo lat. *mentha.*] *S. f.* Designação científica comum a diversas espécies de hortelã.

▲**-menta.** [Do lat. *menta.*] *Suf. nom.* = 'instrumento', 'objeto'; 'coleção': *ferramenta* (1); *vestimenta* (< lat. *vestimenta*); *ferramenta* (3).

mentado. [Part. de *mentar.*] *Adj.* Recordado, lembrado, memorado.

mentagra. [Do lat. *mentagra.*] *S. f. Patol.* Dor no mento.

mental¹. [De *mente* + *-al.*] *Adj. 2 g.* **1.** Relativo à mente; intelectual: *faculdades mentais.* **2.** Que se passa na mente ou pensamento; espiritual: *concepções mentais.* ~ V. *agrafia —, alienação —, débil —, debilidade —, faculdades mentais, higiene —* e *restrição —.*

mental². [De *mento* + *-al.*] *Adj. 2 g. Anat.* Relativo ou pertencente ao mento.

mentalidade. *S. f.* **1.** Qualidade de mental¹. **2.** A capacidade intelectiva; a mente, o pensamento: *a mentalidade infantil; a alta mentalidade de Shakespeare.* **3.** O conjunto dos hábitos intelectuais e psíquicos de um indivíduo, ou de um grupo; estado mental ou psicológico: *a mentalidade nórdica.*

mentalizar. [De *mental* + *-izar.*] *V. t. d.* **1.** Operar mentalmente. **2.** Figurar, conceber, fantasiar, imaginar.

mentar. [De *mente* + *-ar*².] *V. t. d.* **1.** *Ant.* Ementar, recordar: "Mais não disse. A mentar a frase triste e escassa, / A mangueira se recolheu" (Alberto de Oliveira, *Poesias,* 2ª série, p. 372). **2.** *Bras. Gír.* Conceber, inventar; bolar.

mentário. *S. m. Bras. Pop.* Inventário.

mentastre. *S. m.* V. *mentastro.*

mentastro. [Do lat. *mentastru.*] *S. m.* Pequena erva da família das labiadas *(Peltodon radicans),* bastante dispersa no L., de folhas aromáticas, caule quadrangular, e pequeninas flores ordenadas em glomérulos esféricos situados na ponta de longo pedúnculo. [Var.: *mentastre, mentrasto* e *mentraste.*]

mente. [Do lat. *mente.*] *S. f.* **1.** Intelecto, pensamento, entendimento; alma, espírito. **2.** Concepção, imaginação: *a mente fértil do artista.* **3.** Intenção, intuito, desígnio, disposição, tenção: *Era sua mente não sair dali.* ♦ **De boa mente.** De boa vontade; de bom grado: "Viveria de boa mente os últimos tempos no interior de uma casa única, ... vedada ao mundo" (Machado de Assis, *Quincas Borba*, p. 312); "E eu dispenso também de boa mente / Uns olhos onde o raio anda iminente" (João de Deus, *Campo de Flores*, II, p. 292). **De má mente.** De má vontade; contra a vontade; a contragosto: "Consentiu de má mente que os portugueses arvorassem à testa da coluna o estandarte inaudito." (Aquilino Ribeiro, *Portugueses das Sete Partidas*, p. 144.)

▲-mente. [Do lat. *mens, mentis.*] *Suf. adv.* = 'maneira': *fortemente* (< lat. *forti mente*), tranqüilamente, generosamente.

mentecapto. [Do lat. *mente captu*, 'privado da mente'.] *Adj.* **1.** Que perdeu o uso da razão; alienado, louco, idiota. **2.** Néscio, tolo, tonto. ● *S. m.* **3.** Indivíduo mentecapto: "Esta fusão do ceticismo do filósofo ....: com a parva fraseologia do mentecapto e com as insensatas alegrias do truão e do ébrio, forma um dos traços mais salientes do estilo shakespeariano" (Araripe Júnior, *Ibsen*, p. 61).

mentes-tu. *S. m. 2 n. Jog. Inf.* Jogo de salão em que cada participante representa uma flor, iniciando-se a brincadeira quando alguém afirma: "— Ontem fui passear e estive na casa da... rosa", p. ex., ao que esta retruca: "— Mentes-tu; eu não estava em casa, mas na casa do... cravo" —, fato logo contestado por quem o representa, pagando prenda os jogadores desatentos.

mentideiro. [De *mentir* + *-deiro.*] *Adj.* **1.** *Ant.* Mentiroso. ● *S. m.* **2.** Lugar onde se inventam boatos: "É aí no adro, à hora da missa dos domingos, o mentideiro predileto da tagarelice pública." (Eduardo Frieiro, *O Mameluco Boaventura*, p. 72.)

mentido. [Part. de *mentir.*] *Adj.* Falso, ilusório, vão, enganoso, mentiroso: "O desejo, abismo onde agonizam traiçoeiras ambições, mentidas esperanças, negras asas diabólicas!" (Teixeira de Pascoais, *Obras Completas*, 7º vol., p. 112); "A emoção que nesta hora nos invade / Não leva o cunho de mentidas dores." (Emílio de Meneses, *Últimas Rimas*, p. 94).

mentir. [Do lat. *mentire.*] *V. int.* **1.** Afirmar coisa que sabe ser contrária à verdade; dizer mentira(s). [Sin., bras., SP a RS: *queimar campo.*] **2.** Errar no que diz ou conceitua: *Os provérbios, em geral, não mentem.* **3.** Dar uma indicação contrária à realidade; induzir em erro; ser causa de, ou dar margem a engano; iludir: *O espelho não mente.* **4.** Cessar de ser bom, legítimo, verdadeiro; degenerar: *Boa raça não mente.* **5.** Não se realizar; não se concluir; não vingar; falhar. **6.** Dizer mentira(s); iludir, enganar: *Mentiu à criança, que nunca mais acreditou em suas palavras. T. i.* **7.** Afirmar coisa que sabe ser contrária à verdade; dizer mentira(s): "Quem iria garantir que Justiniano lhe mentira?" (Fran Martins, *Dois de Ouros*, p. 190.) **8.** Não corresponder; faltar, falhar. *T. d.* **9.** Dizer ou escrever mentindo: *Viu tudo, e mentiu que não tinha visto nada;* "Dizem que finjo ou minto / Tudo que escrevo." (Fernando Pessoa, *Poesias de Fernando Pessoa*, p. 238). [Irreg. Conjug.: v. *aderir.*]

mentira. [De *mentida*, fem. de *mentido*, com dissimilação.] *S. f.* **1.** Ato de mentir; engano, impostura, fraude, falsidade. [Sin., na maioria pop. ou fam.: *patranha, peta, lampana, lenda, loas, maranhão, conto, conto da carochinha* e (bras.) *goma, lorota, lorotagem, conversa, pomada, potoca, poçoca, prego, broca, rodela, gamela, moca, mariquinha, maxambeta, mentira-carioca*. V. *carapeta* (3).] **2.** Hábito de mentir. **3.** Engano dos sentidos ou do espírito; erro, ilusão: *as mentiras do mundo.* **4.** Idéia, opinião, doutrina ou juízo falso. **5.** Fábula, ficção. **6.** *Bras. Pop.* V. *leuconíquia*. **7.** *Bras., RJ.* Biscoito redondinho e achatado, feito de massa de pão-de-ló; mentirinha. ◆ **Mentira de nove modas.** *Bras.* As que são contadas por alguém de uma só vez. **Mentira deslavada.** Mentira muito exagerada; grande peta.

mentira-carioca. *S. f.* **1.** *Bras., BA* e *RJ.* V. *mentira* (1). **2.** *Bras., RJ.* Biscoito muito leve, de polvilho, em forma de dedo ou rosca. [Pl.: *mentiras-cariocas.*]

mentirada. *S. f.* Porção de mentiras; mentiraria, petalhada.

mentiralha. [De *mentira* + *-alha.*] *S. f. Fam.* V. *carapeta* (3).

mentiraria. *S. f.* V. *mentirada.*

mentirinha. [Dim. de *mentira.*] *S. f. Bras., RJ.* Mentira (7).

mentirola. [De *mentira* + *-ola.*] *S. f.* V. *carapeta* (3).

mentirolar. *V. int.* Dizer mentirolas, carapetas; petar.

mentiroso (ô). [De *mentira* + *-oso.*] *Adj.* **1.** Que mente. [Sin., pop. e fam., e muitos deles bras.: *chico, faveiro, loroteiro, maranhoso, marombado, pabola, pomadista, potoqueiro, potoquista, pregador.*] **2.** Oposto à verdade; falso. **3.** Que não é o que parece ser; enganoso: "Mas um martírio, que encobrir não pode, / Em rugas faz / A mentirosa placidez do rosto / Na fronde audaz!" (Gonçalves Dias, *Obras Poéticas*, II, p. 20.) ● *S. m.* **4.** Aquele que mente. [Sin. pop. ou fam., e muitos deles bras.: *baloeiro, bandoleiro, chico, pomadista, potoqueiro, potoquista, loroteiro, faveiro, gandavo, pabola, pregador.*] ◆ **'O Mentiroso'.** *Filos.* Sofisma de Eubúlides de Mileto (séc. IV a.C.), cuja forma mais simples é: se alguém afirma "eu minto", e o que diz é verdade, a afirmação é falsa; e se o que diz é falso, a afirmação é verdadeira. [Pode-se concluir ou que uma asserção é ao mesmo tempo verdadeira e falsa, ou continuar indefinidamente por recorrência ora a concluir que é falsa ora que é verdadeira.]

mento. [Do lat. *mentu.*] *S. m.* **1.** *Anat.* Porção inferior e média da face saliente, localizada abaixo do lábio inferior: "Uma mulher de olhar resplandecente / E mento breve de figura grega." (Augusto Gil, *Luar de Janeiro*, p. 87). **2.** *P. ext.* Queixo. **3.** Saliência carnuda por baixo do beiço inferior dos animais.

▲-mento. [Do lat. *mentu.*] *Suf. nom.* = 'ação ou resultado da ação'; 'coleção': *juramento* (< lat. *juramentu*), *ferimento, sentimento; armamento* (< lat. *armamentu*), *fardamento.*

mento-faríngeo. [De *mental*[2] + *faríngeo.*] *Adj.* Pertencente ou relativo ao mento e à faringe.

mentol. [De *menta* + *-ol.*] *S. m. Quím.* Álcool da série dos terpenos, existente na essência de hortelã, sólido, com odor característico. [Fórm.: $C_{10}H_{20}O$. Pl.: *mentóis.*]

mentolado. [De *mentol* + *-ado*[1].] *Adj.* Que contém mentol.

mentor (ô). [Do antr. *Mentor*, de um personagem da *Odisséia*, de Homero (séc. VIII a. C.), amigo e conselheiro de Ulisses, e preceptor de seu filho Telêmaco.] *S. m.* Pessoa que guia, ensina ou aconselha outra; guia, mestre, conselheiro.

mentorear. *V. t. d. Bras.* Servir de mentor a. [Conjug.: v. *frear.*]

mentraste. *S. m.* V. *mentastro.*

mentrasto. *S. m.* V. *mentastro.*

mentruz. *S. m. Bras., N.E.* V. *mastruço.*

mentuctire. *Bras. S. 2 g.* **1.** Indivíduo dos mentuctires, divisão dos índios caiapós, que habita nas proximidades da cachoeira von Martius, Xingu, na área reservada para o Parque Nacional do Xingu. ● *Adj. 2 g.* **2.** Pertencente ou relativo a esses indígenas.

➡menu (menû). [Fr.] *S. m.* V. cardápio.

mequém. *Bras. S. 2 g.* **1.** Indivíduo dos mequéns, tribo indígena das margens do rio Mequém, em MT. ● *Adj. 2 g.* **2.** Pertencente ou relativo a essa tribo.

mequetrefe. *S. m. Pop.* **1.** Indivíduo que se mete onde não é chamado. **2.** V. *joão-ninguém.* **3.** Biltre, patife: "— Te tiro o couro, mequetrefe! — ouviu que o homem furioso gritava." (Macedo Miranda, *Pequeno Mundo outrora*, p. 29.) ● *Adj. 2 g.* **4.** Diz-se de mequetrefe. [F. paral.: *melcatrefe.*]

mera. *S. f.* Líquido medicamentoso, resultante da destilação do zimbro.

meralgia. [De *mer(o)-*[2] + *-alg(o)-* + *-ia.*] *S. f. Patol.* Dores em coxa.

merálgico. *Adj.* Relativo à meralgia.

merapinima. [Var. de *marapinima.*] *S. f. Bras.* Árvore silvestre, de madeira listrada.

merca. [Dev. de *mercar.*] *S. f.* **1.** Ato ou efeito de mercar; compra: "algumas lavradoras iam às lojas fazer mercas" (Brito Camacho, *Quadros Alentejanos*, p. 49). **2.** Aquilo que se compra; mercadoria.

mercadejar. [De *mercado* + *-ejar.*] *V. int.* **1.** Ser mercador ou negociante; comerciar, traficar. *T. i.* **2.** Auferir proveito ou lucro ilícito; traficar: *mercadejar com indulgências. T. d.* e *t. d.* e *i.* **3.** Negociar, vender: *mercadejar um produto;* "Outros mercadejavam peixes e frutas com tapuios" (José Veríssimo, *Cenas da Vida Amazônica*, p. 40). [Sin. ger: *mercanciar.* Conjug.: v. *pelejar.*]

mercadejo (ê).˙ [Dev. de *mercadejar.*] *S. m.* Ação ou efeito de mercadejar; negócio, comércio, tráfico, mercancia.

mercadinho. [Dim. de *mercado.*] *S. m.* **1.** *Bras., RJ.* Mercado (1) de um bairro. **2.** *Bras., RS.* V. *quitanda* (6).

mercadização. [De *mercadizar* + *-ção.*] *Mercadol. S. f.* Execução dos negócios que encaminham dos produtores aos consumidores o fluxo de mercadorias e serviços.

mercadizar. [De *mercado* + *-izar.*] *Mercadol. V. int.* Exercer qualquer atividade ligada à mercadização.

mercado. [Do lat. *mercatu.*] *S. m.* **1.** Lugar onde se comerciam gêneros alimentícios e outras mercadorias. **2.** Povoação, cidade ou país onde há grande movimento comercial; empório: *A Península Itálica, durante a Idade Média, transformou-se num grande mercado.* **3.** Permutação ou troca de produtos e/ou valores; o comércio: *As medidas do governo visam a incrementar o mercado externo.* **4.** *Econ.* A relação estabelecida entre a oferta e a procura de bens e/ou serviços e/ou capitais: *A superprodução pode desequilibrar o mercado, gerando crises.* **5.** *Econ.* O conjunto de pessoas e/ou empresas que, oferecendo ou procurando bens e/ou serviços e/ou capitais, determinam o surgimento e as condições dessa relação: *O progresso incorpora novas massas ao mercado: Quando o mercado se torna vendedor, os preços tendem a cair.* ◆ **Mercado aberto.** *Fin.* Local onde se efetuam as compras e vendas de títulos por parte do governo ou das instituições financeiras oficiais. [Tb. se usa o equiv. inglês, *open market.*] **Mercado a termo.** Negociação de mercadorias ou de valores para entrega e pagamento em data futura, preestabelecida, mas ao preço do dia da transação. **Mercado de balcão.** O que vende maciça e indiscriminadamente títulos de novas empresas, ainda não registradas na Bolsa de Valores. **Mercado de capitais.** O que opera com capitais para financiamentos. **Mercado de trabalho. 1.** A relação entre a oferta de trabalho e a procura de trabalhadores, em época e lugar determinados. **2.** O conjunto de pessoas e/ou empresas que, em época e lugar determinados, provocam o surgimento e as condições dessa relação. **Mercado financeiro.** O que, operando com capitais para financiamento, se restringe à negociação de títulos e valores representados por operações monetárias. **Mercado livre. 1.** Negociação de mercadorias e/ou valores e/ou moedas sem tabelamento nem cotações oficiais. **2.** *P. ext.* Local onde se realiza essa negociação. **Mercado negro.** Comércio ilegal ou clandestino, mantido sobretudo nos períodos de racionamento; mercado paralelo. [Cf. *câmbio negro.*] **Mercado paralelo. 1.** Mercado negro [q. v.]. **2.** O que movimenta ilegalmente o numerário de quem não quer ou não pode utilizar-se do mercado financeiro normal.

mercadologia. [De *mercado* (4 e 5) + *-log(o)-* + *-ia.*] *S. f. Marketing.*

mercadológico. *Adj.* Concernente à mercadologia.

mercador (ô). [Do lat. *mercatore.*] *S. m.* **1.** Aquele que merca para vender a retalho; mercante. **2.** *Restr.* Negociante de panos. **3.** *Bras.* V. *canhanha* (2).

mercadoria. [De *mercador* + *-ia.*] *S. f.* **1.** Aquilo que é objeto de comércio; mercancia. **2.** Aquilo que se comprou e se expôs à venda; mercancia. **3.** *Bras., BA.* Designação comum ao carbonado e ao diamante. **4.** *Bras., BA.* Partida de tais pedras.

merca-honra. [De *mercar* + *honra.*] *S. 2 g.* Pessoa que trafica com a honra alheia. [F. paral.: *merca-honras.* Pl.: *merca-honras.*]

merca-honras. *S. 2 g.* e *2 n.* Merca-honra [q. v.].

mercancia (í). [Do it. *mercanzia.*] *S. f.* **1.** Mercadoria (1 e 2): "Os obscuros sicofantas, que fazem da palavra a sua ignominiosa mercancia, e os eloqüentes cidadãos que levantam na tribuna a derradeira cidadela à majestade e honra ateniense, medidos por igual perante a parcialidade torva das facções." (Latino Coelho, *A Oração da Coroa*, p. CDXV.) **2.** Ato de mercanciar ou mercadejar; tráfico, comércio, mercadejo: "Sabem que ele se iniciara no contrabando dos charutos, e gostara mais os prazeres do perigo, que o lucro da mercancia." (Camilo Castelo Branco, *Doze Casamentos Felizes*, p. 207.)

mercanciar. [De *mercancia* + *-ar*[2].] *V. int., t. i.* e *t. d.* V. *mercadejar.*

mercante. [Do it. *mercante.*] *Adj. 2 g.* **1.** Relativo ao comércio, ou ao movimento comercial. ~ V. *bandeira —, escritura —, marinha —, navegação —* e *navio —.* ● *S. 2 g.* **2.** Mercador (1).

mercantil. [Do it. *mercantile.*] *Adj. 2 g.* **1.** Relativo a mercadores ou a mercadorias. **2.** Referente ao comércio; comercial. **3.** *Fig.* Interesseiro, cobiçoso, ambicioso. [Sin. ger.: *mercatório.*]

mercantilagem. *S. f.* Mercantilismo.

mercantilice. *S. f. Deprec.* Ação mercantil, interesseira, desprezível.

mercantilidade. *S. f.* Qualidade de mercantil.

mercantilismo. *S. m.* **1.** Tendência para subordinar tudo ao comércio, ao interesse, ao lucro, ao ganho. **2.** Predominância do interesse ou do espírito mercantil. [Sin. ger.: *mercantilagem.*]

mercantilista. *Adj. 2 g.* **1.** Relativo ao, ou próprio do mercantilismo. **2.** Que é inclinado ao mercantilismo. ● *S. m.* **3.** Pessoa inclinada a ele.

mercantilizar. *V. t. d.* **1.** Dar espírito ao pendor mercantil a. **2.** Tornar objeto de comércio. *Int.* **3.** Realizar transações mercantis; ser comerciante, comerciar, negociar.

mercaptal. [De *mercapt(an)* + *al(deído).*] *S. m. Quím.* Classe de compostos obtidos pela condensação de um aldeído com um mercaptan.

mercaptan (cáp). [Abrev. da loc. lat. *corpus mercurium captans,* 'corpo que capta o mercúrio'.] *S. m. Quím.* Classe de compostos em que um hidrogênio do sulfeto de hidrogênio (H_2S) foi substituído por um radical orgânico, e que são líquidos de odor desagradável.

mercar. [Do lat. **mercare.*] *V. t. d.* **1.** Comprar para vender: "Imputou-se à Marquesa ser forreta, mercando legumes e ratinhando-os, vendendo toucinho à sua escravatura" (Alberto Rangel, *Dom Pedro Primeiro e a Marquesa de Santos* p. 300). **2.** Adquirir comprando. **3.** Alcançar, conseguir, com trabalho e sacrifício. **4.** *Bras., BA.* Apregoar para vender. [Conjug.: v. *trancar.*]

mercatório. [Do lat. *mercatoriu.*] *Adj.* V. *mercantil.*

merca-tudo. [De *mercar* + *tudo.*] *S. m. 2 n.* **1.** Aquele que de tudo faz negócio. **2.** V. *adeleiro.*

mercável. [Do lat. *mercabile.*] *Adj. 2 g.* Que se pode mercar; comerciável, vendível.

merce. [Do lat. *merce.*] *S. f. P. us.* Gênero que serve para comerciar; mercadoria: "De índicas merces, de ouro carregada / Aproa à terra, com celeuma alegre, / A nau pujante" (Alexandre Herculano, *Poesias,* p. 116).

mercê. [Do lat. *mercede.*] *S. f.* **1.** Preço ou recompensa de trabalho; remuneração paga. **2.** Favor, graça, benefício: *Espero V. Exª me conceda esta mercê.* **3.** Bom acolhimento; benignidade, indulgência, benevolência: *Esperava da moça a mercê dum olhar.* **4.** Remissão de culpa; perdão, indulto, graça. **5.** Nomeação para emprego público; provimento em cargo oficial. **6.** Concessão de títulos honoríficos. **7.** Capricho, arbítrio: *O barco está à mercê dos ventos.* ◆ **Mercê de.** Graças a; em virtude de: "Mercê do impulso ou lá do que fosse, continuou a correr." (Aquilino Ribeiro, *Caminhos Errados,* p. 206.) **À mercê de. 1.** Ao sabor de; ao capricho de: "O pequeno barco vogava agora à mercê da corrente" (Trindade Coelho, *Os Meus Amores,* p. 194). **2.** Sob a dependência de: *Está à mercê do irmão;* "Não podemos ficar de braços cruzados, à mercê da Providência." (Inglês de Sousa, *Contos Amazônicos,* p. 191). **Vossa Mercê.** Antigo tratamento dado a pessoa de cerimônia, contraído em *vossemecê, vosmecê, você,* etc. [V. *você.*]

mercearia. [Do it. *merceria,* com infl. do suf. vernáculo *-aria* (q.v.).] *S. f.* **1.** Loja onde se vendem a retalho gêneros alimentícios; loja de secos e molhados; armazém, venda. **2.** Gêneros alimentícios, víveres, mercearias. **3.** *Ant.* Comércio de pouco valor. **4.** *Ant.* Loja onde se faz esse comércio. ~ V. *mercearias.*

mercearias. [Pl. de *mercearia* (q.v.).] *S. f. pl.* V. *mercearia* (2).

mercedário. [Do lat. *mercede,* 'mercê', + *-ário.*] *S. m.* Religioso da Ordem das Mercês, fundada por S. Pedro Nolasco (1180-1256), religioso francês, para a redenção dos escravos cristãos das mãos dos mouros, na Espanha.

merceeiro. *S. m.* Dono de mercearia (1).

mercenário. [Do lat. *mercenariu.*] *Adj.* **1.** Que trabalha por soldada ou estipêndio. **2.** Que trabalha sem outro interesse que não a paga; interesseiro, venal. ● *S. m.* **3.** Aquele que serve ou trabalha por estipêndio ou interesse.

mercenarismo. *S. m.* Espírito mercenário.

merceologia. [Do lat. *merce,* 'mercadoria', + *-o-* + *-log(o)-* + *-ia.*] *S. f.* Parte da ciência do comércio que trata em especial da compra e venda, e estuda a classificação e a especificação das mercadorias.

merceológico. *Adj.* Relativo à merceologia.

mercerização. *S. f. Tec.* Tratamento de fibras de algodão pela lixívia de sódio ou de potássio, a frio, com o intuito de conseguir aspecto sedoso e brilhante.

mercerizado. *Adj.* Que foi submetido à mercerização. V. *algodão* —.

mercerizar. [De *Mercer,* do antr. John Mercer (— -1866), estampador inglês, + *-izar.*] *V. t. d.* Submeter à mercerização.

mercesano. *Adj.* **1.** De, ou pertencente ou relativo a Mercês (MG). ● *S. m.* **2.** O natural ou habitante de Mercês.

➡**merchandising** (mertchandaisin'). [Ingl.] *S. m. Prop.* Designação corrente da propaganda não declarada feita através da menção ou aparição de um produto, serviço ou marca durante um programa de televisão ou de rádio, filme, espetáculo teatral, etc.

mércia. [De *merce.*] *S. f. Pop.* **1.** Negócio, comércio, ou trato oculto. **2.** Namoro clandestino.

mercurial. [Do lat. *mercuriale.*] *Adj. 2 g.* **1.** Que contém mercúrio. ● *S. m.* **2.** Medicamento em que entra o mercúrio. ● *S. f.* **3.** *Fam.* V. *repreensão* (1). **4.** Planta da família das euforbiáceas (*Mercurialis annua*), urtiga-morta.

mercurialismo. [De *mercurial* + *-ismo.*] *S. m. Patol.* Intoxicação proveniente do abuso do mercúrio. [Cf. *hidrargirismo.*]

mercúrio. [Do mit. *Mercúrio,* o mensageiro dos deuses, deus do comércio, da eloqüência e dos ladrões, entre os romanos.] *S. m.* **1.** *Astr.* Planeta interior, o menor do sistema solar e o mais próximo do Sol, o que torna difícil observá-lo, embora seja um astro brilhante à vista desarmada, quando em configuração favorável. Tem um diâmetro 2,5 vezes menor que o da Terra e uma densidade 1,5 vez menor, e sua revolução em torno do Sol efetua-se em 88 dias. O período de rotação é igual a 59 dias aproximadamente. [Sin (p. us.): *Hermes.* Nesta acepç., com inicial maiúscula.] **2.** *Quím.* Elemento de número atômico 80, líquido prateado, denso, venenoso. [Símb.: *Hg.*]

mercúrio-do-campo. *S. m. Bras.* V. *galinha-choca.* [Pl.: *mercúrios-do-campo.*]

mercúrio-dos-pobres. *S. m. Bras.* Trepadeira da família das cucurbitáceas (*Wilbrandtia verticillata*), de raiz tuberosa, folhas amplas e trilobadas, com gavinhas, pelas quais ascende, flores pequenas e unissexuadas, e frutos que são bagas de uns 2 cm de diâmetro. [Pl.: *mercúrios-dos-pobres.*]

mercurocromo. *S. m. Quím.* Derivado alcalino da fluoresceína, de cor vermelho-esverdeada, e usado como anti-séptico local e germicida.

mercuroso (ô). *Adj.* Diz-se dos compostos que encerram mercúrio monovalente.

merda. [Do lat. *merda.*] *S. f. Pleb.* **1.** Matérias fecais; excremento, dejeto. **2.** Imundície, imundícia, porcaria. **3.** Coisa insignificante, ruim, irritante ou repulsiva; titica. ● *S. 2 g.* **4.** Pessoa insignificante, sem valor ou sem préstimo; titica: "Ele, Chico, era um bêbado. .... Muito abaixo de um merda como Mário." (Gilvã Lemos, *Jutaí Menino,* p. 57.) ● *Interj.* **5.** Indica desprezo ou repulsão. **6.** *Teat. Gír.* Indica, paradoxalmente, boa sorte, bom êxito. ◆ **Cheio de merda.** *Bras. Chulo.* V. *cheio de luxo.* **De merda.** *Chulo.* De borra.

merdícola. [De *merda* + *-i-* + *-cola.*] *Adj. 2g. Zool.* **1.** Que vive em excrementos: *inseto merdícola.* **2.** Que constrói o ninho com excrementos de animais.

merdívoro. [De *merda* + *-i-* + *voro.*] *Adj.* Diz-se dos insetos que se nutrem de excrementos.

merecedor (ô). *Adj.* Que merece alguma coisa; digno: *É merecedor das homenagens que lhe prestam.*

merecer. [Do lat. **merescere,* incoativo de *merere.*] *V. t. d.* **1.** Ser digno de; conseguir em virtude de seus méritos: "El-rei prezava os bons lances. A finura da astúcia mereceu a sua admiração." (Rebelo da Silva, *De noite Todos os Gatos São Pardos,* p. 217.) **2.** Ter direito a: "as cidades [holandesas] que, como centros principais de ciências e de estudo, merecem mais particularmente a designação de cidades sábias, são Leyde e Utrecht." (Ramalho Ortigão, *A Holanda,* p. 199). **3.** Estar em condições de obter: *Esta afirmação não merece crédito.* **4.** Estar no caso ou em condições de receber: Merece o prêmio que lhe foi conferido; Criminoso convicto não merece perdão. **5.** Valer (6): *O livro é excelente, merece o alto preço que paguei por ele. T. i.* **6.** Adquirir direito à gratidão, por serviços relevantes: *São vultos que bem merecem de sua terra.* [Conjug.: v. aquecer.]

merecido. [Part. de *merecer.*] *Adj.* Que se mereceu; devido, justo: *castigo merecido.*

merecimento. [De *merecer* + *-i-* + *-mento.*] *S. m.* **1.** Qualidade que torna alguém digno de prêmio, estima, apreço, ou de castigo, desprezo, etc. **2.** Valor, importância: *o merecimento do livro.* **3.** Superioridade, excelência. **4.** Capacidade, habilitação, inteligência, talento, aptidão: *merecimento literário; merecimentos científicos.* [Sin. ger.: *mérito.*]

merejamento. *S. m. Bras. Pop.* Ato ou efeito de merejar.

merejar. [Var. de *marejar* (v.) com assimilação.] *V. int. Bras. Pop.* Ressumar; marejar: "Para potes de água o barro deve ser arenoso e grosso, de maneira a dar uma vasilha porosa (que mereje e refresque a água)." (Regina Lacerda, *Papa-Ceia,* p. 108.) [Conjug.: v. *pelejar.*]

merencório. *Adj.* Var. de *melancólico:* "A surdina merencória da tarde, precedendo o silêncio da noite, começava de velar os crebros rumores do campo." (José de Alencar, *Iracema,* p. 71.)

merenda. [Do lat. *merenda.*] *S. f.* 1. Refeição leve, entre o almoço e o jantar. **2.** O que se leva em farnel para comer no campo ou em viagem. **3.** O que as crianças levam para comer na escola, em geral durante o recreio. [Sin. ger.: *lanche.*]

merendar. *V. t. d.* **1.** Comer à hora da merenda: "Se era hora de recreio, merendava seu pão doce com doce. (Lustosa da Costa, *Sobral do Meu Tempo,* p. 45.) *Int.* **2.** Comer a merenda.

merendeira. *S. f.* **1.** Pão pequeno, próprio para merendas; merendeiro **2.** Cesta ou maleta para merenda; lancheira, merendeiro: "Bom mesmo era o cheiro do embrulhinho de banana e biscoito, na merendeira de latão pintado, que carregava a tiracolo" (Maria Julieta Drummond de Andrade, *O Valor da Vida,* p. 19). **3.** *Bras., RJ.* Funcionária que prepara ou distribui merendas nas escolas.

merendeiro. *S. m.* **1.** V. *merendeira* (1 e 2). **2.** Indivíduo habituado a merendar. ● *Adj.* **3.** Diz-se de merendeiro (2).

merendiba. [Do tupi *merẽ'ndiwa.*] *S. f. Bras.* Árvore da família das combretáceas (*Terminalia brasiliensis*), de madeira aproveitável, de pequenas flores dispostas em racemos, frutos que são drupas duríssimas e providas de duas asas lenhosas, e folhas que se agrupam na ponta dos ramos. [Cf. *mirindiba.*]

merengada. [De *merengue* (1) + *-ada*[1].] *S. f. Bras.* Grande porção de merengues.

merengue. [Do esp. *merengue.*] *S. m.* **1.** Suspiro (9 e 10). [Var.: *merenque.*] **2.** *Bras., MG.* Alcunha dada aos franceses.

merenque. *S. m.* Var. de *merengue* (1).

merepe. *S. m. Bras., N.* e *N.E* Jogo de cartas no qual se arrisca pouco dinheiro.

merepeiro. [Talvez de *merepa* + *-eiro.*] *Adj. Bras., CE.* **1.** Mariola, tratante. **2.** Diz-se do cavalo esquipador.

merequém. *S. m. Bras.* V. *ararinha-de-cabeça-encarnada.*

mereré. *S. m. Bras.* **1.** V. *lansquenê* (2). **2.** *P. ext.* Qualquer jogo de azar. [Cf. *mererê.*]

mererê. *S. m. Bras., Amaz.* V. *acará-disco.* [Cf. *mereré.*]

meretriciar. *V. t. d.* **1.** Tornar meretriz. *P.* **2.** Dar-se ao meretrício (2); tornar-se meretriz. [Pres. ind.: *meretricio,* etc. Cf. *meretrício.*]

meretrício. [Do lat. *meretriciu.*] *Adj.* **1.** Relativo a, ou próprio de meretriz: *conduta meretrícia.* ● *S. m.* **2.** Profissão de meretriz; prostituição. **3.** As meretrizes. [Cf. *meretricio,* do v. *meretriciar.*]

meretrícula. [Do lat. *meretricula.*] *S. f.* Meretriz ainda não adulta.

meretriz. [Do lat. *meretrice.*] *S. f.* Mulher que pratica o ato sexual por dinheiro; mulher pública. [Sin., muitos deles, bras., pop. ou de gíria; outros, lus.: *prostituta, loureira, marafona, messalina, rameira, fêmea, decaída, cortesã, puta, andorinha, bagageira, bagaxa, barca, biraia, bisca, biscaia, biscate, bofe, boi, bruaca, bucho, cação, cadela, caterina, catraia, china, cocote, cróia, cuia, culatrão, dadeira, dama, égua, ervoeira, fadista, findinga, frega, frete, frincha, fuampa, fubana, fusa, gança, horizontal, jereba, loba, madama, marafaia, mariposa, michê, michela, miraia, moça, moça-dama, moça do fado, mulher à-toa, mulher da comédia, mulher-dama, mulher da rótula, mulher da rua, mulher da vida, mulher da zona, mulher de amor, mulher de má nota, mulher de ponta de rua, mulher do fado, mulher do fandango, mulher do mundo, mulher do pala aberto, mulher errada, mulher perdida, mulher pública, mulher solteira, mulher vadia, mundana, murixaba ou muruxaba, paloma, pécora, perdida, perua, piranha, piturisca, quenga, rapariga, rascoa, reboque, rongó, solteira, tolerada, transviada, tronga, vaqueta, ventena, vigarista, vulgívaga, zabaneira, zoina.* Dim. irreg.: *meretrícula.*]

mereuá. *Bras. S. 2 g.* **1.** Indivíduo dos mereuás, tribo indígena dos afluentes da margem esquerda do rio Cachorro (N. do PA). ● *Adj. 2 g.* **2.** Pertencente ou relativo a essa tribo.

mergulhador (ô). *Adj.* **1.** Que mergulha; mergulhante: ave *mergulhadora.* ● *S. m.* **2.** Aquele que mergulha. **3.** Homem que trabalha debaixo da água. **4.** Pescador de pérolas. **5.** *Bras.* V. *mergulhão* (4). **6.** *Bras.* V. *ipequi.*

mergulhante. *Adj. 2 g.* Mergulhador (1).

mergulhão. [Aum. de *mergulho.*] *S. m.* **1.** Grande mergulho. **2.** Haste comprida de planta, que se mergulha na terra para criar novas raízes e gerar nova planta. [V. *mergulhia.*] **3.** Designação comum a várias espécies de aves da ordem dos colimbiformes, especialmente da família dos colimbídeos. **4.** Ave anatídea (*Mergus octosetaceus* Vieil.), do Brasil meridional, Argentina e Paraguai, de cabeça cinzenta, capuz negro, bico avermelhado e patas vermelhas; patão, mergulhador. **5.** *Bras.* V. *atobá.* **6.** V. *ipequi.* **7.** V. *carqueja* (2). ● *Adj.* **8.** Diz-se de uma espécie de ganso que mergulha.

mergulhar. [Do lat. **mergulíare,* der. de *mergulu,* dim. de *mergu,* 'mergulhão novo'.] *V. t. d.* **1.** Introduzir na água ou em outro líquido; submergir; afundar: "Foi até o rio, mergulhou a ponta do pé" (Lia Correia Dutra, *Navio sem Porto,* p. 135). **2.** Fazer entranhar-se, fazer penetrar; afundar: "Os vegetais felizes / Mergulha vam as sôfregas raízes / A procurar na terra as seivas boas" (Guerra Junqueiro, *A Velhice do Padre Eterno*, p. 168). *T. d.* e *c.* **3.** Imergir, fazer penetrar (em um líquido): *M e r g u l h a r a m sondas no alto-mar.* **4.** Cravar profundamente; entranhar: *M e r g u l h a r a m -lhe o punhal nas costas. Int.* e *p.* **5.** Entrar na água a ponto de ficar coberto por ela; imergir: "M e r g u l h o u , voltou à tona trazendo Dunga" (Lia Correia Dutra, *Navio sem Porto*, p. 141). **6.** Penetrar, engolfar-se (em líquido, em massa líquida): *M e r g u l h o u na lagoa gelada, e logo imergia, tiritando;* "No dia em que a água chegou a Suez foi uma vertigem. Os pobres árabes não podiam crer: m e r g u l h a v a m - s e nela, bebiam até lhes fazer mal" (Eça de Queirós, *Notas Contemporâneas*, p. 25). **7.** Engolfar-se, entranhar-se, internar-se, embrenhar-se: "Padre Valdemar corre, m e r g u l h a no milharal" (Telmo Vergara, *Contos da Vida Breve*, p. 241); *M e r g u l h o u - s e na mata, e o perdemos de vista.* **8.** Esconder-se, encobrir-se; desaparecer: *O Sol poente m e r g u l h a v a atrás das montanhas; A Lua m e r g u l h o u - s e entre as nuvens.*

mergulhia. [De *mergulhar.*] *S. f.* Tipo de reprodução vegetal que consiste em enterrar um ramo de planta, ainda preso a ela, para constituir, depois de enraizado, novo exemplar, uma vez separado da planta-mãe; alporque: "Desde tempos imemoriais que a vinha do Douro .... se reproduz consecutivamente e invariavelmente pela m e r g u l h i a e pela transplantação." (Ramalho Ortigão, *As Farpas*, I, p. 125.)

mergulho. [Dev. de *mergulhar.*] *S. m.* **1.** Ato ou efeito de mergulhar. **2.** Em natação, ação de lançar-se à água, de grande altura e em variadas posições. **3.** *Aeron.* Vôo em que a aeronave executa pronunciado ângulo de descida. **4.** *Geol.* Inclinação (5).

▲**meri-.** [Do gr. *merís, ídos.*] *El. comp.* = 'parte': *mericarpo.* [Equiv. *merido-*: *meridotalo.*]

mericarpo. [De *meri-* + *-carpo.*] *S. m. Morfol. Veg.* Segmento em que se divide um fruto, e que se encontra nas umbelíferas, cujos frutos se abrem em dois mericarpos.

mericismo. [Do gr. *merykismós,* 'ruminação'.] *S. m. Med:* Perturbação digestiva em que o alimento retorna do estômago à boca e é novamente mastigado; ruminação.

mericologia. [Do gr. *merik,* rad. de *merikízo,* 'ruminar', + *-o-* + *-log(o)-* + *-ia.*] *S. f.* Tratado acerca dos ruminantes.

mericológico. *Adj.* Relativo à mericologia.

meridense. [Do top. *Mérida* (Espanha) + *-ense.*] *Adj. 2 g.* e *s. 2 g.* Emeritense.

meridiana. [Fem. substantivado do adj. *meridiano.*] *S. f.* **1.** Interseção do plano do meridiano com o plano do horizonte, ou com outro plano qualquer. **2.** Relógio de sol. **3.** *Bras.* V. *sesta* (3). **4.** *Astr.* V. *luneta de passagem.* **5.** *Náut.* V. *passagem meridiana.*

meridiano. [Do lat. *meridianu,* 'do meio-dia'.] *S. m.* **1.** *Astr.* Qualquer dos círculos máximos da esfera terrestre que passam pelos pólos; meridiano terrestre. **2.** *Astr.* V. *luneta de passagem* (3). *Geom.* Numa superfície de revolução, a interseção da superfície com um plano que passa pelo eixo de rotação. **4.** *Náut.* Círculo de longitude (2). ● *Adj.* **5.** Relativo ao meio-dia; merídio: *sol m e r i d i a n o .* ~ V. *círculo —, clareza —a, luneta —a, passagem —a* e *plano —.* ◆ **Meridiano celeste.** *Astr.* Círculo máximo da esfera celeste, que passa por ambos os pólos celestes. **Meridiano das efemérides.** *Astr.* Meridiano terrestre que passa por um ponto fictício próximo ao meridiano de Greenwich, de tal sorte que se pode levar em conta a diferença entre o tempo universal e o tempo das efemérides. **Meridiano de Greenwich.** *Astr.* Meridiano tomado como origem do tempo universal, e que passa pela antiga sede do observatório de Greenwich, na Inglaterra. **Meridiano fundamental.** *Astr.* V. *meridiano-origem.* **Meridiano local.** *Astr.* Aquele que passa pelo observador ou por determinado ponto da superfície terrestre. **Meridiano terrestre.** *Astr.* Meridiano (1). **Primeiro meridiano.** *Astr.* V. *meridiano-origem.*

meridiano-origem. *S. m. Astr.* Um dos meridianos terrestres, que é tomado como origem das longitudes; meridiano fundamental, primeiro meridiano. [Por acordo internacional, tomou-se por meridiano-origem o que passa pelo Observatório Astronômico de Greenwich, próximo à cidade de Londres.]

merídio. [Do lat. *meridies,* 'meio-dia', + *-io*[2].] *Adj.* Meridiano (5).

meridionácea. *S. f.* Espécime das meridionáceas.

meridionáceas. *S. f. pl. Bot.* Família de diatomáceas, que compreende as fragilariáceas, dotadas de talo cuneiforme e cujas células se unem pelas valvas em filamentos helicoidais.

meridionáceo. *Adj.* Pertencente ou relativo às meridionáceas.

meridional. [Do lat. *meridionale.*] *Adj. 2 g.* **1.** Que está do lado do sul; austral. *país m e r i d i o n a l .* [Antôn.: *setentrional, boreal.*] **2.** Relativo a, ou próprio das regiões ou dos habitantes do sul: *línguas m e r i d i o n a i s .* ● *S. 2 g.* **3.** Habitante das regiões do sul: "Ele é moreno, / Da cor trigueira dos m e r i d i o n a i s" (Mário Pederneiras, *Histórias do Meu Casal*, p. 16).

▲**merido-.** Equiv. de *meri-.*

meridotalo. [De *merido-* + *talo.*] *S. m. Morfol. Veg.* Distância entre dois nós [v. *nó* (8)].

meriñaque. [Do esp. *miriñaque.*] *S. m.* Saia-balão: "Os arames arqueados do m e r i n a q u e raspavam sonidos metálicos nas pernas das cadeiras" (Camilo Castelo Branco, *Vulcões de Lama*, p. 166).

merino. [Do esp. *merino.*] *Adj.* **1.** Diz-se de uma raça de carneiros de lã muito fina. ● *S. m.* **2.** Tecido feito dessa lã. [Var., bras., nesta acepç.: *merinó.*]

merinó. [Do esp. *merino,* pelo fr. *mérinos.*] *S. m. Bras.* Merino: "O seu trajo habitual nestes passeios era vestido de m e r i n ó escuro, mantelete de seda preta, e um chapéu de palha com laços azuis." (José de Alencar, *Lucíola*, p. 155.)

merisma. [Do gr. *mérisma,* 'porção', 'fração'.] *S. m.* Divisão dum assunto em partes distintas.

merismático. [Do gr. *mérisma, atos,* 'porção, fração', + *-ico*[2].] *Adj.* Diz-se da multiplicação ou reprodução que se efetua pela divisão das células ou dos organismos.

meristema. [De *meri-* + gr. *stêma,* 'fio'.] *S. m. Anat. Veg.* Tecido caracterizado pela ativa divisão de suas células, e que produz as novas células necessárias ao crescimento da planta.

meritalo. [De *meri-* + gr. *thallós,* 'ramo'.] *S. m. Morfol. Veg.* Entrenó.

meritamente (mè). *Adv.* Com mérito; merecidamente.

meritiense. *Adj. 2 g.* **1.** De, ou pertencente ou relativo a São João de Meriti (RJ). ● *S. 2 g.* **2.** Natural ou habitante de São João de Meriti.

meritíssimo. [Do lat. *meritissimu.*] *Adj.* **1.** De grande-mérito; muito digno; digníssimo: "Quanto ao m e r i t í s s i m o juiz, compra sem pagar no armazém do Justiniano e lhe deve dinheiro." (Jorge Amado, *Teresa Batista Cansada de Guerra*, p. 69.) [Tratamento dado, sobretudo, a juízes de direito.] ● *S. m.* **2.** Juiz de direito: "Comédia de enganos, segundo o m e r i t í s s i m o , revestira a audiência de um ar de farsa" (Id., *ib.*, p. 54).

mérito. [Do lat. *meritu.*] *S. m.* **1.** V. *merecimento.* **2.** *Jur.* Questão ou questões fundamentais, de fato ou de direito, que constituem o principal objeto da lide.

meritório. [Do lat. *meritoriu.*] *Adj.* Que merece prêmio ou louvor; louvável.

merlão. [Do fr. *merlon.*] *S. m.* Intervalo dentado nas ameias de uma fortaleza.

merlim. [Do neerl. *merling,* pelo fr. *merlin.*] *S. m.* **1.** *Marinh.* Cabo fino, de confecção esmerada, empregado nos trabalhos do marinheiro em que seja necessário bom acabamento. **2.** Tecido ralo e engomado, como a tarlatana, destinado a forros. **3.** Machado para partir lenha. **4.** *Fig.* Finório, espertalhão.

merlu. *S. f.* V. *merluza.*

merluça. *S. f.* V. *merluza.*

merluza. *S. f.* Peixe da família dos gadídeos (*Merlucius gayi*), semelhante ao bacalhau [q. v.] e que atinge 60 cm de comprimento; merlu, merluça.

merma. [Do esp. plat. *merma.*] *S. f. Bras., S.* A quantidade que se perde no peso de uma mercadoria ou de outra coisa qualquer; diminuição, perda.

mermar. [Do esp. plat. *mermar.*] *Bras., S.,* e *ant. V. t. d.* e *int.* Perder em valor; diminuir, minguar.

mero[1]. *S. m. Bras.* **1.** Peixe teleósteo, percomorfo, da família dos serranídeos (*Promicropus itaiara* (Lich.)), do Atlântico tropical. O adulto é oliváceo-escuro, com pontos e faixas negros sobre o corpo e cabeça mais clara; comprimento: até 3 m; peso: até 450 kg. Vive em lugares rochosos, sendo pescado com linha de fundo, e alimenta-se de outros peixes. A carne é de primeira qualidade. [Sin.: *mero-preto, canapu, canapuguaçu.* Cf. *merote.*] **2.** Peixe teleósteo, percomorfo, da família dos serranídeos (*Acanthistius brasilianus* (Cuv.)), da costa atlântica; senhor-de-engenho.

mero[2]. [Do lat. *meru.*] *Adj.* **1.** Sem mistura; puro, simples, estreme: *Trata-se de m e r a questão gramatical.* **2.** Comum, simples, vulgar: *Aqui chegou como m e r o roceiro, e hoje é latifundiário.*

▲**mer(o)-**[1]. [Do gr. *méros, eos-ous.*] *El. comp.* = 'parte', 'porção', 'segmento': *merologia.* [Equiv.: *-mero: metâmero.*]

▲**mer(o)-**[2]. [Do gr. *merós, oû.*] *El. comp.* = 'coxa': *merocele.*

▲**-mero.** Equiv. de *mer(o)-*[1].

merocele. [De *mer(o)-*[2] + *-cele.*] *S. f. Patol.* Hérnia femoral.

merogonia. [De *mer(o)-*[1] + *-gon(o)-* + *-ia.*] *S. f.* Método biológico e embriológico experimental, que consiste em seccionar o ovo antes de sua divisão.

merogônico. *Adj.* Relativo à merogonia.

merologia. [De *mer(o)-*[1] + *-log(o)-* + *-ia.*] *S. f.* Tratado dos princípios elementares de qualquer ciência.

merológico. *Adj.* Referente à merologia.

meromórfico. *Adj.* ~ V. *função —a.*

meropídeo. *S. m.* **1.** Espécime dos meropídeos. ● *Adj.* **2.** Pertencente ou relativo a eles.

meropídeos. *S. m. pl. Zool.* Aves coraciformes, de cores vivas, bico longo e delgado, insetívoras, que habitam as regiões tropicais do Velho Mundo. São os abelheiros.

mero-preto. *S. m. Bras.* **1.** V. *cherne.* **2.** V. *mero*[1] (1). [Pl.: *meros-pretos.*]

merostomado. *S. m.* **1.** Espécime dos merostomados. ● *Adj.* **2.** Pertencente ou relativo a eles.

merostomados. *S. m. pl. Zool.* Animais artrópodes, aquáticos, classe *Merostomata,* de corpo revestido por uma carapaça, dividido em cefalotórax e abdome, com cinco a seis pares de apêndices, e olhos compostos situados lateralmente.

merote. *S. m. Bras.* Filhote de mero[1] (1), geralmente pescado nos covos.

merovíngio. [Do fr. *mérovingien.*] *Adj.* Pertencente ou relativo à primeira dinastia francesa, fundada por Meroveu, que reinou de 448 a 458.

merozoário. *S. m.* e *adj.* V. *eucestóideo.*

merozoários. *S. m. pl. Zool.* V. *eucestóideos.*

merrime. *Bras. S. 2 g.* **1.** Indivíduo dos merrimes, índios jês do MA. ● *Adj. 2 g.* **2.** Pertencente ou relativo a esses índios.

mertiolate. [Do ingl. *Merthiolate.*] *S. m.* Nome comercial de medicamento com base em timerosal, usado como anti-séptico e germicida.

mertolense. *Adj. 2 g.* **1.** De, ou pertencente ou relativo a Mértola (Portugal). ● *S. 2 g.* **2.** Natural ou habitante de Mértola.

meru. [De provável or. indígena.] *S. m. Bras.* V. *birumanso.*

merua. [De provável or. indígena.] *S. f. Bras.* Erva da família das rubiáceas (*Spermacoce longifolia*), de folhas opostas e estipuladas, ramos flexuosos, flores pequenas e numerosas, dispostas em inflorescências axilares congestas, e cujas cápsulas são mínimas.

meruanha. [Var. de *beruanha.*] *S. f. Bras.,* N. V. *mosca-dos-estábulos.*

meruçoca. *S. f. Bras.* V. *muriçoca.*

meruí. *S. m. Bras.* V. *maruim.*

meruim (u-ím). *S. m. Bras.* V. *maruim.*

meruquiá. [Do tupi *meruki'á.*] *S. m. Bras.* Capim que alcança até 80 cm de altura, da família das gramíneas *(Eragrostis vahlii),* disseminado por todo o País, com rizoma ramificado e folhas lineares, comumente enroladas, e cujas espículas medem 8 a 12 mm, são acinzentadas ou violáceas, e se ordenam em pequenas panículas.

mês. [Do lat. *mense.*] *S. m.* **1.** Cada uma das 12 divisões do ano solar, sete com 31 dias, quatro com 30 dias e uma (fevereiro) com 28 ou (nos anos bissextos) 29 dias. **2.** Espaço de 30 dias. **3.** Espaço de tempo decorrente de uma data qualquer de um mês até a mesma data do mês seguinte. **4.** Preço combinado para um mês de trabalho, de função. **5.** *Pop.* V. *menstruação* (1). [Pl.: *meses* (ê).] ◆ **Mês anomalístico.** *Astr.* V. *revolução anomalística.* **Mês corrente.** O mês em que se está. **Mês das noivas.** O mês de maio. **Mês de Jesus.** *Bras., BA.* O mês de junho. **Mês de Maria.** O mês de maio, consagrado pela Igreja ao culto da Virgem Maria: "esta [a festa de Santo Antônio] era uma continuação das alegrias do m ê s d e M a r i a , pois ganhava começo no findar da última coroação." (Antônio Celso Alves Pereira, *Rua do Quenta-Sol*, p. 55). [Cf. *mês-de-maria.*] **Mês de Sant'Ana.** *Bras.* O mês de julho. [Tb. se diz apenas *sant'ana.*] **Mês do Rosário.** *Bras., BA.* O mês de outubro. **Mês draconítico.** *Cronol.* V. *revolução draconítica.* **Mês legal.** O espaço de 30 dias contados pela lei para qualquer fim jurídico. **Mês lunar.** *Cronol.* V. *revolução sinódica.* **Mês nódico.** *Cronol.* V. *revolução draconítica.* **Mês sinódico.** *Astr.* V. *revolução sinódica.* **Mês solar.** *Cronol.* Intervalo de tempo necessário para que o Sol, no seu movimento aparente anual, descreva 30º de longitude.

mesa (ê). [Do lat. *mensa.*] *S. f.* **1.** Móvel, comumente de madeira, sobre o qual se come, escreve, trabalha, joga, etc. **2.** Conjunto do presidente e secretários de uma assembléia: *a mesa da câmara.* **3.** A alimentação, o passadio, o sustento: *casa de mesa farta.* **4.** O conjunto dos que estão à mesa para a refeição. **5.** Quantia fixa ou cumulativa de apostas, em certos jogos de azar. **6.** Designação comum a várias repartições pelas quais está dividido o serviço nas alfândegas. **7.** Grade ou altar para comunhão. **8.** *Bras.* Sessão de catimbau ou feitiçaria. **9.** *Bras.* Estrado de madeira, pentagonal, que constitui a parte principal de um carro de bois: "Carros de bois que levavam nas mesas e nos rebequéns as moças do engenho às festas da vila, com toldos vistosos de colchas das ilhas." (A. S. de Mendonça Jr., *Jornal da Província*, p. 30.) **10.** *Bras., Amaz.* V. *comedia* (3). **11.** *Geol.* Camada horizontal limitada por todos os lados por escarpas em geral abruptas. [Dim.: *mesinha.* Cf. *mezinha.*] **12.** *Bras., RJ. Folcl.* Cerimônia ritual da macumba; linha. ◆ **Mesa da enxárcia.** *Ant. Constr. Nav.* Prancha de madeira presa ao costado, horizontalmente, na altura do trincaniz, e onde se apóiam as bigotas superiores, por meio das quais se tesam os ovéns. **Mesa de distribuição.** *Art. Gráf.* Mesa de tintagem. **Mesa de fabricação.** *Ind. Pap.* Máquina plana [q. v.]. **Mesa de pé de galo.** A que tem um único pé, que se alarga junto à base. **Mesa de tintagem.** *Art. Gráf.* Superfície onde se faz a distribuição da tinta, nas prensas plano-cilíndricas; mesa de distribuição. **Mesa equatorial.** *Astr.* Superfície plana, instalada sobre uma montagem equatorial, na qual podemos instalar diferentes aparelhos astronômicos. **Mesa iluminada.** *Art. Gráf.* Mesa com tampo de vidro despolido ou acrílico translúcido, sob o qual se instala sistema de iluminação, utilizada basicamente para montagem de fotolitos. **À mesa.** Durante a refeição: "Pois a maravilha / Do batizado foi causa aparente / Da noite que passei em claro, doente / Não do vinho de Gaia, essa fineza / Que o mesmo Cristo beberia à mesa / Na derradeira ceia!" (Domingos Carvalho da Silva, *Liberdade embora Tarde*, p. 14.) **Botar a mesa.** Pôr a mesa. **Levantar a mesa.** Tirar a mesa. **Pôr a mesa.** Prepará-la para as refeições; botar a mesa. [Opõe-se a *tirar a mesa.*] **Tirar a mesa.** Retirar dela os elementos que sobre ela haviam sido postos para a refeição; levantar a mesa. [Opõe-se a *pôr a mesa.*] **Virar a mesa.** *Bras. Pop.* V. *descer o morro.*

mesada. [De *mês* + *-ada*[1].] *S. f.* **1.** Quantia que se paga ou se dá em cada mês; mensalidade. **2.** *Bras. Fam.* Quantia que os pais dão periodicamente aos filhos.

mesa-de-cabeceira. *S. f.* **1.** Pequeno móvel, com o feitio de armário, que se tem rente à cabeceira da cama, e dentro do qual e sobre o qual se põem objetos utilizáveis durante a noite: "ia dormir em casa, na sua cama de solteiro, que ele, ao retornar a horas mortas, encontrava feita, com um copo de leite na mesa-de-cabeceira." (Herberto Sales, *Histórias Ordinárias*, p. 156). [Sin. ger.: *mesinha-de-cabeceira, criado-mudo* e (bras., N.E. e RS) *bidê* ou *bidé.*] **2.** Mesinha decorativa, posta à cabeceira de cama, que serve de apoio a abajur, vasos e outros objetos. [Pl.: *mesas-de-cabeceira.*]

mesa-de-rendas. [De *mesa* + *de* + pl. de *renda*[1].] *S. f. Bras.* Repartição das finanças onde se pagam impostos, direitos e outros emolumentos. [Pl.: *mesas-de-rendas.*]

➧**mésalliance** (mêsaliãnç'). [Fr.] *S. f.* Casamento de alguém com pessoa de condição inferior à sua.

mesaraico. [Do gr. *mesáraion*, 'mesentério', + *-ico*[2].] *Adj.* Mesentérico.

mesa-redonda. *S. f.* Reunião de pessoas entendidas ou abalizadas que discutem ou deliberam, em pé de igualdade, sobre determinado assunto. [Pl.: *mesas-redondas.*]

mesário. [Do lat. *mensariu.*] *S. m.* **1.** Membro da mesa duma corporação, especialmente confraria: "As confrarias com seus ministros, porta-estandartes, trombeteiros e mesários .... formavam alas pelas ruas." (Aquilino Ribeiro, *Portugueses das Sete Partidas*, p. 190.)

mesartéria. [De *mes(o)-* + *artéria.*] *S. f. Anat.* Túnica média das artérias.

mesarterite. [De *mesartéria* + *-ite*[1].] *S. f. Patol.* Inflamação da mesartéria.

mesa-tenista. *S. 2 g. Bras.* Jogador de tênis de mesa. [Pl.: *mesa-tenistas.*]

mesa-tenístico. *Adj. Bras.* Relativo ao tênis de mesa. [Pl.: *mesa-tenísticos.*]

mesaticefalia. *S. f. Anat.* Estado de mesaticéfalo; mesocefalia.

mesaticefálico. *Adj. Anat.* Referente a mesaticefalia, ou a mesaticéfalo; mesocefálico.

mesaticéfalo. [Do gr. *mesátios*, 'médio', + *-céfalo.*] *Adj.* e *s. m. Anat.* Diz-se do, ou o indivíduo cujo índice cefálico vai de 76º a 80º; mesocéfalo. [Cf. *braquicéfalo* e *dolicocéfalo.*]

mescal. [Do náuatle *mexcalli.*] *S. m.* Planta da família das cactáceas *(Lophophora williamsii)*, globosa, acinzentada, com gomos, suculenta. Nativa no México, é ali conhecida por *peiote* ou *peyotl* e *mescal*, sendo usada pela população de certas partes do país como alucinógeno, em rituais religiosos primitivos. Prepara-se reduzindo o corpo vegetal a fatias, que são dessecadas para conservação. Ingeridas, determinam estados alucinatórios caracterizados por visões fortemente coloridas, efeito decorrente da presença de mescalina.

mescalina. [Do esp. amer. *mescal* + *-ina*[1].] *S. f. Quím.* Alcalóide alucinógeno, encontrado em certos cactos. [Fórm.: $C_{11}H_{17}O_3N$.]

mescla. [Dev. de *mesclar.*] *S. f.* **1.** Mistura de elementos diversos; amálgama, misto: "O ambiente fizera-se de um tom morno e duvidoso, em que havia mescla de claridade e sombra." (Aluísio Azevedo, *O Mulato*, p. 131.) **2.** Mistura de substâncias da mesma natureza para se obter um todo homogêneo. **3.** Agrupamento ou reunião heterogênea: *mescla de burgueses e mendigos.* **4.** Tecido em que os fios da trama e da urdidura são de cores diversas: "rifle a tiracolo, terçado na cinta, calças e blusa de mescla azul" (Raimundo Morais, *Na Planície Amazônica*, p. 131). **5.** Tecido cujos fios são constituídos de uma mistura de várias fibras. **6.** A coisa mesclada. **7.** *Fig.* Impureza; imperfeição; falha: *uma felicidade sem mescla.* ● *Adj. 2 g.* e *2 n. Bras.* **8.** Diz-se do tecido mescla: *brim mescla.* **9.** Feito de tecido mescla: "O elegante senhor, de paletó mescla, calça listrada e chapéu-coco, dá uma volta pela sala" (Francisco Inácio Peixoto, *Passaporte Proibido*, p. 33).

mesclado. [Part. de *mesclar.*] *Adj.* **1.** Misturado, amalgamado: "cores e vestiduras diferentes, mescladas, baralhadas" (Machado de Assis, *Páginas Recolhidas*, p. 105). **2.** Em que há mistura de duas cores: *lã mesclada rosa e verde.* **3.** V. *versicolor.* **4.** Mestiço (1).

mesclar. [De um lat. vulg. **misculare*, talvez com base no lat. tardio *miscuere* ou *miscuare*, calcados no pret. *miscui*, de *miscere*, 'misturar'.] *V. t. d.* **1.** Misturar, confundir; unir, ligar, amalgamar. **2.** Misturar (duas ou mais cores ou tintas) para produzir uma nova cor. **3.** Misturar (o sangue) pelo casamento de pessoas de raças diversas. *T. d.* e *i.* **4.** Misturar, confundir; unir, ligar, amalgamar. **5.** Unir; adicionar; incorporar: *Os povos da Península Ibérica mesclaram à sua língua numerosos vocábulos árabes.* **6.** Entremear, intercalar: *Gosta de mesclar seus escritos de expressões em línguas estrangeiras.* **7.** Misturar o sangue pelo casamento de pessoas de raças diversas: *Os japoneses pouco mesclam o seu sangue com o de outras raças. P.* **8.** Misturar-se, confundir-se, unir-se: "Atiro-me por essas ruas, ... mesclo-me à turba densa e variegada" (Carlos Magalhães de Azeredo, *Ariadne*, p. 50).

mês-de-maio. *S. m. Bras.* Mês-de-maria [q. v.]. [Pl.: *meses-de-maio.*]

mês-de-maria. *S. m. Bras.* Festividades com que a Igreja celebra o mês de Maria, ou mês de maio; mês-de-maio: "Interno num colégio protestante em Juiz de Fora, obtinha eu licença para ir de noite acompanhar o mês-de-maria" (Augusto Frederico Schmidt, *O Galo Branco*, pp. 91-92); "Imagine você que eu nem percebia que estávamos no mês de maio, dos meses-de-maria, das festas de Santa Cruz." (João Alphonsus, *Eis a Noite!*, p. 48). [Pl.: *meses-de-maria.* Cf. *mês de Maria.*]

mesembriantemácea. *S. f.* Espécime das mesembriantemáceas.

mesembriantemáceas. *S. f. pl. Bot.* Família de plantas floríferas que habitam basicamente a África austral, e recém-desmembrada das aizoáceas.

mesembriantemáceo. *Adj.* Pertencente ou relativo às mesembriantemáceas.

mesencefalite. [De *mes(o)-* + *encefalite.*] *S. f. Patol.* Inflamação do mesencéfalo; mesocefalite.

mesencéfalo. [De *mes(o)-* + *encéfalo.*] *S. m. Anat.* Parte do encéfalo que compreende os tubérculos quadrigêmeos e pedúnculos cerebrais, e que deriva da vesícula cerebral média. [Sin., impr.: *mesocéfalo.*]

mesentérico. *Adj.* Relativo ou pertencente ao mesentério; mesaraico. ~ V. *tuberculose —a.*

mesentério. [Do gr. *mesentérion.*] *S. m. Anat.* Estrutura anatômica, semelhante a leque, que prende o jejuno e o íleo à parede abdominal posterior, e se compõe de duas camadas, tendo extensão suficiente para dar a essas duas porções do intestino delgado uma considerável mobilidade.

mesenterite. [De *mesentério* + *-ite*[1].] *S. f. Patol.* Inflamação do mesentério.

meseta (ê). [Do esp. *meseta.*] *S. f. Geog.* Mesa (11) ou planalto de pequena conformação: "o serrano da meseta é impagável no vocabulário das suas habilidades" (Aquilino Ribeiro, *Aldeia*, p. 169).

mesinha-de-cabeceira. *S. f.* V. *mesa-de-cabeceira* (1). [Pl.: *mesinhas-de-cabeceira.*]

mesma (ê). [Fem. substantivado do pron. *mesmo.*] *El. s. f.* Us. nas loc. *dar na mesma* e *na mesma.* ◆ **Dar na mesma.** Ter o mesmo resultado (que uma medida, etc., tomada anteriormente); não apresentar nenhuma diferença; dar no mesmo. **Na mesma.** No mesmo estado; na mesma situação: "— Chama-se irmã dos pobres .... ; e deve morar .... em alguma casa que ela não diz onde é. | — Estou na mesma: e a senhora onde mora?..." (Joaquim Manuel de Macedo, *Os Romances da Semana*, p. 21); *O doente continua na mesma; O professor explicou o ponto, e eu fiquei na mesma.*

mesmamente. [Do fem. de *mesmo* + *-mente.*] *Adv.* **1.** Do mesmo modo; sem nenhuma alteração. **2.** Identicamente.

mesmeriano. *Adj.* **1.** Relativo ou pertencente a Mesmer, ou ao mesmerismo [q. v.]. **2.** Que é adepto do mesmerismo. ● *S. m.* **3.** Adepto ou praticante dele.

mesmerismo. *S. m.* Teoria de Franz Anton Mesmer, médico austríaco (1733-1815), segundo a qual todo ser vivo seria dotado de um fluido magnético capaz de se transmitir a outros indivíduos, estabelecendo-se, assim, influências psicossomáticas recíprocas, inclusive com fins terapêuticos. [Cf. *magnetismo animal.*]

mesmice. [De *mesmo* + *-ice.*] *S. f.* **1.** Ausência de variedade ou de progresso; inalterabilidade: "Toda a semana santa correu-lhes na mesmice torturante daquela existência imóvel" (Euclides da Cunha, *À margem da História*, p. 85). **2.** Marasmo, pasmaceira.

mesmíssimo. [Superl. abs. sint. de *mesmo.*] *Adj.* Que é perfeitamente o mesmo; absolutamente idêntico.

mesmo (ê). [Do lat. **metipsimu*, superl. de *metipse.*] *Adj.* **1.** Exatamente igual; idêntico: "As palavras seriam as mesmas da comédia; a ilha é que era outra" (Machado de Assis, *Quincas Borba*, p. 156); "Para onde fores, Pai, para onde fores, / Irei também, trilhando as mesmas ruas..." (Augusto dos Anjos, *Eu*, p. 88); "Pegaram a acender as luzes. / E nesse mesmo tempo parava no terreiro a comitiva" (Simões Lopes Neto, *Contos Gauchescos* e *Lendas do Sul*, p. 211). **2.** Parecido, semelhante, análogo: "toucava-se com um lenço da mais escrupulosa brancura .... ; um mandil da mesma brancura .... completava o estranho vestuário da velha." (Almeida Garrett, *Viagens na Minha Terra*, pp. 98-99). **3.** Próprio, verdadeiro: "O Polvo .... com aquele não ter osso, nem espinha, parece a mesma brandura, a mesma mansidão." (Pe Antônio Vieira, *Sermões*, II, p. 340); "É Vieira sem contradição mestre guapíssimo de nossa língua, e o mesmo Bernardes assim o conceituava" (Antônio Feliciano de Castilho, *ap.* Álvaro Lins e Aurélio Buarque de Holanda, *Roteiro Literário de Portugal e do Brasil*, I, p. 169); "A matemática se detém na invariância mesma" (Almir de Andrade, *As Duas Faces do Tempo*, p. 74). **4.** Este, esse, aquele; citado, mencionado: "Do século XVIII é João de Deus Sepúlveda, autor .... das pinturas no forro da nave da Igreja de São Pedro do Recife .... . Do mesmo século é Luís Alves Pinto, que pintou o forro do coro da mesma igreja." (Gilberto Freire, *Vida, Forma e Cor*, p. 82.) **5.** Que figura em pessoa; que se apresenta em caráter pessoal: "Eles mesmos pressentiam .... qualquer coisa de trágica, de mau..." (Antônio Patrício, *Serão Inquieto*, p. 140); "Responde / Como eu mesma: 'Não sei'." (Vicente de Carvalho, *Poemas e Canções*, p. 280); "Mas agora estou pensando no erro mais profundo que me divide de mim mesmo." (Gustavo Corção, *Lições de Abismo*, p. 125); "esquecida de si mesma" (Antônio Patrício, *Serão Inquieto*, p. 57). **6.** Não diverso; não outro; tal qual: "agora, como outrora, há aqui o mesmo contraste da vida interior, que é modesta, com a exterior, que é ruidosa." (Machado de Assis, *Dom Casmurro*, p. 4); "E esse teu seio, de onde a noite nasce, / É o mesmo seio de onde nasce o dia..." (Olavo Bilac, *Poesias*, p. 119). **7.** Que não mostra alteração no caráter ou na aparência; que não mudou; invariável: *Sou sempre o mesmo homem.* ● *S. m.* **8.** A mesma coisa: "El-rei consente que vá em seu nome consolar o Marquês de Marialva? | — Vá. É pai. Sabe o que há de dizer-lhe. | — O mesmo que ele me diria a mim, se Henrique estivesse como está o conde." (Rebelo da Silva, *Contos e Lendas*, p. 185); "Mandar-vos comprar vossa soltura a custo de tão leve risco, quase que é o mesmo que perdoar-vos." (Alexandre Herculano, *Lendas e Narrativas*, I, p. 392). [Parece conveniente evitar o emprego de *o mesmo* com outra significação que não essa, ou seja, como equiv.

do pron. *ele*, ou *o*, etc.: *Vi ontem F. e falei com o mesmo a respeito do seu caso; Velho amigo desse rapaz, já tirei o mesmo de sérios embaraços.* No primeiro exemplo se dirá, mais apropriadamente, *falei com ele*, ou *falei-lhe* (por "falei com o mesmo"), e no segundo, *já o tirei* (em vez de "já tirei o mesmo"). É tão freqüente esse uso, pelo menos deselegante, de o *mesmo*, que podemos observá-lo num mestre como Camilo Castelo Branco (*Cenas da Foz*, p. 30): "A primeira mulher que amei era uma dama de alto nascimento, que tivera bastante influência no quartel-general de Lord Wellington, e jogara, por causa de um ajudante-de-ordens do mesmo, o sopapo com uma viscondessa celebrada." Seria melhor, sem dúvida, *por causa de um seu ajudante-de-ordens* (sem perigo, a nosso ver, de ambigüidade), ou *por causa do ajudante-de-ordens deste*.] **9.** O que é indiferente ou não importa: *Isso para mim é o mesmo.* **10.** Indivíduo cujo caráter ou aparência não sofreram mudança: *Enriqueceu, mas continua o mesmo.* **11.** Usa-se reunindo duas frases com o verbo *ser* para exprimir fatos simultâneos: *Falar nele e tê-lo diante de si foi o mesmo.* ● *Adv.* **12.** Exatamente, precisamente, justamente: "Depois, cansados da viagem, / Repoisávamos na estalagem / (Que era em Casais, mesmo ao dobrar...)" (Antônio Nobre, *Só*, p. 63.) **13.** Até; ainda: "Não pertenci também à oposição que se faz ao Sr. Pena, antes vi com profundo dissabor, com irritação mesmo, a liga ultimamente formada." (João Francisco Lisboa, *Obras*, IV, p. 626); "Havia o mal, profundo e persistente, para o qual o remédio não surtiu efeito, mesmo em doses variáveis." (Raimundo Faoro, *Machado de Assis: a Pirâmide e o Trapézio*, p. 83); "Ela podia desmaiar naquele paroxismo, podia mesmo naquele sacrifício morrer." (Autran Dourado, *O Risco do Bordado*, p. 214). **14.** Realmente, verdadeiramente, deveras: "Mas, olhe cá, mana Glória, há mesmo necessidade de fazê-lo padre?" (Machado de Assis, *Dom Casmurro*, p. 9); *Vamos de qualquer maneira, mas vamos mesmo.* [Pelo menos no Brasil, costuma-se, principalmente em casos como o do último exemplo, pronunciar *o mesmo* como que sublinhado.] ♦ **Dar no mesmo.** Dar na mesma: *Pode tomar qualquer destas ruas: dá no mesmo.*

mesnada. [Do provenç. *maisnada*.] *S. f. Ant.* Porção de soldados assalariados; tropa mercenária: "Chamava-o el-rei a Toledo para o acompanhar com sua mesnada contra o rebelde Paulo." (Alexandre Herculano, *Lendas e Narrativas*, II, p. 21.)

mesnadaria. [De *mesnada* + *-aria*.] *S. f. Ant.* O soldo do mesnadeiro.

mesnadeiro. *S. m. Ant.* **1.** Soldado da mesnada. **2.** Chefe de mesnada.

▲**mes(o)-.** [Do gr. *mésos, e, on*.] *El. comp.* = 'meio': *mesoderma, mesartéria.*

mesocárpico. *Adj.* Relativo ao mesocarpo.

mesocarpo. [De *mes(o)-* + *-carpo*.] *S. m.* **1.** *Morfol. Veg.* Porção do pericarpo dos frutos, a qual, quando estes são carnosos, constitui a polpa. **2.** *Anat.* Série inferior dos ossos do carpo.

mesocefalia. [De *mesocéfalo* + *-ia*.] *S. f. Anat.* Mesaticefalia.

mesocefálico. *Adj. Anat.* Mesaticefálico.

mesocefalite. [De *mesocéfalo* + *-ite*[1].] *S. f. Patol.* Mesencefalite.

mesocéfalo. [De *mes(o)-* + *-céfalo*.] *Anat. Adj.* **1.** Mesaticéfalo [q. v.] ● *S. m.* **2.** Mesaticéfalo [q. v.]. **3.** *Impr.* Mesencéfalo.

mesóclise. [De *mes(o)-* + *-clise*[1].] *S. f. Gram.* Intercalação de pronome átono em um verbo. Ex.: *dir-te-ei, amá-lo-ia, contar-vo-lo-ia*. [Sin., p. us.: *tmese*. Cf. *ênclise* e *próclise*.]

mesoclítico. *Adj.* **1.** Referente à mesóclise. **2.** Em que ocorre mesóclise. [Cf. *enclítico* e *proclítico*.] — V. *charada* —*a*.

mesocoracóide. [De *mes(o)-* + *coracóide*.] *Zool.* **1.** *Adj. 2 g.* Pertencente ou relativo à parte média do arco coracóide, nos peixes teleósteos. ● *S. m.* **2.** Osso mesocoracóide.

mesocracia. [De *mes(o)-* + *-cracia*.] *S. f.* Sistema social e político, ou governo, exercido ou influenciado pelas classes médias, ou pela burguesia; mediocracia.

mesocrânio. [De *mes(o)-* + *crânio*.] *S. m. Anat.* Vértex do crânio [q. v.]

mesocrático. *Adj.* Relativo à mesocracia.

mesoderma. [De *mes(o)-* + *-derma*.] *S. m. Embr.* A camada média, das três camadas germinativas primárias do embrião, da qual derivam os tecidos conjuntivo, ósseo, cartilaginoso, muscular, o sangue, etc. [Cf. *endoderma* (1) e *ectoderma* (1).]

mesodérmico. *Adj.* Derivado do mesoderma, ou que dele faz parte.

mesodiscal. [De *mes(o)-* + *disco* + *-al*.] *Adj. 2 g. Morfol. Veg.* Diz-se dos estames quando inseridos na face superior do disco.

mesofalange. [De *mes(o)-* + *falange*.] *S. f. Anat.* V. *falange medial.*

mesofalangeal. *Adj. 2 g. Anat.* Relativo ou pertencente à mesofalange.

mesofilo. [De *mes(o)-* + *-filo*[1].] *S. m. Anat. Veg.* O conjunto dos tipos celulares que se localizam entre as duas epidermes foliares, constituindo o corpo da folha, e onde estão principalmente os dois parênquimas assimiladores, ditos *paliçádico* e *lacunoso*. [Cf. *mesófilo*.]

mesófilo. [De *mes(o)-* + *-filo*[2].] *Adj. Ecol.* Que só cresce em condições normais de temperatura e umidade, como as plantas florestais dos trópicos. [Cf. *mesofilo*.]

mesófito. [De *mes(o)-* + *-fito*.] *S. m. Ecol.* Vegetal que, não sendo nem xerófito nem aquático, habita lugares com umidade suficiente para um amplo desenvolvimento vegetativo, e do qual são exemplos típicos as plantas das matas.

mesófrio. [Do gr. *mesóphryon*.] *S. m. Anat.* V. *glabela.*

mesogástrio. [De *mes(o)-* + *-gastr(o)-* + *-io*[2].] *S. m. Anat.* Região média do abdome, ou região intermédia às regiões epigástrica e hipogástrica.

mesognata. *Adj. 2 g. Zool.* V. *mesógnato.*

mesógnato. [De *mes(o)-* + *-gnato*.] *Adj. Zool.* Diz-se do bico das aves que tem nas partes superior e inferior o mesmo comprimento.

mesolábio. [Do gr. *mesolábion*, pelo lat. *mesolabiu*.] *S. m.* Antigo instrumento geométrico destinado a achar mecanicamente duas médias proporcionais que não podiam ser achadas geometricamente.

mesolita. [De *mes(o)-* + *-lita*.] *S. f. Min.* Mineral monoclínico acicular, do grupo das zeólitas, silicato hidratado de sódio, alumínio e cálcio.

mesolítico. [De *mes(o)-* + *-lit(o)-* + *-ico*[2].] *Adj.* **1.** Pertencente ou relativo ao período mesolítico. — V. *período* —. ● *S. m.* **2.** Esse período.

mesolobo. [De *mes(o)-* + *lobo* (1).] *S. m. Anat.* Corpo caloso [q. v.].

mesologia. [De *mes(o)-* + *-log(o)-* + *-ia*.] *S. f. Biol.* Ecologia (1).

mesológico. *Adj.* Relativo à mesologia.

mesomeria. [De *mes(o)-* + *-mer(o)-*[2] + *-ia*.] *S. f.* A parte do corpo situada entre as coxas.

mesomerismo. [De *mes(o)-* + *-mer(o)-* + *-ismo*.] *S. m. Quím.* Fenômeno apresentado por alguns compostos cuja estrutura molecular pode ser representada como uma média entre duas ou mais estruturas convencionais.

mesometeorito. [De *mes(o)-* + *meteorito*.] *S. m. Astr.* Meteorito com dimensões da ordem de 1 cm, e que se consome pelo atrito com a atmosfera, não chegando a atingir o solo terrestre.

mesomorfia. [De *mes(o)-* + *morf(o)-* + *-ia*.] *S. f. Fís.* Propriedade dos cristais líquidos caracterizada pela anisotropia, especialmente óptica, dos cristais; mesomorfismo.

mesomórfico. *Adj.* Referente à mesomorfia.

mesomorfismo. [De *mes(o)-* + *-morf(o)-* + *-ismo*.] *S. m. Fís.* Mesomorfia.

méson. [Do gr. *méson*, 'médio'.] *S. m. Fís. Nucl.* Qualquer partícula elementar com massa em repouso entre a do próton e a do elétron. ♦ **Méson eta.** *Fís. Nucl.* Eta.

mesonemertino. *S. m.* e *adj.* Bdelonemertino.

mesonemertinos. *S. m. pl. Zool.* Bdelonemertinos.

mesopotâmia. [Do gr. *mesopotamía*, pelo lat. *mesopotamia*.] *S.f.* Região situada entre rios.

mesopotâmico. *Adj.* Relativo ou pertencente à mesopotâmia, ou à região da Ásia, entre os rios Tigre e Eufrates, chamada *Mesopotâmia*.

mesoprosópio. [De *mes(o)-* + *prosop(o)-* + *-io*[2].] *S. m. Antrop.* Indivíduo cujo índice facial é superior a 84 e inferior a 90.

mesorregião. [De *mes(o)-* + *região*.] *S. f. Geogr.* Unidade territorial homogênea, em nível maior que a microrregião, porém menor que o estado ou território, e resultante do grupamento de microrregiões.

mesorregional. *Adj. 2 g.* Relativo a mesorregião.

mesorrine. *Adj.* e *s. m. Antrop.* V. *mesorrino.*

mesorrinia. *S. f. Antrop.* Qualidade ou estado de mesorrino (1). [Cf. *platirrinia* e *leptorrinia*.]

mesorrino. [De *mes(o)-* + *-rino*.] *Adj.* **1.** *Antrop.* Diz-se de indivíduo de índice nasal médio, i. e., entre 48 e 53. [As raças amarelas são quase todas mesorrinas. Cf. *leptorrino* e *platirrino* (1).] ● *S.m.* **2.** *Antrop.* Indivíduo mesorrino. **3.** *Zool.* Porção do bico das aves situada entre as narinas.

mesosfera. [De *mes(o)-* + *-sfera*.] *S. f. Geofís.* Camada atmosférica que se estende de 250 a 600 km de altitude, entre a ionosfera e a exosfera.

mesostigmado. *S. m.* **1.** Espécime dos mesostigmados. ● *Adj.* **2.** Pertencente ou relativo a eles.

mesostigmados. *S. m. pl. Zool.* Artrópodes aracnídeos, acarinos, subordem *Mesostigmata*, predadores, comensais, parasitos ou de vida livre, de corpo com um par de estigmas traqueais abrindo em tubo delgado ao lado das pernas.

mesotenar. [De *mes(o)-* + *tenar*.] *S. m. Anat.* Músculo adutor de cada um dos polegares.

mesotérmico. [De *mes(o)-* + *-term(o)-* + *-ico*[2].] *Adj. Ecol. Veg.* Diz-se dos vegetais que preferem temperaturas anuais médias entre 15 a 20ºC; mesotermo.

mesotermo. [De *mes(o)-* + *-termo*.] *Adj. Ecol. Veg.* Mesotérmico.

mesotorácico. *Adj.* Respeitante ao mesotórax.

mesotórax (cs). [De *mes(o)-* + *tórax*.] *S. m. 2 n. Zool.* A segunda divisão do tórax dos insetos.

mesozoário. *S. m.* **1.** Espécime dos mesozoários. ● *Adj.* **2.** Pertencente ou relativo a eles.

mesozoários. *S. m. pl. Zool.* Animais metazoários, ramo *Mesozoa*, marinhos, vermiformes e parasitos de outros animais, caracterizados por terem células digestivas externas ciliadas em número reduzido.

mesozóico. [De *mes(o)-* + *-zóico*.] *Adj.* e *s. m.* — V. *era* —*a*.

mesozona. [De *mes(o)-* + *zona*.] *S. f. Pet.* Região intermediária do metamorfismo dinamotermal, caracterizada pela formação de minerais lamelares ou prismáticos, em geral hidratados. [Cf. *epizona* e *catazona*.]

mesquinhador (ô). *Adj.* e *s. m. Bras., RS.* Diz-se de, ou cavalo que mesquinha. [V. *mesquinhar*[1] (1).]

mesquinhar[1]. [De *mesquinho*[1] + *-ar*[2].] *V. t. d. e i.* **1.** Recusar, negar, por mesquinharia. **2.** Regatear (1). *P.* **3.** Mostrar-se mesquinho, pouco generoso.

mesquinhar[2]. [De *mesquinho*[2] + *-ar*[2].] *V. int. Bras., RS.* **1.** Não deixar (o cavalo) que lhe ponham o freio. **2.** Mostrar-se mesquinho[2] (2). **3.** Procurar fugir de qualquer assunto ou de qualquer coisa.

mesquinharia. *S. f.* V. *mesquinhez.*

mesquinhez (ê). *S. f.* **1.** Qualidade de mesquinho; insignificância, pequenez, miudeza: *Decepcionou a todos a mesquinhez dos resultados.* **2.** Estreiteza, acanhamento: *mesquinhez de espaço.* **3.** Usura, sovinice, avareza. **4.** Desdita, infelicidade: *a mesquinhez da sua vida.* **5.** Ação mesquinha. [F. paral.: *mesquinheza*; sin.: *mesquinharia*.]

mesquinheza (ê). *S. f.* V. *mesquinhez.*

mesquinho[1]. [Do ár. *miskinu*, 'pobre, desgraçado, infeliz'.] *Adj.* **1.** Privado do necessário; pobre, mísero. **2.** Insignificante, parco, ridículo: *ordenado mesquinho.* **3.** Insignificante, apagado, irrelevante: "com seu triste e mesquinho aspecto, vivia Vicentina sempre afastada, medrosa" (José Veríssimo, *Cenas da Vida Amazônica*, p. 251). **4.** Não generoso; que não gosta de dar. V. *avaro* (1). **5.** Pouco desenvolvido; acanhado: *figura mesquinha.* **6.** Pobre, escasso: "A sua administração é mesquinha de iniciativa e balda de recursos" (João Ribeiro, *História do Brasil*, p. 168). **7.** Desditoso, infeliz: *mesquinho ser, batido pela vida; sorte mesquinha.* **8.** Baixo, reles, sórdido: *política mesquinha.* **9.** Medíocre, ordinário, vulgar: *vida mesquinha.* **10.** Débil, fraco: *jovem mesquinho; saúde mesquinha.* ● *S. m.* **11.** Indivíduo mesquinho: "as injúrias e as calúnias, com que os mesquinhos e os maus sempre procuraram deturpar o vosso pensamento" (Olavo Bilac, *Últimas Conferências e Discursos*, p. 215).

mesquinho[2]. [Do esp. *mezquino*.] *Adj.* **1.** *Bras., RS.* Diz-se do cavalo que não deixa pôr o freio, que é assustadiço. **2.** *Bras., RS.* Diz-se de pessoa arisca, difícil, desconfiada, ou tímida, medrosa.

mesquita. [Do ár. *masjid*, 'casa de oração', atr. do armênio *mzkit*.] *S. f.* O templo dos maometanos.

messalina. [Do antr. *Messalina*, da mulher de Cláudio I (10 a.C. — 54 d.C.), imperador de Roma, famosa pela devassidão.] *S. f.* **1.** Mulher lasciva e dissoluta em excesso. **2.** V. *meretriz.*

messalínico. *Adj.* Referente a, ou próprio de Messalina.

messe. [Do lat. *messe*.] *S. f.* **1.** Seara em bom estado de se ceifar. **2.** Ceifa, colheita. **3.** *Fig.* Aquisição, conquista: *messe de glórias.* **4.** *Fig.* Conversão de almas.

messiado. [De *messias* + *-ado*[2].] *S. m.* Missão ou dignidade de messias.

messiânico. *Adj.* Relativo ao Messias, a messias, ou ao messianismo· "O Saudosismo ... decerto ajudou a despertar em Fernando Pessoa quaisquer tendências m e s s i â n i c a s herdadas com o sangue judaico." (Jacinto do Prado Coelho, *Diversidade e Unidade em Fernando Pessoa*, p. 30.)

messianismo. *S. m.* **1.** *Rel.* Na Bíblia, a expectativa do Messias; a esperança de um salvador ou redentor. **2.** Crença na intervenção de ocorrências extraordinárias, ou de individualidades providenciais ou carismáticas, para o surgimento de uma era de plena felicidade espiritual e social.

messianista. *Adj. 2 g.* **1.** Relativo ao, ou que é adepto do messianismo. ● *S. 2 g.* **2.** Adepto do messianismo.

messias. [Do hebr. *mashiah*, 'ungido', pelo lat. *messias.*] *S. m. 2 n.* **1.** *Rel.* Pessoa ou coletividade na qual se concretizavam as aspirações de salvação ou redenção. **2.** *Rel.* Pessoa a quem Deus comunica algo de seu poder ou autoridade. **3.** Líder carismático. **4.** *P. ext.* Pessoa esperada ansiosamente. **5.** *Fig.* Reformador ou pretenso reformador social. ◆ **Esperar pelo Messias.** Esperar coisa pouco provável; fundar-se em esperanças vãs.

messidor (ô). [Do fr. *messidor* < lat. *messis*, 'messe, colheita', + gr. *dôron*, 'dádiva'.] *S. m. Cronol.* V. *calendário republicano.*

messiense. *Adj. 2 g.* **1.** De, ou pertencente ou relativo a Messias (AL). ● *S. 2 g.* **2.** Natural ou habitante de Messias.

➧**messieurs** (mèssiê). [Fr.] *S. m.* Pl. de *monsieur.*

messório. [Do lat. *messoriu.*] *Adj.* Que ceifa ou recolhe cereais.

mesteiral. *Adj.* e *s. m. Obsol.* Diz-se de, ou homem de mester, de profissão manual.

mester (tér). [Do lat. *ministeriu.*] *S. m. Ant.* **1.** Arte, ofício manual. **2.** Oficial mecânico; artífice, operário. **3.** Corporação (1) profissional. [Cf. *mister.*]

mestiçagem. [De *mestiço* + *-agem*².] *S. f.* **1.** Cruzamento de espécies diferentes. **2.** V. *miscigenação.* **3.** Conjunto de mestiços.

mestiçamento. *S. m.* V. *miscigenação.*

mestiçar-se. [De *mestiço* + *-ar*².] *V. p.* Cruzar-se (os indivíduos de uma raça) com os de outra, procriando mestiços. [Conjug.: v. *laçar.*]

mesticizar. [De *mestiço* + *-izar.*] *V. t. d.* e *p.* Tornar(-se) mestiço: "Eu gostava .... de distinguir do alto da cátedra, no recinto cheio, as diversas raças de que gloriosamente s e m e s t i c i z a o Brasil, ali representadas, e as que se mantêm imisturáveis, indissolúveis" (Gilberto Amado, *Depois da Política*, pp. 168-169).

mestiço. [Do lat. tardio *mixticiu*, de *mixtu*, 'misto'.] *Adj.* **1.** Nascido de pais de raças diferentes: *filho m e s t i ç o de branco e negra.* [Sin., bras.: *nhapango.*] **2.** Proveniente do cruzamento de espécies diferentes: *cavalo m e s t i ç o.* ● *S. m.* **3.** Indivíduo cujos pais são de raças diferentes. [Sin., bras., nessa acepç.: *bode, chibarro* e *nhapango.*] **4.** *Bras.* Carataí (3).

mesto. [Do lat. *moestu.*] *Adj. Poét.* Que causa tristeza; triste, melancólico: "Ainda escuto os ecos / Duma fugaz ventura, / Que assim me deixou triste / Em m e s t a solidão." (Gonçalves Dias, *Obras Poéticas*, II, p. 95.)

mestra. [Fem. de *mestre;* não vem, pois, do lat. *magistra.*] *S. f.* **1.** Mulher que ensina; professora. **2.** Aquilo que faculta ensinamentos úteis; *A vida é grande m e s t r a.* ● *Adj. (f.)* **3.** Principal, fundamental: *obra-mestra.* ~ V. *abóbada —, parede —, raiz —, tabela —* e *mestras.*

mestraço. [De *mestre* + *-aço.*] *S. m.* Aquele que sabe muito do seu ofício; mestre hábil; mestrão.

mestrado. [De *mestre* + *-ado*².] *S. m.* **1.** Dignidade de mestre, numa ordem militar. **2.** O exercício dessa dignidade. **3.** Função de mestre. **4.** Reunião ou conjunto de mestres. **5.** *Bras.* Curso de pós-graduação que possibilita o estudo aprofundado em uma área específica do ensino superior, e cuja conclusão, condicionada à apresentação de um trabalho escrito ou tarefa congênere, confere o direito de exercer o magistério superior. [Cf. nesta acepç.: *doutorado* (2) e *licenciatura* (2).] **6.** *Bras.* O grau de mestre (13).

mestral. *Adj. 2 g.* Respeitante a mestrado.

mestrança. [De *mestre* + *-ança.*] *S. f.* **1.** Local das oficinas do material de guerra. **2.** Depósito de material para embarcações. **3.** *Pop.* O conjunto dos melhores mestres de qualquer arte ou ofício: "Pouco se importara .... com a tal febre, não pelas afirmações, sempre tranqüilizadoras, dos muitos médicos consultados, a m e s t r a n ç a" (Visconde de Taunay, *Ao Entardecer*, p. 18).

mestrão. [Aum. de *mestre.*] *S. m. Pop.* Mestraço.

mestras. *S. f. pl.* Cones de terra que se deixam nos desaterros como testemunhas para cálculo posterior da terra escavada. ~ V. *mestra.*

mestre. [Do esp. *maestre* ou do fr. ant. *maiestre*, pelo arc. *meestre.*] *S. m.* **1.** Homem que ensina; professor. **2.** Aquele que é perito ou versado numa ciência ou arte: *Vila-Lobos, m e s t r e da música; Einstein, m e s t r e da física.* **3.** Homem superior e de muito saber: *Deve inspirar-se nos m e s t r e s.* **4.** Aquele que se avantaja em qualquer coisa: *Em criar confusões ele é m e s t r e.* **5.** Aquilo que serve de ensino ou lição: *Seu maior m e s t r e foi o duro trabalho.* **6.** Artífice em relação aos seus oficiais. **7.** Chefe de fábrica. **8.** Superior de ordem militar. **9.** Título dado a artista, cientista ou escritor eminente, em sinal de respeito: *M e s t r e Alceu.* **10.** Chefe de operários; mestre-de-obras. **11.** Diretor espiritual; mentor, confessor. **12.** O que tem o terceiro grau na maçonaria. **13.** Aquele que tem o mestrado (5). **14.** *Ant.* Capitão (4). **15.** Capitão (4) de embarcação empregada na navegação de pequena cabotagem. **16.** *Mar. Merc.* O contramestre mais antigo de embarcação mercante, encarregado da tripulação do convés, a quem compete dirigir os trabalhos de limpeza, conservação e pintura da embarcação, e as fainas de marinharia que nela se executam, e que é também responsável pela disciplina desse pessoal. **17.** Aquele que dirige um organismo musical. **18.** *Mús.* Título dado aos compositores mais famosos de música religiosa bizantina, que apareceram após o cisma do séc. XII. **19.** *Bras., N.E.* Título dado a todo bom tocador, principalmente de sanfona: *m e s t r e Severino; m e s t r e Leôncio.* **20.** *Bras., RS.* O mourão mais grosso que se põe no ângulo do aramado. ● *Adj.* **21.** Que é superior a. **22.** Grande, extraordinário: "caiu trêmula nos braços de Raimundo, que, contra os seus hábitos de rapaz sério ferrou-lhe dous beijos m e s t r e s." (Aluísio Azevedo, *O Mulato*, p. 177); *um espetáculo m e s t r e; as criações m e s t r a s da literatura universal.* **23.** Que é o mais importante; que serve de base ou de guia; básico, fundamental: *projeto m e s t r e; viga m e s t r a; itinerário m e s t r e.* [Fem.: *mestra.*] ~ V. *caverna —a, chave —a, espigão —, estrada —a, linha —a* e *raiz —a.* ◆ **Mestre de meninos.** V. *mestre-escola.* **Mestre de primeiras letras.** V. *mestre-escola.*

mestrear. *V. int. Bras.* **1.** Falar como mestre. **2.** Fazer de mestre. [Conjug.: v. *frear.*]

mestre-cuca. [De *mestre* + *cuca*¹.] *S. m. Pop.* e *fam.* Cozinheiro: "Nem troco o bom e saudável tempero de muita dona-de-casa pelos virtuosismos culinários do mais hábil m e s t r e - c u c a." (Eduardo Frieiro, *Feijão, Angu e Couve*, p. 23.) [F. paral.: *mestre-cuco;* f. red.: *cuca, cuco.* Pl.: *mestres-cucas.*]

mestre-cuco. [De *mestre* + *cuco*².] *S. m. Pop.* V. *mestre-cuca.* [Pl.: *mestres-cucos.*]

mestre-d'armas. *S. m. Mar. G.* Praça que dirige alguns setores e aspectos do serviço de rancho do pessoal subalterno, de segundo-sargento a grumete. [Pl.: *mestres-d'armas.* Cf. *mestre-de-armas.*]

mestre-de-açúcar. *S. m. Bras., N.E.* Aquele que, nos engenhos, dá o ponto (15) ao açúcar: "um moleque de S. Bernardo fizera mal à filha do m e s t r e - d e - a ç ú c a r de Mendonça" (Graciliano Ramos, *S. Bernardo*, p. 33). [Pl.: *mestres-de-açúcar.*]

mestre-de-armas. *S. m.* Aquele que ensina esgrima. [Pl.: *mestres-de-armas.* Cf. *mestre-d'armas.*]

mestre-de-campo. *S. m.* **1.** V. *hierarquia militar.* **2.** Oficial que detinha o posto de mestre-de-campo. [Pl.: *mestres-de-campo.*]

mestre-de-capela. *S. m. Mús.* Músico que, nas catedrais, capelas reais e principescas, etc., dirigia os cantores e organizava a parte musical determinada pela liturgia. [Pl.: *mestres-de-capela.*]

mestre-de-cerimônias. *S. m.* **1.** Clérigo ou padre que dirige o cerimonial litúrgico. **2.** Mestre-sala. [Pl.: *mestres-de-cerimônias.*]

mestre-de-obras. *S. m.* Aquele que dirige os operários em uma construção. [Pl.: *mestres-de-obras.*]

mestre-de-toadas. *S. m. Bras., PE. Folcl.* Participante do maracatu que canta ao som de uma orquestra de percussão e sopro. [Pl.: *mestres-de-toadas.*]

mestre-do-cu-sujo. *S. m. Bras., BA.* Indivíduo imundo, ou reles, desprezível, insignificante. [Pl.: *mestres-do-cu-sujo.*]

mestre-escola. *S. m.* **1.** Professor de instrução primária; mestre de meninos, mestre de primeiras letras: "D. Tomásia, irmã do m e s t r e - e s c o l a da aldeia .... , vivera na corte muitos anos com o sábio mano." (Alexandre Herculano, *Lendas e Narrativas*, II, p. 257.) **2.** Dignidade inferior, em cabidos. [Pl.: *mestres-escolas.*]

mestre-impressor. *S. m.* V. *tipógrafo* (1). [Pl.: *mestres-impressores.*]

mestre-sala. *S. m.* **1.** Empregado da casa real que nas recepções do paço e noutros atos solenes dirigia o cerimonial. **2.** Diretor ou o principal participante de um baile público ou de um desfile festivo, como ranchos, maracatus, etc. **3.** *Bras. Restr.* Figurante que faz par com a porta-bandeira (3), no desfile das escolas-de-samba: "Você era a mais bonita / Das cabrochas desta ala / Você era a favorita / Onde eu era m e s t r e - s a l a" (do samba *Quem Te Viu, Quem Te Vê*, de Chico Buarque de Holanda). [Cf. *baliza* (16). Sin. ger.: *mestre-de-cerimônias.* Pl.: *mestres-salas.*]

mestria. [De *mestre* + *-ia.*] *S. f.* **1.** Qualidade de mestre; grande saber; sabedoria. **2.** Perícia, habilidade, destreza: "nenhum o igualava [a Osvaldo Goeldi] na m e s t r i a do traço, na força da emoção" (Manuel Bandeira, *Andorinha, Andorinha*, p. 60). [F. paral.: *maestria.*]

mesura. [Do lat. *mensura*, 'medida'.] *S. f.* **1.** Cortesia, cumprimento, reverência. **2.** *Ant.* Medida (2).

mesurado. [Part. de *mesurar.*] *Adj.* **1.** Comedido, medido: "Entrei na sala a passo m e s u r a d o, e quase a súbitas." (Camilo Castelo Branco, *Amor de Salvação*, p. 197.) **2.** Comedido, prudente, discreto: "Os poetas dos tempos floridos da Grécia e de Roma primavam pela naturalidade dos conceitos e pela m e s u r a d a compostura das imagens." (Latino Coelho, *Cervantes*, p. 198.) **3.** Reverenciado, cumprimentado. **4.** V. *mesureiro.*

mesurar. [Do lat. *mensurare*, 'medir'.] *V. t. d.* **1.** Fazer ou dirigir mesuras ou cumprimentos a; cumprimentar, cortejar. *P.* **2.** Proceder com mesura, medida ou comedimento; comedir-se, moderar-se.

mesureiro. *Adj.* **1.** Amigo de fazer mesuras; cerimonioso, reverenciador. **2.** Cortês, polido. **3.** Servil, adulador. [Sin. ger.: *mesurado.*]

mesurice. *S. f.* **1.** Qualidade de mesureiro. **2.** Mesura afetada.

meta. [Do lat. *meta.*] *S. f.* **1.** Poste, marco, cordel ou qualquer outro sinal que indica ou demarca o ponto final das corridas (pedestres, de cavalos, de regatas, etc.): *O jóquei levou o potro além da m e t a.* **2.** V. *gol* (1). **3.** Baliza, barreira, marco, limite: *as m e t a s da pista.* **4.** Alvo, mira, objetivo: "E quando o leitor tem mais altas ambições, visa também seu ideal ponto de chegada ou sua m e t a negaceadora: a filosofia da literatura e a discussão dos problemas gerais da literatura" (Fidelino de Figueiredo, *Um Homem na Sua Humanidade*, p. 162). **5.** Termo, limite, fim: *a m e t a do asteróide; a m e t a da vida.* [Pl.: *metas.* Cf. *meta* (ê) e *metas* (ê), do v. *meter.*]

▲**met(a)-.** [Do gr. *metá.*] *Pref.* = 'mudança'; 'posterioridade', 'além'; 'transcendência'; 'reflexão crítica sobre': *metamórfico, metafonia; metatarso, metacronismo; metafísica* (< gr. *metà tà physiká*), *metalinguagem.*

▲**metabo(l)(e)-.** [Do gr. *metabolé, ês.*] *El. comp.* = 'mudança': *metabolismo, metabologia.*

metábole. [Do gr. *metabolé*, 'mudança, troca'.] *S. f.* **1.** *Ret.* Figura que consiste na repetição de uma idéia em termos diferentes. **2.** *Mús.* Entre os gregos, qualquer mudança rítmica ou melódica efetuada no decurso de uma composição. [Cf. *metábolo.*]

metabólico. *Adj.* **1.** Relativo a, ou que contém metábole. **2.** Relativo ao metabolismo. **3.** *Zool.* Diz-se do inseto que sofre mudança ou metamorfose durante sua evolução, passando, ao menos, pelas fases de ovo, larva ou ninfa e adulto ou imago.

metabolismo. [Do gr. *metabolé*, 'mudança', 'troca', + *-ismo.*] *S. m.* **1.** *Quím.* Conjunto de transformações químicas. **2.** *Fisiol.* Conjunto dos mecanismos químicos necessários ao organismo para a formação, desenvolvimento e renovação das estruturas celulares, e para a produção da energia necessária às manifestações interiores e exteriores da vida, bem como as reações bioquímicas. ◆ **Metabolismo basal.** *Fisiol.* Energia mínima despendida para manter funções vitais como respiração, circulação, tono muscular, temperatura corporal, atividade glandular, etc. [Sua taxa é medida por meio de um calorímetro, estando o indivíduo em repouso absoluto, de 14 a 18 horas após a última refeição, e é expressa em calorias/hora/metro quadrado da superfície corporal. [Sin.: *metabolismo básico.*] **Metabolismo básico.** *Fisiol.* Metabolismo basal.

metabolizador (ô). *Adj.* Que metaboliza.

metabolizar. *V. t. d.* Efetuar o metabolismo de.

metábolo. [Do gr. *metábolos.*] *Adj.* Diz-se dos insetos que sofrem mudanças ou metamorfoses. [Cf. *metábole.*]

metabologia. [De *metabo(l)(e)-* + *-o-* + *-log(o)-* + *-ia.*] *S. f.* Parte da medicina que estuda as doenças do metabolismo.

metabológico. *Adj.* Concernente à metabologia.

metabologista. *S. 2 g.* Especialista em metabologia.
metacarpiano. [De *met(a)-* + *-carp(o)-* + *-i-* + *-ano.*] *Adj. Anat.* Metacárpico
metacárpico. *Adj. Anat.* Relativo ou pertencente ao metacarpo; metacarpiano.
metacarpo. [De *met(a)-* + *-carpo.*] *S. m. Anat.* A parte da mão entre o carpo e os dedos, formada por cinco ossos metacarpianos, numerados de 1º a 5º a partir da borda lateral da mão.
metacentro. [De *met(a)-* + *centro.*] *S. m. Fís.* Num corpo que flutua num fluido, o centro de curvatura do lugar geométrico dos centros de empuxo.
metacercária. [De *met(a)-* + *cercária.*] *S. f.* Cercária depois de encistada.
metacismo. [Do gr. *metakismós*, pelo lat. *metacismu.*] *S. m.* V. *mitacismo.*
metaclamídea. *S. f.* Espécie das metaclamídeas; simpétala.
metaclamídeas. *S. f. pl. Bot.* Grupo sistemático, proposto por Engler, caracterizado pelas pétalas soldadas entre si; simpétalas.
metaclamídeo. *Adj.* Pertencente ou relativo às metaclamídeas; simpétalo.
metacrítica. [De *met(a)-* + *crítica.*] *S. f.* Crítica de uma crítica.
metacromatismo. [De *met(a)-* + *-cromat(o)-* + *-ismo.*] *S. m.* Mudança de cor que se observa nos pêlos, nas penas ou na pele dos animais, conforme a idade ou as diferentes condições mórbidas.
metacronismo. [De *met(a)-* + gr. *chronismós*, 'duração de tempo'.] *S. m.* Anacronismo que consiste em atribuir a um acontecimento uma data posterior à verdadeira. [Opõe-se a *procronismo.*]
metade. [Do lat. *medietate.*] *S. f.* **1.** Cada uma das duas partes iguais em que se divide um todo: *metade de uma laranja; a metade do caminho; a metade de 26 é 13.* **2.** V. *meio* (1 e 3). **3.** Cara-metade. ♦ **Metade disponível.** *Jur.* A parte dos bens de que cada cônjuge pode dispor livremente, por testamento ou por doação, e que corresponde à metade de sua meação, ou seja, um quarto da totalidade dos bens comuns do casal. **Metade tribal.** *Etnol.* Divisão dual, freqüentemente exógama, de muitas tribos brasileiras.
metaestável. [De *met(a)-* + *estável.*] *Adj. 2 g.* ~ V. *estado* —.
metafalange. [De *met(a)-* + *falange.*] *S. f. Anat.* V. *falange distal.*
metáfase. [De *met(a)-* + *fase.*] *S. f. Biol.* A segunda fase da divisão celular cariocinética.
metafásico. *Adj.* Referente à metáfase.
metáfise. *S. f. Anat.* A porção mais larga de extremidade da diáfise de osso longo, a qual, no adulto, é contínua com a epífise (1), mas, durante a fase em que se desenvolve, contém zona de crescimento.
metafísica. [Do gr. *metà tà physiká*, 'depois dos tratados da física'.] *S. f.* **1.** *Filos.* Parte da filosofia, que com ela muitas vezes se confunde, e que, em perspectivas e com finalidades diversas, apresenta as seguintes características gerais, ou algumas delas: é um corpo de conhecimentos racionais (e não de conhecimentos revelados ou empíricos) em que se procura determinar as regras fundamentais do pensamento (aquelas de que devem decorrer o conjunto de princípios de qualquer outra ciência, e a certeza e evidência que neles reconhecemos), e que nos dá a chave do conhecimento do real, tal como este verdadeiramente é (em oposição à aparência). [Cf. *ontologia.*] **2.** *Hist. Filos.* Segundo Aristóteles [v. *aristotelismo*], estudo do ser enquanto ser e especulação em torno dos primeiros princípios e das causas primeiras do ser. **3.** Sutileza ou transcendência do discorrer. [Cf. *metafisica*, do v. *metafisicar.*]
metafisicar. *V. t. d.* **1.** Tornar metafísico. **2.** Tornar sutil; sutilizar. *Int.* **3.** Praticar a metafísica (3); mostrar-se metafísico. [Conjug.: v. *trancar.* Pres. ind.: *metafisico, metafisicas, metafisica*, etc. Cf. *metafísico* e *metafísica.*]
metafisicismo. *S. m.* Influência intensa da metafísica.
metafísico. *Adj.* **1.** Relativo ou pertencente à metafísica. **2.** Transcendente: "tratava-se da existência do homem, capítulo profundamente metafísico, em que era preciso considerar tudo e por todos os lados." (Machado de Assis, *Histórias sem Data*, p. 199.) **3.** *Fig.* Difícil de compreender; sutil, nebuloso. **4.** *Liter.* Diz-se do estilo poético caracterizado pela adjetivação espirituosa ou filosoficamente profunda (como na poesia inglesa do séc. XVIII). ~ V. *mal* —. ● *S. m.* **5.** Indivíduo versado em metafísica. [Cf. *metafisico*, do v. *metafisicar.*]
metafonia. [De *met(a)-* + *-fon(o)-* + *-ia.*] *S. f. Gram.* Alteração do timbre duma vogal tônica por influência de vogal átona posterior. Ex.: *devo, deves; subo, sobes.* [Sin., al. *Umlaut.* Cf. *apofonia.*]
metafônico. *Adj.* Referente à, ou em que ocorre metafonia.
metáfora. [Do gr. *metaphorá*, pelo lat. *metaphora.*] *S. f.* Tropo que consiste na transferência de uma palavra para um âmbito semântico que não é o do objeto que ela designa, e que se fundamenta numa relação de semelhança subentendida entre o sentido próprio e o figurado. [Por metáfora, chama-se *raposa* a uma pessoa astuta, ou se designa a juventude *primavera* da vida.]
metafórico. [Do gr. *metaphorikós.*] *Adj.* **1.** Relativo a metáfora. **2.** Em que há metáfora(s); figurado, tropológico.
metaforismo. *S. m.* Emprego de metáforas.
metaforista. *S. 2 g.* Pessoa que emprega metáforas, que é dada ao metaforismo.
metaforizador (ô). *Adj.* **1.** Que metaforiza; metaforizante. ● *S. m.* **2.** Aquele que metaforiza.
metaforizante. *Adj. 2 g.* Metaforizador (1).
metaforizar. [Do gr. *metaphorízo.*] *V. t. d.* **1.** Exprimir por metáfora(s). **2.** Dar sentido metafórico a. *Int.* **3.** Exprimir-se metaforicamente.
metafosfórico. [De *met(a)-* + *fosfórico.*] *Adj.* ~ V. *ácido* —.
metáfrase. [Do gr. *metáphrasis.*] *S. f.* **1.** No comentário de um texto, transposição de frase ou passagem em termos mais simples, para melhor compreensão; interpretação de um texto. **2.** Paráfrase (1).
metafrasta. [Do gr. *metaphrastés.*] *S. 2 g.* Pessoa que faz metáfrases.
metafrástico. *Adj.* Respeitante a, ou que encerra metáfrase.
metagaláxia (cs). *S. f. Astr.* O conjunto de todas as galáxias observáveis.
metagênese. [De *met(a)-* + *-gênese.*] *S. f. Bot.* Alternância de duas gerações, uma sexuada e a outra assexuada, no ciclo da vida de uma planta.
metagenésico. *Adj.* V. *metagenético.*
metagenético. *Adj.* Relativo à metagênese.
metageometria. [De *met(a)-* + *geometria.*] *S. f.* Geometria mais geral que a geometria clássica ou euclidiana.
metageométrico. *Adj.* Relativo à metageometria.
metagnomia. [De *met(a)-* + gr. *gnóme*, 'faculdade de conhecer', 'inteligência', + *-ia.*] *S. f. Filos.* Conhecimento das coisas que normalmente não podemos conhecer; criptestesia.
metagnômico. *Adj.* Referente à metagnomia.
metagoge. [Do gr. *metagogé.*] *S. f. Ret.* V. *prosopopéia* (1).
metagrama. [De *met(a)-* + *-grama.*] *S. m.* Metaplasmo. ~ V. *charada* —.
metais. [Pl. de *metal.*] *S. m. pl.* **1.** *Mús.* Na orquestra, os instrumentos de sopro feitos de metal, com embocadura de bocal. **2.** Os utensílios de cozinha. **3.** Chapas dos uniformes. **4.** *Bras., BA.* Designação comum a diamantes e carbonados. ~ V. *metal.*
metajurídico. [De *met(a)-* + *jurídico.*] *Adj.* Diz-se de certas condições jurídicas que não podem ser analisadas com os métodos da jurisprudência.
metal. [Do gr. *métallon*, pelo lat. *metallu*, pelo cat. *metall* e esp. *metal.*] *S. m.* **1.** Designação comum aos elementos químicos eletropositivos, em geral sólidos, brilhantes, bons condutores de calor e eletricidade. **2.** *Fig.* V. *dinheiro* (3). **3.** Tom, timbre (de voz): "E os cônegos da Sé gabavam-lhe o metal da voz" (Aluísio Azevedo, *O Mulato*, p. 18). **4.** *Fig.* Matéria, substância: *o metal da sua inteligência.* ~ V. *metais.* ♦ **Metal alcalino.** *Quím.* Qualquer metal do primeiro grupo da classificação periódica: lítio, sódio, potássio, rubídio e césio. **Metal alcalino-terroso.** *Quím.* Qualquer dos metais cálcio, bário, estrôncio e rádio. **Metal branco.** V. *alpaca*[2]. **Metal Muntz.** *Metal.* Liga de cobre (60%) e zinco (40%), que às vezes contém um pouco de chumbo, usada em tubos de condensadores e em peças para circuitos elétricos. **O louro metal.** O ouro. **O vil metal.** O dinheiro.
metalepse. [Do gr. *metálepsis*, pelo lat. *metalepse.*] *S. f. Ret.* Figura em que se toma o antecedente pelo conseqüente, e vice-versa: *Eles viveram* (por *eles estão mortos*); *Surgiram as flores* (por *é primavera*).
metalepsia. [Do gr. *metálepsis*, 'ação de receber em troca', + *-ia.*] *S. f. Quím.* Teoria das substituições.
metaléptico. [Do gr. *metaleptikós.*] *Adj.* Relativo à, ou em que há metalepse. [Var.: *metalético.*]
metalescência. *S. f.* Qualidade de metalescente.
metalescente. *Adj. 2 g.* Cuja superfície apresenta cores metálicas.
metalético. *Adj.* Var. de *metaléptico.*
metalicidade. *S. f.* **1.** Qualidade de metálico. **2.** As propriedades características de um metal.
metálico. [Do gr. *metallikós*, pelo lat. *metallicu.*] *Adj.* **1.** De, relativo a, ou próprio de metal: "um ruído metálico, seco, estrepitoso" (Alberto Braga, *Novos Contos*, p. 6); *gosto metálico.* **2.** Semelhante, na cor e aparência, a metal; metalino. **3.** Em que entra metal. **4.** Que soa, aproximadamente, como metal: *voz metálica* ~ V. *brilho* —, *circulação* —*a*, *condutor* —, *encaixe* —, *ligação* —*a*, *moeda* —*a*, *ponte* —*a*, *tela* —*a* e *válvula* —*a.*
metalífero. [Do lat. *metalliferu.*] *Adj.* Que contém metal ou minérios metálicos: *jazidas metalíferas.*
metalificação. *S. f.* **1.** Ato ou efeito de reduzir uma substância ao estado metálico. **2.** Formação natural dos metais na terra.
metaliforme. [Do lat. *metallu*, 'metal' + *-forme.*] *Adj. 2 g.* Que tem a estrutura ou aparência de metal.
metalinguagem. [De *met(a)-* + *linguagem.*] *S. f.* **1.** *Semiol.* A linguagem utilizada para descrever outra linguagem ou qualquer sistema de significação: todo discurso acerca de uma língua, como as definições dos dicionários, as regras gramaticais, etc. Ex.: *chover é um verbo defectivo.* [Cf. *função metalingüística.*] **2.** *P. ext.* Linguagem mediante a qual o crítico investiga as relações e estruturas presentes na obra literária.
metalingüístico. [De *met(a)-* + *lingüístico.*] *Adj.* Relativo à metalinguagem. ~ V. *função* —*a.*
metalino. *Adj.* Metálico (2).
metalismo. [De metal + *-ismo.*] *S. m.* Teoria segundo a qual se explica o valor da moeda pelo valor do metal que ela contém.
metalista. *Adj. 2. g.* **1.** Referente ao metalismo. **2.** Que é partidário dele. ● *S. 2 g.* **3.** Partidário dele.
metalização. *S. f.* Ato, operação ou efeito de metalizar.
metalizado. [Part. de *metalizar.*] *Adj.* Que sofreu metalização. ~ V. *papel* —.
metalizar. *V. t. d.* **1.** Tornar puro (um metal). **2.** Transformar em metal. **3.** Guarnecer ou recobrir com leve capa de metal. **4.** Dar brilho a. **5.** Dar cor ou aparência de metal a. **6.** Converter em, ou reduzir a metal (dinheiro em circulação).
metalobranqueadura. [Do gr. *métallon*, 'metal', + *branqueadura.*] *S. f.* Recobrimento de uma superfície metálica por uma película de metal branco.
metalofone. [Do gr. *métallon*, 'metal', + *-fone.*] *S. m. Mús.* Instrumento semelhante ao xilofone, mas cujas lâminas são metálicas.
metalógica. [De *met(a)-* + *lógica.*] *S. f. Filos.* Estudo das fórmulas e axiomas da lógica simbólica.
metalógico. [De *met(a)-* + *lógico.*] *Adj. Filos.* Diz-se do que, relacionado à lógica como fundamento ou princípio, não se pode expressar dentro da linguagem ou do formalismo dessa lógica.
metalografia. [Do gr. *métallon*, 'metal', + *-graf(o)-* + *-ia.*] *S. f.* **1.** Descrição ou tratado dos metais. **2.** Estudo da estrutura dos metais e ligas, especialmente com o emprego do microscópio. **3.** *Litogr.* Processo litográfico executado sobre metal. [V. *algrafia* e *zincografia.* Cf. *fotometalografia.*]
metalográfico. *Adj.* Relativo à metalografia. ~ V. *microscópio* —.
metalógrafo. *S. m.* Especialista em metalografia.
metalóide. [Do gr. *métallon*, 'metal', + *-óide.*] *S. m.* **1.** *Quím. Desus.* Designação genérica de elementos que têm aspecto metálico (brilho, dureza, etc.), mas não têm comportamento de metal, reagindo, em muitos casos, como eletronegativos. Ex.: o arsênico, o antimônio. [Cf. *ametal.*] ● *Adj. 2 g.* **2.** Semelhante a um metal.
metalosfera. [Do gr. *métallon*, 'metal', + *-sfera.*] *S. f. Astr.* Núcleo central dos planetas, constituído, ao que se supõe, unicamente de metais, sobretudo o ferro e o níquel. [Cf. *nife.*]
metaloterapia. [Do gr. *métallon*, 'metal', + *-terapia.*] *S. f. Terap.* Sistema de tratamento que consiste em aplicar sobre a pele certas placas metálicas.
metaloterápico. *Adj.* Referente à metaloterapia.
metal-tipo. *S. m. Tip.* Liga de chumbo, estanho e antimônio, usada na fundição do material tipográfico. [Pl.: *metais-tipos* e *metais-tipo.*]
metalurgia. [Do gr. *metallourgía*, 'trabalho de metais'.] *S. f.* **1.** Conjunto de tratamentos físicos e químicos a que se submetem os minerais para se extraírem os metais, devidamente purificados e beneficiados. **2.** Ciência e arte de construir estruturas metálicas.
metalúrgica. [Fem. substantivado do adj. *metalúrgico.*] *S. f.* Oficina de metalurgia.
metalúrgico. *Adj.* **1.** Pertencente ou relativo à metalurgia. ● *S. m.* **2.** Aquele que se ocupa de metalurgia.
metalurgista. *S. 2 g.* Especialista em metalurgia.

metamagnético. *Adj.* Relativo ao metamagnetismo.

metamagnetismo. [De *met(a)-* + *magnetismo.*] *S. m. Fís.* Fenômeno apresentado por certas substâncias que se magnetizam na direção do campo magnético, quando este é forte, e em direção oposta, quando é fraco.

metamatemática. [De *met(a)-* + *matemática.*] *S. f.* Designação moderna do estudo que tem por objeto a estrutura da teoria matemática formal.

metamatemático. *Adj.* Relativo à metamatemática.

metamerização. [De *metâmero* + *-izar-* + *-ção.*] *S. f. Zool.* Divisão do corpo dos vermes ou artrópodes numa série de segmentos mais ou menos idênticos.

metamerizado. [De *metâmero* + *-izar-* + *-ado*[2].] *Adj. Zool.* Dividido por metamerização.

metâmero. [De *met(a)-* + *-mero.*] *Adj.* **1.** Isômere (1). ● *S. m.* **2.** Cada um dos anéis de um verme ou de um artrópode. **3.** *Anat.* Cada um de uma série de segmentos homólogos do corpo de um animal.

metametá. *S. m. Bras., RJ. Gír.* V. *gilete* (4).

metamórfico. [De *met(a)-* + *-morf(o)-* + *-ico*[2].] *Adj.* Respeitante às metamorfoses dos insetos. ~ V. *rocha —a.*

metamorfismo. [De *met(a)-* + *morf(o)-* + *-ismo.*] *S. m.* **1.** Faculdade de transformar-se. **2.** Transformação, mudança, metamorfose. **3.** *Geol.* Transformação que sofre uma rocha sob a ação de temperatura, pressão, gases e vapor de água, que produzem, isolada ou conjuntamente, uma recristalização parcial ou total, formando-se novos minerais e novas texturas sem ocorrer a fusão da rocha.

metamorfizado. *Adj. Geol.* Que sofreu metamorfismo (3).

metamorfose. [Do gr. *metamórphosis.*] *S. f.* **1.** Transformação de um ser em outro. **2.** Mudança de forma ou de estrutura que ocorre na vida de certos animais, como os insetos e os batráquios. **3.** Alomorfia. **4.** *P. ext.* Mudança, transformação. **5.** *Fig.* Mudança notável na fortuna, no estado, no caráter de uma pessoa.

metamorfosear. [De *metamorfose* + *-ear.*] *V. t. d.* e *t. d.* e *i.* **1.** Mudar ou trocar a forma de; transformar, modificar, alterar. **2.** Mudar o gênio, o caráter ou o comportamento de: *A herança metamorfoseou-o: já não é aquele homem simples; O poder metamorfoseou-o num ditador. P.* **3.** Transformar-se; disfarçar-se. [Conjug.: v. *frear.*]

metanal. [De *metano* + *-al.*] *S. m. Quím.* V. *aldeído fórmico.*

metanemertino. *S. m.* e *adj.* Hoplonemertino.

metanemertinos. *S. m. pl. Zool.* Hoplonemertinos.

metano. [De *met(ilo)* + *-ano.*] *S. m. Quím.* O mais simples dos hidrocarbonetos, gasoso, incolor; formeno. [Fórm.: CH_4.]

metanóia. [Do gr. *metánoia.*] *S. f.* **1.** Transformação fundamental de pensamento ou de caráter. **2.** *P. ext.* Conversão espiritual. **3.** Penitência (1).

metanol. [De *metano* + *-ol*[2].] *S. m. Quím.* Álcool metílico. [Pl.: *metanóis.*]

metanólise. *S. f. Quím.* Reação ocorrente quando se trata uma substância orgânica pelo álcool metílico anidro em presença de ácido clorídrico anidro.

➧**meta optata.** [Lat., 'alvo desejado'.] O resultado final que o criminoso tem em vista ao praticar a ação delituosa.

metaplasmo. [Do gr. *metaplasmós*, pelo lat. *metaplasmu.*] *S. m. Gram.* Designação comum a todas as figuras que acrescentam, suprimem, permutam ou transpõem fonemas nas palavras; metagrama. Ex.: *enamorar* > *namorar; muito* > *mui; cuidadoso* > *cuidoso; desvario* > *desvairo.*

metaplástico. [Do gr. *metaplastós* + *-ico*[2].] *Adj.* Referente a, ou em que há metaplasmo.

metapoema. [De *met(a)-* + *poema.*] *S. m. Liter.* O uso, pelo autor, do próprio poema para assinalar sua crítica ou sua atuação ao criá-lo.

metapsicologia. [De *met(a)-* + *psicologia.*] *S. f.* Especulação de caráter filosófico sobre a origem, estrutura e função do espírito, bem como sobre as relações entre o espírito e a realidade.

metapsicológico. *Adj.* Relativo à metapsicologia.

metapsíquica. [Fem. substantivado de *metapsíquico.*] *S. f.* Estudo dos fenômenos metapsíquicos. [Cf. *parapsicologia.*]

metapsíquico. [De *met(a)-* + *psíquico.*] *Adj.* Relativo aos fenômenos que transcendem o alcance da psicologia ortodoxa e são aparentemente anormais ou inexplicáveis, como, p. ex., a clarividência, a telepatia.

metara. [Do tupi *mbe'tara.*] *S. f. Bras.* Tembetá dos tupinambás; tametara.

metassedimento. [De *met(a)-* + *sedimento.*] *S. m. Geol.* Rocha metamórfica de origem sedimentária.

metassilicato. *S. m. Quím.* Designação genérica de sais de fórmula geral $(SiO_2.M_2O)_n$.

metassomatismo. [De *met(a)-* + *-somat(o)-* + *-ismo.*] *S. m. Pet.* Processo pelo qual se efetua a substituição de um mineral ou rocha por outro mineral de composição química diferente; metassomatose.

metassomatose. *S. m. Pet.* Metassomatismo.

metástase. [Do gr. *metástasis*, 'mudança de lugar'.] *S. f.* **1.** *Fon.* V. *articulação* (5). **2.** *Ret.* Figura pela qual o orador atribui a outrem a responsabilidade do que alega. **3.** *Med.* Aparecimento de um foco secundário, a distância, no curso da evolução dum tumor maligno ou dum processo inflamatório, abevacuação.

metastático. [Do gr. *metastatikós*, 'que muda, que (se) desloca'.] *Adj.* Relativo a, ou que é da natureza da metástase.

metastável. [De *met(a)-* + *estável.*] *Adj. 2 g. Fís.* Diz-se de qualquer estado que é instável, mas no qual as modificações são de tal forma lentas, que ele aparenta ser um estado de equilíbrio estável.

metasterno. [De *met(a)-* + *esterno.*] *S. f. Anat.* A placa ventral do metatórax [q. v.].

metatálamo. [De *met(a)-* + *tálamo* (4).] *S. m. Anat.* Porção do diencéfalo formada pelos corpos geniculados.

metatarsiano. *Adj.* e *s. m. Anat.* Diz-se de, ou cada um dos cinco ossos que compõem o metatarso.

metatársico. *Adj.* Relativo ou pertencente ao metatarso.

metatarso. [De *met(a)-* + *-tarso.*] *S. m. Anat.* Porção do pé entre o tarso e os pododáctilos, e que se compõe de cinco metatarsianos, numerados a partir do mais medial.

metatério. *S. m.* **1.** Espécime dos metatérios. ● *Adj.* **2.** Pertencente ou relativo a eles.

metatérios. *S. m. pl. Zool.* Animais mamíferos, térios, da seção *Metatheria*, formada por aqueles cujos filhos nascem em condição muito rudimentar, alojando-se numa bolsa marsupial para completar o desenvolvimento. São geralmente aplacentários. [Cf. *marsupiais.*]

metátese. [Do gr. *metáthesis*, 'transposição', pelo lat. *metathese.*] *S. f.* **1.** *Gram.* Transposição de fonemas dentro de um mesmo vocábulo; hipértese, comutação. Ex.: *semper* > *sempre; desvariar* > *desvairar.* **2.** *Lóg.* Transposição dos termos em um raciocínio.

matatético. *Adj.* Relativo à, ou em que há metátese.

metatexto (ês). [De *met(a)-* + *texto.*] *S. m.* Texto literário que serve de base a uma crítica ou a uma nova criação literária. [V. *intertexto.*]

metatipia. [De *met(a)-* + *-tip(o)-*[2] + *-ia.*] *S. f.* Mudança de tipo na natureza vegetal ou na animal.

metatípico. *Adj.* Relativo à metatipia.

metátomo. [De *met(a)-* + *-tomo.*] *S. m. Arquit.* Espaço entre dois dentículos de uma cornija.

metatórax (cs). [De *met(a)-* + *-tórax.*] *S. m. 2 n. Zool.* Segmento posterior do tórax dos insetos, onde se inserem as patas posteriores e o segundo par de asas.

metaxilema. [De *met(a)-* + *xilema.*] *S. m. Anat. Veg.* Xilema primário que se forma por último e se caracteriza pelos elementos condutores pontoados.

metazoário. [De *met(a)-* + *-zoário.*] *S. m.* **1.** Espécime dos metazoários. ● *Adj.* **2.** Pertencente ou relativo a eles. [Sin. ger.: *histozoário.*]

metazoários. *S. m. pl. Zool.* Animais do sub-reino *Metazoa*, caracterizados por terem o corpo formado por numerosas células, formando, em geral, tecidos especializados; histozoários.

meteco. [Do gr. *métoikos*, 'aquele que muda de casa', pelo lat. *metoecu.*] *S. m.* **1.** Designação que se dava ao estrangeiro domiciliado em Atenas: "O censo de Demétrio de Falera dá a Atenas 20.000 cidadãos, 10.000 metecos e 400.000 escravos" (Oliveira Martins, *Quadro das Instituições Primitivas*, p. 309). **2.** *P. ext.* Estrangeiro domiciliado em um país; imigrante: "Fiel aos pratos nacionais, ... comecei naturalmente a deleitar-me com as obras-primas da cozinha francesa. Subira eu já a razoável nível de aptidão para opinar com conhecimento de causa e não aproximativamente como rastaquera ou meteco, sobre molhos, condimentos ...., quando fiz relações com um homem interessantíssimo" (Gilberto Amado, *Mocidade no Rio e Primeira Viagem à Europa*, p. 428).

metediço. [De *meter* + *-(d)iço.*] *Adj.* V. *intrometido* (2).

metedor (ô). *S. m. Bras., N.E.* Trabalhador de engenho que mete as canas na moenda.

metempsicose. [Do gr. *metempsychosis*, pelo lat. *metempsychose.*] *S. f.* **1.** *Filos.* Doutrina segundo a qual uma mesma alma pode animar sucessivamente corpos diversos, homens, animais ou vegetais; transmigração. **2.** A teoria dessa doutrina: "larguei o pensamento a distrair-me com a idéia da metempsicose, pus-me a percorrer mentalmente a lista de amigos mortos, para descobrir o que me poderia estar falando pelo olhar daquele cão." (Fernando Sabino, *O Homem Nu*, p. 229).

metemptose. [De *met(a)-* + gr. *émptosis*, 'incidência'.] *S. f. Cronol.* Supressão de um dia, feita pela reforma gregoriana do calendário, nos anos seculares cujo número formado pelos algarismos das centenas e dos milhares é múltiplo de quatro. [V. *calendário gregoriano.*]

metencéfalo. *S. m. Anat.* **1.** Parte do sistema nervoso central que se desenvolve a partir da porção anterior da vesícula encefálica primitiva posterior, e que compreende a ponte (6) e o cerebelo. **2.** A vesícula posterior, das duas que compõem o rombencéfalo, no embrião.

meteórico. *Adj.* **1.** Referente a, ou produzido por meteoro. **2.** Dependente do estado atmosférico. **3.** *Fig.* Brilhante mas efêmero: *sucesso meteórico.* ~ V. *água —a, astronomia —a, eco — e traço —.*

meteorismo. [Do gr. *meteorismós.*] *S. m. Med.* Presença de gás em excesso no tubo gastrintestinal.

meteorítico. *Adj.* Referente a meteorito. ~ V. *cratera —a e ferro —.*

meteorito. [De *meteor(o)-* + *-ito*[2].] *S. m. Astr.* Corpo metálico ou rochoso que, vindo do espaço cósmico, cai na superfície da Terra; aerólito, astrólito, meteorólito, uranólito, pedra-de-raio.

meteorização. [De *meteorizar* + *-ção.*] *S. f.* **1.** *Geol.* Transformação das rochas em solo sob a ação dos fenômenos climáticos e biológicos. **2.** Ação ou efeito dos agentes climáticos sobre os materiais.

meteorizar. [Do gr. *meteorízo.*] *V. t. d.* **1.** Tornar (o ventre) distendido por flatulência. **2.** Sublimar (5). **3.** *Geol.* Promover a meteorização de (rochas). *P.* **4.** Padecer meteorismo.

meteoro. [Do gr. *metéoros*, pelo lat. escolástico *meteora.*] *S. m.* **1.** Qualquer fenômeno que ocorre na atmosfera terrestre: chuva, granizo, neve, vento, aurora boreal, relâmpago, trovão, estrela cadente, etc. **2.** V. *estrela cadente.* **3.** *Fig.* Aparição brilhante e efêmera. ◆ **Meteoro fusiforme.** *Astr.* Meteoro em forma de foguete.

▲**meteor(o)-.** [Do gr. *metéoros, os, on.*] *El. comp.* = 'elevado no ar', 'meteoro': *meteorologia, meteorógrafo.*

meteorografia. [De *meteor(o)-* + *-graf(o)-* + *-ia.*] *S. f.* Ramo da astronomia que estuda os meteoros; astronomia meteórica.

meteorográfico. *Adj.* Relativo à meteorografia.

meteorógrafo. [De *meteor(o)-* + *-grafo.*] *S. m.* **1.** Instrumento usado para observações meteorológicas. **2.** Aquele que escreve acerca de meteoros.

meteorólito. [De *meteor(o)-* + *-lito.*] *S. m. Astr.* V. *meteorito.*

meteorologia. [Do gr. *meteorología.*] *S. f.* Ciência que investiga os fenômenos atmosféricos.

meteorológico. [Do gr. *meteorologikós.*] *Adj.* Relativo à meteorologia. ~ V. *abrigo —, posto — e satélite —.*

meteorologista. *S. 2 g.* Especialista em meteorologia.

meteoromancia. [De *meteor(o)-* + *-mancia.*] *S. f.* Adivinhação pela observação dos meteoros.

meteoromante. [De *meteor(o)-* + *-mante.*] *S. 2 g.* Pessoa que pratica a meteoromancia.

meteoromântico. *Adj.* Referente à meteoromancia, ou a meteoromante.

meteoronomia. [De *meteor(o)-* + *-nom(o)-* + *-ia.*] *S. f.* Investigação das leis dos meteoros.

meteoronômico. *Adj.* Referente à meteoronomia.

meteoroscópio. [De *meteor(o)-* + *-scop-* + *-io*[2].] *S. m.* Instrumento para observações meteorológicas.

meter. [Do lat. *mittere*, 'mandar', 'deixar ir'.] *V. t. d.* **1.** Causar, inspirar, infundir: *meter dó;* "Podem-nos olhar, que não metemos nojo" (José Duro, *Fel*, p. 47). *T. d.* e *i.* **2.** Causar, inspirar, infundir: *Suas ameaças não metem medo a ninguém;* "Esta ação meteu assombro aos acuados" (Haroldo Maranhão, *O Tetraneto del-Rei*, p. 14). *T. d.* e *c.* **3.** Fazer entrar; introduzir: "meter roupa no seu pequeno baú de couro." (José Régio, *Histórias de Mulheres*, p. 319). **4.** Pôr, colocar: *Meteu o preso na cadeia.* **5.** Fazer entrar em algum lugar onde deverá permanecer; conduzir a: *Meteu a filha num convento.* **6.** Fazer admitir em estabelecimento de educação ou em oficina ou estabelecimento de comércio com o fim de permanecer e receber educação e instrução (podendo, no segundo caso, perceber algum provento): *Meteu um dos filhos no colégio e o outro numa oficina de ourives.* **7.** Incluir, compreender: *Meteram-no na lista dos culpados.* **8.** Guardar; depositar: *Meteu todo o seu dinheiro no banco.* **9.** Empregar, aplicar: *Meteu seus últimos vinténs no* negócio. **10.** Pôr de permeio fazer mediar: *Procurou* m e t e r *larga distância entre si e os seus perseguidores.* **11.** Fazer entrar em algum assunto, negócio, combinação, etc.: *Não quis* m e t e r *a família na trama.* **12.** Fazer dedicar-se: *Médico, o pai quis* m e t ê - l o *na medicina, mas o rapaz esquivou-se.* **13.** Induzir, instigar: *Não o* m e t a s *em trapalhadas.* **14.** Submergir, engolfar. **15.** *Pop.* V. *atacar* (10): *Meteu a mão na cara do agressor.* T. i. **16.** *Bras. Gír.* Copular, trepar: M e t e u *em várias mulheres.* Int. **17.** *Bras. Gír.* Copular, trepar. P. **18.** Esconder-se; ocultar-se, encafuar-se: "Chegava [João Ribeiro] do colégio e m e t i a - s e no quarto para estudar." (Joaquim Ribeiro, *9 Mil Dias com João Ribeiro*, p. 151); "lembrou-se do seu criado de quarto, que ali devia estar... Onde s e m e t e r i a ele?" (Artur Azevedo, *Contos Cariocas*, p. 58). **19.** Enfiar, encaminhar-se, dirigir-se: "Já no décimo pavimento, m e t e u - s e por um longo corredor onde a poeira e detritos emprestavam desagradável aspecto aos ladrilhos." (Murilo Rubião, *Os Dragões e Outros Contos*, p. 33.) **20.** *Pej.* Seguir a profissão, a carreira de: M e t e u - s e *a médico, e teve bom êxito.* **21.** Intrometer-se, ingerir-se: *Não é dado a* m e t e r - s e *em negócios alheios.* **22.** Provocar, desafiar: M e t e u - s e *com o atleta, e saiu-se mal.* **23.** Aventurar-se (a fazer algo) sem certeza de sair-se bem. **24.** Seguido da prep. *a* e de um verbo no infinitivo (explícito ou subentendido), arrogar a si (uma pessoa) capacidade que não tem: *Ignorante como é,* m e t e - s e *a ser bom professor; Covarde,* m e t e - s e *a valente.* [Pres. subj.: *meta* (ê), *metas* (ê), etc. Cf. *meta* e pl. *metas*.]

metição. *S. f. P. us.* Ato ou operação de meter.

meticulosidade. *S. f.* Qualidade ou maneiras de meticuloso.

meticuloso (ô). [Do lat. *meticulosu.*] *Adj.* **1.** Suscetível de pequenos receios ou escrúpulos; escrupuloso: *consciência* m e t i c u l o s a. **2.** Que se preocupa com pormenores; minucioso, esmiuçador: "São susceptibilidades de exagerado melindre, de exaltado e m e t i c u l o s o cavalheirismo" (Visconde de Taunay, *Ao Entardecer*, p. 113). **3.** Cuidadoso, cauteloso. **4.** Medroso, tímido, receoso.

metida. [De *meter* + *-ida.*] *S. f. Bras., Gír.* Cópula (1).

metido. [Part. de *meter.*] *Adj.* **1.** V. *intrometido* (2): *Mulher muito* m e t i d a, *acaba ouvindo o que não quer.* **2.** Admitido ao convívio íntimo; muito familiarizado.

▲metil-. *Quím.* El. comp. que indica o radical CH_3-.

metila. [Do fr. *méthyle* < *méthylène.*] *S. m. Quím.* O radical monovalente CH_3-.

metilação. *S. f. Quím.* Introdução de um radical metila numa molécula.

metileno. [Do fr. *méthylène*, nome comercial do álcool metílico < gr. *methy*, 'bebida fermentada, vinho', + *hylé*, 'madeira'.] *S. m. Quím.* O radical bivalente CH_3-.

metílico. *Adj.* ~ V. *álcool* —.

metim. *S. m.* Espécie de cetineta ou algodão que se usa, geralmente, em forros de vestuário: "A casa daquela gente / É branca como um jasmim! / Tem nas vidraças da frente / Forros azuis de m e t i m." (B. Lopes, *Cromos*, p. 38.)

metionina. [De *me(tila)* + *-ti(o)(n)-* + *-ina*[1].] *S. f. Quím.* Ácido aminado que contém enxofre e se encontra nas proteínas alimentícias.

▲meto-. [Do gr. *méthe, es.*] *El. comp.* = 'bebedeira', 'embriaguez': *metomania.*

metódica. [Fem. substantivado de *metódico.*] *S. f.* Metodismo (2).

metódico. [Do gr. *methodikós*, pelo lat. *methodicu.*] *Adj.* **1.** Que tem, ou em que há método: *homem* m e t ó d i c o; *trabalho* m e t ó d i c o. **2.** *Fig.* Comedido, circunspeto.

metodismo. [De *método* + *-ismo.*] *S. m.* **1.** Seita anglicana muito rígida, fundada no séc. XVIII, por John Wesley (1703-1791), e cujos adeptos procuravam seguir um método de vida rigorosamente dentro dos preceitos bíblicos. **2.** Sistema de procedimento metódico; metódica.

metodista. *Adj. 2 g.* **1.** Relativo ao, ou que é adepto do metodismo (1). **2.** Que é metódico ou rotineiro. ● *S. 2 g.* **3.** Adepto do metodismo (1). **4.** Pessoa que segue com rigor certo método.

metodização. *S. f.* Ato ou efeito de metodizar.

metodizado. [Part. de *metodizar.*] *Adj.* Que apresenta metodização; ordenado.

metodizador (ô). *Adj.* e *s. m.* Que ou aquele que metodiza.

metodizar. [De *método* + *-izar.*] *V. t. d.* **1.** Tornar metódico. **2.** Regularizar; ordenar.

método. [Do gr. *méthodos*, 'caminho para chegar a um fim'.] *S. m.* **1.** Caminho pelo qual se atinge um objetivo. **2.** Programa que regula previamente uma série de operações que se devem realizar, apontando erros evitáveis, em vista de um resultado determinado. **3.** Processo ou técnica de ensino: m é t o d o *direto.* **4.** Modo de proceder; maneira de agir; meio. **5.** V. *meio*[1] (8). **6.** Tratado elementar. **7.** *Fig.* Prudência, circunspecção; modo judicioso de proceder; ordem: *Age sempre com* m é t o d o. ◆ **Método categórico-dedutivo.** *Filos.* Método dedutivo. **Método da máxima verossimilhança.** *Estat.* Método de estimação de parâmetros ou de interpolação, baseado na determinação do máximo da função de verossimilhança de um conjunto de valores obtidos experimentalmente. **Método das alturas iguais.** *Astr.* Caso particular do método das retas de altura, em que os astros são observados à mesma altura. **Método das épocas superpostas.** *Astr.* Método utilizado na ciência em geral, particularmente na astronomia, e segundo o qual a correlação entre um fenômeno causa e vários outros considerados como efeitos é obtida pela comparação simultânea com a variável independente comum, o tempo. **Método das retas de altura.** *Astr.* Método de determinação das coordenadas geográficas de um ponto da superfície terrestre pela utilização das retas de altura [v. *reta de altura*]. **Método de Agazzi.** *Pedag.* Método de educação pré-escolar, no qual se utiliza um material empírico para ensinar as crianças a distinguir as formas e as cores e para desenvolver livremente a linguagem. **Método de Bouguer.** *Astr.* Método proposto pelo astrônomo francês Pierre Bouguer (1698-1758) para obter por extrapolação o valor da constante solar fora da atmosfera, com base no valor obtido no solo. **Método de Bragg.** *Min.* Método de investigação da estrutura cristalina dos cristais, mediante o emprego de raios X. **Método Decroly.** Método de ensino em que as matérias se entrelaçam em torno de uma idéia central, formando um todo homogêneo, ajustado à experiência globalizada e às reações afetivas da criança; método dos centros de interesse. **Método de dupla distância.** *Astron.* Dupla-distância. **Método dedutivo.** *Filos.* O que emprega unicamente o raciocínio, partindo de princípios considerados como verdadeiros e indiscutíveis; método categórico-dedutivo. **Método de Froebel.** *Pedag.* Método de educação pré-escolar baseado na auto-atividade interessada. **Método de palavras.** *Pedag.* Procedimento didático usado no ensino da leitura, e em que cada palavra é ensinada como um todo, sem prévio estudo de seus elementos fonéticos. **Método de Stanislavski.** *Teat.* Técnica de adestramento de atores, proposta e usada por Konstantin Stanislavski, ator e encenador russo (1863-1938), e pela qual se começa treinando o ator para que desenvolva plenamente as suas potencialidades psíquicas, a fim de compor e interpretar seus personagens com absoluta verdade interior, pois, segundo Stanislavski, "o que interessa não é a verdade fora do ator, mas a verdade dentro dele". **Método direto.** *Pedag.* Procedimento didático usado para o ensino de línguas vivas estrangeiras, e que consiste no uso exclusivo, em todos os contatos do professor com os alunos, da língua que está sendo ensinada. **Método dos centros de interesse.** *Pedag.* Método Decroly. **Método hipotético-dedutivo.** *Filos.* O que admite premissas cuja verdade será julgada *a posteriori.* **Método sintético.** Aquele em que se emprega a síntese ou recomposição de um todo pelos seus elementos componentes.

metodologia. [Do gr. *méthodos*, 'método', + *-log(o)-* + *-ia.*] *S. f.* **1.** A arte de dirigir o espírito na investigação da verdade. **2.** *Filos.* Estudo dos métodos e, especialmente, dos métodos das ciências: m e t o d o l o g i a *das ciências naturais.* **3.** *Liter.* Conjunto de técnicas e processos utilizados para ultrapassar a subjetividade do autor e atingir a obra literária. [Cf. *epistemologia* e *teoria do conhecimento.*]

metodológico. *Adj.* Relativo à metodologia.

metomania. [De *meto-* + *-mania.*] *S. f. Psiq.* Desejo irresistível de tomar bebidas alcoólicas. [Cf. *dipsomania* e *mitomania.*]

metomaníaco. *Adj.* **1.** Relativo à, ou que tem metomania. ● *S. m.* **2.** Aquele que a tem.

metônico. *Adj.* De, ou pertencente ou relativo ao astrônomo grego Meton (séc. V a. C.). ~ V. *ciclo* —.

metonímia. [Do gr. *metonymía*, pelo lat. *metonymia.*] *S. f. Ret.* Tropo que consiste em designar um objeto por palavra designativa doutro objeto que tem com o primeiro uma relação de causa e efeito (*trabalho*, por *obra*), de continente e conteúdo (*copo*, por *bebida*), lugar e produto (*porto*, por *vinho do Porto*), matéria e objeto (*bronze*, por *estatueta de bronze*), abstrato e concreto (*bandeira*, por *pátria*), autor e obra (um *Camões*, por um *livro de Camões*), a parte pelo todo (*asa*, por *avião*), etc. [Sin.: *transnominação.* Cf. *sinédoque.*]

metonímico. [Do gr. *metonymikós.*] *Adj.* Relativo à metonímia.

metonomásia. [Do gr. *metonomasía.*] *S. f.* Substituição de um nome próprio pela tradução dele em outra língua. Ex.: *Cape Town* < *Cidade do Cabo.*

métopa. [Do gr. *metópe*, pelo lat. *metopa.*] *S. f. Arquit.* Intervalo quadrado entre os tríglifos de um friso dórico, coberto por placa de mármore ou ornado com florões ou baixos-relevos; métope, ditríglifo.

metopagia. [De *metopopagia*, com haplologia.] *S. f. Ter.* Metopopagia.

metópago. [De *metopópago*, com haplologia.] *Adj.* e *s. m. Ter.* Metopópago.

métope. *S. f. Arquit.* V. *métopa.*

metópico. *Adj.* Diz-se do, ou relativo ao metópio.

metópio. [De *metópion.*] *S. m. Anat.* Ponto localizado na linha média da fronte, entre as duas bossas frontais; metópion.

metópion. [Do gr. *metópion.*] *S. m. Anat.* Metópio.

metopopagia. *S. f. Ter.* Qualidade ou estado de metopópago; metopagia.

metopópago. [Do gr. *Métopon* + *-pago.*] *Adj.* e *s. m. Ter.* Diz-se de, ou monstro formado de dois indivíduos de umbigos distintos e ligados superiormente pelas cabeças, fronte a fronte; metópago.

▲metr(a)-. [Do gr. *métra, as.*] *El. comp.* = 'útero': *metranemia.* [Equiv.: *-metra* e *metro-*: *hidrômetra; metropatia, metrite.*]

▲-metra. V. *metr(a)-.*

metragem. *S. f. Bras.* **1.** Medição em metros. **2.** Número de metros. **3.** *Cin.* Comprimento de um filme, proporcional à sua duração. [A palavra *metragem*, desus. isoladamente no Brasil, é de uso corrente, no entanto, nas loc. *de curta metragem* e *de longa metragem* (filme, projeção, etc.), de sentidos óbvios. Cf. *curta-metragem, longa-metragem* e *tempo de projeção.*]

metralgia. [De *metr(a)-* + *-alg(o)-* + *-ia.*] *S. f. Patol.* Dor no útero; uteralgia, metrodinia.

metrálgico. *Adj.* Relativo a metralgia; uterálgico, metrodínico.

metralha. [Do fr. *mitraille.*] *S. f.* **1.** Balas miúdas, pedaços de ferro, cacos, etc., com que se carregam projetis ocos. **2.** Metralhada: *Os soldados avançavam sob a* m e t r a l h a. **3.** *Fig.* Grande porção. V. *quantidade* (3). **4.** *Fig.* Todos os recursos mais eficientes que visam a um fim: *O médico empregou toda a* m e t r a l h a *para salvar o doente.* **5.** *Bras.* Fragmentos de tijolo com que se enche o espaço compreendido entre os que constituem o paramento, nas paredes grossas. **6.** *Bras.* Pedaços de tijolo ou de pedra, reboco, etc., nas demolições de prédios.

metralhada. *S. f.* Tiro de metralha; metralha.

metralhador (ô). *Adj.* e *s. m.* Que ou aquele que metralha.

metralhadora (ô). [Fem. substantivado do adj. *metralhador.*] *S. f.* Arma de fogo automática, que em pouco tempo dispara numerosos projetis análogos aos dos fuzis. [Sin. (bras., gír.): *matraca, costureira.*]

metralhar. *V. t. d.* **1.** Ferir ou atacar com tiros de metralha ou de metralhadora. **2.** Fazer fogo contra.

metranemia. [De *metr(a)-* + *anemia.*] *S. f. Med.* Desus. Isquemia do útero.

metranêmico. *Adj.* Relativo à, ou que tem metranemia.

metratonia. [De *metr(a)-* + *-atonia.*] *S. f. Med.* Atonia do útero.

metratônico. *Adj.* Relativo à, ou que tem metratonia.

metrectasia. [De *metr(a)-* + *ectasia.*] *S. f. Med.* Dilatação do útero não grávido.

metrectásico. *Adj.* Relativo à metrectasia.

metrectomia. [De *metr(a)-* + *-ectom-* + *-ia.*] *S. f. Cir. P. us.* Histerectomia.

metrectômico. *Adj.* Relativo à metrectomia.

metrectopia. [De *metr(a)-* + *ectopia.*] *S. f. Med.* Deslocamento do útero.

metrectópico. Referente à metrectopia.

métrica. [Fem. substantivado de *métrico.*] *S. f.* **1.** Arte que ensina os elementos necessários à feitura de versos medidos. **2.** Sistema de versificação particular a um poeta: *a* m é t r i c a *de Cecília Meireles.* **3.** *Mús.* Parte da teoria musical que trata da alternação dos tempos fortes e fracos, dentro de um compasso ou de um grupo de compassos. **4.** *Geom. Anal.* Forma diferencial que define, em um espaço, o elemento infinitesimal de comprimento.

metricista. *S. 2 g.* Especialista em métrica greco-latina.

métrico. [Do gr. *metrikós*, pelo lat. *metricu*.] *Adj.* **1.** Relativo ao metro. **2.** Do sistema que tem por base o metro. **3.** Respeitante à, ou próprio da metrificação ou métrica: *sílabas métricas.* ~ V. *arroba —a, astronomia—a, bitola — a, quilate —, sistema — decimal, tonelada —a* e *verso —.*

metrificação. *S. f.* Ato, efeito ou arte de metrificar; versificação.

metrificado. [Part. de *metrificar*.] *Adj.* Feito segundo as normas da métrica (1): *versos metrificados; poesia metrificada.*

metrificador (ô). *Adj.* e *s. m.* Que ou aquele que metrifica; versejador.

metrificar. [De *metr(o)-* + *-ficar*.] *V. t. d.* **1.** Pôr em verso medido. *Int.* **2.** Compor versos medidos. [Conjug.: v. *trancar*.]

metriperemia. [De *metr(a)-* + *hiperemia*.] *S. f. Patol. Desus.* Hiperemia do útero.

metrite. [De *metr(a)-* + *-ite*^{1}.] *S. f. Patol.* Inflamação do útero.

metro. [Do lat. *metru*.] *S. m.* **1.** Unidade fundamental de medida de comprimento no Sistema Internacional, igual ao comprimento do trajeto percorrido pela luz no vácuo durante um intervalo de tempo de 1/299 792 458 de segundo. [Abrev.: *m*.] **2.** Vara, fita, ou qualquer objeto de medir, com o comprimento de um metro. **3.** Medida reguladora da quantidade de pés ou sílabas de um verso: "E, em vão lutando contra o *metro* adverso, / Só lhe saiu este pequeno verso: / Mudaria o Natal ou mudei eu?" (Machado de Assis, *Poesias Completas*, p. 30.) **4.** Forma rítmica de obra poética: *O expressivo metro de Augusto dos Anjos.* ♦ **Metro cúbico.** Unidade de volume equivalente ao volume de um cubo cuja aresta tem o comprimento de um metro. [Símb.: m^3.] **Metro padrão.** Unidade de comprimento adotada internacionalmente até 1960 e igual à distância entre duas linhas paralelas existentes num protótipo de platina iridiada, depositada em Paris, na temperatura de zero graus Celsius e em condições de sustentação perfeitamente definidas. **Metro quadrado.** Unidade de área: área de um quadrado cujo lado tem o comprimento de um metro. [Símb. m^2.]

▲metro-. V. *metr(a)-*.

▲metr(o)-. [Do gr. *métron, ou*.] *El. comp.* = 'que mede'; 'medição': *metrônomo.* [Equiv.: *-metr(o)-* e *-metro*: *axonometria; cronômetro*.]

▲-metr(o)-. V. *metr(o)-*.

▲-metro. V. *metr(o)-*.

metrô. [Do fr. *métro*, abrev. de *métropolitain*, f. red. de *chemin de fer métropolitain*.] *S. m. Bras.* Sistema de transporte urbano efetuado por comboios de veículos a tração elétrica, que circulam em vias exclusivas subterrâneas, elevadas e/ou superficiais, e cujas características de rapidez, freqüência e distância entre pontos de parada emprestam-lhe capacidade de atender a grande número de passageiros. [Sin., desus. no Brasil: *metropolitano*.]

metrocele. [De *metro-* + *-cele*.] *S. f. Patol.* Hérnia formada pelo útero.

metrodinia. [De *metro-* + *-odin(o)-* + *-ia*.] *S. f. Patol.* V. *metralgia*.

metrodínico. *Adj.* Referente à metrodinia; metrálgico.

metrografia^{1}. [De *metro-* + *-graf(o)-* + *-ia*.] *S. f. Med. Desus.* Histerografia.

metrografia^{2}. [De *metr(o)-* + *-graf(o)-* + *-ia*.] *S. f.* Tratado acerca dos pesos e medidas.

metrográfico^{1}. *Adj. Desus.* Relativo à metrografia^{1}; histerográfico.

metrográfico^{2}. *Adj.* Relativo à metrografia^{2}.

metrologia. [De *metr(o)-* + *-log(o)-* + *-ia*.] *S. f.* Conhecimento dos pesos e medidas e dos sistemas de unidades de todos os povos, antigos e modernos.

metrológico. *Adj.* Relativo à metrologia.

metrologista. *S. 2 g.* Especialista em metrologia.

metromania^{1}. [De *metro-* + *-mania*.] *S. f. Med.* V. *ninfomania*.

metromania^{2}. [De *metr(o)-* + *-mania*.] *S. f.* Mania de fazer versos.

metromaníaco. *Adj.* e *s. m.* Metrômano.

metrômano. *Adj.* e *s. m.* Que ou aquele que tem metromania^{2}; metromaníaco.

metronômico. *Adj.* Referente ao metrônomo.

metrônomo. [De *metr(o)-* + *-nomo*.] *S. m. Mús.* Designação dada por J. N. Maelzel (1772-1838) ao instrumento que serve para regular os andamentos musicais: "levantou-se, foi até o *metrônomo* que batia o ponteiro no ritmo da música" (Guilherme Figueiredo, *Histórias para Se Ouvir de noite*, p. 59). [Abrev.: M.M.]

metropatia. [De *metro-* + *-pat-* + *-ia*.] *S. f. Patol.* Designação comum às afecções do útero.

metropático. *Adj.* Relativo à metropatia.

metrópole. [Do gr. *metrópolis*, 'cidade mãe,' pelo lat. *metropole*.] *S. f.* **1.** Cidade principal, ou capital de província ou de estado. **2.** *P. ext.* Grande cidade; cidade importante. **3.** Igreja arquiepiscopal, em relação às sufragâneas. **4.** Nação, em relação às suas colônias: "A propriedade privada, dentro do sistema que predominava na *metrópole*, trouxe-a o português nas primeiras caravelas" (Manuel Diegues Júnior, *Regiões Culturais do Brasil*, p. 69). **5.** Centro comercial importante; empório. **6.** *Urb.* A principal cidade que exerce influência funcional, econômica e social sobre as cidades menores de uma região metropolitana [q. v.]. ♦ **Metrópole nacional.** *Urb.* Cidade que, por suas atividades financeiras, de gestão e de informação, alcançam uma esfera de influência nacional e, mesmo, mundial, como, p. ex., Nova Iorque, Paris, Rio de Janeiro.

metropolita. [Do gr. *metropolítes*, pelo lat. *metropolita*.] *Adj* e *s. m.* Diz-se de, ou bispo metropolitano.

metropolitano^{1}. [Do lat. *metropolitanu*.] *Adj.* **1.** Pertencente ou relativo a metrópole: *costumes metropolitanos; igreja metropolitana; governo metropolitano.* **2.** Que tem aspecto ou caráter de metrópole: *cidade, metropolitana.* ~ V. *região —a.* ● *S. m.* **3.** Prelado de metrópole, em relação aos prelados sufragâneos.

metropolitano^{2}. *S. m.* Metrô [q. v.].

metroptose. [De *metro-* + *-ptose*.] *S. f. Patol. Desus.* Histeroptose.

metrorragia. [De *metro-* + *-ragia*.] *S. f. Patol.* Hemorragia do útero; uterorragia.

metrorrágico. *Adj.* Referente à metrorragia; uterorrágico.

metrorréia^{1}. [De *metro-* + *-réia*.] *S. f. Patol.* Corrimento mucoso pelo útero.

metrorréia^{2}. [De *metr(o)-* + *-réia*.] *S. f. Deprec.* Fecundidade no versejar.

metrorréico^{1}. *Adj.* Referente à metrorréia^{1}.

metrorréico^{2}. *Adj.* Referente à metrorréia^{2}.

metrotomia. [De *metro-* + *-tom(o)-* + *-ia*.] *S. f. Cir.* **1.** Incisão do útero. **2.** Operação cesariana.

metrotômico. *Adj.* Relativo à metrotomia.

metroviário. [De *metrô*, com infl. de *ferroviário, rodoviário*.] *Bras.* **1.** *Adj.* Relativo ao metrô. **2.** Que se faz pelo metrô: *transporte metroviário.* ● *S. m.* **3.** Funcionário do metrô.

➧metteur-en-scène (metér ã cén'). [Fr.] *S. m. Teat.* V. *diretor* (5).

metuendo. [Do lat. *metuendu*.] *Adj.* Que dá medo; medonho, terrível.

meu. [Do lat. *meu*.] *Pron.* **1.** Pertencente à, ou próprio da, ou sentido, experimentado, pela pessoa que fala, por mim: *meu livro;* "Descansem o *meu* leito solitário / Na floresta dos homens esquecida" (Álvares de Azevedo, *Obras Completas*, I, p. 124); *Este ritmo de trabalho é meu, bem meu;* "Pátria do *meu* amor!" (Id., *ib.*, p. 50). **2.** Que eu gozo ou desfruto como se me pertencesse, se fosse propriedade minha: *Então eu vou perder o meu domingo com aquele pateta?* **3.** Que me serve, me convém, me interessa: *Estou esperando o meu ônibus; Fui a muitas lojas, e não achei o meu cinturão.* **4.** Que me é devido; que me cabe ou me toca: *Quero ter o meu lugar ao sol; Conheço o meu lugar; Trabalhei, e quero a minha recompensa.* **5.** Preferido por mim; da minha predileção: *Dante é o meu poeta;* "Há pouco voltei a ler o *meu* Nisard, admiravelmente conservado em sua terceira edição de 1867." (Fausto Cunha, *Situações da Ficção Brasileira*, p. 99.) **6.** Passado ou vivido por mim: "Durante os *meus* trinta e tantos anos de diplomacia algumas vezes vim ao Brasil" (Machado de Assis, *Memorial de Aires*, p. 3). **7.** Dedicado ou reservado a mim: *Visite os outros amigos nos dias úteis, que o domingo é meu.* **8.** Onde eu trabalho, exerço atividade: *a minha repartição.* **9.** Esse, aquele; o tal (falando de pessoa a quem dantes já nos referimos, ou de quem nos vamos ocupar, a respeito de quem vamos falar): "Chama-se Falcão o *meu* homem." (Machado de Assis, *Histórias sem Data*, p. 131.) [É de rigor, neste caso, o uso do artigo.] **10.** Caro a mim; querido por mim; da minha amizade, da minha estima: "*Meu* Antônio, para mim não trazes nada?" (Casimiro de Abreu, *Obras*, p. 15); *É impossível, meu poeta; O Paulo é meu, muito meu.* **11.** Posposto ao substantivo, adquire, na maioria das vezes, matiz afetivo: "Filho *meu*, onde estás?" (Gonçalves Dias, *Obras Poéticas*, II, p. 27.) [Flex.: *minha, meus, minhas*.] ● *S. m.* **12.** Aquilo que pertence à pessoa que fala, a mim: *Jamais toquei no alheio: o meu é pouco, mas basta-me.* ~V. *os meus.*

meuá. [Var. de *miuá*.] *S. m. Bras.* V. *carará*^{1}.

meuã. [Do tupi *me'wã*.] *S. m. Bras., AM.* V. *careta* (1). ♦ **Fazer meuã.** *Bras., AM.* Fazer careta para intimidar.

meu-consolo. *S. m. Bras. Pop.* V. *cachaça* (1). [Pl.: *meus-consolos*.]

meuê-meuê. [Do tupi *me'we*, 'devagar,' 'repetido'.] *Adv. Bras., AM.* V. *assim-assim*.

meus. *S. m. pl.* Us. na loc. s. *os meus.* ~ V. *meu.* ♦ **Os meus.** A minha família; os meus parentes: "No cemitério, ... lembrou-me ir ao jazigo *dos meus*." (Machado de Assis, *Memorial de Aires*, p. 233.)

MeV. *S. m. Fís. Nucl.* Unidade de medida de energia igual a um milhão de elétrons-volt.

mexeção. *S. f. Bras. Fam.* Ato ou efeito de mexer ou bulir.

mexediço. *Adj.* Que se mexe com muita freqüência; movediço, inquieto.

mexedor (ô). *Adj.* **1.** Que mexe ou gosta de mexer. **2.** *Fig.* Mexeriqueiro, intrigante, enredeiro. ● *S. m.* **3.** Aquele que mexe. **4.** Objeto com que se mexe. **5.** *Fig.* V. *leva-e-traz*.

mexedura. *S. f.* Ato ou efeito de mexer(-se).

mexelhão. *Adj.* e *s. m. Fam.* Que ou aquele que mexe em tudo; traquinas, travesso; mexilhão. [Fem.: *mexelhona*. Cf. *mexilhão*^{1}.]

mexelhona. *Adj. (f.)* e *s. f. Fam.* Fem. de *mexelhão*.

mexe-mexe. [Da 3ª. pess. do sing. do pres. ind. de *mexer*, repetida.] *S. m. Bras.* Jogo em que os parceiros, utilizando pequenas peças representativas das letras do alfabeto, tentam formar palavras sobre um tabuleiro, contando-se os pontos conforme as letras empregadas e a posição da palavra no tabuleiro. [Pl.: *mexes-mexes* e *mexe-mexes*.]

mexer. [Do lat. *miscere*, 'misturar'.] *V. t. d.* **1.** Imprimir movimento a; agitar; mover: "Sentado na caixa da farinha, sem *mexer* um dedo, bebia o ar a custo." (João de Araújo Correia, *Terra Ingrata*, p. 210); *Mexeu a cabeça num gesto afirmativo.* **2.** Desviar de posição; deslocar: *Mexeu a grande pedra, provocando uma avalancha.* **3.** Agitar o conteúdo de: *mexer uma panela.* **4.** Misturar, revolvendo; confundir: *Mexi os meus papéis na secretária, e não pude encontrar o documento. T. i.* **5.** Tocar, bulir; remexer: "Ontem, *mexendo* nos meus papéis velhos, encontrei a seguinte carta" (Aluísio Azevedo, *Demônios*, p. 85). **6.** Ocupar-se; dedicar-se, trabalhar: *Mexia com química desde criança, e hoje é mestre da matéria.* **7.** Negociar, comerciar; trabalhar: *Mexe com ouro e pedras preciosas, e já mexeu com produtos farmacêuticos.* **8.** *Fig.* Abordar; tocar, bulir: *Não mexam com o assunto: é por demais complicado.* **9.** Importunar com gracejos ou impertinências; caçoar; provocar: "o demônio do homem dava então para brigar; *mexia* com quem passava" (Aluísio Azevedo, *Casa de Pensão*, p. 72). *Int.* **10.** Mover-se, agitar-se; mexer-se: "Meu braço não *mexia*, minhas mãos não *mexiam*, meus pés não saíam do lugar" (Afonso Arinos, *Histórias e Paisagens*, p. 20). **11.** Dar de si; agitar-se, bambolear(-se), rebolar(-se), saracotear-se, remexer-se: *A garota mexe muito quando anda. P.* **12.** Mover-se, agitar-se; mexer: *Gritaram-lhe, empurraram-no, e não se mexeu.* **13.** Apressar-se, aviar-se: *Disse-lhes que se mexessem, pois o trem partia dentro de uma hora.* **14.** Sair do seu lugar ou posição. [Pres. ind.: *mexo* (ê), *mexes, mexe*, etc.; pres. subj: *mexa* (ê), *mexas* (ê), etc. Cf. *mecha*, s. f., e o pres. ind. e pres. subj. do v. *mechar*.]

mexerica. [De *mexerico*.] *S. f. Bras., MG, RJ* e *SP.* V. *tangerina*.

mexericada. *S. f.* V. *mexerico* (1).

mexericar. [De *mexer* + *-icar*.] *V. t. d.* **1.** Narrar em segredo e astuciosamente, com o fim de malquistar, intrigar ou enredar. *Int.* **2.** Andar com mexericos; fazer intrigas: "Positivamente a vizinhança já se punha a *mexericar*, a comentar! Estava-se a armar um escândalo!" (Eça de Queirós, *O Primo Basílio*, pp. 183-184.) *P.* **3.** Deixar-se entrever; descobrir-se, revelar-se. [Cf. *mexerucar*. Conjug.: v. *trancar*.]

mexerico. [Dev. de *mexericar*.] *S. m.* **1.** Ato de mexericar; enredo, intriga, bisbilhotice, chocalhice, corrilho, mexericada, mexida, mexido, mexinflório. **2.** *Bras., RS.* Confusão ou mistura de vários objetos, de coisas ou de animais que deveriam estar separados; desordem, balbúrdia.

mexeriqueira. [De *mexerico* + *-eira*.] *S. f. Bras., MG, RJ* e *SP.* **1.** V. *tangerineira*. **2.** Ave da família dos cardinídeos (*Hoploxzpterus cayanus* Lath.).

mexeriqueiro. [De *mexerico* + *-eiro*.] *Adj.* **1.** Que mexerica. ● *S. m.* **2.** Aquele que mexerica; bisbilhoteiro.

V. *leva-e-traz* 3. *Bras.*, *N.E.* V. *periquito*[1] (6).
mexerucar. [De *mexer.*] *V. t. d.* Estar a mexer em. [Cf. *mexericar.* Conjug.: v. *trancar.*]
mexerufada. [De *mexer.*] *S. f.* **1.** Comida de porcos, lavagem. **2.** Mixórdia, miscelânea, mistifório.
mexicana [F. substantivado do adj. *mexicano.*] *S. f.* Moeda de prata do México.
mexicano. *Adj.* **1.** Do, ou pertencente ou relativo ao México (América do Norte). ● *S. m.* **2.** O natural ou habitante do México.
mexida. [Fem. substantivado do adj. *mexido.*] *S. f.* **1.** Confusão, desordem, balbúrdia. **2.** Discórdia, desentendimento. **3.** Mixórdia, mistifório. [Sin. ger.: *mexonada.*] **4.** V. *mexerico* (1).
mexido. [Part. de *mexer.*] *Adj.* **1.** Que se mexeu; revolvido: *papéis* m e x i d o s. **2.** Agitado, inquieto. ● *S. m.* **3.** Doce para consoada, feito de pão ralado, calda de açúcar, mel e casca de limão. **4.** Bamboleamento, saracoteio (particularmente em certas danças). **5.** V. *mexerico* (1). **6.** *Bras., MG.* Espécie de farofa feita com arroz, feijão, torresmo e verduras. **7.** *Bras., SC* e *RS.* Feijão ou carne picada, que se prepara em panela, mexendo-se com farinha de mandioca: "um m e x i d o de farinha, onde os pedaços de charque apareciam de quando em quando" (Guido Vilmar Sassi, *São Miguel,* p. 152).
mexilhão[1]. [Do lat. vulg. hispânico **muscellione musculus*, dim. de *musculus.*] *S. m.* **1.** Designação comum aos moluscos bivalves, da família dos mitilídeos, gênero *Mytilus* L. e outros. As valvas são ovais ou triangulares, e iguais; a parte interna da concha, luzidia e nacarada. Fixam-se nas pedras através do bisso. **2.** Molusco bivalve, da família dos mitilídeos (*Mytilus perna* (L.)), comum no RJ, SP e SC, de concha oval, alongada, recoberta de epiderme avermelhada ou parda, interior branco, comprimento de até 8 cm. A carne desses moluscos é comida no Brasil apenas cozida. [Cf. *sururu* (1).] **3.** Molusco bivalve, da família dos mitilídeos (*Mytilus edulis* L.), de coloração violácea mais ou menos intensa, uniforme, com raios longitudinais amarelos. Ocorre no Atlântico. [Sin. ger.: *ostra-de-pobre.* Cf. *mexelhão.*]
mexilhão[2]. [De *mexer*, com provável infl. de *mexilhão*[1].] *Adj.* e *s. m.* V. *mexelhão.*
mexilho. [De *mexer.*] *S. m.* Barra de ferro que prende a aiveca ao teiró do arado, regulando-lhe o afastamento.
mexinflório. *S. m. Bras., RS.* **1.** V. *ninharia.* **2.** Coisa atrapalhada, confusa; confusão, desordem. **3.** V. *mexerico* (1).
mexoalho. [Talvez de *mexer.*] *S. m.* Porção de caranguejos ou plantas marinhas em putrefação, usada para adubo (2).
mexonada. [Possivelmente de *mexer.*] *S. f. Desus.* Movimento confuso de coisas desordenadas; mexida.
mezanelo. [Do it. *mezzanello.*] *S. m.* Tijolo requeimado ou vidrado para pavimentação, degraus de escadas, etc.
mezanino. [Do it. *mezzanino*, dim. de *mezzano*, 'mediano'.] *S. m.* **1.** Andar pouco elevado, entre dois andares altos. **2.** Pequena janela dessa espécie de andar. **3.** Sobreloja avarandada. **4.** Janela de porão de edifício.
mezena. [Do it. *mezzana*, 'mediano'.] *S. f. Marinh.* **1.** F. red. de *mastro da mezena.* **2.** F. red. de *vela da mezena.*
mezereão. [Do ár.-persa *mezrion.*] *S. m.* Arbusto da família das timeleáceas (*Daphne gnidium*), proveniente da Europa e cultivado como ornamental, de flores apétalas, perfumadas, que se congregam em densos cachos, e frutos drupáceos.
mezinha. [Do lat. *medicina.*] *S. f.* **1.** Líquido para clister. **2.** *Pop.* Qualquer remédio caseiro; mezinhice: "Vamos a ver se excogitar consigo / M e z i n h a que te cure ou que amorteça / Teu penar." (Eugênio de Castro, *Églogas*, p. 41.) [Var. de *meizinha.* Em Portugal pronuncia-se *mèzinha.* Cf. *mesinha*, dim. de *mesa.*]
mezinhar. *V. t. d.* **1.** Aplicar mezinha a. **2.** *Pop.* V. *medicar* (1).
mezinheiro. *S. m.* **1.** Aquele que faz ou aplica mezinhas; curandeiro. **2.** Aquele que está sempre fazendo uso de mezinhas.
mezinhice. *S. f.* **1.** Mezinha (2). **2.** Remédio ou práticas de curandeiro.
■ **mg.** Símb. de *miligrama.*
■ **Mg.** *Quím.* Símb. de *magnésio.*
■ **MG.** Sigla do Estado de *Minas Gerais.*
mho (mô). [Anagrama de *ohm.*] *S. m. Eletr.* V. *siemens.*
mi[1]. [V. *ut.*] *S. m. Mús.* **1.** Nome da nota que corresponde ao terceiro grau da escala diatônica ou natural de dó[2]. [Cf. *E.*] **2.** Essa nota na pauta. [Cf. *me* e *mê.*]
mi[2]. [Do fenício, atr. do gr. *my.*] *S. m.* **1.** A 12ª letra do alfabeto grego (Μ, μ). [Var.: *mu.*] **2.** Símb. de *micr(o)-*[1] (μ).
mi[3]. *Pron. Ant.* Mim. [Cf. *me* e *mê.*]
miada. [De *miar* + *-ada*[1].] *S. f.* **1.** Os miados de muitos gatos ao mesmo tempo, miadura. **2.** V. *miado.* [Cf. *meada.*]
miadela. *S. f.* O ato de miar de cada vez.
miado. [Part. substantivado de *miar.*] *S. m.* A voz do gato e doutros animais, mio, miada. [Cf. *meado.*]
miador (ô) *Adj.* e *s. m.* Que, ou gato que mia muito.
miadura. *S. f.* Miada (1).
mialate. *Bras. S. 2 g.* **1.** Indivíduo dos mialates, tribo indígena do alto rio Leitão, afluente do Jiparaná (RO). ● *Adj. 2 g.* **2.** Pertencente ou relativo a essa tribo.
mialgia. [De *mi(o)-*[1] + *-alg(o)-* + *-ia.*] *S. f. Patol.* Dor no(s) músculo(s); miodimia.
miálgico. *Adj.* Referente à mialgia; miodínico.
mialhar. *S. m. Marinh.* Cabo delgado, branco ou alcatroado, resultante de se cocharem frouxamente dois ou três fios de carreta; fio de palomba.
miar. [De *miau* + *-ar*[2], talvez atr. de um **miauar.*] *V. int.* **1.** Dar ou soltar miados: "à orla da clareira, uma hiena apareceu, m i a n d o com lástima." (Eça de Queirós, *Contos*, p. 182.) **2.** Soltar som que lembra um miado: "Lá fora o Vento como um gato bufa e m i a" (Antônio Nobre, *Só*, p. 91); "E o Vento m i a ! e o Vento m i a !" (Id., *ib.*, p. 13). [Cf. *mear.*]
miasma. [Do gr. *míasma.*] *S. m.* **1.** Emanação mefítica do solo, supostamente nociva, tida como causa de várias doenças endêmicas, como, p. ex., em certos locais, a malária, até que se venha a conhecer a verdadeira etiologia destas: "Vinham os lamarões, as leziras funestas, / De água paralisada e decomposta ao sol, / Em cuja face, como um bando de fantasmas, / Erravam dia e noite as febres e os m i a s m a s" (Olavo Bilac, *Poesias*, p. 264). **2.** *Fig.* Influência deletéria; corrupção; podridão: *miasma social.*
miasmático. *Adj.* **1.** Que produz miasmas: "Sedu-la embaixo o lamaçal dos charcos, / O pântano m i a s m á t i c o deserto" (Alberto de Oliveira, *Poesias*, 2ª série, p. 228). **2.** Resultante de, ou produzido por miasmas: *moléstia* m i a s m á t i c a.
miastenia. [De *mi(o)-*[1] + *astenia.*] *S. f. Med.* Fraqueza muscular.
miau[1]. *S. m.* **1.** Onomatopéia da voz do gato. **2.** *Inf.* O gato.
miau[2]. [Do chin. *miao.*] *S. m.* Pagode ou templo chinês.
mibu. *S. m. Bras.* V. *membi* (1).
mica. [Do lat. *mica.*] *S. f.* **1.** Designação comum aos minerais do grupo das micas, silicatos de alumínio e de metais alcalinos aos quais freqüentemente se associam magnésio e ferro; malacacheta. **2.** Pequena porção; bocado, migalha.
micáceo. *Adj.* **1.** Que contém mica. **2.** Que é da natureza da mica, ou tem a aparência dela.
micado. [Do jap. *mikado.*] *S. m.* **1.** Título do soberano do Japão. **2.** Antigo título da suprema autoridade religiosa japonesa.
micageiro. *Adj. Bras.* Dado a fazer micagens.
micagem. *S. f.* **1.** Careta própria de mico. **2.** Trejeito, gatimonha: "Roláveis pelo tapete, fazendo m i c a g e n s, plantando bananeiras" (José Geraldo Vieira, *Carta a Minha Filha em Prantos*, p. 27).
miçanga. [Do cafre *masanga*, pl. de usanga.] *S. f.* **1.** Contas de vidro, variegadas e miúdas. **2.** Ornato feito dessas contas: "Os braceletes e as m i ç a n g a s tilintavam no peito e nos braços" (Lima Barreto, *Histórias e Sonhos*, p. 84). **3.** Variedade de tipo muito miúdo de imprensa. **4.** Miudeza, bugiganga. [M. us. no pl.]
micante. [Do lat. *micante.*] *Adj. 2 g.* Brilhante, luzente, luzidio: "Como se a terra se fosse inflamando em centelhas, granitos m i c a n t e s alumiavam." (Coelho Neto, *Rei Negro*, p. 182.)
➡**mi-carême** (mi-carrém'). [Fr.] *S. f.* **1.** O sábado de Aleluia, ou a quinta-feira santa. **2.** A festa desse dia. [Cf. *micareta.*]
micareta (ê). *S. f. Bras., BA.* Festa carnavalesca ou de outra natureza, fora da época do carnaval. [Cf. *mi-ca-rême.*]
micaxisto. [De *mica* + *xisto.*] *S. m. Geol.* Rocha laminada, nitidamente metamórfica, composta essencialmente de mica, mas que pode conter quartzo, e na qual o feldspato é inexistente ou raro.
micção. [Do lat. *mictione.*] *S. f. Fisiol.* Ato de mijar ou urinar: "ultimamente acordava .... no decorrer da noite, ora por pesadelos, ora impelido por necessidade irreprimível de m i c ç ã o" (Marques Rebelo, *O Simples Coronel Madureira*, p. 68).
miccional. [Do lat. *mictione*, 'micção', + *-al.*] *Adj. 2 g.* *Relativo à micção.*
micela. *S. f. Fís.-Quím.* Partícula de uma solução coloidal, especialmente de um sol[4], constituída por uma partícula da substância em estado coloidal cercada por um conjunto de íons.
miceliano. [De *micélio* + *-ano.*] *Adj. Micol.* Pertencente ou relativo ao micélio.
miceliforme. [De *micélio* + *-forme.*] *Adj. 2 g.* Que tem forma de micélio.
micélio. [Do gr. *mykes*, 'cogumelo' + *(epit)élio.*] *S. m. Micol.* Talo dos fungos, composto de filamentos ditos *hifas*, destituídos de clorofila. As hifas constituem uma trama que representa o corpo vegetativo dos fungos, podendo este ser microscópico ou, como nas orelhas-de-pau, alcançar importantes dimensões.
▲**-micete.** V. *mic(o)-.*
micetemia. [De *micet(o)-* + *-(h)em(o)-* + *-ia.*] *S. f. Patol.* Presença de fungos no sangue.
micetêmico. *Adj.* Relativo à micetemia.
▲**micet(o)-.** V. *mic(o)-.*
▲**-miceto.** V. *mic(o)-.*
micetografia. [De *micet(o)-* + *-graf(o)-* + *-ia.*] *S. f. Micol.* Micografia.
micetográfico. *Adj.* Referente à micetografia; micográfico.
micetógrafo. *S. m.* Especialista em micetografia.
micetologia. [De *micet(o)-* + *-log(o)-* + *-ia.*] *S. f. Bot.* Ciência que trata dos fungos; micologia.
micetológico. *Adj.* Relativo à micetologia; micológico.
micetologista. *S. 2 g.* Especialista em micetologia; micologista, micetólogo, micólogo.
micetólogo. *S. m.* V. *micetologista.*
micetozoário. *S. m.* **1.** Espécime dos micetozoários. ● *Adj.* **2.** Pertencente ou relativo a eles. [Sin. ger.: *mixomiceto, mixotalófito, mixófito.*]
micetozoários. *S. m. pl. Zool.* Animais protozoários, rizópodes, da ordem *Mycetozoa*, que na fase adulta formam uma unidade protoplasmática com numerosos núcleos e movimento citoplasmódico corrente. Alimentam-se de madeira, folhas em decomposição ou cogumelos vivos. [Sin.: *mixomicetos, mixotalófitos, mixófitos.*]
micha. [Do fr. *miche.*] *S. f.* **1.** Pão feito de diversas farinhas misturadas. **2.** V. *migalha* (1). [Cf. *mixa.*]
michê. [Do fr. *miché.*] *S. m. Bras. Chulo.* **1.** A ação de se prostituir. **2.** O preço pago à prostituta: "Ontem *táxi-girl* de escola de dança e módico m i c h ê no randevu onde cintilava Ivonete; hoje, figura nacional" (Marques Rebelo, *O Trapicheiro*, p. 252). **3.** *P. ext.* V. *meretriz.*
michela. *S. f. Bras.* Chulo. V. *meretriz.*
michola. *S. f. Bras., MT.* V. *joaninha* (2).
michole. *S. m. Bras.* Peixe teleósteo, percomorfo, da família dos serranídeos (*Diplectrum radiale* (Quoy & Gain.)), distribuído da América Central até as costas de SP. Coloração geral verde-azulada com estrias longitudinais; difere dos demais serranídeos por ter a parte inferior da cabeça, focinho, alto do crânio e faixa suborbitária posterior desprovido de escamas. [Sin.: *margarida.*]
michole-de-areia. *S. m. Bras.* Peixe teleósteo, percomorfo, da família dos serranídeos (*Diplectum formosum* (L.)), distribuído da América do Norte até as costas do Uruguai. Coloração verde-azulada com estrias longitudinais, e nadadeiras ímpares alaranjadas; comprimento: até 20 cm. Esta espécie diferencia-se do michole por ter duas séries de acúleos no pré-opérculo, em vez de uma só. [Pl.: *micholes-de-areia.*]
mico. [Do caraíba continental *miko.*] *S. m. Bras.* **1.** Designação comum aos macacos de porte médio, do gênero *Cebus*, tais como o *mico-preto* (*C. niger*), o *mico-amarelo* (*C. libidinosus*), o *mico-ruivo* (*C. robustus*). [Cf. *caiarara* e *macaco-prego.*] **2.** *Bras. N.* e *MG. Impr.* V. *sagüi*: "Entre os símios repontavam .... os m i c o s, tipo sagüi, com bigodes e barbas como múmias peruanas." (Raimundo Morais, *País das Pedras Verdes*, p. 58.)
◆ **Destripar o mico.** *Bras., SP. Pop.* V. *vomitar* (11).
▲**mic(o)-.** [Do gr. *mýkes, etos.*] *El. comp.* = 'cogumelo', 'fungo[1]': *micologia; micélio.* [Equiv.: *micet(o)-, -miceto* e *-micete: micetografia, micetemia; actinomicete.*]
mico-amarelo. *S. m. bras.* V. *mico* (1). [Pl.: *micos-amarelos.*]
micobactéria. [De *mic(o)-* + *bactéria.*] *S. f.* Gênero de microrganismos grampositivos, que se apresentam sob a forma de bastões delgados e mostram acidorresistência. A este gênero pertencem, entre outros, os agentes etiológicos da lepra e da tuberculose humanas.
micobionte. [De *mic(o)-* + *-bionte.*] *S. m. Bot.* Fungo componente do talo dos líquens.
micoderma. [De *mic(o)-* + *-derma.*] *S. m.* Gênero de bactérias que vive à superfície de bebidas fermentadas e forma uma nata espessa. [Uma das espécies (*Acetobacter aceti* (Kütz.) *Beijerinck*) produz o vinagre.]
mico-de-topete. *S. m. Bras.* Designação comum a diversos macacos do gênero *Cebus*, como o *C. cirrifer*

Geoffr. e o *C robustus* Kuhl. [Pl.: *micos-de-topete.*]
micografia. [De *mic(o)-* + *-graf(o)-* + *-ia.*] *S. f. Micol.* Descrição dos fungos; micetografia.
micográfico. *Adj.* Relativo à micografia; micetográfico.
mico-leão. *S. m.* Pequeno primata (*Leontopithecus rosalia rosalia* Lin.), da família *Callithricidae*, frugívoro, e que habita a América tropical; mico-leão-dourado, sagüipiranga, sauimpiranga. [Pl.: *micos-leões.*]
mico-leão-dourado. *S. m.* V. *mico-leão.* [Pl.: *micos-leões-dourados.*]
mico-leão-preto. *S. m.* Pequeno primata (*Leontopithecus rosalia chrysomelas* Kuhl), da família *Callithricidae*, encontrado nas selvas da América tropical, e que se alimenta de frutos e insetos. [Pl.: *micos-leões-pretos.*]
micologia. [De *mic(o)-* + *-log(o)-* + *-ia.*] *S. f. Bot.* Micetologia.
micológico. [De *mic(o)-* + *-log(o)-* + *-ico*^{2}.] *Adj.* Micetológico.
micologista. *S. 2 g.* V. *micetologista:* "Experimentador, biologista, fisiologista, microbiologista, m i c o l o g i s t a, ... — sua contribuição é enorme em cada um desses terrenos de nossa atividade intelectual." (Pedro Nava, *Beira-Mar*, p. 151.)
micólogo. [De *mic(o)-* + *-logo.*] *S. m.* V. *micetologista.*
mico-preto. *S. m.* V. *mico* (1). [Pl.: *micos-pretos.*]
micorrizo. [De *mic(o)-* + *-rizo.*] *S. m. Bot.* União íntima entre raízes duma planta superior e o micélio de um fungo especializado, com benefícios para ambos os organismos.
mico-ruivo. *S. m. Bras.* V. *mico* (1). [Pl.: *micos-ruivos.*]
micose. [De *mic(o)-* + *-ose.*] *S. f. Patol.* Moléstia causada por fungos.
micótico. [De *mic(o)-* + *-i-* + *-ico*^{2}.] *Adj.* Causado por fungo.
micra. *S. m. pl.* Pl. de *mícron* [q. v.].
micracústico. [De *micr(o)-*^{2} + *acústico.*] *Adj. Fís.* Diz-se dos instrumentos que reforçam os sons.
micranto. [De *micr(o)-* + *-anto.*] *Adj. Morfol. Veg.* Diz-se do vegetal que tem flores pequenas. [Antôn.: *macranto.*]
▲ **micr(o)-**^{1}. *Pref.* que, anteposto ao nome de uma unidade, forma o nome de uma unidade derivada um milhão de vezes menor que a primeira: *micrometro.* [Símb.: u (v. *mi*^{2}).]
▲ **micr(o)-**^{2}. [Do gr. *mikrós, á, ón.*] *El. comp.* = 'pequeno', 'curto', 'fraco': *microfilme, micrócero, microfone; micranto.*
microacústico. *Adj. Fís.* V. *micracústico.*
microbar. *S. m. Fís.* Unidade de medida de pressão, igual ao milionésimo do bar.
microbial. *Adj. 2 g.* Microbiano.
microbiano. *Adj.* **1.** Relativo a micróbios. **2.** Em que os há. **3.** Provocado por eles. [Sin. ger.: *microbial.*]
microbicida. [De *micróbio* + *-cida.*] *Adj. 2 g.* e *s. m.* Germicida.
micróbio. [Do gr. *mikróbios*, 'de vida curta'.] *S. m.* **1.** Designação comum a diversos seres pertencentes às categorias de protozoários, cogumelos, bactérias, rickéttsias e vírus; microrganismo. **2.** *Restr.* Designação comum a microrganismos capazes de produzir doenças no homem e nos animais, e causar fermentação e putrefação; germe. [Cf., nesta acepç.: *bactéria.*] **3.** *Fig.* Indivíduo insignificante ou reles.
microbiologia. [De *micróbio* + *-log(o)-* + *-ia.*] *S. f.* Estudo ou tratado dos micróbios. [Cf. *bacteriologia.*]
microbiológico. *Adj.* Relativo à microbiologia.
microbiologista. *S. 2 g.* Especialista em microbiologia; microbiólogo.
microbiólogo. *S. m.* Microbiologista.
microcefalia. *S. f.* Qualidade de microcéfalo; nanocefalia. [Antôn.: *macrocefalia.*]
microcefálico. *Adj.* Relativo à microcefalia, ou a microcéfalo; nanocefálico. [Antôn.: *macrocefálico.*]
microcéfalo. [De *micr(o)-*^{2} + *-cefalo.*] *Adj.* e *s. m.* **1.** Que ou aquele que tem a cabeça muito pequena. [Sin.: *nanocéfalo.* Antôn.: *macrocéfalo.*] **2.** *Fig.* Diz-se de, ou indivíduo pouco inteligente; idiota.
microcentral. [De *micr(o)-*^{2} + *central.*] *S. f.* Central hidrelétrica que permite rendoso aproveitamento de pequenas quedas-d'água.
micrócero. [De *micr(o)-*^{2} + *-cero*^{1}.] *Adj. Zool.* Que tem cornos ou antenas curtas. [Antôn.: *macrócero.*]
microciprino. *S. m.* e *adj.* Ciprinodonte.
microciprinos. *S. m. pl. Zool.* Ciprinodontes.
microcircuito. [De *micr(o)-*^{2} + *circuito.*] *S. m. Eletrôn.* Combinação de elementos conectados inseparavelmente num substrato contínuo e capaz de efetuar determinada função de controle eletrônico.
microcirurgia. [De *micro(scópio)* + *cirurgia.*] *S. f. Cir.* Cirurgia que se realiza com o auxílio de microscópio especial, que permite ver ampliadas estruturas muito pequenas, como as dos ouvidos, olhos, laringe, etc.
microclínio. [De *micr(o)-*^{2} + *-clin(o)-*^{2} + *-io*^{2}.] *S. m. Min.* Mineral triclínico, dimorfo com o ortoclásio, silicato de alumínio e potássio.
micrococo. [De *micr(o)-*^{2} + *-coco.*] *S. m. Bacter.* Microrganismo esférico e minutíssimo.
microcoleção. [De *micr(o)-*^{2} + *coleção.*] *S. f.* Coleção pequena.
microcomputador (ô). [De *micr(o)-*^{2} + *computador.*] *S. m. Proc. Dados.* Computador no qual a unidade central de processamento é constituída por um único circuito integrado.
microcópia. [De *micr(o)-*^{2} + *cópia.*] *S. f.* Cópia microfotográfica.
microcósmico. *Adj.* Relativo ao microcosmo.
microcosmo. [Do gr. *mikrókosmos*, pelo lat. *microcosmu.*] *S. m.* **1.** Mundo pequeno, resumo do Universo: "Vida e morte, religião e trabalho, e, para além, no recinto doméstico, a esposa e o fogo e o amor: tudo se inclui na propriedade que é um mundo minúsculo, m i c r o c o s m o que tem por centro o lar." (Oliveira Martins, *Quadro das Instituições Primitivas*, pp. 126-127.) **2.** O homem, por oposição a *macrocosmo*, o Universo. **3.** *Fig.* Pequeno mundo; círculo: *m i c r o c o s m o literário.* [Antôn.: *macrocosmo.*]
microcosmologia. [De *microcosmo* + *-log(o)-* + *-ia.*] *S. f.* Descrição ou estudo do corpo humano.
microcosmológico. *Adj.* Referente à microcosmologia.
microcristal. [De *micr(o)-*^{2} + *cristal.*] *S. m.* Cristal que só pode ser visto ao microscópio.
microcristalino. *Adj.* Diz-se de um corpo amorfo na aparência, mas que, examinado ao microscópio, mostra ser constituído por um aglomerado de microcristais.
microdáctilo. [De *micr(o)-*^{2} + *-da(c)tilo.*] *Adj. Zool.* Que tem dedos curtos. [Var.: *microdátilo.* Antôn.: *macrodáctilo.*]
microdátilo. *Adj. Zool.* Var. de *microdáctilo* [q. v.].
microdonte. [De *micr(o)-*^{2} + *-odonte.*] *Adj. 2 g. Zool.* Que tem dentes pequenos.
microdrilo. *S. m.* **1.** Espécime dos microdrilos. ● *Adj.* **2.** Pertencente ou relativo a eles.
microdrilos. *S. m. pl. Zool.* Animais metazoários, anelídeos, oligoquetas, ordem *Microdrili*, de pequeno porte, com clitelo que principia, quase sempre, do 11º segmento, cerdas de tamanhos diversos e irregularmente dispostas, poro genital do macho, situado no VII somito ou na frente dele. Vivem nas águas doces.
microeconomia. [De *micr(o)-*^{2} + *economia.*] *S. f. Econ.* Ramo da ciência econômica que estuda as relações entre unidades específicas, levando em consideração a análise pormenorizada do comportamento dessas unidades. [Cf. *macroeconomia.*]
microeconômico. *Adj.* Pertencente ou relativo à microeconomia.
microelectrônica. *S. f.* Microeletrônica.
microeletrônica. [De *micr(o)-*^{2} + eletrônica: var. de *microelectrônica.*] *S. f.* Designação genérica de investigações, de técnicas, de processos, de equipamentos que envolvem circuitos de estado sólido miniaturizados.
microempresa (ê). [De *micr(o)-*^{2} + *empresa.*] *S. f.* Pequena e média empresa (3), com número limitado de empregados, e rendimento estabelecido por estatuto.
microestado. [De *micr(o)-*^{2} + *estado.*] *S. m. Fís.* O estado de um sistema caracterizado por um ponto no seu respectivo espaço de fase; complexão.
microestrutura. [De *micr(o)-*^{2} + *estrutura.*] *S. f.* Estrutura detalhada de um sólido estudado por processos micrográficos.
microfauna. [De *micr(o)-*^{2} + *fauna.*] *S. f. Zool.* Fauna constituída por animais microscópicos.
microficha. [De *micr(o)-*^{2} + *ficha.*] *S. f.* Ficha, opaca ou transparente, que contém microrreprodução de textos, desenhos, etc.
microfilmagem. *S. f.* Ato ou operação de microfilmar.
microfilmado. [Part. de *microfilmar.*] *Adj.* Que se microfilmou; obtido mediante microfilmagem.
microfilmar. *V. t. d.* Fotografar (livros, documentos, etc.) em microfilme; fazer microfilme de.
microfilme. [De *micr(o)-*^{2} + *filme.*] *S. m. Fot.* **1.** Reprodução, com redução, de documentos em filme fotográfico. **2.** Microfotografia positiva ou negativa feita em tira ou rolo de filme.
microfilia. [De *micrófilo* + *-ia.*] *S. f. Morfol. Veg.* Qualidade de microfilo. [Antôn.: *macrofilia.*]
microfilo. [Do gr. *mikróphyllos.*] *Adj. Morfol. Veg.* Diz-se da planta que tem folhas pequenas. [Antôn.: *macrofilo.*]
microfísica. [De *micr(o)-*^{2} + *física.*] *S. f.* Designação genérica e pouco precisa das partes da física em que se investigam os sistemas atômicos e subatômicos, e nas quais se utilizam procedimentos quânticos.
micrófita. *S. f. Morfol. Veg.* V. *micrófito.*
microfítico. *Adj.* Relativo ou pertencente aos micrófitos.
micrófito. [De *micr(o)-*^{2} + *-fito.*] *S. m. Morfol. Veg.* Vegetal muitíssimo pequeno.
microflora. [De *micr(o)-*^{2} + *flora.*] *S. f. Bot.* Flora constituída pelos vegetais microscópicos, como, p. ex., algas e bactérias.
microfone. [De *micr(o)-*^{2} + *-fone.*] *S. m. Fís.* Aparelho capaz de transformar a energia sonora em energia elétrica; transdutor eletracústico que responde a ondas acústicas fornecendo ondas ou sinais elétricos. [F. paral. p. us.: *microfono* (q. v.).]
microfonia. [De *micr(o)-*^{2} + *-fone-* + *-ia.*] *S. f.* Fraqueza da voz.
microfônico. *Adj.* Referente à microfonia, ou a microfone.
microfonismo. [De *microfone* + *-ismo.*] *S. m.* Defeito em receptores de rádio, caracterizado por zumbidos intermitentes.
microfonista. *S. 2 g. Bras.* Profissional incumbido de manobrar a girafa [q. v.] do microfone.
microfono. *S. m. P. us.* Microfone. [Cf. *micrófono.*]
micrófono. [Do gr. *mikróphonos.*] *Adj.* **1.** Que tem voz fraca. **2.** Que torna fraco um som. ● *S. m.* **3.** Instrumento apropriado para apreciar os sons fracos. [Cf. *microfono.*]
microfoto. [De *micr(o)-*^{2} + *foto*^{2}.] *S. m.* Cópia, negativa ou positiva, que se obtém por meio da microfotografia.
microfotografado. [Part. de *microfotografar.*] *Adj.* Que se microfotografou; que foi objeto de microfotografia.
microfotografar. *V. t. d.* Fotografar (livros, documentos, etc.) mediante microfotografia.
microfotografia. [De *micr(o)-*^{2} + *fotografia.*] *S. f.* **1.** Processo de obtenção de fotografia de dimensões reduzidas. **2.** Fotografia obtida por esse processo.
microfotográfico. *Adj.* Respeitante à microfotografia.
microfototeca. [De *microfoto(grafia)* + *-teca.*] *S. f.* Arquivo de microfotografias.
microftalmia. [De *micr(o)-*^{2} + *-oftalm(o)-* + *-ia.*] *S. f. Med.* Pequenez anormal de olho; microftalmo.
microftalmo. [Do gr. *mikróphtalmos.*] *Med. S. m.* **1.** Microftalmia. ● *Adj.* **2.** Que apresenta microftalmia.
microgameta. [De *micr(o)-*^{2} + *gameta.*] *S. m. Biol.* V. *espermatozóide.* [Cf. *macrogameta.*]
microglossia. [De *micr(o)-*^{2} + *-gloss(o)-* + *-ia.*] *S. f.* Desenvolvimento insuficiente da língua.
microglosso. [De *micr(o)-*^{2} + *-glosso.*] *Adj.* Que apresenta microglossia. [Antôn.: *macroglosso.*]
micrognatia. [De *micrógnato* + *-ia.*] *S. f. Med.* Micrognatismo.
micrognatismo. [De *micrógnato* + *-ismo.*] *S. m. Med.* Pequenez anormal da mandíbula, com recuo do queixo; micrognatia.
micrógnato. [De *micr(o)-*^{2} + *-gnato.*] *Adj.* Que apresenta micrognatismo.
microgonídio. [De *micr(o)-*^{2} + *gonídio.*] *S. m. Bot.* Gonídio de tamanho menor, quando há diversificação entre eles. [Opõe-se a *macrogonídio.*]
micrografia. [De *micr(o)-*^{2} + *-graf(o)-* + *-ia.*] *S. f.* **1.** Descrição dos objetos que se estudam com o auxílio do microscópio. **2.** Tudo quanto diz respeito ao emprego do microscópio. **3.** *Med.* Redução no tamanho das letras manuscritas do indivíduo, em comparação com as de sua escrita normal.
micrográfico. *Adj.* Referente à micrografia.
micrógrafo. *S. m.* Especialista em micrografia.
microgranular. [De *micr(o)-*^{2} + *granular*^{1}.] *Adj. 2 g.* V. *rocha* —.
microincisão (o-in). [De *micr(o)-*^{2} + *incisão.*] *S. f.* Incisão pequena.
microindústria (o-i). [De *micr(o)-*^{2} + *indústria.*] *S. f.* Microempresa [q. v.] de caráter industrial.
microinstrumento (o-ins). [De *micr(o)-*^{2} + *instrumento.*] *S. m.* Instrumento pequeníssimo, utilizado com o micromanipulador.
microleitor (ô). [De *micr(o)-*^{2} + *leitor.*] *S. m.* Projetor luminoso que se usa para a leitura de microfilmes.
microlepidóptero. [De *micr(o)-*^{2} + *lepidóptero.*] *S. m. Zool.* Designação comum às espécies pequenas de borboletas.
microlítico. *Adj. Geol.* **1.** Relativo a micrólito. **2.** Que contém micrólitos. **3.** Diz-se da textura das rochas porfíricas em que a massa fundamental consiste em agregados de micrólitos numa base em geral vítrea.
micrólito. [De *micr(o)-*^{2} + *-lito.*] *Adj. Geol.* Designação

comum a cristais microscópicos aciculares ou em forma de bastão que ocorrem com freqüência nas rochas magmáticas efusivas.

micrologia. [Do gr. *mikrología*.] *S. f.* **1.** Tratado sobre os corpos microscópicos. **2.** Discurso frouxo, de conteúdo inexpressivo.

micrológico. *Adj.* Referente à micrologia.

micrólogo. [Do gr. *mikrólogos*.] *S. m.* **1.** Indivíduo versado em micrologia. **2.** Aquele que faz questão de bagatelas. **3.** Pequeno discurso.

micromanipulador (ô). [De *micr(o)-*[2] + *manipulador*.] *S. m. Cir.* Aparelho para microcirurgia, provido de instrumentos pequeníssimos e de grande precisão, como pinças, agulhas, lâminas cortantes, etc., e comandado por um mecanismo redutor.

micrômato. [Do gr. *mikrómmatos*.] *Adj. Zool.* Que tem olhos pequenos. [Diz-se dos invertebrados.]

micrômego. [De *micr(o)-*[2] + *-mego*.] *S. m.* Instrumento de matemática para o cálculo de pequenos ângulos na medição de terras.

micromelia. [Do gr. *mikromelés*, 'de pequeno(s) membro(s)', + *-ia*.] *S. f. Ter.* Anomalia de desenvolvimento que se caracteriza por pequenez anormal de membro superior ou inferior. [Antôn.: *macromelia*.]

micrômero. [Do gr. *mikromerés*.] *Adj.* Que tem todos os membros e apêndices delgados.

micrometeorito. [De *micr(o)-*[2] + *meteorito*.] *S. m. Astr.* Meteorito de pequenas dimensões, em geral microscópico, e que, ao entrar na atmosfera terrestre, não chega a ser observável da superfície.

micrometria. *S. f.* A técnica da aplicação do micrômetro.

micrométrico. *Adj.* Relativo à micrometria, ou ao micrômetro. ~ V. *parafuso* —.

micrometro. [De *micr(o)-*[1] + *-metro*.] *S. m.* A milionésima parte do metro. [Cf. *micrômetro*.]

micrômetro. [De *micr(o)-*[2] + *-metro*.] *S. m. Fís.* Instrumento para medida de comprimentos ou de ângulos muito pequenos, baseado em dispositivos mecânicos ou em sistemas ópticos. [Cf. *micrometro*.] ♦ **Micrômetro a disco.** *Astr.* Discômetro. **Micrômetro a fios.** *Astr.* Micrômetro adaptável à extremidade ocular de um telescópio, dotado de fios extremamente finos, ordinariamente feitos de teias de aranha, e capaz de medir a distância angular e o ângulo de posição; micrômetro filar, micrômetro de posição. **Micrômetro anular.** *Astr.* Aquele em que a medida de comprimentos ou de ângulos se faz por meio de anéis. **Micrômetro de dupla imagem.** *Astr.* Micrômetro dotado de um prisma birrefringente por meio do qual se obtêm duas imagens de uma estrela, de sorte que a coincidência ou a posição relativa entre elas permite determinar a distância e o ângulo de posição de outras imagens (geralmente duas). **Micrômetro de Lyot.** *Astr.* Micrômetro de dupla imagem que emprega a propriedade da mudança de posição relativa das imagens ordinária e extraordinária em uma calcita, quando esta gira em torno do seu eixo óptico. **Micrômetro de Müller.** *Astr.* Micrômetro de dupla imagem que utiliza o efeito micrométrico de um prisma especialmente idealizado pelo astrônomo francês Paul Müller (1910), no qual os eixos ópticos dos componentes são perpendiculares. **Micrômetro de posição.** *Astr.* V. *micrômetro a fios.* **Micrômetro de Repsold.** *Astr.* Micrômetro impessoal. **Micrômetro filar.** *Astr.* V. *micrômetro a fios.* **Micrômetro impessoal.** *Astr.* Micrômetro criado pelo astrônomo alemão Johann Repsold (1838-1919) para as observações de passagens meridianas, e capaz de eliminar a equação pessoal [q. v.] do observador; micrômetro de Repsold.

micromicete. [De *micr(o)-*[2] + *-micete*.] *S. m.* Espécime dos micromicetes.

micromicetes. [Pl. de *micromicete*.] *S. m. pl. Bot.* Plantas criptogâmicas que produzem a fermentação alcoólica.

mícron. *S. m.* V. *micrometro*. [Pl. (desus.): *micra*.]

micronemo. [De *micr(o)-*[2] + *-nemo*.] *Adj. Zool.* Que possui tentáculos muito pequenos.

micronésio. *Adj.* **1.** Da, ou pertencente ou relativo à Micronésia, um dos três grandes agrupamentos das ilhas do Pacífico. ● *S. m.* **2.** O natural ou habitante da Micronésia. **3.** *Ling.* Um dos subgrupos do malaio-polinésio [q. v.].

micronúcleo. [De *micr(o)-*[2] + *núcleo*.] *S. m. Bot.* V. *euciliados*.

microonda. [De *micr(o)-*[2] + *onda*.] *S. f. Fís.* Radiação eletromagnética com freqüência da ordem de algumas centenas de megahertz.

microônibus. [De *micr(o)-*[2] + *ônibus*.] *S. m. 2 n. Bras.* Veículo de transporte coletivo, em geral com duas portas, maior que o lotação e menor que o ônibus.

microorgânico. *Adj.* Microrgânico.

microorganismo. [De *micr(o)-*[2] + *organismo*.] *S. m.* Microrganismo.

micropétalo. [De *micr(o)-*[2] + *-pétalo*.] *Adj. Morfol. Veg.* Que tem pétalas pequenas. [Antôn.: *macropétalo*.]

micrópila. [De *micr(o)-*[2] + *-pilo*.] *S. f. Morfol. Veg.* Orifício canalicular que se encontra no ápice do óvulo das plantas e é formado pela abertura dos tegumentos, e pelo qual penetra o tubo polínico para efetuar a fecundação; exóstoma.

micropodídeo. *S. m.* e *adj.* Cipselídeo.

micropodídeos. *S. m. pl. Zool.* Cipselídeos.

micropodiforme. *S. m.* e *adj.* Apodiforme.

micropodiformes. *S. m. pl. Zool.* Apodiformes.

micropolegada. [De *micr(o)-*[1] + *polegada*.] *S. f.* Medida inglesa e norte-americana de comprimento, equivalente à milionésima parte da polegada.

micróporo. [De *micr(o)-*[2] + *poro*.] *Adj.* Que tem poros extremamente pequenos; microporoso.

microporoso (ô). [De *micr(o)-*[2] + *poroso*.] *Adj.* Micróporo.

microprocessador (ô). [De *micr(o)-*[2] + *processador*.] *S. m. Proc. Dados.* Denominação generalizada para a unidade central de processamento de um microcomputador, sendo constituído por um único circuito integrado.

microprótalo. [De *micr(o)-*[2] + *prótalo*.] *S. m. Morfol. Veg.* Prótalo masculino.

micropsia. [De *micr(o)-*[2] + *-ops(e)-* + *-ia*.] *S. f. Med.* Alteração da visão que faz os objetos parecerem menores do que realmente são.

micropsiquia. [De *micr(o)-*[2] + *-psic(o)-* + *-ia*.] *S. f. Med.* Fraqueza da mente.

micropsíquico. *Adj.* Referente à micropsiquia.

micropterígio. [Do gr. *mikroptéryx, ygos*, 'que tem asas pequenas', + *-io*[2].] *Adj. Zool.* Que tem pequenas barbatanas.

micróptero. [De *micr(o)-*[2] + *-ptero*.] *Adj. Zool.* Que tem asas pequenas. [Antôn.: *macróptero*.]

microrgânico. *Adj.* Relativo a microorganismo.

microrganismo. [De *micr(o)-*[2] + *organismo*.] *S. m.* Micróbio (1).

microrregião. [De *micr(o)-*[2] + *região*.] *S. f. Geogr.* Subdivisão de uma região natural.

microrreprodução. [De *micr(o)-*[2] + *reprodução*.] *S. f.* Reprodução microfotográfica.

microscopia. [De *micr(o)-*[2] + *-scop-* + *-ia*.] *S. f.* **1.** Conjunto de técnicas de observação de objetos de muito reduzidas dimensões. **2.** Arte de empregar o microscópio.

microscópico. *Adj.* **1.** Relativo ao microscópio, ou à microscopia: *experiências microscópicas*. **2.** Visível só ao microscópio. **3.** *P. ext.* Minúsculo, pequeníssimo: "Ela recorre .... às torturas dos sapatinhos apertados para fazer o pé *microscópico*" (Aluísio Azevedo, *Livro de uma Sogra*, p. 87). [Antôn.: *macroscópico*.] **4.** *Fig.* Que tem vista penetrante. ~ V. *edição —a* e *hematúria —a*.

microscópio. [De *micr(o)-*[2] + *-scop-* + *-io*[2].] *S. m.* **1.** *Ópt.* Instrumento óptico destinado à observação e estudo de objetos de dimensões muito pequenas. **2.** *Astr.* Constelação do hemisfério austral, situada ao S. do Capricórnio. ♦ **Microscópio de campo.** *Eletrôn.* Instrumento em que um campo elétrico muito intenso arranca elétrons de uma ponta metálica muito fina, e estes atingem uma tela fluorescente onde formam uma imagem ampliadíssima da ponta emissora. **Microscópio de contraste de fase.** *Ópt.* Aquele em que é possível observar objetos transparentes pelo método do contraste de fase. **Microscópio eletrônico.** *Eletrôn.* Instrumento em que um feixe de elétrons acelerados é convenientemente focalizado por meio de lentes eletrônicas para formar numa tela uma imagem muito ampliada de um objeto microscópico sob observação. **Microscópio metalográfico.** *Ópt.* O que permite a observação da superfície de metais e trabalha com luz refletida. **Microscópio simples.** *Ópt.* Lupa[1].

microscopista. *S. 2 g.* Pessoa que se ocupa de microscopia.

microsficto. [Do gr. *mikrósphyktos*.] *Adj. Med. Desus.* Que tem o pulso fraco.

microsfigmia. [De *micr(o)-*[2] + gr. *sphygmós*, 'pulso,' + *-ia*.] *S. f. Med.* Situação em que uma pulsação arterial, por sua fraqueza, só a custo é percebida pelo examinador.

microsperma. *S. f.* Espécime das microspermas.

microspermas. [Fem. pl. substantivado de *microspermo*.] *S. f. pl. Bot.* Ordem de monocotiledôneas que se caracteriza pelas sementes pequeníssimas, e engloba as famílias das orquidáceas e das burmaniáceas.

microspermo. [Do gr. *mikróspermos*.] *Adj. Morfol. Veg.* Que tem sementes muito pequenas.

microsporídio. *S. m.* **1.** Espécime dos microsporídios. ● *Adj.* **2.** Pertencente ou relativo a eles.

microsporídios. *S. m. pl. Zool.* Animais protozoários, cnidosporídios, ordem *Microsporidia*, de esporos pequenos com um ou dois filamentos polares. São parasitos intracelulares de artrópodes e peixes, e dentre eles se acha o agente etiológico da pebrina.

micrósporo. [De *micr(o)-*[2] + *esporo*.] *S. m. Morfol. Veg.* Pequeno esporo que, ao germinar, origina um microprótalo.

microssegundo. [De *micr(o)-*[1] + *segundo*.] *S. m. Cronol.* Intervalo de tempo correspondente à milionésima parte do segundo (usualmente, o segundo de tempo médio).

microssísmico. *Adj.* Relativo ao, ou da natureza do microssismo.

microssismo. [Do *micr(o)-*[2] + *sismo*.] *S. m. Geofís.* Pequeno abalo sísmico de efeito puramente local e que não origina ondas sísmicas facilmente perceptíveis.

microssismógrafo. [De *microssismo* + *-grafo*.] *S. m.* Aparelho próprio para registrar microssismos.

microssomatia. [De *micr(o)-*[2] + *-somat(o)-* + *-ia*.] *S. f. Ter.* V. *microssomia*.

microssomático. *Adj.* V. *microssômico*.

microssomia. [De *micr(o)-*[2] + *-som(o)-* + *-ia*.] *S. f. Ter.* Monstruosidade caracterizada pela extrema pequenez de todo o corpo [Cf. *macrossomia*.]

microssômico. *Adj.* Em que há microssomia; microssomo.

microssomo. [De *micr(o)-*[2] + *-somo*.] *Adj.* **1.** Que tem o corpo muito pequeno. **2.** Microssômico.

microssulco. [De *micr(o)-*[2] + *sulco*.] *S. m.* Ranhura em forma de V, muito fina e compacta, na qual se registra a trilha sonora num *long-play*.

micróstomo. [Do gr. *mikróstomos*.] *Adj. Zool.* Que tem boca ou abertura muito pequena.

microtexto (ê). [De *micr(o)-*[2] + *texto*.] *S. m.* Texto microfilmado ou microfotografado.

micrótomo. [De *micr(o)-*[2] + *-tomo*.] *S. m. Histol.* Aparelho empregado em técnica histológica para a obtenção de cortes extremamente finos, para estudo microscópico de estruturas corporais.

microzoário. [De *micr(o)*[2] + *-zoário*.] *S. m. Zool.* Animálculo que só pode ser visto com a ajuda do microscópio.

micruro. [De *micr(o)-*[2] + *-uro*.] *Adj. Zool.* Que tem cauda curta.

micterismo. [Do gr. *mykterismós*.] *S. m.* **1.** Ironia insultuosa; zombaria. **2.** Má catadura; cara feia; carranca.

mictódero. *S. m.* **1.** Espécime dos mictóderos. ● *Adj.* **2.** Pertencente ou relativo a eles.

mictóderos. *S. m. pl. Zool.* Animais metazoários, cordados, anfíbios, urodelos, sem brânquias nem fendas branquiais na fase adulta. São as salamandras e os tritões.

mictório. [Do lat. *mictu*, part. pass. de *mingere*, 'mijar', + *-ório*.] *Adj.* **1.** Que promove a micção; diurético. ● *S. m.* **2.** *Bras.* Lugar próprio para nele se urinar. [Sin.: *mijadouro, mijadeiro, sumidouro* e (lus.) *urinol*.]

micturição. [De um lat. **micturitione*, calcado em *micturice* < *mingere*, 'mijar'.] *S. f. Med.* Eliminação de urina para o meio exterior.

micuim (u-ím). [Do tupi *mokoo'ĩ*.] *S. m. Bras.* **1.** Designação vulgar dos ácaros da família dos trombídeos, especialmente os do gênero *Trombicula* Berlese, que em sua fase larval costumam atacar o homem e os animais, causando fortes comichões. Muito conhecida na Amaz., a espécie *T. brasiliense* Ewing. ataca o homem e os animais, de agosto a outubro, nas regiões descampadas. Tem coloração avermelhada, e o porte tão diminuto que é necessária uma lente para poder ser visto com detalhes. [Sin.: *micuim-amarelo, bicho-colorado, timicuí, timicuim*.] **2.** V. *carrapato-de-cavalo*. **3.** V. *carrapato-pólvora*. [Var.: *mucuim*.] ♦ **Não poder ver micuim com tosse.** *Bras. Pop.* Não tolerar gabolice por parte de criança ou de pessoa presunçosa; não poder ver mucuim com tosse.

micuim-amarelo. *S. m. Bras.* V. *micuim* (1). [Pl.: *micuins-amarelos*.]

micuim-castanho. *S. m. Bras.* V. *carrapato-pólvora*. [Pl.: *micuins-castanhos*.]

micula. *S. f. Bras., PB. Pop.* V. *uropígio* (1).

micurê. [Da língua indígena.] *S. m. Bras.* V. *gambá* (1).

mídi. *Adj. 2 g.* e *2 n.* Diz-se da roupa feminina (vestido, saia ou casaco) que atinge a altura da canela. [O t. data do fim da década de 60.]

mídia. [Do ingl. *media*.] *S. f.* **1.** Designação dos meios de comunicação social, como jornais, revistas, cinema, rádio, etc. **2.** *Propag.* Setor de uma agência de propaganda [q. v.] que planeja e coordena a veiculação de anúncios, filmes, cartazes, etc.

➧**midinette** (midinét'). [Fr.] *S. f.* Ajudante de costureira, em Paris.

midríase. [Do gr. *mydríasis*, pelo lat. *midriase*.] *S. f. Med.* Aumento dos diâmetros, ou dilatação, de pupila.

midriático. *Adj.* Relativo à midríase.

mielalgia. [De *miel(o)-* + *-alg(o)-* + *-ia*.] *S. f. Patol.* Dor na medula espinhal.

mielálgico. *Adj.* Relativo à mielalgia.

mielencefálico. *Adj.* Relativo ou pertencente ao mielencéfalo.

mielencéfalo. [De *miel(o)-* + *encéfalo*.] *S. m. Anat.* **1.** Porção do sistema nervoso central que se desenvolve a partir da porção posterior do rombencéfalo, e que inclui o bulbo raquiano e a porção inferior do quarto ventrículo. **2.** A vesícula posterior, das duas que compõem o rombencéfalo (2), no embrião.

mielina. [De *miel(o)-* + *-ina*[1].] *S. f. Bioquím.* Substância lipóide que forma a bainha em torno de certos nervos.

mielite. [De *miel(o)-* + *-ite*[1].] *S. f. Patol.* Inflamação da medula espinhal.

▲**miel(o)-.** [Do gr. *myelós, oû*.] *El. comp.* = 'medula': *mielossarcoma, mielalgia.*

mielócite. [De *miel(o)-* + *-cite*.] *S. m.* Cada uma das células da medula vermelha dos ossos, formadoras dos glóbulos granulosos; mielócito.

mielócito. *S. m.* Mielócite [q. v.].

mielóide. [De *miel(o)-* + *-óide*.] *Adj. 2 g.* **1.** Da, ou pertencente ou relativo à medula óssea. **2.** De, ou pertencente ou relativo à medula espinhal. **3.** *Histol.* Semelhante ao mielócite, embora não derive da medula óssea.

mieloma. [De *miel(o)-* + *-oma*.] *S. m. Patol.* Tumor formado por células do tipo das que se encontram, normalmente, na medula óssea.

mielomalacia. [De *miel(o)-* + *-malacia*.] *S. f. Patol.* Amolecimento anormal da medula espinhal.

mielossarcoma. [De *miel(o)-* + *sarcoma*.] *S. m. Patol.* Tumor sarcomatoso, constituído de tecido mielóide (1), ou de células mielóides [v. *mielóide* (1)].

miga. [Do lat. *mica*.] *S. f.* V. *migalha* (1). ~ V. *migas.*

migado. [Part. de *migar*.] *Adj.* Cortado em pequenas porções; desfeito em pedacinhos; picado.

migala. *S. f.* V. *aranha-caranguejeira.*

migalha. [De *miga* + *-alha*.] *S. f.* **1.** Pequeno fragmento de pão, de bolo ou de outro alimento farináceo; miga, micha. **2.** Pequena porção; quantidade ínfima. [Sin., nessas acepç.: *bobéia*.] **3.** Fração, fragmento, partícula: *uma migalha de ouro.* **4.** Coisa nenhuma; nada: *Não recebeu migalha.* **5.** Pouquíssima coisa; bocadinho, pouquinho. [F. paral.: *migalho*.] ~ V. *migalhas.*

migalhar. [De *migalha* + *-ar*[2].] *V. t. d.* e *p.* V. *esmigalhar.*

migalhas. [Pl. de *migalha*.] *S. f. pl.* **1.** Sobras, sobejos, restos. **2.** Coisas supérfluas, insignificantes ou desprezíveis. ~ V. *migalha.*

migalheiro. [De *migalha* + *-eiro*.] *Adj.* e *s. m.* **1.** Que ou aquele que se ocupa de bagatelas, que em tudo repara. **2.** V. *avaro* (1 e 3).

migalhice. [De *migalha* + *-ice*.] *S. f.* V. *ninharia.*

migalho. [De *migalha*.] *S. m.* V. *migalha*: "a gente esta noite vai mas é no cinema, distrair um migalho." (José Rodrigues Miguéis, *Onde a Noite Se Acaba*, p. 219).

migalomorfa. *S. f.* **1.** Espécime das migalomorfas. ● *Adj. 2 g.* **2.** Pertencente ou relativo a elas. [Sin. ger.: *terafosomorfa, ortógnata* e *tetrapnêumone*.]

migalomorfas. *S. f. pl. Zool.* Artrópodes aracnídeos, araneídeos, da subordem *Mygalomorphae*, caracterizadas por terem quelíceras horizontais. [Sin.: *terafosomorfas, ortógnatas* e *tetrapnêumones*.]

migar. [De *miga* + *-ar*[2].] *V. t. d.* **1.** V. *esmigalhar*: "puxou da cava do colete uma faquinha com que ia migar um pouco de fumo" (Gastão Cruls, *De Pai a Filho*, p. 59). **2.** Esfarelar (pão) no caldo. [Conjug.: v. *largar*.]

migas. [Pl. de *miga*.] *S. f. pl. Lus.* Sopas de pão, temperadas, em geral, com azeite. ~ V. *miga.*

migmatito. [Do gr. *mígma, atos*, 'mistura', + *-ito*[2].] *S. m. Pet.* Tipo de gnaisse que sofreu injeções de magma, sendo, pois, uma mistura de material sedimentar metamorfizado e material magmático.

migração. [Do lat. *migratione*.] *S. f.* **1.** Passagem de um país para outro (falando-se de um povo ou de grande multidão de gente): *as migrações espanholas para a América.* **2.** Viagens, periódicas ou irregulares, feitas por certas espécies de animais: *migração de andorinhas; migração de gafanhotos.* [Cf. *emigração* e *imigração*.]

migrado. [Part. de *migrar*.] *Adj.* Que migrou. [Cf. *emigrado* e *imigrado*.]

migrador (ô). *Adj.* Diz-se das espécies animais que mudam periodicamente de região, que migram: *aves migradoras.*

migrante. [Do lat. *migrante*.] *Adj. 2 g.* e *s. 2 g.* Que ou quem migra. [Cf. *emigrante* e *imigrante*.]

migrar. [Do lat. *migrare*.] *V. t. i.* e *int.* Mudar periodicamente, ou passar de uma região para outra, de um país para outro. [Cf: *emigrar* e *imigrar*.]

migratório. *Adj.* Referente à migração.

miguel-alvense. *Adj. 2 g.* **1.** De, ou pertencente ou relativo a Miguel Alves (PI). ● *S. 2 g.* **2.** Natural ou habitante de Miguel Alves [Pl.: *miguel-alvenses*.]

miguelão. *S. m. Bras., SP.* Grampo constituído de uma peça de plástico atravessada por dois preguinhos, usado para fixar fios de eletricidade em paredes, etc.

miguelense[1]. *Adj. 2 g.* **1.** De, ou pertencente ou relativo a Miguel Pereira (RJ). ● *S. 2 g.* **2.** Natural ou habitante de Miguel Pereira.

miguelense[2]. *Adj. 2 g.* **1.** De, ou pertencente ou relativo a São Miguel dos Campos (AL). ● *S. 2 g.* **2.** Natural ou habitante de São Miguel dos Campos.

miguelense[3]. *Adj. 2 g.* **1.** De, ou pertencente ou relativo a São Miguel das Matas (BA). ● *S. 2 g.* **2.** Natural ou habitante de São Miguel das Matas.

miguelismo. *S. m.* O partido político de D. Miguel de Bragança, rei português (1802-1866), quando da luta contra seu irmão D. Pedro IV (I do Brasil) pelo trono de Portugal.

miguelista. *Adj. 2 g.* **1.** Relativo ao, ou que é adepto do miguelismo. **2.** *Bras.* Dizia-se do membro ou adepto do Partido Conservador, ou guabiru, em PE, contrário ao Liberal ou praieiro (1848). ● *S. 2 g.* **3.** Partidário do miguelismo. **4.** *Bras.* Adepto do Partido Conservador pernambucano (1848); guabiru.

miguelopense. *Adj. 2 g.* **1.** De, ou pertencente ou relativo a Miguelópolis (SP). ● *S. 2 g.* **2.** Natural ou habitante de Miguelópolis.

miguim. [De língua indígena, talvez.] *S. m. Bras., RS.* V. *príncipe*[1] (8).

miíase. [De *mii(o)-* + *-ase*.] *S. f. Med.* Condição mórbida produzida pela implantação, no corpo, de larvas de moscas.

▲**mii(o)-.** [Do gr. *myîa, as*.] *El. comp.* = 'mosca': *miiologia, miiocéfalo; miíase.*

miiocefálico. *Adj.* Relativo ao miiocéfalo.

miiocéfalo. [De *mii(o)-* + *-céfalo*.] *S. m. Med.* Saliência da íris, através de fenda na córnea.

miiodopsia. [Do gr. *myiódes*, 'semelhante a mosca', + *-ops-* + *-ia*.] *S. f. Patol.* Turvação visual em que se percebem pontinhos pretos e móveis, à semelhança de moscas. [Sin., pop.: *moscas volantes*.]

miiologia. [De *mii(o)-* + *-log(o)-* + *-ia*.] *S. f.* Tratado ou descrição das moscas. [Cf. *miologia*.]

miiológico. *Adj.* Relativo à miiologia. [Cf. *miológico*.]

miiologista. *S. 2 g.* Especialista em miiologia; miiólogo.

miiólogo. *S. m.* Miiologista.

miite. [De *mi(o)-*[1] + *-ite*[1].] *S. f. Patol.* Miosite.

mijacão. [De *mijar*.] *S. m.* **1.** *Bras.* Cogumelo com o feitio de guarda-chuva, que brota onde há urina ou excremento de animais. **2.** *Bras., S.* Tumor ou abscesso da sola ou de entre os dedos do pé, atribuído pela crendice popular ao contato com a urina do cavalo. [Var.: *mijicão*. Pl.: *mijacãos*.]

mijada. *S. f. Pleb.* **1.** Ação de mijar. **2.** A quantidade de urina produzida de uma vez pela micção.

mijadeiro. [De *mijar* + *-deiro*.] *S. m.* **1.** V. *urinol* (1). **2.** V. *mictório* (2).

mijadela. [De *mijar* + *-dela*.] *S. f.* **1.** Jacto de urina. **2.** Mancha que a urina produz.

mijado. [Part. de *mijar*.] *Adj.* **1.** Que se urinou ou mijou. **2.** Molhado ou manchado de urina: "Nessa linguagem desgovernada estava falando o Mestre, no seu pijama mijado" (Moreira Campos, *Os Doze Parafusos*, p. 46).

mijadoiro. [De *mijar* + *-doiro*.] *S. m.* V. *mijadouro.*

mijadouro. [De *mijar* + *-douro*; var. de *mijadoiro*.] *S. m.* V. *mictório* (2).

mija-fogo. [De *mijar* + *fogo*.] *S. f. Bras.* Certa abelha silvestre. [Pl.: *mija-fogos*.]

mija-mija. [Da 3ª. pess. sing. do pres. ind. de *mijar*, repetida.] *S. f. Bras.* Molusco bivalve, da família dos cardídeos (*Trachycardium muricatum* (L.)), comestível, da costa atlântica, de concha quase circular e com sulcos longitudinais que partem do ápice, irradiando-se para a periferia em forma de leque. O nome provém de lançarem jactos de água ao locomoverem-se. [Sin.: *berbigão, rala-coco* e *tamati*. Pl.: *mijas-mijas* e *mija-mijas*.]

mijão. *Adj.* e *s. m. Pleb.* Que ou aquele que mija com freqüência. [Fem.: *mijona*.]

mijar. [Do lat. *meiare*, por *meiere*.] *V. int., t. d.* e *p. Pleb.* V. *urinar.*

mija-vinagre. [De *mijar* + *vinagre*.] *S. m. Bras.* V. *água-viva.* (2). [Pl.: *mija-vinagres*.]

mijicão. *S. m. Bras.* Var. de *mijacão*. [Pl.: *mijicãos*.]

mijo. [Dev. de *mijar*.] *S. m. Pleb.* Urina.

mijo-de-padre. *S. m. Bras., AL. Pop.* Café muito ralo. [Pl.: *mijos-de-padre*.]

mijolo (ô). *S. m. Bras., Pl.* Bezerro novo.

mijona. *Adj. (f.)* e *s. f. Pleb.* Fem. de *mijão.*

mijuba. [Do tupi, talvez.] *S. f. Bras., AM.* Mandioca amarela.

mijuí. [Do tupi *miyu'i*.] *S. m. Bras.* Pequena abelha preta.

mil. [Do lat. *mille*.] *Num.* **1.** Cardinal dos conjuntos equivalentes a um conjunto de um milhar de membros (em algarismos arábicos, 1.000; em algarismos romanos, M). **2.** *P. ext.* Designa quantidade grande e indeterminada; inúmeros: "Traz infindo dinheiro, papagaios, / Araras e bugios: traz mil cousas." (Correia Garção, *Obras Poéticas e Oratórias*, p. 292); "E estrelas mil cravejam-te, fagueiras" (Raimundo Correia, *Poesias*, p. 94). **3.** Milésimo (1). ● *S. m.* **4.** Algarismo representativo do número mil. **5.** Aquilo ou aquele que numa série de mil ocupa o último lugar. ◆ **Mil e um.** *Fig.* Grande quantidade; muitos; mil: "Romantismo alemão... Perigoso tema, em que logo nos sentimos solicitados por mil e um atalhos sem estrada real, verdadeira sedução da rosa-dos-rumos." (Augusto Meyer, *A Chave e a Máscara*, p. 87.) **A mil.** *Bras.* Em estado de grande animação, excitação, alegria, entusiasmo: *Ganhou o concurso, e está a mil.* **Aos mil.** Em grande quantidade; em abundância: "Voaram, deixando o musgo e a penugem dos ninhos, / No ar diáfano e aromado, aos mil, os passarinhos" (Alberto de Oliveira, *Poesias*, 3ª. série, p. 20).

➧**milady** (milêidi). [Ingl.] *S. f.* Tratamento dado a senhoras de elevado nível social.

milagraria. *S. f. Fam.* Grande porção de milagres.

milagre. [Do lat. *miraculu*.] *S. m.* **1.** Feito ou ocorrência extraordinária, que não se explica pelas leis da natureza. **2.** Acontecimento admirável, espantoso: *os milagres da Natureza; os milagres da ciência.* **3.** Portento, prodígio, maravilha: *As pirâmides do Egito são milagres arquitetônicos.* **4.** Ocorrência que produz admiração ou surpresa: *É um milagre vê-lo aqui.* **5.** *Rel.* Qualquer manifestação da presença ativa de Deus na história humana. **6.** *Rel.* Sinal dessa presença, caracterizado sobretudo por uma alteração repentina e insólita dos determinismos naturais. **7.** *Teat.* Peça religiosa da Idade Média, em que se representavam as vidas ou feitos de Cristo e dos santos. [V. *drama litúrgico, mistério* (8) e *moralidade* (5).] **8.** *Bras.* Figura de madeira ou de cera (algumas vezes reprodução de qualquer membro do corpo) que se oferece aos santos em cumprimento de promessa: "Corria [o sacristão] daqui para acolá, ... colocando em seus devidos lugares os milagres de cera, de ouro e de prata, as velas e painéis votivos que a gente das redondezas trazia" (Melo Morais Filho, *Festas e Tradições Populares do Brasil*, pp. 145-146). **9.** *Bras.* Painel oferecido por motivo idêntico, e que representa o fato que originou a promessa, com legenda explicativa. [Sin., nas acepç. 8 e 9: *ex-voto*.]

milagreiro. *Adj.* **1.** Que facilmente acredita em milagres. ● *S. m.* **2.** Aquele que facilmente acredita neles. **3.** Aquele que os pratica, ou se dá como capaz de os praticar.

milagrento. *Adj. Pop. Deprec.* Milagroso (1 e 2).

milagrosa. [Fem. substantivado de *milagroso*.] *S. f. Bras.* Espécie de mandioca.

milagroso (ô). *Adj.* **1.** Que faz milagres. **2.** A quem se atribuem milagres: *santo milagroso.* **3.** Maravilhoso, extraordinário, prodigioso, supreendente, miraculoso: *fato milagroso; remédio milagroso.* [Sin. deprec. (nas acepç. 1 e 2): *milagrento*.]

milanês. *Adj.* **1.** De, ou pertencente ou relativo a Milão (Itália). ● *S. m.* **2.** O natural ou habitante de Milão. [Flex.: *milanesa* (ê), *milaneses* (ê), *milanesas* (ê).]

milanesa (ê). [Fem. substantivado do adj. *milanês*.] *S. f.*

Iguaria preparada à *milanesa.* ◆ **À milanesa.** Diz-se de carne, peixe ou outro ingrediente culinário panado e frito na gordura: *bife à milanesa; berinjelas à milanesa.*

míldio. [Do ingl. *mildew.*] *S. m.* Doença das videiras, causadas por fungos, que atacam os órgãos verdes, sobretudo as folhas.

milefólio. [Do lat. *millefoliu.*] *S. m.* Erva da família das compostas (*Achillea millefolium*), originária da Europa e da Ásia, que apresenta folhas muito subdivididas em finos segmentos, cujos capítulos, amarelos, vermelhos, e róseos, se reúnem em corimbos; mil-em-rama; mil-folhas.

mil-em-rama. *S. f. 2 n.* V. *milefólio.*

milenar. *Adj. 2 g.* Que tem um milênio; milenário.

milenário. [Do lat. *millenariu.*] *Adj.* **1.** Relativo ao milhar^{1}. **2.** Milenar. ● *S. m.* **3.** Milênio; "Ao celebrar o seu milenário, Guimarães fê-lo com todas as honras que o acontecimento merecia." (Luís Forjaz Trigueiros, *Campos Elísios,* p. 41.)

milenarismo. *S. m.* Heresia defendida por Joaquim de Flora (séc. XIII) e por outros, ao longo da história do cristianismo, e que supunha um reinado terrestre da divindade, ou de Cristo, reinado esse que para alguns, mediante a interpretação do Apocalipse de São João, teria a duração de um milenário (3) ou milênio; quiliasmo.

milenarista. *Adj. 2 g.* **1.** Relativo ao, ou que acreditava no milenarismo. ● *S. 2 g.* **2.** Pessoa que tinha essa crença. [Sin. ger.: *quiliasta.*]

milênio. [Do lat. *mille,* 'mil', pelo modelo de *biênio, triênio,* etc.] *S. m.* Período de mil anos; milenário: "Não se julgue que os países de climas temperados e frios nunca foram selvagens; a sua conquista pelo homem levou milênios." (Castro Barreto, *Povoamento e População,* II, p. 492.)

milésima (zi). [Fem. substantivado de *milésimo.*] *S. f.* Cada uma das mil partes iguais em que se pode dividir a unidade; milésimo.

milésimo (zi). [Do lat. *millesimu.*] *Num.* **1.** Ordinal e fracionário correspondente a mil. ● *S. m.* **2.** Milésima. **3.** Unidade de medida angular, usada em artilharia, definida pelo ângulo sob o qual é avistado um objeto situado a uma distância mil vezes maior do que o seu diâmetro aparente, ou seja, na graduação sexagesimal, a cerca de 3'26''. **4.** Aquele ou aquilo que ocupa o milésimo lugar.

milésio. [Do gr. *milésios,* pelo lat. *milesiu.*] *Adj.* **1.** De, ou pertencente ou relativo a Mileto, antiga cidade da Ásia Menor. **2.** *Hist. Filos.* Pertencente ou relativo aos milésios ou às suas doutrinas. ~ V. *escola —a.* ● *S. m.* **3.** O natural ou habitante de Mileto. **4.** *Hist. Filos.* Cada um dos pensadores — Tales (c. 640-545 a. C.), Anaximandro (c. 610-547 a.C.) e Anaxímenes (c. 588-524 a.C.), da cidade de Mileto — cujas doutrinas, sobretudo as considerações sobre a *physis,* marcaram o início da ciência e da filosofia ocidentais, e que constituíram a chamada escola milésica ou escola de Mileto.

mil-flores. *S. m. 2 n.* Essência de muitas flores diferentes.

mil-folhas. *S. f. 2 n.* **1.** V. *milefólio.* **2.** *Bras.* Variedade de massa folhada, doce, e em geral com recheio de creme.

mil-folhas-d'água. *S. m. 2 n. Bras.* V. *cavalinho-d'água.*

milfurado. [De *mil* + *furado.*] *Adj.* **1.** Que tem numerosos furos. **2.** *P. ext.* Muito esburacado; traspassado, crivado.

mil-grãos. [De *mil* + o pl. de *grão*^{1}.] *S. m. 2 n.* V. *brilhantina* (3).

milha^{1}. [do lat. *milia,* i. e., *milia passuum,* 'medida romana de 1.000 passos'.] *S. f.* **1.** Antiga medida itinerária brasileira, equivalente a 1.000 braças, ou seja, 2.200m. **2.** Medida itinerária inglesa e norte-americana, equivalente a l.609m. **3.** *Bras., Turfe.* Percurso de l.600m, no turfe carioca. [Em São Paulo, é o percurso de 1.609m, que equivale à milha (2).] ◆ **Milha marítima.** *Náut.* Unidade de distância usada em navegação, igual ao comprimento de um minuto de meridiano terrestre. [A Conferência Hidrográfica de 1929 fixou seu valor em 1.852 metros; em todos os problemas práticos podemos considerá-la igual a 2.000 jardas. Abrev.: *mima.*] **Milha radar.** *Eng. Eletrôn.* O tempo gasto pela onda de um radar para fazer a viagem de ida e volta de uma milha náutica, igual a 12,34 microssegundos.

milha^{2}. [Der. regress. de *milhão*^{1}.] *S. m. Bras. Gír.* Mil cruzados (um milhão antigo): *O objeto foi vendido por quinhentas milhas.*

milhã. [De *milho.*] *S. f. e m. Bras.* Delicado capim da família das gramíneas (*Digitaria sanguinalis*), de colmos decumbentes, folhas longas, pubérulas, verdes ou violáceas, e cujas espigas atingem até 12cm: "O panasco, o mimoso, o milhã, todas as gramíneas, quando a seca demasiadamente se prolonga, ... desprendem-se do solo" (Gustavo Barroso, *Terra de Sol,* p. 14).

milhado. [Part. de *milhar*^{3}.] *Adj.* **1.** *Bras., RS.* Diz-se do animal que adoece por haver ingerido muito milho. **2.** *Fig.* V. *embriagado* (1).

milhã-do-sertão. *S. f. Bras.* V. *capim-guiné.* [Pl.: *milhãs-do-sertão.*]

milhafre. *S. m.* Ave de rapina, européia, da família dos falconídeos (*Milvus milvus* Lin.). [Sin.: *milhano* e (*poét.*) *mílvio.*]

milhagem. [De *milha*^{1} + *-agem*^{2}.] *S. f. Bras.* Contagem de milha.

milhã-gigante. *S. f. Bras.* V. *capim-guiné.* [Pl.: *milhãs-gigantes.*]

milhal. [De *milho* + *-al.*] *S. m.* V. *milharal.*

milhano. *S. m.* V. *milhafre.*

milhão^{1}. [Do it. *milione.*] *S. m.* **1.** Mil milhares. **2.** *P. ext.* Grande número indeterminado, porém muito considerável; mil, milhar: *milhões de estrelas; Já fui lá um milhão de vezes.* ~ V. *milhões.*

milhão^{2}. [De *milho* + *-ão*^{1}.] *S. m.* Milho (2) graúdo.

milhar^{1}. [Do lat. tardio *milliare.*] *S. m.* **1.** Mil unidades. V. *milheiro.* **2.** V. *milhão*^{1} (2): *milhares de vezes.* [Cf. *miliar.*]

milhar^{2}. [De *milho* + *-ar*^{1}.] *S. m.* V. *milharal.* [Cf. *miliar.*]

milhar^{3}. [De *milho* + *-ar*^{2}.] *V. t. d. Bras.* Dar milho a. [M.-q.-perf. ind.: *milhara, milharas,* etc. Cf. *milharas* e *miliar.*]

milharada. [De *milhar*^{2} + *-ada*^{1}.] *S. f.* **1.** Grande porção de milho. **2.** V. *milharal.*

milharado. [De *milharas* + *-ado*^{1}.] *Adj.* Que tem milharas.

milharal. [Alter. de *milheiral.*] *S. m.* Quantidade mais ou menos considerável de pés de milho, ou milheiros [v. *milheiro*^{2}], dispostos proximamente entre si; milhal, milhar, milharada, milheiral: "Verdes e farfalhantes, / Os milharais pujantes / Hão de sorrir ao sol." (Ricardo Gonçalves, *Ipês,* p. 69).

milharas. [De *milhar*^{1}.] *S. f. pl.* **1.** A substância granulosa das ovas dos peixes, da moela das aves, etc. **2.** Os grânulos ou pequenas sementes da polpa de certos frutos, como o figo, a uva, etc. [Cf. *milharas,* do v. *milhar.*]

milharós. [Alter. de *melharuco.*] *S. m.* V. *abelheiro* (4). [Pl.: *milharoses.*]

milhã-verde. *S. f. Bras.* V. *capim-guiné.* [Pl.: *milhãs-verdes.*]

milhear. [De *milho* + *-e-* + *-ar*^{1}.] *Adj. 2 g.* V. *miliar*^{1}.

milheiral. [de *milheiro*^{2} + *-al.*] *S. m.* V. *milharal:* "verduras úmidas de milheirais" (Antero de Figueiredo, *Jornadas em Portugal,* p. 14); "E o ouro dos milheirais a apendoar maduros" (Alberto de Oliveira, *Poesias,* 2ª série, p. 202).

milheiro^{1}. [Do lat. *milliariu.*] *S. m.* Milhar, na contagem de certas coisas (plantas, frutas, sardinhas, etc.).

milheiro^{2}. [De *milho* + *-eiro.*] *S. m.* Planta que dá milho; pé de milho.

milhentos. [De *milh(ar*^{1}) + a terminação de *centos.*] *Adj. Burl.* e *fam.* Designa um número indeterminado superior a mil ou equivalente a vários milhares.

milhete (ê). [De *milho* + *ete.*] *S. m.* Variedade de milho de grão muito miúdo.

milho. [Do lat. *miliu.*] *S. m.* **1.** Erva alta, da família das gramíneas (*Zea mays*), originária da América do Sul, cultivada por causa dos seus grãos nutritivos, que se dispõem em grossas espigas, e cuja planta apresenta flores de sexos separados, porém sobre o mesmo indivíduo, o que a caracteriza como monóica, tendo as espigas femininas estigmas tão longos que lembram fios de cabelo. [Sin.: *abati, auati* e *avati.*] **2.** O grão dessa planta. **3.** *Bras. Gír.* V. *dinheiro* (3). ● *Adj.* **4.** Diz-se da palha e da farinha do milho: *papa de farinha milho.* ◆ **Catar milho.** *Bras. Joc.* Dactilografar muito vagarosamente.

milho-alpista. *S. m.* V. *alpista* (1 e 2). [Pl.: *milhos-alpistas.*]

milho-alpiste. *S. m.* V. *alpista* (1 e 2): "Continua a comer teu milho-alpiste." (Augusto dos Anjos, *Eu,* p. 94.) [Pl.: *milhos-alpistes.*]

milho-cozido. *S. m. Bras.* Árvore da família das rosáceas (*Licania incana*), habitante das matas pluviais, de pequeninas flores espiculadas e frutos drupáceos, e cuja madeira não tem préstimo. [Pl.: *milhos-cozidos.*]

milhões. [Pl. de *milhão.*] *S. m. pl.* **1.** Muito dinheiro; quantia elevadíssima: *Ganhou milhões na Bolsa.* ● *Adv.* **2.** *Bras. Gír.* No mais alto grau; à beça; muitíssimo: *Adorei milhões aquela festa.* ~ V. *milhão.*

mil-homens. *S. m. 2 n. Bras.* V. *cipó mil-homens* (1).

mil-homens-do-rio-grande-do-sul. *S. m. 2 n. Bras.* V. *cipó-mil-homens* (1).

milho-zaburro. *S. m.* Sorgo. [Pl.: *milhos-zaburros.*]

▲**mili-^{1}.** [De *milésimo.*] Pref. que, anteposto ao nome duma unidade de medida, forma o nome de uma unidade derivada mil vezes menor que a primeira: *milímetro, miligrama.* [Símb.: *m.*]

▲**mili-^{2}.** [Do lat. *mille.*] *El. comp.* = 'mil': *milípede, milímodo* (< lat. *millemodu*).

miliampère. [De *mili-*^{1} + *ampère.*] *S. m. Fís.* Unidade de intensidade elétrica, equivalente à milésima parte do ampère.

miliamperímetro. [De *mili-*^{1} + *amperímetro.*] *S. m. Fís.* Amperímetro para medir correntes elétricas de alguns miliampères; meliamperômetro.

miliamperômetro. [De *mili-*^{1} + *amperômetro.*] *S. m.* Miliamperímetro.

miliar^{1}. [Do lat. *miliu,* 'milhete', + *-ar*^{1}.] *Adj. 2 g.* **1.** Que tem forma de pequenos grãos de milho. **2.** Diz-se de animal de reduzidas dimensões. **3.** Diz-se de lesão que se assemelha a semente de milhete: *tuberculose miliar.* ~V. *febre —.* [Sin. ger.: *milhear.* Cf. *milhar.*]

miliar^{2}. [Do lat. *milia,* 'milha', + *-ar*^{1}.] *Adj. 2 g.* Miliário. [Cf. *milhar.*]

miliardário. [Do fr. *milliardaire.*] *Adj.* e *s. m.* V. *bilionário.*

miliare. [De *mili-*^{1} + *are.*] *S. m.* A milésima parte do are.

miliário. [Do lat. *milliariu.*] *Adj.* **1.** Relativo a milhas. **2.** Diz-se de marco que assinala distâncias em estrada. **3.** *Fig.* Que assinala época ou data memorável na história. [Sin. ger.: *miliar.*]

milibar. [De *mili-*^{1} + *bar*^{3}.] *S. m. Fís.* Unidade de medida de pressão igual a um milésimo do bar, ou seja, a uma pressão de 100 pascals, ou 0,75 mm de mercúrio. [É us. para exprimir a pressão atmosférica.]

milicada. *S. f. Bras. Gír.* Grupo de milicos.

milícia. [Do lat. *militia.*] *S. f.* **1.** Vida ou disciplina militar. **2.** Força militar de um país. **3.** Qualquer corporação sujeita a organização e disciplina militares. **4.** Congregação ou agrupamento militante: *milícia partidária; milícia católica.* ~V. *milícias.* [Cf. *melícia.*] ◆ **A milícia celeste.** Os anjos; os bem-aventurados.

miliciano. *Adj.* **1.** Relativo a milícia. ~ V. *oficial —.* ● *S. m.* **2.** Soldado de milícias.

milícias. [Pl. de *milícia.*] *S. f. pl.* Tropas auxiliares de segunda linha. ~ V. *milícia.*

milico. [De *mili(tar)*^{1}.] *S. m. Bras. Pop.* Soldado militar.

milicurie. [De *mili-*^{1} + *curie.*] *S. m.* Unidade de medida de radioatividade igual a um milésimo de curie.

miligrama. [De *mili-*^{1} + *grama*^{2}.] *S. m.* Medida de massa (Sistema Métrico Decimal), equivalente à milésima parte do grama. [Símb.: *mg.*]

mililitro. [De *mili-*^{1} + *litro.*] *S. m.* Unidade de capacidade, equivalente à milésima parte do litro. [Símb.: *ml.*]

milimetrado. [Part. de *milimetrar.*] *Adj.* Medido por milímetros.

milimetrar. [De *milímetro* + *-ar*^{2}.] *V. t. d.* Medir por milímetros. [Pres. ind.: *milimetro,* etc. Cf. *milímetro.*]

milimétrico. *Adj.* **1.** Relativo ao milímetro. **2.** Dividido ou graduado em milímetros.

milímetro. [De *mili-*^{1} + *metro.*] *S. m.* Milésimo do metro. [Símb.: *mm.* Cf. *milimetro,* do v. *milimetrar.*] ◆ **Milímetro de mercúrio.** *Fís.* Unidade de medida de pressão, igual a 1/760 de uma atmosfera física, e que vale 133,3224 Pa; torr. [Símb.: *mmHg.*]

milimicro. [De *mili-*^{1} + *-micro.*] *S. m. Fís.* Nanômetro. [Símb.: *m.* F. paral.: *milimícron.*]

milimícron. *S. m. Fís.* V. *milimicro.*

milímodo. [Do lat. *millimodu.*] *Adj.* Que se efetua de mil modos; infinitamente variado.

miliobátida. *S. m.* e *adj. 2 g.* V. *miliobatídeo.*

miliobátidas. *S. m. pl. Zool.* V. *miliobatídeos.*

miliobatídeo. *S. m.* **1.** Espécime dos miliobatídeos. ● *Adj.* **2.** Pertencente ou relativo a eles.

miliobatídeos. *S. m. pl. Zool.* Família de peixes elasmobrânquios, da classe dos seláquios, conhecidos como *raias,* que se caracterizam por não apresentarem ferrões nos cantos externos das nadadeiras pélvicas e os espiráculos não possuem traços de dobras branquiais.

milionário. [Do fr. *millionaire.*] *Adj.* e *s. m.* Que, ou aquele que tem milhões, que é riquíssimo. ◆ **Milionário do ar.** Aquele que já viajou de avião um total de 1.000 horas.

milionésima. [Fem. substantivado de *milionésimo.*] *S. f.* Cada uma de um milhão de partes iguais em que se divide um todo; milionésimo.

milionésimo. [De *milione*, 'milhão', + o final de *centésimo, milésimo*, etc.] *Num.* **1.** Ordinal e fracionário correspondente a milhão. ● *S. m.* **2.** Milionésima.

milionocracia. [De *milione*, 'milhão', + *-o-* + *-cracia*.] *S. f. Bras.* Plutocracia (1 e 2).

milípede. [De *mili-*[2] + *-pede*.] *Adj. 2 g.* Que tem muitos pés; miriópode, miriápode.

milissegundo. [De *mili-*[1] + *segundo*.] *S. m. Cronol.* Intervalo de tempo correspondente à milésima parte do segundo (usualmente, o segundo de tempo médio).

milistere. *S. m.* V. *milistéreo*.

milistéreo. [De *mili-*[1] + *estéreo*.] *S. m.* A milésima parte do estéreo.

militança. [De *milita(r)*[1] + *-ança*.] *S. f.* **1.** A profissão militar. **2.** Os militares. [Cf. *militância*.]

militância. *S. f.* Ação de militante; exercício, prática, atuação: *militância política*. [Cf. *militança*.]

militante. [Do lat. *militante*.] *Adj. 2 g.* **1.** Que milita; combatente. **2.** Que atua; participante. **3.** Que funciona ou está em exercício. ● *S. 2 g.* **4.** Membro ativo; apóstolo: *militante de um partido*. ● *S. m.* **5.** *Ant.* Soldado, guerreiro. **6.** Aquele que pertence a alguma das organizações apostólicas da Igreja.

militar[1]. [Do lat. *militare*.] *Adj. 2 g.* **1.** Relativo à guerra, às milícias, aos soldados. **2.** Relativo às três forças armadas (marinha, exército e aeronáutica): *chefes militares; organizações militares; Tribunal Superior Militar*. **3.** *Restr.* Relativo ao exército: *Academia Militar das Agulhas Negras*. ~ V. *casa —, gota —, hierarquia —, honras —es, inquérito policial —, polícia —, região —, saudação —, serviço —, sorteio —, tambor — e testamento —*. ● *S. m.* **4.** Soldado, combatente. **5.** Aquele que segue a carreira das armas.

militar[2]. [Do lat. *militare*.] *V. int.* **1.** Seguir a carreira das armas; servir no exército. **2.** Fazer guerra; combater: *Foram condecorados os que militaram na grande batalha*. **3.** Ser membro dum partido; seguir e defender as idéias dum grupo político. **4.** Ter força; prevalecer, vogar. **5.** Fazer guerra; combater. **6.** Pugnar, lutar: *Militava por um ideal muito nobre. T. c.* **7.** Seguir carreira em que se defendam idéias e/ou doutrinas: "Até morrer, militou Gonzaga Duque na imprensa." (Rodrigo Otávio [filho], *Velhos Amigos*, p. 56.) *T. i.* **8.** Fazer guerra; combater; pugnar; opor-se: *Militou contra inimigos poderosos*. [Pres. subj.: *milite*, etc. Cf. *mílite*.]

militarão. *S. m.* Militar[1] (4 e 5) muito rude e autoritário, e/ou rígido seguidor da disciplina.

militarismo. *S. m.* **1.** Sistema político em que preponderam os militares. **2.** Tendência ou sistema de fortalecimento dos exércitos para a decisão de conflitos pelas armas; tendência para a guerra: *o militarismo nazista*.

militarista. *Adj. 2 g.* **1.** Relativo ao, ou que é partidário do militarismo. ● *S. 2 g.* **2.** Partidário dele.

militarização. *S. f.* Ato ou efeito de militarizar(-se).

militarizado. [Part. de *militarizar*.] *Adj.* Tornado militar; que tomou caráter militar.

militarizar. *V. t. d.* **1.** Tornar militar; dar feição militar a. *P.* **2.** Preparar-se militarmente.

mílite. [Do lat. *milite*.] *S. m. Poét.* Soldado (3). [Cf. *milite*, do v. *militar*.]

militofobia. [Do lat. *milite* + *-o-* + *-fob(o)-* + *-ia*.] *S. f.* **1.** Aversão à vida ou ao estado militar. **2.** Horror aos militares.

militofóbico. *Adj.* Relativo à militofobia.

miliwatt (uó). *S. m. Fís.* Unidade de medida de potência, igual a um milésimo de watt.

➧**milk-shake** (milk-xeik). [Ingl.] *S. m.* Leite batido com sorvete.

miloló. *S. m. Bras.* V. *coração-de-boi*.

milonga. [Do quimb. *milonga*, 'palavras', pelo esp. plat. *milonga*.] *S. f.* **1.** Canto e dança do tipo da habanera e do tango andaluz, popular nos subúrbios de Montevidéu e Buenos Aires nos fins do séc. XIX, e que veio a ser absorvida pelo tango. **2.** *Bras., RS.* Espécie de música platina dolente, em ritmo binário, cantada ao som do violão. **3.** *Bras.* No candomblé e na macumba, feitiço, sortilégio, bruxedo. [Var., nesta acepç.: *milongo* e *mironga*.] ~ V. *milongas*.

milongas. [Pl. de *milonga*.] *S. f. pl. Bras.* **1.** Mexericos, intrigas. **2.** Manhas, dengues. **3.** Desculpas descabidas. ~V. *milonga*.

milongo. *S. m. Bras.* V. *milonga* (3).

milongueiro. [Do esp. plat. *milonguero*.] *Adj.* e *s. m. Bras., RS.* **1.** Que ou aquele que canta milongas. **2.** *Bras.* Manhoso, dengoso. **3.** *Bras.* Que ou aquele que tem lábia.

milonito. [Do gr. *mylos*, 'mó', + *-n-* + *-ito*[2].] *S. m. Geol.* Rocha finamente triturada por movimentos tectônicos e depois consolidada.

milorde. [Do ingl. *milord* < *my lord*, 'meu senhor'.] *S. m.* **1.** Designação que se dá aos lordes ou pares da Inglaterra, quando se lhes dirige a palavra **2.** *P. ext.* Homem muito rico; figurão.

mil-réis. [De *mil* + *réis*, pl. de *real*[1] (2 e 3).] *S. m. 2 n.* **1.** Antiga moeda portuguesa e brasileira que, em conseqüência da acentuada perda de valor do real[2] (3), passou a constituir a unidade monetária em Portugal até 1911, quando foi substituída pelo escudo, e no Brasil até 1942, quando foi substituída pelo cruzeiro. ● *Adj. 2 g.* e *2 n.* **2.** *Bras.* Diz-se do animal cavalar cujo pêlo é mesclado de branco e vermelho.

miltônia. [Do antr. *Milton* + *-ia*.] *S. f. Bot.* Gênero de orquídeas monândricas.

mílvio. [Do lat. *milviu*.] *S. m. Poét.* V. *milhafre*.

mim. [Do lat. *mi*, atr. do arc. *mi*, com prolação da nasal inicial.] *Pron. pess.* F. oblíqua de *eu*, sempre regida de preposição: *Vinde a mim; Mora perto de mim; Entre mim e Paulo vai tudo bem.* ◆ **De mim comigo.** V. *de mim para mim*. **De mim para mim.** Comigo mesmo; de mim comigo; entre mim; com os meus botões. **Entre mim.** V. *de mim para mim*: "Disse entre mim: — Que amplíssima mortalha!..." (Luís Delfino, *Rosas Negras*, p. 6.)

mima. *S. f.* Abrev. de *milha marítima*.

mimaça. [De *mim(o)* + *-aça*.] *S. f. Bras.* e *prov. lus.* Mimo exagerado; excessiva condescendência com crianças.

mimado. [Part. de *mimar*[2].] *Adj.* Amimado.

mimalhice. *S. f.* Qualidade, modos ou ato de mimalho.

mimalho. [De *mimo*[1] + *-alho*.] *Adj.* e *s. m.* Diz-se de, ou aquele que tem muito mimo; piegas, mimanço: "É a nossa própria alma que se queixa naqueles gemidos de menino mimalho, com a imaginação a arder." (Miguel Torga, *Traço de União*, p. 92.)

mimanço. *Adj.* e *s. m.* V. *mimalho*. [Fem.: *mimança*. Cf. *mimansa*.]

mimansa. [Do sânscr.] *S. m. Filos.* Sistema ortodoxo de filosofia da Índia, que constitui uma reflexão crítica sobre o ritual védico. [V. *darsana*. Cf. *mimança*, fem. de *mimanço*.]

mimar[1]. [De *mimo*[1] + *-ar*[2].] *V. t. d.* e *p.* V. *amimar*.

mimar[2]. [De *mimo*[2] + *-ar*[2].] *V. t. d.* Exprimir por mímica.

mimbura. [De or. indígena.] *S. f. Bras., N.E.* Na jangada (4), cada um dos dois paus roliços presos entre os bordos e os meios. [Var.: *mumbura*.]

mimê. *S. m.* **1.** *Bras., MA.* Entre os índios guajajaras, espécie de buzina corniforme, feita com dois pedaços de maçaranduba colados com o leite resinoso dessa árvore, e enfeitada com penas de várias cores. **2.** *Bras., AM.* Apito de taquara dos índios maués. [Cf. *membi*.]

▲**mimeo-.** [Do gr. *miméomai*, 'imitar (por gestos)'.] *El. comp.* = 'imitação': *mimeografia*. [Equiv.: *mimo-*: *mimodrama*.]

mimeografagem. [De *mimeo-* + *-graf(o)* + *-agem*.] *S. f.* Ação de mimeografar.

mimeografar. *V. t. d.* Tirar cópias de, ao mimeógrafo: *mimegrafar uma tese*; "Pensou em simplificar o rito das entrevistas mandando mimeografar dados e datas" (Carlos Drummond de Andrade, *Cadeira de Balanço*, p. 48). [Pres. ind.: *mimeografo*, etc. Cf. *mimeógrafo*.]

mimeografia. [De *mimeo-* + *-graf(o)-* + *-ia*.] *S. f.* A arte ou operação de mimeografar; o emprego do mimeógrafo.

mimeográfico. *Adj.* Referente à mimeografia.

mimeógrafo. [De *Mimeograph*, nome comercial.] *S. m.* Aparelho para tirar cópias de páginas escritas sobre papel especial, o estêncil.

mimese. [Do gr. *mímesis*. 'imitação'.] *S. f.* **1.** *Ret.* Figura que consiste no uso do discurso direto e principalmente na imitação do gesto, voz e palavras de outrem. **2.** *Liter.* Imitação ou representação do real na arte literária, ou seja, a recriação da realidade.

mimético. [Do gr. *mimetikós*.] *Adj.* Relativo a, ou em que há mimetismo.

mimetismo. [Do gr. *mimetós*, 'imitado', + *-ismo*.] *S. m.* **1.** Fenômeno que consiste em tomarem diversos animais a cor e configuração dos objetos em cujo meio vivem, ou de outros animais de grupos diferentes. Ocorre no camaleão, em borboletas, etc. [Cf. *homocromia*.] **2.** *Fig.* Mudança consoante o meio; adaptação: *mimetismo religioso*.

mimetizar. *V. t. d.* **1.** Adquirir por mimetismo: *Para se defenderem dos predadores, as espécies mais fracas mimetizam a forma de outros animais. P.* **2.** Modificar-se por mimetismo; camuflar-se.

mimi. [Var. de *membi*, certamente.] *S. m. Bras.* V. *membi*.

mímica. [Fem. substantivado do adj. *mímico*.] *S. f.* **1.** V. *pantomima* (1). **2.** Arte de fazer acompanhar de gestos precisos e adequados a idéia ou sentimento que se exprime; gesticulações. **3.** *Teat.* V. *pantomima* (2). [Cf. *mimica*, do v. *mimicar*.]

mimicar. *V. t. d.* e *int. Bras.* **1.** Exprimir por gestos ou mímica. **2.** Gesticular. [Conjug.: v. *trancar*. Pres. ind. : *mimico, mimicas, mimica*, etc. Cf. *mímico* e *mímica*.]

mimice. *S. f.* Maneiras de quem tem mimo[1].

mímico. [Do gr. *mimikós*, pelo lat. *mimicu*.] *Adj.* **1.** Referente à mímica ou à gesticulação, ou próprio delas. **2.** Que exprime suas idéias por meio de gestos. ● *S. m.* **3.** *Teat.* Ator que representa simplesmente por meio de mímica ou pantomima; mimo, pantomimo, pantomimeiro. [Cf. *mimico*, do v. *mimicar*.]

mimídeo. *S. m.* **1.** Espécime dos mimídeos. ● *Adj.* **2.** Pertencente ou relativo a eles.

mimídeos. *S. m. pl. Zool.* Aves passeriformes, da família *Mimidae*, caracterizadas por terem o tarso do tipo ocreado (escamas anteriores), de tegumento não ou indistintamente dividido em placas, a primeira das rêmiges da mão curta, e cauda consideravelmente mais comprida que a asa. Insetívoras. São os japacanis e os sabiás-do-campo.

mimo[1]. *S. m.* **1.** Coisa delicada, fina, que se oferece ou dá; prenda, oferenda, presente: "traz nas orelhas duas pérolas verdadeiras, — mimo que o nosso Rubião lhe deu pela Páscoa." (Machado de Assis, *Quincas Borba*, p. 57). **2.** Delicadeza, gentileza: *Trataram-no com mimo e cortesia*. **3.** Meiguice, carinho, carícia, afago. **4.** Pessoa ou coisa delicada, graciosa, encantadora. **5.** Primor, perfeição; excelência: *Estas rosas são um mimo da natureza*.

mimo[2]. [Do gr. *mimos*, pelo lat. *mimu*.] *S. m. Teat.* **1.** No antigo teatro greco-romano, farsa popular, entremeada de danças e jogos, na qual se imitavam os caracteres e costumes da época. **2.** O ator que representava nessas farsas. **3.** Pequeno drama familiar, no dialeto siracusano. **4.** *Ant.* Representação burlesca. **5.** V. *bufo*[3] (1). **6.** V. *mímico* (3).

▲**mimo-.** Equiv. de *mimeo-*.

mimô. *S. m. Bras.* V. *membi*.

mimo-de-vênus. *S. m. Bras.* Arbusto da família das malváceas (*Hibiscus rosa-sinensis*), cultivado como ornamental, cujas flores são amplas, vistosas e coloridas, geralmente vermelhas, e que os estudantes pobres esfregam nos sapatos para tingi-los de negro; graxa-de-estudante: "O mimo-de-vênus ainda entremeia o rosado das flores com o verde espesso da folharia." (Telmo Vergara, *Contos da Vida Breve*, p. 96.) [Pl.: *mimos-de-vênus*.]

mimodrama. [De *mimo-* + *drama*.] *S. m. Teat.* Ação dramática representada em mímica. [Cf. *pantomima*.]

mimodramático. *Adj.* Relativo a, ou próprio de mimodrama.

mimografia. [De *mimo-* + *-graf(o)-* + *-ia*.] *S. f. Teat.* Estudo ou tratado acerca da mímica; mimologia.

mimográfico. *Adj.* Referente a mimografia.

mimógrafo. [Do gr. *mimógraphos*, pelo lat. *mimographu*.] *S. m. Teat.* Aquele que escreve sobre a mímica ou elabora roteiros para as representações mímicas; mimólogo.

mimologia. [Do gr. *mimologia*.] *S. f.* **1.** Arte e técnica da mímica. **2.** Ação de imitar, nas palavras, o som dos objetos que elas designam; mimologismo. [Cf., nesta acepç., *onomatopéia*.] **3.** *Teat.* Mimografia.

mimológico. *Adj.* Relativo à mimologia.

mimologismo. [De *mimologia* + *-ismo*.] *S. m.* **1.** Mimologia (2). **2.** Palavra formada por mimologia [Cf. *onomatopéia*.]

mimólogo. [Do gr. *mimológos*, pelo lat. *mimologu*.] *S. m.* **1.** Aquele que imita a voz ou a pronúncia de outro. **2.** Indivíduo versado em mimologia. **3.** *Teat.* Mimógrafo.

mimosa. [Fem. substantivado de *mimoso*.] *S. f.* **1.** Gênero de plantas da família das leguminosas, subfamília mimosóidea. **2.** Planta ornamental da família das leguminosas *(Acacia dealbata)*, de ramos levemente tomentosos, esbranquiçados, e flores amarelas em capítulos dispostos em cachos paniculados. **3.** *Bras., S.* de *SP, PR* e *N.* de *SC*. V. *tangerina*.

mimosácea. *S. f.* Espécime das mimosáceas.

mimosáceas. *S. f. pl. Bot.* Subfamília das leguminosas.

mimosáceo. *Adj.* Pertencente ou relativo às mimosáceas.

mimosear. [De *mimoso*[2] + *-ear*.] *V. t. d.* **1.** Tratar com mimo; mimar, amimar. *V. t. e i.* **2.** Dar presente;

presentear: "se nós a quisemos *mimosear* com sete piastras d'ouro, ela .... oferecia-nos uma jóia inapreciável, uma circassiana, mais branca que a lua cheia" (Eça de Queirós, *A Relíquia*, p. 145). **3.** Obsequiar, favorecer. *P.* **4.** Dirigir-se mutuamente (injúrias). [Conjug.: v. *frear*.]

mimosense. *Adj. 2 g.* **1.** De, ou pertencente ou relativo a Mimoso do Sul (ES). ● *S. 2 g.* **2.** Natural ou habitante de Mimoso do Sul.

mimoso[1] (ô). *S. m. Bras.* F. red. de *capim-mimoso*.

mimoso[2] (ô). *Adj.* **1.** Que tem mimo[1]; delicado, sensível: *pele mimosa*. **2.** Terno, afável, delicado: *palavras mimosas*. **3.** Meigo, carinhoso, afetivo: *mimosa namorada*. **4.** Acostumado a mimos; amimado: *filhos mimosos*. **5.** Gracioso, encantador: *mimosos passarinhos*. ~V. *fubá* —. ● *S. m.* **6.** Aquele que tem muito mimo, que é demasiado sensível. **7.** Pessoa favorecida, feliz, ditosa, mimada: *os mimosos da fortuna*. **8.** *Bras., Pl.* Campo de criação de gado vacum revestido de gramínea denominada *mimoso* ou *capim-mimoso*. **9.** Área mais úmida e, por isso, mais valiosa para a cultura.

mimosóidea. *S. f.* Espécime das mimosóideas.

mimosóideas. *S. f. pl. Bot.* Subfamília das leguminosas, caracterizada pelas flores pequeninas cujas corolas são regulares, como, p. ex., a sensitiva e o vinhático.

mimosóideo. *Adj.* Pertencente ou relativo às mimosóideas.

■**min.** *Fís.* Símb. de *minuto*.

mina[1]. [Do céltico, atr. do fr. *mine*.] *S. f.* **1.** Cavidade artificial na terra, para se extraírem minérios, combustíveis, água, etc.: *mina de carvão; mina de petróleo*. **2.** Jazida de minérios preciosos; *mina de ouro*. **3.** Cavidade cheia de pólvora a fim de que, explodindo, destrua tudo o que está por cima. **4.** Engenho de guerra camuflado, que contém matérias explosivas e se destina a destruir baluartes, trincheiras, etc. **5.** *Mar. G.* Mina submarina. **6.** *Fig.* Manancial de riquezas; negócio muito lucrativo: *Sua empresa é uma mina*. **7.** *Fig.* Coisa de grande valor; preciosidade: *Seu livro é uma mina para os estudiosos da matemática*. **8.** *Fig.* Fonte boa de informações e conhecimentos: *Esta enciclopédia é uma mina*. **9.** *Bras.* A grafita das lapiseiras. **10.** *Bras., PR* e *MT*. Concentração espontânea da erva-mate no recesso das matas virgens. **11.** *Bras., PA.* V. *sambaqui*. **12.** *Bras. Pop.* Garota, menina. **13.** *Bras. Gír.* Mulher que sustenta o amante. ◆ **Mina de cernambi.** *Bras., PA.* V. *sambaqui*. **Mina de contato.** *Mar. G.* Mina submarina que explode ao chocar-se com o alvo. **Mina de fundo.** *Mar. G.* Mina submarina que permanece no fundo do mar. **Mina de influência.** *Mar. G.* Mina submarina que explode pela ação do campo magnético de uma embarcação de ferro que passe por perto (*mina magnética*), ou pelo aumento de pressão da água deslocada por embarcação que passe próxima (*mina de pressão*), etc. **Mina flutuante.** *Mar. G.* Mina submarina que flutua, em geral entre duas águas, ou a meia profundidade, fundeada ou à deriva. **Mina submarina.** *Mar. G.* Engenho cilíndrico que encerra matérias explosivas, e que se mergulha no mar para destruir os navios que nele toquem ou que dele passem perto; mina.

mina[2]. [Do top. *Mina* (África).] *S. 2 g.* **1.** Indivíduo do grupo tribal de cultura fanti-axanti, oriundo da Costa do Ouro (Guiné); negro-mina, preto-mina, tchi. ● *Adj. 2 g.* **2.** Pertencente ou relativo aos minas.

minacíssimo. [Do lat. *minacissimu*.] *Adj. Poét.* Superl. abs. sint. de *minaz*.

minado. [Part. de *minar*.] *Adj.* ~V. *campo* —.

minadoiro. *S. m. Bras.* V. *minadouro*.

minador[1] (ô). *S. m.* Aquele que mina; mineiro.

minador[2] (ô). *S. m. Bras.* Var. de *minadouro* [q. v.].

minadouro. [Var. de *minadoiro* < *mina*[1] + *-doiro*[1].] *S. m. Bras.* Olho-d'água, quase sempre nascente, de um ribeirão ou de um córrego, ou de um fundo de grota. [Var.: *minador*.]

mina-popô. *S. 2 g.* **1.** Indivíduo do grupo tribal do Grande Popo, no Daomé, que veio sobretudo para o Rio de Janeiro e Minas Gerais, do séc. XVII ao XIX. ● *Adj. 2 g.* **2.** pertencente ou relativo aos minas-popôs. [Pl.: *minas-popôs*.]

minar. *V. t. d.* **1.** Abrir mina[1], ou minas, em. **2.** Abrir cavidades por baixo de; fazer uma mina sob. **3.** *Fig.* Invadir às ocultas. **4.** Abrir, cavar, escavar. **5.** Desarraigar, desenraizar, solapar: *As águas da enchente minaram as árvores*. **6.** Propagar-se, alastrar-se, expandir-se, espalhar-se, lavrar, por: *As chamas minaram toda a construção*. **7.** Corroer pouco a pouco; consumir, solapar: "a doença *minava* implacavelmente aquela carcaça de d'Artagnan." (Júlio Dantas, *Abelhas Doiradas*, p. 152). **8.** Prejudicar ocultamente, insidiosamente: *Boatos falsos minaram seu crédito*. **9.** Atormentar, amofinar, afligir: *A demora na solução do caso já ia minando a paciência do rapaz*. **10.** Deixar sair, deixar escapar, como de uma mina ou nascente: *A ferida minou pus*. **11.** *Mar. G.* Lançar minas em (determinada extensão de mar, canal, barra, estreito, etc.), para impedir ou dificultar a navegação nesses locais. *Int.* **12.** Espalhar-se, difundir-se, lavrar pouco a pouco. **13.** Brotar, fluir, manar: *Fez-se uma escavação no solo, e a água não tardou a minar*.

minarete (ê). [Do ár. *manarâ*, 'farol', 'torre do farol', pelo fr. *minaret*.] *S. m.* Pequena torre de mesquita, de três ou quatro andares e balcões salientes, de onde se anuncia aos muçulmanos a hora das orações; almádena.

minaz. [Do lat. *minace*.] *Adj. 2 g. Poét.* Ameaçador: "Pareceu ir-se-lhe a vida concentrando em dois olhos *minazes* a fuzilarem ódio e indignação" (Visconde de Taunay, *Céus e Terras do Brasil*, p. 46). [Superl. abs. sint.: *minacíssimo*.]

mindinho. *Adj.* e *s. m.* V. *dedo mínimo*: "daí a pouco ele se atolava num prato fundo de caldo, enquanto os homens, suspendendo afetadamente o *mindinho*, sorviam goladas de café." (Macedo Miranda, *Pequeno Mundo Outrora*, pp. 41-42).

minduba. [Do tupi.] *S. f. Bras. Pop.* V. *cachaça* (1).

mindubi. *S. m. Bras.* V. *amendoim*.

minduriense. *Adj. 2 g.* **1.** De, ou pertencente ou relativo a Minduri (MG). ● *S. 2 g.* **2.** Natural ou habitante de Minduri.

mineira[1]. [De *mina*[1] + *-eira*.] *S. f.* Terreno abundante em minério.

mineira[2]. *S. f. Bras.* F. red. de *formiga-mineira*.

mineirada. [De *mineiro*[2] + *-ada*[1].] *S. f. Bras.* Porção ou grupo de mineiros: "via-se a trincheira em que os paulistas defendiam o território contra o ataque da *mineirada* invasora." (Ribeiro Couto, *Largo da Matriz e Outras Histórias*, p. 33).

mineira-de-petrópolis. [De *mineira*, fem. de *mineiro*[2] + *de* + o top. *Petrópolis*.] *S. f. Bras., RJ.* V. *quenquém-mineira-de-duas-cores*. [Pl.: *mineiras-de-petrópolis*.]

mineirense. *Adj. 2 g.* **1.** De, ou pertencente ou relativo a Mineiros (GO). ● *S. 2 g.* **2.** Natural ou habitante de Mineiros.

mineirice. *S. f. Bras. Fam. Mineiridade*.

mineiridade. *S. f. Bras.* **1.** Qualidade, condição ou atitude de mineiro[2] (2). **2.** Mineirismo. [Sin., ger., fam.: *mineirice*.]

mineirismo. [De *mineiro*[2] + *-ismo*.] *S. m. Bras.* Amor intenso a MG; interesse apaixonado pelo que a esse estado se refere; mineiridade.

mineiro[1]. [De *mina*[1] + *-eiro*.] *Adj.* **1.** Relativo a mina[1]. **2.** Em que há minas. **3.** Que lança ou recolhe minas: *navio mineiro*. ● *S. m.* **4.** Aquele que trabalha em minas ou as possui. [V. *minerador*.] **5.** *Bras., SP.* Cartola (4). **6.** *Bras., MT* e *PR*. Descobridor de ervais nativos inexplorados ou virgens. **7.** *Bras., MT* e *PR*. Trabalhador que corta as folhas de erva-mate. [Sin. (nesta acepç.), em MT: *tirador*.]

mineiro[2]. *Adj.* **1.** De, ou pertencente ou relativo a MG; montanhês. ~ V. *conjuração —a, escola —a, grupo —, inconfidência —a* e *triângulo —*. ● *S. m.* **2.** O natural ou habitante daquele estado; montanhês, geralista.

mineiro-com-botas. [De *mineiro*[2] + *com* + *botas*.] *S. m. Bras., S.* e C.O. Sobremesa feita com rodelas de banana e queijo-de-minas frito. [Sin., em SP: *mineiro-de-botas*. Cf. *cartola* (4). Pl.: *mineiros-com-botas*.]

mineiro-de-botas. [De *mineiro*[2] + *de* + *botas*.] *S. m. Bras., SP.* V. *mineiro-com-botas*. [Pl.: *mineiros-de-botas*.]

mineiro-pau. *S. m. Bras. Folcl.* V. *maneiro-pau*. [Pl.: *mineiros-paus*.]

mineração. *S. f.* **1.** Exploração das minas [v. *mina*[1]]. **2.** Purificação, depuração de minérios.

minerador (ô). *S. m.* Aquele que minera [v. *minerar* (3)]; mineiro.

mineral. [Do lat. medieval *minerale*, pelo fr. *minéral*.] *Adj. 2 g.* **1.** Relativo aos minerais, ou próprio deles; inorgânico. ~ V. *água —, água — gasosa, carvão —, cera —, óleo —, pez —, quermes —, química —, reino —, segregação —* e *seiva —*. ● *S. m.* **2.** Elemento ou composto químico formado, em geral, por processos inorgânicos, o qual tem uma composição química definida e ocorre naturalmente na crosta terrestre. ◆ **Mineral acessório.** O que não caracteriza a rocha. **Mineral essencial.** Aquele cuja presença ou ausência afeta a classificação da rocha. **Mineral secundário.** O que se originou de outros, preexistentes (primários).

mineralidade. *S. f.* Estado ou qualidade de mineral.

mineralização. [De *mineralizar* + *-ção*.] *S. f.* **1.** Processo de substituição, no inteiror da terra, dos constituintes orgânicos por inorgânicos. **2.** Deposição de minerais graças a agentes fluidos de origem magmática, que facilitam a sua cristalização e concentração, podendo daí resultar jazidas de valor econômico. **3.** Estado de combinação com substâncias minerais apresentado por certas águas de nascentes ou fontes. **4.** *Ecol. Veg.* Impregnação mineral nos tecidos vegetais, pela sílica ou pelo calcário.

mineralizado. [Part. de *mineralizar*.] *Adj.* Convertido em mineral ou em minério.

mineralizador (ô). [De *mineralizar* + *-(d)or*.] *Adj.* e *s. m.* Diz-se de, ou agente líquido ou gasoso que impregna os magmas, facilitando a formação de minerais.

mineralizar. *V. t. d.* e *p.* Converter(-se) em mineral ou em minério.

mineralizável. [De *mineralizar* + *-ável*.] *Adj. 2 g.* Diz-se das substâncias que podem ser convertidas em minerais.

mineralogia. [De *mineral* + *-log(o)-* + *-ia*.] *S. f.* Ciência que trata dos minerais [v. *mineral* (2)].

mineralógico. *Adj.* Respeitante à mineralogia.

mineralogista. *S. 2 g.* Especialista em mineralogia.

mineralurgia. [De *mineral* + o final de voc. como *siderurgia* e *metalurgia*.] *S. f.* Arte que ensina a aplicação dos minerais, especialmente os metais, à indústria.

mineralúrgico. *Adj.* Relativo à mineralurgia.

minerar. *V. t. d.* **1.** Explorar (mina[1]). **2.** Extrair de mina[1]. *Int.* **3.** Trabalhar em mina[1]. **4.** *Bras., MG. Fam.* Meter o dedo no nariz para limpá-lo; garimpar. [Fut. pret.: *mineraria*, etc. Cf. *minerária*, fem. de *minerário*.]

minerário. *Adj. Bras.* Referente a minério: *direito minerário*. [Fem: *minerária*. Cf. *mineraria*, do v. *minerar*.]

minério. *S. m.* Mineral ou associação de minerais de que se podem extrair metais ou substâncias não metálicas, por processos físicos, químicos ou térmicos, e com vantagens econômicas. ◆ **Minério de boro.** *Min.* Quernita. **Minério de manganês.** *Min.* Psilomelanita. **Minério de tório.** *Min.* Torita.

mineroduto. [De *minério*, com síncope, + *-duto*.] *S. m.* Sistema constituído de tubulações por onde se transportam minérios a grande distância.

mineropetroleiro (mi). *Adj.* ~ V. *navio* —.

minerva. [Do mit. lat. *Minerva*, 'deusa da sabedoria'.] *S. f. Tip.* V. *prensa de platina*.

minerval. *Adj. 2 g.* **1.** Relativo ou pertencente a Minerva (assim chamada entre os romanos; Palas ou Atena entre os gregos), filha de Júpiter, deusa das artes e da sabedoria. ● *S. m.* **2.** Retribuição que os alunos externos pagam aos professores, em algumas escolas de vários países.

minervista. *S. 2 g. Tip.* Impressor que trabalha em minerva. [Cf. *cilindrista* e *prelista* (1).]

minestra[1]. [Do it. *minestra*, 'sopa'.] *S. f. Bras., SP.* Ministra[2].

minestra[2]. *S. f. Bras.* Artifício ou jeito com que se procura obter certas coisas. [Cf. *minestre*.]

minestre. *S. m. Bras.* Indivíduo jeitoso nos meios que emprega para alcançar alguma coisa. [Cf. *minestra*[2].]

minete. [Do fr. *minette*.] *S. m. Bras. Chulo.* Cunilíngua.

mineteiro. S. m. Bras. Chulo. Aquele que é dado à prática do minete.

mingacho. *S. m.* Cabaço com água no qual os pescadores mantêm vivos por algum tempo os peixes de água doce.

mingau. [Do tupi *mĩga'u*.] *S. m. Bras.* **1.** Papa[2] (1) de farinha de trigo ou de mandioca. **2.** Iguaria de consistência pastosa, feita geralmente de leite açucarado e engrossado com farinha: *mingau de tapioca*. [Cf. *papa*[2] (1).] **3.** *Fig.* Coisa muito mole, mexida ou aguada.

mingau-das-almas. *S. m. Bras.* Matéria mucosa que se acumula na boca durante o sono: "Os olhos pregados de sono e a boca cheia de *mingau-das-almas*. Embora a mãe dissesse que era porcaria, achava o gostinho bom no resto de sono que lne ficava na boca." (Valdomiro Autran Dourado, *Nove Histórias em Grupos de Três*, p. 177.) [Pl.: *mingaus-das-almas*.]

mingaupitinga. [Do tupi *mĩga'u* + *pi'tĩga*.] *S. m. Bras., PE.* Mingau de mandioca puba.

mingo. [Alter. de *mínimo*?] *Adj. Bras., S. Pop.* Menor, mínimo: *o dedo mingo*.

mingolas. *S. 2 g.* e *2 n. Bras.* V. *avaro* (3).

mingote. S. m. Bras. Gír. V. *baseado*[1].

mingu. *S. m. Bras.* Árvore muito apreciada para obras de marchetaria.

míngua. [Dev. de *minguar*.] *S. f.* **1.** Falta do necessário; escassez, privação, penúria: *Tantos homens que vivem* *na míngua!* **2.** Falta, carência: *Não há no Brasil míngua de bons poetas.* **3.** Diminuição, declínio, perda: *míngua de sangue.* **4.** Defeito, imperfeição. ◆ **À míngua.** Em penúria; na miséria. **À míngua de.** À falta de; por falta de: *Continua naquele emprego, à míngua de outro melhor.*

minguado. [Part. de *minguar.*] *Adj.* **1.** Que minguou [v. *minguar* (1)]: *O dinheiro, minguado, não cobre as despesas.* **2.** Pouco desenvolvido; reduzido, diminuído: *bolo minguado.* **3.** Pouco desenvolvido; raquítico: *criança minguada.* **4.** Escasso, limitado, parco: *herança minguada; jantar minguado.*

minguamento. *S. m.* Ato de minguar; diminuição.

minguante. *Adj. 2 g.* **1.** Que míngua; decrescente, declinante. **2.** Diz-se do que está em decadência. ~ V. *quarto* —. ● *S. m.* **3.** *Astr.* V. *quarto minguante.*

minguar. [Do lat. vulg. *minuare*, por *minuere*; cf. *minuir.*] *V. int.* **1.** Tornar-se menor, ou menos abundante; diminuir, reduzir-se: "E as despesas de casa recrudesciam, à proporção que *minguavam* os lucros." (Aluísio Azevedo, *Casa de Pensão*, p. 270); "Depois tudo fora decaindo, *minguando*, morrendo." (Graciliano Ramos, *Linhas Tortas*, p. 227.) **2.** Faltar; escassear: *Apesar de racionados, os víveres começaram a minguar.* **3.** Passar (a Lua) de cheia a nova. *T. i.* **4.** Faltar, escassear. **5.** Baixar, cair. *T. d.* **6.** Tornar escasso ou mais escasso; diminuir. **7.** Tornar menor; fazer decrescer; diminuir. **8.** Apoucar, amesquinhar, menoscabar: *Procuraram minguar o talento do artista.* [Conjug.: v. *aguar.*]

minguinho. [De *mingo* + *-inho.*] *Adj.* e *s. m. Bras. Pop.* e *fam.* V. *dedo mínimo.*

minguta. [Dim. de *mingo* (q. v.).] *Adj. 2 g. Bras.* Pequeno, minguado, mirrado.

minha. [Do lat. *mea*, atr. do lat. vulg. *mia*, *mĩa.*] *Pron. poss.* Fem. de *meu* [q. v.].

minhoca. *S. f.* **1.** Designação geral dos animais anelídeos, oligoquetos, sobretudo das formas terrestres. São em certos países usados comercialmente para a pesca amadorística. Constituem, por outro lado, substancial parcela na alimentação de certas aves, anfíbios, peixes e outros invertebrados. [Sin. *bichoca* (bras.) e *isca* (MG).] **2.** V. *cobra-cega* (2). **3.** *Chulo.* O pênis. **4.** *Bras.* No pôquer, a menor seqüência, i. e., aquela em que o ás entra como a última carta decrescente. ● *S. 2 g.* **5.** *Bras. Pop. Joc.* Nativo (7) em contraposição a estrangeiro, turista, etc. ~ V. *minhocas.*

minhoca-brava. *S. f. Bras.* Minhoca-louca. [Pl. *minhocas-bravas.*]

minhocaçu. *S. m. Bras.* **1.** Minhocão (1). **2.** Minhocuçu [q. v.].

minhocal. [De *minhoca* + *-al*¹.] *S. m. Bras., MT.* Terreno que em tempo de seca adquire a dureza e consistência das terras argilosas, mas que na época das águas, mal as primeiras chuvas o molham, como que se desmancha, formando atoleiros perigosos, não transponíveis por viatura, cavaleiro ou pedestre.

minhoca-louca. *S. f. Bras.* Espécie de anelídeo oligoqueto da família dos megascolecídeos (*Pheretima hawayana* (Rosa)), de origem asiática, hoje naturalizada no Brasil. Costuma reagir contorcendo-se violentamente quando retirada do solo, donde o que lhe motivou o nome popular. [Sin.: *minhoca-brava.* Pl.: *minhocas-loucas.*]

minhocão. [De *minhoca* + *-ão*¹.] *S. m. Bras.* **1.** *Folcl.* Animal fantástico que, segundo a crendice popular, tem a forma de verme gigantesco, vive nos açudes ou banhados e é capaz de todos os milagres; minhocaçu. **2.** V. *cobra-cega* (1). **3.** *Pop.* Designação genérica de certas construções, certos mecanismos, etc., de grande extensão e serpeante.

minhocas. [Pl. de *minhoca.*] *S. f. pl.* **1.** Crendices, quimeras, superstições. **2.** Idéias tolas; bobagens, manias: *Tem a cabeça cheia de minhocas.* ~ V. *minhoca.*

minhocuçu. [Var. de *minhocaçu* < *minhoca* + tupi *wa'su*, 'grande'.] *S. m. Bras.* Designação comum aos animais anelídeos, poliquetos, terrestres, da família dos glossoescolecídeos, gênero *Megascolex* Templeton, que podem atingir até quase 2m de comprimento. Vivem, em geral em baixadas de solo fértil, sendo facilmente reconhecíveis pelas suas enormes dejeções: "Um cipó pesado, frio, que nem *minhocuçu*, enroscou-se-lhe às pernas." (Nélson de Faria, *Tiziu e Outras Estórias*, p. 186.)

minhoto (ô). *Adj.* **1.** Do, ou pertencente ou relativo ao Minho (Portugal). ● *S. m.* **2.** O natural ou habitante do Minho.

míni. [F. red. de *minissaia.*] *S. 2 g.* **1.** Vestido, saia ou casaco que segue a moda da minissaia [q. v.]: *Esse míni não é para ela; A míni daquela pequena é de ótimo tecido.* ● *Adj. 2 g.* e *2 n.* **2.** Diz-se da roupa feminina que segue essa moda: *As saias míni e as meias três-quartos eram obrigatórias entre as meninas.*

▲**mini-.** [Do lat. *minium.*] *El. comp.* = 'mínimo', 'muito pequeno': *minissaia, minibiblioteca.*

minianto. [Do gr. *minyanthés* (subentende-se *triphyllon*), 'trevo que floresce pouco tempo'.] *S. m.* V. *trevo-aquático.*

miniar. *V. t. d.* Pintar ou escrever com mínio. [Cf. *rubricar.*]

miniatura. [Do it. *miniatura*, 'desenho feito a mínio'.] *S. f.* **1.** Pintura, desenho ou fotografia muito delicada, e em ponto pequeno: "Nas paredes forradas,.... sorriam em caixilhos de veludo *miniaturas* de família" (Bernardo Pinheiro, Pindela, *Azulejos*, p. 96). **2.** Letra inicial ornada, dos manuscritos antigos, a princípio traçada a vermelho, com mínio. [Cf. *rubrica* (3).] **3.** *P. us.* V. *iluminura.* **4.** Obra de arte delicada e de pequenas dimensões. **5.** Qualquer coisa em tamanho reduzido: *as miniaturas japonesas de árvores.* [Cf. *abreviatura* (4).] **6.** Resumo, síntese, sinopse: *uma história em miniatura.*

miniatural. *Adj. 2 g.* **1.** Referente a, ou próprio de miniatura. **2.** Muito pequeno: "E noto, por entre os mais, / Os traços *miniaturais* / Duns pezitos de criança..." (Augusto Gil, *Luar de Janeiro*, p. 29).

miniaturar. *V. t. d.* **1.** Pintar em miniatura. **2.** Descrever minudentemente. [Sin. ger.: *miniaturizar.*]

miniaturista. *Adj. 2 g.* e *s. 2 g.* **1.** Que ou quem faz miniaturas. **2.** V. *iluminador* (3).

miniaturizar. *V. d. t.* **1.** Miniaturar. **2.** *Eletrôn.* Construir circuitos eletrônicos de estado sólido, de reduzidas dimensões, capazes de efetuar diversas funções de controle de corrente ou de tensão.

minibiblioteca. [De *mini-* + *biblioteca.*] *S. f.* Pequena biblioteca ambulante.

minicalculadora (ô). [De *mini-* + *calculadora.*] *S. f.* Calculadora portátil, de pequenas dimensões.

minicaminhão. [De *mini-* + *caminhão.*] *S. m.* Caminhão de pequeno porte.

minicasaco. [De *mini-* + *casaco.*] *S. m.* Casaco muito curto, que segue a moda da minissaia [q. v.]; minimantô. [Cf. *míni.*]

minicomício. [De *mini-* + *comício.*] *S. m.* Comício de mínimas proporções: "O candidato da Aliança Democrática à Presidência, Tancredo Neves, pediu num *minicomício* em Ipanema que o povo faça pressão moral contra o Colégio Eleitoral" (*Jornal do Brasil*, 11.9.1984).

minicomputador (ô). [De *mini-* + *computador.*] *S. m.* Computador (2) portátil, de pequenas dimensões.

miniconto. [De *mini-* + *conto*¹.] *S. m.* Conto¹ (1) muito pequeno.

minidesvalorização. [De *mini-* + *desvalorização.*] *S. f.* Desvalorização (2) mínima, pequeníssima. [Antôn.: *maxidesvalorização.*]

minifundiário. *Adj.* **1.** Referente a minifúndio. ● *S. m.* **2.** Proprietário de minifúndio. [Opõe-se a *latifundiário.*]

minifúndio. [De *mini-* + final de *latifúndio* (q. v.).] *S. m.* Pequena propriedade rural cuja exploração pode ser de agricultura de subsistência, com técnicas rudimentares e produtividade baixa, ou mecanizada, com técnicas bastante desenvolvidas e alta produtividade. [Opõe-se a *latifúndio.*]

minigâncias. *S. f. pl. Bras., RS. Pop.* V. *ninharia.*

minijardim. [De *mini-* + *jardim.*] *S. m.* Jardim de pequenas proporções; jardinzinho.

mínima. [Fem. substantivado do adj. *mínimo.*] *S. f.* **1.** *Mús.* Figura que vale a metade da semibreve. **2.** *El. s. f.* Us. na loc. *não ligar a mínima a.* ◆ **Não ligar a mínima a.** *Bras. Fam.* Não dar ou ligar a mínima importância a; ser indiferente a; não fazer nenhum caso de; não ligar.

➧**minima de malis** (mínima de máliç). [Lat., 'dos males os menores'.] Provérbio tirado às fábulas de Fedro.

minimalismo. [De *mínimo* + *-al-* + *-ismo.*] *S. m.* V. *mencheviquismo.* [Antôn.: *maximalismo.*]

minimalista¹. [De *mínimo* + *-al-* + *-ista.*] *S. 2 g.* e *adj. 2 g.* Diz-se de, ou adepto moderado dos partidos de esquerda marxista, ou de seus aliados; menchevique. [Cf. *maximalista.*]

minimalista². *Adj. 2 g.* Diz-se da arte que utiliza, em sua elaboração, um reduzido número de temas ou elementos, valorizados por sua repetição com pequenas alterações, ou isolamento contextual. [Cf. *maximalista.*]

minimante. [De *mínimo* + *-ante.*] *S. m. Anál. Mat.* No domínio de uma função, ponto em que esta tem um mínimo. [Opõe-se a *maximante.*]

minimantô. [De *mini-* + *mantô.*] *S. m.* Minicasaco [q. v.].

minimidade. *S. f.* Qualidade do que é mínimo.

minimização. [De *minimizar* + *-ção.*] *S. f.* Processo pelo qual se determina o menor valor que uma grandeza pode assumir.

minimizar. [De *mínimo* + *-izar.*] *V. t. d.* **1.** Proceder à minimização de; tornar mínimo. **2.** Fazer pouco de; subestimar: "Hortênsio me atira às mãos um Vauvenarques, que lia no momento ...., e começa a censurar. Evidentemente, *minimizava* o que havia de espiritual e de fino nesse moralista tranqüilo." (Ascendino Leite, *Passado Indefinido*, p. 18.) **3.** *Mat.* Fazer (uma função) assumir um valor mínimo. [Antôn.: *maximizar.*]

mínimo. [Do lat. *minimu.*] *Adj.* **1.** Superl. abs. sint. de *pequeno*; que é o menor; que está no grau mais baixo: *Vendeu o sapato pelo preço mínimo; Não me deu a mínima atenção.* **2.** Que é o menor fixado ou garantido por lei: *salário mínimo.* [Antôn.: *máximo.*] ~ V. *ângulo de desvio* —, *dedo* —, *desvio* —, *fórmula* —*a*, *salário* —, *seqüência* —*a* e *superfície* —*a.* ● *S. m.* **3.** A menor porção ou grau de: *O mínimo por que pode vender o tecido é 100 cruzados; O mínimo que posso fazer é falar mais baixo.* [Antôn.: *máximo.*] **4.** V. *dedo mínimo.* **5.** *Mat.* Elemento de um conjunto que é menor que todos os outros pertencentes ao conjunto. **6.** *Rel.* Membro da Ordem de S. Francisco de Paula no séc. XV. ◆ **No mínimo.** **1.** No menor limite provável: *Chegarei no mínimo às 10 horas.* **2.** Pelo menos; quando nada: *Anda, no mínimo, dois quilômetros por dia.*

minimundo. [De *mini-* + *mundo.*] *S. m.* Pequeno mundo (4): "e se diverte [Helena Morley] em passar em revista o *minimundo* de Diamantina." (Carlos Drummond de Andrade, *Jornal do Brasil*, 30.8.1980.)

mínio. [Do lat. *miniu.*] *S. m. Quím.* Óxido vermelho de chumbo, usado como pigmento. [Fórm.: Pb_3O_4.]

miniquadro. [De *mini-* + *quadro.*] *S. m.* Quadro de exíguas dimensões.

minirretrospectiva. [De *mini-* + *retrospectiva.*] *S. f.* Pequena retrospectiva (2).

minissaia. [De *mini-* + *saia.*] *S. f.* **1.** Saia muito curta, cerca de 30 cm acima do joelho, e que foi lançada em 1967 por Mary Quant, figurinista inglesa. [Cf. *míni.*] **2.** *Bras., RJ.* Cerveja em garrafa pequena.

minissubmarino. [De *mini-* + *submarino.*] *S. m. Mar.* Submarino de diminutas dimensões, guarnecido apenas por um ou dois tripulantes.

ministerial. [Do lat. *ministeriale.*] *Adj. 2 g.* **1.** Relativo ou pertencente a ministério, ou a ministro: *funções ministeriais.* [Sin. p. us.: *ministral.*] **2.** Proveniente ou próprio de ministro: *programa ministerial; despacho ministerial.* **3.** Que apóia um governo ou ministério; que lhe defende a política; governamental: *senador ministerial.*

ministerialismo. [De *ministerial* + *-ismo.*] *S. m.* Sistema ou opinião daqueles que defendem incondicionalmente os ministros ou o governo.

ministerialista. *Adj. 2 g.* **1.** Relativo ao, ou que é adepto do ministerialismo. ● *S. 2 g.* **2.** Adepto do ministerialismo.

ministeriável. [De um **ministeriar* + *-ável.*] *Adj. 2 g.* e *s. 2 g.* Que ou quem está em condições ou com possibilidade de ser ministro, de pertencer a um ministério.

ministério. [Do lat. *ministeriu.*] *S. m.* **1.** Cargo, incumbência, mister: *o ministério cristão.* **2.** Cargo, função, profissão: *cumprir os deveres do seu ministério;* "parecera mais que nunca azougado por aquela espécie de loucura convencional que era inerente ao *ministério* que exercia." (Alexandre Herculano, *O Monge de Cister*, II, p. 264.) **3.** Função de ministro. **4.** Tempo durante o qual se exerce tal função. **5.** O conjunto dos ministros, ou gabinete (no regime parlamentarista). **6.** Parte da administração dos negócios do Estado atribuída a cada ministro. **7.** Edifício em que funciona esse serviço público. **8.** Secretaria de Estado. ◆ **Ministério público.** Magistratura especial ou órgão constitucional representante da sociedade na administração da justiça, incumbido, sobretudo, de exercer a ação penal, de defender os interesses de pessoas e instituições às quais a lei concede assistência e tutela especiais (menores, incapazes, acidentados do trabalho, testamentos, fundações, etc.) e de fiscalizar a execução da lei. **Ministério sagrado.** *Rel.* Trabalho ou função de serviço na Igreja, exercido pelos que têm ordens.

ministra¹. [Do lat. *ministra* (v. *ministro*).] *S. f.* **1.** Mulher que exerce funções de ministro. **2.** Mulher ou coisa que auxilia, ou que contribui para determinado fim. **3.** Roda por onde passava a comida da cozinha para os refeitórios dos conventos. **4.** Mulher de ministro. **5.** *Rel.* Religiosa franciscana que desempenha na ordem um cargo superior.

ministra². [Do it. *minestra*, 'sopa'.] *S. f.* Espécie de sopa italiana; minestra. [Cf. *minestre.*]

ministrador (ô). [Do lat. *ministratore.*] *Adj.* e *s. m.* Que ou aquele que ministra.

ministral. *Adj. 2 g. P. us.* Relativo a ministro; ministerial.

ministrante. [Do lat. *ministrante.*] *Adj. 2 g.* **1.** Que ministra, exerce algum ministério ou cargo. ● *S. 2 g.* **2.** Pessoa que é ministrante; serventuário.

ministrar. [Do lat. *ministrare.*] *V. t. d.* e *t. d. e i.* **1.** Dar, prestar, fornecer: *Ministra informações sempre exatas; Ministrou ao chefe muitos dados para um relatório.* **2.** Dar, aplicar; administrar: "— Sim, senhor, lavre um tento, dizia-lhe o dono da farmácia que ministrara os remédios ao Quincas Borba." (Machado de Assis, *Quincas Borba,* p. 25.) **3.** Dar, servir; administrar: *É preciso ministrar os medicamentos a tempo e hora; A enfermeira ministrou o xarope ao doente.* **4.** Dar, conferir, administrar: *Ministra aulas de inglês; A numerosas gerações tem ministrado excelentes noções de matemática:* "E foi aí .... que .... o arcebispo de Paris .... ministrou os últimos sacramentos à veneranda anciã." (Melo Nóbrega, *O Soneto de Arvers,* p. 71.) **5.** Inspirar, sugerir: *O assunto ministrou-lhe um conto.* *Int.* **6.** Servir ou atuar como ministro.

ministraria. *S. f. Desus.* Cargo de ministro.

ministrículo. [De *ministro* + *-i-* + *-culo.*] *S. m. Deprec.* Ministro insignificante, sem mérito.

ministrificação. *S. f. P. us.* Ação ou efeito de ministrificar.

ministrificar. *V. t. d.* Fazer (alguém) ministro de Estado. [Conjug.: v. *trancar.*]

ministro. [Do lat. *ministru,* 'criado, servo, servidor'.] *S. m.* **1.** *Ant.* Título genérico para qualquer empregado ou funcionário público de nível mais elevado: *ministro secretário de Estado; ministro membro de Tribunal.* **2.** Aquele que executa os desígnios de outrem: medianeiro, intermediário, executor, auxiliar: *ministro do Evangelho; ministro de ordens vis.* **3.** Membro de um ministério (6); ministro de Estado. **4.** Categoria diplomática abaixo da de embaixador. **5.** Aquele que, em nome da Igreja, exerce certas funções sagradas, como pregar, administrar os sacramentos. **6.** Pastor protestante. **7.** *Bras.* Designação comum aos juízes do Supremo Tribunal Federal, do Superior Tribunal Militar, do Tribunal de Contas da União, do Tribunal Federal de Recursos e do Tribunal Superior do Trabalho. **8.** Título de ministro de segunda classe. [V. *carreira diplomática.*] [Deprec.: *ministrículo.*] ◆ **Ministro de Estado.** Ministro (3). **Ministro de primeira classe.** Funcionário do serviço diplomático brasileiro que ocupa o posto de graduação mais elevada da carreira, e que, em missão no exterior, chefia uma embaixada, recebendo o título de embaixador. [V. *carreira diplomática.*] **Ministro de segunda classe.** Funcionário do serviço diplomático brasileiro de graduação imediatamente inferior à de ministro de primeira classe, e que, em missão no exterior, exerce o cargo de uma legação com função de ministro plenipotenciário, de ministro-conselheiro, ou de cônsul-geral. [V. *carreira diplomática.*] **Ministro plenipotenciário.** Representante de um país, munido de plenos poderes, acreditado junto a um governo estrangeiro; chefe de legação. **Ministro sem pasta.** Ministro de Estado que não tem especificamente nenhuma pasta.

ministro-conselheiro. *S. m.* V. *carreira diplomática.* [Pl.: *ministros-conselheiros.*]

minivestido. [De *mini-* + *vestido.*] *S. m.* Vestido muito curto, que segue a moda da minissaia [q. v.]: "Marisa Berenson incorporou ao seu guarda-roupa dois minivestidos de napa com a *griffe* de Maria Vals" (Zózimo Barroso do Amaral, *Jornal do Brasil,* 30.8.1980). [Cf. *míni.*]

minjoada. *S. f.* **1.** *Bras., PE.* Pescaria a anzol fixo, sem a presença do pescador. **2.** *Bras., SP.* Grande rede de pesca.

minjolinho. *S. m. Bras., GO.* V. *narceja.*

➡**Minnesänger** (mínesênguer). [Al.] *S. m.* Poeta cantor da Alemanha dos sécs. XII e XIII, que corresponde ao trovador provençal.

minoração. [Do lat. *minoratione.*] *S. f.* **1.** Ato ou efeito de minorar; diminuição. **2.** Atenuação, abrandamento, alívio.

minorar. [Do lat. *minorare.*] *V. t. d.* **1.** Tornar menor; diminuir: *minorar um perigo.* **2.** Abrandar, suavizar, atenuar, aliviar, mitigar: "Constantemente procurava pílulas para minorar os sofrimentos." (José Lins do Rego, *Meus Verdes Anos,* p. 154.)

minorativo. *Adj.* **1.** Que minora, que diminui. **2.** *Med.* Diz-se do medicamento que purga suavemente; laxante. ● *S. m.* **3.** *Med.* Laxante (3).

minoria. [Do lat. *minore* 'menor', + *-ia.*] *S. f.* **1.** Inferioridade numérica. **2.** A parte menos numerosa duma corporação deliberativa, e que sustenta idéias contrárias às do maior número. **3.** Menoridade (2). [Antôn.: *maioria.*]

minoritário. *Adj. Bras.* **1.** Pertencente ou relativo à minoria; *deputado minoritário; Grande tem sido a atuação minoritária.* **2.** Que constitui minoria ou se apóia numa minoria: *governo minoritário.* **3.** Diz-se do partido que obtém a minoria dos votos. [Antôn.: *majoritário.*]

minorquino. *Adj.* **1.** Da, ou pertencente ou relativo à ilha Minorca, uma das ilhas Baleares, pertencentes à Espanha. ● *S. m.* **2.** O natural ou habitante de Minorca.

minuana. [De *minuano*[1] ou *minuano*[2], provavelmente.] *S. f. Bras., RS.* Designação comum a três ervas da família das enoteráceas *(Cenothera affinis, O. indecora* e *O. mollissima),* vigente nos campos austrais, de flores grandes, vistosas, amarelas, e fruto capsular.

minuano[1]. [Do esp. plat. *minuano.*] *S. m. Bras., RS.* Vento frio e seco, que sopra de S.O., no inverno, em geral por três dias; minuano claro, minuano limpo. [Opõe-se a *minuano sujo.*] ◆ **Minuano claro.** *Bras., RS.* V. *minuano.* **Minuano limpo.** *Bras., RS.* V. *minuano.* **Minuano sujo.** Vento frio acompanhado de chuva miúda e fina, extraordinariamente incômoda, e que é o oposto de minuano [q. v.].

minuano[2]. *S. m.* **1.** *Bras.* Indígena dos minuanos, antiga tribo do RS. ● *Adj.* **2.** Pertencente ou relativo a essa tribo.

minúcia. [Do lat. *minutia.*] *S. f.* **1.** V. *pormenor.* **2.** Coisa muito pequena ou insignificante; bagatela, ninharia, insignificância. [Sin. ger.: *minudência.* Cf. *minucia,* do v. *minuciar.*]

minuciar. [De *minúcia* + *-ar*[2].] *V. t. d.* V. *pormenorizar.* [Pres. ind.: *minucio, minucias, minucia,* etc. Cf. *minúcia.*]

minucioso (ô). *Adj.* **1.** Que se preocupa com, ou se prende a minúcias; meticuloso, esmiuçador: *indivíduo minucioso.* **2.** Dado ou narrado circunstanciadamente ou por miúdo: *explicação minuciosa; história minuciosa.* **3.** Feito com escrúpulo, com toda a atenção: *estudo minucioso.* [Sin. ger.: *minudencioso, minudente.*]

minudência. [Do esp. *menudencia.*] *S. f.* **1.** V. *pormenor.* **2.** *Fig.* Observação escrupulosa; exame atento: *analisar com minudência.* [Cf. *minudencia,* do v. *minudenciar.*]

minudenciar. [De *minudência* + *-ar*[2].] *V. t. d.* V. *pormenorizar.* [Pres. ind.: *minudencio, minudencias, minudencia,* etc. Cf. *minudência.*]

minudencioso (ô). [De *minudência* + *-oso.*] *Adj.* V. *minucioso.*

minudente. [De *minudência.*] *Adj. 2 g.* V. *minucioso.*

minuendo. [Do lat. *minuendu.*] *S. m. Bras.* Diminuendo[1].

minuete (ê). [Do fr. *menuet.*] *S. m.* V. *minueto:* "Sobre o mármore duma consola dourada, ... um relógio de bronze marcava as horas, tocando alegres minuetes." (Bernardo Pinheiro, Pindela, *Azulejos,* p. 97.)

minueto (ê). [Var. de *minuete.*] *S. m. Mús.* **1.** Antiga dança francesa originária de Poitou e caracterizada pela nobreza e equilíbrio dos movimentos. **2.** Música que acompanhava essa dança. **3.** Forma musical clássica, em compasso ternário, composta de — exposição, trio, reexposição e coda (facultativa) —, e que, havendo entrado definitivamente nas suítes instrumentais do séc. XVIII (Bach, Haendel, etc.), sob a forma de dois minuetos seguidos (I e II), um no modo maior, outro no modo menor, vai constituir em seguida o terceiro movimento das sonatas de forma clássica e das primeiras sinfonias, até nelas ser substituído pelo *scherzo* beethoveniano. [F. paral.: *minuete.*]

minuir. [Do lat. *minuere.*] *V. t. d., t. d. e i., t. i., int.* e *p.* V. *diminuir.* [Conjug.: v. *atribuir.*]

minúscula. [Fem. substantivado de *minúsculo.*] *S. f.* Letra pequena, não maiúscula; letra minúscula. [Cf. *maiúscula.*] ◆ **Minúscula carolina.** *Paleogr.* A escrita européia comum, surgida com o Renascimento carolíngio, e caracterizada pelo pequeno módulo, forma arredondada e raras ligaturas; minúscula redonda, letra francesa. [Cf. *letra humanística.*] **Minúscula redonda.** *Paleogr.* V. *minúscula carolina.*

minusculizar. *V. t. d.* e *p.* Tornar(-se) minúsculo, insignificante.

minúsculo. [Do lat. *minusculu,* 'um tanto menor'.] *Adj.* **1.** Pequeno, miúdo. **2.** De pouco valor ou merecimento; insignificante. ~ V. *abecedário —, alfabeto — e letra —a.* [Antôn.: *maiúsculo.*]

minuta[1]. [Do lat. *minuta,* 'diminuída'.] *S. f.* **1.** A primeira redação de qualquer documento; rascunho. **2.** Desenho traçado à vista do terreno, no levantamento de plantas. **3.** *Jur.* Petição com que se manifesta o agravo, acompanhada da exposição do fato e do direito, das razões por que se pleiteia a reforma da decisão agravada e, se for o caso, da indicação de peças para formar o instrumento do recurso. [Cf. agravo (5) e *contraminuta.*]

minuta[2]. [Do fr. *à la minute,* 'no mesmo instante, imediatamente'.] *S. f. Bras.* Nos restaurantes, prato que se prepara no momento, no minuto. ◆ **À minuta.** Preparado no momento (prato, refeição).

minutador (ô). *Adj.* e *s. m.* Que ou aquele que minuta.

minutar. *V. t. d.* Fazer ou ditar a minuta[1] (1) de: *minutar uma carta, um ofício.*

minuteria. [Do fr. *minuterie.*] *S. f.* Aparelho elétrico provido de mecanismo de relógio, destinado a manter o contato elétrico durante determinado lapso de tempo.

minutíssimo. [Do lat. *minutissimu.*] *Adj.* Superl. abs. sint. de *miúdo* e de *minuto* (4).

minuto. [Do lat. *minutu,* 'diminuído, miúdo'.] *S. m.* **1.** Unidade de medida de intervalo de tempo, igual a 60 segundos. [Simb. *min.*] **2.** Unidade de medida de arco ou ângulo, igual a 1/60 do grau. [Simb.: ′.] **3.** Intervalo de tempo muito breve; momento, instante. ● *Adj.* **4.** Pequeno; ínfimo; reduzido, diminuto.

mio. [Dev. de *miar.*] *S. m.* V. *miado.*

▲**mi(o)-**[1]. [Do gr. *mŷs, myós.*] *El. comp.* = 'músculo': *miite, miocárdio.* [Equiv.: *mios-* e *-mis-*: miosina; perimísio.]

▲**mi(o)-**[2]. [Do gr. *meîon, on, on.*] *El. comp.* = 'menor', 'menos': *mioceno, miopraxia.*

miocárdio. [De *mi(o)-*[1] + *-cárdio.*] *S. m. Anat.* A camada média, e mais espessa, da parede do coração, formada por músculo cardíaco.

miocardite. [De *miocárdio* + *-ite*[1].] *S. f. Patol.* Inflamação do miocárdio.

miocardítico. *Adj.* Referente à miocardite.

miocele. [De *mi(o)-*[1] + *-cele.*] *S. f. Patol.* Passagem de músculo através da bainha (3), em conseqüência de ruptura desta, formando hérnia.

mioceno. [De *mi(o)-*[2] + *-ceno.*] *Adj.* e *s. m.* ~V. *época —a.*

mioclonia. [De *mi(o)-*[1] + *-clon(o)-* + *-ia.*] *S. f. Med.* Contração muscular involuntária de parte de músculo, músculo inteiro ou grupo muscular, limitada a uma área do corpo ou que aparece, sincrônica ou assincronicamente, em várias áreas.

mioclônico. *Adj.* Respeitante à mioclonia.

miodinia. [De *mi(o)-*[1] + *-odin(o)-* + *-ia.*] *S. f. Patol.* Mialgia.

miodínico. *Adj.* Relativo à miodinia; miálgico.

miodócopo. *S. m.* **1.** Espécime dos miodócopos. ● *Adj.* **2.** Pertencente ou relativo a eles.

miodócopos. *S. m. pl. Zool.* Animais artrópodes, crustáceos, ostracódios, ordem *Myodocopa,* de corpo com cinco partes de apêndices, forquilha caudal com ramos laminares providos de espinhos, carapaça provida de seio antenal, e segunda antena alargada na base, para natação.

miografia. [De *mi(o)-*[1] + *-graf(o)-* + *-ia.*] *S. f.* **1.** *Anat.* Descrição dos músculos. **2.** *Fisiol.* Estudo do registro gráfico das contrações musculares, mediante o uso do miógrafo.

miográfico. *Adj.* Relativo à miografia; miológico.

miógrafo. [De *mi(o)-*[1] + *-grafo.*] *S. m.* Instrumento com que se obtém o miograma.

miograma. [De *mi(o)-*[1] + *-grama.*] *S. m. Fisiol.* Registro ou traçado gráfico de atividade muscular obtido pelo miógrafo.

miolada. *S. f.* **1.** Os miolos. **2.** Preparado culinário em que entram miolos dum animal. [Sin. ger.: *mioleira.*]

mioleira. *S. f.* **1.** Miolada. **2.** *Fig.* Tino, juízo, miolo.

miolema. [De *mi(o)-*[1] + *-lema*[1].] *S. m. Anat.* Sarcolema.

miolemático. *Adj.* Relativo ao miolema.

miolinho. [Dim. de *miolo.*] *S. m. Bras.* Ave da família dos buconídeos (*Chelidoptera tenebrosa brasiliensis* Scl.), do Brasil este-meridional, de coloração negra, abdome posterior ferrugíneo, uropígio e crisso brancos. Nidifica em barrancos e alimenta-se de insetos. [Sin.: *tatera.*]

miolo (ô). [Do lat. **medullu,* calcado em *medulla,* 'tutano'.] *S. m.* **1.** A parte do pão que fica dentro da côdea. **2.** A polpa (1) de alguns frutos, ou a parte interior de certos órgãos vegetais. **3.** Medula, tutano: *o miolo dos ossos.* **4.** *Fam.* A massa encefálica; o cérebro. [Nesta acepç. é m. us. no pl.] **5.** *Fig.* Inteligência, cabeça, juízo, razão, tino. **6.** *Fig.* A parte essencial, mais importante, fundamental: *Entremos no miolo da questão.* **7.** A parte interior de qualquer coisa: *o miolo do livro.* **8.** *Encad.* Corpo (24). **9.** *Bras., MA. Folcl.* O brincante que fica por baixo da armação do boi (4) e é o responsável pelos seus movimentos coreográficos. [Pl.: *miolos* (ó).] ♦**Miolo de pote.** *Bras., AL* e *CE. Pop.* Coisa(s) vã(s), tola(s), sem importância; tolice, bobagem: *Só fala miolo de pote* (= 'só diz bobagem'). [Sin., no CE: *miolo de quartinha.*] **Miolo de quartinha.** *Bras., CE. Pop.* Miolo de pote. **De miolo mole.** *Fam.* Amalucado, sem tino perfeito, por via de regra em razão da idade; caduco, decrépito, gagá, esclerosado: *Já está de miolo mole; Ficou de miolo mole aí pelos 60 anos.*

miologia. [De *mi(o)-*[1] + *-log(o)-* + *-ia.*] *S. f.* Estudo dos músculos. [Cf. *miiologia.*]

miológico. *Adj.* Referente à miologia; miográfico. [Cf. *miológico.*]

mioloso (ô). *Adj.* Abundante em miolo; mioludo.

mioludo. *Adj.* Mioloso.

mioma. [De *mi(o)-*[1] + *-oma.*] *S. m. Patol.* Tumor constituído de elemento(s) muscular(es). [Sin., pop. (na BA): *carneiro.*]

miomalacia. [De *mi(o)-*[1] + *-malacia.*] *S. f. Patol.* Amolecimento dos músculos.

miomalácico. *Adj.* Relativo à miomalacia.

miométrio. [De *mi(o)-*[1] + *-metr(o)-*[1] + *-io*[2].] *S. m. Anat.* A camada muscular lisa do útero, que constitui a massa principal do órgão.

mio-mio. [Do quíchua *mio*, 'veneno', pelo esp. plat.] *S. m. Bras., C.O.* Subarbusto da família das compostas *(Baccharis cordifolia)*, muito ramificado, de folhas lineares, sésseis, algo rígidas, e com a margem serreada, cujos capítulos compõem panículas, e cujo papo é avermelhado. [Pl.: *mios-mios* e *mio-mios.*]

miomorfo. *S. m.* **1.** Espécime dos miomorfos. ● *Adj.* **2.** Pertencente ou relativo a eles.

miomorfos. *S. m. pl. Zool.* Animais roedores da subordem *Myomorpha*, de pequeno porte, com forame infraorbital alargado, dando passagem a músculo, porção angular da mandíbula sem distorção, e molares 3/3.

miopatia. [De *mi(o)-*[1] + *-pat-* + *-ia.*] *S. f. Patol.* Qualquer afecção do sistema muscular.

miopático. *Adj.* Relativo a miopatia.

míope. [Do gr. *myóps.* pelo lat. *myope.*] *Adj. 2 g.* **1.** Que sofre de miopia (1).: *pessoa míope.* **2.** Em que há miopia (1): *olhos míopes.* **3.** *Fig.* Que revela miopia (2); falto de perspicácia: *espírito míope; concepção míope.* ● *S. 2 g.* **4.** Pessoa que sofre de miopia (1).

miopia. [De *míope* + *-ia.*] *S. f.* **1.** Imperfeição do olho cujo eixo ântero-posterior é demasiado longo, de sorte que a imagem de um objeto situado no infinito se forma aquém da retina; vista curta. [Cf. *hipermetropia.*] **2.** *Fig.* Falta de perspicácia; estreiteza de visão: *miopia sociológica;* "a entrada do Japão [nas duas Grandes Guerras] foi outro expediente de pesca nas águas turvas, que só provou a miopia da política militarista nipônica." (Fidelino de Figueiredo, *Entre Dois Universos*, p. 143).

mioplastia. [De *mi(o)-*[1] + *-plast-* + *-ia.*] *S. f. Cir.* Operação plástica para a reconstituição de um músculo ou a correção de deformidades musculares.

mioplástico. *Adj.* Relativo à mioplastia.

mioplegia. [De *mi(o)-*[1] + *pleg-* + *-ia.*] *S. f. Patol.* Paralisia dos músculos.

mioplégico. *Adj.* Referente à mioplegia.

mioporácea. *S. f.* Espécime das mioporáceas.

mioporáceas. *S. f. pl. Bot.* Família de plantas floríferas, da ordem das tubifloras, que engloba plantas lenhosas de folhas alternas e dotadas de pontoações translúcidas. Flores solitárias ou em fascículos; androceu pentâmero ou tetrâmero; ovário plurilocular. Há umas 100 espécies, asiáticas.

mioporáceo. *Adj.* Pertencente ou relativo às mioporáceas.

miopragia. *S. f. Patol.* V. *miopraxia.*

miopraxia (cs). [De *mi(o)-*[2] + rad. gr. de *prassein*, 'passar através, realizar', + *-ia.*] *S. f. Patol.* Condição de inferioridade ou insuficiência funcional de um órgão ou um aparelho do organismo.

miorrelaxante. [De *mi(o)-*[1] + *relaxante.*] *Adj. 2 g.* e *s. m. Terap.* Diz-se de, ou medicamento que produz relaxamento de músculo esquelético.

▲**mios-.** V. *mi(o)-*[1].

miose[1]. [De *mi(o)-*[2] + *-ose.*] *S. f. Med.* Contração excessiva de pupila.

miose[2]. *S. f.* **1.** *Citol.* V. meiose. **2.** *Med. P. us.* Fase em que a intensidade dos sintomas diminui, numa doença.

miosina. [De *mios-* + *-ina*[1].] *S. f. Bioquím.* Proteína encontrada nos músculos, isolada como pó branco-amarelado, com massa molecular elevada, da ordem de 500.000 a 600.000.

miosite. [De *mios-* + *-ite*[1].] *S. f. Patol.* Inflamação de músculo(s) voluntário(s); miite.

miosótis. [Do gr. *myosotís*, 'orelha de rato', pelo lat. *myosotis.*] *S. m. 2 n.* Pequena erva da família das boragináceas *(Myosotis alpestris)*, de origem européia, cultivada em jardins como ornamental que apresenta pequenas flores azuis, cuja beleza reside no conjunto; não-me-esqueças, não-te-esqueças-de-mim.

miótico. [De *mi(o)-*[2] + *-t-* + *-ico*[2].] *Adj.* Meiótico (1).

miotomia. [De *mi(o)-*[1] + *-tom(o)-* + *-ia.*] *S. f.* **1.** *Anat.* Dissecção dos músculos. **2.** *Cir.* Seção muscular.

miotômico. *Adj.* Relativo à miotomia.

mipibuense. *Adj. 2 g.* **1.** De, ou pertencente ou relativo a São José de Mipibu (RN). ● *S. 2 g.* **2.** Natural ou habitante de São José de Mipibu.

miqueado. [Part. de *miquear.*] *Adj. Bras., RJ* e *SP. Pop.* V. *pronto* (10).

miquear. *V. t. d. Bras. Pop.* Empobrecer, arruinar. [Conjug.: v. *frear.*]

miquelete (lê). [Do esp. *miquelete.*] *S. m.* **1.** Designação comum aos antigos guerrilheiros dos Pireneus que, no N. da Espanha e no S. da França, levaram à luta os dois países por questões de fronteiras. **2.** Antigo soldado espanhol de montanha. **3.** Soldado da guarda dos governadores das províncias espanholas.

miquelino. *Adj. Bras.* V. *cafona* (1).

mira[1]. [Dev. de *mirar.*] *S. f.* **1.** Ato ou efeito de mirar. **2.** *P. ext.* Pontaria (2). **3.** *Fig.* Objetivo, fim; intenção, intuito. **4.** *Telev.* Imagem de controle destinada à verificação da qualidade da transmissão. ♦ **À mira de.** À espreita de: *O caçador está à mira do veado.*

mira[2]. [Do it. *mira.*] *S. f.* **1.** Apêndice metálico existente na extremidade do cano das armas de fogo, para dirigir a pontaria. **2.** Régua graduada que, colocada verticalmente sobre o terreno, serve de alvo de visadas em operações topográficas de medição indireta de distâncias e desníveis; mira-falante. **3.** *Astr.* Marco solidamente fixado ao solo, e que contém, geralmente, um ponto iluminado, servindo de referência fixa para as observações astronômicas.

mira[3]. *S. m. Bras.* F. red. de *badejo-mira.*

mirabanda. *S. f. Bras.* Moscardo que vive em sociedade numa espécie de ninho.

mirabela. [Do fr. *mirabelle.*] *S. f.* **1.** Erva anual compacta, da família das quenopodiáceas *(Kochia scoparia)*, nativa na Europa, de folhas lineares, e flores inconspícuas e verdes. **2.** A fruta dessa planta, de forma e sabor semelhante ao da ameixa, e de cor amarelada.

➧**mirabile dictu** (mirábile dictu). [Lat., 'admirável de se dizer'.] Loc. us. interjetivamente.

➧**mirabile visu** (mirábile visu). [Lat., 'admirável de se ver'.] Loc. us. interjetivamente.

mirabolância. *S. f.* Qualidade de mirabolante.

mirabolante. [Do fr. *mirabolant.*] *Adj. 2 g.* **1.** Ridiculamente vistoso ou pomposo; espalhafatoso: *roupas mirabolantes.* **2.** Surpreendente, espantoso: "Ali, ... por certo teria ocasião de ver coisas mirabolantes, para contar aos meus embasbacados conterrâneos, quando voltasse" (Leo Vaz, *O Burrico Lúcio*, p. 34).

miracatuense. *Adj. 2 g.* **1.** De, ou pertencente ou relativo a Miracatu (SP). ● *S. 2 g.* **2.** Natural ou habitante de Miracatu.

miracemense[1]. *Adj. 2 g.* **1.** De, ou pertencente ou relativo a Miracema (RJ). ● *S. 2 g.* **2.** Natural ou habitante de Miracema.

miracemense[2]. *Adj. 2 g.* **1.** De, ou pertencente ou relativo a Miracema do Norte (GO). ● *S. 2 g.* **2.** Natural ou habitante de Miracema do Norte.

mira-céu. [De *mirar* + *céu.*] *S. m. Bras.***1.** Peixe teleósteo, cipriniforme, da família dos ciprinídeos (*Carassius auratus* (L.)), cujos olhos grandes, exoftálmicos, são virados para cima. [Cf. *peixe-vermelho.*] **2.** Tanduju. [Pl.: *mira-céus.*]

miracídio. [Do gr. *meirákidion*, 'indivíduo muito jovem'.] *S. m. Zool.* A primeira forma larvar dos trematódeos heterogenéticos.

miraculado. [Do lat. *miraculu*, 'milagre', + *-ado*[1].] *Adj.* e *s. m.* Diz-se de, ou indivíduo que foi objeto de milagre.

miraculoso (ô). [Do lat. *miraculosu.*] *Adj.* V. *milagroso* (3): "Todo o sistema planetário, / Miraculoso alampadário, / Em chuva de ouro há de findar." (Martins Fontes, *Vulcão*, p. 204.)

mirada. [De *mirar*[1] + *-ada*[1].] *S. f.* Ato de mirar; olhar, olhadela, olhada.

miradoiro. [De *mirar*[1] + *-(d)oiro*[1].] *S. m.* Miradouro.

miradorense. *Adj. 2 g.* e *s. 2 g.* **1.** De, ou pertencente ou relativo a Mirador (MA). ● *S. 2 g.* **2.** Natural ou habitante de Mirador. [Cf. *miradourense.*]

miradourense. *Adj. 2 g.* **1.** De, ou pertencente ou relativo a Miradouro (MG). ● *S. 2 g.* **2.** Natural ou habitante de Miradouro. [Cf. *miradorense.*]

miradouro. [De *mirar* + *-(d)ouro*[1]; var. de *miradoiro.*] *S. m.* V. *mirante:* "Os atalaias vigiam dos altos miradouros da torre de managem." (Rebelo da Silva, *Contos e Lendas*, p. 32.)

mira-falante. [De *mira*[2] + *falante.*] *S. f.* Mira[2] (2). [Pl.: *miras-falantes.* Cf. *mira-muda.*]

miragaia. *S. f. Bras.* V. *piraúna* (1).

miragem. [Do fr. *mirage.*] *S. f.* **1.** Efeito óptico, freqüente nos desertos, produzido pela reflexão total da luz solar na superfície comum a duas camadas de ar aquecidas diversamente, sendo a imagem vista, de ordinário, em posição invertida. [Quando a superfície de reflexão é horizontal e fica acima dos olhos, dá a impressão de um lençol de água onde os objetos se acham refletidos.] **2.** *P. ext.* Visão fantástica, enganosa. **3.** *Fig.* Ilusão sedutora; engano, sonho, quimera: *miragens românticas.* ♦**Miragem gravitacional.** *Astr.* e *Fís.* Lente gravitacional.

miraginal. *Adj. 2 g.* Em que há, ou é próprio de miragem:"Ó glória, glória triste, excelsa glória, / irmã do amor e da felicidade! / Visão miraginal da trajetória / curta da nossa curta Mocidade!" (Hermes Fontes, *A Fonte da Mata...*, p. 124.)

miraguaia. *S. f. Bras.* V. *piraúna* (1).

miraia. [Var. de *biraia.*] *S. f.* V. *meretriz.*

miraiense (a-i). *Adj. 2 g.* **1.** De, ou pertencente ou relativo a Miraí (MG). ● *S. 2 g.* **2.** Natural ou habitante de Miraí.

miralmunimim. *S. m.* Miramolim [q. v.].

miramar. [De *mirar* + *mar.*] *S. m.* Mirante voltado para o mar.

miramolim. [Var. sincopada de *miralmuminim* < ár. *mir almumnim*, 'o príncipe dos crentes'.] *S. m.* Califa ou chefe dos crentes, entre os muçulmanos; miralmunimim.

miramomi. *S. 2 g.* e *adj. 2 g. Bras.* V. *maromomi.*

mira-muda. [De *mira* + *muda*[2].] *S. f.* Instrumento formado por duas réguas que deslizam uma sobre a outra, usado para levantamentos topográficos. [Pl. *miras-mudas.* Cf. *mira-falante.*]

mirandense. *Adj. 2 g.* **1.** De, ou pertencente ou relativo a Miranda (MS). ● *S. 2 g.* **2.** Natural ou habitante de Miranda.

mirandês. *Adj.* **1.** De, ou pertencente ou relativo a Miranda (Portugal). ● *S. m.* **2.** O natural ou habitante de Miranda. [Flex.: *mirandesa* (ê), *mirandeses* (ê), *mirandesas* (ê).] **3.** Dialeto falado em Miranda.

mirandopolense. *Adj. 2 g.* **1.** De, ou pertencente ou relativo a Mirandópolis (SP). ● *S. 2 g.* **2.** Natural ou habitante de Mirandópolis.

miranha. *Bras. S. 2 g.* **1.** Indígena dos miranhas, índios das margens do Japurá. ● *Adj. 2 g.* **2.** Pertencente ou relativo a essa tribo.

mirante. [De *mirar* + *-nte.*] *S. m.* **1.** Pavilhão situado em lugar alto e bastante desabrigado para que dele se possam apreciar vistas panorâmicas; observatório. **2.** Ponto elevado de onde se descobre largo horizonte. **3.** Eirado, terraço. [Sin. ger.: *miradouro.*] ~ V. *mirantes.*

mirantense. *Adj. 2 g.* **1.** De, ou pertencente ou relativo a Mirante do Paranapanema (SP). ● *S. 2 g.* **2.** Natural ou habitante de Mirante do Paranapanema.

mirantes. [De *mirar* + *-nte.*] *S. m. pl. Bras. Gír.* Os olhos. ~ V. *mirante.*

mirão. [Do esp. *mirón.*] *S. m.* V. *mirone.*

mira-olho. [De *mirar* + *olho.*] *Adj. 2 g.* **1.** De boa aparência; que tem bom aspecto; agradável. **2.** Apetitoso, saboroso. ● *S. m.* **3.** Variedade de pêssego. [Pl.: *mira-olhos.*]

mirar. [Do lat. *mirare*, por *mirari*, 'admirar'.] *V. t. d.* **1.** Cravar a vista em; fitar os olhos em; fitar, encarar: "Escancaro as janelas / Sobre o jardim calado, e as águas miro, absorto." (Olavo Bilac, *Poesias*, p. 203.) **2.** Voltar-se (os olhos) para fitar: "Onde, os olhos que miravam / as pinturas destes tetos, / agora quase apagadas?" (Cecília Meireles, *Obra Poética*, p. 856.) **3.** Divisar, avistar, enxergar: *Do cimo da montanha mirava a extensa planície.* **4.** Observar, espreitar. **5.** Olhar, visando; tomar como alvo; apontar para; pôr o fito em: *Mirou a caça e atirou.* **6.** Aspirar a; pretender; desejar; apetecer. *T. i.* **7.** Tomar por alvo do tiro; dirigir a pontaria; apontar: *O caçador mirou à juriti.* **8.** Ter em vista; visar: *Falava sem parar mirando apenas a desabafar-se.* **9.** Estar voltado; dizer; olhar: *Sua janela mira para o jardim. T. d.* e *i.* **10.** Ver, contemplar (em espelho ou noutra coisa que reflita a imagem): "Não mires a este espelho a alma inocente!" (Raimundo Correia, *Poesias*, p. 161). *P.* **11.** Mirar (10) a si mesmo:

"Mirava-se muito ao espelho" (Júlio Ribeiro, *A Carne*, p. 23); "Pelas margens das lagoas os jaburus caminham lentos e taciturnos ou miram-se imóveis nas águas." (José de Alencar, *O Sertanejo*, p. 213.) **12.** Refletir-se, espelhar-se, reproduzir-se: *As árvores, à beira da lagoa, miram-se na água.* **13.** Fitar mutuamente os olhos; olhar-se: "As duas se abraçaram, mirando-se." (José Carlos Cavalcanti Borges, *O Assassino*, p. 18.)

mirassolense. *Adj. 2 g.* **1.** De, ou pertencente ou relativo a Mirassol (SP). ● *S. 2 g.* **2.** Natural ou habitante de Mirassol.

miri. [Do tupi *mi'ri.*] *S. m. Bras.* Planta medicinal, da família das sapotáceas (*Bumelia nigra*). [Var.: *mirim.*]

▲miri(a)-. [Do gr. *myriás, ados.*] *El. comp.* = 'dez mil'; 'numeroso': *miriare, miriagrama, mirialitro.* [Equiv.: *mirio-*: *miriópode.*]

miríada. *S. f.* Var. de *miríade*: "De alguma beleza sei eu cujos olhos *cor da noite* .... inspiririam miríadas de canções descabeladas e vaporosas" (Almeida Garret, *Viagens na Minha Terra*, pp. 34-35).

miríade. [Do gr. *myriás, ados*, 'dez mil'.] *S. f.* **1.** Número de dez mil. **2.** *Fig.* Quantidade indeterminada, porém grandíssima: "Corro à floresta: entre miríades / De vaga-lumes, junto aos troncos, / Gênios caprípedes e broncos / Estupram virgens hamadríades." (Manuel Bandeira, *Estrela da Vida Inteira*, p. 64.) [Var.: *miríada.*]

miriagrama. [De *miri(a)-* + *grama*[2].] *S. m.* Unidade de massa, equivalente a 10.000 gramas.

mirialitro. [De *miri(a)-* + *litro.*] *S. m.* Unidade de capacidade, equivalente a 10.000 litros.

miriâmetro. [De *miri(a)-* + *metro.*] *S. m.* Unidade de comprimento, equivalente a 10.000 metros.

miriápode. [De *miri(a)-* + *-pode.*] *Adj. 2 g.* **1.** V. *milípede.* **2.** Pertencente ou relativo aos miriápodes. ● *S. m.* **3.** Espécime dos miriápodes. [F. paral.: *miriópode.*]

miriápodes. *S. m. pl. Zool.* Animais artrópodes, da classe ou sub-ramo *Myriapoda*, de corpo alongado, dividido em cabeça e tronco; a cabeça com um par de antenas, um par de mandíbulas e um ou dois pares de patas por segmento. Respiração traqueal, e são na maioria terrestres. São os embuás ou piolhos-de-cobra e lacraias ou centopéias. [F. paral. *miriópodes.*]

miriare. [De *miri(a)-* + *are.*] *S. m.* Superfície de 10.000 ares ou de 1 km^2.

miricácea. *S. f.* Espécime das miricáceas.

miricáceas. *S. f. pl. Bot.* Família de plantas superiores, da ordem das miricales, que inclui vegetais lenhosos, de folhas alternas e flores em espigas, monóicos ou dióicos, fruto drupáceo e externamente revestido de cera. Não existem no Brasil.

miricáceo. *Adj.* Pertencente ou relativo às miricáceas.

miricale. *S. f.* Espécime das miricales.

miricales. *S. f. pl. Bot.* Ordem de dicotiledôneas arquiclamídeas que compreende exclusivamente a família das miricáceas.

miridã. *S. m. Bras., Pl. Folcl.* Personagem lendário, fruto do amor proibido de uma índia acaraó, que o lançou ao rio Paraim, num tacho, mas a mãe-d'água o criou, amaldiçoando a mãe, e as águas cresceram, transformando-se no lago Parnaguá, e Miridã até hoje reaparece, ao amanhecer, como criança, à tarde, como adulto, e à noite, como um velho de barbas brancas.

mirientomado. *S. m.* e *adj.* Proturo.

mirientomados. *S. m. pl. Zool.* Proturos.

mirificar. [Do lat. *mirificare.*] *V. t. d.* **1.** Tornar mirífico, admirável. **2.** Causar admiração ou espanto a. [Conjug.: v. *trancar.* Pres. ind. *mirifico*, etc. Cf. *mirífico.*]

mirífico. [Do lat. *mirificu.*] *Adj.* Maravilhoso, admirável, extraordinário, excelente: *mirífico empreendimento*; "Novos céus querem ver, miríficas belezas" (Francisca Júlia, *Esfinges*, p. 22). [Cf. *mirifico*, do v. *mirificar.*]

mirim. [Do tupi *mi'rĩ.*] *Adj. 2 g. Bras.* **1.** Pequeno, diminuto: "Em escala descendente, a começar no Catete, onde pontifica o chefe açu, e a terminar no último lugarejo do sertão, com um caudilho mirim, isto é um país a regurgitar de mandões" (Graciliano Ramos, *Linhas Tortas*, p. 9). [Antôn.: *açu.*] ● *S. f.* **2.** Designação comum a diversas espécies de abelhas pequeninas da família dos meliponídeos. ● *S. m.* **3.** Var. de *miri.*

▲-mirim. [Do tupi *mi'rĩ.*] *El. comp.* = 'pequeno', 'diminuto', 'limitado': *tamanduá-mirim.* [Antôn.: *-açu.*]

mirim-pintada. [De *mirim* (2) + o fem. do adj. *pintado.*] *S. f. Bras.* Espécie de abelha meliponídea; mirim-rendeira. [Pl.: *mirins-pintadas.*]

mirim-preguiça. [De *mirim* (2) + *preguiça.*] *S. f. Bras.* Espécie de abelha da família dos meliponídas (*Trigona schrottkyi*). [Pl.: *mirins-preguiças* e *mirins-preguiça.*]

mirim-rendeira. [De *mirim* (2) + *rendeira*[1].] *S. f. Bras.* Mirim-pintada. [Pl.: *mirins-rendeiras.*]

mirindiba. [Do tupi *mi'rĩ diwa.*] *S. f. Bras.* Árvore da família das litráceas (*Lafaoensia glyptocarpa*), que habita a mata pluvial atlântica, cujas flores são grandes, vistosas e com estames muito longos, cujos frutos são cápsulas avantajadas, cujas folhas têm uma glândula apical que é muito característica, e cuja madeira é tida como de boa qualidade; mirindiba-rósea. [Cf. *merendiba.*]

mirindiba-rósea. *S. f. Bras.* Mirindiba [q. v.]. [Pl.: *mirindibas-róseas.*]

miringe. [Do b. -lat. *meringa.*] *S. f. Anat.* A membrana do tímpano.

miringite. [De *miringe* + *-ite*[1].] *S. f. Patol.* Inflamação de membrana do tímpano.

miringoplastia. [De *miringe* + *-o-* + *-plast-* + *-ia.*] *S. f. Cir.* Reparação cirúrgica de perfuração de membrana do tímpano.

miringoplástico. *Adj.* Relativo à miringoplastia.

miringotomia. [De *miringe* + *-o-* + *-tom(o)-* + *-ia.*] *S. f. Cir.* Incisão cirúrgica de membrana do tímpano.

miringotômico. *Adj.* Relativo à miringotomia.

mirinɡuaçu. [De *mirim* (2) + *-guaçu.*] *S. f. Bras.* Espécie de abelha cujo mel é medicinal.

mirinzal. [De *mirim* (3) + *-z-* + *-al.*] *S. m. Bras.* Quantidade mais ou menos considerável de mirins dispostos proximamente entre si.

▲mirio-. Equiv. de *miri(a)-.*

mirioftalmo. [Do gr. *myriophthalmos*, 'de olhos numerosos'.] *Adj. Zool.* Que tem grande porção de olhos.

miriópode. [De *mirio-* + *-pode.*] *Adj. 2 g.* e *s. m.* V. *miriápode.*

miriópodes. *S. m. pl. Zool.* Miriápodes.

miriquiná. [Var. de *muriquina* (q. v.).] *S. m. Bras.* V. *macaco-da-noite.*

miristicácea. *S. f.* Espécime das miristicáceas.

miristicáceas. *S. f. pl. Bot.* Família de plantas floríferas, da ordem das ranales, formada de árvores dióicas, de folhas alternas e flores insignificantes, monoclamídeas, unissexuais e actinomorfas, androceu com 2 a 30 estames, ovário unilocular e com um só óvulo, fruto capsular, semente com arilo bem desenvolvido e aromático. No Brasil, afora as espécies nativas de Virola, cultiva-se a noz-moscada.

miristicáceo. *Adj.* Pertencente ou relativo às miristicáceas.

mirístico. *Adj.* ~ V. *ácido* —.

miriti. [Var. de *buriti.*] *S. m. Bras., Amaz.* Palmeira altíssima (30-50 m), própria de alagadiços (*Mauritia flexuosa*), de frutos globosos, e cujo caule, fendido, dá suco doce e amilo, servindo as folhas para fazer telhados.

miriti-tapuia. *Bras. S. 2 g.* **1.** Indivíduo dos miritis-tapuias, tribo indígena que vive no Iraiti, na margem esquerda do rio Tiquié (AM). ● *Adj. 2 g.* **2.** Pertencente ou relativo a essa tribo. [Pl.: *miritis-tapuias.*]

▲mirmeco-. [Do gr. *mýrmex, ekos.*] *El. comp.* = 'formiga': *mirmecófago.*

mirmecofagídeo. [De *mirmeco-* + *-fag(i)-* + *-ídeo.*] *S. m.* **1.** Espécime dos mirmecofagídeos. ● *Adj.* **2.** Pertencente ou relativo a eles.

mirmecofagídeos. *S. m. pl. Zool.* Animais mamíferos, desdentados, da família *Myrmecophagidae*, de focinho longo, língua protrátil, desprovidos de dentes (sendo os únicos desdentados verdadeiros), unhas muito desenvolvidas, cauda longa preênsil, nas espécies arborícolas. Alimentam-se de insetos. São os tamanduás.

mirmecófago. [De *mirmeco-* + *-fago.*] *Adj. Zool.* Que se alimenta de formigas.

mirmecofilia. [De *mirmeco-* + *-fil(o)-*[2] + *-ia.*] *S. f. Ecol.* Associação de uma planta com as formigas que vivem sobre ela.

mirmecofílico. *Adj.* Relativo à mirmecofilia.

mirmecófilo. [De *mirmeco-* + *-filo*[2].] *Adj.* Que vive com as formigas.

mirmecologia. [De *mirmeco-* + *-log(o)-* + *-ia.*] *S. f.* Estudo ou tratado acerca das formigas.

mirmecológico. *Adj.* Relativo à mirmecologia.

mirmeleontídeo. *S. m.* **1.** Espécime dos mirmeleontídeos. ● *Adj.* **2.** Pertencente ou relativo a eles.

mirmeleontídeos. *S. m. pl. Zool.* Família que reúne insetos neurópteros vulgarmente conhecidos como *formigas-leões* [v. *formiga-leão*].

mirmequito. [Do gr. *mirmékia*, 'verruga', + *-ito*[2].] *S. f. Min.* Intercrescimento íntimo de quartzo e feldspato, provavelmente devido à solidificação simultânea de ambos, em uma rocha magmática.

mirmidão. [Possível alter. do fr. *marmiton.*] *S. m. Lus.* Ajudante de cozinheiro.

mirolho (ô). [De *mirar* + *olho.*] *S. m.* **1.** *Bras., MG.* Aquele que tem boa pontaria no jogo de gude. **2.** *Lus.* V. *estrábico* (4). ● *Adj.* **3.** *Lus.* V. *estrábico* (2). [Pl.: *mirolhos* (ó).]

mirone. [Do esp. *mirón.*] *S. m. Fam.* **1.** Espectador, observador. **2.** Aquele que, sem jogar, observa o andamento do jogo. [F. paral.: *mirão.*]

mironga. [Var. de *milonga.*] *S. f. Bras. Pop.* **1.** Desinteligência, briga, altercação, conflito. **2.** V. *milonga* (3).

miroró. [Do tupi *miroi'ró.*] *S. m. Bras., BA.* V. *caramuru* (1). [Var. *mororó, tororó.*]

mirotamnácea. *S. f.* Espécime das mirotamnáceas.

mirotamnáceas. *S. f. pl. Bot.* Família de plantas superiores, da ordem das rosales, composta de arbustos de folhas opostas, flores aclamídeas e unissexuais, e cujo fruto é uma cápsula septicida. Não ocorre no Brasil.

mirotamnáceo. *Adj.* Pertencente ou relativo às mirotamnáceas.

mirra[1]. [De uma língua semítica, atr. do gr. *myrrha* e do lat. *myrrha.*] *S. f.* **1.** Designação comum a duas árvores da família das burseráceas (*Commiphora mallis* e *C. myrrha*), originárias da África, cuja resina dimana por incisão e se usa como incenso e em perfumes, ungüentos, etc. **2.** A resina dessas árvores: "Como a mirra, que só lança perfumes / Quando a deitam no fogo, a nossa alma / Só tem aroma quando a angústia a queima" (Eugênio de Castro, *Obras Poéticas*, V, p. 47).

mirra[2]. [De *mirrado.*] *S 2 g.* **1.** V. *magricela* (2). **2.** V. *avaro* (3).

mirrado. [Part. de *mirrar.*] *Adj.* **1.** Seco, ressequido, murcho: "Folha mirrada dum feto / Dentro dum livro fechado." (Conde de Monsaraz, *Musa Alentejana*, p. 10.) **2.** Muito magro; definhado: "Era [o Marquês de Itanhaém] seco e mirrado, usava cabeleira e trazia óculos fortes." (Machado de Assis, *Páginas Recolhidas*, p. 165.) **3.** *P. ext.* Esgotado, exaurido, exausto.

mirrador (ô). *Adj.* Que faz mirrar.

mirrar. *V. t. d.* **1.** Preparar com mirra[1] (2). **2.** Tornar seco; secar, ressequir, ressecar: *O sol abrasante mirra as folhas.* **3.** Privar a pouco e pouco, das forças; definhar. **4.** Tornar magro; gastar, consumir: *A doença mirrava-o. Int.* e *p.* **5.** Perder a energia, o viço, a frescura; secar-se. **6.** Emagrecer em extremo; definhar-se. **7.** Diminuir de volume; encolher. **8.** Humilhar-se, abater-se. **9.** Desaparecer, fugir; esconder-se. **10.** Tornar-se ressequido.

mírreo. [Do lat. *myrrheu.*] *Adj. Poét.* Perfumado de mirra[1] (2).

mirsinácea. *S. f.* Espécime das mirsináceas.

mirsináceas. *S. f. pl. Bot.* Família de plantas floríferas, sem importância, da ordem das primulales, formada de plantas lenhosas, de folhas alternas, pequenas flores dotadas de glândulas escuras ou avermelhadas, e fruto drupáceo. Engloba cerca de 1.000 espécies, das quais muitas são brasileiras.

mirsináceo. *Adj.* Pertencente ou relativo às mirsináceas.

mirtácea. *S. f.* Espécime das mirtáceas.

mirtáceas. *S. f. pl. Bot.* Família de dicotiledôneas da ordem das mirtales, que compreende plantas lenhosas de pequeno e grande porte. Folhas opostas ou alternas, sempre com glândulas translúcidas; flores actinomorfas, hermafroditas e diclamídeas, de corola dialipétala e estames numerosos; ovário ínfero; fruto capsular ou bacáceo. Há perto de 3.000 espécies, ocorrendo muitas no Brasil. [A goiabeira e a jabuticabeira são exemplos vulgares; outro exemplo é o eucalipto, de origem australiana, importante árvore industrial.]

mirtáceo. *Adj.* Pertencente ou relativo às mirtáceas.

mirtal. [De *mirto* + *-al.*] *S. m.* V. *murtal*: "E das moitas cheirosas / O aroma dos mirtais sobe nos céus escampos." (Manuel Bandeira, *Estrela da Vida Inteira*, p. 22.)

mirtale. *S. f.* Espécime das mirtales; mirtiflora.

mirtales. *S. f. pl. Bot.* Ordem de plantas dicotiledôneas arquiclamídeas, cujo tipo são as mirtáceas; mirtifloras.

mirtedo (ê). [Do lat. *myrtetu.*] *S. m.* V. *murtal.*

mírteo. [Do lat. *myrteu.*] *Adj.* **1.** Relativo a murta ou a mirto. **2.** Feito de murta. **3.** Onde cresce a murta.

mirtiflora. *S. f.* Mirtale.

mirtifloras. *S. f. pl. Bot.* Mirtales.

mirtiforme. [De *mirto* + *-i-* + *-forme.*] *Adj. 2 g.* Semelhante à folha da murta ou do mirto; mirtóide. ~ V. *carúncula* —.

mirto. [Do gr. *myrtos*, pelo lat. *myrtu.*] *S. m.* Murta.

mirtóide. [De *mirto* + *-óide.*] *Adj. 2 g.* Mirtiforme.

mirtoso (ô). *Adj.* Em que há murta ou mirto; cheio de murta.

mirueira. *S. f. Bras., BA.* Grande árvore da família das anacardiáceas (*Astronium macrocalyx*), da floresta pluvial, de madeira bela e durável, empregada para móveis de luxo e objetos de adorno, e cujos frutos levam o cálice acrescente, que funciona como pára-quedas; gonçalo-alves.

miruim (u-ím). *S. m. Bras.* V. *maruim.*

▲-mis- V. *mi(o)-*[1].

misantropia. [Do gr. *misanthropía.*] *S. f.* **1.** Aversão à sociedade, aos homens; antropofobia. [Antôn.: *filantropia* (1).] **2.** Melancolia, hipocondria.

misantrópico. *Adj.* Relativo à misantropia, ou próprio de misantropo. [Antôn.: *filantrópico* (1).]

misantropo (ô). [Do gr. *misánthropos.*] *Adj.* e *s. m.* **1.** Que ou aquele que tem ódio ou aversão à sociedade; antropófobo. **2.** *P. ext.* Que ou aquele que evita a convivência, que prefere a solidão, que é solitário, insociável; antropófobo. [Antôn.: *filantropo.*] **3.** *P. ext.* Diz-se de, ou homem melancólico.

miscelânea. [Do lat. *miscellanea.*] *S. f.* **1.** Mistura de variadas compilações literárias. **2.** Volume que se compõe de coleção de estudos afins, escritos por vários autores para homenagear uma pessoa ou instituição em data significativa; poliantéia, miscelânea de homenagem, volume de homenagem. **3.** *Fig.* Mistura de coisas diversas. V. *mixórdia* (1). **4.** *Fig.* Confusão, amontoamento, salgalhada. ◆ **Miscelânea de homenagem.** V. *miscelânea* (2).

miscibilidade. [Do lat. **miscibilitate* < **miscibile* < *miscere*, 'misturar'.] *S. f.* Qualidade de miscível.

miscigenação. [De **miscigenar* (< lat. *miscere*, 'misturar') + *-gen(o)-* + *-ação.*] *S. f.* Cruzamento inter-racial; mestiçamento, mestiçagem, caldeamento: "Também na Dinamarca tive a impressão de ser a população muito loura e branca, enquanto na Inglaterra mais morena de pele e preta de cabelo. Devia ser isso, necessariamente, uma conseqüência da posição geográfica desses dois países, estando a Inglaterra, como a Espanha e Portugal, mais exposta à *miscigenação* com povos de cor, de diversas origens" (A. da Silva Melo, *Estudos sobre o Negro*, p. 162).

miscigenado. *Adj.* Resultante de miscigenação.

miscível. [De um lat. **miscibile* < *miscere*, 'misturar'.] *Adj. 2 g.* Que se pode misturar; misturável. [Antôn.: *imiscível.*]

miscorete. *S. f. Bras., BA. Pop.* V. *cachaça* (1).

miscrar. *V. t. d. Desus.* Mesclar.

➧mise-en-plis (misampli). [Do fr. *mise en plis.*] *S. 2 g.* Operação que consiste em prender ou enrolar os cabelos molhados, em geral com um produto fixador, de modo que, depois de secos, possam ser penteados como se deseja. [Cf. *bucle* (2) e *rolo*[1] (11).]

➧mise-en-scène (misancén'). [Do fr. *mise en scène.*] *S. f. Teat.* V. *encenação* (5): "a companhia de D. Maria, que muitos espanejadores da glória alcunharam de *teatro nacional*, lá curou de bem servir o público, apurando a *mise-en-scène* das peças" (Fialho d'Almeida, *Vida Irônica*, p. 132).

miserabilidade. *S. f.* Qualidade, estado ou condição de miserável.

miseração. [Do lat. *miseratione.*] *S. f.* V. *comiseração.*

miserando. [Do lat. *miserandu.*] *Adj.* Digno de comiseração; lastimável, lastimoso, deplorável, miserável, comiserador: "um vulto, branca e espessa / A barba, a veste rota, o ar *miserando.*" (Alberto de Oliveira, *Poesias*, 3ª série, p. 247.)

miserar. [Do lat. *miserare*, por *miserari.*] *V. t. d.* **1.** Tornar mísero, desgraçado; desgraçar; desventurar, infelicitar. *P.* **2.** Lastimar-se, lamentar-se. [Pres. ind.: *misero*, etc. Cf. *mísero.*]

miserável. [Do lat. *miserabile.*] *Adj. 2 g.* **1.** Digno de compaixão; lastimável, deplorável, miserando, mísero: "*Miserável*, faminto, sedento, / Manitôs lhe não falem nos sonhos" (Gonçalves Dias, *Obras Poéticas*, II, p. 32). **2.** Desprezível, abjeto, infame, torpe, vil, mísero. **3.** Malvado, perverso, cruel. **4.** Próprio de quem é muito pobre; pobre, desgraçado, mísero: *vida miserável*; "Suez é uma cidade escura, *miserável*, decrépita" (Eça de Queirós, *Notas Contemporâneas*, p. 24). **5.** Sem valor; mesquinho, escasso, ínfimo, mísero: *salário miserável*. **6.** V. *avaro* (1). [Superl. abs. sint.: *miserabilíssimo.*] ● *S. 2 g.* **7.** Pessoa (ou animal) desgraçado, digno de compaixão: "Fortunato cortou a terceira pata ao rato, e fez pela terceira vez o mesmo movimento até a chama. O *miserável* estorcia-se, guinchando, ensangüentado, chamuscado, e não acabava de morrer." (Machado de Assis, *Várias Histórias*, pp. 113-114.) **8.** Aquele que está na miséria, que é muitíssimo pobre; indigente: "Os *miseráveis*, os rotos / São as flores dos esgotos." (Cruz e Sousa, *Obra Completa*, p. 147). **9.** Pessoa miserável (2). **10.** V. *avaro* (3).

miserê. [De *miséria.*] *S. m. Bras. Gír.* Situação de miséria extrema, de penúria: "Trabalho e não tenho nada, / Não saio do *miserê*" (do samba *Tenha Pena de Mim*, de Ciro de Sousa e Babaú).

➧miserere. [Lat., 'tem piedade' (de mim, meu Deus).] *S. m.* **1.** A primeira palavra do 51º salmo. **2.** Esse salmo.

miséria. [Do lat. *miseria*, 'desgraça, infelicidade'.] *S. f.* **1.** Estado lastimoso, deplorável. **2.** Pobreza extrema; indigência, penúria. **3.** Estado vergonhoso, indigno, infame, torpe. **4.** Mesquinharia, sovinice, avareza. **5.** Bagatela, ninharia, insignificância. **6.** Fraqueza, defeito, imperfeição. **7.** Ação ou procedimento indigno, infame, vil. ◆ **Chorar miséria.** Deplorar ao extremo algum fato. **Fazer misérias.** *Bras. Gír.* Fazer grandes proezas, façanhas extraordinárias; fazer o diabo. **Uma miséria.** Muito ruim; uma porcaria: *Esta comida está uma miséria.*

misericórdia. [Do lat. *misericordia.*] *S. f.* **1.** Compaixão suscitada pela miséria alheia. **2.** Indulgência, graça, perdão. **3.** V. *santa casa.* **4.** *Ant.* Punhal que os cavaleiros traziam do lado direito e com que matavam o adversário derribado, a menos que este pedisse misericórdia. ● *Interj.* **5.** Grito de quem pede compaixão, piedade ou socorro.

misericordiosissimamente. *Adv.* De modo misericordiosíssimo; com muita misericórdia: "Quando o teu peito em lágrimas verteste / *misericordiosissimamente.*" (Guimarães Passos, *Versos de um Simples*, p. 115.)

misericordioso (ô). *Adj.* **1.** Que tem misericórdia; compassivo, clemente: *criatura misericordiosa.* **2.** Que revela misericórdia; compassivo: *procedimento misericordioso.* ● *S. m.* **3.** Aquele que perdoa as ofensas que lhe fazem.

mísero. [Do lat. *miseru.*] *Adj.* V. *miserável* (1 a 5). [Superl. abs. sint.: *misérrimo.* Cf. *misero*, do v. *miserar.*]

misérrimo. [Do lat. *miserrimu.*] *Adj.* Superl. abs. sint. de *mísero.*

misidáceo. *S. m.* **1.** Espécime dos misidáceos. ● *Adj.* **2.** Pertencente ou relativo a eles.

misidáceos. *S. m. pl. Zool.* Animais artrópodes, crustáceos, malacostráceos, peracarídios, ordem *Mysidacea*, de corpo provido de carapaça, olhos pedunculados, e apêndices do sexto segmento abdominal lamelares.

▲miso-[1]. [Do gr. *miséo-ô.*] *El. comp.* = 'odiar', 'temer': *misoneísmo, misogamia.*

▲miso-[2]. [Do gr. *mysos*, 'falta de limpeza', 'desasseio'.] *El. comp.* = 'sujeira', 'desasseio': *misofobia, misofilia.*

misofilia. [De *miso-*[2] + *-fil(o)-*[2] + *-ia.*] *S. f.* Atração anormal pela sujeira.

misófilo. [De *miso-*[2] + *-filo*[2].] *Adj.* Que tem misofilia.

misofobia. [De *miso-*[2] + *-fob(o)-* + *-ia.*] *S. f.* Temor doentio dos contatos, pelo receio de infecção ou contaminação.

misófobo. [De *miso-*[2] + *-fobo.*] *S. m.* Aquele que tem misofobia.

misogamia. [De *miso-*[1] + *-gam(o)-* + *-ia.*] *S. f.* Horror ao casamento.

misógamo. [Do gr. *misógamos.*] *Adj.* e *s. m.* Que ou aquele que tem misogamia.

misoginia. [Do gr. *misogynía.*] *S. f.* **1.** Desprezo ou aversão às mulheres. **2.** *Med.* Repulsa mórbida do homem ao contato sexual com as mulheres. [Antôn.: *filoginia.* Cf. *ginecofobia.*]

misógino. [Do gr. *misogynes*, com adaptação.] *Adj.* e *s. m.* Que ou aquele que tem misoginia: "ressabiado desse insucesso, votou William Hazlitt ódio às mulheres, tornando-se um *misógino* intratável." (Eugênio Gomes, *Espelho contra Espelho*, p. 177.) [Antôn.: *filógino.*].

misologia. [De *miso-*[1] + *-log(o)-* + *-ia.*] *S. f.* **1.** Ódio ao raciocínio, à lógica. **2.** Horror às ciências.

misológico. *Adj.* Referente à misologia.

misólogo. *S. m.* Aquele que tem misologia.

misonéico. *Adj.* e *s. m.* Diz-se de, ou adepto do misoneísmo; misoneísta, neófobo.

misoneísmo. [De *miso-*[1] + *-ne(o)-* + *-ismo.*] *S. m.* Aversão a tudo quanto é novo — idéias, costumes, formas de arte, etc. —, não por motivo bem fundado, mas tão-só porque não correspondem ao estabelecido; neofobia: "Os *Novos* têm excelentes razões em seu favor. Não estou atacado daquele *misoneísmo* .... que foi sempre a culpa da gente melhor que jamais houve." (João Ribeiro, *Páginas de Estética*, p. 11.) [Antôn.: *filoneísmo.*]

misoneísta. *Adj. 2 g.* **1.** Relativo ao, ou que é adepto do misoneísmo. ● *S. 2 g.* **2.** Adepto do misoneísmo; misonéico, neófobo.

misopedia. [De *miso-* + *-pedia.*] *S. f.* Horror à instrução.

misosofia. *S. f.* V. *misossofia.*

misosófico. *Adj.* V. *misossófico.*

misósofo. *S. m.* V. *misóssofo.*

misossofia. [De *miso-*[1] + *-sof(o)-* + *-ia.*] *S. f.* Aversão ao saber, à ciência.

misossófico. *Adj.* Referente à misossofia.

misóssofo. *S. m.* Aquele que tem misossofia.

mispíquel. [Do al. *Misspickel.*] *S. m. Min.* Mineral ortorrômbico, sulfoarsenieto de ferro; arsenopirita.

➧miss. [Ingl., 'senhorita'.] *S. f.* **1.** Tratamento dado à mulher solteira, sempre seguido do respectivo nome. **2.** Misse.

missa. [Do lat. tardio *missa*, f. substantivada do lat. *mittere*, 'enviar', da fórmula final do ofício religioso: *ite missa est.*] *S. f.* **1.** Na Igreja Católica, celebração da Eucaristia, sacrifício do corpo e do sangue de Jesus Cristo, feito no altar pelo ministério de um sacerdote. [O Concílio Vaticano (1962-1965) renovou a liturgia da missa modificando-a no sentido da simplificação e da participação dos fiéis. V. *liturgia da missa.* Cf. *ordinário* (10) e *próprio* (12).] **2.** Conjunto de peças musicais compostas para se executarem numa missa cantada. ● *S. 2 g.* **3.** *Bras., N.E.* Alcunha dos adeptos das seitas evangélicas. ◆ **Missa baixa.** V. *missa calada.* **Missa calada.** A ordinária, em que não há canto; missa baixa, missa chã, missa particular, missa rezada. **Missa campal.** A que se diz em altar armado ao ar livre. **Missa chã.** V. *missa calada.* **Missa concertante.** *Mús.* O conjunto das partes do ordinário (10) da missa, escritas para massas corais, com acompanhamento instrumental e eventual intervenção de solistas. **Missa conventual.** Missa rezada pelo pároco em domingos e dias santificados; missa do dia. **Missa das almas.** A primeira antes do nascer do Sol. **Missa de corpo presente.** A que se diz em presença do cadáver. **Missa de esmola.** *Bras.* Missa pedida. **Missa de réquiem.** Missa solene por alma de um morto. **Missa de três em renge.** A que é celebrada com ministros e canto de órgão. **Missa do dia.** Missa conventual. **Missa do galo.** A que é dita na noite de Natal (de ordinário à meia-noite): "A comissão contratara o vigário de Boa Viagem para celebrar a *missa do galo* às duas da madrugada." (José Carlos Cavalcanti Borges, *Contos do Céu e da Terra*, p. 9.) **Missa em ação de graças.** Missa celebrada em regozijo de uma graça recebida. **Missa nova.** A primeira que o presbítero celebra. **Missa particular.** V. *missa calada.* **Missa pedida.** *Bras.* Missa solicitada em cumprimento de promessa ou de penitência, e que é paga com dinheiro de esmola; missa de esmola. **Missa polifônica à capela.** *Mús.* O conjunto das partes do ordinário da missa, escritas para várias vozes, sem acompanhamento instrumental. **Missa pontifical.** A que se diz com as cerimônias usadas nas missas solenes dos papas. **Missa rezada.** V. *missa calada.* **Missa seca.** *Bras., N.E.* Aquela em que o sacerdote não consagra. [Cf. *missa-seca.*] **Ajudar a missa.** Ajudar à missa: "Zé Sacristão se acabrunhava. .... Não *ajudava* mais a *missa.*" (João Clímaco Bezerra, *A Vinha dos Esquecidos*, p. 38.) **Ajudar à missa.** Fazer o serviço de acólito, ajudando o padre a celebrá-la; ajudar a missa: "homem .... que acumulava o mister capilar com essoutro .... d' *ajudar à missa* o padre do Bemposta." (Fialho d'Almeida, *À Esquina*, pp. X-XII). **Não ir à missa com.** Não simpatizar com (alguém). **Não saber da missa a metade.** Estar mal informado.

missado. [De *missa* + *-ado*[2].] *Adj.* Que tem ordens sacerdotais.

missagra. [Var. de *bisagra.*] *S. f.* V. *dobradiça* (1).

missal. *S. m.* **1.** Livro que encerra as orações da missa e outras: "Após o Evangelho, lido no *missal* das orações especiais da missa do dia, ... o sacristão .... põe no altar, à direita, um segundo *missal*" (Antero de Figueiredo, *Toledo*, p. 79). **2.** Variedade de caracteres tipográficos.

missão. [Do lat. *missione.*] *S. f.* **1.** Função ou poder que se confere a alguém para fazer algo; encargo, incumbência. **2.** Função especial da qual um governo encarrega diplomata(s) ou agente(s) junto a outro país; comissão diplomática. **3.** O conjunto das pessoas que receberam um encargo religioso, científico, etc. **4.** Ofício, ministério. **5.** Obrigação, compromisso, dever a cumprir: *missão de pai.* **6.** Prédica ou sermão doutrinal. **7.** Estabelecimento, instituição ou instalação de missionários para pregação da fé cristã. **8.** Os missionários [v. *missionário* (1)]. ◆ **Missão divina.** *Rel.* Segundo a doutrina da Igreja Católica, o envio de uma das pessoas divinas, pelas outras, no tempo. **Missão eclesiástica.** *Rel.* **1.** Conjunto das funções a que é enviada a Igreja, de magistério, de santificação e de regime. **2.** Mandato conferido pela Igreja a determinadas peasoas, clérigos ou leigos.

missão-velhense. *Adj. 2 g.* **1.** De, ou pertencente ou relativo a Missão Velha (CE). ● *S. 2 g.* **2.** Natural ou habitante de Missão Velha. [Pl.: *missão-velhenses.*]

missar. *V. t. i.* e *int.* Celebrar ou ouvir missa: "centenas de clérigos de Toledo e seu termo vêm *missar* pela régia defunta" (Antero de Figueiredo, *Toledo*, p. 161). [Pres. subj.: *misse*, ... *misseis*, *missem.* Cf. *mísseis*, pl. de *míssil.*]

missaria. *S. f.* Grande quantidade de missas.

missa-seca. [De *missa* + o fem. substantivado do adj. *seco.*] *S. 2 g. Bras., N.E. Pop.* V. *protestante* (6). [Pl.: *missas-secas.* Cf. *missa seca.*]

misse. [Do ingl. *miss*, 'senhorita'.] *S. f.* **1.** Moça classificada em primeiro lugar em concursos de beleza e noutros eventos: "contemplou a besta, formosa como uma *misse*, mastigando feixes de alfafa." (Humberto Crispim Borges, *Cacho de Tucum*, p. 149). **2.** *P. ext.* Mulher muito bonita. [Pode-se usar tb. o equiv. ingl., *miss.*]

misseiro. *Adj.* e *s. m.* Diz-se de, ou aquele que é muito devoto de missas: "tia Miró tomava conta da casa; *misseira* e comungante das seis horas" (José Carlos Cavalcanti Borges, *Contos do Céu e da Terra*, p. 15).

míssil. [Do lat. *missile.*] *Adj. 2 g.* **1.** Próprio para ser arremessado; missivo. ● *S. m.* **2.** Engenho com propulsão própria lançado com o objetivo de alcançar um alvo terrestre, percorrendo uma trajetória entre dois pontos da Terra. [Cf. *projetil* (2).] **3.** *Mil.* Míssil guiado (2). ◆ **Míssil balístico.** *Astron.* Veículo que, do término da impulsão até o impacto, não tem sustentação, estando sujeito unicamente à gravidade e ao arrasto. **Míssil de alcance antípoda.** *Astron.* Míssil cujo alcance é superior a 13.000 km; míssil de alcance global. **Míssil de alcance global.** *Astron.* Míssil de alcance antípoda. **Míssil de alcance intercontinental.** *Astron.* Míssil cujo alcance está compreendido entre 5.400 e 18.000 km. **Míssil de alcance intermediário.** *Astron.* Míssil cujo alcance está compreendido entre 900 e 5.400 km. **Míssil de curto alcance.** *Astron.* Míssil cujo alcance é inferior a 90 km. **Míssil de longo alcance.** *Astron.* Míssil cujo alcance é superior a 900 km. **Míssil de médio alcance.** *Astron.* Míssil cujo alcance está compreendido entre 90 e 900 km. **Míssil guiado. 1.** *Astron.* Míssil cuja trajetória pode ser alterada por um mecanismo contido no próprio engenho. **2.** *Mil.* Veículo não tripulado, que descreve uma trajetória acima da superfície da Terra, dotado de dispositivos (sistema de controle e sistema de direção) capazes de controlar e dirigir durante o vôo essa trajetória, e destinado a causar danos ao inimigo. [Tb. se diz, nesta acepç., apenas *míssil.*] **Míssil teleguiado.** *Astron.* Míssil guiado cujo mecanismo de guiamento é comandado a distância. [Pl.: *mísseis.* Cf. *misseis*, do v. *missar.*]

missionar. *V. int.* **1.** Fazer missões [v. *missão* (7)]; pregar a fé cristã: "D. Luís de Santa Teresa .... *missionou* desde Porto Calvo até ao Rio Grande do Norte." (Franklin Távora, *O Cabeleira*, p. 58.) *T. d.* **2.** Pregar a fé a; instruir em matéria religiosa; catequizar. **3.** *P. ext.* Pregar, propagar, apregoar: "A Europa é para os europeus! — De resto, esse grito rancoroso já o brama sem cessar a Califórnia contra os pobres *celestiais* que vêm trabalhar a S. Francisco, e sem que eles intrusivamente *missionem* as suas idéias ou os seus costumes" (Eça de Queirós, *Cartas Familiares e Bilhetes de Paris*, p. 150). [Fut. pret.: *missionaria*, etc. Cf. *missionária*, fem. de *missionário.*]

missionário. *S. m.* **1.** Aquele que missiona; pregador de missões. **2.** Propagandista, defensor, propugnador: *missionário da democracia.* ● *Adj.* **3.** Relativo ou pertencente às missões: *obra missionária; padre missionário.* [Fem.: *missionária.* Cf. *missionaria*, do v. *missionar.*]

missioneiro. [Do esp. plat. *misionero.*] *Adj.* **1.** *Bras.* Relativo ou pertencente às antigas missões jesuíticas do Uruguai e do RS. **2.** *Bras., S.* Diz-se do natural ou do habitante desses lugares. ● *S. m.* **3.** *Bras., S.* O natural ou habitante desses lugares.

missiva. [Fem. substantivado de *missivo.*] *S. f.* Carta (1) ou bilhete que se manda a alguém.

missivista. *S. 2 g. Bras.* **1.** Pessoa que leva missivas ou cartas; portador de missivas. **2.** Pessoa que as escreve.

missivo. [Do lat. *missu* 'mandado', + *-ivo.*] *Adj.* **1.** Que se envia, que se remete: *carta missiva.* **2.** Que se despede ou arremessa; míssil: *armas missivas; tiros missivos.*

missúri. [Do top. *Missúri* (E.U.A.).] *S. m.* Variedade de fumo proveniente dos E.U.A.

mistacocárido. *S. m.* **1.** Espécime dos mistacocáridos. ● *Adj.* **2.** Pertencente ou relativo a eles.

mistacocáridos. *S. m. pl. Zool.* Animais artrópodes, crustáceos, copépodes, ordem *Mystacocarida*, de corpo de tamanho microscópico, com manchas ocelares em número de quatro e abertura genital no primeiro somito torácico.

mistacoceto. *S. m.* e *adj.* Misticeto.

mistacocetos. *S. m. pl. Zool.* Misticetos.

mistagogia. [Do gr. *mystagogía.*] *S. f.* Iniciação nos mistérios duma religião.

mistagógico. *Adj.* Relativo à mistagogia.

mistagogo (ô). [Do gr. *mystagogós.*] *S. m.* **1.** Entre os antigos gregos, sacerdote que iniciava os neófitos nos mistérios [v. *mistério* (1)] de Elêusis. **2.** Antigo sacerdote que ensinava as cerimônias e os ritos de uma religião; mestre dos mistérios: "Só agora .... torno a vê-lo na sua envergadura nova de político militante, governador de homens, *mistagogo* dessa religião confusa da salvação da pátria." (João Ribeiro, *Cartas Devolvidas*, p. 229.) **3.** *P. ext.* Iniciador, mentor: "Éramos [os portugueses] os guias e *mistagogos* da nova civilização." (Latino Coelho, *Elogio Histórico de José Bonifácio*, p. 179.)

mistela. [Do it. *mistella.*] *S. f.* **1.** Mosto de uva misturado ao álcool para impedir a fermentação. **2.** *Pop.* Comida ou bebida malfeita e de sabor desagradável. **3.** V. *mixórdia* (1).

mister (é). [Do lat. *ministerii (est)*, 'é de mister'.] *S. m.* **1.** Ofício (1). **2.** V. *ofício* (2 a 6): *mister de cabeleireiro, de economista.* **2.** Profissão (4): *mister de advogado.* **3.** Ministério, incumbência, comissão: *mister sacerdotal.* **4.** Intuito, propósito, meta, fim: *Seu mister é vencer o inimigo.* **5.** Precisão, necessidade; urgência: *Não há mister de tanto dispêndio.* **6.** Aquilo que é necessário ou forçoso: *Foi mister agir daquele modo.* [Cf. *mester.*]

➡**mister** (míçtăr). [Ingl.] *S. m.* Tratamento correspondente a *senhor* quando antecede o nome da pessoa, ou o de certos cargos, como presidente, secretário, etc. [Abrev.: *Mr.*]

mistério. [Do gr. *mystérion*, pelo lat. *mysteriu.*] *S. m.* **1.** *Ant.* Conjunto de doutrinas e cerimônias religiosas que só eram conhecidas e praticadas pelos iniciados; culto secreto: *os mistérios de Ísis; os mistérios de Elêusis.* **2.** Objeto de fé ou dogma religioso que é impenetrável à razão humana: *o mistério da Santíssima Trindade.* **3.** Tudo aquilo que a inteligência humana é incapaz de explicar ou compreender; enigma. **4.** Coisa ou elemento oculto, obscuro ou desconcertante; segredo, enigma: *o mistério do romance policial.* **5.** Qualidade estranha e imponderável: *A todos prende o mistério do seu encanto.* **6.** Precaução, cautela, reserva: *Faz tudo com muito mistério.* **7.** Conhecimento aprofundado de uma arte ou ciência, inacessível aos não iniciados: *os mistérios da física.* **8.** *Teat.* e *Mús.* Composição teatral da Idade Média, apresentada em praça pública, e cujo assunto era tirado, quase sempre, da Sagrada Escritura ou da vida dos santos, ou até mesmo da atualidade histórica, e acompanhada de importante participação musical: intermédios instrumentais ou vocais, canções, coros, ruídos de cena estilizados musicalmente, e até bailados: "Estas primeiras tentativas teatrais, a que depois os franceses e italianos chamaram *mistérios*, apareceram na Grã-Bretanha durante o século XI." (Alexandre Herculano, *Opúsculos*, IX, p. 75). **9.** *Lit.* Cada um dos 15 grupos de 10 ave-marias e um padre-nosso de que se compõe um rosário. **10.** *Rel.* No cristianismo, desígnio divino sobre a história do mundo, especialmente sobre a salvação, manifestado no tempo. **11.** *Rel.* Toda a doutrina cristã sobre Deus e sua ação. ~ V. *mistérios.* ◆ **Mistérios dolorosos.** *Lit.* Aqueles em que se comemora a oração no Horto, a prisão e os açoites, a coroa de espinhos, os passos e a crucificação, e que são rezados às terças e sextas-feiras [v. *mistério* (9)]. **Mistérios gloriosos.** *Lit.* Aqueles em que se comemora a Ressurreição, a Ascensão do Senhor, o Pentecostes, a Assunção e a Coroação da Virgem, e que se rezam às quartas, sábados e domingos [v. *mistério* (9)]. **Mistérios gozosos.** *Lit.* Aqueles em que se comemoram a Encarnação, a Visitação, a Purificação e o encontro do Menino Jesus, e que se rezam às segundas e quintas-feiras [v. *mistério* (9)].

mistérios. [Pl. de *mistério.*] *S. m. pl. Lit.* Festas particulares com que a Igreja católica louva os mistérios da Fé. ~ V. *mistério.*

misterioso (ô). *Adj.* **1.** Em que há, ou que envolve mistério; oculto, secreto: *ritos misteriosos.* **2.** Inexplicável, enigmático. **3.** Estranho, imponderável. **4.** Dúbio, suspeito, dissimulado. **5.** Que faz segredo de coisas insignificantes.

mística. [Fem. substantivado do adj. *místico*[1].] *S. f.* **1.** O estudo das coisas divinas ou espirituais. **2.** Vida religiosa e contemplativa; misticismo. **3.** Crença ou sentimento arraigado de devotamento a uma idéia: *a mística do pacifismo.* **4.** Essência doutrinária: *a mística liberal.*

misticamente (l). [Do fem. de *místico* + *-mente.*] *Adv.* De maneira mística; com misticismo: "Hoje no eterno céu, *misticamente*, / Goza a face do Altíssimo." (Raimundo Correia, *Poesias*, p. 291).

misticeto. *S. m.* **1.** Espécime dos misticetos. ● *Adj.* **2.** Pertencente ou relativo a eles. [Sin. ger.: *mistacoceto.*]

misticetos. *S. m. pl. Zool.* Animais metazoários, cordados, vertebrados, mamíferos, cetáceos, subordem *Mysticeti*, desprovidos de dentes, com barbatanas córneas no palatino e narinas duplas; mistacocetos.

misticidade. *S. f.* **1.** Qualidade de místico[1] (1). **2.** *P. us.* Misticismo.]

misticismo. *S. m.* **1.** Crença ou doutrina religiosa dos místicos [v. *místico*[1] (5)]. **2.** Mística (2). **3.** O elemento místico de qualquer doutrina: *o misticismo dos positivistas.* **4.** Disposição para crer no sobrenatural. [Sin. ger., p. us.: *misticidade.*]

misticizar. *V. t. d.* Tornar místico[1].

místico[1]. [Do gr. *mystikós*, pelo lat. *mysticu.*] *Adj.* **1.** Misterioso e espiritualmente alegórico ou figurado: *o sentido místico da Sagrada Escritura.* **2.** Referente à vida espiritual e contemplativa: *os santos e doutores místicos.* **3.** Devoto, religioso, contemplativo, piedoso. **4.** Que lembra a vida ou ambiente místico (3): "Ao crepúsculo evolava-se do sítio um cheiro *místico* de incenso e de missa" (Coelho Neto, *Sertão*, p. 11). ~ V. *testamento* —. ● *S. m.* **5.** Aquele que, mediante a contemplação espiritual, procura atingir o estado extático de união direta com a divindade.

místico[2]. *Adj. P. us.* **1.** Misto (1). Contíguo, anexo. **3.** Que faz parte de uma miscelânea.

místico[3]. *Adj. Gír.* Muito bom; excelente, perfeito.

mistificação. *S. f.* Ato ou efeito de mistificar; engano, burla.

mistificado. [Part. de *mistificar.*] *Adj.* Que foi vítima de mistificação; iludido, burlado, logrado.

mistificador (ô). *Adj.* e *s. m.* Que ou aquele que mistifica.

mistificar. [Do fr. *mystifier.*] *V. t. d.* Abusar da credulidade de; enganar, iludir, burlar, lograr, embair, embaçar. [Conjug.: v. *trancar.*]

mistifório. [Do lat. *mixti fori*, 'de foro misto'.] *S. m.* V. *mixórdia* (1): "Do piedoso burburinho, sobressaía a voz de D. Inacinha, ao recitar, com solenidade de padre, o *gloria patris*, respondido pelos fiéis, numa algaravia, num *mistifório* de latim e português" (Domingos Olímpio, *Luzia-Homem*, p. 136).

mistilíneo. [De *misto* + *-i-* + lat. *linea*, 'linha'.] *Adj.* Constituído em parte por linhas retas e em parte por linhas curvas. ~ V. *polígono* —.

mistinérveo. [De *misto* + *-nerve-* + *-eo.*] *Adj. Morfol. Veg.* Diz-se das folhas cujas nervuras se dirigem em diversos sentidos.

misto. [Do lat. *mixtu*, 'misturado'.] *Adj.* **1.** Originado da mistura de elementos de natureza diversa; mesclado, misturado: *cor mista; bebida mista; sanduíche misto.* **2.** Que participa de diferentes coisas: *atividade mista.* **3.** Confuso, misturado, baralhado: *ruído misto de pregões, veículos e cantorias.* **4.** Diz-se do trem que transporta cargas e passageiros. **5.** Diz-se do estabelecimento de ensino que admite alunos de ambos os sexos. ~ V. *ação —a, economia —a, glândula —a, lago de origem —a, linha —, navio —, nervo —, número —, ortografia —a, ponte —a* e *tribunal —.* ● *S. m.* **6.** Mistura, conjunto, composto. **7.** Reunião de coisas diversas e/ou opostas: "Sonhando, não se passa um só momento / Em que a não veja, e a vê-la as noites passo, / Num *misto* de doçura e de tormento." (Eugênio de Castro, *Églogas*, p. 39.) **8.** Trem misto. **9.** Refeição de pão e vinho, que os frades de S. Bento e de S. Bernardo faziam antes de ir para o coro. **10.** *Expl.* Sistema constituído por estopins e dispositivos semelhantes para transmissão de chama em espoletas de artilharia, bombas de aviação e outros tipos de munição.

misto-quente. [De *misto* + *quente.*] *S. m. Bras.* Sanduíche (1) quente, de queijo e presunto. [Pl.: *mistos-quentes.*]

mistral. [Do provenç. *mistral.*] *S. m.* Vento violento, frio e seco, que sopra no N. da região sueste da França: "e tornou a nevar; e, após os brandos etésios, soprou o *mistral* forte." (Eugênio de Castro, *Obras Poéticas*, I,

p. 129).

mistura. [Do lat. *mixtura.*] *S. f.* **1.** Ato ou efeito de misturar(-se). **2.** Conjunto, composto ou produto resultante de coisas misturadas. **3.** Amálgama, mescla; misto: *m i s t u r a de cores.* **4.** Cruzamento de raças; miscigenação. **5.** Reunião íntima de coisas diversas e/ou opostas: *m i s t u r a de fragilidade e força.* **6.** *Quím.* *Associação de duas ou mais substâncias em proporções arbitrárias separáveis por meios mecânicos ou físicos.* ♦ **De mistura.** Simultaneamente, conjuntamente; confusamente: "E vai correndo e vai latindo d e m i s t u r a, / Rosna ao dar-lhes na pista a escolta que os procura" (Vicente de Carvalho, *Poemas e Canções*, p. 69). **Sem mistura.** Perfeito, puro; pleno, completo: *doutrina s e m m i s t u r a.*

misturação. *S. f.* Ato de misturar; admistão [q. v.].

misturada. [Fem. substantivado de *misturado.*] *S. f.* **1.** V. *mixórdia* (1). **2.** *Bras., N.E.* Mistura de aguardente com outra qualquer bebida: *Embriagou-se com uma m i s t u r a d a.* **3.** *Bras., RS.* Moça morena entre cabocla e mulata. **4.** *Bras., RS.* Certa dança final, nos bailes.

misturado. [Part. de *misturar.*] *Adj.* **1.** Junto, confundido, amalgamado. **2.** Associado, acompanhado; simultâneo. **3.** Não puro: *bebida m i s t u r a d a.* **4.** Diz-se do sangue dos mestiços V. *cal* —*a.*

misturador (ô). [De *misturar* + *-(d)or.*] *Adj.* **1.** Que mistura ou serve para misturar. ~ V. *tanque* —. *S. m.* **2.** Betoneira. **3.** *Ind. Pap.* Tanque misturador.

misturar. [De *mistura* + *-ar*[2].] *V. t. d.* **1.** Juntar (coisas diversas); confundir, embaralhar: *A linguagem onírica m i s t u r a diversos níveis da realidade.* **2.** Cruzar, unir (seres de castas diversas). *T. d. e i.* **3.** Juntar, confundir, baralhar: "A tradição m i s t u r a lenda com fatos (José Honório Rodrigues, *Filosofia e História*, p. 43). **4.** Entremear, alternar: "M i s t u r a [o pajé amazônico] a terapêutica ao dogma, o receituário à oração." (Raimundo Morais, *País das Pedras Verdes*, p. 223); "M i s t u r a v a palavrões com as maiores delicadezas." (Clarice Lispector, *A Via-Crúcis do Corpo*, p. 49). **5.** Reunir pessoas diversas. P. **6.** Intrometer-se, ingerir-se. **7.** Confundir-se, juntar-se, unir-se, mesclar-se, fundir-se: "a figura vaga do finado amigo passa-lhe acaso ao longe, ... depois m i s t u r a - s e à do amigo atual, e parecem ambas uma só pessoa" (Machado de Assis, *Quincas Borba*, p. 43).

misturável. [De *misturar* + *-ável.*] *Adj. 2 g.* Miscível [q. v.]

mísula. [Do it. *mensola.*] *S. f. Arquit.* Ornato provido de relevos, estreito na parte inferior e largo na superior, que ressai de uma parede vertical, e que sustenta uma cornija, um busto, um arco de abóbada, etc.: "jarrões da Índia, bojudos em m í s u l a s de ébano e tartaruga." (Fialho d'Almeida, *Lisboa Galante*, p. 101).

mitacismo. [Do gr. *mytakismós*, irreg., my, 'm', + *-ismos*, '-ismo'.] *S. m.* Uso excessivo ou errôneo do *m* ou do /m/; mutacismo.

mitene. [Do fr. *mitaine.*] *S. f.* Luva de senhoras que, cobrindo a mão, deixa os dedos descobertos; punhete, meia-luva.

▲mit(i)-. [Do gr. *mŷthos, ou.*] *El. comp.* = 'fábula', 'lenda': *mitificar.* [Equiv.: *mit(o)-*: *mitomania.*]

mítico. [Do gr. *mythicós*, pelo lat. *mythicu.*] *Adj.* Relativo ou pertencente a mito: *narração m í t i c a; personagem m í t i c a.*

mitificação. *S. f.* Ato ou efeito de mitificar.

mitificar. [De *mit(i)-* + *-ficar.*] *V. t. d.* Converter em mito (4 a 8); tornar mítico: *Os fãs m i t i f i c a m a pessoa admirada; M i t i f i c a r a m o conflito de rua, dando-lhe ares de heróica batalha.* [Conjug.: v. *trancar.*]

mitigação. [Do lat. *mitigatione.*] *S. f.* Ato ou efeito de mitigar(-se).

mitigador (ô). *Adj.* Que mitiga; mitigativo.

mitigar. [Do lat. *mitigare.*] *V. t. d.* **1.** Abrandar, amansar: *Tentava m i t i g a r a raiva do outro.* **2.** Suavizar, abrandar, aliviar: "O certo é que os aplausos de Roma não foram poderosos nem para m i t i g a r a dor que o pungia, nem para adormecer a ambição que o desvelava." (João Francisco Lisboa, *Obras*, IV, p. 292.) **3.** Diminuir, aclamar, atenuar: *m i t i g a r a sede.* *P.* **4.** Suavizar-se, abrandar(-se). [Conjug.: v. *largar.*]

mitigativo. [Do lat. *mitigativu.*] *Adj.* Mitigador.

mitigável. *Adj. 2 g.* Que se pode mitigar.

mitilicultura. *S. f. Zool.* Criação de mexilhões e outros moluscos bivalves da família dos mitilídeos.

mitilídeo. [Do lat. *mytilus*, 'mexilhão', + *-ídeo.*] *S. m.* **1.** Espécime dos mitilídeos. ● *Adj.* **2.** Pertencente ou relativo a eles.

mitilídeos. [Pl. de *mitilídeo.*] *S. m. pl. Zool.* Família de moluscos lamelibrânquios desprovidos de sifão, que vivem quase todos no mar, alguns nas embocaduras de rios, e outros em águas doces, e cujos gêneros principais são *Crenella* e *Mytilus.* Ex.: o sururu, o berbigão.

mitismo. *S. m.* **1.** Ciência dos mitos. [Cf. *mitologia* (3) e *mitografia.*] **2.** Abuso de explicações acerca dos mitos ou da mitologia.

mito. [Do gr. *mythos*, 'fábula', pelo lat. *mythu.*] *S. m.* **1.** Narrativa dos tempos fabulosos ou heróicos. **2.** Narrativa de significação simbólica, geralmente ligada à cosmogonia, e referente a deuses encarnadores das forças da natureza e/ou de aspectos da condição humana. **3.** Representação de fatos ou personagens reais, exagerada pela imaginação popular, pela tradição, etc. **4.** Pessoa ou fato assim representado ou concebido: *Para muitos, Rui Barbosa é um m i t o.* [Sin. (relativo a pessoa), nesta acepç.: *monstro sagrado* (q. v).] **5.** Idéia falsa, sem correspondente na realidade: *As dívidas surgidas no inventário demonstram que a sua fortuna era um m i t o.* **6.** Representação (passada ou futura) de um estádio ideal da humanidade: *o m i t o da Idade do Ouro.* **7.** Imagem simplificada de pessoa ou de acontecimento, não raro ilusória, elaborada ou aceita pelos grupos humanos, e que representa significativo papel em seu comportamento. **8.** Coisa inacreditável, fantasiosa, irreal; utopia: *A perfeição absoluta é um m i t o.* **9.** *Filos.* Exposição de uma doutrina ou de uma idéia sob forma imaginativa, em que a fantasia sugere e simboliza a verdade que deve ser transmitida, como p. ex., no *mito da caverna* [q. v.]. **10.** *Filos.* Forma de pensamento oposta à do pensamento lógico e científico. ♦ **Mito da caverna.** *Filos.* Aquele com que Platão [v. *platonismo*], no começo do livro sétimo da República, figura o processo pelo qual a alma passa da ignorância à verdade.

▲mit(o)-. Equiv. de *mit(i)-.*

mitografia. [Do gr. *mythographía.*] *S. f.* Descrição de mitos: "Terra nebulosa, nebulosamente apontada nos fantásticos mapas de m i t o g r a f i a ..."(Olavo Bilac, *Últimas Conferências e Discursos*, p. 155). [Cf. *mitismo* (1) e *mitologia* (3).]

mitográfico. *Adj.* Respeitante à mitografia.

mitógrafo. [Do gr. *mythográfos.*] *S. m.* Aquele que escreve acerca dos mitos.

mitologia. [Do gr. *mythología.*] *S. f.* **1.** História fabulosa dos deuses, semideuses e heróis da Antiguidade grecoromana. **2.** O conjunto dos mitos [v. *mito* (1 a 3)] próprios de um povo, de uma civilização, de uma religião: *m i t o l o g i a hindu; m i t o l o g i a grega.* **3.** Ciência, estudo ou tratado acerca das origens, desenvolvimento e significação deles. [Cf., (nesta acepç.), *mitismo* (1) e *mitografia.*] **4.** O conjunto dos mitos [v. *mito* (3)] relacionados com um personagem, um fato, uma doutrina, um tema, etc.: *No Brasil criou-se uma m i t o l o g i a do futebol.*

mitológico. [Do gr. *mythologikós.*] *Adj.* Relativo à, ou próprio da mitologia.

mitólogo. [Do gr. *mythológos.*] *S. m.* Indivíduo versado em mitologia, ou que escreve a respeito dela.

mitomania. [De *mit(o)-* + *-mania.*] *S. f.* Tendência mórbida para a mentira: "era notória a sua m i t o m a n i a [de José do Patrocínio Filho], a sua incorrigível tendência para as mistificações" (Onestaldo de Pennafort, *Um Rei da Valsa*, p. 23). [Cf. *metomania.*]

mitômano. *S. m.* Aquele que sofre de mitomania.

mitônimo. [De *mit(o)-* + *-ônimo.*] *S. m. Neol.* Nome próprio pertencente à mitologia clássica ou a qualquer outra (nomes de entidades, lugares, animais, etc. Ex.: Apolo, Cérbero, Ísis, Zeus, Afrodite, Olimpo).

mitopoéico. [Do gr. *mythopoios*, 'contador de lendas, de mitos', + *-ico*[2].] *Adj.* Relativo ou pertencente à mitopoese; mitopoético.

mitopoese. [Do gr. *mythopoiesis.*] *S. m.* **1.** A criação de um mito. **2.** Procedência ou origem dos mitos. [Sin. ger.: *mitopoética.*]

mitopoética. [Do fem. substantivado de *mitopoético.*] *S. f.* Mitopoese.

mitopoético. [Do gr. *mythopoietikós.*] *Adj.* Mitopoéico.

mitose. [Do gr. *mitô*, 'tecer', + *-ose.*] *S. f. Citol.* Divisão celular em que o núcleo forma cromossomos e estes se bipartem, produzindo dois núcleos filhos com o mesmo patrimônio original; cariocinese. [A mitose é complexa e engloba quatro fases principais: *prófase, metáfase, anáfase* e *telófase.* Observa-se em todas as células, animais ou vegetais.]

mitra. [Do gr. *mítra*, pelo lat. *mitra.*] *S. f.* **1.** Barrete alto e pontudo usado pelos antigos persas, egípcios e assírios. **2.** Barrete alto e cônico, fendido lateralmente na parte superior e com duas faixas que caem sobre as espáduas, que o papa, os bispos, arcebispos e cardeais põem na cabeça em solenidades pontificais. **3.** *Fig.* O poder espiritual, ou dignidade pontifícia ou episcopal. **4.** Carapuça de papel que se punha na cabeça dos condenados da Inquisição. **5.** *Pop.* V. *uropígio* (1). **6.** O bispado, como pessoa jurídica. **7.** *Bras., S.* Astúcia, manha. ● *S. m.* **8.** *Bras., S.* Indivíduo mitrado (3) [q. v.]. **9.** *Bras., S.* Animal manhoso. **10.** *Bras., N.* V. *avaro* (3). ● *Adj.* **11.** *Bras.* V. *mitrado* (3). **12.** *Bras., S.* Diz-se de animal manhoso. **13.** *Bras., N.* V. *avaro* (1).

mitração. *S. f. Bras., S.* Ação própria de mitra ou finório; esperteza, tratantada.

mitrado. [De *mitra* + *-ado*[1].] *Adj.* **1.** Que tem mitra ou o direito de usá-la. **2.** Diz-se de animal que tem na cabeça ornato natural, semelhante a mitra. **3.** *Bras., S.* Finório, sagaz, atilado, vivo; mitra.

mitral. [De *mitra* + *-al.*] *Adj. 2 g.* **1.** Mitriforme. ~ V. *válvula* —. ● *S. f.* **2.** *Anat.* A válvula mitral [q. v.].

mitridatismo. [De *mitridato* + *-ismo.*] *S. m.* Imunidade contra os venenos, a qual se adquire mediante repetida absorção de pequenas doses deles, gradualmente aumentadas.

mitridatizado. [Part. de *mitridatizar.*] *Adj.* Imunizado contra venenos (no sentido literal ou no figurado). [V. *mitridatismo.*]

mitridatizar. [De *mitridato* + *-izar.*] *V. t. d.* e *p.* Tornar(-se) imune contra os venenos. [V. *mitridatismo.*]

mitridato. *S. m.* Na farmacopéia antiga, contraveneno que teria sido inventado por Mitrídates (135-63), rei do Ponto Euxino (Ásia).

mitriforme. [De *mitra* + *-i-* + *-forme.*] *Adj. 2 g.* Que tem forma de mitra; mitral.

miuá. [Do tupi *miu'á.*] *S. m. Bras., MA.* V. *carará*[1].

miúça. [Var. de *miunça* lat. *minutia*, 'muito pequena parte', com desnasalação.] *S. f.* **1.** Pequena porção ou fragmento; miuçalha. **2.** *Bras., N.E.* Designação dada pelos sertanejos aos gados caprino e ovelhum. ~ V. *miúças.*

miuçalha (i-u). [De *miúça* + *-alha.*] *S. f.* **1.** Miúça (1). **2.** Conjunto de coisas miúdas e de pouco ou nenhum préstimo; miudagem. [F. paral. (desus.): *miuçalho.*] **3.** *Bras.* Miudagem (4).

miuçalho (i-u). *S. m. Desus.* V. *miuçalha* (1 e 2).

miúças. [Pl.: de *miúça.*] *S. f. pl.* Dízimos eclesiásticos que se pagavam em gêneros por miúdo. ~ V. *miúça.*

miudagem (i-u). [De *miúdo* + *-agem*[2].] *S. f. Bras., S.* **1.** V. *miuçalha* (2). **2.** Resto de mercadorias em liquidação. **3.** Gado miúdo, e geralmente gado de cria. **4.** *Lus.* Bando de miúdos ou meninos; miuçalha.

miudear (i-u). [De *miúdo* + *-ear.*] *V. t. d.* **1.** Narrar com minúcias; detalhar, pormenorizar. **2.** Esmiuçar, esquadrinhar. [Conjug.: v. *frear.*]

miudeiro (i-u). *S. m. Bras., N.E.* Vendedor de miúdos de animais.

miudeza (i-u...ê). *S. f.* **1.** Qualidade de miúdo. **2.** Cuidado, rigor, escrúpulo, no exame ou na execução de algo: *analisar com m i u d e z a.* **3.** V. *pormenor.* **4.** V. *mesquinhez* (1). ~ V. *miudezas.*

miudezas (i-u...ê). [Pl.: de *miudeza.*] *S. f. pl.* **1.** Minúcias, particularidades, minudências. **2.** Objetos de pouco valor; bugigangas, miuçalhas, miudagens. **3.** Miúdos (2). **4.** *Bras.* Pequenos objetos; quinquilharias. ~ V. *miudeza.*

miudinha (i-u). *S. f. Liter. Pop. Bras.* V. *carretilha* (4).

miudinho (iu). [De *miúdo* + *-inho.*] *S. m.* **1.** *Bras.* Durante a Regência (1832-1843), dança de salão, de par enlaçado. **2.** *Bras., SP.* Espécie de lundu. **3.** *Bras., SP.* Uma das marcações da quadrilha rural. **4.** *Bras., BA.* Elemento coreográfico do *samba-de-roda*, em que os pés do dançarino avançam ou recuam em ritmo rápido e uniforme, com um movimento quase imperceptível. [Cf., nesta acepç., *corrido* (9).]

miúdo. [Do lat. *minutu*, 'diminuído'.] *Adj.* **1.** Muito pequeno; pequenino, diminuto. **2.** Amiudado, freqüente: *visitas m i ú d a s.* **3.** Escrupuloso, minucioso, cuidadoso: *É m i ú d o nos seus cálculos.* [Superl. abs. sint.: *miudíssimo* e *minutíssimo.*] **4.** V. *avaro* (1). **5.** *Bras. Mar.* Diz-se de embarcação de pequena proa. ~ V. *agregado* —, *dinheiro* — e *gado* —. ● *S. m.* **6.** V. *travadouro.* **7.** *Bras., RS,* e *lus. Fam.* V. *menino* (1). ~ V. *miúdos.* ♦ **A miúdo.** V. *amiúde:* "porque esse homem cru amava particularmente o chicote e empregava-o a m i ú d o" (Machado de Assis, *Páginas Recolhidas*, p. 105). **De miúdo.** V. *por miúdo:* "Que é que os monges não sabiam de m i ú d o em história natural e social!" (Alberto Faria, *Acendalhas*, p. 151.) **Em miúdos.** V. *por miúdo.* **Pelo miúdo.** V. *por miúdo:* "Não acabaria se houvesse de contar p e l o m i ú d o o que padecia nas primeiras horas." (Machado de Assis, *Memórias Póstumas de Brás Cubas*, p. 213.) **Por miúdo.** Com minúcias;

minuciosamente, circunstanciadamente; de miúdo, em miúdo, pelo miúdo: "em vez de contar por miúdo a morte do amigo, como prometera, entrega-se a um longo devaneio sobre a sua própria existência íntima, seus sonhos, suas desilusões." (Paulo Rónai, *Encontros com o Brasil*, p. 35).

miúdos. [Pl. de *miúdo*.] *S. m. pl.* **1.** V. *dinheiro miúdo.* **2.** Pequenas vísceras de animais de corte; miudezas. ~ V. *miúdo.* ◆ **Trocar em miúdos.** Dizer com objetividade e clareza; explicar.

miul (i-úl). *S. m.* F. apocopada de *miúlo.*

miúlo. *S. m.* O meão das rodas do carro de bois. [Var.: *miul.*]

miunça (i-ún). *S. f.* Miúça [q. v.]: "refugiou-se na serra do Martins, voltando ao Patu para colher o resto das roças e vender algumas miunças" (Gustavo Barroso, *Heróis e Bandidos*, p. 164).

miúra. *S. m.* Touro feroz com que é difícil lidar: "fixou-se na arena, onde Ordoñez começava o seu balé com o miura preto, um touro enorme, de grandes chifres curvos ameaçadores." (Edilberto Coutinho, *Sangue na Praça*, p. 97).

miúro[1]. [Do gr. *meíouros*, pelo lat. *miuru.*] *S. m.* Tipo de verso cujo último pé tem uma sílaba a menos ou uma sílaba breve.

miúro[2]. [De *mi(o)-* + *-uro.*] *Adj.* ~ V. *pulso* —.

miúva. *S. f. Bras.* Certa planta medicinal da família das melastomáceas.

miva. *S. f.* Antigo preparado farmacêutico: espécie de geléia em que entra sumo de frutas e suco de carne.

mixa[1]. *S. f. Bras. Gír. ladra.* **1.** Gazua. **2.** Cédula (3) falsa. [Cf. *micha.*]

mixa[2]. [Var. de *mixe.*] *Adj. 2 g. Bras.* V. *mixe.* [Cf. *micha.*]

mixagem (cs). [Do ingl. *(to) mix* + *-agem*[2].] *S. f.* **1.** Processo de combinar os sinais sonoros recebidos de fontes distintas, como ocorre na gravação de uma banda sonora, a partir das gravações separadas do diálogo e da música. **2.** *Mús.* Em música concreta e música eletrônica, superposição concomitante das monofonias e gravação do resultado.

mixameba (cs). *S. f.* **1.** *Bot.* Célula originária da germinação do esporo dos cogumelos mixomicetos, formada de uma massa protoplasmática nua, i. e., sem membrana celulótica, dotada de movimentos amebóides. **2.** *Zool.* Animal protozoário, amebino, que habita as águas pluviais e poluídas, de vida breve, caracterizada por um ciclo evolutivo com formas ásticas.

mixanga. *S. 2 g. Bras., RS.* V. *caipira* (1).

mixar. [De *mixe* + *-ar*[2].] *Bras. Gír. V. int.* **1.** Terminar, acabar, findar. **2.** Falhar, gorar, frustrar-se, malograr-se. *T. d.* **3.** Gorar, frustrar, malograr: *A chuva mixou o passeio.*

mixar (cs). [Do ingl. *(to) mix* + *-ar*[2].] *V. t. d.* Fazer a mixagem de.

mixaria. [De *mixe* + *-aria.*] *S. f. Bras. Gír.* Coisa sem valor; insignificância, bagatela; mixuruquice.

mixe. [Talvez do guarani *mi'xi*, 'pequeno, pouco'.] *Adj. 2 g. Bras.* **1.** Insignificante, apoucado, pequeno: *remuneração mixe.* **2.** De má qualidade; de pouco ou nenhum valor: *romance mixe; um filmezinho mixe.* **3.** Diz-se de festa ou de qualquer divertimento sem animação. [Var.: *mixa* e *mixo*; sin. ger.: *furreca*, *Med.* Condição mórbida caracterizada pela presença de tumefação seca, cérea, deposição cutânea anormal de mucina, e que se associa ao hipotireoidismo. O edema é do tipo que não deixa cacifo, e notam-se na face algumas alterações, como tumefação de lábios e espessamento do nariz.

mixila. *S. f. Bras.* V. *tamanduá-colete.*

mixilanga. *S. f. Bras., BA* Beberagem (1): "amolentava-lhe as forças com mixilanga somente dela conhecida, e, quando percebia que o sujeito não agüentava mais uma gata pelo rabo, investia." (Nélson de Faria, *Bazé*, p. 45).

mixinóideo (cs). *S. m.* **1.** Espécime dos mixinóideos. ● *Adj.* **2.** Pertencente ou relativo a eles.

mixinóideos (cs). *S. m. pl. Zool.* Animais marinhos, cordados, ciclostomados, ordem *Myxinoidia*, de boca quase terminal, com quatro pares de tentáculos próximos da margem, poucos dentes, e desprovidos de funil bucal. Fendas branquiais em número de 10 a 14 pares; saco nasal próximo da extremidade da cabeça, com canal que se comunica com a faringe.

mixira. [Do tupi *mi'xira.*] *S. f. Bras., Amaz.* Conserva de peixe-boi, de tambaqui, ou de tartaruga nova em azeite do próprio animal de que é fabricada: "à cata do peixe-boi, da gordura de tartaruga, da mixira, da castanha, do cravo, da baunilha" (Raimundo Morais, *Na Planície Amazônica*, p. 65).

mixirra. [De *mixe?*] *Adj. 2 g. Bras., MG.* Muito pequeno; insignificante; miudíssimo.

mixo. *Adj. Bras.* V. *mixe.*

▲**mix(o)-.** [Do gr. *mýxa, es.*] *El. comp.* = 'muco', 'monco': *mixedema, mixoma.*

mixófito (cs). *S. m.* e *adj.* V. *micetozoário.*

mixófitos (cs). *S. m. pl. Zool.* V. *micetozoários.*

mixogastro (cs). *S. m.* Espécime dos mixogastros.

mixogastros (cs). *S. m. pl. Bot.* Classe de mixomicetos que inclui a grande maioria deles, e se caracteriza pela formação de mixomônadas, as quais se transformam em mixamebas. O corpo vegetativo é um plasmódio.

mixoma (cs). [De *mix(o)-* + *-oma.*] *S. m. Patol.* Tipo pouco freqüente de tumor que surge, sobretudo, no coração, no aparelho geniturinário de crianças e no retroperitônio.

mixomiceto (cs). [De *mix(o)-* + *-miceto.*] *S. m.* e *adj.* V. *micetozoário.*

mixomicetos (cs). *S. m. pl. Zool.* V. *micetozoários.*

mixomônada (cs). [De *mixo(miceto)* + *mônada.*] *S. f. Bot.* Zoósporo de mixomiceto.

mixórdia. [De *mexer.*] *S. f.* **1.** Mistura desordenada de coisas diversas; maçarocada, miscelânea, misturada, mistifório, mistela, massagada, massamorda, salsada, salada, salgalhada, tiborna, tibornice. **2.** Confusão, embrulhada; tiborna, tibornice: "Cabem aqui seres que .... conseguem olhar o céu com indiferença e a vida com sobressalto, e esta mixórdia de ridículo e de figuras somíticas" (Raul Brandão, *Húmus*, p. 12). **3.** Comida ou bebida mal preparada ou repugnante; mistela.

mixorne. *S. m. Bras.* V. *joaninha* (2).

mixoscopia (cs). [Do gr. *mix*, raiz de *míxis*, 'mistura', + *-o-* + *-scop-* + *-ia.*] *S. f. Psic.* Voyeurismo.

mixospôngia (cs). [De *mix(o)-* + lat. *spongia*, 'esponja'.] *S. f.* **1.** Espécime das mixospôngias. ● *Adj. 2 g.* **2.** Pertencente ou relativo a elas.

mixospôngias (cs). *S. f. pl. Zool.* Animais metazoários, poríferos, demospôngias, completamente desprovidos de esqueleto.

mixosporídeo (cs). [De *mix(o)-* + *-sporo-* + *-ídeo.*] *S. m.* **1.** Espécime dos mixosporídeos. ● *Adj.* **2.** Pertencente ou relativo a eles.

mixosporídeos (cs). *S. m. pl. Zool.* Animais protozoários, cnidosporídios, da ordem *Myxosporidia*, bivalves, com um a quatro filamentos polares, e esporos grandes. Parasitam tecidos e cavidades dos vertebrados inferiores, especialmente dos peixes.

mixósporo (cs). [De *mixo(miceto)* + *-sporo.*] *S. m. Bot.* Esporo de mixomiceto.

mixotalófito (cs). [De *mix(o)-* + *talófito.*] *S. m.* **1.** V. *micetozoário.* ● *Adj.* **2.** V. *micetozoário.*

mixotalófitos (cs). *S. m. pl. Zool.* V. *micetozoários.*

mixuango. *S. m. Bras., SP.* V. *caipira* (1). [F. paral.: *muxuango.*]

mixuruca. *Adj. 2 g. Bras. Gír.* V. *mixe.*

mixuruquice. *S. f. Bras. Gír.* **1.** Qualidade de mixuruca ou mixe. **2.** V. *mixaria.*

mizocéfalo. [Do gr. *myz*, raiz de *mizô*, 'sugar', + *-o-* + *-céfalo.*] *Adj. Zool.* Cuja cabeça tem forma de ventosa.

mizodendrácea. *S. f.* Espécime das mizodendráceas.

mizodendráceas. *S. f. pl. Zot.* Família de vegetais superiores, da ordem das santalales, composta de subarbustos semiparasitos. Há uma dúzia de espécies chilenas.

mizodendráceo. *Adj.* Pertencente ou relativo às mizodendráceas.

mizostomário. *S. m.* **1.** Espécime dos mizostomários. ● *Adj.* **2.** Pertencente ou relativo a eles.

mizostomários. *S. m. pl. Zool.* Animais metazoários, anelídeos, poliquetas, errantes, colocados por certos autores como classe isolada. Têm corpo oval achatado, com cinco pares de parápodes ventrais e 10 pares de cirros marginais; epiderme ciliada, com ventosas ventrais. São parasitos de crinóites.

■ **mm.** Abrev. de *milímetro.*

■ **M.M.** *Mús.* Abrev. de *metrônomo.*

■ **mmc.** *Mat.* Símb. de *mínimo múltiplo comum.*

■ **mmHg.** *Fís.* Símb. de *milímetro de mercúrio.*

■ **Mn.** *Quím.* Símb. de *manganês.*

mnêmico. [De *mnem(o)-* + *-ico*[2].] *Adj.* Mnemônico (1).

▲**mnem(o)-.** [Do gr. *mnéme, es.*] *El. comp.* = 'memória', 'lembrança': *mnemotecnia, mnêmico.*

mnemônica. [Fem. substantivado de *mnemônico.*] *S. f.* Arte e técnica de desenvolver e fortalecer a memória mediante processos artificiais auxiliares, como, p. ex.: a associação daquilo que deve ser memorizado com dados já conhecidos ou vividos; combinações e arranjos; imagens, etc.: "uma mnemônica feliz ensinava-me a enumeração dos estados e das províncias." (Raul Pompéia, *O Ateneu*, p. 54). [Sin.: *mnemotecnia, mnemotécnica.*]

mnemônico. [Do gr. *mnemonikós*, 'relativo à memória'.] *Adj.* **1.** Relativo à memória; mnêmico. **2.** Conforme aos preceitos da mnemônica: *exercícios mnemônicos.* **3.** Fácil de reter na memória: *número mnemônico.* **4.** Que ajuda a memória.

mnemonização. *S. f.* Ato de mnemonizar.

mnemonizar. *V. t. d.* Tornar mnemônico (3).

mnemonizável. *Adj. 2 g.* **1.** Que se pode mnemonizar. **2.** Que se fixa facilmente na memória.

mnemotecnia. [De *mnem(o)-* + *-tecn(o)-* + *-ia.*] *S. f.* V. *mnemônica.*

mnemotécnica. [De *mnem(o)-* + *técnica.*] *S. f.* V. *mnemônica.*

mnemotécnico. *Adj.* Referente à mnemotecnia ou mnemotécnica.

mnemoteste. [De *mnem(o)-* + *teste*[1].] *S. m.* Teste para verificação da capacidade de memória (1).

▲**-mnes(i)-.** [Do gr. *mnáomai, ômai.*] *El. comp.* = 'tipo ou condição de memória': *dismnésia, hipermnésia.*

mniotiltídeo. *S. m.* **1.** Espécime dos mniotiltídeos. ● *Adj.* **2.** Pertencente ou relativo a eles.

mniotiltídeos. *S. m. pl. Zool.* Aves passeriformes, da família *Mniotiltidae*, caracterizadas pelo tarso ocreado (escamas anteriores), de tegumento não ou indistintamente dividido em placas, a primeira das rêmiges da mão igual à segunda ou mais comprida e de colorido vivo. Insetívoras.

mo. **1.** Equiv. do pron. pess. complem. *me* e do pron. dem. *o*: "E a boa dama sacou um espelho e abriu-mo diante dos olhos." (Machado de Assis, *Memórias Póstumas de Brás Cubas*, p. 147.) [Flex.: *ma, mos, mas.*] **2.** Equiv. do pron. pess. complem. *me* e do pron. dem. neutro *o*: "Que me conste, ainda ninguém relatou o seu próprio delírio; faço-o eu, e a ciência mo agradecerá." (Id., *ib.*, p. 18); "Os meus males ninguém mos adivinha..." (Florbela Espanca, *Sonetos Completos*, p. 52).

■ **Mo.** *Quím.* Símb. de *molibdênio.*

mó[1]. [Do lat. *mola.*] *S. f.* **1.** Pedra de moinho ou de lagar: "Havia .... uma grande mó de pedra no moinho de fubá onde a água passava chorando." (Rubem Braga, *Ai de Ti, Copacabana!*, p. 122.) **2.** Pedra com que se afiam instrumentos cortantes; cote.

mó[2]. *S. f.* Grande massa; grande quantidade: "Bem depressa a tropeirada cercou o grupo. Reuniram-se em mó" (Afonso Arinos, *Pelo Sertão*, p. 41); "observando a massa esfrangalhada do tão sombria mó de gente — corpos exangues, almas em dor — considero no espetáculo da pobreza, que me confrange o coração!" (Antero de Figueiredo, *Miradouro*, p. 39).

moabilidade. *S. f. Tec.* A propriedade que caracteriza a maior ou menor facilidade de um material ser moído.

moafa. *S. f. Pop.* V. *bebedeira* (1).

moageiro. *S. m.* **1.** Proprietário de estabelecimento de moagem. ● *Adj.* **2.** Referente à moagem: *indústria moageira.*

moagem. [De *moer* + *-agem*[2].] *S. f.* Ato de moer (1 e 2); moedura: "A festa era a do costume / Pela moagem do engenho." (Alberto de Oliveira, *Poesias*, 3ª série, p. 113.)

mobica. [Do quimb. *mu'bika*, 'escravo'.] *S. 2 g. Bras., N.* e *N.E.* Escravo já alforriado, liberto.

móbil. [Do lat. *mobile.*] *Adj. 2 g.* **1.** Móvel (1): "nos olhos papudos .... luzia uma pupila negra e úmida, muito móbil" (Eça de Queirós, *O Primo Basílio*, p. 43). ● *S. m.* **2.** O que induz, incita ou motiva alguém a uma ação; causa, motivo, motor, móvel, motivação: *o móbil do crime*; "Não se procurou o móbil das belas ações na consciência humana, no amor da pátria .... ; foi-se procurar esse móbil às más paixões." (Eça de Queirós, *Prosas Esquecidas*, III, p. 31.) [Pl.: *móbeis* e (menos us.) *móbiles*. Cf. *mobiles*, do v. *mobilar.*]

mobilador (ô). *Adj.* e *s. m. Lus.* Que ou aquele que mobila.

mobilar. [De *móbil* + *-ar*[2].] *V. t. d. Lus.* V. *mobiliar*: "Mobilou casa no bairro de Buenos Aires, na menos freqüentada das ruas." (Camilo Castelo Branco, *Amor de Salvação*, p. 131.) [Pres. subj.: *mobile, mobiles*, etc. Cf. *móbile*, s. m., pl. *móbiles* e *móbiles*, pl. de *móbil.*]

móbile. [Do ingl. *mobile.*] *S. m. Art. Plást.* Escultura abstrata móvel, constituída de formas de material leve suspensas no espaço por fios, de maneira equilibrada e harmoniosa, e que mudam de posição impelidas pelo ar: "penduradas no teto por fios, ... formas coloridas de pássaros, flores, instrumentos, figuras geométricas, bichos e anjos mexem-se, girando, impulsionadas pela repentina aragem: os seus móbiles." (Edla van Steen, *Memórias do Medo*, p. 9). [Cf. *mobiles*, do v. *mobilar*.]

mobilhar. *V. t. d. Bras.* Var. palatalizada de *mobiliar* [q. v.].

mobília. [Do lat. *mobilia*, 'coisas móveis'.] *S. f.* Objetos móveis para uso ou adorno interior de uma casa ou ambiente; mobiliário.

mobiliar. *V. t. d. Bras.* **1.** Guarnecer de mobília: *mobiliar uma sala.* **2.** Fornecer móveis para. [Var.: *mobilhar*. F. paral., lus.: *mobilar*. Pres. ind.: *mobílio, mobílias*, etc; fut pret.: *mobiliaria*, etc.; pres. subj.: *mobílie, mobílies*, etc. Cf. *mobiliária*, fem. de *mobiliário* e s. f.]

mobiliária. [Fem. do adj. *mobiliário*.] *S. f.* Estabelecimento onde se vendem móveis; movelaria. [Cf. *mobiliaria*, do v. *mobiliar*.]

mobiliário. [Do fr. *mobiliaire*.] *Adj.* **1.** Relativo a, ou constituído por bens móveis: *herança mobiliária.* [Fem.: *mobiliária*. Cf. *mobiliaria*, do v. *mobiliar*.] ~ V. *valor* —. ● *S. m.* **2.** Conjunto de móveis; mobília.

mobilidade. [Do lat. *mobilitate*.] *S. f.* **1.** Qualidade ou propriedade do que é móvel ou obedece às leis do movimento. **2.** Facilidade de mover-se ou de ser movido: *a mobilidade dos corpos esféricos.* **3.** *Fig.* Facilidade com que se passa de um estado para outro; inconstância, volubilidade: *mobilidade de caráter, de espírito.* **4.** Facilidade de modificar-se ou variar: *mobilidade de fisionomia, de imaginação.* ♦ **Mobilidade iônica.** *Fís.-Quím.* A velocidade dum íon sob a ação de um campo elétrico unitário. **Mobilidade social.** *Sociol.* Circulação ou movimento de idéias, de valores sociais ou de indivíduos, duma camada inferior para a superior, e vice-versa, ou dum grupo para outro no mesmo nível.

mobilismo. [De *móbil* + *-ismo*.] *S. m. Filos.* Doutrina segundo a qual a essência das coisas é individual e múltipla, e se transforma incessantemente sem leis determinadas, sendo ineficazes quaisquer tentativas de apreensão e organização racional da realidade. [Cf. *heraclitismo* (2).]

mobilização. [Do fr. *mobilisation*.] *S. f.* **1.** Ato de mobilizar. **2.** *Com.* Operação que visa a facilitar a circulação de um crédito a termo, concretizando-o num título negociável (à ordem, ao portador, ou nominativo). **3.** Conjunto de medidas governamentais e militares destinadas à defesa de um país ou à preparação dele para determinada ação militar. **4.** Arregimentação para uma ação política ou reivindicatória.

mobilizar. [Do fr. *mobiliser*.] *V. t. d.* **1.** Movimentar (1). **2.** Pôr (capitais ou títulos) em circulação. **3.** Fazer passar (tropas) do estado de paz para o de guerra.

mobilizável. *Adj. 2 g.* Que pode ser mobilizado.

moca[1]. [Do top. Moca (Ásia).] *S. m.* **1.** Variedade de café superior, originário da Arábia. **2.** *P. ext.* Café (2).

moca[2]. *S. f. Pop.* V. *cacete* (1).

moca[3]. *S. f. Bras.* **1.** V. *zombaria*. **2.** V. *mentira* (1). **3.** Asneira, bobagem, tolice.

moça (ô). [Fem. de *moço*.] *S. f.* **1.** Mulher jovem; rapariga. [Sin. (Bras., RS): *muchacha*. Dim. irreg.: *moçoila*; aum.: *mocetona*.] **2.** Mulher púbere. **3.** Mulher madura, mas não velha: *A secretária é uma moça bem-posta, de uns quarenta anos.* **4.** *Bras.* V. *meretriz*. **5.** *Bras.* Mulher que perdeu a virgindade. **6.** *Bras., Amaz.* V. *concubina* (1). **7.** *Lus.* Criada, ama. [Pl.: *moças* (ô). Cf. *moça* e *moças*, do v. *moçar*, e *mossa*, s. f., pl. *mossas*.] ♦ **Moça do açafate.** Açafata. **Ser uma moça.** *Bras. Fam.* Ser muito delicado, muito educado; ser uma dama: "—Não viam o Alferes Mariano? Aquilo era uma moça. De uma delicadeza, coitadinho!" (Bernardo Élis, *O Tronco*, p. 136.)

moça-bonita. *S. f. Bras., MG.* Certa erva medicinal, diurética. [Pl.: *moças-bonitas*.]

moça-branca. *S. f.* **1.** *Bras.* V. *abreu* (2). **2.** *Bras., SP. Pop.* V. *cachaça* (1). [Pl.: *moças-brancas*.]

mocada. *S. f.* Pancada com moca[2].

moçada. *S. f. Bras.* e *prov. lus.* Reunião ou grupo de moços ou moças; rapazlada.

moça-dama. *S. f.* V. *meretriz*: "Nesse dia [o dia da festa dos Remédios] não há homem .... que não gaste seu bocado nos leilões .... ; nem há mulher, senhora ou moça-dama que não arrote grandeza, pelo menos seu vestidinho novo de popelina." (Aluísio Azevedo, *O Mulato*, pp. 95-96.) [Pl.: *moças-damas*.]

moça-do-fado. *S. f. Bras., SP. Pop.* V. *meretriz*. [Pl.: *moças-do-fado*.]

mocajá. *S. m. Bras.* V. *coco-de-catarro*.

mocajaíba. *S. f. Bras.* Bocaiúva (1).

mocajubense. *Adj. 2 g.* **1.** De, ou pertencente ou relativo a Mocajuba (PA). ● *S. 2 g.* **2.** Natural ou habitante de Mocajuba.

moçalhão. [De *moço* + *-alhão*.] *S. m.* V. *mocetão*. [Fem.: *moçalhona*.]

moçalhona. *S. f.* Fem. de *moçalhão* [q. v.].

mocamau. [De possível or. afr.] *S. m.* Escravo fugido, que vivia em mocambos; mocambeiro, macamã. [Cf. *quilombola*.]

mocambeiro. *Bras. S. m.* **1.** V. *mocamau*. **2.** *P. ext.* Malfeitor que se refugiava em mocambo. **3.** Rês que se esconde no mato: "o vaqueiro a campear uma rês bravia. Nada o retém: onde passou o mocambeiro lá vai-lhe no encalço o cavalo e com ele o homem" (José de Alencar, *O Sertanejo*, p. 167). ● *Adj.* **4.** Diz-se de rês que se esconde no mato. **5.** Que mora em mocambo.

moçambicano. *Adj.* **1.** De, ou pertencente ou relativo a Moçambique (África). ● *S. m.* **2.** O natural ou habitante de Moçambique.

mocambinho. [De *mocambo* (4) + *-inho*.] *S. m. Bras., N.* V. *cabana*.

moçambique. [Do top. *Moçambique* (África).] *S. m.* **1.** *Bras., MG, SP* e *GO.* Bailado guerreiro de origem negra, sem enredo, ao som de instrumentos de percussão, semelhante às danças de combate das congadas, e no qual o ritmo é marcado com entrechoques de bastões. **2.** *Bras.* V. *cernambi* (3). **3.** V. *banto* (1). [Cf. *maçambique*.]

mocambo. [Do quimb. *mu'kambu*, 'cumeeira'.] *S. m.* **1.** *Bras.* Couto de escravos fugidos, na floresta. [Cf. *quilombo*.] **2.** *Bras., N.* e *N.E.* Cerrado de mato, ou moita, onde o gado costuma às vezes esconder-se: "Aqui detinha-se num mocambo ou touceira de mato, onde floriam os arbustos altos dos muricis" (Afrânio Peixoto, *Bugrinha*, p. 258). **3.** *Bras., N.E.* Habitação miserável. **4.** *Bras.* V. *cabana*.

moçame. *S. m. Bras. Fam.* Grupo de moças. [Sin., no CE: *moceiro*.]

mocanquice. [Var. de *moganguice*.] *S. f. Bras. Fam.* V. *moganga*[1].

moção. [Do ingl. *motion* ou do fr. *motion*.] *S. f.* **1.** Ato ou efeito de mover(-se); movimento. **2.** Abalo moral; choque, comoção. **3.** *Fig.* Proposta, em uma assembléia, acerca do estudo de uma questão, ou relativa a qualquer incidente que surja nesta assembléia; proposta.

moçar. *V. t. d. Bras.* **1.** Tornar moça (4); desvirginar. *Int.* **2.** Tornar-se moça (3) ou meretriz; prostituir-se. [Conjug.: v. *laçar*. Pres. ind.: *moço, moças, moça* etc. Cf. *moço* (ô), as flex. *moça* (ô) e *moças* (ô), e *mossa*, pl. *mossas*.]

moçárabe. [Do ár. *must'arib*, 'tornado árabe'.] *S. 2 g.* **1.** Cristão que vivia nas terras da Península Ibérica ocupadas pelos árabes. ● *S. m.* **2.** *Ling.* Grupo de dialetos românicos falados pelos moçárabes. ● *Adj. 2 g.* **3.** Diz-se de moçárabe (1). **4.** Pertencente ou relativo aos moçárabes. ~ V. *letra* —.

moças-e-velhas. *S. f. pl. Bras.* V. *zínia*.

mocassim. [Do algonquino.] *S. m.* **1.** Sapato sem salto, usado pelos peles-vermelhas e, em geral, por aborígines dos países frios, cuja sola sobe pelos lados e pela ponta do pé, onde se junta a uma peça em *u* costurada exteriormente. **2.** *P. ext.* Qualquer sapato esporte masculino ou feminino que imite o mocassim, mas com sola dura e salto: "Mudei de roupa: .... camisa vermelha, um mocassim legal." (Rubem Fonseca, *A Coleira do Cão*, p. 166.)

moça-velha. *S. f. Bras.* V. *zínia*. [Pl.: *moças-velhas*.]

moceiro. *S. m. Bras., CE. Fam.* Moçame.

mocelemano. *Adj.* e *s. m.* V. *muçulmano*.

mocetão. [Aum. de *moço*.] *S. m.* Mancebo robusto e bem-parecido; rapagão, moçalhão. [Fem.: *mocetona*.]

mocetona. [Fem. de *mocetão* (q. v.).] *S. f.* Moça forte, esbelta e/ou formosa.

mocha (ô). [Fem. substantivado de *mocho*[1].] *S. f. Bras., SP. Pop.* Arma de fogo sem cão. [Pl.: *mochas* (ô). Cf. *mocha* e *mochas*, do v. *mochar*, e *moxa* (cs), s. f., pl. *moxas* (cs).]

mochaco. [De *mocho*?] *S. m. Bras., RS.* Pau semelhante a um cambão, no qual se apóia o cabeçalho do carro.

mochadura. *S. f.* Ação de mochar.

mochar. *V. t. d.* **1.** Tornar mocho[1]; cortar um membro a. **2.** *Bras.* Enganar, lograr, burlar. **3.** *Bras., SP.* Esconder, ocultar. *Int.* **4.** Deixar de cumprir a promessa ou a palavra. [Pres. ind.: *mocho, mochas, mocha*, etc. Cf. *mocho* (ô), s. f., pl. *mochos* (ô); *moxa* e *moxas*, do v. *moxar*; este v.; e *moxa* (cs), s. f., pl. *moxas* (cs).]

mocheta (ê). [Do esp. *mocheta*.] *S. f. Arquit.* V. *listel*.

mochila. [Do esp. *mochila*.] *S. f.* **1.** Espécie de saco onde os soldados ou excursionistas levam, às costas, roupas e outros objetos. **2.** Saco de viagem. **3.** Gualdrapa. **4.** *Bras.* Pequeno saco em que se dá ração às cavalgaduras; bornal. **5.** *Fig.* Corcunda, corcova.

mocho[1] (ô). *S. m.* **1.** Designação vulgar das corujas ou caburés sem penacho ou tufo de penas na cabeça. Atualmente se aplica este nome, de maneira geral, às espécies de bubonídeos, especialmente as dos gêneros *Pulsatrix* Kaup., *Ciccaba* Wagl. e *Glaucidium* Boie. **2.** *Fig.* Indivíduo macambúzio; misantropo. **3.** Banco sem encosto, de assento quadrado ou redondo: "da antesala Ega avistou .... , sobre um mocho muito baixo que lhe fazia roçar pelo chão as longas abas da casaca — o Cruges, ... martelando sabiamente o teclado." (Eça de Queirós, *Os Maias*, II, p. 383); "Na casa, por mobília, rude banco / E três mochos somente." (Alberto de Oliveira, *Poesias*, 3ª série, p. 119). [Pl.: *mochos* (ô). Cf. *mocho*, do v. *mochar*.]

mocho[2] (ô). *Adj.* **1.** Diz-se do animal que, devendo ter chifres, não os tem, por ter nascido sem eles ou porque lhos cortaram: "A rês, qualquer que fosse ela — garrotinho, vaca ou marruás, chifruda ou mocha —, passando ao seu alcance seria lançada na primeira carreira." (Nélson de Faria, *Tiziu e Outras Estórias*, p. 148.) **2.** Diz-se do animal mutilado, ou a que falta algum membro. **3.** *Marinh.* Diz-se de um mastro inteiriço, sem mastaréu, ou de um mastaréu, sem calcês nem galope. **4.** *Ant. Mar.* Dizia-se de navio do qual se tirou a mastreação. *Bras., SP. Pop.* Diz-se de arma de fogo sem cão. **5.** Diz-se da árvore sem ramos. [Flex.: *mochos* (ô), *mocha* (ô), *mochas* (ô). Cf. *mocho, mocha*, e *mochas*, do v. *mochar*, e *moxa* (cs), s. f., pl. *moxas* (cs).]

mocho-diabo. *S. m. Bras.* Ave estrigiforme, da família dos estrigídeos (*Asio stygius* (Wagl.)), distribuída do S. do México até a Argentina, de dorso pardo, quase unicolor, pintado de ocre, e parte ventral ocrácea, pintada de pardo. [Pl.: *mochos-diabos* e *mochos-diabo*.]

mocho-mateiro. *S. m. Bras.* V. *murucututu*. [Pl.: *mochos-mateiros*.]

mocho-negro. *S. m. Bras.* Ave estrigiforme, da família dos estrigídeos (*Ciccaba huhula* (Daud.)), das Guianas e Brasil, de coloração pardo-enegrecida, listrada irregularmente de branco, e lados da cabeça pretos, pintados de branco. [Sin.: *coruja-preta*. Pl.: *mochos-negros*.]

mocho-orelhudo. *S. m. Bras.* **1.** Ave estrigiforme, da família dos estrigídeos (*Rhinoptynx clamator* (Vieil.)), da América Central e América do Sul, caracterizada pelo penacho muito longo, as penas com 5 ou 6 cm de comprimento, na orelha. Tem dorso amarelado com estrias longitudinais escuras, abdome branco-amarelado, as penas com manchas escuras ao longo das hastes e a face, ao redor dos olhos, branca marginada de escuro. **2.** V. *jacurutu*. [Pl.: *mochos-orelhudos*.]

mociço. *Adj. Ant.* e *pop.* Maciço.

mocidade. [De *moço* + *-i-* + *-dade*.] *S. f.* **1.** O período da vida do homem entre a infância e a idade madura; juventude: "Não choremos, amigo, a mocidade! / Envelheçamos rindo!" (Olavo Bilac, *Poesias*, p. 220). **2.** A gente moça; os moços. **3.** O viço, o frescor próprio dos poucos anos: *espírito de eterna mocidade.* **4.** *Fig.* Irreflexão, estouvamento, imprudência. ♦ **Em plena mocidade.** Na plenitude; na força, no auge da juventude.

mocinha. [Dim. de *moça*.] *S. f. Bras.* Moça muito jovem; moçoila.

mocinha-branca. *S. m. Bras., MT.* V. *pombinha-das-almas*. [Pl.: *mocinhas-brancas*.]

mocinho. [Dim. de *moço*.] *S. m. Bras.* Herói de histórias e filmes de aventura, especialmente de faroestes.

mocitaíba. [Do tupi *musita'iwa*.] *S. f. Bras., RJ.* Árvore da família das leguminosas (*Swartzia crocea*), da floresta úmida, cujo legume é pequeno (2 a 3 cm), tendo as folhas três folíolos, e as flores uma pétala grande e 10 estames, dispostos em racemos curtos.

mocó[1]. [Do tupi *mo'kó*.] *S. m.* **1.** *Bras.* Roedor da família dos cavídeos (*Kerodon rupestris* (Wied.)), semelhante à cobaia. **2.** *Bras., N.* e *N.E.* Bolsa de tiracolo para pequenas provisões, papéis, etc. **3.** *Bras., N.E.* Variedades de algodão nordestino, apreciado por ser muito comprido e ter fibras sedosas. [Cf. *mocô*.]

mocó[2]. *S. m. Bras., Amaz.* Mocô.

mocô. [De provável or. indígena.] *S. m. Bras., AL.* **1.** V. *bruxaria* (1 e 2). **2.** Amuleto, talismã. [Var. pros. (na Amaz.): *mocó*[2]. Cf. *mocó*[1].]

moço (ô). *Adj.* **1.** Novo em idade; jovem: "As aves moças que perderam a asa" (Augusto dos Anjos, *Eu*, p. 33). **2.** Relativo à, ou próprio da mocidade, da juventude: *alegrias moças*. **3.** *Fig.* Inexperiente, bisonho. **4.** *Fig.* Tenro, fresco: "bandos de arvoredos, ... dum verde tão *moço* que eram como um musgo macio onde apetecia cair e rolar." (Eça de Queirós, *A Cidade e as Serras*, p. 204). ● *S. m.* **5.** V. *rapaz* (3). **6.** Criado, serviçal. [Aum.: *mocetão* e *moçalhão*. Flex.: *moça* (ô), *moços* (ô), *moças* (ô). Cf. *moço, moças, moça*, do v. *moçar*, e *mossa*, s. f., pl. *mossas*.] ♦ **Moço de bordo.** Marinheiro novo que faz a bordo os serviços de criado, de limpeza do navio, etc. **Moço de convés.** Tripulante de convés, abaixo de marinheiro. **Moço de forcado.** *Lus.* Aquele que, nas touradas, agarra touros. **Moço de fretes.** *Lus.* Carregador (1).

mocoa (ô). [Do top. *Mocoa* (Equador).] *S. f.* Resina americana da qual os indígenas fazem um verniz semelhante ao charão.

moçoila. *S. f.* Dim. irreg. de *moça* [q. v.]; mocinha.

moçona. [Aum. de *moça*.] *S. f. Bras.* Mocetona [q. v.]: "Uma *moçona*, bonita, sempre risonha, bem-falante..." (José Condé, *Como uma Tarde em Dezembro*, p. 41.)

mocoquense. *Adj. 2 g.* **1.** De, ou pertencente ou relativo a Mococa (SP). ● *S. 2 g.* **2.** Natural ou habitante de Mococa.

moçoró. [Do top. *Moçoró* (RN).] *S. m. Bras., PB.* Certo vento periódico que sopra do Norte.

moçoroense (òên). *Adj. 2 g.* **1.** De, ou pertencente ou relativo a Moçoró (RN). ● *S. 2 g.* **2.** Natural ou habitante de Moçoró.

moçorondongo. *S. m. Bras., CE.* Larva que ataca as palmeiras.

mocorongo. *S. m.* **1.** *Bras., PA.* Santareno [q. v.]. **2.** *Bras. ES, RJ* e *SP. Pop.* V. *caipira* (1). **3.** *Bras., RJ.* Mulato quase escuro, mais comum na região serrana. [Cf. *macorongo*.]

mocororó. [Do tupi *mokoro'ró*.] *S. m. Bras.* **1.** Designação comum a diversas bebidas frias feitas de arroz ou de mandioca e, no CE, de caju: "Nessas noites, a fisionomia do sertanejo se expande em descuidosa alegria, andam o *mocororó*, o vinho, a cachaça estusiasmando-o" (Gustavo Barroso, *Terra de Sol*, p. 219). **2.** *Min.* Limonito encontrado na região aurífera da BA. **3.** Cascalho de diamante.

mocotó. [Do tupi *mboko'tog*.] *S. m. Bras.* **1.** Pata dos animais bovinos, destituída do casco, e que se usa como alimento. [Sin., no N.E.: *mão-de-vaca*.] **2.** *Pop.* V. *tornozelo*: "desceu as mãos até as pernas, calcou com a ponta dos dedos os *mocotós* inchados, sondou a dormência dos pés." (Jorge de Lima, *Calunga*, p. 93.) **3.** Planta silvestre, da família das acantáceas (*Elytraria* sp.).

mocozal (cò). [De *mocó*^{1} (1) + *-z-* + *-al*.] *S. m. Bras., N.E.* Lugar onde se vêem altas paredes de rochas cheias de buracos, nos quais vivem mocós.

mocozear. [De *mocó*^{1} + *-z-* + *-ear*.] *V. t. d. Bras., RJ. Gír.* Pôr em lugar de recato, esconder (alguma coisa). [Conjug.: v. *frear*.]

mocsa. [Do sânscr. *moksa*, 'liberação'.] *S. f. Filos.* Segundo a maioria dos sistemas filosóficos da Índia, a finalidade principal da vida humana, que é atingir um estado de perfeição, liberto de paixões e de inquietudes, resultado e função específica do conhecimento verdadeiro.

mocuba. [De provável or. tupi.] *S. f. Bras.* Certa árvore silvestre.

mocubuçu. [De *mocuba* + *-uaçu*, com síncope.] *S. m. Bras.* Espécie de mocuba.

mocuguê. *S. m. Bras.* V. *itapeuá*.

mocureiro. *S. m. Bras., RS.* Indivíduo inábil em seu ofício.

moçutaíba. *S. f. Bras.* Var. de *mocitaíba*.

moda. [Do fr. *mode*.] *S. f.* **1.** Uso, hábito ou estilo geralmente aceito, variável no tempo, e resultante de determinado gosto, idéia, capricho, e das interinfluências do meio: *conceitos em moda; a moda parnasiana.* **2.** Uso passageiro que regula a forma de vestir, calçar, pentear, etc.: *a moda dos vestidos curtos.* **3.** Arte e técnica do vestuário: *especialista em moda.* **4.** Maneira, costume, feição, modo: *comida à moda do seu país.* **5.** Vontade, fantasia, capricho: *Vive à sua moda.* **6.** Ária, cantiga. V. *modinha* (2 e 3). **7.** Canção típica do folclore português. **8.** Fenômeno social ou cultural, de caráter mais ou menos coercitivo, que consiste na mudança periódica de estilo, e cuja vitalidade provém da necessidade de conquistar ou manter uma determinada posição social. **9.** *Estat.* Numa distribuição de freqüência, valor da variável que corresponde a um máximo. ~ V. *modas*. ♦ **Moda de patacoada.** *Bras., SP.* Entre os caipiras, qualquer moda (6) de texto absurdo ou tolo. **Moda de viola.** *Bras., MG, RJ, SP, MT* e *GO.* Canção rural a duas vozes, em terças, com acompanhamento de viola. **Cair de moda.** Deixar de estar na moda; sair da moda; cair. **Sair da moda.** V. *cair de moda*.

modal. *Adj. 2 g.* **1.** Relativo a modo ou modalidade: *variações modais.* **2.** Relativo ao modo particular de execução de algo. **3.** *Gram.* Concernente aos, ou que tem valor de modos verbais. **4.** *Filos.* Diz-se da proposição em que a afirmação ou negação é modificada por um dos quatro modos: possível, contingente, impossível e necessário. ~ V. *conjunção —, divergência —, música —, nota —* e *proposição —.* ● *S. 2 g.* **5.** *Gram.* Conjunção modal.

modalidade. [De *modal* + *-i-* + *-dade*.] *S. f.* **1.** Maneira de ser peculiar a cada indivíduo; modo de existir. **2.** Forma, aspecto ou característica de uma coisa, ato, pensamento, organização, etc.: *as modalidades de ação política; modalidade de construção poética.* **3.** *Lóg.* Na tradição aristotélico-tomista, caráter das proposições segundo o qual a relação que elas exprimem se enuncia como fato, ou é declarada possível ou impossível, necessária ou contingente. [Cf. (nesta acepç.) *modo* (10).] **4.** *Lóg.* No kantismo, caráter especial dos juízos que nada acrescenta ao conteúdo deles, mas diz respeito só ao valor da cópula em relação ao pensamento em geral. [V. *juízo assertório, juízo apodítico* e *juízo problemático*.] **5.** *Mús.* Sistema modal, geralmente baseado nos modos gregos e/ou nos eclesiásticos, em oposição a *tonalidade* (2). **6.** *Mús.* Característica de uma composição ou de um fragmento musical escritos numa escala modal diferente das escalas dos modos clássicos maior e menor.

modalismo. *S. m. Rel.* Heresia cristã de Fótino (300-376), herético grego, bispo de Esmirna, que reduzia as pessoas divinas a simples modos de uma única pessoa em Deus.

modas. [Pl. de *moda*.] *S. f. pl.* Artigos de vestuário: *loja de modas.* ~ V. *moda*.

modelação. *S. f.* Ato de modelar^2; modelagem.

modelador (ô). *Adj.* **1.** Que modela. ● *S. m.* **2.** Aquele que modela. **3.** *Tip.* Instrumento que os encadernadores empregam para modelar o couro da capa e dar-lhe relevo.

modelagem. [De *modelar* + *-agem*^{2}.] *S. f.* **1.** Operação de modelar; modelação. **2.** *Bras.* Musculação (3). **3.** *Art. Plást.* Operação pela qual o escultor executa em argila ou cera o modelo que deve ser executado em bronze, madeira, mármore, etc.; moldagem.

modelar^1. [De *modelo* + *-ar*^{1}.] *Adj. 2 g.* Que serve de modelo (7); exemplar.

modelar^2. [De *modelo* + *-ar*^{2}.] *V. t. d.* **1.** Fazer o modelo (2 e 3) de; representar por meio de modelo. **2.** Assinalar os contornos de; ajustar-se a; contornar: *A roupa modelava -lhe as formas.* **3.** Dar forma a; afeiçoar: *Segundo a Igreja, Deus modelou os homens à sua imagem e semelhança.* **4.** Moldar (4). **5.** Delinear intelectualmente; traçar, delinear: *modelar um poema.* **6.** *Pint.* Reproduzir exatamente os contornos ou o relevo de. *T. d. e i.* **7.** Conformar, moldar: *Modelou o retrato do ausente pelo de um irmão seu, muito parecido; Modelarei o meu parecer pelo de Henrique. P.* **8.** Tomar-se por modelo. **9.** Moldar-se (8). [Pres. ind.: *modelo*, etc. Cf. *modelo* (ê).]

modelismo. *S. m.* A arte do modelista.

modelista. *S. 2 g.* Profissional que cria modelos para serem executados por sapateiros, costureiros, etc., ou pela indústria.

modelo (ê). [Do it. *modello*.] *S. m.* **1.** Objeto destinado a ser reproduzido por imitação. **2.** Representação em pequena escala de algo que se pretende executar em grande. **3.** Molde (1). **4.** Pessoa ou coisa cuja imagem serve para ser reproduzida em escultura, pintura, fotografia, etc. **5.** Aquilo que serve de exemplo ou norma; molde: *modelo literário.* **6.** Aquele a quem se procura imitar nas ações, no procedimento, nas maneiras, etc.; molde: *tomar alguém por modelo.* **7.** Pessoa ou ato que, por sua importância ou perfeição, é digno de servir de exemplo: *Joana d'Arc é modelo de coragem; Sua decisão foi um modelo de sabedoria.* **8.** Pessoa que, posando, serve para estudo prático do corpo humano, em pintura ou escultura; modelo vivo. **9.** Pessoa que, empregada em casa de modas, ou por conta própria, traja vestes para exibi-las à clientela; manequim, maneca (fem.), maneco. **10.** Vestido, terno, chapéu, sapato, etc., que é criação de uma casa de modas: *os mais recentes modelos da estação.* **11.** Impresso (2), com dizeres apropriados para cada fim, utilizado em escritórios, empresas, bancos, etc. **12.** *Econ.* Modelo econômico. **13.** *Fís.* Conjunto de hipóteses sobre a estrutura ou o comportamento de um sistema físico pelo qual se procuram explicar ou prever, dentro de uma teoria científica, as propriedades do sistema. [Pl.: *modelos* (ê). Cf. *modelo*, do v. *modelar*.] ♦ **Modelo de Einstein-de Sitter.** *Cosm.* V. *Universo de Einstein.* **Modelo de Friedmann.** *Cosm.* V. *Universo de Friedmann.* **Modelo de Roche.** *Geofís.* Representação criada pelo astrônomo francês Edouard Roche (1820-1883) para indicar a distribuição das densidades da crosta terrestre em função da distância ao centro da Terra. **Modelo econômico.** *Econ.* Sistema de equações matemáticas representativo de uma teoria econômica. [Representa uma visão simplificada de economia que permite análise rigorosa da teoria econômica, e baseia-se em determinados postulados bem definidos e que são impostos pelo autor. Tb. se diz apenas *modelo*.] **Modelo icônico.** Aquele que reproduz a aparência física do objeto representado. **Modelo reduzido.** Aquele cujas dimensões são proporcionalmente menores que as do objeto representado, de acordo com uma escala predeterminada. **Modelo vivo.** *Art. Plást.* Modelo (8).

➧**modem** (módem). [Do ingl. *mo(dulation)/dem(odulation)*.] *S. m. Proc. Dados.* Dispositivo que liga um equipamento de processamento de dados a uma linha de comunicação, e cuja função é converter os dados para uma forma compatível com a linha de comunicação, e vice-versa, com o objetivo de tornar estes dados disponíveis para transmissão e processamento.

modenatura. [Do fr. *modénature*.] *S. f. Arquit.* V. *modinatura*.

modenense. *Adj. 2 g.* **1.** De, ou pertencente ou relativo a Módena (Itália). ● *S. 2 g.* **2.** Natural ou habitante de Módena.

moderação. [Do lat. *moderatione*.] *S. f.* **1.** Ato ou efeito de moderar(-se), de tornar(-se) menor; diminuição, minoração, redução. **2.** Qualidade que consiste em evitar excessos; prudência, comedimento: *moderação no comer e beber.*

moderado. [Part. de *moderar*.] *Adj.* **1.** Que se moderou [v. *moderar* (1)]; regulado, regrado. **2.** Que tem moderação ou prudência; comedido, circunspecto. **3.** Não exagerado; não excessivo; razoável, equilibrado: *O médico recomendou-lhe exercícios físicos moderados.* **4.** Suave, temperado, ameno: *clima moderado.* **5.** *Polít.* Diz-se do partido ou do indivíduo que repele o radicalismo excessivo. **6.** *Mús.* Diz-se dos andamentos (*andante, andantino, moderato* e *alegreto*) que se mantêm entre os andamentos lentos e os rápidos. ~ V. *realismo —.* ● *S. m.* **7.** *Polít.* Membro ou adepto do partido moderado.

moderador (ô). [Do lat. *moderatore*.] *Adj.* **1.** Que modera ou atenua. **2.** Que reduz ou restringe. [Sin. ger.: *moderante, moderativo*.] ~ V. *poder —.* ● *S. m.* **3.** Aquele que modera. **4.** *Expl. P. us.* Moderante (2). **5.** *Fís. Nucl.* Substância que absorve parte da energia de nêutrons rápidos, transformando-os em nêutrons térmicos.

moderante. [Do lat. *moderante*.] *Adj. 2 g.* **1.** V. *moderador.* ● *S. m.* **2.** *Expl.* Aditivo usado em propelentes para moderar a chama da boca; moderador.

moderantismo. [De *moderante* + *-ismo*.] *S. m.* **1.** Qualidade ou ato de pessoa moderada em opiniões ou procedimento. **2.** Idéias moderadas em política; opinião ou doutrina dos moderados.

moderar. [Do lat. *moderare*.] *V. t. d.* **1.** Conter nos limites justos ou convenientes; pôr no meio-termo; regrar, regular: *Para conservar o cargo, resolveu moderar as queixas.* **2.** Ajustar às conveniências. **3.** Refrear, sofrear, reprimir, suster: "Sim, eu devera *moderar* meu pranto, / Sofrear minhas iras vingativas" (Gonçalves Dias, *Obras Poéticas*, II, p. 160). **4.** Tornar menos intenso ou acentuado; diminuir, modificar. **5.** Dirigir, reger. *P.* **6.** Agir com moderação; mostrar-se comedido.

moderativo. *Adj.* **1.** V. *moderador.* **2.** Moderável.

➧**moderato.** [It.] *S. m. Mús.* **1.** Andamento moderado, entre o andantino e o alegreto. **2.** *Mús.* Trecho executado nesse andamento. ● *Adj.* **3.** *Mús.* Diz-se de um alegro que não deve ser executado com muita rapidez.

moderável. [Do lat. *moderabile*.] *Adj. 2 g.* Que pode ser moderado; moderativo.

modernice. [De *moderno*^{1} + *-ice*.] *S. f.* **1.** Aferro a coisas modernas; preferência leviana pelo moderno. **2.** O uso de coisas novas.

modernidade. *S. f.* Qualidade de moderno^1.

modernismo. *S. m.* **1.** Preferência por tudo quanto é moderno^1; tendência para aceitar inovações. **2.** Facilidade em adotar idéias e práticas modernas que o uso ainda não consagrou. **3.** Caráter do que é moderno: *modernismo de linguagem.* **4.** Designação comum a diversos movimentos da literatura, das artes plásticas, da arquitetura e da música, surgidos a partir do fim do séc. XIX, e que se estenderam até a década de 30, aproximadamente, arte moderna. **5.** *Rel.* A tendência, denunciada pelo Papa Pio X (1835-1914), em 1907, de aplicar em larga escala, na exegese bíblica, a crítica histórica, científica e filosófica. **6.** *Liter.* e *Art. Plást. Bras.* Movimento literário e artístico inaugurado com a chamada *Semana de Arte Moderna* (1922), o qual deu início a uma nova fase na literatura e nas artes plásticas brasileiras, e se caracterizou pela ruptura com as tradições acadêmicas, pela liberdade de criação e de pesquisa estética, e pela busca de inspiração nas fontes mais autênticas da cultura e da realidade brasileiras.

modernista. *Adj. 2 g.* **1.** Pertencente ou relativo ao modernismo: *conceitos modernistas.* **2.** Que tem apego às coisas modernas e/ou tendência a adotá-las. **3.** Diz-se da obra ou do escritor ou artista pertencente ao modernismo, ou a uma das correntes dele: *poesia modernista.* ● *S. 2 g.* **4.** Pessoa apaixonada pelas coisas modernas. **5.** Escritor ou artista pertencente ao modernismo (4) ou a uma de suas correntes. **6.** *Bras.* Escritor ou artista pertencente ao modernismo (6).

modernização. *S. f.* Ato ou efeito de modernizar(-se).

modernizar. *V. t. d.* **1.** Tornar moderno¹; dar feição moderna a; adaptar aos usos ou necessidades modernas: *modernizar a máquina administrativa;* "só conseguiu converter servilmente numa prosa aguada os versos lisos do tio Duarte, sem relevo que os *modernizasse*" (Eça de Queirós. *A Ilustre Casa de Ramires,* p. 31). *P.* **2.** Acomodar-se aos hábitos ou às necessidades modernas. [F. paral.: *amodernar.*]

moderno¹. [Do lat. *modernu.*] *Adj.* **1.** Dos tempos atuais ou mais próximos de nós; recente: *filosofia moderna; autor moderno.* **2.** Atual, presente, hodierno: *a vida moderna.* **3.** Modernista (1 a 3): *a poesia moderna; autor moderno.* **4.** Que está na moda: *vestido moderno.* **5.** *Restr.* Diz-se das manifestações artísticas e literárias do séc. XX. **6.** *Bras., BA.* Moço, jovem. ~ V. *arte* —*a* e *romano* —. ● *S. m.* **7.** Aquilo que é moderno ou ao gosto moderno: *aperfeiçoar o moderno na arquitetura.* ~ V. *modernos.*

moderno². *Adj.* **1.** *Açor.* Moderado, brando. **2.** *Bras., N.E., pop.,* e *prov. lus.* Sossegado, manso. **3.** *Bras., N.E.* Diz-se da cor clara, não intensa. ~ V. *modernos.*

modernos. [Pl. de *moderno*¹.] *S. m. pl.* Os homens de hoje; os que vivem na época atual. ~ V. *moderno.*

modernoso (ô). *Adj. Bras. Deprec.* **1.** Pretensa e/ou duvidosamente moderno: *arquitetura modernosa; quadro modernoso; poesia modernosa; roupa modernosa; decoração modernosa.* ● *S. m.* **2.** O que é modernoso: *Não gosta do moderno, e sim do modernoso.*

modéstia. [Do lat. *modestia.*] *S. f.* **1.** Ausência de vaidade; despretensão, desambição, simplicidade. **2.** Reserva, pudor, decência, gravidade, compostura: "Aqueles veneráveis Prelados .... abaixaram com pronta e cauta *modéstia* os olhos" (Pe Manuel Bernardes, *Nova Floresta,* I, p. 168). **3.** Moderação, sobriedade.

modesto. [Do lat. *modestu.*] *Adj.* **1.** Moderado nos desejos, ações ou aspirações; despretensioso; sem vaidade. **2.** Que indica ou revela modéstia: *atitude modesta.* **3.** Que tem pudor, decência; recatado. **4.** Não excessivo; moderado, restrito: *gastos modestos.* **5.** Parco, sóbrio: *refeição modesta.* **6.** Que revela ou denota pobreza: *Leva uma vida modesta, em conformidade com seus parcos vencimentos.* **7.** Que ocupa, entre os seus iguais, posição de pouco ou nenhum relevo; que não sobressai: "Sou farmacêutico *modesto*, de bairro pobre." (João Alphonsus, *Pesca da Baleia,* p. 79.)

modicar. *V. t. d.* Tornar módico; moderar; abrandar, refrear; limitar, diminuir. [Conjug.: v. *trancar.*] Pres. ind.: *modico,* etc. Cf. *módico.*]

modicidade. [Do lat. *modicitate.*] *S. f.* Qualidade de módico.

modicíssimo. *Adj.* Superl. abs. sint. de *módico.*

módico. [Do lat. *modicu.*] *Adj.* **1.** Exíguo, pequeno, reduzido, modesto: "Falta dizer que os preços dos livros oferecidos nos catálogos das casas Chardron .... são *módicos*, reduzidos" (Camilo Castelo Branco, *Noites de Insônia,* IV, p. 52). **2.** Parco, escasso, insignificante: *módicos haveres.* **3.** Moderado, limitado, restrito; modesto. [Superl. abs. sint.: *modicíssimo.* Cf. *modico,* do v. *modicar.*]

modificação. [Do lat. *modificatione.*] *S. f.* **1.** Ato ou efeito de modificar(-se). **2.** Mudança da maneira de ser: *modificação do caráter.* **3.** Alteração, transformação, mudança: *modificação ortográfica.* ♦ **Modificação somática.** *Gen.* V. *Flutuação* (10).

modificador (ô). [Do lat. *modificatore.*] *Adj.* **1.** Que modifica ou altera; modificativo, modificante. ● *S. m.* **2.** Agente ou pessoa que modifica.

modificante. *Adj. 2 g.* V. *modificador* (1).

modificar. [Do lat. *modificare.*] *V. t. d.* **1.** Transformar a forma de; imprimir novo modo de ser a: *Modificando a natureza, o homem constrói a cultura.* **2.** Alterar, mudar, transformar. **3.** *Gram.* Alterar, ampliando ou restringindo o sentido de. *P.* **4.** Sofrer modificação, ou modificações; alterar-se, mudar. **5.** Moderar-se, restringir-se. [Conjug.: v. *trancar.*]

modificativo. *Adj.* V. *modificador* (1).

modificável. *Adj. 2 g.* Que pode ser modificado.

modilhão. [Do it. *modiglione.*] *S. m. Arquit.* Ornato em forma de S invertido e pendente da cornija; corvo: "as gárgulas, os *modilhões* das cornijas e os variadíssimos capitéis historiados de todas as nossas igrejas românicas" (Ramalho Ortigão, *Arte Portuguesa,* II, p. 206).

modilhar. [De *modilho*¹ + *-ar*².] *V. int.* Cantar modilho.

modilho¹. [De *moda* (6) + *-ilho.*] *S. m.* **1.** *Mús.* Música ligeira; ária. **2.** *Mús.* Cantiga popular; canção folclórica; modinha, moda.

modilho². [De *moda* (2), com infl. de *casquilho?*] *Adj.* Que segue as modas com exagero.

modinatura. [Do it. *modinatura.*] *S. f.* Arquit. O conjunto das molduras de uma construção, segundo o caráter das ordens arquitetônicas.

modinha. [De *moda* (6) + *-inha.*] *S. f.* **1.** V. *modilho*¹ (2). **2.** *Bras.* Da segunda metade do séc. XVIII até c. 1850, gênero de romança de salão, em vernáculo, e inspirada, quanto à forma, na ária de ópera italiana. **3.** *Bras.* Depois de 1850, gênero de cantiga popular urbana, com acompanhamento de violão: "De braço dado, as meninas passavam por nós aos grupos, cantando em coro valsas tristes, *modinhas* de serenatas." (Raquel de Queirós, *As Três Marias,* p. 6.) [Sin., nas acepç. 2 e 3: *moda.*]

modíolo. [Do lat. *modiolu.*] *S. m. Arquit.* Espaço entre os modilhões.

modismo. *S. m.* **1.** Modo de falar aceito pelo uso, conquanto seja ou pareça contrário às normas gramaticais; idiotismo de linguagem. **2.** Aquilo que está em moda, tendo, portanto, caráter efêmero.

modista¹. [Do fr. *modiste.*] *S. f.* Mulher que, profissionalmente, faz vestidos ou dirige a feitura deles.

modista². [De *moda* (6 e 7) + *-ista.*] *S. 2 g. Bras.* Cantador de moda (6).

modo. [Do lat. *modu.*] *S. m.* **1.** Maneira, feição ou forma particular; jeito: *modo de falar.* **2.** Sistema, prática, método: *modo de vida, de trabalho.* **3.** Estado, situação, disposição: *Estava em modo de receber as visitas.* **4.** Meio, via, maneira: *Não houve modo de obter o que queria.* **5.** Educação, moderação, comedimento, prudência: *Tem modo em tudo.* [Nesta acepç. é m. us. no pl. Sin.: *maneiras: Tenha modos, menino!*] **6.** Moda (4): *Veste-se ao modo antigo.* **7.** Jeito, habilidade, arte: *Teve modo de fazer o moço desistir do intento.* **8.** *Desus.* Casta, condição. **9.** *Gram.* Forma que o verbo assume para exprimir uma maneira do estado, ação, qualidade, etc., por ele indicados. **10.** Asserção complementar que se atribui à relação enunciada em uma proposição. [Cf., nesta acepç., *modalidade* (3).] **11.** *Geol.* Composição mineralógica real duma rocha magmática. [Cf., nesta acepç., *norma* (6).] **12.** *Mús.* No sistema tonal clássico, seqüência dos tons e semitons dentro da oitava da escala diatônica. **13.** *Mús.* Qualquer escala antiga ou exótica, cujos intervalos de tom e semitom não se apresentem nessa ordem: *modos gregos; modos eclesiásticos.* **14.** *Jur.* Encargo em favor de terceiro, imposto pelo testador ou doador ao beneficiário do testamento ou doação; encargo *modus.* ♦ **Modo autêntico.** *Mús.* Cada um dos quatro modos gregorianos principais (Ré a Ré, Mi a Mi, Fá a Fá, Sol a Sol), fixados por Santo Ambrósio (c. 333-397). **Modo condicional.** *Gram.* Modo verbal que enuncia o fato sob a dependência de uma condição. [Hoje quase não se aceita esse modo, que é considerado simples modalidade do futuro: o *futuro do pretérito,* segundo a Nova Nomenclatura Gramatical.] **Modo conjuntivo.** *Gram.* Modo subjuntivo. **Modo de produção.** *Econ.* Modo pelo qual se obtêm os meios de produção necessários à existência humana e ao desenvolvimento da sociedade, e que representa a unidade das forças produtivas [q. v.] e das relações de produção [q. v.] coexistentes. [Cf. *meios de produção.*] **Modo derivado.** *Mús.* Modo plagal. **Modo imperativo.** *Gram.* O que exprime ordem, exortação ou súplica. **Modo indicativo.** *Gram.* O que apresenta o fato como positivo e absoluto. **Modo infinitivo.** *Gram.* O que, exprimindo ação ou estado, não determina número nem, geralmente, pessoa; modo infinito. [Constitui hoje, pela Nova Nomenclatura Gramatical, uma das formas nominais do verbo. Tb. se diz apenas *infinitivo* ou *infinito.*] **Modo infinito.** *Gram.* V. *modo infinitivo.* **Modo maior.** *Mús.* Aquele cuja primeira terça da escala é um intervalo maior, e que apresenta um semitom entre o terceiro e o quarto, e entre o sétimo e o oitavo graus. **Modo menor.** *Mús.* Aquele cuja primeira terça da escala é um intervalo menor, e que apresenta um semitom entre o segundo e o terceiro e entre o sétimo e o oitavo graus. **Modo optativo.** *Gram.* O que, em certas línguas, exprime o desejo do fato expresso pelo verbo. **Modo plagal.** *Mús.* Cada um dos quatro modos gregorianos secundários (Lá a Lá, Si a Si, Dó a Dó, Ré a Ré), i. e., derivados ou relativos dos modos autênticos, e fixados por S. Gregório (c. 540-604); modo derivado. **Modos indiretos.** *Gram.* Todos os modos do verbo, exceto o indicativo. **Modo subjuntivo.** *Gram.* O que enuncia o fato como subordinado a outro. **A modo.** Com jeito; devagar. **A modo de.** À maneira de; à moda de; ao jeito de. **A modo que.** *Fam.* Parece que; pelo visto.

modornar. *V. t. d. e int.* V. *modorrar.*

modorra (ô). *S. f.* **1.** Prostração mórbida ou sonolência em que caem certos doentes. **2.** Moleza, preguiça, soneira, sonolência: "Durante o julgamento, caí numa profunda *modorra* que me alheou por completo do ambiente." (José Rodrigues Miguéis, *Páscoa Feliz,* p. 10.) **3.** *Fig.* Insensibilidade, indiferença, apatia. **4.** Doença do gado ovino. [Var.: *madorra* (ô) e *madorna.* Pl.: *modorras* (ô). Cf. *modorra* e *modorras,* do v. *modorrar.*]

modorral. *Adj. 2 g.* Que produz modorra.

modorrar. *V. t. d.* **1.** Causar modorra a; tornar sonolento, ou manter em estado de sonolência: "Um frio úmido, pegajoso, *modorrava* o Seu Júlio na cama." (Reginaldo Guimarães, *Uma Blusa no Cais,* p. 59.) *Int.* e *p.* **2.** Estar, permanecer ou cair em modorra: "O inverno alegra o sertão farto: ele [o sertanejo] preguiça e *modorra*." (Gustavo Barroso, *Terra de Sol,* p. 177.) [Var.: *modornar, madorrar* e *madornar.* Pres. ind.: *modorro, modorras, modorra,* etc. Cf. *modorro* (ô), *modorra* (ô) e pl. *modorras* (ô).]

modorrento. *Adj.* **1.** Que tem ou sofre de modorra. **2.** *Fig.* Estúpido, bronco, obtuso. [Sin. ger.: *modorro, madorrento.*]

modorro (ô). *Adj.* V. *modorrento.* [Flex.: *modorros* (ô), *modorra* (ô), *modorras* (ô). Cf. *modorro, modorras, modorra,* do v. *modorrar.*]

modulação. [Do lat. *modulatione.*] *S. f.* **1.** Ato ou efeito de modular²; modulagem. **2.** Variações de altura ou de intensidade na emissão de sons: "a voz plana, sem *modulação*, que escorre como um fio d'água, acalenta e entorpece." (Lúcia Miguel Pereira, *Cabra-Cega,* p. 8). **3.** Variação de cor ou de tonalidade. **4.** *Mús.* Passagem de um modo (12) ou de um tom (13) para outro, segundo as regras da harmonia. **5.** *Gram.* Escala de valores das vogais *a, e, o.* **6.** *Fís.* Processo em que a uma variável característica de um fenômeno periódico é atribuída uma variação determinada por outros destes fenômenos. **7.** *Fig.* Melodia; suavidade.

modulado. [Part. de *modular*².] *Adj.* **1.** que se modulou. **2.** Melodioso, harmonioso. **3.** Proporcionado, regular, harmônico. **4.** Que é formado de módulos [v. *módulo*¹ (4)]: *móvel modulado.* ~V. *amplitude* —*a, freqüência* —*a* e *onda* —*a.* ● *S. m.* **5.** Objeto formado de módulos [v. *módulo*¹ (4)].

modulador (ô). [Do lat. *modulatore.*] *Adj.* **1.** Que modula; modulante. ● *S. m.* **2.** Aquele que modula. **3.** *Eletrôn.* Circuito em que um sinal é modulado.

modulagem. *S. f. P. us.* Modulação (1).

modulante. *Adj. 2 g.* **1.** Modulador (1). **2.** *Mús.* Em que há modulação (4): *a marcha modulante dos acordes.* ~ V. *ponte* —.

modular¹. *Adj. 2 g.* Relativo a módulo¹.

modular². [Do lat. *modulare.*] *V. t. d.* **1.** Fazer modulação (2) em: *modular a voz.* **2.** Dizer, tocar ou cantar melodiosamente: "a boca *modula* uma canção germânica, onde se evocam pinheiros e neve." (Lúcia Miguel Pereira, *Cabra-Cega,* p. 95); "Então coa frauta sonora / *Modulando* um desafio, / O teu nome ensinarei / Às mansas águas do rio." (Correia Garção, *Obras Poéticas e Oratórias,* p. 271). **3.** *Mús.* Fazer modulação (4) na composição ou na execução (de um trecho musical). **4.** Dar módulo¹ (3) a. **5.** Aplicar (a uma onda ou corrente elétrica) o processo de modulação (6). *T. i.* **6.** Mús. Fazer modulação (4): *modular para um tom vizinho. Int.* **7.** Fazer modulação (2 e 4): *O cantor modulou com absoluta afinação: Modulava, assobiando.* [Pres. ind.: *modulo,* etc. Cf. *módulo.*]

modular[3]. [De *módulo*[1] + *-ar*[2].] *V. t. d. Arquit.* Construir empregando módulos [v. *módulo*[1] (4)].
modulatório. *Adj.* Relativo a, ou próprio da modulação.
módulo[1]. [Do lat. *modulu.*] *S. m.* **1.** Medida reguladora das proporções de uma obra arquitetônica. **2.** Quantidade que se toma como unidade de qualquer medida: *O litro é módulo das medidas de capacidade.* **3.** Modulação (2) da voz. **4.** Unidade (de mobiliário, de material de construção, etc.) planejada segundo determinadas proporções e destinada a reunir-se ou ajustar-se a outras unidades análogas, de várias maneiras, formando um todo homogêneo e funcional. **5.** Unidade destacável de um veículo espacial, destinada a uma missão específica: *módulo lunar; módulo de serviço.* **6** *Álg. Mod.* Conjunto sobre o qual se define um grupo abeliano aditivo, e cujos elementos podem multiplicar-se pelos elementos de um anel. **7.** *Cálc. Vect.* Raiz quadrada positiva do produto escalar de um vector por si mesmo. **8.** *Mat.* Valor absoluto. **9.** *Numism.* Diâmetro comparativo de medalhas e moedas. **10.** *Paleogr.* Dimensão normal de cada espécie de letra. [Cf. *modulo*, do v. *modular.*] ♦ **Módulo de carga.** *Proc. Dados.* Formato final de um programa de computador na forma adequada para ser armazenado na memória principal [q. v.] e executada pelo computador. **Módulo de distância.** *Astr.* A diferença entre a magnitude aparente e a magnitude observada de uma estrela. **Módulo de elasticidade.** *Fís.* Quociente entre a tensão de tração aplicada a um corpo e a deformação de tração que ela provoca; módulo de Young. **Módulo de números.** *Álg. Mod.* Conjunto de números inteiros tais que a soma ou a diferença de dois deles pertence também ao conjunto. **Módulo de rigidez.** *Fís.* Módulo de torção. **Módulo de torção.** *Fís.* Quociente entre a tensão de cisalhamento aplicada a um corpo e a deformação de cisalhamento que ela provoca; módulo de rigidez. **Módulo de Young.** *Fís.* Módulo de elasticidade.
módulo[2]. [Dev. de *modulado*, por infl. de *módulo*[1]?] *Adj.* Melodioso, harmonioso: "Cantai, ó aves *módulas*, / Cantai em coro ledo!" (Soares de Passos, *Poesias*, p. 88.) [Cf. *modulo*, do v. *modular.*]
módulo-fonte. *S. m. Proc. Dados.* V. *programa-fonte.* [Pl.: *módulos-fontes* e *módulos-fonte.*]
módulo-objeto. *S. m. Proc. Dados.* V. *programa-objeto.* [Pl.: *módulos-objetos* e *módulos-objeto.*]
➡**modus** (móduç). [Lat.] *S. m. Jur:* V *modo* (14).
➡**modus faciendi** (móduç faciêndi). [Lat.] Maneira de agir.
➡**modus vivendi** (móduç vivêndi). [Lat., 'modo de viver'.] Acordo pelo qual duas partes em litígio se podem tolerar mutuamente.
moeda. [Do lat. *moneta.*] *S. f.* **1.** Pequena placa de metal, geralmente circular, cunhada por autoridade soberana e usada, desde a Antiguidade, como meio de troca, de economia, ou como medida de valor. **2.** *Fig.* Aquilo a que se atribui valor: *A honestidade ali é moeda rara.* **3.** *Econ.* Tudo aquilo que exerce, concomitantemente, as funções de denominador comum de valores, de meio geral de trocas, e de reserva de valor, e que atualmente se apresenta como moeda metálica, papel-moeda e moeda escritural. [Cf. *dinheiro* (1).] **4.** Moeda ou cédula que tem curso legal; dinheiro: *Só viajava com moeda nacional.* ♦ **Moeda contábil.** *Fin. P. us.* Unidade abstrata utilizada para expressar os valores dos bens e serviços. **Moeda conversível.** *Fin.* Aquela que um particular é obrigado a aceitar do outro, mas que pode ser entregue a uma instituição financeira oficial para ser trocada pela moeda definitiva. **Moeda corrente.** Moeda (4) que circula legalmente num país e é aceita como forma de pagamento em todo seu território; dinheiro, espécie, numerário; moeda sonante: *Pagou em moeda corrente.* **Moeda de cálculo.** Aquela que na realidade não existe, como, p. ex., o real; moeda imaginária. **Moeda divisionária.** *Bras.* Moeda de pequeno valor e de metal inferior (cobre, bronze, alumínio, etc.), que serve para troco. **Moeda escritural.** A que é constituída pelos lançamentos feitos pelos bancos a crédito de seus depositantes. **Moeda falsa.** Dinheiro falsificado por particulares. **Moeda forte.** Moeda (3) cujo valor nominal é igual ou quase igual ao valor intrínseco. **Moeda imaginária.** Moeda de cálculo. **Moeda metálica.** *Econ.* **1.** A que é cunhada em metal precioso como ouro e liga de prata, ou em metal inferior [v. *moeda divisionária*], e que tem a forma, o peso e o valor regulamentados por disposições legais. **2.** A reserva de barras de ouro de um país destinada a saldar as dívidas do comércio exterior, e que não circula no interior do país, sendo apenas instrumento para o entesouramento das riquezas auferidas mediante as trocas internacionais. **Moeda sonante.** Moeda corrente. **Pagar na mesma moeda.** Corresponder àquilo que nos fazem por maneira igual; retribuir o bem com o bem e o mal com o mal.
moedagem. [De *moeda* + *-agem*[2].] *S. f.* **1.** Fabricação de moeda. **2.** Direito que se paga por essa fabricação. [Sin. ger.: *braceagem.*]
moeda-ouro. *S. f.* Padrão monetário diretamente associado ao valor do ouro (1); padrão-ouro. [Pl.: *moedas-ouros* e *moedas-ouro.*]
moeda-papel. *S. f. Fin.* Nota de banco, ou cédula, representativa da moeda metálica, e conversível nesta mediante apresentação do banco emissor. [Pl.: *moedas-papéis* e *moedas-papel.* Cf. *papel-moeda*, V. *título de crédito.*]
moedeira. [De *moer* + *-deira.*] *S. f.* **1.** Instrumento de moer o esmalte, em ourivesaria. **2.** *Fig.* Fadiga, cansaço, canseira. **3.** Trabalho fatigante, extenuante. **4.** *Pop.* Dor surda e prolongada.
moedeiro. *S. m.* **1.** Fabricante de moeda. **2.** Bolsinha para moedas: *Minha carteira nova não tem moedeiro.* ♦ **Moedeiro falso.** Aquele que fabrica moeda falsa.
moedela. [De *moer* + *-dela.*] *S. f.* V. *surra* (1).
moedor (ô). *Adj.* **1.** Que mói, tritura ou pisa. **2.** *Fig.* Importuno, maçador, maçante. ● *S. m.* **3.** Aparelho de moer ou triturar. **4.** *Fig.* Indivíduo moedor (2).
moedura. [De *moer* + *-(d)ura.*] *S. f.* **1.** Moagem. **2.** Porção de qualquer grão que se mói de cada vez. [Sin. ger.: *moenda.*]
moega. [Provavelmente de *mó.*] *S. f.* **1.** V. *canoura.* **2.** *Bras.* Um dos depósitos do trapiche.
moela. *S. f.* Estômago moedor das aves, dos insetos e dalguns moluscos, que tritura os alimentos ingeridos.
moela-de-mutum. *S. f. Bras.* Planta da família das quiináceas (*Lacunaria jenmani*). [Pl.: *moelas-de-mutum.*]
moemense. *Adj. 2 g.* **1.** De, ou pertencente ou relativo a Moema (MG). ● *S. 2 g.* **2.** Natural ou habitante de Moema.
moenda. [Do lat. *molenda*, 'coisas que devem ser moídas'.] *S. f.* **1.** Peça ou conjunto de peças que servem para triturar ou moer; moinho: *moenda de cana.* **2.** Lugar onde se acha(m) instalada(s) esta(s) peça(s). **3.** V. *moedura.*
moendeiro. [De *moenda* + *-eiro.*] *S. m.* **1.** V. *moleiro.* **2.** *Bras., N.E.* Trabalhador que põe as canas na moenda, engenhos de bangüê.
moente. [Do lat. *molente.*] *Adj. 2 g.* **1.** Que mói, que pode moer; moedor. ● *S. m.* **2.** Cavilha ou pequena peça cilíndrica que gira dentro dum pequeno orifício circular. ♦ **Moente e corrente.** **1.** *Ant.* Dizia-se do moinho que se encontrava em bom estado e pronto para serviço regular e efetivo. **2.** *Fig.* Diz-se de coisa que se encontra em estado regular e pronta para qualquer serviço ou aplicação. **3.** Muito corrente ou habitual; usadíssimo, comuníssimo: "*Augusto por soberano era moente e corrente* no século XVIII" (Alberto Faria, *Acendalhas*, p. 161).
moenza. *S. f. Bras.* Árvore silvestre cuja madeira se emprega em canoas, tamancos, etc.
moer. [Do lat. *molere.*] *V. t. d.* **1.** Reduzir a pó; esmagar, triturar: *moer café;* "O moleiro *mói* trigo para numerosa freguesia de Viseu" (José Vieira, *Sal de Portugal*, p. 73). **2.** Fazer passar por uma prensa a fim de extrair o suco: *moer cana.* **3.** V. *surrar* (2). **4.** Repassar insistentemente no espírito (um pensamento, uma idéia). **5.** Mastigar, mascar, ruminar. **6.** Cansar, fadigar, extenuar: *A longa viagem os moeu.* **7.** Importunar, maçar, cacetear, chatear: "se não fossem o Felisberto, as tremendas estopadas que lhe pregava, *moendo-o* com a sua parolice interminável, de bom grado ficaria assim toda a vida." (Inglês de Sousa, *O Missionário*, p. 345). **8.** Apertar muito; magoar. **9.** Repetir muitas vezes; repisar. *Int.* **10.** Trabalhar (o moinho). *P.* **11.** Cansar-se, fadigar-se; extenuar-se. **12.** Afligir-se, atormentar-se. [Pres. ind.: *môo, móis, mói, moemos, moeis, moem,* imperf.: *moía*, etc. perf. *moí*, etc.; imperat.: *mói, moa* (ô), etc.; part.: *moído.* Cf. *muí.*]
mofa. [Dev. de *mofar*[2].] *S. f. V. zombaria.* [Sin., Bras.: *moca*[3].]
mofado. [Part. de *mofar*[1].] *Adj.* Que mofou; coberto de mofo. ~ V. *papel* —.
mofador (ô). *Adj.* **1.** Que mofa; zombador; escarnecedor, trocista. **2.** Que envolve ou significa mofa. ● *S. m.* **3.** Aquele que mofa; trocista.
mofar[1]. [De *mofo* + *-ar*[2].] *V. t. d.* **1.** Cobrir ou encher de mofo. *Int.* **2.** Criar mofo. **3.** *Fam.* Ficar à espera do que ou de quem não vem: *Mofei horas e horas no gabinete do secretário, e ele não apareceu; Passa dias mofando na ante-sala do ministro — e nada de emprego.* **4.** Permanecer longamente num determinado local, ou posto, em má situação, sem que esta se modifique, ou por impossibilidade absoluta, ou por desinteresse da parte de quem a poderia modificar: *Há 10 anos que está mofando na cadeia, cumprindo sentença; Alphonsus de Guimaraens ficou mofando grande parte da vida no lugar de juiz do interior;* "Em Goiás, os anos corriam e Carvalho *mofava* na pasmaceira da comarca, pobre e esquecido." (Bernardo Élis, *O Tronco*, p. 61). [Pres. ind.: *mofo*, etc. Cf. *mofo* (ô).]
mofar[2]. [De *mofa* + *-ar*[2].] *V. t. i.* Zombar, troçar, escarnecer: "tinha até umas sombras de riso cáustico, um riso de seu uso, quando *mofava* de alguém" (Machado de Assis, *Quincas Borba*, p. 136). [Pres. ind.: *mofo*, etc. Cf. *mofo* (ô).]
mofatra. [Do ant. esp. *mofatra*, hoje *mohatra.*] *S. f.* V. *logro* (2).
mofatrão. *S. m.* Aquele que pratica mofatras; trapaceiro.
mofento. *Adj.* **1.** Que tem mofo; bolorento, bafiento, mofoso: "avistamos velhos e *mofentos* prédios de habitação coletiva" (Francisco Inácio Peixoto, *Passaporte Proibido*, p. 15). **2.** *Fig.* Que traz infelicidade; funesto; mofoso. ● *S. m.* **3.** *Bras., SE* e *SP. Pop.* V. *diabo.* (2)
mofeta (ê). [Do it. *mofetta.*] *S. f. Geol.* Manifestação atenuada da atividade vulcânica, que apenas consiste em exalações de anidrido carbônico.
mofina. [Fem. substantivado do adj. *mofino.*] *S. f.* **1.** V. *caiporismo.* **2.** Mulher desditosa, infeliz. **3.** Mulher acanhada, tacanha. **4.** *Fig.* Avareza, mesquinhez. **5.** *Bras.* Artigo anônimo difamatório. **6.** *Bras.* V. *ancilostomíase.*
mofineiro. [De *mofina* (5) + *-eiro.*] *S. m. Bras.* Aquele que escreve mofinas.
mofineza (ê). *S. f.* Qualidade de mofino.
mofino. *Adj.* **1.** Infeliz, desgraçado, desditoso. **2.** Turbulento, importuno. **3.** Avarento, mesquinho, sovina. **4.** Escasso, exíguo, acanhado: *espaço mofino.* **5.** *Bras.* Covarde, poltrão. **6.** *Bras.* Doentio, enfermiço, achacadiço: "Note-se que não era pálido nem *mofino*: tinha boas cores e músculos de ferro." (Machado de Assis, *Várias Histórias*, p. 213.) ● *S. m.* **7.** Indivíduo mofino. **8.** *Bras. Pop.* V. *diabo* (2).
mofo (ô). *S. m.* **1.** Bolor (1). **2.** V. *bafio.* **3.** Ranço[1] (2). **4.** V. *molagem.* [Pl.: *mofos* (ô). Cf. *mofo*, do v. *mofar.*] ♦ **Criar mofo.** Ficar velho.
mofofô. *S. m. Bras., SP. Pop.* Bicho de pau podre.
mofoso (ô). *Adj.* Mofento.
mofumbal. *S. m. Bras.* **1.** Quantidade mais ou menos considerável de mofumbos dispostos proximamente entre si. **2.** Lugar escuso; esconderijo, mofumbo.
mofumbar. *V. t. d. Bras., N.E.* **1.** Ocultar em lugar escuso, em mofumbo (2). **2.** Esconder, ocultar. [F. paral.: *amofumbar.*]
mofumbo. *S. m. Bras.* **1.** V. *cipoaba.* **2.** V. *mofumbal* (2).
mofumo. *S. m. Bras.* V. *cipoaba.*
mofungo. *S. m. Bras.* Erva da família das amarantáceas (*Chamissoa rubricaulis*), de folhas membranáceas, flores secas, paleáceas, ordenadas em glomérulos que se dispõem em panículas, e frutos que são pequenos utrículos membranáceos, com uma semente.
mogadourense. *Adj. 2 g.* **1.** De, ou pertencente ou relativo a Mogadouro (Portugal). ● *S. 2 g.* **2.** Natural ou habitante de Mogadouro.
moganga[1]. *S. f. Bras.* **1.** Caretas, trejeitos, esgares, momices; mogiganga. **2.** Carícias, lábias. [Us. tb. no pl. Var.: *muganga, mungango.* Sin. ger.: *mongaguice, mocanquice.*]
moganga[2]. [Talvez de or. afr.] *Adj. (f).* e *s. f.* Diz-se de, ou certa variedade de abóbora. [Var., no N.E.: *muganga* e *munganga* e, no RS, *mogongo.*]
mogangar. *V. int. Bras.* Fazer moganga[1] (1); caretear, trejeitear. [Conjug.: v. *largar.*]
mogangueiro. [De *moganga*[1] (1).] *Adj.* e *s. m. Bras.* Que, ou aquele que faz mogangas; careteiro, trejeiteiro [Var.: *mungangueiro;* sin.: *moganguento, munganguento, moganguista.*]
moganguento. *Adj.* e *s. m. Bras.* V. *mogangueiro.*
moganguice. *S. f. Bras.* V. *moganga*[1].
mogeiguista. *Adj. 2 g.* e *s. 2 g. Bras.* V. *mogangueiro.*
mogeirense. *Adj. 2 g.* **1.** De, ou pertencente ou relativo a Mogeiro (PB). ● *S. 2 g.* **2.** Natural ou habitante de Mogeiro.
▲**mogi-.** [Do gr. *mógis.*] *El. comp.* = 'dificuldade', 'impossibilidade': *mogigrafia.*
mogiganga. [Do esp. *mojiganga.*] *S. f.* **1.** *Teat. Ant.* Dança burlesca, ou breve representação com figuras grotescas, originária da Espanha, séc. XV; bugiganga. **2.**

V. *ninharia*. **3.** V. *moganga*^{1} (1).

mogigrafia. [De *mogi-* + *-graf(o)-* + *-ia*.] *S. f. Patol.* Dificuldade ou impossibilidade que têm certos músculos do polegar e do indicador de segurar e dirigir a pena de escrever; cãibra nas mãos de quem escreve muito.

mogigráfico. *Adj.* Referente à mogigrafia.

mogilalia. [Do gr. *mogilalía*.] *S. f. Med.* Dificuldade em articular a palavra; dislalia, mogilalismo, gaguez.

mogilálico. *Adj.* Referente à mogilalia.

mogilalismo. *S. m.* **1.** Vício prosódico ou gaguez na enunciação do *p* e do *b*. **2.** *Med.* V. *mogilalia*.

mogno. [Var. de *mógono* < *mahogany*, de uma língua indígena da América do Norte.] *S. m.* Árvore da família das meliáceas (*Swietenia macrophylla*), que se distribui desde a América Central até MT e GO, e produz uma das madeiras mais estimadas para mobiliário, avermelhada, e cujos frutos são grandes cápsulas lenhosas, de sementes com amplas asas coriáceas. [Sin.: *acaju* e (bras.) *aguano, araputanga, caoba, cedroí*.]

mogongo. *Adj.* e *s. m. Bras., RS.* V. *moganga*^{2}.

mógono. *S. m.* V. *mogno*: "Tenho visto armários pelintras em que o folheado do *mógono* se está despegando da armação de pinho" (Ramalho Ortigão, *Notas de Viagem*, p. 200).

mogorim. [Var. de *bogari*.] *S. m. Bras.* Espécie de rosa branca, muito aromática.

moicano (o-i). *S. m.* **1.** Indivíduo dos moicanos, tribo indígena dos E.U.A. (Connecticut), hoje extinta. ● *Adj.* **2.** Pertencente ou relativo a essa tribo.

moído. [Part. de *moer*.] *Adj.* **1.** Que se moeu; triturado, esmagado: *café moído*. **2.** Importunado, maçado. **3.** Fatigado, exausto. **4.** Diz-se de carne ou peixe em começo de putrefação.

moimento (o-i). [Do lat. *monimentu*.] *S. m. Ant.* **1.** Monumento em honra de alguém. **2.** Mausoléu (2).

moinante (o-i). [De *moina* + *-nte*.] *Adj. 2 g.* e *s. 2 g.* **1.** Brincalhão, festeiro. **2.** Mandrião, malandro, vadio.

moinha (o-í). [De *moer*, com possível infl. de *farinha*.] *S. f.* **1.** Fragmentos de palha muito moída. **2.** Pó a que se reduz uma substância seca ou triturada. **3.** V. *rabeira* (2).

moinho (o-í). [Do lat. *molinu*.] *S. m.* **1.** Engenho composto de duas mós sobrepostas e giratórias, movidas pelo vento, por queda-d'água, animais ou motor, e destinado a moer cereais. **2.** Lugar onde se acha instalado esse engenho. **3.** Máquina que serve para triturar qualquer coisa; moenda: *moinho de café*. ◆ **Moinho a discos.** *Tec.* Moinho constituído por dois discos, de material duro, que têm um movimento de rotação relativo, e que desintegram o material que se encontra entre eles por efeito das grandes forças de cisalhamento que exercem. **Moinho a impacto.** *Tec.* Aquele em que a ação de cominuição ocorre quando as partículas do material a moer são lançadas contra um ressalto fixo, fragmentando-se por efeito da colisão. **Moinho de bolas.** *Tec.* Moinho constituído por um cilindro rotatório que contém uma carga de esferas metálicas (ou de cerâmica), que trituram o material por uma ação combinada de compressão, abrasão e impacto. **Moinho de martelos.** *Tec.* Moinho que dispõe de um rotor circular em cuja periferia estão fixas peças articuladas (ou não), os *martelos*, que lançam contra ressaltos, existentes na carcaça que envolve o rotor, o material a moer, o qual se fragmenta em virtudes da colisão. **Moinho de pasta.** *Ind. Pap.* Desfibrador (3). **Moinho de rolos.** *Tec.* Moinho constituído por um cilindro rotativo que contém no seu interior um conjunto de rolos, lisos ou corrugados ou com cristas afiadas, que desintegram, por compressão, abrasão, impacto e corte, o material a moer. **Moinho de vento.** *Bras.* Cata-vento (3).

moio. [Do lat. *modiu*.] *S. m.* Antiga unidade de medida de capacidade para secos, equivalente a 15 fangas, ou seja, 21,762 hectolitros: "o cônsul francês remete ao seu governo a nota dos *moios* de sal carregados em Lisboa" (Ramalho Ortigão, *As Farpas*, VIII, p. 185).

moira-encantada. *S. f.* Var. de *moura-encantada*. [Pl.: *moiras-encantadas*.]

moirama^1. *S. f.* Var. de *mourama*^{1}.

moirama^2. *S. f.* Var. de *mourama*^{2}.

moirão^1. *S. m.* Mourão^1 [q. v.].

moirão^2. *S. m.* Mourão^2 [q. v.].

moirão^3. *S. m.* Mourão^3 [q. v.].

moirar. *V. int.* Var. de *mourar* [q. v.].

moiraria. *S. f.* Var. de *mouraria*.

moira-torta. *S. f.* Var. de *moura-torta*. [Pl.: *moiras-tortas*.]

➡**moiré** (muarrê). [Fr.] *S. m.* **1.** Espécie de tafetá achamalotado. **2.** *Art. Gráf.* Efeito óptico indesejável produzido pela superposição de retículas.

moirejado. [Part. de *moirejar*.] *Adj.* Var. de *mourejado*.

moirejar. *V. int.* e *t. i.* Var. de *mourejar*. [Conjug.: v. *pelejar*.]

moirejo (ê). [Dev. de *moirejar*.] *S. m. Bras.* Var. de *mourejo*.

moiresco (ê). *Adj.* Var. de *mouresco* [q. v.].

moirescos (ê). *S. m. pl.* Var. de *mourescos* [q. v.].

moirisco. *Adj.* V. *mourisco*.

moiriscos. *S. m. pl.* Var. de *mouriscos* [q. v.].

moirisma. *S. f.* Var. de *mourisma* [q. v.].

moirizar. *V. t. d.* Var. de *mourizar*.

moiro. *Adj.* e *s. m.* V. *mouro*.

moironada. *S. f. Bras.*, *S.* V. *mouronada*.

moiros. *S. m. pl.* Var. de *mouros*.

moisés. *S. m. 2 n. Bras.* Cesta para carregar crianças.

moita. *S. f.* **1.** Grupo espesso de plantas; touça: "E das *moitas* cheirosas / O aroma dos mirtais sobe nos céus escampados." (Manuel Bandeira, *Estrela da Vida Inteira*, p. 22.) ● *Interj.* **2.** Designa que nada se respondeu, quando se pedia ou esperava resposta, ou serve para pedir a alguém que se cale ou fique quieto. [F. paral.: *mouta*.] ◆ **Na moita.** *Bras.* **1.** À espreita; na expectativa. **2.** Sem falar ou revelar algum fato ou segredo; em silêncio. **3.** Às escondidas; às ocultas, à sorrelfa.

moital. [De *moita* + *-al*.] *S. m.* V. *moitedo*: "O verão se acentua, / e, de manhã, bem cedo, / vêm dos silêncios amplos e sombrios / dos verçudos *moitais*, / .... / murmúrios / macios / de cicio..." (Gilca da Costa Melo Machado, *Mulher Nua*, p. 121).

moitão^1. *S. m.* **1.** Peça de madeira, ou metálica, constituída de uma ou duas faces ovais ou elípticas, atravessadas por um eixo, às vezes provida de roldana e de uma alça de ferro, e que serve para levantar pesos e maquinismos, mover cenários, etc. **2.** *Marinh.* Poleame que consiste numa caixa de madeira ou de metal dentro da qual trabalha uma roldana. [Cf. *cadernal*. F. paral.: *moutão*.]

moitão^2. [Aum. de *moita*.] *S. m.* V. *moitedo*. [F. paral.: *moutão*.]

moitar. [De *moita* + *-ar*^{2}.] *V. int. Bras. Gír.* Não responder, ou não dizer o que sabe ou pensa; calar; ficar na moita; amoitar: *Ouviu e viu tudo, e moitou*.

moitedo (ê). *S. m.* Lugar onde há moitas; moitão, moital. [F. paral.: *moutedo*.]

mojiano^1. *Adj.* Relativo ou pertencente à região servida pela Estrada de Ferro Mojiana (SP a MG).

mojiano^2. *Adj.* **1.** De, ou pertencente ou relativo a Moji das Cruzes (SP). ● *S. m.* **2.** O natural ou habitante de Moji das Cruzes.

mojiano^3. *Adj.* **1.** De, ou pertencente ou relativo a Mojiguaçu (SP). ● *S. m.* **2.** O natural ou habitante de Mojiguaçu.

mojiano^4. *Adj.* **1.** De, ou pertencente ou relativo a Mojimirim (SP). ● *S. m.* **2.** O natural ou habitante de Mojimirim.

mojica. [Do tupi *mu'yika*.] *S. f. Bras. Amaz.* **1.** Processo de engrosssar o caldo, ou o mingau, submetendo-os a lenta cocção e, de ordinário, adicionando-lhes féculas. **2.** O caldo, ou o mingau, engrossado por este processo. **3.** Peixe cozido ou moqueado, em pedacinhos, sem as espinhas, que se usa, de mistura com a tapioca ou a farinha-d'água, para engrossar o caldo.

mojicar. *V. t. d. Bras., Amaz.* **1.** Engrossar (caldo ou mingau), fazendo mojica (2). *Int.* **2.** Fazer mojica (2). [Conjug.: v. *trancar*. Pres. subj.: *mojique*, etc. Cf. *mujique*.]

mojuense. *Adj. 2 g.* **1.** De, ou pertencente ou relativo a Moju (PA). ● *S. 2 g.* **2.** Natural ou habitante de Moju.

mol. [Do al. *Mol*, f. abrev. de *Molekül*, 'molécula'.] *S. m. Fís.-Quím.* Quantidade de substância cuja massa, medida em gramas, é igual à sua massa molecular; quantidade de uma substância em que o número de moléculas é igual ao número de Avogadro; molécula-grama. [Pl.: *mols*.]

mola^1. [Do it. *molla*.] *S. f.* **1.** Peça elástica, em geral metálica, espiralada ou helicoidal, e que reage quando vergada, distendida ou comprimida: *as molas da poltrona*; *a mola do relógio*. **2.** Feixe de lâminas metálicas sobrepostas, que resistem ao peso e dão flexibilidade: *as molas do vagão, da carroçaria*. **3.** *Fig.* Tudo aquilo que concorre para um movimento ou para um fim; móvel, impulso, incentivo: "A idéia de morte, lembra o poeta Valéry, representa a *mola* das leis, a mãe das religiões, ... a origem de uma infinidade de pesquisas e de meditações." (Carlos Drummond de Andrade, *Passeios na Ilha*, pp. 195-196.)

mola^2. [Do lat. *mola*.] *S. f.* **1.** Espécie de bolo de grãos de trigo usado nos rituais e sacrifícios dos antigos romanos. **2.** *Patol.* Massa ou tumor carnoso que se forma no útero, pela degeneração de um ovo ou por seu desenvolvimento no sentido de aborto. ◆ **Mola hidatiforme.** *Patol.* Mola^2 (2) formada pela degeneração das vilosidades coriônicas, produzindo-se massa de quistos que lembra cacho de uvas.

molada. [Do esp. *molalada*.] *S. f.* **1.** A porção de tinta que se mói de cada vez na moleta. **2.** A água contida na caixa onde gira a pedra de amolar ou mó. [Cf. *mulada*.]

molagem. *S. f.* Vantagem gratuita; mofo, borla. ◆ **De molagem.** À conta alheia; à custa de outrem: *Desde que perdeu o emprego, vive de molagem*.

molal. [De *mol* + *-al*.] *Adj. 2 g. Quím.* Diz-se de grandeza pertinente a um mol de uma substância dissolvido em mil gramas de um solvente.

molalidade. [De *molal* + *-i-* + *-dade*.] *S. f.* Concentração de uma solução expressa em moles [v. *mol*] do soluto presentes em mil gramas de um solvente.

molambento. *Adj.* e *s. m. Bras.* Diz-se de, ou indivíduo roto, esfarrapado; molambudo.

molambo. [Do quimb. *mu'lambu*, 'pano^1'.] *S. m. Bras.* **1.** Pedaço de pano velho, rasgado e sujo; farrapo. **2.** Roupa velha ou esfarrapada. **3.** *Fig.* Indivíduo fraco, pusilânime, sem firmeza de caráter.

molambudo. *Adj.* e *s. m. Bras.* V. *molambento*.

molancas. [De *mole*^{2} + *ancas*?] *S. 2 g.* e *2 n. Pop.* V. *molangueirão*.

molangueirão. [Var. de *molanqueirão*.] *S. m. Pop.* Sujeito mole, fraco, frouxo, sem energia; molancas, molanqueirão, molanqueiro. [Fem.: *molangueirona*.]

molangueirona. *S. f.* Fem. de *molangueirão* [q. v.].

molanqueirão. [De *molancas* + *-eiro* + *-ão*^{2}.] *S. m. Pop.* V. *molangueirão*. [Fem.: *molanqueirona*.]

molanqueiro. [De *molancas* + *-eiro*.] *S. m.* V. *molangueirão*.

molanqueirona. *S. f. Pop.* Fem. de *molanqueirão* [q. v.].

molar^1. [Do lat. *molare*, 'de moinho'.] *Adj. 2 g.* **1.** Próprio para moer; que mói: *pedras molares*. ~ V. *dente* —. ● *S. m.* **2.** V. *dente* (1).

molar^2. [De *mole*^{2} + *-ar*^{1}.] *Adj. 2 g.* **1.** Cuja casca é mole, fácil de partir. **2.** Macio, suave, brando, mole. **3.** *Fig.* Fácil de enganar; ingênuo, crédulo: *indivíduo molar*.

molar^3. [De *mola*^{2}.] *Adj. 2 g. Med.* Relativo ou pertencente a mola^2 (2). ~ V. *prenhez* —.

molar^4. *Adj. 2 g.* Referente a mol. ~ V. *fração* — e *volume* —.

molaridade. [De *molar*^{4} + *-i-* + *-dade*.] *S. f. Fís.-Quím.* Composição de uma sistema expressa pelo número de moles [v. *mol*] de cada componente presente num litro do sistema.

molariforme. [De *molar*^{1} + *-i-* + *-forme*.] *Adj. 2 g.* **1.** Que tem a forma de dente molar. **2.** *Bot.* Diz-se de certos cogumelos cuja superfície é coberta de uma camada denteada.

molarinha. *S. f.* V. *fel-da-terra* (1).

molassa. [De *molasso*.] *S. f. Ind. Pap.* Triturador [q. v.] formado por duas pesadas rodas de arenito que giram dentro de um tanque circular.

molasso. [Do fr. *molasse*.] *S. m. Geol.* Rocha composta de calcário mesclado com areia e argila. ~ V. *molassos*.

molassos. *S. m. pl.* Vermes intestinais cujo corpo se constitui de uma substância gelatinosa, branda e transparente. ~ V. *molasso*.

moldação. *S. f.* V. *moldagem* (1).

moldado. [Part. de *moldar*.] *Adj.* **1.** Que se moldou; adaptado ao molde; modelado. ● *S. m.* **2.** Trabalho de moldura que se faz em certas peças.

moldador (ô). *Adj.* **1.** Que molda. ● *S. m.* **2.** Aquele que molda ou faz moldes. **3.** Instrumento com que o entalhador orna as molduras em madeira rija. **4.** *Tip.* Gráfico que se ocupa na confecção de moldes de galvanotipia. [Cf. *matrizador*.]

moldagem. *S. f.* **1.** Ato ou efeito de moldar; moldação, modelação, modelagem. **2.** *Art. Plást.* Modelagem (2). **3.** *Geol.* Impressão fóssil deixada no terreno.

moldandeira. [De *moldar* + *-eira*, com infl. de *bolandeira*?] *S. f. Tip. Ant.* Bolandeira (2).

moldar. *V. t. d.* **1.** Formar os moldes de. **2.** Adaptar ou acomodar ao molde; amoldar. **3.** Fundir, vazando no molde. **4.** Dar forma ou contorno a; modelar: "Vestia um casaquinho justo, sem gola, ... que lhe *moldava* o busto" (Afrânio Peixoto, *Maria Bonita*, p. 49). *T. d.* e *i.* **5.** Adaptar, acomodar, afeiçoar; conformar: *Egoísta, quer moldar todos a seus caprichos*. *P.* **6.** Acomodar-se, adaptar-se, amoldar-se. **7.** Conformar-se, harmonizar-se: *Apesar de velho, molda-se às idéias atuais*. **8.** Regular-se, dirigir-se; conformar-se, modelar-se: *Moldou-se pelos hábitos da velha geração*.

moldávia. [Do top. *Moldávia* (U.R.S.S.).] *S. f.* Planta labiada, espécie de erva-cidreira.

moldávio. *Adj.* **1.** Da, ou pertencente ou relativo à Moldávia (U.R.S.S.). • *S. m.* **2.** O natural ou habitante da Moldávia.

molde. [Do cat. ant. *motle*, atr. do esp. *molde*.] *S. m.* **1.** Modelo oco em que se verte o metal derretido que há de formar um objeto. **2.** Baixo-relevo em que se introduz matéria pastosa ou líquida que, ao solidificar-se, toma a forma dele: *molde de máscara.* **3.** Impressão em gesso de objeto em relevo, com a qual se podem obter várias reproduções desse objeto: *molde de medalha.* **4.** Peça de metal, cartão, madeira ou papel, pela qual se corta, reproduz ou dispõe alguma coisa: *executar o vestido pelo molde.* **5.** Modelo de qualquer coisa, pelo qual ela se talha ou se forma. **6.** *Tip.* Peça de fundidora mecânica, onde se adapta a matriz e se fundem os tipos, vinhetas, fios, etc. **7.** *Tip.* Parte das máquinas compositoras onde se vêm automaticamente colocar as matrizes, para fundição dos tipos ou das linhas-blocos. **8.** *Tip.* Aparelho que consiste essencialmente numa caixa de ferro, plana, curva ou cilíndrica, onde se coloca a matriz ou o flã, para fundir os estereótipos; negativo. **9.** *Tip.* Matriz galvanotípica. **10.** *Fig.* Modelo (6,7): *Segue os moldes clássicos; São Francisco é o molde daquele monge.* ♦ **De molde.** A propósito; na ocasião própria; oportunamente; *A pergunta veio de molde.*

molde-caldeira. *S. m. Tip.* Aparelho de estereotipia constituído de crisol, para o metal-tipo, e molde onde se põe a matriz, para fundição. [Pl.: *moldes-caldeiras* e *moldes-caldeira.*]

moldura. [Do esp. *moldura*, ou de uma f. **moldadura*, 'ato de moldar', com haplologia.] *S. f.* **1.** Peça lisa ou lavrada com que se cercam e/ou guarnecem pinturas, estampas, fotografias, espelhos, etc., de vários materiais, formatos e tamanhos; caixilho. [Cf. *quadro* (2).] **2.** *Arquit.* Ornato ou cercadura saliente, de pedra, mármore, estuque, cimento, gesso ou metal.

moldurado. [Part. de *moldurar.*] *Adj.* Emoldurado.

molduragem. *S. f.* **1.** Ato ou efeito de moldurar. **2.** Conjunto de molduras que adornam uma peça de arquitetura. **3.** Moldura: *espelho de molduragem barroca.*

moldurar. *V. t. d.* V. *emoldurar.*

moldureiro. *S. m.* **1.** Fabricante de molduras. **2.** Aquele que guarnece com molduras.

mole[1]. [Do lat. *mole.*] *S. f.* **1.** Grande massa informe; volume desmedido: "No céu limpo, sem uma nuvem, a mole do Cáucaso surgia à direita, clara, escura, as manchas das neves eternas perfeitamente visíveis." (Graciliano Ramos, *Viagem*, p 183.) **2.** Construção maciça, de grandes proporções: "A mole gigantesca do Convento" (Aquilino Ribeiro, *Estrada de Santiago*, p. 253). **3.** Massa (10).

mole[2]. [Do lat. *molle.*] *Adj. 2 g.* **1.** Que cede à compressão; macio, tenro: *fruta mole.* **2.** Fofo, elástico: *poltrona mole.* **3.** Lento, frouxo, lânguido, vagaroso: *gesto mole.* **4.** Sem energia; débil, fraco: *atitudes moles; caráter mole.* **5.** Preguiçoso, indolente, lânguido: "Enrola-te na longa caxemira, / Como as judias moles do Levante." (Castro Alves, *Obra Completa*, p. 172.) **6.** Efeminado, afeminado. **7.** Fácil de comover-se; sensível, terno: *coração mole.* **8.** Sem vivacidade; frouxo, inexpressivo: *olhar mole.* **9.** *Bras. Pop.* Que não apresenta dificuldade ou complicação, não exige esforço ou paciência; fácil: *Este trabalho é mole;* "eles podiam pelo menos trazer um cafezinho aqui pra gente, afinal ficar esperando aqui esse tempo todo não é mole não, cansa" (Luís Vilela, *Tremor de Terra*, p. 86). **10.** *Bras., N.E.* Sem sorte; infeliz, azarado. ~ V. *cancro —, conversa —, ovos —s, palato —, partes —s, raio X — e verniz —.* • *Adv.* **11.** *Bras. Pop.* Sem dificuldade; facilmente: *No próximo vestibular ele passa mole.* ♦ **Mole mole. 1.** Pouco a pouco; aos poucos; devagar. **2.** V. *no mole.* **No mole.** *Bras. Fam.* Sem fazer muito esforço; mole mole, na moleza: "Garantia-se apenas a freqüência [no curso da Faculdade de Medicina] e ia-se remanchando um estudozinho no mole." (Pedro Nava, *Beira-Mar*, p. 17.)

molear. *V. t. d. e p. Bras.* Tornar(-se) mole ou frouxo. [Conjug.: v. *frear.*]

moleca. [Do quimb. *mu'leka*, 'menina'.] *S. f. e adj. (f.) Bras.* Fem. de *moleque*[1] (1 a 4, 8 e 9).

molecada. [De *moleque*[1] + *-ada*[1].] *S. f. Bras.* **1.** Grupo ou corja de moleques. [Sin.: *molecório, molecagem* e (N. E. e GO) *molecoreba.*] **2.** V. *molecagem* (1).

molecagem. *S. f. Bras.* **1.** Ação de moleque[1], molecada, molequeira. **2.** V. *molecada* (1).

molecão. [De *moleque*[1] + *-ão*[1].] *S. m. Bras.* Molecote (2).

molecar. *V. int. Bras.* Proceder como moleque[1]; molequear: "Com os maiores, se ainda teimavam em molecar dentro da casa ou nos fundos, ela lhes dizia possessa: — Vocês vão ver quando ele sair ..." (João Alphonsus, *Eis a Noite!*, p. 130.) [Conjug.: v. *trancar.*]

molecoreba. *S. f. Bras., N.E.* e *GO.* V. *molecada* (1): 'Na cozinha a molecoreba .... pintava o simão de carapuça." (Mário Brandão, *Almas do Outro Mundo*, p. 11); "— Ela tá xingando pro vento — gritava a molecoreba que viu o homem sair em busca do delegado." (Bernardo Élis, *Veranico de Janeiro*, p. 36.)

molecório. *S. m. Bras.* V. *molecada* (1).

molecota. *S. f. Bras.* Fem. de *molecote.*

molecote. [Dim. de *moleque*[1].] *S. m. Bras.* **1.** Pequeno moleque: "À sombra do umbuzeiro brincavam molecotes." (Coelho Neto, *Treva*, p. 83.) **2.** Moleque encorpado, taludo; molecão. [Fem.: *molecota.*]

molécula. [Do lat. escolástico *molecula*, dim. de *moles*, atr. do fr. *molécule.*] *S. f.* Grupamento estável de dois ou mais átomos, que caracteriza quimicamente uma certa substância. ♦ **Molécula marcada.** *Fís. Nucl.* Molécula em que um ou mais átomos foram substituídos por átomos de isótopos radioativos. **Molécula polar.** A que apresenta momento elétrico diferente de zero.

molécula-grama. [De *molécula* + *grama*[2].] *S. f. Fís.-Quím.* Mol. [Pl.: *moléculas-gramas* e *moléculas-grama.*]

molecular. *Adj. 2 g.* Respeitante a molécula ou a molécula-grama. ~ V. *colóide —, física —, fórmula —, massa —, orbital —* e *peso —.*

molecularidade. [De *molecular* + *-i-* + *-dade.*] *Fís-Quím.* Numa reação química, o número de moléculas que devem interagir, em um choque, para que se verifique a reação.

moledo (ê). [De *mole*[2].] *S. m. Bras.* Em trabalhos de terraplenagem manual, tipo de material de escavação que resiste ao enxadão, mas pode ser desagregado à picareta, e inclui argilas estratificadas, saibros aglutinados e, em geral, rochas decompostas.

moleira[1]. [Fem. de *moleiro.*] *S. f.* **1.** Mulher do moleiro. **2.** Mulher que trabalha em moinho. **3.** Proprietária de moinho.

moleira[2]. [De *mole*[2] + *-eira.*] *S. f.* **1.** Fontanela. **2.** *P. ext.* A abóbada do crânio.

moleirão. [De *mole*[2].] *Adj. e s. m. Bras.* Molengão. [Fem.: *moleirona.*]

moleiro. [Do lat. *molinariu.*] *S. m.* **1.** Proprietário de moinho; moendeiro. **2.** Aquele que mói cereais profissionalmente. **3.** *Bras.* Ave psitaciforme, da família dos psitacídeos (*Amazona farinosa* (Bod.)), do L. e N. do Brasil e Guianas, de coloração verde, mancha amarela no vértice, ponta da cauda verde-amarelada e espelho da asa encarnado; ajuruaçu, juruaçu, juru, jeru.

moleirona. *Adj. (f.) e s. f.* Fem. de *moleirão* [q. v.].-

moleja (ê). [Do esp. *molleja.*] *S. f.* **1.** *Zool.* Glândula carnosa, especialmente na parte inferior do pescoço dos animais; timo. **2.** O pâncreas das reses (no açougue). **3.** Excremento de aves.

molejo (ê). [De *mola*[1] + *-ejo.*] *S. m. Bras.* **1.** O conjunto das molas de um carro, especialmente um automóvel. **2.** A ação dessas molas. **3.** *Gír.* V. *saracoteio: Mas que molejo tem aquela mulata!*

molemente. [De *mole*[1] + *-mente.*] *Adv.* **1.** De maneira mole; frouxamente: "lançou-lhe um olhar vago, um olhar que nada exprimia; sacudiu molemente a mão" (Artur Azevedo, *Contos fora da Moda*, p. 16). **2.** Com moleza; lentamente. **3.** Com preguiça; preguiçosamente; indolentemente. **4.** Deleitosamente; languidamente; sensualmente.

molenga. [De *mole*[2].] *Adj. 2 g.* **1.** Mole, indolente, preguiçoso. **2.** Mole, covarde, medroso, frouxo. **3.** Pouco enérgico; sem pulso; frouxo, mole. • *S. 2 g.* **4.** Pessoa que tem esses defeitos. [F. paral.: *molengo, molengue;* sin. ger.: *molóide.*]

molengão. [Aum. de *molenga.*] *Adj. e s. m.* Diz-se de, ou indivíduo muito molenga ou molengo. [Sin. (bras.): *moleirão.* Fem.: *molengona.*]

molengar. *V. int.* Andar ou proceder à maneira de molenga ou molengo. [Conjug.: v. *largar.*]

molengo. [De *mole*[2].] *Adj. e s. m. Bras.* V. *molenga.*

molengona. *Adj. (f.) e s. f. Fam.* Fem. de *molengão* [q. v.].

molengue. [De *mole*[2].] *Adj. 2 g. e s. 2 g. Bras.* V. *molenga.*

moleque[1]. [Do quimb. *mu'leke*, 'menino'.] *S. m.* **1.** Negrinho. **2.** *Bras.* Indivíduo sem palavra, ou sem gravidade. **3.** *Bras.* Canalha, patife, velhaco. **4.** *Bras.* Menino de pouca idade. **5.** *Bras.* Aramandaia. **6.** *Bras., CE. Pop.* V. *diabo* (2). **7.** *Bras., MG.* Filhote de surubim. • *Adj.* **8.** Engraçado, pilhérico, trocista, jocoso: *dito moleque.* **9.** *Bras.* Canalha, velhaco. [Fem. (exceto nas acepç. 5 a 7): *moleca.*]

moleque[2]. *S. m.* **1.** *Bras.* Escora com que se mantêm inferiormente as tábuas de um forro de casa, enquanto estão sendo pregadas. **2.** *Bras., MG.* Barra de ímã com a qual se separam do ouro em pó as partículas de ferro nele contidas.

moleque[3]. *S. m. Bras. N.E.* F. red. de *moleque-de-assentar.*

molequear. [De *moleque*[1] + *-ear.*] *V. int. Bras.* Molecar. [Conjug.: v. *frear.*]

moleque-d'água. *S. m. Bras., BA. Folcl.* Caboclo-d'água. [Pl.: *moleques-d'água.*]

moleque-de-assentar. *S. m. Bras., N.E.* Pau grosso, usado como rasoura para igualar o açúcar dentro das caixas, nos respectivos engenhos. [F. red., *moleque.* Pl.: *moleques-de-assentar.*]

moleque-do-surrão. [De *moleque*[1] + *do* + *surrão.*] *S. m. Bras. Pop.* V. *diabo* (2). [Pl.: *moleques-do-surrão.*]

moleque-duro. [De *moleque*[1] + *duro.*] *S. m. Bras., PE.* Certo arbusto. [Pl.: *moleques-duros.*]

molequeira. [De *moleque*[1] + *-eira.*] *S. f. Bras.* V. *molecagem* (1).

molestado. [Part. de *molestar.*] *Adj.* **1.** Atacado de moléstia; doente, molesto. **2.** Lesado fisicamente; maltratado. **3.** Ofendido, melindrado, magoado.

molestador (ô). *Adj. e s. m.* Que ou aquele que molesta.

molestamento. *S. m.* Ato ou efeito de molestar(-se).

molestar. [Do lat. *molestare.*] *V. t. d.* **1.** Causar moléstia (1) a; afetar, atacar; amolestar: *A hepatite molestou-o no último verão.* **2.** Magoar, maltratar; contundir: *Molestou o joelho ao cair.* **3.** V. *apoquentar.* **4.** Causar dano ou prejuízo a; desservir. **5.** Ofender, melindrar. **6.** Desgostar, penalizar. *P.* **7.** Ficar magoado, sentido, aborrecido; magoar-se, aborrecer-se. **8.** V. *apoquentar.*

moléstia. [Do lat. *molestia.*] *S. f.* **1.** Incômodo ou sofrimento físico; doença, achaque, mal. **2.** Doença das plantas ou dos animais. **3.** Incômodo ou sofrimento moral; aborrecimento, inquietação, mal. **4.** *Bras. Pop.* V. *raiva* (1). ♦ **Moléstia de Marie.** *Med.* V. *acromegalia.* **Moléstia de Parkinson.** *Med.* V. *doença de Parkinson.* **Moléstia reumática.** *Med.* V. *reumatismo poliarticular agudo.* **Da moléstia.** *Bras., N.E. Pop.* Do diabo [q. v.], dos diabos: *Que menina da moléstia!*

moléstia-magra. *S. f. Bras., N.E. Pop.* V. *tuberculose.* [Pl.: *moléstias-magras.*]

molesto. [Do lat. *molestu.*] *Adj.* **1.** Que causa moléstia ou doença; prejudicial à saúde; nocivo: *calor molesto.* **2.** Que causa aborrecimento; enfadonho, incômodo, molestoso: "é .... exato que perdeu [a vida antiga] muito espinho que a fez molesta, e, da memória, conserva alguma recordação doce e feiticeira." (Machado de Assis, *Dom Casmurro*, p. 5). **3.** Árduo, penoso, trabalhoso: *tarefa molesta.* **5.** Mau, perverso, maligno: *espíritos molestos.* **6.** Molestado (1).

molestoso (ô). *Adj.* V. *molesto* (2): "e houve um pesado, molestoso silêncio." (Coelho Neto, *Rei Negro*, p. 223).

moleta (ê). [Do esp. *moleta*, ou do fr. *molette.*] *S. f.* **1.** Pedra de mármore com que se moem tintas. **2.** *Heráld.* Figura em forma de estrela e vazada no centro. [Cf. *muleta.*]

moletom. [Do fr. *moletton.*] *S. m.* **1.** Tecido de lã macio, quente, semelhante a uma flanela grossa. **2.** Tecido de algodão, com a aparência do precedente.

moleza (ê). [Do lat. *mollitia.*] *S. f.* **1.** Qualidade de mole[2]. **2.** Quebramento ou falta de forças. **3.** Falta de energia, de vigor, de vitalidade; apatia. **4.** Tranqüilidade, sossego, quietação. **5.** V. *molície* **6.** *Bras. Fam.* Coisa fácil, não árdua, que não apresenta dificuldade ou não exige esforço: *O curso que estou fazendo é uma moleza.* **7.** *Bras., N.E. Fam. e pop.* Falta de sorte; azar, infelicidade. ♦ **Na moleza.** *Bras. Fam.* No mole [q. v.].

molha. [Dev. de *molhar.*] *S. f.* **1.** V. *molhadela* (1). **2.** V. *molhamento.*

molhada[1]. [De *molho* + *-ada*[1].] *S. f.* **1.** Grande molho ou feixe. **2.** Porção ou braçada de molhos.

molhada[2]. [De *molhar* + *-ada*[1].] *S. f.* V. *molhadela* (1).

molhadela. *S. f.* **1.** Ato de molhar(-se) rapidamente ou uma vez; molha, molhada, molhadura. **2.** Banho[1] (1) rápido. **3.** V. *gorjeta* (2).

molhado. [Part. de *molhar.*] *Adj.* **1.** Umedecido, banhado ou embebido de qualquer líquido. **2.** *Bras., N.E. Fig. Pop.* V. *embriagado* (1). ~ V. *perímetro —.* • *S. m.* **3.** Lugar umedecido por um líquido que nele caiu ou se entornou. ~ V. *molhados.* ♦ **Chover no molhado. 1.** Ser perdido o tempo ou o esforço gasto em algo. **2.** Ser supérflua a insistência em qualquer assunto já suficientemente exposto ou em problema já resolvido. **3.** Insistir em qualquer coisa já muito batida, ou na tentativa de resolver situação já resolvida.

molhador (ô). [De *molhar-* + *-(d)or.*] *Adj.* ~ V. *rolo* —.

molhados. [Pl. substantivado de *molhado.*] *S. m. pl.* Vinho, azeite e outras substâncias líquidas que se vendem nas mercearias. ~ V. *molhado.*

molhadura. [De *molhar* + *-(d)ura.*] *S. f.* **1.** V. *molhadela* (1). **2.** V. *gorjeta* (2): "passou-nos numa canoa com muito jeito .... Dei-lhe uma *molhadurazinha* e pôs-se a pular como um cabrito satisfeito da vida" (Visconde de Taunay, *Visões do Sertão*, p. 35).

molhagem. [De *molhar* + *-agem*[2].] *S. f. Art. Gráf.* Operação de umedecimento de pedra ou das placas de metal, nos processos de litografia e de ofsete para impedir a aderência da tinta.

molhamento. *S. m.* Ação de molhar(-se); banho, molha.

molhança. [De *molho* (ô) + *-ança.*] *S. f.* Grande porção de molho; molhanga.

molhanga. *S. f.* Molhança [q. v.].

molhar. [De um lat. vulg. **molliare*, por *mollire*, 'amolecer'.] *V. t. d.* **1.** Embeber em líquido: *Pegou a xícara de leite,* *molhou* *a rosca, e comeu-a devagar;* *Molhou* *o pão no vinho.* **2.** Repassar de líquido; cobrir de líquido: *A chuva* *molhou-o* *dos pés à cabeça.* **3.** Umedecer de leve: *O orvalho* *molhou* *as plantas. P.* **4.** Entornar ou receber líquido sobre si. **5.** *Fam.* Urinar (5 e 6) [q. v.] [Pres. ind.: *molho*, etc. Cf. *molho* (ô).]

molhe. [Do cat. *moll.*] *S. m.* Estrutura marítima enraizada em terra, e que pode servir de quebra-mar [q. v.], guia-corrente ou cais acostável.

molheira. [De *molho* (ô) + *-eira.*] *S. f.* Vasilha na qual à mesa se servem molhos.

molhelha (ê). *S. f. Lus. Marinh.* Monelha.

molhe-molhe. [De *molhar* + *molhar.*] *S. m.* V. *chuvisco* (1). [Pl.: *molhes-molhes* e *molhe-molhes.*]

molher. *S. f. Arc.* Mulher.

molho. [Do lat. **manuclu*, por **manupulu*, **maniplu*, 'mancheia, punhado'.] *S. m.* **1.** Pequeno feixe; lio: *molho de feno.* **2.** Quantidade de objetos reunidos num só grupo: *molho de chaves.* [Pl.: *molhos.* Cf. *molho* (ô) e pl. *molhos* (ô).] ♦ **Aos molhos.** Em grande quantidade; com abundância: "as lágrimas saltavam *aos molhos* das pálpebras do velho" (José de Alencar, *Senhora*, p. 219).

molho (ô). [Possivelmente dev. de *molhar.*] *S. m.* **1.** Qualquer preparação culinária líquida ou cremosa feita de caldo de carne ou de peixe, de condimentos, de azeite e vinagre, de leite e farinha, de sangue, etc., que acompanha diversos alimentos frios ou quentes para avivar-lhes o sabor: *molho de carne; molho de salada.* **2.** O molho (1) em relação ao ingrediente de que é feito: *molho de tomate; molho de camarão; molho de caril.* **3.** Água ou qualquer outro líquido em que se imerge uma substância. **4.** Preparação culinária doce, em geral com a consistência da calda (1 e 2), para acompanhar sobremesa, sorvete, etc.: *molho de caramelo; molho de chocolate.* [Pl.: *molhos* (ô). Cf. *molho*, do v. *molhar* e s. m., e pl. *molhos.*] ♦ **Molho bechamel.** *Cul.* Molho salgado, preparado com leite quente que se derrama aos poucos sobre manteiga derretida com farinha de trigo e se mexe até adquirir consistência cremosa. Serve de base para outros molhos cremosos, e usa-se para ligar diversas preparações culinárias. [Tb. se diz apenas *bechamel;* sin.: *molho branco.*] **Molho branco. 1.** Molho salgado, feito de leite engrossado com farinha de trigo ou com maisena, e um pouco de manteiga, e que adquire aspecto de mingau ralo. **2.** V. *molho bechamel.* **Molho de ferrugem.** Molho castanho escuro, com acentuado gosto de carne, por ser esta bem tostada na gordura e nos temperos antes de se adicionar, aos poucos, água ou caldo para assá-la, e que acompanha a carne assada: "despejava sobre a mesa de refeições duas vezes ao dia o arroz solto, o feijão de caldo grosso, a carne com *molho de ferrugem*" (Elsie Lesa, *A Dama da Noite*, p. 152). **Molho inglês.** Molho picante, preparado industrialmente com base no vinagre, ao qual se adiciona gengibre, salsa, louro, noz-moscada, pimenta-do-reino, sal, cravo, etc., usado para temperar carne, caldo, etc. **Molho nagô.** *Bras.* Molho picante, feito de pimenta-malagueta pisada com sal, camarões secos moídos, quiabo, jiló e sumo de limão, e que se cozinha em panela de barro, até adquirir consistência homogênea. **Molho pardo.** Molho preparado com o sangue da própria ave, ao qual se adiciona vinagre para que não coagule. **De molho. 1.** Imerso em água por certo tempo com ingredientes adicionais ou sem eles: *Deixou a roupa de molho para remover as manchas; Costuma-se pôr a carne-seca de molho para retirar-lhe o excesso de sal.* **2.** *Fig.* Temporariamente inativo ou marginalizado: *Com a gripe, ficou de molho por duas semanas; Passou quase um ano de molho na prisão.*

moliana. *S. f.* **1.** V. *repreensão* (1). **2.** *Bras. C.O.* Árvore da família das voquisiáceas (*Salvertia convallariodora*), típica do cerrado, de folhas enormes e rígidas, flores amareladas e vistosas, e cujos frutos são cápsula que contêm sementes aladas; bananeira-do-campo, colher-de-vaqueiro. ♦ **Cantar a moliana a.** Repreender, admoestar, censurar a.

molibdênio. [Do gr. *molybdaina*, 'massa de chumbo', pelo lat. *molybdaena.*] *S. m. Quím.* Elemento de número atômico 42, metálico, branco, mole, resistente, utilizado em ligas. [Símb.: *Mo.*]

molibdenita. [De *molibdênio* + *-ita*[3].] *S. f. Min.* Mineral hexagonal cinzento-metálico, sulfeto de molibdênio, importante minério de molibdênio.

molibdomancia. [Do rad. gr. *molybd* < *molybdaina*, 'qualquer massa de chumbo', + *-mancia.*] *S. f.* Adivinhação baseada no exame das figuras resultantes do chumbo derretido que se lança na água ou numa superfície lisa.

molibdomante. *S. 2 g.* Pessoa que pratica a molibdomancia.

molibdomântico. *Adj.* Relativo à molibdomancia, ou a molibdomante.

molição. [Do lat. *molitione.*] *S. f.* Grande esforço para alcançar um fim ou realizar alguma coisa.

molícia. [De *mollitia.*] *S. f.* V. *molície:* "Não há língua como a nossa, tão copiosa em sinônimos de moleza, ... de molúria, de *molícia*, de quebreira." (Martins Fontes, *Terras da Fantasia*, pp. 118-119).

molície. [Do lat. *mollitie.*] *S. f.* **1.** Preguiça, indolência, lassidão, molúria, moleza. **2.** Voluptuosidade, sensualidade, languidez, moleza. [F. paral.: *molícia.*]

moliço. [De *mole*[2] + *-iço.*] *S. m.* **1.** Limos e outras plantas aquáticas que se colhem para adubo de terrenos: "seco e movediço areal que estes bons lavradores amansaram, ... adubando a terra com *moliço*, plantando o feijão, o milho, a batata." (Gilberto Freire, *Aventura e Rotina*, pp. 231-232). **2.** Colmos que se empregam em cobertura de choupana.

molieresco (ês). *Adj.* **1.** Pertencente ou relativo ao comediógrafo francês Jean-Baptiste Poquelin, dito Molière (1622-1673), ou próprio dele. **2.** Que lembra o gênero de Molière: *comédia molieresca.*

molificação. *S. f.* **1.** Ato ou efeito de molificar. **2.** Qualidade do que molifica.

molificante. [Do lat. *mollificante.*] *Adj. 2 g.* **1.** Que molifica [v. *molificar* (1)]; molificativo. **2.** Que acalma, abranda, amansa, suaviza.

molificar. [Do lat. *mollificare.*] *V. t. d.* **1.** Tornar mole; tirar a dureza, a rijeza, a; amolecer. **2.** V. *enervar*[1] (2). **3.** Acalmar; aplacar; suavizar: "graças à cândida afetividade que lhe *molificava* os ímpetos da revolta" (Euclides da Cunha, *Contrastes e Confrontos*, p. 274). [Conjug.: v. *trancar.*]

molificativo. V. *molificante* (1).

molificável. *Adj. 2 g.* Que pode ser molificado.

molime. [Do lat. *molimen.*] *S. m. Mec.* **1.** Força impulsiva dum corpo em movimento. **2.** Aquilo que impulsiona. **3.** *Fisiol.* Conjunto de esforços que se desenvolvem para a realização de uma função.

molímen. *S. m. Mec.* V. *molime.* [Pl.: *molimens* e (p. us. no Brasil) *molímenes.*]

molinete (ê). [Do fr. *moulinet.*] *S. m.* **1.** Movimento giratório rápido, que se faz com uma espada, um pau, etc., à volta do corpo: *os molinetes do toureiro.* **2.** Aspas cruzadas de madeira ou de ferro que giram sobre um pião, em portas de recinto muito freqüentado, para evitar que por elas entrem de tropel ou para contar mecanicamente os que entram. [Cf. *borboleta* (11) e *torniquete* (1).] **3.** Instrumento que mede a velocidade de um curso de água por meio da rotação de um conjunto de pás. [Cf., nesta acepç., *limnógrafo* e *limnômetro.*] **4.** Peça dos anemômetros que, girando, permite registrar a velocidade dos ventos. **5.** Peça, de ordinário metálica, composta de um carretel dotado de manivela, e que se adapta ao caniço para enrolar a linha de náilon e recolher rapidamente o anzol atirado à água. **6.** *P. ext.* Caniço equipado com tal peça. **7.** *Grav.* Cruzeta (3). **8.** *Constr. Nav.* Máquina de suspender, de eixo horizontal; bolinete: "E os de terra retomaram .... a flotilha, que desatracou e ficou pairando sobre as águas, em volta do Boa Sorte, onde já o *molinete* cantava, suspendendo as amarras." (Virgílio Várzea, *Nas Ondas*, p. 99.) [Cf. *cabrestante.*] **9.** *Bras.* Parafuso (7).

molinha[1]. [De *mole*[2] + *-inha.*] *S. f.* Variedade de uva branca.

molinha[2]. [Dev. de *molinhar.*] *S. f.* Chuva muito miúda e rala, que ao cair lembra o grão que é molinhado [v. *chuvisco* (1)]: "Quando desço a rua cai do céu baixo e fusco uma *molinha* muito rala." (Aquilino Ribeiro, *Alemanha Ensangüentada*, p. 23.)

molinhar. [Do lat. *molinu*, 'moinho', + *-ar*[2], com palatização.] *V. t. d.* **1.** Moer aos poucos e com freqüência. *Int.* **2.** Fazer funcionar o moinho. **3.** Cair molinha[2]; chuviscar.

molinheira[1]. [Do lat. *molinu*, 'moinho', + *-eira*, com palatização.] *S. f.* Grande moinho.

molinheira[2]. [De *molinha*[2] + *-eira.*] *S. f.* Molinha[2] persistente. [V. *chuvisco* (1).]

molinheiro. [De *molinha*[2] + *-eiro.*] *S. m.* V. *chuvisco* (1): "descia sobre a terra um *molinheiro* álgido, agulhas e neve." (Aquilino Ribeiro, *Cinco Réis de Gente*, p. 208).

molinhoso (ô). [De *molinha*[2] + *-oso.*] *Adj.* Em que há molinha[2]: *tarde molinhosa.*

molinilho. [Do esp. *molinillo.*] *S. m.* **1.** Pequeno moinho, ao qual se imprime movimento com a mão: *molinilho de café.* **2.** Círculo dentado com que se bate o chocolate.

molinismo. *S. m.* Doutrina do jesuíta espanhol Luís de Molina (1535-1600), que visa a conciliar o livre-arbítrio com a graça e a presciência divina. [Cf. *molinosismo.*]

molinista. *Adj. 2 g.* **1.** Pertencente ou relativo ao, ou que é adepto do molinismo. ● *S. 2 g.* **2.** Adepto dessa doutrina.

molinosismo. *S. m.* Doutrina contemplativa e quietista de Miguel de Molinos, teólogo espanhol (1628-1696). [Cf. *molinismo.*]

molinote. *S. m.* **1.** Moenda de cana-de-açúcar. **2.** Cabrestante armado nos engenhos de açúcar para movê-los com bestas, quando falta a água para esse fim.

molípede. [Do lat. *mollipede.*] *Adj. 2 g. Zool.* Que tem pés moles ou brandos.

molito. [De *mole*[2] + *-ito*[1].] *Adj. Bras., S.* **1.** Frouxo, indolente, mole. **2.** Lânguido, sensual, lascivo.

moloca. [Var. de *maloca.*] *S. f. Bras., CE.* Trecho de mato.

molóide. [De *mole* + *-óide.*] *Adj. 2 g.* e *s. 2 g.* V. *molenga:* "Cândida não lhe foge do pensamento, e ele repreende a si mesmo, pela fraqueza... A intervalos .... ela vem ali, chamando-lhe *molóide* e outros nomes." (Humberto Crispim Borges, *Cacho de Tucum*, p. 113.)

molongó[1]. *S. m. Bras.* **1.** Arbusto leitoso, da família das apolináceas *(Ambelania grandiflora)*, dotado de folhas amplas e moles, de flores vistosas que se arrumam em inflorescências cimosas, e cujo fruto é bacáceo. **2.** Tucujá.

molongó[2]. *Adj. Bras., Amaz.* **1.** Adoentado, fraco, mofino. **2.** Preguiçoso, moleirão. **3.** Tolo, bobo, pateta. ● *S. m.* **4.** Indivíduo preguiçoso, moleirão. **5.** Tolo, bobo, pateta. [Cf. *molenga.*]

molongó-branco. *S. m. Bras.* V. *flor-de-coral* (2).

molossídeo. *S. m.* **1.** Espécime dos molossídeos. ● *Adj.* **2.** Pertencente ou relativo a eles.

molossídeos. *S. m. pl. Zool.* Animais quirópteros da família *Molossidae*, de pelagem macia e curta, sem apêndice nasal, com uropatágio que inclui a metade da cauda, boca muito grande, lábios formando ângulo obtuso, e orelhas longas e largas, geralmente unidas na porção superior da cabeça. São insetívoros, e algumas espécies onívoras.

molosso (ô). [Do gr. *molossós*, pelo lat. *molossu.*] *S. m.* **1.** Espécie de cão de fila: "Alguns cães de fila, ... grandes *molossos* ossudos e ferozes, afastam-se devagar, em rosnaduras ameaçadoras" (Euclides da Cunha, *Os Sertões*, p. 586). **2.** *Fig.* Indivíduo turbulento, brigão, valentão.

molpadômio. *S. m.* **1.** Espécime dos molpadômios. ● *Adj.* **2.** Pertencente ou relativo a eles.

molpadômios. *S. m. pl. Zool.* Animais equinodermas, holoturióideos, ordem *Molpadomia*, de tentáculos digitiformes pequenos e pés ambulacrários reduzidos a papilas anais.

molucano. *Adj.* **1.** Das, ou pertencente ou relativo às ilhas Molucas. ● *S. m.* **2.** O natural ou habitante dessas ilhas.

molugem. [Do lat. *mollugine.*] *S. f.* Solda[2].

molulo. [De provável or. afr.] *S. m. Bras.* Árvore da família das compostas (*Piptocarpha macropoda*), da floresta pluvial oriental, cujas pequeninas flores se agregam em capítulos minutos, e cuja madeira é preferida para o fabrico de carvão adequado à produção de pólvora.

molúria. [De *mole*[2].] *s. f.* **1.** V. *molície* (1): "Não há língua como a nossa, tão copiosa em sinônimos de moleza, ... de molúria, de molícia, de quebreira." (Martins Fontes, *Terras da Fantasia*, pp. 118-119). **2.** Orvalho abundante que amolece o solo; relento. *S. m.* **3.** Homem acanhado, tímido.

molusco. [Do lat. *molluscu.*] *S. m.* **1.** Espécime dos moluscos. ● *Adj.* **2.** Pertencente ou relativo a eles. [Sin. ger.: *malacozoário.*]

moluscóide. [De *molusco* + *-óide.*] *S. m.* **1.** Espécime dos moluscóides. ● *Adj. 2 g.* **2.** Pertencente ou relativo a eles.

moluscóides. *S. m. pl. Zool.* Designação comum aos animais enterozoários de simetria bilateral, ramo *Moluscoidea*, de boca cercada por tentáculos implantados em círculo ou ferradura. Compreende os *foronídeos*, os *briozoários*, os *ectoproctos* e os *branquiópodes*.

moluscos. *S. m. pl. Zool.* Animais enterozoários de simetria bilateral (vísceras e concha espiraladas em algumas espécies), ramo *Mollusca*, de corpo mole e mucoso coberto por um manto que geralmente segrega uma carapaça ou concha calcária de uma, duas ou oito peças. Não possuem segmentação perceptível nem apêndices articulados. Respiram através de brânquias ou pulmões, e são marinhos, terrestres ou de água doce. [Sin.: *malacozoários.*]

momaná. *Bras. S. 2 g.* **1.** Indivíduo dos momanás, tribo indígena do PA. ● *Adj. 2 g.* **2.** Pertencente ou relativo a essa tribo.

mombaca. *S. f. Bras.* Fruto acre e vermelho que se usa como condimento. [Cf. *mumbaca.*]

mombacense. *Adj. 2 g.* **1.** De, ou pertencente ou relativo a Mombaça (CE). ● *S. 2 g.* **2.** Natural ou habitante de Mombaça.

momboiaxió (bòi). [De provável or. indígena, talvez onom.] *S. f. Bras., N.* Certa gaita usada pelos caboclos.

momentâneo. [Do lat. *momentaneu.*] *Adj.* **1.** Que dura um momento; instantâneo, rápido. **2.** Transitório, passageiro, efêmero.

momento[1]. [Do lat. *momentu.*] *S. m.* **1.** Espaço pequeníssimo, mas indeterminado, de tempo; instante. **2.** Instante, hora, ocasião: *No momento em que um chegava o outro saía.* **3.** Ocasião azada; oportunidade: *Não chegou o momento de se falar em tal assunto.* **4.** Circunstância, situação. **5.** *Estat.* Qualquer média aritmética de uma potência dos afastamentos dos elementos de um conjunto em relação a um elemento escolhido como origem. **6.** *Fís.* Produto da massa pela velocidade de um corpo; impulso, quantidade de movimento, *momentum.* **7.** *Fís.* Produto vectorial do vector posição do ponto de aplicação de uma força pelo vector força; momento de força. ♦ **Momento angular.** *Fís.* Produto vectorial do vector posição de uma partícula pelo seu vector quantidade de movimento; momento cinético. momento do *momentum.* **Momento central.** *Estat.* Qualquer momento calculado em relação à média. **Momento cinético.** *Fís.* V. *momento angular.* **Momento de dipolo.** *Fís.* Num dipolo elétrico, vector igual ao produto do valor de uma das cargas pelo vector distância que separa as duas, geralmente orientado da negativa para a positiva; momento dipolar. **Momento de força.** *Fís.* Momento (7). **Momento de inércia.** *Fís.* Produto da massa de uma partícula pelo quadrado da distância desta a um eixo; num sólido, integral dos momentos de inércia de todos os elementos infinitesimais de massa que o constituem. **Momento de quadrupolo.** *Fís.* Grandeza vectorial associada a uma distribuição de cargas elétricas, e que mede o afastamento dessa distribuição em relação a outra com simetria esférica. **Momento dialético.** *Filos.* Segundo Hegel [v. *hegelianismo*], a força que faz passar da idéia ao seu contrário e em seguida, à etapa de progresso que ela determina, no pensamento e na realidade. **Momento dipolar.** *Fís.* Momento de dipolo. **Momento do momentum.** *Fís.* V. *momento angular.* **Momento generalizado.** *Fís.* Derivada parcial da lagrangiana de um sistema em relação a uma coordenada generalizada; *momentum* generalizado. **Momento multipolar.** *Fís.* Grandeza que depende do estado inicial e do final de um sistema quantificado, e que determina a probabilidade de a transição entre esses dois estados realizar-se com a emissão duma radiação correspondente ao multipolo.

momento[2]. [De *momo* + *-ento.*] *Adj.* **1.** *P. us.* Que faz momices. **2.** *Bras., MG. Fam.* Manhoso (1).

momentoso (ô). [Do lat. *momentosu.*] *Adj.* Grave, importante, ponderoso: "Quando parti da Europa, tinha por principal escopo estudar o momentoso problema da afasia, então trazido novamente ao debate com os estudos de Pierre Marie." (Gastão Cruls, *4 Romances*, p. 122.)

➧**momentum** (mên). [Lat.] *S. m. Fís.* V. *momento*[1] (6). ♦ **Momentum generalizado.** *Fís.* Momento generalizado.

momesco (ê). [De *momo* + *-esco.*] *Adj.* Relativo a, ou consagrado a Momo ou ao carnaval; carnavalesco: "É um pacote sortido: serpentinas verdes, amarelas, vermelhas, azuis. Não só o Neco e o Mateus trarão despojos da orgia momesca." (Guido Vilmar Sassi, *Piá*, p. 88.)

momice. [De *momo* + *-ice.*] *S. f.* V. *momices.*

momices. [Pl. de *momice.*] *S. f. pl.* Trejeitos, esgares, caretas; monada. V. *careta.* [Tb. us. (pouco) no sing. Sin. (no RS): *morisqueta.*]

momo. *S. m.* **1.** *Teat. Ant.* Pequena farsa popular. **2.** *Teat. Ant.* O ator que representava nessas farsas; bufo. **3.** *Teat. Ant.* V. *pantomima* (2): "Desde os primeiros tempos da nacionalidade [portuguesa] que nos paços reais e nas residências dos nobres havia *bobos* e *truões* encarregados de divertir os amos e senhores com entremezes, mímicas e momos." (Pe Arlindo Ribeiro da Cunha, *A Língua e a Literatura Portuguesa*, p. 200.) **4.** *Fig.* V. *zombaria.* **5.** *Bras.* Figura inspirada em momo (2), e que personifica o carnaval (2).

momotídeo. *S. m.* **1.** Espécime dos momotídeos. ● *Adj.* **2.** Pertencente ou relativo a eles.

momotídeos. *S. m. pl. Zool.* Aves coraciformes, da família *Momotidae*, caracterizadas por terem o bico largo e forte, com as margens serradas. Vivem no interior das matas virgens e alimentam-se de toda sorte de artrópodes. São as juruvas.

mona. [Fem. de *mono.*] *S. f.* **1.** A fêmea do mono. **2.** *Pop.* V. *bebedeira* (1). **3.** *Fam.* Mau humor; amuo. **4.** Boneca de pano. **5.** *Bras., RJ. Pej.* Mulher (1).

monacal. [Do gr. *monachós*, 'solitário' (monge), pelo lat. *monachu* + *-al.*] *Adj. 2 g.* Relativo a, ou próprio de monge ou monja, ou da vida conventual: "O professor de Economia Civil .... ousava .... atacar .... o celibato eclesiástico e a precoce profissão da juventude no estado monacal." (Latino Coelho, *Cervantes*, pp. 173-174.) [Sin.: *monástico, mongil* e (p. us.) *monjal.*]

monacanto. [Do gr. *monákanthos.*] *Adj. Morfol. Veg.* Que tem uma só espinha.

monacato. [Do gr. *monachós*, 'solitário (monge)', pelo lat. *monachu* + *-ato*[1].] *S. m.* O estado ou vida monacal.

monactinélida. *S. f.* e *adj.* V. *monaxônido.*

monactinélidas. *S. f. pl. Zool.* V. *monaxônidos.*

monada. [De *mono* + *-ada*[1].] *S. f.* **1.** V. *momices.* **2.** Porção de monos. [Cf. *mônada.*]

mônada. [Do gr. *monás, ádos*, pelo lat. *monada.*] *S. f.* **1.** *Biol. Desus.* Organismo muito simples, que se poderia tomar por unidade orgânica. **2.** *Filos.* Segundo Leibniz [v. *leibniziano*], substância simples, i. e., sem partes, que, agregada a outras substâncias, constitui as coisas de que a natureza se compõe. [Var.: *mônade.* Cf. *monada.*]

monadário. *Adj.* **1.** Relativo a mônada. **2.** Pequeno como as mônadas.

mônade. [Var. de *mônada.*] *S. f.* Mônada [q. v.].

monadelfia. [De *monadelfo* + *-ia.*] *S. f. Morfol. Veg.* **1.** União dos estames pela soldadura dos filetes, formando um feixe único. **2.** A 16ª classe do sistema de Lineu, caracterizada pelos estames monadelfos.

monadélfico. *Adj.* Relativo à monadelfia.

monadelfo. [De *mon(o)-* + *-adelfo.*] *Adj.* Diz-se dos estames reunidos num só feixe.

monadismo. [De *mônada* (2) + *-ismo.*] *S. m.* Sistema filosófico segundo o qual o Universo é um conjunto de mônadas.

monadista. *S. 2 g.* Sectário do monadismo.

monadologia. [De *mônada* + *-o-* + *-log(o)-* + *-ia.*] *S. f.* Sistema de Leibniz acerca das mônadas.

monadológico. *Adj.* Respeitante à monadologia.

monândrico. [De *monandro* + *-ico*[2].] *Adj. Morfol. Veg.* Monandro.

monandro. [Do gr. *mónandros*, 'que tem apenas um marido'.] *Adj. Morfol. Veg.* Que tem flores dotadas de um só estame; monândrico.

monantero. [De *mon(o)-* + *antera.*] *Adj. Morfol. Veg.* Que tem um só antera.

monanto. [De *mon(o)-* + *-anto.*] *Adj. Morfol. Veg.* **1.** Que tem só uma flor. **2.** Que tem flores solitárias.

monantropia. [De *mon(o)-* + *-antrop(o)-* + *-ia.*] *S. f.* Sistema antropológico segundo o qual o gênero humano se origina de uma só raça.

monantrópico. *Adj.* Referente à monantropia.

monarca. [Do gr. *monárches*, pelo lat. *monarcha.*] *S. m.* **1.** Soberano vitalício e, comumente, hereditário, de uma nação ou Estado. **2.** Pessoa ou coisa que domina. **3.** *Bras., RS.* Gaúcho que monta a cavalo com elegância e garbo. **4.** *Bras., RS. P. ext.* Animal garboso. ● *S. 2 g.* **5.** *Bras., BA.* Pessoa de hábitos conservadores. ● *Adj. 2 g.* **6.** *Bras. Pop.* Do tempo da Monarquia; antigo, antiquado: *hábitos monarcas.* **7.** *Bras., CE. Pop.* Muito grande. **8.** *Bras., AL.* Fora da moda. [Cf. *nomarca.*]

monarcada. [De *monarca* (3) + *-ada*[1].] *S. f. Bras., RS. Deprec.* Grupo de monarcas [v. *monarca* (3).]

monarquia. [Do gr. *monarchía*, pelo lat. *monarchia.*] *S. f.* **1.** Estado em que o soberano é monarca. **2.** Forma de governo na qual o poder supremo é exercido por um monarca. **3.** *Bras., RS.* Vida de monarca (3). [Cf. *nomarquia.*]

monarquiação. *S. f. Bras., RS.* Ato de monarquiar (3).

monarquianismo. [De *mon(o)-* + *-arqui-* + *-ano-* + *-ismo.*] *S. m. Rel.* Heresia cristã do séc. III que, para salvaguardar a unidade divina, negava a trindade das pessoas, afirmando que a única pessoa, o Pai, se havia encarnado; patripassianismo.

monarquianista. *Adj. 2 g. Rel.* **1.** Pertencente ou relativo ao monarquianismo. ● *S. 2 g.* **2.** Adepto do monarquianismo.

monarquiar. *V. int.* **1.** *P. us.* Desempenhar as funções de monarca. **2.** *P. us.* Dominar, imperar. **3.** *Bras., RS.* Montar bem a cavalo, como um monarca (3): "quantas vezes sacrificara ocupações vantajosas .... para 'monarquiar', pingo aperado, cola atada, pelos rincões!" (Alcides Maia, *Tapera*, p. 10). **4.** Andar (o cavalo) com elegância e garbo.

monárquico. [Do gr. *monarchikós.*] *Adj.* **1.** Relativo ou pertencente a monarca, ou à monarquia. ● *S. m.* **2.** *Lus.* Monarquista.

monarquismo. *S. m.* Sistema político dos monarquistas.

monarquista. *Bras. Adj. 2 g.* **1.** Referente à monarquia; monárquico. **2.** Que é partidário da monarquia. ● *S. 2 g.* **3.** Pessoa partidária da monarquia. [Sin. ger. (lus.): *monárquico.*]

monarquização. *S. f.* Ato ou efeito de monarquizar(-se).

monarquizar. *V. t. d.* e *p.* Tornar(-se) monarquista.

monastério. [Do gr. *monasterion*, 'residência solitária'.] *S. m.* V. *mosteiro:* "Um quadro medieval: freiras e monastérios ..." (Félix Pacheco, *Poesias*, p. 14.)

monasticismo. *S. m.* Qualidade ou estado de monástico.

monástico. [Do gr. *monastikós*, 'relativo à vida solitária'.] *Adj.* V. *monacal.*

monatômico. [De *mon(o)-* + *-atômico.*] *Adj.* Diz-se da molécula constituída por um átomo só.

monaxífero (cs). [De *mon(o)-* + *axífero.*] *Adj. Morfol. Veg.* Diz-se da inflorescência que apresenta um só eixo.

monaxônido (cs). *S. m.* **1.** Espécime dos monaxônidos. ● *Adj.* **2.** Pertencente ou relativo a eles. [Sin. ger.: *monactinélida.*]

monaxônidos (cs). *S. m. pl. Zool.* Animais poriformes, demospôngios, da ordem *Monaxonida*, cujo corpo tem forma variada. Vivem, na maioria, até 50 m de profundidade, podendo atingir 2.000 m. São as esponjas mais comuns. No grupo se incluem as espécies de água doce. [Sin.: *monactinélidas.*]

monazita. [Do rad. gr. *monáz* < *monázo*, 'ser o único no gênero', + *-ita*[3].] *S. f. Min.* Mineral monoclínico, amarelado, fosfato de cério, lantânio, prasiodímio, neodímio, com óxido de tório, que se encontra disseminado em rochas eruptivas ou, como produto de desagregação, misturado nas areias.

monazítico. *Adj.* Relativo à monazita. ~ V. *areia* —a.

monção. [Do ár. *mauasin*, 'estação do ano em que se dá determinado fato', atr. da f. *moução*, nasalada.] *S. f.* **1.** Época ou vento favorável à navegação: "As suas viagens redondas duravam de dois a três meses, segundo as épocas e monções favoráveis." (Virgílio Várzea, *Nas Ondas*, p. 7.) **2.** Vento periódico, típico do S. e do S.E. da Ásia, que no verão sopra do mar para o continente *(monção marítima)* e no inverno sopra do continente para o mar *(monção continental)*. **3.** *Fig.* Boa oportunidade; ensejo. **4.** *Bras.* Qualquer das expedições que desciam e subiam rios das capitanias de SP e MT, nos sécs. XVIII e XIX, pondo-as em comunicação. ♦ **Monção continental.** V. *monção* (2). **Monção marítima.** V. *monção* (2).

moncar. *V. int.* Limpar o monco; assoar-se. [Conjug.: v. *trancar.*]

monchão. *S. m. Bras.* Nas zonas diamantíferas, veio da terra firme onde se encontram depósitos de diamantes.

monco. [Do lat. **mūccu*, por *mūcu*, com nasalação.] *S. m.* V. *muco:* "O piso .... estava juncado de cascas de tremoço, barbatanas de bacalhau, moncos, escarros e até excrementos de cão." (Vergílio Godinho, *Não Há Nada mais Simples*, p. 135.) ♦ **Monco de peru.** Excrescência carnosa pendente do bico dessa ave, ou que se estende sobre ele.

monçonense. *Adj. 2 g.* **1.** De, ou pertencente ou relativo a Monção (MA). ● *S. 2 g.* **2.** Natural ou habitante de Monção.

moncoso (ô). *Adj.* **1.** Que segrega muito monco; ranhento, ranhoso. **2.** *Fig.* Sórdido, vil, desprezível.

monda. [Dev. de *mondar.*] *S. f. Lus.* **1.** Ato de mondar; mondadura, limpa, capina. **2.** Tempo próprio para mondar.

mondadeiro. *S. m. Lus.* Aquele que trabalha nas mondas; mondador, capinador.

mondador (ô). *Lus. Adj.* **1.** Que monda. ● *S. m.* **2.** Mondadeiro. **3.** Utensílio usado na monda.

mondadura. [De *mondar* + *-(d)ura.*] *S. f. Lus.* **1.** V. *monda* (1). **2.** Erva mondada.

mondar. [Do lat. *mundare,* 'limpar'.] *Lus. V. t. d.* **1.** Arrancar (as ervas daninhas que medram entre as plantas cultivadas). **2.** Cortar os ramos secos ou supérfluos de; desramar: "Nos campos as lavradeiras, cantando, m o n d a v a m os milhos" (Bernardo Pinheiro, Pindela, *Azulejos,* p. 79). **3.** *P. ext.* Expurgar do que é supérfluo ou prejudicial. **4.** Rever minuciosamente (um escrito), eliminando os erros, corrigindo e emendando. *T. i.* **5.** Limpar (de ervas daninhas). **6.** Eliminar; suprimir. *Int.* **7.** Praticar a monda: "E as mondadeiras, sempre m o n d a n d o , / Porque o trabalho não as enerva, / Põem-se a prumo de quando em quando." (Conde de Monsaraz, *Musa Alentejana,* p. 17).

mondé[1]. *S. m. Bras. Pop.* V. *mundéu*[1]: "armar quixós e m o n d é s na capoeira com o fim de apanhar preás para a menina." (Franklin Távora, *O Cabeleira,* p. 108).

mondé[2]. [Do tupi *mõ'de.*] *Bras. S. 2 g.* **1.** Indivíduo dos mondés, tribo indígena das margens do rio Ji-Paraná (alto Machado). ● *Adj. 2 g.* **2.** Pertencente ou relativo a essa tribo.

mondego (ê). [Do top. *Mondego* (rio de Portugal)?] *S. m. Bras.* V. *parati*[2].

mondéu. *S. m. Bras. Pop.* V. *mundéu.*

mondonga. *S. f.* V. *mundonga.*

mondongo. *Adj.* V. *mundongo.*

mondongudo. *Adj. Bras., S. Deprec.* V. *mundongudo.*

mondongueiro. *S. m.* V. *mundongueiro.*

mondrongo. *S. m. Bras.* **1.** Alcunha de português. V. *galego* (4). **2.** Indivíduo disforme; mostrengo. **3.** *Bras., N.E.* Inchação (2).

monécia. [De *mon(o)-* + *-écia.*] *S. f. Bot.* Ocorrência de flores femininas e masculinas no mesmo indivíduo, sendo, pois, as flores unissexuais, embora as plantas sejam andróginas, como no milho.

monegasco. [Do fr. *monégasque.*] *Adj.* **1.** De, ou pertencente ou relativo a Mônaco (Europa). ● *S. m.* **2.** O natural ou habitante de Mônaco.

monelha (ê). *S. f. Marinh.* Chumaço feito de cabo ou de couro, cheio de estopa, que se prende no bico de proa ou no verdugo das embarcações, ou nos paus de contrabalanço, ou nos picadeiros onde assentam as embarcações miúdas, a fim de servir como defensa. [Sin., lus.: *molhelha.*]

monema. [De *mon(o)-* + a term. de *fonema.*] *S. m. Ling.* Unidade mínima de significação, que pode ser um radical primário, um sufixo, uma desinência, etc., e que eventualmente pode coincidir com a palavra.

monenergismo. [De *mon(o)-* + *energia* + *-ismo.*] *S. m. Rel.* Forma atenuada do monofisismo, professada no séc. VII, que afirmava uma única energia, ou atividade, em Jesus Cristo.

monenergista. *Adj. 2 g. Rel.* **1.** Pertencente ou relativo ao monenergismo. **2.** Que é adepto do monenergismo. ● *S. 2 g.* **3.** Adepto do monenergismo.

monera. *S. f.* Monere [q. v.]

monere. [Do gr. *monéres,* 'único, solitário'.] *S. f.* Designação dada pelo naturalista alemão Ernst H. Haeckel (1834-1919) a organismos que ele idealizou e por ele considerados como o tipo mais primitivo de ser vivo. [Var. m. us.: *monera.*]

monerense. *Adj. 2 g.* **1.** De, ou pertencente ou relativo a Monerá (RJ). ● *S. 2 g.* **2.** Natural ou habitante de Monerá.

monergol. [De *mon(o)-* + *-erg(o)-*[1] + *-ol.*] *S. m. Astron.* Propelente constituído de um só componente. [Pl.: *monergóis.*]

monésia. *S. f. Bras., L.* Árvore da família das sapotáceas (*Pradosia glycyphloea*), habitante da mata pluvial e notória pela casca grossa, leitosa e de sabor adocicado. Tem folhas membranáceas e obovadas, flores que se ordenam em fascículos, e bagas elipsóides, amarelas e monospermas. [Sin.: *buranhém, casca-doce, pau-doce.*]

monetário. [Do lat. *monetariu.*] *Adj.* **1.** Relativo à moeda. ~ V. *circulação —a, correção —a, padrão —* e *política —a.* ● *S. m.* **2.** Coleção de moedas. **3.** Livro onde se reproduzem e descrevem moedas. **4.** *Desus.* Numismata.

monetarismo. [De *monetário* + *-ismo.*] *S. m. Econ.* Escola que restabelece a teoria quantitativa da moeda, ao sustentar que as medidas monetárias são suficientes para manter a estabilidade econômica, em oposição ao pensamento da escola keynesiana [v. *keynesiano*], segundo a qual o governo deve, também, fazer uso de medidas fiscais (relação tributação/gastos). O principal representante da escola monetarista é o economista americano Milton Friedman (1912-).

monetarista. [De *monetário* + *-ista.*] *Adj. 2 g.* **1.** Relativo ao, ou que é partidário do monetarismo, ou próprio dessa escola. ● *S. 2 g.* **2.** Partidário dela.

monete (ê). [Provavelmente de **monhete,* dim. de *monho.*] *S. m.* **1.** Farripas, guedelha. **2.** V. *vírgula* (3).

monetiforme. [Do lat. *moneta* + *-i-* + *-forme.*] *Adj. 2 g.* Que tem forma de, ou é semelhante a moeda.

monetizar. [Do fr. *monétiser.*] *V. t. d.* Amoedar.

monge. [Do gr. *monachós,* 'solitário', pelo lat. *monachu,* lat. vulg. *monicu,* e pelo provenç. ant. *monge.*] *S. m.* **1.** Frade ou religioso de mosteiro. **2.** Anacoreta (2). **3.** *Bras.* V. *barbudinho* (1). **4.** *Bras., S.* Pessoa que, por fanatismo ou cálculo, se isola da sociedade, levando, ao menos na aparência, vida austera, mais ou menos à feição dos beatos do Nordeste. [Fem.: *monja.*]

mongil. [Do esp. *monjil.*] *Adj. 2 g.* **1.** V. *monacal.* ● *S. m.* **2.** Hábito de monja. **3.** Túnica talar para mulheres. **4.** Qualquer túnica talar, com mangas perdidas ou sem elas: "O velho balio .... limpou com a manga do m o n g i l as lágrimas que lhe corriam pelas faces abaixo." (Arnaldo Gama, *O Balio de Leça,* p. 141.)

mongoió. *Bras., S. 2 g.* **1.** Indivíduo dos mongoiós, tribo indígena camacã da BA. ● *Adj. 2 g.* **2.** Pertencente ou relativo a essa tribo.

mongol. [Do persa *mughal,* atr. do ant. *mogol,* com nasalação.] *Adj. 2 g.* **1.** Da, ou pertencente ou relativo à Mongólia (Ásia); mongólico. **2.** *Pint.* Diz-se da pintura de corte executada na Índia sob o domínio dos grão-mongóis (1550-1800), a qual se distingue pelo tratamento naturalista e convencional da natureza. ● *S. 2. g.* **3.** Natural ou habitante da Mongólia. ● *S. m.* **4.** Língua altaica falada pelos mongóis. V. *uralo-altaico* (3). [Pl.: *mongóis.*]

mongólico. *Adj.* Mongol (1).

mongolismo. [De *mongol* + *-ismo.*] *S. m.* **1.** A religião dos mongóis. **2.** *Psiq.* Forma de profundo retardo mental caracterizada, somaticamente, por cabeça arredondada, maçãs do rosto salientes, fendas palpebrais oblíquas, dobra cutânea recobrindo, em cada olho, o ângulo interno, características, essas, que lembram o aspecto do oriental de raça amarela. [Os mongolóides são delicados e afetuosos, e têm o dom da imitação, podendo, no que respeita às possibilidades de aprendizado, iludir os pais.]

mongolóide. [De *mongol* + *-óide.*] *Adj. 2 g.* **1.** Próprio da raça mongol. **2.** Semelhante ao tipo desta raça. **3.** *Patol.* Que sofre de mongolismo. ● *S. 2 g.* **4.** *Patol.* Pessoa que sofre de mongolismo (2).

monha. [Do esp. *moña.*] *S. f.* **1.** Laço com que se adorna o pescoço dos touros para corridas. **2.** Roseta usada por toureiros na parte posterior da cabeça. **3.** Manequim (1) de modista ou cabeleireiro.

monho. [Do esp. *moño.*] *S. m.* **1.** Topete de cabelo postiço, em mulheres. **2.** Rolo de cabelo natural. **3.** Laço de fita com que se enfeita ou prende o cabelo.

mônica. *S. f. Bras.* Espécie de mandioca.

mônico. *Adj.* ~ V. *polinômio —.*

moniliforme. [Do lat. *monile,* 'colar, rosário', + *-i-* + *-forme.*] *Adj. 2 g.* Que tem forma de rosário ou colar.

monilo. [De *mon(o)-* + *-(h)ilo.*] *Adj. Zool.* V. *monóilo.*

monimiácea. *S. f.* Espécime das monimiáceas.

monimiáceas. *S. f. pl. Bot.* Família de plantas floríferas, da ordem das ranales, que se caracteriza pela localização das pequenas flores no interior de um receptáculo fechado. Androceu com numerosos estames e gineceu multicarpelar, sendo cada carpelo uniovulado. O fruto é um aquênio encerrado no citado receptáculo. Compreende arbustos e árvores de folhas opostas; existem cerca de 350 espécies tropicais, não poucas brasileiras, sem maior importância.

monimiáceo. *Adj.* Pertencente ou relativo às monimiáceas.

monir. [Do lat. *monere.*] *V. t. d. Ant.* **1.** Avisar para vir depor sobre a matéria de uma monitória (1). **2.** Advertir, admoestar. [Defect. Não se conjuga nas f. em que depois do *n* viriam *o* e *a.* Pres. ind.: *mones, mone, monimos, monis, monem.* Cf. *munis,* do v. *munir,* este verbo, e os antr. *Moniz* e *Muniz.*]

monismo. [De *mon(o)-* + *-ismo.*] *S. m. Filos.* Doutrina filosófica segundo a qual o conjunto das coisas pode ser reduzido à unidade, quer do ponto de vista da sua substância (e o monismo poderá ser um materialismo ou um espiritualismo), quer do ponto de vista das leis (lógicas ou físicas) pelas quais o Universo se ordena (e o monismo será lógico ou físico).

monístico. *Adj.* Referente ao monismo.

monitor (ô). [Do lat. *monitore.*] *S. m.* **1.** Aquele que dá conselhos, lições, que admoesta. **2.** Aluno que auxilia o professor no ensino de uma matéria, em geral na aplicação de exercícios, na elucidação de dúvidas, etc., fora das aulas regulares. [V. *decurião* (2).] **3.** *Fís. Nucl.* Instrumento, em geral portátil, para detectar e medir radioatividade. **4.** *Mar. G.* Navio de combate, já em desuso, de calado reduzido, borda-livre muito pequena, armado com canhões de médio ou grosso calibre, em geral instalados numa torre giratória na parte de vante e na mediania (4), para emprego em operações fluviais ou de bombardeio de costa. **5.** *Mar. G.* Sargento ou praça auxiliar de oficial que tem a seu cargo instruir praças em determinada atividade. **6.** *Med.* Instrumento destinado à observação e/ou registro de funções vitais, tais como pulso arterial, ritmo cardíaco, durante anestesia ou fora dela. **7.** *Rad.* e *Telev.* Aparelho receptor utilizado para se supervisionar a qualidade do vídeo e/ou áudio durante uma transmissão ou gravação. **8.** *Telev.* Aparelho receptor em circuito fechado [q. v.]. **9.** *Zool.* Gênero de reptis sáurios. ● *Adj.* **10.** Diz-se do aparelho eletrônico, ou de parte dele, que comanda o funcionamento de outros aparelhos ou partes de aparelho. ~ V. *sistema —.*

monitorar. [De *monitor* + *-ar*[2].] *V. t. d.* Monitorizar.

monitoria. *S. f.* **1.** Cargo de monitor (2). **2.** O conjunto de funções e de direitos ligados à atividade de um monitor (2). [Cf. *monitória.*]

monitória. [Fem. substantivado de *monitório.*] *S. f.* **1.** Aviso com que se convida o público a ir dizer o que souber acerca de um crime. **2.** Advertência, conselho. **3.** *Fam.* V. *repreensão* (1). [Cf. *monitoria.*]

monitorial. *Adj. 2 g.* Monitório.

monitório. [Do lat. *monitoriu.*] *Adj.* Que adverte, repreende ou admoesta; monitorial.

monitorização. *S. f.* Ato ou efeito de monitorizar (1).

monitorizar. [De *monitor* + *-izar.*] *V. t. d.* **1.** Acompanhar e avaliar (dados fornecidos por aparelhagem técnica). **2.** *Restr.* Controlar, mediante monitorização. [Sin. ger.: *monitorar.*]

monja. *S. f.* Fem. de *monge.*

monjal. [De *monge* ou de *monja* + *-al.*] *Adj. 2 g. P. us.* V. *monacal.*

monjoleiro. [De *monjolo* + *-eiro.*] *S. m. Bras.* **1.** Certa árvore espinhosa. **2.** *Bras., MG* e *S.* Indivíduo que toma conta de monjolo (4).

monjolo (ô). [Do quimb.] *S. m.* **1.** *Bras.* Antiga designação dada aos pretos escravos de certa nação ou casta. **2.** *Bras.* Bezerro novo, antes de nascidos os chifres. [Var., no N., nesta acepç.: *mujolo.*] **3.** *Bras.* Jacaré (6). **4.** *Bras., MG* e *S.* Engenho tosco, movido a água, usado para pilar milho e, primitivamente, para descascar café. [Pl.: *monjolos* (ô). Em MG (pelo menos) a pronúncia comum é com a vogal tônica aberta.]

monjopina. [De *Monjope,* nome de um engenho pernambucano de cana-de-açúcar, + *-ina*[1].] *S. f. Bras., PE. Pop.* V. *cachaça* (1).

mono. *S. m.* **1.** Designação geral para os macacos [v. *macaco* (1).], e de modo restrito para os primatas platirrínios da família dos cebídeos. [Primitivamente designava, em Portugal, um determinado símio africano. Cf. *buriqui.*] **2.** *Fam.* Indivíduo muito feio.

▲mon(o)-. [Do gr. *mónos, e, on.*] *El. comp.* = 'único', 'sozinho': *monantero, monograma.*

monoácido. [De *mon(o)-* + *ácido.*] *S. m. Quím.* Ácido que liberta apenas um íon hidrogênio por molécula.

monobafia. [De *mon(o)-* + gr. *baphé,* 'imersão', 'tintura', 'cor' + *-ia.*] *S. f.* Estado daquilo que apresenta uma só cor.

monobáfico. Adj. Referente à monobafia.

monobásico. [De *mon(o)-* + *básico.*] *Adj.* ~ V. *ácido —.*

monoblepsia. [De *mon(o)-* + *-bleps-* + *-ia.*] *S. f. Med.* **1.** Oftalmopatia em que a visão é mais distinta quando um dos olhos está fechado. **2.** Perturbação de visão das cores em que, dentre muitas, apenas uma é percebida.

monobloco. [De *mon(o)-* + *bloco.*] *Adj.* e *s. m.* Diz-se de, ou aquilo que é feito ou fabricado em um só bloco.

monocabo. [De *mon(o)-* + *cabo*[2].] *Adj.* e *s. m* Diz-se de, ou sistema de transporte aéreo por meio de um cabo que, acionado por um guincho, serve ao mesmo tempo de força transportadora e de tração.

monocamerismo. [De *mon(o)-* + *câmara* + *-ismo*, com dissimilação.] *S. m.* Sistema de representação nacional por meio de uma única assembléia ou câmara.
monocarpelar. [De *mon(o)-* + *carpelar.*] *Adj. 2 g. Morfol. Veg.* Que tem um só carpelo, como o ovário das leguminosas.
monocárpico. *Adj.* **1.** *Bot.* Relativo ao monocarpo. **2.** *Bot.* Diz-se do vegetal que floresce uma única vez e morre em seguida, como, p. ex., a piteira; hapaxanto. [Cf. *anual* (5). Opõe-se a *policárpico* (2).]
monocarpo. [De *mon(o)-* + *-carpo.*] *Adj. Bot.* **1.** Que só tem um fruto. • *S. m.* **2.** *Morfol. Veg.* Fruto resultante de um ovário monocarpelar, como o do feijoeiro.
monocarril. [De *mon(o)-* + *carril.*] *Adj.* e *s. m.* Monotrilho.
monocásico. *Adj.* Relativo ao monocásio.
monocásio. [De *mon(o)-* + *(di)cásio.*] *S. m. Morfol. Veg.* Inflorescência cimosa em que por baixo da flor terminal se desenvolve um único ramo lateral, que termina também por uma flor, debaixo da qual sai um ramo lateral, e assim sucessivamente.
monocefalia. *S. f. Ter.* Monstruosidade de monocéfalo.
monocéfalo. [Do gr. *monoképhalos.*] *Adj.* e *s. m. Ter.* Diz-se de, ou monstro que tem uma cabeça única, e duplicações variáveis no corpo.
monocelular. [De *mon(o)-* + *celular.*] *Adj. 2 g.* Diz-se do organismo rudimentar com uma só célula.
monócero. [Do gr. *monókeros*, pelo lat. *monoceros.*] *Adj.* **1.** *Bot.* Que tem um só prolongamento, em forma de corno. **2.** *Zool.* que tem um corno só.
monoceronte. [Do gr. *monókeros, otis*, pelo lat. *monocerote*, com nasalação do último *o.*] *S. m.* V. *unicórnio* (1).
monocíclico. *S. m.* **1.** Espécime dos monocíclicos. • *Adj.* **2.** Pertencente ou relativo a eles.
monocíclicos. *S. m. pl. Zool.* Animais metazoários, equinodermos, crinóides, que não possuem placas infrabasilares.
monociclista. *S. 2 g.* Pessoa que anda em monociclo.
monociclo. [De *mon(o)-* + *-ciclo.*] *S. m.* Velocípede de uma roda só, atualmente usado apenas por acrobatas.
monocilíndrico. [De *mon(o)-* + *cilíndrico.*] *Adj.* Que tem só um cilindro: *motor monocilíndrico.*
monócito. [De *mon(o)-* + *-cito.*] *S. m. Histol.* Leucócito mononuclear, de grande porte, e que, normalmente, se apresenta no sangue em taxa que varia de 200-1.000 por mm^3 (4-10%).
monoclamídeo. [De *mon(o)-* + *-clamid(e)-* + *-eo.*] *Adj. Morfol. Veg.* Que tem um único verticilo protetor, dito *perigônio*, e cujas peças, por sua vez, se chamam *sépalas.* [Opõe-se a *diclamídeo.*]
monoclinal. [De *mon(o)-* + *-clin(o)-*[2] + *-al.*] *S. f. Geol.* Flexão, em forma de degrau, que afeta camadas paralelas originalmente horizontais ou levemente inclinadas.
monoclínico. [De *mon(o)-* + *-clin(o)-*[2] + *-ico*[2].] *Adj.* ~ V. *sistema* —.
monoclino. [De *mon(o)-* + *-clino.*] *Adj. Bot.* V. *hermafrodito* (2).
monocolor (ô). [De *mon(o)-* + *-color.*] *Adj. 2 g.* **1.** Unicolor. **2.** *Art. Gráf.* Diz-se da prensa que imprime apenas uma cor de cada vez. [Cf. *bicolor* (2).]
monocolpado. [De *mon(o)-* + *-colp(o)-* + *-ado*[1].] *Adj. Morfol. Veg.* Provido de um sulco.
monocórdio. [Do gr. *monochórdon*, pelo lat. *monochordon.*] *S. m.* **1.** *Mús.* Instrumento composto de uma caixa de ressonância, sobre a qual se estende uma corda que se apóia sobre dois cavaletes móveis, e que já era usado no tempo de Pitágoras (c. 582 — c. 500 a.C.) para o estudo e o cálculo das relações entre as vibrações sonoras, e durante a Idade Média para a afinação das vozes e de outros instrumentos. **2.** *Mús.* Instrumento medieval, de uma só corda, que se tocava com o plectro. **3.** *Mús.* Manicórdio. • *Adj.* **4.** Monótono, uniforme: "A tua voz é monocórdia e fria." (Olegário Mariano, *Toda Uma Vida de Poesia*, I, p. 106); "Passaram o resto da tarde calados no terraço vazio, enquanto a chuva, mansa e monocórdia, encobria os montes e envolvia a vila numa névoa." (Antônio Olavo Pereira, *Fio de Prumo*, p. 104).
monocotilar. [De *mon(o)-* + *-cotil(o)-* + *-ar*[1].] *Adj. 2 g. Zool.* Que tem uma só tromba ou sugadouro.
monocotilédone. [De *mon(o)-* + *cotilédone.*] *Adj. 2 g. Morfol. Veg.* Monocotiledôneo (1).
monocotiledônea. *S. f.* Espécime das monocotiledôneas.
monocotiledôneas. [Fem. pl. de *monocotiledôneo* (1).] *S. f. pl. Bot.* Classe de plantas angiospérmicas, caracterizada pela existência de um só cotilédone no embrião. Outros caracteres: ausência de raiz primária; nervuras paralelas; flores trímeras; folhas invaginantes ou completas; caule sem estrutura secundária, com feixes vasculares dispersos. Exemplos comuns são o milho, o arroz, a bananeira, capins, etc.
monocotiledôneo. [De *mon(o)-* + *cotiledôneo.*] *Adj.* **1.** *Morfol. Veg.* Que tem um só cotilédone no embrião; monocotilédone. **2.** Pertencente ou relativo às monocotiledôneas.
monocristal. [De *mon(o)-* + *cristal.*] *S. m. Tec.* Corpo cristalizado, constituído por uma estrutura cristalina inteiriça, sem cristalitos, em geral obtida artificialmente, e de grande importância em diversas aplicações modernas — ultra-som, circuitos de estado sólido, contadores de partículas nucleares, fibras ópticas.
monocromador (ô). [Do ingl. *monochromator* = *monochroma(tic) (illumina)tor.*] *S. m. Fís.* Qualquer instrumento que separa de um feixe de radiações ou de partículas os componentes que têm a mesma energia ou energias muito próximas.
monocromata. [Do ingl. *monochromat.*] *S. f. Ópt.* Objetiva de microscópio excepcionalmente corrigida para radiações de um só comprimento de onda.
monocromático. [De *mon(o)-* + *-cromat(o)-* + *-ico*[2].] *Adj.* V. *monocrômico.* ~V. *aberração* —*a*, *luz* —*a* e *onda* —*a*.
monocrômico. [De *monocromo* + *-ico*[2].] *Adj.* Que é pintado com uma só cor; monocromático.
monocromo. [Do gr. *monóchromos.*] *Adj.* De uma só cor; unicolor [q. v.].
monóculo. [De *mon(o)-* + *óculo.*] *Adj.* **1.** Que tem um só olho. • *S. m.* **2.** Lente, provida ou não de aro, que se usa encaixada entre os músculos da cavidade orbitária, geralmente para correção visual.
monocultor (ô). [De *mon(o)-* + *cultor.*] *S. m.* **1.** Aquele que pratica a monocultura. • *Adj.* **2.** Referente a ela.
monocultura. [De *mon(o)-* + *cultura.*] *S. f.* Cultura exclusiva dum produto agrícola. [Opõe-se a *policultura.*]
monodáctilo. [Do gr. *monodáktilos.*] *Adj. Zool.* Que tem só um dedo. [Var.: *monodátilo.*]
monodátilo. *Adj. Zool.* Var. de *monodáctilo.*
monodelfo. [De *mon(o)-* + gr. *delphys*, 'útero'.] *S. m.* Espécime dos monodelfos, subdivisão dos mamíferos que compreende os placentários.
monodia. [Do gr. *monodía*, pelo lat. *monodia.*] *S. f.* **1.** *Mús.* Canto a uma só voz, sem acompanhamento. **2.** *Mús.* No séc. XVI, canto a uma só voz, com acompanhamento de alaúde ou de baixo contínuo. [O estilo monódico, depois de 1600, deu origem às formas do recitativo, da ária de corte, da cantata, da ópera, e ainda, ao *Lied*, à melodia, à canção artística em geral.] **3.** *Teat.* Na antiga tragédia clássica, recitação dramática de um só ator; monólogo da tragédia. [Cf., nesta acepç.: *monodrama.*]
monodiar. *V. int.* Cantar monodias.
monódico. [Do gr. *monodikós.*] *Adj.* Relativo à, ou próprio da monodia.
monodinamismo. [De *mon(o)-* + *dinamismo.*] *S. m. Filos.* Animismo (1).
monodonte. [Do gr. *monódous, óntos.*] *Adj. 2 g.* Que tem um só dente.
monodrama. [De *mon(o)-* + *drama.*] *S. m. Teat.* Drama interpretado por um só personagem; monólogo. [Cf. *monodia* (3).]
monodramático. *Adj.* Relativo a, ou próprio de monodrama.
monoécia. *S. f.* V. *monécia.*
monofásico. *Adj.* ~ V. *chave* —*a*.
monofilo. [Do gr. *monóphyllos.*] *Adj. Morfol. Veg.* **1.** Formado de uma só peça. **2.** Que tem uma só folha.
monofiodonte. *Adj. 2 g.* Com uma só dentição, pois os dentes de leite ou são reabsorvidos na vida fetal ou nunca se formam.
monofisismo. [De *mon(o)-* + *-físi(o)-* + *-ismo.*] *S. m.* Doutrina daqueles que admitiam em Jesus Cristo uma só natureza.
monofisista. *Adj. 2 g.* **1.** Relativo ao, ou que é sectário do monofisismo. • *S. 2 g.* **2.** Sectário dele.
monófito. [De *mon(o)-* + *-fito.*] *Adj. Bot.* Que abrange uma só espécie (falando-se de gêneros).
monofobia. [De *mon(o)-* + *-fob(o)-* + *-ia.*] *S. f.* Horror mórbido à solidão.
monofóbico. *Adj.* Relativo à monofobia.
monófobo. *Adj.* e *s. m.* Diz-se de, ou aquele que sofre de monofobia.
monofonia. [De *mon(o)-* + *-fon(o)-* + *-ia.*] *S. f.* **1.** Música constituída por uma única linha melódica, sem acompanhamento. **2.** *Mús. Concr.* e *Eletrôn.* Melodia que o ouvido distingue quando há superposição de sons.
monofônico. *Adj.* Respeitante a monofonia.
monofoto. [De *mon(o)-* + *-foto.*] *S. f. Tip.* Fotocompositora [q. v.] que, tendo por modelo a monotipo, perfura, numa de suas duas unidades, uma bobina de papel que, na outra, vai comandar o sistema de composição onde a caixa de matrizes é substituída pelo porta-negativos. [Cf. *rotofoto.*]
monoftalmo. [Do gr. *monóphtalmos.*] *Adj.* Que nasce com um só olho.
monogamia. [Do gr. *monogamía*, pelo lat. *monogamia.*] *S. f.* Estado de monógamo. [Antôn.: *poligamia.*]
monogâmico. *Adj.* Relativo à, ou próprio da monogamia. [Antôn.: *poligâmico.*]
monogamista. *Adj. 2 g.* **1.** Relativo à, ou que é partidário da monogamia. • *S. 2 g.* **2.** Partidário dela.
monógamo. [Do gr. *monógamos*, pelo lat. *monogamu.*] *Adj.* **1.** Que tem uma só esposa. **2.** Diz-se de animal que se acasala com uma só fêmea. • *S. m.* **3.** Aquele que tem uma só esposa. **4.** Animal que se acasala com uma só fêmea. [Antôn.: *polígamo.*]
monogástrico. [De *mon(o)-* + *-gastr(o)-* + *-ico*[2].] *Adj. Zool.* Que tem só um estômago.
monogenésico. [De *mon(o)-* + *-genes(e)-* + *-ico*[2].] *Adj. Zool.* Que tem só uma forma de reprodução, por meio de ovos ou óvulos.
monogenia. [De *mon(o)-* + *-gen(o)-* + *-ia.*] *S. f.* Modo de geração que consiste em produzir, por meio dum corpo organizado, uma parte que logo dele se separa, constituindo novo indivíduo.
monogênico. *Adj.* Relativo à monogenia.
monogênio. *S. m.* **1.** Espécime dos monogênios. • *Adj.* **2.** Pertencente ou relativo a eles. [Sin. ger.: *heterocólito.*]
monogênios. *S. m. pl. Zool.* Animais platelmintos, trematódeos, ordem *Monogenea*, providos ou não de uma ventosa oral, e em cuja extremidade posterior há um disco adesivo, em geral com ganchos, e dotados, ainda, de dois poros excretores anteriores e dorsais. São parasitos externos de animais de sangue frio, sem hospedeiros intermediários. [Sin.: *heterocólitos.*]
monogenismo. [De *mon(o)-* + *-gen(o)-*[1] + *-ismo.*] *S. m.* Doutrina antropológica segundo a qual todas as raças humanas procedem de um tipo primitivo único.
monogenista. *Adj. 2 g.* **1.** Relativo ao, ou que é partidário do monogenismo. • *S. 2 g.* **2.** Partidário dele.
monógino. [De *mon(o)-* + *-gino.*] *Adj. Morfol. Veg.* Diz-se dos vegetais cuja flor só tem um pistilo.
monógnato. *S. m.* **1.** Espécime dos monognatos. • *Adj.* **2.** Pertencente ou relativo a eles.
monógnatos. *S. m. pl. Zool.* Animais asquelmintos, rotíferos, ordem *Monognata*, providos de duas antenas laterais no corpo e até dois dedos, e apenas um ovário. Machos conhecidos, porém degenerados. No grupo se inclui a maioria das espécies de rotíferos.
monografar. *V. t. d.* Fazer a monografia de. [Pres. ind.: *monografo*, etc. Cf. *monógrafo.*]
monografia. [De *mon(o)-* + *-graf(o)-* + *-ia.*] *S. f.* Dissertação ou estudo minucioso que se propõe esgotar determinado tema relativamente restrito. [Cf. *nomografia.*]
monográfico. *Adj.* Referente a monografia. [Cf. *nomográfico.*]
monografista. *S. 2 g.* Monógrafo (2).
monógrafo. [Do gr. *monógraphos.*] *Adj.* **1.** Que trata de um só objeto. • *S. m.* **2.** Autor de monografia; monografista. [Cf. *monografo*, do v. *monografar.*]
monograma. [De *mon(o)-* + *-grama.*] *S. m.* Entrelaçamento das letras iniciais ou principais do nome de pessoa ou de entidade; letras monogramáticas: "crianças que levantam a cauda do vestido branco de pálidas moças por muitos anos inclinadas a bordar monogramas em lençóis e fronhas de linho..." (Cecília Meireles, *Obra Poética*, p. 999). [Cf. *sigla*, *logotipo* e *nomograma.*]
monogramático. *Adj.* Relativo a monograma. ~ V. *letras* —*as*.
monogramista. *S. 2 g.* **1.** Pessoa que faz monogramas. **2.** Artista que não assina as suas obras com o nome por extenso, e sim com um monograma, uma abreviatura, ou iniciais.
monogramo. [Do gr. *monógrammos*, pelo lat. *monogrammu.*] *Adj.* **1.** Diz-se do trabalho de pintura composto só de linhas ou contornos. **2.** *Filos.* Não palpável; incorpóreo.
monoibridismo (o-i). [De *mon(o)-* + *hibridismo.*] *S. m.* Cruzamento de dois animais ou de duas plantas que diferem somente em um caráter hereditário.
monóico. [De *mon(o)-* + *-óico.*] *Adj. Bot.* Que apresen-

ta monécia: *árvore m o n ó i c a.*

monóide. [De *mon(o)-* + *-óide.*] *S. m. Álg. Mod.* Conjunto em que se define uma operação associativa com elemento identidade.

monoideísmo (o-i). [De *mon(o)-* + *-ideo-* + *-ismo.*] *S. m.* Estado de alma em todo organismo psíquico que se acha dominado por uma idéia central.

monóilo. [De *mon(o)-* + *-(h)ilo.*] *Adj. Zool.* Cujo corpo é formado de uma só massa homogênea. [A f. considerada preferível, *monilo,* é p. us.]

monolatria. [De *mon(o)-* + *-latria.*] *S. f. Rel.* Adoração de um só deus, mesmo com a admissão da existência de vários.

monolátrico. *Adj. Rel* Referente à monolatria.

monolépide. [De *mon(o)-* + *-lépide.*] *Adj. 2 g. Zool.* Que tem uma só escama.

monolítico. *Adj.* **1.** Relativo a, ou semelhante a monólito. **2.** Diz-se de estrutura em que há uma só massa contínua de material. **3.** Diz-se de coluna, obelisco, etc., talhado num só bloco de pedra. **4.** *Fig.* Diz-se do caráter, do sentimento, da crença, etc., que não apresenta rupturas, que é íntegro.

monólito. [Do gr. *monólithos,* pelo lat. *monolithu.*] *S. m.* **1.** Pedra de grandes dimensões: "nas montanhas grandes m o n o l i t o s [está sem acento] se despenham, porque um pequeno apoio fugiu ao seu equilíbrio instável." (Fidelino de Figueiredo, *Entre Dois Universos,* p. 138). **2.** Obra ou monumento feito de um só bloco de pedra; estela. [A grafia *monolito,* que se vê na abonação, corresponde à pronúncia talvez de maior uso.].

monologar. *V. int.* **1.** Recitar monólogo(s). **2.** Falar consigo só: "convenceu-se de que alguém conversava ou m o n o l o g a v a em voz baixa por ali perto." (Aluísio Azevedo, *O Mulato,* p. 223). *T. d.* **3.** Dizer de si para si: "Algumas mulheres .... se achegavam, benziam-se e m o n o l o g a v a m uma oração." (Geraldo França de Lima, *Branca Bela,* p. 79.) [Conjug.: v. *largar.* Pres. ind.: *monologo,* etc. Cf. *monólogo.*]

monólogo. [Do gr. *monológos,* 'que fala só'.] *S. m.* **1.** *Teat.* Cena em que um só ator representa, interpretando um personagem que fala ao público ou consigo mesmo: *É famoso o m o n ó l o g o de Hamlet, da peça do mesmo nome, de Shakespeare.* **2.** *Teat.* Monodrama. **3.** Solilóquio. [Cf. *monologo,* do v. *monologar.*]

monologuista. *S. 2 g. Teat.* Intérprete de teatro que diz monólogos.

monolúcido. [De *mon(o)-* + *lúcido.*] *Adj.* ~ V. *papel* — e *secador* —.

monomania. [De *mon(o)-* + *-mania.*] *S. f.* **1.** *Psiq.* Forma de insanidade mental em que o indivíduo dirige a atenção para um só assunto ou tipo de assunto. **2.** *P. ext.* Atividade dirigida para uma idéia fixa.

monomaníaco. *Adj.* **1.** Relativo a, ou que tem monomania. ● *S. m.* **2.** Aquele que a tem.

monomerídeo. *S. m.* **1.** Espécime dos monomerídeos. ● *Adj.* **2.** Pertencente ou relativo a eles.

monomerídeos. *S. m. pl. Zool.* Animais metazoários, artiozoários, cujas formas são primitivas, simples e não metamerizadas. Incluem-se entre eles os rotíferos e os briozoários.

monômero. [Do gr. *monomerés.*] *Adj.* **1.** *Quím.* Molécula, de massa molecular em geral pequena, capaz de ligar-se a outras moléculas da mesma espécie, constituindo longas cadeias que formam um polímero. **2.** *Zool.* Diz-se dos insetos cujos tarsos têm uma só articulação.

monometálico. *Adj.* Referente ao monometalismo.

monometalismo. [De *mon(o)-* + *metal* + *-ismo.*] *S. m.* Sistema monetário que só admite um metal (geralmente o ouro) como padrão legal.

monometalista. *Adj. 2 g.* **1.** Relativo ao, ou que é partidário do monometalismo. ● *S. 2 g.* **2.** Partidário dele.

monométrico. *Adj.* **1.** Relativo a monômetro. **2.** Formado de versos duma só medida. ~ V. *sistema* —.

monômetro. [Do gr. *monómetros,* pelo lat. *monometru.*] *S. m.* Poema em que há só uma espécie de versos: *A epopéia de Camões,* Os Lusíadas, *toda em decassílabos, é um m o n ô m e t r o.*

monômio. [De *mon(o)-* + o final de *binômio.*] *S. m. Mat.* Cada um dos termos de um polinômio.

monomolecular. [De *mon(o)-* + *molecular.*] *Adj. 2 g. Quím.* Pertinente a uma só molécula: *gás m o n o m o l e c u l a r; camada m o n o m o l e c u l a r.*

monomorfismo. [De *mon(o)-* + *morfismo.*] *S. m. Álg. Mod.* Morfismo que é uma injeção (8).

monomorfo. [De *mon(o)-* + *-morfo.*] *Adj.* **1.** Que tem uma única forma. **2.** *Bot.* Que produz esporos de uma única forma ou espécie. **3.** *Morfol. Veg.* Com uma só forma; uniforme. **4.** *Min.* Que existe somente em uma forma cristalina.

monomotor (ô). [De *mon(o)-* + *motor.*] *Adj. e s. m.* Diz-se de, ou veículo de um só motor.

mononeuro. [De *mon(o)-* + *-neuro.*] *Adj. Zool.* Que tem um só sistema nervoso.

mononuclear. [De *mon(o)-* + *nuclear.*] *Adj. 2 g.* **1.** Que só tem um núcleo. ● *S. m.* **2.** *Histol.* Célula com um só núcleo, como, p. ex., o monócito sanguíneo ou de outro tecido.

mononucleose. [De *mon(o)-* + *nucleose.*] *S. f. Patol.* Presença de leucócitos mononucleares em número anormalmente elevado no sangue circulante. ◆ **Mononucleose infecciosa.** *Patol.* Doença de etiologia desconhecida, talvez produzida por vírus, de sintomatologia variada, que incide principalmente nas três primeiras décadas da vida e se caracteriza, de maneira típica, por linfadenopatia, linfocitose (devida, em grande parte, a linfócitos anormais), angina (2), febre contínua, cefaléia intensa, astenia, esplenomegalia, etc. É desconhecido o seu modo de transmissão; sua evolução pode ser demorada, mas o desfecho é quase sempre benigno.

monoparamétrico. *Adj. Mat.* Que tem um só parâmetro.

monopartidário. [De *mon(o)-* + *partidário.*] *Adj.* Em que só há um partido (3): *regime m o n o p a r t i d á r i o.*

monoperiantado. [De *mon(o)-* + *periantado.*] *Adj. Morfol. Veg.* Diz-se das flores que têm um só perianto; monoperiânteo.

monoperiânteo. [De *mon(o)-* + *perianto* + *-eo.*] *Adj. Morfol. Veg.* Monoperiantado.

monopétalo. [De *mon(o)-* + *pétalo.*] *Adj. Morfol. Veg.* Que tem uma só pétala. [Cf. *gamopétalo.*]

monoplano. [De *mon(o)-* + *plano.*] *S. m.* Espécie de aeroplano de um só plano de sustentação.

monoplástico. [De *mon(o)-* + *plástico.*] *Adj.* Feito de uma só peça.

monoplegia. [De *mon(o)-* + *-pleg-* + *-ia.*] *S. f. Patol.* Paralisia de um só membro.

monoplégico. *Adj.* **1.** Relativo à, ou que tem monoplegia. ● *S. m.* **2.** Aquele que a tem.

monopneumone. *S. m.* e *adj. 2 g.* Ceratodonitídeo.

monopneumôneo. [De *mon(o)-* + *pneum(o)(n)-* + *-eo.*] *Adj. Zool.* Que tem um só pulmão ou um só saco pulmonar.

monopneumones. *S. m. pl. Zool.* Ceratodonitídeos.

monópode. [Do gr. *monópous, odos.*] *Adj. 2 g.* Que tem só um pé.

monopodia. [Do gr. *monopodía.*] *S. f.* Qualidade ou estado de monópode.

monopodial. [De *monopodia* + *-al.*] *Adj. 2 g.* ~ V. *ramificação* —.

monopódio. [Do gr. *monopódion,* pelo lat. *monopodiu.*] *S. m.* Mesa com um pé só.

monopólico. *Adj.* Relativo a monopólio.

monopólio. [Do gr. *monopólion,* pelo lat. *monopoliu.*] *S. m.* **1.** Tráfico, exploração, posse, direito ou privilégio exclusivos. **2.** Açambarcamento de mercadorias para serem vendidas por alto preço.

monopolista. *S. 2 g.* Pessoa que tem monopólio.

monopolização. *S. f.* Ação ou efeito de monopolizar.

monopolizador (ô). *Adj.* e *s. m.* Que, ou aquele que monopoliza.

monopolizar. *V. t. d.* **1.** Fazer ou ter monopólio de; açambarcar; abarcar: "Além de m o n o p o l i z a r e m [os cartagineses] as grandes rotas marítimas, os seus cameleiros recorriam as estradas do Sudão e dos oásis, ... distribuindo pelo longínquo Oriente .... a mercadoria púnica." (Aquilino Ribeiro, *Os Avós dos Nossos Avós,* p. 45.) **2.** Explorar de maneira abusiva, vendendo sem concorrente. **3.** Possuir ou desfrutar em caráter exclusivo; tomar exclusivamente para si: "O número dos despeitados e dos invejosos aumentava de dia para dia, porque o jovem *bacharel latino* [Luís de Camões] .... parecia dispor-se a m o n o p o l i z a r todos os triunfos." (Olavo Bilac, *Últimas Conferências e Discursos,* p. 249); "Na Monarquia eram ainda os fazendeiros escravocratas e eram filhos de fazendeiros, educados nas profissões liberais, quem m o n o p o l i z a v a a política" (Sérgio Buarque de Holanda, *Raízes do Brasil,* p. 41).

monopse. [Do gr. *mónops.*] *Adj. 2 g.* Que só tem um olho.

monóptero. [Do gr. *monópteros,* pelo lat. *monopteru.*] *Arquit. Adj.* **1.** Que é sustentado por uma só ordem de colunas. ● *S. m.* **2.** Templo monóptero.

monoquíni. [De *mon(o)-* + o final de *biquíni* (q. v.).] *S. m. Bras.* Maiô feminino constituído de calça e, geralmente, suspensórios que passam pelos bicos dos seios. [Cf. *biquíni.*]

monórquido. [De *mon(o)-* + *-orqu(i)-* + *-ido.*] *Adj.* Que tem um só testículo.

monorrimo. [De *mon(o)-* + *rima.*] Adj. Diz-se da composição poética cujos versos têm todos a mesma rima. Ex.: o soneto chamado "Monorrimo", de Fontoura Xavier, todo ele com a rima *-eia.*

monorrino. [De *mon(o)-* + *-rino.*] *S. m.* e *adj.* V. *ciclostomado.*

monorrinos. *S. m. pl. Zool.* V. *ciclostomados* (1).

monospérmico. *Adj.* Que contém uma só semente: monospermo.

monospermo. [De *mon(o)-* + *-spermo.*] *Adj.* Monospérmico.

monósporo. [De *mon(o)-* + *-sporo.*] *Adj. Bot.* Diz-se do esporo formado por um esporângio.

monossacarídeo. [De *mon(o)-* + *sacarídeo.*] *S. m. Quím.* Açúcar cuja fórmula geral é $C_nH_2nO_n$.

monossépalo. [De *mon(o)-* + *-sépalo.*] *Adj. Morfol. Veg.* Que forma uma só peça, como o cálice de certas flores. [Cf. *gamossépalo.*]

monosseriado. [De *mon(o)-* + *seriado.*] *Adj.* Que forma uma única série.

monossilábico. *Adj.* **1.** Que tem uma só sílaba; monossílabo: *O vocábulo cá é m o n o s s i l á b i c o.* **2.** Constituído de palavras que constam de uma só sílaba: *verso m o n o s s i l á b i c o.*

monossilabismo. *S. m.* Caráter das línguas cujas raízes são monossilábicas, como, p. ex., o chinês e o tibetano.

monossílabo. [Do gr. *monosyllabon,* pelo lat. *monosyllabu.*] *Adj.* **1.** Monossilábico. ● *S. m.* **2.** Palavra de uma só sílaba: "Francisco da Cunha levou aos lábios a mão de Fernanda, e não proferiu um m o n o s s í l a b o." (Camilo Castelo Branco, *Doze Casamentos Felizes,* p. 236.) ~ V. *monossílabos.*

monossílabos. [Pl. de *monossílabo.*] *S. m. pl.* Meias palavras; expressões incompletas: *Ou não responde, ou responde por m o n o s s í l a b o s.* ~ V. *monossílabo.*

monossintoma. [De *mon(o)-* + *sintoma.*] *S. m.* Sintoma único.

monossitia. [Do gr. *monositía.*] *S. f.* Hábito de tomar uma única refeição em cada dia.

monossomo. [De *mon(o)-* + *-somo.*] *Adj. Terat.* Diz-se de dois monstros que têm um só corpo.

monóstico. [Do gr. *monóstichos,* pelo lat. *monostichu.*] *Adj.* **1.** Que consta de um só verso. ● *S. m.* **2.** Poema de um só verso, como, p. ex., o "Nova Friburgo", de Carlos Drummond de Andrade: "Esqueci um ramo de flores no sobretudo."

monostigmatia. [De *mon(o)-* + gr. *stígma, atos* + *-ia.*] *S. f. Bot.* Conjunto ou estado das plantas que têm só um estigma.

monostilo. [De *mon(o)-* + *-stilo.*] *Adj. Morfol. Veg.* Diz-se do gineceu que tem um só estilete.

monóstrofe. [De *mon(o)-* + *estrofe.*] *S. f.* Composição poética de uma só estrofe. [Cf. *monóstrofo.*]

monóstrofo. [Do gr. *monóstrophos.*] *Adj.* Formado de uma só estrofe. [Cf. *monóstrofe.*]

monotálamo. [De *mon(o)-* + gr. *thálamos,* 'tálamo', 'receptáculo'.] *Adj. Zool.* Diz-se da concha que só tem uma cavidade.

monoteco. [De *mon(o)-* + *-teco.*] *Adj. Morfol. Veg.* Dotado de uma teca nas anteras; uniteco.

monotéico. [De *mon(o)-* + *-te(o)-* + *-ico*[2].] *Adj.* Monoteístico.

monoteísmo. [De *mon(o)-* + *teísmo.*] *S. m.* **1.** Crença em um só Deus. **2.** Sistema ou doutrina daqueles que admitem a existência de um único Deus. [Cf. *henoteísmo* e *politeísmo.*]

monoteísta. [De *mon(o)-* + *teísta.*] *Adj. 2 g.* e *s. 2 g.* Que ou quem admite um só Deus.

monoteístico. [De *monoteísta* + *-ico*[2].] *Adj.* Relativo ao, ou próprio do monoteísmo, ou de monoteísta; monotéico: *concepção m o n o t e í s t i c a.*

monotelismo. [De um **monotelitismo* < lat. tardio *monothelita,* calcado no gr. *monos,* 'único', + *theletes,* 'aquele que quer', + *-ismo,* com haplologia.] *S. m. Rel.* Derivação do monofisismo defendida no séc. VII, que sustenta a existência de uma única vontade em Cristo.

monotemático. [De *mon(o)-* + *temático.*] *Adj. Mús.* Que tem um só tema (5). ~ V. *sonata* —*a.*

monotipar. [De *monotipo*[1] + *-ar*[2].] *V. t. d. Tip.* Compor em máquina monotipo.

monotipia[1]. [De *monotipo*[1] + *-ia.*] *S. f. Tip.* **1.** Arte de compor em máquina monotipo. **2.** Composição monotípica. **3.** Seção ou oficina onde se trabalha em máquinas monotipo. [Cf. *fotocomposição,* e *mecanotipia.*]

monotipia[2]. [De *monotipo*[2] + *-ia.*] *S. f. Art. Gráf.* Processo pelo qual se obtêm as estampas chamadas *monotipos.*

monotípico. *Adj.* **1.** Relativo à monotipia. **2.** *Bot.* Diz-se

do gênero ou família que se constitui de uma só espécie.
monotipista. *S. 2 g. Tip.* Operador de máquina monotipo. [Cf. *tecladista* (2).]
monotipo[1]. [Do ingl. *monotype.*] *S. f. Tip.* Compositora mecânica constituída por duas máquinas distintas: a unidade compositora (teclado), onde, por um sistema de punções, se perfura uma fita de papel, e a unidade fundidora, para onde se transporta a bobina de papel perfurado, a qual passa a comandar o mecanismo de fundição e composição em tipos soltos. [Em Portugal a palavra é do gên. m. e proparoxítona. Cf. *monótipo.*]
monotipo[2]. [De *mon(o)-* + *-tipo.*] *S. m. Art. Gráf.* Estampa única que se obtém pintando a imagem numa placa, em geral de vidro, e sobre esta comprimindo o papel. [Cf. *monótipo.*]
monótipo. [De *mon(o)-* + *-tipo.*] *Adj. Bot.* Diz-se do gênero que tem uma só espécie. [Cf. *monotipo.*]
monótiro. [Do gr. *monóthyros,* 'que tem uma só porta'.] *Adj. Zool.* Diz-se da concha que só tem uma valva.
monotongo. [Do gr. *monóphthoggos,* pelo lat. *monophthongu.*] *S. m. Gram.* Encontro vocálico que representa um som apenas, por ser insonora a primeira letra desse grupo, como em *guerra, quinto,* etc. [Tais grupos são denominados *dígrafos* pela Nova Nomenclatura Gramatical.]
monotonia. [Do gr. *monotonía.*] *S. f.* **1.** Qualidade de monótono (1); uniformidade fastidiosa de tom: *monotonia de voz.* **2.** Falta de variedade: "A seda dos reposteiros ...., um pouco mais escura que a das paredes, quebrava a monotonia dos tons claros dominantes." (Bernardo Pinheiro Pindela, *Azulejos,* p. 97.) **3.** Sensaboria, insipidez: "Com a mania francesa e burguesa de reduzir todas as regiões e todas as raças ao mesmo tipo de civilização, o mundo ia tornar-se duma monotonia abominável." (Eça de Queirós, *Os Maias,* II, p. 77.)
monotonizar. *V. t. d.* Tornar monótono, uniforme, enfadonho.
monótono. [Do gr. *monótonos,* 'em um tom só', pelo lat. *monotonu.*] *Adj.* **1.** De um só tom; uniforme. **2.** Enfadonho, fastidioso. ~ V. *função* —*a.*
monotremado. *S. m.* **1.** Espécime dos monotremados. ● *Adj.* **2.** Pertencente ou relativo a eles. [Sin. ger.: *monotrêmato, monotremo, ornitodelfo.*]
monotremados. *S. m. pl. Zool.* Animais cordados, mamíferos, prototérios, da ordem *Monotremata.* Dentes presentes apenas nos jovens, tendo os adultos um bico córneo; cloaca; testículos abdominais; pênis, que conduz apenas esperma. Fêmeas ovíparas, desprovidas de útero ou vagina, com as glândulas mamárias sem tetas. Vivem na região australiana. [Sin.: *monotrêmatos, monotremos, ornitodelfos.*]
monotrêmato. *S. m.* e *adj.* V. *monotremado.*
monotrêmatos. *S. m. pl. Zool.* V. *monotremados.*
monotremo. [De *mon(o)-* + gr. *trêma,* 'orifício'.] *S. m.* e *adj.* V. *monotremado.*
monotremos. [Pl. de *monotremo.*] *S. m. pl. Zool.* V. *monotremados.*
monotrilho. [De *mon(o)-* + *trilho.*] *Adj.* **1.** Que só tem um trilho. ● *S. m.* **2.** Ferrovia que só utiliza um trilho de rolamento. **3.** *P. ext.* Trem, vagão ou locomotiva que trafega em ferrovia com essa característica. [Sin. ger.: *monocarril.*]
monotropia. [De *mon(o)-* + *-trop(o)-* + *-ia.*] *S. f. Fís.* Propriedade apresentada por substâncias polimórficas que para cada temperatura têm apenas uma forma cristalina estável em equilíbrio com a fase vapor.
monotrópico. *Adj.* Relativo à monotropia.
monovalente. [De *mon(o)-* + *valente.*] *Adj. 2 g. Quím.* Que só tem uma valência.
monóxido (cs). [De *mon(o)-* + *óxido.*] *S. m. Quím.* Óxido com um só átomo de oxigênio por molécula.
monóxilo (cs). [Do gr. *monóxylos,* pelo lat. *monoxylu.*] *Adj.* **1.** Feito de uma só peça de madeira: *embarcação monóxila.* ● *S. m.* **2.** Embarcação cujo casco é constituído de um só tronco de árvore escavado a fogo ou com ferramentas apropriadas, como, p. ex., a piroga.
monoxó. *Bras. S. 2 g.* **1.** Indivíduo dos monoxós, tribo indígena de MG, pertencente à família lingüística maxacali. ● *Adj. 2 g.* **2.** Pertencente ou relativo a essa tribo.
monozoário. [De *mon(o)-* + *-zoário.*] *S. m.* e *adj.* Cestodário.
monozoários. *S. m. pl. Zool.* Cestodários.
monozoicidade. *S. f.* Qualidade de monozóico.
monozóico. [De *mon(o)-* + *-zóico.*] *Adj.* Diz-se dos animais que têm vida individual e insulada.
monquilho. [De *monco* + *-ilho.*] *S. m.* Moléstia do gado lanígero.
monroísmo. *S. m.* Doutrina do estadista norte-americano James Monroe (1759-1831), i. e., a doutrina dos norte-americanos que não admite a intervenção de potências européias nas questões políticas da América.
monroísta. *Adj. 2 g.* e *s. 2 g.* Diz-se de, ou pessoa adepta do monroísmo.
monsenhor (ô). [Do it. *monsignore.*] *S. m.* **1.** Título honorífico, concedido pelo Papa a alguns eclesiásticos e em especial aos seus camareiros. **2.** *Bras.* V. *crisântemo.*
monsenhorado. *S. m.* Dignidade de monsenhor.
➧**monsieur** (meciê). [Fr.] *S. m.* Tratamento correspondente a *senhor.* [Pl.: *messieurs.* Abrev.: *M.*]
monstera. *S. f.* Gênero de plantas aráceas cultivadas graças às suas folhas recortadas e pertusas.
monstrengo. [De *mostrengo,* com infl. de *monstro.*] *S. m.* V. *mostrengo:* "A esta violenta extorção de 3, seguiu-se o abominável regulamento de 5 de março (a ditadura cada vinte e quatro horas aborta um monstrengo legislativo)" (João Francisco Lisboa, *Obras,* IV, p. 596); "Eis aí o monstrengo. É incrível. Falta à rima e à razão." (João Ribeiro, *Curiosidades Verbais,* p. 224.) [A f. *monstrengo,* injustificavelmente condenada por muitos, encontra-se, ainda, p. ex., em José Veríssimo, *Cenas da Vida Amazônica,* p. 16; Alcides Maia, *Alma Bárbara,* p. 180; Augusto Meyer, *A Forma Secreta,* p. 118; Mário da Silva Brito, *Diário Intemporal,* p. 102.]
monstro. [Do lat. *monstru.*] *S. m.* **1.** Corpo organizado que apresenta, em todas as suas partes ou em algumas delas, conformação anômala; aberração. **2.** Ser fantástico, da mitologia ou da lenda, de conformação extravagante. **3.** Animal excessivamente grande, ou de aspecto espantoso: *os monstros da pré-história.* **4.** Figura colossal, estupenda. **5.** Indivíduo que causa pasmo, assombro; monstruosidade: *É um monstro para trabalhar.* **6.** *Fig.* Pessoa cruel, desnaturada, ou horrenda. **7.** *P. ext.* Tudo que é contrário às leis da natureza: "É a Guerra aquele monstro, que se sustenta das fazendas, do sangue, das vidas, e quanto mais come, e consome, tanto menos se farta." (P.^e^ Antônio Vieira, *Sermões,* XIV, p. 8.) ● *Adj. 2 g.* e *2 n.* **8.** Muito grande; fora do comum: *comício monstro; liquidação monstro.* ◆ **Monstro sagrado. 1.** Artista excepcional, de grande talento. **2.** *P. ext.* Pessoa de renome e prestígio que, por ser louvada ao extremo, se tornou incriticável; mito, intocável. [Us., não raro, ironicamente.]
monstruosidade. *S. f.* **1.** Qualidade de monstruoso. **2.** Coisa extraordinária ou abominável. **3.** Monstro (5). **4.** *Fig.* Ação própria de monstro (6).
monstruoso (ô). [Do lat. *monstruosu.*] *Adj.* **1.** Que tem a conformação de monstro. **2.** Enorme, extraordinário. **3.** Pasmoso, assombroso, prodigioso. **4.** Que excede em perversidade, em maldade, o que se possa imaginar. **5.** Feio em demasia. **6.** Que é contrário às leis da natureza.
monta. [Dev. de *montar.*] *S. f.* **1.** Importância total de uma conta; soma. **2.** Importância, gravidade. **3.** Preço ou valor; estimação, importe, custo. **4.** Lanço (3).
monta-cargas. [De *montar* + o pl. de *carga.*] *S. m. 2 n.* **1.** Aparelho que serve para carregar peças de artilharia. **2.** *Bras.* Elevador para mercadorias.
montada. [De *montar* + *-ada*[2].] *S. f.* **1.** Ato de montar. **2.** Elevação nas cambas do freio. **3.** Cavalo de oficial: "a Hispânia fornecia exércitos completos, isto é, montados e equipados. Não era fácil encontrar montadas superiores às ibéricas, quanto a resistência e ardor" (Aquilino Ribeiro, *Os Avós dos Nossos Avós,* p. 179). **4.** Pessoa que traz outra a cavaleiro.
montado[1]. [De *monte* + *-ado*[1].] *S. m. Lus.* Terreno onde crescem principalmente sobreiros e azinheiros, e onde podem pastar porcos.
montado[2]. [Part. de *montar.*] *Adj.* **1.** Posto sobre um cavalo ou sobre outro animal. **2.** Colocado ou posto ao jeito de cavaleiro: *Subiu o muro e lá ficou montado.*
montador (ô). [De *montar* + *-(d)or.*] *S. m.* Aquele que faz montagens.
montadora (ô). [Fem. de *montador.*] *S. f. Bras.* Indústria cujo produto final é resultado de uma linha de montagem [q. v.].
montagem. *S. f.* **1.** Ato ou efeito de montar(-se). **2.** Operação de reunir as peças de um dispositivo, um mecanismo, ou qualquer objeto complexo, de modo que possa funcionar ou preencher o fim a que se destina: *a montagem de um automóvel.* **3.** *Cin.* Seleção e coordenação dos planos, das tomadas e das seqüências dum filme para que este se apresente como realização coerente e definitiva. [Cf. (nesta acepç.): *copião.*] **4.** *Cin., Tel.* e *Rád.* V. *edição* (8 e 9). **5.** *Mús. Eletrôn.* Operação que consiste em colar uma na outra as diversas fitas magnéticas em que estão gravados os objetos sonoros de uma determinada obra, a fim de se obter um encadeamento homogêneo. **6.** *Teat.* A encenação de um espetáculo teatral em relação ao diretor e à equipe técnica. [Sin.: *encenação* e (fr.) *mise-en-scène.*] **7.** *Art. Gráf.* Arrumação, na ordem e na posição adequadas para formação de caderno, de fôrmas de tipos em uma rama, ou de fotolitos sobre astralão. ◆ **Montagem acotovelada.** *Astr. P. us.* Montagem *coudeé.* **Montagem *coudeé.*** *Astr.* Arranjo para a montagem de um telescópio, no qual a distância focal é aumentada e, embora o tubo do instrumento se movimente, o feixe luminoso observável mantém uma direção final fixa. [Sin. (p. us.): *montagem acotovelada.*] **Montagem crítica.** *Eng. Nucl.* Conjunto crítico.
montanha. [De um lat. vulg. **montanea,* der. de *monte.*] *S. f.* **1.** Série de montes. **2.** Grande elevação de algo: *Dia a dia a montanha de lixo aumentava.* **3.** Grande volume: *Recebe, diariamente, uma montanha de cartas.*
montanha-russa. [Do fr. *montagne russe,* adapt. do al. *Rutschenberg,* 'monte escorregadio'.] *S. f.* **1.** Espécie de divertimento: armação constituída de uma série de vagonetes que deslizam com grande rapidez sobre aclives sucessivos e bruscos, proporcionando emoções violentas: "o cinema ao ar livre, o Parque das Diversões com a montanha-russa, ... a roda-gigante, o tiro-ao-alvo" (Marques Rebelo, *O Trapicheiro,* p. 203). **2.** *Bras., RS.* Doce de vários cremes, geralmente de cores diversas, que se servem em taças, sobrepondo-lhe certa porção de suspiro ou de merengada com feitio cônico e, sobre esta, uma ameixa. [Pl.: *montanhas-russas.*]
montanheira. [De *montanha* + *-eira.*] *S. f. Lus.* **1.** Montado[1]. **2.** Ceva de porcos por meio de bolotas, num montado.
montanhês. *Adj.* **1.** Que habita as montanhas ou é próprio delas; montano. **2.** Montês (1). **3.** Mineiro[2] (1): "A história do teatro nas Minas do século XVIII é capítulo da história geral da cultura montanhesa que ainda aguarda o necessário estudo." (Afonso Ávila, *Resíduos Seiscentistas em Minas,* I, p. 106); "Já conhecia .... as jovens tuberculosas da Capital montanhesa" (Paulo Mendes Campos, *Homenzinho na Ventania,* p. 136). ● *S. m.* **4.** Aquele que vive nas montanhas. **5.** V. *mineiro*[2] (2). [Flex.: *montanhesa* (ê), *montanheses* (ê), *montanhesas* (ê).]
montanhesco (ê). *Adj.* Referente a montanha; silvestre, alpestre; montaraz.
montanhismo. *S. m.* Esporte que consiste em escalar montanhas; alpinismo.
montanhista. *Adj. 2 g.* **1.** Relativo ao, ou que pratica o montanhismo. ● *S. 2 g.* **2.** Pessoa que o pratica. [Sin. ger.: *alpinista.*]
montanhístico. *Adj.* Relativo ao montanhismo, ou a montanhista.
montanhoso (ô). *Adj.* Em que há muitas montanhas; montuoso.
montanismo. *S. m. Rel.* Heresia de Montano (séc. II), originário da Frígia, que professava uma encarnação do Espírito Santo e extremo rigorismo moral.
montanista. *Adj. 2 g.* **1.** Pertencente ou relativo ao montanismo. ● *S. 2 g.* **2.** Partidário do montanismo.
montanística. [De *montano* + *-ista-* + *-ica*[2].] *S. f.* Tratado acerca da extração e fusão dos metais.
montano. [Do lat. *montanu.*] *Adj.* **1.** Montanhês (1). **2.** Rude, rústico.
montante. [De *montar* + *-nte.*] *S. m.* **1.** Grande espada antiga, que se brandia com ambas as mãos. **2.** Soma, importância, monta: *O montante dos gastos vai a 2 mil cruzados.* **3.** Haste vertical do estéreo. **4.** Direção de onde correm as águas duma corrente fluvial. **5.** Enchente da maré; maré alta. [Antôn.: *vazante.*] **6.** Soma de um capital e seu juro produzido. **7.** Qualquer peça vertical de sustentação que, numa estrutura, não possa ser considerada coluna ou pilastra. **8.** *Caligr.* e *Tip.* Cada uma das duas hastes do A e do V. [Cf. *letra montante.*] ● *Adj. 2 g.* **9.** Que se eleva. ~ V. *maré* —, *letra* — e *prensa* —. ◆ **A montante.** Para o lado da nascente (de um rio): "brigas de morte porque a mulher de um lavou roupa a montante do córrego, a outra querendo beber água a jusante." (Josué Guimarães, *A ferro e fogo,* p. 31). [Antôn.: *a jusante.*]
montão. [Aum. de *monte.*] *S. m.* **1.** Acumulação desordenada. **2.** V. *quantidade* (3). ◆ **De montão.** *Bras. Pop.* Em grande quantidade. V. *aos montes.*
montar. [De um lat. vulg. **montare.*] *V. t. d.* **1.** Pôr-se sobre (uma cavalgadura); cavalgar: "foi ao encontro do rei de Portugal, que, ... airoso nos estribos, montava garboso cavalo" (Antero de Figueiredo, *Leonor Teles,* p.

182). **2.** Colocar sobre; sobrepor. **3.** Fornecer ou prover de quanto é necessário. **4.** Aprontar para funcionar; armar, preparar, dispor: *montar uma máquina.* **5.** Engastar, encaixar. **6.** Atingir (determinada soma ou quantia): *O custo de construção monta a dois milhões.* **7.** Importar, significar, representar, valer. **8.** *Mar.* Instalar (peça ou aparelho) no seu lugar: *montar o leme.* **9.** *Mar.* Reunir e compor convenientemente as peças de (máquina, engenho ou dispositivo), de modo que fique em condições de funcionar: *montar o fuzil.* **10.** *Mar. G.* Concentrar, preparar e manter o embarque e o carregamento dos meios necessários à execução de (uma operação anfíbia). [A montagem da operação anfíbia termina com a partida da força de ataque da área de montagem para a área do objetivo.] **11.** *Mar.* Ultrapassar (um acidente geográfico): *montar o promontório, o recife.* **12.** *Cin., Telev.* e *Rád.* Fazer a montagem (3 e 4) de. **13.** *Teat.* Encenar (um espetáculo teatral). **14.** *Teat.* Dirigir (a encenação); dar-lhe andamento. **15.** *Art. Gráf.* Fazer a montagem (7) de. *T. d.* e *c.* **16.** Pôr, colocar, sobrepor: *Montou o pequeno na égua. T. i.* **17.** Colocar-se sobre uma cavalgadura: "O bosque palpita ao açoite / Do vento outonal: é noite. / Monto a cavalo e meto-me a caminho." (Gonçalves Crespo, *Obras Completas,* p. 260.) **18.** Trepar sobre, abrindo as pernas; bifurcar-se sobre: *Montou no animal e pôs-se a galopar.* **19.** Elevar-se; atingir; importar: *A despesa monta a 1.000 cruzados;* "Gastaram-se 23 dias em ler a tradução do *Ramaiana,* que monta a quase vinte e cinco mil versos" (Rebelo da Silva, *Bosquejos Histórico-Literários,* II, p. 71). **20.** Servir, prestar. *Int.* **21.** Praticar a equitação. **22.** Importar, interessar: *Pouco monta que ele vá ou que fique.* **23.** Ter importância; valer. *P.* **24.** Pôr-se sobre a cavalgadura; cavalgar. **25.** Colocar-se sobre o animal ou outra coisa qualquer como se estivesse a cavalo; escanchar-se, bifurcar-se. [Fut. pres.: *montarei, montarás,* etc. Cf. *montaraz.*]

montaraz. [De *monte* + *-araz.*] *Adj. 2 g.* **1.** V. *montanhesco.* ● *S. m.* **2.** Monteiro (2). [Cf. *montarás,* do v. *montar.*]

montaria¹. [De *monte* + *-aria.*] *S. f.* **1.** Lugar onde se corre caça grossa. **2.** A corrida desse tipo de caça; monteada, veação, batida. **3.** Ofício de monteiro (2). **4.** *Fig.* Perseguição feita por muita gente; assuada.

montaria². [De *montar* + *-ia.*] *S. f.* **1.** Remonta (1). **2.** *Bras.* Cavalgadura (1). **3.** Sela usada pelas mulheres. **4.** Saia comprida que as mulheres usavam para montar. **5.** *Turfe.* V. *jóquei* (2). **6.** *Bras., Amaz.* Pequena canoa, feita, comumente, de um tronco escavado a fogo: "como índios contentava-se com os prudentes tapuios de camisa de riscado e calças de algodão, que remam silenciosamente à proa das montarias de pesca" (Inglês de Sousa, *O Missionário,* p. 190).

monte. [Do lat. *monte.*] *S. m.* **1.** Elevação notável de terreno acima do solo que a cerca; serra. **2.** Qualquer amontoado de coisas em forma de monte: *O terreiro estava coberto de montes de café.* **3.** Porção, bocado: *Pode tirar um monte destas laranjas para você.* **4.** Acervo, montão: *Conseguiu juntar um monte de dinheiro.* **5.** Ajuntamento, reunião: *Que faz ali aquele monte de gente?* [Aum.: *montão;* dim. irreg.: *montículo.*] **6.** O conjunto dos bens de uma herança: "Faz-se pela rama a descrição dos bens. Há muita cousa que não figura no monte, porque a inclusão repugna à sensibilidade contemporânea." (Alcântara Machado, *Vida e Morte do Bandeirante,* p. 24.) **7.** Certo jogo de azar. **8.** O conjunto das apostas dos parceiros em cada mão de um jogo. [Dim. ger.: *montezinho, montinho, montículo.* Cf. *montesinho.*] ♦ **Monte de Vênus.** Proeminência no púbis feminino. **A monte.** A esmo; à toa; a granel; sem discernimento; por alto. **Aos montes.** Em grande quantidade; com abundância; copiosamente. [Sin. (bras., pop.): *de montão.*]

monteada. [Fem. substantivado de *monteado,* part. de *montear¹.*] *S. f.* **1.** V. *montaria¹* (2). **2.** Caçada nos montes.

monteador (ô). [De *montear¹* + *-(d)or.*] *S. m.* Aquele que caça nos montes; monteiro: "O filho do infante D. Luís saíra um dia à caça com seus monteadores." (Camilo Castelo Branco, *D. Luís de Portugal,* p. 135.)

monte-alegrense¹. *Adj. 2 g.* **1.** De, ou pertencente ou relativo a Monte Alegre (PA e RN). ● *S. 2 g.* **2.** Natural ou habitante de Monte Alegre (PA). [Sin., pop.: *pinta-cuia.*] **3.** Natural ou habitante de Monte Alegre (RN). [Pl.: *monte-alegrenses.*]

monte-alegrense². *Adj. 2 g.* **1.** De, ou pertencente ou relativo a Monte Alegre do Piauí (PI). ● *S. 2 g.* **2.** Natural ou habitante de Monte Alegre do Piauí. [Pl.: *monte-alegrenses.*]

monte-alegrense³. *Adj. 2 g.* **1.** De, ou pertencente ou relativo a Monte Alegre de Sergipe (SE). ● *S. 2 g.* **2.** Natural ou habitante de Monte Alegre de Sergipe. [Pl.: *monte-alegrenses.*]

monte-alegrense⁴. *Adj. 2 g.* **1.** De, ou pertencente ou relativo a Monte Alegre de Minas (MG). ● *S. 2 g.* **2.** Natural ou habitante de Monte Alegre de Minas. [Pl.: *monte-alegrenses.*]

monte-alegrense⁵. *Adj. 2 g.* **1.** De, ou pertencente ou relativo a Monte Alegre do Sul (SP). ● *S. 2 g.* **2.** Natural ou habitante de Monte Alegre do Sul. [Pl.: *monte-alegrenses.*]

monte-alegrense⁶. *Adj. 2 g.* **1.** De, ou pertencente ou relativo a Monte Alegre de Goiás (GO). ● *S. 2 g.* **2.** Natural ou habitante de Monte Alegre de Goiás. [Pl.: *monte-alegrenses.*]

monte-altense¹. *Adj. 2 g.* **1.** De, ou pertencente ou relativo a Monte Alto (SP). ● *S. 2 g.* **2.** Natural ou habitante de Monte Alto. [Pl.: *monte-altenses.*]

monte-altense². *Adj. 2 g.* **1.** De, ou pertencente ou relativo a Montes Altos (MA). ● *S. 2 g.* **2.** Natural ou habitante de Montes Altos. [Pl.: *monte-altenses.*]

monte-altense³. *Adj. 2 g.* **1.** De, ou pertencente ou relativo a Palmas de Monte Alto (BA). ● *S. 2 g.* **2.** Natural ou habitante de Palmas de Monte Alto. [Pl.: *monte-altenses.*]

montear¹. [De *monte* + *-ear.*] *V. t. d.* **1.** Caçar nos montes. **2.** Caçar em (algum lugar): "fidalgas, fidalgos, cavalos, piqueiros, monteiros, veadores .... partiram a montear javardos, lobos, onças" (Lima Barreto, *Numa e a Ninfa,* p. 119). **3.** Pôr em montão; amontoar. *Int.* **4.** Andar à caça nos montes; caçar: "gostava .... principalmente de três cousas boas segundo a carnalidade: da guerra, do vinho e das damas; mas ainda mais do que de tudo isso, gostava de montear." (Alexandre Herculano, *Lendas e Narrativas,* I, p. 20). [Conjug.: v. *frear.* Pres. ind.: *monteio, monteias, monteia,* etc. Cf. *montéia.*]

montear². [De *montéia* + *-ar².*] *V. t. d.* Fazer a montéia de. [Conjug.: v. *frear.* Pres. ind.: *monteio, monteias, monteia,* etc. Cf. *montéia.*]

monte-azulense¹. *Adj. 2 g.* **1.** De, ou pertencente ou relativo a Monte Azul (MG). ● *S. 2 g.* **2.** Natural ou habitante de Monte Azul. [Pl.: *monte-azulenses.*]

monte-azulense². *Adj. 2 g.* **1.** De, ou pertencente ou relativo a Monte Azul Paulista (SP). ● *S. 2 g.* **2.** Natural ou habitante de Monte Azul Paulista. [Pl.: *monte-azulenses.*]

monte-belense. *Adj. 2 g.* **1.** De, ou pertencente ou relativo a São Luís de Montes Belos (GO). ● *S. 2 g.* **2.** Natural ou habitante de São Luís de Montes Belos. [Pl.: *monte-belenses.*]

monte-castelense¹. *Adj. 2 g.* **1.** De, ou pertencente ou relativo a Monte Castelo (SP). ● *S. 2 g.* **2.** Natural ou habitante de Monte Castelo. [Pl.: *monte-castelenses.*]

monte-castelense². *Adj. 2 g.* **1.** De, ou pertencente ou relativo a Santa Cruz do Monte Castelo (PR). ● *S. 2 g.* **2.** Natural ou habitante de Santa Cruz do Monte Castelo. [Pl.: *monte-castelenses.*]

monte-de-piedade. *S. m. Bras., MG.* Monte-de-socorro. [Pl.: *montes-de-piedade.*]

monte-de-socorro. *S. m.* Instituição oficial onde se empresta dinheiro a juros mediante penhor. [Sin., em MG: *monte-de-piedade.* Pl.: *montes-de-socorro.*]

montéia. [Do fr. *montée.*] *S. f.* **1.** Esboço ou planta duma construção com indicações relativas às respectivas elevações e dimensões. **2.** O espaço ocupado por um edifício. [Cf. *monteia,* do v. *montear.*]

monteira. [Fem. de *monteiro.*] *S. f.* **1.** Caçadora dos montes. **2.** Carapuça de montanhês.

monteirense. *Adj. 2 g.* **1.** De, ou pertencente ou relativo a Monteiro (PB). ● *S. 2 g.* **2.** Natural ou habitante de Monteiro.

monteiria. *S. f.* **1.** Cargo de monteiro. **2.** A parte que competia ao monteiro da multa lançada aos que iam caçar nas coutadas.

monteiro. *S. m.* **1.** Aquele que caça nos montes; monteador. **2.** Guarda de mata; montaraz. ● *Adj.* **3.** Relativo a monteiro. **4.** Próprio para montear.

monte-morense. *Adj. 2 g.* **1.** De, ou pertencente ou relativo a Monte-Mor (SP). ● *S. 2 g.* **2.** Natural ou habitante de Monte-Mor. [Pl.: *monte-morenses.*]

montenegrino¹. *Adj.* **1.** De, ou pertencente ou relativo a Montenegro (Europa). ● *S. m.* **2.** O natural ou habitante de Montenegro.

montenegrino². *Adj.* **1.** De, ou pertencente ou relativo a Montenegro (RS). ● *S. m.* **2.** O natural ou habitante de Montenegro.

montepio. [De *monte* (4) + *pio.*] *S. m.* Instituição em que, mediante uma cota, e satisfeitas outras condições, cada membro adquire o direito de, por morte, deixar pensão pagável a alguém de sua escolha.

montês. *Adj.* ou *adj. 2 g.* **1.** Dos montes; montanhês: "galgam os precipícios após a cabra montês" (Alexandre Herculano, *Eurico,* p. 229); "Cabrinhas montesas da Serra da Estrela..." (Antônio Nobre, *Só,* p. 39). **2.** Próprio de quem habita os montes, de montanhês: "Passara até ali numa herdade, entre boiadas .... , a rabeira dos arados, plena liberdade montesa" (Fialho d'Almeida, *Contos,* pp. 308-309). [Sin. ger.: *montesinho, montesino.* Flex.: *monteses* (ê), ou (se considera variável em gênero a palavra) *montesa* (ê), *monteses* (ê), *montesas* (ê).] ~ V. *porco* —.

monte-santense¹. *Adj. 2 g.* **1.** De, ou pertencente ou relativo a Monte Santo (BA). ● *S. 2 g.* **2.** Natural ou habitante de Monte Santo. [Pl.: *monte-santenses.*]

monte-santense². *Adj. 2 g.* **1.** De, ou pertencente ou relativo a Monte Santo de Minas (MG). ● *S. 2 g.* **2.** Natural ou habitante de Monte Santo de Minas. [Pl.: *monte-santenses.*]

montes-clarense. *Adj. 2 g.* **1.** De, ou pertencente ou relativo a Montes Claros (MG). ● *S. 2 g.* **2.** Natural ou habitante de Montes Claros. [Sin. ger.: *montes-clarino.* Pl.: *montes-clarenses.*]

montes-clarino. *Adj.* e *s. m.* Montes-clarense. [Pl.: *montes-clarinos.*]

montesinho. *Adj.* V. *montês.* [Cf. *montezinho,* dim. de *monte.*]

montesino. *Adj.* V. *montês:* "sorvi o perfume, que andava no ar, das ervas montesinas" (Antero de Figueiredo, *Toledo,* p. 214).

monte-sionense. *Adj. 2 g.* **1.** De, ou pertencente ou relativo a Monte Sião (MG). ● *S. 2 g.* **2.** Natural ou habitante de Monte Sião. [Pl.: *monte-sionenses.*]

monte-verdense. *Adj. 2 g.* **1.** De, ou pertencente ou relativo a Monte Verde (RJ). ● *S. 2 g.* **2.** Natural ou habitante de Monte Verde. [Pl.: *monte-verdenses.*]

montevideano. *Adj.* **1.** De, ou pertencente ou relativo a Montevidéu, capital do Uruguai. ● *S. m.* **2.** O natural ou habitante de Montevidéu.

montevidéu. [Do top. *Montevidéu.*] *S. m. Bras., RS.* Cicatriz de ferimento recebido em briga ou em batalha.

montícola. [Do lat. *monticola.*] *Adj. 2 g.* **1.** Que habita os montes. ● *S. 2 g.* **2.** Pessoa ou animal que os habita.

monticulado. *Adj.* Em que há montículos.

montículo. [Do lat. *monticulu.*] *S. m.* **1.** Pequeno monte (1); cômoro, outeiro. **2.** Pequeno monte (2). [Sin. ger., bras.: *munduru, murundu.*]

montígeno. [Do lat. *montigena.*] *Adj.* Produzido nos montes.

montívago. [Do lat. *montivagu.*] *Adj.* Que vagueia pelos montes.

montoeira. *S. f.* **1.** *Bras., BA.* Aglomeração de pedras soltas, que denuncia o trabalho de antigas catas, onde apenas se buscava o diamante. **2.** *Bras., S.* Grande porção. V. *quantidade* (3). [Sin. ger.: *montureira.*]

montra. [Do fr. *montre.*] *S. f.* **1.** Vitrina de casa comercial: "Não sabem, os que o vêem [a Almeida Garrett] parar no Chiado observando as montras das casas de modas, que assim disfarça a fadiga dum corpo arruinado pela doença." (José Osório de Oliveira, *O Romance de Garrett,* p. 167.) **2.** *Mús.* Fachada do órgão (5), na qual geralmente se acham os tubos mais vistosos desse instrumento.

montuava. *S. f. Bras., SP. Pop.* V. *cachaça* (1).

montuoso (ô). [Do lat. *montuosu.*] *Adj.* Montanhoso.

montureira. *S. f.* **1.** Monturo (2). **2.** *Bras.* Montoeira.

montureiro. *S. m.* Aquele que anda a rebuscar objetos pelos monturos; trapeiro.

monturo. [De *monte* + *-uro.*] *S. m.* **1.** Lugar onde se depositam dejeções, lixo, ou imundícies; lixeira. **2.** Monte de lixo, de imundícies, de coisas sujas ou imprestáveis; lixeira, estrumeira, busilhão, volutabro. **3.** *Fig.* Montão de coisas vis ou repugnantes.

monumental. [Do lat. *monumentale.*] *Adj. 2 g.* **1.** Relativo a, ou próprio de monumento. **2.** Enorme, extraordinário. **3.** Grandioso, esplêndido, magnífico. ~ V. *letra* —.

monumentalidade. *S. f.* Qualidade de monumental.

monumentalização. *S. f.* Ato ou efeito de monumentalizar.

monumentalizar. *V. t. d.* Dar aspecto monumental a; tornar monumental.

monumentino. *Adj.* **1.** De, ou pertencente ou relativo a Monumento (RJ). ● *S. m.* **2.** O natural ou habitante de Monumento.

monumento. [Do lat. *monumentu.*] *S. m.* **1.** Obra ou construção que se destina a transmitir à posteridade a memória de fato ou pessoa notável. **2.** Edifício majestoso. **3.** Sepulcro suntuoso; mausoléu. **4.** Qualquer obra notável. **5.** Memória, recordação, lembrança.

moponga. [Do tupi *mu'pōga.*] *S. f. Bras., AM.* Processo de pesca que consiste em bater a água de um rio com uma vara, ou com a mão, a fim de afugentar o peixe na direção desejada. [Muito us. na loc. *bater moponga.* Var.: *mupunga.* Sin.: *batição.*]

moqueação. *S. f. Bras.* Ação ou efeito de moquear.

moqueado. [Part. de *moquear.*] *Adj. Bras.* **1.** Secado no moquém para ser conservado. **2.** Assado em moquém.

moquear. *V. t. d.* **1.** *Bras., N.* Secar (a carne ou o peixe) no moquém, para conservá-los. **2.** *Bras., S.* Assar (a carne) em moquém. **3.** *Bras., SP. Pop.* Matar (1). [Conjug.: v. *frear.*]

moqueca^{1}. [Do quimb. *mu'keka.*] *S. f.* **1.** *Bras.* Prato típico brasileiro, em geral de peixe ou de mariscos, podendo também ser feito de galinha, ovos, etc., e que consta de um guisado temperado com salsa, coentro, limão, cebola e sobretudo leite de coco. azeite-de-dendê e pimenta-de-cheiro. [Sin., no PA: *poqueca.*] **2.** *Bras., SP.* Espécie de sinapismo de folhas de mangueira e de fumo, que se põe sobre a cabeça para cura de cefalalgia. [Cf. *moquenca.*]

moqueca^{2}. [De *moquear,* por infl. de *moqueca^{1}.*] *S. f. Bras., AM.* O peixe moqueado envolto em folha de bananeira. [Cf. *moquenca.*]

moquecar-se. *V. p. Bras.* **1.** Pôr-se de cócoras; acocorar-se. **2.** Pôr-se em lugar seguro ou a coberto; tornar-se o menos visível possível; amoquecar(-se). [Conjug.: v. *trancar.*]

moquém. *S. m. Bras.* Grelha de varas para assar ou secar a carne ou o peixe: "A cumari arde no lábio do guerreiro; mas torna mais gostosa a carne do veado assado no moquém." (José de Alencar, *Ubirajara,* p. 291.) [Sin., em SP: *moqueteiro.*]

moquenca. *S. f.* Guisado de carne de vaca com vinagre, alho, pimenta, etc. [Cf. *moqueca.*]

moquenco. *Adj.* e *s. m.* V. *moquenqueiro.*

moquenqueiro. [De *moquenco?*] *Adj.* e *s. m.* **1.** Que ou aquele que faz moquenquices. **2.** Indolente, preguiçoso, ocioso. [Sin. ger.: *moquenco.*]

moquenquice. [De *moquenco?*] *S. f.* **1.** Momice, lábia, trejeito. **2.** Preguiça.

moqueta (ê). *S. 2 g. Bras., RS. Pop.* V. *caipira* (1).

moqueteiro. *S. m. Bras., SP.* Moquém.

moquiço. *S. m. Bras., N.E.* Casebre, choupana. V. *cabana.*

mor. *Adj. 2 g.* F. sincopada de *maior:* "E Barbosa passava a mor parte do tempo em visitas e jogos pela vizinhança" (Júlio Ribeiro, *A Carne,* p. 196). [Cf. *mor* (ô).]

mor (ô). *Ant.* e *pop. S. m.* Us. na loc. prep. *por mor de.* [Cf. *mor.*] ◆ **Por mor de.** Por causa de; por amor de: "Chamavam-lhe pato. por mor do olhar .... aparvalhado e insistente que tinha para as pessoas que não conhecia." (Antunes da Silva, *Gaimirra,* p. 13.)

mora. [Do lat. *mora.*] *S. f.* **1.** Delonga, demora. **2.** Alargamento do prazo estabelecido para pagamento ou restituição de algo. **3.** *Jur.* Retardamento do credor ou do devedor no cumprimento duma obrigação. [Cf. *protesto* (4).] ◆ **Purgar a mora.** *Jur.* Conservar (o devedor inadimplente) direitos contratuais e evitar a aplicação de uma pena, pagando a prestação vencida, os juros e demais encargos resultantes do inadimplemento.

morabitino. [Do ár. *murābiṭ* (subentende-se *dīnār*), 'dinar dos almorávidas'.] *S. m.* V. *maravedi:* "D. Sancho I .... contribuía anualmente com quatrocentos morabitinos para o custeio das despesas da estada dos estudantes do Mosteiro de Santa Cruz em universidades de França." (Feliciano Ramos, *História da Literatura Portuguesa,* p. 87.)

morabito. [Do ár. *murābiṭ,* 'religioso'.] *S. m.* V. *marabu* (1).

morácea. *S. f.* Espécime das moráceas.

moráceas. *S. f. pl. Bot.* Família de plantas floríferas, da ordem das urticales, que engloba, basicamente, arbustos e árvores dotados de látex e de flores insignificantes ordenadas em glomérulos, espigas ou receptáculos variados. Os frutos, pequeninos, estão, em muitos casos, no interior dos receptáculos. Exemplos comuns são o figo, a jaca e a fruta-pão, todos eles infrutescências complexas. Há cerca de 1.000 espécies, numerosas brasileiras.

moráceo. *Adj.* Pertencente ou relativo às moráceas.

morada. *S. f.* **1.** Lugar onde se mora ou habita; habitação, moradia. **2.** V. *casa* (1). **3.** Estada ou lugar de estada habitual. [Cf. *murada,* do v. *murar* e s. f.] ◆ **Morada celeste.** O céu: "pátria suspirada de suas mais doces esperanças, única impaciência de uma alma, que longe da morada celeste se entristecia cativa." (Rebelo da Silva, *Contos e Lendas,* p. 6). **Última morada. 1.** V. *cemitério* (1). **2.** V. *sepultura* (1).

morada-inteira. *S. f. Bras., MA.* Casa térrea que, pelo número e disposição dos cômodos, apresenta na fachada principal, geralmente situada no alinhamento da rua, quatro ou mais janelas simetricamente dispostas em relação à porta de entrada: "Queria viver para si, para o seu ideal por fim realizado, na morada-inteira do Largo dos Remédios, que o noivo adornara a capricho com móveis franceses, alfaias de alto preço" (Josué Montelo, *O Labirinto de Espelhos,* p. 21). [Pl.: *moradas-inteiras.* Cf. *meia-morada* e *porta-e-janela.*]

moradense. *Adj. 2 g.* **1.** De, ou pertencente ou relativo a Morada Nova de Minas (MG). ● *S. 2 g.* **2.** Natural ou habitante de Morada Nova de Minas.

moradia. [De *morada* + *-ia.*] *S. f.* **1.** Morada (1). **2.** Pensão que se dava aos fidalgos: "distribuía [D. Fernando de Portugal] mãos-cheias de dobras em ordenados, moradias .... mercês, esmolas" (Antero de Figueiredo, *Leonor Teles,* p. 26).

moradilho. [De *morado* + *-ilho.*] *S. m.* Certa madeira de cor pardo-violeta.

morado. [De *mora* + *-ado^{1}.*] *Adj.* Amorado. [Fem.: *morada.* Cf. *murada,* do v. *murar* e s. f.]

morador (ô). *Adj.* **1.** Que mora. ● *S. m.* **2.** Aquele que mora; habitante. **3.** *Bras., N.E.* Agregado (7). **4.** *Bras., CE.* Caseiro (6). [Cf. *murador.*]

moraina. [Do fr. *moraine.*] *S. f. Geol.* V. *morena^{1}.*

moral. [Do lat. *morale,* 'relativo aos costumes'.] *S. f.* **1.** *Filos.* Conjunto de regras de conduta consideradas como válidas, quer de modo absoluto para qualquer tempo ou lugar, quer para grupo ou pessoa determinada. [Cf. *amoral* (4) e *ética* (1).] **2.** Conclusão moral que se tira de uma obra, de um fato, etc. ● *S. m.* **3.** O conjunto das nossas faculdades morais; brio, vergonha. **4.** O que há de moralidade em qualquer coisa. ● *Adj. 2 g.* **5.** Relativo à moral. **6.** Que tem bons costumes. **7.** Relativo ao domínio espiritual (em oposição a físico ou material). [Cf. *mural.*] ~ V. *ciências morais, comédia —, consciência —, igualdade —, indiferença —, lei —, morte —, necessidade —, personalidade —, pessoa —* e *senso —* ◆ **Moral da história.** Conclusão ou lição moral inerente a um fato narrado. [Us., às vezes, ironicamente.]

moralidade. [Do lat. *moralitate,* 'caráter'.] *S. f.* **1.** Qualidade do que é moral. **2.** Doutrina ou reflexão moral. **3.** Conceito ou intuito moral de certas fábulas ou narrativas, e, p. ext., de uma história ou narração qualquer. **4.** *P. ext.* Significação moral. **5.** *Teat.* Gênero dramático semi-religioso dos fins da Idade Média, que se desenvolveu em seguida aos mistérios e milagres, e caracterizado por maiores qualidades de abstração e de elaboração de caracteres, tais como a Verdade, a Avareza, a Cupidez, a Força, a Prudência, etc., vícios e virtudes em luta pela posse da alma humana. [Cf., nesta acepç., *auto^{1}* (3).]

moralismo. [De *moral* + *-ismo.*] *S. m.* **1.** Sistema filosófico que se ocupa exclusivamente da moral. **2.** *Rel.* Tendência a desvincular a moral da fé, ou a exaltá-la acima desta. [Cf. *muralismo.*]

moralista. *Adj. 2 g.* e *s. 2 g.* Que ou quem escreve sobre moral, ou preconiza preceitos morais. [Cf. *muralista.*]

moralização. *S. f.* Ato ou efeito de moralizar.

moralizador (ô). *Adj.* **1.** Que moraliza; moralizante. **2.** Que dá bons exemplos; moralizante. **3.** Que encerra ou preconiza doutrinas sãs; moralizante. ● *S. m.* **4.** Aquele que moraliza, que aconselha os bons costumes.

moralizante. *Adj. 2 g.* Moralizador (1 a 3).

moralizar. *V. t. d.* **1.** Tornar conforme aos princípios de uma determinada moral. **2.** Infundir idéias sadias em; corrigir os costumes de: *Não é papel da literatura moralizar o leitor.* **3.** Interpretar sob o aspecto moral. *T. i.* **4.** Discorrer, discursar: *moralizar sobre as modas; Moralizou largamente acerca da política. Int.* **5.** Fazer reflexões morais. **6.** Pregar moral: *Tem a mania de moralizar.*

moranga^{1}. [De *morango.*] *Adj. (f.)* e *s. f. Lus.* Diz-se de, ou uma variedade de uva e de outra de cereja.

moranga^{2}. [Do tupi *mo'rãg,* 'belo'.] *Adj. (f.)* e *s. f. Bras.* Diz-se de, ou certa variedade de abóbora (*Cucurbita maxima*).

morangal. [De *morango* + *-al.*] *S. m.* **1.** Quantidade mais ou menos considerável de morangueiros dispostos proximamente entre si. **2.** Terreno onde abundam morangueiros.

morango. [Do lat. *moru,* 'amora'. atr. dum lat. vulg. **moranicu.*] *S. m.* Infrutescência carnosa (e não fruto) do morangueiro, na qual estão uns grânulos duros, que são os verdadeiros frutos. [Sin., no RS: *frutilha.*]

morangueiro. *S. m.* **1.** Erva da família das rosáceas (*Fragaria vesca*), de origem européia, prostrada e com folhas compostas, cultivada graças à sua infrutescência carnosa (*o morango*), muito apreciada, resultante de uma única flor, fragária. **2.** Vendedor de morangos.

morar. [Do lat. *morare.*] *V. t. c.* **1.** Ter residência; habitar, residir: "Conceição morava no Engenho Novo, mas nem a visitei nem a encontrei." (Machado de Assis, *Páginas Recolhidas,* p. 88); "Ele morava na Rua do Senador Eusébio" (Artur Azevedo, *Contos Possíveis,* p. 82). **2.** Encontrar-se, achar-se; permanecer; existir: *A felicidade mora naquela casa.* **3.** *Bras. Gír.* Freqüentar assiduamente um lugar: *Ela mora na casa da amiga, não sai de lá.* **4.** *Bras. Gír.* Entender, compreender; manjar: *Você morou no que eu disse? Int.* **5.** Residir, viver: *Mora só;* "Morava com um tio, chefe-de-esquadra reformado." (Machado de Assis, *Várias Histórias,* p. 82). [Cf. *mourar* e *murar.*]

moratória. [Fem. substantivado de *moratório.*] *S. f.* **1.** Dilação de prazo concedida pelo credor ao devedor para pagamento de uma dívida. **2.** Imposição legal, baseada em razões imperiosas de interesse público, que beneficia, de modo geral, determinada classe de pessoas, por suspender a exigibilidade de suas dívidas e o curso das ações judiciais contra elas intentadas, e bem assim por prolongar a duração de suas prestações sucessivas.

moratório. [Do lat. *moratoriu.*] *Adj.* Que envolve demora ou dilação; dilatório.

morávio. *Adj.* **1.** Da, ou pertencente ou relativo à Morávia (Tcheco-Eslováquia). ~ V. *irmãos —s.* ● *S. m.* **2.** O natural ou habitante de Morávia.

▲**morbi-.** [Do lat. *morbus, i.*] *El. comp.* = 'doença', 'enfermidade': *morbíparo, morbígero.*

morbidade. [De *morbi-* + *-dade,* ou do ingl. *morbidity.*] *S. f. Patol.* **1.** Capacidade de produzir doença num indivíduo ou num grupo de indivíduos. **2.** Relação entre o número de pessoas sãs e o de doentes, ou de doenças, num dado tempo e quanto a determinada doença.

morbidez (ê). [Var. de *morbideza* < it. *morbidezza.*] *S. f.* **1.** Qualidade ou caráter de mórbido. **2.** Enfraquecimento doentio. **3.** Abatimento ou esgotamento de forças; alquebramento de forças; moleza, languidez, quebreira. **4.** Delicadeza ou suavidade nas cores de um retrato ou escultura. [F. paral.: *morbideza.*]

morbideza (ê). *S. f.* Morbidez [q. v.]: "inteligência com morbidezas agudas de fobias dando artistas, bandalhos e devassos" (Fialho d'Almeida, *Vida Errante,* p. 179).

morbidizar. *V. t. d.* e *p.* Tornar(-se) mórbido.

mórbido. [Do lat. *morbidu.*] *Adj.* **1.** Enfermo, doente. **2.** Relativo a doença. **3.** Que causa doença; doentio. **4.** Lânguido, frouxo, mole: "Um corpo frouxo e mórbido e franzino, / Cheio de palidez etérea e doce" (Guerra Junqueiro, *A Musa em Férias,* p. 192). **5.** *Árt. Plást.* Suave, delicado. ~ V. *condição —a.*

morbífico. [De *morbi-* + *-fico.*] *Adj.* Que origina doença; mórbido, insalubre; morbígeno, morbígero, morbíparo, morboso.

morbígeno. [De *morbi-* + *-geno^{1}.*] *Adj.* V. *morbífico.*

morbígero. [De *morbi-* + *-gero.*] *Adj.* V. *morbífico.*

morbiliforme. [Do lat. tardio *morbillu,* 'erupção da pele', + *-i-* + *-forme.*] *Adj. 2 g.* Semelhante ao sarampo.

morbíparo. [De *morbi-* + *-paro.*] *Adj.* V. *morbífico.*

morbo. [Do lat. *morbu.*] *S. m.* Estado patológico; doença.

morbosidade. *S. f.* Qualidade ou estado de morboso.

morboso (ô). [Do lat. *morbosu.*] *Adj.* V. *morbífico.*

morcegal. *Adj. 2 g.* Relativo ou pertencente a, ou próprio de morcego.

morcegão. *S. m.* Aum. de *morcego.* [Cf. *morsegão.*]

morcegar. [De *morcego* + *-ar^{2}.*] *V. t. d.* **1.** Tirar partido de; explorar. *Int.* **2.** *Bras., N.E.* Tomar ou saltar de um bonde ou trem em movimento. **3.** *Bras. Chulo.* Praticar felação. [Conjug.: v. *regar.* Pres. ind.: *morcego,* etc. Cf. *morcego* (ê) e *morsegar.*]

morcego^{1} (ê). [Do arc. *mur* lat. *mure,* 'rato', + *cego.*] *S. m.* **1.** Designação geral para os mamíferos quirópteros cujos membros anteriores são transformados em asas pela presença do patágio. A grande maioria do grupo é insetívora ou frugívora, havendo espécies hematófagas ou ictiófagas. [Sin., bras.: *andirá, guandira, orelhudo.*] **2.** *Fam.* Pessoa que só de noite sai de casa. **3.** *Bras.* Espécie de papagaio (5). **4.** *Bras., N.E. Pop.* V. *mata-*

cachorro (2). **5.** *Bras., N.E.* Garoto que anda nos bondes e trens seguro aos balaústres ou às portinholas, sem pagar passagem. [Pl.: *morcegos* (ê); aum.: *morcegão*. Cf. *morcego*, do v. *morcegar; morsego*, do v. *morsegar;* e *morsegão*.]

morcego^{2} (ê). *S. m.* F. red. de *peixe-morcego*. [Pl.: *morcegos* (ê). Cf. *morcego*, do v. *morcegar*.]

morcegueira. [De *morcego* + *-eira*.] *S. f. Bras., Amaz.* Árvore da família das leguminosas (*Andira inermis*), de casca malcheirosa, flores violáceas e paniculadas, e cujos frutos são drupas de polpa odorífera, sendo o embrião grandíssimo e tóxico.

morcela. *S. f.* **1.** Espécie de chouriço em que o sangue de porco é o elemento principal: "Aparecem os bares, restaurantes e cervejarias de alemães ...., onde os *menus* põem água na boca com seus pés de porco ou de vitela, ... suas morcelas brancas" (Eduardo Frieiro, *Feijão, Angu e Couve*, p. 271). [Sin., no RS: *morcilha*.] **2.** Doce feito de miolo de pão, canela, etc., a que se dá o feitio de morcela.

morcilha. [Do esp. plat. *morcilla*.] *S. f. Bras., RS.* Morcela.

mordaça. [Do lat. vulg. *mordacia*.] *S. f.* **1.** Objeto com que se tapa a boca de alguém a fim de que não fale nem grite. **2.** V. *açaimo*. **3.** *Fig.* Repressão da liberdade de escrever ou de falar. **4.** *Bras., S.* Pau fendido longitudinalmente até além do meio, e usado para amaciar a cordoalha; sovador.

mordaçagem. [De *mordaçar* + *-agem*.] *S. f. Grav.* e *Fotograv.* Ação corrosiva dos ácidos sobre as placas, cilindros, etc., que devem constituir a fôrma em vários sistemas de impressão; mordedura.

mordaçar. [Do fr. *mordancer*, com desnasalação.] *V. t. d.* Aplicar mordente (8) a; submeter à ação de mordente. [Conjug.: v. *laçar*.]

mordacidade. [Do lat. *mordacitate*.] *S. f.* **1.** Qualidade de mordaz. **2.** Propriedade de corrosivo. **3.** Maledicência. **4.** Sabor picante ou acre. **5.** Qualidade de crítico muito severo e/ou injusto.

mordacíssimo. [Do lat. *mordacissimu*.] *Adj.* Superl. abs. sint. de *mordaz*.

mordaz. [Do lat. *mordace*, 'que morde'.] *Adj. 2 g.* **1.** Mordente (1). **2.** Corrosivo, destrutivo. **3.** V. *satírico* (3). [Superl. abs. sint.: *mordacíssimo*.]

mordedeira. [De *morder* + *deira*.] *S. f. Bras.* V. *formiga lava-pé*.

mordedela. [De *mordidela*, com assimilação.] *S. f.* V. *mordedura* (1 a 3).

mordedor (ô). *Adj.* e *s. m.* **1.** Que ou aquele que morde. **2.** *Bras. Gír.* Que ou aquele que tem o costume de morder (13), de pedir dinheiro emprestado a amigos e conhecidos; facadista.

mordedura. *S. f.* **1.** Ato ou efeito de morder; dentada. Sin., pop.: *leva-dente*. **2.** Vestígio de dentada. **3.** *Fig.* Impressão, marca, vestígio doloroso. [Sin., nestas acepç.: *mordedela, mordidela, mordimento, mordida, morso*.] **4.** *Grav.* e *Fotograv.* Mordaçagem [q. v.].

morde-e-assopra. [De *morder* + *e*^{2} + *assoprar*.] *S. 2 g.* e *2 n. Bras. Pop.* Pessoa hipócrita.

mordente. [Do lat. *mordente*.] *Adj. 2 g.* **1.** Que morde; mordaz. **2.** Provocador, provocante, excitante: "Sentia uma curiosidade mordente de ver a aplicação do bacalhau, de conhecer de vista esse suplício legendário, aviltante" (Júlio Ribeiro, *A Carne*, p. 44). ● *S. m.* **3.** Preparação adesiva para cobrir objetos que se querem dourar. **4.** Qualquer substância que, combinada com um corante, serve para fixar as cores em pintura ou tinturaria. **5.** Instrumento usado para fixar ou apertar um objeto no lugar. **6.** Extremidade de certas pinças ou de tenazes. **7.** *Encad.* Preparação, geralmente com base em albuminas, usada para fixar a película de metal sobre couro, pano, papel, etc., no processo de douração. **8.** *Grav.* e *Fotograv.* Ácido usado pelo gravador ou fotogravador para fazer corroer as chapas, de metal, pedras litográficas, cilindros, etc. **9.** *Constr. Nav.* Peça fixa no convés, junto ao cabrestante ou ao guincho da amarra, e destinada a morder [q. v.] um dos elos da amarra a fim de que esta não corra, depois de fundeado o navio. **10.** *Mús.* Ornamento melódico, muito usado nas peças para cravo, e que se compõe da nota real, da segunda maior ou menor, superior ou inferior, e da nota real repetida. **11.** *Tip.* Peça móvel do divisório, usada para prender o original e marcar as linhas que o tipógrafo ou o linotipista está compondo.

morder. [Do lat. *mordere*.] *V. t. d.* **1.** Apertar com os dentes; cortar ou ferir com os dentes: *morder os lábios*. **2.** Dar dentada(s) em: *O cão mordeu-o*. **3.** Fazer doer; atormentar, afligir: *A úlcera mordia -lhe o estômago.* **4.** Tostar, crestar, queimar. **5.** Penetrar em; agarrar-se a: *As engrenagens mordiam a madeira.* **6.** Corroer, gastar. **7.** Desgostar, afligir, ralar: O despeito mordeu -a. **8.** Estimular, instigar, incitar, excitar: *Morde -o a curiosidade.* **9.** Falar mal de; criticar, censurar. **10.** *Grav.* e *Fotograv.* Corroer (placas, cilindros, etc.): *O ácido mordeu desigualmente a placa da gravura.* **11.** *Mar.* Apertar, engasgar, entalar (um cabo, corrente, amarra): *A operação foi interrompida porque a talha mordeu o tirador.* **12.** *Mar.* Unhar, aferrar: *O ferro mordeu a lama do fundo e agüentou o navio.* **13.** *Bras.* Pedir dinheiro emprestado a: *Não trabalha, e vive mordendo os amigos. Int.* **14.** Dar dentadas: "Cão que ladra não morde" (prov.). **15.** Ser picante; causar ardor. **16.** Causar comichão ou prurido; comichar, coçar. **17.** Tomar o gosto de algo; experimentar. **18.** *Bras.* Pedir dinheiro emprestado. *P.* **19.** Dar dentadas em si mesmo: "mordia-se rasgando as mangas do casaco, rangia os dentes com risco de os estalar" (Coelho Neto, *Obra Seleta*, I, p. 789). **20.** Desesperar-se, enraivecer-se, irritar-se. **21.** Atormentar-se com algum sentimento agressivo: *morder-se de ciúmes*.

mordexim. [Do concani *modaxi, modxi*, 'quebrantamento'.] *S. m.* V. *cólera* (4).

mordicação. [Do lat. *mordicatione*.] *S. f.* **1.** Ato ou efeito de mordicar. **2.** Sensação que os líquidos acres ou corrosivos produzem no corpo. **3.** A ação desses líquidos.

mordicante. [Do lat. *mordicante*.] *Adj. 2 g.* **1.** Que mordica. **2.** Que produz mordicação (2). [Sin. ger.: *mordicativo*.]

mordicar. [Do lat. *mordicare*.] *V. t. d.* **1.** Morder de leve repetidas vezes: *Mordicava o cachimbo*; "retraindo-se .... à menção de um carinho, a cabeça tombada, mordicando, com os dentinhos brancos, a polpa carnal do beiço rubro..." (Coelho Neto, *Banzo*, pp. 187-188). **2.** Dar dentadas em; morder. **3.** Picar, pungir, estimular. [Conjug.: v. *trancar*. Var.: *mordiscar*.]

mordicativo. [Do lat. *mordicativu*.] *Adj.* Mordicante.

mordida. [Fem. substantivado de *mordido*.] *S. f. Bras. Fam.* V. *mordedura* (1 a 3).

mordidela. [De *mordida* + *-ela*.] *S. f.* V. *mordedura* (1 a 3).

mordido. [Part. de *morder*.] *Adj.* **1.** Que sofreu mordedura. **2.** *Bras. Fig.* V. *embriagado* (1). **3.** *Bras.* Zangado, raivoso, furioso. **4.** *Bras.* Acometido de moléstia venérea. ~ V. *volta —a*.

mordimento. *S. m.* **1.** V. *mordedura* (1 a 3). **2.** *Fig.* Remorso, remordimento.

mordiscar. *V. t. d.* Var. de *mordicar*: "volta a flanar pelo jardim fronteiro, mordiscando um jasmim." (Valdemar Versiani dos Anjos, *Simplício*, p. 40). [Conjug.: v. *trancar*.]

mordível. *Adj. 2 g.* Que se pode morder.

mordomado. [De *mordomo* + *-ado*^{2}.] *S. m.* **1.** Mordomia. **2.** Tempo que dura a mordomia. **3.** Imposto pago por quem tinha mordomo.

mordomar. *V. t. d.* **1.** Administrar como mordomo; mordomear. *Int.* **2.** Exercer as funções de mordomo.

mordomear. *V. t. d.* Mordomar (1). [Conjug.: v. *frear*.]

mordomia. *S. f.* **1.** Cargo ou ofício de mordomo (1); mordomado. **2.** *Bras.* Vantagens tais como moradia, condução, criadagem, alimentação, etc., proporcionadas pelo empregador (privado ou público) a certos executivos [v. *executivo*^{2}], e que lhes aumenta indiretamente os honorários ou salários sem aumento do imposto sobre a renda. **3.** *Bras. Pop.* Bem-estar, conforto; regalia.

mordomo. [Do lat. vulg. *majordomu*, 'o criado maior da casa'.] *S. m.* **1.** Administrador dos bens de uma casa, uma irmandade, de uma confraria, etc.; ecônomo. **2.** Serviçal encarregado da administração duma casa.

moré. *Bras. S. 2 g.* **1.** Indivíduo dos morés, tribo indígena xapacura, da bacia do rio Guaporé. ● *Adj. 2 g.* **2.** Pertencente ou relativo a essa tribo.

moréia^{1}. [Do gr. *myraina*, pelo lat. *muraena*.] *S. f.* **1.** Peixe teleósteo, ápode, da família dos muraenídeos (*Muraena helena* L.), do Mediterrâneo e Atlântico, com aspecto geral de mosaico, de coloração que varia entre o amarelo intenso e o castanho-escuro, manchas brancacentas, e desprovido de escamas. Tem dentes agudos, e peçonha, que inocula através de mordeduras; mede até 1,5 m. É animal agressivo, e alimenta-se de crustáceos, moluscos e peixes de menor porte. Conhecem-se no Brasil cerca de 11 espécies; moréia-comum. **2.** *Bras.* V. *enguia*. **3.** *Bras.* V. *amboré*.

moréia^{2}. *S. f.* Grupo de feixes de trigo ou de outro cereal colocados verticalmente na terra com as espigas para cima.

moréia-amarela. [De *moréia*^{1} + o fem. de *amarelo*.] *S. f. Bras.* V. *moréia-pintada*. [Pl.: *moréias-amarelas*.]

moréia-comum. [De *moréia*^{1} + *comum*.] *S. f.* V. *moréia*^{1} (1). [Pl.: *moréias-comuns*.]

moréia-pintada. *S. f. Bras.* Peixe teleósteo, ápode, da família dos muraenídeos (*Lycodontis ocellatus* (Agass.)), da costa brasileira, de coloração amarelada com pintas escuras. É espécie muito agressiva e tem os hábitos da moréia^{1} (1). [Sin.: *mutuca, mututuca, moréia-amarela*. Pl.: *moréias-pintadas*.]

moreiatim. [De possível or. indígena.] *S. m. Bras.* Peixe teleósteo, haplódoco, da família dos batracoidídeos (*Thalassophyrne branneri* Starks), do Atlântico, de dorso cinza-escuro, abdome creme, e três faixas escuras na parte superior do corpo e nos flancos. Tem aspecto de bagre, a parte anterior do corpo é larga e a posterior se afila bruscamente. Vive na lama da foz dos rios. [Sin.: *pacamão-miri*.]

moreira. [De *amoreira*, com aférese.] *S. f. Bras., Amaz.* Árvore da família das moráceas (*Bagassa guianensis*), de madeira amarela, indicada para a fabricação de canoas, frutos do tamanho de uma laranja e comestíveis, folhas cordiformes, e o látex adocicado; bagaceira. [Cf. *mureira*.]

moreiredo^{1} (ê). [De *moreira* + *-edo*.] *S. m.* Quantidade mais ou menos considerável de amoreiras dispostas proximamente entre si; amoreiral.

moreiredo^{2} (ê). *S. m. Desus.* Lapedo.

morena^{1}. [Do fr. *moraine*.] *S. f. Geol.* Acumulação de rochas detríticas, provenientes do transporte realizado pelas geleiras: "Os primeiros gelos eternos assomam contidos nas muralhas de pedra soltas das morenas." (Alberto Rangel, *Livro de Figuras*, p. 223.) [F. paral.: *moraina*.]

morena^{2}. [De *moreno*.] *Adj. (f.).* **1.** Fem. de *moreno* (1). ● *S. f.* **2.** Mulher morena. **3.** *Bras.* Mulher jovem; moça. **4.** *Bras.* Certa dança acompanhada de canto. **5.** *Bras., SP.* A paca, entre os caçadores do mato. **6.** *Bras., SP.* A perdiz, entre os caçadores do campo. **7.** *Bras., SP.* Moça do campo.

morenaço. [Aum. de *moreno*.] *S. m. Bras.* Homem ou mulher de cor morena, e muito atraente: "Só ele, o morenaço, bonitão, com certeza um pé-de-mesa, só ele passava sem deixar transparecer o impacto, ... sem olhar aquele mar de seios." (Jorge Amado, *Dona Flor e Seus Dois Maridos*, p. 389.)

morenado. [De *moreno* + *-ado*^{1}.] *Adj.* Que se fez moreno; amorenado.

morenense. *Adj. 2 g.* **1.** De, ou pertencente ou relativo a Moreno (PE). ● *S. 2 g.* **2.** Natural ou habitante de Moreno.

morênico. [De *morena*^{1} + *-ico*^{2}.] *Adj.* Referente a morena^{1}.

moreno. [Do esp. *moreno* ('da cor trigueira do mouro') > esp. *moro*, ou do lat. peninsular **maurinus* > **maureno* < *moreno*.] *Adj.* **1.** Que tem cor trigueira: "Morena, desse moreno rosado das brasileiras do Sul, tinha a boca pequena, os dentes alvíssimos" (Artur Azevedo, *Contos Possíveis*, p. 68); "Pastores de tez morena, / queimados ao sol adusto" (Cruz e Sousa, *Obra Completa*, p. 285); "Eu, Diogo Cão, navegador, deixei / Este padrão ao pé do areal moreno / E para diante naveguei." (Fernando Pessoa, *Mensagem*, p. 54). [Em geral só é us. em relação a pessoas ou a coisas relativas ao corpo delas.] **2.** Diz-se dessa cor. ● *S. m.* **3.** Indivíduo que tem essa cor. [Sin., bras., RS, nesta acepç.: *morocho*.] **4.** Essa cor: "Era alta e seca, de um moreno queimado." (Coelho Neto, *Treva*, p. 81); "Que suave moreno o de seu rosto!" (Álvares de Azevedo, *Obras Completas*, I, p. 199). **5.** Homem, indivíduo, pessoa: "A dor é calada. Aconselho moreno nenhum a soltar o verbo." (Carlos Drummond de Andrade, *Jornal do Brasil*, 7.12.1976.)

moreno-mate. *Adj. 2 g.* e *2 n.* Moreno (1) tirante à cor do mate: "Meigo crepúsculo há no teu rosto / moreno-mate." (B. Lopes, *Val de Lírios*, p. 10.)

moreota. [Do gr. mod. *moreótes*.] *Adj. 2 g.* **1.** Da, ou pertencente ou relativo à Moréia ou Peloponeso (Grécia). ● *S. 2 g.* **2.** Natural ou habitante da Moréia.

morerê. [Do tupi *more're*.] *S. m. Bras., Amaz.* V. *acarádisco*.

morerenga. *S. f. Bras.* Certa árvore silvestre.

morfe. [Do gr. *morphé, ês*, 'forma'.] *S. m. Ling.* Qualquer realização concreta de um morfema.

morféia. [Do b.-lat. *morphea*, calcado no gr. *morphé*, 'forma'.] *S. f.* V. *lepra* (1).

morfema. [De *morf(o)-* + a terminação de *fonema*.] *S. m. Ling.* **1.** Elemento (10) que confere o aspecto gramatical ao semantema, relacionando-o na oração e delimitando a função e significado. [Pode ser dependente (*afixo, desinências*, etc.) e independente (*preposição, conjunção*, etc.).] **2.** Forma mínima com significado gramatical [q. v.]. ♦ **Morfema dependente.** V. *morfema* (1). **Morfema independente** V. *morfema* (1).

morfético[1]. [Do mit. *Morfeu* < gr. *Morfeús*, pelo lat. *Morfeu*, + *-t-* + *-ico*[2].] *Adj.* **1.** *Mit.* Relativo a, ou próprio de Morfeu, deus dos sonhos, filho do Sono e da Noite. **2.** Relativo ao sono.

morfético[2]. [De *morféia* + *-t-* + *-ico*[2].] *Adj.* **1.** V. *leproso* (1). ● *S. m.* **2.** V. *leproso* (5).

morfídeo. *S. m.* **1.** Espécime dos morfídeos. ● *Adj.* **2.** Pertencente ou relativo a eles.

morfídeos. *S. m. pl. Zool.* Família de insetos lepidópteros ropalóceros, que compreende os gêneros *Morphos* e assemelhados. Ex.: o azulão.

morfina. [Do fr. *morphine.*] *S. f. Quím.* O principal e mais ativo dos alcalóides do ópio, branco, cristalino, usado como sedativo. [Fórm.: $C_{17}H_{19}O_3N$.]

morfinismo. *S. m. Med.* **1.** Estado mórbido devido ao uso habitual de morfina. **2.** Morfinomania.

morfinização. *S. f.* Ação ou efeito de morfinizar(-se).

morfinizar. *V. t. d.* **1.** Aplicar morfina a. *P.* **2.** Usar ou abusar da morfina: "a sofrer .... de enxaquecas, que .... lhe davam desejos ardentes de s e m o r f i n i z a r, para cair em longos torpores e fruir sonhos paradisíacos." (Visconde de Taunay, *Ao Entardecer*, p. 155).

morfinomania. [De *morfina* + *-o-* + *-mania.*] *S. f.* Vício de morfina; morfinismo.

morfinomaníaco. *Adj.* **1.** Referente à morfinomania. ● *S. m.* **2.** Morfinômano.

morfinômano. *S. m.* Aquele que é dado ao vício da morfina; morfinomaníaco.

morfismo. [De *morf(o)-* + *-ismo.*] *S. m. Álg. Mod.* Aplicação de um conjunto sobre outro, que preserva as operações definidas em ambos.

▲morf(o)-. [Do gr. *morphé* ês.] *El. comp.* = 'forma': *morfologia, morfozoário.* [Equiv.: *-morfo: polimorfo* (< gr. *polymorphos*).]

▲-morfo. Equiv. de *morf(o)-*.

morfogenia. [De *morf(o)-* + *-gen(o)-*[1] + *-ia.*] *S. f. Biol.* Produção ou evolução dos caracteres morfológicos.

morfogênico. *Adj.* Referente à morfogenia.

morfologia. [De *morf(o)-* + *-log(o)-* + *-ia.*] *S. f.* **1.** Tratado das formas que a matéria pode tomar. **2.** *Gram.* O estudo das formas das línguas, i. e., do aspecto formal das palavras, conferido pelos morfemas [v. *morfema*]. ♦ **Morfologia social.** *Sociol.* Estudo das estruturas ou das formas da vida social. **Morfologia vegetal.** O estudo das formas e estruturas dos organismos vegetais.

morfológico. *Adj.* Relativo à morfologia. ~ V. *análise* —a.

morfologista. *S. 2 g.* Especialista em morfologia; morfólogo.

morfólogo. *S. m.* Morfologista.

morfose. [Do gr. *mórphosis*, 'formação'.] *S. f.* **1.** Ato de tomar forma. **2.** Ato de formar ou dar forma. **3.** *Bot.* Determinação ou modificação da forma sob a ação de um fator morfogenético conhecido. Ex.: a morfose mediante a ação da luz, ou fotomorfose.

morfossintático. [De *morf(o)-* + *sintático.*] *Adj.* Relativo à morfossintaxe.

morfossintaxe (ss ou cs). [De *morf(o)-* + *sintaxe.*] *S. f.* Parte da gramática que trata dos morfemas como elementos formadores de palavras, sintagmas e frases.

morfotropia. [De *morf(o)-* + *-trop(o)-* + *-ia.*] *S. f. Fís.-Quím.* Propriedade de substâncias quimicamente aparentadas que se cristalizam num mesmo sistema e têm analogias de comportamento.

morfozoário. [De *morf(o)-* + *-zoário.*] *S. m. Zool.* Qualquer animal cuja forma está bem determinada.

morgada. [Fem. de *morgado.*] *S. f.* **1.** Mulher ou viúva de morgado. **2.** Senhora de bens que constituem um morgado (3).

morgadio. *Adj.* **1.** Relativo ou pertencente a morgado. ● *S. m.* **2.** Bens de morgado. **3.** Qualidade de morgado.

morgado. [Do lat. vulg. **maioricatu* < **maio-oricare* < *maiore*, 'mais velho'.] *S. m.* **1.** Filho primogênito ou herdeiro de possuidor de bens vinculados. **2.** Filho mais velho, ou filho único. **3.** Propriedade vinculada ou conjunto de bens vinculados que não se podiam alienar ou dividir, e que em geral, por morte do possuidor, passava para o filho mais velho. **4.** O possuidor desses bens. **5.** *Fig.* Coisa muito rendosa. ~ V. *morgados.*

morgados. [Pl. de *morgado.*] *S. m. pl.* Espécie de pastel recheado de ovos, amêndoa, etc., e polvilhado com açúcar e canela. ~ V. *morgado.*

morganático. [Do b.-lat. *morganaticu.*] *Adj.* **1.** Diz-se do casamento contraído por príncipe com mulher de condição inferior. **2.** Diz-se da esposa nessa espécie de casamento.

morganho. *S. m.* V. *camundongo.*

morgar. *V. int. Bras. Gír.* Dormir (1). [Conjug.: v. *largar.*]

morgue. [Fr.] *S. f. Gal.* Necrotério.

moribundo. [Do lat. *moribundu.*] *Adj.* **1.** Que está morrendo; que vai acabar; agonizante: "E em farrapos, sozinho, arqueja m o r i b u n d o / Padre Bartolomeu Lourenço de Gusmão..." (Olavo Bilac, *Poesias*, p. 240.) **2.** Desfalecido, amortecido: "Ouvem, loucos de dor, os fúnebres lamentos / Dos magros bois de olhar m o r i - b u n d o e sereno" (Guerra Junqueiro, *A Velhice do Padre Eterno*, p. 217). ● *S. m.* **3.** Aquele que está morrendo.

morigeração. [Do lat. *morigeratione*, 'condescendência', 'complacência'.] *S. f.* **1.** Ato ou efeito de morigerar(-se). **2.** *P. ext.* Moralização. **3.** Bons costumes; boa educação.

morigerado. [Do lat. *morigeratu.*] *Adj.* Que tem bons costumes ou vida exemplar: "Não gostava .... de Cassi. Era, para ele, homem m o r i g e r a d o e trabalhador, um capadócio, um desclassificado" (Lima Barreto, *Clara dos Anjos*, p. 153). [Sin., poét.: *morígero.*]

morigerante. *Adj. 2 g.* Que serve para morigerar.

morigerar. [Do lat. *morigerare*, 'condescender, comprazer'.] *V. t. d.* **1.** Moderar os costumes de; ensinar bons costumes a; educar. *Int.* **2.** Causar morigeração. *P.* **3.** Adquirir bons costumes; passar a portar-se bem. [Pres. ind.: *morigero*, etc. Cf. *morígero.*]

morígero. [Do lat. *morigeru.*] *Adj. Poét.* Morigerado. [Cf. *morigero*, do v. *morigerar.*]

morim. [Do mal. *muri.*] S. m. Pano branco e fino, de algodão, que se usa para roupa-branca, etc.: "afastando a camisinha de m o r i m, pôs a mão um pouco acima da virilha direita." (Ézio Pinto Monteiro, *Chico*, p. 103). [Sin., no N.E. do Brasil: *madapolão, madrasto.*]

morinda. [Do lat. cient. *Morinda*, f. contrata de *Morus indica.*] *S. f.* Arvoreta da família das rubiáceas (*Morinda citrifolia*), originária da Índia e cultivada às vezes, de ramos quadrangulares, folhas elípticas, flores alvas congregadas em glomérulos, frutos globosos, carnosos, e cuja raiz fornece matéria corante amarela.

moringa. [Do cafre *muringa.*] *S. f.* **1.** *Bras.* Garrafão ou bilha de barro para conter e refrescar a água. [Sin.: *quarta, quartilha, quartinha* (N.E. e RS), *bilha* (MA e MG).] **2.** P. ext. *Bras., RJ.* Quartilha (2). [Var., nesta acepç., *moringue.*]

moringácea. *S. f.* Espécime das moringáceas.

moringáceas. *S. f. pl. Bot.* Família de vegetais superiores, da ordem das readales, que engloba árvores de folhas do gênero *Moringa*, própria da África e Ásia.

moringáceo. *Adj.* Pertencente ou relativo às moringáceas.

moringue. *S. m. Bras., RJ.* Var. de *moringa* (2).

morioplastia. [Do gr. *mórion, 'parte do corpo'*, + *-plast-* + *-ia.*] *S.f. Cir.* Restauração cirúrgica de porção ou porções do corpo perdidas.

morique. *S. 2 g.* e *adj. 2 g. Bras.* V. *majuruna.*

morisqueta (ê). [Do esp. plat. *morisqueta.*] *S. f. Bras., RS. Pop.* V. *momices.*

moriti. *S. m. Bras.* V. *buriti-do-brejo.*

morituro. [Do lat. *morituru.*] *S. m. P. us.* Aquele que vai morrer: "E fiquei aqui solitário, o condenado, o empesteado, o m o r i t u r o, o pária." (Rubem Braga, *Ai de Ti, Copacabana!*, p. 166.)

morivene. *Bras. S. 2 g.* **1.** Indivíduo dos morivenes, tribo indígena aruaque do rio Içana (AM). ● *Adj. 2 g.* **2.** Pertencente ou relativo a essa tribo. [Sin.: *sucuriju-tapuia.*]

mormaceira. *S. f.* Mormaço (1 e 2) forte.

mormacento[1]. [De *mormaço* + *-ento.*] Adj. Diz-se do tempo quente e úmido.

mormacento[2]. [De *mormo.*] *Adj.* Semelhante ao mormo.

mormaço. *S. m.* **1.** Tempo mormacento: "Opaco, plúmbeo m o r m a ç o sufocava a terra e o mar." (Carlos Magalhães de Azeredo, *Ariadne*, p. 79.) **2.** Tempo abafadiço; bochorno. **3.** *Bras. Pop.* Sujeito cacete, enjoado, de mau gênio. **4.** *Bras., PE. Pop.* V. *namoro* (1).

mormente. [De *mor* + *-mente.*] *Adv.* Principalmente, sobretudo; maiormente.

mormo (ô). [Do lat. *morbu.*] *S. m. Med.* Doença de eqüídeos, produzida por bacilo, caracterizada por ulcerações na mucosa nasal, múltiplos nódulos subcutâneos e linfadenite, e que se pode transmitir ao homem, sendo a este, quase sempre, fatal; farcino [Pl.: *mormos* (ô). Cf. *lamparão.*]

mórmon. [Do ingl. *mormon* < antr. *Mormon*, de um profeta do séc. IV.] *S. m.* **1.** Sectário do mormonismo. ● *Adj.* **2.** Mormônico. **3.** Que é sectário do mormonismo. [Pl.: *mórmons* e (p. us. no Brasil) *mórmones.*]

mormônico. *Adj.* Referente aos mórmons ou ao mormonismo; mórmon.

mormonismo. [Do ingl. *mormonism.*] *S. m.* Seita religiosa norte-americana fundada em 1827 por Joseph Smith (1805-1844), e cujos membros, os mórmons, praticavam a poligamia, que a lei americana proibiu desde 1887: "Cheguei a lembrar-me do m o r m o n i s m o, a amaldiçoada seita de José Smith." (Aluísio Azevedo, *Livro de uma Sogra*, p. 77.)

mormoso (ô). *Adj.* Que tem mormo; atacado de mormo.

morna. [Fem. substantivado do adj. *morno.*] *S. f. Mús.* Canção e dança popular do arquipélago de Cabo Verde, de caráter dolente e lascivo, em andamento moderado, geralmente em tom menor e ritmo sincopado.

mornança. *S. f. Bras., N.E.* Ação ou efeito de mornar (2); demora, lentidão, retardamento, tardança.

mornar. [De *morno* + *-ar*[2].] *V. t. d.* **1.** V. *amornar* (1). *Int.* **2.** V. *amornar* (2). **3.** *Bras., N.E.* Não ser expedito; demorar, remanchar, tardar. [Pres. ind.: *morno*, etc. Cf. *morno* (ô).]

mornidão. *S. f.* **1.** Estado de morno (1). **2.** *Fig.* Qualidade de morno (2); falta de energia.

morno (ô). *Adj.* **1.** Pouco quente; tépido. **2.** *Fig.* Falto de energia; frouxo. **3.** Tranqüilo, sereno. **4.** Insípido, insulso, monótono: "arrastava uma existência m o r n a e indiferente, sempre ocupada com os seus intermináveis achaques." (Eduardo Frieiro, *O Mameluco Boaventura*, p. 6). ~ V. *panos* —s. [Pl.: *mornos* (ó). Cf. *morno*, do v. *mornar.*]

moroba. [Do tupi *mo'roba.*] *S. f. Bras.* Peixe teleósteo, caraciforme, da família dos caracídeos (*Erythrinus erythrinus* (Schn.)), da Amaz., de coloração idêntica à da traíra comum, da qual se diferencia por detalhes anatômicos e tamanho maior.

morocha (ô). *S. f.* Fem. de *morocho:* "a m o r o c h a mais linda que tenho visto, saltou em cima do Bonifácio, tirou-lhe da mão sem força o facão" (Simões Lopes Neto, *Contos Gauchescos e Lendas do Sul*, p. 136).

morocho (ô). [Do esp. plat. *morocho.*] *S. m. Bras., RS.* **1.** Moreno (3). **2.** Caboclo, mestiço.

mororê. [Do tupi *more're.*] *S. m. Bras., Amaz.* V. *acará-disco.*

mororó. [De provável or. indígena.] *S. m. Bras.* **1.** Árvore da família das leguminosas *(Bauhinia forficata)*, da floresta úmida, de folhas subdivididas em duas partes e dotadas de propriedades hipoglicemiantes, flores amplas, e frutos que são legumes; pata-de-vaca, pé-de-boi. **2.** *Bras., N.* e *N.E.* Designação comum a todas as espécies do gênero *Bauhinia.* **3.** V. *caramuru* (1). ♦ **Estar de mororó.** *Bras., PE* e *MG. Fam.* Estar acamado, por doença; estar de cama: "Deixei a patroa no catre .... quase que morta: prostrada, pançuda. E s t á d e m o r o r ó desde transantontem." (Manuel Lobato, *Garrucha 44*, p. 46.)

mororó-cipó. *S. m. Bras.* V. *cipó-escada.* [Pl.: *mororós-cipós* e *mororós-cipó.*]

morosidade. [Do lat. *morositate.*] *S. f.* Qualidade de moroso; lentidão, vagar, frouxidão.

moroso (ô). [Do lat. *morosu.*] *Adj.* **1.** Que anda ou procede com lentidão: "Arrastados pesadamente por m o r o s o s mas robustos bois de grandes aspas, avançavam os ronceiros veículos" (Júlio Ribeiro, *A Carne*, p. 32). **2.** Demorado, lento: "Eu ficava em casa, ora meio sorumbático, ora caceteando a família inteira, até que ela me mandasse para a rua. Aliás, é m o r o s o e de resultado incerto." (Ciro dos Anjos, *O Amanuense Belmiro*, p. 80.) **3.** Difícil de fazer. [Sin. ger.: *demoroso.*]

morotó. [De provável or. indígena.] *S. m. Bras., N. V. bicheira* (2).

morototó. [De provável or. indígena.] *S. m. Bras.* Árvore da família das araliáceas *(Didymopanax morototoni)*, alta, elegante e só ramificada no ápice, com folhas digitadas e belas, e cujas flores e frutos, uns e outros inconspícuos, dispõem-se em amplas panículas terminais.

morra (ô). [Da 2ª pess. sing. do imperat. do v. *morrer.*] *Interj.* Exprime o desejo de que algo acabe, ou de que alguém seja morto ou afastado de um posto. [Antôn.: *viva.*]

morraça. *S. f.* **1.** O estrume vegetal dos pântanos e dos terrenos lamacentos. **2.** Zurrapa [q. v.]. [Cf. *murraça.*]

morrão[1]. S. m. **1.** Pedaço de corda que se acendia numa das extremidades para comunicar fogo às peças de artilharia. **2.** Extremidade carbonizada de torcida ou de mecha. **3.** V. *cravagem.* **4.** *P. ext.* Grão que apodrece na espiga por causa da cravagem [q. v.].

morrão[2]. *S. m. Bras., SP.* V. *cachaça* (1).

morraria. [De *morro* (1) + *-aria.*] *S. f.* Série de morros:

"os cafezais alinhados, regulares, contínuos, como um tapete crespo, verde-negro, estendido pelo dorso da morraria." (Júlio Ribeiro, *A Carne*, p. 11).

morrediço. [De *morrer* + *-(d)iço*[2].] *Adj.* Que está para morrer; pouco vivedouro; mortiço, morredor, morredouro, morrente, mortal.

morredoiro[1]. [De *morrer* + *-(d)oiro.*] *S. m.* Morredouro[1].

morredoiro[2]. [De *morrer* + *-doiro.*] *Adj.* Var. de *morredouro*[2].

morredor (ô). [De *morrer* + *-(d)or.*] *Adj.* **1.** V. *morrediço.* **2.** *Bras., CE. Pop.* Covarde, pusilânime. ● *S. m.* **3.** *Bras.* Lugar onde algum ser ou alguma coisa acaba, morre. **4.** *Bras.* Lugar onde a caça dificilmente escapa. **5.** *Bras., SP.* Parte do curral-de-peixe em que os peixes ficam definitivamente presos. **6.** *Bras., PR.* Meta ou ponto de chegada, nas corridas de cavalos.

morredouro[1]. [De *morrer* + *-(d)ouro;* var. de *morredoiro*[1].] *S. m.* Lugar doentio, onde ocorrem muitos óbitos.

morredouro[2]. [De *morrer* + *-douro;* var. *morredoiro*[2].] *Adj.* **1.** V. *morrediço.* **2.** Decrépito, fraco, gasto. **3.** Transitório, mortal.

morre-joão. [De *morrer* + o antr. *João.*] *S. m. Bras.* V. *dormideira* (2).

morremorrer. [De *morrer* + *morrer.*] *V. int. Bras.* Morrer lentamente; ir-se acabando: "E já morremorrendo / A coitada falou: // — Piá, não me maltrata não... / Eu levo você pro céu..." (Mário de Andrade, *Poesias*, p. 141.)

morrense[1]. *Adj. 2 g.* **1.** De, ou pertencente ou relativo a Morro do Chapéu (BA). ● *S. 2 g.* **2.** Natural ou habitante de Morro do Chapéu.

morrense[2]. *Adj. 2 g.* **1.** De, ou pertencente ou relativo a Morro do Pilar (MG). ● *S. 2 g.* **2.** Natural ou habitante de Morro do Pilar.

morrente. [De *morrer* + *-nte.*] *Adj. 2 g.* V. *morrediço.*

morrer. [Do lat. vulg. *morrere*, por *mori.*] *V. int.* **1.** Perder a vida; falecer, finar-se, morrer-se, expirar, perecer: "Minha mãe de saudades morreria / Seu eu morresse amanhã." (Álvares de Azevedo, *Obras Completas*, I, p. 326). [Sin., muitos deles bras., pop. ou de gíria: *abotoar, abotoar o paletó, adormecer no Senhor, apagar, apitar, assentar o cabelo, bafuntar, bater a alcatra na terra ingrata, bater a(s) bota(s), bater a caçoleta, bater a canastra, bater a pacuera, bater com a cola na cerca, bater o pacau, bater o prego, bater o trinta-e-um, bater o trinta-e-um-de-roda, botar o bloco na rua, comer capim pela raiz, dar a alma a Deus, dar a alma ao Criador, dar à casca, dar à espinha, dar a lonca, dar a ossada, dar com o rabo na cerca, dar o couro às varas, dar o último alento, defuntar, desaparecer, descansar, descer à cova, descer à terra, descer ao túmulo, desencarnar, desinfetar o beco, desocupar o beco, desviver, dizer adeus ao mundo, embarcar, embarcar deste mundo para um melhor, empacotar, entregar a alma a Deus, entregar a alma ao Diabo, entregar a rapadura, espichar, espichar a canela, esticar, esticar a canela, esticar o cambito, esticar o pernil, estuporar(-se), expirar, fechar o paletó, fechar os olhos, fenecer, finar(-se), ir para a cidade dos pés juntos, ir para a Cacuia, ir para a Cucuia, ir para bom lugar, ir para o Acre, ir para o beleléu, ir para o outro mundo, ir-se, ir(-se) desta para melhor, largar a casca, passar, passar desta para melhor, passar desta para melhor vida, pifar, pitar macaia, quebrar a tira, render a alma ao Criador, render o espírito, vestir o paletó de madeira, vestir o pijama de madeira, virar presunto.*] **2.** Extinguir-se, acabar(-se), findar: "A tarde morre tranqüilamente: / Na freguesia soam trindades" (Conde de Monsaraz, *Musa Alentejana*, p. 17). **3.** Afrouxar gradualmente; desaparecer: *A luz morria no horizonte;* "Ontem à tarde quando o Sol morria, / A natureza era um poema santo" (Castro Alves, *Obras Escolhidas*, p. 97). **4.** Perder (a planta) a cor e o vigor; estiolar-se. **5.** Ficar suspenso; interromper-se: *O grito morreu na garganta.* **6.** Ficar no esquecimento; perder a eficácia: *As palavras dos grandes filósofos nunca morrem.* **7.** Terminar, acabar, findar. **8.** Perder o movimento. **9.** Perder o brilho; tornar-se menos vivo: *A luz do lampadário entrou a morrer.* **10.** Experimentar em grau muito intenso (sentimento, sensação, desejo, etc.): *morrer de amor, de tristeza, de inveja.* **11.** Ter grande afeição, grande amor, a: *morrer pela namorada.* **12.** Lançar suas águas; desaguar. **13.** *Bras. Autom.* Parar de funcionar: *De repente o automóvel morreu. T. i.* **14.** *Bras. Gír.* Satisfazer uma dívida; pagar: *morrer na conta. Pred.* **15.** Achar-se (em determinado estado ou condição) no fim da vida: "Victor Hugo, o maior lírico da idade moderna, morreu riquíssimo." (Olavo Bilac, *Conferências Literárias*, p. 258). *T. d.* **16.** Experimentar, sofrer: "Não poderá arrumar a sua morte. Morrerá uma morte qualquer" (Gustavo Corção, *Lições de Abismo*, p. 172). *P.* **17.** V. *morrer* (1): "E vim a meditar em quem me cercaria, / Depois de eu me morrer, as pálpebras já frouxas." (Cesário Verde, *Obra Completa*, p. 59). **18.** Padecer ou sofrer, desejando intensamente; finar-se: "o simpático alferes Carlos Magno, que era um padecente pelo belo sexo, morria-se por elas" (Virgílio Várzea, *Nas Ondas*, p. 148). [Part.: *morrido* e *morto.*] ● *S. m.* **19.** Morte (1). ♦ **Morrer de rir.** Rir às bandeiras despregadas; gargalhar. **Lindo de morrer.** *Bras. Gír.* Muitíssimo bonito; extraordinariamente lindo.

morretense. *Adj. 2 g.* e *s. 2 g.* Morretiano.

morretiana. [Fem. substantivado do adj. *morretiano.*] *S. f. Bras. Pop.* V. *cachaça* (1).

morretiano. *Adj.* **1.** De, ou pertencente ou relativo a Morretes (PR). ● *S. m.* **2.** O natural ou habitante de Morretes. [Sin. ger.: *morretense.*]

morrião[1]. [Do esp. *morrión.*] *S. m.* Antigo capacete sem viseira e com tope enfeitado: "Fulge o morrião sobre o cabelo louro, / E avultas na moldura, alto, esbelto e membrudo" (Olavo Bilac, *Poesias*, p. 237).

morrião[2]. [Do fr. *mouron*, pelas f. pop. *mourion* e *morion.*] *Bras., S.* Erva da família das primuláceas (*Anagalis arvensis*), exótica, muito disseminada pelo mundo, provida de ramos quadrangulares e alados, folhas sésseis e ovadas, corola rotácea, e frutos capsulares e polispermos.

morrião-d'água. *S. m. Bras., S.* Erva da família das primuláceas (*Samolus aquaticus*), humilde, e provida de folhas e flores pequenas e frutos capsulares. [Pl.: *morriões-d'água.*]

morrião-dos-passarinhos. *S. m. Bras.* Erva da família das cariofiláceas (*Stellaria media*), introduzida na Europa e hoje subespontânea nas regiões mais frias do Brasil. Tem aparência insignificante, a começar pelas pequenas dimensões. [Pl.: *morriões-dos-passarinhos.*]

morrido. [Part. de *morrer.*] *Adj.* ~ V. *morte —a.*

morrinha. *S. f.* **1.** Sarna epidêmica do gado. **2.** Gafeira (1). **3.** Doença epidêmica do gado. **4.** *Pop.* Enfermidade ligeira, ou indisposição física; achaque, ganguê. **5.** *Bras.* Fedor exalado por pessoa ou por animal; catinga, inhaca, bodum. V. *fartum* (3). **6.** *Bras.* Lassidão, lassitude, prostração, quebreira, preguiça. **7.** Melancolia, tristeza. ● *S. 2 g.* e *adj. 2 g.* **8.** *Bras. Gír.* V. *maçante* (2). **9.** *Bras. Gír.* V. *avaro* (1 e 3). **10.** *Bras. Gír.* Preguiçoso; Lerdo.

morrinhar. [De *morrinha* (6) + *-ar*[2].] *V. int.* **1.** V. *amorrinhar-se.* **2.** Aborrecer-se, maçar-se, entediar-se, amolar-se. **3.** *Bras.* Prolongar-se (fato, assunto, etc.) de modo maçante.

morrinhense. *Adj. 2 g.* **1.** De, ou pertencente ou relativo a Morrinhos (GO). ● *S. 2 g.* **2.** Natural ou habitante de Morrinhos.

morrinhento. *Adj.* **1.** Que tem morrinha (1 a 5). **2.** *Pop.* Enfraquecido; achacadiço. **3.** Prestes a extinguir-se; débil, mortiço: "teias de aranha baloiçando nervosamente à luz morrinhenta da candeia." (Antunes da Silva, *Gaimirra*, p. 141). **4.** Alquebrado, lasso, prostrado. **5.** *Bras.* Triste, macambúzio. **6.** *Bras., S.* Diz-se de pessoa ou coisa maçante [q. v.], enervante, cacete: *sujeito morrinhento; chuva morrinhenta.* **7.** *Bras., S.* Entristecido pela chuva: *tarde morrinhenta.*

morro (ô). *S. m.* **1.** Monte pouco elevado; colina, outeiro. **2.** Pedreira. **3.** *Bras.* V. *favela* (1). [Dim. irreg.: *morrote.*] ♦ **Morro de chapéu.** *Bras., BA* e *MG.* Cimo com saliências que semelham abas de chapéu. **Morro pelado.** *Bras., AM.* Pequeno morro com canga e revestido de rala vegetação arbórea, ou sem ela. **Descer o morro.** *Bras., RJ.* Mostrar-se ríspido, grosseiro, grosso; engrossar; entornar o caldo, virar a mesa.

morro-agudense. *Adj. 2 g.* **1.** De, ou pertencente ou relativo a Morro Agudo (SP). ● *S. 2 g.* **2.** Natural ou habitante de Morro Agudo. [Pl.: *morro-agudenses.*]

morro-grandino. *Adj. 2 g.* **1.** De, ou pertencente ou relativo a Morro Grande (RJ). ● *S. 2 g.* **2.** Natural ou habitante de Morro Grande. [Pl.: *morro-grandinos.*]

morrote. *S. m. Bras.* Pequeno morro: "Respirou fundo na descida do morrote." (Ilza do Espírito Santo Porto, *in Contos Alagoanos de Hoje*, p. 67.)

morro-testemunho. *S. m.* Dama (8). [Pl.: *morros-testemunhos* e *morros-testemunho.*]

morrudaço. *Adj. Bras., RS.* Muito morrudo.

morrudo. [Do esp. plat. *morrudo.*] *Adj. Bras., S.* **1.** Grande, volumoso, corpulento. **2.** *pop.* V. *musculoso* (1). **3.** Diz-se da tropa que se compõe de muitas cabeças. **4.** Bem criado; gordo. [Aum. irreg.: *morrudaço.*]

morruense. *Adj. 2 g.* **1.** De, ou pertencente ou relativo a Morros (MA). ● *S. 2 g.* **2.** Natural ou habitante de Morros.

morsa. *S. f. Tip.* A parte dianteira da linotipo, que se abre para permitir acesso ao disco de moldes; tranqueira.

morsegão. [Aum. de um **morsega*, dev. de *morsegar.*] *S. m.* **1.** Bocado que se arranca com os dentes. **2.** V. *beliscão.* [Cf. *morcegão.*]

morsegar. [Do lat. *morsicare.*] *V. t. d.* **1.** Arrancar ou partir com os dentes: mordicar. **2.** Fazer mossa em; esborcinar, amossar. [Var. (com assimilação): *mossegar.* F. paral.: *amorsegar*, var. *amossegar.* Conjug.: v. *regar.* Pres. ind.: *morsego*, etc. Cf. *morcego, do v. morcegar*, este v., e *morcego* (ê).]

morso. [Do lat. *morsu*, 'mordedura'.] *S. m.* **1.** V. *mordedura* (1 a 3). **2.** Bocal do freio.

morsolo. [De um b.-lat. *morsolu.*] *S. m.* Qualquer pastilha medicamentosa.

morta-cor. *S. f.* V. *morte-cor.* [Pl.: *mortas-cores* e *morta-cores.*]

mortadela. [Do it. *mortadella.*] *S. f.* Grande chouriço, espécie de salame.

mortagem. [Do esp. *mortaja.*] *S. f.* Chanfradura na extremidade duma peça de madeira, para receber o topo de outra peça.

mortais. [Pl. de *mortal.*] *S. m. pl.* A espécie humana, a humanidade. ~ V. *mortal.*

mortal. [Do lat. *mortale.*] *Adj. 2 g.* **1.** Sujeito à morte. **2.** Que produz a morte. V. *letal* (1). **3.** V. *morrediço.* **4.** Molesto ao extremo; insuportável. **5.** Passageiro, transitório, efêmero. **6.** Figadal, encarniçado: *ódio mortal; inimigo mortal.* ~ V. *pecado —, pena —* e *restos mortais.* ● *S. m.* **7.** O ser humano; o homem. ~ V. *mortais.*

mortalha. [Do lat. *mortualia*, 'vestes de luto'.] *S. f.* **1.** Vestidura em que se envolve o cadáver que vai ser sepultado. **2.** Pequena tira de papel, ou de palha, em que se embrulha o fumo do cigarro: "Endireitou um dos cigarros e acendeu-o, tapando com os dedos um rasgão da mortalha." (Urbano Tavares Rodrigues, *A Noite Roxa*, p. 164.) ~ V. *mortalhas.*

mortalhas. [Pl. de *mortalha.*] *S. f. pl.* Funeral, funerais, exéquias, mortuório. ~ V. *mortalha.*

mortalidade. [Do lat. *mortalitate.*] *S. f.* **1.** Qualidade ou condição de mortal. **2.** Percentagem de mortes em uma comunidade em determinado período de tempo, para todas as moléstias em conjunto ou para cada uma delas em particular. **3.** V. *mortandade.*

mortandade. [Do lat. *mortalitate.*] *S. f.* Extermínio, chacina, carnificina, matança, mortalidade, morticínio.

morte. [Do lat. *morte.*] *S. f.* **1.** Ato de morrer; o fim da vida animal ou vegetal. **2.** Termo, fim. **3.** Destruição, ruína. **4.** *Fig.* Grande dor; pesar profundo: *A partida do amigo foi para ela uma morte.* **5.** Entidade imaginária da crendice popular, representada, em geral, por um esqueleto humano armado de uma foice com que ceifa as vidas. ♦ **Morte agônica.** O oposto de *morte súbita.* **Morte civil.** Perda de todos os direitos e regalias sociais. [Cf. *morte natural.*] **Morte cósmica.** *Astr.* Fenômeno descrito em certas teorias cosmogônicas, segundo o qual o Universo tenderá a um estado de equilíbrio térmico; morte térmica. **Morte matada.** *Bras. Pop.* Morte não natural; assassínio, assassinato. **Morte moral.** **1.** Perda de todos os sentimentos de honra. **2.** Depravação moral. **Morte morrida.** *Fam.* V. *morte natural* (2). **Morte natural.** **1.** A perda da vida por sentença. [Cf. *morte civil.*] **2.** Morte por doença, morte morrida. [Cf. *morte violenta.*] **Morte súbita.** Terminação rápida ou imprevista da vida por processo mórbido, muitas vezes latente. **Morte térmica.** *Astr.* Morte cósmica. **Morte violenta.** A que não é motivada por doença, como a causada por desastre, homicídio ou suicídio. [Cf. *morte natural.*] **Chorar a morte da bezerra.** *Bras. Pop.* Lastimar-se de um fato irremediável. **De má morte.** De má índole; de mau caráter; ruim. **De morte.** **1.** Mortalmente: "primeiro que lá se chegasse ainda era preciso andar .... Era um poder de passos e paciência, — refletia o pastor, a quem aborreciam de morte os intermináveis torcicolos da vereda." (Trindade Coelho, *Os Meus Amores*, p. 51). **2.** Rancorosamente. **Pensar na morte da bezerra.** Estar distraído, alheio ao que se passa em torno. **Ser de morte.** *Bras. Fam.* **1.** Ser impossível de suportar. **2.** Ser levado do Diabo. **3.** Ser desconcertante, excêntrico.

morte-cor. [De *morta-cor* < *morta*, fem. de *morto*, + *cor.*] *S. f.* As primeiras cores, ordinariamente pouco vivas, que os pintores dão às suas obras: "tudo à distância sobressaía num pálido debuxo de morte-cor." (Alcides Maia, *Tapera*, p. 41). [Var.: *morta-cor.* Sin.: *morte-luz.* Pl.: *morte-cores.*]

morteirada. [De *morteiro*[1] + *-ada*[1].] *S. f.* **1.** Tiro de morteiro[1]. **2.** Pancada com a cabeça; pancada.

morteiro[1]. [Do fr. *mortier*, 'almofariz'.] *S. m.* **1.** Canhão curto que lança projetis com grandes ângulos de elevação. **2.** Pequena peça de ferro que se carrega com pólvora para dar tiros ou para fazer explosão festiva. [Cf. *murteiro*.]

morteiro[2]. [Do it. *mortaro*, 'almofariz'.] *S. m.* **1.** Aquilo que se pisa no almofariz. **2.** *P. ext.* Almofariz. [Cf. *murteiro*.]

morteiro[3]. [De *morte* + *-eiro*.] *Adj. Bras., MG.* Amortecido, lânguido, voluptuoso: *olhos morteiros; olhar morteiro.* [Cf. *murteiro*.]

morte-luz. [De um **morta-luz*, com infl. de *morte-cor*.] *S. f.* V. *morte-cor.* [Pl.: *morte-luzes*.]

mortiçamente. [Do fem. de *mortiço* + *-mente*.] *Adv.* De modo mortiço; com luz mortiça: "todas as casas, a praça, pareciam adormecidas no ar pesado, com uma ou outra janela aberta, *mortiçamente* alumiada." (Eça de Queirós, *A Capital*, p. 44).

morticínio. [Do lat. *morticinu*, 'morte natural', + *-io*[2].] *S. m.* V. *mortandade.*

mortiço. [De *morte* + *-iço*.] *Adj.* **1.** V. *morrediço.* **2.** Prestes a apagar-se, a extinguir-se: "e se sentou à banca de sapateiro, à luz *mortiça* de um bico de gás." (Rui Santos, *Teixeira Moleque*, p. 108). **3.** Sem brilho ou vivacidade; desanimado. **4.** Sem brilho; amortecido, baço, embaciado, fosco: "Era uma criança franzina, mas de grande agilidade, olhos pardos e *mortiços*, ... fronte deprimida." (Sílvio Rabelo, *Euclides da Cunha*, p. 101.)

mortífero. [Do lat. *mortiferu*.] *Adj.* Que produz a morte. V. *letal* (1).

mortificação. [Do lat. *mortificatione*.] *S. f.* **1.** Ato ou efeito de mortificar(-se). **2.** Desgosto, sofrimento, tormento, aflição. **3.** Paralisia parcial.

mortificado. [Part. de *mortificar*.] *Adj.* Apoquentado, desgostoso, atormentado.

mortificador. (ô). *Adj.* **1.** V. *mortificante.* • *S. m.* **2.** Aquele que mortifica.

mortificante. [Do lat. *mortificante*.] *Adj. 2 g.* Que mortifica; mortificador, mortificativo.

mortificar. [Do lat. *mortificare*.] *V. t. d.* **1.** Diminuir ou extinguir a vitalidade de (alguma parte do corpo); entorpecer: *O frio mortifica as mãos da criança.* **2.** Macerar ou torturar (o corpo) com penitências. **3.** Castigar, fazer sofrer (qualquer parte do corpo); torturar: "considerei que as botas apertadas são uma das maiores venturas da terra, porque, fazendo doer os pés, dão azo ao prazer de as descalçar. *Mortifica* os pés, desgraçado, desmortifica-os depois" (Machado de Assis, *Memórias Póstumas de Brás Cubas*, p. 112). **4.** Causar desgosto ou dissabor a; afligir, atormentar: *As contínuas recusas mortificavam-no.* **5.** Apagar, desvanecer, destruir, suprimir. *P.* **6.** Castigar o próprio corpo com penitências. **7.** Afadigar-se, extenuar-se, matar-se: "Pobre, casando não passaria da vida insípida que levam todas as mulheres, ... envelhecendo, *mortificando-se* no trabalho insano" (Coelho Neto, *Turbilhão*, p. 259). **8.** Afligir-se, atormentar-se [Conjug.: v. *trancar*.]

mortificativo. *Adj.* V. *mortificante.*

mortinatalidade. [De *morte* + *-i-* + *natalidade*.] *S. f.* Natimortalidade.

morto (ô). [Do lat. *mortuu*.] *Adj.* **1.** Que morreu; defunto, falecido. **2.** Diz-se do vegetal murcho ou seco. **3.** Inerte, insensível: *Com a queda, a perna ficara-lhe morta.* **4.** Paralisado, entorpecido: *morto de medo.* **5.** Extinto, apagado: *fogo morto.* **6.** Acabado, terminado, encerrado. **7.** Desvanecido, esvaecido, desmaiado, desbotado: *cor morta.* **8.** Esquecido, olvidado. **9.** Sem brilho; sem expressão; inexpressivo: *semblante morto.* **10.** Sem atividade; sem vida: *A cidade estava morta.* **11.** Sem préstimo; inútil. **12.** Caído em desuso. **13.** Muito fatigado; exausto: *Não agüento mais sair hoje: estou morta.* **14.** Muito desejoso; ávido: *Anda morto por viajar.* **15.** Fortemente possuído por algum sentimento ou emoção: *morto de paixão; morto de inveja.* ~ V. *arquivo —, dia —, em ponto —, fronteira —a, horas —as, letra —a, língua —a, noite —a, obras —as, peso —, ponto —, tempo —* e *zona —a.* • *S. m.* **16.** Aquele que morreu; extinto. **17.** Cadáver humano: *Apareceu um morto na praia.* **18.** Em certos jogos de azar, como, p. ex., a canastra e o buraco, cada um dos montes de cartas que os parceiros que primeiro descartam as suas tomam para continuar o jogo, sem o quê não poderão bater. **19.** No bridge, o parceiro do carteador, que põe suas cartas na mesa e não joga naquela mão. **20.** *Bras.* Biriba[3] (2). **21.** *Bras., RS.* Pau enterrado, ao qual se prende o rabicho para firmar o mestre do aramado. ♦ **Morto de.** Em alto grau; excessivamente; muitíssimo: *morto de cansaço; morto de sede; morto de ódio.* **Morto e vivo.** *Bras., N.E.* Espécie de fantasma ou visagem. **Nem morto.** *Bras.* Sob nenhum pretexto; de forma nenhuma; de jeito nenhum. **Ser morto e vivo em.** *Bras., N.E.* e *lus. Fam.* Freqüentar muito assiduamente (um lugar): "D. Constança *era morta e viva na* escola primária." (João de Araújo Correia, *Terra Ingrata*, p. 182); *O Sebastião não larga de mão a Joana; é morto e vivo na casa dela.*

morto-a-fome. *S. m. Pop.* V. *avaro* (3). [Pl.: *mortos-a-fome*.]

morto-carregando-o-vivo. *S. m. Bras., N.E. Folcl.* Personagem fantástico do bumba-meu-boi [q. v.], representado por um ator mascarado, com o torso de um boneco na frente e os membros inferiores atrás, dando a impressão de que o inanimado carrega o animado. [Pl.: *mortos-carregando-o-vivo*.]

mortório. [De *mortuório*, com síncope.] *S. m.* **1.** V. *funeral* (2). **2.** Parte das sementeiras em que a semente não chegou a germinar. **3.** Esquecimento; desuso. **4.** *Bras., PE.* Ócio, descanso; vagar, lazer. [Cf. *mortuório*.]

mortualha. [Do lat. *mortualia*.] *S. f.* **1.** Grande porção de cadáveres. **2.** V. *funeral* (2).

mortuárias. [Fem. pl. substantivado de *mortuário*.] *S. f. pl.* Aquilo que dos bens de um defunto se pagava à Igreja; mortulhas.

mortuário. [Do lat. *mortuariu*.] *Adj.* Fúnebre (1).

mortulhas. [De *morte*.] *S. f. pl.* Mortuárias.

mortuório. [Do lat. *mortuu*, 'morto', + *-ório*.] *S. m.* V. *funeral* (2). [Cf. *mortório*.]

mortuoso (ô). [Do lat. *mortuosu*.] *Adj.* V. *cadavérico* (1).

morubixaba. [Do tupi *morubi'xawa*.] *S. m. Bras.* **1.** Chefe temporal das tribos indígenas brasileiras: "Demais, rei do Eldorado, ou soba numa cubata zanzibarita, rei-sol ou *morubixaba*, à sua dignidade lhe seriam indispensáveis os prejuízos e percalços da investidura tradicional e divina" (Alberto Rangel, *Lume e Cinza*, p. 114). [O espiritual é o *pajé* (q. v.). Var. e sin.: *murumuxaua, muruxaua, tubixaba, tuxaua, cacique, curaca*.] **2.** V. *mandachuva.* **3.** *Pop.* Chefe, patrão.

mórula[1]. [Do lat. *morula*.] *S. f.* Pequena mora ou demora.

mórula[2]. [Do lat. mod. *morula*, dim. de *morum*, 'amora'.] *S. f.* Agregado de células proveniente da segmentação do ovo fecundado.

morupeteca. [Do tupi *mborope'teka*.] *S. f. Bras., Amaz.* V. *formiga-correição.*

mosaicista. *Adj. 2 g.* e *s. 2 g.* Que ou quem trabalha em obras de mosaico; mosaísta.

mosaico[1]. [Do it. *mosaico*.] *S. m.* **1.** Pavimento de ladrilhos variegados. **2.** Embutido de pequenas pedras, ou de outras peças de cores, que pela sua disposição aparentam desenho. **3.** *Fig.* Qualquer trabalho intelectual ou manual composto de várias partes distintas ou separadas. **4.** *Encad.* Trabalho em que recortes de couro, de diferentes cores, são embutidos ou superpostos, formando compartimentos ou ornatos na pele que cobre um livro. **5.** *Fitopatol.* Moléstia das plantas, causada por vírus, e que produz, nas folhas, áreas pálidas que contrastam com as áreas verdes e normais.

mosaico[2]. [Do gr. *mosaikós*.] *Adj.* Relativo ou pertencente ao profeta e legislador bíblico Moisés, personagem do Velho Testamento, ou próprio dele: *legislação mosaica.*

mosaísta. *Adj. 2 g.* e *s. 2 g.* Mosaicista.

mosca (ô). [Do lat. *musca*.] *S. f.* **1.** *Bras.* Designação comum a todos os insetos dípteros, ciclorrafos, esquizóforos, entre os quais se inclui a mosca-doméstica [q. v.]. Constituem a grande maioria dos dípteros, cujo número de espécies ultrapassa hoje os 85.000. **2.** *Fig.* Pessoa importuna, impertinente, insistente. **3.** Pequena porção de barba que se deixa crescer sob o lábio inferior: "o Sr. Morais Carvalho, de bigode e *mosca*" (Fialho d'Almeida, *Pasquinadas*, p. 260). **4.** Pinta[1] (2) artificial que se usa no rosto. **5.** O ponto central, negro, do alvo empregado em exercícios de tiro. **6.** Pontos fortes, muitas vezes formando desenho, com que se rematam certas obras de costura. **7.** *Tip.* Borboleta (7). **8.** *Astr.* Pequena constelação austral, próxima ao Centauro. [Pl.: *moscas* (ô). Cf. *mosca* e *moscas*, flex. de *mosco*.] ♦ **Moscas volantes.** *Med.* Escotoma cintilante [q. v.]. **Acertar na mosca.** Acertar em cheio. **Às moscas.** **1.** Em ociosidade, ou ocupado com bagatelas: *andar às moscas; viver às moscas.* **2.** Sem ser freqüentado, ou quase sem o ser; sem ou quase sem clientes ou espectadores: "Entretanto Lisboa está deserta. Os teatros *às moscas*" (Fialho d'Almeida, *O País das Uvas*, p. 35). **Com a mosca azul.** *Bras.* Em estado de tentação de glória, de aspiração a posto elevado, a situação de grande relevo: *Desde alguns anos está com a mosca azul, pensando em ser ministro.* **Comer mosca.** *Bras. Gír.* **1.** Ser logrado. **2.** Não perceber, não compreender algo. [Sin. ger.: *papar mosca*.] **Dar mosca.** Repetir-se um número (no jogo da roleta). **Papar mosca.** *Bras. Gír.* Comer mosca.

mosca-berneira. *S. f. Bras.* Mosca-do-berne. [Pl.: *moscas-berneiras*.]

mosca-da-madeira. *S. f. Bras.* Inseto díptero, da família dos pantoftalmídeos (*Pantophthalmus pictus* Wied e espécies do mesmo gênero), de grandes dimensões, que brocam a madeira para criar suas larvas. Ocorrem na casuarina e em outras plantas. [Sin.: *moscardo, tavão, moscão*. Pl.: *moscas-da-madeira*.]

mosca-das-frutas. *S. f. Bras.* Inseto díptero, da família dos tripetídeos (*Anastrepha fratercula* (Wied.)), originária do Brasil, hoje introduzida em outros países. A larva ataca os frutos de várias plantas cultivadas e silvestres. [Sin.: *bicho-das-frutas*. Pl.: *moscas-das-frutas*.]

mosca-de-casa. *S. f. Bras.* V. *mosca-doméstica.* [Pl.: *moscas-de-casa*.]

mosca-de-fogo. *S. f. Bras., BA.* V. *pirilampo.* [Pl.: *moscas-de-fogo*.]

moscadeira. [De *moscado* + *-eira*.] *S. f.* Árvore da família das miristicáceas (*Myristica fragrans*), não cultivada no Brasil, que cede o produto conhecido como *noz-moscada*, e cujos frutos, do mesmo nome, são cápsulas carnosas, das quais sai a semente única, a qual tem um arilo avermelhado e fortemente aromático, dito *macis*, que é a especiaria propriamente dita; noz-moscada.

moscadeira-do-brasil. *S. f. Bras.* V. *bicuíba-redonda.* [Pl.: *moscadeiras-do-brasil*.]

moscadeiro. *S. m.* Utensílio com o feitio de vassoura ou de abano, para enxotar moscas.

moscado. [Do b.-lat. *muscatu*.] *Adj.* Almiscarado; aromático.

mosca-do-bagaço. *S. f. Bras., SC.* V. *mosca-dos-estábulos.* [Pl.: *moscas-do-bagaço*.]

mosca-do-berne. *S. f. Bras.* Inseto díptero, cuterebrídeo, calipterado, da família dos oestrídeos (*Dermatobia hominis* (L. Jr.)), da região neotrópica. Adulto com 15 a 17 mm de comprimento; tórax castanho-escuro, tirante a azul; abdome azul-metálico; segundo segmento abdominal com o bordo anterior esbranquiçado; asas castanho-escuras. Põe os ovos em outros dípteros hematófagos, que os levam aos hospedeiros definitivos. As larvas têm o nome de *berne*. O gado bovino é o mais atacado entre os animais domésticos. [Sin.: *mosca-berneira*. Pl.: *moscas-do-berne*.]

mosca-do-gado. *S. f. Lus.* V. *mosca-dos-estábulos.* [Pl.: *moscas-do-gado*.]

mosca-do-mediterrâneo. *S. f. Bras.* Inseto díptero, da família dos tripetídeos (*Ceratis capitata* (Eied.)), originário da África do Norte, atualmente cosmopolita. A larva ataca os frutos de várias plantas, provocando-lhes o apodrecimento rápido. Tem grande importância econômica. [Sin.: *mosca-rajada*. Pl.: *moscas-do-mediterrâneo*.]

mosca-doméstica. *S. f. Bras.* Inseto díptero, da família dos muscídeos (*Musca domestica* (L.)), cosmopolita. Põe ovos em matéria orgânica em decomposição, lixo, esterco, etc. A evolução do ovo ao inseto adulto é feita em cerca de oito dias, de acordo com a temperatura, alimentação e outros fatores. Transmite a febre tifóide. [Sin.: *mosca-de-casa, mosquito* (MG). [Pl.: *moscas-domésticas*.]

mosca-dos-estábulos. *S. f. Bras.* Inseto díptero, da família dos muscídeos (*Stomoxys calcitrans* (L.)), cosmopolita. Suga o sangue de animais, sobretudo de cavalos, e lhes transmite doenças. Nos jardins zoológicos ataca as orelhas dos animais, chegando a causar feridas. [Sin.: *mosca-do-bagaço, mosca-do-gado, beruanha, bironha, meruanha, muruanha*. Pl.: *moscas-dos-estábulos*.]

mosca-morta. *S. 2 g.* **1.** Pessoa dissimulada, aparentemente inofensiva. **2.** Pessoa indolente, ou sem animação, sem vida. [Pl.: *moscas-mortas*.]

moscão. [De *mosca* (ô) + *-ão*[1].] *S. m.* **1.** *Bras.* V. *mosca-da-madeira.* **2.** *Fig.* Pessoa sonsa.

mosca-rajada. *S. f. Bras.* Mosca-do-mediterrâneo. [Pl.: *moscas-rajadas*.]

moscar. *V. int.* e *p.* **1.** Fugir das moscas, como o gado. **2.** *Fig.* Desaparecer, sumir-se, safar-se: "nada mais tenho que fazer aqui! *Musco-me!* Ponho-me ao fresco!" (Aluísio Azevedo, *O Mulato*, p. 246). [Irreg. O *o* da raiz muda-se em *u* nas f. rizotônicas. Além disso, o *c* transforma-se em *qu* antes de *e* (v. *trancar*). Pres. ind.: *musco, muscas, musca, moscamos, moscais, muscam;* imperat.: *musca, moscai,* etc.; pres. subj.: *musque, musques, musque, mosquemos, mosqueis, musquem.*]

moscardo. [De *mosca* + *-ardo.*] *S. m.* **1.** V. *mosca-da-madeira:* "afugentou os moscardos que zumbiam sobre a rude face adormecida" (Eça de Queirós, *Contos,* p. 143). **2.** *Bras., PE. Gír.* Polícia secreta.

moscaria. *S. f. Fam.* Grande porção de moscas; mosquedo.

moscatel. [Do cat. *moscatell,* talvez pelo esp. *moscatel.*] *Adj. 2 g.* **1.** Diz-se de uma variedade de uva apreciadíssima, e da qual existem várias espécies. **2.** Diz-se do vinho feito dessa uva. **3.** Diz-se de certa variedade de figo, de pêra e de maçã. ● *S. m.* **4.** Vinho feito de uva moscatel. [Pl.: *moscatéis.*]

moscatelina. [De *moscatel* + *-ina*[1].] *S. f.* Pequena erva da família das caprifoliáceas (*Adoxa moschatelina*), originária da Europa, provida de tubérculo subterrâneo, e cujas folhas são biternadas, sendo as flores verdes e pequeninas.

mosca-varejeira. *S. f. Bras.* **1.** Designação comum às espécies de moscas que fazem postura na carne. Os ovos (*varejas*), postos juntos, são, em geral, esbranquiçados; as larvas têm o nome de *bicho-vareja.* **2.** Inseto díptero, da família dos califorídeos (*Cochliomya macellaria* (Fabr.)), caracterizado por ter o último segmento do abdome visível e com duas manchas laterais claras, quando visto de cima, e tórax azul-esverdeado, com três faixas longitudinais negras. **3.** Designação comum a numerosos sarcofagídeos, particularmente as espécies do gênero *Sarcophaga* Meigen, cujas fêmeas são ovovivíparas. [F. red.: *varejeira;* sin.: *vareja.* Pl.: *moscas-varejeiras.*]

mosco. [Do lat. *moscu,* sing. de *moschi,* 'os moscos'.] *S. m.* **1.** Indivíduo dos moscos, antigo povo oriental que habitava entre o mar Cáspio e o Mar Negro. ● *Adj.* **2.** Pertencente ou relativo a esse povo. [Flex.: *mosca, moscos, moscas.* Cf. *mosco* (ô), s. m., pl. *moscos* (ô); *mosca* (ô), s. f., pl. *moscas* (ô), e *Mosca* (ô), antr.]

mosco (ô). *S. m.* Mosca pequena; mosquito. [Pl.: *moscos* (ô). Cf. *mosco,* pl. *moscos,* e *Mosco,* antr.]

moscóvia. [Do top. *Moscóvia* (Moscou).] *S. f.* V. *couro da Rússia:* "móveis de jacarandá forrados de moscóvia com tachas de prata." (José de Alencar, *O Sertanejo,* p. 56).

moscovita. [Do top. *Moscóvia* (Moscou) + *-ita*[2].] *Adj. 2 g.* **1.** De, ou pertencente ou relativo a Moscou, capital da Rússia; russo. ● *S. 2 g.* **2.** Natural ou habitante de Moscou; russo. ● *S. f.* **3.** *Min.* Mineral monoclínico, branco ou amarelado, do grupo das micas, hidrossilicato de alumínio e potássio.

mosleme. [Do ár. *muslim,* 'muçulmano' (q. v.).] *Adj. 2 g.* e *s. m.* V. *maometano.*

moslêmico. [De *mosleme* + *-ico*[2].] *Adj.* Relativo aos, ou próprio dos moslins.

moslemita. [De *mosleme* + *-ita*[2].] *S. 2 g.* Pessoa que, deixando o cristianismo, abraçou o maometismo.

moslim. [Do ár. *muslim,* 'muçulmano' (q. v.).] *Adj. 2 g.* e *s. m.* V. *maometano.*

mosqueado. [Part. de *mosquear*[1].] *Adj.* Que tem malhas escuras; pintalgado, sarapintado.

mosqueamento. *S. m.* Ação ou efeito de mosquear[1].

mosqueador (ô). [De *mosquear*[1] (1) + *-(d)or.*] *Adj. Bras., RS.* Diz-se do animal que mosqueia [v. *mosquear*[2]] constantemente.

mosquear[1]**.** [De *mosca* + *-ear.*] *V. t. d.* **1.** Salpicar de pintas ou manchas, ou como que de pintas ou manchas: "Os seus rios [da lua crescente], transparecendo por entre o verde-negro das copas do arvoredo, ... descem trêmulos sobre o chão pardo e mosqueiam-lhe a superfície, semelhante, depois disso, a dorso de pantera." (Alexandre Herculano, *Lendas e Narrativas,* II, pp. 115-116); "Manchas vivas de gado mosqueavam os longes da várzea" (Augusto Meyer, *Prosa dos Pagos,* p. 145). *P.* **2.** Cobrir-se de manchas ou pintas. [Conjug.: v. *frear.*]

mosquear[2]**.** [Do esp. plat. *mosquear.*] *V. int. Bras., RS.* **1.** Afugentar com a cauda as moscas. [Aplica-se ao gado.] **2.** Mover a cauda [o eqüídeo] ao ser açoitado ou ao sentir o contato da espora do cavaleiro. **3.** Vagabundar, vagabundear. [Conjug.: v. *frear.*]

mosquedo (ê). [De *mosca* + *-edo.*] *S. m.* **1.** Moscaria: "Esta porcaria dos canais [de Amsterdã] é um viveiro de mosquedo pavoroso." (Ramalho Ortigão, *A Holanda,* p. 41.) **2.** Lugar onde há moscas em abundância.

mosqueirense. *Adj. 2 g.* **1.** De, ou pertencente ou relativo a Mosqueiro (PA). ● *S. 2 g.* **2.** Natural ou habitante de Mosqueiro.

mosqueiro. [De *mosca* + *-eiro.*] *S. m.* **1.** Lugar onde há moscas em abundância; mosquedo. **2.** Utensílio ou qualquer objeto com que se apanham ou afugentam moscas; mosquiteiro. **3.** *Bras., PE.* Casa de pasto de última classe; tasca, espelunca.

mosqueta (ê). [Do esp. *mosqueta.*] *S. f. Bras.* V. *bogari.*

mosquetaço. *S. m.* Tiro de mosquete; mosquetada.

mosquetada. *S. f.* **1.** Mosquetaço. **2.** Ferida produzida por mosquetaço. [Cf. *mosquitada.*]

mosquetão[1]**.** [De *mosca?*] *S. m.* Peça metálica destinada a prender o relógio à respectiva corrente.

mosquetão[2]**.** [De *mosquete*[1].] *S. m. Bras.* Fuzil pequeno usado pelos soldados de cavalaria e de artilharia.

mosquetaria. *S. f.* **1.** Grande porção de mosquetes, ou de mosqueteiros, ou de tiros de mosquete. **2.** Tiros de espingarda, de pistola ou de arma semelhante.

mosquete[1] (ê). [Do it. *moschetto.*] *S. m.* Arma de fogo antiga, com o feitio da espingarda, porém muito mais pesada, a tal ponto que para servir tinha de ser apoiada em uma forquilha.

mosquete[2] (ê). [De *mosca* + *-ete.*] *S. m. Bras., N.E.* Cavalo pequeno e corredor.

mosquetear. *V. t. d.* **1.** Disparar tiro(s) de mosquete[1] contra. *Int.* **2.** Dar tiros de mosquete. [Conjug.: v. *frear.*]

mosqueteiro. *S. m.* **1.** Antigo soldado armado de mosquete[1]: "Os mosqueteiros bem como os arcabuzeiros iam efetuando boa obra" (Aquilino Ribeiro, *Portugueses das Sete Partidas,* p. 99). **2.** *Bras. Fut.* V. *corintiano*[2] (3). ● *Adj.* **3.** *Bras. Fut.* V. *corintiano*[2] (1 e 2). [Cf. *mosquiteiro.*]

mosquitada. [De *mosquito* + *-ada*[1].] *S. f. Bras.* Quantidade de mosquitos; mosquitama. [Cf. *mosquetada.*]

mosquitador (ô). *S. m. Bras.* **1.** Indivíduo que negocia com mosquitos ou diamantes miúdos [v. *mosquito* (3)]. **2.** Pequeno comprador de pedras preciosas.

mosquitama. [De *mosquito* + *-ama.*] *S. f. Bras.* Mosquitada.

mosquiteiro. [De *mosquito* + *-eiro.*] *S. m.* **1.** Cortinado ou rede para proteger contra os mosquitos. **2.** Mosqueiro (2). **3.** *Bras.* Árvore da família das leguminosas (*Machaerium angustifolium*), de flores violáceas, que formam panículas, de frutos secos e duros, com longa asa terminal, coriácea, e cuja madeira, embora pouco importante, é aproveitável. **4.** *Bras., RS.* Ajuntamento de espectadores de festa doméstica que ficam no lado de fora da casa. [Sin., nesta acep., no N. e no N.E.: *sereno.* Cf. *mosqueteiro.*]

mosquitinho. [Dim. de *mosquito.*] *S. m. Bras.* Pequena abelha preta, que faz casa no chão.

mosquito. [De *mosca* + *-ito*[1].] *S. m.* **1.** Inseto díptero, da família dos culicídeos, de porte pequeno, pernas muito longas, corpo e asas revestidos de escamas, antenas longas e finas, com 16 artículos. O ciclo evolutivo efetua-se em duas fases distintas: a primeira, na água, onde são depositados os ovos e se desenvolvem as larvas e pupas; a segunda é alada e terrestre. Entre os mosquitos se incluem os anofelinos e culicíneos (de grande importância médica). [Sin.: *pernilongo, mosquito-prego, muriçoca, carapanã, carapanã-pinima, fincão, fincudo, sovela, perereca, bicuda.*] **2.** *Bras., MG.* V. *mosca-doméstica.* **3.** *Bras.* Em regiões diamantíferas, o diamante miúdo. **4.** *Bras., N.E.* Pequeno busca-pé sem bomba; bicha de rabear. **5.** *Bras. Fam.* Pessoa baixa e de feições miúdas.

mosquito-berne. *S. m. Lus.* Designação comum aos insetos dípteros da família dos tipulídeos, de longas pernas, e que não picam os homens nem os animais, vivem em lugares escuros e, quando incomodados, levantam e abaixam rapidamente o corpo, imitando certas aranhas. Há no Brasil a crença, sem fundamento, de que transmitem o berne. [Sin.: *melga.* Pl.: *mosquitos-bernes* e *mosquitos-berne.*]

mosquito do mangue. *S. m. Bras.* V. *maruim.* [Pl.: *mosquitos-do-mangue.*]

mosquito-elétrico. *S. 2 g. Bras. Fam.* Indivíduo irrequieto, agitado, buliçoso. [Pl.: *mosquitos-elétricos.*]

mosquito-palha. *S. m. Bras.* **1.** V. *maruim.* **2.** V. *flebótomo.* [Pl.: *mosquitos-palhas* e *mosquitos-palha.*]

mosquito-pólvora. *S. m. Bras.* V. *maruim.* [Pl.: *mosquitos-pólvoras* e *mosquitos-pólvora.*]

mosquito-prego. *S. m. Bras.* V. *mosquito* (1). [Pl.: *mosquitos-pregos* e *mosquitos-prego.*]

mossa. [Do lat. *morsu,* 'mordedura, morso', com mudança de declinação.] *S. f.* **1.** Vestígio de pancada ou de pressão. **2.** Cavidade dos dentes do pau da canga. **3.** Entalho, rebaixo ou cavidade no fio duma lâmina, ou em qualquer superfície acutangular ou boleada. **4.** *Fig.* Impressão moral; abalo. **5.** *Bras., RS.* Sinal que se faz, como marca, na orelha de uma rês. [Pl.: *mossas.* Cf. *moça* e *moças,* do v. *moçar,* e *moça* (ô), s. f. e pl. *moças* (ô).]

mossamedino. *Adj.* **1.** De, ou pertencente ou relativo a Mossâmedes (GO). ● *S. m.* **2.** O natural ou habitante de Mossâmedes.

mossegar. *V. t. d.* V. *morsegar.* [Conjug.: v. *regar.*]

mossoró. [Do top. *Mossoró* (RN).] *S. m. Bras., PB.* Certo vento periódico que sopra do Norte.

mossoroense (ôên). *Adj. 2 g.* **1.** De, ou pertencente ou relativo a Mossoró (RN). ● *S. 2 g.* **2.** Natural ou habitante de Mossoró.

mostaço. [De *mosto* + *-aço.*] *S. m.* Grande porção de mosto.

mostárabe. *Adj. 2 g.* e *s 2 g.* V. *moçárabe.*

mostarda. [De *mosto.*] *S. f.* **1.** Semente da mostardeira. **2.** Mostardeira (1). **3.** Farinha ou pó de mostarda (1) seco e moído, que serve como condimento, ou como medicamento revulsivo. **4.** Pasta de preparação caseira ou industrial, feita com mostarda (2), mosto, vinagre, sal e substâncias aromatizadas, e que se usa como condimento. **5.** *Fig.* Estímulo, incentivo. **6.** Tiroteio, pancadaria. ● *S. m.* **7.** *Bras. SP.* Chumbo muito fino. ◆ **Subir a mostarda ao nariz de.** Ter (alguém) um acesso de fúria: *Ao ouvir o insulto, subiu-lhe a mostarda ao nariz.*

mostardal. [De *mostarda* + *-al.*] *S. m.* Quantidade mais ou menos considerável de mostardeiras dispostas proximamente entre si.

mostardeira. [De *mostarda* + *-eira.*] *S. f.* **1.** Erva da família das crucíferas (*Sinapis alba*), cujas folhas, comestíveis, têm sabor picante, e de cujas sementes se retira um pó amarelo, a *mostarda,* com que se preparam vários condimentos muito picantes, e também usado como remédio, em cataplasmas; mostarda. **2.** Vaso em que se serve, à mesa, o molho ou a farinha de mostarda; mostardeiro.

mostardeiro. *S. m.* **1.** Vendedor de mostarda. **2.** Mostardeira (2).

mosteiro. [Do gr. *monastérion,* pelo lat. *monasteriu.*] *S. m.* Habitação de monges ou monjas [v. *convento* (1)]. "Oh! se algum desses monges, que erram de mosteiro em mosteiro, ... ali passasse, naquelas serranias!" (Eça de Queirós, *Últimas Páginas,* p. 264.)

mostífero. [De *mosto* + *-i-* + *-fero.*] *Adj.* **1.** Que produz mosto. **2.** Em que há mosto.

mosto (ô). [Do lat. *mustu.*] *S. m.* **1.** Sumo de uvas, antes de terminada a fermentação: "vermelha e espumosa como o mosto dos nossos vinhos" (Ramalho Ortigão, *Figuras e Questões Literárias,* I, p. 236). **2.** Suco em fermentação, de qualquer fruta açucarada. **3.** Enxame de abelhas.

mostra. [Dev. de *mostrar.*] *S. f.* **1.** Ato ou efeito de mostrar. **2.** *Mar. G.* Nos navios de guerra, faina (1), geral ou parcial, na qual se verificam ou fiscalizam uniformes, aspecto do estado do pessoal, condições dos ranchos, dos dormitórios, do armamento, etc. **3.** Exposição de obras de caráter artístico, literário, histórico, etc. ~ V. *mostras.*

mostrador (ô). *Adj.* **1.** Que mostra. ~ V. *dedo —.* ● *S. m.* **2.** A parte do relógio onde estão indicadas as horas e os minutos. **3.** Mesa, balcão, vitrina ou qualquer outra parte de um estabelecimento comercial em que se possam expor mercadorias à venda; mostruário.

mostrar. [Do lat. *monstrare.*] *V. t. d.* **1.** Expor à vista; fazer ver; exibir, apresentar: *Mostrou algumas de suas jóias.* **2.** Dar a conhecer; pôr às claras; manifestar, significar, denotar: *Seu comportamento mostrava insegurança.* **3.** Apontar, indicar, notar; *mostrar as falhas de um raciocínio.* **4.** Tornar evidente; provar, demonstrar, patentear: *O promotor conseguiu mostrar a culpa do acusado.* **5.** Dar sinal de; fingir, simular, aparentar. *T. d. e i.* **6.** Expor à vista; fazer ver; apresentar: *Mostrou a casa ao visitante.* **7.** Dar a conhecer; manifestar: "Envelhecera. O espelho mostrava-lhe os cabelos brancos, as rugas." (Herberto Sales, *Histórias Ordinárias,* p. 107.) **8.** Apontar, indicar, indigitar: "— Gostaria de mostrar-lhe, minha amiga, coisas interessantes que já assinalei." (Nélson Vaz, *Por Amor ao Idioma,* p. 43.) **9.** Simular, aparentar. **10.** Provar, demonstrar. *P.* **11.** Manifestar-se, revelar-se: "Nas crises .... e, pois, no prolongamento verdadeiro do processo de guerra onde robustecera o caráter, Floriano mostrou-se completo." (Costa Rego, *Águas Passadas,* p. 49.) **12.** Aparecer em público; dar nas vistas. **13.** Dar mostras de. [Var.: *amostrar.*]

mostras. [Pl. de *mostra.*] *S. f. pl.* Atos exteriores; manifestações; aparências. ~ V. *mostra.*

mostrengar. *V. t. d.* e *p.* Tornar(-se) mostrengo. [Conjug.: v. *largar.*]

mostrengo. [Do esp. *mostrenco.*] *S. m.* **1.** Pessoa disforme, malproporcionada e/ou muito feia; monstro. **2.** Aquilo que é desconforme, desproporcional ou contrário à normalidade. **3.** Entidade fantástica; monstro: "O mostrengo que está no fim do mar / Na noite de breu ergueu-se a voar" (Fernando Pessoa, *Obra Poética,* p. 79). [Var.: *monstrengo* (q. v.).]

mostruário. [De *monstrar.*] *S. m. Bras.* **1.** Mostrador (3). **2.** Pasta, carteira, mala, etc., ou, ainda, simples folha de papelão, etc., em que se possam expor amostras de tecidos, de rendas, ou quaisquer outros artigos à venda.

mota[1]. *S. f.* **1.** Aterro à beira de rio para proteger contra inundações os campos ou lugares marginais; marachão, presúria, amota. **2.** Terra ajuntada ao redor do tronco das árvores para resguardar-lhes as raízes contra o calor.

mota[2]. *S. f. Bras., RS.* V. *gorjeta* (2).

motacilídeo. *S. m.* **1.** Espécime dos motacilídeos. ● *Adj.* **2.** Pertencente ou relativo a eles.

motacilídeos. *S. m. pl. Zool.* Aves passeriformes, da família *Motacillidae,* caracterizadas por terem o tarso ocreado (escamas anteriores), de tegumento não ou indistintamente dividido em placas, a primeira das rêmiges da mão de comprimento igual ou maior que a segunda, a unha do dedo posterior muito longa. Vivem nos campos, freqüentam o chão e alimentam-se de insetos. São os caminheiros.

motacu. *S. m. Bras.* Palmeira (*Attalea princeps*) que alcança 20 m e vive nas matas, podendo formar palmais extensos, cujas folhas medem até 5 m, cujas drupas são ovóides, cor de ferrugem, e têm 3 x 7 cm, e cujas sementes são ricas em óleo.

mote. [Do fr. *mot,* 'palavra'.] *S. m.* **1.** Conceito, ordinariamente expresso num dístico ou numa quadra, para ser glosado. **2.** *P. ext.* Epígrafe (2). **3.** Palavra(s) que os antigos cavaleiros tomavam por divisa em suas empresas. **4.** Divisa, lema: "O mote dos antigos era: fundar povoações! Hoje, o lema dos modernos, em relação aos sertões, é grandíloquo: arrasar tudo!" (Oliveira Viana, *Pequenos Estudos de Psicologia Social,* p. 167.) **5.** *P. ext.* Tema, assunto. **6.** *Heráld.* Divisa de brasão.

motejador (ô). *Adj.* **1.** Que moteja. **2.** Que envolve motejo, zombaria: *riso motejador.* ● *S. m.* **3.** Aquele que moteja.

motejar[1]. [De *motejo* + *-ar[2]*.] *V. t. d.* **1.** Fazer motejo ou zombaria de; troçar de; apodar; escarnecer. **2.** Criticar, censurar. *Transobj.* **3.** Acusar, tachar: *Motejou -o de covarde. T. i.* **4.** Chasquear, caçoar, gracejar: *motejar de alguma coisa. Int.* **5.** Fazer zombaria. [Conjug.: v. *pelejar.*]

motejar[2]. [De *mote* + *-ejar.*] *V. int.* Fazer motes; dar motes para glosas. [Conjug.: v. *pelejar.*]

motejo (ê). [Do it. *motteggio.*] *S. m.* **1.** V. *zombaria*: "Ir entre o público excitar / O epigrama, o riso, o motejo, / Em paga do meu bom desejo / De em teus amores te ajudar." (Antônio Feliciano de Castilho, *Os Amores de Ovídio,* III, p. 11). **2.** Dito picante; gracejo.

motel. [Do ingl. *motel,* aglut. de *motorist's hotel.*] *S. m.* **1.** Hotel situado à beira de estradas de grande circulação, dotado de apartamentos ou quartos para hóspedes, estacionamento para automóveis e, às vezes, restaurante. **2.** *Bras.* Hotel de alta rotatividade. [Pl.: *motéis.*]

moteleiro. *S. m.* Dono ou administrador de motel.

motete (ê). [Do provenç. *motet.*] *S. m.* **1.** Dito engraçado ou satírico. **2.** *Mús.* Composição polifônica, de caráter religioso ou profano, a várias vozes (a capela ou com acompanhamento instrumental), e cada uma com ritmo e texto próprios. **3.** *Mús. P. ext.* Qualquer composição poética para ser cantada com música.

moteteiro. *Adj.* e *s. m.* Que ou aquele que faz motetes [v. *motete* (1)]; motejador.

motevo (ê). *S. m. Bras., SP. Pop.* Indivíduo atoleimado, amalucado, abobalhado.

motilidade. [De *mot(o)-* + *-il-* + *-i-* + *-dade.*] *S. f.* **1.** Faculdade de mover(-se). **2.** Força motriz.

motim. [Do fr. medieval *mutin.*] *S. m.* **1.** V. *revolta* (2). **2.** Rebelião de militares subalternos contra seus superiores. **3.** Sublevação popular, geralmente espontânea e violenta; revolta, tumulto; barulho; desordem. **4.** Fragor, ruído, estrépito.

motinação. [De *motinar* + *-ção.*] *S. f.* V. *amotinação.*

motinar. [De *motim* + *-ar[2]*.] *V. t. d.* e *p.* V. *amotinar.*

motivação. *S. f.* **1.** Ato ou efeito de motivar. **2.** Exposição de motivos ou causas. **3.** V. *móbil* (2). **4.** Conjunto de fatores psicológicos (conscientes ou inconscientes) de ordem fisiológica, intelectual ou afetiva, os quais agem entre si e determinam a conduta de um indivíduo.

motivado. [Part. de *motivar.*] *Adj.* **1.** Causado, determinado. **2.** Cujo motivo ou razão se explicou; fundamentado: *Deu um voto motivado.* **3.** Diz-se de atividade (intelectual, social, afetiva, etc.) que desperta o entusiasmo, o interesse, a curiosidade. **4.** Diz-se daquele cujo interesse ou curiosidade foi despertado para aula, conferência, exposição: *O auditório, bem motivado, ouviu a conferência atentamente.* **5.** Diz-se daquele que se mostra interessado. ~ V. *signo* —.

motivador (ô). *Adj.* **1.** Que motiva. ● *S. m.* **2.** Aquele ou aquilo que motiva.

motivar. *V. t. d.* **1.** Dar motivo a; causar; produzir: "O que motivara a catástrofe não foi a violência com que a onda se arremessara, foi ter a pobre moça desmaiado." (Machado de Assis, *Histórias Românticas,* p. 14.) **2.** Expor ou explicar o motivo ou a razão de; fundamentar: *O deputado fez questão de motivar o seu voto.* **3.** Determinar a motivação (4) de: *As pesquisas de mercado e as campanhas publicitárias motivam os consumidores.* **4.** Despertar o interesse, a curiosidade, por (atividade intelectual, social, afetiva, etc.): *O conferencista motivou admiravelmente a palestra.* **5.** Despertar o interesse, a curiosidade de: "A turma não se interessou pelo que iria deflagrar o Protestantismo na Alemanha. .... Que havia com as meninotas? A fim de motivá-las, de acordar as distraídas, passei à dramatização de um episódio." (Genolino Amado, *O Reino Perdido,* p. 36.) *T. d.* e *i.* **6.** Dar motivo; levar, induzir, incitar, mover: *Na situação que atravessa, nada o motiva a escrever.* **7.** Despertar o interesse ou o entusiasmo; estimular: *O professor motivou-o para a matemática.*

motivo. [Do lat. *motivu,* 'que move'.] *Adj.* **1.** Que pode fazer mover; motor. **2.** Que causa ou determina alguma coisa. ● *S. m.* **3.** Causa, razão: *Qual o motivo de sua renúncia?* **4.** Fim, intuito, escopo. **5.** V. *móbil* (2). **6.** *Mús.* Fragmento melódico, harmônico ou rítmico predominante no desenvolvimento de um trecho musical: "Sentou-se ao piano, bateu rijamente o teclado, tocou motivos do *Barba Azul.*" (Eça de Queirós, *O Primo Basílio,* p. 227); "Apressava o passo, a gargantear velhos motivos da terra" (Hugo de Carvalho Ramos, *Tropas e Boiadas,* p. 22). **7.** Ornato isolado ou repetido que aparece na decoração de alguma coisa. ♦ **Motivo condutor.** *Leitmotiv.* **Motivo de força maior.** Razão muito forte, muito poderosa.

moto[1]. [Do lat. *motu.*] *S. m.* Movimento, giro. [Cf. *mote.*] ♦ **De moto próprio.** De vontade própria; espontaneamente.

moto[2]. [Var. de *mote.*] *S. m.* **1.** Divisa que cavaleiros antigos usavam em suas empresas. **2.** *P. ext.* Divisa, lema: "Há governo, sou contra, deveria ser o moto das escolas de jornalismo" (Paulo Francis, *Folha de S. Paulo,* 2.1.1986) **3.** Sinal que um artista põe na sua obra para autenticá-la. [Cf. *mote.*]

moto[3]. *S. f.* V. *motocicleta.* [Cf. *mote.*]

▲**moto-.** [De *motor.*] *El. comp.* = 'motor': *motocicleta.* [Equiv.: *motor-: motorista.*]

▲**mot(o)-.** [Do lat. *motus; a, um.*] *El. comp.* = 'movimento': *motilidade, moto-contínuo.* [Equiv.: *-moto: maremoto.*]

▲**-moto.** Equiv. de *mot(o)-.*

motoca. *S. f. Bras. Pop.* V. *motocicleta.*

motocicleta. [De *moto-* + final de *bicicleta.*] *S. f.* Bicicleta com motor a gasolina; motociclo. [F. red.: *moto* e (bras.) *motoca.*]

motociclismo. *S. m.* Transporte ou esporte por meio de motocicleta ou motociclo.

motociclista. *S. 2 g. Bras.* Pessoa que anda em motocicleta ou motociclo. [Sin., pop.: *motoqueiro.*]

motociclo. [De *moto-* + *-ciclo.*] *S. m.* V. *motocicleta.*

moto-contínuo. [De *mot(o)-* + *contínuo.*] *S. m. Fís.* Sistema cujo funcionamento estaria em contradição com o primeiro ou com o segundo princípio da termodinâmica. Seria máquina, de qualquer natureza, capaz de funcionar indefinidamente sem despender energia ou transformando em trabalho toda a energia recebida. [Sin.: *moto-perpétuo.* Pl.: *motos-contínuos.*]

➧**motocross.** [Ingl.] *S. m. Esport.* Corrida de moto em pista com obstáculos e em local circunscrito.

motogodile. [Do fr. *motogodille.*] *S. f. Bras.* Canoa com pequeno motor a gasolina, na popa.

motomecanização. *S. f.* Ação ou efeito de motomecanizar.

motomecanizado. [Part. de *motomecanizar.*] *Adj.* Em que há motomecanização.

motomecanizar. [De *moto-* + *mecanizar.*] *V. t. d.* Prover de máquinas motrizes e meios mecânicos; motorizar e mecanizar: *motomecanizar um exército.*

motonáutica. [De *moto-* + *náutica.*] *S. f.* Esporte praticado em pequenas embarcações motorizadas.

motonáutico. *Adj.* Relativo à motonáutica.

motoneta (ê). [De *moto-* + *-n-* + o final de *bicicleta.*] *S. f.* Veículo motorizado, semelhante à motocicleta, porém de rodas menores e com assento em lugar do selim. [Sin.: *vespa* e (bras.) *lambreta.*]

motoniveladora (ô). [De *moto-* + *niveladora.*] *S. f.* Niveladora dotada de motor próprio; autopatrol.

moto-perpétuo. [De *mot(o)-* + *perpétuo.*] *S. m.* Moto-contínuo. [Pl.: *motos-perpétuos.*]

moto-próprio. [Do lat. *motu proprio,* 'de moto próprio'.] *S. m. Rel.* Documento papal editado por iniciativa pessoal e espontânea do próprio papa. [Pl.: *motos-próprios.*]

motoqueiro. [De *motoca* + *-eiro.*] *S. m. Bras. Pop.* Motociclista. [Cf. *mutuqueiro.*]

motor (ô). [Do fr. *moteur.*] *Adj.* **1.** Que faz mover; determinante ou causante; motivo, movedor. [Fem.: *motora e matriz.*] ~ V. *agrafia —a, nervo —, reabilitação —a* e *reeducação —a.* ● *S. m.* **2.** Tudo o que dá movimento a um maquinismo; máquina, máquina motriz. **3.** Pessoa ou coisa que faz mover ou dá impulso. **4.** V. *móbil* (2). **5.** *Cálc. Vect.* Vector dual igual ao produto de um vector linear unitário por um número dual. **6.** *Bras.* Haste articulada a um motor elétrico onde se prende a broca dos dentistas. ♦ **Motor atmosférico.** *Astron.* Motor que utiliza o ar na combustão. **Motor de arranque.** Motor cuja fonte de energia é a eletricidade e que dá o impulso inicial ao conjunto de peças necessárias ao funcionamento de um motor de explosão, ou outro; motor de partida, arranque. **Motor de combustão interna.** Aquele em que cada cilindro que o compõe recebe ar inicialmente, durante o movimento ascendente do êmbolo, e esse ar, depois de fortemente comprimido, recebe uma injeção de combustível líquido, que se vai inflamando à medida que entra em contato com o ar comprimido aquecido, e não à uma como no motor de explosão. **Motor de explosão.** Aquele em que cada cilindro que o compõe recebe uma mistura explosiva detonante, constituída de gasolina, óleo ou gás pobre, a qual, depois de comprimida no cilindro, é inflamada por meio de uma faísca elétrica. **Motor de partida.** V. *motor de arranque.* **Motor *diesel*.** Motor de combustão interna em que a ignição da mistura de combustível e ar é devida à elevada temperatura que atinge a mistura, em conseqüência da alta pressão a que é submetida dentro dos cilindros. [Tb. se diz apenas *diesel.*] **Motor elétrico.** Aquele que transforma energia elétrica em movimento rotatório. **Motor múltiplo.** *Astron.* Conjunto de vários foguetes que funcionam simultaneamente. **Motor nuclear.** Aquele que transforma energia nuclear (decorrente da fissão do átomo) em energia calorífica, e esta em energia mecânica. **Motor síncrono.** *Eng. Elétr.* Máquina rotativa que opera com uma velocidade de rotação proporcional à freqüência da tensão alternada que a alimenta, e pode funcionar como um gerador, como um motor ou como um capacitor. **Motor térmico.** Aquele que transforma energia calorífica em movimento, como as máquinas de vapor, os motores de explosão, os motores de combustão interna.

▲**motor-.** Equiv. de *moto-.*

motoreiro. [De *motor-* + *-eiro.*] *S. m. Bras.* V. *motorneiro.*

motorial. *Adj. 2 g.* Referente a motor (5). ~ V. *álgebra —* e *cálculo —.*

motório. [De *mot(o)-* + *-ório.*] *Adj.* Que tem movimento.

motorista. [De *motor-* + *-ista.*] *S. 2 g.* **1.** Condutor de qualquer veículo de tração mecânica. **2.** *Bras.* Chofer.

motorizado. [Part. de *motorizar.*] *Adj.* **1.** Que é movido a motor: *bicicleta motorizada;* "A comitiva prosseguia devagar: as ruas do Brejal não haviam sido feitas para veículos motorizados." (José Sarney, *Norte das Águas,* p. 206.) **2.** *Bras.* Que tem e/ou se utiliza de veículo a motor: "A caminho de casa, é de bom alvitre encontrar .... um amigo motorizado, que a gente não via há muito tempo. Com ele ir às ostras na Barra da Tijuca" (Paulo Mendes Campos, *O Cego de Ipanema,* p. 43). V. *infantaria —a.*

motorizar. [De *motor-* + *-izar.*] *V. t. d.* **1.** V. *motomecanizar. P.* **2.** Adquirir, para uso próprio, veículo motorizado: *Logo que melhorou de vencimentos tratou de motorizar-se;* "Já ninguém anda pelos caminhos a pé e desarmado. O bicho-homem motorizou-se" (Aquilino Ribeiro, *O Homem da Nave,* p. 87.)

motorneiro. [De *motor-* + *-n-* + *-eiro.*] *S. m. Bras.* O encarregado do motor de um bonde. [A f. preferível, *motoreiro,* é desus.]

motoro. [De provável or. indígena.] *S. m. Bras.* V.

boró[1].

motor-ocular. *Adj. 2 g.* ~V. *nervo — comum e nervo — externo.* ♦ **Motor-ocular comum.** *Anat.* V. *nervo motor-ocular comum.* **Motor-ocular externo.** *Anat.* V. *nervo motor-ocular externo.*

motricidade. [Do fr. *motricité.*] *S. f.* Propriedade que têm certas células nervosas de determinar a contração muscular.

motriz. [Do fr. *motrice.*] *Adj. (f.)* **1.** Que dá movimento. ~ V. *máquina* —. • *S. f.* **2.** Coisa ou força que dá movimento.

moucarrão. [De *mouco* + *-arrão.*] *Adj.* Muito mouco. [Fem.: *moucarrona.*]

moucarrona. *Adj. (f.)* Fem. de *moucarrão* [q. v.].

mouchão. *S. m.* **1.** Pequena porção de terreno arborizado nas lezírias. **2.** Ilhota em meio de um rio.

mouco. *Adj.* **1.** Que não ouve, ou que ouve pouco ou mal; surdo. **2.** Diz-se do ouvido de quem é mouco (1): "Palavras loucas, ouvidos m o u c o s" (prov.). • *S. m.* **3.** Aquele que é mouco (1); surdo. [Aum.: *moucarrão.*]

mouquice. *S. f.* Estado ou afecção do mouco; mouquidão, surdez.

mouquidão. *S. f.* V. *mouquice.*

moura-encantada. *S. f.* **1.** Entidade fantástica, espécie de nereida mourisca, com tipo de mulher morena, a qual, segundo a crendice popular portuguesa, vivia nos rios e nas fontes, sempre de vermelho, penteando sempre os belos cabelos pretos. [Var.: *moira-encantada.* Pl.: *mouras-encantadas.* Cf. *moura-torta.*]

mourama[1]. [De *mouro* + *-ama.*] *S. f.* **1.** Terra dos mouros [v. *mouro* (1)]. **2.** Grande porção de mouros; mourisma. **3.** Os mouros; mourisma. [Var.: *moirama.*]

mourama[2]. [De *mourão* + *-ama,* com haplologia.] *S. f. Bras., RS.* Mouronada. [Var.: *moirama.*]

mourão[1]. *S. m.* **1.** Estaca na qual se sustenta a videira. **2.** *Bras.* Esteio grosso, fincado firme no solo, e ao qual se amarram reses destinadas ao corte, ou, para tratá-las, as reses indóceis. **3.** *Bras.* Vara enterrada à beira dos rios mansos, e à qual se prendem as canoas. **4.** *Bras.* Pau que sustenta o arame, nos alambrados. [F. paral.: *moirão.*]

mourão[2]. *S. m.* O cavaleiro que vai à esquerda, no jogo das canas. [F. paral.: *moirão.*]

mourão[3]. *S. m. Bras. Liter. Pop.* Estrofe dialogada pelos cantadores e composta ora de cinco, ora de seis, ora (é hoje o caso mais comum) de sete versos setissílabos; trocado. [F. paral.: *moirão.*]

mourar. *V. int.* **1.** Tornar-se mouro. **2.** Praticar o culto islâmico. **3.** Trajar-se e/ou agir à maneira dos mouros. [Var.: *moirar.* Cf. *morar* e *murar.*]

mouraria. [De *mouro* + *-aria.*] *S. f.* Bairro onde habitavam mouros. [Var.: *moiraria.*]

moura-torta. *S. f.* Entidade fantástica do folclore português, personagem malfazeja, o oposto da *moura-encantada.* [Var.: *moira-torta.* Pl.: *mouras-tortas.*]

mourejado. [Part. de *mourejar.*] *Adj.* Obtido à custa de muito trabalho. [Var.: *moirejado.*]

mourejar. [De *mouro* + *-ejar.*] *V. int.* e *t. i.* Trabalhar muito, sem descanso (como um mouro); lidar constantemente: "M o u r e j a v a no ofício sem descanso, ora só, ora ajudado pelo Delfonso" (Amadeu de Queirós, *Os Casos do Carimbamba,* p. 133). [Var.: *moirejar.* Conjug.: v. *pelejar.*]

mourejo (ê). [Dev. de *mourejar.*] *S. m. Bras.* Trabalho contínuo, incessante. [Var.: *moirejo.*]

mouresco (ê). *Adj.* V. *mouro* (4). [Var.: *moiresco.*] ~ V. *mourescos.*

mourescos (ê). [Pl.: substantivado de *mouresco.*] *S. m. pl.* Ornatos de ourivesaria; mouriscos. [Var.: *moirescos.*] ~ V. *mouresco.*

mourisco. [De *mouro* + *-isco*[2].] *Adj.* **1.** Da mourama[1] (1); mauresco, mauriense, mouro. **2.** V. *mouro* (4). **3.** *Bras., N.E.* Diz-se do gato de cor cinzento-escura mesclada de tons mais claros. [Var.: *moirisco.*] ~ V. *arco* — e *mouriscos.*

mouriscos. [Pl. substantivado de *mourisco.*] *S. m. pl.* Mourescos. ~ V. *mourisco.*

mourisma. *S. f.* **1.** Religião dos mouros [v. *mouro* (1)]. **2.** Mourama[1] (2 e 3): "partiu com lustrosa mesnada de homens d'armas para a hoste del-rei Ramiro, que ia em fossado contra a m o u r i s m a de Espanha." (Alexandre Herculano, *Lendas* e *Narrativas,* II, p. 15). [Var.: *moirisma.*]

mourizar. [De *mouro* + *-izar.*] *V. t. d.* Tornar mouro. [Var.: *moirizar.*]

mouro. [Do lat. *mauru.*] *S. m.* **1.** Indivíduo dos mouros, povos que habitavam a Mauritânia; mauritano, mauro, sarraceno. **2.** *P. ext. Ant.* Aquele que não é batizado, que não tem a fé cristã; infiel. **3.** *Fig.* Indivíduo que trabalha muito. • *Adj.* **4.** Relativo ou pertencente a, ou próprio de mouros; mauro; mauresco, mauriense, mouresco, mourisco. **5.** V. *mourisco* (1). **6.** *Ant.* Que não é batizado, que não tem a fé considerada verdadeira; infiel. **7.** Mudéjar (4). **8.** *Bras.* Diz-se do cavalo de pêlo preto salpicado de branco. [Var.: *moiro.*] ~ V. *mouros.*

mouronada. [De *mourão*[1] (4) + *-ada*[1].] *S. f. Bras., RS.* Porção de mourões; partida de mourões. [Var.: *moironada;* sin.: *mourama.*]

mouros. [Pl. de *mouro.*] *S. m. pl. Bras.* Certo folguedo popular, que representa luta naval entre mouros e cristãos. [Var.: *moiros.*] ~ V. *mouro.*

mouta. *S. f.* Moita: "Vaga-lumes, cruzando-se, acendiam brasas na espessura das m o u t a s." (Coelho Neto, *Rei Negro,* p. 224.)

moutão[1]. *S. m.* Moitão[1].

moutão[2]. *S. m.* Moitão[2] [q. v.].

moutedo (ê). *S. m.* V. *moitedo.*

movediço. [De *mover* + *-(d)iço*[1].] *Adj.* **1.** Que se move com facilidade: "Pedra m o v e d i ç a não cria bolor" (prov.); "Esbelta, viva, grandes olhos m o v e d i ç o s, pestanudos." (Rodrigo Otávio, *Contos de Ontem e de Hoje,* p. 207.) **2.** Pouco firme; instável. **3.** *Fig.* Volúvel, inconstante. V. *areia —a.*

movedor (ô). *Adj.* e *s. m.* Que ou aquele que move; motor.

móveis. [Pl. substantivado do adj. *móvel.*] *S. m. pl.* **1.** Todos os objetos materiais que não são bens imóveis. **2.** Todos os direitos a eles inerentes. [Cf. *moveis,* do v. *mover.*] ~ V. *móvel.*

móvel. [Do lat. *mobile.*] *Adj. 2 g.* **1.** Que se pode mover. **2.** *Fig.* Inconstante, variável, volúvel. [Superl. abs. sint.: *mobilíssimo.*] ~ V. *aglomerado —, ano —, astro —, cláusula de escala —, cúmulo —, festa —, fio —, ponte — e unidade —.* • *S. m.* **3.** V. *móbil* (2). **4.** Peça de mobília. **5.** Corpo em movimento. [Pl.: *móveis.* Cf. *moveis,* do v. *mover.*] ~ V. *móveis.*

▲-móvel. [Do lat. *mobilis, e.*] *El. comp.* = 'móvel', 'que se move': *automóvel.*

movelaria. [De *móvel* + *-aria.*] *S. f. Bras.* Mobiliária.

moveleiro. *S. m. Bras.* Frabricante e/ou vendedor de móveis.

movente. [Do lat. *movente.*] *Adj. 2 g.* Que move, ou que se move.

mover. [Do lat. *movere.*] *V. t. d.* **1.** Dar ou comunicar movimento a; pôr em movimento; abalar: *A janela fechou-se sem que ninguém a m o v e s s e.* **2.** Fazer sair do lugar; deslocar por um movimento; remover, deslocar: *Apesar do esforço despendido, não conseguiram m o v e r a grande pedra.* **3.** Exercer movimento(s) com; mexer: "m o v e u a cabeça dum lado para outro" (Érico Veríssimo, *Noite,* p. 1). **4.** Movimentar de um para outro lado; menear: *Caminha m o v e n d o os quadris;* "As brisas da noite começavam a m o v e r as folhas do bosque" (Franklin Távora, *O Cabeleira,* p. 240). **5.** Induzir, determinar ou persuadir a fazer algo: *Os argumentos foram inúteis: nenhum deles o m o v e u.* **6.** Ocasionar, levantar, suscitar, promover: *m o v e r ódios; m o v e r questões.* **7.** Causar, suscitar, inspirar: *m o v e r uma paixão.* **8.** Perturbar, turbar, alterar: *As circunstâncias contrárias m o v e r a m -lhe o juízo.* **9.** Inspirar dó ou compaixão a; comover: *As lágrimas do velho empregado não m o v e r a m o patrão.* *T. d.* e *i.* **10.** Induzir, persuadir, levar: "Herculano, atento à coisa pública, dela recebendo os principais estímulos — desde os que o m o v e r a m à atividade de revolucionário, em moço, aos que lhe suscitaram atividade de historiador — sentiu com exasperada reação as decepções do político e do literato." (Hernâni Cidade, *in* João Gaspar Simões, *Perspectiva da Literatura Portuguesa do Século XIX,* I, p. 98.) **11.** Pôr em prática; levar a efeito; realizar, promover: "Desafogou [José de Alencar] a mágoa causada pelos acrimoniosos reparos dos seus inimigos gratuitos que lhe m o v i a m verdadeira campanha difamatória" (Artur Mota, *José de Alencar,* p. 45). *T. i.* **12.** Induzir, levar: "Esta pele refranzida / M o v e à piedade e à tristeza." (Alberto de Oliveira, *Poesias,* 3ª série, p. 39.) **13.** Partir, abalar. *Int.* **14.** Causar comoção; sensibilizar: *argumentos que m o v e m.* **15.** Ter móvito; abortar. *P.* **16.** Estar ou pôr-se em movimento; mexer-se de um para outro lado: "Vede que brutas pedras! Nem s e m o v e m!" (Teixeira de Pascoais, *D. Carlos,* p. 67.) **17.** Agitar-se; bulir: "m o v e - s e brandamente o arvoredo" (Luís de Camões, *Rimas,* p. 185); "Os mares, minha bela, não s e m o v e m" (Tomás Antônio Gonzaga, *Marília de Dirceu,* p. 86). **18.** Passar, decorrer: *M o v e - s e devagar o tempo.* **19.** Pôr-se em movimento; dar de si. **20.** Caminhar, andar: "A mulher que sabe m o v e r - s e com harmonia nunca é totalmente feia." (Patrícia Joyce, *Anúncio de Casamento,* p. 142); *M o v e u - s e em direção à porta.* **21.** Comover-se, sensibilizar-se. **22.** Decidir-se ou determinar-se a fazer alguma coisa: *M o v e u - s e apenas pelas súplicas dos pais.* [Pres. ind.: *movo* (ô), *moves, move, movemos, moveis, movem.* Cf. *móveis,* pl. de *móvel* e s. m. pl.]

movido. [Part. de *mover.*] *Adj.* **1.** Impelido, levado. **2.** Causado, ocasionado. **3.** *Bras.* Pouco desenvolvido; raquítico.

movimentação. *S. f.* Ato de movimentar(-se); movimento.

movimentado. [Part. de *movimentar.*] *Adj.* **1.** Em que há sensível movimento ou afluência de pessoas que se movem: "O hotel cheio, m o v i m e n t a d o, o dia inteiro." (Guido Vilmar Sassi, *São Miguel,* p. 224.) **2.** Que se movimenta ou se agita muito; agitado, animado; dinâmico: *rapaz m o v i m e n t a d o.* **3.** Que tem movimento (8): *romance m o v i m e n t a d o; fita m o v i m e n t a d a.*

movimentar. *V. t. d.* **1.** Dar ou imprimir movimento a; pôr em movimento; mobilizar: *m o v i m e n t a r um veículo.* **2.** Agitar em várias direções. **3.** Exercer movimentos com; agitar, mover: *Passou dias sem poder m o v i m e n t a r o braço esquerdo.* **4.** Dar movimento, vida, animação, desenvolvimento, a; animar, incrementar. *P.* **5.** Pôr-se em movimento; animar-se.

movimento. *S. m.* **1.** Ato ou processo de mover(-se); deslocamento. **2.** Um determinado modo de mover-se: *Fazia m o v i m e n t o s incessantes com a mão, chamando a atenção dos passantes.* **3.** Afluência de gente que se move: *O m o v i m e n t o na rua era incessante.* **4.** Animação, agitação: *A cidadezinha era morta, sem m o v i m e n t o.* **5.** A marcha dos astros. **6.** Série de atividades organizadas por pessoas que trabalham em conjunto para alcançar determinado fim: *m o v i m e n t o em prol dos flagelados da seca do Nordeste.* **7.** Evolução ou tendência, em determinada esfera de atividades: *A Semana de Arte Moderna é o acontecimento principal do m o v i m e n t o modernista.* **8.** Andamento ou desenvolvimento rápido, vivaz, da ação de uma narrativa, peça, filme, etc.: *O romance é monótono, sem m o v i m e n t o; O filme tem pouco m o v i m e n t o.* **9.** *Art. Plást.* A representação ou o efeito de movimento: *Este quadro não tem m o v i m e n t o.* **10.** *Fís.* Variação, em função do tempo, das coordenadas de um corpo em relação a um referencial. **11.** *Mil.* Deslocamento de tropas, navios, etc., como parte de uma manobra. **12.** *Mús.* Cada uma das partes de uma composição instrumental do tipo da suíte ou da sonata: *o primeiro m o v i m e n t o da nona sinfonia de Beethoven.* **13.** *Mús.* Às vezes, andamento (4). ♦ **Movimento acelerado.** *Fís.* Movimento em que a aceleração não é nula, podendo ser positiva ou negativa. **Movimento alternativo.** O que se efetua, alternativamente, num e noutro sentido, opostos, como, p. ex., o dos êmbolos dos motores de explosão e das máquinas alternativas. **Movimento amebóide.** *Biol.* Movimento realizado por microrganismos sem membrana rígida, como as amebas, mediante a emissão de prolongamentos plasmáticos ditos *pseudópodos,* cujo lançamento e retração determinam o deslocamento da célula; movimento difluente. **Movimento anarmônico.** *Fís.* Movimento periódico em que a lei de variação com o tempo não é uma função harmônica. **Movimento browniano.** *Biol.* Movimento errático, em ziguezague, observado ao ultramicroscópio em certas soluções e suspensões coloidais. **Movimento cíclico.** *Fís.* Movimento periódico em que o móvel descreve uma trajetória fechada. **Movimento das costas.** *Geol.* Elevação ou abaixamento dos continentes em relação ao nível do mar. **Movimento de rotação.** Aquele que um corpo efetua em torno de um ponto situado no seu interior. **Movimento de terra.** Terraplenagem. **Movimento de translação.** Aquele em que todas as partes de um corpo se deslocam paralelamente entre si. **Movimento difluente.** *Biol.* Movimento amebóide. **Movimento direto.** *Astr.* Movimento de um planeta em relação às estrelas no sentido das ascensões retas crescentes. **Movimento diurno.** *Astr.* Movimento aparente que todos os astros parecem descrever sobre a esfera celeste, em círculos paralelos ao equador, durante um dia sideral, e que é produzido pela rotação da Terra em torno de seu eixo. **Movimento finito.** *Fís.* O de um sistema de partículas em que a energia é constante e são finitas as coordenadas de todas as partículas em qualquer tempo. **Movimento harmônico.** **1.** *Fís.* Movimento periódico em que a lei de variação com o tempo é uma função harmônica. **2.** *Mús.* Progressão ascendente ou descendente de uma voz em relação a outra voz que evolve simultaneamente. [Pode ser: *direto,* quando as vozes seguem a mesma direção; *contrário,* quando seguem movimentos opostos; *oblíquo*, quando uma voz sustenta o mesmo som, enquanto a outra evolve por intervalos ascendentes ou descendentes.] **Movimento harmônico simples.** *Fís.* Movimento harmônico em que a lei de variação com o tempo é uma função seno ou co-seno. **Movimento infinito.** *Fís.* O de um sistema de partículas em que a energia é constante e as coordenadas de uma ou mais partículas podem assumir valores infinitos. **Movimento laminar.** *Fís.* O de um fluido em que as linhas de corrente não se cruzam. **Movimento pendular. 1.** O movimento de vaivém efetuado por um pêndulo. **2.** *P. ext.* Sucessão de valores de uma variável que vai até um extremo positivo, reflui a um extremo negativo simétrico ao primeiro, e assim sucessivamente. **Movimento periódico.** *Fís.* O que é efetuado por um móvel que, em intervalos iguais de tempo, tem as mesmas coordenadas de posição e velocidade. **Movimento próprio.** *Astr.* Deslocamento anual da direção heliocêntrica de uma estrela, produzido pelo movimento relativo desta e do Sol. **Movimento radial.** *Astr.* Componente do movimento próprio de um astro, segundo a direção que o une ao observador. [É mensurável pelo deslocamento das linhas espectrais, produzido pelo efeito Doppler.] **Movimento retardado.** *Fís.* Movimento com aceleração negativa. **Movimento retrógrado.** *Astr.* Movimento de um planeta para oeste, em relação às estrelas. **Movimentos do lago.** Designação genérica das ondas ou vagas, das correntes e das marés que se verificam nos lagos. **Movimentos do mar.** Designação genérica que abrange as vagas, as marés e as correntes marítimas. **Movimentos negativos.** *Geol.* Abaixamento do mar ou dos continentes.

moviola. [Nome comercial.] *S. f. Cin.* Mesa de montagem profissional.

móvito. [De *mover?*] *S. m.* V. *aborto* (1).

movível. *Adj. 2 g.* Que se pode mover.

movongo. *S. m. Bras., BA.* Baixão fundo, entre elevações íngremes.

moxa (cs). [Do jap. *mókusa*, 'erva para queimar'.] *S. f.* Mecha de cotão ou de algodão que se aplica acesa sobre a pele para cauterizá-la. [Pl.: *moxas*. Cf. *mocha, mochas*, do v. *mochar; mocha* (ô), *mochas* (ô), flex. do adj. *mocho* (ô); e *moxa* (ch), *moxas* (ch), do v. *moxar.*]

moxama. [Do ár. *muxamma'a*, 'seco'.] *S. f.* Peixe seco e salgado para se conservar por muito tempo.

moxamar. *V. t. d.* Secar e salgar (o peixe), transformando-o em moxama.

moxameiro. *S. m.* **1.** Aquele que prepara e/ou vende moxama. **2.** Lugar onde se prepara a moxama.

moxar. [De *moxama.*] *V. t. d.* Secar (peixe) ao fumo. [Pres. ind.: *moxo, moxas*, etc. Cf. *mocho, mochas, mocha*, do v. *mochar*; este v.; *mocho* (ô), *mocha* (ô), o pl. *mochas* (ô); e *moxa* (cs), pl. *moxas* (cs).]

moxinifada. *S. f.* Confusão, embrulhada, salsada, miscelânea, mistifório.

moxotoense (ôen). *Adj. 2 g.* **1.** De, ou pertencente ou relativo a Moxotó (PE). ● *S. 2 g.* **2.** Natural ou habitante de Moxotó.

mozabita. [Do top. *Mozab* (África do Norte) + *-ita*^{2}.] *S. 2 g.* **1.** Indivíduo dos mozabitas, raça mesclada de turcos e mouros que habita a região meridional da Berberia. ● *Adj. 2 g.* **2.** Pertencente ou relativo aos mozabitas.

mozárabe. *Adj. 2 g. e s. 2 g.* V. *moçárabe.*

mozarela. [Do it. *mozzarella.*] *S. f.* Queijo de origem italiana, de consistência macia, coloração esbranquiçada, sabor suave e forma arredondada, e que deve ser consumido fresco, quer à mesa, quer em preparações culinárias.

mozartiano. *Adj.* **1.** Pertencente ou relativo a Wolfgang Amadeus Mozart, compositor austríaco (1756-1791), ou próprio dele. ● *S. m.* **2.** Grande admirador e/ou profundo conhecedor da obra de Mozart.

mozeta (ê). [Do it. *mozetta.*] *S. f.* Murça eclesiástica ou prelatícia.

■**mr.** Abrev. de *mister.*

■**mrs** (mi'sez). [Ingl.] F. de tratamento que antecede, em inglês, o nome de uma mulher casada.

■**MS.** Sigla do Estado de Mato Grosso do Sul.

■**MT.** Sigla do Estado do Mato Grosso.

mu^1. [Do lat. *mulu*, por apócope.] *S. m.* V. *mulo.*

mu^2. [Do gr. *my.*] Var. de *mi*^{2}.

muafo. *S. m. Bras., N.* e *N.E.* Muafos (1 e 2).

muafos. *S. m. pl. Bras., N.* e *N.E.* **1.** Panos velhos. **2.** Roupa(s) velha(s). [Tb. us. (menos) no sing., nessas acepç.] **3.** V. *cacaréus.* ~ V. *muafo.*

muamba. [Do quimb. *mu'hamba*, 'carga'.] *S. f.* **1.** *Luso-afr.* Espécie de canastra para transporte. **2.** Furto de mercadorias de navios ancorados e de armazéns da alfândega. **3.** *Bras.* Contrabando (2). **4.** *Bras.* Boró^2 (3). **5.** *Bras.* Venda e compra de coisas furtadas. **6.** *Bras.* Negócio escuso; velhacaria, fraude, furto, roubo. **7.** *Bras., N.E.* Em certas zonas sertanejas, mochila e, p. ext., qualquer dos apetrechos dos soldados.

muambeiro. *S. m. Bras.* Indivíduo que costuma fazer muambas; contrabandista (1).

muanense. *Adj. 2 g.* **1.** De, ou pertencente ou relativo a Muaná (PA). ● *S. 2 g.* **2.** Natural ou habitante de Muaná.

muar. [Do lat. *mulare.*] *Adj. 2 g. e s. m.* Diz-se de, ou animal pertencente à raça do mulo, espécime dos mus.

mubu. *S. m. Bras.* V. *membi* (1).

mucajá. [Do tupi *muka'ya.*] *S. m. Bras., N.* V. *coco-de-catarro.*

mucama. [Do quimb. *mu'kama*, 'amásia escrava'.] *S. f. Bras.* A escrava negra moça e de estimação que era escolhida para auxiliar nos serviços caseiros ou acompanhar pessoas da família, e que, por vezes, era a ama-de-leite. [Var.: *mucamba* e *camba*. Cf. *macuma.*]

mucamba. *S. f. Bras.* Var. de *mucama* [q. v.]: "Um dia encontraram na escura senzala / O catre da bela m u c a m b a vazio" (Gonçalves Crespo, *Obras Completas*, p. 177).

muçambé. *S. m. Bras.* V. *muçambê.*

muçambê. [Var. pros. de *muçambé* < tupi *musã'bé.*] *S. m. Bras.* Designação comum a duas ervas ornamentais da família das caparidáceas (*Cleome heptaphylla* e *C. rosea*) [esta se chama tb. *muçambê cor-de-rosa*], que têm folhas compostas e moles, flores vistosas e atraentes, róseas ou alvas, com longos estames e ovário pedunculado, e cujo fruto é uma cápsula alongada. ♦ **Muçambê cor-de-rosa.** *Bras.* V. *muçambê.*

muçambê-indecente. *S. m. Bras.* V. *feijão-de-boi* (1 e 2). [Pl.: *muçambês-indecentes.*]

muçarete. *S. m. Bras.* Saguaritá.

mucaxixi. *S. m. Bras.* Caxixi (2).

muchacha. [Do esp. *muchacha.*] *S. f. Bras., RS.* **1.** V. *moça* (1). **2.** *Fam.* Moça esperta, ladina. [Cf. *muxaxa.*]

muchachada. [Do esp. amer. *muchachada.*] *S. f. Bras., RS.* **1.** Grupo de muchachos ou de muchachas, de rapazes ou de moças. **2.** Travessura ou brincadeira de rapaz.

muchacharia. *S. f. Bras., RS. Fam.* Grande porção de muchachos ou rapazes.

muchacho. [Do esp. *muchacho.*] *S. m. Bras., RS.* **1.** V. *rapaz* (3). **2.** Suporte em que descansa o cabeçalho da carreta.

muchão. [Do lat. *mustione.*] *S. m.* Trombeteiro (2).

▲**muc(i)-.** [Do lat. *mucus, i.*] *El. comp.* = 'muco': *mucina, mucíparo.* [Equiv.: *muco-*: *mucopurulento.*]

mucica. [Do tupi *mbo'sika.*] *S. f. Bras., N.E.* **1.** Sacudidela que o pescador dá à vara de pescar, quando sente que o peixe mordeu a isca. **2.** Puxão com que os vaqueiros, apanhando a rês pela cauda, conseguem derribá-la: "Os animais que dele fugiam ou o enfrentavam, touros, suçuaranas e porcos-do-mato, eram dominados a laço, à m u c i c a e à bala." (Gustavo Barroso, *Heróis e Bandidos*, p. 171.) **3.** Empuxão que se imprime à linha do papagaio de papel. **4.** Contração súbita de certo grupo de músculos, com aparência de movimento constante e comum.

muciforme. [De *muc(i)-* + *-forme.*] *Adj. 2 g.* Que tem aparência de muco.

mucilagem. [Do lat. *mucilagine.*] *S. f.* Designação comum a compostos viscosos produzidos por plantas.

mucilaginífero. [Do lat. *mucilagine*, 'mucilagem', + *-i-* + *-fero.*] *Adj.* Que secreta ou armazena mucilagem; mucilaginoso, mucilaginíparo.

mucilaginíparo. [Do lat. *mucilagine*, 'mucilagem', + *-i-* + *-paro.*] *Adj.* V. *mucilaginífero.*

mucilaginoso (ô). *Adj.* **1.** V. *mucilaginífero.* **2.** Semelhante a, ou da natureza da mucilagem.

mucina. [De *muc(i)-* + *-ina*^{1}.] *S. f. Bioquím.* Mucopolissacarídeo que é o principal constituinte do muco.

mucíparo. [De *muc(i)-* + *-paro.*] *Adj.* Que produz muco.

mucitaíba. *S. f. Bras., L.* Árvore da família das leguminosas (*Zollernia ilicifolia*), de madeira notavelmente semelhante a certos tipos de jacarandá-da-baía, folhas simples e legumes minutos; orelha-de-onça.

mucívoro. [De *muc(i)-* + *-voro.*] *Adj.* Que se alimenta de mucosidades.

muco. [Do lat. **muccu*, por *muco.*] *S. m. Bioquím.* Secreção de membrana mucosa a que se juntam diversos sais inorgânicos, células descamadas e leucócitos; mucosidade. [Sin., pleb.: *ranho, monco.*]

▲**muco-.** Equiv. de *muc(i)-.*

mucol. [De *muco* + *-ol.*] *S. m.* Mucilagem usada em farmácia como excipiente. [Pl.: *mucóis.*]

mucopolissacarídeo. [De *muco-* + *polissacarídeo.*] *S. m. Bioquím.* Grupo de polissacarídeos que contém hexosamina e pode, ou não, estar combinado a proteína.

mucopurulento. [De *muco-* + *purulento.*] *Adj.* Que tem muco e pus.

mucor (ô). *S. m.* Gênero de fungos.

mucosa. [Fem. substantivado do adj. *mucoso.*] *S. f. Anat.* Membrana mucosa [q. v.].

mucosidade. [De *mucoso* + *-i-* + *-dade.*] *S. f.* V. *muco.*

mucoso (ô). [Do lat. **muccosu*, por *mucosu.*] *Adj.* **1.** Que produz muco. **2.** Que tem a natureza do muco. ~ V. *membrana* —a.

mucoviscidose. [De *muco-* + *víscido* + *-ose.*] *S. f. Med.* Doença grave que se caracteriza por viscosidade anormal de várias secreções, em particular traqueobrônquicas e pancreáticas. [Sin.: *doença fibrocística do pâncreas.*]

mucro. [Do lat. *mucrone*, 'ponta de espada'.] *S. m.* **1.** *Anat.* Apêndice xifóide do esterno. **2.** Qualquer apêndice pontiagudo. **3.** *Morfol. Veg.* Ponta curta e dura, na extremidade de um órgão foliáceo.

múcron. *S. m. Anat.* V. *mucro* (1 e 2).

mucronado. [Do lat. *mucronatu.*] *Adj.* Diz-se daquilo que termina em ponta aguda e direita.

mucruará. [De possível or. indígena.] *S. m. Bras., PA.* Terra alagadiça.

muçu. *S. m. Bras.* Var. desnasalada de *muçum.*

muçuã. [Do tupi *musu'ã.*] *S. f. Bras., Amaz.* Reptil da ordem dos quelônios, da família dos cinosternídeos (*Cinosternon scorpioides* (L.)), do baixo Amazonas, especialmente da ilha de Marajó, de coloração pardo-escura, carapaça com três quilhas longitudinais salientes, plastrão amarelo com partes anterior e posterior movediças. Mede até 30 cm, e é apreciado no PA, onde é famoso o prato casquinho de muçuã.

mucuaxe. [De possível or. indígena.] *S. m. Bras., PA.* Carne de gado roubado.

mucuaxeiro. [De *mucuaxe* + *-eiro.*] *S. m. Bras., PA.* Ladrão de gado.

mucubu. [De possível or. indígena.] *S. m. Bras., CE.* Anca (do boi). [Cf. *mucumbu.*]

mucudo. [De *muque* + *-udo.*] *Adj. Bras. Gír.* Que tem muque; musculoso, forte.

mucufa. *Adj. 2 g.* **1.** *Bras., N.* e *N.E.* Diz-se de indivíduo tratante, covarde, fracalhão; mutanje. **2.** *Bras., PB.* Diz-se de indivíduo ordinário, reles. **3.** *Bras., PE.* Diz-se daquele que tem medo de enfrentar desordeiros. **4.** *Bras., PE.* Diz-se do indivíduo sem importância, insignificante. ● *S. m.* **5.** *Bras., N.* e *N.E.* Indivíduo mucufa (1); manicaca, mutanje. **6.** *Bras., PB.* Indivíduo mucufa (2). **7.** *Bras., PE.* Indivíduo mucufa (3 e 4). [Var., nestas acepç.: *mucufo.*] ● *S. f.* **8.** *Bras.* Casa ordinária, ou muito suja.

mucufo. *Adj. e s. m.* **1.** Var. de *mucufa* (1 a 7). ● *S. m.* **2.** *Bras., SP. Pop.* V. *caipira* (1). ~ V. *mucufos.*

mucufos. [Pl. de *mucufo.*] *S. m. pl. Bras. Pop.* Trastes velhos. V. *cacaréus.* ~ V. *mucufo.*

mucuíba. [Do tupi *muku'iwa.*] *S. f. Bras.* Árvore altíssima, de cuja fruto se extrai um óleo que os indígenas empregam no tratamento de várias moléstias.

mucuim^1 (u-ím). [Do tupi *muku'ĩ.*] *S. m. Bras.* Acarídeo da família dos trombídidas (*Tetranychus molestissimus*), cuja mordedura provoca intensas coceiras.

mucuim^2 (u-ím). *S. m. Bras.* Var. de *micuim.* ♦ **Não poder ver mucuim com tosse.** *Bras. Pop.* Não poder ver micuim com tosse.

mucujê *S. m. Bras., BA.* Árvore da família das apocináceas (*Couma rigida*), cuja característica mais notável é fornecer um látex adocicado e potável, usado como leite.

mucujeense (eê). *Adj. 2 g.* **1.** De, ou pertencente ou relativo a Mucujê (BA). ● *S. 2 g.* **2.** Natural ou habitante de Mucujê.

muçulmanismo. [De *muçulmano* + *-ismo.*] *S. m.* V. *maometismo.*

muçulmano. [Do ár. *muslim*, 'entregue ao islame, resignado', com o suf. persa do pl. *musliman.*] *Adj. e s. m.* V. *maometano.* ~ V. *calendário* —.

muçulmi. [Do ár. **muslimí*, com síncope e epêntese.] *S. m. Bras., BA.* Negro maometano da nação dos malês. [F. paral. e var.: *muçulmuí, muçurmuni, muxurumim.*]

muçulmuí. *S. m. Bras., BA.* V. *muçulmi.*

muçum. [Do tupi *mu'sim.*] *S. m. Bras.* Peixe teleósteo, da família dos simbrânquios (*Symbranchus marmoratus* Bloch), da América do Sul cisandina, de coloração amarela quase uniforme, mais clara no abdome, tendo os jovens dorso pardo, flancos azulados com máculas pardas e abdome cinzento-azulado. Corpo serpentiforme, sem nadadeiras peitorais e ventrais, desprovido de escamas e de bexiga natatória. Vive em águas pouco oxigenadas, resistindo, na lama, de uma estação chuvosa para outra. Possui hábitos noturnos, e alimenta-se de vermes, larvas e pequenos peixes, bem como de lodo e vegetais. [Var.: *muçu;* sin.: *peixe-cobra, enguia-d'água-doce.*]

mucumbagem *S. f. Bras.* **1.** V. *cacaréus.* **2.** Coisa desvaliosa.

mucumbu. [Var. nasalada de *mucubu.*] *S. m. Pop.* **1.** *Bras., PE.* Utensílios, troços, trens, teréns. V. *cacaréus.* **2.** *Bras., CE.* V. *cóccix.* [Cf. *mucubu.*]

muçum-de-orelha. *S. m. Bras., MT.* V. *poraquê.* [Pl.: *muçuns-de-orelha.*]

muçum-do-mar. *S. m. Bras., RJ.* Designação comum ao *Ophicthus brasiliensis* (Kaup), peixe teleósteo, ápode, da família dos ofictilídeos, da costa atlântica, e a mais quatro espécies do gênero. Habitam águas profundas, enroscando-se com freqüência nas linhas de fundo. [Sin.: *cobra-do-mar.* Pl.: *muçuns-do-mar.*]

mucuna. [De *mucunã,* com desnasalização e hiperbibasmo.] *S. f. Bras.* V. *mucunã.*

mucuná. [De *mucunã,* com desnasalização.] *S. f.* V. *mucunã.*

mucunã. [Do tupi *maku'nã.*] *S. f. Bras.* Designação comum a várias plantas da família das leguminosas, subfamília papilionácea: *Mucuna pruriens, Mucuna urens, Dioclea glabra, Dioclea lasiocarpa, Dioclea malacocarpa* e *Dioclea sclerocarpa.* As mais comuns são as duas primeiras, cujas vagens têm um revestimento piloso que causa prurido na pele de quem lhes toca. [Var.: *mucuná* e *mucuna.*]

muçunga. *S. m. Bras.* V. *beliscão.*

muçungão. [De *muçunga* + *-ão*[1].] *S. m. Bras.* V. *beliscão.*

mucungo. [Do *cafre mu'kungu.*] *S. m. Bras.* V. *mutamba.*

muçununga. [Do tupi?] *S. f. Bras., BA.* Terra arenosa, úmida e fofa.

mucunzá. *S. m. Bras., N.E.* V. *munguzá:* "o m u c u n z á com coco-da-praia, a coalhada escorrida e os fofos manuês assados em folha de bananeira!..." (Domingos Olímpio, *Luzia-Homem,* p. 55).

mucuoca. [Do tupi *moko'oka.*] *S. f. Bras., Amaz.* Cerca ou barragem nos riachos, feita de ramos de aningas e tijucos encostados em paus cravados a prumo, destinada a impedir a passagem do peixe, e que se utiliza, em geral, na pesca de gapuia [q. v.].

mucura. [Do tupi *mu'kura.*] *S. m. Bras.* V. *gambá* (1).

mucuracáa. [Do tupi *mukuraka'a,* 'folha da mucura'.] *S. f. Bras., L.* Subarbusto da família das fitolacáceas (*Petiveria alliacea*), que desprende odor de alho, tem folhas oblongo-lanceoladas e estipuladas, pequenas flores arrumadas em espigas, e cujos frutos parecem cariopses e possuem apêndices pontudos; pipi.

mucurana. *S. f.* e *s. 2 g. Bras., SP.* Var. de *muquirana.*

muçurana. [Do tupi *muçu'rana,* 'semelhante ao muçu'.] *S. f. Bras.* **1.** Reptil ofídio, da família dos colubrídeos, opistoglifos (*Pseudoboa cloelia* (Daud.)), comum em todo o Brasil, de coloração preto-acinzentada e brilhante, mais escura no dorso, flanco tendente ao pardo e ao róseo, e lado ventral cinzento ou amarelado, geralmente salpicado de branco. Ofiófaga, não teme as espécies maiores, nem as venenosas, a cujo veneno é imune. [Sin.: *limpa-campo, limpa-mato, limpa-pasto, cobra-preta, mamadeira, boiru.*] **2.** Corda com que os índios atavam os prisioneiros; maçarana.

muçurango. [De possível or. indígena.] *S. m. Bras.* Pequeno peixe de rio, da família dos gobídeos.

mucuraxixica. [Do tupi *mukuraxi'xika.*] *S. m. Bras.* Pequeno mamífero didelfídeo (*Calyromys philander* Tiedm.).

mucureca. [De or. indígena.] *S. f. Bras., PR.* Barraca, choça, toldo, entre certas tribos indígenas do Oeste.

muçurepense. *Adj. 2 g.* **1.** De, ou pertencente ou relativo a Muçurepe (RJ). ● *S. 2 g.* **2.** Natural ou habitante de Muçurepe.

mucuri. [Do tupi *muku'ri.*] *S. m. Bras.* Árvore que dá um fruto amarelado com a forma de pêssego, de excelente aroma e sabor.

mucuriciense. *Adj. 2 g.* **1.** De, ou pertencente ou relativo a Mucurici (ES). ● *S. 2 g.* **2.** Natural ou habitante de Mucurici.

mucuriense. *Adj. 2 g.* **1.** De, ou pertencente ou relativo a Mucuri (BA). ● *S. 2 g.* **2.** Natural ou habitante de Mucuri.

muçurmuni. [Var. de *muçulmuí.*] *S. m. Bras., BA.* V. *muçulmi.*

muçuruna-maracá. *S. m. Bras.* Cinta de guizos usada por indígenas de várias tribos para marcar o ritmo das danças. [Pl.: *muçurunas-maracás.*]

muçurungo. [Var. de *muçurango.*] *S. m. Bras.* V. *amboré.*

mucuta. *S. f. Bras., SP.* Bolsa de carregar a tiracolo; bornal.

mucutaia. [Do tupi *muku'taya.*] *S. f. Bras.* Planta da família das lauráceas (*Nectandra canescens*); caneleira-do-mato.

muda[1]. [Dev. de *mudar.*] *S. f.* **1.** Mudança (1). **2.** Substituição, em jornadas longas, de animais cansados por outros folgados. **3.** Renovação do pêlo, das penas ou da pele de certos animais. **4.** Planta tirada do viveiro para plantação definitiva. **5.** Conjunto de peças de vestuário que se usam à uma: *F. possui três m u d a s de roupa.*

muda[2]. [Do lat. *muta.*] *Adj.* (*f.*) e *s. f.* Fem. de *mudo* (1 a 8).

mudadiço. [De *mudar* + *-(d)iço.*] *Adj.* V. *mudável.*

mudado. [Part. de *mudar.*] *Adj.* **1.** Diferente; alterado. **2.** Transportado, deslocado.

mudador (ô). *Adj.* **1.** Que muda ou causa mudança. ● *S. m.* **2.** Aquele ou aquilo que muda ou causa mudança. **3.** *Bras., RS.* Pouso onde se mudam cavalos, substituindo os montados pelos descansados. **4.** *Bras., RS.* V. *circo* (5).

mudança. *S. f.* **1.** Ato ou efeito de mudar(-se); muda. **2.** Os móveis e os pertences, em geral, das pessoas que se mudam: *A m u d a n ç a já saíra, e a casa, afinal, ficara vazia de todo.* **3.** *Bras., SC.* Família ou pessoa que se mudou. **4.** *Bras. Autom.* V. *alavanca de mudanças.* **5.** V. *tom* (17).

mudancista. [De *mudança* + *-ista.*] *Adj. 2 g.* e *s. 2 g. Bras.* Que ou quem era favorável à mudança da capital do Brasil para Brasília. [Antôn.: *antimudancista.*]

mudar. [Do lat. *mutare.*] *V. t. d.* **1.** Pôr em outro lugar; dispor de outro modo; remover, deslocar: *M u d o u o armário, e a sala pareceu maior.* **2.** Dar outra direção a; desviar: *m u d a r uma rota, um itinerário.* **3.** Tirar para pôr outro; substituir: *M u d o u a fechadura da porta arrombada.* **4.** Transferir para outro local: *Em 1960 o governo brasileiro m u d o u a capital federal.* **5.** Alterar, modificar: *Com a República, em 1889, o Brasil m u d o u sua forma de governo;* "A Medicina m u d o u a face do mundo." (Deolindo Couto, *Vultos e Idéias,* p. 48). **6.** Trocar, cambiar; variar: *M u d o u o nome como atriz, adotando um pseudônimo estrangeiro;* "M u d a n d o andei costume, terra e estado, / por ver se se mudava a sorte dura" (Luís de Camões, *Rimas,* p. 155). **7.** Fazer apresentar-se sob outro aspecto: *A longa convivência com o missionário m u d o u a sua visão do mundo. T. d. e i.* **8.** Pôr (em outro lugar); remover. **9.** Transformar, converter: *Há comportamentos que m u d a m o brio em desonra. T. i.* **10.** Deixar (uma coisa por outra): *m u d a r de nome; m u d a r de conversa. Bit. i.* **11.** Sofrer alteração, modificação: *M u d o u de afável em macambúzio. Int.* **12.** Ir habitar ou estacionar em outro ponto; transferir-se para outra casa ou local. **13.** Tornar-se diferente do que era, física ou moralmente; alterar-se. *P.* **14.** Deixar o lugar onde vivia; transferir a sua residência (para outra terra, outra casa, etc.). **15.** Transformar-se, converter-se, transmudar-se, transmutar-se: "Mudando andei costume, terra e estado, / por ver se s e m u d a v a a sorte dura" (Luís de Camões, *Rimas,* p. 155); "M u d a v a - s e a brancura em áspera energia" (Eugênio de Castro, *Obras Poéticas,* VI, p. 51); "M u d a - s e o claro dia em noite escura" (Ronald de Carvalho, *Poemas e Sonetos,* p. 136). **16.** Passar, fugir, desaparecer.

mudável. [Do lat. *mutabile.*] *Adj. 2 g.* **1.** Suscetível de mudar; sujeito a mudança: "Vem no sonho outro sonho, lento e lento, / que os caminhos do sonho são m u d á v e i s , / traiçoeiros e incertos como o vento." (Martins Napoleão, *O Oleiro Cego,* p. 86.) **2.** *Fig.* Volúvel, voltário. [F. paral.: *mutável;* sin. ger.: *mudadiço.*]

mudéjar. [Do ár. *mudajjan,* part. pass. de *dagana,* 'permanecer', pelo esp. *mudéjar.*] *S. m.* **1.** Ornato arquitetônico de linhas entrelaçadas em forma de figuras geométricas. ● *S. 2 g.* **2.** Designação arábica dos mouros que ficaram habitando a Península Ibérica depois da reconquista pelos cristãos. ● *Adj. 2 g.* **3.** Pertencente ou relativo aos mudéjares. **4.** Feito ao gosto mourisco; mouro. [Pl.: *mudéjares.*]

mudez (ê). *S. f.* **1.** Qualidade ou estado de mudo; mutismo [q. v.] **2.** *Med.* Incapacidade de falar, por ausência da audição (congênita ou adquirida na primeira infância), ou em conseqüência de lesões que comprometem os órgãos centrais ou periféricos da fala. [F. paral., desus.: *mudeza.*]

mudeza (ê). *S. f. Desus.* V. *mudez.*

mudo. [Do lat. *mutu.*] *Adj.* **1.** Impossibilitado de falar; privado do uso de palavra por defeito orgânico. **2.** Impedido de falar em virtude de inibição psíquica (emoção; medo, ódio, etc.). **3.** Que se abstém voluntariamente de falar ou responder; calado, silencioso. **4.** Que não se expressa por palavras: *protesto m u d o ; cena m u d a .* **5.** Que não é acompanhado de palavras, ou que não faz rumor: "O bom do velho ao sobressalto acorda. / E as lágrimas de alguém banham-lhe a face, / E o pranto é m u d o " (Alexandre Herculano, *Poesias,* p. 117). **6.** Diz-se daquilo que por sua natureza ou por impedimento momentâneo não produz nenhum som: *teclado m u d o ; O telefone está m u d o ;* "Contudo os olhos d'ignóbil pranto / Secos estão; / M u d o s os lábios não descerram queixas / Do coração." (Gonçalves Dias, *Obras Poéticas,* II, p. 20). **7.** Que não registra sons ou palavras: *circuito m u d o de televisão; cinema m u d o .* ~ V. *cena* —*a* e *cinema* —. ● *S. m.* **8.** Aquele que é mudo. **9.** Certo jogo popular.

muezim. [Do ár. *al-muadhdham,* pelo turco *muezzim* e pelo fr. *muézin.*] *S. m.* V. *almuadem.*

mufa. *S. f. Metal.* Var. de *mufla.*

mufla. [Do fr. *moufle.*] *S. f.* **1.** Ornato em forma de focinho de animal. **2.** Caixa, nas instalações elétricas, onde se acham os interruptores gerais. **3.** *Metal.* Cadinho de argila refratária, que serve de vaso para fusão de metais em fornos com aquecimento elétrico, ou a gás ou a carvão, sem que ocorra contato direto entre a chama e o material fundido. [Var., nesta acepç., *mufa.*]

mufti. [Do ár. *mufti.*] *S. m.* Chefe religioso muçulmano a quem compete resolver em última instância as controvérsias civis ou religiosas.

mufumba. *S. f. Bras.* V. *cipoaba.*

mufunfa. *S. f. Bras.* V. *dinheiro* (4).

muganga[1]. *S. f. Bras., N.E.* V. *moganga*[1].

muganga[2]. *Adj.* (*f.*) e *s. f. Bras., N.E.* V. *moganga*[2].

mugido. [Part. substantivado de *mugir.*] *S. m.* **1.** A voz da vaca e, em geral, dos bovídeos: "Saudade! O Parnaíba — velho monge / As barbas brancas alongando... E ao longe / O m u g i d o dos bois da minha terra..." (Da Costa e Silva, *Sangue,* p. 41.) **2.** Bramido, estrondo: "Do lado da barra reboava o m u g i d o das vagas que rolavam e vinham chofrar espumas no parapeito do cais." (Camilo Castelo Branco, *Perfil do Marquês de Pombal,* p. 15.)

mugilídeo. *S. m.* **1.** Espécime dos mugilídeos. ● *Adj.* **2.** Pertencente ou relativo a eles.

mugilídeos. *S. m. pl. Zool.* Família de peixes teleósteos, com numerosas espécies. São fusiformes, com grandes escamas arredondadas, douradas ou prateadas; comestíveis.

mugir[1]. [Do lat. *mugire.*] *V. int.* **1.** Dar mugidos: "O gado m u g i a ; os cães latiam furiosos" (José de Alencar, *O Sertanejo,* p. 110). **2.** Soltar gritos semelhantes a mugidos; berrar, bramir. **3.** Soar fortemente, estrondar (o mar, etc.): "Mas hoje, que sinistra ventania / M u g e nas selvas, ruge nos rochedos, / Condor sem rumo, errante, / que esvoaça, / Deixo-te entregue ao vento da desgraça." (Castro Alves, *Poesias Escolhidas,* p. 311); "Da água os turvos cachões m u g e m pela devesa." (Carlos D. Fernandes, *Canção de Vesta,* p. 7.) *T. d.* **4.** Dar, soltar, emitir, à maneira de mugido: *M u g i u palavras incompreensíveis.* [Conjug.: v. *dirigir.* Us., em geral, só nas 3as pess. Cf. *mungir.*]

mugir[2]. [De *mungir,* com desnasalação.] *V. t. d.* V. *mungir.* [Conjug.: v. *dirigir.*]

➡**muguet** (muguê). [Fr.] *S. m.* Lírio-do-vale.

mugunzá. *S. m. Bras.* V. *munguzá.*

mui (ũ). *Adv.* F. apocopada de *muito,* empregada antes de adjetivos ou de advérbios em *-mente: m u i triste, m u i docemente.* [Insólito o emprego de *mui* precedendo a verbo, como se vê no excerto seguinte: "o Porto m u i devia rir." (Albino Forjaz de Sampaio, *Crônicas Imorais,* p. 30). Cf. *muito* e *muí.*]

muí. [Do tupi, decerto.] *S. m.* V. *caraná* (1). [Cf. *mói,* do v. *moer,* e *mui* (ũ).]

muiá. *S. m. Bras.* V. *cará*[1].

muiracatiara. *S. f. Bras.* Var. de *muiraquatiara.*

muiracaua. [Do tupi *mira'tawa.*] *S. f. Bras.* Árvore da família das rutáceas (*Rhabdodendron paniculatum*).

muiracutaca. [Do tupi.] *S. f. Bras., Amaz.* Árvore da família das leguminosas (*Swartzia acuminata*), da floresta úmida, cujas folhas têm de 9 a 13 folíolos ovados, e cujas flores, com uma pétala branca de 2 a 3 cm de diâmetro, compõem longos racemos multifloros.

muiraíra. [Do tupi.] *S. f. Bras., AM. Desus.* Replantio.

muirajuba. [Do tupi *mira'yuba.*] *S. f. Bras.* Árvore da família das leguminosas (*Apuleia molaris*), da floresta amazônica, de folíolos emarginados e oblongos, flores pequenas e dispostas em panículas, frutos densamente revestidos em pêlos, e cuja madeira é bege-clara, dura e durável; barajuba.

muirajuçara. [Do tupi *mirayu'sara.*] *S. f. Bras., Amaz.* Árvore da família das apocináceas (*Rauvolfia pentaphylla*), da floresta pluvial, de folhas coriáceas e dispostas em verticilos de 5 cm, e cuja casca encerra o alcalóide reserpina, útil no tratamento da hipertensão arterial.

muirajuçara-verdadeira. *S. f. Bras., Amaz.* Árvore da família das apocináceas (*Aspidosperma duckei*), das matas mais secas, que tem folhas ovadas, coriáceas e pubérulas, flores grandes paniculadas, amareladas ou creme, e cujo fruto é grande folículo piloso, de sementes aladas, sendo a madeira rosada e aproveitável para vários fins. [Pl.: *muirajuçaras-verdadeiras.*]

muirapaxiúba. [Do tupi *mirapaxi'uwa.*] *S. f. Bras., Amaz.* Árvore da família das leguminosas (*Cassia adiantifolia*), habitante da floresta úmida, de folhas dotadas de 20 a 30 folíolos pequenos e coriáceos, e cujas flores se dispõem em cacho e têm pétalas douradas.

muirapinima. [Do tupi *mirapi'nima.*] *S. f. Bras., Amaz.* Árvore da família das moráceas (*Brosimum guianense*), freqüente na mata úmida, de cerne duríssimo, imputrescível e difícil de trabalhar, notável pela coloração vermelha com pintas pretas, imitante a pele de onça, e empregado na confecção de objetos de luxo.

muirapiranga. [Do tupi *mĩrapi'rãga.*] *S. f. Bras., Amaz.* V. *conduru-de-sangue.* [Var.: *murapiranga.*]

muirapixi. [Do tupi *mĩrapi'xi.*] *S. m. Bras., Amaz.* Árvore da floresta pluvial, da família das sapotáceas (*Manilkara parviflora*), de folhas grandes e coriáceas, flores ordenadas em fascículos, látex copioso, madeira dura e forte, mas não aproveitada, e cujo fruto é baga edule.

muirapixuna. [Do tupi *mĩrapi'xuna.*] *S. f. Bras., Amaz.* Árvore da família das leguminosas (*Cassia scleroxylon*), da floresta pluvial, cujo tronco é sulcado e esburacado, e cuja madeira, dura e resistente, é pardo-acinzentada, com largos veios pretos, e tem importância local.

muirapuama. [Do tupi *mirapu'ama.*] *S. f. Bras., Amaz.* Árvore da família das olacáceas (*Ptychopetalum olacoides*), da mata úmida, que se tornou afamada por julgar-se que a casca da sua raiz encerra propriedades afrodisíacas.

muirapuamina. *S. f. Bras.* Alcalóide que se extrai da muirapuama.

muirapucu. [Do tupi *mirapu'ku.*] *S. m. Bras., AM.* Arvoreta da família das flacurtiáceas (*Laetia corymbulosa*), de folhas ovadas, glanduloso-serreadas e providas de pontoações translúcidas, flores de 1 cm, agrupadas em cimeiras, e cujos frutos são cápsulas carnosas.

muiraquatiara. [Do tupi *mirakwati'ara*] *S. f. Bras., Amaz.* Árvore da família das anacardiáceas (*Astronium lecointei*), da floresta úmida, cuja madeira é semelhante à do gonçalo-alves, sendo valiosa pelo colorido e durabilidade, e cujas pequenas drupas têm um pára-quedas formado pelo cálice acrescente. [Var.: *muiracatiara.*]

muiraqueteca. [Do tupi *mirake'teka.*] *S. f.* **1.** *Bras.* V. *cipó-caboclo.* **2.** V. *cipó-d'água.*

muiraquitã. [Do tupi *mĩraki'tã.*] *S. m. Bras., Amaz.* Artefato talhado em nefrita, com formas diversas, algumas vezes de batráquios, quelônios, serpentes, etc., que tem sido encontrado no baixo Amazonas, e ao qual se atribuem virtudes de amuleto; pedra-verde, pedra-das-amazonas.

muiratinga. [Do tupi *mĩra'tĩga.*] *S. f. Bras., Amaz.* Árvore lactescente, da família das moráceas (*Noyera mollis*), espécie raramente observada da floresta úmida, cujas folhas são coriáceas e estipuladas, e cujas flores, unissexuais, se agregam em receptáculos solitários.

muiratinga-verdadeira. *S. f. Bras., Amaz.* Árvore da família das moráceas (*Olmedia maxima*), da floresta pluvial, de folhas membranáceas, amplas e estipuladas, flores unissexuais, reunidas em amentos compactos, e que cede látex mediante lesão. [Pl.: *muiratingas-verdadeiras.*]

muiraúba. [Do tupi *mira'iwa.*] *S. f. Bras., Amaz.* Arvoreta da família das melastomatáceas (*Mouriria plasschaertii*), que se caracteriza pelas folhas coriáceas sem nervuras curvas.

muiraximbé. *S. f. Bras.* Maraximbé.

muísca. *S. 2 g.* e *adj. 2 g.* V. *chibcha.*

muitá. [Var. de *mutá.*] *S. m. Bras., Amaz.* V. *mutá* (2).

muito (ũi). [Do lat. *multu.*] *Pron. indef.* **1.** Que é em grande número ou em abundância, ou em grande intensidade: *muito dinheiro; muita atenção.* [Não admite, neste caso, a f. apocopada *mui,* sendo anormal o emprego de "mui respeito", que se observa em Rodolfo Teófilo, *Lira Rústica,* pp. 101 e 132.] • *Adv.* **2.** Com excesso; abundantemente; em alto grau; com intensidade. [F. apocopada: *mui* (q. v.).] **3.** Muito tempo: *Morreu há muito.* ♦ **De muito.** Desde muito tempo; há (ou havia) muito tempo. **Quando muito.** Se tanto; no máximo: *O apartamento tem, quando muito, 200 metros quadrados.*

muiuíra (muiuí). [Do tupi *muyu'iri.*] *S. f. Bras.* Maipoca.

muiúna (mui-ú). [Do tupi.] *S. m. Bras.* Remoinho produzido, no Amazonas e em seus afluentes ocidentais, na época das enchentes, pela ação da água sobre a curvatura extrema das margens, tornando-se o rio infranqueável.

mujangüê. [Do tupi *muyã'we.*] *S. m. Bras., Amaz.* Iguaria feita de ovos crus de tartaruga, tracajá ou gaivota com açúcar e farinha-d'água. [Var. pros.: *mujanguê.*]

mujanguê. *S. m. Bras., Amaz.* Var. de *mujangüê.*

mujique [Do russo *muzhik.*] *S. m.* Camponês russo. [Cf. *mojique,* do v. *mojicar.*]

mujolo (ô). *S. m. Bras., PA.* V. *monjolo* (2).

mula[1]. [Do lat. *mula.*] *S. f.* **1.** A fêmea do mulo [q. v.]. **2.** *Pop.* Adenite inguinal, de origem venérea. ♦ **Lerdo como mula guaxa.** *Bras., S.* Diz-se, por gracejo, de pessoa mole, vagarosa. **Picar a mula.** *Bras., MG. Pop.* **1.** Ir embora; retirar-se. **2.** V. *fugir* (1).

mula[2]. *S. f. Marn.* Monte de sal com a forma de prisma, de seção triangular, terminado em dois meios cones.

mulada. [Do esp. plat. *mulada.*] *S. f. Bras., S.* Manada de mulas. [Cf. *molada.*]

muladar. [Do lat. vulgar *muratale.*] *S. m.* Monturo, esterqueira; muradal.

muladeiro. *S. m. Bras., MG* e *S.* **1.** Aquele que conduz mulas; arrieiro, almocreve: "Não suportou os ciúmes dele, fugiu com um muladeiro de cometa" (Nélson de Faria, *Tiziu e Outras Estórias,* p. 38). **2.** Aquele que negocia com mulas, etc.: "Era muladeiro; ia todos os anos à feira de Sorocaba ou Curitiba, a comprar bestas, que vendia pelas províncias de S. Paulo, Minas e Goiás." (Bernardo Guimarães, *História e Tradições da Província de Minas Gerais,* p. 39.)

mula-de-padre. [De *mula*[1] + *de* + *padre.*] *S. f. Bras., N.E.* V. *mula-sem-cabeça.* [Pl.: *mulas-de-padre.*]

mula-sem-cabeça. [De *mula*[1] + *sem* + *cabeça.*] *S. f. Bras.* **1.** Conforme a crendice popular, concubina de padre, que, metamorfoseada em mula, sai, certas noites, cumprindo o seu fadário, a correr desabaladamente, ao fúnebre tilintar de cadeias que arrasta, amedrontando os supersticiosos. **2.** Concubina (1) de padre. [Sin.: *mula-de-padre, burra-de-padre, cavalo-sem-cabeça.* Pl.: *mulas-sem-cabeça.*]

mulata. [Fem. de *mulato.*] *Adj.* (*f.*). **1.** Diz-se duma variedade de batata própria para assar. • *S. f.* **2.** Fem. de *mulato.* **3.** *Bras.* Peixe teleósteo, percomorfo, da família dos lutjanídeos (*Rhomboplistes aurorubens* (Cuv.)), do Atlântico, de coloração geral vermelha viva, mais clara na parte inferior, estrias irregulares, escuras e douradas nos flancos e no dorso. [Sin., nesta acepç.: *carapitanga, cioba, realito, vermelho-paramirim.*] **4.** Espécie de abelha meliponídea.

mulataço. *S. m. Bras.* Mulato corpulento, reforçado: "Chamou pelo Anacleto, um mulataço membrudo, que o acompanhava sempre, como guarda-costas" (Lúcio de Mendonça, *Esboços e Perfis,* p. 63).

mulatame. *S. m. Bras.* Mulataria.

mulataria. *S. f.* Chusma de mulatos; mulatame.

mulateira. [De *mulato* + *-eira.*] *S. f.* Burra que se dá à cobrição por cavalo, para a produção de mus [v. *mu*[1]].

mulateiro. [De *mulato* + *-eiro.*] *S. m.* **1.** Jumento de cobrição de éguas para a produção de mus [v. *mu*[1]]. **2.** *Bras., Amaz.* Pau-mulato.

mulatete (ê). *S. m. Bras.* Dim. irreg. de *mulato* (1 e 2).

mulatice. *S. f. Bras.* **1.** Qualidade ou condição de mulato (1 e 2). **2.** Procedimento próprio de mulato. [Sin. ger.: *mulatismo.*]

mulatinha. [Dim. de *mulata.*] *S. f.* Abelha meliponídea (*Melipona basalis* Smith); abelha-do-chão, mumbucaloura.

mulatinho. [Dim. de *mulato.*] *S. m.* **1.** Arbusto da família das rubiáceas (*Rudgea dahlgrenii*), cujas folhas são opostas e estipuladas, sendo as flores e os frutos pequeninos e dispostos em cimeiras bastante ramificadas. **2.** Variedade de feijão.

mulatismo. [De *mulato* + *-ismo.*] *S. m. Bras.* V. *mulatice.*

mulato. [Do esp. *mulato* < *mulo,* por ser mestiço o mulato.] *S. m.* **1.** Filho de pai branco e mãe preta, ou vice-versa; cabrocha, pardo. **2.** Homem escuro, trigueiro. [Aum. irreg., nessas acepç.: *mulataço;* dim. irreg.: *mulatete.*] **3.** *Ant.* V. *mulo.* **4.** *Min.* Minério pardacento de prata ou de cobre. • *Adj.* **5.** Diz-se de indivíduo mulato (1 e 2); pardo. **6.** *Bras., PA.* Diz-se da rês cujo pêlo é alaranjado no dorso e preto no restante.

mulato-grosso. *S. m. Bras., BA.* Variedade de feijão. [Pl.: *mulatos-grossos.*]

mulato-velho. [De *mulato* + *velho.*] *S. m. Bras., RJ.* O bagre seco e salgado; patureba, caicó. [Pl.: *mulatos-velhos.*]

muleiro. [De *mula*[1] + *-eiro.*] *S. m. Bras., RJ. Folcl.* V. *mateus.*

mulembá. [Do quimb. *mu'lemba.*] *S. m. Bras.* A figueira-branca ou mata-pau enquanto se apresenta em epifitismo.

muleta (ê). [Do esp. *muleta.*] *S. f.* **1.** Bastão de braço curvo, ao qual se apóiam os coxos. **2.** *Fig.* Aquilo que serve de apoio. **3.** Pau em que o toureiro suspende a capa, a fim de provocar o touro. **4.** Manivela de realejo. **5.** *Lus.* Pequeno barco de pesca: "Nessas inumeráveis composições [os *croquis* de Carlos de Bragança] perpassam, a remo ou à vela, a muleta do Seixal, ... o lugre, o patacho, a escuna, o caíque" (Ramalho Ortigão, *Arte Portuguesa,* II, p. 128). [Cf. *moleta.*]

muletada[1]. [De *mulo* + *-ete-* + *-ada*[1].] *S. f.* Manada de gado muar.

muletada[2]. [De *muleta* + *-ada*[1].] *S. f.* Golpe dado com muleta.

muleteiro. *S. m.* Aquele que trata de mulas.

muletim. *S. m. Lus.* Vela da muleta (5).

mulher. [Do lat. *muliere.*] *S. f.* **1.** O ser humano do sexo feminino capaz de conceber e parir outros seres humanos, e que se distingue do homem (4) por essas características. **2.** Esse mesmo ser humano considerado como parcela da humanidade: *os direitos da mulher.* [Cf. *homem* (2).] **3.** A mulher (1) na idade adulta. **4.** *Restr.* Adolescente do sexo feminino que atingiu a puberdade; moça. **5.** Mulher (1) dotada das chamadas qualidades e sentimentos femininos (carinho, compreensão, dedicação ao lar e à família, intuição): *Como mulher, sabe apoiá-lo na justa medida.* **6.** A mulher (1) considerada como parceira sexual do homem. **7.** *Deprec.* A mulher considerada como um ser frágil, dependente, fútil, superficial, ou interesseiro: *O rapaz deixava-se envolver por mulheres.* **8.** Cônjuge do sexo feminino; a mulher (1) em relação ao marido; esposa. **9.** Amante, companheira, concubina. **10.** Mulher (1) que apresenta os requisitos necessários para determinadas tarefas: *mulher dona-de-casa; mulher de negócios.* **11.** Uma mulher (1) qualquer; dona: *Quem telefonou?* | — Uma mulher. [Aum., nas acepç. 1, 3 a 6: *mulheraça, mulherão* e *mulherona.*] ♦ **Mulher à-toa.** *Bras. Pop.* V. *meretriz:* "Papai fica na igreja vigiando: se entra mulher à-toa, corre com ela." (Geraldo França de Lima, *Branca Bela,* p. 63.) **Mulher da comédia.** *Bras. Pop.* V. *meretriz.* **Mulher da rótula.** *Bras., RJ. Pop.* V. *meretriz.* **Mulher da rua.** *Bras.* V. *meretriz.* **Mulher da vida.** *Bras.* V. *meretriz.* **Mulher da zona.** *Bras.* V. *meretriz.* **Mulher de amor.** *Bras.* V. *meretriz:* "antiga mulher de amor, gasta e repelida, abriu casa de tolerância, seduziu mulheres honestas, explorou a corretagem do vício" (Lúcio de Mendonça, *Horas do Bom Tempo,* p. 207). **Mulher de César.** Mulher de reputação inatacável. **Mulher de má nota.** V. *meretriz.* **Mulher de ponta de rua.** *Bras. Pop. N.* e *N.E.* V. *meretriz.* **Mulher do fado.** *Bras. Pop.* V. *meretriz.* **Mulher do fandango.** *Bras., Pop.* V. *meretriz.* **Mulher do mundo.** *Bras. Pop.* V. *meretriz.* **Mulher do pala aberto.** *Bras. Pop.* V. *meretriz.* **Mulher do piolho.** *Bras. Fam.* Mulher muito teimosa. [Us., em geral, comparativamente: *Ô velhinha teimosa! é pior que a mulher do piolho.*] **Mulher errada.** V. *meretriz.* **Mulher fatal.** Mulher particularmente sensual e sedutora, que provoca ou é capaz de provocar tragédias: "Cadê Maria Rosa, / tipo acabado de mulher fatal / que tem como sinal / uma cicatriz, / dois olhos muito grandes, uma boca e um nariz." (Da marcha *Cadê Maria Rosa?,* de Nássara e J. Rui.) **Mulher perdida.** V. *meretriz:* "Custava-lhe acreditar que o filho a houvesse enganado, abusando do seu estado para meter em casa uma mulher perdida." (Coelho Neto, *Turbilhão,* p. 314.) **Mulher vadia.** *Bras.* V. *meretriz.*

mulheraça. *S. f.* Mulher alta e forte; mulherão, mulherona, mulheraço, matronaça: "saía do mato uma mulheraça rúbida, de saias tufadas de goma" (Monteiro Lobato, *Urupês, Outros Contos e Coisas,* p. 53).

mulheraço. [De *mulher* + *-aço.*] *S. m.* V. *mulheraça:* "Apanhou um broto de fechar farmácia de plantão, um mulheraço de um metro e oitenta, um espetáculo" (Rubem Fonseca, *A Coleira do Cão,* p. 169).

mulherada. *S. f. Bras.* V. *mulherio.*

mulherame. *S. m. Bras.* V. *mulherio.*
mulherão. [Aum. irreg. de *mulher.*] *S. m.* V. *mulheraça.*
mulher-dama. *S. f. Bras., N.E.* e *MG. Pop.* V. *meretriz;* "O povo é mesmo aleivoso, mete a ronca na coitada como se ela fosse m u l h e r - d a m a." (Ricardo Ramos, *Os Caminhantes de Santa Luzia,* p. 45.) [Pl.: *mulheres-damas.*]
mulher-de-gamela. *S. f. Bras., BA.* Vendedora de fato[3] (2), peixe e mingau. [Pl.: *mulheres-de-gamela.*]
mulherengo. [De *mulher* + *-engo.*] *Adj.* e *s. m.* **1.** Que ou aquele que se compraz em misteres próprios do sexo feminino; efeminado, maricas. **2.** Femeeiro (1 e 3): "O Juca é muito m u l h e r e n g o, demais. Doente por mulher." (Nélson Rodrigues, *100 Contos Escolhidos. A Vida como Ela É,* II, p. 49.)
mulher-homem. *S. f.* **1.** V. *machão* (1). **2.** V. *lésbica.* [Sin. ger.: *mulher-macho.* Pl.: *mulheres-homens* e *mulheres-homem.*]
mulherico. [De *mulher* + *-ico*[1].] *Adj.* Afeminado, efeminado; fraco.
mulherigo. [De *mulherico,* com sonorização.] *S. m.* Homem mulherico, efeminado, afeminado.
mulheril. *Adj. 2 g.* **1.** Relativo a mulher. **2.** Próprio de mulheres. **3.** Mulherengo (1).
mulherinha. *S. f.* **1.** Dim. de *mulher;* mulherzinha. **2.** Mexeriqueira, bisbilhoteira. **3.** Mulher libertina, devassa.
mulherio. [De *mulher* + *-io*[1].] *S. m.* **1.** Grande porção de mulheres: "O m u l h e r i o alegre, em .... provocadora ostentação de carnes, saracoteava, abaixo e acima, às gargalhadas estridentes, roçando pelos rapazes com afetada lascívia." (Coelho Neto, *Turbilhão,* p. 245). [Sin., pop.: *femeação.*] **2.** As mulheres. [Sin. ger., bras.: *mulherada, mulherame.*]
mulher-macho. *S. f.* **1.** Mulher que apresenta qualidades viris de coragem, valor, capacidade de comando e decisão, etc. **2.** V. *machão* (1). **3.** V. *lésbica.* [Pl.: *mulheres-machos.*]
mulherona. *S. f. Bras.* V. *mulheraça.*
mulher-objeto. *S. f.* A mulher (7) considerada como simples fonte de prazer. [Pl.: *mulheres-objetos* e *mulheres-objeto.*]
mulher-solteira. *S. f. Bras., CE* e *MG. Pop.* V. *meretriz.* [Pl.: *mulheres-solteiras.*]
mulherzinha. [Dim. de *mulher.*] *S. f.* V. *efeminado* (5).
muliado. [De *mulo* + *-i-* + *-ado*[1].] *Adj.* **1.** Monstruoso, híbrido. **2.** *Fig.* Oposto ao que deve ser, ao que é conveniente.
muliebre. [Do lat. *muliebre.*] *Adj. 2 g. P. us.* Feminino, mulheril.
mulita. [Do esp. plat. *mulita.*] *S. f. Bras., RS.* **1.** Espécie de tatu. **2.** Engano, logro, burla. ◆ **Passar mulita em.** *Bras., RS.* Enganar, lograr, burlar.
mulo. [Do lat. *mulu.*] *S. m.* Animal mamífero, da ordem dos perissodáctilos, resultante do cruzamento de jumento com égua, ou de cavalo com jumenta. É, pois, animal híbrido, estéril, do mesmo gênero de *Equus,* i. e., do cavalo (*Equus caballus* L.) e do jumento (*Equus asinus* L.). [Sin.: *mu, besta, burro* e (pop.) *macho.*]
mulso. [Do lat. *mulsu,* 'vinho misturado com mel'.] *S. m.* V. *hidromel.*
multa. [Do lat. *mulcta.*] *S. f.* **1.** Ato ou efeito de multar; coima. **2.** Pena pecuniária. **3.** Papel ou documento que a comprova. **4.** Pena, condenação. ◆ **Multa penitencial.** A que uma parte contratante paga à outra no caso de arrepender-se do contrato.
multangular. [De *mult(i)-* + *angular.*] *Adj. 2 g. Mat.* Diz-se de figura que tem mais de quatro ângulos; multiangular.
multar. [Do lat. *mulctare.*] *V. t. d.* Impor ou aplicar multa a.
▲**mult(i)-.** [Do lat. *multus, a, um.*] *El. comp.* = 'muito', 'numeroso': *multangular, multiangular, multissecular.*
multiangular. [De *mult(i)-* + *angular.*] *Adj. 2 g. Mat.* Multangular.
multiaxífero (cs). [De *mult(i)-* + *axífero.*] *Adj. Morfol. Veg.* Que tem muitos eixos.
multibilionário. [De *mult(i)-* + *bilionário.*] *Adj.* e *s. m.* Diz-se de, ou indivíduo muitas vezes bilionário.
multibracteado. [De *multi* + *bracteado.*] *Adj. Morfol. Veg.* Que tem muitas brácteas.
multicapsular. [De *mult(i)-* + *capsular.*] *Adj. 2 g. Morfol. Veg.* Que tem muitas cápsulas.
multicarpelar. [De *mult(i)-* + *carpelo* + *-ar*[1].] *Adj. 2 g. Morfol. Veg.* Que tem muitos carpelos.
multicaudo. [De *mult(i)-* + *-caudo.*] *Adj. Zool.* Que tem muitos prolongamentos em forma de cauda.
multicaule. [Do lat. *multicaule.*] *Adj. 2 g. Morfol. Veg.* Diz-se do vegetal de cuja raiz saem muitos caules.
multicelular. [De *multi(i)-* + *celular.*] *Adj. 2 g. Biol.* Pluricelular.
multicolor (ô). [Do lat. *multicolore.*] *Adj. 2 g.* Que tem muitas cores; multicor, multicolorido, policromo, policromado: "Pelas largas espáduas penduradas / Não te verão mais setas aguçadas. / Nem de penas m u l t i c o l o r textura / Teus braços cingirá, tua cintura." (Frei Francisco de S. Carlos, *A Assunção,* pp. 186-187.) [Pl.: *multicolores* (ô). Cf. *multicolores,* do v. *multicolorir.*]
multicolorido. [De *multi(i)-* + *colorido.*] *Adj.* V. *multicolor:* "Pernas, braços, seios, olhos, muitos olhos dando reflexos m u l t i c o l o r i d o s ao ambiente escuro." (Elias José, *Inquieta Viagem do Fundo do Poço,* p. 15.)
multicolorir. [De *mult(i)-* + *colorir.*] *V. t. d.* Dar muitas cores a; tornar multicolor: "A luz, que os vitrais m u l t i c o l o r e m, aviva as estações da Via Sacra." (Antônio de Alcântara Machado, *Pathé-Baby,* p. 21.) [Pres. ind.: *multicoloro, multicolores,* etc. Cf. *multicolores* (ô), pl. de *multicolor.*]
multicomponente. [De *mult(i)-* + *componente.*] *Adj. 2 g. Fís.-Quím.* Que tem vários componentes.
multicor (ô). [Do lat. *multicolore.*] *Adj. 2 g.* V. *multicolor.*
multidão. [Do lat. *multitudine,* pelo arc. *multidõe, multidom.*] *S. f.* **1.** Grande quantidade ou ajuntamento de pessoas ou de coisas. **2.** V. *quantidade* (3). **3.** Abundância, cópia, profusão. **4.** O povo (4). **5.** *Sociol.* Tipo de agrupamento social caracterizado pela pluralidade e heterogeneidade dos elementos que reúne e pelo contato físico ou imediato dos indivíduos, e que reage de maneira semelhante, mais ou menos impulsiva, aos mesmos estímulos.
multidiedro. [De *mult(i)-* + *diedro.*] *S. m. Geom.* Figura sólida formada por *n* faces, três das quais não passam pela mesma reta e pelas $n(n-1)/2$ arestas que essas faces definem duas a duas.
multidimensional. [De *mult(i)-* + *dimensional.*] *Adj. 2 g.* Que tem várias dimensões.
multidisciplinar. [De *mult(i)-* + *disciplina* + *-ar*[1].] *Adj. 2 g.* Referente a, ou que abrange muitas disciplinas.
multiestágio. [De *mult(i)-* + *estágio.*] *Adj.* ~ V. *foguete*—.
multiface. [De *mult(i)-* + *face.*] *Adj. 2 g.* **1.** Multifacetado. **2.** Que se aplica a diversos assuntos: *pesquisador m u l t i f a c e.*
multifacetado. [De *mult(i)-* + *facetado.*] *Adj.* Que tem muitas facetas; multiface.
multifamiliar. [De *mult(i)-* + *família* + *-ar*[1].] *Adj. 2 g.* Referente a, ou que abrange muitas famílias. ~ V. *edificação* —.
multifário. [Do lat. *multifariu.*] *Adj.* Que tem muitos aspectos; variado; multímodo: "inúmeras obras de preço concebidas e facetadas nos diferentes gêneros em que a sua intelectualidade m u l t i f á r i a e brilhante [de Lucindo Filho] teve ocasião de se exibir." (Raimundo Correia, *Poesia Completa e Prosa,* p. 472).
multífido. [Do lat. *multifidu.*] *Adj. Morfol. Veg.* Fendido em muitas partes.
multifloro. [Do lat. *multifloru.*] *Adj. Morfol. Veg.* Que tem muitas flores.
multifocal. [De *mult(i)-* + *focal.*] *Adj. 2 g.* **1.** Que tem muitos focos. **2.** Relativo a muitos focos.
multífluo. [Do lat. *multifluu.*] *Adj.* Que flui ou corre abundantemente.
multifoliado. [De *mult(i)-* + *foliado.*] *Adj. Morfol. Veg.* Que tem muitas folhas.
multiforme. [Do lat. *multiforme.*] *Adj. 2 g.* Que tem muitas formas ou se apresenta de muitas maneiras; polimorfo, multímodo: "a mulher *coquette* — mulher artificial, mulher m u l t i f o r m e, que tem um coração para cada homem, uma sensibilidade para cada palavra, um trejeito para cada sentimento" (Latino Coelho, *Tipos Nacionais,* pp. 63-64).
multiformidade. *S. f.* Qualidade de multiforme.
multifuro. [De *mult(i)-* + *furo.*] *Adj.* Que tem muitos furos.
multiganglionar. [De *mult(i)-* + *ganglionar.*] *Adj. 2 g.* Referente a muitos gânglios.
multígeno. [Do lat. *multigenu.*] *Adj.* Que abrange muitos gêneros ou espécies.
multigrafar. [De *mult(i)-* + *grafar.*] *V. t. d.* Reproduzir por meio de duplicador de qualquer espécie. i. e., sem intervenção dos processos de impressão propriamente ditos.
multilateral. [De *mult(i)-* + *lateral.*] *Adj. 2 g.* Que se faz ou realiza entre várias nações, instituições ou pessoas.
multilátero. [Do lat. *multilateru.*] *Adj. Geom.* Diz-se de figura plana que tem mais de quatro lados.
multilíngüe. [De *mult(i)-* + *língua.*] *Adj. 2 g.* **1.** Que tem muitas línguas [v. *língua* (1)]. **2.** V. *poliglota* (1 e 2).
multilite. [De *Multilith,* nome comercial.] *S. f.* **1.** Processo de impressão análogo ao ofsete, usado sobretudo para imprimir folhas de formato pequeno. **2.** Máquina impressora que utiliza tal processo: "Fiz a princípio 'súmulas', que mais tarde ampliei num pequeno *Manual,* impresso em m u l t i l i t e na Escola para uso privativo dos Oficiais-Alunos." (J. Matoso Câmara Jr., *Manual de Expressão Oral e Escrita,* p. 5.)
multilobado. [De *mult(i)-* + *lobado.*] *Adj. Hist. Nat.* Que é, por natureza, dividido em muitos lóbulos; plurilobulado.
multilocular. [De *mult(i)-* + *locular.*] *Adj. 2 g. Morfol. Veg.* Plurilocular.
multíloquo. [Do lat. *multiloquu.*] *Adj.* Que fala muito; loquaz.
multilustroso (ô). [De *mult(i)-* + *lustroso.*] *Adj.* Que tem muito lustre ou brilho.
multimâmio. [Do lat. *multimamiu.*] *Adj. Zool.* Que tem mais de duas mamas ou tetas.
multímetro. [De *mult(i)-* + *-metro.*] *S. m. Eletrôn.* Instrumento medidor de corrente, tensão e resistência elétricas.
multimilenar. [De *mult(i)-* + *milenar.*] *Adj. 2 g.* Multimilenário.
multimilenário. [De *mult(i)-* + *milenário.*] *Adj.* Que tem muitos milênios; multimilenar: *povo m u l t i m i l e n á r i o.*
multimilionário. [De *mult(i)-* + *milionário.*] *Adj.* e *s. m.* Que ou aquele que é muitas vezes milionário, que é extremamente rico; supermilionário, bilionário [q. v.].
multímodo. [Do lat. *multimodu.*] *Adj.* **1.** V. *multiforme.* **2.** Multifário.
multinacional. [De *mult(i)-* + *nacional.*] *Adj. 2 g.* **1.** Relativo ou pertencente a muitos países ou nações. **2.** De que participam muitos países: *banco m u l t i n a c i o n a l.* **3.** Que se realiza entre vários países: *acordo m u l t i n a c i o n a l.* **4.** Diz-se de empresa comercial e/ou industrial com capital, instalações e atividades de tal forma difundidas por diversos países que seus interesses se desvinculam de uma determinada nação e passam a ser supranacionais, o que lhe dá características que a diferenciam das empresas de determinada nacionalidade. • *S. f.* **5.** Organização ou empresa multinacional.
multinacionalismo. *S. m.* Qualidade de multinacional.
multinegativo. [De *mult(i)-* + *negativo* (6).] *S. m. Fotograv.* Negativo que contém as imagens multiplicadas pela repetidora.
multinucleado. [De *mult(i)-* + *nucleado.*] *Adj. Citol.* Que tem muitos núcleos.
multiovulado. [De *mult(i)-* + *ovulado.*] *Adj.* Que tem muitos óvulos.
multiparidade. *S. f.* Qualidade de multíparo.
multíparo. [De *mult(i)-* + *-paro.*] *Adj.* **1.** *Zool.* Que pode parir de uma só vez muitos filhos. [Diz-se das fêmeas de certos animais.] **2.** Diz-se da mulher que já teve muitos filhos: "A este homem chamavam-lhe .... o *Capão,* porque, tendo desposado .... uma viúva m u l t í p a r a e ativa, enquanto a mulher trabalhava por fora, gravitava ele todo o dia pelo terreiro, montando guarda aos enteados." (Tristão da Cunha, *Histórias do Bem e do Mal,* p. 114.)
multipartição. *S. f.* Ação ou efeito de multipartir.
multipartidário. [De *mult(i)-* + *partidário.*] *Adj.* Relativo a, ou que admite a coexistência de vários partidos [v. *partido* (4)]: *política m u l t i p a r t i d á r i a.*
multipartidarismo. [De *multipartidário* + *-ismo.*] *S. m.* O sistema ou o espírito multipartidário.
multipartido. [Do lat. *multipartitu.*] *Adj. Morfol. Veg.* Diz-se de órgão vegetal dividido em grande número de partes.
multipartir. [De *mult(i)-* + *partir.*] *V. t. d.* e *p.* Dividir(-se) em muitas partes.
multípede. [Do lat. *multipede.*] *Adj. 2 g. Zool.* Que tem muitos pés; polipódio.
multipétalo. [De *mult(i)-* + *-pétalo.*] *Adj. Morfol. Veg.* V. *polipétalo.*
multipleto (ê). [Do ingl. *multiplet.*] *S. m.* **1.** *Fís.* Linha espectral constituída por diversas radiações de comprimentos de onda muito próximos. **2.** *Fís. Nucl.* Conjunto de partículas elementares com o mesmo número bariônico e massas quase iguais, porém cargas elétricas diferentes.
multiplicação. [Do lat. *multiplicatione.*] *S. f.* **1.** Ato ou efeito de multiplicar(-se). **2.** *Arit.* Operação elementar em que se calcula a soma de *n* parcelas iguais a um número *m.* **3.** *Bot.* Reprodução agâmica.
multiplicador (ô). [Do lat. *multiplicatore.*] *Adj.* **1.** Que

multiplica. ● *S. m.* **2.** *Arit.* Numa multiplicação, o fator que indica quantas vezes se há de tomar o outro para efetuá-la.
multiplicando. [Do lat. *multiplicandu.*] *S. m. Arit.* Numa multiplicação, o número que se há de tomar tantas vezes quantas são as unidades do multiplicador.
multiplicar. [Do lat. *multiplicare.*] *V. t. d.* **1.** Aumentar em número ou importância; tornar mais numeroso, ou maior: *Relatam os Evangelhos um milagre em que Jesus* multiplica *os pães;* "Se possuía bons recursos com o que lhe dava a firma comercial ...., o encilhamento multiplicara -lhe a fortuna." (Gastão Cruls, *De Pai a Filho,* p. 40). **2.** Apresentar ou produzir em grande quantidade: *Sentindo-se em falta,* multiplicava *as desculpas por sua ausência na festa.* **3.** Repetir, amiudar: *Ao saber que falava a um ministro,* multiplicou *as mesuras.* **4.** Tornar mais veemente; aumentar de intensidade: *O apelo apenas serviu para* multiplicar *a sua teimosia. T. d. e i.* **5.** *Arit.* Realizar uma multiplicação: multiplicar *oito por cinco. Int.* **6.** Crescer em número; aumentar; avultar. **7.** Produzir seres da mesma espécie; prolificar; reproduzir-se. **8.** *Arit.* Fazer uma multiplicação. *P.* **9.** Crescer em número; aumentar; avultar: "Sorrindo a céus que vão se desvendando, / A mundos que se vão multiplicando, / A portas de ouro que se vão abrindo!" (Cruz e Sousa, *Últimos Sonetos,* p. 50.) **10.** Propagar-se, reproduzir-se. **11.** Produzir-se (seres da mesma espécie); prolificar; reproduzir-se. **12.** Desenvolver atividade extraordinária: "Fr. Geraldo multiplicava-se, fazendo-se ouvir tanto pelas igrejas como pelas capelas particulares" (Aquilino Ribeiro, *Caminhos Errados,* p. 148). [Conjug.: v. *trancar.*]
multiplicativo. *Adj.* Que multiplica ou serve para multiplicar ~ V. *numeral* — e *sinal* —.
multiplicável. [Do lat. *multiplicabile.*] *Adj. 2 g.* Que se pode multiplicar.
multíplice. [Do lat. *multiplice.*] *Adj. 2 g.* Que se manifesta de várias maneiras; complexo, copioso, variado: "A literatura, quando verdadeira, genérica, não é senão uma das multíplices manufaturas da liberdade." (Latino Coelho, *Cervantes,* p. 184.)
multiplicidade. *S. f.* **1.** Qualidade de multíplice. **2.** Grande número; abundância: "O exercício da crítica é experiência das mais complexas. Não só o crítico se defronta com uma multiplicidade infinita de problemas, como também com uma oposição, uma luta de temperamentos diversos" (Temístocles Linhares, *Interrogações,* p. 52). **3.** *Fís.* Numa raia espectral, o número de linhas muito próximas que a constituem.
múltiplo. [De *mult(i)-* + o final dos números multiplicativos latinos.] *Adj.* **1.** Que abrange muitas coisas: "A América é, ao mesmo tempo, uma, tríplice e múltipla, conforme o ponto de vista em que nos colocarmos." (Alceu Amoroso Lima, *A Realidade Americana,* p. 247.) **2.** Que não é simples nem único. ~ V. *coro* —, *desintegração* —*a,* —*a escolha, estrela* —*a, exposições* —*as, fruto* —, *galáxia* —*a, motor* —, *ponto* —, *raiz* —*a, técnica das exposições* —*as* e *válvula* —*a.* ● *S. m.* **3.** Produto de um número por um inteiro; múltiplo inteiro. ◆ **Múltiplo comum.** *Mat.* Número que é simultaneamente múltiplo de dois outros. **Múltiplo inteiro.** *Mat.* V. *múltiplo* (3). **Mínimo múltiplo comum.** *Mat.* O menor inteiro que é múltiplo de todos os membros de um conjunto de inteiros. [Símb.: *MMC.*]
multipolar. [De *multipolo* + *-ar*[1].] *Adj. 2 g.* ~ V. *momento* —.
multipolo. [De *mult(i)-* + *pólo.*] *S. m. Eletr.* Sistema eletricamente neutro constituído por várias cargas elétricas pontuais com uma disposição espacial determinada.
multipontoado. [De *mult(i)-* + *pontoado.*] *Adj.* Que tem muitos pontos ou pintas; mosqueado.
multirracial. [De *mult(i)-* + *racial.*] *Adj. 2 g.* Relativo a, ou constituído de muitas raças: *O Brasil é uma sociedade multirracial.*
multisciente. [De *mult(i)-* + *-(s)ciente.*] *Adj. 2 g.* Que sabe muito; multíscio.
multíscio. [Do lat. *multisciu.*] *Adj.* Multisciente.
multissecular. [De *mult(i)-* + *secular.*] *Adj. 2 g.* Que tem muitos séculos; muitas vezes secular; plurissecular.
multisseptado. [De *mult(i)-* + *septado.*] *Adj. Morfol. Veg.* Que tem muitos septos.
multíssono. [Do lat. *multisonu.*] *Adj.* Que produz muitos ou variados sons.
multissuave. [De *mult(i)-* + *suave.*] *Adj. 2 g.* Muito suave; suavíssimo: "Vinhos multicoloridos, / multissuaves, escorridos / dos vinhedos do crepúsculo, / acenderão os desenhos / de monólogos e diálogos / que ainda jazem no limbo / de soterrado silêncio" (Abgar Renault, *A Outra Face da Lua,* p. 16).
multitubular. [De *mult(i)-* + *tubular.*] *Adj. 2 g.* Diz-se de caldeiras de vapor, etc., que têm muitos tubos.
multitudinário. [Do lat. *multitudine,* 'multidão', + *-ário.*] *Adj.* Relativo à, ou próprio da multidão: "não dura muito o sentimento da vergonha individual, pouco mais que as superficiais e repentinas explosões do amor-próprio e dos ódios e entusiasmos multitudinários." (Fidelino de Figueiredo, *Entre Dois Universos,* p. 107).
multiungulado (i-un). [De *mult(i)-* + *ungulado.*] *Adj. Zool.* Diz-se do animal que tem mais de dois cascos em cada pé.
multívago. [Do lat. *multivagu.*] *Adj.* Que anda de um lugar para outro; que anda sempre; vagabundo.
multivalve. [De *mult(i)-* + *-valve.*] *Adj. 2 g. Morfol. Veg.* Que tem muitas valvas; plurivalve.
multivalvular. [De *mult(i)-* + *valvular.*] *Adj. 2 g. Morfol. Veg.* Que tem muitas válvulas.
multivibrador (ô). [De *mult(i)-* + *vibrar* + *-(d)or.*] *S. m. Eletrôn.* Circuito oscilante que inclui duas etapas acopladas de maneira que o sinal de entrada de cada uma é derivado do sinal de saída da outra. ◆ **Multivibrador biestável.** **1.** *Eletrôn.* V. *gatilho* (2). **2.** V. *circuito flip-flop.*
multívio. [Do lat. *multiviu.*] *Adj.* Que apresenta muitos caminhos.
multívoco. [De *mult(i)-* + final de *equívoco, unívoco.*] *Adj.* ~ V. *função* —*a.*
multívolo. [Do lat. *multivolu.*] *Adj.* Que quer muitas coisas simultaneamente; exigente, ambicioso.
mulundu. [De provável or. afr.] *S. m. Bras.* Certa dança de negros.
mulungu. [Do tupi *murũ'gu.*] *S. m. Bras.* **1.** V. *corticeira* (2). **2.** V. *flor-de-coral* (2). [Var., nesta acepç.: *murungu.*] **3.** *Bras., AL.* Espécie de ingome, de origem africana, que produz sons retumbantes. ◆ **Mulungu crista-de-galo.** *Bras.* V. *corticeira* (2).
mulunguense (u-ê). *Adj. 2 g.* **1.** De, ou pertencente ou relativo a Mulungu (PB). ● *S. 2 g.* **2.** Natural ou habitante de Mulungu.
mumbaca. [Do tupi *mũ'baka.*] *S. f. Bras., Amaz.* Designação comum a duas palmeiras (*Astrocaryum humile* e *A. mumbaca*) do interior da floresta pluvial, cujas folhas têm até 2 m, e cujas nozes são pequenas, globosas, com cerca de 2 cm de diâmetro: "a Zefa virava o peixe nas palhas de mumbaca e remexia o fogo, mouca às palavras desassisadas, que borbotavam..." (Alberto Rangel, *Sombras n'Água,* p. 57). [Cf. *mombaca.*]
mumbanda. [Do quimb. *mi-nbamda,* 'mulher'.] *S. f.* **1.** *Bras., PE.* V. *mucama.* **2.** *P. us.* Qualquer criada nas mesmas condições.
mumbava. [Do tupi *mĩm'bawa.*] *S. m. Bras., S.* **1.** Aquele que trabalha ou reside em terra alheia, como agregado, sem se fixar muito tempo no mesmo lugar. **2.** V. *apaniguado* (2). **3.** V. *capanga* (3). [Cf. *mumbavo.*]
mumbavo. [Var. de *mumbava.*] *S. m. Bras., PR.* Xerimbabo. [Cf. *mumbava.*]
mumbebo. *S. m. Bras., FN.* V. *atobá.*
mumbica. [Do quimb. *mu'bika,* 'escravo', 'homem de baixa condição'.] *S. m.* **1.** *Bras., N.E.* Bezerro pequeno, magro ou raquítico: "considera, aqui, um velho boi que ele conhece há dez anos .... ; além um mumbica claudicante, em cujo flanco se enterra estrepe agudo" (Euclides da Cunha, *Os Sertões,* p. 127). ● *Adj. 2 g.* **2.** *Bras.* Sem graça; à-toa, ruim. **3.** *Bras.* Malvestido, malamanhado. **4.** *Bras.* Diz-se do cavalo de má andadura ou mal-arreado.
mumbuca. [Do tupi *mũ'buka.*] *S. f. Bras.* Abelha da família dos meliponídeos (*Melipona capitata);* mambucão, papa-terra.
mumbuca-loira. *S. f. Bras.* Mumbuca-loura [q. v.]. [Pl.: *mumbucas-loiras.*]
mumbuca-loura. [De *mumbuca* + o fem. de *louro*[3].] *S. f. Bras.* V. *mulatinha.* [F. paral.: *mubuca-loira.* Pl.: *mumbucas-louras.*]
mumbura. *S. f. Bras., N.E.* Var. de *mimbura.*
múmia. [Do ár. *mũmĩa.*] *S. f.* **1.** Corpo embalsamado pelos antigos egípcios. **2.** Cadáver embalsamado por processos análogos aos dos egípcios. **3.** *P. ext.* Diz-se de qualquer cadáver cujos tecidos moles, em vez de se decomporem pela putrefação, endurecem pela dessecação: *As* múmias *de Guanajuato, fruto da secura do solo, enfileiram-se na entrada da cripta do cemitério local.* **4.** *Fig.* Pessoa muito magra ou descarnada. **5.** *Bras. Fig.* Pessoa sem energia.
mumificação. *S. f.* Ato ou efeito de mumificar(-se).
mumificador (ô). *Adj.* **1.** Que mumifica; mumificante. ● *S. m.* **2.** Aquele que mumifica.
mumificante. *Adj. 2 g.* Mumificador (1).
mumificar. [De *múmia* + *-ficar.*] *V. t. d.* **1.** Converter em múmia. **2.** Tornar semelhante a múmia; amumiar. *Int.* e *p.* **3.** Converter-se em múmia. **4.** Emagrecer extremamente; amumiar-se. **5.** Ter a capacidade intelectual atrofiada. [Conjug.: v. *trancar.*]
mumificável. *Adj. 2 g.* Que se pode mumificar.
mumu[1]. [De provável or. indígena.] *S. m. Bras.* V. *membi* (1).
mumu[2]. [Voc. onom., calcado em *mugir.*] *S. m. Bras., RS. Gír.* V. *corno* (8).
mumuca. [De provável or. indígena.] *S. m.* e *f. Bras. S.* V. *papão* (1).
mumunha. *S. f. Bras., RJ. Gír.* Ardil, manha, artimanha.
munã. [De provável or. indígena.] *S. f. Bras., N.* e *N.E.* V. *égua* (1).
mundana. [Fem. substantivado do adj. *mundano.*] *S. f.* V. *meretriz.*
mundanal. *Adj. 2 g. P. us.* V. *mundano.*
mundanalidade. *S. f.* **1.** Qualidade de mundanal ou mundano. **2.** Tudo quanto é relativo ao mundo, ou não espiritual. **3.** Tendência para os gozos materiais. **4.** Vida desregrada; libertinagem.
mundanismo. *S. m.* **1.** Vida mundana. **2.** Hábito ou sistema daqueles que só procuram gozos materiais.
mundano. [Do lat. *mundanu.*] *Adj.* **1.** Referente ao mundo (considerado este pelo lado material e transitório); terreno, terrenho, terreal, terrestre. **2.** Dado a gozos ou prazeres materiais. [Sin. ger., p. us.: *mundanal.*] ~ V. *vida* —*a.*
mundão. [De *mundo* + *-ão*[1].] *S. m.* **1.** *Bras.* Grande extensão de terra; mundaréu. **2.** *Bras.* V. *quantidade* (3). **3.** *Bras., N.* e *N.E.* Lugar muito longe, muito distante.
mundaréu. [De *mundo* + *-aréu.*] *S. m. Bras.* **1.** Mundão (1). **2.** V. *quantidade* (3): "Um mundaréu de gente / que era um horror." (Vargas Neto, *Tropilha Crioula e Gado Xucro,* p. 63.)
mundaú. [De possível or. tupi.] *S. m. Bras.* Arbusto da família das euforbiáceas (*Phyllanthus* sp.); cabuim, carrapato-do-mato.
mundé. *S. m. Bras.* V. *mundéu*[1].
mundeiro. [De *mundo* + *-eiro.*] *Adj.* e *s. m. Bras., RS.* V. *vagabundo* (1 e 6).
mundéu[1]. [Var. paragógica de *munde* < tupi *mu'ndé,* 'alçapão'.] *S. m.* **1.** *Bras.* Armadilha de caça. **2.** *Bras. Fig.* Qualquer casa, ou coisa, que ameaça ruir, constituindo perigo. **3.** *Bras., GO.* O queixada (3), em certas zonas. [Var.: *mundé, mondé, mondéu.*] ◆ **Cair no mundéu.** *Bras.* Ser apanhado na ratoeira.
mundéu[2]. [De *mundo.*] *S. m.* V. *quantidade* (3).
mundial. [Do lat. *mundiale.*] *Adj. 2 g.* **1.** Relativo ao mundo; geral. ● *S. m.* **2.** Campeonato mundial: mundial *de futebol;* mundial *de basquete.*
mundiar. *V. t. d. Bras., AM* e *PA.* Entorpecer ou magnetizar por encantamento.
mundiça. [Alter. de *imundícia.*] *S. f. Pop. Bras., N.E.* V. *ralé* (1).
mundícia. [Do lat. *munditia.*] *S. f.* **1.** Asseio, limpeza. **2.** Amor ao asseio. [F. paral.: *mundície.*]
mundície. [Do lat. *munditie.*] *S. f.* V. *mundícia.*
mundificação. *S. f.* Ato ou efeito de mundificar(-se).
mundificante. [Do lat. *mundificante.*] *Adj. 2 g.* Que mundifica; mundificativo.
mundificar. [Do lat. *mundificare.*] *V. t. d.* **1.** Limpar; assear; purificar. *T. d. e i.* **2.** *V. purificar* (4). *P.* **3.** Tornar-se limpo. **4.** V. *purificar* (5). [Conjug.: v. *trancar.*]
mundificativo. *Adj.* Mundificante.
mundividência. [Do lat. *mundu,* 'mundo', + *-i-* + *vidência.*] *S. f.* V. *cosmovisão.*
mundo. [Do lat. *mundu.*] *S. m.* **1.** A Terra e os astros considerados como um todo organizado; o Universo: *Deus criou o* mundo *em sete dias.* **2.** Qualquer corpo celeste: *Haverá vida em outros* mundos*?* **3.** O globo terrestre; a Terra, o orbe, o planeta. **4.** Qualquer extensão, qualquer espaço, na Terra, e/ou os seres que habitam tal espaço; universo: *o* mundo *mediterrâneo; o* mundo *cristão.* **5.** Tudo o que existe na Terra; universo: *O* mundo *não vale o meu lar.* **6.** *Fig.* A maioria dos homens; a humanidade; as pessoas: *O misantropo odeia o* mundo. **7.** *Fig.* A vida no século, na sociedade: *os prazeres do* mundo. **8.** *Fig.* Classe social: *Essas pessoas não são de seu* mundo. **9.** *Fig.* A totalidade das coisas que pertencem a um mesmo domínio, a uma mesma classe: *o* mundo *físico; o* mundo *do pensamento.* **10.** *Fig.* Ambiente preferido; universo: *A família é o seu* mundo. **11.** *Fig.* Conjunto de coisas importantes e complexas: *Este hotel é um* mundo. **12.** *Bras.* V. *quantidade* (3): "sabia que naquele casarão funcionavam os escritórios com o

inspetor à frente, dirigindo um mundo de coisas" (Ranulfo Prata, *Navios Iluminados*, p. 17). ● *Adj.* **13.** Limpo, puro: "todas as embriaguezes, assim as mundas como as imundas, segundo a hierarquia consagrada, conduzem ao nirvana" (Tristão da Cunha, *Cousas do Tempo*, p. 143). ◆ **Mundo aberto sem porteira.** *Bras., SP. Pop.* Grande extensão de terra. **Mundos e fundos.** Quantia vultosíssima: "O sítio é bom, mas seu Braga pede mundos e fundos por ele." (Coelho Neto, *Treva*, p. 332.) **Abarcar o mundo com as pernas. 1.** Empreender numerosas coisas simultaneamente. **2.** Querer tudo ao mesmo tempo. **Abrir no mundo.** *Bras., N.E. Pop.* V. *fugir* (1 e 2): "Entrou de porta adentro, sem dar uma palavra, e atirou. Depois saltou no cavalo e abriu no mundo." (Fontes Ibiapina, *Congresso de Duendes*, p. 127.) **Afundar no mundo.** *Bras.* **1.** Ir-se embora; partir; ganhar o mundo; danar-se no mundo; pisar no mundo: "—Ando com palpite de afundar no mundo. .... Vou ver aquilo por lá [pelo Paraná]; quero conhecer mundo e gente" (Amadeu de Queirós, *João*, p. 197). **2.** V. *fugir* (1 e 2). **Arribar no mundo.** *Bras., N.E. Pop.* V. *fugir* (1 e 2): "Chiquita foi embora com um chofer de caminhão. Ceição casou-se (já largou o marido e arribou também no mundo)." (Fontes Ibiapina, *Congresso de Duendes*, p. 98.) **Azular no mundo.** *Bras.* V. *fugir* (1 e 2): "Zé Canuto que, ao cair, ficara com uma perna imprensada sob o corpo do animal, desvencilhou-se .... e azulou no mundo. Chegou ao Monte Alto quase sem fôlego" (José Maria de Melo, *Os Canoés*, p. 78). **Cair no mundo.** *Bras. Pop.* V. *fugir* (1 e 2). **Correr mundo. 1.** Viajar (1): "Era uma vez um menino chamado Miguel que saiu a correr mundo." (Gondim da Fonseca, *Histórias de João Mindinho*, p. 73.) **2.** *Fig.* Espalhar-se, divulgar-se, propalar-se: "As mais desencontradas notícias corriam mundo sobre o poderio surpreendente dos guerrilheiros entrincheirados nos cerros e grotas em torno de Canudos." (Sílvio Rabelo, *Euclides da Cunha*, p. 89.) **Danar-se no mundo.** *Bras., N.E. Pop.* V. *afundar no mundo* (1): "Dane-se no mundo, Pãozinho, amarre a mulher e os filhos e ganhe a estrada." (Teotônio Brandão Vilela, *Andanças pela Crônica*, p. 88.) **Desabar o mundo.** Vir o mundo abaixo. **Desde que o mundo é mundo.** Desde os tempos mais remotos. **Despachar para o outro mundo.** *Bras. Pop.* Matar (1). **Do outro mundo.** *Bras. Pop.* Excelente, ótimo, estupendo: "um marinheiro da Armada atirou-se embaixo de um trem por causa de uma mulatinha do outro mundo" (Ribeiro Couto, *Conversa Inocente*, p. 213). **Embarcar deste mundo para um melhor.** *Bras.* V. *morrer* (1): "Maria-do-Luciano fez o pior negócio da vida, pois logo no primeiro parto embarcava deste mundo para um melhor, carregada nas asas dos anjos, de boa que era" (Bariani Ortêncio, *Vão dos Angicos*, p. 87). **Ganhar o mundo.** *Bras.* **1.** V. *afundar no mundo* (1): "esse, com a idade de vinte anos, ganhou o mundo e já nem sei por onde anda." (Raquel de Queirós, *100 Crônicas Escolhidas*, p. 3.) **2.** V. *fugir* (1 e 2). **Ir no melhor dos mundos.** Estar algo muito bem; ter andamento ótimo, excelente. **Ir para o outro mundo.** V. *morrer* (1). **Mandar para o outro mundo.** V. *matar* (1): "se eu não falei da morte do mocinho grego, vendedor de balas, que o bonde elétrico mandou para o outro mundo, ... não é justo que fale dos terríveis sustos de quinta-feira passada." (Machado de Assis, *A Semana*, II, p. 201.) **Não ser deste mundo.** Não existir [q. v.]. **No mundo da Lua.** Alheio à realidade; muito distraído; na Lua: *Vive no mundo da Lua.* **Novo Mundo.** O continente americano. **O mundo inteiro.** V. *todos*. **Outro mundo.** A vida de além-túmulo. **Pisar no mundo.** *Bras., S. Pop.* **1.** V. *afundar no mundo* (1). **2.** V. *fugir* (1 e 2). **Prometer mundos e fundos.** Fazer promessas ou oferecimentos extraordinários: "Levei três anos e meio rondando aquela casa, para um dia .... entrar de porta adentro e perguntar-lhe, prometendo mundos e fundos, se queria amigar-se comigo." (Osmã Lins, *Nove, Novena*, pp. 104-105.) **Terceiro Mundo.** Conjunto de Estados não pertencentes ao bloco socialista nem ao mundo capitalista desenvolvido; o conjunto dos países subdesenvolvidos; terceira força. **Todo o mundo.** V. *todos*: "Supunha todo o mundo que Júlio dissiparia, em pouco tempo, o patrimônio de sua mãe." (Camilo Castelo Branco, *Doze Casamentos Felizes*, p. 207); "É impossível que ele ignore... Todo o mundo o sabe..." (Valentim Magalhães, *Vinte Contos*, p. 46); "Ah! Ninguém vê, mas todo o mundo sente / Dentro, n'alma, um Atlântico infinito..." (Raimundo Correia, *Poesias*, p. 161.) **Velho Mundo.** A parte do mundo constituída pelo continente eurasiano e pela África. **Ver o mundo com.** *Bras., N.E. Pop.* Sofrer muito com: *Tenho visto o mundo com esta doença.* **Vir o mundo abaixo. 1.** Ocorrer uma catástrofe, um mal irremediável, ou ventania ou chuva forte, etc. **2.** Haver grande escarcéu, forte escândalo, cenas desagradáveis: "Chegar à janela era um ato que lhe estava tacitamente vedado e de sair sozinha à rua Deus a livrasse: viria o mundo abaixo!" (Artur Azevedo, *Contos Efêmeros*, p. 109.) [Sin. ger.: *desabar o mundo*.]

mundonga. [Fem. de *mundongo* (q. v.).] *S. f.* Mulher imunda e desmazelada. [Talvez fosse preferível a grafia *mondonga*.]

mundongo. [Do esp. *mondongo*, provavelmente.] *S. m.* **1.** Intestinos miúdos de certos animais. **2.** Indivíduo sujo e desmazelado. **3.** *Bras., Amaz.* Pântano ou várzea lamacenta, coberta de várias plantas palustres, especialmente aningas. [Talvez melhor a grafia *mondongo*.]

mundongudo. [De *mundongo* (q. v.) + *-udo*.] *Adj. Bras., RS. Deprec.* Diz-se do cavalo ruim para a carreira. [Seria preferível, talvez, a escrita *mondongudo*.]

mundongueiro. [De *mundongo* (q. v.) + *-eiro*.] *S. m.* **1.** Vendedor de mundongo; fressureiro. **2.** *Fig.* Aquele que se ocupa em misteres sórdidos. [Melhor seria, porventura, a grafia *mondongueiro*.]

mundo-novense. *Adj. 2 g.* **1.** De, ou pertencente ou relativo a Mundo Novo (BA). ● *S. 2 g.* **2.** Natural ou habitante de Mundo Novo. [Pl.: *mundo-novenses*.]

mundrunga. [De possível or. afr.] *S. f. Bras., N. E. Pop.* V. *bruxaria*.

mundrungo. *S. m. Bras., PB. Pop.* Cavalo (1).

mundrungueiro. [De *mundrunga* + *-eiro*.] *S. m. Bras. N.E.* Mandingueiro, feiticeiro.

mundureba. *S. f. Bras., BA. Pop.* V. *cachaça* (1).

munduru. [De *murundu*, por metátese.] *S. m.* **1.** *Bras., Amaz.* Espécie de matapi de grandes dimensões. **2.** *Bras., N.E.* V. *montículo*.

mundurucu. *Bras. S. 2 g.* **1.** Indivíduo dos mundurucus, tribo indígena que vive no PA, ao longo do rio Cururu, afluente do Tapajós, e no AM, na região do Canumã e Sucunduri. ● *Adj. 2 g.* **2.** Pertencente ou relativo a essa tribo.

munganga. *S. f. Bras.* Var. de *moganga*[2].

mungango. *S. m. Bras., CE.* V. *moganga*[1].

munganguê. *S. m. Bras.* V. *pererenga*.

munganguelro. *Adj.* e *s. m. Bras.* V. *mogangueiro*.

munganguento. [De *munganga* + *ento*.] *Adj.* e *s. m. Bras.* V. *mogangueiro*.

mungida. *S. f.* Mungidura.

mungidor (ô). *Adj.* e *s. m.* Que ou aquele que munge.

mungidura. *S. f.* **1.** Ato de mungir. **2.** Porção de leite mungido. [Sin. ger.: *mungida*.]

mungir. [Do lat. **mulgire*, por *mulgere*.] *V. t. d.* **1.** Ordenhar (1): "As vaquinhas .... são mungidas nos pastos, e produzem este leite perfumado, que não me canso de beber" (Raul Brandão, *As Ilhas Desconhecidas*, p. 38). **2.** *Fig.* Espremer (6). **3.** *Fig.* Explorar (5). [Var.: *mugir*. Conjug.: v. *dirigir*. Cf. *mugir*.]

munguba. [Do tupi *mõ'guba*.] *S. f. Bras.* **1.** Mungubeira. **2.** O fruto dessa árvore.

mungubarana. [Do tupi *mũguba'rana*.] *S. f. Bras., Amaz.* Árvore da família das bombacáceas (*Bombax paraense*), da floresta pluvial, de folhas compostas e coriáceas, flores grandes e cheias de estames, e cujo fruto é uma cápsula com enormes sementes.

mungubeira. *S. f. Bras., Amaz.* Árvore da família das bombacáceas (*Bombax munguba*), semelhante à mungubarana [q. v.]; munguba.

mungunzá. *S. m. Bras., N* e *N.E.* V. *munguzá*.

munguzá. [Var. de *mucunzá*, do quimb. *mu'kunza*, 'milho cozido'.] *S. m. Bras., N.* e *N.E.* Iguaria feita de grãos de milho (geralmente branco) cozidos em caldo açucarado, algumas vezes com leite de coco ou de gado, a que se junta polvilho com canela. [Outras var.: *mugunzá*, *mungunzá* e *manguzá*; sin.: *chá-de-burro* (AL) e *canjica* (S. e C.O.).]

munhão. [Do esp. *muñón*.] *S. m.* **1.** Eixo quase a meio do comprimento duma peça de artilharia, e que serve para levantar ou baixar esta, conforme as conveniências da pontaria. **2.** *Astr.* Extremidade cilíndrica do eixo de rotação de uma luneta astronômica.

munhata. [Do taíno, pelo esp. plat. *muñato*.] *S. f. Bras., RS.* Nalgumas regiões, batata-doce.

munheca. [Do esp. *muñeca*.] *S. f.* **1.** A parte da mão em que ela se liga ao braço; pulso. **2.** *Bras.* Designação comum às folhas dos fetos ou samambaias quando principiam a desenvolver-se, tendo a forma de báculo. **3.** *Bras., S.* A mão. ◆ **Quebrar a munheca.** *Bras. Pop.* V. *embriagar* (4).

munhecaço. *S. m. Bras.* Pancada com a munheca; bofetada.

munheca-de-cutia. *S. f. Bras., SP.* Chicote ou relho cujo cabo é um pé ou mão de cutia. [Pl.: *munhecas-de-cutia*.]

munheca-de-pau. *S. 2 g. Bras., PE* e *AL. Pop.* V. *barbeiro* (8): "Motorista ruim é 'barbeiro', 'munheca-de-pau', 'trevelô'." (Marcos Vinícios Vilaça, *Em torno da Sociologia do Caminhão*, p. 44.) [Pl.: *munhecas-de-pau*.]

munheca-de-samambaia. *S. 2 g. Bras., MG.* V. *avaro* (3): "O padre era sovina, munheca-de-samambaia" (Antônio Celso, *Girassol de Ouro*, p. 98).

munhecar. [De *munheca* + *-ar*[2].] *V. t. d. Bras. Gír.* Agarrar, segurar, prender. [Conjug.: v. *trancar*.]

munhoneira. [Do esp. *muñonera*.] *S. f.* Encaixe onde assenta o munhão.

munhozense. *Adj. 2 g.* **1.** De, ou pertencente ou relativo a Munhoz (MG). ● *S. 2 g.* **2.** Natural ou habitante de Munhoz.

munição. [Do lat. *munitione*.] *S. f.* **1.** Fortificação de uma praça. **2.** *Fig.* Aquilo que serve para defender; defesa. **3.** Designação comum a todo material de guerra ou de outra espécie com que se devem prover tropas, navios de guerra, etc. **4.** Designação comum a projetis, pólvoras e demais artefatos explosivos com que se carregam armas de fogo. **5.** *P. ext.* Chumbo para a caça dos pássaros. ◆ **Munição de boca.** Provisão de víveres para tropas, navios de guerra, etc.; provisão de boca.

municiamento. *S. m.* Municionamento.

municiar. *V. t. d.* V. *municionar*.

munício. [Der. regress. de *municiar*.] *S. m.* **1.** Pão ordinário, que faz parte do rancho dos soldados. **2.** *Bras., S.* O gado de provisão alimentar da tropa ou do exército. **3.** Gênero alimentício que o tropeiro leva consigo para as necessidades de viagem.

municionamento. *S. m.* Ato ou efeito de municionar; municiamento.

municionar. *V. t. d.* Prover ou abastecer de munições; munir, municiar, amuniciar.

municipal. [Do lat. *municipale*.] *Adj. 2 g.* **1.** De, ou pertencente ou relativo ao município. ~ V. *câmara* —. ● *S. m.* **2.** *Bras.* Qualquer teatro pertencente à municipalidade.

municipalidade. *S. f.* **1.** Câmara municipal. **2.** Vereação (2). **3.** O edifício onde funciona a Câmara municipal. **4.** Município (2). **5.** A prefeitura.

municipalismo. *S. m.* **1.** Sistema de administração que atende em especial à organização e prerrogativas dos municípios; comunalismo. **2.** Descentralização da administração pública em favor dos municípios. [Cf. *descentralismo*.]

municipalista. *Adj. 2 g.* **1.** Relativo ao, ou que é adepto do municipalismo; comunalista. ● *S. 2 g.* **2.** Adepto do municipalismo; comunalista. [Cf. *descentralista*.]

municipalização. *S. f.* Ato ou efeito de municipalizar, ou de estender (14) a município: *a municipalização de uma vila*; "O Governo ficou sabendo .... que, se a tendência da estadualização e da municipalização do voto for mantida, o seu partido terá condições de fazer um mínimo de 220 dos 469 novos deputados federais" (Rogério Coelho Neto, *Jornal do Brasil*, 28.8.1982).

municipalizar. *V. t. d.* **1.** Transformar em município (1): *municipalizar um distrito.*

munícipe. [Do lat. *municipe*.] *Adj. 2 g.* **1.** Do município. ● *S. 2 g.* **2.** Cidadão ou cidadã do município.

município. [Do lat. *municipiu*.] *S. m.* **1.** Circunscrição administrativa autônoma do estado, governada por um prefeito e uma câmara de vereadores; municipalidade, concelho. **2.** O conjunto dos habitantes do município (1); municipalidade.

munificência. [Do lat. *munificentia*.] *S. f.* Qualidade de munificente; generosidade, magnanimidade, liberalidade: "Nada é caro para a munificência e grandeza de Vossa Majestade." (Rebelo da Silva, *De noite Todos os Gatos São Pardos*, p. 163.)

munificente. [Do lat. desus. *munificente*.] *Adj. 2 g.* Generoso, magnânimo, liberal, munífico. [Superl. abs. sint.: *munificentíssimo*.]

munificentíssimo. [Do lat. *munificentissimu*.] *Adj.* Superl. abs. sint. de *munífico* e *munificente*.

munífico. [Do lat. *munificu*.] *Adj.* Munificente. [Superl. abs. sint.: *munificentíssimo*.]

muniquense. *Adj. 2 g.* **1.** De, ou pertencente ou relativo a Munique (Alemanha Ocidental). ● *S. 2 g.* **2.** Natural ou habitante de Munique.

munir. [Do lat. *munire*.] *V. t. d.* **1.** V. *municionar*. **2.** Defender com fortificações; fortificar. *T. d. e i.* **3.** Prover; fornecer; abastecer: *Muni-o do necessário* *para a excursão.* **4.** Acautelar, prevenir (alguém contra alguma coisa). *P.* **5.** Armar-se, prevenir-se com alguma coisa para defesa própria ou alheia. **6.** Abastecer-se, prover-se: *munir-se de provisões; "muniu-se de coragem e afrontou a página."* (Aluísio Azevedo, *O Mulato*, p. 132). [Cf. *monir.* Pres. ind.: *muno, munes, mune, munimos, munis, munem.* Cf. os antr. *Moniz* e *Muniz.*]

muniz-freirense. *Adj. 2 g.* **1.** De, ou pertencente ou relativo a Muniz Freire (ES). ● *S. 2 g.* **2.** Natural ou habitante de Muniz Freire. [Pl.: *muniz-freirenses.*]

munupiú. [De possível or. indígena.] *S. m. Bras.* Planta da família das euforbiáceas (*Sapium* sp.).

múnus. [Do lat. *munus.*] *S. m. 2 n.* Funções que um indivíduo tem de exercer; encargo, emprego: "Observaram-lhe que estava um inverno muito cerrado e a sazão imprópria para o exercício do *múnus* episcopal em aldeias humildes." (Aquilino Ribeiro, *Dom Frei Bertolameu*, p. 29). ◆ **Múnus público.** O que procede de autoridade pública ou da lei, e obriga o indivíduo a certos encargos em benefício da coletividade ou da ordem social.

munzuá. [De possível or. afr.] *S. m. Bras.* Covo feito de fasquias de taquara ou de bambu: "saíram com anzóis, linhas e *munzuás* para as costas de noroeste da ilha, onde abundavam corvinas e dentões." (Xavier Marques, *Jana e Joel*, p. 32).

mupéua. [Do tupi *mu'pewa.*] *S. f. Bras., AM.* Canal raso nos baixios ou praias extensas.

mupicar. [Do tupi *mu'pika*, 'dirigir', + *-ar*[2].] *V. int. Bras., Amaz.* **1.** Remar ligeiro em remadas curtas. **2.** Marcar o caminho na mata, quebrando ramos na passagem, a fim de saber orientar-se na volta. [Conjug.: v. *trancar.* Var.: *mupucar.*]

mupororoca. [Do tupi *muporo'roka.*] *S. f. Bras., Amaz.* Pororoca [q. v.].

mupucar. *V. int. Bras., Amaz.* Var. de *mupicar.* [Conjug.: v. *trancar.*]

mupunga. *S. f. Bras., Amaz.* Var. de *moponga.*

muque. [De *músculo.*] *S. m. Bras. Gír.* Força muscular, músculo. ◆ **A muque.** À força física; com violência.

muquiense. *Adj. 2 g.* **1.** De, ou pertencente ou relativo a Muqui (ES). ● *S. 2 g.* **2.** Natural ou habitante de Muqui.

muquinhar. *V. int. Bras., S. Pop.* V. *vadiar* (2).

muquira. *S. 2 g. Bras., Amaz. Pop.* V. *avaro* (3).

muquirana. [Do tupi *mbiquib*, 'piolho da pele', + *-rana.*] *S. f.* **1.** *Bras.* Inseto anopluro, ectoparasito do corpo humano, da família dos pediculídeos. (*Pediculus humanos corporis* (De Geer)), cosmopolita. Esconde-se nas vestes, onde faz de preferência sua postura. Raramente é encontrado no corpo, preferindo a região costal mediana. Comprimento: 2 a 3 mm. [Var.: *mucurana*; sin.: *quirana.*] ● *S. 2 g.* **2.** *Bras., SP. Pop.* V. *avaro* (3). **3.** *Bras.* V. *maçante* (2). [Var.: *mucurana.*]

muquirão. *S. m. Bras., SP. Pop.* V. *mutirão.*

mura. *Bras. S. 2 g.* **1.** Indivíduo dos muras, tribo indígena da bacia do Madeira. ● *Adj. 2 g.* **2.** Pertencente ou relativo a essa tribo.

muraçanga. *S. f. Bras.* Var. de *buraçanga.*

murada. [De *muro* + *-ada*[1].] *S. f.* Fiada de malhas em toda a largura da rede. [Cf. *morada.*]

muradal. *S. m.* F. metatética de *muladar* [q. v.].

murado. [Part. de *murar*[1].] *Adj.* Que se vedou com muro ou tapume.

murador (ô). [De *murar*[2] + *-(d)or.*] *Adj.* Diz-se do gato que apanha ou caça ratos. [Cf. *morador.*]

muraenídeo. *S. m.* **1.** Espécime dos muraenídeos. ● *Adj.* **2.** Pertencente ou relativo a eles.

muraenídeos. *S. m. pl. Zool.* Família de peixes ápodes encontrados nos mares quentes. Desprovidos de nadadeiras peitorais, lembram enguias de grande porte. Ex.: as moréias.

murajuba. [Do tupi *mira'yub*, 'madeira amarela'.] *S. f. Bras.* **1.** Árvore da família das leguminosas (*Apuleia molaris*). **2.** Espécie de papagaio da região amazônica.

mural. [Do lat. *murale.*] *Adj. 2 g.* **1.** Relativo a muro ou parede. **2.** *Restr.* Relativo a muro ou parede como meio para informações visuais: *quadro mural; jornal mural.* ~ V. *pintura* —. ● *S. m.* **3.** Pintura mural [q. v.]: "Nos *murais* de Portinari, há o humano, há o social, há o político, isso tudo na mais alta, direta e límpida linguagem artística." (Celso Kelly, *Portinari*, p. 55.) [Cf. *moral.*]

muralha. [Do it. *muraglia.*] *S. f.* **1.** Muro que guarnece uma fortaleza ou uma praça de armas; muramento. **2.** Grande muro; paredão. **3.** *P. ext.* Tudo o que oferece resistência a assédio, ataque, ou mesmo à simples execução de uma coisa.

muralhar. [De *muralha* + *-ar*[2].] *V. t. d.* V. *amuralhar.*

muralismo. *S. m.* A arte da pintura em murais. [Cf. *moralismo.*]

muralista. *Adj. 2 g.* **1.** Relativo a, ou que lembra o mural ● *S. 2 g.* **2.** Artista que pinta murais. [Cf. *moralista.*]

muramento. *S. m.* **1.** Ato ou efeito de murar[1]. **2.** Muralha (1).

mura-piraã. *Bras. S. 2 g.* **1.** Indivíduo dos muras-piraãs, tribo indígena da família lingüística mura e que habita às margens dos rios Marmelo e Maici, no AM. População de 150 indígenas. Contato intermitente com a sociedade brasileira desde 1922. As mulheres até hoje não falam português. ● *Adj. 2 g.* **2.** Pertencente ou relativo a essa tribo. [Pl. do adj.: *mura-piraãs*; pl. do s.: *muras-piraãs.*]

murapiranga. *S. f. Bras.* Var. de *muirapiranga* [q. v.].

murar[1]. [De *muro* + *-ar*[2].] *V. t. d.* **1.** Cercar ou vedar com muro ou tapume; amuralhar. **2.** Defender contra assaltos; fortificar. **3.** Servir de muro a: *Uma cerca viva murava a casa; "O pé de maracujá cobria uma latada, murando a varanda"* (Povina Cavalcanti, *Volta à Infância*, p. 16). *T. d. e i.* **4.** Cobrir, fortalecer, defender, contra ataques de qualquer natureza: *Conseguiu murar a sua pessoa contra assédios importunos. P.* **5.** Fortificar-se, defender-se, cobrir-se, abrigar-se. **6.** Cercar-se ou cobrir-se com qualquer coisa que possa livrar de dano. **7.** Revestir-se, encher-se: *Misantropo, necessita murar-se de paciência para agüentar um bate-papo.* [Cf. *morar* e *mourar.*]

murar[2]. [Do lat. *mure* + *-ar*[2].] *V. t. d.* **1.** Caçar (ratos). *Int.* **2.** Espiar ou espreitar ratos para caçá-los. [Us. com relação aos gatos. Cf. *morar* e *mourar.*]

murça[1]. *S. f.* Espécie de cabeção de cor usado pelos cônegos por cima da sobrepeliz.

murça[2]. *Adj. (f.)* e *s. f.* Diz-se de, ou lima que tem a picagem fina. ◆ **Murça fina.** Lima que tem a picagem muito fina e serve para dar acabamento muito liso às peças limadas.

murceiro. [De *murça*[1] + *-eiro.*] *S. m.* Fabricante e/ou vendedor de murças.

murcha. [Dev. de *murchar.*] *S. f. Bot.* Doença de que resulta a perda de turgescência dos tecidos foliares e de partes suculentas dos ramos das plantas.

murchamento. *S. m.* Ato ou efeito de murchar: "A falta de água causa o *murchamento* dos tecidos e .... a morte da planta." (José Antônio Jorge, *O Estado de S. Paulo*, 5.6.1963.)

murchar. *V. t. d.* **1.** Tornar ou pôr murcho; privar da frescura ou viço. **2.** *Fig.* Tirar a força ou a intensidade a: *A idade murchou toda a sua verve.* **3.** Fazer perder a energia, a veemência, a viveza de afetos, sentimentos, etc.: *O tempo murchou-lhe a paixão.* **4.** Privar de lustre ou fama; desmerecer, empanar. *Int.* e *p.* **5.** Ficar murcho: "secam os rios, ... *murcham* os pastos, permanecem nuas as árvores" (Capistrano de Abreu, *Capítulos de História Colonial*, p. 49); "As flores morrem. Toda a relva entra a *murchar.*" (Manuel Bandeira, *Estrela da Vida Inteira*, p. 14); "*Murcharam-se* as lindas flores, / Apagou-se a luz do dia." (Correia Garção, *Obras Poéticas e Oratórias*, p. 270.) **6.** Perder o viço, a frescura. **7.** Perder a energia, a animação, o brilho, a cor. **8.** Tornar-se triste; entristecer(-se).

murchecer. *V. t. d.* e *int.* Emurchecer. [Conjug.: v. *aquecer.*]

murchecível. *Adj. 2 g.* Sujeito a murchecer; marcescível [q. v.].

murchidão. *S. f.* Estado do que murchou.

murcho. *Adj.* **1.** Que perdeu a frescura, o viço, a cor ou a beleza. **2.** *Fig.* Que perdeu a força ou a energia; triste, pensativo. **3.** Que se esvaziou, ou está esvaziando-se.

murchoso (ô). [De *murcho* + *-oso.*] *Adj. Bot.* V. *marcescente* (2).

murciana. [Fem. de *murciano.*] *Adj. (f.)* e *s. f.* Diz-se de, ou certa espécie de couve.

murciano. *Adj.* **1.** De, ou pertencente ou relativo a Múrcia (Espanha). ● *S. m.* **2.** O natural ou habitante de Múrcia.

mureiana. *Bras. S. 2 g.* **1.** Indivíduo dos mureianas, tribo indígena que habita entre o Paru de Leste e o Maecuru (N. do PA). ● *Adj. 2 g.* **2.** Pertencente ou relativo a essa tribo.

mureira. [De *muro.*] *S. f.* Montão de estrume ou monturo, em geral junto de um muro. [Cf. *moreira*, s. f., e *Moreira*, top. e antr.]

muremuré. *S. m. Bras.* V. *murmuré.*

mureru. [Do tupi *mure'ru.*] *S. m. Bras.* Erva aquática, da família das ninfeáceas (*Cabomba aquatica*), que apresenta folhas magnas e natantes na superfície das águas, cujo caule se prende ao fundo lodoso pelas raízes, e cujas flores são vistosas e providas de numerosas pétalas; mururé-redondinho.

mureta (ê). *S. f.* Muro baixo, em geral para anteparo ou proteção.

murganho. [Do lat. **muricaneu* < **muricu* < *mus, muris*, 'rato'.] *S. m.* V. *camundongo.*

muriá. *S. m. Bras.* V. *cinzeiro* (6).

muriaeense (èên). *Adj. 2 g.* **1.** De, ou pertencente ou relativo a Muriaé (MG). ● *S. 2 g.* **2.** Natural ou habitante de Muriaé.

murianha. [Alter. de *meruanha* < *beruanha* < tupi *mbe'ru*, 'mosca', + *ãi*, 'aguçada, farpada'.] *S. f. Bras.* Díptero da família dos antomídas (*Stomoxys calcitrans* Geoff.), que ataca os animais e o homem [Var.: *murinhanha.*]

muriaté. *S. 2 g.* e *adj. 2 g. Bras.* Var. de *mariaté.*

muriático. [De *muriato* + *-ico*[2].] *Adj.* ~ V. *ácido* —.

muriato. *S. m. Quím. Obsol.* Cloreto.

muribequense. *Adj. 2 g.* **1.** De, ou pertencente ou relativo a Muribeca (SE). ● *S. 2 g.* **2.** Natural ou habitante de Muribeca.

muricado. [Do lat. *muricatu.*] *Adj.* Coberto de pequenas pontas rígidas; *fruto muricado.*

múrice. [Do lat. *murice.*] *S. m.* Molusco gastrópode, purpurífero.

murici. [Do tupi *muri'si.*] *S. m.* **1.** *Bras.* Designação comum a várias espécies do gênero *Byrsonima*, da família das malpighiáceas, árvores e arbustos que produzem um tipo de fruto drupáceo, do mesmo nome, de polpa edula, e que habitam maciçamente os cerrados; muricizeiro. **2.** Esse fruto. **3.** *Bras., RJ.* Pau-de-caixa. [Var.: *muruci.*]

murici-cascudo. *S. m. Bras., C.* Árvore da família das malpighiáceas (*Byrsonima verbascifolia*), caracterizada pelas enormes folhas peludas, e que é o murici mais disperso pelo cerrado; pau-de-semana. [Pl.: *muricis-cascudos.* Var.: *muruci-cascudo.*]

murici-da-praia. *S. m. Bras.* Planta da família das malpighiáceas (*Byrsonima* sp.). Var.: *muruci-da-praia.* [Pl.: *muricis-da-praia.*]

muriciense. *Adj. 2 g.* **1.** De, ou pertencente ou relativo a Murici (AL). ● *S. 2 g.* **2.** Natural ou habitante de Murici.

muricizal. [De *murici* (1) + *-z-* + *-al.*] *S. m. Bras.* Quantidade mais ou menos considerável de muricizeiros dispostos proximamente entre si.

muricizeiro. [De *murici* (1) + *-z-* + *-eiro.*] *S. m. Bras.* Murici (1).

muriçoca. [Do tupi *muri'soka.*] *S. f. Bras., N.E.* e *MG.* V. mosquito (1). [Var.: *meruçoca* e *muruçoca.*]

murídeo. *Adj.* **1.** Pertencente ou relativo ao, ou próprio do rato; murino, ratinheiro. **2.** Semelhante a rato. **3.** Pertencente ou relativo aos murídeos. ● *S. m.* **4.** Espécime dos murídeos.

murídeos. *S. m. pl. Zool.* Animais roedores, miomorfos, com molares sempre cuspidados, as cúspides dos molares superiores dispostas em três séries em relação ao eixo longitudinal (tipo trisseriado).

murinhanha. *S. f. Bras.* Var. de *murianha.*

murino. [Do lat. *murinu.*] *Adj.* V. *murídeo* (1).

muriqui. [Do tupi *muri'ki.*] *S. m. Bras.* V. *buriqui.*

muriquina. [Do tupi *muri'kina.* Var.: *muriquinha, mariquina, mariquinha, mariquinhas.*] *S. f. Bras.* V. *buriqui.*

muriquinha. [Var. de *muriquina* (q. v.).] *S. m. Bras.* V. *buriqui.*

muriti. [Var. de *buriti.*] *S. m. Bras.* **1.** V. *buriti.* **2.** V. *buriti-do-brejo.*

muritibano. *Adj.* **1.** De, ou pertencente ou relativo a Muritiba (BA). ● *S. m.* **2.** O natural ou habitante de Muritiba.

muritim. [Var. nasalada de *muriti.*] *S. m. Bras.* V. *buriti.*

muritinzal. [Var. nasalada de *muritizal.*] *S. m. Bras.* V. *buritizal.*

muritizal. [De *muriti* + *-z-* + *-al.*] *S. m. Bras.* V. *buritizal.*

muritizeiro. [De *muriti* + *-z-* + *-eiro.*] *S. m. Bras.* V. *buriti-do-brejo.*

murixaba. [Var. de *muruxaba.*] *S. f. Bras., N.E. Pop.* **1.** V. *concubina* (1). **2.** V. *meretriz.*

murmulhante. *Adj. 2 g. Bras.* Que murmulha.

murmulhar. *V. int. Bras.* Produzir murmulho; murmurar.

murmulho. [De *murmúrio*, com dissimilação.] *S. m.* Ruído das ondas ao arrebentarem, da água corrente, do ramalhar das árvores, etc.; murmúrio: "irmã gêmea .... dos roncos da cachoeira, do *murmulho* suave do arroio." (Afonso Arinos, *Pelo Sertão*, p. 13); "noites crivadas de vaga-lumes, cheias de *murmulhos* e de mugidos" (Coelho Neto, *Obra Seleta*, I, p. 248).

múrmur. [Do lat. *murmure.*] *S. m.* Ruído da água corrente ou das ondas; murmúrio: "Nem um *múrmur* alegre, um pio d'ave eu ouço..." (Raimundo Correia,

Poesias, p. 253); "Na sombra completa do bosque fechado, o 'furo' insinuava-se num múrmur brando." (Alberto Rangel, *Inferno Verde*, p. 120). [Pl.: *múrmures*. Cf. *murmures*, do v. *murmurar*.]

murmuração. [Do lat. *murmuratione*.] *S. f.* **1.** Murmúrio (1). **2.** V. *maledicência* (2).

murmurador (ô). *Adj.* V. *murmurante*.

murmurante. [Do lat. *murmurante*.] *Adj. 2 g.* **1.** Que produz murmúrio. **2.** Que murmura. [Sin. ger.: *murmurador, murmurativo, murmúreo, murmuroso* e (em ling. poét.) *múmuro*.]

murmurar. [Do lat. *murmurare*.] *V. t. d.* **1.** Emitir (som leve, frouxo). **2.** Dizer em voz baixa; segredar: "murmurava algumas frases truncadas que ela não entendia" (Machado de Assis, *Iaiá Garcia*, p. 222). **3.** Censurar ou repreender disfarçadamente e em voz baixa. *T. d.* e *i.* **4.** Dizer em voz baixa; segredar: *Aproximou-se dela sorrateiramente e murmurou-lhe umas palavras*; "murmurariam, um ao outro, para se fortalecerem, as tristeza dos seus corações." (Eça de Queirós, *Últimas Páginas*, p. 264). *T. i.* **5.** Dizer mal; maldizer; conceber mau juízo: *Toda a cidade murmurava de seu comportamento*; "Tenho nas mãos desse teu peito a chave / Nunca murmurarei contra o destino / Por mais que a saudade se me agrave." (José Albano, *Rimas*, p. 228). **6.** Falar (contra alguém ou algo); criticar: *Murmuram sempre contra os governantes.* **7.** Conversar, difamando ou desacreditando. *Int.* **8.** Produzir murmúrio ou sussurro; sussurrar: *Tocadas pela brisa, as ondas murmuravam*; "Entre os sinceiros da margem / Murmura o claro Mondego" (Gonçalves Crespo, *Obras Completas*, p. 315). **9.** Soltar queixumes; lastimar-se em voz baixa; resmungar, resmonear: "Seu lábio jamais murmura, / E o seu regaço indolente / Palpita amorosamente" (Luís Guimarães, *Sonetos e Rimas*, p. 190). **10.** Dizer mal de alguém; apontar faltas; conceber mau juízo. [Pres. ind.: *murmuro*, etc.; pres. subj.: *murmure, murmures*, etc. Cf. *murmuro*, adj., e *múrmures*, pl. de *múrmur*.]

murmurativo. [De *murmurar* + *-(t)ivo*.] *Adj.* V. *murmurante*.

murmuré. [Var. sincopada de *muremuré* < tupi *mu'ré mu'ré*.] *S. m. Bras.* Instrumento musical feito de ossos, usado pelos índios. [Outra var.: *murumuré*.]

murmurejar. *V. int.* Produzir murmúrio; rumorejar, murmurinhar: "Quase em segredo murmureja o rio" (Guimarães Passos, *Horas Mortas*, p. 16). [Conjug.: v. *pelejar*.]

murmúreo. *Adj.* V. *murmurante*. [Cf. *murmúrio*.]

murmurinhar. *V. int.* **1.** Produzir murmurinho; murmurejar. *T. d.* **2.** Dizer em voz baixa, como num murmurinho. num sussurro: "E a lufa-lufa das abelhas, indo e vindo / Murmurinhando: — Oh! Fevereiro / Festoado e lindo! / Foi em ti meu noivado!" (Alberto de Oliveira, *Póstuma*, p. 20.)

murmurinho. [De *murmúrio*, com infl. de *burburinho*.] *S. m.* **1.** Sussurro de vozes simultâneas: "As nuvens brancas do incenso enchiam, com o murmurinho das preces, as claras naves." (J. Lúcio d'Azevedo, *O Marquês de Pombal e a Sua Época*, p. 141.) **2.** Ruído brando das folhas, das águas, etc. **3.** Som confuso; murmúrio, burburinho: "para fala, concentrou todas as melodias, balbuciadas no frêmito das virações, no murmurinho das fontes, e nos cânticos das aves" (Antônio Feliciano de Castilho, *Amor e Melancolia*, p. 394).

murmúrio. *S. m.* **1.** Ato de murmurar; murmuração. **2.** Ruído das ondas, da água corrente, das folhas agitadas, etc.: murmulho: "Murmúrio d'água, és tão suave a meus ouvidos..." (Manuel Bandeira, *Estrela da Vida Inteira*, p. 83.) **3.** Som de muitas vozes juntas; som confuso; murmurinho, burburinho. **4.** Palavras pronunciadas em voz baixa. **5.** Som plangente; queixa, lamento. [Cf. *murmúreo*.]

múrmuro. *Adj. Poét.* V. *murmurante*: "a suave, musical / tagarelice / da água múrmura, a fluir do manancial..." (Hermes-Fontes, *Microcosmo*, p. 48). [Cf. *murmuro*, do v. *murmurar*.]

murmuroso (ô). *Adj.* **1.** Que murmura muito; que faz ruído prolongado. **2.** V. *murmurante*: "*Os sons se abrandam, tomam um como timbre murmuroso.*" (Júlio Ribeiro, *A Carne*, p. 182); "movia os lábios numa lenta, murmurosa reza" (Eça de Queirós, *A Cidade e as Serras*, p. 157).

muro. [Do lat. *muru*.] *S. m.* **1.** Parede forte que circunda um recinto ou separa um lugar do outro. **2.** *Fig.* Defesa, proteção. **3.** *Bras.* Lugar cercado para guardar colmeias. **4.** *Bras., CE.* Quintal[1] (2). ♦ **Muro das lamentações.** Parte do muro que cerca o templo de Herodes, na cidade velha de Jerusalém, considerado o lugar mais sagrado do judaísmo, e onde os judeus rezaram e se lamentaram pela destruição de seu templo; muro ocidental. **Muro de arrimo.** *Constr.* Muro, usualmente em talude, que suporta e retém um volume de terra [v. *terra* (15)], pedras, etc. **Muro de testa.** *Constr.* Pequena parede construída junto à boca de saída de bueiro ou de comporta, para proteger contra desmoronamento ou correnteza. **Muro ocidental.** Muro das lamentações.

murra. *S. f.* Nódoa que a aproximação do fogo produz na pele.

murraça. *S. f.* Murro forte: "Apetecia-me extinguir este brilho — mais com uma boa murraça do que .... com um tiro do meu revólver." (João de Araújo Correia, *Cinza do Lar*, p. 95.) [Cf. *morraça*.]

murro. *S. m.* Pancada com a mão fechada. [Sin.: *soco* e (bras., N.E.) *bogue*. Aum.: *murraça*.] ♦ **Dar murro em faca de ponta.** *Bras.* Pretender o impossível e, às vezes, com risco pessoal. **Dar o murro.** Trabalhar intensamente; dar um murro; dar um duro: "— Pensei que o dinheiro fosse *nosso*. | — É nosso, mas não para gastar à toa. Engraçado, então eu dou o murro lá na loja para você depois comprar lírios? Tem graça." (Luís Vilela, *Tremor de Terra*, p. 57.)

murta. [Do gr. *myrtos*, pelo lat. vulg. *murta*.] *S. f.* **1.** Pequeno arbusto, da família das mirtáceas (*Myrtus communis*), de origem mediterrânea, cultivado para compor cercas vivas, e que se caracteriza pelas folhas pequeninas e compactas; mirto. **2.** Planta americana, da família das melastomáceas (*Mouriria guianensis*); murteira, murteiro. **3.** O fruto da murta (2).

murta-de-cheiro. *S. f. Bras.* Designação comum a duas árvores da família das rutáceas (*Murraya exotica* e *M. paniculata*), procedentes da Ásia, cuja madeira, amarelo-clara e resistente, é utilizada, e cuja casca serve para fazer cosmético. [Pl.: *murtas-de-cheiro*.]

murta-do-mato. *S. f. Bras.* Árvore da família das rubiáceas (*Coutarea hexandra*), de grandes folhas e estípulas, flores vistosas tubulosas, e cujos frutos são cápsulas de tamanho mediano. É considerada medicinal. [Sin.: *quina, quinaquina* e *quinquina*. Pl.: *murtas-do-mato*.]

murtal. *S. m.* Quantidade mais ou menos considerável de murtas dispostas proximamente entre si; mirtal, mirtedo.

murteira. *S. f.* V. *murta* (2).

murteiro. *S. m.* V. *murta* (2). [Cf. *morteiro*.]

murtilho. *S. m. Bras. S.* Arbusto da família das mirtáceas (*Myrrhinium rubriflorum*), de folhas sésseis, coriáceas e lanceoladas, flores cimosas, com apenas quatro estames, vermelho-escuros, e cujo fruto é pequena baga.

murtinha. *S. f. Bras., C. O.* Árvore da família das mirtáceas (*Eugenia aurata*), cujo tronco tem casca suberosa, grossa e rimosa, cujas folhas, depois de secas, se tornam cor de ouro, e cujas flores e frutos, muito pequenos, não têm importância.

murtinhense. *Adj. 2 g.* **1.** De, ou pertencente ou relativo a Porto Murtinho (MS). ● *S. 2 g.* **2.** Natural ou habitante de Porto Murtinho.

murtinho. *S. m.* **1.** Baga de murta. **2.** Designação comum a diversas plantas da família das mirtáceas, entre elas a *Eugenia arenaria*, a *Eugenia ovalifolia* e a *Eugenia insipida*.

muru. [Do tupi *mu'ru*.] *S. m. Bras.* Erva da família das canáceas (*Canna aurantiaca*), cultivada como ornamento de jardins, que tem flores amplas, de formas exóticas, e fortemente coloridas em alaranjado, e cujos frutos são cápsulas muricadas.

murua. *S. f. Bras.* Certa dança dos indígenas.

muruanha. [Var. de *meruanha*.] *S. f. Bras.* V. *mosca-dos-estábulos*.

muruchi. *S. m. Bras.* Arbusto da família das malpighiáceas (*Banisteria dispar*), disperso pelo cerrado e campos, que exibe flores amarelas de pétalas recortadas, dispostas em cachos, e cujo cálice é provido de grandes glândulas, sendo as folhas coriáceas, rígidas.

muruci. *S. m. Bras.* Var. de *murici* [q. v.].

muruci-cascudo. *S. m. Bras.* Var. de *murici-cascudo*. [Pl.: *murucis-cascudos*.]

muruci-da-praia. *S. m. Bras.* Var. de *murici-da-praia*. [Pl.: *murucis-da-praia*.]

muruçoca. *S. f. Bras.* Var. de *muriçoca*.

murucu. [Do tupi *muru'ku*.] *S. m. Bras., AM.* Espécie de lança indígena de pau vermelho, com a ponta ervada.

murucutu. *S. m. Bras.* V. *murucututu*.

murucututu. [Do tupi *murukutu'tu*.] *S. m. Bras.* Ave estrigiforme, da família dos estrigídeos (*Pulsatrix perspicillata* (Lath.)), da América do Sul. Coloração parda; fronte, sobrancelha e mancha na garganta, brancas; mento e peito, pardos; o resto do abdome, amarelo-ocre; alimenta-se de aves e mamíferos, sobretudo roedores: "Desde as sete horas da tarde, só se ouve na povoação o pio agourento do murucututu" (Inglês de Sousa, *O Missionário*, p. 82). [Var.: *murucutu*; sin.: *coruja-do-mato, mocho-mateiro, corujão, corujão-orelhudo*.]

murugem. *S. f.* Erva modesta, da família das boragináceas (*Myosotis arvensis*), semelhante ao miosótis [q. v.] e, como esta, cultivada em jardins.

muruím (u-ím). *S. m. Bras.* V. *maruim*.

murumbu. *S. m. Bras.* V. *capim-guiné*.

murumuré. *S. m. Bras.* V. *murmuré*.

murumuru. [Do caraíba.] *S. m. Bras.* Palmeira (*Astrocaryum murumuru*) muito comum na bacia amazônica, cujos frutos são nozes piriformes e medem uns 5 a 6 cm de comprimento, e cujas sementes cedem perto de 40% de uma gordura branca que serve na alimentação e para fins técnicos; caicumana.

murumuruzal. *S. m. Bras.* Quantidade mais ou menos considerável de murumurus dispostos proximamente entre si.

murumuxaua. *S. m. Bras.* V. *morubixaba* (1).

murundu. [Do quimb. *mulun'du*.] *S. m. Bras.* **1.** V. *montículo*: "Escondia-se nas curvas, atrás dos murundus" (Nélson de Faria, *Tiziu e Outras Estórias*, p. 204). [Var.: *munduru* (1).] **2.** Montão.

murungu. [Do tupi *murũ'gu*.] *S. m. Bras.* V. *mulungu* (2).

murupi. *S. m. Bras.* Certa pimenta pequena, amarela, dividida em gomos.

murupita. [Do tupi *muru'pita*.] *S. f. Bras.* V. *curupitã*.

mururé. [Do tupi *muru'ré*.] *S. m.* **1.** *Bras., Amaz.* Designação comum a duas árvores da família das moráceas (*Brosimopsis acutifolia* e *B. obovata*), da floresta pluvial, que têm receptáculos unissexuais, lenho sem cerne e látex de sabor amargo. **2.** V. *aguapé*[2] (1). **3.** V. *cruz de malta* (2). [Cf. *mororé*.]

mururé-carrapatinho. *S. m. Bras.* Pequena erva aquática, da família das salviniáceas (*Salvinia auriculata*), que é flutuante nas águas, tem folhas orbiculares e pilosas, longas raízes que na verdade são folhas transformadas, e cujos esporocarpos surgem junto às raízes. [Pl.: *mururés-carrapatinhos* e *mururés-carrapatinho*.]

mururé-das-cachoeiras. *S. m. Bras.* V. *flor-da-cachoeira*. [Pl.: *mururés-das-cachoeiras*.]

mururé-redondinho. *S. m. Bras.* V. *mureru*. [Pl.: *mururés-redondinhos*.]

mururé-rendado. *S. m. Bras.* Pequena erva, de 1 a 3 cm, da família das salviniáceas (*Azolla caroliniana*), originária da América do Norte, que flutua nas águas, cobrindo-as por inteiro e em pouco tempo, graças à sua rápida multiplicação, por divisão, e cujas folhas são carnosas e bilobadas. [Pl.: *mururés-rendados*.]

mururu[1]. [Do tupi *muru'ru*.] *S. m. Bras.* V. *capim-guiné*.

mururu[2]. *S. m. Bras. Pop.* **1.** Moléstia intermitente; achaque. **2.** V. *enxaqueca*.

muruti. [Var. de *muriti*.] *S. m. Bras.* **1.** V. *buriti* (1). **2.** O fruto do murutizeiro.

murutinguense. *Adj. 2 g.* **1.** De, ou pertencente ou relativo a Murutinga do Sul (SP). ● *S. 2 g.* **2.** Natural ou habitante de Murutinga do Sul.

murutizeiro. [De *muriti* + *-z-* + *-eiro*.] *S. m. Bras.* V. *buritizeiro*.

murutucu. [Do tupi *murutu'ku*.] *S. m. Bras., Amaz.* Qualquer coruja.

muruxaba. [Do tupi *muru'xawa*.] *S. f. Bras. Pop.* **1.** V. *concubina* (1). **2.** V. *meretriz*.

muruxaua. [Do tupi *muru'xawa*.] *S. m. Bras.* V. *morubixaba* (1).

murzelo (ê). [Do lat. vulg. *mauricellu* < *mauru*, 'mouro'.] *Adj.* e *s. m*: Diz-se de, ou cavalo morado: "Pajens! que arreiem o meu ginete murzelo" (Alexandre Herculano, *Lendas e Narrativas*, II, 81); "ardoroso murzelo em cujo pelame fulgia a prata rendilhada dos arreios" (Xavier Marques, *As Voltas da Estrada*, p. 7).

mus. [Do basco, pelo esp. plat.] *S. m. 2 n. Bras., RS.* Certo jogo de cartas.

musa[1]. [Do gr. *mousa*, pelo lat. *musa*.] *S. f.* **1.** *Mit.* Cada uma das nove deusas que presidiam às artes liberais. **2.** *Mitol.* Divindade inspiradora da poesia. **3.** *P. ext.* Tudo quanto pode inspirar um poeta.

musa[2]. [Do antr. lat. *Musa*, nome do médico do imperador Augusto.] *S. f.* **1.** Espécie de bananeira asiática. **2.** Banana (1).

musácea. *S. f.* Espécime das musáceas.

musáceas. *S. f. pl. Bot.* Família de monocotiledôneas, da ordem das escitamíneas, compostas de grandes ervas arborescentes e perenes. Flores de perianto corolino;

androceu com cinco estames e um estaminódio; ovário trilocular; fruto capsular ou bacáceo. Há umas 150 espécies tropicais, entre as quais a bananeira é da maior importância.

musáceo. *Adj.* **1.** Relativo ou semelhante à bananeira. **2.** Pertencente ou relativo à família das musáceas.

musal. [De *musa*[1] + *-al*.] *Adj. 2 g.* Respeitante às musas.

muscadínea. [Do b.-lat. *muscata*, 'almiscarada'.] *S. f. Bot.* Espécie de videira americana, *Vitis rotundifolia*, uma das duas grandes seções em que Planchon [Jules Emile Planchon, 1823-1888] dividiu as videiras.

muscardina. [Do fr. *muscardine*.] *S. f.* Doença contagiosa que ataca e mata o bicho-da-seda.

muscardínico. *Adj.* **1.** Relativo à muscardina. **2.** Doente de muscardina.

muscari. [Do lat. *muscum*, 'almíscar'[1].] *S. m.* Erva bolbosa, da família das liliáceas *(Muscari moschatum)*, procedente da Ásia, cultivada como ornamental, de flores azuis urceoladas, perfumadas, que se congregam em racemos frouxos; têm 5 a 6 folhas e crescem até 30 cm, e cujos frutos são cápsulas.

muscarina. *S. f. Quím.* Alcalóide extraído do cogumelo *Amanita muscaria*, cristalino, deliqüescente, muito venenoso, de fórmula ainda duvidosa.

▲**musci-.** [Do lat. *musca, ae*.] *El. comp.* = 'mosca': *muscívoro*.

▲**musc(i)-.** [Do lat. *muscus, i*.] *El. comp.* = 'musgo': *muscícola, muscíneo*.

muscícola. [De *musc(i)-* + *-cola*.] *Adj. 2 g.* Que vive ou vegeta nos musgos.

muscíneo. [De *musc(i)-* + o final de palavras como *sanguíneo, catarríneo*.] *Adj.* Relativo ou semelhante aos musgos.

muscívoro. [De *musci-* + *-voro*.] *Adj. Zool.* Que se nutre de moscas.

muscoso (ô). [Do lat. *muscosu*.] *Adj.* V. *musgoso*.

musculação. *S. f.* **1.** Exercício dos músculos. **2.** O conjunto das ações musculares. **3.** O conjunto dos exercícios de ginástica destinado a desenvolver e fortalecer os músculos do esqueleto. [Sin., bras., nesta acepç.: *modelagem*.]

musculado. [De *músculo* + *-ado*[1].] *Adj.* **1.** Que tem músculos. **2.** Que tem músculos bem pronunciados; musculoso.

muscular. *Adj. 2 g.* Relativo ou pertencente aos, ou próprio dos músculos.

musculatura. *S. f.* **1.** O conjunto dos músculos do corpo; musculosidade. **2.** Vigor muscular; musculosidade. **3.** Maneira de representar os músculos em artes plásticas.

musculina. [De *músculo* + *-ina*[1].] *S. f.* **1.** *Obsol.* Proteína ou globulina do tecido muscular. **2.** Preparação de carne crua de vaca, sem gordura, moída, dessecada e coberta com uma delgada camada de açúcar que lhe auxilia a conservação.

músculo. [Do lat. *musculu*.] *S. m. Anat.* Estrutura com poder de contração e relaxamento, e que se destina a realizar movimentos diversos, dependentes ou não da vontade. Há dois tipos de músculos: os *estriados*, que se subdividem em *esqueléticos* (de ação voluntária) e *cardíaco* (de ação involuntária), e os *lisos*, de ação involuntária, e que fazem parte de diversos órgãos, como, p. ex., intestinos, estômago, bexiga, vasos sanguíneos, dando-lhes movimentação. ♦ **Músculo basiofaríngeo.** *Anat.* O músculo da faringe inserto na base do hióide. [Tb. se diz apenas *basiofaríngeo*.] **Músculo basioglosso.** *Anat.* O músculo que vai do osso hióide à base da língua. [Tb. se diz apenas *basioglosso*.] **Músculo bucinador.** *Anat.* Músculo situado na espessura da bochecha, e que atua na mastigação e no ato de soprar. [Tb. se diz apenas *bucinador*.] **Músculo costureiro.** *Anat.* Músculo comprido e estreito, da região ântero-interna da coxa; músculo sartório. [Tb. se diz apenas *costureiro*.] **Músculo digástrico.** *Anat.* Cada um dos músculos que têm duas partes carnosas *(ventres)* ligadas por um tendão. **Músculo estapédio.** *Anat.* Músculo que se insere em cada osso estribo, e sobre o qual exerce ação de amortecimento. **Músculo esternoclidomastóideo.** *Anat.* Músculo inserto no esterno, na clavícula e na apófise mastóidea. **Músculo estilofaríngeo.** *Anat.* Músculo que, fixado na apófise estilóide, se dirige para a faringe. **Músculo estiloglosso.** *Anat.* Músculo que, fixado na base da apófise estilóide, termina na língua. **Músculo estriado.** *Anat.* V. *músculo*. **Músculo extensor.** *Anat.* Aquele que executa extensão. [Tb. se diz apenas *extensor*.] **Músculo flexor.** *Anat.* Músculo que executa flexão. [Tb. se diz apenas *flexor*. Sin.: *flexório*.] **Músculo gêmeo.** *Anat.* Cada um dos músculos pares, paralelos um ao outro, que formam a panturrilha. **Músculo glossofaríngeo.** *Anat.* Músculo constritor da faringe. **Músculo liso.** *Anat.* V. *músculo*. **Músculo oblíquo superior.** *Anat.* Músculo extrínseco que, em cada olho, permite movimento de rotação para fora e para baixo. **Músculo poplíteo.** *Anat.* Músculo flexor da perna, situado na parte posterior da tíbia. **Músculo pronador.** *Anat.* Músculo que executa a pronação. [Tb. se diz apenas *pronador*.] **Músculo risório.** *Anat.* Pequeno músculo superficial na região da boca, o qual tem por ação alongar a fenda labial. [Tb. se diz apenas *risório*.] **Músculo sartório.** *Anat.* Músculo costureiro. [Tb. se diz apenas *sartório*.] **Músculos escalenos.** *Anat.* Os inseridos nas vértebras cervicais. **Músculos gastrocnêmicos.** *Anat.* Músculos gêmeos das pernas. **Músculo solear.** *Anat.* Um dos músculos da panturrilha. **Músculo supinador.** *Anat.* Aquele que executa a supinação (1). [Tb. se diz apenas *supinador*.]

musculocartilaginoso (ô). *Adj. Anat.* De, ou pertencente ou relativo a músculo e cartilagem.

músculo-esquelético. *Adj. Anat.* Do músculo estriado esquelético [v. *músculo*], ou relativo a ele.

musculomembranoso (ô). [De *músculo* + *membranoso*.] *Adj. Anat.* Respeitante a músculo e membrana.

musculosidade. *S. f.* **1.** Qualidade de musculoso. **2.** Musculatura (1 e 2).

musculoso (ô). [Do lat. *musculoso*.] *Adj.* **1.** Que tem músculos fortes e desenvolvidos; musculado, carnudo. [Sin., pop.: *morrudo*.] **2.** Da natureza dos músculos. **3.** *Fig.* Forte, vigoroso.

museografia. [De *museu* + *-o-* + *-graf(o)-* + *-ia*.] *S. f.* Descrição ou catálogo de museu. [Cf. *museologia*.]

museográfico. *Adj.* Relativo à museografia.

museógrafo. *S. m.* Autor de museografia.

museologia. [De *museu* + *-o-* + *-log(o)-* + *-ia*.] *S. f.* Ciência que trata dos princípios de conservação e apresentação das obras de arte nos museus. [Cf. *museografia*.]

museológico. *Adj.* **1.** Relativo à museologia. **2.** Que só tem valor histórico: *filme museológico*.

museologista. *S. 2 g.* V. *museólogo*.

museólogo. *S. m.* Especialista em museologia. [Sin.: *museologista* e, p. us. no Brasil, *conservador*.]

museotecnia. [De *museu* + *-o-* + *-tecn(o)-* + *-ia*.] *S. f.* Arte da organização e funcionamento dos museus.

museotécnico. *Adj.* Referente à museotecnia.

museta (ê). [Do fr. *musette*.] *S. f.* **1.** Espécie de gaita de foles. **2.** Instrumento pastoril da família do oboé. **3.** Dança campestre, em voga nos séc. XVII e XVIII. **4.** Toda composição baseada num baixo persistente, e cujo caráter é ingênuo e pastoril.

museu. [Do gr. *Mouseîon*, 'templo das musas', pelo lat. *museu*.] *S. m.* **1.** Qualquer estabelecimento permanente criado para conservar, estudar, valorizar pelos mais diversos modos, e sobretudo expor para deleite e educação do público, coleções de interesse artístico, histórico e técnico. **2.** *Fig.* Reunião de coisas várias; miscelânea.

musgo. [Do lat. *muscu*, por um **músico*.] *S. m.* Vegetal minuto, desprovido de caule e folhas, pertencente ao grupo dos briófitos.

musgoso (ô). *Adj.* **1.** Que tem ou produz musgo. **2.** Coberto de musgo: "E a casa que entre arvoredos / ali sozinha vivia, / tinha já musgosos muros" (Tomás Ribeiro, *D. Jaime*, p. 9). **3.** Semelhante ao musgo. [Sin. ger.: *muscoso, musguento*.]

musguento. [De *musgo* + *-ento*.] *Adj.* V. *musgoso*.

música. [Do gr. *mousiké* ou *mousichá*, pelo lat. *musica*.] *S. f.* **1.** Arte e ciência de combinar os sons de modo agradável ao ouvido. **2.** Qualquer composição musical. **3.** Música (2) escrita; solfa. **4.** Execução de qualquer peça musical. **5.** Conjunto ou corporação de músicos. **6.** Orquestra (8). **7.** Filarmônica (2). **8.** *Fig.* Qualquer conjunto de sons. [Deprec.: *musiqueta*. Cf. *musica*, do v. *musicar*.] ♦ **Música absoluta.** Música pura. **Música aleatória.** Obra em que o compositor libera um que outro aspecto da estrutura musical tradicional, e deixa ao intérprete a possibilidade de agir sobre essa estrutura, determinando à duração das notas, ou a sucessão dos sons, ou a sua intensidade, num ato de improvisação criadora. **Música atonal.** Aquela que adota a atonalidade. [Cf. *dodecafonismo* e *série* (11).] **Música concreta.** Gênero de música experimental de vanguarda, ou novo método de compor, idealizado pelo francês Pierre Schaeffer (1910- —), e através do qual o compositor procura reunir toda espécie de objetos sonoros (sons musicais e ruídos concretos), já gravados em disco ou em fita magnética, para transformá-los em seguida por meio de manipulações complexas, e utilizá-los em montagens e colagens, conforme seu pensamento musical. **Música cromofônica.** Utilização da técnica cromofônica de composição, criada, em 1966, pelo brasileiro Jorge Antunes (1942- —), e que consiste na combinação dos sons tratados como cores. **Música de barbeiros.** *Bras.* Pequena banda de música do Brasil colonial, com base em pistom e trompa, formada por escravos ou negros livres, na sua maioria barbeiros. **Música de câmara.** Qualquer música vocal ou instrumental destinada a um pequeno auditório, a um solista ou a pequenos agrupamentos de solistas, como, p. ex., a sonata para um ou vários instrumentos, o trio, o quarteto, o quinteto, a ária para uma ou duas vozes, as melodias, as cantatas com acompanhamento instrumental ou sem ele, etc. **Música de cena.** O conjunto das peças musicais destinadas a acompanhar determinados momentos de uma peça teatral; música incidental. **Música de estante.** Música sacra, escrita em grandes livros que se colocavam nos facistóis da igreja, em frente do coro; música de facistol. **Música de facistol.** Música de estante. **Música de programa.** A que procura, por meio de elementos instrumentais, descrever um assunto fixado em página literária que vem impressa no programa do concerto. **Música descritiva.** A que pretende evocar os fenômenos do mundo exterior, por meio de uma imitação mais ou menos estilizada dos elementos sonoros que os caracterizam, ou de analogias estruturais. **Música eletrônica.** A que utiliza sons de origem eletromagnética, que o compositor seleciona e ordena a fim de obter um resultado artístico. **Música espacial.** A que procura criar a ilusão do deslocamento dos objetos sonoros no momento da realização da obra em público. **Música experimental de vanguarda.** A que expressa a revolução musical do sec. XX, e através da qual se vem completando a destruição da estrutura lógico-dedutiva da organização musical tradicional, que é substituída por uma nova sintaxe não discursiva, mas analógico-sintética. **Música folclórica.** Cada uma das formas de música vocal, instrumental ou coreográfica, em geral de autor anônimo, tradicionalmente cultivadas pelas populações rurais e transmitidas oralmente ou por processos primitivos de continuidade cultural. **Música incidental.** Música de cena. **Música instrumental.** Obra composta para ser executada apenas por instrumentos. **Música magnetofônica.** Aquela em que o gravador que executa uma fita magnética com música eletroacústica é utilizado como instrumento orquestral. **Música modal.** A que emprega escalas diferentes (sem a sensível) das escalas dos modos clássicos maior e menor. **Música pura.** Obra exclusivamente instrumental (fuga, sonata, sinfonia, quarteto de cordas, etc.), e que, não se baseando diretamente em elementos descritivos, quer objetivos, quer psicológicos, tira dos elementos dinamogênicos (ritmo, melodia, harmonia) as suas razões de agradar; música absoluta. **Música serial.** A que se baseia na noção de série (11) [q. v.]. **Dançar conforme a música.** Agir segundo as conveniências do momento; adaptar-se à situação. [Sin.: *dançar conforme tocam*.]

musicado. [Part. de *musicar*.] *Adj.* Que se desenrola ao som de música(s): *filme musicado; espetáculo musicado*.

musical. *Adj. 2 g.* **1.** Relativo à, ou próprio da música; músico. **2.** Agradável ao ouvido; harmonioso. **3.** *Teat.* e *Cin.* Diz-se de espetáculo ou filme em que predominam músicas ou um roteiro musical. **4.** Diz-se de pessoa que tem pendor para música. ~ V. *comédia —, drama —, fundo —, prosódia —* e *som —*. ● *S. m.* **5.** Espetáculo ou filme musical (3).

musicalidade. *S. f.* Qualidade de musical.

musicar. [De *música* + *-ar*[2].] *V. int.* **1.** Tocar instrumento musical. **2.** Cantar, trautear. *T. d.* **3.** Converter em música. **4.** Compor música para (versos, letra); pôr em música: "decorava modinhas, fazia versos, musicava-os." (Nélson de Faria, *Cabeça-Torta*, p. 119). [Conjug.: v. *trancar*. Pres. ind.: *musico, musicas, musica*, etc. Cf. *músico* e *música*.]

musicastro. [De *músico* + *-castro*.] *S. m.* Músico inferior, de segunda ordem; mau músico: "na Alemanha romântica musicastros anônimos expulsaram Beethoven e arracaram-lhe da mão a batuta — cetro de uma das maiores soberanias do espírito que passaram sobre a Terra." (Fidelino de Figueiredo, *Um Colecionador de Angústias*, p. 199).

musicata. [De *música*, com infl. de *cantata, sonata, tocata*.] *S. f. Fam.* **1.** Banda de música. **2.** Execução de uma peça musical.

➧**music-hall** (miúzic hól). [Ingl.] *S. m.* Lugar de diversões públicas, onde se executam músicas leves, danças, pequenas cenas, etc.

musicista. [Do it. *musicista*.] *S. 2 g. Bras.* **1.** Apreciador

ou amador de música. **2.** Especialista em música.
músico. [Do gr. *mousikós*, 'relativo às musas, às artes (em especial à música)', pelo lat. *musicu.*] *S. m.* **1.** Aquele que professa a arte da música, compondo peças, tocando e/ou cantando. **2.** Aquele que pertence a banda, orquestra ou filarmônica. [Cf., nestas acepç., *musiqueiro.*] **3.** *Bras.* V. *uirapuru-verdadeiro.* ● *Adj.* **4.** Musical (1): *instrumento m ú s i c o*; "Ao fresco arrepio dos ventos cortantes / Em m ú s i c o estalo rangia o coqueiro." (Castro Alves, *Obra Completa*, p. 357). [Cf. *musico*, do v. *musicar.*] ~ V. *galo* —.
▲**musico-.** [De *música.*] *Pref.* = 'música': *musicofilia, musicologia.*
musicofilia. [De *musico-* + *-filia.*] *S. f.* Predileção à música, ou propensão para ela.
musicofílico. *Adj.* Referente à musicofilia.
musicófilo. *Adj.* e *s. m.* Que ou aquele que tem musicofilia.
musicofobia. [De *musico-* + *-fob(o)-* + *-ia.*] *S. f.* Aversão à música.
musicofóbico. *Adj.* Referente à musicofobia.
musicófobo. *Adj.* e *s. m.* Que, ou aquele que tem musicofobia.
musicografia. [De *musico-* + *-graf(o)-* + *-ia.*] *S. f.* **1.** Arte ou atividade do musicógrafo. **2.** Tratado sobre música, sem caráter científico.
musicográfico. *Adj.* Referente à musicografia.
musicógrafo. *S. m.* **1.** Compositor de música; músico. **2.** Instrumento para escrever música. **3.** Autor que escreve sobre música.
musicologia. [De *musico-* + *-log(o)-* + *-ia.*] *S. f.* Ciência que trata dos assuntos musicais que não se referem propriamente à composição e à execução, tais como, p. ex., a investigação histórica, a acústica, a estética, a pedagogia, a rítmica e a métrica, as teorias harmônicas, a organologia, o folclore.
musicológico. *Adj.* Respeitante à musicologia.
musicólogo. *S. m.* Músico erudito que se consagra à musicologia ou que discorre ou escreve sobre música.
musicomania. [De *musico-* + *-mania.*] *S. f.* **1.** Paixão pela música. **2.** *Patol.* Loucura caracterizada por excessiva paixão pela música.
musicomaníaco. *Adj.* e *s. m.* Musicômano.
musicômano. *Adj.* e *s. m.* Que ou aquele que tem musicomania; musicomaníaco.
musicoterapia. [De *musico-* + *terapia.*] *S. f. Terap.* Tratamento de certas doenças mentais pela música.
musicoterápico. *Adj.* Relativo à musicoterapia.
musiquear. *V. int. Desus.* Musicar [q. v.]. [Conjug.: v. *frear.*]
musiqueiro. *S. m. Bras.* **1.** Músico de banda. **2.** *Deprec.* V. *musiquim.* [Cf. *músico* (1 e 2).]
musiqueta (ê). *S. f.* **1.** Pequeno trecho de música. **2.** Música reles.
musiquim. [Do it. *musichino.*] *S. m. Pop.* **1.** Músico (1 e 2) pouco hábil, reles, que geralmente faz parte de conjuntos e se apresenta em feiras, festas populares, etc. **2.** *P. ext.* Músico ambulante. [Sin. ger. deprec.: *musiqueiro.*]
musmé. *S. f.* V. *musmê.*
musmê. [Var. de *mussumé*, do jap. *mussumé.*] *S. f.* Mulher japonesa ainda jovem. [Outras var.: *mussumê, musmé.*]
musse. [Do fr. *mousse.*] *S. f.* Iguaria doce ou salgada, de consistência cremosa e leve, feita com um ingrediente básico (chocolate, frutas, queijo, camarão, etc.), a que se adicionam claras batidas e/ou gelatina, e servida fria.
musselina. [Do fr. *mousseline.*] *S. f.* **1.** Tecido leve e transparente, muito usado para roupa feminina: "D. Eulália, ... enxugando o suor do rosto com a manga do paletó de m u s s e l i n a branco, não se cansava de lhe fazer elogios." (Inglês de Sousa, *O Missionário*, p. 49.) **2.** Preparado culinário de que há várias espécies doces e salgadas e de carnes e peixes, todas as quais levam ovos, sobretudo claras em neve.
mussitação. [Do lat. *mussitatione.*] *S. f.* Movimento automático dos lábios, que produz murmúrio ou som confuso.
mussitar. [Do lat. *mussitare.*] *V. int.* **1.** Falar em voz baixa; cochichar. *T. d.* **2.** Dizer em voz baixa; murmurar; cochichar: "E, em sonho, ouvir-lhe a voz m u s s i t a r, num arquejo, / O nosso nome como quem aspira um beijo..." (Martins Fontes, *Poesias*, V, p. 113).
mussiú. [Do fr. *monsieur.*] *S. m. Bras., MG. Pop.* Alcunha jocosa dada aos franceses.
mussumé. *S. f.* V. *musmê.*
mussumê. *S. f.* V. *musmê.*
mustélida. *S. m.* e *adj. 2 g.* V. *mustelídeo.*
mustélidas. *S. m. pl. Zool.* V. *mustelídeos.*
mustelídeo. *S. m.* **1.** Espécime dos mustelídeos. ● *Adj.* **2.** Pertencente ou relativo a eles.
mustelídeos. *S. m. pl. Zool.* Mamíferos carnívoros da família *Mustelidae*, de porte pequeno, corpo alongado, cabeça deprimida, com orelhas reduzidas, pernas curtas, unhas longas e afiladas, cauda bem desenvolvida, glândulas odoríferas dos lados da abertura anal capazes de exalar cheiro forte. São as iraras, os furões, as jaratatacas, as lontras e as ariranhas.
mutá. [Do tupi *mi'tá.*] *S. m. Bras., Amaz.* **1.** Espécie de escada tosca utilizada pelos seringueiros para trepar às árvores. **2.** Estrado alto, ou assento, feito no mato ou à beira da água, no tronco das árvores, para espera da caça ou da pesca. [Var., nesta acepç.: *mutã, muitá.*]
mutã. *S. m. Bras., Amaz.* V. *mutá* (2).
mutabilidade. [Do lat. *mutabilitate.*] *S. f.* Qualidade de mutável: instabilidade, volubilidade.
mutabílio. *S. m.* **1.** Espécime dos mutabílios. ● *Adj.* **2.** Pertencente ou relativo a eles. [Sin. ger.: *criptobrânquio, salamandrino, derotremado.*]
mutabílios. *S. m. pl. Zool.* Animais anfíbios, caudados, ordem *Mutabilia.* Adultos desprovidos de brânquias, pulmões presentes (exceto nos plectodontídeos) e crânio com vômeres pares. [Sin.: *criptobrânquios, salamandrinos, derotremados.*]
mutação. [Do lat. *mutatione.*] *S. f.* **1.** Mudança; alteração, modificação, transformação: "A m u t a ç ã o maravilhosa que se me acabava de operar nas perspectivas da alma, fez rebentar o meu último canto — *A Esperança.*" (Antônio Feliciano de Castilho, *Amor e Melancolia*, p. 356.) **2.** Volubilidade, inconstância. **3.** *Genét.* Modificação na informação genética que resulta em células ou indivíduos com alterações fenotípicas. **4.** *Mús.* Na teoria musical medieval e renascentista, mudança do nome das notas, quando estas passavam de um hexacorde (2) a outro. **5.** *Mús.* Na fuga tonal, transformação na constituição melódica da resposta em relação ao sujeito. **6.** *Mús.* Alteração do modo, dentro de uma tonalidade, de um acorde ou de um qualquer fragmento musical. **7.** *Mús.* Na salmodia, inflexão que anuncia a segunda parte do versículo. **8.** *Teat.* Mudança de cenário.
mutacismo. [Do gr. *mytakismós.*] *S. m.* V. *mitacismo.*
mutagênese. [Do ingl. *mutagenesis* < *muta(tion)*, 'mutação', + *genesis*, 'gênese'.] *S. f. Genét.* Processo que dá origem às mutações.
mutagênico. *Adj. Genét.* **1.** Relativo à mutagênese. **2.** Diz-se do agente químico capaz de provocar mutações.
mutamba. [Do quimb. *mu'tamba.*] *S. f. Bras.* Arvoreta da família das tiliáceas (*Guazuma ulmifolia*), que medra do México ao Brasil, onde é comum, de folhas polimorfas, ovadas e pilosas, flores com pétalas cuculadas e providas de longos apêndices filiformes, reunidas em panículas laxas, e cujas cápsulas, lenhosas e negras, medem 2 a 3 cm. [Var.: *mutambo*; sin.: *mucungo.*]
mutamba-preta. *S. f. Bras.* V. *açoita-cavalos* (1). [Pl.: *mutambas-pretas.*]
mutambo. *S. m. Bras.* V. *mutamba.*
mutanje. *Adj.* e *s. m. Bras., N.E. Pop.* V. *mucufa* (1 e 5).
mutante. [Do lat. *mutante.*] *Adj. 2 g.* e *s. 2. g. Biol.* Diz-se de, ou pessoa ou animal que apresenta características marcadamente distintas das de seus ascendentes.
mutarrotação. [Do lat. *mutare*, 'mudar', + *rotação.*] *S.f. Fís.-Quím.* Variação com o tempo do poder rotatório de uma solução de uma substância opticamente ativa.
➡**mutatis mutandis** (mutátiç mutândiç). [Lat.] Mudado o que deve ser mudado, i. e., com a devida alteração de pormenores.
mutatório. [Do lat. *mutatoriu.*] *Adj.* Que muda; que serve para fazer mudança.
mutável. [Do lat. *mutabile.*] *Adj. 2 g.* V. *mudável*: "Não ter opinião ou ter uma opinião oscilante e m u t á v e l é comprometer inteiramente os princípios pela falta de virtude." (Ramalho Ortigão, *As Farpas*, IV, p. 128.)
mutelina. *S. f.* Erva cespitosa e aromática, da família das umbelíferas (*Meum mutellina*), nativa na Europa, e que se cultiva graças à folhagem delicada, rosulada e recortada, sendo as flores alvas, pequenas e organizadas em umbelas densas; funcho-dos-alpes.
mútico. *Adj. Morfol. Veg.* Que não tem qualquer estrutura pungente; desarmado.
mutilação. [Do lat. *mutilatione.*] *S. f.* Ato ou efeito de mutilar(-se).
mutilado. [Part. de *mutilar.*] *Adj.* **1.** A que falta um membro. ● *S. m.* **2.** Aquele a quem falta um membro.
mutilador (ô). [Do lat. *mutilatore.*] *Adj.* **1.** Que mutila; mutilante. ● *S. m.* **2.** Aquele que mutila.
mutilante. [Do lat. *mutilante.*] *Adj. 2 g.* Mutilador (1).
mutilar. [Do lat. *mutilare.*] *V. t. d.* **1.** Privar de algum membro ou de alguma parte do corpo. **2.** Cortar (um membro do corpo). **3.** Desramar (1). **4.** *Fig.* Cortar ou destruir qualquer parte de; truncar: *m u t i l a r um texto.* **5.** Depreciar o merecimento de; amesquinhar, diminuir, reduzir: *Procuram m u t i l a r o escritor glorioso. P.* **6.** Decepar algum membro ou alguma parte do próprio corpo.
mutirão. [Do tupi *moti'rõ.*] *S. m. Bras.* **1.** Auxílio gratuito que prestam uns aos outros os lavradores, reunindo-se todos os da redondeza e realizando o trabalho em proveito de um só, que é o beneficiado, mas que nesse dia faz as despesas de uma festa ou função. Esse trabalho pode ser a colheita, ou queima ou roçado, ou plantio, ou taipamento ou construção de uma casa. [Var. e sin., em lugares diversos do Brasil: *mutirom, mutirum, muxirão, muxirã, muxirom, muquirão, putirão, putirom, putirum, pixurum, ponxirão, punxirão, puxirum; ademão, adjunto, adjutório, ajuri, arrelia, bandeira, batalhão, boi-de-cova, corte* (ô), *junta.* Cf. *suta* (3), *traição* (5) e *estalada* (5).] **2.** *Bras., AM.* Ave da família dos ardeídeos (*Nyctanassa violacea* Goeldi).
mutirom. *S. m. Bras., PA.* V. *mutirão* (1).
mutirum. *S. m. Bras., PA.* V. *mutirão* (1).
mutismo. [Do lat. *mutu*, 'mudo', + *-ismo.*] *S. m.* **1.** Mudez (1) [q. v.]. **2.** Estado ou condição de mudo (2): "E vinha a tal dúvida.... Ataxerxes entristecia, caía no m u t i s m o." (Aníbal Machado, *Novelas Reunidas*, p. 196.) **3.** *Fig.* Silêncio, sossego.
mutreita. *S. f. Bras., RS.* Gordura excessiva do gado vacum. ◆ **Estar de mutreita.** *Bras., RS.* Estar muito gorda (a carne ou o animal).
mutreta (ê). *S. f. Bras. Gír.* Ardil, logro, trapaça, treta ou treita.
mutreteiro. *Adj.* e *s. m. Bras. Gír.* Que ou aquele que faz mutretas; velhaco, trapaceiro.
mútua. [Fem. substantivado do adj. *mútuo.*] *S. f. Bras.* Sociedade mutuante. [Cf. *mutua*, do v. *mutuar.*]
mutuã. *Bras. S. 2 g.* **1.** Indivíduo dos mutuãs, tribo indígena caraíba do rio Jamundá. ● *Adj. 2 g.* **2.** Pertencente ou relativo a essa tribo.
mutuação. [Do lat. *mutuatione.*] *S. f.* **1.** Ato ou efeito de mutuar(-se); troca, permuta. **2.** Ato de dar ou tomar emprestado.
mutuador (ô). *S. m.* Mutuante (3).
mutual. *Adj. 2 g. P. us.* V. *mútuo* (1).
mutualidade. [De *mutual* + *-i-* + *-dade.*] *S. f.* Qualidade ou estado do que é mútuo; reciprocidade, permutação, troca.
mutualismo. [De *mutual* + *-ismo.*] *S. m. Ecol.* Tipo de associação entre plantas, ou entre estas e animais, no qual há benefícios para uns e outros.
mutualista. [De *mutual* + *-ista.*] *S. 2 g.* **1.** Pessoa que é associada de uma companhia de seguros ou de socorros mútuos. ● *Adj. 2 g.* **2.** Relativo a socorros mútuos.
mutuante. [Do lat. *mutuante.*] *Adj. 2 g.* **1.** Que mutua. ● *S. 2 g.* **2.** Pessoa que dá de empréstimo, no contrato de mútuo; emprestador. **3.** Pessoa que mutua; mutuador.
mutuar. [Do lat. *mutuare.*] *V. t. d.* **1.** Trocar entre si (tratando-se de mais de um indivíduo ou coisa, ou de coletividades); permutar, reciprocar: "Conduta .... e senso artístico .... são fenômenos paralelos, que recebem a influência do meio em que se banham, mas não m u t u a m condições específicas de existir." (Mecenas Dourado, *Mecenas ou o Suborno da Inteligência*, p. 210.) **2.** Dar ou tomar de empréstimo (coisa fungível). *T. d.* e *i.* **3.** Dar por empréstimo (coisa fungível). *P.* **4.** Trocar entre si; reciprocar: "ódio com que, em todos os tempos, os escritores se expuseram à irrisão dos ignorantes, m u t u a n d o - s e afrontosas injustiças." (Camilo Castelo Branco, *Noites de Insônia*, IX, p. 19.) [Pres. ind.: *mutuo, mutuas, mutua*, etc.; fut. pret.: *mutuaria*, etc. Cf. *mútuo, mútua*, e *mutuária*, fem. de *mutuário.*]
mutuário. [Do lat. *mutuariu.*] *S. m* Aquele que recebe por empréstimo qualquer coisa fungível. [Fem.: *mutuária.* Cf. *mutuaria*, do v. *mutuar.*]
mutuca. [Do tupi *mu'tuka.*] *S. f.* **1.** *Bras.* Designação comum aos dípteros da família dos tabanídeos. [Var.: *butuca.*] **2.** *Bras.* Pequeno pacote de maconha. **3.** *Bras., N.E.* Extremidade carbonizada de um fósforo que se implanta entre a unha e a pele, e se acende para despertar alguém. **4.** *Bras., BA.* Remador de baleeira. **5.** *Bras., BA.* V. *moréia-pintada.* **6.** *Bras., SP. Pop.* V. *espora* (1). ● *Adj.* **7.** *Bras.* Diz-se do galo de briga surrado e medroso, utilizado para atiçar a combatividade de outros. **8.** *Bras., N.E. P. ext.* Diz-se de indivíduo covarde. **9.** *Bras., RS.* Diz-se de galo ordinário para a rinha.
mutucacaba. [Do tupi *mu'tuka'kawa.*] *S. f. Bras.* Designação comum aos vespídeos do gênero *Parachartegus.*

mutucal. [De *mutuca* (1) + *-al*.] *S. m. Bras.* Lugar onde há muitas mutucas.

mutuense. *Adj. 2 g.* **1.** De, ou pertencente ou relativo a Mutum (MG). ● *S. 2 g.* **2.** Natural ou habitante de Mutum.

mutuipense (u-i). *Adj. 2 g.* **1.** De, ou pertencente ou relativo a Mutuípe (BA). ● *S. 2 g.* **2.** Natural ou habitante de Mutuípe.

mútulo. [Do lat. *mutulu*.] *S. m. Arquit.* Modilhão quadrado, em cornija de ordem dórica.

mutum. [Do tupi *mi'tu*.] *S. m. Bras.* Designação comum a várias aves galiformes da família dos cracídeos, gênero *Crax* L., de penas da crista curvas na extremidade, e com seis espécies no Brasil, e *Mitu* Less., de penas retas e com apenas duas espécies.

mutum-açu. *S. m. Bras.* Ave galiforme, da família dos cracídeos (*Crax globulosa* Spix.), do N.O. O macho é preto, com barriga e coberteiras inferiores da cauda brancas, base da maxila amarela ou encarnado-clara; a fêmea tem as penas da crista listradas de branco, barriga e coberteiras inferiores da cauda amareladas. [Sin.: *mutum-fava, mutum-de-assovio, mutumboicinim*. Pl.: *mutuns-açus*.]

mutumboicinim. *S. m. Bras.* V. *mutum-açu*.

mutum-cavalo. *S. m. Bras.* Ave galiforme, da família dos cracídeos (*Mitu mitu* (L.)), do N.O., de coloração preta, barriga e coberteiras inferiores da cauda vermelhas, ponta da cauda branca e base do bico avermelhada. [Sin.: *mutum-etê, mutum-da-várzea, mutumpiri*. Pl.: *mutuns-cavalos* e *mutuns-cavalo*.]

mutum-da-várzea. *S. m. Bras.* V. *mutum-cavalo*. [Pl.: *mutuns-da-várzea*.]

mutum-de-assobio. *S. m. Bras., Amaz.* Var de *mutum-de-assovio* [q. v.]. [Pl.: *mutuns-de-assobio*.]

mutum-de-assovio. *S. m. Bras.* V. *mutum-açu*. [Pl.: *mutuns-de-assovio*.]

mutum-do-cu-branco. *S. m. Bras.* Mutumporanga. [Pl.: *mutuns-do-cu-branco*.]

mutum-etê. *S. m. Bras.* V. *mutum-cavalo*. [Pl.: *mutuns-etês*.]

mutum-fava. *S. m. Bras.* V. *mutum-açu*. [Pl.: *mutuns-favas* e *mutuns-fava*.]

mutumiju. [Do tupi.] *S. m. Bras.* V. *araribá-amarelo*.

mutumpiri. [Do tupi.] *S. m. Bras.* V. *mutum-cavalo*.

mutumporanga. [Do tupi *mi'tu po'rang*, 'mutum belo'.] *S. m. Bras.* Ave galiforme, da família dos cracídeos (*Crax nigra* L.), distribuída da margem esquerda do rio Amazonas para o N. O macho é preto, com brilho purpúreo, abdome e coberteiras inferiores da cauda brancas, cera e base do bico amarelos; a fêmea, um pouco menor, tem crista listrada de branco. [Sin.: *mutum-do-cu-branco*.]

mutungo. *S. m.* V. *berimbau* (2).

mútuo. [Do lat. *mutuu*.] *Adj.* **1.** Recíproco (1): "Admira-va e conhecia essa mulher de a ter encontrado algumas vezes; mas as nossas relações não passavam de uma polidez m ú t u a." (José de Alencar, *Lucíola*, p. 130.) [Sin., desus. *mutual*.] V. *condutância —a, fundo —, indução —a* e *indutância —a*. ● *S. m.* **2.** *Jur.* Contrato pelo qual se transfere a propriedade duma coisa fungível a outrem, que se obriga a pagar-lhe no mesmo gênero, quantidade e qualidade. [Cf., nesta acepç. *comodato*.] **3.** Empréstimo; permutação; reciprocidade. [Cf. *mutuo*, do v. *mutuar*.]

mutuqueiro. [De *mutuca* (8) + *-eiro*.] *S. m. Bras., RS.* Neófito em rinhas de galo. [Cf. *motoqueiro*.]

mututi. [Do tupi *mutu'ti*.] *S. m. Bras.* Designação comum a três espécies de árvores da família das leguminosas (*Pterocarpus* spp.), caracterizadas pelos frutos, que são providos de asa circular e semente na porção central.

mututuca. [Do tupi, decerto.] *S. f. Bras.* V. *moréia-pintada*.

muxarabi. *S. m.* Var. apocopada de *muxarabiê* [q. v.].

muxarabiê. [Do ár. *maxarabīya*, 'janela de arco'.] *S. m.* Balcão mourisco protegido, em toda a altura da janela, por uma grade de madeira, donde se pode ver sem ser visto. [Var.: *muxarabi*.]

muxaxa. [De or. africana, decerto.] *S. f.* Certa árvore de Angola. [Cf. *muchacha*.]

muxiba. [Do quimb. *mu'xiba*, 'nervo, veia.'] *S. f. Bras.* **1.** Carne magra, para cães. **2.** Peles enrugadas e magras da carne; pelancas. **3.** Seios flácidos de mulher. **4.** *Fig.* V. *bruxa* (2).

muxibento. *Adj. Bras.* Cheio de pelancas ou muxibas: *pescoço m u x i b e n t o*; "Era uma coisa encoscorada, m u x i b e n t a, toda espichada." (Albertino Moreira, *Boca-Pio*, p. 126).

muxicão. *S. m. Bras., N.* e *N.E. Fam.* **1.** Repelão, safanão: "A mulher deu um m u x i c ã o no marido: / — Acorda homem! É aqui?" (Gilvã Lemos, *Jutaí Menino*, p. 8.) **2.** V. *beliscão*.

muxicar. *V. t. d. Bras., N.* e *N.E. Fam.* Dar muxicão ou muxicões em. [Conjug.: v. *trancar*.]

muxinga. [Do quimb. *mu'xinga*, 'açoite'.] *S. f. Bras.* **1.** V. *chicote* (1): "já a mata em peso estrondava aos gritos, ... às invectivas dos tropeiros armados de m u x i n g a e varas de ferrão com que azorragavam as mulas solteiras carregadas e tangiam os caracus ronceiros das viaturas." (Raimundo Morais, *País das Pedras Verdes*, p. 130). **2.** *Fig.* V. *surra* (1).

muxingueira. *Adj.* (*f.*) e *s. f. Bras., BA.* Diz-se de, ou mulher que vive de favor em teto alheio, trabalhando em excesso, para justificar a comida e teto que lhe dão.

muxira. [De or. indígena, decerto.] *S. f. Bras., Amaz.* Certo tipo de rede.

muxirã. *S. f. Bras.* V. *mutirão* (1).

muxirão. *S. m. Bras.* V. *mutirão* (1).

muxirom. *S. m. Bras.* V. *mutirão* (1).

muxoxar. [De *muxoxo* (1) + *-ar*[2].] *V. int. Bras.* Dar beijos; fazer carícias. [Pres. ind.: *muxoxo*, etc. Cf. *muxoxo* (ô) e *muxoxear*.]

muxoxear. [De *muxoxo* (2) + *ear*.] *V. int. Bras.* Dar muxoxos. [Conjug.: v. *frear*. Cf. *muxoxar*.]

muxoxo (ô). *S. m. Bras.* **1.** Beijo, carícia. **2.** Estalo com a língua e o céu da boca, por vezes acompanhado da interjeição *ah*, para indicar desprezo ou desdém. [Sin., bras., N.E.: *tunco*.] **3.** Certa árvore da mata virgem; sapato-do-diabo. [Pl.: *muxoxos* (ô). Cf. *muxoxo*, do v. *muxoxar*.]

muxuango. [F. paral. de *mixuango*.] *S. m.* **1.** *Bras., SP.* V. *caipira* (1). **2.** *Bras., RJ.* Mulato claro, quase branco, mais comum na baixada e no litoral.

muxurumim. *S. m. Bras., BA.* V. *muçulmi*.

muxurundar. *V. t. d. Bras., MG. Pop.* V. *surrar* (2): "Gosta de andar com a blusa desabotoada e pra fora das calças curtas. E a mãe m u x u r u n d a-o, até por causa dessas pequenas teimas." (Manuel Lobato, *Garrucha 44*, p. 82.)

muzambinhense. *Adj. 2 g.* **1.** De, ou pertencente ou relativo a Muzambinho (MG). ● *S. 2 g.* **2.** Natural ou habitante de Muzambinho.

muzenga. [Do quimb.] *S. f. Bras. Folcl.* Filha-de-santo, nos candomblés de Angola.

muzundu. *S. m. Bras.* Peixe teleósteo, percomorfo, da família dos escombrídeos (*Pneumatophorus grex* (Mitch.)), do Atlântico, Pacífico, Mediterrâneo e Adriático, de dorso verde, com estrias verticais escuras e abdome prateado. Comprimento: até 35 cm. Sua pesca é feita com traineiras. [Sin.: *cavalinha*.]

■**Mv.** *Quím.* Símb. de *mendelévio*.

■**Mx.** *Fís.* Símb. de *Maxwell*.

➧**myasthenia gravis.** *Med.* Síndrome constituída de fadiga muscular, que pode chegar à exaustão, e que se caracteriza por paralisia muscular progressiva sem distúrbio sensitivo nem atrofia. Pode atingir qualquer músculo do corpo, afetando especialmente os da face e do pescoço.

N

n[1]. *S. m.* **1.** A 13ª letra do nosso alfabeto. [V. *alfabeto fonético internacional*.] **2.** Símb. de *nano-*. **3.** *Fís.* Símb. de *newton*. **4.** *Fís. Nucl.* Símb. de *nêutron*. **5.** *Quím.* Símb. de *nitrogênio*. **6.** Abrev. de *Norte* (1, 2, 5 e 8). ● *Num.* **7.** O décimo terceiro, numa série indicada pelas letras do alfabeto: *casa N* (ou *casa n*). **8.** A décima terceira, em um grupo de séries: *série N* (ou *série n*). [Cf. *ene*. Com maiúscula, nas acepç. 3, 5 e 6.]

n[2]. *S. m.* **1.** Qualquer número inteiro indeterminado. **2.** *Pop. P. ext.* Qualquer quantidade indeterminada: *Cantou n vezes o samba.*

na[1]. **1.** Equiv. da prep. *em* e do art. def. *a*; fem. de *no*[1] (1) [q. v.]: *Só pensa na filha.* **2.** Equiv. da prep. *em* e do pron. dem. fem. *a*; fem. de *no*[1] (2) [q. v.]: *Cuida só de sua vida, não pensa na dos amigos.*

na[2]. F. que muitas vezes assume o pron. oblíquo da 3ª pess. sing. fem., *la (a)*, quando precedido de som nasal: *dão-na*; *comparam-na*; "E vós, peregrino bando / De andorinhas a emigrar, / — Essa em cujo encalço eu ando, / Não na viste vós passar?" (Raimundo Correia, *Poesias*, p. 139); "Retida em casa, Don'Ana / Qual num cárcere, vivia; / E aí, cerrada a ventana, / Da rua ninguém na via." (Id., *ib.*, p. 256). [V. observação em *no*[3].]

■**Na.** *Quím.* Símb. de *sódio*.

nã. *Adv. Pop.* Não (1).

nababesco (ê). **1.** Próprio de nababo. **2.** *P. ext.* Luxuoso, ostentoso, pomposo.

nababia. *S. f.* **1.** Dignidade de nababo. **2.** Território submetido a um nababo.

nababo. [Do ár. *nawwāb*, pl. de *nāīb*, 'lugar-tenente', 'vice-rei', pelo hind. *navāb*.] *S. m.* **1.** Título do lugar-tenente ou do vice-rei nomeado pelo grão-mogol, soberano turcomano da Índia setentrional (do séc. XVI ao XIX), e, depois, designação comum a autoridades menos importantes, na Índia muçulmana. **2.** *P. ext.* O europeu que ocupava alto posto nas Índias, ou que lá enriquecia. **3.** Pessoa muito rica, que vive cercada de luxo; milionário.

nabada. *S. f.* Cozinhado feito com cabeças de nabos.

nabal. *S. m.* Quantidade mais ou menos considerável de nabos dispostos proximamente entre si: "Medrava a fazenda ao sopro de Deus: couval em dois palmos de terra, nabal em riba de fraga" (Aquilino Ribeiro, *Estrada de Santiago*, p. 292).

nabantino. *Adj.* **1.** De, ou pertencente ou relativo à cidade de Tomar (Portugal), antiga Nabância. ● *S. m.* **2.** O natural ou habitante dessa cidade.

nabatéia. *S. f.* e *adj. (f.)* Fem. de *nabateu*.

nabateu. [Do lat. *nabathaeu*.] *S. m.* **1.** Indivíduo dos nabateus, nome antigo das tribos árabes do deserto da Síria. ● *Adj.* **2.** Pertencente ou relativo aos nabateus. [Fem.: *nabatéia*.]

nabi. [Do hebr. *nābhi*, 'profeta', pelo fr. *nabis*.] *Adj. 2 g.* e *s. 2 g.* Diz-se de, ou membro de um grupo de artistas independentes franceses, surgido com grande impacto por volta de 1890, sob a influência de Paul Gauguin (1848-1903) e da gravura japonesa, e cujos valores estéticos se prendem também ao simbolismo literário.

nabiça. *S. f.* **1.** Nabo ainda pouco desenvolvido. **2.** Variedade de nabo de que se aproveitam as folhas.

nabiçal. *S. m.* Quantidade mais ou menos considerável de nabiças dispostas proximamente entre si.

nabla. *S. m. Cálc. Vect.* Operador vectorial que, multiplicado por uma função escalar, forma o gradiente da função, e por uma vectorial, o rotacional; operador del, operador nabla, atled.

nabo. [Do lat. *napu*.] *S. m.* **1.** Planta herbácea, da família das crucíferas (*Brassica napus*), cultivada por suas raízes comestíveis, arredondadas ou pontiagudas, roxas ou brancas, conforme a variedade. **2.** A raiz desenvolvida dessa planta. **3.** *Burl.* Pessoa ignorante, néscia, estúpida. **4.** *Chulo.* O pênis. **5.** *Bras., S.* A parte do mourão, da tranqueira, do poste ou do esteio, que fica enterrada no solo. ◆ **Comprar nabos em saco.** Comprar ou aceitar uma coisa sem a examinar.

nabuco. *Adj. Bras., MG. Pop.* V. *suru* (1).

nabuquense. *Adj. 2 g.* **1.** De, ou pertencente ou relativo a Joaquim Nabuco (PE). ● *S. 2 g.* **2.** Natural ou habitante de Joaquim Nabuco.

naca. [De *naco*.] *S. f. Bras.* V. *nacada*: "Compunha-se esta [a refeição] de uma naca de carne-de-vento e alguns punhados de farinha, que trazia no alforje." (José de Alencar, *O Sertanejo*, p. 65.)

nacada. *S. f.* **1.** Grande fatia. **2.** Pedaço, naco. [Sin. ger.: *naca*.]

nação. [Do lat. *natione*.] *S. f.* **1.** Agrupamento humano, em geral numeroso, cujos membros, fixados num território, são ligados por laços históricos, culturais, econômicos e lingüísticos. [Cf. *povo* (1).] **2.** País (3). **3.** O povo de um território organizado politicamente sob um único governo. **4.** Pessoa jurídica formada pelo conjunto dos indivíduos regidos pela mesma constituição, distinta desses indivíduos, e titular da soberania: *Ao chegar ao Brasil, em 1808, D. João VI lançou um manifesto às nações amigas; A Organização das Nações Unidas foi fundada em 1945.* [Cf., nesta acepç., *estado* (10 e 11).] **5.** Povo ou tribo indígena (do Brasil ou de outra origem): "—Tu, prisioneiro, tu? / Vós o dissestes. / — Dos índios? — Sim. — De que nação? — Timbiras." (Gonçalves Dias, *Obras Poéticas*, II, p. 28); *Eram negros da nação nagô.* **6.** Raça, casta, espécie: *Que nação de gente é esta?*; "nunca vendeu qualquer nação de bicho fêmea, incluída a terra, que também é mulher..." (Nélson de Faria, *Tiziu e Outras Estórias*, p. 101.) **7.** Terra natal; pátria: *homens da mesma nação*. ~ V. *nações*.

nácar. [Do ár. *naqur*, 'caracol', 'corno de caça', ou do ár. vulg. *naq(a)r*, 'tambor', 'pandeiro'.] *S. m.* **1.** Substância branca, brilhante, com reflexos irisados, e que se encontra no interior das conchas. **2.** Colorido nacarado. [Pl.: *nácares*. Cf. *nacares*, do v. *nacarar*.]

nacara. *S. m. Mús.* Pequeno timbale de cobre, que os árabes introduziram na Península Ibérica.

nacarado. [De *nácar* + *-ado*[1].] *Adj.* **1.** Semelhante ao nácar no brilho ou no aspecto; anacarado, nacarino. **2.** Carminado, rosado, nacarino: "Amo uns suspiros quebrados / Sobre uns lábios nacarados / A gemer, a soluçar." (Gonçalves Dias, *Obras Poéticas*, II, p. 180.)

nacarar. *V. t. d.* **1.** Dar aspecto de nácar a. **2.** Cobrir de nácar. **3.** *Fig.* Tornar rubro ou rosado. [Pres. subj.: *nacare, nacares*, etc. Cf. *nácares*, pl. de *nácar*.]

nacarino. *Adj.* V. *nacarado*.

nacauã. *S. m. Bras.* V. *acauã*.

nacela[1]. [Do lat. *navicella*, dim. de *navis*, 'nave', 'embarcação'.] *S. f.* **1.** Moldura côncava na base duma coluna; escócia. **2.** *Anat.* Fossa navicular da uretra.

nacela[2]. [Do fr. *nacelle*.] *S. f.* **1.** Espécie de cesta ou barca, na parte inferior de um aeróstato ou de um balão, destinada a tripulantes e passageiros. **2.** *P. ext.* Espaço da fuselagem ou cabina dos aviões pequenos destinado ao piloto, à tripulação ou, eventualmente, a passageiros.

nacele. *S. f. Aeron.* V. *nacela*[2] (1 e 2).

nachuchu. *S. m. Bras.* V. *chuchu* (1).

nacional. [Do fr. *national*.] *Adj. 2 g.* **1.** Da nação; pátrio: *os símbolos nacionais.* **2.** De, ou pertencente ou relativo a uma nação, ou próprio dela: *a marinha mercante nacional; os bens nacionais; problemas nacionais.* [Cf. *internacional* e *multinacional*.] **3.** Diz-se de quem, por nascimento (ou por naturalização), pertence a uma nação, ou de coisa nela produzida: *a mão-de-obra nacional; os carros nacionais.* **4.** Vernáculo (1). ~ V. *bandeira —, guarda —, hino —, memória —, metrópole —, parque —, poder —, produto — bruto, produto — líquido, renda —* e *próprios nacionais*. ● *S. m.* **5.** V. *nativo* (7).

nacionalidade. *S. f.* **1.** Condição ou qualidade de quem ou do que é nacional. **2.** País de nascimento. [Cf. *naturalidade* (2).] **3.** Condição própria de cidadão de um país, quer por naturalidade (3), quer por naturalização (1). **4.** O complexo dos caracteres que distinguem uma nação, como a mesma história, as mesmas tradições comuns, etc.: *A Insurreição Pernambucana foi a primeira manifestação expressiva da nacionalidade brasileira.*

nacionalismo. *S. m.* **1.** Exaltação do sentimento nacional; preferência marcante por tudo quanto é próprio da nação à qual se pertence; patriotismo. **2.** Doutrina baseada neste sentimento e que subordina toda a política interna de um país ao desenvolvimento do poderio nacional. **3.** Doutrina política que reivindica para um povo o direito de formar uma nação. **4.** Política de nacionalização de todas as atividades dum país — indústria, comércio, artes, etc.

nacionalista. *Adj. 2 g.* **1.** Relativo ao nacionalismo; patriótico, nacionalístico. **2.** que é partidário do nacionalismo. ● *S. 2 g.* **3.** Partidário dele.

nacionalístico. *Adj.* V. *nacionalista* (1).

nacionalização. *S. f.* Ato ou efeito de nacionalizar(-se).

nacionalizador (ô). *Adj.* Que ou aquele que nacionaliza.

nacionalizar. *V. t. d.* **1.** Tornar nacional; dar feição nacional a. **2.** Naturalizar (1 e 2). **3.** Estatizar: *O governo nacionalizou a exploração do petróleo.* *P.* **4.** Fazer-se nacional; naturalizar-se [q. v.].

nacionalizável. *Adj. 2 g.* Que pode ou deve ser nacionalizado.

nacional-socialismo. [Do al. *Nationalsozialismus*.] *S. m.* Nazismo. [Pl.: *nacional-socialismos*.]

nacional-socialista. [Do al. *Nationalsozialist*.] *Adj. 2 g.* e *s. 2 g.* V. *nazista*. [Pl.: *nacional-socialistas*.]

naco. [De um rad. ibero-românico **ann* + **-aco*

(= -aco²?).] *S. m.* V. *nacada* (2): "tirou da bolsinha de couro um naco de fumo escuro" (Jaime d'Altavila, *Lógica de um Burro*, p. 11).

nações. [Pl.: de *nação*.] *S. f. pl.* Designação bíblica dos gentios ou pagãos. ~ V. *nação*.

nacrita. [Do fr. *nacrite*.] *S. f. Min.* Uma das variedades do caulim.

nada. [Da loc. do lat. tardio *res nata*, 'nenhuma coisa nascida', que, com elipse do *não* (*res* [*non*] *nata*) e perda do *res*, passou a significar 'coisa alguma', 'nada'.] *Pron. indef.* **1.** Nenhuma coisa; coisa alguma: *Não estuda nada, nada sabe.* [Sin. (bras., pop.) *níquel* e (gír.) *nicles*.] ● *Adv.* **2.** De modo nenhum; absolutamente não: *É um pequeno esperto, nada tolo.* ● *S. m.* **3.** A não existência. **4.** V. *ninharia*: *Brigaram por um nada, uma tolice.* **5.** Pessoa insignificante, seja pelo aspecto físico (quando o termo tem, muitas vezes, significado carinhoso, e é, tb., us. no dim.), seja pelo intelectual ou moral (quando o termo é, em geral, us. pejorativamente): *É pequenininho, um nada; É um nadinha de gente; Era um escritor de meia-tigela, um nada.* **6.** *Filos.* O que se opõe ao ser, em graus e em sentidos diversos; não-ser. [Abre-se o nada à reflexão quer mediante categorias do pensamento, sendo concebido como negação, privação ou limite, quer mediante experiências de ordem afetiva pelas quais se revela ao ser humano a finitude. Em Heidegger, p. ex., o nada se revela pela angústia (4) (q. v.), como componente do *Dasein* (q. v.)] ♦ **Nada de nada.** Absolutamente nada; coisa nenhuma; nada dos nadas: "Zé Boné nada de nada contava." (João Guimarães Rosa, *Primeiras Estórias*, p. 41); "Sei só que não se acaba realmente e de uma vez nada de nada do que nos faz saudade." (Francisco Ribeiro Sampaio, *Renembranças*, p. 7). **Nada dos nadas.** V. *nada de nada*: "nem bilhetes de loteria, nem sortes grandes ou pequenas, — nada dos nadas veio ter comigo." (Machado de Assis, *Dom Casmurro*, p. 189). **De nada.** Muito pequeno ou insignificante; sem importância; à-toa: "— Mas está ferido, disse a velha. / — Cousa de nada." (Id., *Várias Histórias*, p. 124); "Confessou-me que apenas tivera uma dor de cabeça de nada" (Id., *Dom Casmurro*, p. 319). **Quando nada.** No mínimo; no pior dos casos: *Pedro ganha, quando nada, 1.000 cruzados.*

nada-consta. [De *nada* + *a 3ª pess. sing. do pres. ind. de constar*.] *S. m. 2 n.* Documento burocrático em que se declara nada constar contra o peticionário.

nadada. [De *nadar* + *-ada*¹.] *S. f. Bras.* V. *nadadura*.

nadadeira. [De *nadar* + *-deira*.] *S. f.* **1.** Órgão locomotor dos peixes, constituído por uma expansão cutânea em forma de lâmina, sustentada por um esqueleto ósseo ou cartilaginoso: "os bagres, armados de nadadeiras ofensivas" (M. Cavalcanti Proença, *Ribeira do S. Francisco*, p. 41). **2.** Expansão cutânea, internamente sustentada por ossos, que constitui o órgão próprio para a natação dos cetáceos, dos sirênios, dos pinípedes e de alguns anfíbios. **3.** Pé-de-pato (2). ♦ **Nadadeira adiposa dos peixes.** *Zool.* Adiposa.

nadador (ô). *Adj.* **1.** Que nada ou sabe nadar. **2.** Que serve para nadar. ● *S. m.* **3.** Aquele que nada.

nadadura. *S. f.* Ato ou efeito de nadar. [Sin.: *nado* e (bras.) *nadada*.]

nadante. [Do lat. *natante*.] *Adj. 2 g.* **1.** Que nada; nadador. **2.** Que fica à tona da água; flutuante.

nadar. [Do lat. *natare*.] *V. int.* **1.** Sustentar-se e mover-se sobre a água por impulso próprio: "tinha ímpetos .... de nadar atravessando o rio" (Inglês de Sousa, *O Missionário*, p. 205). **2.** Conservar-se ou sustentar-se sobre a água; flutuar, boiar, sobrenadar. **3.** Saber os preceitos e a prática da natação. *T. i.* **4.** Estar imerso em um líquido: "apontou .... para um prato, onde fatias transparentes de abacaxi nadavam em calda de vinho." (Aluísio Azevedo, *Casa de Pensão*, p. 118). **5.** Estar ou ficar molhado ou banhado: *Chorava tanto que nadava em lágrimas.* **6.** Ter em abundância (dinheiro, bens de fortuna): *nadar em ouro; Com a herança ficou nadando em dinheiro*; "essa festa legal era na casa de uma tal de Licinha, cujo pai era contrabandista, estava nadando no tutu." (Rubem Fonseca, *A Coleira do Cão*, pp. 168-169). **7.** Sentir ou experimentar intensamente: "nadam hoje em júbilo e satisfação." (Machado de Assis, *Crônicas*, I, p. 151). **8.** Engolfar-se suavemente, com prazer. *T. d.* **9.** Percorrer (nadando): *Nada longas distâncias.*

nádega. [Do lat. vulg. *natica*, der. de *nates*. 'nádegas'.] *S. f.* **1.** *Anat.* Cada uma das duas partes carnudas e globosas que formam a porção superior e posterior das coxas. **2.** Parte carnuda atrás e por baixo da garupa das cavalgaduras. [Var.: *nalga*.] ~ V. *nádegas*.

nadegada. [De *nádega* + *-ada*¹.] *S. f.* V. *nalgada*.

nadegal. *Adj. 2 g.* Nadegueiro.

nádegas. [Pl. de *nádega*.] *S. f. pl.* O conjunto das duas nádegas: "alvas formas de sereias / De braços nus e nádegas redondas." (Manuel Bandeira, *Estrela da Vida Inteira*, p. 58). [Var.: *nalgas*; sin.: *quadril* e (alguns fam., inf., pop. ou chulos, e bras.): *assento, traseira* ou *traseiro, bozó, bunda, caneco, holofote, lândrias, lorto, padaria, popa, popô, popança, rabo, rabiosque, rabioste, rabiote, rabisteco, rabisteal, tralalá*.] ~ V. *nádega*.

nadegudo. *Adj.* De grandes nádegas; bundudo: "Em pintura preferia [Severiano de Resende] as mulheres nadegudas de Renoir" (Agripino Grieco, *Memórias*, II, p. 25).

nadegueiro. *Adj.* **1.** Relativo a nádegas. **2.** Situado nas nádegas. [Sin. ger.: *nadegal*.]

nadificar. [De *nada* + *-i-* + *-ficar*.] *V. t. d. Filos.* Segundo Sartre [v. *sartriano*], processo pelo qual a consciência, exercendo o modo de ser que lhe é próprio, torna para-si [q. v.] o que é em-si [q. v.], e o anula. [Conjug.: v. *trancar*.]

nadinha. [Dim. de *nada*.] *Pron. indef.* **1.** Nada (1): *Não quero nadinha.* ♦ **Um nadinha.** **1.** Pequena porção de alguma coisa. **2.** Muito pouco; quase nada. **3.** Coisa insignificante, sem importância.

nadir. [Do ár. *naTir*, 'oposto', i. e., oposto ao zênite.] *S. m.* **1.** *Astr.* Interseção inferior da vertical do lugar com a esfera celeste, e que é o ponto diametralmente oposto ao zênite. **2.** *P. ext.* O ponto mais baixo, o tempo ou lugar onde ocorre a maior depressão.

nadiral. *Adj. 2 g.* Referente ao nadir.

nadível¹. [De *nado*² + *-ível*.] *Adj. 2 g. Desus.* V. *nativo* (1 a 6).

nadível². *Adj. 2 g. Desus.* Que se pode atravessar nadando.

nadivo. [De *nado*² + *-ivo*.] *Adj. P. us.* V. *nativo* (1 a 6).

nado¹. [Dev. de *nadar*.] *S. m.* **1.** V. *nadadura*. **2.** Espaço que se pode percorrer nadando. ♦ **Nado borboleta.** *Esport.* Estilo de natação em que as braçadas, semelhantes às do nado livre, se realizam simultaneamente alçando-se a cabeça e o peito para fora da água num movimento que lembra asas abertas, enquanto as pernas se encolhem e esticam num forte impulso. [Cf. *golfinho* (3).] **Nado de cachorrinho.** Aquele em que a pessoa faz movimentos de braços e de pernas sem obedecer a um estilo, à maneira de um cão que se locomove na água. **Nado de costas.** *Esport.* Aquele em que o nadador, com o corpo reto voltado para cima, movimenta os braços acima da cabeça com impulsos alternados, enquanto as pernas executam batidas ligeiras. **Nado de peito.** *Esport.* Aquele em que se flexionam e se afastam braços e pernas dentro da água com movimentos coordenados, à maneira das rãs: as braçadas vencem a resistência da água com um impulso, de modo que a cabeça aflora à superfície para respiração, enquanto os pés se separam, voltando depois o nadador à posição inicial. É o método mais antigo de natação, e também o mais lento. [Sin.: *braçada de peito*.] **Nado livre.** O método mais rápido de natação, em que o nadador desliza à tona da água com braçadas longas e alternadas de modo que pode virar a cabeça para respirar, enquanto as pernas se movimentam em rápidas batidas, golpeando a água. [Sin., ingl.: *crawl*.]

nado². [Do lat. *natu*.] Part. irreg. de *nascer* [q. v.] e *adj.* Nascido, nato: "Quando acordei era já sol nado, havia muito." (Bernardo Pinheiro, Pindela, *Azulejos*, p. 69.)

nafé. [Do ár. *nafahâ*.] *S. m.* Quiabo [q. v.], em certos países da África e da Europa.

náfego. [Alter. de *náufrago*.] *Adj.* **1.** Diz-se do eqüídeo que tem um quadril menor que o outro. **2.** Diz-se do animal aleijado que coxeia: "Havia já pelo pátio reses náfegas, coxeando." (José Américo de Almeida, *O Boqueirão*, p. 22.) [Sin., bras., nestas acepç.: *náufico*.] ● *S. m.* **3.** Fratura do osso ilíaco cavalar, da qual resulta tornarem-se-lhe desiguais os quadris.

nafil. *S. m.* V. *anafil*¹.

nafir. *S. m.* V. *anafil*¹.

nafta. [Do persa *näft*, atr. do ár. *nafTâ*.] *S. f. Quím.* Fração de destilação do petróleo, constituída por hidrocarbonetos de baixo ponto de ebulição.

naftaceno. [De *nafta* + (*antra*)*ceno*.] *S. m. Quím.* Hidrocarboneto com quatro anéis benzênicos justapostos. [Fórm.: $C_{18}H_{12}$.]

naftaleno. [Alter. de *naftalina*, por infl. de *benzeno*, *antraceno*, etc.] *S. m. Quím.* Hidrocarboneto aromático com dois anéis benzênicos justapostos, cristalino, branco, com cheiro característico, obtido na destilação do alcatrão de hulha. [Fórm.: $C_{10}H_8$.]

naftalina. [Do fr. *naphthaline*.] *S. f.* **1.** *Quím.* Designação popular do naftaleno. **2.** *P. ext.* Naftaleno industrializado e usado para defender roupas, estofos, etc. de traças e outros insetos.

naftênico. [De *nafteno* + *-ico*².] *Adj.* Diz-se de compostos derivados do ácido naftênico. ~ V. *ácido* —.

nafteno. [De *naft(a)* + *-eno*.] *S. m. Quím.* Designação genérica de hidrocarbonetos cíclicos saturados, de derivados do ciclopentano e do cicloexano, encontrados em petróleos de origem russa ou californiana. [Fórm.: C_nH_{2n}.]

▲naftil-. *Quím. El. comp.* que indica a presença do radical naftila num composto.

naftila. *S. m. Quím.* O radical monovalente $C_{10}H_7$, derivado do naftaleno.

naftol. [De *naft(aleno)* + *-ol*.] *S. m. Quím.* Qualquer fenol derivado do naftaleno. [Pl.: *naftóis*.]

naftoquinona. [De *nafta* + *quinona*.] *S. f. Quím.* Qualquer dos isômeros de fórmula $C_{10}H_6O_2$, sólido, amarelado, usado na forma de derivados como reagente específico.

nagã. [De *Nagan*, nome comercial.] *S. m. Bras.* Revólver grande e de cano longo, usado na cavalaria. [Var.: *nagão*.]

nagão. *S. m. Bras.* Var. de *nagã*.

nagi. [Do antr. *Nagib*, certamente.] *S. m. Bras., S. da BA.* Fazendeiro de cacau. [Cf. *nagibe*.]

nagibe. [Do antr. *Nagib*.] *S. m. Bras., S. da BA. Deprec.* Turco (2). [Cf. *nagi*.]

nagô. [Do adj. fr. *nago*, relativo ao povo do S.E. do Daomé (África).] *Adj. 2 g.* e *s. 2 g.* **1.** V. *ioruba*. ● *S. m.* **2.** *Bras., MA.* Casa-de-mina. ~ V. *molho* —.

nágua. *S. f.* Var. aferética de *anágua*. [q. v.].

naia. *S. f. P. us.* V. *náiade* (1): "Nas clareiras das matas, à hora fulva do sol, ... os poetas viam, sonhando de olhos abertos, os trebelhos dos sátiros lascivos e das esquivas naias tentadoras ..." (Martins Fontes, *A Dança*, pp. 17-18.)

náiada. *S. f.* V. *náiade* (1).

náiade. [Do gr. *naiás, ádos*, pelo lat. *naiade*.] *S. f.* **1.** Divindade mitológica inferior, que presidia aos rios e às fontes; a ninfa dos rios e das fontes. [F. paral. (p. us.), nesta acepç.: *naia*. Var.: *náiada*. Cf. *ondina*.] **2.** Designação das formas jovens dos insetos anfibióticos, cujas larvas são aquáticas, e dos adultos terrestres, como os odonatos e efemerópteros; odonaide. **3.** Planta da família das najadáceas (*Najas guadalupensis*). **4.** Uma das cinco regiões em que Martius, botânico alemão (1794-1868), dividiu a flora do Brasil, e constituída pela região cálido-úmida ou região das náiades.

naiádeo. *Adj.* Relativo ou semelhante à náiade (3).

náilon. [Do ingl. *nylon*, nome comercial.] *S. m.* **1.** Fibra têxtil sintética, derivada de resina poliamida, e que se caracteriza por ser imputrescível, elástica e de notável resistência aos agentes atmosféricos. **2.** *P. ext.* Tecido ou outro material fabricado com essa fibra.

naipada. *S. f.* Série de cartas do mesmo naipe.

naipar. *V. int. Bras.* Jogar as cartas dum só naipe.

naipe. *S. m.* **1.** Cada um dos quatro símbolos com que se distinguem os quatro grupos das cartas de jogar: ouros e copas (*naipes vermelhos*) e paus e espadas (*naipes pretos*). **2.** *Mús.* Cada um dos grupos de instrumentos em que se constuma dividir a orquestra. **3.** *Fig.* Qualidade, condição, categoria, classe: *É um jogador de primeiro naipe.* **4.** Conjunto, grupo: *Aqui ele tem um bom naipe de amigos.* ♦ **Naipes pretos.** V. *naipe* (1). **Naipes vermelhos.** V. *naipe* (1).

naipeira. *S. f. Pop.* Certo número de cartas de naipe igual.

naira. [Fem. de *naire*.] *S. f.* **1.** Mulher hindu da casta dos naires: "Cem mulheres em flor, cem nairas superfinas, / Aos pés dele, no liso chão, / Espreguiçam sorrindo as suas graças finas" (Machado de Assis, *Poesias Completas*, p. 315). **2.** Unidade monetária, e moeda, da Nigéria.

naire. [Do sânscr. *nayaka*, 'chefe, diretor', pelo malaiala *nayar*.] *S. m.* Entre os hindus do Malabar, militar nobre.

naja. [Do sânscr. *nâgá*, 'serpente'.] *S. f.* Gênero de reptis ofídicos venenosos, do S. da Ásia e da África, mais particularmente a espécie *Naja tripudians*, cujo pescoço se dilata quando o animal enraivece.

najá. [De *anajá*, com aférese.] *S. f. Bras.* V. *anajá*¹ (1).

najadácea. *S. f.* Espécime das najadáceas.

najadáceas. *S. f. pl. Bot.* Família de plantas monocotiledôneas, da ordem das helobiales, caracterizadas pelas flores unissexuais, aclamídeas ou monoclamídeas. São ervas aquáticas submersas, cujas flores emergem das águas, doces ou salgadas, onde vivem.

najadáceo. *Adj.* Pertencente ou relativo às najadáceas.

nalga. *S. f.* Var. de *nádega* [q. v.]: "mulheres de nalgas maciças, ... de pernas opulentas" (Camilo Castelo Branco, *Vulcões de Lama*, p. 22).

nalgada. *S. f.* Pancada nas nalgas ou nádegas, ou com elas; nadegada. [Cf. *narigada*.]

nalgas. *S. f. pl.* Var. de *nádegas* [q. v.].

nalgum. Equiv. da prep. *em* e do pron. indef. *algum*: "o rebanho deitado numa encosta ou nalgum cabeço de outeiro" (Silva Guimarães, *Os Borrachos*, p. 12). [Flex.: *nalguma, nalguns, nalgumas*.]

namasque. [Contr. de *não mais que*.] *Adv. Bras., Amaz.* Na forma de costume; regularmente.

nambi. [Do tupi *nã'bi*, 'orelha'.] *S. m. Bras.* **1.** Orelha (1). ● *Adj. 2 g.* **2.** De orelha cortada ou atrofiada. **3.** Diz--se do cavalo que tem as orelhas caídas. **4.** V. *suru* (1).

nambiju. [Do tupi *nã'bi yub*, 'orelha amarela'.] *Adj. 2 g. Bras., S.* Diz-se do animal vacum de orelhas fulvas ou amarelas.

nambiquara. *S. 2 g.* e *adj. 2 g. Bras.* Nhambiquara.

nambiuvu (i-u). [Do tupi *nã'bi*, 'orelha', acrescido de outro el.] *S. m. Bras., S.* Doença de cães; caracterizada por hemorragia nas orelhas.

nambu. *Bras. S. m.* e *f.* **1.** V. *inhambu*: "Já os nambus piavam nos matos, quando ela fechou silenciosamente a janela." (Coelho Neto, *Treva*, p. 212.) ● *S. m.* **2.** Cará--mimoso.

nambuaçu. *S. m. Bras.* V. *inhambuaçu*.

nambuanhanga. *S. m. Bras.* V. *inhambuanhanga*.

nambucuá. *S. m. Bras.* V. *inhambucuá*.

nambu-grande. *S. m. Bras.* V. *inhambu-grande*. [Pl.: *nambus-grandes*.]

nambuguaçu. *S. m. Bras.* V. *inhambuguaçu*.

nambumirim. *S. m. Bras.* V. *inhambumirim*.

nambupixuna. *S. m. Bras.* V. *inhambupixuna*.

nambu-preto. *S. m. Bras.* V. *inhambu-preto*. [Pl.: *nambus-pretos*.]

nambuquiá. *S. m. Bras.* V. *inhambuquiá*.

nambu-relógio. *S. m. Bras.* V. *inhambu-relógio*. [Pl.: *nambus-relógios* e *nambus-relógio*.]

nambu-saracuíra. *S. m. Bras.* V. *inhambu-saracuíra*. [Pl.: *nambus-saracuíras* e *nambus-saracuíra*.]

nambu-sujo. *S. m. Bras.* V. *inhambu-sujo*. [Pl.: *nambus-sujos*.]

nambuu. *S. m. Bras.* V. *inhambuu*.

nambuxintã. *S. m. Bras.* V. *inhambuxintã*.

nambuxororó. *S. m. Bras.* V. *inhambuxororó*.

nambuzinho. [Dim. de *nambu*.] *S. m. Bras., CE.* V. *inhambuxintã*.

namibiano. *Adj.* **1.** Da, ou pertencente ou relativo à Namíbia (S.O. da África). ● *S. m.* **2.** O natural ou habitante da Namíbia.

namoração. *S. f. Bras.* V. *namoro*(1).

namorada. [Fem. de *namorado*.] *S. f.* **1.** Moça ou mulher a quem se namora; pequena. [Sin., bras., deprec.: *osso*.] ● *Adj.* (*f.*) **2.** Agradada, requestada. **3.** Que se enamorou.

namoradeira. *Adj.* (*f.*) **1.** Amiga de namorar. ● *S. f.* **2.** Mulher que gosta de namorar; magana. [Sin. ger. (bras, pop.): *azeiteira*.]

namoradeiro. *Adj.* V. *namorador* (1).

namoradiço. *Adj.* **1.** Pronto em namorar, em fazer ou aceitar galanteios: "À tarde, uma moçoila namoradiça colhe um ramilhete de carvalhas" (José Vieira, *Sol de Portugal*, p. 39). **2.** V. *namorador*.

namorado. [Part. de *namorar*.] *Adj.* **1.** Que se namorou ou enamorou: *o mancebo namorado*. **2.** Galanteado, requestado. **3.** Meigo, suave, doce, terno, amorável: "Vieram depois as namoradas recreações da fantasia, que o absorveram todo e acalentaram-lhe o sono" (José de Alencar, *O Sertanejo*, p. 72). ● *S. m.* **4.** Aquele que é requestado, galanteado; namoro. [Sin. (fam. ou pop.), nesta acepç.: *conversado, pequeno, derriço* e (bras.) *xodó, camote, grinfo*.] **5.** *Bras.* Peixe teleósteo, percomorfo, da família dos pinguipedídeos (*Pseudopercis numida* Mir. Rib.), do Atlântico, de coloração violáceo-escura, com pintas brancas esparsas pelo corpo, nadadeira dorsal contínua, da nuca ao pedúnculo caudal, e comprimento de até 1 m. Carne boa, de grande procura no mercado.

namorador (ô). *Adj.* **1.** Que namora; galanteador, namoradeiro, namoradiço. ● *S. m.* **2.** Aquele que namora; galanteador. [Sin. ger.: *azeiteiro* e (bras., BA) *cortador*.]

namorar. [Var. aferética de *enamorar*.] *V. t. d.* **1.** Procurar inspirar amor a; requestar, cortejar: "Uma velhota metida a faceira, ... que tinha a mania de namorar os rapazes elegantes da cidade." (Viriato Correia, *Novelas Doidas*, p. 24.) [Sin.: *arrastar a asa a, fazer pé-de-alferes a, azeitar* e (bras., S.) *tourear*.] **2.** Inspirar amor a; apaixonar; cativar; atrair, seduzir: "Sete anos e nove meses tinha ele de casado com a Luzia .... . Namorara-o o seu lindo cabelo preto, o seu rosto de nazarena" (Trindade Coelho, *Os Meus Amores*, p. 228). **3.** Manter relação de namoro com; ser namorado de: *Namora a moça há muitos anos, e nada de casamento*. **4.** Desejar ardentemente; cobiçar. **5.** Empregar todos os esforços por obter. **6.** Fitar (alguma coisa) de maneira insistente e com vontade de possuí-la. **7.** Atrair, chamar: *A mesa de jogo namorava-o*. *T. i.* **8.** Manter relação de namoro; ser namorado: "O Promotor namorava com a filha do coronel Quincas" (Bernardo Élis, *Caminhos e Descaminhos*, p. 58); "Edílio está namorando com Mirna" (Dias da Costa, *Canção do Beco*, p. 19); "Por que você não poderia namorar com americanos?" (Carlos Castelo Branco, *Continhos Brasileiros*, p. 28). [O uso de *namorar com* esta regência é perfeitamente legítimo, moldado em *casar com* e *noivar com*.] *Int.* **9.** Andar em requestos ou galanteios: "poderia [Lima Barreto] dizer que só havia namorado uma única vez, aos 16 anos" (Francisco de Assis Barbosa, *Lima Barreto*, p. 217). [Sin. (bras., pop.) nesta acepç.: *derriçar, fazer cera, fazer tijolo, graxear, pegar uma ponta*.] **10.** Procurar conquistar. [Sin. (bras., gír.), nesta acepç.: *paquerar*.] *P.* **11.** Ficar enamorado; possuir-se de amor; apaixonar-se, enamorar-se: "porque a aventureira se namorou do redator de um jornal, que não tinha vintém" (Machado de Assis, *Relíquias de Casa Velha*, p. 26). **12.** Andar em requestos ou galanteios recíprocos: "Doquinha tinha onze anos, Mário doze. Outros meninos e meninas da mesma idade se namoravam, conversavam com desenvoltura" (Oto Lara Resende, *Boca do Inferno*, p. 75). **13.** Tomar-se mutuamente de amor: "O Teófilo olhou para cima; Helena sorriu. / Namoraram-se." (Artur Azevedo, *Contos Possíveis*, p. 28) **14.** Agradar-se; encantar-se; enamorar-se: *Namorou-se da cidadezinha, e por lá ficou*. [Pres. ind-: *namoro*, etc. Cf. *namoro* (ô).]

namoratório. *Adj.* Respeitante a namoro (1).

namorável. *Adj. 2 g.* Que pode ser namorado.

namoricador (ô). *Adj.* e *s. m.* Que ou aquele que namorica; namoriscador.

namoricar. [De *namorico* + *-ar*^{2}.] *V. t. d.* **1.** Namorar por pouco tempo; requestar levianamente; namoriscar. *Int.* **2.** Namorar alguém por pouco tempo ou levianamente; namoriscar. [Conjug.: v. *trancar*.]

namorice. *S. f. P. us.* V. *namorico*.

namorico. [De *namoro* + *-ico*^{1}.] *S. m.* Galanteio por divertimento; namoro por pouco tempo. [Sin.: *namorilho, namorisco* e (p. us.) *namorice*.]

namorilho. *S. m.* V. *namorico*.

namoriscador (ô). *Adj.* e *s. m.* Que, ou aquele que namorisca; namoricador.

namoriscar. [De *namorisco* + *-ar*^{2}.] *V. t. d.* e *int.* V. *namoricar*: "relanceava os olhos pela vizinhança a ver se lhe estariam namoriscando as filhas" (Fialho d'Almeida, *Pasquinadas*, pp. 61-62). [Conjug.: v. *trancar*.]

namorisco. [De *namoro* + *-isco*^{1}.] *S. m.* V. *namorico*.

namoro (ô). [Dev. de *namorar*.] *S. m.* **1.** Ato de namorar. [Sin. (quase todos pop. ou fam.): *namoração, galanteio, derriço, pé-de-alferes* e (bras.) *azeite, bredo, camote, cera, chamego, embeleco, grude, mormaço, paleio, prosa, sebo, sumbaré, suruba, tijolo, tribofe, xodó*.] **2.** V. *namorado* (4): "— Tu sabes que ele foi namoro da Luísa?" (Eça de Queirós, *O Primo Basílio*, p. 187.) [Pl.: *namoros* (ô). Cf. *namoro*, do v. *namorar*.]

nana. [Do it. *nanna*.] *S. f.* Voz para acalentar. ◆ **Fazer nana.** Acalentar, acalantar, ninar.

Nanã. [Var. de *nhanhã*.] *S. f.* **1.** *Bras.* V. *iaiá*. **2.** *Bras., BA. Folcl.* V. *Anamburucu*. [Com maíscula, nesta acepç.] ◆ **Fazer nanã.** *Bras., SP. Inf.* V. *dormir* (1).

Nanamburucu. *S. f. Bras., BA. Folcl.* V. *Anamburucu*.

nanar. [De *nana* + *-ar*^{2}.] *V. int. Inf.* V. *dormir* (1).

nanás. [F. aferética de *ananás*.] *S. m.* V. *abacaxi*^{1} (1 e 2). [Pl.: *nanases*.]

nanaseiro. [F. aferética de *ananaseiro*.] *S. m.* V. *abacaxi*^{1} (1).

nanauí. [Do tupi *naná*, 'ananás'.] *S. f. Bras.* Bebida fermentada que os índios faziam com o ananás.

nancíbea. *S. f. Bras.* Trepadeira herbácea, da família das rubiáceas (*Manetia cordifolia*), de folhas cordiformes e caule delgado, e cujas flores têm corola tubulosa, longa e vermelha.

nandaia. *S. f. Bras.* V. *jandaia*.

nandu. [Var. de *nhandu*.] *S. m. Bras.* V. *ema*^{1}.

nani. [Var. aferética de *oanani*.] *S. f. Bras.* Resina extraída do oanani.

nanico. [De *nan(o)-* + *-ico*^{1}.] *Adj.* De figura anã; pequeno, acanhado; ananico, anano.

naniquice. *S. f. Bras., S.* V. *nanismo* (1).

naniquismo. *S. m. Bras., S.* V. *nanismo* (1).

nanismo. [De *nan(o)-* + *-ismo*.] *S. m.* **1.** *Med.* Forma de hipodesenvolvimento corporal acentuado, atribuível a causas diversas (endócrinas, circulatória), e que pode ou não apresentar desproporcionalidade entre as várias porções constituintes do corpo. [Conforme a etiologia, pode haver, ainda, retardo mental. Sin., no S. do Brasil: *naniquice, naniquismo*.] **2.** *Morfol. Veg.* Fenômeno que consiste na redução das dimensões de uma planta ou órgão vegetal. [Sin. ger.: *ananismo*; antôn.: *gigantismo*.]

nanja. [De *nã(o)* + *já*.] *Adv. Ant.* e *pop.* Não; nunca; de maneira alguma: "O merceeiro mais grado da vida era o Pacabote. Era-o pela importância que dava a si mesmo — nanja pelo dinheiro ganho e acumulado." (João de Araújo Correia, *Terra Ingrata*, p. 117.)

▲**nano-.** Pref. que, anteposto ao nome de uma unidade de medida, indica uma unidade derivada igual a 10^{-9} vezes a primeira. [Símb.: *n*.]

▲**nan(o)-.** [Do gr. *nánnos, e, on*.] *El. comp.* = 'anão', 'muito pequeno': *nanismo, nanomelia*. [Equiv.: *-nano: anano*.]

▲**-nano.** Equiv. de *nan(o)-*.

nanocefalia. [De *nan(o)-* + *cefal(o)-* + *-ia*.] *S. f.* V. *microcefalia*.

nanocefálico. *Adj.* Relativo à nanocefalia, ou a nanocéfalo; microcefálico.

nanocéfalo. [De *nan(o)-* + *-céfalo*.] *Adj.* e *s. m.* Que ou aquele que tem nanocefalia. V. *microcéfalo* (1).

nanocormia. [De *nan(o)-* + *-corm-* + *-ia*.] *S. f.* Pequenez anômala do tronco humano.

nanocórmico. *Adj.* Relativo à nanocormia.

nanocormo. *Adj.* e *s. m.* Que ou aquele que tem nanocormia.

nanofanerofítico. *Adj. Ecol. Veg.* Relativo ao nanofanerófito.

nanofanerófito. [De *nan(o)-* + *fanerófito*.] *S. m. Ecol. Veg.* Fanerófito cuja altura é inferior a 2 m.

nanomelia. [De *nan(o)-* + *-mel(o)-*^{1} + *-ia*.] *S. f. Ter.* Pequenez anômala dos membros do corpo humano.

nanomélico. *Adj.* Referente à nanomelia.

nanômetro. *S. m.* Submúltiplo do metro, igual a 10^{-9} m; milimícron. [Símb.: *nm*.]

nanquim. [Do top. *Nanquim*.] *S. m.* **1.** Tinta preta de pó-de-sapato, que primitivamente vinha da China. **2.** Tecido de algodão amarelo, que antes só se fabricava na China. ● *Adj. 2 g.* **3.** De cor amarelada, semelhante à desse tecido.

nanuquense. *Adj. 2 g.* **1.** De, ou pertencente ou relativo a Nanuque (MG). ● *S. 2 g.* **2.** Natural ou habitante de Nanuque.

nanzuque. [Do sânscr. *nayana sukh*, 'deleite da vista', atr. do hindustani *nainsukh*, do ingl. *nainsook* e do fr. *nanzouk*.] *S. m.* Certo tecido fino de algodão: "o vestido dela era de nanzuque" (Cecília Meireles, *Obra Poética*, p. 1017).

não. [Do lat. *non*.] *Adv.* **1.** Exprime negação. [O adv. *não* funciona muitas vezes como partícula de realce: "A que nível moral não desce a gente, / Alma filha de Deus, neste ambiente!" (João de Deus, *Campo de Flores*, I, p. 159); "— Muita vez eu imagino o que não faria o falecido Heleno neste caso de Oceano e Maria Corina" (Maria Alice Barroso, *Um Nome para Matar*, p. 409).] ● *S. m.* **2.** Negativa; recusa: *Recebeu um não*. ◆ **Pois não.** **1.** Interj. que exprime incredulidade ou recusa. **2.** Cortesia usada quando nos pedem alguma coisa, e que significa não podermos deixar de concedê-la. **Quando não.** Do contrário; em caso contrário: *Você deverá ir; quando não, perderá um bom negócio*.

não-agressão. *S. f.* Fato ou intenção declarada de não iniciar hostilidades belicosas: *Os dois países firmaram um pacto de não agressão*. [Pl.: *não-agressões*.]

não-alinhado. *Adj.* e *s. m.* Diz-se de, ou Estado partidário do não-alinhamento; não-engajado. [Pl.: *não-alinhados*.]

não-alinhamento. *S. m.* Orientação adotada por alguns países subdesenvolvidos, e que, no plano internacional, preconiza a recusa de comprometimento, tanto com a política norte-americana quanto com a soviética; não-engajamento. [Pl.: *não-alinhamentos*.]

não-beligerância. *S. f.* Estado de um país que não participa da guerra, mas que, por simpatizar com uma das partes beligerantes, se mantém à parte das regras de neutralidade. [Pl.: *não-beligerâncias*.]

não-combatente. *Adj. 2 g.* e *s. 2 g.* Que ou quem, pertencendo ao pessoal militar de um país beligerante, não porta armas nem toma parte direta em combates:

Os oficiais médicos são militares n ã o - c o m b a t e n t e s. [Pl.: *não-combatentes*.]
não-conformismo. *S. m.* Atitude de divergência em relação aos valores estabelecidos. [Pl.: *não-conformismos*.]
não-conformista. *Adj. 2 g.* **1.** Que adota o não-conformismo. **2.** V. *inconformista.* ● *S. 2 g.* **3.** Indivíduo não-conformista. [Pl.: *não-conformistas*.]
não-conservativo. *Adj.* ~ V. *força* —*a.* [Pl.: *não-conservativos*.]
não-contradição. *S. f.* Inexistência ou ausência de contradição. [Pl.: *não-contradições*.]
não-engajado. *Adj.* e *s. m.* Não-alinhado. [Pl.: *não-engajados*.]
não-engajamento. *S. m.* Não-alinhamento. [Pl.: *não-engajamentos*.]
não-essencial. *Adj. 2 g.* ~ V. *descontinuidade* —. [Pl.: *não-essenciais*.]
não-eu. *S. m. Filos.* O mundo externo; a realidade objetiva: "No momento em que ela [a inspiração do poeta romântico] se lhe revela ...., inspiração e expressão vão de par, indivíduo e universo consubstanciam, eu e n ã o - e u integram-se." (João Gaspar Simões, *Liberdade do Espírito*, p. 34.) [Pl.: *não-eus*.]
não-euclidiano. *Adj.* Diz-se de cada uma das geometrias que partem da negação do postulado das paralelas, do geômetra grego Euclides (300 a. C.). ~ V. *espaço* — e *geometria* —*a.* [Pl.: *não-euclidianos*.]
não-ficção. *S. f.* Designação genérica de obras literárias tais como, entre outras, ensaios, crônicas, crítica, biografias, memórias, narrativas históricas, divulgação científica, em contraposição a romances, novelas, poesia, contos, fábulas, etc. [Pl.: *não-ficções*. Cf. *literatura de ficção*.]
não-holônomo. *Adj.* ~ V. *vínculo* —. [Pl.: *não-holônomos*.]
não-iluminado. *Adj.* Que não recebe iluminação. ~ V. *bordo* —.
não-intervenção. *S. f. Jur.* Princípio de direito internacional pelo qual um Estado não deve intrometer-se nos negócios do outro. [Cf. *intervenção* (3). Pl.: *não-intervenções*.]
não-intervencionista. *Adj. 2 g.* e *s. 2 g.* Diz-se de, ou partidário da não-intervenção. [Pl.: *não-intervencionistas*.]
não-ligado. *Adj.* ~ V. *aço* —. [Pl.: *não-ligados*.]
não-linear. *Adj. 2 g.* ~ V. *sistema* —. [Pl.: *não-lineares*.]
não-localizado. *Adj.* ~ V. *ligação* —*a.* [Pl.: *não-localizados*.]
não-me-deixes. *S. m. 2 n. Bras.* Erva alta, da família das compostas *(Senecio vulgaris)*, cujas flores, de coloração geral amarela, pequenas e muito numerosas, se agregam em capítulos amplos.
não-me-esqueças. *S. m. 2 n.* V. *miosótis.*
não-metal. *S. m. Quím.* Ametal. [Pl.: *não-metais*.]
não-me-toquense. *Adj. 2 g.* **1.** De, ou pertencente ou relativo a Não-me-Toque (RS). ● *S. 2 g.* **2.** Natural ou habitante de Não-me-Toque. [Pl.: *não-me-toquenses*.]
não-me-toques. *S. m. 2 n. Bras.* **1.** V. *espinho-de-santo-antônio* (1). **2.** Seda (5).
não-nulo. *Adj. Mat.* Que não é nulo; diferente de zero; não vazio. [Pl.: *não-nulos*.]
não-participante. *Adj. 2 g.* e *s. 2 g.* Que ou quem não participa de uma atividade, em geral política ou reivindicatória. [Pl.: *não-participantes*.]
não-periódico. *Adj.* ~ V. *cometa* — e *publicação* —*a.*
não-saturado. *Adj. Quím.* Diz-se de um composto cuja molécula tem pelo menos uma dupla ou tripla ligação. [Pl.: *não-saturados*.]
não-sei-quê. *S. m. 2 n. Bras.* V. *cachaça* (1).
não-sei-que-diga. *S. m. 2 n.* **1.** *Bras., N.E. Pop.* V. *diabo* (2). **2.** *Bras., N.E.* e *MG.* Criança traquinas.
não-ser. *S. m.* **1.** *Filos.* Nada (6). **2.** O não existir; o nada, o aniquilamento: "Talvez seja pecado procurar-te [ó morte], / Mas não sonhar contigo e adorar-te, / N ã o - s e r, que és o Ser único absoluto." (Antero de Quental, *Sonetos*, p. 210.) [Pl.: *não-seres*.]
não-simétrico. *Adj.* ~ V. *relação* —*a.* [Pl.: *não-simétricos*.]
não-singular. *Adj. 2 g.* ~ V. *matriz* —. [Pl.: *não-singulares*.]
não-te-esqueças-de-mim. *S. m. 2 n.* V. *miosótis.*
não-verbal. *Adj. 2 g.* Que não utiliza a linguagem falada ou escrita. [Pl.: *não-verbais*.] ~ V. *comunicação* —.
não-viciado. *Adj.* ~ V. *estimador* —. [Pl.: *não-viciados*.]
napa. [Do top. *Napa* (Califórnia, E.U.A.).] *S. f.* **1.** Espécie de pelica muito fina e macia, feita de pele de carneiro curtida em mistura de sabão e óleo, usada na confecção de luvas, roupas, bolsas, etc. **2.** Material sintético semelhante à napa (1): "o fogão e as pias embutidas em balcão de n a p a alvíssima e sintética" (Maria Julieta Drummond de Andrade, *O Valor da Vida*, p. 137).
napáceo. [Do lat. *napu*, 'nabo', + *-áceo*.] *Adj. Morfol. Veg.* Diz-se das raízes de forma semelhante a um nabo (1); napiforme.
napalm. [Do ingl. *napalm* < *na(phthenate)*, 'ácido naftênico', + *palm(itate)*, 'ácido palmítico'.] *S. m. G. Quím.* Gasolina gelatinizada e espessada por sais do ácido naftênico e palmítico, empregada em bombas incendiárias e lança-chamas.
napéia. [Do gr. *Napaîai*, pelo lat. *napaeas*.] *S. f.* **1.** Ninfa dos bosques e dos prados: "Pla finura das linhas, bem revela / Ser um pé de mulher, deusa ou n a p é i a" (Eugênio de Castro, *Obras Poéticas*, X, p. 154); "uma névoa rósea e palpitante de ninfas — nereidas, dríadas, oréadas, n a p é i a s coleantes, oceânides melodiosas" (Júlio Dantas, *Espadas e Rosas*, p. 46). **2.** Designação dada pelo botânico alemão Martius (1794-1868) à região florística brasileira que compreende os terrenos dos bosques de araucárias (pinheiro-do-paraná) do S. do Brasil.
napeiro. *Adj.* **1.** Indolente, preguiçoso. **2.** V. *dorminhoco* (1).
napelo (ê). [Do lat. bot. *napellu*, dim. de *napu*, 'nabo'.] *S. m.* Acônito (1).
napeva. *Adj. 2 g. Bras., S.* Curto de pernas; nanico. [Diz-se, geralmente, de galináceos ou de cães.]
▲**nap(i)-.** [Do lat. *napus, i.*] *El. comp.* = 'nabo': *napáceo, napiforme.*
napiforme. [De *nap(i)-* + *-forme*.] *Adj. 2 g.* Napáceo.
napoleão. *S. m.* **1.** Moeda francesa de ouro, com a efígie de Napoleão Bonaparte [v. *napoleônico*] e o valor de 20 francos. **2.** Moeda de prata francesa de cinco francos.
napoleônico. *Adj.* Pertencente ou relativo a, ou próprio de Napoleão Bonaparte, imperador dos franceses (1769-1821).
napoleonismo. *S. m.* Partido político chefiado por um príncipe da família de Napoleão Bonaparte [v. *napoleônico*].
napoleonista. *Adj. 2 g.* **1.** Relativo ao, ou que é sectário do napoleonismo. ● *S. 2 g.* **2.** Sectário dele.
napolês. *Adj.* e *s. m. Desus.* Napolitano. [Flex.: *napolesa* (ê), *napoleses* (ê), *napolesas* (ê).]
napolitano. [Do it. *napoletano*.] *Adj.* **1.** De, ou pertencente ou relativo a Nápoles (Itália). [Sin.: *partenopeu* (p. us.) e *napolês* (desus.).] ~ V. *sexta* —*a.* ● *S. m.* **2.** O natural ou habitante de Nápoles. [Sin. desus., nesta acepç.: *napolês*.]
napopé. *S. f. Bras., SE.* V. *perdiz.*
naquele (ê). Equiv. da prep. *em* e do pron. dem. *aquele.* [Flex.: *naquela, naqueles* (ê), *naquelas*.]
naqueloutro. Equiv. de *naquele* e do pron. *outro.* [Flex.: *naqueloutra, naqueloutros, naqueloutras.* Tb. se pode usar *naquele(s) outro(s), naquela(s) outra(s)*.]
naquilo. Equiv. da prep. *em* e do pron. dem. *aquilo.*
nara. [De or. afr. *S. m.* O inferno dos malês.
narandiba. [Do tupi *narã'diba*.] *S. f. Bras. P. us.* Laranjal.
narbonense. *Adj. 2 g.* **1.** De, ou pertencente ou relativo a Narbona (França). ● *S. 2 g.* **2.** Natural ou habitante de Narbona.
narcafto. [De or. hindu, atr. do gr. *nárkaphthon*.] *S. m.* Casca aromática da árvore-de-incenso, empregada em farmácia.
narceína. [Do gr. *nárké*, 'torpor', + *-ina*[1].] *S. f. Quím.* Alcalóide extraído do ópio, cristalino, incolor, usado como narcótico e sedativo. [Fórm.: $C_{23}H_{27}O_8N$.]
narceja (ê). *S. f. Bras.* Ave caradriiforme, da família dos escolopacídeos *(Capella paraguaiae* (Vieil.)), que, como residente ou como migratória, ocorre em toda a América do Sul tropical e temperada, inclusive em quase todo o Brasil. Tem dorso escuro com manchas e estrias amarelas, cabeça preta, com linha mediana e sobrancelha amarelada, rêmiges escuras, uniformes, e lado ventral claro. Freqüenta os brejos, onde nidifica, e se alimenta de artrópodes e outros invertebrados. [Sin.: *bico-rasteiro, corta-vento, maçarico-d'água-doce, minjolinho, narceja-miúda, narcejinha, rapazinho, rasga-mortalha, berrumeira*.]
narceja-miúda. *S. f. Bras.* V. *narceja.* [Pl.: *narcejas-miúdas*.]
narcejão. [Aum. de *narceja*.] *S. f. Bras.* Ave caradriiforme, da família dos escolopacídeos (*Capella undulata gigantea* (Tem.)), da zona temperada da América meridional, de dorso escuro com manchas e faixas transversais castanho-amareladas, cabeça amarela com duas estrias pretas no vértice, uma do bico ao olho e outra por baixo deste, lado ventral claro com largas faixas negras, e bico de 13 cm de comprimento. Vive nos brejos e alagadiços, e se alimenta de pequenos animais. [Sin.: *água-só, batuirão, galinhola, rapaz*.]
narcejinha. [Dim. de *narceja*.] *S. f. Bras.* V. *narceja.*
narcisação. *S. f.* Narcisamento.
narcisamento. *S. m.* Ato ou efeito de narcisar-se; narcisação.
narcisar-se. [Do mit. *Narciso* (v. a etim. de *narciso*) + *-ar*[2] + *se*[2].] *V. p.* **1.** Rever-se como o Narciso da fábula; desvanecer-se de si mesmo; mostrar-se encantado de si; envaidecer-se; amar-se. **2.** Enfeitar-se com extremos de vaidade; compor vaidosamente o próprio semblante. [F. paral.: *anarcisar-se*.]
narcíseo. *Adj.* Relativo a narciso (1).
narcisismo. *S. m.* **1.** Qualidade daqueles que se narcisam. [Cf. *egolatria*.] **2.** *Psic.* O estado em que a libido é dirigida ao próprio ego; amor excessivo a si mesmo. [Cf. *autofilia.* Sin. ger.: *auto-admiração* e *autocontemplação*.]
narciso.]Do mit. *Narciso*, personagem famosa pela admiração à sua própria beleza.] *S. m.* **1.** Homem muito vaidoso, enamorado de si mesmo. **2.** Erva bolbosa, da família das amarilidáceas (*Narcisus poeticus*), nativa no Mediterrâneo, de folhas longas e estreitas, flores grandes, alvas, perfumadas e solitárias, e que é cultivada pelo seu valor ornamental.
narcisóide. [De *narciso* + *-óide*.] *Adj. 2 g. Morfol. Veg.* Semelhante ao narciso (2).
▲**narco-.** [Do gr. *nárke, es*.] *El. comp.* = 'torpor, entorpecimento': *narcoanálise, narcolepsia.*
narcoanálise. [De *narco-* + *análise*[1].] *S. f. Psiq.* Processo de investigação psicanalítica do psiquismo e que consiste em injetar no organismo do paciente um narcótico euforizante, que provoca a supressão do controle, permitindo-lhe a evocação do passado, de experiências, conflitos, tendências, etc. [Cf. *soro da verdade*.]
narcolepsia. [De *narco-* + gr. *lepsis*, 'acesso', + *-ia*.] *S. f. Med.* Desejo incontrolável de dormir, ou acessos repentinos de sono que aparecem a intervalos.
narcomedusa. *S. f.* **1.** Espécime das narcomedudas. ● *Adj.* **2.** Pertencente ou relativo a elas.
narcomedusas. *S. f. pl. Zool.* Animais metazoários, celenterados, traquilinos, subordem *Narcomedusae*, que têm a margem da campânula fendida pela base dos tentáculos e gônadas situadas na superfície basal do estômago.
narcose. [Do gr. *nárkosis*.] *S. f. Med.* e *Anest.* Sono provocado artificialmente, e que é reversível, embora não facilmente, com diminuição da atividade reflexa.
narcossíntese. [De *narco(análise)* + *síntese*.] *S. f. Psiq.* Forma de psicoterapia que utiliza elementos coligidos pela narcoanálise, e que se efetua quer no estado de seminarcose, quer no estado de vigília.
narcoterapia. [De *narco-* + *terapia*.] *S. f. Psiq.* Sonoterapia.
narcótico. [Do gr. *narkotikós*, 'entorpecer'.] *Adj.* **1.** Que produz narcose; que faz dormir. ● *S. m.* **2.** Substância que produz narcose. **3.** *Anest.* Substância cuja ação se caracteriza pela produção de amnésia, hipnose, analgesia, e certo grau de relaxamento muscular.
narcotina. *S. f. Quím.* Substância alcalóide que se encontra no ópio, junto com a morfina, e que não tem efeito narcótico.
narcotismo. *S. m.* **1.** Conjunto dos efeitos produzidos pelos narcóticos. **2.** O vício do narcótico.
narcotização. *S. f.* Ato ou efeito de narcotizar.
narcotizador (ô). *Adj.* Narcotizante.
narcotizante. *Adj. 2 g.* Que narcotiza; narcotizador.
narcotizar. *V. t. d.* **1.** Aplicar narcótico a. **2.** Provocar narcose em. **3.** *P. ext.* Adormecer, entorpecer, paralisar. **4.** *Fig.* Tornar insensível; insensibilizar. **5.** *Fig.* Causar tédio ou aborrecimento a; entendiar, aborrecer, enfadar.
narcotizável. *Adj. 2 g.* Que pode ser narcotizado.
narcotraficante. [De *narcó(tico)* + *traficante*.] *S. 2 g.* Traficante de narcóticos.
narcotráfico. [De *narcó(tico)* + *tráfico*.] *S. m.* Tráfico de narcóticos: "Washington 'espera' que Siles Zuazo colabore no combate ao n a r c o t r á f i c o na Bolívia." (Armando Ourique, *Jornal do Brasil*, 17.10.1982.)
nardino. [Do lat. *nardinu*.] Referente ao nardo.
nardo. [De uma língua semítica, atr. do gr. *nárdos* e do lat. *nardu*.] *S. m.* **1.** Planta herbácea, da família das valerianáceas *(Nardostachys jatamansi)*, originária da Ásia, cujo rizoma, aromático, foi muito empregado pelos antigos em perfumaria: "embebia-se de perfume de n a r d o". (Aquilino Ribeiro, *Aventura Maravilhosa*,

p. 125). **2.** Perfume extraído dessa raiz. **3.** Planta herbácea, da família das gramíneas *(Nardus stricta)*, de espiguetas unifloras, sésseis, dispostas em espiga unilateral, muito comum nos prados.

nardo-da-índia. *S. m.* Erva da família das valerianáceas *(Valeriana jatamansi)*, de raiz fortemente odorífera, com pequenas flores em cimeiras compactas, e cujos frutos são aquênios, achatados. [Pl.: *nardos-da-índia.*]

narguilé. [Do sânscr. *narikela*, atr. do persa *nargileh*, de *nargil*, 'coco' (ô), e do fr. *narguilé.*] *S. m.* Cachimbo largamente usado pelos turcos, hindus e persas, composto de um fornilho, um tubo, e vaso cheio de água perfumada que o fumo atravessa antes de chegar à boca: "As tendas abertas por diante deixavam ver os grandes lustres pendentes, os tapetes da Meca e de Damasco, onde se encruzavam as soberbas figuras dos xeques, fumando gravemente o n a r g u i l é." (Eça de Queirós, *Notas Contemporâneas*, p. 15.)

narguilhé. *S. m. Var. de narguilé.*

▲narj-. [Do lat. *naris, is.*] *El. comp.* = 'nariz': narícula.

narícula. [De *nari-* + *-cula.*] *S. f.* V. *narina.* ~ V. *narículas.*

narículas. [Pl. de *narícula.*] *S. f. pl.* Narizes. ~ V. *narícula.*

narigada. [Do rad. de *narigudo* + *-ada*[1].] *S. f.* **1.** Pancada com o nariz. **2.** Pitada (1). [Cf. *nalgada.*]

nariganga. [Do rad. de *narigudo.*] *S. f.* V. *narigão* (2): "Lá nariz não lhe faltava. .... Uma n a r i g a n g a solene, volumosa" (José Gomes Ferreira, *O Mundo dos Outros*, p. 139).

narigão. [Do rad. de *narigudo* + *-ão*[1].] *Adj.* **1.** V. *narigudo* (1). ● *S. m.* **2.** Nariz muito grande; nariganga, narilão, beque, bicanca, penca: "Soltava uns dois espirros ...., sacava o alcobaça, assoava o n a r i g ã o repolego" (Nélson de Faria, *Tiziu e Outras Estórias*, p. 128). **3.** V. *narigudo* (2).

narigona. *Adj. (f.)* e *s. f.* Fem. de *narigão* (1 e 3).

nariguda. [F. substantivada do adj. *narigudo.*] *S. f. Bras.* V. *jararaca-da-praia.*

narigudo. [De um **naricutu* < lat. vulg. *naricae*, 'ventas'.] *Adj.* **1.** Que tem nariz grande; narigão, pencudo. ● *S. m.* **2.** Aquele que tem nariz grande; narigão.

narigueiro. *Adj.* Relativo ou pertencente ao nariz.

narilão. *S. m. Bras.* V. *narigão* (2).

narina. [Do fr. *narine.*] *S. f.* Cada um dos dois orifícios da fossa nasal, no homem e nalguns animais, como, p. ex., o cavalo e o boi; narícula, venta.

narinari. *S. f. Bras.* V. *raia-pintada* (1).

nariz. [Do lat. vulg. *naricae*, 'ventas'. que, tido por um sing. pronunciado **narice*, recebeu outra desin. de pl., dando *narices*; deste pl. veio a criar-se o novo sing.] *S. m.* **1.** Parte saliente do rosto entre a testa e a boca, e que é o órgão do olfato. [Aum, irreg.: *narigão, nariganga*; sin., gír.: *bitácula.*] **2.** A narina: *Vive de dedo no n a r i z.* **3.** *P.* ext. Olfato (1): Tenho bom n a r i z para comida estragada. **4.** Ferrolho a que se acha ligado o lacete da fechadura. **5.** A parte dianteira do avião. **6.** *Tip.* Peça da monotipo e de outras máquinas fundidoras, por onde esguicha o metal-tipo na ocasião de fundir a letra; boquilha. ~ V. *narizes.* ♦ **Nariz de cavalete.** Nariz aquilino; nariz arqueado. **Dar com o nariz na porta.** Encontrar fechada ou defesa a porta que se esperava encontrar aberta ou franqueada. **Ficar de nariz comprido.** Não conseguir o que desejava. **Ficar de nariz torcido.** Mostrar má cara; zangar-se. **Meter o nariz em.** Intrometer-se, ingerir-se, imiscuir-se em. **Saber onde tem o nariz.** Ser perito, competente, capaz; entender do riscado; saber onde tem as ventas. **Torcer o nariz a.** Mostrar-se desagradado com: "t o r c e u o n a r i z a o pobre almoço que Dona Isabel lhe apresentou carinhosa." (Aluísio Azevedo, *O Cortiço*, p. 199).

nariz-de-burro. *S. m. Bras. Pop.* Garrucha de dois canos. [Pl.: *narizes-de-burro.*]

nariz-de-cera. *S. m.* **1.** Preâmbulo enfático ou vago. **2.** *Tip* Texto em composição de medida menor que a da coluna ou da página, o qual, a título de introdução, antecede, num jornal, revista, etc., um artigo, uma reportagem, etc.: [Pl.: *narizes-de-cera.*]

nariz-de-ferro. *S. m. Bras.* Pequeno recipiente com um preparado especial que se coloca na geladeira para evitar o mau cheiro. [Pl.: *narizes-de-ferro.*]

nariz-de-folha. *S. 2 g. Bras., SC. Pop.* Pessoa que vai a festas sem convite; penetra [q. v.]. [Pl.: *narizes-de-folha.* Cf. *peru-de-festa.*]

narizes. [Pl. de *nariz.*] *S. m. pl.* Ventas, narículas; nariz. ~ V. *nariz.*

narração. [Do lat. *narratione.*] *S. f.* **1.** Ato ou efeito de narrar. **2.** Exposição escrita ou oral de um fato; narrativa. [Cf. *invocação* (4).]

narrado. [Part. de *narrar.*] *Adj.* **1.** Que se narrou; exposto, relatado, referido, contado. ● *S. m.* **2.** Aquilo que se narrou; narração.

narrador (ô). [Do lat. *narratore.*] *Adj.* e *s. m.* Que ou aquele que narra ou conta.

narrar. [Do lat. *narrare.*] *V. t. d., t. d. e i. e t. i.* **1.** Expor minuciosamente. **2.** Expor, contar, relatar; referir, dizer: *N a r r o u o sucedido sem nada omitir*; "entrou a n a r r a r minuciosamente ao noivo a palestra e discussão em que ela e todos da sua roda tinham andado empenhados entusiasticamente" (Virgílio Várzea, *Nas Ondas*, p. 281); "Outro n a r r a v a de um casal novo, da sua criança que vence um concurso de robustez" (Ricardo Ramos, *Matar um Homem*, p. 101). **2.** Pôr em memória; registrar; historiar. [F. paral., p. us.: *enarrar.*]

narrativa. [Fem. substantivado de *narrativo.*] *S. f.* **1.** A maneira de narrar. **2.** Narração (2). **3.** Conto, história.

narrativo. [Do lat. *narratu*, part. pass. de *narrare*, 'narrar', + *-ivo.*] *Adj.* **1.** Respeitante a narração; expositivo. **2.** Que tem o caráter de narração.

narval. [Do ingl. *narwhal* < escand. *narhoal.*] *S. m.* Mamífero cetáceo, da família dos delfinídeos *(Monodonmonoceros)*, habitante dos mares árticos, de coloração branca e cinza marmórea, comprimento até 6 m, desprovido de nadadeira dorsal e caracterizado pelo grande desenvolvimento do incisivo superior esquerdo do macho, que atinge até 2,5 m de comprimento e fornece marfim de valor comercial.

nasal. [Do lat. *nasu*, 'nariz', + *-al.*] *Adj. 2 g.* **1.** Relativo ou pertencente ao nariz. **2.** Diz-se do som ou voz modificada pelo nariz; nasalado, fanhoso. ~ V. *índice —, consoante —* e *vogal —.* ● *S. m.* **3.** *Anat.* Cada um dos dois pequenos ossos que, em conjunto, formam a ponte do nariz. ● *S. f.* **4.** Som modificado pelo nariz. **5.** *Fon.* Consoante nasal.

nasalação. *S. f.* Ato ou efeito de nasalar; nasalização.

nasalado. [Part. de *nasalar.*] *Adj.* **1.** Pronunciado com som nasal. **2.** Nasal (2): *Falou em tom n a s a l a d o ; Tem voz n a s a l a d a .*

nasalador (ô). *Adj.* Que nasala; nasalizador.

nasalar. *V. t. d.* **1.** Pronunciar pelo nariz; tornar nasal. **2.** Pronunciar com som nasal. [Sin. ger.: *nasalizar.*]

nasalidade. *S. f.* Qualidade de nasal.

nasalização. *S. f.* Nasalação.

nasalizador (ô). *Adj.* Nasalador.

nasalizar *V. t. d.* Nasalar.

nasardo. [Do fr. *nasard.*] *S. m. Mús.* Registro de órgão, de mistura simples, e que produz o harmônico (6) dois do som fundamental.

nascediço. [De *nascer* + *-(d)iço*[2].] *Adj.* Que vai nascendo.

nascedoiro. [De *nascer* + *-(d)oiro*[1].] *S. m.* Nascedouro.

nascedouro. [De *nascer* + *-(d)ouro*[1]; var. de *nascedoiro.*] *S. m.* **1.** Lugar onde se nasce. **2.** *Pop.* Orifício do útero,

nascença. [Do lat. *nascentia.*] *S. f.* Nascimento (1 e 2).

nascente. [Do lat. *nascente.*] *Adj. 2 g.* **1.** Que nasce; que começa. **2.** Diz-se do Sol quando está surgindo no horizonte. ● *S. m.* **3.** *Astr.* e *Geog.* V. *este* (1 e 2). **4.** O nascer do Sol. ● *S. f.* **5.** Fonte (1) de um curso de água; cabeceira.

nascer. [Do lat. **nascere*, por *nasci.*] *V. int.* **1.** Vir ao mundo; vir à luz; começar a ter vida exterior: "Mais tarde, debaixo dum signo mofino, / Pela lua nova, n a s c e u um menino." (Antonio Nobre, *Só*, p. 9.) **2.** Tomar carne; encarnar-se, humanar-se. **3.** Começar a crescer, a desenvolver-se: *A palmeira n a s c e em terreno arenoso.* **4.** Ter princípio ou origem: *Uma cidadezinha n a s c e u no vale*; "Abri subitamente uma janela / e vi n a s c e r da sombra uma cidade / feita de paz lunar e eternidade." (Alphonsus de Guimaraens Filho, *Poemas Reunidos*, p. 207). **5.** Principiar a aparecer, a manifestar-se; começar: *Um belo sorriso n a s c e u em seus lábios; A epopéia grega n a s c e no séc. IX a. C.* **6.** Começar a surgir aparentemente no horizonte; surgir: "Apagou-se a última estrela, / Clareia o céu, n a s c e o dia" (Alberto de Oliveira, *Poesias*, 3ª série, p. 72). **7.** Surgir; gerar-se: *Depois de muita discussão n a s c e u o plano.* **8.** Formar-se, instituir-se: *O cristianismo n a s c e u em meio de uma sociedade pagã decadente.* **9.** Nascer feito [q. v.]: "O filósofo n a s c e, como o poeta." [Depois de "nasce" subentende-se *filósofo.*] (Bulhão Pato, *Memórias*, II, p. 135.) *T. i.* **10.** Ser procriado; vir por geração; descender: *N a s c e u de pais idosos.* **11.** Ter a sua origem. **12.** Ser fadado; ter aptidão especial: *N a s c e u para a política.* **13.** Proceder, provir, derivar, originar-se. **14.** Sair, aparecer: *N a s c e r a m - lhe furúnculos por causa da alimentação condimentada. Pred.* **15.** Vir ao mundo (com certa qualidade, aptidão, tendência, etc.): "N a s c i enfezado." (E. di Cavalcanti, *Viagem da Minha Vida*, I, p. 27); "Tamoio n a s c e s t e , / Valente serás" (Gonçalves Dias, *Obras Poéticas*, II, p. 43); *Mozart n a s c e u compositor: aos sete anos já compunha e dava concertos.* [Conjug.: v. *crescer.* Pres. subj.: *nasça*, etc. Cf. *nassa.*] ● *S. m.* **16.** Ato de nascer; o nascimento: *o nascer do Sol.* ♦ **Nascer acrônico.** *Astr.* O nascer do astro quando o Sol se põe. **Nascer agora.** *Fig.* V. *nascer de novo.* **Nascer cósmico.** *Astr.* O nascer de um astro, que ocorre simultaneamente com o do Sol; nascer helíaco. **Nascer de novo.** *Fig.* Escapar a um grande perigo de vida; renascer: *Só ele se salvou: n a s c e u d e n o v o naquele dia.* [Tb. se diz *nascer hoje, nascer agora.*] **Nascer empelicado.** *Bras.* Ter muita sorte. [V. *empelicado* (2).] **Nascer feito.** Vir ao mundo, nascer, com determinada qualidade, tendência, etc. (indicada pela palavra que é sujeito ou predicativo da oração): *O poeta n a s c e f e i t o* [i. e., *feito poeta*]; "Quem é bom já n a s c e f e i t o" (prov.). [Tb. se diz apenas *nascer.*] **Nascer helíaco.** *Astr.* Nascer cósmico. **Nascer hoje.** *Fig.* V. *nascer de novo.* **Nascer ontem.** Ser ainda muito jovem e inexperiente: "O senhor n a s c e u o n t e m e quer vir ensinar a mim, que trabalho nesse negócio há tantos anos?!" (Francisco de Assis Barbosa, *Santos Dumont Inventor*, p. 28.) **Não ter nascido ontem.** Não ser tolo ou ingênuo; ser vivo, esperto.

nascida. [Fem. substantivado do adj. *nascido.*] *S. f.* Abscesso, tumor, furúnculo; nascido.

nascidiço. [De *nascido* + *-iço.*] *Adj.* Natural; nativo.

nascido. [Part. de *nascer.*] *Adj.* **1.** Que nasceu; dado à luz. **2.** Acabado de nascer. ● *S. m.* **3.** V. *nascida.*

nascimento. *S. m.* **1.** Ato de nascer; nascença. **2.** Princípio, começo, nascença. **3.** Origem, procedência: *n a s c i m e n t o de uma idéia.* **4.** Raça, progênie, estirpe: *homem de bom n a s c i m e n t o .* ♦ **Ter nascimento.** Ser de origem ou estirpe famosa, célebre, rica, etc.: ter berço.

nascituro. [Do lat. *nascituru.*] *Adj.* **1.** Que há de nascer. ● *S. m.* **2.** Aquele que há de nascer. **3.** *Jur.* O ser humano já concebido, cujo nascimento se espera como fato futuro certo.

nascível. [Do lat. *nascibile.*] *Adj. 2 g.* Que pode nascer.

▲nas(i)-. [Do lat. *nasus, i.*] *El. comp.* = 'nariz': *nasal, nasicórneo.* [Equiv.: *naso-*: *nasofaringe.*]

nasicórneo. [De *nas(i)-* + *-corn(e)-* + *-eo.*] *Adj. Zool.* Que tem uma saliência córnea sobre o nariz.

▲naso-. Equiv. de *nas(i)-.*

nasobucal. [De *naso-* + *bucal.*] *Adj. 2 g. Anat.* Relativo ou pertencente ao nariz e à boca.

nasóculos. [De *nas(i)-* + *-óculos.*] *S. m. pl. Bras.* Neologismo proposto por Castro Lopes, e aceito por muito poucos, para substituir o fr. *pince-nez* [v. *pincenê*]: "O bom Artur [Artur Azevedo] sorriria por trás dos n a s ó c u l o s ao ver o provinciano que escreve artigos pró e contra o mesmo sujeito" (Agripino Grieco, *Gente Nova do Brasil*, p. 32).

nasofaringe. [De *naso-* + *faringe.*] *S. f. Anat.* Rinofaringe.

nasofaríngeo. *Adj.* Relativo à nasofaringe ou rinofaringe; nasofaringiano.

nasofaringiano. *Adj.* Nasofaríngeo.

nasofaringite. [De *nasofaringe* + *-ite*[1].] *S. f. Patol.* Rinofaringite.

nasofaringítico. *Adj.* Relativo à nasofaringite; rinofaringítico.

nassa. [Do lat. *nassa.*] *S. f.* Cesto de pescar, afunilado, feito de vime: "terminada a faina da pescaria, assentados os espinhéis e as n a s s a s , ... Arlequim dormia, sono solto, no fundo da canoa" (João Felício dos Santos, *João Abade*, p. 57). [Cf. *nasça*, do v. *nascer*, e *cacumbi.*]

nassada. *S. f.* **1.** Grande porção de nassas. **2.** Quantidade de peixe apanhado pela nassa.

nasserismo. *S. m.* **1.** Pensamento ou ação política de Gamal Abdel Nasser, estadista árabe nascido no Egito (1918-1971). **2.** Adesão ao nasserismo (1), ou simpatia por ele.

nasserista. *Adj. 2 g.* **1.** Relativo ao, ou próprio do nasserismo. **2.** Que é partidário do nasserismo (1). *S. 2 g.* **3.** Partidário dele.

nassoviano. *Adj.* Relativo a Johann Mauritius van Nassau-Siegen (1604-1679), dito Maurício de Nassau, nobre alemão, que, a serviço da Companhia das Índias Ocidentais dos Países Baixos, governou o Brasil holandês (1637-1644): "a época n a s s o v i a n a foi um momento histórico de grande esplendor cultural." (Joaquim Ribeiro, *História Administrativa do Brasil*, p. 390).

nastia. [De gr. *nastós*, 'apertado, compacto, espesso', + *-ia.*] *S. f. Fisiol. Veg.* Movimento de curvatura das plantas e partes vegetais, provocado por um estímulo de caráter externo, que é difuso.

nástico. *Adj. Fisiol. Veg.* Relativo à, ou próprio da nastia: *movimento* *nástico.*

nastriforme. [De *nastro* + *-i-* + *-forme.*] *Adj. 2 g.* Que tem feitio ou forma de nastro.

nastro. [Do it. *nastro.*] *S. m.* **1.** Fita estreita de algodão, de linho, ou de outro fio; cadarço. **2.** Fita de seda, ouro ou prata, etc., para trançar ou atar o cabelo; trena: "Dusá apareceu, vestida de branco, cabelos soltos, apenas com um nastro de veludo, em tope, no alto da cabeça." (Lindolfo Rocha, *Maria Dusá*, p. 117.) ~ V. *nastros.*

nastros. [Pl. de *nastro.*] *S. m. pl. Art. Gráf.* V. *cadarços.* ~ V. *nastro.*

nata. [Do lat. vulg. *natta.*] *S. f.* **1.** A parte gorda do leite, que se forma à superfície e da qual se faz manteiga; creme. **2.** *Fig.* A melhor parte de qualquer coisa; o que há de melhor. **3.** V. *elite* (1): "Morreu um figurão, a nata da cidade abalou-se." (Guilherme Figueiredo, *A Pluma e o Vento*, p. 174.) **4.** *Constr.* Película muito fina, praticamente sem resistência, que às vezes se forma na superfície de um concreto após o seu lançamento, e é reconhecível pelo aspecto brilhante. **5.** A suspensão de cimento em água, que se segrega de um concreto. **6.** *Bras., N.* e *N.E. Pop.* Catarro (3).

natação. [Do lat. *natatione.*] *S. f.* **1.** Ação, exercício, arte ou esporte de nadar. **2.** Sistema de locomoção dos animais que vivem na água.

natadeira. [De *nata* + *-deira.*] *S. f.* Bacia larga onde se expõe o leite ao máximo contato com o ar para coalhar-se facilmente.

natado. [De *nata* + *-ado*[1].] *Adj.* V. *nateirado.*

natal. [Do lat. *natale.*] *Adj. 2 g.* **1.** Relativo ao nascimento. **2.** Onde ocorreu o nascimento: *terra natal; cidade natal;* "Oh! que saudades tamanhas / Das montanhas, / Daqueles campos natais!" (Casimiro de Abreu, *Obras*, p. 57). ~ V. *torrão* — • *S. m.* **3.** Dia do nascimento. **4.** Dia em que se comemora o nascimento de Cristo (25 de dezembro). [Com maiúscula, nesta acepç.] **5.** *Mús.* Qualquer canção de caráter popular inspirada nos festejos ou nos personagens natalinos.

natalense. *Adj. 2 g.* **1.** De, ou pertencente ou relativo a Natal, capital do RN. • *S. 2 g.* **2.** Natural ou habitante de Natal. [Sin. ger. (joc. e m. us. como s. 2 g.): *papa-jerimum.*]

natalício. [Do lat. *nataliciu.*] *Adj.* **1.** Relativo ao dia do nascimento: *aniversário natalício.* **2.** Relativo ao nascimento; genetlíaco. • *S. m.* **3.** O dia do nascimento: *Festejava ali o seu natalício.*

natalidade. [De *natal* + *-i-* + *-dade.*] *S. f.* Percentagem de nascimentos de uma comunidade em determinado período de tempo: "É por demais conhecido o fenômeno da alta natalidade nas coletividades rurais, em particular nas regiões de escasso desenvolvimento econômico." (Clóvis Caldeira, *Menores no Meio Rural*, p. 31).

natalídeo. *S. m.* **1.** Espécime dos natalídeos. • *Adj.* **2.** Pertencente ou relativo a eles.

natalídeos. *S. m. pl. Zool.* Animais quirópteros, da família *Natalidae.* São morcegos delicados, com pernas longas e delgadas, que vivem exclusivamente na América Central.

natalino. *Adj. Bras.* Relativo ao, ou próprio do Natal, ou das festas do Natal.

natante. [Do lat. *natante.*] *Adj. 2 g.* Natátil.

natátil. [Do lat. *natatile.*] *Adj. 2 g.* Que fica à tona da água; que sobrenada; natante. [Pl.: *natáteis.*]

natatório. [Do lat. *natatoriu.*] *Adj.* **1.** Relativo à natação. **2.** Que serve para nadar: *bexiga natatória.* • *S. m.* **3.** Lugar próprio para nadar. **4.** Tanque de peixes; aquário.

nateirado. [De *nateiro* + *-ado*[1].] *Adj.* Coberto de nateiro ou de nata; natado, natento.

nateiro. [De *nata* + *-eiro.*] *S. m.* **1.** Lodo que as cheias depositam nas margens dos rios. **2.** Camada de lodo formada pela poeira, detritos orgânicos e água da chuva.

natento. *Adj.* **1.** V. *nateirado.* **2.** Fértil, fecundo: *terra natenta.*

naterciano. *Adj.* **1.** De, ou pertencente ou relativo a Natércia (MG). • *S. m.* **2.** Natural ou habitante de Natércia.

natimortalidade. [Do lat. *natu*, 'nascido', + *-i-* + *mortalidade.*] *S. f.* A proporção de mortos em relação à taxa geral de nascimentos; mortinatalidade.

natimorto (ô). [Do lat. *natu*, 'nascido', + *-i-* + *morto.*] *S. m.* **1.** Aquele que nasceu morto. **2.** *P. ext.* Aquele que, tendo vindo à luz com sinais de vida, logo morreu.

natio. [Alter. de *nativo.*] *S. m.* Terra onde sem cultura brotam plantas.

nativense. [Por *natividadense*, com síncope.] *Adj. 2 g.* **1.** De, ou pertencente ou relativo a Natividade da Serra (SP). • *S. 2 g.* **2.** Natural ou habitante de Natividade da Serra.

natividade. [Do lat. *nativitate.*] *S. f.* **1.** Nascimento (em especial o de Cristo e o dos santos). **2.** *Teat.* No teatro medieval, drama religioso baseado no nascimento de Cristo.

natividense. [Por *natividadense*, com haplologia.] *Adj. 2 g.* **1.** De, ou pertencente ou relativo a Natividade do Carangola (RJ). • *S. 2 g.* **2.** Natural ou habitante de Natividade do Carangola. [Sin. ger.: *carangolense.*]

nativismo. [De *nativo* + *-ismo.*] *S. m.* **1.** Qualidade ou caráter de nativista; aversão a estrangeiros. **2.** *Psicol.* Teoria que atribui a origem de certas noções a estruturas congênitas, por oposição ao empirismo, que as faz derivar de uma aquisição progressiva através da experiência.

nativista. *Adj. 2 g.* **1.** Referente aos indígenas. **2.** Favorável aos nativos, com aversão a estrangeiros. • *S. 2 g.* **3.** *Bras.* Pessoa que apaixonadamente detesta estrangeiros, em especial os portugueses.

nativitano. [Do lat. *nativitate*, 'natividade', + *-ano*, com haplologia.] *Adj.* **1.** De, ou pertencente ou relativo a Natividade (GO). • *S. m.* **2.** O natural ou habitante de Natividade.

nativo. [Do lat. *nativu.*] *Adj.* **1.** Que é natural; congênito: *graça nativa.* **2.** Que nasce, procede; procedente: *O cajueiro é planta nativa do Brasil.* **3.** Não estrangeiro; nacional: *os elementos nativos da população.* **4.** Desartificioso, singelo. **5.** Diz-se da água que nasce em uma propriedade, ou que não provém doutra corrente distante. **6.** Diz-se dos metais e não-metais encontrados em estado de elemento na natureza. [F. paral., p. us.: *nadivo*; sin., desus.: *nadível.*] ~ V. *ferro* —. • *S. m.* **7.** Indivíduo natural de uma terra, de um país (por oposição a estrangeiro, a colono, etc.); indígena, natural, nacional.

nato. [Do lat. *natu.*] *Adj.* **1.** Nascido, nado. **2.** Que é de nascença; congênito. **3.** Inerente à natureza ou funções do próprio cargo: *Todo governante deveria ser um defensor nato do povo.*

natrão. [Do egípcio *ntrj*, pelo ár. *natrun*, provavelmente atr. do fr.] *S. m. Quím.* Carbonato hidratado de sódio natural; natro.

nátrio. [Do ingl. *natrium* ou do al. *Natrium.*] *S. m. Quím.* Sódio [q. v.].

natro. *S. m. Quím.* Natrão.

natrolita. [De *natro* + *-lita.*] *S. f. Min.* Mineral ortorrômbico, silicato hidratado de alumínio e sódio.

natrômetro. [De *natro* + *-metro.*] *S. m.* Aparelho com que se mede a quantidade de sódio contida nos produtos comerciais.

natura. [Do lat. *natura.*] *S. f. Poét.* **1.** Natureza. **2.** *Ant.* Direito de ser herdeiro em alguma igreja, mosteiro ou qualquer instituição religiosa. **3.** *Ant.* Dinheiro ou alimentos que se recebiam em virtude desse direito.

natural. [Do lat. *naturale.*] *Adj. 2 g.* **1.** De, ou referente à natureza: *belezas naturais.* **2.** Produzido pela natureza: *O ouro é uma riqueza natural.* **3.** Em que não há trabalho ou intervenção do homem: *o crescimento natural das plantas silvestres.* **4.** Que segue a ordem regular das coisas; lógico: *Não raro o crime é fruto natural da miséria.* **5.** Inato, ingênito, congênito: *As letras constituem-lhe paixão natural.* **6.** Próprio do instinto; instintivo: *Os reflexos são reações naturais.* **7.** Próprio, peculiar: *O riso é natural do homem.* **8.** Não estudado ou calculado; sem artifício; desafetado, espontâneo: *pessoa simples, de maneiras naturais.* **9.** Provável, presumível: *Tendo saído cedo, a estas horas é natural que já estejam bem longe.* **10.** Nascido; originário, procedente, oriundo: *É natural do Maranhão.* **11.** Diz-se da trompa e da trombeta sem pistons. ~ V. *abundância* —, *água* —, *bem* —, *betume* —, *canal* —, *ciências naturais*, *coordenadas naturais*, *desintegração* —, *direito* —, *filho* —, *freqüência* —, *gás* —, *história* —, *iluminação* —, *lei* —, *logaritmo* —, *luz* —, *morte* —, *número* —, *pessoa* —, *povos naturais*, *radioatividade* —, *realismo* —, *recursos naturais*, *região* —, *reserva* —, *satélite* —, *seleção* —, *sistema* — e *som* —. • *S. m.* **12.** V. *nativo* (7). **13.** Aquele que pertence a uma certa localidade. **14.** Aquilo que é conforme a natureza. **15.** Tendência natural; índole, caráter: "Segundo as tradições mais correntes .... o Cabeleira trouxe do seio materno um natural brando e um coração benévolo." (Franklin Távora, *O Cabeleira*, p. 69.) **16.** A realidade; o original. **17.** Sorte, destino. **18.** *Mat.* Número natural. **19.** *Bras., N.E. Pop.* Terra do nascimento; terra natal. ♦ **Ao natural.** Diz-se de alimento que se serve como foi colhido, sem qualquer alteração: *A sobremesa foi mamão ao natural; Comeu ostras ao natural.*

naturaleza (ê). *S. f. Ant.* Natureza.

naturalidade. *S. f.* **1.** Qualidade ou caráter de natural. **2.** Local (município, estado, etc.) de nascimento [cf. *nacionalidade* (2)]: *Rui Barbosa, de naturalidade baiana, projetou-se vivamente no cenário nacional.* **3.** Nascimento, origem: *A terra de sua naturalidade é o Brasil.*

naturalismo. [De *natural* + *-ismo.*] *S. m.* **1.** Estado daquilo que é produzido pela natureza. **2.** Na pintura, representação realista da natureza. **3.** Doutrina ou escola literária infensa a qualquer idealização da realidade, e que insiste particularmente nos aspectos que, no homem, resultam da natureza e de suas leis. [Cf. *realismo* (3 e 4).] **4.** *Teat.* Estilo de encenação originário da França, com Émile Zola (1840-1902), e que é um prolongamento do teatro realista [v. *realismo*], do qual se distingue por conceber a verdade como sendo virtualmente sinônima da seqüência dos acontecimentos. **5.** *Filos.* Doutrina segundo a qual todo conjunto de fenômenos pode ser reduzido, por um encadeamento mecânico, a fatos do mundo concreto material sem a intervenção de nenhuma causa transcendente. P. ex.: em moral, doutrina que fundamenta a conduta humana na satisfação dos instintos biológicos. [Cf., nesta acepç., *ativismo* (1), *humanismo* (1) e *pragmatismo.*] **6.** *Filos.* Doutrina que preconiza a volta à natureza e à simplicidade primitiva, quer nas instituições sociais, quer na maneira de viver; naturismo.

naturalista. *Adj. 2 g.* **1.** Referente ao naturalismo; naturalístico. **2.** Que é partidário ou seguidor do naturalismo. • *S. 2 g.* **3.** Partidário ou seguidor dele. **4.** Especialista em história natural.

naturalístico. *Adj.* **1.** Referente aos naturalistas [v. *naturalista* (4)], ou aos seus estudos. **2.** Naturalista. (1).

naturalização. [De *naturalizar* + *-ção.*] *S. f.* **1.** Ato pelo qual um estrangeiro se torna cidadão dum Estado que não é o seu, perdendo ao mesmo tempo a sua nacionalidade de origem. **2.** Ato de aclimar-se. **3.** Introdução em uma língua de palavras e locuções doutra língua.

naturalizado. [Part. de *naturalizar.*] *Adj.* e *s. m.* Diz-se de, ou estrangeiro que se naturalizou, que passou à categoria de nacional.

naturalizando. *Adj.* e *s. m.* Que, ou aquele que vai ser naturalizado.

naturalizar. [De *natural* + *-izar.*] *V. t. d.* **1.** Dar a (um estrangeiro) os direitos de que desfrutam os cidadãos dum país, com a conseqüente perda da nacionalidade de origem; nacionalizar. **2.** Adotar como nacional; nacionalizar. **3.** Adotar como nativo ou vernáculo: *naturalizar palavras.* **4.** Aclimar em país estrangeiro (animal ou planta). **5.** Adaptar-se a; adotar: *Viveu longos anos na Europa e acabou naturalizando hábitos europeus.* *P.* **6.** Adquirir (um estrangeiro) os direitos atribuídos aos naturais dum país, renunciando à nacionalidade original; nacionalizar-se.

naturalizável. *Adj. 2 g.* Que pode naturalizar-se; em condições de ser naturalizado.

naturalmente. *Adv.* **1.** De modo natural; com naturalidade. **2.** Provavelmente; evidentemente. • *Interj.* **3.** Está claro; certamente.

naturança. [De *natura* + *-ança.*] *S. f. Ant.* Natura (2) em mosteiro.

natureza (ê). [De *natura* + *-eza.*] *S. f.* **1.** Todos os seres que constituem o Universo. **2.** Força ativa que estabeleceu e conserva a ordem natural de tudo quanto existe. **3.** Índole do indivíduo; temperamento, caráter. **4.** Espécie, qualidade: *Vive cheio de problemas de toda natureza.* **5.** A condição do homem anteriormente à civilização. **6.** As partes genitais do homem ou da mulher (especialmente as do homem). **7.** *Filos.* Essência (5). **8.** *Filos.* O mundo visível, em oposição às idéias, sentimentos, emoções, etc. **9.** *Filos.* Conjunto do que se produz no Universo independentemente de intervenção refletida ou consciente. **10.** *Bras. S. Pop.* Terra natal. ♦ **Cortar a natureza de.** *Bras., SP.* Causar frigidez sexual em.

natureza-morta. *S. f.* **1.** Gênero de pintura em que se representam animais mortos, coisas ou seres inanimados. **2.** Quadro desse gênero. [Pl.: *naturezas-mortas.*]

naturismo. [De *natureza* + *-ismo.*] *S. m.* **1.** Concepção daqueles que tudo esperam das forças da natureza. **2.** Valorização excessiva dos agentes físicos naturais — p. ex., banhos, irradiações — como métodos terapêuticos. **3.** *Filos.* Naturalismo (6).

naturista. *Adj. 2 g.* e *s. 2 g.* Partidário ou seguidor do naturismo.

nau. [Do lat. *nave*, pelo cat. *nau.*] *S. f.* **1.** Antigo navio redondo, tanto na forma do casco quanto no velame, de grande tamanho, com acastelamentos na proa e na popa. [Começou tendo apenas um mastro, e no fim do séc. XVIII tinha três, todos com velas redondas e mais uma vela latina quadrangular no mastro de ré.] **2.** *Poét.* Qualquer embarcação. ♦ **Nau de guerra.** *Ant.* Nau destinada a proteger o comércio marítimo e a fazer a guerra no mar. Era armada com 60 a 120 peças de artilharia, podendo ser de 1ª classe (mais de 100 peças), de 2ª classe (90 a 100 peças) ou de 3ª classe (60 a 80 peças). **Nau de linha.** *Ant.* Nau de guerra, armada com 74 peças de artilharia, ou mais, e assim chamada porque constituía a linha de batalha, nos combates navais de vulto. **Nau dos quintos.** *Ant.* Nau ou fragata que transportava anualmente do Brasil colônia para Portugal o quinto (3) da mineração do ouro.

▲nau-. [Do gr. *naûs, neós.*] *El. comp.* = 'navio': *naupatia.*

naua. [Do esp. amer. *nahua.*] *S. 2 g.* **1.** Indivíduo dos nauas, grupo de tribos indígenas mexicanas entre as quais se incluía o asteca. ● *S. m.* **2.** A língua falada pelos nauas. ● *Adj. 2 g.* **3.** Pertencente ou relativo a eles.

náuatle. [Do náuatle *náhuatl*, 'harmoniosa' (subentende-se *língua*).] *S. 2 g.* **1.** Indivíduo dos náuatles, designação geral das tribos da família lingüística uto-asteca [q. v.] do México. ● *S. m.* **2.** Asteca (2). ● *Adj. 2 g.* **3.** Pertencente ou relativo aos náuatles.

náufico. *Adj. Bras.* Náfego (1 e 2).

naufragado. [Part. de *naufragar.*] *Adj.* **1.** Náufrago (1). ● *S. m.* **2.** Náufrago (3). **3.** *Bras., S.* Entre os praieiros, pingüim (2).

naufragante. [Do lat. *naufragante.*] *Adj. 2 g.* e *s. 2 g.* Que, ou quem naufraga.

naufragar. [Do lat. *naufragare.*] *V. int.* **1.** Ir a pique, soçobrar (a embarcação). **2.** Sofrer naufrágio (os tripulantes). **3.** Perder-se; extinguir-se; malograr-se: *Dadas as más condições econômicas, o projeto* n a u f r a g o u. **4.** Malograr-se, fracassar, falhar: *Meteu-se em negócio perigoso, e* n a u f r a g o u; N a u f r a g a r *no empreendimento. T. d.* **5.** Causar naufrágio a; fazer naufragar. [Conjug.: v. *largar.* Pres. ind.: *naufrago*, etc. Cf. *náufrago.*]

naufragável. *Adj. 2 g.* Que pode naufragar; sujeito a naufrágio.

naufrágio. [Do lat. *naufragiu.*] *S. m.* **1.** Ato ou efeito de naufragar. **2.** Perda de uma embarcação, em virtude de encalhe ou de outro acidente marítimo; soçobro. **3.** *Fig.* Grande insucesso; prejuízo. **4.** Decadência, ruína.

náufrago. [Do lat. *naufragu.*] *Adj.* **1.** Que naufragou; naufragado. **2.** Resultante de naufrágio. ● *S. m.* **3.** Indivíduo que naufragou; naufragado. **4.** *Fig.* Indivíduo infeliz, decadente: n á u f r a g o *da vida.* [Cf. *naufrago*, do v. *naufragar.*]

naufragoso (ô). [De *náufrago* + *-oso.*] *Adj.* **1.** Que causa naufrágios. **2.** *Fig.* Perigoso, arriscado.

naumaquia. [Do gr. *naumachía*, pelo lat. *naumachia.*] *S. f.* **1.** Entre os antigos romanos, representação ou simulação dum combate naval. **2.** O lugar onde era simulado o combate.

naumáquico. [Do gr. *naumachikós.*] *Adj.* Concernente a naumaquia.

naupatia. [De *nau-* + *-pat-* + *-ia.*] *S. f. Med.* Enjôo em viagem por via aquática.

náuplio. [Do lat. *nauplíu.*] *S. m.* Forma larvar comum a todos os crustáceos, com um ocelo mediano e três pares de apêndices.

nauquá. *Bras. S. 2 g.* **1.** Indivíduo dos nauquás, tribo indígena caraíba do Culiseu e Culuene. ● *S. m.* **2.** O dialeto dessa tribo. ● *Adj. 2 g.* **3.** Pertencente ou relativo a essa tribo. [Var.: *anauquá.*]

nauruano. *Adj.* **1.** Da, ou pertencente ou relativo à República de Nauru (ilha do Pacífico Central). ● *S. m.* **2.** O natural ou habitante da República de Nauru.

nauscopia. *S. f.* Arte de empregar o nauscópio.

nauscópico. *Adj.* Referente à nauscopia.

nauscópio. [Do gr. *nâus*, 'navio', + *-scop-* + *-io.*] *S. m.* Instrumento óptico de grande alcance, que permite ver, de terra, navios a grande distância, e ver terra a grande distância de bordo de um navio.

náusea. [Do gr. *nausía*, 'enjôo de mar', pelo lat. *nausea.*] *S. f.* **1.** Enjôo ou ânsia no mar, causado pelo balanço da embarcação. **2.** *Med.* Sensação desagradável, imprecisa, experimentada no abdome, em especial no epigástrio, e que pode ser seguida de vômito. [Sin.: *enjôo, estuação.*] **3.** *Fig.* Sentimento de repulsão; repugnância, nojo.

nauseabundo. [Do lat. *nauseabundu.*] *Adj.* **1.** Que produz náuseas; nauseativo, nauseante, nauseoso. **2.** *Fig.* Nojento, asqueroso, ascoso, repugnante, nauseante, nauseoso.

nauseado. [Part. de *nausear.*] *Adj.* **1.** Que tem náusea ou enjôo. **2.** Que se sente indisposto como quem vai vomitar.

nauseante. [Do lat. *nauseante.*] *Adj. 2 g.* V. *nauseabundo.*

nausear. [Do lat. *nauseare.*] *V. t. d.* **1.** Causar náuseas a; enjoar: "Fugia a Cremilda, de cujo corpo se desprendia um cheiro forte, que o estonteava e n a u s e a v a." (Macedo Miranda, *As Três Chaves*, p. 28.) **2.** Ter aversão a; repugnar. **3.** Enfastiar; entediar. *Int.* e *p.* **4.** Sentir náuseas. [F. paral.: *enausear.* Conjug.: v. *frear.*]

nauseativo. [De *nauseatu*, part. pass. do lat. *nauseare*, 'sentir náusea', + *-ivo.*] *Adj.* V. *nauseabundo* (1).

nauseento. *Adj.* Que sente náuseas facilmente.

nauseoso (ô). [De *náusea* + *-oso.*] *Adj.* V. *nauseabundo.*

nauta. [Do gr. *náutes*, pelo lat. *nauta.*] *S. m.* Aquele que navega; navegante, navegador, marinheiro: "A palavra Índia tem para nós .... uma significação de parentesco. Fomos descobertos porque n a u t a s que demandavam as Índias avistaram terras estranhas para eles." (José Lins do Rego, *Homens, Seres e Coisas*, p. 32.)

náutica. [Fem. substantivado de *náutico.*] *S. f.* Ciência e arte da navegação sobre água. [Cf. *marinharia* (1 e 2).]

náutico. [Do gr. *nautikós*, pelo lat. *nauticu.*] *Adj.* **1.** Relativo a marinheiro, navegante, nauta: *espírito* n á u t i c o; *termo* n á u t i c o. **2.** Respeitante à navegação: *processo* n á u t i c o; *almanaque* n á u t i c o. ~ V. *carta* —*a* e *crepúsculo* —.

nautilídeo. [De *náutilo* + *-ídeo.*] *Adj.* Nautilóide.

náutilo. [Do gr. *nautílos*, 'marinheiro', pelo lat. *nautilu.*] *S. m.* Molusco cefalópode, da família dos nautilídeos (*Nautilus pompilius* L.), dos oceanos Pacífico e Índico, com quatro brânquias, concha externa, univalve e plurilocular.

nautilóide. [De *náutilo* + *-óide.*] *Adj. 2 g.* Relativo ou semelhante ao náutilo (2); nautilídeo.

nautografia. [Do lat. *nauta*, 'nauta', + *-o-* + *-graf(o)-* + *-ia.*] *S. f.* Descrição dos aparelhos dos navios e das respectivas manobras.

nautográfico. *Adj.* Referente à nautografia.

nautógrafo. *S. m.* Especialista em nautografia.

nava. [De um idioma pré-romano, atr. do esp. *nava.*] *S. f. P. us.* Planície cercada de montanhas.

naval. [Do lat. *navale.*] *Adj. 2 g.* **1.** *Ant.* Relativo a navio. [Nesta acepç., atualmente só é us. nas loc. *construção naval, engenheiro naval* e *revista naval.*] **2.** Relativo à marinha de guerra: *força* n a v a l; *batalha* n a v a l; *estratégia* n a v a l; *tática* n a v a l; *doutrina* n a v a l; *política* n a v a l. [Cf. *marítimo* (4).] ~ V. *aviação* —, *construção* —, *coroa* —, *fuzileiro* —, *polícia* —, *poder* — e *revista* —. ● *S. m.* **3.** *Bras. Gír.* Praça pertencente ao Corpo dos Fuzileiros Navais.

navalha. [Do lat. *novacula*, com assimilação.] *S. f.* **1.** Instrumento cortante, que consta de uma lâmina e de um cabo com dispositivo para resguardar o fio da mesma lâmina, quando se fecha. **2.** Capim da família das ciperáceas (*Hypolytrum pungens*), semelhante à navalha-de-macaco; navalheira, navalheira-dura. **3.** *Fig.* Frio intenso. **4.** *Fig.* Língua maldizente. **5.** *Art. Gráf.* Faca (5). **6.** *Tip.* Cada uma das três lâminas que aparam a linha-bloco da linotipo, após a fundição, acertando-lhe o corpo e a altura; faca. [V. *bloco de navalhas.*] ● *S. m.* **7.** *Bras. Pop.* Motorista imperito; barbeiro. **8.** Tesoura (9).

navalhada. *S. f.* Golpe de navalha.

navalha-de-macaco. *S. f. Bras. L.* Grande capim da família das ciperáceas (*Hypolytrum schraderianum*), muito copioso e denso em lugares úmidos, de longas folhas que em ambas margens têm uma serrilha silicosa extremamente cortante. [Pl.: *navalhas-de-macaco.*]

navalhante. *Adj. 2 g.* Que navalha.

navalhão. [Aum. de *navalha.*] *S. m.* **1.** Grande navalha. **2.** Em artilharia, cada uma das lâminas de aço temperado ligadas à cabeça da broca (6).

navalhar. *V. t. d.* **1.** Golpear com navalha. **2.** *Fig.* Magoar, ferir.

navalheira. *S. f.* V. *navalha* (2).

navalheira-dura. *S. f. Bras.* V. *navalha* (2). [Pl.: *navalheiras-duras.*]

navalheira-mole. *S. f. Bras.* Capim da família das ciperáceas (*Hypolytrum laxum*), semelhante à navalha-de-macaco. [Pl.: *navalheiras-moles.*]

navalhista. [De *navalha* + *-ista.*] *S. 2 g.* **1.** Pessoa que dá navalhada(s). **2.** Faquista (1).

navarra. [De *navarro*, t. possivelmente criado por toureiros navarros.] *S. f.* Sorte (19) que o toureiro executa com a capa que tira por baixo do focinho do touro, rodando nos calcanhares e ficando em posição de repetir a sorte.

navarrense. *Adj. 2 g.* **1.** De, ou pertencente ou relativo a Antenor Navarro (PB). ● *S. 2 g.* **2.** Natural ou habitante de Antenor Navarro.

navarrês. *Adj.* e *s. m.* Navarro. [Flex.: *navarresa* (ê), *navarreses* (ê), *navarresas* (ê).]

navarro. [Do esp. *navarro.*] *Adj.* **1.** De, ou pertencente ou relativo a Navarra (Espanha). ● *S. m.* **2.** O natural ou habitante de Navarra. [Sin. ger.: *navarrês.*]

nave. [Do lat. *nave.*] *S. f.* **1.** Espaço, na igreja, desde a entrada até o santuário, ou o que fica entre fileiras de colunas que sustentam a abóbada. **2.** *Fig.* Templo (1). **3.** *Ant. Poét.* Navio, embarcação: "O carro vai rompendo o silêncio e a meia treva como a querena duma n a v e corta a água dum canal." (Aquilino Ribeiro, *Caminhos Errados*, pp. 297-298.) ♦ **Nave espacial.** *Astron.* Foguete destinado a viagens interplanetárias; astronave, cosmonave, espaçonave.

▲-nave. Equiv. de *nav-*.

navegabilidade. *S. f.* Qualidade ou estado de navegável.

navegação. [Do lat. *navigatione.*] *S. f.* **1.** Ato ou efeito de navegar. **2.** Arte de conduzir com segurança uma embarcação de um ponto a outro da superfície da Terra. **3.** Viagem por mar. **4.** Comércio marítimo. **5.** Náutica. **6.** *Bras., Amaz.* Navio, lancha, gaiola. ♦ **Navegação aérea.** Aeronavegação (1). **Navegação astronômica.** A que se faz tomando como referência astros celestes. [V. *triângulo de posição.*] **Navegação cósmica.** A que se faz no espaço cósmico. **Navegação costeira.** A que se faz tomando como referência pontos de terra (como faróis, torres, picos, ilhas, pontas, etc.) assinalados nas cartas náuticas. **Navegação de cabotagem.** *Mar. Merc.* Navegação mercante realizada em águas costeiras de um só país, ou em águas marítimas limitadas. [Tb. se diz apenas *cabotagem.* Cf. *navegação de longo curso.*] **Navegação de longo curso.** *Mar. Merc.* Navegação mercante realizada em alto-mar, através dos oceanos, unindo portos de países vários. [Cf. *navegação de cabotagem.*] **Navegação de praticagem.** A que é feita por prático, com profundo conhecimento do local onde navega. **Navegação eletrônica.** A que se faz com auxílio de aparelhos eletrônicos especiais (como o radiogoniômetro, o radar, etc.). **Navegação estimada.** A que se faz tomando como referência apenas os rumos da embarcação, as distâncias percorridas em cada rumo, e as influências do vento e da corrente, sem recurso às observações astronômicas nem a marcações de pontos de terra. **Navegação fluvial.** A que se faz em rios e canais interiores. **Navegação inercial.** Processo moderno de navegação, que emprega eixos de referência definidos por meio de giroscópios, e cujos deslocamentos são calculados mecanicamente em função das variações de rumo e de velocidade da embarcação segundo esses eixos. **Navegação interior.** A que se efetua no interior dos continentes, em rios, lagos e canais interiores, e que compreende a navegação fluvial e a lacustre. **Navegação lacustre.** A que se faz em lagos e lagoas. **Navegação marítima.** A que se faz nos mares. **Navegação mercante.** Comércio marítimo. **Navegação por satélite.** Navegação eletrônica que toma como referência satélites artificiais próprios para este fim.

navegado. [Part. de *navegar.*] *Adj.* Que se navega ou navegou; em que há, ou houve, navegação.

navegador (ô). [Do lat. *navigatore.*] *Adj.* **1.** Que navega. **2.** Que sabe navegar. ● *S. m.* **3.** Aquele que navega ou é dado à navegação. [Sin., nessas acepçs., *navegante.*] **4.** Perito encarregado, numa aeronave, navio ou submarino, dos cálculos de navegação.

navegante. [Do lat. *navigante.*] *Adj. 2 g.* **1.** V. *náutico* (1). **2.** V. *navegador* (1 e 2). ● *S. m.* **3.** Navegador (3).

navegar. [Do lat. *navigare.*] *V. t. d.* **1.** Percorrer (o mar e, p. ext., a atmosfera ou o espaço cósmico) em navio, embarcação, aeronave, astronave ou outro veículo: "Os astecas, segundo as últimas revelações das ciências etnológicas, descendem dos fenícios, que nas suas esguias trirremes, e olhando a pálida estrela polar, n a v e g a r a m todos os mares" (Eça de Queirós, *Cartas Familiares e Bilhetes de Paris*, p. 132). *Int.* **2.** Viajar sobre água, ou na atmosfera ou no espaço cósmico, utilizando um veículo apropriado; seguir viagem (a embarcação): "n a v e g a v a m a rumo de noroeste aquela grande fragata e a linda corveta *le Berceau*" (Virgílio Várzea, *Nas Ondas*, p. 217). **3.** Dirigir a navegação. **4.** *Bras. Pop.* Andar, viajar, trafegar: *Já* n a v e g o u *pela Europa diversas vezes;* "que já nem sabíamos a quantas léguas estávamos da fazenda Paraíso, n a v e g a n d o naquele sertão central." (Inglês de Sousa, *O Missionário*, p. 133.) **5.** *Bras. Pop.* Tocar para a frente; ir, andar: "Como vais você? / Vou navegando, / vou temperando..." (Da marcha *Como "Vais" você?*, de Ari Barroso.) [Conjug.: v. *regar*.]

navegável. [Do lat. *navigabile*.] *Adj. 2 g.* Que pode ser navegado. [Sin. poét.: *navígero*.]

naveta (ê). [Do int. *navetta*, ou do cat. e do esp. *naveta*, ou do fr. *navette*.] *S. f.* **1.** Vaso pequeno, com o feitio dum barco, onde nas festas de igreja se serve o incenso para os turíbulos; acerra. **2.** Espécie de lançadeira com que se faz a renda denominada *frivolité*. **3.** Lançadeira de certas máquinas de costura ou de tear, de feitio semelhante ao de uma naveta (1). **4.** *Ant.* Nau pequena.

▲navi-. [Do lat. *navis, is*.] *El. comp.* = 'nave', navio': *naviforme, navífrago* (< lat. *navifragu*). [Equiv.: *-nave: belonave*.]

naviarra. [De *navio* + *-arra*.] *S. f. Ant.* Grande barca.

navícula. [Do lat. *navicula*, 'embarcação pequena'.] *S. f.* Peça ou órgão naviforme.

navicular. *Adj. 2 g.* **1.** Referente a navícula **2.** *Morfol. Veg.* Naviforme: *fruto navicular*.

naviforme. [De *navi-* + *-forme*.] *Adj. 2 g.* Que tem forma de navio. [Sin. (em morfol. veg.): *navicular*.]

navífrago. [Do lat. *navifragu*.] *Adj.* Que despedaça embarcações.

navígero. [Do lat. *navigeru*.] *Adj. Poét.* Navegável.

navio. [Do lat. *navigiu*.] *S. m.* **1.** Embarcação de grande tamanho; nau. **2.** *Bras., AL.* Variedade de papagaio (5). **3.** *Bras., RJ.* Tapume que cerca buraco aberto na via pública. ♦ **Navio auxiliar.** *Mar. G.* Navio de guerra destinado a executar missões de apoio logístico. **Navio bananeiro.** *Mar. Merc.* Bananeiro (3). **Navio capital.** *Mar. G.* Designação genérica que se dá, em cada fase do desenvolvimento das marinhas de guerra, ao tipo de navio que realiza as tarefas de maior significação ou importância para a guerra no mar. [Na I Guerra Mundial o navio capital era o *encouraçado*; na II Guerra Mundial foi o *navio-aeródromo*.] **Navio cargueiro.** V. *navio de carga*. **Navio de carga.** *Mar. Merc.* Navio mercante destinado, exclusiva ou principalmente, a transportar mercadorias ou cargas; navio cargueiro, cargueiro. **Navio de combate.** *Mar. G.* Navio de guerra destinado a executar missões de combate. **Navio de guerra.** Navio destinado a executar operações de guerra, e que pode ser navio de combate ou navio auxiliar. **Navio de pesca.** Navio especialmente aparelhado para a pesca em alto-mar, e que pode ser ou não provido de câmaras frigoríficas para conservação do pescado. **Navio de vela.** Navio que é impulsionado pela força do vento nas velas. **Navio fluvial.** Navio de pequeno calado e superestruturas relativamente altas, construído especialmente para navegar em rios. **Navio graneleiro.** *Mar. Merc.* Navio apropriado para transporte de carga a granel. **Navio mercante.** O destinado ao comércio marítimo e ao transporte de passageiros. **Navio mineropetroleiro.** *Mar. Merc.* Aquele que transporta alternadamente petróleo, seus derivados, ou minérios. **Navio misto. 1.** Navio de propulsão a vela e mecânica (a vapor ou a motor). **2.** Navio mercante que pode transportar simultaneamente muita carga e regular número de passageiros. **Navio negreiro.** Navio que transportava escravos negros. **Navio oceanográfico.** Embarcação aparelhada para realizar estudos de oceanografia. **Navio quebra-gelos.** Navio de construção especial e reforçada, acionado por máquinas potentes, e destinado a abrir caminho por entre camadas de gelo, nas regiões frígidas: "tomamos o vapor, o Báltico gelado, os navios quebra-gelos rasgando sulco naquela lisura de pedra!" (Gilberto Amado, *Depois da Política*, p. 209.) [Tb. se diz apenas *quebra-gelos*.] **Ficar a ver navios.** Não alcançar o que pretendia; ficar logrado.

navio-aeródromo. *S. m. Mar. G.* Base aérea flutuante, com propulsão própria, capaz de reabastecer, municiar, alojar, reparar e operar aviões e suas equipagens aéreas, e defender-se, dentro de certos limites, de ataques aéreos e de superfície. Seu armamento principal é o avião, que permite atacar objetivos terrestres ou navais a distâncias dezenas de vezes maiores que as atingidas pelo armamento principal dos encouraçados, que era o canhão. [Sin., impr.: *porta-aviões*. Pl.: *navios-aeródromos*.]

navio-cisterna. *S. m. P. us. no Brasil.* Navio-tanque. [Pl.: *navios-cisternas* e *navios-cisterna*.]

navio-escola. *S. m.* Navio em que os candidatos a tripulantes realizam o aprendizado. [Pl.: *navios-escolas* e *navios-escola*.]

navio-fábrica. *S. m.* Na pesca da baleia, embarcação de grande porte que acompanha os navios baleeiros para industrializar no local os animais arpoados. [Pl.: *navios-fábricas* e *navios-fábrica*.]

navio-oficina. *S. m. Mar. G.* Navio auxiliar dotado de instalações próprias para executar reparos de pequena monta em outros navios. [Pl.: *navios-oficinas* e *navios-oficina*.]

navio-petroleiro. *S. m.* Aquele que se destina a transportar petróleo ou derivados deste em grandes quantidades. [Pl.: *navios-petroleiros*.]

navio-tanque. *S. m.* Navio destinado a transportar carga líquida, a qual pode ser petróleo bruto, óleo combustível, gasolina, vinho, etc. [Sin., p. us. no Brasil: *navio-cisterna*. Pl.: *navios-tanques* e *navios-tanque*.]

navio-tênder. *S. m. Bras. Mar. G.* Aquele que se destina a prestar apoio a outros navios, abastecendo-os, reparando-os, etc. [Tb. se diz apenas *tênder*. Pl.: *navios-tênderes*.]

navio-transporte. *S. m. Mar. G.* Navio auxiliar destinado a transportar tropa ou carga. [Pl.: *navios-transportes* e *navios-transporte*.]

navio-varredor. *S. m. Bras.* Tipo de navio de guerra destinado a destruir minas submarinas lançadas pelo inimigo, mediante o uso de dispositivos que as fazem explodir sem ser preciso localizá-las precisamente. [Sin., lus.: *draga-minas*; cf. *caça-minas* (1). Pl.: *navios-varredores*.]

navipeça. *S. f.* Peça ou acessório para navio ou embarcação miúda.

nazarena. [Do esp. plat. *nazarena*.] *S. f. Bras., S.* Espora grande.

nazareno[1]. [Do lat. *nazarenu*.] *Adj.* **1.** De, ou pertencente ou relativo a Nazaré, cidade de Israel na Galiléia, lugar da vida oculta de Cristo. ● *S. m.* **2.** O natural ou habitante de Nazaré. **3.** *Rel.* Designação que os judeus davam a Jesus Cristo, e que passou a ser empregada pelos cristãos. [Nesta acepç., com inicial maiúscula.]

nazareno[2]. *Adj.* **1.** De, ou pertencente ou relativo a Nazaré (BA). ● *S. m.* **2.** O natural ou habitante de Nazaré.

nazareno[3]. *Adj.* **1.** De, ou pertencente a Nazaré da Mata (PE). ● *S. m.* **2.** O natural ou habitante de Nazaré da Mata.

nazareno[4]. *Adj.* **1.** De, ou pertencente ou relativo a Nazareno (MG). ● *S. m.* **2.** O natural ou habitante de Nazareno.

nazareno-do-piauí. *Adj.* **1.** De, ou pertencente ou relativo a Nazaré do Piauí (PI). ● *S. m.* **2.** O natural ou habitante de Nazaré do Piauí. [Pl.: *nazarenos-do-piauí*.]

nazariense. *Adj. 2 g.* **1.** De, ou pertencente ou relativo a Nazário (GO). ● *S. 2 g.* **2.** Natural ou habitante de Nazário.

nazi. [Do al. *Nazi*, f. abrev. de *Nationalsozialist*, 'nacional-socialista'.] *Adj. 2 g.* e *s. 2 g.* V. *nazista*.

nazi-fascista. *Adj. 2 g.* **1.** Relativo a, ou próprio do nazismo e do fascismo. **2.** Que é partidário ou simpatizante do nazismo e do fascismo. ● *S. 2 g.* **3.** Partidário ou simpatizante dos dois. [Pl.: *nazi-fascistas*.]

nazismo. [De *nazi* + *-ismo*.] *S. m.* Movimento chauvinista de direita, alemão, nos moldes do fascismo, imperialista, belicista, e cuja doutrina consiste numa mistura de dogmas e preconceitos a respeito da pretensa superioridade da raça ariana, sistematizados por Adolf Hitler (1889-1945) em seu livro *Minha Luta*; o fascismo alemão. [Sin.: *nacional-socialismo*.]

nazista. *Adj. 2 g.* **1.** Relativo ao, ou que é adepto ao nazismo. ● *S. 2 g.* **2.** Adepto desse movimento. [Sin.: *nazi* (q. v.) e *nacional-socialista*.]

■ **Nb.** *Quím.* Símb. de *nióbio*.

■ **N.B.** *Abrev.* de *Nota bene*.

■ **NBR.** Sigla de *norma brasileira* [q. v.].

■ **Nd.** *Quím.* Símb. de *neodímio*.

n-dimensional. *Adj. 2 g.* ~ V. *espaço* —.

■ **Ne.** *Quím.* Símb. de *neônio*.

■ **N.E.** Abrev. de *nordeste*.

nê. *S. m.* Ene [q. v.]. [Pl.: *nn* e *nês*.]

neandertalense. *Adj. 2 g.* **1.** De, ou pertencente ou relativo a Neandertal, no Reno (Alemanha). ● *S. 2 g.* **2.** Natural ou habitante de Neandertal. [Numa gruta dessa região se encontrou, em 1856, um crânio humano, conhecido como *crânio de Neandertal*, que teria pertencido a uma das raças humanas mais antigas.]

neártica. [De *ne(o)-* + o fem. de *ártico*.] *S. f.* Região zoogeográfica que compreende a América do Norte, a partir das regiões mais setentrionais do México, e a Groenlândia. [Cf. *paleártica*.]

neártico. *Adj.* Pertencente ou relativo à neártica.

neartrose. [De *ne(o)-* + *artrose*.] *S. f. Med.* V. *pseudartrose*.

nebaliáceo. *S. m.* **1.** Espécime dos nebaliáceos. ● *Adj.* **2.** Pertencente ou relativo a eles.

nebaliáceos. *S. m. pl. Zool.* Animais artrópodes, crustáceos, malacostráceos, leptostráceos, da ordem *Nebaliacea*, marinhos, de carapaça bivalve e com sete segmentos abdominais.

neblina. [Do esp. *neblina*.] *S. f.* **1.** Névoa densa e rasteira; nevoeiro. **2.** *Fig.* Escuridão; trevas, sombras. **3.** *Bras., N.E.* V. *chuvisco* (1). **4.** *Bras., Pl.* Aguaceiro rápido. [Var.: *nebrina*.]

neblinar. *V. int. bras.* e açor. **1.** Cair neblina: "No dia anterior neblinara, o chão estava macio, a terra fria" (Gilvã Lemos, *Jutaí Menino*, p. 100). **2.** Chuviscar.

neblinoso (ô). *Adj.* Coberto de neblinas.

nebri. [Do esp. *nebli?*] *Adj.* e *s. m.* Diz-se de, ou falcão adestrado para a caça: "seguido dos falcoeiros, começou a encaminhar-se para o solar, lançando nebris e falcões e ajuntando caça de volateria" (Alexandre Herculano, *Lendas e Narrativas*, p. 24).

nebrina. *S. f.* Var. de *neblina*: "as nebrinas do Douro esbatendo no vapor aquático, polvilhado de sol, o risonho contorno da casaria e das montanhas." (Ramalho Ortigão, *As Farpas*, I, p. 161).

▲nebul(a)-. [Do lat. *nebula, ae*.] *El. comp.* = 'nuvem', 'névoa': *nebulento, nebulização*.

nébula. [Do lat. *nebula*.] *S. f. P. us.* Névoa, nevoeiro.

nebulento. [De *nebul(a)* + *-ento*.] *Adj.* V. *nevoento*.

nebuligrama. [De *nebul(a)-* + *-i-* + *-grama*.] *S. m. Astr. Neol.* Gráfico que se obtém com as câmaras todo-céu no estudo da distribuição da nebulosidade diurna ou noturna, tendo em vista o problema da escolha de lugar de um observatório astronômico.

➧nebulium (bú). [Lat.] *S. m. Astr.* Substância que se supunha existir nas nebulosas gasosas, mas que o astrônomo norte-americano Ira S. Bowen (1898) provou ser o oxigênio duplamente ionizado.

nebulização. *S. f.* **1.** Ato ou efeito de nebulizar (1); pulverização. **2.** *Med.* Névoa obtida por meio de nebulizador no qual se põem substâncias medicamentosas e que se inalam com fins terapêuticos.

nebulizador (ô). [De *nebulizar* + *-(d)or*.] *S. m.* Pulverizador que produz gotículas líquidas muito finas; atomizador, vaporizador.

nebulizar. [De *nebul(a)-* + *-izar*.] *V. t. d.* **1.** Transformar (um líquido) em vapor. **2.** *Med.* Tratar por meio de nebulização (2).

nebulosa. [Fem. substantivado de *nebuloso*.] *S. f. Astr.* **1.** Corpo celeste que se apresenta com o aspecto de mancha esbranquiçada e difusa. [A nebulosa pode ser *galáctica* ou *extragaláctica*.] **2.** Massa estelar ainda em via de condensação. **3.** Universo em formação. ♦ **Nebulosa anular.** *Astr.* Nuvem de gás, aneliforme, na constelação da Lira, entre as estrelas beta e gama e tal constelação, e em cujo centro se vê uma estrela pouco brilhante, e muito quente, o que sugere ter-se a nebulosa originado da explosão dessa estrela. **Nebulosa de Andrômeda.** *Astr. Galáxia de Andrômeda*. **Nebulosa de Caranguejo.** *Astr.* Nuvem de gás, nas proximidades da estrela zeta do Touro, descoberta no século XVIII, e que provavelmente se originou da explosão de uma estrela nova. **Nebulosa de emissão.** *Astr.* Nebulosa cujo espectro apresenta raias de emissão, e que encerra estrelas muito quentes. **Nebulosa de Órion.** *Astr.* Nuvem de gás, visível a olho desarmado, sob a aparência de uma estrela muito fraca, a teta do Órion, e que envolve estrelas de alto brilho intrínseco, brancas e azuis. **Nebulosa difusa.** *Astr.* Nebulosa galáctica de difícil definição óptica. **Nebulosa extragaláctica.** *Astr.* V. *galáxia* (2). **Nebulosa galáctica.** *Astr.* A que se inclui no interior da Via Láctea ou Galáxia. **Nebulosa Hubble.** *Cosm.* Nebulosa cometária, ou seja, em forma cônica (NGC 2261), existente junto à estrela R Monocerotis. **Nebulosa planetária.** *Astr.* Nebulosa brilhante, com aspecto de um vasto envoltório gasoso, em torno de uma estrela muito quente, e em cujo espectro se encontram raias interditas. **Nebulosa proto-solar.** *Cosm.* Nuvens de gases e poeira em rotação lenta, que deram origem ao sistema solar.

nebulosidade. [Do lat. *nebulositate*.] *S. f.* **1.** Qualidade ou estado de nebuloso. **2.** *Met.* Pequenas gotas de água provenientes da condensação do vapor de água, e que, por muito leves, ficam em suspensão na atmosfera sob as formas do nevoeiro e da nuvem. **3.** *Fig.* Falta de clareza ou de precisão no modo de exprimir-se.

nebuloso (ô). [Do lat. *nebulosu*.] *Adj.* **1.** Coberto de nuvens ou vapores densos; nevoento, nublado, nubloso, nubiloso. **2.** Sombrio, triste, ameaçador; nublado, nubiloso, nuvioso: *tempo nebuloso*. **3.** Sem transparência; turvo; nubiloso: *água nebulosa*. **4.** Pouco definido; indistinto; nubiloso: *vultos nebulosos*. **5.** *Fig.* Ininteligível, obscuro, enigmático, misterioso, nevoento, nubiloso: "A felicidade é um sonho nebulo-

so..." (Fagundes Varela, *Poesias Completas*. I, p. 145.)
neca. [Do lat. *nec?*] *Bras. Gír. Adv.* **1.** Não, negativo [q. v.]: — Comprou os livros? | — *Neca.* • *Pron. indef.* **2.** Coisa nenhuma; nada, neres: *Olhou e não viu neca.*
necátor. *S. m.* Animal asquelminto, nematódeo, estrongilóide, da família dos ancilostomídeos (*Necator americanus* (Stiles)), com lâminas quitinosas na margem anterior da placa bucal. É parasito do intestino delgado do homem, e, juntamente com o ancilóstomo, responsável pela doença conhecida como *amarelão* ou *opilação.* Alimenta-se de sangue, que retira perfurando a mucosa intestinal. O ciclo evolutivo faz-se através da corrente circulatória e dos pulmões. [V. *ancilóstomo.* Pl.: *necátores.*]
necatoríase. *S. f. Patol.* V. *ancilostomíase.*
necear. [Do esp. *necear.*] *V. int.* Dizer ou praticar necedades; dizer tolices; disparatar. [Conjug.: v *frear.*]
necedade^{1}. [Do esp. *necedad.*] *S. f.* **1.** Ignorância crassa: estupidez, inépcia. **2.** Disparate, dislate, tolice. [Sin. ger.: *nescidade.*]
necedade^{2}. *S. f. Ant.* e *pop.* Contr. de *necessidade* [q. v.].
➧**nécessaire** (necessér'). [Fr.] *S. m.* Bolsa ou estojo com utensílios necessários à toalete.
necessária. [Fem. substantivado do adj. *necessário.*] *S. f. Lus. Fam.* V. *latrina* (1).
necessário. [Do lat. *necessariu.*] *Adj.* **1.** Que não se pode dispensar; que se impõe; essencial, indispensável: *A água é necessária à vida.* **2.** Que não pode deixar de ser; forçoso, inevitável, fatal: *A doença foi a conseqüência necessária de seu desregramento.* **3.** Que deve ser feito, cumprido; que se requer; preciso: *É necessário premiar-lhe os esforços.* **4.** *Filos.* Diz-se da relação de dependência da proposição implicada no sistema de proposições que a implicam. **5.** *Filos.* Diz-se do que se põe por si mesmo e imediatamente, quer no domínio do pensamento, quer no domínio do ser. **6.** *Filos.* Diz-se daquilo que, dados determinados antecedentes, não pode ser, ou só pode ser, tal como é. ~ V. *benfeitorias* —*as, caução* —*a, condição* —*a, domicílio* — e *herdeiro* —. • *S. m.* **7.** Aquilo que é necessário, preciso, indispensável: *Para alimentar o filho, priva-se até do necessário.*
necessidade. [Do lat. *necessitate.*] *S. f.* **1.** Qualidade ou caráter de necessário. **2.** Aquilo que é absolutamente necessário; exigência: *São mínimas as necessidades do rapaz.* **3.** Aquilo que é inevitável, fatal. **4.** Aquilo que constrange, compele ou obriga de modo absoluto: *Viu-se ante a necessidade de ceder.* **5.** Privação dos bens necessários; indigência, míngua, pobreza, precisão. ◆ **Necessidade moral.** *Ét.* Obrigação, de que são dotados os seres inteligentes, de escolher um entre diversos possíveis, por concebê-lo como superior aos outros. **Fazer necessidade.** *Pop.* Urinar ou defecar. [Sin., no N.E.: *fazer precisão.* Cf. *defecar* (5).]
necessitado. [Part. de *necessitar.*] *Adj.* e *s. m.* Que ou aquele que padece necessidade (5), privação; indigente, miserável; pobre.
necessitar. [Do lat. medieval *necessitare.*] *V. t. d.* **1.** Sentir necessidade de; carecer de; precisar (de): *Necessitava algumas horas para resolver.* **2.** Exigir, reclamar: *A arte necessita sensibilidade.* **3.** Tornar necessário ou indispensável. **4.** Ter necessidade ou obrigação de *T. d e t. i.* **5.** *P. us.* Obrigar, constranger, forçar. **6.** *P. us.* Pôr em necessidade; privar: *Despojou-o de seus bens, necessitou -o de tudo. T. i.* **7.** Carecer, precisar: "adormecia contente, feliz por ter ao pé de si um desgraçado que necessitava do seu consolo." (Alphonsus de Guimaraens, *Obra Completa*, p. 397). *Int.* **8.** Sofrer necessidades; passar privações.
necessitoso (ô). Que necessita muito; necessitado; indigente.
➧**nec plus ultra.** [Lat., 'não mais além'.] Expressão com que se costuma designar um limite que não deve ser ultrapassado; *non plus ultra.*
▲**necr(o)-.** [Do gr. *nekrós, á, ón.*] *El. comp.* = 'morte', 'cadáver'; 'os mortos': *necrose, necrófobo; necrofilia; necropsia, necrotério, necrológio.*
necrobiose. [De *necro-* + *-bio-* + *-ose.*] *S. f. Patol.* Degeneração e morte fisiológica celular ou tecidual, seguida de substituição das estruturas mortas, como se observa, p. ex., na epiderme e no sangue.
necrobiótico. [De *necr(o)-* + gr. *biotikós.*] *Adj.* Referente à necrobiose.
necrodulia. [De *necr(o)-* + gr. *douleía*, 'culto'.] *S. f.* Culto dos mortos.
necrodúlico. *Adj.* Relativo à necrodulia.
necrofagia. [De *necr(o)-* + *-fag(o)-* + *-ia.*] *S. f.* Qualidade de necrófago.
necrofágico. *Adj.* Referente à necrofagia.
necrófago. [Do gr. *nekrophágos.*] *Adj.* e *s. m.* Que ou aquele que se nutre de cadáveres.
necrofilia. [De *necr(o)-* + *-fil(o)-^{2}* + *-ia.*] *S. f. Patol.* Atração sexual mórbida pelos cadáveres.
necrofílico. *Adj.* Referente à necrofilia.
necrófilo. [De *necr(o)-* + *-filo^{2}.*] *Adj.* e *s. m.* Que, ou aquele que tem necrofilia.
necrofobia. [De *necr(o)-* + *-fob(o)-* + *-ia.*] *S. f.* Grande horror à morte.
necrofóbico. *Adj.* Relativo à necrofobia.
necrófobo. [De *necr(o)-* + *-fobo.*] *Adj.* e *s. m.* Que, ou aquele que tem necrofobia.
necrólatra. [De *necr(o)-* + *-latra.*] *S. 2 g.* Pessoa dada a necrolatria.
necrolatria. [Do gr. *nekrolatreía.*] *S. f.* Culto dos mortos.
necrolátrico. *Adj.* Relativo à necrolatria.
necrologia. [De *necr(o)-* + *-log(o)-* + *-ia.*] *S. f.* **1.** Lista de mortos. **2.** Necrológio (1).
necrológico. *Adj.* Referente a necrologia ou a necrológio; obituário.
necrológio. [De *necr(o)-* + *-log(i)o-* + *-io^{2}.*] *S. m.* **1.** Notícia em jornal, etc., relativa a pessoas falecidas; necrologia. **2.** Elogio escrito ou falado de pessoas falecidas.
necrologista. *S. 2 g.* Autor de necrológios; necrólogo.
necrólogo. *S. m.* Necrologista: "Álvares de Azevedo era, realmente, um grande talento; só lhe faltou o tempo, como disse um dos seus necrólogos." (Machado de Assis, *Crítica Literária*, p. 113.)
necromancia (cî). [Do gr. *nekromanteía.*] *S. f.* **1.** Adivinhação pela invocação dos espíritos. **2.** V. *magia negra.* [Var.: *nigromancia.*]
necromante. [Do gr. *nekrómantis.*] *S. 2 g.* **1.** Pessoa que pratica a necromancia. **2.** Pessoa que invoca os mortos. [Var.: *nigromante.*]
necromântico. *Adj.* Relativo à necromancia, ou a necromante. [Var.: *nigromântico.*]
necrópole. [Do gr. *nekrópolis.*] *S. f.* V. *cemitério* (1): "Nessas fantásticas necrópoles, a alvinitência da Lua dá talvez formas de sonho a cada fachada lívida de mausoléu." (Fialho d'Almeida, *O País das Uvas*, p. 295.)
necropsia. [De *necr(o)-* + *-op(s)(e)-* + *-ia.*] *S. f. Med.* Exame médico das diferentes partes de um cadáver. [Sin.: *necroscopia* e (impr.) *autópsia.*]
necrópsico. *Adj.* Referente a necropsia.
necrosado. [Part de *necrosar.*] *Adj.* Em que se produziu necrose.
necrosante. *Adj. 2 g.* Que necrosa.
necrosar. *V. t. d.* **1.** Produzir necrose em. *P.* **2.** Ser atacado de necrose.
necroscopia. [De *necr(o)-* + *-scop-* + *-ia.*] *S. f.* Necropsia.
necroscópico. *Adj.* Referente à necroscopia.
necrose. [Do gr. *nékrosis*, 'mortificação'.] *S. f. Patol.* Morte que ocorre em tecido ou órgão, e que pode variar, em extensão, de células individuais ou grupos de células a pequenas ou grandes áreas. [Cf. *gangrena* (1).]
necrotério. [De *necro-* + *-tério^{2}*; t. proposto pelo Visconde de Taunay, escritor brasileiro (1843-1899), para substituir o gal. *morgue*, e que logo teve, entre nós, aceitação geral.] *S. m.* Lugar onde se expõem os cadáveres que vão ser autopsiados ou identificados.
necrótico *Adj.* Relativo ou semelhante à necrose.
néctar. [Do gr. *néktar*, pelo lat. *nectare.*] *S. m.* **1.** *Mitol.* A bebida dos deuses: "Este vinho da quinta vale o néctar dos deuses." (José Vieira, *Sol de Portugal*, p. 162.) **2.** Qualquer bebida deliciosa, saborosa. **3.** *Fig.* Delícia, deleite, encanto. **4.** *Bot.* Líquido açucarado que as plantas segregam em várias de suas partes, ditas *nectários.* [Pl.: *néctares.*]
nectáreo. [Do lat. *nectareu.*] *Adj.* Referente ou semelhante ao néctar: "Nectáreo caldo espumante / Borbotará brancacento" (Alberto de Oliveira, *Poesias*, 3ª série, p. 114). [Cf. *nectário.*]
▲**nectar(i)-.** [Do lat. *nectar, aris.*] *El. comp.* = 'néctar': *nectarífero.*
nectarífero. [De *nectar(i)-* + *-fero.*] *Adj. Bot.* Que produz néctar: *glândula nectarífera.*
nectarina. *S. f.* **1.** Variedade de pêssego de casca, polpa macia, e cujo caroço não adere a ela. **2.** *Zool.* Gênero de insetos himenópteros vespídeos, ao qual pertencem vespas caracterizadas por um ninho de grandes proporções, e também a enxuí [q. v.].
nectário. [De *néctar* + *-io^{2}.*] *S. m. Morfol. Veg.* Parte vegetal que segrega néctar: "E ao colibri que desce / Do ar luminoso, / Num delíquio amoroso / A grande flor o mel de seu nectário oferta." (Alberto de Oliveira, *Poesias*, 2ª série, p. 224.) [Se se localiza na flor, diz-se *nectário floral*; se se em outra porção qualquer, *nectário extrafloral.* Os mais importantes são os florais. Cf. *nectáreo.*] ◆ **Nectário extrafloral.** *Morfol. Veg.* V. *nectário.* **Nectário floral.** *Morfol. Veg.* V. *nectário.*
néctico. [Do gr. *nektikós*, '*hábil em natação*'.] *Adj.* Que tem a propriedade de flutuar na água.
necto. [Do gr. *nectón*, 'que nada'.] *S. m. Zool.* Designação comum aos organismos marítimos que nadam por seus próprios meios, até mesmo contra os movimentos das grandes massas oceânicas e dos lagos.
▲**necto-.** [Do gr. *nektós, é, ón.*] *El. comp.* = *'que nada'*: *nectópode.* [Equiv.: *-necto: gimnonecto.*]
▲**-necto.** Equiv. de *necto-.*
nécton. *S. m.* V. *necto.*
nectonematóide. *S. m.* **1.** Espécime dos nectonematóides. • *Adj.* **2.** Pertencente ou relativo a eles.
nectonematóides. *S. m. pl. Zool.* Animais asquelmintos, nematomorfos ordem *Nectonematoidea*, de corpo provido de duas fileiras de cerdas para natação, pseudoceloma no preenchido por parênquima e uma única gônada. São marinhos, pelágicos e as larvas parasitam os crustáceos.
nectópode. [De *necto-* + *-pode.*] *Adj. 2 g. Zool.* Cujos pés são achatados e membranosos, próprios para nadar.
nediez (ê). *S. f.* **1.** Qualidade de nédio. **2.** Aspecto lustroso, por efeito da gordura.
nédio. [Do lat. *nitidu.*] *Adj.* **1.** Luzidio, brilhante, nítido. **2.** De pele lustrosa: "ocupa a sua cadeira na comprida mesa, onde já abancaram, com ruído, nédias matronas de buço e altos pentes de tartaruga" (Eça de Queirós, *Notas Contemporâneas*, p. 446).
neerlandês. *Adj.* **1.** Da, ou pertencente ou relativo à Neerlândia ou Países Baixos (Europa). • *S. m.* **2.** O natural ou habitante da Neerlândia. [Sin., nessas acepçs., *holandês.*] **3.** Língua germânica falada nos Países Baixos [v. *holandês* (3)] e no norte da Bélgica [v. *flamengo^{2}* (3)] (neste país é língua oficial, junto com o francês). V. *alemão* (3). [Flex.: *neerlandesa* (ê), *neerlandeses* (ê), *neerlandesas* (ê).]
nefando. [Do lat. *nefandu.*] *Adj.* **1.** Indigno de se nomear; abominável, execrável, execrando, aborrecível, infando: "Cativou-me uma dama de Sevilha, / Foi isso um crime que julguei nefando; / Tive remorsos!... (Por que choras, filha?!)" (Raimundo Correia, *Poesias*, p. 114.) **2.** Sacrílego, ímpio. **3.** Perverso, malvado, nefário.
nefário. [Do lat. *nefariu.*] *Adj.* V. *nefando* (3).
nefas. [Do lat. *nefas.*] *S. m.* Aquilo que é ilegítimo, ilícito. [Antôn.: *fás* (q. v.).]
nefasto. [Do lat. *nefastu.*] *Adj.* **1.** Que causa desgraça. **2.** De mau agouro; agourento, infausto. **3.** Trágico, sinistro, funesto: "Mas num dia nefasto, a turbamulta / Irosa vai-se à estátua do imortal, / Com duro esparto o ilustre colo insulta / 'Té dar com ele em fundo lodaçal" (Gonçalves Dias, *Obras Poéticas*, II, p. 407.)
▲**nefeli-.** V. *nefo-.*
nefelibata. [De *nefeli-* + *-bata.*] *Adj. 2 g.* e *s. 2 g.* **1.** Que ou quem anda ou vive nas nuvens. **2.** *Fig.* Diz-se de, ou literato alambicado que despreza os processos simples, fáceis. [Var. pros.: *nefelíbata.*]
nefelíbata. *Adj. 2 g.* e *s. 2 g.* Var. pros., p. us., de *nefelibata.*
nefelibatice. *S. f.* Dito, escrito ou ato próprio de nefelibata (2).
nefelibático. *Adj.* Relativo a, ou próprio de nefelibata.
nefelibatismo. *S. m.* Qualidade ou atitude de nefelibata.
nefelina. [De *nefeli-* + *-ina^{1}.*] *S. f. Min.* Nefelita.
nefelinito. [De *nefelina* + *-ito^{2}.*] *S. m. Geol.* Rocha extrusiva composta de nefelita e de um mineral fêmico, porém sem olivina.
nefélio. [Do gr. *nephélion*, 'nuvenzinha'.] *S. m. Med.* Nubécula.
nefelita. [De *nefeli-* + *-ita^{3}.*] *S. f. Min.* Mineral hexagonal constituído essencialmente de silicato de sódio e alumínio; nefelina.
▲**nefelo-.** V. *nefo-.*
nefelófilo. [De *nefelo-* + *-filo^{2}.*] *Adj. Ecol. Veg.* Diz-se da planta que vive nas montanhas, na região das nuvens, como freqüentemente sucede com os epífitos.
nefelóide. [Do gr. *nepheloeidés.*] *Adj. 2 g.* Que semelha nuvem.
nefelomancia. [De *nefelo-* + *-mancia.*] *S. f.* Arte de adivinhar mediante a observação das nuvens.
nefelomante. [De *nefelo-* + *-mante.*] *S. 2 g.* Pessoa que pratica a nefelomancia.
nefelomântico. *Adj.* Relativo à nefelomancia, ou a nefelomante.

nefelometria. [De *nefelo-* + *-metr(o)-*^{2} + *-ia.*] *S. f. Fís.-Quím.* Técnica de análise quantitativa de soluções coloidais ou de suspensões, baseada na medida da luz difundida ao atravessá-las.

nefelométrico. *Adj.* Relativo à nefelometria.

nefelômetro. [De *nefelo-* + *-metro.*] *S. m. Fís.-Quím.* Instrumento empregado em nefelometria.

▲**nefo-.** [Do gr. *nephéle, es.*] *El. comp.* = 'nuvem', 'névoa': *nefoscópio.* [Equiv.: *nefeli-* e *nefelo-*: *nefelibata; nefelômetro.*]

nefoscópio. [De *nefo-* + *-scop-* + *-io*^{2}.] *S. m. Met.* Aparelho destinado à observação da nebulosidade.

nefralgia. [De *nefr(o)-* + *-alg(o)-* + *-ia.*] *S. f. Patol.* Dor nos rins.

nefrálgico. *Adj.* Relativo à nefralgia.

nefrectasia. [De *nefr(o)-* + *-ectas-* + *-ia.*] *S. f.* Dilatação do rim.

nefrectásico. *Adj.* Referente à nefrectasia.

nefrectomia. [De *nefr(o)-* + *-ectom-* + *-ia.*] *S. f. Cir.* Ablação parcial ou total de rim.

nefrectômico. *Adj.* Relativo à nefrectomia.

nefrídio. *S. m. Zool.* Órgão excretor de grande número de invertebrados, constituído de um funil ciliado, que comunica com o celoma, um tubo e um orifício externo.

nefrita. [De *nefr(o)-* + *-ita*^{3}.] *S. f. Min.* Mineral compacto, microgranular, esverdeado, de composição química semelhante à da actinolita ou tremolita, que os antigos preconizavam contra as dores dos rins. [Cf. *muiraquitã.*]

nefrite. [Do gr. *nephrîtes* (subentendendo-se *nósos*), 'moléstia do rim', pelo lat. *nephrite.*] *S. f. Patol.* Inflamação de rim. [Sin., desus.: *nefroflegmasia.* Cf. *perinefrite.*]

nefrítico. [Do gr. *nephritikós*, pelo lat. *nephiticu.*] *Adj.* **1.** Relativo a nefrite. **2.** Referente aos rins. **3.** Que sofre de nefrite. ● *S. m.* **4.** Aquele que sofre de nefrite.

nefro. [Do gr. *nephrós*, 'rim'.] *S. m. Fisiol.* Unidade funcional do rim.

▲**nefr(o)-.** [Do gr. *nephrós, oû.*] *El. comp.* = 'rim': *nefrólito; nefrite.*

nefrocele. [De *nefr(o)-* + *-cele.*] *S. f. Patol.* Saliência herniária produzida por um rim.

nefrocélico. *Adj.* Relativo à nefrocele.

nefroflegmasia. [De *nefr(o)-* + *flegmasia.*] *S. f. Med. Desus.* Nefrite.

nefroflegmático. *Adj.* Relativo à nefroflegmasia.

nefrogênico. [De *nefr(o)-* + *-gen(o)-*^{1} + *-ico*^{2}.] *Adj.* Que se origina no rim; nefrógeno.

nefrógeno. [De *nefr(o)-* + *-geno*^{1}.] *Adj.* Nefrogênico.

nefróide. [Do gr. *nephroeidés.*] *Adj. 2 g.* **1.** Reniforme. **2.** *Geom.* Epiciclóide em que o raio da circunferência móvel é duas vezes menor que o da fixa.

nefrólise. [De *nefr(o)-* + *-lise.*] *S. f. Med.* **1.** Destruição de substância renal por agente tóxico. **2.** *Cir.* Operação para separar o rim de aderências paranéfricas.

nefrolitíase. [De *nefr(o)-* + *litíase.*] *S. f. Patol.* Litíase renal.

nefrolítico. [De *neofrólito* + *-ico*^{2}.] *Adj.* Relativo ao nefrólito, ou à nefrólise.

nefrólito. [De *nefr(o)-* + *-lito.*] *S. m. Med.* Pedra ou cálculo que se forma nos rins.

nefrolitotomia. [De *nefr(o)-* + *-lito-* + *-tom(o)-* + *-ia.*] *S. f. Cir.* Operação que consiste na abertura de rim para extrair cálculo.

nefrolitotômico. *Adj.* Relativo à nefrolitotomia.

nefrologia. [De *nefr(o)-* + *-log(o)-* + *-ia.*] *S. f.* Parte da medicina que estuda as doenças renais.

nefrológico. *Adj.* Respeitante à nefrologia.

nefrologista. *S. 2 g.* Especialista em nefrologia; nefrólogo.

nefrólogo. *S. m.* Nefrologista.

nefroma. [De *nefr(o)-* + *-oma.*] *S. m. Patol.* Tumor de rim.

nefropatia. [De *nefr(o)-* + *-pat-* + *-ia.*] *S. f. Patol.* Denominação genérica das afecções renais.

nefropático. *Adj.* Relativo à nefropatia.

nefropiose. [De *nefr(o)-* + *-piose.*] *S. f. Patol.* Supuração de rim.

nefroplegia. [De *nefr(o)-* + *-pleg-* + *-ia.*] *S. f. Med. Desus.* Paralisia de um rim, ou de ambos.

nefroplégico. *Adj.* Referente à nefroplegia.

nefrorragia. [De *nefr(o)-* + *-ragia.*] *S. f. Patol.* Hemorragia proveniente de rim.

nefrorrágico. *Adj.* Referente à nefrorragia.

nefrose. [De *nefr(o)-* + *-ose.*] *S. f. Patol.* Afecção renal degenerativa, não inflamatória.

nefrótico. *Adj.* Relativo à nefrose.

nefrotomia. [De *nefr(o)-* + *-tom(o)-* + *-ia.*] *S. f. Cir.* Incisão cirúrgica de rim.

nefrotômico. *Adj.* Referente à nefrotomia.

nega. [Dev. de *negar.*] *S. f.* **1.** *P. us.* V. *negação* (1, 2 e 4). **2.** *Expl.* Falha no acendimento de uma carga explosiva quando se tenta iniciar sua queima; falha. **3.** *Constr.* O limite máximo, geralmente expresso em centímetros, preestabelecido para a penetração no solo de uma estaca de fundação, após um número determinado de golpes consecutivos do bate-estacas. ◆ **Dar nega.** *Constr.* Chegar (a estaca de uma fundação) à nega (3).

negabelha (ê). *S. f.* Erva anual, da família das crucíferas *(Chochlearia armoraria)*, de pequenas flores dispostas em racemos, cujos frutos são pequenas síliquas infladas, e que é tida por medicinal.

negaça^{1}. [De *negar* + *-aça.*] *S. f.* **1.** Engodo, isca. **2.** Mostra ilusória; ilusão, engano: "Assim luta o náufrago com as vagas, por entre parcéis, sem farol, apenas conduzido pela *negaça* de uma vaga aurora distante e inacessível, que é mais do seu coração que da realidade." (Fidelino de Figueiredo, *Um Colecionador de Angústias*, p. 254.) **3.** Provocação, sedução, requebro. **4.** Recusa, negação (em geral fingida): *Faz as suas negaças: quer e diz que não quer.* **5.** *Bras.* Modo de caçar em que se segue a caça sem esta o perceber, para abatê-la de posição favorável.

negaça^{2}. *S. f. Bras., Amaz.* Neguça.

negação. [Do lat. *negatione.*] *S. f.* **1.** Ato de negar. [Sin.: *negativa* e (p. us.) *nega, negamento.*] **2.** Falta de vocação ou de aptidão; inaptidão. [Sin., p. us.: *nega.*] **3.** Falta, ausência. **4.** Rejeição, recusa. [Sin. *negativa* e (p. us.) *nega.*] **5.** *Filos.* Proposição em que se considera inexistente a relação entre os termos. [Antôn., nesta acepç., *afirmação* (6).] **6.** *Filos.* Símbolo lógico que representa o universo do discurso diminuído da extensão do termo por ele afetado. ◆ **Ser a negação de.** Não ter absolutamente (certa qualidade, ou capacidade, para determinada atividade, função, etc.): *Pedro é a negação do escritor; É a negação da bondade; F. era a negação do político.*

negaceado. [Part. de *negacear.*] *Adj.* **1.** Que foi alvo de negaça; enganado, iludido. **2.** Em que há negaça.

negaceador (ô). *Adj.* e *s. m.* Que ou aquele que negaceia; negaceiro.

negacear. *V. t. d.* **1.** Atrair por meio de negaça; fazer negaças a; provocar. **2.** Enganar, iludir. **3.** Negar, recusar (em geral fingidamente). *Int.* **4.** Fazer negaças. [Conjug.: v. *frear.*]

negaceiro. [De *negaça* + *-eiro.*] *Adj.* e *s. m.* Negaceador.

negador (ô). [Do lat. *negatore.*] *Adj.* e *s. m.* Que, ou aquele que nega.

negalhas. *S. f. pl. Bras., RS.* Negalho (3).

negalho. [Do lat. **ligaculu* < *ligare*, 'ligar'.] *S. m.* **1.** Pequena porção de linha para coser; madeixa. **2.** Cordel com que se ata alguma coisa; atilho. **3.** *Fig.* Pequena porção de alguma coisa: "Foi uma despedida de arrebentar a alma! Ele deixou-lhe de lembrança uma memória e ela deu-lhe um *negalho* de cabelo." (Simões Lopes Neto, *Contos Gauchescos e Lendas do Sul*, p. 191). [Sin. no RS, nesta acepç.: *negalhas.*] **4.** *Fig.* Coisa pequena. **5.** *Fig.* Indivíduo de pequena estatura.

negamento. *S. m. P. us.* V. *negação* (1).

negar. [Do lat. *negare.*] *V. t. d.* **1.** Dizer que não é verdadeiro (uma coisa). **2.** Afirmar que não: "Já o velho Demócrito *negava* que fosse possível a alguém ser poeta sem que fosse um pouco louco." (Álvaro Lins, *Literatura e Vida Literária*, p. 65.) **3.** Não admitir a existência de; contestar: "Camilo não acreditava em nada. Por quê? Não poderia dizê-lo, não possuía um só argumento; limitava-se a *negar* tudo." (Machado de Assis, *Várias Histórias*, p. 5.) **4.** Não reconhecer como verdadeiro; abandonar, repudiar, trair, abjurar: *Nos momentos difíceis os covardes negam seus princípios.* **5.** Não conceder; recusar: *negar um empréstimo.* **6.** Não permitir; proibir, vedar: *negar a passagem.* **7.** Desmentir, contradizer. *T. d. e i.* **8.** Não admitir a existência de; não reconhecer; contestar: *Ninguém lhes nega o mérito.* **9.** Não conceder; recusar: *Negou-lhes qualquer benefício; Negou-te a primavera um riso ao menos; / Dos sonhos da estação nenhum tiveste"* (Fagundes Varela, *Poesias Completas*, I, p. 204). *Int.* **10.** Dizer que não: *Perguntei-lhe se cometera o furto, e ele negou.* **11.** Contestar a existência de algo; formular negativa (1) ou negativas: "limitava-se a *negar* tudo. E digo mal, porque *negar* é ainda afirmar, e ele não formulava a incredulidade" (Machado de Assis, *Várias Histórias*, p. 5). *P.* **12.** Não se prestar; recusar-se: "O frade *nega-se* a relatar o que se concluía." (Antero de Figueiredo, *Leonor Teles*, p. 343.) **13.** Não se apresentar; ocultar-se. [Conjug.: v. *regar.* Pres. ind.: *nego*, etc. Cf. *nego* (ê).]

negativa. [Fem. substantivado de *negativo.*] *S. f.* **1.** Proposição com que se nega alguma coisa. **2.** V. *negação* (1 e 4). **3.** Partícula que exprime negação. **4.** *Bras. Cap.* Movimento defensivo em que o corpo se abaixa e torce apoiado em braços e pernas flexionados. [Cf., nesta acepç., *esquiva.*]

negativar. *V. t. d. Neol.* Tornar negativo.

negatividade. *S. f.* **1.** *Eletr.* Propriedade comum aos corpos com carga negativa, ou num potencial negativo. **2.** *Filos.* Segundo Hegel, o caráter próprio da antítese. [Cf., nesta acepç., *contradição* (4).] **3.** *Mat.* Propriedade comum às grandezas negativas.

negativismo. *S. m.* Espírito de negação sistemática.

negativista. *Adj. 2 g.* **1.** Relativo ao negativismo. **2.** Diz-se de, ou próprio de quem mostra negativismo: *homem negativista; atitude negativista.* ● *S. 2 g.* **3.** Pessoa que o mostra.

negativo. [Do lat. *negativu.*] *Adj.* **1.** Que encerra ou exprime negação: *gesto negativo; partícula negativa.* **2.** Sem efeito; nulo: *Nada conseguiu, todo seu esforço foi negativo.* **3.** Restritivo; proibitivo: *ordens negativas.* **4.** De resultado contrário ao que se esperava; contraproducente: *O excesso de rigor produz efeitos negativos.* ~ V. *altura —a, ângulo —, carga elétrica —a, carga —a, cristal —, direção —a, filme —, geotropismo —, infinito —, inteiro —, movimentos —s, número —, ocular —a, pólo —, pólo celeste —, proposição particular —a, proposição universal —a, sentido —, sinal — e valor —.* ● *S. m.* **5.** *Eletr.* Pólo negativo. **6.** *Fot.* Imagem fotográfica que se forma impressionando-se diretamente uma chapa ou um filme, e na qual os tons claros ou escuros do objeto aparecem invertidos. **7.** *Mat.* Número negativo. **8.** *Tip.* Molde (8). ● *Adv.* **9.** *Bras. Pop.* Não (1): *— Vem trabalhar domingo? — Negativo;* "O preço dele é noventa cruzeiros, mas para você, que é freguês, faço por cinqüenta. — *Negativo!*" (Adovaldo Fernandes Sampaio, *O Sol na Rede*, p. 23). [Implica recusa e/ou ironia.]

negatório. [Do lat. *negatoriu.*] *Adj.* Que serve para, ou tem a força de negar.

negatoscópio. [De *negat(ivo)* + *-o-* + *-scop-* + *-io*^{2}.] *S. m. Med.* Aparelho com iluminação especial que permite a observação perfeita dos negativos ou chapas radiográficas.

negável. *Adj. 2 g.* Que pode ser negado.

➧**négligé** (nêgligê). [Fr.] *S. m.* Roupão fino de senhora.

negligência. [Do lat. *negligentia.*] *S. f.* **1.** Desleixo, descuido, incúria. **2.** Desatenção, menoscabo, menosprezo. **3.** Preguiça, indolência. [Cf. *negligencia*, do v. *negligenciar.*]

negligenciar. *V. t. d.* Tratar com negligência; desatender; descuidar-se de; descuidar, descurar, desleixar: "Procurou água. O barril encontrava-se vazio, sem nem uma gota — descuido de Ambrosina, que, na pressa de encontrar-se com o amante, *negligenciara* aquela obrigação." (Guido Vilmar Sassi, *São Miguel*, p. 228.) [Pres. ind.: *negligencio, negligencias, negligencia*, etc. Cf. *negligência.*]

negligente. [Do lat. *negligente.*] *Adj. 2 g.* **1.** Que tem ou revela negligência. **2.** Lânguido, frouxo, indolente. ● *S. 2 g.* **3.** Pessoa negligente.

nego (ê). [De *negro*, com síncope.] *S. m.* **1.** *Bras. Fam. Pop.* Camarada, amigo, companheiro; negro: *Está doente, nego?; Como vai, meu nego?* **2.** *Bras. Gír.* Negro (16): *O nego meteu-se a valente, e saiu-se mal.* **3.** *Bras., PB.* Sangue-de-boi. [Pl.: *negos* (ê). Cf. *nego*, do v. *negar.*] ◆ **Meu nego.** *Bras.* V. *meu negro.*

negociabilidade. *S. f.* Qualidade de negociável.

negociação. [Do lat. *negotiatione.*] *S. f.* **1.** Ato ou efeito de negociar. **2.** Negócio (2). **3.** Entendimento entre nações, por intermédio de seus legítimos representantes, para concluir tratados ou convênios.

negociador (ô). [Do lat. *negotiatore.*] *Adj.* **1.** Que negocia. ● *S. m.* **2.** Aquele que negocia. **3.** Negociante (2). **4.** Agente político encarregado de uma negociação entre governos.

negociante. [Do lat. *negotiante.*] *S. 2 g.* **1.** Pessoa que negocia, que exerce o comércio; comerciante. **2.** Pessoa que trata de negócios; negociador.

negocião. [De *negócio* + *-ão*^{1}.] *S. 2 g.* Negociarrão: "Estava rico, só em compras de café aos colonos fazia um *negocião*" (Coelho Neto, *Banzo*, p. 34).

negociar. [Do lat. **negotiare*, por *negotiari.*] *V. int.* **1.** Fazer negócios; exercer o comércio; comerciar: *Era funcionário público; agora negocia.* *T. i.* **2.** Fazer negócios; comerciar: *Negociava com cereais;* "Nada havia de oriental no Bazar, que, com prosaísmo, só negòciava em ocidentalíssimos artigos" (Ciro dos Anjos, *Explorações no Tempo*, p. 80). **3.** Manter relações para concluir tratados ou convênios: *Hábil diplomata, já negociou com diversas nações. T. d.* **4.** Promover o andamento de; contratar, ajustar, agenciar: *negociar um empréstimo.* **5.** Concluir, ajustar, celebrar: *As nações beligerantes negociaram uma trégua.* **6.** Comprar ou vender; permutar, trocar: *Negociou os seus bens. T. d. e i.* **7.** Ajustar, combinar, concluir: *O pequeno país teve de negociar com o poderoso adversário a rendição incondicional.* [Pres. ind.: *negocio, negocias, negocia*, etc. Cf. *negócio*.]

negociarrão. [De *negócio* + *-arro-* + *-ão*[1].] *S. m.* Negócio muito bom, de grande interesse; negocião: "E que negociarrão. Pelas minhas contas teremos quatro a cinco mil contos por ano garantidos." (Joaquim Paço d'Arcos, *Carnaval e Outros Contos*, p. 194.)

negociata. *S. f.* Negócio em que há logro ou trapaça; negócio irregular, suspeito; mamata, papata. V. *comedeira*.

negociável. *Adj. 2 g.* **1.** Que pode ser negociado; vendível [q. v.]. **2.** Em que pode haver transação comercial.

negócio. [Do lat. *negotiu*.] *S. m.* **1.** Comércio, tráfico: *negócio de bebidas.* **2.** Relações comerciais; negociação, transação: *Tem negócio com uma firma do Pará.* **3.** Convenção, combinação. **4.** Empresa, ajuste, questão: *O negócio foi resolvido com agrado geral.* **5.** Negócio vantajoso; bom negócio: *Aquele apartamento por 500 mil cruzados não é negócio.* **6.** Caso, coisa; assunto; fato: *De que negócio está você falando?*; "— Madrinha, o negócio é o seguinte: a mãe não deixou nem um xenxém" (Antônio Versiani, *Viola de Queluz*, p. 10). **7.** *Bras. Pop.* e *fam.* Qualquer objeto ou coisa; troço, trem. **8.** *Bras.* Casa de negócio: "enquanto mudava de cavalo tinha ido tomar um refresco no negócio do ilhéu" (Simões Lopes Neto, *Contos Gauchescos e Lendas do Sul*, p. 192); "era um homem de trabalho, dono de um negócio na vila." (Coelho Neto, *Sertão*, p. 188). [Cf. *negocio*, do v. *negociar*.] ◆ **Negócio da China.** Negócio muito lucrativo. [Sin., bras.: *negócio da Costa da Mina*.] **Negócio da Costa da Mina.** *Bras.* Negócio da China. **Negócio de compadres.** Aquele em que intervém o favor em vez da justiça. **Negócio de pai para filho.** Negócio de pequeno lucro, ou de nenhum, ou, até, em que há prejuízo. **Negócio de ocasião.** Bom negócio ou boa oferta. **Negócio de orelha.** *Bras.* Troca dum animal por outro, sem volta. **Negócio jurídico.** V. *ato jurídico*. **Um negócio.** *Bras. Gír.* V. um amor (1): *A pequena é uma beleza, é um negócio!*

negocioso (ô). [Do lat. *negotiosu*.] *Adj.* Que trata de muitos negócios; ocupado, atarefado. **2.** Diligente, ativo: "Moreira descavalga, prende ao buxeiro o burrico, negocioso, importante, berra o preço do gado na Ribeira, lucros, prejuízos, planos." (José Vieira, *Sol de Portugal*, p. 39.) **3.** Cuidadoso, diligente.

negocista. *Adj. 2 g.* e *s. 2 g. Bras.* Que ou quem é dado a negócios equívocos, a negociatas.

negra (ê). [Fem. de *negro*.] *S. f.* **1.** Mulher de cor preta. **2.** Escrava, cativa. **3.** A terceira partida, que desempata, num torneio, campeonato, competição, etc.

negraço. [De *negro* + *-aço*.] *S. m.* V. *negralhão*.

negrada. [De *negro* + *-ada*[1].] *S. f. Bras.* **1.** V. *negraria*. **2.** *Fig.* Grupo de indivíduos dados a pândegas ou a desordens. **3.** Pessoal, gente: *Vamos embora, negrada.*

negral. *Adj. 2 g.* **1.** Quase negro. **2.** De cor negra. **3.** V. *madural*.

negralhada. [De *negro* + *-alha-* + *-ada*[1].] *S. f.* V. *negraria*.

negralhão. [De *negro* + *-alho-* + *-ão*[1].] *S. m.* Aum. de *negro*; negrão, negraço: "o Malaquias, um negralhão espadaúdo" (Hugo de Carvalho Ramos, *Tropas e Boiadas*, p. 61). [Fem.: *negralhona*.]

negralhona. *S. f.* Fem. de *negralhão* [q. v.].

negra-mina. [De *negra* + *mina*[2].] *S. f. Bras.* V. *corcoroca* (1 e 2). [Pl.: *negras-minas* e *negras-mina*.]

negrão. [Aum. de *negro*.] *S. m.* V. *negralhão*. [Fem.: *negrona*.]

negraria. [De *negro* + *-aria*.] *S. f.* Multidão de negros; negrada, negralhada.

➧**nègre** (négr'). [Fr.] *S. m.* Pessoa que esboça ou escreve obras assinadas por outrem (escritor, político, etc.).

negregado. [Do lat. *nigricatu*, 'denegrido'.] *Adj.* **1.** Desgraçado e infeliz, infausto: "Depois daquela negregada cena do beco, será ocioso dizer-lhes que o meu ataque de intestinos recrudesceu" (Camilo Castelo Branco, *Cenas da Foz*, p. 48); *negregada recordação.* **2.** Trabalhoso, custoso, árduo.

negregoso (ô). *Adj.* Muito negro.

negreira. [De *negro* + *-eira*.] *S. f. Bras.* V. *cruz-de-malta* (2).

negreiro. [De *negro* + *-eiro*.] *Adj.* **1.** Relativo a negros. ~ V. *navio* —. ● *S. m.* **2.** Aquele que negociava com escravos negros; traficante de negros. **3.** *Bras.* Indivíduo que tem inclinação sexual por negros.

negrejante. *Adj. 2 g.* Que negreja.

negrejar. [De *negro* + *-ejar*.] *V. int.* **1.** Ser ou parecer negro. **2.** Mostrar-se com sua cor negra ou escura: "O vulto que negrejava no meio do terreiro, era o patíbulo popular e peão: era a forca" (Alexandre Herculano, *Lendas e Narrativas*, I, pp. 93-94). **3.** Tornar-se negro. **4.** Causar escuridão, sombra. **5.** Mostrar-se triste, lutuoso; estar de luto. **6.** Surgir como coisa triste e ameaçadora. ● *T. d.* **7.** Tornar negro, escuro, triste: "Secar-se o orvalho à flor que desbrochava, / E o inverno negrejar a primavera!..." (Barão de Paranapiacaba, *Poesias Escolhidas*, p. 34). [Conjug.: v. *pelejar*. Normalmente é defect.]

negridão. *S. f.* **1.** *Negrura* (1). **2.** V. *negrume* (1).

negrilho. [Dim. de *negro*.] *S. m.* Negro de pouca idade. ~ V. *negrilhos*.

negrilhos. *S. m. pl.* Vidrilhos pretos. ~ V. *negrilho*.

negrinha. [Dim. de *negra*.] *S. f.* Certa planta herbácea que nasce nos trigais. [Cf. *nigrinha*.]

negrinho. [Dim. de *negro*.] *S. m. Bras., SP. Pop.* Café simples. ◆ **Negrinho do Pastoreio.** *Bras., RS.* Ente fantástico, anjo bom dos pampas, também conhecido por *Negrinho do Pastorejo, Crioulinho do Pastoreio, Crioulinho do Pastorejo, Crioulo do Pastoreio* ou *Crioulo do Pastorejo*. **Negrinho do Pastorejo.** *Bras., RS.* V. *Negrinho do Pastoreio*.

negríssimo. *Adj.* Nigérrimo.

negrita. *S. f.* V. *negrito*.

negrito. [De *negro* + *-ito*[1].] *Adj.* e *s. m. Tip.* Diz-se de, ou tipo de traços acentuadamente mais fortes que o normal, especialmente quando usado em certos destaques tipográficos (entradas de catálogos, cabeças de verbetes, etc.); normandinho. [F. paral.: *negrita*. Cf. *preto* (7) e *normando* (4).]

negritude. *S. f.* **1.** Estado ou condição das pessoas da raça negra. **2.** Ideologia característica da fase de conscientização, pelos povos negros africanos, da opressão colonialista, a qual busca reencontrar a subjetividade negra, observada objetivamente na fase pré-colonial e perdida pela dominação da cultura branca ocidental.

negro (ê). [Do lat. *nigru*.] *Adj.* **1.** De cor preta. **2.** Diz-se dessa cor; preto: *terno de cor negra.* **3.** Diz-se do indivíduo de raça negra; preto. **4.** Preto (6). **5.** Sujo, encardido, preto: *A criança está com as mãos negras.* **6.** Preto (3): *As nuvens negras anunciavam tempestade.* **7.** Muito triste; lúgubre: "pensar [Casimiro de Abreu] que sua morte poderia ocorrer em Lisboa .... o fazia mergulhar nas mais negra infelicidade." (Carlos Drummond de Andrade, *Confissões de Minas*, p. 28). **8.** Melancólico, funesto, lutuoso: *Negro destino o esperava.* **9.** Maldito, sinistro: *Em negra hora chegou ali aquele bandido.* **10.** Perverso, nefando: *O negro crime abalou a cidade.* [Superl. abs. sint.: *negríssimo, nigérrimo*.] ~ V. *buraco* —, *câmbio* —, *corpo* —, *humor* —, *licor* —, *lista* —*a*, *lixívia* —*a*, *luz* —*a*, *magia* —*a*, *mercado* —, *ouro* —, *ovelha* —*a*, *papa* —, *poder* —, o *Poeta* — e *pólvora* —*a*. ● *S. m.* **11.** Indivíduo de raça negra. **12.** *P. ext.* Escravo (4). **13.** *Ópt.* A cor de um corpo que absorve inteiramente toda a radiação luminosa visível que sobre ele incide. **14.** *Tip.* V. *preto* (7). **15.** *Bras. Fam.* e *pop.* V. *nego* (1). **16.** *Bras. Gír.* Homem, pessoa, indivíduo; nego (ê): *Há muito negro que não sabe o que é trabalhar.* [Aum.: *negrão, negralhão, negraço*; dim.: *negrinho, negrito, negrilho*.] ◆ **Negro velho.** *Bras.* Tratamento familiar, carinhoso, mais ou menos equivalente ao de *meu negro* [q. v.]. [Cf. *negro-velho*.] **Meu negro.** *Bras.* Tratamento familiar, carinhoso, e algumas vezes algo irônico, equivalente a 'meu bem', 'meu amigo'; meu nego, meu bichinho: — *Que é que há, meu negro? Calma, meu negro, isto não vai assim, não!* **Trabalhar como um negro.** Trabalhar muito.

negro-aça. [De *negro* (ê) + *aça*.] *S. m. Bras.* Preto-aça. [Pl.: *negros-aças*.]

negro-de-fumo. *S. m.* Pó-de-sapato. [Pl.: *negros-de-fumo*.]

negrofilia. [De *negro* + *-fil(o)-*[2] + *-ia*.] *S. f.* Sentimento ou pensar de negrófilo.

negrófilo. [De *negro* + *-filo*[2].] *Adj.* **1.** Que gosta dos negros. ● *S. m.* **2.** Aquele que gosta dos negros. **3.** Partidário da abolição da escravatura.

negro-fugido. *S. m. Bras.* Brinquedo de crianças, modalidade de esconde-esconde. [Pl.: *negros-fugidos*.]

negróide. [De *negro* + *-óide*.] *Adj. 2 g.* **1.** Parecido com os negros. ● *S. 2 g.* **2.** Indivíduo semelhante aos da raça negra.

negro-mina. [De *negro* + *mina*[2].] *S. m.* **1.** V. *mina*[2] (1). **2.** Peixe-porco (1). [Pl.: *negros-minas* e *negros-mina*.]

negrona. *S. f.* Fem. de *negrão* [q. v.].

negro-novo. *S. m. Bras.* V. *boçal* (3). [Pl.: *negros-novos*.]

negror (ô). [Do lat. *nigrore*.] *S. m.* **1.** V. *negrume* (1): "os relâmpagos alumiavam o negror do horizonte." (Darci Azambuja, *Coxilhas*, p. 66). **2.** *Bras.* Agitação que produz na água a baleia perseguida.

➧**negro spiritual** (nigrospíritual). [Ingl.] *Mús.* Canto religioso dos negros norte-americanos, em língua inglesa, e que nasceu da fusão de certos elementos da tradição musical africana (escalas pentatônicas e hexatônicas, síncopes, etc.) com a inspiração cristã. [Tb. se diz apenas *spiritual*.]

negrota. *S. f. Bras.* Fem. de *negrote* [q. v.]: "Um negro, uma negra, duas negrotas" (Franklin Távora, *O Cabeleira*, p. 251).

negrote. *S. m. Bras.* Negro jovem; molecote: "Negrotes albardados com roupas usadas dos senhores choutavam em sendeiros" (Xavier Marques, *As Voltas da Estrada*, p. 16). [Fem.: *negrota*.]

negro-velho. *S. m. Bras., RJ.* Prato de carne-seca desfiada com tutu. [Pl.: *negros-velhos*. Cf. *negro velho*.]

negrume. [De *negro* + *-ume*.] *S. m.* **1.** Escuridão, trevas, negror, negridão, negrura: "Não somos como o Céu, onde sobre o negrume / Da noite procelosa arde o sereno lume / Das estrelas" (Alberto de Oliveira, *Póstuma*, p. 75). **2.** Nevoeiro espesso; cerração: "Densos negrumes pelo céu rolavam, / Rugia o vento no palmar sombrio." (Fagundes Varela, *Poesias Completas*, I, p. 145.) **3.** *Fig.* Tristeza, melancolia; negrura: "A sua agonia, o negrume da sua agonia." (José Lins do Rego, *Usina*, p. 187.)

negrumoso (ô). *Adj.* Em que há negrume.

negrura. *S. f.* **1.** Qualidade de negro; negridão. **2.** V. *negrume* (1): "O policial se perdera na negrura da noute" (Raul Pompéia, *Obras*, I, p. 74). **3.** *Fig.* V. *negrume* (3): "O grande medalhão brilhando ao peito, no meio da negrura do luto" (Raquel de Queirós, *As Três Marias*, p. 11). **4.** *Fig.* Crueldade, perversidade, ruindade. **5.** *Fig.* Falta, erro, culpa.

negrusco. [De *negro* + *-usco*.] *Adj.* Um tanto negro; anegrado: "Hordas de chimpanzés, coortes de elefantes, / De pelagem negrusca e trombas bambaleantes" (Martins Fontes, *Nos Jardins de Augusto Comte*, pp. 99-100).

neguça. *S. f. Bras.* Ave passeriforme, da família dos traupídeos (*Tangara, punctata* (L.)). da Amaz., de coloração geral verde, a parte central das penas da metade anterior do corpo manchada de preto, garganta e meio do peito verde-esbranquiçados, pintados de preto [Sin.: *negaça*.]

negus (gùs). [Do etiópic *nĕgush*, 'rei'.] *S. m.* Título que se dava ao soberano da Etiópia (antiga Abissínia). [Pl.: *neguses*. Correntemente se pronunciava (no Brasil, pelo menos) como paroxítono.]

neinei. [Voc. onom.] *S. m. Bras., MG.* V. *bem-te-vi-do-bico-chato*.

nele. *S. m.* Antiga moeda francesa. [Pl.: *neles*. Cf. *nele* (ê) e pl. *neles* (ê).]

nele (ê). Equiv. da prep. *em* e do pron. pess. *ele*. [Flex.: *nela, neles* (ê), *nelas*. Cf. *nele*, s. m., e pl. *neles*.]

nelore. [Do top. *Nelore* (Índia).] *Adj.* e *s. m.* Diz-se de, ou uma raça zebu [q. v.].

nelumbo. *S. m. Bot.* Gênero de plantas aquáticas da família das ninfeáceas: *Nelumbo nucifera*, que é o lotoíndico [q. v.], e *Nelumbo lutea*, o loto-amarelo [q. v.].

nem. [Do lat. *nec*.] *Conj.* **1.** E não: "Não conheço senão fatos sem causas, nem procurei conhecê-los." (Thiers Martins Moreira, *Os Seres*, p. 63.) **2.** E sem: *Ficou sem amigo nem dinheiro.* **3.** Ao menos, pelo menos; sequer: "A minha vida se resume, / desconhecida e transitória, / em contornar teu pensamento, / sem levar dessa trajetória / nem esse prêmio de perfume / que as flores concedem ao vento." (Cecília Meireles, *Obra Poética*, p. 103.) **4.** Ou: *É o crime mais negro que se pode cometer nem conceber.*

▲**nema-.** [Do gr. *nêma, atos*.] *El. comp.* = 'fio', 'antena' 'tentáculo': *nemapalpo*. [Equiv.: *-nema, nemat(o)-, nemo-*[1] e *-nemo*: *epinema, nematelmíntio, nematócero, nemoblasto, heptanemo*.]

▲**-nema.** V. *nema-*.

nematelminte. *S. m.* e *adj. 2 g.* V. *nematódeo.*
nematelmintes *S. m. pl. Zool.* V. *nematódeos.*
nematelmíntio. [De *nemat(o)-* + *-helminto-* + *-io*².] *S. m.* e *adj.* V. *nematódeo.*
nematelmíntios. [Pl.: de *nematelmíntio.*] *S. m. pl. Zool.* V. *nematódeos.*
nematelminto. *S. m.* e *adj.* V. *nematódeo.*
nematelmintos. *S. m. pl. Zool.* V. *nematódeos.*
nemático. [De *nemat(o)-* + *-ico*².] *Adj. Fís.-Quím.* Diz-se do estado de um cristal líquido no qual as moléculas se organizam em estruturas mais ou menos filamentosas, com uma ordenação regular dentro de certos domínios, mas não entre domínios vizinhos.
▲**nemat(o)-.** V. *nema-.*
nematócero. [De *nemat(o)* + *-cero*¹.] *S. m.* **1.** Espécime dos nematóceros. ● *Adj.* **2.** Pertencente ou relativo a eles.
nematóceros. *S. m. pl. Zool.* Insetos da ordem dos dípteros, subordem *Nematocera*, com antenas em geral mais longas que o tórax, seis a 39 segmentos, tendo raramente cerda ou estilo diferenciados, ou o corpo com cerdas.
nematociste. [De *nemat(o)-* + *-ciste.*] *S. f. Zool.* Espécie de bexiga, cheia de ar, graças à qual os celenterados se mantêm à tona da água.
nematocisto. *S. m. Zool.* Célula característica dos cnidários ou celentérios, formada por uma bolsa onde se encontra um filamento imerso em líquido urticante. A célula urticante, ou nematocisto, possui um dispositivo *(cnidocílio)* disparador de todo o mecanismo. Quando um objeto flutuante ou natante toca no cnidocílio, o filamento é lançado para fora, junto com o líquido urticante, provocando queimaduras.
nematódeo. *S. m.* **1.** Espécime dos nematódeos. ● *Adj.* **2.** Pertencente ou relativo a eles. [Sin. ger.: *nematelminto, nematelmíntio, nematelminte.*]
nematódeos. *S. m. pl. Zool.* Animais asquelmintos, da classe *Nematoda*, com sexos separados, de corpo vermiforme, cilíndrico ou filiforme, afilado nas extremidades, revestido por uma cutícula compacta, e apenas os músculos longitudinais presentes. São ou de vida livre, na água ou no solo, ou parasitos. Entre eles estão as lombrigas e os ancilóstomos. [Sin.: *nematelmintos, nematelmíntios, nematelmintes.*]
nematóide. [De *nemat(o)-* + *-óide.*] *Adj. 2 g.* Fino e alongado como um fio de linha.
nematomicete. [De *nemat(o)-* + *-micete.*] *S. m.* Tribo de cogumelos, de forma filamentosa.
nematomorfo. *S. m.* **1.** Espécime dos nematomorfos (1); gordiáceo, górdio. **2.** Espécime dos nematomorfos (2). ● *Adj.* **3.** Pertencente ou relativo aos nematomorfos (1); gordiáceo, górdio. **4.** Pertencente ou relativo aos nematomorfos (2).
nematomorfos. *S. m. pl. Zool.* **1.** Animais asquelmintos, da classe *Nematomorpha*, de corpo filiforme, geralmente enrolado em forma de nó. Os jovens são parasitos e providos de tubo digestivo completo; os adultos são livres, com tubo digestivo atrofiado. Cutícula grossa e opaca, lisa ou com aréolas, tubérculos, poros e outras formações. [Sin.: *gordiáceos, górdios, cabelo-vivo, cobra-de-cabelo.*] **2.** Artrópodes, miriápodes, diplópodes, da ordem *Nematomorpha*. Têm corpo com 26 a 60 somitos e extremidade do corpo com dois a três pares de glândulas sericígenas e cerdas.
nembo. *S. m. Constr.* Maciço, entre vãos, em obra de pedreiro.
neméia. *Adj. (f.)* e *s. f.* Fem. de *nemeu.*
nemertino. *S. m.* **1.** Espécime dos nemertinos. ● *Adj.* **2.** Pertencente ou relativo a eles. [Sin. ger.: *rincocélio.*]
nemertinos. *S. m. pl. Zool.* Animais de simetria bilateral, acemolados, ramo *Nemertinea*, de corpo vermiforme, alongado, revestido de cílios, com tubo digestivo completo, e boca anterior, com tromba reversível longa, provido de ânus. Os sexos são separados. Vivem no mar, na água doce ou na terra, e têm vida livre. [Sin.: *rincocélios.*]
nemeu. [Do gr. *nemeaîos*, pelo lat. *nemeaeu.*] *Adj.* **1.** Do, pertencente ou relativo ao vale de Neméia, em Argólida, no Peloponeso (Grécia antiga). **2.** Diz-se dos jogos públicos que aí se efetuavam. ● *S. m.* **3.** O natural ou habitante de Neméia. [Fem.: *neméia.*]
◆**nemine discrepante** (némine diçcrepante). [Lat.] Sem que haja nenhuma discordância, i. e., por unanimidade.
▲**nemo-**¹. V. *nema-.*
▲**nemo-**². [Do gr. *némos, eos-ous.*] *El. comp.* = 'bosque', 'floresta': *nemólito, nemófilo.*
▲**-nemo.** V. *nema-.*
nemoblasto. [De *nemo-*¹ + *-blasto.*] *S. m. Morfol. Veg.* Embrião filiforme.
nemólito. [De *nemo-*² + *-lito.*] *S. m. Geol.* Rocha arborizada.
nemoral. [Do lat. *nemorale.*] *Adj. 2 g.* **1.** Referente a, ou próprio de bosque. **2.** Existente nos bosques.
nemorívago. [Do lat. *nemorivagu.*] *Adj.* Que vagueia pelos bosques.
nemoroso (ô). [Do lat. *nemorosu.*] *Adj.* **1.** Sombreado ou povoado de árvores: "Já Pierrot busca repouso / À mágoa que o excrucia, / Por um vale n e m o r o s o, / Triste, ao declinar do dia." (Goulart de Andrade, *Poesias*, 2ª série, p. 17.) **2.** Cheio de bosques.
nem-sei-que-diga. *S. m. 2 n. Bras., N.E.* V. *diabo* (2): "elevava-se o coro de maldições à memória de Vadinho, um n e m - s e i - q u e - d i g a de tão ruim." (Jorge Amado, *Dona Flor e Seus Dois Maridos*, p. 153).
nena. *S. f. Fam.* Boneca (1).
nené. *S. m.* V. *nenê.* [M. us. em Portugal.]
nenê. *S. m. Bras.* Criança recém-nascida ou de poucos meses; criancinha. [F. paral.: *nené, nenen* e *neném.* Sin.: *bebê, bebé* e (no AM) *chichuta* e *chicuta.*]
neném. *S. m.* V. *nenê.*
nenen. *S. m.* V. *nenê.*
nenhengatu. *S. m. Bras.* Var. de *nheengatu.*
nenho. *Adj.* F. aferética e despalatalizada de *inhenho* [q. v.].
nenhum. [Aglut. de *nem* e *um* com palatalização.] *Pron. indef.* **1.** Nem um (só): "Na vastidão do rio, n e n h u m a canoa, n e n h u m sinal de vida aparecia" (Inglês de Sousa, *O Missionário*, p. 214). [Às vezes aparece posposto ao substantivo: "Serviço n e n h u m José de Arimatéia refugava" (Mário Palmério, *Chapadão do Bugre*, p. 23).] **2.** Qualquer: *O cavalo dele, melhor que n e n h u m outro, ganhou a corrida.* **3.** Nulo; inexistente: *poeta de n e n h u m valor.* [Flex.: *nenhuma, nenhuns, nenhumas.*] ~ V. *coisíssima* —a. ◆ **A nenhum.** *Bras. Pop.* Sem dinheiro; na pindaíba: *estar, ficar, viver a n e n h u m;* "— Dave, você tem dinheiro? Nós aqui estamos a n e n h u m ..." (Raquel de Queirós, *A Donzela e a Moura Torta*, p. 65).
nenhumamente. *Adv.* de maneira nenhuma; absolutamente não.
nenhures. [De *nenhum;* formado à semelhança de *algures* e *alhures.*] *Adv.* Em nenhuma parte: "Quando a alma já descansa / Da eternidade no porto, / N e n h u r e s está melhor / Do que na urna grosseira" (Gonçalves Dias, *Obras Poéticas*, II, p. 401). [Cf. *algures* e *alhures.*]
nênia. [Do gr. *nēnía*, pelo lat. *nenia.*] *S. f.* **1.** Canto fúnebre: "não mais os rugidos de luta, os gritos ferozes de ameaça, o alarido das buzinas, a ronqueira dos mosquetões, mas um queixume triste, uma n ê n i a dolorosa pelos mortos .... na investida da muralha misteriosa." (Afonso Arinos, *Histórias e Paisagens*, pp. 96-97). **2.** Canção plangente, melancólica: "Podem servos, debaixo do açoite, / N ê n i a s tristes da pátria cantar!" (Gonçalves Dias, *Obras Poéticas*, I, p. 301.) [São tb. canções plangentes o *epicédio* (q. v.) e a *elegia* (q. v.) — palavras estas us., por vezes, como sin. de *nênia* —, e a *endecha* (q. v.).]
nenúfar. [Do persa *nilufar*, pelo lat. medieval *nenufar* e pelo fr. *nénufar.*] *S. m.* Designação comum a diversas plantas da família das ninfeáceas; ninféia, bandeja-d'água. [Pl.: *nenúfares.*]
neo (néu). *S. m. Patol.* V. *neoplasma.*
▲**ne(o)-.** [Do gr. *néos, a, on.*] *El. comp.* = 'novo', 'moderno': *neologia, neolatino.*
neo-árico. [De *ne(o)-* + *árico.*] *Adj.* **1.** Pertencente ou relativo aos árias modernos. ● *S. m.* **2.** A língua deles.
neocaledônio. [De *ne(o)-* + *caledônio.*] *Adj.* **1.** Da, ou pertencente ou relativo à Nova Caledônia, ilha do S. do Pacífico (Oceânia). ● *S. m.* **2.** O natural ou habitante da Nova Caledônia.
neocatolicismo. [De *ne(o)-* + *catolicismo.*] *S. m.* Doutrina que visa a aproximar o catolicismo das idéias modernas de progresso e liberdade.
neocatólico. *Adj.* **1.** Relativo ao, ou que é adepto do neocatolicismo. ● *S. m.* **2.** Adepto dessa doutrina.
neocéltico. [De *ne(o)-* + *céltico.*] *Adj.* Diz-se das línguas vivas provenientes das línguas célticas, como o bretão e o gaélico.
neocíclico. [De *ne(o)-* + *cíclico.*] *Adj.* Que ocorre no começo de um ciclo.
neociência. [De *ne(o)-* + *ciência.*] *S. f.* Ciência nova, moderna: "Ufologistas .... querem sociedade para estudar n e o c i ê n c i a a sério" (*Jornal do Brasil*, 29.10.1979).
neocientífico. [De *ne(o)-* + *científico.*] *Adj.* Relativo à neociência.
neoclassicismo. [De *ne(o)-* + *classicismo.*] *S. m.* **1.** Movimento intelectual surgido na Itália nos fins do séc. XVIII e começo do XIX, que preconizava o retorno do estilo clássico na arte e na literatura. **2.** Imitação hodierna dos escritores ou artistas clássicos.
neoclássico. [De *ne(o)-* + *clássico.*] *Adj.* **1.** Referente ao, ou que era ou é adepto ou praticante do neoclassicismo. ● *S. m.* **2.** Adepto ou praticante dele.
neocolonial. [De *ne(o)-* + *colonial.*] *Adj. 2 g.* Pertencente ou relativo a neocolonialismo.
neocolonialismo. [De *ne(o)-* + *colonialismo.*] *S. m.* Domínio que um país exerce sobre outro, menos desenvolvido, não por sistema ou orientação política, mas pela influência econômica e/ou cultural. [Cf. *colonialismo.*]
neocolonialista. *Adj. 2 g.* **1.** Relativo ao, ou próprio do neocolonialismo. **2.** Que é partidário do neocolonialismo. ● *S. 2 g.* **3.** Partidário dele.
neocriticismo. [De *ne(o)-* + *criticismo.*] *S. m. Filos.* Neokantismo.
neodarwinismo (w=u). [De *ne(o)-* + *darwinismo.*] *S. m. Biol.* Doutrina biológica acerca da evolução dos seres vivos, que explica a constituição de novas formas pela seleção natural de mutações surgidas ao acaso.
neodarwinista (w=u). *Adj. 2 g.* **1.** Relativo ao, ou que é adepto do neodarwinismo. ● *S. 2 g.* **2.** Adepto dessa doutrina.
neodímio. [Do ingl. *neodymium.*] *S. m. Quím.* Elemento de número atômico 60, pertencente aos lantanídeos. [Símb.: *Nd.*]
neo-escolástica. [De *ne(o)-* + *escolástica.*] *S. f. Filos.* Neotomismo. [Pl.: *neo-escolásticas.*]
neo-escolástico. *Adj.* **1.** Relativo à , ou que é partidário da neo-escolástica. ● *S. m.* **2.** Partidário dela. [Pl.: *neo-escolásticos.*]
neofascismo. [De *ne(o)-* + *fascismo.*] *S. m.* Movimento político surgido na Europa após a II Guerra Mundial, e que visa a incorporar os princípios básicos do fascismo (como, p. ex., o nacionalismo e a oposição à democracia e ao liberalismo) aos sistemas políticos existentes.
neofascista. [De *ne(o)-* + *fascista.*] *Adj. 2 g.* **1.** Relativo ao, ou que é partidário do neofascismo. ● *S. 2 g.* **2.** Partidário dele.
neófito. [Do gr. *neóphytos*, pelo lat. *neophytu.*] *S. m.* **1.** Na Igreja primitiva, indivíduo recentemente convertido ao cristianismo. **2.** Aquele que recebeu ou acabou de receber o batismo: "uma pequena multidão de n e ó f i t o s, ainda na candidez das vestes próprias da Iniciação, mas cheios de promessas" (Nestor Vítor, *A Crítica de ontem*, p. 25). **3.** Noviço (1). **4.** Indivíduo admitido há pouco em uma corporação. **5.** *P. ext.* Principiante, novato: *É n e ó f i t o em filologia.*
neofobia. [De *ne(o)-* + *-fob(o)-* + *-ia.*] *S. f.* Misoneísmo.
neofóbico. *Adj.* Relativo à neofobia; misoneísta.
neófobo. [De *ne(o)-* + *-fobo.*] *Adj.* e *s. m.* V. *misonéico.*
neofonema. [De *ne(o)-* + *fonema.*] *S. m. Filol.* Fonema que se desenvolveu de novo numa língua ou com relação à língua mãe.
neoformação. [De *ne(o)-* + *formação.*] *S. f. Biol.* Formação de tecidos novos no organismo.
neógnata. *S. f.* **1.** Espécime das neógnatas. ● *Adj.* **2.** Pertencente ou relativo a elas.
neógnatas. *S. f. pl. Zool.* Aves neórnites, da superordem *Neognathae*, que abrange todas as aves cujo palatino não é dromeógnato, e que são carenadas, de asas bem desenvolvidas, vértebras caudais em número de cinco ou seis, e têm pigóstilo. Os pingüins, embora tenham asas reduzidas, pertencem ao grupo.
neografia. [De *ne(o)-* + *-graf(o)-* + *-ia.*] *S. f.* Qualquer novo sistema ortográfico; nova grafia.
neográfico. *Adj.* Relativo à neografia.
neógrafo. *S. m.* Aquele que defende ou pratica uma neografia.
neogramática. [De *ne(o)-* + *gramática.*] *S. f. Filol.* Escola surgida na Alemanha por volta de 1875, e que advogava a formulação mais exata das leis fonéticas e a sua aplicação mais rígida aos fenômenos lingüísticos, afirmando que tais leis não admitem exceções e que a analogia é fator normal na transformação lingüística.
neogramático. [De *ne(o)-* + *gramático.*] *Adj.* **1.** Relativo à, ou que é adepto da neogramática. ● *S. m.* **2.** Aquele que é adepto da neogramática.
neogrego (ê). [De *ne(o)-* + *grego.*] *Adj.* Relativo ou pertencente à Grécia moderna, ou ao grego atual.
neo-hegelianismo. [De *ne(o)-* + *hegelianismo.*] *S. m. Filos.* Corrente filosófica que se desenvolveu sobretudo a começar do fim do séc. XIX, e cujos principais representantes são: Francis Herbert Bradley, filósofo inglês (1846-1924), Josiah Royce, filósofo americano (1855-1916), e os filósofos italianos Benedetto Croce

(1866-1952) e Giovanni Gentile (1875-1944) [v. *atualismo*], que retomam, em sentidos diversos, algumas teses do hegelianismo. [Pl.: *neo-hegelianismos*.]

neo-hegelianista. *Adj. 2 g.* **1.** Relativo ao, ou que é partidário do neo-hegelianismo. ● *S. 2 g.* **2.** Partidário dessa corrente. [Pl.: *neo-hegelianistas*.]

neokantismo. [De *ne(o)-* + *kantismo*.] *S. m. Filos.* Movimento doutrinário que se difundiu na segunda metade do séc. XIX na Alemanha, Itália, França e Rússia, tendo como representantes principais os filósofos alemães Wilhelm Windelband (1841-1915), Paul Natorp (1854-1924), Ernst Cassirer (1874-1945) e o socialista alemão Karl Kautsky (1854-1938), e caracterizado sobretudo por entender a filosofia como teoria do conhecimento, visando a fundamentar as ciências físicas e as leis sociais nos elementos idealísticos e subjetivos do kantismo.

neokantista. *Adj. 2 g.* **1.** Relativo ao, ou que é adepto do neokantismo. ● *S. 2 g.* **2.** Adepto desse movimento.

neolatino. [De *ne(o)-* + *latino*.] *Adj.* Diz-se das nações cuja língua e/ou civilização procedem da latina; novilatino. ~ V. *línguas —as*.

neolítico. [De *ne(o)-* + *-lit(o)-* + *-ico*[2].] *Adj.* **1.** Pertencente ou relativo ao período neolítico. ~ V. *período —*. ● *S. m.* **2.** O período neolítico.

neologia. [De *ne(o)-* + *-log(o)-* + *-ia*.] *S. f.* Emprego de palavras novas, ou de novas acepções.

neológico. *Adj.* Relativo à neologia.

neologismar. *V. int.* Criar e/ou empregar neologismos.

neologismo. [De *ne(o)-* + *-log(o)-* + *-ismo*.] *S. m.* **1.** Palavra, frase ou expressão nova, ou palavra antiga com sentido novo. **2.** Nova doutrina, sobretudo em teologia.

neologista. *Adj. 2 g.* e *s. 2 g.* Que ou quem emprega neologismo(s); neólogo.

neólogo. *Adj.* e *s. m.* Neologista.

neomênia. [Do gr. *neomenía*, 'lua nova', pelo lat. *neomenia*.] *S. f.* **1.** *Ant.* Lua nova. **2.** Festa que os antigos celebravam em cada novilúnio.

néon. [Do gr. *néon*, 'novo'.] *S. m. Quím.* V. *neônio*.

neonato. [De *ne(o)-* + *nato* (1).] *S. m. Med.* Criança recém-nascida.

neonatologia. *S. f.* Ramo da medicina que se ocupa do diagnóstico e tratamento de doenças de recém-nascido.

neonatológico. *Adj.* Referente à neonatologia.

neônio. [De *néon* + *-io*[2].] *S. m. Quím.* Elemento de número atômico 10, pertencente à família dos gases nobres, incolor, existente em pequenina proporção na atmosfera, usado especialmente em iluminação. [Símb.: *Ne*.]

neopitagórico. *Adj.* **1.** Relativo ao, ou que é adepto do neopitagorismo. ● *S. m.* **2.** Adepto dessa corrente.

neopitagorismo. [De *ne(o)-* + *pitagorismo*.] *S. m. Filos.* Corrente doutrinária que se desenvolveu em Roma, fundada por Nigídio Fígulo, senador e escritor romano (98 a.C.-44), e inspirada no pitagorismo, ao qual se associam elementos do platonismo, do estoicismo e da mística oriental.

neoplasia. [De *ne(o)-* + *-plas(i)-* + *-ia*.] *Patol.* V. *neoplasma*.

neoplásico. *Adj.* Relativo à neoplasia.

neoplasma. [De *ne(o)-* + *-plasma*.] *Patol.* Qualquer tumor, benigno ou maligno; neoplasia, blastoma. [F. red.: *neo*.] ◆ **Neoplasma maligno.** V. *tumor maligno*.

neoplastia. [De *ne(o)-* + *-plast-* + *-ia*.] *S. f. Cir.* Restauração duma parte do organismo por meio de operação plástica.

neoplástico. *Adj.* Relativo à neoplastia.

neoplatônico. *Adj.* **1.** Relativo ao, ou que é adepto do neoplatonismo. ● *S. m.* **2.** Adepto dessa corrente.

neoplatonismo. [De *ne(o)-* + *platonismo*.] *S. m. Filos.* Corrente doutrinária fundada por Amônio Sacas (séc. II), em Alexandria, e cujos representantes principais são Plotino, filósofo romano (204-270), em Roma; Iâmblico, filósofo grego (c. 250-330), na Síria; e Proclo, filósofo grego (410-485), em Atenas. Caracterizava-se pelas teses da absoluta transcendência do ser divino, da emanação [q. v.] e do retorno do mundo a Deus pela interiorização progressiva do homem.

neopolitano (e-o). *Adj.* **1.** De, ou pertencente ou relativo a Neópolis (SE). ● *S. m.* **2.** O natural ou habitante de Neópolis.

neopontino. *Adj.* **1.** De, ou pertencente ou relativo a Nova Ponte (MG). ● *S. m.* **2.** O natural ou habitante de Nova Ponte.

neopositivismo. [De *ne(o)-* + *positivismo*.] *S. m. Filos.* V. *positivismo lógico*.

neopositivista. *Adj. 2 g.* **1.** Relativo ao, ou que é partidário do neopositivismo. ● *S. 2 g.* **2.** Partidário dele.

neopratense. *Adj. 2 g.* **1.** De, ou pertecente ou relativo a Nova Prata (RS). ● *S. 2 g.* **2.** Natural ou habitante de Nova Prata.

neopterígio. *S. m.* e adj. V. *actinopterígio*.

neopterígios. *S. m. pl. Zool.* V. *actinopterígios*.

neorama. [De *ne(o)-* + *-orama*.] *S. m.* Espécime de panorama que representa o interior dum edifício.

neo-realismo. [De *ne(o)-* + *realismo*.] *S. m.* **1.** Designação comum a movimentos literários, artísticos e filosóficos da atualidade que têm no realismo [q. v.] o seu ponto de partida ou posição central. **2.** *Liter.* e *Cin.* Movimento que se iniciou na Itália em 1945 e que, partindo da literatura, se estendeu às artes, em particular ao cinema. Não pretendia retratar a realidade, e sim dela participar, apresentando documentos, reportagens, testemunhos autobiográficos fidedignos no teatro e no cinema, e aproveitando como atores a gente do povo. [Pl.: *neo-realismos*.]

neo-realista. *Adj. 2 g.* Relativo ao neo-realismo, ou próprio dele. [Pl.: *neo-realistas*.]

neo-república. [De *ne(o)-* + *república*.] *S. f.* República de feição nova, de novos princípios ou métodos. [Pl.: *neo-repúblicas*.]

neo-republicanismo. *S. m.* **1.** Conjunto de normas ou métodos de uma neo-república. **2.** Sentimento de neo-republicano. [Pl.: *neo-republicanismos*.]

neo-republicano. *Adj.* **1.** Relativo à, ou que é partidário da neo-república. ● *S. m.* **2.** Partidário dela. [Pl.: *neo-republicanos*.]

neórnite. *S. f.* **1.** Espécime das neórnites. ● *Adj. 2 g.* **2.** Pertencente ou relativo a elas.

neórnites. *S. f. pl. Zool.* Animais metazoários, cordados, aves, subclasse *Neornithes*. Caracterizam-nos a ausência de dentes nas maxilas e de unhas nos dedos da mão, os metacarpos fundidos, o segundo dedo mais longo que os demais, e as vértebras caudais comprimidas, em número de 13 ou menos. São as verdadeiras aves.

neotênico. *Adj. Zool.* Que retém os caracteres larvares ou juvenis.

neotérico. [Do gr. *neoterikós*, 'de moço'.] *Adj.* Que introduz novas doutrinas.

neotínea. [De *ne(o)-* + gr. *teíno*, 'estender' + *-ea*.] *S. f. Biol.* **1.** Presença de um caráter adulto em forma larvar. **2.** Persistência de caracteres filogenéticos larvais ou juvenis na fase adulta, como ocorre em anfíbios.

neótipo. [De *ne(o)-* + *tipo*.] *S. m. Biol.* Tipo novo, sobre o qual se reescreve uma espécie, por perda do tipo original.

neotomismo. [De *ne(o)-* + *tomismo*.] *S. m. Filos.* Corrente doutrinária que tem como representante principal Jacques Maritain, filósofo francês (1882-1973), caracterizada sobretudo pela tentativa de abordar a problemática filosófica contemporânea sob a perspectiva tomística.

neotomista. *Adj. 2 g.* **1.** Relativo ao, ou que é partidário do neotomismo. ● *S. 2 g.* **2.** Partidário dele.

neotremado. *S. m.* **1.** Espécime dos neotremados. ● *Adj.* **2.** Pertencente ou relativo a eles.

neotremados. *S. m. pl. Zool.* Animais branquiópodes, inarticulados, da ordem *Neotremata*, de concha ventral achatada e presa às rochas, e valva dorsal cônica.

neotropical. [De *ne(o)-* + *tropical*.] *Adj. 2 g.* Próprio da América tropical: *reino neotropical*.

neotrópico. [De *ne(o)-* + *trópico*.] *Adj.* Da América, desde o México até a Patagônia.

neozelandês. [De *ne(o)-* + *zelandês*.] *Adj.* **1.** Da, ou pertencente ou relativo à Nova Zelândia (Oceânia). ● *S. m.* **2.** O natural ou habitante de Nova Zelândia. [Flex.: *neozelandesa* (ê), *neozelandeses* (ê), *neozelandesas* (ê).]

neozóico. [De *ne(o)-* + *-zóico*.] *Adj.* e *s. m.* ~ V. *era —a*.

nepalês. *Adj.* **1.** Do, ou pertencente ou relativo ao Nepal (Ásia central). ● *S. m.* **2.** O natural ou habitante do Nepal. [Flex.: *nepalesa* (ê), *nepaleses* (ê), *nepalesas* (ê).] **3.** Nepali.

nepali. *S. m.* Língua falada no Nepal (Ásia central); nepalês. [V. *indo-iraniano* (3).]

nepentácea. *S. f.* Espécime das nepentáceas.

nepentáceas. [De *nepente* + *-aceas*.] *S. f. pl. Bot.* Família de plantas floríferas asiáticas, cujas folhas recordam saquinhos que funcionam com estômagos externos. Têm glândulas que digerem os insetos por acaso aprisionados no seu interior, mas, a despeito disso, nutrem-se, como todas as demais plantas, mediante raízes na terra.

nepentáceo. *Adj.* Pertencente ou relativo às nepentáceas.

nepente. *S. m.* V. *nepentes*.

nepentes. [Do gr. *nepenthés*, pelo lat. *nepenthes*, 'certa planta cuja infusão em vinho dissipa a melancolia.'] *S. m. 2 n.* **1.** Bebida mágica, remédio contra a tristeza, da qual se falava na Antiguidade. **2.** *Bot.* Gênero de plantas da Ásia tropical e de Madagáscar, de folhas dotadas de ascídios que atraem, matam e digerem os insetos que nelas penetram.

neper (né). [Do antr. *Neper*, de John Neper (v. *neperiano*).] *S. m. Fís.* Medida do amortecimento num processo periódico amortecido, igual ao logaritmo natural da razão de duas variáveis do processo em dois ciclos sucessivos. [Simb.: *Np.* Pl.: *nepers*.]

neperiano. *Adj.* Pertencente ou relativo a John Neper ou Napier, matemático escocês (1550-1617), inventor dos logaritmos, ou às suas criações no terreno da matemática. ~ V. *logaritmo —*.

nepote (ó). [Do lat. *nepote*, 'sobrinho.'] *S. m.* **1.** Sobrinho do papa. **2.** Valido ou conselheiro do papa. **3.** Favorito, valido: "Outros seriam afilhados ou nepotes de salvadores nacionais" (José Rodrigues Miguéis, *Gente da Terceira Classe*, p. 155).

nepotismo. [De *nepote* + *-ismo*.] *S. m.* **1.** Autoridade que os sobrinhos e outros parentes do papa exerciam na administração eclesiástica. **2.** Favoritismo, patronato: "A tal ponto foi aquela identificação do irlandês com o patriarcalismo, o familismo, o próprio nepotismo brasileiro .... que a adoção, por Daunt, do culto do Padre Diogo, ... surge-nos com alguma coisa de culto doméstico, ao mesmo tempo que aristocrático à moda paulista." (Gilberto Freire, *Problemas Brasileiros de Antropologia*, p. 54.)

nequícia. [Do lat. *nequitia*.] *S. f.* Maldade, perversidade, malícia.

nereida. [Var. de *nereida* < gr. *nerís, idos*, 'filha de Nereu,' pelo lat. *nereide*.] *S. f.* **1.** *Mit.* Cada uma das ninfas que presidiam ao mar: "uma névoa rósea e palpitante de ninfas — nereidas, dríadas, oréadas, napéias coleantes, oceânides melodiosas" (Júlio Dantas, *Espadas e Rosas*, p. 46). **2.** *Astr.* Um dos dois satélites telescópicos de Netuno, com 300 km de diâmetro e magnitude aparente de 18,7 na oposição. [Foi descoberto em 1.5.1949 pelo astrônomo norte-americano G. P. Kuiper (1905-1973). Com maiúscula, nesta acepç.]

nereide. *S. f. Mit.* e *Astr.* Nereida [q. v.].

neres. *Pron. indef. Bras. Gír.* Coisa nenhuma; nada, neca: *Gastou a noite inteirinha e não caçou neres.* ◆ **Neres de neres.** *Bras. Gír.* Absolutamente nada; neres de pitibiriba. **Neres de pitibiriba.** *Bras. Gír.* Neres de neres.

nerítico. [Do lat. cient. *nerita* < gr. *nerités*, 'certo molusco litorâneo', + *-ico*[2].] *Adj. Geol.* **1.** Diz-se da região marinha compreendida entre a linha do litoral e a isóbata de cerca de 200 m. **2.** Diz-se do sedimento depositado nessa região.

nerol. [De *ner*, f. abrev. do antr. *Neroli*, de uma princesa italiana do séc. XVII que teria descoberto a fórmula, + *ol*, f. abrev. de *óleo*.] *S. m. Quím.* Álcool terpênico, constituinte de certos óleos essenciais, cristalino, com odor de tangerina, usado em perfumaria. [Fórm.: $C_{10}H_{18}O$. Pl.: *neróis*.]

neroniano. [Do lat. *neronianu*.] *Adj.* Pertencente ou relativo a Nero, imperador romano (séc. I), ou próprio dele.

neropolino. *Adj.* **1.** De, ou pertencente ou relativo a Nerópolis (GO). ● *S. m.* **2.** O natural ou habitante de Nerópolis.

nervação. [De *nervo* + *-a-* + *-ção*.] *S. f. Morfol. Veg.* Disposição das nervuras de uma folha: *nervação penada*. [Cf. *inervação* e *venação*.]

nervado. [De *nervo* + *-ado*[1].] *Adj.* **1.** Que tem nervuras. **2.** Feito de tiras de couro.

nerval. *Adj. 2 g.* **1.** Relativo a, ou próprio de nervos; nervoso, nérveo, nervino, neural. **2.** Nervino (2).

nérveo. *Adj.* V. *nerval* (1).

nervino. [Do lat. *nervinu*.] *Adj.* **1.** V. *nerval* (1). **2.** Que atua sobre os nervos; nerval: *medicamento nervino*. ● *S. m.* **3.** Medicamento nervino (2).

nervo (ê). [Do lat. vulg. *nerviu*, calcado em *nervia*, 'músculos.'] *S. m.* **1.** *Anat.* Cordão esbranquiçado, constituído de feixes de fibras nervosas contidos em uma bainha de tecido conjuntivo, e através do qual estímulos nervosos se transmitem do sistema nervoso central, ou do autônomo, à periferia, ou vice-versa. **2.** *Fig.* Força, energia, vigor. **3.** *Fig.* Robustez, vigor. **4.** *Fig.* Parte essencial; essência, substância: "Diz-se há muitos séculos que o dinheiro é o nervo da guerra. É o nervo de tudo." (Olavo Bilac, *Conferências Literárias*, p. 245.) **5.** *Chulo.* O pênis. **6.** *Arquit.* Nervura (1). **7.** *Encad.* Cada um dos cordões ou tiras de pele que atravessam a lombada de um livro e sobre os quais se executa a costura sem serrotagem, que os deixa salientes na cobertura. [V. *corda* (6).] **8.** *Encad.* Cada uma das saliências produzidas por esses cordões ou tiras, ou pelos nervos falsos; nervura. [V. *corda* (6).] ♦ **Nervo craniano.** *Anat.* O que nasce no encéfalo ou no bulbo raquiano. Há 12 pares de nervos cranianos: 1) olfativo; 2) ótico; 3) motor-ocular comum; 4) patético; 5) trigêmeo; 6) motor-ocular externo; 7) facial; 8) auditivo; 9) glossofaríngeo; 10) pneumogástrico; 11) espinhal; 12) grande-hipoglosso. **Nervo espinhal.** *Anat.* Nervo motor, o undécimo dos chamados *cranianos*, que inerva músculos do pescoço (esternoclidomastóideo e trapézio), e também se anastomosa com o pneumogástrico. [Tb. se diz apenas *espinhal*.] **Nervo facial.** *Anat.* Nervo motor, o sétimo dos chamados *cranianos*, que inerva os músculos da expressão facial, o músculo estapédio, os músculos do pescoço, além de fornecer fibras para glândulas lacrimais e salivares. [Tb. se diz apenas *facial*.] **Nervo glossofaríngeo.** *Anat.* O que contém fibras motoras, sensitivas, sensoriais e vegetativas. As fibras motoras se dirigem ao músculo estilofaríngeo, e contribuem para a inervação do véu do paladar e músculos faríngeos; as fibras sensitivas e sensoriais recebem impressões de porções da faringe, da trompa de Eustáquio, do ouvido médio, e a sensibilidade gustativa do terço posterior da língua; das fibras vegetativas, algumas atingem as glândulas parótidas e outras interferem nos ritmos cardíaco e respiratório. [Tb. se diz apenas *glossofaríngeo*.] **Nervo hipoglosso.** *Anat.* Nervo motor, o duodécimo dos chamados *cranianos*, que inerva os músculos da língua e do pescoço. [Tb. se diz apenas *hipoglosso*.] **Nervo misto.** *Anat.* O que contém fibras motoras e sensitivas; nervo sensitivo-motor. **Nervo motor.** *Anat.* O que transmite estímulos motores. **Nervo motor-ocular comum.** *Anat.* Nervo motor, o terceiro dos chamados *cranianos*, que inerva a musculatura extrínseca de cada olho, excetuados os músculos oblíquo superior e reto lateral. [Tb. se diz apenas *motor-ocular comum*.] **Nervo motor-ocular externo.** *Anat.* Nervo motor, o sexto dos chamados *cranianos*, que inerva o músculo reto lateral. [Tb. se diz apenas *motor-ocular externo*.] **Nervo óptico.** *Anat.* Cada um dos dois nervos que compõem o segundo dos chamados *cranianos*, e que constituem os nervos da visão. **Nervo patético.** *Anat.* Nervo motor, o quarto dos chamados *cranianos*, que inerva o músculo oblíquo superior. [Tb. se diz apenas *patético*.] **Nervo pneumogástrico.** *Anat.* Nervo misto (sensitivo-motor), o décimo dos chamados *cranianos*, que inerva órgãos do pescoço, do tórax e do abdome. [Tb. se diz apenas *pneumogástrico*. Sin.: *nervo vago* ou simplesmente *vago*.] **Nervo safeno.** *Anat.* Ramo terminal do nervo femoral, o qual fornece sensibilidade à pele da perna e do pé. [Tb. se diz apenas *safeno*.] **Nervo sensitivo.** *Anat.* O que transmite estímulos sensitivos. **Nervo sensitivo-motor.** *Anat.* Nervo misto. **Nervo sensorial.** *Anat.* O que transmite as sensações aos órgãos dos sentidos. **Nervo trigêmeo.** *Anat.* Nervo misto, sensitivo e motor, cuja inervação sensitiva se distribui pela face, dentes, boca e cavidade nasal, e a motora se dirige aos músculos da mastigação. [Tb. se diz apenas *trigêmeo*.] **Nervo vago.** *Anat.* V. *nervo pneumogástrico*.

nervosa. [Fem. substantivado do adj. *nervoso*.] *S. f. Bras. Pop.* V. *nervosismo* (2).

nervosidade. *S. f.* **1.** Qualidade ou estado de nervoso. **2.** Energia nervosa. **3.** V. *nervosismo* (1): "viva numa n e r v o s i d a d e pouco natural, numa perene agitação, cheio de sestros e de tiques nervosos." (Luís Edmundo, *De um Livro de Memórias*, III, p. 728).

nervosismo. [De *nervoso* + *-ismo*.] *S. m.* **1.** Emotividade exagerada; irritabilidade, excitação, enervamento, nervosidade. **2.** Estado caracterizado por distúrbios do sistema nervoso. [Sin., nessa acepç.: *nervoso* e (bras., pop.) *nervosa*.]

nervoso (ô). [Do lat. *nervosu*.] *Adj.* **1.** Relativo a nervos; nerval. **2.** que tem nervos. **3.** Que sofre dos nervos. **4.** *Fig.* Vigoroso, enérgico. **5.** *Fig.* Irritado, exaltado, excitado. **6.** *Morfol. Veg.* Que tem nervura (5): *sépalas n e r v o s a s*. ~ V. *abalo —, gânglio —, gravidez —a, sistema — autônomo, sistema — da vida vegetativa* e *sistema — vegetativo*. ● *S. m.* **7.** V. *nervosismo* (2). **8.** Aquele que sofre dos nervos. **9.** Indivíduo facilmente irritável, emotivo, agitado.

nervudo. *Adj.* **1.** Que tem nervos fortes. **2.** *Fig.* Musculoso, forte, robusto: "Os cabelos eram longos, pretos e crespos. As correias das sandálias .... apertavam-lhe as pernas n e r v u d a s." (Gustavo Barroso, *A Ronda dos Séculos*, p. 38.)

nervura. [De *nervo* + *-ura*.] *S. f.* **1.** *Arquit.* Moldura nas arestas de uma abóbada, nas quinas das pedras, etc.; nervo. **2.** *Cost.* Prega finíssima e costurada, ou fio mais grosso entremeado no tecido, e que forma desenho ou listra em relevo. **3.** *Encad.* Conjunto dos nervos da lombada de um livro, ou cada um deles. **4.** *Encad.* Nervo (8). **5.** *Morfol. Veg.* Cordão exteriormente visível na superfície das folhas, constituído pelos feixes vasculares que as irrigam. **6.** *Zool.* Filete de natureza córnea, que sustenta a membrana das asas dos insetos. **7.** *Constr.* Cada uma das vigas salientes, paralelas ou cruzadas, para reforço de laje. ♦ **Nervura central.** *Morfol. Veg.* Nervura que percorre longitudinalmente a folha pelo centro, e que não falta nunca.

nervurado. *Adj.* Que tem nervura(s). ~ V. *laje —a*.

nescidade. [De *néscio* + *-dade*.] *S. f.* V. *necedade*[1].

néscio. [Do lat. *nesciu*.] *Adj.* **1.** Que não sabe; ignorante, estúpido. **2.** Inepto, incapaz. **3.** Insensato, absurdo: "É assim como seria pensamento n é s c i o, e esperança vã, querer um condenado no Inferno ter glória, ou um Bem-Aventurado no Céu ter pena, assim o é querer um peregrino no mundo ter satisfação e descanso." (Pe. Manuel Bernardes, *Luz e Calor*, pp. 253-254.) ● *S. m.* **4.** Indivíduo néscio.

nesga (ê). [Do ár. *nasj*. 'tecido'.] *S. f.* **1.** Peça ou bocado de pano triangular que se adiciona, cosendo, entre dois panos de uma costura, para dar mais amplidão. **2.** Pequeno espaço de terreno entre terrenos extensos. **3.** Pequena porção de qualquer espaço: "Vira o pai pôr os roçados, ajudara-o na colheita, tratava das criações. Depois, foi crescendo e tomando conta de sua n e s g a de terra." (João Clímaco Bezerra, *O Homem e Seu Cachorro*, p. 31.)

n-ésimo. *Num. ord.* V. *enésimo*. [Pl.: *n-ésimos*.]

▲**neso-.** [Do gr. *nêsos*, ou.] *El. comp.* = 'ilha': *nesografia*. [Equiv.: *-neso*: *quersoneso* (< lat. *chersonesu* < gr. *chersónesos*).]

▲**-neso.** Equiv. de *neso-*.

nesografia. [De *neso-* + *-graf(o)-* + *-ia*.] *S. f. Desus.* Parte da geografia física que estuda as ilhas.

nesográfico. *Adj.* Relativo à nesografia.

nêspera. [Do lat. vulg. *nespiru, cláss. *nespilu*.] *S. f.* **1.** Fruto da nespereira. **2.** V. *ameixeira*.

nespereira. *S. f.* **1.** Árvore da família das rosáceas (*Eriobotrya japonica*), procedente da Ásia e comum no Brasil, de folhas coriáceas e com pêlos, e cujos frutos, as nêsperas, são bagas amarelas e pubescentes, de sabor agradável; ameixa-amarela. **2.** V. *ameixeira*.

nesse (ê). Equiv. da prep. *em* e do pron. dem. *esse*. [Flex.: *nessa, nesses* (ê), *nessas*.]

nessoutro. Equiv. da prep. *em* e *essoutro*. [Flex.: *nessoutra, nessoutros, nessoutras*. Usa-se tb. *nesse(s) outro(s), nessa(s) outra(s)*.]

neste (ê). Equiv. da prep. *em* e do pron. dem. *este*. [Flex.: *nesta, nestes* (ê), *nestas*.]

nestor (ô). [Do antr. *Nestor*, rei de Pilos, o mais velho dos príncipes gregos que sitiaram Tróia.] *S. m.* Velho prudente e experiente.

nestorianismo. *S. m.* Doutrina dos nestorianos.

nestoriano. *Adj.* **1.** Referente ao nestorianismo. **2.** Diz-se de sectário de Nestório, heresiarca do séc. V, o qual sustentava que se deviam distinguir em Cristo duas naturezas: a humana e a divina. ● *S. m.* **3.** Sectário de Nestório.

nestoutro. Equiv. da prep. *em* e de *estoutro*. [Flex.: *nestoutra, nestoutros, nestoutras*. Usa-se tb. *neste(s) outro(s), nesta(s) outra(s)*.]

netsuquê. [Do jap. *netsuke*.] *S. m.* Pequeno objeto esculpido em madeira ou marfim, ou trabalhado em metal, e atravessado por orifícios, usado pelos japoneses como adorno para prender uma pequena bolsa ou sacola à faixa do quimono: "N e t s u q u ê em marfim, representando figura fantástica." (Do catálogo de leilão da Investiarte, realizado a 15.4.1983, no Rio de Janeiro.)

neta[1]. [do lat. vulg. *nepta*.] *S. f.* Fem. de *neto*[1].

neta[2]. *S. f. Bras.* A mais fina escuma que o melado deita, ao ferver, nos engenhos de açúcar.

nético. *S. m.* e *Adj.* V. *embióptero*.

néticos *S. m. pl. Zool.* V. *embiópteros*.

neto[1]. [De *neta*[1].] *S. m.* Filho de filho ou de filha, em relação aos pais destes. [Fem.: *neta*.] ~ V. *netos*.

neto[2]. [Do fr. *net*.] *Adj. Desus.* Muito claro; límpido, brilhante, nítido: "Boca num meio sorriso / Partida, em fileira clara / Deixando ver n e t a s pérolas / Em escrínio de escarlata." (Alberto de Oliveira, *Poesias*, 3ª série, p. 112.) ~ V. *netos*.

netos. [Pl. de *neto*[1].] *S. m. pl.* Descendentes, vindouros, posteridade. ~ V. *neto*.

netuniano. [Do mit. *Netuno*, deus do mar na mitologia greco-romana, + *-i-* + *-ano*.] *Adj.* Relativo ou pertencente ao oceano; netunino, netúnio.

netunino. *Adj.* V. *netuniano*.

netúnio[1]. [Do mit. *Netuno* (v. *netuniano*) + *-io*[2].] *S. m. Quím.* Elemento de número atômico 93, transurânico, radioativo, metálico. [Símb.: *Np*.]

netúnio[2]. [Do lat. *neptuniu*.] *Adj.* V. *netuniano*.

netunismo. [Do mit. *Netuno* (v. *netuniano*) + *-ismo*.] *S. m. Geol.* Teoria antiga segundo a qual todas as rochas se teriam originado das águas.

Netuno. [Do mit. *Netuno* (v. *netuniano*).] *S. m.* **1.** *Mit.* Divindade que preside ao mar. **2.** *Astr.* O oitavo planeta em ordem de afastamento do Sol, e o segundo descoberto pelo homem. Foi, também, o primeiro descoberto pelo cálculo, antes de sua observação óptica. Essa descoberta deve-se ao astrônomo francês Urbain J. J. de Verrier (1811-1877), e, fê-la, independentemente o astrônomo inglês Jonh C. Adams (1819-1892). A constituição física de Netuno é semelhante à de Júpiter, Saturno e Urano, com um reduzido núcleo sólido e espessa atmosfera, composta sobretudo de metano e amoníaco. Completa a sua revolução em torno do Sol em 165 anos, aparecendo ao telescópio na oposição com a magnitude 8, e tem dois satélites, Tritão e Nereida.

neuma. [Do gr. *pneûma*, 'sopro', pelo lat. medieval *neuma*.] *S. m. Mús.* **1.** Cada um dos sinais da antiga notação musical medieval, que não indicavam nem a altura exata dos sons nem a sua duração, mas apenas o movimento linear da melodia, i. e., onde a voz deveria elevar-se ou abaixar-se. **2.** No cantochão, passagem melismática entoada como uma só sílaba e, em princípio, emitida com um sopro só.

neural. [De *neur(o)-* + *-al*.] *Adj. 2 g.* V. *nerval* (1). ~ V. *tufo — embrionário*.

neuralgia. [De *neur(o)-* + *-alg(o)-* + *-ia*.] *S. f. Med.* Dor paroxística, que se estende ao longo do trajeto de um ou mais nervos; nevralgia.

neurálgico. *Adj.* Referente ou semelhante à neuralgia, nevrálgico.

neurastenia. [De *neur(o)-* + gr. *asthéneia*, 'fraqueza'.] *S. f.* **1.** *Psiq.* Afecção mental caracterizada por astenia física ou psíquica, preocupações com a saúde, grande irritabilidade, cefaléia e alterações de sono. **2.** *Pop.* Mau humor com irritabilidade fácil.

neurastênico. *Adj.* **1.** Respeitante à neurastenia, ou que sofre dessa afecção. ● *S. m.* **2.** Aquele que sofre de neurastenia.

▲**neuri-.** V. *neur(o)-*.

nêurico. [De *neur(o)-* + *-ico*[2].] *Adj.* Relativo a nervos ou ao sistema nervoso.

neurilema. [De *neuri-* + *-lema*[1].] *S. m. Histol.* e *Anat.* Tecido conjuntivo que mantém juntas fibras nervosas que constituem um nervo periférico, tendo cada fibra individual sua própria bainha; nevrilema.

neurilemal. *Adj. 2 g.* Relativo ou pertencente ao neurilema.

neurilidade. [De *neur(o)-* + *-il-* + *-dade*.] *S. f. Fisiol.* O conjunto dos atributos e funções do tecido nervoso.

neurite. [De *neur(o)-* + *-ite*[1].] *S. f. Patol.* Inflamação de um nervo; nevrite.

neurítico. *Adj.* Respeitante à neurite; nevrítico.

neuro. *Adj. Bras. Gír.* F. red. de *neurótico* (2).

▲**neur(o)-.** [Do gr. *neûron*, ou.] *El. comp.* = 'nervo', 'fibra': *neuropata; neurose*. [Equiv.: *neuri-, nevr(o)-, nevri-* e *-neuro*: *neurilema; nevropata, nevralgia; nevrilema; mononeuro*. [As formas em *-v-* e *-u-* alternam-se, às vezes, entre si.]

▲**-neuro.** V. *neur(o)-*.

neurocirurgia. [De *neur(o)-* + *cirurgia*.] *S. f. Med.* Cirurgia do sistema nervoso.

neurocirurgiã. *S. f.* Fem. de *neurocirurgião* [q. v.].

neurocirurgião. [De *neur(o)+ cirurgião*.] *S. m.* Especialista em neurocirurgia. [Fem.: *neurocirurgiã*; pl.: *neurocirurgiões e neurocirurgiães*.]

neurocirúrgico. *Adj.* Relativo à neurocirurgia.

neurofisiologia. [De *neur(o)-* + *fisiologia*.] *S. f.* Parte da fisiologia que trata do funcionamento do sistema nervoso.

neurofisiológico. *Adj.* Relativo à neurofisiologia.

neurogênese. [De *neur(o)-* + *gênese*.] *S. f. Embr.* Desenvolvimento do sistema nervoso; neurogenia, nevrogenia.

neurogenia. [De *neur(o)-* + *-gen(o)-*[1] + *-ia*.] *S. f. Embr.* V. *neurogênese*.

neurogênico. *Adj.* **1.** Relativo à neurogênese. **2.** Que tem origem nervosa. [F. paral.: *nevrogênico*.]

neuroglia. [De *neur(o)-* + *-glia*.] *S. f. Anat.* Rede de células ramificadas e fibras que serve de estrutura de sustentação do sistema nervoso central; glia.

neuroglial. *Adj. 2 g. Anat.* Da neuroglia, ou referente a ela.

neuroglioma. [De *neur(o)-* + *glioma*.] *S. m. Med.* Tumor originado em tecido neuroglial. [F. red.: *glioma*.]

neurografia. [De *neur(o)-* + *-graf(o)-* + *-ia*.] *S. f.* Descrição dos nervos; nevrografia.

neurográfico. *Adj.* Referente à neurografia; nevrográfico.

neurógrafo. *S. m.* Especialista em neurografia, nevrógrafo.

neuroléptico. *Adj.* e *s. m.* Diz-se de, ou psicotrópico capaz de produzir um estado de indiferença psicomotora especial, sem narcose, sendo eficaz nos estados de excitação e agitação, bem como nas psicoses.

neurolinfa. [De *neur(o)-* + *linfa*.] *S. f.* Líquido cefalorraquidiano.

neurologia. [De *neur(o)-* + *-log(o)-* + *-ia*.] *S. f.* Parte da medicina que estuda as doenças do sistema nervoso; nevrologia.

neurológico. *Adj.* Relativo à neurologia; nevrológico.

neurologista. *S. 2 g.* Especialista em neurologia; nevrologista.

neuroma. [De *neur(o)-* + *-oma*.] *S. m. Patol.* Tumor formado à custa de células ou fibras nervosas; nevroma.

neuronial. *Adj.* Neurônico.

neurônico. *Adj.* Relativo ou pertencente aos neurônios; neuronial.

neurônio. [Do gr. *neûron*, 'nervo', + *-io*.] *S. m. Hist.* A célula nervosa com seus prolongamentos.

neuropata. [De *neur(o)-* + *-pata*.] *Adj. 2 g.* e *s. 2 g.* Que ou quem padece de neuropatia; nevropata. [Var. pros.: *neurópata, nevrópata*.]

neurópata. *Adj. 2 g.* e *s. 2 g.* V. *neuropata*.

neuropatia. [De *neur(o)-* + *-pat-* + *-ia*.] *S. f. Patol.* Qualquer doença nervosa; nevropatia.

neuropático. *Adj.* Relativo à neuropatia; nevropático.

neuropatologia. [De *neur(o)-* + *patologia*.] *S. f.* Parte da medicina que trata de doenças nervosas; nevropatologia.

neuropatológico. *Adj.* Respeitante à neuropatologia; nevropatológico.

neurópira. [De *neur(o)-* + *-pira*.] *S. f. Patol.* Febre nervosa.

neuropsiquiatria. [De *neur(o)-* + *psiquiatria*.] *S. f. Med.* Associação de neurologia e psiquiatria.

neuropsiquiátrico. *Adj.* Relativo à neuropsiquiatria; neuropsíquico.

neuropsíquico. *Adj.* **1.** *Med.* Relativo ao centro nervoso atuante em processo mental. **2.** *Med.* Resultante de causa neurológica e psíquica. **3.** Neuropsiquiátrico.

neuróptero. [De *neur(o)-* + *-ptero*.] *S. m.* **1.** Espécime dos neurópteros. ● *Adj.* **2.** Pertencente ou relativo a eles. [Sin. ger.: *dictióptero*.]

neurópteros. *S. m. pl. Zool.* Animais artrópodes, da classe dos insetos, ordem *Neuroptera*, holometabólicos, predadores, de aparelho bucal mastigador, quatro asas membranosas muito ricas em nervuras entrecruzadas, antenas mais longas que a cabeça. As larvas são tisanuriformes terrestres, e raramente aquáticas. No grupo acha-se incluída a formiga-leão, cuja larva faz na areia ou na poeira um cone, no fundo do qual permanece, alimentando-se de insetos que, resvalando nos lados do cone, acabam alcançando o predador. [Sin.: *dictiópteros*.]

neurorradiografia. [De *neur(o)-* + *radiografia*.] *S. f.* Ramo da radiologia que se ocupa, sob o aspecto radiológico, das doenças do sistema nervoso.

neurose. [De *neur(o)-* + *-ose*.] *S. f. Psiq.* Perturbação mental que não compromete as funções essenciais da personalidade e em que o indivíduo mantém penosa consciência de seu estado; nevrose. ♦ **Neurose de guerra.** Designação comum a vários distúrbios emocionais, em especial fenômenos de histeria, que ocorrem muito entre combatentes e ex-combatentes.

neurótico. *Adj.* **1.** De, ou relativo a neurose: *estado neurótico*. **2.** Que sofre neurose. ● *S. m.* **3.** Indivíduo neurótico. [F. paral.: *nevrótico*.]

neurotização. *S. f.* Ato ou efeito de neurotizar.

neurotizado. [Part. de *neurotizar*.] *Adj.* Que se neurotizou; que sofre de neurose.

neurotizante. *Adj. 2 g.* Que neurotiza.

neurotizar. [De *neurót(ico)* + *-izar*.] *V. t. d.* Tornar neurótico (2); induzir à neurose.

neurotomia. [De *neur(o)-* + *-tom(o)-* + *-ia*.] *S. f.* **1.** Dissecção dos nervos. **2.** *Cir.* Seção de nervo. [F. paral.: *nevrotomia*.]

neurotômico. *Adj.* Referente à neurotomia; nevrotômico.

neurotoxina (cs). [De *neur(o)-* + *toxina*.] *S. f. Bacter.* Cada uma de várias toxinas, de alto poder agressivo, ainda que em baixa concentração, que lesam o sistema nervoso, a cujo âmbito, porém, sua ação pode não limitar-se.

neurótrico. [De *neur(o)-* + *-trico*.] *Adj. Morfol. Veg.* Provido de pêlos nas nervuras.

neurovegetativo. *Adj.* Pertencente ou relativo ao sistema nervoso vegetativo.

neutral. [De *neutro* + *-al*.] *Adj. 2 g.* **1.** V. *neutro* (1, 2 e 6). ● *S. 2 g.* **2.** Pessoa neutral: "Os neutrais entre dous partidos são geralmente maltratados como censores e antagonistas de ambos." (Marquês de Maricá, *Máximas, Pensamentos e Reflexões*, p. 57.)

neutralidade. *S. f.* Qualidade ou estado de neutral.

neutralismo. [De *neutral* + *-ismo*.] *S. m.* **1.** Doutrina que consiste em, ao menos em tempo de paz, recusar-se um Estado a concertar aliança(s) militar(es). **2.** Doutrina que consiste em um Estado ou uma pessoa negar adesão a um dos grandes blocos políticos e ideológicos do mundo.

neutralista. *Adj. 2 g.* **1.** Relativo ao, ou próprio do neutralismo. **2.** Que é partidário do neutralismo. ● *S. 2 g.* **3.** Partidário dele.

neutralização. *S. f.* **1.** Ato ou efeito de neutralizar(-se). **2.** *Eletrôn.* Eliminação de efeitos indesejáveis de retroalimentação em circuitos amplificadores, especialmente dos que provocam oscilações no circuito. **3.** *Ling.* A não ocorrência de oposição (12) entre dois fonemas de uma língua, em determinado ambiente fônico.

neutralizador (ô). *Adj.* **1.** Que neutraliza; neutralizante. ● *S. m.* **2.** *Tip.* Dispositivo existente em certas máquinas de impressão, destinado a eliminar a eletricidade estática.

neutralizante. [De *neutralizar* + *-nte*.] *Adj. 2 g.* Neutralizador (1).

neutralizar. [De *neutral* + *-izar*.] *V. t. d.* **1.** Declarar ou tornar neutro (um país, uma cidade, um território, etc.): "A monarquia moderna faria bem para sustentar-se em .... neutralizar ainda mais o poder neutro" (Joaquim Nabuco, *Minha Formação*, p. 110). **2.** Anular, inutilizar, eliminar: "tudo quanto a natureza pode produzir para neutralizar a terrível amargura da luta pela vida." (Ramalho Ortigão, *Notas de Viagem*, p. 70). **3.** Tornar inertes as propriedades de (uma coisa). *P.* **4.** Tornar-se neutral, indiferente, inativo.

neutralizável. *Adj. 2 g.* Que pode ser neutralizado.

neutrino. [De *neutro* + *-ino*[1].] *S. m. Fís. Nucl.* Partícula elementar de carga e massa nulas, e spin igual a um meio, formada em diversos processos de desintegração, como, p. ex., na desintegração beta, na desintegração dos mésons K. [Símb.: ν (ni).]

neutro. [Do lat. *neutru*.] *Adj.* **1.** Que não toma partido nem a favor nem contra, numa discussão, contenda, etc.; neutral. **2.** Que julga sem paixão; imparcial, neutral. **3.** Diz-se de nação cujo território as potências se comprometem a respeitar em caso de guerra entre elas. **4.** Não distintamente marcado ou colorido. **5.** Indefinido, vago, indistinto, indeterminado. **6.** Que se mostra indiferente, insensível; neutral. **7.** *Gram.* Diz-se do gênero das palavras ou nomes que, em certas línguas, designam os seres concebidos como não animados, em oposição aos animados, masculinos ou femininos. — V. *cor —a, elemento —, ponto —, pressão —a, rocha —a* e *verbo —*. ● *S. m.* **8.** *Eletr.* Num circuito de corrente alternada, condutor permanentemente ligado à terra e que tem potencial constantemente igual a zero. [Cf. *nêutron*.]

neutródino. [Do ingl. *neutrodyne*, marca registrada.] *S. m. Eletrôn.* Circuito amplificador em que a neutralização se efetua por meio de tensões elétricas provenientes de capacitores.

neutrófilo. [De *neutro* + *-filo*[2].] *S. m. Histol.* Leucócito com núcleo lobulado irregularmente, e que fixa corantes neutros.

nêutron. [De *neutro* + *-on*.] *S. m. Fís. Nucl.* Núcleon que forma um dubleto com o próton, com carga elétrica nula, spin um meio, número bariônico unitário, estranheza zero, e massa igual a 1,67470 x 10^{-27}kg. [Símb.: *n*. Cf. *neutro*.] ♦ **Nêutron epitérmico.** *Fís. Nucl.* O que tem energia superior à de agitação térmica e comparável à energia das ligações químicas. **Nêutron frio.** *Fís. Nucl.* Nêutron com energia cinética inferior a 0,025 eV. **Nêutron rápido.** *Fís. Nucl.* Nêutron que tem energia cinética superior a um certo mínimo que depende do domínio de interesse. Num reator nuclear, p. ex., o mínimo é fixado às vezes em 0,1 MeV. **Nêutron retardado.** *Fís. Nucl.* O que é emitido por um núcleo excitado que se formou em conseqüência de uma cadeia de desintegrações beta provocada por uma fissão nuclear. **Nêutron térmico.** *Fís. Nucl.* O que está em equilíbrio com o meio onde se encontra, e que tem, pois, energia cinética igual à de agitação térmica do meio. **Nêutron virgem.** *Fís. Nucl.* O que foi emitido num processo de fissão e não sofreu nenhuma interação com nenhum núcleo.

neutropausa. [De *neutro* + *pausa*.] *Met.* Zona de transição entre a neutrosfera e a ionosfera.

neutropenia. [De *neutro* + gr. *penía*, 'pobreza'.] *S. f. Patol.* Baixa no número de leucócitos neutrófilos no sangue.

neutropênico. *Adj.* Relativo à neutropenia.

neutrosfera. [De *neutro* + *-sfera*.] *S. f. Met.* Região da atmosfera situada entre a superfície terrestre e a ionosfera, na qual a concentração eletrônica é praticamente desprezível.

nevada. [Do lat. *nivata*.] *S. f.* **1.** A neve que cai de uma vez. **2.** Queda de neve.

nevado. [Part. de *nevar*.] *Adj.* **1.** Branco como neve: "Seu seio nevado de amor se intumesce..." (Casimiro de Abreu, *Obras*, p. 157). **2.** Branqueado, alvejado. **3.** Frio como a neve; frígido: "O meu Príncipe bebeu da água nevada e luzidia da fonte" (Eça de Queirós, *A Cidade e as Serras*, p. 214). **4.** Coberto de neve: *Os picos nevados dos Andes*. ● *S. m.* **5.** Neve e gelo acumulados em um ciclo glacial.

nevar. [Do lat. vulg. *nivare*, por *nivere*.] *V. int.* **1.** Cair neve: "Não choveu, nem ventou muito, não chegou a nevar" (Machado de Assis, *A Semana*, II, p. 254). **2.** Tornar-se branco; branquejar. *T. d.* **3.** Cobrir de neve. **4.** Tornar alvo como a neve: "A grande lua subia no céu, alva e serena, nevando a mata e os campos" (Coelho Neto, *Sertão*, p. 191). **5.** Esfriar por meio de neve ou de gelo. *P.* **6.** Tornar-se branco; branquejar. [Defect. na 1ª acepç.]

➧**ne varietur** (né variétur). [*Lat.*, 'para que nada seja mudado'.] Loc. us. para indicar reprodução muito fiel.

nevasca. *S. f.* Nevada acompanhada de temporal.

neve. [Do lat. *nive*.] *S. f.* **1.** *Met.* Precipitação de cristais de gelo, em geral de forma hexagonal e intricadamente ramificados, e por vezes aglomerados em flocos, formados diretamente pelo congelamento do vapor de água que se encontra em suspensão no ar atmosférico. **2.** Camada desses flocos depositada no solo ou em outra superfície. **3.** *Fig.* Frialdade extrema. **4.** *Fig.* Extrema alvura: *a neve do seu colo*. **5.** *Fig.* As cãs: "desceu os degraus do anfiteatro, seguro e resoluto como se as neves de setenta anos lhe não branqueassem a cabeça." (Rebelo da Silva, *Contos e Lendas*, pp. 180-181). **6.** *Eletrôn.* Figura que se forma na tela de um tubo de raios catódicos e se assemelha à imagem da queda de flocos de neve. ♦ **Em neve.** *Cul.* Diz-se da clara de ovo batida até adquirir a consistência leve e espumosa dos flocos de neve.

nevense[1]. *Adj. 2 g.* **1.** De, ou pertencente ou relativo a Neves (RJ). ● *S. 2 g.* **2.** Natural ou habitante de Neves.

nevense[2]. *Adj. 2 g.* **1.** De, ou pertencente ou relativo a Neves Paulista (SP). ● *S. 2 g.* **2.** Natural ou habitante de Neves Paulista.

neviscar. [De *neve* + *-iscar*.] *V. int.* Cair neve em pequena quantidade. [Defect. Conjug.: v. *trancar*.]

nevo. [Do lat. *naevu*.] *S. m.* **1.** *Patol.* Neoplasia congênita circunscrita da pele, e que pode ou não ser vascular. Habitualmente já se observa quando a criança nasce, ou pouco após, podendo ainda aumentar de tamanho, permanecer estacionária ou, até, desaparecer de todo. **2.** *Pop.* Mancha na pele; marca, sinal: "Aquele sinal em Corina evoluiu muito pouco com a chegada dos anos. .... E não enfeava o rosto da moça. Ao revés, o nevo dava-lhe certa graça" (Nélson de Faria, *Cabeça-Torta*, p. 12).

névoa. [Do lat. *nebula*.] *S. f.* **1.** *Met.* Turvação atmosférica, menos intensa que a cerração, e que não reduz a visibilidade a menos de um quilômetro. **2.** *Fig.* Aquilo que embaça a vista: "Essas mulheres de vestidos pretos / têm névoa de saudade em seu olhar." (Valdemar Lopes, *Sonetos de Portugal*, p. 53.) **3.** Aquilo que dificulta a compreensão. [Sin., nessas acepç.: *bruma*.] **4.** *Pop.* Belida. [Cf. *nevoa-se*, do v. *nevoar-se*.] ♦ **Névoa seca.** *Met.* Bruma (3). **Névoa úmida.** *Met.* A que resulta de partículas líquidas em suspensão, que não chegam a saturar a atmosfera.

nevoaça. [de *névoa* + *-aça*.] *S. f.* V. *nevoeiro*.

nevoado. [Part. de *nevoar*.] *Adj.* V. *enevoado*.

nevoar. [De *névoa* + *-ar*[2].] *V. t. d.* e *p.* V. *enevoar*: "Nela nasci, nela vivi a infância / tão pobre quanto a humilde juventude / que se foi nevoando na distância." (Judas Isgorogota, *Cantos da Visitação*, p. 67.) [Defectivo Conjug.: v. *coroar*. Pres. ind.: *nevoa-se* (ô), *nevoam-se* (ô). Cf. *névoa*.]

nevoeiro. [De *névoa* + *-eiro*.] *S. m.* **1.** *Met.* Nebulosidade que se forma nas camadas inferiores da atmosfera, próximo ao solo, constituída de grande número de gotículas de água em suspensão no ar, do que resulta ficar muito reduzida a visibilidade. **2.** *Fig.* obscuridade, escuridão. [Sin. ger.: *nevoaça*.]

nevoento. [De *névoa* + *-ento*.] *Adj.* **1.** V. *nebuloso (1 e 5).* **2.** V. *nevoso.* [Sin. ger.: *nebulento*.]

nevoso (ô). [Do lat. *nivoso*.] *Adj.* Em que há neve; coberto de neve; nevado, nevoento. [F. paral., poét.: *nivoso*.]

nevralgia. [De *nevr(o)-* + *-alg(o)-* + *-ia*.] *S. f. Med.* Neuralgia.

nevrálgico. *Adj.* Neurálgico.

▲**nevri-.** V. *neur(o)-*.

nevrilema. [De *nevri*+ *lema*[1].] *S. m. Histol.* e *Anat.* Neurilema.

nevrite. [De *nevri-* + *-ite*[1].] *S. f. Patol.* Neurite.

nevrítico. *Adj.* Neurítico.

▲**nevr(o)-.** V. *neur(o)*.

nevrogenia. [De *nerv(o)-* + *-gen(o)-*[1] + *-ia*.] *S. f. Embr.* V. *neurogênese*.

nevrogênico. *Adj.* Neurogênico.

nevrografia. [De *nevr(o)-* + *-graf(o)-* + *-ia*.] *S. f.* Neurografia.

nevrográfico. *Adj.* Neurográfico.

nevrógrafo. *S. m.* Neurógrafo.

nevrologia. [De *nevr(o)-* + *-log(o)-* + *-ia*.] *S. f.* Neurologia.

nevrológico. *Adj.* Neurológico.

nevrologista. *S. 2 g.* Neurologista.

nevroma. *S. m. Patol.* Neuroma.

nevropata. [De *nevr(o)-* + *-pata*.] *Adj. 2 g.* e *s. 2 g.* V. *neuropata.*

nevrópata. *Adj. 2 g.* e *s. 2 g.* V. *neuropata.*

nevropatia. [De *nevr(o)-* + *-pat-* + *-ia*.] *S. f. Patol.* Neuropatia.

nevropático. *Adj.* Neuropático.

nevropatologia. [De *nevr(o)-* + *patologia*.] *S. f.* Neuropatologia.

nevropatológico. *Adj.* Neuropatológico.

nevrose. [De *nevr(o)-* + *-ose*.] *S. f. Psiq.* Neurose.

nevrótico. *Adj.* Neurótico.

nevrotomia. [De *nevr(o)-* + *-tom(o)-* + *-ia*.] *S. f.* Neurotomia.

nevrotômico. *Adj.* Neurotômico.

newton (níu). [Do antr. *Newton* (v. *newtoniano*).] *S. m. Fís.* Unidade de medida de força do Sistema Internacional de Unidades: a força que, agindo sobre um corpo de massa igual a um quilograma, lhe atribui a aceleração constante de um metro por segundo quadrado na direção da força. [Símb.: *N*.]

newtoniano (níu). *Adj.* Pertencente ou relativo a Isaac Newton, cientista inglês (1642-1727), ou próprio dele. ~ V. *cosmologia —a, mecânica —a* e *potencial —*.

nexo (cs). [Do lat. *nexu*.] *S. m.* **1.** Ligação, vínculo, união. **2.** V. *coerência* (2): Que palavreado solto, sem n e x o, aquele discurso!

nhá. [F. aferética de *sinhá*.] *S. f. Bras. Pop.* Iaiá, senhora: *n h á Joana*; "— Sabe, n h á mãe? Vamos embora desta terra" (Amadeu de Queirós, *Os Casos do Carimbamba*, p. 141).; "Fui cruel e descaridoso com N h á Chica." (Francisco Ribeiro Sampaio, *Renembranças*, p. 1).

nhaçanã. *S. f. Bras.* V. *jaçanã* (1).

nhacundá. *S. m. Bras.* V. *jacundá* (1).

nhambi. [Do tupi *ñã'bi*.] *S. m. Bras.* Erva da família das umbelíferas *(Eryngium foetidum)*, de porte muito semelhante ao de uma bromeliácea, folhas invaginantes, providas de acúleos nos bordos, inconspícuas flores alvas, dispostas em amplas panículas terminais, e frutos muito pequenos.

nhambipororoca. [Do tupi *ñã'bî poro'roka*.] *S. m. Bras.* Espécie de veado *(Nanelaphus nambi, Cervus manus)*.

nhambiquara. *Bras. S. 2 g.* **1.** Indivíduo dos nhambiquaras, tribo indígena do N. de MT. ● *Adj. 2 g.* **2.** Pertencente ou relativo a essa tribo. [F. paral.: *nambiquara*.]

nhambu. [Do tupi *ñã'bî*.] *S. m.* **1.** *Bras.* V. *inhambu*. **2.** *Bras., Amaz.* Erva anual, da família das compostas *(Spilanthes acmella), que se distribui do PA ao RJ, de folhas opostas, ovaladas e de sabor picante, e que, embora cosmopolita, no PA é usada como tempero para pratos regionais; jambu, agrião-do-pará.*

nhambuaçu. *S. m. Bras.* V. *inhambuaçu.*

nhambuanhanga. *S. m. Bras.* V. *inhambuanhanga.*

nhambucuá. *S. m. Bras.* V. *inhambucuá.*

nhambu-grande. *S. m. Bras.* V. *inhambu-grande.* [Pl.: *nhambus-grandes*.]

nhambuguaçu. *S. m. Bras.* V. *inhambuguaçu.*

nhambumirim. *S. m. Bras.* V. *inhambumirim.*

nhambupixuna. *S. m. Bras.* V. *inhambupixuna.*

nhambu-preto. *S. m. Bras.* V. *inhambu-preto.* [Pl.: *nhambus-pretos*.]

nhambuquiá. *S. m. Bras.* V. *inhambuquiá.*

nhamburana. [De *nhambu* + *-rana*.] *S. f.* Erva aromática, da família das compostas (*Cotula piper)*, de origem européia, que se espalha pelo solo, de folhas lobadas e capítulos hemisféricos, de longo pendúnculo.

nhambu-relógio. *S. m. Bras.* V. *inhambu-relógio.* [Pl.: *nhambus-relógios* e *nhambus-relógio*.]

nhamburi. [Do tupi, decerto.] *S. m. Bras., L.* Trepadeira ou planta prostrada, da família das rosáceas (*Rubus urticaefolius*), de longos ramos fortemente aculeados, folhas compostas, e cujos frutos lembram uma framboesa.

nhambu-saracuíra. *S. m. Bras.* V. *inhambu-saracuíra.* [Pl.: *nhambus-saracuíras* e *nhambus-saracuíra*.]

nhambu-sujo. *S. m. Bras.* V. *inhambu-sujo.* [Pl.: *nhambus-sujos*.]

nhambuu. *S. m. Bras.* V. *inhambuu.*

nhambuxintã. *S. m. Bras.* V. inhambuxintã.

nhambuxororó. *S. m. Bras.* V. *inhambuxororó.*

nhampupê. *S. f. Bras., SE.* V. *perdiz.*

nhamuí. *S. m. Bras.* **1.** V. *louro-inhamuí.* **2.** V. *querosene* (2).

nhamundaense. *Adj. 2 g.* **1.** De, ou pertencente ou relativo a Nhamundá (AM). ● *S. 2 g.* **2.** Natural ou habitante de Nhamundá.

nhançanã. *S. f. Bras., SP. Pop.* V. *jaçanã* (1).

nhandaia. *S. f. Bras.* V. *jandaia.*

nhandearense. *Adj. 2 g.* **1.** De, ou pertencente ou relativo a Nhandeara (SP). ● *S. 2 g.* **2.** Natural ou habitante de Nhandeara.

nhandi. [Do tupi *ñã'di*.] *S. m.* **1.** *Bras.* Arbusto da família das piperáceas (*Piper caudatum*), próprio das matas úmidas, de folhas delicadas e dotadas de estípulas, flores inconspícuas ordenadas em compactas espigas bastante alongadas, e cujos frutos têm sabor acre; pimenta-dos-índios. **2.** V. *capeba-cheirosa.*

nhandiá. *S. m. Bras.* V. *jundiá.*

nhandiroba. [Do tupi *ñã'di'rob*, 'óleo amargo'.] *S. f. Bras.* V. *andiroba* (2).

nhandirova. [Var. de *nhandiroba*.] *S. f. Bras.* V. *andiroba* (2).

nhandu. [Do tupi *ñã'du*.] *S. m. Bras.* **1.** V. *ema*[1]. **2.** V. *capeba-cheirosa.*

nhanhá. [F. redobrada de *ñhá*.] *S. f. Bras.* V. *iaiá*: "Ah n h a n h á, venha escutar / Amor puro e verdadeiro, / Com preguiçosa doçura / Que é Amor de Brasileiro." (Domingos Caldas Barbosa, *ap.* Sérgio Buarque de Holanda, *Antologia dos Poetas Brasileiros da Fase Colonial*, I, p. 300.)

nhanhã. [F. redobrada e nasalada de *nhá*.] *S. f. Bras.* V. *iaiá.*

nhanica. [Do tupi *ña'ika*.] *S. f. Bras., S.* Árvore da família das mirtáceas (*Eugenia nhanica*), de ramos quadrangulares, folhas lanceoladas, quase sésseis e sem pontos translúcidos perceptíveis, e cujas bagas são do tamanho de uma ameixa, vermelhas, e contêm um a quatro sementes.

nhanjaçanã. [Do tupi *ñayasa'nã*.] *S. f. Bras.* V. *jaçanã* (1).

nhapango. *Adj.* e *s. m. Bras.* V. *mestiço* (1 e 3).

nhapim. *S. m. Bras.* V. *soldado* (9).

nhaque. [Do esp. *ñaque*.] *S. m. Teat.* Dupla de saltimbancos que representavam autos e entremezes durante o período teatral espanhol do séc. XVI.

nhato. [Do esp. plat. *ñato*] *Adj. Bras., MG, SP* e *GO.* **1.** Prógnato. **2.** Diz-se do animal cavalar de corpo grande e pés desproporcionalmente pequenos. [Cf. *inhato*.]

nhazinha (nhá). *S. f. Bras.* F. red. *sinhazinha* (1).

nheengaíba. *Bras. S. 2 g.* **1.** Indivíduo dos nheengaíbas, tribo indígena que habitava a ilha de Marajó. ● *Adj. 2 g.* **2.** Pertencente ou relativo a essa tribo.

nheengatu. [Do tupi *nheẽga'tu* 'língua boa'.] *S. m. Bras.* V. *tupi* (2). [Var.: *nenhengatu*.]

nhenhenhém. [Do tupi *nheẽ nheẽ ñeñẽ*, 'falar, falar, falar'.] *S. m. Bras.* **1.** Resmungo, rezinga. **2.** Falatório interminável.

nhô. [F. aferética de *sinhô*.] *S. m. Bras. Pop.* V. *ioiô*: "— Você é um ingrato, n h ô Miguel: não paga o bem que lhe querem." (José de Alencar, *Til*, p. 27.)

nhô-chico. [De *nhô* + o hipocorístico *Chico*.] *S. m. Bras., RS* e *PR.* Modalidade do fandango. [Pl.: *nhôs-chicos* e *nhô-chicos*.]

nhonhô. [F. redobrada de *nhô*.] *S. m. Bras.* V. *ioiô*: "— Está bom, n h o n h ô, vossemecê agora me há de ouvir." (Afonso Arinos, *Pelo Sertão*, p. 171.)

nhoque. [Do it. *gnocchi*.] *S. m. Bras.* **1.** Massa alimentícia típica da cozinha italiana, cortada em fragmentos arredondados e feita de farinha de trigo, batata, ovos e queijo. **2.** Prato feito com essa massa cozida, molho de tomate e queijo parmesão ralado.

nhor (ô). [Contr. de *senhor*.] *Bras. Pop.* Us. nas expr. *nhor não* (não, senhor) e *nhor sim* (sim, senhor) [Var.: *inhor*.]. ◆ **Nhor não.** *Bras. Pop.* V. *nhor.* [Var.: *inhor não*.] **Nhor sim.** *Bras. Pop.* V. *nhor.* [Var.: *inhor sim*.]

nhundu. *S. m. Bras.* Var. de *jundu.*

nhunguaçuano. *Adj.* **1.** De, ou pertencente ou relativo a Nhunguaçu (RJ). ● *S. m.* **2.** O natural ou habitante de Nhunguaçu.

ni. [Do fenício, atr. do gr. *ny*.] *S. m.* A 13ª letra do alfabeto grego (N̲. υ).

■ **Ni.** *Quím.* Símb. de *níquel*[1] (1).

niaia. [Do sânscr.] *S. m. Filos.* Sistema ortodoxo da filosofia da Índia fundado por Gautama (c. 563 — c. 483 a.C.), caracterizado sobretudo pela reflexão em torno de temas de caráter lógico e metodológico, e pela elaboração de uma teoria do conhecimento e do universo físico, visando sempre tais conhecimentos à liberação final do indivíduo, à mocsa [q. v.]. [Cf. *darsana*.]

niame. [Do fanti-axanti.] *S. m.* A divindade principal, o deus do firmamento; niancompom.

niancompom. *S. m.* Niame.

nica. *S. f.* **1.** Impertinência, rabugice: "Conhece-lhe as baldas, as n i c a s, as manhas, e as qualidades." (Afonso Arinos, *Histórias e Paisagens*, p. 123.) **2.** Futilidade, puerilidade. **3.** V. *ninharia*: "Flávia .... era sua devedora? Não tinha dinheiro para o retorno? Eram tudo n i c a s. Ele sentia-se com forças para arrombar, matar, arrasar, contanto que a libertasse!" (Godofredo Rangel, *Falange Gloriosa*, p. 271.) **4.** *Tip.* Pequeno traço centrado na medida, para separar partes do texto.

nicada. *S. f. Bras., S.* Ato de nicar (3).

nicar. [De *depenicar*, com aférese?] *V. t. d.* **1.** Picar com o bico. **2.** *Pop.* Escalavrar ou rachar com o bico de um pião (outro pião). *Int.* **3.** *Bras., S.* No jogo de gude, bater com uma bola em outra. **4.** *Chulo.* Praticar o coito; copular. [Conjug.: v. *trancar*. Pres. subj.: *nique, niques, nique, niquemos, niqueis, niquem.* Cf. *níqueis*, pl. de *níquel*[1].]

nicaraguano. *Adj.* **1.** Da, ou pertencente ou relativo à Nicarágua (América Central). ● *S. m.* **2.** O natural ou habitante da Nicarágua. [Sin. ger.: *nicaragüense*.]

nicaragüense. *Adj. 2 g.* e *s. 2 g.* Nicaraguano.

niçasse. [De or. afr.] *S. m. Bras., BA. Folcl.* Representação jeje do supremo orixá Olorum.

niceno. [Do lat. *nicaenu*.] *Adj.* **1.** De, ou pertencente ou relativo a Nicéia (Ásia Menor). ● *S. m.* **2.** O natural ou habitante de Nicéia.

nicho. [Do it. ant. *nicchio*.] *S. m.* **1.** Cavidade ou vão em parede ou muro para colocar estátua, imagem ou qualquer objeto ornamental; charola. **2.** Compartimento de estante ou de armário. **3.** *Fig.* Emprego rendoso e pouco trabalhoso; sinecura. **4.** *Fig.* Pequena habitação. **5.** *Fig.* Lugar afastado; retiro. **6.** *Ecol. Veg.* Porção restrita de um hábitat onde vigem condições especiais de ambiente. P. ex.: uma bromeliácea é um nicho onde vivem não poucos animais e plantas.

nicles. [Do lat. vulg. *nichil*, por *nihil*, 'nada', atr. das f. **nichel*, **nicle*.] *Pron. indef.* **1.** *Gír.* V. *nada* (1). ● *Adv.* **2.** *Gír.* Coisa nenhuma; nada. [Var. (bras.): *níquel*.]

nicociana. [Do lat. cient. *Nicotiana*, da designação genérica do fumo, *Nicotiana tabacum*.] *S. f. Ant.* Planta produtora do fumo; tabaco.

nicocianeo. *Adj.* Relativo ou semelhante à nicociana.

nicol. [Do antr. *Nicol*, de William Nicol, físico inglês (c. 1768-1851).] *S. m. Ópt.* Dispositivo destinado a polarizar luz, e constituído por um prisma de calcita, convenientemente cortado, que só deixa passar o raio extraordinário; prisma de Nicol. [Pl.: *nicóis*.]

nicolau. [Alter. afetiva de *níquel*, com infl. do antr. *Nicolau*.] *S. m. Bras. Gír. Obsol.* Moeda de níquel: "Conquanto dissesse várias vezes que não precisa daquilo — o dinheiro — .... , foi embolsando os n i c o l a u s, por causa das dúvidas." (Lima Barreto, *Vida e Morte de M. J. de Gonzaga de Sá*, p. 218.)

nicolita. [Do lat. cient. mod. *niccolum*, 'níquel', + *-ita*[3].] *S. f. Min.* Mineral hexagonal, cor de cobre, de brilho metálico, arsenieto de níquel, um dos minérios de níquel.

nicótico. [De *nicot*, f. abrev. de *Nicotiana* (v. *nicociana*) + *-ico*[2].] *Adj.* Relativo ao fumo (6); nicotínico.

nicotina. [De *nicot*, f. abrev. de *Nicotiana* (v. *nicociana*), + *ina*[1].] *S. f. Quím.* Alcalóide existente nas folhas de tabaco, líquido, incolor, com odor semelhante ao da piridina, venenoso. [Fórm.: $C_{10}H_{14}N_2$.]

nicotínico. *Adj.* Nicótico.

nicotinismo. [De *nicotina* + *-ismo.*] *S. m.* O conjunto dos fenômenos mórbidos produzidos pela intoxicação resultante do abuso do fumo.

nicotino. [De *nicotina.*] *Adj.* Próprio do fumo (6).

nicotizar. [De um **nicotinizar*, com síncope.] *V. t. d.* Impregnar de nicotina; intoxicar pela nicotina.

nicromo. *S. m. Quím.* Liga de níquel, cromo, ferro, cobre e outros componentes, usada em resistores.

nictação. [Do lat. *nictatione.*] *S. f.* Ato de abaixar ou erguer as pálpebras.

nictaginácea. *S. f.* Espécime das nictagináceas.

nictagináceas. *S. f. pl. Bot.* Família de plantas dicotiledôneas, da ordem das centrospermas, cujas flores são monoclamídeas, têm cinco pétalas e, comumente, bractéolas amplas. Androceu isostêmone; ovário com um só óvulo; fruto seco e indeiscente. Compreende cerca de 300 espécies, herbáceas e lenhosas, bem representadas no Brasil.

nictagináceo. *Adj.* Pertencente ou relativo às nictagináceas.

nictalope. [Do gr. *nyktálops.*] *Adj. 2 g.* e *s. 2 g.* Diz-se de, ou pessoa que sofre de nictalopia. [Antôn.: *hemeralope.*]

nictalopia. [Do gr. *nyktalopía.*] *S. f. Med.* **1.** Alteração visual em que o paciente distingue os objetos à noite ou com luz fraca, vendo-os mal durante o dia. **2.** Cegueira diurna. **3.** *Impr.* Cegueira noturna. [Antôn.: *hemeralopia.*]

nictalópico. *Adj.* Referente à, ou que sofre de nictalopia. [Antôn.: *hemeralópico.*]

nictanto. [De *nict(o)-* + *-anto.*] *Adj. Ecol. Veg.* Cujas flores se abrem à noite e ficam fechadas durante o dia.

nictêmero. [Do gr. *nykthémeron*, 'uma noite e um dia'.] *S. m.* Espaço de tempo que compreende um dia e uma noite.

nictibídeo. *S. m.* **1.** Espécime dos nictibídeos. ● *Adj.* **2.** Pertencente ou relativo a eles.

nictibídeos. *S. m. pl. Zool.* Aves caprimulgiformes, da família *Nyctibiidaes*, noturnas e insetívoras, caracterizadas por terem o bico triangular. No grupo se incluem os urutaus.

nictinastia. [De *nict(o)-* + *-i-* + *-nast(o)-* + *-ia.*] *S. f. Bot.* Movimento das plantas provocado pela sucessão dos dias e das noites, como a posição de sono dos folíolos das leguminosas e oxalidáceas.

nictinástico. *Adj.* Referente à nictinastia.

nictitante. [Do lat. **nictitare*, freqüentativo de *nictare*, 'pestanejar'.] *S. f. Zool.* A terceira pálpebra das aves.

▲**nict(o)-.** [Do gr. *nýx, nyktós.*] *El. comp.* = 'noite': *nictúria, nictofobia.*

nictobata. [De *nict(o)-* + *-bata.*] *S. 2 g.* Noctâmbulo (3). [Var. pros.: *nictóbata.*]

nictóbata. *S. 2 g.* Var. pros. de *nictobata* [q. v.].

nictofobia. [De *nict(o)-* + *-fob(o)-* + *-ia.*] *S. f.* Medo doentio da noite, da escuridão.

nictofóbico. *Adj.* Referente à nictofobia.

nictófobo. [De *nict(o)-* + *-fobo.*] *S. m.* Aquele que tem nictofobia.

nictografia. [De *nict(o)-* + *-graf(o)-* + *-ia.*] *S. f.* Arte de escrever às escuras, ou sem usar a vista.

nictográfico. *Adj.* Relativo à nictografia.

nicturia. *S. f. Med.* Var. pros. de nictúria.

nictúria. [De nict(o)- + *-uro-* + *-ia.*] *S. f. Med.* Predominância de volume urinário noturno em relação ao diurno. [Var. pros.: *nicturia.*]

nicuri. *S. m. Bras.* V. *aricuri.*

nicuriroba. *S. m.* V. *aricuriroba.*

▲**nidi-.** [Do lat. *nidus, i.*] *El. comp.* = 'ninho': *nidícola, nidífugo.*

nidícola. [De *nidi-* + *-cola.*] *Adj. 2 g.* Que permanece no ninho algum tempo depois de nascer.

nidificação. *S. f.* Ato de nidificar.

nidificar. [Do lat. *nidificare.*] *V. int.* Fazer ninho; aninhar, ninhar: "flores, quinquilharias e até ninhos, dos pássaros, que nidificavam nos grandes plátanos do quintal." (Fialho d'Almeida, *A Cidade do Vício*, p. 200.) [Conjug.: v. *trancar.*]

nidiforme. [De *nidi-* + *-forme.*] *Adj. 2 g.* Que tem forma de ninho.

nidífugo. [De *nidi-* + *-fugo*[1].] *Adj. Ornit.* Que está apto a correr, mal sai do ovo.

nidor (ô). [Do lat. *nidore.*] *S. m. P. us.* Cheiro que sai do estômago quando há indigestão.

nidoroso (ô). [Do lat. *nidorosu.*] *Adj.* **1.** Que tem cheiro desagradável. **2.** Que tem bafio: "um hálito quente, nidoroso, saía-lhe da boca seca." (Coelho Neto, *Turbilhão*, p. 79.)

nielo. *S. m.* Var. de *nigelo* [q. v.].

nietzschiano (nitxi). *Adj.* **1.** Pertencente ou relativo a Friedrich Wilhelm Nietzsche, filósofo alemão (1844-1900), ou próprio dele. **2.** Que é adepto da sua filosofia. ● *S. m.* **3.** Adepto da sua filosofia. [Sin. (bras.), nesta acepç.: *nietzschista.*]

nietzschista (nitxís). *S. 2 g. Bras.* Nietzschiano (3).

nife. [De *ni(quel)* + *fe(rro).*] *S. m. Geofis.* Núcleo central da Terra, supostamente constituído de ferro e níquel; núcleo central, barisfera, centrosfera. [Cf. *metalosfera.*]

nigela. [Do lat. *nigella.*] *S. f.* V. *nigelo:* "Coberto de fitas roxas, que ondulam ao vento frio da tarde, o ataúde sombrio e prateado, com seus fusos, nigelas, gregas e colchetes" (Osmã Lins, *Nove Novena*, p. 143).

nigelador (ô). *S. m.* Aquele que nigela, que pratica a nigelagem.

nigelagem. [De *nigelar.*] *S. f.* Arte ou operação de nigelar (que até certo tempo se acreditou ter dado origem ao talho-doce). [Var.: *anielagem.*]

nigelar. *V. t. d.* Ornar com nigelo. [F. paral.: *anielar.*]

nigelo. [De *nigela.*] *S. m.* **1.** Liga de enxofre com prata, cobre, chumbo, etc., que produz esmalte negro intenso, usado em ourivesaria. **2.** Objeto de metal, geralmente ouro ou prata, ornado a entalhes tomados por esse esmalte. **3.** Prova em papel tirada da peça entalhada antes de nela vazar-se o esmalte. [Var.: *nielo.*]

nigeriano[1]. *Adj.* Relativo ou pertencente ao rio Níger (África).

nigeriano[2]. *Adj.* **1.** Da, ou pertencente ou relativo à Nigéria (África Ocidental). ● *S. m.* **2.** O natural ou habitante da Nigéria. [Cf *nigerino.*]

nigerino. *Adj.* **1.** Da, ou pertencente ou relativo à República do Níger (centro leste da África). **2.** Nigeriano[1]. ● *S. m.* **2.** O natural ou habitante da República do Níger [Cf. *nigeriano*[2].]

nigérrimo. [Do lat. *nigerrimu.*] *Adj.* Superl. abs. sint. de *negro;* negríssimo.

nigrícia. [Do lat. *nigritia.*] *S. f.* Terra de negros.

nigricórneo. [Do lat. *nigru* + *-i-* + *-corn(e)-* + *-eo.*] *Adj. Zool.* Que tem antenas negras.

nigrinha. [Alter. de *negrinha.*] *S. f. Bras. Deprec.* Mulher desavergonhada; sirigaita.

nigrinhagem. [De *nigrinha* + *-agem*[1].] *S. f. Bras. Deprec.* Prática de atos impudentes; safadeza.

nigrípede. [Do lat. *nigru* + *-i-* + *-pede.*] *Zool. Adj. 2 g.* **1.** Que tem pés negros ou escuros. ● *S. m.* **2.** Variedade de mamífero felino, do tamanho do gato.

nigripene. [Do lat. *nigru* + *-pene.*] *Adj. 2 g. Zool.* Que tem asas ou élitros negros.

nigrirrostro. [Do lat. *nigru* + *-i-* + *rostro.*] *Adj. Zool.* Que tem bico ou tromba negra ou escura.

nigromancia. (cí). *S. f.* Var. de necromancia. V. *magia negra.*

nigromante. *S. 2 g.* Var. de *necromante.*

nigromântico. *Adj.* Var. de *necromântico.*

nígua. [Do taino *nigua.*] *S. f.* V. *bicho-do-pé.*

➧**nihil obstat** (níil óbçtat). [Lat., 'nada obsta'.] Fórmula com que a censura eclesiástica autoriza a publicação dos livros que lhe são submetidos e contra os quais não existe objeção doutrinal.

niilismo. [Do fr. *nihilisme.*] *S. m.* **1.** Redução a nada; aniquilamento. **2.** Descrença absoluta. **3.** *Filos.* Doutrina segundo a qual nada existe de absoluto. **4.** *Ét.* Doutrina segundo a qual não há verdade moral nem hierarquia de valores. **5.** *Polít.* Doutrina segundo a qual só será possível o progresso da sociedade após a destruição do que socialmente existe.

niilista. [Do fr. *nihiliste.*] *Adj. 2 g.* **1.** Relativo a, ou próprio do niilismo, ou que é adepto dele. *S. 2 g.* **2.** Adepto do niilismo.

nílico. *Adj.* Nilótico.

nilo. *Adj. Bras., RS.* Diz-se da rês que tem a cabeça toda ou parcialmente branca e o resto do pêlo de outra cor.

nilo-pessanhense. *Adj. 2 g.* **1.** De, ou pertencente ou relativo a Nilo Pessanha (BA). ● *S. 2 g.* **2.** Natural ou habitante de Nilo Pessanha. [Pl.: *nilo-pessanhenses.*]

nilopolitano. *Adj.* **1.** De, ou pertencente ou relativo a Nilópolis (RJ). ● *S. m.* **2.** O natural ou habitante de Nilópolis.

nilótico. [Do gr. *neilotikós*, pelo lat. *niloticu.*] *Adj.* Do Nilo, grande rio da África Oriental, ou relativo a ele; nílico.

nilpotente. *S. m. Álg. Mod. Elemento nilpotente* [q. v.].

nilsoniácea. *S. f.* Espécime das nilsoniáceas.

nilsoniáceas. *S. f. pl. Bot.* Família de gimnospermas fósseis cuja posição sistemática é ainda incerta.

nilsoniáceo. *Adj.* Pertencente ou relativo às nilsoniáceas.

nimbar. *V. t. d.* **1.** Cercar de nimbo ou auréola; aureolar: "Salomé, nua, ... executa uma dança quase hierática, de olhos fixos na cabeça decepada do Profeta, a qual, tendo-se desgarrado da bandeja pousada no chão, levita ainda ensangüentada e nimbada de um santo resplendor." (Onestaldo de Pennafort, *O Festim, a Dança e a Degolação*, p. 72); "Esverdeado, um halo, anunciador de chuvas, / Nimbou a Lua, mãe das Comungantes virgens..." (Eugênio de Castro, *Obras Poéticas*, I, p. 159). **2.** Aureolar, glorificar, enaltecer, sublimar: "Nimbava-me, interiormente, a necessidade do martírio." (Ribeiro Couto, *Clube das Esposas Enganadas*, p. 65.)

nimbífero. [Do lat. *nimbiferu.*] *Adj. Poét.* Que traz chuva.

nimbo. [Do lat. *nimbu*, 'aguaceiro'.] *S. m.* **1.** *Met.* Nuvem densa e cinzenta, de baixa altitude e contornos mal definidos, que facilmente se precipita em chuva ou neve: "O cerúleo espaço intenso / Tolda-o o nimbo pardacento" (João Penha, *Rimas*, p. 177). **2.** Chuva ligeira. **3.** *Fig.* V. *auréola* (1) **4.** *Fig.* V. *auréola* (2): "a amplidão se recobre / de nuvens colossais, prenhes, plúmbeas e parda, / De faixas de chumbo e nimbos cor de cobre." (Martins Fontes, *Verão*, p. 34).

nimbo-cúmulo. *S. m. Met.* Cúmulo-nimbo. [Pl.: *nimbos-cúmulos* e *nimbos-cúmulo.*]

nimbo-estrato. *S. m. Met.* Nuvem de chuva cinzento-escura, constituída de massa densa, sem forma definida, e situada a altitudes inferiores a 2 500 m. [Sin.: *estrato-nimbo.* Pl.: *nimbos-estratos* e *nimbos-estrato.*]

nimboso (ô). [Do lat. *nimbosu.*] *Adj.* Coberto de nimbos; chuvoso: "Era uma fria manhã de inverno. O céu nimboso parecia feito para cenário de seus pensamentos." (Reginaldo Guimarães, *Uma Blusa no Cais*, p. 56.)

nimbuia. *S. f. Bras.* Rã-pimenta.

nimiedade. [Do lat. *nimietate.*] *S. f.* Qualidade de nímio.

nímio. [Do lat. *nimiu.*] *Adj.* Excessivo, demasiado, sobejo: *comoveu-se com a nímia gentileza de que foi alvo;* "Às vezes vinha o arrufo temperar o nímio adocicado da situação." (Machado de Assis, *Memórias Póstumas de Brás Cubas*, p. 198).

nina. [Do it. *ninna.*] *S. f.* Menina.

ninar. [De *nina* + *-ar*[2].] *V. t. d.* **1.** Fazer adormecer; acalentar, embalar: "a velhinha passava os dias a cantar, ninando os netos" (Melo Nóbrega, *O Soneto de Arvers*, p. 71). [F. Paral.: *aninar.*] *Int.* **2.** Adormecer, dormir (a criança). *P.* **3.** Não fazer caso; não dar importância.

ninfa. [Do gr. *nýmphe*, 'noiva', pelo lat. *nympha.*] *S. f.* **1.** Divindade fabulosa dos rios, dos bosques e dos montes. **2.** *Fig.* Mulher nova e formosa. **3.** *Anat.* Pequeno lábio da vulva. **4.** *Zool.* Forma intermediária entre a larva e o inseto adulto.

ninfalídeo. *S. m.* **1.** Espécime dos ninfalídeos. ● *Adj.* **2.** Pertencente ou relativo a eles.

ninfalídeos. *S. m pl. Zool.* Família de insetos da ordem dos lepidópteros, de cores brilhantes. É a família predominante, com mais de 5 000 espécies de borboletas.

ninfeácea. *S. f.* Espécime das ninfeáceas.

ninfeáceas. *S. f. pl. Bot.* Família de grandes ervas aquáticas da ordem das ranales, providas de belíssimas e amplas flores, e cujo perianto e androceu têm um número variável, por vezes elevado, de peças. Há umas 100 espécies nos dois hemisférios, distinguindo-se no Brasil a vitória-régia.

ninfeáceo. *Adj.* **1.** Relativo ou semelhante a ninféia ou nenúfar. **2.** Pertencente ou relativo às ninfeáceas.

ninféia. [Do gr. *nymphaía*, pelo lat. *nymphaea.*] **1.** Fem. de *ninfeu.* ● *S. f.* **2.** V. *nenúfar.*

ninfeta (ê). [De *ninf(o)-* + *-eta.*] *S. f.* Menina púbere voltada para o sexo e/ou que desperta desejo sexual: "Está sendo esperada no Rio no dia 10 de novembro uma das mais célebres ninfetas de Hollywood — Brooke Shields." (Zózimo, *Jornal do Brasil*, 24.10.1980.)

ninfeu. [Do gr. *nymphaios*, pelo lat. *nimphaeu.*] *Adj.* Relativo ou pertencente às ninfas, ou próprio delas. [Fem.: *ninféia.*]

▲**ninf(o)-.** [Do gr. *nýmphe, es.*] *El. comp.* = 'ninfa': *ninfóide, ninfomania, ninfotomia.*

ninfóide. [De *ninf(o)-* + *-óide.*] *Adj. 2 g.* Que tem forma de ninfa (4).

ninfômana. [De *ninf(o)*+ *-mana*, fem. de *-mano.*] *S. f.* Mulher que tem ninfomania. [Sin.: *ninfomaníaca* e (bras., N., pop.) *areia-gulosa.*]

ninfomania. [De *ninf(o)-* + *-mania.*] *S. f. Med.* Tendência, nas mulheres, para o abuso do coito, a qual às vezes assume caráter patológico; andromania, histeromania, metromania, uteromania, furor uterino. [Cf. *afrodisia, satiríase* e *hipersexualismo*.]

ninfomaníaca. [Fem. substantivado de *ninfomaníaco*.] *S. f.* V. *ninfômana*.

ninfomaníaco. *Adj.* Relativo à ninfomania.

ninfose. [De *ninf(o)-* + *-ose*.] *S. f. Zool.* Transformação da lagarta em ninfa (4).

ninfotomia. [De *ninf(o)-* + *-tom(o)-* + *-ia*.] *S. f. Cir.* Incisão das ninfas [v. *ninfa* (3)].

ninfotômico. *Adj.* Referente à ninfotomia.

ningres-ningres. [De *ninguém*.] *S. m. 2 n.* **1.** Pessoa acanhada, tímida. **2.** V. *joão-ninguém*.

ningrimanço. *S. m.* Instrumento com que se lavram as marinhas.

ninguém. [Do lat. *neguem*.] *Pron. indef.* **1.** Nenhuma pessoa: *Ninguém tinha ânimo para sair*; "ninguém conhece ninguém, somos todos estranhos." (Geir Campos, *O Vestíbulo*, p. 18). ● *S. m.* **2.** Indivíduo de pouco ou nenhum valor, merecimento, importância [v. *joão-ninguém*]: "E ver agora um ninguém / Vir-me ao Porto dar a lei." (João de Deus, *Campo de Flores*, II, p. 97).

ninhada. [De *ninho* + *-ada*[1].] *S. f.* **1.** Avezinhas contidas em um ninho. **2.** Todos os filhos que a fêmea do animal pariu de uma só vez. **3.** Abrigo, valhacouto, ninho. **4.** *Fam.* V. *filharada*. **5.** Grande quantidade; viveiro: *Veio com ele toda a ninhada de desordeiros, malfeitores*.

ninhal. [De *ninho* + *-al*.] *S. m. Bras.* Revoada de pássaros.

ninhar. [De *ninho* + *-ar*[2].] *V. int.* V. *nidificar*.

ninharia. [Do esp. *niñería*, 'ação própria de criança'.] *S. f.* Coisa sem préstimo ou valor; insignificância. [Sin. (muitos deles pop): *babugem, bagatela, borra, bugiaria, bugiganga, burundangas, cascavel, frioleira, futilidade, inânias, maravalhas, migalhice, mogiganga, nada, nica, nonada, nuga, ossos de borboleta, palha, quiquiriqui, quetilquê, quotilquê, trampa, trica, tuta-e-meia* e (bras.) *bagana, bolacha-quebrada, chorumela, gueta, mexinflório, minigâncias, quixilingangue*.]

ninhego (ê). [De *ninho* + *-ego*.] *Adj.* Que foi apanhado no ninho.

ninho. [Do lat. *nidu*.] *S. m.* **1.** Habitação das aves, feita por elas para a postura de ovos e criação dos filhotes. **2.** Lugar onde os animais se recolhem e dormem. **3.** Refúgio, abrigo. **4.** Toca, covil, valhacouto. **5.** Casa paterna; lar: *Deixou o ninho ainda muito jovem, contrariando os pais*. **6.** *P. ext.* A. pátria. **7.** *Geol.* Pequena cavidade, nas rochas, atapetada de cristais ou de incrustações. ♦ **Ninho de geada.** *Bras., S.* Lugar onde a geada cai forte todos os anos. **Ninho de metralhadora.** Abrigo ou trincheira onde se instala uma metralhadora, em geral camuflada, para bater de surpresa e eficazmente, com grande potência de fogo, um determinado setor da frente de tiro. **Ninho de pega.** *Constr. Nav.* Plataforma circundada por uma balaustrada ou por um escudo de chapa fina, instalada a certa altura do mastro de vante dos navios mercantes modernos, e destinada a servir de guarida a um vigiade navegação. **Ninho de rato.** *Bras. Fam.* Gaveta, mesa, armário, etc., em extrema desordem. **Ninho de xexéu.** *Bras. Pop. Fig.* Carapinha desgrenhada.

nini. *S. 2 g. Inf.* Menino ou menina.

ninivita. [Do lat. *ninivita*.] *Adj. 2 g.* **1.** De, ou pertencente ou relativo a Nínive (Ásia antiga). ● *S. 2 g.* **2.** Natural ou habitante de Nínive.

nioaquense. *Adj. 2 g.* **1.** De, ou pertencente ou relativo a Nioaque (MS). ● *S. 2 g.* **2.** Natural ou habitante de Nioaque.

nióbico. *Adj.* Referente a nióbio.

nióbio. [Do mit. *Níobe* + *-io*[2].] *S. m. Quím.* Elemento de número atômico 41, metálico, branco-acinzentado, usado em ligas; colômbio. [Símb.: *Nb*.]

nióbio-titanato. *S. m. Min.* Minério que contém óxido de nióbio e dióxido de titânio. [Pl.: *nióbios-titanatos*.]

niple. [Do ingl. *nipple*.] *S. m. Tec.* Peça cilíndrica, ou cilindro-cônica, com roscas externas nas duas extremidades, ou apenas em uma, com a qual se efetua a conexão entre dois tubos, ou entre um tubo e uma válvula ou outro acessório.

▲**nipo-.** *El. comp.* = 'japonês', 'nipônico': *nipo-brasileiro*.

nipo-argentino. [De *nipo-* + *argentino*.] *Adj.* **1.** Relativo ao Japão e a República Argentina, ou a japoneses e argentinos: "A companhia nipo-argentina Hinode Penguins .... concebeu o fúnebre projeto de sacrificar 48.000 animais por ano a fim de fabricar um concentrado de proteínas de grande valor alimentício" (Maria Julieta Drummond de Andrade, *O Valor da Vida*, p. 95). **2.** De origem japonesa e argentina: *uma jovem nipo-argentina*. ● *S. m.* **3.** Indivíduo nipo-argentino. [Flex.: *nipo-argentina, nipo-argentinos, nipo-argentinas*.]

nipo-brasileiro. [De *nipo-* + *brasileiro*.] *Adj.* **1.** Relativo ao Japão e ao Brasil, ou a japoneses e brasileiros; o *acordo comercial nipo-brasileiro*. **2.** De origem japonesa e brasileira: *Uma rapaz nipo-brasileiro*. *S. m.* **3.** Indivíduo nipo-brasileiro. [Flex.: *nipo-brasileira, nipo-brasileiros, nipo-brasileiras*.]

nipoense. *Adj. 2 g.* **1.** De, ou pertencente ou relativo a Nipoã (SP). ● *S. 2 g.* **2.** Natural ou habitante de Nipoã.

nipônico. [Do jap. *Nippon*, 'Sol Nascente', 'Japão', + *-ico*[2]] *Adj.* e *s. m.* V. *japonês*.

nipotenídio. *S. m.* **1.** Espécime dos nipotenídios. ● *Adj.* **2.** Pertencente ou relativo a eles.

nipotenídios. *S. m. pl. Zool.* Animais platelmintos, cestóideos, ordem *Nippotaeniidea*, de porte pequeno, sem escólex, com uma ventosa apical. São parasitos de peixes de água doce no Japão.

níquel[1]. [Do al. *Nickel*.] *S. m.* **1.** *Quím.* Elemento de número atômico 28, metálico, branco-prateado, denso, usado em ligas e como catalisador. [Símb.: *Ni*.] **2.** *Bras.* Designação comum às moedas divisionárias feitas com esse metal. **3.** *Pop.* V. *dinheiro* (3): *Saí do negócio sem níquel*. [Pl.: *níqueis*. Cf. *niqueis*, do v. *nicar*.]

níquel[2]. [De *nicles*.] *Pron. indef. Bras.* V. *nada* (1): "Ia retirar-se, sem que o Silva compreendesse níquel" (Carlos Drummond de Andrade, *Fala, Amendoeira*, p. 152).

niquelagem. *S. f.* Operação de niquelar.

niquelandense. *Adj. 2 g.* **1.** De, ou pertencente ou relativo a Niquelândia (GO). ● *S. 2 g.* **2.** Natural ou habitante de Niquelândia.

niquelar. [De *níquel*[1] + *-ar*[2].] *V. t. d.* **1.** Cobrir ou guarnecer de níquel. **2.** Dar aparência de níquel a.

niqueleira. *S. f. Bras., RS.* Porta-níqueis.

niquelífero. [De *níquel*[1] + *-i-* + *-fero*.] *Adj.* Que contém níquel.

niqueltipia. [De *níquel*[1] + *-tip(o)-*[2] + *-ia*.] *S. f. Tip.* Galvanotipia com electrodeposição de níquel, em vez de cobre.

niqueltipo. [De *níquel*[1] + *-tipo*[2].] *S. m. Tip.* Galvanoníquel [q. v.].

niquento. [De *nicar* + *-ento*.] *Adj.* **1.** Que se ocupa em nicas ou ninharias. **2.** Impertinente em minúcias tediosas; manhoso. **3.** Que se sensibiliza à toa; luxento, languento.

niquice. [De *nica* + *-ice*.] *S. f.* Qualidade de niquento.

niquim. [Do tupi *ni*, 'enrugado', 'franzido', + *qui*, 'espinhento'.] *S. m. Bras.* Designação comum a diversos peixes marinhos da família dos batracoidídeos (*Thalassophryne puctata* Stein., *Nautopaedium porosissimum* Cuv. e Val, etc.): "Damião trazia peixes para a Senhora Comadre de Anselmo, e a notícia de que este fora outra vez ferido num pé pelo niquim terrível." (Xavier Marques, *Jana e Joel*, p. 142.)

nirvana. [Do sânscr. *nirvâna*, 'extinção (da chama vital)'.] *S. m.* **1.** *Filos.* No budismo, estado de ausência total de sofrimento; paz e plenitude a que se chega por uma evasão de si que é a realização da sabedoria. **2.** *Fig.* Quietude perpétua: "todas as embriaguezes, assim as mundas como as imundas, ... conduzem ao nirvana, ao olvido da personalidade" (Tristão da Cunha, *Cousas do Tempo*, p. 143). **3.** *P. ext.* Apatia, inércia.

nirvanesco (ê). [De *nirvana* + *-esco*.] *Adj.* Nirvânico: "deste recente e aniquilador tumulto, que lhe parece caótico ou nirvanesco, surgirá em toda [a] frescura e suavidade um poeta novo, lírico, amoroso e admirável." (João Ribeiro, *Crítica*, IX, p. 364).

nirvânico. [De *nirvana* + *-ico*[2].] *Adj.* Relativo ao nirvana, ou que o lembra; nirvanesco.

nisã. [Do hebr. *Nisan*.] *S. m. Cronol.* O sétimo mês do calendário israelita, com 30 dias.

nisácea. *S. f.* Espécime das nisáceas.

nisáceas. *S. f. p. Bot.* Família de vegetais floríferos, de ordem das mirtales, composta de arbustos e flores com cálice, carola, androceu diplostêmone e ovário ínfero. Não ocorrem no Novo Mundo.

nisáceo. *Adj.* Pertencente ou relativo às nisáceas.

nisei. [Do jap. *nisei* < *ni*, 'segunda', + *sei*, 'geração'.] *Adj. 2 g.* e *s. 2 g.* Diz-se de, ou filho de pais japoneses, nascido na América. [Cf. *issei*.]

nisso. Equiv. da prep. *em* e do pron. dem. *isso*.

nistagmo. [Do gr. *nystagmós*, 'cochilo'.] *S. m. Med.* Movimento rápido e involuntário de globo ocular, que pode ser em um só sentido (horizontal, vertical, rotatório), ou em dois.

nistagmografia. [De *nistagmo* + *-graf(o)-* + *-ia*.] *S. f. Med.* Estudo do registro gráfico do nistagmo.

nistagmográfico. *Adj.* Referente a nistagmografia.

nistagmógrafo. [De *nistagmo* + *-grafo*.] *S. m. Med.* Aparelho para realizar nistagmografia.

nistagmograma. [De *nistagmo* + *-grama*.] *S. m. Med.* Registro gráfico de nistagmo.

nisto. **1.** Equiv. da prep. *em* e do pron. dem. *isto*: *Só penso nisto: viajar*. ● *Adv.* **2.** Neste ou naquele momento; então: "Chamei uma pomba e soltei-a pela janela da arca. Nisto chegou o burro, com uma águia pousada na cabeça, entre as orelhas." (Machado de Assis, *A Semana*, II, p. 131.)

nit. [F. abrev. do lat. *nit(or)*, 'claridade'.] *S. m. Fotom.* Unidade de luminância no Sistema Internacional, igual à luminância, numa direção determinada, de uma fonte com área emissiva de um metro quadrado, e cuja intensidade luminosa, na mesma direção, é de uma candela.

nitente[1]. [Do lat. *nitente*, part. pres. de *nitere*, 'resplandecer, luzir'.] *Adj. 2 g.* Que resplandece; brilhante, luzidio, nítido: "A folha / Luzente / Do orvalho / Nitente / A gota / Retrai" (Gonçalves Dias, *Obras Poéticas*, II, p. 234).

nitente[2]. [Do lat. *nitens*, part. pres. de *nitor*, 'esforçar-se'.] *Adj. 2 g.* Que se esforça; resistente.

niteroiense (ói). *Adj. 2 g.* **1.** De, ou pertencente ou relativo à cidade de Niterói, antiga capital do RJ. ● *S. 2 g.* **2.** Natural ou habitante de Niterói.

nitescência. *S. f.* Qualidade de nitente[1]; brilho, esplendor.

nitidade. *S. f. P. us.* Nitidez.

nitidez (ê). *S. f.* Qualidade de nítido. [Sin., p. us.: *nitidade*.]

nitidifloro. [Do lat. *nitidu*, 'nítido, brilhante', + *-i-* + *-floro*.] *Adj. Bot.* Que tem flores brilhantes.

nitidizar. *V. t. d.* Tornar nítido.

nítido. [Do lat. *nitidu*.] *Adj.* **1.** Que brilha; fulgente, brilhante: "Já sob o largo pálio a tenebrosa/ Noite as estrelas nítidas e belas / Prendera ao seio como mãe piedosa." (Alberto de Oliveira, *Poesias*, 2ª série, p. 149.) **2.** Límpido, limpo, claro. **3.** Em que há clareza, inteligibilidade: *estilo nítido*.

nitômetro. [De *nit* + *-o-* + *-metro*.] *S. m. Fotom.* Designação genérica dos fotômetros destinados a medir a luminância de uma fonte; luminancímetro.

nitração. *S. f. Quím.* Introdução de um grupamento NO_2- numa molécula.

nitrado. [Do lat. *nitratu*.] *Adj.* Que contém nitro.

nitrato. [Do lat. *nitratu*.] *S. m. Quím.* Qualquer sal derivado do ácido nítrico.

nitreira. [Do lat. *nitraria*.] *S. f.* Lugar onde se forma o nitro; salitral.

nitreto (ê). *S. m. Quím.* Composto binário constituído por nitrogênio e um metal.

▲**nitri-.** [Do lat. *nitrum, i*.] Equiv. de *nitro-*.

nítrico. [De *nitro-* + *-ico*[1].] *Adj.* ~ V. *ácido* —.

nitrido. *S. m.* Ato de nitrir; rincho, relincho, nitrir: "Os cavalos aspiram ruidosamente as emanações do campo e soltam os breves e alegres nitridos" (José de Alencar, *O Sertanejo*, p. 196).

nitridor (ô). *Adj.* **1.** Que nitre ou rincha. ● *S. m.* **2.** Animal que nitre.

nitrificação. *S. f.* Ato ou efeito de nitrificar(-se).

nitrificador (ô). *Adj.* Que nitrifica; nitrificante.

nitrificante. *Adj. 2 g.* Nitrificador.

nitrificar. [De *nitri-* + *-ficar*.] *V. t. d.* **1.** Transformar (o amoníaco ou os sais amoniacais) em nitritos e depois em nitratos. **2.** Cobrir de nitro. *P.* **3.** Transformar em nitro. **4.** Cobrir-se de nitro. [Conjug.: v. *trancar*.]

nitrila. *S. f. Quím.* Classe de compostos orgânicos obtidos por substituição do hidrogênio do ácido cianídrico por um radical hidrocarbônico nitrilo.

nitrilo. *S. m. Quím.* Nitrila.

nitrir. [Do it. *nitrire*.] *V. int.* **1.** Rinchar, relinchar; trinir: "O corcel lobuno, pastor da tropilha .... relincha depois, nitre com força" (Afonso Arinos, *Pelo Sertão*, p. 62). [Defect. Não se conjuga nas f. em que ao *r* da raiz se seguiriam as vogais *o* e *a*, e normalmente só é conjugado nas 3as pess.] ● *S. m.* **2.** V. *nitrido*.

nitrito. *S. m. Quím.* Qualquer sal do ácido nitroso.

nitro. [Do egípcio *ntrj*, atr. do gr. *nítron* e do lat. *nitru*.] *S. m. Quím.* Nitrato de potássio cristalino.

▲**nitro-.** [Abrev. de *nitrogênio*.] *Quím. El. comp.* indicativo do grupamento NO_2-: *nitroglicerina*. [Equiv.: *nitri-*: *nitrificar*.]

nitrobacteriácea. *S. f.* Espécime das nitrobacteriáceas.

nitrobacteriáceas. *S. f. pl. Bact.* Família de eubacteriales baciliformes ou elipsóides, com flagelos ou sem eles,

que têm a propriedade de oxidar várias substâncias e de utilizar a energia daí resultante.
nitrobenzeno. [De *nitro-* + *benzeno.*] *S. m. Quím.* Líquido oleoso, levemente amarelado, usado como intermediário na fabricação de corantes. [Fórm.: $C_6H_5NO_2$.]
nitrocelulose. [De *nitro-* + *celulose.*] *S. m. Expl.* Sólido penugento, amorfo, explosivo, com elevado teor de nitrogênio, e resultante da nitração da celulose; algodão-colódio, algodão-pólvora. [Fórm.: $C_6H_7O_2(ONO_2)_3$.]
nitrófilo. [De *nitro-* + *-filo*[2].] *Adj. Ecol. Veg.* Que vive em substratos ricos em compostos nitrogenados: *planta nitrófila.*
nitrófito. [De *nitro-* + *-fito.*] *S. m. Ecol. Veg.* Vegetal nitrófilo.
nitrogenado. *Adj.* Em que há nitrogênio; combinado com ele.
nitrogênio. *S. m. Quím.* Elemento de número atômico 7, existente na atmosfera, gasoso, incolor, inodoro, pouco ativo, mas que participa de grande número de compostos. [Símb.: *N.*]
nitroglicerina. [De *nitro-* + *glicerina.*] *S. f. Quím.* Trinitrato de glicerina, líquido, oleoso, utilizado em explosivos. [Fórm.: $C_3H_5(NO_2)_3$.]
nitrômetro. *S. m.* Aparelho para a dosagem do nitrogênio.
nitroso (ô). [Do lat. *nitrosu.*] *Adj. Quím.* ~V. *ácido* —.
nitruração. *S. f. Metal.* Procedimento de endurecimento superficial de certos metais, no qual se forma uma camada externa dura e resistente de nitreto.
nitrurado. *Adj. Metal.* Diz-se de metal que sofreu nitruração.
nitzschiácea (txi). *S. f.* Espécime das nitzschiáceas.
nitzschiáceas (txi). *S. f. pl. Bot.* Família de diatomáceas da classe das penales, caracterizada pela rafe em ambas as valvas em quilhas laterais.
nitzschiáceo (txi). *Adj.* Pertencente ou relativo às nitzschiáceas.
niveal. [De *níveo* + *-al.*] *Adj. 2 g.* **1.** Que floresce no inverno. **2.** Que vive na neve.
nível. [Do lat. vulg. **libellu*, atr. do fr. ant. *nivel*, ou do provenç. *nivel*, ou do cat. *nivell.* Dizia-se outrora, corretamente, *nivel* (oxítono), dando-se preferência a *lível* e *olivel*, f. estas, sobretudo a primeira, mais aproximadas do étimo. A pronúncia *nível* resulta da analogia com vocábulos como *terrível, sofrível, horrível.*] *S. m.* **1.** Instrumento destinado a determinar a horizontalidade de um plano. [Cf. *nível de bolha.*] **2.** Superfície paralela ao plano do horizonte. **3.** Elevação relativa de uma linha ou de um plano horizontal: *O nível das águas subiu.* **4.** Instrumento dotado de luneta, geralmente montado em um tripé, e usado na medição de diferenças de cotas entre pontos do terreno. **5.** *Fig.* Altura relativa numa escala de valores: *nível econômico.* **6.** *Fig.* Situação, estado, plano: *O negócio acha-se em tal nível que já não se pode recuar.* **7.** *Fig.* Padrão, qualidade; gabarito: *bairro residencial de alto nível.* [Var., nestas acepç.: *lível* e (ant.) *olivel.*] **8.** *Bras.* Designação comum aos diferentes estágios do ensino: *estudante de nível médio; professor de nível universitário.* ♦ **Nível aceitador.** *Fís.* Num semicondutor extrínseco, nível de energia próximo à banda de valência, e que, em qualquer temperatura não muito próxima do zero absoluto, pode ser ocupado por elétrons provenientes dessa banda. **Nível de bolha.** *Constr.* Instrumento destinado a verificar a horizontalidade de um plano, e que consiste num pequeno tubo que contém líquido e uma bolha de ar; nível de pedreiro. **Nível de energia.** *Fís.* Valor da energia de um sistema num determinado estado quântico, e que é um autovalor da função de onda desse estado. **Nível de entrada.** *Eletrôn.* Relação, expressa em decibéis, entre a potência do sinal de áudio num circuito com uma dada impedância e um sinal de referência. **Nível de Fermi.** *Fís.* Energia correspondente ao potencial químico dos elétrons de condução de um metal em temperatura bastante baixa. **Nível de pedreiro.** *Constr.* Nível de bolha. **Nível de potência.** *Eletrôn.* Num sistema de transmissão, a razão entre a potência num ponto e uma potência tomada como referência (em geral um miliwatt). **Nível de significância.** *Estat.* Probabilidade que se tem de, no julgamento de uma hipótese estatística, cometer o erro de rejeitá-la sendo ela verdadeira; nível fiducial. **Nível de vida.** **1.** Estado comparativo das condições de existência (econômicas, sociais, etc.) de um indivíduo, de um grupo, de um país. **2.** Avaliação quantitativa e objetiva dessas condições. **Nível doador.** *Fís.* Num semicondutor extrínseco, nível intermediário muito próximo da banda de condução, que pode fornecer elétrons a esta banda. **Nível excitado.** *Fís.* Valor da energia de um estado excitado de um sistema. **Nível fiducial.** *Estat.* Nível de significância. **Nível fundamental.** *Fís.* O nível de energia que corresponde à configuração mais estável de um sistema. **Nível geral dos preços.** *Econ.* Noção puramente teórica que significa a elevação ou queda média dos preços de todos os bens e serviços. **Nível ligado.** *Fís. Nucl.* Nível excitado de um núcleo, com energia inferior à necessária para emissão de uma partícula. **Ao nível.** À mesma altura.
nivelação. [De *nivelar* + *-ção.*] *S. f.* **1.** Nivelamento. **2.** *Bras., N.E. Restr.* Ato de regularizar o lastro das vias férreas para que os trilhos determinem, nas curvas, uma superfície plana ou cônica.
nivelador (ô). *Adj.* **1.** Que nivela. ● *S. m.* **2.** Aquele ou aquilo que nivela.
niveladora (ô). [Fem. de *nivelador.*] *S. f. Topog.* Máquina de terraplenagem munida de lâmina, e utilizada para regularizar o terreno, abrir valetas e executar pequenas escavações, podendo ser rebocada ou de autopropulsão; patrol, patrola, plaina, aplanadora.
nivelamento. *S. m.* Ato ou efeito de nivelar(-se); nivelação.
nivelar. *V. t. d.* **1.** Medir com nível (1). **2.** Tornar horizontal; colocar no mesmo nível; aplainar: *nivelar um terreno.* **3.** Tornar igual; igualar: *As aspirações comuns nivelam os homens.* **4.** Deitar no chão ou em outra superfície: acamar. **5.** Destruir, arrasar. *T. d. e i.* **6.** Colocar no mesmo nível; igualar: *Nivela os seus poemas com os do amigo; Nivelava as suas aspirações pelas do marido.* **7.** Graduar, proporcionar. **8.** Equiparar, igualar: *É impossível nivelar Iaiá Garcia com Dom Casmurro. T. i.* **9.** Igualar-se em nível; ficar no mesmo plano: *A construção nivelava com a estrada. P.* **10.** Equiparar-se, igualar-se. [Sin. ger.: *livelar.*]
nivelável. *Adj. 2 g.* Que se pode nivelar.
níveo. [Do lat. *niveu.*] *Adj.* **1.** Relativo à neve. **2.** Alvo como a neve: "Fílis! vem reclinar-te no meu leito, / E deixa-me oscular teu *níveo* peito" (Eugênio de Castro, *Obras Poéticas*, V, p. 107); "O avô — ancião de rosto austero e duro, / De *níveas* barbas e cabelo *níveo*" (Raimundo Correia, *Poesias*, p. 130).
nivoso[1] (ô). [Do fr. *nivôse.*] *S. m. Cronol.* V. *calendário republicano.*
nivoso[2] (ô). [Do lat. *nivosu.*] *Adj. Poét.* V. *nevoso:* "Manso, como um cisne, grácil, como um goivo, / Num natal *nivoso* se sentiu morrer." (Martins Fontes, *Verão*, p. 240.)
■**nm.** *Símb.* de *nanômetro.*
■**N.N.** *Teat.* Abrev. convencional que, na relação do elenco, designa os coadjuvantes mais secundários e a comparsaria.
■**N.N.E.** Abrev. de *nor-nordeste.*
■**N.N.O.** Abrev. de *nor-noroeste.*
■**N.N.W.** Abrev. de *nor-noroeste.*
no[1]. [Aglut. da prep. *em* e de *lo (o).*] **1.** Equiv. da prep. *em* e de *lo* (1): "*No* começo era silêncio: / amorfo, vasto e pesado." (Tiago de Melo, *Vento Geral*, p. 107.) [Flex.: *na, nos, nas.*] **2.** Equiv. da prep. *em* e de *lo* (3): *Fui ao escritório do Paulo, mas não estive no de Joel.* [Flex.: *na, nos, nas.*] **3.** Equiv. da prep. *em* e de *lo* (4): *Só acredita no que vê.*
no[2]. Equiv. do pron. neutro *o* e da prep. *em*, invertidos, i. e., 'o em', 'aquilo em': *No que penso* [= 'o em que penso'] *é em vê-lo feliz.*
no[3]. **1.** Forma que o pron. *lo (o)* assume, por via de regra, em posição enclítica, em presença de f. verbais terminadas em ditongos nasais, como *ão, am* (= *ão*), *õe, em* (= *ẽi*): *Estão-no vendo;* "As casas chamadas nobres eram-*no* antes pelas dimensões .... que pela estética" (Xavier Marques, *As Voltas da Estrada*, p. 13); "e o comendador .... põe-*no* a pontapés no olho da rua." (Artur Azevedo, *Contos Efêmeros*, p. 152); *Indispõem-no contra os amigos.* [É menos regular o emprego, neste caso, de *o* (e, pois, de *a, os, as*) em vez de *no* (e, portanto, *na, nos, nas*), porém dele não faltam exemplos — em Camilo Castelo Branco (talvez sobretudo), Alexandre Herculano, Rebelo da Silva, Ramalho Ortigão, Fernando Pessoa, França Júnior, e outros. Citemos alguns, apenas. De Camilo: "mandaram-o", "acharam-o" (*A Brasileira de Prazins*, pp. 273 e 291), e "mandaram-a", "receberam-a" (*Perfil do Marquês de Pombal*, p. 16). De Herculano: "tinham-o" (*Opúsculos*, I, p. 198). De Ramalho Ortigão (*As Farpas*, IV, p. 93): "calcaram-a ...., enlamearam-a, sujaram-a, moeram-a, desfibraram-a". **2.** F. que o pron. *lo*, em geral us., neste caso, na sua forma atual (*o*), apresenta, com certa freqüência, em posição enclítica com relação a outras palavras, não verbos, terminadas em ditongo nasal — *não, ninguém, sem, bem, quem*, etc. — e até em simples vogal nasal, como *assim:* "Aquele silêncio, a velha não *no* entende." (Fialho d'Almeida, *O País das Uvas*, p. 93); "não *no* alcanço" (José Régio, *Mas Deus É Grande*, p. 53); "ninguém *na* entende" (Latino Coelho, *Cervantes*, p. 210); "sem *na* olhar" (Antônio Feliciano de Castilho, *Escavações Poéticas*, p. 206); "Eu bem *na* sinto!" (Fialho d'Almeida, *O País das Uvas*, p. 7); "Quem *no* havia de salvar?" (Almeida Garret, *Folhas Caídas*, p. 85); "Ninguém *no* entende" (Teixeira de Pascoais, *Obras Completas*, VI, p. 105); "Mas, vi-te e amei-te: o fado assim *no* quis" (João Penha, *Ecos do Passado*, p. 44).
no[4]. F. que assume o pron. *nos* antes de *lo, la, los, las* (o, a, os, as): *no -lo, no -la, no -los, no -las.*
no[5]. *Ant.* F. desnasalada do adv. de negação *nom* (não), antes de *mais:* "*No* mais, Musa, *no* mais, que a Lira tenho / Destemperada, e a voz enrouquecida" (Luís de Camões, *Os Lusíadas*, X, 145).
■**No.** *Quím.* Símb. de *nobélio.*
■**N.O.** Abrev. de *noroeste.*
nó. [Do lat. *nodu.*] *S. m.* **1.** Entrelaçamento feito na extremidade ou no meio de uma ou de duas cordas, linhas ou fios, a fim de encurtá-los, marcá-los ou uni-los. **2.** A parte mais dura da madeira. **3.** A articulação das falanges dos dedos: "esfregou os olhos no fundo das órbitas com os *nós* dos dedos" (João de Araújo Correia, *Terra Ingrata*, p. 55). **4.** Ligação, união, vínculo: *nó matrimonial.* **5.** O ponto crítico ou essencial, e que mais nos merece a atenção num assunto, negócio, problema, etc. **6.** Embaraço, estorvo, empecilho. **7.** Enredo, intriga. **8.** *Morfol. Veg.* Porção do caule ou do ramo onde se inserem as folhas. **9.** *Náut.* Unidade de velocidade, igual a uma milha marítima por hora. **10.** *Geom. Anal.* Ponto nodal. **11.** *Fís.* Numa onda estacionária, ponto em que a amplitude do movimento é constantemente nula; nodo. [Pl.: *nós.* Cf. *nô*, pl. *nôs, nos* e *noz.*] ♦ **Nó cego.** Nó que não se pode desatar ou só a custo se desata. **Nó cotiledonar.** *Morfol. Veg.* Nó de planta jovem no qual se inserem os dois cotilédones. **Nó da garganta.** V. *pomo-de-adão.* [Cf. *nó na garganta.*] **Nó da goela.** V. *pomo-de-adão.* **Nó górdio.** **1.** Nó que é impossível desatar. **2.** Dificuldade séria; busílis: "Admitida esta última idéia, estaria cortado o *nó górdio* da questão e daríamos por terminada a controvérsia." (Alfredo Brandão, *A Escrita Pré-Histórica do Brasil*, p. 31.) **Nó na garganta.** *Bras.* Sensação de constrição na garganta, causada por um abalo emocional: "Como a cabeça me pesa! E este *nó na garganta* me sufoca." (Cordeiro de Andrade, *Anjo Negro*, p. 15.) [Cf. *nó da garganta.*] **Cheio de nós pelas costas.** *Bras. Fam.* V. *cheio de luxo.* **Cortar o nó górdio.** Resolver uma grande dificuldade com rapidez e/ou violência. **Dar o nó.** *Bras. Fam.* Casar (-se), matrimoniar-se.
nô. [Do jap. *no, noh*, 'habilidade, capacidade'.] *S. m. Teat.* Uma das primeiras manifestações teatrais do Japão, originada no séc. XIII, sob a forma de dramas líricos representados durante funções religiosas nos festivais xintoístas, e que se caracteriza pelo simbolismo, pelo lirismo, pelos movimentos altamente estilizados dos atores, que obedecem a convenções cênicas permanentes e tradicionais, pela forma solene e ritualística, pela presença de personagens míticas ou humanas, mortas ou vivas, concretas ou abstratas, e pela atuação exclusiva de homens, inclusive na representação de papéis femininos; teatro nô. [Cf. *cabúqui.* Pl.: *nôs.* Cf. *nó*, s. m., pl. *nós*, e *nós*, pron. pess.]
noa (ô). [Do lat. *nona.*] *S. f.* Na liturgia católica, hora canônica [v. *horas canônicas* (1)] subseqüente à sexta[2] (2) e correspondente às três da tarde: "Não se rezara *Noa*, ... porque o clero comarcão se desabituara disso, considerando talvez as Horas Canônicas um luxo de catedral." (Vitorino Nemésio, *O Retrato do Semeador*, p. 127.) [O uso da maiúscula é facultativo. Cf. *nona*[1] (2).]
nobélio. [Do lat. cient. *nobelium* < antr. *Nobel*, de Alfred B. Nobel (1833-1896) químico sueco.] *S. m. Quím.* Elemento de número atômico 102, transurânico, artificial, radioativo. [Símb.: *No.*]
nobiliário. [Do lat. *nobile*, 'nobre', + *-i-* + *-ário.*] *Adj.* **1.** Relativo à nobreza. ● *S. m.* **2.** Nobiliarquia (2).
nobiliarista. *S. 2 g.* Especialista em estudos nobiliários e/ou autor de nobiliários.
nobiliarquia. [Do lat. *nobile*, 'nobre', + *-i-* + *-arque-* + *-ia.*] *S. f.* **1.** Estudo das origens e tradições das famílias nobres e dos apelidos, armas, brasões, etc., da nobreza. **2.** Livro ou tratado em que se faz esse estudo; nobiliário. **3.** Os nobres; a nobreza.
nobiliárquico. *Adj.* Respeitante à nobiliarquia.

nobilíssimo. [Do lat. *nobilissimu.*] *Adj.* Superl. abs. sint. de *nobre;* nobríssimo.

nobilitação. *S. f.* Ato ou efeito de nobilitar(-se).

nobilitador (ô). [De *nobilitar* + *-(d)or.*] *Adj.* Nobilitante.

nobilitante. [Do lat. *nobilitante.*] *Adj. 2 g.* Que nobilita; nobilitador.

nobilitar. [Do lat. *nobilitare.*] *V. t. d.* **1.** Tornar nobre; engrandecer, elevar, enobrecer: "As caixas econômicas .... concorrem .... para nobilitar o caráter do homem pobre" (Alexandre Herculano, *Opúsculos*, I, p. 162). **2.** Dar foros ou títulos de nobreza a; enobrecer. **3.** Exaltar, engrandecer, celebrar, ilustrar: "É o Sr. Augusto de Carvalho um brasileiro que nobilita as letras da sua pátria." (Camilo Castelo Branco, *Noites de Insônia*, IV, p. 53.) *P.* **4.** Tornar-se nobre; engrandecer-se.

nobre. [Do lat. *nobile.*] *Adj. 2 g.* **1.** Que tem título nobiliárquico; pertencente à nobreza; fidalgo. **2.** P. ext. Que é de descendência ilustre. **3.** Relativo ou pertencente aos indivíduos fidalgos ou de descendência ilustre: casa *nobre*. **4.** Muito conhecido; notável, ilustre, célebre: *o nobre deputado; Tem razão o nobre colega.* **5.** Majestoso, augusto: *a nobre figura do pai.* **6.** Elevado, alto, sublime: *uma nobre empresa.* **7.** Generoso, longânime, magnânimo: *coração nobre; ação nobre.* **8.** *Quím.* Pouco reativo. [Superl. abs. sint.: *nobilíssimo, nobríssimo.*] ~ V. *balcão —, gás —, horário —, opala —, pai —* e *página —.* ● *S. 2 g.* **9.** Pessoa nobre.

nobrecer. [De *nobre* + *-ecer.*] *V. t. d.* V. *enobrecer* (1). [Conjug.: v. *aquecer.*]

nobreza (ê). *S. f.* **1.** Qualidade ou caráter de nobre. **2.** A classe dos nobres; a fidalguia: *A nobreza francesa perdia suas prerrogativas.* **3.** O conjunto das famílias ilustres, nobres; os nobres: *A nobreza da terra compareceu em peso.* **4.** Excelência, dignidade: *a nobreza do estilo.* **5.** Magnanimidade, generosidade, longanimidade: *nobreza de sentimentos.* **6.** Majestade, gravidade, austeridade: *a nobreza do seu porte.* **7.** *Ant.* Certo tecido de seda: "O justilho de nobreza, desarrugado, cingia-lhe estreitamente a cinta, inflandolhe o busto" (Afonso Arinos, *Pelo Sertão*, p. 143).

nobríssimo. *Adj.* Nobilíssimo.

noção. [Do lat. *notione.*] *S. f.* **1.** Conhecimento, idéia: "Num ai tudo se apaga e ela perde a noção de quanto a cerca." (Orlando Gonçalves, *Este Mundo dos Homens*, p. 96.) **2.** Informação, notícia: *Não tem noção dos últimos acontecimentos.* **3.** Concepção, conceito. ~ V. *noções.* [Cf. *nução.*]

nocaute. [Do ingl. *knock-out.*] *S. m.* **1.** Em boxe, a derrota pela inconsciência durante 10 segundos no mínimo. [Abrev.: *KO.*] **2.** *P. ext.* Soco, murro, pancada, etc., que leva à inconsciência. ● *Adv.* **3.** *Fig.* Em estado de debilitação, de apatia ou abulia, de quem se acha ou se considera, ou como que se considera, fora de combate: *Uísque ruim bota qualquer pessoa nocaute.* ◆ **Nocaute técnico.** Em boxe, nocaute (1) em que o lutador, embora não tenha sido derrotado por nocaute, se encontra em tais condições físicas que o juiz suspende a luta.

nocautear. *V. t. d.* Pôr ou deixar nocaute (3). [Conjug.: v. *frear.*]

nocente. [Do lat. *nocente.*] *Adj. 2 g.* V. *nocivo:* "estou me referindo .... às coisas que são por vezes censuradas, ... mas que devem ser compreendidas e julgadas em razão do momento, ou de serem nocentes ou inocentes." (Carlos de Gusmão, *Boca da Grota*, p. 489).

nochatro. [Do ár. vulg. *nuxátar.*] *S. m.* Sal amoníaco.

nocional. *Adj. 2 g.* **1.** Referente a noção ou noções. **2.** Que tem caráter de noção.

nocividade. *S. f.* Qualidade de nocivo.

nocivo. [Do lat. *nocivu.*] *Adj.* Que prejudica; que causa dano; danoso, nocente, nóxio.

noções. [Pl. de *noção.*] *S. f. pl.* Conhecimentos elementares; rudimentos: *noções de geometria.* ~V. *noção.*

noctambulação. [De um **noctambular* < *noctâmbulo* + *-ção.*] *S. f.* Ação de andar de noite; procedimento de sonâmbulo.

noctambulismo. *S. m.* Qualidade ou estado de noctâmbulo.

noctâmbulo. [De *noct(i)-* + *-ambulo.*] *Adj.* **1.** Que anda de noite; noctívago: "ia .... lançar-se a caminho, quando viu um tílburi, que se aproximava vagaroso, ao passo tardo de um sendeiro esgrouviado, pobre besta noctâmbula, velha e exausta, que só àquelas horas ermas, de trevas, saía" (Coelho Neto, *Turbilhão*, p. 32). **2.** Sonâmbulo (1). ● *S. m.* **3.** Indivíduo noctâmbulo; nictobata, nictóbata.

▲**noct(i)-.** [Do lat. *nox, noctis.*] *El. comp.* = 'noite', 'trevas': *noctígeno, noctâmbulo.*

nocticolor (ô). [Do lat. *nocticolore.*] *Adj. 2 g.* Da cor da noite; escuro: "toda de negro e ouro purpurejante, nocticolor, ... Lola Sánchez principia a dançar, cantarolando, e a tamborilar no pandeiro..." (Martins Fontes, *A Dança*, p. 58).

noctífero. [Do lat. *noctiferu.*] *Adj.* Noctígeno.

noctifloro. [De *noct(i)-* + *-floro.*] *Adj. Bot.* Diz-se das plantas cujas flores se abrem ao anoitecer e se fecham de manhã.

noctígeno. [De *noct(i)-* + *-geno*[1].] *Adj.* Que produz sombras; que espalha trevas; noctífero.

noctilionídeo. *S. m.* **1.** Espécime dos noctilionídeos. ● *Adj.* **2.** Pertencente ou relativo a eles.

noctilionídeos. *S. m. pl. Zool.* Animais quirópteros, da família *Noctilionidae*, insetívoros, de lábios partidos, o superior carnoso, com carúncula, a cauda totalmente incluída no uropatágio, e asas muito longas.

noctiluca. [Do lat. *noctiluca.*] *S. f.* **1.** A Lua. **2.** *Zool.* Animal protozoário, fitomastigino, dinoflagelado, da família dos noctilucídeos, gênero *Noctiluca miliaris* Luriray, marinho, de corpo luminescente, com 2 mm de diâmetro. [Sin., nesta acepç.: *noctilúcio, ardência, fosforescência-do-mar* e (bras.) *buxiqui.*]

noctilucídeo. [De *noctiluca* + *-ídeo.*] *S. m.* **1.** Espécime dos noctilucídeos. ● *Adj.* **2.** Pertencente ou relativo a eles.

noctilucídeos. [Pl. de *noctilucídeo.*] *S. m. pl.* Zool. Grupo de protozoários da ordem dos dinoflagelados, classe dos mastigóforos, de 2 mm aproximadamente, caracterizados pela fosforescência, observada à noite nos mares e praias. Ex.: *Noctiluca* sp.

noctilúcio. [De *noctiluca* + *-io*[2].] *Adj.* **1.** Diz-se dos corpos que luzem ou brilham de noite. ● *S. m.* **2.** V. *noctiluca* (2).

noctiluz. [De *noct(i)-* + *luz.*] *S. m.* V. *pirilampo.*

noctívago. [Do lat. *noctivagu.*] *Adj.* e *s. m.* Que ou aquele que anda ou vagueia de noite; noctâmbulo, noturno: "Salta da rede ao assobio dos pássaros noctívagos, pelas três da manhã, toma um gole de cachaça ou bebe uma xícara de café" (Raimundo Morais, *Na Planície Amazônica*, p. 131); "na rua, havia o silêncio das horas mortas: somente, de onde a onde, se ouviam os tamancos de algum raro noctívago, batendo no lajedo da calçada" (Antero de Figueiredo, *Jornadas em Portugal*, p. 291).

noctívolo. [De *noct(i)-* + *-volo*[1].] *Adj.* Que voa de noite.

noctuídeo. *S. m.* **1.** Espécime dos noctuídeos. ● *Adj.* **2.** Pertencente ou relativo a eles.

noctuídeos. *S. m. pl. Zool.* Família de insetos lepidópteros, na qual se encontram as mariposas, de hábitos noturnos e facilmente atraídos pela luz. Robustos, variam muito quanto ao tamanho e colorido, tendo a maioria, em média, 3 cm de envergadura. As lagartas são lisas e de cores discretas. Constituem a maior família de lepidópteros.

noda. *S. f. Ant.* e *pop.* Nódoa.

nodal. [Do lat. *nodu*, 'nó', + *-al.*] *Adj. 2 g.* Referente a nó. ~ V. *caracol —, ponto —, pontos nodais* e *superfície —.*

nó-de-adão. *S. m.* V. *pomo-de-adão.* [Pl.: *nós-de-adão.*]

nó-de-cachorro. *S. m. Bras.* Arbusto da família das malpighiáceas (*Galphimia brasiliensis*), muito disperso nas proximidades do litoral e que alcança o centro do País, de folhas oblongas e rígidas, e cujas belas flores amarelas se ordenam em cachos de bom efeito ornamental. [Pl.: *nós-de-cachorro.*]

▲**nodi-.** [Do lat. *nodus, i.*] *El. comp.* = 'nó': *nodicórneo, nodifloro.*

nódico. *Adj.* ~ V. *período —* e *revolução —a.*

nodicórneo. [De *nodi-* + *-corn(e)-* + *-eo.*] *Adj. Zool.* Que tem antenas nodosas.

nodifloro. [De *nodi-* + *-floro.*] *Adj. Morfol. Veg.* Diz-se das plantas cujas flores nascem dos nós.

nodo. [Do lat. *nodu.*] *S. m.* **1.** *Anat.* A parte mais saliente de certos ossos. **2.** *Patol.* Tumor duro formado em torno das articulações ósseas. **3.** *Med.* Saliência, tumefação, protuberância. **4.** *Astr.* Cada um dos pontos de interseção da eclíptica com a órbita de um planeta. **5.** *Fís.* Nó (11). ◆ **Nodo ascendente.** *Astr.* Aquele no qual o planeta, em seu movimento orbital, passa do hemisfério sul para o hemisfério norte. **Nodo descendente.** *Astr.* Aquele em que o planeta, em seu movimento orbital, passa do hemisfério norte para o hemisfério sul.

nódoa. [Do lat. *notula*, 'pequeno sinal'.] *S. f.* **1.** Sinal de um corpo ou substância suja; mancha. **2.** *Fig.* Mácula, deslustre, desdouro, estigma. **3.** *Fig.* Ignomínia, opróbrio, afronta. [Var., ant. e pop.: *noda.* Cf. *nodoa*, do v. *nodoar.*]

nodoar. [De *nódoa* + *-ar*[2].] *V. t. d.* e *p.* V. *enodoar.* [Conjug.: v. *coroar.* Pres. ind.: *nodoo* (ô), *nodoas* (ô), *nodoa* (ô), etc. Cf. *nódoa.*]

nodóide. *S. f. Geom.* Superfície de revolução gerada pela rotação de uma catenária em torno da reta ao longo da qual rola a hipérbole que gera a catenária.

nodosidade. *S. f.* Qualidade ou estado de nodoso.

nodoso (ô). [Do lat. *nodosu.*] *Adj.* **1.** Que tem nós: "E aqui e além, ao passar, avistávamos budistas decrépitos, secos como pergaminhos e nodosos como raízes, encruzados no chão sob os sicômoros, numa imobilidade de ídolos" (Eça de Queirós, *O Mandarim*, p. 128); "Fora das luvas, as mãos apareciam grandes e nodosas." (Graciliano Ramos, *Viagem*, p. 40). **2.** Saliente, proeminente. ~ V. *eritema —, periartrite —a* e *poliarterite —a.*

nodular. *Adj. 2 g.* **1.** Relativo a, ou que apresenta nódulo. **2.** *Morfol. Veg.* Que ocorre sob a forma de nódulo (3).

nódulo. [Do lat. *nodulu.*] *S. m.* **1.** Nó pequeno; nozinho. **2.** Concentração de substância mineral em redor de um ponto ou de um eixo, ou dentro de uma cavidade. **3.** *Morfol. Veg.* Pequeno espessamento globoso de qualquer órgão vegetal.

noduloso (ô). *Adj.* Que tem nódulos.

noema. [Do gr. *noema*, 'percepção'.] *S. f. Filos.* Na fenomenologia, o aspecto objetivo da vivência, i. e., o objeto, considerado pela reflexão em seus diferentes modos de ser dado: o percebido, o pensado, o imaginado, etc.

noemático. *Adj. Filos.* Relativo a noema.

noese. [Do gr. *noésis*, 'pensamento, inteligência'.] *S. f. Filos.* Na fenomenologia, aspecto subjetivo da vivência, constituído por todos os atos que tendem a apreender o objeto: o pensamento, a percepção, a imaginação, etc.

noete (ê). [Do fr. *nouet.*] *S. m.* Rodízio onde se reúnem as varetas do guarda-chuva.

noética. [Fem. substantivado de *noético.*] *S. f. Filos.* Estudo das leis gerais do pensamento.

noético. [Do gr. *noetikós*, 'inteligente'.] *Adj. Filos.* **1.** Relativo à noese. **2.** Relativo ao pensamento.

nogada. [Do lat. vulg. **nucata*, calcado em *nux*, 'noz'.] *S. f.* **1.** A flor da nogueira. **2.** Doce de nozes. **3.** Molho em que entra o miolo das nozes.

nogado. [Do lat. vulg. **nucatu*, calcado em *nux*, 'noz'.] *S. m.* Doce de nozes ou de amêndoas misturadas com caramelo ou mel; nugá.

nogai. *S. m.* **1.** Indivíduo dos nogais, povo de origem turca em via de extinção, que hoje habita o N. do Cáucaso e as estepes da Criméia. **2.** A língua uraloaltaica desse povo; nogaico. ● *Adj.* **3.** Pertencente ou relativo aos nogais ou à sua língua; nogaico.

nogaico. *Adj.* e *s. m.* Nogai (2 e 3).

nogal. [Do lat. vulg. **nucale*, calcado em *nux*, 'noz'.] *S. m.* Nogueiral.

nogueira. [Do lat. vulg. **nucaria*, moldado em *nux*, 'noz'.] *S. f.* Árvore européia, da família das juglandáceas (*Juglans regia*), de flores arrumadas em longas espigas pendentes, e cujos frutos, as conhecidas nozes de Natal, são muito apreciados, sendo a madeira boa para móveis.

nogueira-brasileira. *S. f. Bras.* V. *nogueira-de-iguape.* [Pl.: *nogueiras-brasileiras.*]

nogueira-de-bancul. *S. f.* V. *nogueira-de-iguape.* [Pl.: *nogueiras-de-bancul.*]

nogueira-de-iguape. *S. f. Bras.* Árvore da família das euforbiáceas (*Aleuritis moluccana*), originária da Ásia e cultivada pelo valor do óleo que fornece, de folhas lobadas, frutos capsulares, de 3 a 6 cm de diâmetro com três a cinco sementes, as quais contêm cerca de 60% de óleo secativo de boa qualidade; nogueira-brasileira, nogueira-de-bancul, noz-de-bancul, noz-da-índia. [Pl.: *nogueiras-de-iguape.*]

nogueiral. *S. m.* quantidade mais ou menos considerável de nogueiras dispostas proximamente entre si; nogal.

nogueirense. *Adj. 2 g.* **1.** De, ou pertencente ou relativo a Artur Nogueira (SP). ● *S. 2 g.* **2.** Natural ou habitante de Artur Nogueira.

noitada. *S. f.* **1.** Espaço ou duração de uma noite; noite. **2.** Insônia, vigília. **3.** Folia ou divertimento que dura a noite inteira ou grande parte da noite: *Não sei como ele consegue trabalhar de manhã após uma noitada;* "Beberam à saúde do novo tenente. Foi uma noitada de farra." (Adalberon Cavalcanti Lins, *Curral Novo*, p. 300). **4.** Trabalho durante a noite. [F. paral.: *noutada.*]

noitão. *S. m. Bras., N.E.* Horas mortas da noite; noite alta [q. v.]. [F. paral.: *noutão.*]

noite. [Do lat. *nocte.*] *S. f.* **1.** Espaço de tempo em que o

Sol está abaixo do horizonte: *As* noites *são mais curtas no verão.* **2.** Obscuridade que reina durante esse tempo; escuridão, trevas: "De noite todos os gatos são pardos" (prov.). **3.** Noitada (1): *Passei a* noite *em claro.* **4.** A noite que antecede um dia santo; a vigília de um santo: *A* noite *de S. Pedro foi festejada em toda a região.* **5.** *Fig.* Cegueira (1). **6.** *Fig.* Ignorância, trevas. **7.** *Fig.* Sofrimento, tristeza: *Velho e sozinho, sua vida é eterna* noite. **8.** A vida noturna: "Lorna Luft, irmã de Liza Minelli, o novo sucesso da noite de Nova Iorque." (*Jornal do Brasil*, 11.12.1972). [F. paral.: noute.] ♦ **Noite alta.** Noite avançada no seu curso; noite morta: "tão frio era o ar da noite, já noite alta, já noite morta." (Machado de Assis, *Quincas Borba*, p. 356). **Noite cerrada.** Noite fechada. **Noite das garrafadas.** *Hist. Bras.* A noite de 13-3-1831, quando no Rio ocorreram conflitos de rua entre brasileiros hostis a D. Pedro I e portugueses naturalizados que, apoiando o imperador, pretendiam recebê-lo festivamente de volta de sua viagem a MG. **Noite de S. Bartolomeu.** *Hist. Ger.* A noite de 23-8-1572, quando, por inspiração de Catarina de Médicis (1519-1589), foram assassinados milhares de huguenotes parisienses. **Noite fechada.** Noite completa, sem restos de luz de dia, após o crepúsculo vespertino; noite cerrada: "Pânico geral: noite fechada, sem saber onde estávamos" (Maria Helena Cardoso, *Vida-Vida*, p. 34). **Noite morta. 1.** *Loc. s. f.* Noite alta [q. v.]. **2.** *Loc. adv.* V. *alta noite*: "afirmou que o Artur entrava, noite morta, por uma janela em casa do Canastreiro" (Camilo Castelo Branco, *Vulcões de Lama*, p. 20). **Noite velha.** V. *alta noite*: "o marido lia até noite velha, e adormecia sobre os in-fólios" (Camilo Castelo Branco, *A Queda dum Anjo*, pp. 10-11); "Quando a lua, noite velha, afastou os crepes da noite e prateou os caminhos, ... os homens empunharam os archotes .... — e rumaram para as terras lavradas." (Castro Soromenho, *Rajada e Outras Histórias*, p. 137). **Alta noite.** Em hora adiantada da noite; tarde da noite; noite velha; noite morta: "Alta noite, ouvi em sonhos, / A chamar-me, um serafim" (Gonçalves Dias, *Obras Poéticas*, II, p. 102). **Da noite para o dia.** De um dia para outro; sem se esperar; de repente: "Coragem para trabalhar não lhe faltava. Foi assim que, da noite para o dia, se transformou em quitandeira." (Povina Cavalcanti, *Volta à Infância*, p. 147.) **Não ter senão a noite e o dia.** Ser extremamente pobre; só ter de seu o dia e a noite: "— Pouco ou muito ele trouxesse, tudo é riqueza, disse a velha, para quem não tem senão a noite e o dia." (Fialho d'Almeida, *O País das Uvas*, p. 91.) **Passar a noite em claro.** Passá-la sem dormir: "Durante a noite, passada febrilmente em claro, muitas idéias me vieram" (Ciro dos Anjos, *Abdias*, p. 85). **Tarde da noite.** V. *alta noite.*

noitecer. [Do lat. *noctescere.*] *V. int.* Anoitecer. [F. paral.: *noutecer.* Conjug.: v. *aquecer.*]

noiteiro. *S. m. Bras., N.E.* Cada uma das pessoas incumbidas de concorrer, financeiramente ou por outros meios, para o brilhantismo duma das noites de novena das festas públicas de uma igreja. [F. paral.: *nouteiro.*]

noitibó. [De *noctívolo*, mudado em paroxítono e depois em oxítono.] *S. m.* **1.** V. *bacurau* (1). **2.** *Fig.* Pessoa pouco sociável, ou que só aparece de noite. [Var. (no CE): *oitibó.*]

noitinha. *S. f.* O crepúsculo da noite; o anoitecer: "partira à tarde quando já quebrara a força do sol, contando chegar à sua casa à noitinha." (José de Alencar, *O Sertanejo*, p. 32). [F. paral.: *noutinha.*]

noiva. [Do cruz. do lat. *nupta*, 'mulher casada', com *nova*, 'nova', 'recém-casada'.] *S. f.* Fem. de *noivo.* [Sin.: *prometida.*]

noivado. [De *noivar* + *-ado*¹.] *S. m.* **1.** Compromisso de casamento entre futuros esposos; esponsais: "As atoradas cessaram instantaneamente com a notícia do noivado de Jorge com Laura Simas, linda viúva de vinte e dois anos" (Coelho Neto, *Obra Seleta*, I, p. 267). **2.** O período de tempo que decorre entre esse compromisso e a celebração do casamento. **3.** O dia do noivado (1). **4.** A festa do noivado (1). **5.** O dia do casamento. **6.** A festa do casamento; boda(s), esponsais. **7.** Matrimônio, esponsais, casamento.

noivar. [De *noivo* + *ar*².] *V. int.* **1.** Celebrar noivado. **2.** Cortejar a pessoa com quem se vai casar: *Noivou durante cinco anos.* **3.** Ficar noivo; ajustar casamento. **4.** Passar a lua-de-mel. *Int.* e *t. i.* **5.** Ficar ou tornar-se noivo: "Recordou-se de que tinha visto eventualmente uma aliança em um dos anulares de Lídia. Noivara ou casara-se, a verdade é que já havia qualquer compromisso moral." (Manuel Lobato, *Garrucha 44*, p. 169); *Noivou com uma bonita moça.*

noivinha. [Dim. de *noiva.*] *S. f. Bras., RS.* Ave passeriforme, da família dos tiranídeos (Xolmis irupero (Vieil.)), distribuída desde a Argentina até a BA, insetívora, e de coloração branca, com rêmiges primárias e ponta da cauda negras.

noivo. [De *noiva.*] *S. m.* **1.** Aquele que vai casar, que fez promessa solene de casamento. [Sin., p. us.: *prometido.*] **2.** Indivíduo recém-casado. ~ V. *noivos.*

noivos. [Pl. de *noivo.*] *S. m. pl.* **1.** O homem e a mulher que se vão casar, que fizeram promessa solene de casamento. **2.** Recém-casados. ~ V. *noivo.*

nojado. [De *nojo* + *-ado*¹.] *Adj.* Anojado.

nojeira. *S. f.* **1.** Coisa nojenta, suja. **2.** Aquilo que provoca nojo. **3.** Serviço porco; sujeira.

nojento. *Adj.* **1.** Que causa nojo; repugnante, repelente, nojoso, anojoso: *animal* nojento. **2.** Que se enoja com facilidade.

nojo (ô). *S. m.* **1.** Náusea, enjôo. **2.** Repulsão, repugnância, asco. **3.** Profunda mágoa; pesar, desgosto, tristeza. **4.** Tédio, aborrecimento. **5.** Aquilo que provoca asco ou repugnância. **6.** Luto, dó: "A tia Sabina fora enterrada na véspera da sua chegada. Os três dias de nojo tinham passado" (Eça de Queirós, *A Capital*, p. 547). [Pl.: *nojos* (ô).]

nojoso (ô). *Adj.* **1.** V. *nojento* (1). **2.** Desgostoso, pesaroso. **3.** Vestido de nojo ou luto.

nolanácea. *S. f.* Espécime das nolanáceas.

nolanáceas. *S. f. pl. Bot.* Família de plantas floríferas, da ordem das tubifloras, que compreende ervas anuais ou perenes e pequenos arbustos de folhas alternas. Há só umas 40 espécies, nenhuma no Brasil.

nolanáceo. *Adj.* Pertencente ou relativo às nolanáceas.

nolição. [Do lat. bárbaro filosófico *nolitione*, 'ação de não querer', moldado em *nolle*, 'não querer'.] *S. f.* Ato ou efeito de não querer. [Antôn.: *volição.*]

no-lo. 1. Comb. do pron. pess. *nos* com o pron. pess. *lo*, mediante assimilação do *s*: *O emprego que nos prometeu, não* no-lo *arranjará nunca.* [Flex.: *no-la, no-los, no-las.*] **2.** Comb. do pron. pess. *nos* com o pron. dem. neutro *lo*, mediante assimilação do *s*: "Certos bolos e cremes, antes de serem degustados pela boca ávida, o são pelo nariz e pelos olhos, e, se no-lo permitissem, o seriam pelas mãos" (Carlos Drummond de Andrade, *Contos de Aprendiz*, pp. 27-28).

noma. [Do gr. *nomé.*] *S. m. Patol.* Estomatonoma.

nômada. *Adj. 2 g.* e *s. 2 g.* Var. de *nômade*: "Foi por esse método que os soldados aventureiros e nômadas, vivendo da rapina quando não viviam de guerra, ... se converteram a pouco e pouco em cidadãos laboriosos, pacíficos e honrados" (Ramalho Ortigão, *As Farpas*, I, p. 236).

nômade. [Do gr. *nomás, ádos*, pelo lat. *nomade.*] *Adj. 2 g.* **1.** Diz-se das tribos ou povos errantes, sem habitação fixa que se deslocam constantemente em busca de alimentos, pastagens, etc. **2.** Diz-se de indivíduo de uma dessas tribos ou povos. **3.** *P. ext.* Diz-se de indivíduo que leva vida errante; vagabundo. **4.** Relativo ou semelhante aos, ou próprio dos povos errantes, ou do seu tipo de vida. ● *S. 2 g.* **5.** Indivíduo pertencente a tribo ou povo nômade (1). **6.** Indivíduo nômade (3). [Var.: *nômada.*] ~ V. *nômades.*

nômades. [Pl. de *nômade.*] *S. m. pl.* Povos que não pertencem a determinado país e vagueiam sem residência fixa. ~ V. *nômade.*

nomadismo. *S. m.* Sistema nômade de viver; vida nômade.

nomadizar. *V. t. d.* e *p.* Tornar(-se) nômade.

nomancia (cí). [De *nome* + *-mancia.*] *S. f.* Arte de adivinhar por meio das letras de um nome próprio.

♦**no man's land** (nou menç lend). [Ingl.] Território disputado entre duas partes adversas, especialmente o campo de batalha entre dois exércitos entrincheirados.

nomante. *S. 2 g.* Pessoa que pratica a nomancia.

nomântico. *Adj.* Referente à nomancia, ou a nomante.

nomarca. [Do gr. *nomárches.*] *S. m.* Governador de um nomo², ou de uma nomarquia. [Cf. *monarca.*]

nomarcado. *S. m.* Governo ou funções de nomarca.

nomarquia. [Do gr. *nomarchía.*] *S. f.* **1.** Território administrado por um nomarca. **2.** Divisão territorial, na Grécia hodierna. [Cf. *monarquia.*]

nome. [Do lat. *nomen.*] *S. m.* **1.** Palavra(s) com que se designa pessoa, animal ou coisa. **2.** V. *prenome*: *Seu* nome *é Joana.* **3.** Palavra(s) que exprime(m) uma qualidade característica ou descritiva de pessoa ou coisa; epíteto, cognome, alcunha, apelido. **4.** Fama, reputação, nomeada, renome. **5.** Boa reputação: *É uma firma de* nome. **6.** Família, linhagem: *D. João, o sexto do* nome (D. João VI). **7.** Pessoa que se notabiliza por sua atuação em determinado campo de atividade: *Goya é um* nome *na pintura.* **8.** Título (4): *Só é chefe no* nome. **9.** V. *nome feio*: *É um imoral: vive dizendo* nomes. **10.** Designação patronímica da pessoa; nome de família; sobrenome, apelido. ♦ **Nome civil.** Nome de pessoa tal como figura no registro civil: "O Visconde de Chateaubriand — François René de Chateaubriand, como era o seu nome civil — nasceu em Saint-Malo, na França, a 4 de setembro de 1768." (Múcio Leão, *Emoção e Harmonia*, p. 102.) **Nome de batismo.** V. *prenome.* **Nome de família.** V. *nome* (10). **Nome de guerra. 1.** Pseudônimo ou apelido pelo qual alguém se torna mais conhecido em qualquer esfera de atividade. **2.** *Bras. Pop.* Nome pelo qual é conhecida uma prostituta. **Nome feio.** Palavra obscena ou atentatória aos bons costumes; obscenidade, palavrão, palavrada. [Tb. se diz apenas *nome.*] **Nome popular.** *Bot.* e *Zool.* O nome dado à planta ou ao animal pelo povo, tendo em vista, geralmente, o aspecto, a qualidade ou o emprego de uma ou de outro; nome vulgar. **Nome próprio. 1.** Nome com que se nomeiam individualmente os seres e que se aplica em especial a pessoas, nações, povoações, montes, mares, rios, etc. **2.** V. *prenome.* **Nome quente.** *Bras. Gír.* O nome verdadeiro de uma pessoa (por oposição ao *pseudônimo*, ou ao *nome de guerra.*) [V. *ortônimo.*] **Nome vulgar.** Nome popular. **Dar nome a. 1.** Pôr nome em (alguém); nomear; apelidar. **2.** Tornar afamado. **Dar nome aos bois.** *Bras.* Revelar nomes que se vinham ocultando, geralmente por se tratar de protagonistas de acontecimentos desabonadores. **De nome.** Afamado, famoso, renomeado: *poeta de* nome. **Em nome de. 1.** Com autorização de. **2.** Em lugar de.

nomeação. [Do lat. *nominatione.*] *S. f.* **1.** Ato ou efeito de nomear. **2.** Ato formal pelo qual o poder público atribui um cargo a pessoa estranha aos seus quadros, ou, caso se trate de comissão, a um de seus funcionários. **3.** Atribuição de cargo ou função privada. ♦**Nomeação à autoria.** *Jur.* Ato pelo qual o réu, que possui em nome de outrem a coisa demandada, nomeia o verdadeiro proprietário ou possuidor indireto para que receba a citação do autor. **Nomeação de bens à penhora.** *Jur.* Ato pelo qual o devedor executado indica bens, valores, títulos, direitos, etc., pertencentes ao seu patrimônio, para que sejam penhorados como garantia da execução da dívida.

nomeada. *S. f.* Fama, reputação, nome, renome.

nomeadamente. [Do fem. de *nomeado* + *-mente.*] *Adv.* **1.** Particularizando o nome. **2.** Especificadamente, designadamente. **3.** Sobretudo, mormente, maiormente, principalmente.

nomeado. [Part. de *nomear.*] *Adj.* **1.** Designado pelo nome. **2.** Que recebeu nomeação para exercer função pública, ou emprego.

nomeador (ô). [Do lat. *nominatore.*] *Adj.* e *s. m.* Que ou aquele que nomeia; nomeante.

nomeante. [Do lat. *nominante.*] *Adj. 2 g.* e *s. 2 g.* Nomeador.

nomear. [Do lat. *nominare.*] *V. t. d.* **1.** Designar pelo nome; proferir o nome de: *Recusou-se a* nomear *o culpado.* **2.** Chamar pelo nome. **3.** Criar, instituir, designar: nomear *uma comissão julgadora.* **4.** Fazer a nomeação (2) de. **5.** Eleger; escolher: *A convenção do partido* nomeou *apenas três candidatos a deputado.* *Transobj.* **6.** Considerar; classificar; chamar: "Uns a nomeiam primavera. Eu lhe chamo estado de espírito." (Carlos Drummond de Andrade, *Fala, Amendoeira*, p. 125.) **7.** Conferir o cargo de; escolher, designar: Nomearam*-no ministro de Estado; O governo* nomeou*-o como chanceler interino.* *P.* **8.** Dar a si próprio um nome ou qualificativo; intitular-se. **9.** Proferir ou pronunciar o próprio nome: Nomeou-se, *e de pronto foi recebido.* [Conjug.: v. *frear.*]

nome-do-padre. *S. m. Fam.* Sinal-da-cruz [q. v.] [Pl.: *nomes-do-padre.*]

nomenclador (ô). [Do lat. *nomenclatore.*] *Adj.* **1.** Que nomeia ou classifica. ● *S. m.* **2.** Aquele que se consagra à nomenclatura ou classificação das ciências. **3.** *Ant.* Escravo romano que acompanhava na rua os candidatos à magistratura a fim de lhes nomear os cidadãos que encontravam e a quem tinham interesse em cumprimentar.

nomenclar. *V. t. d.* Nomenclaturar.

nomenclatório. *Adj.* Referente a nomenclatura¹.

nomenclatura¹. [Do lat. *nomenclatura.*] *S. f.* **1.** Vocabulário de nomes. **2.** Conjunto de termos peculiares a uma arte ou ciência; terminologia. **3.** Lista, relação, catálogo: "O *esprit* francês é um termo técnico, um vocábulo da n o m e n c l a t u r a das especialidades purissimamente nacionais, palavra que não tem equivalente em nenhuma outra língua pela razão de que em nenhum outro país que não seja a França se encontra o que ela representa." (Ramalho Ortigão, *Em Paris*, p. 161.) ♦ **Nomenclatura binária.** *Bot.* A aplicação, a cada espécie vegetal, de dois nomes latinos ou gregos alatinados, dos quais o primeiro, um substantivo, indica o gênero, e o segundo, adjetivo, a espécie. Ex.: *Rosa centifolia; Tamarindus indica.*

nomenclatura². [Do rus. *nomenklatura* < lat. *nomenclatura.*] *S. f.* A classe burocrática, privilegiada, dos países da Cortina de Ferro.

nomenclaturar. *V. t. d.* Levantar a nomenclatura¹ de; nomenclar.

➡**nomen juris** (nómen júriç). [Lat., 'denominação legal'.] *Jur.* Nome que em direito se dá a alguma coisa ou situação.

nomerento. [De nome.] *Adj. Bras.* Que diz nomes feios; desbocado, inconveniente.

nômina. [Do lat. *nomina*, 'nomes'.] *S. f.* **1.** Bolsa onde se guardam relíquias. **2.** Oração escrita e guardada numa bolsinha para livrar-nos do mal. **3.** Prego dourado dos arreios das bestas.

nominação. [Do lat. *nominatione.*] *S. f. Ret.* Figura pela qual se dá nome a uma coisa que não o tem.

nominal. [Do lat. *nominale.*] *Adj. 2 g.* **1.** Referente ao nome. **2.** Que existe só em nome; que não é real. ~ V. *cheque —, complemento —, formas nominais do verbo, órbita —, valor —* e *voto —.*

nominalidade. *S. f.* Qualidade de nominal.

nominalismo. [De *nominal* + *-ismo.*] *S. m. Filos.* Doutrina segundo a qual as idéias gerais não existem, e os nomes que pretendem designá-las são meros sinais que se aplicam indistintamente a diversos indivíduos; terminismo. [Cf. *conceitualismo.*]

nominalista. *Adj. 2 g.* **1.** Referente ao nominalismo. **2.** Diz-se do título, papel de crédito ou ação de sociedade mercantil onde se indica o nome do proprietário ou do favorecido. **3.** Que é adepto do nominalismo. ● *S. 2 g.* **4.** Adepto dessa doutrina.

nominata. [Do lat. *nominata.*] *S. f.* Lista ou relação de nomes: "é contraproduzente carregar a memória infantil com uma n o m i n a t a incolor." (Américo Jacobina Lacombe, *Capitanias Hereditárias*, p. 395).

nominativo. [Do lat. *nominativu.*] *Adj.* **1.** Que tem nome, ou que denomina. ~ V. *ação —a, cheque —, endosso —* e *título —.* ● *S. m.* **2.** *Gram.* O primeiro caso, ou caso reto, dos nomes declináveis, o qual na oração serve de sujeito ou predicativo.

nomo¹. [Do gr. *nómos.*] *S. m.* Entre os gregos, composição vocal, geralmente acompanhada pela cítara ou pelo aulo, que obedecia a determinados padrões fixos aos quais se atribuía influência mágica, e que era destinada a louvar os deuses ou a celebrar certos acontecimentos.

nomo². [Do gr. *nomós.*] *S. m.* Divisão territorial do antigo Egito: espécie de distrito ou província.

▲**nomo-.** [Do gr. *nómos, ou.*] *El. comp.* = 'regra', 'lei'; 'que regula': *nomologia.* [Equiv.: *-nom(o)-* e *-nomo*: foronomia; heterônomo, metrônomo.]

▲**-nom(o)-.** V. *nomo-.*

▲**-nomo.** V. *nomo-.*

nomofilo. [De *nomo-* + *-filo¹.*] *Morfol. Veg. S. m.* **1.** Folha normal de uma planta. ● *Adj.* **2.** Diz-se da planta que tem folhas normais.

nomografia. [Do gr. *nomographía*, 'ação de escrever leis'.] *S. f.* Parte da matemática aplicada em que se investigam os processos de resolução de equações mediante os nomogramas. [Cf. *monografia.*]

nomográfico. *Adj.* Respeitante à nomografia. [Cf. *monográfico.*]

nomograma. [De *nom(o)-* + *-grama.*] *S. m. Mat.* Gráfico, com curvas apropriadas, mediante o qual se podem obter as soluções de uma equação determinada pelo simples traçado de uma reta; ábaco. [Cf. *monograma.*]

nomologia. [De *nom(o)-* + *-log(o)-* + *-ia.*] *S. f.* Estudo das leis que presidem aos fenômenos naturais.

nomológico. *Adj.* Relativo à nomologia.

nomologista. *Adj. 2 g.* Especialista em nomologia; nomólogo.

nomólogo. *S. m.* Nomologista.

nona¹. [Do lat. *nona.*] *S. f.* **1.** Estrofe de nove versos. **2.** Uma das horas em que os romanos dividiam o dia, e que era correspondente às três da tarde. [Cf. *noa.*] **3.** *Mús.* Intervalo que compreende uma oitava e mais um tom ou um semitom. ~ V. *nonas.*

nona². [F. aferética de *anona.*] *S. f. Bras., SC.* V. *fruta-de-conde* (1). ~ V. *nonas.*

nona³. *Num.* Fem. de *nono².* ~ V. *nonas.*

nonacontaedro. *S. m. Geom.* Poliedro de 90 faces.

nonacontágono. *S. m. Geom.* Polígono de 90 lados.

nonacosaedro. *S. m. Geom.* Poliedro de 29 faces.

nonacoságono. *S. m. Geom.* Polígono de 29 lados.

nonada. [De *non*, f. arcaica de 'não', + *-ada¹.*] *S. f.* V. *ninharia.*

nonadecaedro. *S. m. Geom.* Poliedro de 19 faces.

nonadecágono. *S. m. Geom.* Polígono de 19 lados.

nonaedro. *S. m. Geom.* Poliedro de nove faces.

nonagenário. [Do lat. *nonagenariu.*] *Adj.* e *s. m.* Que ou aquele que está na casa dos 90 anos de idade; noventão: *Pablo Picasso e Jacques Maritain morreram n o n a g e n á r i o s , em 1973.*

nonagésimo. [Do lat. *nonagesimu.*] *Num.* **1.** Ordinal e fracionário correspondente a noventa ● *S. m.* **2.** A nonagésima parte. **3.** Aquele ou aquilo que ocupa o nonagésimo lugar.

nonágono. [De *non(o)-²* + *-a-* + *-gono.*] *S. m. Geom.* Polígono de nove lados.

nonano. *S. m. Quím.* Hidrocarboneto saturado, líquido, incolor. [Fórm.: C_9H_{20}.]

nonário. [Do lat. **nonariu.*] *Adj.* Composto de nove unidades ou elementos. ~ V. *compasso —.*

nonas. [Do lat. *nonae.*] *S. f. pl.* No antigo calendário romano, o nono dia antes dos idos. ~ V. *nona.*

nó-nas-tripas. *S. m. Bras. Pop.* Designação comum a diversas condições mórbidas em que há parada de trânsito intestinal. [Pl.: *nós-nas-tripas.*]

nonato. [Do lat. *non natu*, 'não nascido'.] *Adj.* **1.** Diz-se da criança que só saiu do ventre materno mediante operação cesariana. **2.** Diz-se do animal que se tirou do ventre da mãe depois que esta morreu. ● *S. m.* **3.** A criança ou animal tirado do ventre da mãe nessas condições. **4.** *Bras., RS.* Terneiro que se tira do ventre da vaca quando esta é carneada; mamoto, tapichi, vacaraí.

➡**non dominus** (non dóminuç). [Lat., 'não senhor'.] *Jur.* Diz-se de quem não tem propriedade da coisa de que se trata.

nones. [Pl. de *non*, f. arc. de *não.*] *Adj.* e *s. m. Ant.* e *pop.* Nunes.

noneto (ê). [De *nono* + o final de *dueto, terceto, quarteto*, etc.] *S. m. Mús.* **1.** Composição vocal ou instrumental a nove partes. **2.** Conjunto de música de câmara formado por nove cantores ou nove instrumentistas.

nongentésimo (zi). [Do lat. *nongentesimu.*] *Num.* e *s. m.* Noningentésimo.

nonila. *S. m. Quím.* Radical monovalente derivado do nonano de fórmula C_9H_{19}.

nonilhão. [De *nono* + a term. de *milhão.*] *S. m. Mat.* **1.** A 54ª potência de dez. **2.** A 30ª potência de dez. [Esta acepç. não é cientificamente recomendável, sendo preferível a palavra *quintilhão.*]

noningentésimo (zi). [Do lat. *noningentesimu.*] *Num.* **1.** Ordinal e fracionário correspondente a novecentos. ● *S. m.* **2.** Cada uma das 900 partes em que se divide um todo. **3.** Aquele ou aquilo que ocupa o noningentésimo lugar. [Sin. ger.: *nongentésimo.*]

nônio. [De *Nonius*, f. latinizada de *Nunes*, de João Pedro Nunes (1502-1578), matemático português inventor deste instrumento.] *S. m. Fís.* Escala auxiliar para leitura de frações da menor divisão de uma escala, e da qual existem diversos modelos, sendo os mais comuns os destinados a medidas de comprimento e medidas de ângulos. [Sin. *verniê.*]

nonipétalo. [Do lat. *nonu*, 'nono', + *-i-* + *pétala.*] *Adj. Bot.* Que tem nove pétalas.

nono¹. [Do it. *nonno.*] *S. m. Ant.* Monge, frade.

nono². [Do lat. *nonu.*] *Num.* **1.** Ordinal e fracionário correspondente a nove. ● *S. m.* **2.** A nona parte. **3.** Aquele ou aquilo que ocupa o nono lugar.

nonodo (ô). *S. m. Eletrôn.* Válvula eletrônica com nove eletrodos.

➡**non plus ultra.** [Lat.] Nec plus ultra.

nônuplo. [Do lat. *nonu*, 'nono', com o final de vários multiplicativos (*duplo, triplo*, etc.).]. *Num.* **1.** Que é nove vezes maior que outro. ● *S. m.* **2.** Quantidade nove vezes maior que outra.

▲**noo-.** [Do gr. *nóos-noûs, nóou-noû.*] *El. comp.* = 'psique': *noologia.*

noologia. [De *noo-* + *-log(o)-* + *-ia.*] *S. f.* O estudo da mente; a ciência dos fenômenos considerados como puramente mentais em sua origem.

noológico. *Adj.* Relativo à noologia.

nopal. [Do náuatle *nopalli.*] *S. m.* Planta da família das cactáceas (*Nopalea coccinellifera*); tunal.

noque. *S. m. Bras.* Var. de *anoque.*

nora¹. [Do lat. vulg. *nora*; fem. de *genro* (q. v.).] *S. f.* A mulher do filho em relação aos pais dele.

nora². [Do ár. *anna 'urâ.*] *S. f.* Aparelho para tirar água dos poços, cisternas, rios, etc., cuja peça principal é uma grande roda de madeira em volta da qual passa uma corda a que estão presos alcatruzes: "Ao longe as n o r a s / Gemem na rega dos laranjais." (Conde de Monsaraz, *Musa Alentejana*, p. 18.)

noradrenalina. *S. f. Bioquím.* Neurotransmissor, encontrado nas terminações dos nervos simpáticos, com função vasoconstritora generalizada, além de outras, com efeitos metabólicos semelhantes ao da adrenalina, mas de extensão menor.

norça. [Do lat. **nortia.*] *S. f.* Norça-branca.

norça-branca. *S. f.* Erva medicinal, fortemente purgativa, da família das cucurbitáceas (*Bryonia dioica*), nativa na Europa, de raiz carnosa, grossa, e vesicante se aplicada na pele em estado fresco e triturada. [Tb. se diz apenas *norça*. Pl.: *norças-brancas.*]

nordestada. *S. f.* Vento frio e/ou rijo do nordeste; nordestia.

nordestal. *Adj. 2 g.* Que está no nordeste, ou dele provém.

nordeste. [Do fr. *nord-est.*] *S. m.* **1.** *Astr.* Ponto do horizonte situado a 45º do N. e do E. [Abrev.: *N.E.*] **2.** Vento que sopra desse ponto: "Em meio da viagem, soprou de súbito rijo n o r d e s t e" (Artur Azevedo, *Contos Possíveis*, p. 52). **3.** *Bras.* Comumente, a região que se estende do MA até BA. **4.** *Bras., N.E.* Moléstia que dizima os galináceos, originada, segundo o povo, do vento do mesmo nome; tingui. **5.** *Bras. Geog.* V. *grande região.* ● *Adj. 2 g.* **6.** Relativo ao nordeste (1), ou dele procedente; nordésteo: *vento n o r d e s t e.* **7.** Situado a nordeste (1): *região n o r d e s t e.* ♦ **Nordeste Ocidental.** *Bras. Geog.* V. *grande região.* **Nordeste Oriental.** *Bras. Geog.* V. *grande região.*

nordestear. *V. int.* **1.** Navegar para nordeste. **2.** Inclinar-se para nordeste (agulha magnética). [Conjug.: v. *frear.*]

nordésteo. *Adj.* Nordeste (6).

nordestia. *S. f.* Nordestada.

nordestinismo. [De *nordestino* + *-ismo.*] *S. m. Bras.* Palavra, expressão ou construção peculiar ao Nordeste brasileiro.

nordestino. *Bras. Adj.* **1.** Do, ou pertencente ou relativo ao Nordeste brasileiro. V. *grande região.* ● *S. m.* **2.** O natural ou habitante dessa região.

nórdico. [Do al. *nordisch.*] *Adj.* **1.** De, ou pertencente ou relativo aos países do norte da Europa (Dinamarca, Finlândia, Suécia, Noruega e Islândia). [Cf. *escandinavo.*] **2.** Diz-se das línguas e das literaturas dos povos escandinavos; norreno. ● *S. m.* **3.** O natural ou habitante da Escandinávia. **4.** *Ling.* Língua germânica que se falou na Escandinávia. V. *germânico* (3).

nórico. [Do lat. *noricu.*] *Adj.* **1.** Da, ou pertencente ou relativo à Nórica, antiga província romana no alto Danúbio (Áustria). ● *S. m.* **2.** O natural ou habitante da Nórica.

norito. [De *nor* (do top. *Normega*) + *-ito².*] *S. m. Pet.* Variedade de gabro cujo piroxênio pertence ao sistema ortorrômbico.

norma. [Do lat. *norma.*] *S. f.* **1.** Aquilo que se estabelece como base ou medida para a realização ou a avaliação de alguma coisa: *n o r m a de serviço; n o r m a s jurídicas; n o r m a s diplomáticas.* **2.** Princípio, preceito, regra, lei: *Tem como n o r m a não deixar carta sem resposta.* **3.** Modelo, padrão: *n o r m a de conduta, de ação.* **4.** *Bibliogr.* Título abreviado de obra, que acompanha a assinatura [q. v.]. **5.** *Filos.* Tipo concreto ou fórmula abstrata do que deve ser, em tudo o que admite um juízo de valor. **6.** *Geol.* Composição hipotética de uma rocha, calculada em base de certas regras definidas. [Cf., nesta acepç., *modo* (11).] **7.** *Mat.* A soma dos quadrados dos membros de uma seqüência ou de um conjunto de números. ♦ **Norma brasileira.** Norma técnica elaborada pela Associação Brasileira de Normas Técnicas (ABNT), em conformidade com os procedimentos fixados para o Sistema Nacional de Metrologia, Normalização e Qualidade Industrial, pela lei 5.966, de 16.12.1973. [Sigla: *NBR.*] **Norma técnica.** Documento técnico que fixa padrões reguladores visando a garantir a qualidade do produto industrial, a racionalização da produção, transporte e consumo de bens, a segurança das pessoas, a uniformidade dos meios de expressão e comunicação, etc.

normal. [Do lat. *normale.*] *Adj. 2 g.* **1.** Que é segundo a norma. **2.** Habitual, natural. **3.** *Tip.* Diz-se do tipo de largura ou peso comum. **4.** Diz-se do ensino ou instrução de nível médio para formação de professores primários, e do curso em que se ministra essa instrução. **5.** Que leciona no curso normal: *professora n o r m a l.* ~ V. *aceleração — da gravidade, atmosfera —, banda —,* *bitola —, condições normais de temperatura e pressão, cunha —, curvatura —, derivada —, dispersão —, ebulição —, escola —, objetiva —, plano —, ponto — de ebulição, seção —, tensão — e vector —.* ● *S. m.* **6.** O curso normal (4). [Sin., bras., MG: *curso de formação, formação.*] ● *S. f.* **7.** *Geom. Anal.* Reta perpendicular a uma curva ou superfície. ♦ **Normal principal.** *Geom. Anal.* Normal a uma superfície, contida no plano osculador.

normalidade. *S. f.* **1.** Qualidade ou estado de normal. **2.** *Quím.* O número de equivalentes-grama de uma substância dissolvidos em um litro de solução.

normalista. *Adj. 2 g.* e *s. 2 g.* Que ou quem freqüenta ou tem o curso de uma escola normal.

normalização. *S. f.* **1.** Ato ou efeito de normalizar(-se). **2.** *Anál. Mat.* Operação em que, mediante multiplicação por um fator conveniente, se faz o valor da integral de certas funções igual à unidade.

normalizar. *V. t. d.* **1.** Tornar normal; fazer voltar à normalidade; regularizar: *A chegada do responsável* n o r m a l i z o u *a situação.* **2.** Submeter a norma (3) ou normas; padronizar. *Int.* **3.** Retornar à ordem. *P.* **4.** Voltar ao estado normal. [Cf. *normatizar.*]

normalizável. *Adj. 2 g.* Que pode ser normalizado.

normandinho. [Dim. de *normando.*] *S. m. Tip.* Negrito. [Cf. *normando* (4).]

normando. [Do fr. *normand.*] *Adj.* **1.** Da, ou pertencente ou relativo à Normandia (França). ● *S. m.* **2.** O natural ou habitante da Normandia. **3.** O idioma dos normandos. **4.** *Tip.* Tipo de ostensão que se caracteriza pelo exagerado contraste entre grossos e finos, e pelo aspecto geral arredondado. [Cf. *negrito* e *normandinho.*]

normativo. [Do fr. *normatif.*] *Adj.* **1.** Que tem a qualidade ou força de norma. **2.** *Filos.* Diz-se de conhecimento que enuncia ou que constitui uma norma. ~ V. *ciências —as, direito —* e *gramática —a.*

normatizar. *V. t. d.* Estabelecer normas para. [Cf. *normalizar.*]

▲**normo-.** [De *normal.*] *El. comp.* = 'norma', 'normal': *normógrafo, normócito.*

normócito. [De *normo-* + *-cito.*] *S. m.* Hemácia de cor, tamanho e forma normais.

normocitose. [De *normócito* + *-ose.*] *S. f.* Estado normal do sangue com relação aos glóbulos, especialmente os leucócitos.

normógrafo. [De *normo-* + *-grafo.*] *S. m.* Aparelho de desenho, que consta de lâminas de celulóide com alfabetos vazados ou recortados e que servem de moldes para a elaboração (por meio de penas especiais) de legendas e letreiros.

normotensão. [De *normo-* + *tensão.*] *S. f. Med.* Pressão (arterial, liquórica, etc.) cujos valores são normais. [Cf. *hipertensão* e *hipotensão.*]

normotenso. [De *normo-* + *tenso.*] *Adj.* e *s. m. Med.* Que ou aquele que tem pressão arterial normal. [Cf. *hipertenso* e *hipotenso.*]

nor-nordeste. [De *nor(te)* + *nordeste.*] *S. m.* **1.** *Astr.* Ponto do horizonte a meia distância angular do N. e do N.E. [Abrev.: *N.N.E.*] **2.** Vento que sopra desse rumo. [Pl.: *nor-nordestes.*]

nor-noroeste. [De *nor(te)* + *noroeste.*] *S. m.* **1.** *Astr.* Ponto do horizonte a meia distância angular do N. e do N.O. [Abrev.: *N.N.O.* ou *N.N.W.*] **2.** Vento que sopra desse rumo. [Pl.: *nor-noroestes.*]

noroeste. [Do fr. ant. *norouest.*] *S. m.* **1.** *Astr.* Ponto do horizonte situado a 45º do N. e do O. [Abrev.: *N. O.* ou *N.W.*] **2.** Vento que sopra desse ponto. ● *Adj. 2 g.* **3.** Relativo ao noroeste (1), ou dele procedente: *vento* n o r o e s t e. **4.** Situado a noroeste (1): *região* n o r o e s t e.

noroestear. *V. int.* **1.** *Ant.* Navegar para noroeste. **2.** Inclinar-se (a agulha magnética) para noroeste. [Conjug.: v. *frear.*]

norreno. [Do fr. *norrain.*] *Adj.* Nórdico (2).

nortada. *S. f.* Vento frio e/ou áspero que sopra do norte; nortia: "E eis que, a um gesto do rei, a turba consternada / A pouco e pouco sai, reina o silêncio, apenas / Cortado pelo uivar longínquo da n o r t a d a." (Gonçalves Crespo, *Obras Completas*, p. 334.)

norte. [Do anglo-saxônio *north.*] *S. m.* **1.** *Astr.* Ponto da esfera celeste [q. v.] situado, para os observadores que estão no hemisfério austral, do lado do pólo abaixo do horizonte, e que é a interseção do plano meridiano com o horizonte real. **2.** *Geol.* Ponto cardeal que se opõe diretamente ao sul (2), e que fica à esquerda do observador voltado para o este. **3.** Pólo norte. **4.** A estrela polar. **5.** Região ou regiões situadas ao norte. **6.** O vento que sopra do norte: "o brando n o r t e assopra" (Tomás Antônio Gonzaga, *Marília de Dirceu*, p. 86). **7.** Guia, rumo, direção. **8.** *Bras. Geog.* V. *Grande Região.* ● *Adj. 2 g.* e *2 n.* **9.** Relativo ao norte (1 e 2), ou dele procedente: *vento* n o r t e. **10.** Situado ao norte (1 e 2): *região* n o r t e *; zona* n o r t e. [Abrev., nas acepç. 1, 2, 5 e 8: *N.*] ~ V. *latitude —, pólo —* e *seqüência polar —.*

norteador (ô). *Adj.* e *s. m.* Que, ou aquele que norteia.

norte-africano. *Adj.* **1.** Da, ou pertencente ou relativo à África do Norte. ● *S. m.* **2.** O natural ou habitante da África do Norte. [Flex.: *norte-africana, norte-africanos, norte-africanas.*]

norteamento. *S. m.* Ato ou efeito de nortear(-se).

norte-americano. *Adj.* **1.** Dos, ou pertencente ou relativo aos Estados Unidos da América. ● *S. m.* **2.** O natural ou habitante desse país. [Sin. ger.: *americano-do-norte, americano, estadunidense* e *ianque.* Pl.: *norte-americanos.*]

nortear. *V. t. d.* **1.** Dar a direção do norte a; dirigir para o norte. **3.** Dirigir, orientar, guiar: "O princípio que, desde os tempos mais remotos da colonização, n o r t e a r a a criação da riqueza no país, não cessou de valer um só momento para a produção agrária." (Sérgio Buarque de Holanda, *Raízes do Brasil*, p. 21.) *T. d.* e *i.* **3.** Dirigir, orientar, guiar: N o r t e i a *seu comportamento por uma ética rígida. P.* **4.** Dirigir-se, guiar-se, orientar-se: "Não maravilha que os três magos, filhos da Caldéia sonhadora, arrancassem de seus lares remotos, n o r t e a n d o - s e pela estrela supreendente." (Euclides da Cunha, *À margem da História*, p. 315.) **5.** Encaminhar-se, dirigir-se. [Conjug.: v. *frear.*]

norte-asiático. *Adj.* **1.** Do, ou pertencente ou relativo ao norte da Ásia. ● *S. m.* **2.** O natural ou habitante do norte da Ásia. [Flex.: *norte-asiática, norte-asiáticos, norte-asiáticas.*]

norte-coreano. *Adj.* **1.** Da, ou pertencente ou relativo à Coréia do Norte (Ásia). ● *S. m.* **2.** O natural ou habitante da Coréia do Norte. [Flex.: *norte-coreana, norte-coreanos, norte-coreanas.*]

norte-européia. *Adj. (f.)* e *s. f.* Fem. de *norte-europeu* [q. v.].

norte-europeu. *Adj.* **1.** Da, ou pertencente ou relativo à Europa do Norte. ● *S. m.* **2.** O natural ou habitante da Europa do Norte. [Flex.: *norte-européia, norte-europeus, norte-européias.*]

norteio. [Dev. de *nortear.*] *S. m.* Norteamento.

nortelandense. *Adj. 2 g.* **1.** De, ou pertencente ou relativo a Nortelândia (MT). ● *S. 2 g.* **2.** Natural ou habitante de Nortelândia.

nortenho. *Adj.* **1.** Do, ou pertencente ou relativo ao norte de Portugal. ● *S. m.* **2.** O natural ou habitante do norte de Portugal.

nortense[1]. *S. 2 g. Bras., CE* e *GO.* Designação que se dá, no sul desses estados, aos naturais do norte.

nortense[2]. *Adj. 2 g.* **1.** De, ou pertencente ou relativo a São José do Norte (RS). ● *S. 2 g.* **2.** Natural ou habitante de São José do Norte.

norte-rio-grandense. *Adj. 2 g.* e *s. 2 g.* V. *rio-grandense-do-norte.* [Pl.: *norte-rio-grandenses.*]

norte-vietnamita. *Adj. 2 g.* **1.** Do, ou pertencente ou relativo ao Vietnã do Norte (Ásia). ● *S. 2 g.* **2.** Natural ou habitante do Vietnã do Norte. [Pl.: *norte-vietnamitas.* Cf. *sul-vietnamita* e *vietnamita.*]

nortia. *S. f.* Nortada.

nortismo. *S. m. Bras. P. us.* Qualidade de nortista.

nortista. *Adj. 2 g.* **1.** *Bras.* De, ou pertencente ou relativo ao Norte Brasileiro. V. *grande região.* **2.** Diz-se de pessoa nascida nesta região. ● *S. 2 g.* **3.** *Bras.* Natural ou habitante dessa região. [Sin., bras., S., nas acepç. 2 e 3: *baiano.*] ● *S. m.* **4.** *Bras., RN.* Adepto do partido conservador, ao tempo da monarquia.

noruega. [Do top. *Noruega* (v. *norueguês*).] *S. f.* **1.** *Bras., S.* e *C.O.* Terras frescas e úmidas de encosta de montanha, pouco batidas pelo sol. [Cf. *soalheiro* (5).] **2.** *Bras., RJ, MG* e *SP.* Vento frio e áspero. ● *Adj.* **3.** *Bras., RJ, MG* e *SP.* Diz-se de noruega (2): *vento* n o r u e g a.

noruegal. *S. m. Bras., S.* e *C. O.* Larga extensão de noruega (1).

norueguês. *Adj.* **1.** Da, ou pertencente ou relativo à Noruega (Europa). ● *S. m.* **2.** O natural ou habitante da Noruega. **3.** A língua germânica falada pelos noruegueses. V. *germânico* (3). [Flex.: *norueguesa* (ê), *noruegueses* (ê), *norueguesas* (ê).]

nos[1]. [Do lat. *nos* (átono).] F. oblíqua do pron. pess. *nós*, a qual funciona, em geral, como objeto direto ou, em maior número de casos, como objeto indireto, equivalendo a: **1.** A nós: "Recebeu-n o s com os braços abertos o nosso bom e sincero amigo" (Almeida Garrett, *Viagens na Minha Terra*, p. 260); "Nossa Senhora, a Dolorida, / Vem apontar-n o s a outra vida, / Olhando o Céu com o olhar celeste." (Alphonsus de Guimaraens, *Obra Completa*, p. 62); "As mãos quando a gente as aperta e as tem entre as suas dão-n o s o ser inteiro pelo contacto." (Raul Brandão, *Memórias*, II, p. 14). [Quer como objeto direto, quer como indireto, pode assumir caráter reflexo ou recíproco: *Fazendo a barba, distraídos, ferimo-*n o s; "Mas explicai-vos ou primeiro ouvi-me / Que a um tempo assim braceando, assim gritando, / Assim chorando, não n o s entendemos." (Alberto de Oliveira, *Poesias*, 3ª série, p. 94); *Demo-*n o s *as mãos, em sinal de paz.*] **2.** Em nós: *Nossos pais nunca* n o s *bateram; Suas palavras não* n o s *influíram entusiasmo.* **3.** Para nós; *Nossos amigos* n o s *compraram belos presentes de Natal.* **4.** De nós: *Dói-nos fundamente o conceito que* n o s *fazes.* **5.** Diante de nós; a nossos olhos: "Não acabava, quando ũa figura /Se n o s mostra no ar, robusta e válida" (Luís de Camões, *Os Lusíadas*, V. 39). **6.** Indica, com certos verbos, a voz passiva; *Batizamo-*n o s *naquela igrejinha, e crismamo-*n o s *em outra, de outra cidade.* **7.** Pode funcionar como dativo ético: *Não* n o s *vá fazer papel feio, menino; Não* n o s *ande com brincadeiras de mau gosto.* **8.** Usa-se, por vezes, em lugar de *me*, como plural majestático, ou como plural de modéstia. **9.** Não raro (com elegância para o estilo), tem valor possessivo: *Queimou-*n o s *fortemente a pele o sol de verão.* [Cf. *nós*, pron. pess. e pl. de *nó*; *no*[1], *no*[2], *no*[3], *no*[4]; e *me, te, lhe, se, vos.*]

nos[2]. **1.** Masc. pl. de *no*[1] (1): "E os tímidos velhos / N o s graves conselhos, / Curvadas as frontes, / Escutam-lhe a voz!" (Gonçalves Dias, *Obras Poéticas*, II, p. 43). **2.** Masc. pl. de *no*[1] (2): *Há muita beleza nos versos de Antero de Quental e* n o s *de Antônio Nobre; Pense* n o s *que sofrem.* [Cf. *nós*, pron. pess. e pl. de *nó*, e *no*[1], *no*[2], *no*[3], *no*[4].]

nos[3]. **1.** Masc. pl. de *no*[3] (1): *Estes livros, eles compram-*n o s *muito barato e vendem-*n o s *caro.* **2.** Pl. de *no*[3] (2): *Passaram pelos rapazes e não* n o s *viram; Esses ternos que você usa, quem* n o s *faz?* [Cf. *nós*, pron. pess. e pl. de *nó*, e *no*[1], *no*[2], *no*[3] e *no*[4].]

nós. [Do lat. *nos* (tônico).] *Pron. pess.* (do pl. de ambos os gêneros). **1.** Funciona como sujeito, como predicativo ou como regime de preposições: "Existe [a felicidade], sim; mas n ó s não a alcançamos / Porque está sempre apenas onde a pomos / E nunca a pomos onde n ó s estamos" (Vicente de Carvalho, *Poemas e Canções*, p. 3); *Quem está certo não é ele, somos* n ó s; "E trazem já de longe engano urdido / Contra n ó s (Luís de Camões, *Os Lusíadas*, I, 79); "N ó s dois... E entre n ó s dois, implacável e forte / A arredar-me de ti, cada vez mais, a morte..." (Olavo Bilac, *Poesias*, p. 170); "Por que me vens, com o mesmo riso, / Por que me vens, com a mesma voz, / Lembrar aquele Paraíso / Extinto para n ó s?" (Id., *ib.*, p. 222); *Há muito que se afastou de* n ó s **2.** Usa-se em vez do singular, *eu*, como plural majestático, ou como plural de modéstia. [Se a preposição é *com*, emprega-se, normalmente, *com nós*, em vez de *conosco* (q. v.), se em seguida ao *nós* vier *mesmo* ou *próprio.* [Cf. *nos.*]

▲**-nose.** Equiv. de *noso-.*

▲**noso-.** [Do gr. *nósos, ou.*] *El. comp.* = 'doença', 'moléstia'; *nosologia.* [Equiv.: *-nose: fitonose.*]

nosocomial. *Adj. 2 g.* Relativo a nosocômio; nosocômico, hospitalar.

nosocômico. *Adj.* Nosocomial.

nosocômio. [Do gr. *nosokomeîon.*] *S. m.* Hospital (1): "Tais palestras ou confissões devem ser .... executadas em um n o s o c ô m i o ou sanatório, ou lugar tranqüilo, para que o doente e o clínico se sintam mais a gosto para o desvendar das verdades." (A. Austregésilo, *Obras Completas*, III, p. 232.)

nosófito. [De *noso-* + *-fito.*] *S. m. Fitopatol.* Qualquer vegetal patogênico.

nosofobia. [De *noso-* + *-fob(o)-* + *-ia.*] *S. f. Psiq.* Medo de adoecer, que pode levar alguém a tratar-se de doenças de que não sofre: "Um fedelho de nove anos, da minha clientela, possuía inteligência vivíssima e alto grau de n o s o f o b i a, isto é, terror das doenças." (A. Austregésilo, *Obras Completas*, III, p. 48.)

nosofóbico. *Adj.* Relativo à nosofobia.

nosófobo. [De *noso-* + *-fobo.*] *S. m.* Aquele que sofre de nosofobia.

nosogenia. [De *noso-* + *-gen(o)-*[1] + *-ia.*] *S. f. Patol.* V. *patogenia.*

nosogênico. *Adj.* Respeitante à nosogenia.

nosografia. [De *noso-* + *-graf(o)-* + *-ia.*] *S. f.* Descrição metódica das doenças.

nosográfico. *Adj.* Relativo à nosografia.

nosógrafo. *S. m.* Autor de nosografia.

nosologia. [De *noso-* + *-log(o)-* + *-ia.*] *S. f. Med.* Estudo das moléstias.

nosológico. *Adj.* Referente à nosologia.

nosologista. *S. 2 g.* Pessoa que se ocupa da nosologia; nosólogo.

nosólogo. *S. m.* Nosologista.

nosomania. [De *noso-* + *-mania.*] *S. f. Med. Desus.* Hipocondria (1).

nosomaníaco. *Adj.* **1.** Referente à, ou que sofre de nosomania. ● *S. m.* **2.** Aquele que sofre de nosomania.

nossa. *Interj.* V. *Nossa Senhora* (2). "Os cavalinhos correndo, / E nós, cavalões, comendo... / O Brasil politicando, / Nossa! A poesia morrendo..." (Manuel Bandeira, *Estrela da Vida Inteira*, p. 149.)

nossa-amizade. *S. f. Bras., RJ. Gír.* Tratamento dado (sobretudo entre os homens do povo) a pessoas íntimas, ou até a estranhos, por simpatia: "Passou o portão a galope e disse adeus. Flor-da-Noite veio correndo lá de dentro e pôs a cara na grade. | — Onde vai, nossa-amizade?" (M. Cavalcanti Proença, *Manuscrito Holandês*, p. 202.)

nosso. [Do lat. *nostru.*] *Pron.* **1.** Pertencente a, ou próprio de, ou sentido, experimentado por nós: *nosso sítio; os nossos livros;* "Recebe o afeto que se encerra / Em nosso peito juvenil" (Olavo Bilac, "Hino à Bandeira Nacional", *Poesias Infantis*, p. 137); "Nossa mãe, o que é aquele / vestido, naquele prego?" (Carlos Drummond de Andrade, *Reunião*, p. 103). **2.** Pertencente a, ou próprio de, ou sentido, experimentado pelos seres humanos, entre eles incluída a pessoa que fala: "Choro esta humana insuficiência: / — a confusão dos nossos olhos, / — o selvagem peso do gesto" (Cecília Meireles, *Obra Poética*, p. 488); "O valor de nossas lágrimas / sobre quem perdeu a vida, / não é nada." (Id., *ib.*, p. 490.) **3.** Que gozamos ou desfrutamos com se nos pertencesse, se fosse propriedade nossa: *A nossa praia, domingo último, estava sensacional.* **4.** Que nos serve, nos convém, nos interessa: *O horário de nossa barca sofreu modificações; Faz tempo que não acho o nosso vinho para comprar.* **5.** Que nos é devido; que nos cabe ou nos toca: *Lutaremos até o fim pelos nossos direitos.* **6.** Preferido por nós; da nossa predileção: *A peixada sempre foi o nosso prato.* **7.** Dedicado ou reservado a nós: *Tuas férias serão nossas: terás de passá-las na fazenda conosco.* **8.** Onde nós trabalhamos, exercemos atividade: *Nosso centro de pesquisas está cada vez mais bem aparelhado.* **9.** Esse, aquele, o tal (tratando-se de pessoa a quem dantes já nos referimos ou a respeito de quem vamos falar): *Que terá acontecido ao nosso homem?* [É de rigor, neste caso, o uso do artigo.] **10.** Da nossa amizade; do nosso afeto; que nos é caro; querido por nós: *Como vai passando o nosso poeta?* [Aplica-se, aqui, a observação anterior.] **11.** Do, ou pertencente ao povo e/ou à terra onde nascemos ou habitamos: "Nosso céu tem mais estrelas, / Nossas várzeas têm mais flores, / Nossos bosques têm mais vida, / Nossa vida mais amores." (Gonçalves Dias, *Obras Poéticas*, I, p. 21) [Flex.: *nossa, nossos, nossas.* Paralelamente ao uso do pronome pessoal *nós* por *eu* nas fórmulas de modéstia e majestade, aparece o do pronome possessivo *nosso(a)* por *meu (minha).*] **12.** Posposto ao substantivo (o que acontece com bem menor freqüência do que em relação ao *meu*), adquire, na maioria dos casos, conteúdo afetivo: *Filho nosso, que vais fazer?* ● *S. m.* **13.** Aquilo que nos pertence: *Respeitamos o alheio para que o mesmo façam com o nosso.* ~ V. *nossos.*

nosso-pai. *S. m. Pop.* Viático (2). [Pl.: *nossos-pais.*]

nossos. [Pl. de *nosso.*] *S. m. pl.* Us. na loc. s. *os nossos.* ~ V. *nosso.* ♦ **Os nossos.** A nossa família; os nossos parentes.

nostalgia. [De *nost(o)-* + *-alg(o)-* + *-ia.*] *S. f.* **1.** Melancolia produzida no exilado pelas saudades da pátria: "O meu interlocutor de acaso teria .... o espírito perturbado pela amargura do exílio e pela nostalgia do que a revolução lhe destruíra" (Fidelino de Figueiredo, *Entre Dois Universos*, p. 196); "Dão-se freqüentes casos de nostalgia, sobretudo nas gentes do campo, quando deixam as suas montanhas e são obrigados a viver em terra estrangeira." (Bulhão Pato, *Memórias*, I, p. 12.) **2.** Saudade (1): "— Pois, senhor, é curioso. No meio de uma paixão ardente, tão sincera... Eu ainda estou na minha; acho que foi a nostalgia da lama. / — Não: nunca a Marocas desceu até aos Leandros." (Machado de Assis, *Histórias sem Data*, p. 55.)

nostálgico. *Adj.* **1.** Em que há nostalgia: *Quedou-se horas a fio a ouvir canções nostálgicas.* **2.** Que sofre de nostalgia. ● *S. m.* **3.** Aquele que sofre desse mal.

nostalgizar. *V. t. d.* Infundir nostalgia em; tornar nostálgico.

▲**nost(o)-.** [Do gr. *nóstos, ou.*] *El. comp.* = 'retorno', 'regresso': *nostalgia.*

nostocácea. *S. f.* Espécime das nostocáceas.

nostocáceas. *S. f. pl. Bot.* Família de esquizofíceas cujas células, globosas, se reúnem em filamentos moniliformes providos de heterocistos. Muitas espécies produzem mucilagem, formando massas gelatinosas sobre o solo úmido.

nostocáceo. *Adj.* Pertencente ou relativo às nostocáceas.

nostocopsidácea. *S. f.* Espécime das nostocopsidáceas.

nostocopsidáceas. *S. f. pl. Bot.* Família de esquizofíceas, da ordem das estigonematales, cujos filamentos geram irregularmente dois tipos de râmulos: os longos e os formados de apenas uma a quatro células.

nostocopsidáceo. *Adj.* Pertencente ou relativo às nostocopsidáceas.

nota. [Do lat. *nota.*] *S. f.* **1.** Marca para assinalar algo. **2.** Conhecimento; consideração, atenção: *É assunto digno de nota.* **3.** Apontamento, anotação: *notas de aula; notas de leitura.* **4.** Sinal ou comentário feito à margem de um trecho escrito: *O romance trazia notas do punho do autor.* **5.** Comentário (1), geralmente em corpo menor, necessário à compreensão de um texto impresso, e que se põe ao pé da página ou no fim da publicação. **6.** Bilhete para lembrar ou indicar alguma coisa: *Deixou em sua mesa uma nota dos compromissos do dia.* **7.** Observação ou esclarecimento no final de um texto: *A nota dizia que a carta era confidencial.* **8.** Breve comunicação ou exposição escrita: *O jornal traz uma nota esclarecendo o incidente.* **9.** Comunicação escrita e oficial do governo de um país para o de outro. **10.** Julgamento (de aptidão revelada em exame ou concurso, de aproveitamento no estudo regular, de desempenho em função, etc., ou de conduta escolar, funcional, etc.) expresso em números, em palavras ou em letras de valor relativo, segundo critérios variáveis; grau. [Cf. *conceito* (6).] **11.** Conta de despesa efetuada: *A nota do restaurante foi altíssima.* **12.** O papel onde está escrita a nota (3, 6 e 9). **13.** Cédula (3): *Recebeu o pagamento em notas de 100 cruzados.* **14.** Registro das escrituras dos tabeliães. **15.** Função de notário. **16.** Pormenor ou detalhe que caracteriza (para bem ou para mal) alguém ou algo: *Sua presença foi a nota destoante da festa; As cortinas vermelhas eram a nota alegre da sala.* **17.** Som musical: *as notas plangentes do violão.* **18.** *Mús.* Cada um dos sinais gráficos convencionais que representam, ao mesmo tempo, a altura *(dó, ré, mi, fá, sol, lá, si)* e a duração de um som musical *(breve, semibreve, mínima, semínima, colcheia, semicolcheia, fusa, semifusa).* **19.** *Bras. Pop.* V. *dinheiro* (3). [Geralmente us. para indicar importância vultosa, e quase sempre antecedido do art. a ou *uma*]: *Casou com uma moça rica, e está com a nota; O apartamento custou a nota.* [Dim. irreg.: *nótula.*] ♦ **Nota bibliográfica.** A que se refere a obra ou obras que serviram de fonte ao autor de um livro. [Cf. *notas bibliográficas.*] **Nota complexa.** *Mús. Concr.* Todo elemento de uma monofonia, breve ou longo, que apresente com clareza um início, um corpo e uma extinção. **Nota de compras.** *Com.* A que os comerciantes são obrigados a extrair para atender exigências fiscais, especificando a quantidade, preço, qualidade e procedência de mercadorias compradas a fornecedores não comerciantes. **Nota de culpa.** *Jur.* Documento que a autoridade é obrigada a entregar ao preso, em caso de flagrante, dentro de 24 horas, mediante recibo, e que contém o motivo da prisão, o nome do condutor e os das testemunhas. **Nota de passagem.** *Mús.* Nota estranha à harmonia, que liga duas notas reais, por graus conjuntos diatônicos ou cromáticos, ascendentes ou descendentes, e é, em geral, empregada no tempo fraco do compasso. **Nota de serviço.** Conjunto de instruções escritas que o engenheiro-fiscal de uma obra expede aos empreiteiros que a executam. **Nota de venda.** *Com.* Impresso de formato variável, com o nome e endereço da firma vendedora, e outras informações exigidas pelas leis fiscais, e que se entrega ao comprador com a relação e os preços das mercadorias vendidas à vista ou a prazo. **Nota fiscal.** *Com.* Relação numerada na qual se especificam as mercadorias vendidas por comerciantes, com indicação dos preços unitário e global, e que obrigatoriamente as acompanha, na entrega ao comprador. [Cf. *fatura* (2).] **Nota grossa.** *Mús. Concr.* Nota complexa que tem o ataque, o corpo e a extinção suficientemente desenvolvidos. **Nota marginal.** A que se põe nas margens laterais das páginas, geralmente à esquerda nas páginas pares e à direita nas ímpares. **Nota modal.** *Mús.* Cada um dos graus (terceiro e sexto) da escala diatônica que dão origem à formação dos modos maior e menor. **Nota promissória.** Promissória. **Notas bibliográficas.** Colação (6). [Cf. *nota bibliográfica.*] **Notas tironianas.** Sistema taquigráfico dos romanos, inventado ou aperfeiçoado por Marco Túlio Tiro, liberto e amanuense de Cícero [v. *ciceroniano*]. **Nota verbal.** Comunicação diplomática redigida na terceira pessoa do singular, sem assinatura ou outras formalidades, e dirigida pelo ministro de Estado a chefe de representação estrangeira ou vice-versa. **Dar a nota. 1.** Lembrar a expressão ou frase precisa para designar alguma coisa. **2.** *Fam.* Brilhar muito, sobressaindo entre os demais; fazer boa presença em público; sobressair, distinguir-se, relevar-se, destacar-se. **Forçar a nota.** Proceder de maneira inatural, inadequada, inoportuna, inconveniente; forçar a barra, forçar a mão: "Ele dirigiu-se ao interior da casa; mas nos poucos passos que fez... É melhor citar-lhe o pensamento, não pareça esteja eu querendo interferir para forçar a nota." (Xavier Placer, *Doze Histórias Curtas*, p. 97.) **Uma nota.** *Bras. Pop.* V. *uma nota firme.* **Uma nota firme.** *Bras. Pop.* Muito dinheiro; uma fortuna; uma nota; uma nota preta: *O carro custou uma nota firme!* **Uma nota preta.** *Bras. Pop.* V. *uma nota firme.* ➧**nota bene.** [Lat., 'observa bem'.] Serve para, num texto, chamar a atenção para o que segue. [Abrev.: *N.B.*]

notabilidade. *S. f.* **1.** Qualidade de notável. **2.** Pessoa ilustre, notável.

notabilíssimo. *Adj.* Superl. abs. sint. de *notável.*

notabilização. *S. f.* Ato ou efeito de notabilizar(-se).

notabilizador (ô). *Adj.* Que notabiliza.

notabilizar. *V. t. d.* **1.** Tornar notável, famoso; celebrizar. *P.* **2.** Tornar-se notável, famoso; sobressair, distinguir-se: "verdadeiramente, a única mulher que em Portugal se notabilizou pelo espírito malicioso, ... pela cintilação do talento, ... foi, no século XVII, a sumptuosa freira Bernarda de Odivelas sóror Feliciana Maria" (Júlio Dantas, *Abelhas Doiradas*, p. 103).

notação. [Do lat. *notatione.*] *S. f.* **1.** Ato ou efeito de notar. **2.** Sistema de representação ou designação convencional. **3.** Conjunto de sinais com que se faz essa representação ou designação. **4.** *Bibliot.* Número de chamada. **5.** *Mús.* O conjunto dos sinais convencionais que simbolizam os sons de uma obra musical. [Cf. *nutação.*]

notadamente. [Do fem. de *notado* + *-mente.*] *Adv.* De maneira especial; especialmente.

notado. [Part. de *notar.*] *Adj.* **1.** De que se tomou nota. **2.** Que dá na vista; que se tornou reparado, reputado.

notador (ô). *Adj.* e *s. m.* Que ou aquele que nota.

notalgia. [De *not(o)-* + *-alg(o)-* + *-ia.*] *S. f.* Dor no dorso do tronco

notambulação. *S. f.* V. *noctambulação.*

notambulismo. *S. m.* V. *noctambulismo.*

notâmbulo. *Adj.* e *s. m.* V. *noctâmbulo.*

notar. [Do lat. *notare.*] *V. t. d.* **1.** Pôr sinal, marca, nota, em. **2.** Tomar nota de; anotar: *O repórter notou cuidadoso as declarações do entrevistado.* **3.** Redigir; minutar. **4.** Atentar ou reparar em; observar: *Notando que o dono da casa estava fatigado, despediu-se.* **5.** Observar com censura; estranhar, censurar: *Notou o mau comportamento do empregado, e despediu-o.* **6.** Fazer referência a; observar. **7.** Argüir, acusar. **8.** Inscrever nas notas de tabelião. **9.** Representar por meio de sinais convencionais. *Transobj.* **10.** Acusar, tachar: *Notou como esnobismo o uso de certas expressões estrangeiras na obra;* "Quem hoje ouvir recontar os bravos golpes que .... se deram na fronteira de Beja, notá-los-á de fábulas sonhadas" (Alexandre Herculano, *Lendas e Narrativas*, II, p. 99). [Cf. *nutar.*]

notariado. *S. m.* Ofício ou funções de notário ou de tabelião.

notarial. *Adj. 2 g.* Relativo a, ou próprio de notário.

notário. [Do lat. *notariu.*] *S. m.* Escrivão público; tabelião: "Um velho notário, muito mesurado, lavrou, com todas as formalidades, uma longa escritura" (Antero de Figueiredo, *Leonor Teles*, p. 195).

notável. [Do lat. *notabile.*] *Adj. 2 g.* **1.** Digno de nota, atenção ou reparo: *livro notável; obra notável.* **2.** Digno de apreço ou louvor: *Teve uma atuação notável nas negociações de paz.* **3.** Essencial; importante. **4.** Eminente, ilustre, insigne: *Dostoievski é um romancista dos mais notáveis do mundo.* **5.** Extraordinário, considerável. **6.** Que ocupa elevada posição social: *dama notável.* [Superl. abs. sint.: *notabilíssimo.*]

notavelmente. [De *notável* + *-mente.*] *Adv.* De maneira notável.

notícia. [Do lat. *notitia.*] *S. f.* **1.** Informação, notificação, conhecimento: *Não tive notícia do acontecido.* **2.** Observação, apontamento, nota. **3.** Resumo de um acontecimento. **4.** Escrito ou exposição sucinta de um assunto qualquer. **5.** Novidade, nova: *Que notícias me traz você?* **6.** Lembrança, memória. **7.** Nota histórica. [Cf. *noticia*, do v. *noticiar*.] ◆ **Ser notícia.** Constituir-se novidade; destacar-se em um noticiário.

noticiador (ô). *Adj.* e *s. m.* Que ou aquele que noticia; informador, informante.

noticiar. *V. t. d.* e *t. d. e i.* **1.** Dar notícia de; comunicar: "Rubião entrou, estendeu-lhes a mão, ... e acabou noticiando a queda do ministério." (Machado de Assis, *Quincas Borba*, p. 315); *Noticiou aos amigos o próximo casamento.* **2.** Tornar conhecido; divulgar: "Os jornais noticiavam há dias dois casos de violência exercida sobre menores do sexo feminino" (Fialho d'Almeida, *Pasquinadas*, p. 165). *P.* **3.** Inteirar-se, informar-se, notificar-se. [Pres. ind.: *noticio, noticias, noticia*, etc. Cf. *notícia*.]

noticiário. *S. m.* **1.** Resenha ou conjunto de notícias. **2.** Seção de jornal, etc., destinada à publicação de notícias.

noticiarismo. [De *noticiário* + *-ismo*.] *S. m. Bras.* **1.** A função do noticiarista. **2.** A classe dos noticiaristas ou redatores de notícias.

noticiarista. [De *noticiário* + *-ista*.] *S. 2 g.* **1.** Pessoa que noticia, que dá notícias. **2.** Redator de notícias.

noticiável. *Adj. 2 g.* Que pode ser noticiado.

noticioso (ô). *Adj.* **1.** Que sabe dar muitas notícias; que tem muitos conhecimentos: "Passaremos em silêncio muitos episódios que na vida de Cervantes têm sido diversamente interpretados pelos seus mais eruditos e noticiosos comentadores." (Latino Coelho, *Cervantes*, p. 145.) **2.** Que traz ou contém muitas notícias. ● *S. m.* **3.** *Bras.* Noticiário (2), em especial o radiofônico e o de televisão.

notificação. *S. f.* **1.** Ato de notificar. **2.** *Jur.* Ordem judicial para que alguém faça ou não faça alguma coisa; intimação. **3.** *Jur. P. ext.* Documento que contém essa ordem: *Ao receber do oficial de justiça a notificação, rasgou-a irritadíssimo.* [Cf. *citação* (4) e *intimação* (2).]

notificante. *Adj. 2 g.* Notificativo.

notificar. [Do lat. *notificare*.] *V. t. d.* **1.** Dar ciência ou notícia a; inteirar: *Uma vez ciente da resolução, notificou todos os presentes.* **2.** Dar judicialmente conhecimento de; intimar. *T. d.* e *t. d. e i.* **3.** Dar conhecimento ou notícia de; comunicar, participar, noticiar; dizer: *notificar um acontecimento; Notificou -o de sua estranha resolução.* **4.** Participar com solenidade, segundo as formalidades da lei ou do estilo. **5.** *Jur.* Participar a (alguém) uma ordem judicial para fazer ou não fazer algo; dar conhecimento das ordens do juiz. [Cf., nesta acepç., *intimar* (1), *citar* (4) e *interpelar* (3). Conjug.: v. *trancar*.]

notificativo. *Adj.* Que notifica; notificante.

notificatório. *Adj.* Que serve para notificar.

notificável. *Adj. 2 g.* Digno de ser notificado.

notista. *S. 2 g. Bras.* Empregado que, nos estabelecimentos comerciais ou industriais, se encarrega da extração de notas e serviços conexos.

notívago. *Adj.* e *s. m.* V. *noctívago*.

noto[1]. [Do gr. *nótos*, pelo lat. *notu*.] *S. m. Ant.* O vento sul. [Antôn.: *bóreas*.]

noto[2]. [Do gr. *nôtos*, 'costas'.] *S. m. Zool.* A face dorsal do corpo dos artrópodes, e, mais particularmente, do tórax dos insetos.

noto[3]. [Do lat. *notu*, part. pass. de *noscere*.] *Adj. Poét.* **1.** Conhecido, sabido. **2.** Manifesto, patente.

▲**not(o)-.** [Do gr. *nôtos*, *ou*.] *El. comp.* = 'dorso', 'costas': *notalgia, notocórdio.* [Equiv.: *-noto: pronoto*.]

▲**-noto.** Equiv. de *not(o)-*.

notocórdio. [De *not(o)-* + *-cord(e)-* + *-io*.] *S. m. Embr.* Cordão existente no dorso do embrião dos cordados, e que constitui o eixo primitivo do corpo destes.

notofago. *S. m.* Espécime dos notofagos.

notofagos. *S. m. pl.* Gênero de árvores da família das fagáceas (*Nothofagus*), semelhantes à faia, ao qual pertencem 12 espécies das regiões temperadas do hemisfério sul. Algumas destas espécies fornecem madeira útil.

notóptero. [De *not(o)-* + *-ptero*.] *S. m.* e *adj.* V. *grilloblatódeo*.

notópteros. [Pl. de *notóptero*.] *S. m. pl. Zool.* V. *grilloblatódeos*.

notoriamente. [Do fem. de *notório* + *-mente*.] *Adv.* De modo notório.

notoriedade. *S. f.* **1.** Qualidade de notório; fama, publicidade. **2.** Pessoa de notória competência, ou saber.

notório. [Do lat. *notoriu*.] *Adj.* Conhecido de todos; público, manifesto: *professor de notório saber*; "O boato dos amores adúlteros da duquesa corria já: os ciúmes da viscondessa eram notórios" (Camilo Castelo Branco, *Livro Negro de Padre Dinis*, p. 194).

notorrizo. [De *not(o)-* + *-rizo*.] *Adj. Morfol. Veg.* Diz-se do embrião cuja radícula se aplica dorsalmente contra a nervura central de um dos cotilédones.

notostráceo. *S. m.* **1.** Espécime dos notostráceos. ● *Adj.* **2.** Pertencente ou relativo a eles.

notostráceos. *S. m. pl. Zool.* Animais artrópodes, crustáceos, branquiópodes, da ordem *Notostraca*, de carapaça baixa, ovóide, somitos em número de 40 a 60 e olhos sésseis.

nótula. [Do lat. *notula*.] *S. f.* Pequena nota ou comentário.

noturnal. [Do lat. *nocturnale*.] *Adj. 2 g.* Noturno (1 e 2): "E a treva noturnal circunvolve Granada." (Martins Fontes, *Verão*, p. 71.)

noturno. [Do lat. *nocturnu*.] *Adj.* **1.** Referente à noite; noturnal. **2.** Que se faz de noite; noturnal: *trabalho noturno*. **3.** Noctívago. [Antôn.: *diurno*.] ~ V. *albergue —, com mão diurna e —a, com mão —a e diurna, casa —a* e *rapaces —as*. ● *S. m.* **4.** Noctívago. **5.** *Lit.* Uma das partes do ofício divino. **6.** *Mús.* No séc. XVIII, variante da serenata instrumental. **7.** *Mús.* No séc. XIX, pequena composição vocal (a duas ou mais vozes) influenciada pela romança. **8.** *Mús.* Gênero de composição para piano, de caráter melancólico e sonhador, em andamento vagaroso, e que foi criado por John Field (1782-1837) e desenvolvido por F. Chopin (1810-1849) e G. Fauré (1845-1923). **9.** *Mús.* No séc. XX, poema sinfônico que, por suas características, revive o espírito da serenata do séc. XVIII. **10.** *Bras.* Designação comum aos trens que correm à noite. ~ V. *noturnos*.

noturnos. [Pl. de *noturno*.] *S. m. pl. Zool.* **1.** Seção das aves de rapina. **2.** Seção dos insetos lepidópteros. ~ V. *noturno*.

noutada. *S. f.* Noitada.

noutão. *S. m. Bras., N.E.* Noitão.

noute. *S. f.* V. *noite*: "'Vá para casa, fuja aos orvalhos da Noute.'" (Antônio Nobre, *Só*, p. 164).

noutecer. *V. int.* Noitecer. [Conjug.: v. *aquecer*.]

nouteiro. *S. m. Bras., N.E.* Noiteiro.

noutinha. *S. f.* Noitinha.

noutrem. Equiv. da prep. *em* e do pron. indef. *outrem*: *Não pensa noutrem, somente no filho.*

noutro. Equiv. da prep. *em* e do pron. indef. *outro*: "Ia morrer de saudade! Noutros climas, noutras plagas" (Casimiro de Abreu, *Obras*, p. 81). [Flex.: *noutra, noutros, noutras*.]

noutrora. [Equiv. da prep. *em* e do adv. *outrora*.] *Adv.* V. *outrora*: "Às portas do rico bati sem alento, / Eu rico noutrora, mendigo por fim" (Soares de Passos, *Poesias*, p. 118).

➧**nouveau-riche** (nuvô-rix'). [Fr.] *S. m.* V. *novo-rico*. [Pl.: *nouveaux-riches*.]

nova. [Fem. substantivado do adj. *novo*.] *S. f.* **1.** Notícia, novidade. **2.** *Astr.* V. *estrela nova*. ◆ **Nova recorrente.** *Astr.* Estrela nova que apresenta mais de uma explosão observável. **Nem novas nem mandados.** Nenhuma notícia (a respeito de alguém).

nova-aliancense. *Adj. 2 g.* **1.** De, ou pertencente ou relativo a Nova Aliança (SP). ● *S. 2 g.* **2.** Natural ou habitante de Nova Aliança. [Tb. se diz apenas *aliancense*. Pl.: *nova-aliancenses*.]

nova-almeidense. *Adj. 2 g.* **1.** De, ou pertencente ou relativo a Nova Almeida (ES). ● *S. 2 g.* **2.** Natural ou habitante de Nova Almeida. [Pl.: *nova-almeidenses*.]

nova-aurorense. *Adj. 2 g.* **1.** De, ou pertencente ou relativo a Nova Aurora (GO). ● *S. 2 g.* **2.** Natural ou habitante de Nova Aurora. [Pl.: *nova-aurorenses*.]

novação. [Do lat. *novatione*.] *S. f.* **1.** Inovação (1). **2.** *Jur.* Conversão duma dívida em outra para extinguir a primeira, quer mudando o objeto da prestação (*novação objetiva*), quer substituindo o credor ou o devedor por terceiros (*novação subjetiva*). [V. *delegação* (4) e *expromissão*.] ◆ **Novação objetiva.** *Jur.* V. *novação* (2). **Novação subjetiva.** *Jur.* V. *novação* (2).

novacap. [De *nova* + *capital*.] *S. f. Bras.* A nova capital. [Designação da cidade de Brasília quando da transferência da capital do País para essa cidade. V. *Velhacap*.]

nova-cruzense. *Adj. 2 g.* **1.** De, ou pertencente ou relativo a Nova Cruz (RN). ● *S. 2 g.* **2.** Natural ou habitante de Nova Cruz. [Pl.: *nova-cruzenses*.]

novado. [Part. de *novar*.] *Adj. Jur.* De que se efetuou a novação (2).

novador (ô). [Do lat. *novatore*.] *Adj.* e *s. m.* **1.** Inovador. **2.** Que ou aquele que dá novas ou novidades.

nova-erense. *Adj. 2 g.* **1.** De, ou pertencente ou relativo a Nova Era (MG). ● *S. 2 g.* **2.** Natural ou habitante de Nova Era. [Pl.: *nova-erenses*.]

nova-esperancense. *Adj. 2 g.* **1.** De, ou pertencente ou relativo a Nova Esperança (PR). ● *S. 2 g.* **2.** Natural ou habitante de Nova Esperança. [Pl.: *nova-esperancenses*.]

nova-europense. *Adj. 2 g.* **1.** De, ou pertencente ou relativo a Nova Europa (SP). ● *S. 2 g.* **2.** Natural ou habitante de Nova Europa. [Pl.: *nova-europenses*.]

nova-iorquino. *Adj.* **1.** Do, ou pertencente ou relativo ao Estado de Nova Iorque ou à cidade do mesmo nome (E.U.A.), ou ao município e cidade desse nome (MA). ● *S. m.* **2.** O natural ou habitante de Nova Iorque. [Pl.: *nova-iorquinos*.]

noval. *Adj. 2 g.* ~ V. *base —*.

nova-limense. *Adj. 2 g.* **1.** De, ou pertencente ou relativo a Nova Lima (MG). ● *S. 2 g.* **2.** Natural ou habitante de Nova Lima. [Pl.: *nova-limenses*.]

nova-londrinense. *Adj. 2 g.* **1.** De, ou pertencente ou relativo a Nova Londrina (PR). ● *S. 2 g.* **2.** Natural ou habitante de Nova Londrina. [Pl.: *nova-londrinenses*.]

novamente. [Do fem. de *novo* + *-mente*.] *Adv.* **1.** Outra vez; de novo: "o corpo fora despendurado da forca, ... e depois novamente enforcado" (Eça de Queirós, *Contos*, p. 268). **2.** Pouco antes; recentemente: "Chamou Fernão de Magalhães ao grupo de ilhas novamente descoberto o arquipélago de S. Lázaro." (Latino Coelho, *Fernão de Magalhães*, p. 171.)

nova-orleanês. *Adj.* **1.** De, ou pertencente ou relativo a Nova Orleães (E.U.A.). ● *S. m.* **2.** O natural ou habitante de Nova Orleães. [Flex.: *nova-orleanesa* (ê), *nova-orleaneses* (ê), *nova-orleanesas* (ê).]

nova-pontense. *Adj. 2 g.* **1.** De, ou pertencente ou relativo a Nova Ponte (MG). ● *S. 2 g.* **2.** Natural ou habitante de Nova Ponte. [Pl.: *nova-pontenses*.]

novar. [Do lat. *novare*.] *V. t. d. Jur.* Efetuar a novação de (uma dívida). [Pres. ind.: *novo*, etc.; pres. subj.: *nove, noves, nove, novemos, noveis, novem*. Cf. *novo* (ô), adj. e s. m., e *novéis*, pl. de *novel*.]

nova-seita. *S. 2 g. Bras., N.E.* V. *protestante* (6). [Pl.: *novas-seitas*.]

nova-serranense. *Adj. 2 g.* **1.** De, ou pertencente ou relativo a Nova Serrana (MG). ● *S. 2 g.* **2.** Natural ou habitante de Nova Serrana. [Pl.: *nova-serranenses*.]

nova-souriense. *Adj. 2 g.* **1.** De, ou pertencente ou relativo a Nova Soure (BA). ● *S. 2 g.* **2.** Natural ou habitante de Nova Soure [Pl.: *nova-sourienses*.]

novato. [Do lat. *novatu*.] *S. m.* **1.** Estudante novel; calouro. **2.** Aluno do primeiro ano de qualquer faculdade. **3.** Principiante, aprendiz, noviço. **4.** *Bras.* V. *formiga lava-pé*. **5.** *Bras.* Alcunha dada aos portugueses, no extremo S., no período colonial. V. *galego* (4). ● *Adj.* **6.** Ingênuo, inexperiente.

nova-trentino. *Adj.* **1.** De, ou pertencente ou relativo a Nova Trento (SC). ● *S. m.* **2.** O natural ou habitante de Nova Trento. [Pl.: *nova-trentinos*.]

nove. [Do lat. *novem*.] *Num.* **1.** Cardinal dos conjuntos equivalentes a um conjunto de nove membros (em algarismos arábicos, 9; em algarismos romanos, IX). **2.** Nono (1). ● *S. m.* **3.** Algarismo representativo do número nove. **4.** Aquilo ou aquele que numa série de nove ocupa o último lugar. **5.** Carta de jogar que tem nove sinais. **6.** A nota nove, em concurso ou exame.

novecentismo. *S. m.* Estilo, gosto ou escola dos novecentistas.

novecentista. *Adj. 2 g.* **1.** Pertencente ou relativo ao novecentismo ou ao séc. XX (século de novecentos). **2.** Diz-se do escritor ou do artista desse século. ● *S. 2 g.* **3.** Escritor ou artista do séc. XX.

novecentos. *Num.* **1.** Cardinal dos conjuntos equivalentes a um conjunto de nove centenas de membros. **2.** Noningentésimo: *página novecentos*. ● *S. m.* **3.** Algarismo representativo do número novecentos. **4.** Aquilo ou aquele que numa série de novecentos ocupa o último lugar. **5.** O séc. XX (século de novecentos), o período novecentista. [Nesta acepç. usa-se inicial maiúscula.]

novedio. [De *novo*, com a term. de *corredio, resvaladio*, etc.] *S. m.* **1.** *Desus.* Broto (3). ● *Adj.* **2.** De poucos anos.

nove-horas. *El. s. f. pl. Bras. Fam.* Us. na loc. adj. *cheio de nove-horas*. ◆ **Cheio de nove-horas.** *Bras. Fam.* **1.** V. *cheio de luxo*: "Eu sou lá a Isaltina, que é cheia de nove-horas, pra aprender língua de gringo e dedilhar delicadezas em pianos?" (Antônio Celso Alves Pereira, *Rua do Quenta-Sol*, p. 35.) **2.** Diz-se de coisa excessivamente trabalhosa, complicada, enfeitada, rebuscada; cheio de novidades; cheio de frescura; cheio de ipsilones: *Estava com um vestido cheio de nove-horas.*

novel (é). [Do cat. *novell.*] *Adj. 2 g.* **1.** Que tem poucos anos de existência; novo. **2.** Inexperiente, imperito, bisonho: "Em larga roda de novéis guerreiros / Ledo caminha o festival timbira" (Gonçalves Dias *Obras Poéticas*, II. p. 21). **3.** Principiante, novato. ● *S. 2 g.* **4.** Pessoa novel: "Quero-me explicar, não para os Mestres, sim para os novéis no ofício de escrever" (Antônio Feliciano de Castilho. *A Primavera*, p. 31). [Pl.: *novéis.* Cf. *noveis* do *v. novar.*]

novela. [Do fr. *nouvelle.*] *S. f.* **1.** *Liter.* Narração usualmente curta, ordenada e completa, de fatos humanos fictícios, mas, por via de regra, verossímeis. [Cf., nesta acepç., *romance* (3) e conto[1] (1).] **2.** V. *romance* (4 a 6). **3.** *Bras.* Peça teatral ou romance geralmente em capítulos, escrito ou adaptado para apresentação seriada pelo rádio ou pela televisão.

novelar. *V. int.* Escrever novelas: "A vocação dos espanhóis para a prosa narrativa, e em especial para a arte de novelar, manifestou-se muito cedo." (Eduardo Frieiro, *O Alegre Arcipreste*, p. 49.) [Pres. ind.: *novelo*, etc. Cf. *novelo* (ê).]

noveleiro[1]. [De *novelo(s)* + *-eiro.*] *S. m. Desus.* Vergôntea que nasce ao pé da árvore; novedio.

noveleiro[2]. [De *novela* + *-eiro.*] *Adj.* e *s. m.* **1.** Que ou aquele que escreve novelas. **2.** Novidadeiro. **3.** *Bras.* Que ou aquele que aprecia novela (3).

novelesco (ê). *Adj.* **1.** Próprio de novela; romanesco: "As estranhas atitudes dão à sua figura um colorido novelesco." (Thiers Martins Moreira, *Os Seres*, p. 37.) **2.** Referente a novela.

noveleta (ê). [Do it. *novelletta.*] *S. f.* **1.** *Mús.* Composição breve, de caráter romântico ou fantástico, sem delineamentos especiais de forma, gênero criado por Schumann, compositor alemão (1810-1856). **2.** Pequena novela (1).

novelista. *S. 2 g.* **1.** Pessoa que escreve novelas. [Cf. *romancista.*] ● *Adj. 2 g.* **2.** Que gosta de intrigar, de enredar; noveleiro.

novelística. *S. f.* O gênero literário da novela; o ficcionismo: "É .... desapontador que certa crítica ainda não tenha prestado atenção a este seu volume de contos [*Eis a Noite!*, de João Alphonsus], a reafirmar a posição do jovem mineiro como um dos melhores artistas da nossa novelística." (Guilherme Figueiredo, *Cobras & Lagartos*, p. 71.)

novelo (ê). [Do lat. *globellu*, 'pequeno globo', pelo arc. *lovelo.*] *S. m.* **1.** Bola feita de fio enrolado. **2.** *Fig.* Enredo, embrulho. ~ V. *novelos.* [Pl.: *novelos* (ê). Cf. *novelo*, do v. *novelar.*]

novelo-da-china. *S. m.* V. *hortênsia.* [Pl.: *novelos-da-china.*]

novelos (ê). [Pl.: de *novelo.*] *S. m. pl.* Planta da família das caprifoliáceas (*Viburnum opulus*); sabugueiro-d'água. ~ V. *novelo.*

novembrada. *S. f. Bras.* Sedição nativista ocorrida no Recife em novembro de 1831.

novembro. [Do lat. **Novembru*, de *novem*, 'nove'.] *S. m.* O 11º mês dos calendários juliano e gregoriano, com 30 dias.

novena. [Do lat. *novena.*] *S. f.* **1.** O espaço de nove dias. **2.** Rezas feitas durante nove dias. **3.** Grupo de nove coisas ou pessoas. **4.** *Bras.* Castigo de açoites durante nove dias seguidos, que se infligia aos escravos.

novenal. [Do lat. *novenale*, 'nono'.] *Adj. 2 g.* **1.** Respeitante a novena (1). **2.** De nove dias.

novenário. [De *novena* + *-ário.*] *S. m.* Livro de novenas.

novenfoliado. [Do lat. *noven*, 'nove', + *-foli(o)-* + *-ado*[1].] *Adj. Bot.* Que tem nove folíolos.

novênio. [Do lat. *novenne*, 'que tem nove anos', + *-io*, à feição de biênio, etc.] *S. m.* Espaço de nove anos.

novenlobado. [Do lat. *noven*, 'nove', + *lobo* + *-ado*[1].] *Adj. Bot.* Que tem nove lóbulos.

noveno. [Do lat. *novenu.*] *Num.* **1.** *P. us.* Nono[2]. ● *Adj.* **2.** Diz-se do nono dia de uma doença.

noventa. [Do lat. *nonaginta*, com infl. de *novem*, 'nove'.] *Num.* **1.** Cardinal dos conjuntos equivalentes a um conjunto de nove dezenas de membros (em algarismos arábicos, 90; em algarismos romanos, XC). **2.** Nonagésimo (1). ● *S. m.* **3.** Algarismo representativo do número noventa. **4.** Aquilo ou aquele que numa série de noventa ocupa o último lugar.

noventão. [De *noventa* + *-ão*[1].] *Adj.* e *s. m.* Nonagenário: "É engano dizer-se que Manuel Bandeira seria agora noventão." (Mauro Mota, *A Estrela de Pedra*, p. 115.) [Fem.: *noventona.*]

noventona. *Adj. (f.)* e *s. f.* Fem. de *noventão.*

nove-palavras-por-seis. *S. m. 2. n. Liter. Pop. Bras.* Estrofe de nove versos, dos quais o primeiro, o terceiro, o quarto o sexto o sétimo e o nono têm sete sílabas, e o segundo, o quinto e o oitavo têm três, e cujo esquema rimático é AABCCBDDB. Às vezes é dialogada, e neste caso o primeiro cantador canta os três primeiros versos, o segundo os três seguintes, e o primeiro completa a estrofe com os três versos finais. [Sin.: *nove-por-seis*, *seis-por-nove obra-de-nove-por-seis.*]

nove-por-seis. *S. m. Liter. Pop. Bras.* V. *nove-palavras-por-seis.* [Pl.: *noves-por-seis.*]

▲novi-. [Do lat. *novus, a, um.*] *El. comp.* = 'novo': *novilúnio, novilatino.*

noviça. *S. f.* **1.** Pupila (2). **2.** Fem. de *noviço* (2). ● *Adj. (f.)* **3.** Fem. de *noviço* (3).

noviciado. *S. m.* **1.** Tempo de noviço. **2.** Aprendizado a que se submetem as pessoas que entram numa ordem religiosa. **3.** A duração desse aprendizado.

noviciar. *V. int.* **1.** Praticar o noviciado. *T. i.* **2.** Fazer os primeiros exercícios; iniciar-se, estrear-se. [Fut. pret.: *noviciaria*, etc. Cf. *noviciária*, fem. de *noviciário.*]

noviciaria. *S. f.* A parte do convento onde residem os noviços. [Cf. *noviciária*, fem. de *noviciário.*]

noviciário. *Adj.* Respeitante ou pertencente a noviço. [Fem.: *noviciária.* Cf. *noviciaria*, do v. *noviciar* e s. f.]

noviço. [Do lat. *noviciu.*] *S. m.* **1.** Homem que se está preparando para professar num convento. **2.** *Fig.* Aprendiz, principiante. ● *Adj.* **3.** Inexperiente, bisonho, novato.

novidade. [Do lat. *novitate.*] *S. f.* **1.** Qualidade ou caráter de novo. **2.** Aquilo que é novo; coisa nova; inovação: *O gosto das novidades era o seu fraco: aceitou facilmente a nova doutrina.* **3.** Produção ou artigo lançado recentemente no mercado: *As vitrinas das lojas estavam cheias de novidades; Muitas novidades estão sendo anunciadas pelas livrarias.* **4.** Notícia, nova: *A novidade logo se espalhou: o homem morrera.* **5.** Originalidade, singularidade. **6.** Novos frutos do ano; colheita. **7.** Motim; perturbação, agitação. **8.** *Bras.* Embaraço, imprevisto; dificuldade. ◆ **Cheio de novidades.** *Bras. Fam.* **1.** V. *cheio de luxo.* **2.** V. *cheio de nove-horas* (2).

novidadeiro. *Adj.* e *s. m.* Que ou aquele que gosta de contar novidades, de dar notícias; noveleiro: "Os primeiros novidadeiros viram Tiotônia dando ordens, em voz baixa, aos empregados, atendendo a quem chegava, despachando tudo, ela mesma, como se fosse homem." (Nélson de Faria, *Tiziu e Outras Estórias*, p. 48.)

novilatino. [De *novi-* + lat. *latinu.*] *Adj.* V. *neolatino.* ~ V. *línguas —as.*

novilha. [Do esp. *novilla.*] *S. f.* Vaca nova; bezerra.

novilhada. *S. f.* Manada de novilhos.

novilho. [Do esp. *novillo.*] *S. m.* Boi ainda novo; almalho. ◆ **Novilho corpo de boi.** *Bras., S.* Novilho bem desenvolvido.

novilhota. *S. f. Bras., S.* Fem. de *novilhote.*

novilhote. *S. m. Bras., S.* Novilho de um ano e meio. [Fem.: *novilhota.*]

novilunar. [De *novi-* + *lunar.*] *Adj. 2 g.* Relativo ao novilúnio.

novilúnio. [De *novi-* + lat. *luna*, 'lua', + *-io.*] *S. m.* **1.** Lua nova [q. v.]. **2.** O tempo da lua nova.

novíssimo. [Do lat. *novissimu.*] *Adj.* **1.** Superl. abs. sint. de *novo.* **2.** Último, derradeiro. ~ V. *charada —a* e — *Continente.* ~ V. *novíssimos.*

novíssimos. [Pl. de *novíssimo.*] *S. m. pl. Rel.* Os últimos destinos do homem (Morte, Juízo, Inferno e Paraíso). ~ V. *novíssimo.*

novo (ô). [Do lat. *novu.*] *Adj.* **1.** Que tem pouco tempo de existência: *o novo jornal.* **2.** De pouca idade; moço: *Mário ainda é novo.* **3.** De pouco tempo; recente: *Era um conhecimento novo; Tenho um novo vizinho.* **4.** Que é visto pela primeira vez. **5.** Que acaba de ser feito ou adquirido e/ou ainda não foi posto em uso: *carro novo; vestido novo.* **6.** *P. ext.* Que tem pouco uso: *Via-se que a máquina estava boa, ainda era nova.* **7.** Moderno, recente: *Era hábito novo o fumar em público.* **8.** Original (5): *Seu quadro apresenta uma nova Bahia.* **9.** Inexperiente, inexperto: *Era novo o funcionário, não sabia o lugar de nada.* **10.** Estranho, desconhecido: *O rapaz era novo na cidade.* [Flex.: *nova, novos, novas.* Cf. *novo*, do v. *novar.*] ~ V. — *Continente*, *—a crítica*, *— Mundo*, *— Testamento*, *bossa —a*, *comédia —a*, *estrela —a*, *estrela variável —a*, *lua —a*, *missa —a* e *República —a.* ● *S. m.* **11.** O que é recente. **12.** O ano próximo; a próxima colheita. [Pl.: *novos.* Cf. *novo*, do v. *novar.*] ~ V. *novos.* ◆ **Pagar o novo e o velho.** Ser castigado por culpas recentes e antigas.

novo-cruzeirense. *Adj. 2 g.* **1.** De, ou pertencente ou relativo a Novo Cruzeiro (MG). ● *S. 2 g.* **2.** Natural ou habitante de Novo Cruzeiro. [Pl.: *novo-cruzeirenses.*]

novo-horizontino. *Adj.* **1.** De, ou pertencente ou relativo a Novo Horizonte (SP). ● *S. m.* **2.** O natural ou habitante de Novo Horizonte. [Pl.: *novo-horizontinos.*]

novo-rico. *S. m.* Indivíduo cuja riqueza é recente. [Designa especialmente aquele que, sendo de baixo nível social enriqueceu rápido em negócios de ocasião e procura ombrear com pessoas de posição elevada, entre as quais destoa por falta de educação, de bom gosto e/ou de instrução. Tb. é us. o correspondente fr., *nouveau-riche.* Pl.: *novos-ricos.*]

novos. [Pl. de *novo.*] *S. m. pl.* **1.** A gente nova: *Os novos não aceitam os conselhos dos velhos.* **2.** Os literatos incipientes: *antologia poética de novos.* ~ V. *novo.*

noxal (cs). *Adj. 2 g.* ~ V. *abandono —.*

nóxio (cs). [Do lat. *noxiu.*] *Adj.* V. *nocivo.*

noz. [Do lat. *nuce.*] *S. f.* **1.** O fruto da nogueira. **2.** Designação comum aos frutos secos indeiscentes, com uma única semente, como, p. ex., o das palmeiras. **3.** *Marinh.* Engrossamento da haste da âncora, onde há uma abertura por onde passa o cepo. [Cf. *nós*, pl. de *nó* e *pron. pess.*]

noz-da-índia. *S. f.* V. *nogueira-de-iguape.* [Pl.: *nozes-da-índia.*]

noz-de-bancul. *S. f.* V. *nogueira-de-iguape.* [Pl.: *nozes-de-bancul.*]

noz-de-galha. *S. f.* A galha do carvalho, usada em tinturaria; bugalho. [Pl.: *nozes-de-galha.*]

noz-do-pará. *S. f. Bras.* Pixurim (2). [Pl.: *nozes-do-pará.*]

nozilhão. *S. m. Pop.* Tumor, inchação.

noz-moscada. [De *noz* + *moscada* (fem. de *moscado*) < b.-lat. *muscata*, 'almiscarada'.] *S. f.* **1.** Moscadeira. **2.** O fruto da moscadeira. [Pl.: *nozes-moscadas.*]

noz-moscada-do-brasil. *S. f. Bras.* V. *bicuíba-redonda.* [Pl.: *nozes-moscadas-do-brasil.*]

noz-vômica. [De *noz* + o fem. de *vômico.*] *S. f.* Árvore da família das loganiáceas (*Strychnos nux-vomica*), notória como tóxica e medicinal, de frutos esféricos, com várias sementes, que encerram o alcalóide estricnina, além de outros, e que habita diversas localidades asiáticas; fava-de-santo-inácio. [Pl.: *nozes-vômicas.*]

■ **Np.** *Fís.* Símb. de *neper.*

■ **Np.** *Quím.* Símb. de *netúnio*[1].

■ **NPK.** *Tec.* Sigla que se utiliza para indicar o teor de nitrogênio total, de fósforo solúvel (na forma de pentóxido de fósforo) e de potássio solúvel (na forma de óxido de potássio) num fertilizante ou adubo.

▲-nte. [Term. do part. pres. *latino.*] El. comp. formador de adjetivos e substantivos: *pagante, adquirente, constituinte.*

ntogapide. *S. 2 g.* e *adj. 2 g. Bras.* V. *itogapuque.*

ntogapigue. *S. 2 g.* e *adj. 2 g. Bras.* V. *itogapuque.*

nu. [Do lat. *nudu.*] *Adj.* **1.** Privado de vestuário; despido, desnudo. **2.** Sem cobertura; exposto, descoberto: *cabeça nua*; "Pés descalços, braços nus" (Casimiro de Abreu, *Obras*, p. 94). **3.** Sem calçado; descalço: *pés nus.* **4.** Sem folhas: *as árvores nuas do inverno.* **5.** Sem vegetação; escalvado. **6.** Desguarnecido, desornado, desataviado: "quando entrara afinal no seminário, numa grande sala branca e nua" (Inglês de Sousa, *O Missionário*, p. 206); "Tempo claro, o campo azulado de orvalho e as buracicas altas, isoladas, quase nuas de folhagem, vestidas com ouro da sua floração eruptiva." (Xavier Marques, *As Voltas da Estrada*, p. 131). **7.** Sem nada; vazio: *Os ladrões deixaram o apartamento completamente nu.* **8.** Privado, destituído, carecente: *temperamento nu de virtudes e paixões fortes.* **9.** Sem afetação; simples, sincero, franco: "É muito conhecido este processo de captarmos a benevolência alheia com a confissão nua de nossas misérias." (Ciro dos Anjos, *Abdias*, p. 82.). **10.** Não disfarçado; patente, evidente: *a verdade nua e crua.* **11.** Tosco, grosseiro. **12.** Desembainhado (a espada). [Fem.: *nua.*] ~ V. *fio —* e *propriedade —a.* ● *S. m.* **13.** Aquele que não tem o que vestir: *Uma das obras de misericórdia é vestir os nus.* **14.** Nudez (1): *Certos moralistas estreitos consideram o nu obsceno até na arte.* **15.** *Art. Plást.* V. *nu artístico*: "O nu na arte foi inventado no século V antes de Cristo, pelos gregos, como a ópera foi inventada no século XVIII pelos italianos, lembra Kenneth Clark." (Carlos Lacerda, *O Cão Negro*, p. 82); "Quando Miguel Ângelo pinta nus soberbos no teto da Capela Sistina, não é só por devoção a Deus e sim por devoção transferida, num plano espiritual, sem dúvida, mas não desligado de seu carnal invólucro." (Id., *ib.*, p. 85.) ◆ **Nu artístico.** *Art. Plást.* **1.** A arte de representar plasticamente pessoa(s) desnuda(s). **2.** Quadro ou escultura em que há essa representação. [Tb. se diz apenas *nu.*] **Nu e**

cru. Em toda a rudeza; sem dissimulação ou disfarce; tal como é: *Disse-lhe a verdade nua e crua.* **Pôr a nu.** Descobrir, desvendar, patentear; desnudar.

nuança. [Do gr. *nuance.*] *S. f.* **1.** Cada uma das diversas gradações de uma cor; cambiante, matiz, tom, tonalidade; meio-tom: "Que lindo o verde, em nuanças meio incertas, / Margeando, lado a lado, as estradas desertas!" (Olegário Mariano, *Toda uma Vida de Poesia*, I, p. 51.) **2.** Diferença delicada entre coisas do mesmo gênero. **3.** Grau de força ou de doçura que convém dar aos sons.

nuançado. [Part. de *nuançar.*] *Adj.* Em que há nuança(s) matizado, cambiante.

nuançar. [Do fr. *nuancer.*] *V. t. d.* Matizar (1). [Conjug.: v. *laçar.*]

nuaruaque. [De aruaque *nu,* 'meu', + *aruwak,* 'comedor de farinha'.] *S. m.* V. *aruaque.*

nuba. *S. f. Mús.* **1.** Entre os árabes, grande composição vocal e instrumental. **2.** Na África setentrional, música dos regimentos de atiradores.

nubécula. [Do lat. *nubecula.*] *S. f. Med.* **1.** Ligeira turvação da córnea. **2.** Ligeira turvação na urina. [Sin. ger.: *nefélio.*]

nubente. [do lat. *nubente.*] *Adj. 2 g.* **1.** Que é noivo ou noiva. ● *S. 2 g.* **2.** Pessoa que se vai casar.

▲**nubi-.** [Do lat. *nubes, is.*] *El. comp.* = 'nuvem': *nubífugo* (< lat. *nubifugu*), *nubicogo.*

nubícogo. [De *nubi-* + *cog.* raiz de *cogere,* 'ajuntar'.] *Adj. Poét.* Que ajunta nuvens.

nubífero. [Do lat. *nubiferu.*] *Adj.* Que traz ou acumula nuvens.

nubífugo. [Do lat. *nubifugu.*] *Adj.* Que espalha ou desfaz nuvens.

nubígeno. [Do lat. *nubigenu.*] *Adj.* Proveniente das nuvens.

núbil. [Do lat. *nubile.*] *Adj. 2 g.* Casadouro (1): "uma ou outra filha núbil que ainda não era tempo de levar a el-rei, a que lhe escolhesse consorte" (Fialho d'Almeida, *Estâncias d'Arte e de Saudade*, p. 237). [Pl.: *núbeis.*]

nubilar. [Do lat. *nubilare.*] *S. m.* Lugar onde se recolhe o trigo quando há receio de chuva.

nubilidade. *S. f.* Qualidade ou estado de núbil.

nubiloso (ô). [Do lat. *nubilosu.*] *Adj.* V. *nebuloso.*

núbio. *Adj.* **1.** Da, ou pertencente ou relativo à Núbia (África). ● *S. m.* **2.** O natural ou habitante da Núbia.

nubívago. [Do lat. *nubivagu.*] *Adj.* **1.** Que anda pelas nuvens; nefelibata. **2.** *Fig.* Sublime, excelso.

nublado. [Part. de *nublar.*] *Adj.* **1.** Coberto de nuvens; nubloso, nuvioso, nebuloso: "A tarde está nublada, fria. Antes que anoiteça, vai chover." (Osmã Lins, *Nove, Novena*, p. 179.) **2.** V. *nebuloso* (2). **3.** *Fig.* Infeliz, triste, lúgubre; nuvioso. **4.** *Fig.* Preocupado, apreensivo, inquieto, nuvioso: *A notícia o deixou de semblante nublado.*

nublar. [Do lat. *nubilare.*] *V. t. d.* **1.** Cobrir de nuvens; anuviar; enuviar, enublar. **2.** Tornar escuro, sombrio, tristonho; entristecer; toldar, anuviar: *Nublou o semblante quando soube da tragédia.* *P.* **3.** Cobrir-se de nuvens; anuviar-se: "Nos raros dias de chuva a baía se nublava, com um ar de cinza." (Ricardo Ramos, *Matar um Homem*, p. 95.) **4.** Obscurecer-se, desvanecer-se, apagar-se: "Quando chegou perto da vacaria, a imagem nublou-se, fugiu." (Id., *Os Caminhantes de Santa Luzia*, p. 32.) **5.** Obscurecer-se, entristecer-se.

nubloso (ô). [F. sincopada de *nubiloso.*] *Adj.* V. *nublado* (1): "a tarde estava fria, nublosa" (Ledo Ivo, *O Flautim*, p. 108).

nuca. [Do ár. *nukhā,* 'medula espinhal', atr. do b.-lat. *nucha.*] *S. f. Anat.* Região do corpo humano que compreende as partes moles que se dispõem posteriormente ao setor cervical da coluna vertebral.

nucal. *Adj. 2 g.* Relativo ou pertencente à nuca.

nucamentáceo. [Do lat. *nucamentu,* 'flor semelhante a um cacho', + *-áceo*[1].] *Adj. Morfol. Veg.* Nuciforme: *fruto nucamentáceo.*

nução. [De um lat. *nutione* < *nutu,* 'aceno com a cabeça, etc., para exprimir a vontade'.] *S. f.* **1.** Assentimento, anuência. **2.** Talante, arbítrio, alvedrio. [Cf. *noção.*]

nucela. [Do lat. *nucella.*] *S. f.* Núcula.

nucelar. *Adj. 2 g.* Relativo ao nucelo.

nucelo. [De *nucela.*] *S. m. Citol.* Tecido central do óvulo com funções, em parte, nutritivas.

▲**nuci-.** [Do lat. *nux, nucis.*] *El. comp.* = 'noz': *nucífrago, nucívoro.*

nuciforme. [De *nuci-* + *-forme.*] *Adj. 2 g. Morfol. Veg.* Semelhante a uma noz; nucamentáceo: *semente nuciforme.*

nucífrago. [De *nuci-* + *-frago.*] *Adj.* Que quebra nozes.

nucívoro. [De *nuci-* + *-voro.*] *Adj.* Que se alimenta de nozes.

nucleação. [De *nuclear*[2] + *-ção.*] *S. f.* Ato ou efeito de nuclear(-se).

nucleado. [Part. de *nuclear*[2].] *Adj.* Que tem núcleo(s).

nucleal. *Adj. 2 g.* Nuclear (1).

nuclear[1]. [De *núcleo* + *-ar*[1].] *Adj. 2 g.* **1.** Relativo a núcleo; nucleal. **2.** Diz-se do fenômeno, aparelho, engenho, etc., em que se processam reações de cisão ou fissão nuclear, controladas ou não: *explosão nuclear; propulsão nuclear; reator nuclear; motor nuclear; armamento nuclear.* ~ V. *arma* —, *bomba*[1] —, *cisão* —, *combustível* —, *desnaturante* —, *emulsão* —, *energia* —, *estrela* —, *física* —, *fissão* —, *fusão* —, *guerra* —, *isomeria* —, *medicina* —, *motor* —, *química* —, *reação* —, *reator* —, *rejeito* —, *satélite* —, *submarino* —, *torpedo* — e *transição* —.

nuclear[2]. [De *núcleo* + *-ar*[2].] *V. t. d.* **1.** Dispor em núcleos. *P.* **2.** *Biol.* Formar-se em núcleo no interior da célula. [Fut. pret.: *nuclearia,* etc. Cf. *nucleária,* fem. de *nucleário.*]

nucleário. [De *núcleo* + *-ário.*] *Adj.* Referente ao núcleo (1). [Fem.: *nucleária.* Cf. *nuclearia,* do v. *nuclear.*]

núcleo. [Do lat. *nucleu.*] *S. m.* **1.** O miolo da noz e de outros frutos. **2.** Parte central de um objeto, de densidade diferente da densidade da massa. **3.** *P. ext.* O ponto central; o centro. **4.** O ponto essencial. **5.** A sede principal. **6.** *Constr.* Parte das peças de concreto armado envolvida pelo cintamento. **7.** *Fig.* A melhor parte; a nata, a flor de qualquer coisa; o escol. **8.** *Álg. Mod.* Num holomorfismo de um grupo G em outro G', conjunto de elementos de G que se representam no elemento identidade de G'. **9.** *Citol.* Corpúsculo relativamente grande que se encontra no interior das células e contém outro corpúsculo menor, o *nucléolo,* bem visível. [Reproduz-se por um complicado processo, denominado *mitose.*] **10.** *Eletr.* Peça de ferro em torno da qual se enrola um condutor para constituir um indutor. **11.** *Fís. Nucl.* Núcleo atômico. [Cf., nesta acepç., *núcleon.* Dim. irreg.: *nucléolo* (q. v.).] ◆ **Núcleo atômico.** *Fís. Nucl.* Parte do átomo com carga positiva e com a quase totalidade da sua massa, constituída por prótons e nêutrons, e que ocupa pequeníssimo volume. [Tb. se diz apenas *núcleo.*] **Núcleo central.** *Geofís.* V. *nife.*

nucleobrânquio. [De *núcleo* + *-brânquio.*] *S. m.* **1.** Espécime dos nucleobrânquios. ● *Adj.* **2.** Pertencente ou relativo a eles.

nucleobrânquios. [Pl. de *nucleobrânquio.*] *S. m. pl. Zool.* Designação dada por Blainville a uma subordem de moluscos gasterópodes hoje chamada *heterópodes* [q. v.].

nucleofílico. *Adj. Quím.* Diz-se do ataque, ou de uma reação, em que um núcleo reage com um íon que atua por intermédio de um par de elétrons disponível.

nucléolo. [Dim. irreg. de *núcleo.*] *S. m. Citol.* Pequeno corpúsculo que se encontra no interior do núcleo (9), e cuja constituição difere do núcleo.

nucleoma. [De *núcleo* + *-oma.*] *S. m. Citol.* O conjunto do material nuclear de uma célula.

núcleon. [De *núcleo* + *-on.*] *S. m. Fís. Nucl.* Designação genérica das partículas que constituem o núcleo atômico [q. v.], i. e., o próton e o nêutron.

nucleose. [De *núcleo* + *-ose.*] *S. f. Citol.* Divisão exagerada do núcleo.

nucleossíntese. *S. m. Astr.* Formação dos núcleos atômicos por reações nucleares que ocorreram no bigue-bangue ou nos meios interiores estelares.

nucleotídeo. [De *núcleo* + *-t-* + *-ídeo.*] *S. m. Genét.* Unidade constituinte dos ácidos ribonucléicos e desoxirribonucléicos, formada por um açúcar, um grupo fosfato e uma base nitrogenada.

nuclídeo. [De *núcleo* + *-ídeo.*] *S. m. Fís. Nucl.* Átomo caracterizado por um número de massa e um número atômico determinados, e que tem vida média suficientemente longa para permitir a sua identificação com um elemento químico. [Tb. se denomina, embora com absoluta impropriedade, *isótopo.*] ◆ **Nuclídeo estável.** *Fís. Nucl.* O que não apresenta radioatividade. **Nuclídeo radioativo.** *Fís. Nucl.* O que apresenta radioatividade; radionuclídeo. **Nuclídeos especulares.** *Fís. Nucl.* Par de nuclídeos isóbaros em que o número de prótons de um é igual ao número de nêutrons do outro. **Nuclídeos isóbaros.** *Fís. Nucl.* Os que têm o mesmo número de massa, mas números atômicos diferentes. [Tb. se dizem apenas *isóbaros.*] **Nuclídeos isodiáferos.** *Fís. Nucl.* Os que têm a mesma diferença entre o número de nêutrons e o número de prótons. [Tb. se dizem apenas *isodiáferos.*] **Nuclídeos isômeros.** *Fís. Nucl.* Os que têm iguais o número de massa e o número atômico, mas estão em diferentes níveis de energia. [Tb. se dizem apenas *isômeros.*] **Nuclídeos isótonos.** *Fís. Nucl.* Os que têm o mesmo número de nêutrons, mas números atômicos diversos. [Tb. se dizem apenas *isótonos.*] **Nuclídeos isótopos.** *Fís. Nucl.* Os que têm o mesmo número atômico, mas números de massa diferentes. [Tb. se dizem apenas *isótopos.*]

núcula. [Do lat. *nucula.*] *S. f.* Pequena noz; nucela.

nuculâneo. [De *núcula* + *-âneo.*] *Adj. Morfol. Veg.* Diz-se do fruto que tem muitas sementes distintas, como, p. ex., a nêspera.

nuculano. [De *núcula* + *-ano.*] *S. m. Morfol. Veg* Fruto que tem núculas em lóculos ligados ou livres.

nucular. [De *núcula* + *-ar*[1].] *Adj. 2 g. Bot.* **1.** Relativo a noz. **2.** Que encerra uma noz.

nuculoso (ô). *Adj. Bot.* Que contém núculas.

nudação. [Do lat. *nudatione.*] *S. f.* Ato ou efeito de desnudar(-se); nudez.

nudez (ê). [Do lat. *nudu,* 'nu', + *-ez.*] *S. f.* **1.** Estado de quem se acha ou vive nu; nu. **2.** Falta de vestuário. **3.** Ausência de ornatos: "Uma saleta cor-de-rosa esteirada, uma cama de ferro, ... algumas cadeiras e um crucifixo de marfim, compunham esse aposento de extrema simplicidade e nudez." (José de Alencar, *Lucíola*, p. 148.) **4.** Privação de folhas (nas plantas). **5.** Carência, falta, privação. **6.** Simplicidade, singeleza. [F. paral., p. us.: *nudeza.* Sin.: *nueza (p. us.) e desnudez.*]

nudeza (ê). [Do lat. *nudu,* 'nu', + *-eza.*] *S. f. P. us.* V. *nudez:* "a esperança fogosa / De ir ao longe, através das ondas, conquistar / A nudeza pagã e a virgindade ociosa / De ermas ilhas em flor nas solidões do mar..." (Vicente de Carvalho, *Poemas e Canções*, p. 168).

▲**nud(i)-.** [Do lat. *nudus, a, um.*] *El. comp.* = 'despido', nu: *nudicaule; nudismo.* [Equiv.: *nudo-.* *nudofobia.*]

nudibrânquio. [De *nud(i)-* + *brânquio.*] *Adj.* **1.** Diz-se dos animais que têm as brânquias descobertas. **2.** Pertencente ou relativo aos nudibrânquios. ● *S. m.* **3.** Espécime dos nudibrânquios.

nudibrânquios. *S. m. pl. Zool.* Animais moluscos, gastrópodes, opistobrânquios, da ordem *Nudibranchia.* Os adultos são desprovidos de concha e verdadeiro ctenídio, e respiram pela pele ou por brânquias secundárias em torno do ânus, ou em fileiras dorsais ou sob a margem lateral do manto.

nudicaule. [De *nud(i)-* + *caule.*] *Adj. 2 g. Bot.* Que não tem folhas no caule.

nudípede. [Do lat. *nudipede.*] *Adj. 2 g.* Que tem os pés nus; descalço.

nudipilífero. [De *nud(i)-* + *-pilífero.*] *S. m.* e *adj.* V. *anfíbio* (5 e 7).

nudipilíferos. *S. m. pl. Zool.* V. *anfíbios.*

nudismo. [De *nud(i)-* + *-ismo.*] *S. m.* **1.** Doutrina que prega o viver ao ar livre em completa nudez. **2.** A prática dessa doutrina.

nudista. *Adj. 2 g.* **1.** Referente ao, ou próprio do nudismo. **2.** Que é adepto do nudismo. ● *S. 2 g.* **3.** Adepto dele.

nuditarso. [De *nud(i)-* + *tarso.*] *Adj. Zool.* Que tem os tarsos nus.

nudiúsculo. [De *nud(i)* + *-úsculo.*] *Adj. Bot.* Quase nu.

▲**nudo-.** Equiv. de *nudi-.*

nudofobia. [De *nudo-* + *-fobia.*] *S. f. Patol.* Aversão ou sensação mórbida que se experimenta por ficar nu.

nudofóbico. *Adj.* Relativo à nudofobia.

nudomania. [De *nudo-* + *-mania.*] *S. f. Patol.* Tendência mórbida para ficar nu.

nudomaníaco. *Adj.* e *s. m.* Diz-se de, ou aquele que sofre de nudomania.

nuelo. [De um lat. *nudelu* < *nudu,* 'nu'.] *Adj.* **1.** Implume: "um pombinho nuelo" (Visconde de Taunay, *Ao Entardecer*, p. 42). **2.** *P. ext.* Que nasceu há pouco; recém-nascido. **3.** *Bras., MG. Fam.* Nu em pêlo [q. v.]

nueza (ê). [De *nu* + *-eza.*] *S. f. P. us.* V. *nudez.*

nuga. [Do lat. *nuga.*] *S. f.* V. *ninharia:* "Uma nuga, um nada a punha fora de si." (Júlio Ribeiro, *A Carne*, p. 245.) [M. us. no pl.]

nugá. [Do fr. *nougat.*] *S. m.* Nogado.

nugação. [Do lat. **nugatione.*] *S. f.* Sofisma ridículo; argumento vão.

nugacidade. [Do lat. *nugacitate.*] *S. f.* **1.** Futilidade, frivolidade, nulidade. **2.** Ninharia, insignificância, nulidade, nuga. **3.** Gracejo, pilhéria.

nugativo. [Do lat. *nugatu,* part. pass. de *nugari,* 'ocupar-se com ninharias', + *-ivo.*] *Adj.* **1.** Em que há nuga. **2.** Frívolo, ridículo, vão. [Sin. ger.: *nugatório.*]

nugatório. [Do lat. *nugatoriu.*] *Adj.* V. *nugativo.*

▲nuli-. [Do lat. *nullus, a, um.*] *El. comp.* = 'nulo': *nulinerve.*

nulidade. *S. f.* **1.** Estado ou qualidade de nulo. **2.** V. *nugacidade* (1 e 2). **3.** Pessoa sem mérito nenhum. **4.** *Jur.* Ineficácia dum ato jurídico, resultante da ausência de uma das condições necessárias para sua validade.

nulificação. *S. f.* Ato ou efeito de nulificar.

nulificante. [Do lat. *nullificante.*] *Adj. 2 g.* Que tem força de nulificar; nulificativo.

nulificar. [Do lat. *nullificare.*] *V. t. d.* e *p.* Anular[2]. [Conjug.: v. *trancar.*]

nulificativo. *Adj.* Nulificante.

nulificável. *Adj. 2 g.* Que pode ser nulificado; anulável.

nulinerve. [De *nuli-* + lat. *nervu,* 'nervo'.] *Adj. 2 g. Morfol. Veg.* Diz-se das folhas que não têm nervuras aparentes.

nulípara. [De *nuli-* + *-para.*] *Adj. (f.)* e *s. f.* Diz-se da, ou a fêmea que nunca pariu.

nuliparidade. *S. f.* Estado ou condição de nulípara.

nulo. [Do lat. *nullu.*] *Adj.* **1.** Que não é válido; que não tem valor: *sentença nula.* **2.** Sem valor ou sem efeito; inútil, vão: *esforços nulos.* **3.** Nenhum (3); *Seu merecimento é nulo.* **4.** Inepto, incapaz: *Não contes com ele, é um indivíduo nulo.* **5.** Sem atividade; inerte. ~ V. *conjunto* —.

num[1]. **1.** Equiv. da prep. *em* e do art. indef. *um.* **2.** Equiv. da prep. *em* e do num. *um: Trabalha num dia mais do que muitos em dez.* [Flex.: *numa, nuns, numas.*]

num[2]. *Adv. Pop.* Var. de *não:* "Num falei! Num falei que chovia de noite? Agora é chuva até a entrada da lũa nova" (Bernardo Élis, *Veranico de Janeiro,* p. 102); "— Pois é: o menino saiu com o copinho dele para o pai encher de leite. e tinha um marruco brabeza do sertão que ninguém num lembrava." (Id., *ib.,* p. 22).

numantino. [Do lat. *numantinu.*] *Adj.* **1.** De, ou pertencente ou relativo a Numância, antiga cidade da Espanha (a moderna Sória). ● *S. m.* **2.** O natural ou habitante de Numância.

numária. [Fem. substantivado de *numário.*] *S. f.* V. *numismática.*

numário. [Do lat. *nummariu.*] *Adj.* Relativo à numária; numismático.

nume. [Do lat. *numen.*] *S. m.* **1.** Deidade (1): "adorava-a humildemente como a um nume, uma divindade." (Gilberto Amado, *Inocentes e Culpados,* p. 213). **2.** Divindade mitológica. **3.** Gênio (1). **4.** Influxo divino; inspiração.

numênico. *Adj.* Referente ao númeno.

númeno. [Do gr. *noúmenon.*] *S. m. Filos.* Objeto inteligível, em oposição a objeto que se conhece por meio dos sentidos. [Cf. *fenômeno* (10).]

numeração. [Do lat. *numeratione.*] *S. m.* **1.** Ato de numerar. **2.** Série de números arábicos ou romanos que distinguem as páginas de livro, folheto, manuscrito, etc. **3.** *Arit.* Processo de enumerar um conjunto. **4.** Processo de escrever ou representar os números. ◆ **Numeração binária.** *Arit.* A que usa apenas dois símbolos e na qual a unidade de uma ordem vale duas vezes uma unidade de ordem imediatamente inferior. **Numeração decimal.** *Arit.* A que utiliza 10 símbolos e na qual a unidade de uma ordem vale 10 vezes a unidade que a precede. **Numeração progressiva.** Sistema de numeração das partes de um documento mediante seqüência de números, de 0 a 9, separados por ponto. Ex.: 0, 0.1, 0.1.1, 0.1.2, 0.1.2.1, 0.1.2.2 ... 9, 1.1.1, etc.

numerado. [Part. de *numerar.*] *Adj.* **1.** Indicado por número(s). **2.** Posto por ordem numérica.

numerador (ô). [Do lat. *numeratore.*] *Adj.* **1.** Que numera. ~ V. *carimbo* — e *rama* — *a.* ● *S. m.* **2.** Aquele que numera. **3.** Aparelho para numerar. **4.** Carimbo numerador. **5.** *Arit.* Numa fração ordinária, o elemento que fica acima do traço de fração. **6.** *Art. Gráf.* Aparelho que, justificado na fôrma tipográfica, com a composição, numera os impressos em ordem crescente (*numerador progressivo*) ou decrescente (*numerador regressivo*), podendo repetir números; numeradora. ◆ **Numerador progressivo.** *Art. Gráf.* V. *numerador* (6). **Numerador regressivo.** *Art. Gráf.* V. *numerador* (6).

numeradora (ô). [Fem. de *numerador.*] *S. f. Art. Gráf.* Numerador (6).

numeral. [Do lat. *numerale.*] *Adj. 2 g.* **1.** Referente a número. **2.** Indicativo de número. ● *S. m.* **3.** *Gram.* Classe de palavras que indica uma quantidade exata de pessoas ou coisas, ou lugar que elas ocupam numa série. ◆ **Numeral cardinal.** *Gram.* O que designa quantidade absoluta: *cinco, nove, setenta* e *sete.* **Numeral fracionário.** *Gram.* O que designa quantidade fracionária: *meio, terço, sexto, vigésimo.* **Numeral multiplicativo.** *Gram.* O que designa quantidade multiplicativa: *duplo, triplo, quíntuplo, séxtuplo, décuplo.* **Numeral ordinal.** *Gram.* O que indica ordem ou série: *primeiro, segundo, décimo, undécimo, vigésimo, octagésimo.*

numerar. [Do lat. *numerare.*] *V. t. d.* **1.** Indicar por números: *Numerou todas as referências bibliográficas da obra.* **2.** Dispor por ordem numérica. **3.** Pôr números em. **4.** Contar, calcular; enumerar: *São tantos os seus bens que mal pode numerá-los;* "Numerar sepulturas e carneiros, / Reduzir carnes podres a algarismos, / Tal é, sem complicados silogismos, / A aritmética hedionda dos coveiros!" (Augusto dos Anjos, *Eu,* 30ª ed., p. 224). **5.** Expor metodicamente; relatar, enumerar. *T. i.* **6.** Contar, incluir: *Costumam numerá-la entre as mulheres mais elegantes do país.* [Pres. ind.: *numero,* etc.; fut. do pret.: *numeraria,* etc. Cf. *número, s. m.,* e *numerária,* fem. de *numerário.*]

numerário. [Do fr. *numéraire.*] *Adj.* **1.** Respeitante a dinheiro. ~ V. *testemunha* —*a.* [Fem.: *numerária.* Cf. *numeraria,* do v. *numerar.*] ● *S. m.* **2.** Moeda; dinheiro efetivo [v. *dinheiro* (3)].

numerável. [Do lat. *numerabile.*] *Adj. 2 g.* Que pode ser numerado. ~ V. *conjunto* — e *infinidade* —.

numérico. *Adj.* **1.** Relativo a números. **2.** Que indica número; numeral. ~ V. *abertura* —*a, hipertrofia* —*a* e *índice* —.

número. [Do lat. *numeru.*] *S. m.* **1.** *Mat.* O conjunto de todos os conjuntos equivalentes a um conjunto dado. **2.** Conta certa: *Qual o número de cartas recebidas?* **3.** Porção, parcela: *Não sei o número de alunos que passaram de ano.* **4.** Grande número; quantidade, abundância, cópia: *Na eleição passada alcançou número de votos.* **5.** Classe, rol, categoria: *Não é do número dos que falham à última hora.* **6.** *Edit.* V. *fascículo* (5). **7.** *P. ext.* O conjunto desses exemplares. **8.** Cada um dos quadros ou cenas duma peça teatral ou dum espetáculo de variedades. **9.** *Gram.* Flexão nominal ou verbal indicativa de um ou mais. **10.** *Orat.* e *Poét.* Harmonia proveniente da disposição das palavras, na prosa ou no verso; cadência, regularidade. [Cf. *numero,* do v. *numerar.*] ◆ **Número abundante.** *Mat.* Inteiro maior que a soma dos seus divisores próprios. [Opõe-se a *número deficiente.* Cf. *número perfeito.*] **Número adimensional.** *Tec.* Combinação multiplicativa de potências de grandezas físicas cuja dimensão, em termos de um conjunto de grandezas fundamentais, é igual a zero. [Estes números são de importância em inúmeros problemas práticos, pois permitem a expressão elegante de diversos parâmetros notáveis.] **Número algébrico.** *Mat.* **1.** Número dotado de sinal positivo ou negativo, como o são os da álgebra; número relativo. [Cf. *número aritmético.*] **2.** Qualquer raiz de uma equação algébrica com coeficientes racionais. **Número aritmético.** *Mat.* Número real positivo. como o são os da aritmética. [Cf. *número algébrico.*] **Número atômico.** *Fís. Nucl.* Número de prótons no núcleo de um elemento, o qual coincide com a ordem do elemento na classificação periódica; número de carga. [Símb.: *Z.*] **Número áureo.** **1.** Número que determina a divisão de um segmento em meia a extrema razão, e que é igual à metade da diferença entre a raiz quadrada de cinco e a unidade, ou seja, 0,61803; número de ouro. **2.** *Cronol.* Número de ordem que um dado ano ocupa no ciclo lunar [q. v.]. Para calculá-lo soma-se 1 ao ano em apreço e divide-se o resultado por 19, sendo o resto da divisão o número áureo desse ano. [Sin. (p. us.): *número de ouro.*] **Número bariônico.** *Fís. Nucl.* Número associado às partículas elementares, e que tem propriedades conservativas nas transformações dessas partículas; número igual a um para os bárions, a zero para os léptons e bósons, e a menos um para os antibárions. **Número binário.** *Mat.* O que é escrito no sistema binário. **Número cardeal.** *Mat.* V. *número cardinal.* **Número cardinal.** *Mat.* **1.** O número *n* na bijeção de um conjunto enumerável finito sobre o subconjunto 1,2,...., *n* dos números naturais. **2.** Característica comum a todos os conjuntos equivalentes. [Sin. ger.: *número cardeal, cardinal, cardeal.*] **Número combinatório.** *Mat.* Inteiro da forma (m + n)!/m!n!. **Número complexo.** *Mat.* **1.** Número que exprime uma grandeza medida em unidades que não guardam entre si relações decimais, como, p. ex., horas, minutos e segundos. **2.** Número que pode ser escrito na forma *a* + *ib,* onde *a* e *b* são reais, e *i* é a raiz quadrada de menos um; número imaginário. [Tb. se diz apenas *complexo.*] **Número composto.** *Mat.* Inteiro que não é primo. **Número de Avogadro.** *Fís.-Quím.* Número de moléculas existentes na molécula-grama de qualquer substância, e que é igual a 6,02252 × 10^{23} moléculas. [Tb. é chamado, impr., *número de Loschmidt.*] **Número de carga.** *P. us. Fís. Nucl.* Número atômico. **Número de chamada.** *Bibliot.* Conjunto de símbolos que determina a colocação dos livros e outros documentos em estantes, etc.; notação. **Número decimal.** *Mat.* O que é escrito no sistema decimal [Tb. se diz apenas *decimal.*] **Número de Fermat.** *Mat.* Inteiro igual à unidade mais a potência 2^n de 2, em que *n* é um inteiro positivo. **Número deficiente.** *Mat.* Inteiro menor que a soma dos seus divisores próprios. [Opõe-se a *número abundante.* Cf. *número perfeito.*] **Número de Loschmidt.** *Fís.-Quím.* **1.** V. *número de Avogadro.* **2.** Número de moléculas existentes num centímetro cúbico de um gás perfeito, medido em condições normais de temperatura e pressão. **Número de Mach.** *Fís.* Quociente da velocidade dum corpo que se move num fluido pela velocidade do som no mesmo fluido. [Tb. se diz apenas *número Mach* e *Mach.*] **Número de massa.** *Fís. Nucl.* Número total de prótons e nêutrons presentes no núcleo de um elemento, e que é igual ao número inteiro mais próximo da massa atômica do elemento. **Número de onda.** *Fís.* O inverso do comprimento de onda de um fenômeno ondulatório. **Número de ouro.** **1.** *Mat.* Número áureo (1). **2.** *Cronol. P. us.* Número áureo (2). **Número de oxidação.** *Quím.* Número positivo (ou negativo) que indica o número de elétrons cedidos (ou recebidos) por um elemento para formar um íon, ou um radical ou uma molécula. **Número de Reynolds.** *Fís.* Número adimensional que caracteriza o escoamento de um fluido, igual ao produto da velocidade do fluido pelo diâmetro do encanamento onde se escoa dividido pela viscosidade cinemática. **Número de transporte.** *Fís.-Quím.* Numa eletrólise, fração da carga elétrica que é transportada por uma determinada espécie iônica. **Número dual.** *Mat.* Entidade da forma x + jy, onde *x* e *y* são reais e *j* é um unitário divisor de zero. [Tb. se diz apenas *dual.*] **Número duodecimal.** *Mat.* O que é escrito no sistema duodecimal. **Número e.** *Mat.* Número real irracional transcendente, igual ao limite, quando *n* tende para infinito, de $(1 + 1/n)^n$, ou à soma da série infinita cujo termo é *1/n!.* Seu valor aproximado é 2,71828... [Símb.: e.] **Número f.** *Ópt.* Numa objetiva, o quociente da distância focal pela abertura. **Número fracionário.** *Arit.* Fração (4). **Número imaginário.** *Mat.* V. *número complexo* (2). [Tb. se diz apenas *imaginário.*] **Número ímpar.** *Mat.* O que não é divisível por dois. [Tb. se diz apenas *ímpar.*] **Número inteiro.** *Mat.* Qualquer dos números 0, 1, 2, 3, ..., -1, -2, -3 ... . [Tb. se diz apenas *inteiro.*] **Número irracional.** *Mat.* Número real que não é racional. [Tb. se diz apenas *irracional.*] **Número Mach.** *Fís.* V. *número de Mach.* **Número misto.** *Mat.* A soma de um inteiro com uma fração ordinária. **Número natural.** *Mat.* Número inteiro positivo; qualquer dos números da seqüência 1, 2, 3, ... [Tb. se diz apenas *natural.*] **Número negativo.** *Mat.* Número menor que zero. [Tb. se diz apenas *negativo.*] **Número octal.** *Mat.* O que é escrito no sistema octal. **Número ordinal.** *Mat.* O que indica a ordem de um termo numa seqüência. **Número par.** *Mat.* O que é divisível por dois. [Tb. se diz apenas *par.*] **Número perfeito.** *Mat.* Inteiro igual à soma dos seus divisores próprios, como, p. ex., 6, 28 e 496. [Cf. *número abundante* e *número deficiente.*] **Número pi** (π). *Mat.* Número irracional transcendente igual à razão entre o comprimento de uma circunferência do círculo e o seu diâmetro; número que é o limite do produto infinito 2(2.2/1.3)(4.4/3.5)(6.6/5.7)(8.8/7.9)... . Seu valor aproximado é 3,14159235 ... . [Tb. se diz apenas *pi.*] **Número pitagórico.** *Mat.* Qualquer dos inteiros, *a, b* e *c,* que satisfazem à equação pitagórica $a^2 + b^2 = c^2$. Ex.: 3, 4 e 5. **Número positivo.** *Mat.* Número maior que zero. [Tb. se diz apenas *positivo.*] **Número primo.** *Mat.* Inteiro não-nulo cujos únicos divisores, em módulo, são ele próprio e a unidade. [Tb. se diz apenas *primo.*] **Número quântico.** *Fís.* Qualquer dos números necessários para caracterizar o estado de um sistema quantificado, e que permite identificar univocamente a função de onda associada ao estado. **Número racional.** *Mat.* O que pode ser escrito como quociente de dois inteiros, dos quais o divisor não é nulo. [Tb. se diz apenas *racional.*] **Número real.** *Mat.* Par de classes, uma minorante e outra majorante, em que se pode dividir o conjunto dos números racionais de modo que todo racional, exceto, no máximo, um deles, esteja numa das classes. [Tb. se diz apenas *real.*] **Número relativo.** *Mat.* Número algébrico (1). **Números aleatórios.** *Estat.* Seqüência de números em que a ordem de qualquer deles é acidental, e que se utiliza para a extração de amostras acidentais; números eqüiprováveis. **Números amigos.** *Mat.* Par de números em que um deles é igual à soma dos divisores próprios do outro, e vice-versa. Ex.: par 220 e 284. **Números associados.** *Arit.* Dois números cujo produto dá resto um quando dividido por um terceiro número. **Números eqüiprováveis.** *Estat.* Números aleatórios. **Número sexagesimal.** *Mat.* O que é escrito num sistema sexagesimal. **Números primos entre si.** *Mat.* Números inteiros cujo máximo divisor comum, em módulo, é a unidade. **Número transcendente.** *Mat.* Número irracional que não é algébrico. [Tb. se diz apenas *transcendente*.] **Número transfinito.** *Mat.* Cardinal de um conjunto infinito. **Número triangular.** *Mat.* Inteiro da forma n(n + 1)/2, onde *n* é um natural. **Número um.** O mais importante; o principal: *Paulo é o meu amigo número um.* **Fazer número.** Servir apenas para aumentar a quantidade, o número, por não ter valor pessoal, merecimento próprio: *Só um falou, os outros vieram apenas para fazer número.* **Não ser do número dos vivos.** Ter morrido; ser morto: "Sou frade, minha irmã, sou um que já não é do número dos vivos" (Almeida Garrett, *Viagens na Minha Terra*, p. 124). **Sem número.** Que não se pode numerar; inumerável. [Cf. *sem-número*.] **Ser um número.** *Bras.* Ser desfrutável, ou ingênuo, ou muito engraçado, etc.: "Beirão é um número! Quando deixa a carapaça de romanista e se põe a conversar com naturalidade, torna-se um companheiro realmente divertido." (Ciro dos Anjos, *Abdias*, p. 77.)

número-índice. *S. m. Estat.* Índice (10). [Pl.: *números-índices*.]

numerologia. [Do lat. *numeru* + *-log(o)-* + *-ia*.] *S. f. Ocult.* Estudo da significação oculta dos números e da influência deles no caráter e no destino das pessoas.

numerológico. *Adj.* Respeitante à numerologia.

numerologista. *S. 2 g.* Especialista em numerologia; numerólogo.

numerólogo. *S. m.* Numerologista.

numerosidade. [Do lat. *numerositate*.] *S. f.* Qualidade de numeroso.

numeroso (ô). [Do lat. *numerosu*.] *Adj.* **1.** Em grande número; abundante, copioso. **2.** Harmonioso, melodioso, cadenciado: "vereis um novo exemplo / De amor dos pátrios feitos valerosos / Em versos devulgados numerosos." (Luís de Camões, *Os Lusíadas*, I, 9); "além de qualquer apuro literário, faltava-lhe também uma voz musical, numerosa, com inflexões." (Lima Barreto, *Numa e a Ninfa*, p. 129).

númida. [Do lat. *numida*.] *Adj. 2 g.* **1.** Da, ou pertencente ou relativo à Numídia (África); numídico. ● *S. 2 g.* **2.** Natural ou habitante da Numídia.

numídico. [Do lat. *numidicu*.] *Adj.* Númida (1).

numiforme. [Do lat. *nummu*, 'moeda', + *-i-* + *-forme*.] *Adj. 2 g.* V. *numismal*.

numinoso (ô). [Do lat. *numine*, 'divindade, nume', + *-oso*.] *Adj.* Na filosofia da religião de R. Otto, diz-se do estado religioso da alma inspirado pelas qualidades transcendentais da divindade.

numisma. [Do gr. *nómisma*, 'moeda de cunho legal', pelo lat. *numisma*.] *S. f.* Moeda cunhada.

numismal. *Adj. 2 g.* Referente ou semelhante a numisma; numiforme, numular.

numismata. *S. 2 g.* Especialista em numismática. [Sin., desus. *monetário*.]

numismática. [Fem. substantivado de *numismático*.] *S. f.* Ciência que se ocupa das moedas e medalhas; numária, numulária.

numismático. [Do gr. *nomismatikós*.] *Adj.* Respeitante à numismática; numário.

numismatografia. [Do gr. *nómisma, atos*, 'moeda', + *-graf(o)-* + *-ia*.] *S. f.* **1.** Tratado numismático. **2.** Descrição e história de moedas e medalhas.

numismatográfico. *Adj.* Relativo à numismatografia.

numismatógrafo. [Do gr. *nómisma, atos*, 'moeda', + *-grafo*.] *S. m.* Especialista em numismatografia.

numular. [Do lat. *nummulu*, 'dinheirinho, moedinha', + *-ar*¹.] *Adj. 2 g.* V. *numismal*.

numulária. [Do lat. *numularia*.] *S. f.* V. *numismática*.

numulário. [Do lat. *numulariu*.] *S. m. Desus.* Argentário; capitalista.

nunca. [Do lat. *nunquam*.] *Adv.* **1.** Em tempo algum; em nenhum tempo; jamais: "Nunca morrer assim! Nunca morrer num dia / Assim!" (Olavo Bilac, *Poesias*, p. 170); *Bajular para vencer na vida? Nunca!* **2.** Não (1): "Eu estava cansado, era uma criança, p'rali me deitei. Mas o pai nunca dormiu" (Conde de Ficalho, *Uma Eleição Perdida*, p. 181). **3.** Em algum tempo (passado); já, jamais: "Rebateu-me com o mais formal e mais descomposto desdém, que meus olhos nunca viram em menina com tal idade e educação" (Camilo Castelo Branco, *Agulha em Palheiro*, p. 114); "o rouxinol mais poeta e namorado que eu nunca ouvi" (Antônio Feliciano de Castilho, *Escavações Poéticas*, p. 28). ◆ **Nunca jamais.** F. enfática de *nunca* (1): "Marcela juntava-as todas [as dobras de ouro] dentro de uma caixinha de ferro, cuja chave ninguém nunca jamais soube onde ficava" (Machado de Assis, *Memórias Póstumas de Brás Cubas*, p. 53). [Sin., bras., pop.: *nunquinha*.]

núncia. [Do lat. *nuntia*.] *S. f.* Anunciadora, mensageira; precursora: *Esta rajada de vento é núncia de temporal.*

nunciativo. [Do lat. *nuntiatu*, part. pass. de *nuntiare*, 'anunciar', + *-ivo*.] *Adj.* Que contém notícia ou participação de alguma coisa.

nunciatura. [Do lat. *nuntiatu*, part. pass. de *nuntiare*, 'anunciar', + *-ura*.] *S. f.* **1.** Dignidade de núncio apostólico. **2.** A residência do núncio. **3.** Tribunal eclesiástico sujeito a ele.

núncio. [Do lat. *nuntiu*.] *S. m.* **1.** Embaixador do Papa: "Ser Sumo Pontífice é fazer jornadas, ou ausências mui custosas, ... é sustentar companhias de guarda às portas de Palácio, e Núncios nos Reinos da Cristandade" (Pe Manuel Bernardes, *Nova Floresta*, II, p. 238). **2.** Anunciador, mensageiro; precursor.

nuncupação. [Do lat. *nuncupatione*.] *S. f. Jur.* Designação ou instituição de herdeiro feita de viva voz.

nuncupativo. [Do lat. *nuncupatu*, part. pass. de *nuncupare*, 'pronunciar em alta voz', + *-ivo*.] *Adj.* ~ V. *casamento* — e *testamento* —.

nuncupatório. [Do lat. *nuncupatu*, part. pass. de *nuncupare*, 'pronunciar em alta voz', + *-or-* + *-io*.] *Adj.* Que encerra dedicatória.

nunes. [Alter. de *nones*, pl. de *non*, f. arc. de *não*.] *Adj. 2 g.* e *2 n.* **1.** Ímpar. ● *S. m. 2. n.* **2.** O número ímpar.

nunquinha. *Adv. Bras. Pop.* F. enfática de *nunca* (1); nunca jamais.

nupcial. [Do lat. *nuptiale*.] *Adj. 2 g.* Relativo a núpcias.

nupcialidade. *S. f.* **1.** Conjunto de casamentos efetuados em uma dada época ou região. **2.** Estatística de matrimônios.

nupciar-se. *V. p. P. us.* Celebrar núpcias; casar(-se), matrimoniar-se. [Pres. ind.: *nupcio-me, nupcias-te*, etc. Cf. *núpcias*.]

núpcias. [Do lat. *nuptias*.] *S. f. pl.* **1.** Matrimônio, casamento. **2.** Celebração de casamento; boda. **3.** Contrato de casamento; esponsais. [Cf. *nupcias-te*, do v. *nupciar-se*.] ◆ **Justas núpcias.** *Jur.* As que se efetuam com observância estrita das normas e formalidades legais.

nuper-falecido (nú). [Do lat. *nuper*, 'recentemente', + *falecido*.] *Adj.* Recentemente falecido. [Pl.: *nuper-falecidos*.]

nupérrimo. [Do lat. *nuperrimu*.] *Adj. P. us.* Que ocorreu há muito pouco tempo; recentíssimo.

nuporanguense. *Adj. 2 g.* **1.** De, ou pertencente ou relativo a Nuporanga (SP). ● *S. 2 g.* **2.** Natural ou habitante de Nuporanga.

nuquear. [De *nuca* + *-ear*.] *V. t. d. Bras.* Abater (o gado) por meio da punção bulbar. [Conjug.: v. *frear*.]

➡**nurse** (nârç'). [Ingl.] *S. f.* Ama-seca ou governanta de crianças.

➡**nursery** (nârseri). [Ingl.] *S. f.* Quarto onde as crianças brincam.

nutação. [Do lat. *nutatione*.] *S. f.* **1.** Vacilação; oscilação. **2.** *Astr.* Oscilação do eixo da Terra que faz os pólos descreverem uma pequena elipse em cerca de 19 anos. **3.** *Astr.* Componente periódica do movimento do pólo celeste, que se adiciona à precessão [q. v.]. **4.** *Fís.* Movimento periódico que se superpõe ao de precessão do eixo de rotação de um sólido girante. **5.** *Fisiol. Veg.* Movimento de curvatura de um órgão vegetal provocado pelo crescimento desigual em duas faces opostas. [Cf. *notação*.] ◆ **Nutação de Bradley.** *Astr.* A parte principal da nutação, descoberta pelo astrônomo inglês James Bradley (1693-1762), e cujo período é 18,6 anos. **Nutação forçada.** *Astr.* Oscilação forçada do pólo. **Nutação livre.** *Astr.* V. *período de Chandler*. **Nutação lunar.** *Astr.* Parte da nutação que é devida ao movimento dos nodos da Lua. **Nutação mensal.** *Astr.* Parte de nutação que é devida à mudança de declinação da Lua. **Nutação solar.** *Astr.* Parte da nutação que é devida à mudança de declinação do Sol.

nutante. [Do lat. *nutante*.] *Adj. 2 g.* **1.** Que nuta; vacilante. **2.** *Morfol. Veg.* Pêndulo (3): *flor nutante.*

nutar. [Do lat. *nutare*.] *V. int.* **1.** Vaciliar; oscilar. **2.** Executar movimento de nutação. [Cf. *notar*.]

nuto. [Do lat. *nutu*.] *S. m.* **1.** Ato de abanar a cabeça quando se aprova ou consente. **2.** *Fig.* Desejo, arbítrio, vontade.

nútria. [Do esp. *nutria*.] *S. f. Bras., RS.* V. *ratão-do-banhado*. [Cf. *nutria*, do v. *nutrir*.]

nutrição. [Do lat. *nutritione*.] *S. f.* **1.** Ato ou efeito de nutrir(-se); nutrimento. **2.** Sustento; alimento, nutrimento. **3.** *Biol. Ger.* Conjunto de processos que vão desde a ingestão do alimento até a sua assimilação pelas células.

nutrício. [Do lat. *nutritiu*.] *Adj.* V. *nutritivo*.

nutricional. *Adj. 2 g. Bras.* Relativo à nutrição.

nutricionismo. *S. m.* Estudo sistemático dos problemas referentes à nutrição (3).

nutricionista. *S. 2 g.* Profissional que se ocupa do planejamento, em todos os seus aspectos, do uso científico da dieta, na saúde e na doença; dietista.

nutrido. [Part. de *nutrir*.] *Adj.* **1.** Alimentado, sustentado. **2.** Gordo, forte, robusto: "O pároco era um homem sanguíneo e nutrido, que passava entre o clero diocesano pelo comilão dos comilões." (Eça de Queirós, *O Crime do Padre Amaro*, p. 1.) **3.** Forte e continuado (fogo).

nutridor (ô). [Do lat. *nutritore*.] *Adj.* **1.** Que nutre. ● *S. m.* **2.** Aquele ou aquilo que nutre.

nutriente. [Do lat. *nutriente*.] *Adj. 2 g.* **1.** V. *nutritivo*. ● *S. m.* **2.** Substância nutriente: "Ele [o sal] é considerado um nutriente, como fornecedor de sódio e cloro" (Oto Mack Junqueira, *O Estado de S. Paulo*, 26.10.1983).

nutrimental. [Do lat. *nutrimentale*.] *Adj. 2 g.* Próprio para nutrir. V. *nutritivo*.

nutrimento. [Do lat. *nutrimentu*.] *S. m.* **1.** V. *nutrição* (1 e 2). **2.** Cada um dos elementos nutrientes de um alimento.

nutrir. [Do lat. *nutrire*.] *V. t. d.* **1.** Alimentar; sustentar. **2.** Constituir o alimento de: *O pão nutre o homem.* **3.** Produzir alimentos para; fornecer recursos alimentícios a: *Nos tempos do império romano as colônias nutriam Roma.* **4.** Engordar, cevar. **5.** Desenvolver, educar, instruir: *nutrir a inteligência.* **6.** Alentar, avigorar. **7.** Proteger, favorecer. **8.** Aumentar; alentar, alimentar: *O discurso nutriu o descontentamento geral.* **9.** Conservar sem quebra; manter intato. *T. d. e i.* **10.** Alimentar; alentar; ter: *Nutria por ele grande paixão.* *Int.* **11.** Ser nutritivo: *Massas nutrem.* **12.** Ganhar corpo; engordar: "Nutrira, arredondaram-se-lhe as proeminências faciais." (Camilo Castelo Branco, *A Mulher Fatal*, p. 123.) *P.* **13.** Alimentar-se; sustentar-se: "se as duas tribos dividirem em paz as batatas do campo, não chegam a nutrir-se suficientemente e morrem de inanição." (Machado de Assis, *Quincas Borba*, p. 12). **14.** Fortificar-se, avigorar-se. [Imperf. ind.: *nutria*, etc. Cf. *nútria*.]

nutritício. *Adj.* **1.** V. *nutritivo*. **2.** Relativo a mãe ou ama-de-leite; nutrício.

nutrítico. *Adj.* **1.** Nutritício (2). **2.** V. *nutritivo*.

nutritivo. *Adj.* Que nutre; que serve para nutrir; alimentício; nutrício, nutriente, nutrimental, nutritício, nutrítico.

nutriz. [Do lat. *nutrice*.] *S. f.* **1.** Mulher que amamenta; ama-de-leite. ● *Adj. (f.)* **2.** Que alimenta: "Trazes a palpitar, como um fruto do outono, / A noite, alma nutriz da volúpia e do sono" (Olavo Bilac, *Tarde*, p. 11). [É corrente, embora irregular, o emprego de *nutriz* no gên. masculino, como em Olavo Bilac: "E, no seio nutriz da natureza bruta, / Resguardava o pudor teu verde coração!" (Id., *Poesias*, p. 261).]

nutrologia. [Do lat. *nutr(ire)*, 'nutrir', + *-o-* + *-log(o)-* + *-ia*.] *S. f. Med.* Ramo da medicina que se ocupa da nutrição em todos os seus aspectos, normais, patológicos e terapêuticos.

nutrólogo. [Do lat. *nutr(ire)*, 'nutrir', + *-o-* + *-logo*.] *S. m.* Médico especializado em nutrologia.

nuvear. [De *nuve(m)* + *-ar*².] *V. t. d.* Encher de nuvens ou como que de nuvens: "empanturrei de caporal Maryland o bojo do meu cachimbo e comecei a nuvear os ares" (Augusto Meyer, *No Tempo da Flor*, p. 34). [Conjug.: v. *frear*.]

nuvem. [Do lat. *nube*.] *S. f.* **1.** *Met.* Conjunto visível de partículas de água ou de gelo em suspensão na atmosfera. **2.** *P. ext.* Qualquer conjunto de partículas de pó, fumaça, gases, etc., de aparência e em situação semelhantes. **3.** Turvação da vista, transitória ou definitiva; vista enevoada. **4.** *Fig.* Tristeza, pesar. **5.** *Fig.* Aquilo que dificulta a compreensão. **6.** Grande quantidade de coisas reunidas, por via de regra em movimento. ● *S. m.* **7.** *Bras., RS.* Indivíduo finório, matreiro. ● *Adj. 2 g.* **8.** *Bras., RS.* Finório, matreiro. ◆ **Nuvem alta.** *Met.* Nuvem que ocorre nas camadas superiores da atmosfera, em média acima de 6.000 m, tal como os cirros, os cirros-estratos e os cirros-cúmulos. [Cf. *nuvem baixa* e *nuvem média*.] **Nuvem ardente.** *Geol.* Poeira vulcânica que, impelida por vapores em alta temperatura, se espalha da cratera do vulcão em sentido horizontal ou descendente. **Nuvem atômica.** Nuvem em forma de cogumelo que se forma na detonação de uma bomba atômica e é constituída por gases aquecidos, poeiras, vapor de água, partículas elementares, etc. **Nuvem baixa.** *Met.* Nuvem que ocorre nas camadas inferiores da atmosfera, entre as proximidades do solo a 2 000 m, tal como os estratos e os estratos-cúmulos. [Cf. *nuvem alta* e *nuvem média*.] **Nuvem de estrelas.** *Astr.* Grande grupo de estrelas situadas a pequenas distâncias umas das outras, na mesma região do céu; nuvem estelar. **Nuvem de gases protogaláctica.** *Cosm.* Maciça nuvem de gases que se colapsou para formar uma galáxia. [Tais nuvens se produziram como resultado do crescimento contínuo da flutuação de densidade após a era de desdobramento.] **Nuvem de Magalhães.** *Astr.* Cada uma das duas nuvens estelares visíveis a olho desarmado e próximas ao pólo sul, descobertas pelo navegador português Fernão de Magalhães (1480-1521), na sua viagem de circunavegação. São duas galáxias mais próximas da Galáxia, e pertencem ao grupo das galáxias irregulares. [Tb. se diz *Grande Nuvem de Magalhães*.] **Nuvem derramadeira.** *Bras., AL. Pop.* Aquela que traz no bojo copiosa chuva. **Nuvem estelar.** *Astr.* Nuvem de estrelas. **Nuvem média.** *Met.* Nuvem que ocorre nas camadas de média altura da atmosfera, entre 2.000 e 6.000 m, tal com os alto-cúmulos. [Cf. *nuvem alta* e *nuvem baixa*.] **Cair das nuvens.** Espantar-se ou decepcionar-se com acontecimento imprevisto ou imprevisível; ter grande surpresa; cair dos céus: "Convencera-se de que era realmente 'burro'. .... C a i u d a s n u v e n s quando lhe disse que estava enganado. Possuía inteligência igual à dos melhores." (Daniel de Carvalho, *De Outros Tempos*, p. 30.) **Em branca nuvem. 1.** Cercado de facilidade, de conforto; entre alegrias; sem conhecer o sofrimento: "Quem passou pela vida e m b r a n c a n u v e m , / E em plácido repouso adormeceu; / Quem não sentiu o frio da desgraça, / Quem passou pela vida e não sofreu; / Foi espectro de homem, não foi homem, / Só passou pela vida, não viveu." (Francisco Otaviano, *ap.* Manuel Bandeira, *Antologia dos Poetas Brasileiros da Fase Romântica*, p. 108.) **2.** Sem ser notado, ou festejado; como se não tivesse ocorrido: *O seu aniversário decorreu e m b r a n c a n u v e m*; "Assim, a data passou e m b r a n c a n u v e m." (Valdemar de Sousa Lima, *Graciliano Ramos em Palmeira dos Índios*, p. 31). **Em brancas nuvens.** V. *em branca nuvem*. **Grande Nuvem de Magalhães.** *Astr.* Nuvem de Magalhães [q. v.]. **Ir às nuvens.** V. *ir aos ares*: "O padre regente, conquanto admirasse o precoce talento poético do menino, f o i à s n u v e n s com semelhante descoberta" (Bernardo Guimarães, *O Seminarista*, p. 59.). **Nas nuvens.** Em estado de alheamento ao que ocorre; distraído. **Pôr nas nuvens.** Exaltar muito calorosamente; pôr nos cornos da Lua: *A crítica p ô s n a s n u v e n s o seu último romance.* **Tomar a nuvem por Juno.** Enganar-se com aparências; laborar falso pressuposto: "Além deste requisto elementar da probidade, pouco mais pede .... um crítica de atribuição, senão muita paciência, ... o preciso discernimento para não se t o m a r a n u v e m p o r J u n o, e a vigilância da autocrítica para impedir que a vontade influa na razão, e que o pensamento se compasse pelo desejo." (Afonso Pena Júnior, *A Arte de Furtar e o Seu Autor*, I, p. 8.)

nuvioso (ô) [De *nuvem* + *-i-* + *-oso*.] *Adj.* **1.** V. *nublado*. **2.** V. *nebuloso* (2).

nuvistor (ô). *S. m. Eletrôn.* Válvula eletrônica de pequenas dimensões, constituída por elementos sólidos de metal e cerâmica, utilizada na modulação da freqüência até 1.200 MHz.

■ **N.W.** Abrev. de *noroeste*.

Nylon (ái). [Ingl., marca registrada.] *S.m. V. náilon.*

O

o¹. *S. m.* **1.** A 14ª letra do nosso alfabeto. [V. *alfabeto fonético internacional.*] **2.** *Filos.* Símb. de *proposição particular negativa.* **3.** Sinal numérico de zero. **4.** Minúsculo, à direita e ao alto de um número, sinal de ordinal, sinal designativo de graus de circunferência e sinal de temperatura. **5.** *Mús.* Um pequeno º por cima da nota indica, na notação para instrumentos de arco, o uso da corda solta. **6.** *Mús.* Um pequeno º com um dedilhado qualquer por cima indica, na notação para certos instrumentos de corda, que se deve apoiar levemente o dedo sobre a corda para se obter um som harmônico. **7.** *Mús.* Em partes [v. *parte* (13)] para baixo cifrado, sinal de que se devem tocar apenas as notas escritas. **8.** *Quím.* Símb. de *oxigênio.* ● *Num.* **9.** O décimo quarto, em uma série indicada pelas letras do alfabeto: *poltrona O* (ou *poltrona o*). **10.** A décima quarta, num grupo de séries: *série O* (ou *série o*). [Cf. *ó, ô, oh* e ôh. Com maiúscula, nas acepç. 2 e 8.]

o². [Do lat. *illu.*] **1.** *Art. def. masc. sing.*: *O menino dorme.* [No Brasil, costuma-se, em alguns casos, empregar esse artigo sublinhadamente, com ênfase, em geral irônica: *Julga-se o sábio; Ele é o bom* (= 'o sábio', 'o bom', entre todos, por excelência). Flex.: *a, os, as.*] **2.** *Pron. pess. da 3ª pess. masc., f. oblíqua*: "O melro, eu conheci-o" (Guerra Junqueiro, *A Velhice do Padre Eterno*, p. 153). **3.** *Pron. dem. masc.*: "Lembrou-me o rouxinol de Bernardim Ribeiro, o que se deixou cair na água de cansado." (Almeida Garrett, *Viagens na Minha Terra*, p. 87); "há em todas as cousas um sentido filosófico; Carlyle descobriu o dos coletes, ou mais propriamente, o do vestuário" (Machado de Assis, *Papéis Avulsos*, p. 193); "Mas sofre menos o que sofre em sonho." (Guimarães Passos, *Horas Mortas*, p. 5). [Flex.: *a, os, as.*] **4.** *Pron. dem. neutro*, equiv. a *isto* ou *isso*, ou *aquilo*: "Ora eu filósofo seguramente não sou, já o disse" (Almeida Garrett, *Viagens na Minha Terra*, p. 94); "O que não tenho e desejo / É que melhor me enriquece." (Manuel Bandeira, *Estrela da Vida Inteira*, p. 173). [Cf. *ó, ô, oh* e *ôh.*]

▲o-. [Do lat. *ob.*] *Pref.* = 'posição em frente', 'diante'; 'oposição': *ocorrer* (< lat. *occurrere*), *opor* (< lat. *opponere*). [Equiv.: *ob-*: *obcláveo, obcônico.*]

▲-o-. Vogal de ligação: *copiógrafo* (de *cópia* + *-o-* + *-grafo*), morfinomania (de *morfina* + *-o-* + *-mania*).

ó¹. *S. m.* Nome da letra *o.* [Pl.: *ós* ou *oo.* Cf. *o, ô, oh* e *ôh.*]

ó². *Interj.* Us. para chamar alguém, para conciliar-lhe atenção, para invocar, e, ainda, para exprimir vários afetos e impressões da alma: "Deus! ó Deus! onde estás que não respondes?" (Castro Alves, *Obras Completas*, p. 290); "Salve, ó bela manhã!" (José Bonifácio, *Poesias*, p. 41). [No Brasil, sobretudo na lìng. pop., tb. existe a forma *ô.* Cf. *o, oh* e *ôh.*]

ô. *Interj. Bras.* Ó². "A velha Teonila gritava do alto, esganiçando: I — Jana! ô Jana!" (Xavier Marques, *Jana e Joel*, p. 36); "Ô vida cara!" (Adélia Prado, *Cacos para um Vitral*, p. 9). [Cf. *o, ó, oh, ôh* e *ou.*]

oaiana. *Bras. S. 2 g.* **1.** Indivíduo dos oaianas, tribo indígena caraíba dos rios Jari e Paru, afluentes da margem esquerda do Amazonas. ● *Adj. 2 g.* **2.** Pertencente ou relativo a essa tribo. [Var.: *oiana, uaiana.* Sin.: *rucuiene, opuluí, urucuiana.*]

oaiapi. *S. 2 g.* e *adj. 2 g. Bras.* Oiampi.

oaliperi-dáquenei. *S. 2 g.* e *adj. 2 g. Bras.* V. *siusi.* [Pl.: *oaliperis-dáqueneis.*]

oanaçu. *S. m. Bras.* Palmeira acaule, ou quase (*Attalea spectabilis*), vulgar na floresta amazônica, de folhas numerosas, de até 7 m, frutos que são drupas obovóides, rostradas, avermelhadas, com 3 x 5 cm, e que dá poucas sementes, pequenas.

oanani. [Do tupi *wana'ni.*] *S. m. Bras.* Árvore da família das gutíferas (*Symphonia globulifera*), de ampla dispersão em terras tropicais, com preferência por terrenos alagadiços, comum no Brasil, e cuja madeira é acastanhada, pesada, dura e durável; guanandi, olandi.

oapina. *S. 2 g.* e *adj. 2 g. Bras.* V. *vapidiana.*

oapixana. *S. 2 g.* e *adj. 2 g. Bras.* V. *vapidiana.*

oaristo. [Do gr. *oaristys*, 'comércio íntimo'.] *S. m.* **1.** Diálogo entre esposos ou amantes. **2.** Entretenimento íntimo; colóquio terno. [Cf. *aoristo.*]

oasiano. *Adj.* **1.** De, ou relativo ou pertencente a oásis; oásico. ● *S. m.* **2.** O habitante de um oásis.

oásico. *Adj.* Oasiano (1).

oásis. [Do copta *wake*, 'morar', + *sa*, 'beber', atr. do gr. *oásis* e do lat. *oasis.*] *S. m. 2 n.* **1.** Região coberta de vegetação em meio a um grande deserto. **2.** *Fig.* Lugar aprazível, em contraste com outros que não o são: *A fresca daquela rua era um verdadeiro oásis na cidade abafada.* **3.** *Fig.* Coisa bela, agradável, deliciosa, num conjunto que é o oposto disso: *Naquela pinacoteca horrenda, o quadro de Goya era um oásis; A conversa de Mário, tão viva, foi um oásis naquele ambiente de chatos.* **4.** *Fig.* Prazer, alegria, entre desgostos, aborrecimentos: *Conhecê-la representou um oásis no vazio da vida do rapaz.*

oauaçu. *S. m. Bras.* V. *babaçu.*

▲ob-. Equiv. de *o-.*

oba. [Do gr. *obé, á, ás.*] *S. f.* Cada uma das seis divisões de cada tribo ateniense antiga. [Cf. *oba* (ô).]

oba (ô). *Interj. Bras.* **1.** V. *upa* (4). **2.** Var. de *opa* (ô) [q. v.]. [Cf. *oba.*]

obá. [Do ioruba.] *S. f. Bras. Folcl.* Orixá guerreira e uma das mulheres de Xangô, identificada com Joana d'Arc.

obacatuara. *Bras. S. 2 g.* **1.** Indivíduo dos obacatuaras, tribo indígena tupi que habitava as ilhas do rio São Francisco, e cujos descendentes formaram as primitivas vilas de Propriá e Maruim. ● *Adj. 2 g.* **2.** Pertencente ou relativo a essa tribo.

Obaluaê. *S. m. Bras., RJ.* Orixá da varíola. [Sin., bras.: *Abaluaê* e *Xapanã.*]

obarana. [Var. de *ubarana* < tupi *uba'rana.*] *S. f. Bras.* Peixe da ordem dos isospôndilos, da família dos elopídeos, de corpo esguio, escamas finas, cabeça pequena e pontiaguda, cor olivácea e guelras prateadas, cauda fortemente bifurcada. Atinge 1 m de comprimento. [Sin.: *obaranaçu* e (pop) *robalo-de-areia.*] ♦ **Obarana focinho-de-rato.** *Bras.* V. *obarana-rato.*

obaranaçu. [De *obarana* + *-açu.*] *S. f. Bras.* V. *obarana.*

obarana-rato. *S. f. Bras.* Peixe isospôndilo, da família dos elopídeos (*Albula vulpes*), de cabeça nua, corpo alongado e cerca de 60 cm de comprimento. Ocorre nas Antilhas e no N. do Brasil. [Sin.: *obarana focinho-de-rato, peixe-rato, ratão.* Pl.: *obaranas-ratos* e *obaranas-rato.*]

Obatalá. [Do ioruba.] *S. m. Bras.* **1.** Grande orixá, que, na mitologia iorubana, é a contrapartida de Odudua, representando o céu. **2.** Orixá da brancura e da pureza, conhecido também no Brasil por *Oxalá*, representado por meio de conchas e limão verde dentro de um círculo de chumbo, e sincretizado com o Senhor do Bonfim; Orixalá.

obcecação. *S. f.* **1.** Ato ou efeito de obcecar(-se): "amor .... com a obcecação do instinto que cega, mas sem a fuga da espiritualidade que põe asas no desejo, o eleva e transfigura." (Antero de Figueiredo, *Leonor Teles*, pp. 91-92). **2.** *Med.* Cegueira incompleta.

obcecado. [Part. de *obcecar.*] *Adj.* **1.** Que tem a inteligência obscurecida. **2.** Contumaz no erro. **3.** Teimoso, obstinado.

obcecador (ô). *Adj.* Obcecante.

obcecante. [De *obcecar* + *-nte.*] *Adj. 2 g.* Que obceca, que cega; obcecador: *paixão obcecante.*

obcecar. [Do lat. *obcaecare.*] *V. t. d.* **1.** Tornar cego; cegar. **2.** Deslumbrar, ofuscar: *Os holofotes obcecaram-no.* **3.** Obscurecer com trevas (o espírito); cegar. **4.** Turvar o entendimento de; perturbar, ofuscar: "Outrora o mistério apenas me obcecara como mistério; evidenciando-se, também, a minha alma se desensombraria." (Mário de Sá-Carneiro, *A Confissão de Lúcio*, p. 91.) **5.** Induzir em erro. **6.** Desvairar, alucinar; cegar, enceguecer, encegueirar: *A paixão obcecou-o; Ficou obcecado pela cobiça.* **7.** V. *obsedar* (2): *A empresa obcecou-o a ponto de afastá-lo de suas ocupações habituais.* **8.** Tornar contumaz no erro. *P.* **9.** Tornar-se contumaz no erro. [Conjug.: v. *trancar.*]

obcláveo. [De *ob-* + *clava* + *-eo.*] *Adj.* Em forma de clava invertida.

obcônico. [De *ob-* + *cônico.*] *Adj.* Em forma de cone invertido.

obcordado. [De *ob-* + *-cordi-* + *-ado*¹.] *Adj. Morfol. Veg.* Obcordiforme.

obcordiforme [De *ob-* + *-cordi-* + *-forme.*] *Adj. 2 g.* Cordiforme com a parte mais larga em cima: *folha obcordiforme.* [Sin., em Morfol. Veg.: *obcordado.*]

obdentado. [De *ob-* + *dente* + *-ado*¹.] *Adj. Bot.* Que tem o bordo dentado em pequenos ângulos salientes dirigidos para a base.

obdiplostêmone. [De *ob-* + *diplostêmone.*] *Adj. 2 g. Morfol. Veg.* Diplostêmone com os estames externos epipétalos.

obducto. [Do lat. *obductu*, 'levado para adiante'.] *Adj. Poét.* Coberto; tapado; oculto.

obduração. [Do lat. *obduratione.*] *S. f.* **1.** Ato ou efeito de obdurar(-se); endurecimento. **2.** Obstinação; obcecação.

obdurar. [Do lat. *obdurare.*] *V. t. d.* **1.** Endurecer, empedernir. **2.** Tornar obstinado, relutante; obcecar. *P.* **3.** Tornar-se duro, insensível; empedernir-se.

obé. *S. f. Bras. Folcl.* Faca com que se realizam os sacrifícios no culto dos ibejis.

obeba. [De provável or. indígena.] *S. m. Bras.* V. *oveva.*]

obedecente. [De *obedecer* + *-nte.*] *Adj. 2 g. P. us.* Que obedece; obediente.

obedecer. [Do lat. *oboediscere*, incoativo de *oboedire*, f. evolutiva de *abaudire*.] *V. t. i.* **1.** Sujeitar-se à vontade de: "Já lhe obedece a Terra num momento" (Luís de Camões, *Os Lusíadas*, III, 33). *Obedecia-lhe porque o respeitava muito.* **2.** Estar sob a autoridade de; estar sujeito; prestar vassalagem: *Grande parte da Europa obedeceu a Napoleão.* **3.** Não resistir; ceder: *Acabou obedecendo à vontade da amada.* **4.** Estar ou ficar sujeito a uma força ou influência: *A História também obedece a leis regulares;* "Sabe-se que a partir da segunda metade do século XVI a língua poética passa a obedecer a determinadas regras, às quais, *grosso modo*, ainda se submete em nossos dias." (Celso Cunha, *Língua e Verso*, p. 29). **5.** Submeter-se ao mais forte; render-se: *Após a guerra do ópio a China foi obrigada a obedecer aos ingleses.* **6.** Cumprir, executar: *Obedece às ordens dos superiores.* **7.** Seguir o impulso de alguma coisa: *Raramente obedece às suas cóleras.* *Int.* **8.** Submeter-se à vontade de outrem; executar as ordens de outrem: *Sabe mandar e sabe obedecer.* [Conjug.: v. *aquecer*.]

obediência. [De *obediente*.] *S. f.* **1.** Ato ou efeito de obedecer. **2.** Hábito de, ou disposição para obedecer. **3.** Submissão à vontade de alguém; docilidade. **4.** Sujeição, dependência. **5.** Submissão extrema; vassalagem. **6.** Um dos três votos feitos pelos monges. **7.** Numa ordem religiosa, licença ou mandato por escrito dado aos subordinados para transferência de conventos ou para outros fins, e que serve, muitas vezes, de título de capacidade. **8.** Na Ordem de S. Bento, mosteiro, granja ou pequeno priorato sujeito a uma ordem superior.

obediente. [Do lat. *oboediente*, part. pres. de *oboedire* < *obaudire*.] *Adj. 2 g.* **1.** Que obedece. **2.** Submisso, dócil. **3.** Vassalo; humilde.

obélio. [Do gr. *obelós* + *-io*[2].] *S. m. Anat.* Porção da sutura sagital entre os dois buracos parietais.

obélion. *S. m. Anat.* V. *obélio*.

obeliscal. *Adj. 2 g.* **1.** De, ou relativo a obelisco. **2.** Que tem feição de obelisco.

obelisco. [Do gr. *obelískos*, 'pequeno espeto', pelo lat. *obeliscu*.] *S. m.* **1.** Monumento quadrangular, agulheado, feito, ordinariamente, de uma só pedra sobre um pedestal; agulha. **2.** Objeto alto e alongado. **3.** *Tip.* V. *cruz* (13).

óbelo. [Do gr. *obelós*, pelo lat. *obelu*.] *S. m.* **1.** *Paleogr.* Sinal em forma de travessão, usado para indicar lições falsas, repetições, atribuições erradas, etc., ou precedido ou seguido pela diple, para separar períodos nos textos dramáticos e indicar que à estrofe se segue uma antístrofe. **2.** *Tip.* Pequena marca tipográfica, com a figura de um punhal, que se usa para fazer chamada ao pé da página.

oberado. [Do lat. *oberatu*.] *Adj.* **1.** Carregado de dívidas; endividado; empenhado. **2.** Onerado com despesas obrigatórias e sem meios para fazer face a elas.

oberar. [Der. regress. de *oberado*.] *V. t. d.* **1.** Onerar com dívidas; endividar: *As constantes lutas nas colônias oberavam o tesouro português.* **2.** Impor obrigação de encargo a. *P.* **3.** Encher-se de dívidas; endividar-se.

obesidade. [Do lat. *obesitate*.] *S. f. Med.* Deposição excessiva de gordura no organismo, levando a um peso corporal que ultrapassa em 15%, ou mais, o peso ótimo. Pode dever-se a mais de uma causa, como endocrinopatias. [Sin.: *pimelose*. Cf. *adiposidade*.]

obesífugo. [De *obeso* + *-i-* + *-fugo*[2].] *Adj.* Que faz desaparecer a obesidade.

obesígeno. [De *obeso* + *-i-* + *-geno*[1].] *Adj.* Que provoca obesidade; que engorda.

obeso. [Do lat. *obesu*.] *Adj.* **1.** Excessivamente gordo, e de ventre proeminente. **2.** Muito gordo: "Aos trinta anos a ociosidade tornou esses homens obesos, moles de músculos, apáticos" (Fialho d'Almeida, *O País das Uvas*, p. 20).

obfirmado. [Part. de *obfirmar*.] *Adj. Desus.* **1.** Muito firme. **2.** Pertinaz, obstinado.

obfirmar. [Do lat. *obfirmare*.] *V. int. Desus.* **1.** Estar firme, constante. **2.** Ter pertinácia, obstinação; obstinar-se.

obi. [De or. afr.] *S. m. Bras., BA.* **1.** V. *cola*[2]. **2.** A noz do obi (1).

óbice. [Do lat. *obice*.] *S. m.* Impedimento, embaraço, empecilho, obstáculo, estorvo: "Será aquela divisão da consciência espanhola desde a ruptura da sua unidade religiosa .... um insuperável óbice à construção dum estilo político novo?" (Fidelino Figueiredo, *Últimas Aventuras*, p. 12); "Imensos óbices impediram, até o séc. XV, a grande difusão da cultura clássica." (Ivã Lins, *Erasmo, a Renascença e o Humanismo*, p. 101.)

obidense. *Adj. 2 g.* **1.** De, ou pertencente ou relativo a Óbidos (Portugal e PA). ● *S. 2 g.* **2.** Natural ou habitante de Óbidos.

óbito. [Do lat. *obitu*.] *S. m.* Falecimento ou morte de pessoa; passamento: "à morte do marido, a mulher passa ao poder do cunhado três dias depois do óbito." (Oliveira Martins, *Quadro das Instituições Primitivas*, p. 25).

obituário. *Adj.* **1.** Relativo a óbito. ● *S. m.* **2.** Registro de óbito(s). **3.** Relação de óbitos; mortalidade. **4.** Livro onde se registram os óbitos.

obituarista. [De *obituário* + *-ista*.] *S. 2 g.* Pessoa que registra óbitos; redator de obituários.

objeção. [Do lat. *objectione*.] *S. f.* **1.** Ato ou efeito de objetar; réplica; contestação: *A objeção não condizia com os argumentos dados.* **2.** V. *oposição* (1): *A corte não lhe fez objeção.* **3.** Obstáculo; óbice: *A cor de Machado de Assis não constituía objeção à sua glória.*

objetar. [Do lat. *objectare*.] *V. t. d.* **1.** Contrapor (um argumento a outro); alegar como razão contraditória: *O réu objetou que era inocente.* **2.** Ser contrário, opor-se a. *T. d. e i.* **3.** Dizer ou responder como objeção; contrapor: *Queria viajar, porém o médico objetou-lhe que a saúde não o permite.* *T. i.* **4.** Fazer objeção; opor-se: *Não objetou a esta idéia.*

objetável. [De *objetar* + *-ável*.] *Adj. 2 g.* A que se pode opor objeção.

objetificação. [De *objetificar* + *-ção*.] *S. f. Filos.* Nas correntes dialéticas contemporâneas, o momento do processo de objetivação [q. v.] em que o homem dissocia o produzir, que lhe é próprio, do produto, de tal modo que o pode conhecer, tornando-o objeto da sua consciência. [Cf. *objetivação*.]

objetificar. [De *objeto* + *-i-* + *-ficar*.] *V. t. d. Filos.* Proceder à objetificação de. [Conjug.: v. *trancar*.]

objetiva. [Fem. substantivado do adj. *objetivo*.] *S. f.* **1.** Vidro ou lente que se acha voltada para o objeto que se quer examinar. **2.** Linha tendente para um ponto ao qual se quer chegar. **3.** *Fot.* Peça da parte anterior de máquina fotográfica, formada de lentes fixadas por uma armação com diafragma. **4.** *Ópt.* Parte de um sistema óptico que forma uma imagem real de um objeto e a projeta num anteparo, ou no plano focal de outro sistema, para que seja observada. ♦ **Objetiva acromática.** *Ópt.* A que é corrigida para aberração cromática de dois comprimentos de onda, mas forma um espectro secundário. **Objetiva apocromática.** *Ópt.* Aquela em que a aberração cromática para três cores foi corrigida e é aplanética para duas destas cores. **Objetiva grande-angular.** *Fot.* Objetiva fotográfica de campo muito extenso, capaz de abarcar ângulo da ordem de 50º ou mais. [Tb. se diz apenas *grande-angular*.] **Objetiva normal.** *Fot.* Objetiva fotográfica cujo campo (18) corresponde àquele normal da visão. **Objetiva olho-de-peixe.** *Fot.* Objetiva fotográfica de campo (18) muitíssimo amplo, e que, por isso, reproduz a imagem fortemente distorcida e em formato circular. **Objetiva ortocromática.** *Fot.* A que tem correção da aberração cromática para dois comprimentos de onda, um no azul e outro no amarelo.

objetivação. *S. f.* **1.** Ato de objetivar. **2.** *Filos.* Nas correntes dialéticas contemporâneas, o processo pelo qual a subjetividade ou consciência humana se corporifica em produtos avaliáveis para ela e para os outros como elementos de um mundo comum. [Cf. *alienação* (5) e *objetificação*.]

objetivar. *V. t. d.* **1.** Tornar objetivo; tornar real ou existente objetivamente; materializar: *Objetivava, nos seus atos, uma vontade férrea;* "santos mal-acabados, imagens de linhas duras, objetivavam a religião mestiça em traços incisivos de manipansos" (Euclides da Cunha, *Os Sertões*, p. 185). **2.** Ter por fim; pretender: "Objetivando a extinção gradual do cativeiro, assegurava essa lei [Lei de 28 de setembro de 1885] a liberdade aos sexagenários." (R. Magalhães Júnior, *Artur Azevedo e Sua Época*, p. 124); *Escreveu o conto objetivando participar do concurso literário.*

objetividade. *S. f.* **1.** Qualidade do que é objetivo. **2.** *Filos.* Existência real daquilo que se concebeu no espírito; existência dos objetos fora do eu. **3.** *Estét.* Perfeição do estilo, do desenho, da execução de uma obra, independentemente do caráter ou índole do respectivo artista.

objetivismo. *S. m. Lóg.* e *Estét.* Doutrina que afirma existirem normas objetivas, de validade geral.

objetivo. *Adj.* **1.** Relativo ao objeto. **2.** Prático, positivo. ~ V. *complemento —, direito —, idealismo —, novação — e pronome —.* ● *S. m.* **3.** Alvo ou desígnio que se pretende atingir. **4.** Objeto (8) de uma ação, idéia ou sentimento. [Sin. (nas acepç. 3 e 4): *propósito, intuito*.]

objeto. [Do lat. *objectu*, part. de *objicere*, 'pôr, lançar diante', 'expor'.] *S. m.* **1.** Tudo que é apreendido pelo conhecimento, que não é o sujeito do conhecimento. **2.** Tudo que é manipulável e/ou manufaturável. **3.** Tudo que é perceptível por qualquer dos sentidos. **4.** Coisa, peça, artigo de compra e venda: *objeto barato.* **5.** Matéria, assunto: *o objeto de uma ciência, de um estudo.* **6.** Agente; motivo, causa: *objeto de discórdia.* **7.** O ponto de convergência duma atividade; mira, desígnio: *A filosofia hindu era o objeto de suas meditações.* **8.** Mira, fim, propósito, intento; objetivo: *Tem como objeto formar-se.* **9.** *Filos.* O que é conhecido, pensado ou representado, em oposição ao ato de conhecer, pensar ou representar. **10.** *Filos.* O que se apresenta à percepção com um caráter fixo e estável. [Cf. (nesta acepç.) *sujeito* (11).] **11.** *Ópt.* Fonte de luz ou corpo iluminado cuja imagem se pode formar num sistema óptico. **12.** *Jur.* Aquilo sobre que incide um direito, obrigação, faculdade, norma de procedimento, proibição, etc. ♦ **Objeto direto.** *Gram.* Complemento que integra a significação do verbo sem auxílio de preposição; complemento direto, complemento objetivo. **Objeto direto preposicional.** *Gram.* O que vem regido de preposição. Ex.: *amar a Deus; estimar aos pais.* **Objeto indireto.** *Gram.* Complemento que integra a significação do verbo, ligando-se a este por uma preposição; complemento indireto, complemento terminativo. **Objetos de trabalho.** *Econ.* Objetos que, no curso da produção, o trabalho humano transforma em bens materiais, e que compreendem, basicamente, a natureza (a terra, o subsolo, as águas, as florestas, etc.) e, propriamente, as coisas que resultam da transformação e dominação da natureza pelos homens. [Cf. *instrumentos de produção e meios de produção*.]

objurgação. [Do lat. *objurgatione*.] *S. f.* Ato de objurgar; censura; repreensão violenta; objurgatória.

objurgado. [Part. de *objurgar*.] *Adj.* Repreendido com severidade; invectivado.

objurgar. [Do lat. *objurgare*.] *V. t. d.* **1.** Repreender com aspereza; censurar, argüir. **2.** Lançar em rosto; invectivar. [Conjug.: v. *largar*.]

objurgatória. [Fem. substantivado de *objurgatório*.] *S. f.* Objurgação: "Insurge-se contra a Igreja Romana, e vibra-lhe objurgatórias" (Euclides da Cunha, *Os Sertões*, p. 170).

objurgatório. [Do lat. *objurgatoriu*.] *Adj.* **1.** Concernente a objurgação. **2.** Que contém objurgação: *discurso objurgatório.*

oblação. [Do lat. *oblatione*.] *S. f.* **1.** Ação pela qual se oferece qualquer coisa a Deus ou aos santos. **2.** Oferenda feita a Deus ou aos santos; oblata. **3.** Oferecimento a Deus do pão e do vinho, feito pelo sacerdote. **4.** Qualquer oferta ou oferecimento.

obladagem. *S. f. Ant.* Oblata.

oblanceolado. [De *ob-* + *lanceolado*.] *Adj. Bot.* Que tem forma de ponta de lança invertida.

oblata. [Do lat. *oblata* (pl. de *oblatum*), 'donativos, dádivas'.] *S. f.* **1.** Tudo quanto se oferece a Deus ou aos santos na igreja. **2.** Oferta piedosa: "Noutro tempo o gênio só começava a sua vida quando, desatado dos envoltórios da carne, oferecia uma campa por altar às oblatas e às adorações da posteridade." (Latino Coelho, *Cervantes*, pp. 151-152.)

oblativo. [Do lat. *oblativu*, 'que se oferece'.] *Adj.* Em que há, ou que tem o significado de oblata.

oblato. [Do lat. *oblatu*.] *S. m.* **1.** Leigo que se oferece para serviço duma ordem monástica. ● *Adj.* **2.** Achatado nos pólos. ~ V. *elipsóide —.*

oblíqua. [Fem. substantivado de *oblíquo*.] *S. f.* **1.** Reta que forma com outra ou com um plano ângulos adjacentes desiguais (e, portanto, ângulos agudos e obtusos). **2.** Reta que tem um ponto de interseção com um plano e não coincide com a normal nesse ponto. [Cf. *obliqua (ú)*, do v. *obliquar*.]

obliquângulo. [De *oblíquo* + *ângulo*.] *Adj.* ~ V. *triângulo —.*

obliquar. [Do lat. *obliquare*.] *V. int.* **1.** Caminhar obliquamente, de través: *O navio soçobrou depois de muito obliquar.* **2.** *Fig.* Proceder com dissimulação; tergiversar: *Ante as circunstâncias adversas, só lhe restava obliquar.* *P.* **3.** Tornar-se oblíquo: "Fora do combate, o olhar murcha, obliqua-se desconfiado, não fita, nunca insiste." (Gustavo Barroso, *Terra de Sol*, p. 121). [Pres. ind.: *obliquo (ú), obliquas (ú), obliqua (ú)*, etc.; pres. subj.: *obliqüe, obliqües*, etc. Cf. *oblíqua* e *oblíquo*.]

obliqüidade. [Do lat. *obliquitate*.] *S. f.* **1.** Qualidade de oblíquo. **2.** Posição do que é oblíquo. **3.** Inclinação em direção oblíqua. **4.** Tergiversação, evasiva, rodeio. ♦ **Obliqüidade da eclíptica.** Ângulo de 23°27', formado pelo plano da eclíptica e pelo do equador celeste.

oblíquo. [Do lat. *obliquu.*] *Adj.* **1.** Não perpendicular; inclinado; de través: "Seguiremos na luz oblíqua do sol-posto." (Alberto Ramos, *Poemas*, p. 69.) **2.** Torto; vesgo. **3.** *Fig.* Indireto (4). **4.** Malicioso; dissimulado, ardiloso; sinuoso: *conduta oblíqua; atitudes oblíquas.* [Cf. *obliquo*, do v. *obliquar.*] ~ V. *abóbada —a, cilindro —, cone —, esfera —a, folha —a, linha —a, marcha —a, músculo superior —, paralelepípedo —, passo —, pirâmide —a, prisma — e pronome —.*

obliteração. [Do lat. *oblitteratione.*] *S. f.* Ato ou efeito de obliterar(-se).

obliterado. [Part. de *obliterar.*] *Adj.* **1.** Em que houve obliteração. **2.** Extinto, apagado. **3.** Olvidado, esquecido. ~ V. *vaso —.*

obliterador (ô). [De *obliterar* + *-(d)or.*] *Adj.* V. *obliterante.*

obliterante. *Adj. 2 g.* Que oblitera; obliterador, obliterativo.

obliterar. [Do lat. *oblitterare.*] *V. t. d.* **1.** Fazer desaparecer a pouco e pouco; apagar, expungir: *O passar dos anos obliterava os vestígios materiais das tribos extintas.* **2.** Destruir, eliminar, suprimir: "Não só o esquecimento é provável, mas até pode ser certo e constante, se o condutor padecer de moléstia que oblitere a memória (Machado de Assis, *A Semana*, III, p. 303). **3.** Fazer esquecer: *Hiroxima não deixa obliterar o poder destrutivo do homem.* **4.** Fechar a cavidade de; obstruir, tapar: *obliterar um vaso, um conduto.* **5.** Carimbar (selo) tornando-o impróprio para ser utilizado outra vez. *P.* **6.** Fechar-se aos poucos. **7.** Ficar esquecido; cair no olvido. **8.** Apagar-se, extinguir-se: "O pensamento se obliterou, suponho que delirei". (Graciliano Ramos, *Memórias do Cárcere*, I, p. 135).

obliterativo. *Adj.* V. *obliterante.*

oblívio. [Do lat. *obliviu.*] *S. m.* Olvido, esquecimento: "O sono! O sono doce! Onde é que se escondera, / Que não vinha, por mais que, em lástima sincera, / Macário lhe pedisse o maternal alívio / Da sua quietação, do seu calmante oblívio?" (Eugênio de Castro, *Obras Poéticas*, VIII, p. 111.)

oblongifólio. [De *oblongo* + *-i-* + *-fólio.*] *Adj. Morfol. Veg.* Que tem folhas oblongas.

oblongo. [Do lat. *oblongu.*] *Adj.* **1.** Que tem mais comprimento que largura; alongado. **2.** Oval; elíptico: "Assim cantado fica o seu geral aspeto: / Seu rosto de papoila um quase-nada oblongo, / E, em fuste para o ar, lançado como um feto, / Seu busto, o principal assunto em que me alongo, / Por ver que nele estão, como em gomil repleto, / Os dois globos do seio unidos num ditongo!... (Antônio Feijó, *Poesias Completas*, p. 249.) **3.** *Tip.* Diz-se da obra gráfica (livro, folheto, etc.) cujo formato tem a largura maior que a altura. ~ V. *elipsóide — e formato —.*

obnóxio (cs). [Do lat. *obnoxiu.*] *Adj.* **1.** Que se submete a punição. **2.** Servil; desprezível. **3.** Funesto, nefasto.

obnubilação. *S. f. Med.* Perturbação da consciência, caracterizada por obscurecimento e lentidão do pensamento.

obnubilar. [Do lat. *obnubilare*, 'cobrir como nuvem'.] *V. t. d.* **1.** Obscurecer, escurecer: *Os preconceitos obnubilam a visão objetiva dos fatos:* "Porque a tal nível de perfeição haviam chegado os artífices de outrora na reprodução manual de vistas, cenas ou figuras, que o prestígio da sua arte obnubilou o juízo e o critério dos homens" (Leo Vaz, *Páginas Vadias*, pp. 169-170). **2.** *Med.* Produzir obnubilação em. *P.* **3.** Pôr-se em trevas; obscurecer-se.

oboé. [Do fr. *hautbois* (na pronúncia antiga), pelo it. *òboe* ou *oboè.*] *S. m.* **1.** Instrumento musical de sopro, feito de madeira, com palheta dupla, de timbre semelhante ao do clarinete, mas levemente nasal. **2.** Registro de órgão ou de harmônio.

oboísta. *S. 2 g.* Tocador de oboé.

óbolo. [Do gr. *obolós*, pelo lat. *obolu.*] *S. m.* **1.** Pequena moeda grega. **2.** *Fig.* Donativo de pequeno valor; esmola.

obongo. *S. m.* **1.** Indivíduo dos obongos, indígenas de pequena estatura e cabelo arruivado que habitavam as margens do Zaire (África). ● *Adj.* **2.** De, ou pertencente ou relativo a essa tribo.

obovado. [De *ob-* + *ovado.*] *Adj.* Que tem o ápice mais largo que a base: *folha obovada.*

oboval. [De *ob-* + *ovo* + *-al.*] *Adj. 2 g.* V. *obóveo.*

obovalado. [De *oboval* + *-ado*[1].] Adj. V. *obóveo.*

obóveo. [De *ob-* + *-óveo.*] *Adj.* Que tem a forma de um ovo invertido; oboval, obovalado, obovóide.

obovóide. [De *ob-* + *ovóide.*] *Adj. 2 g.* V. *obóveo.*

obpiramidal. [De *ob-* + *piramidal.*] *Adj. 2 g.* Que tem forma de pirâmide invertida.

obra. [Do lat. *opera.*] *S. f.* **1.** Efeito do trabalho ou da ação. **2.** Trabalho manual: *Aquele tapete era obra de um grande artífice.* **3.** Ação moral: *Invejar é obra dos que não sabem admirar.* **4.** Edifício em construção. **5.** A produção total de um escritor, artista ou cientista: *A obra de Coelho Neto compreende bem mais de 100 volumes.* **6.** Trabalho literário, científico ou artístico: Guernica *é a obra mais famosa de Picasso; Muitos consideram* Fogo Morto *a melhor obra de José Lins do Rego.* **7.** Ação, efeito: *Aquela crueldade era obra de Lampião.* **8.** Ato ou efeito de obrar, de defecar. **9.** *Tip.* Qualquer impresso tipográfico, em contraposição a *jornal.* [V. *casa de obras.*] **10.** *Bras.* Pessoa ou coisa muito bonita, perfeita: *Aquela garota é uma obra.* [Us. tb. ironicamente.] ~ V. *obras.* ♦ **Obra aberta.** Trabalho artístico ou literário que, independentemente ou não da vontade do autor, permite diferentes interpretações. **Obra capital.** V. *obra-prima* (1). **Obra de.** Pouco mais ou menos; cerca de: *Esteve de férias obra de dois meses;* "Em pouco tempo, obra de três semanas, o Pacabote era diretor, editor e proprietário de um jornal" (João de Araújo Correia, *Terra Ingrata*, p. 120). **Obra de acidência.** *Tip.* V. *obra-de-bico.* **Obra de arte. 1.** Obra produzida segundo o conceito de arte (3), especialmente a que é tida como de boa qualidade. **2.** Objeto executado com perfeição, acabamento, gosto, senso estético: *Este vestido é uma obra de arte.* [Cf. *obra-de-arte.*] **Obra de carregação.** Trabalho grosseiro, feito às pressas, com vista apenas ao lucro; obra de fancaria. **Obra de consulta.** A que se destina apenas a ser consultada, como os dicionários, enciclopédias, bibliografias, guias, atlas, etc.; obra de referência. **Obra de empreitada. 1.** Trabalho feito por um ou mais indivíduos a prazo. **2.** Coisa não perfeita, executada sem esmero. **Obra de fachada.** Obra (geralmente obra pública) de pouca importância, mas de aparência bela ou grandiosa. **Obra de fancaria.** Obra de carregação. **Obra de fôlego.** Empreendimento de grande vulto e que consumiu muitos recursos intelectuais e/ou materiais: *Aquele dicionário é obra de fôlego.* **Obra de misericórdia.** Ato de caridade; esmola. **Obra de Penélope.** V. *teia de Penélope.* **Obra de referência.** Obra de consulta. **Obra de Santa Engrácia.** Trabalho que tarda muito a ser feito, que parece não ter fim. **Obra de talha. 1.** Trabalho em relevo, feito por entalhadores. **2.** Escultura em madeira, marfim ou metal. [Tb. se diz apenas *talha.*] **Obra de um instante.** Trabalho feito rapidamente, num abrir e fechar de olhos. **Obra do Capeta. 1.** Coisa misteriosa, sem explicação; obra do Diabo. **2.** Arruaça, desordem. **Obra do Diabo.** Obra do Capeta (1). **Obra grossa.** Coisa feita sem arte, descuidadamente. **Obra intelectual.** Criação do espírito de qualquer modo exteriorizada e protegida pela legislação sobre direitos autorais. **Obra póstuma.** A que é publicada posteriormente à morte do autor. **Coroar a obra. 1.** Arrematar um trabalho: *A sala já estava arrumada: coroou a obra com um belo arranjo de flores.* **2.** *Irôn.* Completar ação, plano: *Pagou a maior parte do que me deve; pode coroar a obra pagando o restante da dívida.* **Em obras.** Em construção; em reparo. **Fazer obra.** V. *defecar* (5). **Pôr em obra.** Executar, realizar. **Pôr por obra.** Providenciar no sentido de que (alguma coisa) se realize; fazer executar, levar a efeito: "Apenas João Afonso .... saiu para pôr por obra aqueles arbítrios, o chanceler deixou-se cair na grande poltrona e desandou uma das suas chirriantes gargalhadas." (Alexandre Herculano, *O Monge de Cister*, II, p. 342.) **Por obra e graça de.** Graças à ação, ao arbítrio, à participação de; por causa de.

obra-córnea. [De *obra* + o fem. de *córneo*; trad. do hol. *hoornwerk.*] *S. f. Fort.* Frente abaluartada com flancos. [Pl.: *obras-córneas.*]

obra-de-arte. *S. f.* Designação tradicional de estruturas tais como bueiros, pontes, viadutos, túneis, muros de arrimo, etc., necessárias à construção de estradas. [Pl.: *obras-de-arte.* Cf. *obra de arte.*] ♦ **Obra-de-arte corrente.** *Constr.* Estrutura tal como bueiro ou pontilhão, que se repete com características semelhantes ao longo de uma estrada, em geral obedecendo a um projeto padronizado. **Obra-de-arte especial.** *Constr.* Estrutura, tal como ponte, viaduto ou túnel, que, pelas suas proporções e características peculiares, requer um projeto específico.

obra-de-bico. *S. f. Tip.* Trabalho tipográfico de pequeno porte (convite, cartão de visita, etc.); obra de acidência; remendo. [Pl.: *obras-de-bico.* Tb. se diz apenas *bico.*]

obra-de-nove-por-seis. *S. f. Liter. Pop. Bras.* V. *nove-palavras-por-seis: A 'obra-de-nove-por-seis' é a estrofe de nove versos, dos quais seis têm sete* sílabas: os três restantes — o segundo, o quinto e o oitavo — têm três. (Leonardo Mota, *Cantadores*, p. 13.) [Pl.: *obras-de-nove-por-seis.*]

obra-de-sete-pés. *S. f. Liter. Pop. Bras.* Poesia-de-sete. [Pl.: *obras-de-sete-pés.*]

obrador (ô). [Do lat. *operatore.*] *Adj.* e *s. m.* Que ou aquele que obra; obreiro.

obrage. [Alter. de *obragem* (q. v.).] *S. f. Bras., PR.* Lugar próximo à barranca de um rio, onde se corta e prepara a madeira destinada a descer por água. [Cf. *obragem.*]

obrageiro. [De *obrage* + *-eiro.*] *S. m. Bras., PR.* Extrator de madeira.

obragem. [De *obrar* + *-agem*[2].] *S. f.* **1.** Ato de construir. **2.** Obra, lavor, trabalho. [Cf. *obrage.*]

obra-mestra. [De *obra* + *mestra* (3).] *S. f.* **1.** A obra melhor dum autor. **2.** A melhor obra no gênero: *O* Dom Quixote *é uma obra-mestra da literatura barroca.* [Sin. ger.: *obra-prima.* Pl.: *obras-mestras.*]

obra-prima. [De *obra* + o fem. de *primo*[2].] *S. f.* **1.** A melhor e/ou a mais bem-feita obra de uma época, gênero, estilo ou autor; obra capital, obra-mestra: O Dom Casmurro, *de Machado de Assis, é talvez a obra-prima das letras brasileiras.* **2.** Obra perfeita ou considerada como tal: *O Rio de Janeiro é uma obra-prima da natureza.* [Pl.: *obras-primas.*]

obrar. [Do lat. *operare.*] *V. t. d.* **1.** Converter em obra; fazer, executar, praticar, realizar: *obrar maravilhas;* "O bandido obrou estas duas ações com tanta fé e grandeza d'alma, que Luísa correu a ele dominada de peregrina comoção, e o apertou em seus braços." (Franklin Távora, *O Cabeleira*, p. 229.) **2.** Construir, fabricar. **3.** Produzir, fazer: *A muito custo, obrou um sonetinho.* **4.** Maquinar, urdir; causar: *obrar discórdias. Int.* **5.** Fazer um trabalho; realizar uma ação; agir, trabalhar. **6.** Proceder, agir, atuar. **7.** Surtir efeito (um medicamento). **8.** V. *defecar* (5). *P.* **9.** V. *defecar* (6).

obras. [Pl. de *obra.*] *S. f. pl. Ant. Marinh.* Os cabos de laborar de qualquer vela redonda, ou as escotas e carregadeiras das velas latinas. ~ V. *obra.* ♦ **Obras mortas.** *Constr. Nav.* A parte do casco da embarcação que fica acima do plano de flutuação em plena carga e que, portanto, está sempre emersa: "Da elevada superestrutura, desenvolvidas obras mortas, dois, três conveses, camarotes nas amuradas, adveio-lhe o apelido irônico e pitoresco de *gaiola.*" (Raimundo Morais, *Na Planície Amazônica*, p. 137.) **Obras vivas.** *Constr. Nav.* A parte do casco da embarcação que fica abaixo do plano de flutuação em plena carga e que, portanto, fica total ou quase totalmente imersa; carena.

obreia. [Do fr. ant. *oblée* (atual *oublie*), 'hóstia'.] *S. f.* **1.** Pasta de massa de que é feita a hóstia para a comunhão. **2.** Folha de massa que, umedecida, se usa para pegar papéis, fechar envelopes gomados, etc.

obreira. [Fem. de *obreiro.*] *Adj. (f.)* e *s. f.* Operária [q. v.].

obreiro. [Do lat. *operariu.*] *Adj.* e *s. m.* **1.** Obrador. **2.** V. *operário.*

ob-repção. [Do lat. *obreptione.*] *S. f.* Ação de obter algo por supresa, ardil, astúcia, ou outro processo doloso, por se julgar impossível consegui-lo por meios ordinários. [Pl.: *ob-repções.*]

ob-reptício. [Do lat. *obrepticiu.*] *Adj.* **1.** Obtido por ob-repção. **2.** Ardiloso, astucioso; doloso. [Pl.: *ob-reptícios.*]

obriga. [Dev. de *obrigar.*] *S. f.* Obrigação (6).

obrigação. [Do lat. *obligatione.*] *S. f.* **1.** Imposição, preceito: *Numa sociedade humana, ao lado de cada obrigação deve estar um direito.* **2.** Dever; encargo; compromisso: "Primeiro a obrigação, depois a devoção" (prov.). **3.** Benefício; favor: *Nada lhe posso negar, pois devo-lhe muitas obrigações.* **4.** Ofício, emprego, profissão. **5.** Serviço, mister; tarefa: *Limpar a casa é sua obrigação quotidiana.* **6.** Escritura pela qual alguém se obriga ao pagamento de uma dívida, ao cumprimento de um contrato, etc.; obriga. **7.** *Bras. Fam.* A família: "Dia e noite o infeliz vivia caído pelas calçadas ..... Uma desgraça! A obrigação passando privações, com a mulher cheia de macacoas e assim mesmo tendo que produzir doces e quitandas que os meninos vendiam pelas ruas" (Bernardo Élis, *Veranico de Janeiro*, pp. 58-59). **8.** *Bras. Fam.* Esposa, mulher; "Nonô quis saber como andava a comadre Anerbina Barbosa: I — Como vai a obrigação, compadre Barbosa? Ainda é muito dada a comer grumixama e jabuticaba?" (José Cândido de Carvalho, *Por que Lulu*

Bergantim não Atravessou o Rubicon, p. 6.) **9.** *Bras.* Grande festa anual da religião dos negros, chamada outrora *candomblé*. **10.** *Fin.* Título público ou privado que representa fração de um empréstimo a juros contraído por período em geral longo: *Obrigações Reajustáveis do Tesouro Nacional*. **11.** *Jur.* Vínculo jurídico, oriundo da lei ou de ato da vontade, que compele alguém a dar, a fazer ou não fazer algo economicamente apreciável, em proveito de outrem. **11.** V. *debênture*. ♦ **Obrigação ao portador.** *Jur.* V. *debênture*.

obrigacional. *Adj. 2 g.* Relativo a obrigação.

obrigacionário. *S. m. P. us.* V. *obrigacionista*.

obrigacionista. [De *obrigação* + *-n-* + *-ista*.] *S. 2 g.* Debenturista. [Sin.: *obrigatário* e (p. us.) *obrigacionário*.]

obrigado. [Part. de *obrigar*.] *Adj.* **1.** Imposto por lei, pelo uso, convenção, etc.; obrigatório. **2.** Agradecido, grato, reconhecido: *Fico-lhe muito obrigado pelo que me fez.* [É largamente us., nesta acepç., em construções elípticas, de certa natureza interjetiva: — *Como vai?* — *Bem, obrigado;* — *Muito obrigada, meu querido;* — *Vamos bem, obrigados*.] **3.** Sujeito a dívida. **4.** Forçado, compelido: *Lutou obrigado*. **5.** Necessário; indispensável. **6.** *Jur.* Que é o sujeito (ativo ou passivo) de uma obrigação (10). ~ V. *ponto* —. ● *S. m.* **7.** *Jur.* Indivíduo obrigado (6).

obrigar. [Do lat. *obligare*.] *V. t. d. e i.* **1.** Pôr na obrigação, no dever; colocar como imposição: *O juiz o obrigou a pagar as dívidas.* **2.** Mover, impelir, incitar, estimular: *A pressa o obrigava a correr.* **3.** Forçar, constranger, compelir: *A Inquisição obrigou Galileu a rejeitar suas teorias.* **4.** Sujeitar, expor, oferecer. **5.** Dar como fiança; empenhar. **6.** Preceituar, impor. *T. d.* **7.** Prender (alguém) por gratidão ou afeição; tornar grato: *Sua dedicação ao nosso amigo muito o obrigou.* **8.** Vencer, dominar. **9.** Sujeitar a risco ou obrigação. **10.** Impor obrigação a. *P.* **11.** Ligar-se a algum compromisso; oferecer-se, expor-se. **12.** Tornar-se responsável por; responsabilizar-se. **13.** Afiançar, assegurar. **14.** *Jur.* Assumir uma obrigação (11). [Conjug.: v. *largar*.]

obrigatário. [Do fr. *obligataire*.] *S. m.* V. *obrigacionista*.

obrigatoriedade. *S. f.* Qualidade de obrigatório.

obrigatório. [Do lat. *obligatoriu*.] *Adj.* **1.** Que envolve obrigação; que obriga. **2.** Obrigado (1). **3.** Forçoso, inevitável: *É obrigatório o uso do hífen nas formas verbais com pronomes enclíticos ou mesoclíticos.*

obrista. *S. 2 g. Tip.* **1.** Gráfico que trabalha em casa de obras. **2.** V. *compositor de bicos*.

ob-rogação. [Do lat. *obrogatione*.] *S. f.* Ato ou efeito de ob-rogar. [Pl.: *ob-rogações*.]

ob-rogar. [Do lat. *obrogare*.] *V. int.* Contrapor-se, ou fazer contrapor-se, uma lei a outra. [Conjug.: v. *largar*.]

ob-rogatório. *Adj.* Capaz de ob-rogar; que tem força para ob-rogar. [Pl.: *ob-rogatórios*.]

obscenidade. [Do lat. *obscenitate*.] *S. f.* **1.** Qualidade de obsceno. **2.** Palavra, gesto, ato, imagem obscenos.

obsceno. [Do lat. *obscenu*.] *Adj.* **1.** Que fere o pudor; impuro, desonesto. **2.** Diz-se de quem profere ou escreve obscenidades.

obscenizar. *V. t. d.* Dar forma ou caráter obsceno a.

obscurante. [Do lat. *obscurante*.] *Adj. 2 g.* **1.** Que obscurece. ● *S. 2 g.* **2.** Obscurantista (3).

obscurantismo. [De *obscurante* + *-ismo*.] *S. m.* **1.** Estado de quem vive na escuridão. **2.** Ausência de conhecimento; ignorância. **3.** Reprovação ou oposição ao esclarecimento. **4.** Política de fazer alguma coisa com o objetivo de impedir o esclarecimento da massa por considerá-lo um perigo para a sociedade.

obscurantista. *Adj. 2 g.* **1.** Relativo ao obscurantismo. **2.** Diz-se de quem segue os princípios do obscurantismo (4). ● *S. 2 g.* **3.** Pessoa obscurantista; obscurante.

obscurantizar. *V. t. d.* Tornar obscurante (2); levar ao obscurantismo.

obscurecer. *V. t. d.* **1.** Tornar obscuro, tirar ou reduzir a claridade a. **2.** Toldar, perturbar, confundir, baralhar: *obscurecer o entendimento.* **3.** Encobrir, esconder, disfarçar: *Os regimes de força não logram obscurecer por muito tempo os seus crimes.* **4.** Deslustrar, desonrar, infamar. **5.** Fazer esquecer; avantajar-se a; suplantar. **6.** Tornar triste; afligir, turvar. *Int.* e *p.* **7.** Tornar-se obscuro; apagar-se. **8.** Perder a clareza; tornar-se menos inteligível. **9.** Tornar-se sombrio ou triste. **10.** Deslustrar-se, macular-se. [Conjug.: v. *aquecer*.]

obscurecido. [Part. de *obscurecer*.] *Adj.* **1.** Que tem pouca luz, ou nenhuma. **2.** V. *obscuro* (2). **3.** *Fig.* Esquecido; ignorado: *Morreu obscurecido aquele que um dia foi o ídolo da juventude.* **4.** *Fig.* Ofuscado; deslumbrado.

obscurecimento. [De *obscurecer* + *-mento*.] *S. m.* Escassez ou ausência de luz; escuridão.

obscurecível. *Adj. 2 g.* Que pode ser obscurecido.

obscureza (ê). *S. f. P. us.* V. *obscuridade*.

obscuridade. [Do lat. *obscuritate*.] *S. f.* **1.** Estado de obscuro. **2.** Falta de luz; escuridão. **3.** *Fig.* Falta de clareza (no estilo): *A obscuridade do texto impede maiores considerações.* **4.** Ausência de celebridade, de fama, de notoriedade; condição humilde: "Teme a obscuridade, Brás; foge do que é ínfimo." (Machado de Assis, *Memórias Póstumas de Brás Cubas*, p. 93.) **5.** Esquecimento, olvido. **6.** Vida retirada. [Sin. ger., p. us.: *obscureza*.]

obscuro. [Do lat. *obscuru*.] *Adj.* **1.** Falto de luz; escuro: "A treva invade o *obscuro* orbe terrestre." (Augusto dos Anjos, *Eu*, p. 110.) **2.** Sombrio, tenebroso; obscurecido. **3.** *Fig.* Difícil de entender; confuso; enigmático. **4.** Ignorado, desconhecido: *origem obscura*: "Ninguém sentiu o teu espasmo *obscuro*, / Ó ser humilde entre os humildes seres." (Cruz e Sousa, *Últimos Sonetos*, p. 17.) **5.** Vago; indistinto: *sinal obscuro*. **6.** Humilde, singelo, pobre: *Leva uma vida obscura desde que empobreceu.*

obsecração. [Do lat. *obsecratione*.] *S. f.* **1.** Ato de obsecrar. **2.** Súplica fervorosa e humilde. **3.** Palavras com que se obsecra.

obsecrar. [Do lat. *obsecrare*.] *V. t. d. e t. d. e i. P. us.* Pedir com humildade; suplicar, implorar.

obsedante. [Do fr. *obsédant*.] *Adj. 2 g. Bras.* que obseda [v. *obsessivo*]: "A obra de Van Gogh é uma explosão de temperamento. A sua força vem dessa *obsedante* sinceridade, desse desejo violento e místico de pintar o sol." (Santa Rosa, *Roteiro de Arte*, p. 19.)

obsedar. [Do fr. *obséder*.] *V. t. d. Bras.* **1.** Tornar-se assíduo junto de (alguém), para lhe obter as graças; importunar com assiduidade; molestar. **2.** Apoderar-se (uma idéia) do espírito de (alguém), não lhe dando descanso; produzir obsessão (2) em; obsediar, obsidiar, obcecar: *A idéia da morte obseda-o.*

obsediante. [De *obsediar* + *-nte*.] *Adj. 2 g.* V. *obsessivo*.

obsediar. [De *obsidiar*, por infl. de *obsessão*.] *V. t. d.* V. *obsedar* (2).

obseqüente. [Do lat. *obsequente*.] *Adj. 2 g.* **1.** Que se sujeita; dócil, obediente. **2.** Que se mostra agradável; afável. **3.** Favorável, obsequiador. ~ V. *rio* —.

obsequiador (ze...ô). *Adj.* e *s. m.* Que ou aquele que obsequia.

obsequiar (ze). *V. t. d.* **1.** Prestar obséquios, serviços, a; tratar com agrados; mimosear, favorecer: *Está sempre disposto a obsequiá-la.* **2.** Dar presentes a; presentear, mimosear: *Gosta de obsequiar os amigos. T. d.* e *t. i.* **3.** Mimosear com presentes; presentear: *Obsequiou o amigo com um exemplar de sua obra.* **4.** Tornar grato; cativar. [Pres. ind.: *obsequio, obsequias, obsequia*, etc. Cf. *obséquio* e *obséquias*.]

obséquias (zé). [Do lat. *obsequiae*.] *S. f. pl. Ant.* Funerais, exéquias. [Cf. *obsequias*, do v. *obsequiar*.]

obséquio (zé). [Do lat. *obsequiu*.] *S. m.* **1.** Ato de obsequiar. **2.** Favor, serviço; benefício; benevolência. [Cf. *obsequio*, do v. *obsequiar*.] ♦ **Em obséquio a.** V. *em obséquio de*: "vivia casta como certas damas antigas casadas, de acordo com os maridos, *em obséquio* à pureza dos anjos de ambos os sexos" (Camilo Castelo Branco, *História e Sentimentalismo*, p. 173). **Em obséquio de.** A favor de; em benefício de; em obséquio a.

obsequiosidade (ze). *S. f.* qualidade de obsequioso; afabilidade de trato.

obsequioso (ze...ô). [Do lat. *obsequiosu*.] *Adj.* **1.** Que presta obséquios; serviçal; benévolo; afável no trato. **2.** Que revela vontade de obsequiar: *caráter obsequioso.*

obserrulado. [De *ob-* + *serrulado*.] *Adj. Morfol. Veg.* Serrulado, com os dentes dirigidos para a base.

observação. [Do lat. *observatione*.] *S. f.* **1.** Ato ou efeito de observar(-se). [Sin., p. us.: *observatório*.] **2.** Cumprimento, prática, observância: *observação das tradições*. **3.** Advertência por escrito; nota: *qualquer observação deverá vir à margem do papel.* **4.** Reparo, advertência: *Volta e meia faziam-lhe observações sobre descuidos de linguagem.* **5.** Exame, análise. **6.** Censura leve; admoestação: *Fiz-lhe uma observação, e prometeu emendar-se.*

observado. [Part. de *observar*.] *Adj.* Que foi objeto de observação. ~ V. *posição* —*a*.

observador (ô). [Do lat. *observatore*.] *Adj.* **1.** Que observa; observante. **2.** Respeitador, cumpridor. **3.** Crítico, censor. ● *S. m.* **4.** Aquele que observa; espectador, observante. **5.** *Bras.* Encarregado de postos ou estações meteorológicas.

observância. [Do lat. *observantia* | *S. f.* **1.** Execução fiel; prática, uso. **2.** Cumprimento rigoroso da vida claustral, da disciplina da penitência, ou das regras peculiares a cada ordem religiosa.

observando. [Do ger. de *observar*.] *S. m.* Aquele que se acha debaixo de observação médica.

observante. [Do lat. *observante*.] *Adj. 2 g.* **1.** Observador (1). **2.** Obediente, cumpridor; praticante; militante. ● *S. 2 g.* **3.** V. *observador* (4). ● *S. m.* **4.** Religioso de uma das ordens franciscanas.

observar. [Do lat. *observare*.] *V. t. d.* **1.** Examinar minuciosamente; olhar com atenção; estudar: "Paras aqui, *observas* uma árvore nova que cresce" (Carlos Magalhães de Azeredo, *Odes e Elegias*, p. 51). **2.** Espiar, espreitar: *Furtivamente, os soldados observavam as manobras inimigas.* **3.** Cumprir ou respeitar as prescrições ou preceitos de; obedecer a; praticar: *Observa rígida discrição.* **4.** Atentar em; notar, advertir: *O conferencista pediu observassem aquele aspecto de sua palestra.* **5.** Ponderar, replicar. *T. d. e i.* **6.** Fazer ver; advertir: *Observou-lhe que a resposta não estava certa;* "Hamlet *observa* a Horácio que há mais cousas no céu e na terra do que sonha a nossa filosofia." (Machado de Assis, *Várias Histórias*, p. 3). *Int.* **7.** Examinar atenta, minuciosamente, a(s) pessoa(s) e/ou o ambiente que o cerca(m): "Neste lance passou um espanhol, ... bem montado numa égua preta. Parou a *observar*" (Alberto Braga, *Novos Contos*, p. 81); "Às vezes, se me acontece algum ócio, desço até a praça. Sento-me num banco e *observo*." (Maria Julieta Drummond de Andrade, *Um Buquê de Alcachofras*, p. 21). *P.* **8.** Vigiar as próprias ações; ser circunspecto. **9.** Vigiar-se reciprocamente.

observatório. [De *observar* + *-(t)ório*.] *S. m.* **1.** Instituição ou serviço de observações astronômicas ou meteorológicas. **2.** Edifício onde funciona um observatório (1). **3.** Mirante (1). **4.** *P. us.* Observação (1).

observável. [Do lat. *observabile*.] *Adj. 2 g.* **1.** Que pode ou merece ser observado. **2.** Diz-se de grandeza que é passível de uma medida direta. ● *S. m.* **3.** Grandeza observável (2). **4.** *Fís.* Em mecânica quântica, operador linear cujos autovalores podem ser experimentalmente observados e medidos, e que em geral constituem um conjunto discreto.

obsessão. [Do lat. *obsessione*.] *S. f.* **1.** Impertinência, perseguição, vexação. **2.** *Fig.* Preocupação com determinada idéia, que domina doentiamente o espírito, e resultante ou não de sentimentos recalcados; idéia fixa; mania.

obsessivo. [De *obsesso* + *-ivo*.] *Adj.* Que causa, ou em que há obsessão (2); obsedante, obsediante, obsidiante, obsessor, obsidente.

obsesso. [Do lat. *obsessu*.] *Adj.* **1.** Importunado, atormentado, perseguido. ● *S. m.* **2.** Indivíduo que se crê atormentado, perseguido pelo Demônio.

obsessor (ô). [Do lat. *obsessore*.] Adj. **1.** Que causa obsessão; que importuna. **2.** V. *obsessivo*. ● *S. m.* **3.** Aquele que causa obsessão; importuno.

obsidente. [Do lat. *obsidente*.] *Adj. 2 g.* **1.** V. *obsessivo*: "Tornava-se [a lembrança] viva, *obsidente*, dolorosa mesmo." (Eduardo Frieiro, *O Mameluco Boaventura*, p. 78.) ● *S. 2 g.* **2.** Aquele que cerca, sitia, obsidia.

obsidiana. [Do lat. *obsidianus lapis*, por *obsianus lapis*, 'pedra de Óbsio' (do antr. *Óbsios*, do descobridor desta pedra na Etiópia).] *S. f. Pet.* Designação comum a diversas variedades de lavas, em geral escuras, pobres de água, com fratura concoidal, e de aspecto vítreo.

obsidiante. [De *obsidiar* + *-nte*.] *Adj. 2 g.* V. *obsessivo*.

obsidiar. [Do lat. *obsidiare*, por *obsidiari*.] *V. t. d.* **1.** Cercar, assediar. **2.** Observar o comportamento ou a vida de; espiar. **3.** Importunar, incomodar, perturbar, molestar. **4.** V. *obsedar* (2): "no desterro, a lembrança dele [o pai] povoa-lhe [a Alexandre Herculano] os sonhos aflitos, *obsidia-o* e comove-o." (Vitorino Nemésio, *A Mocidade de Herculano*, I, p. 77). [Cf. *obsediar*.]

obsidional. [Do lat. *obsidionale*.] *Adj. 2 g.* **1.** Referente a assédio ou cerco. **2.** Relativo à arte de cercar ou defender uma praça.

obsignador (ô). [Do lat. *obsignatore*.] *S. m.* Testemunha chamada a subscrever um testamento e pôr-lhe o seu selo.

obsolescência. [Do lat. *obsolescere*, 'tornar-se obsoleto', + *-ência*.] *S. f.* O fato ou o processo de tornar-se obsoleto.

obsoletar. *V. t. d.* Tornar obsoleto (1).

obsoletismo. *S. m.* Qualidade de obsoleto.

obsoleto (é). [Do lat. *obsoletu.*] *Adj.* **1.** Que caiu em desuso; arcaico: *vocabulário obsoleto*; "fez que ressurgisse uma lei obsoleta, de há quatro séculos." (Euclides da Cunha, *Contrastes e Confrontos,* p. 29). **2.** V. *antiquado.* **3.** *Biol. Ger.* Mal desenvolvido; atrofiado, rudimentar.

obstaculizar. *V. t. d. Bras.* Criar obstáculos a (alguma coisa); obstar.

obstáculo. [Do lat. *obstaculu.*] *S. m.* **1.** Embaraço, dificuldade, impedimento, estorvo, empecilho; barreira. **2.** *Esport.* Cada uma das diferentes barreiras que se dispõe numa pista de corridas.

obstância. [Do lat. *obstantia.*] *S. f. Bras.* Obstáculo, dificuldade, empecilho.

obstante. [Do lat. *obstante.*] *Adj. 2 g.* Que obsta; impedidor, obstativo. ◆ **Nada obstante.** V. *não obstante.* **Não obstante. 1.** Apesar de: *Não obstante a doença, compareceu à cerimônia.* **2.** Apesar disso; no entanto; contudo: "os cabelos caíam despenteados, e as lágrimas faziam-lhe encarquilhar os olhos. Não obstante, o total falava e cativava o coração." (Machado de Assis, *Dom Casmurro,* p. 89). [Sin. ger.: *nada obstante.*]

obstar. [Do lat. *obstare,* 'estar diante ou contra'.] *V. t. i.* **1.** Causar embaraço ou impedimento; servir de obstáculo: *Sua intransigência obsta a que eu realize os meus planos.* **2.** Fazer oposição; opor-se: "Arrependidos uns de não terem acompanhado o destemido rapaz, outros de não haverem obstado àquela temeridade, aguardavam o desfecho do estranho acidente." (José de Alencar, *O Sertanejo,* p. 115.) *T. d.* **3.** Servir de obstáculo a; causar embaraço a; impedir: *A morte do tio obstou sua viagem:* [Sin., bras., nesta acepç.: *obstaculizar.*]

obstativo. *Adj. Bras.* V. *obstante.*

obstável. *Adj. 2 g.* Que pode ser obstado.

obstetra. [Der. regress. de *obstetriz.*] *Adj. 2 g.* e *s. 2 g.* Que ou quem é especialista em obstetrícia; parteiro.

obstétrica. [Fem. substantivado de *obstétrico.*] *S. f.* V. *obstetrícia.*

obstetrícia. [Fem. substantivado de *obstetrício.*] *S. f.* Ramo da medicina que se ocupa da gravidez, do parto e do puerpério; obstétrica, maiêutica, tocologia.

obstetrício. [Do lat. *obstetriciu.*] *Adj.* Relativo à obstetrícia; obstétrico.

obstétrico. [De *obstetra* + *-ico*[2].] *Adj.* Obstetrício.

obstetriz. [Do lat. *obstetrice.*] *S. f.* V. *parteira* (1).

obsticidade. *S. Patol.* Inclinação da cabeça para um dos ombros, em conseqüência do reumatismo.

obstinação. [Do lat. *obstinatione.*] *S. f.* **1.** Pertinácia, persistência, tenacidade, perseverança: *trabalhar com obstinação.* **2.** Teima, birra: *Continuou a insistir, só por obstinação.*

obstinado. [Part. de *obstinar.*] *Adj.* **1.** Pertinaz firme, relutante. **2.** Teimoso, birrento. **3.** Inflexível irredutível: "baixava a cabeça, obstinada, não renegava e não pedia perdão." (Raquel de Queirós *As Três Marias,* p. 31.)

obstinar. [Do lat. *obstinare.*] *V. t. d.* **1.** Tornar obstinado. *P.* **2.** Manter-se na teima ou erro; porfiar, relutar.

obstipação. [De *obstipar* + *-ção.*] *S. f. Med.* Constipação (1) renitente.

obstipar. [Do lat. *obstipare.*] *V. t. d. Med.* Produzir obstipação em.

obstringir. [Do lat. *obstringere.*] *V. t. d.* **1.** Apertar muito; ligar. **2.** Comprimir, imprensar. **3.** Obrigar, constranger. [Conjug.: v. *dirigir.* Defect., us. só nas 3as pess.]

obstrito. [Do lat. *obstrictu.*] *Adj.* Obrigado, constrangido.

obstrução. [Do lat. *obstructione.*] *S. f.* **1.** Ato ou efeito de obstruir(-se); obturação. **2.** *Patol.* Impedimento parcial ou total, mecânico, devido a causas diversas, do livre trânsito no interior de uma estrutura ou órgão. **3.** *Bras. Fig.* Oposição proposital. **4.** Obstrucionismo. ◆ **Obstrução marítima.** Obstáculo natural que, no oceano, dificulta a passagem livre dos navios.

obstrucionismo. *S. m. Bras.* Hábito político de criar empecilhos à maioria nos trabalhos parlamentares; obstrução.

obstrucionista. *Bras. Adj. 2 g.* **1.** Relativo ao, ou que pratica o obstrucionismo. ● *S. 2 g.* **2.** Pessoa que o pratica.

obstruinte (u-ín). *Adj. 2 g. Gram.* Diz-se de cada uma das consoantes oclusivas e fricativas.

obstruir. [Do lat. *obstruere.*] *V. t. d.* **1.** Fechar, tapar; entupir. **2.** Impedir com obstáculos a passagem ou circulação de: *A multidão obstruiu as ruas;* "obstruíram a enseada do porto, submergindo velhos navios." (João Ribeiro, *História do Brasil,* p. 149). **3.** Impedir, estorvar: *A oposição obstruiu a votação da lei.* **4.** Causar obstrução (2). *P.* **5.** Tapar-se, fechar-se, embaraçar-se. **6.** Criar obstrução (2). [Conjug.: v. *atribuir.*]

obstrutivo. [Do lat. *obstructu,* part. pass de *obstruere,* 'obstruir', + *-ivo.*] *Adj.* Que obstrui ou serve para obstruir; obstrutor.

obstrutor (ô). [Do lat. *obstructu,* part. pass. de *obstruere,* 'obstruir' + *-(t)or.*] *Adj.* **1.** Obstrutivo. ● *S. m.* **2.** Aquele ou aquilo que obstrui.

obstupefação. [De um lat. *obstupefactione,* forjado eruditamente, com base em *obstupefactu.*] *S. f.* Estado de obstupefato: pasmo, estupefação.

obstupefato. [Do lat. *obstupefactu.*] *Adj.* Pasmado, estupefato.

obstúpido. [Do lat. *obstupidu.*] *Adj.* Pasmado, atônito, surpreendido, estupefato.

obtemperação. [Do lat. *obtemperatione.*] *S. f.* Ato ou efeito de obtemperar.

obtemperar. [Do lat. *obtemperare,* 'obedecer'.] *V. t. d.* e *t. d. e i.* **1.** Dizer em resposta com humildade e modéstia; ponderar: *O aluno obtemperou que a lição era difícil; Obtemperou-lhe que preferia não ir. T. i.* e *int.* **2.** Obedecer, assentir, aquiescer, sujeitar-se, submeter-se: *Obtempera aos superiores; Dócil, é inclinado a obtemperar.*

obtenção. [De *obter* + *-ção,* com infl. de palavras como *retenção, detenção.*] *S. f.* Ato ou efeito de obter; consecução, aquisição, adquirição, conseguimento.

obtenível. [Do lat. *obtinere,* 'obter', + *-ível.*] *Adj. 2 g. Bras.* Que pode ser obtido.

obtentor (ô). [Do lat. *obtentu,* part. pass. de *obtinere,* 'obter', + *-(t)or.*] *Adj.* e *s. m.* Que ou aquele que obtém.

obter. [Do lat. *obtinere.*] *V. t. d.* **1.** Alcançar ou conseguir (o que se pede ou deseja): *obter um cargo.* **2.** Ter ensejo ou ocasião de; lograr, conseguir: *Com seus atos obteve convencer o outro.* **3.** Ganhar, granjear. [Irreg. Conjug.: v. *ter.*]

obtestação. *S. f.* Ato ou efeito de obtestar.

obtestar. [Do lat. **obstestare,* por *obtestari.*] *V. t. d.* **1.** Tomar (alguém) por testemunha. **2.** Instar, rogar, suplicar. **3.** Provocar, incitar. *T. d. e i.* **4.** Instar, rogar, suplicar.

obtundente. [Do lat. *obtundente.*] *Adj. 2 g.* Que obtunde.

obtundir. [Do lat. *obtundere.*] *V. t. d.* **1.** Contundir (1). **2.** Tornar rombo, ou menos agudo. **3.** Bater, sovar.

obturação. [Do lat. *obturatione.*] *S. f.* **1.** Ato ou efeito de obturar. **2.** Obstrução de cavidade dentária cariada. **3.** *Patol.* e *Cir.* Obliteração de orifício ou conduto pela introdução, por meio cirúrgico, de substância sólida ou que se solidifica. **4.** *Patol.* Forma de obstrução (2) que se verifica, em especial, no intestino.

obturador (ô). *Adj.* **1.** Que obtura. ● *S. m.* **2.** Objeto que serve para obturar. **3.** Dispositivo das armas de fogo destinado a vedar a passagem ou fuga dos gases. **4.** *Fot.* Dispositivo da câmara fotográfica que regula a duração da exposição da chapa sensível.

obturar. [Do lat. *obturare.*] *V. t. d.* **1.** Tapar, fechar, entupir. **2.** Fechar, obstruir.

obturbinado. [De *ob-* + *-turbinado.*] *Adj.* Que tem o feitio de pião invertido.

obtusângulo. [De *obtus(i)-* + *ângulo.*] *Adj. Geom.* Diz-se do triângulo que tem um ângulo obtuso. ~ V. *triângulo* —.

obtusão. [Do lat. *obtusione.*] *S. f.* **1.** Qualidade ou estado de obtuso. **2.** Diminuição, perda ou ausência da sensibilidade: *obtusão do paladar.* **3.** *Med.* Entorpecimento sensitivo ou intelectual.

▲**obtus(i)-.** [Do lat. *obtusus, a um.*] *El. comp.* = 'obtuso': *obtusifólio; obtusângulo.*

obtusidade. *S. f.* **1.** Qualidade de obtuso. **2.** Insensibilidade, estupidez.

obtusífido. [De *obtus(i)-* + *-fido.*] *Adj. Morfol. Veg.* Dividido em segmentos obtusos.

obtusifoliado. [De *obtus(i)-* + *foliado.*] *Adj. Morfol. Veg.* Obtusifólio.

obtusifólio. [De *obtus(i)-* + *-fólio.*] *Adj. Morfol. Veg.:* Que tem folhas obtusas; obtusifoliado.

obtusilobulado. [De *obtus(i)-* + *lobulado.*] *Adj. Morfol. Veg.* Dividido em lóbulos obtusos.

obtusirrostro. [De *obtus(i)-* + *-rostro.*] *Adj. Zool.* Diz-se da ave que tem obtuso o bico, a parte dianteira da cabeça.

obtuso. [Do lat. *obtusu,* 'embotado'.] *Adj.* **1.** Que não é agudo; rombo, arredondado: *pássaro de bico obtuso; folha obtusa.* **2.** *Fig.* Que é pouco penetrante; rude, bronco, estúpido, fechado: *espírito obtuso;* "Ali ficava .... aquele imbecil impondo a sua pessoa, grosseiramente, tão obtuso que não percebia o enfado dela, a sua regelada secura!" (Eça de Queirós, *Os Maias,* II, p. 54.) **3.** *Fig.* Que não é nítido; pouco claro; confuso: *frases de sentido obtuso.*

obumbração. [Do lat. *obumbratione.*] *S. f.* **1.** Ato ou efeito de obumbrar(-se); obscurecimento, sombreamento. **2.** Cegueira de espírito; idéia fixa; obcecação. [Sin. ger.: *obumbramento.*]

obumbrado. [Part. de *obumbrar.*] *Adj.* Coberto de sombras; anuviado, toldado.

obumbramento. *S. m.* V. *obumbração:* "O seu renome [do facínora Zé Pinheiro] se fez no período que mediou entre o obumbramento da estrela de Antônio Silvino e o fulgor infernal da triste glória de Lampião." (Leonardo Mota, *No Tempo de Lampião,* p. 38.)

obumbrar. [Do lat. *obumbrare.*] *V. t. d.* **1.** Cobrir de sombras; tornar escuro; toldar, nublar: "Sempre a noite a obumbrar o Sol inglório..." (Alphonsus de Guimaraens, *Pastoral aos Crentes do Amor e da Morte,* p. 136.) **2.** Tornar esotérico; velar, disfarçar, ocultar. **3.** Turvar; cegar, obcecar: *obumbrar a inteligência. P.* **4.** Cobrir-se de sombras ou de nuvens; tornar-se escuro; toldar-se: "Súbito o céu sereno se obumbrava, / Que os ventos mais que nunca impetuosos / Começam novas forças a ir tomando" (Luís de Camões, *Os Lusíadas,* VI, 37). **5.** Perder a intensidade ou o brilho; apagar-se. **6.** Cobrir-se, tapar-se.

obus. [Do tcheco *haufnice,* 'máquina de lançar pedras', atr. do al. *Haubnitze, Haubitze* e do fr. *obus.*] *S. m.* **1.** Pequena peça de artilharia, semelhante a um morteiro comprido. **2.** *P. ext.* Bomba ou granada lançada pelo obus. [Pl.: *obuses.*]

obuseiro. [De *obus* + *-eiro.*] *Adj.* **1.** Diz-se do canhão que pode arremessar projetis ocos. **2.** Diz-se do navio armado com obuses.

obvenção. [Do lat. *obventione.*] *S. f.* **1.** Provento, receita ou lucro eventual. **2.** Antigo tributo que se pagava aos eclesiásticos para a sua manutenção.

obverso. [De *ob-* + lat. *versu,* 'voltado, virado'.] *Adj. Morfol. Veg.* Que tem a extremidade mais larga do que a base: *folha obversa.*

obviamente (ò). [Do fem. de *óbvio* + *-mente.*] *Adv.* De modo óbvio; com obviedade.

obviar. [Do lat. *obviare.*] *V. t. d.* **1.** Remediar, prevenir, atalhar: *obviar um mal. T. i.* **2.** Obstar, resistir, opor-se: *obviar à violência.* **3.** Remediar, atalhar, desviar: *Era difícil obviar a tantos inconvenientes.* [Pres. ind.: *obvio,* etc. Cf. *óbvio.*]

obviável. *Adj. 2 g.* Que pode ser obviado; remediável.

obviedade. [De *óbvio* + *-e-* + *-dade.*] *S. f.* **1.** Qualidade de óbvio. **2.** Coisa óbvia: "Estou repisando obviedades que toda gente sabe" (Carlos Drummond de Andrade, *Jornal do Brasil,* 9.7.1983).

óbvio. [Do lat. *obviu.*] *Adj.* **1.** Que está diante dos olhos; que salta à vista; manifesto, claro, patente: "Como é óbvio, o hoteleiro é um auxiliar imprescindível do viajante comercial." (João Alphonsus, *Pesca da Baleia,* p. 65.) **2.** Axiomático, evidente, incontestável: *conclusão óbvia.* **3.** Que se compreende ou percebe por intuição; intuitivo; evidente: *Por motivos óbvios, deixou de manifestar-se.* [Cf. *obvio,* do v. *obviar.*]

obvir. [Do lat. *obvenire.*] *V. t. i.* **1.** Tocar ao Estado por sucessão, herança, etc. **2.** Vir a pertencer; advir: *Por sua morte, parte de seus bens obveio ao sobrinho.* [Irreg. Conjug.: v. *vir.*]

obvoluto. [Do lat. *obvolutu,* 'coberto ao redor, envolto'.] *Adj. Morfol. Veg.* Dobrado pelo meio, ficando uma das metades encaixada na dobra da outra: *folha obvoluta.*

oca[1]. [Do esp. *oca,* 'ganso'.] *S. f.* V. *glória* (10). [Pl.: ocas. Cf. *oca* (ô), *ocas* (ô), flex. de *oco* (ô).]

oca[2]. [Do quíchua *okka,* pelo esp. amer.] *S. f. Bras.* Planta herbácea da família das oxalidáceas (*Oxalis tuberosa*). [Pl.: *ocas.* Cf. *oca* (ô) e *ocas* (ô), flex. de *oco* (ô).]

oca[3]. [Do tupi *'oka.*] *S. f. Bras.* Cabana ou palhoça de índios: "O piaga de Tupá, severo e casto, / Nas ocas tece os versos dos oráculos." (Junqueira Freire, *Obras Poéticas,* I, p. 71.) [Pl.: *ocas.* Cf. *oca* (ô) e *ocas* (ô), flex. de *oco* (ô).]

oca[4]. *S. f. Bras., S.* Perfuração redonda nas rodas do carro de bois. [Pl.: *ocas.* Cf. *oca* (ô) e *ocas* (ô), flex. de *oco* (ô).]

oca[5]. [Var. de *ocra.*] *S. f., s. m.* e *adj. 2 g.* e *2 n. Pop.* V. *ocra.* [Pl.: *ocas.* Cf. *oca* (ô) e *ocas* (ô), flex. de *oco* (ô).]

▲**-oca.** *Suf. nom.* = 'diminuição': *engenhoca.*

ocado. [Part. de *ocar.*] *Adj.* Tornado oco, escavado, esvaziado.

ocapi. [De or. afr.] *S. m.* Mamífero ungulado, de tipo intermediário entre as girafas e os antílopes, de pescoço mais curto e colorido uniforme.

ocar. *V. t. d.* Tornar oco; escavar, esvaziar. [Conjug.: v. *trancar.* Pres. ind.: *oco, ocas, oca,* etc.; perf.: *oquei, ocaste, ocou,* etc. Cf. *oco* (ô), as flex. *oca* (ô) e *ocas* (ô), e *hóquei.*]

ocara. [Do tupi *o'kara,* 'terreiro'.] *S. f. Bras.* Praça no interior de taba; terreiro de aldeia indígena: "Os caraíbas enfeitam de penas os tais *maracás* e fazem crer que alguma cousa de divina e misteriosa neles se encerra. Enfincados no meio da ocara, são objetos de adoração, rendem-lhes homenagem, trazem oferendas votivas — carne assada, caça, etc." (Alfredo Brandão, *A Escrita Pré-Histórica do Brasil,* pp. 104-105.) [Aum.: *ocaruçu.*]

ocarina. [Do it. *ocarina.*] *S. f.* Instrumento de sopro, oval, com embocadura curta, e que lembra o perfil de uma cabeça de ganso, geralmente de barro, com oito orifícios, quatro para a mão direita e quatro para a esquerda, correspondentes às notas sucessivas de uma escala diatônica.

ocarinista. *S. 2 g.* **1.** Tocador de ocarina. **2.** Fabricante e/ou vendedor de ocarinas.

ocaruçu. [Do tupi *okaru'su.*] *S. m. Bras.* Aum. de *ocara.*

ocasião. [Do lat. *occasione.*] *S. f.* **1.** Oportunidade para a realização de algo; conjuntura favorável ou oportuna de tempo e lugar para que se dê ou se realize algo: *ocasião de agir.* **2.** Momento, instante, circunstância: "Os espanhóis dizem que quem, em certas ocasiões, não perde a cabeça é porque não tem cabeça para perder." (Eça de Queirós, *Cartas Familiares e Bilhetes de Paris,* p. 192.) **3.** Razão, motivo, causa: "Copiosa multidão da nau francesa / Corre a ver o espetáculo assombrada; / E ignorando a ocasião da estranha empresa, / Pasma da turba feminil, que nada" (Santa Rita Durão, *Caramuru,* VI, 37). **4.** Tempo disponível; lazer: *Não escrevi por falta de ocasião.* **5.** Tempo em que ocorre algo: *Na ocasião do terremoto ele estava ausente da cidade.* ◆ **Agarrar a ocasião pela calva.** Aproveitá-la, antes que passe. **De ocasião.** Especialmente bom; vantajoso: *preço de ocasião.* **Por ocasião de.** Na época de; na oportunidade de; quando de.

ocasionado. [Part. de *ocasionar.*] *Adj.* **1.** Causado, provocado, determinado. **2.** V. *ocasional* (1). **3.** *Bras., SP. Pop.* Atrapalhado, desorientado, desarvorado. **4.** *Bras., SP. Pop.* Enfurecido, desatinado.

ocasionador (ô). *Adj.* **1.** Que ocasiona; causador, motivador, ocasional. ● *S. m.* **2.** Aquele ou aquilo que ocasiona; causador, motivador.

ocasional. [Do lat. *occasione,* 'ocasião', + *-al.*] *Adj. 2 g.* **1.** Casual, eventual, fortuito, acidental; ocasionado. **2.** V. *ocasionador* (1).

ocasionalismo. [De *ocasional* + *-ismo.*] *S. m. Filos.* Doutrina de Nicolas de Malebranche, filósofo francês (1638-1715), segundo a qual os acontecimentos do mundo, e particularmente as modificações da alma e do corpo, não são diretamente causados uns pelos outros, mas coincidem e se ajustam porque dependem diretamente da vontade divina.

ocasionalista. *Adj. 2 g.* **1.** Relativo ao, ou que é partidário do ocasionalismo. ● *S. 2 g.* **2.** Partidário dele.

ocasionar. [De *ocasião* + *-ar*[2].] *V. t. d.* **1.** Ser motivo ou causa de; causar, motivar, originar, provocar: "O maior benefício ocasiona de ordinário a maior ingratidão." (Marquês de Maricá, *Máximas, Pensamentos e Reflexões,* p. 25.) *T. d. e i.* **2.** Ser motivo ou causa de; causar, motivar, originar, provocar: *Caluniou o velho amigo e ocasionou-lhe prejuízos sérios.* **3.** Oferecer, proporcionar: *Ocasionei-lhe todos os meios de defesa. P.* **4.** Suceder, acontecer, ocorrer. **5.** Originar-se, advir.

ocasionável. *Adj. 2 g.* Que pode ser ocasionado.

ocaso. [Do lat. *occasu.*] *S. m.* **1.** Desaparecimento de um astro no horizonte, do lado oeste, proveniente do movimento diurno; pôr. **2.** Ocidente, oeste, poente: "O prisioneiro, cuja morte anseiam, / Sentado está, / O prisioneiro, que outro sol no ocaso / Jamais verá!" (Gonçalves Dias, *Obras Poéticas,* II, p. 20); "O ocaso flamejava numa fulguração deslumbrante de ouro e púrpura" (Coelho Neto, *Banzo,* p. 117). **3.** *Fig.* Termo, fim, final: *o ocaso da vida;* "No meu encontro com Getúlio Vargas, naquela hora final do seu ocaso, estava eu longe de adivinhar o desfecho trágico da manhã de vinte e quatro de agosto." (Augusto Frederico Schmidt, *As Florestas,* p. 211). **4.** *Fig.* Queda, ruína, decadência, extinção, morte, crepúsculo: *o ocaso do império romano.*

occamismo. [De *Occam,* antr., + *-ismo.*] *S. m. Filos.* Doutrina de Guilherme de Occam, filósofo inglês (c. 1300-1349/50), caracterizada principalmente pelo empirismo, nominalismo, terminismo, e pelo ceticismo quando à possibilidade de se demonstrarem racionalmente as verdades da fé.

occipício. [Do lat. *occipitiu.*] *S. m. Anat.* A parte ínfero-posterior da cabeça; occipúcio, occipital.

occipital. [Do lat. *occipite,* 'occipício', + *-al.*] *Adj. 2 g.* **1.** Relativo ou pertencente ao occipício. ~ V. *osso* —. ● *S. m.* **2.** *Anat.* V. *occipício.*

occipúcio. [Var. de *occipício,* com infl. do lat. (nom.) *occiput.*] *S. m. Anat.* V. *occipício.*

ocê. *Pron. Bras. Pop.* e *fam.* V. *você:* "Ocê falou em sangue de boi..." (Coelho Neto, *Treva,* p. 362.)

oceâneo. [De *oceano* + *-eo.*] *Adj.* V. *oceânico* (1 e 2). [Fem.: *oceânea.* Cf. *Oceânia,* top.]

oceânico. *Adj.* **1.** Relativo ao, ou do oceano. [Sin.: *oceâneo* e (p. us.) *oceano.*] **2.** Que vive no oceano; oceâneo. **3.** Referente à Oceânia. ~ V. *bacia —a, dorsal —a, interceptador —* e *solo —.* [Cf. *ossiânico.*]

oceânides. [Do gr. *okeanís,* pelo lat. *oceanide.*] *S. f. pl. Mitol.* Ninfas ou divindades marinhas, filhas de Oceano e Tétis.

oceano. [Do gr. *Okeanós,* pelo lat. *Oceanu.*] *S. m.* **1.** A vasta extensão de águas salgadas que cobre a maior parte da Terra; mar: "Já no largo oceano navegavam" (Luís de Camões, *Os Lusíadas,* I, 19); *Os rios correm para o oceano.* **2.** Cada uma das grandes porções em que estão divididas as águas do globo terrestre (o Pacífico, que banha as Américas, a Austrália e a Ásia; o Atlântico, que está entre as Américas, a Europa e a África; o Índico, que banha o S. da Índia, a África e a Austrália; o Glacial Ártico, que banha o pólo norte; e o Glacial Antártico, no pólo sul). **3.** *Fig.* Grande quantidade; imensidade; mar: *um oceano de vegetação;* "entra pelos camarotes o vistoso cortejo, e vê-se ondear um oceano de cabeças e de plumas." (Rebelo da Silva, *Contos e Lendas,* p. 175). **4.** *Fig.* Meio onde se encontram perigos, perturbações, agitações: *o oceano das paixões.* ● *Adj.* **5.** *P. us.* V. *oceânico* (1): *mares oceanos.*

oceanografia. [De *oceano* + *-graf(o)-* + *-ia.*] *S. f.* Estudo das características físicas e biológicas dos oceanos e dos mares; oceanologia. [Cf. *talassografia.*] ◆ **Oceanografia biológica.** Ramo da oceanografia que estuda o fenômeno da vida no meio oceânico e nas bacias oceânicas. **Oceanografia física.** Ramo da oceanografia que estuda as propriedades físicas do meio oceânico e das bacias oceânicas, para descrever e explicar os fenômenos físicos ou os aspectos físicos de todos os fenômenos que neles se desenrolam. **Oceanografia geológica.** Ramo da oceanografia que estuda os fenômenos geológicos do meio oceânico e das bacias oceânicas. **Oceanografia química.** Ramo da oceanografia que estuda as propriedades químicas do meio oceânico e das bacias oceânicas, para descrever e explicar os fenômenos químicos ou os aspectos químicos de todos os fenômenos que neles se desenrolam.

oceanográfico. *Adj.* Relativo à oceanografia; oceanológico. ~ V. *navio* —.

oceanografista. *S. 2 g.* V. *oceanógrafo.*

oceanógrafo. [De *oceano* + *-grafo.*] *S. m.* Especialista em oceanografia; oceanografista, oceanólogo.

oceanologia. [De *oceano* + *-log(o)-* + *-ia.*] *S. f.* Oceanografia [q. v.].

oceanológico. *Adj.* Referente à oceanologia; oceanográfico.

oceanólogo. [De *oceano* + *-logo.*] *S. m.* V. *oceanógrafo.*

ocelado. [De *ocelo* (3) + *-ado*[1].] *Adj.* Que tem ocelos; oculado, oculoso, océleo, ocelífero.

ocelar. [De *ocelo* + *-ar*[1].] *Adj. 2 g.* Ocular[2].

océleo. [De *ocelo* + *-eo.*] *Adj. Zool.* V. *ocelado: asas océleas.*

ocelífero. [De *ocelo* + *-i-* + *-fero.*] *Adj.* V. *ocelado: folhas ocelíferas.*

ocelo. [Do lat. *ocellu,* 'olhinho'.] *S. m.* **1.** Olhinho, olhozinho. **2.** *Zool.* V. *estema* (3). **3.** *Biol. Ger.* Cada um dos pontos arredondados e variegados que matizam certos órgãos, como penas, pêlos, asas, folhas, etc.: *os ocelos das penas do pavão.* [Sin., nesta acepç.: *olho.*]

ocidental. [Do lat. *occidentale.*] *Adj. 2 g.* **1.** Do, ou pertencente ou relativo ao, ou próprio do ocidente. **2.** Que fica para o ocidente. **3.** Que habita as regiões do ocidente (2). [Sin., poét., nessas acepç.: *ocíduo.*] ~ V. *muro* — e *Nordeste* —. ● *S. 2 g.* **4.** Natural ou habitante do ocidente. [Antôn.: *oriental.*]

ocidentalização. *S. f.* Ato ou efeito de ocidentalizar(-se).

ocidentalizado. [Part. de *ocidentalizar.*] *Adj.* Que se ocidentalizou; que adquiriu caráter ou feição ocidental.

ocidentalizar. [De *ocidental* + *-izar.*] *V. t. d.* e *p.* Adaptar(-se) à civilização do ocidente.

ocidente. [Do lat. *occidente.*] *S. m.* **1.** O lado onde se vê o desaparecimento diário do Sol; poente, ocaso. **2.** A parte do hemisfério terrestre que fica ao poente. **3.** *Astr.* e *Geog.* V. *oeste* (1 e 2).

ocíduo. [Do lat. *occiduu.*] *Adj. Poét.* **1.** Ocidental (1 a 3). **2.** Que se põe ou chega ao fim: "A um jorro o sol ocíduo em cheio a iluminara." (Alberto de Oliveira, *Poesias,* 2ª série, p. 383).

ócimo. *S. m. Bot.* Gênero de plantas labiadas (*Ocimum*), a que pertencem o manjericão, a alfavaca.

ócio. [Do lat. *otiu.*] *S. m.* **1.** Descanso do trabalho; folga, repouso. **2.** Tempo que se passa desocupado; vagar, quietação, lazer, ociosidade. **3.** Falta de trabalho; desocupação, inação, ociosidade. **4.** Preguiça, indolência, moleza, mandriice, ociosidade. **5.** Trabalho mental ou ocupação suave, agradável.

ociosidade. [Do lat. *otiositate.*] *S. f.* **1.** Qualidade ou estado de ocioso, de quem gasta o tempo inutilmente; inatividade: "Homem que nascera e crescera no trabalho, ..., sentia-se mal naquela ociosidade forçada." (Ranulfo Prata, *Navios Iluminados,* p. 15.) **2.** Preguiça, indolência, moleza. [Sin. ger.: *ócio.*]

ocioso (ô). [Do lat. *otiosu.*] *Adj.* **1.** Que não trabalha; desocupado; inativo: *indivíduo ocioso.* **2.** Em que há ócio: *vida ociosa.* **3.** Que vive na ociosidade (2); preguiçoso, mandrião, vadio. **4.** Improdutivo, improfícuo, estéril: *discussão ociosa.* **5.** Supérfluo, desnecessário, inútil: *palavras ociosas.* ● *S. m.* **6.** Indivíduo ocioso.

ocipodídeo. *S. m.* **1.** Espécime dos ocipodídeos. ● *Adj.* **2.** Pertencente ou relativo a eles.

ocipodídeos. *S. m. pl. Zool.* Caranguejos de hábitos anfíbios, encontrados em águas litorâneas ou em estuários. Carapaça quadrangular e olhos longos, pedunculados, que ocupam toda a borda anterior da carapaça. Entre as espécies mais comuns no Brasil se distinguem: *Ocypode quadrata,* conhecida vulgarmente por *maria-farinha, grauçá* ou *guriçá;* as do gênero *Uca,* vulgarmente conhecidas como *chama-maré, espia-maré* e *chora-maré.* Escondem-se nos buracos que cavam na areia próximo da água.

ocisão. [Do lat. *occisione.*] *S. f. Desus.* Ato de matar; assassínio, assassinato.

ocisivo. [Do lat. *occisu,* part. pass. de *accidere,* 'matar', + *-ivo.*] *Adj. Desus.* **1.** Que mata. **2.** Seguido ou acompanhado de morte: *duelo ocisivo.*

ocitocia. [Do gr. *okys,* 'rápido', + *-toc(o)-* + *-ia.*] *S. f. Obst.* Parto rápido.

ocitócico. [Do gr. *okys,* 'rápido', + *-toc(o)-* + *-ico*[2].] *Adj.* **1.** *Med.* Relativo à ocitocia, ou que se caracteriza por promovê-la. **2.** *Farmac.* Substância que acelera o esvaziamento uterino, estimulando as contrações do miométrio.

▲**oclo-.** [Do gr. *óchlos, ou.*] *El. comp.* = 'multidão, turba': *oclocracia* (< gr. *ochlokratía*), *oclofobia.*

oclocracia. [Do gr. *ochlokratía.*] *S. f.* Governo em que prepondera a plebe, a multidão, ou em que o poder é por ela exercido: "Monarquia ou democracia levam aos mesmos perigos ocasionais do despotismo ou da oclocracia, o império odioso das turbas." (João Ribeiro, *Cartas Devolvidas,* pp. 231-232.)

oclocrático. *Adj.* Relativo à, ou próprio da oclocracia.

oclofobia. [De *oclo-* + *-fob(o)-* + *-ia.*] *S. f.* Horror ou aversão à plebe, à multidão.

oclofóbico. *Adj.* Relativo à oclofobia.

oclófobo. *Adj.* e *s. m.* Que ou aquele que tem oclofobia.

ocluir. [Der. regress. de *oclusão,* por infl. de verbos como *incluir* e *excluir.*] *V. t. d.* **1.** Provocar a oclusão (1) de. **2.** *Fís.-Quím.* Fixar (um gás) no interior de uma massa metálica. [Conjug.: v. *atribuir.*]

oclusão. [Do lat. **occlusione,* formado à maneira de *conclusione, exclusione,* etc.] *S. f.* **1.** Ato de fechar; cerramento, fechamento. **2.** Estado daquilo que se acha fechado. **3.** Obliteração; apagamento, escurecimento: "podia ser uma oclusão passageira da memória e com um pequeno esforço talvez lembrasse." (Godofredo Rangel, *Andorinhas,* p. 53). **4.** *Astr.* Desaparecimento momentâneo dum astro. **5.** *Fís.-Quím.* Sorção de um gás por um metal; fixação de um gás no interior da massa de um metal por meio de adsorção e absorção simultâneas. **6.** *Fon.* Interrupção momentânea ou total da corrente de ar emitida pelos pulmões, determinada pela aproximação completa ou quase completa de dois órgãos supralaríngeos do aparelho fonador. **7.** *Patol.* Obliteração de canal (5), de orifício ou de interior de órgão, parcial ou total, devida a causas diversas e promovida intencionalmente ou não. ◆ **Oclusão intes-**

tinal. *Patol.* Interrupção de trânsito intestinal produzida por obstáculo mecânico.

oclusiva. [Fem. substantivado de *oclusivo.*] *S. f. Fon.* Consoante oclusiva.

oclusivo. [Do lat. *occlusu*, part. de *occludere*, 'fechar', + *-ivo.*] *Adj.* Que produz oclusão. ~ V. *consoante —a.*

ocluso. [Do lat. *occlusu.*] *Adj.* Em que há oclusão; fechado, cerrado: "pálpebras rosadas, quase sempre oclusas, em constante semi-sono." (João Guimarães Rosa, *Sagarana*, p. 3).

oclusor (ô). [De *ocluso* + *-or.*] *Adj.* Que cerra ou fecha uma abertura natural.

ocnácea. *S. f.* Espécime das ocnáceas.

ocnáceas. *S. f. pl. Bot.* Família de plantas superiores, da ordem das parietales, formada de ervas, arbustos e arvoretas, com flores diclamídeas, hermafroditas, pentâmeras, estames em número de 10 ou mais, carpelos livres, com um só estilete. Há perto de 400 espécies tropicais, muitas no Brasil.

ocnáceo. *Adj.* Pertencente ou relativo às ocnáceas.

oco (ô). *Adj.* **1.** Que não tem medula ou miolo. **2.** Vazio, vão, esvaziado. **3.** *Fig.* Sem valor ou importância; fútil, insignificante. [Flex.: *oca* (ô), *ocos* (ô), *ocas* (ô). Cf. *oco, ocas, oca*, do v. *ocar; oca*, s. f., pl. *ocas; Oco*, top. e antr.; e *Oca*, top.] ● *S. m.* **4.** *Bras.* Lugar oco, escavado. [Pl.: *ocos* (ô). Cf. *oco*, do v. *ocar*, e *Oco*, top. e antr.] ♦ **Oco do mundo.** *Bras.* Terras muito distantes; fim do mundo. **Cair no oco do mundo.** *Bras. Pop.* V. *fugir* (1 e 2): "Dali mesmo, se a coragem não lhe faltasse, Vitorino poderia cair no oco do mundo, sem deixar vestígios." (Nélson de Faria, *Tiziu e Outras Estórias*, p. 8.) **Entupir no oco do mundo.** *Bras., AL. Pop.* V. *fugir* (1 e 2).

ocorrência. [Do lat. *occurrentia.*] *S. f.* **1.** Acontecimento, sucesso, acaso. **2.** Circunstância, encontro, ocasião. **3.** *Geol.* Modo por que se apresentam os minerais e rochas.

ocorrente. [Do lat. *occurrente.*] *Adj. 2 g.* Que ocorre, sucede, sobrevém.

ocorrer. [Do lat. *occurrere.*] *V. int.* **1.** Acontecer, suceder; dar-se: *A criação dos cursos jurídicos no Brasil ocorreu em São Paulo, em 1827.* **2.** Aparecer, sobrevir: *Ocorreu um fato novo, que imprimiu um novo aspecto ao crime.* **3.** Vir à memória ou ao pensamento: *Não ocorria solução para o problema.* **4.** *Lit.* Coincidir (duas ou mais festas) no mesmo dia. *T. i.* **5.** Vir ao encontro ou a algum lugar; aparecer, oferecer-se: *Ocorreram ao meu chamado.* **6.** Vir à memória ou ao pensamento; lembrar: *A ninguém ocorreu uma providência;* "Ocorrera-lhe de súbito um expediente sagaz para sair daquela situação difícil." (Alexandre Herculano, *O Monge de Cister*, II, p. 276). **7.** Acudir, prevenir, remediar. **8.** Acontecer, suceder: "Em outubro de 1930 ocorreu-me a aventura do exílio." (Gilberto Freire, *Casa-Grande & Senzala*, I, p. XXIX.)

ocra. [Do gr. *ochra*, pelo lat. *ochra.*] *S. f.* **1.** Argila colorida por óxido de ferro de várias tonalidades pardacentas (vermelhas, amarelas, castanhas), usada em pintura. ● *S. m.* **2.** A cor de tonalidade semelhante à dessa argila. ● *Adj. 2 g. e 2 n.* **3.** Que tem essa cor: *casa ocra.* **4.** Diz-se dessa cor: *chalé de cor ocra.* [Var.: oca (pop.) e ocre (q. v.).]

ocráceo. [De *ocra* + *-áceo.*] *Adj.* Ocreado.

ocre. [Var. de *ocra*, por infl. do fr. *ocre.*] *S. m. e adj. 2 g.* V. *ocra.*

ócrea. [Do lat. *ocrea*, 'perneira', 'polaina'.] *S. f. Morfol. Veg.* Conjunto de estípulas compridas e totalmente concrescentes em bainha, que envolve parte do ramo, acima dos nós, e é peculiar à família das poligonáceas.

ocreado. [De *ocre* + *-ado*[1].] *Adj.* Tirante a ocra (2); ocráceo.

▲ocri-. [Do gr. *ochrós, á, ón.*] *El. comp.* — 'amarelo pardacento': *ocricórneo.* [Equiv.: *ocr(o)-: ocrodermia.*]

ocricórneo. [De *ocri-* + *-corn(e)-* + *-eo.*] *Adj. Zool.* Que tem antenas pardacentas ou amareladas.

▲ocr(o)-. Equiv. de *ocri-.*

ocrocéfalo. [De *ocro-* + *-céfalo.*] *Adj. Zool.* Que tem cabeça amarelada.

ocrodermia. [De *ocro-* + *-derm(o)-* + *-ia.*] *S. f. Patol.* Palidez ou amarelidão da pele.

ocrodérmico. *Adj.* Relativo à ocrodermia.

ocroleuco. [De *ocro-* + *-leuco.*] *Adj. Bot.* De cor amarelo-pálida: *flores ocroleucas.*

ocronose. [De *ocro-* + *-nose.*] *S. f. Med.* Estado clínico que se caracteriza pela deposição de pigmento negro-azulado em cartilagens, tendões e outras estruturas formadas por tecido conjuntivo.

ocrópode. [De *ocro-* + *-pode.*] *Adj. 2 g. Zool.* Que tem pés amarelados.

ocróptero. [De *ocro-* + *-ptero.*] *Adj. Zool.* Que tem asas amareladas.

ocrósporo. [De *ocro-* + *-sporo.*] *S. m. Micol.* Esporo amarelo-pardacento.

octã. [Do lat. **octana*, calcado em *octo*, 'oito', à semelhança de *terçã, quartã*, etc.] *Adj. (f.) e s. f.* ~ V. *febre—.*

octacontaedro. *S. m. Geom.* Poliedro de 80 faces.

octacontágono. *S. m. Geom.* Polígono de 80 lados.

octacosaedro. *S. m. Geom.* Poliedro de 28 faces.

octacoságono. *S. m. Geom.* Polígono de 28 lados.

octadecaedro. *S. m. Geom.* Poliedro de 18 faces.

octadecágono. *S. m. Geom.* Polígono de 18 lados.

octaédrico. *Adj. Geom.* **1.** Relativo a octaedro. **2.** Octaedriforme.

octaedriforme. [De *octaedro* + *-i-* + *-forme.*] *Adj. 2 g.* Que tem a forma de octaedro; octaédrico.

octaedrita. [De *octaedro* + *-ita*[3].] *S. f. Min.* Mineral tetragonal, bióxido de titânio, um dos satélites do diamante. [Sin.: *anatásio* e (bras., pop.) *cericória.*]

octaedro. [Do gr. *oktáedros*, pelo lat. *octaedros.*] *S. m. Geom.* Poliedro de oito faces.

octaetéride. [Do gr. *oktaeterís*, pelo lat. *octaeteride.*] *S. f.* Período de oito anos.

octal. *Adj. 2 g.* ~ V. *base —, número — e sistema —.*

octana[1]. [De *oct(o)-* + *-ana*[3].] *S. f. Quím.* Unidade arbitrária em que se mede a octanagem de um combustível.

octana[2]. *S. f. Quím.* V. *octano.*

octana[3]. [Do lat. **octana* (v. *octã*).] *Adj. (f.) e s. f.* ~ V. *febre —.*

octanagem. *S. f. Quím.* Medida convencional do comportamento antidetonante de um combustível de motor de combustão interna.

octandria. [De *oct(o)-* + *-andria.*] *S. m. Morfol. Veg.* Grupo de plantas que se caracterizam pela presença de oito estames livres.

octandro. [De *oct(o)-* + *-andro.*] *Adj. Morfol. Veg.* Diz-se da flor que tem oito estames.

octangular. [De *oct(o)-* + *angular.*] *Adj. 2 g. Geom.* V. *octogonal* (1 e 3).

octano. [De *octana*[2].] *S. m. Quím.* Hidrocarboneto saturado com oito átomos de carbono, existente no petróleo, líquido, incolor. [Fórm.: C_8H_{18}.]

octante. [Do lat. *octante.*] *S. m.* V. *oitante* (1 e 2).

octantero. [De *oct(o)-* + *-antero.*] *Adj. Morfol. Veg.* Que tem oito anteras.

Octateuco. [Do gr. *Oktáteuchos*, pelo lat. *Octateuchu.*] *S. m.* O conjunto dos oitos primeiros livros do Antigo Testamento.

octeto (ê). [De *oct(o)-* + o final de *dueto, terceto, quarteto*, etc.] *S. m. Mús.* **1.** Composição vocal ou instrumental a oito partes. **2.** Conjunto de música de câmara formado por oito cantores ou oito instrumentistas.

octil. [De *oct(o)-* + *-il.*] *S. m. Estat.* Separatriz de uma distribuição de freqüência que divide a área da distribuição em domínios de área iguais a múltiplos inteiros de um oitavo desta área.

octila. *S. m. Quím.* O radical monovalente derivado do octano de fórmula C_8H_{17}.

octilhão. [De *oct(o)-* + o final de *milhão, bilhão*, etc.] *Num. Mat.* **1.** A quadragésima oitava potência de dez. **2.** A vigésima sétima potência de dez. [A acepç. 2 não é cientificamente recomendável. F. paral.: *octilião.*]

octilião. *Num.* Octilhão.

octingentésimo (zi). [Do lat. *octingentesimu.*] *Num.* **1.** Ordinal e fracionário correspondente a oitocentos; oitocentésimo. ● *S. m.* **2.** Cada uma das 800 partes iguais em que se divide um todo. **3.** Aquele ou aquilo que ocupa o octingentésimo lugar.

▲oct(o)-. [Do gr. *októ.*] *El. comp.* = 'oito'. *octangular, octodátilo.*

octocnemácea. *S. f.* Espécime das octocnemáceas.

octocnemáceas. *S. f. pl. Bot.* Família de plantas floríferas, lenhosas, da ordem das santalales, de folhas alternas, flores unissexuais, perigônio com cinco tépalas, estames em número de cinco, e fruto drupáceo. Há poucas espécies, nenhuma no Brasil.

octocnemáceo. *Adj.* Pertencente ou relativo às octocnemáceas.

octocoraliário. *S. m. e adj.* Alcionário.

octocoraliários. *S. m. pl. Zool.* Alcionários.

octocórneo. [De *oct(o)-* + *-corn(e)-* + *-eo.*] *Adj. Zool.* Que tem oito cornos.

octodáctilo. [De *oct(o)-* + *-dá(c)tilo.*] *Adj. Zool.* Que tem oito dedos. [Var.: *octodátilo.*]

octodátilo. *Adj. Zool.* Var. de *octodáctilo.*

octodo (ô). [De *oct(o)-* + *-odo.*] *S. m. Eletrôn.* Válvula eletrônica com oito eletrodos.

octogenário. [Do lat. *octogenariu.*] *Adj. e s. m.* Que ou aquele que está na casa dos oitenta anos de idade; oitentão: "Vossa Alteza, octogenário, coroado de cãs, porá os seus reais óculos para nos ler aos seus netos" (Ramalho Ortigão, *As Farpas*, II, pp. 7-8); "Outra infâmia de Virgulino [Lampião] foi surrar .... o octogenário Joaquim José dos Santana" (Leonardo Mota, *No Tempo de Lampião*, p. 23).

octogésimo (zi). [Do lat. *octogesimu.*] *Num.* **1.** Ordinal e fracionário correspondente a oitenta. ● *S. m.* **2.** A octogésima parte. **3.** Aquele ou aquilo que ocupa o octogésimo lugar.

octógino. [De *oct(o)-* + *-gino.*] *Adj. Morfol. Veg.* Que tem oito pistilos.

octogonal. [De *octógono* + *-al.*] *Adj. 2 g. Geom.* **1.** Que tem oito ângulos e oito lados; octangular, octógono. **2.** Que tem a forma de octógono (2); oitavado: "era o relógio sem pêndula, octogonal, velho também" (Lima Barreto, *Vida e Morte de M. J. Gonzaga de Sá*, p. 187). **3.** Que tem por base um octógono; octangular, octógono: *prisma octogonal.*

octógono. [De *oct(o)-* + *-gono*[1].] *Adj.* **1.** V. *octogonal* (1 e 3). ● *S. m.* **2.** *Geom.* Polígono de oito lados. **3.** Construção em forma de octógono.

octolépide. [De *oct(o)-* + *-lépide.*] *Adj. 2 g. Morfol. Veg.* Que tem oito escamas.

octolobulado. [De *oct(o)-* + *lóbulo* + *-ado*[1].] *Adj. Morfol. Veg.* Que tem oito lóbulos.

octonado. [De *oct(o)-* + *-n-* + *-ado*[1].] *Adj.* Disposto em grupos de oito.

octonário. [Do lat. *octonariu.*] *Adj. e s. m.* ~ V. *verso —.*

octópode. [De *oct(o)-* + *-pode.*] *Adj. 2 g.* **1.** *Zool.* Que tem oito pés ou tentáculos. **2.** Pertencente ou relativo aos octópodes. ● *S. m.* **3.** Espécime dos octópodes.

octópodes. *S. m. pl. Zool.* Animais metazoários, moluscos, cefalópodes, dibrânquios, subordem *Octopoda*, com oito braços ou tentáculos. No grupo se incluem os argonautas e os polvos.

octorum. [Do ingl. *octoroon.*] *Adj. 2 g. e s. 2 g. Bras.* V. *oitavão.*

octoruno. [Var. de *octorum.*] *Adj. e s. m. Bras. Angl.* V. *oitavão.*

octósporo. [De *oct(o)-* + *-sporo.*] *S. m. Micol.* Esporo que se forma num esporângio que contém oito deles, como se observa em muitas algas superiores.

octossecular. [De *oct(o)-* + *secular.*] *Adj. 2 g.* Que tem oito séculos; oito vezes secular.

octossilábico. *Adj.* Octossílabo (1).

octossílabo. [Do gr. *októ*, 'oito', + *syllabé*, 'sílaba', pelo lat. *octosyllabu.*] *Adj.* **1.** Que tem oito sílabas; octossilábico. ● *S. m.* **2.** Vocábulo ou verso de oito sílabas.

octostêmone. [De *oct(o)-* + *-stêmone.*] *Adj. 2 g. Morfol. Veg.* Que tem oito estames.

octuplicar. [Do lat. *octuplicare.*] *V. t. d.* Multiplicar por oito. [Conjug.: v. *trancar.*]

óctuplo. [Do lat. *octuplu.*] *Num.* **1.** Que é oito vezes maior que outro. ● *S. m.* **2.** Quantidade oito vezes maior que outra: *Quarenta laranjas é o óctuplo de cinco laranjas.*

octupolo. [Do ingl. *octupole.*] *S. m. Eletr.* Sistema neutro de oito cargas elétricas pontuais, quatro positivas e quatro negativas, dispostas simétrica e alternadamente nos vértices dum pequeno cubo.

oculação. [De *ocul(i)-* + *-a-* + *-ção.*] *S. f.* Ato de enxertar numa árvore um olho (10) de outra.

oculado. [Do lat. *oculatu.*] *Adj.* **1.** Que tem olhos. **2.** V. *ocelado.*

ocular[1]. [Fem. substantivado de *ocular*[2] (subentende-se *lente).*] *S. f. Ópt.* Parte de um instrumento óptico destinada a aumentar o ângulo de observação da imagem formada pela objetiva. ♦ **Ocular negativa.** *Ópt.* A que tem o foco objeto situado atrás da lente frontal, e que não pode, por isso, ser utilizada para a observação de objetos reais. **Ocular ortoscópica.** *Ópt.* Ocular positiva de grande aumento e amplo campo, acromática e corrigida para distorção. **Ocular positiva.** *Ópt.* Aquela em que o foco objeto está antes da lente frontal, e que pode ser utilizada para a observação de objetos reais.

ocular[2]. [Do lat. *oculare.*] *Adj. 2 g.* Pertencente ou relativo ao olho ou à vista; ocelar. ~ V. *testemunha —.*

▲ocul(i)-. [Do lat. *oculus, i.*] *El. comp.* = 'olho': *oculífero; oculista.*

oculífero. [De *ocul(i)-* + *-fero.*] *Adj. Zool.* Que tem ou apresenta um olho (1).

oculiforme. [De *ocul(i)-* + *-forme.*] *Adj. 2 g.* Que tem forma de olho.

oculista[1]. [De *óculo(s)* + *-ista.*] *S. 2 g.* Fabricante e/ou vendedor de óculos.

oculista[2]. [De *ocul(i)-* + *-ista.*] *Adj. 2 g.* e *s. 2 g.* Oftalmologista.

oculística. [De *oculista* + *-ica*[2].] *S. f.* Oftalmologia.

óculo. [Do lat. *oculu.*] *S. m.* **1.** Instrumento que permite boa visão a longa distância, constituído de um ou vários tubos, encaixados entre si, com lentes de aumento; óculo-de-alcance, óculo-de-ver-ao-longe, longamira, luneta. **2.** Qualquer instrumento (binóculo, luneta, microscópio, telescópio, etc.) provido de lentes para auxiliar e ampliar a visão. **3.** Abertura circular, provida ou não de vidro: *o óculo do relógio.* **4.** *Arquit.* Abertura ou janela circular ou elíptica, não raro decorativa, destinada à passagem do ar e da luz; olho. **5.** *Mar. Ant.* Abertura feita na portinhola do costado dos navios, pela qual passavam os canos das peças de artilharia no momento de atirar. ~ V. *óculos.* ♦ **Ver por um óculo. 1** Não ver, não lograr (algo). **2.** Não obter, não conseguir, não lograr (o que se está vendo ou almejando). **3.** Ser ludibriado em algo que lhe era devido ou foi prometido.

óculo-de-alcance. *S. m.* V. *óculo* (1). [Pl.: *óculos-de-alcance.*]

óculo-de-ver-ao-longe. *S. m.* V. *óculo* (1). [Pl.: *óculos-de-ver-ao-longe.*]

oculofacial (ò). [De *ocul(i)-* + *-o-* + *facial.*] *Adj. 2 g. Anat.* Relativo a(os) olho(s) e à face.

oculogiração. [De *ocul(i)-* + *-o-* + *giração.*] *S. f. Med.* Movimento do olho em torno do eixo anteroposterior.

oculogiria. [Do *ocul(i)-* + *-o-* + *giro* + *-ia.*] *S. f. Med.* Condição mórbida caracterizada por oculogiração.

oculógiro. [De *ocul(i)-* + *-o-* + *giro.*] *Adj. Med.* **1.** Relativo à oculogiria, ou que se caracteriza por esta condição. **2.** Que causa oculogiria.

óculos. [Pl. de *óculo.*] *S. m. pl.* Lentes usadas em frente dos olhos, providas ou não de aro (2), encaixadas em uma armação, munida de hastes que as prendem ao pavilhão da orelha, e cavalete, que repousa sobre o nariz, as quais servem, geralmente, para correção visual. [Sin. (bras, pop.): *lunetas.* No Brasil, pelo menos, diz-se erroneamente, *o óculos, este óculos, meu óculos.*]

oculoso (ô). [De *ocul(i)-* + *-oso.*] *Adj.* V. *ocelado.*

ocultação. [Do lat. *occultatione.*] *S. f.* **1.** Ato ou efeito de ocultar(-se); encobrimento, escondedura. **2.** *Astr.* Fenômeno do desaparecimento de um astro pela interposição da Lua ou de um planeta entre ele e o observador terrestre.

ocultar. [Do lat. *occultare.*] *V. t. d.* **1.** Não deixar ver; encobrir, esconder: *Ocultou o que tinha nas mãos.* **2.** Não revelar, disfarçar, dissimular, calar: *ocultar uma verdade.* **3.** Esconder fraudulentamente; sonegar: *ocultar rendas. T. d.* e *i.* **4.** Esconder, encobrir: "De que se tratava? De .... ocultar aos tapuios o fim duma viagem que, na opinião íntima e reservada de Macário, não se devia realizar." (Inglês de Sousa, *O Missionário,* p. 209); *Procurou ocultar de mim a triste realidade;* "Temendo a oposição do pundonor ofendido de sua mãe, ocultou dela a ocorrência." (José de Alencar, *Senhora,* p. 195). *P.* **5.** Não se deixar ver por qualquer indício; esconder-se: "Neste poema, ... a dor da pessoa oculta-se sob os véus mais finos e ao mesmo tempo mais indevassáveis." (Carlos Drummond de Andrade, *Passeios na Ilha,* p. 196.)

ocultas. [Fem. substantivado do adj. *oculto.*] *El. s. f. pl.* Us. na loc. adv. *às ocultas.* ♦ **Às ocultas.** De modo oculto; ocultamente, às escondidas, à socapa: "Ora, às ocultas, eu trazia / No seio um livro e lia, lia" (Antônio Nobre, *Só,* p. 65).

ocultável. *Adj. 2 g.* Que pode ou deve ser ocultado.

ocultismo. [De *oculto* + *-ismo.*] *S. m.* **1.** Estudo e/ou prática de artes divinatórias e de fenômenos que parecem não poder ser explicados pelas leis naturais, como, p. ex., a astrologia, a quiromancia, a magia, a telepatia e a levitação; ciências ocultas. **2.** *P. ext.* Hermetismo, esoterismo.

ocultista. *Adj. 2 g.* **1.** Referente ao ocultismo (1). ● *S. 2 g.* **2.** Pessoa adepta do ocultismo, ou que o pratica.

oculto. [Do lat. *occultu.*] *Adj.* **1.** Escondido, encoberto. **2.** Não devassado; inexplorado, desconhecido: *as regiões ocultas da Terra* **3.** Não manifesto; recôndito, secreto: *pensamentos ocultos;* "Ninguém te viu o sentimento inquieto, / Magoado, oculto, aterrador, secreto, / Que o coração te apunhalou no mundo." (Cruz e Souza, *Últimos Sonetos,* p. 18.) **4.** Misterioso, sobrenatural. ~ V. *amigo* —, *ciências* —*as* e *sujeito* —.

ocupação. [Do lat. *occupatione.*] *S. f.* **1.** Ato de ocupar, ou de se apoderar de algo; posse. **2.** Ato de ocupar-se, de trabalhar em algo. **3.** Atividade, serviço ou trabalho manual ou intelectual realizado por um período de tempo mais ou menos longo. **4.** Ocupação (1), ofício ou função remunerada; trabalho, serviço: *ocupação rendosa; ocupação de tempo integral.* **5.** V. *ofício* (4). **6.** *Jur.* Ato de apoderar-se alguém, legalmente, de coisa móvel (ou semovente) sem dono, ou porque ainda não foi apropriada, ou por haver sido abandonada. [Cf., nesta acepç., *derrelição.*]

ocupacional. *Adj. 2 g.* Referente a ocupação, trabalho, ofício. ~ V. *terapêutica* — e *terapia* —.

ocupado. [Part. de *ocupar.*] *Adj.* **1.** Que se ocupa; que tem ocupação ou trabalho em via de fazer. **2.** Absorvido ou preocupado com alguma tarefa. **3.** Em que há muito que fazer: *Terei a tarde ocupada.* **4.** Que não está livre ou vago; preenchido: *lugar ocupado.* **5.** De que se tomou posse: *cargo ocupado.* **6.** Obtido por concessão ou conquista; tomado: *Os países ocupados sublevaram-se.* ~ V. *banda* —*a.*

ocupador (ô). *Adj.* e *s. m. P. us.* Ocupante.

ocupante. [Do lat. *occupante.*] *Adj. 2 g.* e *s. 2 g.* Que ou pessoa que ocupa. [Sin., p. us.: *ocupador.*]

ocupar. [Do lat. *occupare.*] *V. t. d.* **1.** Estar ou ficar na posse de; exercer: *Ocupa alto cargo público.* **2.** *P. ext.* Invadir; conquistar: *Em 1940 os alemães ocuparam parte da França;* "O Q.G. revolucionário ocupou as estações de rádio" (Clóvis Ramalhete, *O Anjo Torto,* p. 14). **3.** Tomar ou encher (algum lugar no espaço); cobrir todo o espaço de: "Passei a morar na Universidade, ocupando um espaçoso apartamento" (José Leventhal, *A Terceira Base,* p. 18); *Os convidados ocuparam todas as salas.* **4.** Consumir o tempo ou a duração de; tomar; levar: *A seção de eleição ocupou uma tarde inteira.* **5.** Ter ou possuir por direito, convenção, etc: *O nome de Manuel Bandeira ocupa lugar importante em nossas letras.* **6.** Fazer uso de; empregar; aproveitar: *Quer ocupar suas horas de folga; Ocupa o tempo em ninharias.* **7.** Dar trabalho ou ocupação a: *Ocupa excessivamente os seus subordinados.* **8.** Ser objeto de; fixar, atrair: *O ator coadjuvante ocupou todo o tempo a atenção do público. Int.* **9.** *Pop.* Ficar grávida (a mulher). *P.* **10.** Aplicar a atenção ou os cuidados em alguma coisa; dedicar-se a; cuidar: "Conversavam entre si as doentes que se ocupavam no tricô." (Antônio Olavo Pereira, *Fio de Prumo,* p. 105); "Eugêncio se ocupava às vezes em escrever algumas cousas, que não eram seus temas de latim" (Bernardo Guimarães, *O Seminarista,* p. 55); "ocupava-se sempre dos seus cavalos, do seu luxo" (Eça de Queirós, *Os Maias,* p. 195); *Não se ocupa com frivolidades.*

od. [Do al.; voc. cunhado pelo Barão Karl-Ludwig von Reichenbach.] *S. m.* Força que se supõe difundir-se por toda a natureza, produzindo os fenômenos do magnetismo, hipnotismo, mesmerismo, etc. [Cf. *ode.*]

odalisca. [Do turco *odalik,* 'camareira', pelo fr. *odalisque.*] *S. f.* **1.** Camareira escrava, a serviço das mulheres de um sultão. **2.** Mulher de harém. **3.** *P. ext.* Mulher morena e bonita.

ode. [Do gr. *odés,* 'canto[2]', pelo lat. *ode.*] *S. f.* **1.** Entre os antigos gregos, composição em verso que se destina a ser cantada: *as odes de Píndaro, a bela "Ode à língua Portuguesa" de José de Albano.* **2.** Composição poética de caráter lírico, composta de estrofes simétricas. [Cf. *od.*]

odeão. [De *odéon* < gr. *odeîon.*] *S. m. Teat.* **1.** Entre os antigos gregos, teatro coberto destinado às audições de poetas e músicos. **2.** Auditório para espetáculos teatrais, cinematográficos, para concertos, atos de variedades, etc. [F. paral.: *odéon* e *odeom.*]

odeom. *S. m.* V. *odeão.*

odéon. *S. m.* V. *odeão.*

odiar. [De *ódio* + *-ar*[2].] *V. t. d.* **1.** Ter ódio a; detestar; aborrecer, abominar. **2.** Sentir aversão ou repugnância a; aborrecer profundamente; desprezar. *T. d.* e *i.* **3.** Intrigar, indispor, inimizar: *Perverso, odiou o filho com o pai. Int.* **4.** Ter ou sentir ódio: "Nunca [Ramalho Ortigão] odiou. Quase inútil é dizer que nunca invejou." (Eça de Queirós, *Notas Contemporâneas,* p. 35.) *P.* **5.** Sentir raiva de si mesmo. **6.** Ter ódio recíproco: "entre as duas famílias, corriam ainda litígios de partilhas que contavam setenta anos. Odiavam-se reciprocamente." (Camilo Castelo Branco, *Noites de Insônia,* I, p. 73). [Irreg. Pres. ind.: *odeio, odeias, odeia, odiamos, odiais, odeiam;* imperat.: *odeia, odiai,* etc.; pres. subj.: *odeie, odeies, odeie, odiemos, odieis, odeiem.*]

odiento. *Adj.* **1.** Que tem ou guarda ódio; rancoroso: *homem odiento; caráter odiento.* **2.** Que envolve ou revela ódio ou paixões rancorosas; odioso: *atitudes odientas.*

▲odin(o)-. [Do gr. *odís, înos.*] *El. comp.* = 'dor', 'dor física', 'dor moral', 'tristeza': *odinofagia.* [Equiv.: *-odin(o)-: miodinia.*]

▲-odin(o)-. Equiv. de *odin(o)-.*

odinofagia. [De *odin(o)-* + *-fag(o)-* + *-ia.*] *S. f. Patol.* Deglutição dolorosa.

odinofágico. *Adj.* Referente à odinofagia.

ódio. [Do lat. *odiu.*] *S. m.* **1.** Paixão que impele a causar ou desejar mal a alguém; execração, rancor, raiva, ira: "Ódio são! ódio bom! sê meu escudo / Contra os vilões do Amor, que infamam tudo, / Das sete torres dos mortais Pecados!" (Cruz e Sousa, *Últimos Sonetos,* p. 138). **2.** Aversão a pessoa, atitude, coisa, etc.; repugnância, antipatia, desprezo, repulsão: *ódio aos desonestos; ódio à violência.*

odiosidade. *S. f.* **1.** Qualidade de odioso. **2.** Aversão, ódio.

odioso. (ô). [Do lat. *odiosu.*] *Adj.* **1.** Digno de ódio; detestável, execrável: "Baco odioso em sonhos lhe aparece" (Luís de Camões, *Os Lusíadas,* VIII, 47). **2.** Repelente, repulsivo, desprezível. **3.** Odiento (2): *semblante odioso.* **4.** Reprovável, condenável: *Era odioso o tratamento dado aos presos.* ● *S. m.* **5.** Aquilo que provoca ódio.

odisséia. [Do gr. *Odysseía.*] *S. f.* **1.** Poema do grego Homero [v. *homérico*], cujo assunto são as aventuras de Ulisses ao retornar à pátria, após a tomada de Tróia. **2.** *Fig.* Viagem cheia de peripécias e aventuras. **3.** *Fig.* Narração de aventuras extraordinárias. **4.** *Fig.* Série de complicações, peripécias ou ocorrências singulares, variadas e inesperadas: "uma odisséia romanesca de aventuras e de reveses" (Latino Coelho, *Cervantes,* p. 45); "contou-me toda a sua trabalhosa odisséia de prisões e de degredos" (Eça de Queirós, *Prosas Bárbaras,* p. 34).

odivelense. *Adj. 2 g.* **1.** De, ou pertencente ou relativo a São Caetano de Odivelas (PA). ● *S. 2 g.* **2.** Natural ou habitante de São Caetano de Odivelas.

▲-odo. Equiv. de *hodo-.*

odoiá. [Do ioruba.] *S. m. Bras.* Saudação a Iemanjá.

odonaide. *S. f.* Náiade (2).

odonata. *S. f. Bras.* V. *libélula.*

odonato. [Do gr. *odón,* f. jônica de *odoús,* 'dente', + *-ato*[1].] *S. m.* **1.** Espécime dos odonatos. ● *Adj.* **2.** Pertencente ou relativo a eles. [Sin. ger.: *arquíptero, libelulóideo, paraneuróptero, pseudoneuróptero.*]

odonatos. *S. m. pl. Zool.* Animais artrópodes, da classe dos insetos, pterigotos, ordem *Odonata,* predadores, providos de aparelho bucal mastigador, asas membranosas, estreitas, com numerosas nervuras, abdome longo, cilíndrico, olhos muito grandes, vôo rápido. São hemimetabólicos, depositam os ovos em plantas submersas ou na água, onde se criam as formas jovens, do tipo campodeiforme, denominadas *náiades* ou *adonaides.* O povo dá ao espécime os nomes de *lavadeira, cavalinho-de-judeu,* etc. [Sin.: *arquípteros, libelulóideos, paraneurópteros, pseudoneurópteros.*]

odontagra. [De *odont(o)-* + *-agra.*] *S. f. Odont.* Dor de dente ligada à gota.

odontalgia. [Do gr. *odontalgía.*] *S. f. Odont.* Dor de dente.

odontálgico. *Adj.* Relativo a odontalgia.

odontatrofia. [De *odont(o)-* + *-atrofia.*] *S. f. Odont.* Atrofia dentária.

odontatrófico. *Adj.* Relativo à odontatrofia.

▲-odonte. V. *odont(o)-.*

▲-odont(e)-. V. *odont(o)-.*

odontíase. [Do gr. *odontíasis.*] *S. f. Odont.* **1.** Irrupção natural dos dentes; nascença dos dentes; dentição. **2.** Distúrbio causado por odontíase (1).

odontite. [De *odont(o)-* + *-ite*[1].] *S. f. Odont.* Inflamação de dente(s).

▲odont(o)-. [Do gr. *odons, odóntos.*] *El. comp.* = 'dente': *odontologia; odontagra.* [Equiv.: *-odont(e)-, -odonte: endodontia, leptodonte.*

odontoceto. [De *odont(o)-* + *-ceto.*] *S. m.* **1.** Espécime dos odontocetos. ● *Adj.* **2.** Pertencente ou relativo a eles.

odontocetos. *S. m. pl. Zool.* Animais metazoários cordados, vertebrados, mamíferos, cetáceos, subordem *Odontoceti,* providos de dentes e com uma narina única.

odontogenia. [De *odont(o)-* + *-gen(o)-*[1] + *-ia.*] *S. f.* Desenvolvimento ou formação dos dentes; odontose.

odontogênico. *Adj.* Relativo à odontogenia.

odontografia. [De *odont(o)-* + *-graf(o)-* + *-ia.*] *S. f. Odont.* Descrição dos dentes.

odontográfico. *Adj.* Referente à odontografia.

odontóide. [Do gr. *odontoeidés.*] *Adj. 2 g.* Que tem

forma de dente; odontóideo.

odontóideo. *Adj.* Odontóide.

odontolando. [De *odont(o)-* + a term. de *bacharelando, doutorando, formando,* etc., que se baseiam em verbos, o que não se dá com *odontolando.* É, pois, uma f. irreg.] *S. m. Bras.* Aquele que está prestes a graduar-se em odontologia.

odontólite. [De *odont(o)-* + *-lite.*] *S. m.* Depósito calcário que se forma nos dentes; tártaro.

odontolitíase. [De *odont(o)-* + *-litíase.*] *S. f. Odont.* Presença de odontolito(s).

odontolito. *S. m. Odont.* V. *odontólito.*

odontólito. [De *odont(o)-* + *-lito.*] *S. m. Odont.* Cálculo (4) dentário.

odontologia. [De *odont(o)-* + *-log(o)-* + *-ia.*] *S. f.* **1.** Parte da medicina que trata dos dentes e da sua higiene e afecções. **2.** Conjunto de ciências que se estudam para o exercício da profissão de cirurgião-dentista.

odontológico. *Adj.* Relativo à odontologia.

odontologista. *S. 2 g.* **1.** Pessoa que se ocupa de odontologia; odontólogo. **2.** Cirurgião-dentista; dentista, odontólogo.

odontólogo. [De *odont(o)-* + *-logo.*] *S. m.* V. *odontologista.*

odontoma. [De *odont(o)-* + *-oma.*] *S. m. Odont.* Qualquer tumor de origem dentária.

odontopleurose. [De *odont(o)-* + *-pleur(o)-*[1] + *-ose.*] Operação pela qual se preenche uma cavidade dentária.

odontorragia. [De *odont(o)-* + *-ragia.*] *S. f. Odont.* Hemorragia de origem dentária.

odontorrágico. *Adj.* Respeitante à odontorragia.

odontoscopia. [De *odont(o)-* + *-scop-* + *-ia.*] *S. f. Odont.* **1.** Exame por meio de odontoscópio. **2.** Tomada de impressão das bordas cortantes dos dentes como meio de identificação pessoal.

odontoscópico. *Adj.* Relativo à odontoscopia.

odontoscópio. [De *odont(o)-* + *-scop-* + *-io*[2].] *S. m. Odont.* Espelho especial usado no exame dos dentes.

odontose. [De *odont(o)-* + *-ose.*] *S. f. Odont.* **1.** Odontogenia. **2.** Afrouxamento de implantação dentária por periodontoclasia.

odontóstomo. [De *odont(o)-* + *-stomo.*] *Adj. Zool.* Diz-se dos moluscos que têm a abertura da concha denteada.

odor (ô). [Do lat. *odore.*] *S. m.* **1.** Impressão produzida no olfato pelas emanações voláteis dos corpos; cheiro: *mau odor.* **2.** Cheiro agradável; aroma, perfume, fragrância, olor: *odor de rosas;* "Chegas sutil e sem rumores... / E até sinto o *odor* profundo / no qual eu sôfrego me imundo" (Ascenso Ferreira, *Catimbó e Outros Poemas,* p. 136). [Pl.: *odores* (ô). Cf. *odores,* do v. *odorar.*] ◆ **Odor de santidade.** Cheiro de santidade.

odorante. [Do lat. *odorante.*] *Adj. 2 g.* Que exala odor (2); cheiroso, aromático; perfumado, odorífero, odorífico, odoroso, odoro, oloroso, olente: *plantas odorantes;* "Sonhei: de novo suspirava o vento / Das tílias sob a cúpula *odorante*" (Gonçalves Crespo, *Obras Completas,* p. 256).

odorar. [Do lat. *odorare.*] *V. int.* **1.** *Desus.* Exalar odor ou cheiro; ter aroma; cheirar. *T. d.* **2.** Tornar cheiroso, odorante; aromatizar: "Mirtos e tamarindos / *Odoram* a lonjura" (Mário de Sá-Carneiro, *Poesias,* p. 82). [Pres. subj.: *odore, odores,* etc. Cf. *odores* (ô), pl. de *odor.*]

▲**odori-.** [Do lat. *odor, oris.*] *El. comp.* = 'cheiro', 'odor': *odorífico, odorifumante.*

odorífero. [Do lat. *odoriferu.*] *Adj.* V. *odorante:* "a madressilva, a rosa agreste, o rosmaninho e toda a casta de boninas teciam um tapete *odorífero* e imenso." (Alexandre Herculano, *Lendas e Narrativas,* I, p. 291).

odorífico. [De *odori-* + *-fico.*] *Adj.* V. *odorante.*

odorifumante. [De *odori-* + *fumante.*] *Adj. 2 g. Poét.* Que exala fumo cheiroso: "Aos pés do deus, na pedra côncava da ara, arde, *odorifumante,* o fogo sacro." (Martins Fontes, *A Dança,* p. 12.)

odoro. [Do lat. *odoru.*] *Adj.* V. *odorante:* "Se no fogo se abrasa, se enovela / O *odoro* incenso, remontando aos céus" (Gonçalves Dias, *Obras Poéticas,* II, p. 400).

odoroso (ô). *Adj.* V. *odorante;* "Alva do albor dos lírios *odorosos,* / Tem a modéstia da violeta esquiva" (Gonçalves Dias, *Obras Poéticas,* I, p. 353).

odraria. *S. f.* Loja ou oficina de odreiro.

odre (ô). [Do lat. *utre.*] *S. m.* **1.** Saco feito de pele e destinado ao transporte de líquidos; pele: "pondo sobre seus animais *odres* velhos com água, e sacos velhos com pão duro, e feito pedaços, se partiram de Gábaon" (Fr. Pantaleão de Aveiro, *Itinerário da Terra Santa,* p. 418). **2.** Pessoa muito gorda. **3.** V. *ébrio* (8).

odreiro. [Do lat. *utrariu.*] *S. m.* Fabricante e/ou vendedor de odres.

odu. [Do iorubá.] *S. m.* No jogo do opelê-ifá, o valor de cada uma das sementes ou dos búzios, conforme a sua disposição.

odudua. *S. f. Bras.* Divinização iorubana da Terra e mulher de Obatalá, o Céu.

■ **Oe.** *Fís.* Símb. de *oersted.*

oecdinemídeo. *S. m.* e *adj.* Buriniídeo.

oecdinemídeos. *S. m. pl. Zool.* Buriniídeos.

oeirana. *S. f. Bras., Amaz.* Árvore da família das euforbiáceas *(Alchornea castaneafolia),* de folhas coriáceas, serruladas e peninérveas, cujas flores, inconspícuas, se reúnem em espigas pêndulas e unissexuais, que vão a 20 cm, e cujas cápsulas têm apenas 8 mm e são pilosiúsculas.

oeirense. *Adj. 2 g.* **1.** De, ou pertencente ou relativo a Oeiras (PI). ● *S. 2 g.* **2.** Natural ou habitante de Oeiras.

oersted. [Do antr. *Oersted,* de Hans Christian Oersted, físico dinamarquês (1777-1851).] *S. m. Fís.* Unidade de medida de intensidade de campo magnético, no sistema c.g.s. eletromagnético, igual ao quociente de 1.000 por 4 π ampère-espira por metro, ou a um *gilbert* por centímetro. [Pl.: *oersteds.* Símb.: *Oe.*]

oés-noroeste. [De *oés,* f. abrev. de *oeste,* + *noroeste.*] *S. m.* **1.** *Astr.* Ponto do horizonte a meia distância angular do O. e do N.O. [Abrev.: *O.N.O.* ou *W.N.W.*] **2.** Vento que sopra desse ponto.

oés-sudoeste. [De *oés,* f. abrev. de *oeste,* + *sudoeste.*] *S. m.* **1.** *Astr.* Ponto do horizonte a meia distância angular do O. e do S.O. [Abrev.: *O.S.O.* ou *W.S.W.*] **2.** Vento que sopra desse ponto.

oeste. [Do anglo-saxão *west,* pelo fr. *ouest.*] *S. m.* **1.** *Astr.* Ponto da esfera celeste [q. v.] situado do lado do ocaso dos astros, e que é a interseção do primeiro vertical com o horizonte real. **2.** *Geog.* Ponto cardeal situado à esquerda do observador voltado para o norte (2). [Sin. (nessas acepç.): *ocidente, poente.*] **3.** Região ou regiões situadas a oeste. **4.** O vento que sopra do oeste. ● *Adj. 2 g.* e *2 n.* **5.** Relativo ao oeste (1 e 2), ou dele procedente: *vento oeste.* **6.** Situado a oeste (1 e 2): *região oeste.* [Abrev.: *O.* ou *W.*]

oestrídeo. *S. m.* e *adj.* V. *estrídeo.*

oestrídeos. *S. m. pl. Zool.* V. *estrídeos.*

ofaié. *Bras. s. 2 g.* **1.** Indivíduo dos ofaiés, tribo indígena extinta que habitou o S.E. do MT. ● *Adj. 2 g.* **2.** Pertencente ou relativo a essa tribo. [Sin. ger.: *opaié-xavante.*]

ofegante. *Adj. 2 g.* **1.** Que está a ofegar; arquejante, arfante. **2.** Cansado, exausto. **3.** *Fig.* Próprio de pessoa ofegante (1); ansioso, anelante: "a respiração *ofegante* erguia-lhe sobre o peito os colares de conta." (Eça de Queirós, *A Capital,* p. 209). [Sin. ger.: *ofegoso, ofeguento.*]

ofegar. *V. int.* **1.** Respirar a custo, com freqüentes perturbações e com ruído produzido pelo cansaço; arquejar: "eu todo *ofegava,* de narinas acesas como um animal fogoso" (Luís Jardim, *As Confissões do Meu Tio Gonzaga,* p. 90). **2.** Produzir um ruído semelhante ao do ofego: *O trem ofegava serra acima.* **3.** Estar ansioso; estar anelante. [Conjug.: v. *regar.* Pres. ind.: *ofego.* etc. Cf. *ofego* (ê).]

ofego (ê). [Dev. de *ofegar.*] *S. m.* **1.** Respiração difícil e/ou ruidosa; arfagem, arquejo: "tinha o semblante demudado e a voz entrecortada pelos *ofegos* do largo peito hirsuto." (Afonso Arinos, *Pelo Sertão,* p. 179). **2.** Exaustão, canseira, cansaço. [Pl.: *ofegos* (ê). Cf. *ofego,* do v. *ofegar.*]

ofegoso (ô). *Adj.* V. *ofegante.*

ofeguento. *Adj.* V. *ofegante.*

ofendedor (ô). [De *ofender* + *-(d)or.*] *Adj.* e *s. m.* Ofensor.

ofender. [Do lat. *offendere.*] *V. t. d.* **1.** Fazer mal a; lesar: *A punhalada ofendeu-o gravemente;* "Somente ao tronco, que devassa os ares, / O raio *ofende!*" (Gonçalves Dias, *Obras Poéticas,* II, p. 21). **2.** Causar mal físico a; ferir: "A bala *ofendera*-lhe um órgão qualquer lá dentro" (Viriato Correia, *Novelas Doidas,* p. 68). **3.** Fazer mal a, ferir ou atacar (em combate). **4.** Romper; estragar: *A pancada ofendeu-lhe as vestes.* **5.** Fazer ofensa (1) a; injuriar, melindrar; afrontar, agravar: *O mais leve gracejo o ofende;* "*Ofendi*-te. E, depois, vejo-te humildemente / Chorar" (Vicente de Carvalho, *Poemas e Canções,* p. 44). **6.** Desgostar, escandalizar; magoar; desagradar. **7.** Ferir a suscetibilidade ou os sentimentos de; chocar; contrariar; molestar. **8.** Ir contra as regras ou preceitos de; contrariar: *atos que ofendem a moral.* **9.** *Bras.* V. *estuprar. P.* **10.** Dar-se por ofendido, injuriado, agravado. **11.** Escandalizar-se; chocar-se.

ofendículo. [Do lat. *offendiculu.*] *S. m.* **1.** Estorvo, embaraço, empecilho. **2.** Objeto que faz tropeçar.

ofendido. [Part. de *ofender.*] *Adj.* **1.** Que recebeu ou sofreu ofensa [q. v.]: *O cavalheiro ofendido pediu desforra; Com o tiro, o braço ficou-lhe ofendido: Teve os seus direitos ofendidos.* [Sin. p. us.: *ofenso.*] ● *S. m.* **2.** Aquele que sofreu ou recebeu ofensa ou dano; vítima.

ofensa. [Do lat. *offensa.*] *S. f.* **1.** Injúria, agravo, ultraje, afronta. **2.** Lesão, dano. **3.** Desconsideração, desacato; menosprezo. **4.** Postergação de preceitos; violação de regras; transgressão; pecado, falta. **5.** Mágoa ou ressentimento de pessoa ofendida.

ofensiva. [Fem. substantivado de *ofensivo.*] *S. f.* **1.** Ato ou situação de quem ataca; ataque, assalto, acometimento, acometida, agressão, investida. **2.** Iniciativa no ataque: *tomar a ofensiva.*

ofensivo. [Do lat. *offensu,* part. pass. de *offendere,* 'ofender', + *-ivo.*] *Adj.* **1.** Que ofende, ataca, ou serve para atacar; agressivo: *arma ofensiva; guerra ofensiva.* **2.** Que ofende moralmente; lesivo, prejudicial; danoso.

ofenso. [Do lat. *offensu.*] *Adj.* Ofendido.

ofensor (ô). [Do lat. *offensore.*] *Adj.* e *s. m.* Que, aquele ou aquilo que ofende; agressor, ofendedor.

oferecedor (ô). *Adj.* e *s. m.* Que ou aquele que oferece; oferente.

oferecer. [Do lat. **offerescere,* incoativo de *offerre,* 'levar para diante', 'oferecer'.] *V. t. d.* **1.** Apresentar ou propor para que seja aceito: *oferecer hospedagem; Tomando conhecimento da situação crítica, ofereceu os seus préstimos.* **2.** Apresentar à vista ou ao espírito; expor; exibir: *Sua extrema elegância oferecia triste contraste com a pobreza local;* "Afogada no luar a cidade *oferecia* um aspecto de paz serena" (Lima Barreto, *Numa e a Ninfa,* p. 137). **3.** Apresentar para algum fim: *Ofereceu a própria vida para salvar a do filho.* **4.** Proporcionar; apresentar; dar: *Estes móveis oferecem conforto. T. d. e i.* **5.** Apresentar ou propor para que seja aceito. **6.** Dar como oferta, mimo ou presente: *Ofereceu um prêmio ao vencedor;* "Moças *ofereceram* ramilhetes às mulheres que nos acompanhavam." (Graciliano Ramos, *Viagem,* p. 29). **7.** Apresentar para algum fim: *Ofereceu a vida à pátria.* **8.** Proporcionar, apresentar, dar: "Pio IX *oferecia* resistências à Concordata." (Afonso Arinos de Melo Franco, *Amor a Roma,* p. 33.) **9.** Expor, exibir: "Raparigas de cor .... *ofereciam* aos olhos dos homens o busto moreno meio nu" (Inglês de Sousa, *O Missionário,* p. 407). **10.** Dedicar, dizer ou fazer com intenção religiosa; ofertar: *oferecer preces ao Senhor.* **11.** Imolar, sacrificar: *Os pagãos ofereciam vidas humanas às divindades. P.* **12.** Mostrar-se, apresentar-se: *Nenhuma solução se oferecia.* **13.** Propor-se, prestar-se a, ou convir em fazer (alguma coisa). **14.** Vir à lembrança, à memória; ocorrer: *Nada se me ofereceu a este propósito.* **15.** Vir ou aparecer a tempo; suceder, acontecer. **16.** Fazer dom de si mesmo; dar-se, entregar-se: "A todo o momento parecia [Leonor Teles] *oferecer-se,* fácil, como as flores *oferecem* sua beleza e as fontes sua água livre." (Antero de Figueiredo, *Leonor Teles,* pp. 40-41). [Conjug.: v. *aquecer.*]

oferecido. [Part. de *oferecer.*] *Adj.* **1.** Apresentado ou proposto para ser aceito. **2.** Exposto, exibido. **3.** Diz-se de pessoa, especialmente de mulher, que se dá facilmente, ou que, pelos seus modos, parece fazê-lo. **4.** Que se oferece aos olhos como que entregando-se, sem mistérios, sem segredos: "Ubatuba é alegre. Cidade aberta, *oferecida,* simples, derramada" (Antônio Carlos Vilaça, *O Nariz do Morto,* p. 146).

oferecimento. *S. m.* **1.** Ato ou efeito de oferecer(-se). **2.** Expressão da vontade de servir, de ser útil ou agradável a alguém: *oferecimento de sua pessoa.* **3.** Dedicatória: *oferecimento de um livro.*

oferenda. [Do lat. *offerenda.*] *S. f.* **1.** Objeto ou coisa qualquer que se oferece; presente, dádiva, oferta: "nunca aceitava dinheiro; quando muito, pequenas *oferendas* para o seu vestuário e mantimento" (Domingos Monteiro, *Contos do Natal,* p. 46). **2.** Oferta piedosa; oblata, oblação: "calculava.... as lâmpadas e as flores, e as *oferendas,* que cercariam o altar onde pousassem os seus ossos!" (Eça de Queirós, *Últimas Páginas,* p. 308).

oferendar. *V. t. d.* Fazer oferenda de; ofertar.

oferente. [Do lat. *offerente.*] *Adj. 2 g.* e *s. 2 g.* Oferecedor.

oferta. [Do lat. **offerta,* por *oblata,* part. pass. de *offerre.*] *S. f.* **1.** Ato de oferecer(-se); oferecimento. **2.** Aquilo que se oferece; oferenda, dádiva, oblação. **3.**

Retribuição de certos atos litúrgicos. **4.** *Liter.* A quadra final da balada[1], onde ordinariamente o poeta fazia oferecimento do poema a alguém; ofertório. **5.** *Econ.* Apresentação de mercadorias ou de serviços de determinada espécie, como objeto próprio de transação. **6.** *Bras.* Mercadoria anunciada como de preço modicíssimo.

ofertar. *V. t. d. e t. d. e i* **1.** Dar como oferta; oferecer: *Gosta de* o f e r t a r *livros;* O f e r t o u *uma bela gravata ao velho amigo. P.* **2.** Dar-se; oferecer-se: "E, na sua nudez, o f e r t a n d o - s e, fica / Diante dele, a ofegar, orvalhada, impudica!" (Martins Fontes, *Verão*, p. 76.)

ofertório. [Do lat. *offertoriu,* 'lugar onde se sacrifica'.] *S. m.* **1.** *Lit.* A parte da missa em que se oferece a Deus o pão e o vinho. **2.** *Lit.* Oração que antecede ou acompanha essa oblação. **3.** *Lit.* Trecho musical que se executa entre o Credo e o Sanctus. **4.** Ato de angariar ofertas para festas de igreja. **5.** *Liter.* Oferta (4). **6.** *P. ext.* Dádiva, doação, oferecimento, oferenda, oferta.

➧**office-boy** (ófç'-bói). [Ingl.] *S. m.* Moço de recados.

➧**off-line** (óf-láine). [Ingl.] *Adj. Proc. Dados.* **1.** Diz-se do equipamento que não opera em comunicação direta ou sob controle do computador: fora da linha, autônomo. **2.** Diz-se, em transmissão de dados, do estado de um equipamento quando este não está conectado à rede de telecomunicações· desconectado da linha.

➧**off-set.** [Ingl.] *S. m.* V. *ofsete.*

➧**off-side** (óf-sáid'). [Ingl.] *Fut.* V. *impedimento* (4).

ofíase. [Do gr. *ophíasis,* 'cobra'.] *S. f. Patol.* Alopecia em que os cabelos e outros pêlos do corpo caem por parte, deixando sinal que lembra sulco calcado no solo pela passagem da serpente.

oficalcito. [De *ofi(o)-* + *-calc(o)-* + *-ito*[2].] *S. m. Pet.* Rocha esverdeada, rica em serpentina, de estrutura brechada, com cimento de carbonato de cálcio; ofiólito. [É tb. chamado, erroneamente, *mármore verde.*]

oficiador (ô). *Adj.* e *s. m.* **1.** Diz-se de, ou aquele que oficia. **2.** V. *oficiante.*

oficial. [Do lat. *officiale.*] *Adj. 2 g.* **1.** Proposto por autoridade, ou emanado dela: conforme as ordens legais; *documento* o f i c i a l. **2.** Relativo à autoridade legalmente constituída, ou dela emanado: *ato* o f i c i a l. **3.** Relativo às pessoas pertencentes ao alto funcionalismo, aos altos dignitários: *visita* o f i c i a l· *reunião* o f i c i a l. **4.** Relativo ao funcionalismo público; burocrático. **5.** Oficializado (2). ~ V. *câmbio* — e *publicação* —. ● *S. m.* **6.** Aquele que tem um ofício ou emprego. **7.** Operário que conhece bem o seu ofício. **8.** Indivíduo que, exercendo um ofício, tem categoria inferior à de mestre: o f i c i a l *de carpintaria.* **9.** *Desus.* Funcionário de graduação superior à de amanuense. **10.** Dignitário de certas ordens honoríficas. **11.** Empregado inferior judicial ou administrativo, a quem cabe fazer citações, intimações, etc. **12.** Qualquer militar das forças armadas ou da polícia militar de nível hierárquico acima de aspirante (no Exército, na Aeronáutica e na Polícia Militar) ou de guarda-marinha (na Marinha de Guerra). [Na marinha mercante são considerados oficiais: os capitães de longo curso e de cabotagem; o 1º e o 2º pilotos; o 1º, o 2º e o 3º maquinistas-motoristas; o 1º e o 2º comissários; e o 1º e o 2º telegrafistas. Cf. *hierarquia militar.* Fem. (da acepç. 6 a 12): *oficiala.*] **13.** *Ant.* Pessoa que, a bordo das naus, galeões e outros navios, desempenhava determinados serviços de importância, como eram, p. ex., o capitão, o piloto, o sota-piloto, o mestre, o contramestre, o guardião, o calafate, o condestável. ♦ **Oficial combatente.** **1.** *Mar. G.* O que pertence ao Corpo da Armada ou ao Corpo de Fuzileiros Navais. **2.** *Exérc.* O que pertence às armas de Infantaria, Cavalaria, Artilharia, e os oficiais engenheiros que servem nas unidades de Engenharia de Combate. **Oficial da reserva.** *Bras.* **1.** Aspirante a oficial que, ao ser convocado para o serviço militar, em vez de ir servir na tropa fez um curso preparatório de oficiais que exige dos candidatos curso de nível médio; oficial miliciano. **2.** Oficial de tropa que pediu transferência para a reserva. **Oficial de cata-vento.** *Ant. Mar.* Oficial apto a manobrar com navios a vela. **Oficial de dia.** O oficial encarregado, durante as 24 horas de um dia, de fiscalizar e dirigir o serviço normal da unidade, pelo qual é responsável nas ausências do comando; oficial de inspeção. **Oficial de diligências.** Oficial de justiça. **Oficial de inspeção.** Oficial de dia. **Oficial de justiça.** Funcionário incumbido de cumprir as determinações judiciais (citações, notificações, intimações, arrestos, penhoras, etc.); oficial de diligências. **Oficial de registro.** *Bras.* Serventuário privativo e vitalício, com subordinação administrativa e judiciária, encarregado de um dos ofícios dos registros públicos (registro civil das pessoas físicas, das pessoas jurídicas, de títulos e documentos e de imóveis). **Oficial de ronda.** Oficial encarregado, durante as 24 horas de um dia, de visitar e fiscalizar os postos de guarda, os postos avançados de uma guarnição, praças militares ou estacionamentos. **Oficial intermediário.** *Bras.* O de posto de capitão (no Exército, na Aeronáutica e na Polícia Militar), ou de capitão-tenente (na Marinha de Guerra). **Oficial miliciano.** Oficial da reserva (1). **Oficial subalterno.** Designação comum aos oficiais de postos de primeiro e segundo-tenente. **Oficial superior.** Designação comum aos oficiais de postos de major, tenente-coronel e coronel (no Exército, na Aeronáutica e na Polícia Militar), ou de capitão-de-corveta, capitão-de-fragata e capitão-de-mar-e-guerra (na Marinha de Guerra).

oficiala. *S. f.* Fem. de *oficial* (6 a 12).

oficialato. [De *oficial* + *-ato*[1].] *S. m.* Condição ou dignidade de oficial (militar).

oficial-de-defunto. *S. m. Bras., PE. Pop.* Indivíduo cruel, desalmado: assassino frio. [Pl.: *oficiais-de-defunto.*]

oficial-de-gabinete. *S. m. Bras. Obsol.* Espécie de secretário particular de uma autoridade: *Foi* o f i c i a l - d e - g a b i n e t e *do velho ministro* [Pl.: *oficiais-de-gabinete.*]

oficial-de-sala. *S. m. Bras.* Erva da família das asclepiadáceas *(Asclepias curassavica),* muito difundida como ruderal, de flores escarlates, e cujos frutos, cápsulas que encerram uma espécie de paina, são tóxicos para o gado e têm glicosídios que atuam sobre o coração, razão por que poderiam ser empregados em lugar do digital, em terapêutica; capitão-de-sala, camará-bravo, falsa-erva-de-rato. [Pl.: *oficiais-de-sala.*]

oficial-general. *S. m.* Designação comum a todos os oficiais de posto superior a coronel (no Exército ou na Aeronáutica) ou a capitão-de-mar-e-guerra (na Marinha de Guerra). [Pl.: *oficiais-generais.*]

oficialidade. *S. f.* Conjunto de oficiais de uma força armada, ou de uma de suas unidades.

oficialismo. [De *oficial* + *-ismo.*] *S. m. Deprec.* **1.** O conjunto dos funcionários públicos. **2.** *Bras.* As rodas oficiais governamentais.

oficialização. *S. f.* Ato ou efeito de oficializar, de submeter à orientação do Estado.

oficializado. [Part. de *oficializar.*] *Adj.* **1.** Tornado oficial; submetido à sanção ou orientação do governo: *educandário oficializado.* **2.** Consagrado pelo uso; sancionado; oficial: *vocábulo* o f i c i a l i z a d o.

oficializador (ô). *Adj.* e *s. m.* Que ou aquele que oficializa.

oficializar. *V. t. d.* Dar sanção ou caráter oficial a; tornar oficial.

oficial-maior. *S. m. Bras.* Aquele que, nos tabelionatos, pode praticar atos de competência do tabelião. [Pl.: *oficiais-maiores.*]

oficial-marinheiro. *S. m. Ant. Mar. G.* Suboficial ou sargento da especialidade de manobra. [O antigo Corpo de Oficiais-Marinheiros, na Marinha Brasileira, era constituído de contramestres e guardiães. Pl.: *oficiais-marinheiros.*]

oficiante. *Adj. 2 g.* e *s. 2 g.* Que ou quem oficia ou preside ao ofício divino; oficiador, celebrante: "Parece que ele ouviu do outro sacristão ou do mesmo padre o f i c i a n t e o nome da pessoa sufragada" (Machado de Assis, *Histórias sem Data,* p. 184).

oficiar. *V. int.* **1.** Celebrar o ofício religioso. *T. i.* **2.** Dirigir um ofício (8 e 9) a alguém: O f i c i o u *ao diretor da Saúde Pública. T. d.* **3.** Ajudar a celebrar (a missa). [Pres. ind.: *oficio,* etc. Cf. *ofício.*]

oficina. [Do lat. *officina.*] *S. f.* **1.** Lugar onde se exerce um ofício. **2.** Lugar onde se fazem consertos em veículos automóveis. **3.** Dependência de igreja, convento, etc., destinada a refeitório, despensa ou cozinha. **4.** *Fig.* Lugar onde se verificam grandes transformações.

oficinal. [Do lat. vulg. *officinale.*] *Adj. 2 g.* **1.** Relativo a, ou próprio de oficina. **2.** Respeitante a preparações farmacêuticas. **3.** Que se aplica em farmácia e/ou em preparações farmacêuticas: *planta* o f i c i n a l.

ofício. [Do lat. *officiu,* 'dever'.] **1.** Ocupação (1) manual ou mecânica a qual supõe certo grau de habilidade e que é útil ou necessária à sociedade: o f í c i o *de dona de casa;* o f í c i o *de carpinteiro;* o f í c i o *de escultor; Liceu de Artes* e O f í c i o s. **2.** Ocupação ou trabalho especializado do qual se podem tirar os meios de subsistência; profissão: *o* o f í c i o *de bancário; o* o f í c i o *de enfermeira.* **3.** Ocupação permanente de ordem intelectual ou não a qual envolve certos deveres e encargos ou um pendor natural: *o* o f í c i o *de rei; o* o f í c i o *de magistrado; o* o f í c i o *de escritor.* **4.** Atividade exercida em determinados setores profissionais ou não; cargo, função, ocupação: *um* o f í c i o *burocrático; um* o f í c i o *subalterno.* **5.** Cargo público ou oficial. **6.** Incumbência, missão: *o* o f í c i o *de legislar, de ensinar.* [Sin., nestas acepç.: *mister.*] **7.** Conjunto de orações e cerimônias religiosas. **8.** Comunicação escrita e formal entre autoridades da mesma categoria, ou de inferiores a superiores hierárquicos. **9.** Comunicação escrita e formal que as autoridades e secretarias em geral endereçam umas às outras, ou a particulares, e que se caracteriza não só por obedecer a determinada fórmula epistolar, mas, também pelo formato do papel (formato ofício). **10.** Cartório, tabelionato. ~ V. *formato* —, *papel* — e *ofícios.* [Cf. *oficio,* do v. *oficiar.*] ♦ **Ofício da estrela.** *Teat.* Drama litúrgico medieval que gira em torno do nascimento de Cristo e se representava na época natalina. **Ofício de notas.** Notariado. **Ofício divino.** A missa. **De ofício.** *Jur.* Por iniciativa e autoridade própria. **Santo Ofício.** V. *inquisição* (2). **Sem ofício nem benefício.** *Bras. Fam.* Que nada tem que fazer; sem ocupação; vadio.

ofícios. [Pl. de *ofício.*] *S. m. pl.* Intervenção, influência; serviços: *Recorremos aos bons* o f í c i o s *do deputado.* ~ V. *ofício.*

oficiosidade. [Do lat. *officiositate.*] *S. f.* Qualidade de oficioso.

oficioso (ô). [Do lat. *offisiosu.*] *Adj.* **1.** Que revela boa vontade de servir, de ser útil; serviçal, prestável, prestante, obsequioso. **2.** Desinteressado, gratuito. **3.** Que, embora sem caráter ou formalidade oficial, provém de fontes oficiais: *comunicação* o f i c i o s a. **4.** Diz-se do jornal que, embora não tenha caráter oficial, recebe inspiração do governo. **5.** Diz-se do advogado que não tem procuração do réu e é encarregado da defesa deste pelo presidente do tribunal. **6.** Diz-se da mentira que se pratica para prestar serviço a alguém.

oficleide. *S. m.* V. *oficlide.*

oficlide. [Do fr. *ophicléide.*] *S. m.* Instrumento de sopro, feito de metal com bocal, chaves e tubo cônico dobrado sobre si mesmo, e que, por volta de 1800, substituiu nas igrejas e bandas militares o rústico serpentão; figle, ofigle: "e tomando [D. Pedro I] do o f i c l i d e aturdiu os ares de palácio com variações dificultosas de uma marcha guerreira." (Alberto Rangel, *Quando o Brasil Amanhecia,* p. 364). [A f. *oficleide* é a m. us.]

ofidiário. *S. m.* Local destinado à criação de ofídios venenosos, para extração de peçonha e fabricação de antídotos.

ofídico. [De *ofídio* + *-ico*[2].] *Adj.* Pertencente ou relativo a, ou próprio de serpente.

ofidiídeo. *S. m.* **1.** Espécime dos ofidiídeos. ● *Adj.* **2.** Pertencente ou relativo a eles.

ofidiídeos. *S. m. pl. Zool.* Família de peixes actinopterígios de corpo alongado, nadadeiras sem espinhas, de águas profundas. A principal família é a dos teridídeos.

ofídio. [Do gr. *ophídion,* dim. de *óphis,* 'cobra'.] *Adj.* **1.** Semelhante a serpente; ofióideo. ● *S. m.* **2.** Espécime dos ofídios; serpente.

ofídios. *S. m. pl. Zool.* Animais metazoários, cordados, reptis, escamados, subordem *Ophidia.* São ápodes, com as mandíbulas por um ligamento mentoniano; olhos imóveis, cobertos por uma escama transparente, que resulta da fusão das pálpebras; língua delgada, bífida e protrátil; desprovidos de aberturas auriculares, esterno e bexiga urinária. [Sin.: *serpentes.*]

ofidismo. *S. m.* **1.** Estudo do veneno dos ofídios. **2.** Efeitos desse veneno. **3.** *Med.* Intoxicação por veneno de serpente.

ofigle. *S. m. Mús.* V. *oficlide.*

▲**ofi(o)-.** [Do gr. *óphis, eos.*] *El comp.* = 'serpente': *ofiografia; oficalcito.*

ofiocéfalo. [De *ofi(o)-* + *-cefalo.*] *Adj. Zool.* De cabeça triangular, semelhante à das cobras.

ofiofagia. [De *ofi(o)-* + *-fag(o)-* + *-ia.*] *S. f.* Hábito de alimentar-se de serpentes.

ofiofágico. *Adj.* Relativo à ofiofagia.

ofiófago. [Do gr. *ophiphágos.*] *Adj.* e *s. m.* Que ou aquele que se alimenta de serpentes.

ofioglossácea. *S. f.* Espécime das ofioglossáceas.

ofioglossáceas. *S. f. Bot.* Família de pteridófitos, da ordem das ofioglossales, que engloba umas 80 espécies, dos países intertropicais e temperados, havendo algumas no Brasil.

ofioglossáceo. *Adj.* Pertencente ou relativo às ofioglossáceas.

ofioglossale. *S. f.* Espécime das ofioglossales.

ofioglossales. *S. f. pl. Bot.* Ordem de pouca pteridófitos, da classe das filicíneas, providos de poucas folhas no ápice do caule. Apresentam uma espécie de rizoma, e têm esporângios grandes, sem anel.

ofiografia. [De *ofi(o)-* + *-graf(o)-* + *-ia.*] *S. f.* Estudo e

descrição das serpentes.
ofiográfico. *Adj.* Relativo à ofiografia.
ofiógrafo. *S. m.* Especialista em ofiografia.
ofióideo. [De *ofi(o)-* + *-óide* + *-o.*] *Adj.* Ofídio (1).
ofiólatra. [De *ofi(o)-* + *-latra.*] *S. 2 g.* Pessoa que pratica a ofiolatria.
ofiolatria. [De *ofi(o)-* + *-latria.*] *S. f.* Culto ou adoração das serpentes.
ofiolátrico. *Adj.* Referente à ofiolatria.
ofiólito. [De *ofi(o)-* + *-lito.*] *S. m. Pet.* Oficalcito.
ofiologia. [De *ofi(o)-* + *-log(o)-* + *-ia.*] *S. f.* **1.** Parte da zoologia que trata dos ofídios. **2.** Tratado acerca das serpentes.
ofiológico. *Adj.* Relativo à ofiologia.
ofiologista. *S. 2 g.* Especialista em ofiologia.
ofiomancia (cí). [De *ofi(o)-* + *-mancia.*] *S. f.* Adivinhação pela observação de serpentes.
ofiomante. [De *ofi(o)-* + *-mante.*] *S. 2 g.* Pessoa que pratica a ofiomancia.
ofiomântico *Adj.* Relativo à ofiomancia, ou a ofiomante.
ofiomórfico. [De *ofi(o)-* + *-morf(o)-* + *-ico^{2}.*] *Adj.* V. *serpentiforme.*
ofiomorfo. [De *ofi(o)-* + *-morfo.*] *Adj.* V. *serpentiforme.*
ofítico. [De *ofito* + *-ico^{2}.*] *Adj. Min.* Diz-se da textura em que os cristais de feldspato em forma de baguete produzem um entrelaçamento cujos interstícios são preenchidos por um mineral ferromagnesiano posteriormente formado.
ofito. [De *ofi(o)-* + *-ito^{2}.*] *S. m. Pet.* Rocha verde com manchas esbranquiçadas, cuja aparência lembra a pele de cobra, e que é, em geral, diabásio mais ou menos uralitizado.
Ofiúco. [Do gr. *Ophiouchos.*] *S. m. Astr.* Constelação boreal, ao S. de Hércules, ao N. do Escorpião e Sagitário, a O. da Cauda da Serpente e a E. da Libra.
ofiúro. [Do gr. *ophíouros*, 'que tem cauda de cobra'.] *S. m.* **1.** Espécime dos ofiúros. ● *Adj.* **2** Pertencente ou relativo a eles.
ofiuróide (i-u). [De *ofiúro* + *-óide.*] *S. m.* **1.** Espécime dos ofiuróides. ● *Adj. 2 g.* **2.** Pertencente ou relativo a eles.
ofiuróides (i-u). *S. m. pl. Zool.* Animais equinodermos, da classe *Ophiuroidea*. O corpo é provido de um disco central donde saem cinco braços ou raios vermiformes nitidamente separados do disco, articulados, e às vezes ramificados, e de tubos pediosos dispostos em duas fileiras e desprovidos de ânus. Os braços são quebradiços, mas reconstituem-se com rapidez.
ofiúros. *S. m. pl. Zool.* Animais equinodermos, ofiuróides, ordem *Ophiures*, com braços simples, não ramificados, desprovidos de movimento de contração. O disco e os braços são, em geral, recobertos por placas calcárias.
ófrio. [Do gr. *óphrys, ýos*, 'sobrancelha'.] *S. m. Anat.* O ponto médio da linha transversal supra-orbitária.
ófrion. *S. m. Anat.* V. *ófrio.*
ófris. [Do gr. *óphrys, ýos*, 'sobrancelha'.] *S. f. 2 n.* Orquídea do litoral do Mediterrâneo, cujas folhas, estranhamente coloridas, têm forma de mosca.
ofsete. [Do ingl. *offset.*] *S. m.* Método de impressão litográfica indireta em que a imagem ou os caracteres, gravados por processo fotoquímico em uma folha de metal flexível (chapa), geralmente zinco ou alumínio, são transferidos para o papel por intermédio de um cilindro de borracha. ~ V. *papel* —. ♦ **Ofsete seco.** *Fotograv.* Tipofsete.
ofsetista. *S. 2 g. Art. Gráf.* Impressor que trabalha em prensa de ofsete. [Cf. *rotativista*^{1}.]
oftalgia. *S. f. Patol.* V. *oftalmalgia.*
oftálgico. [De *oftalgia* + *-ico^{2}.*] *Adj.* V. *oftalmálgico.*
oftalmalgia. [De *oftalm(o)-* + *-alg(o)-^{2}* + *-ia.*] *S. f. Patol.* Dor em olho.
oftalmálgico. *Adj.* Referente à oftalmalgia.
oftalmia. [Do gr. *ophthalmía.*] *S. f. Patol.* Inflamação de olho, em especial de conjuntiva: "O uso dos óculos em todo o reino não se explica de outro modo, senão por uma oftalmia que afligiu a Bernardão, logo no segundo ano do reinado." (Machado de Assis, *Páginas Recolhidas*, p. 18.) [Sin. (bras., pop.): *calor-nos-olhos.*]
oftálmico. [Do gr. *ophthalmikós.*] *Adj.* **1.** *Med.* Relativo aos olhos; *artéria oftálmica.* **2.** Aplicável contra a oftalmia: *pomada oftálmica.* ● *S. m.* **3.** Aquele que padece de oftalmia. **4.** Remédio contra a oftalmia.
▲oftalm(o)-. [Do gr. *ophthalmós, oû.*] *El. comp.* = 'olho': *oftalmorragia, oftalmalgia.* [Equiv.: *-oftalmo: exoftalmo.*]
▲-oftalmo. Equiv. de *oftalm(o)-*.
oftalmografia. [De *oftalm(o)-* + *-graf(o)-* + *-ia.*] *S. f.* Descrição dos olhos.
oftalmográfico. *Adj.* Referente à oftalmografia.
oftalmologia. [De *oftalm(o)-* + *-log(o)-* + *-ia.*] *S. f.* Ramo da medicina que estuda os olhos e suas doenças; oculística.
oftalmológico. *Adj.* Relativo à oftalmologia.
oftalmologista. *Adj. 2 g.* e *s. 2 g.* Especialista em oftalmologia. [Sin.: *oculista, oftalmólogo* e (desus.) *óptico.*]
oftalmólogo. [De *oftalm(o)-* + *-logo.*] *S. m.* V. *oftalmologista.*
oftalmomalacia. [De *oftalm(o)-* + *-malacia.*] *S. f. Patol.* Amolecimento mórbido do olho.
oftalmomalácico. *Adj.* Relativo à oftalmomalacia.
oftalmômetro. [De *oftalm(o)-* + *-metro.*] *S. m. Med.* **1.** Qualquer instrumento para efetuar medidas em olho. **2.** *Restr.* Instrumento que determina a capacidade e os vícios de refração, ao medir o tamanho das imagens refletidas a partir da córnea e do cristalino.
oftalmopatia. [De *oftalm(o)-* + *-pat-* + *-ia.*] *S. f. Med.* Qualquer doença ocular.
oftalmoplastia. [De *oftalm(o)-* + *-plast-* + *-ia.*] *S. f. Cir.* Qualquer intervenção cirúrgica, plástica, realizada em olho(s) ou seu(s) anexo(s).
oftalmoplástico. *Adj.* Relativo à oftalmoplastia.
oftalmoplegia. [De *oftalm(o)-* + *-pleg-* + *-ia.*] *S. f. Med.* Paralisia de um ou mais músculos oculares.
oftalmoplégico. *Adj.* Concernente à oftalmoplegia.
oftalmorragia. [De *oftalm(o)-* + *-ragia.*] *S. f. Med.* Hemorragia de origem ocular.
oftalmorrágico. *Adj.* Referente à oftalmorragia.
oftalmoscopia. [De *oftalm(o)-* + *cop-* + *-ia.*] *S. f.* Emprego do oftalmoscópio.
oftalmoscópico. *Adj.* Referente à oftalmoscopia.
oftalmoscópio. [De *oftalm(o)-* + *-scop-* + *io^{2}.*] *S. m.* Instrumento com que se examina a parte interior do olho.
oftalmóstato. [De *oftalm(o)-* + *-stato.*] *S. m.* Instrumento destinado a manter abertas as pálpebras.
oftalmoteca. [De *oftalm(o)-* + *-teca.*] *S. f. Zool.* Parte do corpo da crisálida que cobre os olhos do inseto.
oftalmoterapia. [De *oftalm(o)-* + *terapia.*] *S. f. Med.* Terapêutica das doenças dos olhos.
oftalmoterápico. *Adj.* Relativo à oftalmoterapia.
oftalmotomia. [De *oftalm(o)-* + *-tom(o)-* + *-ia.*] *S. f. Cir.* Incisão do globo ocular.
oftalmotômico. *Adj.* Relativo à oftalmotomia.
oftalmotorrinolaringologista. [De *oftalm(o)-* + *-ot(o)-* + *-rino-* + *-laring(o)-* + *-log(o)-* + *-ista.*] *S. 2 g.* Médico especialista em moléstias dos olhos, ouvidos, nariz e garganta. [É especialidade hoje quase inexistente.]
oftalmoxistro (cs). [De *oftalm(o)-* + *-xistro.*] *S. m. Med.* Espécie de pincel para limpar ou raspar a superfície do olho.
ofuscação. [Do lat. *offuscatione.*] *S. f.* Ato ou efeito de ofuscar(-se); ofuscamento.
ofuscador (ô). *Adj.* Ofuscante.
ofuscamento. *S. m.* Ofuscação.
ofuscante. [Do lat. *offuscante.*] *Adj. 2 g.* Que ofusca; ofuscador.
ofuscar. [Do lat. *offuscare.*] *V. t. d.* **1.** Impedir de ver ou de ser visto: ocultar, encobrir, obscurecer: *O nevoeiro denso ofuscava a paisagem.* **2.** Turvar, toldar: *A presença da moça ofusca-lhe a razão.* **3.** Turvar a vista de; deslumbrar: *A forte luz do Sol ofuscou-o.* **4.** Tornar menos distinto, menos claro ou menos perceptível; fazer diminuir de intensidade; empanar: *Sua viva inteligência ofuscava a dos outros candidatos.* **5.** Exceder; suplantar. *Int.* **6.** Turvar a vista; deslumbrar: "Luz que de tão forte ofusca e fascina." (Padre Antônio Vieira, *Sertão Brabo*, p. 19.) *P.* **7.** Perder o brilho, o prestígio, o valor; apagar-se. **8.** Toldar-se, obscurecer-se. [Conjug.: v. *trancar.*]
ogã. *S. m.* Protetor do candomblé: "Eu tenho um primo que é ogã no terreiro de Mãe Honorina, no Cabula." (Herberto Sales, *Armado Cavaleiro o Audaz Motoqueiro*, p. 59.)
ogã-colofé. *S. m. Bras., PE.* Presidente de sociedade civil onde se organiza o culto dos ibejis. [Pl.: *ogãs-colofés.*]
ogã-ilu. *S. m. Bras., PE.* Tocador de atabaque que rege o grupo de tocadores numa cerimônia do culto dos ibejis. [Pl.: *ogãs-ilus.*]
ogano. [Do lat. *hoc anno.*] *Adv. Ant.* Neste ano.
ogervão. [De *urgebão* (q. v.).] *S. m. Bras.* V. *gervão* (1).
ogervão-de-folha-estreita. *S. m. Bras.* Planta da família das acantáceas (*Elytraria* sp.). [Pl.: *ogervões-de-folha-estreita.*]
ogiva. [Do fr. *ogive.*] *S. f.* **1.** *Arquit.* Figura formada pelo cruzamento de dois arcos iguais que se cortam superiormente, formando um ângulo agudo, e que é típica das abóbadas góticas. **2.** Parte frontal afilada de um projetil, foguete, ou veículo espacial, e que geralmente carrega a carga útil.
ogivado. [De *ogiva* + *-ado^{1}.*] *Adj.* Que tem forma de ogiva; provido de ogiva.
ogival. *Adj. 2 g.* **1.** Relativo a ogiva. **2.** Que tem a forma de ogiva: "só agora, no alto, a olhar o panorama através da porta ogival da capelinha, se me vai fazendo luz no espírito" (Miguel Torga, *Diário*, IX, p. 13). ~ V. *abóbada* —, *arco* — e *estilo* —.
ogó. [Do ioruba *ogó*, 'dinheiro, riqueza'.] *S. m. Bras.* Material constituído, em grande parte, de monazita mesclada com grânulos de zirconita, o que lhe dá uma coloração amarela semelhante à do ouro [v. *satélite* (7)]: "Olhe que isto não é ogó, compadre Figueirinhas; é ouro limpo, sem argueiro nem limalha." (Eduardo Frieiro, *O Mameluco Boaventura*, p. 19.)
ogra. *S. f.* A fêmea do ogro.
ogro. [Do fr. *ogre.*] *S. m.* Ente fantástico em que se fala para intimidar as crianças; papão.
Ogum. [Do ioruba.] *S. m. Bras.* **1.** Orixá que preside às lutas e às guerras; deus nagô da guerra. **2.** Espírito de raça branca encarnado em alguns santos da iconografia católica, principalmente S. Jorge. [Sin. ger.: *Ogundelê.*]
Ogum-de-cariri. *S. m. Bras., BA.* Forma sincrética afro-brasileira de Santo Antônio das Matas. [Pl.: *oguns-de-cariri.*]
Ogum-de-ronda. *S. m. Bras., BA.* Forma sincrética afro-brasileira de Santo Antônio da Barra. [Pl.: *oguns-de-ronda.*]
Ogundelê. *S. m. Bras.* Ogum.
ogunié. [Do ioruba.] *S. m. Bras.* Saudação a Ogum.
oh. [Do lat. o.] *Interj.* Exprime espanto, surpresa, alegria, tristeza, admiração, lástima, repugnância e outras impressões vivas ou súbitas: *Oh! você por aqui?*; "Oh! que saudades que tenho / Da aurora da minha vida, / Da minha infância querida / Que os anos não trazem mais!" (Casimiro de Abreu, *As Primaveras*, p. 33); "Oh! quanto pode em nós a vária estrela!" (Tomás Antônio Gonzaga, *Marília de Dirceu*, p. 15); "Oh, excelentíssima! poupe-me .... o dissabor de vir trazer o sono a uma sociedade tão divertida." (Artur Azevedo, *Contos Efêmeros*, p. 83.) [Var. (bras., pop): *ôh.* Cf. *ó, ô* e *ou.*]
ôh. *Interj. Bras. Pop.* Var. de *oh.* [Cf. *ó, ô* e *ou.*]
ohm. [Do antr. *Ohm*, de *Georg Simon Ohm* (1787-1854), físico alemão.] *S. m. Eletr.* Unidade de medida de resistência elétrica, no Sistema Internacional, que é a resistência elétrica de um elemento passivo dum circuito no qual circula uma corrente elétrica invariável de um ampère quando existe uma diferença de potencial constante de um volt entre seus terminais. [Pl.: *ohms.* Símb.: Ω.] ♦ **Ohm acústico.** *Fís.* Unidade c.g.s. de medida de impedância acústica, que é a impedância de um sistema em que uma pressão de um microbar produz uma velocidade volumétrica de um centímetro cúbico por segundo.
ôhmico. *Adj.* Relativo a ohm. ~ V. *acoplamento* — e *condutor* —.
ohmímetro. [De *ohm* + *-i-* + *-metro.*] *S. m. Eletr.* Instrumento com que se mede a resistência elétrica de um componente de circuito.
oi. *Interj. Bras.* Indica espanto, chamamento, resposta ao apelo do nome, saudação jovial ao encontrar outrem, e indica, ainda, que não se ouviu bem o que foi dito ou perguntado.
oiampi. *Bras. S. 2 g.* **1.** Indígena da tribo tupi dos oiampis, das cabeceiras do Jari, afluente esquerdo do Amazonas. ● *Adj. 2 g.* **2.** Pertencente ou relativo a essa tribo. [F. paral.: *oaiapi.*]
oiana. *S. 2 g.* e *adj. 2 g. Bras.* V. *oaiana.*
oiapoquense. *Adj. 2 g.* **1.** De, ou pertencente ou relativo a Oiapoque (AP). ● *S. 2 g.* **2.** Natural ou habitante de Oiapoque.
oiça^{1}. Var. de *ouça^{1}.*
oiça^{2}. Var. de *ouça^{2}.*
▲-óico. V. *eco-^{1}.* [Em química, indica a função ácido orgânico: *etanóico, benzóico.*]
▲-óide. [Do gr. *-(o)eidés.*] *Suf. nom.* = 'aspecto ou forma de', 'semelhante a', 'relativo a'; 'espécie de animal, mineral, substância orgânica, etc.'; 'classe, ordem ou subordem de animais, grupo de minerais, de substâncias orgânicas, etc.': *mastóide* (< gr. *mastoeidés*), *cristalóide; aracnóide* (< gr. *arachnoeidés*). [Equiv.: *-ódeo, -ídio, -ídios; mastóideo, tireóideo; lipídio, ofídio; ofídios.* (Alternam-se, geralmente, as formas *-óide* e *-óideo: mastóide, mastóideo; xifóide, xifóideo.*)]

▲-óideo. V. *-óide.*
oídio. [Do lat. cient. *oidiu*, formado do gr. *oón*, 'ovo', + uma term. *-idium* (= *-ídio*).] *S. m. Micol.* **1.** Espermácia formada numa ramificação de uma hifa; oidiósporo. **2.** *Fitopatol.* Moléstia das plantas, produzida por fungos da família das erisifáceas.
oidiomicose (o-i). [De *oídeo* + *micose.*] *S. f. Fitopatol.* Designação comum às doenças dos vegetais produzidas por fungos do gênero *Oidium.*
oidiósporo (o-i). [De *oídio* + *-sporo.*] *S. m. Micol.* Oídio (1).
oigalé. *Interj. Bras., S.* V. *oigalê*: "O i g a l é ! Pechada macota!" (Simões Lopes Neto, *Contos Gauchescos e Lendas do Sul*, p. 233.)
oigalê. [Do esp. plat. *oiga*, 'ouça', + *le*, 'o'.] *Interj. Bras., S.* Exprime admiração ou espanto; oigalé, oigatê, oigaté.
oigaté. *Interj. Bras., S.* V. *oigalê.*
oigatê. *Interj. Bras., S.* V. *oigalê.*
oira. *S. f.* V. *oura.*
oirado. [Part. de *oirar*².] *Adj.* V. *ourado.*
oirama. *S. f. Bras.* Var. de *ourama.*
oirana. *S. f. Bras.* V. *ourana.*
oirar¹. *V. t. d.* Var. de *ourar¹.*
oirar². *V. t. d. int.* e *p.* V. *ourar².*
oiriçar. *V. t. d.* e *p.* V. *ouriçar.* [Conjug.: v. *laçar.*]
oiriço. *S. m.* Var. de *ouriço.*
oiriço-do-mar. *S. m.* V. *ouriço-do-mar.* [Pl.: *oiriços-do-mar.*]
oiriço-preto. *S. m. Bras., BA.* Var. de *ouriço-preto.* [Pl.: *oiriços-pretos.*]
oiro. *S. m.* V. *ouro.*
oiro-de-gato. *S. m.* Var. de *ouro-de-gato.* [Pl.: *oiros-de-gato.*]
oiro-e-fio. *Adv.* V. *ouro-e-fio.*
oiro-fio. *Adv.* V. *ouro-fio.*
oiropel. *S. m.* V. *ouropel.* [Pl.: *oiropéis.*]
oiro-pigmento. *S. m.* Var. de *ouro-pigmento.* [Pl.: oiros-pigmentos e *oiros-pigmento.*]
oiros. [Pl. de *oiro.*] *S. m. pl.* Var. de *ouros.* ~ V. *oiro.*
oirudo. *Adj.* V. *ourudo.*
oitante. [Do lat. *octante.*] *S. m.* **1.** *Ant. Náut.* Instrumento para medir ângulos (semelhante ao sextante [q. v.], mas cujo limbo abrange um oitavo do círculo (45°). [Cf. *quadrante* e *quintante.*] **2.** *Geom.* Arco de circunferência, ou setor de círculo, que mede 45°. [Var., nestas acepç., de *octante.*] **3.** Distância de 45 graus entre o Sol e outro astro. **4.** Uma das fases da Lua, intermediária entre duas principais. [Há quatro oitantes: 1° oitante: fase da Lua, intermediária entre a lua nova e o quarto crescente; 2° oitante: fase da Lua, intermediária entre o quarto crescente e a lua cheia; 3° oitante: fase da Lua, intermediária entre a lua cheia e o quarto minguante; 4° oitante: fase da Lua, intermediária entre o quarto minguante e a lua nova.] **5.** *Astr.* Constelação que abrange o pólo celeste austral.
oitão. [Var. de *outão* < lat. **altanu* < *altu*, 'alto'.] *S. m. Constr.* **1.** Cada uma das paredes laterais da casa, situadas nas linhas de divisa do lote: "Ao lado, numa casa de paredes brancas de tabatinga, de janelas abertas no o i t ã o , botara loja bem sortida um tal Joãozinho" (Nélson de Faria, *Cabeça-Torta*, p. 7). **2.** Cada um dos espaços laterais de um edifício. [Var.: *outão.*]
oitava. [Do lat. *octava*, fem. do ord. *octavu.*] *S. f.* **1.** Cada uma das oito partes iguais em que se divide um todo. **2.** *Lit.* Espaço de oito dias consagrados a uma festa religiosa; oitavário. **3.** *Lit.* O oitavo dia da oitava. **4.** *Mús.* Intervalo de oito graus, ascendente ou descendente, entre duas notas do mesmo nome, e que corresponde a uma razão entre as respectivas freqüências igual a 2, i. e., a oitava justa superior de um som é produzida por um número de vibrações que é exatamente o dobro do som fundamental. **5.** *Liter.* Estrofe ou estança de oito versos: *as o i t a v a s de* Os Lusíadas. **6.** Antiga unidade de medida de peso, equivalente a 1/8 da onça¹ (1), ou seja, 3,586 gramas; dracma. **7.** *Bras. Ant.* Unidade monetária, e moeda, correspondentes a 1.200 réis: "Ai, fortunas, ai, fortunas... / Doblas, o i t a v a s , cruzados, / vastos dinheiros antigos" (Cecília Meireles, *Obra Poética*, p. 884).
oitava-de-final. *S. f. Bras. Fut.* Nos torneios por eliminação, rodada em que oito duplas de times disputam a classificação às quartas-de-final. [Pl.: *oitavas-de-final.*]
oitavado. [Part. de *oitavar.*] *Adj.* Octogonal (2).
oitavão. [De *oitavo* + *-ão²*] *Adj.* e *s. m. Bras.* Diz-se de, ou aqueles que têm ou parecem ter um oitavo de sangue negro. [Sin.: *octorum, octoruno.* Fem.: *oitavona.*]
oitavar. [De *oitavo* + *-ar²*.] *V. t. d.* **1.** Dar a forma de octógono (2) a. **2.** Dividir em oito partes. **3.** *Mús.* Tocar na oitava superior ou inferior.
oitava-rima. *S. f.* Estância de oito versos decassílabos, dos quais o primeiro rima com o terceiro e o quinto, o segundo com o quarto e o sexto, e o sétimo com o oitavo: *Em o i t a v a - r i m a são compostos* Os Lusíadas, *de Camões*, e Caramuru, *de Santa Rita Durão.* [Pl.: *oitavas-rimas.*]
oitavário. [De *oitavo* + *-ário.*] *S. m. Lit.* **1.** Oitava (2). **2.** Livro que contém os cânticos e orações das oitavas.
oitavino. [Do it. *ottavino.*] *S. m.* Flautim em dó.
oitavo. [Do lat. *octavu.*] *Num.* **1.** Ordinal e fracionário correspondentes a oito. ● *S. m.* **2.** A oitava parte. **3.** Aquele ou aquilo que ocupa o oitavo lugar. **4.** *Bibliol.* V. *in-oitavo* (2).
oitavona. *Adj. (f.)* e *s. f. Bras.* V. *oitavão.*
oitchi. [De *oiti*, com palatalização?] *S. m. Bras.* Planta da família das miristicáceas *(Myristica oitchi).*
oiteira. *S. f. Bras., GO.* V. *vinhático-do-campo.*
oiteirista. *S. 2 g.* Var. de *outeirista.*
oiteiro. *S. m.* V. *outeiro:* "já a alba arruçava a lomba dos o i t e i r o s e o recorte das árvores" (Aquilino Ribeiro, *Estrada de Santiago*, p. 312).
oitenta. [Do lat. vulg. *octaginta*, pelo lat. cláss. *octoginta.*] *Num.* **1.** Cardinal dos conjuntos equivalentes a um conjunto de oito dezenas de membros. **2.** Octogésimo. ● *S. m.* **3.** Algarismo representativo do número oitenta. **4.** Aquilo ou aquele que numa série de oitenta ocupa o último lugar.
oitenta-e-oito. *S. f. Bras.* Inseto lepidóptero, da família dos ninfalídeos (*Callicore janeira* Felder.), cujas borboletas adultas possuem na porção inferior das asas posteriores duas manchas em forma de 8, formando o número 88. O lado superior das asas é azul e preto; o lado inferior, vermelho. [Pl.: *oitenta-e-oitos.*]
oitentão. [De *oitenta* + *-ão¹*.] *Adj.* e *s. m.* Octogenário. [Fem.: *oitentona.*]
oitentona. *Adj. (f.)* e *s. f.* V. *oitentão.*
oiti. [Do tupi *uï'ti.*] *S. m. Bras., L.* Árvore da família das rosáceas (*Moquilea tomentosa*), oriunda do N.E., porém muito cultivada em ruas do Rio, de pequenas folhas coriáceas, e cujos frutos, do mesmo nome, são drupas bastante carnosas e comestíveis, de cor amarela, aroma e sabor intensos. [Var.: *goiti*; sin.: *oitizeiro* e *oiti-da-praia.*]
oiti-bêbedo. *S. m. Bras.* Planta da família das gencianáceas (*Pleurogyna umbrassissima*); oiti-cagão, oiti-da-beira-do-rio. [Pl.: *oitis-bêbedos.*]
oitibó. *S. m. Bras., CE.* Var. de *noitibó*: "O irmão de Iracema tem .... o olhar do o i t i b ó que vê melhor nas trevas." (José de Alencar, *Iracema*, p. 56.)
oiti-cagão. *S. m. Bras.* V. *oiti-bêbedo.* [Pl.: *oitis-cagões.*]
oiticica. [Do tupi *uïtï sika*, 'oiti resinoso'.] *S. f. Bras.* **1.** Árvore da família das rosáceas (*Licania rigida*), que habita o N.E., e de cuja semente se tira óleo secativo muito útil. **2.** Árvore da família das moráceas (*Clarisia racemosa*), que se estende da Amaz. ao N.E. e produz madeira de boa qualidade, sobretudo para fazer canoas. **3.** V. *limãorana.*
oiticoró. *S. m. Bras., Amaz.* Árvore da família das rosáceas (*Couepia rufa*), da floresta pluvial, de grandes folhas coriáceas e frutos drupáceos com polpa aproveitável. [F. paral.: *oiticoróia.*]
oiticoróia. *S. m. Bras., Amaz.* Oiticoró.
oiti-da-beira-do-rio. *S. m. Bras.* V. *oiti-bêbedo.* [Pl.: *oitis-da-beira-do-rio.*]
oiti-da-praia. *S. m.* **1.** Fruta-de-coruja. **2.** V. *oiti.* [Pl.: *oitis-da-praia.*]
oitiva. [Var. de *outiva* < *auditiva*, com síncope e alter. do ditongo inicial.] *S. f.* **1.** Ouvido, audição. **2.** V. *ouvida.* ◆ **De oitiva.** V. *de ouvida.*
oitizeiro. [De *oiti* + *-z-* + *-eiro.*] *S. m. Bras.* V. *oiti.*
oito. [Do lat. *octo.*] *Num.* **1.** Cardinal dos conjuntos equivalentes a um conjunto de oito membros (em algarismos arábicos, 8; em algarismos romanos, VIII). **2.** Oitavo (1): *página o i t o .* ● *S. m.* **3.** Algarismo representativo do número oito. **4.** Carta de baralho ou face de peça de jogo de mesa marcada com este número: *o i t o de copas.* **5.** A nota oito, em concurso ou exame: *Fez boa prova e tirou um o i t o .* **6.** Aquele ou aquilo que ocupa o último lugar numa série de oito: *Este aluno é o o i t o .* [Cf. *outo.*] ◆ **Ou oito ou oitenta.** Ou tudo ou nada. **Tomar um oito.** *Bras. Pop.* Ingerir certa quantidade de bebida alcoólica.
oitocentésimo. *Num.* Octingentésimo.
oitocentismo. [De *oitocentos* + *-ismo.*] *S. m.* Estilo, gosto ou escola dos oitocentistas.
oitocentista. *Adj. 2 g.* **1.** Pertencente ou relativo ao oitocentismo, ou ao séc. XIX (século de oitocentos). **2.** Diz-se do escritor ou do artista desse século. ● *S. 2 g.* **3.** Escritor ou artista do séc. XIX.
oitocentos. [De *oito* + *cento.*] *Num.* **1.** Cardinal dos conjuntos equivalentes a um conjunto de oito centenas de membros. **2.** Octingentésimo: *folha o i t o c e n t o s .* ● *S. m.* **3.** Algarismo representativo do número oitocentos. **4.** Aquilo ou aquele que numa série de oitocentos ocupa o último lugar. **5.** O séc. XIX (ou século de oitocentos); o período oitocentista. [Nesta acepç., usa-se com inicial maiúscula.]
oito-pés-em-quadrão. *S. m. 2 n. Bras.* Estrofe de oito versos de sete sílabas, com a disposição AAABBCCB, sendo o último verso obrigatoriamente um refrão alusivo ao nome da estrofe. [O refrão mais comumente usado é nos oito pés do quadrão.]
oitubro. *S. m. Ant.* e *pop.* Outubro: "Já no casal descubro / As relvas a pungir, coas águas deste o i t u b r o ." (Bulhão Pato, *Livro do Monte*, p. 13.)
ojá. [Do ioruba.] *S. m.* **1.** *Bras.* Fetiche dos candomblés, que é uma faixa ornada de contas e conchas. **2.** *Bras., BA.* Xale branco que as filhas-de-santo usam como ornamento.
ojeriza. [Do esp. *ojeriza.*] *S. f.* Má vontade, aversão, antipatia a pessoa ou coisa: "Sempre tive o j e r i z a a quem não encara de frente:" (Afrânio Peixoto, *Fruta do Mato*, p. 151.)
ojerizar. *V. t. d. Bras.* **1.** Ter ojeriza a; antipatizar com. *T. i.* **2.** Antipatizar; repugnar.
ojixê. [Do ioruba.] *S. m. Bras.* Mensageiro, entre os orixás.
o.k. [Do ingl., abrev. de *oll korrect*, alter. de *all correct.*] *Adv.* **1.** Sim; certamente: *O . k . , telefono-lhe mais tarde.* **2.** Muito bem; em bom estado, em boas condições: *Com a troca da bateria, o carro ficou o . k . ; O doente está o . k . , já teve alta.* ● *Interj.* **3.** Indica afirmação, aprovação: — *Pode-me ajudar?* / — *O . k . ! Conte comigo.*
▲-ol-. *Quím.* Equiv. de *-ol².*
▲-ol¹. *Suf.* = 'uso', 'serventia': *urinol.*
▲-ol². *Suf. Quím.* Indica a função álcool: *metanol, etanol.*
▲-ola. *Suf. nom.* = 'diminuição': *bandeirola, rapazola, portinhola.*
ola¹. [Do malaiala *ola.*] *S. f.* **1.** *Luso-asiat.* Folha de palmeira. **2.** Lâmina de ouro que imita folha de palmeira. **3.** *Bibliol.* Cada uma das tiras de folhas de palmeira que, preparadas, perfuradas e metidas entre capas de madeira, formam, entre povos indianos, uma espécie de livro, sobre o qual se escreve com estilete de metal, cujos sulcos são preenchidos com mistura de carvão e óleo.
ola². [Do lat. *olla.*] *S. f. Ant.* Panela (1) de barro.
olá. *Interj.* Serve para chamar, para saudar, e também, indica espanto; olé.
olacácea. *S. f.* Espécime das olacáceas.
olacáceas. *S. f. pl. Bot.* Família de plantas floríferas, da ordem das santalales, que engloba arbustos e árvores dotadas de flores diclamídeas, hermafroditas e actinomorfas, e fruto drupáceo. Várias são parasitas de raízes de outras árvores, havendo umas 250 espécies tropicais, bem representadas no Brasil.
olacáceo. *Adj.* Pertencente ou relativo às olacáceas.
olada. [Do esp. plat. *olada.*] *S. f. Bras., RS.* **1.** Ocasião, oportunidade, momento propício. **2.** Maré de sorte; boa sorte. ◆ **Estar de olada.** *Bras., RS.* Estar com sorte (principalmente no jogo).
olaeira. [De *olaia* + *-eira.*] *S. f.* Olaia.
olaia. *S. f.* Árvore da família das leguminosas (*Cercis siliquastrum*), de origem asiática, que tem folhas arredondadas e cordadas, flores purpúreas em fascículos, sendo por isso bastante ornamental, e cujo legume mede uns 7 a 10cm; olaeira.
olandi. *S. m. Bras.* V. *oanani.*
olaria¹. [De *ola²* + *-r-* + *-ia.*] *S. f.* **1.** Fábrica de produtos cerâmicos; cerâmica. **2.** Indústria de oleiro. **3.** Conjunto de peças de louça de barro ou cerâmica.
olaria². *S. 2 g. Bras.* Bariri² (3).
oldemburguês. *Adj.* **1.** De, ou pertencente ou relativo a Oldemburgo (Alemanha). ● *S. m.* **2.** O natural ou habitante de Oldemburgo. [Flex.: *oldemburguesa* (ê), *oldemburgueses* (ê), *oldemburguesas* (ê).]
olé¹. [Do esp. *olé.*] *S. m. Bras. Fut.* **1.** Série de jogadas ou de dribles com que um time ou um jogador exibe virtuosismo e domínio da bola, deixando o adversário inteiramente batido. ● *Interj.* **2.** Exclamação com que a torcida aplaude essas jogadas.
olé². *Interj.* **1.** Olá: "O l é , pois o doutor é tão novato assim em viagens?" (Visconde de Taunay, *Inocência*, p. 42.) **2.** Exprime também afirmação.
oleácea. *S. f.* Espécime das oleáceas.
oleáceas. *S. f. pl. Bot.* Família de plantas superiores, da

ordem das contortas, com flores gamopétalas e hermafroditas, corola com prefloração torcida, estames em número igual ao de pétalas, ou menor, e fruto variável. Engloba umas 300 espécies de plantas lenhosas, próprias dos climas temperados. No Brasil há raras espécies, das quais a mais importante é a oliveira.

oleáceo. *Adj.* Pertencente ou relativo às oleáceas.

oleado. [Part. de *olear.*] *Adj.* **1.** Que tem óleo; untado de óleo. ● *S. m.* **2.** Lona ou pano impermeabilizado por uma camada de verniz, e usado em tapetes, capas para chuva, chapéus, etc.; encerado: "O casaco de *oleado* escorregara pela portinhola" (Eça de Queirós, *A Cidade e as Serras,* p. 190).

oleagíneo. [Do lat. *olegineu.*] *Adj.* **1.** Relativo, pertencente ou semelhante à oliveira. **2.** Oleaginoso.

oleaginoso (ô). [Do lat. *oleagina,* 'oliveira' + *-oso.*] *Adj.* Que contém óleo, ou é da natureza do óleo; oleagíneo: *fruto oleaginoso; planta oleaginosa.*

oleandro. [De *eloendro,* com metátese.] *S. m.* V. *espirradeira.*

olear. *V. t. d.* **1.** Cobrir ou untar de óleo. **2.** Impregnar de uma substância oleosa. [Conjug.: v. *frear.*]

olearia. *S. f.* Fábrica de óleos.

oleato. *S. m. Quím.* Sal ou éster do ácido oléico. [Alguns deles são componentes importantes dos sabões, como o oleato de sódio ou o de potássio.]

olecraniano. *Adj.* Relativo ou pertencente ao olecrânio.

olecrânio. [De *olecrano* < gr. *olékranon,* + *-io*[2].] *S. m. Anat.* Apófise na extremidade superior do cúbito, que contribui para formar a articulação do cotovelo; olecrano, olécrano.

olecrano. *S. m. Anat.* V. *olecrânio.*

olécrano. *S. m. Anat.* V. *olecrânio.*

oleense. *Adj. 2 g.* **1.** De, ou pertencente ou relativo a Óleo (SP). ● *S. 2 g.* **2.** Natural ou habitante de Óleo.

oleento. *Adj.* V. *oleoso.*

olefina. [Do ingl. *olefin.*] *S. f. Quím.* V. *alceno.*

olegariense. *Adj. 2 g.* **1.** De, ou pertencente ou relativo a Presidente Olegário (MG). ● *S. 2 g.* **2.** Natural ou habitante de Presidente Olegário.

▲**olei-.** [Do lat. *oleum, i.*] *El. comp.* = 'azeite', 'óleo': *oleicultura, oleífero.*

oléico. *Adj.* ~ V. *ácido* —.

oleícola. [De *olei-* + *-cola.*] *Adj. 2 g.* Referente à cultura das oliveiras e ao comércio do azeite.

oleicultor (e-i...ô). [De *olei-* + *cultor.*] *S. m.* Aquele que se ocupa de oleicultura; olivicultor.

oleicultura (e-i). [De *olei-* + *cultura.*] *S. f.* **1.** Indústria do fabrico, tratamento e conservação do azeite. **2.** Cultura de oliveiras; olivicultura.

oleídeo. [De *olei-* + *-ídeo.*] *Adj.* Relativo ou semelhante ao azeite. ~ V. *oleídeos.*

oleídeos. [Pl. de *oleídeo.*] *S. m. pl.* Família de corpos oleosos. ~ V. *oleídeo.*

oleífero. [De *olei-* + *-fero.*] *Adj.* Oleificante.

oleificante (e-i). [De *olei-* + *-ficar-* + *-nte.*] *Adj. 2 g.* Que contém ou produz óleo; oleífero.

oleifoliado (e-i). [De *olei-* + *foliado.*] *Adj. Morfol. Veg.* Que tem folhas semelhantes às da oliveira.

oleígeno. [De *olei-* + *-geno*[1].] *Adj.* Que produz líquido semelhante ao óleo.

oleína. [De *olei-* + *-ina*[1].] *S. f. Quím.* Éster oléico da glicerina, encontrado nos óleos vegetais.

oleiro. [De *ola*[2] + *-eiro.*] *Adj.* **1.** Ceramista. ● *S. m.* **2.** Aquele que trabalha em olaria. **3.** Ceramista. **4.** *Bras.* V. *joão-de-barro.*

olência. *S. f.* Qualidade de olente: "A *olência* dos benjoeiros, / o aroma dos cajueiros, / das odorosas limeiras" (Catulo da Paixão Cearense, *Poemas Bravios,* p. 25).

olente. [Do lat. *olente.*] *Adj. 2 g.* V. *odorante:* "Flores *olentes* crescem à sombra das paredes arruinadas" (Alcides Maia, *Tapera,* p. 4).

óleo. [Do lat. *oleu.*] *S. m.* **1.** Designação comum a substâncias gordurosas, líquidas a temperatura ordinária, inflamáveis de origem vegetal ou animal. **2.** *P. ext.* Produto mais ou menos viscoso, de origem mineral. **3.** Perfume oleoso; essência: *óleo de rosas.* **4.** Pintura a óleo (2). **5.** *Bras.* Petróleo. **6.** *Bras. Pop.* V. *cachaça* (1). **7.** *Bras. Gír.* V. *dinheiro* (3): "E a noite comportava um teatrinho camarada, quando o estudante ainda estava munido de *óleo,* isto é, na primeira quinzena." (Carlos Drummond de Andrade, *Jornal do Brasil,* 30.5.1982.) ♦ **Óleo canforado.** *Quím.* Solução de cânfora em azeite de oliva. **Óleo combustível.** O que é utilizado como combustível, em caldeiras. **Óleo de algodão.** Líquido oleoso, amarelo-claro, extraído das sementes de algodão, e usado na fabricação de óleos comestíveis. **Óleo de amendoim.** Líquido oleoso, amarelado, extraído das sementes do amendoim, e usado como óleo comestível. **Óleo de baleia.** O que se obtém da gordura de cetáceos, usado em sabões especiais. **Óleo de canela.** Óleo essencial extraído a vapor da casca da árvore *Cinnamonum zeylanicum,* e que contém aldeído cinâmico e eugenol. **Óleo de cássia.** Óleo extraído a vapor das folhas e ramos de árvores do gênero *Cassia,* e que contém aldeído cinâmico. **Óleo de cedro.** Óleo essencial, extraído do lenho vermelho do cedro, mediante a ação de vapor, e que contém cedreno e cedrol. **Óleo de coco.** Substância pastosa, branca, extraída do coco, usada como gordura comestível e na fabricação de sabões finos. **Óleo de cravo.** Essência extraída dos frutos do craveiro-da-índia, e que contém eugenol e é usado em perfumaria. **Óleo de fígado de bacalhau.** Líquido viscoso, amarelado, de cheiro e sabor desagradáveis, rico em vitaminas A e D, usado como fortificante. **Óleo de girassol.** Substância líquida, viscosa, amarelada, de sabor agradável, usada na fabricação de vernizes e de gorduras comestíveis. **Óleo de hortelã.** Substância oleosa extraída, pelo vapor de água, das folhas e brotos de diversas espécies de *Mentha* (sp.), com cheiro característico. **Óleo de linhaça.** Líquido amarelado, extraído do linho, que contém glicerídeos de ácidos graxos saturados e insaturados, e é usado na fabricação de vernizes, de tintas, de massas artificiais. **Óleo de mamona.** Óleo de rícino. **Óleo de quenopódio.** *Quím.* Óleo obtido de erva-de-santa-maria (mastruço), usado como lombrigueiro. **Óleo de rícino.** *Quím.* Óleo extraído das sementes de mamona, líquido, incolor, com gosto desagradável, usado em medicina e na indústria; óleo de mamona. **Óleo de soja.** Líquido viscoso, de coloração amarelo-clara a amarelo-escura, e que contém glicerídeos dos ácidos oléico, linoléico, palmítico, esteárico e linolênico, usado na fabricação de sabões e tintas e também como óleo comestível. **Óleo de tungue.** Líquido amarelo-claro, extraído das sementes do tungue (*Aleurites cordata*), de cheiro desagradável, e usado na fabricação de vernizes e na impermeabilização de tecidos. **Óleo *diesel.*** O que é usado em motores *diesel.* **Óleo dos enfermos.** *Rel.* V. *extrema-unção.* **Óleo essencial.** Material oleoso que se extrai, mediante diversos processos, de certos vegetais, contendo substâncias odoríferas e usado em perfumaria e medicina; óleo volátil. [Cf. *essência* (8).] **Óleo fúsel.** *Quím.* Mistura oleosa que contém álcool amílico, venenosa, obtida na fermentação de substâncias amiláceas. **Óleo lubrificante.** O que serve para lubrificar peças de máquinas. **Óleo mineral.** Petróleo. **Óleo pesado.** *Quím.* Fração da destilação do petróleo, que passa acima de 225ºC, de onde se pode obter os óleos lubrificantes. **Óleo secativo.** Material oleoso, de origem vegetal ou animal, que contém ésteres de ácidos graxos insaturados, que se oxida em contato com o oxigênio do ar e forma película elástica e resistente, usada na fabricação de vernizes e de tintas. **Óleo volátil.** Óleo essencial. **Arriar o óleo.** *Bras., PE. Chulo.* Copular (2). **Os santos óleos.** O óleo sagrado usado na Igreja para a crisma, a extrema-unção e outras cerimônias: "Entre as dez e onze horas da manhã do dia 10 resolveram imporlhe [à imperatriz D. Leopoldina] a extrema-unção. *Os santos óleos* sagraram uma pobre exânime." (Alberto Rangel, *Dom Pedro Primeiro e a Marquesa de Santos,* p. 168.) **Pôr óleo.** *Bras. Pop.* V. *embriagar* (4).

▲**óleo-.** [De *óleo.*] *El. comp.* = 'óleo': *oleoduto, oleografia.*

óleo-cabureíba. [De *óleo* + tupi *kabure'iwa.*] *S. m. Bras., L. e S.* V. *cabriúva* (1). [Pl.: *óleos-cabureíbas* e *óleos-cabureíba.*]

óleo-de-bacaba. *S. m. Bras.* Óleo extraído da bacaba-de-azeite; azeite-de-bacaba. [Pl.: *óleos-de-bacaba.*]

óleo-de-macaco. *S. m. Bras.* V. *cabriúva-do-campo.* [Pl.: *óleos-de-macaco.*]

oleoduto. [De *oleo* + lat. *ductu,* part. pass. de *ducere,* 'conduzir'.] *S. m.* Sistema constituído de tubulações e estações de bombeamento, destinado a conduzir petróleo ou seus derivados líquidos a grandes distâncias.

oleografia. [De *oleo-* + *-graf(o)-* + *-ia.*] *S. f.* **1.** Cópia dum quadro a óleo, transmitida de uma tela para outra. **2.** Quadro feito por esse processo: "E a mulher, ... que fora o anjo da guarda de sua mocidade turbulenta e rixosa, ia-se-lhe apresentando à memória vagamente, aureolada de uma luz admirável, como as santas das *oleografias.*" (Valdomiro Silveira, *Os Cabloclos,* p. 74.)

oleográfico. *Adj.* Referente a oleografia.

oleogravura. [De *oleo-* + *gravura.*] *S. f.* Imitação de quadro a óleo por processo de cromolitografia, tirada em papel semelhante a tela e em geral completada por pintura direta e envernizamento: "A *oleogravura* ingênua da Virgem, de sabor bizantino, que havia em nossa alcova, deve ter ouvido muitas queixas e o desabafo mental das confissões engolidas diante das grades do confessionário." (Augusto Meyer, *No Tempo da Flor,* pp. 21-22.) [Sin., p. us.: *litocromia.*]

oleol. [De *oleo-* + *-ol.*] *S. m. Ant. Farmac.* Qualquer óleo vegetal. [Pl.: *oleóis.*]

oleolado. *S. m. Farmac.* Oleolatado.

oleolatado. [De *oleolato* (1) + *-ado*[1].] *S. m. Farmac.* Medicamento composto de óleos essenciais; oleolado.

oleolato. *S. m. Farmac.* **1.** Qualquer óleo essencial. **2.** Óleo medicinal obtido por infusão ou por decocção.

oleólico. [De *oleo-* + *-l-* + *-ico*[2].] *Adj. Farmac.* Diz-se do medicamento cujo excipiente é o óleo ou o azeite.

oleômetro. [De *oleo-* + *-metro.*] *S. m. Fís.* Aparelho usado para medir a densidade dos óleos.

óleo-pardo. *S. m.* **1.** V. *cabriúva* (1). **2.** V. *cabriúva-do-campo.* [Pl.: *óleos-pardos.*]

oleosidade. *S. f.* Qualidade de oleoso.

oleoso (ô) [Do lat. *oleosu.*] *Adj.* Que tem óleo; gorduroso, untuoso, oleento.

óleo-vermelho. *S. m. Bras.* Árvore da família das leguminosas (*Myroxylon balsamum*), que se distribui do México ao Brasil. Folíolos ovados; flores alvas, ordenadas em cachos; frutos samariformes e aromáticos; madeira castanha e finamente listada, pesada e dura, muito resistente, empregada em construções civis e navais, e que, mediante lesão, dá o bálsamo-do-peru. [Sin., em MG: *bálsamo.* Pl.: *óleos-vermelhos.*]

oleráceo. [Do lat. *oleraceu.*] *Adj.* Relativo a legumes, aos vegetais empregados como alimento: *planta olerácea.*

▲**oleri-.** [Do lat. *olus, eris.*] *El. comp.* = 'legume': *olericultura.*

olericultor (ô). [De *oleri-* + *cultor.*] *S. m.* Aquele que pratica a olericultura.

olericultura. [De *oleri-* + *cultura.*] *S. f.* Cultura de legumes.

óleum. *S. m. Quím.* Solução de trióxido de enxofre em ácido sulfúrico concentrado, líquida, viscosa, muito corrosiva e muito ativa, usada em diversos processos industriais.

olfação. [Do lat. **olfactione* < *olfactu.*] *S. f.* O exercício do olfato; ação de cheirar.

olfativo. *Adj.* Relativo ao, ou próprio do olfato.

olfato. [Do lat. *olfactu.*] *S. m.* **1.** Sentido (5) com que se percebem os odores. **2.** Faro (1).

olga. *S. f.* **1.** Tabuleiro de terra; leira. **2.** Baixa de terreno fértil.

olha[1] (ô). [Do esp. *olla,* 'panela'; v. *olha-podrida.*] *S. f.* Comida feita com legumes e várias qualidades de carne. [Pl.: *olhas* (ô). Cf. *olha* e *olhas,* do v. *olhar.*]

olha[2] (ô). [De *olho.*] *S. f.* Caldo (1) gordo, ou gordura do caldo. [Pl.: *olhas* (ô). Cf. *olha* e *olhas,* do v. *olhar.*]

olhada. [De *olhar* + *-ada*[1].] *S. f.* V. *espiada* (1).

olhadela. [De *olhada* + *-ela.*] *S. f.* V. *espiada* (2).

olhado. [Part. de *olhar.*] *Adj.* **1.** Visto; considerado; observado. ● *S. m.* **2.** Feitiço ou quebranto que a crendice popular atribui ao olhar de certas pessoas, e que influiria nas crianças robustas, nas plantas e nos animais domésticos, causando-lhes atraso no desenvolvimento, ou perda, ou morte; mau-olhado.

olhador (ô). *Adj.* e *s. m.* Que ou aquele que olha.

olhadura. [De *olhar* + *-(d)ura.*] *S. f.* V. *espiada* (2).

olhal. [De *olho* + *-al.*] *S. m.* **1.** *Constr.* Cada um dos vãos, aberturas ou arcos entre os pilares de pontes ou arcadas: *O barco atravessou o olhal.* **2.** Orifício ao qual se adapta a espoleta, nas armas de fogo. **3.** *Constr. Nav.* Anel metálico, fixo em qualquer parte da embarcação, cais, etc., para nele se engatar um aparelho ou amarrar um cabo. [Cf. nesta acepç., *arganéu.*]

olhalvo. [De *olho* + *alvo,* com aglut.] *Adj.* **1.** Diz-se do eqüídeo de olhos cercados de malhas brancas, ou que, ao levantar a cabeça, põe os olhos em alvo; olhibranco. ● *S. m.* **2.** Certo peixe de Portugal.

olha-podrida. [Do esp. *alla podrida.*] *S. f.* **1.** Iguaria espanhola: mistura de carnes, legumes e temperos cozinhada durante muito tempo. **2.** *Fig.* Miscelânea de coisas muito diferentes. [F. red.: *podrida.* Pl.: *olhas-podridas.*]

olhar. [Do lat. **adoculare,* atr. das f. *aolhar, oolhar, oulhar.*] *V. t. d.* **1.** Fitar os olhos ou a vista em; mirar, contemplar. **2.** Olhar de cara; encarar. **3.** Estar em frente de; estar voltado para: *Sua janela olhava o rio.* **4.** Pesquisar, observar, sondar, examinar, estudar: *Olhou o céu, procurando ver se choveria.* **5.** Atentar ou reparar em; ponderar: *Olhe bem a situação em que fica.* [Nesta acepç., é muito corrente o emprego do verbo com o objeto subentendido: *Pois olhe* [isto], *creio que a situação é irremediável; Olhe, meu caro; acho que está abusando; Olhem, vocês não têm razão.*] **6.** Tomar conta de; cuidar de; velar por: *Comprometera-se a olhar as crianças naquela tarde.* **7.** Zelar por; proteger. *Transobj.* **8.** Reputar, julgar, considerar: *Olhou como criminosa a intenção do amigo. T. i.* **9.** Tomar conta; cuidar, velar: *De manhã olha pelas crianças.* **10.** Atentar, considerar: *olhar pelas despesas;* "Como na guerra, praticava-se o fogo de barragem, sem olhar a desperdícios, o importante sendo manter o inimigo à distância." (Ciro dos Anjos, *A Menina do Sobrado*, p. 99). **11.** Dispensar benevolência; ser benévolo; interessar-se, ocupar-se: *Rogara a Deus que olhasse pelos pecadores.* **12.** Fitar os olhos; mirar, observar: "Uma janela aberta deixava entrar o vento, que sacudia frouxamente as cortinas, e eu fiquei a olhar para as cortinas, sem as ver." (Machado de Assis, *Memórias Póstumas de Brás Cubas*, pp. 174-175); "Helena olhou alternadamente para o desenho e para o irmão." (Id., *Helena*, p. 220). **13.** Estar voltado; estar em frente ou em face: "Do lado que olha para o mar, a serra da Tijuca apresenta um aspecto muito diferente." (José de Alencar, *Sonhos d'Ouro*, p. 97.) **14.** Estar mais elevado; estar sobranceiro: *O torreão olhava sobre as ladeiras.* **15.** Estar em certa direção. *Int.* **16.** Exercer ou aplicar o sentido da vista; procurar ver: "Prova. Olha. Toca. Cheira. Escuta. / Cada sentido é um dom divino." (Manuel Bandeira, *Estrela da Vida Inteira*, p. 20.) **17.** *Bras.* Deitar olhos; rebentar; brotar: "o chão parece um tapete verde, as árvores começam a olhar, os algodoais, as ervas, tudo ressurge e revigora ao sopro vivificador da nova estação." (M. Rodrigues de Melo, *Várzea do Açu*, p. 31). *P.* **18.** Ver-se, mirar-se, encarar-se. **19.** Ver a própria pessoa ou imagem; entreolhar-se. **20.** Ver-se mutuamente: "Quando me encontras na rua,/ Nem uma palavra ao menos, / Olhamo-nos tão serenos, / Como quem no amor não crê." (Guimarães Passos, *Horas Mortas*, p. 19.) [Pres. ind.: *olho, olhas, olha, olhamos, olhais, olham.* Cf. *olho* (ô), *olha* (ô) e pl. *olhas* (ô).] ● *S. m.* **21.** O aspecto dos olhos; o olho. ◆ **E olhe lá.** *Bras.* Expr. que se emprega com relação ao que acaba de ser dito, e indica: **1.** Uma oferta, concessão, tolerância, além da qual a pessoa que fala não pretende ou não pode ir: *Dou-lhe Cz$ 80,00 pelo livro, e olhe lá!;* "Vivia encerrada no castelo, e apenas raras vezes podia visitar uma amiga, ir à missa aos domingos, e olhe lá." (Cora Rónai Vieira e Paulo Rónai, *Aventuras de Fígaro*, p. 60). **2.** A certeza, ou quase certeza, de que a pessoa de quem se fala é capaz de superar o que dela se declarou: *Com aquela inteligência, acabará um grande advogado — e olhe lá!*

olheirado. [De *olheira(s)* + *-ado*[1].] *Adj.* V. *olheirento.*

olheiral. [De *olheiro* + *-al.*] *S. m. Bras., BA* e *MG.* Cone de altura pequena e variável, no qual se abrem dezenas de orifícios de um formigueiro subterrâneo; olheiro.

olheiras. [De *olho* + *-eira.*] *S. f. pl.* Manchas lívidas (escuras ou azuladas), que aparecem nas pálpebras inferiores, em conseqüência de enfermidade, insônia, ou cansaço físico ou mental.

olheirento. [De *olheiras* + *-ento.*] *Adj.* Que tem olheiras. [Sin.: *olheirado* e (bras.) *olheirudo.*]

olheiro. [De *olho* + *-eiro.*] *S. m.* **1.** Aquele que olha ou vigia certos trabalhos; vigia. **2.** Observador e informador: *olheiro político.* **3.** *Bras., RJ* e *SP. Desus.* Guardador (3). **4.** *Bras., RJ.* Indivíduo que, nos pontos de contravenção, ou durante assalto, vigia um eventual aparecimento da polícia. **5.** *Bras.* Nascente de água. **6.** *Bras., BA* e *MG.* Olheiral. **7.** *Bras., SP.* Galeria de entrada da toca de paca.

olheirudo. *Adj. Bras.* V. *olheirento.*

olhento. *Adj.* Que tem olhos, poros ou buracos: *queijo olhento.*

olhete (ê). *S. m.* **1.** Pequeno olho ou abertura. **2.** Pequena cavidade oculiforme nas articulações dos braços e das pernas. **3.** *Bras.* Peixe teleósteo, percomorfo, da família dos carangídeos (Seriola carolinensis Holn), do Atlântico, desde as Antilhas até o RJ, de dorso oliváceo e abdome branco, e cujo comprimento não ultrapassa 1 m. **4.** V. *olho-de-boi* (4).

olhiagudo. [De *olho* + *-i-* + *agudo.*] *Adj.* Que tem olhar agudo, penetrante.

olhibranco. [De *olho* + *-i-* + *branco.*] *Adj.* Olhalvo.

olhimanco. [De *olho* + *-i-* + *manco.*] *Adj.* e *s. m.* Que ou aquele que é torto dos olhos, ou a quem falta um deles.

olhinegro (ê). [De *olho* + *-i-* + *negro.*] *Adj.* Que tem olhos negros; olhipreto.

olhinho. [Dim. de *olho.*] *S. 2 g. Bras., RN. Pop.* V. *avaro* (3).

olhipreto (ê). [De *olho* + *-i-* + *preto.*] *Adj.* Olhinegro.

olhirridente. [De *olho* + *-i-* + *ridente.*] *Adj. 2 g.* Que tem olhar alegre, ridente.

olhitoiro. *Adj.* Var. de *olhitouro.*

olhitouro. [De *olho* + *-i-* + *touro.*] *Adj.* Que tem olhos como os do boi. [Var.: *olhitoiro.*]

olhizaino. *Adj.* e *s. m.* V. *estrábico* (2 e 4).

olhizarco. *Adj.* **1.** Que tem olhos azul-claros. **2.** Diz-se do eqüídeo que tem cada olho de uma cor.

olho (ô). [Do lat. *oculu.*] *S. m.* **1.** *Anat.* Órgão par, em forma de globo, situado um em cada órbita (2), constituído de três camadas (esclerótica, coróide e retina), e de meios de refração (humores aquoso e vítreo, e cristalino). É o órgão da visão. **2.** Percepção operada pela visão; olhar, vista: *Dirigiu os olhos para o mar.* **3.** *Fig.* Atenção, cuidado, vigilância: *Nada escapa ao olho do mestre; Olho nele!* **4.** *Fig.* V. *olho vivo* (1). **5.** *Fig.* Aquilo que distingue, percebe, guia, esclarece: *os olhos da alma.* **6.** *Fig.* Indício ou manifestação dos sentimentos ou do caráter: *olhos frios.* **7.** Abertura arredondada; orifício, furo: *os olhos do queijo.* **8.** *Biol. Ger.* Ocelo (3). **9.** Pequena saliência de forma arredondada; "o ensopado de peixe, farto, em travessas e pratos estanhados, rebrilhando à luz entre olhos de gordura." (Hugo de Carvalho Ramos, *Tropas e Boiadas*, p. 23). **10.** V. *broto* (3): *A batata-doce deitou olhos.* **11.** A parte central de certas hortaliças: *um olho de couve.* **12.** *Arquit.* Óculo (4): *O corredor é iluminado por vários olhos.* **13.** Olho-d'água. **14.** *Marinh.* Cada um dos furos de qualquer poleame surdo por onde passa o cabo. **15.** *Tip.* A parte do tipo que imprime, constituída pelo relevo da letra fundido no entalhe da matriz, e cujo tamanho pode variar dentro da mesma força de corpo: *tipo de olho normal, grande, pequeno.* **16.** *Tip.* A estampagem da letra, deixada na matriz pelo punção. **17.** *Tip. P. ext.* Superfície impressora de outros materiais tipográficos, como fios, clichês, etc. **18.** *Tip.* A área fechada do e, que o distingue do c. [Cf. *contrapunção* (2).] **19.** *Tip.* A parte superior do tipo, que apresenta o caráter em relevo. [Dim.: *olhinho, olhozinho, ocelo.* Cf. *olho,* do v. *olhar.*] ● *Interj.* **20.** Atenção, cuidado, cautela; olho vivo. ◆ **Olho clínico. 1.** Tendência para acertar no diagnóstico das moléstias: *O Dr. F. tem olho clínico: seus diagnósticos em geral são exatos.* **2.** *Fig.* Capacidade de percepção pronta de uma situação. **Olho composto.** Olho formado por vários estemas [v. *estema* (3)]. **Olho da rua.** *Bras.* Lugar indeterminado para onde se manda alguém, expulsando-o; meio da rua; rua: *Ponha-se no olho da rua, patife!* **Olho de cabra morta.** *Bras., N.* V. *olho de peixe morto* (2): "Ajuntem-se a estes acentuados característicos um nariz de cavalete, uns olhos castanhos fulvos, como os cabelos que 'nunca viram pente', como ele próprio confessava, olhos de cabra morta, mas de uma convexidade singular de quem só vê para fora" (Cardoso de Oliveira, *Dois Metros e Cinco*, pp. 5-6). **Olho de gata morta.** V. *olho de peixe morto* (2). **Olho de gato.** Olho esverdeado, agateado. **Olho de lince.** Vista agudíssima; vista de lince. **Olho de mormaço.** Olhar lânguido, conquistador, dirigido através das pálpebras semicerradas; olho de peixe morto, olhos dependurados. **Olho de peixe morto. 1.** V. *olho de mormaço.* **2.** *Bras.* Olhar triste, sem brilho; olho de cabra morta, olho de gata morta. **Olho de vaca laçada.** *Bras., CE. Pop.* O de quem tem por hábito andar com a vista baixa. **Olho gordo.** *Bras.* Inveja, cobiça; olho grande. **Olho grande.** Olho gordo. [Cf. *olho-grande*] **Olho mágico. 1.** Dispositivo circular dotado de pequena lente; que se instala nas portas e permite olhar de dentro para fora sem ser notado. **2.** *Eletrôn.* Válvula de sintonia em que um feixe de elétrons incide sobre uma tela fluorescente e, conforme a sua abertura, indica a intensidade dos sinais recebidos no circuito. **Olho mecânico.** *Turfe.* Dispositivo eletrônico que, num páreo, fotografa a ordem de chegada dos concorrentes. **Olho por olho, dente por dente.** Vingança correspondente à ofensa ou dano sofrido; pena de talião: *Pagará tudo olho por olho, dente por dente.* **Olhos dependurados.** V. *olho de mormaço.* **Olhos de sapiranga.** *Bras.* Olhos avermelhados. [Cf. *olho-de-sapiranga.*] **Olho simples.** *Zool.* V. *estema* (3). **Olhos rasos de água.** Olhos cheios de lágrimas: "E o poeta sentiu os olhos rasos de água" (Olavo Bilac, *Poesias*, p. 143). **Olho vivo. 1.** Agudeza de espírito; sagacidade, penetração, perspicácia, percepção. [Tb. se diz apenas *olho.*] **2.** V. *olho* (20): *Cuidado com ele: olho vivo!* **Abrir os olhos à luz.** Vir ao mundo; nascer. **Abrir os olhos de.** Mostrar a verdade a; esclarecer. **Alongar os olhos.** Olhar ao longe. **Andar de olho em. 1.** Observar (alguém) com insistência, procurando conhecer-lhe os hábitos, seguir-lhe os movimentos, etc. **2.** Andar muito interessado em; desejar vivamente: *Anda de olho naquele emprego; Anda de olho na moça.* [Sin. ger.: *estar de olho em.*] **A olho.** Só pela vista; sem pesar nem medir: *Calculei as dimensões a olho; Tirou a medida a olho;* "Unidos os dois morgadios, ficou sendo a casa de Calisto a maior da comarca; e, com o rodar de dez anos, prosperou a olho" (Camilo Castelo Branco, *A Queda dum Anjo*, p. 10). **A olho armado.** Com instrumento que auxilie a visão. **A olho desarmado.** V. *a olho nu.* **A olho nu.** Apenas com a vista, sem auxílio de qualquer instrumento; a olho desarmado, a simples vista, à vista desarmada. **A olhos cerrados.** A olhos fechados. **A olhos fechados.** Com toda a confiança; sem exame; a olhos cerrados: "Ele segue a olhos fechados o declive que o arrasta ao abismo" (Machado de Assis, *Crônicas*, I, p. 171). **A olhos vistos.** Visivelmente, patentemente: *Emagrece a olhos vistos;* "A Sabina tem uma filha que está crescendo a olhos vistos" (Artur Azevedo, *Contos Efêmeros*, p. 233). **Aos olhos de.** Na opinião de; ao parecer de. **Botar o olho em.** *Fam.* **1.** V. *botar o olho grande em.* **2.** Pôr o olho em (2): *Nunca mais botei o olho em cima dele.* **Botar o olho grande em.** *Fam.* Cobiçar, invejar; botar o olho em; crescer o olho em; pôr o olho em. **Comer com os olhos. 1.** Cobiçar (comida que não poderá comer, por não ter fome). **2.** Fitar com atenção ou interesse (pessoa amada, ou objeto desejado). **Com olhos de ver.** Com toda a atenção, segurança, rigor: "Quatro mil-réis tinha empregado a pequena na mercadoria; e, contas botadas ao negócio (se a freguesia aparecesse, e visse, com olhos de ver, aquela riqueza), não era nada de admirar que chegasse ao fim do dia com seus quinze tostões" (João da Silva Correia, *Farândola*, p. 26). **Correr os olhos por.** Passar os olhos por. **Crescer o olho em.** *Fam.* V. *botar o olho grande em.* **Custar os olhos da cara.** Ser de preço elevadíssimo. **Dar com os olhos em.** Avistar, ver: "Apenas este deu com os olhos em Margarida, sentiu um abalo estranho" (Bernardo Guimarães, *O Seminarista*, p. 81). **De encher o olho.** De causar admiração, contentamento, agrado, cobiça; de encher os olhos: *uma mulata de encher o olho.* **De encher os olhos.** De encher o olho. **Deitar olho comprido a.** Cobiçar, desejar, ambicionar. **De olho em.** Com (alguém ou algo) em vista, no desejo, no pensamento: *Está de olho na pequena.* **De olhos fechados. 1.** Com absoluta confiança; cegamente: *Ela seguia o marido de olhos fechados.* **2.** Com muita facilidade; com os pés nas costas: *Este trabalho eu o faço de olhos fechados.* **Encher o olho.** Encher os olhos. **Encher os olhos.** Satisfazer, agradar, contentar muito; encher o olho: *Esta paisagem enche os olhos.* **Entrar pelos olhos.** Ser evidente, facílimo de compreender. **Estar de olho em.** V. *andar de olho em.* **Fechar os olhos.** V. *morrer (1).* **Fechar os olhos a. 1.** Fingir que não vê ou percebe; desculpar, perdoar: *Fechou os olhos às faltas do amigo.* **2.** Assistir à morte de; acompanhar nos últimos instantes; ajudar a morrer; fechar os olhos de. **Fechar os olhos de.** Fechar os olhos a (2). **Meter pelos olhos adentro. 1.** Explicar da maneira mais clara possível. **2.** Obrigar a tomar ou a comprar, por meio de importunações, insistindo muito. **Não pregar o olho.** Não dormir. **Não ser olho de santo.** Não ser coisa que exija excesso de cuidado, exagerada preocupação de acabamento. **Passar os olhos por.** Ler de relance; examinar rapidamente; correr os olhos por. **Pelos seu belos olhos.** *Irôn.* Sem obter em troca nenhuma vantagem; de graça; gratuitamente: *Acredita que ele só o auxiliará pelos seus belos olhos?* **Pôr o olho em.** *Fam.* **1.** V. *botar o olho grande em.* **2.** Avistar-se ou encontrar-se com; botar o olho em: *Há dois anos não ponho o olho neles; Nunca mais lhe pus o olho.* **Pregar olho.** V. *dormir* (1). **Pregar olhos.** V. *dormir* (1): "Meu pai piorava dia a dia, não pregava olhos de noite" (Cordeiro de Andrade, *Anjo Negro*, p. 25). **Saltar aos olhos.** Ser claro, evidente, patente; saltar à vista: *Há verdades que saltam aos olhos.* **Ter debaixo de olho.** Não desviar de (alguém) a atenção e/ou o cuidado; ter de olho. **Ter de olho.** Ter debaixo de olho: "Aquela peste e outras descaradas da vizinhança serviam de espoleta para o namoro, de leva-e-traz, dona Rosilda as tinha de olho, um dia lhe pagariam com juros." (Jorge Amado, *Dona Flor e Seus Dois Maridos*, p. 131.) **Ter olho.** Ser bom observador; ser arguto, perspicaz, vivo. **Ter o olho maior que a barriga.** *Fam.* Ser muito guloso. **Torto de um olho.** *Bras. Pop.* Torto (6). **Trazer de olho.** Espreitar (alguém ou algo), por cautela ou prevenção. **Ver com bons olhos.** Receber

bem; ser ou mostrar-se, favorável: *Não vê* com bons olhos *o casamento da filha com aquele rapaz;* "Henrique Bernardelli .... talvez não visse com bons olhos aquelas exaltações fantasiosas que, de certa maneira, vinham pôr em xeque os cânones tradicionais da pintura acadêmica." (Luís Edmundo, *De um Livro de Memórias*, III, p. 724).
olho-cozido. *S. m. Bras., N.E. Pop.* Leucoma da córnea. [Pl.: *olhos-cozidos.*]
olho-d'água. *S. m.* Nascente que rebenta do solo; fonte natural perene; lacrimal, olho: "no ardor úmido da selva, o olho-d'água se ofertando frio, nunca pára de minar." (Tiago de Melo, *Mormaço na Floresta*, p. 72). [Pl.: *olhos-d'água.*]
olho-d'agüense[1]. *Adj. 2 g.* **1.** De, ou pertencente ou relativo a Olho-d'Água (PB). ● *S. 2 g.* **2.** Natural ou habitante de Olho-d'Água. [Pl.: *olho-d'agüenses.*]
olho-d'agüense[2]. *Adj. 2 g.* **1.** De, ou pertencente ou relativo a Olho-d'Água das Flores (AL). ● *S. 2 g.* **2.** Natural ou habitante de Olho-d'Água das Flores. [Pl.: *olho-d'agüenses.*]
olho-de-boi. *S. m.* **1.** *Arquit.* Clarabóia (1) circular ou elíptica. **2.** *Bras.* Selo do correio, da primeira emissão (feita em 1843), com desenho que semelha um olho. [Cf. *olho-de-cabra* (1).] **3.** *Bras., L.* Árvore da família das sapindáceas (*Nephelium longana*), cultivada em razão dos frutos edules, bagas amarelo-pardacentas providas de uma grande semente envolta em alvo arilo, que é doce e carnoso. **4.** *Bras.* Peixe teleósteo, percomorfo, da família dos carangídeos (*Seriola lalandi* Val.), do Atlântico, das Antilhas ao Uruguai, de dorso violáceo ou azul-metálico e abdome branco. Alimenta-se de pequenos peixes e freqüenta lugares pedregosos. Comprimento: até 2 m; peso: até 50 kg. [Sin.: *arabaiana, urubaiana, olhete, pitangola, tapiranga, tapireçá.*] **5.** *Bras., N.E. Pop.* V. *exoftalmia.* **6.** *Bras., SE.* Espécie de mármore que apresenta grandes manchas. **7.** *Bras., BA.* Arco-íris incompleto. **8.** *Constr. Nav.* Abertura feita em um pavimento, a bordo, ao qual se fixa um vidro grosso, para dar luz ao compartimento inferior. **9.** *Constr. Nav.* O vidro de qualquer vigia (5). **10.** *Ant. Mar.* Acúmulo de grossas nuvens no horizonte, prenunciadoras de um tufão. [Pl.: *olhos-de-boi.*]
olho-de-boneca. *S. m. Bras., L.* e *S.* Liana da família das sapindáceas (*Paullinia elegans*), de folhas qüinqüefolia-das, folíolos oblongo-lanceolados e dentado-serreados, flores alvas, pequeninas, arrumadas em tirsos, e cujas cápsulas são trivalvares e aladas. [Pl.: *olhos-de-boneca.*]
olho-de-cabra. *S. m.* **1.** *Bras.* Selo do correio, da série emitida em 1845, menor do que o olho-de-boi (2) [q. v.]. **2.** *Bras., L.* Árvore da família das leguminosas (*Ormosia nitida*), cujos legumes encerram sementes fortemente coloridas de vermelho, as quais servem para compor colares e objetos semelhantes. [Pl.: *olhos-de-cabra.*]
olho-de-cabra-miúdo. *S. m. Bras.* V. *favinha-brava.* [Pl.: *olhos-de-cabra-miúdos.*]
olho-de-cão. *S. m. Bras.* Peixe teleósteo, percomorfo, da família dos priacantídeos (*Priacanthus arenatus* Cuv.), do Atlântico, de coloração vermelha, nadadeiras verticais marginadas de negro, as ventrais escuras, olhos muito grandes, e até 25 cm de comprimento; olho-de-vidro, pirapema, piranema. [Pl.: *olhos-de-cão.*]
olho-de-céu. *S. m. Bras.* Peixe do litoral cearense. [Pl.: *olhos-de-céu.*]
olho-de-fogo. *S. m. Bras.* **1.** *Pop.* V. *albino* (2) **2.** Peixe teleósteo, caraciforme, da família dos caracídeos (*Hemigrammus ocellifer* (Steind)), da Amaz., com olhos e mancha do pedúnculo caudal vermelhos e brilhantes. Comprimento: 4 a 5 cm. Adapta-se bem em aquários. [Sin., nesta acepç.: *olho-vermelho.* [Pl.: *olhos-de-fogo.*]
olho-de-gato. *S. m.* **1.** *Bras., L.* Arbusto da família das leguminosas (*Caesalpinia bonducella*), dotado de folíolos amplos e muitos espinhos, e cujos frutos são cápsulas aculeadas; bonduque. **2.** *Bras.* V. *mapará* (2). **3.** Quartzo com agulhas de amianto. [Pl.: *olhos-de-gato.*]
olho-de-matar-pinto. *S. m. Bras. Pop.* V. *olho-de-secar-pimenta.* [Pl.: *olhos-de-matar-pinto.*]
olho-de-mosquito. *S. m. Bras., MG. Ant.* Diamante de tamanho e peso exíguos. [Pl.: *olhos-de-mosquito.*]
olho-de-peixe. *S. m.* Calcedônia branca. [Pl.: *olhos-de-peixe.*]
olho-de-perdiz. *S. m.* Calozinho redondo que se forma nos dedos dos pés. V. *tilose* (2). [Pl.: *olhos-de-perdiz.*]
olho-de-pombo. *S. m. Bras., L.* **1.** Trepadeira da família das leguminosas (*Rhynchosia phaseoloides*), não rara em pastos. Apresenta folíolos grandes e macios; as sementes são pequeninas, vermelhas e com uma pinta preta. Embora tida como venenosa para o gado, na verdade é inócua. **2.** V. *favinha-brava.* [Pl.: *olhos-de-pombo.*]
olho-de-santa-luzia. *S. m. Bras.* **1.** V. *mata-olho.* **2.** V. *trapoeraba.* [Pl.: *olhos-de-santa-luzia.*]
olho-de-sapiranga. *S. m. Bras., N.E.* **1.** Blefarite ciliar. **2.** Ectrópio. [Pl.: *olhos-de-sapiranga.* Cf. *olho de sapiranga.*]
olho-de-sapo. *S. m.* **1.** Casta de uva. **2.** *Bras. Pop.* V. *exoftalmia.* [Pl.: *olhos-de-sapo.*]
olho-de-seca-pimenta. *S. m. Bras., N.E. Pop.* V. *olho-de-secar-pimenta.* [Pl.: *olhos-de-seca-pimenta.*]
olho-de-seca-pimenteira. *S. m. Bras. Pop.* V. *olho-de-secar-pimenta.* [Pl.: *olhos-de-seca-pimenteira.*]
olho-de-secar-pimenta. *S. m. Bras. Pop.* Pessoa de mau-olhado; olho-de-seca-pimenta, olho-de-seca-pimenteira, olho-de-secar-pimenteira, olho-de-matar-pinto. [Pl.: *olhos-de-secar-pimenta.*]
olho-de-secar-pimenteira. *S. m. Bras. Pop.* V. *olho-de-secar-pimenta.* [Pl.: *olhos-de-secar-pimenteira.*]
olho-de-sogra. *S. m. Bras.* Espécie de doce (12) feito de ameixa ou tâmara coberta ou recheada. [Pl.: *olhos-de-sogra.*].
olho-de-tigre. *S. m.* Variedade amarelo-avermelhada de quartzo, que apresenta inclusões fibrosas paralelas de crocidolita. [Pl.: *olhos-de-tigre.*]
olho-de-vidro. *S. m. Bras.* V. *olho-de-cão.* [Pl.: *olhos-de-vidro.*]
olho-grande. *S. 2 g.* Pessoa que tem olho grande [q. v.] [Pl.: *olhos-grandes.*]
olhômetro. [De *olho* + *-metro.*] *S. m. Bras. Burl.* A visão, o olho, considerado como instrumento de medição, de avaliação, ou de observação indiscreta.
olho-roxo. *S. m. Bras.* Variedade de mandioca de raiz comprida. [Pl.: *olhos-roxos.*]
olho-vermelho. *S. m. Bras.* Olho-de-fogo (2). [Pl.: *olhos-vermelhos.*]
olhudo. *Adj.* Que tem olhos grandes.
olíbano. [Do ár. *luban*, 'incenso', a que se aglutinou o art. *al*, pelo lat. medieval *olibanu.*] *S. m.* **1.** *Ant.* Goma-resina para aplicações tópicas em ferimentos. **2.** Espécie de incenso: "Estes vasos estão cheios de aromas... mirra, ... olíbano, almíscar, ungüento de nardo" (Eugênio de Castro, *Obras Poéticas*, II, p. 145). **3.** Designação comum a árvores e arbustos da família das burseráceas (*Boswellia thurifera* e outros), que vivem nos desertos da África e da Arábia, e que, mediante incisão, deixam escorrer a goma-resina conhecida como *incenso*, que se recolhe depois de seca. São plantas muito citadas nas Escrituras Sagradas, e hoje quase sem importância.
olifante. [Do fr. *olifant.*] *S. m.* Trombeta curva, de uso na Idade Média, feita de uma presa de elefante: "E Rolando eu supunha ainda ouvir, moribundo, / A aspirar, com fereza, os pulmões rebentando, / No alvo olifante de marfim." (Martins Fontes, *Verão*, p. 78.)
oligarca. [Do gr. *oligárches.*] *S. 2 g.* **1.** Partidário da oligarquia. **2.** Membro de uma oligarquia.
oligarquia. [Do gr. *oligarchía.*] *S. f.* **1.** Governo de poucas pessoas, pertencentes ao mesmo partido, classe ou família. **2.** *Fig.* Preponderância duma facção ou dum grupo na direção dos negócios públicos.
oligárquico. [Do gr. *oligarchikós.*] *Adj.* Respeitante à, ou que tem o caráter de oligarquia.
oligarquismo. *S. m.* Espírito oligárquico; predomínio da oligarquia.
oligarquizar. *V. t. d.* Transformar em oligarquia; dar aspecto oligárquico a.
oligisto. [Do gr. *olígistos.*] *S. m. Min.* V. *hematita.*
▲**olig(o)-.** [Do gr. *olígos, é, ón.*] *El. comp.* = 'pouco': *oligofrenia, oligoidria.*
oligoblenia (nî). [De *olig(o)-* + *-blen(o)-* + *ia.*] *S. f. Med.* Escassez de secreção mucosa.
oligocéfalo. [De *olig(o)-* + *-céfalo.*] *Adj. Morfol. Veg.* Que apresenta um ou poucos capítulos: *ramo* oligocéfalo.
oligoceno. [De *olig(o)-* + *-ceno[3].*] *Adj.* e *s. m.* ~ V. *época —a.*
oligoclásio. [De *olig(o)-* + *clas(e)-* + *-io[2].*] *S. m. Min.* Mineral triclínico do grupo dos feldspatos (plagioclásio), mistura isomorfa de albita e anortita, variando esta de 10 a 30 por cento.
oligoclasita. [De *olig(o)-* + *-clas(e)-* + *-ita[3].*] *S. f. Pet.* Forma alterada de norito na qual o felsdspato foi transformado em saussurita e oligoclásio.
oligocolia. [De *olig(o)-* + *-col(e)-* + *-ia.*] *S. f. Med.* Escassez de secreção biliar.
oligocólico. *Adj.* Respeitante à oligocolia.
oligocracia. [De *olig(o)-* + *-cracia.*] *S. f. Deprec.* Aristocracia pouco numerosa.
oligocrático. *Adj.* Referente à oligocracia.
oligócrono. [Do gr. *oligóchronos.*] *Adj.* Que vive ou subsiste por pouco tempo.
oligocronômetro. [De *olig(o)-* + *cronômetro.*] *S. m.* Instrumento com que se medem as pequenas frações de tempo.
oligodacria. [De *olig(o)-* + *-dacri(o)-* + *-ia.*] *S. f. Med.* Escassez de secreção lacrimal.
oligodácrico. *Adj.* Respeitante à oligodacria.
oligoemia. [De *olig(o)-* + *-(h)em(o)-* + *-ia.*] *S. f. Patol.* Diminuição do volume sanguíneo.
oligoêmico. *Adj.* Relativo à oligoemia.
oligofilo. [Do gr. *oligóphyllos.*] *Adj. Morfol. Veg.* Que tem poucas folhas: *espiga* oligofila.
oligofótico. *Adj.* ~ V. *zona —a.*
oligofrenia. [De *olig(o)-* + *-fren(o)-* + *-ia.*] *S. f. Psiq.* Escassez de desenvolvimento mental, que pode ter causas diversas (hereditárias ou adquiridas); oligopsiquia. [Cf. *demência.*]
oligofrênico. *Adj.* **1.** Referente à oligofrenia; oligopsíquico. **2.** Que sofre de oligofrenia. ● *S. m.* **3.** Aquele que sofre desse mal.
oligogenia. [De *olig(o)-* + *-gen(o)-[1]* + *-ia.*] *S. f. Genét.* Condição do caráter (11) que é determinado por poucos genes.
oligogênico. *Adj.* Referente à oligogenia, ou que a apresenta.
oligoidria (o-i). [De *olig(o)-* + *-(h)idr(o)-* + *-ia.*] *S. f. Med.* Escassez de secreção sudoral.
oligoídrico. *Adj.* Relativo à oligoidria.
oligoneuro. *Adj.* e *s. m.* V. *embióptero.*
oligoneuros. *S. m. pl. Zool.* V. *embiópteros.*
oligopionia. [De *olig(o)-* + *-pion-* + *-ia.*] *S. f. Med.* Escassez de gordura.
oligopiônico. *Adj.* Relativo à oligopionia.
oligopólio. [De *olig(o)-* + *(mono)pólio.*] *S. m. Econ.* Situação de mercado na qual, num limitado número de produtores, cada um é bastante forte para influenciar o mercado, mas não o é para desprezar a reação dos competidores.
oligopolista. *Adj. 2 g.* Relativo ao oligopólio.
oligoposia. [Do gr. *oligoposía.*] *S. f. Med.* Escassez de ingestão de líquidos.
oligopósico. *Adj.* Relativo à oligoposia.
oligopsiquia. [De *olig(o)-* + *-psiqu(e)-* + *-ia.*] *S. f. Psiq.* Oligofrenia.
oligopsíquico. *Adj.* Referente à oligopsiquia; oligofrênico.
oligopsônio. *S. m. Econ.* Estrutura de mercado em que há apenas reduzido número de compradores.
oligoqueta (ê). [De *olig(o)-* + *-queta.*] *S. m.* Espécime dos oligoquetas. [Sin. vulg.: *minhoca.*]
oligoquetas (ê). *S. m. pl. Zool.* Animais anelídeos, da classe *Oligochaeta*, com segmentos distintos e geralmente com poucas cerdas em cada anel, hermafroditos, sem região cefálica diferenciada, desprovidos de tentáculos e parápodes. Mais comuns em solo úmido e água doce, são vulgarmente chamados *minhocas.*
oligoquilia. [De *olig(o)-* + *-quil(o)-[1]* + *-ia.*] *S. f. Med.* Escassez de quilo[1].
oligoquílico. *Adj.* Relativo à oligoquilia.
oligoquilo. [Do gr. *oligóchylos.*] *Adj.* e *s. m. Med.* Diz-se de, ou substância alimentar pouco nutritiva.
oligospermia. [De *olig(o)-* + *-sperm(o)-* + *-ia.*] *S. f. Med.* Escassez da quantidade de espermatozóides no sêmen.
oligospérmico. *Adj.* Relativo à oligospermia.
oligospermo. [Do gr. *oligóspermos.*] *Adj. Morfol. Veg.* Que tem poucas sementes: *cápsula* oligosperma.
oligossialia. [De *olig(o)-* + *-sial(o)-* + *-ia.*] *S. f. Med.* Secreção escassa de saliva.
oligossiálico. *Adj.* Referente à oligossialia.
oligostêmone. [De *olig(o)-* + *-stêmone.*] *Adj. 2 g. Morfol. Veg.* Que tem poucos estames, em número menor que o de pétalas: *flor* oligostêmone.
oligotriquia. [De *olig(o)-* + *-triqu(i)-* + *-ia.*] *S. f. Med.* Escassez de pêlos ou cabelo, natural, senil ou patológica.
oligotriquico. *Adj.* Referente à oligotriquia.
oligotrofia. [Do gr. *oligotrophía.*] *S. f.* **1.** *Med.* Estado de nutrição escassa. **2.** *Fisiol. Veg.* Pobreza de um meio qualquer em nutrientes minerais.
oligotrófico. *Adj.* **1.** Relativo à oligotrofia. **2.** *Fisiol. Veg.* Que apresenta oligotrofia (2): *solo* oligotrófico.
oliguresia. [De *olig(o)-* + *urese* + *-ia.*] *S. f. Patol.* V. *oligúria.*
oliguria. *S. f. Patol.* V. *oligúria.*

oligúria. [De *olig(o)-* + *-ur(o)-* + *-ia.*] *S. f. Patol.* Diminuição do volume de urina; secreção insuficiente de urina. [Var.: *oliguria.* Sin.: *oliguresia.*]

oligúrico. *Adj.* **1.** Relativo à, ou que sofre de oligúria. ● *S. m.* **2.** Aquele que sofre de oligúria.

olimpíada. [Var. de *olimpíade* < gr. *olympiás,* pelo lat. *olympiade.*] *S. f.* **1.** Espaço de quatro anos decorridos entre duas celebrações consecutivas dos jogos olímpicos, originariamente efetuados na cidade de Olímpia, na Grécia antiga. **2.** Os jogos olímpicos gregos. ~ V. *olimpíadas.*

olimpíadas. [Pl. de *olimpíada.*] *S. f. pl.* Jogos olímpicos modernos, que se realizam de quatro em quatro anos, de 1896 para cá. ~ V. *olimpíada.*

olimpíade. *S. f.* Olimpíada.

olimpiano. [Do lat. *olympianu.*] *Adj.* **1.** Olímpico (1 e 2). ● *S. m.* **2.** Habitante do Olimpo; deus.

olímpico. [Do lat. *olympicu.*] *Adj.* **1.** Pertencente ou relativo ao Olimpo. **2.** Pertencente ou relativo aos deuses do Olimpo. [Sin., nessas acepç.: *olimpiano.*] **3.** Olimpio (1). **4.** Referente às olimpíadas. **5.** *Fig.* Grandioso, majestoso, divino, nobre, sublime. ~ V. *cheque* —, *gol* — e *jogos* —*s.*

olimpiense. *Adj. 2 g.* **1.** De, ou pertencente ou relativo a Olímpia (SP). ● *S. 2 g.* **2.** Natural ou habitante de Olímpia.

olímpio. [Do gr. *olympios,* pelo lat. *olympiu.*] *Adj.* **1.** De, ou pertencente ou relativo à cidade de Olímpia (Grécia); olímpico. ● *S. m.* **2.** O natural ou habitante de Olímpia.

olimpismo. *S. m.* **1.** Espírito que preside os jogos olímpicos, os treinos preparatórios para esses jogos. **2.** A influência dos jogos olímpicos.

olimpo. [Do gr. *Olympos,* pelo lat. *Olympu.*] *S. m.* **1.** Habitação das divindades pagãs: "Os deuses de Homero ... debatiam uma vez no O l i m p o , gravemente, e até furiosamente." (Machado de Assis, *Quincas Borba,* p. 98.) **2.** *Poét.* Lugar de delícias; céu, paraíso. **3.** *Mit.* O conjunto das divindades pagãs. [Com maiúscula, nas acepç. 1 e 3.]

olindense[1]. *Adj. 2 g.* **1.** De, ou pertencente ou relativo a Olinda (PE e RJ). ● *S. 2 g.* **2.** Natural ou habitante de Olinda.

olindense[2]. *Adj. 2 g.* **1.** De, ou pertencente ou relativo a Nova Olinda do Norte (AM). ● *S. 2 g.* **2.** Natural ou habitante de Nova Olinda do Norte.

oliniácea. *S. f.* Espécime das oliniáceas.

oliniáceas. *S. f. pl. Bot.* Família de plantas floríferas, da ordem das mirtales, cujas flores têm pétalas pouco desenvolvidas e cujo fruto é drupáceo. Engloba uns poucos arbustos, africanos.

oliniáceo. *Adj.* Pertencente ou relativo às oliniáceas.

olisiponense. [Do lat. *olisipponense.*] *Adj. 2 g.* e *s. 2 g.* V. *lisboeta.*

oliva. [Do lat. *oliva.*] *S. f.* **1.** Azeitona. **2.** Oliveira. **3.** Pequena lombada, na extremidade de um tubo, que serve para fixar-lhe melhor a tampa. ~ V. *olivas.* ~ ♦ **Oliva bulbar.** *Anat.* Cada uma das duas porções arredondadas situadas de cada lado da parte superior do bulbo raquiano; oliva do bulbo raquiano. **Oliva cerebelar.** *Anat.* Cada um dos dois núcleos de substância cinzenta localizados em cada hemisfério cerebelar. **Oliva do bulbo raquiano.** *Anat.* Oliva bulbar.

oliváceo. [De *oliva* + *-áceo*[1].] *Adj.* Que tem a cor da azeitona. [Cf. azeitonado.]

olival. [De *oliva* + *-al.*] *S. m.* Quantidade mais ou menos considerável de oliveiras dispostas proximamente entre si; oliveiral, olivedo.

olivar. [De *oliva* + *-ar*[1].] *Adj. 2 g.* Que tem forma de azeitona; olivário, oliviforme.

olivário. [Do lat. *olivariu.*] *Adj.* V. *olivar.*

olivas. [Pl. de *oliva.*] *S. f. pl.* **1.** *Anat.* Eminências do bulbo raquidiano, para fora da pirâmide anterior. **2.** *Arquit.* Olivares. **3.** Parótidas do cavalo. ~ V. *oliva.*

olivedo (ê). [Do lat. *olivetu.*] *S. m.* **1.** V. *olival:* "Entrevios emboscados nos o l i v e d o s vizinhos da casa." (Camilo Castelo Branco, *A Mulher Fatal,* p. 101.) **2.** Porção de olivais, ou olival extenso: "quieta aldeia, adormecida sob o o l i v e d o e a vinha" (Eça de Queiros, *Últimas Páginas,* p. 401).

oliveira. [Do lat. *olivaria,* i. e., *arbor olivaria.*] *S. f.* Arvoreta da família das oleáceas *(Olea europaea),* originária da região mediterrânea, de pequenas folhas acinzentadas, frutos *(azeitonas)* que são drupas oleaginosas e servem na alimentação humana em espécie e sob a forma de azeite deles extraído; oliva.

oliveira-fortense. *Adj. 2 g.* **1.** De, ou pertencente ou relativo a Oliveira Fortes (MG). ● *S. 2 g.* **2.** Natural ou habitante de Oliveira Fortes. [Pl.: *oliveira-fortenses.*]

oliveiral. [De *oliveira* + *-al.*] *S. m.* V. *olival.*

oliveirense[1]. *Adj. 2 g.* **1.** De, ou pertencente ou relativo a Oliveira (Portugal). ● *S. 2 g.* **2.** Natural ou habitante de Oliveira.

oliveirense[2]. *Adj. 2 g.* **1.** De, ou pertencente ou relativo a Senhora de Oliveira (MG). ● *S. 2 g.* **2.** Natural ou habitante de Senhora de Oliveira.

olivel. [De *o*[2] (1) + *livel,* com aglut.] *S. m. Ant.* V. *nível.* [Pl.: *olivéis.*]

olivençano. *Adj.* **1.** De, ou pertencente ou relativo a Olivença (Portugal). ● *S. m.* **2.** O natural ou habitante de Olivença. [Sin. ger.: *oliventino.*]

oliventino. *Adj.* e *s. m.* Olivençano.

olíveo. [De *oliva* + *-eo.*] *Adj. Poét.* Relativo ou pertencente à oliveira. [Cf. *Olívio,* antr.]

olivicultor (ô). [Do lat. *oliva* + *-i-* + *cultor.*] *S. m.* Oleicultor.

olivicultura. [De *oliva* + *-i-* + *cultura.*] *S. f.* Oleicultura (2).

olivídeo. *S. m.* **1.** Espécime dos olivídeos. ● *Adj.* **2.** Pertencente ou relativo a eles.

olivídeos. *S. m. pl. Zool.* Família de moluscos gasterópodes de concha ovalada, em forma de azeitona, e que compreende caramujos de praias. Servem de iscas para os pescadores.

oliviforme. [De *oliva* + *-i-* + *-forme.*] *Adj. 2 g.* V. *olivar.*

olivina. [De *oliva* + *-ina*[1].] *S. f. Min.* **1.** Mineral ortorrômbico, mistura isomorfa do silicato de magnésio com o de ferro; peridoto. **2.** *P. ext.* Designação comum aos minerais do grupo da olivina.

olmedal. *S. m.* Quantidade mais ou menos considerável de olmos dispostos proximamente entre si; olmedo.

olmedo (ê). [Do lat. *ulmetu.*] *S. m.* Olmedal.

olmeira. [De *olmo* + *-eira.*] *S. f.* V. *ulmária.*

olmeiro. [De *olmo* + *-eiro.*] *S. m.* V. *olmo.* [F. paral.: *ulmeiro.*]

olmo. [Do lat. *ulmu.*] *S. m.* Árvore da família das ulmáceas (*Ulmus campestris*), própria da Europa e ausente dos trópicos, que tem folhas simples e dísticas, exíguas flores, monoclamídeas, fruto drupáceo, e cuja madeira tem importância local. [F. paral.: *ulmo.* Sin.: *olmeiro.* Pl.: *olmos.* Cf. *Holmos,* top.]

ologbô. *S. m. Bras.* O conselheiro e chefe dos narradores iorubanos.

olor (ô). [Do lat. *olore.*] *S. m. Poét.* Cheiro agradável; aroma, perfume, fragrância: "de todo o seu corpo esbelto evolava-se um tão quente e capitoso o l o r sensual que o padre sentiu uma vertigem quebrá-lo e aturdi-lo." (Manuel Ribeiro, *A Planície Heróica,* p. 83); "Vinha de ti o o l o r de uma rosa fanada..." (Olegário Mariano, *Toda uma Vida de Poesia,* I, p. 132).

olorizar. [De *olor* + *-izar.*] *V. t. d.* Tornar cheiroso, oloroso.

oloroso (ô). *Adj.* Que tem olor: "agachou-se diante do fogo, atirando para as brasas punhados de alfazema, e ao fumo o l o r o s o que subia, perfumou as fraldas" (Coelho Neto, *Sertão,* p. 176). V. *odorante.*

Olorum. [Do ioruba.] *S. m. Bras.* Na seriação dos santos do culto iorubano, o maior de todos — o mestre do Céu, o senhor do Céu.

Oloxum. [Do ioruba.] *S. m. Bras.* Oxum.

olubajé. [Do ioruba.] *S. m. Bras.* Banquete oferecido a Omolu.

olvidamento. *S. m. P. us.* V. *olvido* (1).

olvidar. [Do lat. vulg. *oblitare,* freqüentativo de *oblivisci,* 'esquecer'.] *V. t. d.* **1.** Perder de memória; não se lembrar de; deixar cair no esquecimento; esquecer. *P.* **2.** Não se lembrar; esquecer-se.

olvidável. *Adj. 2 g.* Que pode ou deve ser olvidado.

olvido. [Dev. de *olvidar.*] *S. m.* **1.** Ato ou efeito de olvidar(-se); esquecimento. [Sin., p. us.: *olvidamento.*] **2.** *Poét.* Adormecimento, descanso, repouso.

▲**-oma.** [Do gr. *-oma.*] *El. comp.* = 'tumor': *mioma, fibroma.*

omacefalia. [De *om(o)-* + *-acefal(o)-* + *-ia.*] *S. f. Ter.* Monstruosidade consistente na má conformação da cabeça e na falta de membros superiores.

omacefaliano. *Adj.* Que tem omacefalia.

omacefálico. *Adj.* Referente à omacefalia.

omacéfalo. [De *om(o)-* + *-acéfalo.*] *S. m. Ter.* Monstro que apresenta omacefalia.

omagra. [De *om(o)-* + *-agra.*] *S. f. Med.* Gota (6) em ombro.

omágua. *Bras. S. 2 g.* **1.** Indígena da tribo tupi dos omáguas, da bacia do alto Amazonas. ● *Adj. 2 g.* **2.** Pertencente ou relativo a essa tribo.

omalgia. [De *om(o)-* + *-alg(o)-* + *-ia.*] *S. f. Med.* Dor no ombro.

omálgico. *Adj.* Referente a omalgia.

▲**omalo-.** [Do gr. *omalós, é, ón.*] *El. comp.* = 'liso', 'chato': *omalópode.*

omalópode. [De *omal(o)-* + *-pode.*] *Adj. 2 g.* Que tem pés chatos.

omani. *Adj. 2 g.* **1.** Do, ou pertencente ou relativo ao Sultanato de Omã (sudeste da Arábia). ● *S. 2 g.* **2.** Natural ou habitante do Sultanato de Omã. [Sin. ger.: *omaniano.*]

omaniano. *Adj.* e *s. m.* Omani.

omartrócace. [De *om(o)-* + *-artro-* + gr. *kaké,* 'vício, doença'.] *S. f. Med. Desus.* Artrite tuberculosa do ombro; omartrocacia.

omartrocacia. [De *om(o)-* + *-artro-* + *-cac(o)-*[1] + *-ia.*] *S. f. Med. Desus.* Omartrócace.

omartrocático. *Adj.* Referente à omartrocacia.

ombrã. [Alter. de *samburá*?] *S. m. Bras., AM.* Espécie de cesto usado por diversas tribos indígenas.

ombrear. [De *ombro* + *-ear.*] *V. t. d.* **1.** Levar ou pôr ao ombro. *T. i.* **2.** Pôr-se a par; pôr-se ou estar em paralelo; igualar-se; equiparar-se: *Grande escritor,* o m b r e i a *com os mestres da literatura universal. Bit. i.* **3.** Competir, rivalizar: *Não* o m b r e i a *com o irmão em inteligência.* [Conjug.: v. *frear.*]

ombreira. *S. f.* **1.** Cada uma das partes complementares do vestuário correspondentes aos ombros: "a cabeça inclinada sobre a almofada chata de costura, onde tinha pregada a o m b r e i r a de uma camisa, que pospontava." (José Veríssimo, *Cenas da Vida Amazônica,* p. 69). **2.** Cada uma das peças verticais das portas e janelas que sustentam as padieiras; umbral: "Enquanto mudavam os cavalos da diligência, vim encostar-me à o m b r e i r a da porta." (Alberto Braga, *Novos Contos,* p. 4.) [Cf. (nesta acepç.) *marco*[1] (5).] **3.** *Fig.* Limiar, porta, entrada. **4.** *Bras., N.E.* V. *cabide* (1).

ombro. [Do lat. *umeru.*] *S. m.* **1.** *Anat.* O segmento mais alto de cada membro superior, representando o local por que este membro se une ao tórax; espádua. **2.** *Tip.* Rebarba compreendida entre a base do talude e a aresta superior da frente do tipo. **3.** *Fig.* Força, vigor, robustez. **4.** *Fig.* Esforço, diligência. ♦ **Ombro a ombro.** Ombro com ombro. **Ombro com ombro. 1.** Lado a lado; a par; um ao lado do outro. **2.** Com familiaridade; com intimidade. [Sin. ger.: *ombro a ombro.*] **Carregar aos ombros.** Tratar [alguém] com especial carinho ou atenção. **Chorar no ombro de.** Contar as suas mágoas a, lamentar-se com (alguém). **Dar de ombros.** V. *encolher os ombros:* "Chegaram [os boatos] aos nossos ouvidos; eu negava formalmente e sério; ela d a v a d e o m b r o s e ria." (Machado de Assis, *Várias Histórias,* p. 95.) **Encolher os ombros.** Mostrar indiferença ou resignação; dar de ombros, levantar os ombros. **Levantar os ombros.** V. *encolher os ombros:* "diante do mistério, contentou-se em l e v a n t a r o s o m b r o s , e foi andando." (Machado de Assis, *Várias Histórias,* p. 5). **Olhar por cima do ombro.** Tratar por cima do ombro. **Tratar por cima do ombro.** Mostrar desprezo ou desdém a; olhar por cima do ombro.

ombrófilo. [Do gr. *ómbros,* 'chuva', + *-filo*[2].] *Adj. Ecol. Veg.* Pluvial (2).

ombudsman (búds). [Do sueco *ombud,* 'representante', 'deputado', + ingl. *man,* 'homem'.] **1.** Nos países de democracia avançada como, p. ex., a Suécia, funcionário do governo que investiga as queixas dos cidadãos contra os órgãos da administração pública. **2.** *P. ext.* Pessoa encarregada de observar e criticar as lacunas de uma empresa, colocando-se no ponto de vista do público: "o o m b u d s m a n critica o próprio jornal que lê com olhos do leitor" (*Jornal do Brasil,* 25.6.1985).

ômega. [Do gr. *o méga,* 'o[1] grande', i. e., 'o[1] longo'.] *S. m.* **1.** A 24ª e última letra do alfabeto grego (Ω, ω). **2.** Fim, final, termo. [Opõe-se a *alfa,* nesta acepç.]

ômega-menos. *S. f. Fís. Núcl.* Partícula elementar com carga igual à do elétron, spin 3/2, número bariônico 1 e massa em repouso 1 676 MeV, instável, desintegrando-se em um nêutron e um méson pimenos. [Pl.: *ômegas-menos.*]

omelê. *S. m. Bras., MA.* V. *cuíca* (2).

omeleta (ê). *S. f. Desus. no Brasil.* Omelete.

omelete (é). [Do fr. *omelette.*] *S. f. Bras.* Fritada de ovos batidos. [Em Portugal, *omeleta* (ê).]

omeleteira. [De *omelete* + *-eira.*] *S. f.* Frigideira (1) para omelete.

omental. *Adj. 2 g.* Pertencente ou relativo a omento.

omento. [Do lat. *omentu.*] *S. m. Anat.* V. *epíploo.*

ômicron. [Do gr. *o mikrón,* 'o minúsculo'.] *S. m.* A 15ª letra do alfabeto grego (Ο, ο).

ominar. [Do lat. *ominare.*] *V. t. d.* Agourar, pressagiar, prenunicar, vaticinar.

ominoso (ô). [Do lat. *ominosu.*] *Adj.* **1.** Agourento, nefasto, funesto. **2.** Detestável, execrável: "A devassa conhecida em nossa história pelo nome contundente e burlesco de 'Bonifácia' apresenta-se, à primeira vista, como um prolongamento de ação colonial no novo organismo político, eivado de ideais pelos quais se pretendia libertar de um ominoso passado de velharias e opressões..." (Alberto Rangel, *Textos e Pretextos*, p. 25.)

omissão. [Do lat. *omissione.*] *S. f.* **1.** Ato ou efeito de omitir(-se). **2.** Aquilo que se omitiu; falta, lacuna. **3.** Ausência de ação; inércia. **4.** *Jur.* Ato ou efeito de não fazer aquilo que moral ou juridicamente se devia fazer.

omissivo. [Do lat. *omissu*, part. pass. de *omittere*, 'omitir', + *-ivo.*] *Adj.* Que envolve ou se origina em omissão. ~ V. *crime* —. [Cf. *comissivo.*]

omisso. [Do lat. *omissu*, part. pass. de *omittere*, 'omitir'.] *Adj.* **1.** Que revela omissão, falta, lacuna, esquecimento. **2.** Descuidado; negligente. ● *S. m.* **3.** Aquele que pratica um alcance deixando de recolher, como lhe cabe, dinheiros ou valores de que tem a posse. [Cf. *remisso.*]

omissor (ô). [Do lat. *omissu*, part. pass. de *omittere*, 'omitir', + *-or.*] *Adj.* Omissório.

omissório. [Do lat. *omissu*, part. pass. de *omittere*, 'omitir', + *-ório.*] *Adj.* Que determina ou envolve omissão; omissor.

omitir. [Do lat. *omittere.*] *V. t. d.* **1.** Deixar de fazer, dizer ou escrever; não mencionar: *Depondo, omitiu fatos importantes.* **2.** Descuidar-se de fazer, dar, etc.: *Não omitiu nenhuma providência, e o processo teve bom andamento.* **3.** Deixar em esquecimento; preterir, postergar: *Ao fazer os convites, omitiu duas das pessoas presentes.* **4.** Deixar de lado; não tomar conhecimento de: *Ao fazer a revisão, omitiu várias páginas. P.* **5.** Não atuar, não manifestar-se, não se pronunciar, quando seria de esperar que o fizesse: *Os funcionários fazem arbitrariedades, e o chefe omite-se; Na discussão do problema, o eminente sociólogo omitiu-se;* "jamais se omitiu, quando podia elevar a voz em defesa de sua classe e da moralidade no ensino." (Clementino Fraga Filho, *Idéias e Ideais*, p. 7).

ômnibus. *S. m.* V. *ônibus.*

omnicolor (ô). *Adj. 2 g.* V. *onicolor.*

omnidirecional. *Adj. 2 g.* V. *onidirecional.*

omniforme. *Adj. 2 g.* V. *oniforme.*

omnilíngüe. *Adj. 2 g.* V. *onilíngüe.*

omnímodo. *Adj.* V. *onímodo.*

omnipalrante. *Adj. 2 g.* V. *onipalrante.*

omniparente. *Adj. 2 g.* V. *oniparente.*

omnipessoal. *Adj. 2 g.* V. *onipessoal.*

omnipotência. *S. f.* V. *onipotência.*

omnipotente. *Adj. 2 g.* V. *onipotente.*

omnipresença *S. f.* V. *onipresença.*

omnipresente. *Adj. 2 g.* V. *onipresente.*

omnisciência. *S. f.* V. *onisciência.*

omnisciente. *Adj. 2 g.* V. *onisciente.*

omnissapiência. *S. f.* V. *onissapiência.*

omnissapiente. *Adj. 2 g.* V. *onissapiente.*

omnividência. *S. f.* V. *onividência.*

omnividente. *Adj. 2 g.* V. *onividente.*

omnivoridade. *S. f.* V. *onivoridade.*

omnívoro. *Adj.* V. *onívoro.*

▲om(o)-. [Do gr. *ômus*, *ou.*] *El. comp.* = 'ombro': *omagra, omocótila.*

▲omo-. [Do gr. *omós, ón.*] *El. comp.* = 'cru'; 'prematuro': *omófago* (< gr. *omophágos*), *omotocia.*

omocótila. [De *om(o)-* + *-cótilo.*] *S. f. Anat.* Cavidade da omoplata onde encaixa a cabeça do úmero.

omodinia. [De *om(o)-* + *-odin(o)-* + *-ia.*] *S. f. Med.* Dor em ombro.

omodínico. *Adj.* Relativo à omodinia.

omofagia. *S. f.* Qualidade ou hábito de omófago.

omófago. [Do gr. *omophágos.*] *Adj.* e *s. m.* Que ou aquele que se alimenta de carne crua.

Omolu. *S. m. Bras., BA.* V. *Obaluaê.*

omolucu. [Do ioruba.] *S. m. Bras.* Comida feita com feijão-fradinho e ovos.

omoplata. [Do gr. *omopláte.*] *S. f. Anat.* Osso chato, delgado e triangular que forma a parte posterior do ombro; escápula: "A rija constituição do prisioneiro levou a melhor das espadeiradas e do golpe de partazana que lhe esmigalhara a omoplata." (Aquilino Ribeiro, *Portugueses das Sete Partidas*, p. 203.)

omotocia. [De *omo-* + *-toc(o)-* + *-ia.*] *S. f. Med.* Parto prematuro.

▲-on. *El. comp.* us. na nomenclatura de partículas elementares: *nêutron, híperon.*

▲-ona[1] Fem. de -ão[1].

▲-ona[2]. *Quím. Suf.*: 'função cetona': *propanona, butanona.*

onagata. [Do jap. *onnagata.*] *S. m. Teat.* Ator japonês especializado na representação de papéis femininos, nos teatros nô [q. v.] e cabúqui [q. v.].

onagrácea. *S. f.* Enoterácea.

onagráceas. *S. f. pl. Bot.* Enoteráceas.

onagráceo. *Adj.* Enoteráceo.

onagro. [Do gr. *ónagros*, pelo lat. *onagru.*] *S. m.* **1.** Espécie de burro selvagem da África e da Ásia. **2.** *P. ext.* Burro; jumento. **3.** Máquina de guerra usada pelos antigos romanos para arremessar projetis.

onanismo. [Do antr. *Onã*, de um personagem bíblico que praticava coitos interrompidos, + *-ismo.*] *S. m.* **1.** Automasturbação manual masculina; quiromania. [Cf. *masturbação.*] **2.** No conceito bíblico, coito interrompido no instante da ejaculação para evitar a fecundação.

onanista. *Adj. 2 g.* e *s. 2 g.* Que ou quem pratica o onanismo; masturbador.

onanizar-se. *V. p.* Praticar o onanismo (1). [Cf. *masturbar.*]

onça[1]. [Do lat. *uncia.*] *S. f.* **1.** Antiga unidade de medida de peso, equivalente a 28,691 g. **2.** Medida de peso inglesa, equivalente a 28,349 g. **3.** Moeda espanhola do valor de 14.672 réis. **4.** Moeda havanesa de ouro, equivalente a 17 piastras. **5.** Entre os romanos, a 12ª parte da libra. **6.** *Bras., S.* Antiga moeda de ouro que equivalia aproximadamente a Cr$ 0,03.

onça[2]. [Do gr. *lygx*, 'lince', atr. do lat. **luncea* e do it. *lonza.*] *S. f.* **1.** Grande felino das montanhas do N. da Ásia *(Panthera uncia)*, de pelagem lanosa, que lembra a da pantera, com 1,30 m de comprimento. **2.** *Bras.* V. *jaguar.* **3.** *Bras. P. ext.* Designação comum a todos os felídeos brasileiros de grande porte. **4.** Pessoa feiíssima. **5.** V. *valentão* (3). **6.** *Bras., N.* Jogo semelhante ao das damas. ● *Adj. 2 g.* **7.** Diz-se de pessoa muito valente, fortíssima, invencível. V. *valentão* (1). **8.** *Bras.* Fora do comum; extraordinário: "— A Josefa tomou um pileque onça" (Artur Azevedo, *Contos Fora da Moda*, p. 44). ◆ **Ficar uma onça.** *Bras.* Ficar muito zangado; virar onça. **Na onça.** *Bras. Gír.* Sem dinheiro; na miséria: *andar na onça;* "—Ô gente boa! Estou na onça, quero um bife a cavalo. Se mexa, sargento!" (Reginaldo Guimarães, *Uma Blusa no Cais*, p. 5). [Em Portugal: *à onça.*] **Virar onça.** *Bras.* Ficar uma onça: "quem quisesse ver aquela meiga criatura virar onça, lhe tocasse num filho ou num neto" (Mendonça Júnior, *O Anel de Brilhante e Outras Estórias*, p. 16).

onça-d'água. *S. f. Bras.* Ariranha. [Pl.: *onças-d'água.*]

onça-parda. *S. f. Bras.* V. *suçuarana* (1). [Pl.: *onças-pardas.*]

onça-pintada. *S. f.-Bras.* V. *jaguar.* [F. red.: *pintada.* Pl.: *onças-pintadas.*]

onça-preta. *S. f. Bras.* Variedade melânica da onça-pintada ou jaguar, geralmente mais feroz que o jaguar, recebendo por isso a denominação imprópria de tigre. [Nos cruzamentos, a cor preta predomina sobre o amarelo-ruivo. Pl.: *onças-pretas.*]

onça-vermelha. *S. f. Bras.* V. *suçuarana* (1). [Pl.: *onças-vermelhas.*]

onceiro. *S. m. Bras.* Cão caçador de onça.

oncinha. [Dim. de *onça*[2].] *S. f. Bras.* V. *formiga-chiadeira.*

▲onc(o)-. [Do gr. *óykos, ou.*] *El. comp.* = 'tumor'; 'volume': *oncotomia; oncometria.* [Equiv.: *-onco: ulonco.*]

▲-onco. Equiv. de *onc(o)-.*

oncocercose. *S. f. Patol.* Doença causada por verme filarióide e caracterizada por grandes tumores subcutâneos. Tem como insetos vectores os mosquitos simulídeos, e ocorre na África e na América Central.

oncogene. [De *onc(o)-* + *gene.*] *S. m. Genét.* Gene envolvido no processo de origem de câncer.

oncologia. [De *onc(o)-* + *-log(o)-* + *-ia.*] *S. f.* V. *cancerologia.*

oncológico. *Adj.* Referente à oncologia; cancerológico.

oncologista. *S. 2 g.* Especialista em oncologia; cancerologista.

oncometria. [De *onc(o)-* + *-metr(o)-*[2] + *-ia.*] *S. f. Med.* Medida do volume das vísceras e de suas variações.

oncométrico. *Adj.* Referente à oncometria.

oncômetro. [De *onc(o)-* + *-metro.*] *S. m.* Aparelho apropriado para oncometria.

oncose. [Do gr. *ógkosis.*] *S. f. Patol.* Condição mórbida caracterizada pela formação de tumores.

▲-oncose. [Do gr. *ógkosis, eos.*] *El. comp.* = 'inchação': *iridoncose, faloncose.*

oncotomia. [De *onc(o)-* + *-tom(o)-* + *-ia.*] *S. f. Cir.* Incisão de tumor ou abscesso.

oncotômico. *Adj.* Relativo à oncotomia.

onda. [Do lat. *undà.*] *S. f.* **1.** Porção de água do mar, lago ou rio, que se eleva; vaga. **2.** A água do mar; oceano, mar. **3.** Grande quantidade ou afluxo de líquido; ondada: *ondas de sangue.* **4.** *Fig.* Grande quantidade ou abundância; grande afluência: *ondas de bombardeios; ondas de luz; uma onda de pessoas.* **5.** *Fig.* Grande agitação; ímpeto, tumulto, tropel, torrente: *onda revolucionária.* **6.** Movimento ondulatório; ondulação: *as ondas das searas.* **7.** Ondulação, ondulado, ondeado; flexuosidade: *as ondas de uma saia rodada.* **8.** *Fig.* Intensidade, exuberância (de sentimentos): *onda de alegria; onda de amargura.* **9.** *Art. Gráf.* Representação de linhas paralelas que formam curvas côncavas e convexas. **10.** *Fís.* Perturbação periódica mediante a qual pode haver transporte de energia de um ponto a outro de um material ou do espaço vazio. **11.** *Bras.* Confusão, complicação, embrulhada, enredo. **12.** *Bras. Gír.* Fingimento, simulação, hipocrisia. **13.** *Bras. Gír.* Aquilo que é muito bom ou muito bonito; aquilo que é formidável; chinfra, curtição, barato. ◆ **Onda caminhante.** *Fís.* Onda em que não existem frentes de ondas estacionárias; onda progressiva. **Onda capilar.** *Fís.* Onda que se forma na interface de dois fluidos, e em que a principal força responsável pelo movimento periódico é a tensão interfacial. **Onda curta.** *Fís.* onda eletromagnética com freqüência compreendida entre um e trinta megahertz, aproximadamente. **Onda de arrebentação.** Aquela cuja crista, avançando mais rápido que o cavado, escachoa à frente da onda, desfazendo-a. **Onda de choque.** *Fís.* Onda que provoca uma variação extremamente rápida e localizada de densidade, pressão e temperatura em um fluido. **Onda de gravitação.** *Fís.* Campo gravitacional periódico em um espaço vazio, e que é uma onda transversal que se propaga com a velocidade da luz. **Onda de pressão.** *Fís.* A que provoca uma perturbação periódica da pressão num fluido e se evidencia por uma seqüência de compressões e rarefações na massa deste fluido. **Onda de rádio.** *Fís.* Onda eletromagnética utilizada em radioemissão e radiorrecepção, e que tem comprimento de onda situado aproximadamente entre 50 e 3 000 metros: onda hertziana, onda radioelétrica. **Onda direcional.** *Fís.* A que se propaga apenas seguindo um setor esférico. **Onda eletromagnética.** *Fís.* Campo eletromagnético periódico não estacionário que se propaga no espaço ou num meio material; perturbação periódica de natureza eletromagnética que se propaga num meio material ou no espaço vazio e é portadora de energia. **Onda esférica.** *Fís.* Aquela em que as frentes de onda são esféricas. **Onda estacionária.** *Fís.* Onda ou sistema de ondas que, num meio, determina a existência de pertubações nulas em pontos fixos e não provoca um transporte de energia ao longo desse meio. **Onda extraordinária.** *Ópt.* Num cristal birrefringente uniaxial, onda eletromagnética que não se propaga isotropicamente no meio. **Onda harmônica.** *Fís.* Aquela em que o periodismo da perturbação é representável por uma função harmônica simples. **Onda hertziana.** *Fís.* V. *onda de rádio.* **Onda longa.** *Fís.* Onda eletromagnética de freqüência menor que 100 quilohertz. **Onda longitudinal.** *Fís.* Aquela em que a perturbação do meio tem uma direção idêntica à de propagação da onda no meio. **Onda material.** *Fís.* A que se associa a uma partícula e cujo comprimento é inversamente proporcional ao momento da partícula. **Onda média.** *Fís.* Onda eletromagnética com freqüência compreendida entre cem e mil quilohertz, aproximadamente. **Onda modulada.** *Fís.* Superposição de uma onda eletromagnética por outra(s), com a conseqüente modulação de um dos seus parâmetros. **Onda monocromática.** *Fís.* Onda eletromagnética cujo campo é uma função harmônica simples do tempo. **Onda ordinária.** *Ópt.* Num cristal birrefringente uniaxial, onda eletromagnética que se propaga isotropicamente no meio. **Onda plana.** *Fís.* Aquela em que as frentes de ondas são planas. **Onda portadora.** *Telecom.* Onda eletromagnética de amplitude e freqüência constantes, emitida por um radiotransmissor e modulada por um sinal. [Tb. se diz apenas *portadora.*] **Onda progressiva.** *Fís.* Onda caminhante. **Onda quadrada.** *Eletrôn.* Sinal elétrico periódico que varia, em intervalos de tempo iguais, entre dois valores constantes de tensão ou de corrente. **Onda radioelétrica.** *Fís.* V. *onda de rádio.* **Ondas luminosas.** As perturbações que resultam no fenômeno da propagação da luz. **Onda sônica.** *Fís.* Onda sonora. **Onda sonora.** *Fís.* Onda de pressão que se propaga num meio elástico, tendo a freqüência situada entre 20 e 20 000 Hz, e que é a responsável pelos fenômenos acústicos; onda sônica. **Ondas sísmicas.** Ondulações e abalos do solo, nos tremores de terra. **Onda subsônica.** *Fís.* Onda de pressão da mesma natureza da onda sônica, mas de freqüência inferior a 20 Hz. **Onda transversal.** *Fís.* Aquela em que o plano de vibração da perturbação é perpendicular à direção de propagação. **Onda ultracurta.** *Fís.* Onda eletromagnética de comprimento inferior a um metro, usualmente da ordem de grandeza de alguns centímetros. **Onda ultra-sônica.** *Fís.* Onda de pressão da mesma natureza da onda sônica, mas de freqüência superior a 20.000 Hz. **Estar na onda.** *Bras. Gír.* Estar em posição de relevo; fazer sucesso. **Fazer onda.** *Bras.* Provocar agitação; tumultuar, por simples gosto ou por interesse. **Ir na onda.** *Bras.* **1.** Ir levado pelos outros; não resistir. **2.** Deixar-se levar pelas circunstâncias, ou adaptar-se a elas. **3.** Ser enganado; cair na esparrela. **Não ser onda para o rádio de.** *Bras. Gír.* Não ser do agrado ou simpatia de; não cair no goto de. **Tirar onda.** *Bras. Gír.* Dar-se ares de valente, de culto, de inteligente, de bom, de importante, etc. **Tirar onda de.** *Bras. Gír.* Fazer-se ou fingir-se de: *Adora tirar onda de rico.*

ondaca. *S. f.* Var. de *indaca.*

ondada. [De *onda* + *-ada*[1].] *S. f.* **1.** Quantidade de ondas. **2.** Afluência, afluxo, onda: *uma ondada de sangue.*

ondado. [Part. de *ondar.*] *Adj.* V. *ondeado:* "Em finos caracóis, a loura e *ondada* coma" (Gonçalves Crespo, *Obras Completas,* p. 269); "E os seus *ondados* cabelos!" (Luís Guimarães, *Sonetos e Rimas,* p. 181.)

onda-maré. *S. f.* A onda proveniente do fenômeno da maré, e que, no alto-mar, se desloca de leste para oeste a uma velocidade de 864 nós, dando uma volta em redor da Terra cada 24 horas. [Pl.: *ondas-marés.*]

ondar. [De *onda* + *-ar*[2].] *V. int., t. d.* e *p.* V. *ondear.*

onde. [Do lat. *unde,* 'donde'.] *Adv.* **1.** Em que lugar; no qual lugar. **2.** *Bras., N.E.* e *prov. lus.* Quando, enquanto. • *Pron.* **3.** Em que: *Gosto da casa onde moro.* [Cf. *aonde.*] ◆ **Onde quer que.** Em qualquer lugar onde. **De onde.** De que lugar; do lugar em que. **De onde em onde. 1.** Aqui e ali; de espaço a espaço: "De *onde em onde,* barrocos sabulosos escavados ou velhas raízes que se contorcem, enrolando o atalho" (Pina de Morais, *Vidas e Sombras,* p. 21). **2.** De tempos a tempos; de tempo em tempo; de quando em quando: "Entre S. João e Natal, só os sambas de *onde em onde* alegram uma casa" (Gustavo Barroso, *Terra de Sol,* p. 219). **Por onde.** Pelo qual lugar; pelo lugar em que.

ondeado. [Part. de *ondear.*] *Adj.* **1.** Que tem ondas. **2.** Disposto em curvas, à feição de ondas; ondulado, ondeante [q. v.]: "Bela cabeleira leonina, castanha, *ondeada,* descendo sobre as orelhas" (Pedro Nava, *Beira-Mar,* p. 87). [Var.: *ondado.*] • *S. m.* **3.** Aquilo que apresenta a forma de ondas: *o ondeado dos cabelos.*

ondeamento. *S. m.* Ato ou efeito de ondear(-se); ondeio.

ondeante. *Adj. 2 g.* Que ondeia; que ondula; ondeado, ondulado, ondulante, ondulatório, onduloso, undante, undoso: "Revolta, / *Ondeante,* a cabeleira, aos níveos ombros solta, / Cobre-lhe os seios nus e a curva dos quadris" (Olavo Bilac, *Poesias,* p. 138).

ondear. [De *onda* + *-ear.*] *V. int.* **1.** Mover-se (a água) em ondulação (1). **2.** Fazer ondulação (2); serpear: "Fumo e a fumaça, no ar parado, / Sobe *ondeando* ..." (Olegário Mariano, *Toda uma Vida de Poesia,* I, p. 215). **3.** Propagar-se ou transmitir-se em ondas. **4.** Fazer curvas; serpear: *O rio ondeava pelo vale.* **5.** Agitar-se, mover-se formando ondas ou como que formando-as: "E o teu pendão da guerra *ondeou,* glorioso, ao lado / Do pendão de Balduíno, Imperador do Oriente." (Olavo Bilac, *Poesias,* p. 237); "Todos os ferros das lanças retiniram, as Insígnias de Roma *ondearam* no ar" (Eça de Queirós, *Últimas Páginas,* p. 278). *T. d.* **6.** Dar a forma de ondas a; tornar ondeado, sinuoso; frisar: *ondear os cabelos.* **7.** Agitar como ondas; fazer tremular: *A ventania ondeia a vela da embarcação:* "Ao redor de nós, somente o vento selvagem que dobra vergônteas, *ondeia* cidreiras e despetala flores." (Mário da Silva Brito, *Conversa Vai, Conversa Vem,* p. 12.) *P.* **8.** Mover-se em ondulações; fazer ondas. [Var.: *ondar.* Sin. ger.: *ondular.* Conjug.: v. *frear.*]

ondeio. [Dev. de *ondear.*] *S. m.* Ondeamento.

ondina. [Do lat. *undine,* atr. do fr. *ondine.*] *S. f. Mit.* Cada um dos gênios ou ninfas das águas, entre os antigos povos germânicos e escandinavos. [Cf. *náiade* (1).]

ondométrico. *Adj.* Relativo ao ondômetro.

ondômetro. [De *onda* + *-o-* + *-metro.*] *S. m. Fís.* Aparelho empregado em radiotécnica para medição de comprimento de onda.

ondulação. [De *ondular* + *-ção.*] *S. f.* **1.** Formação de ondas pouco agitadas. **2.** Movimento semelhante ao das ondas: *a ondulação dos trigais, das bandeiras, das cortinas.* **3.** Forma ou linha sinuosa; sinuosidade, flexuosidade: *as ondulações do desenho do vestido.* **4.** Conjunto de saliências e depressões: *as ondulações do terreno.* **5.** Processo de anelar os cabelos dispondo-os em mechas; frisagem.

onduladeira. [De *ondular* + *-deira.*] *S. f. Ind. Pap.* Máquina que produz o papelão ondulado [q. v.], mediante corrugação e colagem, em camadas superpostas, de duas ou mais folhas de papel grosso; corrugadeira.

ondulado. [Do lat. *undulatu.*] *Adj.* **1.** V. *ondeado* (2). **2.** V. *ondeante.* **3.** *Morfol. Veg.* Diz-se dos órgãos foliáceos cujas margens apresentam subidas e descidas alternadas e sucessivas: *folha ondulada.* ~ V. *cartão* — e *papelão* —.

ondulância. *S. f.* Qualidade de ondulante.

ondulante. [De *ondular* + *-nte.*] *Adj. 2 g.* V. *ondeante.* ~ V. *febre* —.

ondular. [De um **undulare* < lat. *undulatu,* 'ondulado'.] *V. int., t. d.* e *p.* V. *ondear:* "Vaga, indistinta, / De rua em rua, a turba *ondula*" (Olegário Mariano, *Toda uma Vida de Poesia,* I, p. 253); "*Ondula* ao sol, como um penacho de ouro, / A cabeleira fulva das espigas." (Id., *ib.,* I, p. 87); "numa clara noite fria desse inverno, com o minuano a *ondular* as macegas e a sibilar tristonho nos oitões, o seu corpo ... desfaleceu de amor" (Alcides Maia, *Tapera,* p. 75); "Ele viu-a sair *ondulando* os quadris, conjugal e desejável, no seu roupão vermelho" (Xavier Placer, *Doze Histórias Curtas,* p. 96).

ondulatório. [Do lat. *undulatu,* 'ondulado', + *-ório.*] *Adj.* V. *ondeante: movimentos ondulatórios.* ~ V. *mecânica* —*a.*

onduloso (ô). [Do lat. *undula,* 'onda pequena', + *-oso.*] *Adj.* V. *ondeante:* "O seio, castamente velado pelo corpinho, que subia até ao pescoço, estava ofegante e *onduloso* como a água do mar." (Machado de Assis, *Helena,* p. 119.)

ondurmanês. *Adj.* **1.** De, ou pertencente ou relativo a Ondurmã (Sudão). • *S. m.* **2.** O natural ou habitante de Ondurmã. [Flex.: *ondurmanesa* (ê), *ondurmaneses* (ê), *ondurmanesas* (ê).]

oneomania. [Do gr. *onéo,* 'comprar', + *-mania.*] *S. f.* Desejo mórbido, impulsivo, de fazer compras, de adquirir coisas.

oneomaníaco. *Adj.* **1.** Relativo à oneomania. **2.** Oneômano. • *S. m.* **3.** Oneômano.

oneômano. *Adj.* e *s. m.* Que, ou aquele que tem oneomania; oneomaníaco.

onerado. [Part. de *onerar.*] *Adj.* Sujeito a ônus; que se onerou; sobrecarregado.

onerar. [Do lat. *onerare.*] *V. t. d.* **1.** Sujeitar a ônus; impor ônus ou obrigação a. **2.** Impor pesados tributos ou ônus a. **3.** Oprimir, vexar: "O gravíssimo imposto que *onerou* a nação desde 1762" (Camilo Castelo Branco, *Perfil do Marquês de Pombal,* p. 274). **4.** Carregar, sobrecarregar: *Os remorsos oneravam-lhe a consciência. T. d.* e *i.* **5.** Carregar, sobrecarregar; gravar: *Oneraram-no com pesadíssimos impostos.* **6.** Gravar com tributos. *P.* **7.** Sujeitar-se a ônus.

onerosidade. [Do lat. *onerositate.*] *S. f.* **1.** Qualidade de oneroso. **2.** Encargo, gravame, ônus.

oneroso (ô). [Do lat. *onerosu.*] *Adj.* **1.** Que envolve ou impõe ônus; que sobrecarrega; pesado: *convênio oneroso.* **2.** De que resultam grandes despesas ou gastos; dispendioso. **3.** Vexatório, incômodo, molesto: *condição onerosa.* ~ V. *ato* —.

onfacita. [Do gr. *ómphax, akos,* 'uva verde', + *-ita*[3].] *S. f. Min.* Variedade verde de augita.

onfalite. [De *onfal(o)-* + *-ite*[1].] *S. f. Patol.* Inflamação do umbigo.

▲**onfal(o)-.** [Do gr. *omphalós, oû.*] *El. comp.* = 'umbigo': *onfalite, onfalomancia.* [Equiv.: *-ônfalo: hematônfalo.*]

▲**-ônfalo.** Equiv. de *onfal(o)-.*

onfalóide. [De *onfal(o)-* + *-óide.*] *Adj. 2 g. Morfol. Veg.* Semelhante ao umbigo: *cavidade onfalóide.*

onfalomancia (cí). [De *onfal(o)-* + *-mancia.*] *S. f.* Adivinhação de quantos filhos terá uma mulher pelo exame do número de nós do cordão umbilical do primeiro filho.

onfalomante. *S. 2 g.* Pessoa que pratica a onfalomancia.

onfalomântico. *Adj.* Relativo à onfalomancia, ou a onfalomante.

onfalomesentérico. [De *onfal(o)-* + *mesentério* + *-ico*[2].] *Adj. Anat.* Referente ao umbigo e ao mesentério.

onfalópsico. [De *onfal(o)-* + *-psico.*] *S. m.* Membro de antiga seita quietista [v. *quietismo* (1)] dos sécs. XI e XII, cujos sectários se acreditavam iluminados e achavam que, contemplando e fixando o umbigo, podiam comunicar-se com a divindade e ver aquilo a que chamavam *luz do Tabor.*

onfalóptico. [De *onfal(o)-* + *óptico.*] *Adj. Fís.* Diz-se do cristal óptico convexo de ambas as faces.

onfalorragia. [De *onfal(o)-* + *-ragia.*] *S. f. Patol.* Hemorragia de origem umbilical.

onfalorrágico. *Adj.* Relativo à onfalorragia.

onfalosito. [De *onfal(o)-* + *-sito.*] *S. m. Ter.* Monstro a que faltam muitos órgãos, e cuja vida, incompleta, cessa apenas se rompe o cordão umbilical.

onfalotomia. [Do gr. *omphalotomía.*] *S. f. Cir.* Seção do cordão umbilical.

onfalotômico. *Adj.* Relativo à onfalotomia.

onfuá. *S. m. Bras.* Instrumento musical indígena, espécie de clarim.

onglete (ê). [Do fr. *onglet.*] *S. m. Grav.* Pequeno buril de ventres arredondados, do qual se servem os gravadores em madeira e metal para obterem traços finos e profundos; buril lentiforme. [V. *buril* (1).]

▲**-onho.** *Suf. nom.* = 'que causa ou produz', 'que pratica': *medonho, enfadonho, risonho, tristonho.*

▲**oni-.** [Do lat. *omnis, e.*] *El. comp.* = 'tudo', 'todo': *onipresente, onisciente.* [Equiv. (m. us. em Portugal): *omni-: omnipresente, omnisciente.*]

ônibus. [F. red. de *auto-ônibus.*] *S. m. 2 n.* **1.** Veículo automóvel para transporte público de passageiros, com itinerário preestabelecido. **2.** *P. ext.* Qualquer veículo com capacidade para grande número de passageiros. [Sin. ger., *auto-ônibus* e (pop.) em diferentes partes do Brasil: *garota, gôndola, jardineira, marinete* e *sopa.* F. paral.: *ômnibus.*] ◆ **Ônibus elétrico.** Trólebus.

▲**onic(o)-.** [Do gr. *ónyx, ychos.*] *El. comp.* = 'unha': *onicotrofia, onicóforo.*

onicofagia. [De *onic(o)-* + *-fag(o)-*[1] + *-ia.*] *S. f.* Hábito ou vício de roer as unhas.

onicofágico. *Adj.* Respeitante à onicofagia.

onicófago. *S. m.* Aquele que tem onicofagia.

onicofimia. [De *onic(o)-* + *-fim(a)-* + *-ia.*] *S. f. Med.* Espessamento de unhas.

onicofímico. *Adj.* Referente à onicofimia.

onicóforo. [De *onic(o)-* + *-foro.*] *S. m.* **1.** Espécime dos onicóforos. • *Adj.* **2.** Pertencente ou relativo a eles. [Sin. ger.: *protraqueado.*]

onicóforos. *S. m. pl. Zool.* Animais artrópodes, do subramo ou classe *Onycophora,* de corpo alongado, extremidade anterior sem cabeça diferenciada, com duas antenas e papilas orais. Locomovem-se por meio de 15 a 43 pares de patas curtas, não articuladas, afiladas para o ápice, com duas minúsculas unhas apicais. Sexos separados. São terrestres, e vivem debaixo de pedras ou troncos de árvores em decomposição. [Sin.: *protraqueados.*]

onicólise. [De *onic(o)-* + *-lise.*] *S. f. Patol.* Desprendimento ou queda das unhas.

onicolor (ô). [Do lat. *omnicolore.*] *Adj. 2 g.* Que tem todas as cores: "uma ampla corola eritrina, sulfurina, sandicina, purpurizada, irial, que onímona, *onicolor,* .... se cobaltiza, se ambreia, se acobreia" (Martins Fontes, *A Dança,* p. 64). [F. paral.: *omnicolor.* Cf. *unicolor.*]

onicoma. [De *onic(o)-* + *-oma.*] *S. m. Patol.* Tumor de unha ou de leito ungueal.

onicomancia (cí). [De *onic(o)-* + *-mancia.*] *S. f.* Arte de adivinhar o futuro de uma criança untando-lhe as unhas com azeite e fuligem, e observando as figuras que então se formam.

onicomante. [De *onic(o)-* + *-mante.*] *S. 2 g.* Pessoa que pratica a onicomancia.

onicomântico. *Adj.* Relativo à onicomancia, ou a onicomante.

onicopatia. [De *onic(o)-* + *-pat(o)-* + *-ia*] *S. f. Patol.* Designação genérica de doenças da unha.

onicopático. *Adj.* Referente à onicopatia.

onicorrexia (cs). [De *onic(o)-* + *-rex(e)-* + *-ia.*] *S. f. Med.* Doença caracterizada pela esfoliação das unhas, que se quebram facilmente.

onicotrofia. [De *onic(o)-* + *-trof(o)-* + *-ia.*] *S. f. Med.* Nutrição e crescimento das unhas.

onicotrófico. *Adj. 2 g.* Relativo à onicotrofia.

onidirecional. [De *oni-* + *direcional.*] *Adj.* **1.** Que se propaga em todas as direções: *emissão onidirecional.* **2.** Que capta sons de todas as direções: *microfone onidirecional.* [F. paral.: *omnidirecional.* Cf. unidirecional.]

oniforme. [Do lat. *omniforme.*] *Adj. 2 g.* Que tem ou pode tomar todas as formas: "E essa ânsia *oniforme* e onipotente / De um futuro mais alto que o presente..." (A. J. Pereira da Silva, *Holocausto,* p. 113). [F. paral.: *omniforme.* Cf. *uniforme.*]

onilíngüe. [De *oni-* + o final de *bilíngüe*, etc.] *Adj. 2 g.* Que sabe muitas línguas; poliglota, multilíngüe. [F. Paral.: *omnilíngüe.* Cf. *unilíngüe.*]

▲-ônimo. [Do gr. *ónyma.*] *El. comp.* = 'nome': *antropônimo, topônimo.*

onímodo. [Do lat. *omnimodu.*] *Adj.* **1.** Que é de todos os modos; que abrange todos os modos de ser; que abrange tudo. **2.** Que não tem restrições; ilimitado. [F. Paral.: *omnímodo.* Cf. *unímodo.*]

oniomania. [Do gr. *onéo*, 'comprar', + *-mania*, pelo fr. *oniomanie.*] *S. f.* V. *oneomania.*

oniomaníaco. *Adj.* e *s. m.* V. *oneomaníaco.*

oniômano. *Adj.* e *s. m.* V. *oneômano.*

onipalrante. [De *oni-* + *palrante.*] *Adj. 2 g. Burl.* Que fala a respeito de tudo. [F. Paral.: *omnipalrante.*]

oniparente. [Do lat. *omniparente.*] *Adj. 2 g.* Que produziu ou produz tudo; que de tudo é criador. [F. Paral.: *omniparente.*]

onipessoal. [De *oni-* + *pessoal.*] *Adj. 2 g.* Que não é unipessoal. — V. *verbo* —. [F. Paral.: *omnipessoal.* Cf. *unipessoal.*]

onipotência. [Do lat. *omnipotentia.*] *S. f.* **1.** Qualidade de onipotente (1); poder absoluto e infinito: *a onipotência de Deus.* **2.** Deus (1); providência. **3.** Autoridade ou soberania absoluta: *a onipotência dos Médicis.* [F. paral.: *omnipotência.*]

onipotente. [Do lat. *omnipotente.*] *Adj. 2 g.* **1.** Que pode tudo; que tem poder absoluto; todo-poderoso. ● *S. m.* **2.** Deus. [F. Paral.: *omnipotente.*]

onipresença. [De *oni-* + *presença.*] *S. f.* V. *ubiqüidade.* [F. paral.: *omnipresença.*]

onipresente. [De *oni-* + *presente.*] *Adj. 2 g.* Ubíqüo. [F. paral.: *omnipresente.*]

oniquite. [De *onic(o)-* + *-ite*[1].] *S. f. Med.* Inflamação da matriz de unha.

onírico. [De *onir(o)-* + *-ico*[2].] *Adj.* Relativo a, ou próprio de sonhos: "incoerente, sonâmbula, *onírica*, ilógica, eventual, ... a poesia, tal como a concebe e realiza um Eugênio de Andrade, ... não engana ninguém quando é feita para enganar." (João Gaspar Simões, *Crítica*, II, p. 76).

onirismo. [De *onir(o)-* + *-ismo.*] *S. m. Psiq.* Alucinação visual sob a forma de sonho vivido, muitas vezes, com grande intensidade, e que pode surgir no curso de estados confusionais, ocorrendo, com freqüência, em intoxicação alcoólica.

▲onir(o)-. [Do gr. *óneiros, ou.*] *El. comp.* = 'sonho': *oniromancia; onírico.*

onirocricia. [Do gr. *oneirokrisia.*] *S. f.* Análise e interpretação dos sonhos. [Cf. *oniromancia.*]

onirócrita. [Do gr. *oneirokrítes.*] *S. 2 g.* Pessoa que se dedica à onirocricia. [Cf. *oniromante.*]

onirologia. [De *onir(o)-* + *-log(o)-* + *-ia.*] *S. f.* Conjunto de conhecimentos relativos aos sonhos.

onirológico. *Adj.* Respeitante à onirologia.

onirólogo. *S. m.* Aquele que se dedica à onirologia.

oniromancia (cí). [De *onir(o)-* + *-mancia.*] *S. f.* Adivinhação pela interpretação dos sonhos; brizomancia. [Cf. *onirocricia.*]

oniromante. [Do gr. *oneiromántis.*] *S. 2 g.* Pessoa que se dedica à oniromancia; brizomante. [Cf. *onirócrita.*]

oniromântico. *Adj.* Referente à oniromancia, ou a oniromante; brizomântico.

onisciência. [De *oni-* + lat. *scientia*, 'ciência'.] *S. f.* **1.** Qualidade de onisciente. **2.** *Teol.* O saber de Deus. [Sin. ger.: *onissapiência.* F. paral.: *omnisciência.*]

onisciente. [De *oni-* + lat. *sciente*, 'ciente'.] *Adj. 2 g.* Que sabe tudo; onissapiente. [F. paral.: *omnisciente.*]

oniscomorfo. *S. m.* **1.** Espécime dos oniscomorfos. ● *Adj. 2 g.* **2.** Pertencente ou relativo a eles.

oniscomorfos. *S. m. pl. Zool.* Artrópodes miriápodes, diplópodes, da ordem *Oniscomorpha*, de corpo com 14 a 16 somitos. Os machos têm gonópodes formados pelo primeiro ou pelos dois primeiros pares de pernas do último somito.

onissapiência. [De *oni-* + *sapiência.*] *S. f.* Onisciência. [F. paral.: *omnissapiência.*]

onissapiente. [De *oni-* + *sapiente.*] *Adj. 2 g.* Onisciente. [F. paral.: *omnissapiente.*]

onividência. *S. f.* Qualidade de onividente. [F. paral.: *omnividência.*]

onividente. [De *oni-* + *vidente.*] *Adj. 2 g.* Que tudo vê; que tudo conhece. [F. pral.: *omnividente.*]

onivoridade. *S. f.* Qualidade de onívoro. [F. paral.: *omnivoridade.*]

onívoro. [Do lat. *omnivoru.*] *Adj.* Que come de tudo; polífago: "Os mausoléus, os sarcófagos, os jazigos de família com a boca *onívora* aberta, chovendo dentro" (Macedo Miranda, *As Três Chaves*, p. 104). [F. paral.: *omnívoro.*]

ônix (cs). [Do gr. *ónyx*, pelo lat. *onyx.*] *S. m. 2 n.* **1.** Variedade de ágata entre cujas camadas se observa sensível destaque de cor. **2.** Mármore com camadas policrômicas. [Cf. *onixe.*]

onixe (cs). [Do gr. *ónyx*, 'unha'.] *S. m. Med.* Unha encravada. [Cf. *ônix.*]

➧on-line (on-láine). [Ingl.] *Proc. Dados. Adj.* **1.** Diz-se da possibilidade do usuário desenvolver uma ação recíproca ou interação com o computador. **2.** Diz-se do dispositivo periférico que pode operar sob o controle do computador ou em comunicação direta com ele. **3.** Diz-se do estado de um equipamento ou terminal quando este efetua transmissão de dados diretamente pelas linhas de comunicação de uma rede; conectado à linha.

■ O.N.O. Abrev. de *oés-noroeste.*

onofrita. [Do top. *San Onofre* + *-ita*[3].] *S. f. Min.* Mineral monométrico, sulfosselenieto de mercúrio.

onomasiologia. [Do gr. *onómasis*, 'designação nominal', + *-o-* + *-log(o)-* + *-ia.*] *S. f. Ling.* O estudo das expressões de que dispõe uma língua para traduzir determinada noção, e que parte, pois, do significado [q. v.] para estudar o significante [q. v.].

onomástica. [Fem. substantivado do adj. *onomástico.*] *S. f.* **1.** Estudo e investigação da etimologia, transformações, morfologia, etc., dos nomes próprios de pessoas e lugares. **2.** Lista ou catálogo de nomes próprios; onomástico: "— Joaquim, tu passas agora a chamar-te André. Vai lá para dentro. I Fê-lo João, fê-lo Manuel, ... percorreu toda a *onomástica* latina, grega, ... conseguindo ter sempre o mesmo ruim criado" (Machado de Assis, *A Semana*, II, p. 69). **3.** Explicação desses nomes; onomástico.

onomástico. [Do gr. *onomastikós.*] *Adj.* **1.** Relativo aos nomes próprios: *vocabulário onomástico*; "A 29 de junho ...., quando todo o sertão baiano guardava, tranqüilo e feliz, o dia *onomástico* de S. Pedro, Virgulino .... assaltou a fazenda 'Formosa' " (Leonardo Mota, *No tempo de Lampião*, p. 63). — V. *índice* —. ● *S. m.* **2.** Onomástica (2 e 3).

onomático. [Do gr. *onomatikós.*] *Adj.* Referente a nome.

▲onomato-. [Do gr. *ónoma, atos.*] *El. comp.* = 'nome': *onomatomancia.*

onomatomancia (cí). [De *onomato-* + *-mancia.*] *S. f.* Adivinhação fundada no nome da pessoa.

onomatomania. [De *onomato-* + *-mania.*] *S. f. Med.* Preocupação obsessiva e doentia com a escolha de palavras, ou dificuldade ou impotência para encontrar um vocábulo ou expressão que se procura.

onomatômano. [De *onomato-* + *-mano.*] *Adj.* e *s. m.* Que ou aquele que sofre de onomatomania.

onomatomante. [De *onomato-* + *-mante.*] *S. 2 g.* Pessoa que se dedica à onomatomancia.

onomatomântico. *Adj.* Relativo à onomatomancia, ou a onomatomante.

onomatopaico. *Adj.* V. *onomatopéico.*

onomatopéia. [Do gr. *onomatopoiía*, pelo lat. *onomatopoeia.*] *S. f.* Palavra cuja pronúncia imita o som natural da coisa significada (*murmúrio, sussurro, cicio, chiado, mugir, pum, reco-reco, tique-taque*): "inventa [Camilo Castelo Branco] *onomatopéias* refletidoras do som das vozes significadas, e reforça e acelera, com preposítivas, verbos que lhe parecem retardados de movimento" (Antero de Figueiredo, *Jornadas em Portugal*, pp. 179-180); "*Bisbilhar* é uma bela *onomatopéia* que o autor [Heli Menegale] emprega duas vezes: 'a fonte que bisbilha' e 'regato que bisbilha'." (Aires da Mata Machado Filho, *Crítica de Estilos*, p. 97.) [Cf. *mimologia* (2) e *numologismo.*]

onomatopéico. *Adj.* **1.** Referente a onomatopéia. **2.** Que imita a coisa significada: *vocábulo onomatopéico.*

onomatópico. *Adj.* V. *onomatopéico.*

onomatopoese. [De *onomato-* + *-poese.*] *S. f.* V. *pseudônimo* (1).

ontem. [Do lat. *ad nocte(m)*, 'à noite', 'na noite passada'.] *Adv.* **1.** No dia imediatamente anterior ao de hoje. **2.** *P. ext.* No tempo que passou: *os costumes de ontem.* ◆ **Antes de ontem.** Anteontem.

ôntico. [De *ont(o)-* + *-ico*[2].] *Adj. Filos.* Pertencente ou relativo ao ente. [Cf. *ontológico.*]

▲ont(o)-. [Do gr. *ón, óntos.*] *El. comp.* = 'ser', 'indivíduo': *ontogênese, ontogonia; ôntico.*

ontogênese. [De *ont(o)-* + *-gênese.*] *S. f. Biol. Ger.* Ontogenia.

ontogenético. *Adj.* Relativo à ontogênese ou ontogenia; ontogênico: *desenvolvimento ontogenético.*

ontogenia. [De *ont(o)-* + *-genia.*] *S. f. Biol. Ger.* Desenvolvimento do indivíduo desde a fecundação até a maturidade para a reprodução; ontogênese. [Opõe-se a *filogenia.*]

ontogênico. *Adj.* Ontogenético.

ontogonia. [De *ont(o)-* + *-gon(o)-* + *-ia.*] *S. f.* História da produção dos seres organizados sobre a Terra.

ontogônico. *Adj.* Relativo à ontogonia.

ontologia. [De *ont(o)-* + *-log(o)-* + *-ia.*] *S. f. Filos.* Parte da filosofia que trata do ser enquanto ser, i. e., do ser concebido como tendo uma natureza comum que é inerente a todos e a cada um dos seres: "Com Kant [v. *kantiano*], o universo é uma dúvida: com Locke, é dúvida o nosso espírito: e num destes abismos vêm precipitar-se todas as *ontologias.*" (Alexandre Herculano, *Lendas e Narrativas*, II, p. 107.) [Cf. *metafísica.*]

ontológico. *Adj. Filos.* **1.** Pertencente ou relativo à ontologia. **2.** Na filosofia de Heidegger [v. *existencialismo*], relativo ao Dasein.

ontologismo. [De *ont(o)-* + *-log(o)-* + *-ismo.*] *S. m.* Sistema filosófico de alguns teólogos católicos do séc. XIX, baseado na evidência da existência de Deus.

ontologista. *S. 2 g.* Pessoa que se ocupa de ontologia.

■ ONU. Sigla da *Organização das Nações Unidas.*

ônus. [Do lat. *onus.*] *S. m. 2 n.* **1.** Aquilo que sobrecarrega; carga, peso. **2.** *Fig.* Encargo, obrigação; dever, gravame. **3.** Encargo ou obrigação pesada, de cumprimento difícil ou desagradável: "Eu nunca exerci ofícios de justiça, e nunca tinha considerado os *ônus* da condição de crítico." (Tristão da Cunha, *À beira do Estix*, p. 84.) **4.** Imposto gravoso. ◆ **Ônus reais.** *Jur.* Gravame que recai sobre coisas móveis ou imóveis, por força de direitos reais sobre coisas alheias. [A enfiteuse, o usufruto, a hipoteca, o penhor, etc. são ônus reais.]

onusto. [Do lat. *onustu.*] *Adj.* Carregado, sobrecarregado, cheio, repleto: "o inverno ama a folgança. / É como quando ao porto *onusto* lenho aproa, / e a chusma jubilosa a popa alfim coroa." (Antônio Feliciano de Castilho, *As Geórgicas de Virgílio*, p. 39.)

onze[1]. *S. 2 g. Bras., SP.* V. *onze-letras.*

onze[2]. [Do lat. *undeci*, atr. das f. *undece, *undce, *unce.] *Num.* **1.** Cardinal dos conjuntos equivalentes a um conjunto de uma dezena de membros mais um membro (em algarismos arábicos, 11; em algarismos romanos, XI). **2.** V. *undécimo* (1). ● *S. m.* **3.** Algarismo representativo do número onze. **4.** Aquilo ou aquele que numa série de onze ocupa o último lugar. **5.** *Fut.* O time, a equipe.

onze-horas. *S. f. 2 n. Bras.* Erva ornamental da família das portulacáceas (*Portulaca grandiflora*), que tende a alastrar-se pelo solo, de caule e folhas carnosos e moles, e de flores vistosas e violáceas.

onze-letras. [Alusão às 11 letras de que se forma o voc. *alcoviteiro.*] *S. 2 g.* e *2 n.* Alcoviteira ou alcoviteiro; intermediário em amores: "Uma leva-e-traz, ver a Balancia, não é por boa coisa que passeia no bairro! Ai! *onze-letras* do inferno, se alguém te pilha no olho duma enxada!" (Valdomiro Silveira, *Os Caboclos*, p. 170.) [F. red., us. em SP: *onze*; sin., bras.: *dez-e-um.*]

onzena. [De *onze* + o fem. da term. *-eno* dos distributivos latinos.] *S. f.* **1.** Juro de onze por cento. **2.** *Fig.* Juro exorbitante, excessivo; usura. **3.** *Ant.* Porção de onze objetos. [Cf. *ozena.*]

onzenar. [De *onzena* + *-ar*[2].] *V. int.* **1.** Emprestar com grande usura. **2.** Intrigar, mexericar. *T. d.* **3.** Lucrar (mais do que o justo). [Sin. ger.: *onzeneirar.* Fut. pret.: *onzenaria*, etc. Cf. *onzenária*, fem. de *onzenário.*]

onzenário. *Adj.* **1.** Relativo à onzena; que contém onzena. ● *S. m.* **2.** Usurário, agiota: "O .... desdentado *onzenário*, que em certo momento de apuros, não se envergonha de cobrar-me 60% (lesão enormíssima!), é um porco!" (Raimundo Correia, *Poesia Completa e Prosa*, p. 589) [Sin.: *onzeneiro.* Fem.: *onzenária.* Cf. *onzenaria*, do v. *onzenar.*]

onzeneirar. [De *onzeneiro* + *-ar*[2].] *V. int.* e *t. d.* V. *onzenar.*

onzeneiro. *Adj.* e *s. m.* **1.** Onzenário: "para aliviar [ao povo] do peso do juro *onzeneiro*, — ensinar-lhe as idéias da cooperação econômica, e esclarecer e auxiliar a sua iniciativa livre na criação de cooperativas de variados tipos." (Antônio Sérgio, *Cartas do Terceiro Homem*, p. 67). **2.** Intrigante, mexeriqueiro, bisbilhoteiro.

onzenice. [De *onze* + *-ice.*] *S. f.* Intriga, mexerico, bisbilhotice.

onzeno. [De *onze* + a term. *-eno* dos distributivos latinos.] *Num. P. us.* V. *undécimo* (1).

▲oo-. [Do gr. *oón, ôu.*] *El. comp.* = 'ovo'; 'ovóide': *oologia, oólito.* [Cf. *ov(i)-.*]

ooângio. [De *oo-* + *-ângio.*] *S. m. Bot.* Aparelho ovular,

constituído da oosfera e das sinérgides.
oocisto. [De *oo-* + *-cisto.*] *S. m. Micol.* Oósporo de parede espessa, capaz de permanecer certo tempo inativo antes de germinar.
oócito. [De *oo-* + *-cito.*] *S. m.* O ovo antes da formação do glóbulo polar.
ooforectomia. [Do gr. *oophoros*, 'portador de ovário', + *-ectom-* + *-ia.*] *S. f. Cir.* Extirpação de ovário em extensão variável.
ooforisterectomia. [Do gr. *oophoros*, 'portador de ovário', + *-hister(o)-*[1] + *-ectom-* + *-ia.*] *S. f. Cir.* Extirpação, em extensão variável, do útero e de um ou de ambos os ovários.
ooforite. [Do gr. *oophoros*, 'portador de ovário', + *-ite*[1].] *S. f. Med.* Inflamação de ovário.
ooforoisterectomia (o-i). *S. f. Cir.* V. *ooforisterectomia.*
ooforossalpingectomia. [Do gr. *oophoros*, 'portador de ovário', + *-salping(o)-* + *-ectom-* + *-ia.*] *S. f. Cir.* Extirpação de uma ou de ambas as trompas de Falópio e, em extensão variável, de um ou de ambos os ovários.
ooforotomia. [Do gr. *oophoros*, 'portador de ovário', + *-tom(o)-* + *-ia.*] *S. f. Cir.* Incisão em ovário; ovariotomia.
ooforotômico. *Adj.* Relativo à ooforotomia; ovariotômico.
oogamia. [De *oo-* + *gam(o)-* + *-ia.*] *S. f. Bot.* Fecundação de um gameta imóvel por outro menor e ciliado, do que resulta um oósporo.
oógamo. *Adj. Bot.* Diz-se da planta que se reproduz por oogamia.
oogônio. [De *oo-* + *-gon(o)-* + *-io.*] *S. m. Bot.* Célula em cujo interior se formam gametas femininos imóveis (oosferas).
oolítico. *Adj.* **1.** Constituído de oólitos. **2.** Diz-se do calcário constituído de pequenos grãos do tamanho de ovos de peixe reunidos por cimento.
oólito. [De *oo-* + *-lito.*] *S. m. Min.* Pequena concreção calcária ou ferruginosa, semelhante a ovo de peixe.
oologia. [De *oo-* + *-log(o)-* + *-ia.*] *S. f.* Descrição do ovo, no ponto de vista da geração; ovologia.
oológico. *Adj.* Relativo à oologia; ovológico.
oomancia. [De *oo-* + *-mancia.*] *S. f.* Adivinhação por meio de ovos.
oomante. *S. 2 g.* Pessoa que pratica a oomancia.
oomântico. *Adj.* Relativo à oomancia, ou a oomante.
oosfera. [De *oo-* + *-sfera.*] *S. f. Bot.* Célula sexual feminina das plantas superiores; ovocélula.
oósporo. *S. m. Bot.* Oosfera fecundada.
ooteca. [De *oo-* + *-teca.*] *S. f.* Secreção de certos animais, a qual forma um estojo onde ficam encerrados os ovos.
ootecário. *Adj. e s. m.* **1.** V. *blatário.* **2.** V. *mantódeo.*
ootecários. *S. m. pl. Zool.* **1.** V. *blatários.* **2.** V. *mantódeos.*
■ **op.** Abrev. de *opus.*
opa. *S. f.* **1.** Espécie de capa sem mangas, com aberturas por onde se enfiam os braços, usada pelas confrarias e irmandades religiosas. **2.** *Gír.* Pândega, folia, troça. **3.** V. *pau-d'arco-amarelo.* [Cf. *opa* (ô).]
opa (ô). [Var. de *upa* (4).] *Interj. Bras.* Designa admiração, espanto, e é tb. forma de saudação. [Var.: *oba* (ô). Cf. *opa.*]
opaba. [Do tupi-guar. *o'papa*, ger. de *o'pab*, 'acabar'.] *S. m. Bras., BA.* Terreno arenoso, à beira-mar, que se torna alagado no inverno; japara.
opacidade. [Do lat. *opacitate.*] *S. f.* **1.** Qualidade de opaco. **2.** Lugar sombrio; sombra densa: *opacidade da mata.*
opacificação. *S. f.* Ato ou efeito de opacificar.
opacificado. [Part. de *opacificar.*] *Adj.* Tornado opaco.
opacificar. [De *opaco* + *-i-* + *-ficar.*] *V. t. d. e p.* Tornar(-se) opaco. [Conjug.: v. *trancar.*]
opacíssimo. *Adj.* Superl. abs. sint. de *opaco.*
opaco. [Do lat. *opacu.*] *Adj.* **1.** Que não deixa atravessar a luz; que não é transparente; toldado, turvo: "Inda do puro rio a *opaca* névoa / Bem não era desfeita ao Sol nascido" (Antônio Feliciano de Castilho, *A Primavera*, p. 64); "Camilo achou-se diante de um longo véu *opaco* ..." (Machado de Assis, *Várias Histórias*, p. 14). [Cf. *fosco* (2).] **2.** Espesso, denso, sombrio, obscuro: *a opaca floresta.* **3.** *Fig.* Cerrado, fechado: *opaca ignorância.* [Superl.: abs. sint.: *opacíssimo.*] ~V. *clister* —.
opado. [Part. de *opar.*] *Adj.* Inchado, intumescido, balofo: "o rei, paralítico, imbecil, *opado*, risonho" (Júlio Dantas, *O Amor em Portugal no Século XVIII*, p. 310); "A lavadeira, gorda e roliça, mas de gordura *opada*, vai e vem, fala e gesticula, toda cacarejante de ternura e cuidado." (Aquilino Ribeiro, *É a Guerra*, p. 219).
opaié-xavante. *S. 2 g.* e *adj. 2 g. Bras.* V. *ofaié.* [Pl.: *opaiés-xavantes.*]
opala. [Do sânscr. *upala*, 'pedra', pelo gr. *ópalos* e pelo lat. *opalu.*] *S. f.* **1.** Mineral tipicamente coloidal, produto de dessecação do hidrogel de sílica, que apresenta coloração leitosa e azulada, emitindo, quando exposto à luz, cores vivas e reflexos matizados. **2.** *Bras.* Espécie de tecido de algodão. *S. m.* **3.** A cor da opala (1). ● *Adj. 2 g. e 2 n.* **4.** V. *opalino.* ~ V. *vidro* —. ◆ **Opala de fogo.** Variedade vermelha de opala (1), com irisação. **Opala nobre.** A que apresenta elegante jogo de cores de interferência, mercê da existência de lamelas; opala preciosa. **Opala preciosa.** Opala nobre. **Opala xiloide.** A que se apresenta em forma de troncos fósseis.
opalanda. [Do esp. *hopalanda.*] *S. f.* Grande opa (1) talar, com mangas.
opalescência. [De um **opalescer*, incoativo < *opala*, + *-ência.*] *S. f. Ópt.* Fenômeno de refração, difusão e interferência luminosa simultâneas numa solução coloidal ou numa suspensão, e que a estas atribui colorações brilhantes e vivas, variáveis com a incidência da luz. [Dependendo da natureza e tamanho das partículas da solução ou da suspensão, podem estas colorações assumir, também, aspecto leitoso irisado. É fenômeno especialmente conspícuo no mineral opala.]
opalescente. *Adj. 2 g.* **1.** Que apresenta o fenômeno da opalescência: *vidro opalescente.* **2.** V. *opalino*: "Ergui os olhos distraidamente, / A ver se já brilhava alguma estrela / No côncavo do céu *opalescente*, / — E vi, numa varanda, os olhos dela..." (Augusto Gil, *Luar de Janeiro*, p. 137.)
opalina. [Do fr. *opaline.*] *S. f.* **1.** Vidro fosco, mas translúcido, que se emprega na confecção de objetos decorativos, como jarras, taças, etc. **2.** *P. ext.* Objeto confeccionado com esse vidro. **3.** Vidro espesso, leitoso, usado em revestimento de paredes, tetos, etc.
opalinidade. *S. f.* Qualidade ou cor de opalino.
opalinizante. *Adj. 2 g.* Que (se) opaliniza.
opalinizar. [De *opalino* + *-izar.*] *V. t. d. e p.* Tornar(-se) opalino.
opalino. *Adj.* **1.** Que tem cor leitosa e azulada, como a da opala (1): "Ao nascente e ponente as nuvens, túmidas, / Duma tinta *opalina*" (Bulhão Pato, *Livro do Monte*, p. 101). **2.** Que apresenta reflexos irisados como os da opala: "O sol fulvo da tarde, caindo em desmaio *opalino* para os longes nebulosos e vagos, barrava a vastidão do poente" (Virgílio Várzea, *Nas Ondas*, p. 176). [Sin. ger.: *opalescente, opala.*]
opalizar. *V. t. d.* **1.** Dar cor ou reflexos de opala (1) a: "Fria, a cinza do ocaso *opalizava* o azul." (Martins Fontes, *Verão*, p. 77.) *P.* **2.** Tomar o aspecto da opala (1).
opanijé. [Do ioruba.] *S. m. Bras.* Toque especial do orixá Omolu.
opar. [Do gal. *opar*, 'ajudar a subir'.] *V. int. e p.* Tornar-se túmido, volumoso; inchar(-se). [Pres. ind.: *opo, opas, opa*, etc. Cf. *opa* (ô) e *upar.*]
opção. [Do lat. *optione.*] *S. f.* **1.** Ato ou faculdade de optar; livre escolha. **2.** Aquilo por que se opta. **3.** Preferência que se concede a alguém (para comprar ou vender, pagar ou receber) dentro de determinado prazo e mediante certas condições. **4.** Documento que contém essa preferência. [Cf. *preempção* (3) e *preferência* (3).]
opcional. *Adj. 2 g.* Que pode ser objeto de opção; por que se pode optar: *O aluno terá duas matérias obrigatórias e três opcionais.*
▲**-ope.** [Do gr. *-ops.*] *El. comp.* = 'olho', 'vista': *míope* (< lat. *myope* < gr. *myóps*).
opelê. [Do ioruba.] *S. m. Bras.* **1.** Rosário de Ifá, usado pelos babalaôs para predizer o futuro. **2.** V. *opelê-ifá.*
opelê-ifá. *S. m. Bras.* **1.** Cadeia de metal com nozes de manga, utilizada pelo adivinhador; colar de ifá. **2.** Frutos de dendê jogados sobre a mesa para adivinhação. [Tb. se diz apenas *opelê.* Sin. ger.: *ailogum.* Pl.: *opelês-ifás.*]
opelifá. *S. m. Bras.* V. *opelê-ifá* (2).
➧**open** (ôpen). [Ingl.] *S. m. Open market* [q. v.].
➧**open market** (ôpen márket). [Ingl.] *Loc. s. m. Fin.* Mercado aberto. [Tb. se diz apenas *open.*]
ópera. [Do it. *opera.*] *S. f.* **1.** *Teat.* e *Mús.* Drama inteiramente cantado, com acompanhamento de orquestra, ou intercalado com diálogos falados, ou com recitativos acompanhados por um instrumento de teclado; drama lírico; drama musical. **2.** Teatro onde se representam esses dramas. **3.** Gênero constituído por esse tipo de composição. [Cf. *opera*, do v. *operar.*]
ópera-balé. *S. f. Teat.* e *Mús.* Espetáculo composto de danças e de canto, cujos atos se baseiam em episódios diferentes e completos, unidos entre si apenas por uma idéia geral anunciada no título: *"Les Indes galantes", ópera-balé de J.-P. Rameau (1683-1764), são um modelo do gênero.* [Pl.: *óperas-balés.*]
ópera-bufa. [Do it. *opera buffa.*] *S. f. Teat.* e *Mús.* Ópera (1) de assunto jocoso, que surgiu na Itália (fim do séc. XVII) como desenvolvimento dos intermédios dos melodramas, e que se distingue da ópera-cômica pela introdução em cena de personagens burlescas, de tipos facetos ou patuscos, e por uma música mais ligeira, ou exageradamente cômica. [Pl.: *óperas-bufas.*]
operação. [Do lat. *operatione.*] *S. f.* **1.** Ato ou efeito de operar; ação de um poder ou faculdade de que resulta certo efeito: *as operações cósmicas; as operações da inteligência.* **2.** Complexo de meios que se combinam para a obtenção de certo resultado: *operação industrial; A operação Copacabana melhorou o trânsito na Zona Sul.* **3.** Execução das medidas consideradas necessárias à consecução de um objetivo financeiro, político, militar, etc. **4.** Intervenção cirúrgica que tem como objetivo esclarecer um diagnóstico e/ou fornecer paliação ou cura; intervenção: *operação de apendicite; operação de catarata.* **5.** Manobra ou combate militar; *as operações da retaguarda.* **6.** Cálculo matemático: *A adição é a primeira das operações.* **7.** Transação comercial. **8.** *Mat.* Qualquer processo em que se transforma uma entidade matemática em outra. ◆ **Operação aditiva.** *Mat.* A que é distributiva em relação à soma. **Operação algébrica.** *Mat.* Qualquer das operações — soma, subtração, multiplicação, divisão, elevação a uma potência e extração de uma raiz — efetuadas um número finito de vezes, isoladamente ou em conjunto. **Operação associativa.** *Mat.* Aquela em que é válida a associatividade. **Operação binária.** *Mat.* A que se realiza com dois elementos de um conjunto. **Operação cesariana.** V. *cesariana.* **Operação comutativa.** *Mat.* Aquela em que vale a comutatividade. **Operação dúplex.** *Telecom.* Método de operação no qual é possível transmitir simultaneamente em ambos os sentidos de um circuito de telecomunicações. **Operação elementar.** *Mat.* Qualquer das operações: soma, subtração, multiplicação e divisão. **Operação homogênea.** *Mat.* A que permite seja posto em evidência um fator que se multiplique pelo elemento operado. **Operação idempotente.** *Alg .Mod.* Operação binária que satisfaz à relação x.x = x, para qualquer x de um conjunto. **Operação inversa.** *Mat.* Aquela que, efetuada sobre uma entidade que é o resultado de outra operação, reproduz a entidade inicial. **Operação linear.** *Mat.* Operação aditiva e homogênea. **Operação símplex.** *Telecom.* Operação na qual só é possível transmitir alternadamente ora num ora noutro sentido de um circuito de telecomunicações. **Operação tartaruga.** *Bras.* Forma atenuada de greve, que consiste na diminuição premeditada do ritmo de trabalho. **Operação ternária.** *Álg. Mod.* A que se realiza com três elementos de um conjunto. **Operação transcendente.** *Mat.* A que não é algébrica. **Operação unívoca.** *Mat.* A que conduz a um resultado único. **Operações lógicas.** *Proc. Dados.* Operações de processamento de dados não aritméticos, como comparar, selecionar, tomar decisões, etc.
operacional. *Adj. 2 g.* **1.** Relativo a operação: *norma operacional; custo operacional.* **2.** Que está pronto para funcionar. **3.** *Mil.* Que está em condições de realizar operações: *força operacional.* ~V. *cálculo* — e *sistema* —.
operacionismo. *S. m. Lóg.* Teoria segundo a qual o sentido de uma frase é dado por meio de uma série de operações lógicas.
ópera-cômica. *S. f. Teat.* e *Mús.* Ópera em que preponderа o caráter cômico, e na qual os episódios cantados alternam com as partes faladas. [Pl.: *óperas-cômicas.*]
operado. [Part. de *operar.*] *Adj. e s. m.* Que ou aquele que se submeteu a uma operação cirúrgica.
operador (ô). [Do lat. *operatore.*] *Adj.* **1.** Que opera. ~ V. *gene* —. ● *S. m.* **2.** Aquele ou aquilo que opera. **3.** V. *cirurgião.* **4.** *Anál. Mat.* Símbolo de uma operação que se efetua sobre uma variável ou sobre uma função. ◆ **Operador biarmônico.** *Anál. Mat.* A quarta potência do operador nabla. **Operador cinematográfico.** **1.** Aquele que, nos estúdios, se acha incumbido da filmagem. **2.** Aquele que, em cabina de cinema, lida com os aparelhos para projeção de filmes na tela. **Operador de d'Alembert.** *Fís. Mat.* D'alembertiano. **Operador del.** *Cálc. Vect.* V. *nabla.* **Operador diferencial.** *Anál. Mat.* Operador que envolve derivadas ou diferenciais. **Operador laplaciano.** *Cálc. Vect.* O que se obtém aplicando

o operador nabla a si mesmo. **Operador nabla.** *Cálc. Vect.* V. *nabla.*

operando. *S. m.* Aquele que está prestes a ser operado.

operante. [Do lat. *operante.*] *Adj. 2 g.* Que opera, realiza, produz; produtivo, operativo, operatório, operoso.

operar. [Do lat. *operare.*] *V. t. d.* **1.** Fazer realizar (alguma coisa) em resultado de trabalho próprio, de esforço próprio; executar, obrar: "O Reitor convencera-se, enfim, de que o p e r a r a uma conversão milagrosa" (Inglês de Sousa, *O Missionário*, p. 68). **2.** Produzir, realizar (qualquer efeito): "A noite encanta os olhos, penetra aos poucos na sensibilidade e o p e r a o milagre interior do êxtase." (Ribeiro Couto, *A Cidade do Vício e da Graça*, p. 113.) **3.** Submeter a uma operação cirúrgica. **4.** Fazer (operação matemática, química, famacêutica, etc.). **5.** Fazer funcionar; manobrar, acionar: "Húngaros dão aula de como o p e r a r trem" (*Jornal do Brasil*, Rio, 27.2.1974). *T. d. e i.* **6.** Realizar, efetuar, proceder a: "Coube ao cristianismo o p e r a r a primeira revolução na essência e na existência do amor" (San Tiago Dantas, *D. Quixote*, p. 55). *Int.* **7.** Entrar em função ou atividade: *Em 1942 as forças armadas norte-americanas começaram a o p e r a r no Pacífico.* **8.** Realizar operações cirúrgicas. **9.** Agir, obrar. **10.** Produzir efeito: *O remédio não tardou a o p e r a r.* **11.** V. *defecar* (5). *P.* **12.** Suceder, ocorrer, realizar-se: *O p e r a r a m - s e grandes transformações.* [Pres. ind.: *opero, operas, opera,* etc.; fut. pret.: *operaria,* etc. Cf. *ópera*, s. f., e *operária*, fem. de *operário.*]

operária. [Fem. de *operário.*] *Adj. (f.)* e *s. f.* Diz-se de, ou abelha com o abdome terminado em ponta dotada de ferrão, que utiliza quando irritada. [As abelhas operárias representam a quase totalidade dos indivíduos de uma colmeia, podendo, em condições anormais, pôr ovos, mas apenas de zangões. Sin.: *obreira.* Cf. *operaria*, do v. *operar.*]

operariado. *S. m.* A classe dos operários. [Cf. *proletariado.* (3).]

operário. [Do lat. *operariu.*] *S. m.* **1.** Trabalhador ou artífice que, mediante salário, exerce uma ocupação manual. **2.** *Restr.* Trabalhador manual ou mecânico nas grandes indústrias. [Cf., nessas acepç., *proletário* (2).] **3.** *Fig.* Aquele que colabora na realização de uma idéia, plano, campanha ou apostolado: *os o p e r á r i o s do Evangelho.* **4.** *Fig.* Autor, artífice. ● *Adj.* **5.** Relativo ou pertencente a, ou constituído por operários: *a classe o p e r á r i a.* [Sin. ger.: *obreiro.* Fem.: *operária.* Cf. *operaria*, do v. *operar.*]

operativo. *Adj.* V. *operante.*

operatório. *Adj.* **1.** Relativo a operações cirúrgicas. **2.** V. *operante.* ~ V. *acidente* — e *campo* —.

operatriz. [De *operar* + o final de palavras como *atriz, geratriz,* etc.] *Adj. (f.)* ~ V. *máquina* —.

operável. *Adj. 2 g.* Que pode ser operado.

operculado. [Do lat. *operculatu.*] *Adj.* **1.** Que tem opérculos; opercular, operculífero. **2.** Fechado por opérculo.

opercular. *Adj. 2 g.* V. *operculado* (1).

operculífero. [Do lat. *operculu*, 'opérculo', + *-i-* + *-fero.*] *Adj. 2 g.* V. *operculado* (1).

operculiforme. [Do lat. *operculu*, 'opérculo', + *-i-* + *-forme.*] *Adj. 2 g.* Que tem forma de opérculo.

opérculo. [Do lat. *operculu*, 'tampa'.] *S. m.* **1.** *Morfol. Veg.* Porção, superiormente colocada, que fecha um órgão cavitário como se fosse uma tampa, e que na maturidade se pode desprender, deixando o órgão aberto, como ocorre, p. ex., nos frutos da sapucaia e do jequitibá. **2.** *Zool.* Peça córnea ou calcária que fecha a entrada da concha de certos moluscos. **3.** *Zool.* Peça óssea que protege as guelras de certos peixes. **4.** *Zool.* Membrana que cobre a abertura dos orifícios respiratórios dos bicos das aves. **5.** *Zool.* Película que cobre as células das abelhas. **6.** Tampa que cobre e fecha o turíbulo.

opereta (ê). [Do it. *operetta.*] *S. f. Teat.* e *Mús.* **1.** Gênero leve de teatro musicado, derivado da ópera-bufa, sobre assunto cômico e sentimental, e no qual as estrofes, cantadas, alternam com as partes faladas. **2.** Pequena peça desse gênero.

operista. *S. 2 g. Bras.* Compositor de óperas.

operístico. *Adj. Bras.* Relativo à ópera, ou a óperas.

operon. [Do lat. *opera*, 'atividade', 'esforço'.] *S. m. Genét.* Unidade operacional responsável pela expressão e regulação de genes, composta de genes repressores, reguladores e estruturais.

operosidade. [Do lat. *operositate.*] *S. f.* Qualidade de operoso; laboriosidade, produtividade.

operoso (ô). [Do lat. *operosu.*] *Adj.* **1.** Que opera; que produz ou causa efeito; produtivo. V. *operante.* **2.** Trabalhoso, laborioso, difícil.

opiáceo. *Adj.* **1.** Relativo ao ópio. **2.** Opiado (1).

opiado. [Part. de *opiar.*] *Adj.* **1.** Preparado com ópio; que contém ópio; opiáceo. **2.** *Fig.* Embotado, insensibilizado, entorpecido.

opiar. *V. t. d.* Misturar ou preparar com ópio. [Pres. ind.: *opio, opias, opia,* etc. Cf. *ópio*, s. m., *Ópio*, antr. m., e *Ópia*, antr. fem.]

opiato. *S. m. Farmac. Desus.* Eletuário em que entrou ópio: "uma escova de dentes, suja de o p i a t o." (Aluísio Azevedo, *O Coruja*, p. 135).

opífero. [Do lat. *opiferu.*] *Adj. Poét.* Que dá auxílio; que socorre; auxiliar.

opífice. [Do lat. *opifice.*] *S. m. P. us.* Artífice.

opifício. [Do lat. *opificiu.*] *S. m. P. us.* Trabalho de opífice; fabricação, fabrico, fatura.

opilação. [Do lat. *oppilatione.*] *S. f.* **1.** Ato ou efeito de opilar(-se). **2.** Obstrução de um ducto natural. **3.** *Bras.* V. *ancilostomíase.*

opilado. [Part. de *opilar.*] *Adj.* e *s. m.* Diz-se de, ou doente de opilação.

opilar. [Do lat. *oppilare*, 'amontoar diante'.] *V. t. d.* **1.** Causar opilação a; obstruir (o fígado ou outros órgãos). *P.* **2.** Tornar-se opilado; sofrer de opilação.

opilência. *S. f. Ant.* V. *epilepsia.*

opiliácea. *S. f.* Espécime das opiliáceas.

opiliáceas. *S. f. pl. Bot.* Família de plantas superiores, da ordem das santalales, que se caracteriza por um único óvulo, desprovido de tegumentos, e possui poucas espécies tropicais, das quais apenas a *Agonandra brasiliensis* é bem conhecida entre nós.

opiliáceo. *Adj.* Pertencente ou relativo às opiliáceas.

opilião. *S. m. Bras. Zool.* Designação comum aos animais invertebrados, artrópodes, aracnídeos, da ordem dos opilionidos, com mais de 2.000 espécies conhecidas. Têm apenas dois olhos, sem separação visível entre cefalotórax e abdome, e pernas muito longas e finas. Vivem debaixo de troncos em decomposição, entre pedras e folhagem, preferindo lugares sombrios, e alimentam-se de outros artrópodes. Exalam cheiro ativo; algumas espécies, cheiro fortemente desagradável. [Sin.: *bodum, frade-fedorento, josé-mole.*]

opilionido. *S. m.* **1.** Espécime dos opilionidos. ● *Adj.* **2.** Pertencente ou relativo a eles. [Sin. ger.: *falangido, falangiode.*]

opilionidos. *S. m. pl. Zool.* Artrópodes, aracnídeos, da ordem *Opilionida*, com os primeiros segmentos abdominais soldados ao cefalotórax, respiração traqueal, e pedipalpos com seis segmentos, sem quelas. Vivem nas matas e nos campos, em lugares escuros e úmidos. [Sin.: *falangidos, falangiodes.*]

opimo (pi). [Do lat. *opimu.*] *Adj.* Excelente, abundante, fértil, rico: "Terra infecunda e seca, ou farta e o p i m a." (Alberto de Oliveira, *Poesias*, 4ª série, p. 179).

opinante. [Do lat. *opinante.*] *Adj. 2 g.* e *s. 2 g.* Que ou quem opina.

opinar. [Do lat. *opinare.*] *V. int.* **1.** Expor o que julga acerca de um assunto em estudo, deliberação, etc.; dar o seu parecer: *Interpelado, preferiu não o p i n a r.* **2.** Dizer manifestando opinião. *T. i.* **3.** Expor o que julga; dar o seu parecer: *Não quis o p i n a r sobre a questão, muito controversa; Opinou acerca do divórcio. T. d.* **3.** Ser de opinião; dizer, manifestando opinião; julgar; entender: *Todos o p i n a r a m que a condenação fora injusta.*

opinativo. [Do lat. *opinativu.*] *Adj.* **1.** Que depende de opinião; baseado em opinião particular. **2.** Discutível, duvidoso, incerto; inseguro.

opinável. [Do lat. *opinabile.*] *Adj. 2 g.* **1.** Sujeito a diversas opiniões; sobre que se pode opinar. **2.** Baseado em conjeturas.

opinião. [Do lat. *opinione.*] *S. f.* **1.** Modo de ver, de pensar, de deliberar: *liberdade de o p i n i ã o.* **2.** Parecer, conceito: *Na minha o p i n i ã o, venceremos.* **3.** Juízo, reputação: *a o p i n i ã o mundana.* **4.** Idéia, doutrina, princípio: *o p i n i õ e s democráticas.* **5.** Idéia sem fundamento; presunção: *Sua o p i n i ã o de que vai ser ministro é bem ridícula.* **6.** *Filos.* Atribuição do caráter de verdade ou falsidade a uma asserção sem que tal atribuição se faça acompanhar de certeza. [É a opinião uma forma de assentimento que é insuficiente objetiva e subjetivamente. [Cf., nesta acepç., *certeza* (7) e *crença* (6).] **7.** *Bras.* Teimosia orgulhosa; capricho. ◆ **Opinião pública.** *Sociol.* Opinião que, constituindo-se na encruzilhada onde se encontram os espíritos ligados aos grupos mais diversos, se exprime e se modifica sem ser condicionada necessariamente pela aproximação física dos indivíduos. **Carregar uma opinião.** *Bras.* Ter ou sustentar uma opinião, um capricho.

opiniaticidade. *S. f.* Qualidade de opiniático.

opiniático. *Adj.* V. *opinioso:* "o p i n i á t i c o, egoísta e algo contemptor dos homens, isso fui" (Machado de Assis, *Memórias Póstumas de Brás Cubas*, p. 34).

opinioso (ô). [Do lat. *opiniosu.*] *Adj.* **1.** Aferrado à sua opinião; obstinado, caprichoso, teimoso. **2.** Vaidoso presunçoso, orgulhoso. [Sin. ger.: *opiniático.*]

ópio. [Do gr. *ópion*, 'suco de papoula', pelo lat. *opiu.*] *S. m.* **1.** Substância que se extrai dos frutos imaturos de várias espécies de papoulas (gênero *Papaver*), e que é utilizada como narcótico. **2.** *Fig.* Aquilo que produz adormecimento, embrutecimento, entorpecimento: *Nero servia ao povo o ó p i o do circo.* [Cf. *opio*, do v. *opiar.*]

▲**opio-.** [Do gr. *ópion, ou.*] *El. comp.* = 'ópio': *opiófago, opiomania.*

opiofagia. *S. f.* Qualidade ou hábito de opiófago.

opiofágico. *Adj.* Referente à opiofagia.

opiófago. [De *opio-* + *-fago.*] *Adj.* e *s. m.* Diz-se de, ou aquele que come ópio.

opiomania. [De *opio-* + *-mania.*] *S. f.* Vício de fumar ou comer ópio.

opiomaníaco. *Adj.* e *s. m.* Opiômano.

opiômano. *Adj.* e *s. m.* Diz-se de, ou aquele que tem opiomania; opiomaníaco.

ópion. [Do gr. *hóplon*, 'arma, arma defensiva'.] *S. m.* Escudo, oval, da antiga infantaria grega.

opíparo. [Do lat. *opiparu.*] *Adj.* Esplêndido, pomposo, suntuoso, faustoso, lauto: "incerteza que se convertia em confusão ante as copas de prata de um jantar o p í p a r o" (Alexandre Herculano, *O Bobo*, p. 155).

opístio. [Do gr. *opísthion.*] *S. m. Anat.* O ponto médio do bordo posterior do buraco occipital.

opístion. *S. m. Anat.* V. *opístio.*

▲**opisto-.** [Do gr. *ópisthen.*] *El. comp.* = 'atrás', 'posterior': *opistogástrico, opistocifose.*

opistobrânquio *S. m.* **1.** Espécime dos opistobrânquios. ● *Adj.* **2.** Pertencente ou relativo a eles.

opistobrânquios. *S. m. pl. Zool.* Animais metazoários, moluscos gastrópodes, subclasse *Opisthobranchia*, marinhos, que têm concha pequena ou nula, dois pares de tentáculos, olhos na base dos tentáculos posteriores, coração atrás das brânquias, às vezes secundárias, nuas, e esparsas pelo corpo. Hermafroditos, mas com aberturas sexuais separadas.

opistocelo. *S. m.* **1.** Espécime dos opistocelos. ● *Adj.* **2.** Pertencente ou relativo a eles. **3.** *Zool.* Diz-se das vértebras cujo centro é côncavo posteriormente.

opistocelos. *S. m. pl. Zool.* Animais cordados, anfíbios, anuros, ordem *Opisthocoela*, de vértebras opistocelas e costelas livres, nas larvas e adultos.

opistocifose. [De *opisto-* + *cifose.*] *S. f. Med.* Curvatura, para trás, da espinha dorsal.

opistocomídeo. *S. m.* **1.** Espécime dos opistocomídeos. ● *Adj.* **2.** Pertencente ou relativo a eles.

opistocomídeos. *S. m. pl. Zool.* Aves opistoconiformes, da família *Opisthocomidae*, caracterizadas por terem caudas, dedos ordinários livres, três anteriores e um posterior, tarso reticulado, pernas fortes, de comprimento médio e cabeça provida de pequena crista. Vivem na margem dos rios, e se alimentam de folhas de vegetais, especialmente aninga e tiriri.

opistoconiforme. *S. m.* **1.** Espécime dos opistoconiformes. ● *Adj. 2 g.* **2.** Pertencente ou relativo a eles.

opistoconiformes. *S. m. pl. Zool.* Aves neórnites, neognatas, consideradas por alguns autores como uma ordem: *Opisthoconiforme.* Têm cauda, dedos ordinários livres, dispostos três para diante e um para trás, tarsos reticulados, pernas fortes, de comprimento médio, e uma crista na cabeça. São as ciganas.

opistódomo. [Do gr. *opisthódomos*, pelo lat. *opisthodomu.*] *S. m.* Parte posterior de um templo grego.

opistogástrico. [De *opisto-* + *gástrico.*] *Adj.* Situado atrás do estômago: *artéria o p i s t o g á s t r i c a.*

opistoglifa. [De *opisto-* + *-glifo.*] *S. f.* **1.** Espécime das opistoglifas. ● *Adj. 2 g.* **2.** Pertencente ou relativo a elas.

opistoglifas. *S. f. pl. Zool.* Animais cordados, reptis, ofídios, série *Opisthoglypha*, providos de um ou mais pares de presas ou dentes sulcados, inoculadores de peçonha, situado na parte posterior do maxilar superior.

opistoglosso. [De *opisto-* + *-glosso.*] *S. m. Zool.* Animal cuja língua é retrátil e está inserida na base da cavidade oral. Ex.: as rãs.

opistogoniado. *S. m.* **1.** Espécime dos opistogoniados. ● *Adj.* **2.** Pertencente ou relativo a eles.

opistogoniados. *S. m. pl. Zool.* Animais artrópodes, miriápodes, subclasse *Opisthogoniata*, caracterizados por terem a abertura genital na porção posterior do corpo. São os quilópodes ou lacraias.

opistografia. *S. f.* Qualidade ou estado de opistógrafo (1).

opistográfico. *Adj.* Relativo à opistografia.

opistógrafo. [Do gr. *opistógraphos,* pelo lat. *opisthographu.*] *Adj.* **1.** Diz-se da folha ou documento que está escrito ou impresso de ambos os lados. [Cf. *anopistógrafo.*] ● *S. m.* **2.** Folha ou documento escrito de ambos os lados.

opístomo. S. m. **1.** Espécime dos opístomos. ● *Adj.* **2.** Pertencente ou relativo a eles.

opístomos. *S. m. pl. Zool.* Animais da classe dos peixes, neopterígios, ordem *Opisthomi,* de corpo angüiliforme, desprovido de nadadeiras ventrais. A nadadeira dorsal é espinhosa, e as narinas, tubulares, são formadas externamente por um tentáculo carnoso na extremidade do focinho. Ocorrem em água doce, na África e na Ásia.

opistotônico. *Adj.* Relativo ao opistótono.

opistótono. [Do gr. *opisthótonos,* 'esticado para trás'.] *S. m. Med.* Forma de espasmo tetânico em que se recurvam para trás a cabeça e os calcanhares, arqueando-se para diante o resto do corpo.

▲opo-. [Do gr. *opós, oû.*] *El. comp.* = 'suco': *opoterapia.*

opocefalia. *S. f. Ter.* Conformação de opocéfalo.

opocefálico. *Adj.* Respeitante à opocefalia.

opocéfalo. [Do gr. *óps, opós,* 'rosto', + *-céfalo.*] *S. m. Ter.* Monstro cujas orelhas se apresentam fundidas, que só tem uma órbita (2) e não tem boca nem nariz.

opodeldoque. [Do ingl. *opodeldoc.*] *S. m.* Forma (18) farmacêutica para uso externo, sólida ou líquida, composta de sabão, amônia, cânfora, essência de rosmaninho e de tomilho, e veiculada pelo álcool etílico.

opoente. [Do lat. *opponente.*] *Adj. 2 g.* e *s. 2 g.* V. *oponente* (1 e 2).

oponente. [Do lat. *opponente.*] *Adj. 2 g.* **1.** Que se opõe; contrário, oposto, opositor, opoente. ● *S. 2 g.* **2.** Pessoa que se opõe; opositor, opoente. **3.** Pessoa que interpõe oposição em juízo.

oponibilidade. *S. f.* Qualidade ou caráter de oponível.

oponível. *Adj. 2 g.* Que pode ser oposto; susceptível de se opor.

opopânace. [Var. de *opópanax,* este do gr. *opopánax,* pelo lat. *opopanax,* com assimilação. Outra var.: *opopônax.*] *S. m.* **1.** Gênero de plantas da família das umbelíferas *(Opopanax).* **2.** Material gomoso, resinoso, amarelado, com cheiro desagradável, extraído por incisão da raiz dessas plantas, usado como fixador em perfumaria.

opópanax (cs). *S. m.* V. *opopânace.*

opopônax (cs). *S. m.* V. *opopânace.*

opor. [Do lat. *opponere,* 'pôr na frente'.] *V. t. d.* **1.** Apresentar em oposição: *O p ô s fraca resistência,* e *acabou cedendo.* **2.** Apresentar como objeção ou impugnação: *As dificuldades que o p ô s foram facilmente contornadas.* **3.** Estremar para a luta; dividir, separar: *O juiz o p ô s os contendores.* **4.** *Jur.* Impugnar (embargo). *T. d.* e *i.* **5.** Apresentar em oposição: "Se o p u s e s s e à tenacidade do fazendeiro seu caráter indomável, o choque havia de ser terrível." (José de Alencar, *O Sertanejo,* p. 129.) **6.** Pôr defronte de; colocar de maneira que forme obstáculo: *As tropas inimigas o p u s e r a m barreiras aos atacantes.* **7.** Pôr de maneira que forme contraste; pôr em paralelo. **8.** Apresentar como objeção ou impugnação; objetar. **9.** Fazer apresentar como adversário. **10.** Obrar ou atuar em contrário. *P.* **11.** Ser contrário; fazer obstáculo: *O p õ e - s e aos argumentos mais plausíveis.* **12.** Dar combate; fazer face; resistir: "Dizes que podes com teu oiro absurdo / Lutar com Deus, o p o r - t e à divindade" (Luís de Camões, *Sonetos e Rimas,* p. 188); "Já temos visto que o Estado, criatura espiritual, o p õ e - s e à ordem natural e a transcende." (Sérgio Buarque de Holanda, *Raízes do Brasil,* p. 142). **13.** Surgir em contraposição: *Obstáculos insuperáveis o p u s e r a m - s e.* **14.** Recusar-se, negar-se. [Irreg. Conjug.: v. *pôr.*]

oportunidade. [Do lat. *opportunitate.*] *S. f.* **1.** Qualidade de oportuno. **2.** Ocasião, ensejo, lance. **3.** Circunstância adequada ou favorável; conveniência: *Não tinha certeza da o p o r t u n i d a d e de dar o despacho.* ♦ **Na oportunidade de.** V. *por ocasião de.*

oportunismo. [De *oportuno* + *-ismo.*] *S. m.* **1.** Acomodação e aproveitamento das circunstâncias para se chegar mais facilmente a algum resultado. **2.** Sistema político em que a tática principal é a acomodação às circunstâncias, a transigência adequada nos fatos e acontecimentos momentâneos, para a consecução de seus objetivos.

oportunista. *Adj. 2 g.* **1.** Relativo ao, ou que é partidário do oportunismo. **2.** Que aproveita as oportunidades. ● *S. 2 g.* **3.** Partidário do oportunismo. **4.** Pessoa que aproveita as oportunidades.

oportunístico. [Do ingl. *opportunistic.*] *Adj.* ~ V. *infecção —a.*

oportuno. [Do lat. *opportunu.*] *Adj.* **1.** Que vem a tempo, a propósito, ou quando convém; apropriado. **2.** Cômodo, favorável.

oposição. [Do lat. *oppositione.*] *S. f.* **1.** Ato ou efeito de opor(-se); impedimento, obstáculo, objeção: *Houve o p o s i ç ã o do pai aos seus intentos.* **2.** Partido(s) político(s) contrário(s) ao governo. [Antôn., nesta acepç.: *situação.*] **3.** Vontade contrária. **4.** Antagonismo, contrariedade: *o p o s i ç ã o de interesses.* **5.** Contestação, réplica, refutação, objeção: *o p o s i ç õ e s filosóficas.* **6.** Contraste (1). **7.** *Ret.* Figura pela qual se reúnem idéias aparentemente antagônicas. **8.** *Astron.* Posição da Lua na qual a Terra se encontra entre o Sol e o nosso satélite. **9.** *Astr.* Oposição geocêntrica. **10.** *Jur.* Intervenção de terceiro em demanda alheia, deduzindo pretensão própria excludente da dos outros litigantes. V. *intervenção* (2). **11.** *Filos.* Condição de duas proposições que, tendo embora o mesmo sujeito e predicado, diferem quanto à qualidade e/ou à quantidade. Estão em oposição as proposições contrárias, contraditórias, subalternas e subcontrárias. **12.** *Ling.* Princípio de análise fonêmica que visa a estabelecer se dois sons têm valor distintivo em cada língua, i. e., se servem, ou não, para distinguir significados nessa língua. ♦ **Oposição geocêntrica.** *Astr.* Posição de dois astros cujas longitudes celestes geocêntricas diferem de 180°. [Tb. se diz apenas *oposição.*] **Oposição heliocêntrica.** *Astr.* Posição de dois astros cujas longitudes celestes heliocêntricas diferem de 180°.

oposicionismo. *S. m.* **1.** Sistema de opor-se a tudo, sem exceção. **2.** Parcialidade ou facção política que se opõe ao governo; oposição sistemática.

oposicionista. *Adj. 2 g.* e *s. 2 g.* **1.** Que, ou quem faz oposição. **2.** Que, ou quem combate o governo.

opositiflor (ô). [Do lat. *oppositu,* 'oposto', + *-i-* + *flor.*] *Adj. Morfol. Veg.* V. *opositifloro.*

opositifloro. [Do lat. *oppositu,* 'oposto', + *-i-* + *-floro.*] *Adj. Morfol. Veg.* Que tem as flores em pedúnculos opostos.

opositipenado. [Do lat. *oppositu,* 'oposto', + *-i-* + *penado*[1].] *Adj.* ~ V. *folha —a.*

opositipétalo. [Do lat. *oppositu,* 'oposto', + *-i-* + *-pétalo.*] *Adj.* ~ V. *estame —.*

opositivo. [Do lat. *oppositu* + *-i-* + *-ivo.*] *Adj.* **1.** Que envolve oposição; oposto. **2.** *Bot.* Diz-se do órgão de uma planta situado em frente de outro.

opósito. [Do lat. *oppositu.*] *Adj.* e *s. m. P. us.* Oposto.

opositor (ô). [Do lat. *oppositu,* 'oposto', + *-or.*] *Adj.* **1.** Que se opõe; contrário, adversário, oponente, opoente. ● *S. m.* **2.** Concorrente, candidato.

oposto (ô). [Do lat. *oppositu.*] *Adj.* **1.** Que está em frente; fronteiro: *A casa ficava o p o s t a ao rio.* **2.** Contrário, inverso, contraposto: *Os dois partiram em direções o p o s t a s.* **3.** Contraditório (1): *Estas afirmações não combinam: são o p o s t a s.* ~ V. *folha —a, maré —a* e *reta —a.* ● *S. m.* **4.** O que é contrário; inverso: *É o o p o s t o do irmão.*

opoterapia. [De *opo-* + *-terapia.*] *S. f. Med.* Tratamento de doença mediante o uso de extratos de órgãos animais. [Cf. *organoterapia.*]

opoterápico. *Adj.* Relativo à opoterapia; organoterápico.

opressão. [Do lat. *oppressione.*] *S. f.* **1.** Ato ou efeito de oprimir. **2.** Estado de quem se acha oprimido. **3.** Abatimento de forças; prostração. **4.** Vexame; humilhação. **5.** Tirania (4). **6.** Dificuldade de respirar; sufocação.

opressivo. [De *opresso* + *-ivo.*] *Adj.* V. *opressor* (1).

opresso. [Do lat. *oppressu.*] *Adj.* V. *oprimido* (1).

opressor (ô). [Do lat. *oppressore.*] *Adj.* **1.** Que oprime ou serve para oprimir; opressivo, oprimente. ● *S. m.* **2.** Aquele que oprime; tirano.

oprimente. [Do lat. *opprimente.*] *Adj. 2 g.* V. *opressor* (1).

oprimido. [Part. de *oprimir.*] *Adj.* **1.** Que sofre opressão; vexado, humilhado, opresso: *povo o p r i m i d o.* ● *S. m.* **2.** Indivíduo oprimido.

oprimir. [Do lat. *opprimere.*] *V. t. d.* **1.** Causar opressão a; carregar ou sobrecarregar com peso. **2.** Apertar, comprimir: *Desalentado, o p r i m i a a cabeça entre as mãos.* **3.** Causar opressão, prostração, a; afligir: *A triste cena o p r i m i a -o.* **4.** Exercer pressão sobre; tiranizar: *O domínio inimigo o p r i m i a a população;* "E que é que fiz, Senhor? que torvo crime / Eu cometi jamais que assim me o p r i m e / Teu gládio vingador?!" (Castro Alves, *Obra Completa,* p. 292.) **5.** Exercer violência contra; violentar, forçar, coagir. **6.** Vexar, humilhar: *Firmando-se no poder, o p r i m i a fracos e desamparados.* **7.** Esmagar; aniquilar. **8.** Impor ônus ou obrigação a; onerar. **9.** Apoquentar, importunar. *Int.* **10.** Causar opressão: "O Visconde de * * * .... apareceu-me, um momento, como o símbolo da generosidade que o p r i m e, do favor que escraviza, da gratidão que vexa." (Júlio Dantas, *Espadas e Rosas,* p. 127.) [Part.: *oprimido, opresso.*]

opróbrio. [Do lat. *opprobriu.*] *S. m.* **1.** Abjeção extrema. **2.** Ignomínia, desonra. **3.** Afronta infamante; injúria: "El-rei sabe que Maria Isabel está aqui, e pensa que a tem resguardada de injúrias e do o p r ó b r i o injusto que lhe reflete do crime do marido." (Camilo Castelo Branco, *A Filha do Regicida,* p. 70.)

oprobrioso (ô). [Do lat. *opprobriosu.*] *Adj.* **1.** Que causa opróbrio; em que há opróbrio. **2.** Vergonhoso, abjeto; infamante.

▲-opse. [Do gr. *opsis, eos.*] *El. comp.* = 'vista': *sinopse* (< lat. *synopse* < gr. *synopsis*).

opsigamia. [Do gr. *opse,* 'tardio', + *-i-* + *-gam(o)-* + *-ia.*] *S. f.* Casamento em idade provecta.

opsigâmico. *Adj.* Referente à opsigamia.

opsígamo. [Do gr. *opse,* 'tardio', + *-i-* + *-gamo.*] *Adj.* e *s. m.* Que, ou aquele que se casa tarde.

opsonina. [Do gr. *opson,* 'aperitivo', + *-ina*[1].] *S. f. Med.* Anticorpo que torna bactérias e outras células susceptíveis à fagocitose.

optálico. [Do gr. *optaléos, a, on,* 'que arde com o calor', + *-ico*[2].] *Adj. Pet.* Diz-se do tipo de metamorfismo que atua pelo aquecimento das rochas em contato com lavas ou com diques.

optante. *Adj. 2 g.* e *s. 2 g.* Que ou pessoa que opta, que faz opção.

optar. [Do lat. *optare.*] *V. t. i.* **1.** Decidir-se por uma coisa (entre duas ou mais): *Não soube o p t a r entre as vantagens e prejuízos que a situação acarretava. Int.* **2.** Exercer o direito da opção. *T. d.* **3.** Decidir-se por; preferir; escolher: *Ante as condições desonrosas de paz, o p t a r a m a continuação da batalha.*

optativo. [Do lat. *optativu.*] *Adj.* **1.** Que indica desejo. **2.** Que indica ou envolve escolha ou opção. ~ V. *modo —.* ● *S. m.* **3.** *Gram.* O modo optativo.

óptica. [Do gr. *optiké,* pelo lat. *optica.*] *S. f.* **1.** Parte da física que investiga os fenômenos de produção, transmissão e detecção de radiação eletromagnética de comprimento de onda compreendido aproximadamente entre 10 Å e 1 mm. **2.** Tratado ou compêndio acerca dessa matéria: *Estuda por uma boa ó p t i c a.* **3.** Exemplar de um desses tratados ou compêndios. **4.** Aspecto ou perspectiva dos objetos vistos; visão: *ilusão de ó p t i c a.* **5.** Estabelecimento onde se vendem e/ou fabricam instrumentos ópticos, sobretudo óculos ou lunetas. **6.** *Fig.* Maneira de ver, de julgar, de sentir; conceito ou idéia particular: *a ó p t i c a dos românticos.* [Var.: *ótica.*] ♦ **Óptica eletrônica.** Investigação do comportamento de feixes de elétrons que se deslocam na presença de campos magnéticos e elétricos. **Óptica física.** Parte da óptica que investiga a emissão de radiação eletromagnética e a sua propagação nos meios materiais. **Óptica geométrica.** Parte da óptica em que se investigam os fenômenos de propagação da luz mediante a substituição das frentes de onda pelas respectivas normais e o agrupamento desta em raios luminosos.

opticidade. *S. f.* **1.** Qualidade de óptico. **2.** Qualidade do que facilita a visão ou é favorável à vista: *a o p t i c i d a d e das cores vivas.*

opticista. *S. 2 g.* Pessoa que se ocupa de óptica e/ou que é versada nessa matéria.

óptico. [Do gr. *optikós.*] *Adj.* **1.** Respeitante à óptica: *sistema ó p t i c o.* **2.** Relativo à visão, ou ao olho; ocular: *ângulo ó p t i c o.* ~ V. *acoplamento —, atividade —a, banco —, buraco —, caminho —, centro —, densidade —a, eixo —, elétron —, fibra —a, filtro —, isomerismo —, janela —, libração —a, nervo —, par —, quiasma —, som — e vidro —.* ● *S. m.* **3.** Especialista em óptica (1). **4.** Fabricante de instrumentos de óptica. **5.** V. *oftalmologista.* [Var.: *ótico*[2]. Cf. *ótico*[1].]

optimacia. *S. f.* **1.** Os optimates. **2.** Governo ou predomínio deles. **3.** Aristocracia, nobreza. [Var.: *otimacia.*]

optimates. [Do lat. *optimates.*] *S. m. pl.* **1.** Membros da alta nobreza na antiga Roma republicana; a optimacia. **2.** *Fig.* Os grandes da nação; os magnatas ou nobres. [Var.: *otimates.*]

optimismo. *S. m.* V. otimismo.

optimista. *Adj. 2 g.* e *s. 2 g.* V. *otimista.*

optometria. [V. *optômetro.*] *S. f. Med.* Medida da

acuidade visual.

optométrico. *Adj.* Relativo à optometria.

optometrista. *S. 2 g.* Especialista em optometria.

optômetro. [Do gr. *optos, é, on,* 'visível', + dev. de *othopwai,* 'ver', + *-metro.*] *S. m. Med.* Instrumento para medir o poder e a faixa de amplitude da visão.

opugnação. [Do lat. *oppugnatione.*] *S. f.* **1.** Ato ou efeito de opugnar; ataque, assalto, acometimento. **2.** Refutação, contestação, impugnação: *opugnação de uma idéia.*

opugnador (ô). [Do lat. *oppugnatore.*] *Adj.* e *s. m.* Que ou aquele que opugna; combatente, atacante.

opugnar. [Do lat. *oppugnare.*] *V. t. d.* **1.** Investir para tomar (praça ou fortaleza); investir contra; assaltar, acometer. **2.** Combater (uma idéia, uma instituição, etc.). **3.** Impugnar, refutar.

opulência. [Do lat. *opulentia.*] *S. f.* **1.** Abundância de riquezas; grande riqueza. **2.** Luxo, magnificência, fausto. **3.** Abundância, fartura, fertilidade, feracidade: *opulência vegetal.* **4.** Grandeza, esplendor, elevação: *opulência de idéias.* **5.** Desenvolvimento incomum de formas; corpulência: *a opulência de um carvalho.*

opulentar. [Do lat. *opulentare.*] *V. t. d.* **1.** Tornar opulento; engrandecer. **2.** Avantajar em riquezas; enriquecer. *P.* **3.** Tornar-se opulento, abundante ou copioso; engrandecer-se.

opulento. [Do lat. *opulentu.*] *Adj.* **1.** Que está na opulência; possuidor de grandes riquezas; rico, abastado. **2.** Faustoso, suntuoso, pomposo, magnificente, luxuoso: *palácio opulento.* **3.** Farto, abundante, copioso, luxuriante: *floresta opulenta.* **4.** Muito desenvolvido; cheio, nutrido; encorpado: "Vêm sacudindo as ancas *opulentas*! / Seus troncos varonis recordam-me pilastras" (Cesário Verde, *Obra Completa,* p. 104); *seios opulentos.*

opuluí. *S. 2 g.* e *adj. 2 g. Bras.* V. *oaiana.*

opúncia. *S. f.* Gênero de enormes cactáceas sem folhas e espinhosas, cujos cladódios têm a forma de amplas raquetas, e que dão frutos bacáceos que podem ser ingeridos.

opunciale. *S. f.* Espécime das opunciales; cactale.

opunciales. *S. f. pl. Bot.* Ordem de plantas dicotiledôneas que compreende a família das cactáceas; cactales.

►**opus** (ópuç). [Lat.] *S. m. Mús.* Obra musical que foi classificada e numerada. [Usa-se de preferência a abreviatura *op.*, seguida de um número que designa, por ordem cronológica de composição ou de publicação, as obras de um mesmo autor, como, p. ex., o quarteto op. 135 de Beethoven.] ♦ ***Opus incertum.*** *Constr.* Tipo de construção constituído de blocos de pedra irregulares, mas que se ajustam entre si.

opuscular. *Adj. 2 g.* Referente a, ou que tem o caráter de opúsculo.

opusculeiro. *S. m.* Autor de opúsculos.

opúsculo. [Do lat. *opusculu.*] *S. m.* **1.** Pequena obra escrita acerca de qualquer assunto. **2.** V. *folheto.*

oquê. [Do ioruba.] *S. m. Bras.* Saudação a Oxóssi.

▲**-or-.** Equiv. de *-or.*

▲**-or.** [Do lat. *-ore.*] *Suf. nom.* = 'qualidade', 'propriedade': *dulçor, negror, albor* (< lat. *albore*). [Equiv.: *-or-: consecratório.*]

ora¹. *S. m.* Medida grega de comprimento. [Pl.: *oras.* Cf. *hora,* s. f., pl. *horas; Hora,* mit. e antr.; e *Horas,* mit.]

ora². [Do lat. *ad hora(m),* 'à hora'.] *Conj.* **1.** Mas; note-se (que): *De repente chegou ele: ora naquele dia eu estava impaciente, e não o atendi como era devido;* "*Ora*, se deu que chegou / (isso já faz muito tempo) / no bangüê dum meu avô / uma negra bonitinha / chamada negra Fulô." (Jorge de Lima, *Obra Completa,* I, p. 291.) ● *Adv.* **2.** Agora; atualmente, presentemente: *Meu amigo Paulo, que ora se acha aqui, deseja falar-lhe.* ● *Interj.* **3.** Exprime impaciência, zombaria, menosprezo, dúvida, etc: "*Ora*, que banalidade!" (Machado de Assis, *Teatro,* p. 87); "*Ora* (direis) ouvir estrelas! Certo / Perdeste o senso!" (Olavo Bilac, *Poesias,* p. 51). [Como se vê do último exemplo, pode iniciar período. Cf. *hora,* s. f., e *Hora,* mit. e antr.] ♦ **Ora .... ora.** Umas vezes .... outras vezes: *É pessoa de temperamento mutável: ora é gentil e educado, ora é de extrema rudeza.* **Ora pois.** Assim sendo; à vista disso. **Ora sus.** Sus. **Ora tibe.** *Bras. Pop.* Que maçada!; não me amole! **Outro ora.** *Bras., CE.* Outras vezes. **Por ora.** Por enquanto; por agora.

orabutã. *S. m. Bras.* V. *pau-brasil.*

oraca. *S. f. Bras., RS.* V. *alma-de-gato* (1).

oração. [Do lat. *oratione.*] *S. f.* **1.** Súplica religiosa; reza: "Ajoelha e reza uma *oração*." (Manuel Bandeira, *Estrela da Vida Inteira,* p. 128.) [V. *rogo* (2).] **2.** Discurso, fala. **3.** Sermão, prédica. **4.** *Gram.* Frase, ou membro de frase, que consta de um predicado [q. v.] e de um sujeito [q. v.], ou só de um predicado. [A oração pode ser *absoluta,* quando vem isolada, constituindo um período simples (*As crianças brincavam no pátio; Chove*); *coordenada,* quando vem ligada a outra da mesma natureza, em seqüência (*Gosta de ler, mas não tem bom gosto literário; Estuda e trabalha*); *principal,* quando dela depende(m) outra(s), chamada(s) *subordinada(s); subordinada,* quando depende de outras(s) (*Não sei se irei; Se soubesse que você se ofenderia, não teria falado*).] ♦ **Oração absoluta.** *Gram.* V. *oração* (4). **Oração coordenada.** *Gram.* V. *oração* (4). **Oração de sapiência.** Discurso inaugural de um curso universitário ou escolar, proferido pelo respectivo reitor ou diretor, ou por um dos professores do estabelecimento ou, por vezes, de fora; aula inaugural, aula magna. **Oração principal.** *Gram.* V. *oração* (4). **Oração reduzida.** *Gram.* Aquela em que o verbo está no infinitivo, no gerúndio ou no particípio e que equivale a uma subordinada: *A ser assim, não dou meu apoio* (Se for assim, ...); *Amanhecendo, partiremos* (Quando amanhecer, ...); *Chegado ao colégio, teve aquela notícia* (Quando chegou ....). [Tb. se diz apenas *reduzida.*] **Oração subordinada.** V. *oração* (4).

oracional. [Do lat. *orationale.*] *Adj. 2 g. Gram.* Relativo a, ou equivalente a oração ou proposição.

oraçoeiro. *S. m. Ant.* Livro de orações.

oracular¹. [De *oráculo* + *ar¹.*] *Adj. 2 g.* Relativo a, ou próprio de oráculo.

oracular². [De *oráculo* + *-ar².*] *V. int.* e *t. i.* Falar como oráculo; doutrinar. [Pres. ind.: *oraculo,* etc. Cf. *oráculo.*]

oráculo. [Do lat. *oraculu.*] *S. m.* **1.** Resposta de um deus a quem o consultava. **2.** Divindade que responde a consultas e orienta o crente: *o oráculo de Delfos.* **3.** *Fig.* Palavra, sentença ou decisão inspirada, infalível, ou que tem grande autoridade: *os oráculos dos profetas; os oráculos da ciência.* **4.** *Fig.* Pessoa cuja palavra ou conselho tem muito peso ou inspira absoluta confiança: *É o oráculo do partido.* [Sin. ger.: *orago.* Cf. *oraculo,* do v. *oracular.*]

orada. [Fem. substantivado de *orado,* part. de *orar.*] *S. f. Pop.* **1.** Lugar onde se ora ou reza. **2.** Capela fora do povoado; ermida, igrejinha.

orador (ô). [Do lat. *oratore.*] *S. m.* **1.** Aquele que ora ou discursa em público; perorador. **2.** Aquele que tem o dom da palavra, que fala bem e fluentemente; indivíduo eloqüente; tribuno. ♦ **Orador sacro.** Clérigo que faz sermões ou prédicas religiosas; orador sagrado; pregador. **Orador sagrado.** V. *orador sacro.*

orago. [Do lat. *oraculu,* 'oráculo (1)', 'templo onde se dão oráculos', atr. da f. arc. *oragoo.*] *S. m.* **1.** O santo da invocação que dá o nome a uma capela ou templo: "Uma vez, pregava de S. Martinho, o *orago* da freguesia" (Camilo Castelo Branco, *Serões de S. Miguel de Ceide,* III, p. 69.) **2.** Templo assim consagrado. **3.** Oráculo.

oral. [Do lat. *os, oris,* 'boca', + *-al.*] *Adj. 2 g.* **1.** Relativo ou pertencente à boca. **2.** Formado ou emitido pela boca; verbal, vocal, articulado: *som oral.* **3.** Realizado de viva voz; verbal: *exame oral.* — V. *consoante —, estilo —, literatura —* e *vogal —.* ● *S. f.* **4.** Prova ou exame oral: "Na *oral* do fim do ano, última prova e de mínima influência para aprovação, é que havia banca examinadora." (Genolino Amado, *O Reino Perdido,* p. 39.) **5.** *Fon.* Consoante oral. [Cf. *horal.*]

oralidade. *S. f.* Qualidade de oral.

oralizar. [De *oral* + *-izar.*] *V. t. d.* Tornar oral.

▲**-orama.** [Do gr. *hórama, atos.*] *El. comp.* = 'espetáculo': *cosmorama, diorama, panorama.*

orangista. *Adj. 2 g.* **1.** De, ou pertencente ou relativo a Orange (África do Sul). ● *S. 2 g.* **2.** Natural ou habitante de Orange. *S. m.* **3.** Partidário de Guilherme III, rei da Inglaterra, antes príncipe de Orange (casa principesca holandesa), oposto ao partido católico, que sustentava Jaime II.

orangotango. [Do mal. *orang-utan,* 'homem da floresta virgem'.] *S. m.* Grande macaco antropomorfo, de Sumatra e Bornéu.

ora-pro-nóbis. [Do lat. *ora pro nobis,* 'roga por nós', frase de uma ladainha.] *S. m. 2 n. Bras., L.* **1.** Arbusto trepador, intensamente armado de acúleos, da família das cactáceas (*Peireskia aculeata*), comum na restinga e adjacências, que se caracteriza pela presença de nítidas folhas suculentas, e cujos frutos são pequenas bagas amarelas, insípidas: "— Louro, ó louro. Cá o pé, nego — era a voz de Sinhana atirando a rua. Todo o mundo saía procurando o Louro, revirando as vassourinhas, os *ora-pro-nóbis* das cercas." (Bernardo Élis, *Ermos e Gerais,* p. 90.) **2.** V. *beldroega-pequena.*

orar. [Do lat. *orare.*] *V. int.* **1.** Fazer oração; rezar: "Minha mãe, minha mãe! ai que saudade imensa, / Do tempo em que ajoelhava, *orando*, ao pé de ti." (Guerra Junqueiro, *A Velhice do Padre Eterno,* p. 3); "Persignando-se, *orou*." (Ana Elisa Gregori, *Os Barões de Candeia,* p. 9.) **2.** Discursar em público; proferir discursos: *O advogado orou admiravelmente em defesa do réu.* **3.** Falar em tom oratório. *T. i.* **4.** Dirigir oração; suplicar em oração: *Orou, fervoroso, a todos os santos; Oraram pela alma do morto. T. d.* **5.** Pedir, suplicar, rogar: *Orou a piedade divina.* **6.** Fazer (prece); rezar: *Orou longas preces. T. d.* e *i.* **7.** Pedir, suplicar, rogar: *Orou a Deus que lhe concedesse o descanso eterno.* [Pres. ind.: *oro, oras, ora,* etc. Cf. *hora,* s. f., pl. *horas; Hora,* mit e antr.; e *Horas,* mit.]

orário. [Do lat. *orariu.*] *S. m.* Espécie de lenço com que os antigos romanos limpavam a boca e o suor do rosto. [Cf. *horário.*]

orate. [Do cat. *orat,* 'louco', pelo esp. *orate.*] *S. m.* Doido, louco, maluco, idiota.

oratória. [Do lat. *oratoria.*] *S. f.* **1.** Arte de falar ao público. **2.** *Teat.* Drama de tema religioso, com diálogos e cânticos. [Cf. *oratório².*]

oratoriano. *Adj.* **1.** Da congregação do Oratório. ● *S. m.* **2.** Aquele que pertence a essa congregação.

oratório¹. [Do lat. *oratoriu.*] *Adj.* **1.** Respeitante à oratória ou eloqüência. **2.** Próprio de orador. ● *S. m.* **3.** Nicho ou armário com imagens religiosas; adoratório. **4.** Capela doméstica. **5.** Certa congregação religiosa. ♦ **Estar no oratório.** *Bras., PE.* Estar ameaçado, jurado. — V. *acento —.*

oratório². [Do it. *oratorio.*] *S. m. Mús.* Gênero musical dramático, de assunto religioso, quase sempre tirado da Bíblia, com solos, coros e orquestra, para ser executado sem cenários, nem costumes, nem mímica: "*oratórios* e tocatas de Haendel e Bach, ... poemas de Schumann e Wagner." (Fidelino de Figueiredo, *Música e Pensamento,* p. 33). [Cf. *oratória* (2).]

ora-veja. *El. s. m.* Us. na loc. *ficar no ora-veja.* ♦ **Ficar no ora-veja.** Ser esquecido, deixado à margem; não alcançar o que tinha como certo.

orbe. [Do lat. *orbe,* 'o círculo, a esfera, a roda'.] *S. m.* **1.** Esfera, globo, redondeza: *o orbe terrestre.* **2.** Corpo celeste; planeta, esfera, astro: *o movimento dos orbes;* "Sabe que mais facilmente fecharás no punho a redondeza da Terra, e farás que os celestes *orbes* cessem de seu perpétuo movimento, do que da glória dos bem-aventurados possas dizer ou entender a mínima parte, até que não sejas, como eu, ensinado pela experiência." (Pᵉ. Manuel Bernardes, *Nova Floresta,* II, p. 63). **3.** Mundo (1): *o velho e o novo orbe;* "dividiram o *orbe* em dois blocos militares, políticos, econômicos e morais antagônicos, a gritar a toda a hora palavras de ameaça e ódio." (Fidelino de Figueiredo, *Entre Dois Universos,* pp. 77-78). **4.** Terra, país, nação; domínio: *o orbe português.* **5.** Campo, setor, domínio, esfera: *o orbe intelectual.* **6.** Círculo, circunferência; volta. ♦ **Orbe terráqueo.** A Terra.

orbícola. [Do lat. *orbe,* 'orbe, o mundo', + *-i-* + *-cola.*] *Adj. 2 g.* **1.** Que viaja ou erra por toda parte, por todo o orbe; cosmopolita. **2.** Que pode habitar qualquer ponto da Terra: *aves orbícolas.* [Sin., poét.: *orbívago.*]

orbicular. [Do lat. *orbiculare.*] *Adj. 2 g.* **1.** Que tem a forma de orbe; esférico, globular. **2.** Circular¹ (1): *movimento orbicular.* **3.** *Anat.* Diz-se dos músculos que servem para fechar, por contração, certos orifícios: *músculo orbicular dos lábios.* **4.** *Pet.* Diz-se da textura rochosa em que os minerais se dispõem em grupamentos esferoidais ou em zonas concêntricas. — V. *folha —.* ● *S. m.* **5.** *Anat.* Músculo orbicular.

órbita. [Do lat. *orbita,* 'linha circular'.] *S. f.* **1.** *Astr.* Trajetória fechada que um astro descreve em torno de outro. **2.** *Anat.* Cada uma das cavidades ósseas da face em que se alojam um globo ocular e as partes moles que o circundam. **3.** *Fís.* Qualquer trajetória fechada. **4.** *Zool.* Região que contorna o olho das aves. **5.** *Fig.* Esfera de ação; área, limite: *Tal assunto é da órbita do diretor; É importante a órbita da sociologia.* [Cf. *orbita,* do v. *orbitar.*] ♦ **Órbita definitiva.** *Astr.* Órbita de um astro, que se calcula utilizando um número suficiente de observações e considerando a perturbação produzida por outros corpos celestes vizinhos. **Órbita nominal.** *Astron.* Órbita ideal de um veículo espacial, a qual se supõe que ele vá seguir antes de seu lançamento. **Órbita osculatriz.** *Astr.* Órbita hipotética construída com base no conhecimento das perturbações. **Órbita prematura.** *Astr.* Órbita de um astro, que se calcula utilizando um número insuficiente de observações. **Órbita provisória.** *Astr.* Órbita de um astro calculada logo após o seu descobrimento, e sujeita a alterações posteriores, como resultado de observações. **Órbita terrestre.** *Astr.* Trajetória elipsoidal descrita pela Terra no seu movimento de translação ao redor do Sol. **Em órbita.** *Bras. Fam.* Alheio à realidade; distraído, desligado. **Entrar em órbita.** *Bras. Fam.* Estar ou ficar fora da realidade, alienado da realidade circunstante; estar em órbita. **Estar em órbita.** *Bras. Fam.* Entrar em órbita. **Fora de órbita.** *Bras. Fam.* Fora da realidade; alienado, doido, amalucado: *A pancada na cabeça deixou-o fora de órbita pelo resto da vida.*

orbital. *Adj. 2 g.* **1.** Relativo a órbita: *movimento orbital.* **2.** Orbitário: *cavidade orbital.* ~ V. *base* —, *período* —, *peso* —, *veículo* — e *velocidade* —. ● *S. m.* **3.** *Fís.* Função de onda de um elétron num átomo ou numa molécula. ♦ **Orbital antiligante.** *Fís.-Quím.* Numa molécula, orbital cuja energia é maior que a dos orbitais atômicos que o constituem. **Orbital atômico.** *Fís.* Função de onda de um elétron num átomo. **Orbital digonal.** *Fís.-Quím.* Orbital híbrido que favorece a formação de ligações localizadas ao longo de um eixo. **Orbital híbrido.** *Fís.* Orbital molecular formado pela superposição ou composição de orbitais atômicos de tipos diferentes. **Orbital ligante.** *Fís.-Quím.* Numa molécula, orbital cuja energia é menor que a soma das energias dos orbitais atômicos que o constituem. **Orbital molecular.** *Fís.* Função de onda de um elétron numa molécula. **Orbital tetraedral.** *Fís.-Quím.* Orbital híbrido que favorece a formação de ligações localizadas ao longo de quatro eixos que coincidem com os de um tetraedro regular. **Orbital trigonal.** *Fís.-Quím.* Orbital híbrido que favorece a formação de ligações localizadas ao longo de três eixos que formam no espaço ângulos de 120º.

orbitante. [De *orbitar* + *-nte.*] *Adj. 2 g.* Que descreve órbitas [v. *órbita* (1)].

orbitar. *V. int.* **1.** Descrever órbita. **2.** *Fig.* Prender-se a alguém por quem se deixa influenciar; ficar na órbita (5) de alguém. [Pres. ind.: *orbito, orbitas, orbita,* etc.; fut. do pret.: *orbitaria,* etc. Cf. *górbita,* s. f.. e *orbitária,* fem. de *orbitário.*]

orbitário. *Adj.* Relativo ou pertencente à órbita do olho; orbital. [Fem.: *orbitária.* Cf. *orbitaria,* do v. *orbitar.*] ~V. *pirâmide* —*a.*

orbitelo. [De *órbita.*] *Adj. Zool.* Diz-se das aranhas que formam teias semelhantes a círculos concêntricos.

orbívago. [Do lat. *orbe,* 'orbe, o mundo', + *-i-* + *-vago.*] *Adj. Poét.* Orbícola.

orca. [Do lat. *orca.*] *S. f.* **1.** Vaso semelhante a uma ânfora, de menores dimensões. **2.** *Zool.* Grande cetáceo da família dos delfinídeos (*Orcinus orca*), muito agressivo, carnívoro, dotado de uma barbatana dorsal, dentes agudos e cauda muito forte; é especialmente encontrado nos mares frios onde ataca focas, baleias e peixes de grande porte.

orça. [Dev. de *orçar.*] *S. f.* **1.** Ato de orçar ou calcular. **2.** *Mar.* Ato ou efeito de orçar (6 e 7); orçada. [Cf. *Orsa,* top., e *Horsa,* antr.] ♦ **À orça.** A olho; por junto; aproximadamente: *calcular à orça.*

orçada. [De *orçar* + *-ada*[1].] *S. f. Mar.* **1.** Ato ou efeito de orçar. **2.** Guinada para barlavento; orçadela. [Sin. ger.: *orça.*]

orçadela. *S. f. Mar.* Orçada (2).

orçador (ô). [De *orçar* + *-(d)or.*] *Adj.* **1.** Que faz orçamentos. ● *S. m.* **2.** Orçamentista.

orçamental. *Adj. 2 g.* Orçamentário.

orçamentário. *Adj.* Relativo a orçamento; orçamental.

orçamentista. *S. 2 g. Bras.* Especialista em orçamentos; orçador.

orçamento. *S. m.* **1.** Ato ou efeito de orçar; avaliação, cálculo, cômputo. **2.** Cálculo da receita e da despesa. **3.** Cálculo dos gastos para a realização de uma obra. **4.** *Jur.* e *Fin.* Cálculo da receita que se deve arrecadar num exercício financeiro e das despesas que devem ser feitas pela administração pública, organizado obrigatoriamente pelo executivo e submetido à aprovação das respectivas câmaras legislativas. **5.** *Jur.* Cálculo, feito pelo agrimensor, da partilha dum imóvel sujeito a processo divisório.

orçamento-programa. *S. m. Fin.* Orçamento público que especifica não somente os custos dos diversos programas, subprogramas e projetos, desdobrados setorialmente, por funções, segundo as categorias de despesas de custeio e capital, mas também as metas físicas anuais que devem ser atingidas mediante a aplicação dos recursos orçamentários. [Pl.: *orçamentos-programas e orçamentos-programa.*]

orcaneta (ê). [Do fr. *orcanette.*] *S. f.* Erva da família das boragináceas *(Anchusa azurea),* cultivada em virtude das suas flores violáceas, dispostas em panículas escorpióides, e cujas folhas são pubescentes.

orçar. [Do it. *orzare.*] *V. t. d.* **1.** Calcular, computar; estimar, esmar: *orçar despesas.* *T. d. e i.* **2.** Avaliar, calcular, estimar: *Orçou a despesa em milhões.* *T. i.* **3.** Correr parelhas; aproximar-se; raiar. **4.** Ser ou ter aproximadamente: "*Orçava* ele então pelos vinte e oito anos" (Aluísio Azevedo, *O Coruja,* p. 159). **5.** Chegar; atingir: *Sua disponibilidade monetária não orçava a tanto.* *Int.* **6.** *Mar.* Pôr o leme a barlavento, a fim de que a proa da embarcação se aproxime da linha do vento. **7.** *Mar.* Aproximar a proa da embarcação da linha do vento. [Antôn., nas acepç. 6 e 7.: *arribar.* Conjug.: v. *laçar.* Pres. ind.: *orço, orças, orça,* etc. Cf. *Orsa,* top., e *Horsa,* antr.]

orchata. [Do esp. *horchata.*] *S. f.* **1.** Refresco preparado com pevides de melancia pisadas, água e açúcar. **2.** Bebida feita com uma decocção de cevada com amêndoas doces pisadas. ● *S. m.* **3.** *Bras. RJ. Pop.* Indivíduo que usa terno branco em dia de chuva.

orco. [Do lat. *orcu.*] *S. m. Poét.* **1.** Região dos mortos. **2.** O Inferno. [Cf. *Horco,* top.]

ordália. *S. f.* V. *ordálio.*

ordálio. [Do b.-lat. *ordalium* (pl. *ordalia*) < franco *ordal,* 'julgamento, juízo'.] *S. m.* **1.** Prova judiciária sem combate, usada na Idade Média; prova. **2.** Juízo de Deus [q. v.].

ordeirismo. *S. m.* Sistema ou inclinação daqueles que são ordeiros.

ordeiro. *Adj.* Amigo da ordem; conciliador, conservador, pacífico.

ordem. [Do lat. *ordine.*] *S. f.* **1.** Disposição conveniente dos meios para se obterem os fins. **2.** Disposição metódica; arranjo de coisas segundo certas relações: *ordem alfabética.* **3.** Boa disposição; bom arranjo; arrumação: *pôr os livros em ordem; deixar em ordem a casa.* **4.** Qualidade de quem é metódico: *Revela muita ordem no seu trabalho.* **5.** Regra ou lei estabelecida: *Tais atos não seguem a ordem.* **6.** Tranqüilidade pública resultante da conformidade às leis. **7.** Disciplina, subordinação: *manter a ordem.* **8.** Determinação de autoridade; mandado, prescrição, ordenação: *ordem superior.* **9.** Boa administração: *cuidar da ordem da empresa.* **10.** Categoria (3): *artista de primeira ordem; Procedimento de tal ordem é monstruoso.* **11.** Maneira, modo, disposição: *Pôs as crianças em ordem de altura.* **12.** Renque, fila, fileira: *várias ordens de ciprestes.* **13.** Classe ou hierarquia de cidadãos: *ordem dos sacerdotes; ordem dos militares.* **14.** Classe de pessoas que exercem determinada profissão liberal: *a ordem dos advogados.* **15.** Feição especial ou característica da organização política e social: *O movimento resultou em nova ordem.* **16.** Série, seqüência: *Uma ordem de acontecimentos políticos determinou a revolução.* **17.** Lei, regulamento. **18.** Publicação de leis, regulamentos ou instruções acerca de serviço militar. **19.** Companhia de pessoas que fazem voto de viver sob a autoridade de certas regras: *a Ordem de Malta.* **20.** Classe de honra instituída por um governo ou por um soberano, para recompensar o mérito de um indivíduo ou instituição. **21.** Confraria de seculares ligados à Igreja, e que se comprometem a cumprir determinados preceitos exarados em estatuto próprio: *a Ordem do Santo Sepulcro.* **22.** Insígnia(s) de membro de uma ordem (20). **23.** Sacramento que confere o poder de exercer funções eclesiásticas. **24.** *Arquit.* Sistema de relações fixas entre as dimensões de certas partes dum edifício, como pedestal, coluna e entablamento: *ordem dórica; ordem jônica.* **25.** *Biol.* Categoria taxionômica compreendida entre a classe e a família, e que se subdivide em famílias. **26.** *Mat.* Ordinal de um elemento de um conjunto ordenado. **27.** *Rel.* Comunidade católica masculina ou feminina caracterizada pela emissão de votos solenes [v. *voto solene*] de pobreza, castidade e obediência. **28.** *Teat.* Cada um dos pavimentos de um teatro, acima do pavimento térreo ou platéia: *balcão de primeira ordem; camarote de terceira ordem.* ♦ **Ordem ática.** Ordem arquitetônica [v. *ordem* (24)] caracterizada por pequenas pilastras que têm por entablamento uma cornija arquitravada. **Ordem civil.** *Jur.* Conjunto de leis e princípios que regem os interesses privados. **Ordem compósita.** Ordem arquitetônica [v. *ordem* (24)] em que entram elementos da ordem jônica e da coríntia. [Tb. se diz apenas *compósita.*] **Ordem coríntia.** Ordem arquitetônica [v. *ordem* (24)] criada em Corinto (Grécia), e que se caracteriza pelas folhas de acanto do capitel. **Ordem cronológica.** **1.** Ordem de entrada ou de chegada de papéis, documentos ou pessoas a um estabelecimento. **2.** Ordem que se segue, em um escrito, lista, etc., respeitando a seqüência das datas. **Ordem de cavalaria.** Instituição militar e religiosa da Idade Média, restrita aos nobres, que nela eram admitidos mediante sagração no grau de cavaleiros, para combater os hereges. [Tb. se diz apenas *cavalaria.*] **Ordem de Cristo.** Ordem (20) militar portuguesa. **Ordem de grandeza.** *Mat.* Valor grosseiramente aproximado de uma grandeza. **Ordem de serviço.** Comunicação feita a um subordinado para que execute determinada obrigação. **Ordem do Banho.** Ordem (20) militar inglesa. **Ordem do dia.** Expediente predeterminado dos trabalhos de cada dia. **Ordem dórica.** A mais antiga das ordens [v. *ordem* (24)], caracterizada pela coluna de oito módulos ou diâmetros de altura, no máximo, pelo capitel singelo e pelo friso adornado de métopas e tríglifos. **Ordem jônica.** Ordem arquitetônica [v. *ordem* (24)] caracterizada por capitel ornado de duas volutas laterais. **Ordem jurídica.** *Jur.* O complexo das normas objetivas e dos princípios de direito disciplinadores dos interesses dos cidadãos entre si e em relação à sociedade a que pertencem. **Ordem política.** Conjunto de princípios que harmonizam as funções e relações internas e externas dum Estado. **Ordem pública.** Conjunto de instituições e preceitos coagentes destinados a manter o bom funcionamento dos serviços públicos, a segurança e a moralidade das relações entre particulares, e cuja aplicação não pode, em princípio, ser objeto de acordo ou convenção. **Ordem seráfica.** *Rel.* A dos frades franciscanos. **Ordem social.** A sociedade estruturada econômica e politicamente, como objeto de tutela policial e penal. **Ordem Terceira.** Ordem religiosa destinada a leigos, agregada a uma grande ordem monástica (franciscanos, carmelitas, etc.). **Ordem Teutônica.** Ordem hospitalar e militar austríaca, fundada em 1128 pelos cruzados alemães. **Ordem toscana.** Entre os romanos, a mais simples das ordens [v. *ordem* (24)], mais sólida e simples que a dórica. **De primeira ordem.** De excelente qualidade; ótimo, excelente: *Estou lendo um livro de primeira ordem.* **Na ordem do dia.** Em maré de fama, de celebridade; muito falado, comentado, discutido; na moda: *O poeta E. está na ordem do dia; Aquele romance continua na ordem do dia.* **Por ordem.** De modo ordenado.

ordem-unida. *S. f. Mil.* **1.** Formação normal de marcha, de reunião ou de parada dos elementos de uma tropa, com intervalos e distâncias regulamentares. **2.** O exercício dessa formação: "Iniciei-me na vida de caserna com seus toques de corneta nas madrugadas frias .... ; depois as infindas instruções de *ordem-unida* sob o sol implacável" (Xavier Placer, *Doze Histórias Curtas,* p. 116). [Pl.: *ordens-unidas.*]

ordenação. [Do lat. *ordinatione.*] *S. f.* **1.** Ato ou efeito de ordenar; ordenamento. **2.** V. *ordem* (8). **3.** Boa disposição; arranjo metódico; arrumação, ordem. **4.** *Lit.* Colação de ordens eclesiásticas. **5.** *Mat.* Organização dos elementos de um conjunto de acordo com uma relação de ordem com a qual se atribui, em geral, a todo elemento, um antecedente e um sucessor. ~ V. *ordenações.*

ordenações. *S. f. pl. Ant.* Codificação das leis em vigor, que se fizeram, na monarquia portuguesa, em quatro ocasiões: nos reinados de Afonso V (*Ordenações Afonsinas*), de D. Manuel I (*Ordenações Manuelinas*), de D. Sebastião (*Código Sebastiânico*) e de Filipe II (*Ordenações Filipinas*). ~ V. *ordenação.*

ordenada. [Fem. substantivado do adj. *ordenado.*] *S. f. Geom. Anal.* Coordenada cartesiana correspondente a um dos eixos: o vertical, no plano; o dos *y,* no espaço. ♦ **Ordenada à origem.** *Geom. Anal.* A ordenada do ponto de intercessão de uma reta com o eixo dos y.

ordenado. [Part. de *ordenar.*] *Adj.* **1.** Posto em ordem; arranjado, arrumado, disposto. **2.** Que tem ordem; metódico. **3.** Posto em ordem; classificado, numerado. **4.** Que tomou ordens sacras. ~ V. *domínio* —. ● *S. m.* **5.** Vencimento dum funcionário, ou empregado qualquer, pago periodicamente.

ordenador (ô). [Do lat. *ordinatore.*] *Adj.* e *s. m.* Que ou aquele que ordena.

ordenamento. [De *ordenar* + *-mento.*] *S. m.* **1.** Ordenação (1). **2.** Método ou conjunto de preceitos que se devem observar no tratamento e exploração das matas.

ordenança. [De *ordenar* + *-ança.*] *S. f.* **1.** Regulamento militar. **2.** *Ant.* Corpo de tropas; exército. ● *S. f. e m.* **3.** Soldado às ordens de um superior hierárquico. [Sin. (bras., N.E.), nesta acepç.: *peito-largo.*] ~ V. *ordenanças.*

ordenanças. *S. f. pl. Ant.* V. *ordenações.* ~V. *ordenança.*

ordenar. [Do lat. *ordinare.*] *V. t. d.* **1.** Pôr em ordem (1); arranjar, dispor: *Ordenou todos os seus livros por* assunto. **2.** Determinar por ordem (8); mandar que se faça; determinar: *Ordenou a substituição do funcionário rebelde;* "foi publicado um decreto, que desnaturalizava os nacionais, e ordenava a expulsão de todos" (J. Lúcio d'Azevedo, *O Marquês de Pombal e a Sua Época*, p. 202). **3.** Conferir o sacramento da ordem a. **4.** Fazer estudar para receber o sacramento da ordem: *Muito religioso, sempre quis ordenar o filho.* **5.** Dispor, traçar, preparar: *ordenar um banquete. T. d. e i.* **6.** Determinar, mandar: *Ordenei-lhe que saísse;* "O cristão com um gesto ordenou silêncio ao chefe pitiguara." (José de Alencar, *Iracema*, p. 105); "na terceira noite, ordenou ao criado que lhe foi levar o chá: I — Diga a seu amo que preciso falar-lhe sem demora." (Lúcio de Mendonça, *Horas do Bom Tempo*, p. 153). **7.** Dispor, traçar, preparar. *Transobj.* **8.** Reconhecer como, sagrar (ou fazer que isto se dê): *Ordenaram -no sacerdote;* "Profundamente religiosa, pôs o mais velho dos filhos no Seminário de Olinda, e ordenou -o padre." (Júlio Belo, *Memórias de um Senhor de Engenho*, p. 12). *T. i.* **9.** Dar ordem (8): *Ordenou de matar o súdito. Int.* **10.** Dar ordem (8): *O chefe ordenou, e a ordem foi cumprida.* **11.** Determinar ou mandar que se faça alguma coisa: "entre a turba Hipérides assoma, / Defende-lhe a inocência, exclama, exora, pede, / Suplica, ordena, exige..." (Olavo Bilac, *Poesias*, p. 78). *P.* **12.** Receber o sacramento da ordem. **13.** Entrar em ordem; preparar-se, aparelhar-se.

ordenável. *Adj. 2 g.* Que pode ser ordenado ou disposto.

ordenha. [Dev. de *ordenhar.*] *S. f.* Ato ou efeito de ordenhar; ordenhação.

ordenhação. *S. f.* Ordenha.

ordenhadeira. [De *ordenhar* + *-(d)eira.*] *S. f.* Aparelho utilizado para a ordenha de animais.

ordenhar. [Do lat. vulg. **ordiniare*, 'pôr em ordem', e, entre pastores, 'mungir'.] *V. t. d.* **1.** Espremer a teta de (um animal) para tirar leite; mungir: "Ele mesmo ordenhava as vacas de uma a uma. E o contato daquelas tetas pejadas dava-lhe uma alegria tão grande que mais parecia um pecado." (João Clímaco Bezerra, *O Semeador de Ausências*, p. 121.) *Int.* **2.** Praticar a ordenha.

ordinal. [Do lat. *ordinale.*] *Adj. 2 g.* ~ V. *numeral* — e *número* —.

ordinando. [Do lat. *ordinandu.*] *Adj.* e *s. m.* Que ou aquele que se prepara para receber o sacramento da ordem.

ordinária. [Fem. substantivado do adj. *ordinário.*] *S. f.* **1.** Gasto diário, mensal ou anual. **2.** Pensão alimentícia. [Cf. *tença.*]

ordinariamente. [Do fem. de *ordinário* + *-mente.*] *Adv.* Comumente; na maioria das vezes; de ordinário.

ordinário. [Do lat. *ordinariu.*] *Adj.* **1.** Que está na ordem usual das coisas; habitual, useiro, comum: *ocorrência ordinária.* **2.** Regular, periódico, costumado, freqüente: *São ordinárias, ali, as festas.* **3.** De má qualidade; inferior: *vinho ordinário.* **4.** De baixa condição; baixo, grosseiro; mal-educado: *Que indivíduo ordinário!* **5.** Medíocre, vulgar: *inteligência ordinária.* **6.** *Bras.* Sem caráter; reles, ruim. ~ V. *ação —a, derivada —a, descontinuidade —a, equação diferencial —a, equação diferencial —a linear, onda —a, passo —* e *ponto —*. ● *S. m.* **7.** Aquilo que é habitual. **8.** Superior eclesiástico. **9.** Música em passo de marcha. **10.** *Lit.* Designação comum às partes invariáveis de qualquer missa, cantada ou não, e que se apresentam na seguinte ordem: *Kyrie, Gloria in excelsis* e *Credo; Sanctus* e *Benedictus; Agnus Dei.* [Em certos casos, o *Gloria* e o *Credo* são suprimidos. Cf. *próprio* (12). V. *ano litúrgico.*] **11.** Indivíduo grosseiro ou sem caráter; indivíduo reles. ♦ **De ordinário.** Ordinariamente; por via de regra: "a fisionomia, de ordinário meiga, tornou-se severa" (Machado de Assis, *Helena*, p. 162).

ordinarismo. *S. m. Bras.* Procedimento ou caráter de quem é ordinário (4); falta de caráter.

ordinatório. [Do lat. *ordinatu*, part. pass. de *ordinare*, 'ordenar', + *-ório.*] *Adj. Jur.* Respeitante a ordenações, leis ou decretos, e bem assim ao andamento de processos.

ordoviciano. [De *ordovices*, ant. povo do País de Gales, pelo ingl. *ordovician.*] *Adj.* e *s. m.* ~ V. *período —*.

oré. *S. m. Bras., RJ. Gír.* Homossexual ativo.

oréade. [Do gr. *oreás, ados*, pelo lat. *oreade.*] *S. f.* **1.** *Mit.* Cada uma das ninfas dos bosques e das montanhas. ~ V. *oréades.*

oréades. *S. f. pl. Bras.* Uma das cinco divisões florísticas brasileiras, a qual, segundo Martius [Carl Friedrich Philipp von Martius, botânico alemão (1794-1868)], abrange toda a região campestre do Brasil. ~ V. *oréade.*

orear. [Do esp. plat. *orear.*] *V. t. d. Bras. RS.* **1.** Secar ao vento (roupas, carnes, etc.). **2.** Expor ao sol. *Int.* **3.** Arejar-se, secar-se. [Conjug.: v. *frear.*]

orectolobídeo. *S. m.* **1.** Espécime dos orectolobídeos. ● *Adj.* **2.** Pertencente ou relativo a eles.

orectolobídeos. *S. m. pl. Zool.* Família de peixes elasmobrânquios, da classe dos seláquios, formada por grandes tubarões (3 m ou mais de comprimento), que habitam águas temperadas. Um dos mais conhecidos é o tubarão-tigre, do Oceano Índico, assim denominado por causa de suas manchas pretas.

orégano. *S. m.* V. *orégão.*

orégão. [Do gr. *oríganos*, pelo lat. *origanu.*] *S. m.* Erva da família das labiadas (*Origanum virens*), oriunda do Mediterrâneo e cultivada em virtude do forte aroma, que a torna apreciado tempero de cozinha, e cujos ramos e folhas se usam depois de reduzidos a fragmentos finos. [Pl.: *orégãos.*]

orelha (ê). [Do lat. *auricula*, dim. de *auris*, atr. da f. vulg. *oricla.*] *S. f.* **1.** *Anat.* Cada uma das duas conchas auditivas situadas nas partes laterais da cabeça e pertencente ao ouvido (3); aurícula. **2.** O órgão da audição; ouvido: "As óperas do Judeu [Antônio José] eram dadas num teatro popular; não as ouvia a corte de D. João V, mas o povo e os burgueses de Lisboa, cujas orelhas não teriam ainda os melindres que mais tarde lhes atribuiu Figueiredo." (Machado de Assis, *Relíquias de Casa Velha*, p. 153); "e o grito é abafado pelas orelhas surdas. (Iolanda Jordão, *Poesias*, p. 85). **3.** Apêndice de certos objetos semelhante a orelha: *as orelhas do boné do aviador.* **4.** A parte fendida do martelo, oposta à cabeça, e destinada a arrancar ou endireitar pregos. **5.** Pala de certos objetos; aba: *as orelhas das botinas; a orelha da sacola.* **6.** Cada uma das duas extremidades da sobrecapa ou da capa de papel ou cartolina de um livro, dobradas para dentro e geralmente impressas; aba. **7.** Aquilo que se escreve na orelha (6) com informação e/ou julgamento a respeito do autor. **8.** Cada uma das aivecas do arado. **9.** *Arquit.* Hélice do capitel coríntio. **10.** *Tip.* Pequena composição, geralmente orlada, e contendo informação, anúncio, etc., que ladeia o cabeçalho de um periódico. **11.** *Bras.* Perfuração na canga do coice, pela qual se passa o correame que sustenta o cabeçalho. ♦ **Orelha da sota.** *Bras.* Jogo de cartas; jogatina. **Orelhas de abano.** As que ficam muito afastadas da cabeça. **Até as orelhas.** Completamente, totalmente; até os olhos: *Está endividado até as orelhas.* **Bater orelha.** *Bras., RS.* Andar parelho com outro; ser ou estar igual a outro; bater orelhas, bater aspas, bater guampas. [Aplica-se a animais, e também a pessoas: *Aqueles dois sujeitos batem orelha na maledicência.*] **Bater orelhas.** V. *bater orelha.* **De orelha.** V. *de ouvida.* **De orelha em pé.** *Bras. Fam.* Desconfiado, prevenido: *andar, estar, viver de orelha em pé.* **Ficar de orelhas baixas.** Ficar humilhado. **Pisar na orelha.** *Bras., S.* Sair pela frente do cavalo quando este cai. **Puxar pela orelha da sota.** *Bras.* Ter o vício do jogo. **Sacar orelhas.** *Bras., S.* Na corrida, chegar com pequeno avanço. **Torcer as orelhas.** Arrepender-se de não ter feito o que podia fazer. **Torcer a orelha e não sair sangue.** Arrepender-se quando já não há remédio.

orelhada. *S. f.* Orelhão (1). ♦ **De orelhada.** *Bras. Pop.* V. *de ouvida.*

orelha-de-burro. *S. f. Bras.* V. *orelha-de-onça* (1). [Pl.: *orelhas-de-burro.*]

orelha-de-cutia. *S. f. Bras.* Grama-do-pará. [Pl.: *orelhas-de-cutia.*]

orelha-de-gato. *S. f. Bras., S.* Erva da família das gutíferas (*Hypericum connatum*), de folhas ovadas ou suborbiculares, coriáceas e dotadas de pontoações negras, flores ordenadas e cimeiras paucifloras, amarelas, e cujos frutos são cápsulas. [Pl.: *orelhas-de-gato.*]

orelha-de-macaco. *S. f. Bras., RJ.* V. *renila.* [Pl.: *orelhas-de-macaco.*]

orelha-de-negro. *S. f.* **1.** V. *favela-branca.* **2.** V. *tamburi.* [Pl.: *orelhas-de-negro.*]

orelha-de-onça. *S. f. Bras.* **1.** Subarbusto da família das menipermáceas (*Cissampelos ovalifolia*), comum nos cerrados, de folhas arredondadas e muito peludas, pequenas flores pouco aparentes, e que, subterraneamente, tem grossos tubérculos radiculares; orelha-de-burro. **2.** Mucitaíba. **3.** *Bras., SP.* Muda de café ainda muito nova. [Pl.: *orelhas-de-onça.*]

orelha-de-pau. *S. f. Bras.* **1.** V. *urupê.* **2.** *Micol.* V. *píleo* (3). [Pl.: *orelhas-de-pau.*]

orelha-de-porco. *S. f. Bras.* Coração-magoado. [Pl.: *orelhas-de-porco.*]

orelha-de-rato. *S. f. Bras., Amaz.* Erva anual e prostrada, da família das escrofulariáceas (*Vandellia diffusa*), que habita lugares úmidos, tem folhas pequenas, sésseis, serreadas e pilosas, flores solitárias que não ultrapassam 6 mm, e cujas cápsulas são compridas e amarelas. [Pl.: *orelhas-de-rato.*]

orelha-de-urso. *S. f.* **1.** *Bras., L.* Arbusto da família das melastomatáceas (*Tibouchina holosericea*), comum no RJ, cujas amplas folhas são revestidas de denso tomento alvo, e cujas grandes flores, violáceas, são muito ornamentais. **2.** *Bot.* Aurícula (4). [Pl.: *orelhas-de-urso.*]

orelha-de-veado. *S. f. Bras.* **1.** Erva da família das pontederiáceas (*Pontederia cordata*), que vive em águas rasas, tem folhas amplas e macias, flores azuis agrupadas em cachos terminais, e que é ornamental para lagos em jardins. **2.** V. *aguapé*[2] (1). [Pl.: *orelhas-de-veado.*]

orelhado. [De *orelha* + *-ado*[1].] Que tem orelha(s); auriculado.

orelhador (ô). *S. m. Bras., RS.* Indivíduo que orelha o animal.

orelha-livre. *S. f. Bras., RS.* Pequena vantagem que um cavalo leva, na carreira, ao seu competidor. [Pl.: *orelhas-livres.*]

orelhame. [De *orelha* (1) + *-ame.*] *S. m. Fam.* As orelhas.

orelhano. [Do esp. plat. *orejano.*] *Adj. Bras., S.* **1.** Diz-se do animal sem nenhum sinal nas orelhas. **2.** *P. ext.* Diz-se do animal sem marca. [Sin. ger: *orelhudo.*]

orelhão. *S. m.* **1.** Puxão de orelhas; orelhada. **2.** Inflamação em torno das parótidas. **3.** Parte do tear, nas fábricas de seda. **4.** *Bras. Pop.* Tipo de cabina de telefone público, instalada ao ar livre, que consiste numa peça concoidal em cujo interior está o aparelho.

orelhar. *V. t. d.* **1.** *Bras.* Fazer as orelhas [v. *orelha* (7)] de. **2.** *Bras., RS.* Segurar (o animal) pelas orelhas, para tornar menos difícil ao domador montá-lo. **3.** *Fig.* Alimentar (uma esperança). [Conjug.: v. *aparelhar.*]

orelha-redonda. *S. 2 g. Bras.* **1.** Boi orelhano. **2.** Animal que não tem sinal do dono. [Pl.: *orelhas-redondas.*]

orelheira. *S. f.* **1.** Orelhas de animal, especialmente porco **2.** Partes dos bonés ou gorros que se abaixam para resguardar as orelhas.

orelhudo. *Adj.* **1.** Que tem orelhas grandes. **2.** *Fig.* Estúpido, burro. **3.** Teimoso, obstinado. **4.** *Bras., S.* Orelhano. ● *S. m.* **5.** V. *morcego*[1] (1). **6.** *Pop.* Indivíduo burro, estúpido.

orélia. *S. f. Bras., L.* Trepadeira lenhosa, da família das apocináceas (*Allamanda cathartica*), nativa mas cultivada como ornamento em jardins, lactescente, de flores grandes, tubulosas, amarelas e muito bonitas, cujos frutos são cápsulas aculeadas, e que é tida pelo povo como purgativa.

▲**oreo-.** Equiv. de *oro-*[1].

oreognosia. [De *oreo-* + *-gnos(i)(o)-* + *-ia.*] *S. f.* V. *orogenia* (2).

oreognóstico. [De *oreo-* + gr. *gnostikós.*] *Adj.* V. *orogênico.*

oreografia. [De *oreo-* + *-graf(o)-* + *-ia.*] *S. f.* Orografia.

oreográfico. *Adj.* Orográfico.

oreógrafo. *S. m.* Orógrafo.

➧**ore rotundo.** [Lat.] Com a boca arredondada; i. e., em sentido figurado, numa linguagem harmoniosa.

▲**orex-.** [Do gr. *órexis, eos.*] *El. comp.* = 'desejo', 'apetite': *heterorexia.*

orexia (cs). [De *orex-* + *-ia.*] *S. f. Med.* Desejo ou necessidade de alimentar-se; apetite.

órfã. [Fem. de *órfão.*] *Adj. (f.) Apic.* Diz-se da família de abelhas que perde a sua rainha. [Quando uma colmeia está órfã, as abelhas emitem, ao serem revisadas, um ruído típico, o chamado *choro das abelhas*, conhecido dos apicultores mais experimentados.]

orfaico. [Do lat. *orphaicu.*] *Adj.* Orféico.

orfanado. [Part. de *orfanar.*] *Adj.* **1.** Tornado órfão: *Deixaram orfanado o único filho.* ● *S. m.* **2.** *P. us.* Orfanato.

orfanar. *V. t. d.* **1.** Tornar órfão; lançar na orfandade. *T. d. e i.* **2.** Privar; destituir: *A destituição do diretor orfanou os funcionários de um dos seus mais competentes chefes.*

orfanato. *S. m.* **1.** Orfandade. **2.** Asilo para órfãos. **3.** *Fig.* Abandono, desamparo.

orfandade. *S. f.* Estado de órfão; orfanato.

orfanologia. [Do gr. *orphanós*, 'órfão', + *-log(o)-* + *-ia.*] *S. f.* Legislação relativa aos órfãos.

orfanológico. *Adj.* Relativo aos órfãos, ou à orfanologia.

órfão. [Do gr. *orphanós*, pelo lat. *orphanu.*] *Adj.* **1.** Que perdeu os pais ou um deles. **2.** *P. ext.* Que perdeu um protetor. **3.** *Fig.* Abandonado, desamparado, privado: *órfão de carinhos.* **4.** *Fig.* Desprovido, falto: *órfão de bom senso.* ● *S. m.* **5.** Aquele que ficou órfão. [Flex.:

órfã, órfãos, órfãs.]

orfeão. [Do fr. *orphéon.*] *S. m.* **1.** Sociedade cujos membros se consagram ao canto coral, com acompanhamento ou sem ele. **2.** Coro (ô) (2). **3.** Pequeno instrumento de cordas e teclas.

orféico. [Do mit. gr. *Orpheús*, pelo lat. *Orpheu*, 'Orfeu', + *-ico*².] *Adj.* Referente à música. [F. paral: *orfaico.*]

orfeônico. *Adj.* **1.** Relativo a orfeão, ou à música dos orfeões. **2.** Próprio para orfeão: *canto orfeônico.*

orfeonista. *S. 2 g.* Membro de orfeão.

órficas. [Do lat. *orphica.*] *S. f. pl.* Na antiguidade greco-romana, festas em honra de Dioniso ou Baco, celebradas nas confrarias órficas.

órfico. [Do gr. *orphikós*, pelo lat. *orphicu.*] *Adj.* **1.** Referente a Orfeu: *poemas órficos.* **2.** Diz-se dos dogmas, mistérios e/ou princípios filosóficos atribuídos a Orfeu. ● *S. m.* **3.** Filósofo partidário do orfismo.

orfismo. *S. m.* **1.** *Filos.* Culto religioso-filosófico, difundido na Grécia a partir dos sécs. VII e VI a.C., ligado ao culto de Dioniso, e que se acreditava instituído por Orfeu. Caracterizava-se principalmente pela crença na imortalidade, conquistável por meio de cerimônias, ritos purificadores e regras de conduta moral, que propiciavam a libertação da alma das sucessivas transmigrações. **2.** *Pint.* Movimento de dissidência do cubismo, surgido a partir de 1912, assim batizado por Guillaume Apollinaire (1880-1918), e segundo o qual os valores luminosos devem constituir a estrutura dinâmica do quadro, o que só se conseguirá a partir do 'contraste simultâneo'. Visava à criação de uma 'pintura pura', tb. no dizer de Apollinaire.

organdi. [Do fr. *organdi.*] *S. m.* Musselina muito leve e transparente, com um preparo especial que lhe dá certa consistência: "O vestido de Carmela coladinho no corpo é de organdi verde." (Antônio de Alcântara Machado, *Novelas Paulistanas*, p. 63.)

organeiro. [Do lat. *organariu.*] *S. m.* Fabricante de órgãos.

organela. [Do lat. cient. *organella.*] *S. f. Citol.* Qualquer parte da célula com função determinada.

organicismo. [De *orgânico* + *-ismo.*] *S. m.* **1.** *Filos.* Doutrina segundo a qual a vida resulta da composição e coordenação das funções particulares dos órgãos que compõem o ser vivo. [Cf. *animismo.*] **2.** *Sociol.* Doutrina que, assimilando a sociedade ao organismo vivo, tende a aplicar aos fatos sociais as leis e teorias biológicas.

organicista. *Adj. 2 g.* **1.** Relativo ao, ou que é partidário do organicismo. ● *S. 2 g.* **2.** Partidário do organicismo.

orgânico. [Do gr. *organikós*, pelo lat. *organicu.*] *Adj.* **1.** Relativo a órgão, a organização, ou a seres organizados: *vida orgânica; disposição orgânica.* **2.** Relativo a, ou próprio de organismo: *doenças orgânicas.* **3.** Arraigado profundamente: *inclinação orgânica.* **4.** Que ataca os órgãos. **5.** Que tem o caráter de um desenvolvimento natural, inato, em oposição ao que é ideado, calculado: *um intelectual orgânico.* **6.** *Quím.* Pertinente ou próprio dos compostos de carbono. [Contrapõe-se a *inorgânico* (3).] ~ V. *lei —a, lesão —a, química —a, rocha —a, seiva —a* e *solo —.*

organismo. [Do fr. *organisme.*] *S. m.* **1.** O conjunto dos órgãos dos seres vivos. **2.** A constituição do corpo humano: *O abuso do álcool afeta o organismo.* **3.** Qualquer ser organizado: *organismos microscópicos.* **4.** Qualquer sistema ou estrutura organizada: *As cidades são organismos em transformação constante.* **5.** Entidade que exerce funções de caráter social, político, administrativo, etc.; organização, órgão: *os organismos internacionais; um organismo assistencial.*

organista. [Do lat. medieval *organista.*] *S. 2 g.* Pessoa que toca órgão.

organito. [De *organ(o)-* + *-ito*¹.] *S. m. Biol.* Corpo organizado de forma regular, mas incapaz de reproduzir-se, tal como, entre outros, os glóbulos do sangue, os grânulos de amido, os espermatozóides.

organização. *S. f.* **1.** Ato ou efeito de organizar(-se). **2.** Modo pelo qual um ser vivo é organizado; conformação, estrutura: *a organização dos vegetais; O rapaz tem uma organização saudável.* **3.** Modo pelo qual se organiza um sistema (2); *a organização de um mecanismo; a organização da justiça.* **4.** Associação ou instituição com objetivos definidos: *organização esportiva; organização filantrópica.* **5.** V. *organismo* (5): *A Unesco é uma organização de caráter especialmente cultural.* **6.** *P. ext.* A designação oficial de certos organismos: a *Organização das Nações Unidas.* **7.** Planejamento, preparo: *organização de uma viagem, de uma temporada teatral.*

organizacional. *Adj. 2 g.* Relativo a, ou próprio de organização; organizativo.

organizado¹. [De *organ(o)-* + *-i-* + *-z-* + *-ado*¹.] *Adj.* Que tem órgãos.

organizado². [Part. de *organizar.*] *Adj.* **1.** Que tem órgãos: *seres organizados.* **2.** *Bras.* Ordenado, metódico: *É muito organizado: faz tudo na hora certa.*

organizador (ô). *Adj.* e *s. m.* Que ou aquele que organiza.

organizar. [Do fr. *organiser.*] *V. t. d.* **1.** Constituir o organismo de; estabelecer as bases de; ordenar, arranjar, dispor: "Flaubert pensou em organizar um vasto *dossier de la bêtise humaine*, do qual Maupassant chegou a publicar alguns extratos." (Eduardo Frieiro, *Os Livros Nossos Amigos*, p. 180.) **2.** Dar às partes de (um corpo) a disposição necessária para as funções a que ele se destina. *P.* **3.** Tomar uma organização definitiva; constituir-se, formar-se.

organizativo. *Adj.* Organizacional.

organizável. *Adj. 2 g.* Que pode ser organizado.

órgano. [Do lat. tardio *organu.*] *S. m. Mús.* Polifonia a duas vozes (séc. IX e X): a voz grave *(vox principalis)*, que entoava uma melodia gregoriana, e a voz acompanhante *(vox organalis)*, que cantava a mesma melodia, nota contra nota, a uma quarta ou quinta superiores. Ambas podiam ser duplicadas pelas respectivas oitavas. [Cf. *diafonia* (2).]

▲**organ(o)-** [Do gr. *órganon, ou.*] *El. comp.* = 'órgão': *organopatia, organograma; organista* (< lat. *organista*).

organogenesia. [De *organ(o)-* + *-genes(e)-* + *-ia.*] *S. f.* Descrição do desenvolvimento ou formação dos órgãos, a começar do embrião; organogenia.

organogenésico. *Adj.* V. *organogenético.*

organogenético. *Adj.* Relativo à organogenesia; organogênico, organogenésico.

organogenia. [De *organ(o)-* + *-gen(o)-*² + *-ia.*] *S. f.* Organogenesia.

organogênico. *Adj.* Relativo à organogenia; organogenético. ~ V. *rocha —a.*

organografia. [De *organ(o)-* + *-graf(o)-* + *-ia.*] *S. f.* Parte da botânica que descreve os órgãos.

organográfico. *Adj.* Relativo à organografia.

organograma. [De *organ(o)-* + *-grama.*] *S. m. Bras.* Quadro geométrico representativo de uma organização ou de um serviço, e que indica os arranjos e as inter-relações de suas unidades constitutivas, o limite das atribuições de cada uma delas, etc.

organoléptico. [De *organ(o)-* + gr. *leptikós*, 'próprio para tomar'.] *Adj.* Diz-se das propriedades dos corpos ou substâncias que impressionam os sentidos: *os efeitos organolépticos do vinho.* [Var.: *organolético.*]

organolético. *Adj.* Var. de *organoléptico* [q. v.].

organologia. [De *organ(o)-* + *-log(o)-* + *-ia.*] *S. f. Mús.* Parte da instrumentação (2) que se ocupa da definição e classificação dos instrumentos musicais.

organológico. *Adj.* Relativo à organologia.

organoma. [De *organ(o)-* + *-oma.*] *S. m. Patol.* Tumor formado de órgãos ou partes de órgão, ou que se caracteriza pela presença de órgãos definidos, como, p. ex., o quisto dermóide.

organometálico. [De *organ(o)-* + *metálico.*] *Adj. Quím.* Diz-se de substância proveniente da combinação de um radical orgânico com um metal.

organometalóidico. [De *organ(o)-* + *metalóide* + *-ico*².] *Adj. Quím.* Diz-se da combinação do metalóide com radical orgânico.

órganon. [Do gr. *órganon*, 'instrumento'.] *S. m.* Conjunto de requisitos lógicos para uma demonstração científica ou filosófica.

organopatia. [De *organ(o)-* + *-pat-* + *-ia.*] Doença orgânica.

organoplastia. [De *organ(o)-* + *-plast-* + *-ia.*] *S. f. Cir.* Plastia de órgão (1).

organoplástico. *Adj.* Relativo à organoplastia.

organoscopia. [De *organ(o)-* + *-scop-* + *-ia.*] *S. f. Med.* Inspeção de um órgão mediante instrumento adequado, ou sem ele.

organoscópico. *Adj.* Relativo à organoscopia.

organoterapia. [De *organ(o)-* + *terapia.*] *S. f. Med.* Tratamento de doença mediante o uso de órgãos animais ou de seus extratos. [Cf. *opoterapia.*]

organoterápico. *Adj.* Relativo à organoterapia. [Cf. *opoterápico.*]

organsim. [Do fr. *organsin.*] *S. m.* O primeiro fio de seda que se deita no tear para formar urdidura; organsino.

organsinar. *V. t. d.* Tecer (fios de seda bruta) em rodas apropriadas para formar o organsim.

organsino. *S. m.* Organsim.

orgânulo. [De *organ(o)-* + *-ulo.*] *S. m. Bot.* Pequeno órgão. Designa comumente partes celulares bem definidas.

organza. [Talvez alter. de *Lorganza*, marca registrada.] *S. f.* Tecido fino e transparente, de trama simples, em geral de fio de seda, raiom ou náilon, e mais encorpado e armado que o organdi.

órgão. [Do gr. *órganon.*] *S. m.* **1.** *Anat.* e *Fisiol.* Parte do corpo que goza de certa autonomia e desempenha uma ou mais funções especiais. **2.** Cada uma das partes de um maquinismo. **3.** Meio, pessoa ou objeto que serve de intermediário. **4.** Periódico; revista, jornal, gazeta. **5.** Grande instrumento de sopro, composto de tubos afinados cromaticamente, alimentados por um sistema de foles, e acionados por meio de um ou mais teclados manuais, além de um ou duas pedaleiras. É empregado especialmente como instrumento de música religiosa. **6.** V. *organismo* (5). [Pl.: *órgãos.*] ♦ **Órgão de Weber.** *Zool.* V. *ostariofisos.* **Órgão hidráulico.** *Mús.* Órgão inventado c. 300 a. C., pelo alexandrino Ctesíbio, e que era provido de um teclado manual, de tubos sonoros e de um sistema que utilizava o peso da água para comprimir o ar no someiro.

orgasmo. [Do gr. *orgasmós.*] *S. m.* O mais alto grau de excitação dos sentidos ou de um órgão, especialmente o acme do ato sexual.

orgástico. [Do rad. gr. *orgast* < *orgázo*, 'excitar por contatos', + *-ico*².] *Adj.* Relativo ao orgasmo.

orgia. [Do gr. *órgia*, 'festas de Baco', pelo lat. *orgia.*] *S. f.* **1.** Festim licencioso; bacanal. [Sin. (bras.): *farra, esbórnia.*] **2.** Festa solene em honra de Dioniso ou Baco, na antiguidade greco-romana; bacanal. **3.** *Fig.* Desordem, tumulto; anarquia. **4.** Profusão; desperdício: *orgia de cores; orgia orçamentária.* [Cf. *órgia*, fem. de *órgio* e *urgia*, do v. *urgir.*]

orgíaco. [Do gr. *orgiakós.*] *Adj.* **1.** Relativo a orgia ou a orgias. **2.** Que tem caráter de orgia. [Sin. (p. us.): *orgiástico* e *órgio.*]

orgiástico. [Do gr. *orgiastikós.*] *Adj. P. us.* V. *orgíaco.*

órgio. *Adj. P. us.* V. *orgíaco.* [Fem. *órgia.* Cf. *orgia.*]

orgulhar. *V. t. d.* **1.** Causar orgulho a; ensoberbecer: *Os feitos científicos do físico César Lattes orgulham toda a nação. P.* **2.** Sentir orgulho ufanar-se: "Começou então a estudar, assiduamente, com Mestre Porcalho, que se orgulhava deste discípulo, tão gentil e tão nobre." (Eça de Queirós, *Últimas Páginas*, p. 396.)

orgulho. [Do frâncico **urguli*, 'excelência', atr. do cat. *orgull* e do esp. *orgullo.*] *S. m.* **1.** Sentimento de dignidade pessoal; brio, altivez. **2.** Conceito elevado ou exagerado de si próprio; amor-próprio demasiado; soberba. **3.** Aquilo ou aquele(s) de que(m) se tem orgulho: *Oswaldo Cruz é um orgulho da nação; Aqueles rapazes são o orgulho dos pais.*

orgulhoso (ô). *Adj.* **1.** Que tem orgulho; altivo, brioso. **2.** Vaidoso, soberbo. ● *S. m.* **3.** indivíduo que tem orgulho.

oriá. [Do sânscr.] *S. m. Ling.* Língua indo-ariana falada em Orissa (Índia).

oribi. *S. m. Bras.* V. *coleira*⁴.

oricalco. [Do lat. *orichalcu* < gr. *oricháłkos*, 'cobre das montanhas', pelo lat. *orichalcu.*] *S. m.* Designação que os antigos gregos davam umas vezes ao cobre puro, outras ao latão, outras ao bronze: "Ai do desgraçado que pusesse pé no palácio de oricalco da princesa lendária!" (Aquilino Ribeiro, *Portugueses das Sete Partidas*, pp. 345-346.) [F. paral.: *auricalco.*]

orientação. *S. f.* **1.** Ato ou arte de orientar(-se). **2.** Direção, guia, regra. **3.** *Fig.* Impulso, tendência, inclinação. **4.** *Educ.* Fase do ciclo docente em que o professor acompanha, utilizando técnicas, recursos e procedimentos adequados, a marcha do aprendizado de seus alunos. ♦ **Orientação educacional.** *Educ.* Processo intencional e metódico destinado a acompanhar, segundo técnicas específicas, o desenvolvimento intelectual e a formação da personalidade integral dos estudantes, sobretudo os adolescentes; orientação escolar. **Orientação escolar.** *Educ.* Orientação educacional. **Orientação profissional.** *Psicol.* Conjunto de esforços sistemáticos desenvolvidos mediante métodos e técnicas próprios no sentido de ajudar as pessoas, em especial os adolescentes, na escolha adequada de suas profissões.

orientado. [Part. de *orientar.*] *Adj.* Que sofreu ou sofre orientação. ~ V. *ligação —a*, e *reta —a.*

orientador (ô). *Adj.* Que dirige, orienta; dirigente, diretor. ♦ **Orientador educacional.** *Educ.* Técnico habilitado a ministrar orientação educacional; orientador escolar. **Orientador escolar.** *Educ.* Orientador educacional. **Orientador profissional.** *Psicol.* Técnico em orientação profissional. **Orientador psicológico.** *Psicol.* Psicólogo encarregado de aconselhamento (3).

orientais. [Pl. de *oriental*, substantivado.] *S. m. pl.* Os povos da Ásia. V. *oriental.*

oriental. [Do lat. *orientale.*] *Adj. 2 g.* **1.** Relativo ao Oriente. **2.** Situado ao Oriente. **3.** Que é originário de lá. **4.** Que vive ou vegeta no Oriente. **5.** Característico dos países orientais e/ou ao seu povo; peculiar a eles. **6.** Uruguaio. ~ V. *marco —, Nordeste — e tapete —.* [Antôn.: *ocidental.*]

orientalense. *Adj. 2 g.* e *s. 2 g.* Orientense.

orientalidade. *S. f.* Qualidade de oriental.

orientalismo. *S. m.* **1.** Qualidade ou caráter de oriental ou que sofreu o influxo do Oriente. **2.** Predileção pelas coisas do Oriente. **3.** Conjunto de conhecimentos ou estudos acerca dos povos orientais. **4.** Ciência de orientalista. **5.** Locução hiperbólica ou simbólica, à maneira dos orientais.

orientalista. *Adj. 2 g.* e *s. 2 g.* Diz-se de, ou pessoa versada no conhecimento dos povos e idiomas orientais.

orientando. [Do ger. de *orientar.*] *S. m. Educ.* e *Psicol.* Aquele que recebe orientação educacional ou profissional.

orientar. [De *oriente* + *-ar*[2]] *V. t. d.* **1.** Determinar a posição de (um lugar) em relação aos pontos cardeais. **2.** Adaptar ou ajustar à direção dos pontos cardeais. **3.** Indicar o rumo a; dirigir, encaminhar, guiar: *Orientou o turista que desejava chegar ao centro da cidade.* **4.** *Geom.* Atribuir um sentido a (uma reta ou um arco de curva). *T. d.* e *i.* **5.** Guiar, dirigir, nortear: *Orienta sua vida por princípios morais rigorosos. P.* **6.** Reconhecer a situação do lugar onde se acha, para guiar-se no caminho. **7.** Reconhecer ou examinar cuidadosamente os diferentes aspectos de (uma questão): *Orientou-se antes de assumir a responsabilidade dos negócios.* **8.** Dirigir-se, encaminhar-se, nortear-se: *A multidão orientava-se para o centro dos tumultos.*

oriente. [Do lat. *oriente.*] *S. m.* **1.** A parte onde nasce o Sol; nascente, leste, este, levante. **2.** *Astr.* e *Geogr.* V. *este* (1 e 2). **3.** A Ásia. **4.** *P. ext.* Os povos da Ásia; os orientais. **5.** O lado direito de uma carta geográfica. **6.** A qualidade que determina o valor de uma pérola; o lustre: *Pérolas do mais puro oriente ornamentavam-lhe o colo.* ◆ **Oriente Médio.** Região que compreende a Turquia, os países do sudeste da Ásia e do norte da África, e que inclui, por vezes, o Afeganistão, o Irã e o Iraque; Oriente Próximo. **Oriente Próximo.** Oriente Médio. **Extremo Oriente.** Designação ampla dada pelos ocidentais à região da Ásia que compreende os países do leste asiático (China, Japão, Coréia, Mongólia, Manchúria e a parte oriental da Sibéria), e que inclui, por vezes, os países do sul e do sudeste do continente e os arquipélagos das Filipinas e da Indonésia. **Grande Oriente.** Loja maçônica, à qual estão subordinadas as outras.

orientense. *Adj. 2 g.* **1.** De, ou pertencente ou relativo a Oriente (SP). ● *S. 2 g.* **2.** Natural ou habitante de Oriente. [Sin. ger.: *orientalense.*]

orifício. [Do lat. *orificiu.*] *S. m.* **1.** Entrada ou abertura estreita e/ou pequena. **2.** Pequeno buraco.

oriflama. [Do fr. *oriflamme.*] *S. f.* Var. de *auriflama*: "A cinco léguas dessa localidade aglomeram-se rochedos de diferente coloração, ... representando ora um templo, ora um palácio, abóbadas, cúpulas, torreões, um mastro com a oriflama, arruamentos de casas com telhados, becos e praças." (Alberto Rangel, *Papéis Pintados*, p. 269.)

oriforme. [Do lat. *ors, oris*, 'boca', + *-forme.*] *Adj. 2 g.* Que tem a forma de boca: *abertura oriforme.*

origem. [Do lat. *origine.*] *S. f.* **1.** Princípio, começo, procedência: "O teatro grego é de origem religiosa; nunca houve dúvidas a esse respeito." (Oto Maria Carpeaux, *História da Literatura Ocidental*, I, p. 51.) **2.** Naturalidade, nascimento. **3.** V. *pátria* (4). **4.** Ascendência, progênie. **5.** *Fig.* Princípio ou causa.

origenismo. *S. m.* Tendência teológica cristã iniciada com Orígenes, teólogo de Alexandria, no séc. III, a qual mistura elementos da gnose do platonismo e do cristianismo, afirmando, especialmente, uma restauração final de todos os seres, inclusive o Demônio e os condenados; apocatástase.

origenista. *Adj.* e *s. m.* Sectário do origenismo.

original. [Do lat. *originale.*] *Adj. 2 g.* **1.** Relativo a origem. **2.** Que provém da origem; inicial, primordial, primitivo, originário. **3.** Que não ocorreu nem existiu antes; inédito, novo. **4.** Que foi feito pela primeira vez, em primeiro lugar, sem ser copiado de nenhum modelo. **5.** Que tem caráter próprio; que não procura imitar nem seguir ninguém; novo. **6.** Que por seus caracteres peculiares, singulares, chega ao ponto de tornar-se bizarro, extravagante. ● *S. m.* **7.** Obra original, o modelo do qual se poderão tirar cópias ou reproduções. **8.** Escrito primitivo. **9.** Pessoa ou coisa reproduzida ou descrita pela arte; modelo original. **10.** *Edit.* Material (texto manuscrito, datilografado, ou impresso, fotografia, desenho, etc.) destinado à preparação editorial e ulterior impressão. [Cf. *manuscrito.*] ● *S. 2 g.* **11.** Pessoa original.

originalão. *Adj.* e *s. m.* Diz-se de, ou indivíduo muito original, excêntrico, esquisito, exótico. [Fem.: *originalona.*]

originalidade. *S. f.* Qualidade de original.

originalona. *S. f.* e *adj. (f.)* Fem. de *originalão* [q. v.].

originar. [Do lat. *origine*, 'origem', + *-ar*[2].] *V. t. d.* **1.** Dar origem a; ser causa de; causar, determinar, motivar: *O problema ortográfico originou séria polêmica. P.* **2.** Ter origem; ser proveniente; derivar-se; nascer, proceder: [Fut. pret.: *originaria*, etc. Cf. *originária*, fem. de *originário.*]

originário. [Do lat. *originariu.*] *Adj.* **1.** Proveniente, oriundo: *originária da Índia.* **2.** Que provém por geração; descendente: *É originário dos Albuquerques.* **3.** Que se conserva desde a origem; primitivo: *instintos originários.* [Fem.: *originária.* Cf. *originaria*, do v. *originar.*]

origma. [Do gr. *órygma.*] *S. m.* Abismo onde eram precipitados os criminosos, na antiga Atenas.

origone. [Var. de *orijone.*] *S. m. Bras.* Fatia seca de pêssego, que se come ao natural ou cozida.

orijone. [Do esp. plat. *orejón.*] *S. m. Bras.* Origone.

orilha. [Do esp. *orilla.*] *S. f.* **1.** Borda, orla; margem, beira: *a orilha do regato*; "Há episódios dignos de um cancioneiro popular nas evocações das tricanas folgando à orilha do Mondego ou junto à fonte da linda Inês." (Agripino Grieco, *São Francisco de Assis e a Poesia Cristã*, p. 148). **2.** Filete (1) em obra de ourivesaria.

orim-orixá. [Do ioruba.] *S. m. Bras., BA.* Cântico dedicado aos orixás. [Pl.: *orins-orixás.*]

Órion. [Do gr. *Oríon*, pelo lat. *Orion.*] *S. m. Astr.* Constelação equatorial, a O. do Unicórnio, a E. do Touro e do Erídano, ao S. do Touro e ao N. da Lebre, formada de estrelas brilhantes, três das quais são popularmente chamadas *Três Marias*. [Sin., ant. (pop.): *Caçador.*]

oritimbó. *S. m. Bras., RJ.* V. *ânus.*

oriundo[1] (i-ún). [Do it. *oriundo.*] *S. m. Bras. Fut.* Jogador estrangeiro contratado por clube de outro país.

oriundo[2] (i-ún). [Do lat. *oriundu.*] *Adj.* Originário, proveniente, procedente; natural.

orixá. *S. m. Bras. Folcl.* Divindade africana (especialmente jeje-nagô) das religiões afro-brasileiras; guia; encantado. [Cf. *caboclo* (7).]

Orixaguinã. *S. m. Bras., BA. Folcl.* V. *orixalá* (1 e 2).

Orixalá. *S. m. Bras.* **1.** O grande orixá sincretizado com Jesus Cristo. [Var., na BA: *oxalá.*] **2.** *Folcl.* Orixá supremo do culto iorubano em nosso país, a quem estão afetas as funções sexuais da reprodução. [Var., na BA: *Oxalá.* Sin. ger., nestas acepç.: *Orixaguinã, Gunocô.*] **3.** Obatalá (2).

oriximinaense. *Adj. 2 g.* **1.** De, ou pertencente ou relativo a Oriximiná (PA). ● *S. 2 g.* **2.** Natural ou habitante de Oriximiná.

oriz. *Bras. S. 2 g.* **1.** Indígena da extinta tribo não tupi dos orizes, da província da BA. ● *Adj. 2 g.* **2.** Pertencente ou relativo a essa tribo.

▲**oriz(i)-.** [Do lat. *oryza, ae.*] *El. comp.* = 'arroz': *orizicultura; orizóideo.* [Equiv.: *orizo-*: *orizófago.*]

orizicultor (ô). [De *oriz(i)-* + *cultor.*] *S. m.* Aquele que se dedica à orizicultura. [Var.: *rizicultor.*]

orizicultura. [De *oriz(i)-* + *cultura.*] *S. f.* Cultura do arroz. [Var.: *rizicultura.*]

orizívoro. [De *oriz(i)-* + *-voro.*] *Adj.* Diz-se dos animais que se alimentam de arroz. [Cf. *orizófago.*]

▲**orizo-.** Equiv. de *oriz(i)-.*

orizófago. [De *orizo-* + *-fago.*] *Adj.* Que se alimenta de arroz (tratando-se do homem). [Cf. *orizívoro.*]

orizóideo. [De *oriz(i)-* + *-óide-* + *-eo.*] *Adj. Bot.* Que tem a aparência do arroz.

orizonense. *Adj. 2 g.* **1.** De, ou pertencente ou relativo a Orizona (GO). ● *S. 2 g.* **2.** Natural ou habitante de Orizona.

orla. [Do lat. vulg. **orula*, dim. de *ora*, 'borda, beira'.] *S. f.* **1.** Borda, bordo, rebordo. **2.** Beira, margem: "Um pequeno mosteiro em meio de um pomar, / entre loureiros-rosa e vinhas de todo o ano, / num misticismo lírico, a sonhar / na orla florida e azul de um lago italiano..." (Raul de Leoni, *Luz Mediterrânea*, p. 175); "Uma orla de espuma rendilha a graciosa curva da praia." (Sousa Bandeira, *Evocações e Outros Escritos*, p. 62). **3.** Faixa (9): *orla de terra à beira-mar.* **4.** Rebordo de uma cratera. **5.** Rebordo de roupas, tecidos, alfaias; cercadura: "desvencilhou-se das mãos do marido, e puxou com as suas a rival insolente pela orla do decote" (Carlos Magalhães de Azeredo, *Casos do Amor e do Instinto*, p. 399); *a orla da almofada.* **6.** *Arquit.* Filete num ornato oval de capitel. **7.** *Tip.* V. *guarnição* (11). [Sin. (nas acepç. 1 a 5): *orladura.*]

orladura. *S. f.* **1.** Ato ou efeito de orlar. **2.** V. *orla* (1 a 5): "o velho sacerdote apareceu, ... trazendo nas mãos o cálix coberto por uma pátena de damasco branco com estreita e rica orladura d'ouro." (Virgílio Várzea, *O Brigue Flibusteiro*, p. 136).

orlandino. *Adj.* **1.** De, ou pertencente ou relativo a Orlândia (SP). ● *S. m.* **2.** O natural ou habitante de Orlândia.

orlar. [De *orla* + *-ar*[2].] *V. t. d.* **1.** Guarnecer com orla; ornar em redor: *orlar uma saia*; "O sol, refletido na parede do fundo, orlava-lhe os cabelos crespos de um contorno luminoso" (Conde de Ficalho, *Uma Eleição Perdida*, p. 63). **2.** Estar situado à orla, à borda ou margem de: "Florinhas que orlais a estrada, / — Não vos veio ela colher?" (Raimundo Correia, *Poesias*, p. 138.) **3.** Estar em volta de; circundar: *Um sombreado azul orlava-lhe as pálpebras.* **4.** *Fig.* Envolver, aureolar: *A celebridade orla o nome.*

orleã. [Do top. *Orléans* (França).] *S. f.* Tecido leve de lã e algodão ou seda.

orleanense. *Adj. 2 g.* **1.** De, ou pertencente ou relativo a Orleães (SC). ● *S. 2 g.* **2.** Natural ou habitante de Orleães.

orleanês. *Adj.* **1.** De, ou pertencente ou relativo a Orleães (França). ● *S. m.* **2.** O natural ou habitante de Orleães. [Flex.: *orleanesa* (ê), *orleaneses* (ê), *orleanesas* (ê).]

orleanista. *Adj. 2 g.* e *s. 2 g.* Diz-se de, ou partidário da casa de Orleães, em diversas oportunidades da história da França.

orlom. [Do fr. *orlon.*] *S. m.* Nome comercial de uma fibra sintética de aspecto sedoso e alto poder de isolamento térmico.

ormasde. [Do sânscr.] *S. m. Filos.* Aúra-masda.

ornador (ô). [De *ornar* + *-(d)or.*] *Adj.* **1.** Que orna, que ornamenta. ● *S. m.* **2.** V. *ornamentista.*

ornamentação. *S. f.* Ato ou efeito de ornamentar(-se); maneira ou arte de dispor ornamentos, formas ou cores; ornamento; *a ornamentação jônica; a ornamentação do salão de baile.*

ornamentador (ô). *S. m.* V. *ornamentista.*

ornamental. *Adj. 2 g.* **1.** Relativo a ornamentos. **2.** Próprio para adorno ou para ornamentar. ~ V. *salto —.*

ornamentalista. *S. 2 g.* Pessoa dada à pratica de saltos ornamentais.

ornamentar. *V. t. d.* **1.** Guarnecer com ornamentos ou ornatos; ornar, enfeitar. **2.** Abrilhantar, realçar; ornar: *A presença da bela jovem ornamentou a recepção. P.* **3.** Enfeitar-se, adornar-se.

ornamentista. *S. 2 g.* Pessoa que ornamenta, que faz ornatos ou ornamentações; ornamentador, ornador.

ornamento. [Do lat. *ornamentu.*] *S. m.* **1.** Ornamentação. **2.** Aquilo que ornamenta ou orna; ornato, adorno: *os ornamentos góticos.* **3.** *Fig.* Floreio de estilo; atavio: *os ornamentos de um discurso.* **4.** *Fig.* Pessoa eminente em uma classe, instituição, arte, etc.: *É um dos ornamentos da nossa tribuna.* **5.** *Mús.* Nota ou grupo de notas rápidas que embelezam determinada melodia; ornato. [Os mais comuns são: *acicatura, apojatura, floreio, grupeto, mordente, portamento, trinado.*] ~ V. *ornamentos.*

ornamentos. [Pl. de *ornamento.*] *S. m. pl. Lit.* Paramentos. ~ V. *ornamento.*

ornar. [Do lat. *ornare*, 'pôr em ordem'.] *V. t. d.* **1.** Guarnecer com adornos ou ornatos; ornamentar, enfeitar, adornar. **2.** V. *ornamentar* (2): "noutro baile, dado daí a um mês, em casa de uma senhora, que ornara os salões do primeiro reinado, ... a aproximação foi maior e mais longa, porque conversamos e valsamos." (Machado de Assis, *Memórias Póstumas de Brás Cubas*, p. 144). **3.** Constituir adorno ou ornato de: *Uma bela floreira orna o centro da mesa*; "Um ar alegre vinha do Largo da Matriz, ... envolvia os santos, os altares e os belos festões de flores naturais que, naquele dia, ornavam o milagroso altar de N. Sª. do Carmo." (Inglês de Sousa, *O Missionário*, p. 100.) **4.** Aprimorar, aformosear, embelezar: *Um belo sorriso ornava-lhe o semblante.* **5.** Ilustrar, engrandecer, glorificar. **6.** Ilustrar ou aprimorar com ornatos de estilo. *P.* **7.** Enfeitar-se, embelezar-se, ornamentar-se, adornar-se.

ornato. [Do lat. *ornatu.*] *S. m.* **1.** Efeito de ornar; ornamentação, ornamento. **2.** Aquilo que orna; enfeite, atavio, ornamento. **3.** *Mús.* Ornamento (5).

ornear. [T. onom.] *V. int.* V. *zurrar* (1): "galopa [o burro], escoicinha, orneia estridentemente" (Ramalho Ortigão, *Banhos de Caldas e Águas Minerais*, p. 193). [Conjug.: v. *frear.*] Normalmente não é us. nas 1as. pess.

orneio. [Dev. de *ornear.*] *S. m.* V. *zurro* (1).

ornejador (ô). *Adj. e s. m.* Diz-se de, ou animal que orneja.

ornejar. [T. onom.] *V. int.* V. *zurrar* (1): "Despediu-se então do Mestre, montou o jumento, que, dando costas ao pequeno templo, saiu ornejando na esperança de novos pastos." (João Ribeiro, *Crepúsculo dos Deuses*, p. 104.) [Conjug.: v. *pelejar.* Normalmente não é us. nas 1as. pess.]

ornejo (ê). [Dev. de *ornejar.*] *S. m.* V. *zurro* (1).

ornis. [Do fr. *ornis.*] *S. m.* Espécie de musselina proveniente da Índia.

▲**-órnis.** [Do gr. *órnis, órnithos.*] *El. comp.* = 'ave': *ipiórnis.* [Equiv.: *ornit(o)-*: *ornitologia; ornitóideo.*]

▲**ornit(o)-.** Equiv. de *-órnis.*

ornitóbio. [De *ornit(o)-* + *-bio.*] *S. m. Zool.* Gênero de insetos dípteros, parasitos de certas aves.

ornitocéfalo. [De *ornit(o)-* + *-céfalo.*] *S. m. Bot.* Gênero de orquídeas (*Ornithocephalus*).

ornitocórico. [De *ornit(o)-* + *-cor(o)-* + *-ico*[2].] *Adj. Ecol. Veg.* Que se dispersa por meio das aves; ornitócoro. Ex.: as ervas-de-passarinho.

ornitócoro. *Adj. Ecol. Veg.* Ornitocórico.

ornitodelfo. [De *ornit(o)-* + gr. *delphys*, 'útero'.] *S. m. Zool.* V. *monotremado.*

ornitodelfos. *S. m. pl. Zool.* V. *monotremados.*

ornitofilia. [De *ornit(o)-* + *-fil(o)-*[2] + *-ia.*] *S. f.* **1.** Grande dedicação à ornitologia, ou aos pássaros. **2.** *Ecol. Veg.* Polinização efetuada pelas aves, como, p. ex., o beija-flor.

ornitofílico. *Adj.* Relativo à ornitofilia.

ornitófilo. [De *ornit(o)-* + *-filo.*] *Adj.* **1.** Que se dedica por prazer à ornitologia. **2.** *Ecol. Veg.* Que apresenta ornitofilia: *O sangue-de-adão é uma planta* ornitófila. • *S. m.* **3.** Aquele que se dedica por prazer à ornitologia. **4.** Vegetal que é polinizado pelas aves.

ornitofonia. [De *ornit(o)-* + *-fon(o)-* + *-ia.*] *S. f.* Imitação do canto ou voz das aves.

ornitofônico. *Adj.* Relativo à ornitofonia.

ornitógalo. *S. m.* Planta da família das liliáceas (*Ornithogalum*), caracterizada por flores alvas, esverdeadas ou amareladas.

ornitóideo. [De *ornit(o)-* + *-óide-* + *-eo.*] *Adj.* Que tem semelhança com ave.

ornitologia. [De *ornit(o)-* + *-log(o)-* + *-ia.*] *S. f.* **1.** Parte da zoologia que trata das aves. **2.** Tratado acerca das aves.

ornitológico. *Adj.* Referente à ornitologia.

ornitologista. *S. 2 g.* Especialista em ornitologia; ornitólogo.

ornitólogo. [Do gr. *ornithológos.*] *S. m.* Ornitologista.

ornitomancia (cí). [De *ornit(o)-* + *-mancia.*] *S. f.* Adivinhação baseada no vôo ou no canto das aves. [Cf. *ornitoscopia.*]

ornitomante. [Do gr. *ornithomántes.*] *S. 2 g.* Pessoa que pratica a ornitomancia.

ornitomântico. *Adj.* Relativo à ornitomancia, ou a ornitomante. [Cf. *ornitoscópico.*]

ornitomizo. [De *ornit(o)-* + gr. *myzo*, 'sugar'.] *Adj. e s. m. Zool.* Diz-se de, ou inseto que suga o sangue das aves.

ornitorrinco. [De *ornit(o)-* + *-rinco.*] *S. m. Zool.* Animal mamífero, da ordem *Monotremata*, que apresenta bico de pato, um só orifício urogenital (cloaca), e osso coracóide. É ovíparo, constituindo uma forma de transição entre reptis e mamíferos, e habita a região zoogeográfica australiana.

ornitoscopia. [De *ornit(o)-* + *-scop-* + *-ia.*] *S. f.* Observação das aves para prever o futuro. [Cf. *ornitomancia.*]

ornitoscópico. *Adj.* Referente à ornitoscopia. [Cf. *ornitomântico.*]

ornitóscopo. *S. m.* Aquele que pratica a ornitoscopia.

ornitotomia. [De *ornit(o)-* + *-tom(o)-* + *-ia.*] *S. f.* Dissecação das aves.

ornitotômico. *Adj.* Referente à ornitotomia.

ornitotrofia. [De *ornit(o)-* + *-trof(o)-* + *-ia.*] *S. f.* Criação de aves.

ornitotrófico. *Adj.* Relativo à ornitotrofia.

▲**oro-**[1]. [Do gr. *óros, eos.*] *El. comp.* = 'montanha': *orografia, orogenia.* [Equiv.: *oreo-*: *oreognosia, oreografia.*]

▲**oro-**[2]. [Do lat. *ors. oris.*] *El. comp.* = 'boca': *orofacial, orofaringe.*

oró. *S. m. Bras.* Erva lenhosa e trepadeira, da família das leguminosas (*Phaseolus panduratus*), forrageira para o gado em certas regiões do N.E., e cujas vagens produzem uma espécie de feijão aproveitável, sendo as folhas trifolioladas e as flores violáceo-pálidas.

orobancácea. *S. f.* Espécime das orobancáceas.

orobancáceas. *S. f. pl. Bot.* Família de plantas superiores, da ordem das tubifloras, que engloba parasitos de raízes. Flores zigomorfas; androceu didínamo; ovário unilocular; fruto capsular. São ervas com folhas reduzidas a escamas; distribuem-se por umas 150 espécies, dos climas temperados.

orobancáceo. *Adj.* Pertencente ou relativo às orobancáceas.

orobatimétrico. [De *oro-*[1] + *-bati-* + *-metr(o)-*[2] + *-ico*[2].] *Adj.* Referente ao relevo submarino. ~ V. *carta —a.*

órobo. [Do gr. *órobos.*] *S. m.* V. *cola*[2].

orobó. *S. m. Bras.* V. *coleira*[4].

orofacial. [De *oro-*[2] + *facial.*] *Adj. 2 g.* **1.** *Anat.* Relativo ou pertencente à boca e à face. **2.** Que se produz com participação simultânea da boca e da face; *movimentos* orofaciais.

orofaringe. [De *oro-*[2] + *faringe.*] *S. f. Anat.* Uma das divisões da faringe, compreendida entre o palato mole, acima, e a borda superior da epiglote, abaixo.

orofaríngeo. *Adj. Anat.* Relativo ou pertencente à orofaringe.

orófilo. [De *oro-*[1] + *-filo.*] *Adj.* **1.** Que gosta das montanhas, do alpinismo. **2.** *Ecol. Veg.* Que habita altas montanhas: *vegetal* orófilo.

orófito. [De *oro-*[1] + *-fito.*] *S. m. Ecol.* Planta que habita a porção mais alta de uma montanha, e que apresenta aspecto e estrutura característicos.

orogênese. [De *oro-*[1] + *-gênese.*] *S. f. Geol.* V. *orogenia.*

orogenético. *Adj.* Relativo à orogênese. V. *orogênico.*

orogenia. [De *oro-*[1] + *-genia.*] *S. f. Geol.* **1.** Conjunto de fenômenos que determinam a formação das montanhas, não só os relacionados ao diastrofismo, mas também os fenômenos vulcânicos e causas erosivas. **2.** Estudo ou descrição desses fenômenos; orognosia ou oreognosia, orologia. [Sin. ger.: *orogênese.*]

orogênico. *Adj.* **1.** Relativo à orogenia. **2.** Diz-se dos movimentos que produzem os relevos da crosta terrestre. [Sin. ger.: *orognóstico ou oreognóstico, orogenético, orológico.*] ~ V. *deformação —a.*

orognosia. [De *oro-*[1] + *-gnos(i)(o)-* + *-ia.*] *S. f.* V. *orogenia* (2). [Var.: *oreognosia.*]

orognóstico. [De *oro-*[1] + gr. *gnostikós.*] *Adj.* V. *orogênico.* [Var.: *oreognóstico.*]

orografia. [De *oro-*[1] + *graf(o)-* + *-ia.*] *S. f.* Descrição das montanhas. [Var.: *oreografia.* Cf. *horografia.*]

orográfico. *Adj.* Relativo à orografia. [Var.: *oreográfico.* Cf. *horográfico.*]

orógrafo. *S. m.* Tratadista de orografia. [Var.: *oreógrafo.* Cf. *horógrafo.*]

orologia. [De *oro-*[1] + *-log(o)-* + *-ia.*] *S. f.* V. *orogenia* (2). [Cf. *urologia.*]

orológico. *Adj.* Relativo à orologia. V. *orogênico.* [Cf. *urológico.*]

oronasal. [De *oro-*[2] + *nasal.*] *Adj.* Relativo à boca e ao nariz, ou à cavidade bucal, e à cavidade nasal.

oroneta (ê). *S. f.* Rede com que os levantinos pescam o peixe-voador.

orontanje. *S. f. Bras., Pop.* V. *cachaça* (1).

oropa. [De *Europa*, top.] *S. f. Bras., RS.* Abelha européia ou doméstica, que, fugindo do cortiço em enxames, faz o mel no oco das árvores, no mato.

orosfera. [De *oro-*[1] + *-sfera.*] *S. f.* V. *litosfera.*

orquestra. [Do gr. *orchéstra*, pelo lat. *orchestra.*] *S. f.* **1.** Nos antigos anfiteatros gregos, o espaço circular destinado às danças, aos músicos e às evoluções dos coros. **2.** O conjunto de músicos, às vezes dirigidos por um regente, que executam peças especialmente escritas para diversos instrumentos (de cordas, de sopro, de percussão, etc.) e que se caracterizam pelas possibilidades harmônicas e pela riqueza de timbres. **3.** Os instrumentos que constituem esse conjunto. **4.** Conjunto (7) destinado a executar música popular: *No baile de carnaval duas* orquestras *se revezaram incessantemente.* **5.** *Mús.* Parte instrumental de uma partitura que contenha por extenso as partes vocais e instrumentais de uma obra. **6.** *Teat.* No palco italiano [q. v.], o espaço situado adiante e em nível inferior ao do proscênio, e que se destina aos músicos ou à orquestra. [Sin., nesta acepç., *poço e poço da orquestra.*] **7.** *Teat.* No teatro romano, lugar reservado aos senadores e magistrados. **8.** V. *hiposcênio* (3). **9.** *Fig.* Conjunto de sons harmoniosos; música; orquestração: *a* orquestra *dos pássaros.* ♦ **Orquestra de câmara.** *Mús.* Orquestra com reduzido número de instrumentos, na maioria de cordas. **Orquestra sinfônica.** *Mús.* Grande conjunto instrumental e de músicos, destinado à interpretação de repertório sinfônico e demais obras destinadas a concertos. [Tb. se diz apenas *sinfônica.*]

orquestração. *S. f.* **1.** A arte de distribuir as diferentes partes de uma peça musical, destinada a um conjunto (7), entre os diversos instrumentos deste conjunto, em função de seus respectivos timbres. **2.** *Restr.* A arte de organizar uma partitura orquestral. [Cf., nestas acepç., *instrumentação* (2).] **3.** *Fig.* Orquestra (8). **4.** *Fig.* Combinação harmoniosa e conciliadora: *a* orquestração *de diferentes facções.*

orquestral. *Adj. 2 g.* Relativo, pertencente ou semelhante a orquestra.

orquestrar. *V. t. d.* **1.** Realizar a orquestração de. **2.** Combinar, harmonizar. *P.* **3.** Combinar-se, harmonizar-se.

▲**orqu(i)-.** [Do gr. *órchis, ios.*] *El. comp.* = 'testículo': *orquite.* [Equiv.: *orquio-*: *orquiocele.*]

orquialgia. [De *orqu(i)-* + *-alg(o)-* + *-ia.*] *S. f. Patol.* Dor no(s) testículo(s); didimalgia, didimodinia.

orquidácea. *S. f.* Espécime das orquidáceas.

orquidáceas. *S. f. pl. Bot.* Família de plantas monocotiledôneas, da ordem das microspermas, muito estimadas pela beleza exótica das flores, as quais têm organização muito peculiar: as cápsulas encerram uma multidão de sementes insignificantes, que germinam em associação com certos fungos, necessários ao bom crescimento das plantas. É enorme o número de espécies, que vivem basicamente nos países tropicais, sendo nelas riquíssimo o Brasil.

orquidáceo. *Adj.* Pertencente ou relativo às orquidáceas.

orquidário. *S. m. Bras.* Viveiro de orquídeas.

orquídea. [Do gr. *orchídion*, 'pequeno testículo', + *-ea.*] *S. f.* Designação comum às plantas e flores da família das orquidáceas, impropriamente consideradas parasitas.

orquidófilo. [De *orquíd(ea)* + *-o-* + *-filo*[2].] *S. m.* Aquele que se ocupa da cultura de orquídeas.

orquidologia. [De *orquíd(ea)* + *-o-* + *-log(o)-* + *-ia.*] *S. f.* Estudo das orquídeas.

orquidológico. *Adj.* Relativo à orquidologia.

orquidólogo. *S. m.* Especialista em orquidologia.

orquidopexia. *S. f. Cir. Impr.* V. *orquiopexia.*

orquiectomia. [De *orqu(i)-* + *-ectom-* + *-ia.*] *S. f. Cir.* Excisão, de extensão variável, de testículo; testectomia.

▲**orquio-.** Equiv. de *orqu(i)-.*

orquiocele. [De *orquio-* + *-cele.*] *S. f. Patol.* **1.** Saliência herniária de testículo. **2.** Tumor de testículo.

orquiocélico. *Adj.* Relativo à orquiocele.

orquiopexia (cs). [De *orquio-* + *-pex-* + *-ia.*] *S. f. Cir.* Fixação testicular realizada cirurgicamente.

orquiotomia. [De *orquio-* + *-tom(o)-* + *-ia.*] *S. f. Cir.* Incisão em testículo.

orquiotômico. *Adj.* Referente à orquiotomia.

orquiótomo. *S. m. Cir. Desus.* Instrumento com que se pratica a orquiotomia.

orquite. [De *orqu(i)-* + *-ite*[1].] *S. f. Patol.* Inflamação do(s) testículo(s); didimite.

orquítico. *Adj.* Relativo à orquite.

▲**-orra.** [Do vasc.] *Suf. nom.* = 'aumento': *cabeçorra, pichorra.* [Equiv.: *-arra* e *-orro*: *bocarra, naviarra; beatorro, sapatorro.*]

orreta (ê). *S. f.* Vale muito apertado entre os montes.

▲**-orro.** V. *-orra.*

ortezídeo. *S. m.* **1.** Espécime dos ortezídeos. • *Adj.* **2.** Pertencente ou relativo a eles.

ortezídeos. *S. m. pl. Zool.* Família de insetos da ordem dos homópteros, parasitos de plantas cultivadas e selvagens. As fêmeas, distintamente segmentadas, são ovais e apresentam placas céreas, brancas e duras. Vulgarmente conhecidos como *piolhos-das-plantas.*

ortita. [De *orto(s)-* + *-ita*[3].] *S. f. Min.* Mineral monoclínico do grupo dos epídotos, rico em elementos de terras-raras, especialmente de cério, lantânio, praseodímio e neodímio; alanita.

ortivo. [Do lat. *ortivu.*] *Adj.* **1.** Que nasce; nascente. **2.** *Astron.* Relativo a orto (1). **3.** *P. us.* Oriental (3). ~ V. *amplitude —a.*

■ **ORTN.** Sigla de *Obrigações Reajustáveis do Tesouro Nacional.*

orto. [Do lat. *ortu.*] *S. m.* **1.** *Astr.* O nascer de um astro:

"Aquela aparição esplêndida era em sua existência um fato de todos os dias, com o o r t o dos astros." (José de Alencar, *Senhora*, p. 157.) **2.** *Poét.* Origem, princípio, nascimento. [Cf. *horto*, do v. *hortar*, e *horto* (ô).]

ortobiose. [De *orto(s)-* + *-bio-* + *-ose.*] *S. f. Biol.* Vida normal ou conforme às leis da natureza: "a civilização nunca conduziu, nem conduzirá, à felicidade, à harmonia, à o r t o b i o s e humana." (Júlio Dantas, *Espadas e Rosas*, p. 50).

ortobiótico. *Adj.* Relativo à ortobiose.

ortocentro. [De *orto(s)-* + *centro.*] *S. m. Geom.* Ponto de encontro das alturas de um triângulo.

ortocitose. [De *orto(s)-* + *-cito-* + *-ose.*] *S. f. Med.* Presença, no sangue, apenas de elementos maduros.

ortoclásio. [De *orto(s)-* + *-clas(e)-* + *-io.*] *S. m. Min.* Mineral monoclínico, do grupo dos feldspatos, silicato de alumínio e potássio, que às vezes contém sódio; ortósio.

ortocolo. [Do gr. *orthócolon.*] *S. m. Med. Obsol.* Rigidez de uma articulação, que impede o movimento das peças articuladas.

ortocólon. *S. m. Med.* V. *ortocolo.*

ortocromático. [De *orto(s)-* + *cromatico.*] *Adj.* ~ V. *filme* — e *objetiva* —*a.*

ortodáctilo. [De *orto(s)-* + *-da(c)tilo.*] *Adj. Zool.* Que tem dedos direitos. [Var.: *ortodátilo.*]

ortodátilo. *Adj. Zool.* Var. de *ortodáctilo.*

ortodonte. [De *orto(s)-* + *-odonte.*] *Adj. 2 g.* Que tem os dentes direitos.

ortodontia. [De *orto(s)-* + *-odont(o)-* + *-ia.*] *S. f.* Ramo da odontologia que se ocupa da prevenção e corrêção dos defeitos de posição de dentes e problemas faciais associados.

ortodôntico. *Adj.* Relativo à ortodontia.

ortodontista. *S. 2 g.* Especialista em ortodontia.

ortodoxia (cs). [Do gr. *orthodoxía.*] *S. f.* **1.** Qualidade de ortodoxo. **2.** Fiel, exato e inconcusso cumprimento de uma doutrina religiosa; conformidade com essa doutrina. **3.** *P. ext.* Absoluta conformidade com um princípio ou doutrina. **4.** *Deprec.* Intransigência em relação a tudo quanto é novo; não aceitação de novos princípios ou idéias. [Antôn.: *heterodoxia.*]

ortodoxo (cs). [Do gr. *orthódoxos*, pelo lat. *orthodoxu.*] *Adj.* **1.** Conforme com a doutrina religiosa tida como verdadeira. **2.** *P. ext.* Conforme com os princípios tradicionais de qualquer doutrina. **3.** Que professa a ortodoxia: *teólogo o r t o d o x o.* **4.** Pertencente ou relativo à Igreja Católica Apostólica Ortodoxa, também chamada *Igreja Ortodoxa* e *Igreja do Oriente*, que resultou do cisma da Igreja Católica Apostólica Romana ocorrido em 1054. **5.** Que é sectário da Igreja Ortodoxa. **6.** Que age com ortodoxia (2): *o velho e o r t o d o x o professor.* ● *S. m.* **7.** Aquele que professa a ortodoxia. **8.** Sectário da Igreja Ortodoxa. **9.** Indivíduo ortodoxo (5). [Antôn.: *heterodoxo.*]

ortodromia. [Do gr. *orthódromos*, 'que corre em linha reta', + *-ia.*] *S. f. Náut.* Arco de círculo máximo compreendido entre dois pontos da superfície da Terra, e que é o caminho mais curto para ir de um ao outro. [Cf. *loxodromia.*]

ortodrômico. *Adj.* Relativo à ortodromia.

ortoélio. [De *orto(s)-* + *hélio.*] *S. m. Fís.-Quím.* Estado de um átomo de hélio em que os spins dos elétrons são paralelos, e que é um tripleto.

ortoepia. *S. f.* Ortoépia [q. v.].

ortoépia. [Do gr. *orthoépeia.*] *S. f.* **1.** Pronúncia normal e correta; ortofonia. [Antôn.: *cacoépia.*] **2.** Prosódia (2). [Var. pros.: *ortoepia.*]

ortoépico. *Adj.* Relativo à ortoépia.

ortofonia. [De *orto(s)-* + *-fon(o)-* + *-ia.*] *S. f.* **1.** Tratamento que visa a corrigir os vícios de pronúncia e outros problemas da fala. **2.** Ortoépia (1).

ortofônico. *Adj.* **1.** Relativo à ortofonia. **2.** Que emite sons normais e corretos.

ortofonista. *S. 2 g.* Pessoa versada em ortofonia e/ou que se dedica à sua aplicação terapêutica.

ortofosfórico. [De *orto(s)-* + *fosfórico.*] *Adj.* ~V. *ácido.*

ortofosforoso (ô). [De *orto(s)-* + *fosforoso.*] *Adj.* ~ V. *ácido* —.

ortofrenia. [De *orto(s)-* + *-fren(o)-*[1] + *-ia.*] *S. f. Desus.* **1.** Intelecto normal. **2.** Correção das perturbações intelectuais ou mentais.

ortofrênico. *Adj.* Relativo à ortofrenia.

ortognaisse. [De *orto(s)-* + *gnaisse.*] *S. m. Pet.* Tipo de gnaisse originado pelo metamorfismo de uma rocha granítica. V. *paragnaisse.*

ortognata. *Adj. 2 g.* e *s. 2 g.* V. *ortógnata* e *ortógnato.*

ortógnata. *Adj. 2 g.* **1.** V. *ortógnato.* **2.** V. *migalomorfa* (2). ● *S. 2 g.* **3.** V. *ortógnato.* **4.** V. *migalomorfa.*

ortognatas. *S. f. pl. Zool.* V. *ortógnatas.*

ortógnatas. *S. m. pl. Zool.* V. *migalomorfas.*

ortognatia. [De *ortógnato* + *-ia.*] *S. f. Antrop.* Constituição da cabeça caracterizada por pouca ou nenhuma proeminência da face à frente de um plano vertical tangente à parte mais anterior da fronte, que torna o ângulo facial quase ou totalmente reto; ortognatismo.

ortognatismo. *S. m. Antrop.* Ortognatia.

ortógnato. [De *orto(s)-* + *-gnato.*] *Adj.* e *s. m.* Diz-se de, ou indivíduo ou tipo racial que apresenta ortognatia. [A pronúncia usual é *ortognato* ou *ortognata* (paroxítonos). V. *prógnato.*]

ortogonal. [Do gr. *orthógonos*, 'que tem ângulos retos', + *-al.*] *Adj. 2 g. Geom.* Que forma ângulos retos. ~ V. *base* —, *coordenadas ortogonais, coordenadas cartesianas ortogonais, polinômios ortogonais* e *vectores ortogonais.*

ortogonalidade. [De *ortogonal* + *-i-* + *-dade.*] *S. f.* **1.** *Geom.* Propriedade de ser perpendicular. **2.** *Anál. Mat.* Propriedade de funções que têm nulas as integrais, sobre um certo domínio, de seus produtos binários.

ortogonalizar. *V. t. d. Anál. Mat.* Tornar ortogonais (duas ou mais funções).

ortografar. *V. t. d.* **1.** Escrever segundo as regras ortográficas; aplicar a ortografia a: *Não sabe o r t o g r a f a r certas palavras comuns.* **2.** Grafar. *Int.* **3.** Escrever segundo as regras ortográficas: *Sabe o r t o g r a f a r como poucos.* [Pres. ind.: *ortografo*, etc. Cf. *ortógrafo.*]

ortografia. [Do gr. *orthographía*, pelo lat. *orthographia.*] *S. f.* **1.** Parte da gramática que ensina a escrever corretamente as palavras: "São mais lindos que as estrelas / Teus erros de o r t o g r a f i a!" (Gonçalves Crespo, *Obras completas*, p. 170). **2.** Maneira de representar as palavras por meio da escrita; grafia. **3.** *Geom.* Representação geométrica de uma figura ou de sólido por meio de projeções ortogonais. **4.** *Geom.* Representação geométrica e proporcionalmente reduzida das dimensões e configuração de um edifício. ♦ **Ortografia etimológica.** A que procura preservar nas palavras as letras fundamentais da(s) língua(s) de origem. **Ortografia fonética.** A que grafa as palavras utilizando apenas as letras correspondentes aos sons ou fonemas; ortografia sônica. **Ortografia mista.** A que funde organicamente os processos da ortografia etimológica e da ortografia fonética. **Ortografia sônica.** Ortografia fonética.

ortográfico. *Adj.* Relativo à ortografia.

ortógrafo. [Do gr. *orthográphos*, pelo lat. *orthographu.*] *S. m.* Indivíduo versado em ortografia e nas normas ortográficas. [Cf. *ortografo*, do v. *ortografar.*]

ortoidrogênio (o-i). [De *orto(s)-* + *hidrogênio.*] *S. m. Fís.-Quím.* Hidrogênio em que os spins do próton e do elétron são paralelos.

ortolexia (cs). [Do gr. *ortholexía.*] *S. f.* Expressão correta; boa dição.

ortometamórfico. [De *orto(s)-* + *metamórfico.*] *Adj.* ~ V. *rocha* —*a.*

ortometria. [De *orto(s)-* + *-metr(o)-*[2] + *-ia.*] *S. f.* Medida exata.

ortométrico. *Adj.* Concernente à ortometria.

ortomórfico. *Adj.* ~ V. *projeção* —*a.*

ortonectídeo. *S. m.* **1.** Espécime dos ortonectídeos. ● *Adj.* **2.** Pertencente ou relativo a eles.

ortonectídeos. *S. m. pl. Zool.* Animais mesozoários, ordem *Orthonectida*, sexuados, com menos 1 mm de comprimento, e corpo com uma massa celular interna. São parasitos de tecidos e cavidades de platelmintos, nemertinos, estrelas-do-mar, anelídeos e moluscos.

ortônimo. [De *orto(s)-* + *-ônimo.*] *S. m. Neol.* Nome correto; nome verdadeiro, real: *O o r t ô n i m o de Alberto Caeiro, Álvaro de Campos e Ricardo Reis é* Fernando Pessoa. [Cf. *heterônimo, pseudônimo* e *nome quente.*]

ortonormal. [De *orto(gonal)* + *normal.*] *Adj. 2 g.* ~V. *base* — e *vectores ortonormais.*

ortonormalidade. [De *ortonormal* + *-i-* + *-dade.*] *S. f. Anál. Mat.* Propriedade de funções normalizadas e ortogonais.

ortonormalizar. [De *ortonormal* + *-izar.*] *V. t. d.* Tornar normais e ortogonais (duas ou mais funções).

ortopedia. [De *orto(s)-* + *-pedia.*] *S. f.* **1.** Arte de evitar ou corrigir as deformidades do corpo: "Aqui, como de resto em toda a Alemanha, não se lobrigam mutilados de guerra ..... Onde param? Em hospícios, institutos de reeducação física? Mataram-nos? Refê-los a o r t o p e d i a?" (Aquilino Ribeiro, *Alemanha Ensangüentada*, p. 134.) **2.** *Cir.* Ramo da medicina que se ocupa da preservação ou restauração anatômica e/ou funcional do esqueleto e formações associadas.

ortopédico. *Adj.* Relativo à, ou próprio da ortopedia: *aparelho o r t o p é d i c o.* ~ V. *colete* —.

ortopedista. *S. 2 g.* Especialista em ortopedia (2).

ortopnéia. [Do gr. *orthópnoia*, pelo lat. *orthopnoea.*] *S. f. Patol.* Impossibilidade de respirar a não ser com o tórax ereto; dispnéia que obriga o doente a manter-se em pé ou sentado.

ortopráctico. *Adj.* Respeitante à ortopraxia.

ortopraxia (cs). [De *orto(s)-* + gr. *práxis*, 'ação', + *-ia.*] *S. f. Med.* Correção mecânica de deformações.

ortóptero. [De *orto(s)-* + *-ptero.*] *S. m.* **1.** Espécime dos ortópteros. ● *Adj.* **2.** Pertencente ou relativo a eles. [Sin. ger.: *saltatório.*]

ortópteros. *S. m. pl. Zool.* Insetos paurometabólicos, pterigotos, da ordem ou subordem *Orthoptera*, providos de aparelho bucal mastigador, asas anteriores coriáceas, asas posteriores membranosas, dobradas longitudinalmente. De grande porte, têm, na maioria, as pernas posteriores mais desenvolvidas, adaptadas para o salto. São as baratas, os grilos, os gafanhotos, as esperanças, os louva-a-deus, [Sin.: *saltatórios.*]

ortóptica. [Fem. substantivado de *ortóptico.*] *S. f. Geom. Anal.* Curva ortóptica.

ortóptico. [De *orto(s)-* + *óptico.*] *Adj. Med.* Que corrige a obliqüidade de um ou ambos os eixos visuais. ~ V. *curva* —*a.*

ortorrafo. *S. m.* **1.** Espécime dos ortorrafos. ● *Adj.* **2.** Pertencente ou relativo aos ortorrafos.

ortorrafos. *S. m. pl. Zool.* Insetos da ordem dos dípteros, subordem *Orthorrhapha.* A larva tem cabeça distinta e o adulto antena desprovida de lúnula frontal, emerge da pupa por sulco dorsal em forma de T.

ortorrômbico. [De *orto(s)-* + *rômbico.*] *Adj.* ~ V. *sistema* —.

▲**orto(s)-.** [Do gr. *orthós, é, ón.*] *El. comp.* = 'direito', 'reto', 'normal': *ortodátilo, ortogonal, ortopedia; ortósio.*

ortoscópico. [De *orto(s)-* + *-scop-* + *-ico*[2].] *Adj.* Que não apresenta distorção: *imagem o r t o s c ó p i c a.* ~ V. *ocular* —*a.*

ortósio. [De *orto(s)-* + *-io*[2]] *S. m.* Ortoclásio.

ortótropo. [De *orto(s)-* + *-tropo.*] *Adj. Morfol. Veg.* Diz-se do óvulo retilíneo em que a micrópila e o hilo estão situados na mesma direção. ~ V. *fonte* —*a.*

oruncó. [Do ioruba.] *S. m. Bras.* Dia de dar o nome do Orixá, dono da cabeça da iniciada.

orungã. [Do ioruba.] *S. m. Bras., BA. Folcl.* Divindade iorubana, filho de Aganju e Iemanjá, a qual simboliza o vento.

orvalhada. [Fem. substantivado de *orvalhado.*] *S. f.* O orvalho da manhã.

orvalhado. [Part. de *orvalhar.*] *Adj.* **1.** Umedecido ou molhado com orvalho; orvalhoso: *flores o r v a l h a d a s;* "As ovelhas e os cordeiros pastam nos relvedos o r v a l h a d o s." (Eugênio de Castro, *Obras Poéticas*, III, p. 93). **2.** *Fig.* Raso de água; molhado, alagado: *Chorou, e ainda tem os olhos o r v a l h a d o s.*

orvalhar. *V. t. d.* **1.** Molhar ou umedecer com orvalho; cobrir de orvalho; rociar. **2.** Borrifar ou aspergir com gotas de qualquer líquido. **3.** Cobrir de líquido; molhar: "Uma chuva miúda, peneirada, batida de vento, entrava pela janela, o r v a l h a n d o o oleado da mesa." (Coelho Neto, *Turbilhão*, p. 212.) *Int.* **4.** Cair orvalho; rociar: "O r v a l h a v a e os grilos recomeçaram no silêncio o canto merencório." (Coelho Neto, *Sertão*, p. 200.) **5.** Cair chuva miúda; chuviscar. *P.* **6.** Cobrir-se de orvalho. **7.** Umedecer-se; molhar-se.

orvalheira. *S. f. Bras., SP. Pop.* Grande quantidade de orvalho.

orvalhinha. [De *orvalho* + *-inha.*] *S. f.* Planta droserácea *Drosera rotundifolia).*

orvalho. *S. m.* **1.** Umidade da atmosfera, que se condensa (principalmente durante a noite) e se deposita, em forma de gotículas, sobre qualquer superfície fria; relento, rocio. **2.** Chuva muito miúda; chuvisco. **3.** *P. ext.* Líquido que se espalha em pequenas gotas. **4.** *Fig.* Aquilo que refrigera, acalma, consola: *os o r v a l h o s da graça de Deus.*

orvalhoso (ô). *Adj.* **1.** Orvalhado (1). **2.** Que espalha ou deita orvalho.

■ **Os.** *Quím.* Símb. de *ósmio.*

■ **OS.** [Ingl., *operational system.*] *Proc. Dados.* Abrev. de *sistema operacional.*

osana. *S. f. Quím.* Designação genérica de substâncias encontradas em vegetais, de elevada massa molecular, e que dão por hidrólise pentoses e hexoses. [Cf. *hosana.*]

oscilação. [Do lat. *oscillatione.*] *S. f.* **1.** Ato ou efeito de oscilar. **2.** *Fís.* Fenômeno em que uma grandeza ou um conjunto de grandezas de um sistema varia segundo função periódica do tempo. **3.** Variação alternada; flutuação, mudança: *as* o s c i l a ç õ e s *da temperatura.* **4.** *Fig.* Hesitação, perplexidade, dúvida, vacilação. **5.** *Fig.* Incerteza, perplexidade. ♦ **Oscilação de relaxação.** *Fís.* Aquela em que o sistema permanece quiescente durante parte do ciclo e só se modifica na outra parte. **Oscilação forçada.** *Fís.* A que um sistema oscilante efetua sob a ação de um agente externo que varia periodicamente. **Oscilação forçada do pólo.** *Astr.* Variação polar [q. v.] que tem um período de um ano e, realmente, pode ser considerada como uma nutação forçada imposta por fenômenos meteorológicos de caráter sazonal; nutação forçada. **Oscilação livre.** *Fís.* A que é efetuada por um sistema sem a intervenção de agentes externos; oscilação própria. **Oscilação própria.** *Fís.* Oscilação livre.

oscilador (ô). [De *oscilar* + *-(d)or.*] *S. m. Fís.* Qualquer sistema capaz de iniciar e sustentar oscilações em si mesmo ou transmiti-las a outro sistema.

oscilante. [Do lat. *oscillante.*] *Adj. 2 g.* **1.** Que oscila; oscilatório, pendular. **2.** *Fig.* Vacilante, hesitante. **3.** *Fig.* Variável, inseguro, incerto. ~ V. *bloco —, braço —, dipolo —, faca — e série —.*

oscilantemente. [De *oscilante* + *-mente.*] *Adv.* De modo oscilante; com oscilação: "pousavam em ramos frágeis equilibrando o s c i l a n t e m e n t e." (Coelho Neto, *Banzo,* p. 64).

oscilar. [Do lat. *oscillare.*] *V. int.* **1.** Mover-se para um lado e para outro; balançar-se: "A taça o s c i l o u ligeiramente nas águas, fez umas reviravoltas antes de seguir mar em fora" (Fialho d'Almeida, *O País das Uvas,* p. 98). **2.** Movimentar-se alternadamente em sentidos opostos; mover-se, tornando a passar (ao menos aproximadamente) pelas mesmas posições: *Dada a corda ao relógio, entrou o pêndulo a* o s c i l a r; "Dependurada num portal / A toalha em que enxuguei as mãos / O s c i l a ao vento." (Ribeiro Couto, *Poesias Reunidas,* p. 161); "A rede o s c i l a v a, ia e vinha." (Moreira Campos, *Portas Fechadas,* p. 32). **3.** Sofrer abalo; vacilar, tremer: "Súbito, um ronco pavoroso, enorme trovão subterrâneo. .... Nos altares o s c i l a m as imagens; as paredes bailam; dessoldam-se traves e colunas" (J. Lúcio d'Azevedo, *O Marquês de Pombal e a Sua Época,* pp. 141-142). **4.** Vacilar, hesitar: *Em dúvida,* o s c i l o u *antes de responder. T. i.* **5.** Vacilar, hesitar: O s c i l a v a *entre a viagem marítima e a terrestre. Bit. i.* **6.** Alternar; variar: O s c i l a v a *de um excelente humor a uma grande impaciência. T. d.* **7.** Agitar, mover, ora para um, ora para outro lado: *O animal* o s c i l a v a *a cauda.*

oscilatório. [Do lat. *oscillatu,* part. pass. de *oscillare,* 'oscilar', + *-(t)ório.*] *Adj.* V. *oscilante* (1).

▲**oscilo-.** *El. comp.* = 'oscilação': *oscilógrafo, osciloscópio.*

oscilógrafo. [De *oscilo-* + *-grafo.*] *S. m. Fís.* Qualquer instrumento que detecta e registra oscilações.

osciloscópio. [De *oscilo-* + *-scop-* + *-io*[2].] *S. m. Fís.* Instrumento que permite detectar e observar oscilações. ♦ **Osciloscópio de raios catódicos.** *Eletrôn.* Aquele em que o feixe de elétrons de um tubo de raios catódicos registra numa tela fluorescente os sinais elétricos periódicos que recebe.

óscine. [Do lat. *oscine.*] *S. m.* **1.** Entre os antigos, ave cujo canto servia de presságio. **2.** Espécime dos óscines. ● *Adj. 2 g.* **3.** Pertencente ou relativo a eles.

óscines. *S. m. pl. Zool.* Aves neórnites, neógnatas, passeriformes, subordem *Oscines,* com órgão vocal formado por cinco músculos. São os pássaros ditos canoros.

oscitação. [Do lat. *oscitatione.*] *S. f.* Ato de oscitar; bocejo.

oscitar. [Do lat. *oscitare.*] *V. int.* V. *bocejar* (1 e 2).

osco. [Do lat. *oscu.*] *S. m.* **1.** Indivíduo dos oscos, antiqüíssimo povo de estirpe pelágica, habitante da Campânia italiana. **2.** *Ling.* V. *itálico* (11). ● *Adj.* **3.** Pertencente ou relativo a esse povo. [Cf. *hosco.*]

osco-úmbrio. *S. m. Ling.* V. *itálico* (11).

osculação. [Do lat. *osculatione.*] *S. f.* **1.** Ato ou efeito de oscular. **2.** *Geom.* Contato de duas curvas; cruzamento de dois ramos da mesma curva.

osculador (ô). *Adj.* **1.** Que oscula. ~ V. *círculo — e plano —.* ● *S. m.* **2.** Aquele que oscula.

oscular. [Do lat. *osculare.*] *V. t. d.* Dar ósculo(s) em; beijar: "E deixa-me o s c u l a r teu níveo peito, / Teus braços, tua boca de romã!" (Eugênio de Castro, *Obras Poéticas,* V, p. 107). [Pres. ind.: *osculo,* etc. Cf. *ósculo.*]

osculatório. [Do lat. *osculatu,* part. pass. de *osculare,* 'oscular', + *-(t)ório.*] *Adj.* **1.** Relativo a ósculo. ● *S. m.* **2.** V. *relicário* (1). **3.** Porta-paz.

osculatriz. [Fem. de *osculador.*] *Adj.* (*f.*) ~V. *circunferência — e órbita —.*

ósculo. [Do lat. *osculu,* 'boquinha'.] *S. m.* **1.** Beijo (1). **2.** Beijo de paz e amizade. **3.** Pequena abertura na superfície das esponjas. [Cf. *osculo,* do v. *oscular.*]

ose. *S. f. Quím.* Designação genérica das aldoses e das cetoses.

▲**-ose.** [Do gr. *osis.*] **1.** *Suf.* = 'ação'. É us. na formação de voc. científicos: *cirrose, miose.* **2.** *Quím.* El. comp. que caracteriza os açúcares cujo grupamento redutor está livre: a *glicose.*

osfrádio. *S. m. Zool.* Órgão sensorial, provavelmente olfativo [v. *osfresia*], associado aos gânglios dos moluscos.

osfresia. [Do gr. *ósphresis,* 'olfato', + *-ia.*] *S. f.* Sensibilidade olfativa intensa; faculdade de sentir facilmente os cheiros.

osfrésico. *Adj.* Relativo à osfresia, ou que a experimenta.

osga. [Do ár. *usga.*] *S. f.* **1.** *Bras., AM, PA* e *MA.* Reptil lacertílio, da família dos geconídeos *(Hemidactylus mabovia* (Jonn.)), originário da África e introduzido no Brasil com o tráfico de escravos. Inofensivo; tem coloração cinza-brancacenta e põe ovos brancos, de 9 a 11 mm de diâmetro. Muito comum nas regiões costeiras, freqüenta habitações humanas, onde se reproduz, e se alimenta de pequenos artrópodes, que seleciona na luz, ao anoitecer. **2.** V. *lagartixa* (1). **3.** *Pop.* Aversão entranhada; má vontade, asco, repulsa.

osmandi. *S. m.* O idioma turco.

osmanil. *S. m.* V. *osmanli.*

osmanli. [Do ár. *uthmanli* < antr. *Uthman,* 'Osmã'.] *S. m.* **1.** Membro de uma dinastia turca fundada por Osmã I (1259-1326), imperador dos turcos, fundador do império otomano. **2.** *P. ext.* Indivíduo dos osmanlis, designação dada aos turcos; turco. [Var.: *osmanil.*]

osmetério. [Do lat. cient. *osmeterium* < gr. *osmé,* 'odor', + *-tério.*] *S. m.* Órgão protrátil, bífido, do dorso do primeiro segmento torácico da lagarta de muitas borboletas.

ósmico. *Adj.* Relativo ao ósmio. ~ V. *ácido —.*

osmidrose. [De *osm(o)-*[1] + *-idro-* + *-ose.*] *S. f. Patol.* Sudação abundante e com cheiro desagradável.

osmidrótico. *Adj.* Respeitante à osmidrose.

ósmio. [De *osm(o)-*[1] + *-io*[2].] *S. m. Quím.* Elemento de número atômico 76, metálico, duro, quebradiço, branco-azulado, muito denso, usado em algumas ligas. [Símb.: *Os.*]

▲**osm(o)-**[1]. [Do gr. *osmé, ês.*] *El. comp.* = 'cheiro', 'aroma': *osmologia; osmidrose.* [Equiv.: *-osm(o)-: hiperosmia.*]

▲**osm(o)-**[2]. [Do gr. *osmós, oû.*] *El. comp.* = 'impulso': *osmômetro; osmose.*

▲**-osm(o)-.** Equiv. de *osm(o)-*[1] [q. v.].

osmologia. [De *osm(o)-*[1] + *-log(o)-* + *-ia.*] *S. f.* Tratado acerca dos odores ou aromas.

osmológico. *Adj.* Relativo à osmologia.

osmômetro. [De *osm(o)-*[2] + *-metro.*] *S. m. Fís-Quím.* Instrumento para demonstrar a existência da pressão osmótica ou para efetuar medidas desta pressão.

osmose. [De *osm(o)-*[2] + *-ose.*] *S. f. Fís.-Quím.* Passagem do solvente de uma solução através de membrana impermeável ao soluto.

osmótico. *Adj.* Relativo à osmose. ~ V. *pressão —a.*

osmundácea. *S. f.* Espécime das osmundáceas.

osmundáceas. *S. f. pl.* Família de pteridófitos, da ordem das eufilicales, que se caracteriza pelos esporângios não congregados em soros e destituídos de anel diferenciado. Há cerca de 20 espécies em todo o globo.

osmundáceo. *Adj.* pertencente ou relativo às osmundáceas.

▲**-oso.** [Do la. *-osu.*] *Suf. nom.* = 'provido ou cheio de': *medroso, saudoso, venenoso* (< lat. *venenosu*); 'que provoca ou produz': *apetitoso, assombroso, saudoso, clamoroso.*

■ **O.S.O.** Abrev. de *oés-sudoeste.*

osoriense. *Adj. 2 g.* **1.** De, ou pertencente ou relativo a Osório (RS). ● *S. 2 g.* **2.** Natural ou habitante de Osório.

osqueíte. [De *osque(o)-* + *-ite*[1].] *S. f. Patol.* Inflamação do escroto.

▲**osque(o)-.** [Do gr. *óscheos, ou.*] *El. comp.* = 'escroto'[1]: *osqueocele; osqueíte.*

osqueocele. [De *osque(o)-* + *-cele.*] *S. m. Patol.* Hérnia inguinal que desce até o escroto.

osqueoma. [De *osque(o)-* + *-oma.*] *S. m. Patol.* Tumor do escroto.

ossada. *S. f.* **1.** Quantidade de ossos; ossaria, ossama. **2.** Os ossos de um cadáver. **3.** V. *esqueleto* (2). **4.** *Fig.* Restos, destroços: *a* o s s a d a *do navio naufragado.* **5.** Arcabouço, armação, estrutura; ossatura: *a* o s s a d a *do edifício.* **6.** *Ant. Constr. Nav.* V. *cavername* (1). **7.** *Bras.* Sílex satélite do diamante. ♦ **Dar a ossada.** *Bras. Pop.* V. *morrer.* (1).

ossama. *S. f. Bras.* V. *ossada* (1).

ossamenta. [Do lat. *ossa,* pl. de *os,* 'osso', + *-menta.*] *S. f.* V. *esqueleto* (1). [F. paral.: *ossamento.*]

ossamento. *S. m.* Ossamenta.

Ossanha. *S. m. Bras.* Var. de *ossanhe.*

Ossanhe. [Do ioruba.] *S. m. Bras.* Orixá das folhas. [Var.: *ossanha.*]

ossaria. *S. f.* **1.** V. *ossada* (1). **2.** Ossuário (1).

ossário. [Do lat. *ossariu.*] *S. m.* V. *ossuário.*

ossatura. [Do lat. *ossa,* pl. de *os,* 'osso', + *-(t)ura.*] *S. f.* **1.** V. *esqueleto* (1). **2.** Ossada (5): *a* o s s a t u r a *de uma torre.* **3.** *Fig.* Constituição, estrutura: *a* o s s a t u r a *do romance, do drama, do poema.*

ossé. *S. m. Bras., BA.* Oferenda de alimentos feita pelas filhas-de-santo aos seus orixás, nos dias que a estes são consagrados.

osseína. [De *ósseo* + *-ina*[1], com infl. de *osso.*] *S. f.* Osteína.

ósseo. [Do lat. *osseu.*] *Adj.* **1.** Relativo ao osso, ou que é da natureza dele. **2.** Que tem ossos. ~ V. *calo —, diástase —a, labirinto —, leontíase —a* e *medula —a.*

ossiandrianismo. *S. m.* Seita ou doutrina dos ossiandrianos.

ossiandriano. *S. m.* Sectário protestante de Ossiandro (1498-1522), discípulo de Lutero [v. *luteranismo*].

ossiânico. [Do antr. *Ossian* + *-ico*[2].] *Adj.* **1.** Pertencente ou relativo a Ossian ou Oisin, guerreiro e bardo gaélico legendário, que se supõe ter vivido no séc. III, d. C., ou às suas poesias. **2.** Pertencente ou relativo ao poeta escocês James MacPherson (1736-1796), que publicou poemas os quais pretendia haver traduzido do gaélico, atribuindo-os a Ossian [v. *ossiânico* (1)], ou a esses poemas. [Cf. *oceânico.*]

ossicos. [De *osso* + *-ico*[1].] *S. m. pl. Zootéc.* Ossos que dividem as ventas das bestas; vômer das cavalgaduras.

ossiculado. *Adj.* Que tem ossículos.

ossículo. [Do lat. *ossiculu.*] *S. m.* **1.** Osso pequeno, ossinho. **2.** *Morfol. Veg.* Caroço de frutos quando pequeno e não divisível.

ossificação. *S. f.* **1.** Ato ou efeito de ossificar(-se). **2.** Formação de ossos ou do sistema ósseo; osteose.

ossificado. [Part. de *ossificar.*] *Adj.* **1.** Convertido em osso. **2.** Endurecido como osso.

ossificar. [De *osso* + *-i-* + *-ficar.*] *V. t. d.* e *p.* **1.** Converter(-se) em osso. **2.** Endurecer como osso. [Conjug.: v. *trancar.*]

ossifluente. [De *osso* + *-i-* + *fluente.*] *Adj. 2 g. Patol.* Diz-se do abscesso dependente de decomposição óssea.

ossiforme. [De *osso* + *-i-* + *-forme.*] *Adj. 2 g.* Que tem forma de osso.

ossívoro. [De *osso* + *-i-* + *-voro.*] *Adj.* **1.** Que come ossos. **2.** *Med.* Que corrói ou ataca a substância óssea.

osso (ô). [Do lat. *ossu.*] *S. m.* **1.** *Anat.* Cada uma de diversas peças formadas por tecido rígido, composto de células incluídas em material conjuntivo duro e, constituídas, principalmente, de colágeno e fosfato de cálcio. Juntamente com as cartilagens, formam o esqueleto dos vertebrados, desempenhando funções diversas, como dar apoio estrutural às ações musculares, proteger órgãos da maior importância (como o cérebro, a medula espinhal), agir como reservatório de cálcio e de fosfato. [Dim. irreg.: *ossículo.*] **2.** *Fig.* Coisa difícil; dificuldade. **3.** *Bras. Gír.* V. *amante* (6). **4.** *Bras. Gír.* V. *concubina* (1). **5.** *Bras. Deprec.* V. *namorada* (1). **6.** *Bras. Gír.* Emprego, ocupação. ● *Adj.* **7.** *Bras. Gír.* V. *valentão* (1). **8.** *Bras. Gír. Desus.* Competente, capaz. [Pl.: *ossos* (ó). Cf. *ouço,* do v. *ouvir.*] ♦ **Osso calcâneo.** *Anat.* Osso do tarso que forma o calcanhar. [Tb. se diz apenas *calcâneo.*] **Osso compacto.** *Anat.* Porção densa de osso. **Osso coxal.** *Anat.* Ilíaco. **Osso dérmico.** **1.** *Anat.* O de formação superficial, como ocorre nos que se originam do derma subcutâneo. **2.** Designação especial das placas dérmicas dos quelônios. **Osso duro de roer.** *Fam.* Coisa muito difícil de fazer, ou de resolver, ou de suportar. **Osso epactal.** *Anat.* Qualquer osso vórmio [q. v.]. **Osso esponjoso.** *Anat.* Porção de osso constituído de lâminas finas que se entrecruzam. **Osso occipital.** *Anat.* O situado na parte posterior e inferior do crânio. **Osso palatino.** *Anat.* Cada um dos dois ossos que formam o terço posterior do céu da boca ou palato. [Tb. se diz apenas *palatino.*] **Osso pisiforme.** *Anat.* Cada um de dois ossos situados, um de cada lado, na fileira proximal de ossos de cada corpo. **Osso sacro.** *Anat.* O que forma a parte posterior da bacia. [Tb. se diz apenas *sacro*.] **Ossos de borboleta.** *Fam.* V. *ninharia*. **Ossos do ofício.** Encargos ou dificuldades inerentes ao exercício de uma tarefa, emprego ou profissão; percalços. **Osso sesamóideo.** *Anat.* Cada um dos pequenos ossos situados na espessura dos tendões, na vizinhança de certas articulações. **Osso zigomático.** *Anat.* Osso de forma quadrangular situado em cada bochecha, e que se articula com outros ossos do crânio e face do mesmo lado; zigoma. **Andar em osso.** *Bras.* Montar sem arreios sobre o pêlo do cavalo. **Dar com os ossos em.** Ir ter a; ir parar em: *Depois de muito andar, deu com os ossos no mercado.* **Em osso. 1.** Diz-se da construção sem revestimento, em que há, apenas, a armação ou o arcabouço. **2.** Em marcenaria, diz-se da madeira que ainda não foi lustrada ou envernizada. **Moer os ossos.** Dar uma surra; machucar; sovar. **Não ser osso para andar em boca de cachorro.** *Bras. Pop.* Considerar-se moralmente acima de seus detratores. **No osso.** *Bras.* Com os pneumáticos furados: *É impossível continuar a viagem, pois o carro está no osso.* **Roer os ossos.** *Bras.* Desfrutar os restos de alguma coisa; ter somente os percalços, sem auferir nenhum lucro ou vantagem.

➡ossobuco. [It.] *S. m.* Guisado de rodelas de jarrete de vitela com o osso.

osso-de-cavalo. *S. m. Bras.* Sílex satélite do diamante: "numa das catas do Boqueirão dos Papagaios, ... fora dar numa formação de osso-de-cavalo. Dentro dela, um conglomerado duro que nem rocha." (Nélson de Faria, *Cabeça-Torta*, p. 138). [Pl.: *ossos-de-cavalo*.]

osso-do-pai-joão. *S. m. Bras., CE. Pop.* V. *cóccix*. [Pl.: *ossos-do-pai-joão*.]

osso-do-vintém. *S. m. Bras., CE. Pop.* V. *tornozelo*. [Pl.: *ossos-do-vintém*.]

ossoso (ô). *Adj. P. us.* Ossudo: "Outros .... chegam aos corações, como para os apalpar, as ossosas mãos enrugadas" (Alphonsus de Guimaraens, *Obra Completa*, p. 419).

ossuário. [Do lat. *ossuariu*.] *S. m.* **1.** Local onde se depositam os ossos humanos extraídos dos cemitérios; ossaria. **2.** Sepultura comum de muitos cadáveres. [Sin. ger.: *ossário*.]

ossudo. *Adj.* **1.** Que tem grandes ossos. **2.** Que tem os ossos muito salientes: "Tipo mofino era o velho Quinca Epifânio, ossudo, inquieto, cara de fome" (Graciliano Ramos, *Infância*, p. 51). [Sin. ger. (p. us): *ossoso*.]

ostaga. [Do esp. *ostaga*.] *S. f. Marinh.* Cabo com que se arria horizontalmente, pelo terço, ao longo do mastro, uma verga de gávea.

ostariofiso. *S. m.* **1.** Espécime dos ostariofisos. ● *Adj.* **2.** Pertencente ou relativo a eles.

ostariofisos. *S. m. pl. Zool.* Peixes neopterígios, ordem *Ostariophysi*, de corpo nu, com placas ósseas ou com escamas ciclóides, nadadeiras ventrais abdominais, nadadeiras ímpares moles, vértebras anteriores soldadas e associadas a uma cadeia de ossículos que põem em conexão a bexiga natatória com a orelha interna, denominada *órgão de Weber*. Essa bexiga divide-se em duas ou três partes, e comunica-se, em geral, com a faringe. No grupo se incluem os caracídeos, ciprinídeos e silurídeos em geral.

ostealgia. [De *oste(o)-* + *-alg(o)-* + *-ia*.] *S. f. Patol.* Dor em osso; osteodinia.

osteálgico. *Adj.* Relativo à ostealgia; osteodínico.

osteícte. *S. m.* **1.** Espécime dos osteíctes. ● *Adj.* 2 *g.* **2.** Pertencente ou relativo a eles.

osteíctes. *S. m. pl. Zool.* Animais cordados, craniotas, gnastomados, da superclasse *Pisces*, da classe *Osteichthyes*, com a pele revestida de escamas ciclóides ou ctenóides, ou nua, quatro pares de brânquias reunidas numa cavidade única protegida por opérculos. São as sardinhas, piaus, bagres, etc.

osteína. [De *oste(o)-* + *-ina*[1].] *S. f. Bioquím.* A principal substância orgânica do tecido ósseo; osseína.

osteíte. [De *oste(o)-* + *-ite*[1].] *S. f. Patol.* Inflamação do tecido ósseo.

ostensão. [Do lat. *ostensione*.] *S. f.* V. *ostentação*.

ostensível. [Do fr. *ostensible*.] *Adj.* 2 *g.* V. *ostensivo*.

ostensivo. [Do lat. *ostensu*, part. pass. de *ostendere*, 'mostrar', + *-ivo*.] *Adj.* **1.** Que se pode mostrar ou ostentar; ostensível, ostensório. **2.** Próprio para se mostrar; ostensível, ostensório. **3.** Que se patenteia; aparente, ostensível, ostensório. **4.** Que ostenta [v. *ostentar* (1)]; ostentativo; ostentoso, ostensível, ostensório.

ostensor (ô). [Do lat. *ostensore*.] *Adj.* e *s. m.* Que ou aquele que mostra ou ostenta.

ostensório. [De *ostensor* + *-io*[2].] *Adj.* **1.** V. *ostensivo*. ● *S. m.* **2.** *Lit.* Custódia onde se ostenta a hóstia consagrada: "tinha o ar compungido de quem, na procissão, estava apenas na procissão, acompanhando o Corpo de Deus, que o vigário levava, vivo e verdadeiro, no ostensório, pelas ruas da cidade." (Oto Lara Resende, *Boca de Inferno*, p. 78).

ostentação. [Do lat. *ostentatione*.] *S. f.* **1.** Ato ou efeito de ostentar(-se). **2.** Exibição aparatosa; alarde, exibicionismo. **3.** Pompa, magnificência, luxo. **4.** Vanglória, jactância, bazófia. [Sin. ger.: *ostensão*.]

ostentador (ô). [Do lat. *ostentatore*.] *Adj.* **1.** Que ostenta. ● *S. m.* **2.** Indivíduo que age ou fala com ostentação.

ostentar. [Do lat. *ostentare*.] *V. t. d.* **1.** Mostrar ou exibir com aparato; pompear, alardear: *Gosta de ostentar riqueza*; "As árvores do jardim, embora seja primavera, não ostentam viço." (Ursulino Leão, *Existência de Marina*, p. 17). **2.** Exibir ou mostrar com orgulho: *Ostentava o fundo ferimento que quase o vitimara.* **3.** Revelar com brilho e glória: *Ostenta, nos livros, o seu estilo pomposo. Int.* **4.** Fazer ostentação. *P.* **5.** Exibir-se ou mostrar-se com ostentação.

ostentativo. [Do lat. *ostentatu*, part. pass. de *ostentare*, 'ostentar', + *-ivo*.] *Adj.* V. *ostensivo* (4).

ostentatório. [Do lat. *ostentatu*, *part. pass. de ostentare*, 'ostentar', + *-ório*.] *Adj.* Em que há ostentação (2); exibitório.

ostentoso (ô). *Adj.* **1.** Feito, preparado, disposto com ostentação; aparatoso, pomposo. **2.** Magnífico, esplêndido, brilhante, soberbo. **3.** V. *ostensivo* (4).

▲oste(o)-. [Do gr. *ostéon-ôun, éou-oû*.] *El. comp.* = 'tecido ósseo', 'osso': *osteoma, osteonecrose*. [Equiv.: *-ósteo: periósteo*.]

▲-ósteo. Equiv. de *oste(o)-*.

osteoblasto. [De *oste(o)-* + *-blasto*.] *S. m. Histol.* Célula osteogênica de natureza específica, mas não completamente diferenciada.

osteocele. [De *oste(o)-* + *-cele*.] *S. f. Patol.* Hérnia que contém osso.

osteocélico. *Adj.* Referente à osteocele.

osteócito. [De *oste(o)-* + *-cito*.] *S. m. Histol.* Célula óssea adulta.

osteodermo. [De *oste(o)-* + *-dermo*.] *Adj.* **1.** Que tem a pele muito dura. ● *S. m.* **2.** Espécime dos osteodermos.

osteodermos. [Pl. de *osteodermo*.] *S. m. pl. Zool.* Família de peixes cuja pele é coberta de placas ósseas.

osteodinia. [De *oste(o)-* + *-odin(o)-* + *-ia*.] *S. f. Patol.* Ostealgia.

osteodínico. *Adj.* Osteálgico.

osteófito. [De *oste(o)-* + *-fito*.] *S. m. Patol.* Excrescência óssea.

osteoganóide. *S. m.* **1.** Espécime dos osteoganóides. ● *Adj.* 2 *g.* **2.** Pertencente ou relativo a eles.

osteoganóides. *S. m. pl. Zool.* Animais metazoários, cordados, vertebrados, peixes, cujos representantes possuem esqueleto ósseo e escamas ganóides. Atualmente são classificados entre os neopterígios.

osteogênese. [De *oste(o)-* + *-genese*.] *S. f. Biol.* Osteogenia.

osteogenético. *Adj.* Relativo à osteogênese.

osteogenia. [De *oste(o)-* + *-gen(o)-*[1] + *-ia*.] *S. f. Biol.* Estudo da formação dos ossos; osteogênese.

osteogênico. *Adj.* Referente à osteogenia.

osteoglossídeo. *S. m.* **1.** Espécime dos osteoglossídeos. ● *Adj.* **2.** Pertencente ou relativo a eles.

osteoglossídeos. *S. m. pl. Zool.* Família de peixes actinopterígios dos rios tropicais, caracterizados por escamas duras e ósseas. Atingem 4,50 m de comprimento e podem pesar até 100 kg. São encontrados na bacia amazônica, África tropical, Indonésia, Malaia e norte da Austrália.

osteografia. [De *oste(o)-* + *-graf(o)-* + *-ia*.] *S. f.* Descrição ou tratado acerca dos ossos.

osteográfico. *Adj.* Relativo à osteografia.

osteógrafo. *S. m.* Especialista em osteografia.

osteólise. [De *oste(o)-* + *-lise*] *S. f. Patol.* Destruição de tecido ósseo.

osteolítico. *Adj.* Relativo à osteólise.

osteólito. [De *oste(o)-* + *-lito*.] *S. m.* **1.** Osso fóssil; osso petrificado. **2.** *Min.* Variedade terrosa de apatita.

osteologia. [De *oste(o)-* + *-log(o)-* + *-ia*.] *S. f.* Tratado acerca dos ossos.

osteológico. *Adj.* Relativo à osteologia.

osteólogo. *S. m.* Especialista em osteologia.

osteoma. [De *oste(o)-* + *-oma*.] *S. m. Patol.* Tumor composto de tecido ósseo.

osteomalacia. [De *oste(o)-* + *-malacia*.] *S. f. Med.* Condição mórbida que se caracteriza por amolecimento ósseo, acompanhado de dor, sensibilidade, anorexia, fraqueza muscular, perda de peso.

osteômero. [De *oste(o)-* + *-mero*.] *S. m. Anat.* Cada uma de uma série de estruturas ósseas similares, como, p. ex., as vértebras.

osteometria. [De *oste(o)-* + *-metr(o)-*[2] + *-ia*.] *S. f.* Medição dos ossos, nos estudos antropológicos.

osteométrico. *Adj.* Referente à osteometria.

osteomielite. [De *oste(o)-* + *-miel(o)-* + *-ite*[1].] *S. f. Patol.* Inflamação da medula do(s) osso(s).

osteomielítico. *Adj.* Relativo à osteomielite.

osteonecrose. [De *oste(o)-* + *necrose*.] *S. f. Patol.* Morte ou necrose óssea.

osteopatia. [De *oste(o)-* + *-pat-* + *-ia*.] *S. f. Patol.* Afecção de osso.

osteopático. *Adj.* Relativo à osteopatia.

osteoplastia. [De *oste(o)-* + *-plast-* + *-ia*.] *S. f. Cir.* Intervenção cirúrgica plástica em osso.

osteoplástico. *Adj.* Relativo à osteoplastia.

osteoporose. [De *oste(o)-* + *-por(o)-*[1] + *-ose*.] *S. f. Med.* Rarefação anormal de osso.

osteosclereide. [De *oste(o)-* + *esclereide*.] *S. f. Anat. Veg.* Esclereide ramificada cujas extremidades são dilatadas.

osteose. [De *oste(o)-* + *-ose*.] *S. f.* Ossificação (2).

osteossarcoma. [De *oste(o)-* + *sarcoma*.] *S. m. Patol.* Sarcoma do tecido ósseo.

osteossíntese. [De *oste(o)-* + *síntese*.] *S. f.* Tratamento cirúrgico ortopédico de fratura(s) que consiste em manter unidos os fragmentos, após redução (5), por meio de aparelhos metálicos (parafusos, placas, fios, etc.), ou enxertos ósseos.

osteóstomo. [De *oste(o)-* + *-stomo*.] *Adj.* **1.** Que tem a boca ou a maxila óssea. ● *S. m.* **2.** Espécime dos osteóstomos. **3.** *Cir.* Instrumento com que se pratica a osteotomia.

osteóstomos. [Pl. de *osteóstomo*.] *S. m. pl. Zool.* Família de peixes que têm as maxilas inteiramente ósseas.

osteotomia. [De *oste(o)-* + *-tom(o)-* + *-ia*.] *S. f. Cir.* Seção de um ou mais ossos, para correção de deformidades ou em etapa de operação que visa lesão localizada em estrutura protegida por osso.

osteotômico. *Adj.* Relativo à osteotomia.

osteozoário. [De *oste(o)-* + *-zoário*.] *Adj.* e *s. m.* V. *vertebrado*.

osteozoários. *S. m. pl. Zool.* V. *vertebrados*.

ostíaco. *S. m.* **1.** Indivíduo dos ostíacos, povo finês que habita a Sibéria ocidental (U.R.S.S.). **2.** A língua falada pelos ostíacos. ● *Adj.* **3.** Pertencente ou relativo a esse povo.

ostiariato. [De *ostiário* + *-ato*[1].] *S. m. Rel.* **1.** A primeira das ordens menores. **2.** Cargo de ostiário.

ostiário. [Do lat. *ostiariu*, 'porteiro'.] *S. m.* Aquele que abria e fechava as portas do templo e guardava as alfaias do culto. [Cf. *hostiário*.]

óstio. [Do lat. *ostiu*, 'porta, entrada'.] *S. m. Anat.* Designação genérica de abertura que dá acesso a órgão tubular, ou está situado entre duas cavidades corporais distintas; óstium.

ostiolado. *Adj. Biol.* Provido de ostíolo: *peritécio ostiolado*.

ostiolar. *Adj.* 2 *g. Biol.* Pertencente ou relativo ao ostíolo.

ostíolo. [Do lat. *ostiolu*, 'portinha'.] *S. m. Biol.* Pequena abertura de um órgão ou parte vegetal: *ostíolo estomático*.

óstium. *S. m. Anat.* Óstio.

➡Ostpolitik (oçtpólitique). [Al.] Política oriental. [Designação eufemística das tendências de expansão da Alemanha imperial e nacional-socialista.]

ostra (ô). [Do lat. *ostrea*.] *S. f.* **1.** Molusco bivalve, da família dos ostreídeos, gênero *Ostrea* L. do Atlântico. Vive em colônias, fixo nas pedras, ferro, madeira, ou mesmo uns agarrados aos outros. São conhecidas sete espécies brasileiras, e a *Ostrea virginica* Gmelin, de formato irregular e de valva inferior côncava, é a mais comum. Comprimento médio de 6 a 8 cm; mas pode atingir até 20 cm, na BA. [Sin. (nesta acepç.): *ostra-americana, ostra-da-virgínia, gueriri*.] **2.** V. *ostra-verdadeira*. **3.** *Bras.* Assento preso à parede, nas casas de espetáculos. **4.** *Bras. Fig.* Pessoa que não larga outra. **5.** Escarro grosso. ◆ **Ostra pé-de-cavalo.** *Bras.* V. *ostra-verdadeira*.

ostra-americana. *S. f. Bras.* V. *ostra* (1). [Pl.: *ostras-americanas*.]

ostra-chata. *S. f.* V. *ostra-verdadeira*. [Pl.: *ostras-chatas*.]

ostráceo. [De *ostra* + *-áceo*.] *Adj.* Relativo ou semelhante à ostra.

ostracionídeo. *S. m.* **1.** Espécime dos ostracionídeos. ● *Adj.* **2.** Pertencente ou relativo a eles.

ostracionídeos. [Pl. de *ostracionídeo*.] *S. m. pl. Zool.* Família de peixes esclerodermos que compreende os chamados *peixes-cofres* (gêneros *Ostracion* e *Aracana*). Encontram-se nos mares quentes e temperados.

ostracismo. [Do gr. *ostrakismós*, pelo lat. *ostracismu*.] *S. m.* **1.** Em Atenas e outras cidades da Grécia antiga, desterro temporário determinado em plebiscito contra um cidadão. [Cf. *óstraco*.] **2.** *P. ext.* Afastamento (imposto ou voluntário) das funções políticas: "Nabuco, num capítulo d'*O Abolicionismo*, nos conta como os homens do Império, entre os quais encontramos os nossos maiores homens de Estado, conseguiam *soutenir son rang*, quando no ostracismo, ou melhor, quando apeados das posições." (Oliveira Viana, *O Idealismo da Constituição*, p. 121.) **3.** Exclusão, proscrição, banimento; exílio. **4.** Repúdio, repulsa.

ostracista. *S. 2 g.* Partidário do ostracismo.

ostracite. [Do gr. *ostrac(o)-* + *-ite*[2].] *S. f.* Ostra fóssil.

▲ostrac(o)-. [Do gr. *óstrakon, ou*.] *El. comp.* = 'ostra': *ostracologia; ostracite*. [Equiv.: *-óstraco: perióstraco*.]

óstraco. [Do gr. *óstrakon, ou*.] *S. m.* **1.** Concha ou fragmento de cerâmica em que, na Grécia antiga, se escrevia o nome daquele que se queria banir. **2.** *Paleogr.* Material de escrita constituído por fragmento de cerâmica, usado por alguns povos antigos para textos curtos e de natureza efêmera.

▲-óstraco. Equiv. de *ostrac(o)-*.

ostracodídeo. [De *ostracódio* + *-ídeo*.] *S. m.* e *adj.* Ostracódio.

ostracodídeos. [Pl. de *ostracodídeo*.] *S. m. pl. Zool.* Ostracódios.

ostracódio. *S. m.* **1.** Espécime dos ostracódios. ● *Adj.* **2.** Pertencente ou relativo a eles. [Sin. ger.: *ostracodídeo*.]

ostracódios. *S. m. pl. Zool.* Animais metazoários, artrópodes, crustáceos, subclasse *Ostracoda*, de corpo de pequena dimensão, provido de uma carapaça bivalve sem linhas de crescimento e normalmente com sete pares de apêndices; ostracodídeos.

ostracologia. [De *ostrac(o)-* + *-log(o)-* + *-ia*.] *S. f.* Parte da história natural que estuda as conchas.

ostracológico. *Adj.* Relativo à ostracologia.

ostracologista. *S. 2 g.* Especialista em ostracologia; ostracólogo.

ostracólogo. *S. m.* Ostracologista.

ostra-da-virgínia. *S. f. Bras.* V. *ostra* (1). [Pl.: *ostras-da-virgínia*.]

ostra-de-pobre. *S. f. Bras.* V. *mexilhão*. [Pl.: *ostras-de-pobre*.]

ostra-do-mangue. *S. f. Bras.* Molusco bivalve, da família dos ostreídeos (*Ostrea arborea* Chemn.), da costa atlântica. É pequena, abundante, também usada na alimentação, embora menos estimada que as demais, e vive agarrada às raízes do mangue (*Rhizophora mangle*). [Pl.: *ostras-do-mangue*.]

ostra-européia. *S. f. Bras.* V. *ostra-verdadeira*. [Pl.: *ostras-européias*.]

ostra-francesa. *S. f. Bras.* V. *ostra-verdadeira*. [Pl.: *ostras-francesas*.]

ostraria. *S. f.* Grande quantidade ou ajuntamento de ostras.

ostra-verdadeira. *S. f.* Molusco bivalve, da família dos ostreídeos, do Atlântico e do Mediterrâneo, de cor branca, acastanhada, amarelada ou manchada de violáceo, parte inferior branca, luzidia e levemente nacarada. [Tb. se diz apenas *ostra*; sin.: *ostra-francesa, ostra-chata, ostra pé-de-cavalo, ostra-européia*. Pl.: *ostras-verdadeiras*.]

ostreário. [Do lat. *ostreariu*, que significa, aliás, 'que serve para comer com ostras'.] *Adj. Zool.* Que vive na concha das ostras.

▲ostrei-. [Do lat. *ostrea, ae*.] *El. comp.* = 'ostra': *ostreicultor*. [Equiv.: *ostri-: ostricultura, ostrífero* (< lat. *ostriferu*).]

ostreicultor (e-i...ô). [De *ostrei-* + *cultor*.] *S. m.* Aquele que pratica a ostreicultura; ostricultor.

ostreicultura (e-i). [De *ostrei-* + *cultura*.] *S. f.* Cultura de ostras; ostricultura.

ostrêidas. *S. m. pl. Zool.* Família de moluscos que tem por tipo a ostra.

ostreídeo. [De *ostrei-* + *-ídeo*.] *Adj.* **1.** Relativo ou pertencente aos ostrêidas. ● *S. m.* **2.** Espécime dos ostrêidas.

ostreiforme. [De *ostrei-* + *-forme*.] *Adj. 2 g.* Que tem forma de ostra.

ostreína. [De *ostrei-* + *-ina*[1].] *S. f.* Substância que se extrai das ostras.

ostreira. *S. f.* **1.** Lugar onde se criam ostras. **2.** Vendedora de ostras. **3.** *Bras., SP* e *SC.* V. *sambaqui*.

ostreiro. *Adj.* e *s. m.* Que, ou aquele que vende ostra.

▲ostri-. Equiv. de *ostrei-*.

ostricultor. [De *ostri-* + *cultor*.] *S. m.* Ostreicultor.

ostricultura. [De *ostri-* + *cultura*.] *S. f.* Ostreicultura.

ostrífero. [Do lat. *ostriferu*.] *Adj.* Que produz ostras: *região ostrífera*.

ostrino. [Do lat. *ostrinu*.] *Adj.* Da cor ou da natureza da púrpura (1).

ostro. [Do lat. *ostru*.] *S. m.* V. *púrpura* (1).

ostrogodo (ô). [Do gót. **austra*, 'leste', + *got*, 'godo'.] *S. m.* **1.** Indivíduo dos ostrogodos ou godos de leste. ● *Adj.* **2.** Pertencente ou relativo a eles. [Cf. *godo*[1].]

osvaldo-cruzense. *Adj. 2 g.* **1.** De, ou pertencente ou relativo a Osvaldo Cruz (SP). ● *S. 2 g.* **2.** Natural ou habitante de Osvaldo Cruz. [Pl.: *osvaldo-cruzenses*.]

▲-ota. V. *-ote*.

ota (ô). *Interj. Bras.* Exprime incitamento, alegria, admiração ou espanto; upa, eta: "— Ota, bicho abençoado!..." (Amadeu de Queirós, *Os Casos do Carimbamba*, p. 130.)

otalgia. [Do gr. *otalgía*.] *S. f. Med.* Dor no(s) ouvido(s); otodinia.

otálgico. [Do gr. *otalgikós*.] *Adj.* Relativo à otalgia; otodínico.

otária. *S. f. Zool.* Gênero de mamíferos marinhos da ordem dos pinípedes, muito semelhante às focas.

otarídeo. *S. m.* **1.** Espécime dos otarídeos. ● *Adj.* **2.** Pertencente ou relativo a eles.

otarídeos. *S. m. Zool.* Mamíferos carnívoros, da família *Otarridae*, pinípedes, marinhos, de membros muito curtos, transformados em paletas natatórias, de forma que apenas as mãos ou pés se destacam do corpo, e as orelhas são bem visíveis. Vivem a maior parte da vida na água, tendo hábitos anfíbios. São os *lobos-marinhos*.

otário. [Do lunf. *otario*, 'homem ingênuo, de boa fé'.] *S. m. Gír.* Indivíduo tolo, simplório, fácil de ser enganado: "Agora somente os distinguia pelas vozes, Heliodoro cheio de desprezo ('Seu otário. Você é que não soube trabalhar a mulher'), Oliveira saltitando diante do Mudo" (José Cardoso Pires, *Jogos de Azar*, p. 181).

▲-ote. *Suf. nom.* = 'diminuição': *rapazote, filhote*. [Equiv.: *-ota, -oto: filhota; ilhota; perdigoto*.]

oti. *Bras. S. 2 g.* **1.** Indivíduo dos otis, tribo indígena extinta, que habitou nos Campos Novos de Paranapanema (SP). ● *Adj. 2 g.* **2.** Pertencente ou relativo a essa tribo. [Sin. ger.: *oti-xavante*.]

ótica. *S. f.* Var. de *óptica*.

ótico[1]. [Do gr. *otikós*.] *Adj.* Relativo ou pertencente ao ouvido. [Cf. *óptico*.]

ótico[2]. *Adj.* e *s. m.* Var. de *óptico*.

otim. [Do ioruba.] *S. m. Bras., BA.* V. *cachaça* (1).

otimacia. *S. f.* Var. de *optimacia*.

otimates. *S. m. pl.* Var. de *optimates*.

otimismo. [Var. de *optimismo* < lat. *optimu*, 'ótimo', + *-ismo*.] *S. m.* **1.** Doutrina filosófica segundo a qual tudo corre no mundo do melhor modo possível, tudo vai bem: *Voltaire consagra o seu romance Candide à refutação do otimismo*. **2.** Atitude em face dos problemas humanos ou sociais que consiste em considerá-los passíveis de uma solução global positiva, do quê resulta uma posição geral ativa e confiante. [Opõe-se a *pessimismo*.]

otimista. *Adj. 2 g.* **1.** Relativo ao otimismo: *conceito otimista*. **2.** Partidário do otimismo. **3.** Que revela otimismo: *atitude otimista*. ● *S. 2 g.* **4.** Pessoa que revela otimismo. [Sin. (nas acepç. 2, 3 e 4): *panglossiano*. Var. de *optimista*.]

otimização. [De *otimizar* + *-ção*.] *S. f.* **1.** *Estat.* Processo pelo qual se determina o valor ótimo de uma grandeza. **2.** *P. ext. Bras.* Ato ou efeito de otimizar (2): "Ele prevê o aproveitamento e otimização de tudo o que foi feito até o momento" (*Revista de Domingo*, 23.5.1982).

otimizar. [De *ótimo* + *-izar*.] *V. t. d.* **1.** Proceder à otimização de; tornar ótimo. **2.** *P. ext. Bras.* Aceitar ou reconhecer como ótimo.

ótimo. [Do lat. *optimu*.] *Adj.* **1.** Superl. abs. sint. de bom; muito bom; boníssimo; excelente: *ótimo vinho; ótima pessoa*. **2.** Que é o melhor possível: *Para um estrangeiro, seu português é ótimo*. **3.** Diz-se de grau, quantidade ou estado que se considera o mais favorável, em relação a um determinado critério: *temperatura ótima*. — V. *valor* —. ● *S. m.* **4.** O que é o melhor ou o mais favorável, a mais não poder: "*O ótimo é inimigo do bom*" (prov.); *O ótimo da nitidez*. ● *Interj.* **5.** Exprime entusiasmo, admiração ou reconhecimento de que algo é excelente: *Faremos a viagem? Ótimo!*

otite. [De *ot(o)-* + *-ite*[1].] *S. f. Med.* Inflamação de ouvido(s).

oti-xavante. *Bras. S. 2 g.* e *adj. 2 g.* Oti. [Pl.: *otis-xavantes* e *otis-xavante*.]

■ OTN. Sigla de *Obrigações do Tesouro Nacional*.

▲ot(o)-. [Do gr. *oûs, otós*.] *El. comp.* = 'orelha', 'ouvido': *otite, otorrino*.

▲-oto. V. *-ote*.

otoantrite. [De *ot(o)-* + *antro* + *-ite*[1].] *S. f. Patol.* Inflamação simultânea da caixa do tímpano e do antro da mastóide, observada nos lactentes.

otodinia. [De *ot(o)-* + *-odin(o)-* + *-ia*.] *S. f. Patol.* Otalgia.

otodínico. *Adj.* Relativo à otodinia; otálgico.

otólito. [De *ot(o)-* + *-lito*.] *S. m. Anat.* Um dos cristais de carbonato de cálcio existente no labirinto membranoso [q. v.].

otologia. [De *ot(o)-* + *-log(o)-* + *-ia*.] *S. f.* Parte da medicina que trata do ouvido e suas doenças.

otológico. *Adj.* Relativo à otologia.

otomana. [Do fr. *ottomane*.] *S. f.* **1.** Espécie de sofá largo e sem costas: "Sofia .... foi sentar-se com grande rumor de saias, na otomana de cetim azul" (Machado de Assis, *Quincas Borba*, p. 192). **2.** Espécie de tecido para vestuário de senhoras.

otomano. [Do antr. *Uthman*, 'Osmã', imperador turco (1259-1326).] *Adj.* e *s. m.* V. *turco* (1 e 2).

otomicose. [De *ot(o)-* + *micose*.] *S. f. Patol.* Infecção fúngica de ouvido.

otopatia. [De *ot(o)-* + *-pat-* + *-ia*.] *S. f. Patol.* Afecção ou doença de ouvido.

otopático. *Adj.* Relativo a otopatia.

otoplastia. [De *ot(o)-* + *-plast-* + *-ia*.] *S. f. Cir.* Intervenção cirúrgica plástica em ouvido.

otoplástico. *Adj.* Relativo à otoplastia.

otorréia. [De *ot(o)-* + *-réia*.] *S. f. Med.* Eliminação de secreção, purulenta ou não purulenta, pelo(s) ouvido(s).

otorréico. *Adj.* Referente à otorréia.

otorrino. *S. 2 g. Bras.* F. red. de *otorrinolaringologista*.

otorrinolaringologia. [De *ot(o)-* + *rino* + *-laring(o)-* + *-log(o)-* + *-ia*.] *S. f.* Parte da medicina consagrada ao estudo e tratamento das doenças do ouvido, do nariz e da garganta.

otorrinolaringológico. *Adj.* Relativo à otorrinolaringologia.

otorrinolaringologista. *S. 2 g.* Médico especialista em otorrinolaringologia. [F. red.: *otorrino*.]

otosclerose. [De *ot(o)-* + *esclerose*.] *S. f. Patol.* Surdez progressiva produzida por alterações ósseas no ouvido médio, e cujos primeiros sintomas em geral se manifestam já na adolescência; otospongiose.

otoscopia. *S. f. Med.* Exame com otoscópio.

otoscópico. *Adj.* Relativo à otoscopia, ou ao otoscópio.

otoscópio. [De *ot(o)-* + *-scop-* + *-io*[2].] *S. m. Med.* Aparelho para inspeção do ouvido, particularmente do tímpano.

otose. [De *ot(o)-* + *-ose*.] *S. f. Patol.* **1.** Afecção crônica, não inflamatória, do ouvido. **2.** Falsa impressão de som emitido por outra pessoa.

otospongiose. [De *ot(o)-* + lat. *spongia*, 'esponja', 'massa porosa', + *-ose*.] *S. f. Patol.* Otosclerose.

ototomia. [De *ot(o)-* + *-tom(o)-* + *-ia*.] *S. f. Cir.* Dissecção do ouvido.

ototômico. *Adj.* Relativo à ototomia.

otuitui (u-i). *S. m. Bras.* V. *maçarico* (4).

otuque. *S. 2 g.* e *adj. 2 g. Bras.* Bororo.

otxucuiana. *Bras. S. 2 g.* **1.** Indígena da tribo nordestina dos otxucuianas, cuja língua é tida como caraíba mesclado com jê. ● *Adj. 2 g.* **2.** Pertencente ou relativo a esses indígenas.

ou. [Do lat. *aut*.] *Conj.* **1.** Designa alternativa ou exclusão: *vencer ou perecer; sim ou não*. **2.** Indica dúvida, incerteza ou hesitação: "o hipopótamo não me entendeu ou não me ouviu, se é que não fingiu uma dessas coisas" (Machado de Assis, *Memórias Póstumas de Brás Cubas*, p. 19); "Existe [Deus] ou não existe?" (Guimarães Passos, *Versos de um Simples*, p. 177). **3.** De outro modo; por outra forma; por outra(s) palavra(s): *mil metros, ou um quilômetro; tendência ou disposição de espírito; arte de fazer versos, ou poética*; "— Chama-me Natureza ou Pandora" (Machado de Assis, *Memórias Póstumas de Brás Cubas*, p. 21). [Cf. *ô* e *ôh*.]

ouabaína. *S. f. Bioquím.* Heterosídeo extraído da *Acocanthera ouabaio*, cardiotônico. [Fórm.: $C_{29}H_{44}O_{12}.9H_2O$.]

ouça[1]. [Dev. de *ouvir*.] *S. f. Fam.* Ouvido (1). [Var.: *oiça*[1].]

ouça[2]. [Do fr. *heusse*.] *S. f.* Chavelha que se atravessa na ponta do timão de um arado ou carro. [Var.: *oiça*[2].]

oução. *S. m.* Pequenino ácaro (*Acarus sirus*) encontrado nos queijos, na farinha, etc.

ougã. [De or. afr.] *S. m. Bras., BA.* **1.** Chefe feiticeiro ou sacerdote graduado do candomblé. **2.** Protetor auxiliar dos candomblés.

ouirarema (ou-i). [Do tupi *ïbïra'rema*, 'pau fétido'.] *S. f. Bras., Amaz.* Árvore da família das leguminosas (*Acacia* *ouryraremas*), provida de espinhos, cujas pequenas flores se agrupam em densas inflorescências, e cujo fruto é um legume.

oura. [Do lat. *aura*, 'ar, vento'.] *S. f.* Tontura de cabeça; vertigem. [Var.: *oira*.]

ourado. [Part. de *ourar*[2].] *Adj.* Estonteado, absorto, alheado; areado. [Var.: *oirado*.]

ourama. *S. f. Bras.* Grande porção de ouro; muito ouro. [Var.: *oirama*.]

ourana. [Var. de *oirama* < tupi *wai'rana*.] *S. f. Bras., Amaz.* V. *salgueiro-do-rio*.

ourar[1]. [De *ouro* + *-ar*[2].] *V. t. d.* **1.** Prover de ouro. **2.** Ostentar ouro em. [Var.: *oirar*.]

ourar[2]. [De *ouro* + *-ar*[2].] *V. t. d.* **1.** Desvairar, alucinar. *Int.* e *p.* **2.** Ter tonturas ou ouras; entontecer. **3.** Alucinar-se, desvairar-se. [Var.: *oirar*.]

ourela. [Do lat. vulg. **orella*, por *orula*, dim. de *ora*, 'beira, borda'.] *S. f.* **1.** Orla (5), geralmente de tecido mais encorpado, de uma peça de fazenda. **2.** Ourelo. **3.** Margem, beira; costa: "caminhou para o largo rio, desconfiadamente, sem se afastar da ourela do bosque abrigador." (Eça de Queirós, *Contos*, p. 169); "saltando dos esconderijos em chamas, rompentes à ourela da caatinga junto à estrada, os sertanejos em chusma" (Euclides da Cunha, *Os Sertões*, p. 352).

ourelo (ê). [De *ourela*.] *S. m.* Fita ou tira de pano grosso; ourela.

ourense. *Adj. 2 g.* **1.** De, ou pertencente ou relativo a Conceição dos Ouros (MG). ● *S. 2 g.* **2.** Natural ou habitante de Conceição dos Ouros.

ouricana. *S. f. Bras.* V. *jararaca-verde*.

ouriçado. [Part. de *ouriçar*.] *Adj. Bras. Gír.* Animado ao extremo; agitado, excitado.

ouriçador (ô). *Adj.* **1.** Que ouriça. ● *S. m.* **2.** Aquele que ouriça. **3.** *Bras.* Garfo (9).

ouriçar. *V. t. d.* **1.** Tornar semelhante ao ouriço; eriçar; enouriçar. **2.** Tornar áspero; encrespar. *P.* **3.** Tornar-se áspero; encrespar-se, eriçar-se. **4.** Arrepiar-se, eriçar-se: "Ouriçou-se de surpresa e horror, ao apalpar as carnes nuas das coxas, rijas e endurecidas de barro." (Ciro Martins, *Paz nos Campos*, pp. 36-37.) **5.** *Bras. Gír.* Animar-se ao extremo; agitar-se; exaltar-se; excitar-se. [Conjug.: v. *laçar*. Var.: *oiriçar*.]

ouriço. [Do lat. *ericiu*.] *S. m.* **1.** O invólucro da castanha. **2.** *P. ext.* Casca exterior, dura ou espinhosa, de certos frutos: *o ouriço da noz*. **3.** Mamífero insetívoro que tem o corpo coberto de espinhos, e cuja espécie principal é o ouriço-cacheiro. **4.** *Bras. Gír.* Animação intensa; agitação, excitação: *A festa de ontem foi um grande ouriço*. **5.** *Bras.* Suporte de plantas, em arranjos florais, feito de material pesado, com portas em intervalos regulares na superfície superior, e cuja forma lembra a de um ouriço (3). [Var.: *oiriço*.] ♦ **Parir ouriço.** *Bras. Gír.* Roer as unhas dos pés.

ouriço-cacheiro. [De *ouriço* + *cacheiro*[2].] *S. m. Bras.* Mamífero roedor da família dos eretizontídeos, dos gêneros *Coendou* Lac. e *Chaetomys* Gray, os dois únicos ocorrentes em território brasileiro, com cerca de 14 espécies. São arborícolas; têm pés desprovidos de hálux, que é substituído por uma calosidade preensora; cauda preênsil, que se enrola pela superfície dorsal e pelagem modificada, aparecendo pêlos aristiformes, rígidos e vulnerantes. [Sin.: *cuandu, cuim,* (S. da BA) *luís-cacheiro* e (impr.) *porco-espinho*. Pl.: *ouriços-cacheiros*.]

ouriço-do-mar. *S. m.* Animal equinodermo, equinóide, com esqueleto ou carapaça rija, globular, discóide, ou cordiforme, com espinhos móveis em sua superfície, e pés ambulacrários, longos e com ventosas. Atualmente são conhecidas cerca de 800 espécies vivas e 7200 fósseis. [Sin.: *pindá* e (bras., BA) *piraúna*. Cf. *corrupio* (4). Pl.: *ouriços-do-mar*.]

ouriço-preto. *S. m. Bras., BA.* Mamífero roedor, da família dos eretizontídeos (*Chaetomys tortilis* (Olf.)), de SE, BA e N. do ES. Dorso escuro, por vezes variegado, com manchas brancas; ventre bruno-avermelhado; cauda com pêlos que a recobrem mal; ao contrário do que se observa nos outros ouriços, a parte superior da porção terminal não é nua. [Pl.: *ouriços-pretos*.]

ouricuri. [Do tupi *uruku'ri*.] *S. m. Bras.* V. *aricuri*.

ouricuriense. *Adj. 2 g.* **1.** De, ou pertencente ou relativo a Ouricuri (PE). ● *S. 2 g.* **2.** Natural ou habitante de Ouricuri.

ourinar. *V. int., t. d.* e *p. Obsol.* Urinar.

ourinhense. *Adj. 2 g.* **1.** De, ou pertencente ou relativo a Ourinhos (SP). ● *S. 2 g.* **2.** Natural ou habitante de Ourinhos.

ourinol. *S. m. Obsol.* Urinol (1).

ouripel. *S. m. Desus.* V. *ouropel*. [Pl.: *ouripéis*.]

ourives. [Do lat. *aurifice*, 'aquele que trabalha em ouro'.] *S. m. 2 n.* Fabricante e/ou vendedor de artefatos de ouro e prata.

ourivesaria. *S. f.* **1.** Arte de ourives. **2.** Oficina ou loja de ourives.

ouro. [Do lat. *auru*.] *S. m.* **1.** *Quím.* Elemento de número atômico 79, metálico, amarelo, dúctil, maleável, denso, pouco reativo, utilizado em ligas preciosas. [Símb.: *Au*.] **2.** Qualquer moeda ou artefato desse metal. **3.** Riqueza, opulência. **4.** V. *dinheiro* (3). **5.** *Fig.* Cor amarela muito brilhante: *cabelos de ouro*. **6.** Douradura. [Var.: *oiro*.] ~ V. *ouros*. ♦ **Ouro branco. 1.** Liga de ouro, muito empregada por joalheiros, e que contém de 20 a 50% de níquel. **2.** Liga de ouro, níquel e paládio. **3.** *Bras.* O algodão, considerado como riqueza agrícola. **4.** *Ant.* Platina. **Ouro da água.** *Bras.* Ouro de dentro do leito dos ribeiros; ouro da madre. **Ouro da madre.** *Bras.* Ouro da água. **Ouro de lei.** O que tem os quilates determinados por lei. **Ouro de tabuleiro.** *Bras.* O que existe nas margens dos ribeiros. **Ouro dos trouxas.** *Bras. Pop.* A pirita. **Ouro falso.** Latão, cobre, ou outro metal dourado que imita o ouro; ouropel. **Ouro fino.** Ouro de 24 quilates. **Ouro negro. 1.** O petróleo, considerado como riqueza econômica. **2.** *Bras.* A borracha extraída da seringueira. **Ouro sobre azul. 1.** Coisa muito bela ou excelente. **2.** Ótima oportunidade ou ocasião; grande vantagem. **Ouro verde. 1.** Composição aurífera formada por 78 partes de ouro puro e 292 partes de prata pura. **2.** *Bras.* O café, considerado como riqueza agrícola. **A ouro e fio.** V. *ouro-fio*. **De ouro.** De muito valor; de grande qualidade; precioso: *Esta menina é de ouro; É um coração de ouro*. **Nadar em ouro.** Ser muito rico; viver na opulência: "o dinheiro tem sempre o seu prestígio, ninguém lhe pede a origem... e ela nadava em ouro." (Coelho Neto, *Turbilhão*, p. 260). **Ser ouro de lei.** Valer muito; ter valor inestimável; valer ouro. **Ser ouro em pó.** Ser inestimável; perfeitíssimo. **Trocar ouro por lama.** Trocar o bom pelo ruim, o ótimo pelo péssimo. **Valer ouro. 1.** Ser ouro de lei. **2.** Ser boníssimo, de ótimas qualidades morais.

ouro-branquense. *Adj. 2 g.* **1.** De, ou pertencente ou relativo a Ouro Branco (RN e MG). ● *S. 2 g.* **2.** Natural ou habitante de Ouro Branco. [Pl.: *ouro-branquenses*.]

ouro-de-gato. *S. m. Min.* Mica amarela. [Var.: *oiro-de-gato*. Pl.: *ouros-de-gato*.]

ouro-e-fio. *Adv. Bras.* V. *ouro-fio*. [Var.: *oiro-e-fio*.]

ouro-finense. *Adj. 2 g.* **1.** De, ou pertencente ou relativo a Ouro Fino (MG). ● *S. 2 g.* **2.** Natural ou habitante de Ouro Fino. [Pl.: *ouro-finenses*.]

ouro-fio. *Adv.* Em proporção igual; paralelamente; exatamente; ouro-e-fio, a ouro e fio, a ouro-fio: *Os pesos da balança equilibraram-se ouro-fio*. [Var.: *oiro-fio*. F. paral.: *ouro-e-fio*.] ♦ **A ouro-fio.** V. *ouro-fio*.

ouropel. [Var. de *ouripel* < fr. ant. *oripel*. Outra var.: *oiropel*.] *S. m.* **1.** Liga metálica de cobre amarelo, ou latão e zinco, que imita o ouro; ouro falso; pechisbeque, alquime. **2.** *Fig.* Falso brilho; aparência enganosa: *os ouropéis do pequeno burguês;* "A alma de Bayart despia-se dos vãos ouropéis das honras, dos tesouros e do próprio nome para ascender ainda mais limpa à presença do Eterno com duas asas nas espáduas nuas...." (Alberto Rangel, *Livro de Figuras*, p. 146). **3.** Estilo pomposo que encobre pobreza ou falta de idéias. [Pl.: *ouropéis*.]

ouro-pigmento. [Do lat. *auripigmentu*, 'tinta de ouro'.] *S. m. Min.* Mineral monoclínico, sulfeto de arsênico. [Var.: *oiro-pigmento*. Pl.: *ouros-pigmentos* e *ouros-pigmento*.]

ouro-pretano. *Adj.* **1.** De, ou pertencente ou relativo a Ouro Preto (MG). ● *S. m.* **2.** O natural ou habitante de Ouro Preto. [Sin. ger.: *ouro-pretense*. Pl.: *ouro-pretanos*.]

ouro-pretense. *Adj. 2 g.* e *s. 2 g.* Ouro-pretano. [Pl.: *ouro pretenses*.]

ouros. [Pl. de *ouro*.] *S. m. pl.* Um dos quatro naipes [v. *naipe* (1)], vermelho, que se figura com o desenho de um losango vermelho: *valete de ouros*. [Var.: *oiros*.] ~ V. *ouro*.

ouro-verdense. *Adj. 2 g.* **1.** De, ou pertencente ou relativo a Ouro Verde (SP). ● *S. 2 g.* **2.** Natural ou habitante de Ouro Verde. [Pl.: *ouro-verdenses*.]

ourudo. *Adj. Bras.* Que tem muito ouro ou dinheiro; endinheirado, rico, patacudo. [Var.: *oirudo*.]

ousadia. *S. f.* **1.** Qualidade de ousado; coragem, destemor, arrojo, galhardia. **2.** Temeridade, imprudência. **3.** Audácia, petulância, atrevimento. [Sin. ger.: *ousio*.]

ousado. [Part. de *ousar*.] *Adj.* **1.** Destemido, corajoso, audaz. **2.** Atrevido, audacioso.

ousar. [Do lat. vulg. **ausare*.] *V. t. d.* **1.** Ser bastante corajoso ou ousado para; ter a ousadia de; atrever-se: *Ousou discordar da opinião de seu chefe, sabendo-o prepotente; Ninguém ousou uma objeção*. **2.** Decidir-se a; empreender: *Cliente da má receptividade, não ousou desculpar-se*. **3.** Tentar com audácia (empreendimento, expediente, etc.). **4.** Tentar (coisa difícil). *T. i.* **5.** Ter a ousadia, a coragem; atrever-se, abalançar-se: *Não ousaram desacatar a autoridade*. *Int.* **6.** Tentar um empreendimento com coragem ou audácia: *Ousou e venceu*.

ousio. [Do lat. *ousu*, 'ousado', + *-io*[2].] *S. m.* V. *ousadia*.

➧**out** (aut). [Ingl.] *Adv.* **1.** Fora; por fora. **2.** Fora de moda. [Nesta acepç., opõe-se a *in*.] ● *Adj.* **3.** Não iniciado.

outão. *S. m.* Oitão [q. v.]: "Braceja ao sol nascente alta mangueira, / No outão da casa há século plantada." (Alberto de Oliveira, *Poesias*, 2ª série, p. 285.)

outar. [Do lat. *optare*, 'escolher'.] *V. t. d.* Joeirar. [Var.: *utar*.]

➧**outdoor** (autdór). [F. red. do ingl. *outdoor advertising*, 'anúncio feito ao ar livre'.] *S. m.* **1.** Designação genérica de qualquer propaganda (painel, letreiro luminoso, parede pintada, etc.) exposta ao ar livre e que se caracteriza por forte apelo visual e comunicação instantânea. **2.** *Restr.* Grande cartaz com essas qualidades colocado no exterior à margem das vias públicas ou em pontos de boa visibilidade.

outeirista. *S. 2 g.* Pessoa que glosava ou trovava nos outeiros conventuais. [Var.: *oiteirista*.]

outeiro. [Do lat. *altariu*, 'a parte mais alta do altar'.] *S. m.* **1.** Pequeno monte. V. *colina*[1]. **2.** Festa que se realizava no pátio dos conventos, e por ocasião da qual os poetas glosavam motes dados pelas freiras: "Os abadessados ou outeiros eram então cenáculos de moços talentosos e alegres, que se reuniam nas grades de um convento para festejar com glosas e libações .... a eleição ou reeleição de uma abadessa." (Alberto Pimentel, *O Romance do Romancista*, p. 225.) [Var.: *oiteiro*.]

➧**outer stage** (áuter çtêidj). [Ingl., 'palco exterior'.] *Teat.* O grande proscênio do palco elisabetano [q. v.], que avança até à platéia, a qual o circunda por três lados. [Sin.: *avental, palco exterior*. Cf. *inner stage*.]

outiva. *S. f.* Var. de *oitiva*. [q. v.]

outo. [Dev. de *outar*.] *S. m.* Palhas ou arestas que ficam na joeira depois de limpos os cereais. [Cf. *oito*.]

outonada. [De *outono* + *-ada*[1].] *S. f.* **1.** Toda a estação de outono. **2.** Colheita que se faz no outono.

outonal. [Do lat. *autumnale*.] *Adj. 2 g.* Do, relativo ao, ou próprio do outono; outoniço: "Batido do torvelinho / O bosque palpita ao açoite / Do vento outonal; é noite." (Gonçalves Crespo, *Obras Completas*, p. 260.) [F. paral.: *autunal*.]

outonalmente. [De *outonal* + *-mente*.] *Adv.* Na época do outono: "nas cabeceiras da torrente, caudalosa durante as chuvas invernais, agora porém seca, mostrando apenas outonalmente, aqui e além, breves charcos ou gânglios" (Oliveira Martins, *A Vida de Nun'Álvares*, p. 297).

outonar. [Do lat. *autumnare*.] *V. int.* **1.** Passar o outono. **2.** Brotar no outono. *T. d.* **3.** Regar (as terras) com as primeiras águas do outono.

outonear. [De *outono* + *-ear*.] *V. int. Bras.* Passar o outono em (praias, p. ex.). [Conjug.: v. *frear*.]

outoniço. [De *outono* + *-iço*.] *Adj.* **1.** Outonal: *tarde outoniça;* "O poeta [John Keats] nasceu num fim de outubro e o seu lirismo seivoso e cálido parece haver captado à natureza todo o esplendor da sazão e os indefiníveis amavios do langor outoniço." (Eugênio Gomes, *Espelho Contra Espelho*, p. 198.) **2.** Que está no outono da vida: "morava em casa de D. Emerenciana, senhora viúva e outoniça" (Artur Azevedo, *Contos Possíveis*, p. 17); "ainda estava formosa, de uma formosura outoniça, realçada pela noite." (Machado de Assis, *Memórias Póstumas de Brás Cubas*, p. 325).

outono. [Do lat. *autumno*.] *S. m.* **1.** *Astr.* Estação do ano que sucede ao verão e antecede o inverno. [No hemisfério sul principia quando o Sol alcança o equinócio de março (dia 21) e termina quando ele atinge o solstício de junho (dia 20); no hemisfério norte principia quando o Sol alcança o equinócio de setembro (dia 22) e finda quando ele atinge o solstício de dezembro (dia 20). Sin., poét.: *o cair das flores, o cair das folhas*.] **2.** O tempo da colheita. **3.** *Fig.* Decadência, ocaso: "Como as mulheres que foram realmente belas, a Ribeirinha não se conformaria com o outono da vida e procuraria encobrir com o *branco* e *vermelho* a decadência humilhante." (Celso Cunha, *Língua e Verso*, p. 25.) **4.**

Fig. Idade que antecede a velhice.

outorga. [Dev. de *outorgar.*] *S. f.* Ato ou efeito de outorgar; consentimento, concessão, aprovação, beneplácito.

outorgado. [Part. de *outorgar.*] *Adj.* **1.** Que se outorgou; que teve concessão; aprovado, permitido, concedido. ● *S. m.* **2.** Aquele a quem se outorga (mandato, poderes, etc.); beneficiário de outorga.

outorgador (ô). [De *outorgar* + *-(d)or.*] *Adj.* e *s. m.* Outorgante.

outorgante. [Do lat. *auctoricante.*] *Adj. 2 g.* e *s. 2 g.* Que ou quem outorga; outorgador.

outorgar. [Do lat. *auctoricare.*] *V. t. d.* **1.** Consentir em; aprovar: *outorgar um pedido.* **2.** Dar, conceder: *outorgar o perdão.* **3.** Dar, conferir (mandato). **4.** Dar por direito; conceder. **5.** *Jur.* Declarar em escritura pública. *T. d.* e *i.* **6.** Conceder; facultar, permitir: *O decreto outorga aos funcionários vantagens excepcionais.* **7.** Dar, conceder, por escrito. **8.** Atribuir; imputar; referir, aplicar: "a egrégia virtude que os biógrafos outorgam à feia e avelhada consorte do doutor [Sá de Miranda], é ter sido mui económica e zelosa administradora do casal." (Camilo Castelo Branco, *Doze Casamentos Felizes*, p. 55). *T. i.* **9.** *P. us.* Estar de acordo; concordar, consentir: *Ele outorga com o nosso desejo. P.* **10.** Confessar-se, reconhecer-se. [Conjug.: v. *largar.*]

➡**output** (áutput). [Ingl.] *S. m. Econ.* **1.** O produto, o resultado da combinação dos fatores de produção. [Cf. *input.*] **2.** *Proc. Dados.* Resultados fornecidos após um processamento; dados de saída. **3.** Dispositivo, processo ou canal que intervém numa operação de transferência de dados de um computador para meio externo; canal de saída, dispositivo de saída, processo de saída.

outrem. [Do lat. *alteri.*] *Pron.* Outra(s) pessoa(s): *Foi decidido pelo diretor, e não será por outrem revogado.* ◆ **Outrem ninguém.** *Ant.* Nenhuma outra pessoa.

outro. [Do lat. *alteru,* 'outro entre dois'.] *Pron.* **1.** Diverso do primeiro; diferente de pessoa ou coisa especificada: "Cesse tudo o que a Musa antiga canta, / Que outro valor mais alto se alevanta." (Luís de Camões, *Os Lusíadas*, I, 3.) **2.** Diferente, diverso, distante: "Guiou dali Vieira para a escola com grande alvoroço, e sentiu-se tão outro do que fora até então, que logo animosamente pediu para argumentar com os mais sabedores e adiantados." (João Francisco Lisboa, *Obras*, IV, p. 10) **3.** Seguinte, imediato, ulterior: *Conversamos longamente, e no outro dia ele voltou a procurar-me; Dum momento para o outro.* **4.** O resto; o restante: *Os outros soldados ficarão no quartel; Alguns farão juz a uma pequena quantia, e os outros nada receberão.* **5.** Mais um; novo, segundo: *Tem um filho médico, e prepara outro para advocacia.* ~ V. *outros.* ◆ **Outro que tal.** Outro semelhante; quejando. **Em outro.** *Filos.* Dependentemente de outro quanto à realidade. [Tb. se diz em lat., nesta acepç. *in alio.* Opõe-se a *em si.*] **Não dar outra.** *Bras. Gír.* Acontecer precisamente o que se tinha imaginado ou previsto: "Esta coluna [Zózimo] acertou em cheio quando, há dois meses, apontou o filme *Missing* como o grande vencedor do Festival de Cannes. / Não deu outra." (*Jornal do Brasil*, 27.5.1982.) **O outro.** outrem; alguém: *Ao mudar de emprego passou de cavalo a burro, como diz o outro.* [Us., em geral, com referência a afirmações anônimas, ou proverbiais, ou cuja autoria não se deseja assumir.] **Por outro.** *Filos.* Dependentemente de outro sob algum aspecto do ser. [Opõe-se a *por si* (3 e 4).]

outrora. [De *outra* + *hora.*] *Adv.* Em outro tempo; em tempos passados; antigamente; noutrora.

outros. [Pl. de *outro.*] *Pron. pl.* Qualquer ou quaisquer pessoa(s) indeterminada(s); o próximo; outrem. ~ V. *outro.*

outrossim. [De *outro* + *sim.*] *Adv.* Igualmente; também; bem assim: *Relatou as perseguições, o exílio, e outrossim as suas extremas dificuldades.*

➡**outsider** (autsáidār). [Ingl.] *S. m.* **1.** *Turfe.* Cavalo que tem o mínimo de possibilidades de vencer. **2.** *Fut.* Lance em que a bola vai fora do campo. **3.** *Mar. Merc.* Navio mercante que não se atém aos acordos estabelecidos nas conferências de frete.

outubrismo. [De *outubro* + *-ismo.*] *S. m.* **1.** O conjunto das idéias e programas de ação dos movimentos políticos revolucionários de outubro de 1905 e de 1917 (na Rússia) e de 1930 (no Brasil). **2.** Cada um desses movimentos.

outubrista. *Adj. 2 g.* **1.** Pertencente ou relativo ao outubrismo. **2.** Que é partidário ou participante do outubrismo. ● *S. 2 g.* **3.** Partidário ou participante dele.

outubro. [Do lat. *Octobre.*] *S. m.* O 10º mês dos calendários juliano e gregoriano, com 31 dias. [F. paral. (desus.): *oitubro.*]

➡**ouverture** (uvertür'). [Fr.] *S. f.* V. *abertura* (11): "executando a ouverture antes de subir o pano, e outras peças no intervalo." (Brito Broca, *Memórias*, p. 83).

ouvida. [Fem. substantivado do adj. *ouvido.*] *S. f.* Ato ou efeito de ouvir; audiência, oitiva. ◆ **De ouvida.** Por ouvir dizer; de oitiva: *Conhece o caso só de ouvida.* [Sin.: *de oitiva, de orelha,* e (bras.) *de orelhada* Cf. *de ouvido.*]

ouvido. [Part. de *ouvir.*] *S. m.* **1.** Faculdade de ouvir, de perceber os sons; audição. **2.** Anat. Cada um de dois conjuntos de formações anatômicas situados nas partes laterais da cabeça, responsáveis pelo sentido da audição e com função na manutenção do equilíbrio (8). **3.** Aptidão para captar com relativa precisão sons musicais ou não, e de reproduzir aqueles sem o auxílio de partitura: *ter bom ouvido.* [Cf. *ouvido absoluto.*] **4.** Orifício por onde se comunicava fogo às cargas das armas ou peças de artilharia. **5.** Facilidade de gravar na memória qualquer música: *ter bom ouvido.* **6.** *Mús.* Abertura no tampo dos instrumentos de corda, ou orifício nos instrumentos de palheta. ◆ **Ouvido absoluto.** *Mús.* Capacidade, adquirida mediante o aperfeiçoamento de uma disposição congênita, para classificar um intervalo entre dois sons, identificar um som único, e até distinguir os sons que contituem um acorde. **Ouvido de tuberculoso.** Ouvido (1) apuradíssimo. **Ouvido externo.** *Anat.* Porção de ouvido (2) que abrange o pavilhão da orelha e o conduto auditivo externo. **Ouvido interno.** *Anat.* Porção do ouvido (2) que compreende o labirinto ósseo [q. v.], o qual, por sua vez, contém o labirinto membranoso [q. v.]. **Ouvido médio.** *Anat.* Conjunto que abrange a membrana timpânica, a caixa do tímpano, as cavidades mastóideas e a trompa de Eustáquio. **Dar ouvidos a.** Dar crédito a, acreditar em (o que se diz): *Não dê ouvidos a calúnias.* **De ouvido.** Só por ouvir; sem conhecimentos teóricos: *Toca piano de ouvido.* [Cf. *de ouvida.*] **Duro de ouvido.** Que não ouve bem. **Emprenhar pelos ouvidos.** *Fig.* Deixar-se levar por intrigas, por mexericos. **Entrar por um ouvido e sair pelo outro.** Não merecer atenção, não ser levado em conta (conselho, advertência, lição, etc.). **Fazer ouvidos de mercador.** Fingir que não ouve; não atender ao que se lhe diz ou pergunta; fazer ouvidos moucos: "ouço a voz do patrão, autoritária, chamando-me. O barulho do carro e dos cavalos me permite, sem medo de castigo, fazer ouvidos de mercador." (Osmã Lins, *Nove, Novena*, p. 156). **Fazer ouvidos moucos.** Fazer ouvidos de mercador: "Correm avisos nos ares. / Há mistério, em cada encontro. / O Visconde, em seu palácio, / a fazer ouvidos moucos." (Cecília Meireles, *Obra Poética*, p. 716.) **Prestar ouvido.** Prestar atenção. **Ser todo ouvidos.** Prestar toda a atenção ao que se diz. **Tapar os ouvidos.** *Fig.* Não querer ouvir. **Ter bom ouvido.** Ter fácil percepção de sons, especialmente musicais.

ouvidor (ô). [De *ouvir* + *-(d)or.*] *S. m.* **1.** Aquele que ouve. V. *ouvinte.* **2.** *Lus.* Juiz especial adjunto a certas repartições públicas. **3.** *Bras.* No período colonial, o juiz posto pelo donatários. **4.** *Bras.* Antigo magistrado com as funções do atual juiz de direito.

ouvidoria. *S. f.* Cargo ou funções de ouvidor (2 a 4).

ouvinte. [De *ouvir* + *-nte.*] *S. 2 g.* **1.** Pessoa que assiste a um discurso, conferência, preleção, aula, etc.; ouvidor. **2.** Estudante que assiste às aulas, mas não presta exame nem obtém certificado de aprovação.

ouvir. [Do lat. *audire.*] *V. t. d.* **1.** Perceber, entender (os sons) pelo sentido da audição; "Quem a vê, ouve a música de um canto" (Luís Delfino, *Rosas Negras*, p. 19); "Ouvir Wolfgang Amadeus Mozart é a minha maneira de rezar." (Mário da Silva Brito, *Conversa vai, Conversa Vem*, p. 30). **2.** Ouvir os sons de; escutar: *Ouvia, de seu quarto, a orquestra do clube;* "Fócion, o orador grego, ouvindo os aplausos da multidão, costumava dizer: — 'Que erro cometi eu?' " (Oto Maria Carpeaux, *A Cinza do Purgatório*, p. 332); "Olho, medito, ... e oiço cantigas de embalar." (Antunes da Silva, *Vila Adormecida*, p. 31.) **3.** Dar ouvidos às palavras de; escutar: *Ouviu atentamente o advogado;* "Neste tempo, viu Laura, falou-lhe, ouviu-a" (Camilo Castelo Branco, *A Mulher Fatal*, p. 32). **4.** Dar atenção a; atender: *O Presidente passou a tarde ouvindo os ministros.* **5.** Dar audiência a. **6.** Inquirir (o réu, as testemunhas, os peritos, etc.). **7.** Escutar discurso, sermão, conferência, etc., de: *O auditório ouviu a palestra com sensível interesse.* **8.** Escutar os conselhos, as razões, os votos de: *Quis adverti-la, porém ela não o ouviu.* **9.** Tomar em consideração; atender: *Espera que Deus ouça as suas preces;* "*Quem não ouve conselhos raras vezes acerta*" *(prov.). T. i.* **10.** Perceber pelo sentido da audição; atender. *Int.* **11.** Perceber as coisas pelo sentido da audição; atender, escutar: "Nos últimos tempos de sua vida, Chateaubriand [François René de Chateaubriand] já não podia falar, nem ouvir, nem sequer ver." (Múcio Leão, *Emoção e Harmonia*, p. 105.) **12.** Levar descompostura ou repreensão: *Fez-me uma falseta, mas, quando eu o encontrar, ele vai ouvir.* [Irreg. Pres. ind.: *ouço* ou *oiço, ouves, ouve,* etc. Cf. *osso,* s. m.. e *houve,* do v. *haver.*] ◆ **Por ouvir dizer.** Por informação oral; de ouvida.

ouvisto. [De *ouvir,* com infl. de *visto.*] *Part. Pop.* Ouvido: "Ele, o pai, tenho eu ouvisto / que é materialão d'escacha" (Antônio Feliciano de Castilho, *O Médico à força*, pp. 25-26).

ova. [Do lat. *ova,* pl. de *ovu,* 'ovo'.] *S. f.* O ovário dos peixes. ~ V. *ovas.* ◆ **Uma ova.** *Gír.* Loc. interjetiva que exprime repulsa, protesto, contradita violenta; uma brisa: "Vivia de favor? Uma ova. Com que dificuldades obtinha promoção!" (Permínio Asfora, *Vento Nordeste*, p. 11.)

ovação[1]. [Do lat. *ovatione.*] *S. f.* Aclamação pública; aplausos ou honras entusiásticas e clamorosas feitas a alguém: "depois das bênçãos do Sr. Bauer e das ovações ao Sr. de Lesseps, era doloroso ver findar tudo repentina e vergonhosamente, verificar-se que num canal feito para a navegação não cabiam navios." (Eça de Queirós, *Notas Contemporâneas*, p. 10).

ovação[2]. [De *ovar* + *-ção.*] *S. f.* O conjunto dos ovos dos peixes.

ovacionar. *V. t. d. Bras.* Fazer ovação[1] a; aclamar publicamente.

ovado[1]. [Do lat. *ovatu.*] *Adj.* **1.** V. *oval* (1). ● *S. m.* **2.** *Arquit.* V. *óvalo.* **3.** *Arquit.* Moldura principal do capitel dórico. **4.** Escudo oval, pertencente a eclesiásticos.

ovado[2]. [De *ova(s)* + *-ado*[1].] *Adj.* **1.** *Bras., N.* Diz-se do peixe que contém ovas. **2.** *Bras., S.* Diz-se do cavalo que tem doença nos machinhos.

oval. [Do lat. *ovale.*] *Adj. 2 g.* **1.** Que tem forma elíptica, semelhante à do ovo; ovalar, ovado, ovalado, óveo, oviforme, ovóide. ~ V. *folha* —. ● *S. f.* **2.** *Geom. Anal.* Qualquer curva plana fechada, duas vezes derivável, cujo vector curvatura esteja sempre dirigido para seu interior, como, p. ex., a elipse. **3.** *Geom.* Figura oval, plana ou sólida. [Cf. *uval.*]

ovalação. *S. f.* Ato ou efeito de ovalar[2].

ovaladeira. [De *ovalar*[2] + *-deira.*] *S. f. Tip.* Aparelho para cortar clichês em forma ovalada ou circular.

ovalado. [Part. de *ovalar.*] *Adj.* **1.** Tornado oval. **2.** V. *oval* (1). **3.** Que tem a forma de óvalo.

ovalar[1]. [De *oval* + *-ar*[1].] *Adj.* V. *oval* (1).

ovalar[2]. [De *oval* + *-ar*[2].] *V. t. d.* Tornar oval. [Pres. ind.: *ovalor,* etc. Cf. *óvalo.*]

óvalo. [Do esp. *óvalo.*] *S. m. Arquit.* Ornato oval, e em particular a moldura arredondada e oval que guarnece uma cornija ou um capitel; ovado. [Var.: *óvano.* Cf. *ovalo,* do v. *ovalar.*]

ovalóide. [De *oval* + *-óide.*] *S. m. Geom. Anal.* Qualquer superfície convexa fechada cujas curvaturas principais são contínuas e não-nulas.

óvano. *S. m.* V. *óvalo.*

ovante. [Do lat. *ovante.*] *Adj. 2 g.* Triunfante, jubiloso, vitorioso: "Porque Afonso verás soberbo e ovante / Tudo render, e ser depois rendido." (Luís de Camões, *Os Lusíadas*, I, 92.)

ovar. *V. int.* **1.** Pôr ovos. **2.** Criar ovos ou ovas. [Pres. ind.: *ovo,* etc.; pres. subj.: *ove, oves, ovem,* etc. Cf. *ovo* (ô) e *ovém.*]

ovariano. *Adj.* Relativo ou pertencente a ovário; ovárico.

ovárico. *Adj.* Ovariano.

ovariectomia. [De *ovário* + *-ectom-* + *-ia.*] *S. f. Cir.* Ooforectomia.

ovariectômico. *Adj.* Ooforectômico.

ovarino. *Adj.* **1.** De, ou pertencente ou relativo a Ovar (Portugal). ● *S. m.* **2.** O natural ou habitante de Ovar.

ovário. [Do lat. *ovariu.*] *S. m.* **1.** *Zool.* Órgão que contém e onde se formam os ovos ou óvulos nas fêmeas das aves e noutros animais ovíparos. **2.** *Anat.* Cada um dos dois corpos situados de cada lado do útero. É a glândula sexual da mulher, e nele se formam os óvulos. **3.** *Morfol. Veg.* Orgânulo cavitário da flor, que encerra os óvulos, dentro dos quais se acha a célula reprodutiva feminina: [O ovário pode ser súpero ou ínfero, conforme sua posição em relação às demais peças florais. Depois da fecundação, cresce e forma o fruto.] [Cf.

uvário.].

ovariocele. [De *ovário* + *-cele*.] *S. f. Patol.* Saliência herniária de ovário.

ovariocélico. *Adj.* Referente à ovariocele.

ovariotomia. [De *ovário* + *-tom(o)-* + *-ia*.] *S. f. Cir.* Incisão cirúrgica do ovário.

ovariotômico. *Adj.* Relativo à ovariotomia.

ovarismo. [De *ovário* + *-ismo*.] *S. m.* Doutrina biológica que atribui a origem de todos os seres organizados ao desenvolvimento de um ovo.

ovarista. *Adj. 2 g.* **1.** Relativo ao ovarismo, ou que é partidário dele. ● *S. 2 g.* **2.** Partidário do ovarismo.

ovas. [Pl. de *ova*.] *S. f. pl.* Tumores moles originários da dilatação de certas membranas entre a pele e os ossos das bestas. ~ V. *ova*.

oveiro[1]. [Do lat. *ovariu*.] *S. m.* Ovário das aves.

oveiro[2]. [De *ovo* + *-eiro*.] *S. m.* **1.** Vasilha de servir ovos à mesa. **2.** *Bras., N.E. Pop.* O orifício anal das aves.

oveiro[3]. [Do esp. *overo*.] *Adj. Bras.* Diz-se do boi ou do cavalo que tem malhas no corpo.

ovelha (ê). [Do lat. *ovicula*.] *S. f.* **1.** Fêmea do carneiro. [Sin. (bras., S.): *carneira*.] **2.** Iguaria feita com ovelha (1). **3.** *Fig.* O cristão, em relação ao seu pastor espiritual. ♦ **Ovelha negra.** Pessoa que num grupo sobressai por suas más qualidades, por seu mau proceder: *Desde criança é a ovelha negra da família.*

ovelhada. *S. f.* Rebanho de ovelhas.

ovelheiro[1]. [De *ovelha* + *-eiro*.] *S. m.* Pastor de ovelhas.

ovelheiro[2]. [Do esp. plat. *ovejero*.] *Adj.* e *s. m. Bras., S.* **1.** Diz-se de, ou cachorro criado desde muito novo junto ao rebanho, que ele, quando cresce, guarda e protege. **2.** Diz-se de, ou cão habituado a perseguir rebanhos para comer ovelhas.

ovelhum. [De *ovelha*.] *Adj. 2 g.* Referente às ovelhas, carneiros e cordeiros, ou próprio deles; ovino, ovelhuno: "O gado *ovelhum* e cabrum é de 145 cabeças, não se incluindo nesse número a criação pertencente aos colonos." (Afonso Arinos, *Histórias e Paisagens*, p. 177).

ovelhuno. *Adj.* V. *ovelhum*: "pequena igreja cheia de aldeões a tresandarem a curral com suas samarras e safões *ovelhunos*." (Antero de Figueiredo, *Toledo*, p. 95).

ovém. [Do ant. escand. *höfudbendur*, pelo fr. ant. *hobent* ou *hobene*.] *S. m. Constr. Nav.* Cada uma das pernadas da enxárcia: "Desarmam o toldo de lona à proa, ... colhem os guardins, as enxárcias, os *ovéns*, os brandais, todo o cordame, em suma, capaz de ser tocado pela ramaria do arvoredo debruçado na calha." (Raimundo Morais, *Na Planície Amazônica*, p. 77). [Cf. *ovem*, do v. *ovar*.]

ovença. *S. f. Ant.* **1.** O serviço de mesa e comedoria, entre os cônegos regrantes. **2.** Arrecadação ou cobrança das rendas da coroa.

ovençal. [De *ovença* + *-al*.] *S. m. Ant.* **1.** Cobrador de rendas ou da fazenda nacional. **2.** Vedor ou provedor dos mantimentos de uma casa, palácio, comunidade, etc.; despenseiro.

óveo. [De *ovo* + *-eo*.] *Adj.* **1.** Que contém ovos. **2.** V. *oval* (1).

➧**over** (ôver). [Ingl.] *Overnight* [q. v.].

➧**overall** (ôveról). [Ingl.] *S. m.* Capa leve para proteger a vestimenta.

➧**overdose** (ôverdôuz). [Ingl.] *S. f.* Superdose.

➧**overhead** (ôverhéd). [Ingl.] *Adj.* Diz-se das despesas operacionais de um negócio, outras que não as concernentes ao trabalho e aos materiais.

overloque. [Do ingl. *overlock*.] *S. m.* Peça de máquina de costura própria para chulear.

overloquista. *S. 2 g.* Pessoa que trabalha com overloque.

➧**overnight** (ôvernait). [Ingl.] *Adj.* Diz-se de operação financeira com prazo de 24 horas. [Tb. se diz apenas *over*.]

ovetense. [Do lat. *Ovetum*, 'Oviedo', + *-ense*.] *Adj. 2 g.* **1.** De, ou pertencente ou relativo a Oviedo (Espanha). ● *S. 2 g.* **2.** Natural ou habitante de Oviedo.

oveva. [Var. de *obeba*, este de or. indígena.] *S. f. Bras.* Peixe teleósteo, percomorfo, da família dos cianídeos (*Larimus breviceps* Cuv.), que habita o Atlântico desde as Antilhas até as costas do Brasil. Tem coloração pardacenta, flanco e abdome brancos-prateados, comprimento até 20 cm. [Sin.: *camanguá, pirucaia, obeba, ubeba, boca-torta*.]

▲**ov(i)-.** [Do lat. *ovum, i*.] *El. comp.* = 'ovo': *ovóide, ovissaco*. [Equiv.: *ovo-*: *ovológico*. Cf. *oo-*.]

oviário. [Do lat. **oviariu*, por *oviaria*.] *S. m.* **1.** V. *ovil*. **2.** Rebanho de ovelhas.

ovidiano. [Do lat. *ovidianu*.] *Adj.* Pertencente ou relativo a Ovídio, poeta latino (43 a.C. - 16 d.C.), ou próprio desse poeta.

oviduto. [De *ov(i)-* + lat. *ductu*, 'ação de conduzir, condução'.] *S. m.* **1.** *Zool.* Canal que nos animais ovíparos se estende do ovário até a cloaca e serve para dar passagem aos ovos. **2.** *Anat.* Trompa de Falópio.

oviforme. [De *ov(i)-* + *-forme*.] *Adj. 2 g.* V. *oval* (1). [Cf. *uviforme*.]

ovígero. [De *ov(i)-* + *-gero*.] *Adj.* Que contém os ovos ou corpúsculos reprodutores.

ovil. [Do lat. *oviles*.] *S. m.* Curral de ovelhas; aprisco, oviário.

ovino. [Do lat. *ove*, 'ovelha', + *-ino*[1].]. *Adj.* **1.** V. *ovelhum*: *gado ovino*; "De sorte que cada habitante de Lisboa recebe. no seu estômago, desprezadas as frações milésimas, de carne limpa das reses da espécie bovina, caprina e *ovina*, adultas e adolescentes, etc., etc., — quilo e meio!" (Ramalho Ortigão, *As Farpas*, VI, p. 6.) ● *S. m.* **2.** Exemplar de gado ovelhum: *Possui milhares de ovinos.*

ovinocultor (ô). [De *ovino* (2) + *cultor*.] *S. m.* Criador de ovelhas.

ovinocultura. [De *ovino* (2) + *cultura*.] *S. f.* Criação de ovelhas.

oviparidade. *S. f.* Qualidade de ovíparo; oviparismo.

oviparismo. *S. m.* Oviparidade.

ovíparo. [Do lat. *oviparu*.] *Adj.* e *s. m.* Diz-se de, ou animal que põe ovos, que se reproduz por meio de ovos. [Cf. *vivíparo*.]

ovipositor (ô). [De *ov(i)-* + lat. *positu*, part. pass. de *ponere*, 'pôr', + *-or*.] *S. m. Zool.* Tubo ou estrutura final do oviduto dos animais por onde são eliminados os ovos nas fêmeas. [Var.: *ovopositor*.]

ovissaco. [De *ov(i)-* + *saco*.] *S. m.* **1.** *Zool.* Formação serosa do ovário, que contém o óvulo. **2.** *Anat.* Vesícula de Graaf.

ovívoro. [De *ov(i)-* + *-voro*.] *Adj.* Que se nutre de ovos.

óvni. [Acrôn. de *objeto voador não identificado*.] *S. m.* Designação geral de objetos voadores não identificados, empregada habitualmente para hipotéticos engenhos voadores de origem extraterrestre; ufo.

ovniologia. [De *óvni* + *-o-* + *-log(o)-* + *-ia*.] *S. f.* Ciência, estudo ou tratado acerca dos óvnis; ufologia.

ovniológico. *Adj.* Pertencente ou relativo aos óvnis; ufológico.

ovniologista. *S. 2 g.* Pessoa versada em ovniologia; ovniólogo, ufologista, ufólogo.

ovniólogo. *S. m.* V. *ovniologista*.

ovniomania. [De *óvni* + *-o-* + *-mania*.] *S. f.* Gosto ou interesse exagerado pelos óvnis; ufomania.

ovnionauta. [De *óvni-* + *-o-* + *nauta*.] *S. 2 g.* Suposto tripulante de um óvni; ufonauta.

▲**ovo-.** Equiv. de *ov(i)-*.

ovo (ô). [Do lat. *ovu*.] *S. m.* **1.** *Anat.* Célula resultante da fecundação de óvulo por espermatozóide. **2.** *Restr.* Ovo de aves: *comer ovos; ovos fritos.* ~ V. *ovos*. [Pl.: *ovos* (ó). Dim. irreg.: *óvulo*. Cf. *ovo*, do v. *ovar*.] ♦ **Ovo cósmico.** *Astr.* Expressão criada pelo astrônomo belga Georges Lemaître (1894-1967) para designar o conjunto de matéria altamente compacto que teria dado origem ao Universo; átomo primordial. **Ovo de Colombo.** Coisa fácil de realizar, mas na qual não se pensou antes de a ver posta em prática por outrem. **Ovo de Páscoa. 1.** Bombom oviforme, de chocolate, marzipã, etc., que se vende na época da Páscoa. **2.** Casca de ovo esvaziada, artisticamente trabalhada com pintura e/ou colagem, imitando cabeça. **Ovos moles.** Doce (12) feito de gemas de ovos e calda de açúcar. **Balançar o ovo de.** *Bras., AL. Chulo.* V. *bajular*. **Cheio como um ovo.** Cheio que nem ovo. **Cheio que nem ovo. 1.** Muito rico. **2.** Muito cheio; repleto: *A casa estava cheinha de gente, cheia que nem ovo.* [Tb. se diz *cheio como um ovo*.] **Chupar o ovo de.** *Bras., AL. Chulo.* V. *bajular*. **Contar com o ovo na bunda da galinha.** *Bras. Chulo.* Fazer planos com base em coisa incerta; contar com o ovo no cu da galinha. **Contar com o ovo no cu da galinha.** *Bras. Chulo.* Contar com o ovo na bunda da galinha. **De ovo virado.** *Bras. Fam.* De mau humor; mal-humorado. **De pocar o ovo.** *Bras., N.E. Chulo.* **1.** Extraordinário, admirável; do outro mundo: *uma morena de pocar o ovo.* **2.** Dos diabos; de todos os diabos: *Que azar! essa foi uma de pocar o ovo.* **Fazer ovo.** Fazer mistério em torno de algum fato; escondê-lo. **No ovo.** *Bras. Fig.* Em embrião; no germe, no princípio, na origem, no começo, no início: *O movimento político malogrou no ovo; Todo aquele plano ficou no ovo.* **Pisar em ovos.** Conduzir-se com cautela, diplomacia, habilidade, por tratar-se de situação delicada e/ou constrangedora. **Ser um ovo.** Ser muito pequeno, ou muito estreito, ou pouco cômodo: *Comprou um apartamento que é um ovo.* **Um ovo por um real.** Coisa muitíssimo barata.

ovocélula. [De *ovo-* + *célula*.] *S. f. Bot.* Oosfera.

ovo-de-galo. *S. m. Bras., S.* Erva escandente, da família das solanáceas (*Salpichroa rhomboidea*), de bagas ovóides, vermelhas e polispermas, folhas ovadas, e flores solitárias, alvas e tubulosas. [Pl.: *ovos-de-galo*.]

ovo-de-peru. *S. m. Bras.* V. *sarda*[2]. [Pl.: *ovos-de-peru*.]

ovo-de-pombo. *S. m. Bras.* Quartzo hialino rolado, satélite do diamante. [Pl.: *ovos-de-pombo*.]

ovo-de-sapo. *S. m. Bras., RS.* Aglomeração de glóbulos cor-de-rosa, ovos de uma variedade de caracol, que se encontram aderidos às folhas das plantas aquáticas ou às pedras à beira da água, e que encerram um líquido transparente. [Pl.: *ovos-de-sapo*.]

ovóide. [De *ovo-* + *-óide*.] *Adj. 2 g.* **1.** V. *oval* (1). **2.** *Morfol. Veg.* Em forma de ovo (diz-se de órgãos ou partes maciças): *semente ovóide*. ~ V. *curva* —.

ovologia. [De *ovo-* + *-log(o)-* + *-ia*.] *S. f.* V. *oologia*.

ovológico. *Adj.* V. *oológico*.

ovopositor (ô). *S. m. Zool.* V. *ovipositor*.

ovos. [Pl. de *ovo*.] *S. m. pl. Chulo.* Os testículos. ~ V. *ovo*.

ovovivíparo. [De *ovo-* + *vivíparo*.] *Adj.* e *s. m. Zool.* Diz-se de, ou animal cujo ovo é incubado no interior do organismo materno, sem se nutrir à custa desse organismo.

ovulação. [De *óvulo*, pressupondo-se um v. **ovular*, + *-ção*.] *S. f. Biol.* Desprendimento do óvulo maduro da vesícula de Graaf.

ovulado. [De *óvulo* + *-ado*[1].] *Adj.* **1.** Que tem óvulo(s). **2.** *Morf. Veg.* Provido de óvulos. [Us. com prefixos indicativos de número: *uniovulado, biovulado*, etc.]

ovular. [De *óvulo* + *-ar*[1].] *Adj. 2 g.* **1.** Relativo ou pertencente a óvulo: *tegumento ovular.* **2.** Semelhante a um ovo de galinha. [Cf. *uvular*.]

ovuliforme. [De *óvulo* + *-i-* + *-forme*.] *Adj. 2 g.* Que tem forma de óvulo. [Cf. *uvuliforme*.]

óvulo. [De *ovo* + *-ulo*.] *S. m.* **1.** Pequeno ovo (1). **2.** *Biol.* Célula sexual feminina, formada no ovário. **3.** *Morfol. Veg.* Corpúsculo encontrado no interior do ovário das flores, dentro do qual se acha a célula sexual feminina, ou oosfera. Fecundada esta, o óvulo cresce e forma a semente.

oxácido (cs). [De *ox(igênio)* + *ácido*.] *S. m. Quím.* Oxiácido.

oxaguiã. [Do ioruba.] *S. m. Bras., BA.* Oxalá moço, que se apresenta alegre, ligeiro, empunhando um pilão de metal branco.

Oxalá[1]. *S. m. Bras., BA.* V. *Orixalá*.

oxalá[2]. [Do ár. *wa xã illãh*, 'e queira Deus'.] *Interj.* Tomara; queira Deus; prouvera a Deus: *Oxalá cesse um dia a miséria do mundo!*

oxalato (cs). [De *oxal*, f. abrev. de *oxálico*, + *-ato*[2].] *S. m. Quím.* Qualquer sal do ácido oxálico.

oxálico (cs). [Do gr. *oxalís*, 'azedo', + *-ico*[2].] *Adj.* ~ V. *ácido* —.

oxalidácea (cs). *S. f.* Espécime das oxalidáceas; oxalídea.

oxalidáceas (cs). *S. f. pl. Bot.* Família de plantas superiores, da ordem das geraniales, composta de pequenas ervas de folhas compostas, flores diclamídeas com 10 estames, sendo o fruto uma cápsula ou baga às vezes grande. Engloba umas 800 espécies tropicais, muitas brasileiras. A caramboleira, embora árvore, classifica-se nesta família. [Sin.: *oxalídeas*.]

oxalidáceo (cs). *Adj.* Pertencente ou relativo às oxalidáceas; oxalídeo.

oxalídea (cs). *S. f.* Oxalidácea.

oxalídeas (cs). *S. f. pl. Bot.* Oxalidáceas.

oxalídeo (cs). *Adj.* Oxalidáceo.

oxalufã. [Do ioruba.] *S. m. Bras., BA.* Oxalá velho, que se apresenta arrastando os pés, o corpo caído, apoiando-se num cajado.

oxaluria (cs). *S. f. Patol.* Oxalúria.

oxalúria (cs). [De *oxal(ato)* + *-ur(o)-*[2] + *-ia*.] *S. f. Patol.* Presença de oxalatos na urina. [Var. pros.: *oxaluria*.]

oxalúrico (cs). *Adj.* **1.** Relativo à, ou que sofre de oxalúria. ● *S. m.* **2.** Aquele que sofre de oxalúria.

oxe (ô). *Interj.* F. red. de *oxente* [q. v.].

oxente. [F. aglutinada da expr. *ó gente*, com sonorização do *g*.] *Interj. Bras., N.E. Pop.* Exprime espanto, surpresa ou desdém: "— *Oxente*, mulher! / Tu estás pensando que compadre / Cazuza é pinto?!" (Ascenso Ferreira. *Catimbó e Outros Poemas*, p. 152.) [F. red.: *oxe*.]

oxfordiano (cs). *Adj.* **1.** De, ou pertencente ou relativo à cidade ou à Universidade de Oxford (Grã-Bretanha). ●

S. m. **2.** O natural ou habitante de Oxford. **3.** Estudante ou ex-estudante da Universidade de Oxford. [Sin. ger.: *oxoniano* (q.v.).]

▲oxi- (cs). [Do gr. *oxýs, eîa, ý.*] *El. comp.* = 'ácido', 'agudo': *oxigênio, oximetria, oxiopsia.*

oxiácido (cs). [De *oxi-* + *ácido.*] *S. m. Quím.* Qualquer ácido inorgânico que contém pelo menos um oxigênio em sua molécula; oxácido.

oxibrácteo (cs). [De *oxi-* + *brácteo.*] *Adj. Bot.* Que tem brácteas agudas.

oxibrometo (cs ... ê). *S. m. Quím.* Designação genérica de compostos que contêm bromo e oxigênio.

oxicedro (cs). [Do gr. *oxykedros*, pelo lat. *oxycedros.*] *S. m.* Arvoreta ou arbusto copado, da família das pináceas (*Juniperus oxycedrus*); nativo na região mediterrânea, de folhas aromáticas, lineares, terminando em ponta acerada, e fruto esférico.

oxicefalia (cs). [De *oxi-* + *-cefal(o)-* + *-ia.*] *S. f. Antrop.* Conformação da cabeça em que esta se apresenta com o ápice pontudo, com índice vertical acima de 77; acrocefalia.

oxicefálico (cs). *Adj.* Relativo à oxicefalia; acrocefálico.

oxicéfalo (cs). *Adj.* e *s. m.* Diz-se de, ou indivíduo que tem oxicefalia; acrocéfalo.

oxicloreto (cs ... ê). *S. f. Quím.* Designação genérica de compostos que contêm cloro e oxigênio.

oxicrato (cs). [Do gr. *oxykraton.*] *S. m.* Bebida de vinagre e água, que serve para acalmar e amenizar a transpiração.

oxidabilidade (cs). *S. f.* Qualidade de oxidável.

oxidação (cs). *S. f.* **1.** Ato ou efeito de oxidar(-se); oxigenação. **2.** Fixação de oxigênio em um corpo. **3.** *Quím.* Processo em que ocorre o aumento do número de cargas positivas de um íon. **4.** *Quím.* Processo de combinação de uma substância com o oxigênio. **5.** *Restr.* Criação de ferrugem.

oxidante (cs). *Adj. 2 g.* **1.** Que tem a propriedade de oxidar. ● *S. m.* **2.** Substância que produz oxidação.

oxidar (cs). [De *óxido* + *-ar*[2].] *V. t. d.* **1.** *Quím.* Aumentar o número de oxidação de (um íon). **2.** *Quím.* Combinar com oxigênio. *P.* **3.** Sofrer oxidação (4): "Apenas escaparam ao incendiário alguns capítulos em dois canhenhos, cuja letra miúda a custo se distingue no borrão de que a tinta, *o x i d a n d o - s e* com o tempo, saturou o papel." (José de Alencar, *O Guarani*, I, p. 66.) **4.** Enferrujar (4): *A lâmina de aço o x i d o u - s e rapidamente.* [Pres. ind.: *oxido*, etc. Cf. *óxido.*]

oxidase (cs). [De *óxido* + *-ase*[2].] *S. f.* Diástase capaz de fixar o oxigênio do ar sobre certas substâncias oxidáveis.

oxidável (cs). *Adj. 2 g.* Que se pode oxidar.

óxido (cs). [De *oxi-* + *-ido.*] *S. m. Quím.* Composto binário de oxigênio e outro elemento. [Cf. *oxido*, do v. *oxidar.*] ~ V. *éter* —. ◆ **Óxido básico.** *Quím.* Óxido metálico que tem caráter básico. **Óxido cúprico.** *Quím.* Aquele em que o cobre figura com a menor valência. **Óxido pulga.** *Quím.* O dióxido de chumbo. **Óxido salino.** *Quím.* O que é, ao mesmo tempo, óxido e sal.

oxidrila (cs). [De *ox(igênio)* + *(h)idr(ogênio)* + *-ila.*] *S. f. Quím.* Hidroxila.

oxidulado (cs). [De *óxido* + *-ulo-* + *-ado*[1].] *Adj.* Levemente oxidado.

oxigenação (cs). *S. f.* **1.** Ato ou efeito de oxigenar(-se). **2.** *Anest.* e *Med.* Ato ou efeito de oxigenar (3). **3.** Oxidação (1).

oxigenado (cs). [Part. de *oxigenar.*] *Adj.* **1.** Combinado com oxigênio. **2.** Que sofreu a ação da água oxigenada: *cabelos o x i g e n a d o s.* ~ V. *água* —*a.*

oxigenar (cs). *V. t. d.* **1.** *Quím.* Tratar (uma substância) pelo oxigênio e fixá-lo em sua molécula. **2.** *Fig.* Fortalecer, avigorar. **3.** *Anest.* e *Med.* Administrar oxigênio a (um paciente), mediante equipamento apropriado. *P.* **4.** Combinar-se com o oxigênio.

oxigênio (cs). [De *oxi-* + *-gen(o)-*[1] + *-io*[2].] *S. m. Quím.* Elemento de número atômico 8, gasoso na temperatura ambiente, incolor, inodoro, insípido, com atividade química bastante grande, indispensável à vida. [Simb.: *O.* Fórm.: O_2.]

oxigenoterapia (cs). [De *oxigênio* + *terapia.*] *S. f.* Tratamento que tem como agente o oxigênio; terapêutica pelo oxigênio.

oxigenoterápico (cs). *Adj.* Relativo à oxigenoterapia.

oxigeusia (cs). [De *oxi-* + gr. *geûsis*, 'gosto', + *-ia.*] *S. f.* Desenvolvimento excessivo do sentido do gosto.

oxígono (cs). [Do gr. *oxygonos.*] *Adj.* **1.** *Geom.* Acutângulo. **2.** *Zool.* Anguloso (falando-se de conchas).

oxílito (cs). [De *oxi-* + *-lito.*] *S. m. Quím.* Substância constituída por peróxido de sódio, e de cuja decomposição pela água provém oxigênio.

oximel (cs). [Do gr. *oxymeli*, pelo lat. *oxymele.*] *S. m.* Bebida que é uma mistura de vinagre, água e mel. [Pl.: *oximéis.*]

oximetria (cs). [De *oxi-* + *metr(o)-*[2] + *-ia.*] *S. f. Med.* Determinação do grau de saturação de oxigênio no sangue.

oximétrico (cs). *Adj.* Relativo à oximetria.

oxímetro (cs). [De *oxi-* + *-metro.*] *S. m.* Instrumento com que se faz a oximetria.

oxímoro (cs...ô). [Var. de *oximóron* < gr. *oxymóron.*] *S. m. Ret.* Figura que consiste em reunir palavras contraditórias; paradoxismo. Ex.: *silêncio eloqüente*; "covarde valentia" (Almeida Garret, *Frei Luís de Sousa*, p. 47); "valentia covarde" (Antônio Feliciano de Castilho, *Amor e Melancolia*, p. 315); "inocente culpa" (Cecília Meireles, *Obra Poética*, p. 487).

oximóron (cs). *S. m. Ret.* V. *oxímoro.*

oxiopia (cs). [Do gr. *oxyopía.*] *S. f. Med.* Vista muito aguda, penetrante; faculdade de ver a grande distância; oxiopsia.

oxiópico (cs). *Adj.* Relativo à oxiopia.

oxiopsia (cs). [De *oxi-* + *-op(s)(e)-* + *-ia.*] *S. f. Med.* Oxiopia.

oxirranfídeo (cs). *S. m.* e *adj.* Oxiruncídeo.

oxirranfídeos (cs). *S. m. pl. Zool.* Oxiruncídeos.

oxirredução (cs). *S. f. Quím.* Fenômeno, ou equipamento, em que ocorrem, simultaneamente, reações de oxidação e reações de redução.

oxirrinco (cs). *Adj.* Diz-se dos caranguejos cuja carapaça se estreita para adiante, formando um rostro mais ou menos acentuado.

oxiruncídeo (cs). *S. m.* **1.** Espécime dos oxiruncídeos. ● *Adj.* **2.** Pertencente ou relativo a eles. [Sin. ger.: *oxirranfídeo.*]

oxiruncídeos (cs). *S. m. pl. Zool.* Aves passeriformes, da família *Oxyruncidae*, representadas no Brasil por uma só espécie. Diferem dos tiranídeos por terem o bico reto e o bordo denteado na primeira rêmige da mão. São insetívoros. [Sin.: *oxirranfídeos.*]

oxitócico (cs). *Adj. Med.* Diz-se de agente que acelera o parto.

oxitonia (cs). *S. f. Gram.* Qualidade de oxítono.

oxítono (cs). [Do gr. *oxytonos.*] *Adj. Gram.* **1.** Diz-se de vocábulo que tem o acento na última sílaba: café, jacarandá, maçom, português. [Sin., desus.: *agudo.*] ● *S. m.* **2.** Vocábulo oxítono.

oxiúrico (cs). *Adj.* Relativo ou pertencente ao oxiúro.

oxiúro (cs). [De *oxi-* + *-uro.*] *S. m.* Animal asquelminto, nematódeo, da família dos oxiurídeos, cujas fêmeas, de cauda muito afilada, dando a idéia de um chicote, são muito maiores que os machos. Os machos da espécie *Enterobius vermicularis* (L.), parasita do intestino grosso do homem, medem até 5mm, e as fêmeas até 12 mm. Os ovos têm casca espessa e lisa, são postos nas margens do ânus, o que ocasiona intenso prurido, e medem de 50 a 60 por 15 a 32 micra.

oxiurose (csi-u). [De *oxiúro* + *-ose.*] *S. f. Patol.* Infecção produzida pela presença de oxiúros no aparelho digestivo.

Oxolofã. *S. m. Bras.* Representação de orixalá moço.

oxoniano (cs). [Do top. *Oxinia*, nome de *Oxford* em lat. medieval, + *-iano.*] *Adj.* e *s. m.* Oxfordiano.

Oxóssi. [Do ioruba.] *S. m. Bras.* Orixá dos caçadores, representado nas macumbas por um arco atravessado de flecha.

Oxum. [Do ioruba.]. *S. m. Bras.* Orixá das águas, deusa do rio Oxum, na África; Oloxum.

Oxum-abalô. [Do ioruba.] *S. m. Bras., BA.* Representação simbólica de Oxum quando brinca com leque. [Pl.: *oxuns-abalôs.*]

Oxum-apará. [Do ioruba.] *S. m. Bras., BA.* Representação simbólica de Oxum quando brinca com espada. [Pl.: *oxuns-aparás.*]

Oxumarê. [Do ioruba.] *S. m. Bras. Folcl.* Orixá do arco-íris, o que liga o céu à terra, e que é representado por uma serpente de duas cabeças.

ozena. [Do gr. *ózaina*, pelo lat. *ozaena.*] *S. f. Patol.* Rinite atrófica acompanhada de mau cheiro. [Cf. *onzena.*]

ozênico. [Do gr. *ozainikós.*] *Adj.* Relativo à ozena.

ozenoso (ô). *Adj.* e *s. m.* Diz-se de; ou aquele que sofre de ozena.

▲ozo-. [Do gr. *ózo.*] *El. comp.* = 'cheiro', 'aroma': *ozocerite, ozostomia.*

ozocerite. [De *ozo-* + *cera* + *-ite*[2].] *S. f.* Cera fóssil, ou parafina natural, que é uma mistura de hidrocarbonetos, amarela, lamelar ou fibrosa.

ozocrocia. [De *ozo-* + gr. *krokís*, 'penugem', + *-ia.*] *S. f.* Cheiro forte da pele.

ozonado. [De *ozônio* + *-ado*[1].] *Adj.* Ozonizado.

ozone. *S. m. Quím.* Ozônio.

ozonide. [Do ingl. *ozonide.*] *S. m. Quím.* Designação comum a produtos de adição do ozônio com substâncias providas de dupla ligação.

ozônio. [De *ozo-* + *-ônio.*] *S. m. Quím.* Gás azul pálido, muito oxidante e reativo, que é uma variedade alotrópica do oxigênio. [F. paral.: *ozone.* Fórm.: O_3.]

ozonização. *S. f.* Ato ou efeito de ozonizar; combinação ou tratamento de um corpo com o ozônio.

ozonizado. [Part. de *ozonizar.*] *Adj.* **1.** Combinado com o ozônio. **2.** Tratado por ozônio. [Sin. ger.: *ozonado.*]

ozonizador (ô). *Adj.* **1.** Que produz ozônio. ● *S. m.* **2.** Aparelho ozonizador.

ozonizar. [De *ozônio* + *-izar.*] *V. t. d.* **1.** Combinar com o ozônio. **2.** Tratar pelo ozônio.

ozonometria. [Por *ozoniometria* < *ozônio* + *-metr(o)-*[2] + *-ia.*] *S. f.* Aplicação do ozonômetro.

ozonométrico. *Adj.* Concernente à ozonometria [q. v.].

ozonômetro. [Por *ozoniômetro* < *ozônio* + *-metro.*] *S. m.* Aparelho com que se mede o ozônio contido num gás ou no ar atmosférico.

ozonoscópico. [Por *ozonioscópico* < *ozônio* + *-scop-* + *-ico*[2].] *Adj.* Que serve para mostrar a presença do ozônio.

ozonosfera. [De *ozôn(io)* + *-sfera.*] *S. f. Met.* Camada da atmosfera terrestre situada entre as altitudes de 12 a 50 km, e na qual existe uma concentração de ozônio relativamente elevada.

ozostomia. [De *ozo-* + *-stom(o)-* + *-ia.*] *S. f.* Halitose [q. v.].

ozostômico. [De *ozo-* + *-stom(o)-* + *-ico*[2].] *Adj.* Referente à ozostomia.

P

p. *S. m.* **1.** A 15ª letra do nosso alfabeto. [V. *alfabeto fonético internacional*.] **2.** *Fís.* Símb. de *poise*. **3.** *Quím.* Símb. de *fósforo*. **4.** *Símb.* de *pico-* [q. v.]. **5.** *Fís. Nucl.* Símb. de *próton*. **6.** Símb. de *peta-* [q. v.]. **7.** *Mús.* Abrev. de *piano*[2] (1). ● *Num.* **8.** O décimo quinto, numa série indicada pelas letras do alfabeto: *estante P* (ou *estante p*). [Cf. *pê*. Com maiúscula, nas acepç. 2, 3, 6 e 7.]

■ **Pa. 1.** *Fís.* Símb. de *pascal*[2]. **2.** *Quím.* Símb. de *protactínio*.

■ **PA.** Sigla do Estado do Pará.

■ **P.A.** *Quím.* Sigla de *pró-análise*.

pá[1]. [Do lat. *pala*.] *S. f.* **1.** Instrumento largo e chato, de madeira, ferro, etc., com rebordos laterais e provido de um cabo, usado em trabalhos agrícolas, de construção e outros, para cavar o solo, ou remover terra, areia, carvão, lixo, etc. **2.** Qualquer objeto relativamente largo e achatado ao qual se prende uma haste mais ou menos longa: *a pá de um moinho, de um ventilador, de um remo*. **3.** A parte mais larga e carnuda da perna das reses. [Var. (bras., nesta acepç.): *apá*.] **4.** *Bras. Gír.* Grande quantidade: *uma pá de gente; uma pá de livros*. **5.** *Constr. Nav.* Cada um dos lobos achatados, mais ou menos alongados e retorcidos, presos ao cubo[1] (5) do hélice, e que dão impulsão quando este gira. [Atualmente os hélices costumam ter três pás; mas houve os de duas até seis pás.] [Pl.: *pás*. Cf. *Paz*, mit. e antr.] ◆ **Pá direita.** Pá apropriada para cavar ou lavrar terra. **Pá mecânica.** Máquina de terraplenagem, utilizada em escavações, dotada de motor que aciona uma caçamba e permite o deslocamento da máquina sobre rodas ou esteiras. **Da pá virada.** *Bras. Fam.* De procedimento violento, impetuoso e/ou duvidoso sob o aspecto moral: "Por ser da pá virada, foi remetida à madrinha, de modo a perder as sapequices" (José Cândido de Carvalho, *O Coronel e o Lobisomem*, p. 84). [Sin., no CE: *pá-virada*.] **Pôr uma pá de cal sobre.** Dar por encerrado; deixar de falar a respeito de.

pá[2]. [Voc. onom.] *Interj.* Exprime o baque de um corpo, ou choque de corpos.

pã. [Do gr. *Pán, Panós*, pelo lat. *Pan, Panos*.] *S. m.* **1.** Divindade greco-latina que os pastores adoravam. **2.** Símbolo mitológico da Natureza.

pabola. [De *pábulo*.] *Adj. 2 g.* e *s. 2 g.* **1.** *Bras., CE. Fam.* V. *fanfarrão*. **2.** V. *mentiroso* (1 e 4).

pabulagem. [De *pábulo* + *-agem*[2].] *S. f.* **1.** *Bras.* Orgulho vão; empáfia, fatuidade. **2.** V. *fanfarrice*. **3.** Embuste, impostura. [Var.: *pavulagem*.]

pabular. *Bras. Int.* e *p.* **1.** Dar mostras de pábulo (3); contar grandezas; fanfarronar; pacholar. **2.** Desdenhar com superioridade; gabar-se, vangloriar-se, pacholar. *T. d.* **3.** Ostentar, blasonar, fanfarronar: *pabular vantagens*. [Pres. ind.: *pabulo*, etc. Cf. *pábulo*.]

pábulo. [Do lat. *pabulu*.] *S. m.* **1.** Pasto; sustento: "Sob o pudor da morte os membros seus inermes / Têm de ser fatalmente o pábulo dos vermes / Frios e roedores..." (Raimundo Correia, *Poesias*, p. 179.) **2.** *Fig.* Aquilo que serve de motivo ou assunto a motejo ou a maledicência. **3.** *Bras.* Indivíduo presumido; gabarola, gabola, fátuo, V. *fanfarrão* (2). ● *Adj.* **4.** Presumido, gabarola, gabola, fátuo. V. *fanfarrão* (1). [Cf. *pabulo*, do v. *pabular*.]

paca[1]. [Do b.-lat. *paccu*, pelo neerl. médio *packe*, atr. do fr. ant. *pacque*.] *S. f. Desus.* Fardo, pacote.

paca[2]. [Do tupi *paka*, 'desperta, vigilante, sempre atenta'.] *S. f.* **1.** *Bras.* Mamífero roedor, da família dos cuniculídeos (*Cuniculus paca* (L.)), distribuído por quase toda a região cisandina, de dorso escuro e lustroso, lados do corpo com três a cinco listras longitudinais irregulares, brancas, ventre branco e cauda reduzida a um tubérculo nu. Vive sempre perto da água, onde busca refúgio quando perseguido. Adulto, pesa 10 kg; é apreciado para a caça esportiva. [Masc.: *pacuçu*.] **2.** Iguaria feita com paca (1). ● *S. m.* **3.** V. *tolo* (8). **4.** Pederasta passivo. ● *Adj.* **5.** V. *tolo* (1 a 3). **6.** Inexperiente, bisonho.

paca[3]. [De *pa(ra) ca(ralho)*.] *Adv. Bras. Chulo.* V. *pra caralho*: *Na festa havia gente paca; A pequena é bonita paca*; "— Ele [o cabelo] era comprido paca, me batia aqui no ombro" (Vanda Fabian, *Zé Canarinho*, p. 29). [Var.: *pacas*.]

pacaá. *Bras. S. 2 g.* **1.** Indivíduo dos pacaás, tribo indígena que habita as cabeceiras do rio Juruena (MT). ● *Adj. 2 g.* **2.** Pertencente ou relativo a essa tribo.

pacacidade. *S. f. Desus.* Pacatez.

pacaembuense. *Adj. 2 g.* **1.** De, ou pertencente ou relativo a Pacaembu (SP). ● *S. 2 g.* **2.** Natural ou habitante de Pacaembu.

pacaguara. *Bras. S. 2 g.* **1.** Indivíduo dos pacaguaras, tribo indígena que habita o alto rio Madeira (RO). ● *Adj. 2 g.* **2.** Pertencente ou relativo a essa tribo. [Sin.: *pacavara*.]

pacaia. *Adj.* e *s. m. Bras., N.* e *N.E. Pop.* Diz-se de, ou cigarro ou charuto ordinário; pacaio.

pacaiá. *Bras. S. 2 g.* **1.** Indivíduo dos pacaiás, tribo indígena que habitava as margens do rio Pacajá (MT), estendendo-se até o Xingu. ● *Adj. 2 g.* **2.** Pertencente ou relativo a essa tribo. [Var.: *pacajá*.]

pacaio. *Adj.* e *s. m. Bras., N.* e *N.E. Pop.* Pacaia.

pacajá. *Bras. S. 2 g.* e *adj. 2 g.* Var. de *pacaiá*.

pacajudéu. *Bras. S. 2 g.* e *adj. 2 g.* Pacaxodéu.

pacalho. *El. s. m. Bras. Gír.* Us. na loc. verb. *virar pacalho*. ◆ **Virar pacalho.** *Bras. Gír.* Virar ou terminar em nada; perder-se.

pacamã. *S. m. Bras.* V. *pacamão* (1).

pacamão. [Do tupi *paka'mu*.] *S. m. Bras.* **1.** Peixe teleósteo, siluriforme, da família dos pimelodídeos (*Lophiosilurus alexandri* Steind.), do rio São Francisco, de coloração cinza-escura, corpo muito deprimido, mais largo na altura das nadadeiras peitorais, fortemente afilado para trás, mole, e com barbilhões curtos. Comprimento: até 48 cm. [Var. e sin.: *pacamã, apacamã, pacumã, bagre-sapo, peixe-sapo, piracururu*.] **2.** V. *bagre-sapo* (4).

pacamão-miri. [De *pacamão* + tupi *mi'ri*, 'pequeno'.] *S. m. Bras.* Moreiatim. [Pl.: *pacamões-miris*.]

pacanaua. *Bras. S. 2 g.* **1.** Indivíduo dos pacanauas, tribo indígena pano, habitante das cabeceiras do Envira, afluente do Tarauacá (AC). ● *Adj. 2 g.* **2.** Pertencente ou relativo a essa tribo.

pacapeua. [Do tupi *paka'pewa*.] *S. f. Bras., Amaz.* Árvore da família das leguminosas (*Swartzia racemosa*), habitante das matas inundadas, de folhas simples e acuminadas, flores com uma pétala orbicular de 1 a 1,5cm de diâmetro e dispostas em racemos multifloros, casca tanífera, e cuja madeira dá boa lenha.

pacapiá. *S. f. Bras.* V. *fava-de-santo-inácio-falsa*.

pacará. [Do tupi *paka'ra*.] *S. m. Bras., Amaz.* Cesta redonda, de várias cores, tecida de palha de palmeira.

pacarana. [De *paca*[2] + *-rana*.] *S. f. Bras.* Mamífero roedor, da família dos dinomídeos (*Dinomys branckii* Pet.), conhecido na região do rio Juruá e no Peru, Equador e Colômbia. Muito parecido à paca, tem cauda curta, vibrissas nasais muito longas, e listras brancas do corpo maiores e mais destacadas que as daquela.

pacari. *S. m. Bras.* Árvore da família das litráceas (*Lafoensia densiflora*), comum nos cerrados, de folhas coriáceas com uma glândula no ápice, flores grandes, citrinas e com longos estames, e cujos frutos são cápsulas.

pacari-da-mata. *S. m. Bras.* V. *dedal* (3). [Pl.: *pacaris-da-mata*.]

pacari-selvagem. *S. m. Bras.* V. *dedal* (3). [Pl.: *pacaris-selvagens*.]

pacas. [Var. de *paca*[3].] *Adv. Bras. Chulo.* V. *pra caralho*.

pacatez (ê). *S. f.* Qualidade ou estado de pacato. [Sin., desus.: *pacacidade*.]

pacato. [Do lat. *pacatu*, 'pacificado'.] *Adj.* **1.** Que é amigo de paz; pacífico, sossegado, tranqüilo. **2.** Próprio de quem é pacato (1): *homem de hábitos pacatos; vida pacata*. **3.** Em que há paz, tranqüilidade; tranqüilo, sereno, sossegado: "Realmente o Dr. Mata Filho havia chegado pondo em rebuliço a pacata cidade" (Cornélio Pires, *Quem Conta um Conto...*, p. 203). ● *S. m.* **4.** Indivíduo pacato.

pacatubano. *Adj.* **1.** De, ou pertencente ou relativo a Pacatuba (CE). ● *S. m.* **2.** O natural ou habitante de Pacatuba.

pacatubense. *Adj. 2 g.* **1.** De, ou pertencente ou relativo a Pacatuba (SE). ● *S. 2 g.* **2.** Natural ou habitante de Pacatuba.

pacau. [Alter. de *macau*, talvez.] *S. m. Bras.* **1.** Antigo jogo de cartas. **2.** Certo jogo de cartas hoje usado na fronteira gaúcha. **3.** Indivíduo a quem falta um dedo. ◆ **Bater o pacau.** *Bras., S. Pop.* V. *morrer* (1).

pacavara. *Bras. S. 2 g.* e *adj. 2 g.* Pacaguara.

pacavira. [Alter. de *pacoveira*.] *S. f. Bras.* Grande erva ornamental, da família das musáceas (*Heliconia pendula*), própria do interior das matas sombrias e úmidas, de folhas muito grandes e inflorescências vermelhas e multifloras; paquevira.

pacaxodéu. *Bras. S. 2 g.* **1.** Indivíduo dos pacaxodéus, tribo indígena de MT. ● *Adj. 2 g.* **2.** Pertencente ou relativo a essa tribo. [F. paral.: *pacajudéu*.]

pacé. *Bras. S. 2 g.* **1.** Indivíduo dos pacés, tribo extinta do alto Amazonas. ● *Adj. 2 g.* **2.** Pertencente ou relativo a essa tribo.

paceiro. [De *paço* + *-eiro*.] *Adj.* e *s. m.* Que ou aquele que freqüenta o paço do rei; cortesão, palaciano. [Cf. *passeiro*.]

pacejar. [De *paço* + *-ejar*.] *V. int. Ant.* Gracejar, motejar. [Conjug.: v. *pelejar*.]

pacenho. [Do esp. *paceño*.] *Adj.* **1.** De, ou pertencente ou relativo a La Paz, capital da Bolívia. ● *S. m.* **2.** O natural ou habitante de La Paz.

pachecada. [Do antr. *Pacheco* (v. *pachecal*) + *-ada*[1].] *S. f.* V. *pachequice.*

pachecal. [Do antr. *Pacheco* + *-al.*] *Adj. 2 g.* Semelhante a, ou próprio de Pacheco, tipo de figurão ridículo, que aparece em uma das cartas de *A Correspondência de Fradique Mendes*, de Eça de Queirós [v. *eciano*].

pachequice. [Do antr. *Pacheco* (v. *pachecal*) + *-ice.*] *S. f.* Atitude, modos, traços quaisquer de mediocridade que fazem lembrar Pacheco; pachequismo, pachecada.

pachequismo. [Do antr. *Pacheco* (v. *pachecal*) + *-ismo.*] *S. m.* V. *pachequice.*

pacho. *S. m. Pop.* V. *parche.*

pachola. [De um ant. *pajola* < *pajem?*] *S. m.* **1.** Madraço, mandrião. **2.** Farsola, farsante; patusco. **3.** Indivíduo pedante, cheio de si. **4.** Indivíduo de elegância duvidosa. **5.** Homem femeeiro, mulherengo. ● *Adj. 2 g.* **6.** *Bras.* Cheio de si; orgulhoso, vaidoso; gabola. **7.** Pretensiosamente apurado no trajar.

pacholar. *V. int.* **1.** Viver como pachola, bem vestido e a divertir-se. **2.** *Bras.* V. *pabular* (1 e 2). *P.* **3.** *Bras.* V. *pabular* (1 e 2).

pacholice. *S. f. Bras.* Qualidade, ato ou dito de pachola; pacholismo.

pacholismo. *S. m. Bras.* Pacholice.

pachorra (ô). [De um rad. *pach*, 'gordura', 'pesadume', + *-orra?*] *S. f.* **1.** Falta de pressa; vagar, lentidão, fleuma. **2.** Paciência (4).

pachorrento. *Adj.* **1.** Dotado de pachorra. **2.** Feito com pachorra. **3.** Que revela pachorra: *andar pachorrento.*

pachouchada. *S. f.* **1.** Dito disparatado; tolice, asneira. **2.** V. *palavrão* (1). **3.** *Teat. Gír.* Mau espetáculo.

paciência. [Do lat. *patientia.*] *S. f.* **1.** Qualidade de paciente. **2.** Virtude que consiste em suportar as dores, incômodos, infortúnios, etc., sem queixas e com resignação. **3.** Perseverança tranqüila. **4.** Conformação abúlica e indolente; pachorra. **5.** Entretenimento que consiste em reunir as peças separadas de um mosaico para formar uma figura. **6.** Passatempo para uma só pessoa, no qual se fazem diferentes combinações com cartas de baralho, seguindo determinadas regras. **7.** Planta da família das poligonáceas *(Rumex patientia).* ● *Interj.* **8.** Designa conformação, resignação.

paciencioso (ô). *Adj. Bras., MG* e *RS.* Paciente (3).

pacientar. *V. int.* Ter paciência; mostrar-se paciente: "É mister trabalhar, pacientar e esperar até que se organizem [os partidos políticos] mais robustamente" (João Francisco Lisboa, *Obras*, I, p. 473).

paciente. [Do lat. *patiente.*] *Adj. 2 g.* **1.** Resignado, conformado. **2.** Que espera serenamente um resultado; tranqüilo: *professor paciente; motorista paciente.* **3.** Que persevera na continuação de uma tarefa lenta e difícil: *relojoeiro paciente.* [Sin. (bras., MG e RS): *paciencioso.*] **4.** Que é feito com paciência (3): *trabalho paciente; análise paciente.* ● *S. 2 g.* **5.** Pessoa que padece; doente. **6.** Pessoa que está sob cuidados médicos. **7.** Réu ou ré que vai padecer a pena capital; padecente. **8.** *Jur.* Vítima (7). **9.** *Dir.* Vítima de abuso ou de ilegalidade do poder. **10.** *Filos.* O que sofre ou é objeto de uma ação. ● *S. m.* **11.** *Gram.* Aquele que recebe a ação praticada por um agente.

pacificação. [Do lat. *pacificatione.*] *S. f.* Ato ou efeito de pacificar(-se).

pacificador (ô). [Do. lat. *pacificatore.*] *Adj.* **1.** Que pacifica; pacificante. ● *S. m.* **2.** Aquele que pacifica.

pacificante. *Adj. 2 g.* Pacificador (1).

pacificar. [Do lat. *pacificare.*] *V. t. d.* **1.** Restituir a paz a; apaziguar; serenar, tranqüilizar, acalmar, abrandar: *A boa nova pacificou os ânimos exaltados. P.* **2.** Voltar à paz; tranqüilizar-se, serenar-se, acalmar-se: *Com a fé, aquela alma inquieta pacificou-se;* "Quando me voltarei para a tua misericórdia e me pacificarei das coisas do mundo, e ficarei como o Pobre à espera da libertação e da silenciosa Alegria?" (Augusto Frederico Schmidt, *O Galo Branco*, p. 359). [Conjug.: v. *trancar.* Pres. ind.: *pacifico*, etc. Cf. *pacífico.* e o top. e pros. *Pacífico.*]

pacificidade. *S. f. Bras.* Qualidade de pacífico.

pacífico. [Do lat. *pacificu.*] *Adj.* **1.** Amigo da paz; sossegado, manso, tranqüilo. **2.** Que é aceito ou admitido sem discussão ou oposição: *Seu prestígio eleitoral é coisa pacífica; É pacífica a eleição dele para senador.* **3.** Relativo ou pertencente ao Oceano Pacífico. ~ V. *ponto* —. ● *S. m.* **4.** Indivíduo pacífico. [Cf. *pacifico*, do v. *pacificar.*]

pacifismo. [Do fr. *pacifisme.*] *S. m.* Doutrina, sistema ou sentimento daqueles que propugnam paz universal e o desarmamento das nações.

pacifista. [Do fr. *pacifiste.*] *Adj. 2 g.* **1.** Relativo ao, ou que é partidário do pacifismo. ● *S. 2 g.* **2.** Partidário do pacifismo. [Opõe-se a *belicista.*]

paco. [Do lunf. *paco.*] *S. m. Bras.* Pacote de papéis velhos que simulam papel-moeda, geralmente cobertos por uma nota verdadeira, e usado pelos vigaristas ao passarem o conto-do-vigário.

paço. [Do lat. *palatiu*, 'palácio'.] *S. m.* **1.** Palácio real ou episcopal: "Já o bispo de Roma estava .... hospedado no paço imperial." (Gustavo Barroso, *Livro dos Milagres*, pp. 91-92); "E foi à frente deles que, com passo seguro, penetrou na sala do paço episcopal, onde estava reunido todo o cabido" (Id., *ib.*, pp. 45-46). **2.** Edifício suntuoso, nobre: *O Paço da Cidade, construído no Rio de Janeiro no séc. XVIII, era a residência oficial dos vice-reis do Brasil.* [Cf. *palácio.*] **3.** *Fig.* A corte; os cortesãos. [Pl.: *paços.* Cf. *passo*, do v. *passar* e s. m., e *Passos*, antr.]

pacoba. [Var. de *pacova.*] *S. f. Bras.* V. *banana* (1).

pacobal. [Var. de *pacoval.*] *S. m. Bras.* V. *bananal.*

pacobeira. [Var. de *pacoveira.*] *S. f. Bras.* V. *bananeira* (1).

pacoca. [De or. indígena, talvez.] *S. f. Bras.* Correnteza fortíssima de um rio, quase cachoeira. [Sin. (SP): *vaivém.*]

paçoca. [Do tupi *pa'soka.*] *S. f.* **1.** *Bras.* Prato típico da cozinha brasileira, feito de carne fresca, seca ou carne-de-sol previamente cozida, e que, depois de picada, moída ou desfiada, é frita ou refogada em gordura bem quente, e socada com farinha de mandioca ou de milho: "O emprego de rapadura, farinha e leite, de carne socada com farinha e rapadura, a conhecida paçoca, o uso constante da coalhada ...., fariam, dessa civilização primária, uma civilização de tipo mais pastoril do que agrícola." (Sousa Barros, *Cercas Sertanejas*, pp. 7-8.) [Cf. *massoca.*] **2.** *Bras.* Doce feito de amendoim socado e rapadura ou doce de leite seco. **3.** *Bras. Fig.* Confusão de coisas amarfanhadas, malcuidadas; misturada. **4.** *Bras. Fig.* Coisa amassada, amarfanhada: *Meu vestido está uma paçoca.* **5.** *Bras., AM.* Amêndoa de castanha-do-pará assada e socada em pilão com farinha-d'água, sal e açúcar, tudo reduzido a grãos pequeninos. **6.** *Bras., S.* Amendoim torrado pilado com farinha e açúcar. **7.** *Fig. Bras., S.* Coisa complicada, embrulhada; trapalhada.

paco-caatinga. [F. red. do tupi *pa'kowa ka'tinga.*] *S. f. Bras.* V. *cana-de-macaco* (1 e 2). [Pl.: *paco-caatingas.*]

pacolé. *S. m. Bras.* Certa espécie de algodoeiro.

paco-paco. *S. m. Bras., Amaz.* Designação comum a duas arvoretas da família das malváceas (*Wissadula hermandioides* e *W. spicata*), de folhas grandes, moles e arredondadas, flores amarelas, pequenas e ordenadas em longas espigas, e cujos ramos fornecem fibra utilizável. [Pl.: *paco-pacos.*]

paco-seroca. [F. red. do tupi *pa'kowa soro'roka*, 'banana retalhada'.] *S. f. Bras.* V. *cardamomo-da-terra.* [Pl.: *paco-serocas.*]

pacote. [Dim. de *paca*[1] (q. v.).] *S. m.* **1.** Pequeno maço ou pequeno embrulho: *um pacote de dinheiro; um pacote de papel pardo.* **2.** O conjunto de unidades contidas num pacote (1): *Um pacote de cigarros contém dez maços.* **3.** *P. ext. Bras.* Qualquer coisa semelhante a pacote (1); combinação de elementos que se relacionam, e que são tomados como um todo: *Os agentes de viagem oferecem excelente pacote para férias na Bahia.* **4.** *Fig.* Logro, embuste, engano. **5.** *Bras.* Grande quantidade de mercadoria negociada em conjunto e, geralmente, em transação vultosa. **6.** *Bras.* Série de decretos-leis expedidos de uma só vez: *Espera-se para amanhã novo pacote na área econômica.* **7.** *Bras., PA.* Grupo de 50 peixes, entre os pescadores do litoral. ~ V. *pacotes.* ♦ **Pacote de ondas.** *Fís.* Conjunto finito de ondas que transporta energia de um para outro ponto do espaço; grupo de onda, trem de onda. **Ir no pacote.** *Bras. Gír.* Ser enganado; deixar-se lograr.

pacoté. *S. m. Bras.* V. *butuá-de-corvo.*

pacotes. [Pl. de *pacote.*] *S. m. pl. Bras. Gír.* Dinheiro de papel [v. *dinheiro* (3)]: *Está cheinho de pacotes.* ~ V. *pacote.*

pacotiense. *Adj. 2 g.* **1.** De, ou pertencente ou relativo a Pacoti (CE). ● *S. 2 g.* **2.** Natural ou habitante de Pacoti.

pacotilha. [Do fr. *pacotille.*] *S. f.* **1.** A quantidade de gêneros que o passageiro de um navio podia levar consigo sem pagar o transporte deles. **2.** Artigo mal-acabado, grosseiro; fancaria. **3.** *Bras., RS.* Quadrilha de bandidos.

pacotilheiro. *S. m. Bras.* Aquele que faz ou vende pacotilhas.

pacova. [Do tupi *pa'kowa*, 'folha de enrolar'.] *S. f.* **1.** *Bras., N.* e *N.E.* V. *banana* (1): "quando começavam a comer a sobremesa, umas enormes pacovas amarelas, acompanhadas ainda com muita farinha, Porfírio disse à mulher: — Apronta as coisas que nós vamos à salga." (José Veríssimo, *Cenas da Vida Amazônica*, p. 5). **2.** *Bras., S.* Variedade de banana grande. [Var., nestas acepç., *pacoba.*] ● *S. 2 g. Bras.* **3.** Moleirão, palerma, banana. ● *Adj. 2 g. Bras.* **4.** Moleirão, palerma.

pacová. [Do tupi-guar. *pac-oba*, 'folha que se enrola'.] *S. f. Bras., L.* a *AM.* Grande erva rizomatosa da família das zingiberáceas *(Renealmia exaltata)*, do interior da floresta pluvial, de folhas muito amplas, flores vermelhas, e cujos frutos são cápsulas que produzem sementes dotadas de odor aromático semelhante ao do cardamomo, ao qual podem substituir; pacová-catinga. **2.** V. *cana-de-macaco* (2). **3.** V. *cardamomo-da-terra.*

pacová-catinga. *S. f. Bras.* Pacová (1). [Pl.: *pacovás-catingas* e *pacovás-catinga.*]

pacova-de-macaco. *S. f. Bras., L.* Árvore da família das leguminosas (*Swartzia langsdorffii*), da floresta atlântica, cujas folhas têm sete a 11 folíolos ovados e pecíolo alado, e cujas flores têm uma pétala que vai a 5 cm de diâmetro e se organizam em longos racemos plurifloros, sendo o fruto grosso e comprido, estando as sementes envoltas num arilo rubro. [Pl.: *pacovas-de-macaco.*]

pacoval. *S. m. Bras.* V. *bananal.* [Var.: *pacobal.*]

pacova-sororoca. *S. f. Bras., Amaz.* Planta arborescente, da família das musáceas (*Phenacosperma guianense*), mais conhecida como *Ravenala guianensis*, que vive na beira dos riachos, dentro da mata, e tem enormes folhas dispostas em leque, flores alvas que se reúnem em grandes inflorescências terminais, e sementes com arilo vermelho-vivo. [Muito ornamental, cultiva-se em jardins, mas, por ser monocárpica, morre depois de florescer. Pl.: *pacovas-sororocas* e *pacovas-sororoca.*]

pacoveira. *S. f. Bras.* V. *bananeira* (1). [Var.: *pacobeira.*]

pacoviacari. [Do tupi *pakowa'i*, 'banana pequena', + *aka'ri*, 'macaco inglês'.] *S. f. Bras.* Variedade de pacova ou banana.

pacóvio. [De *pacova.*] *Adj.* e *s. m.* V. *tolo* (1 a 3 e 8): "E o monge [Santo Antônio], considerado até então como pacóvio completo, revela-se o pregador e dialeta infatigável" (Aquilino Ribeiro, *Por obra e graça*, p. 313).

pactário. *Adj.* e *s. m.* Pactuante.

pactício. [Do lat. *pactitiu.*] *Adj.* Pactual.

pacto. [Do lat. *pactu.*] *S. m.* **1.** Ajuste, convenção, contrato. [Sin. (bras., N.E., pop.): *pauta.*] **2.** Constituição (3) pela qual se regem certos Estados confederados como, p. ex., a Suíça. [Cf. *pato.*] ♦ **Pacto adjeto.** *Jur.* V. *contrato acessório.* **Pacto de sangue.** Aquele em que os pactuantes dão em si mesmos um corte e fazem, depois, que se lhes misturem os sangues, em penhor do cumprimento do pacto; juramento de sangue.

pactolo (ô). [Do top. *Pactolo*, pequeno rio da Lídia que, segundo a fábula, arrastava areias de ouro desde que nele se banhou o rei Midas, e ao qual devia o rei Creso a sua riqueza imensa.] *S. m. Bras.* Enorme riqueza inexplorada.

pactual. *Adj. 2 g.* Referente a pacto; pactício.

pactuante. *Adj. 2 g.* e *s. 2 g.* Que ou quem pactua; pactário.

pactuar. [De *pacto* + *-u-* + *-ar*[2].] *V. t. d.* **1.** Combinar, ajustar, contratar, estipular, convencionar: *Os bandidos pactuaram o assalto para o dia seguinte. T. i.* **2.** Fazer pacto: *Domingos Fernandes Calabar pactuou com os invasores holandeses, sendo por isso condenado à forca.* **3.** Transigir, condescender; compactuar [q. v.]: *Homem de bem não pactua com bandidos.* [Conjug.: v. *averiguar.* Fut. pret.: *pactuaria*, etc. Cf. *pactuária*, fem. de *pactuário.*]

pactuário. *S. m.* **1.** Aquele que pactua. **2.** Aquele que tem pacto ou contratos com outrem. [Fem.: *pactuária.* Cf. *pactuaria*, do v. *pactuar.*]

pacu. [Do tupi *pa'ku.*] *S. m. Bras.* **1.** Peixe teleósteo, caraciforme, da família dos caracídeos, dos gêneros *Metynnis* Cope, com 21 espécies no Brasil, e *Mylossoma* Eig & Ken., com cinco espécies. Corpo comprimido, em geral arredondado ou ovalado; nadadeiras dorsal e anal situadas muito atrás. Alimentam-se de frutas e outras substâncias, sendo praticamente onívoros. **2.** Certa planta medicinal do alto Amazonas.

pacuã. [Do tupi *paku'ã* < *pãku'ã*, com dissimilação.] *S. m. Bras.* Certa planta medicinal do alto Amazonas.

pacu-azul. *S. m. Bras.* Peixe teleósteo, caraciforme, da família dos caracídeos (*Myleus micans* (Rein.)), do rio São Francisco. Comprimento normal: 33 cm [Pl.: *pacus-azuis.*]

pacu-branco. *S. m. Bras.* Espécie de caracídeo (*Myloplus rhomboidalis* (Cuv.)), da Amaz., cuja coloração lhe valeu o nome comum. [Pl.: *pacus-brancos.* Sin.: *pacutinga.*]

pacuçu. [Do tupi *'paka wa'su*, 'paca grande'.] *S. m. Bras.* O macho da paca[2] (1).

pacu-de-corredeira. *S. m. Bras.* Peixe teleósteo, caraciforme, da família dos caracídeos (*Myloplus rubripinnis* (Mul. & Trosch.)), da Amaz., de coloração prateada com pequenas manchas negras, nadadeiras vermelhas e de tamanho reduzido, sendo apreciado para aquários. Freqüenta águas agitadas. [Pl.: *pacus-de-corredeira.* Sin.: *pacuzinho, pacu-de-correnteza.*]

pacu-de-correnteza. *S. m. Bras.* V. *pacu-de-corredeira.* [Pl.: *pacus-de-correnteza.*]

pacuera. [Do tupi *piaku'er*, 'entranhas já tiradas'.] *S. f. Bras.* Fressura de boi, de porco ou de carneiro. ◆ **Bater a pacuera.** *Bras. Pop.* **1.** Ir-se embora. **2.** V. *morrer* (1): "ficou azaranzado e bateu a pacuera." (Nélson de Faria, *Tziu e Outras Estórias*, p. 198).

pacuguaçu. [Do tupi *pa'ku wa'su*, 'pacu grande.'] *S. m. Bras.* Peixe teleósteo, caraciforme, da família dos caracídeos (*Myletes edulis* (Cuv. & Val.)); dos rios Amazonas e Paraguai, de coloração azulada, escamas douradas na altura da linha lateral e prateadas abaixo desta. É o maior dos pacus, podendo atingir até 60 cm de comprimento; muito apreciado para a pesca esportiva de linha, com isca de pequenos frutos.

pacumã. *S. m. Bras.* V. *pacamão* (1).

pacumirim. *S. m. Bras.* Peixe teleósteo, caraciforme, da família dos caracídeos (*Mylossoma duriventris* Cuv.)), da Amaz. É um dos menores pacus, medindo 28 cm de comprimento por 20 de altura. Tem escamas com reflexos prateados e mancha arredondada cor de tijolo atrás do opérculo.

pacuna. *Bras. S. 2 g.* **1.** Indivíduo dos pacunas, tribo indígena do N. ● *Adj. 2 g.* **2.** Pertencente ou relativo a essa tribo.

pacupeba. [Var. de *pacupeva*, do tupi *pa'ku pewa*, 'pacu chato'.] *S. m. Bras.* Peixe teleósteo, caraciforme, da família dos caracídeos (*Myleus setiger* Muel. & Trosch.), da bacia amazônica. Tem nadadeira anal com forte reentrância semilunar na margem externa, e 20 cm de comprimento. [Sin.: *mafurá.*]

pacupeva. *S. m. Bras.* V. *pacupeba.*

pacurina. *S. f.* Erva alta, da família das compostas (*Pacourina edulis*), que atinge 1,5 m, de folhas oblongo-espatuladas, sésseis e amplexicaules, capítulos numerosos e purpúreos, com 2,5 cm de diâmetro, aquênios longos com setas rubras, e que prefere locais alagadiços.

pacutapuia. *Bras. S. 2 g.* e *adj. 2 g.* V. *pajualiene.*

pacutinga. [De *pacu* + *-tinga.*] *S. f. Bras.* Pacu-branco.

pacuzinho. [Dim. de *pacu.*] *S. m. Bras.* V. *pacu-de-corredeira.*

pada[1]. [Do lat. vulg. **panata*, de *pane*, 'pão'.] *S. f.* **1.** Pão pequeno. **2.** *Fig.* Pequena coisa, ou pequena quantidade.

pada[2]. *S. f. Ceilão.* Certo barco grande, de fundo chato.

padaria. [De *pada*[1] + *-aria.*] *S. f.* **1.** Lugar onde se vende e/ou fabrica pão, bolachas, biscoitos, etc. [Sin.: *padejo* (p. us.) e *panificação, panificadora* (bras.).] **2.** *Bras. Chulo.* V. *nádegas.*

◆**paddock** (pádok). [Ingl.] *S. m. Turfe.* Local dos hipódromos, em geral junto à pesagem (2) e ao ponto em que os cavalos entram e saem da pista, de onde os profissionais assistem às corridas.

padê. [Do ioruba.] *S. m.* **1.** *Bras.* Cerimônia dedicada a Exu, e que precede todas as festas do candomblé. **2.** *Bras., BA. Folcl.* Homenagem que se presta a Exu antes de qualquer cerimônia do candomblé, para evitar que ele estrague a festa.

pá-de-cavalo. *S. f.* Máquina agrícola empregada no movimento de terras (aterro e desaterro). [Pl.: *pás-de-cavalo.*]

padecedor (ô). *Adj.* e *s. m.* Padecente (1 e 2).

padecente. *Adj. 2 g.* **1.** Que padece; padecedor. ● *S. 2 g.* **2.** Pessoa que padece; padecedor. **3.** Pessoa que vai sofrer a pena de morte; paciente.

padecer. [Do lat. vulg. **patiscere*, incoativo de *pati*, 'sofrer'.] *V. t. d.* **1.** Ser afligido, atormentado, martirizado por; sofrer: *Padece, há anos, uma doença incurável;* "Então o sapateiro revolucionário, que padecera prisões por seu ódio loquaz contra reis e rainhas, empalideceu de comoção" (Fidelino de Figueiredo, *Sob a Cinza do Tédio*, p. 75). **2.** Suportar, agüentar: *padecer necessidades.* **3.** Consentir, admitir, permitir: *Tal afirmação não padece dúvida. T. i.* **4.** Ser acometido, ou sofrer (de alguma enfermidade, algum mal): *Padece de uma doença misteriosa;* "padeço deste mau clima de sol tirano." (Haroldo Maranhão, *O Tetraneto d'El-Rei*, p.17). *Int.* **5.** Ser vítima de violências físicas. **6.** Sentir dores físicas ou morais. **7.** Ser ou estar doente. [Conjug.: v. *aquecer.*]

padecimento. *S. m.* **1.** Ato ou efeito de padecer. **2.** Dor, pena, sofrimento. **3.** Doença, enfermidade.

padeiral. *Adj. 2 g. Burl.* Referente a, ou próprio de padeiro.

padeiro. [Do lat. vulg. **panatariu* < **panata* < *pane*, 'pão'.] *S. m.* **1.** Fabricante ou vendedor de pão. **2.** Aquele que entrega pão em domicílio. [Sin. (bras., N.E.), nesta acepç.: *pãozeiro.*]

padejador (ô). *Adj.* e *s. m.* Que ou aquele que padeja. [V. *padejar*[1].]

padejar[1]. [De *pá*[1] + *-d-* + *-ejar.*] *V. t. d.* **1.** Resolver com a pá. **2.** Atirar (o pão) ao ar com a pá, a fim de limpá-lo na eira. [Conjug.: v. *pelejar.*]

padejar[2]. [De *pada*[1] + *-ejar.*] *V. int.* **1.** Fabricar pão. **2.** Exercer o ofício de padeiro. [Conjug.: v. *pelejar.*]

padejo[1] (ê). [Dev. de *padejar*[1].] *S. m.* Ato de padejar[1].

padejo[2] (ê). [Dev. de *padejar*[2].] *S. m.* **1.** O mister de padeiro. **2.** V. *padaria* (1).

padieira. *S. f.* V. *verga* (4): "as fachadas revestidas de azulejos, as padieiras de granito tão nitidamente esquadriadas, dão ao todo um ar rijo, saudável, alegre" (Ramalho Ortigão, *As Farpas*, I, p. 161).

padiola. *S. f.* **1.** Espécie de tabuleiro retangular, com quatro varais, usado para transporte. **2.** Espécie de cama de lona, portátil e desmontável, na qual os padioleiros transportam doentes ou feridos. [Cf. *maca* (2).]

padioleiro. *S. m.* **1.** *Bras.* Cada um dos que carregam uma padiola. **2.** Soldado cuja tarefa é remover, com outro companheiro, os feridos do campo de batalha.

padixá. [Do persa *padiseah*, 'rei', atr. do turco *padyxah.*] *S. m.* Designação dada outrora ao sultão ou imperador dos turcos.

padralhada. *S. f. Deprec.* **1.** Grande porção de padres. **2.** O clero. [Sin. ger.: *padraria.*]

padrão[1]. [Do lat. *patronu*, 'protetor'.] *S. m.* **1.** Modelo oficial de pesos e medidas. **2.** Aquilo que serve de base ou norma para a avaliação de qualidade ou quantidade; medida, estalão, craveira. **3.** *P. ext.* Qualquer objeto que serve de modelo à feitura de outro. **4.** Desenho decorativo estampado em tecido ou noutra superfície (papel de parede, azulejo, etc.). [Sin., bras.: *pinta.*] **5.** Título (10). **6.** *Fig.* Modelo, exemplo, protótipo, arquétipo. **7.** *Fig.* Nível, qualidade; gabarito. **8.** *Bot.* Planta típica do grau de fertilidade do solo. **9.** *Econ.* Padrão monetário. **10.** *Tip.* Folha de padrão. ◆ **Padrão monetário.** *Econ.* Elemento determinador da natureza, quantidade e título do metal que constitui uma unidade monetária. [Tb. se diz apenas *padrão.*]

padrão[2]. [Alter. de *pedrão*, aum. de *pedra.*] *S. m.* **1.** Monumento de pedra que os portugueses erguiam em terras por eles descobertas. **2.** Estaca monolítica: marco, baliza.

padrão-ouro. S. m. Moeda-ouro. [Pl.: *padrões-ouros* e *padrões-ouro.*]

padraria. [De *padre* + *-aria.*] *S. f. Deprec.* Padralhada.

padrar-se. *V. p.* Fazer-se padre; tomar ordens; ordenar-se.

padrastal. *Adj. 2 g.* Relativo a padrasto[1], ou próprio dele.

padrasto[1]. [Do lat. *patrastu*, pejorativo de *pater*, 'pai'.] *S. m.* Indivíduo que ocupa o lugar de pai em relação aos filhos que sua mulher teve de casamento anterior. [Fem.: *madrasta.*]

padrasto[2]. [Alter. de **pedrasto* < *pedra.*] *S. m.* Monte, colina ou construção que domina um terreno.

padre. [Do lat. *pater*, 'pai'.] *S. m.* **1.** Aquele que já recebeu ordenação sacerdotal; sacerdote secular ou regular; presbítero, reverendo. [Dim. deprec.: *padreco, padreca;* fem.: *madre* (q. v.).] **2.** *Ant.* Pai (1). **3.** *Bras. Folcl.* Personagem do bumba-meu-boi [q. v.], que faz o casamento de *Mateus* e *Catirina*, e a confissão do *Morto-carregando-o-vivo.* ◆ **Casar no padre.** *Bras. Pop.* Casar-se na Igreja, eclesiasticamente: "— Lá na pensão tu vais dizer .... que tu casas comigo no juiz e no padre." (Josué Montelo, *Cais da Sagração*, p. 20.) **O Padre Santo.** O Santo Padre. **O Santo Padre.** O Papa; o Padre Santo: "O Santo Padre pede ao imperador Guilherme que o governo da Alemanha não insista na perseguição do clero católico." (Ramalho Ortigão, *As Farpas*, XI, p. 88.)

▲**padr(e)-.** [Do lat. *pater, patris.*] *El. comp.* = 'padre', 'pai': *padreco; padrear.* [Equiv.. *padro-, patri-* e *patro-: padrófobo; patrilinear, patrilocal; patrologia.*]

padreação. *S. f.* Ato de padrear. [Sin., bras.: *salto.*]

padreador (ô). *Adj.* e *s. m.* Diz-se de, ou animal que padreia; marel.

padrear. [Do ant. *padre*, 'pai', + *-ear.*] *V. int.* Reproduzir-se, procriar (especialmente o cavalo e o burro). [Conjug.: v. *frear.*]

padreca. [De *padre* + *-eca.*] *S. m. Deprec.* Padreco.

padreco. [De *padre* + *-eco*[1].] *S. m. Deprec.* Padre de pouco mérito e/ou de pequena estatura; padreca.

padre-cura. *S. m.* **1.** V. *pároco.* **2.** Espécie de jogo popular. [Pl.: *padres-curas.*]

padre-mestre. *S. m.* **1.** Sacerdote professor. **2.** Chefe de um grupo de missionários. **3.** *Fig.* Sabichão, sabe-tudo. **4.** *Bras.* Capelão (3). [Pl.: *padres-mestres.*]

padre-nosso. *S. m.* **1.** *Rel.* Pai-nosso (1). **2.** *P. ext. Rel.* Pai-nosso (2). **3.** *Liter. Pop. Bras.* Espécie de pé-quebrado em que cada quadra termina com palavras da oração do mesmo nome. [Pl.: *padre-nossos* e *padres-nossos.*] ◆ **Ensinar o padre-nosso ao vigário.** Aconselhar ou ensinar a alguém mais experimentado ou mais competente.

padresco (ê). *Adj. Deprec.* Relativo a, ou próprio de padre.

padrice. *S. f. Deprec.* Qualidade, ato ou modos de padre.

padrinho. [Do lat. *patrinu*, dim. de *pater*, 'pai'.] *S. m.* **1.** Testemunha de batismo, casamento, duelo, etc. **2.** *Ant.* Aquele que acompanhava o doutorando a receber o capelo. [Sin., ant., nessas acepçs.: *paraninfo.*] **3.** *Fig.* Protetor, patrono, paraninfo. **4.** Paraninfo (3). [Fem.: *madrinha.*] **5.** *Bras., BA.* Pai-de-santo, nos candomblés de caboclo.

▲**padro-.** V. *padr(e)-.*

padroado. [Do lat. *patronatu.*] *S. m.* **1.** Direito de protetor, adquirido por quem fundou ou dotou uma igreja. **2.** Direito de conferir benefícios eclesiásticos. [F. paral.: *patronato.*]

padroeiro. [Do lat. **patronariu* < *patronu*, 'patrono'.] *Adj.* e *s. m.* **1.** Que ou aquele que tem o direito de padroado. **2.** Defensor; protetor, patrono: "Não é São Roque o orago oficial da paróquia [de Paquetá], colocada sob a invocação do Senhor Bom Jesus do Monte. É, porém, no sentimento tradicional dos moradores, o padroeiro efetivo da Ilha desde tempos remotos." (Vivaldo Coaraci, *Paquetá*, p. 30.)

padrófobo. [De *padro-* + *-fobo.*] *S. m. Bras.* Inimigo de padres, de sacerdotes católicos.

padronização. [De *padronizar* + *-ção.*] *S. f.* **1.** Redução dos objetos do mesmo gênero a um só tipo, unificado e simplificado, segundo um padrão ou modelo preestabelecido. **2.** Unificação dos processos de fabricação desses objetos: *A padronização da indústria visa a facilitar a produção em massa.* **3.** Uniformização do comportamento dos indivíduos segundo modelos aceitos por um grupo ou impostos pela criação de novos hábitos: *padronização de costumes; padronização da moda.* [Sin. ger.: *estandardização.*]

padronizado. [Part. de *padronizar.*] *Adj.* Que sofreu padronização; reduzido a um só tipo ou estalão; estandardizado: *produto padronizado; comportamento padronizado.*

padronizador (ô). *Adj.* e *s. m.* Que ou aquele que padroniza.

padronizar. [De *padrão*[1] + *-izar.*] *V. t. d.* Operar padronização em; submeter a padronização; estandardizar.

padronizável. *Adj. 2 g.* Que pode ser padronizado.

padu. *S. m. Bras.* F. aferética de *ipadu.*

paduano[1]. [Do lat. vulg. *paduanu.*] *Adj.* e *s. m.* Patavino.

paduano[2]. *Adj.* **1.** De, ou pertencente ou relativo a Santo Antônio de Pádua (RJ). ● *S. m.* **2.** O natural ou habitante de Santo Antônio de Pádua.

paelha (ê). [Do esp. *paella.*] *S. f.* Iguaria típica espanhola: ensopado de arroz, legumes, carnes, peixes e crustáceos diversos.

paetê. [Do fr. *pailleté.*] *S. m.* V. *lentejoula.*

páfia. *S. f. Bras., RS.* F. aferética de *empáfia* [q. v.].

pafioso (ô). *Adj. Bras., RS.* Cheio de páfia ou empáfia; enfatuado, presumido, presunçoso.

pafo. *S. m. Bras., PE* e *AL.* Peça de franzido, frouxa, em veste geralmente feminina: "Gostava de vestir, nos grandes dias, uma blusa de seda cor de vinho, acetinada, cuja gola rendada subia até quase a garganta, afogando-se em pafos." (De Araújo Costa, *O Menino e o Tempo*, p. 33.)

paga. [Dev. de *pagar.*] *S. f.* **1.** V. *pagamento* (1). **2.** Recompensa, retribuição; pago: "agüentava toda a trabalheira de fora, ... toda a grosseria do patrão, pela única paga de ver, três vezes por dia, o famoso par de braços." (Machado de Assis, *Várias Histórias*, p. 46.) **3.** O dinheiro ou tento que se paga no jogo.

pagadoiro. [De *pagar* + *(d)oiro*^{2}.] *Adj. Ant.* Var. de *pagadouro.*
pagador (ô). *Adj.* **1.** Que paga. ● *S. m.* **2.** Aquele que paga; aquele que faz pagamentos.
pagadoria. [De *pagador* + *-ia.*] *S. f.* Lugar ou repartição pública onde se efetuam pagamentos.
pagadouro. [De *pagar* + *-(d)ouro*^{2}.] *Ant.* Pagável. [Var.: *pagadoiro.*]
pagamento. *S. m.* **1.** Ato ou efeito de pagar(-se); paga, pago. **2.** Aquilo que se dá em troca de um serviço; remuneração, estipêndio. **3.** Restituição da quantia que se deve; reembolso. **4.** Maneira de pagar: *pagamento adiantado; pagamento mensal.* **5.** Prestação, cota. **6.** *Dir.* Execução voluntária de uma obrigação.
paganais. [De *paganálias*, do lat. *paganalia.*] *S. f. pl.* Festas em honra de Ceres, na Roma antiga; paganálias.
paganal. *Adj. 2 g.* **1.** Relativo a, ou próprio de pagãos. **2.** Referente a aldeões.
paganálias. *S. f. pl.* Paganais.
paganismo. [Do lat. *paganu*, 'pagão', + *-ismo.*] *S. m.* **1.** O conjunto dos que não foram batizados. **2.** Religião pagã. V. *gentilidade* (1).
paganização. *S. f.* Ação ou efeito de paganizar.
paganizador (ô). *Adj.* Que paganiza.
paganizar. *V. t. d.* **1.** Tornar pagão; descristianizar. *Int.* **2.** Pensar ou proceder como pagão.
pagante. [De *pagar* + *-nte.*] *Adj. 2 g.* e *s. 2 g.* Que ou quem paga. [Sin. (bras., gír.): *pagão.*]
pagão^1. [Do lat. *paganu*, 'aldeão'.] *Adj.* **1.** Diz-se do indivíduo que não foi batizado. **2.** Diz-se de adepto de qualquer das religiões onde não se adota o batismo. **3.** Relativo ou pertencente a, ou próprio de pagão (5): *crença pagã; culto pagão.* ● *S. m.* **4.** Indivíduo que não foi batizado. **5.** Adepto de qualquer religião que não adota o batismo. [Flex.: *pagã, pagãos, pagãs.*]
pagão^2. [De *pagar.*] *Adj.* e *s. m. Bras. Gír.* Pagante.
pagar. [Do lat. *pacare.*] *V. t. d.* **1.** Satisfazer (dívida, encargo, etc.). **2.** Satisfazer o preço ou valor de: *pagar uma consulta;* "uma preta escrava, comprada com outra, ... às escondidas, por serem de contrabando. Dizem até que nem as pagou, porque o vendedor faleceu logo sem deixar nada escrito." (Machado de Assis, *Várias Histórias*, p. 31). **3.** Remunerar, recompensar; gratificar: *Não o pagou devidamente.* **4.** Recompensar; retribuir: *Não pagou as finezas recebidas;* "Amor com amor se paga" (prov.); *Pagou o benefício com injúrias; Pagou a amabilidade com um sorriso.* **5.** Sofrer vingança, desforra, em conseqüência de: *Hás de pagar a tua ingratidão.* **6.** Sofrer as conseqüências de; expiar: *pagar os pecados. T. d. e i.* **7.** Satisfazer (dívida, encargo): *Pagou-lhe o que devia.* **8.** Satisfazer o preço ou valor de: "para celebrar a sua entrada na Literatura, Gonçalo Mendes Ramires pagou aos camaradas do Cenáculo e a outros amigos uma ceia" (Eça de Queirós, *A Ilustre Casa de Ramires*, p. 14). **9.** Recompensar, retribuir. **10.** Dar como recompensa, remuneração ou pagamento: "uma revista inglesa paga-lhe [a Tennyson] por um poema trezentos e cinqüenta libras esterlinas!" (Constâncio Alves, *Figuras*, p. 161). **11.** Reembolsar (alguém) do que lhe é devido: *Pagou afinal ao amigo a velha dívida. T. i.* **12.** Reembolsar (alguém) do que lhe é devido: *Já lhe paguei, nada lhe devo.* **13.** Retribuir, restituir, na mesma espécie: *Cedeu-me algumas garrafas daquele vinho, e eu, ao receber as que havia encomendado, logo lhe paguei.* **14.** Ser castigado; padecer: *Pagou pelos erros do pai; Pagou pelas loucuras de sua juventude. Int.* **15.** Desobrigar-se de compromissos; satisfazer, reembolsar alguém do que lhe é devido: *Nem pagou nem desfez o compromisso.* **16.** Desembolsar dinheiro: *Pago para assistir àquele espetáculo.* **17** Recompensar serviços ou boas ações. **18.** Sofrer, padecer um castigo ou uma pena injustamente. **19.** Sofrer conseqüências; expiar uma culpa: *Cometeu o crime, e pagou. P.* **20.** Receber a paga ou recompensa; indenizar-se. **21.** Dar-se por satisfeito; contentar-se. **22.** Descontar, do que se há de entregar, a parte que lhe é devida. [Conjug.: v. *largar.* Part.: *pagado* (p. us.) e *pago.*] ♦ **Pagar caro.** Sofrer duramente as conseqüências de um procedimento; pagar com juros. **Pagar e não bufar.** *Bras. Gír.* Pagar sem reclamação, sem protesto. **Pagar para ver. 1.** No pôquer, aceitar a aposta que o parceiro propõe, ganhando o direito de ver-lhe as cartas e disputar a parada. **2.** *Fig.* Pôr em dúvida a concretização de uma ameaça ou realização de qualquer coisa que se promete, anuncia, etc.: *Disse que vai vingar-se da afronta, mas eu pago para ver; Prometeu saldar o débito amanhã — nós pagamos para ver.*
pagará. *S. m. Bras., RS.* V. *fandango* (6 e 7).
pagável. *Adj. 2 g.* Que pode ou deve ser pago.
➧**pageant** (pé'djeant). [Ingl., 'espetáculo'.] *S. m. Teat.* **1.** Espetáculo ao ar livre, no período medieval do teatro inglês. **2.** Cada um dos palcos volantes montados em carros ou vagões, alguns com dois ou três andares, para as representações, nas cidades, dos milagres e mistérios do teatro medieval inglês.
página. [Do lat. *pagina*, 'coluna de papiro'.] *S. f.* **1.** Cada um dos lados das folhas dos livros e de outras publicações. **2.** O texto contido em cada um desses lados. **3.** *P. ext.* Trecho, passo, passagem: *Acabo de ler uma bela página de Ciro dos Anjos.* **4.** *Art. Gráf.* Fôrma com que se realiza a impressão desse texto. **5.** *Morfol. Veg.* Superfície ou face de um órgão vegetal plano. [A folha tem duas páginas: uma superior e uma inferior.] **6.** *Fig.* Período ou passagem notável em uma história ou biografia. **7.** *Pop.* Narração importuna; estopada, maçada. [Cf. *pagina*, do v. *paginar.*] ♦ **Página branca.** Página em branco. **Página capitular.** *Bibliogr.* A que inicia capítulo; página de começo. **Página cheia.** *Tip.* A que é integrada por composição corrida. **Página coxa.** *Tip.* A que, por exigência da paginação, fica mais alta ou menos alta que as demais. **Página curta.** *Tip.* A que não atinge o número de linhas da medida, como as de fim de capítulo. **Página de começo.** *Bibliogr.* **1.** A que inicia o livro. **2.** *P. ext.* Página capitular. **Página deitada.** *Tip.* A que, contendo tabela, fac-símile, ilustração, etc., que não cabem na largura, é disposta no sentido da altura. **Página de rosto.** *Bibliogr.* Lado da folha de rosto que contém o título. [Tb. se diz apenas *rosto.* Sin.: *frontispício.*] **Página de rosto gravada.** *Bibliogr.* V. *portada* (3). **Página em branco.** A que nada leva escrito ou impresso; página branca. **Página nobre.** *Bibliogr.* A página ímpar, assim chamada em razão de nela iniciar-se, em geral, cada parte ou capítulo de livro. **Página virada.** Pessoa, coisa ou fato passado, e a que não se deve dar, pois, maior atenção: "te afasta de mim / pois já não vales nada / és página virada / descartada do meu folhetim." (Chico Buarque de Holanda, *Folhetim*). **A páginas tantas.** Em certo momento; em dada altura: "A páginas tantas chegou ao Liceu uma circular para que os professores em idade militar se apresentassem à reinspeção" (Aquilino Ribeiro, *Estrada de Santiago*, p. 123).
paginação. *S. f. Art. Gráf.* **1.** Ato ou efeito de paginar; compaginação. **2.** Ordem das páginas de um livro **3.** Seção da oficina onde se pagina. ♦ **Paginação contínua.** *Bibliogr.* A que abrange, numa só seqüência numérica, os diversos volumes de uma obra. **Paginação independente.** *Bibliogr.* A que, nas obras em dois ou mais volumes, recomeça em cada um deles.
paginador (ô). *S. m. Tip.* O gráfico encarregado do trabalho de paginação; compaginador.
paginar. *V. t. d.* **1.** Numerar por ordem as páginas de. **2.** *Tip.* Reunir (composição tipográfica) para formar páginas; compaginar. **3.** *Tip.* Arranjar graficamente as páginas de (livro, periódico, etc.). **4.** *Tip.* Colocar o número da página em (livro, registro, etc.). *Int.* **5.** *Tip.* Reunir textos, títulos, fólios, notas, tabelas, gravuras, fotogravuras, etc., para formar páginas de determinada medida, que passarão à imposição. [V. *foliar.* Pres. ind.: *pagino, paginas, pagina*, etc. Cf. *página.*]
pago^1. [Do lat. *pagu.*] *S. m.* **1.** *P. us.* Pequena povoação. **2.** *Bras., RS.* O lugar natal; o rincão, a querência, o povoado, o município onde alguém nasceu e/ou onde reside. [Us. geralmente no pl.]
pago^2. [Dev. de *pagar.*] *S. m.* **1.** Paga (2): "estou muito avezada a receber maus pagos, pelo bem que quero fazer." (Conde de Ficalho, *Uma Eleição Perdida*, p. 261). **2.** V. *pagamento* (1).
pago^3. [Part. de *pagar;* f. contrata de *pagado.*] *Adj.* **1.** Entregue para pagamento: *quantia paga.* **2.** Que recebeu paga; remunerado, recompensado: *funcionário pago.* **3.** Que se pagou; cujo pagamento foi realizado; satisfeito: *dívida paga.* **4.** *Fig.* Desforrado, vingado. ~ V. *carga —a.*
▲**-pago.** [Do gr. *pégnymi.*] *El. comp.* = que está 'ligado', 'unido': *somatópago, xifópago.*
pagode. [Do sânscr. *bhagavati*, atr. do dravídico *pagôdi.*] *S. m.* **1.** Templo que alguns povos asiáticos destinam ao culto e adoração dos seus deuses: *pagode chinês, japonês, birmanês;* "Da mesquita, vamos ao pagode chinês." (Arnon de Melo, *África*, p. 133). **2.** Ídolo adorado nesse templo. **3.** Divertimento, brincadeira, bambochata, pândega, pagodeira, pagodice. **4.** *Bras.* Zombaria, debique, caçoada, troça, mangação: *Que pagode fizeram com o pobre bêbado!* **5.** *Bras., AL. Folcl.* V. *coco*^{2} (ô) (1). **6.** *Bras.* Reunião informal onde se cantam ritmos populares, principalmente samba, com acompanhamento de percussão, cavaquinho, violão, etc. ♦ **De pagode.** *Bras. Pop.* Em grande quantidade ou intensidade; muito.
pagodear. [De *pagode* + *-ar*^{2}*:*] *V. int.* **1.** Levar vida de estróina; pandegar, foliar, farrear: "dois longos meses se haviam esgotado sem que o coletor ... pensasse em outra cousa senão em .... pagodear com as caboclas à beira do rio" (Inglês de Sousa, *O Missionário*, p. 276). **2.** *Bras.* Zombar, escarnecer, mofar, motejar. T. i. **3.** *Bras.* Zombar, escarnecer, mofar, motejar: *Não leva ninguém a sério: pagodeia de todos.* [Conjug.: v. *frear.*]
pagodeira. *S. f. Fam.* V. *pagode* (3).
pagodeiro. *S. m.* **1.** *Bras., AL.* Cantador de pagode (5). **2.** *Bras.* Freqüentador de pagode (6).
pagodice. *S. f. Fam.* V. *pagode* (3).
pagodista. *S. 2 g. Fam.* Pessoa estróina, dada a pagodes ou pândegas.
paguro. [Do lat. *paguru.*] *S. m.* Designação comum aos crustáceos decápodes, anomuros, da família dos pagurídeos, os quais têm apenas a parte anterior do corpo, ou cefalotórax, revestida de couraça resistente e quitinosa, abdome curto, grosso e mole, vivem em conchas de moluscos, mudando de casa à medida que crescem, alimentam-se de toda sorte de detritos orgânicos, sendo conhecidas cerca de 15 espécies deles no Brasil: "O bernardo-eremita, ou paguro — todos o sabem — é um caranguejo desprovido de carapaça, que se mete na concha espiralada de certo caramujo marinho" (Melo Nóbrega, *O Soneto de Arvers*, p. 29). [Sin.: *sacuritá, bernardo-eremita, eremita-bernardo, ermitão.*]
pai. [Do lat. *pater*, atr. das f. *padre*, **pade* e *pae.*] *S. m.* **1.** Homem que deu ser a outro; homem que tem um ou mais filhos; genitor, progenitor. **2.** *P. ext.* Aquele que exerce as funções de pai: *pai adotivo.* **3.** Animal do sexo masculino que gerou outro. **4.** Designação bíblica da divindade, com relação a toda a criação, especialmente ao homem. **5.** Tratamento que certos fiéis dão aos padres: *Meu pai, preciso de seus conselhos.* **6.** V. *papai* (1). **7.** Criador, fundador, instituidor (de uma doutrina, uma escola artística ou científica, uma instituição): *Baden Powell é o pai do escotismo;* "O pai da poesia romântica inglesa é, segundo algumas autoridades, William Lisle Bowles (1762-1850), pároco da Igreja da Inglaterra em Bremhill" (Abgar Renault, *O Romantismo na Poesia Inglesa*, p. 40). **8.** Benfeitor, protetor: *pai dos pobres; pai dos enfermos.* **9.** Causador, gerador; causa, motivo, origem: *O ódio é o pai de muitos crimes.* **10.** Aquele que concebe, imagina; autor: *Quem é o pai desta magistral idéia?* **11.** Na religião católica, a primeira pessoa da Santíssima Trindade. **12.** Tratamento afetuoso que se dava aos escravos de idade avançada: *pai João.* **13.** *Bras.* V. *morubixaba* (1). [Fem.: *mãe*, pl.: *pais.* Cf. *país.*] ~V. *pais.* ♦ **Pai da mentira.** V. *diabo* (2): "Decerto mil noites de dura peleja ele rechaçara o Pai da Mentira!" (Eça de Queirós, *Últimas Páginas*, p. 279.) **Pai da pátria. 1.** Deputado federal ou senador. **2.** Par do reino. **Pai das queixas.** *Bras.* Delegado de polícia. **Pai de família.** Indivíduo que tem mulher e filhos. [Cf. *pai-de-família.*] **Pai do Mal.** V. *diabo* (2). **Pai espiritual.** Aquele que dirige a consciência (3) de alguém; guia espiritual. **Pai nobre.** *Teat.* Ator que nas tragédias e na alta comédia desempenha o papel de pai. **O pai da aviação.** Antonomásia do brasileiro Alberto Santos Dumont (1873-1932). **O pai da criança.** *Bras. Fam.* O responsável por um acontecimento, o autor de uma idéia, etc.: *Agora que a idéia pegou, todos querem ser o pai da criança.* **O pai da História portuguesa.** Antonomásia do cronista português Fernão Lopes (1380?-1459). **Ser o pai cortado.** *Bras., MG.* Ser a cara do pai. **Ter o pai alcaide.** Ter protetor poderoso; ter as costas quentes. **Ter pai vivo e mãe bulindo.** *Bras. Pop.* Ter pais que o defendam; não necessitar de castigos ou auxílios a não ser os paternos.
paiá. *S. m. Bras., SP. Folcl.* Tornozeleira de guizos, usada, numa das pernas, pelos brincantes da dança do moçambique.
paiaba. *Bras. S. 2 g.* **1.** Indivíduo dos paiabas, tribo indígena extinta do PA. ● *Adj. 2 g.* **2.** Pertencente ou relativo a essa tribo.
paiacu. *Bras. S. 2 g.* **1.** Indivíduo dos paiacus, tribo indígena extinta do rio Apodi (RN). ● *Adj. 2 g.* **2.** Pertencente ou relativo a essa tribo.
pai-agostinho. *S. m. Bras.* V. *maria-cavaleira.* [Pl.: *pais-agostinhos.*]
paiaguá. *Bras. S. 2 g.* **1.** Indivíduo dos paiaguás, tribo de índios canoeiros da lagoa Xaraís e do alto rio Paraguai (MT), que, no séc. XVIII, criaram dificuldades à coloni-

zação do lugar. ● *Adj. 2 g.* **2.** Pertencente ou relativo a essa tribo.

paiana. *Bras. S. 2 g.* **1.** Indivíduo dos paianas, tribo indígena extinta do rio Javari (AM). ● *Adj. 2 g.* **2.** Pertencente ou relativo a essa tribo.

paiauaru (pai-au). [Var. de *paiauru* < tupi *paiau'ru.*] *S. m. Bras.* **1.** Bebida feita de suco de frutas com beiju, usada pelos índios: "Algumas mulheres iam atrás, com panacus pesados de massa para caxiri e paiauaru, com cochos, alguidares e panelas, para os seus vinhos e comidas." (Nunes Pereira, *Moronguetá,* I, p. 59.) **2.** Bebida fermentada feita de beiju queimado.

paiauru. *S. m. Bras.* Paiauaru.

pai-avô. [T. onom.?] *S. m. Bras., Amaz.* V. *vovô* (2). [Pl.: *pais-avós.*]

paíba. [Do tupi.] *Adj. 2 g. Bras., AM.* Desastrado, desajeitado, inábil; incapaz.

paica. [Do ingl. *pica.*] *S. f. Tip.* Unidade tipométrica do sistema anglo-norte-americano [q. v.], equivalente a 12 pontos (4,218 mm) e correspondente a 11,22 pontos do sistema Didot. [V. *cícero.*]

paicojê. *S. 2 g.* e *adj. 2 g. Bras.* V. *piocobjê.*

pai-das-queixas. *S. m. Bras., N.E. Pop.* Delegado de polícia. [Pl.: *pais-das-queixas.*]

pai-de-chiqueiro. *S. m. Bras., N.E.* Bode ou carneiro não castrado. [Pl.: *pais-de-chiqueiro.*]

pai-de-família. *S. m. Bras., BA.* Certa rede de malhas estreitas. [Pl.: *pais-de-família.* Cf. *pai de família.*]

pai-d'égua. *S. m. Bras.* **1.** V. *garanhão* (1). **2.** *Fig.* Indivíduo femeeiro; garanhão. ● *Adj. 2 g.* **3.** *Bras. Gír.* Diz-se de coisa grande, ou avultada, ou que causa espanto: "O modo de pagar o cuidado do padre para com os munícipes era este: dar uma festa pai-d'égua." (Chico Anísio, *Teje Preso,* p. 60.) [Pl.: *pais-d'égua.*]

pai-de-malhada. [De *pai* + *de* + *malhada*[2] (2).] *S. m. Bras., N.* e *N.E.* Marruá que chefia uma manada de gado vacum. [Pl.: *pais-de-malhada.*]

pai-de-santo. *S. m. Bras.* Sacerdote do culto fetichista afro-brasileiro, que nas macumbas e candomblés, se dirige à divindade, da qual recebe instruções, que transmite aos crentes; pai-de-terreiro, babalorixá, babaloxá, babá. [Pl.: *pais-de-santo.* Fem.: *mãe-de-santo.*]

pai-de-terreiro. *S. m. Bras.* V. *pai-de-santo.* [Pl.: *pais-de-terreiro.*]

pai-de-todos. *S. m. Fam.* V. *dedo médio:* "dá forte pancada na parte ofendida, esmagando entre o — furabolos — e o — pai-de-todos — um borrachudo." (França Júnior, *Folhetins,* pp. 491-492). [Pl.: *pais-de-todos.*]

pai-dos-burros. *S. m. Bras. Fam.* Dicionário (2). [Pl.: *pais-dos-burros.*]

paié. *S. m. Bras.* V. *pajé.*

pai-gonçalo. *S. m. Bras.* Marido moleirão, dominado pela mulher. [Pl.: *pais-gonçalos* e *pai-gonçalos.*]

pai-joão. *S. m. Bras., N.E.* **1.** Fantasia de carnaval, que representa um preto velho esfarrapado. **2.** A parte traseira da rês. [Pl.: *pais-joões* e *pai-joões.*]

pai-luís. *S. m. Bras., CE.* Mato que nasce pelo inverno nas capoeiras e roçados, e estraga as plantações mal cuidadas: "Nos sertões do Norte o pai-luís simboliza o mato que invade a roça e deteriora as plantações do agricultor descuidado ou preguiçoso." (Leonardo Mota, *Sertão Alegre,* p. 223.) [Pl.: *pais-luíses* e *pai-luíses.*]

pai-mané. *S. m. Bras.* Indivíduo bobo, ignorante. [Pl.: *pais-manés* e *pai-manés.*]

paina (ãi). [Do malaiala *paññi.*] *S. f. Bras.* Conjunto de fibras sedosas, parecidas às do algodão, que envolvem as sementes de várias plantas, em especial das famílias das bombacáceas, asclepiadáceas e tifáceas, e têm larga aplicação industrial.

paina-cipó. *S. f. Bras., S.* e *L.* Cipó lactescente, da família das asclepiadáceas (*Araujia sericifera*), de folhas lanceoladas e cordadas, flores especiosas, alvas, com linhas purpúreas, e ordenadas em cimeiras oligantas, corola urceolada, cujo fruto é um folículo pruinoso, de 15 cm, e cujas sementes têm pêlos compridos. [Pl.: *painas-cipós* e *painas-cipó.*]

paina-de-arbusto. *S. f. Bras.* Árvore da família das bombacáceas (*Bombax marginatum*). [Pl.: *painas-de-arbusto.*]

paina-de-penas. *S. f. Bras.* V. *cipó-capador.* [Pl.: *painas-de-pena.*]

paina-de-santa-bárbara. *S. f. Bras., L.* Arbusto ornamental, da família das asclepiadáceas (*Gomphocarpus brasiliensis*), de folhas lanceoladas ou lineares e incanas, flores alvas e dispostas em umbelas, e cujos frutos são amplos folículos inflados, ventricosos, papiráceos e cobertos de pontas moles. [Pl.: *painas-de-santa-bárbara.*]

paina-de-seda. *S. f.* **1.** V. *paineira.* **2.** V. *cipó-de-sapo.* [Pl.: *painas-de-seda.*]

paina-do-arpoador. *S. f. Bras., L.* Pequena árvore da família das bombacáceas (*Bombax cyatophorum*), bastante freqüente no litoral, de folhas digitadas, amplas e coriáceas, flores grandes, alvas e com numerosos estames salientes, frutos que são cápsulas avantajadas que encerram uma espécie de paina, e madeira mole. [Pl.: *painas-do-arpoador.*]

paina-do-campo. *S. f. Bras., C.* Arvoreta ou arbusto da família das bombacáceas (*Bombax gracilipes*), comum nos cerrados, de folhas digitadas, flores bem menores que as da paina-do-arpoador, e cujos frutos também geram uma sorte de paina. [Pl.: *painas-do-campo.*]

painarini. *Bras. S. 2 g.* **1.** Indivíduo dos painarinis, tribo indígena da Amazônia, no Araraparanã. ● *Adj. 2 g.* **2.** Pertencente ou relativo a essa tribo.

painça (a-in). *Adj. (f.).* Diz-se da palha e da farinha de painço.

painçada (a-in). *S. f.* Porção de painço.

painço (a-in). [Do lat. *paniciu.*] *S. m.* **1.** Capim anual, da família das gramíneas (*Setaria italica*), próprio da Europa, embora cultivado em muitas terras como alimentar, cujos colmos vão de 90 a 150 cm, e cujas espigas são amentiformes, grossas, amarelas ou violáceas, e setosas. **2.** O grão dessa planta.

painço-grande. *S. m. Bras.* V. *capim-guiné.* [Pl.: *painços-grandes.*]

paineira. *S. f. Bras. L.* Grande árvore da família das bombacáceas (*Chorisia speciosa*), peculiar às matas, provida de grandes acúleos no grosso tronco, folhas digitadas e enormes flores róseas, altamente ornamentais, e cujos frutos fornecem a paina; paina-de-seda, barriguda: "Neste retiro os longos dias passo, / Sem alegrias e sem dissabores, / Vendo as aves cruzarem-se no espaço / E as paineiras vestirem-se de flores." (Ricardo Gonçalves, *Ipês,* p. 37.)

painel[1]. [Do esp. *painel.*] *S. m.* **1.** V. *quadro* (4): "Na sala de jantar, um pouco sombria, ... escurecida ainda por dois antigos painéis de paisagem tristonha, a mesa oval .... ressaltava alva e fresca" (Eça de Queirós, *Os Maias,* II, p. 73). **2.** Almofada de portas ou janelas. **3.** Relevo arquitetônico em feitio de moldura, sobre um plano. **4.** Qualquer obra artística ou decorativa que recobre uma parede ou parte dela: *painel fotográfico; painel de mosaico.* **5.** Tabique móvel ou fixo usado em museus ou salas de exposição. **6.** A parte visível das fechaduras não embutidas na espessura das portas. **7.** Quadro (6) onde se encontram os instrumentos de controle de uma instalação ou de um motor: *o painel de um avião; o painel de uma rede elétrica; O painel dos automóveis está localizado abaixo do pára-brisa.* **8.** Quadro onde se penduram chaves, ferramentas, etc. **9.** *Fig.* Visão, quadro, panorama: *A Dolce Vita, de Fellini, é um painel de mortandade.* [Pl.: *painéis.*] ◆ **Painel da popa.** *Constr. Nav.* **1.** Parte superior da popa, acima da almeida [q. v.], nos navios de popa quadrada. **2.** Parte das embarcações miúdas de popa quadrada, presa ao cadaste e onde se vão encaixar os topos das tábuas do costado.

painel[2]. [Do ingl. *panel.*] *S. m.* Reunião em que uma mesa, constituída por personalidades ou especialistas, apresenta pontos de vista a respeito de um tema, a fim de serem debatidos pelo plenário: "Painel discute preços cobrados pela mídia" (*Folha de S. Paulo,* 18.7.1985).

painense (a-i). *Adj. 2 g.* **1.** De, ou pertencente ou relativo a Pains (MG). ● *S. 2 g.* **2.** Natural ou habitante de Pains.

pai-nosso. *S. m.* **1.** *Rel.* Oração dominical que principia por estas palavras. **2.** *P. ext. Rel.* Cada uma das contas maiores do rosário, que indicam o número de vezes em que se há de rezar esta oração. [Sin. ger.: *padre-nosso.* Pl.: *pais-nossos.*]

paio. [Do antr. galego *Payo.*] *S. m.* **1.** Carne de porco ensacada em tripa de intestino grosso; lingüiça de padre. **2.** *Bras., S.* Indivíduo toleirão, bobalhão, crédulo em demasia. ● *Adj.* **3.** *Bras., S.* Diz-se de paio (2).

paiol. [De *paiol,* f. dialetal do cat., em lugar de *pallol.*] *S. m.* **1.** Depósito de pólvora e de outros petrechos de guerra. **2.** *Constr. Nav.* Qualquer compartimento destinado à guarda ou ao armazenamento de materiais ou gêneros de qualquer espécie: *paiol de amarra; paiol de sobressalentes; paiol de mantimentos; paiol de munição.* **3.** *Bras.* Armazém para depósito de gêneros da lavoura. **4.** *Bras., MG* e *SP.* Depósito ou tulha de milho ou de outros cereais. **5.** *Bras., BA.* Monte de cascalho. [Pl.: *paióis.*]

paioleiro. *S. m.* **1.** Guarda do paiol. **2.** *Bras.* Cafuleteiro.

pai-pedro. *S. m. Bras., AM.* V. *tico-tico-do-mato* (1). [Pl.: *pais-pedros* e *pai-pedros.*]

paiquicé. *Bras. S. 2 g.* **1.** Indivíduo dos paiquicés, tribo indígena do PA. ● *Adj. 2 g.* **2.** Pertencente ou relativo a essa tribo.

pairador (ô). *Adj.* Que paira; pairante.

pairante. *Adj. 2 g.* Pairador.

pairar. [Do lat. *pariare,* 'ser igual', atr. do provenç. *pairar,* 'aguentar, suportar, pacientar'.] *V. int.* **1.** Cruzar (uma embarcação) em espaço relativamente restrito, com pequeno seguimento. **2.** Adejar sem sair do mesmo sítio: "Subir, pairar, mais alto ainda" (Martins Fontes, *Vulcão,* p. 116); "Os abutres cruéis pairavam lentamente / A farejar-lhe o corpo" (Guerra Junqueiro, *A Velhice do Padre Eterno,* p. 31). **3.** Voar vagarosamente. **4.** Mover-se ou agitar-se com lentidão no alto: *Pairam nuvens espessas;* "uma névoa subtil pairava acima dos pântanos." (Coelho Neto, *Treva,* p. 322); "Paira no silêncio do espaço a alma das gerações mortas." (Afonso Arinos, *Histórias e Paisagens,* p. 98). **5.** Estar iminente; ameaçar: *A situação é má: pairam graves perigos.* **6.** Estar ou ficar no alto, sobranceiro: *Nuvens de fumaça pairavam; Sua nobreza paira acima das perfídias;* "O mistério do tempo parecia pairar sobre a noite" (José Condé, *Tempo Vida Solidão,* p. 63). *T. c.* **7.** Sofrer, padecer. **8.** Hesitar, vacilar: *Pairava entre as duas opções. T. d.* **9.** Parar, suster, agüentar.

pairari. [De provável or. indígena.] *S. m. Bras.* V. *avoante.*

pairitiri. *Bras., S. 2 g.* **1.** Indivíduo dos pairitiris, tribo indígena que habita entre o rio Branco e a serra Parima (AM). ● *Adj. 2 g.* **2.** Pertencente ou relativo a essa tribo.

pairo. [Dev. de *pairar.*] *S. m.* Ato ou efeito de pairar: "Aos pairos a cotovia, / Impaciente pela aurora, / Lá vai a chamar o dia, / Por esses espaços fora!" (Bulhão Pato, *Livro do Monte,* p. 128.)

pais. [Pl. de *pai.*] *S. m. pl.* **1.** O pai e a mãe. **2.** Antepassados, ancestrais. [Cf. *país.*] ~ V. *pai.*

país. [Do lat. *pagense* (subentendido *agru*), 'território rural', 'país', atr. do fr. *pays.*] *S. m.* **1.** Região, terra, território: *Elegia do País das Gerais* [= o Estado de MG] (título de um livro do poeta Dantas Mota). **2.** Pátria, terra. **3.** Território habitado por uma coletividade, e que constitui uma realidade histórica e geográfica com designação própria; nação: *O Brasil tem fronteiras com todos os países da América do Sul exceto o Chile e o Equador; O escândalo abalou o país.* **5.** Meio, ambiente, clima: *Sentia-se fora de seu país, entre costumes estranhos.* **6.** *Fig.* Região, terra, lugar: o país das quimeras; o país dos sonhos. **7.** *Jur.* Conjunto formado de povo e território, não chegando a constituir um Estado, por lhe faltar soberania ou governo independente. [Pl.: *países.* Cf. *pais,* pl. de *pai* e s. m. pl., e *Pais,* antr.] ◆ **País de opereta.** País pequeno, insignificante.

paisagem. [Do fr. *paysage.*] *S. f.* **1.** Espaço de terreno que se abrange num lance de vista. **2.** Pintura, gravura ou desenho que representa uma paisagem natural ou urbana: *As paisagens de Ruysdael descortinam vastos horizontes.*

paisagismo. *S. m.* **1.** Representação de paisagens pela pintura ou pelo desenho. **2.** *Arquit.* Estudo dos processos de preparação e realização da paisagem como complemento da arquitetura.

paisagista. *S. 2 g.* **1.** Pessoa que pinta ou descreve paisagens. **2.** Aquele que se dedica ao paisagismo (2); arquiteto paisagista. **3.** *Bras.* Pessoa que planeja e compõe paisagens decorativas de jardins e / ou parques; jardinista: "O paisagista Roberto Burle Marx reiterou suas denúncias contra a deturpação do projeto original do Parque do Flamengo." (*Jornal do Brasil,* 18.2.1981.) ● *Adj. 2 g.* **4.** Que pinta ou descreve paisagens: "Atravessávamos uma região que sempre inspirou pintores paisagistas" (Carlos de Gusmão, *Boca da Grota,* p. 333).

paisagística. [Fem. substantivado de *paisagístico.*] *S. f.* A arte do paisagista.

paisagístico. Adj. Relativo a paisagem.

paisana. [Fem. substantivado do adj. *paisano.*] *El. s. f.* Us. na loc. adv. *à paisana.* ◆ **À paisana.** Em traje civil (referindo-se a militar).

paisanada. *S. f. Deprec.* **1.** Grupo ou conjunto de paisanos. **2.** Os paisanos.

paisano. [Do fr. *paysan,* 'camponês'.] *S. m.* **1.** Compatriota, compatrício, patrício. **2.** Indivíduo não militar. ● *Adj.* **3.** Que não é militar. **4.** *P. us.* Conterrâneo, compatriota.

paiseiro (a-i). [De *país* + *-eiro.*] *S. m. Bras., RS.* Cavalo crioulo.

paiurá (ai-u). *S. m. Bras.* Var. de *pajurá.*
paivense. *Adj. 2 g.* **1.** De, ou pertencente ou realtivo a Paiva (MG). • *S. 2 g.* **2.** Natural ou habitante de Paiva.
paixa. [Der. regress. de *paixão*[1].] *S. f. Bras. Gír.* **1.** Paixão[1] (2): "desfalecente de 'paixa' por detrás do balcão da venda, sem idéia senão a de ver, em relance feliz, a rapariga, vivia o caixeiro estraçoado na boca remordaz do povo." (Alcides Maia, *Tapera,* p. 71). **2.** Enleio amoroso.
paixão[1]**.** [Do lat. *passione.*] *S. f.* **1.** Sentimento ou emoção levados a um alto grau de intensidade, sobrepondo-se à lucidez e à razão: *Deixou-se vencer pela paixão; Resistiu à paixão.* **2.** Amor ardente; inclinação afetiva e sensual intensa: *A paixão entre Romeu e Julieta nasceu de um rápido encontro.* **3.** Afeto dominador e cego; obsessão: *A paixão pela filha impedia-o de ver as boas qualidades do futuro genro;* "a paixão do avaro às moedas" (Pina de Morais, *Sangue Plebeu,* p. 152). **4.** Entusiasmo muito vivo por alguma coisa: *Dedicava-se ao aeromodelismo com paixão; Colecionava com verdadeira paixão moedas do período colonial.* **5.** Atividade, hábito ou vício dominador: *a paixão da política, da maledicência, do jogo.* **6.** O objeto da paixão (2, 3, 4 e 5): *Ana Amélia foi a grande paixão de Gonçalves Dias.* **7.** Desgosto, mágoa, sofrimento: *A paixão causada pela morte da mulher quase o levou à loucura.* **8.** Arrebatamento, cólera: *No auge da paixão destruiu quanto estava a seu alcance.* **9.** Disposição contrária ou favorável a alguma coisa, e que ultrapassa os limites da lógica; parcialidade marcante; fanatismo, cegueira: *Galileu foi vítima da paixão de seus algozes.* **10.** O martírio de Cristo e dos santos. **11.** A parte do Evangelho que trata do martírio de Cristo. [Nessas duas últimas acepç. escreve-se com maiúscula.] **12.** A expressão de sensibilidade ou entusiasmo do artista que se manifesta numa obra de arte; calor, emoção: *Portinari tem afrescos cheios de paixão; A Iracema, de Alencar, é obra de grande paixão.* **13.** *Mús.* Gênero de cantata ou oratório religioso cujo tema são os acontecimentos que precederam e acompanharam a morte de Cristo, tal como se acham descritos nos quatro Evangelhos. **14.** *Teat.* Composição dramática baseada na vida de Cristo.
paixão[2]**.** *S. f. Constr. Nav.* Forte olhal fixo na sobrequilha para segurar a braga da amarra.
paixoneta (ê). *S. f. Fam.* Pequena paixão amorosa; amorico.
paixonite. *S. f. Bras. Fam.* Grande paixão amorosa: *O rapaz estava sofrendo de paixonite aguda.* [Us. mais comumente seguido de *aguda.*]
pajamarioba. *S. m. Bras.* V. *fedegoso-verdadeiro.*
pajana. *Bras. S. 2 g.* e *adj. 2 g.* V. *pauxiana.*
pajé. [Do tupi *pa'yé.*] *S. m.* **1.** *Bras.* Chefe espiritual dos indígenas, misto de sacerdote, profeta e médico-feiticeiro; piaga, mananga: "O tuxaua e o pajé, representantes da lei e do dogma, guardam segredos invioláveis, só transmitidos aos substitutos na hora da morte." (Raimundo Morais, *País das Pedras Verdes,* p. 290.) **2.** *Bras.* V. *mandachuva.* **3.** *Bras., Amaz.* Benzedor, curandeiro. **4.** *Bras., Amaz. Folcl.* Chefe de pajelança. [Var.: *paié.*]
pajeada. *S. f.* **1.** A classe dos pajens; os pajens. **2.** Porção de pajens.
pajear. [De *pajem* + *-ar*[2].] *V. t. d.* **1.** Apajear. **2.** *Bras.* Tomar conta de, vigiar (criança, e, p. ext. e ironicamente, adulto). [Conjug.: v. *frear.*]
pajelança. [De *pajé.*] *S. f. Bras.* **1.** V. *bruxaria* (1 e 2): "Escaparam de tiros, de facadas, de mordeduras de cobras, ... de envenenamentos, de pajelanças." (Raimundo Morais, *País das Pedras Verdes,* p. 207.) **2.** Benzedura. **3.** Arte de curar. **4.** Prática dos curandeiros da Amazônia, conhecidos por *pajés.*
pajem. [Do fr. ant. *paje,* 'criado, aprendiz'.] *S. m.* **1.** Moço nobre que, na Idade Média, acompanhava um príncipe, um senhor, uma dama, para se aperfeiçoar na carreira das armas e nas boas maneiras antes de ser armado cavaleiro. **2.** Menino ou rapaz que outrora se punha a serviço de pessoa de alta categoria. **3.** Cavaleiro que, nas touradas, transmite ordens. **4.** *Ant.* Grumete encarregado da limpeza, em navios de guerra. **5.** *Bras.* Criado que acompanha alguém em viagem a cavalo. **6.** *Bras.* Menino que faz parte de um cortejo de casamento. • *S. f.* **7.** *Bras., MG* e *SP.* V. *ama-seca.*
pajeú. [Do tupi *pa'yéu.*] *S. m. Bras.* Árvore da família das poligonáceas (*Triplaris surinamensis*), de ampla dispersão, e habitante das florestas, de folhas ovadas, agudas, flores pequenas e reunidas em amplas panículas terminais, e cujo fruto é uma noz pequena encimada pelo cálice muito ampliado, com seis enormes sépalas, sendo a madeira de pouco préstimo. Nas cavidades dos ramos se abrigam formigas. [Sin.: *taxi-preto.*] • *S. f.* **2.** *Bras., PE.* Designação comum a instrumentos de cutelaria fabricados nos sertões de Pajeú. **3.** *Bras., N.E.* Grande faca de ponta, de cabo de chifre, em forma de anéis, brancos e pretos; pajeuzeira. **4.** *P. ext.* Faca de ponta. V. *lambedeira* (3).
pajeuzeira (e-u). [Do top. *Pajeú* + *-z-* + *-eira.*] *S. f. Bras., CE.* V. *pajeú* (3).
pajonal. [Do esp. plat. *pajonal; o j* é aspirado, como no castelhano.] *S. m. Bras., RS.* **1.** Terreno coberto de palha brava, santa-fé e outras gramíneas; capinzal. **2.** Restolhal, restolhada.
pajualiene. *Bras. S. 2 g.* **1.** Indivíduo dos pajualienes, tribo indígena aruaque do rio Aiari. • *Adj. 2 g.* **2.** Pertencente ou relativo a essa tribo. [Sin.: *coripaca* e *pacutapuia.*]
pajuari. [Do caribe *paiuá.*] *S. m. Bras.* Certa bebida excitante, usada pelos indígenas.
pajuçara. [Do tupi *payu'sara.*] *Adj. 2 g. Bras., N.* e *N.E.* Muito grande; de grande corpo ou estatura.
pajurá. [Do tupi *payu'ra.*] *S. m. Bras., Amaz.* Árvore da família das rosáceas (*Couepia bracteosa*), comum nas florestas pluviais, cuja madeira, amarela, é dura, mas pouco durável, e cujo fruto é uma drupa dotada de mesocarpo carnoso, oleaginoso, doce e perfumado, apreciado pelo sabor agradável.
pajurarana. [De *pajurá* + *-rana.*] *S. f. Bras., Amaz.* Árvore da família das rosáceas (*Licania parinarioides*), da floresta densa e úmida, de folhas coriáceas, duras, flores pequenas em racemos dispostos em panículas não compactas, e cujo fruto é uma drupa carnosa.
pala[1]**.** [Do lat. *pala.*] *S. f.* **1.** Engaste de pedra preciosa. **2.** Peça que guarnece a parte ínfero-anterior da barretina ou boné de militares, etc. **3.** Anteparo para proteger os olhos contra a claridade moiesta. **4.** Cartão quadrado, guarnecido de pano, com que o sacerdote cobre o cálice. **5.** Parte lisa e recortada, geralmente ajustada ao corpo, de vestido, saia, blusa ou calça, entre o ombro e parte da cava, entre a cintura e os quadris, ou entre a cintura e o busto. **6.** Peça retangular móvel colocada na parte superior interna do pára-brisa dos automóveis, que o motorista abaixa para evitar a incidência da luz direta do Sol. **7.** Parte do sapato onde assenta a fivela. **8.** Parte da polaina que cobre o pé. **9.** Parte móvel de uma cartucheira, que serve para cobrir os cartuchos: **10.** *Ant.* Manto usado pelas matronas romanas. **11.** *Heráld.* Barra ou faixa que divide o escudo de alto a baixo. **12.** *Pop.* Engano, peta, mentira. **13.** *Bras. Pop.* V. *dica.*
pala[2]**.** *S. m. Bras., S.* Poncho leve, de brim, vicunha, merinó, ou até de seda, com as pontas franjadas. [Sin. (desus.): *balandrau.*] ♦ **Abrir o pala.** *Bras., S. Pop.* V. *fugir* (1 e 2).
paláceo. *Adj. Morfol. Veg.* Que tem o limbo decorrente no pecíolo: *folha palácea.* [Cf. *palácio,* s. m., e *Palácio,* top.]
palacete. (ê). *S. m.* **1.** Palácio pequeno. **2.** Casa suntuosa, grande. V. *palácio* (4).
palacianidade. *S. f.* Palacianismo.
palacianismo. *S. m.* Qualidade, modos ou hábitos de palaciano; palacianidade.
palaciano. *Adj.* **1.** Respeitante a palácio; palatino. **2.** Próprio de quem vive na corte; cortesão: *costumes palacianos.* **3.** *Bras., SP. Pop.* Delicado, cortês. • *S. m.* **4.** Cortesão, áulico.
palácio. [Do lat. *palatiu.*] *S. m.* **1.** Residência de um monarca, de um alto dignitário eclesiástico, de um chefe de governo: *palácio real; palácio episcopal; palácio presidencial.* **2.** *P. ext.* Residência de família nobre ou pessoa importante. **3.** Sede dum governo, duma administração, dum tribunal, etc.: *o palácio da Prefeitura; o palácio da Câmara.* **4.** Construção ampla e aparatosa; edifício suntuoso. [Dim. irreg.: *palacete.* Cf. *paço* e *paláceo.*]
paladar. [Do lat. vulg. **palatare* < *palatu,* 'palato, céu da boca'.] *S. m.* **1.** *Anat.* V. *palato* (1). **2.** V. *gosto* (1). **3.** *Fig.* V. *sabor* (2).
paladim. *S. m.* Var. de *paladino:* "Farão ressuscitar os nobres condestáveis, / Os vultos fantasmais dos paladins e heróis" (Martins Fontes, *Verão,* p. 69).
paladinar. *V. int.* Proceder como paladino; lutar, combater.
paladínico. *Adj.* **1.** Relativo a, ou próprio de paladino. **2.** Esforçado; temerário.
paladino. [Do b.-lat. galicano *palatinu,* pelo it. *paladino.*] *S. m.* **1.** Cada um dos principais cavaleiros que acompanhavam o Imperador Carlos Magno [v. *carolíngio* (1)] na guerra. **2.** Cavaleiro andante. **3.** *Fig.* Homem de grande bravura; defensor estrênuo; campeão: *José do Patrocínio foi um paladino da Abolição;* "embora o animasse [a D. Pedro I] o desejo de transpor o mar para fazer-se paladino do constitucionalismo em Portugal, tentou ainda em 1831 (19 de março) um último esforço de reconciliação" (Euclides da Cunha, *À margem da História,* p. 253). [Var.: *paladim.*]
paládio. [Do gr. *palládion,* estátua de Palas que protegia Tróia, pelo lat. *palladiu.*] *S. m.* **1.** Estátua de Palas ou Minerva, deusa das artes e da sabedoria, venerada em Tróia. **2.** *Fig.* Salvaguarda, proteção, garantia. **3.** *Quím.* El. de número atômico 46, metálico, branco-prateado, denso, usado em ligas e em laboratório. [Símb.: *Pd.*]
palaemonídeo. *S. m.* e *adj.* V. *palemonídeo.*
palaemonídeos. *S. m. pl. Zool.* V. *palemonídeos.*
palafita. [Do it. *palafitta,* 'paus fixados'.] *S. f.* **1.** Estacaria que sustenta as habitações lacustres. **2.** Designação comum a essas habitações: "O homem que nele habita [no vale amazônico], na parte mais baixa, mantém-se, o pobre, nas estacas de palafitas como seus irmãos nas lagunas da pré-história." (Alberto Rangel, *Papéis Pintados,* p. 231.) ~ V. *palafitas.*
palafitas. [Pl. de *palafita.*] *S. f. pl.* Ruínas de povoações lacustres dos homens pré-históricos. ~ V. *palafita.*
palafítico. *Adj.* Relativo a palafitas.
palafrém. [Do lat. tardio *paraveredus,* atr. do fr. ant. *palefrei* e do cat. *palafré.*] *S. m.* **1.** Cavalo de parada dos reis e dos nobres, na Idade Média. **2.** Cavalo elegante, especialmente destinado a senhoras: "Atanagildo dirigiu-lhe [à dama] algumas palavras em voz submissa e, tomando as rédeas do palafrém, guiou-o para uma porta contígua ao frontispício da igreja." (Alexandre Herculano, *Eurico,* p. 128.) **3.** *P. ext.* Qualquer cavalo.
palafreneiro. *S. m.* **1.** Moço de libré que tratava do palafrém ou o conduzia à mão. **2.** Cavalariço.
palagonita. [Do top. *Palagônia* + *-ita*[3].] *S. f. Min.* Vidro vulcânico basáltico alterado, de cor amarela ou alaranjada, encontrável nos terrenos vulcânicos da Palagônia, na Sicília (Itália).
palagonito. [Do top. *Palagônia* + *-ito*[3].] *S. m. Min.* Tufo semelhante a arenito, composto de numerosos grãos ou fragmentos de palagonita, vidro basáltico alterado, além de fragmentos de augita e olivina, e micrólitos de plagioclásio.
palamalhar. [Alter. de *palamalho* < it. *pallamaglio.*] *S. m.* Espécie de jogo de bola ou de bilhar; palamalho.
palamalho. *S. m.* Palamalhar.
palamedeídeo. *S. m.* e *adj.* Anhimídeo.
palamedeídeos. *S. m. pl. Zool.* Anhimídeos.
palamedeiforme. *S. m.* **1.** Espécime dos palamedeiformes. • *Adj. 2 g.* **2.** Pertencente ou relativo a eles.
palamedeiformes. *S. m. pl. Zool.* Aves neórnites, neógnatas, consideradas por alguns autores como uma ordem: *Palamedeiformes.* Têm cauda, dedos livres, ordinários, dispostos três para a frente e um para trás, tarso reticulado, pernas fortes, de comprimento médio, e um tubo membranáceo na cabeça. São as anhumas e os unicórnios.
palamenta. [Do esp. *palamenta.*] *S. f. Mar.* **1.** Conjunto de objetos acessórios indispensáveis, nas condições normais, à utilização de uma embarcação miúda, ao serviço de rancho, etc.: "Impelida a canoa para o mar sobre dois pequenos rolos de madeira, ... após isso embarcávamos a palamenta indispensável (remos, leme e velas) e largávamos a sulcar a baía" (Virgílio Várzea, *Histórias Rústicas,* p. 89). **2.** Instrumental necessário ao serviço de uma boca-de-fogo.
➧**palam et publice** (pálam et públice). [Lat.] Aberta e publicamente.
pálamo. [De *palmo,* com epêntese.] *S. m. Zool.* Membrana entre os dedos de algumas aves, reptis e mamíferos.
palanca. [Do esp. *palanca.*] *S. f.* **1.** Estacaria, coberta de terra, construída para defesa e usada em manobras militares; palanque: "as estacas podres da palanca espreitam das represas mortas." (José Cardoso Pires, *Jogos de Azar,* p. 185). **2.** Estaca (1). **3.** Instrumento para alisar e estanhar, usado pelos caldeireiros.
palancada. *S. f.* Reunião de palanques.
palanfrório. [Alter. de *palavrório.*] *S. m.* V. *palavreado* (1 e 2).
palangana. [Do esp. *palangana.*] *S. f.* **1.** Tabuleiro de barro ou de metal onde se serviam os assados. **2.** Grande tigela. **3.** *Bras., N.* e *N.E.* Xícara muito grande.
palanque. [De *palanca.*] *S. m.* **1.** Estrado com degraus, para espectadores de festas ao ar livre; tablado. **2.** Palanca (1). **3.** *Bras., SP* a *RS.* Tronco ou esteio grosso e forte que se finca no chão e ao qual se prende o cavalo para o domar, encilhar, ou tratá-lo de bicheira.
palanqueação. *S. f. Bras., S.* Ato ou operação de

palanquear; palanqueio.
palanqueador (ô). *Adj. Bras., S.* Que palanqueia; palanqueiro.
palanquear. *V. t. d. Bras., S.* Prender (o potro) no palanque, com o fim de o encilhar, domar, ou tratá-lo de bicheira. [Conjug.: v. *frear.*]
palanque-de-banhado. *S. m. Bras., S.* Indivíduo sem firmeza de convicções. [Pl.: *palanques-de-banhado.*]
palanqueio. [Dev. de *palanquear.*] *S. m. Bras., S.* Palanqueação.
palanqueiro. *S. m.* **1.** Construtor de palanques. ● *Adj.* **2.** *Bras., S.* Palanqueador. **3.** *Bras., S.* Diz-se do animal que, rebelde, tem de viver sempre palanqueado.
palanqueta (ê). [De *palanca* + *-eta.*] *S. f. Ant.* Barra de ferro, terminada por duas balas fixas, que era lançada por peças de artilharia, e empregada especialmente nos combates navais.
palanquim. [Do sânscr. *palyanka*, atr. do neo-árico *palaki.*] *S. m.* **1.** Espécie de liteira usada na Índia e na China: "uma imperatriz .... que acolhia os amantes nas colgaduras do seu p a l a n q u i m doirado, suspenso nos ombros de vinte e quatro escravos!..." (Gonzaga Duque, *Mocidade Morta*, p. 45). **2.** Cada um dos homens que conduzem a liteira. **3.** Rede suspensa a um varal por duas pontas, destinada a conduzir uma pessoa deitada ou sentada.
palaque. *S. m. Bras., MG* e *S.* Variedade de cincerro.
palatabilidade. *S. f.* Qualidade de palatável: "Ele [o sal] é considerado um nutriente, como fornecedor de sódio e cloro, e também um condimento, melhorando a p a l a t a b i l i d a d e do alimento" (Oto Mack Junqueira, *O Estado de S. Paulo*, 26.10.1983).
palatal. *Adj. 2 g.* **1.** Relativo ou pertencente ao palato; palatinal, palatino. ~ V. *consoante* — e *vogal* —. ● *S. f.* **2.** *Fon.* Consoante palatal.
palatalização. *S. f. Gram.* Ação ou efeito de palatalizar; palatização.
palatalizado. [Part. de *palatalizar.*] *Adj. Gram.* Em que houve palatalização; palatizado.
palatalizar. *V. t. d. Gram.* Tornar palatal (som), como no caso de *alho* < lat. *alliu.* [Sin.: *palatizar.*]
palatável. [Do ingl. *palatable.*] *Adj. 2 g.* **1.** Que é grato ao paladar ou gosto; que sabe bem. **2.** *Fig.* Aceitável, tolerável: "Seu papel [o de Getúlio Vargas] era corrigir os excessos, tornar a coisa p a l a t á v e l ao país e útil ao exercício real do *seu* domínio." (Gilberto Amado, *Depois da Política*, pp. 1-2.)
palatina. [Do pros. *Palatina*, de Carlota da Baviera, cunhada de Luís XIV de França.] *S. f.* Peliça que as senhoras usam, pelo inverno, sobre os ombros e ao pescoço.
palatinado. [De *palatino*[1] + *-ado*[2].] *S. m.* **1.** Dignidade de palatino[1]. **2.** Região dominada por um palatino[1]. **3.** Cada uma das antigas províncias polonesas. **4.** Domínio de conde palatino.
palatinal. *Adj. 2 g.* V. *palatal* (1).
palatino[1]. [Do lat. *palatinu.*] *Adj.* **1.** Do, ou relativo ou pertencente ao palácio. **2.** Palaciano (1). **3.** Dizia-se de um nobre incumbido de qualquer serviço no palácio de um soberano: "Um conde p a l a t i n o .... embarcou para Mira, a fim de saber do prefeito e do bispo se estavam dispostos a dar as relíquias preciosas, a pedido do Imperador" (Gustavo Barroso, *Livro dos Milagres*, p. 64). ~ V. *conde* —. ● *S. m.* **4.** Príncipe ou senhor que tinha palácio e administrava justiça. **5.** Governador de província polonesa. **6.** Antigo título daqueles que tinham emprego no palácio dum príncipe.
palatino[2]. [De *palato* + *-ino*[1].] *Adj.* **1.** V. *palatal* (1). ~ V. *abóbada* —*a*, *amígdala* —*a*, *osso* —, *úvula* —*a* e *véu* —. ● *S. m.* **2.** *Anat.* V. *osso palatino*
palatite. [De *palato* + *-ite*[1].] *S. f. Patol.* Inflamação do palato.
palatização. [De *palatizar* + *-ção.*] *S. f. Gram.* V. *palatalização.*
palatizado. [Part. de *palatizar.*] *Adj. Gram.* V. *palatalizado.*
palatizar. [De *palato* + *-izar.*] *V. t. d. Gram.* V. *palatalizar.*
palato. [Do lat. *palatu.*] *S. m. Anat.* A abóbada que separa a cavidade bucal das cavidades nasais; abóbada palatina, paladar. ♦ **Palato duro.** *Anat.* Porção óssea que forma, superiormente, os dois terços anteriores do palato. **Palato mole.** *Anat.* Porção móvel que se estende em sentido posterior e inferior a partir da borda posterior do palato duro, entre a boca e a nasofaringe.
palatoalveolar. *Adj. 2 g. Fon.* Diz-se de som articulado ao nível da parte anterior do palato duro com a ponta ou o dorso da língua; pré-palatal.
palatofaríngeo. [De *palato* + *faríngeo.*] *Adj. Anat.* Relativo ou pertencente ao palato e à faringe.
palatolabial. [De *palato* + *labial.*] *Adj. 2 g. Anat.* Relativo ao palato e aos lábios.
palatolingual. [De *palato* + *lingual.*] *Adj. 2 g. Anat.* Relativo ao palato e à língua.
palatoplastia. [De *palato* + *-plast-* + *-ia.*] *S. f. Cir.* Reconstrução cirúrgica do palato.
palatoplástico. *Adj.* Relativo à palatoplastia.
palatoplegia. [De *palato* + *-pleg-* + *-ia.*] *S. f. Patol.* Paralisia do véu palatino.
palatoplégico. *Adj.* Referente à palatoplegia.
pálavi. [Do persa *pahlavi.*] *Adj. 2 g.* e *s. m.* Diz-se de, ou o idioma persa da época do império sassânida [q. v.], cujo sistema de escrita era derivado do alfabeto aramaico.
palavra. [Do gr. *parabolé*, pelo lat. *parabola.*] *S. f.* **1.** Fonema ou grupo de fonemas com uma significação; termo, vocábulo, dição: "Nada! Esta só p a l a v r a em si resume tudo" (Raimundo Correia, *Poesias*, p. 292); "E a P a l a v r a pesada abafa a Idéia leve" (Olavo Bilac, *Poesias*, p. 145). **2.** Sua representação gráfica: *A p a l a v r a refém leva acento no segundo* e. **3.** Manifestação verbal ou escrita; declaração: *Esperei uma p a l a v r a sua para meter mãos à obra;* "Virgília recebeu-me com esta graciosa p a l a v r a : — O senhor hoje há de valsar comigo." (Machado de Assis, *Memórias Póstumas de Brás Cubas*, p. 144). **4.** Alta expressão do pensamento; verbo. **5.** Grupo de palavras; frase(s): "Concluindo o livro de Iracema, escreveu Alencar esta p a l a v r a melancólica: 'A jandaia cantava ainda no olho do coqueiro, mas não repetia já o mavioso nome *Iracema.*'" (Machado de Assis, *Páginas Recolhidas*, p. 131.) **6.** Faculdade de expressar idéias por meio de sons articulados; fala: "De todas as artes a mais bela, a mais expressiva, a mais difícil, é sem dúvida a arte da p a l a v r a ." (Latino Coelho, *A Oração da Coroa*, p. XVII.) **7.** Modo de ver; opinião, afirmação, asserto. **8.** Alocução, oração, discurso: *A p a l a v r a de Rui Barbosa fez-se ouvir com interesse na Conferência de Haia.* **9.** Doutrina (1): *a p a l a v r a de Cristo; a p a l a v r a de Buda.* **10.** Promessa verbal: *A p a l a v r a desse negociante merece a maior confiança;* "P a l a v r a de rei não volta atrás" (prov.). **11.** Permissão ou direito de falar: *O presidente negou a p a l a v r a aos deputados não inscritos.* **12.** Maneira de falar: *É um mineiro de p a l a v r a mansa.* **13.** *Proc. Dados.* Conjunto ordenado de caracteres que ocupa uma localidade de memória principal [q. v.] do computador, e é tratado como a unidade de informação que pode ser armazenada, transmitida e modificada pelos circuitos de um computador. Na grande maioria dos computadores é constituída por 32 posições de bits. ● *Interj.* **14.** Exclamação peremptória: *P a l a v r a ! não estou mentindo.* ~ V. *palavras.* ♦ **Palavra de honra.** Protesto verbal que afirma a realização de promessa. **Palavra de rei.** Promessa que será seguramente cumprida; afirmação incontestável. **Palavras cruzadas.** Espécie de charada em que, achando a palavra que resume uma das definições dadas, o cruzadista a inscreve na conveniente fileira ou coluna de um desenho quadriculado, de tal modo que cada letra de uma palavra horizontal entre na composição de outra palavra vertical. **Cortar a palavra a.** Impedir que continue a falar. **Dar a palavra a. 1.** Permitir (o presidente duma assembléia) que alguém fale. **2.** Assegurar o cumprimento de uma promessa. **De palavra.** Que cumpre aquilo que promete: *pessoa de p a l a v r a .* **Empenhar a palavra.** Obrigar-se por promessa. **Em quatro palavras.** Com brevidade; brevemente, laconicamente. **Medir as palavras.** Atentar bem no que diz; falar com prudência; pesar as palavras. **Molhar a palavra.** Beber vinho ou outra bebida espirituosa. **Não dar uma palavra.** Abster-se de falar; calar(-se). **Pedir a palavra.** Solicitar permissão para falar numa assembléia. **Pegar na palavra.** Dispor-se a exigir o cumprimento do prometido. **Pesar as palavras.** Medir as palavras. **Santas palavras. 1.** Exclamação proferida por alguém que ouve, enfim, palavras que desejava ouvir. **2.** Exclamação de quem ouve dizer, afinal, que chegou a hora de comer ou de beber. **Sem palavra.** Que não cumpre os seus compromissos. **Ser a última palavra em.** Ser o que há de mais moderno, mais avançado, mais perfeito, em: *Paris ainda é a ú l t i m a p a l a v r a e m moda feminina;* "cadeiras de encosto reto que e r a m a ú l t i m a p a l a v r a e m móveis de escritório." (Osvaldo França Júnior, *Um Dia no Rio*, p. 12) **Ter palavra.** Cumprir o que promete. **Ter a palavra.** Ser autorizado a falar, numa assembléia. **Ter a palavra fácil.** Ter desembaraço para fazer discursos, para falar. **Tirar a palavra da boca de.** Antecipar-se em declarar o que ia ser dito por (outra pessoa). **Última palavra.** Palavra, opinião, resolução definitiva, irrevogável: *Já dei a ú l t i m a p a l a v r a sobre o caso.*
palavração. *S. f.* Método de aprender a ler palavra por palavra.
palavra-chave. *S. f.* **1.** Palavra que encerra o significado global de um contexto, ou que o explica e identifica: *A p a l a v r a - c h a v e deste romance é angústia.* **2.** Palavra que serve para identificar num catálogo de livros ou de artigos, numa listagem ou na memória de um computador, os elementos que têm entre si um certo parentesco ou que pertencem a um certo grupo. [Pl.: *palavras-chaves* e *palavras-chave.*]
palavrada. *S. f.* **1.** V. *palavrão* (1 e 3): "Ao contrário do imperador Francisco José d'Áustria, que adorava as anedotas picarescas e os casos sujos, tinha meu pai horror às p a l a v r a d a s , tão portuguesas de lei" (Oliveira Lima, *Memórias*, p. 7). **2.** Bravata, fanfarronada.
palavra-filtro. *S. f. Proc. Dados.* Palavra que se utiliza numa linguagem de computador para extrair determinados caracteres de uma informação; máscara. [Pl.: *palavras-filtros* e *palavras-filtro.*]
palavrão. *S. m.* **1.** Palavra obscena ou grosseira; palavrada, pachouchada. **2.** Palavra grande e difícil de pronunciar. **3.** *P. ext.* Termo enfático ou empolado; palavrada.
palavra-ônibus. *S. f. Gram.* Aquela que tem larguíssimo número de acepções, prestando-se, dentro de uma certa faixa, à expressão de numerosíssimas idéias. Ex.: *bacana* [q.v.], *legal* [q. v.], que exprimem, praticamente, todas as idéias apreciativas. [Pl.: *palavras-ônibus.*]
palavras. [Pl. de *palavra.*] *S. f. pl.* Promessas vãs, enganosas. ~ V. *palavra.*
palavreado. *S. m.* **1.** Conjunto de palavras com pouco ou nenhum nexo e importância: "Falava-se nas 'raivas do ciúme, ... nas noites de luar, nos suspiros da saudade', todo o p a l a v r e a d o mórbido do sentimentalismo lisboeta." (Eça de Queirós, *O Primo Basílio*, p. 228.) [Sin.: *bacharelice, bagaçada, conversa, parlenda, palavrório, palanfrório* e (bras., S.) *bocagem.*] **2.** Loquacidade astuciosa: "aos quinze julgava-se desiludida e sonhava com o túmulo; aos vinte, como é natural, sucumbiu ao p a l a v r e a d o de um primo em segundo grau" (Aluísio Azevedo, *Casa de Pensão*, p. 158). [Sin.: *lábia, conversa, palavrório, palanfrório* e (bras., S.) *bocagem.*]
palavreador (ô). *Adj.* e *s. m.* Que ou aquele que palavreia.
palavrear. [De *palavra* + *-ear.*] *V. int.* **1.** Falar sem moderação e com leviandade; tagarelar, parolar: "Não bebia e nem ficava, como muitos, p a l a v r e a n d o e debicando da vida dos mais." (Nélson de Faria, *Bazé*, p. 116.) *T. i.* **2.** Dirigir a palavra; falar: "E, enquanto p a l a v r e a v a abstraído com Mme Brizard e com o Coqueiro, percebia que alguma coisa se apoderava dele" (Aluísio Azevedo, *Casa de Pensão*, p. 100). [Conjug.: v. *frear.*]
palavrinha. [Dim. de *palavra.*] *S. f.* Palavras poucas e breves: *Não saia agora: quero dar-lhe uma p a l a v r i n h a .*
palavrório. *S. m.* V. *palavreado* (1 e 2).
palavroso (ô). *Adj.* **1.** Que tem muita palavra: "Há .... um estilo péssimo, chamado asiático, p a l a v r o s o , tufado, logomáquico." (José Oiticica, *Curso de Literatura*, p. 55.) **2.** Prolixo na expressão; loquaz, verboso.
palco. [Do lomb. *palko*, 'viga', atr. do it. *palco.*] *S. m. Teat.* **1.** Tablado ou estrado destinado às representações, em geral construído de madeira, e que pode ser fixo, giratório ou transportável, bem como tomar várias formas e localizações em função da platéia, que pode situar-se à frente dele ou circundá-lo por dois ou mais lados. **2.** *Teat.* O proscênio, em oposição à cena (1). **3.** *P. ext.* O conjunto que inclui o espaço de representação, os bastidores e os camarins; caixa, caixa de cena, caixa de teatro. **4.** *Fig.* A arte teatral; o teatro: *Dedicou a vida ao p a l c o ; Tem vocação para o p a l c o .* **5.** *Fig.* Local onde se desenrola algum acontecimento (trágico ou imponente, em geral): *O Rio foi p a l c o de grandes desabamentos durante as chuvas do verão de 1966;* "O Rio foi o p a l c o da mais renhida exibição de virtudes e pecados do personalismo nacional" (José Honório Rodrigues, *Vida e História*, p. 145). **6.** *Ant.* Leito protrátil. ♦ **Palco de avental.** *Teat.* Palco elisabetano. [Cf. *avental* (2).] **Palco elisabetano.** *Teat.* Palco originário do período elisabetano, constituído de um espaço interior, ao fundo, denominado *inner stage* [q. v.], e de um proscênio, bem mais amplo, chamado *outer stage* [q. v.]; palco de avental. **Palco exterior.** *Teat.* V. *outer stage.* **Palco giratório.** *Teat.* Aquele cujo madeiramento não é fixo, porém movido por mecanismos que permi-

tem inúmeros e rápidos movimentos de cenários, e vários outros efeitos cênicos. **Palco interior.** *Teat.* V. *inner stage.* **Palco italiano.** *Teat.* Palco retangular, em forma de caixa aberta na parte anterior, situado ao fundo e em plano acima da platéia, provido de moldura [v. *boca de cena*], de bastidores laterais, de bambolinas e de cortinas ou pano de boca e, não raro, de um espaço à frente, destinado à orquestra (6). É o mais conhecido e utilizado dos palcos modernos.

▲pale(a)-. [Do lat. *paleas, arum.*] *El. comp.* = 'palha': *paleáceo.* [Equiv.: *palei-*: *paleiforme.*]

paleação. *S. f. Bras., RS.* Ato de palear[2]. [Cf. *paliação.*]

paleáceo. [Do lat. *palea*, 'palha', + *-áceo.*] *Adj.* **1.** Da natureza da palha. **2.** *Bot.* Diz-se dos órgãos vegetais providos de palha. **3.** *Morfol. Veg.* Que tem páleas: *receptáculo* p a l e á c e o.

paleantropologia. [De *pale(o)-* + *antropologia.*] *S. f.* Antropologia do homem primitivo.

paleantropológico. *Adj.* Relativo à paleantropologia.

paleantropologista. *S. 2 g.* Especialista em paleantropologia; paleantropólogo.

paleantropólogo. *S. m.* Paleantropologista.

palear[1]. [Da loc. lat. *palam facere*, 'divulgar, revelar; manifestar'.] *V. t. d. P. us.* Manifestar, patentear, revelar, divulgar, propalar. [Conjug.: v. *frear.* Cf. *paliar.*]

palear[2]. [Do esp. plat. *palear.*] *V. int. Bras., RS.* Trabalhar com a pá[1] (1), removendo terras. [Conjug.: v. *frear.* Cf. *paliar.*]

palearqueologia. [De *pale(o)-* + *arqueologia.*] *S. f.* Estudo arqueológico dos objetos que pertenceram aos homens pré-históricos.

palearqueológico. *Adj.* Referente à palearqueologia.

paleártica. [De *pale(o)-* + *ártica.*] *S. f.* Região zoogeográfica que se estende pela Europa e Ásia até o Himalaia, e África setentrional até o Saara. [Cf. *neártica.*]

paleártico. *Adj.* Pertencente ou relativo à paleártica.

páleas. [Do lat. *palea*, 'palha'.] *S. f. pl. Bot.* **1.** Pequenas brácteas que substituem o perianto. **2.** Escamas membranosas, secas (*brácteas*), que se encontram entre as flores dos capítulos de certas compostas.

paleetnologia. [De *pale(o)-* + *etnologia.*] *S. f.* A ciência das raças humanas pré-históricas.

paleetnológico. *Adj.* Relativo à paleetnologia.

paleetnólogo. *S. m.* Especialista em paleetnologia.

▲palei-. Equiv. de *pale(a)-.*

paleiforme. [De *palei-* + *-forme.*] *Adj. 2 g.* Semelhante à palha.

paleio[1]. [Dev. de *palear[1]*?] *S. m.* **1.** *Bras., N.E.* Pilhéria insistente e inconveniente; pândega, troça, zombaria; desafio, provocação. **2.** *Bras., PB. Pop.* V. *namoro* (1). **3.** *Bras., N.E.,* e *prov. lus.* Conversa frívola ou astuciosa; palavreado: "durante horas seguidas escutava qualquer grupo sentado no largo, quando é no verão e o p a l e i o dura até alta noite." (Manuel da Fonseca, *Aldeia Nova*, p. 72.)

paleio[2]. [Dev. de *palear[2]*.] *S. m. Bras., RS.* Ato de palear[2].

palejar. *V. int. Bras.* Tornar-se ou mostrar-se pálido; empalidecer; "Estava [a noite] deliciosamente bela, os morros p a l e j a v a m de luar e o espaço morria de silêncio." (Machado de Assis, *Dom Casmurro*, p. 191.) [Conjug.: v. *pelejar.*]

palemonídeo. *S. m.* **1.** Espécime dos palemonídeos. ● *Adj.* **2.** Pertencente ou relativo a eles.

palemonídeos. *S. m. pl. Zool.* Família de crustáceos decápodes, macruros, de porte considerável, conhecidos vulgarmente como *pitus* [v. *pitu* (1)].

palência. *S. f.* V. *palidez.*

palendrengue. *S. m. Bras.* Roupa, fato, fatiota.

palente. [Do lat. *pallente.*] *Adj. 2 g.* **1.** *Poét.* Que paleja. **2.** V. *pálido.*

▲pale(o)-. [Do gr. *palaiós, á, ón.*] *El. comp.* = 'antigo', 'primitivo', 'pré-histórico': *paleografia, paleetnologia.*

paleoacantocéfalo. *S. m.* **1.** Espécime dos paleoacantocéfalos. ● *Adj.* **2.** Pertencente ou relativo a eles.

paleoacantocéfalos. *S. m. pl. Zool.* Animais asquelmintos, acantocéfalos, ordem *Paleoacanthocephala*, com espinhos da probóscida em fileiras alternadas, protonefrídias ausentes, os machos geralmente com seis glândulas de cemento.

paleobotânica. [De *pale(o)-* + *botânica.*] *S. f.* Parte da botânica que trata das plantas fósseis.

paleobotânico. *Adj.* **1.** Relativo à paleobotânica. ● *S. m.* **2.** Especialista em paleobotânica.

paleoceno. [De *pale(o)-* + *-ceno.*] *Adj. e s. m.* ~ V. *época* —*a.*

paleoclimatologia. [De *pale(o)-* + *climatologia.*] *S. f. Met.* Reconstituição da média climática da Terra, no passado, mediante correlações como, p. ex., com a dendrocronologia.

paleoclimatológico. *Adj.* Referente à paleoclimatologia.

paleocristã. [De *pale(o)-* + o fem. de *cristão.*] *Adj. (f.) Pint.* Diz-se da pintura das primitivas comunidades cristãs, executada a têmpera ou a fresco nas paredes e teto das catacumbas, no período antecedente ao Édito de Galério (311), às perseguições.

paleoecologia. [De *pale(o)-* + *ecologia.*] *S. f. Ecol. Veg.* Parte da ecologia que trata da vida das plantas extintas.

paleoecológico. *Adj.* Concernente à paleoecologia.

paleoecologista. *S. 2 g.* Especialista em paleoecologia.

paleofitologia. [De *pale(o)-* + *fitologia.*] *S. f.* Tratado das plantas fósseis.

paleofitológico. *Adj.* Referente à paleofitologia.

paleofitólogo. *S. m.* Especialista em paleofitologia.

paleogêneo. [De *pale(o)-* + *-gen(o)-*[1] + *-eo.*] *Adj. Geol. Obsol.* Relativo às três primeiras épocas do período terciário. ~ V. *depósito* —.

paleogeografia. [De *pale(o)-* + *geografia.*] *S. f.* Estudo da configuração da superfície terrestre nas épocas geológicas passadas.

paleogeográfico. *Adj.* Referente à paleogeografia.

paleogeógrafo. *S. m.* Especialista em paleogeografia.

paleógnata. *S. f.* **1.** Espécime dos paleógnatas. ● *Adj. 2 g.* **2.** Pertencente ou relativo a eles.

paleógnatas. *S. f. pl. Zool.* Aves neórnites, da superordem *Paleognathae*, de asas reduzidas, sem capacidade de vôo, vértebras caudais livres, coracóide e escápula pequenos. No grupo se incluem as avestruzes.

paleografar. *V. int.* Estudar e/ou praticar a paleografia. [Pres. ind.: *paleografo*, etc. Cf. *paleógrafo.*]

paleografia. [De *pale(o)-* + *-graf(o)-* + *-ia.*] *S. f.* Ciência auxiliar da história, que tem por objeto o estudo da escrita antiga em qualquer espécie de material, compreendendo a decifração, a datação e a interpretação dos textos. [Abrange a epigrafia e, como esta, diz-se geral ou especial, neste último caso subdividindo-se de acordo com as diferentes áreas culturais: paleografia grega, paleografia latina, etc. Cf. *papirologia.*]

paleográfico. *Adj.* Respeitante à paleografia. ~ V. *edição* —*a.*

paleógrafo. *S. m.* **1.** Especialista em paleografia. **2.** Livro escolar destinado ao aprendizado da leitura da letra manuscrita. [Cf. *paleografo*, do v. *paleografar.*]

paleoliteratura. [De *pale(o)-* + *literatura.*] *S. f.* Literatura antiga.

paleolítico. [De *pale(o)-* + *-lit(o)-* + *-ico.*] *Adj. Geol.* **1.** Relativo ou pertencente ao período paleolítico. ~ V. *período* —. ● *S. m.* **2.** O período paleolítico.

paleologia. [De *pale(o)-* + *-log(o)-* + *-ia.*] *S. f.* O estudo das línguas antigas.

paleológico. *Adj.* Respeitante à paleologia.

paleólogo. *Adj. e s. m.* Que ou aquele que é versado em paleologia.

paleonemertino. *S. m.* **1.** Espécime dos paleonemertinos. ● *Adj.* **2.** Pertencente ou relativo a eles.

paleonemertinos. *S. m. pl. Zool.* Animais nemertinos, anoplos, ordem *Palaeonemertini*, que têm os músculos do corpo em duas ou três camadas, a mais interna circular, e derme gelatinosa.

paleontologia. [De *pale(o)-* + *-onto-* + *-log(o)-* + *-ia.*] *S. f.* **1.** Ciência que estuda animais e vegetais fósseis. **2.** Tratado relativo a essa ciência.

paleontológico. *Adj.* Relativo à paleontologia. ~ V. *jazida* —*a* e *sítio* —.

paleontólogo. *S. m.* Especialista em paleontologia.

paleopterígio. *S. m.* **1.** Espécime dos paleopterígios. ● *Adj.* **2.** Pertencente ou relativo a eles. [Sin. ger.: *condroganóide.*]

paleopterígios. *S. m. pl. Zool.* Animais metazoários, cordados, vertebrados, peixes, osteíctes, subclasse *Palaeopterygii*, de crânio cartilaginoso persistente, com um revestimento ósseo, cauda dificerca ou heterocerca, tegumento em geral com escamas ganóides não articuladas, e com canais ramificados para os vasos sangüíneos; condroganóides.

paleotério. [De *pale(o)-* + *-tério*[1].] *S. m.* Gênero de paquidermes fósseis.

paleotípico. *Adj.* Relativo a paleótipo.

paleótipo. [De *pale(o)-* + *-tipo.*] *S. m.* Documento escrito que, pela grafia, mostra ser muito antigo.

paleotropical. [De *pale(o)-* + *tropical.*] *Adj. 2 g. Fitogeog.* Relativo aos, ou próprio dos trópicos do Velho Mundo: *espécie* p a l e o t r o p i c a l.

paleozóico. [De *pale(o)-* + *-zóico.*] *Adj. e s. m.* ~ V. *era* —*a.*

paleozoologia. [De *pale(o)-* + *zoologia.*] *S. f.* **1.** Ramo da paleontologia que estuda os animais fósseis. **2.** Tratado acerca dessa ciência.

paleozoológico. *Adj.* Relativo à paleozoologia.

paleozoologista. *S. 2 g.* Especialista em paleozoologia; paleozoólogo.

paleozoólogo. *S. m.* Paleozoologista.

palerma. *Adj. 2 g. e s. 2 g.* V. *tolo* (1 a 3 e 8).

palermar. *V. int. Bras.* Proceder ou discorrer como palerma.

palermice. *S. f.* Qualidade, ato ou dito de palerma.

palescência. [Do lat. *pallescente*, part. pres. de *pallescere*, 'empalidecer'.] *S. f.* V. *palidez.*

palestesia. [Do gr. *pállo*, 'vibrar', + *-estes(i)-* + *-ia.*] *S. f. Med.* Sensibilidade às vibrações.

palestina. [De *palestino*, provavelmente.] *S. f. Tip.* Caráter tipográfico de corpo 22.

palestinense. *Adj. 2 g.* **1.** De, ou pertencente ou relativo a Palestina (SP). ● *S. 2 g.* **2.** Natural ou habitante de Palestina.

palestino. [Do lat. *palaestinu.*] *Adj.* **1.** De, ou pertencente ou relativo à Palestina (Ásia). ● *S. m.* **2.** O natural ou habitante da Palestina.

palestra. [Do gr. *palaístra*, pelo lat. *palaestra.*] *S. f.* **1.** V. *conversação* (1). **2.** Conferência ou discussão sobre assunto cultural. **3.** *Ant.* Na Grécia e Roma antigas, lugar onde se faziam exercícios ginásticos.

palestrador (ô). *Adj.* **1.** Que palestra. ● *S. m.* **2.** Aquele que palestra, que é dado a palestrar; palestrante.

palestrante. *S. 2 g.* Palestrador (2).

palestrar. *V. int.* **1.** Estar de, ou manter palestra; conversar, cavaquear. *T. i.* **2.** Conversar, falar: "Herculano trabalha todo o dia, mas às refeições p a l e s t r a longamente com Garrett." (José Osório de Oliveira, *O Romance de Garrett*, p. 150.) *T. d.* **3.** *P. us.* Acompanhar (refeição, passeio, etc.) com palestra (1). [F. paral.: *palestrear.*]

palestrear. *V. int., t. i.* e *t. d.* V. *palestrar.* [Conjug.: v. *frear.*]

palestriniano. *Adj.* Pertencente ou relativo a Palestrina, músico italiano (1524-1594), ou próprio dele.

palestrita. [Do gr. *palaistrítes*, pelo lat. *palaestrita.*] *S. 2 g. Ant.* Freqüentador de palestra (3).

paleta (ê). [Do it. *paletta.*] *S. f.* **1.** Placa oval ou retangular, em geral de madeira, que tem um orifício onde se enfia o polegar, e sobre a qual os pintores dispõem e misturam as tintas; palheta: "As tintas da sua p a l e t a [de El Greco] possuem a graça estética, que é a inteligência da Beleza sobrenatural" (Antero de Figueiredo, *Toledo*, p. 104). **2.** *P. ext.* As características de colorido de um quadro, de um pintor, de uma escola; palheta, cor: "Os dedos são de jaspe modelado; / E as unhas... só podiam as p a l e t a s / De um chinês imitar-lhes o rosado." (Gonçalves Crespo, *Obras Completas*, p. 184.) **3.** *Bras., S.* Omoplata ou espáduas do animal, e p. ext., das pessoas: "A perícia técnica afirmou que, pelo esqueleto, o cavalo tinha cinco anos; logo, era recém-domado; e, pelos ossos das p a l e t a s, muito longos, veloz." (M. Cavalcanti Proença, *Manuscrito Holandês*, p. 96.) [Nesta acepç. é tb. us. no pl.] **4.** *P. ext.* Diferença que separa um cavalo de outro que lhe chegou junto à paleta, no final de um páreo. **5.** *Bras., RS.* V. *malha*[4] (3). ● *S. m.* **6.** *Bras.* Intruso, desmancha-prazeres. ~ V. *paletas.*

paletada. [Do esp. plat. *paletada.*] *S. f. Bras., RS.* **1.** Choque ou golpe com a paleta do animal. **2.** *Fig.* Arremetida, investida, acometida.

paletas (ê). [Pl. de *paleta.*] *S. f. pl.* Par de instrumentos, geralmente de ébano ou de marfim, de que se servem os escultores para modelar em barro ou em cera. ~ V. *paleta.*

palete. *S. m. Tec.* Plataforma de madeira sobre a qual se empilha carga a fim de transportar em bloco grande quantidade de material.

• **paleteador** (ô). *Adj. e s. m. Bras., RS.* Que ou aquele que paleteia o cavalo.

paletear. [De *paleta* + *-ear.*] *V. t. d. Bras., RS.* **1.** Fincar as esporas em (animal) para que apresse o passo. **2.** Meter-se em (negócio alheio) com o fim de atrapalhar ou prejudicar. [Conjug.: v. *frear.*]

paleteira. *S. f. Tec.* Transpaleteira.

paletó. [Do fr. *paletot.*] *S. m. Bras.* **1.** Casaco com bolsos externos, cujo comprimento vai até a altura dos quadris. [Com a calça e o colete compõe o terno masculino; com a saia, o costume feminino. Sin. pop. (em MG): *cabe.*] **2.** Peça do pijama, ou de veste análoga, semelhante ao paletó, e que recobre o tronco. [F. paral. (bras., pop.): *paletô.*] ◆ **Paletó de madeira.** *Bras. Gír.* Caixão funerário; pijama de madeira, envelope de madeira, paletó de pinho. **Paletó de pinho.** *Bras. Gír.* V. *paletó de madeira.* **Abotoar o paletó.** *Bras. Gír.* V. *morrer* (1). **Abotoar o**

paletó de. *Bras. Gír.* V. *matar* (1). **Fechar o paletó.** *Bras. Gír.* V. *morrer* (1). **Fechar o paletó de.** *Bras. Gír.* V. *matar* (1). **Vestir o paletó de madeira.** *Bras. Gír.* V. *morrer* (1).

paletô. *S. m. Bras. Pop.* V. *paletó.*

paletó-saco. *S. m. Bras.* Paletó comum, que, ao contrário do jaquetão, não tem trespasse: "Fez roupas no seu preferido alfaiate do Recife .... e seguiu para a Capital Federal. Mas ali teria que fazer .... um terno de *paletó-saco* e um fraque" (Carlos de Gusmão, *Boca da Grota*, p. 37). [Pl.: *paletós-sacos* e *paletós-saco*.]

paletozeiro (tò). *S. m. Bras.* Alfaiate que faz paletós.

palha. [Do lat. *palea*.] *S. f.* **1.** Haste seca das gramíneas (especialmente cereais), despojada dos grãos, utilizada na indústria ou para forragem de animais domésticos. **2.** Porção ou paveias destas hastes; palhal: *enxergão de palha; embalagem com palha.* **3.** Substância semelhante à palha (1): *O bacalhau estava uma palha.* **4.** Tira seca e flexível de junco, taquara, vime ou outra planta, com que se tecem ou armam diversos tipos de objetos: *cadeira de palha; tapete de palha; chapéu de palha.* **5.** Palhinha (2). **6.** *Constr. Nav.* A grossura de um mastro, mastaréu, verga ou antena. **7.** *Fig.* Coisa de pouco valor; insignificância. V. *ninharia.* **8.** *Bras.* Canudinho de colmo, de plástico ou de papel, com que se sorvem refrescos. **9.** *Bras., MG.* V. *tigüera.* **10.** *Bras.* Maconha de qualidade inferior. ● *Adj.* **11.** *Bras.* Ordinário, reles, ruim, sem valor. ♦ **Palha de aço.** Massa de fitas de aço emaranhadas usada como esfregão de cozinha ou para raspar o assoalho. **Palha de Itália.** Palha de uma espécie de trigo da Toscana, da qual se fazem chapéus, bolsas, etc. **Palha de milho.** As folhas e o folhelho da espiga de milho. **Palhas alhas.** As folhas secas dos alhos. **Dar palha a.** Enganar (alguém) com boas palavras. **Dormir nas palhas.** *Bras., S.* **1.** Não se acautelar; descuidar-se. **2.** Retardar uma providência. **Não levantar uma palha.** *Bras., Pop.* **1.** Não fazer nada; ser indolente, preguiçoso. **2.** Não auxiliar ninguém; ser imprestável. [Sin. ger.: *não mexer uma palha*.] **Não mexer uma palha.** *Bras. Pop.* Não levantar uma palha. **Por dá cá aquela palha.** Por motivo frívolo; sem razão plausível: "— Sou muito esturrado .... ! Exalto-me *por dá cá aquela palha*" (José Rodrigues Miguéis, *Gente da Terceira Classe*, p. 85). **Puxar palha.** *Bras. Pop.* V. *dormir* (1). **Puxar uma palha.** *Bras. Pop.* V. *dormir* (1).

palhabote. [Do ingl. *pilot-boat*, 'bote do piloto'.] *S. m.* Antiga embarcação à vela, fundamentalmente igual ao atual iate: "as carcaças dos *palhabotes*, das barcas e dos iates" (Raul Brandão, *Os Pescadores*, p. 12).

palhaboteiro. *S. m.* Tripulante de palhabote.

palha-branca. *S. f. Bras.* V. *babaçu.* [Pl.: *palhas-brancas*.]

palhaçada. *S. f.* **1.** Ato ou dito de palhaço. **2.** Cena burlesca, ridícula ou divertida. **3.** Grupo de palhaços.

palhaçal. *Adj. 2 g.* Próprio de palhaço; ridículo, burlesco.

palhacarga. [De *palha*, talvez.] *S. f.* Espécie de junça (1).

palhaço. [Do it. *pagliaccio*.] *S. m.* **1.** Artista que, em espetáculos circenses ou em outros, se veste de maneira grotesca e faz pilhérias e momices para divertir o público. **2.** Fantasia de palhaço: "Rasguei a minha fantasia, / o meu *palhaço*, cheio de laço e balão" (da marcha carnavalesca *Rasguei a Minha Fantasia*, de Lamartine Babo). **3.** *Fig.* Pessoa que por atos ou palavras faz que os outros riam. **4.** *Pop.* Pessoa que só diz tolices ou faz papel ridículo; pessoa sem importância, títere. **5.** *Fig.* V. *fantoche* (3): *Não se pode confiar no que ele diz, é um palhaço.* ● *Adj.* **6.** Vestido ou feito de palha.

palhada. *S. f.* **1.** Mistura de palha e de farelo, para dar aos animais. **2.** *Fig.* Estopada, palavrório. **3.** *Bras., SP.* Capoeira fina; mato ralo. **4.** *Bras., MG.* V. *tigüera.* ♦ **Bater palhada.** *Bras.* Operação agrícola consistente em colher as espigas de milho, quebrando os colmos, ou em arrancar estes, após a colheita, para preparo de nova plantação.

palha-de-arroz. *S. f. Bras.* V. *cianita.* [Pl.: *palhas-de-arroz*.]

palha-de-guiné. *S. f. Bras.* V. *capim-guiné.* [Pl.: *palhas-de-guiné*.]

palha-de-seda. *S. f.* Tecido de seda pura, cuja trama lembra a do xantungue; seda-palha: "Vinha tabaréu do fundo do sertão comprar .... roupa de casimira, vestido de *palha-de-seda* para as mulheres." (Jorge Medauar, *Água Preta*, p. 119.) [Pl.: *palhas-de-seda*.]

palhagem. [De *palha* + *-agem*[2].] *S. f.* Montão de palha.

palhal. [Do lat. *paleale*.] *S. m.* **1.** V. *palhoça* (1). **2.** Palha (2). **3.** *Bras., N. da Amaz.* Entre os canoeiros, grupo de palmeiras no meio das matas. [Var.: *palhar*.]

palhar. *S. m.* Var. de *palhal* [q. v.].

palharesco (ê). *Adj.* De palha.

palheáceo. *Adj.* Semelhante a palha, na aparência ou na consistência.

palhegal. *S. m.* Terra onde há muita palha.

palheirão. *S. m.* **1.** Palheiro grande. **2.** Livro extenso e pouco claro. **3.** Aquele que fala de maneira confusa e prolixa. [Fem. da 3ª. acepç.: *palheirona*.]

palheireiro. *S. m.* **1.** Vendedor de palha. **2.** Aquele que arruma a palha em medas. **3.** Empalhador (2). ● *Adj.* **4.** Que arruma a palha em medas. **5.** Que vende palha.

palheiro. [Do s. n. pl. lat. *palearia*, 'depósito de palha', com mudança de número.] *S. m.* **1.** Lugar onde se guarda palha. **2.** V. *palhoça* (1). **3.** Armazém de madeira em que alguns salineiros recolhem o produto das marinhas. **4.** *Bras.* Cigarro de palha; cigarro crioulo. **5.** *Bras., N.E.* Os intestinos.

palheirona. *S. f.* Fem. de *palheirão* (3).

palhento. *Adj. Bras.* Em que há palha; cheio de palha.

palheta[1] (ê). [Alter. de *paleta*.] *S. f.* **1.** Qualquer lâmina ou espátula com aplicação especial. **2.** Cada uma das tábuas que formam as venezianas, permitindo a ventilação. **3.** Pau de jogar a péla. **4.** Pá de ventilador ou de objeto semelhante. **5.** Cada uma das peças metálicas, de formato adequado, fixadas na periferia de um rotor de turbina, que recebe impulsão de um fluido que se escoa, e assim movimenta o rotor. **6.** Lâmina ou placa que nas rodas hidráulicas serve de propulsor. **7.** Paleta (1 e 2). **8.** *Mús.* Lâmina metálica ou de madeira, usada na embocadura de vários instrumentos de sopro, ou nos jogos de lingüeta do órgão, e cujas vibrações produzem um som tanto mais agudo quanto mais freqüentes forem as batidas. **9.** *Mús.* Plectro (2). **10.** *Mús.* Varinha de madeira, forrada de camurça e talhada em forma de cunha, com que os afinadores de piano isolam certas cordas para afiná-las. [Pl.: *palhetas* (ê). Cf. *palheta* e *palhetas*, do v. *palhetar*.]

palheta[2] (ê). [De *palha* + *-eta*.] *S. m. Bras., S.* V. *chapéu de palha*: "Percorri a avenida à procura de um vulto magro, de *palheta* e perfil antipático." (Antônio de Alcântara Machado, *Cavaquinho e Saxofone*, p. 347.) [Pl.: *palhetas* (ê). Cf. *palheta* e *palhetas*, do v. *palhetar*.]

palhetada. *S. f.* **1.** Som produzido pela palheta[1] (8). **2.** Movimento da palheta[1] (3 a 6). ♦ **Em duas palhetadas.** Com muita facilidade e rapidez; sem demora; de pronto.

palhetão. [Aum. de *palheta*[1].] *S. m.* **1.** A parte da chave que movimenta a lingüeta da fechadura; palhete. **2.** Palheta grande.

palhetar. [De *palheta*[1], com infl. de *palito* (7) (q. v.), + *-ar*[2]?] *V. t. i.* **1.** Desfrutar, zombar, chacotear. *Int.* **2.** Conversar zombando. [F. paral.: *palhetear*. Pres. ind.: *palheto, palhetas, palheta*, etc.; pres. subj.: *palhete, palhetes*, etc. Cf. *palheta* (ê), pl. *palhetas* (ê), o antr. *Palheta* (ê), e *palhete* (ê), pl. *palhetes* (ê).]

palhete (ê). *Adj. 2 g.* **1.** Da cor da palha. ~ V. *vinho* —. ● *S. m.* **2.** Palhetão (1). **3.** V. *vinho palhete.* [Pl.: *palhetes* (ê). Cf. *palhete* e *palhetes*, do v. *palhetar*.]

palhetear. *V. t. i.* e *int.* Palhetar. [Conjug.: v. *frear*.]

palhiça. *S. f. Lus.* V. *coroça* (1).

palhiço. *S. m.* **1.** Palha traçada ou moída. **2.** Palha miúda. ● *Adj.* **3.** Feito de palha: "No tecto *palhiço* ia e vinha uma sombra" (Coelho Neto, *Banzo*, p. 188).

palhinha. [Dim. de *palha*.] *S. f.* **1.** Pedacinho de palha. **2.** Tira fininha de junco seco com que se tecem assentos e encostos de cadeiras; palha. ● *S. m.* **3.** *Bras.* V. *chapéu de palha.* **4.** *Bras.* Cigarro com envoltório de palha de milho: "preparava um *palhinha* e chupava-o a baforadas fortes e contínuas" (Pedro Nava, *Beira-Mar*, p. 36).

palhoça. [Por *palhaça*, fem. substantivado de *palhaço* (6), com dissimilação.] *S. f.* **1.** Casa ou cabana coberta de colmo ou palha, encontrada nas regiões tropicais; palhal, palheiro. **2.** Tipo de choça de ramagens, de forma cilíndrica ou prismática quadrangular, cuja cobertura é separada das paredes. [Sin., nesta acepç., *palhota, palhote* e (bras.) *caluje*. Cf. (nesta acepç.) *cabana*.] **3.** *Lus.* V. *coroça* (1).

palhoceiro. *S. m.* Aquele que faz palhoças.

palhocense. *Adj. 2 g.* **1.** De, ou pertencente ou relativo a Palhoças (SC). ● *S. 2 g.* **2.** Natural ou habitante de Palhoças.

palhona. *S. f. Bras., RS.* Cadeira de palhinha ou de vime.

palhota. [De *palha* + *-ota*.] *S. f.* **1.** V. *palhoça* (2): "Vira .... mulheres amarguradas .... que, corridas pelos insultos dos seus donos e vaiadas pelo povo, se acoitaram nas *palhotas*" (Castro Soromenho, *Rajada e Outras Histórias*, p. 118). **2.** *Lus.* V. *coroça* (1).

palhote. *S. m.* V. *palhoça* (2).

páli. [Do sânscr. *pali*, 'fila, linha, série'.] *S. m.* **1.** Língua sagrada de Sri Lanka (antigo Ceilão) e do S. da Índia, aparentada ao sânscrito e usada no cânon budístico. ● *Adj. 2 g.* **2.** Escrito nessa língua: *contos pális.*

paliação. *S. f.* Ato de paliar. [Cf. *paleação*.]

paliador (ô). *Adj.* e *s. m.* Que ou aquele que palia.

palial. [Do lat. *palliu*, 'pálio, manto, capa' + *-al*.] *Adj. 2 g. Zool.* **1.** Diz-se da câmara onde se prende o manto dos moluscos. **2.** Diz-se da linha de inserção do manto na concha dos moluscos.

paliar. [Do lat. *palliare*, 'cobrir com capa'.] *V. t. d.* **1.** Encobrir com falsa aparência; disfarçar, dissimular, encobrir: "Não *paliava* os abusos dos conventos, não cobria os defeitos dos monges, acusava mais severamente que ninguém a sua relaxação" (Almeida Garrett, *Viagens na Minha Terra*, p. 139). **2.** Tornar aparentemente menos duro, menos desagradável, etc.; atenuar na aparência; entreter: *Não resolveu o problema: paliou-o, sem convencer as pessoas envolvidas.* **3.** Tratar com paliativo (3); remediar provisoriamente; aliviar: "A medicina caseira *paliava* as febres." (Xavier Marques, *O Sargento Pedro*, p. 197.) *Int.* **4.** Usar de delongas; empregar paliativos. [Pres. ind.: *palio*, etc. Cf. *palear* e *pálio*.]

paliativo. [Do lat. *palliatu*, 'coberto com capa', + *-ivo*.] *Adj.* **1.** Que serve para paliar. **2.** Que serve para acalmar, atenuar ou aliviar momentaneamente um mal; anódino: *remédio paliativo.* ● *S. m.* **3.** Tratamento ou medicamento que só tem eficácia momentânea. **4.** Meio ou expediente usado com o fim de atenuar um mal ou procrastinar uma crise.

paliável. *Adj. 2 g.* Que pode ser paliado.

paliçada. [Do ant. provenç. *palissada*, atr. do esp. *palizada*.] *S f.* **1.** Tapume feito com estacas fincadas na terra. **2.** Obstáculo feito para defesa militar: "Uma umidade fecunda de selva subia daquele vale, ... errava pelas chapadas, onde, à toa, repontavam as primeiras chaminés dos casais, à roda dos campos agricultados, que uma cautelosa *paliçada* cercava." (Pedro Calmon, *História da Casa da Torre*, p. 17.) **3.** Liça para torneios ou lutas.

paliçádico. [De *paliçada* + *-ico*[2].] *Adj.* V. *mesofilo.*

palicure. *Bras. S. 2 g.* **1.** Indivíduo dos palicures, tribo indígena aruaque do Amapá, margem esquerda do rio Urucauá, afluente do Uaçá. ● *Adj. 2 g.* **2.** Pertencente ou relativo a essa tribo. [Var.: *paricure*.]

palidez (ê). [De *pálido* + *-ez*.] *S. f.* Qualidade ou estado de pálido ou descorado; palor, palência, palescência.

pálido. [Do lat. *pallidu*.] *Adj.* **1.** Diz-se da pele (especialmente da tez) descorada. **2.** De cor pouco viva, fraca; desmaiado, descorado: *verde pálido.* **3.** Fraco, tênue, frouxo: *luz pálida; pálido efeito.* **4.** *Fig.* Sem animação; pouco expressivo: *pálida descrição; relato pálido.* [Sin. ger.: *palente*.]

palificação. *S. f.* Ato de palificar.

palificar. [Do lat. *palu*, 'pau', + *-i-* + *-ficar*.] *V. t. d.* Segurar com estaca [Conjug.: v. *trancar*.]

palilho. [Do esp. *palillo*, 'pauzinho'.] *S. m.* Rolo em que os tintureiros enfiam as meadas por enxugar.

palília. [Do lat. *palilia*.] *S. f.* Festa dos pastores, que se realizava em Roma a 21 de abril, aniversário da fundação da cidade.

palimpséstico. *Adj.* Relativo a, ou próprio de palimpsesto.

palimpsesto. [Do gr. *palímpsestos*, 'raspado novamente', pelo lat. *palimpsestu*.] *S. m.* **1.** Antigo material de escrita, principalmente o pergaminho, usado, em razão de sua escassez ou alto preço, duas ou três vezes [*duplo palimpsesto*], mediante raspagem do texto anterior. **2.** Manuscrito sob cujo texto se descobre (em alguns casos a olho desarmado, mas na maioria das vezes recorrendo a técnicas especiais, a princípio por processo químico, que arruinava o material, e depois por meio da fotografia, com o emprego de raios infravermelhos, raios ultravioletas ou luz fluorescente) a escrita ou escritas anteriores: "Inutilizei um caderno de papel almaço, e o primeiro rascunho, à força de rasuras, emendas, ... chamadas, interversões, acabou por ser para mim próprio o mais impenetrável *palimpsesto*." (Aquilino Ribeiro, *Lápides Partidas*, p. 120.) ♦ **Duplo palimpsesto.** V. *palimpsesto* (1).

▲**palin-.** [Do gr. *pálin*.] *El. comp.* = 'repetição', "de novo': *palinfrasia, palingenesia.*

palindromia. [Do gr. *palindromía*.] *S. f. Med.* Recidiva ou recaída de uma doença.

palíndromo. [Do gr. *palíndromos*.] *Adj.* **1.** Diz-se de frase ou palavra que, ou se leia da esquerda para a direita, ou da direita para a esquerda, tem o mesmo sentido. ~ V. *verso* —. ● *S. m.* **2.** Frase ou verso palíndromo.

palinfrasia. [De *palin-* + gr. *phrásis*, 'maneira de falar', + *-ia*.] *S. f. Med.* Repetição mórbida de palavras ou de frases.

palingenesia. [De *palin-* + *-genes(e)-* + *-ia*.] *S. f. Filos.* **1.** V. *eterno retorno* (1). **2.** Segundo Schopenhauer [v. *schopenhaueriano*], renascimento sucessivo dos mesmos indivíduos.

palingenésico. *Adj.* Palingenético.

palingenético. *Adj.* Relativo à palingenesia; palingenésico.

palinódia. [Do gr. *palinodía*, pelo lat. *palinodia*.] *S. f.* **1.** Poema que desdiz aquilo que se disse em outro. **2.** Retratação (1 a 3).

palinódico. *Adj.* Relativo a palinódia.

palinodista. *S. 2 g.* **1.** Pessoa que faz palinódias. **2.** Pessoa que se desdiz.

palinologia. [Do gr. *palyno*, 'cobrir de fino pó ou farinha', 'polvilhar', + *-log(o)-* + *-ia*.] *S. f.* Parte da botânica dedicada ao estudo do pólen.

palinurídeo. *S. m.* **1.** Espécime dos palinurídeos. ● *Adj.* **2.** Pertencente ou relativo a eles.

palinurídeos. *S. m. pl. Zool.* Família de crustáceos decápodes, macruros, que compreende as lagostas. Diferenciam-se por apresentarem os urópodes da cauda não divididos em duas partes, como ocorre em outros crustáceos macruros.

palinuro. [Do antr. *Palinuro*, do piloto de Enéias.] *S. m. Poét.* Piloto, guia: "Deixando-me na rota começada / Entre recifes de ignorados mares, / Aqui o ferro lanço, malseguro, / Que é fácil naufragar sem p a l i n u r o." (João Penha, *Rimas*, p. 129.)

pálio. [Do lat. *palliu*.] *S. m.* **1.** *Ant.* Manto, capa. **2.** Sobrecéu portátil, com varas, que se conduz em cortejos e procissões, caminhando debaixo dele a pessoa festejada ou o sacerdote que leva a custódia: "De opa vermelha, os irmãos carregavam o p á l i o e, sob este, Padre Nazareno conduzindo o Santíssimo Sacramento." (José Condé, *Terra de Caruaru*, p. 88.) [Cf. *palio*, do v. *paliar*.]

paliobrânquio. [Do lat. *palliu*, 'capa', + *-brânquio*.] *Adj. Zool.* Que tem as brânquias cobertas de uma membrana carnuda.

palissandra. [Do esp. *palo santo*, 'pau santo', atr. do hol. *palissanten*, hoje *palissander*, e do fr. *palissandre*.] *S. f. Bras., L.* Árvore da família das bignoniáceas (*Jacaranda mimosaefolia*), nativa e muito cultivada como ornamento de ruas e praças, de folhas muito subdivididas e com folíolos pequenos, de flores azuis, vistosas e numerosas, e frutos que são síliquas com sementes aladas; carobaguaçu.

palitar. *V. t. d.* **1.** Limpar (os dentes) com palito: "apareceu-me o velhote, ... sem colete, p a l i t a n d o os dentes." (Aluísio Azevedo, *Os Demônios*, p. 145.) *Int.* e *p.* **2.** Limpar ou esgaravatar os dentes.

paliteiro¹. [De *palito* + *-eiro*.] *S. m.* **1.** Vendedor e/ou fabricante de palitos. **2.** Estojo de palitos.

paliteiro². [De *pauliteiro*, com síncope.] *S. m.* Pauliteiro.

palito. [Alter. de **paulito*, dim. de *pau*.] *S. m.* **1.** Pequena haste, geralmente de madeira, dura e pontiaguda, usada para esgaravatar os dentes; esgaravatador. **2.** Qualquer objeto que apresenta a forma de uma haste não muito longa. **3.** Biscoito ou outra preparação culinária com esse formato: *p a l i t o s de queijo; p a l i t o s de chocolate*. **4.** *Pop.* Fósforo (2). **5.** *Fam.* Braço ou perna muito fina. **6.** *Fig.* Pessoa muito magra: *Personagem célebre dos desenhos animados é a Olívia P a l i t o.* **7.** *Fig.* Pessoa que é objeto de divertimento dos outros.

palito-francês. *S. m.* Biscoito (1) feito com massa de pão-de-ló, assado sobre papel e coberto de açúcar, e que é usado, em geral, no preparo de doces e tortas. [Pl.: *palitos-franceses*.]

paliúro. [Do gr. *paliouros*, pelo lat. *paliuru*.] *S. m.* Arvoreta espinhosa, da família das ramnáceas (*Paliurus australis*), originária da China e cultivada como ornamental, de folhas ovadas, assimétricas na base, serruladas e verde-escuras, flores pequenas e ordenadas em cimeiras curtas, e fruto pardo-amarelado, lenhoso e trilocular; espinheiro-de-cristo.

palma. [Do lat. *palma*.] *S. f.* **1.** Folha de palmeira: "em breve, alguns coqueiros agitavam as suas p a l m a s" (Ulisses Lins de Albuquerque, *Um Sertanejo e o Sertão*, p. 217). **2.** V. *palmeira*. **3.** A parte do casco do cavalo que assenta sobre a ferradura. **4.** *Fig.* Vitória, triunfo. ~ *palmas* e *palminhas*. ♦ **Palma de mão.** *Anat.* Porção da face anterior de cada mão compreendida entre punho e quirodáctilos. **Conhecer como a palma da mão.** Conhecer perfeitamente: "C o n h e c i a c o m o a p a l m a d a m ã o todos os meandros da luta municipal" (José Sarney, *Norte das Águas*, p. 159). **Dar a palma a.** Considerar vencedor ou superior. **Levar a palma. 1.** Alcançar vitória. **2.** Distinguir-se, sobressair, sobrelevar-se. **Levar a palma a.** Alcançar vitória sobre; avantajar-se a; sobrelevar: "Aí, na prioridade e no âmbito dos descobrimentos, ... a ocidental praia lusitana l e v a a p a l m a à castelhana." (Ricardo Jorge, *Sermões dum Leigo*, p. 200.) **Trazer nas palmas das mãos.** Tratar com muito carinho, com todo o cuidado; trazer nas palminhas das mãos; paparicar.

▲palm(a)-. [Do lat. *palma, ae*.] *El. comp.* = 'palma': *palmeira*. [Equiv.: *palmi-*: *palmiforme*.]

palma-branca. *S. f. Bras.* Certa palmeira. [Pl.: *palmas-brancas*.]

palmácea. [De *palma* + *-ácea*.] *S. f.* V. *palmeira*.

palmáceas. [De *palma* + *-áceas*.] *S. f. pl. Bot.* Palmeiras¹.

palmáceo. *Adj.* Pertencente ou relativo às palmáceas.

palma-crísti. [Do lat. *palma Christi*, 'palmeira de Cristo'.] *S. f. Bras.* O mamoneiro, em alguns lugares. [Pl.: *palmas-crísti*.]

palmada. *S. f.* Pancada com a palma da mão.

palma-de-santa-rita. *S. f.* Gladíolo. [Pl.: *palmas-de-santa-rita*.]

palma-de-são-josé. *S. f.* Planta ornamental da família das liliáceas (*Lilium longiflorum*), de belas flores alvas e perfumadas; açucena, bastão-de-são-josé, copo-de-leite. [Pl.: *palmas-de-são-josé*.]

palmado. [De *palma* + *-ado¹*.] *Adj.* **1.** *Morfol. Veg.* De forma semelhante à da mão com os dedos abertos: *folha p a l m a d a*. **2.** *Zool.* Diz-se do órgão ou membro de animal cuja estrutura é ligada por membrana ou cartilagem, como, p. ex., os pés dos patos e marrecos, os chifres dos alces, etc. **3.** *Zool.* Dividido em lobos que partem de um centro comum.

palmale. *S. f.* Príncipe² (2).

palmales. *S. f. pl. Bot.* Príncipes.

palmar¹. [Por **palmal* < *palma* + *-al*, com dissimilação.] *S. m.* Palmeiral: "Rugia o vento no p a l m a r sombrio." (Fagundes Varela, *Poesias Completas*, I, p. 145). ~ V. *palmares*.

palmar². [De *palma* + *-ar¹*.] *Adj. 2 g.* Pertencente ou relativo à palma da mão.

palmar³. [De *palmo* + *-ar¹*.] *Adj. 2 g.* **1.** Que tem o comprimento de um palmo. **2.** *Fig.* Muito evidente; palpável; grande, desmedido: *exagero p a l m a r*; "Os erros de gramática dos redatores da *Gazeta de Notícias*, erros grosseiros, p a l m a r e s, são apontados pela *Gazetinha*." (R. Magalhães Jr., *Artur Azevedo e Sua Época*, p. 60).

palmar⁴. [De *palma* + *-ar²*.] *V. t. d.* e *t. d.* e *i.* V. *empalmar*.

palmarense. *Adj. 2 g.* **1.** De, ou pertencente ou relativo a Palmares (PE). ● *S. 2 g.* **2.** Natural ou habitante de Palmares.

palmares. [Pl. de *palmar¹*.] *S. m. pl. Bras.* **1.** Uma das regiões botânicas do Brasil setentrional, a qual abrange vastas zonas onde a vegetação predominante são palmeiras (babaçu, carnaúba, etc.). **2.** Quilombo dos Palmares [q. v.]. **3.** Negros que habitavam esse quilombo. ~ V. *palmar*.

palmarino. *Adj.* **1.** De, ou pertencente ou relativo a União dos Palmares (AL). ● *S. m.* **2.** O natural ou habitante de União dos Palmares.

palmário. *S. m.* **1.** Estufa onde se criam palmeiras. **2.** Coleção de palmeiras.

palmas. [Pl. de *palma*.] *S. f. pl.* **1.** Aplauso manifestado quando se bate com as palmas das mãos uma na outra. **2.** Triunfo (9). ~ V. *palma* e *palminhas*.

▲palmati-. [Do lat. *palmatus, a, um*.] *El. comp.* = 'palma': *palmatifloro, palmatinérveo*.

palmaticomposto (ô). [De *palmati-* + *composto*.] *Adj. Morfol. Veg.* Diz-se da folha composta em que os folíolos se acham localizados no ápice do pecíolo comum.

palmatífido. [De *palmati-* + *-fido*.] *Adj. Morfol. Veg.* Diz-se de qualquer órgão foliáceo subdividido até perto do eixo, estando os segmentos no ápice.

palmatifloro. [De *palmati-* + *-floro*.] *Adj. Morfol. Veg.* Que tem corola palmatiforme.

palmatifoliado. [De *palmati-* + *-foli-* + *-ado¹*.] *Adj. Morfol. Veg.* Que tem folhas palmatiformes.

palmatiforme. [De *palmati-* + *-forme*.] *Adj. 2 g. Morfol. Veg.* Que tem forma de palma (1).

palmatilobado. [De *palmati-* + *lobado*.] *Adj. Morfol. Veg.* Lobado com os lobos reunidos no ápice.

palmatinérveo. [De *palmati-* + *nérveo*.] *Adj. Morfol. Veg.* Com nervuras que partem de um ponto central e divergem como os dedos da mão.

palmatipartido. [De *palmati-* + *partido*.] *Adj. Morfol. Veg.* Partido com os segmentos congregados junto ao ápice.

palmatissecto. [De *palmati-* + *secto*.] *Adj. Morfol. Veg.* Secto com os segmentos dispostos como os dedos da mão.

palmatoada. *S. f.* Pancada de palmatória; bolo: "estendia resignado a mão pequenina às p a l m a t o a d a s estúpidas do mestre-escola." (Artur Azevedo, *Contos Possíveis*, p. 46).

palmatoar. *V. t. d.* Dar palmatoadas em; castigar com palmatória. [Sin. (bras.): *palmatoriar*. Conjug.: v. *coroar*.]

palmatória. [Do lat. *palmatoria*.] *S. f.* **1.** Pequena peça circular de madeira, não raro com cinco orifícios dispostos em cruz, e com um cabo, a qual servia, nas escolas, para castigar as crianças, batendo-lhes com ela na palma da mão. [Sin.: *férula* e (fam.) *menina de cinco olhos, pavana, maria-vitória, santa-vitória, santa-luzia*, sendo bras. os quatro últimos.] **2.** Espécie de castiçal baixo, com prato, dotado de cabo ou de asa: "Sobre o lavatório de vinhático, numa p a l m a t ó r i a de cristal, havia um coto de vela" (Coelho Neto, *Turbilhão*, p. 36). **3.** *Constr. Nav.* Olhal que prende o turco ao costado do navio. **4.** *Bras.* Designação comum a várias cactáceas do gênero *Opuntia*, especialmente a *Opuntia monacantha*. [Cf. *palmatoria*, do v. *palmatoriar*.] ♦ **Palmatória do mundo.** *Bras.* Pessoa metida a moralista, que censura tudo e todos.

palmatoriar. [De *palmatória* + *-ar²*.] *V. t. d. Bras.* Palmatoar. [Pres. ind.: *palmatorio, palmatorias, palmatoria*, etc. Cf. *palmatória*.]

palmeado. [Part. de *palmear*.] *Adj.* Acompanhado do bater de palmas; em que se batem palmas: *O cururu é uma dança p a l m e a d a e sapateada.*

palmeador (ô). *Adj.* **1.** Que palmeia, que aplaude batendo palmas. ● *S. m.* **2.** Aquele que palmeia, que aplaude batendo palmas. **3.** *Bras.* Indivíduo que palmeia terra; viajante, excursionista, explorador.

palmear. [De *palma* + *-ear*.] *V. t. d.* **1.** Aplaudir batendo palmas. **2.** Impelir com a mão (um barco). **3.** *Bras.* Percorrer palmo a palmo, detidamente; trilhar, palmilhar: *O indianista p a l m e o u, meses a fio, o interior de Goiás*; "Tempo virá em que este dilúvio termine ...., e a gente possa descer e p a l m e a r a Rua do Ouvidor e outros becos." (Machado de Assis, *A Semana*, II, p. 128). **4.** Pegar, empunhar. **5.** Desmanchar (o fumo) na palma da mão: "alisava a palha, picava o fumo, p a l m e a v a -o, enrolava o cigarro" (Nélson de Faria, *Bazé*, p. 101). **6.** *Bras. Gír.* Furtar, roubar, abafar. *Int.* **7.** Bater palmas, aplaudindo: "Uma noite assistira à representação de *Otelo*, p a l m e a n d o até romper as luvas" (Machado de Assis, *A Mão e a Luva*, p. 18). [Conjug.: v. *frear*.]

palmeira. [De *palma* + *-eira*.] *S. f.* Espécime das palmeiras; palmácea, palma.

palmeira-dos-brejos. *S. f. Bras.* V. *buriti*. [Pl.: *palmeiras-dos-brejos*.]

palmeiral. [De *palmeira* + *-al*.] *S. m.* Quantidade mais ou menos considerável de palmeiras dispostas proximamente entre si; palmar.

palmeira-laca. *S. f. Bras.* Palmeira ornamental (*Cyrtostachys renda*), de origem asiática, e cuja beleza provém sobretudo do gomo terminal colorido de vermelho vivo, que contrasta com o verde das folhas. [Pl.: *palmeiras-lacas* e *palmeiras-laca*.]

palmeira-real. *S. f. Bras.* Palmeira ornamental (*Oreodoxa oleracea*), de grande tamanho e elegância, muito comum entre nós, que apresenta folhagem encimando o estipe liso e quase cilíndrico, e flores e frutos inconspícuos. [A primeira palmeira-real foi plantada por D. João VI (1767-1826), no Jardim Botânico do Rio de Janeiro. Pl.: *palmeiras-reais*.]

palmeiras¹. [Pl. de *palmeira*.] *S. f. pl. Bot.* Família de plantas monocotiledôneas, da ordem das príncipes, de aspecto muito peculiar pelo tronco indiviso e liso, e pelas folhas enormes, penadas, situadas no ápice. O caule chama-se *estipe*; o fruto é uma drupa, denominada *noz*, à qual falta um mesocarpo carnoso. Há umas 1.200 espécies tropicais, muitíssimas no Brasil; o coco-da-baía é a mais importante entre nós. [Sin.: *palmáceas*.]

palmeiras². *S. 2 g.* e *2 n. Bras.* V. *palmeirense⁶* (3).

palmeirense¹. *Adj. 2 g.* **1.** De, ou pertencente ou relativo a Palmeiras (PI, BA e PR). ● *S. 2 g.* **2.** Natural ou habitante de Palmeiras.

palmeirense². *Adj. 2 g.* **1.** De, ou pertencente ou relativo a Palmeira dos Índios (AL). ● *S. 2 g.* **2.** Natural ou habitante de Palmeira dos Índios.

palmeirense[3]. *Adj. 2 g.* **1.** De, ou pertencente ou relativo a Palmeira das Missões (RS). ● *S. 2 g.* **2.** Natural ou habitante de Palmeira das Missões.

palmeirense[4]. *Adj. 2 g.* **1.** De, ou pertencente ou relativo a Palmeiras de Goiás (GO). ● *S. 2 g.* **2.** Natural ou habitante de Palmeiras de Goiás.

palmeirense[5]. *Adj. 2 g.* **1.** De, ou pertencente ou relativo a Santa Cruz das Palmeiras (SP). ● *S. 2 g.* **2.** Natural ou habitante de Santa Cruz das Palmeiras.

palmeirense[6]. *Bras. Adj. 2 g.* **1.** Pertencente ou relativo à Sociedade Esportiva Palmeiras (SP); periquito. **2.** Que é torcedor ou jogador dessa agremiação; periquito. ● *S. 2 g.* **3.** Membro, torcedor ou jogador dela; palmeiras, periquito.

palmeirim[1]. [De *palmeira* + *-im.*] *S. m. Bras.* V. *catulé* (2) (*Attalea humilis*).

palmeirim[2]. [Do antr. *Palmeirim*, do personagem de várias novelas de cavalaria.] *S. m. Ant.* Peregrino, estrangeiro, forasteiro; palmeiro.

palmeirinense. *Adj. 2 g.* **1.** De, ou pertencente ou relativo a Palmeirina (PE). ● *S. 2 g.* **2.** Natural ou habitante de Palmeirina.

palmeiro[1]. [De *palma* + *-eiro.*] *S. m. Ant.* V. *palmeirim[2]*: "O traje destes dous homens era o comum a todos os palmeiros ou peregrinos que naquela época visitavam a Terra Santa" (Arnaldo Gama, *O Balio de Leça*, p. 2).

palmeiro[2]. [De *palmo* + *-eiro.*] *Adj.* Que mede cerca de um palmo.

palmela. *Bras. S. 2 g.* **1.** Indivíduo dos palmelas, tribo indígena caraíba do rio São Simão, afluente do Guaporé (MT e RO). ● *Adj. 2 g.* **2.** Pertencente ou relativo a essa tribo.

palmelino. *Adj.* **1.** De, ou pertencente ou relativo a Palmelo (GO). ● *S. m.* **2.** O natural ou habitante de Palmelo.

palmelóide. [Do lat. cient. *palmella* + *-óide.*] *Adj. 2 g. Morfol. Veg.* Diz-se de uma modalidade de colônia de algas que se multiplicam no interior de uma massa mucilaginosa, produzida por elas mesmas.

palmense[1]. *Adj. 2 g.* **1.** De, ou pertencente ou relativo a Palma (MG). ● *S. 2 g.* **2.** Natural ou habitante de Palma.

palmense[2]. *Adj. 2 g.* **1.** De, ou pertencente ou relativo a Palmas (PR). ● *S. 2 g.* **2.** Natural ou habitante de Palmas.

pálmer. *S. m. Fís.* Instrumento com que se medem pequenas espessuras, baseado no parafuso micrométrico. [Pl.: *pálmeres.*]

palmeta (ê). [De *palma* + *-eta.*] *S. f.* **1.** Espátula empregada para estender emplastros. **2.** V. *palmilha* (1). **3.** Cunha para fazer levantar ou abaixar a culatra das antigas peças de artilharia. **4.** Ornato cujo motivo é uma palma (1). **5.** *Bras.* Calço de ferro, com o feitio de palma, que se introduz nas frinchas produzidas pela ação do guio, e auxilia este na abertura das pedras.

▲palmi-. Equiv. de *palm(a)-*.

palmicheio. [De *palmi-* + *cheio.*] *Adj.* Diz-se do casco dos solípedes quando têm a face plantar convexa, excedendo o nível do bordo circular.

palmífero. [Do lat. *palmiferu.*] *Adj.* **1.** Que produz palmeiras. **2.** Abundante em palmeiras.

palmiforme. [De *palmi-* + *-forme.*] *Adj. 2 g.* Semelhante à palma (1).

palmilha. [Do esp. *palmilla.*] *S. f.* **1.** Revestimento interior da sola do calçado; palmeta, soleta. **2.** Parte da meia sobre que assenta o pé. **3.** Certo tecido antigo.

palmilhadeira. [De *palmilhar* + *-deira.*] *S. f.* Mulher que palmilha meias.

palmilhar. [De *palmilha* + *-ar[2]*.] *V. t. d.* **1.** Pôr palmilha(s) em: "palmilhava sandálias" (Fialho d'Almeida, *O País das Uvas*, p. 254). **2.** Percorrer a pé; palmear: "Preferiu [Artur Azevedo] palmilhar, com os seus próprios recursos, as velhas veredas" (Josué Montelo, *Artur Azevedo e a Arte do Conto*, p. 49). **3.** Calcar com os pés, ao andar. *Int.* **4.** Andar a pé.

palminervado. [De *palmi-* + *nervado.*] *Adj. Morfol. Veg.* Em que, com a nervura principal, partem do pecíolo outras nervuras divergentes como os dedos.

palminhas. [Pl. do dim. de *palma.*] *El. s. f. pl.* Us. nas loc. verb. *tratar nas palminhas* e *trazer nas palminhas.* ~ V. *palma* e *palmas.* ◆ **Tratar nas palminhas.** Tratar muito bem; tratar com muito carinho; trazer nas palminhas. **Trazer nas palminhas.** Tratar nas palminhas.

palminho. [Dim. de *palmo.*] *El. s. m.* Us. nas expr. *um palminho de cara* e *um palminho de rosto.* ◆ **Um palminho de cara.** Rosto bonito e gracioso, de mulher ou de criança; um palminho de rosto, um palmo de cara, um palmo de rosto. **Um palminho de rosto.** V. *um palminho de cara.*

palmípede. [Do lat. *palmipede.*] *Adj. 2 g.* **1.** Que tem os dedos dos pés unidos por membrana. **2.** Pertencente ou relativo aos palmípedes. ● *S. m.* **3.** Espécime dos palmípedes.

palmípedes. *S. m. pl. Zool. Desus.* Designação comum aos animais metazoários, cordados, vertebrados, aves, cujos dedos dos pés são unidos por membrana formando uma ordem heterogênea.

palmital. [De *palmito* + *-al.*] *S. m. Bras.* **1.** Palmeira que produz palmitos. **2.** V. *pindobal* (2).

palmitato. [De *palmito* + *-ato[2]*.] *S. m. Quím.* Designação comum aos sais e ésteres do ácido palmítico.

palmiteiro. [De *palmito* + *-eiro.*] *S. m.* V. *açaí* (1).

palmiteso (ê). [De *palmi-* + *teso.*] *Adj. Zool.* Diz-se do casco dos solípedes quando a superfície plantar é plana e ao nível do bordo inferior do casco.

palmítico. [De *palmito* + *-ico[2]*.] *Adj.* ~ V. *ácido* —.

palmitina. [De *palmito* + *-ina[1]*.] *S. f. Quím.* Éster palmítico do glicerol, sólido, gorduroso, incolor. [Fórm.: $(C_{15}H_{31}COO)_3C_3H_5$.]

palmito. [De *palma* + *-ito[1]*.] *S. m.* **1.** Gomo terminal, longo e macio, do caule das palmeiras, comestível em algumas espécies, sobretudo da *Euterpes edulis.* [Cf. *juçara* (1).] **2.** *Bras.* V. *açaí* (1). **3.** *Bras.* Peixe teleósteo, siluriforme, da família dos auquenipterídeos (*Auchenipterus nigripinnis* (Boul.)), distribuído pelo Amazonas, Paraná e Paraguai, de flancos cinza-azulados e cabeça com manchas ovais negras sobre um fundo verde-pardacento. Mede cerca de 19 cm de comprimento.

palmito-amargoso. *S. m. Bras., L.* Palmeira (*Barbosa pseudococcos*), cujo gomo terminal, ou *palmito*, é imprestável como alimento, em virtude do acentuado sabor amargo. [Pl.: *palmitos-amargosos.*]

palmito-de-ferrão. *S. m. Bras.* Peixe teleósteo, siluriforme, da família dos ageneiosídeos (*Ageneiosus valenciennesi* Bleek.), distribuídos por todo o País. Tem babilhão nasal curto e franjado. [Pl.: *palmitos-de-ferrão.* Sin.: *peixe-palmito, mandubi.*]

palmito-juçara. *S. m. Bras.* Juçara (1). [Pl.: *palmitos-juçaras* e *palmitos-juçara.*]

palmo. [Do lat. *palmu.*] *S. m.* **1.** Unidade de comprimento que vai da ponta do polegar à do mínimo; estando a mão bem aberta. **2.** Antiga unidade de medida de comprimento, equivalente a oito polegadas [v. *polegada* (3)], ou seja, 22 cm. ◆ **Palmo a palmo.** Gradualmente; pouco a pouco, a pouco e pouco. **Palmo de terra.** Pequena extensão de terra. **Não enxergar um palmo adiante do nariz.** Ser muito ignorante e/ou muito curto de inteligência. **Um palmo de cara.** V. *um palminho de cara.* **Um palmo de rosto.** V. *um palminho de cara.*

palmoira. *S. f.* Var. de *palmoura.*

palmoura. [De *palma.*] *S. f. Bras.* O pé das aves palmípedes: "boiando nas águas quietas .... dos lagos, raro em raro frisadas pelas palmouras dum cisne" (Coelho Neto, *A Conquista*, p. 1). [Var.: *palmoira.*]

palmumá. *Bras. S. 2 g.* **1.** Indivíduo dos palmumás, tribo indígena do N. ● *Adj. 2 g.* **2.** Pertencente ou relativo a essa tribo.

paloma. [Do esp. *paloma.*] *S. f.* **1.** *Bras. Gír.* V. *meretriz.* **2.** *Ant.* Pomba (1).

palomba. [Alter. de *paloma.*] *S. f. Marinh.* **1.** Novelo de mialhar. **2.** Espécie de ponto usado para coser as tralhas das velas, dos toldos, etc.; ponto de palomba.

palombadura. [De *palombar* + *-(d)ura.*] *S. f. Marinh.* Costura feita nas tralhas das velas, dos toldos, etc., com ponto de palomba.

palombar. [De *palomba* + *-ar[2]*.] *V. t. d. Marinh.* Coser (uma tralha de vela, de toldo, etc.) com ponto de palomba.

palombeta (ê). [Var. de *palometa.*] *S. f. Bras.* Peixe teleósteo, percomorfo, da família dos carangídeos (*Chloroscombrus chrysurus* (L.)), do Atlântico, desde a América do Norte até o rio da Prata, de dorso azulado, abdome prateado, mancha preta no opérculo e na base da cauda. Comprimento: até 30 cm. A carne é de qualidade inferior. [Sin.: *carapau, juvá, vento-leste.*]

palombino. [Do lat. *palombinu*, 'de pombo bravo'.] *S. m.* Mármore branco, de grão muito fino, que se encontra em certos monumentos antigos.

palometa (ê). [Do esp. plat. *palometa*, dim. de *paloma*, 'pomba'.] *S. f. Bras.* V. *palombeta.*

palonço. *Adj.* e *s. m.* Parvo, tolo, imbecil, pacóvio.

palor (ô). [Do lat. *pallore.*] *S. m.* V. *palidez*: "Já da morte o palor me cobre o rosto" (Álvares de Azevedo, *Obras Completas*, I, p. 233).

palotes. [Do mirandês *palotes*, 'pauzinhos'.] *S. m. pl.* Paus usados num tipo de dança popular portuguesa; paulitos.

palpabilidade. *S. f.* Qualidade de palpável.

palpabilização. *S. f.* Ato ou efeito de palpabilizar.

palpabilizador (ô). *Adj.* e *s. m.* Que ou aquele que palpabiliza.

palpabilizar. *V. t. d.* Tornar palpável.

palpação. [Do lat. *palpatione*, ou de *palpar* + *-ção.*] *S. f.* **1.** Ato de palpar; apalpação. **2.** *Med.* Forma de exame físico de doente, que consiste em aplicar os dedos, ou a palma, de uma ou de ambas as mãos, com pressão leve ou forte, em qualquer região do corpo humano, tateando-a, com o objetivo de perceber fenômenos normais ou patológicos nos elementos anatômicos que fazem parte daquela região.

palpadela. [De *palpar* + *-dela.*] *S. f.* V. *apalpadela.*

palpar. [Do lat. *palpare.*] *V. t. d., t. d. e i. e p.* V. *apalpar*: "o Feiticeiro rodeia o corpo da criança, ausculta-o, palpa-o" (Melo Morais Filho, *Festas e Tradições Populares do Brasil*, p. 163).

palpator (ô). *S. m.* **1.** Espécime dos palpatores. ● *Adj.* **2.** Pertencente ou relativo a eles.

palpatores (ô). *S. m. pl. Zool.* Animais invertebrados, artrópodes, opilionídos, subordem *Palpatores*, providos de olhos dorsais, placa genital, palpos delicados, com unha terminal fraca ou ausente. Vivem nas folhas das plantas.

palpável. [Do lat. *palpabile.*] *Adj. 2 g.* **1.** Que se pode palpar, ver, sentir: *prova palpável.* **2.** *Fig.* Evidente, claro, patente, manifesto: *Os fatos foram relatados com palpável exagero.*

pálpebra. [Do lat. *palpebra.*] *S. f. Anat.* Cada uma das duas pregas móveis, uma superior e outra inferior, dotada de cílios, que protege a superfície anterior de cada globo ocular.

palpebrado. *Adj.* Que tem pálpebras.

palpebral. *Adj. 2 g.* De, relativo ou pertencente à pálpebra. ~ V. *cartilagem* —.

palpebrite. [De *pálpebra* + *-ite[1]*.] *S. f. Med.* V. *blefarite.*

palpígrado. *S. m.* **1.** Espécime dos palpígrados. ● *Adj.* **2.** Pertencente ou relativo a eles.

palpígrados. *S. m. pl. Zool.* Artrópodes aracnídeos, da ordem *Palpigrada.* Têm os dois últimos segmentos torácicos livres, o abdome segmentado, telso longo e pluriarticulado, respiração cutânea, e são desprovidos de olhos. São de tamanho diminuto e vivem geralmente debaixo de pedras.

palpitação. [Do lat. *palpitatione.*] *S. f.* **1.** Ato de palpitar. **2.** Movimento desordenado, agitado. [Sin. ger.: *palpite.*] ~ V. *palpitações.*

palpitações. [Pl. de *palpitação.*] *S. f. pl.* Batimentos do coração que são percebidos pelo indivíduo. ~ V. *palpitação.*

palpitante. [Do lat. *palpitante.*] *Adj. 2 g.* **1.** Que palpita. **2.** Que apresenta vestígios de vida. **3.** *Fig.* De grande interesse; vivo, emocionante: *romance palpitante; história palpitante.* **4.** *Fig.* De interesse atual; que está na ordem do dia: *tema palpitante; reportagem palpitante.*

palpitar. [Do lat. *palpitare.*] *V. int.* **1.** Ter palpitações; pulsar, bater: "Mas os corações estão parados e frios, e não mais palpitam dentro daqueles peitos de múmias." (Alphonsus de Guimaraens, *Obra Completa*, p. 119.) **2.** Ter agitação convulsiva (os músculos dos seres que acabam de sofrer morte violenta). **3.** Comover-se, sobressaltar-se: *Palpitou à vista do espetáculo horripilante.* **4.** Ondular; agitar-se. **5.** Renovar-se; renascer: *Novamente a esperança palpitou em sua alma.* **6.** Dar palpite(s): *Costuma palpitar em assuntos que lhe são estranhos.* *T. i.* **7.** Parecer; bacorejar: *Palpita-lhe que seria aquela a melhor solução.* *T. d.* **8.** Pressentir, supor. **9.** Procurar conhecer a opinião de; sondar, apalpar: *Palpitou o amigo, mas este fechou-se em copas.*

palpite. [Dev. de *palpitar.*] *S. m.* **1.** V. *palpitação.* **2.** *Fig.* Pressentimento, suspeita; bacorejo. **3.** Intuição de ganho (no jogo). **4.** *Bras. Gír.* Dito ou opinião de quem se intromete, ou não entende do assunto; saque, peruada. **5.** *Bras. Turfe.* Indicação de um cavalo com provável vencedor de um páreo.

palpiteiro. *Adj.* e *s. m. Bras.* Diz-se de, ou aquele que gosta de dar palpite (4).

palpitoso (ô). [De *palpite* + *-oso.*] *Adj.* **1.** *Bras., S. Pop.* Desejoso, apetitoso. **2.** *Bras., N.E. Pop.* Que tem atração sexual; sexualmente excitante: *moça palpitosa.*

palpo. [Do lat. *palpu*, 'carícia, afago'.] *S. m. Zool.* **1.** Apêndice do maxilar e do lábio dos insetos. **2.** O segundo par de apêndices dos aracnídeos. ◆ **Em palpos de aranha.** V. *em papos-de-aranha.*

palpumá. *Bras. S. 2 g.* **1.** Indivíduo dos palpumás, tribo indígena do AM, nas margens do rio Juruá. ● *Adj. 2 g.* **2.** Pertencente ou relativo a essa tribo.

palra. [Dev. de *palrar.*] *S. f.* **1.** Fala, palavra, conversa. **2.** Tagarelice; loquacidade. [Sin. ger.: *palraria, pálrea, palrice, palração.*]

palração. [De *palrar* + *-ção.*] *S. f.* V. *palra.*

palradeiro. [De *palrar* + *-deiro.*] *Adj.* V. *palreiro: Não se cala um minuto: Que moça* p a l r a d e i r a *!*; "Rima o vento que açoita as densas ramalheiras, / E o canto festival das aves p a l r a d e i r a s." (Silva Ramos, *Pela Vida fora...*, p. 271).

palrador (ô). *Adj.* e *s. m.* **1.** Que ou aquele que palra. **2.** Tagarela, falador.

palrar. [De *parlar*, com metátese.] *V. int.* **1.** Articular sons vazios de sentido; chalrar. **2.** Falar muito; tagarelar, parolar: "Uma delas .... p a l r a v a continuamente, numa garrulice infantil" (Domício da Gama, *Histórias Curtas*, p. 15). **3.** Conversar, palestrar. *T. d.* **4.** Dizer, proferir. **5.** Descobrir, revelar, patentear: *Sua animação* p a l r a v a *o contentamento que o possuía.* [F. paral.: *palrear.*]

palraria. *S. f.* V. *palra.*

palratório. [De *palrar* + *-(t)ório.*] *S. m.* V. *locutório.*

pálrea. *S. f.* V. *palra.*

palrear. *V. int.* e *t. d.* V. *palrar.* [Conjug.: v. *frear.*]

palreiro. *Adj.* Que palra; palrador, palradeiro, tagarela: *meninos* p a l r e i r o s; "E, de braço dado, atravessavam toda a chácara, unidos, p a l r e i r o s, alegres, como dois namorados felizes." (Machado de Assis, *Contos sem Data*, p. 19); "Rufando as penas doiradas, / Vão as calhandras, p a l r e i r a s, / Preando insetos, coitadas, / Por não ter um grão nas leiras!" (Bulhão Pato, *Livro do Monte*, p. 65).

palrice. *S. f.* **1.** Ato ou efeito de palrar. **2.** V. *palra.*

paludamento. [Do lat. *paludamentu.*] *S. m.* Manto branco ou purpúreo, que usavam os generais da antiga Roma e, depois, os imperadores: "S. Bernardo aparecia também, empunhando o báculo num braço de monge, donde caía um p a l u d a m e n t o retinto em sangue". (Oliveira Martins, *A Vida de Nun'Álvares*, p. 278.)

palude. [Do lat. *palude.*] *S. m.* V. *pântano* (2).

paludial. [De *palude* + *-i-* + *-al.*] *Adj. 2 g.* Relativo a, ou próprio de pauis ou lagoas.

paludícola. [Do lat. *paludicola.*] *Adj. 2 g.* Que vive nos charcos e lagoas.

paludífero. [De *palude* + *-i-* + *-fero.* *Adj.* V. *paludoso* (1).

paludismo. [De *palude* + *-ismo.*] *S. m.* V. *malária.*

paludoso (ô). [Do lat. *paludosu.*] *Adj.* **1.** Em que há paludes ou lagoas; paludífero, palustre. **2.** Alagadiço, pantanoso, palustre.

paluguindão. [Do mal. *palu-Kidong.*] *S. m.* Atabale tártaro.

palurdice. *S. f.* Qualidade, ato, dito ou modos de palúrdio; patetice.

palúrdio. [Do esp. *palurdo.*] *Adj.* e *s. m.* V. *tolo* (1 a 3 e 8): "Camilo [Camilo Castelo Branco] .... chamava-me .... aos caixeiros românticos que se suicidavam por amor, aos p a l ú r d i o s pais de famílias que matavam as filhas de desespero .... porque elas preferiam casar-se com bacharéis e não com quem eles queriam." (Gilberto Amado, *Minha Formação no Recife*, p. 95.)

palustre. [Do lat. *palustre.*] *Adj. 2 g.* **1.** V. *paludoso.* **2.** Relativo a pauis. **3.** Que vive em pauis ou lagoas. ~ V. *febre* —.

▲**pam-.** [Do gr. *pâs, pantós; pâsa, páses; pân, pantós.*] *El. comp.* = 'tudo', 'todos': *pamplegia.* [Equiv.: *pan-, panti-, panta-, panto-* e *pasi-*: *pan-americano, panteísmo; pantiteísmo; pantagrafia; pantogamia; pasigrafia.*]

pama. *Bras. S. 2 g.* **1.** Indivíduo dos pamas, tribo indígena aruaque das margens do rio Madeira (AM). ● *Adj. 2 g.* **2.** Pertencente ou relativo a essa tribo.

pamana. *Bras. S. 2 g.* **1.** Indivíduo dos pamanas, tribo indígena do médio rio Purus (AM). ● *Adj. 2 g.* **2.** Pertencente ou relativo a essa tribo.

pamastite. [De *pan-* + *mastite.*] *S. f. Patol.* Mastite que abrange mama inteira.

pamoá. *Bras. S. 2 g.* **1.** Indivíduo dos pamoás, tribo indígena tucano, das nascentes do rio Papuri. ● *Adj. 2 g.* **2.** Pertencente ou relativo a essa tribo.

pamonã. [Do tupi *pamu'ñã.*] *S. m. Bras.* Prato sertanejo preparado com farinha de milho ou de mandioca, e feijão, carne ou peixe; revirado.

pamonha. [Do tupi *pamu'ñã*, com desnasalação e hiperbibasmo.] *S. f. Bras.* **1.** Espécie de bolo feito de milho verde, leite de coco, manteiga, canela, erva-doce e açúcar, e cozido em tubos das folhas do próprio milho ou de folhas de bananeira, atados nas extremidades. ● *S. 2 g.* **2.** Pessoa mole, preguiçosa, inerte, desajeitada; pastelão, pamonha-azeda. ● *Adj. 2 g.* **3.** Diz-se de pamonha (2). **4.** *Fig.* Bobo, tolo, toleirão.

pamonha-azeda. [De *pamonha* + o fem. do adj. *azedo.*] *S. 2 g. Bras., SP. Pop.* V. *pamonha* (2). [Pl.: *pamonhas-azedas.*]

pampa. [Do quíchua *pampa*, 'planície', atr. do esp. plat.] *Adj. 2 g. Bras.* **1.** Diz-se do animal de cara branca. **2.** Diz-se do cavalo malhado em todo o corpo. [Var., nestas acepç.: *pampo.*] ● *S. m.* e *f.* **3.** Grande planície, coberta de vegetação rasteira, na região meridional da América do Sul. ~ V. *pampas.*

pâmpano. [Do lat. *pampinu*, pelo esp. *pámpano.*] *S. m.* **1.** Ramo tenro de videira; sarmento, parra. **2.** *Bras.* V. *galhudo* (4).

pampanoso (ô). *Adj.* **1.** Que tem pâmpanos. **2.** Cheio ou coberto de pâmpanos. [Sin. ger.: *pampíneo.*]

pamparra. *Adj. 2 g. Bras., PE. Fam.* **1.** Excelente; grande. **2.** Gostoso, apetitoso; suculento. ◆ **Às pamparras.** *Bras. Gír.* V. *às pampas.*

pamparrear. *V. int. Bras. Pop.* Var. de *mamparrear.* [Conjug.: v. *frear.*]

pamparrona. *S. f. Bras.* V. *guaivira.*

pampas. *S. m. pl. El. s. f.* Us. na loc. adv. *às pampas.* ~V. *pampa.* ◆ **Às pampas.** Em grande quantidade ou intensidade; muito, à beça; às pamparras.

pampeiro. [De *pampa* + *-eiro.*] *S. m. Bras.* **1.** Vento local que sopra das regiões meridionais da Argentina e pode alcançar o RS, onde é chamado *minuano.* **2.** *Bras., S. Gír.* Conflito, briga, rixa, discussão. V. *rolo*[1] (16). **3.** *Bras., S.* Barulho, espalhafato, escarcéu: "O coronel fez um p a m p e i r o dos diabos: | — 'Agarrem esse bandido, botem já já no tronco.' " (M. Cavalcanti Proença, *Manuscrito Holandês*, p. 82.) **4.** Pampiano (2). ● *Adj.* **5.** Pampiano (1).

pampiano. *Bras.* **1.** *Adj.* Pertencente ou relativo ao pampa, à região dos pampas. ● *S. m.* **2.** O natural ou habitante dessa região. [Sin. ger.: *pampeiro.*]

pampilho. *S. m.* **1.** Garrocha terminada em aguilhão: "o campino veste-se de garridos trajes e ergue na mão um p a m p i l h o, o cetro do seu valor, o símbolo duma grandeza feita de força e graça." (Miguel Torga, *Portugal*, p. 102). **2.** Designação comum a diversas plantas da família das compostas: *Chrysanthemum coronarium, Chrysanthemum segetum, Pallenis spinosa, Pyrethrum myconis*, etc.

pampíneo. [Do lat. *pampineu.*] *Adj.* **1.** Pampanoso. **2.** Relativo a pâmpano.

pamplegia. [De *pam-* + *-pleg-* + *-ia.*] *S. f. Patol.* Paralisia de todo o corpo.

pamplégico. *Adj.* **1.** Referente à, ou que tem pamplegia. ● *S. m.* **2.** Aquele que tem pamplegia.

pamplo. *S. m. Bras.* V. *pampo*[1] (1).

pampo[1]. *S. m. Bras.* **1.** Peixe teleósteo, percomorfo, da família dos carangídeos (*Trachninotus carolinus* (L.)), do Atlântico da América do Norte até a Argentina, de dorso azul-cinéreo, abdome prateado e nadadeira anal com dois acúleos. Nada isolado, e sua carne é muito apreciada. [Var.: *pamplo*; sin.: *semenduara, piraroba.*] **2.** V. *galhudo* (4). **3.** V. *cernambiguara.* **4.** Rebento tardio da cana-de-açúcar, pobre de sacarose, e que, embora cresça pouco, engrossa anormalmente.

pampo[2]. *Adj.* Var. de *pampa* (1 e 2).

pampo-arabebéu. *S. m. Bras.* V. *cernambiguara.* [Pl.: *pampos-arabebéus* e *pampos-arabebéu.*]

pampo-aracangüira. *S. m. Bras.* V. *galhudo* (4). [Pl.: *pampos-aracangüiras.*]

pampo-galhudo. *S. m. Bras.* V. *galhudo* (4). [Pl.: *pampos-galhudos.*]

pampo-gigante. [De *pampo*[1] + *gigante.*] *S. m. Bras.* V. *cernambiguara.* [Pl.: *pampos-gigantes.*]

pampo-riscado. [De *pampo*[1] + *riscado.*] *S. m. Bras.* V. *galhudo* (4). [Pl.: *pampos-riscados.*]

pamprodáctilo. [De *pam-* + *-prol-*[1] + *-da(c)tilo.*] *Adj. Zool.* Diz-se do pé das aves que tem os quatro dedos para diante. [Var.: *pamprodátilo.*]

pamprodátilo. *Adj. Zool.* Var. de *pamprodáctilo* [q. v.].

pampsiquismo. [De *pam-* + *-psiqu(e)-* + *-ismo.*] *S. m. Filos.* Doutrina segundo a qual toda matéria é viva e possui uma natureza psíquica análoga à do espírito humano. [Cf. *animismo.*]

▲**pan-.** V. *pam-.*

pana. *S. f. Bras.* Instrumento de percussão, dos índios bororos.

panã[1]. [Do ioruba.] *S. m. Bras.* Cerimônia da quitanda das iaôs [v. *quitanda da iaô*].

panã[2]. *S. m. Bras., SP.* V. *pata*[1] (2).

panabásio. [De *pan-* + *-a-* + *-bas(i)-* + *-io*[2].] *S. m. Min.* Mineral monométrico, composto essencialmente de cobre, antimônio e enxofre, explorado como minério de cobre, e que, às vezes, pode conter prata, como impureza; tetraedrita.

panaca. *Adj. 2 g.* e *s. 2 g. Bras. Pop.* Diz-se de, ou indivíduo simplório.

panacarica. [Do caribe *panacaricá.*] *S. f. Bras., N.* Toldo de palha de certas canoas. [Cf. *tamacarica.*]

panacéia. [Do gr. *panákeia*, pelo lat. *panacaea.*] *S. f.* **1.** Remédio para todos os males: "O campo e a praia, o ar do monte e o ar do mar são .... a universal p a n a c é i a para as moléstias endêmicas das grandes cidades, para as nevroses dos excitados de todas as espécies, ... para os doentes de todos os abusos do trabalho ou do prazer." (Ramalho Ortigão, *As Farpas*, I, p. 249.) **2.** Preparado que tem certas propriedades gerais. **3.** *Fig.* Recurso sem nenhum valor empregado para remediar dificuldades. [Sin. (p. us.), nessas acepç.: *pancresto.*] **4.** V. *braço-de-preguiça.*

panacheiro. [Por *penacheiro* < *penacho* + *-eiro*?] *S. m. Bras.* Arbusto da família das mirtáceas (*Callistemon speciosus*), proveniente da Austrália, de folhas lanceoladas e coriáceas, flores com longos estames vermelhos, aglomeradas em espigas compactas e brilhantes, e cujo fruto é uma pequena cápsula globosa.

panaço. [De *pano*[1] (5) + *-aço.*] *S. m. Bras.* Golpe de espada, facão ou sabre; panázio: "não se fechavam as vendas / sem primeiro se expulsarem os cachaceiros, / vezes até com p a n a ç o s de facão" (Ascenso Ferreira, *Catimbó e Outros Poemas*, p. 58).

panacocó. [Do caribe?] *S. m. Bras., Amaz.* Árvore da família das leguminosas (*Swartzia tomentosa*), da floresta úmida, de folhas penadas com cinco a sete folíolos ovados-oblongos, acuminados e rufitomentosos, flores com uma pétala orbicular e velutínea, congregando-se em racemos paucifloros, e cuja madeira, preto-violácea, estriada e bela, se usa na marcenaria e em objetos de adorno.

panacu. *S. m. Bras.* Var. de *panacum.*

panacum. [Do tupi *pana'kũ.*] *S. m. Bras.* Cesto grande, de talas, no qual se conduzem roupas e objetos durante viagens; canastra: "E atrás os comboios de víveres, bois e burros de cangalhas, p a n a c u n s e caçuás, carregados de caixas de frutas e sacos de cereais" (Xavier Marques, *As Voltas da Estrada*, p. 16). [Var.: *panacu.*]

panada. [De *pano*[1] (7) + *-ada*[1].] *S. f. Bras., AM.* Caminho que um barco percorre sem virar de bordo, com as velas do mesmo lado.

panado. [Part. de *panar*[2].] *Adj.* **1.** Que tem farinha de rosca. **2.** Coberto ou passado em ovo e farinha de rosca. ~ V. *água —a.*

panadura. *S. f.* Eixo da moenda de cana-de-açúcar.

pan-africanismo. [De *pan-* + *africanismo.*] *S. m.* Doutrina ou sistema que procura realizar a unidade dos povos da África e, após a independência da maior parte dos Estados africanos, criar uniões e federações. [Pl.: *pan-africanismos.*]

pan-africanista. *Adj. 2 g.* **1.** Relativo ao pan-africanismo. **2.** Que é adepto do pan-africanismo ou especialista nesse assunto. ● *S. 2 g.* **3.** Adepto do pan-africanismo ou especialista nesse assunto. [Pl.: *pan-africanistas.*]

pan-africano. *Adj.* Pertencente ou relativo a todas as nações africanas. [Pl.: *pan-africanos.*]

panal[1]. [De *pano* + *-al.*] *S. m.* **1.** Pano onde se estende ou se envolve qualquer coisa. **2.** Vela de moinho.

panal[2]. [Do arc. *pan*, 'pão', + *-al.*] *S. m.* **1.** Cada um dos rolos de madeira que se colocam sob a quilha da embarcação para mais facilmente movimentá-la em terra. **2.** Tapume de tábuas que resguarda a mó de cereais. **3.** *Fig.* Basbaque, tolo, palerma.

panamá. [Do top. *Panamá.*] *S. m.* **1.** Chapéu de palha, masculino, de copa e abas flexíveis: "já havia dois sujeitos de p a n a m á, aba larga .... , confabulando a pequena distância" (Carlos Drummond de Andrade, *Fala, Amendoeira*, p. 261). **2.** Tecido de algodão, de seda artificial ou de fibra sintética, macio, encorpado e lustroso, especialmente usado para ternos de verão, costumes de senhora e calças compridas. **3.** *Fig.* Administração ruinosa duma companhia cujos administradores buscam locupletar-se à custa dos acionistas. **4.** Roubalheira em empresa ou em repartição pública. **5.** *Bras.* V. *xixá.*

panambiense. *Adj. 2 g.* **1.** De, ou pertencente ou relativo a Panambi (RS). ● *S. 2 g.* **2.** Natural ou habitante de Panambi.

panamenho. [Do esp. *panameño.*] *Adj.* **1.** De, ou pertencente ou relativo ao Panamá (América Central); panamense. **2.** De, ou pertencente ou relativo a Panamá (GO). ● *S. m.* **3.** O natural ou habitante do Panamá (América Central); panamense. **4.** O natural ou habitante de Panamá (GO).

panamense. *Adj. 2 g.* e *s. 2 g.* Panamenho (1 e 3).

pan-americanismo. [De *pan-* + *americanismo.*] *S. m.* **1.** Doutrina ou sistema estabelecido no séc. XIX e baseado na solidariedade de todos os países das Américas. **2.** Cooperação entre as nações americanas. [Pl.: *pan-americanismos.*]

pan-americanista. *Adj. 2 g.* **1.** Relativo ao pan-americanismo. **2.** Que é adepto do pan-americanismo ou especialista neste assunto. • *S. 2 g.* **3.** Adepto do pan-americanismo ou especialista nele. [Pl.: *pan-americanistas.*]

pan-americano. *Adj.* Pertencente ou relativo a todas as nações da América. [Pl.: *pan-americanos.*]

panapaná. [Do tupi *panapa'ná.*] *S. m. Bras.* **1.** Migração de borboletas em certas épocas, que chega a formar verdadeiras nuvens: "Não raro nem comum é o vento nordeste sacudir uma onda interminável de borboletas alaranjadas, com laivos, de açafrão nas asas impacientes. .... Diz-se apenas 'enxame de borboletas' mas é o *panapaná*, a migração em massa, miraculoso caudal" (Luís da Câmara Cascudo, *Canto de Muro*, p. 197). **2.** Bando de borboletas. **3.** V. *borboleta* (1). **4.** Espécie de feijão silvestre da família das leguminosas (*Phaseolus peduncularis*), que constitui uma trepadeira volúvel com flores vistosas e frutos capsulares que se abrem por duas fendas, e que não serve como alimento. [Cf. *panapanã.*]

panapanã. [Do tupi *panapa'ná.*] *S. f. Bras.* V. *borboleta* (1). [Cf. *panapaná.*]

panar[1]. [Do arc. *pan*, 'pão', + *-ar*[1].] *Adj. 2 g. Desus.* Relativo a pão (1).

panar[2]. [Do arc. *pan*, 'pão', + *-ar*[2].] *V. t. d.* **1.** Passar em gema e clara misturadas, e em seguida na farinha de rosca, para fritar. **2.** Deitar pão torrado em (água), coando-o depois, para uso de doentes. **3.** Cobrir de pão ralado: "enquanto .... os camarões cozidos esperam tranqüilos, ... ao lado das alfaces, das conservas de cenoura, do linguado para frigir, e da costeleta para *panar*." (Ramalho Ortigão, *As Farpas*, XI, p. 263).

pan-arabismo. [De *pan-* + *arabismo.*] *S. m.* Movimento político tendente a reunir os países de língua árabe e de civilização muçulmana numa grande comunidade de interesses. [Pl.: *pan-arabismos.* Cf. *pan-islamismo.*]

pan-arabista. *Adj. 2 g.* **1.** Relativo ao, ou que é adepto do pan-arabismo. • *S. 2 g.* **2.** Adepto do pan-arabismo. [Pl.: *pan-arabistas.*]

panaria. [Do arc. *pan*, 'pão', + *-aria.*] *S. f.* Tulha, celeiro.

panarício. [Do gr. *paronychion*, pelo lat. *panariciu.*] *S. m. Med.* V. *paroníquia* (2). [Var.: *panariz.*]

panariz. *S. m.* V. *paroníquia* (2).

panascal. [De *panasco* (1) + *-al.*] *S. m.* Extensão mais ou menos considerável de terreno coberta de panasco (1); panasqueira, panasqueiro.

panasco. *S. m.* **1.** Erva de pasto, da família das umbelíferas (*Peucedanum satirum*). **2.** *Bras., Pl.* Certa zona de vegetação parecida com a do lacre, entre a região dos agrestes e a do carrasco ou da caatinga; panasqueiro.

panasqueira. [De *panasco* + *-eira.*] *S. f.* V. *panascal.*

panasqueiro. [De *panasco* + *-eiro.*] *S. m.* **1.** Panasco (2). **2.** V. *panascal.* **3.** Indivíduo de modos e/ou vestuários grosseiros. • *Adj.* **4.** Diz-se de indivíduo de modos e/ou vestuários grosseiros.

panatenéias. [Do gr. *panathénaiai.*] *S. f. pl.* Festas em honra de Palas Atene, na Grécia antiga.

panati. *Bras. S. 2 g.* **1.** Indivíduo dos panatis, tribo indígena que habitou a serra do Panati, donde lhe adveio o nome. • *Adj. 2 g.* **2.** Pertencente ou relativo a essa tribo.

panavueiro. *S. m. Bras., PB.* Grande facão, usado no corte da cana-de-açúcar: "Ia com ele aos partidos, às limpas com o eito grande, aos cortes com o *panavueiro* tinindo nas canas." (José Lins do Rego, *Bangüê*, p. 10.)

panázio. [De *pano*[1] (5) + *-ázio?*] *S. m. Pop.* **1.** Pontapé (1). **2.** V. *bofetada* (1). **3.** *Bras.* Panaço. **4.** Estrondo de arma de fogo. **5.** Grande porção. V. *quantidade* (3).

panca. [Do lat. vulg. *palanca.*] *S. f.* **1.** Alavanca de madeira. **2.** *Bras. Gír.* Pose (2). ♦ **Andar em pancas.** Andar muito azafamado. **Dar pancas.** *Bras.* **1.** Salientar-se em qualquer coisa. **2.** Causar admiração pela beleza e/ou elegância. **3.** Fazer brilhaturas. **4.** Dar que fazer. **Estar de pancas.** *Bras., S.* Sentir-se disposto à prática de desordens. **Tomar pancas.** Decidir-se a praticar desordens.

pança. [Do lat. *pantice*, pelo esp. *panza.*] *S. f.* **1.** O estômago maior dos ruminantes. **2.** *Pop.* Barriga grande; barriga, panturra. • *S. m.* **3.** *Bras., S.* Indivíduo ridículo.

pancada. [De *panca* + *-ada*[1].] *S. f.* **1.** Choque, embate, batida; baque. **2.** Bordoada, chavascada. **3.** Agressão física por meio de socos, tapas, bordoadas, etc.; pregada: *Traz no corpo as marcas das pancadas que levou.* **4.** Nos relógios, som que indica as horas: *as 12 pancadas da meia-noite.* **5.** V. *pulsação* (2). **6.** *Fig.* Pressentimento (2). **7.** *Pop.* Mania, veneta, telha. **8.** *Bras.* Chuva violenta e súbita; pancada de água. **9.** *Bras., N.* Salto ou cachoeira a pique. • *S. 2 g.* **10.** *Bras. Pop.* Pessoa amalucada, aluada. **11.** *Bras. Pop.* Pessoa grosseira, bruta, estourada. • *Adj. 2 g.* **12.** *Bras. Pop.* V. *amalucado.* ♦ **Pancada de água.** *Bras.* Pancada (8). **Pancada do mar.** **1.** *Lus.* Zona da costa, da foz dum rio ou da entrada dum porto, onde o mar se agita em vagas. **2.** *Bras., CE.* V. *praia* (1). **Pancadas de Molière.** *Teat.* Batidas rápidas no tablado do palco, em geral com um bastão de madeira, seguidas de três outras, lentamente compassadas, e que se destinam a avisar a platéia que o espetáculo vai começar. **Às três pancadas.** Desajeitadamente, extravagantemente. **De pancada.** **1.** De golpe; de repente; de chofre. **2.** De uma só vez: "Cedros antigos, como os do Líbano, desabavam de *pancada*." (Rebelo da Silva, *Contos e Lendas*, p. 27.) **Esperar pela pancada.** *Pop.* Aguardar um fato ou acontecimento desagradável.

pançada. [De *pança* + *-ada*[1].] *S. f.* **1.** *Chulo.* Enchimento do estômago; barrigada, fartadela. **2.** Pancada na, ou com a pança.

pancadão. [Aum. de *pancada.*] *S. m. Bras. Gír.* V. *peixão* (2): "Aquela mulher devia ter sido um *pancadão* no seu tempo! ... Quem dera a muitas novas um colo daqueles! ..." (Aluísio Azevedo, *Casa de Pensão*, p. 85); "Quem te inventou, meu *pancadão*, / teve uma consagração" (da marcha *O Teu Cabelo Não Nega*, de Lamartine Babo).

pancadaria. *S. f.* **1.** Muitas pancadas. V. *surra* (1). **2.** Desordem em que há pancadas. **3.** *Pop.* Conjunto de instrumentos de percussão, em bandas filarmônicas, etc.: "afinadinha, bem-sonante, expressiva — nos metais, nas palhetas, na *pancadaria* — que rica música!" (João de Silva Correia, *Farândola*, p. 70).

pancaio. [Do gr. *pagchaîos*, pelo lat. *panchaiu.*] *Adj.* **1.** De, ou pertencente ou relativo a Pancaia, cidade ao S. da Península da Arábia, na região que se denominava *Arábia Feliz.* **2.** Diz-se do perfume do incenso, do bálsamo. • *S. m.* **3.** O natural ou habitante da Pancaia. [Sin. ger.: *panqueu.*]

pancalismo. [De *pan-* + *-cal(i)-* + *-ismo.*] *S. m. Filos.* Doutrina que consiste em conceber o belo como a norma de que dependem todas as outras, constituindo-se o real como o conjunto do que pode ser organizado sob forma estética.

pancararu. *Bras. S. 2 g.* e *adj. 2 g.* Pancaru.

pancárpia. [Do gr. *pagkárpia*, pelo lat. *pancarpia* (subentende-se *corona*).] *S. f.* Coroa de flores.

pancarpo. [Do gr. *págkarpos*, 'sacrifício no qual se ofereciam frutos de toda espécie', pelo lat. *pancarpu*, 'composto de várias coisas', 'variado', subentendendo-se 'luta'.] *S. m.* Na Antiguidade romana, luta de homens contra animais.

pancaru. *Bras. S. 2 g.* **1.** Indivíduo dos pancarus, tribo indígena de Tacaratu (PE). • *Adj. 2 g.* **2.** Pertencente ou relativo a essa tribo. [F. paral.: *pancararu.*]

pancismo. [De *pança*[1] + *-ismo.*] *S. m. Bras.* Procedimento ou sistema daqueles que só pensam em vantagens ou proveitos imediatos.

panclastite. [De *pan-* + *-clast(o)-* + *-ite*[2].] *S. f.* Composto explosivo, proveniente da ação do peróxido de azoto sobre vários corpos carbonatados.

pancloríneo. *S. m.* **1.** Espécime dos pancloríneos. • *Adj.* **2.** Pertencente ou relativo a eles.

pancloríneos. *S. m. pl. Zool.* Grupo de insetos blatários que compreende insetos conhecidos como *baratas-cascudas* [v. *barata-cascuda*].

pancontinental. [De *pan-* + *continental.*] *Adj. 2 g.* Referente a, ou que se estende a todos os continentes: "A lusotropicologia é .... essa expansão dos valores fundamentais da cultura portuguesa que se transformou ... de cultura tanto européia como latina em cultura *pancontinental* ou tropical." (Manuel Diegues Junior, *Regiões Culturais do Brasil*, p. 4.)

pancrácio. [Do gr. *pagkrátion*, pelo lat. *pancratiu.*] *S. m. Pop.* V. *tolo* (8).

▲**pancre(a)-.** [Do gr. *págkreas, atos.*] *El. comp.* = 'pâncreas': *pancrealgia, pancreatite.* [Equiv.: *pancreat(o)-*: *pancreatectomia.*]

pancrealgia. [De *pancre(a)-* + *-alg(o)-* + *-ia.*] *S. f. Patol.* Pancreatalgia.

pancreálgico. *Adj.* Pancreatálgico.

pâncreas. [Do gr. *págkreas.*] *S. m. 2 n. Anat.* Grande órgão glandular situado por trás do estômago, e que mantém relação anatômica com o duodeno e o baço. É glândula exócrina e endócrina, com acentuada influência tanto na digestão quanto em processos metabólicos, especialmente em relação aos glicídios.

pancreatalgia. [De *pancreat(o)-* + *-alg(o)-* + *-ia.*] *S. f. Patol.* Dor no pâncreas; pancrealgia.

pancreatálgico. *Adj.* Referente à pancreatalgia; pancreálgico.

pancreatectomia. [De *pancreat(o)-* + *-ectom-* + *-ia.*] *S. f. Cir.* Ablação do pâncreas em extensão variável.

pancreatectômico. *Adj.* Relativo à pancreatectomia.

pancreático. *Adj.* **1.** Relativo ou pertencente ao pâncreas. **2.** Diz-se do suco segregado por ele.

pancreatina. [De *pancreat(o)-* + *-ina*[1].] *S. f. Quím.* Substância extraída do pâncreas do boi, ou do porco, isolada sob a forma de material pulverulento amarelado, contendo uma amilase, uma lipase e uma triptase.

pancreatite. [De *pancreat(o)-* + *-ite*[1].] *S. f. Patol.* Inflamação do pâncreas.

pancreatítico. *Adj.* Relativo à pancreatite.

▲**pancreat(o)-.** Equiv. de *pancre(a)-*.

pancresto. [Do gr. *págchrestos*, pelo lat. *panchrestu.*] *S. m. P. us.* Panacéia (1 a 3).

pancromático. [De *pan-* + *-cromat(o)-* + *-ico*[2].] *Adj.* ~ V. *filme* —.

pançudo. *Adj.* **1.** Que tem grande pança; barrigudo. **2.** *Bras.* V. *parasito* (7). • *S. m.* **3.** *Bras.* V. *parasito* (3).

panda[1]. *S. f. Pesc.* Bóia de cortiça na tralha superior dos aparelhos de arrasto.

panda[2]. *S. f.* Árvore africana, da família das leguminosas.

pandácea. *S. f.* Espécime das pandáceas.

pandáceas. *S. f. pl. Bot.* Família de dicotiledôneas dialipétalas que constitui, sozinha, a ordem das pandales, e é representada, apenas, pela *Panda oleosa*, arvoreta dióica da África.

pandáceo. *Adj.* Pertencente ou relativo às pandáceas.

pandacosta. *S. m. Bras.* Pano-da-costa.

pandale. *S. f.* Espécime das pandales.

pandales. *S. f. pl. Bot.* Ordem de plantas floríferas que compreende apenas a família das pandáceas.

pandanácea. *S. f.* Espécime das pandanáceas.

pandanáceas. *S. f. pl. Bot.* Família de plantas monocotiledôneas, da ordem das pandanales, cujas flores são aclamídeas ou levam perigônio rudimentar, cujas inflorescências são compactas, multiflores, com os sexos separados, e cujos frutos são nozes. Compreende vegetais de grandes dimensões, muitos dos quais cultivados pela grande beleza. Há umas 250 espécies tropicais, mas não na América.

pandanáceo. *Adj.* Pertencente ou relativo às pandanáceas.

pandanale. *S. f.* Espécime das pandanales.

pandanales. *S. f. pl. Bot.* Ordem de plantas superiores caracterizadas pelas flores unissexuais, nuas ou rudimentarmente periantadas, e que engloba as pandanáceas, tifáceas e esparganiáceas.

pandano. [Do mal. *pândan.*] *S. m.* Grande planta arboriforme, da família das pandanáceas (Pandanus utilis), muito cultivada no Brasil como ornamental, de folhas grandes, lanceoladas e rígidas, cujas inflorescências são espigas compactas, de sexos separados, e cujos frutos, drupáceos, estão congregados em amplas infrutescências muito duras; vacuá. [Para Dalgado (*Glossário Luso-Asiático*), *pândano* é melhor pronúncia que *pandano.*]

pândano. *S. m.* V. *pandano.*

pandarana. *S. f. Desus.* Pantana.

pandarecos. *S. m. pl.* Estilhas, frangalhos, destroços; pedaços. ♦ **Em pandarecos.** **1.** Em pedaços; feito pedaços; em estilhas: *Com o acidente o carro ficou em pandarecos.* **2.** *Fig.* Em estado de exaustão; muito cansado. **3.** Muito abatido moralmente; aniquilado.

pandear. [De *pando* + *-ear.*] *V. t. d.* Tornar pando, inflado, largo. [Conjug.: v. *frear.*]

pandecta. [De *Pandectas.*] *S. f.* Espécie de caracteres tipográficos. ~ V. *pandectas.*

pandectas. [Do lat. *Pandectae.*] *S. f. pl.* Digesto (2). ~ V. *pandecta.*

pandectista. *S. 2 g.* Pessoa que comenta as Pandectas ou cumpre a doutrina delas: "Esses conhecimentos [das instituições antigas] lhe vieram [a Lacerda de Almeida] .... mais da leitura de escritores de direito comum — direito romano atual — como Savigny e os *pandectistas*, do que de estudos propriamente romanísticos." (San Tiago Dantas, *Figuras de Direito*, p. 100.)

pândega. *S. f.* **1.** Folguedo ruidoso e alegre; brincadeira, folgança, folia. **2.** Estroinice, extravagância. **3.** Patuscada, comezaina. [Cf. *pandega*, do v. *pandegar.*]

pandegar. *V. int.* Andar em pândegas; farrear, estroinar. [Conjug.: v. *regar.* Pres. ind.: *pandego, pandegas, pandega,* etc. Cf. *pândego* e *pândega.*]

pândego. *Adj.* **1.** Que é amigo de pândegas. **2.** Que é engraçado e alegre. **3.** Próprio de pândego; que parece pândega, brincadeira; engraçado: *Tem um ar* pândego*; Convenceu-se de que é um grande poeta — chega a ser* pândego. ● *S. m.* **4.** Indivíduo pândego (1 e 2). [Cf. *pandego,* do v. *pandegar.*]

pandeireiro. [De *pandeiro* + *-eiro.*] *S. m.* **1.** Fabricante de pandeiros. **2.** Pandeirista.

pandeireta (ê). [Do esp. *pandereta.*] *S. f.* Pequeno pandeiro: "E as raparigas do alto .... alçam-se na ponta dos pés, para ver .... o filho do *Choco* tocando a pandeireta com ademanes espanhóis." (José Vieira, *Sol de Portugal,* p. 157.)

pandeirista. *S. 2 g. Bras.* Tocador de pandeiro; pandeireiro.

pandeiro. [Do esp. *pandero.*] *S. m.* **1.** Instrumento de percussão, composto de um aro circular de madeira guarnecido de soalhas, e sobre o qual se estica uma pele, que se tange batendo-a com a mão, com os cotovelos, nos joelhos e até nos pés; tambor basco. [Dim. irreg., nesta acepç.: *pandeireta.* V. *adufe.*] **2.** *Marinh.* Conjunto de voltas circulares sobrepostas uma às outras, de um cabo assim aduchado.

pandeiro-de-boi. *S. m. Bras., PE. Folcl.* Instrumento musical de percussão, usado nos pastoris e nos bumba-meu-boi. [Pl.: *pandeiros-de-boi.*]

pandeló. *S. m.* Var. de *pão-de-ló* [q. v.]: "A poder de carícias e pandeló, a pouco e pouco logrou o afortunado Leandrinho captar a simpatia de Black" (Artur Azevedo, *Contos fora da Moda,* p. 84).

pandemia. [De *pan-* + *-dem(o)-* + *-ia.*] *S. f.* Epidemia generalizada: "A última pandemia, a da espanhola, que foi terrível, poupou apenas os velhos, o que a fez terribilíssima." (João Ribeiro, *Cartas Devolvidas,* p. 174.)

pandêmico. *Adj.* Que tem o caráter de pandemia.

pandemônico. *Adj.* Em que há pandemônio (3); tumultuoso.

pandemônio. [Do ingl. *Pandemonium* < gr. *pan,* 'todo' + *daímōn,* 'demônio', + *-io*[1], neologismo criado por Milton, poeta inglês (1608-1674), no seu *O Paraíso Perdido,* para designar o palácio de Satã.] *S. m.* **1.** Capital imaginária do Inferno. **2.** Reunião ou conluio de pessoas com o fito de fazer mal ou armar desordens. **3.** Tumulto, balbúrdia, confusão: "O nosso dever é dar ordem ao caos e ao pandemônio social do nosso tempo." (Viana Moog, *Uma Interpretação da Literatura Brasileira,* p. 79.)

pandiculação. [Do lat. *pandiculari,* 'espreguiçar-se', + *-ção.*] *S. f.* Ato de alguém espreguiçar-se; espreguiçamento.

pandilha. [Do esp. *pandilla.*] *S. f.* **1.** Conluio entre diversas pessoas para ludibriar alguém. **2.** *Bras., S.* Grupo de animais. **3.** *Bras., S.* Bando de malfeitores; quadrilha. ● *S. m.* **4.** Indivíduo que toma parte em conluio ou pandilha; pandilheiro. **5.** Biltre, pulha, canalha; pandilheiro. ● *Adj. 2 g.* **6.** Próprio de pandilha (4 e 5): "era o horror de sentir aquelas frases em calão, pandilhas afadistadas, como só Lisboa as pode criar" (Eça de Queiros, *Os Maias,* II, p. 287).

pandilhar. *V. int.* Levar vida de pandilha (4 e 5); envilecer-se, aviltar-se, apandilhar-se.

pandilheiro. *S. m.* **1.** V. *pandilha* (4 e 5). **2.** V. *gatuno* (1).

pandinamismo. [De *pan-* + *dinamismo.*] *S. m.* Sistema filosófico daqueles que sustentam a atividade essencial de tudo.

pando. [Do lat. *pandu.*] *Adj.* **1.** Cheio, inflado, enfunado: *velas* pandas; "Fita as bandas que habito, fita e espera, / Que, enfim, verás, em trêmulos adejos, // Em cada ponta um beija-flor pegando / Ir o teu lenço pelo espaço voando / Pando, enfunado, côncavo de beijos." (Guimarães Passos, *Versos de um Simples,* p. 20). **2.** Largo, amplo. **3.** Aberto e encurvado: *asas* pandas.

pandora. [Do gr. *pandoûra,* no lat. *pandura* e no lat. tardio *pandoriu.*] *S. f.* **1.** *Mús.* Instrumento da família do alaúde, com 19 cordas metálicas, em voga nos sécs. XVI e XVII, e que, pelo fundo chato, se aproxima do sistro. **2.** Certa personagem mitológica. [Com maiúscula, nesta acepç.]

pandorca. *S. f.* Var. de *pandorga.*

pandorga. [Do esp. *pandorga.*] *S. f.* **1.** Música desafinada e sem compasso. **2.** Mulher muito gorda, obesa; pantufa. **3.** *Bras.* V. *papagaio* (5): "O céu povoado de inquietas pandorgas. Outros meninos erguem-nas, o dia inteiro" (Osmã Lins, *Nove, Novena,* p. 46). ● *S. m.* **4.** *Bras.* V. *tolo* (8).

pandorgueiro. *S. m. Bras.* Aquele que faz e/ou solta pandorgas.

pandulhar. *V. int.* Levantar a tralha do pandulho (1) a fim de tirar o peixe emalhado.

pandulho. *S. m.* **1.** Pedaço de pano forte, cosido em forma de chouriço e cheio de pedras miúdas, que se cose na tralha inferior das redes de pescar, a fim de lastrá-las. **2.** *Bras.* Bandulho.

panduriforme. [Do lat. *pandura,* 'pandora' + *-i-* + *-forme.*] *Adj. 2 g.* V. *folha* —.

pane. [Do fr. *panne.*] *S. f.* Parada, por falha do motor, de avião, automóvel, motocicleta, etc. ◆ **Pane seca.** A causada por falta de combustível.

panegirical. *Adj. 2 g.* **1.** Referente a panegírico; panegirístico. **2.** V. *laudatório* (2). **3.** V. *panegírico* (3).

panegírico. [Do gr. *panegyrikós,* pelo lat. *panegyricu.*] *S. m.* **1.** Discurso em louvor de alguém. **2.** *P. ext.* Elogio, louvor: "elogiou o enterro, e por último fez o panegírico do morto, uma grande alma, espírito ativo, coração reto" (Machado de Assis, *Dom Casmurro,* p. 347). ● *Adj.* **3.** Que contém louvor; laudatário, elogioso, encomiástico, panegirical.

panegirista. [Do gr. *panegyristés,* pelo lat. *panegyrista.*] *S. 2 g.* Pessoa que faz panegírico(s).

panegirístico. *Adj.* Panegirical (1).

paneiro[1]. [Do esp. *panero.*] *S. m.* **1.** Cesto de vime com asas. **2.** *Constr. Nav.* Espaço situado na parte de ré de uma embarcação miúda, guarnecido de bancadas em volta, para assento dos passageiros. **3.** Espécie de carruagem de verga. **4.** *Bras.* Folha-de-flandres na qual os pedreiros deitam a argamassa que estão utilizando. **5.** *Bras.* V. *tipiti* (1). **6.** *Bras., Amaz.* Cesto de tala de palmeira e trançado largo, geralmente forrado de folhas: "entramos na *montaria,* levando .... um paneiro de farinha e um frasco de cachaça da boa" (Inglês de Sousa, *Contos Amazônicos,* p. 125).

paneiro[2]. [De *pano*[1] + *-eiro.*] *S. m. Bras.* Cortineiro (2).

panejamento. *S. m.* **1.** Ato ou efeito de panejar. **2.** Vestes de figuras representadas em pintura ou em escultura. **3.** Dobras ou ondulações dessas vestes: "o Padre Eterno e Jesus [no quadro *A Glória,* de Ticiano], vestidos de túnicas azuis de grandes panejamentos, suspensos entre nuvens" (Fidelino de Figueiredo, *Entre Dois Universos,* p. 231). **4.** Disposição harmoniosa do tecido em decoração ou no vestuário.

panejar. [De *pano* + *-ejar.*] *V. t. d.* **1.** Fazer panejamento (2 e 3) de. **2.** Pôr os panos ou roupagens em. *Int.* **3.** Abanar, agitar-se (vela, bandeira, etc.): "Bandeiras multicores panejavam uma fila extensa de mastros enrolados de papel de seda, de serpentinas azuis, encarnadas e amarelas." (Peregrino Júnior, *A Mata Submersa e Outras Histórias da Amazônia,* p. 116.) **4.** *Marinh.* Bater a testa da vela, do lado de barlavento, quando a embarcação navega à bolina; grivar. [Conjug.: v. *pelejar.*]

panela. [Do lat. **pannella,* dim. do lat. vulg. *panna,* 'frigideira'.] *S. f.* **1.** Vasilha de barro ou de metal destinada à cocção de alimentos. **2.** O conteúdo desse recipiente: *Comeu uma* panela *de feijão.* **3.** *Fig.* V. *panelinha* (1 a 4). **4.** *Gír.* Nádegas, traseiro. **5.** *Bras.* Cavidade subterrânea onde as formigas depositam suas larvas. **6.** *Bras.* Lugar escavado pelos animais em um barreiro. [M. us. no pl.] **7.** *Bras.* Redemoinho, rodamoinho, sorvedouro, em arroios ou rios. **8.** *Bras.* Cárie grande. **9.** *Bras.* Feitiço, mandinga. **10.** *Bras., S.* Peça de ferro no solo e que serve de dormente dos trilhos das vias férreas. ◆ **Quebrar a panela.** *Bras. Fam.* Quebrar a tigela.

panelaço. [De *panela* + *-aço,* por infl. do esp. *cacerolazo.*] *S. m.* Manifestação coletiva ruidosa de protesto de natureza política ou social, em que se percutem utensílios de metal.

panelada. *S. f.* **1.** Panela cheia. **2.** Grande porção de panelas. **3.** Ruído de ar nas mucosidades da laringe e dos brônquios. **4.** *Bras., N.E.* Prato semelhante ao cozido, e que se faz com mocotó, intestinos e alguns miúdos de boi, toucinho e verduras; bambiá.

panelão. [Aum. de *panela.*] *S. m. Teat.* Refletor portátil para iluminação difusa do palco, em forma de panela, constituído de uma só lâmpada, e que pode ter os mais variados tamanhos e ser ou não apoiado em tripé.

panelas. *S. f. pl.* V. *panela* (6).

paneleiro. *S. m.* **1.** Fabricante de panelas de barro. **2.** Lugar onde se guardam panelas. **3.** *Lus. Gír.* Homem efeminado (1 e 2).

panelense. *Adj. 2 g.* **1.** De, ou pertencente ou relativo a Panelas (PE). ● *S. 2 g.* **2.** Natural ou habitante de Panelas.

panelinha. [Dim. de *panela.*] *S. f.* **1.** *Fig.* Conluio para fins pouco sérios. **2.** *Fig.* Grupo de políticos que, no poder, procuram obter vantagens individuais. **3.** *Fig.* Grupo literário muito fechado e unido, e dado ao elogio recíproco: "Faço versos, mas não tomo parte nessas panelinhas de elogio mútuo" (Aluísio Azevedo, *Casa de Pensão,* p. 117). **4.** Qualquer grupo muito fechado: *No colégio, os meninos mais velhos formavam uma* panelinha *inacessível aos demais.* [Sin. (nessas acepç.): *panela, igrejinha.*] **5.** *Fig.* Súcia, matula.

panema. [Do tupi *pa'nema.*] *Adj. 2 g.* e *s. 2 g. Bras., N.* **1.** Que ou quem é infeliz na caça e/ou na pesca. **2.** Que ou quem é infeliz na vida; azarado, caipora. **3.** Que ou quem é vítima de feitiço. [Antôn.: *marupiara.*]

➧**panem et circenses** (pânem et circênses). [Lat.] Pão e jogos de circo.

panenteísmo. [De *pan-* + *-en-,* 'em' + *-te(o)-* + *-ismo.*] *S. m. Filos.* **1.** Sistema filosófico e teológico que vê todos os seres em Deus. [Cf. *panteísmo* e *pantiteísmo.*] **2.** Forma particular que deu ao panteísmo [q. v.] o filósofo alemão Krause (1781-1832).

panenteísta. *Adj. 2 g.* **1.** Relativo ao, ou que é sectário do panenteísmo. ● *S. 2 g.* **2.** Sectário dele.

panenuá. *Bras. S. 2 g.* **1.** Indivíduo dos panenuás, tribo indígena do AM. ● *Adj. 2 g.* **2.** Pertencente ou relativo a essa tribo.

pan-eslavismo. [De *pan-* + *eslavismo.*] *S. m.* Sistema de união de todos os povos eslavos num só Estado. [Pl.: *pan-eslavismos.*]

pan-eslavista. *Adj. 2 g.* **1.** Relativo ao pan-eslavismo. **2.** Que é partidário do pan-eslavismo. ● *S. 2 g.* **3.** Partidário do pan-eslavismo. [Pl.: *pan-eslavistas.*]

panete (ê). *S. m. Bras. Pop.* V. *cachaça* (1).

panetone. [Do it. *panetone.*] *S. m.* Bolo de massa fermentada, feito com farinha de trigo, ovos, leite, manteiga, açúcar, frutas cristalizadas e passas.

panfletagem. *S. f. Bras.* Ato ou efeito de panfletar.

panfletar. [De *panfleto* (ê) + *-ar*[2].] *Bras. V. int.* **1.** Fazer panfletos. **2.** Distribuir panfletos [v. *panfleto* (3)], geralmente durante campanha eleitoral.

panfletário. *Adj.* **1.** Próprio de panfleto. **2.** Que é autor de panfleto(s). **3.** *Fig.* Violento no dizer ou no escrever. ● *S. m.* **4.** Autor de panfleto(s); panfletista.

panfletista. *S. 2 g.* Panfletário (4).

panfleto (ê). [Do ingl. *pamphlet,* pelo fr. *pamphlet.*] *S. m.* **1.** Pequeno escrito polêmico ou satírico, em estilo veemente. **2.** V. *folheto.* **3.** Folha de papel que traz impresso o nome de candidato a cargo eletivo, junto com o do respectivo partido e, por vezes, alguns dados sobre o candidato.

panfobia. [De *pan-* + *fobia.*] *S. f.* Pantofobia.

panga. *S. m.* Um dos dialetos das Filipinas.

pangaia. [Do mal. *pinggang.*] *S. f. Lus.* Remo curto, de pá redonda, por vezes com uma pá em cada extremidade da haste.

pangaiar. *V. int. Lus.* Remar com pangaia.

pangaio[1]. [De or. afr., talvez.] *S. m.* Embarcação alterosa, de proa lançada e popa caída, muita boca, bolineira, veloz, de boa estabilidade, com dois mastros que envergam velas bastardas, usada na África Oriental e na Índia.

pangaio[2]. *S. m. Bras.* e *prov. lus.* Mandrião; farrista, boêmio: "A hora é boa de virar pangaio, / no meio deste povaréu" (de uma marcha carnavalesca de Mazinho e Aluísio de Oliveira).

pangarave. *Adj. 2 g. Bras., AL. Pop.* Vil, desprezível, miserável.

pangaré. [Do esp. plat. *pangaré.*] *Adj. 2 g. Bras., S.* e *GO.* **1.** Diz-se de eqüídeo ou muar cujo pêlo é de um tom amarelado mais claro que o douradilho, mostrando-se como que desbotado no focinho, no baixo-ventre e nalgumas outras partes do corpo. ● *S. m. Bras.* **2.** Cavalo com essas características: "Come a ração no cocho de mangueira / Um velho pangaré." (Ricardo Gonçalves, *Ipês,* p. 44). **3.** Cavalo manhoso, estragado. **4.** Cavalo reles.

pangéia. [De *pan-* + *-ge(o)-* + *-ia.*] *S. f. Geol.* Continente antigo que, conforme certa teoria, era constituído pela reunião dos atuais continentes, os quais teriam surgido pela fissuração do bloco original.

pangermanismo. [De *pan-* + *germanismo.*] *S. m.* Sistema de união de todas as populações de raça alemã num Estado único.

pangermanista. *Adj. 2 g.* **1.** Relativo ao, ou que é partidário do pangermanismo. ● *S. 2 g.* **2.** Partidário do pangermanismo.

panglossiano. *Adj.* **1.** Relativo ao Doutor Pangloss, personagem de *Cândido,* romance satírico de Voltaire [v. *voltairiano*], ou próprio dele. **2.** Que lembra o otimismo dessa personagem. **3.** Otimista (2 e 3) ● *S. m.*

4. Otimista (4).

pango. [De or. afr.] *S. m. Bras.* V. *maconha:* "Eram os pobres escravos que carpiam, no delírio do pango, saudades da cabana de seus pais e dos rios de sua terra." (Melo Morais Filho, *Festas e Tradições Populares do Brasil*, p. 398.)

pangolim. [Do mal. *pangulang*, 'animal que se enrola'.] *S. m.* Mamífero asiático e africano [v. *folídotos*] que se enrola em forma de bola ao ser atacado.

panhame. *Bras. S. 2 g.* **1.** Indivíduo dos panhames, tribo indígena que habitava as cabeceiras do rio Mucuri e do Suçuí-Pequeno, afluentes do rio Doce (MG). ● *Adj. 2 g.* **2.** Pertencente ou relativo a essa tribo.

pan-helênico. *Adj.* Relativo ao pan-helenismo; pan-helenista. [Pl.: *pan-helênicos.*]

pan-helenismo. [De *pan-* + *helenismo.*] *S. m.* Sistema que visa à união de todos os gregos dos Balcãs, das ilhas do Egeu e da Ásia Menor num só Estado. [Pl.: *pan-helenismos.*]

pan-helenista. *Adj. 2 g.* **1.** Pan-helênico. **2.** Que é partidário do pan-helenismo. ● *S. 2 g.* **3.** Partidário do pan-helenismo. [Pl.: *pan-helenistas.*]

▲pani-. [Do lat. *panis, is.*] *El. comp.* = 'pão': *panífero, panificar.*

pânico. [Do gr. *panikón* (subentende-se *deîma*, 'terror', terror que vem de Pã), pelo lat. *panicu.*] *Adj.* **1.** Relativo ao deus Pã. **2.** Que assusta sem motivo. **3.** Que suscita medo por vezes infundado e foge a um controle racional: *terror pânico;* "Pânico sobressalto quebrava violentamente a plácida monotonia da Corte" (Aluísio Azevedo, *Casa de Pensão*, p. 373). ● *S. m.* **4.** Medo que os antigos diziam ser causado pelo deus Pã. **5.** Susto ou pavor repentino, às vezes sem fundamento, que provoca uma reação desordenada, individual ou coletiva, de propagação rápida.

paniconografia. [De *pan-* + *iconografia.*] *S. f.* Gravura em relevo sobre zinco.

paniconográfico. *Adj.* Referente à paniconografia.

panícula. [Do lat. *panicula.*] *S. f. Morfol. Veg.* Tipo de inflorescência que é um cacho composto, no qual os ramos vão decrescendo da base para o ápice, razão por que assume forma aproximadamente piramidal.

paniculado. *Adj. Morfol. Veg.* **1.** Disposto em panícula: *flores paniculadas.* **2.** V. *panicular.*

panicular. *Adj. 2 g. Morfol. Veg.* Que tem forma de panícula; paniculiforme, paniculado.

paniculiforme. *Adj. 2 g. Morfol. Veg.* V. *panicular: cimeira paniculiforme.*

paniculite. [De *panículo* + *-ite*¹.] *S. f. Patol.* Inflamação de panículo adiposo.

panículo. [Do lat. *paniculu.*] *S. m. Anat.* Camada delgada de um tecido. ◆ **Panículo adiposo.** *Anat.* Camada subcutânea de tecido adiposo.

panífero. [De *pani-* + *-fero.*] *Adj.* Que produz cereais.

panificação. [De *panificar* + *-ção.*] *S. f.* **1.** Fabricação de pão. **2.** *Bras.* V. *padaria* (1).

panificador (ô). [De *panificar* + *-(d)or.*] *S. m.* Fabricante de pão.

panificadora (ô). [Fem. de *panificador.*] *S. f. Bras.* V. *padaria* (1).

panificar. [De *pani-* + *-ficar.*] *V. t. d.* Transformar (a farinha) em pão. [Conjug.: v. *trancar.*]

panificável. *Adj. 2 g.* Que pode ser panificado; de que se pode fazer pão: *farinha panificável.*

paniguado. *S. m. P. us.* Var. de *apaniguado* [q. v.].

paninho. [Dim. de *pano*¹.] *S. m.* Pano¹ (1) fino de algodão: "E justamente entrava o Padre Soeiro, ... com o seu grande guarda-sol de paninhos e o seu breviário." (Eça de Queirós, *A Ilustre Casa de Ramires*, p. 540.)

pan-islâmico. *Adj.* Referente ao pan-islamismo; pan-islamista. [Pl.: *pan-islâmicos.*]

pan-islamismo. [De *pan-* + *islamismo.*] *S. m.* Movimento ou sistema religioso e político que visa a reunir os povos muçulmanos. [Pl.: *pan-islamismos.* Cf. *pan-arabismo.*]

pan-islamista. *Adj. 2 g.* **1.** Pan-islâmico. **2.** Que é partidário do pan-islamismo. ● *S. 2 g.* **3.** Partidário dele. [Pl.: *pan-islamistas.*]

panléxico (cs). [De *pan-* + *léxico.*] *S. m.* Dicionário universal.

panlogismo. [De *pan-* + *-log(o)-* + *-ismo.*] *S. m. Filos.* Doutrina que afirma a possibilidade de racionalização total da realidade. [Cf. *logicismo.*]

pano¹. [Do lat. *pannu.*] *S. m.* **1.** Qualquer tecido; fazenda: "Panos vistosos nas janelas, flores e folhas juncando o chão." (Graciliano Ramos, *Caetés*, p. 215); *pano fino; pano para lençóis; pano de saco.* **2.** Cada um dos pedaços de fazenda que, unidos, vão dar a largura de certas peças do vestuário: *uma saia em seis panos.* **3.** Qualquer porção de tecido embainhada ou com outra terminação, usada para fins domésticos e outros: *pano de bandeja; pano de pó; pano de cozinha.* **4.** Cada uma das peças ou tiras de pano, papel, plástico, etc., que, unidas no sentido longitudinal, formam um todo: *cortina de quatro panos.* **5.** A parte lateral; lado; face: *o pano de um muro, de um biombo; o pano do facão* [v. *panaço* e *panázio*]. **6.** Porção de superfície plana de parede compreendida entre duas pilastras, barras, cantos, etc.: *Aquele pano vai ser pintado de azul.* **7.** *Marinh.* Vela¹ (1): "Enfuna o vento o desfraldado pano" (Luís Guimarães, *Sonetos e Rimas*, p. 133). **8.** *Pop.* Manchas no rosto ou no corpo. **9.** *Med.* Vascularização anormal de córnea, ficando esta coberta, total ou parcialmente, como por um véu. **10.** *Constr.* Lanço de muralha, etc., em obra que tem mais de uma face. **11.** *Teat.* V. *pano de boca:* "A descida do pano marcava a passagem súbita da ilusão para a realidade." (Brito Broca, *Memórias*, p. 91.) **12.** *Teat.* Palavra impressa na última página do texto de cada ato, ou de toda a peça, para indicar o seu término. ◆ **Pano cru.** Tecido de algodão que não foi corado após a tecedura. **Pano da chaminé.** A parte interior dela, fronteira e superior ao lar. **Pano de amostra.** Aquilo que se faz com objetivo de provar de quanto se é capaz em relação ao fato em apreço: *É muito estudioso: a média 9 nos exames foi um pano de amostra.* **Pano de boca.** *Teat.* A cortina ou tela situada na intersecção do proscênio com a cena do palco italiano, e que serve para ocultar o ambiente cenográfico. [Tb. se diz apenas *pano.* Sin.: *cortina de boca* ou apenas *cortina.*] **Pano de chão.** Pano de algodão, absorvente, com que se limpa e/ou enxuga o chão. **Pano de ferro.** *Teat.* Cortina de ferro. **Pano de fundo.** **1.** *Teat.* A grande e última tela situada ao fundo do palco, e que também funciona como complementação do tema cenográfico iniciado pelos rompimentos [v. *rompimento* (4)]. **2.** *Teat.* Rotunda (4). **3.** *P. ext.* Paisagem ou ambiente que serve de fundo a uma representação, fotografia, pintura, etc. **4.** *Fig.* Conjunto de acontecimentos sobre os quais se desenvolve uma ação. **Pano de prato.** Pano de algodão, usado, para enxugar louça, panelas, etc. **Pano lento.** *Teat.* Cortina lenta. **Pano patente.** Variedade de tecido de algodão. **Pano rápido.** *Teat.* Cortina rápida. **Panos mornos.** *Bras.* V. *panos quentes.* **Panos quentes.** *Bras.* Medidas com que se tenta substituir ou adiar uma solução; contemporização; panos mornos, trapos quentes. **Pano sagrado.** Qualquer pano posto em contato com as espécies sacramentais. **Pano verde.** A mesa do jogo. **Abrir os panos.** *Bras., S. Pop.* V. *fugir* (1). **A todo o pano.** **1.** Com todas as velas abertas: "Eis-nos em alto mar, a todo o pano!" (Fontoura Xavier, *Opalas*, p. 28.) **2.** Às carreiras; a toda a pressa. **3.** Com toda a força; a todo o transe. **Dar pano para mangas.** Dar que falar. **Por baixo do pano.** Sem aparecer; às escondidas; atrás da cortina; dissimuladamente. *Gosta de agir por baixo do pano.* **Ter pano para mangas.** Dispor de todos os elementos necessários para fazer algo.

pano². *Bras. S. 2 g.* **1.** Indivíduo dos panos, família lingüística do N. e N.O. do Brasil, do L. do Peru, e da Bolívia. ● *Adj. 2 g.* **2.** Pertencente ou relativo aos panos.

panô. [Do fr. *panneau.*] *S. m.* Painel¹ (4) decorativo de tecido liso, estampado com aplicações ou pintado, etc., com ou sem moldura, usado em paredes, para guarnição, complemento de cortina, etc.

pano-da-costa. [De *pano*¹ + *da* + *costa* (da África).] *S. m.* **1.** Tecido de algodão, listrado, originário da África. **2.** Pano de algodão, colorido, que as negras, especialmente as da BA, usam como xale: "Rua da União onde todas as tardes passava a preta das bananas / Com o xale vistoso de pano-da-costa" (Manuel Bandeira, *Estrela da Vida Inteira*, p. 116). [Var.: *pandacosta.* Pl.: *panos-da-costa.*]

panoftalmite. [De *pan-* + *oftalmite.*] *S. f. Patol.* Inflamação generalizada do(s) olho(s).

panoftalmítico. *Adj.* Relativo à panoftalmite.

panóplia. [Do gr. *panoplía.*] *S. f.* **1.** Armadura de cavaleiro da Idade Média. **2.** Escudo no qual se põem diferentes armas e com que se adornam paredes: "Nas paredes, preciosos e raros gobelinos, panos d'Ásia, de seda e ouro. .... E telas de artistas célebres .... ; panóplias d'armas autênticas" (Coelho Neto, *A Conquista*, p. 2). **3.** Troféu (3). **4.** Casa de armas. **5.** Obra que versa sobre armaduras antigas.

panorama. [De *pan-* + *-orama.*] *S. m.* **1.** Grande quadro circular cuja disposição permite que o espectador, no centro, veja os objetos como se do alto de uma montanha estivesse a observar todo o horizonte circunjacente. **2.** *P. ext.* Paisagem, vista. **3.** *Fig.* Visão ou observação de um assunto em toda a sua amplitude. **4.** *Teat.* Grande tela semicircular, análoga ao ciclorama [q. v.], mas com elementos cenográficos pintados ou dispostos em perspectiva, admitindo também projeção luminosa.

panoramense. *Adj. 2 g.* **1.** De, ou pertencente ou relativo a Panorama (SP). ● *S. 2 g.* **2.** Natural ou habitante de Panorama.

panorâmica. [Fem. substantivado do adj. *panorâmico.*] *S. f.* Exposição geral da obra de um artista plástico, um dramaturgo, um cineasta, um escritor, um arquiteto, etc.

panorâmico. *Adj.* Relativo a, ou da natureza do panorama: *tela panorâmica; cenário panorâmico; visão panorâmica do romantismo.*

panorógrafo. [De *pan-* + gr. *horác*, 'ver', + *-grafo.*] *S. m.* Instrumento com que se obtém com rapidez, em uma superfície plana, o desenvolvimento de uma vasta perspectiva circular.

panorpato. *S. m.* e *adj.* V. *mecóptero.*

panorpatos. *S. m. pl. Zool.* V. *mecópteros.*

panorpino. *S. m.* e *adj.* V. *mecóptero.*

panorpinos. *S. m. pl. Zool.* V. *mecópteros.*

panosteíte. [De *pan-* + *osteíte.*] *S. f. Patol.* Inflamação de todas as partes de um osso.

panqueca (é). [Do ingl. *pancake.*] *S. f. Bras.* **1.** Massa leve de farinha, leite e ovos que, depois de frita na chapa ou na frigideira, adquire forma aproximadamente circular, e que, em geral, se enrola com um recheio doce ou salgado. **2.** *Fig.* Descanso, lazer, ociosidade, vadiação.

panquense. *Adj. 2 g.* **1.** De, ou pertencente ou relativo a Pancas (ES). ● *S. 2 g.* **2.** Natural ou habitante de Pancas.

panqueu. [Do gr. *pagcháios*, pelo lat. *panchaeu.*] *Adj.* e *s. m.* Pancaio: "Efundem-se nos ares / os perfumes panqueus das aras incendidas." (Antônio Feliciano de Castilho, *As Geórgicas de Virgílio*, p. 271.)

pânria. *S. f.* **1.** *Pop.* Mândria, preguiça, indolência, ociosidade. ● *S. 2 g.* **2.** Pessoa indolente e preguiçosa [Cf. *panria*, do v. *panriar.*]

panriar. *V. int.* Viver na pânria, na ociosidade; preguiçar, mandriar, madracear. [Pres. ind.: *panrio, panrias, panria*, etc. Cf. *pânria.*]

pansexual (cs). [De *pan-* + *sexual.*] *Adj. 2 g.* Referente ao sexo em todos os aspectos.

pansexualismo (cs). [De *pan-* + *sexualismo.*] *S. m.* Doutrina que considera toda a atividade psíquica provinda do instinto sexual, que se manifesta apenas quando a criança nasce.

pansexualista (cs). *Adj. 2 g.* **1.** Relativo ao, ou que é adepto do pansexualismo ● *S. 2 g.* **2.** Adepto do pansexualismo.

pansofia. [De *pan-* + *-sof(o)-* + *-ia.*] *S. f.* Ciência universal; todo o saber humano.

pansófico. *Adj.* Relativo à pansofia.

panspermia. [Do gr. *panspermía.*] *S. f.* Sistema daqueles segundo os quais os germes dos seres organizados se acham espalhados por toda parte, esperando apenas que lhes promovam o desenvolvimento das circunstâncias favoráveis.

panspérmico. *Adj.* Relativo à panspermia.

panspermista. *Adj. 2 g.* **1.** Relativo à, ou que é partidário da panspermia. ● *S. 2 g.* **2.** Partidário dela.

pantafaçudo. *Adj.* **1.** Que tem bochechas grandes; bochechudo. **2.** *Fig.* Ridiculamente extravagante; monstruoso.

pantagrafia. [De *panta-* + *-graf(o)-* + *-ia.*] *S. f. Desus.* Pantografia.

pantagráfico. *Adj. Desus.* Pantográfico.

pantagruélico. *Adj.* **1.** Relativo ou semelhante a, ou próprio de Pantagruel, personagem comilão criado por Rabelais [v. *rabelaisiano*]. **2.** Abundante em comidas; digno de Pantagruel: *festim pantagruélico;* "com as mãos santamente cruzadas sobre o ventre cada vez mais espesso, ficava a digerir os seus banquetes pantagruélicos." (Xavier Marques, *As Voltas da Estrada*, p. 179).

pantagruelismo. [De *Pantagruel* (v. *pantagruélico*), + *-ismo.*] *S. m.* **1.** Espécie de filosofia epicurista. **2.** Sistema daqueles que só se preocupam de beber e comer bem.

pantagruelista. *Adj. 2 g.* **1.** Relativo ao, ou que é partidário do pantagruelismo. ● *S. 2 g.* **2.** Partidário do pantagruelismo.

pantalão¹. [Do fr. *pantalon.*] *S. m.* **1.** Homem que usa pantalonas. **2.** Janota, peralta, peralvilho, casquilho.

pantalão². [Do it. *pantalone.*] *S. m. Teat.* Personagem-tipo ou máscara da *commedia dell'arte* e da antiga comédia francesa, que representa o protótipo do cidadão simples e pai bondoso, ou do velho avarento, crédulo, libertino, meticuloso, e sempre vítima do Arlequim, do Escapino, e de outras personagens. [Var.: *pantaleão*.]

pantaleão. *S. m.* Var. de *pantalão*[2].

pantalha. [Do esp. *pantalla*.] *S. f.* V. *abajur* (1): "Acendeu-se o lustre de muitas velas, luxo que a viscondessa acrescentava ao gás democrático nos candeeiros velados de pantalhas de cores." (Xavier Marques, *As Voltas da Estrada*, p. 28.)

pantalonada. [Do fr. *pantalonnade*.] *S. f. Teat.* **1.** Farsa do teatro francês, cujas peripécias se desenvolvem em função do personagem Pantalão [v. *pantalão*[2]]. **2.** *P. ext.* Comédia ou farsa burlesca.

pantalonas. [Do fr. *pantalons*.] *S. f. pl.* **1.** Calças (de homem): "burlescamente vestido de chita ou de cetim, com os ossos do corpo descarnado dançando dentro das pantalonas amplas e da blusa larga" (Olavo Bilac, *Ironia e Piedade*, p. 129). **2.** Calças compridas, de boca larga, que caem sobre o pé. **3.** Meia-calça de bailarinos, acrobatas, etc.

pantana. [De *pântano* (q. v.) pronunciado como paroxítono?] *S. f. Fam.* **1.** Dissipação de haveres; ruína. **2.** Certo golpe de capoeira. ◆ **Dar em pantana.** Arruinar-se. **Em pantana.** Em dificuldade. [Tb. us. no pl.]

pantanal. [De *pântano* + *-al*.] *S. m.* **1.** Pântano grande. **2.** *Bras.* Zona geofísica do MT, na baixada do rio Paraguai, que abrange as terras baixas e as elevações e morros que por elas se espalham.

pantaneiro. [De *pântano* + *-eiro*.] *Bras., MT. Adj.* **1.** Diz-se de uma raça bovina mato-grossense. ● *S. m.* **2.** Criador de gado; fazendeiro.

pantanizar. [De *pântano* + *-izar*.] *V. t. d.* Transformar em pântano; apaular. [Sin., bras., N.E.: *abrejar*.]

pântano. [Do top. *Pantanu* (paroxítono), de um lago da Apúlia (atualmente lagoa de Lesina), com hiperbibasmo. Em seu romance *Inocência* (1872), o Visconde de Taunay põe *pantano* na fala de uma personagem e diz, em nota de rodapé, ser esta a pronúncia normal no interior do País.] *S. m.* **1.** Região inundada por águas estagnadas. **2.** Terras baixas e alagadiças. [Sin. ger.: *aguaçal, atolador, atoladouro, atoleiro, atoledo, bamburral, banhado, brejo, charco, charneca, enxurdeiro, lamaçal, lamaceiro, lameirão, marnel, palude, paul, tremedal*.]

pantanoso (ô). *Adj.* **1.** Que tem pântanos. **2.** V. *paludoso* (2).

panteão. [Do gr. *pántheion*, pelo lat. *pantheon* e atr. do fr. *panthéon*.] *S. m.* **1.** Templo arredondado que, na Roma antiga, era dedicado a todos os deuses. **2.** Monumento arquitetônico destinado a perpetuar a memória de homens famosos (heróis nacionais, artistas, estadistas, etc.), e que, em geral, contém seus restos mortais: *o panteão dos mortos da Segunda Guerra.* [F. paral.: *panteon*.]

pantear. *V. t. d.* **1.** Caçoar, zombar, escarnecer, chacotear de. *Int.* **2.** Dizer futilidades. [Conjug.: v. *frear*.]

panteísmo. [De *pan-* + *teísmo*.] *S. m. Filos.* **1.** Doutrina segundo a qual só Deus é real e o mundo é um conjunto de manifestações ou emanações. **2.** Doutrina segundo a qual só o mundo é real, sendo Deus a soma de tudo quanto existe. [V. *pantiteísmo* e *panenteísmo* (1). Cf. *teísmo*[1] e *ateísmo*.]

panteísta. *Adj. 2 g.* **1.** Panteístico. **2.** Que é sectário do panteísmo. ● *S. 2 g.* **3.** Sectário dele.

panteístico. *Adj.* Relativo ao, ou próprio do panteísmo; panteísta.

panteologia. [De *pan-* + *-te(o)-* + *-log(o)-* + *-ia*.] *S. f.* História de todos os deuses pagãos.

panteológico. *Adj.* Referente à panteologia.

panteon. *S. m.* Panteão.

pantera. [Do gr. *pánther*, pelo lat. *panthera*.] *S. f.* **1.** Designação comum a certas variedades de felídeos, gênero *Panthera*, tais como a pantera africana (*Panthera pardus*), da Ásia e África, a pantera negra, de Java, etc. Cabeça redonda, nariz curto e cauda longa; dentes muito afiados e maiores que os do leão. São muito fortes e extremamente ágeis. Na América do Sul a onça melânica é também chamada, impr. *pantera negra*. [Cf. *leopardo* (1).] **2.** *Bras. Pop.* Designação comum a algumas borboletas da ordem dos lepidópteros, família dos geometrídeos, da nossa fauna. **3.** *Fig.* Pessoa irascível e/ou cruel. **4.** *Fig. Bras.* Mulher muito bela e atraente; tigresa.

pantérico. [De *pantera* + *-ico*[2].] *Adj.* Pertencente ou relativo a, ou próprio de pantera: "Oh! como são sinistramente feios / Teus aspectos de fera, os teus meneios / Pantéricos, ó Mundo, que não sonhas!" (Cruz e Sousa, *Últimos Sonetos*, p. 128.)

▲**panti-.** V. *pam*.

pantim[1]. [Do concani *pant'ti*.] *S. m. Luso-asiat.* Lamparina de barro ou de bronze.

pantim[2]. *El. s. m. Bras.* Us. na loc. verb. *fazer pantim*. ◆ **Fazer pantim.** Contar boatos; dar notícias más, alarmante ou aterradoras.

pantiteísmo. [De *pant(o)-* + *-i-* + *-te(o)-* + *-ismo*.] *S. m.* Sistema filosófico, que considera e vê Deus em tudo. [V. *panenteísmo* (1) e *panteísmo*.]

pantiteísta. *Adj. 2 g.* **1.** Relativo ao, ou que é sectário do pantiteísmo. ● *S. 2 g.* **2.** Sectário do pantiteísmo.

▲**pant(o)-.** V. *pam-*.

pantodontídeo. *S. m.* **1.** Espécime dos pantodontídeos. ● *Adj.* **2.** Pertencente ou relativo a eles.

pantodontídeos. *S. m. pl. Zool.* Família de peixes teleósteos, de água doce, criados em aquários e conhecidos como *peixes-borboletas* [v. *peixe-borboleta*].

pantofagia. [Do gr. *pantophagía*.] *S. f.* Qualidade ou hábito de pantófago.

pantofágico. *Adj.* Referente à pantofagia.

pantófago. [Do gr. *pantophágos*.] *Adj.* **1.** Que come muito; glutão. **2.** Que come de tudo indistintamente; onívoro: *O avestruz é um animal pantófago.*

pantofobia. [De *pant(o)-* + *-fob(o)-* + *-ia*.] *S. f.* Fobia completa; medo de tudo; panfobia: "receios de corar pelos pensamentos maus (*eritrofobia*), medo de tudo (*pantofobia*), vago, incerto, angustioso, e medo de ter medo (*fobofobia*)!" (A. Austregésilo, *Obras Completas*, III, p. 58).

pantofóbico. *Adj.* Referente à pantofobia.

pantófobo. [Do gr. *pantophóbos*.] *S. m.* Aquele que sofre de pantofobia.

pantoftalmídeo. *S. m.* **1.** Espécime dos pantoftalmídeos. ● *Adj.* **2.** Pertencente ou relativo a eles.

pantoftalmídeos. *S. m. pl. Zool.* Família de insetos da ordem dos dípteros, subordem dos braquíceros, moscas de grande tamanho, que podem atingir 50 mm de comprimento, com larvas cilíndricas, e de cabeça esclerosada, que atacam a madeira das árvores vivas ou mortas.

pantogamia. [De *pant(o)-* + *-gam(o)-* + *-ia*.] *S. f.* Modalidade de procriação em que os machos e as fêmeas, enquanto sentem a necessidade de reprodução, coabitam com quaisquer animais do sexo oposto ao seu.

pantogâmico *Adj.* Relativo à pantogamia.

pantografia. [De *pant(o)-* + *-graf(o)-* + *-ia*.] *S. f.* Aplicação do pantógrafo. [F. paral., desus.: *pantagrafia*.]

pantográfico. *Adj.* **1.** Referente à pantografia. **2.** Feito ou executado pelo pantógrafo. **3.** Diz-se de grade ou porta corrediça constituída por varetas metálicas articuladas que formam uma rede de losangos deformáveis, ao modo de um pantógrafo. [F. paral., desus.: *pantagráfico*.]

pantografista. *S. 2 g.* Pessoa que utiliza em cópias o pantógrafo.

pantógrafo. [De *pant(o)-* + *grafo*.] *S. m.* Instrumento constituído por um paralelogramo articulado, e com que se podem copiar figuras, modificando-se à vontade a escala do desenho.

pantólogo. [Do gr. *pantólogos*.] *S. m.* Aquele que sabe tudo; enciclopédia.

pantômetro. [De *pant(o)-* + *-metro*.] *S. m.* Instrumento usado para determinar ângulos e traçar linhas.

pantomima. [Do gr. *pantómimos*, pelo lat. *pantomimu*, com mudança de gênero.] *S. f.* **1.** Arte ou ato de expressão por meio de gestos; mímica. **2.** *Teat.* Peça de qualquer gênero, em que o(s) ator(es) se manifesta(m) simplesmente por gestos, expressões corporais ou fisionômicas, prescindindo da palavra e da música, que pode ser, também, sugerida por meio de movimentos; mímica. [Sin. ant.: *momo*. Cf. *cena-muda* (1) e *mimodrama*.] **3.** *Fig.* e *pop.* Logro, embuste.

pantomimar. *V. int.* **1.** Fazer pantomima. *T. d.* **2.** Lograr, enganar (alguém).

pantomimeiro. [De *pantomima* + *-eiro*.] *S. m.* V. *mímico*. (3).

pantomimice. [De *pantomima* + *-ice*.] *S. f.* Ato ou dito de pantomimeiro.

pantomímico. [Do lat. *pantomimicu*.] *Adj.* **1.** Relativo a pantomima. **2.** Em que entra a pantomima.

pantomimo. [Do gr. *pantómimos*, pelo lat. *pantomimu*.] *S. m.* V. *mímico*. (3).

pantomina. *S. f. Pop.* V. *pantomima*.

▲**pantominar.** *V. int.* e *t. d. Pop.* V. *pantomimar*.

pantomineiro. *S. m. Pop.* V. *pantomimeiro*.

pantominice. *S. f. Pop.* V. *pantomimice*.

pantopelágico. [De *pant(o)-* + *pelágico*.] *Adj. Zool.* Diz-se das aves que cruzam o alto-mar.

pantópode. [De *pant(o)-* + *-pode*.] *S. m.* e *adj. 2 g.* Picnogônida.

pantópodes. [Pl. de *pantópode*.] *S. m. pl. Zool.* Picnogônidas.

pantopolista. [De *pant(o)-* + *-poli-*[2] + *-ista*.] *Adj. 2 g.* Referente a todas as cidades ou a todas as terras; cosmopolita.

pantóptero. [De *pant(o)-* + *-ptero*.] *Adj. Zool.* Diz-se dos peixes que têm todas as barbatanas, exceto as ventrais.

pantotênico. *Adj.* ~ V. *ácido* —.

pantropical. [De *pan-* + *tropical*.] *Adj. 2 g. Ecol. Veg.* Que habita qualquer região dos trópicos.

pantufa. [Do fr. *pantoufle*.] *S. f.* **1.** Pantufo[1] (1). **2.** *Fig.* Pandorga (2). **3.** *Ant.* Mulher grosseira, mas muito enfeitada. **4.** *Ant.* Mulher muito enfeitada.

pantufada. *S. f.* Pancada com pantufo[1] (1).

pantufo[1]. [De *pantufa*.] *S. f.* **1.** Chinelo de estofo encorpado, para agasalho; pantufa: "com os pés nus em pantufos de cetim" (Ramalho Ortigão, *As Farpas*, IX, p. 99). **2.** *Gír.* Homem gordo ou barrigudo.

pantufo[2]. *S. m. Bras., SP.* O cupim (1), quando ainda não tem asas e é branco; siriri.

pantum. [Do mal. *pantun*.] *S. m.* Poema de origem malaia, em quadras, no qual o segundo e o quarto versos da primeira quadra são o primeiro e o terceiro da segunda, o segundo e o quarto desta são o primeiro e o terceiro da terceira, etc.; pantume. [São exemplos em nossas letras, a "Serenata no Rio", de Alberto de Oliveira, e o "Pantum", de Olavo Bilac.]

pantume. *S. m.* Pantum.

panturra. [Do esp. *panturra*.] *S. f.* **1.** V. *pança* (2). **2.** *Fig.* Prosápia, soberba, vaidade.

panturrilha. [Do esp. *pantorrilla*.] *S. f.* **1.** Barriga da perna; sura: "Punha uma grande confiança no maciço dos seios .... e na carnação boleada das panturrilhas que bojavam premidas pelo elástico repuxado da liga." (Camilo Castelo Branco, *Sentimentalismo e História*, p. 252.) **2.** *Fig.* Chumaço que se põe sobre a barriga da perna, por dentro da meia: "as panturrilhas, as polainas de couro franjado nos joelhos, as jaquetas de pano de Saragoça com remendos de surrobeco pardo nos cotovelos surrados" (Antero de Figueiredo, *Toledo*, p. 141). [Seria melhor a grafia *pantorrilha*.]

panzuá. [De *pança*, certamente.] *S. m. Bras., CE. Pop.* Indivíduo corpulento, muito gordo.

paó. *S. m.* **1.** *Bras.* Var. de *pavó*. **2.** *Bras., BA.* Sinal de que usam as iniciandas para, batendo palmas, chamar a atenção de outras pessoas.

pão. [Do lat. *pane*.] *S. m.* **1.** Alimento feito de massa de farinha de trigo ou outros cereais, com água e fermento, de forma em geral arredondada ou alongada, e que é assado ao forno: *O pão é a base da alimentação de muitos povos.* **2.** *P. ext.* A massa crua do pão (1). **3.** Designação comum a certos cereais (o trigo, o milho, o centeio, a cevada, etc.): *semear o pão*. **4.** Qualquer massa mais ou menos compacta que lembra um pão (1), usada como alimento ou para outros fins: *pão de açúcar; pão de carne;* "Mamãe chama Emídio, da Chácara, e põe na cabeça dele a bacia de roupa e um pão de sabão." (Helena Morley, *Minha Vida de Menina*, p. 3). **5.** *Fig.* Aquilo que nutre; alimento, comida: "O pão nosso de cada dia nos dai hoje" (do padre-nosso). **6.** *Fig.* Meio de subsistência; sustento: *Trabalhava para garantir o pão das crianças.* **7.** A hóstia consagrada. **8.** *Bras. Gír.* Homem ou mulher bonita: "Era um pão de boa, aquela mulata." (Elsie Lessa, *A Dama da Noite*, p. 152.) [M. us. com relação a homens. Pl.: *pães*.] ◆ **Pão amanhecido.** V. *pão dormido*. **Pão ázimo.** Pão sem fermento: "Com estes nove fragmentos [da hóstia] — símbolos de nove Passos da Paixão de Jesus — forma o sacerdote, em cima da pátena rebrilhante, uma cruz branca, de pão ázimo." (Antero de Figueiredo, *Toledo*, p. 81.) **Pão da alma.** *Rel.* V. *eucaristia* (1). **Pão de açúcar.** *Bras.* Tronco de cone de açúcar branco que se forma ao aparar-se, internamente, a fôrma de açúcar dos engenhos bangües. **Pão de ajunta.** Pão de milho misturado com algum trigo. **Pão de fôrma.** Pão (1) de massa leve, ligeiramente salgado, ou adocicado, com a forma aproximada de um paralelepípedo, que se corta em fatias para fazer torradas, sanduíches, etc. **Pão de mel.** Pão (1) feito de farinha de trigo, mel, cravo, canela e noz-moscada. **Pão de munição.** Pão grosseiro, para ração de soldados. **Pão de sangue.** O que não tem mistura. **Pão de véspera.** V. *pão dormido*. **Pão do espírito.** *Fig.* A instrução. **Pão dormido.** Pão (1) do dia anterior, que se presta para certas preparações culinárias; pão amanhecido, pão de véspera: "Entrou na padaria direto ao balcão dos p ã e s d o r m i d o s." (José Carlos Cavalcanti Borges, *O Assassino*, p. 32.) **Pão dos anjos.** *Rel.* V. *eucaristia* (1). **Pão francês.** *Bras.* Pão (1) de forma oblonga e de diversos tamanhos, com alguns talhos na parte superior, e que é feito com farinha de trigo, fermento e sal. **Pão integral.** Pão (1) feito de farinha integral (2) e semolina. **Pão preto.** Pão (1) de massa escura feita com farinha de centeio. **Pão, pão, queijo, queijo.** *Fam.* Sem rodeios ou subterfúgios; às claras; claramente: "Gosto dele, porque tem sempre me servido na horinha; é p ã o , p ã o , q u e i j o , q u e i j o , não fica na tapeação, na promessa, engabelando, como outros que conheço." (Ranulfo Prata, *Navios Iluminados*, p. 28.) **Pão vara.** *Bras., BA.* Certo pão (1) muito comprido e fino. **A pão e laranja.** Quase na miséria, ou na miséria: *estar, ficar, viver a p ã o e l a r a n j a.* **Bom como pão. 1.** Muito bom, generoso e simples. **2.** Bom como água. **Comer o pão que o Diabo amassou.** V. *comer da banda podre.* **Comer pão com banha.** *Bras. Chulo.* Possuir mulher que acaba de ser possuída por outro. **Fazer pão grande.** *Bras. Pop.* Viver na indolência, na ociosidade. **O pão nosso de cada dia.** *Fig.* O que se faz ou acontece cotidianamente: *A leitura do jornal é o p ã o n o s s o d e c a d a d i a.* **Rente como pão quente.** *Bras. Fam.* Com toda a assiduidade ou pontualidade. **Tirar o pão da boca de.** Privar dos meios de subsistência.

pão-canoa. *S. m. Bras.* Torrada feita com meio pão (1) pequeno, sem miolo, e cuja forma lembra a de uma canoa. [Pl.: *pães-canoas* e *pães-canoa.*]

pão-com-rosca. *S. m. Bras.* Casal ou amigos muito unidos. [Pl.: *pães-com-rosca.*]

pão-de-açucarense. *Adj. 2 g.* **1.** Pertencente ou relativo a Pão de Açúcar (AL). ● *S. 2 g.* **2.** Natural ou habitante de Pão de Açúcar. [Pl.: *pão-de-açucarenses.*]

pão-de-chumbo. *S. m. Tip.* Pequena porção de metal-tipo com que se reabastece o crisol das compositoras desprovidas de alimentador automático. [Pl.: *pães-de-chumbo.* Cf. *tainha.*]

pão-de-galinha. *S. m. Bras.* Designação comum às larvas dos insetos coleópteros, da família dos escarabeídeos, que vivem no solo, alimentando-se de matéria orgânica e de raízes vegetais, e também nos cupinzeiros arbóreos e, sobretudo, em paus podres. [Pl.: *pães-de-galinha.* Sin.: *torresmo, joão-torresmo, capitão, bicho-gordo.*]

pão-de-ló. *S. m.* Bolo muito leve e fofo, feito de farinha de trigo, ovos e açúcar: "E houve talhadas de melão, damascos, / E p ã o - d e - l ó molhado em malvasia." (Cesário Verde, *Obra Completa*, p. 115). [Pl.: *pães-de-ló.*]

pão-de-ló-de-festa. *S. m. Bras.* V. *peru-de-festa.* [Pl.: *pães-de-ló-de-festa.*]

pão-de-ló-de-mico. *S. m. Bras.* V. *jataí*[1] (1). [Pl.: *pães-de-ló-de-mico.*]

pão-de-pobre. *S. m. Bras., SP. Pop.* V. *mandioca* (1 e 2). [Pl.: *pães-de-pobre.*]

pão-do-chile. *S. m.* Variedade de mandioca. [Pl.: *pães-do-chile.*]

pão-durismo. *S. m. Bras. Fam.* Qualidade ou ação de pão-duro; mesquinhez, sovinice, avareza. [Pl.: *pão-durismos.*]

pão-duro. [De *pão* + *duro*[2], da alcunha de um avarento que se alimentava com o pão duro que lhe dava uma padaria.] *Adj. 2 g.* e *s. 2 g. Bras. Fam.* V. *avaro* (1 e 3). [Pl.: *pães-duros.*]

pão-e-queijo. *S. m. Pop.* V. *prímula.* [Pl.: *pães-e-queijos.*]

pão-petrópolis. *S. m. Bras.* Pão de fôrma, de massa um pouco adoçada, feito originariamente em Petrópolis (RJ). [Pl.: *pães-petrópolis.*]

pão-posto. *S. m.* Planta da família das compostas (*Anacyclus valentinus*). [Pl.: *pães-postos.*]

pãozeira. [De *pão* + *-z-* + *-eira.*] *S. f. Bras.* Receptáculo onde se serve o pão à mesa.

pãozeiro. [De *pão* + *-z-* + *-eiro.*] *S. m. Bras., N.E.* Padeiro (2).

papa[1]. [Do gr. *páppas*, pelo lat. *pappa.*] *S. m.* **1.** O sucessor de São Pedro na chefia da Igreja Católica; Pontífice Romano; Sumo Pontífice; Pontífice. **2.** *P. ext.* O chefe supremo de qualquer Igreja. **3.** *Fig.* Profissional ou teórico de grande prestígio, considerado infalível; ás: "Alexandre Dumas está a toda hora em grande voga. Não há muito Jean-Paul Sartre, então o p a p a do existencialismo, ressuscitava-lhe a peça *Kean*, dando-se assim nova ressonância ao nome ilustre." (Mário da Silva Brito, *Diário Intemporal*, p. 58.) [Fem.: *papisa* e *papesa* (q. v.).] ◆ **O Papa Negro.** Antonomásia do geral dos jesuítas.

papa[2]. [Do lat. *pappa.*] *S. f.* **1.** Farinha cozida em água ou leite. [Cf. *mingau* (1 e 2).] **2.** Qualquer substância mole e desfeita, quando cozida. **3.** Qualquer sólido reduzido a consistência pastosa. **4.** *Bras. Gír.* Lábia[1] (2). **5.** *Bras., RS.* V. *batata-inglesa.* **6.** *Bras., RS.* Sopa ou purê de batata. **7.** *Bras., SE. Pop.* Cobertor grosso, colcha de lã. ◆ **Papa de hemácias.** *Med.* Preparação terapêutica que consiste num concentrado de hemácias e se destina a quem precisar dessas células sem aumentar de modo significativo, ao mesmo tempo, seu volume sanguíneo, o que ocorreria numa transfusão de sangue total. **Papa de milho.** *Bras., MG* e *RS.* V. *canjica* (1). **Não ter papas na língua.** Falar com franqueza, sem reservas, doa a quem doer.

papá. [Voc. onom.] *S. m.* **1.** Papai, na linguagem das criancinhas que principiam a falar; tatá. **2.** *Lus.* V. *papai* (1).

papa-açaí. [De *papar* + *açaí.*] *S. m. Bras., Amaz.* Saurá. [Pl.: *papa-açaís.*]

papa-areia. [De *papar* + *areia.*] *S. 2 g. Bras., RS.* Alcunha que os pelotenses dão aos rio-grandinos [v. *rio-grandino*]. [Pl.: *papa-areias.*]

papa-arroz. [De *papar* + *arroz.*] *S. m. Bras.*, **1.** Ave passeriforme, da família dos fringilídeos (*Sporophila nigricollis* (Vieil.)), distribuída do RJ e MT para o N. Machos de coloração geral e coleira pretas, dorso cinzento-escuro, e garganta, peito, abdome e uropígio brancos. Fêmeas de cor parda tirante ao oliváceo-claro. Vivem em terrenos descampados e nutrem-se de sementes de capins. [Sin.: *papa-capim, gravatinha, coleiro-da-baía, coleiro-da-serra.*] **2.** V. *chupim* (1). **3.** V. *curió.* **4.** Peito-roxo. **5.** Apelido que os piauienses dão aos maranhenses. [Pl.: *papa-arrozes.*]

papa-arroz-preto. *S. m. Bras.* V. *tiziu.* [Pl.: *papa-arrozes-pretos.*]

papa-bode. [De *papar* + *bode.*] *S. 2 g. Bras. Joc.* Piauiense (2). [Pl.: *papa-bodes.*]

papa-breu. [De *papar* + *breu.*] *S. m. Bras., MA.* V. tatuzinho (1). [Pl.: *papa-breus.*]

papa-cacau. [De *papar* + *cacau.*] *S. m. Bras.* Ave psitaciforme, da família dos psitacídeos (*Amazona festiva* (L.)), do Brasil oeste-setentrional, de coloração verde, fronte vermelha, sobrancelha e occipício azuis, dorso inferior encarnado, e rêmiges pretas marginadas de azul-escuro; tauá, tavuá. [Pl.: *papa-cacaus.*]

papa-capim. [De *papar* + *capim.*] *S. m. Bras.* **1.** V. *papa-arroz* (1). **2.** V. *coleira*[2]. [Pl.: *papa-capins.*]

papa-ceia. [De *papar* + *ceia.*] *S. f. Bras., Pop.* V. *Vênus* (2): "O aparecer e desaparecer da p a p a - c e i a e da estrela-d'alva [q. v.], nos ocasos de verão e nas madrugadas de inverno" (Raimundo Morais, *País das Pedras Verdes*, p. 149). [Pl.: *papa-ceias.*]

papa-coco. [De *papar* + *coco* (ô).] *S. m. Bras., BA.* V. *caxinguelê.* [Pl.: *papa-cocos.*]

papada. [De *papo* + *-ada*[1]. *S. f.* Grande acúmulo de gordura na parte inferior da face e na parte anterior do pescoço.

papa-defunto. [De *papar* + *defunto.*] *S. m. Bras.* **1.** Papa-defuntos. **2.** V. *tatupeba.* [Pl.: *papa-defuntos.*]

papa-defuntos. [De *papar* + o pl. de *defunto.*] *S. m. 2 n. Bras. Gír.* Agenciador de enterros; papa-defunto.

papádego. [Do b.-lat. *papticus.*] *S. m. Desus.* Papado.

papado. [De *papa*[1] + *-ado*[2].] *S. m.* **1.** Dignidade de papa[1] (1). **2.** O tempo do pontificado.

papafigo. [Do esp. *papahigo*, decerto.] *S. m. 2 n. Marinh.* Vela redonda, inferior ou mais baixa, do mastro do traquete ou do mastro grande. [Cf. *papa-figo.*]

papa-figo. [De *papar* + *figo.*] *S. m.* V. *papão*[1] (1). [Pl.: *papa-figos.* Cf. *papafigo.*]

papa-filas. [De *papar* + o pl. de *fila.*] *S. m. 2 n. Bras.* Ônibus de capacidade extraordinariamente grande, que existiu na década de 50.

papa-fina. [De *papa*[2] + o fem. de *fino*[1].] *Adj. 2 g.* **1.** Saboroso; delicioso, excelente. **2.** *Fig.* Magnífico, excelente. ● *S. m.* **3.** Indivíduo ridículo. [Pl.: *papas-finas.*]

papa-formigas. [De *papar* + o pl. de *formiga.*] *S. m. 2 n. Bras.* **1.** Designação comum a várias espécies de aves passeriformes, da família dos formicarídeos, especialmente as do gênero *Formicivora* Sw, das matas brasileiras. **2.** Ave furnarídea (*Sclerurus rufigularis* Pelz.), do oeste-setentrional do Brasil, ao sul do rio Amazonas, de coloração pardo-avermelhada, cauda enegrecida, uropígio, garganta e lados da cabeça vermelhos. **3.** Tamanduá (1).

papa-fumo. [De *papar* + *fumo.*] *S. m. Bras.* V. *cernambi* (1). [Pl.: *papa-fumos.*]

papagaiada. *S. f. Bras. Pop.* **1.** Ostentação ou exibição exagerada e ridícula; papagaíce. **2.** Atitude para impressionar; fita, papagaíce.

papagaiado. [De *papagaio* + *-ado*[1].] *Adj. Bras.* Diz-se do cavalo que, ao andar, inclina as patas dianteiras como que uma de encontro à outra.

papagaial. *Adj. 2 g.* Relativo a, ou próprio de papagaio (1).

papagaiar. *V. int.* e *t. d.* V. *papaguear.*

papagaíce. *S. f.* V. *papagaiada.*

papagaiense. *Adj. 2 g.* **1.** De, ou pertencente ou relativo a Papagaios (MG). ● *S. 2 g.* **2.** Natural ou habitante de Papagaios.

papagainho (a-í). [Dim. de *papagaio.*] *S. m. Bras.* Ave psitaciforme, da família dos psitacídeos (*Eucinetus caica* (Lath.)), do extremo N. do Brasil, de coloração verde, cabeça preta, nuca parda e listrada, garganta e peito anterior pardo-oliváceos, rêmiges pretas marginadas de verde, e coberteiras das rêmiges da mão azuis.

papagainho-roxo. *S. m. Bras.* V. *maitaca-roxa.* [Pl.: *papagainhos-roxos.*]

papagaio. *S. m.* **1.** Designação comum a várias espécies de psitaciformes da família dos psitacídeos, especialmente do gênero *Amazona* Less., com 11 espécies brasileiras, as quais, por via de regra, imitam bem a voz humana. [Sin.: *louro* e (bras.) *ajeru, ajuru, jeru, juru.*] **2.** *Bras.* V. *raia-pintada* (1). **3.** *Fig.* Pessoa que repete o que ouviu ou leu, sem compreender o sentido. **4.** Pessoa que fala muito; tagarela. **5.** Brinquedo que consiste em uma armação de varetas de bambu, ou de madeira leve, coberta de papel fino, e que, por meio de uma linha, se empina, mantendo-se no ar: "vi através das vidraças da escola, no claro azul do céu, ... um p a p a g a i o de papel, alto e largo, preso de uma corda imensa, que bojava no ar" (Machado de Assis, *Várias Histórias*, p. 214). [Sin. (nesta acepç.): *arraia, cafifa, pandorga, pipa, quadrado* (bras.); *tapioca* (N.E.); *balde* (N.E.) (q. v.).] **6.** Parede ou tabique divisório entre sacadas. **7.** Cueiro triangular. **8.** Prateleira que se pendura à cabeceira da cama, onde se coloca lâmpada, relógio, etc. **9.** V. *patinho* (4) **10.** A parte da espora a que se prende a roseta. **11.** Nos meios comerciais, o título cambiário em que alguém intervém sem nenhum interesse, para favorecer a determinada pessoa. **12.** *Bras., RJ. Encad.* Papeleta que se junta aos livros entregues ao encadernador, com instruções sobre a maneira de executar o trabalho. **13.** *Tip.* Bandeira (10). **14.** *Tip.* Auxílio que, nas oficinas de jornais, se presta ao linotipista empreiteiro, quando fortuitamente prejudicado em sua produção. **15.** *Bras. Gír. Desus.* Rádio[3] (2). **16.** *Bras.* Qualquer letra de câmbio ou promissória. **17.** *Bras.* Portaria com instruções dadas a funcionários pelos chefes de serviço. **18.** *Bras.* Pedaço de papel que se prende à extremidade duma folha escrita, para continuar nele o escrito. **19.** *Bras.* Licença provisória para guiar automóvel. **20.** *Bras.* Pequena pasta de algodão que se coloca ao pé de quem dorme e à qual, por brincadeira, se ateia fogo. ~ V. *papagaios.* ● *Adj.* **21.** *Bras., SP.* Diz-se do cavalo que pisa com os pés voltados um para o outro. ● *Interj.* **22.** *Bras. Pop.* Indica forte espanto: "— P a p a g a i o ! — exclamou. — Nunca vi uma garagem tão pequena." (Herberto Sales, *Histórias Ordinárias*, p. 83.)

papagaio-caboclo. *S. m. Bras.* V. *papagaio-do-peito-roxo.* [Pl.: *papagaios-caboclos.*]

papagaio-campeiro. *S. m. Bras.* Ave psitaciforme, da família dos psitacídeos (*Amazona ochrocephala* (Gmel.)), do N.O. do Brasil e países vizinhos, de coloração geral verde, orla da fronte azul-esverdeada, o resto dela e o vértice amarelo-claros, bico negro e base da maxila encarnada. [Sin.: *aiuruapara, ajuruapara.* Pl.: *papagaios-campeiros.*]

papagaio-curraleiro. *S. m. Bras.* V. *papagaio-do-peito-roxo.* [Pl.: *papagaios-curraleiros.*]

papagaio-da-serra. *S. m. Bras.* Chorão[1] (8). [Pl.: *papagaios-da-serra.*]

papagaio-de-coleira. *S. m. Bras.* V. *anacã.* [Pl.: *papagaios-de-coleira.*]

papagaio-do-mangue. *S. m. Bras.* Ave psitaciforme, da família dos psitacídeos (*Amazona amazonica* (L.)), do N. e C. do Brasil e dos países limítrofes, de coloração verde, fronte, freio e sobrancelha azuis, vértice e faces amarelos, rêmiges azul-escuras, espelho encarnado, cauda verde com ponta amarelada, e lado inferior encarnado. [Sin.: *aiurucatinga, ajurucatinga, ajurucuruca, encontros-verdes, papagaio-poaieiro.* Pl.: *papagaios-do-mangue.*]

papagaio-do-peito-roxo. *S. m. Bras.* Ave psitaciforme, da família dos psitacídeos (*Amazona vinacea* (Kuhl)), do S. e E. do Brasil, de coloração geral verde, bico escarlate na base e amarelo na ponta, fronte vermelha, garganta, lados do pescoço e peito arroxeados, com penas orladas de negro. Vive aos bandos e aprende a falar em cativeiro. [Sin.: *papagaio-caboclo, curraleiro, coraleiro, jurueba, papagaio-curraleiro.* Pl.: *papagaios-do-peito-roxo.*]

papagaio-grego. *S. m. Bras.* V. *papagaio-verdadeiro.* [Pl.: *papagaios-gregos.*]

papagaio-poaieiro. *S. m. Bras.* V. *papagaio-do-mangue.* [Pl.: *papagaios-poaieiros.*]

papagaios. [Pl. de *papagaio.*] *S. m. pl. Bras.* V. *beijo-de-frade.* ~ V. *papagaio.*

papagaio-urubu. *S. m. Bras.* V. *periquito-urubu.* [Pl.: *papagaios-urubus.*]

papagaio-verdadeiro. *S. m. Bras.* Ave psitaciforme, da família dos psitacídeos (*Amazona aestiva* (L.)), do Brasil oriental, de coloração geral verde, fronte azul, vértice, faces e garganta amarelos, encontro, espelho e parte basal da cauda encarnados e rêmiges enegrecidas. [Sin.: *ajuruetê, papagaio-grego.* Pl.: *papagaios-verdadeiros.*]

papagalho. [Do esp. plat. *papagayo.*] *S. m.* Vento forte que sopra nas costas do México.

papa-gente. [De *papar* + *gente.*] *S. 2 g.* **1.** Antropófago. **2.** *Pop.* V. *fantasma* (3). **3.** V. *papão*[1] (1). **4.** Pessoa irritadiça. [Pl.: *papa-gentes.*]

papa-goiaba. [De *papar* + *goiaba.*] *S. 2 g. Bras. Pop.* Natural ou habitante de Campos (RJ), da Baixada Fluminense e, p. ext., de qualquer outra parte daquele estado. [Pl.: *papa-goiabas.*]

papagueador (ô). *Adj.* e *s. m. Bras.* Que ou aquele que papagueia, que decora as coisas e as repete sem compreendê-las.

papaguear. *V. int.* **1.** Falar como papagaio, sem nexo; palrar, tagarelar: "Somente o Felisberto, que a cólera do hóspede não conseguira fazer calar por muito tempo, p a p a g u e a v a, como de costume" (Inglês de Sousa, *O Missionário*, p. 376). *T. d.* **2.** Repetir sem ligar sentido ao que diz; dizer (coisas sem nexo). [F. paral.: *papagaiar.* Conjug.: v. *frear.*]

papa-hóstia. *S. 2 g.* V. *papa-hóstias*: "— Oração não é castigo. Eu gosto de rezar. Pilão irritou-se. — Então reza, p a p a - h ó s t i a !" (Homero Homem, *Menino de Asas*, p. 54.) [Pl.: *papa-hóstias.*]

papa-hóstias. [De *papar* + o pl. de *hóstia.*] *S. 2 g.* e *2 n.* Pessoa beata em demasia, que ouve numerosas missas, que comunga com grande freqüência. V. *carola*[1] (3). [F. paral.: *papa-hóstia.*]

papai. [De *papá*, com infl. de *pai.*] *S. m. Bras.* **1.** Tratamento que os filhos dão ao pai; pai, papá. **2.** Espécie de peixe. **3.** *Bras., N.* Figura de velho de longa barba branca, que, nos clubes carnavalescos, se apresenta empunhando comprido bastão. ♦ **Papai grande.** *Bras.* O presidente da República. **Papai Noel.** [Do fr. *Père Noël;* literalmente, 'Pai Natal'.] **1.** Personagem lendária, representada por um velho de barbas brancas e roupas vermelhas que, na noite de Natal, distribui brinquedos e presentes. **2.** Indivíduo fantasiado de Papai Noel. [Cf., nestas acepç., *papai-noel.*] **Brincar de papai e mamãe.** *Bras. Chulo.* Ter relações carnais; copular. **O papai.** *Gír.* Eu; o degas: *Vocês podem acreditar na conversa, mas o p a p a i não vai nessa onda.* [Vem muitas vezes seguido de *aqui.*] **O papai aqui.** V. *o papai*: "— Ai, minha Nossa Senhora! .... E agora, seu Fígaro? — Agora, calma. Não se afobe que o p a p a i a q u i já pensou em tudo" (Cora Rónai Vieira e Paulo Rónai, *Aventuras de Fígaro*, p. 26.)

papaia. [Do esp. amer. *papaya.*] *S. f.* **1.** V. *mamoeiro* (1). **2.** Mamão (5).

papaieira. [De *papaia* + *-eira.*] *S. f. Bras.* e *Cabo Verde.* V. *mamoeiro* (1).

papai-e-mamãe. *S. m. 2 n. Bras. Chulo.* A posição convencional do coito, na qual o homem cobre a mulher; mamãe-e-papai.

papaína. [De *papaia* + *-ina*[2].] *S. f. Quím.* Substância branca, pulverulenta, extraída das folhas e do fruto do mamoeiro, com enzimas semelhantes à pepsina, que hidrolisam as proteínas naturais.

papai-noel. [De *Papai Noel.*] *S. m.* Presente de Natal. [Cf. *Papai Noel.* Pl.: *papais-noéis.*]

papa-isca. [De *papar* + *isca.*] *S. m. Bras.* **1.** Peixe teleósteo, siluriforme, da família dos pimelodídeos (*Iheringichthys labrosus (*Kroey.)), da bacia do Prata, de coloração cinza-amarelada, boca pequena, barbilhões longos e finos, e comprimento até 24 cm. Alimenta-se de detritos no lodo, de larvas e de vermes. **2.** Peixe teleósteo, siluriforme, da família dos pimelodídeos (*Pimelodus fur* (Rein.)), largamente distribuído no Brasil. [Pl.: *papa-iscas.*]

papa-jantares. [De *papar* + o pl. de *jantar* (s. m.).] *S. 2 g.* e *2 n.* Pessoa que tem o costume de comer em casas alheias ou viver à custa de outrem; parasito, chupista.

papa-jerimum. [De *papar* + *jerimum.*] *S. 2 g.* e *adj. 2 g. Bras. Joc.* Natalense [q. v.]. [Pl.: *papa-jerimuns.*]

papal. *Adj. 2 g.* Do Papa, ou relativo ou pertence a ele; papalino: *encíclica p a p a l ; insígnia p a p a l .*

papa-lagarta. [De *papar* + *lagarta.*] *S. f. Bras.* Designação comum a aves cuculiformes, da família dos cuculídeos, particularmente as espécies *Coccyzus melacoryphus* Vieil., distribuídas por quase todo o Brasil, de bico preto e estria preta em redor do olho, e *C. americanus* (L.), do MT, de bico alaranjado com ponta preta e sem estria ao redor do olho. [Pl.: *papa-lagartas.* Sin.: *cucu.*]

papa-laranja. [De *papar* + *laranja.*] *S. m. Bras., RS.* V. *sanhaço.* [Pl.: *papa-laranjas.*]

papa-léguas. [De *papar* + o pl. de *légua.*] *S. 2 g.* e *2 n.* Pessoa que anda muito, que percorre grandes distâncias; andarilho.

papalino. *Adj.* **1.** Papal. ● *S. m.* **2.** Soldado do Papa.

papalvice. *S. f.* **1.** Qualidade, ato, dito ou modos de papalvo. **2.** Grupo de papalvos.

papalvo. [De *papo* + *alvo*, entre os caçadores, nome da codorniz, ave que não voa bem e, conseqüentemente, é morta com facilidade.] *S. m.* Indivíduo simplório, pateta [v. *tolo* (8)]: "coleção de objetos antigos, exposta à curiosidade dos p a p a l v o s e às lorpas considerações dos burgueses, mofada e tristonha." (Afonso Arinos, *Pelo Sertão*, p. 56).

papa-mamão. [De *papar* + *mamão.*] *S. 2 g. Bras.* Alcunha antigamente dada aos olindenses pelos recifenses. [Pl.: *papa-mamões.*]

papa-mel. [De *papar* + *mel.*] *S. f. Bras.* V. *irara.* [Pl.: *papa-méis.*]

papa-mico. [De *papar* + *mico.*] *S. m. Bras.* V. *gavião pega-macaco* (1). [Pl.: *papa-micos.*]

papa-missas. [De *papar* + o pl. de *missa.*] *S. 2 g.* e *2 n.* V. *carola*[1] (3): "rompeu nestas palavras furiosas: | — Beata! carola! p a p a - m i s s a s !" (Machado de Assis, *Dom Casmurro*, p. 53.)

papa-moscas. [De *papar* + o pl. de *mosca.*] *S. f. 2 n.* **1.** *Bras.* Designação comum às espécies de aranhas da família dos salticídeos, e que provém do seu hábito de caçar moscas. Atualmente são de tamanho reduzido, e conhecem-se mais de 3.000 espécies, em todo o mundo. [Sin.: *apanha-moscas, meirinho.*] **2.** *Bras., RS.* Ave passeriforme, insetívora, da família dos tiranídeos (*Muscipipra vetula* (Lich.)), do Brasil Central, de coloração geral pardo-acinzentada, com cauda e asas pretas, retrizes longas com as margens exteriores brancas, e cauda bem comprida. Pertence ao grupo dos tiranídeos conhecidos como *tesouras.* **3.** Apanha-moscas (2).

papamóvel. [De *papa*[1] + *móvel.*] *S. m. Bras.* Veículo automotor, à prova de balas, em que o Papa se locomove nas vias públicas: "Na visita à Grã-Bretanha o Papa usará dois p a p a m ó v e i s de modelos diferentes." (*Jornal do Brasil*, 26.5.1982.) [Pl.: *papamóveis.*]

papanaz. *Bras. S. 2 g.* **1.** Indivíduo dos papanazes, tribo indígena que habitou entre Porto Seguro (BA) e o ES. ● *Adj. 2 g.* **2.** Pertencente ou relativo a essa tribo.

papança. *S. f.* Coisa de comer ou papar; comida, comezaina. [Sin. (bras., PE, ant.): *papandório.*]

papandório. [De *papar.*] *S. m. Bras., PE. Ant.* V. *papança.*

papanduvense. *Adj. 2 g.* **1.** De, ou pertencente ou relativo a Papanduva (SC). ● *S. 2 g.* **2.** Natural ou habitante de Papanduva.

papangu. [De *papar* + *angu.*] *S. m. Bras., N.E.* **1.** Aquele que usa fantasia no carnaval ou em reisados. **2.** Pessoa mascarada. **3.** Indivíduo moleirão, bobo, apalermado: "Nunca vi uma pessoa tão feia, com aquele corpanzil bambo de p a p a n g u ." (José Lins do Rego, *Ficção Completa*, I, p. 149.)

papa-novenas. [De *papar* + o pl. de *novena.*] *S. f. 2 n.* Beata fingida.

papão[1]**.** [De *papar* + *-ão*[3].] *S. m.* **1.** Monstro imaginário com que se faz medo às crianças. [Sin.: *bicho-papão, coco* (ô), *papa-gente* e (bras.) *cuca, papa-figo, tutu, bitu, boitatá, manjaléu, mumuca.*] **2.** Pessoa ou objeto com que se procura atemorizar alguém.

papão[2]**.** [Aum. de *papo(-de-anjo).*] *S. m. Bras.* Papo-de-anjo muito grande, servido numa só unidade, como sobremesa.

papa-ova. [De *papar* + *ova.*] *S. f. Bras.* V. *papa-ovo* (1). [Pl.: *papa-ovas.*] ~ V. *papa-ovas.*

papa-ovas. [De *papar* + o pl. de *ova.*] *S. f. 2 n. Bras.* V. *papa-ovo* (1). ~ V. *papa-ova.*

papa-ovo. [De *papar* + *ovo.*] *S. f. Bras.* **1.** Reptil ofídio, da família dos colubrídeos (*Drymarchon corais* (Boie)), arborícola, distribuído por todo o Brasil, de dorso pardo tendente ao pardo-escuro, abdome amarelo tendente ao negro, e comprimento de até 2 m; chupa-ovo, papa-ova, papa-ovas, papa-pinto. *S. m.* **2.** *Bras., RS.* V. *borralhara.* [Pl.: *papa-ovos.*]

papa-peixe. [De *papar* + *peixe.*] *S. m. Bras.* V. *martim-pescador.* [Pl.: *papa-peixes.*]

papa-pimenta. [De *papar* + *pimenta.*] *S. m.* **1.** *Bras.* V. *potó*[2]. **2.** *Bras., BA.* V. *trinca-ferro.* [Pl.: *papa-pimentas.*]

papa-pinto. [De *papar* + *pinto.*] *Bras. S. f.* **1.** V. *papa-ovo* (1). *S. m.* **2.** V. *borralhara.* [Pl.: *papa-pintos.*]

papar. [Do lat. *pappare.*] *V. t. d.* **1.** *Fam.* Comer (1): "Deu de sangrar gente no pé da goela e arrancar a língua para comer. P a p o u a língua de dois minhocões" (M. Cavalcanti Proença, *Manuscrito Holandês*, p. 196). **2.** *Fam.* Conseguir, lograr. **3.** *Fam.* Extorquir. **4.** *Bras. Chulo.* V. *comer* (11). [Pres. subj.: *pape, papeis,* etc. Cf. *papéis*, pl. de *papel.*] ♦ **Estar papando alto.** *Bras. Pop.* Estar metido em grandes cavações, grandes aventuras, em matéria de dinheiro ou de amores.

paparicar. *V. t. d.* **1.** Tratar com paparicos. **2.** Lambiscar (3). [F. paral.: *apaparicar.* Conjug.: v. *trancar.*]

paparicho. [De *papar.*] *S. m. Bras.* V. *petisco* (1).

paparico. [De *papar.*] *S. m.* V. *paparicos.*

paparicos. [De *papar.*] *S. m. pl.* **1.** Mimos ou cuidados excessivos com que se tratam pessoas queridas ou doentes. **2.** V. *gulodice* (2). [Tb. us. no sing.]

papariense. *Adj. 2 g.* **1.** De, ou pertencente ou relativo a Papari, atual Nísia Floresta (RN). ● *S. 2 g.* **2.** Natural ou habitante de Papari. [Sin. ger.: *florestense.*]

papariúba. [Do tupi.] *S. m.* V. *marupá.*

paparoca. [De *papar.*] *S. f. Fam.* Comida, comedoria, alimentação, papança: "Dias depois, a larva encontra na cola — deliciosa p a p a r o c a de sua predileção — o alimento de que necessita." (Eduardo Frieiro, *Os Livros Nossos Amigos*, p. 93.)

paparraz. [Do ár. *habb ar-raz*, 'trigo de cabeça'.] *S. m.* Erva ramosa, da família das ranunculáceas (*Delphinium staphysagria*), exótica, porém cultivada como ornamental, de folhas vistosas, irregulares, com uma sépala prolongada em espora e reunidas em cachos densos e compridos, e cujo fruto é um folículo polispermo.

paparreta (ê). *S. 2 g.* e *adj. 2 g.* V. *paparrotão.*

paparriba. [De *papo* + *arriba*[2].] *Adv. Ant.* De barriga para o ar; na ociosidade.

paparrotada. *S. f.* **1.** Ato ou dito de paparrotão; bazófia, impostura, paparrotagem, paparrotice. **2.** V. *lavagem* (4).

paparrotagem. *S. f.* **1.** V. *lavagem* (4). **2.** V. *paparrotada* (1): "A p a p a r r o t a g e m de dois ou três antigos namorados dela aumentava a fama da morena pestanuda." (Nélson de Faria, *Tiziu e Outras Estórias*, p. 52.)

paparrotão. [De *papar* + *arrotar* + *-ão*[1].] *S. m.* **1.** *Fam.* Impostor; parlapatão. ● *Adj.* **2.** Vaidoso, mas sem mérito; jactancioso. [Fem.: *paparrotona.* Sin. ger.: *paparreta.*]

paparrotear. *V. int.* **1.** Dizer com paparrotice; alardear com impostura. *T. d.* **2.** Gabar-se de; alardear. [Conjug.: v. *frear.*]

paparrotice. *S. f.* V. *paparrotada* (1).

paparrotona. *S. f.* e *adj. (f.).* Fem. de *paparrotão* [q. v.].

pá-pá-santa-justa. *Adv.* Letra por letra; com exatidão e minúcia; completa e fielmente.

papa-santos. [De *papar* + o pl. de *santo.*] *S. 2 g.* e *2 n.* V. *carola*[1] (3).

papa-sebo. [De *papar* + *sebo* (ê).] *S. m.* **1.** *Bras.* Ferreirinho (1). ● *S. 2 g.* **2.** *Bras., RS.* Alcunha que dão aos pelotenses os habitantes da margem da Lagoa dos Patos. [Pl.: *papa-sebos.*]

papa-sururu. [De *papar* + *sururu.*] *S. 2 g. Bras.* Alcunha que se dá aos alagoanos [v. *alagoano*]. [Pl.: *papa-sururus.*]

papata. [De *papar*; cf. *mamata.*] *S. f. Bras., S.* V. *negociata.*

papa-tabaco. [De *papar* + *tabaco.*] *S. m.* **1.** Peixe da família dos traquínidas (*Uranoscopus scaber* (Lin.)). **2.** *Fam.* Indivíduo que cheira muito rapé. [Pl.: *papa-tabacos.*]

papa-taoca. [De *papar* + *taoca.*] *S. f. Bras.* Ave passeriforme, da família dos formicarídeos (*Pyriglena leucoptera* (Vieil.)), do S.E. do País. O macho é preto, com mancha branca no meio do dorso, e nas asas duas faixas da mesma cor; a fêmea, de dorso pardo, lado ventral cinza, e cauda escura. Alimenta-se de insetos, sobretudo formigas, donde o nome popular. [Pl.: *papa-taocas.*]

papa-terra. [De *papar* + *terra.*] *Bras. S. m.* **1.** V. *açucena-do-mato.* **2.** V. *mumbuca.* **3.** Peixe teleósteo, percomorfo, da família dos cianídeos (*Menticirrhus americanus* L.), do Atlântico ocidental, desde o Texas à Patagônia, de coloração cinza-plúmbea, com faixas transversais mais escuras, e no mento um curioso barbilhão duro. Atinge até 40 cm de comprimento. [Sin.

(nessa acepç.): *papa-terra-de-assovio, papa-terra-de-mar-grosso, pescada-cachorro, judeu, betara, carametara, sambetara, tambetara, tremetara.*] **4.** *Bras., RS.* Peixe teleósteo, percomorfo, da família dos cianídeos. (*M. martinicensis* (Cuv.)), apreciadíssimo no mercado. **5.** *Bras.* V. *curimbatá.* **6.** *Bras.* V. *acará-diadema.* ● *S. 2 g.* **7.** Pessoa dada à geofagia. [Pl.: *papa-terras.*]

papa-terra-de-assovio. *S. m. Bras., SC.* V. *papa-terra* (3). [Pl.: *papa-terras-de-assovio.*]

papa-terra-de-mar-grosso. *S. m. Bras., SC.* V. *papa-terra* (3). [Pl.: *papa-terras-de-mar-grosso.*]

papável[1]. [De *papar* + *-ável.*] *Adj. 2 g.* **1.** Que se pode papar ou comer. **2.** *Chulo.* Que apetece sexualmente: *uma pequena papável.*

papável[2]. [Do it. *papabile.*] *Adj. 2 g.* **1.** Diz-se do cardeal que tem probabilidade de ser eleito papa. **2.** *P. ext.* Diz-se de quem tem probabilidade de ser escolhido para determinado cargo, posto ou dignidade.

papa-vento. [De *papar* + *vento.*] *S. m. Bras.* V. *camaleão*[1] (1 e 2). [Pl.: *papa-ventos.*]

papaverácea. *S. f.* Espécime das papaveráceas.

papaveráceas. *S. f. pl. Bot.* Família de plantas floríferas, da ordem das readales, composta de ervas freqüentemente laticíferas. Flores vistosas; corola com quatro pétalas; gineceu com dois a 16 carpelos; o fruto é uma cápsula ou aquênio. Uma delas, a dormideira, *Papaver somniferum*, produz o ópio; muitas são ornamentais. Conhecem-se umas 600 espécies, dos países temperados.

papaveráceo. *Adj.* **1.** Pertencente ou relativo às papaveráceas. **2.** *Morfol. Veg.* Diz-se da corola de quatro pétalas sem unha e dispostas em dois verticilos.

papaverina. [Do lat. *papaver*, 'papoula', + *-ina*[2].] *S. f. Quím.* Alcalóide encontrado no ópio, cristalino, incolor. [Fórm.: $C_{20}H_{21}O_4N$.]

papazana. [De *papar.*] *S. f.* Comezaina.

papeá-guaçu. [Do tupi *pape'a wa'su*, 'fígado grande'.] *S. m. Bras.* **1.** V. *açoita-cavalo* (1). **2.** V. *tapeacuaçu.* [Pl.: *papeás-guaçus.*]

papear. [De *papo* + *-ear.*] *V. t. i.* **1.** Bater papo; conversar, cavaquear. *Int.* **2.** Falar muito; tagarelar, palrar, parolar. **3.** Gorjear, chilrar, chilrear: "Nos florões manuelinos da janela / *Papeiam* aves o seu ninho armando" (Gonçalves Crespo, *Obras Completas*, p. 311). [Conjug.: v. *frear.*]

papeata. [De *papear.*] *S. f. Bras., MG* e *S.* Exibição ridícula de sentimentos falsos: "Outros, numa *papeata* danada, ... levantavam os olhos para o céu: — Coitado do Joaquim-Mutamba!" (Nélson de Faria, *Bazé*, p. 43.)

papeateiro. *Adj.* e *s. m. Bras.* Diz-se de, ou aquele que é dado a papeatas.

papeira. [De *papo* + *-eira.*] *S. f.* **1.** *Bras., Amaz.* Actinomicose do pescoço do boi e do carneiro. **2.** *Bras., N., N.E.* e *lus.* V. *parotidite epidêmica.* **3.** *Bras., MG, S.* e *C.O.* V. *bócio*: "o francês Castelnau observou a freqüência do bócio, a partir de Barbacena, sendo que, depois de Ouro Preto e especialmente Sabará e Curral del-Rei, era a *papeira* considerada em certos lugares como coisa quase normal." (Eduardo Frieiro, *Feijão, Angu e Couve*, p. 106). **4.** Arbusto trepador, da família das boragináceas (*Tournefortia lucidaphylla*), cujas pequenas flores se dispõem em racemos escorpióides, e cujos frutos são insignificantes.

papeiro[1]. [De *papa*[2] + *-eiro.*] *S. m.* Vaso onde se cozem papas ou mingaus.

papeiro[2]. *Adj. Bras.* Que tem papeira.

papéis. [Pl. de *papel.*] *S. m. pl.* Documentos: *ter os papéis em ordem.* ~ V. *papel.* [Cf. *papeis*, do v. *papar.*]

papel. [Do gr. *pápyros*, pelo lat. *papyru* e pelo cat. *paper.*] *S. m.* **1.** Pasta de matéria fibrosa de origem vegetal, refinada e, quando necessário, branqueada, contendo cola, carga e, às vezes, corantes, a qual se reduz, manual ou mecanicamente, a folhas secas finas e flexíveis, bobinadas ou resmadas, usadas para escrever, imprimir, desenhar, embrulhar, limpar e construir. [Classifica-se o papel, em geral, segundo: *a)* o processo de produção (*papel de fôrma e papel de máquina*); *b)* a natureza das fibras empregadas (*papel de trapos, papel de linho, papel de palha*, etc.); *c)* o acabamento dado à folha (*papel apergaminhado, papel acetinado, papel cuchê*, etc.); *d)* a destinação (*papel de escrever, papel de impressão, papel de embrulho*, etc.); *e)* certas procedências que indicam qualidade ou especialização (*papel da China, papel da Holanda, papel Oxford*, etc.). Os papéis podem ser, ainda, transformados, para empregos específicos (*papel-carbono, papel fotográfico, papel betumado*, etc.). [Dim. irreg.: *papelete, papeleto* e (deprec.) *papelico, papelinho, papelucho.*] **2.** Folha de papel escrita: *Este papel é a minuta do requerimento.* **3.** Parte que cada ator desempenha no teatro, no cinema, na televisão, etc. **4.** A personagem representada por um ator: *O papel de Hamlet não foi bem interpretado.* **5.** Atribuição de natureza moral, jurídica, técnica, etc.; desempenho, função: *O papel dos pais é apoiar os filhos*; "O *papel* do advogado é .... valorizar os argumentos da causa que lhe foi entregue." (Barbosa Lima Sobrinho, *Presença de Alberto Torres*, p. 59). **6.** Dinheiro em notas. **7.** Qualquer documento que representa dinheiro, que é negociável (cambiais, títulos, letras de câmbio, promissórias, etc.): *Este papel está muito valorizado.* **8.** *Fin.* Ação (19 e 20). [Pl.: *papéis.* Cf. *papeis*, do v. *papar.*] ~ V. *papéis.* ◆ **Papel acetinado.** Papel de escrever ou de impressão que passa por qualquer processo de acetinação, apresentando-se liso e com maior ou menor grau de brilho. [Cf. *papel apergaminhado.*] **Papel aéreo.** Papel muito fino, próprio para a correspondência que deve ser expedida por via aérea; papel de avião. **Papel almaço.** Papel forte, branco ou levemente azulado, próprio para documentos, registros públicos e mercantis, etc. [Tb. se diz apenas *almaço.*] **Papel apergaminhado.** Papel de impressão ou de escrever que não passa por processo de acetinação, conservando-se mate e levemente áspero. [Cf. *papel acetinado* e *papel pergaminho.*] **Papel argentado.** V. *papel de estanho* (2). **Papel asfaltado.** V. *papel betumado.* **Papel autográfico.** O que, destinado à técnica litográfica de transporte chamada *autografia*, recebe camada solúvel especial, composta principalmente de goma e gelatina. **Papel avergoado.** O que apresenta, com certa transparência, linhas horizontais e verticais, ditas *linhas-d'água*, produzidas pelos fios metálicos do fundo da fôrma, no caso do papel feito à mão, e pelo rolo filigranador, se fabricado por máquinas; papel vergê. **Papel betumado.** Papel entremeado com uma camada de betume e usado como envoltório impermeável no transporte de mercadorias; papel asfaltado, papel betuminado. **Papel betuminado.** V. *papel betumado.* **Papel bonde.** Papel forte, apergaminhado e bastante encolado, destinado originariamente, nos E.U.A., à impressão de ações, mas hoje usado sobretudo como papel de carta. **Papel bufã.** Papel leve e fofo, não acetinado, de largo uso na impressão de livros. **Papel calandrado.** Papel acetinado ou lustrado na calandra. **Papel comercial.** *Com.* Qualquer título de crédito [q. v.]. **Papel contínuo.** Papel de máquina [q. v.], fabricado em tira de comprimento indeterminado, e enrolado em bobina; papel sem fim. **Papel crepom.** Papel de seda enrugado, usado na confecção de flores artificiais e de outros objetos de adorno: "Por toda a parte *papel crepom*, grude, ripas, tachas e pregos" (Pelópidas Soares, *Cordão dos Bichos*, p. 11). **Papel cuchê.** *Ind. Pap.* Papel recoberto [v. *revestimento*], de um ou de ambos os lados, por fina camada de substâncias minerais (caulim, sulfato de cálcio, sulfato de bário, etc.), à qual se adiciona um aglutinante (caseína, amido, gelatina) e, às vezes, um corante, os quais dão à superfície da folha um acabamento muito liso, brilhante ou, menos freqüentemente, mate, apropriado à tiragem de autotipias e de tricromias em geral; papel gessado, papel estucado. **Papel da China.** Papel fino, sedoso, levemente amarelado e muito resistente, a princípio feito na China, com o córtice interno do bambu, e usado, em especial, na tiragem manual de gravuras em madeira. [Tb. se diz apenas *china.*] **Papel da Holanda.** Certa variedade de papel avergoado, originalmente fabricado à mão na Holanda, e próprio para edições de luxo. [Tb. se diz apenas *holanda.*] **Papel da Índia.** Papel muito fino, opaco e resistente, tradicionalmente feito com fibras de algodão e linho, mas hoje, em geral, com simples mistura de pastas de sulfito e de sulfato, e cuja opacidade é acentuada quase sempre pela adição de óxido de titânio; papel Oxford, papel-bíblia. **Papel de alumínio.** Lâmina finíssima, de alumínio, usada na embalagem de certos produtos, como, p. ex., medicamentos, cigarros, queijos, ou de uso doméstico; papel-alumínio, papel laminado. **Papel de arroz.** Papel fino, obtido de palha de arroz e usado para mortalhas de cigarro. **Papel de avião.** Papel aéreo. **Papel de chupar.** V. *mata-borrão.* **Papel de embalagem.** Papel de embrulho, de boa qualidade, que também serve para confecção de embalagens. **Papel de embrulho.** Qualquer dos numerosos papéis, grosseiros ou finos, destinados a envoltório ou proteção de qualquer espécie de mercadoria. **Papel de escrever.** Qualquer dos papéis que, destinados a escrita com tinta, recebem colagem em grau apropriado. **Papel de estanho.** **1.** O que tem a superfície recoberta de fina camada de estanho e se usa como envoltório de certos produtos. **2.** *P. ext.* Qualquer papel com superfície de aparência metálica, para envoltórios; papel prateado, papel de prata, papel argentado, papel estanhado. **Papel de fantasia.** Papel de embrulho, ou outro, grosseiro ou fino, estampado com desenhos, geralmente em cores. **Papel de ferroprussiato.** Papel heliográfico sensibilizado com solução de ferrocianeto de potássio e citrato de ferro, e usado no processo de cianotipia. **Papel de fôrma.** Papel fabricado à mão, no utensílio [*fôrma*] apropriado ao colhimento da pasta contida na tina; papel de tina. [Cf. *papel de máquina.*] **Papel de gráfico.** *Des.* Papel com a impressão de um conjunto de curvas coordenadas de um sistema, e que serve para o traçado de gráficos. **Papel de imprensa.** **1.** Papel de jornal. **2.** Papel de impressão. **Papel de impressão.** Qualquer dos numerosos papéis destinados à produção de livros, revistas e impressos em geral; papel de imprensa. [Cf. *papel de obra.*] **Papel de jornal.** Papel de impressão, pouco encolado e com alta percentagem de pasta mecânica, adequado ao custo e à rapidez da impressão de jornais; papel de imprensa. **Papel de linho.** Vulgarmente, uma espécie de papel gofrado cuja superfície imita o tecido de linho. **Papel de lustro.** V. *papel glacê.* **Papel de máquina.** Papel fabricado mecanicamente. [Cf. *papel de fôrma* e *papel contínuo.*] **Papel de obra.** Papel de impressão [q. v.] de primeira qualidade e em geral acetinado, usado em livros e outros impressos que exijam feitura esmerada. **Papel de palha.** Papel pouco resistente, amarelo e de aspecto grosseiro, obtido da palha de cereais. **Papel de parede.** Papel estampado, gofrado, etc., às vezes lavável, ou, ainda, impregnado com inseticidas, usado para forrar paredes; papel pintado. **Papel de prata.** V. *papel de estanho* (2). **Papel de probabilidade.** *Desus.* Papel de gráfico em que as curvas coordenadas se espaçam segundo uma distribuição normal de probabilidade. **Papel de seda.** Papel muito fino e flexível, freqüentemente usado como envoltório de objetos delicados. **Papel de tina.** Papel de fôrma [q. v.] **Papel do Japão.** Papel velino, branco ou creme, forte e de superfície sedosa, primitivamente feito no Japão, com pasta obtida no córtice de certos vegetais, e usado na tiragem de gravuras e edições de luxo. [Tb. se diz apenas *japão.*] **Papel dúplex.** O que tem as faces de cores diferentes. **Papel esquadrado.** Papel quadriculado. **Papel estanhado.** V. *papel de estanho* (2). **Papel estucado.** V. *papel cuchê.* **Papel filigranado.** O que tem filigrana. **Papel Florpost.** Certa espécie de papel fino, para correspondência aérea ou cópias dactilográficas. **Papel fotográfico.** Papel com uma das faces coberta de substância fotossensível, usado para cópia fotográfica; papel sensibilizado, papel sensível. **Papel gessado.** V. *papel cuchê.* **Papel glacê.** Papel de superfície muito lisa e brilhante, de aspecto esmaltado; papel lustroso, papel de lustro, papel-porcelana. **Papel gofrado.** Aquele cuja superfície apresenta relevo obtido pelo processo de gofragem. **Papel Havana.** Papel de embrulho de cor parda e baixa qualidade. **Papel H. D.** Papel de embalagem, com certo grau de resistência à tração, e fornecido em pequenas bobinas para colocação nos eixos de estantes apropriadas, em balcões de lojas. [As letras *H. D.* correspondem à expressão *heavy duty*, 'trabalho pesado'.] **Papel hectográfico.** Papel-carbono especial, cujo corante, em geral roxo, é solúvel em álcool, e que se usa para obter a matriz de escrito, mecanoscrito ou desenho que se deseja duplicar no hectógrafo. **Papel heliográfico.** Qualquer dos papéis preparados com solução sensibilizadora para decalque fotográfico de desenhos a traço, plantas, etc. [V. *heliografia.*] **Papel higiênico.** Papel delgado que se usa para limpeza depois da evacuação. **Papel ilustração.** O de superfície muito lisa e compacta, como o cuchê e o glacê, e que é apropriado à tiragem de clichês a meio-tom. **Papel Kraft.** Papel de embalagem, pardo e resistentíssimo, obtido da pasta de sulfato, e muito empregado na fabricação de sacos. **Papel laminado.** V. *papel de alumínio.* **Papel linha-d'água.** *Bras.* Qualquer dos papéis avergoados que se destinam exclusivamente, no Brasil, à impressão de livros e periódicos, com inteira isenção fiscal, servindo os traços transparentes, que o caracterizam, como meio de coibir contravenções. [Cf. *linha-d'água.*] **Papel litográfico.** Papel ofsete. **Papel log-log.** *Des.* Papel de gráfico em que nos dois eixos as escalas são logarítmicas. **Papel lustroso.** V. *papel glacê.* **Papel machê.** Material constituído por pasta de papel, cola e óleo de linhaça, usado em moldagem e na fabricação de objetos leves. **Papel manilha.** *Bras.* Papel comum de embrulho, fabricado, em cores diversas e sem grandes requisitos de resistência, com mistura de aparas de papel e pasta mecânica. **Papel manilhinha.**

Papel fino e acinzentado, fornecido em pequenas balas e usado para embrulhar gêneros alimentícios. **Papel manteigueiro.** Papel-manteiga. **Papel marmoreado.** *Encad.* Papel cuja superfície imita a do mármore, e freqüentemente usado pelos encadernadores na cobertura e nas guardas dos livros; papel marmorizado. [V. *marmoreação.*] **Papel marmorizado.** *Encad.* Papel marmoreado [q. v.]. **Papel mata-borrão.** V. *mata-borrão* (1). **Papel metalizado.** Qualquer dos papéis tratados quimicamente e depois cobertos com pós metálicos, de modo que adquiram o aspecto de folhas de alumínio, bronze, etc. **Papel mofado.** *Bras. Fig. Fam.* Homem casado; papel queimado: *Não olhe para ele, menina: é papel mofado.* **Papel monolúcido.** O que é lustrado apenas de um lado, no secador monolúcido [q. v.]. **Papel ofício.** Papel de formato ofício. **Papel ofsete.** Papel acentuadamente encolado, e livre de penugem, apto a receber a molhagem própria dos processos de ofsete e de litografia em geral; papel litográfico. **Papel Oxford.** V. *papel da Índia.* **Papel parafinado.** Papel impermeabilizado com parafina e que se usa como envoltório de substâncias gordurosas. **Papel passento.** Papel não encolado, que um líquido repassa facilmente. **Papel pautado. 1.** O que tem linhas horizontais impressas pela pautadora e se apresenta, por via de regra, em cadernos de cinco folhas no formato almaço. **2.** Papel, de formato alto ou largo, todo traçado com pautas. **Papel pelure.** Papel de trapo, extremamente fino e flexível, usado sobretudo em transportes litográficos e copiadores de cartas. **Papel pintado.** Papel de parede. **Papel prateado.** V. *papel de estanho* (2). **Papel quadriculado.** Papel com pautas horizontais e verticais, formando quadrículos; papel esquadrado. **Papel queimado.** *Bras. Fig. Fam.* Papel mofado. **Papel sem fim.** Papel contínuo. **Papel semi-log.** *Desus.* Papel de gráfico em que uma das escalas é logarítmica e a outra linear. **Papel sensibilizado.** V. *papel fotográfico.* **Papel sensível.** V. *papel fotográfico.* **Papel sulfite.** O que se obtém com a pasta de sulfito. **Papel supercalandrado.** Papel acetinado na supercalandra. **Papel telado.** Papel reforçado com uma espécie de gaze, que se cola a um dos lados. [Cf. *papel-tela.*] **Papel timbrado.** Papel para correspondência particular, comercial ou oficial, encimado por timbre. **Papel vegetal.** Papel transparente para decalques, usualmente feito com pasta de sulfito e muito calandrado. **Papel velino.** Qualquer papel de escrever ou imprimir não avergoado. **Papel vergê.** Papel avergoado. **Confiar ao papel.** Escrever (aquilo que não se deseja exprimir de viva voz): *Confiou ao papel as suas angústias.* **De papel passado. 1.** Segundo a exigência da lei. **2.** De pleno direito: "Sr. Bernardo Élis: / Não sois unicamente vós que tomais assento na cadeira nº 1. / É também o vosso estado, a vossa terra. É Goiás. / Gratíssimo é este momento à Academia Brasileira. .... Vós a queríeis e lhe queríeis. E, porque muito a merecíeis, ela é vossa. Vossa, *de papel passado.*" (Bernardo Élis e Aurélio Buarque de Holanda Ferreira, *Cadeira Um*, p. 59.) **Ficar no papel.** Não se realizar o que foi escrito; ser letra morta. **Pôr no papel.** Escrever (em geral compromisso, contrato, etc.).

papelada. *S. f.* **1.** Grande porção de papéis. **2.** Conjunto de documentos. [Sin. ger.: *papelagem.*]

papelagem. *S. f.* Papelada.

papel-alumínio. *S. m.* V. *papel de alumínio.* [Pl.: *papéis-alumínios* e *papéis-alumínio.*]

papelão. [De *papel* + *-ão*[1].] *S. m.* **1.** Cartão [v. *cartão* (1)] grosso, mais ou menos rígido, ou seja, na prática, o de espessura superior a meio milímetro. [V. *cartolina.*] **2.** *Fig.* Parlapatão, paspalhão. **3.** *Bras.* Conduta vergonhosa ou ridícula; fiasco, gafe. ♦ **Papelão ondulado.** Papelão formado pela colagem de folhas de papel grosso, alternamente corrugadas e planas, e destinado a processos diversos de embalagem; cartão ondulado. [V. *onduladeira.*]

papelaria. *S. f.* Estabelecimento onde se vendem papel e outros artigos de escritório.

papel-arroz. *S. m.* Arbusto da família das araliáceas (*Tetrapanax papyriferum*), coberto de pêlos estrelados, com folhas grandes, de até 30 cm, cordadas e com cinco a sete lobos agudos e serreados, flores mínimas, alvas e agregadas em glomérulos compactos, e com cuja medula, macia e branca, os chineses preparam uma espécie de papel. [Pl.: *papéis-arrozes* e *papéis-arroz.* Cf. *papel de arroz.*]

papel-bíblia. *S. m.* V. *papel da Índia:* "Venha depressa esse volume dos escritos do Cavaleiro de Oliveira, que deve deitar para as clássicas duas mil páginas de *papel-bíblia* dos escritores que real e materialmente escreveram" (Vitorino Nemésio, *Ondas Médias*, p. 169). [Pl.: *papéis-bíblias* e *papéis-bíblia.*]

papel-carbono. *S. m.* Papel fino, recoberto de um ou ambos os lados por uma camada de cera com pigmento (geralmente fuligem), e usado para decalques. [Tb. se diz apenas *carbono.* Pl.: *papéis-carbonos* e *papéis-carbono.*]

papel-chupão. *S. m.* V. *mata-borrão* (1). [Pl.: *papéis-chupões.*]

papeleira. *S. f.* Secretária de tampa inclinada e com gavetas para guardar papéis.

papeleiro. *S. m.* **1.** Aquele que trabalha no fabrico de papel. **2.** Dono de papelaria. ● *Adj.* **3.** Relativo a papel

papelejo (ê). *S. m.* Papel sem importância; papelucho. [V. *papel* (1).]

papeleta (ê). *S. f.* **1.** Papel avulso. **2.** Edital, cartaz ou aviso que se afixa em lugar público. **3.** Documento comprovativo da identidade de serviçais; caderneta. **4.** *Med.* Em hospital, conjunto de informações sobre um doente, escritas em folhas de papel cujas características variam: "Entrou um enfermeiro com uma *papeleta* na mão e ficou a um canto a conversar em voz baixa com o chefe do plantão." (Érico Veríssimo, *Noite*, p. 128.) **5.** Nas repartições públicas, memorando interno. ● *S. m.* **6.** *Bras.* Súdito português que, após a independência do Brasil, conservou a nacionalidade de origem e, por isso, trazia consigo um certificado ou papeleta, emitido pelo cônsul de seu país.

papelete (ê). *S. m.* V. *papel* (1).

papeleto (ê). *S. m.* V. *papel* (1).

papel-filtro. *S. m.* Papel poroso, usado com filtro (3). [Pl.: *papéis-filtros* e *papéis-filtro.*]

papelico. *S. m.* Papel sem maior importância; escrito de pouco valor. V. *papel* (1).

papeliço. *S. m.* Pequeno embrulho de papel.

papelinho. *S. m.* V. *papel* (1).

papelismo. [De *papel* + *-ismo.*] *S. m. Bras.* Sistema financeiro que emite papel-moeda em abundância.

papelista. *S. 2 g.* **1.** Pessoa que trata de papéis e/ou investiga documentos antigos. **2.** Arquivista. **3.** Adepto do papelismo; inflacionista. **4.** Pessoa manhosa, desfrutável. ● *Adj. 2 g.* **5.** Que é adepto do papelismo; inflacionista. **6.** Manhoso, desfrutável.

papel-manteiga. *S. m.* Papel rugoso e passento com que outrora se embrulhava manteiga; papel manteigueiro. [Pl.: *papéis-manteigas* e *papéis-manteiga.*]

papel-moeda. *S. m.* **1.** Papel estampado, de valor representativo, emitido pelo governo ou por seus bancos, para servir de dinheiro, com curso legal. **2.** Nota de banco, de valor convencional, não conversível em moeda metálica. [Sin. ger.: *dinheiro-papel.* Pl.: *papéis-moedas* e *papéis-moeda.* Cf. *moeda-papel.*]

papelocracia. [De *papel* + *-o-* + *-cracia.*] *S. f. Bras.* Sistema ou regime burocrático que depende de papelada.

papelório. *S. m.* **1.** Montão ou porção de papéis, em geral sem importância: "E imaginava-o .... a pôr de lado, num fastio, as minudentes laudas daquele *papelório* epistolar." (Herberto Sales, *Dados Biográficos do Finado Marcelino*, p. 205.) **2.** *Bras., S.* Papel ridículo; fiasco, papelão.

papelote. [De *papel* + *-ote.*] *S. m. Bras. Gír.* Embrulhinho de cocaína ou de outra droga em pó. ~ V. *papelotes.*

papelotes. [Do fr. *papillotes.*] *S. m. pl.* Pedaços de papel em que se enrolam, para as frisar ou encrespar, pequenas mechas de cabelo: "Já não mete os cabelos em *papelotes* para os trazer crespos sobre a testa." (Aluísio Azevedo, *Livro de uma Sogra*, p. 89). ~ V. *papelote.*

papel-pergaminho. *S. m.* Pergaminho vegetal. [Pl.: *papéis-pergaminhos* e *papéis-pergaminho.* Cf. *papel apergaminhado.*]

papel-pigmento. *S. m. Fotograv.* Papel que serve de veículo à camada de gelatina tornada semi-opaca por adição de pigmento e sensibilizada com bicromato de amônio ou de potássio, na qual se copiam, sucessivamente, em chassi pneumático, a retícula e o diapositivo da imagem, ou da combinação texto-imagem, para transferência às placas ou aos cilindros de cobre, no processo de heliogravura. [Pl.: *papéis-pigmentos* e *papéis-pigmento.*]

papel-porcelana. *S. m.* V. *papel glacê.* [Pl.: *papéis-porcelanas* e *papéis-porcelana.*]

papel-registro. *S. m.* Papel resistente e de tom azulado, geralmente empregado em livros de registro. [Pl.: *papéis-registros* e *papéis-registro.*]

papel-tela. *S. m.* Papel entremeado com uma espécie de gaze muito resistente, feita de fios de seda, algodão, etc., e que, oferecendo notável resistência ao rasgamento, é usado no correio como invólucro de valores ou, algumas vezes e no caso dos tipos mais finos, na confecção de bilhetes de banco e selos postais. [Pl.: *papéis-telas* e *papéis-tela.* Cf. *papel telado.*]

papel-título. *S. m. Teat.* e *Cin.* Papel desempenhado pelo ator que representa a personagem-título [q. v.]. [Pl.: *papéis-títulos* e *papéis-título.*]

papelucho. *S. m.* **1.** Papelejo. **2.** Pedaço de papel. **3.** Papel de embrulho. V. *papel* (1).

papelzinho. *S. m.* V. *papel* (1). [Pl.: *papeizinhos* (pèi).]

papesa (ê). *S. f.* Papisa.

papiamento. *S. m.* O idioma oficial das Antilhas Holandesas.

papila. [Do lat. *papilla.*] *S. f.* **1.** *Anat.* Denominação comum a diversos tipos de saliências pequenas, em forma de mamilo, encontrados em diferentes órgãos, como, por ex., a língua, a segunda porção do duodeno, etc. **2.** *Morfol. Veg.* Excrescência, visível só com lentes muito fortes, da membrana ou parede das células vegetais epidérmicas, em forma de curto dedo de luva, e que se observa, p. ex., nas pétalas de rosa. **3.** *P. ext.* Qualquer elevação cônica. ♦ **Papila do nervo óptico.** *Anat.* Disco situado no pólo posterior do olho e correspondente à entrada do nervo óptico e dos vasos retinianos. **Papila mamária.** *Anat.* O bico do seio.

papilar. *Adj. 2 g.* **1.** Que tem papilas. **2.** Semelhante a papila.

papilha. [De *papo* + *-ilha.*] *S. f. Bras., RS.* A barbela do galo.

papilheiro. *Adj. Bras., RS.* Diz-se do galo que, na rinha, faz presa na papilha do adversário.

papilho. [Do lat. *pappu* + *-ilho.*] *S. m. Morfol. Veg.* V. *pappus.*

papilhoso (ô). *Adj. Bot.* Que tem papilhos.

▲**papil(i)-.** [Do lat. *papilla, ae.*] *El. comp.* = 'papila': *papiliforme; papiloma.* [Equiv.: *papilo-: papilorretinite.*]

papiliforme. [De *papil(i)-* + *-forme.*] *Adj. 2 g.* Em forma de papila.

papílio. [Do lat. *papilio.*] *S. m. Bras.* Inseto lepidóptero, da família dos papilionídeos, particularmente as espécies do gênero *Papilio* L., de grande beleza. As lagartas que geralmente se reúnem, pela manhã, em massa, sobre os troncos das árvores, são nuas, com tubérculos carnosos, capazes de segregar uma substância de odor desagradável. Muito comum no Brasil é o *P. thous brasiliensis* Rothsc. & Jord., que ataca as laranjeiras.

papilionácea. [Do lat. *papilione*, 'borboleta', + *-ácea.*] *S. f.* Espécime das papilionáceas; leguminosa.

papilionáceas. *S. f. pl. Bot.* Leguminosas.

papilionáceo. [Do lat. *papilione*, 'borboleta', + *-áceo.*] *Adj.* **1.** Que tem forma de borboleta (1). **2.** Referente a, ou próprio de borboleta (1). **3.** Pertencente ou relativo às papilionáceas.

papiliônida. *S. m.* V. *papilionídeo.*

papiliônidas. *S. m. pl. Zool.* V. *papilionídeos.*

papilionídeo. *S. m.* **1.** Espécime dos papilionídeos. ● *Adj.* **2.** Pertencente ou relativo a eles [Sin. ger.: *papiliônida* e *papilônida.*]

papilionídeos. *S. m. pl. Zool.* Família de insetos (*Papilionidae*) da ordem dos lepidópteros, que têm antenas subcontíguas à base, abdome livre, asas largas, nervações salientes; papiliônidas, papilônidas.

▲**papilo-.** Equiv. de *papil(i)-.*

papiloma. [De *papilo-* + *-oma.*] *S. m. Patol.* **1.** Tumor benigno, de origem epitelial, que se apresenta ramificado ou lobulado, e que se desenvolve sobre tecido conjuntivo, com pedículo vascular. **2.** Designação comum a verrugas, calos, condilomas, pólipos, vegetações, etc.

papilomatose. *S. f. Patol.* Presença de múltiplos papilomas.

papilônida. *S. m.* V. *papilionídeo.*

papilônidas. *S. m. pl. Zool.* V. *papilionídeos.*

papilonídeo. *Adj.* e *s. m.* V. *papilionídeo.*

papilorretinite. [De *papilo-* + *retinite.*] *S. f. Patol.* Inflamação das papilas ópticas, disco óptico e retina.

papiráceo. [Do lat. *papyraceu.*] *Adj.* **1.** Semelhante ao papel. **2.** *Morfol. Veg.* Delgado e consistente como papel: *pericarpo papiráceo.*

papíreo. *Adj.* Relativo ao papiro.

papiri. [Var. de *tapiri* (q. v.).] *S. m. Bras., N.* Abrigo contra chuva, feito de folhas, na floresta e à margem de rios.

papirífero. [Do lat. *papyriferu.*] *Adj.* **1.** Diz-se das plantas cuja casca se utiliza ou pode utilizar na fabricação do papiro. **2.** Que pode servir como papel.

papiro. [Do gr. *pápyros*, pelo lat. *papyru.*] *S. m.* **1.** Grande erva da família das ciperáceas (*Cyperus papyrus*), própria das margens alagadiças do rio Nilo, na África, cujas compridas folhas forneciam hastes das quais se obtinha o papiro, material sobre o qual se escrevia. [Sin., bras.: *periperiaçu*.] **2.** Folha de papel feita com papiro. **3.** Manuscrito antigo, feito de papiro: "Permitiu [o livro] que o saber, encantoado em meia dúzia de velhos p a p i r o s , ... pudesse correr mundo em busca de novas almas em botão" (E. Roquete-Pinto, *Seixos Rolados*, p. 231). **4.** *Bras., RJ.* Entre estudantes, cola[1] (2) escrita, em geral um tanto extensa.

papirófago. [De *papiro* + *-fago*.] *Adj.* Diz-se do inseto que come papel.

papirologia. [De *papiro* + *-log(o)-* + *-ia*.] *S. f.* Estudo dos papiros. [v. *papiro* (3)]. [Cf. *paleografia*.]

papirológico. *Adj.* Referente à papirologia.

papirólogo. *S. m.* Especialista em papirologia.

papironga. *S. f. Bras.* V. *logro* (2).

papisa. [Do lat. tardio *papissa*.] *S. f.* **1.** Mulher que, segundo a lenda, teria sido investida do supremo pontificado, substituindo o Papa. **2.** *Fig.* Mulher muito influente na Igreja Católica. [Sin.: *papesa*.]

papismo. [De *papa*[1] + *-ismo*.] *S. m.* **1.** Influência ou predomínio dos papas. **2.** A Igreja Católica, no dizer dos protestantes.

papista[1]. [De *papar*.] *S. m.* **1.** Espécie de pequeno bagre do mar. **2.** *Bras. Fam.* V. *geófago* (2).

papista[2]. *Adj. 2 g.* e *s. 2 g.* **1.** Partidário da supremacia do Papa. **2.** Católico, na expressão dos protestantes.

papita. *S. f. G. Quím.* Gás de combate constituído pela acroleína.

papo. [Dev. de *papar*.] *S. m.* **1.** Bolsa existente nas aves, formada por uma dilatação do esôfago, e onde os alimentos ficam algum tempo antes de passarem à moela. **2.** *P. ext.* A parte do corpo das aves que, externamente, corresponde ao papo: *O manto dos imperadores do Brasil era guarnecido de penas de* p a p o *de tucano*. **3.** *Bras.* Parte fofa e que não assenta bem, numa roupa mal cortada, ou malfeita; saco, bolso, fole, tufo. **4.** *Pop.* Estômago; barriga, fole. **5.** *Pop.* Aumento de volume do pescoço, provocado por diversas causas, especialmente o bócio. **6.** *Bras.* A parte dianteira da coronha do rifle ou do fuzil, sobre a qual se apóia o cano. **7.** *Fig. Fam.* Arrogância, soberba, bazófia. **8.** *Bras. Gír.* Conversa, conversação; bate-papo. **9.** *Bras. Gír.* A pessoa que conversa, dada à conversação; conversador: "havia bons companheiros de praia, bons amigos de bar, excelentes p a p o s ." (Rubem Braga, *Ai de Ti, Copacabana!*, pp. 87-88). **10.** *Morfol. Veg.* V. *pappus*. ♦ **Papo furado.** *Bras. Gír.* **1.** V. *conversa fiada* (1). **2.** V. *conversa mole* (2). [Cf. *papo-furado*.] **Bater papo.** *Bras. Fam.* Conversar, papear; bater um papo, levar um papo, trocar uma idéia: "era um grande conversador e ficava b a t e n d o p a p o , uma conversa fiada que não tinha fim" (Antônio Carlos Vilaça, *A Descoberta do Morro*, p. 25). **Bater um papo.** *Bras. Fam.* V. *bater papo*: "se acaso regressava mais cedo, detinha-se na sala para b a t e r u m p a p o com as velhinhas" (Fernando Sabino, *O Homem Nu*, p. 93). **De papo para o ar.** Sem fazer nada; desocupado, ocioso. **Estar no papo.** *Bras. Fam.* **1.** Ser superado ou superável (aquilo que constitui uma dificuldade): *A prova de matemática* e s t á n o p a p o. **2.** Constituir uma aspiração realizada ou realizável: *Este emprego* e s t á n o p a p o. **3.** Esgotar-se ou acabar-se, depois de ter sido vivido, gozado, usufruído: *Brincando, brincando, metade de novembro* e s t á n o p a p o, *e aí vem o Natal*. **Falar de papo cheio.** *Fam.* Queixar-se de alguma coisa, reclamar contra ela, tendo, em verdade, razões para atitude contrária; falar de barriga cheia: *Diz que a mulher não o trata com carinho, mas não há marido mais bem tratado que ele:* f a l a d e p a p o c h e i o. **Levar um papo.** *Bras. Gír.* V. *bater papo*. **Ser um bom papo.** *Bras. Fam.* Ter conversa muito agradável.

papo-amarelo. *S. m. Bras., N.E.* Rifle (particularmente o de calibre 44) que tem o papo (6) amarelo: "Depois, Virgulino [Lampião] juntou à *comblain* uma faca, um punhal, um bornal de balas e um rifle 'p a p o - a m a r e l o'." (Luís Luna, *Lampião e Seus Cabras*, p. 30.) [Pl.: *papos-amarelos*.]

papo-branco *S. m. Bras., RS.* Certo colibri (*Leucochloris albicollis* Vieill.). [Pl.: *papos-brancos*.]

papoca. [Dev. de *papocar*.] *S. f. Bras., N.E.* V. *borbulha* (4).

papocar. [Do tupi *'poka'*, ger. de *pog*, 'arrebentar'.] *V. t. d.* e *int. Bras., N., N.E.* e *MG.* V. *pipocar* (1): "P a p o c a - v a m .... bombinhas, busca-pés de tiro e traques de chio." (Nélson de Faria, *Tiziu e Outras Estórias*, p. 197); *O tumor* p a p o c o u, *e saiu muito pus*. [Normalmente é defect., conjugável só nas 3as pess. Conjug.: v. *trancar*.]

papoco (ô). [Dev. de *papocar*.] *S. m. Bras., N., N.E.* e *MG.* Pipoco [q. v.]: "Sabia escolher e preferiu logo [entre vários brinquedos] a metralhadora japonesa. Mas pensou que se cansaria depressa do seu p a p o c o" (Carlos Drummond de Andrade, *Cadeira de Balanço*, p. 4). [Pl.: *papocos* (ô). Cf. *papoco*, do v. *papocar*.] ♦ **De papoco.** *Bras. Pop.* De primeira ordem; excelente, formidável; de truz: *Fez um discurso* d e p a p o c o.

papo-de-anjo. *S. m.* Doce de ovos cujas gemas, fortemente batidas, são assadas em forminhas e, em seguida, mergulhadas na calda quente. [Pl.: *papos-de-anjo*.]

papo-de-fogo. *S. m. Bras., RJ.* Certo colibri (*Clytoloema rubricauda* Bodd.). [Pl.: *papos-de-fogo*.]

papo-de-peru. *S. m. Bras.* V. *serpentária*. [Pl.: *papos-de-peru*.]

papo-de-rola. *S. m.* Pirita irisada. [Pl.: *papos-de-rola*.]

papo-firme. *Adj. 2 g.* e *s. 2 g. Bras. Gír.* Que ou quem cumpre o prometido. [Pl.: *papos-firmes*. Antôn.: *papo-furado*.]

papo-furado. *Adj. 2 g.* e *s. 2 g. Bras. Gír.* Que ou quem não cumpre o que diz. Pl.: *papos-furados*. Antôn.: *papo-firme*. Cf. *papo furado*.].

papoila. *S. f.* Var. de *papoula* [q. v.].

papoila-de-espinho. *S. f.* Variação de *papoula-de-espinho*. [Pl.: *papoilas-de-espinho*.]

papoila-do-méxico. *S. f.* Var. de *papoula-do-méxico*. [Pl.: *papoilas-do-méxico*.]

papoila-do-são-francisco. *S. f.* Var. de *papoula-do-são-francisco*. [Pl.: *papoilas-do-são-francisco*.]

papos-de-aranha. *El. s. m.* Us. na loc. *em papos-de-aranha*. ♦ **Em papos-de-aranha.** Em estado de grande preocupação e/ou pressa; em situação difícil, embaraçosa: *estar, andar, ver-se* e m p a p o s - d e - a r a n h a ; "o pobre Coruja via-se e m p a p o s - d e - a r a n h a com os nervos de Ernestina, cuja crise não fora tão passagêira como afiançara aquele." (Aluísio Azevedo, *O Coruja*, p. 166). [A mudança de *papos* em *palpos*, numa expressão de origem popular como essa, constitui eruditismo pedante.]

paposo (ô). *Adj. Morfol. Veg.* Que tem papilho ou *pappus*

papoula. [Do lat. vulg. *papavera, por *papaver*.] *S. f.* **1.** Planta herbácea da família das papaveráceas (*Papaver rhoeas*), de grandes flores coloridas, que cede látex, e que é cultivada em jardins como ornamental. **2.** Planta herbácea, da família das papaveráceas (*Papaver somniferum*), de grandes flores coloridas, que cede látex e da qual se obtém o ópio. Var.: *papoila*.

papoula-de-espinho. *S. f.* V. *cardo-santo*. [Var.: *papoila-de-espinho*. Pl.: *papoulas-de-espinho*.]

papoula-do-méxico. *S. f.* V. *cardo-santo*. [Var.: *papoila-do-méxico*. Pl.: *papoulas-do-méxico*.]

papoula-do-são-francisco. *S. f. Bras.* V. *cânhamo-brasileiro*. [Var.: *papoila-do-são-francisco*. Pl.: *papoulas-do-são-francisco*.]

➧**pappus** (pápuç). [Lat.] *S. m. Morfol. Veg. Bras.* O cálice frutífero das compostas; papilho, papo.

páprica. [Do húng. *paprika*.] *S. f.* Tempero em pó, feito com pimentão vermelho.

papua. [Do mal. *puwa puwa*.] *S. 2 g.* **1.** Indivíduo dos papuas, negros da Oceânia, espalhados na Nova Guiné, Novas Hébridas, Fiji, etc. **2.** Papuásio (2). ● *Adj. 2 g.* **3.** Pertencente ou relativo a papua (1). **4.** Papuásio (1).

papuã. [Talvez do tupi.] *S. m. Bras.* Capim-marmelada.

papuásio. *Adj.* **1.** Da, ou pertencente ou relativo à Papua-Nova Guiné (Oceânia). ● *S. 2 g.* **2.** Natural ou habitante da Papua-Nova Guiné. [Sin. ger.: *papua*.]

papuda. *S. f. Bras., PB. Pop.* Aguardente adulterada com água.

papudinho. [Dim. de *papudo*.] *S. m. Bras.* Peixe teleósteo, caraciforme, da família dos caracídeos (*Thoracocharax stellatus* (Kner)), do Amazonas e do Paraguai.

papudo. *Adj.* **1.** Que tem papo grande. **2.** Que tem papos ou pregas; empapuçado: "Boca flácida, descaída, olhos p a p u d o s , andar apertado, em passadinhas hirtas" (Maria Archer, *Fauno Sovina*, p. 7). **3.** *Fig.* Arredondado; saliente, proeminente. **4.** *Bras. Gír.* Que tem bom papo, conversação agradável; que é bom conversador. ● *S. m.* **5.** *Bras. Fam.* Indivíduo jactancioso, blasonador, bravateiro: *Conheceu,* p a p u d o *?; Quero ver quem é o* p a p u d o *que se mete aqui com o degas*. **6.** *Bras. Gír.* Aquele que tem bom papo (8); bom conversador.

papujar. [De *papo*.] *V. int.* Produzir certo movimento e som formando bolhas sucessivas.

pápula. [Do lat. *papula*.] *S. f.* Elevação eruptiva, circunscrita da pele, comumente de pequena dimensão e sem líquido no interior.

papular. *Adj. 2 g. Med.* Constituído de pápulas, ou caracterizado pela presença delas.

papuloso (ô). *Adj.* Que tem pápula(s).

paquê. [Do fr. *paquet*.] *S. m. Tip.* Granel (2).

paqueiração. *S. f. Bras. Gír.* V. *paqueração*.

paqueirada. *S. f. Bras.* Grupo de paqueiros.

paqueirador (ô). *Adj.* e *s. m. Bras. Gír.* Paquerador.

paqueirar. *V. t. d.* e *int. Bras. Gír.* Paquerar.

paqueiro. *Adj.* e *s. m.* **1.** *Bras.* Diz-se de, ou cão que sabe caçar pacas. **2.** *Bras.* Diz-se de, ou aquele que angaria serviços para outrem.

paquequerense. *Adj. 2 g.* **1.** De, ou pertencente ou relativo a Paquequer Pequeno (RJ). ● *S. 2 g.* **2.** Natural ou habitante de Paquequer Pequeno.

paquera. [Dev. de *paquerar* (q. v.).] *Bras. Gír. S. f.* **1.** Paqueração. *S. 2 g.* **2.** Pessoa que paquera; paquerador. ● *Adj. 2 g.* **3.** Diz-se de quem paquera; paquerador.

paqueração. [De *paquerar* (q. v.) + *-ação*.] *S. f. Bras. Gír.* Ato ou efeito de paquerar; paquera.

paquerador (ô). [De *paquerar* (q. v.) + *-(d)or*.] *Adj.* e *s. m. Bras. Gír.* Paquera (2 e 3).

paquerar. [Por *paqueirar* < *paqueiro* + *-ar*[2].] *Bras. Gír. V. t. d.* **1.** Tentar aproximação com (alguém), buscando namoro ou aventura amorosa. **2.** Observar atentamente; vigiar, espreitar. *Int.* **3.** Buscar namoro ou aventura amorosa; gavionar. **4.** Estar de sentinela; vigiar.

paquete. *S. m.* O conjunto das várias qualidades de pêlo que podem servir para fabricar chapéus. [Pl.: *paquetes*. Cf. *paquete* (ê) e pl. *paquetes* (ê).]

paquete (ê). [Do fr. *paquete* < ingl. *packet boat*.] *S. m.* **1.** *Ant.* Embarcação ligeira, para transmissão de ordens e correspondência. **2.** *Ant.* Navio veloz e luxuoso, ordinariamente a vapor, para transporte rápido e regular de passageiros entre certos portos. **3.** *Bras.* Canoa à vela, usada no alto São Francisco para transporte de parte da carga deixada pelos navios a vapor nas margens dos rios, quando necessitam aliviar o peso para transpor a zona das corredeiras; leoba: "São pomposamente chamados de p a q u e t e s os botes de vela que fazem o serviço de comunicação entre as cidades de Juazeiro (Bahia) e Petrolina (Pernambuco)." (Leonardo Mota, *No Tempo de Lampião*, p. 101.) **4.** *Bras., N.E.* Jangada veloz, feita com paus de 1 m de circunferência. **5.** *Bras.* V. *menstruação* (1). ● *Adj.* **6.** *Bras., S.* Bem vestido; elegante. V. *empaquetar-se*. [Pl.: *paquetes* (ê). Cf. *paquete* e pl. *paquetes*.]

paqueteiro[1]. [De *paquê* + *-t-* + *-eiro*.] *S. m.* **1.** *Tip.* Gráfico encarregado de atar os paquês. **2.** *Tip.* Estante onde se guardam os paquês; porta-paquê.

paqueteiro[2]. *S. m. Bras.* Embarcadiço de paquete (3).

paquevira. *S. f. Bras.* Alter. de *pacavira*.

▲**paqui-.** [Do gr. *pachýs, efa, ý*.] *El. comp.* = 'espesso, grosso': *paquicefalia, paquigástrico*.

paquiblefarose. [De *paqui-* + *-blefar(o)-* + *-ose*.] *S. f. Med.* Espessamento palpebral.

paquicefalia. [De *paqui-* + *-cefal(o)-* + *-ia*.] *S. f. Patol.* Espessamento anormal do crânio.

paquicefálico. *Adj.* Relativo à paquicefalia.

paquicéfalo. [De *paqui-* + *-céfalo*.] *Adj.* Que tem as paredes do crânio espessas.

paquiderme. [Do gr. *pachydermos*.] *Adj. 2 g.* **1.** Que tem a pele espessa. ● *S. m.* **2.** Espécime dos paquidermes.

paquidermes. [Pl. de *paquiderme*.] *S. m. pl. Zool.* Na antiga classificação zoológica, ordem de mamíferos correspondente aos atuais ungulados.

paquidermia. [De *paquiderme* + *-ia*.] *S. f. Patol.* V. *elefantíase*.

paquidérmico. *Adj.* **1.** Relativo ou pertencente aos paquidermes. **2.** Cuja pele é semelhante à dos paquidermes. **3.** *Morfol. Veg.* Que tem cutícula, epiderme ou paredes espessas: *semente* p a q u i d é r m i c a.

paquife. *S. m. Heráld.* **1.** Ornatos que, nascendo do elmo, guarnecem o escudo de um lado e do outro: "No escudo, formado por uma brica de prata, ... via-se um elmo também de prata, p a q u i f e de ouro e de azul" (José de Alencar, *O Guarani*, I, p. 84). **2.** Adorno arquitetônico de folhagens. **3.** Enfeite vistoso.

paquifilo. [De *paqui-* + *-filo*[1].] *Adj. Morfol. Veg.* Que tem folhas espessas.

paquigástrico. [De *paqui-* + *-gastr(o)-* + *-ico*[2].] *Adj. Zool.* Que tem o ventre muito grosso.

paquimeningite. [De *paqui-* + *meningite*.] *S. f. Patol.* Inflamação da dura-máter.

paquimeningítico. *Adj.* Referente à paquimeningite.

paquímetro. [De *paqui-* + *-metro*.] *S. m.* Instrumento de precisão para medida de espessuras, diâmetros e pequenas distâncias.

paquinha. [Dim. de *paca*.] *S. f.* V. *grilo-toupeira* (1).

paquinha-das-hortas. *S. f. Bras.* V. *grilo-toupeira* (1). [Pl.: *paquinhas-das-hortas*.]

paquipleuris. [De *paqui-* + *pleuris*.] *S. m. Med.* Inflamação pleural com espessamento.

paquirrino. [Do gr. *pachyrrinos.*] *Adj.* e *s. m.* Diz-se de, ou indivíduo de nariz grosso.

paquistanense. *Adj. 2 g.* **1.** Do, ou pertencente ou relativo ao Paquistão (Ásia). ● *S. 2 g.* **2.** Natural ou habitante do Paquistão. [Sin. ger.: *paquistanês.*]

paquistanês. *Adj.* e *s. m.* Paquistanense. [Flex.: *paquistanesa* (ê), *paquistaneses* (ê), *paquistanesas* (ê).]

paquítrico. [Do gr. *pachýthrix.*] *Adj. Zool.* Que tem pêlo espesso.

par. [Do lat. *pare.*] *Adj. 2 g.* **1.** Igual, semelhante; parceiro, parelho. **2.** Que é representado por um número par: *dias pares.* **3.** Disposto simetricamente: *Os ouvidos são pares.* ~ V. *função* —, *número* — e *paridade* —. ● *S. m.* **4.** *Mat.* Número par. **5.** O conjunto de duas pessoas: *um par harmonioso.* **6.** O marido e a mulher, casal. **7.** Na dança, o cavalheiro e a dama. **8.** Pessoa que dança, em relação àquela com quem dança; **9.** Num casal de animais, o macho e a fêmea: "um lindo par de borboletas brancas vinha sempre poisar no peitoril de sua janela" (Belmiro Braga, *Cantos e Contos,* p. 48). **10.** O conjunto de dois animais de tração: *Um belo par de éguas puxava a charrete.* [Cf., nesta acepç., *junta* (4) e *parelha* (1).] **11.** Peça de vestuário constituída de duas partes ou duas peças iguais: *um par de calças; um par de sapatos.* **12.** Conjunto de dois objetos semelhantes, um dos quais não se usa sem o outro: *um par de galhetas; um par de brincos.* **13.** Duas coisas da mesma espécie, conquanto uma possa servir sem a outra: *um par de cadeiras; um par de castiçais.* **14.** Duas ações semelhantes ou duas coisas ou seres da mesma espécie; parelha: *um par de coices, um par de imbecis.* **15.** Conjunto formado por dois órgãos simétricos: *um par de olhos.* **16.** Pessoa igual a outra em condição social. **17.** Antigamente, grão-vassalo do rei. **18.** Membro da Câmara dos Lordes, na Inglaterra. **19.** Número indeterminado, com sentido aumentativo: *Procurou-me um par de vezes para obter informações.* **20.** No baralho, duas cartas do mesmo número ou figura: *par de setes; par de reis.* **21.** *Fís.* V. *conjugado* (7). [Pl.: *pares.* Cf. *Páris,* mit. e antr.] ◆ **Par a par.** V. *a par* (1 e 2): "num momento em que os cavalos troteavam juntos, par a par, arrancou uma flor que trazia no seio, atirou-lha" (Jaime d'Altavila, *Lógica de um Burro,* p. 143). **Par craniano.** *Anat.* V. *nervo craniano.* [Em linguagem médica é comum dizer simplesmente *par,* precedida, esta palavra, do número que lhe corresponde; assim, em vez de *nervo facial,* se diz apenas *sétimo par.*] **Par e par.** V. *a par* (1 e 2). **Par em par.** De par em par: "Abri todas as portas par em par / Como asas a bater em revoada." (Florbela Espanca, *Sonetos Completos,* p. 183.) **Par físico.** *Astr.* Estrela dupla cujos componentes são realmente próximos no espaço, e que se reconhece pelo fato de seu movimento relativo ser orbital; dupla física. [Cf. *par óptico.*] **Par óptico.** *Astr.* Estrela dupla cuja proximidade das componentes provém do efeito de perspectiva, sendo a distância à Terra, na realidade, inteiramente diferente. Reconhece-se um par óptico quando o movimento próprio [q. v.] de uma das duas estrelas é mensurável; neste caso o movimento relativo das duas componentes é uma trajetória retilínea. [Cf. *par físico.*] **A par. 1.** Ao lado um do outro; junto; de par: *Caminhavam a par;* "dois troncos de pinheiro deitados a par" (Patrícia Joyce, *A Maior Distância,* p. 142). **2.** Ao mesmo tempo. [Sin. ger.: *a par e par, par a par, par e par.*] **3.** *Fin.* Em equivalência de valor (uma moeda, em função de outra, com respeito ao seu título legal e ao seu peso [conteúdo metálico]); ao par. **4.** *Com.* Em igualdade (o preço de venda [cotação]) de um título de crédito e o seu valor nominal; ao par. **A par de. 1.** Ao lado de; junto; de par: *o pequeno caminhava a par de seu tio.* **2.** Ao lado de, em comparação com: "fugi, mas livres, / Que a par da liberdade tudo é nada" (Domingos José Gonçalves de Magalhães, *A Confederação dos Tamoios,* p. 116). **3.** Ao corrente de. [Sin. ger.: *ao par de.*] **Ao par.** A par (3 e 4): "eis .... que a subida inesperada do partido conservador, firmando o crédito do Estado, elevou o papel-moeda, deixando o câmbio quase ao par" (Aluísio Azevedo, *O Coruja,* p. 251). **Ao par de.** A par de. *A par e par.* V. *a par* (1 e 2): "— Cantam a par e par I As aves, canta o bosque" (Alberto de Oliveira, *Poesias,* 4ª série, p. 41). **De par.** V. *a par* (1): "No momento em que ela [a inspiração do poeta romântico] se lhe revela .... , inspiração e expressão vão de par, indivíduo e universo consubstanciam-se, eu e não-eu integram-se." (João Gaspar Simões, *Liberdade do Espírito,* p. 34) **De par com.** Juntamente com; ao lado de: "De par com a antiguidade um dos aspectos mais interessantes e curiosos das adivinhas é a sua universalidade." (José Maria de Melo, *Enigmas Populares,* p. 16); "e no seu rosto agora, / De par com o orgulho antigo, há um pesar que o devora." (Alberto de Oliveira, *Poesias,* 3ª série, p. 80). **De par em par.** Escancaradamente; às escâncaras; par em par: "abriu de par em par as janelas" (Coelho Neto, *Turbilhão,* p. 140). **Estar a par.** Estar bem informado. **Sem par.** V. *pôquer.* [Cf. *sem-par.*]

para. [Do lat. *per* + *ad.*] *Prep.* Usada nos seguintes casos, entre outros: **1.** Introduz o complemento terminativo de verbos, substantivos e adjetivos que encerram idéia de direção, destino, fim, objetivo, relação: "Ficou-se a olhar para a casita pobre da sua Margarida" (Conde de Ficalho, *Uma Eleição Perdida,* p. 123); *Anda agora para Petrópolis;* "Para além a serra crescia em corcovas doces" (Eça de Queirós, *A Cidade e as Serras,* p. 203); "viera de Covilhã para caixeiro de uma loja na vila próxima" (Conde de Ficalho, *Uma Eleição Perdida,* p. 123). **2.** Indica sentimento, julgamento, opinião, concepção de alguém a respeito de outrem ou de algo: "Para alguém sou o lírio entre os abrolhos, / E tenho as formas ideais do Cristo" (Gonçalves Crespo, *Obras Completas,* p. 150); "Para Troeltsch, os séculos XVI e XVII não são Idade Média nem Idade Moderna: são a época confessional da história européia e do mútuo roçamento de três fatores, o catolicismo, o luteranismo e o calvinismo, de que se origina o mundo moderno." (José Honório Rodrigues, *Teoria da História do Brasil,* pp. 115-116); "Para quem vive no comércio cotidiano dos livros, não pode haver, entre a morte e a vida, as mesmas fronteiras rigorosas que observamos no mundo dramático da realidade." (Augusto Meyer, *A Chave e a Máscara,* p. 67). **3.** Rege o predicativo do sujeito ou do objeto direto: *Foi nomeado para procurador do Estado; Elegeram-no para diretor duma companhia.* **4.** Faz parte de adjuntos ou oração que exprimem: **a)** lugar ao qual alguém ou algo se dirige, ou para onde volta a vista: "Foi para melhores climas" (Alberto de Oliveira, *Poesias,* 2ª série, p. 135); "O duque voltou para ao pé do leito." (Camilo Castelo Branco, *Livro Negro do Padre Dinis,* p. 148). **b)** lugar para onde alguém se dirige, sobretudo com ânimo de permanecer ou demorar-se (usando-se, em geral, no caso contrário, com o v. *ir*), *a prep. a: Vai para Santa Catarina;* "Ir viver para uma aldeia / A vida dos camponeses" (João Penha, *Ecos do Passado,* p. 122). **c)** sentido, direção: *Anda de boina caída para um lado; Andando, inclina-se um pouco para a direita.* **d)** intuito, fim: "Para iludir minha desgraça, estudo." (Augusto dos Anjos, *Eu,* p. 108); "Chegava [João Ribeiro] do colégio e metia-se no quarto para estudar." (Joaquim Ribeiro, *9 Mil Dias com João Ribeiro,* p. 151). **e)** destinação, fim, ou fim, destino, fado: *Deu-lhe dinheiro para a viagem;* " Para tristezas, para dor nasceste." (Antero de Quental, *Sonetos,* p. 144). **f)** relação entre as quantidades, em matemática: *Três está para seis assim como quatro está para oito.* **g)** idéia de comparação ou proporção com outra pessoa ou coisa, ou de pessoa com coisa, ou vice-versa: *Sabe muito para a sua idade; A casa é boa demais para o preço;* " — Sessenta mil homens muita gente é para casa tão pequena" (Rebelo da Silva, *Contos e Lendas,* p. 173). **h)** condições, ocasião ou idade adequada para se fazer alguma coisa, ocupar um cargo, etc.: *É ignorante demais para cursar com proveito uma escola superior; É muito velho para a função que exerce.* **i)** aplicação, uso, emprego: *As mangas já estão boas para comer.* **j)** época ou ocasião em que se faz ou fará uma coisa, porém sempre com o sentido do futuro: *Guardou os caquis para o outro dia.* **l)** tempo futuro, próximo ou distante: "Falta pouco para meio-dia." (Visconde de Taunay, *Inocência,* p. 18); *Faltam muitos anos para a conclusão da obra.* **m)** tempo próximo vindouro (tratando-se de semana ou de ano): "Foi-se [a mercadoria]... Esgotadinho! Só para a semana..." (Eça de Queirós, *A Relíquia,* p. 393); *Para o ano haverá uma grande festa pública.* **n)** duração: *Há nesta casa frutas para uma semana.* **o)** disposição, determinação, intento, tendência (podendo, não raro, aqui, ser substituído por *a*): *Estava para deixar o emprego; Ficou pronto para viajar; Dispôs-se para enfrentar o perigo;* "Aprestou-se, cedo, para a luta." (Euclides da Cunha, *Os Sertões,* p. 118); "Ocasiões há em que o sertanejo dá para assoviar." (Visconde de Taunay, *Inocência,* p. 12). **p)** capacidade, pendor: *É homem para grandes façanhas; Não é pessoa para caçoadas.* **q)** preço: *Isto é livro para 100 cruzados.* **r)** quantidade ou quantia aproximada, incerta, ou que excede outra: *Tem aí para 8.500 livros; Possui para mais de três milhões.* **5.** É o elemento fundamental de umas poucas locuções adverbiais, prepositivas e conjuntivas: *para logo, para sempre, para todo o sempre; para com; para que.* [Cf. *pára,* do v. *parar.*]

▲**par(a)-.** [Do gr. *pará.*] *Pref.* = 'proximidade', 'ao lado de', 'ao longo de'; 'elemento acessório, subsidiário'; 'funcionamento desordenado ou anormal'; 'semelhante'; *parentético, parapsicologia, paramilitar, paramorfismo; parassimpático; parafrenia, parageusia; paracólera.*

▲**-para.** Equiv. de *-paro.*

▲**pára-.** [De *parar.*] *El. comp.* = 'que protege contra', 'que apara': *pára-choque, pára-brisa.*

pará. *S. m. Bras., RS.* Culto religioso de influência afro-brasileira; batuque.

paraambóia. [Alter. do tupi *paranã'bóia,* 'cobra do rio'.] *S. f. Bras., AM.* V. *jararaca-verde.*

parábase. [Do gr. *parábasis.*] *S. f. Teat.* No antigo teatro grego, parte da tragédia ou da comédia em que um ou mais atores recobravam suas verdadeiras personalidades e se dirigiam aos espectadores, com observações, opiniões, esclarecimentos, críticas ou apelos, o que também podia ser feito pelo próprio autor: "Em *Os Acaraneus,* a parábase concita o público a não abandonar o poeta" (Sábato Magaldi, *Temas da História do Teatro,* p. 51).

parabélum. [Da máxima lat. *Si vis pacem, para bellum,* 'Se queres a paz, prepara-te para a guerra'.] *S. f. Bras.* Certa pistola automática, de procedência alemã: "Só me entrego na morte / De parabélum na mão." (Sérgio Ricardo, trilha sonora de *Deus e o Diabo na Terra do Sol.*)

parabém. [De *para* + *bem* (3).] *S. m.* V. *parabéns:* "esse estado da alma que vê na inclinação do arbusto, tocado do vento, um parabém da flora universal, traz sensações mais íntimas e finas que qualquer outro." (Machado de Assis, *Dom Casmurro,* p. 117).

parabenizar. *V. t. d. Bras.* Apresentar parabéns a; felicitar: "Quando o menino nasce, a alegria é geral. A casa se enche de parentes, de vizinhos e de compadres que vêm olhar o recém-nascido, parabenizar os pais" (Mário Souto Maior, *Como Nasce um Cabra da Peste,* p. 71).

parabéns. [Pl. de *parabém.*] *S. m. pl.* Felicitações, congratulações. [Tb. us. (raramente) no sing.] Sin., p. us.: *emboras, prolfaça(s)* e (bras., gír.) *pára-choques.*]

parabiju. [Do tupi.] *S. m. Bras., SP.* V. *bijupirá.*

parabiose. [De *par(a)-* + *-bi(o)-* + *-ose.*] *S. f.* União de indivíduos vivos, quer natural, quer provocada por ato cirúrgico.

parabiótico. *Adj.* Referente à, ou em que há parabiose.

parablasto. [De *para-* + *-blasto.*] *S. m. Embr.* O mesoderma [q. v.], em especial nas fases iniciais.

parábola[1]. [Do gr. *parabolé.*] *S. f.* Narração alegórica na qual o conjunto de elementos evoca, por comparação, outras realidades de ordem superior.

parábola[2]. [Do gr. *parabállo,* 'atirar para o lado'.] *S. f. Geom.* Lugar geométrico plano dos pontos eqüidistantes de um ponto fixo e de uma reta fixa de um plano. ◆ **Parábola cúbica.** *Geom. Anal.* Cônica cúbica em que os três pontos no infinito são coincidentes.

parabolicidade. *S. f.* Parabolismo.

parabólico. [Do gr. *parabolikós.*] *Adj.* **1.** Semelhante ou relativo a parábola. **2.** *Morfol. Veg.* Em forma de parábola, i. e., oblongo, com a ponta arredondada e a base truncada: *folha parabólica.* ~ V. *cometa* —, *coordenadas* —*as, espelho* —, *espiral* —*a* e *velocidade* —*a.*

parabolismo. [De *parábola*[2] + *-ismo.*] *S. m.* Qualidade ou caráter de parabólico; parabolicidade.

paraboloidal. *Adj. 2 g.* Que tem a forma de parabolóide. ~ V. *coordenadas paraboloidais.*

parabolóide. [De *parábola*[2] + *-óide.*] *Adj. 2 g.* **1.** Que tem forma de parábola geométrica. ● *S. m.* **2.** *Geom.* Superfície do segundo grau cujas seções retas são parábolas e elipses ou parábolas e hipérboles. **Parabolóide de revolução.** *Geom.* Superfície de segundo grau gerada por uma parábola que gira em torno do seu eixo de simetria.

pára-brisa. [De *parar* + *brisa.*] *S. m.* Vidro fixo colocado na parte dianteira do automóvel, que assegura ao motorista perfeita visibilidade e o protege contra o vento e a poeira. [Pl.: *pára-brisas.*]

paracambiense. *Adj. 2 g.* **1.** De, ou pertencente ou relativo a Paracambi (RJ). ● *S. 2 g.* **2.** Natural ou habitante de Paracambi.

paracanã. *Bras. S. 2 g.* **1.** Indivíduo dos paracanãs, tribo indígena contatada no final da década de 70 e começo de 80, e localizada na região da atual hidrelétrica de Tucuruí, no PA. A formação do lago dessa barragem terminou por invadir o território destes índios, pertencentes à família lingüística tupi. Dados os deslocamentos sucessivos encontram-se bastante reduzidos, embora continuem praticamente desconhecendo a língua nacional. ● *Adj. 2 g.* **2.** Pertencente ou relativo a esta tribo. [Sin. ger. (entre os assurinis): *paraitunga.*]

paração. [De *parar* + *-ção.*] *S. f. Bras., RS.* Paração de rodeio. ◆ **Paração de rodeio.** Ato de parar rodeio; paração. V. *rodeio.*

paracari. [Do tupi *paraka'ri.*] *S. m. Bras.* V. *hortelã-do-brasil.*

paracarpo. [De *para-* + *-carpo.*] *S. m. Bot. P. us.* Ovário abortado.

paracatas. [Alter. de *alparcatas*, pl. de *alparcata.*] *S. f. pl. Bras., RS.* Sapatos grosseiros, de couro de garrão, usados na lavoura.

paracatuense. *Adj. 2 g.* **1.** De, ou pertencente ou relativo a Paracatu (MG). ● *S. 2 g.* **2.** Natural ou habitante de Paracatu.

paracaúba. [Do tupi *paraka'íba.*] *S. f. Bras.* Planta da família das lauráceas, do gênero *Ocotea.*

paracaúba-doce. *S. f. Bras., Amaz.* Árvore da família das sapotáceas (*Glycoxylon huberi*), da floresta inundável, que se caracteriza pela casca e lenho de sabor adocicado, pela madeira pardo-amarelado-rosada e moderadamente dura, e cujas bagas são doces e comestíveis. [Pl.: *paracaúbas-doces.*]

paracaxi. [Do tupi *parakau'xi.*] *S. m. Bras., Amaz.* Árvore da floresta da família das leguminosas (*Pentaclethra filamentosa*), de folhas bipenadas, escuras e brilhantes, com 60 a 100 folíolos lineares, minutos, flores alvas, pequenas e organizadas em espigas cilíndricas, fruto que chega a 40 cm, madeira avermelhada e dura, procurada para os barcos a vapor, e sementes que encerram perto de 50% de óleo comestível, sendo a casca tanífera. [Var.: *pracaxi, parauaxi, tarauaxi.*]

paracelsismo. *S. m.* O sistema médico de Paracelso, médico e sábio suíço (1493-1541), que verberou o galenismo [q. v.] e deu aos medicamentos minerais uma importância que dantes não tinham.

paracelsista. *Adj. 2 g.* **1.** Referente ao, ou que é sectário do paracelsismo. ● *S. 2 g.* **2.** Sectário do paracelsismo.

paracentese. [Do gr. *parakéntesis*, 'punção no flanco', pelo lat. *paracentese.*] *S. f. Cir.* Aspiração de líquido de uma cavidade por meio de punção.

paracentral. [De *par(a)-* + *central.*] *Adj. 2 g.* Que fica ao lado ou próximo do centro.

pára-choque. [De *parar* + *choque.*] *S. m.* **1.** Qualquer dispositivo destinado a amortecer choques. **2.** Barra ou lâmina de aço fixada horizontalmente à frente e na traseira dos automóveis para proteger a carroceria contra choques. **3.** Nas estradas de ferro, obstáculo fixo no qual vêm bater os vagões e locomotivas quando fazem manobras. [Pl.: *pára-choques.*] ~ V. *pára-choques.*

pára-choques. [De *pára-choque.*] *S. m. pl. Bras.* **1.** *Gír.* V. *parabéns.* **2.** *Chulo.* Seios, mamas. ~ V. *pára-choque.*

pára-chuva. [De *parar* + *chuva.*] *S. m.* V. *guarda-chuva.* [Pl.: *pára-chuvas.*]

paracianogênio. [De *par(a)-* + *cianogênio.*] *S. m. Quím.* Substância sólida e negra, polímera do cianogênio.

paraciesia. [De *para-* + *-cies(e)-* + *-ia.*] *S. f. Med.* Gravidez extra-uterina.

paraciésico. *Adj.* Relativo à paraciesia.

paracinesia. [De *par(a)-* + *-cines(i)-* + *-ia.*] *S. f. Patol.* Distúrbio de que resulta realização deformada de atos motores voluntários.

paracinético. *Adj.* Referente à paracinesia.

paráclase. [De *par(a)-* + *-clase.*] *S. f. Geol.* Falha[2].

paracletear. [De *paracleto* (2) + *-ear.*] *V. t. d.* Sugerir a (alguém) o que deve responder. [Conjug.: v. *frear.*]

paracleto (é). [Do gr. *parákletos*, pelo lat. *paracletu.*] *S. m.* **1.** Designativo aplicado a Cristo e especialmente ao Espírito Santo. **2.** Defensor, protetor, mentor.

paráclito. [Do gr. *parákletos*, pronunciado com iotacismo, pelo lat. *paracletu.*] *S. m.* V. *paracleto.*

paraclorofenol. [De *par(a)-* + *clorofenol.*] *S. m.* Um dos três isômeros do clorofenol. [Pl.: *paraclorofenóis.*]

paracmástico. [Do gr. *parakmastikós.*] *Adj. Med.* Que principia a diminuir (falando-se de doença).

parácora. [De *par(a)-* + gr. *choros*, 'volume'.] *S. f. Fís.-Quím.* Propriedade aditivo-constitutiva de um líquido, que depende da tensão superficial e da densidade.

paracorola. [De *par(a)-* + *corola.*] *S. f. Bot.* Espécie de corola pequena, situada por dentro da corola propriamente dita e formada por apêndices desta, como acontece nos narcisos.

paracristalino. [De *par(a)-* + *cristalino.*] *Adj. Fís.* Diz-se de um líquido em que existe regularidade espacial na disposição de suas moléculas.

paracuri. [Do tupi, decerto.] *S. m. Bras.* V. *hortelã-do-brasil.*

paracusia. [Do gr. *parákousis*, 'má audição', + *-ia.*] *S. f. Patol.* Audição alterada.

paracutaca. [De tupi *paraku'taka.*] *S. f.* **1.** *Bras., Amaz.* Árvore da família das leguminosas (*Swartzia duckei*), que vive na floresta pluvial, de madeira forte e leve, utilizada pelos índios na feitura de pequenas canoas e remos. **2.** *Bras., AM* e *PA.* V. *cauxi.*

paracuuba. [Do tupi *paraku'uba.*] *S. f. Bras.* Designação comum a duas plantas da família das leguminosas (*Lecointea amazonica* e *Dimorphandra paraensis*) e uma da família das meliáceas (*Trichilia lecointei*).

parada. *S. f.* **1.** Ato ou efeito de parar. **2.** Local onde se pára; estância, paragem. **3.** Demora, pausa, interrupção, paralisação: *Um defeito na adutora ocasionou a parada no abastecimento de água.* **4.** Lugar onde pára habitualmente um veículo coletivo; ponto: *parada de ônibus.* **5.** Ponto de uma linha ferroviária provido de plataforma para embarque e desembarque de passageiros, e que não interfere na circulação dos trens. [Cf. *estribo* (4) e *estação* (2).] **6.** Formatura militar para revista. **7.** Formatura e desfile das tropas de uma guarnição. **8.** Lance completo de um jogo. **9.** Quantia que se aposta ou se arrisca no jogo em cada lance: "indo e vindo, consultava-se: Se devia começar jogando forte, fazendo paradas atrevidas .... ; se devia insistir no joguinho manhoso" (Coelho Neto, *Turbilhão*, p. 284). **10.** Ato de se defender de um golpe na esgrima. **11.** Golpe de capoeira. **12.** Antigo tributo; vida. **13.** *Bras. Gír.* Empresa ou situação difícil, árdua, penosa: *Amanhã, no remate do trabalho, teremos pela frente uma parada.* **14.** *Bras. Gír.* Pessoa ou animal rebelde, ou valente, difícil de ser levado: *Aquele pequeno é parada; Cavalo brabo, aquele: é uma parada.* **15.** *Bras. Gír.* Pessoa ou coisa muito bonita, muito atraente: *Com o tempo, a pequena feiosa tornou-se uma parada; A casa que ele construiu é uma parada.* **16.** *Bras., RS.* Conversa fiada; fanfarronada. V. *fanfarrice* (2). **17.** *Bras., S.* Quantia pela qual se contrata uma carreira de animais. *S. m.* **18.** *Bras., RS.* Pessoa fanfarrona. ◆ **Parada cardíaca.** *Med.* Cessação de função cardíaca. **Parada federal.** *Bras. Gír.* Parada (13 e 14) muito dura, muito difícil; parada indigesta. **Parada indigesta.** *Bras. Gír.* Parada federal. **Agüentar a parada.** *Bras. Fam.* Agüentar a mão (1).

paradáctilo. [De *para-* + *-da(c)tilo.*] *S. m. Zool.* A parte lateral dos dedos das aves. [Var.: *paradátilo.*]

paradão. [Aum. de *parado.*] *Adj.* e *s. m. Bras. Fam.* Paralítico. [Fem.: *paradona.*]

paradátilo. *S. m. Zool.* Var. de *paradáctilo.*

paradear. [De *parada* (16) + *-ear.*] *V. int. Bras., RS.* Conversar fiado; pregar mentiras; fanfarronear. [Conjug.: v. *frear.*]

paradeiro. *S. m.* **1.** Ponto em que alguma pessoa, animal, coisa, está ou pára, ou vai parar: *Anda sumido, não sabemos do seu paradeiro; Qual o paradeiro do meu cavalo?; Ignoro o paradeiro do meu bom relógio.* **2.** *Bras., N.E.* e *MG.* Falta de movimento comercial; crise.

paradiafonia. [De *par(a)-* + *-dia-* + *-fon(o)-* + *-ia.*] *S. f.* Mistura de conversas na origem de dois circuitos telefônicos; linha cruzada.

paradigma. [Do gr. *parádeigma*, pelo lat. *paradigma.*] *S. m.* **1.** Modelo, padrão, estalão: "D. Luís de Meneses .... parece constituir o paradigma da síntese ideal .... entre a coragem militar e o academismo cultural." (Antônio José Saraiva e Oscar Lopes, *História da Literatura Portuguesa*, pp. 455-456.) **2.** *Gram.* Modelo ou tipo de conjugação ou declinação gramatical.

paradigmal. *Adj. 2 g.* Paradigmático.

paradigmático. [Do gr. *paradeigmatikós*, pelo lat. *paradigmaticu.*] *Adj.* Relativo a, ou que encerra paradigma; paradigmal.

paradisíaco. [Do lat. *paradisiacu.*] *Adj.* Pertencente ou relativo ao Paraíso, ou próprio dele; celeste divino, edênico, paradísico.

paradiseídeo. *S. m.* **1.** Espécime dos paradiseídeos. ● *Adj.* **2.** Pertencente ou relativo a eles.

paradiseídeos. *S. m. pl. Zool.* Família de aves carenadas, encontradas somente na Nova Guiné e ilhas adjacentes, e que se nutrem de insetos e, às vezes, de frutos. Compreende pássaros de plumagem vivamente colorida e rara beleza. Apresentam dimorfismo sexual. São as aves-do-paraíso.

paradísico. *Adj.* V. *paradisíaco.*

parado. [Part. de *parar.*] *Adj.* **1.** Sem movimento; quieto. **2.** Fito, fixo: *olhar parado.* **3.** *Bras., N.E.* Diz-se de indivíduo sem animação; sem vida. **4.** *Pop.* Só; sem igual. [Us. em expr. como: *Está parado para bajular* (equivalente a: 'bajula como ninguém').]

paradoiro. [De *pairar* + *-(d)oiro*[1].] *S. m.* Paradouro [q. v.].

paradona. *Adj.* (*f.*) e *s. f. Bras.* Fem. de *paradão.*

parador (ô). *Adj.* **1.** Que pára. **2.** Que pára muitas vezes, com freqüência: *trem parador.* **3.** *Bras., RS.* Diz-se do cavaleiro que, quando o cavalo roda, i.e., quando cai para a frente, consegue sair de pé. ● *S. m.* **4.** *Bras., RS.* Peão, ou outro campeiro, que auxilia a parar o rodeio nas estâncias. **5.** *Bras., RJ.* Trem suburbano que, em seu percurso, pára em todas as estações.

paradouro. [De *parar* + *-(d)ouro*[1]; var. de *paradoiro.*] *S. m. Bras., RS.* Lugar próximo da casa ou das mangueiras da estância, no qual o gado manso costuma passar a noite.

paradoxal (cs). *Adj. 2 g.* Que encerra paradoxo ou se funda em paradoxo: *dito paradoxal.*

paradoxalidade (cs). *S. f.* Qualidade de paradoxal.

paradoxar (cs). *V. int.* Dizer ou sustentar paradoxo(s): "Um literato em plena apoteose da crônica aclamada paradoxava num grupo, com ares íntimos e superiores." (João do Rio, *Vida Vertiginosa*, p. 171.)

paradoxismo (cs). [De *paradoxo* + *-ismo.*] *S. m. Ret.* V. *oxímoro.*

paradoxista (cs). *S. 2 g.* Pessoa dada a usar paradoxos.

paradoxo (cs). [Do gr. *parádoxon*, pelo lat. *paradoxon.*] *S. m.* **1.** Conceito que é ou parece contrário ao comum; contra-senso, absurdo, disparate: "Era um conversador admirável, adorável nos seus erros, ... nas suas opiniões revoltantes e belíssimas, nos seus paradoxos, nas suas *blagues.*" (Mário de Sá-Carneiro, *A Confissão de Lúcio*, p. 21.) **2.** Contradição, pelo menos na aparência: *A obsessão da velocidade e o congestionamento do trânsito são um dos paradoxos da vida moderna.* **3.** *Filos.* Afirmação que vai de encontro a sistemas ou pressupostos que se impuseram, como incontestáveis ao pensamento. [Cf. *aporia* e *antinomia.*] ◆ **Paradoxo socrático.** *Filos.* Tese socrática que afirma: "Ninguém faz o mal voluntariamente, mas por ignorância, pois a sabedoria e a virtude são inseparáveis."

paraélio. [De *par(a)-* + *-élio.*] *S. m. Fís.* Estado de um átomo de hélio em que os spins são antiparalelos, e que é um singleto. [Cf. *parélio.*]

paraense. *Adj. 2 g.* **1.** Do, ou pertencente ou relativo ao PA. ● *S. 2 g.* **2.** Natural ou habitante desse estado. [Sin. (bras., Amaz.), nessa acepç.: *paroara.*]

paraestatal. *Adj. 2 g.* V. *parestatal.*

parafantasia. [De *par(a)-* + *fantasia.*] *S. f.* Fantasia que ultrapassa o objeto visado e dá representações já pouco relacionadas com ele.

parafernais. [Pl. de *parafernal* < gr. *parapherna* + *-al.*] *Adj.* e *s. f. pl.* ~ V. *bens* —.

parafernália. [Do lat. medieval *paraphernalia.*] *S. f.* **1.** Objetos de uso pessoal. **2.** Equipamento necessário a cada atividade humana: *a parafernália de um médico.* **3.** Pertences, acessórios; tralha.

parafimose. [Do gr. *paraphímosis.*] *S. f. Patol.* Estrangulamento da base da glande do pênis pelo prepúcio estreitado e que se retraiu aquém da coroa (19) e não pode ser mobilizado para diante.

parafimósico. *Adj.* Relativo à parafimose.

parafina. [Do fr. *paraffine.*] *S. f. Quím.* **1.** Designação genérica dos hidrocarbonetos saturados. **2.** Material sólido, branco, translúcido, proveniente da destilação do alcatrão do petróleo, ou do alcatrão de madeira, constituído por uma mistura de hidrocarbonetos saturados e insaturados.

parafinação. *S. f.* Parafinagem.

parafinado[1]. [De *parafina* + *-ado*[1].] *Adj.* Parafínico.

parafinado[2]. [Part. de *parafinar.*] *Adj.* **1.** Convertido em parafina. **2.** Misturado com parafina. **3.** Recoberto de parafina. ~ V. *papel* —.

parafinagem. *S. f.* Ato ou efeito de parafinar; parafinação.

parafinar. *V. t. d.* **1.** Converter em parafina. **2.** Misturar com parafina. **3.** Revestir de parafina (vários produtos industriais).

parafinaria. *S. f.* Fábrica de velas de parafina.

parafínico. *Adj.* Da natureza da parafina; parafinado.

parafiscal. [De *par(a)-* + *fiscal.*] *Adj. 2 g. Dir.* e *Fin.* Diz-se do tributo instituído menos para se obter receita que para regular ou modificar a distribuição da riqueza, ou dos níveis de preços das utilidades, ou, ainda, com outros objetivos sociais ou econômicos semelhantes.

parafiscalidade. *S. f. Dir.* e *Fin.* Qualidade ou condição de parafiscal.

paráfise. [Do gr. *paráphysis.*] *S. f. Morfol. Veg.* Hifa estéril que se encontra, entre os ascos e basídios, no

himênio de fungos e liquens.
pára-fogo. [De *parar* + *fogo.*] *S. m.* Móvel que se põe diante do fogo para desviar o calor; guarda-fogo. [Pl.: *pára-fogos.*]
parafonia. [De *par(a)-* + *-fon(o)-* + *-ia.*] *S. f. Med.* Alteração mórbida da voz.
parafônico. *Adj.* Relativo à, ou em que há parafonia.
paráfrase. [Do gr. *paráphrasis*, pelo lat. *paraphrase.*] *S. f.* **1.** Desenvolvimento do texto de um livro ou de um documento conservando-se as idéias originais; metáfrase. **2.** Tradução livre ou desenvolvida. **3.** *Fam.* Comentário malevolente.
parafrasear. *V. t. d.* **1.** Traduzir ou explicar por meio de paráfrase. **2.** Explicar desenvolvendo. [Conjug.: v. *frear.*]
parafrasta. [Do gr. *paraphrástes*, pelo lat. *paraphrastes.*] *S. 2 g.* Autor de paráfrases.
parafrástico. [Do gr. *paraphrastikós.*] *Adj.* Relativo a, ou que tem caráter de paráfrase.
parafrenia. [De *par(a)-* + *-fren(o)-*[1] + *-ia.*] *S. f. Psiq.* Delírio crônico de que há diferentes formas, e que permite, a despeito do caráter freqüentemente extravagante, uma adaptação social e profissional significativa.
parafrênico. *Adj.* Respeitante à parafrenia.
parafusador (ô). *Adj.* e *s. m.* Que ou aquele que parafusa.
parafusar. *V. t. d.* **1.** Fixar ou apertar por meio de parafuso(s) ou rosca(s); atarraxar, tarraxar. **2.** Esquadrinhar, especular, perscrutar. *T. i.* **3.** Pensar, cismar, meditar detidamente; matutar: *Parafusou longamente numa solução para o caso. Int.* **4.** Pensar, refletir, matutar: "E parafusava, sem se lhe deparar nada que apaziguasse um tanto as iras exasperadas, em fremente ebulição." (Visconde de Taunay, *Ao Entardecer*, p. 150.) [F. paral.: *aparafusar.*]
parafuso. *S. m.* **1.** Cilindro sulcado em hélice, e que se destina a ser introduzido, por meio de movimentos giratórios, em uma porca (2), sulcada do mesmo modo, mas na qual os sulcos correspondem às saliências do parafuso; parafuso de porca. **2.** Prego sulcado em hélice como o parafuso (1), com uma fenda na cabeça, à qual se adapta a chave de parafuso, e que se fixa à madeira ou a outro material resistente por meio de rotação e pressão; parafuso de fenda. **3.** A parte de qualquer objeto terminado em rosca como o parafuso: *o parafuso de uma prensa.* **4.** Rosca (1); tarraxa: *o parafuso de um brinco.* **5.** Acrobacia aérea na qual o avião descreve uma espiral muito fechada em volta do seu eixo vertical de descida. **6.** *Bras., PE. Folcl.* Passo de frevo em que o bailarino, com flexão total das pernas, se apóia de início em um pé, enquanto o outro se vira, permitindo o apoio de lado, arreando o corpo devagar. **7.** *Bras.* Certo golpe de capoeira; molinete. ♦ **Parafuso Allen.** O que tem na cabeça uma reentrância com as faces sextavadas. **Parafuso de Arquimedes.** Superfície helicoidal que, girando em torno do próprio eixo, serve para elevar líquidos. **Parafuso de fenda.** Parafuso (2). **Parafuso de porca.** Parafuso (1). **Parafuso micrométrico.** *Fís.* Parafuso de passo muito pequeno, regular e exato, por meio do qual se provocam deslocamentos pequeníssimos nas partes móveis de um instrumento. **Parafuso Phillips.** O que tem na cabeça uma reentrância com a forma de uma cruzeta. **Parafuso sem fim.** Parafuso que engranza na periferia duma roda dentada e lhe transmite movimento quando gira. [Tem a propriedade de ser irreversível: a transmissão do movimento só se faz do parafuso para a roda dentada, sendo impossível transmiti-lo da roda dentada para o parafuso.] **Entrar em parafuso.** *Bras. Gír.* Ficar desorientado, baratinado. **Ter um parafuso de menos.** *Fam.* Ser aluado, meio desequilibrado mentalmente; ter um parafuso de mais; ter um parafuso frouxo; ter uma aduela de menos; ter uma aduela de mais; ter uma telha de menos, ter uma telha a mais. **Ter um parafuso de mais.** *Fam.* V. *ter um parafuso de menos.* **Ter um parafuso frouxo.** *Fam.* V. *ter um parafuso de menos.*
paragão. [Do it. *paragone.*] *S. m.* Semelhança; comparação, confronto.
paragata. [Alter. de *alpargata.*] *S. f. Bras. Pop.* V. *alpercata.*
paragem. [De *parar* + *-agem*[2].] *S. f.* **1.** Ato de parar; parada. **2.** V. *parada* (2). **3.** Local onde alguém ou algo poderá encontrar-se: *O telegrama refere-se à paragem dos exploradores da cachoeira.* **4.** *Ant.* Parte do mar acessível à navegação. **5.** *Lus.* Lugar onde pára um ônibus, bonde, etc., para subida e/ou descida de passageiros; ponto de parada; parada: "nas ruas do centro, outros automóveis cruzavam-se, as paragens dos elétricos obrigavam o táxi a esperas que lhe pareciam não ter fim." (José-Augusto França, *Despedida Breve*, p. 71).
paragênese. [De *par(a)-* + *gênese.*] *S. f. Pet.* Associação de minerais constituídos pelo mesmo processo genético, quer numa rocha magmática, quer num veeiro hidrotermal.
paragenésico. *Adj.* Paragenético.
paragenético. *Adj.* Relativo à, ou que se constitui mediante paragênese; paragenésico.
parageusia. [De *par(a)-* + gr. *geûsis*, 'gosto', + *-ia.*] *S. f. Med.* Perversão do sentido do gosto.
parageúsico. *Adj.* Relativo à parageusia.
paragnaisse. [De *par(a)-* + *gnaisse.*] *S. m. Pet.* Gnaisse resultante do metamorfismo de antigos sedimentos (em contraposição ao *ortognaisse* [q. v.]).
paragoge. [Do gr. *paragogé*, pelo lat. *paragoge.*] *S. f. Gram.* Adição de letra ou sílaba no fim de uma palavra; epítese. Ex.: *antes*, por *ante*; *quites* (f. errônea), por *quite.*
paragógico. *Adj.* Em que há paragoge, ou resultante de paragoge: *A forma* quites *(no singular) é paragógica: o normal é* quite; *o s de* quites *é paragógico.* ~ V. *charada —a.*
paragonar. [Do it. *paragonare.*] *V. t. d.* Comparar, cotejar, assemelhar.
paragonita. [Do gr. *parágon*, 'desencaminhando', + *-ita*[3].] *S. f. Min.* Mineral monoclínico correspondente à moscovita sódica.
paragrafação. *S. f.* Ato ou efeito de paragrafar.
paragrafar. *V. t. d.* Dividir em parágrafos. [Sin. (ant.): *parrafar.* Pres. ind.: *paragrafo*, etc. Cf. *parágrafo.*]
paragrafia. [De *par(a)-* + *-graf(o)-* + *-ia.*] *S. f. Med.* Distúrbio em que o paciente soletra errado ou escreve uma palavra por outra.
paragráfico. *Adj.* Referente à paragrafia.
parágrafo. [Do gr. *parágraphos*, pelo lat. *paragraphu.*] *S. m.* **1.** Seção de discurso ou de capítulo que forma sentido completo, e que usualmente se inicia com a mudança de linha e entrada. **2.** V. *alínea* (2). **3.** Sinal (§) que separa tais seções. [Sin. ger. (ant.): *párrafo.* Cf. *paragrafo*, do v. *paragrafar.*] ♦ **Parágrafo espanhol.** *Tip.* Aquele cuja última linha é centrada; triângulo espanhol. **Parágrafo francês.** *Tip.* Composição em sumário.
paragrama. [De *par(a)-* + *-grama.*] *S. m.* Erro de grafia que consiste no emprego de uma letra por outra.
paragramatismo. [Do gr. *paragrammatismós.*] *S. m.* Aliteração.
paraguá. *Bras. S. 2 g.* **1.** Indivíduo dos paraguás, tribo indígena do rio Paraguaçu (MG), mencionados no séc. XVI. ● *Adj. 2 g.* **2.** Pertencente ou relativo a essa tribo.
paraguaçu. *S. m. Bras.* V. *parauaçu.*
paraguaçuense[1]. *Adj. 2 g.* **1.** De, ou pertencente ou relativo a Paraguaçu (MG). ● *S. 2 g.* **2.** Natural ou habitante de Paraguaçu.
paraguaçuense[2]. *Adj. 2 g.* **1.** De, ou pertencente ou relativo a Paraguaçu Paulista (SP). ● *S. 2 g.* **2.** Natural ou habitante de Paraguaçu Paulista.
paraguai. *S. f. Bras.* V. *maitaca-roxa.* [Cf. *Paraguai*, top.]
paraguaia. *S. f. Bras.* V. *piriguara*[2].
paraguaiano. *Adj.* **1.** Relativo ao rio Paraguai. **2.** *P. us.* Paraguaio (1). ● *S. m.* **3.** *P. us.* Paraguaio (2).
paraguaio. *Adj.* **1.** Do, ou pertencente ou relativo ao Paraguai (América do Sul). ● *S. m.* **2.** O natural ou habitante do Paraguai. [Sin. ger., p. us.: *paraguaiano.*]
paraguatã. [Do caribe *parauatani.*] *S. f. Bras., Amaz.* Arbusto de 2 a 3 m, que chega a ser uma arvoreta de 6 m, da família das rubiáceas (*Sickingia tinctoria*), da floresta pluvial, de folhas sésseis, pequenas, citrinas e agregadas em inflorescências glomeruliformes, e cuja casca fornece tinta vermelha.
paraíba[1]. [Do tupi *pa'rab*, 'variegado', + *ĩwa*, 'árvore'.] *S. f. Bras.* V. *marupá.*
paraíba[2]. [Do tupi *para'iwa*, 'rio imprestável'.] *S. f.* **1.** *Bras.*, Trecho de rio que não pode ser navegado. **2.** *Bras. Pop.* Virago; mulher macha, mulher macho. ● *S. m.* **3.** *Bras. Pop.* Operário de construção civil, não qualificado.
paraibano (a-i). *Adj.* **1.** Da ou pertencente ou relativo à PB. ● *S. m.* **2.** O natural ou habitante desse estado.
paraibense (a-i). *Adj. 2 g.* **1.** De, ou pertencente ou relativo a Paraibano (MA). ● *S. 2 g.* **2.** Natural ou habitante de Paraibano.
paraibunense (a-i). *Adj. 2 g.* **1.** De, ou pertencente ou relativo a Paraibuna (SP). ● *S. 2 g.* **2.** Natural ou habitante de Paraibuna.
paraidrogênio (a-i). [De *par(a)-* + *hidrogênio.*] *S. m. Fís.* Hidrogênio em que os spins do próton e do elétron são antiparalelos.
paraisense[1] (a-i). *Adj. 2 g.* **1.** De, ou pertencente ou relativo a Paraíso (SP). ● *S. 2 g.* **2.** Natural ou habitante de Paraíso.
paraisense[2] (a-i). *Adj. 2 g.* **1.** De, ou pertencente ou relativo a São Sebastião do Paraíso (MG). ● *S. 2 g.* **2.** Natural ou habitante de São Sebastião do Paraíso.
paraíso. [Do velho persa *paridaeza*, 'recinto circular', pelo hebr. *pardes*, pelo gr. *parádeisos* e pelo lat. *paradisu.*] *S. m.* **1.** Lugar de delícias onde, ao que reza a Bíblia, Deus colocou Adão e Eva; Éden. **2.** Céu (6). **3.** *Fig.* e *fam.* Lugar aprazível, delicioso; Éden.
paraisopolitano (a-i). *Adj.* **1.** De, ou pertencente ou relativo a Paraisópolis (MG). ● *S. m.* **2.** O natural ou habitante de Paraisópolis.
paraitunga (a-i). *Bras. S. 2 g.* e *adj. 2 g.* Paracanã.
parajá. [De *parar* + *já.*] *S. f. Bras.* V. *pirajá.*
paraláctico. *Adj.* Respeitante a paralaxe. ~ V. *desigualdade —a, eclipse —a* e *régua —a.* [Var.: *paralático.*]
paralalia. [De *par(a)-* + gr. *laléo*, 'falar' + *-ia.*] *S. f. Med.* Qualquer distúrbio da fala, notadamente a emissão de som que não o desejado, ou o uso, na fala, de um fonema em lugar de outro.
pára-lama. [De *parar* + *lama*[1].] *S. m.* Anteparo curvo, ou parte recurvada da carroçaria, que se situa por cima das rodas de veículos para proteger de respingos de lama, água ou detritos, quando o veículo se acha em movimento. [Sin., lus.: *guarda-lama.* Pl.: *pára-lamas.*]
paralampsia. [Do gr. *parálampsis* + *-ia.*] *S. f. Patol.* Mancha branca na córnea.
paralâmptico. *Adj.* Relativo à paralampsia.
paralático. *Adj.* Var. de *paraláctico* [q. v.].
paralaxe (cs). [Do gr. *parállaxis.*] *S. f.* **1.** *Náut.* Correção que é necessário introduzir na altura de um astro em relação ao horizonte aparente para ter a sua altura em relação ao horizonte racional. [No caso do Sol, da Lua e dos planetas do sistema solar, seu valor é considerável; no caso das estrelas, é nulo.] **2.** *Astron.* Ângulo sob o qual seria visto de um astro um comprimento igual ao raio da Terra, no caso dos astros do sistema solar, ou o semi-eixo maior da órbita da Terra, no caso das estrelas. ♦ **Paralaxe ânua.** *Astr.* V. *paralaxe trigonométrica.* **Paralaxe anual.** *Astr.* V. *paralaxe trigonométrica.* **Paralaxe dinâmica.** *Astr.* Paralaxe de uma estrela binária, deduzida do conhecimento de sua órbita. **Paralaxe diurna.** *Astr.* Paralaxe de um astro do sistema solar. **Paralaxe espectroscópica.** *Astr.* Paralaxe de uma estrela, obtida indiretamente com o auxílio do diagrama Hertzprung-Russel [q. v.]. **Paralaxe estatística.** *Astr.* Paralaxe de uma estrela, deduzida do estudo estatístico do movimento próprio de grande número de estrelas; paralaxe hipotética. **Paralaxe fotométrica.** *Astr.* Paralaxe de uma estrela, obtida da relação entre as suas magnitudes aparente e absoluta, a primeira das quais observada e a segunda deduzida de outra propriedade da estrela. **Paralaxe hipotética.** *Astr.* Paralaxe estatística. **Paralaxe horizontal.** *Astr.* Paralaxe quando o astro considerado está no horizonte. **Paralaxe secular.** *Astr.* Paralaxe de uma estrela, determinada pelo movimento de translação do sistema solar no decorrer de um século. **Paralaxe trigonométrica.** *Astr.* Paralaxe obtida diretamente pela análise da variação anual da direção de uma estrela, em virtude do movimento orbital da Terra; paralaxe ânua, paralaxe anual.
paraldeído. [De *par(a)-* + *aldeído.*] *S. m. Quím.* Trímero do acetaldeído, líquido, incolor, com cheiro característico, usado como sedativo, hipnótico, e em sínteses orgânicas. [Fórm.: $C_6H_{12}O_3$.]
paralela. [Fem. substantivado de *paralelo.*] *Geom. Adj. (f.).* **1.** Diz-se de duas retas que, situadas no mesmo plano, não têm ponto em comum. ● *S. f.* **2.** Reta que só tem em comum com outra um ponto no infinito. ~ V. *paralelas.*
paralelas. [Fem. pl. do adj. *paralelo.*] *S. f. pl.* **1.** Barras paralelas. **2.** *Tip.* Sinal que indica separação, representado por dois traços verticais [//]; barra dupla. **3.** *Tip.* Cada um dos dois pares de lâminas que governam os movimentos da caixa de matrizes da monotipo; compassos. ~ V. *paralela.*
paralelepipedal. *Adj. 2 g.* Relativo a, ou que tem forma de paralelepípedo.
paralelepípedo. [Do gr. *parallelepípedon.*] *S. m.* **1.** *Geom.* Prisma cujas bases são paralelogramos; hexaedro cujas faces opostas são paralelas e congruentes. **2.** Designação vulgar do paralelepípedo reto ou retângulo. **3.** Pedra que tem esta forma e se usa no calçamento de ruas: "Na rua havia ainda grandes poças-d'água, posto que os paralelepípedos, já enxutos, aparecessem muito brancos, lavados." (Coelho Neto, *Turbilhão*, p. 46.) [Sin. (em PE), nesta acepç.: *macaco.*] ♦ **Paralelepípedo oblíquo.** *Geom.* O que não é reto. **Paralelepípedo**

retângulo. *Geom.* Paralelepípedo reto cujas bases são retângulos. **Paralelepído reto.** *Geom.* O que tem as arestas laterais perpendiculares à base.
paralelígeros. [De *paralelo* + *-i-* + *-gero.*] *S. m. pl. Zool.* Casta de aranhas que têm os olhos em duas linhas paralelas.
paralelinérveo. *Adj. Morfol. Veg.* Que tem nervuras paralelas.
paralelismo. *S. m.* **1.** Posição de linhas ou superfícies paralelas. **2.** *Fig.* Correspondência ou simetria entre duas ou mais coisas, comparável ao paralelismo das retas. **3.** Correspondência de idéias ou opiniões. **4.** *Liter.* Repetição de idéias de estrofe a estrofe. ♦ **Paralelismo psicofísico.** *Filos.* Hipótese segundo a qual o físico e o psíquico se correspondem termo a termo, desenvolvendo-se como duas séries paralelas, rigorosamente independentes e coincidentes.
paralelística. [Fem. substantivado de *paralelístico.*] *S. f. Liter.* Cantiga de amigo [q. v.] na qual a mesma idéia se repete, com leve alteração, em estrofes de dois versos, em número par, seguidas de um refrão; cantiga paralelística.
paralelístico. *Adj.* **1.** Relativo a paralelismo. **2.** Que contém ou encerra paralelismo (4): *cantigas paralelísticas.* V. *paralelística.*
paralelização. *S. f.* Ato ou efeito de paralelizar.
paralelizar. *V. t. d.* Tornar paralelo.
paralelo. [Do gr. *parállelos,* pelo lat. *parallelu.*] *Adj.* **1.** Diz-se de linhas ou superfícies eqüidistantes em toda a extensão. **2.** *Fig.* Que marcha a par de outro, ou progride na mesma proporção: "As duas repúblicas, Roma e Cartago, tinham origem pouco menos que simultânea e evolução quase paralela." (Aquilino Ribeiro, *Os Avós dos Nossos Avós,* p. 74); *O desenvolvimento físico da criança nos primeiros anos é paralelo ao desenvolvimento mental.* **3.** Análogo, semelhante. ~ V. *barras —as, câmbio —, contabilidade —a, esfera —a, mercado —, planos —s, processamento —, régua —a* e *vectores —s.* ● *S. m.* **4.** *Geogr.* Cada um dos círculos menores da esfera perpendiculares ao meridiano. **5.** *Fig.* Comparação, confronto, cotejo. **6.** *Astr.* V. *círculo de latitude* (2). **7.** *Geom.* Numa superfície de revolução, círculo obtido pela interseção dela com um plano perpendicular ao eixo de rotação. ♦ **Paralelo celeste.** *Astr.* Paralelo de declinação. **Paralelo de declinação.** *Astr.* Lugar geométrico dos pontos da esfera celeste que têm a mesma declinação; paralelo celeste. **Paralelo de latitude.** *Astr.* V. *círculo de latitude* (2). **Paralelo geodésico.** *Geom. Anal.* Curva que intercepta ortogonalmente as geodésicas de uma superfície.
paralelogrâmico. *Adj. Geom.* Que tem a forma de paralelogramo.
paralelogramo. [Do gr. *parallelógrammon,* pelo lat. *parallelogrammu.*] *S. m. Geom.* Quadrilátero plano cujos lados opostos são paralelos.
paralexia (cs). [De *par(a)-* + *-lex-* + *-ia.*] *S. f. Patol.* Perturbação da capacidade de leitura, em que ocorre mudança de posição das letras e sílabas, produzindo confusão na palavra escrita.
paralheiro. *S. m.* Recipiente em que, nos engenhos de açúcar, se baldeia o melaço.
parálico. [Do gr. *parálios,* 'situado perto do mar', + *-ico*²*.*] *Adj. Geol.* **1.** Diz-se do ambiente de sedimentação intermediário entre continente e mar, e que apresenta as características ora de um, ora de outro. **2.** Diz-se do depósito sedimentar que se forma nessa região.
parálio. [Do gr. *parálios.*] *Adj.* Próximo do mar; marítimo.
paralipômenos. [Do gr. *Paraleipómena.*] *S. m. pl.* **1.** Parte da Bíblia que abrange toda a história sagrada até o exílio babilônico; Livro das Crônicas. **2.** *Fig.* Suplemento a qualquer obra literária.
paralipse. [Do gr. *paráleipsis.*] *S. f. Ret.* Preterição (2).
paralíptico. *Adj.* Relativo à, ou em que há paralipse.
paralisação. *S. f.* **1.** Ato ou efeito de paralisar(-se). **2.** Suspensão, interrupção, pausa, parada.
paralisar. [Do gr. *parálysis,* 'relaxamento, paralisia', + *-ar*²*.*] *V. t. d.* **1.** Tornar paralítico; paraliticar: *O derrame cerebral paralisou o lado direito do pobre rapaz.* **2.** Tornar inerte; entorpecer: *O susto paralisou-o.* **3.** Enfraquecer a ação ou energia de; neutralizar. *Int.* e *p.* **4.** Tornar-se paralítico; paraliticar(-se). **5.** Sofrer paralisia. **6.** Não progredir; estacionar.
paralisia. [Do gr. *parálysis,* 'relação, fraqueza', + *-ia.*] *S. f.* **1.** *Med.* Perda de função motora em determinada parte do corpo. **2.** *Med. P. ext.* Perda de função sensorial. **3.** *Fig.* Falta de ação; marasmo, torpor, entorpecimento. ♦ **Paralisia agitante.** *Patol.* Denominação impr. dada à doença de Parkinson [q. v.]. **Paralisia bilateral.** *Patol.* Diplegia. **Paralisia geral.** *Patol.* Meningoencefalite difusa, de origem sifilítica, com manifestações mentais e neurológicas; paralisia geral progressiva, paralisia geral dos alienados. **Paralisia geral dos alienados.** *Patol.* V. *paralisia geral.* **Paralisia geral progressiva.** *Patol.* V. *paralisia geral.* **Paralisia infantil.** *Patol.* Moléstia infecciosa aguda que ataca de preferência as crianças e se caracteriza por paralisias seguidas de atrofia muscular; poliomielite anterior aguda, doença de Heine-Medin.
paraliticar. *V. t. d.* e *p. P. us.* Tornar(-se) paralítico; paralisar-se. [Conjug.: v. *trancar.* Pres. ind.: *paralítico,* etc. Cf. *paralítico.*]
paralítico. [Do gr. *paralytikós,* pelo lat. *paralyticu.*] *Adj.* e *s. m.* Que, ou aquele que sofre de paralisia. [Sin. (bras., fam.): *paradão.* Cf. *paralitico,* do v. *paraliticar.*]
páralo. [Do gr. *páralos.*] *S. m.* Embarcação sagrada dos atenienses, empregada apenas em serviço da religião ou do Estado.
paralogismo. [Do gr. *paralogismós.*] *S. m. Filos.* Raciocínio falso. [É sin. de *sofisma,* mas sem a conotação pejorativa deste, que abriga a intenção determinada de enganar: o paralogismo supõe a boa fé de quem o comete.]
pára-luz. [De *parar* + *luz.*] *S. m.* V. *abajur* (1): "O homem político quase não se via, porque havia apenas o candeeiro protegido pelo pára-luz de seda rubra e ele ficava recostado longe" (João do Rio, *Vida Vertiginosa,* p. 183). [Pl.: *pára-luzes.*]
paramagnético. [De *par(a)-* + *magnético.*] *Adj. Fís.* Diz-se de um corpo cuja permeabilidade magnética relativa é maior que a unidade.
paramagnetismo. [De *par(a)-* + *magnetismo.*] *S. m. Fís.* Propriedade das substâncias cuja suscetibilidade magnética é pequena e positiva, e que se magnetizam na direção de um campo externo.
paramarioba. [Do tupi?] *S. f. Bras.* V. *fedegoso* (2).
parambiju. [Do tupi *mbe'yu pi'rá,* 'biju peixe'.] *S. m. Bras., PA.* V. *bijupirá.*
paramédico. [De *par(a)-* + *médico.*] *Adj.* **1.** Relativo à complementação de serviços médicos. **2.** Que tem relação secundária com a medicina. "De sua atividade nas letras paramédicas, ficaram belas páginas" (Clementino Fraga Filho, *Idéias e Ideais,* p. 25).
paramentação. *S. f.* Ato ou efeito de paramentar(-se).
paramentado. [Part. de *paramentar.*] *Adj.* **1.** Revestido com os paramentos. **2.** Cheio de atavios; adornado, enfeitado, ornamentado.
paramentar. *V. t. d.* **1.** Cobrir com paramentos. **2.** Adornar, ornar, enfeitar, ataviar. *P.* **3.** Vestir-se com os paramentos. **4.** Adornar-se, ornar-se, enfeitar-se, ataviar-se. [F. paral.: *aparamentar.*]
paramenteiro. *S. m.* Alfaiate de paramentos eclesiásticos.
paramento. [Do lat. *paramentu.*] *S. m.* **1.** Adorno, enfeite; ornato, atavio. **2.** Face polida de pedra ou de madeira, própria para construção. **3.** Superfície aparente de uma parede ou de um muro. ~ V. *paramentos.*
paramentos. [Pl. de *paramento.*] *S. m. pl.* **1.** Vestes litúrgicas: "Depois Macário [sacristão] tirara fora da cômoda os ricos paramentos sagrados de S. Rev.^{ma}" (Inglês de Sousa, *O Missionário,* p. 102). **2.** Alfaias das igrejas. ~ V. *paramento.* [Sin. ger.: *ornamentos.*]
parametamórfico. [De *par(a)-* + *metamórfico.*] *Adj.* ~ V. *rocha —a.*
paramétrico. *Adj.* Relativo a parâmetro. ~ V. *equação —a.*
paramétrio. [De *par(a)-* + *-metr(o)-*¹ + *-io.*] *S. m. Anat.* Cada uma das duas lâminas ou bainhas formadas de tecido conjuntivo e fibras musculares lisas, que se situam entre as camadas de cada ligamento largo e de um lado do colo do útero e porção superior da vagina. Dirigem-se à parede lateral da bacia e servem como elemento de sustentação.
parametrite. [De *paramétrio* + *-ite*¹.] *S. f. Patol.* Inflamação de paramétrio.
parâmetro. [De *par(a)-* + *-metro.*] *S. m.* **1.** *Mat.* Variável ou constante à qual, numa relação determinada ou numa questão específica, se atribui um papel particular e distinto do das outras variáveis ou constantes. **2.** *Mat. P. ext.* Todo elemento cuja variação de valor modifica a solução dum problema sem lhe modificar a natureza. **3.** *P. ext.* Padrão, escalão, craveira. ♦ **Parâmetro de desaceleração.** *Cosm.* Medida que serve para indicar a taxa de freagem da expansão do Universo. [Sin: *constante de desaceleração.*]
paramilitar. [De *par(a)-* + *militar.*] *Adj. 2 g.* Diz-se de corporações particulares de cidadãos, armados, fardados e adestrados, que não fazem parte do exército ou da polícia de um país: *A Guarda Nacional, organização paramilitar, prestou grandes serviços ao Brasil no tempo do Império.*
paramimia. [De *par(a)-* + *-mim(o)-* + *-ia.*] *S. f.* Dissociação entre as idéias e os gestos que devem exprimi-las.
paramímico. *Adj.* Referente à paramimia.
pará-minense. *Adj. 2 g.* **1.** De, ou pertencente ou relativo a Pará de Minas (MG). ● *S. 2 g.* **2.** Natural ou habitante de Pará de Minas. [Pl.: *pará-minenses.*]
paramirinhense. *Adj. 2 g.* **1.** De, ou pertencente ou relativo a Paramirim (BA). ● *S. 2 g.* **2.** Natural ou habitante de Paramirim.
paramnesia. *S. f.* Paramnésia.
paramnésia. [De *par(a)-* + *-mnes(i)-* + *-ia.*] *S. f.* **1.** Perturbação da memória em que as palavras são relembradas fora do seu significado exato. **2.** Estado em que o indivíduo relembra fatos jamais acontecidos. [Var. pros.: *paramnesia.*]
paramnésico. *Adj.* Referente à paramnésia.
páramo. [De or. pré-romana, atr. do lat. *paramu.*] *S. m.* **1.** Planície deserta: "O mar dorme tranqüilo e sossegado, / E o céu daquele dia / É como infindo páramo azulado." (Gonçalves Crespo, *Obras Completas,* p. 73). **2.** *P. ext.* A abóbada celeste; o firmamento. **3.** A porção alpina dos Andes. [Pl.: *páramos.* Cf. *paramos,* do v. *parar.*]
paramorfismo. [De *par(a)-* + *-morf(o)-* + *-ismo.*] *S. m.* Transformação de um mineral em outro sem mudança de composição química, alternando-se apenas a estrutura cristalina.
paraná. [Do tupi *para ná,* 'semelhante ao mar'.] *S. m. Bras., Amaz.* **1.** Braço de rio caudaloso, separado deste por uma ilha: "O *Justo Chermont* ora enfiava pelos estreitos 'paranás', tão ocultos nas margens que o barco dir-se-ia entrar na própria floresta, ora despachava para o céu os rolos do seu fumo em pleno centro do rio." (Ferreira de Castro, *A Selva,* p. 49.) **2.** Canal que liga dois rios.
paranabóia. *S. m. Bras., MT.* Reptil ofídio, da família dos colubrídeos (*Oxibelis fulgidus* (Daud)), das regiões equatorial e tropical do Brasil, de coloração azul-metálico vivo. [Cf. *bicuda* (1).]
paranacitense. *Adj. 2 g.* **1.** De, ou pertencente ou relativo a Paranacity (PR). ● *S. 2 g.* **2.** Natural ou habitante de Paranacity.
paranaense. *Adj. 2 g.* **1.** Do, ou pertencente ou relativo ao PR. [Sin., no S.: *paranista.*] ● *S. 2 g.* **2.** Natural ou habitante desse estado. [Sin., no S.: *paranista* e *tingui.* Cf. *paranãense.*]
paranãense. *Adj. 2 g.* **1.** De, ou pertencente ou relativo a Paranã (GO) ● *S. 2 g.* **2.** Natural ou habitante de Paranã. [Cf. *paranaense.*]
paranaí. [Do tupi.] *S. f. Bras., PA.* V. *maitaca-roxa.*
paranaibano¹ (a-i). *Adj.* **1.** De, ou pertencente ou relativo a Paranaíba (MS). ● *S. m.* **2.** O natural ou habitante de Paranaíba.
paranaibano² (a-i). *Adj.* **1.** De, ou pertencente ou relativo a Paranaíba de Goiás (GO). ● *S. m.* **2.** O natural ou habitante de Paranaíba de Goiás.
paranambuca. [Do tupi.] *S. f. Bras.* Passagem entre recifes costeiros, ou entradas de um lagamar.
paraná-mirim. *S. m. Bras.* **1.** Paraná pequeno. **2.** O menor dos dois braços em que um rio se divide. [Pl.: *paranás-mirins.*]
paranapanemense. *Adj. 2 g.* **1.** De, ou pertencente ou relativo a Paranapanema (SP). ● *S. 2 g.* **2.** Natural ou habitante de Paranapanema.
paranasal. [De *par(a)-* + *nasal.*] *Adj. 2 g. Anat.* Situado próximo às fossas nasais. V. *seio —.*
paraneuróptero. *S. m.* V. *odonato.*
paraneurópteros. *S. m. pl. Zool.* V. *odonatos.*
parança. [De *parar,* com infl. de *andança.*] *S. f.* **1.** Ato de parar. **2.** Descanso, folga; pausa: "Seu fito era andar sem parança, chegar depressa." (João da Silva Correia, *Farândola,* p. 50.) **3.** Demora, delonga.
paranéfrico. [De *par(a)-* + *-nefr(o)* + *-ico*².] *Adj.* Situado ao lado de rim.
paranéia. *S. f. Patol.* V. *paranóia.*
paranéico. *Adj.* e *s. m.* V. *paranóico.*
parangolé. *S. m. Bras., RJ. Pop.* Conversa fiada; lábia.
parangona. [Dev. de *parangonar.*] *S. f. Tip.* Alinhamento de tipos de corpo diverso.
parangonagem. *S. f. Tip.* Ato ou efeito de parangonar.
parangonar. [Do fr. *parangonner.*] *V. t. d. Tip.* Combinar (tipos de corpos diferentes) em uma mesma linha, geralmente reta, compensando as diferenças com material branco.
paraninfar. *V. t. d.* Servir como paraninfo, no casamen-

to, batismo, colação de grau, etc., de; apadrinhar: *Foi convidado para* paraninfar *a turma de bacharelandos.*

paranínfico. *Adj.* **1.** Relativo a paraninfo. **2.** De noivos.

paraninfo. [Do gr. *parányphos*, pelo lat. *paranymphu.*] *S. m.* **1.** *Ant.* Padrinho (1 e 2). **2.** *Fig.* Padrinho (3). **3.** Em certas solenidades, pessoa a quem se prestam homenagens e que, em geral, as retribui e agradece proferindo discurso; padrinho.

paranista. *Adj. 2 g.* e *s. 2 g. Bras., S.* V. *paranaense.*

paranóia. [Do gr. *paránoia.*] *S. f. Psiq.* Psicopatia, de que há várias formas clínicas, caracterizada pelo aparecimento de ambições suspeitas, que se acentuam, evoluindo para delírios persecutório e de grandeza estruturados sobre base lógica. [A f. *paranéia*, preferível, é p. us.]

paranóico. *Adj.* **1.** Relativo à, ou próprio da paranóia. **2.** Que sofre de paranóia. ● *S. m.* **3.** Aquele que dela sofre. [A. f. *paranéico*, preferível, é p. us.]

paranormal. [De *par(a)-* + *normal.*] *Adj. 2 g.* Que está fora dos limites da experiência normal ou dos fenômenos explicáveis cientificamente: "O exame mais aprofundado dos fenômenos paranormais, como a telepatia, a percepção extra-sensória e a *telekinesis*" (Mário da Silva Brito, *O Fantasma sem Castelo*, p. 41).

paraopebense. *Adj. 2 g.* **1.** De, ou pertencente ou relativo a Paraopeba (MG). ● *S. 2 g.* **2.** Natural ou habitante de Paraopeba.

parapará. [Do tupi *parapa'rá.*] *S. m. Bras.* Designação comum a três plantas, uma da família das araliáceas (*Schefflera paraensis*), outra das bignoniáceas (*Jacaranda copaia*), e a terceira das borragináceas (*Cordia tetrandra*).

parapeitar. *V. t. d.* Formar o parapeito de.

parapeito. [Do it. *parapetto.*] *S. m.* **1.** Muro, parede, etc., que se eleva à altura do peito ou pouco menos. **2.** Peça de madeira ou de outro material que compõe a parte inferior de uma janela e serve de apoio a quem nela se debruça; peitoril. **3.** A parte superior duma trincheira de fortificação, destinada a resguardar os soldados que podem fazer fogo por cima dela.

parapétalo. [De *par(a)-* + *-pétalo.*] *Adj. Bot. P. us.* Diz-se das partes de uma corola quando são mais ou menos semelhantes às pétalas, porém situadas mais interiormente, como no heléboro. [É palavra de significação imprecisa.]

parapeunense (e-u). *Adj. 2 g.* **1.** De, ou pertencente ou relativo a Parapeúna (RJ). ● *S. 2 g.* **2.** Natural ou habitante de Parapeúna.

paraplegia. [Do gr. *paraplegía.*] *S. f. Patol.* Paralisia dos membros inferiores, que compromete parcialmente também o tronco: "Atacado por uma paraplegia, saiu de lá [do hospital] .... numa cadeira de rodas" (Bernardo Pinheiro, Pindela, *Azulejos*, p. 165).

paraplégico. *Adj.* **1.** Relativo à, ou que tem paraplegia. ● *S. m.* **2.** Aquele que a tem.

parapletênquima. *S. m. Morfol. Veg.* Falso tecido, próprio dos fungos, no qual as hifas perderam a individualidade, razão por que se parece com um genuíno tecido vegetal.

parapodário. *Adj.* Que tem parápodes.

parápodes. [De *par(a)-* + *-pode.*] *S. m. pl. Zool.* Expansões laterais dos anelídeos poliquetas, que lhes servem para a locomoção.

parapsicologia. [De *par(a)-* + *psicologia.*] *S. f.* Ciência que estuda experimentalmente os fenômenos ditos ocultos (comunicação com o espírito dos mortos, dissociação da personalidade, comunicação telepática, etc.).

parapsicológico. *Adj.* Referente à parapsicologia.

parapsicólogo. *S. m.* Especialista em parapsicologia.

parapsocido. *S. m.* **1.** Espécime dos parapsocidos. ● *Adj.* **2.** Pertencente ou relativo a eles.

parapsocidos. *S. m. pl. Zool.* Insetos da ordem dos corrodentes, subordem *Parapsocida*, de antenas em geral com 15 a 47 segmentos e tarso sempre trímero.

parapuense. *Adj. 2 g.* **1.** De, ou pertencente ou relativo a Parapuã (SP). ● *S. 2 g.* **2.** Natural ou habitante de Parapuã.

pára-quedas. [De *parar* + o pl. de *queda.*] *S. m. 2 n.* Aparelho em forma de guarda-chuva, que serve para reduzir a velocidade da queda dos corpos no ar.

pára-quedismo. *S. m. Bras.* **1.** Técnica do salto de pára-quedas usada para fins militares, para salvamento, ou como esporte. **2.** Emprego sistemático do pára-quedas. [Pl.: *pára-quedismos.*]

pára-quedista. *S. 2 g.* **1.** Pessoa especializada em descidas em pára-quedas. *S. m.* **2.** Militar que recebeu preparo para se atirar de pára-quedas e combater na retaguarda inimiga ou em pontos estratégicos. **3.** Pessoa que faz pára-quedismo. ● *Adj. 2 g.* **4.** Que pratica o pára-quedismo: *tropas* pára-quedistas. [Pl.: *pára-quedistas.*]

parar. [Do lat. *parare.*] *V. int.* **1.** Cessar de andar, de mover-se, de falar; parar-se: "Pára! Uma terra nova ao teu olhar fulgura! / Detém-te!" (Olavo Bilac, *Poesias*, p. 239.) **2.** Não ter seguimento; não continuar: *Por falta de auditório as conferências* pararam. *T. c.* **3.** Ficar em alguma coisa; não ir além: *Felizmente a sua curiosidade* parou *ali.* **4.** Deixar-se ficar (em algum lugar); fixar-se: *Comprou um automóvel, e já não* pára *na fazenda.* **5.** Ficar suspenso ou imóvel; pairar: *Pesada nuvem* parava *sobre a região.* **6.** Chegar a, alcançar (determinado lugar): *É um lugar remoto, quase ninguém vai* parar *ali.* **7.** Apostar uma quantia ao jogo: Parou *50 mil cruzados no valete, e os perdeu.* **8.** *Bras., RS.* Tomar pousada; hospedar-se, albergar-se. *T. i.* **9.** Cessar; deixar: *Não* parou *de chover, ontem;* "Quando pararam de lhe soprar a testa, de sacolejar-lhe o corpinho magro, Siá Maricota arrebatou-o dos braços da ama, saiu correndo, ... gritando que Pedrinho estava morrendo." (Nélson de Faria, *Tiziu e Outras Estórias*, p. 178.) **10.** Ficar (em alguma coisa); não ir além: Parou *no comentário malicioso: não chegou à ofensa.* **11.** Ficar; permanecer: *Não* parou *uma só pessoa na sala.* **12.** Consistir unicamente; limitar-se, restringir-se: *Sua obrigação não* pára *em resguardar a propriedade. T. d.* **13.** Impedir de andar, de locomover-se; deter: *Vendo o obstáculo,* parou *o cavalo.* **14.** Interromper a marcha, o movimento de; deter, sofrear, estacar: Parou *subitamente o automóvel para não atropelar o pedestre;* "Comício pela aprovação das diretas pára o Rio e reúne 800 mil pessoas na Candelária" (*Jornal do Brasil*, 11.4.1984). **15.** Fazer parar; sustar: *O Corpo de Bombeiros não conseguiu* parar *o incêndio.* **16.** Aparar, desviar: parar *um golpe.* **17.** Apostar[1] (1). *Transobj.* **18.** Tornar, converter: *O ambiente criminoso em que passou a infância* parou-o, *com o tempo, verdadeiro monstro. P.* **19.** Deixar de mover-se; cessar de andar. **20.** *Bras., RS.* Tornar-se, fazer-se: "Falaram do estado do gado que se estava parando lindo" (Vieira Pires, *Querência*, pp. 43-44). [Pres. ind.: *paro, paras, pára, paramos*, etc; pres. subj.: *pare, pares*, etc. Cf. *para*, prep., *páramos*, pl. de *páramo*, e *Páris*, mit. e antr.] ♦ **Parar com.** *Bras. Fam.* Não querer mais relações com, não mais suportar (alguém).

pararaca. [Do tupi *pa'rá*, 'mar' + desin. *ra* + *'aka*, 'chifre'.] *Bras., MG, SP* e *GO.* **1.** *S. m.* Lugar, nos rios, onde a água passa rápida e ruidosa sobre pedregulhos: "A água fazia uma pararaca forte, quase cachoeira, depois sossegava" (Carmo Bernardes, *Jurubatuba*, p. 47). ● *Adj. 2 g.* **2.** Barulhento, palrador, tagarela.

pára-raios. [De *parar* + o pl. de *raio.*] *S. m. 2 n.* Sistema de condutores metálicos colocados nos pontos mais elevados de um edifício e ligados à terra, com o fim de proporcionar um caminho mais fácil às descargas elétricas atmosféricas e evitar danos.

parari. [Do tupi *para'ri.*] *Bras. S. f.* **1.** V. *avoante.* **2.** *S. m.* Erva tintória do alto Amazonas.

parartrema. [Do gr. *parárthrema.*] *S. m. Med.* Luxação incompleta.

pararu. [Do tupi.] *S. m. Bras.* Pomba-espelho.

parasanga. [Do persa *farsang*, pelo gr. *parasággas* e pelo lat. *parasanga.*] *S. f.* Medida itinerária do Irã, equivalente a 3 milhas e 1/4, ou cerca de 5.250 metros.

parasceve. [Do gr. *paraskeué*, 'preparativo'.] *S. f.* **1.** Entre os judeus, a sexta-feira, dia em que se preparavam para celebrar o sábado. **2.** Na liturgia católica, a sexta-feira santa.

parasita. *S. m.* e *adj. 2 g.* V. *parasito.*

parasitação. *S. f.* Ato ou efeito de parasitar.

parasitado. [De *parasito* + *-ado*[1].] *Adj.* e *s. m.* Diz-se de, ou animal ou vegetal que é hospedeiro de parasito.

parasitar. *V. int.* **1.** Viver como parasito. *T. d.* **2.** Viver à custa de; explorar. [F. paral.: *parasitear.* Fut. do pret.: *parasitaria*, etc. Cf. *parasitária*, fem. de *parasitário.*]

parasitário. *Adj.* **1.** Relativo a parasito. **2.** Que tem as propriedades de parasito. [Fem.: *parasitária.* Cf. *parasitaria*, do v. *parasitar.*]

parasitear. *V. int.* e *t. d.* Parasitar. [Conjug.: v. *frear.*]

parasiticida. [De *parasita* + *-i-* + *-cida.*] *Adj. 2 g.* e *s. m.* Que, ou aquilo que destrói parasitos.

parasítico. [Do lat. *parasiticu.*] *Adj.* **1.** Relativo a parasito. **2.** Causado por parasito: *doenças* parasíticas.

parasitífero. [De *parasita* + *-i-* + *-fero.*] *Adj.* Que tem ou alimenta parasitos.

parasitismo. *S. m.* **1.** Qualidade ou condição de parasito. **2.** Vida ou hábitos de parasito (3).

parasito. [Do gr. *parásitos*, pelo lat. *parasitu.*] *S. m.* **1.** Animal que se alimenta do sangue de outro. **2.** Vegetal que se nutre da seiva do outro. **3.** Indivíduo que não trabalha, habituado a viver, ou que vive, à custa alheia. [Sin.: *comedor, esponja* e (bras.) *gaudério, godero, gandulo, pançudo, papa-jantares, zangão, zângano.*] **4.** V. *anopluro.* **5.** V. *chupim* (1). ● *Adj.* **6.** Que nasce ou cresce em outros corpos organizados. **7.** Que vive à custa alheia; arrimadiço, pançudo. **8.** V. *anopluro.* [A f. de maior uso é *parasita.*] ~ V. *janicéfalo* —.

parasitos. [Pl. de *parasito.*] *S. m. pl. Zool.* V. *anopluros.*

parasitose. [De *parasito* + *-ose.*] *S. f. Patol.* Agressão produzida por parasito em hospedeiro, e que pode ocorrer sob a forma ou de infecção ou de infestação.

parasitologia. [De *parasito* + *-log(o)-* + *-ia.*] *S. f.* Estudo científico dos parasitos.

parasitológico. *Adj.* Relativo à parasitologia.

parasitologista. *S. 2 g.* Especialista em parasitologia; parasitólogo.

parasitólogo *S. m.* Parasitologista.

pára-sol. [De *parar* + *sol.*] *S. m.* **1.** V. *guarda-sol* (2). **2.** V. *guarda-chuva.* [Pl.: *pára-sóis.*]

pára-sol-da-china. *S. m.* Árvore da família das esterculiáceas (Sterculia platanifolia), de origem asiática, e cultivada como ornamental. Folhas amplas, arredondadas, cordadas, de três a cinco lobos; flores pequenas, esverdeadas e dispostas em panículas terminais; o fruto é um grande folículo lenhoso. [Pl.: *pára-sóis-da-china.*]

parasselene. *S. m.* V. *parasselênio.*

parasselênio. [De *par(a)-* + *-selen(o)-* + *-io*[2].] *S. m.* Meteoro luminoso que se mostra juntamente com halo e parece multiplicar a imagem da Lua.

parassematografia. [De *par(a)-* + *-semato-* + *-graf(o)-* + *-ia.*] *S. f.* Heráldica.

parassematográfico. *Adj.* Referente à parassematografia; heráldico.

parassematógrafo. *S. m.* Especialista em parassematografia; heraldista.

parassífilis. [De *par(a)-* + *sífilis.*] *S. f. 2 n. Patol.* Designação comum a afecções que se admitia serem devidas à influência indireta da sífilis.

parassifilítico. *Adj.* Respeitante à parassífilis.

parassimpático. [De *par(a)-* + *simpático* (5).] *S. m. Anat.* V. *sistema nervoso autônomo.*

parassíntese. [De *par(a)-* + *síntese.*] *S. f. Gram.* Formação de palavras por aglutinação simultânea de prefixo e sufixo. Ex.: *aflautar* (< *a-*[2] + *flauta* + *-ar*[2]); *enraivecer* (< *en-*[3] + *raiva* + *-ecer*).

parassintético. [De *par(a)-* + *sintético.*] *Adj. Gram.* Relativo à, ou em que há parassíntese.

parastaminia. [De *par(a)-* + *-stamin(e)-* + *-ia.*] *S. f. Morfol. Veg.* Estado dos estames abortados ou dos órgãos que, parecendo estames, não exercem as funções destes.

parastilo. [De *par(a)-* + *-stilo.*] *S. m. Morfol. Veg.* Pistilo abortado, ou órgão que parece pistilo mas não exerce as funções deste.

parataxo. [De *par(a)-* + *tarso.*] *S. m. Zool.* A parte lateral do tarso das aves.

parataxe (cs). [De *par(a)-* + gr. *táxis*, 'arranjo, ordem'.] *S. f. Gram.* Coordenação assindética. Ex.: *Cheguei, vi, venci; São moças belas, cultas, ricas, inteligentes.* [Cf. *hipotaxe.*]

parati[1]. *S. m. Bras.* **1.** Cachaça fabricada em Parati (RJ). **2.** *P. ext.* V. *cachaça* (1): "tragava dois dedos de parati 'pra cortar a friagem' " (Aluísio Azevedo, *O Cortiço*, p. 133.)

parati[2]. [Do tupi *pira'ti*, 'peixe branco'.] *S. m. Bras.* Peixe teleósteo, percomorfo, da família dos mugilídeos (*Mugil curema* Val.), distribuído desde as costas africanas até as costas do Brasil, de coloração branca com salpicos nos flancos, nadadeiras dorsal e anal cobertas de escamas. Diferencia-se das tainhas pela ausência de listras no corpo. É pescado com rede de arrasto. [Sin.: *parati olho-de-fogo, pratiqueira, paratibu, pratibu, solé, mondego.*] ♦ **Parati olho-de-fogo.** *Bras.* V. *parati*[2].

paratibu. *S. m. Bras., BA.* V. *parati*[2].

paratiense. *Adj. 2 g.* **1.** De, ou pertencente ou relativo a Parati (RJ). ● *S. 2 g.* **2.** Natural ou habitante de Parati.

paratífico. *Adj.* Referente ao paratifo ou aos bacilos deste.

paratifo. [De *par(a)-* + *tifo.*] *S. m.. Patol.* Doença infecciosa próxima à febre tifóide e originada pelos bacilos paratíficos.

paratinguense. *Adj. 2 g.* **1.** De, ou pertencente ou relativo a Paratinga (BA). ● *S. 2 g.* **2.** Natural ou habitante de Paratinga.

parátipo. [De *par(a)-* + *-tipo.*] *S. m. Bot.* Espécime que o autor da espécie ou da variedade menciona como igual ao tipo na descrição original.

paratiqueira. [De *parati*[2].] *S. f. Bras., AM.* Tainha pequena. [Cf. *pratiqueira.*]

paratireóide. [De *par(o)-* + *tireóide.*] *Adj. (f.) e s. f. Anat.* Diz-se de, ou cada uma das glândulas de secreção interna situadas atrás da tireóide, geralmente em número de quatro, e que exercem papel regulador no metabolismo do cálcio e do fósforo.

paratiri. *Bras. S. 2 g.* **1.** Indivíduo dos paratiris, tribo indígena de RR. ● *Adj. 2 g.* **2.** Pertencente ou relativo a essa tribo.

paratitlário. *S. m.* Autor de paratitlos.

paratitlos. [Do gr. *parátitla.*] *S. m. pl.* Breve anotação ou comentário dos títulos do Digesto e de outras coletâneas de leis, para conhecimento de sua matéria e concatenação.

paratraqueal. [De *par(a)-* + *traqueal.*] *Adj. 2 g. Anat. Veg.* Situado em torno dos vasos do lenho: *parênquima paratraqueal.*

paratropa. [De *pára(-quedista)* + *tropa.*] *S. f. Mil.* Tropa de pára-quedistas.

paratudal. *S. m. Bras., Amaz.* e *MT.* Quantidade mais ou menos considerável de paratudos dispostos proximamente entre si.

paratudo. [De *para* + *tudo.*] *S. m.* **1.** *Bras.* V. *falso-paratudo.* **2.** *Bras., SP.* V. *boi-gordo.*

paraturá. [Do tupi *paratu'rá.*] *S. m. Bras.* Gramínea aquática *(Spartina brasiliensis),* cujo rizoma se fixa ao fundo da coleção líquida, ficando as folhas emersas, e que se caracteriza por ser um capim muito denso.

parau. [Do dravídico *padavu.*] *S. m. Luz.* Antiga embarcação oriental, de mastros e remos de bambu, semelhante à fusta, e usada na guerra ou no comércio. [Var.: *paró.*]

parauá. *Bras. S. 2 g.* **1.** Indivíduo dos parauás, tribo indígena da margem esquerda do alto Juruá (AM). ● *Adj. 2 g.* **2.** Pertencente ou relativo a essa tribo.

parauaçu. [Do tupi.] *S. m. Bras., N.* Designação comum aos primatas da família dos cebídeos, gênero *Pithecia* Desm., da Amaz. e Guianas, sendo as espécies mais comuns o *P. monacha* (E. Geof.), do N., O. e S. do AM, e o *P. pithecia* (L.), da região ao N. do rio Amazonas. Têm cauda longa, não preensora, totalmente coberta de pêlos, polegar bem desenvolvido, face parcialmente coberta de pêlos, e pêlos na cabeça, formando capuz. Vivem em pequenos bandos. [Var. ou. f. paral.: *paraguaçu;* sin.: *cuxiú, pirocolu, macaco-cabeludo.*]

parauamá. *Bras. S. 2 g.* **1.** Indivíduo dos parauamás, tribo indígena do N.O. ● *Adj. 2 g.* **2.** Pertencente ou relativo a essa tribo.

parauambóia. *S. f. Bras., PA.* V. *pirambóia.*

parauana. *Bras. S. 2. g.* **1.** Indivíduo dos parauanas, tribo indígena que habitou o PA. ● Adj. 2 g. **2.** Pertencente ou relativo a essa tribo.

parauara. [Do tupi *para'wara.*] *S. m. Bras.* Paroara.

parauatiti. *Bras. S. 2 g.* **1.** Indivíduo dos parauatitis, tribo indígena das margens do rio Tapajós (PA). ● *Adj. 2 g.* **2.** Pertencente ou relativo a essa tribo.

parauaxi. *S. m. Bras.* V. *paracaxi.*

paraunense (a-u). *Adj. 2 g.* **1.** De, ou pertencente ou relativo a Paraúna (GO). ● *S. 2 g.* **2.** Natural ou habitante de Paraúna.

paráuquene. [De *par(a)-* + gr. *auchém,* 'pescoço'.] *S. m. Zool.* A parte lateral do pescoço dos mamíferos e das aves.

parável. [Do lat. *parabile.*] *Adj. 2 g.* Que se obtém facilmente.

pára-vento. [De *parar* + *vento.*] *S. m.* **1.** V. *guarda-vento:* "erguem-se um pouco .... para olhar, por cima dos *pára-ventos* de vidros opacos, o interior barulhento desse pequeno cabaré." (Ribeiro Couto, *A Cidade do Vício e da Graça,* p. 83.) **2.** Tipo de choça de ramagens constituído por uma série de galhos de árvores fixados no solo verticalmente ou obliquamente. [Pl.: *pára-ventos.*]

paraventral. [De *par(a)-* + *ventral.*] *Adj. 2 g. Anat.* Situado ao lado do ventre.

paraviana. *Bras. S. 2 g.* **1.** Indivíduo dos paravianas, tribo caraíba do rio Branco (RR). ● *Adj. 2 g.* **2.** Pertencente ou relativo a essa tribo. [Var.: *paravilhana.*]

paravilhana. *Bras. S. 2 g.* e *adj. 2 g.* Paraviana.

paraxial (cs). [De *par(a)-* + *axial.*] *Adj. 2 g. Ópt.* Diz-se do raio luminoso pouco inclinado em relação ao eixo óptico.

parazeiro. [Do top. *Pará* + *-z-* + *-eiro.*] *S. m. Bras.* Alcunha que dão aos paraenses, os goianos e maranhenses que habitam a região do Tocantins.

parazoário. *S. m.* **1.** Espécime dos parazoários. ● *Adj.* **2.** Pertencente ou relativo a eles.

parazoários. *S. m. pl. Zool.* Animais metazoários caracterizados por terem células digestivas numerosas, internas, flageladas. São as esponjas ou animais desprovidos de cavidade digestiva.

parazônio. [Do gr. *parazónion,* pelo lat. *parazoniu.*] *S. m.* Espada curta, com boldrié, usada por antigos gregos e romanos, e que é atributo das estátuas de Marte e dos heróis.

Parca. [Do lat. *parca.*] *S. f.* **1.** Cada uma das três deusas (Cloto, Láquesis e Átropos) que, consoante a mitologia, fiavam, dobavam e cortavam o fio da vida. **2.** *Fig.* A morte.

parceirada. *S. f. Bras.* **1.** Conjunto de parceiros; parceiragem. **2.** Maneira de se distribuírem os parceiros, em certos jogos.

parceiragem. *S. f. Bras.* Parceirada (1).

parceiro. [Do lat. *partiariu.*] *Adj.* **1.** Igual, semelhante, parelho, par. ● *S. m.* **2.** Aquele que está de parceria; comparte, quinhoeiro, sócio. **3.** V. *cúmplice* (2). **4.** Par, companheiro, consorte. **5.** Pessoa com quem se joga. **6.** *Pop.* Finório, espertalhão.

parcel. [Do esp. *placer.*] *S. m.* Escolho, recife, baixio: "O mar é semeado de *parcéis* onde a quebrança das vagas se faz com fragor horrendo" (João Ribeiro, *A Língua Nacional,* p. 197). [Pl.: *parcéis.*]

parcela. [Do fr. *parcelle.*] *S. f.* **1.** Pequena parte; fração, fragmento. **2.** *Mat.* Cada um dos elementos submetidos à operação de soma. [Cf. (nesta acepç.) *fator* (3).] **3.** *Liter. Pop. Bras.* V. *carretilha* (4).

parcela-de-dez. *S. f. Liter. Pop. Bras.* V. *carretilha* (4). [Pl.: *parcelas-de-dez.*]

parcelado[1]. [De *parcel* + *-ado*[1].] *Adj.* Que tem parcéis.

parcelado[2]. [Part. de *parcelar.*] *Adj.* **1.** Dividido em parcelas: *pagamento parcelado.* **2.** *Bras.* Dizia-se de exame ou prova feita separadamente, por disciplina.

parcelamento. *S. m.* Ato, efeito ou maneira de parcelar[2]. ♦ **Parcelamento da terra.** *Urb.* Divisão de uma área de terreno em lotes [v. *lote*[1] (8)], sob a forma de desmembramento ou loteamento. **Parcelamento em condomínio.** *Urb.* Divisão de uma área de terreno em frações ideais, demarcadas ou não em áreas de uso privativo, e cujos acessos e vias de circulação internas são de propriedade e responsabilidade de condôminos.

parcelar[1]. [De *parcela* + *-ar*[1].] *Adj. 2 g.* Feito ou dividido em parcelas.

parcelar[2]. [De *parcela* + *-ar*[2].] *V. t. d.* e *t. i.* Dividir em parcelas: *parcelar um pagamento; Parcelou a dívida em 15 prestações.*

parceleiro. [De *parcela* + *-eiro.*] *S. m.* Dono de uma parcela de terra.

parceria. [Por * *parceiria,* de *parceiro* + *-ia.*] *S. f.* **1.** Reunião de pessoas para um fim de interesse comum; sociedade, companhia. **2.** *Bras.* Dupla de compositores de música popular. ♦ **Parceria agrícola.** *Jur.* Contrato mediante o qual se cede a outrem uma propriedade rústica a fim de ser cultivada, repartindo-se os frutos na proporção que estipularem. **Parceria marítima.** *Jur.* Empresa em que se associam os condôminos de um navio para explorá-lo. **Parceria pecuária.** *Jur.* Contrato pelo qual se entregam animais a outrem para pastorear, tratar e criar, a troco de uma conta nos lucros. **Parceria rural.** *Dir. Jur.* A parceria agrícola e a pecuária.

parcha. *S. f.* Casulo onde morreu de doença o bicho-da-seda.

parche. [Do fr. ant. *parche.*] *S. m.* Pano barrado de ungüento, ou embebido nalgum líquido, que se aplica sobre uma parte doente do corpo com o fim de combater dor ou inflamação; emplastro, curativo. [Var.: *parcho* e (pop.) *pacho.*]

parchear. *V. t. d.* Pôr parche em. [Conjug.: v. *frear.*]

parcho. *S. m.* V. *parche.*

parcial. [Do lat. tardio *partiale.*] *Adj. 2 g.* **1.** Que faz parte de um todo. **2.** Que não é total: *resultado parcial; pagamento parcial.* **3.** Que se realiza por partes: *provas parciais.* **4.** Favorável a uma das partes, num litígio, numa questão, numa partida esportiva, etc.: *O árbitro mostrou-se parcial ao marcar aquela falta.* **5.** Que não julga ou não opina com isenção; injusto, partidário, apaixonado: *Não se pode discutir com ele: é muito parcial.* ~V. *crise epiléptica —, derivada —, diferencial —, eclipse —, equação diferencial —, equação diferencial — linear, pressão — e prova —.* ● *S. 2 g.* **6.** Partidário de alguém; sectário, correligionário. *S. f.* **7.** Prova parcial: *O aluno fez boas parciais.* **8.** V. *chave* (10).

parcialidade. [Do lat. tardio *partialitate.*] *S. f.* **1.** Qualidade de parcial; parcialismo. **2.** Paixão partidária; parcialismo. **3.** Partido, facção.

parcialismo. *S. m.* Parcialidade (1 e 2).

parcializar. *V. t. d.* **1.** Tornar parcial. *T. d. e i.* **2.** Associar (a um bando ou facção): *Tentaram parcializá-lo aos rebeldes. P.* **3.** Abraçar o partido de alguém; aliar-se, associar-se; conjurar-se.

parciário. [Do lat. *partiariu.*] *Adj.* **1.** Que tem parte em algo; participante. ● *S. m.* **2.** Aquele que tem parte em algo; participante, quinhoeiro.

parcimônia. [Do lat. *parcimonia.*] *S. f.* **1.** Qualidade de parco. **2.** Ato ou costume de economizar, de poupar; economia: "Vivia com severa *parcimônia* dos seus 800 réis havidos da Santa Casa" (Camilo Castelo Branco, *A Brasileira de Prazins,* p. 148).

parcimonioso (ô). *Adj.* V. *parco.*

parcíssimo. [Do lat. *parcissimu.*] *Adj.* Superl. abs. sint. de *parco.*

parco. [Do lat. *parcu.*] *Adj.* **1.** Que poupa ou economiza; econômico, poupado. **2.** Moderado nos gastos e na alimentação; simples, frugal, sóbrio. **3.** Não abundante; simples, modesto, frugal, sóbrio: "Só resta dizer que essa refeição foi das mais *parcas* da minha vida: um ovo, uma fatia de pão, uma xícara de chá." (Machado de Assis, *Memórias Póstumas de Brás Cubas,* p. 281). **4.** Minguado, escasso: "enamorou-se de uma viúva, senhora de condição mediana e *parcos* meios de vida" (Id., *Quincas Borba,* p. 5); "Meus *parcos* vencimentos chegam-me apenas para os gastos essenciais" (Jorge Amado, *Os Velhos Marinheiros,* p. 273). [Superl. abs. sint.: *parcíssimo.* Sin. ger.: *Parcimonioso.*]

pardacento. *Adj.* Tirante a pardo; pardaço, pardento, pardilho, pardusco.

pardaço. *Adj.* V. *pardacento.*

pardal. *S. m.* Ave passeriforme, da família dos ploceídeos (*Passer domesticus* L.), da região paleártica, de coloração bruno-parda com tonalidades ferrugíneas. O macho tem mancha preta que abrange a garganta e o peito, e asas malhadas de preto com listras brancas; a fêmea, coloração uniforme, mais acastanhada. Alimenta-se de grãos e sementes de gramíneas, raramente de insetos e outros artrópodes e, nas cidades, aproveita restos de toda sorte. Tornou-se ave doméstica, nidifica nas habitações humanas, e não se adapta a viver onde não habite o homem. Atualmente se acha disseminado por quase todo o Brasil, onde foi introduzido em 1903. [Fem.: *pardoca* e *pardaloca.*]

pardalada. *S. f.* Grande porção de pardais: "A casa tinha .... uns metros de quintal, recinto ensombrado de grandes árvores e todo chilreante de *pardalada.*" (Fialho d'Almeida, *A Cidade do Vício,* p. 194.)

pardaloca. *S. f.* Fem. de *pardal;* pardoca.

pardau. [Do sânscr. *pratapa.*] *S. m.* Moeda antiga da Índia portuguesa.

pardavasco. [De *pardo.*] *Adj.* e *s. m. Bras.* **1.** Diz-se de, ou indivíduo de cor carregada, amulatado: "Sempre foi grandeza deles ter respeito pelas damas, fosse preta, branca ou *pardavasca*" (José Cândido de Carvalho, *O Coronel e o Lobisomem,* p. 102); "Novos convidados haviam chegado ao anoitecer com outro tocador, o Secundino, um *pardavasco* de vinte e pouco anos" (Alcides Maia, *Tapera,* p. 41). **2.** Diz-se de, ou filho de negro com mulato. [P. us. como adj.]

pardento. *Adj.* V. *pardacento.*

pardieiro. [Do lat. * *parientinariu* < *parientinae,* 'paredes arruinadas'.] *S. m.* **1.** Edifício em ruínas. **2.** Casa ou edifício velho: "Embora tivéssemos realizado os exames vestibulares nas salas do andar térreo do velho *pardieiro,* onde funcionaram .... a estrebaria, senzala e manjedoura do sobrado, não éramos animais de canga, nem escravos" (Miécio Tati, *Rua do Tempo-Será,* p. 63).

pardilho. *Adj.* **1.** V. *pardacento.* ● *S. m.* **2.** *Ant.* Espécie de pano pardo.

pardo[1]. [Do lat. *pardu.*] *S. m. Desus.* Leopardo.

pardo[2]. *Adj.* **1.** De cor entre o branco e o preto; quase escuro. **2.** De um branco sujo, duvidoso. **3.** De cor pouco brilhante, entre o amarelo e o castanho: *papel pardo.* **4.** Diz-se de qualquer dessas cores: *animal de cor parda.* **5.** Mulato (5): *homem pardo.* ~V. *hematita — e molho —.* ● *S. m.* **6.** A cor parda. **7.** Mulato (1).

pardo-avermelhado. *Adj.* De cor parda tirante ao vermelho. [Pl.: *pardo-avermelhados.*]

pardoca. *S. f.* Pardaloca.

pardo-negro. *Adj.* De cor parda tirante ao preto. [Pl.: *pardo-negros.*]

pardusco. *Adj.* V. *pardacento:* "cabelo castanho riçado, ... nariz pequeno, olhos *parduscos,* muito vivos." (Xavier Marques, *Jana e Joel,* p. 139).

párea. *S. f.* Régua usada para medir a altura de pipas e tonéis. [F. paral.: *pareia.* Cf. *pária.*] ~ V. *páreas.*

pareado. [Part. de *parear.*] *Adj.* Medido ou aferido (pipa ou tonel) com a párea.

pareador (ô). *S. m.* Indivíduo que pareia.

parear. *V. t. d.* Medir ou aferir (pipas, tonéis, etc.) com a párea. [Conjug.: v. *frear.*]

páreas[1]. [Dev. de um *pariar, do lat. *pariare, 'igualar', 'saldar dívidas'.] *S. f. pl.* Tributo que, em reconhecimento de vassalagem, um soberano ou um Estado pagava a outro. [Cf. *párias,* pl. de *pária.*] ~ V. *párea.*

páreas[2]. [Do lat. *parere, 'parir'.] *S. f. pl. Obst. P. us.* V. *secundinas.* [Cf. *párias,* pl. de *pária.*] ~ V. *párea.*

pareceiro. [De *parceiro,* com epêntese.] *S. m. Pop.* V. *parceiro.*

parece-mas-não-é. *S. f. 2 n. Bras.* V. *folha-de-sangue.*

parecença. [De *parecer* + *-ença.*] *S. f.* **1.** Semelhança, similitude; analogia. **2.** Grau de conformidade entre pessoas que revelam traços idênticos (especialmente fisionômicos): *Pela parecença via-se que eram irmãos;* "recordava episódios do tempo de Silvério, e Julieta .... ousou aludir à parecença do hóspede com o seu finado marido." (Coelho Neto, *Treva,* p. 174).

parecente. *Adj. 2 g.* Que parece; semelhante; parecido.

parecer. [Do lat. vulg. *parescere, incoativo de *parere,* 'aparecer'.] *V. pred.* **1.** Ter semelhança com; dar ares de: *O grande lago, ao longe, parecia o oceano.* **2.** Ter a aparência de: *O homem parece mais moço do que é.* **3.** Ser aparentemente: *Parece esnobe, mas é pessoa de grandes qualidades. Int.* **4.** Ser verossímil, crível, provável: *Parece que a tempestade vai cair.* **5.** Representar-se na mente; afigurar-se, figurar-se: *Parece que esta solução é a melhor. T. i.* **6.** Ser opinião ou parecer (de alguém): *Não quis dizer o que lhe parecia.* **7.** Afigurar-se, figurar-se: *Aquela pareceu-lhe a pior hipótese;* "As estrelas pareciam-lhe outras tantas notas musicais fixadas no céu à espera de alguém que as fosse descolar" (Machado de Assis, *Várias Histórias,* pp. 65-66). *P.* **8.** Ser semelhante, igual ou análogo; dar ares de; assemelhar-se. [Este verbo presta-se a dois tipos de construção: "ficou .... calada, com os olhos fitos no rochedo fronteiro, em cuja face escabrosa as sombras pareciam dançar" (Alexandre Herculano, *Eurico, o Presbítero,* p. 273); "no horizonte não se vêem senão os topos pardo-azulados das serras do Algarve, que parece fugirem tanto quanto os cavaleiros caminham." (Id., *Lendas e Narrativas,* II, p. 87); "Parece estarem — tão sem movimento / Seus ramos vês — as árvores dormindo." (Alberto de Oliveira, *Poesias,* 2ª série, p. 311). No primeiro exemplo, o sujeito de *pareciam* é *as sombras;* no segundo, o sujeito de *parece* é a oração *fugirem tanto;* no terceiro, é *estarem as árvores dormindo.* [Conjug.: v. *aquecer.*] ● *S. m.* **9.** Aspecto fisionômico. **10.** *P. ext.* Aparência, aspecto: *moça de belo parecer;* "Na margem oposta levantava-se, entre umas laranjeiras e uns oitizeiros, uma casa de bom parecer." (Franklin Távora, *O Cabeleira,* p. 250). **11.** Conceito, opinião, juízo. **12.** Opinião fundamentada sobre determinado assunto, emitida por especialista: *O jurisconsulto cobra caro pelos seus pareceres.* [Cf. (nesta acepç.) *relatório* (4).]

parecerista. *S. 2 g. Bras.* Funcionário público incumbido de dar pareceres.

pareci. *Bras. 2 g.* **1.** Indivíduo dos parecis, tribo aruaque de MT. ● *Adj. 2 g.* **2.** Pertencente ou relativo a essa tribo. [Cf. *ariti.*]

parecido. [Part. de *parecer.*] *Adj.* Que se parece (a ou com); que tem semelhança: *Embora irmãos, não são parecidos; É muito parecido ao pai; Não é nada parecido com o irmão.* [V. *bem-parecido* e *malparecido.*]

parecotó. *S. 2 g.* e *adj. 2 g. Bras.* V. *parucotó.*

paréctase. [Do gr. *paréktasis.*] *S. f. Gram.* Adjunção de elementos fônicos, intermediários, para tornar eufônica uma palavra.

paredão. *S. m.* **1.** Grande parede. **2.** Muro alto e muito espesso; muralha. **3.** *Bras.* Ribanceira alta de um rio, muitas vezes talhada a pique. **4.** *Bras., RS.* Encosta abrupta de serra. **5.** *Bras., PB.* Cordão de recifes submersos.

parede (ê). [Do lat. *pariete.*] *S. f.* **1.** Obra de alvenaria ou de outro tipo, que forma os vedos externos e as divisões internas dos edifícios. **2.** Tapume, tabique. **3.** Tudo que veda qualquer espaço: *as paredes de um órgão, de um objeto.* **4.** Greve. **5.** *Anat.* Denominação genérica de formação que limita um órgão, cavidade, loja, etc. **6.** *Bras., PB. Pop.* Tira-gosto [q. v.]. ♦ **Parede celular.** *Anat. Veg.* Envoltório da célula vegetal. [Quando se acha inteiramente diferenciada, a parede consta de três camadas sobrepostas.] **Parede de duas vezes.** *Constr.* Aquela cuja espessura é igual ao dobro do comprimento de um tijolo. **Parede de meio-tijolo.** *Constr.* Parede frontal. **Parede de pau a pique.** V. *pau-a-pique* (1). **Parede de um tijolo.** *Constr.* Parede dobrada [q. v.]. **Parede de vez-e-meia.** *Constr.* Aquela cuja espessura é igual ao comprimento mais a largura de um tijolo. **Parede dobrada.** *Constr.* Aquela cuja espessura é igual ao comprimento de um tijolo, o qual equivale aproximadamente ao dobro da largura; parede de um tijolo. **Parede do infinito.** *Teat.* **1.** Infinito (8). **2.** V. *ciclorama.* **Parede frontal.** *Constr.* Aquela cuja espessura é igual à largura de um tijolo; parede de meio-tijolo. **Parede mestra.** A que suporta o peso maior de uma construção. **Encostar na parede.** *Bras.* V. *pôr a faca no peito de.* **Fazer parede.** **1.** Unir-se a alguém para alcançar um objetivo. **2.** *Bras., N.E.* Fazer esteira. **Imprensar contra a parede.** *Bras.* V. *pôr a faca no peito de.* **Levar à parede.** Vencer, derrotar (alguém), numa questão. **Pôr contra a parede.** *Bras.* V. *pôr a faca no peito de.*

parede-meia. [De *parede* + fem. de *meio*[1] (19).] *S. f.* Parede divisória entre prédios contíguos pertencente em comum aos proprietários dos dois prédios. [F. paral.: *paredes-meias.* Pl.: *paredes-meias.*]

paredes-meias. *S. f. pl.* Parede-meia.

paredismo. *S. m. Bras.* Sistema de greves ou paredes como meio de ação política ou social.

paredista. [De *parede* (4) + *-ista.*] *Adj. 2 g.* e *s. 2 g.* Grevista.

paredro (é). [Do lat. *paredru.*] *S. m.* **1.** Mentor, conselheiro, guia. **2.** *Bras.* Dirigente de clube esportivo. **3.** V. *mandachuva.*

paregoria. [Do gr. *paregoría,* pelo lat. *paregoria.*] *S. f.* qualidade de paregórico.

paregórico. [Do gr. *paregorikós,* pelo lat. *paregoricu.*] *Adj.* Calmante, anódino. ~ V. *elixir* —.

pareia. *S. f.* Párea [q. v.].

parelha (ê). [De *parelho.*] *S. f.* **1.** Par de alguns animais, em especial muares e cavalares. [Cf. *par* (10) e *junta* (4).] **2.** Par (13). **3.** *Fam.* Pessoa ou coisa que emparelha com outra, que lhe é muito semelhante. **4.** Número igual de pontos, no jogo dos dados. **5.** Cepo, provido de dois ferros, usado para abrir o filete com que uma tábua há de emparelhar com outra. **6.** Dístico ou estrofe de dois versos. **7.** *Turfe.* Par de cavalos inscritos sob o mesmo número em uma carreira. **8.** *Turfe. P. ext.* Grupo de cavalos nas mesmas condições. ♦ **Correr parelhas.** Igualar-se; rivalizar: *Os dois romancistas correm parelhas.* **Correr parelhas com.** Igualar-se a; rivalizar com: "Correndo parelhas com a malária, nas capitais, havia uma outra terrível causa de morte: a tuberculose" (Djalma Batista, *Da Habitabilidade da Amazônia,* p. 14).

parelha-trocada. *S. f. Bras., PE.* Certa dança sertaneja. [Pl.: *parelhas-trocadas.*]

parelheira. [De *parelheiro.*] *S. f. Bras., RS.* Reptil ofídio, da família dos colubrídeos (*Phylodryas schottii* (Schleg)), comum no Brasil, de coloração verde-oliva, com uma linha branca do lado do corpo e a região abdominal cinza. Arborícola, alimenta-se de toda sorte de pequenos vertebrados; mede até 1,50 m de comprimento. [Sin.: *timburana.*]

parelheiro. *S. m. Bras., S.* **1.** Cavalo ensinado a andar em parelhas. **2.** Cavalo tratado e cuidado para disputar corridas; compositor. **3.** *Turfe.* Cavalo inscrito num páreo.

parelhense. *Adj. 2 g.* **1.** De, ou pertencente ou relativo a Parelhas (RN). ● *S. 2 g.* **2.** Natural ou habitante de Parelhas.

parelho (ê). [Do lat. vulg. *pariculu, dim. de *par,* 'igual'.] *Adj.* **1.** Semelhante, igual, parceiro, par. **2.** Pertencente à mesma parelha (2). **3.** Igual, uniforme: "O Desconhecido ficou a olhar interessado a cara do negro que, ao contrário das outras, reluzentes de suor, se conservava enxuta, dum preto parelho e profundo." (Érico Veríssimo, *Noite,* p. 25.) ● *S. m.* **4.** *Bras., SP.* Roupa de homem (calças e paletó): "Ladislau vestido com parelho novo, mostrava-se nervoso e desajeitado, pois toda a vida só usara roupa de mateiro" (Francisco Marins, ... *e a Porteira Bateu!,* p. 93). **5.** *Bras., RS.* Campo que se estende plano, sem ondulações.

parélio. [Do gr. *parélion,* pelo lat. *parelion.*] *S. m. Astron.* Meteoro luminoso que se mostra juntamente com o halo e parece multiplicar a imagem do Sol. [Cf. *paraélio.*]

parêmbole. [Do gr. *parembolé,* pelo lat. *parembole.*] *S. f. Gram.* Espécie de parêntese em que o sentido da frase incidente apresenta relação direta com o assunto da frase principal.

parêmia. [Do gr. *paroimía,* pelo lat. *paroimia.*] *S. f.* **1.** Breve alegoria. **2.** Provérbio, prolóquio.

paremíaco. [Do gr. *paroimiakós.*] *Adj.* Referente a parêmia.

paremiógrafo. [Do gr. *paroimía,* 'parêmia', + *-o-* + *-graf(o)-* + *-ia.*] *S. m.* Autor e/ou colecionador de provérbios ou parêmias.

paremiologia. [Do gr. *paroimía,* 'parêmia', + *-o-* + *-log(o)-* + *-ia.*] *S. f.* **1.** Coleção de parêmias ou provérbios. **2.** Tratado acerca de parêmias.

paremiológico. *Adj.* Respeitante a paremiologia.

paremiologista. *S. 2 g.* Paremiólogo.

paremiólogo. *S. m.* Autor de paremiologia; especialista em paremiologia; paremiologista.

parencéfalo. [Do gr. *paregkephalís.*] *S. m. Anat.* Cerebelo.

parencefalocele. [Do gr. *paregkephalís,* 'cerebelo', + *-o-* + *-cele.*] *S. f. Patol.* Saliência herniária produzida pelo cerebelo.

parênese. [Do gr. *paraínesis,* pelo lat. *paraenese.*] *S. f.* Discurso moral; exortação.

parenética. [Fem. substantivado de *parenético.*] *S. f.* **1.** Eloqüência sagrada. **2.** Coleção de discursos morais.

parenético. [Do gr. *parainetikós.*] *Adj.* Respeitante à parênese.

parênquima. [Do gr. *parégchyma.*] *S. m.* **1.** *Histol.* Tecido constituído de células destinadas a uma ou mais funções específicas: *parênquima pulmonar.* **2.** *Anat. Veg.* Tecido constituído de células isodiamétricas ou paralelepipedais, que contêm pontoações simples. Relaciona-se principalmente com a armazenagem e distribuição de substâncias nutritivas.

parenquimático. *Adj.* Parenquimatoso.

parenquimatoso (ô). *Adj.* Pertencente ou relativo ao, ou da natureza do parênquima; parenquimático.

parenta. *S. f.* Fem. de *parente.*

parental. [Do lat. *parentale.*] *Adj. 2 g.* Relativo a pai e mãe.

parentalha. *S. f. Bras.* e *prov. lus.* Parentela.

parentar. *V. t. d., t. i.* e *p. P. us.* F. aferética de *aparentar*[1].

parente. [Do lat. *parente,* 'pai', 'mãe' (no pl., 'os pais').] *S. 2 g.* **1.** Pessoa que, em relação a outra(s), pertence à mesma família, quer pelo sangue, quer por casamento: *parente consangüíneo; parente por afinidade.* ● *S. m.* **2.** *Ant.* Pai (1). **3.** *Bras., AM* e *PA.* Forma de tratamento usada entre os caboclos. ● *Adj.* **4.** Que tem parentesco. **5.** Que pertence à mesma família. **6.** *Fig.* Semelhante, parecido. [Fem.: *parenta.*]

parentear. *V. int. Ant.* Ter parentesco; ser parente. [Conjug.: v. *frear.*]

parenteiro. *Adj.* e *s. m.* Que, ou aquele que é amigo dos parentes ou os protege.

parentela. [Do lat. *parentela.*] *S. f.* Os parentes, considerados em conjunto; parentalha.

parenteral. [De *par(a)-* + *-enter(o)-* + *-al.*] *Adj. 2 g. Med.* **1.** Diz-se de via que não o tubo digestivo utilizada para a administração de substâncias diversas (água, sais, glicose, aminoácido, medicamentos, etc.) a um paciente; parentérico. ~ V. *introdução* —. ● *S. f.* **2.** Essa via.

parentérico. [De *par(a)-* + *entérico.*] *Adj. Med.* Parenteral (1).

parentesco (ê). *S. m.* **1.** Qualidade de parente. **2.** Laços de sangue: *parentesco em linha direta; parentesco em linha colateral.* **3.** *Fig.* Origem comum; parentesco lingüístico. **4.** Traços comuns; conexão, analogia, semelhança: *O ritmo do samba tem certo parentesco com a música africana.* ♦ **Parentesco afim.** O que se origina de relações não sangüíneas (marido e mulher, genro ou nora e sogros, cunhados); parentesco por afinidade. **Parentesco por afinidade.** Parentesco afim.

parêntese. [Do gr. *parénthesis,* pelo lat. *parenthese.*] *S. m.* **1.** Frase que se intercala num período, ou período(s) que se intercala(m) num texto, e que forma(m) sentido à parte. **2.** Sinais de pontuação que encerram tais frases ou períodos. [Tb. us. no pl. nesta acepç.] **3.** *Fig.* Desvio de assunto; digressão. **4.** *Mat.* Símbolo que se utiliza para agrupar os participantes de uma operação. ♦ **Parênteses retos.** Colchetes [q. v.]. **Abrir parêntese.** **1.** Colocar na escrita o sinal (. **2.** Interromper um período ou uma narrativa para fazer uma digressão. **Fechar parêntese.** **1.** Pôr na escrita o sinal). **2.** Concluir uma digressão.

parêntesis. *S. m. 2 n.* V. *parêntese.*

parentético. *Adj.* **1.** Relativo a parêntese. **2.** Expresso em parêntese.

parentirso. [Do gr. *parénthyrson.*] *S. m.* Estilo furioso das bacantes e foliões da Antiguidade.

páreo. [De *par.*] *S. m.* **1.** *Ant.* Corrida a cavalo ou a pé, em que dois indivíduos partem a par, ganhando um prêmio aquele que primeiro atinge a meta. **2.** *Turfe.*

Cada uma das disputas das reuniões de corridas de cavalos; carreira. **3.** O prêmio dessas corridas. **4.** *Fig.* Competição, emulação, disputa.

pareô. [Do taitiano *pareu*.] *S. m.* **1.** Roupa com que as mulheres do Taiti envolvem o corpo. **2.** Vestimenta de praia ou traje carnavalesco inspirado no pareô.

parequema. [Do gr. *paréchema*.] *S. m. Gram.* Defeito de linguagem, consistente em principiar uma palavra com sílaba igual ou muito semelhante à última sílaba da palavra antecedente. Ex.: *cama macia; capa parda; sempre presente;* "alegre grilo" (João Penha, *Rimas*, p. 117).

paresia. [Do gr. *páresis*, 'relaxação, atonia', + *-ia*.] *S. f.* Paralisia incompleta.

parestatal. [De *par(a)-* + *estatal*.] *Adj. 2 g.* Diz-se das empresas ou instituições em que o Estado intervém, conquanto sejam autárquicas.

parestesia. [De *par(a)-* + *-estes (i)(o)-* + *-ia*.] *S. f. Med.* Distúrbio em que o paciente acusa sensações anormais (formigamento, picada, queimadura) não causadas por estímulo exterior ao corpo.

parga. *S. f.* **1.** Monte de palha e de trigo, disposto de sorte que o grão fique resguardado da chuva. **2.** Pilha, montão, rima, ruma.

pargasita. [Do top. *Pargas* + *-ita*[3].] *S. f. Min.* Mineral monoclínico do grupo dos anfibólios, variedade de hornblenda.

pargata. [F. aferética de *alpargata*.] *S. f. Bras.* V. *alpercata*.

pargo. [Do gr. *phágros*, pelo lat. *pagru*.] *S. m.* Peixe teleósteo, percomorfo, da família dos esparídeos (*Pagrus pagrus* (1.)), do Mediterrâneo e costa da América, de coloração vermelha com reflexos dourados e pontos azuis esparsos, que desaparecem quando preservados em álcool, e nadadeiras amarelas. Alimenta-se de crustáceos e moluscos, e a sua carne é boa. [Sin., bras., RJ: *calunga*.]

pargo-branco. *S. m. Bras.* V. *roncador* (4). [Pl.: *pargos-brancos*.]

pari. [Do tupi *pa'ri*.] *S. m. Bras.* Armadilha feita de talas e varas, com que se apanha peixe nos rios; paritá: "Havia um p a r i , onde se ia toda manhã bem cedo pisar as pedras limosas na água tão fria, apanhar peixes." (Rubem Braga, *Ai de Ti, Copacabana!*, p. 122.) [Pl.: *paris*. Cf. *maçará*, s. m. e *Páris*, mit. e antr.]

▲**pari-.** [Do lat. *par, paris*.] *El. comp.* = 'igual': *pariforme, parissílabo, paritário*.

pária. [Do tâmul *pareiyar*.] *S. m.* **1.** *Filos.* No sistema hindu de castas, a mais baixa, constituída pelos indivíduos privados de todos os direitos religiosos ou sociais, quer pelo seu nascimento, quer pela sua exclusão da sociedade bramânica; sudra. [Cf. *brâmane* (2), *vaixá* e *xátria*.] **2.** Hindu pertencente a qualquer das castas inferiores. **3.** *Fig.* Homem excluído da sociedade: "Juntos do sólio e da opulência opima, / Mil p á r i a s disputando aos cães um osso" (Raimundo Correia, *Poesias*, p. 230). [*Pariá*, sendo a f. preferível, é, no entanto, desus. Cf. *párea*.]

pariá. *S. m.* V. *pária*: "Ler a sina, mendigar, iludir e pilhar, eis a senha desses p a r i á s vagabundos [os ciganos]" (Melo Morais Filho, *Quadros e Crônicas*, p. 81).

pariambo. [Do gr. *paríambos*, pelo lat. *pariambu*.] *S. m.* V. *pirríquio*.

pariana. *Bras. S. 2 g.* **1.** Indivíduo dos parianas, tribo indígena do N. ● *Adj. 2 g.* **2.** Pertencente ou relativo a essa tribo.

pariás. *Bras. S. m. pl.* Dupla de índios xinguanos que, durante o cerimonial do quarup [q. v.] visitam as aldeias amigas convidando-as para participarem deste evento: "Uma semana antes do quarup, que durou três dias, duplas de p a r i á s — embaixadores — partiram em direção às aldeias dos Iaualapiti, Uaura, etc..." (Edilson Martins, *Nossos Índios, Nossos Mortos*, p. 28).

pariatã. [Alter. de *periantã*.] *S. f. Bras., Amaz.* V. *matupá* (2).

pariato. [De *par* + *-i-* + *-ato*[1].] *S. m.* Dignidade de par do reino: "Há gaiatos que, sem vocação para a baqueta, não podem adquirir vocação militar, nem encaminhar-se .... ao generalato, ao título, ao p a r i a t o ." (Latino Coelho, *Tipos Nacionais*, p. 34.)

paricá. [Do tupi *pari'ká*.] *S. m.* **1.** *Bras., Amaz.* Árvore da família das leguminosas (*Piptadenia peregrina*), que prefere lugares abertos, tem casca grossa e verrucosa, é rica em tanino, de madeira pardo-avermelhada, empregada em vários tipos de construção e cujos frutos são grandes legumes, também taníferos, sendo as flores insignificantes. **2.** V. *comboatã-branca*.

paricá-branco. *S. m. Bras., Amaz.* Árvore espinhosa, da família das leguminosas (*Acacia polyphylla*), comum nas várzeas dos rios. As folhas têm 30 a 50 folíolos de 6mm; as flores agregam-se em glomérulos, que se ordenam em panículas; a madeira é pardo-amarelada, e malcheirosa quando úmida, servindo para polpa celulótica e tabuado; a casca encerra algum tanino. [Pl.: *paricás-brancos*.]

paricá-grande. *S. m. Bras.* V. *fava-de-bolota*. [Pl.: *paricás-grandes*.]

parição. *S. f.* **1.** Ato de parir; parto. **2.** *Bras., N.* e *N.E.* Reprodução anual do gado.

paricá-preto. *S. m. Bras.* Paricarana. [Pl.: *paricás-pretos*.]

paricarana (cà). [De *paricá* + *-rana*.] *S. f. Bras.* Árvore mais ou menos escandente, da família das leguminosas (*Acacia riparia*), de ampla dispersão, dotada de espinhos esparsos, folhas com muitos folíolos lineares, côncavos e de menos de 1cm, flores sésseis, insignificantes e organizadas em glomérulos, os quais se dispõem em panículas, e legume coriáceo de 10 a 20cm; paricá-preto.

paricazinho (cà). [Dim. de *paricá*.] *S. m. Bras., Amaz.* **1.** Arbusto grande, da família das leguminosas (*Aeschynomene sensitiva*), que vive em terrenos alagadiços e margens de lagos, tem folhas que se fecham imediatamente quando tocadas, flores amarelas e com estrias rubras. Alcança uns 30cm de diâmetro na base do tronco, e fornece uma medula muito branca e macia, com que se podem fazer bóias e salva-vidas. **2.** V. *vinhático-do-campo*.

paricuató. *Bras. S. 2 g.* e *adj. 2 g.* V. *parucotó*.

paricure. *Bras. S. 2 g.* e *adj. 2 g.* Var. de *palicure*.

parida. [Fem. substantivado de *parido*.] *S. f.* Mulher que pariu ou deu à luz recentemente.

paridade. [Do lat. *paritate*.] *S. f.* **1.** Qualidade de par ou igual; igualdade. **2.** Semelhança, parecença, analogia. **3.** Estado de câmbio ao par. **4.** Igualdade de remuneração entre níveis idênticos de profissões distintas. **5.** *Fís.* Propriedade duma função de onda, característica do seu comportamento na troca de sinal das coordenadas espaciais que envolve. **6.** *Mat.* Propriedade de ser par ou ímpar. [Sin., nesta acepç.: *parilidade*.] ◆ **Paridade ímpar.** *Fís.* A paridade duma função de onda que troca de sinal quando o sinal das coordenadas espaciais é trocado. **Paridade par.** *Fís.* A paridade duma função de onda que não troca de sinal quando o sinal das coordenadas espaciais é trocado.

parideira. *Adj. (f.).* **1.** Que está em idade de parir. **2.** *Bras., N.* e *N.E.* Que pare anualmente.

paridela. [De *parir* + *-dela*.] *S. f. Pop.* V. *parto*[1] (1).

parídeo. *S. m.* **1.** Espécime dos parídeos. ● *Adj.* **2.** Pertencente ou relativo a eles.

parídeos. *S. m. pl. Zool.* Aves passeriformes, da família *Paridae*, insetívoras, caracterizadas por terem o tarso ocreado (escamas anteriores), tegumento não ou indistintamente dividido em placas, a primeira das rêmiges da mão curta, cauda pouco mais comprida que a asa, plumagem escura, branca e preta. Apenas duas espécies dessa família paleártica vivem na Amazônia.

parido. [Part. de *parir*.] *Adj.* **1.** Dado à luz. **2.** Que pariu recentemente: *mulher p a r i d a;* "Qual p a r i d a leoa fera e brava" (Luís de Camões, *Os Lusíadas*, IV, 36). ◆ **Ser parido por.** *Bras., N.E. Fam.* Ser muito cuidadoso com, extremamente dedicado a (alguém): *É muito p a r i d a p e l a neta.*

parietal. [Do lat. *parietale*.] *Adj. 2 g.* **1.** Relativo a parede; parietário. **2.** Próprio para ser pendurado em parede; parietário: "Os quadros p a r i e t a i s coloriam-se, ... apresentavam cenas da Paixão e da vida dos santos" (Inglês de Sousa, *O Missionário*, p. 185). ~ V. *buraco* — e *peritônio* —. ● *S. m.* **3.** *Anat.* Cada um dos ossos que contribuem para formar as paredes súpero-laterais do crânio.

parietária. [Do lat. *parietaria*.] *S. f.* Erva da família das urticáceas (*Parietaria officinalis*), cultivada em jarros como ornamental, de caule rastejante, fixa por meio de raízes adventícias, e folhas arredondadas, sendo as folhas e frutos inconspícuos; tiritana.

parietário. *Adj.* **1.** Que cresce nas paredes. **2.** Parietal (1 e 2).

parietina. [Do lat. bot. *parietina*.] *S. f.* Substância que se extrai do líquen *Parmelia parietina*.

pariforme. [De *pari-* + *-forme*.] *Adj. 2 g.* Que tem forma igual.

parilidade. [Do lat. *parilitate*.] *S. f.* Paridade (6).

parinari. [Do tupi *parina'ri*.] *S. m. Bras., Amaz.* Designação comum a duas árvores da família das rosáceas (*Couepia chrysocalyx* e *Parinari rodolphi*), habitantes da floresta pluvial, de folhas coriáceas, flores pequeninas em racemos, e frutos drupáceos, cujo mesocarpo é carnoso.

parintinense. *Adj. 2 g.* **1.** De, ou pertencente ou relativo a Parintins (AM). ● *S. 2 g.* **2.** Natural ou habitante de Parintins.

parintintim. *Bras. S. 2 g.* **1.** Indivíduo dos parintintins, tribo indígena tupi da bacia do rio Madeira. ● *Adj. 2 g.* **2.** Pertencente ou relativo a essa tribo.

parintintim-cauaíba. *Bras. S. 2 g.* e *adj. 2 g.* Var. de *parintintim-cavaíba*. [Pl.: *parintintins-cauaíbas*.]

parintintim-cavaíba. *Bras. S. 2 g.* **1.** Indivíduo dos parintintins-cavaíbas, tribo indígena tupi pacificada, cujos remanescentes vivem hoje nas imediações do igarapé Ipixuna, afluente do Madeira. ● *Adj. 2 g.* **2.** Pertencente ou relativo a essa tribo. [Var.: *parintintim-cauaíba*. Pl.: *parintintins-cavaíbas*.]

pariparoba. [Do tupi *paripa'roba*.] *S. f. Bras.* Capeba.

➧**pari passu** (pári pássu). [Lat.] A passo igual; simultaneamente.

paripenada. [De *pari-* + o fem. de *penado*[1].] *Adj.* ~ V. *folha* —a.

paripiranguense. *Adj. 2 g.* **1.** De, ou pertencente ou relativo a Paripiranga (BA). ● *S. 2 g.* **2.** Natural ou habitante de Paripiranga.

pariquerense. *Adj. 2 g.* **1.** De, ou pertencente ou relativo a Pariqueraçu (SP). ● *S. 2 g.* **2.** Natural ou habitante de Pariqueraçu.

pariqui. *Bras. S. 2 g.* **1.** Indivíduo dos pariquis, tribo indígena do rio Jatapu, afluente do Uatumã (RR). ● *Adj. 2 g.* **2.** Pertencente ou relativo a essa tribo.

parir. [Do lat. *parere*.] *V. t. d.* **1.** Expelir do útero (falando-se da fêmea vivípara, em relação ao ser que ela concebeu); dar à luz: "— Estás bonitona. .... Belos quadris. .... Deus te fez assim para p a r i r e s uma ninhada de netos para o Barão." (Josué Montelo, *A Noite sobre Alcântara*, p. 159.) **2.** Produzir, gerar, engendrar: "Minha imaginação atormentada / P a r i a absurdos..." (Augusto dos Anjos, *Eu*, p. 37.) *Int.* **3.** Dar à luz o feto; dar à luz; partejar. [Sin., desus., nesta acepç.: *parturir*. Irreg. na 1ª pess. sing. do pres. ind., *pairo*, e, portanto, em todo o pres. subj.: *paira, pairas*, etc. Geralmente só se conjuga nas pess. em que ao *r* da raiz se segue a vogal *i*. Segunda pess. pl. do pres. ind.: *paris*. Cf. *Páris*, mit. e antr.]

pariri[1]. *S. f. Bras.* **1.** V. *frutão*. **2.** V. *juriti-vermelha*.

pariri[2]. *Bras. S. 2 g.* **1.** Indivíduo dos pariris, bando da tribo caraíba que apareceu no Xingu com o nome de *araras* e no Tocantins como *apiacás*. ● *Adj. 2 g.* **2.** Pertencente ou relativo a esse bando.

parisianismo. [De *parisiano* + *-ismo*.] *S. m.* Hábito, modo de ser, peculiaridade de linguagem, etc. próprios dos parisienses.

parisianista. *Adj. 2 g.* **1.** Relativo ao, ou próprio do parisianismo. **2.** Que é imitador do parisianismo. ● *S. 2 g.* **3.** Imitador dele.

parisiano. *Adj.* e *s. m. P. us.* V. *parisiense*.

parisiense. *Adj. 2 g.* **1.** De, ou pertencente ou relativo a Paris, capital da França. ● *S. 2 g.* **2.** Natural ou habitante de Paris. [Sin. p. us.: *parisiano, parisino*.]

parisino. *Adj.* e *s. m. P. us.* V. *parisiense*.

parissílabo. [De *pari-* + *sílaba*.] *Adj. Gram.* Diz-se dos substantivos e adjetivos latinos que têm o mesmo número de sílabas no nominativo e no genitivo.

paritá. [Do tupi, decerto.] *S. m. Bras.* Pari.

paritário. [De *par* + o final de *majoritário, minoritário*.] *Adj.* **1.** Constituído por elementos pares a fim de estabelecer igualdade. **2.** Diz-se dos órgãos judicantes da Justiça do Trabalho [q. v.] em cuja constituição há vogais que representam, em pé de igualdade, a classe dos empregados e a dos empregadores.

parkeriácea. *S. f.* Espécime das parkeriáceas.

parkeriáceas. *S. f. pl. Bot.* Família de pteridófitos caracterizada pelos esporângios esféricos, solitários sobre as nervuras, e com anel vertical e mais ou menos completo. Compreende simplesmente *Ceratopteris thalictroides*.

parkeriáceo. *Adj.* Pertencente ou relativo às parkeriáceas.

➧**parking** (párquin'). [Ingl.] *S. m.* Área de estacionamento.

parkinsoniano. *Adj.* **1.** Relativo à, ou que sofre da doença de Parkinson. ● *S. m.* **2.** Aquele que sofre dessa doença.

parkinsonismo. [Do antr. *Parkinson*, de James Parkinson (1755-1824), médico inglês, + *-ismo*.] *S. m.* Quadro mórbido semelhante ao da doença de Parkinson, mas do qual não consta tremor de repouso. [Cf. *doença de Parkinson*.]

parla. [Dev. de *parlar*.] *S. f.* Conversa, falatório.

parlamentação. *S. f.* Ato ou efeito de parlamentar².

parlamentar¹. [De *parlamento* + *-ar¹*.] *Adj. 2 g.* **1.** Pertencente ou relativo ao parlamento. ● *S. 2 g.* **2.** Membro de um parlamento.

parlamentar². [De *parlamento* + *-ar²*.] *V. int.* e *t. i.* **1.** Fazer ou aceitar proposta(s) acerca de negócios de guerra; tratar com delegação inimiga. **2.** *Fig.* Entrar em negociações; conferenciar: "chamou alguns parentes próximos para parlamentarem com o rebelde. Mandou-lhe, por eles, entregar a legítima de sua mãe" (Camilo Castelo Branco, *Doze Casamentos Felizes*, p. 205). [F. paral.: *parlamentear*. Fut. pret.: *parlamentaria*, etc. Cf. *parlamentária*, fem. de *parlamentário*.]

parlamentário. *Adj.* **1.** Que parlamenta ou é próprio para parlamentar. ● *S. m.* **2.** Aquele que parlamenta. [Fem.: *parlamentária*. Cf. *parlamentaria*, do v. *parlamentar*.] **3.** Navio que conduz o oficial que vai parlamentar a bordo de navio inimigo.

parlamentarismo. [De *parlamentar¹* + *-ismo*.] *S. m.* Regime político em que o gabinete [q. v.], constituído pelos ministros de Estado, é responsável perante o parlamento, que através dele governa a nação.

parlamentarista. *Adj. 2 g.* **1.** Relativo ao parlamentarismo. **2.** Que é partidário dele. ● *S. 2 g.* **3.** Partidário do parlamentarismo.

parlamentarizar. *V. t. d.* Tornar parlamentar¹.

parlamentear. *V. int.* e *t. i.* Parlamentar². [Conjug.: v. *frear*.]

parlamento. [Do ingl. *parliament*.] *S. m.* **1.** A(s) assembléia(s) ou a(s) câmara(s) legislativa(s), nos países constitucionais. **2.** Congresso (4) nacional. **3.** Antiga assembléia política e judiciária, na França.

parlanda. [De *parlar*.] *S. f.* V. *parlenda*.

parlapassada. [De *parla* + o fem. do adj. *passado*.] *S. f.* *Bras., RS.* Ajuste prévio; conluio, combinação.

parlapatão. [De *parlar*.] *Adj.* e *s. m.* Diz-se de, ou homem cheio de vaidade; mentiroso, impostor, fanfarrão. [M. us. como s. m. Fem.: *parlapatona*.]

parlapatear. *V. int.* **1.** Proceder como parlapatão; blasonar. *T. d.* **2.** Alardear com impostura; bazofiar, blasonar, ostentar. [Conjug.: v. *frear*.]

parlapatice. *S. f.* Modos, atos ou ditos de parlapatão.

parlapatona. *Adj. (f.)* e *s. f.* Fem. de *parlapatão* [q. v.].

parlapatório. [De *parlar*.] *S. m. Bras.* Falatório, palavrório, palanfrório, verborragia, verbiagem.

parlar. *V. int.* e *t. i.* F. sincopada de *parolar*.

parlatório. [De *parlar*.] *S. m.* **1.** V. *locutório*. **2.** Conversa, cavaco. **3.** Falatório, falario. **4.** Balcão, em edifício público, onde se apresentam autoridades: *o parlatório do Palácio do Planalto.*

parlenda. [De *parlanda*, com dissimilação.] *S. f.* **1.** V. *palavreado* (1). **2.** Discussão importuna; desavença, rixa. **3.** Rimas infantis, em versos de cinco ou seis sílabas, para divertir, ajudar a memorizar, ou escolher quem fará tal ou qual brinquedo. Ex.: "Amanhã é domingo / pé de cachimbo"; "Um, dois, / feijão com arroz". [Var.: *parlenga* e (pop.) *perlenda*, *perlenga*.]

parlendar. [De *parlenda* + *-ar²*.] *V. int.* Parlengar.

parlenga. *S. f.* V. *parlenda*.

parlengar. *V. int.* Usar de parlenga; parlendar. [Conjug.: v. *largar*.]

parma. [Do lat. *parma*.] *S. f.* Escudo circular que usavam os antigos soldados romanos.

parmesã. *Adj. (f.)* e *s. f.* Fem. de *parmesão* [q. v.].

parmesão. [Do it. *parmigiano*.] *Adj.* **1.** De, ou pertencente ou relativo a Parma (Itália). [Fem.: *parmesã*.] **2.** Diz-se de uma variedade de queijo de massa dura, própria para ser ralada, e de largo emprego na cozinha. [Originário de Parma, é esse queijo atualmente fabricado em muitos países.] ● *S. m.* **3.** O natural ou habitante de Parma. [Flex.: *parmesã, parmesãos, parmesãs*.] **4.** Queijo parmesão.

parnagüense. *Adj. 2 g.* **1.** De Parnaguá (PI). ● *S. 2 g.* **2.** Natural ou habitante de Parnaguá.

parnaíba. [Do top. *Parnaíba* (v. *parnaibano*), decerto.] *S. f.* **1.** *Bras., N.E.* V. *lambedeira* (3): "Ouvindo aquelas palavras ...., os dous malfeitores instintivamente bateram mãos das parnaíbas" (Franklin Távora, *O Cabeleira*, p. 27). **2.** *Bras., BA.* Facão usado por açougueiros.

parnaibano¹ (a-i). *Adj.* **1.** De, ou pertencente ou relativo a Parnaíba (PI). ● *S. m.* **2.** O natural ou habitante de Parnaíba.

parnaibano² (a-i). *Adj.* **1.** De, ou pertencente ou relativo a Santana de Parnaíba (SP). ● *S. m.* **2.** O natural ou habitante de Santana de Parnaíba.

parnamirinense. *Adj. 2 g.* **1.** De, ou pertencente ou relativo a Parnamirim (PE). ● *S. 2 g.* **2.** Natural ou habitante de Parnamirim.

parnanguara. *Adj. 2 g.* **1.** De, ou pertencente ou relativo a Paranaguá (PR). ● *S. 2 g.* **2.** Natural ou habitante de Paranaguá.

parnão. [De *par* (2) + *não*.] *Adj. Pop.* Ímpar. [Var.: *pernão*.]

parnaramense. *Adj. 2 g.* **1.** De, ou pertencente ou relativo a Parnarama (MA). ● *S. 2 g.* **2.** Natural ou habitante de Parnarama.

parnasianismo. *S. m.* Escola ou doutrina dos parnasianos; parnaso.

parnasiano. *Adj.* **1.** Pertencente ou relativo ao Parnaso (1). **2.** Diz-se dos partidários de uma escola poética que, em oposição ao lirismo romântico, cultivou uma poesia de feição mais objetiva e de notável apuro de forma. ● *S. m.* **3.** Poeta filiado a essa escola.

parnaso. [Do top. *Parnaso*.] *S. m.* **1.** Montanha da Fócida (Grécia antiga) consagrada a Apolo e às Musas. **2.** *Fig.* A poesia. **3.** A classe dos poetas. **4.** Coleção de poesias de vários autores. V. *antologia* (2). **5.** O parnasianismo.

parnasso. *S. m. Ant.* Parnaso.

▲-paro. [Do lat. *parere*.] *El. comp.* = 'que pare', 'que produz': *germiníparo, multíparo.* [Equiv.: *-para: secundípara*.]

paró. *S. m.* Var. de *parau*.

paroara. [Var. de *parauara*<tupi *para'wara*.] *S. m.* **1.** *Bras.* V. *cardeal* (3). ● *S. 2 g.* **2.** *Bras., Amaz.* Paraense (2). **3.** *Bras., N.* Nordestino que vive na Amazônia. **4.** *Bras., N.* Agenciador de trabalhadores para os seringais da Amazônia.

pároco. [Do gr. *paróikos*, 'aquele que mora junto', cruzado com *párochos*, 'dono de casa', pelo lat. *parochu*.] *S. m.* Sacerdote encarregado de uma paróquia; vigário, cura, padre-cura.

parocotó. *Bras. S. 2 g.* e *adj. 2 g.* V. *parucotó*.

paródia. [Do gr. *parodía*, 'canto ao lado de outro', pelo lat. *parodia*.] *S. f.* **1.** Imitação cômica de uma composição literária. **2.** *P. ext.* Imitação burlesca. **3.** *Teat.* Comédia satírica ou farsa em que se ridiculariza uma obra trágica ou dramática; arremedo. [Cf. *parodia*, do v. *parodiar*.]

parodiar. *V. t. d.* **1.** Fazer paródia de; imitar cômica ou burlescamente: "Na juventude, chegou mesmo a compor versos e parodiar letras de músicas populares." (Otávio Issa, *Os Inquietos*, p. 3.) **2.** Imitar; arremedar, remedar: "poderia .... buscar no movimento de renovação artística do século XV o modelo inexpressivo e frio com que a decadência da fé religiosa parodiava a severa correção da forma greco-romana" (Inglês de Sousa, *O Missionário*, p. 184). [Pres. ind.: *parodio, parodias, parodia*, etc. Cf. *paródia*.]

parodinia. [De *par(a)-* + *-odin(o)-* + *-ia*.] *S. f. Med.* V. *distocia*.

parodínico. *Adj.* Referente à parodinia.

parodista. *S. 2 g.* Pessoa que faz paródias.

párodo. [Do gr. *párodos*.] *S. m. Teat.* No antigo teatro grego, a parte lírica da tragédia, na qual o coro declama ou canta ao mesmo tempo que executa movimentos coreográficos.

parodonte. [De *par(a)-* + *-odonte*.] *S. m.* **1.** *Anat.* Periodonto. **2.** Tubérculo gengival doloroso.

parodontite. [De *par(a)-* + *-odont(e)-* + *-ite¹*.] *S. f. Patol.* Periodontite.

parol. [Do esp. *perol*, 'tacho'.] *S. m.* **1.** *Bras.* Manjedoura, cocho. **2.** *Bras.* Recipiente onde se ajunta o caldo da cana, nos engenhos de açúcar: "o rio cuja água a certas horas do dia se precipitava clara como o sumo da cana espremida no parol" (Xavier Marques, *As Voltas da Estrada*, p. 138). **3.** *Bras., MG.* Grande depósito de aguardente: "Depois de destilada [a cachaça], deve ficar cinco anos em paróis de cedro, umburana ou bálsamo." (Agripa Vasconcelos, *Fome em Canaã*, p. 63.) [Pl.: *paróis*.]

parola. [Do it. *parola*, 'palavra'.] *S. f.* **1.** Conversa sem conseqüência ou compromisso; conversa fiada. **2.** Seqüência de palavras ocas; palavreado, parlenda, palanfrório, paleio: "— 'Basta. Deixemos de parola. / Que queres tu, ó rapariga?'" (Martins Fontes, *Verão*, p. 179.) **3.** Tagarelice, trela. ● *S. m.* e *adj.* **4.** *Bras., Amaz.* V. *paroleiro*.

parolador (ô). *Adj.* e *s. m.* V. *paroleiro*.

parolagem. *S. f.* Ato de parolar; parolamento.

parolamento. *S. m.* Parolagem.

parolar. [De *parola* + *-ar²*.] *V. int.* e *t. i.* Falar muito; tagarelar, parolear, parlar: "De tanto parolar a goela se me abrasa..." (Eugênio de Castro, *Obras Poéticas*, VI, p. 41.)

parole. [Do it. *paroli*, pelo esp. *pároli*.] *S. m.* Em certos jogos, o dobro da parada anterior. [F. paral.: *parolim*.]

◆ **Fazer parole.** No carteado, concordar (todos os jogadores) em receber nova dada de cartas.

parolear. *V. int.* e *t. i.* V. *parolar*. [Conjug.: v. *frear*.]

paroleiro. *Adj.* e *s. m.* **1.** Que ou aquele que gosta de parolas ou de estar à parola. **2.** Parlapatão, fanfarrão, embusteiro, mentiroso. [Sin. ger.: *parolador* e (bras., Amaz.) *parola*.]

parolice. *S. f.* **1.** Ato ou efeito de parolar. **2.** Qualidade de paroleiro.

parolim. *S. m.* V. *parole*.

paromologia. [Do gr. *parómalos*, 'quase semelhante', + *-log(o)-* + *-ia*.] *S. f. Ret.* Concessão da qual imediatamente se tira vantagem.

paromológico. *Adj.* Referente à paromologia.

paronímia. [Do gr. *paronimía*.] *S. f.* Qualidade de parônimo.

paronímico. *Adj.* Parônimo (1).

parônimo. [Do gr. *parónymos*, pelo lat. *paronymu*.] *Adj.* **1.** Diz-se das palavras que têm som semelhante ao de outras; paronímico. Ex.: *descrição* e *discrição; onicolor* e *unicolor; vultoso* e *vultuoso*. —V. *charada*—*a*. ● *S. m.* **2.** Palavra parônima. [Cf. *homônimo, antônimo* e *sinônimo*.]

paroníquia. [Do gr. *paronychía*, pelo lat. *paronychia*.] *S. f.* **1.** Gênero de plantas da família das cariofiláceas que tinham, a crer nos antigos, a virtude de curar o panarício. **2.** *Med.* Inflamação que compromete os tecidos dispostos em torno do leito ungueal; panarício, panariz.

paronomásia. [Do gr. *paronomasía*, pelo lat. *paronomasia*.] *S. f.* **1.** Semelhança entre palavras de línguas diferentes, que indica origem comum; adnominação. **2.** *Ret.* Emprego de palavras semelhantes no som, porém diversas na significação; agnominação. Ex.: "Todas nove nos braços o tomaram, / criando-o co seu leite no seu leito." (Luís de Camões, *Rimas*, p. 275); "Há um pinheiro estático e extático" (Rubem Braga, *Ai de Ti, Copacabana!*, p. 16).

paronomástico. *Adj.* Respeitante à paronomásia.

paropsia. [De *par(a)-* + *-ops(e)-* + *-ia*.] *S. f. Med.* Designação genérica dos defeitos da visão.

paróquia. [Do gr. *paroikía*, pelo lat. *paroecia* < *parochia*, com infl. de *parochu*.] *S. f.* **1.** Divisão territorial de uma diocese sobre a qual tem jurisdição ordinária um sacerdote, o pároco. **2.** *Bras. Joc.* Cidade; localidade, bairro: *É uma das pequenas mais certinhas da paróquia.* **3.** *Bras. Pop.* Grupo, bando, turma: *Aquele cara não faz parte da minha paróquia.* [Cf. *paroquia*, do v. *paroquiar*.]

paroquial. *Adj. 2 g.* Relativo ou pertencente ao pároco, ou à paróquia.

paroquiamento. *S. m.* Ação ou efeito de paroquiar.

paroquiano. *Adj.* e *s. m.* Que ou aquele que habita na paróquia (1); freguês: " — Sr. Padre Dionísio, o dever dum bom paroquiano é prestigiar o seu pároco." (Manuel Ribeiro, *A Planície Heróica*, p. 193.)

paroquiar. *V. t. d.* **1.** Administrar como pároco: *paroquiar uma freguesia.* *Int.* **2.** Exercer as funções de pároco. [Pres. ind.: *paroquio, paroquias, paroquia*, etc. Cf. *paróquia*.]

paroquiato. [De *paróquia* + *-ato¹*.] *S. m. Bras.* **1.** Tempo em que um vigário administrou uma paróquia. **2.** Paróquia: "e Padre Antônio entrevia .... um futuro vulgar de padre bem-comportado, preso à igreja duma vila de interior, numa colação perpétua, engordando na vadiação estúpida dum paroquiato aldeão" (Inglês de Sousa, *O Missionário*, p. 168).

parosmia. [De *par(a)-* + *-osm(o)-¹* + *-ia*.] *S. f. Med.* Perversão do olfato.

parósmico. *Adj.* Referente à parosmia.

parótico. [De *par(a)-* + *-ot(o)-* + *-ico²*.] *Adj. Anat.* Situado perto da orelha.

parótida. [Var. de *parótide*.] *S. f. Anat.* Cada uma das duas glândulas salivares localizadas adiante e abaixo de cada orelha.

parótide. [Do gr. *parotís, ídos*, 'caxumba', pelo lat. *parotide*.] *S. f. Anat.* Parótida.

parotídeo. *Adj.* Relativo ou pertencente à parótida; parotidiano.

parotidiano. *Adj.* Parotídeo.

parotidite. [De *parótida* + *-ite¹*.] *S. f. Patol.* Inflamação da parótida. ◆ **Parotidite epidêmica.** *Patol.* Inflamação aguda da parótida. [Sin.: *trasorelho*, (bras.) *caxumba* e, vulgarmente, *papeira* no N. do Brasil.]

par-ou-ímpar. *S. m. Bras. Folcl.* Jogo em que dois meninos ocultam uma das mãos e contam até três, para mostrá-las em seguida e somar os dedos estirados, cabendo a vitória ao que adivinhar se par ou ímpar. [Pl.: *pares-ou-ímpares*.]

paroxísmico. (cs). *Adj.* Relativo a paroxismo; paroxístico.

paroxismo (cs). [Do gr. *paroxysmós.*] *S. m.* **1.** *Med.* Estágio duma doença, ou dum estado mórbido, em que os sintomas se manifestam com maior intensidade. **2.** *Fig.* A exaltação máxima de uma sensação ou de um sentimento; auge, apogeu: "Às vezes, quando os seus gestos eram mais bruscos, o rosto assumia um paroxismo tal de pavor que ninguém se furtava à impressão terrificante de tal cena." (Medeiros e Albuquerque, *Contos Escolhidos*, p. 144.) ♦ **Paroxismo vulcânico.** *Geol.* A intensidade maior da atividade vulcânica. ~ V. *paroxismos.*

paroxismos (cs). [Pl. de *paroxismo.*] *S. m. pl.* Estertor de moribundo; vasca(s), agonia. ~ V. *paroxismo.*

paroxístico (cs). *Adj.* Paroxísmico.

paroxítono (cs). [Do gr. *paroxytonos.*] *Adj.* **1.** *Gram.* Diz-se do vocábulo que tem o acento tônico na penúltima sílaba, [Sin., obsol.: *grave.*] ● *S. m.* **2.** Palavra paroxítona.

párpado. *S. m. Desus.* Pálpebra.

parque. [Do fr. *parc.*] *S. m.* **1.** Bosque cercado onde há caça. **2.** Extensão de terreno arborizada e fechada que circunda uma propriedade, ou a ela está anexa: *o parque do castelo.* **3.** *Bras.* Jardim público arborizado: *Todas as manhãs leva as crianças ao parque.* **4.** Lugar onde se guardam munições de guerra ou petrechos de artilharia. ♦ **Parque gráfico.** Conjunto de estabelecimentos gráficos de uma instituição, cidade, estado ou país. **Parque industrial. 1.** Conjunto de indústrias de uma cidade, estado ou país. **2.** Área reservada pelo Estado à instalação de indústrias. **Parque infantil.** Local geralmente cercado e dotado de instalações próprias para a recreação de crianças. **Parque nacional.** Região natural que o governo de um país põe sob a proteção do Estado a fim de conservar flora e fauna, como defesa contra as devastações feitas pelo homem.

parquê. *S. m.* Parquete [q. v.].

parqueamento. *S. m. Bras.* **1.** Ato ou efeito de parquear. **2.** Estacionamento (2). **3.** Método de adubação do solo com excremento de carneiro.

parquear. [Do ingl. *to park.*] *V. t. d. Bras. Angl.* **1.** Delimitar local para parqueamento ou estacionamento de. **2.** Estacionar (4): "Esse homem havia parqueado o carro pouco adiante e com rapidez desembarcara." (Haroldo Maranhão, *As Peles Frias*, p. 158.) [Conjug.: v. *frear.*]

parquete (ê). [Do fr. *parquet.*] *S. m.* Soalho cujos tacos formam desenhos; parquê.

parra. *S. f.* Ramo de videira; pâmpano: "Rodeado [Baco] de milhões de capros e silvanos, / Faunos cornutos, sátiros maganos, / Engrinaldados de racimos e de parras" (Martins Fontes, *Verão*, p. 49).

parrado. [De *parra* + *-ado*[1].] *Adj.* Disposto em latada.

parrafar. *V. t. d. Ant.* Dividir em párrafos; paragrafar. [Pres. ind.: *parrafo*, etc. Cf. *párrafo.*]

párrafo. *S. m. Ant.* V. *parágrafo.* [Cf. *parrafo*, do v. *parrafar.*]

parrana. *Adj. 2 g.* e *s. 2 g.* **1.** Que ou quem anda mal trajado; gebo. **2.** Que ou quem é indiferente ao progresso; molangueirão; retardatário.

parrança. [Por **parlança*, com assimilação.] *S. f. Bras., AL. Pop.* Fanfarronice, gabolice, jactância.

parranda. [Do esp. plat. *parranda.*] *S. f. Bras., RS.* **1.** Grupo de velhacos organizado para burlar incautos. **2.** Roubo, ladroeira.

parrar-se. *V. p.* **1.** Cobrir-se de parras. **2.** Alastrar-se como a videira.

parreira. [De *parra* + *-eira.*] *S. f.* **1.** Designação comum a certas plantas trepadeiras, especialmente a videira. **2.** Videira cujos ramos se firmam, em geral, numa latada (1).

parreira-brava. *S. f. Bras.* **1.** V. *abutua* (1). **2.** V. *parreira-do-mato.* [Pl.: *parreiras-bravas.*]

parreira-do-mato. *S. f. Bras.* Cipó da família das menispermáceas (*Cissampelos pareira*), disperso por toda a zona tropical e comum no Brasil, de frutos pequenos e dispostos em cacho, e cuja raiz, grossa, tem uso na medicina popular; cipó-de-cobra, parreira-brava. [Pl.: *parreiras-do-mato.*]

parreiral. *S. m.* Série de parreiras.

parrésia. [Do gr. *parrhesía*, pelo lat. *parrhesia.*] *S. f. Ret.* Afirmação ousada; atrevimento oratório.

parrésico. *Adj.* Referente à parrésia.

parricida. [Do lat. *parricida.*] *S. 2 g.* **1.** Pessoa que matou o pai, mãe ou qualquer dos ascendentes. ● *Adj. 2 g.* **2.** Que praticou o parricídio.

parricídio. [Do lat. *parricidiu.*] *S. m.* Crime de parricida.

parrídeo. *S. m.* e *adj.* Jacanídeo.

parrídeos. *S. m. pl. Zool.* Jacanídeos.

parrilha. *S. f.* **1.** Saragoça muito ordinária. ● *Adj. 2. g.* **2.** Que cria muito sarmento.

parruá. [Do fr. *paroir.*] *S. m.* Grande bastidor onde se colocam as peles para se alisar o carnaz.

parruda. [De *parra* + o fem. de *-udo.*] *S. f.* **1.** *Bras. Chulo.* Mulher virgem. **2.** *Gír.* Negócio ilícito.

parrudo. [De *parra* + *-udo.*] *Adj.* **1.** Rasteiro como as parras. **2.** *Fig.* Baixo e grosso: "um rapazelho de dezessete anos, moreno e parrudo" (Xavier Marques, *Jana e Joel*, p. 1). **3.** Forte, musculoso. ● *S. m.* **4.** *Bras.* Alcunha depreciativa de português. V. *galego* (4).

parse. [Do persa *pārsi.*] *Adj. 2 g.* **1.** Pertencente ou relativo aos parses, antigos persas zoroastristas que, para escapar às perseguições muçulmanas, emigraram e se estabeleceram na Índia, ou ao parsismo. **2.** Que é sectário do parsismo. ● *S. 2 g.* **3.** Sectário dele. *S. m.* **4.** *Ling.* Língua indo-européia do grupo iraniano, falada na Pérsia na época dos últimos sassânidas.

parsec. [De *par(alaxe)* + ingl. *sec(ond)*, 'segundo'.] *S. m. Astr.* Unidade astronômica equivalente à distância de uma estrela cuja paralaxe seja de um segundo, e correspondente a 3,26 anos-luz. [Pl.: *parsecs.*]

parsismo. [De *parse* (1) + *-ismo.*] *S. m.* **1.** Religião dos parses. **2.** Costumes e usos dos parses.

parta. *Adj. 2 g.* e *s. 2 g.* Parto[2].

partasana. [Do it. *partigiana*, pelo fr. *pertuisane.*] *S. f.* **1.** *Ant.* Alabarda de infantaria, aguda e larga: "Engarfam-se as espadas nas espadas, as lanças nas lanças, as partasanas nas partasanas, os chuços nos chuços." (Antero de Figueiredo, *Toledo*, p. 121.) **2.** V. *tabua.* [Cf. *patrazana.*]

parte. [Do lat. *parte.*] *S. f.* **1.** Elemento ou porção de um todo: *a parte superior de um móvel; a parte residencial da cidade; A enfermeira aplicou pomadas na parte ferida do corpo do doente.* **2.** Porção de um todo dividido; porção, quinhão: *Dividiu o dinheiro em partes iguais; Cada um receberá a sua parte na herança.* **3.** Divisão de uma obra: *Euclides da Cunha dividiu Os Sertões em três partes: A Terra, O Homem e a Luta.* **4.** Matéria de que se trata; assunto, ponto: *Nesta parte ele não tem razão.* **5.** Local, lugar, sítio: *Acompanha o velho amigo a toda parte.* **6.** Lado, banda: *O vento sopra da parte sul.* **7.** Atribuição, papel, função: *A parte dos pais é zelar pelo bem dos filhos.* **8.** Cada uma das pessoas que se opõem num litígio; litigante: *As partes foram convocadas pelo juiz.* **9.** Cada uma das pessoas que celebram entre si um contrato; contratante: *Havendo perfeito acordo entre as partes, assinou-se a escritura.* **10.** Partido, causa, facção: *Uns poucos monarquistas negaram apoio à parte republicana.* **11.** Comunicação verbal ou escrita; participação: *Só deu parte de seu casamento a alguns amigos.* **12.** Denúncia de um crime, delito, transgressão de ordem ou de regulamento: *O capitão deu parte do soldado faltoso* **13.** *Mús.* Cada um dos elementos componentes de uma partitura. **14.** *Mús.* Cada um dos elementos estruturais de determinadas composições, tais como a sonata, a sinfonia, etc. ~ V. *partes.* ♦ **Parte beneficiária.** *Fin.* Título negociável, sem valor nominal, nominativo ou ao portador, instituído pelas sociedades anônimas ou em comandita por ações que, embora radicalmente estranhas ao capital social, conferem, em caso de liquidação, certa participação nos lucros sociais e na partilha do patrimônio líquido. [V. *título de crédito.*] **Parte cavada.** *Mús.* Texto, impresso ou manuscrito, extraído de uma partitura para várias vozes ou para vários instrumentos, e que corresponde a uma só voz ou a um só instrumento. **Parte central.** *Bras., RS. Chulo.* O pênis. **Partes do mundo.** As porções em que, por convenção, se dividem os continentes: *América, Europa, Ásia, África, Oceânia* e *Antártida.* **Parte ideal.** *Dir.* A fração que, num condomínio, representa simples relação numérica, correspondente ao direito de cada condômino, e que por meio da divisão ou da partilha pode concretizar-se e determinar-se em uma parte real. **À parte. 1.** Isoladamente, particularmente, separadamente, ou isolado, particular, separado; de parte: *Chamou-o à parte para explicar o negócio; O caso merece um tratamento à parte.* **2.** Sem contar com; além de; fora, afora: *A parte os filhos, criava os sobrinhos órfãos.* **A parte do leão.** O melhor e/ou o maior quinhão ou parte: *O chefe do bando ficou com a parte do leão.* **Da parte de.** A mandado de; por ordem de; por parte de: *Venho da parte de seus pais.* **Dar parte de. 1.** Mostrar-se, revelar-se: *Agüentou o rojão, sem dar parte de covarde.* **2.** Fazer-se de; fingir-se: *Deu parte de cansado para não trabalhar.* **3.** Denunciar, delatar: *Deu parte do criminoso.* **De parte.** A distância; sem tomar parte ou se intrometer: *Conservou-se de parte durante a recepção.* **2.** Em caráter particular; particularmente, reservadamente; à parte: *Chamei-o de parte para tratar do delicado assunto.* **De parte a parte.** Em reciprocidade; reciprocamente. **Fazer parte de.** Ser um dos elementos ou figurantes de; participar de, ou em: *Fazem parte da comissão dois advogados.* **Por parte de.** V. *da parte de.* **Pôr de parte.** V. *pôr de lado.* **Ter parte com.** Estar de combinação com; estar mancomunado com; mancomunar-se com. **Ter parte em.** Tomar parte em. **Tomar parte em.** Ter participação em; participar de; ter parte em: *F. não tomou parte no crime.*

parteira. *S. f.* **1.** Mulher que assiste aos partos, ajudando ou socorrendo as parturientes. [Sin.: *obstetriz* e (fam.) *comadre, madama.*] **2.** *Bras., N.E. Pop.* Guarda-chuva velho e ordinário. **3.** *P. ext.* V. *guarda-chuva.*

parteiro. *Adj.* **1.** Diz-se do médico que assiste a partos ou é especialista em obstetrícia. **2.** *Bras., N.E. Fam.* e *irôn.* Muito zeloso, extremoso em demasia e com sinceridade duvidosa: *João está muito parteiro com a sogra.* ● *S. m.* **3.** Médico parteiro.

partejamento. *S. m.* Partejo (1).

partejar. [De *parto* + *-ejar.*] *V. t. d.* **1.** Servir de parteiro ou parteira a. **2.** *Bras., N.E.* Adular, bajular. *Int.* **3.** Parir (3). [Conjug.: v. *pelejar.*]

partejo (ê). [Dev. de *partejar.*] *S. m.* **1.** Ato de partejar; partejamento. **2.** O ofício de parteira.

▲**parteno-.** [Do gr. *parthénos, ou.*] *El. comp.* = 'virgem, não fecundado': *partenologia, partenogênese.*

partenocarpia. [De *parteno-* + *-carp(o)-* + *-ia.*] *S. f. Bot.* Formação de um fruto sem fecundação prévia dos óvulos, não havendo, portanto, sementes, ou sendo elas estéreis.

partenocárpico. *Adj.* Relativo à, ou resultante da partenocarpia: *tomate partenocárpico.*

partenogênese. [De *parteno-* + *-gênese.*] *S. f. Biol.* Desenvolvimento do óvulo não fecundado, de que resulta um indivíduo como os outros. [Cf. *apomixia.*]

partenogenético. [De *parteno-* + *genético.*] *Adj.* Relativo à partenogênese.

partenologia. [De *parteno-* + *-log(o)-* + *-ia.*] *S. f.* Parte da ginecologia que estuda as doenças genitais em virgens.

partenológico. *Adj.* Respeitante à partenologia.

partenomancia. (cí). [De *parteno-* + *-mancia.*] *S. f.* Antiga arte de adivinhar se era ou não virgem uma mulher administrando-lhe uma bebida que ela não devia vomitar, ou cingindo-lhe ao pescoço uma fita que não podia ser tirada facilmente por cima da cabeça, caso a mulher estivesse pura.

partenomante. [De *parteno-* + *-mante.*] *S. 2 g.* Pessoa que pratica a partenomancia.

partenomântico. *Adj.* Referente à partenomancia, ou a partenomante.

Partênope. [Do mit. gr. *Parthenópe.*] *S. m.* Pequeno planeta descoberto em Nápoles, em 1850.

partenopéia. *Adj. (f.).* Fem. de *partenopeu.*

partenopeu. [Do gr. *parthenopéios*, pelo lat. *Parthenopeiu.*] *Adj.* **1.** Referente a Partênope, antiga cidade italiana, hoje Nápoles. **2.** *P. us.* V. *napolitano* (1). [Fem.: *partenopéia.*]

partenopídeo. *S. m.* **1.** Espécime dos partenopídeos. ● *Adj.* **2.** Pertencente ou relativo a eles.

partenopídeos. *S. m. pl. Zool.* Família de crustáceos decápodes, braquiúros, na qual se encontram caranguejos vulgarmente conhecidos como *santolas* ou *aranhas-do-mar.*

partes. [Pl.: de *parte.*] *S. f. pl.* **1.** Qualidades de uma pessoa; dotes, prendas. **2.** Os órgãos genitais externos; partes pudendas, partes secretas: "Andava-se a morrer de fome e sem um pedaço de niagem para cobrir as partes" (Alberto Rangel, *Lume e Cinza*, p. 168). **3.** *Bras.* Manhas, melindres, exigências: *pessoa cheia de partes.* ~ V. *parte.* ♦ **Partes moles.** *Anat.* Partes do corpo que não têm ossos. **Partes proporcionais.** *Arit.* Grandezas que estão entre si numa razão constante. **Partes pudendas.** V. *partes* (2). **Partes secretas.** V. *partes* (2).

partibilidade. *S. f.* Qualidade de partível.

partição. [Do lat. *partitione.*] *S. f.* **1.** Ato de partir, de dividir. **2.** *Álg. Mod.* Coleção de subconjuntos de um conjunto construídos de maneira que cada elemento do conjunto esteja apenas num subconjunto; decomposição.

participação. [Do lat. *participatione.*] *S. f.* Ato ou efeito de participar. ♦ **Participação nos lucros.** *Econ.* Sistema em que os empregados têm parte nos lucros de uma empresa, a qual lhes distribui uma parcela dos ganhos mediante adição de salários e vencimentos e sem exigência de melhoria de produtividade.

participador (ô). *Adj.* e *s. m.* V. *participante* (1).

participante. [Do lat. *participante.*] *Adj. 2 g.* e *s. 2 g.* **1.** Que ou quem participa; participador, partícipe. **2.** Que ou quem, em política ou noutra atividade, tem participação ativa.

participar. [Do lat. *participare.*] *V. t. d.* **1.** Fazer saber; informar, anunciar, comunicar: *Participou, em breves linhas, a sua renúncia; Os recém-casados participaram sua residência;* "Com modo solene e triste, / Participou / Que era obrigado a partir" (José Régio, *As Encruzilhadas de Deus,* p. 115). *T. d.* e *i.* **2.** Fazer saber; informar, anunciar, comunicar: "garotas participam-lhe a outrora grata notícia de que, por indicação dos professores, estavam fazendo um trabalho sobre ele" (Carlos Drummond de Andrade, *Cadeira de Balanço,* p. 48); "Estela apareceu muito alegre participando ao esposo que a avó lhe mandara os canários" (Camilo Castelo Branco, *A Mulher Fatal,* p. 107). *T. i.* **3.** Ter ou tomar parte: "Ao ser convidado para padrinho de casamento, ia ponderar que há muito perdera a fé, não lhe ficava bem participar de ato religioso." (Id., *ib.,* p. 49); "Não pensava participar, ao menos naqueles momentos, de tantas intrigas palacianas" (Nélida Piñón, *A Força do Destino,* p. 35); "respondeu que assim mandara para defesa dos jesuítas, ameaçados da cólera popular, por haverem participado na conspiração contra o Rei." (J. Lúcio d'Azevedo, *O Marquês de Pombal e a Sua Época,* p. 20). **4.** Associar-se pelo pensamento ou pelo sentimento: *Exaltado, participava da indignação geral.* **5.** Ter traço(s) em comum, ponto(s) de contato, analogia(s): "O ataque aéreo realizado contra Sevres em 1941 participa mais da natureza do sacrilégio." (Costa Rego, *Águas Passadas,* p. 408); "O romance de Camilo participa do folhetim, participa do panfleto, participa da crônica, participa do comentário, divagação ou confissão pessoal, ... e até participa do que chamamos, num sentido técnico e restrito, romance." (José Régio, *in* João Gaspar Simões, *Perspectiva da Literatura Portuguesa do Século XIX,* I, p. 181).

participável. *Adj. 2 g.* Que pode ser participado.

partícipe. [Do lat. *participe.*] *Adj. 2 g.* e *s. 2 g.* V. *participante* (1). [Cf. *participe,* do v. *participar.*]

participial. [Do lat. *participiale.*] *Adj. 2 g. Gram.* Relativo ao, ou da natureza do particípio.

particípio. [Do lat. *participiu.*] *S. m. Gram.* V. *formas nominais do verbo.*

pártico. [Do gr. *parthikós,* pelo lat. *parthicu.*] *Adj.* Pertencente ou relativo aos partos, povo asiático.

partícula. [Do lat. *particula.*] *S. f.* **1.** Parte muito pequena. **2.** Corpo diminuto; corpúsculo: *partículas em suspensão num líquido.* **3.** Hóstia (sobretudo pequena). **4.** *Gram.* Qualquer palavra invariável, em especial as monossilábicas. ♦ **Partícula alfa.** *Fís. Nucl.* Núcleo de hélio emitido em um processo radioativo ou acelerado convenientemente. [Tb. se diz apenas *alfa.*] **Partícula apassivadora.** *Gram.* O pronome *se,* na voz passiva sintética: *Tomaram-se as providências* (= as providências foram tomadas). **Partícula atômica.** *Fís.* Designação genérica de partículas que têm dimensões comparáveis às dimensões atômicas, como, p. ex., os íons. **Partícula beta.** *Fís. Nucl.* Elétron ou pósiton emitido num processo de desintegração nuclear, e possuidor de energia cinética [Tb. se diz apenas *beta.*] **Partícula elementar.** *Fís. Nucl.* Qualquer partícula que se considera, atualmente, uma entidade definida e simples; partícula fundamental. [Incluem-se nesta classe o *neutrino,* o *elétron,* o *méson mu,* o *próton,* o *nêutron,* as partículas *lambda, sigma, xi, ômega,* os *mésons pi* e *K,* o *fóton* e as respectivas antipartículas.] **Partícula estranha.** *Fís. Nucl.* Partícula elementar em que a estranheza não é nula. **Partícula fundamental.** *Fís. Nucl.* Partícula elementar. **Partícula subatômica.** *Fís.* Designação genérica de partículas cujas dimensões são muito menores que as de um átomo, como, p. ex., os elétrons, os prótons, etc. **Sagrada partícula.** *Rel.* A hóstia.

particulado. [De *partícula* + *-ado*[1].] *Adj. Quím.* Diz-se de material reduzido a partículas.

particular. [Do lat. *particulare.*] *Adj. 2 g.* **1.** Pertencente ou relativo apenas a certos seres vivos ou a certa(s) pessoa(s) ou coisa(s); peculiar, próprio, específico, especial: *A reflexão é uma característica particular do homem;* "Era um aposento suficientemente espaçoso, ... e, embora sempre muito limpo, muito varrido e arrumado, com o cheiro particular às habitações de doentes." (José Veríssimo, *Cenas da Vida Amazônica,* pp. 102-103). **2.** De propriedade ou uso exclusivo de alguém; que não é de uso geral ou público; privativo: *carro particular; biblioteca particular.* **3.** Incomum; raro; singular: *talento particular.* **4.** Reservado, íntimo: *assunto particular; conversa particular.* **5.** Minucioso, minudente, pormenorizado. **6.** *Lóg.* Que não pertence a todos os indivíduos de uma espécie considerada, mas a alguns deles, ou, até, a um só deles. [V., nesta acepç., *proposição particular.*] ~ V. *instrumento —, integral —, missa —, proposição —, solução —, testamento — e vida —.* ● *S. m.* **7.** Aquilo que é particular: *Seu raciocínio é falso, porque realça o particular e abandona o geral.* **8.** Caso ou circunstância especial: *Nesse particular nós nos entendemos.* **9.** Uma pessoa qualquer: *O carro atropelou um particular que ia passando.* **10.** O que é próprio do temperamento de cada um; singularidade, mania. **11.** *Bras.* Conversa em particular: *Num particular que tive com ele, desabafei.* ~ V. *particulares.*

particulares. [Pl. de *particular.*] *S. m. pl.* Pormenores, minúcias, minudências, detalhes; particularidades: *Revelou muitos particulares da antiga administração.* ~ V. *particular.*

particularidade. [Do lat. *particularitate.*] *S. f.* **1.** Qualidade de particular; particularismo. **2.** Peculiaridade, especialidade, singularidade, característica. **3.** Pormenor, minúcia, minudência.

particularismo. *S. m.* **1.** Particularidade (1). **2.** *Polít.* Posição de uma comunidade, de uma população, que procura conservar, dentro dum Estado ou duma Federação, suas características regionais, sua autonomia.

particularização. *S. f.* Ato ou efeito de particularizar (-se).

particularizador (ô). *Adj.* e *s. m.* Que ou aquele que particulariza.

particularizar. [De *particular* + *-izar.*] *V. t. d.* **1.** Narrar ou referir com minúcia ou particularidade: *Particularizou os métodos que pretende usar em seu trabalho.* **2.** Fazer distinção ou menção especial de; nomear em particular: *Não particularizou ninguém, no seu elogio.* **3.** Caracterizar especialmente; especificar, individualizar, individuar: *Esta biografia particulariza aspectos psicológicos da vida do escritor. P.* **4.** Sobressair, distinguir-se, salientar-se; singularizar-se.

partida. *S. f.* **1.** Ato de partir (8 e 9); saída. **2.** Em certos jogos, número de lanços [v. *lanço* (10)] ou de mãos [v. *mão* (17)] necessários para que um parceiro ganhe: *partida de gamão; partida de baralho.* **3.** Prélio esportivo: *partida de futebol, de tênis, de golfe.* **4.** Quantidade de mercadorias destinadas ao comércio: *uma partida de café, outra de uísque.* **5.** Lançamento completo de uma operação mercantil no livro chamado *diário.* **6.** Remessa de mercadorias. **7.** Reunião social e recreativa; serão, sarau: "À noite fez-se uma festinha, uma '*partida*' como se dizia." (L. Lavenère, *O Padre Cornélio,* p. 57.) **8.** Grupo de gente armada ou desordeira; bando, quadrilha, súcia: *uma partida de ladrões e outra de maconheiros.* **9.** *Fam.* V. *pirraça* (2): *Há de pagar a partida que me pregou.* **10.** *Bras., RS.* Pequena corrida de cavalo, que antecede a principal. **11.** *Bras., RS.* Ensaio que os corredores fazem para a largada dos parelheiros. ♦ **Partidas dobradas.** Sistema de escrituração em que cada lançamento se faz ao mesmo tempo no *deve* de uma conta e no *haver* de outra. **Perder a partida.** Sair-se mal, ou vencido, de alguma coisa. **Pregar uma partida. 1.** Fazer uma pirraça, um acinte. **2.** Pregar uma peça; causar desapontamento; lograr.

partidão. [De *partido* + *-ão*[1].] *S. m. Fam.* **1.** Bom arranjo. **2.** Boa colocação. **3.** Bom casamento; noivo ou noiva rica. **4.** *Restr.* O Partido Comunista Brasileiro, enquadrado nas diretrizes da U.R.S.S.

partidário. *Adj.* **1.** De, ou relativo a partido (4): *política partidária.* **2.** Que é membro ou simpatizante de um partido (4): *político partidário.* **3.** Que segue uma idéia, uma escola, uma pessoa, etc.; sectário, sequaz: *os escritores partidários do modernismo; filósofos partidários de Kant.* ● *S. m.* **4.** Membro ou simpatizante de um partido (4). **5.** Aquele que segue uma idéia, uma escola, etc.; sectário, sequaz, adepto, prosélito.

partidarismo. *S. m.* Paixão partidária; proselitismo.

partidarista. [De *partidário* + *-ista.*] *Adj. 2 g.* e *s. 2 g.* **1.** Que ou quem segue um partido. **2.** Que ou quem é apaixonado por um partido.

partido. [Part. de *partir.*] *Adj.* **1.** Dividido em partes. **2.** Quebrado, fragmentado. ~ V. *folha —a.* ● *S. m.* **3.** Organização cujos membros programam e realizam uma ação comum com fins políticos e sociais; facção. **4.** Associação de pessoas unidas pelos mesmos interesses, ideais, objetivos; liga. **5.** Resolução, decisão; expediente: *Hesitou, sem saber que partido tomar.* **6.** Posição, lado, parte: *Na discussão, tomou o partido do primo.* **7.** Utilidade, proveito, vantagem, ganho: *tirar partido da situação.* **8.** Pessoa casadoura, considerada sob o aspecto financeiro ou social: *Aquele sujeito é um bom partido.* **9.** Vantagem dada em jogo. **10.** Contrato de serviços de advocacia com retribuição mensal fixa. **11.** *Bras.* Plantação de cana-de-açúcar em extensão de terreno mais ou menos considerável: "preparassem terra .... para os partidos de cana, porque chuva haveria na certa para criar lavoura com fartura." (José Lins do Rego, *Gregos e Troianos,* p. 172). **12.** *Turfe.* Recurso ilícito (empurrão, puxão na rédea, fechada, etc.) de que um jóquei lança mão para derrotar adversário que lhe ofereça luta direta.

partidor (ô). [De *partir* + *-(d)or.*] *Adj.* **1.** Que faz partilhas; repartidor. **2.** *Bras., RS.* Diz-se do cavalo acostumado a fazer partidas, nas corridas. ● *S. m.* **3.** Aquele que faz partilhas; repartidor, divisor. **4.** O funcionário judicial que faz o cálculo das partilhas. **5.** *Bras., RS.* A parte da cancha donde os cavalos fazem as partidas para as carreiras: "Ao comprido da cancha enfileirados / os gaúchos olhavam, dos dois lados, / os parelheiros já no partidor." (Vargas Neto, *Tropilha Crioula e Gado Xucro,* p. 63.)

partilha. [Do lat. *particula.*] *S. f.* **1.** Repartição dos bens duma herança. **2.** Divisão de lucros. **3.** V. *quinhão* (1). **4.** Divisão, repartição. **5.** *Fig.* Quinhão, dote, lote: *A glória foi a partilha do herói.*

partilhar. *V. t. d.* **1.** Fazer partilha de. **2.** Dividir em partes; repartir: *As crianças partilharam a merenda.* **3.** Tomar ou ter parte em; compartir, compartilhar: "a primeira mulher .... apiedou-se do primeiro homem, e quis partilhar os trabalhos e as dores daquele que fora criado por Deus para ser o seu escravo humilde" (Alphonsus de Guimaraens, *Obra Completa,* pp. 414-415). *T. d.* e *i.* **4.** Dividir em partes; dividir, repartir: *Partilhou sua herança com os pobres.* **5.** Dar, distribuir. *T. i.* **6.** Ter parte; participar: "Há uma só lei da Existência / sob a esfera luminosa: / partilham da mesma essência / homem, ave, estrela e rosa." (Augusto de Lima, *Poesias,* p. 55.)

partilhável. *Adj. 2 g.* Que pode ser partilhado.

partimento. *S. m.* **1.** Ato de partir. **2.** Repartição, divisão. **3.** Partida, saída.

➧**parti pris** (parti pri). [Fr.] Opinião preconcebida.

partir. [Do lat. *partire.*] *V. t. d.* **1.** Dividir em partes; fazer em porções ou pedaços. **2.** Fazer em pedaços; quebrar, despedaçar: *Partiu a estatueta arrojando-a contra a parede.* **3.** Separar, dividir; *O rio Sena parte a cidade de Paris.* **4.** Fender; sulcar: *A embarcação partia as ondas. T. d.* e *i.* **5.** Repartir, distribuir: *Parte o que é seu pelos amigos;* "Porém, outros amigos tem o frade / Com quem partir sua bondade extrema" (Eugênio de Castro, *Obras Poéticas,* VI, p. 175). *T. i.* **6.** Tomar por base: *Para desculpar-se, parte de uma falsa alegação.* **7.** Originar-se, proceder; provir: *A idéia da homenagem partiu de um grupo de amigos; O tiro partiu de local desconhecido. Int.* **8.** Pôr-se a caminho; ir(-se), partir-se: "Mais belo que partir é regressar." (Onestaldo de Pennafort, *Poesias,* p. 211); "Deixando tudo, posição, família, negócios prósperos, Gauguin deseja pintar, e parte para Taiti, nos mares do Sul." (Santa Rosa, *Roteiro de Arte,* p. 19). **9.** Ir-se embora; retirar-se, partir-se. **10.** Ter origem ou começo; principiar, nascer: *Dali parte um ribeiro que, mais adiante, se transforma em rio caudaloso.* **11.** Ser limítrofe; confinar. *P.* **12.** Quebrar-se, romper-se: *Na queda, a costela partiu-se.* **13.** Pôr-se a caminho; ir(-se), partir: "buliçosas / velas, que o vento tépido enfunara, / se partiam das alvas praias para / o infinito das ondas misteriosas." (Mendonça Júnior, *Poemas fora da Moda,* p. 20). **14.** Retirar-se, afastar-se, partir. **15.** Seguir viagem. **16.** V. *morrer* (1). ♦ **A partir de.** A começar de.

partista. *Adj. 2 g. Bras.* **1.** Cheio de partes, de exigências, melindres; exigente, caprichoso; suscetível. **2.** Arisco; assustadiço.

partita. [Do it. *partita.*] *S. f. Mús.* **1.** No começo do séc. XVII, qualquer peça escrita para instrumentos de teclado. **2.** Suíte de danças. **3.** Série de variações sobre um tema popular ou religioso, ou uma dessas variações. **4.** Sonata de câmara que agrupa diversas danças. [J. S. Bach (1685-1750) usou o termo ora como equivalente de *suíte,* ora para designar uma série de variações sobre corais para órgão.]

partitivo. [Do fr. *partitif.*] *Adj.* **1.** Que reparte. **2.** *Gram.* Que limita a significação de uma palavra. ● *S. m.* **3.** Palavra que limita a significação de outra.

partitura. [Do it. *partitura.*] *S. f. Mús.* Disposição gráfica, por extenso ou reduzida, de todas as partes vocais e instrumentais de uma composição, de modo que permita a sua leitura simultânea. ♦ **Partitura de canto e piano.** *Mús.* A que contém por extenso as partes de canto, e uma redução para piano das partes de orquestra.

partível. [Do lat. *partibile.*] *Adj. 2 g.* Que pode ser partido.

parto¹. [Do lat. *partu.*] *S. m.* **1.** Ato ou efeito de parir. [Sin.: *parição, paridela, parturição* e (pop.) *aliviamento.*] **2.** *Fig.* Produto, invenção, obra: *o estranho* parto *de um espírito exaltado.* ♦ **Parto cesáreo.** *Med.* V. *cesariana.* **Parto cesariano.** *Med.* V. *cesariana.* **Parto da montanha.** Resultado insignificante dum esforço notório, intenso ou prolongado. **Parto induzido.** *Med.* Aquele cujo trabalho é provocado por meios mecânicos, instrumentais ou medicamentosos. **Parto prematuro.** Aquele em que a expulsão do feto viável ocorre entre a 28ª e a 37ª semanas de gravidez, antes, pois, do término desta. **Ser um parto difícil.** Ser difícil, custoso, trabalhoso.

parto². [Do lat. *parthu.*] *Adj.* **1.** Da, ou pertencente ou relativo à Pártia, antiga região correspondente, mais ou menos, ao atual Coraçã (Irã). ● *S. m.* **2.** O natural ou habitante da Pártia. [Sin. ger.: *parta.*]

parturejar. [Do lat. *partura,* 'parto', + *-ejar.*] *V. t. d.* Produzir ou dar à luz (muitas coisas). [Conjug.: v. *pelejar.*]

parturição. [Do lat. *parturitione.*] *S. f. Obst.* V. *parto* (1).

parturiente. [Do lat. *parturiente.*] *Adj. (f.)* e *s. f.* Diz-se da, ou a fêmea que está prestes a parir. [Cf. *puérpera.*]

parturir. *V. int. Desus.* V. *parir* (3).

paru. [Do tupi.] *S. m.* **1.** *Bras.* V. *cumaru* (1). **2.** *Bras., BA.* Designação comum aos peixes marinhos da família dos estromatêidas, de que é tipo o *Seserinus paru* (Lin.). **3.** *Bras.* Peixe teleósteo, percomorfo, da família dos quetodontídeos (*Pomacanthus arcuatus* (L.)), do Atlântico, de coloração que varia do verde-amarelado ao arroxeado, escamas marginadas de amarelo, em meia-lua, sobre fundo preto, nadadeiras peitorais com mancha amarela na base, tendo os jovens cinco arcos amarelos distribuídos sobre o corpo. Comprimento: até 66 cm. Sua pesca é feita com redes, pois recusa os anzóis. Alimenta-se de peixes pequenos, crustáceos e moluscos. [Sin.: *frade, gordinho, paru beija-moça, paru-listrado, parumbeba, perambeba, peixe-frade.* V. *enxada* (3).] ♦ **Paru beija-moça.** *Bras.* V. *paru* (3).

parucotó. *Bras. S. 2 g.* **1.** Indivíduo dos parucotós, tribo caraíba que vive no N. do PA, a O. do rio Trombetas, na região do Turumi-Cachorro, no Mapuera e no alto rio Cachorro. ● *Adj. 2 g.* **2.** Pertencente ou relativo a essa tribo. [Var.: *parocotó, parecotó, paricuató, parucuató, farucotó.*]

parucuató. *S. 2 g.* e *adj. 2 g. Bras.* V. *parucotó.*

paru-das-pedras. *S. m. Bras.* Peixe teleósteo, percomorfo, da família dos caetodontídeos (*Pomacanthus rathbuni* Mir. Rib.), do Atlântico. Espécie parecida com o paru [q. v.], do qual se diferencia, sobretudo, por detalhes anatômicos. [Sin.: *pretucano.* Pl.: *parus-das-pedras.*]

paru-doirado. *S. m. Bras.* Var. de *paru-dourado.* [Pl.: *parus-doirados.*]

paru-dourado. *S. m. Bras.* Peixe acantopterígio da família dos estromatêidas (*Seserinus paru* Lin.). [Var.: *paru-doirado.* Pl.: *parus-dourados.*]

parúlia. *S. f. Patol.* V. *parúlide.*

parúlida¹. *S. f. Patol.* V. *parúlide.*

parúlida². *S. m.* e *adj. 2 g.* V. *parulídeo.*

parúlidas. *S. m. pl. Zool.* V. *parulídeos.*

parúlide. [Do gr. *paroulís, ídos.*] *S. f. Patol.* Abscesso gengival. [Var.: *parúlida* e *parúlia.*]

parulídeo. *S. m.* **1.** Espécime dos parulídeos. ● *S. m.* **2.** Pertencente ou relativo a eles.

parulídeos. *S. m. pl. Zool.* Família de pássaros da América tropical, canoros, que mudam a plumagem com as estações do ano. Compreende cerca de 130 espécies. As norte-americanas são migratórias e cruzam-se nas regiões temperadas.

paru-listrado. *S. m. Bras.* V. *paru* (3). [Pl.: *parus-listrados.*]

parumbeba. *S. f. Bras.* V. *paru* (3).

paruru. *S. m. Bras.* V. *axuá* (2).

parúsia. [Do gr. *parousía.*] *S. f. Teol.* Volta gloriosa de Jesus Cristo, no final dos tempos, para estar presente ao Juízo Final [q. v.].

paru-soldado. *S. m. Bras.* V. *soldado* (8). [Pl.: *parus-soldados* e *parus-soldado.*]

parva¹. [Fem. de *parvo* (1).] *S. f.* **1.** Refeição leve, que se toma antes do almoço ou em lugar dele. **2.** Pequena quantia em dinheiro.

parva². [Do esp. plat. *parva.*] *S. f. Bras., RS.* Meda de forragem, de trigo ou de arroz.

parvajola. *S. 2 g.* Pessoa parva; parvalhão.

parvalhão. *S. m.* **1.** V. *parvoeirão.* **2.** Parvajola. [Fem.: *parvalhona.*]

parvalhice. *S. f.* V. *parvoíce* (1).

parvalhona. *S. f.* Fem. de *parvalhão.*

➧**parvenu** (parvenü). [Fr.] *S. m.* Indivíduo que atingiu situação superior à sua condição originária sem haver melhorado de maneiras.

parvidade. [Do lat. *parvitate.*] *S. f.* **1.** V. *parvoíce* (2). **2.** Pequenez, pouquidade.

parvo. [Do lat. *parvulu,* dim. de *parvus,* 'pequeno'.] *Adj.* **1.** Pequeno, limitado, apoucado. **2.** V. *tolo* (1 a 3). **3.** Próprio de parvo (2); que denota parvoíce: *procedimento* parvo; *resolução* parva. ~V. *veia safena* —*a.* ● *S. m.* **4.** V. *tolo* (8). [Fem.: *parva* e *párvoa;* aum.: *parvalhão* e *parvoeirão.*]

párvoa. [Do lat. *parvula.*] *Adj. (f.)* Fem. de *parvo* [q. v.]: "Isto não é simplesmente criancice párvoa — é desgraça" (Camilo Castelo Branco, *Noites de Insônia,* III, p. 21).

parvoalho. *S. m. Bras.* V. *parvoeirão.*

parvoeirão. *S. m.* Indivíduo muito parvo. [Sin.: *toleirão, parvalhão* e (bras.) *parvoalho.*]. [Fem.: *parvoeirona.*]

parvoeirar. *V. int.* Parvoejar.

parvoeirona. *S. f.* Fem. de *parvoeirão* [q. v.].

parvoejar. *V. int.* Falar ou proceder como parvo; parvoeirar. [Conjug.: v. *pelejar.*]

parvoiçada (o-i). *S. f.* V. *parvoíce* (1): "O Barão Gros, ao ler em um dia .... mais triste uma parvoiçada insolente de um desses inimigos anônimos que muitas vezes nos esperam .... nas encruzilhadas da imprensa, suicidou-se." (Ramalho Ortigão, *Em Paris,* p. 84.)

parvoíce. *S. f.* **1.** Ato, dito ou escrito de parvo; parvalhice, parvoiçada, parvulez. **2.** Qualidade ou estado de parvo; parvidade; parvulez. **3.** V. *demência* (2).

parvulez (ê). [De *párvulo* + *-ez.*] *S. f.* **1.** Puerilidade (3). **2.** Idade infantil. **3.** V. *parvoíce* (1 e 2). [F. paral.: *parvuleza.*]

parvuleza (ê). *S. f.* Parvulez [q. v.].

párvulo. [Do lat. *parvulu,* 'pequenino'.] *S. m.* **1.** Criança (1). ● *Adj.* **2.** Pequenino (1). **3.** *Ant.* Parvo, idiota, tolo.

pascacice. *S. f.* Qualidade, ato ou dito de pascácio.

pascácio. [Do esp. *pascasio.*] *S. m.* V. *tolo* (8).

pascal¹. [Do lat. *paschale.*] *Adj. 2 g.* Relativo à, ou próprio da Páscoa: "Cordeirinhos pascais, anjos, araras, flores" (Guerra Junqueiro, *A Velhice do Padre Eterno,* p. 224). ~ V. *preceito* —. [F. paral.: *pascoal.*]

pascal². [Do antr. *Pascal* (v. *pascaliano*).] *S. m. Fís.* Unidade de medida de pressão no Sistema Internacional, igual à pressão de uma força de um newton distribuída uniformemente sobre uma superfície plana de área igual a um metro quadrado normal à sua direção. [Símb.: *Pa.* Pl.: *pascals.*]

pascaliano. *Adj.* De, ou pertencente ou relativo a Blaise Pascal (1632-1662), filósofo e matemático francês, ou próprio dele; pascalino.

pascalina. [Do fr. *pascaline.*] *S. f.* Máquina de calcular inventada por Blaise Pascal [v. *pascaliano*].

pascalino. *Adj.* Pascaliano.

pascentar. [Do lat. *pascente,* part. pres. de *pascere,* 'levar ao pasto, pascer'.] *V. t. d., t. d. e i.* e *p.* Apascentar.

pascer. [Do lat. *pascere.*] *V. t. d.* **1.** Pastar (2). **2.** Fazer pastar: "Se mal lhe parecia, bem pudera — Dizer-me que não era gosto seu — Pascer o gado meu pela ribeira" (Fr. Agostinho da Cruz, *Obras,* p. 38). **3.** Dar prazer a; deliciar, recrear: Pasciam *os olhos na bela paisagem;* "alguns financeiros .... , vagueando ao acaso como fartos e luxuosos carneiros de concurso, pascendo os olhos satisfeitos na contemplação dos seus belos domínios" (Ramalho Ortigão, *As Farpas,* I, p. 282). *Int.* e *p.* **4.** Pastar; apascentar-se: *As vacas* pasciam, *quietas;* " Passei por essas plácidas colinas / e vi das nuvens, silencioso, o gado / pascer nas solidões esmeraldinas." (Cecília Meireles, *Obra Poética,* p. 649) **5.** Alimentar-se, nutrir-se. **6.** Deleitar-se, deliciar-se, recrear-se: "Os seus olhos de imigrante pasciam na doce redondeza do panorama." (Graça Aranha, *Canaã,* p. 1); "Tinha tudo que falta às belezas estatuárias, em que se pascem os olhos do homem, mais artista que apaixonado." (Camilo Castelo Branco, *Doze Casamentos Felizes,* p. 209). [Defect., não conjugável na 1ª pess. sing. do pres. ind. nem, pois, no pres. subj. Pres. ind.: *pasces, pasce,* etc. Cf. o pres. subj. do v. *passar* e o s. m. *passe.*]

pascigo. [De *pascer.*] *S. m.* V. *pasto* (1 e 2): "encaminhou o rebanho do pascigo para o curral" (Alberto Braga, *Novos Contos,* p. 177).

pascigoso (ô). *Adj.* Abundante em pascigos.

páscoa. [Do hebr. *pesach,* pelo gr. *Páscha,* pelo lat. clássico *Pascha.*] *S. f.* **1.** Na época pré-mosaica, festa da primavera de pastores nômades. **2.** Festa anual dos hebreus, transformada em memorial de sua saída do Egito. **3.** Festa anual dos cristãos, que comemora a ressurreição de Cristo e é celebrada no primeiro domingo depois da lua cheia do equinócio de março. [V. *ano litúrgico.*] **4.** *Bras.* O cumprimento do preceito pascal, sobretudo quando feito coletivamente: páscoa *das filhas-de-maria;* páscoa *dos militares.* [Cf. *pascoa* (ô), do v. *pascoar.*]

pascoal. *Adj. 2 g.* Pascal¹.

pascoar. *V. int.* Celebrar a Páscoa. [Conjug.: v. *coroar.* Pres. ind.: *pascôo, pascoas* (ô), *pascoa* (ô), etc. Cf. *páscoa.*]

pascoela. *S. f.* O domingo imediato ao da Páscoa; quasímodo.

pascoinha (o-í). [Dim. de *páscoa.*] *S. f.* Arbusto da família das compostas (*Coronilla glauca*), procedente da Europa, cultivado pelo seu valor ornamental, e que tem cinco a sete folíolos obovados, obtusos e glaucos, sendo as flores amarelas, fortemente perfumadas e ordenadas em umbelas.

▲**pasi-.** V. *pam-.*

pasigrafar. *V. t. d.* e *int.* Escrever em pasigrafia.

pasigrafia. [De *pasi-* + *-graf(o)-* + *-ia.*] *S. f.* **1.** Qualquer das várias línguas escritas internacionais propostas, que fazem uso de signos (como, p. ex., símbolos matemáticos) que representam antes idéias que palavras. **2.** Qualquer língua escrita internacional artificial.

pasigráfico. *Adj.* Referente à pasigrafia.

pasistenografia. [De *pasi-* + *-esten(o)-* + *-graf(o)-* + *-ia.*] *S. f. Desus.* V. *taquigrafia.*

pasistenotaquigrafia. [De *pasi-* + *-esten(o)-* + *taquigrafia.*] *S. f. Desus.* V. *taquigrafia.*

pasmaceira. *S. f.* **1.** Pasmo idiota; admiração tola. **2.** Apatia, indolência.

pasmado¹. *S. f. Bras., PE.* Faca de ponta, de boa têmpera e artisticamente trabalhada, feita na povoação de Pasmado (PE).

pasmado². [Part. de *pasmar.*] *Adj.* **1.** Admirado, surpreendido, espantado. **2.** Sem vivacidade; inexpressivo, apalermado. **3.** *Bras., Pop.* Que sofreu espasmo. ● *S. m.* **4.** *Bras.* Pau ou mourão que permanece de uma porteira ou cancela.

pasmar. *V. t. d.* **1.** Causar pasmo ou admiração a. *T. d.* e *i.* **2.** Fixar (os olhos, a vista, etc.); fitar prolongadamente: Pasmou *os olhos naquela beleza deslumbrante. Int.* **3.** Ficar pasmado, assombrado, estupefato; admirar-se profundamente: *Ante o espetáculo inédito,* pasmou; "O professor pasmou da inesperada reconciliação" (João de Araújo Correia, *Terra Ingrata,* p. 181). **4.** Ficar parado, inerte. *P.* **5.** Ficar embasbacado, admirado, estupefato. **6.** Admirar-se; sobressaltar-se. [Part.: *pasmado* e (sobretudo no Brasil) *pasmo* (q. v.).]

pasmatório. *S. m.* **1.** Grande pasmo. **2.** Praça ou lugar onde permanecem ou vagueiam ociosos: "o que não diriam dele nos pasmatórios da Rua do Ouvidor, nas conversações à mesa?" (Machado de Assis, *Páginas Recolhidas,* p. 122).

pasmo¹. [Do gr. *spasmós,* pelo lat. *spasmu,* no lat. vulg. *pasmu,* com dissimilação.] *S. m.* **1.** Assombro; espanto, admiração. **2.** Desfalecimento; desmaio.

pasmo². [Part. irreg. de *pasmar.*] *Adj.* Assombrado, espantado, pasmado: "com os cabelos erriçados, os olhos pasmos, e o corpo hirto, contemplava uma visão que o arrastava e espavoria ao mesmo tempo." (José de Alencar, *O Tronco do Ipê,* p. 292); "o grupo dos bem-aventurados, ... que, entoando hinos gratos, vão, pasmos e felizes, subindo a ladeira sagrada que leva ao seio de Cristo-Deus" (Antero de Figueiredo, *D. Pedro e D. Inês,* pp. 196-197); "Olhos pasmos no Além, eu cismo longamente" (Anrique Paço d'Arcos, *Estrada sem Fim,* p. 29).

pamoso (ô). *Adj.* Que produz pasmo: assombroso; admirável.

paspalhão. [T. onom.] *Adj.* e *s. m.* V. *tolo* (1 a 3 e 8). [Sin. (do s. m.): *paspalho.* Fem.: *paspalhona.*]

paspalhice. *S. f.* Ato, dito ou escrito de paspalhão; tolice.

paspalho. *S. m.* **1.** Paspalhão. **2.** Pessoa inútil; espantalho.

paspalhona. *Adj. (f.)* e *s. f.* Fem. de *paspalhão.*

pasquim. [Do it. *Paschino.*] *S. m.* **1.** Sátira afixada em lugar público. **2.** Jornal ou panfleto difamador. [Sin.: *pasquinada.*]

pasquinada. *S. f.* **1.** Pasquim. **2.** Difamação escrita em pasquim (2).

pasquinagem. *S. f.* **1.** Ato de pasquinar. **2.** Hábito de pasquineiro. **3.** Difamação por escrito em papéis avulsos, como, p. ex., pasquins, jornais, manifestos.

pasquinar. *V. t. d.* **1.** Satirizar (alguém) por meio de pasquins. *Int.* **2.** Fazer pasquins.

pasquineiro. *Adj.* e *s. m.* Autor ou redator de pasquim; difamador.

passa. [Do lat. *passa*, 'estendida', 'seca ao sol' (subentende-se uva).] *S. f.* Fruta seca, especialmente uva. [Cf. *passo*[4].]

passa-altos. [De *passar* + *alto*[2].] *Adj. 2 g.* e *2 n.* ~ V. *filtro* —.

passa-baixos. [De *passar* + *baixo*.] *Adj. 2 g.* e *2 n.* ~ V. *filtro* —.

passacale. [Do esp. *passa calle*, canção que 'passa pela rua'?] *S. f. Mús.* **1.** No fim do séc. XVI e início do séc. XVII espanhol, espécie de serenata acompanhada pelo tamborim e pela flauta. **2.** A partir de 1640, dança de corte, em compasso ternário. **3.** Forma instrumental de origem espanhola, primeiramente em compasso binário, e depois em ternário, em andamento lento: *A grande passacale em dó menor de J. S. Bach (1685-1750) é um monumento da música.* [Semelhante à chacona, seu tema simples, curto e obrigatoriamente cadencial, pode, contudo, ser transportado do baixo às vozes intermediárias ou à voz mais aguda, quando na chacona ele permanece, em princípio, no baixo contínuo.]

passa-culpas. [De *passar* + o pl. de *culpa*.] *S. 2 g.* e *2 n.* Pessoa que desculpa com facilidade, que é muito indulgente: "Detestava o povo desordeiro, mas detestava ainda mais o oficial, supondo-o passa-culpas, um relaxadão." (João de Araújo Correia, *Cinza do Lar*, p. 52.)

passada. [De *passo* + *-ada*[1].] *S. f.* **1.** Movimento dos pés para andar; passo. **2.** *Bras.* Ida rápida (a um lugar); estada por pouco tempo (nesse lugar): *De manhã ele sempre dá uma passada lá em casa.* **3.** Antiga medida de quatro palmos. **4.** Assentada, vez: *Decidiu numa passada.* ~ V. *passadas.*

passadas. [Pl. de *passada*.] *S. f. pl.* Diligências, esforços. ~ V. *passada.*

passadeira. [De *passar* + *-deira*.] *S. f.* **1.** Tapete longo e estreito, feito de estofo, ou de outro material, que se estende nas escadas, corredores, etc., para se passar sobre ele. **2.** Alpondras. **3.** Espécie de filtro usado nos engenhos de açúcar. **4.** Anel por onde passa a gravata. **5.** *Artilh.* Aparelho usado para avaliar o calibre das peças de artilharia. **6.** *Marinh. Desus.* Cabo de massa alcatroado, de três cordões, cuja bitola vai de 25 a 44 mm. **7.** *Bras. Mar. G.* Cada uma das ombreiras especiais que se usavam com a casaca e a sobrecasaca. **8.** *Bras.* Mulher que passa roupa a ferro; engomadeira. **9.** *Bras.* Máquina de passar (8 e 47). **10.** *Bras., RJ.* Estabelecimento onde se passam roupas a ferro, em poucos minutos, por processos mecânicos.

passa-dez. [De *passar* + *dez*.] *S. m. 2 n.* Jogo de dados no qual se perde quando se tira número superior a dez.

passadiço. [De *passar* + *-(d)iço*[2].] *S. m.* **1.** Passagem externa que liga dois edifícios; passagem. **2.** Corredor ou galeria de comunicação. **3.** Passeio lateral das ruas; calçada. **4.** *Bras. Constr. Nav.* Superestrutura do navio, onde permanecem o comandante, o oficial de quarto e o homem do leme quando o navio está navegando, e de onde se dirige a manobra dele; ponte de comando: "Quando o comandante do Apolo se dirigia da câmara para o passadiço, ... ao passar pelo corpo da guarda, ... aí já encontrara o João Raimundo em ferros" (Eugênio de Castro [o brasileiro], *Terra à vista*, p. 99). ● *Adj.* **5.** Transitório, passageiro.

passadio. [De *passar*.] *S. m.* Alimentação diária: "A julgar pelo que nos conta o memorialista [Gilberto Amado], em sua casa a mesa era farta, à velha moda brasileira, o passadio bom" (Homero Sena, *Gilberto Amado e o Brasil*, p. 7).

passadismo. *S. m.* **1.** Culto do passado. **2.** *Liter., Filos.* e *Polít.* Qualquer das doutrinas que preconizam expressões do passado histórico.

passadista. *Adj. 2 g.* **1.** Referente ao passado ou ao passadismo. **2.** Que venera o passado. **3.** Que é adepto do passadismo. ● *S. 2 g.* **4.** Pessoa que venera o passado. **5.** Adepto do passadismo.

passado. [Part. de *passar*.] *Adj.* **1.** Que passou; decorrido, pretérito: *tempo passado; coisas passadas.* **2.** Que acaba de passar; imediatamente; anterior; findo: o *século passado; o ano passado.* **3.** Velho, envelhecido: *uma solteirona passada;* "Ouvi dizer que Dasdores, ... já passada, magrinha e zerê, espera ser pedida a qualquer momento." (Nélson de Faria, *Tiziu e Outras Estórias*, p. 159). **4.** Antiquado, obsoleto: *gíria passada.* **5.** Pouco nítido; esmaecido: *lembranças passadas.* **6.** Varado de fome; faminto em alto grau: *Passara uma semana sem comer: estava passado.* **7.** Diz-se do fruto em começo de putrefação. **8.** Diz-se de carne ou peixe nas mesmas condições; sentido. **9.** Seco ao forno ou sol (fruto). **10.** Cozido ou assado (alimento): *carne bem passada.* **11.** Atordoado, aturdido, estonteado: *O goleiro ficou passado com a agressividade do adversário.* **12.** Encabulado, enfiado; sem graça: *Tamanha indiscrição deixou-o passado.* **13.** *Bras., N.E.* Ladino, esperto; passado na casca do alho, passado na casca do angico, passado pelo corrimboque do Diabo. **14.** *Bras., S.* Atrevido, saliente, confiado. ~ V. *águas* —*as.* ● *S. m.* **15.** No quadro geral do tempo, o momento em que se deu determinado acontecimento: *A ação da peça situa-se no passado.* **16.** O que sucedeu anteriormente; o tempo que passou: *evocar o passado.* **17.** O que se fez ou disse anteriormente; a vida passada: *O passado desse homem é duvidoso.* **18.** *Bras., N.E.* V. *baixo* (25). ~ V. *passados.* ♦ **Passado absoluto.** *Fís.* No contínuo espaço-tempo, região limitada pelo cone de luz e na qual a coordenada tempo é negativa.

passadoiro. [De *passar* + *-(d)oiro*[1].] *S. m.* V. *passadouro.*

passador (ô). *Adj.* **1.** Que passa ou faz passar. **2.** Desencaminhador, corrutor. **3.** Intrigante, mexeriqueiro, enredeiro. ● *S. m.* **4.** Aquele que passa ou faz passar. **5.** Desencaminhador, corrutor. **6.** Intrigante, mexeriqueiro. **7.** Trocador de coisas falsas por verdadeiras. **8.** Coador, filtro. **9.** Utensílio de cozinha dotado de furos por onde se espremem batatas, legumes, etc. **10.** Pregador usado para prender o cabelo. **11.** Argola ou alça por onde passa um cinto, uma fita, etc. **12.** Armação com pregador, por meio da qual se prende ao peito a fita de uma condecoração. **13.** Emitente ou sacador (de cheque). **14.** Pequena barra de aço que, colocada através de uma junta de pavimento rígido, serve para transferir parte da carga que atua sobre uma placa de concreto a outra placa separada dela pela junta. **15.** *Bras.* Aquele que leva o gado às feiras. **16.** *Bras., S.* Peça dos arreios, feita de tiras de couro, com a qual se apertam várias partes dos mesmos arreios.

passados. [Pl. de *passado*.] *S. m. pl.* Os antepassados. ~ V. *passado.*

passadouro. [De *passar* + *-(d)ouro*[1], var. de *passadoiro*.] *Adj.* **1.** Que passa breve: "Leva-to [o teu nome] além das passadouras eras / Do bardo misterioso o eterno canto" (Almeida Garrett, *Camões*, p. 113). ● *S. m.* **2.** Lugar onde se passa; passagem. **3.** Ponto de passagem; comunicação.

passa-fora. [De *passar* + *fora*.] *Interj.* **1.** Us. para enxotar cães. **2.** Indica repulsão ou desprezo.

passagear. *V. t. d.* Passajar. [Conjug.: v. *frear*.]

passageira. [De *passagem* + *-eira*.] *S. f. Bras., S.* Barca de passagem.

passageiro. [Do fr. *passager*.] *Adj.* **1.** Diz-se de um local por onde passa muita gente. **2.** Transitório, efêmero: *mal passageiro; efeito passageiro.* **3.** De pouca importância; ligeiro, insignificante: *erro passageiro.* ● *S. m.* **4.** Pessoa que viaja num veículo; viajante: *passageiro de automóvel, de trem, de avião.* **5.** *Bras.* Canoeiro que dá passagem nos rios mediante paga.

passageiro-quilômetro. *S. m.* Unidade de medida de transporte coletivo, equivalente ao transporte de um passageiro à distância de um quilômetro. [Pl.: *passageiros-quilômetros.*]

passagem. [Do fr. *passage*.] *S. f.* **1.** Ato ou efeito de passar(-se): *Diversas povoações assinalaram a passagem dos bandeirantes por aquela região.* **2.** Local por onde se passa; passadouro: *Nos primeiros tempos da colônia o caminho entre Santos e São Paulo era passagem obrigatória para os viajantes que demandavam o planalto.* **3.** Ligação, comunicação; passo, passadouro: *Os excursionistas descobriram uma passagem entre os dois vales, que reduzia muito o percurso.* **4.** Passadiço (1). **5.** Corredor ou peça estreita (numa casa). **6.** Importância com que o passageiro paga o transporte em qualquer veículo. **7.** O bilhete que dá direito a viagem. **8.** Ponteado com que se tapa buraco ou rasgão em qualquer tecido. **9.** Trecho de uma obra citada; passo. **10.** Passo, situação, conjuntura; acontecimento, episódio, fato; caso. **11.** Mudança, transição: *passagem de idade; passagem de tons.* **12.** *Mús.* Trecho de uma obra musical, ou grupo de notas, ou desenho melódico. **13.** *Mús.* Fragmento de escala que o executante introduz, a seu belprazer, em uma peça vocal ou instrumental, a fim de ornar a melodia. [Cf., nesta acepç., *variação* (5).] **14.** *Bras., N.* Trecho de rio. [Cf. *passajem*, do v. *passajar*.] ♦ **Passagem de nível.** Trecho de rua ou de rodovia que atravessa uma ferrovia ao mesmo nível desta. **Passagem inferior.** Passagem subterrânea sob uma estrada ou qualquer via pública. **Passagem meridiana.** *Astr.* Posição de um astro quando, em seu movimento diurno, cruza o meridiano superior do lugar (*passagem meridiana superior*) ou o meridiano inferior (*passagem meridiana inferior*); meridiana. **Passagem meridiana inferior.** *Astr.* V. *passagem meridiana.* **Passagem meridiana superior.** *Astr.* V. *passagem meridiana.* **Passagem superior.** Viaduto que passa sobre uma estrada ou qualquer via pública. **De passagem.** Sem maior exame ou detença; por alto: "Não pude examinar bastante atentamente todos os estabelecimentos pios, e cito apenas os nomes de alguns, colhidos de passagem e ao acaso." (Ramalho Ortigão, *A Holanda*, p. 112.) **Estar de passagem.** Estar por pouco tempo; não se demorar. **Passar de passagem.** *Turfe.* Passar (o cavalo), ultrapassando, por um adversário, sem dificuldade alguma; passar de viagem.

passagense. *Adj. 2 g.* **1.** De, ou pertencente ou relativo a Passagem Franca (MA). ● *S. 2 g.* **2.** Natural ou habitante de Passagem Franca.

passajar. *V. t. d.* Dar passagens ou pontos em (roupa), a fim de consertá-la; passegear: "escolhia, a seu lado, as roupas que ainda valia a pena passajar." (Joaquim Paço d'Arcos, *Carnaval e Outros Contos*, p. 20). [Pres. subj.: *passaje, passajes, passaje, passajemos, passajeis, passajem.* Cf. *passagem.*]

passal. [De *passo*[1] + *-al*.] *S. m.* **1.** Terreno cultivado, anexo à residência de um pároco ou de um prelado e pertencente a ela. **2.** Antiga medida agrária; destro.

passamanar. *V. t. d.* Guarnecer ou adornar de passamanes ou de passamanaria; apassamanar.

passamanaria. *S. f.* **1.** Designação comum a certos tipos de tecido trabalhado ou entrançado com fio grosso, em geral de seda (passamanes, galões, franjas, borlas, etc.), e destinado ao acabamento ou adorno de roupas, cortinas, móveis, etc.: "Esse corpo perfeito que ele vestiu de soberbo veludo cor de fogo e passamanarias de prata, — envolto em rústico burel." (Antero de Figueiredo, *Toledo*, p. 160.) **2.** Ofício de quem executa esses trabalhos. **3.** Fábrica ou loja de passamanaria.

passamaneiro. *S. m.* Fabricante ou vendedor de passamanes ou passamanaria.

passamanes. [Do fr. *passements*.] *S. m. pl.* Fitas ou galões entretecidos a prata, ouro ou seda: "ricos gibões, calças, roupetas e ferragoulos alastrados de passamanes dum gosto duvidoso." (Conde de Sabugosa, *Embrechados*, p. 29).

passamento. [De *passar* + *-mento*.] *S. m.* **1.** Morte (1): "nenhuma outra pessoa da família apareceu ou mandou à casa de Aurélia, durante a enfermidade da mãe, e depois do passamento." (José de Alencar, *Senhora*, p. 224). **2.** Agonia de moribundo. **3.** *Bras., N.E. Pop.* V. *síncope* (1).

passa-moleque. [De *passar* + *moleque*.] *S. m. Bras.* Engano, logro; perfídia. [Pl.: *passa-moleques*.]

passanito. *S. m. Bras. Fam.* Homem insignificante; indivíduo qualquer.

passante. *Adj. 2 g.* **1.** Que passa, excede, vai além de. ~ V. *banda* —. ● *S. 2 g.* **2.** Indivíduo que vai passando. V. *transeunte.* ♦ **Passante de.** Mais de; mais do que: "Grande parte desta força, passante de duzentos homens, era composta de caboclos" (Franklin Távora, *Lourenço*, p. 42); "passante já de duas horas de espera, surgiu o comerciante com escassa ração de milho no fundo de um alqueire" (João da Silva Correia, *Farândola*, p. 50); *Sua biblioteca tem passante de 10.000 volumes.*

passa-pé. [Do fr. *passepied*.] *S. m.* Antiga dança, em compasso ternário, que foi incluída nas suítes instrumentais entre a sarabanda e a giga[2] (3). [Como caráter, lembra o minueto, do qual difere por um andamento mais vivo, sempre atacado sobre o terceiro tempo do compasso. Pl.: *passa-pés*.]

passa-piolho. [De *passar* + *piolho*.] *S. m. Pop.* Talhe de barba, de uma orelha à outra, por sob o queixo. [Pl.: *passa-piolhos*.]

passaporte. [Do fr. *passeport*.] *S. m.* **1.** Documento oficial que autoriza alguém a sair do país, e que serve como identificação e garantia aos que viajam. **2.** V. *salvo-conduto* (1). **3.** *Fam.* Licença franca e ampla.

passa-quatrense. *Adj. 2 g.* **1.** De, ou pertencente ou relativo a Passa-Quatro (MG). ● *S. 2 g.* **2.** Natural ou habitante de Passa-Quatro. [Pl.: *passa-quatrenses*.]

passar. [Do lat. *passare.] *V. t. d.* **1.** Percorrer de um lado para outro; atravessar, transpor: *Passou a ponte para chegar ao seu destino.* **2.** Ir além de; deixar para trás: *Quando caiu em si, já passara a fronteira.* **3.** Ir além de; transpor, ultrapassar: "Os trabalhos científicos do Mestre [Antônio Austregésilo] passaram as fronteiras" (Deolindo Couto, *Vultos e Idéias*, p. 72). **4.** Furar de lado a lado; perfurar, trespassar, transfixar: *A espada passara-lhe as entranhas.* **5.** Ir de uma para a outra margem de (mar, rio). **6.** Coar através de; peneirar, joeirar: *Passou a farinha para limpá-la.* **7.** Filtrar; coar: "A avó, rezando as ave-marias de mais um terço, sumiu na cozinha, para passar um café." (Oto Lara Resende, *Boca de Inferno*, p. 108.) **8.** Alisar (roupa) com ferro de passar; passar a ferro: "Aos domingos, quando éramos crianças, Naná nos levava à missa das oito. Passava os vestidos de véspera, saíamos de casa exibindo limpeza." (Maria Julieta Drummond de Andrade, *A Busca*, p. 75.) **9.** Marcar (determinada tarefa): *A professora passou um novo exercício.* **10.** Expedir, despachar: *passar ordens; passar um telegrama.* **11.** Sofrer, padecer, suportar: *passar tristezas, aflições.* **12.** Gozar, desfrutar; levar: *Passa uma boa vida.* **13.** Pôr em circulação: *Passou dinheiro falso.* **14.** Distribuir entre várias pessoas, vendendo: *passar bilhetes de rifa.* **15.** Cozinhar, assar ou grelhar (carne, peixe, etc.): *passar um bife.* **16.** Verificar se está exata, recontar (uma quantia). **17.** Copiar à máquina (páginas); datilografar: *Passa 50 páginas por dia.* **18.** *Mar.* Fazer, efetuar: passar um botão; passar mostra. **19.** *Marinh.* Pôr, colocar: *passar talhas no turco.* **20.** *Bras. Fut.* Lançar (a bola) para um companheiro de equipe. **21.** *Bras.* Contrabandear (1): "Eles, os que passam diamantes, contrabandistas do porto, matam-se uns aos outros." (Adonias Filho, *Luanda Beira Bahia*, p. 72.) **22.** *Chulo.* Ter relações sexuais com. *T. d.* e *i.* **23.** Transmitir, legar: *Passou aos filhos e netos o seu bom nome.* **24.** Passar às mãos; entregar: *Passou a carta ao amigo.* **25.** Introduzir, enfiar: *Passou um arame pelo orifício.* **26.** Alcançar; estender: — *Passe-me, por favor, aquele livro.* **27.** Dirigir; endereçar: *Passou-lhe uma boa repreensão. T. c.* **28.** Ir de um lugar (para outro): *Estamos em Grajaú, passemos a Andaraí.* **29.** Introduzir-se; penetrar: *O vento passeava pela fresta da porta. T. i.* **30.** Transmitir-se; transferir-se; transitar: *A fazenda passou a novos donos;* "a realeza passava naturalmente para a classe das instituições a que Herbert Spencer chamou *cerimoniais*, como os troféus, ... os títulos, etc." (Joaquim Nabuco, *Minha Formação*, p. 22). **31.** Mostrar-se ou aparecer momentaneamente: *Um sorriso passou por seus lábios.* **32.** Adotar um procedimento ou atitude diversa de anterior: "A Lourença, ... sempre mais alarmada a cada novo acesso, passou a teimar com Mestre Severino, todas as vezes que o ar lhe faltava: — Vá ao doutor." (Josué Montelo, *Cais da Sagração*, p. 11.) **33.** Ser aprovado em exame ou concurso: "Passei em latim, na segunda época, sabe Deus como!" (Marques Rebelo, *A Mudança*, p. 69.) *Bit. i.* **34.** Mudar (de situação, carreira, profissão, etc.): *Passou de aluno a professor.* **35.** Mudar (de estado de humor): *Costuma passar de melancólico a exuberante.* **36.** Transferir-se; mudar: *Os encargos passaram do pai para o filho. Bit. c.* **37.** Mudar (de lugar): *Passou do apartamento para a nova casa. Int.* **38.** Percorrer um lugar sem nele se deter; transitar, perpassar: *Passou, a galope, um desconhecido.* **39.** Correr; rolar: *O rio passa, murmurante.* **40.** Deixar de existir; acabar; desaparecer; ir-se: *Passam grandes impérios, nascem outros.* **41.** Escapar, fugir: Passou a ocasião. **42.** V. *morrer* (1). **43.** Ser aprovado em exame ou concurso: *Quase todos os candidatos passaram.* **44.** Circular, propagar-se: *A notícia passou com muita rapidez.* **45.** Em jogos carteados, não jogar em um lance. **46.** Decorrer, transcorrer: "Nem falta o murmúrio da água para sugerir, pela voz dos símbolos, / Que a vida passa! que a vida passa! / E a mocidade vai acabar!" (Manuel Bandeira, *Estrela da Vida Inteira*, p. 92); "Em Israel, o passado não passa; torna-se mais profuso." (Cecília Meireles, *Eternidade de Israel*, p. 19); "As horas passam." (Clóvis Ramalhete, *O Anjo Torto*, p. 23). **47.** Ser sofrível, tolerável: *O almoço não está bom, mas passa.* **48.** Ser relevada uma falta: *Por esta vez, passa, mas, se fizer outra, vai apanhar.* **49.** Decorrer, suceder, acontecer, ocorrer; passar-se: *Não sabia do que passava.* **50.** Mudar (de situação ou profissão). **51.** Alisar roupa com ferro de passar; passar a ferro: *A empregada lava e passa muito bem.* **52.** *Bras.* Começar (a fruta) a apodrecer. **53.** *Bras. Fut.* Lançar a bola para um companheiro de equipe: "Ele tem dois companheiros livres. É só passar. Mas não passa. O brasileiro avança. Um drible." (Orígenes Lessa, *A Desintegração da Morte*, p. 98.) *P.* **54.** Acontecer, suceder; passar: *Saiu para ver o que se passava na rua;* "Que se passa em cada casa, dentro de cada ser, no fundo de cada poço?" (Raul Brandão, *Húmus*, p. 66). **55.** Decorrer, transcorrer: *Passaram-se três meses do nosso último encontro.* **56.** Consumir, levar (tempo): *Passou três semanas fora.* **57.** Mudar de residência. **58.** Bandear-se, desertar: *Passou-se para as tropas inimigas.* **59.** Dirigir-se, encaminhar-se. **60.** Mudar de partido; bandear-se. [Pres. ind.: *passo*, etc.; pret. perf.: *passei, passaste, passou*, etc.; m.-q.-perf.: *passara*, etc.; pres. subj.: *passe, passes, passe, passemos, passeis, passem.* Cf. *paço, pássara, os top. Paçô* e *Paçó*, e o pres. ind. do v. *pascer*.] ♦ **Passar baixo.** Passar mal; experimentar dificuldades de vida; viver em situação má, por deficiência de recursos ou de saúde. **Passar bem. 1.** Gozar de boa saúde. **2.** Alimentar-se com iguarias finas e abundantes. **Passar de largo.** Passar a distância, de longe, sem se aproximar; passar ao largo. **Passar desta para melhor.** V. *morrer* (1). **Passar para trás. 1.** Auferir qualquer vantagem que normalmente caberia a (outrem); preferir. **2.** Enganar, lograr, ludibriar. **3.** *Bras. Fam.* e *pop.* Ser infiel a; trair: *Há muito que ela passa o marido para trás; Diz-se o melhor dos maridos, e volta e meia passa para trás a mulher.* **Passar por.** Ser submetido a; sofrer: *Passo por golpes terríveis.* **Passar por cima de.** Não levar em consideração; não fazer caso de; não dar importância a. **Passar raspando.** *Bras.* Ser aprovado em exame ou concurso com a nota mínima. **Não passar de.** Não ser mais do que; não ser senão; ser apenas: "Sonha-se rei [o poeta], vê-se rico, / mais rico do que um nababo, / e, entretanto, as mais das vezes, / não passa de um pobre-diabo." (Júlio Auto da Cruz Oliveira, *ap.* Ad. Marroquim, *Terra das Alagoas*, p. 264.) **Não se passar para.** Não assumir certa atitude por julgar que ela não condiz com seu nome, situação, princípios, etc.

pássara. [Fem. de *pássaro*.] *S. f. Bras.*, PE. V. *perua* (1). [Us. como eufemismo entre matutos, que julgam pouco decente a palavra *perua*. Cf. *passara*, do v. *passar*.]

passarada. [De *pássaro* + *-ada*[1].] *S. f.* **1.** Porção de pássaros: "A passarada irrequieta descanta pelas frondes gotejantes" (Euclides da Cunha, *Os Sertões*, p. 75). **2.** Os pássaros. [Sin. ger.: *passaredo, passarinhada*.]

passarão. [Aum. de *pássaro*.] *S. m.* **1.** Ave grande: "Dava idéia de avantesma ou então passarão antediluviano" (João da Silva Correia, *Farândola*, p. 31). **2.** *Bras.* V. *jaburu-moleque*.

passaredo (ê). *S. m.* V. *passarada*: "O passaredo alegre a revoar em bando" (Bulhão Pato, *Livro do Monte*, p. 4).

passareira. *S. f.* Gaiola grande, onde se criam pássaros; aviário.

passarela. [Do fr. *passarelle*.] *S. f. Bras.* **1.** Ponte para pedestres, em geral estreita, construída sobre ruas ou estradas. **2.** No teatro de revistas, estrado que separa a platéia do poço da orquestra, e sobre o qual as coristas executam certos números. **3.** Caminho elevado, longo e por vezes sinuoso, sobre o qual desfilam modelos [v. *modelo* (9)] e candidatas a concursos de beleza.

passarinha. [Dim. de *pássara*, fem. de *pássaro*.] *S. f.* **1.** O baço de qualquer animal. **2.** *Gír.* As partes pudendas da mulher. **3.** *Bras., N.E.* Nervura mediana da enxada. ♦ **Bater a passarinha a.** *Bras. Pop.* Ter desejo ou palpite de alguma coisa. [A loc. é m. us. em frases negativas.]

passarinhada. [Fem. substantivado do part. de passarinhar.] *S. f.* **1.** V. *passarada*: "passarinhada de penas vivas e cantoria alegre" (Simões Lopes Neto, *Contos Gauchescos e Lendas do Sul*, p. 311). **2.** *Bras.* Corcovo que a montaria dá por efeito de susto; passarinhão. **3.** *Bras., RS.* Comida feita de passarinho com polenta.

passarinhagem. [De *passarinho* + *-agem*[2].] *S. f.* Caça de pássaros.

passarinhão. *S. m. Bras.* Passarinhada (2).

passarinhar. [De *passarinho* + *-ar*[2].] *V. int.* **1.** Caçar pássaros. **2.** Vadiar, vagabundear, vagabundar. **3.** *Bras.* Espantar-se (a cavalgadura): "A besta passarinhara, saltando de banda." (Nélson de Faria, *Cabeça-Torta*, p. 63.) **4.** *Bras., S.* Mover (o cavalo) a cabeça dum lado para outro, impedindo, assim, que lhe ponham o freio ou o buçal, ou lhe toquem nas orelhas. **5.** *Bras, Chulo.* V. *bolinar* (2). *T. d.* **6.** *Bras. Chulo.* V. *bolinar* (4).

passarinheiro. [De *passarinho* + *-eiro*.] *S. m.* **1.** Caçador, criador ou vendedor de pássaros. ● *Adj.* **2.** *Bras.* Diz-se do cavalo que é dado a passarinhar: "Mas onde arranjaste tu este quartau passeiro e passarinheiro que se vai derretendo na estrada depois da grande caminhada que traz da vila?" (Franklin Távora, *O Cabeleira*, p. 163.)

passarinho. [Dim. de *pássaro*.] *S. m.* **1.** *Bras.* Pássaro; pequena ave. **2.** Certa árvore silvestre, de flores vermelhas ou amarelas. ♦ **Morrer como um passarinho.** Morrer sem experimentar sofrimento físico. **Ver passarinho verde.** *Fam.* Mostrar-se muito alegre sem razão aparente.

passarinho-de-verão. *S. f. Bras.* V. *príncipe*[1] (8). [Pl.: *passarinhos-de-verão*.]

passariúva. *S. f. Bras.* Árvore da família das leguminosas (*Sclerolobium denudatum*), da floresta densa, cujas flores se ordenam em cachos amarelados e têm as pétalas lineares, cujos frutos são coriáceos, e levam apenas uma semente dura, e cuja madeira não tem préstimo.

pássaro. [Do lat. *passere*, 'pardal', atr. do lat. vulg. *passare* e **passaru*.] *S. m.* **1.** Pequena ave. [Sin. (bras.): *passarinho*.] **2.** *Zool.* Designação comum às aves da ordem dos passeriformes, caracterizadas por terem o bico desprovido de cera na base, tarso nu, e pés com três dedos para a frente e um para trás. [V. *passeriformes*. Aum. irreg., nessas acepç.: *passarolo*.] **3.** *Pop.* Homem finório, astuto; pássaro bisnau. ♦ **Pássaro bisnau.** Pássaro (3). **Não ser pássaro que voe em bando.** *Bras., N.E. Fam.* Não ter importância; não merecer maior consideração.

pássaro-angu. *S. m. Bras.* V. *japacanim* (2). [Pl.: *pássaros-angus* e *pássaros-angu*.]

passaroco (ô). [De *pássaro*.] *S. m. Bras., SP. Pop.* Tristeza, melancolia.

pássaro-de-fandango. *S. m. Bras.* V. *uirapuru* (1). [Pl.: *pássaros-de-fandango*.]

passarola. [De *pássaro*.] *S. f.* **1.** Ave grande. **2.** *Bras.* Designação que se deu ao aeróstato [q. v.].

passarolo (ô). *S. m.* Pássaro grande.

pássaro-preto. *S. m. Bras.* Ave passeriforme, da família dos icterídeos (*Gnorimopsar chopi* (Vieil.)), do Brasil Central e leste-meridional, de coloração inteiramente preta, distinguindo-se de outros pássaros pretos pelas penas estreitas e pontiagudas na cabeça, com sulcos oblíquos na maxila inferior, em direção à base do bico. Freqüenta as fazendas e roças, onde causa danos aos arrozais e roças recém-plantadas. Não põe os ovos em ninho alheio, como o verdadeiro chupim. [Sin.: *arranca-milho, arumará, chupim.* Pl.: *pássaros-pretos*.]

passatempo. [De *passar* + *tempo*.] *S. m.* Divertimento, diversão, entretenimento.

passa-triense. *Adj. 2 g.* **1.** De, ou pertencente ou relativo a Passa-Três (RJ). ● *S. 2 g.* **2.** Natural ou habitante de Passa-Três. [Pl.: *passa-trienses*.]

passavante. [De *passar* + *avante*.] *S. m.* Espécie de arauto da casa real.

passável. [De *passar* + *-ável*.] *Adj. 2 g. Bras.* **1.** Tolerável, sofrível, razoável. **2.** Mais ou menos de acordo com o que se quer ou deseja; aceitável.

passa-vintense. *Adj. 2 g.* **1.** De, ou pertencente ou relativo a Passa-Vinte (MG). ● *S. 2 g.* **2.** Natural ou habitante de Passa-Vinte. [Pl.: *passa-vintenses*.]

passe. [Dev. de *passar*.] *S. m.* **1.** Licença, permissão, autorização. **2.** Permissão para ir dum lugar a outro. **3.** Bilhete de trânsito, gratuito ou não, ou com abatimento, concedido por empresa de transporte coletivo. **4.** *Taur.* Ato de passar um touro à capa. **5.** *Bras.* No futebol, no basquete e em outros jogos, ato de passar a bola a um companheiro de equipe bem colocado para recebê-la. **6.** *Bras. Fut.* Contrato de vinculação exclusiva de um atleta profissional a um clube. [Cf. *pasce*, do v. *pascer*.] ~ V. *passes.* ♦ **Passe de mágica. 1.** Gesto que, por sua rapidez ou perícia, torna possível aos prestidigitadores fazer aparecer ou desaparecer objetos, ou mudá-los de lugar ou aspecto, iludindo, de maneira inexplicável, a vigilância do espectador. **2.** *Fig.* Qualquer ação que não parece ter explicação lógica.

passé. *Bras. S. 2 g.* **1.** Indivíduo dos passés, tribo aruaque, da região situada entre os rios Negro e Içá (AM). ● *Adj. 2 g.* **2.** Pertencente ou relativo a essa tribo.

passeado. [Part. de *passear*.] *Adj.* Percorrido em passeio: *alameda muito passeada.* ~ V. *vinho* —.

passeadoiro. [De *passear* + *-(d)oiro*[1].] *S. m.* Passeadouro.

passeador (ô). *Adj.* e *s. m.* Que, ou aquele que passeia muito; passeante.

passeadouro. [De *passear* + *-(d)ouro*; var. de *passeadoiro*.] *S. m.* **1.** Lugar onde se passeia. **2.** O ato de passear muito.

passeante. *Adj. 2 g.* e *s. 2 g.* **1.** Passeador. **2.** Que ou quem se entrega à vadiagem.

passear. [De *passo* + *-ear.*] *V. int.* **1.** Ir a algum lugar, ou mover-se, andar a passo, com o fim de entreter-se, divertir-se, tomar ar ou fazer exercício: "jamais o fora buscar um domingo à tarde para passear, para respirar um pouco de ar livre." (Inglês de Sousa, *O Missionário*, p. 56). **2.** Mover-se devagar; fluir, deslizar: *O regato passeava, sereno, entre as pedras T. d.* **3.** Conduzir a algum lugar para que se entretenha, se divirta, tome ar, ou faça exercício: *Após o jantar passeou a filha; Passeou o amigo doente pelo jardim.* **4.** Carregar, passeando: "Toda a noite o Esteves embalava o filho nos braços. Se os gritos eram maiores a mãe levantava-se e passeava-o pelo quarto." (Maria Archer, *Fauno Sovina*, p. 100.) **5.** Percorrer em passeio (2): *Passeou as ruas principais da cidadezinha*; "Voltou a passear a sala em todos os sentidos" (Inglês de Sousa, *O Missionário*, p. 85). **6.** Fazer percorrer em passeios: *Passeou o seu exército, recebendo aplausos.* **7.** Fazer andar devagar (cavalgadura), montando-a ou levando-a à mão. **8.** Exibir, ostentar, estadear: *Gostava de passear a sua opulência*; "Eram as formas várias de um mal, que .... passeava as suas vestes de arlequim, em derredor da espécie humana." (Machado de Assis, *Memórias Póstumas de Brás Cubas*, p. 24). **9.** Dirigir (o olhar, o pensamento, etc.) vagarosamente, ora para um lado, ora para outro. **10.** Espalhar, difundir, divulgar, propalar: *Por onde ia, passeava as novas idéias.* [Conjug.: v. *frear.*]

passeata. *S. f.* **1.** Pequeno passeio; volta, giro. **2.** *Bras.* Marcha coletiva realizada em sinal de regozijo, reivindicação ou protesto cívicos, ou de uma classe; caminhada.

passeio. [Dev. de *passear.*] *S. m.* **1.** Ato ou efeito de passear: *Levou as crianças a passeio; Deu um passeio.* **2.** O percurso de certa extensão de caminho, para exercício ou por divertimento. **3.** Lugar onde habitualmente se passeia: *Os arredores do Rio têm passeios belíssimos.* **4.** Caminho um pouco elevado que ladeia as ruas junto às casas e se destina ao trânsito dos pedestres; calçada. **5.** Distância curta: *Do hotel até o centro da cidade era um passeio.* **6.** *Turfe.* Vitória muito fácil de um cavalo sobre seus competidores. **7.** Aquilo que se conquista sem esforço, em que se obtém vitória facílima: *Sua eleição para o Senado foi um passeio; Constituiu verdadeiro passeio a sua entrada para a Academia.*

passeira. [De *passa* + *-eira.*] *S. f.* **1.** Lugar onde se expõem frutas ao sol para que sequem. **2.** Lugar onde se guardam passas.

passeiro. *Adj.* **1.** Que anda a passo. **2.** *Fig.* Vagaroso, mole, negligente. **3.** *Bras., N.E.* Diz-se do cavalo que tem bom passo: "Mas onde arranjaste tu este quartau passeiro .... que se vai derretendo na estrada depois da grande caminhada que traz da vila?" (Franklin Távora, *O Cabeleira*, p. 163); "um cavalo solteirão passeiro, e pronto de boca, tanto para o freio como para o milho." (Amadeu de Queirós, *Os Casos do Carimbamba*, p. 124). **4.** Diz-se do cavalo que tem certa variedade do baixo, do meio ou do esquipado. ● *S. m.* **5.** *Bras., RS.* Homem que, mediante pagamento, dá passagem, nos passos dos arroios, em canoa ou balsa. [Cf. *paceiro.*]

passense. *Adj. 2 g.* **1.** De, ou pertencente ou relativo a Passos (MG). ● *S. 2 g.* **2.** Natural ou habitante de Passos.

passento. [De *passar.*] *Adj.* Diz-se de qualquer substância que é facilmente embebida por um líquido; bíbulo. ~ V. *papel* —.

➡**passe-partout** (paçpartú). [Fr.] *S. m.* **1.** Fita de papel (vendida em rolos), que se cola em redor de uma fotografia ou desenho à guisa de moldura. **2.** Peça que se adapta às seringas de injeção a fim de possibilitar a aplicação de agulhas de quaisquer calibres. **3.** Chave para todas as fechaduras.

passe-passe. [De *passar* + *passar.*] *S. m.* V. *prestidigitação.* [Pl.: *passes-passes* e *passe-passes.*]

passeriforme. [Do lat. *passere*, 'pássaro', + *-i-* + *-forme.*] *S. m.* **1.** Espécime dos passeriformes. ● *Adj. 2 g.* **2.** Pertencente ou relativo a eles.

passeriformes. *S. m. pl. Zool.* Aves neórnites, neógnatas, da ordem *Passeriformes*, de porte pequeno ou médio, com a unha do hálux mais forte que a do dedo mediano anterior, e os três dedos anteriores livres. No grupo se inclui a grande maioria das aves conhecidas, com quatro subordens, 69 famílias e mais de 5 000 espécies.

passes. [Pl. de *passe.*] *S. m. pl.* Ato de passar as mãos repetidamente ante os olhos de uma pessoa para magnetizá-la, ou sobre parte doente de uma pessoa para curá-la. [Cf. *pasces*, do v. *pascer.*] ~ V. *passe.*

passibilidade. [Do lat. *passibilitate.*] *S. f.* Qualidade de passível. [Cf. *passividade.*]

passiflora. *S. f.* Gênero de plantas das regiões tropicais ao qual pertencem os maracujás.

passiflorácea. *S. f.* Espécime das passifloráceas.

passifloráceas. *S. f. pl. Bot.* Família de plantas floríferas da ordem das parietales, facilmente caracterizada pela estrutura floral e pelos frutos, coletivamente designados como *maracujás.* Entre a corola e o androceu há uma corona colorida e filamentosa. São, em geral, trepadeiras, com gavinhas e frutos por via de regra comestíveis, e existem umas 600 espécies tropicais, sendo numerosas as brasileiras.

passifloráceo. *Adj.* Pertencente ou relativo às passifloráceas.

passiflóreo. *Adj.* Referente ou semelhante à passiflora.

passilargo. *Adj.* Que dá ou tem passos largos.

➡**passim** (pássim). [Lat., 'por aqui e ali'.] *Adj.* Palavras que se pospõem ao título de uma obra citada para indicar que nela se encontrarão referências em vários trechos.

passinhar. *V. int.* Dar passinhos; andar com passinhos.

passinho. [Dim. de *passo*[1].] *S. m.* Passo pequeno, curto. ◆ **Cada passinho.** *Bras., SP. Pop.* A cada passo; a todo instante.

passional. [Do lat. *passionale.*] *Adj. 2 g.* **1.** Relativo a paixão (1 a 3). **2.** Suscetível de paixão. **3.** Causado por paixão: *crime passional.* ● *S. m.* **4.** Livro que contém a narração da Paixão de Cristo; passionário, passioneiro.

passionalidade. *S. f.* Qualidade de passional.

passionário. [De *passion(e)-* + *-ário.*] *S. m.* V. *passional* (4).

▲**passion(e)-.** [Do lat. *passis, onis.*] *El. comp.* = 'paixão': *passioneiro, passionário.*

passioneiro. *S. m.* V. *passional* (4).

passista. *S. 2 g. Bras.* **1.** *N.E.* Dançarino de frevo. **2.** *RJ.* Pessoa que dança o samba com muita agilidade e graça, destacando-se do conjunto dos sambistas, especialmente nos desfiles das escolas de samba.

passiva. [Fem. substantivado do adj. *passivo.*] *S. f. Gram.* A voz passiva dos verbos.

passivar. *V. t. d.* **1.** Tornar passivo, inerte, indiferente. **2.** *Gram.* Dar significação ou forma passiva a (um verbo). **3.** *Fís.-Quím.* Provocar a passividade de (um metal).

passível. [Do lat. *passibile.*] *Adj. 2 g.* **1.** Sujeito a experimentar sensações e emoções, ou a sofrer certos efeitos: *passível de dor; passível de alegria; geleira passível de deslocamento.* **2.** Que está ou fica sujeito a penas ou sanções: *passível de multa*; "O sertanejo entende a justiça a seu modo. Acha que castigar o indivíduo que o injuriou foi praticar ato meritório e não passível de pena." (Gustavo Barroso, *Terra de Sol*, p. 138).

passividade. [Do lat. *passivitate.*] *S. f.* **1.** Qualidade de passivo. **2.** *Filos.* Qualidade ou estado do paciente (10). **3.** *Quím.* Estado de certos metais (ferro, níquel, cobalto, etc.) que não reagem na presença de agentes oxidantes fortes por terem a superfície recoberta por um filme inativo. [Cf. *passibilidade*].

passivo. [Do lat. *passivu.*] *Adj.* **1.** Que sofre ou recebe uma ação ou impressão: *atitude passiva; comportamento passivo.* **2.** Que não atua; inerte; indiferente, apático: *criança passiva; resignação passiva.* ~ V. *algolagnia —a, dívida —a, guiamento de atração —, intelecto —, resíduos —s, resistência —a, satélite —, verbo —* e *voz —a.* ● *S. m.* **3.** *Dir.* e *Com.* Conjunto de obrigações que uma pessoa natural ou jurídica deve satisfazer. [Opõe-se a *ativo* (11).] ◆ **Passivo descoberto.** *Com.* Aquele que, considerado na sua diferença ou déficit, apresenta uma soma superior à do ativo. **Passivo fictício.** *Com.* O que não pode ser exigido pelos credores (capital, reservas, saldo da conta de lucros e perdas, etc.); passivo não exigível. **Passivo não exigível.** *Com.* Passivo fictício. **Passivo real.** *Com.* O conjunto das dívidas exigíveis a curto ou a longo prazo.

passo[1]. [Do lat. *passu.*] *S. m.* **1.** Ato de deslocar o ponto de apoio do corpo de um pé para o outro, por meio de movimentos para a frente, para trás ou para os lados: *os primeiros passos de uma criança; Nem mais um passo!* **2.** O espaço percorrido a cada um desses movimentos: *A casa ficava a 50 passos da estação.* **3.** O ato de andar; andamento, marcha: "dispôs-se a andar, estugou o passo, atravessou a rua" (Machado de Assis, *Várias Histórias*, p. 63). **4.** Modo de andar: *passo gingado; passos incertos*; "Caminhando [o sertanejo], mesmo a passo rápido, não traça trajetória retilínea e firme. Avança celeremente num bambolear característico" (Euclides da Cunha, *Os Sertões*, p. 115). **5.** Conjunto de passos [v. *passo* (1)] e outros movimentos corporais que, na dança, constituem uma unidade, ou um modelo capaz de ser repetido. **6.** O ruído dos passos: *Ouvi passos no jardim.* **7.** Vestígio ou sinal de pés no chão; pegada. **8.** A marcha de um animal. **9.** Tipo de andadura, mais ou menos lenta, do cavalo: *O animal partiu a passo e depois seguiu a trote.* **10.** Caso, passagem; episódio, acontecimento: *Sucedeu um passo inesperado.* **11.** Conjuntura, circunstância; situação: *Naquele passo, já não sabia o que pensar.* **12.** Ato, negócio, assunto: *É um passo muito sério na vida.* **13.** Iniciativa, resolução: *Ninguém o forçou a dar esse passo.* **14.** Passagem (9): *O delírio de Brás Cubas é um dos passos mais célebres de Machado de Assis.* **15.** *Geom.* Numa hélice, distância entre dois pontos cujos ângulos polares diferem de dois π radianos. **16.** *Mil.* Cada uma das diferentes maneiras de uma tropa marchar. **17.** *Bras.* Lugar no rio ou arroio, de passagem habitual. **18.** *Bras.* Durante o período colonial, depósito, no litoral, de pau-brasil ou de açúcar. **19.** *Bras. Fam.* Caso divertido. **20.** *Bras., PE* e *AL.* Movimentos de dança muito variados, particularmente vivos e caprichosos, feitos ao som do frevo e outras marchas carnavalescas típicas: *Ninguém, como ele, sabe fazer o passo!* [Pl.: *passos.* Cf. *paço*, s. m., e *Paço*, antr.] ◆ **Passo a passo.** A passos vagarosos; lentamente; a passo e passo: "Homens caminhavam passo a passo, como convalescentes" (Coelho Neto, *Turbilhão*, p. 58). **Passo de cágado.** Passo muito vagaroso. **Passo de estrada.** Modo de andar, de um cavalo, vagaroso e ritmado. **Passo de ganso.** *Mil.* Passo (16) adotado em paradas por alguns exércitos, como, p. ex., o alemão, o chileno, o paraguaio e o argentino. **Passo de urubu malandro.** *Bras.* Passo que semelha o andar lento do urubu. **Passo grave.** Passo (16) cadenciado de tropa(s) em continência. **Passo oblíquo.** Passo em diagonal. **Passo ordinário.** Andadura cadenciada, usada em deslocamento militar, na qual se mantém velocidade que corresponda ao passo normal de pedestre. **A passo.** Lentamente, devagar: "saudou gentilmente a viscondessa e com igual gentileza foi correspondido. Prosseguiu a passo, ladeando o carro e alongando a conversa." (Xavier Marques, *As Voltas da Estrada*, p. 8). **A passo e passo.** Passo a passo. **A passos largos.** Rapidamente, apressadamente: *Sua situação familiar está piorando a passos largos; Caminha a passos largos.* **A passos lentos.** *Fig.* Vagarosamente, lentamente: *A construção progredia a passos lentos.* **A cada passo.** Freqüentemente. **Ao mesmo passo.** Ao mesmo tempo; a um só tempo. **Ao passo que. 1.** À medida que; ao mesmo tempo que; à proporção que; enquanto: "Pequenos cogumelos, ao passo que devoram os tecidos dos insetos, semeiam os seus esporos mortais." (Osmã Lins, *Nove, Novena*, p. 188.) **2.** Mas, contudo; enquanto: *É feia, ao passo que a irmã é bonita.* **Apertar o passo.** Andar mais depressa; aumentar a velocidade do andar; firmar o passo. **Ceder o passo a. 1.** Deixar passar, por civilidade: *Embora tivesse pressa, cedeu o passo à moça.* **2.** *Fig.* Reconhecer a superioridade de (alguém). **3.** Cessar, acabar(-se), dando lugar a (outra coisa): "aquela preocupação vai cedendo o passo a questões muito mais importantes" (E. Roquete-Pinto, *Seixos Rolados*, p. 119). **Dar passos por. 1.** Tomar providências tendentes a (um fim). **2.** Envidar esforços por (alguma coisa). **Dar um mau passo.** Deixar-se seduzir, ser deflorada (mulher solteira); perder-se. **Firmar o passo.** Apertar o passo. **Marcar passo. 1.** Movimentar os pés sem sair do lugar. **2.** *Fig.* Não melhorar, não progredir na carreira, no emprego, etc. **Primeiros passos.** V. *prelúdio* (1).

passo[2]. [Dev. de *passar.*] *S. m.* **1.** V. *desfiladeiro* (1). **2.** Distância entre dois dentes de uma engrenagem. **3.** Vão entre as espiras de um parafuso. **4.** Antiga unidade de medida de comprimento, equivalente a cinco pés [v. *pé* (17)], ou seja, 1,65 m. [Pl.: *passos.* Cf. *paço*, s. m., e *Paços*, antr.]

passo[3]. [Do lat. *passu*, part. pass. de *pati*, 'sofrer, suportar'.] *S. m.* Cada um dos episódios da Paixão de Cristo: *Nos Passos de Congonhas a figura de Cristo é da autoria do Aleijadinho.* [Nesta acepç., escreve-se com maiúscula. Pl.: *passos.* Cf. *paço*, s. m., e *Paços*, antr.]

passo[4]. [Do lat. *passu*, part. pass. de *pandere*, 'estender, secar ao sol'.] *Adj. Desus.* Diz-se de fruto passado, seco: *uvas passas*; "uma vez partidos os liames de devoção que nos prendem a alguma coisa ou a alguém, resta chocho, como figo passo, o excedente da nossa personalidade sobrevivente ao cataclismo." (João da Silva Correia, *Farândola*, p. 15). [Cf. *passa.* Pl.: *passos.* Cf. *paço*, s. m., e *Paços*, antr.]

passo-fundense. *Adj. 2 g.* **1.** De, ou pertencente ou relativo a Passo Fundo (RS). ● *S. 2 g.* **2.** Natural ou habitante de Passo Fundo. [Sin. ger.: *serrano.* Pl.: *passo-fundenses.*]

passômetro. [De *passo*[1] + *-metro.*] *S. m.* Podômetro.

pasta. [Do lat. *pasta.*] *S. f.* **1.** Porção de matéria sólida pulverulenta (farinha, amido, gesso, cimento, barro, etc.) ligada ou amassada com líquido ou gordura, e que se caracteriza por sua plasticidade. [Cf. *massa* (1).] **2.** Substância de consistência mole, resultante da mistura de matérias sólidas e líquidas: *Os ovos batidos com o açúcar formaram uma pasta amarelada.* [Cf., nestas acepçs., *massa* (1).] **3.** Porção pouco espessa de pasta (1): *A enfermeira aplicou sobre a contusão uma pasta aquecida.* **4.** Qualquer pasta (1) de uso doméstico para limpeza ou conservação: *pasta detergente; pasta dentifrícia.* **5.** Qualquer preparação culinária que tenha consistência de pasta (1 e 2); patê: *pasta de galinha; pasta de presunto.* **6.** Pomada, creme. **7.** Porção de matéria sólida aglutinada por substância líquida ou viscosa: *Depois da sauna o cabelo transformou-se numa pasta.* **8.** Porção de metal fundido e ainda não trabalhado. **9.** *Ind. Pap.* Substância com que se fabrica o papel, constituída de trapos, madeira, palha, etc., mecânica ou quimicamente tratados, e que se apresenta seca ou levemente úmida, formando lençóis, para transporte, ou diluída em água, para entrar em máquina; polpa. [Cf. *massa* (17).] **10.** *Encad.* Cada um dos dois retângulos de cartão que formam a capa do livro encadernado. **11.** *Encad.* Cada uma das duas partes dessa capa; plano. **12.** Espécie de bolsa chata de couro ou de plástico, com divisões ou sem elas, destinada a transportar livros, documentos, etc. **13.** Cartolina ou papel grosso dobrado de jeito que nele se possam guardar ou classificar papéis, documentos, desenhos, etc. **14.** *Art. Plást.* A massa de tinta que o pintor prepara na palheta para aplicar na tela. **15.** *Pet.* V. *base* (25). **16.** *Fig.* Cargo de ministro de Estado. ♦ **Pasta mecânica.** *Ind. Pap.* A que se obtém pela desintegração mecânica da madeira, no desfibrador. **Pasta mecanoquímica.** *Ind. Pap.* Pasta semiquímica. **Pasta para rolos.** *Tip.* Massa para rolos. **Pasta química.** A que se obtém submetendo a madeira à ação química, no cozinhador, para eliminação dos corpos incrustantes. **Pasta semiquímica.** *Ind. Pap.* A que se obtém em dois estágios sucessivos, recorrendo no primeiro a agente químico e no segundo a energia mecânica; pasta mecanoquímica.

pastagem. *S. f.* **1.** V. *pasto* (2). **2.** Erva própria para o gado pastar; pasto.

pastar. [Do lat. vulg. *pastare,* freqüentativo de *pascere,* 'pascer'.] *V. int.* **1.** Comer (o gado) erva não ceifada; pascer; pastejar: "Os bois pastam e o menino menor dorme" (José Godói Garcia, *O Caminho de Trombas,* p. 173); "Embaixo, na mais próxima planície, / Pasta um cavalo esplêndido da Arábia." (Augusto dos Anjos, *Eu,* p. 70). *T. d.* **2.** Comer a erva de; pascer: "Uma vaca surpreendida naquela nesga do solo continuava a pastar muito tranqüila o capim viçoso" (José de Alencar, *O Sertanejo,* p. 213); "Vai, mísero cavalo lazarento, / Pastar longas campinas livremente" (Nicolau Tolentino de Almeida, *Obras Poéticas,* I, p. 49). **3.** Dar pasto a; fazer nutrir-se em pasto. **4.** Levar ao pasto; pastorear. *T. i.* **5.** Deliciar-se, comprazer-se: *Seus olhos pastam na beleza da namorada.* [Pres. subj.: *paste, pasteis,* etc. Cf. *pastéis,* pl. de *pastel.*]

pastaria. *S. f. Bras.* Campo de pastagem, pastio, pasto.

pasteira. [De *pasto* + *-eira.*] *Adj. (f.) e s. f. Bras., vale do S. Francisco.* Diz-se da, ou a vaca dócil, que vive mais nas imediações da casa da fazenda do que nos cerrados.

pasteiro. *S. m. Bras., RS.* Vendedor de pasto (1).

pastejar[1]**.** *V. int.* V. *pastar* (1). [Conjug.: v. *pelejar.*]

pastejar[2]**.** *V. t. d. Bras., RS.* Pastorear. [Conjug.: v. *pelejar.*]

pastejo (ê). [Dev. de *pastejar.*] *S. m.* Ato de pastejar[1].

pastel[1]**.** [Do fr. ant. *pastel,* atual *pâté.*] S. m. **1.** Iguaria feita com massa de farinha de trigo, estendida com rolo e cortada em pequenas porções, que são dobradas sobre um recheio salgado ou doce, depois fritas, cozidas ou assadas ao forno. **2.** Caracteres tipográficos misturados e confundidos. **3.** *Fam.* Pessoa indolente. **4.** *Bras. Gír.* Pessoa maçante, cacete, chata. [Pl.: *pastéis,* Cf. *pasteis,* do v. *pastar.*]

pastel[2]**.** [Do it. *pastello.*] *S. m. Art. Plást.* **1.** Bastão feito com giz a que se adicionam pigmentos de várias cores. **2.** Técnica de pintura sobre papel, papelão ou pano, em que se usam esses bastões, de modo que as pequenas partículas de cor, ao aderirem ao suporte, sejam facilmente sobrepostas e permitam delicados esbatidos, que conferem à obra aspecto aveludado, de iluminação clara: *Os pintores do período rococó empregavam o pastel na feitura de retratos.* **3.** Quadro ou desenho feito com essa técnica: *Os pastéis de Degas influenciaram os impressionistas.* ● *Adj. 2 g. e 2 n.* **4.** Diz-se das cores tênues e suaves que lembram os tons do pastel (1). **5.** Que tem uma dessas cores: *vestido pastel.* [Pl.: *pastéis.* Cf. *pasteis,* do v. *pastar.*]

pastelado. *S. f.* **1.** Mancha em forma de pastel. **2.** Borradura, borrão.

pastelão. *S. m.* **1.** Grande pastel (1). **2.** Empadão. **3.** *Cin.* Comédia-pastelão. **4.** *Bras., S.* Indivíduo moleirão; pamonha.

pastelaria. *S. f.* **1.** O conjunto dos doces e salgados que se preparam com diversos tipos de massa (6) para pronto consumo. **2.** Estabelecimento onde se preparam ou vendem essas iguarias; pasteleiro.

pastel-dos-tintureiros. *S. m.* Erva bianual, da família das crucíferas (*Isatis tinctoria*), nativa na Europa, de folhas lanceoladas e sésseis, flores pequenas, amarelas e dispostas em racemos congregados em panículas, fruto indeiscente, e que fornece matéria corante azul, outrora importante e hoje desusada. [Pl.: *pastéis-dos-tintureiros.*]

pasteleiro. *S. m.* **1.** Pessoa que faz e / ou vende pastelaria (1). **2.** Pastelaria (2): "ela oferecia ramos de cravos e violetas à porta de um pasteleiro, à rua da Sofia." (Coelho Neto, *Treva,* pp. 15-16). **3.** *Bras., RJ. Gír.* Revisor que deixa, nas provas, passar pastéis [v. *pastel*[1] (2)].

pastelista. *S. 2 g.* Pessoa que desenha ou pinta a pastel.

pasteurização. [Do fr. *pasteurisation.*] *S. f.* **1.** Ato ou efeito de pasteurizar. **2.** *Hig.* Processo pelo qual um determinado material (o leite, p. ex.) é aquecido a temperatura não elevada (entre 50-70ºC), por tempo relativamente prolongado, e, em seguida, submetido a resfriamento súbito, obtendo-se assim a morte, apenas, dos germes patogênicos.

pasteurizadeira. *S. f. Bras.* Pasteurizador.

pasteurizado. [Part. de *pasteurizar.*] *Adj.* Que foi submetido ao processo de pasteurização: *leite pasteurizado.*

pasteurizador (ô) *S. m.* Aparelho para pasteurizar. [Sin., bras.: *pasteurizadeira.*]

pasteurizar. [Do fr. *pasteuriser.*] *V. t. d.* Fazer a pasteurização (2) de: "o serviço sanitário, como medida de higiene, não permitia que eu fizesse presente desse leite aos meus empregados, sem pasteurizá-lo." (Nélson Palma Travassos, *O Porco, Esse Desconhecido,* p. 15). [F. paral.: *pastorizar,* que os puristas preconizam, mas é quase desus.]

pastiçal. [Do esp. plat. *pastizal.*] *S. m. Bras., RS.* Lugar onde o pasto é abundante.

pastichar. *V. int.* **1.** Fazer um pasticho. *T. d.* **2.** Fazer pasticho de.

pastiche. *S. m.* V. *pasticho.*

pasticho. [Do fr. *pastiche.*] *S. m.* **1.** Obra literária ou artística imitada servilmente de outra. **2.** *Mús.* Espécie de representação lírica composta de árias, duetos, etc., tirados de várias óperas, com o fim de reunir num só espetáculo, em rápida sucessão, os seus números de maior êxito. [Não é necessário que os trechos escolhidos sejam do mesmo compositor.]

pastifício. [Do ítalo-paulista *pastificio.*] *S. m. Bras., SP.* Fábrica de massas alimentícias.

pastilha. [Do esp. *pastilla.*] *S. f.* **1.** *Farmac.* Sacaróleo sólido, de forma circular, elíptica ou retangular, que contém substância(s) medicamentosa(s). **2.** Bala, rebuçado. **3.** Bordado pequeno em ponto cheio que lembra pastilha (1). **4.** *Bras.* Pequeno ladrilho de terracota usado no revestimento de pisos e paredes.

pastilhamento. *S. m.* **1.** *Bras.* Ato ou efeito de pastilhar (1). **2.** *Tec.* Operação de obterem-se pastilhas com base em material pulverulento, pela ação de compressão, auxiliada por agentes aglomerantes e lubrificantes.

pastilhar. *V. int.* **1.** *Bras.* Bordar em ponto caseado, formando pastilhas, bicos ou recortes. [Cf. *festonar.*] *T. d.* **2.** *Tec.* Transformar (material pulverulento) em pastilhas.

pastilheiro. *S. m. Bras.* Vaso de madeira ou de metal para preparo de pastilhas.

pastinha. [Dim. de *pasta.*] *S. f. Bras.* Penteado em que os cabelos são puxados sobre o rosto ou a testa, formando uma onda.

pastio. *S. m.* **1.** Ação de pastar. **2.** Campo em que há pastagem; pasto: "Ainda a aragem dos pastios vinda / Úmida sopra." (Alberto de Oliveira, *Poesias,* 3ª série, p. 279.)

pasto. [Do lat. *pastu.*] *S. m.* **1.** Erva para alimento do gado; pastagem. **2.** Terreno em que há pasto (1), onde se pastoreiam os animais. [Sin.: *pastio, pascigo, pastagem* e (bras.) *pastaria, pastorador, pastoreio, pastoreiro, comedia.*] **3.** Alimento, comida. **4.** *Fig.* Alimento espiritual. **5.** Regozijo, satisfação. **6.** Tema, objeto, assunto: *O incidente deu pasto a diversos boatos.*

pastor (ô). [Do lat. *pastore.*] *S. m.* **1.** Guardador de gado; pegureiro. **2.** Sacerdote protestante. **3.** *Fig.* Guardião ou mentor espiritual: *pastor de almas.* **4.** *Bras., BA* e *RS.* V. *garanhão* (1). **5.** Cão que tem aptidão para a guarda de rebanhos. ● *Adj.* **6.** Que pastoreia: *povos pastores.* [Flex.: *pastora* (ô), *pastores* (ô), *pastoras* (ô). Cf. *pastora, pastoras* e *pastores,* do v. *pastorar.*] ♦ **Pastor alemão.** Cão originário da Alemanha, de constituição robusta, altura entre 0,55 m e 0,65 m, dentadura forte, orelhas pontudas, largas na base e voltadas para a frente, e pelagem preta, cinza-amarelada ou cinza-clara; tem as características do pastor (5) e é de grande utilidade como cão de guarda, guia de cegos, portador de mensagens e rastreador. [Sin.: *cão policial e policial.*].

pastora (ô). *S. f.* **1.** Fem. de *pastor.* **2.** Pastorinha (1 e 2). [Pl.: *pastoras* (ô). Cf. *pastora* e *pastoras,* do v. *pastorar.*]

pastorador (ô). *S. m. Bras., N.E.* V. pasto (2).

pastoral. [Do lat. *pastorale.*] *Adj. 2 g.* **1.** Relativo a, ou próprio de pastor; pastoril. **2.** Próprio dos pastores espirituais: *autoridade pastoral; cruz pastoral.* **3.** Relativo ao campo; campestre, pastoril: "O mosteiro foi .... durante os primeiros tempos tão revoltos da monarquia o grande foco da pacífica vida pastoral, do trabalho agrícola" (Ramalho Ortigão, *As Farpas,* I, p. 235). ● *S. f.* **4.** Circular[1] (5) dirigida aos padres ou aos fiéis pelo Papa ou por um bispo. **5.** V. *écloga.* **6.** Composição instrumental ou vocal (6/8, 9/8 ou 12/8), de caráter idílico, e cuja parte cantante reproduz o som e as melodias da cornamusa dos pastores. **7.** *Teat.* Tipo de representação dramática, de argumento lendário ou pastoral, que se originou na Itália e preparou a criação da ópera.

pastorar. [De *pastor* + *-ar*[2].] *V. t. d.* **1.** Pastorear (2). **2.** *Bras., N.E.* Vigiar, espreitar (alguém). **3.** Estar à espera de (alguém). [F. paral.: *apastorar.* Pres. ind.: *pastoro, pastora, pastoras, pastora,* etc.; pres. subj.: *pastore, pastores,* etc. Cf. *pastora* (ô), *pastoras* (ô) e *pastores* (ô), flex. de *pastor.*]

pasto-rasteiro. *S. m. Bras.* V. *fedegoso* (2). [Pl.: *pastos-rasteiros.*]

pastoreação. *S. f.* Ato de pastorear.

pastoreador (ô). *S. m. Bras.* **1.** Aquele que pastoreia o gado. **2.** Lugar onde se pastoreia: "Ouvia o gado saindo para o pastoreador, os chocalhos batendo" (José Lins do Rego, *Bangüê,* p. 20). [Sin. ger., no RS: *pastorejador.*]

pastorear. *V. int.* **1.** Guiar ao pasto: "No silêncio tilintavam os chocalhos dum rebanho de cabras negras, que um árabe ia pastoreando, nu como um S. João." (Eça de Queirós, *A Relíquia,* p. 125.) *T. d.* **2.** Guardar (o gado) no pasto; pastorar: "amanhando terras e pastoreando gados" (Gustavo Barroso, *Terra de Sol,* p. 142). **3.** Governar eclesiasticamente: "criado o Bispado de Mariana, Padre Antônio foi designado para pastorear as ovelhas .... do Arraial da Segunda Espera" (Antônio Celso, *A Porta de Jerusalém,* p. 21); *O Papa pastoreia os católicos de todo o mundo.* **4.** Governar, dirigir, guiar. [F. paral., nas acepç. 2 a 4, no RS: *pastorejar.* Conjug.: v. *frear.*]

pastoreio. [Dev. de *pastorear.*] *S. m.* **1.** Atividade ou indústria pastoril. **2.** *Bras.* V. *pasto* (2): *O Negrinho do Pastoreio é figura lendária do folclore gaúcho.* **3.** *Bras.* O gado que se pastoreia. [F. paral., no RS: *pastorejo.*]

pastoreiro. *S. m. Bras. BA.* V. *pasto* (2).

pastorejador (ô). *S. m. Bras., RS.* Pastoreador.

pastorejar. *V. t. Bras., RS.* **1.** Pastorear (2 a 4). **2.** *Fig* Arrastar a asa a; cortejar, requestar. [Conjug.: v. *pelejar.*]

pastorejo (ê). [Dev. de *pastorejar.*] *S. m. Bras., RS.* Pastoreio.

pastorela. [Do fr. *pastourelle.*] *S. f. Teat.* Antigo diálogo pastoril, figurado entre uma pastora e um cavaleiro. [Cf. *écloga.*]

pastorício. [Do lat. *pastoriciu.*] *Adj.* Relativo a pastores ou ao pastoreio (1); pastoril.

pastoril. *Adj. 2 g.* **1.** De, ou pertencente ou relativo a, ou próprio de pastor; pastoral, pegural. **2.** Pastorício. **3.** *Fig.* Campestre, rústico, bucólico: "as suas novelas do Minho [de Camilo Castelo Branco] não são nunca um pacífico enlevo à sombra das ramadas, pastoris cenas de amor do litógrafo Júlio Dinis." (Miguel Torga, *Portugal,* pp. 12-13). ● *S. m.* **4.** Pequena representação dramática, composta de várias cenas (*jornadas*), durante as quais se sucediam cantos, danças, partes declamadas e louvações, e que se realizava diante do presépio, entre o dia de Natal e o de Reis, para festejar o Nascimento de Jesus. **5.** *Bras. N.E.* Folguedo popular dramático, que se representa em um tablado ao ar livre, e em que há uma personagem masculina, o Velho, que conta anedotas, pilheria com os espectadores, vende prendas em leilão, tudo entressachado com cantos e danças de uma meia dúzia de personagens femininas, as pastoras; pastorinhas.

pastorinha. [Dim. de *pastora.*] *S. f. Bras.* **1.** Cada uma das figuras femininas dos pastoris. **2.** Cada uma das sambistas e cantoras das escolas de samba. [Sin., nestas acepç.: *pastora.*] **3.** *Bras., N.E.* No bumba-meu-boi, personagem que representa a menina ou adolescente muitas vezes proprietária de boi que se perde e é por ela procurado. ~ V. *pastorinhas.*

pastorinhas. [Pl. de *pastorinha.*] *S. f. pl. Bras. N.E.* Pastoril (5). ~ V. *pastorinha.*

pastorizar. *V. t. d.* V. *pasteurizar.*

pastos-bonense. *Adj. 2 g.* **1.** De, ou pertencente ou relativo a Pastos Bons (MA). ● *S. 2 g.* **2.** Natural ou habitante de Pastos Bons. [Pl.: *pastos-bonenses.*]

pastosidade. *S. f.* Qualidade ou estado de pastoso.

pastoso (ô). *Adj* **1.** Que se acha em estado ou tem consistência de pasta (2); semilíquido, semi-sólido: *Substância pastosa.* **2.** Viscoso, pegajoso; xaroposo; *líquido pastoso.* ~ V. *voz —a.*

pastrana. *Adj. 2 g.* e *s. 2 g.* **1.** Pastrano. ● *S. m.* **2.** *Bras. P.* Indivíduo desbriado, desavergonhado.

pastrano. [Do antr. *Pastrana.*] *Adj.* e *s. m.* Que, ou aquele que é rústico, grosseiro; pastrana.

▲-pat-. [Do gr. *pascho.*] *El. comp.* = 'que sofre' 'sofredor': *psicopatia.* [Equiv.: *-pata: neuropata, psicopata.*]

pata[1]. *S. f.* **1.** A fêmea do pato. **2.** *Bras.* Peixe elasmobrânquio, pleurotremado, da família dos esfirnídeos (*Sphyrna tiburo* (L.)), do Atlântico e Pacífico. Coloração cinza-clara no dorso e esbranquiçada inferiormente; cabeça maleiforme com os olhos nas extremidades; comprimento: até 1,5 m. A carne, tida como venenosa por uns, é apreciada por outros. [Sin.: *cação-panã, cação-rodela, panã.*]

pata[2]. *S. f.* **1.** Pé de animal. **2.** *Bras.* Extremidade do braço da âncora, que termina na unha. **3.** *Chulo.* Pé grande; pé. ◆ **À pata.** A pé. **Meter a pata. 1.** *Bras., RS.* Cometer gafe. **2.** Estragar uma situação.

▲-pata. Equiv. de *-pat-.*

pataca. [Do ár. *Bâ tâca.*] *S. f.* **1.** *Bras.* Moeda antiga de prata, do valor de 320 réis. **2.** Quantia equivalente a essa moeda. **3.** *Fig.* V. *dinheiro* (3 e 6). **4.** *Bras.* V. *cubiú.* **5.** V. *alma-de-gato* (1). **6.** Unidade monetária, e moeda, de Macau e Timor, dividida em 100 avos.

patacão. [Aum. de *pataca.*] *S. m.* **1.** Designação comum a várias antigas moedas portuguesas, brasileiras, espanholas e sul-americanas: "um filho ou uma filha, se ele o tivesse, era como receber um patacão de ouro." (Machado de Assis, *Histórias sem Data,* p. 133). **2.** Antiga moeda portuguesa, de cobre, do valor de 40 réis, que, com o tempo, passou a chamar-se *pataco.* **3.** *Bras.* Moeda antiga, de prata, de dois mil-réis. [No RS., pelo menos, a palavra designava também as cédulas de igual valor.] **4.** Relógio de algibeira, muito grande; cebolão. **5.** *Fig.* Idiota, parvo, estúpido. **6.** *Bras., SP. Pop.* Rótula do joelho.

patacho[1]. [Do esp. *patache.*] *S. m.* Antigo navio à vela, de mastreação constituída de gurupés e dois mastros: o de vante, mastro de brigue, e o de ré, mastro de lúgar, com velas de entremastros: "A princípio o patacho agüentou-se valentemente nas águas, em meio dos vagalhões que o cobriam. Mas um mastaréu rebentou inesperadamente" (Virgílio Várzea, *Mares e Campos,* p. 13).

patacho[2]. *S. m. Bras., N.* Facão de lâmina curta e larga.

pata-choca. [De *pata* + *o fem. de choco*[2] (ô).] *S. m.* **1.** *Chulo.* Servente de sacristia. **2.** *Bras. pop.* Soldado da antiga Guarda Nacional. **3.** *Bras.* Carro pesado. ● *S. f.* **4.** Mulher gorda, de andar pesado e movimentos vagarosos. **5.** *Bras., BA.* V. *surucuá-de-barriga-amarela.* [Pl.: *patas-chocas.*]

pataco. [Var. de *pataca.*] *S. m.* **1.** V. *patacão* (2): "esperou uma eternidade, vendo dentro do postigo duas mãos lentas e moles arranjar laboriosamente os patacos dum troco." (Eça de Queirós, *Os Maias,* II, p. 30). **2.** *Fig.* Homem estúpido.

pataço. [De *pata* + *-aço.*] *S. m. Bras., S.* Coice ou pancada com a pata; patada violenta.

patacoada. [De *pataco* (2) + *-ada*[1].] *S. f.* **1.** Coisa que não se leva a sério; disparate; tolice, desconchavo. **2.** Brincadeira, chocarrice: "Contenta-se com pouca coisa: cenários vistosos, um leve tom de sentimento numa cena fugitiva, muita patacoada cômica e apoteoses nos finais de atos" (Ribeiro Couto, *A Cidade do Vício e da Graça,* pp. 37-38). **3.** Ostentação ridícula; bazófia, jactância, patarata. **4.** *Bras.* Mentira, peta, lorota.

patacori. *S. m. Bras., MA.* Saudação feita a Ogum.

patacudo. *Adj.* Que tem muita pataca (3); rico. V. *ourudo.*

patada. *S. f.* **1.** Pancada com a pata. **2.** Pancada com a planta do pé. **3.** *Fig.* Ação indecorosa, tola ou grosseira **4.** *Fam.* Ingratidão. ◆ **Dar patada.** *Fam.* Cometer ato de ingratidão ou grosseria. **Levar patada.** *Fam.* Ser vítima de ato de ingratidão ou grosseria.

pata-d'água. *S. f. Bras., BA.* V. *biguá.* [Pl.: *patas-d'água.*]

pata-de-elefante. *S. f.* **1.** Motivo (6) de forma octogonal que aparece na decoração de certos tapetes orientais. **2.** *Bras.* Calça de boca reta e muito larga. [Pl.: *patas-de-elefante.*]

pata-de-vaca. *S. f. Bras., RS.* V. *mororó* (1). [Pl.: *patas-de-vaca.*]

patagão. [Do esp. *patagón.*] *Adj.* e *s. m.* Patagônio.

patágio. [Do gr. *patageîon,* pelo lat. *patagiu.*] *S. m. Zool.* **1.** Membrana alar, de que são dotados os morcegos. **2.** Membrana fina e larga que liga os membros anteriores e posteriores dos dermópteros, e que lhes permite dar longos saltos, como se estivessem voando.

patagônio. *Adj.* **1.** Da, ou pertencente ou relativo à Patagônia (Argentina). ● *S. m.* **2.** O natural ou habitante da Patagônia. [Sin. ger.: *patagão.*]

patalear. [Do esp. plat. *patalear.*] *V. int. Bras., RS.* Dar com as patas; patear; espernear: "Maria Altina encostou o rebenque no matungo, que, do lance que trazia costa abaixo, se foi, feito, ao tremedal, onde se afundou até as orelhas e começou a patalear, num desespero!..." (Simões Lopes Neto, *Contos Gauchescos e Lendas do Sul,* p. 145). [Conjug.: v. *frear.*]

pataluco. *S. m.* Erva da família das ranunculáceas (*Ranunculus sceleratus*), de apreciável valor ornamental, nativa na Europa, de folhas herbáceas, alternas e polimorfas, flores vistosas, com numerosos estames e carpelos, e dispostas em panículas, cujos frutos são pequenos aquênios; sardônia.

patamar[1]. *S. m.* **1.** Espaço mais ou menos largo no alto de uma escada ou entre dois lanços de escadas; tabuleiro: "O Borba subiu até o patamar da escada" (Artur Azevedo, *Contos Possíveis,* p. 141). [Cf. *pataréu* e *patim*[1].] **2.** Trecho de estrada de ferro horizontal. **3.** *Fig.* O mais alto grau, ou um dos graus mais altos.

patamar[2]. [Do mal. *pattamari.*] *S. m. Ant.* Portador, estafeta, postilhão; andarilho.

patamaz. *Adj.* e *s. m. Chulo.* **1.** Diz-se de, ou aquele que é falso beato; santarrão. **2.** Idiota, néscio, toleirão.

patanisca. *S. f. Lus.* Isca de bacalhau, envolta em farinha, e frita; petanisca.

patão[1]. [De *pata*[2] + *-ão*[1].] *S. m.* Tamanco rústico.

patão[2]. [Aum. de *pato*[1].] *S. m. Bras.* V. *mergulhão* (4).

pataqueiro. *Adj.* **1.** Que se vende a *pataco* (1). **2.** Diz-se do jogo em que se arrisca pouco dinheiro (outrora, dinheiro de cobre). **3.** *Fig.* Muito barato; ordinário, reles. ● *S. m.* **4.** *Bras.* Homem rico. **5.** *Bras.* Ator sem importância; mau ator; canastrão. **6.** *Bras.* Comprador ambulante que ia de feira em feira. **7.** *Bras., N.E. Pej.* Apelido que dão os cassacos das estradas de ferro aos trabalhadores de eito nos engenhos de açúcar.

pataqüera. [Do tupi *pata'kera.*] *S. m. Bras.* **1.** Pequeno peixe (*Pristignathus martii* Spix). **2.** Var. de *pataquitera.*

pataquinha. *S. f. Bras.* Certa espécie de pomba.

pataquitera. *S. f. Bras.* Designação comum a duas ervas da família das escrofulariáceas (*Conobea aquatica* e *C. scoparioides*), que habitam as águas dos riachos, e são prostradas, de folhas moles, serreadas, flores solitárias, axilares, pequenas e azuis, sendo o fruto uma cápsula globosa, minuta. [Var.: *pataqüera.*]

patarata. [Do esp. *patarata.*] *S. f.* **1.** Ostentação ridícula; mentira jactanciosa; patacoada. ● *S. 2 g.* **2.** Pessoa que diz pataratas, patarateiro: "O primo Gamboa é um patarata sem juízo, que te diz essas coisas para te desfrutar." (Camilo Castelo Branco, *A Queda dum Anjo,* p. 185.) **3.** Pessoa tola, afetada, pedante, fútil: "Era uma meia dúzia de pataratas sem categoria, que ali andavam como cata-ventos ao sabor da nortada" (João da Silva Correia, *Farândola,* p. 22).

pataratar. *V. int.* e *t. i.* V. *pataratear.*

pataratear. *V. int.* e *t. i.* **1.** Dizer pataratas ou patranhas. **2.** Bazofiar, blasonar. [F. paral.: *pataratar.* Conjug.: v. *frear.*]

patarateiro. *Adj.* **1.** Que diz pataratas. ● *S. m.* **2.** Aquele que as diz; patarata.

pataratice. *S. f.* Ato ou dito de patarata (2); pataratismo.

pataratismo. *S. m.* **1.** Hábitos de patarata (2); pataratice. **2.** Os pataratas.

pataréu. *S. m. Ant.* Pequeno patamar[1]; patim. [Cf. *patamar*[1] (1).]

patarrás. [Do it. *paterasso.*] *S. m. Constr. Nav.* Qualquer dos cabos ou correntes usados para impedir que o gurupés, o pau da bujarrona ou o pau da giba se movam horizontalmente, o pau de surriola para ré, e os turcos de embarcação miúda girem à volta do seu eixo. [Pl.: *patarrases.*]

patativa. [Do tupi.] *S. f. Bras.* **1.** Ave passeriforme, da família dos fringilídeos (*Sporophila plumbea* (Wied)), distribuída do N.E. ao PR e a países limítrofes. Coloração geral cinzenta, asas e cauda pretas, e espelho branco. É considerada boa cantora, e como tal muito apreciada pelos amadores de gaiolas ou viveiros. **2.** Ave passeriforme, da família dos fringilídeos (*S. falcirostris* (Tem.)), da faixa costeira do Brasil este-meridional; patativa-do-sertão. **3.** *Fig.* Pessoa faladora. **4.** *Fig.* Cantor de voz maviosa. ◆ **Patativa do Norte.** Antonomásia de Epitácio Pessoa, político e jurista brasileiro (1865-1942).

patativa-do-sertão. *S. f. Bras. SP.* Patativa (2). [Pl.: *patativas-do-sertão.*]

patau. [De *pato*[1].] *S. m.* Homem parvo, simplório, ignorante. V. *tolo* (8).

patauá. [Do Caribe.] *S. m. Bras., Amaz.* Alta palmeira (*Oenocarpus bataua),* peculiar à floresta pluvial, que alcança uns 15m de altura, cujas drupas, fervidas em água, fornecem 8 a 10% de um óleo muito apreciado na Amaz., para fins culinários, e que dá, também, uma espécie de piaçava. [Var.: *batauá, putauá.*]

patavina. [Do lat. *patavina* (v. *patavino*).] *Pron. indef.* Coisa nenhuma; nada: "Da gramática apenas lhe ficaram de cor algumas regras, sem que ele compreendesse patavina do que elas definiam." (Aluísio Azevedo, *Casa de Pensão,* p. 20.)

patavino. [Do lat. *patavina.*] *Adj.* **1.** De, ou pertencente ou relativo a Pádua (Itália). ● *S. m.* **2.** O natural ou habitante de Pádua. [Sin. ger.: *paduano.*]

pataxó. *Bras. S. 2 g.* **1.** Indivíduo dos pataxós, tribo indígena cujos remanescentes vivem nas terras do posto indígena Paraguaçu, município de Itabuna (BA), e que outrora habitava as matas entre os rios Jequitinhonha, Mucuri e Araçuaí. ● *Adj. 2 g.* **2.** Pertencente ou relativo a essa tribo.

patchuli. [Do tâmul *paccilai,* 'folha verde'.] *S. m.* **1.** Vetiver. **2.** O perfume extraído dessa planta.

➧patchwork (patchuórk). [Ingl.] *Adj. 2 g.* Diz-se do tecido feito com retalhos retangulares de tecidos de cores ou estampados diferentes, cosidos entre si, ou do tecido com estampado que repete o motivo acima. [O desenho deles é o mesmo de certos panos de crochê ou de retalhos feitos com pedaços retangulares de material de cores diversas.]

pate. [Do fr. *pat.*] *Adj. 2 g.* e *s. m. Bras.* No jogo de xadrez, diz-se da, ou a situação em que um dos reis não pode sair do lugar e, não dispondo o seu partido de outra pedra que possa mover-se, a partida termina por empate.

patê. [Do fr. *pâté.*] *S. m.* **1.** Designação comum a diversas preparações culinárias de consistência pastosa e sabor marcante, feitas com carne ou com fígado, ou com carnes defumadas, etc., a que se adiciona toucinho, e que são cozidas lentamente. **2.** Terrina (2). **3.** Pasta (5).

pateada. *S. f.* Ato de patear; pateadura.

pateadura. *S. f.* Pateada.

patear. [De *pata*[2] + *-ear.*] *V. t. d.* **1.** Reprovar, manifestar desagrado, batendo com os pés no chão. *Int.* **2.** Bater com as patas. [Sin. (nesta acepç.), no RS: *patalear.*] **3.** Bater com os pés no chão, em sinal de reprovação ou desagrado. **4.** Dar-se por vencido; sucumbir. **5.** Ter mau êxito; ser mal sucedido. [Conjug.: v. *frear.*]

➧pâté de foie gras (patê de fuá grá). [Fr.] *S. m.* Patê (1) feito com fígado de ganso ou pato, especialmente engordados.

patego (ê). [De *pato*[1] (2).] *Adj.* e *s. m.* **1.** Pateta, simplório, lorpa [v. *tolo* (1 a 3 e 8)]: "Inculcava-o [ao soneto] como prenda de valor inestimável a pateguinhos que miravam e remiravam os versos meio desconfiados." (João de Araújo Correia, *Terra Ingrata,* p. 171.) **2.** Que ou aquele que é grosseiro, rústico, labrego, lapuz.

pateguice. *S. f.* Qualidade, ação ou dito de patego.

pateiro. [De *pato*[1] + *-eiro.*] *S. m.* **1.** Guardador ou criador de patos. **2.** Frade leigo que era encarregado da copa de um convento. **3.** *Bras.* Certa gramínea da flora paulista. **4.** *Bras.* Cão de caça ensinado a trazer as aves caídas na água. **5.** *Bras.* Cercado onde se criam patos. ● *Adj.* **6.** *Bras.* Diz-se de pateiro (4).

patejar. [De *pato*[1] + *-ejar.*] *V. int.* **1.** *P. us.* Patinhar (1 e 2): "Pequeninos, nus, ... patejavam na estrumeira borrifados de lama sob o vôo zoante das mocas." (Coelho Neto, *Rei Negro,* p. 8). *T. d.* **2.** Deixar impressões de patas, ou como que de patas, em: "Rastros de onças patejavam os úmidos caminhos" (Coelho Neto, *Treva,* p. 250). [Conjug.: v. *pelejar.*]

patela. [Do lat. *patella.*] *S. f.* **1.** *Anat.* V. *rótula* (2). **2.** *Zool.* Segmento da pata dos aracnídeos, compreendido entre o fêmur e a tíbia.

patelar. *Adj. 2 g. Anat.* Pertencente ou relativo a patela (1); rotuliano. ~ V. *reflexo* —.

pateliforme. [Do lat. *patella,* 'prato pequeno', + *-i-* + *-forme.*] *Adj. 2 g.* Que tem forma de prato.

patena. *S. f.* V. *pátena.*

pátena. [Do gr. *patáne,* pelo lat. *patena.*] *S. f.* Disco de ouro ou de metal dourado, que serve para cobrir o cálice e receber a hóstia: "Padre futuro, estavas assim diante dela como de um altar, sendo uma das faces a Epístola e a outra um Evangelho. A boca podia ser o cálix, os lábios a pátena." (Machado de Assis, *Dom Casmurro,* p. 42.) [Cf. *pátina.*]

patense[1]. *Adj. 2 g.* **1.** De, ou pertencente ou relativo a Patos (PB). ● *S. 2 g.* **2.** Natural ou habitante de Patos.

patense[2]. *Adj. 2 g.* **1.** De, ou pertencente ou relativo a Patos de Minas (MG). ● *S. 2 g.* **2.** Natural ou habitante de Patos de Minas.

patense[3]. *Adj. 2 g.* **1.** De, ou pertencente ou relativo a São João dos Patos (MA). ● *S. 2 g.* **2.** Natural ou habitante de São João dos Patos.

patente. [Do lat. *patente.*] *Adj. 2 g.* **1.** Aberto, franqueado, acessível: *lugar patente; porta patente;* "Uma entrada particular, sempre patente aos juristas validos, ... facilitava a estes .... o acesso àquela espécie de santuário" (Alexandre Herculano, *O Monge de Cister,* II, p. 7). **2.** Claro, evidente, manifesto: *erro patente; verdade patente.* **3.** *Morfol. Veg.* Que forma ângulo muito aberto com o caule ou ramo, ficando quase plano; pátulo: *pétala patente; folha patente.* ~ V. *carta* —, *pano* — e *talha* —. ● *S. f.* **4.** Título oficial de uma concessão ou privilégio: *tirar patente de uma invenção;* "Ah, o Capitão, homem de verdade, possuía patente, das legítimas." (Ciro dos Anjos, *A Menina do Sobrado,* p. 100). **5.** Carta patente [q. v.]. **6.** Diploma de membro de confraria. **7.** Contribuição paga pelos que ingressam numa corporação. **8.** *Fig.* Posto (militar). **9.** *Bras., PR* a *RS.* V. *latrina* (1).

patentear. *V. t. d.* **1.** Tornar patente, manifesto; franquear, mostrar, evidenciar: *O grande romancista patenteou, a pedido de admiradores, muitos segredos de sua arte;* "Espertalhões .... que tinham sido seus rendeiros, já .... patenteavam uma prosperidade crescente." (José Régio, *Histórias de Mulheres,* p. 96). **2.** Tornar claro, evidente: *Timbrou em patentear sua opinião.* **3.** Registrar como patente (4): *patentear uma invenção. T. d. e i.* **4.** Tornar patente; mostrar, evidenciar: *Patenteei-lhe as minhas intenções.* **5.** Abrir, franquear: *O governo patenteou os portos do país a todas as nações. P.* **6.** Tornar-se patente, claro, evidente; mostrar-se ao espírito; mostrar-se, evidenciar-se: "Eça de Queirós é um dos artistas em cuja obra mais claramente se patenteia a influência do seu meio." (Ramalho Ortigão, *As Farpas,* II, p. 210). [Conjug.: v. *frear.*]

patenteável. *Adj. 2 g.* Que pode ser patenteado.

patera. [Do fr. *patère.*] *S. f.* Espécie de escápula, mais ou menos ornamental, da qual pendem as braçadeiras das cortinas. [Cf. *pátera.*]

pátera. [Do lat. *patera.*] *S. f.* Espécie de taça usada nos sacrifícios antigos: "E, erguendo a pátera florida, / Diante da sala comovida, / Declama: — 'A César, longa vida!'" (Martins Fontes, *Verão,* p. 86). [Cf. *patera.*]

paterino. [Do lat. *pater,* 'pai', a primeira palavra do padre-nosso.] *S. m.* Indivíduo dos paterinos, heréticos que só admitiam uma oração, o padre-nosso.

paternal. [De *paterno* + *-al.*] *Adj. 2 g.* **1.** De, ou próprio de pai; paterno: *carinho paternal; cuidados paternais.* **2.** Como de um pai: *Recebia do velho mestre atenção paternal.* **3.** *Fig.* Benévolo, benigno, complacente.

paternalismo. [De *paternal* + *-ismo.*] *S. m.* **1.** Regime baseado na autoridade paterna. **2.** Sistema de relações entre o chefe e os seus subordinados segundo uma concepção patriarcal ou paternal da autoridade. **3.** *P. ext.* Em política, tendência a dissimular o excesso de autoridade sob a forma de proteção.

paternalista. *Adj. 2 g.* **1.** Relativo ao, ou que é adepto do paternalismo. ● *S. 2 g.* **2.** Adepto do paternalismo.

paternalístico. *Adj.* Relativo ao, ou que é próprio do paternalismo.

paternidade. [Do lat. *paternitate.*] *S. f.* **1.** Qualidade ou condição de pai: *A paternidade encheu-o de alegria.* **2.** Relação de parentesco que vincula o pai a seu(s) filho(s): *reconhecimento de paternidade.* **3.** Tratamento que se dava aos religiosos: *Vossa Paternidade.* ♦ **Paternidade civil.** A que resulta da adoção.

paterno. [Do lat. *paternu.*] *Adj.* **1.** Do pai: *vulto paterno; traços paternos.* **2.** Próprio do pai; paternal: *autoridade paterna.* **3.** Relativo ao pai, ou aos pais; pátrio. **4.** Relativo à pátria.

páter-nóster. [Das primeiras palavras da oração latina *Pater noster,* 'Padre nosso'.] *S. m. Bras.* Série de anzóis colocados, com iscas, em diversas alturas. [Pl.: *páter-nósteres.*]

patesca (ê). [De *pato?*] *S. f.* **1.** *Marinh.* Poleame de laborar, usado para dar retorno a cabos, e que é semelhante ao moitão, ferrado, com gato de tornel, tendo na alça uma peça que, quando levantada, deixa gornir o cabo pelo seio. ● *S. m.* **2.** *Bras. Gír. Mar.* Marinheiro que permanece a maior parte do tempo a bordo e tem grande amor à profissão. [Cf. *marambaia.*] ● *Adj. (f.).* **3.** Diz-se da roda inteiriça.

patescaria. *S. f. Bras., Gír.* **1.** Ato ou procedimento de patesca (2). **2.** Piquenique ou excursão realizados por via marítima.

pateta. [De *pato.*] *Adj. 2 g.* e *s. 2 g.* V. *tolo* (1 a 3 e 8).

patetar. *V. int.* **1.** Fazer ou dizer patetices. **2.** Titubear, vacilar, hesitar. [F. paral., bras.: *patetear.*]

patetear. *V. int. Bras.* Patetar. [Conjug.: v. *frear.*]

patetice. *S. f.* Ato ou dito de pateta; tolice, parvoíce, palurdice.

pateticismo. *S. m.* Qualidade de patético.

patético. [Do gr. *pathetikós,* pelo lat. *patheticu.*] *Adj.* **1.** Que comove a alma, despertando um sentimento de piedade ou tristeza; confrangedor, tocante: "Quando vai embriagado para o mar, ... chora de entusiasmo no meio da borrasca e faz discursos patéticos ao oceano." (Ramalho Ortigão, *As Praias de Portugal,* p. 114). **2.** Que revela forte emoção; apaixonado: *apelo patético; gesto patético.* **3.** Trágico, sinistro, cruel: *O quadro patético dos retirantes não lhe saía da memória.* ~ V. *nervo* —. ● *S. m.* **4.** Aquilo que é patético. **5.** *Anat.* V. *nervo patético.*

pati. [Do tupi *pa'ti.*] *S. m. Bras.* **1.** V. *coco-da-quaresma.* **2.** Designação comum a algumas espécies de peixes teleósteos, siluriformes, da família dos pimelodídeos, subfamília dos luciopimelodídeos, especialmente *Luciopimelodus pati* (Val.), com larga distribuição no Brasil. Coloração geral amarelo-parda, com máculas escuras difusas; abdome branco-prateado; nadadeira adiposa, com cerca de 1/3 do comprimento do corpo; barbilhões bem desenvolvidos. [Sin., nessa acepç.: *piracatinga, pati-bastardo.*]

pati-bastardo. *S. m. Bras.* V. *pati* (2). [Pl.: *patis-bastardos.*]

patibular. *Adj. 2 g.* **1.** Relativo a patíbulo: *punição patibular.* **2.** *Fig.* Que tem aspecto de criminoso ou dá a impressão de o ser: *cara patibular.* **3.** Que traz à idéia o crime ou o remorso.

patíbulo. [Do lat. *patibulu.*] *S. m.* **1.** Estrado ou lugar onde os condenados sofrem a pena capital (forca, guilhotina, decapitação): "Rolara do patíbulo a cabeça do grande chanceler Don Álvaro de Luna" (J. Carlos Lisboa, *Isabel, a do Bom Gosto,* p. 12). **2.** V. *forca* (1). [Sin. ger.: *cadafalso.*]

pático. [Do gr. *pathikós,* pelo lat. *pathicu.*] *Adj. Poét.* Devasso, libidinoso, libertino.

patiense. *Adj. 2 g.* **1.** De, ou pertencente ou relativo a Pati do Alferes (RJ). ● *S. 2 g.* **2.** Natural ou habitante de Pati do Alferes.

patifa. *S. f.* e *adj.* V. *patife.*

patifão. *S. m.* Grande patife; tratante, velhaco, patifório.

patifaria. *S. f.* Ato de patife; maroteira, velhacada.

patife. *Adj.* e *s. m.* **1.** Desavergonhado, descarado, insolente. **2.** Tratante, velhaco, maroto. **3.** *Bras.* Tímido, fraco, pusilânime, covarde. [Fem.: *patifa.*]

patifório. *S. m. Fam.* V. *patifão.*

patiguá. [Do tupi *pati'wá.*] *S. m. Bras.* Cesto de palha onde os índios guardam as suas redes.

patilha. [Do esp. *patilla?*]. *S. f.* **1.** Fio de prata ou de ouro, achatado. **2.** Parte posterior e um tanto elevada do selim. **3.** Peça que na bicicleta assenta sobre a roda e a impede de mover-se **4.** *Constr. Nav.* Prolongamento da quilha para ré do cadaste, sobre o qual se apóia o pé da madre do leme, nas embarcações em que o leme tem de trabalhar afastado do cadaste (como, p. ex., nas de uma só hélice).

patilhão. *S. m. Constr. Nav.* **1.** Grosso pranchão que liga o beque à quilha. **2.** Peça que se acrescenta à quilha de algumas embarcações para torná-las mais estáveis ou diminuir-lhes o abatimento.

patim[1]. *S. m.* **1.** Pequeno patamar[1] (1); pataréu: "algumas noites, ... sucede-me não encontrar o meu periódico junto do castiçal que me espera no patim da entrada" (Ramalho Ortigão, *Em Paris,* p. 166). **2.** Parte inferior de um trilho ferroviário, que se apóia nos dormentes e é neles fixada.

patim[2]. [Do fr. *patin.*] *S. m.* **1.** Calçado cuja sola é dotada de uma lâmina vertical, para deslizar no gelo; chapim. **2.** Patim de rodas. ♦ **Patim de rodas.** Peça munida de quatro rodinhas, que se adapta ao sapato, para rolar sobre pavimento liso. [Tb. se diz apenas *patim.*]

pátina. [Do fr. *patine.*] *S. f.* **1.** Nas pinturas, oxidação das tintas ou do verniz pela ação do tempo e sua gradual transformação pela ação da luz: *a pátina dourada de um quadro.* **2.** Camada de cor esverdeada que se forma no cobre ou no bronze depois de longa exposição à umidade atmosférica ou por tratamento com ácidos. **3.** Depósito que se forma na superfície de objetos ou edifícios antigos, dando-lhes uma coloração especial: *a pátina das estátuas; a pátina das catedrais.* **4.** Colorido que se dá artificialmente a certos objetos para envelhecê-los ou decorá-los: *a pátina de um objeto de prata.* **5.** *Fig.* Envelhecimento: *A pátina dos anos não prejudicou a beleza daquela mulher.* [Cf. *patina,* do v. *patinar,* e *pátena.*]

patinação. *S. f. Bras.* **1.** Patinagem[1]. **2.** Lugar onde se patina [v. *patinar*[1]].

patinador (ô). *Adj.* e *s. m.* Que, ou aquele que patina, que faz patinagem[1].

patinagem[1]. *S. f.* Ato ou exercício de patinar[1]; patinação.

patinagem[2]. *S. f.* Ação ou efeito de patinar[2].

patinar[1]. [De *patim* + *-ar*[2].] *V. int.* Deslizar sobre patins. [Pres. ind.: *patino, patinas, patina,* etc. Cf. *pátina.*]

patinar[2]. [De *pátina* + *-ar*[2].] *V. t. d.* Recobrir de pátina (4). [Pres. ind.: *patino, patinas, patina,* etc. Cf. *pátina.*]

patinar[3]. *V. int.* Var. de *patinhar* (3). [Pres. ind.: *patino, patinas, patina,* etc. Cf. *pátina.*]

patinete. [Do fr. *patinette.*] *S. f.* Brinquedo infantil: uma tábua sobre duas rodas, no sentido longitudinal, na qual a criança pousa um dos pés, dando impulso com o outro.

patinhagem. *S. f.* Ação de patinhar (3).

patinhar. [De *pato*[1] + *-inhar.*] *V. int.* **1.** Agitar a água à maneira dos patos; bater com os pés ou as mãos na água. **2.** Andar, mover-se, pisando (em água, neve, lama, etc.): "Patinhávamos havia muito tempo na lama" (Veiga Miranda, *Pássaros que Fogem...,* p. 81); "Já as legiões romanas patinhavam no lodo do rio" (Aquilino Ribeiro, *Os Avós dos Nossos Avós,* p. 147). [Sin., nestas acepç.: *patejar.*] **3.** Moverem-se as rodas de (veículo automóvel) girando, sem imprimir deslocamento ao veículo, por falta de aderência: *O carro atolou-se e ficou patinhando.* [Var., nesta acepç.: *patinar.*]

patinho. [Dim. de *pato*[2].] *S. m.* **1.** V. *tolo* (8): *Mete-se a espertalhão, e não passa de um patinho.* **2.** Carne da perna traseira do boi em sua parte interna. **3.** Certo jogo popular. **4.** Vaso de vidro, plástico ou metal, feito de maneira que os doentes do sexo masculino possam urinar sem deixar o leito. [Sin.: *papagaio* e (bras.) *compadre.*] ♦ **Cair como um patinho.** Deixar-se iludir ou lograr.

patinho-d'água. *S. m. Bras.* V. *ipequi.* [Pl.: *patinhos-d'água.*]

patinho-de-igapó. *S. m. Bras., AM.* V. *ipequi.* [Pl.: *patinhos-de-igapó.*]

pátio. [Do lat. *patiu.*] *S. m.* **1.** Recinto, geralmente lajeado, para o qual dá entrada a porta principal de algumas casas. **2.** Espaço descoberto fechado por muro ou por outro tipo de construção, anexo a um edifício: *As crianças brincavam no pátio do colégio.* **3.** Recinto descoberto no interior de um edifício: *o pátio de um convento.* **4.** Espaço descoberto cercado de edifícios. **5.** Recinto junto às estações ferroviárias, onde as locomotivas manobram. **6.** Átrio, vestíbulo. **7.** *Teat.* Designação genérica dos antigos teatros portugueses e espanhóis; pátio de comédias: "O palco [das representações cênicas] era o pátio, recinto formado pelos diversos pavilhões do paço, dispostos em retângulo, e coberto pelo céu estrelado." (P[e]. Arlindo Ribeiro da Cunha, *A*

Língua e a Literatura Portuguesa, p. 200.) ♦ **Pátio de comédias.** *Teat.* Pátio (7).
patioba. *S. f. Bras.* V. *jararaca-verde.*
➜**pâtisserie** (patiç'ri). [Fr.] *S. f.* Pastelaria (1) francesa, ou de tipo francês.
patível. [Do lat. *patibile.*] *Adj. 2 g.* Que se pode sofrer; tolerável.
▲**pato-.** [Do gr. *páthos, eos-ous.*] *El. comp.* = 'sofrimento', 'doença': *patologia, patogenia.* [Equiv.: *-pat(o)-*: *linfadenopatia.*]
▲**-pat(o)-.** Equiv. de *pato-*.
pato[1]. [T. onom.] *S. m.* **1.** Ave da ordem dos anseriformes, da família dos anatídeos, especialmente os de grande porte. [V. *pato-do-mato, pato-de-crista, capororoca, cisne-de-pescoço-preto.*] **2.** Iguaria feita com o pato[1] (1). **3.** *Pop.* V. *tolo* (8). **4.** *Bras.* Mau jogador. **5.** *Bras., N. E.* Pedaço de charque correspondente à paleta. [Cf. *pacto.*] ~ V. patos. ♦ **Pato rouco.** *Bras., S.* Pessoa de voz rouquenha.
pato[2]. [De *pacto?*] *El. s. m.* Us. na expr. *pagar o pato.* ~V. *patos.* ♦ **Pagar o pato.** *Fam.* **1.** Sofrer as conseqüências de algo. **2.** Pagar as despesas.
pato[3]. *Bras. S. 2 g.* **1.** Indivíduo dos patos, tribo caiapó que habitava as margens da lagoa dos Patos (RS). ● *Adj. 2 g.* **2.** Pertencente ou relativo a essa tribo. [Cf. *pacto.*] ~ V. *patos.*
patoá. [Do fr. *patois.*] *S. m.* Designação comum a vários dialetos franceses, como, entre outros, o picardo e o normando. [Cf. *patuá.*]
pato-argentino. [De *pato*[1] + *argentino.*] *S. m. Bras., RS.* V. *pato-do-mato.* [Pl.: *patos-argentinos.*]
pato-arminho. [De *pato*[1] + *arminho.*] *S. m. Bras.* **1.** Capororoca. **2.** Cisne-de-pescoço-preto. [Pl.: *patos-arminhos* e *patos-arminho.*]
pato-branquense. *Adj. 2 g.* **1.** De, ou pertencente ou relativo a Pato Branco (PR). ● *S. 2 g.* **2.** Natural ou habitante de Pato Branco. [Pl.: *pato-branquenses.*]
pato-bravo. [De *pato*[1] + *bravo.*] *S. m.* V. *pato-do-mato.* [Pl.: *patos-bravos.*]
pato-castelhano. [De *pato*[1] + *castelhano.*] *S. m. Bras.* V. *pato-de-crista.* [Pl.: *patos-castelhanos.*]
pato-crioulo. [De *pato*[1] + *crioulo.*] *S. m. Bras.* V. *pato-do-mato.* [Pl.: *patos-crioulos.*]
pato-de-caiena. [De *pato*[1] + *de* + *caiena.*] *S. m. Bras., Amaz.* V. *pato-de-crista.* [Pl.: *patos-de-caiena.*]
pato-de-crista. [De *pato*[1] + *de* + *crista.*] *S. m.* Ave anseriforme, da família dos anatídeos (*Sarkidiornis sylvicola* Iher & Iher.), distribuída da Venezuela à Argentina, em águas interiores. Coloração dorsal preta, com lustro esverdeado e purpúreo, cabeça e pescoço brancos pintados de preto, parte inferior branca, e cauda pardo-escura. [Sin.: *pato-de-caiena, putrião, pato-castelhano.* Pl.: *patos-de-crista.*]
pato-do-mato. [De *pato*[1] + *do* + *mato.*] *S. m. Bras.* Ave anseriforme, da família dos anatídeos (*Cairina moschata* (L.)), que ocorre do S. do México ao N. da Argentina, em águas interiores. Cabeça e parte inferior do corpo pardo-escuras; parte superior preta com lustro esverdeado e purpúreo, e coberteiras superiores das asas, brancas. [Sin.: *pato-crioulo, pato-bravo, cairina, pato-argentino.* Pl.: *patos-do-mato.*]
patoense. *Adj. 2 g.* **1.** De, ou pertencente ou relativo a Patos (PB) ● *S. 2 g.* **2.** Natural ou habitante de Patos.
patofobia. [De *pato-* + *-fob(o)-* + *-ia.*] *S. f.* Medo ou receio mórbido de qualquer doença.
patofóbico. *Adj.* Referente à patofobia.
patogênese. [De *pato-* + *gênese.*] *S. f.* V. *patogenia.*
patogenesia. *S. f.* V. *patogenia.*
patogenético. *Adv.* V. *patogênico* (1).
patogenia. [De *pato-* + *-gen(o)-*[1] + *-ia.*] *S. f. Patol.* Estudo do mecanismo pelo qual se desenvolvem as moléstias; patogênese, patogenesia, nosogenia: "E começa a enumerar suas mazelas — doenças de toda espécie, da mais requintada patogenia" (Fernando Sabino, *O Homem Nu*, pp. 35-36).
patogênico. *Adj.* **1.** Relativo à patogenia ou patogênese; patógeno, patogenético: *estado patogênico.* **2.** Capaz de produzir doenças: *bactéria patogênica.*
patógeno. *Adj.* V. *patogênico* (1).
patognomonia. *S. f.* Estudo dos sinais e/ou sintomas considerados característicos das doenças.
patognomônico. [Do gr. *pathognomonikós.*] *Adj.* **1.** Referente à patognomonia. **2.** Diz-se de sinal e/ou sintoma tido(s) como característico(s) de uma doença; diacrítico.
patola[1]. [De *pata*[2] + *-ola.*] *S. f.* **1.** A pata preênsil dos caranguejos, siris, etc. **2.** *Marinh.* Gato especial, de escape, fortemente preso ao convés, e destinado a aboçar a amarra da âncora e libertá-la rapidamente quando necessário. **3.** *Gír.* Mão (1).
patola[2]. [De *pato*[1] (2) + *-ola.*] *S. 2 g.* e *adj. 2 g.* V. *tolo* (1 a 3 e 8).
patolar. [De *patola*[1] + *-ar*[2].] *V. t. d. Bras.* **1.** *Gír.* Segurar firmemente com a mão; aferrar. **2.** *Gír.* Bolinar com a mão. **3.** V. *abecar.*
patologia. [De *pato-* + *-log(o)-* + *-ia.*] *S. f. Med.* Ramo da medicina que se ocupa da natureza e das modificações estruturais e/ou funcionais produzidas pela doença no organismo.
patológico. *Adj.* Relativo à patologia.
patologista. *S. 2 g.* Especialista em patologia.
patomania. [De *pato-* + *mania.*] *S. f. Psiq.* Mania (4) de doença.
pato-marinho. [De *pato*[1] + *marinho.*] *S. m. Bras., RS.* V. *pingüim* (2). [Pl.: *patos-marinhos.*]
patomimese. [De *pato-* + gr. *mímesis*, 'imitação'.] *S. f. Patol.* Patomimia.
patomimia. [De *pato-* + gr. *mimos*, 'imitador', + *-ia.*] *S. f. Patol.* Simulação mórbida de doença ou sintoma; patomimese.
patonomia. [De *pato-* + *-nom(o)-* + *-ia.*] *S. f. Med.* Conjunto de leis respeitantes às doenças.
patonômico. *Adj.* Referente à patonomia.
pato-pataca. *S. m. Bras.* V. *alma-de-gato* (1). [Pl.: *patos-patacas.*]
patorá. *S. m. Bras.* Certa gramínea forrageira.
patoral. *S. m. Bras., SC.* Terreno pantanoso e coberto de mangues.
patorra (ô). *S. f. Fam.* Pata ou pé muito grande.
patos. [Do gr. *páthos.*] *S. m. 2 n.* O patético expresso na fala, em escritos, acontecimentos, etc.: *o patos das tragédias gregas.* ~ V. pato.
patota. [Var. de *batota.*] *S. f.* **1.** *Bras.* Batota[1] (1). **2.** *Bras.* Negócio duvidoso; ladroeira. **3.** *Bras. Gír.* Grupo, bando.
patotada. *S. f. Bras.* **1.** Grande patota (1). **2.** Série de patotas.
patoteiro. *Adj.* e *s. m. Bras.* Diz-se de, ou aquele que faz patotas; batoteiro.
patranha. [Do esp. *patraña.*] *S. f.* **1.** Grande peta[2]. (1). V. *mentira* (1). **2.** História mentirosa; história: patranhada: "Ele põe-se lá a inventar patranhas e ela, atola, ... ouve tudo muito séria e fiada" (Júlio Dinis, *A Morgadinha dos Canaviais*, p. 310).
patranhada. *S. f.* **1.** Série de patranhas. **2.** História cheia de mentiras; patranha.
patranhar. *V. int.* Inventar patranhas.
patranheiro. *Adj.* e *s. m.* Que ou aquele que inventa patranhas.
patrão. [Do lat. *patronu.*] *S. m.* **1.** Chefe ou proprietário de estabelecimento, fábrica, etc., em relação aos empregados; empregador. **2.** *P. ext.* O chefe de um escritório, de uma repartição. **3.** O dono da casa em relação aos empregados domésticos, ou outros; amo, senhor. **4.** Senhor, chefe, cavalheiro: — *Tudo em ordem, patrão?* [Us. em geral como vocativo.] **5.** *Mar. Merc.* Aquele que comanda embarcação de pesca: "esbarraram com o velho José Alexandre, patrão daquela baleeira" (Virgílio Várzea, *Histórias Rústicas*, p. 82). **6.** Nos barcos de regata, aquele que dirige o leme e comanda o ritmo das remadas. **7.** Patrono, protetor. **8.** *Pop.* Tratamento de respeito dado por pessoas humildes a pessoas de condição social superior, ou, às vezes tratamento simplesmente carinhoso ou afetuosamente irônico dado a pessoas de igual condição. **9.** Seringalista [q. v.]. [Fem.: *patroa.*]
patrão-mor. *S. m. Bras.* **1.** Funcionário diretor de certos serviços ou oficinas do Estado. **2.** *Mar. G.* Oficial-auxiliar especialmente encarregado do serviço marítimo dos arsenais de marinha e capitanias de portos. [Pl.: *patrões-mores.*]
patrasana. [Do it. *partigiano*, 'partidário'.] *S. m.* **1.** Qualquer sujeito. **2.** Indivíduo gordo e bonacheirão. [Cf. *partasana.*]
patrazana. *S. f.* V. *patrasana.*
▲**patri-.** V. *padr(e)-*.
pátria. [Do lat. *patria.*] *S. f.* **1.** O país onde nascemos; torrão natal; terra. **2.** Província, cidade, vila ou aldeia natal. **3.** A terra dos pais. **4.** Lugar de origem; origem, berço: *O Brasil é a pátria do samba.* **5.** Lugar onde se encontra uma grande quantidade de coisas de um determinado gênero: *Ouro Preto é a pátria das igrejas barrocas.* **6.** Terra que se considera como a preferida, a melhor: *Sua pátria era o lugar onde estavam seus filhos.* **7.** Região ou clima apropriado para certos animais. ● *Adj. 2 g.* **8.** *Bras., RS.* Sem dono, ou pertencente ao Estado. [Diz-se dos animais.] ~ V. *pátrias.*
pátria-amada. *S. m.* **1.** *Bras. Deprec.* Patrioteiro (2). **2.** *Bras.* Voluntário civil na revolução paulista de 1932. **3.** *Bras., RJ.* Comissário de polícia. [Pl.: *pátria-amadas.*]
patriada. *S. f. Bras., RS.* Ação ou rebelião malograda, como a dos pátrias (1).
patriarca. [Do gr. *patriárches*, pelo lat. *patriarcha.*] *S. m.* **1.** Chefe de família, entre os povos antigos, especialmente os do Antigo Testamento. **2.** Velho venerando cercado de família numerosa. **3.** *P. ext.* Chefe de família exemplar. **4.** Prelado de algumas grandes dioceses. **5.** Chefe da Igreja grega. **6.** Designação comum aos primeiros instituidores dalgumas ordens religiosas. ♦ **O patriarca da Independência.** Antonomásia de José Bonifácio de Andrada e Silva (1763-1838).
patriarcado. *S. m.* **1.** Dignidade ou jurisdição de patriarca. **2.** Diocese dirigida por um patriarca. **3.** Regime social em que o pai exerce autoridade preponderante.
patriarcal. [Do lat. *patriarchale.*] *Adj. 2 g.* **1.** Relativo a, ou próprio de patriarca ou de patriarcado: *dignidade patriarcal; sistema patriarcal.* **2.** *P. ext.* Respeitável, venerando. **3.** *P. ext.* Pacífico, bondoso. **4.** *Sociol.* Diz-se de um tipo ou forma de família que se desenvolveu em certas épocas, como, p. ex., na Antiguidade Clássica, e em que o chefe de família ou patriarca, duma autoridade absoluta, resumia toda a instituição social do tempo. ~ V. *sé* —. ● *S. f.* **5.** Igreja com cadeira patriarcal; sé patriarcal.
patriarcalismo. *S. m.* **1.** Comportamento ou estilo de vida patriarcal. **2.** Influência social dos patriarcas.
patriarcalista. *Adj. 2 g.* **1.** Relativo ao patriarcalismo. **2.** Que é adepto ou simpatizante dele. ● *S. 2 g.* **3.** Adepto ou simpatizante do patriarcalismo.
pátrias. [Pl. de *pátria.*] *S. m. pl.* **1.** Designação dos índios e outros naturais das Missões que invadiram o RS em 1816, sob as ordens de Artigas. **2.** *P. ext.* Os argentinos, em geral. ~ V. *pátria.*
patrícia. [Fem. substantivado do adj. *patrício.*] *S. f. Bras., N.E. Pop.* V. *cachaça* (1).
patriciado. [Do lat. *patriciatu.*] *S. m.* **1.** Entre os romanos, estado ou condição de patrício. **2.** A classe nobre; a aristocracia, a nobreza. [F. paral.: *patriciato.*]
patriciato. [Do lat. *patriciatu.*] *S. m.* Patriciado [q. v.].
patrício. [Do lat. *patriciu.*] *Adj.* **1.** Relativo à classe dos nobres, entre os romanos. **2.** Nobre, aristocrático: "Eram [Hamilton e Jefferson] dois temperamentos opostos, o patrício de modos populares e o plebeu de modos patrícios" (Alceu Amoroso Lima, *A Realidade Americana*, p. 131). **3.** Distinto, elegante. **4.** Conterrâneo, compatriota. ● *S. m.* **5.** Indivíduo da classe dos nobres, na antiga Roma. **6.** Aristocrata, nobre: "Eram dois temperamentos opostos, o patrício de modos populares e o plebeu de modos patrícios" (Alceu Amoroso Lima, *A Realidade Americana*; p. 131). **7.** Compatriota, conterrâneo: "Francisca Júlia da Silva, a patrícia nossa, ... já escrevia versos aos quatorze anos." (Machado de Assis, *A Semana*, II, p. 399.)
patrilinear. [De *patri-* + *linear.*] *Adj. 2 g. Etnol.* Referente à sucessão por linha paterna.
patrilinearidade. *S. f. Etnol.* Qualidade de patrilinear.
patrilocal. [De *patri-* + *local.*] *Adj. 2 g. Etnol.* Relativo à instituição segundo a qual, pelo casamento, é a mulher obrigada a seguir o marido, passando a morar no local onde ele mora (casa, acampamento, aldeia, etc.).
patrimoniado. *Adj.* **1.** Que tem ou recebeu patrimônio.
patrimonial. [Do lat. *patrimoniale.*] *Adj. 2 g.* Relativo ou pertencente a patrimônio.
patrimônio. [Do lat. *patrimoniu.*] *S. m.* **1.** Herança paterna. **2.** Bens de família. **3.** Dote dos ordinandos. **4.** *Fig.* Riqueza: *patrimônio moral, cultural, intelectual.* **5.** *Dir.* Complexo de bens, materiais ou não, direitos, ações, posse e tudo o mais que pertença a uma pessoa ou empresa e seja suscetível de apreciação econômica. **6.** *Cont.* A parte jurídica e material da azienda [q. v.].
pátrio. [Do lat. *patriu.*] *Adj.* **1.** Pertencente ou relativo à pátria: *solo pátrio; história pátria;* "vereis um novo exemplo / De amor dos pátrios feitos valerosos / Em versos devulgado numerosos." (Luís de Camões, *Os Lusíadas*, I, 9); "Que diversas que são, Marília, as horas, / que passo na masmorra imunda e feia, / dessas horas felices, já passadas / na tua pátria aldeia!" (Tomás Antônio Gonzaga, *Marília de Dirceu*, p. 119.) **2.** Relativo ou pertencente aos pais; paterno. ~ V. — *poder* e *adjetivo* —.
patriota. [Do lat. *patriota.*] *S. 2 g.* **1.** Pessoa que ama a pátria e procura servi-la. **2.** Compatriota, patrício. ● *S. m.* **3.** *Bras., PE.* Partidário da revolução pernambucana de 1817 e/ou da de 1824. **4.** *Bras., RS.* Designação comum aos soldados das forças irregulares do governo na revolução de 1893. ● *S. f.* **5.** *Bras. Gír.* Mulher de seios muito grandes. ● *Adj.* (*f.*) **6.** *Bras. Gír.* Diz-se da mulher de seios muito grandes.

patriotada. *S. f.* **1.** *Bras.* Alarde jactancioso de patriotismo. **2.** *Bras.* Rebelião infrutífera. **3.** *Bras.* Multidão de patriotas. **4.** *Bras., RS.* O conjunto dos patriotas. [V. *patriota* (4).].

patrioteiro. *Adj. Deprec.* **1.** Que alardeia patriotismo. ● *S. m.* **2.** Aquele que o alardeia; pátria-amada.

patriotice. *S. f. Deprec.* **1.** Mania patriótica. **2.** Falso patriotismo.

patriótico. *Adj.* **1.** Que revela amor à pátria; cívico: *demonstração patriótica.* **2.** Relativo a, ou próprio de patriota.

patriotismo. [Do fr. *patriotisme.*] *S. m.* **1.** Amor da pátria. **2.** Qualidade de patriota. **3.** *Bras. Chulo.* Seios grandes. [V. *seio* (4)].

patripassianismo. *S. m. Rel.* Monarquianismo.

patrística. [Do lat. ecles. *patristica* (subentendendo-se *theologia*).] *S. f.* Ciência que tem por objeto a doutrina dos Santos Padres e a história literária dessa doutrina.

patrístico. *Adj.* Referente à patrística.

patrizar. *V. int. Ant.* **1.** Servir à pátria. **2.** Ser patriota.

▲**patro-.** V. *padr(e)-.*

patroa (ô). [Do lat. *patrona.*] *S. f.* **1.** Mulher do patrão **2.** Dona de casa. **3.** A dona de um estabelecimento comercial. **4.** *Pop.* Esposa. **5.** *Pop.* Tratamento dado a uma senhora por pessoas de condição social inferior.

patroar. *V. t. d.* **1.** *Bras.* Dirigir (uma embarcação) como patrão (5). *Gosta de patroar seu barco. Int.* **2.** Dirigir uma embarcação como patrão (5): *Patroa muito bem.* [Conjug.: v. *coroar.*]

patrocinador (ô). *Adj.* **1.** Que patrocina. ● *S. m.* **2.** Aquele que patrocina. **3.** *Bras.* Pessoa ou empresa que custeia um programa de televisão, de rádio, etc., para fins de propaganda.

patrocinar. [Do lat. *patrocinare.] *V. t. d.* Dar patrocínio a; proteger; beneficiar; favorecer, defender; patronear: *Excelente advogado patrocina a sua causa;* "Vem a Mordoma, igual às suas companheiras, / Erguendo a Santa Cruz, que patrocina os lares" (Conde de Monsaraz, *Musa Alentejana*, p. 64).

patrocinense[1]. *Adj. 2 g.* **1.** De, ou pertencente ou relativo a Patrocínio (MG). ● *S. 2 g.* **2.** Natural ou habitante de Patrocínio.

patrocinense[2]. *Adj 2 g.* **1.** De, ou pertencente ou relativo a Patrocínio do Muriaé (MG). ● *S. 2 g.* **2.** Natural ou habitante de Patrocínio do Muriaé.

patrocinense[3]. *Adj. 2 g.* **1.** De, ou pertencente ou relativo a Patrocínio Paulista (SP). ● *S. 2 g.* **2.** Natural ou habitante de Patrocínio Paulista.

patrocínio. [Do lat. *patrociniu.*] *S. m.* **1.** Proteção, amparo, auxílio; patronagem, patronato. **2.** Custeio de um programa de televisão, rádio, etc., para fins de propaganda.

patrol. [Do ingl. *patrol.*] *S. f. Bras.* V. *niveladora.* [Pl.: *patróis.*]

patrola. [Var. de *patrol.*] *S. f. Bras., MG.,* V. *niveladora.*

patrolar. *V. int. Bras.* Abrir ou nivelar estrada(s) com patrol.

patrolista. *S. 2 g. Bras.* Pessoa que opera patrol.

patrologia. [De *patro-* + *-log(o)-* + *-ia.*] *S. f.* **1.** Conhecimento da vida e das obras dos Padres da Igreja. **2.** Tratado a respeito deles. **3.** Coleção dos seus escritos.

patrológico. *Adj.* Relativo à patrologia.

patrologista. *S. 2 g.* Especialista em patrologia; patrólogo.

patrólogo. [De *patro-* + *-logo.*] *S. m.* Patrologista.

patromoria. *S. f. Bras.* Repartição dirigida por patrãomor.

patrona[1]. [Do lat. *patrona.*] *S. f.* Protetora, padroeira.

patrona[2]. [Do al. *Patrone.*] *S. f.* **1.** V. *cartucheira.* **2.** *Bras. N.* Bolsa de couro dos sertanejos; patuá. **3.** *Bras. N.E.* V. *jararacuçu.*

patronado. *S. m.* V. *patronato.*

patronagem. *S. f.* V. *patrocínio* (1).

patronal. *Adj. 2 g.* **1.** Relativo a, ou próprio de patrão (1): *interesses patronais; política patronal.* **2.** Constituído por patrões; *a classe patronal.*

patronato. [Do lat. *patronatu.*] *S. m.* **1.** V. *patrocínio* (1). **2.** Autoridade de patrão. **3.** Padroado. **4.** Instituição de assistência onde se abrigam e educam menores; pensionato. **5.** Estabelecimento oficial ou particular, que se destina a proporcionar aos liberados condicionais os meios necessários à sua readaptação à vida social. [Cf., nesta acepç., *livramento condicional.* Var.: *patronado.*]

patronear. *V. t. d.* **1.** Servir de patrono a. **2.** Dirigir como patrão. **3.** V. *patrocinar. Int.* **4.** Tomar ares de patrão. [Conjug.: v. *frear.*]

➧**patronesse.** [Fr.] *S. f.* Senhora que organiza ou patrocina festa ou campanha de beneficência.

patronímico. [Do gr. *patronymikós*, pelo lat. *patronymicu.*] *Adj.* **1.** Relativo a pai, especialmente quanto a nomes de família: *O Oliveira de seu nome é patronímico.* **2.** Diz-se do sobrenome derivado do nome do pai ou de um antecessor: Fernandes e Rodrigues *são sobrenomes patronímicos.* ● *S. m.* **3.** Sobrenome derivado do nome do pai: *Rodrigues* (filho de Rodrigo); *Dias* (filho de Dídaco); *Atrida* (filho de Atreu). **4.** *P. ext. Neol.* Nome designativo de uma linhagem: *Antoninos* (dinastia romana); *Braganças* (dinastia portuguesa).

patrono. [Do lat. *patronu.*] *S. m.* **1.** V. *padroeiro* (2). **2.** Advogado, em relação a seus clientes. **3.** Na antiga Roma, o senhor, em relação aos seus libertos. **4.** *Bras.* Escritor, artista ou cientista já falecido, sob a égide do qual estão as diversas cadeiras, nas academias e instituições congêneres. *A cadeira nº 23 da Academia Brasileira de Letras, da qual Machado de Assis é o fundador e Jorge Amado o atual ocupante, tem como patrono José de Alencar.* **5.** *Bras.* Chefe militar ou personalidade civil escolhida como figura tutelar de uma força armada, de uma arma, de uma unidade, etc., cujo nome mantém vivas tradições militares e o culto cívico dos heróis: *Caxias é o patrono do Exército. Tamandaré é o patrono da Marinha e Santos Dumont é o patrono da Aeronáutica.*

patruicídio (u-i). [Do lat. *patruu*, 'tio', + -i- + -cídio.] *S. m.* Assassínio de tio paterno.

patrulha. [Do fr. *patrouille.*] *S. f.* **1.** Patrulhamento. **2.** Ronda de soldados. **3.** *Mar. G.* Grupamento de navios e/ou aeronaves incumbidos de patrulhar. **4.** Grupo de pessoas que fazem a ronda (1), zelando pela manutenção da ordem, ou que procuram localizar pessoas em perigo, etc. **5.** *Deprec.* Pequeno grupo de políticos. **6.** *Deprec.* Bando de vadios; corja, súcia. **7.** *Bras.* Subdivisão de uma companhia de escoteiros ou de bandeirantes. [V. *bandeirante* (2).] ◆ **Parar patrulha.** *Bras., RS.* Responder a uma agressão ou ofensa; revidar, resistir.

patrulhamento. *S. m.* Ato ou efeito de patrulhar; patrulha.

patrulhar. [Do fr. *patrouiller.*] *V. t. d.* **1.** Guarnecer ou vigiar com patrulhas. **2.** Rondar em patrulha. **3.** *Mil.* Percorrer sistematicamente (uma área ou zona de passagem provável do inimigo), para detectá-lo e obter informes acerca da composição, atividades, etc., da área ou zona. *Int.* **4.** Fazer ronda em patrulha.

patrulheiro. *S. m.* **1.** Aquele que patrulha. **2.** *Mar. G.* Pequeno navio de guerra destinado a patrulhar áreas marítimas não distantes do litoral, com o fim de prevenir ataques ou incursões do inimigo.

patrulhinha. [Dim. de *patrulha.*] *S. f. Bras., S.* Joaninha.

patuá. [De *pataua*, por síncope.] *S. m. Bras.* **1.** Balaio (1). **2.** *Bras.* Patrona (2). **3.** V. *bentinhos.* [Cf. *patoá.*]

patuá-balaio. *S. m. Bras., N.* Caixa com divisões para matalotagem. [Pl.: *patuás-balaios* e *patuás-balaio.*]

patudo. *Adj.* Que tem patas ou pés grandes.

patuense. *Adj. 2 g.* **1.** De, ou pertencente ou relativo a Patu (RN). ● *S. 2 g.* **2.** Natural ou habitante de Patu.

patuléia. [Por *patoléia*, de *patola.*] *S. f.* **1.** Alcunha do partido popular que se organizou em Portugal em 1836. **2.** *P. ext.* V. *ralé* (1). *S. m.* **3.** Membro daquele partido; pé-fresco.

pátulo. [Do lat. *patulu.*] *Adj.* **1.** *Poét.* Patente, aberto, franqueado. **2.** *Morfol. Veg.* Patente (3): *râmulos pátulos.*

paturé. *S. m. Bras.* V. *paturi.*

patureba. [De or. indígena.] *S. m.* **1.** *Bras.* V. *mimado-velho.* **2.** *Bras.* O produto do cruzamento do pato[1] com a marreca. **3.** *Bras., NE. Pop.* Indivíduo simplório. V. *tolo* (8).

paturi. [Do tupi *patu'ri.*] *S. m. Bras.* Ave anseriforme, da família dos anatídeos (*Nomonyx dominicus* (L.)), distribuída do S. dos E.U.A. até o N. e L. da Argentina, de dorso ferrugíneo, raiado de preto, cabeça, faces e mento pretos, meio do dorso inferior, cauda e rêmiges pardo-escuros, e espelho branco nas asas. A fêmea é mais pálida, com a cabeça pintada de preto. [Var.: *paturé, sin.: marrequinha, tururu.*]

paturi-do-mato. *S. m. Bras., CE.* V. *marreca-toicinho.* [Pl.: *paturis-do-mato.*]

patuscada. [De *patusco* + *-ada*[1].] *S. f.* **1.** Ajuntamento festivo de pessoas para comer e beber; comedela, comedoria, comezaina. **2.** Pândega, folgança, farra.

patuscar. *V. int.* Andar em patuscadas; pandegar, farrear. [Conjug.: v. *trancar.*]

patusco. *Adj.* **1.** Que gosta de patuscadas: "Boa e patusca viúva! Amava o riso e a folga" (Machado de Assis, *Várias Histórias*, p. 61). **2.** Brincalhão, divertido; engraçado. **3.** Ridículo, extravagante. ● *S. m.* **4.** Indivíduo patusco. **5.** Pachola (2).

pau. [Do lat. *palu.*] *S. m.* **1.** Qualquer pedaço de madeira (lasca, haste, madeira, tábua, etc.). **2.** Qualquer madeira: *perna de pau; colher de pau.* **3.** Cacete, bastão, cajado. **4.** *P. ext.* Castigo corporal; pancada, surra: *O cachorro latiu, pau nele.* **5.** Ripa, vara, vareta. **6.** Viga, trave. **7.** Chifre, corno. **8.** Mastro, haste: *pau de bandeira.* **9.** Qualquer pedaço de substância sólida semelhante a um pau (1): *pau de chocolate; pau de baunilha; canela em pau.* **10.** *Bras. Gír.* Reprovação em exame; bomba: *Levou pau em matemática.* **11.** *Bras., N.E. Pop.* Qualquer árvore. **12.** *Constr. Nav.* Designação genérica de certas vergônteas e hastes que não fazem parte da mastreação: *pau da bandeira; pau do jeque; pau de surriola; pau de carga.* **13.** *Bras. Mar. G. Gír.* Serviço de quarto ou de dia: *estar de pau das oito ao meio-dia.* **14.** *Pop.* Cruzado ou escudo: *Paguei 20 paus por este livro.* **15.** *Bras. Chulo.* O pênis. **16.** *Bras. Gír.* V. *rolo*[1] (16). ● *Adj. 2 g.* **17.** *Bras. Fam.* V. maçante (1): *pessoa pau; livro pau.* **18.** Embaraçoso, incomodativo: *É muito pau despedir um empregado!* ~ V. *paus.* ◆ **Pau a pau.** *Bras.* Em pé de igualdade; taco a taco: *A partida foi disputada pau a pau; Na discussão, mostraram-se pau a pau.* **Pau à-toa.** *Bras., Amaz.* Designação dada pelos caboclos a plantas cujos nomes ignoram. **Pau com formiga.** *Bras., N.E.* Coisa difícil; situação embaraçosa. **Pau da venta.** *Bras., N.E. Pop.* Pau do nariz. **Pau de jabutis.** *Bras., N.* Cinco jabutis amarrados a uma vara (como são vendidos). **Pau de surriola.** *Constr. Nav.* Cada um dos paus que, com o navio ancorado ou amarrado à bóia, se dispõem perpendicularmente ao costado, para neles se amarrarem as embarcações miúdas: "Lampejam sinais, içam-se as escadas dos portalós, prolongam-se os paus de surriola, escapam-se das chaminés nuvens de vapor..." (Eugênio de Castro [o brasileiro], *Terra à vista*, p. 7). [Geralmente há um pau de surriola em cada bordo. Tb. se diz apenas *surriola.*] **Pau do nariz.** *Bras., N.E. Pop.* O septo nasal; pau da venta. **Pau furado.** Espingarda. **Pau para toda obra.** **1.** Pessoa que se presta para tudo. **2.** Coisa que serve para tudo. [Cf. *pau-para-toda-obra.*] **A dar com um pau.** Em grande quantidade. **Abrir nos paus.** *Bras. Pop.* V. *fugir* (1 e 2). **Assentar o pau em.** *Bras.* V. *meter o pau em* (1). **Baixar o pau em.** *Bras. Pop.* V. *baixar o sarrafo em.* **Bater no pau.** *Bras. Fam.* V. *isolar* (4). **Cantar o pau.** Haver briga, surra, pancadaria: *Houve um fuzuê dos diabos, o pau cantou.* **Dar nos paus.** V. *fugir* (1 e 2): "O Lucas dava nos paus e não havia quem lhe botasse o olho em riba." (Cardoso de Oliveira, *Dois Metros e Cinco*, p. 268.) **Dar por paus e por pedras.** Praticar desatinos; delirar. **Falar ao pau de.** *Bras. Chulo.* **1.** Excitar sexualmente. **2.** Despertar entusiasmo em. **Jogar com pau de dois bicos.** Defender ora uma, ora outra de duas idéias opostas, com o fim de agradar às duas partes. **Levantar a pau.** *Bras., N.E.* Erguer do chão (as reses que caem de inanição, quando das secas) por meio de varais passados sob o ventre. **Levar pau.** *Bras.* Ser reprovado em exame. **Meter o pau.** *Bras.* Trabalhar com afinco. **Meter o pau em.** **1.** Espancar, surrar, esbordoar; tocar o pau em, assentar o pau em. **2.** *Bras. Fam.* Falar mal de; censurar vivamente; meter o bacalhau em, meter a ronca em, meter a taca em: "Naquele tempo era bonito e revelava uma boa qualidade de gosto literário meter o pau nos escritores e poetas passadistas." (Carlos Moliterno, *Notas sobre Poesia Moderna em Alagoas*, p. 44.) **3.** Reprovar em exame. **4.** Esbanjar, dissipar, malbaratar, malgastar: "Era um pândego o nosso homem, que após haver metido o pau numa fortuna, esbanjou uma herança em grossas pagodeiras bem pagas na Europa." (Cornélio Pires, *Quem Conta um Conto...*, p. 111.) **Mostrar com quantos paus se faz uma cangalha.** *Bras., CE.* Mostrar com quantos paus se faz uma canoa. **Mostrar com quantos paus se faz uma canoa.** *Bras.* Dar uma lição, um corretivo; mostrar com quantos paus se faz uma cangalha. **Passar pelo pau do canto.** *Obsol.* Obter a nota mais baixa em exame ou concurso. **Pegar no pau furado.** *Bras.* **1.** Ser sorteado para o exército. **2.** Ir lutar em uma guerra. **Quebrar um pau.** *Bras. Pop.* **1.** Discutir acirradamente. **2.** *Brigar com violência.* **Ser pau para toda obra.** **1.** Servir para tudo; prestar-se a tudo. **2.** Aplicar-se a muitas e diferentes coisas. **Tocar o pau em.** *Bras. Fam.* V. *meter o pau em* (1).

pau-amarelo. *S. m.* **1.** *Bras., Amaz.* Árvore da família das rutáceas (*Euxylophora paraensis*), da mata úmida, cuja madeira, amarelo-citrina, é das melhores para obras internas de luxo e mobiliário fino, sendo as folhas simples e obovadas, as flores amareladas, perfumadas e paniculadas, os frutos cápsulas pilosas com cerca de 2 cm, e cinco lóculos. **2.** V. *arapoca.* [Pl.: *paus-*

amarelos.]

pau-a-pique. *S. m.* **1.** *Bras.* e *afro-lusit.* Parede feita de ripas ou varas entrecruzadas e barro; taipa. [No Brasil tb. se diz *parede de pau a pique.*] **2.** *Bras., N.E.* Cerca feita de esteios fortes fincados a uma distância muito pequena uns dos outros; cerca de pau a pique. [Pl.: *paus-a-pique.*]

pauatê. *Bras. S. 2 g.* **1.** Indivíduo dos pauatês, tribo indígena do rio Ji-Paraná (RO). ● *Adj. 2 g.* **2.** Pertencente ou relativo a essa tribo.

pau-azevim. *S. m.* V. *azevinho.* [Pl.: *paus-azevins* e *paus-azevim.*]

pau-bala. *S. m.* V. *carrapeta* (2). [Pl.: *paus-balas* e *paus-bala.*

pau-bálsamo. *S. m. Bras.* V. *cabriúva* (1). [Pl.: *paus-bálsamos* e *paus-bálsamo.*]

pau-branco. *S. m. Bras.* V. *catanduba* (1). [Pl.: *paus-brancos.*]

pau-brasil. *S. m.* Árvore da família das leguminosas (*Caesalpinia echinata*), de matas mais ou menos secas, e cuja madeira é vermelho-alaranjada e depois vermelho-violácea, pesada, dura e incorruptível; ibirapitanga, arabutã, orabutã, pau-de-pernambuco, pau-pernambuco, pau-de-tinta, pau-rosado, sapão. [O nome da nação brasileira provém dele, que era objeto de intenso comércio nos tempos coloniais em virtude do corante vermelho que se extraía do lenho e servia para tingir tecidos e fabricar tinta de escrever. Hoje é árvore rara. Pl.: *paus-brasis* e *paus-brasil.*]

pau-caixeta. *S. m. Bras.* V. *caxeta.* [Pl.: *paus-caixetas* e *paus-caixeta.*]

pau-campeche. *S. m.* V. *campeche.* [Pl.: *paus-campeches* e *paus-campeche.*]

pau-candeia. *S. m. Bras.* Casca-preta. [Pl.: *paus-candeias* e *paus-candeia.*]

pau-canela. *S. m.* V. *canela*[1] (1). [Pl.: *paus-canelas* e *paus-canela.*]

pau-cardoso. *S. m. Bras., L.* Feto arborescente, da família das ciateáceas (*Alsophila atrovirens*), da floresta pluvial, que alcança vários metros de altura e tem o caule cheio de reentrâncias, e cujas folhas, muito grandes e recortadas, se localizam no ápice caulinar, de sorte que a planta lembra uma palmeira. [Pl.: *paus-cardosos* e *paus-cardoso.*]

pau-carga. *S. m. Bras.* Arvoreta da família das flacourtiáceas (*Casearia* sp.), que habita a floresta pluvial. [Pl.: *paus-cargas* e *paus-carga.*]

➧**pauca, sed bona.** [Lat.] Poucas [obras], porém boas.

pau-cavalo. *S. m.* Planta da família das verbenáceas (*Vitex* sp.). [Pl.: *paus-cavalos* e *paus-cavalo.*]

pau-cetim. *S. m. Bras.* Árvore da família das apocináceas (*Aspidosperma eburneum*), da floresta úmida, cujas flores, pequenas, são dispostas em cimeiras, e cujos frutos são folículos lenhosos. A madeira, é amarelo-pardacento-rosada, forte e resistente, podendo ser empregada em construção civil e obras internas. [Pl.: *paus-cetins* e *paus-cetim.*]

▲**pauci-.** [Do lat. *paucus, a, um.*] El. comp. = 'pouco': *paucifloro, paucisseriado.*

paucifloro. [De *pauci-* + *-floro.*] *Adj. Morfol. Veg.* Que tem poucas flores; rarifloro: *espiga* p a u c i f l o r a.

paucíloquo. [De *pauci-* + lat. *loquu*, 'que fala'.] *Adj. P. us.* Diz-se daquele que é de poucas palavras.

paucirradiado. [De *pauci-* + *radiado.*] *Adj. Bot.* Diz-se das flores compostas, que têm reduzido número de raios.

paucisseriado. [De *pauci-* + *seriado.*] *Adj. Bot.* Dividido em poucas séries.

pau-cobra. *S. m.* Planta da família das loganiáceas (*Potalia amara*). [Pl.: *paus-cobras* e *paus-cobra.*]

pau-coral. *S. m.* V. *flor-de-coral* (2). [Pl.: *paus-corais* e *paus-coral.*]

pau-cravo. *S. m. Bras.* Árvore da família das lauráceas (*Dicypellium caryophyllatum*), própria da floresta, cuja característica principal é o vivo odor de cravo-da-índia que se desprende da casca, usada pelo povo para fazer chás. [Pl.: *paus-cravos* e *paus-cravo.*]

pau-d'água. *S. m.* **1.** *Bras.* V. *pau-de-goma.* **2.** *Bras.* V. *ébrio* (8): "Do vício [de beber] não se lembrava mais. Para muitos aquilo era fogo de palha, porque Zé Lourenço fora p a u - d ' á g u a de fazer arruaça" (Francisco Julião, *Cachaça*, p. 46). [Pl.: *paus-d'água.*]

pau-d'alhense. *Adj. 2 g.* **1.** De, ou pertencente ou relativo a Pau-d'Alho (PE). ● *S. 2 g.* **2.** Natural ou habitante de Pau-d'Alho. [Pl.: *pau-d'alhenses.*]

pau-d'alho. *S. m. Bras.* V. *guararema.* [Pl.: *paus-d'alho.*]

pau-d'arco. *S. m. Bras.* V. *ipê* (1): "— Hoje pela manhã já havia na mata alguns p a u s - d ' a r c o com flores." (Graciliano Ramos, *S. Bernardo*, p. 169.) [Pl.: *paus-d'arco.*]

pau-d'arco-amarelo. *S. m. Bras.* Árvore da família das bignoniáceas (*Tabebuia serratifolia*), da mata úmida, empregada em obras externas, cujas folhas têm cinco folíolos serreados, cujas flores são amarelas, vistosas e dispostas em conjuntos umbeliformes, sendo os frutos longas cápsulas e a madeira pardo-olivácea e extremamente dura; ipê-amarelo, peúva-amarela, opa. [Pl.: *Pau-d'arco-amarelos.*]

pau-d'arco-roxo. *S. m. Bras., L.* 'Árvore da família das bignoniáceas (*Tabebuia impetiginosa*), da mata úmida, cujas folhas têm cinco folíolos largos e pilosos, cujas flores são violáceas e agregadas em conjuntos corimbiformes, sendo os frutos síliquas compridas e finas, e a madeira, pardo-oliváceo-escura, semelhante à do pau-d'arco-amarelo; ipê-preto, ipê-roxo, peúva-roxa. [Pl.: *paus-d'arco-roxos.*]

pau-de-amarrar-égua. *S. m. Bras., SP. Pop.* Indivíduo desmoralizado, que a tudo se presta. [Pl.: *paus-de-amarrar-égua.*]

pau-de-arara. *Bras. S. m.* **1.** Pau usado, no interior, para transportar, amarradas, araras e outras aves. **2.** Instrumento de tortura: pau roliço que, depois de ser passado entre ambos os joelhos e cotovelos flexionados, é suspenso em dois suportes, ficando o paciente de cabeça para baixo e como que de cócoras. **3.** Caminhão coberto, com varas longitudinais na carroceria, às quais os passageiros se agarram, e usado principalmente no transporte de retirantes nordestinos para SP, MG e RJ: "um 'pau-de-arara' capotando na estrada e uma porção de vítimas semeadas na ribanceira." (Clarival do Prado Valadares, *Riscadores de Milagres*, p. 31). ● *S. 2 g.* **4.** Retirante que viaja num desses caminhões: "O Nordeste é .... um laboratório de aflições. Esse espetáculo de legiões de p a u s - d e - a r a r a, que demandam o Sul e por aqui se espalham famintos, ... continua a ser uma síndrome grave de enfermidade social." (Povina Cavalcanti, *Vida e Obra de Jorge de Lima*, p. 138.) **5.** *P. ext. Pej.* Qualquer nordestino. [Pl.: *paus-de-arara.*]

pau-de-arrasto. *S. m. Bras., RS.* Pau pesado que se coloca nas pastagens para nele atar à soga o cavalo enquanto estiver pastando. [Pl.: *paus-de-arrasto.*]

pau-de-balsa. *S. m. Bras.* **1.** árvore da família das tiliáceas (*Ochroma lagopus*), comum nas florestas pluviais de vários países sul-americanos, e cuja madeira, muito leve e macia, é ideal para a fabricação de balsas, destinadas à navegação primitiva. **2.** Pau-de-jangada (1). [Pl.: *paus-de-balsa.*]

pau-de-boto. [De *pau* + *de* + *boto*[1] (ô).] *S. m. Bras., Amaz.* Arvoreta da família das leguminosas (*Lonchocarpus denudatus*), vulgar nas margens dos campos de várzea, cujas folhas têm cinco a sete folíolos ovados, cujas flores, violáceo-claras, se arrumam em racemos paucifloros, e cuja madeira, amarelo-pardacenta e de odor desagradável, é de pouca utilidade. [Pl.: *paus-de-boto.*]

pau-de-bugre. *S. m. Bras., RS.* **1.** V. *aroeira-de-bugre.* **2.** V. *acauá.* [Pl.: *paus-de-bugre.*]

pau-de-cabeleira. *S. m.* **1.** Alcoviteiro (1). **2.** Pessoa que acompanha namorados. **3.** Espécie de cabide em forma de cabeça, onde se colocam e penteiam cabeleiras e perucas. [Sin., nas duas 1ª acepç., no N. E. do Brasil: *colete-curto.* Pl.: *paus-de-cabeleira.*]

pau-de-cachimbo. *S. m. Bras.* V. *canudo-de-pito* (1). [Pl.: *paus-de-cachimbo.*]

pau-de-caixa. *S. m. Bras., L.* Árvore da família das voquisiáceas (*Vochysia tucanorum*), das matas pluviais, que tem duras folhas obtusas, flores amarelas, ornamentais e dispostas em cachos longos, frutos que são cápsulas lenhosas com sementes aladas, e cuja madeira, conquanto mole, é de alguma serventia para usos locais. [Sin., no RJ: *murici.* Pl.: *paus-de-caixa.*]

pau-de-cangalha. *S. m. Bras., S.* Arvoreta da família das simplocáceas (*Symplocos parviflora*), da floresta atlântica, que tem folhas de ovadas a elípticas, obtusas, arredondadas na base e serruladas, flores minutas e organizadas em racemos unifloros ou trifloros e cujo fruto é uma pequena drupa obvóide; sete-sangrias. [Pl.: *paus-de-cangalha.*]

pau-de-cantil. *S. m. Bras.* V. *camboatã-de-folha-grande.* [Pl.: *paus-de-cantil.*]

pau-de-carga. *S. m. Constr. Nav.* Forte vergôntea de madeira, ou tubo de aço, com uma das extremidades apoiada ao pé de um mastro ou de uma coluna, e a outra agüentada por amantilhos, constituindo, assim, um aparelho de força para suspender grandes pesos; lança. [Pl.: *paus-de-carga.*]

pau-de-catarro. *S. m. Bras. Pop.* Caixa-de-catarro. [Pl.: *paus-de-catarro.*]

pau-de-cobra. *S. m. Bras., Amaz.* Arvoreta ou arbusto da família das loganiáceas (*Potalia amara*), do interior da mata, que tem folhas amplas, com mais de 30 cm, coriáceas e espatuladas, flores pequenas alvas, e ordenadas em cimeiras terminais e axilares, e cujo fruto é uma baga turbinada, mole. As folhas e casca são amargas, e têm efeito vomitivo; exsuda, escassamente, uma resina aromática. [Sin.: *anabi.* Pl.: *paus-de-cobra.*]

pau-de-colher. *S. m.* **1.** *Bras., L.* Árvore lactescente, da família das apocináceas (*Peschiera lacta*), da mata pluvial e da restinga, que tem folhas verticiladas e moles, flores alvas e vistosas, de corola torcida e estames inclusos, e cujos frutos são folículos verrucosos, cujas sementes têm arilo carnoso e vermelho. **2.** *Bras. N.E.* Bom-nome (2). [Pl.: *paus-de-colher.*]

pau-de-cortiça. *S. m. Bras.* V. *xixá.* [Pl.: *paus-de-cortiça.*]

pau-de-cubiú. *S. m. Bras., Amaz.* Árvore da família das icacináceas (*Clavapetalum elatum*), da floresta densa e úmida, cuja casca, quando fresca, tem cheiro peculiar na porção interna, e cuja madeira, pardo-avermelhada, é de boa qualidade. [Pl.: *paus-de-cubiú.*]

pau-de-cunanã. *S. m. Bras., NE.* Planta cactiforme, da família das euforbiáceas (*Euphorbia phosphorea*), nativa na caatinga e muito rica em látex, desprovida de folhas, cujo caule, suculento e anguloso, tem muitos artículos verdes, e cujas flores são mínimas. [Pl.: *paus-de-cunanã.*]

pau-de-cutia. *S. m. Bras.* Árvore da família das rutáceas (*Esenbeckia grandiflora*), da mata de encosta, que tem folhas oblongas, simples e acuminadas, flores inconspícuas, frutos que são cápsulas densamente recobertas de pontas duras, e madeira citrina e de boa qualidade, conquanto sem utilização. [Pl.: *paus-de-cutia.*]

pau-de-digestão. *S. m. Bras.* Designação que davam os bandeirantes a certas raízes silvestres. [Pl.: *paus-de-digestão.*]

pau-de-embira. *S. m. Bras.* V. *coajerucu.* [Pl.: *paus-de-embira.*]

pau-de-espeto. *S. m. Bras.* V. *camboatã-branca.* [Pl.: *paus-de-espeto.*]

pau-de-fita. *S. m. Bras., PR* e *SC* Baile de roda em torno de um poste de que pendem várias fitas coloridas, as quais, seguras pelos dançarinos, se entretecem, formando complicadas tranças. [Pl.: *paus-de-fita.*]

pau-de-fogo. *S. m. Bras. Gír.* Arma de fogo, especialmente revólver; pau-de-fumo, pau-de-fumaça. [Pl.: *paus-de-fogo.*]

pau-de-formiga. *S. m. Bras.* V. *formigueiro* (6). [Pl.: *paus-de-formiga.*]

pau-de-fumaça. *S. m. Bras. Gír.* V. *pau-de-fogo.* [Pl.: *paus-de-fumaça.*]

pau-de-fumo. *S. m.* **1.** *Bras., S. Deprec.* Homem negro. **2.** *Bras. Pop.* V. *pau-de-fogo.* [Pl.: *paus-de-fumo.*]

pau-de-gasolina. *S. m. Bras.* V. *querosene* (2) [Pl.: *paus-de-gasolina.*]

pau-de-goma. *S. m. Bras., C.O.* Árvore da família das voquisiáceas (*Vochysia thyrsoidea*), amplamente dispersa em campos e cerrados, de folhas rígidas, que amarelam ao secar, flores amarelas e racemosas, e cuja madeira, quando ferida, deixa escorrer uma goma semelhante à goma-arábica; gomeira, pau-d'água. [Pl.: *paus-de-goma.*]

pau-de-guiné. *S. m. Bras.* Arvoreta da família das anonáceas (*Annona acutiflora*), própria de lugares úmidos, que tem folhas compridas e acuminadas, flores trímeras e solitárias, e cujos frutos, múltiplos, são grandes e baciformes. [Pl.: *paus-de-guiné.*]

pau-de-jangada. *S. m. Bras., Amaz.* **1.** Árvore da família das bombacáceas (*Ochroma Lagopus*), da floresta pluvial, cujos frutos são grandes cápsulas que fornecem uma paina de boa qualidade, e de cuja madeira, muito leve, clara e elástica, se fazem jangadas (balsas) para navegação nos rios e no mar, além de salva-vidas, bóias, etc.: pau-de-balsa. **2.** Jangadeira. [Pl.: *paus-de-jangada.*]

pau-de-lacre. *S. m. Bras., Amaz.* Arvoreta da família das gutíferas (*Vismia latifolia*), da floresta pluvial, de folhas coriáceas, brilhantes e com nervuras aproximadas, e que cede uma resina purgativa usada para pintura. [Pl.: *paus-de-lacre.*]

pau-de-macaco. *S. m. Bras., L.* e *C.* Árvore da família das rubiáceas (*Posoqueria acutifolia*), da floresta pluvial, de folhas largas, opostas e estipuladas, flores alvas, odoríferas, com um tubo corolino muito longo, e cujo fruto é uma cápsula amarela com muitas sementes. [Pl.: *paus-de-macaco.*]

pau-de-malho. *S. m. Bras., L.* Árvore inerme, da família das leguminosas *(Machaerium stipitatum)*, da floresta atlântica, que tem folhas com 9 a 15 folíolos ovado-lanceolados, flores pequeninas, sésseis, organizadas em panículas frouxas e curtas, e frutos indeiscentes e alados, que chegam a 5 cm. [Pl.: *paus-de-malho.*]

pau-de-mastro. *S. m. Bras., Amaz.* Árvore da família das voquisiáceas *(Qualea caerulea)*, da floresta pluvial, de folhas coriáceas com nervuras cerradas e flores grandes, azuis e vistosas, e cujo fruto é uma cápsula lenhosa com sementes aladas, tendo a madeira razoável utilidade. [Pl.: *paus-de-mastro.*]

pau-de-mocó. *S. m. Bras.* Árvore da família das leguminosas, subfamília papilionácea *(Tipuana auriculata)*. [Pl.: *paus-de-mocó.*]

pau-de-novato. *S. m. Bras.* Árvore da família das poligonáceas *(Triplaris americana)*, encontrada desde a América Central, de folhas ovadas e acuminadas, flores sésseis, pequenas, arrumadas em espigas bracteadas, e cujo fruto é uma noz triangular que apresenta, em cima, as sépalas muito aumentadas. A madeira tem pouco valor. [Pl.: *paus-de-novato.*]

pau-de-óleo. *S. m. Bras., N.E.* e *MG.* V. *copaíba.* [Pl.: *paus-de-óleo.*]

pau-de-orvalho. *S. m. Bras.* Certa árvore de porte elevado. [Pl.: *paus-de-orvalho.*]

pau-de-pente. *S. m. Bras.* V. *pau-pereira* (1). [Pl.: *paus-de-pente.*]

pau-de-pernambuco. *S. m. Bras.* V. *pau-brasil.* [Pl.: *paus-de-pernambuco.*]

pau-de-porco. *S. m. Bras.* V. *catingueira* (1). [Pl.: *paus-de-porco.*]

pau-de-praga. *S. m. Bras.* V. *cordão-de-frade.* [Pl.: *paus-de-praga.*]

pau-de-quiabo. *S. m. Bras., Amaz.* Arvoreta da família das lauráceas *(Ocotea bofo)*, mais comum na Amazônia não brasileira, de folhas oblongas, acuminadas e reticulado-venosas, flores insignificantes, que se agregam em panículas pubescentes e acinzentadas, e cujo fruto é uma pequena baga cupulada. [Sin.: *canela-gosmenta.* Pl.: *paus-de-quiabo.*]

pau-de-rato. *S. m. Bras.* V. *catingueira* (1). [Pl.: *paus-de-rato.*]

pau-de-remo. *S. m.* **1.** *Bras.* Arvoreta da família das estiracáceas *(Styrax acuminatum)*, de folhas acuminadas e nervosas, flores vistosas, e cuja casca, ferida, solta uma resina semelhante ao estoraque europeu. **2.** V. *buranhém* (1). [Pl.: *paus-de-remo.*]

pau-de-rosas. *S. m. Bras.* V. *pau-rosa.* [Pl.: *paus-de-rosas.*]

pau-de-salsa. *S. m. Bras., Amaz.* Arvoreta da família das leguminosas *(Calliandra surinamensis)*, comum nas capoeiras e campinas, de folhas bipenadas, com folíolos pequenos, flores pequenas mas dotadas de longos estames vermelhos semelhantes a lindos penachos ou esponjas, e madeira amarelada, de que se podem fazer bengalas. [Pl.: *paus-de-salsa.*]

pau-de-santo. *S. m. Bras., L.* Árvore da família das meliáceas *(Cabralea cangerana)*, da floresta atlântica, de folhas longas e com muitos folíolos agudos, flores pequenas e paniculadas, e cujos frutos são cápsulas carnosas. A madeira é aromática, de coloração vermelho-carregada, e com ela se esculpem imagens usadas nas práticas religiosas de origem africana. [Sin.: *canjerana.* Pl.: *paus-de-santo.*]

pau-de-sassafrás. *S. m. Bras., S.* V. *canela-sassafrás.* [Tb. se diz apenas *sassafrás.* Pl.: *paus-de-sassafrás.*]

pau-de-sebo. *S. m.* **1.** *Bras.* Arvoreta lactescente, da família das euforbiáceas *(Sapium sebiferum)*, originária da China e aclimada no Brasil, e que cede dos frutos uma gordura e das sementes um óleo tóxico. **2.** V. *mastro de cocanha.* [Pl.: *paus-de-sebo.*]

pau-de-seda. *S. m. Bras.* Calabura. [Pl.: *paus-de-seda.*]

pau-de-semana. *S. m. Bras.* Murici-cascudo. [Pl.: *paus-de-semana.*]

pau-de-semente. *S. m. Bras., RS.* V. *ganzá* (1) [Pl.: *paus-de-semente.*]

pau-de-tamanco. *S. m. Bras.* V. *caxeta.* [Pl.: *paus-de-tamanco.*]

pau-de-tinta. *S. m. Bras.* V. *pau-brasil.* [Pl.: *paus-de-tinta.*]

pau-de-tucano. *S. m. Bras.* V. *cinzeiro* (6). [Pl.: *paus-de-tucano.*]

pau-de-viola. *S. m.* **1.** *Bras. Amaz.* Arvoreta da família das verbenáceas *(Cytharexylon cinereum)*, notável pelo belo aspecto que apresenta quando carregada de cachos de frutos, pequenas bagas rubras, sucosas, copiosíssimas, e cuja madeira serve para marcenaria, caixotaria e caixas sonoras. **2.** V. *caxeta.* [Pl.: *paus-de-viola.*]

pau-de-virar-tripa. *S. m.* **1.** Vara longa e fina para virar as tripas dos animais antes de levá-las a secar. **2.** *Pop.* Pessoa muito magra e alta. [Pl.: *paus-de-virar-tripa.*]

pau-doce. *S. m. Bras.* **1.** V. *buranhém* (1). **2.** V. *monésia.* [Pl.: *paus-doces.*]

pau-do-chapado. *S. m. Bras.* V. *copiúva.* [Pl.: *paus-do-chapado.*]

pau-do-novato. *S. m.* Planta poligonácea *(Triplaris americana).* [Pl.: *paus-do-novato.*]

pau-do-serrote. *S. m.* Planta da família das leguminosas *(Hoffmannseggia sp).* [Pl.: *paus-do-serrote.*]

pau-em-ser. *S. m. Bras., S.* Árvore de mate[2] que ainda não foi podada. [Pl.: *paus-em-ser.*]

pau-espeto. *S. m. Bras.* V. *pequiá-café.* [Pl.: *paus-espetos* e *paus-espeto.*]

pau-ferrense. *Adj. 2 g.* **1.** De, ou pertencente ou relativo a Pau dos Ferros (RN). ● *S. 2 g.* **2.** Natural ou habitante de Pau dos Ferros. [Pl.: *pau-ferrenses.*]

pau-ferro. *S. m. Bras., L.* e *N.E.* Árvore da família das leguminosas *(Caesalpinia ferrea)*, comum nas matas pluviais e nas caatingas, que tem o tronco manchado de claro e escuro, folíolos pequenos muito ornamentais, os frutos são legumes lisos, perfumados e ricos em tanino, e a madeira é extremamente dura; jucá[1]. [Pl.: *paus-ferros* e *paus-ferro.*]

pau-forquilha. *S. m. Bras.* V. *acarirana.* [Pl.: *paus-forquilhas* e *paus-forquilha.*]

pauiana (au-i). *Bras. S. 2 g.* e *adj. 2 g.* Pauxi.

pauiniense (au-i). *Adj. 2 g.* **1.** De, ou pertencente ou relativo a Pauini. (AM). ● *S. 2 g.* Natural ou habitante de Pauini.

pauixana (au-i). *Bras. S. 2 g.* e *adj. 2 g.* V. *pauxiana.*

pau-jantar. *S. m. Bras.* Certa árvore da flora paulista. [Pl.: *paus-jantares* e *paus-jantar.*]

pau-jerimu. *S. m. Bras.* Planta quenopodiácea *(Spinacia sp.).* [Pl.: *paus-jerimus* e *paus-jerimu.*]

paul (a-úl). [Do lat. *palude*, atr. de uma f. metatética *padule.*] *S. m.* V. pântano: "O trabalho desta grande exploração agrícola .... foi de tal modo dirigido e executado que em cerca de dez anos estavam enxutos os *p a u i s*, dessangradas as terras, canalizadas e reguladas as águas por motores a vento ao modo holandês" (Ramalho Ortigão, *Costumes e Perfis*, p. 166). [Pl.: *pauis* (a-ú).]

paulada. [De *pau* + *-l-* + *-ada*[1].] *S. f.* Pancada com pau; cacetada.

paulama. [De *pau* + *-l-* + *-ama.*] *S. f. Bras.* **1.** Grande porção de paus; pauzama. **2.** Madeira que atravanca os roçados após a queima. [Cf. *coivara.*]

pau-laranja. *S. m. Bras.* Certa árvore da Amazônia. [Pl.: *paus-laranjas* e *paus-laranja.*]

paula-sousa. *S. m. Bras., SP.* Chumbo grosso para caça: "Não acreditava em Curupira. (Eu quero só ver a cara do Curupira, quando eu meter um *p a u l a - s o u s a* no nariz dele...)" (Rute Guimarães, *Água Funda*, p. 125). [Pl.: *paula-sousas.*]

paulatino. [Do adv. lat. *paulatim.*] *Adj.* **1.** Feito aos poucos. **2.** Lento, vagaroso: *a execução p a u l a t i n a de uma tarefa.*

paulense[1]. *Adj. 2 g.* **1.** De, ou pertencente ou relativo a Monsenhor Paulo (MG). ● *S. 2 g.* **2.** Natural ou habitante de Monsenhor Paulo.

paulense[2]. *Adj. 2 g.* **1.** De, ou pertencente ou relativo a São Francisco de Paula (RS). ● *S. 2 g.* **2.** Natural ou habitante de São Francisco de Paula. [Sin. ger.: *serrano.*]

pauliceense (èèn). *Adj. 2 g.* **1.** De, ou pertencente ou relativo à Paulicéia (SP). ● *S. 2 g.* **2.** Natural ou habitante de Paulicéia.

Paulicéia. *S. f.* A cidade de São Paulo, capital do estado homônimo: "Foi num bar da *P a u l i c é i a* / E mais ou menos à meia-/ Noite que Ela entrou na ceia." (Fontoura Xavier, *Opalas*, p. 67.)

paulificação. *S. f. Bras.* V. *paulificância.*

paulificância. *S. f. Bras.* Maçada, caceteação, paulificação.

paulificante. [De *paulificar* + *-nte.*] *Adj. 2 g. Bras.* V. *maçante* (1).

paulificar. [De *pau* (16) + *-l-* + *-i-* + *-ficar.*] *V. t. d.* e *int. Bras.* Importunar, maçar, aborrecer, cacetear, amolar. [Conjug.: v. *trancar.*]

paulina. [Do antr. *Paulo*, do Papa Paulo III (1468-1549), + *-ina*[1].] *S. f.* **1.** Breve de excomunhão cominatória. **2.** *Fam.* V. *praga* (1).

paulista[1]. *Adj. 2 g.* De, ou pertencente ou relativo a SP; bandeirante. **2.** *Fig.* Teimoso, birrento, turrão. **3.** *Bras., RS.* Muito desconfiado. ~ V. *quartel* —. ● *S. 2 g.* **4.** Natural ou habitante de SP; bandeirante. **5.** *Fig.* Pessoa teimosa, birrenta. ● *S. m.* **6.** Religioso da Ordem de S. Paulo. **7.** *Bras., S.* da *BA.* Amansador de burros.

paulista[2]. *S. f. Bras., AL, SE* e *BA.* V. *lagarto* (4).

paulistanense. *Adj. 2 g.* **1.** De, ou pertencente ou relativo a Paulistana (PI). ● *S. 2 g.* **2.** Natural ou habitante de Paulistana. [Sin. ger.: *paulistano.*]

paulistânia. [De *paulistano* + *-ia.*] *S. f.* A região onde se encontra a cidade de São Paulo, e a área sob sua influência. [Com inicial maiúscula.]

paulistano[1]. *Adj.* **1.** Da, ou pertencente ou relativo à cidade de São Paulo. ● *S. m.* **2.** O natural ou habitante da cidade de São Paulo.

paulistano[2]. *Adj.* **1.** De, ou pertencente ou relativo a Paulistas (MG). ● *S. m.* **2.** O natural ou habitante de Paulistas.

paulistano[3]. *Adj.* e *s. m.* Paulistense.

paulistano[4]. *Adj.* e *s. m.* Paulistanense.

paulistense. *Adj. 2 g.* **1.** De, ou pertencente ou relativo a Paulista (PB e PE). ● *S. 2 g.* **2.** Natural ou habitante de Paulista. [Sin. ger.: *paulistano.*]

pauliteiro. *S. m.* Cada um daqueles que tomam parte na dança dos paulitos ou dos palotes. [Var.: *paliteiro.*]

paulito. *S. m.* Pequeno pau que serve de fito no jogo de bilhar, no da malha e noutros. ~ V. *paulitos.*

paulitos. [Pl.: de *paulito.*] *S. m. pl.* Palotes. V. *paulito.*

paulivense. *Adj. 2 g.* **1.** De, ou pertencente ou relativo a São Paulo de Olivença (AM). ● *S. 2 g.* **2.** Natural ou habitante de São Paulo de Olivença.

pau-lixa. *S. m. Bras.* Subarbusto da família das verbenáceas *(Lippia urticoides)*, comum em lugares abertos e secos, de folhas pequenas, serreadas, coriáceas, e aromáticas quando esmagadas, e flores também pequenas, e alvas e tubulosas. [Pl.: *paus-lixas* e *paus-lixa.*]

paulo-fariense. *Adj. 2 g.* **1.** De, ou pertencente ou relativo a Paulo de Faria (SP). ● *S. 2 g.* **2.** Natural ou habitante de Paulo de Faria. [Pl.: *paulo-farienses.*]

paulo-jacintense. *Adj. 2 g.* **1.** De, ou pertencente ou relativo a Paulo Jacinto (AL). ● *S. 2 g.* **2.** Natural ou habitante de Paulo Jacinto. [Pl.: *paulo-jacintenses.*]

paulo-pires. *S. m. Bras., MG.* V. *joão-bobo.* [Pl.: *paulos-pires* e *paulo-pires.*]

pau-mamão. *S. m. Bras., C.O.* Arbusto da família das celastráceas *(Maytenus aquifolium)*, das matas, que tem folhas elípticas, agudas, coriáceas e espinhoso-denteadas, e flores pequeninas, que se dispõem em fascículos multifloros. Cápsula de cerca de 10 mm, obovóide, abrindo-se em duas valvas; sementes envoltas em arilo tênue, alvo. [Pl.: *paus-mamões* e *paus-mamão.*]

pau-mandado. *S. m.* Pessoa subserviente, que faz tudo quanto lhe mandam: "Vinham o juiz, o Taguató, dois *p a u s - m a n d a d o s* fingindo de fiscais, um cabo de polícia e quatro praças." (M. Cavalcanti Proença, *Manuscrito Holandês*, p. 141.) [Pl.: *paus-mandados.*]

pau-marfim. *S. m.* **1.** *Bras., S.* Árvore da família das rutáceas *(Balfourodendron riedelianum)*, das matas úmidas e das capoeiras, que tem folhas trifolioladas, flores mínimas, fruto lenhoso com quatro asas. A madeira, branco-amarelada e depois amarela, pesada, dura e forte, é boa para móveis, cabos de ferramenta, tacos, forros e portas. [Tb. se diz apenas *marfim*; sin.: *guataia* e *gramixinga.*] **2.** Tatu (4). [Pl.: *paus-marfins* e *paus-marfim.*]

paumari. *Bras. S. 2 g.* **1.** Indivíduo dos paumaris, tribo indígena aruaque que ocupa as áreas da lagoa Marraã e igarapés localizados rio acima de Bom Futuro, no médio Purus, no AM. População aproximada de 280 pessoas. ● *Adj. 2 g.* **2.** Pertencente ou relativo a esta tribo.

paumirim. [De *pau* + *-mirim*, por antífrase.] *S. m. Bras.* Árvore de enorme porte, da flora amazônica.

pau-mondé. *S. m. Bras.* Certa árvore silvestre. [Pl.: *paus-mondés* e *paus-mondé.*]

pau-mulato. *S. m. Bras., Amaz.* Árvore da família das rubiáceas *(Calycophyllum spruceanum)*, própria das várzeas do rio Amazonas, que se caracteriza pelo tronco retilíneo e revestido de lisa casca parda. Tem folhas obovadas, com ápice agudo, flores e cápsulas pequeninas, e madeira branca e útil em marcenaria e no fabrico de polpa para papel. [Sin.: *mulateiro*, Pl.: *paus-mulatos.*]

pau-mulato-da-terra-firme. *S. m. Bras., Amaz.* Árvore da família das rubiáceas *(Capirona decorticans)*, cuja casca se desprende em grandes e delgadas lâminas, cujas folhas são oblongas, obtusas, glabras e amplas, sendo as flores violáceas, tubulosas, vistosas, organizadas em panículas terminais, e o fruto uma cápsula lenhosa com sementes aladas. [Pl.: *paus-mulatos-da-terra-firme.*]

pau-negro. *S. m. Bras., L.* Árvore da família das leguminosas *(Albbizia lebbek)*, vinda da África e plantada nas ruas de muitas cidades. Não alcança grande altura e tem folhagem de aspecto agradável; flores pouco visíveis; os frutos, que chamam a atenção pelo número e dimensões, são vagens amarelas e delgadas, porém bastante alongadas. [Pl.: *paus-negros.*]

pau-papel. *S. m. Bras., GO.* Arvoreta da família das melastomatáceas (*Tibouchina papyrifera*), natural da Serra Dourada (GO), de folhas curvinérveas e vistosas flores violáceas, e que se caracteriza pelo fato de a casca desdobrar-se em numerosas folhas delgadas, acentuadamente parecidas com papel; árvore-do-papel. [Pl.: *paus-papéis* e *paus-papel.*]

pau-paraíba. *S. m. Bras.* V. *caxeta.* [Pl.: *paus-paraíbas* e *paus-paraíba.*]

pau-para-toda-obra. *S. m. Bras.* V. *pau-pereira* (1). [Pl.: *paus-para-toda-obra.* Cf. *pau para toda obra.*]

pau-para-tudo. *S. m. Bras.* V. *chapada* (6). [Pl.: *paus-para-tudo.*]

pau-pereira. [De *pau* + tupi *pi'rera*, 'casca tirada (para medicamento)'.] *S. m. Bras., L.* **1.** Árvore da família das apocináceas (*Geissospermum laeve*), da floresta pluvial, que tem folhas pequeninas, e cuja característica mais notável é que a sua casca, amarela, extraordinariamente amarga, contém vários alcalóides e tem acentuadas propriedades hipotensoras. [Var.: *pau-pereiro;* sin.: *pinguaciba, pau-de-pente, pau-para-toda-obra.*] **2.** V. *acariraria.* [Pl.: *paus-pereiras* e *paus-pereira.*]

pau-pereiro. *S. m. Bras.* V. *pau-pereira.* [Pl.: *paus-pereiros* e *paus-pereiro.*]

paupérie. [Do lat. *pauperie.*] *S. f.* Miséria, pauperismo.

pauperismo. [Do ingl. *pauperism,* atr. do fr. *paupérisme.*] *S. m.* **1.** Miséria, penúria, pobreza, paupérie. **2.** *Sociol.* Fenômeno que se caracteriza pelo estado de pobreza extrema de uma comunidade.

pau-pernambuco. [De *pau* + o top. *Pernambuco.*] *S. m. Bras.* V. *pau-brasil.* [Pl.: *paus-pernambucos* e *paus-pernambuco.*]

paupérrimo. [Do lat. *pauperrimu.*] *Adj.* Superl. abs. sint. de *pobre;* pobríssimo.

pau-pintado. *S. m. Bras.* V. *angelim-coco.* [Pl.: *paus-pintados.*]

pau-pombo. *S. m. Bras.* Árvore da família das anacardiáceas (*Tapirira guianensis*), muito difundida por todo o País, de folhas penadas, flores muito pequenas, dispostas em grandes inflorescências, e cujo fruto é uma drupa minuta, quase negra. A casca é tanífera, e a madeira, pardo-rosada, só serve para caixotaria. [Pl.: *paus-pombos* e *paus-pombo.*]

pau-preto. *S. m. Bras.* **1.** Árvore da família das leguminosas (*Dalbergia latifolia*), de ampla dispersão na área tropical, cujas flores são pequeninas e densamente agrupadas, cujos frutos são sâmaras, sendo a madeira, muito escura e resistente, boa para mobiliário e objetos de luxo. **2.** V. *cabiúna-do-campo.* **3.** *Bras.* Poste que serve para marcar distâncias, nos hipódromos. [Pl.: *paus-pretos.*]

pau-rainha. *S. m. Bras., Amaz.* **1.** Árvore da família das leguminosas (*Centrolobium paraense*), da floresta pluvial, facilmente caracterizada pelos legumes providos de longos acúleos muito duros e pungentes, e cuja madeira é rajada de amarelo e pardo-avermelhado, sendo tida como excelente para construção civil e naval. **2.** V. *conduru-de-sangue.* [Pl.: *paus-rainhas* e *paus-rainha.*]

pau-rei. *S. m. Bras.* V. *maperoá.* [Pl.: *paus-reis.*]

pau-rodado. *S. m. Bras., MT* e *GO.* Alcunha que se dá aos forasteiros que ali procuram fixar residência. [Pl.: *paus-rodados.*]

paurometabólico. *S. m.* e *adj.* V. *heterometabólico.*

paurometabólicos. *S. m. pl. Zool.* V. *heterometabólicos.*

paurópode. *S. m.* **1.** Espécime dos paurópodes. ● *Adj. 2 g.* **2.** Pertencente ou relativo a eles.

paurópodes. *S. m. pl. Zool.* Animais miriápodes, progoniados, subclasse *Pauropoda,* que têm corpo cilíndrico, pequeno, com 11 ou 12 segmentos e nove ou 10 pares de patas, antenas com três artículos, terminadas por filamentos, e abertura genital no terceiro segmento.

pau-rosa. *S. m. Bras., Amaz.* Árvore da família das lauráceas (*Aniba rosaeodora*), de certas áreas da floresta amazônica. A madeira encerra um precioso óleo essencial, cujo componente fundamental é o linalol, de grande emprego em perfumaria, sendo a extração feita mediante destilação com vapor de água. As folhas são largas e coriáceas; as flores, insignificantes. [Sin.: *pau-de-rosas, pau-rosa-do-oiapoque.* Pl.: *paus-rosas* ou *paus-rosa.*]

pau-rosado. *S. m. Bras.* V. *pau-brasil.* [Pl.: *paus-rosados.*]

pau-rosa-do-oiapoque. [De *pau-rosa* + *do* + o top. *Oiapoque.*] *S. m. Bras.* V. *pau-rosa.* [Pl.: *paus-rosas-do-oiapoque* e *paus-rosa-do-oiapoque.*]

pau-rosa-fêmea. *S. m. Bras.* V. *caraná-branca.* [Pl.: *paus-rosas-fêmeas* e *paus-rosa-fêmeas.*]

pau-roxo. *S. m. Bras., Amaz.* Árvore da família das leguminosas (*Peltogyne lecointei*), da mata úmida. O lenho caracteriza-se por ser, no começo, pardo-escuro, e ir ficando, à ação da luz, cada vez mais roxo. Bifoliolada, flores minutas, fruto indeiscente e obovado, com ligeira asa, e madeira de valor para trabalhos finos e custosos. [Sin.: *amarante.* Pl.: *paus-roxos.*]

paus. [Pl. de *pau.*] *S. m. pl.* Um dos quatro naipes [v. *naipe* (1)], preto, que se figura com o desenho de um trevo de três pontas: *nove de paus.* ~ V. *pau.*

pausa. [Do gr. *paûsis,* pelo lat. *pausa.*] *S. f.* **1.** Interrupção temporária de ação, movimento ou som. **2.** Vagar, lentidão: *Enquanto falava, caminhava com pausa pelo quarto.* **3.** Intervalo entre as vigas de um madeiramento. **4.** Peça dos regadores de jardim, cônica e cheia de furos; crivo, ralo. **5.** *Mús.* Cada um dos sinais gráficos que indicam o valor (15), i. e., a duração dos silêncios de um trecho musical e aos quais correspondem as notas [v. *nota* (18): *pausa de semibreve, pausa de mínima,* etc. **6.** *Ling.* Silêncio, breve ou longo, que se produz em uma enunciação. [Cf. *pontuação* (3).] ♦ **Pausa cômica.** *Teat.* V. *alívio cômico.*

pausado. [Part. de *pausar.*] *Adj.* **1.** Lento, vagaroso: *gestos pausados; passo pausado.* **2.** Em que o ritmo é lento; cadenciado: "Escutando-lhe a voz doce e pausada, / Mil venturas colhi dos lábios dela" (Gonçalves Dias, *Obras Poéticas,* I, p. 92); *Fez uma leitura pausada de seus poemas.* ● *Adv.* **3.** De modo pausado; pausadamente: "e passou a falar pausado, com superlativos." (Machado de Assis, *Dom Casmurro,* p. 82).

pausagem. *S. f.* Madeiramento em que há pausas [v. *pausa* (3)].

pau-santo. *S. m. Bras., C.O.* Arvoreta da família das gutíferas (*Kielmeyera coriacea*), muito comum nos cerrados, de folhas grandes e duríssimas, flores amplas e lindamente alvas ou rosadas, e frutos que são cápsulas. Produz boa cópia de cortiça, utilizável após moagem e agregação com cola, formando laminados isolantes para geladeiras. O povo costumava recolher tal produto e vendê-lo às fábricas. [Sin.: *folha-santa.* Pl.: *paus-santos.*]

pau-santo-macaco. *S. m. Bras.* Certa árvore da Amazônia. [Pl.: *paus-santos-macacos* e *paus-santos-macaco.*]

pausar. [Do lat. *pausare.*] *V. int.* **1.** Fazer pausa (1). **2.** Descansar, repousar. *T. d.* **3.** Fazer pausa em; tornar pausado, vagaroso, lento: *Procurava lembrar-se do fato, pausando as palavras.* **4.** Demorar, retardar: *Pausou a resposta, procurando ganhar tempo.*

pauta[1]. [Do lat. *pacta.*] *S. f.* **1.** O conjunto de linhas horizontais e paralelas produzidas no papel pela pautadora ou pelo fio de pauta. **2.** Cada uma dessas linhas [Cf. *risco* (5).] **3.** Folha com linhas paralelas nitidamente impressas, que se põe debaixo do papel de escrever, para guiar a mão. **4.** Sistema de uma a cinco linhas (ou mais) horizontais, paralelas e eqüidistantes, sobre as quais e entre as quais se escrevem as notas musicais; pentagrama. **5.** Lista, relação, rol. **6.** Ordem do dia. **7.** Tarifa aduaneira. **8.** *Bras.* Nos meios de comunicação e divulgação, roteiro dos fatos que devem ser dados pela reportagem, e que apresentam um resumo do assunto, no caso de suíte (6), e a indicação ou sugestão sobre como deve o tema ser tratado. **9.** Relação das datas e dos feitos que deverão ser julgados por um juiz ou um tribunal. **10.** Lista das cotações fixadas nas bolsas [v. *bolsa* (7)].

pauta[2]. *S. f. Bras., N. E. Pop.* V. *pacto* (1): *ter pauta com o Tinhoso.* [Tb. us. no pl.]

pautação. *S. f.* Ato ou efeito de pautar.

pautadeira. *S. f. Art. Gráf.* Pautadora.

pautado. [Part. de *pautar.*] *Adj.* **1.** Riscado com traços paralelos: *caderno pautado.* **2.** Relacionado, arrolado. **3.** Regular, metódico. ~ V. *papel* —.

pautador (ô). [De *pautar* + *-(d)or.*] *S. m.* Gráfico que se ocupa no trabalho de pautação.

pautadora (ô). [De *pautar* + o fem. de *-(d)or.*] *S. f. Art. Gráf.* Máquina que, por meio de discos (*máquina de discos*) ou de penas (*máquina de penas*), faz a pautação e o riscado do papel; pautadeira.

pautal. *Adj. 2 g.* **1.** Relativo à pauta[1]. **2.** Consignado na pauta[1], especialmente na alfândega.

pautar. [De *pauta*[1] + *-ar*[2].] *V. t. d.* **1.** Riscar (o papel) com pautadora. **2.** Pôr em pauta ou rol; relacionar: *pautar os assuntos de uma reunião.* **3.** Tornar moderado ou metódico; regular, regularizar, moderar: "inclinando a fronte calva e pautando as maneiras com afetada compostura, desdobrou ... um exemplar do *Espelho do Norte*" (Xavier Marques, *As Voltas da Estrada,* p. 33); *pautar despesas. T. d. e i.* **4.** Regular, dirigir, orientar: *Pauta o seu comportamento pelo dos companheiros.*

pauteação. *S. f. Bras., S. Pop.* Ato de pautear. [Sin. (em MT): *mapiação, mapiagem.*]

pautear. *V. int. Bras., S. Pop.* V. *tagarelar* (1). [Conjug.: v. *frear.*]

pauteiro. *S. m. Jorn.* Aquele que faz a pauta[1] (8).

pau-terra. *S. f. Bras.* V. *dedaleira-preta:* "um pau-terra copudo e retorcido" (Afonso Arinos, *Lendas e Tradições Brasileiras,* p. 30). [Pl.: *paus-terras* e *paus-terra.*]

pau-velho. *S. m. Bras.* Guapicobaíba. [Pl.: *paus-velhos.*]

pau-vintém. *S. m. Bras.* V. *baquerubu.* [Pl.: *paus-vinténs* e *paus-vintém.*]

pau-violeta. *S. m. Bras.* V. *guarabu* (1). [Pl.: *paus-violetas* e *paus-violeta.*]

pauxi. *Bras. S. 2 g.* **1.** Indivíduo dos pauxis, tribo indígena que habitava as margens do Erepecuru e dos afluentes Cuatê e Água Fria (N. do PA). ● *Adj. 2 g.* **2.** Pertencente ou relativo a essa tribo. [Sin. ger.: *pauiana.*]

pauxiana. *Bras. S. 2 g.* **1.** Indivíduo dos pauxianas, tribo indígena caraíba da bacia do rio Branco (RR). ● *Adj. 2 g.* **2.** Pertencente ou relativo a essa tribo. [Var.: *pauixana, pajana, poiana* e *baiana.*]

pauxinara. *Bras. S 2 g.* **1.** Indivíduo dos pauxinaras, tribo indígena da Amaz. ● *Adj. 2 g.* **2.** Pertencente ou relativo a essa tribo.

pauzama. [De *pau* + *-z-* + *-ama.*] *S. f. Bras., SP. Pop.* Paulama (1).

pauzinhos. [Pl. de *pauzinho,* dim. de *pau.*] *S. m. pl. Fam.* Mexerico, intriga ♦ **Mexer os pauzinhos. 1.** Enredar, intrigar. **2.** Empregar os meios necessários paraobter bom resultado em um negócio ou pretensão; tecer os pauzinhos, tocar os pauzinhos. **Tecer os pauzinhos.** V. *mexer os pauzinhos.* **Tocar os pauzinhos.** V. *mexer os pauzinhos.*

pavacaré. [De provável or. tupi.] *S. m. Bras.* V. *linguarudo* (3).

pavana. [Do it. *pavana,* pelo esp. *pavana.*] *S. f.* **1.** No começo do séc. XVI, dança de corte, provavelmente de origem italiana, em compasso binário ou quaternário, andamento lento e majestoso: "Dança a pavana a corte" (Júlio Dantas, *Sonetos,* p. 9). **2.** Depois de 1600, peça instrumental, com as características dessa dança, e geralmente seguida pela galharda. **3.** V. *descompostura* (2). **4.** *Bras.* V. *palmatória* (1). ♦ **Tocar a pavana.** Espancar, zurzir.

pavão. [Do lat. *pavone.*] *S. m.* **1.** Grande ave galinácea, de plumagem belíssima, da família dos fasianídeos (*Pavo cristatu* Lin). **2.** *Bras.* V. *pavó.* **4.** *Astr.* Constelação austral, ao S. do Oitante, a O. da Ave-do-paraíso e do Altar, ao N. do Telescópio e do Índio, e a L. deste último. [Com maiúscula, nesta acepç.] **5.** *Bras.* No jogo do bicho [q. v.], o 19º grupo (8), que abrange as dezenas 73, 74, 75 e 76, e corresponde ao número 19.

♦ **Pavão papa-moscas.** *Bras.* V. *pavãozinho-do-pará.*

pavão-de-mato-grosso. *S. m. Bras.* V. *uiramembi* (1). [Pl.: *pavões-de-mato-grosso.*]

pavão-do-mato. *S. m.* **1.** *Bras., Amaz.* V. *uiramembi* (1). **2.** *Bras., RS.* V. *pavó.* [Pl.: *pavões-do-mato.*]

pavão-do-pará. *S. m. Bras.* V. *pavãozinho-do-pará.* [Pl.: *pavões-do-pará.*]

pavão-preto. *S. m. Bras., MT.* V. *uiramembi* (1). [Pl.: *pavões-pretos*]

pavãozinho. [Dim. de *pavão.*] *S. m. Bras.* V. *pavãozinho-do-pará.*

pavãozinho-do-mato. *S. m. Bras.* V. *surucuá-de-barriga-amarela.* [Pl.: *pavõezinhos-do-mato.*]

pavãozinho-do-pará. *S. m. Bras.* Ave gruiforme, da família dos euripigídeos (*Eurypyga helias* (Pal.)), do N. do Brasil e dos países limítrofes. Vive junto dos rios ou lagos, onde constrói seu ninho de barro, e alimenta-se de insetos e outros artrópodes. A coloração é muito complexa: cinzento-pálida no dorso, com linhas brancas e pretas transversais, cauda com linhas transversais pretas; a asa, quando aberta, mostra bela mancha ocelar ferrugínea, semelhante à de certas borboletas. Vive bem em cativeiro, onde, se lhe derem ambiente próprio, reproduz regularmente. É uma das aves mais representativas da Amaz. [Sin.: *pavão papa-moscas, pavãozinho, pavão-do-pará.* Pl.: *pavõezinhos-do-pará.*]

pavê. [Do fr. *pavé.*] *S. m.* Doce feito de palitos franceses, em geral embebidos em licor e dispostos em camadas entremeadas de uma pasta de chocolate, ou de outro ingrediente, gemas e manteiga. ~ V. *pavês.*

paveia. *S. f.* **1.** V. *gavela:* "Nem a paveia fulva, em montes, já se presta, / Pela altura do sol, ao descansar da sesta!" (Bulhão Pato, *Livro do Monte*, p. 44.) **2.** Molho, braçada, feixe. **3.** Pequenos montes de mato roçado.

pavena. *Adj. Bras., RS.* Turbulento, ventana, puava. V. *valentão* (1).

pavês. [Do it. *pavese.*] *S. m.* **1.** Escudo grande. **2.** *Ant. Constr. Nav.* Proteção contra os tiros do inimigo, feita nas bordas das embarcações, com tábuas e outros materiais. [Nesta acepç. é m. us. no pl.] **3.** *Ant. Constr. Nav.* Balaustrada que guarnecia por ante-a-ré o cesto da gávea. **4.** *Marinh.* Balaustrada ou anteparo de chapa fina, existente no ninho de pega, para resguardo do pessoal. [Pl.: *paveses* (ê). Cf. *paveses*, do v. *pavesar.*] ~ V. *pavê.*

pavesa (ê). [Do it. *pavese.*] *S. f.* Sopa de preparo rápido, que leva, em cada prato, uma fatia de pão e um ovo cru recoberto de parmesão, sobre os quais se derrama caldo de carne fervendo. [Pl.: *pavesas* (ê). Cf. *pavesa*, do v. *pavesar.*]

pavesada. *S. f.* Guarnição ou resguardo feito de paveses; pavesadura.

pavesado. [Part. de *pavesar.*] *Adj.* Guarnecido de paveses.

pavesadura. *S. f.* Pavesada.

pavesar. [De *pavês* + *-ar*[2].] *V. t. d., int.* e *p.* Empavesar (1). [Pres. ind.: *paveso, pavesas*, etc. Pres. subj.: *pavese, paveses*, etc. Cf. *pavesa* (ê), pl. *pavesas* (ê) e *paveses* (ê), pl. de *pavês*, e s. m. pl.]

paveses (ê). [Pl. de *pavês.*] *S. m. pl. Ant.* Pavês (2). [Cf. *paveses*, do v. *pavesar.*]

pávido. [Do lat. *pavidu.*] *Adj.* **1.** Que tem pavor; assombrado, aterrorizado, apavorado: "Ela fitava-o, pávida, de mãos no peito. Repetia com insistência que não sabia o que aquilo era" (Armindo Rodrigues, *A Vida perto de Nós*, p. 95.) **2.** Medroso, receoso, assustado.

pavilhão. [Do fr. *pavillon.*] *S. m.* **1.** Construção leve, de madeira ou de outro material, geralmente destinada a servir de abrigo; quiosque. **2.** Construção desmontável; tenda, barraca. **3.** Construção isolada que faz parte de um conjunto de edifícios, ou independente dele: *pavilhão de isolamento; pavilhão de caça.* **4.** Parte de um edifício construída como anexo ao seu corpo principal. **5.** Edifício, provisório quase sempre, em feiras ou exposições, sobretudo internacionais, no qual se exibem os produtos e/ou as peculiaridades de um país, ou dados de várias espécies acerca de determinada matéria: *O pavilhão da França na Exposição de 1922 do Rio de Janeiro foi doado à Academia Brasileira de Letras para sua sede.* **6.** V. *caramanchão.* **7.** Sobrecéu da cama. **8.** Cortina do sacrário. **9.** V. *bandeira* (1). **10.** *Fig.* Símbolo de uma nacionalidade: *Os navios de Duclerc traziam o pavilhão francês.* **11.** *Acúst.* Espécie de campânula, nos antigos fonógrafos, nas cornetas acústicas, nos alto-falantes, etc., para ampliar o som. **12.** *Anat.* A parte exterior do canal auditivo; pavilhão da orelha, pavilhão do ouvido. **13.** *Mús.* A parte inferior, mais larga, do tubo de alguns instrumentos de sopro (metais), e cuja largura é calculada de modo que se assegure a exatidão dos harmônicos. ♦ **Pavilhão da orelha.** *Anat.* V. *pavilhão* (12). **Pavilhão do ouvido.** *Anat.* V. *pavilhão* (12).

pavimentação. *S. f.* **1.** Ato de pavimentar. **2.** V. piso (3). **3.** V. *pavimento* (2).

pavimentado. [Part. de *pavimentar.*] *Adj.* Que se pavimentou; que recebeu pavimentação: *estradas pavimentadas.*

pavimentar. *V. t. d.* Fazer o pavimento de.

pavimento. [Do lat. *pavimentu.*] *S. m.* **1.** V. *piso* (3): "Em vão a procurava readquirir, essa bendita humildade, sobre o pavimento de velhos tijolos remendados" (Inglês de Sousa, *O Missionário*, p. 188). **2.** Estrutura aplicada à superfície de ruas, rodovias, aeroportos, etc., e constituída de uma ou várias camadas de material capaz de resistir às tensões geradas pelo rodar dos veículos e melhorar as condições de rolamento destes; pavimentação. **3.** O conjunto das dependências de um edifício situadas num mesmo nível; andar: "As casas, em geral de um só pavimento, ... eram externamente caiadas" (Xavier Marques, *As Voltas da Estrada*, p. 13). ♦ **Pavimento flexível.** Pavimento não rígido, constituído de material pétreo ou de solo estabilizado ou selecionado, e cujo revestimento é, em geral, de asfalto. **Pavimento rígido.** Pavimento pouco deformável, em geral constituído de placas de concreto. **Pavimento térreo.** Pavimento (3) situado ao nível do solo; rés-do-chão.

pavio. [Do lat. vulg. *papilu*, alter. do cláss. *papyru.*] *S. m.* **1.** Torcida[2] (1) **2.** Rolo de cera que envolve uma torcida. ♦ **Ter o pavio curto.** *Bras. Fam.* Ser arrebatado, impulsivo, explosivo; irritar-se facilmente.

pá-virada. [De *pá*[1] + o fem. do adj. *virado.*] *Adj.* e *s. m. Bras., CE.* Diz-se de, ou cabra sujeito da pá-virada [q. v.]. [Pl.: *pás-viradas.*]

pavó. [De *pavão?*] *S. m. Bras., SP* e *MG.* Ave passeriforme, da família dos cotingídeos (*Pyroderus scutatus* (Shaw)), do S. do Brasil, de coloração preta, com a garganta e parte do peito escarlates. Vive nas matas virgens, alimenta-se de frutas em geral, e sua voz é um sopro característico. [F. paral.: *pavô.* Var.: *paó;* Sin.: *pavoa, pavão-do-mato, pavão.*]

pavô. *S. m. Bras.* V. *pavó.*

pavoa[1] (ô). *S. f.* A fêmea do pavão.

pavoa[2] (ô). *S. f. Bras., ES.* V. *pavó.*

pavoá. *S. f. Bras.* V. *aguapé*[2] (1).

pavoã. *S. f. Bras.* Erva modesta, da família das pontederiáceas (*Eichhornia paniculata*), que flutua nas águas fundas e se fixa nas águas rasas, tem grandes folhas macias e moles, e belas flores azuis, que se agrupam em cachos terminais.

pavonáceo. [Do lat. *pavone.* 'pavão', + *-áceo.*] *Adj.* Pavonaço.

pavonaço. [De *pavonáceo*, com síncope.] *Adj.* Da cor da violeta; pavonáceo: "Mesurado, donairosíssimo, diserto, dameja, corteja, galanteia, ... enquanto um Monsenhor *virtuose* toca, ... ao canto da sala, toda forrada de tela purpureada, ou brocatel pavonaço, o minuete de Exaudet, com palavras de Favart" (Martins Fontes, *Fantástica*, p. 141).

pavonada. *S. f.* **1.** O ato de o pavão abrir a cauda em leque. **2.** *Fig.* Jactância, vaidade, presunção. V. *fanfarrice.*

pavoneamento. *S. f.* Ato ou efeito de pavonear(-se).

pavonear. *V. int.* **1.** Caminhar com ares soberbos, à maneira do pavão, que passeia abrindo a cauda em leque. *T. d.* **2.** Mostrar, exibir, com vaidade; ostentar: *Pavoneava pelos salões seu rico vestido.* **3.** Enfeitar de coisas vistosas; ornar com garridice. *P.* **4.** Ensoberbecer-se, ufanar-se; vangloriar-se: "Este velho desterrado .... em um canto do mundo, numa aldeia ignorada, era mais sábio na sua humildade, do que muitos que se pavoneiam de lidos e eruditos." (Rebelo da Silva, *Contos e Lendas*, p. 15.) **5.** Enfeitar-se, adornar-se, ataviar-se. [Conjug.: v. *frear.*]

pavor (ô). [Do lat. *pavore.*] *S. m.* Grande susto ou medo; terror: *A criança teve pavor dos mascarados; Vivia amargurado, com pavor das doenças.*

pavorosa. [Fem. substantivado do adj. *pavoroso.*] *S. f.* **1.** Notícia apavorante. **2.** Boato de revolta. **3.** *Bras., MA. Pop.* V. *ambulância* (3).

pavoroso (ô). *Adj.* **1.** Que infunde pavor. **2.** Medonho, horrível, horroroso.

pavulagem. *S. f. Bras., Amaz.* V. *pabulagem.*

pávulo. [Var. de *pábulo.*] *Adj.* e *s. m. Bras., Amaz.* Fanfarrão, gabola(s), pábulo.

pavuna. [Do tupi *pab'una*, 'lugar escuro'.] *S. f. Bras., S.* Vale fundo e escarpado.

pavunva. *Bras. S. 2 g.* **1.** Indivíduo dos pavunvas, tribo indígena do rio São Miguel, afluente do Guaporé (MT). ● *Adj. 2 g.* **2.** Pertencente ou relativo aos pavunvas. [Sin. ger.: *abitana, vanhame, huanhame.*]

paxá. [Do turco *pãxã, bãxã* (título que equivale, no Ocidente, a 'Excelência', atr. do ant. *pachá*, que veio a tomar aquela forma por infl. francesa).] *S. m.* **1.** Título dos governadores de províncias do império otomano. **2.** Entre os turcos, título elevado, que correspondia a 'Excelência' no Ocidente. **3.** No primitivo império osmanli, o título do irmão mais novo. **4.** *Fig.* e *pop.* Indivíduo poderoso e insolente; mandão. **5.** *Fig.* e *pop.* Indivíduo que leva uma vida faustosa e indolente. **6.** *Fig.* e *pop.* Homem que tem várias amantes; sultão. [F. paral.: *baxá.*]

paxalato. [De *paxá* + *-l-* + *-ato*[1].] *S. m.* Governo ou território da jurisdição de um paxá (1). [F. paral.: *baxalato.*]

paxalizar. [De *paxá* + *-l-* + *-izar.*] *V. t. d.* **1.** Dar maneiras ou ares de paxá a. *Int.* **2.** Proceder como paxá.

paxaxo. [De or. cigana.] *S. m. Bras. Pop.* Pé largo.

paxicá. [Do tupi *paxi'ká.*] *S. m. Bras., Amaz.* Iguaria gordurosíssima, feita com o fígado da tartaruga cortado em quadradinhos e preparado na própria casca do animal.

paxila (cs). *S. f.* Placa com uma coluna calcária, em cuja extremidade há um tufo de espinhos ou bastonetes calcários, característica de certos asteróides.

paxiloso (cs...ô). *S. m.* **1.** Espécime dos paxilosos. ● *Adj.* **2.** Pertencente ou relativo a eles.

paxilosos (cs). *S. m. pl. Zool.* Animais metazoários, equinodermos, asteróides, cuja superfície dorsal é revestida de paxilas, pés ambulacrários sem ventosas, pedicelárias ausentes ou pouco abundantes.

paxiúba. [Do tupi *pati'ïwa.*] *S. f. Bras., Amaz.* Palmeira (*Iriartea exorriza*) habitante dos igapós, e que mede entre 10 e 15 m de altura. O estipe é sustentado por um pedestal de raízes aéreas tão ásperas e duras que servem de ralo, e a madeira é escura e fibrosa. [Sin., no MT: *castiçal.*]

paxiúba-barriguda. *S. f. Bras., Amaz.* Palmeira (*Iriartea ventricosa*) de belo porte, que vai até 30 m. Perto do meio apresenta uma dilatação muito grande; na base tem um pedestal de raízes-escoras, sobre as quais se sustenta o tronco; as folhas chegam a 6 m; as flores são unissexuais; e os frutos, globosos e verdes, medem 2 a 3 cm de diâmetro. [Pl.: *paxiúbas-barrigudas.*]

paxiubarana (xi-u). [De *paxiúba* + *-rana.*] *S. f. Bras., Amaz.* Árvore da família das gutíferas (*Tovomita triflora*), da floresta pluvial, que tem folhas coriáceas e flores alvas em cimeiras tricótomas, e cujo fruto é uma baga leitosa, servindo a madeira para obras internas e carvão.

paxorô. [Do ioruba.] *S. m. Bras.* Cajado prateado, insígnia a Oxalá.

pax-vóbis (cs). [Do lat. *pax vobis*, 'a paz (esteja) convosco'.] *S. m. 2 n. Bras.* Indivíduo simplório, bonacheirão, e de boa paz; paz-de-alma.

paz. [Do lat. *pace.*] *S. f.* **1.** Ausência de lutas, violências ou perturbações sociais; tranqüilidade pública; concórdia, harmonia: *O respeito às leis assegura a paz de uma comunidade.* **2.** Ausência de conflitos entre pessoas; bom entendimento; entendimento, harmonia: *Vive em paz com os vizinhos e colegas.* **3.** Ausência de conflitos íntimos; tranqüilidade de alma; sossego: *Goza de paz absoluta.* **4.** Situação de um país que não está em guerra com outro: *Grandes são os benefícios das épocas de paz.* **5.** Restabelecimento de relações amigáveis entre países beligerantes; cessação de hostilidades: *Breve foi a paz entre os dois países.* **6.** Tratado de paz: *assinar a paz.* **7.** Ausência de agitação ou ruído; repouso, silêncio, sossego: *a paz do campo.* [Pl.: *pazes.* Cf. *pás*, pl. de *pá.*] ♦ **Paz podre.** Sossego profundo. **Fazer as pazes.** Reconciliar-se. **Jogar à paz.** Jogar bastante a fim de saldar as contas com o parceiro.

pazada (pà). [De *pá*[1] + *-z-* + *-ada*[1].] *S. f.* **1.** Aquilo que se pode conter numa pá: *uma pazada de terra;* "baque surdo de pazadas de areia molhada" (Moreira Campos, *Os Doze Parafusos*, p. 31). **2.** Pancada com a pá. **3.** Pancada, bordoada.

paz-de-alma. *S. 2 g.* Pax-vóbis. [Pl.: *pazes-de-alma.*]

pazear. *V. int.* **1.** Estabelecer paz ou harmonia. **2.** Jogar à paz [v. esta loc.] para desempate. [Conjug.: v. *frear.*]

paziguar. *V. t. d.* e *p.* V. *apaziguar.* [*Conjug.: v. averiguar.*]

■ **Pb.** *Quím.* Símb. de *chumbo.*

■ **PB.** Sigla do Estado da Paraíba.

■ **Pd.** *Quím.* Símb. de *paládio.*

■ **PE.** Sigla do Estado de Pernambuco.

pé. [Do lat. *pede.*] *S. m.* **1.** *Anat.* Cada uma das duas extremidades inferiores, uma em cada membro inferior, constituídas de tarso, metatarso, e falanges dos pododáctilos, respectivas articulações, e partes moles que recebem as ósseas: *pé grande; pé dolorido; pé chato; os dedos do pé.* [Assenta no chão e permite a postura vertical e a marcha.] V. *pata* (1 e 3). **3.** V. *chispe.* **4.** Pedestal; base: *o pé de uma escultura, de uma coluna.* **5.** A parte inferior de um objeto por meio da qual ele se sustenta: *o pé da mesa; o pé do copo.* **6.** A parte (da cama) oposta à cabeceira. **7.** Pedúnculo de flor ou de fruto. **8.** Pecíolo. **9.** Cada exemplar individual de uma planta: *um pé de couve; um pé de café.* **10.** O que fica da uva depois de extraído o primeiro vinho. **11.** Profundidade da água (do mar, de rio, etc.) em relação à altura de uma pessoa, de modo que o pé toque no chão e a cabeça fique de fora: *Esta piscina não tem pé para criança.* **12.** *Fig.* Motivo, ensejo; pretexto: *Sempre achava pé para faltar aos compromissos.* **13.** *Fig.* Estado de um negócio ou de uma empresa: *Não sei em que pé está a compra do apartamento.* **14.** *Bibliogr.* A parte inferior do livro ou da página. **15.** *Liter.* Parte em que se divide o verso metrificado. **16.** *Metrol.* Unidade de medida linear anglo-saxônica, de 12 polegadas, equivalente a cerca de 30,48 cm do sistema métrico decimal. **17.** Antiga unidade de medida de comprimento, equivalente a 12 polegadas [v. *polegada* (3)], ou seja, 33 cm. **18.** *Tip.* A base do tipo, dividida ao meio pelo canal. **19.** *Liter. Pop. Bras.* Verso[1] (1): "Os mais antigos versos sertanejos eram as 'quadras'. Diziam-nos 'verso de quatro'. Subentendia-se '*pés*' que para o sertanejo não é a acentuação métrica mas a linha." (Luís da Câmara

Cascudo, *Vaqueiros e Cantadores*, p. 11.) **20.** *Bras. Pop.* A parte ínfero-posterior da cabeleira: *Pediu a barbeiro que lhe fizesse o pé arredondado.* **21.** *Bras., PB.* V. *caiporismo.* [Pl.: *pés;* dim.: *pezinho* (ê). Cf. *pês*, pl. de *pê; pez* (ê), s. m.; e *pezinho* (ê), dim. de *pê*.] ♦ **Pé ante pé.** Devagar, cautelosamente; na ponta dos pés; nas pontas dos pés: "Cheguei solerte, pé ante pé, negaceando" (Hugo de Carvalho Ramos, *Tropas e Boiadas*, p. 6); "Saiu da alcova pé ante pé" (Camilo Castelo Branco, *Vulcões de Lama*, p. 22). **Pé chato.** *Med.* Deformidade oriunda do achatamento de um ou mais arcos do pé. **Pé de anjo.** *Bras. Fam.* Pé grande. [Cf. *pé-de-anjo.*] **Pé de apoio.** Aquele sobre o qual, num dado momento, se sustenta o corpo. **Pé de árvore.** *Bras. Pop.* V. *pé de pau.* **Pé de arvoredo.** *Bras. Pop.* V. *pé de pau.* **Pé de mato.** *Bras. Pop.* V. *pé de pau.* **Pé de pau.** *Bras. Pop.* Qualquer árvore; pé de árvore, pé de arvoredo, pé de mato: "lagoa do Cipó, de águas mais verdes do que a mataria em redor, quando as chuvas de inverno levantam broto novo em tudo o que é pé de pau." (João Felício dos Santos, *João Abade*, p. 110). [Cf. *pé-de-pau.*] **Pé torto.** *Med.* V. *talipe.* **A pé. 1.** Com os próprios pés [v. *pé* (1)]: *andar a pé; viajar a pé.* [Sin. (bras., gír.): *no calcante.*] **2.** Em posição vertical; ereto: "De um salto o rapaz pôs-se a pé, tirou a carapuça, e coçando a cabeça aproximou-se." (Maria Amália Vaz de Carvalho, *Contos e Fantasias*, p. 195.) **A pé de.** Servido precariamente de; desprovido de: *O dono da casa está a pé de cozinheira.* **A pé quedo.** V. *de pé* (1): " Barco que aproasse à ilha, esperava-o a pé quedo, no porto, com o coração em frêmitos." (Xavier Marques, *A Cidade Encantada*, p. 60.) **Abrir no pé.** *Bras., MG. Pop.* V. *fugir* (1 e 2). **Abrir o pé.** *Bras., MG. Pop.* V. *fugir* (1 e 2). **Ao pé da letra.** À letra. **Ao pé de. 1.** Perto de; junto de: "Cumprimentou-me, sentou-se ao pé de mim, falou da lua e dos ministros" (Machado de Assis, *Dom Casmurro*, p. 1). **2.** Em comparação ou confronto com: "Como tudo isto é pequenino e imundo / Ao pé daquelas pequeninas flores." (Luís Murat, *Ondas*, I, p. 103). **Ao pé do ouvido.** Em segredo; discretamente. **A pé de galo. 1.** *Marinh.* Diz-se da amarra da âncora quando se encontra em posição vertical, antes de a âncora desunhar do fundo. **2.** *Bras. Mar. G.* Diz-se do serviço feito inteiramente de pé, sem que o que o faz se sente ou se ampare em nenhum encosto, em momento algum. **Apertar o pé.** Apressar o passo; apressar-se. **Bater pé.** Mostrar-se insubmisso; recalcitrar; bater o pé. **Bater o pé.** Bater pé. **Botar o pé no mundo.** *Bras. Pop.* V. *fugir* (1 e 2). **Cair de pé.** *Bras.* Manter-se combativo, íntegro, digno, em face da derrota, ou de má situação na vida: *Cartago, derrotada, caiu de pé; Sofreu horrores, coitado, porém caiu de pé.* **Com o pé atrás.** Com desconfiança ou reserva. **Com o pé direito.** De maneira feliz; com boa sorte; bem: "O romancista de *Vila dos Confins* [Mário Palmério] entra na literatura com o pé direito." (Paulo Rónai, *Encontros com o Brasil*, p. 171.) **Com o pé esquerdo.** De maneira infeliz; com azar; mal: *entrar com o pé esquerdo (numa empresa, negócio, carreira, etc.);* "Comecei com o pé esquerdo meu primeiro dia de professor." (Ciro dos Anjos. *Abdias*, p. 5). **Com o pé no estribo.** *Bras.* De partida, prestes a partir. **Com os pés nas costas.** *Bras.* De olhos fechados (2). **Com pés de lã.** Sorrateiramente; em pés de lã: "Ali a dois passos, no mármore negro, surge-nos um trabalhador em repouso — e andamos com pés de lã para não perturbar-lhe o sono." (Graciliano Ramos, *Viagem*, p. 67.) **Com um pé nas costas.** *Bras. Fam.* Com grande facilidade; sem o menor esforço; de letra. **Dar no pé.** *Bras. Gír.* V. *fugir* (1 e 2): "ele sentiu que a barra estava ficando pesada, e deu no pé." (Carlos Drummond de Andrade, *De Notícias & não Notícias Faz-se a Crônica*, p. 7). **Dar pé.** *Bras. Pop.* **1.** Ser raso (mar, rio, etc.) o suficiente para que se toque o fundo com os pés, ficando a cabeça fora da água; ter pé. **2.** *Bras. Gír.* Ser possível ou cabível: *Amanhã não dá pé, iremos depois.* [Tb. se diz apenas *dar.*] **De pé. 1.** Em posição vertical; ereto, firme; a pé quedo, em pé. **2.** Conforme o combinado, o acertado, o comprometido. **3.** Firme, sem se afastar de situação ou ponto de vista dantes assumido. **De pé atrás.** Com prevenção ou desconfiança; de má vontade: "Sereno, que anteriormente já recebera de pé atrás aquele elemento estranho na direção da casa ...., nesse dia foi ao ponto de rosnar, em franca hostilidade" (Antônio Versiani, *Viola de Queluz*, p. 20). [Cf. *pé-atrás.*] **De quatro pés.** De quatro. **Do pé para a mão. 1.** De um momento para outro; inesperadamente: "— Olhem o felizardo! Então vai meter-se em cobreira grossa, tornar-se do pé para a mão capitalista graúdo. .... Duzentos contos de pancada!" (Visconde de Taunay, *Ao Entardecer*, p. 166.) **2.** Logo, prontamente. **Em pé.** V. *de pé* (1). **Em pé de guerra.** Estado de tensão ou preparo psíquico, material, que precede a declaração do estado de beligerância. **Em pé de igualdade.** No mesmo plano, grau ou nível; de igual para igual: *Em matéria de cultura estão em pé de igualdade.* **Em pés de lã.** Com pés de lã. **Encostado ao pé da imbaúba.** *Bras., N.E. Fam.* Preguiçoso, indolente. **Estar com o pé no estribo.** Estar prestes a partir ou a deixar um cargo. **Estar com os pés na cova.** Estar perto da morte. **Fazer pé atrás. 1.** Recuar para firmar-se. **2.** *Fig.* Preparar-se para resistir. **Ficar no pé de.** *Bras. Fam.* Ficar rente a (alguém) insistindo em algo, aborrecendo, importunando. **Ir aos pés.** *Bras., RS. Pop.* V. *defecar* (5). **Ir e vir num pé só.** *Bras. Pop.* Não demorar senão o mínimo indispensável; ir e voltar com a máxima rapidez; ir num pé e vir no outro; ir num pé e voltar no outro. **Ir num pé e vir no outro.** V. *ir e vir num pé só.* **Ir num pé e voltar no outro.** *Bras. Fam.* V. *ir e vir num pé só:* "Era costume dizer que 'ele ia num pé e voltava no outro', tão rápido agia no levar uma carta e trazer dela a resposta." (Nélson de Faria, *Tiziu e Outras Estórias*, p. 123.) **Ir num pé só.** *Bras. Fam.* Ir a algum lugar com toda a rapidez. **Lamber os pés de.** Adular, lisonjear, bajular. **Meter o pé no atoleiro.** *Bras.* Arruinar-se; meter o pé no lodo. **Meter o pé no lodo.** Meter o pé no atoleiro. **Meter o pé no mundo.** *Bras. Pop.* V. *fugir* (1 e 2). **Meter os pés em.** Desprezar, rejeitar; humilhar. **Meter os pés pelas mãos. 1.** Atrapalhar-se, atordoar-se, confundir-se, na execução de uma tarefa, de uma atividade qualquer. **2.** Praticar inconveniências; cometer disparate ou gafe: "Eu precisava me concentrar para não meter os pés pelas mãos." (José J. Veiga, *Os Pecados da Tribo*, p. 75.) **Não arredar pé. 1.** Não afastar-se de um lugar. **2.** *Fig.* Não ceder em sua opinião; não transigir. **Não chegar aos pés de.** Ser muito inferior a: *É culto, mas não chega aos pés do irmão;* "O meu carneiro Jasmim, do engenho, nem chegava aos pés daquele canário que foi o meu maior orgulho de menino." (José Lins do Rego, *Meus Verdes Anos*, p. 345); "Eu desenhava isto, ele desenhava aquilo, mas o meu desenho não chegava aos pés do dele." (Cândido Mota Filho, *Contagem Regressiva*, p. 212). **Negar a pés juntos.** Insistir terminantemente na negativa: "Você o que quer é consultar a uma pessoa. Rigorosamente, eram duas pessoas .... , mas eu neguei a pés juntos que quisesse consultar ninguém." (Machado de Assis, *Dom Casmurro*, p. 271.) **Passar o pé adiante da mão.** Exceder-se em liberdades; desmandar-se. **Pegar no pé.** *Bras. Fam.* Mostrar-se muito insistente, importuno. **Pegar pelo pé.** *Bras. Fam.* Apanhar de surpresa; surpreender. **Perder o pé.** Perder pé. **Perder pé.** Encontrar-se imerso em água que não tem pé (11); perder o pé. **Pisar no pé de.** *Bras.* **1.** Provocar, desafiar. **2.** Ferir com palavra ou atitude. **Sofrer que só pé de cego.** *Bras., N.E. Pop.* Sofrer muitíssimo. **Ter os pés fincados na terra.** Ser objetivo, realista; ter os pés na terra, ter os pés no chão. **Ter os pés na terra.** V. *ter os pés fincados na terra.* **Ter os pés no chão.** V. *ter os pés fincados na terra.* **Ter pé. 1.** Ter capacidade de andar muito. **2.** Ter pé (11); dar pé. **Ter pés de barro.** *Fig.* Ter base inconsistente, a despeito da aparência de solidez. **Tirar o pé da lama.** Sair de uma situação inferior; melhorar de vida; subir de posição; tirar o pé do lodo. **Tirar o pé do lodo. 1.** V. *tirar o pé da lama.* **2.** *Bras., MA. Fut.* Conseguir chutar a bola, numa partida, depois de muito tempo sem o fazer. **Tomar pé.** Tocar com os pés o fundo da água. **Tomar pé em.** Inteirar-se de (um problema, uma situação, uma nova condição): *Antes de assumir a chefia, pediu alguns dias para tomar pé na situação.* **Um pé lá, outro cá.** Com extrema rapidez; com a maior ligeireza possível. **Um pé no saco.** *Bras. Gír.* Um saco. [V. esta loc.]

pê. *S. m.* Nome da letra *p.* [Pl.: *pês* ou *pp;* dim.: *pezinho* (ê). Cf. *pez* (ê), s. m.; *pés*, pl. de *pé; pezinho* (è), dim. de *pé; p* e /*p*/.]

peã. [Do gr. dórico *paián*, pelo lat. *paean.*] *S. m.* **1.** Hino em honra de Apolo, na antiguidade grega. **2.** Canto de guerra, de vitória, de festas: "e me levantarei eu, sadio e robusto, ... sacudindo o tirso folhudo, e entoando o peã da vitória?" (Carlos Magalhães de Azeredo, *Ariadne*, p. 56). [Cf. *piã.*]

peabiruense. *Adj. 2 g.* **1.** De, ou pertencente ou relativo a Peabiru (PR). ● *S. 2 g.* **2.** Natural ou habitante de Peabiru.

peaça. [De *peia* + *-aça.*] *S. f.* Correia ou peia que prende, pelos chifres, o boi à canga.

➡**Peace Corps** (piç córpç). [Ingl.] Organização governamental norte-americana, fundada em 1961, que treina voluntários e os manda aos países em desenvolvimento para fins de cooperação social.

peadoiro. [De *pear* + *-(d)oiro.*] *S. m.* V. *peadouro.*

peador (ô). *S. m. Bras.* V. *peadouro.*

peadouro. [De *pear* + *-(d)ouro;* var. de *peadoiro.*] *S. m. Bras.* Lugar em que se peiam as cavalgaduras. [Var. (bras.): *peador.*]

peagem. [Do fr. *péage* < **pedaticu*, 'direito de passagem'.] *S. f. Ant.* V. *pedágio.*

peagômetro. [De *pH* (pêagá) + *-o-* + *-metro.*] *S. m. Fís.-Quím.* Instrumento com que se mede o pH de uma solução.

peal. [De *pé* + *al.*] *S. m.* Escarpim.

pealação. *S. f. Bras., RS.* Ato de pealar; pealo.

pealador (ô). [Do esp. plat. *pealador.*] *S. m. Bras., RS.* **1.** Aquele que peala. **2.** Gaúcho que sabe pealar bem.

pealar. [Do esp. plat. *pealar.*] *V. t. d. Bras., RS.* **1.** Prender (o animal) atirando-lhe o pealo. **2.** *Fig.* Armar cilada a; enganar. [Var.: *apealar.*]

pealo. [Do esp. plat. *peal.*] *S. m. Bras., RS.* **1.** Laço que se atira ao cavalo, ou a outro animal, quando vai à disparada; reborquiada. **2.** Pealação. ♦ **Pealo de cucharra.** *Bras., RS.* Golpe de laço que se dá por baixo das mãos do animal. **Pealo de sobrecostilhas.** *Bras., RS.* Golpe de laço sobre as costelas do animal. **Pealo de sobrelombo.** *Bras., RS.* Golpe de laço que se atira aberto sobre o lombo, fazendo-o decair até prender as mãos. **Errar o pealo.** *Bras., RS.* **1.** Enganar-se, sair-se mal de uma tentativa. **2.** Não obter uma vantagem aparentemente fácil; errar o vau. **Passar pealo em.** *Bras., RS.* Enganar, lograr, burlar.

peanha. [Do lat. **pedanea* < *pede*, 'pé'.] *S. f.* **1.** Pequeno pedestal sobre o qual assenta imagem, cruz, busto, estátua, etc.: "Não prometia a luz dos olhos porque de pouco serviria ao santo, de pé sobre a peanha doirada" (Pina de Morais, *Sangue Plebeu*, p. 120); "Pelos cunhais dos jazigos trepavam heras, alongando compadecidamente os braços verdes à peanha da cruz que os encimava." (Fialho d'Almeida, *O País das Uvas*, p. 296). **2.** *Ant. Constr. Nav.* Travessa de madeira que, nas galés, ficava por baixo dos bancos dos remadores, e onde se fixavam as correntes que prendiam os forçados.

peão[1]. [Do lat. vulg. *pedone.*] *S. m.* **1.** Pedestre (4). **2.** Soldado de infantaria. **3.** No jogo do xadrez [q. v.], peça de movimento limitado, a qual se desloca só para a frente, de casa em casa, à exceção do seu primeiro movimento, no qual pode deslocar-se uma ou duas casas: "diria à bela Miranda que jogasse comigo o xadrez, um jogo delicioso, ... imagem da anarquia, onde a rainha come o peão, o peão come o bispo, o bispo como o cavalo, ... e todos comem a todos." (Machado de Assis, *A Semana*, II, pp. 46-47). **4.** *P. ext.* V. *plebeu* (2). [Fem.: *peona, peoa;* pl.: *peões, peães.* Cf. *pião.*]

peão[2]. [Do esp. plat. *peón.*] *S. m.* **1.** *Bras.* Amansador de cavalos, burros e bestas. **2.** *Bras.* Condutor de tropa: "E repercutiam sonoros nas quebradas os gritos dos peões tangendo a tropa" (Alcides Maia, *Tapera*, p. 58). **3.** *Bras.* Trabalhador rural. **4.** *Bras., Amaz.* Indivíduo recrutado, em geral em outros Estados, como mão-de-obra para as grandes empresas radicadas na Amazônia. **5.** *Bras., RS.* Serviçal de estância; conchavado, índio. [Fem.: *peona, peoa;* pl.: *peões, peães.* Cf. *pião.*]

pear. [De *peia* + *-ar*[2].] *V. t. d.* **1.** Lançar peia(s) a. **2.** Prender com peia(s). **3.** Embaraçar; impedir; estorvar: *Os compromissos sociais peavam-lhe as atividades intelectuais;* "A seu lado, conspícuo, empertigado, fato novo a pear-lhe os gestos, o marido tentava vãmente sofrear-lhe o choro com um gaguejar de palavras de consolação" (José Gomes Ferreira, *O Mundo dos Outros*, p. 128). [Conjug.: v. *frear.* Cf. *piar.*]

pé-atrás. *S. m. Bras.* Prevenção, desconfiança: "gente aberta, sem pé-atrás." (José J. Veiga, *A Hora dos Ruminantes*, p. 23). [Cf. *de pé atrás.* Pl.: *pés-atrás.*]

■**P. & B.** Preto-e-branco [q. v.].

peba[1] [F. red. de *tatupeba.*] *S. m. Bras.* V. *tatupeba.* ♦ **Pegar um peba.** *Bras., N.E.* Levar um tombo; cair.

peba[2]. *Bras. S. 2 g.* **1.** Indivíduo dos pebas, tribo indígena habitante do N. do alto rio Amazonas. ● *Adj. 2 g.* **2.** Pertencente ou relativo a essa tribo.

peba³. *Adj. 2 g. Bras., N.E.* Reles, ordinário.

▲-peba. [Do tupi *pewa*.] *El. comp.* = 'chato': *carapeba, carapicupeba, tatupeba.* [Equiv.: *-peva: taraguira-peva.*]

pebado. [Do tupi *pewa*, 'chato', + *-ado*¹.] *Adj. Bras., CE. Pop.* **1.** Frustrado, malogrado. **2.** Muito dificultado.

pebrina. [Do fr. *pébrine*.] *S. f.* Certa doença epidêmica do bicho-da-seda.

peça. [Do céltico **pettia*, 'pedaço'.] *S. f.* **1.** Parte ou pedaço de um todo indiviso. **2.** Cada uma das partes ou elementos de um conjunto, de um mecanismo, de uma coleção: *uma peça de roupa, de mobiliário, de relógio; peça numismática.* **3.** Qualquer objeto que forma uma unidade completa; exemplar: *Esta sopeira é a peça mais bonita do serviço de Companhia das Índias.* **4.** V. *acessório* (7): *peça de automóvel, de avião.* **5.** Porção de fazenda tecida de uma vez. **6.** Objeto de metal precioso, ou jóia. **7.** Pedra ou figura, em jogo de tabuleiro. **8.** Compartimento ou divisão de uma casa. **9.** Moeda portuguesa antiga, de ouro. **10.** Documento que faz parte de processo. **11.** Artefato (1). **12.** Trabalho literário ou artístico: *O poema "O Caçador de Esmeraldas", de Bilac, é uma bela peça.* **13.** Texto e/ou representação teatral: *Prefiro peças a filmes.* **14.** Animal abatido em caça. **15.** Peça de artilharia; boca-de-fogo. **16.** *Fig.* Engano, embuste, logro, ludíbrio: "— Eu imagino que o cavalheiro que tendes em casa, é um meu amigo, e eu queria pregar-lhe uma peça ..." (Camilo Castelo Branco, *O Livro Negro de Padre Dinis*, p. 221.) **17.** *Fig.* Pessoa de tendências más. **18.** *Bras.* Coisa ou animal bonito. **19.** *Bras., S.* O pênis do cavalo ou do asno. ♦ **Peça anatômica.** *Med.* Parte dum cadáver convenientemente dissecada e preparada, e que se emprega no estudo da anatomia ou da patologia. **Peça característica.** Peça musical de caráter descritivo. **Peça cirúrgica.** *Med.* Peça do organismo que, retirada cirurgicamente, é estudada em vários aspectos (macroscópico, microscópico, histoquímico, etc.), com fins diagnósticos [v. *diagnóstico*¹ (2)]. **Peça de artilharia.** Qualquer armamento usado pela artilharia, especialmente canhão, obus, morteiro; boca-de-fogo. [Tb. se diz apenas *peça*.] **Peça de reposição.** Sobressalente (2). **Peça de resistência. 1.** Peça musical cheia de dificuldades, que pode dar a medida do artista. **2.** Aquilo em que alguém se destaca; o forte. **Ficar na peça.** *Bras. Fam.* V. *ficar para tia.*

pecabilidade. *S. f.* Qualidade de pecável.

pecadaço. *S. m. Pop.* Grande pecado.

peça-da-índia. *S. f. Ant.* Unidade de medida de carregamento de escravos. [Nos carregamentos para o Brasil, contavam-se as peças pelo critério das idades: um bom negro de 18 a 35 anos, dois velhos de 35 a 40 anos, duas crias de pé de quatro a oito anos, 1,5 molecões ou molecas de oito a 18 anos. A medida pelo número de indivíduos era expressa em cabeças. Pl.: *peças-da-índia*.]

pecadilho. [Do esp. *pecadillo*.] *S. m.* Pecado leve; culpa sem importância.

pecado. [Do lat. *peccatu*.] *S. m.* **1.** Transgressão de preceito religioso. **2.** *P. ext.* Falta, erro; culpa, vício: *os pecados da juventude.* **3.** Maldade, crueldade: *É um pecado exigir tanto de uma criança.* **4.** Pena, lástima, tristeza: *Que pecado não ir à praia num dia tão lindo!* [Dim. irreg.: *pecadilho*.] ♦ **Pecado capital.** *Rel.* Cada um dos sete vícios ou faltas graves catalogados pela Igreja na Idade Média, e que fazem parte da tradição cristã. [São eles: avareza, gula, inveja, ira, luxúria, orgulho e preguiça.] **Pecado mortal.** *Rel.* Na doutrina cristã, o que viola a lei de Deus em matéria grave e leva à danação da alma. **Pecado original.** *Rel.* O pecado de Adão e Eva, transmitido a todos os seus descendentes que nascem em estado de culpa. **Pecado venial.** *Rel.* Na doutrina cristã, o que enfraquece a graça (9) sem a destruir. **Dos meus pecados.** V. *dos pecados*: "todos os dias se juntam tamanhos bandos de graúnas, que é um barulho dos meus pecados." (Visconde de Taunay, *Inocência*, p. 58). **Dos pecados.** Terrível, espantoso, extraordinário; dos meus pecados.

pecador (ô). [Do lat. *peccatore*.] *Adj. e s. m.* **1.** Que ou aquele que peca; pecante. **2.** Que ou aquele que tem certos defeitos ou vícios. **3.** Que ou aquele que confessa os pecados; penitente. [Aum. (do s. m.): *pecadoraço*.]

pecadora (ô). [Fem. de *pecador*.] *S. f.* **1.** Mulher que pecou. **2.** Mulher que infringiu os princípios da castidade.

pecadoraço. *S. m.* Grande pecador.

pecaminoso (ô). [Do lat. *peccamine*, 'pecado', + *-oso*.] *Adj.* **1.** Relativo ao pecado: *assunto pecaminoso.* **2.** Da natureza do pecado: *desejo pecaminoso; mentira pecaminosa.* **3.** Em que há pecado: *costumes pecaminosos;* "o mistério, o arranjo da cestinha, o ar dos próprios morangos, ... todas essas cousas davam ao negócio um aspecto imoral e pecaminoso" (Machado de Assis, *Quincas Borba*, pp. 51-52).

pecante. [Do lat. *peccante*.] *Adj. 2 g. e s. 2 g.* **1.** Que ou quem peca habitualmente; pecador. **2.** Que ou quem tem baldas ou defeitos.

pecapara. [Do tupi *i'peka a'para*, 'pato de pernas tortas'.] *S. f.* **1.** *Bras.* V. *ipequi.* **2.** *Bras., CE. Folcl.* Papagaio (5) pequeno e estreito, de uma única haste horizontal, que o torna côncavo e sem rabada.

pecaparra. [Var. de *pecapara*.] *S. f. Bras.* V. *ipequi.*

pecar¹. [Do lat. *peccare*.] *V. int.* **1.** Cometer pecado; transgredir lei religiosa ou preceito da Igreja: "Quando acabou de pecar, meditou no pecado." (Tristão da Cunha, *Histórias do Bem e do Mal*, p. 107.) **2.** Cometer qualquer falta. **3.** Ser condenável, censurável: *Peca por excesso de zelo. T. i.* **4.** Cometer pecado: *Pecaram contra a lei de Deus.* **5.** Cometer erro, falta; errar: *Peca contra as boas maneiras.* **6.** Faltar (a qualquer regra moral ou disciplinar). **7.** Incorrer, incidir, cair: *Peca freqüentemente em solecismos.* [Conjug.: v. *trancar*. Pres. ind.: *peco, pecas, peca*, etc. Cf. *peco* (ê) e as flex. *peca* (ê), *pecas* (ê).]

pecar². [De *peco* + *-ar*².] *V. int.* Tornar-se peco. [Conjug.: v. *trancar*. Pres. ind.: *peco, pecas, peca*, etc. Cf. *peco* (ê) e as flex. *peca* (ê), *pecas* (ê).]

pecari. *S. m. Bras.* V. *caititu* (1).

pé-cascudo. *S. m. Bras. Pop.* V. *diabo* (2). [Pl.: *pés-cascudos*.]

pecável. *Adj. 2 g.* Sujeito a pecar.

➡Peccavi (pecávi). [Lat., 'pequei'.] Exclamação do rei Davi (na tradução da Vulgata) em resposta à censura do profeta Natão. Us. por quem reconhece haver procedido mal.

pecém. *Adj. 2 g. Bras., AM.* Penso, torto, desequilibrado.

peceta¹ (ê). [De *peça* + *-eta*.] *S. f.* Pequena peça.

peceta² (ê). [Do esp. plat. *peceta*.] *S. m. Bras., RS.* **1.** Tratante, velhaco. **2.** Cavalo pequeno e feio, sem valor.

pecha. [Do esp. *pecha*.] *S. f.* Defeito, falha, imperfeição; balda: "Por minha parte, aceito cordialmente a irrogação da pecha de pessimista. É um defeito, de que me lisonjeio." (Tobias Barreto, *Filosofia e Crítica*, p. 254.)

pechada. [Do esp. plat. *pechada*.] *S. f. Bras., S.* **1.** Embate de dois cavaleiros que correm em direções opostas. **2.** Choque, encontrão, encontro. **3.** *Gír.* V. *facada* (3). [Cf. *peixada*.]

pechador (ô). [Do esp. plat. *pechador*.] *Adj. e s. m. Bras., S.* Que ou aquele que costuma dar pechadas.

pechar. [Do esp. plat. *pechar*.] *V. t. d. Bras., S.* **1.** Dar encontrão em; abalroar. **2.** Pedir dinheiro a. *P.* **3.** Esbarrar-se, encontrar-se.

pechblenda. [Do al. *Pechblende*.] *S. f. Min.* Uraninita.

➡pêche melba (péx'melba). [Fr.] *S. f.* Sorvete com pêssego em compota, temperado com licor.

pechincha. *S. f.* **1.** Grande conveniência ou vantagem. **2.** Lucro inesperado e/ou imerecido. **3.** Qualquer coisa muito barata; galinha-morta, achado.

pechinchar. [De *pechincha* + *-ar*².] *V. t. d.* **1.** Ganhar, obter, inesperada ou imerecidamente. **2.** Regatear (1): *Tanto pechinchou a mercadoria que a comprou pela metade do preço. Int.* **3.** Receber vantagens inesperadas ou imerecidas. **4.** Comprar muito barato. **5.** V. *regatear* (7).

pechincheiro. *Adj. e s. m.* Que ou aquele que pechincha ou procura pechinchas.

pechiringar. *V. int. Bras.* **1.** Dar qualquer coisa com mesquinharia. **2.** Arriscar pouco dinheiro no jogo. [Conjug.: v. *largar*.]

pechisbeque. [Do antr. *Pinchbeck*, do relojoeiro inglês Christopher Pinchbeck.] *S. m.* V. *ouropel*: "Eram raparigas da plebe, de saia e torço, argolões de pechisbeque nas orelhas; negras cintilantes de cordões de ouro e figas de prata" (Xavier Marques, *O Feiticeiro*, p. 340).

pechoso (ô). *Adj.* **1.** Que tem pecha. **2.** Que acha pecha em tudo; caturra: "Poderá achar nesses escritos alguma rara cacofonia, de que nem o pechoso Virgílio se pôde esquivar, como notou Servius" (José de Alencar, *Obra Completa*, IV, pp. 942-943).

pecílida. *S. m. e adj. 2 g.* V. *pecilídeo.*

pecílidas. *S. m. pl. Zool.* V. *pecilídeos.*

pecilídeo. *S. m.* **1.** Espécime dos pecilídeos. ● *Adj.* **2.** Pertencente ou relativo a eles.

pecilídeos. *S. m. pl. Zool.* Família de peixes teleósteos, ciprinodontes, que compreende pequenos peixes, com uma só espécie marinha: o *Poecilia vivipara.*

pecilocromático. [Do gr. *poikílos*, 'variegado', + *cromático*.] *Adj.* V. *pecilocrômico.*

pecilocrômico. [Do gr. *poikílos*, 'variegado', + *crômico*] *Adj.* Pintado de várias cores; variegado, matizado, pecilocromático.

peciolação. *S. f. Bot.* **1.** Formação do pecíolo. **2.** Natureza ou feição peciolar.

pecioláceo. [De *pecíolo* + *-áceo*.] *Adj. Bot.* Diz-se dos botões cujas escamas são constituídas de pecíolos abortados, como sucede com a nogueira.

peciolado. *Adj.* **1.** Que tem pecíolo; peciolar. **2.** V. *clitogastro.* ~ V. *folha —a.* ● *S. m.* **3.** V. *clitogastro.*

peciolados. [Pl. de *peciolado*.] *S. m. pl. Zool.* V. *clitogastros.*

peciolar. *Adj. 2 g. Morfol. Veg.* **1.** Relativo a, ou que tem forma de pecíolo; peciolado: *Glândula peciolar.* **2.** Peciolado (1).

pecioleano. *Adj. Bot.* Diz-se dos órgãos resultantes da degeneração do pecíolo.

pecíolo. [Do lat. *petiolu*, 'pezinho'.] *S. m. Morfol. Veg.* Haste que sustenta o limbo da folha e a une à bainha ou diretamente ao ramo; pé. [Dim. irreg.: *peciólulo*.]

peciolulado. *Adj. Morfol. Veg.* Provido de peciólulo.

peciolular. *Adj. 2 g. Bot.* Relativo ou pertencente ao peciólulo.

peciólulo. [De *pecíolo* + *-ulo*.] *S. m. Morfol. Veg.* Haste que sustenta um folíolo numa folha composta, e que é quase sempre muito curta.

peco (ê). *S. m.* **1.** Mal que faz definhar os vegetais; definhamento: "Conversávamos tranqüilamente: .... Daqueles fortes calores que iam queimando a uva toda, ... do peco que tinha dado nos abrunhos." (Conde de Ficalho, *Uma Eleição Perdida*, p. 228.) ● *Adj.* **2.** Que não medrou. **3.** Que definhou: "Para frutos não concorre / Este vale ingrato e seco, / Um se enruga murcho e peco, / Outro morre ainda em flor." (Manuel Inácio da Silva Alvarenga, *ap.* Sérgio Buarque de Holanda, *Antologia dos Poetas Brasileiros da Fase Colonial*, II, p. 127.) **4.** *Fig.* Néscio, bronco. [Flex. do adj.: *peca* (ê), *pecas* (ê), *pecos* (ê). Cf. *peca, pecas* e *peco*, do v. *pecar*.]

peconha. [Do tupi *peko'ĩñ*.] *S. f. Bras., N.* Laço de corda ou de embira preso ao tronco das árvores sem ramos para nele se colocarem os pés a fim de subir. [Cf. *peias*.]

peçonha. [Do lat. *potione*.] *S. f.* **1.** Secreção venenosa dalguns animais; veneno. **2.** *Fig.* Malícia, maldade.

peçonhento. *Adj.* **1.** Que tem peçonha (1); venenoso. **2.** *Fig.* Que tem, ou em que há peçonha (2); pérfido, intrigante, venenoso.

pécora. [Do it. *pecora*.] *S. f.* **1.** V. *meretriz.* **2.** *Pop. Deprec.* Qualquer mulher.

pecorear. [Do lat. *pecus, pecoris*, 'gado', + *-ear*.] *V. int. Ant.* Passar a noite no campo, ao relento, como o gado na malhada. [Conjug.: v. *frear*.]

pé-coxinho. [De *pé* + dim. de *coxo*.] *S. m.* **1.** Espécie de brinquedo em que o menino caminha pulando num pé só. **2.** Ato de se locomover dessa maneira. [Pl.: *pés-coxinhos*.]

péctica. *Adj. 2 g. Bioquím.* Diz-se de polímeros encontrados nos vegetais, de natureza glicídica, hidrolisáveis, formando material gelificado.

pectina. [Do gr. *pektós*, 'fixado', + *-ina*¹.] *S. f.* **1.** *Bot.* Substância componente das lamelas médias das membranas vegetais. **2.** *Quím* Substância extraída de frutos e raízes vegetais, e que é um pó branco, mistura de hidratos de carbono, facilmente gelificável.

pectinado. [De *pectin(i)-* + *-ado*¹.] *Adj.* Em forma de pente: *lirânquias pectinadas; antenas pectinadas.* ~ V. *folha — a.*

pectinase. *S. f. Bioquím.* Diástase que desdobra as matérias pécticas, fornecendo material que assume com facilidade o estado de um gel.

pectíneo. [De *pectin(i)-* + *-eo*.] *Adj.* **1.** Que tem forma de pente; pectiniforme. **2.** Pertencente ou relativo ao pente ou púbis.

▲pectin(i)-. [Do lat. *pecten, inis*.] *El. comp.* = 'pente': *pectinicórneo; pectíneo.*

pectinibrânquio. [De *pectin(i)-* + *-brânquio*.] *Adj. Zool.* **1.** Diz-se de peixe que tem brânquias pectiniformes. **2.** Pertencente ou relativo aos pectinibrânquios.

•*S. m.* **3.** Espécime dos pectinibrânquios.
pectinibrânquios. *S. m. pl. Zool.* Animais moluscos, gastrópodes, prosobrânquios, da ordem *Pectinibranchia*, de ctenidos com filamentos dispostos em uma única fileira, coração com uma artícula e um só nefrídio.
pectinicórneo. [De *pectin(i)-* + *-corn(e)-* + *-eo.*] *Adj. Zool.* Que tem cornos ou antenas pectiniformes.
pectiniforme. [De *pectin(i)-* + *-forme.*] *Adj. 2 g.* Pectíneo (1).
pectólita. [Do gr. *pektós*, 'coagulado', + *-lita.*] *S. f. Min.* Mineral monoclínico, silicato ácido de sódio e cálcio.
pectoral. [Do lat. *pectorale.*] *Adj. 2 g. P. us.* Peitoral (1 e 2).
▲**pectori-.** [Do lat. *pectus, oris.*] *El. comp.* = 'peito': *Pectoriloquia.*
pectoriloquia. [De *pectori-* + *-loquo-* + *-ia.*] *S. f. Med.* Percepção distinta, mediante a ausculta do tórax, das palavras normalmente articuladas. ♦ **Pectoriloquia afônica.** *Med.* Percepção distinta, à ausculta do tórax, das palavras cochichadas.
pectorílaquo. *Adj. Med.* Que apresenta pectoriloquia.
pecuária. [Fem. substantivado do adj. *pecuário.*] *S. f.* Arte e indústria do tratamento e criação do gado.
pecuário. [Do lat. *pecuariu.*] *Adj.* **1.** Relativo a gados. ~ V. *parceria —a.* ● *S. m.* **2.** Criador ou tratador do gado; pecuarista.
pecuarista. *S. 2 g. Bras.* **1.** Pessoa que entende de pecuária, ou que a ela se dedica: "Não sei se os fazendeiros de Uberaba estão levando avante a idéia de erigir um monumento ao zebu. Espero .... que os prósperos *pecuaristas* do Triângulo .... não tenham desistido de tão generoso empreendimento" (Mendonça Júnior, *Jornal da Província*, p. 29). **2.** Pecuário (2).
peçuelos (ê). [Do esp. plat. *pezuelos.*] *S. m. pl. Bras., RS.* Espécie de alforje, repartido ao meio, que se põe à garupa e serve para o transporte de roupas e doutros objetos.
peculador (ô). [Do lat. *peculatore.*] *S. m.* Aquele que comete peculato.
peculatário. *S. m.* Funcionário acusado de peculato.
peculato. [Do lat. *peculatu*, de *pecus*, 'gado'; em certa época, foi o gado a base das fortunas.] *S. m.* Delito praticado pelo funcionário público que, tendo, em razão do cargo, a posse de dinheiro, valor, ou qualquer outro móvel, público ou particular, deles se apropria, ou os desvia, em proveito próprio ou alheio, ou que, embora não tenha posse desses bens, os subtrai ou concorre para que sejam subtraídos, usando das facilidades que seu cargo proporciona: "uma vez definitivamente rasgado o antigo véu de hipocrisia que, sob o nefando regímen extinto, encobria os *peculatos*, os subornos, as depredações e as tranquibérnias do governo, a todos os contribuintes é hoje dado contemplar a ilibada e inconcussa pureza de cada um dos ministros" (Ramalho Ortigão, *Últimas Farpas*, pp. 75-76).
peculiar. [Do lat. *peculiare.*] *Adj. 2 g.* **1.** Relativo a pecúlio. **2.** Que é atributo particular de uma pessoa ou coisa; especial, próprio: *gesto peculiar; característica peculiar.* "Impulsivo e estouvado, ingênuo e humilde — sua *peculiar* natureza humana [de Austro-Costa] era sempre imprevista e dominadora" (Valdemar Lopes, *Austro-Costa, Poeta da Província*, p. 25).
peculiaridade. *S. f.* Qualidade ou circunstância peculiar, característica; particularidade: *Há no feitio dele peculiaridades estranhas.*
peculiarizar. *V. t. d.* e *p.* Ser peculiar; tornar(-se) peculiar.
pecúlio. [Do lat. *peculiu.*] *S. m.* **1.** Dinheiro acumulado por trabalho ou economia; mealheiro. **2.** Qualquer reserva de dinheiro. **3.** Bens, propriedades. **4.** Conjunto de coisas, notícias ou apontamentos relativos a certo assunto ou especialidade. [Var., p. us.: *pegulho.*]
pecúnia. [Do lat. *pecunia.*] *S. f.* V. *dinheiro* (3): "Ficou-me a dever seis moedas; — mas esta diminuta migalha de *pecúnia* desaparece na copiosa onda de saber histórico com que fecundou o meu espírito." (Eça de Queirós, *A Relíquia*, p. 95.)
pecuniário. [Do lat. *pecuniariu.*] *Adj.* Relativo a, ou representado por dinheiro.
pecunioso (ô). [Do lat. *pecuniosu.*] *Adj.* Cheio de pecúnia; endinheirado, dinheiroso, opulento, rico.
■ **Ped.** *Mús.* Abrev. de *pedal.*
pedaço. [Do gr. *pittákion*, pelo lat., *pittacium*, lat. vulg. *pitacciu.*] *S. m.* **1.** Qualquer quantidade, separada ou não de uma substância sólida, de um todo; bocado, porção, fragmento, naco: *um pedaço de terra, de pão, de tecido.* **2.** Pequeno espaço de tempo: *Esperei-os um pedaço, e não vieram.* **3.** *Fig.* Trecho, passo, passagem: *Leia outra vez este pedaço.* **4.** *Bras. Pop.* Mulher bem-feita de corpo; peixão; pedaço de mau caminho. **5.** *Bras.* Grande espaço de tempo: *Puxa! demorou um pedaço; Fiquei lá um bom pedaço.* ♦ **Pedaço de mau caminho.** *Bras. Pop.* **1.** Indivíduo mau, perigoso. **2.** V. *pedaço* (4): *Aquela mulata é um pedaço de mau caminho.* **A pedaços.** Aqui e ali; a espaços. **Aos pedaços. 1.** Desfeito, desmantelado. **2.** Rasgado, despedaçado. **3.** Quebrado, partido. **4.** *Fig.* Cansado, derreado. **Estar caindo aos pedaços. 1.** Ser muito velho, doente ou mal conservado. **2.** Achar-se exausto; estar caindo pelas tabelas. **Fazer em pedaços. 1.** Desfazer, destruir. **2.** Rasgar, romper. **3.** Quebrar, partir. **Passar um mau pedaço.** *Bras. Pop.* V. *comer da banda podre.*
pedado. [Do lat. *pede*, 'pé', + *-ado*[1].] *Adj.* **1.** *Morfol. Veg.* Diz-se de órgãos foliáceos que se dispõem ao longo de um suporte, ficando mais ou menos paralelos entre si. **2.** Pertencente ou relativo a eles. ~ V. *folha —a.* ● *S. m.* **3.** Espécime dos pedados.
pedados. *S. m. pl. Zool.* Animais metazoários, equinodermos, holoturóides, colocados por alguns autores na ordem *Pedata*. Têm os pés ambulacrários, dispostos em filas longitudinais ou distribuídos irregularmente na superfície do corpo.
pedágio. [Do lat. vulg. **pedaticu*, pelo it. *pedaggio.*] *S. m. Bras.* **1.** Tributo cobrado pelo direito de passagem por uma via de transporte terrestre, como uma estrada, uma ponte, um túnel, etc. [Sin., lus.: *portagem* e (ant.) *peagem.*] **2.** Posto fiscal encarregado de cobrar essa taxa; passagem.
pedagogia. [Do gr. *paidagogía.*] *S. f.* **1.** Teoria e ciência da educação e do ensino. **2.** Conjunto de doutrinas, princípios e métodos de educação e instrução que tendem a um objetivo prático. **3.** O estudo dos ideais de educação, segundo uma determinada concepção de vida, e dos meios (processos e técnicas) mais eficientes para efetivar estes ideais. **4.** Profissão ou prática de ensinar.
pedagógico. [Do gr. *paidagogikós.*] *Adj.* **1.** Da, ou respeitante à pedagogia: *métodos pedagógicos; Sua exposição é perfeitamente pedagógica.* **2.** Conforme a pedagogia.
pedagogismo. [De *pedagogo* + *-ismo.*] *S. m.* **1.** Sistema ou processo dos pedagogos. **2.** Exclusivismo no que se refere à pedagogia. **3.** Aplicação indiscriminada de doutrinas pedagógicas, sem base experimental ou científica.
pedagogista. *S. 2 g.* **1.** Especialista em pedagogia. **2.** Pesquisador e divulgador de assuntos de educação e ensino.
pedagogo (ô). [Do gr. *paidagogos*, pelo lat. *paedagogu.*] *S. m.* **1.** Aquele que aplica a pedagogia, que ensina; professor, mestre, preceptor. **2.** Prático da educação e do ensino. **3.** *Fam.* Aquele que se julga com o direito de censurar os outros.
pé-d'água. *S. m. Bras.* V. *aguaceiro* (1). [Pl.: *pés-d'água.*]
pedal. [Do lat. *pedale.*] *S. m.* **1.** No piano, cada uma das alavancas de metal sobre as quais o executante apóia os pés, quer para suspender a ação dos abafadores e permitir que todas as cordas vibrem livremente (pedal direito ou dos abafadores), quer para diminuir a intensidade dos sons (pedal esquerdo ou surdina). **2.** Cada uma das alavancas de metal colocadas no soco da harpa, que acionam o mecanismo interior e permitem ao executante fazer as alterações. **3.** Cada uma das sapatas que acionam os foles dos harmônios. **4.** No órgão, cada uma das teclas que formam a pedaleira. **5.** *Mús.* Em harmonia, um ou mais sons que fazem obrigatoriamente parte de um acorde e se sustentam ou se repetem com persistência por dois, três ou mais compassos, e até por toda uma peça musical. [Geralmente esse som está no registro grave, e quase sempre é a tônica (*pedal de tônica*), ou a dominante (*pedal de dominante*) ou de ambas (*duplo pedal*), e pode conter ornamentos, pulos de oitava, etc.] **6.** Peça mecânica de comando ou de transmissão, que é acionada com o pé: *pedal de bicicleta, de automóvel, de máquina de costura.* ♦ **Pedal de dominante.** *Mús.* V. *pedal* (5). **Pedal de tônica.** *Mús.* V. *pedal* (5). **Duplo pedal.** *Mús.* V. *pedal* (5).
pedalada. *S. f.* Cada impulso que se imprime ao pedal.
pedalagem. *S. f.* Ato de pedalar.
pedalar. *V. t. d.* **1.** Mover ou acionar o pedal de: "janto com Hubert e sua esposa, uma senhora franzina .... que esta tarde vi pelas ruas de Claremont *pedalando* bravamente a sua bicicleta" (Érico Veríssimo, *A Volta do Gato Preto*, p. 298). *Int.* **2.** Mover os pedais de qualquer máquina: "Parece-me vê-la ainda à sua máquina de costura, as pernas *pedalando* com cadência" (Reginaldo Guimarães, *Uma Blusa no Cais*, p. 45). **3.** Andar de bicicleta.
pedaleira. [De *pedal* + *-eira.*] *S. f. Mús.* Mecanismo semelhante a um teclado de madeira, colocado na parte inferior do consolo do órgão, ou na parte dianteira inferior do cravo, e acionado pelos pés do executante. [Tb. foi aplicado, mas sem continuidade, a certos pianos.]
pedaleiro. *S. m.* O conjunto dos pedais dos velocípedes, que compreende todo o maquinismo que lhes diz respeito.
pedaliácea. *S. f.* Espécime das pedaliáceas.
pedaliáceas. *S. f. pl. Bot.* Família de plantas superiores, da ordem das tubifloras, cujas vistosas flores são zigomorfas e levam androceu didínamo, têm o ovário bilocular ou quadrilocular, e fruto capsular ou drupáceo. São plantas herbáceas de folhas opostas, das quais há umas 60 espécies, sobretudo tropicais, poucas brasileiras.
pedaliáceo. *Adj.* Pertencente ou relativo às pedaliáceas.
pedalinérveo. [Do lat. *pedale*, 'pedal', + *-i-* + *-nerve-* + *-eo.*] *Adj. Bot.* Diz-se das folhas em que a base do limbo lança duas ou mais nervuras principais muito divergentes, tendo cada uma delas nervuras secundárias, paralelas entre si.
pedalinho. [Dim. de *pedal.*] *S. m. Bras.* Pequeno barco movido a pedais.
pedâneo. [Do lat. *pedaneu.*] *Adj.* **1.** Dizia-se dos juízes que, nas vilas e aldeias, julgavam de pé. **2.** Não letrado.
pedantaria. *S. f.* V. *pedantismo.*
pedante. [Do it. *pedante.*] *Adj. 2 g.* **1.** Que se expressa exibindo conhecimentos que realmente não possui; parlapatão, impostor, vaidoso, pretensioso. **2.** Que ostenta erudição afetada e livresca; afetado, amaneirado, rebuscado. ● *S. 2 g.* **3.** Pessoa pedante.
pedantear. *V. int.* Alardear sabedoria que não se tem; mostrar-se pedante. [Conjug.: v. *frear.*]
pedanteria. *S. f.* V. *pedantismo.*
pedantesco (ê). [Do it. *pedantesco.*] *Adj.* Em que há, ou que revela pedantismo; enfático: *linguagem pedantesca.*
pedantice. *S. f.* V. *pedantismo.*
pedantismo. *S. m.* Qualidade, ato, dito ou maneiras de pedante; pedantaria, pedanteria, pedantice.
pedantocracia. [De *pedante* + *-o-* + *-cracia.*] *S. f.* Governo ou influência do pedantismo ou das mediocridades ambiciosas.
pedantocrata. *Adj. 2 g.* e *s. 2 g.* Que ou quem pertence à pedantocracia.
pedantocrático. *Adj.* Referente à pedantocracia.
pedarquia. [De *ped(o)-* + *-arca-* + *-ia.*] *S. f.* Governo de crianças.
pedárquico. *Adj.* Relativo à pedarquia.
pedartículo. [De *ped(i)-* + *artículo.*] *S. m. Anat. P. us.* V. *pododáctilo.*
▲**pedati-.** [Do lat. *pedatus.*] *El. comp.* = 'que tem pés', 'peciolado': *pedatífido, pedatíssecto.*
pedatífido. [De *pedati-* + *-fido.*] *Adj. Morfol. Veg.* ~V. *folha —a.*
pedatinérveo. [De *pedati-* + *-nerv(e)-* + *-eo.*] *Adj. Morfol. Veg.* Que tem nervuras dispostas, de ambos os lados da folha, de maneira cimosa, lembrando uma folha pedada.
pedatipartido. [De *pedati-* + *partido.*] *Adj. Morfol. Veg.* ~ V. *folha —a.*
pedatissecto. [De *pedati-* + *-secto.*] *Adj. Morfol. Veg.* ~ V. *Folha —a.*
pedatrofia. [De *ped(o)-* + *atrofia.*] *S. f. Patol.* V. *atrepsia* (1).
pedauca. [Do fr. *Pédauque.*] *S. f.* Figura de mulher, com pés de pata, que se encontra nalguns monumentos medievais e representava, segundo se dizia, a rainha Berta, mãe de Carlos Magno.
▲**-pede.** V. *pedi-.*
pé-de-alferes. *S. m. Fam.* V. *namoro* (1): "De noite, no baile, começaram de *pé-de-alferes*. O cabra bebeu além da conta e andou tomando adiantamentos com a mulatinha." (M. Cavalcanti Proença, *Manuscrito Holandês*, p. 80.) ♦ **Fazer pé-de-alferes a.** V. *namorar* (1). [Pl.: *pés-de-alferes.*]

pé-de-altar. *S. m.* Rendimento que os párocos auferem dos casamentos, batizados, enterros, etc. [Pl.: *pés-de-altar.*]

pé-de-amigo. *S. m. Bras., S.* Peia que prende o animal por três pés (as mãos e um pé), impedindo o coice. [Pl.: *pés-de-amigo.*]

pé-de-anjo. *S. m. Bras.* Tênis (2) branco. [Cf. *pé de anjo.* pl.: *pés-de-anjo.*]

pé-de-atleta. *S. f. Patol.* Micose superficial crônica da pele do(s) pé(s), devida a espécies dos fungos *Trichophyton, Epidermophyton floccosum* ou *Candida albicans.* [Pl.: *pés-de-atleta.*]

pé-de-banco. *S. m. Bras.* Lugar raso em canal de rio navegável. [Pl.: *pés-de-banco.*]

pé-de-bezerro. *S. m. Bras.* V. *taioba* (1). [Pl.: *pés-de-bezerro.*]

pé-de-bode. *S. m. Bras., N.E.* e *MG.* Sanfona de oito baixos. [Pl.: *pés-de-bode.*]

pé-de-boi. *S. m.* **1.** Pessoa aferrada a costumes antigos, que desdenha inovações. **2.** *Bras.* Pessoa muito trabalhadora, cumpridora das suas obrigações: "Teresa era ainda um *pé-de-boi* no trabalho, e ele também dava conta de um bom eito." (Guido Vilmar Sassi, *São Miguel,* p. 29.) **3.** V. *mororó* (1). [Pl.: *pés-de-boi.*]

pé-de-burro. *S. m. Bras., N.E. Pop.* Fumo de qualidade inferior. [Pl.: *pés-de-burro.*]

pé-de-cabra. *S. m.* **1.** Alavanca de ferro cuja extremidade é fendida à semelhança de um pé de cabra. [Sin. (bras., RJ): *truncha.*] **2.** *Bras. Pop.* V. *diabo* (2). **3.** Salsa-da-praia. [Pl.: *pés-de-cabra.*]

pé-de-cachorro. *S. m.* **1.** *Bras., ES.* Indivíduo reles, sem importância. **2.** *Bras.* Moça feia ou pouco atraente. [Pl.: *pés-de-cachorro.*]

pé-de-cana. [De *pé* + *de* + *cana*[1].] *S. m. Bras. Pop.* V. *ébrio* (8). [Pl.: pés-de-cana.]

pé-de-carneiro. [De *pé* + *de* + *carneiro*[1].] *S. m.* **1.** *Constr. Nav.* Qualquer peça ou parte da estrutura de uma embarcação que tenha forma de coluna. **2.** Rolo pé-de-carneiro. [Pl.: *pés-de-carneiro.*]

pé-de-chinelo. *S. m. Bras. Gír.* **1.** V. *pé-de-poeira* (2). **2.** Marginal (6) pouco perigoso: "Os ladrões, considerados pela polícia paulista como *pés-de-chinelo* (sem importância) foram detidos" (*Correio da Manhã,* 26.3.1971). **3.** Bunda-mole. [Pl.: *pés-de-chinelo.*]

pé-de-chumbo. *S. m.* **1.** Indivíduo grosseiro, pesado. **2.** *Bras.* V. *galego* (4). **3.** *Bras.* V. *cardeal* (4). **4.** *Bras.* Pessoa que não progride na vida, apesar de tudo lhe ser favorável; zé-ninguém. [Pl.: *pés-de-chumbo.*]

pé-de-escada. *S. m. Bras., PE.* Pequeno estabelecimento ou negócio instalado ao pé de uma escada. [Pl.: *pés-de-escada.*]

pé-de-galinha. *S. m.* **1.** Conjunto de rugas no canto externo dos olhos. **2.** *Encad.* Rugas que ficam num ângulo do caderno por defeito de dobragem. **3.** *Bras.* V. *capim-de-burro.* **4.** *Bras. Constr. Nav.* qualquer peça ou parte da estrutura de uma embarcação constituída de dois ou três braços (ou hastes) convergentes, e destinada a sustentar um eixo, haste, etc. [Pl.: *pés-de-galinha.*]

pé-de-galo. [De *pé* + *de* + *galo*[1].] *S. m.* Lúpulo (1). [Pl.: *pés-de-galo.*]

pé-de-gancho. *S. m. Bras.* V. *diabo* (2). [Pl.: *pés-de-gancho.*]

pé-de-garrafa. *S. m. Bras.* Personagem mitológico, invisível, mas reconhecível pelo rastro semelhante ao fundo de uma garrafa, o qual aos gritos, que se vão amiudando e afinal parecem partidos de todas as direções, angustia e desorienta os caçadores na floresta, que não conseguem encontrar o caminho de volta. [Pl.: *pés-de-garrafa.*]

pé-de-gato. *S. m. Bras.* Erva da família das compostas (*Antennaria dioica*), proveniente da Europa e Ásia, inteiramente recoberta de pilosidade alvacenta, que tem folhas espatuladas, flores tubulosas, unissexuais e ordenadas em capítulos solitários, e não é espécie vistosa. [Pl.: *pés-de-gato.*]

pé-de-meia. [De *pé* + *de* + *meia*[1].] *S. m.* Mealheiro, pecúlio, economias. [Pl.: *pés-de-meia.*]

pé-de-mesa. *S. m. Bras. Chulo.* **1.** Membro viril muito avantajado. **2.** Indivíduo que o tem: "o morenaço, o bonitão, com certeza um *pé-de-mesa*" (Jorge Amado, *Dona Flor e Seus Dois Maridos,* p. 389). [Pl.: *pés-de-mesa.*]

pé-de-moleque. [De *pé* + *de* + *moleque*[1].] *S. m.* **1.** *Bras.* Doce de consistência sólida, feito com açúcar ou rapadura e fragmentos de amendoim torrado: "Tabuleiros de negras velhas .... se estendiam em frente ao circo, vendo-se sobre os panos brancos .... bolinhos de frango, amendoim, *pé-de-moleque,* e mil guloseimas amontoadas em ordem." (Cornélio Pires, *Quem Conta um Conto...,* p. 100.) **2.** *Bras., N.E.* Bolo preparado com a massa de mandioca, fubá, coco e açúcar. **3.** *Bras., MG, RJ* e *C.O.* Calçamento feito com pedras de formato irregular: "Em ruas de Parati, calçadas com *pés-de-moleque,* escorrem filetes de água preta, suja." (*Jornal do Brasil,* 24.1.1982.) [Pl.: *pés-de-moleque.*]

pé-de-negro. *S. m. Bras., MG.* Broa de fubá assada no borralho e envolvida em folhas verdes de bananeiras. [Pl.: *pés-de-negro.*]

pé-de-oiro. *S. m. Bras.* Var. de *pé-de-ouro.* [Pl.: *pés-de-oiro.*]

pé-de-ouro. *S. m. Bras. Fig.* Pé-de-valsa. [Var.: *pé-de-oiro.* Pl.: *pés-de-ouro.*]

pé-de-ouvido. *S. m. Bras., SP.* Murro no pé do ouvido. [Pl.: *pés-de-ouvido.*]

pé-de-parede. *S. m. Bras., N.E.* Jogo de aposta entre meninos, no qual um níquel é atirado ao pé de uma parede, ganhando o parceiro que o puser mais perto dela. [Pl.: *pés-de-parede.*]

pé-de-pato. [De *pé* + *de* + *pato*[1].] *S. m.* **1.** *Bras. Pop.* V. *diabo* (2). **2.** *Bras.* Calçado de borracha, em forma de pé de pato, que os nadadores e mergulhadores adaptam aos pés para se deslocarem com rapidez maior dentro da água; nadadeira. [Pl.: *pés-de-pato.*]

pé-de-pau. *S. f. Bras.* Abelha da família dos meliponídeos (*Melipona nigra* Lep.). [Pl.: *pés-de-pau.* Cf. *pé de pau.*]

pé-de-pavão. *S. m. Bras.* **1.** Pé feio ou aleijado. **2.** *Fig.* Defeito físico, que aquele que o tem procura ocultar. [Pl.: *pés-de-pavão.*]

pé-de-peia. *S. m. Bras. N.E. Pop.* V. *diabo* (2). [Pl.: *pés-de-peia.*]

pé-de-poeira. *S. m.* **1.** *Bras., N.E.* **1.** Alcunha de soldado da infantaria. **2.** Indivíduo de ínfima condição social; plebeu; pé-de-chinelo. [Pl.: *pés-de-poeira.*]

pé-de-rabo. *S. m. Bras., N.E. Chulo.* Nádegas, ancas, traseiro, rabo; "escorregava-lhe a mão pelos quartos amplos, com um piscar cínico: — Isto é que é um *pé-de-rabo,* menino!" (Moreira Campos, Portas Fechadas, p. 247.)

pederasta. [Do gr. *paiderastés.*] *S. m.* Aquele que é dado à pederastia. [Sin., bras., N.: *tobeiro.*]

pederastia. [Do gr. *paiderastía.*] *S. f.* **1.** Contato sexual entre um homem e rapaz bem jovem. **2.** *P. ext.* Homossexualismo masculino. [Cf., nesta acepç.: *uranismo* (2).]

pederástico. *Adj.* Relativo à pederastia, ou a pederasta(s).

pedernal. [Do gr. *pétrinos,* pelo lat. *petrinu,* 'pétreo,' + -al.] *S. m.* **1.** V. *pederneira.* **2.** Veio de pederneira. **3.** Rocha viva. ● *Adj. 2 g.* **4.** Relativo a pedra; pétreo.

pederneira. [Do lat. vulg. *petrinariu.] *S. f.* Pedra muito dura, que produz faíscas, quando ferida com um fragmento de aço; sílex, pedernal, pedra-de-fogo: "E estendendo-se ao pé duma azinheira / Petiscava o fuzil na *pederneira*" (Conde de Monsaraz, *Musa Alentejana,* p. 105).

pederneirense. *Adj. 2 g.* **1.** De, ou pertencente ou relativo a Pederneiras (SP). ● *S. 2 g.* **2.** Natural ou habitante de Pederneiras.

pedessista. *Adj. 2 g.* **1.** Relativo ao, ou que é partidário ou simpatizante do PDS (Partido Democrático Social). ●*S. 2 g.* **2.** Partidário ou simpatizante do PDS.

pedestal. [Do it. *piedistallo.*] *S. m.* **1.** Peça de pedra, de metal, ou de madeira, que sustenta uma estátua, uma coluna, etc.; base. **2.** Soco, supedâneo, peanha. **3.** V. *plinto* (2).

pedestre. [Do lat. *pedestre.*] *Adj. 2 g.* **1.** Que anda ou se acha a pé. **2.** Que se faz a pé. **3.** *Fig.* Humilde, modesto. ~ V. *estátua* —. ● *S. 2 g.* **4.** Pessoa que anda a pé; peão. ● *S. m.* **5.** *Bras., S.* Soldado de polícia do Rio de Janeiro antigo: "Com o fim de manter a ordem, um ou mais *pedestres,* munidos de grossas chibatas, guarneciam a ronda" (Melo Morais Filho, *Festas e Tradições Populares do Brasil,* p. 173). **6.** *Bras., S.* Peão (2).

pedestrianismo. [Do ingl. *pedestrianism.*] *S. m.* Esporte que consiste em grandes marchas a pé.

pedetista. *Adj. 2 g.* **1.** Relativo ao, ou que é partidário ou simpatizante do PDT (Partido Democrático Trabalhista). ● *S. 2 g.* **2.** Partidário ou simpatizante do PDT.

pé-de-valsa. *S. m. Bras. Fam.* Dançarino consumado; pé-de-ouro: "fora emérito dançarino, *pé-de-valsa* conhecido nos seus tempos de Pensão Monte Carlo" (Jorge Amado, *Os Velhos Marinheiros,* p. 255). [Pl.: *pés-de-valsa.*]

pé-de-vento. *S. m.* **1.** Ventania repentina, de curta duração. **2.** *Bras.* Vento forte; tufão, furacão. [Pl.: *pés-de-vento.*]

ped(i)-. [Do lat. *pes, pedis.*] *El. comp.* = 'pé': *pediforme; pedímano.* [Equiv.: *pedo-*[1] e *-pede: pedômetro; flabelípede.*]

▲-pedia. [Do gr. *paidéia, as.*] *El. comp.* = 'educação', 'correção': *ortopedia.*

pediatra. [De *ped(o)-* + *-iatra.*] *S. 2 g.* Médico especialista em pediatria.

pediatria. [De *ped(o)-* + *-iatria.*] *S. f.* Ramo da medicina que se ocupa das doenças das crianças em todos os seus aspectos.

pediátrico. *Adj.* Referente à pediatria.

pedicelado. *Adj. Morfol. Veg.* Dotado de pedicelo: *flor pedicelada.* [Opõe-se a *séssil* (3).]

pedicelária. [De *pedicelo* + *-ária.*] *S. f.* Pequeno órgão provido de glândulas de peçonha, que nos asteróides é séssil e termina em dois ramos em forma de pinça, às vezes sem glândulas peçonhentas, e nos equinóides é pedunculado e com três ramos terminais.

pedicelo. [Do lat. *pedicellu.*] *S. m. Morfol. Veg.* Haste que sustenta a flor.

pediculado. *Adj.* **1.** *Morfol. Veg.* Provido de pedículo (1) [q. v.]: *esporângio pediculado.* **2.** Pertencente ou relativo aos pediculados. ● *S. m.* **3.** Espécime dos pediculados.

pediculados. *S. m. pl. Zool.* Peixes neopterígios, da ordem *Pediculati,* com a primeira nadadeira dorsal cefálica, as nadadeiras ventrais jugulares ou ausentes, aberturas branquiais muito reduzidas, atrás da base da peitoral. São peixes de profundidade.

pediculídeo. [Do lat. *pediculu,* 'pedículo', + *-ídeo.*] *S. m.* **1.** Espécime dos pediculídeos. ● *Adj.* **2.** Pertencente ou relativo a eles.

pediculídeos. *S. m. pl. Zool.* Família de insetos da ordem dos anopluros. São os piolhos mais conhecidos, como o da cabeça e o do corpo do homem, *Pediculus humanus* Lin., cujos ovos, denominados *lêndeas,* se fixam nos cabelos ou nas costuras das roupas. Hematófagos, podem transmitir doenças, entre elas o tifo exantemático.

pedículo. [Do lat. *pediculu.*] *S. m.* **1.** *Morfol. Veg.* Qualquer haste que sustenta um órgão ou parte vegetal que não seja folha, flor e inflorescência. [Assim, não é lícito confundir *pecíolo, pedicelo* e *pedúnculo — entre si e com pedículo.* Cf. *pedúnculo.*] **2.** *Patol.* Porção afilada de um tumor ou neoformação, que serve de elemento de implantação numa formação anatômica. **3.** *Anat.* Conjunto, em número variável, formado por vasos e nervos que fornecem, total ou parcialmente, vascularização e inervação a um órgão. [Em certos órgãos (p. ex., o rim), o conjunto inclui, também, canal especial, pelo qual escoa produto elaborado por esse órgão.] **4.** *Anat.* Numa vértebra, cada uma de duas porções, uma de cada lado, que unem, ambas, a massa apofisária ao corpo vertebral. **5.** *Cir.* Porção de órgão a qual contém vasos destinados a assegurar a circulação sanguínea em órgão transplantado.

pediculose. *S. f. Patol.* **1.** Infestação por anopluros de gênero *Pediculus* [v. *pediculídeos*]. **2.** Cada uma das manifestações mórbidas determinadas, em certas partes do corpo, pela pediculose (1).

pedicuro. [Do fr. *pédicure.*] *S. m.* **1.** Aquele que se dedica aos cuidados ou embelezamento dos pés. **2.** Calista.

pedida. [De *pedido.*] *S. f.* **1.** A carta que cada jogador vai pedindo, em certos jogos de azar. **2.** *Bras. Pop.* Sugestão, indicação, providência ou pedido considerado conveniente, oportuno, satisfatório: — *Que é que vai comer? Polvo? Boa pedida!; A alteração no trânsito foi uma boa pedida.*

pedido. [Do lat. *petitu.*] *S. m.* **1.** Ato de pedir; solicitação. **2.** A coisa pedida. **3.** V. *rogo* (1). **4.** Pedido de casamento. **5.** Solicitação de compra; encomenda. **6.** Procura de mercadoria: *A fábrica fechou por falta de pedidos.* ● *Adj.* **7.** Rogado, solicitado, suplicado. ~ V. *missa* —a.

pedidor (ô). [Do lat. *petitore.*] *Adj.* **1.** Que pede; pedinte. ● *S. m.* **2.** Aquele que pede; pedinte, peticionário.

pediforme. [De *ped(i)-* + *-forme.*] *Adj. 2 g.* Que tem forma de pé.

pedigolho (ô). [Var. de *pedigonho.*] *S. m.* V. *pedinchão* (2).

pedigonho. *S. m.* V. *pedinchão* (2).

➧pedigree (pèdigrí). [Ingl.] *S. m.* Registro de uma

linha de ancestrais (de cachorros ou de cavalos, sobretudo).

pedilúvio. [De *ped(i)-* + lat. *luvio* < *luere*, 'lavar', à maneira de dilúvio e outros voc.] *S. m.* Banho dos pés.

pedímano. [De *ped(i)-* + *-mano.*] *Adj.* e *s. m.* V. *didelfídeo.*

pedímanos. [Pl. de *pedímano.*] *S. m. pl. Zool.* V. *didelfídeos.*

pedimento. [De *pedir* + *-mento.*] *S. m.* Petição, súplica.

pedincha. [Dev. de *pedinchar.*] *S. f.* **1.** Ato de pedinchar. ● *S. 2 g.* **2.** *Bras.* V. *pedinchão* (2). ● *Adj. 2 g.* **3.** *Bras., S.* V. *pedinchão* (1).

pedinchão. *Adj.* **1.** Que pedincha; pedincha. ● *S. m.* **2.** Aquele que pedincha. [Sin., nesta acepç.: *pedintão, pedigolho, pedigonho, pidão, pidonho* e (bras., S.) *pedincha, gandulo.* Fem.: *pedinchona.*]

pedinchar. [De *pedir.*] *V. t. d.* e *int.* Pedir com impertinência ou lamúria; pedir muito: "Tinha por todas as crianças a mesma ternura: eram entes fracos que não se sabiam defender, como os velhinhos que tremem no vão das portas, pedinchando esmolas" (Coelho Neto, *Obra Seleta,* I, p. 748); *Habituou-se a pedinchar.*

pedincharia. [De *pedinchar* + *-ia.*] *S. f.* V. *pedinchice.*

pedincheira. [De *pedinchar* + *-eira.*] *S. f. Bras.* V. *pedinchice.*

pedinchice. [De *pedinchar* + *-ice.*] *S. f.* **1.** Hábito de pedinchar. **2.** Ato de pedinchar continuamente. [Sin. ger.: *pedincharia* e (bras.) *pedincheira.*]

pedinchona. *Adj. (f.)* e *s. f.* Fem. de *pedinchão* [q. v.].

pedinornito. [Do gr. *pedinós,* 'que habita a planície', + gr. *órnis, ithos,* 'ave'.] *Adj. Zool.* Diz-se das aves que vivem nas planícies.

pedintão. [De *pedinte* + *-ão*[1].] *S. m.* V. *pedinchão* (2). [Fem.: *pedintona.*]

pedintaria. *S. f.* A classe dos pedintes; mendicidade.

pedinte. [Do lat. *petiente,* atr. de um **petinte.*] *Adj. 2 g.* **1.** Que pede; pedidor. **2.** Que mendiga. ● *S. 2 g.* **3.** Pessoa que pede; pedidor. **4.** Pessoa que mendiga. [Aum.: *pedinchão* e *pedintão.*]

pedintona. *S. f.* V. *pedintão.*

▲**pedio-.** [Do gr. *pedíon, ou.*] *El. comp.* = 'plano', 'planície': *pediopatia, pediônomo.*

pediônomo. [De *pedio-* + raiz alter. do gr. *némonai,* 'habitar'.] *Adj. Zool.* Que vive nos campos.

pediopatia. [De *pedio-* + *-pat-* + *-ia.*] *S. f. Med.* Perturbação resultante de ação da terra, do solo, do lugar onde o paciente permaneceu, atuando ou repousando.

pediopático. *Adj.* Relativo à pediopatia.

pedioso (ô). [De *ped(i)-* + *-oso.*] *Adj. Anat.* Relativo ou pertencente ao pé.

pedipalpo. [De *ped(i)-* + lat. *palpu,* 'carícia (palpo)'.] *S. m.* **1.** Espécime dos pedipalpos. ● *Adj.* **2.** Pertencente ou relativo a eles.

pedipalpos. *S. m. pl. Zool.* Artrópodes aracnídeos, da ordem *Pedipalpi.* Têm o abdome segmentado, preso ao cefalotórax por um pedículo, quelíceras bissegmentadas, patas anteriores às vezes extraordinariamente alongadas, e dois pares de pulmões. São noturnos, e algumas espécies cavernícolas.

pedir. [Do lat. ** petire,* por *petere.*] *V. t. d.* **1.** Rogar que conceda; solicitar: *pedir um emprego; pedir perdão.* **2.** Suplicar, implorar. **3.** Exigir, reclamar: *A dureza do júri pedia a condenação do réu.* **4.** Requerer, demandar: *pedir satisfações; O assunto pedia discrição absoluta.* **5.** Querer, necessitar: *Sua fome pede uma lauta refeição.* **6.** Impelir para; induzir a clamar por: *A grande injustiça pedia vingança.* **7.** Solicitar em casamento; pedir a mão de. *T. d.* e *i.* **8.** Rogar; solicitar: *Peço-lhe este favor.* **9.** Suplicar, implorar; rogar: "Encerra em ti tua tristeza inteira. / E pede humildemente a Deus que a faça / Tua doce e constante companheira..." (Manuel Bandeira, *Estrela da Vida Inteira,* p. 46.) **10.** Exigir, reclamar: "O cristianismo pede o máximo ao homem, que em geral só quer dar o mínimo." (Murilo Mendes, *O Discípulo de Emaús,* p. 89.) *T. i.* **11.** Exigir como preço do que vende; pôr como preço: *Pede meio milhão pelo apartamento.* **12.** Fazer pedido (por outrem); interceder: *Egoísta, não pede por ninguém.* *Int.* **13.** Fazer pedidos, súplica, solicitação: "entre a turba Hipérides assoma, / Defende-lhe a inocência, exclama, exora, pede, / Suplica, ordena, exige..." (Olavo Bilac, *Poesias,* p. 78.) *Tem a mania de pedir.* **14.** Rogar a Deus; orar. [Irreg. Pres. ind.: *peço, pedes, pede, pedimos, pedis, pedem;* pres. subj.: *peça, peças, peça, peçamos, peçais, peçam.*]

pé-direito. *S. m.* **1.** Altura livre de um andar de edifício, medida do piso ao teto: "Larga escadaria dava acesso a esse apartamento, no primeiro andar, abrindo numa antecâmara ligada à sala de jantar, de pé-direito muito alto" (Melo Nóbrega, *O Soneto de Arvers,* p. 15). **2.** Pilar ou muro sobre o qual assenta um arco, uma abóbada, ou uma armação de madeira ou de cantaria: "os pés-direitos, transformados em colunas agrupadas, atiravam-se para o alto a sustentar o peso formidável das arcadas em místico trifólio." (Inglês de Sousa, *O Missionário,* p. 185). **3.** *Bras.* Partes laterais de uma *lapa*[1] (4). [Pl.: *pés-direitos.*] ◆ **Pé-direito de abóbada.** *Arquit.* V. *encontro*[1] (7).

peditório. [Do lat. *petitoriu.*] *S. m.* **1.** Ato de pedir a várias pessoas, para fins de caridade, religião, ou outros. **2.** Súplica insistente e repetida.

▲**pedo-**[1]. V. *ped(i)-.*

▲**pedo-**[2]. [Do gr. *pédon, ou.*] *El. comp.* = 'solo': *pedologia.*

▲**ped(o)-.** [Do gr. *pais, paidós.*] *El. comp.* = 'criança': *pediatra, pedófobo.*

pedofilia. *S. f.* Qualidade ou sentimento de pedófilo.

pedófilo. [Do gr. *paidóphilos.*] *Adj.* e *s. m.* Que ou aquele que gosta de crianças.

pedofobia. [De *ped(o)-* + *-fob(o)-* + *-ia.*] *S. f.* Aversão às crianças.

pedofóbico. *Adj.* Relativo à pedofobia.

pedófobo. [De *ped(o)-* + *-fobo.*] *Adj.* e *s. m.* Que, ou aquele que tem aversão às crianças.

pedologia[1]. [De *ped(o)-* + *-log(o)-* + *-ia.*] *S. f.* Estudo natural e integral da criança, sob o aspecto biológico, o antropológico e o psicológico.

pedologia[2]. [De *pedo-*[2] + *-log(o)-* + *-ia.*] *S. f.* Edafologia.

pedológico[1]. *Adj.* Relativo à pedologia[1].

pedológico[2]. *Adj.* Relativo à pedologia[2]; edafológico.

pedólogo[1]. *S. m.* Especialista em pedologia[1].

pedólogo[2]. *S. m.* Edafólogo.

pedometria. *S. m.* Emprego do pedômetro.

pedométrico. *Adj.* Referente à pedometria.

pedômetro. [De *pedo-*[1] + *-metro.*] *S. m.* Instrumento com que se contam os passos de quem marcha; conta-passos.

pedotrofia. [De *ped(o)-* + *-trof(o)-* + *-ia.*] *S. f.* Parte da higiene que se ocupa da nutrição de crianças.

pedotrófico. *Adj.* Relativo à pedotrofia.

pedótrofo. *S. m.* Indivíduo que ensina e/ou pratica a pedotrofia.

pedra. [Do gr. *pétra,* pelo lat. *petra.*] *S. f.* **1.** Matéria mineral dura e sólida, da natureza das rochas: *bloco de pedra; encosta de pedra.* **2.** Fragmento dessa matéria: *as pedras de um rio, de um caminho.* **3.** Qualquer variedade dessa matéria: *uma pedra calcária; uma pedra de ágata.* **4.** Essa matéria, usada para um fim particular: *casa de pedra; panela de pedra.* **5.** Montanha de pedra; rocha, rochedo: *escalar uma pedra.* **6.** Lápide sepulcral. **7.** Pedra preciosa, ou falsa, usada em joalheria: *Caiu a pedra do anel.* **8.** Retângulo de ardósia com moldura, usado (raramente, hoje) para nele se escrever. **9.** *P. ext.* V. *quadro* (5). **10.** Pedaço de qualquer substância sólida e dura: *uma pedra de sal; uma pedra de sabão; uma pedra de gelo.* **11.** As pedras de gelo do granizo: *Ontem choveu pedra.* **12.** Peça dos jogos de tabuleiro: *pedra de gamão.* **13.** No charadismo, v. *chave* (10). **14.** *Litogr.* V. *pedra litográfica.* **15.** *Bot.* Corpo duro que se forma no mesocarpo dos frutos. **16.** *Constr.* Fragmento de rocha de diâmetro máximo compreendido entre 7,6 cm e 25 cm. **17.** *Med.* Concreção calcária que se forma na bexiga, nos rins, etc. **18.** *Bras.* Caneco de chope. **19.** *Bras., BA.* Diamante grande. **20.** *Bras., BA.* Número sorteado no jogo do bicho. **21.** *Fig.* Pessoa muito estúpida, bem pouco inteligente: *Este menino nada aprende, é uma pedra!* **22.** O que é duro, insensível, empedernido: *coração de pedra; olhar de pedra.* ~ V. *pedras.* ◆ **Pedra afeiçoada.** *Constr.* Pedra trabalhada para um determinado fim. [Cf. *pedra aparelhada.*] **Pedra alectória.** A que se pensava existir no fígado ou na moela dos galos, e da qual se contavam prodígios. **Pedra amarroada.** *Constr.* Pedra-de-mão. **Pedra angular.** **1.** A fundamental, que faz ângulo de um edifício. **2.** *Fig.* Base, fundamento. **Pedra aparelhada.** *Constr.* Pedra afeiçoada [q. v.], com uma ou mais faces regularizadas de modo especial. **Pedra britada.** *Constr.* Brita. **Pedra de amolar.** Quartzito ou arenito de cimento silicoso duro, ou outra pedra de características similares, usados para afiar instrumentos cortantes. **Pedra de ara.** Pedra sagrada do centro do altar: "... Já Cristo baixou do céu à pedra de ara do altar." (Antero de Figueiredo, *Toledo,* p. 82.) **Pedra de brunir.** *Encad.* V. *brunidor de ágata.* **Pedra de cantaria.** Pedra trabalhada para construção. [Tb. se diz apenas *cantaria.*] **Pedra de escândalo.** Pessoa ou coisa que é motivo de escândalo ou discórdia. **Pedra de toque.** **1.** Jaspe ou qualquer outra pedra dura e escura empregada pelos joalheiros para avaliar a pureza dos metais. **2.** *Fig.* Meio de avaliar, de aferir:"A pedra de toque do poder e força de interpretação das realidades (que outra cousa não é o gênio poético), essa pedra de toque é a poesia da natureza." (Antero de Quental, *Prosas,* I, p. 378.) **Pedra dos orixás.** *Bras., BA.* Assento (16). **Pedra filosofal.** **1.** Fórmula secreta que os alquimistas tentavam descobrir para transmudar metais comuns em ouro; adamo. [V. *alquimia.*] **2.** *Fig.* Coisa difícil de descobrir ou de realizar. **Pedra fina.** Pedra não preciosa que, por sua beleza e durabilidade, se usa em joalheria e bijuteria, sendo comumente qualificada de *semipreciosa.* **Pedra fundamental.** Pedra que é assentada, em geral com solenidade, para encerrar uma ata ou outros documentos, jornais do dia, moedas, etc., e que marca o início de uma construção; primeira pedra. **Pedra insossa.** A que entra sem argamassa na construção duma parede; pedra seca, pedra sossa. **Pedra lascada.** Pedra quebrada grosseiramente, e da qual se serviam os homens do período paleolítico. **Pedra litográfica.** *Litogr.* Calcário homogêneo, finamente granulado, amarelado ou acinzentado, composto quase só de carbonato de cálcio, e que se mostra especialmente apto para receber a preparação (3) destinada a transformá-lo em superfície impressora. [Tb. se diz apenas *pedra;* sin.: *calcário litográfico.*] **Pedra polida.** Pedra trabalhada que serviu, no período neolítico, para a fabricação de armas e utensílios. **Pedra preciosa.** Mineral de brilho e coloração especiais, valioso por sua raridade e dureza, e que se lapida para ser usado em joalheria; pedra, gema. [Algumas dessas pedras, como, p. ex., o rubi, a esmeralda, a safira, são símbolos de profissões.] **Pedra refratária.** Material natural ou artificial que resiste a alta temperatura. **Pedra rolada.** V. *seixo rolado.* **Pedra seca.** V. *pedra insossa.* **Pedra semipreciosa.** V. *pedra fina.* **Pedra sossa.** V. *pedra insossa.* **Botar uma pedra em cima de.** Pôr termo a (assunto ou questão desagradável, constrangedora); encerrar definitivamente; liquidar, enterrar; pôr uma pedra em cima de. **Com a pedra no sapato.** **1.** Acautelado, prevenido, de sorte que não se deixe empreender: *estar, ficar, andar com a pedra no sapato.* **2.** Desconfiado, receoso, suspeitoso. **Com quatro pedras na mão.** Com atitudes ou palavras agressivas; agressivamente. **De pedra e cal.** **1.** Muito seguro e unido: *O muro está de pedra e cal.* **2.** Firme em uma deliberação ou compromisso: *Continua irredutível, de pedra e cal.* **3.** Com absoluta certeza; seguramente, indubitavelmente: *Estarei às 10 horas em sua casa, de pedra e cal.* **Dormir como uma pedra.** Dormir profundamente. **E lá vai pedra.** V. *e lá vai fumaça: Tem 50 anos e lá vai pedra.* **Não deixar pedra sobre pedra.** Arrasar inteiramente; destruir. **Pôr uma pedra em cima de.** V. *botar uma pedra em cima de.* **Primeira pedra.** Pedra fundamental. **Ser de pedra.** Ser insensível, empedernido. **Ser uma pedra no sapato.** Ser um estorvo, um empecilho que incomoda constantemente. **Uma pedra no caminho.** *Fig.* Empecilho; obstáculo.

pedra-azulense. *Adj. 2 g.* **1.** De, ou pertencente ou relativo a Pedra Azul (MG). ● *S. 2 g.* **2.** Natural ou habitante de Pedra Azul. [Pl.: *pedra-azulenses.*]

pedra-braba. *S. 2 g. Bras., RS. Gír.* Pessoa má, traiçoeira. [Pl.: *pedras-brabas.*]

pedra-branquense. *Adj. 2 g.* **1.** De, ou pertencente ou relativo a Pedra Branca (CE e PB). ● *S. 2 g.* **2.** Natural ou habitante de Pedra Branca. [Pl.: *pedra-branquenses.*]

pedrada. *S. f.* **1.** Ato de arremessar uma pedra. **2.** Pancada com pedra. **3.** *Fig.* Insulto, ofensa. **4.** *Bras. Fut.* Cacetada (3). ◆ **E lá vai pedrada.** *Bras. Pop.* V. *e lá vai fumaça.*

pedra-d'água. *S. f.* Variedade de quartzo que contém ar e água. [Pl.: *pedras-d'água.*]

pedra-da-lídia. [De *pedra* + *da* + top. ant. *Lídia* (*Ásia Menor*).] *S. f.* Lidita. [Pl.: *pedras-da-lídia.*]

pedra-da-lua. *S. f.* Adulária. [Pl.: *pedras-da-lua.*]

pedra-das-amazonas. *S. f. Bras., Amaz.* V. *muiraquitã.* [Pl.: *pedras-das-amazonas.*]
pedra-de-fogo. *S. f.* V. *pederneira.* [Pl.: *pedras-de-fogo.*]
pedra-de-mão. [De *pedra* + *de* + *mão*[1].] *S. f. Constr.* Pedra bruta, quebrada a marrão, de dimensões tais que possa ser manuseada; pedra amarroada. [Pl.: *pedras-de-mão.*]
pedra-de-raio. *S. f.* **1.** V. *meteorito* (1). **2.** Sílex neolítico. **3.** *Bras.* Itá. [Pl.: *pedras-de-raio.*]
pedra-de-santana. [De *pedra* + *de* + *Sant'Ana.*] *S. f. Bras.* Entre os garimpeiros, pirita epigenizada em limonito. [Pl.: *pedras-de-santana.*]
pedrado. [De *pedra* + *-ado*[1].] *Adj.* **1.** Empedrado (1). **2.** V. *pedrês* (1).
pedra-do-pará. [De *pedra* + *do* + *top. Pará.*] *S. f. Bras.* V. *jacaré* (11). [Pl.: *pedras-do-pará.*]
pedra-do-sol. *S. f.* Oligoclasita com inclusões de hematita micácea. [Pl.: *pedras-do-sol.*]
pedra-e-cal. *S. m. Bras.* Prato rústico, mistura de arroz, feijão e carne seca: "Às cinco horas da manhã seguinte, estavam de pé e prontos para seguir caminho, já com um valente lastro de '*pedra-e-cal*', nome que dão os tropeiros a uma mistura de feijão, arroz e carne-seca" (J. M. Cardoso de Oliveira, *Dois Metros e Cinco*, p. 301).
pedra-ferro. *S. f.* **1.** *Bras.* O basalto. **2.** *Bras., SE.* Arenito silicificado muito duro. [Pl.: *pedras-ferros* e *pedras-ferro.*]
pedra-foguense. *Adj. 2 g.* **1.** De, ou pertencente ou relativo a Pedras de Fogo (PB). ● *S. 2 g.* **2.** Natural ou habitante de Pedras de Fogo. [Pl.: *pedra-foguenses.*]
pedra-ímã. *S. f.* Ímã natural; magnetita. [Pl.: *pedras-ímãs* e *pedras-ímã.*]
pedra-infernal. *S. f.* Nitrato de prata cristalizado que serve para cauterizar. [Pl.: *pedras-infernais.*]
pedral. *Adj. 2 g.* **1.** Relativo a pedra. **2.** V. *pedrês* (1). ● *S. m.* **3.** *Bras., Amaz.* Amontoado de rochas e pedras que embaraçam a navegação; pedraria.
pedra-lipes. [De *pedra* + top. *Lipes* (Bolívia).] *S. f.* O vitríolo azul (sulfato de cobre). [Pl.: *pedras-lipes.*]
pedralvense. *Adj. 2 g.* **1.** De, ou pertencente ou relativo a Pedralva (MG). ● *S. 2 g.* **2.** Natural ou habitante de Pedralva.
pedra-mármore. *S. f.* Mármore (3) polido: "Dona Genoveva repousou o ferro de engomar em cima da *pedra-mármore*, murmurando." (Reginaldo Guimarães, *Uma Blusa no Cais*, p. 60.) [Pl.: *pedras-mármores* e *pedras-mármore.*]
pedranceira. *S. f.* Monte de pedras: "Vi-me náufrago, retido para sempre num navio de pedra grudado como desconforme craca na *pedranceira* da ilhota." (Monteiro Lobato, *Urupês, Outros Contos e Coisas*, p. 11.)
pedra-olar. [De *pedra* + *olar*, hápax moldado em *ola*[2].] *S. f.* Variedade de talco mole e fácil de trabalhar. [Pl.: *pedras-olares.*]
pedra-pomes. [De *pedra* + lat. vulg. *pomice*, pelo láss. *pumice.*] *S. f.* **1.** Lava extremamente vesicular, cujo aspecto semelha o da espuma. **2.** Pedra seca, leve e porosa, para polir objetos e limpar ou amaciar a pele. [Pl.: *pedras-pomes.*]
pedraria. *S. f.* **1.** Porção de pedras de cantaria. **2.** Porção de pedras preciosas, ou de pedras que imitam estas: *um cinto de pedrarias.* [Nesta acepç. é us. geralmente no pl.] **3.** *Bras.* Pedral (3).
pedras. [Pl. de *pedra.*] *S. f. pl. Bras., RS.* V. *boleadeiras.* ~V. *pedra.*
pedra-sabão. *S. f. Bras.* Variedade de esteatita, muito usada em MG para esculturas e ornatos arquitetônicos: "Que relicário Congonhas! Aqueles profetas do Aleijadinho em *pedra-sabão* ao luar!" (Agripino Grieco, *Amigos e Inimigos do Brasil*, p. 292.) [Pl.: *pedras-sabões* e *pedras-sabão.*]
pedra-ume[1]**.** [Do lat. *petra*, 'pedra', + *alumen*, 'alume', com aglut. *(petralumen)* e, depois, sonorização, síncope desnasalação.] *S. f.* Designação popular do alume de alumínio e potássio. [Pl.: *pedras-umes.*]
pedra-ume[2]**.** *S. f. Bras., Amaz.* F. red. de *pedra-ume-caá.* [Pl.: *pedras-umes.*]
pedra-ume-caá. *S. f. Bras., Amaz.* Arvoreta da família das mirtáceas (*Myrcia sphaerocarpa*), amplamente distribuída por campos e capoeiras mais ou menos secos, cujas folhas são oblongas, obtusas, acuminadas, coriáceas, e têm sabor fortemente adstringente, e cujas flores e frutos são pequeninos. Admite-se que seja antidiarréica. [F. red.: *pedra-ume.* Pl.: *pedras-umes-caás* e *pedras-umes-caá.*]
pedra-verde. *S. f. Bras., Amaz.* V. *muiraquitã.* [Pl.: *pedras-verdes.*]
pedregal. *S. m.* Lugar onde há muitas pedras.
pedregoso (ô). *Adj.* Em que há muitas pedras. [Sin.: *pedrento, pedroso, lapidoso* e (bras.) *pedreguento.*]
pedreguento. *Adj. Bras.* V. *pedregoso.*
pedregulhense. *Adj. 2 g.* **1.** De, ou pertencente ou relativo a Pedregulho (SP). ● *S. 2 g.* **2.** Natural ou habitante de Pedregulho.
pedregulhento. *Adj.* Que tem muitos pedregulhos.
pedregulho. *S. m.* **1.** Pedra grande; penedo. **2.** *Bras.* Quantidade de pedras miúdas. **3.** *Bras.* Calhaus ou seixos que se tiram do fundo dos rios. **4.** *Constr.* Parte constituinte dos solos cujas partículas têm diâmetros compreendidos entre 4,8 mm e 76 mm.
pedreira. *S. f.* **1.** Rocha ou outro lugar de onde se extrai pedra. **2.** *Bras., SC.* Trecho muito pedregoso, em uma estrada.
pedreirense[1]**.** *Adj. 2 g.* **1.** De, ou pertencente ou relativo a Pedreira (SP). ● *S. 2 g.* **2.** Natural ou habitante de Pedreira.
pedreirense[2]**.** *Adj. 2 g.* **1.** De, ou pertencente ou relativo a Pedreiras (MA). ● *S. 2 g.* **2.** Natural ou habitante de Pedreiras.
pedreirinho. [Dim. de *pedreiro.*] *S. m.* Espécie de andorinha (*Cotyle riparia* Lin.).
pedreiro. [Do lat. *petrariu.*] *S. m.* **1.** Indivíduo que trabalha em obras de pedra e cal; alvanel. **2.** Antiga peça de artilharia que arremessava projetis de pedras; roqueira. **3.** *Bras.* V. *joão-de-barro.* **4.** *Bras.* V. *joão-bobo.* **5.** *Bras., BA. Pop.* Aquele que se casa com mulher não virgem; tapa-buracos.
pedreiro-livre. [De *pedreiro* (trad. do fr. *maçon*) + *livre.*] *S. m.* V. *maçom* (2). [Pl.: *pedreiros-livres.*]
pedrense[1]**.** *Adj. 2 g.* **1.** De, ou pertencente ou relativo a Pedra (PE). ● *S. 2 g.* **2.** Natural ou habitante de Pedra.
pedrense[2]**.** *Adj. 2 g.* **1.** De, ou pertencente ou relativo a Pedra Selada (RJ). ● *S. 2 g.* **2.** Natural ou habitante de Pedra Selada.
pedrento. *Adj.* **1.** Que tem aspecto de pedra. **2.** Diz-se do céu quando nele se vêem estratos [v. *estrato* (2)] ou cúmulos [v. *cúmulo* (3)]; pererento: "Entre nuvens esgarçadas / No céu *pedrento* flutua / A triste, a pálida lua / Das baladas." (Vicente de Carvalho, *Poemas e Canções*, p. 109.) **3.** V. *pedregoso.* **4.** Diz-se dos frutos cuja polpa contém pedras [v. *pedra* (15).]
pedrês. [De *pedra* + *-ês.*] *Adj. 2 g.* **1.** Salpicado de preto e branco na cor. [Sin.: *pedrado, pedral* e (bras.) *pererento.*] **2.** Carijó (1). [Pl.: *pedreses* (ê).] ~ V. *fecho*—.
pedrinha. [Dim. de *pedra.*] *S. f. Bras.* Uma das pedras que estira a rede do xaréu.
pedrinhense. *Adj. 2 g.* **1.** De, ou pertencente ou relativo a Pedrinhas (SE). ● *S. 2 g.* **2.** Natural ou habitante de Pedrinhas.
pedrisco. [De *pedra* + *-isco*[2].] *S. m.* **1.** Granizo (1) miúdo. **2.** *Constr.* Material proveniente do britamento de pedra, com diâmetros compreendidos entre 0,075 mm e 4,8 mm.
pedrista (è). [De *pedra* + *-ista.*] *S. m.* **1.** *Bras., BA.* Grande comprador de diamantes. **2.** *Bras., MG.* Pessoa que negocia com pedras preciosas e/ou semipreciosas.
pedrista (ê). [Do antr. *Pedro* + *-ista.*] *Adj.* e *s. m.* Que ou aquele que era partidário de D. Pedro IV de Portugal e I do Brasil (1798-1834).
pedritense. *Adj. 2 g.* **1.** De, ou pertencente ou relativo a Dom Pedrito (RS). ● *S. 2 g.* **2.** Natural ou habitante de Dom Pedrito.
pedro-afonsino. *Adj.* **1.** De, ou pertencente ou relativo a Pedro Afonso (GO). ● *S. m.* **2.** O natural ou habitante de Pedro Afonso. [Pl.: *pedro-afonsinos.*]
pedro-avelinense. *Adj. 2 g.* **1.** De, ou pertencente ou relativo a Pedro Avelino (RN). ● *S. 2 g.* **2.** Natural ou habitante de Pedro Avelino. [Pl.: *pedro-avelinenses.*]
pedro-botelho. [Do antr. *Pedro* + antr. *Botelho.*] *S. m. Fig.* V. *diabo* (2): "As mulheres do bairro concordavam com os vizinhos, achando que o malvado tinha mesmo de se haver, afinal, com *Pedro-Botelho* — o homem dos quintos dos infernos" (Amadeu de Queirós, *Os Casos do Carimbamba*, p. 26).
pedroiço. *S. m.* Pedrouço.
pedro-leopoldense. *Adj. 2 g.* **1.** De, ou pertencente ou relativo a Pedro Leopoldo (MG). ● *S. 2 g.* **2.** Natural ou habitante de Pedro Leopoldo. [Pl.: *pedro-leopoldenses.*]
pedro-riano. *Adj.* **1.** De, ou pertencente ou relativo a Pedro do Rio (RJ). ● *S. m.* **2.** O natural ou habitante de Pedro do Rio. [Pl.: *pedro-rianos.*]
pedro-segundense. *Adj. 2 g.* **1.** De, ou pertencente ou relativo a Pedro Segundo (PI). ● *S. 2 g.* **2.** Natural ou habitante de Pedro Segundo. [Pl.: *pedro-segundenses.*]
pedroso (ô). [Do lat. *petrosu.*] *Adj.* **1.** Que tem a natureza ou a consistência da pedra; lapídeo, lapidoso. **2.** V. *pedregoso.*
pedrouço. *S. m.* Montão de pedras; pedroiço.
pedro-velhense. *Adj. 2 g.* **1.** De, ou pertencente ou relativo a Pedro Velho (RN). ● *S. 2 g.* **2.** Natural ou habitante de Pedro Velho. [Pl.: *pedro-velhenses.*]
pedunculado. *Adj. Morfol. Veg.* Que tem pedúnculo; pedunculoso: *cacho pedunculado.*
peduncular. *Adj. 2 g.* Respeitante ao pedúnculo.
pedúnculo. [Do lat. *pedunculu.*] *S. m.* **1.** *Morfol. Veg.* Haste que sustenta uma inflorescência, e só esta: "De clorofila carregada, quase glauca, com *pedúnculos* exteriores e floridos, que se erguem do fundo palustre acima das bordas, essa ninféia [a vitória-régia] .... é .... o agasalho dos ofídios, dos quelônios, ... que debaixo dela se abrigam." (Raimundo Morais, *Na Planície Amazônica*, p. 27.) [Cf. *pedículo.*] **2.** *Zool.* Suporte de qualquer órgão animal. [Dim. irreg. *pedicelo.*]
pedunculoso (ô). *Adj.* **1.** Pedunculado. **2.** Que tem longo pedúnculo.
pé-duro. *S. m.* **1.** *Bras., BA.* Trabalhador rural. **2.** *Bras., S.* V. *caipira* (1). **3.** *Bras., S.* e C.O. Sujeito mal-educado; casca-grossa. **4.** *Bras., BA. Deprec.* Pequeno fazendeiro analfabeto da zona cacaueira. **5.** *Bras., S.* e *C. O.* Gado (bovino ou cavalar) que não é de raça. [Pl.: *pés-duros.* Tb. us. (menos) como adj.]
pê-efe. [Das iniciais de *prato feito.*] *S. m. Bras.* V. *almoço comercial.* [Pl.: *pê-efes.*]
peeira. [Do lat. *pedaria.*] *S. f. Lus.* Ulceração da pele, entre as unhas, no gado bovino e no cavalar. [Cf. *pieira.*]
pê-eme. [Da sigla *P.M.*] *Bras. S. f.* **1.** A polícia militar: *Está detido na pê-eme.* ● *S. m.* **2.** Soldado da Polícia Militar. [Pl.: *pê-emes.*]
peemedebista. *Adj. 2 g.* **1.** Relativo ao, ou que é partidário ou simpatizante do PMDB (Partido do Movimento Democrático Brasileiro). ● *S. 2 g.* **2.** Partidário ou simpatizante do PMDB. [F. paral.: *pemedebista.*]
pé-encarnado. *S. m. Bras., N.E.* Pequeno inambu que vive no campo *(Crypturelos parvirostris* (Wagl.)). V. *inhambuxororó.* [Pl.: *pés-encarnados.*]
pé-fresco. *S. m.* **1.** *Lus.* Aquele que não é nobre; plebeu, democrata. **2.** Homem ou menino que anda descalço. **3.** Patuléia (3). [Pl.: *pés-frescos.*]
pé-frio. *S. m.* **1.** *Bras. Pop.* Pessoa sem sorte no jogo ou nos negócios, e cujo caiporismo contagia os outros. **2.** *Bras. Pop.* Sujeito azarento, azarado. [Antôn., nestas acepç.: *pé-quente.*] **3.** *Bras. Pop.* V. *caiporismo.* **4.** *Bras., S. Pop.* Indivíduo tímido, medroso, covarde. [Pl.: *pés-frios.*]
pega[1]**.** [Dev. de *pegar.*] *S. f.* **1.** Ato ou efeito de pegar. **2.** Cabo ou asa por onde se pega um objeto. **3.** Ato de agarrar o touro com as mãos: *pega de rabo; pega de cara.* **4.** *Fig.* Discussão acalorada; desavença, disputa: "Também ele arranjara uma '*pega*' com o rendeiro da *Ribeirinha*, por causa dum corte de pinhal." (Eça de Queirós, *A Ilustre Casa de Ramires*, p. 126.) [Nesta acepç. é do gên. m. no Brasil.] **5.** *Tip.* Propriedade inerente aos rolos tipográficos, de se prestarem em maior ou menor grau à aderência da tinta. **6.** *Bras.* Fenômeno pelo qual uma cal ou um cimento adere aos agregados a que serve de aglomerante, dando início, mais ou menos rapidamente, ao processo de endurecimento da argamassa ou do concreto assim formado. [Sin., nesta acepç: lus.: *presa.*] **7.** *Bras.* Recrutamento forçado. **8.** Logro, cilada. ● *S. m.* **9.** *Bras.* V. *pega* (4). **10.** *Bras.* Travação de luta; briga, pega-pega [v. *rolo*[1] (16)]: "Os irmãos eram rapazes exigentes e ásperos, cheios de saúde, e, portanto, de brutalidades e *pegas.*" (José Régio, *Histórias de Mulheres*, p. 169.) **11.** *Bras. Autom. Gír.* Corrida, disputa, porfia. **12.** *Bras., PB.* V. *tapa*[2] (4). [Pl.: *pegas.* Cf. *pega* (ê) e pl. *pegas* (ê).] *Interj.* **13.** Grito de perseguição a ladrão ou qualquer malfeitor; agarra.
pega[2]**.** [Do lat. *pedica*, 'laço que prende os pés'.] *S. f.* Braga de ferro com a qual se prendiam os pés dos escravos fugitivos. [Pl.: *pegas.* Cf. *pega* (ê) e pl. *pegas* (ê).]
pega (ê). [Do lat. *pica*, com infl. de *pegar.*] *S. f.* **1.** Ave européia, da família dos corvídeos (*Pica pica* (L.)), de coloração preta, tendendo ao verde no dorso, flancos, abdome e baixo dorso brancos, asas azuis, e coberteiras primárias verdes. **2.** Mulher palreira. **3.** Mulher feia e mal vestida. **4.** *P. ext.* Qualquer mulher. **5.** Raça de jumentos. **6.** *Constr. Nav. Ant.* Forte peça de madeira presa no galope do mastro real dos antigos veleiros, e na qual enfurnava o mastaréu. **7.** *Bras.* V. *encontro*[2]. **8.** *Bras.* V. *gralha-do-campo.* **9.** *Bras.* V. *pintassilgo-da-mata.* [Pl.: *pegas* (ê). Cf. *pega* e *pegas*, do v. *pegar* e s. f.]

— V. *pegas* (ê).

pega-brasas. [De *pegar* + *brasa*.] *S. m. 2 n. Bras.* Espécie de tenaz feita de arame torcido, para pegar brasas e acender cigarros.

pega-caboclo. [De *pegar* + *caboclo*.] *S. m. Bras., SP. Pop.* V. *pega-rapaz*. [Pl.: *pega-caboclos*.]

pegada[1] (gá). [Do lat. **pedicata* < *pede*, 'pé'.] *S. f.* **1.** Vestígio que o pé deixa no solo; passo: *As pegadas do ladrão deram a chave para esclarecer o crime.* **2.** *Fig.* Sinal, vestígio, pista, rasto. [F. paral.: *peugada*.]

pegada[2]. [De *pegar* + *-ada*[1].] *S. f. Bras. Fut.* Lance em que o goleiro impede que a bola entre na rede, apanhando-a nas mãos.

pegadeira. [De *pegar* + *-deira*.] *S. f. Tip.* V. *pinça* (8).

pegadiço. [De *pegar* + *-(d)iço*.] *Adj.* **1.** Que se pega com facilidade; pegativo. **2.** *Fig.* Contagioso, pegativo: "Os artistas nascem, mas a arte lhes ministra os necessários conhecimentos práticos para evitarem as ciladas do mau gosto *pegadiço*" (José Oiticica, *Curso de Literatura*, p. 56). **3.** *Fig.* Importuno, maçador; pegajoso.

pegadilha. [De *pegar*.] *S. f.* **1.** Discussão acalorada; alteração. **2.** Dissensão, desavença. **3.** Pretexto para briga; peguilho, peguilha.

pegadio. [De *pegar* + *-dio*.] *S. m. Bras., N.E.* Apego a alguém; amizade, afeição.

pegado. [Part. de *pegar*.] *Adj.* **1.** Colado, grudado; preso: *No caderno há uma página pegada.* **2.** Junto, unido: *várias flores pegadas, num ramalhete.* **3.** Contíguo, vizinho: "Um cachorro latiu no quintal *pegado*" (João Pacheco, *Negra a caminho da Cidade*, p. 12); *casa pegada.* **4.** Ligado, chegado, amigo: *Meu primo é muito pegado com o senador.* **5.** *Fig.* Preso, firme: *homem pegado a seus princípios.* **6.** *Fig.* Diz-se da comida que se queimou na panela: *carne pegada.* **7.** Diz-se da planta que criou raízes. **8.** *Fig.* Contínuo, ininterrupto: *chuva pegada; conversa pegada.* **9.** *Bras. Fam.* V. *embriagado* (1).

pegadoiro. [De *pegar* + *-(d)oiro*[1].] *S. m.* Pegadouro [q. v.]

pega-do-norte. [De *pega* (ê) + *do* + *Norte*.] *S. f. Bras., RJ.* V. *tietinga*. [Pl.: *pegas-do-norte*.]

pegador (ô). *Adj.* **1.** Que pega. ● *S. m.* **2.** Aquele que pega. **3.** Trabalhador de forcado. **4.** *Bras.* V. *rêmora*. **5.** *Bras.* V. *esconde-esconde*. **6.** *Bras.* V. *pique*[1] (3): "Não quero emprestar um fio branco ao seu bigode, se lembro agora o que fazia o jornalista de menos de vinte anos ...., enquanto eu brincava de *pegador* e empinava papagaios." (Fernando Sabino, *Medo em Nova Iorque. A Cidade Vazia*, p. 62.)

pegadouro. [De *pegar* + *-(d)ouro*[1]: var. de *pegadoiro*.] *S. m.* Parte dum objeto pela qual se lhe pega; cabo.

pega-fogo. [De *pegar* + *fogo*.] *S. m. Bras., S.* V. *fandango* (6). [Pl.: *pega-fogos*.]

pega-frango. [De *pegar* + *frango*.] *S. f. Bras., MG. Pop.* V. *calça pega-frango*. [Pl.: *pega-frangos*.]

pega-gelo. [De *pegar* + *gelo*.] *S. m. Bras.* Pinça própria para pegar e servir gelo. [Pl.: *pega-gelos*.]

pegajento. [De *pegar* + *-j-* + *-ento*.] *Adj. Bras.* V. *pegajoso*.

pegajoso (ô). [De *pegar* + *-j-* + *-oso*.] *Adj.* **1.** Que pega ou adere com facilidade; viscoso: "E eu vou andando, cheio de chamusco, / Com a flexibilidade de um molusco, / Úmido, *pegajoso* e untuoso ao tacto!" (Augusto dos Anjos, *Eu*, p. 81). **2.** *Fig.* Maçante, cacete, pegadiço. [Sin.: *pegajento, peganhento, peguenhento, peguento*.]

pega-ladrão. [De *pegar* + *ladrão*.] *S. m.* **1.** *Bras.* Dispositivo que prende alfinetes de gravata, broches e outros objetos que se usam espetados na roupa, e serve para evitar sejam roubados ou perdidos. **2.** *Bras.* Qualquer dispositivo mecânico ou elétrico para dar alarma. [Pl.: *pega-ladrões*.]

pega-mão. [De *pegar* + *mão*.] *S. m. Bras., S.* Mala portátil. [Pl.: *pega-mãos*.]

pega-marreco. [De *pegar* + *marreco*.] *S. m. Bras., N.* e *N.E.* V. *calça pega-marreco*. [Pl.: *pega-marrecos*.]

pegamassa. [De *pegar* + *massa*[1].] *S. f.* Bardana.

pegamasso. [Var. de *pegamassa*.] *S. m.* **1.** Massa de grudar. **2.** *Fig.* e *fam.* Indivíduo importuno, maçante, cacete.

pega-moleque. [De *pegar* + *moleque*.] *S. m. Bras., RJ.* Trepa-moleque (5). [Pl.: *pega-moleques*.]

peganhento. [De *pegar*; var.: *peguenhento*.] *Adj.* V. *pegajoso*.

pegão[1]. [De *pé* + *-g-* + *-ão*[1].] *S. m.* **1.** Grande pilar ou suporte. **2.** *Lus.* Encontro (6): "Se de fato reassentou praça [Camões] àquela altura, os três anos de serviço, sob o ponto de vista cronológico, ajustam-se como *pegões* duma ponte ligando margem a margem na sua vida." (Aquilino Ribeiro, *Luís de Camões*, II, p. 104.) **3.** Grande pé-de-vento. "Aos primeiros assomos da seguinte aurora, a parede estava arrasada. Os vizinhos ouviram o ruído da assolação, e cuidaram que a derribara um *pegão* de vento." (Camilo Castelo Branco, *Novelas do Minho*, IV, p. 67.)

pegão[2]. [De *pegar* + *-ão*[3].] *S. m. Bras., S.* e *prov. lus.* Pequeno rasgão na roupa.

pega-panelas. [De *pegar* + o pl. de *panela*.] *S. m. 2 n.* Utensílio usado para proteger as mãos quando se pegam panelas.

pega-pega. [Da 3ª. pess. do sing. do pres. ind. de *pegar*, repetida.] *S. m.* **1.** *Bras.* V. *carrapicho* (3). **2.** Conflito, disputa, briga, pega. V. *rolo*[1] (16). **3.** *Bras.* Prisão em massa. **4.** *Bras.* V. *pique*[1] (3). [Pl.: *pegas-pegas* e *pega-pegas*.]

pega-pinto. [De *pegar* + *pinto*.] *S. m. Bras.* **1.** V. *agarra-pinto*. **2.** V. *gavião-carijó*. [Pl.: *pega-pintos*.]

pega-pra-capar. [De *pegar* + *pra* + *capar*.] *S. m. 2 n. Bras. Pop.* Altercação, briga, tumulto, pega, deus-nos-acuda: "Da janela do sobrado, Zuzu, o Venturoso, acompanhava com curiosidade os acontecimentos. | — É um *pega-pra-capar* — disse. | A velha Marieta surgiu: | — Que está acontecendo na calçada da Igreja, mano? | — Outra daquelas confusões que a Babi Matoso gosta de armar." (José Condé, *Como uma Tarde em Dezembro*, p. 17.)

pegar. [Do lat. *picare*, 'untar de pez'.] *V. t. d.* **1.** Fazer aderir; colar, grudar: *Pôs a carta no correio sem pegar os selos.* **2.** Agarrar, prender, segurar: *Pegou descuidado a louça, deixando-a cair; Correu e pegou o fugitivo; O goleiro pegou a bola tranqüilamente.* **3.** Adquirir (enfermidade) por contágio, por debilidade orgânica, etc. **4.** Adquirir, contrair, criar: *pegar um mau hábito.* **5.** Subir ou instalar-se em (uma viatura qualquer), para nela viajar; tomar: "Poucos dias depois peguei o trem para Três Lagoas." (Raul Bopp, *Putirum*, p. 196); "tratei de *pegar* o primeiro vapor do Lóide que passava, para regressar a Belém." (Id., *ib.*, p. 217). **6.** Apanhar, pescar: *Já ia desistir da pesca, quando pegou um belo robalo.* **7.** Buscar, apanhar: *Vá pegar o meu terno na tinturaria.* **8.** Perceber, compreender, pescar: *Pega facilmente tudo quanto lhe ensinam.* **9.** Chegar a tempo de estar presente a, ou tomar parte em; chegar à hora de: *Saiu tarde, e quase não pegou a solenidade; O engarrafamento do trânsito não lhe permitiu pegar a sessão; Indo agora, ainda pego o almoço.* **10.** V. *alcançar* (9): "ainda peguei a Lapa, com os cabarés, mulheres e malandros famosos, cafés ruidosos" (Nestor de Holanda, *Memórias do Café Nice*, p. 153); *Pegou o Rio do Encilhamento; Não é nada moço, ainda pegou a saia-balão.* **11.** Conseguir, obter, alcançar: *Pegou um bom emprego; É um pirata: pega boas mulheres.* **12.** Chegar a; atingir, alcançar: "Estava *pegando* um século quando entrou a caducar." (Graciliano Ramos, *Angústia*, p. 11); "O café *pegava* preço, o açúcar também, e todo ano eram novas levas de colonos a vir caçar serviço na fazenda." (Mário Palmério, *Chapadão do Bugre*, p. 25.) **13.** Ganhar, lucrar; abiscoitar: *Pegou uma bolada na transação;* "— Boa tarde, mestre Zé. Dona Sinhá hoje *pegou* quatro mil-réis no coelho." (José Lins do Rego, *Fogo Morto*, p. 40). **14.** Aceitar fazer, comprometer-se a realizar (um trabalho ou tarefa): *Por falta de tempo, não pegou a tradução que o editor lhe ofereceu.* **15.** Abranger, compreender: *O volume V daquela história pega o século XVI e parte do XVII.* **16.** Ser condenado a: *Pegou 30 anos de cadeia;* "Estripador de Yorkshire *pega* prisão perpétua" (*Jornal do Brasil*, 23.5.1981). **17.** Ser alvo de (prêmio ou punição): *Pegou um prêmio na loteria; Pegou uma sentença de 10 anos de prisão.* **18.** Seguir por (determinada direção): *Dobre à direita e pegue a Avenida Rio Branco.* **19.** *Bras., N.E. Pop.* e *fam.* Fazer o parto de (criança); aparar: *A parteira já pegou três filhos do meu amigo.* *T. d.* e *i.* **20.** Fazer aderir; colar, grudar: *Pegou os selos na carta.* **21.** Receber; adquirir, por imitação, emulação, etc.: *Pegou do irmão a mania das coleções.* **22.** Transmitir, comunicar, por influência: *O pai pegou-lhe o gosto das boas leituras.* **23.** Apanhar de improviso; surpreender: *Pegou o ladrão em pleno furto.* *T. i.* **24.** Agarrar; segurar; tomar: *Pegou no que era seu e foi-se embora;* "Rápido *pegou* outra vez das cartas e baralhou-as bem" (Machado de Assis, *Várias Histórias*, p. 15). **25.** Ser ou estar contíguo; confinar; convizinhar: *A casa pega com o convento.* **26.** Ser vizinho, próximo, semelhante, análogo; convizinhar: "havia nos gestos de Gonçalves alguma cousa que *pegava* com o respeito." (Machado de Assis, *Relíquias de Casa Velha*, p. 120). **27.** Fixar-se, agarrar-se: *O xarope pegou no fundo do vidro.* **28.** Começar, principiar, entrar: "persignou-se, levantou-se e pegou a vestir a roupa." (Bernardo Élis, *Veranico de Janeiro*, p. 34). **29.** Principiar a fazer, a executar: *Ainda não peguei no trabalho que há um mês me encomendaram.* *Int.* **30.** Ficar aderente; colar-se, grudar-se: *O melado, onde cai, pega.* **31.** Lançar ou criar raízes (uma planta): *O caquizeiro que eu plantei pegou.* **32.** Agarrar-se, fixar-se. **33.** Generalizar-se, difundir-se: *Certas modas não pegam.* **34.** Produzir resultado; surtir efeito; colar: *Seu estratagema não pegou.* **35.** Ser acreditado; ser levado a sério: *Arranje outra conversa, esta não pega!* **36.** Inflamar-se; acender: *A fogueira demorou a pegar.* **37.** Ser contagioso: *Evite o Carlos: aquela doença pega.* **38.** Aderir ou grudar a recipiente: *Ao ser cozido, o arroz pegou.* **39.** *Bras. Mar. G.* Sair mal (um empreendimento): *O exercício pegou, já que a munição foi insuficiente.* *P.* **40.** Ficar aderente; unir-se. **41.** Comunicar-se, transmitir-se. **42.** Limitar-se, confinar-se. **43.** Procurar arrimo, proteção, em; apegar-se: *Denunciado, pegou-se com todos os santos.* **44.** Não querer andar (animal); empacar. **45.** *Bras., BA.* Encontrar diamantes. **46.** Discutir; brigar: *Os torcedores do Fluminense pegaram-se por causa da escalação do time; Os marginais pegaram-se e um saiu ferido.* [Conjug.: v. *regar*, mas tem dois part.: *pegado* e *pego*. Pres. ind.: *pego, pegas, pega*, etc. Part.: *pegado* e *pego* (ê) ou *pego* (è). Cf. *pego* (ê), *pega* (ê), e *pegas* (ê), e o antr. *Pegas* (ê).] ◆ **Pegar bem.** *Bras. Gír.* Ser (ação, dito, atitude, etc.) bem recebido ou aceito: *O discurso pegou bem.* [Antôn.: *pegar mal*.] **Pegar de.** Segurar, empunhar: "À noite *pegou* da cesta e saiu para o trabalho." (Nélio Reis, *Subúrbio*, p. 62.) **Pegar mal.** *Bras. Gír.* Ser (ação, dito, atitude, etc.) mal recebido ou mal aceito: *Essa medida pegou mal.* [Antôn.: *pegar bem*.] **Pegar-se a.** Valer-se de. **Pegar-se com a.** Implicar com (alguém). **É pegar ou largar.** Expr. us. para indicar que não se faz abatimento no preço da mercadoria, ou não se alteram as condições de uma transação.

pega-rapaz. [De *pegar* + *rapaz*.] *S. m. Bras.* **1.** Pequena mecha de cabelo recurvada e pegada à testa ou aos lados do rosto, junto às orelhas; vírgula, belezinha. **2.** Cacho de cabelo pendente sobre a testa: "Cabelos esticados, com *pega-rapazes* e enfeitados de flores" (Melo Nóbrega, *O Soneto de Arvers*, p. 54). [Sin., em SP: *pega-caboclo*. Pl.: *pega-rapazes*.]

pegas (ê). [Do antr. *Pegas* (ê), de Manuel Álvarez Pegas (1635-1696), jurisconsulto português.] *S. m. 2 n. Fam.* Rábula; chicaneiro. — V. *pega* (ê). [Cf. *pegas*, do v. *pegar*. e pl. de *pega*.]

Pégaso. [Do gr. *Pégasos*, pelo lat. *Pegasu*.] *S. m.* **1.** Cavalo alado da mitologia grega. **2.** *Astr.* Constelação boreal, de vasta área, ao N. do Aquário e ao S. de Andrômeda e do Cisne.

pegativo. *Adj. Bras.* **1.** Que pega com facilidade. **2.** Contagioso. [Sin. ger.: *pegadiço*.]

pega-varetas. [De *pegar* + *vareta*.] *S. m. 2 n. Bras.* Jogo de palitos coloridos, com diversos valores: o jogador apóia os palitos num plano, larga-os, e tenta retirá-los, um a um, sem tocar nos outros, pois, se estes se mexerem, deve somar os pontos feitos e passar a vez ao parceiro, que repetirá a operação.

pegmatito. [Do gr. *pégma, atos*, 'concreção', + *-ito*[2].] *S. m.* **1.** *Obsol.* O granito gráfico. **2.** Rocha, geralmente filonar, de composição idêntica à do granito, e na qual os indivíduos mineralógicos, quartzo e feldspato, muito desenvolvidos, se acham interpenetrados.

pego[1]. [do gr. *pélagos*, pelo lat. *pelagu*.] *S. m.* **1.** A parte mais funda de um rio, lago, etc. **2.** Pélago (1). **3.** Lagamar (1). **4.** *Fig.* Voragem, abismo, pélago: *o pego das paixões;* "Eugênio entrou para o salão mergulhado num *pego* de dor, de vergonha, de terror" (Bernardo Guimarães, *O Seminarista*, p. 67). [Pl.: *pegos*. Cf. *pego* (ê) e pl. *pegos* (ê).]

pego[2]. *Bras.* Part. irreg. de *pegar*; pegado: "Que faz um passarinho fora da gaiola? | — Às vezes não sabe mais voar, e é *pego* de novo" (Carlos Drummond de Andrade, *Contos de Aprendiz*, p. 65). [F. paral.: *pego* (ê).]

pego (ê). *Bras.* Pego[2]: "torna-se [o porco] sem-vergonha, caradura, chorão, quando *pego* em flagrante furto ou invasão consciente das plantações" (Nélson Palma Travassos, *O Porco, Esse Desconhecido*, p. 17). [No texto, que é de 1964, portanto da época do acento diferencial, está "pêgo".] [Pl.: *pegos* (ê). Cf. *pego*, do v. *pegar* e s. m., e o pl. *pegos*.]

▲pego-. [Do gr. *pegé, ês*.] *El. comp.* = 'fonte', 'água corrente'[1]: *pegomancia.*

pegomancia (cî). [De *pego-* + *-mancia.*] *S. f.* Adivinhação que se fazia olhando o movimento das águas das fontes.

pegomante. [De *pego-* + *-mante.*] *S. 2 g.* Pessoa que praticava a pegomancia.

pegomântico. *Adj.* Relativo à pegomancia, ou a pegomante.

peguaba. *S. f. Bras.* [V. *beguaba.*]

peguano (u-a). *Adj.* **1.** De, ou pertencente ou relativo ao Pegu (atual Birmânia, na Ásia). ● *S. m.* **2.** O natural ou habitante do Pegu.

pegueiro. [Do lat. vulg. **picariu* < *pice,* 'pez'.] *S. m.* Fabricante de pez.

peguenhento. [Var. de *peganhento,* com assimilação.] *Adj.* V. *pegajoso.*

peguento. [De *pegar* + *-ento.*] *Adj.* V. *pegajoso:* "Saía lá pra fora, no terreiro, e sentava, tristezinho da vida, as lágrimas secas peguentas semelhando remela, nos olhos e no rosto" (Alaor Barbosa, *Picumãs,* p. 23).

peguilha. [De *pega* (4) + *-ilha.*] *S. f.* **1.** Começo de altercação ou desordem; pretexto de briga; peguilho, pegadilha. **2.** Dito provocante. [Sin. ger., (desus.): *pegulho.*]

peguilhar. [De *peguilha* + *-ar*[2].] *V. int.* Travar questiúnculas; provocar disputa: "Tem o sangue a ferver! .... Tem peguilhado por tudo! Não estou para a aturar, não estou! (Eça de Queirós, *O Primo Basílio,* p. 196.)

peguilhento. *Adj.* Que gosta de peguilhar, ou tem o hábito de fazê-lo.

peguilho. [De *pegar* + *-ilho.*] *S. m.* **1.** Aquilo que pega ou cola. **2.** Embaraço, obstáculo, óbice. **3.** V. *peguilha* (1).

peguinhar. [De *pega* (4) + *-inhar.*] *V. t. d.* **1.** Contrariar; provocar. *Int.* **2.** Fazer provocação; meter-se com alguém; implicar.

peguira. *S. f. Bras.* V. *beguaba.*

pegulho[1]. *S. m. P. us.* Var. de *pecúlio* [q. v.].

pegulho[2]. [De *pega* (4) + *-ulho.*] *S. m. Desus.* Peguilha.

pegural. [Do lat. *pecorale.*] *Adj. 2 g.* **1.** Relativo ou pertencente a pegureiro; pastoril, pegureiro. **2.** Relativo ao rebanho.

pegureiro. [Do lat. *pecorariu.*] *S. m.* **1.** Guardador de gado; pastor: "Passavam, a clamar, furiosos pegureiros, / Procurando o ladrão que as reses lhes roubara" (Eugênio de Castro, *Obras Poéticas,* IV, p. 166). **2.** *Bras.* Cão de gado. **3.** *Bras.* Cão de caça. ● *Adj.* **4.** V. *pegural* (1).

peia. [De *pede,* 'pé'.] *S. f.* **1.** Prisão de corda ou de ferro que segura os pés das bestas, trabelho. **2.** *Marinh.* Qualquer cabo ou corrente com que se amarra, a bordo, um objeto, para evitar que se desloque com o jogo da embarcação. **3.** *Fig.* Embaraço, impedimento, estorvo, empecilho. **4.** *Bras.* V. *chicote* (1). **5.** *Bras. Chulo.* O pênis. ~ V. *peias.* ♦ **Ser peia.** *Bras., PE* e *AL. Pop.* Ser coisa muito difícil, árdua, complexa.

▲-péia. [Do gr. *-poiía.*] *El.comp.* = 'ato de fazer', 'criação': *melopéia* (< gr. *melopoiía* < lat. *melopoeia*), *onomatopéia* (< lat. *onomatopeia* < gr. *onomatopoiía*).

peia-boi. [De *pear* + *boi.*] *S. m. Bras., CE.* V. *chicote* (1). [Pl.: *peia-bois.*]

peias. [Pl.: de *peia.*] *S. f. pl. Bras., N.E.* Ligas de corda ou de couro que se põem nos pés para trepar no coqueiro. [Cf. *peconha.*] ~ V. *peia.*

peidar. *Chulo. V. int.* **1.** Dar peido(s). *P.* **2.** Peidar involuntária e repetidamente.

peido. [Do lat. *peditu.*] *S. m. Chulo.* Ventosidade emitida pelo ânus; traque, pum, pu: "as meninas iam fazer a sesta enquanto a gente ficava na varanda se divertindo com peidos estrepitosos" (Carlos Lacerda, *A Casa do Meu Avô,* p. 53).

peido-do-meio. [Do *peido* + *do* + *meio*[1].] *S. m. Bras., BA. Pop.* Pessoa metediça, enxerida. [Pl.: *peidos-do-meio.*]

peidorrada. *S. f. Chulo.* Ato de peidar muito.

peidorreiro. *Adj.* e *s. m. Chulo.* Diz-se de, ou aquele que peida.

✦peignoir. [Fr.] *S. m.* V. *penhoar.*

peiote. [Do esp. mexicano *peyote,* atr. do náuatle *peyotl.*] *S. m.* V. *mescal.*

peita. [Do arc. *peito* < lat. *pactu,* 'pacto'.] *S. f.* **1.** Antigo tributo pago por aqueles que não eram fidalgos. **2.** Dádiva feita com o intento de subornar; suborno, corrupção: "Com peitas, ouro e dádivas secretas / Conciliam da terra os principais" (Luís de Camões, *Os Lusíadas,* VIII, 53). **3.** O crime de receber peita (2).

peitada. *S. f. Bras.* Pancada no peito, ou com o peito.

peitar. *V. t. d.* **1.** Procurar corromper com dádivas; subornar com peitas; subornar. **2.** *Ant.* Pagar; satisfazer.

peitaria. [De *peito* + *-aria.*] *S. f. Bras. Chulo.* **1.** Seios volumosos: "— Meu Deus, as crianças — e uma senhora gorda na ponta da mesa levou a mão à peitaria." (Fernando Sabino, *O Homem Nu,* p. 48.) **2.** Tórax muito desenvolvido.

peitavento. [Aglut. de *peito a vento.*] *Adv.* Com o peito contra o vento.

peiteira. *S. f. Bras.* Peça dos arreios que cinge o peito do cavalo.

peiteiro. *Adj.* **1.** Que peita ou suborna. ● *S. m.* **2.** Aquele que peita. **3.** *Ant.* Aquele que pagava peita.

peitica. [Do tupi *pei'tika.*] *S. f.* **1.** *Bras.* V. *saci* (2). **2.** *Bras., Amaz.* V. *maria-é-dia* (2). **3.** *Bras., N.E.* Pilhéria insistente e de mau gosto; impertinência. **4.** *Bras., N.E.* Pessoa importuna.

peitilho. *S. m.* **1.** Aquilo que reveste o peito. **2.** Parte de certas roupas, fixa ou removível, que cobre o peito: o *peitilho da camisa; peitilho de rendas;* "Vem do passeio matinal, de blusa / de seda azul, com flores no peitilho" (Maranhão Sobrinho, *Papéis Velhos,* p. 17).

peito. [Do lat. *pectu.*] *S. m.* **1.** A parte do tronco que contém os pulmões e o coração; tórax. **2.** A parte anterior e externa do tórax: "Livre filho das montanhas, / Eu ia bem satisfeito, / Da camisa aberto o peito" (Casimiro de Abreu, *Obras,* p. 94); *ave de peito branco.* **3.** O seio feminino: *dar o peito à criança.* **4.** O peitilho de certas camisas de homem: *camisa de peito duro.* **5.** Os órgãos respiratórios: *É fraco do peito; Sofre do peito.* **6.** A parte inferior do tórax dos animais de talho: *carne de peito.* **7.** A parte anterior do tórax das aves que é especialmente rica em carne: *peito de galinha, de codorna.* **8.** *Fig.* Coragem, ânimo, valor: *É uma iniciativa que exige muito peito.* **9.** *Fig.* Alma, coração: "Aos montes ensinando, e às ervinhas, / O nome que no peito escrito tinhas." (Luís de Camões, *Os Lusíadas,* III, 58); "Oh! tão frágil mulher, peito tão forte!" (Odilo Costa, filho, *Cantiga Incompleta,* p. 95). ♦ **Peito aberto.** Coração franco e sincero. **Peito de prova.** V. *couraça* (1). **Peito do pé.** A região dorsal do pé. **A peito.** Com decisão; com boa vontade. **A peito descoberto.** De modo corajoso e franco; com desassombro. **Aberto dos peitos.** *Bras.* Diz-se do animal de sela, de carga ou de tiro que, após grandes esforços, tem os músculos peitorais relaxados e cai facilmente. **Abrir dos peitos.** **1.** *Bras.* Cansar, afrouxar, amolecer, arrebentar(-se), por excesso de esforço. **2.** *Bras., PA* e *N.E.* Praticar um ato imprevisto de generosidade. **Abrir o peito.** Revelar os sentimentos com toda a lealdade. **Bater nos peitos.** Demonstrar arrependimento; arrepender-se. **Comer o peito da franga.** *Bras., MG. Pop.* Alcançar uma vitória; comer o peito da franga com molho pardo. **Comer o peito da franga com molho pardo.** *Bras., MG. Pop.* Comer o peito da franga. **Criar ao peito.** Amamentar. **De peito aberto.** De modo franco, leal, sincero; com franqueza absoluta; sem rodeios ou segunda intenção: "até que era uma boa idéia alguém ir lá de peito aberto, olhar, conversar, tirar tudo a limpo." (José J. Veiga, *A Hora dos Ruminantes,* p. 16). **Do peito.** Muito querido; do coração: *amigo do peito.* **Doente do peito.** *Bras. Pop.* Acometido pela tuberculose; fraco do peito, fraco, tuberculoso. **Esquentar o peito.** *Bras. Pop.* V. *embriagar* (4). **Fraco do peito.** *Bras. Pop.* V. *doente do peito.* **Lavar o peito.** **1.** Desabafar, desafogar-se. **2.** Desagravar-se, desforrar-se, vingar-se. **Levar a peito.** Tomar a peito. **Matar no peito.** *Bras. Fut.* Parar a trajetória da bola usando o peito como escudo. **Meter os peitos.** *Bras. Gír.* Atirar-se a uma empresa com decisão. **Molhar o peito.** *Bras. Pop.* V. *embriagar* (4). **No peito.** *Bras. Gír.* V. *no peito e na raça.* **No peito e na raça.** *Bras. Gír.* **1.** V. *na marra.* **2.** Com vigor; com energia. [Tb. se diz apenas *no peito* ou *na raça.*] **Passar nos peitos.** *Bras. Chulo.* Ter relações sexuais com; copular com. **Pôr peito a.** Procurar levar a cabo; enfrentar. **Tomar a peito.** Interessar-se vivamente por; interessar-se por; levar a peito.

peito-de-forno. [De *peito* (6) + *de* + *forno.*] *S. m. Bras., Amaz.* Picado de tartaruga temperado com limão, sal e pimenta, espalhado no próprio casco do animal e recoberto de uma camada finíssima de farinha-d'água, sendo assim levado ao forno. [Pl.: *peitos-de-forno.*]

peito-de-moça. *S. m.* **1.** *Bras.* Certa Planta. **2.** *Bras.* O fruto dela. **3.** *Bras., BA.* Espécie de pão doce redondo e pontudo. [Pl.: *peitos-de-moça.*]

peito-ferido. [Voc. onom.] *S. m. Bras., BA.* V. *saci* (2). [Pl.: *peitos-feridos.*]

peitogueira. [De *peito* (5).] *S. f. Ant.* **1.** Tosse. **2.** Rouquidão.

peito-largo. *S. m.* **1.** *Bras., N. E.* Ordenança (4). **2.** V. *capanga* (3). [Pl.: *peitos-largos.*]

peitoral. [Do lat. *pectorale.*] *Adj. 2 g.* **1.** Do peito. **2.** Que faz bem ao peito (5): *Este xarope é peitoral.* [F. paral., p. us.: *pectoral.*] ● *S. m.* **3.** *Anat.* Cada um dos dois músculos (*grande peitoral* e *pequeno peitoral*) existentes em cada metade da parede torácica anterior. **4.** Medicamento contra mal do peito (5). **5.** Correia que cinge o peito do cavalo. **6.** A parte anterior e externa do peito da cavalgadura. **7.** Parte do hábito religioso, feminino ou masculino, que cobre o peito: "Esse pescoço e esse colo mimosos, ... — estão agora encobertos com o soqueixo e o peitoral de línho branco das humildes claristas." (Antero de Figueiredo, *Toledo,* p. 160.) **8.** *Bras., N. E.* Guarda-peito. ♦ **Grande peitoral.** *Anat.* V. *peitoral* (3). **Pequeno peitoral.** *Anat.* V. *peitoral* (3).

peitoril. [Do lat. *pectorile.*] *S. m.* **1.** Parapeito (2): "Subia à cadeira, debruçando-se no peitoril da janela que dava diretamente para fora" (Macedo Miranda, *As Três Chaves,* p. 27). **2.** Pedra que forma o limiar da boca dos fornos de pão.

peito-roxo. *S. m. Bras., Amaz.* Ave passeriforme, da família dos fringilídeos (*Oryzoborus angolensis torridus* (Scop.)), da Amaz. O macho é preto, com espelho branco na asa; a fêmea tem dorso pardo, parte inferior pardo-avermelhada, e pescoço mais claro. Alimenta-se de sementes de capins e costuma freqüentar arrozais. [Sin.: *papa-arroz.* Cf. *curió.* Pl.: *peitos-roxos.*]

peitorrear. *V. int.* Emitir, ao falar, sons roucos do peito, em conseqüência de bronquite, etc. [Conjug.: v. *frear.*]

peitudo. *Adj.* **1.** De peito grande e forte. **2.** *Bras.* V. *valentão* (1). **3.** *Bras.* e *prov. lus.* Diz-se de mulher de mamas ou peitos grandes; seiúda: "as meninas do Manuel do Carmo, Chico Lisboa e Maneta, umas roxas peitudas e bunduas que se comprimiam pelos cantos das cercas" (Bernardo Élis, *Veranico de Janeiro,* p. 24). ● *S. m.* **4.** *Bras. Pop.* Parte do lombo da cavalgadura; suadouro. **5.** *Bras.* V. *valentão* (3). **6.** *Bras.* Bom cantador; trovador.

peiú. [Do tupi *pé'yu,* 'soprar'.] *Adj. 2 g. Bras., AM.* **1.** Convencido; cheio de vento; cheio de si. **2.** Gordo; inchado.

peiúdo. *Adj. Bras., N. E.* Chulo que tem grande peia (5).

peixada. *S. f. Bras.* **1.** Prato de peixe cozido ou guisado: "Vão obrigar uma criatura assim a deglutir uma peixada de escabeche e meio cento de laranjas!" (Graciliano Ramos, *Linhas Tortas,* p. 75.) **2.** Grande porção de peixe cozido. [Cf. *pechada.*]

peixamento. *S. m. Bras.* Ato ou efeito de peixar: *peixamento de uma represa.*

peixão. *S. m.* **1.** Grande peixe. **2.** *Pop.* Mulher corpulenta, vistosa e de formas tentadoras; pancadão, pedaço. **3.** *Bras. Pop.* Mulher bonita.

peixar. [De *peixe* + *-ar*[2].] *V. t. d. Bras.* Promover a piscicultura em (lago, açude, etc.).

peixaria. *S. f.* Estabelecimento onde se vende peixe.

peixe. [Do lat. *pisce.*] *S. m.* **1.** *Zool.* Animal cordado, gnastomado, aquático, com nadadeiras sustentadas por meio de raios ósseos, pele geralmente coberta de escamas, coração com uma só aurícula, e aberturas nasais que não se comunicam com a boca. Respira por brânquias. São as condrictes e os osteíctes. **2.** Iguaria feita com peixe (1). **3.** *Bras. Fam.* Peixinho. ~ V. *Peixes.* ♦ **Peixe de couro.** *Bras.* Designação comum aos peixes teleósteos, siluriformes, de pele lisa ou revestida de placas ósseas, com os barbilhões mentais dispostos aos pares. São os bagres e os cascudos. **Como o peixe na água.** À vontade; no seu elemento: *Em matemática, o rapaz está como o peixe na água.* **Falar aos peixes.** *Gír. Mar. G.* V. *vomitar* (11). **Mudo como um peixe.** Inteiramente mudo; absolutamente calado. **Não ser nem peixe nem carne.** Não ter opinião pró nem contra; não ter ou não tomar partido; não se definir. **Não ser nenhum peixe podre.** Não merecer desprezo; ter o seu valor, o seu merecimento. **Não ter nada com o peixe.** Ser alheio à peleja, à discussão, ao caso de que se trata. **Vender o seu peixe.** **1.** Tratar dos seus interesses com habilidade. **2.** Expor a sua opinião, o seu ponto de vista; manifestar-se.

peixe-agulha. *S. m.* **1.** Peixe teleósteo, sinentógnato, da família dos belonídeos (*Strongylura timucu* (Walb.)), distribuído da Flórida às costas do Brasil. Tem corpo alongado; a cabeça abrange 1/3 do comprimento total e termina em boca rostriforme, com a qual procura alimentos no fundo do mar. É provido de 13 a 15 raios dorsais e 14 a 18 anais. Seu comprimento médio é de 60 a 80 cm, e alguns exemplares atingem 1 m. Pescado com certa freqüência, apesar de sua carne ser de quinta classe. [F. red.: *agulha.* Sin.: *acarapindá, carapiá.*

petimbuaba, timicu, timucu.] **2.** *Bras., RS.* Agulha-branca. [Pl.: *peixes-agulhas* e *peixes-agulha.*]

peixe-agulha-d'água-doce. *S. m. Bras.* Pirapucu (2). [Pl.: *peixes-agulhas-d'água-doce* e *peixes-agulha-d'água-doce.*]

peixe-anjo. *S. m.* V. *peixe-morcego.* [Pl.: *peixes-anjos* e *peixes-anjo.*]

peixe-aranha. *S. m.* Designação comum a duas espécies de peixes da família dos traquínidas (*Trachius vipera* Cuv.). [Pl.: *peixes-aranhas* e *peixes-aranha.*]

peixe-beijador. *S. m.* Peixe teleósteo, labirintiforme, da família dos anabantídeos (*Helostoma temmincki* Cuv. & Val.), da Malásia, Java e Bornéu, de coloração verde-prateada ou vermelho-iridescente clara e comprimento de até 30 cm. [O nome provém do hábito de beijarem-se freqüentemente. Pl.: *peixes-beijadores.*]

peixe-boi. *S. m. Bras.* Mamífero da ordem dos sirênios, da família dos triquequídeos (*Trichechus inunguis* (Natt.)), das bacias do Orenoco e do Amazonas. Tem vida exclusivamente aquática, coloração cinza-escuro, pele lisa, corpo roliço, com as extremidades anteriores transformadas em nadadeiras, cauda achatada em forma de ramo, e é desprovido de extremidades posteriores. O crânio apenas com dentes molares, seis a oito em cada ramo maxilar. Alimenta-se de gramíneas, sobretudo da canarana. Sua carne é boa. Podem-se extrair cerca de 200 quilos de azeite de cada animal adulto. A fêmea é chamada *peixe-mulher* (p. us.). [Sin.: *guaraguá, manati.* Pl.: *peixes-bois* e *peixes-boi.*]

peixe-borboleta. *S. m. Bras.* **1.** Peixe teleósteo, caraciforme, da família dos caracídeos (*Gasteropelecus laevis* (Eig.)), do PA, de coloração prateada, transparente. **2.** Designação comum a outras espécies caraciformes, de nadadeiras peitorais muito desenvolvidas, cabeça pequena, abdome caído e arredondado inferiormente. [Sin. (nesta acepç.): *borboleta-branca.*] **3.** Peixe de aquário, africano, da família dos pantodontídeos (*Pantodom buchholzi* Peters), de dorso verde, abdome amarelado e nadadeiras vermelhas — as peitorais grandes, com área transparente no centro; as ventrais com raios muito longos abrindo-se em círculo abaixo do corpo. Comprimento: até 12 cm. [Pl.: *peixes-borboletas* e *peixes-borboleta.*]

peixe-boto. [De *peixe* + *boto*[2].] *S. m.* Designação comum aos cetáceos odontocetos pertencentes às famílias dos delfinídeos (marinhos) e platanistídeos (fluviais). São conhecidas atualmente seis espécies, na costa atlântica do Brasil, e três espécies fluviais, na Bacia Amazônica. [Tb. se diz apenas *boto.* Pl.: *peixes-botos* e *peixes-boto.* Cf. *toninha.*]

peixe-cabra. *S. m.* Espécie de peixe triglídeo. [Pl.: *peixes-cabras* e *peixes-cabra.*]

peixe-cachimbo. *S. m. Bras.* Designação comum aos peixes teleósteos, lofabrânquios, da família dos singnatídeos (*Syngnathus crinitus* Jen.), e a mais três espécies da costa atlântica. O *Syngnathus crinitus* tem corpo alongado, cabeça parecida com a do cavalo-marinho, nadadeira dorsal pequena, no meio do corpo, a caudal também pequena, em forma de leque, e bolsa terminal no ápice do rostro. O macho tem saco ovígero no lado inferior da cauda. Freqüenta embocaduras de rios. [Sin.: *agulha-do-mar.* Pl.: *peixes-cachimbos* e *peixes-cachimbo.*]

peixe-cachorro. *S. m.* **1.** Designação comum a várias espécies de peixes teleósteos, caraciformes, da família dos caracídeos, especialmente do gêneros *Acestrorhamphus* Eig. & Nen., Roeboides Guent., e *Hidrolycus* Muel. & Trosch. Têm dentes longos, pontudos e fortes, e são carnívoros. [Sin.: *cachorra, dentudo, anicauera, pirantera.* Cf. *dentudo-dourado.*] **2.** Peixe teleósteo caraciforme, da família dos caracídeos (*Rhaphiodon vulpinus* Agass.), das bacias do Prata e do Amazonas. Tem dois grandes dentes com 33mm de comprimento, inseridos na mandíbula e perfurando a maxila, e coloração cinza-prateada. Alimenta-se de outros peixes. [Sin.: *icanga, pirá-andirá, pirapucá, pirapucu, saicanga, saranha, taiabucu, tajabucu, tambicu, timbucu, tamucu.* Pl.: *peixes-cachorros* e *peixes-cachorro.*]

peixe-cadela. *S. m. Bras.* Peixe teleósteo, caraciforme, da família dos caracídeos (*Acestrorhamphus hepsetus* (Cuv.)), das bacias do Prata e Paraíba do Sul, carnívoro, de dentes fortes e longos. Costuma abrigar na boca pequenos crustáceos, que lhe vivem agarrados na língua. [Sin.: *peixe-prata, peixe-cigarra, cigarra, dentudo-pintado.* Pl.: *peixes-cadelas* e *peixes-cadela.*]

peixe-cigarra. *S. m. Bras.* V. *peixe-cadela.* [Pl.: *peixes-cigarras* e *peixes-cigarra.*]

peixe-cobra. [De *peixe* + *cobra*[1].] *S. m.* V. *muçum.* [Pl.: *peixes-cobras* e *peixes-cobra.*]

peixe-coelho. *S. m.* V. *quimera* (5). [Pl.: *peixes-coelhos* e *peixes-coelho.*]

peixe-congo. *S. m. Bras.* Certo peixe do mar. [Pl.: *peixes-congos* e *peixes-congo.*]

peixe-de-enxurrada. *S. m. Bras.* V. *tambuatá* (1 e 2). [Pl.: *peixes-de-enxurrada.*]

peixe-de-manilha. *S. m. Bras.* V. *cuiú-cuiú* (2). [Pl.: *peixes-de-manilha.*]

peixe-de-são-pedro. *S. m. Bras.* V. *galo-do-fundo.* [Pl.: *peixes-de-são-pedro.*]

peixe-diabo. *S. m. Bras.* V. *peixe-pescador.* [Pl.: *peixes-diabos* e *peixes-diabo.*]

peixe-disco. *S. m. Bras.* V. *acará-disco.* [Pl.: *peixes-discos* e *peixes-disco.*]

peixe-do-mato. *S. m. Bras.* V. *tambuatá* (1 e 2). [Pl.: *peixes-do-mato.*]

peixe-doutor. *S. m. Bras.* Peixe teleósteo, pediculado, da família dos antenarídeos (*Histrio histrio* (L.)), do Atlântico, de coloração amarela ornada de pardo, flancos e abdome pontilhados de branco, cabeça provida de pedúnculos, e o primeiro acúleo da nadadeira dorsal bifurcado no ápice. [Pl.: *peixes-doutores.*]

peixe-elefante. *S. m. Bras.* V. *quimera* (5). [Pl.: *peixes-elefantes* e *peixes-elefante.*]

peixe-elétrico. *S. m. Bras.* V. *poraquê.* [Pl.: *peixes-elétricos.*]

peixe-escorpião. *S. m.* V. *mangangá.* [Pl.: *peixes-escorpiões* e *peixes-escorpião.*]

peixe-espada. *S. m.* **1.** Peixe teleósteo, percomorfo, da família dos triquiurídeos (*Trichiurus lepturus* L.), do Atlântico, desde a Virgínia até a Argentina. Coloração prateada; corpo comprimido, longo, pontiagudo, terminado em apêndice filiforme; a nadadeira dorsal estende-se da cabeça à cauda, com 130 raios, e a nadadeira caudal ausente. Freqüenta o fundo do mar, onde se alimenta de outros peixes. **2.** V. *espadarte.* **3.** Peixe ciprinodonte, da família dos ciprinodontídeos (*Xephophorus helleri* Heckel), do México, de coloração variável; verde, vermelha, laranja com faixa castanha no flanco, ou totalmente negro. O macho tem nadadeira anal prolongada em forma de espada e até 12cm de comprimento; a fêmea, até 8 cm. Cruza-se com facilidade com outras espécies, originando numerosas formas. **4.** V. *tuvira.* **5.** V. *carapó.* [F. red. (us. na acepç. 4): *espada.* Pl.: *peixes-espadas* e *peixes-espada.*]

peixe-flor. *S. m. Bras.* V. *amboré.* [Pl.: *peixes-flores* e *peixes-flor.*]

peixe-folha. *S. m. Bras.* **1.** Peixe teleósteo, percomorfo, da família dos nadídeos (*Monocirrhus polyacanthus* Heckel), da Amaz. e Guianas, de forma arredondada, corpo mais claro na metade anterior, duas faixas alongadas mais escuras partindo dos olhos, e mento com pequeno barbilhão. Costuma permanecer e nadar com a cabeça para baixo, mimetizando folhas. Atinge de 5 a 6cm de comprimento, alimenta-se de outros peixes, e em aquário vive bem, comendo barrigudinhos. [Sin.: *piracaá, piracará.*] **2.** V. *prejereba.* [Pl.: *peixes-folhas* e *peixes-folha.*]

peixe-frade. *S. m. Bras.* V. *paru* (3). [Pl.: *peixes-frades* e *peixes-frade.*]

peixe-frito. *S. m. Bras., BA.* **1.** Designação comum a duas espécies de *Dromococcyx* Wied.; a *D. phasianellus* (Spix) e a *D. pavoninus* Pelz., ambas de grande parte do Brasil. A *D. phasianellus* tem dorso cinzento-escuro, peito amarelado, parte ventral branca, e cabeça e topete castanhos. Alimenta-se de insetos e costuma colocar seus ovos em ninhos de outras aves. **2.** V. *saci* (2). **3.** *Gír.* Pequeno automóvel. [Pl.: *peixes-fritos.*]

peixe-galo. [De *peixe* + *galo*[1]] *S. m.* Peixe teleósteo, percomorfo, da família dos carangídeos (*Selene vomer* (L.)), do Pacífico e Atlântico tropical, de dorso azulado e abdome prateado, facilmente reconhecível por ter a fronte quase vertical, semelhante a uma relha de arado, e pela presença apenas do primeiro raio da primeira nadadeira dorsal, muito longo, atingindo a ponta da cauda. Tem também dois longos filamentos, cujo comprimento varia com a idade, na região anterior do abdome, e seu aspecto geral é o do aracangüira [q. v.]. Alimenta-se de moluscos, crustáceos e pequenos peixes. [Sin.: *galo-bandeira, galo-de-penacho, alfaquim, capão, testudo.* Cf. *galo*[1] (5). Pl.: *peixes-galos* e *peixes-galo.*]

peixe-galo-do-brasil. *S. m. Bras.* V. *aracangüira.* [Pl.: *peixes-galos-do-brasil* e *peixes-galo-do-brasil.*]

peixe-gato. *S. m. Bras., BA* e *ES.* **1.** V. *mapará* (2). **2.** V. *garoupa-gato.* [Pl.: *peixes-gatos* e *peixes-gato.*]

peixeira. *S. f.* **1.** Vendedora de peixe. **2.** *Bras., N.E.* Faca empregada para cortar peixe. **3.** *Bras., N.E.* Facão, curto e muito cortante: "à falta de um pau puxou sua p e i x e i r a e de um só golpe certeiro partiu a cobra em duas." (Hélio Galvão, *Cartas da Praia*, p. 56). **4.** *Bras., S.* Travessa onde se serve o peixe.

peixeirada. *S. f. Bras., N.E.* Golpe dado com a peixeira (3): "A disputa .... muitas vezes originava exaltação de ânimos e não raro a coisa terminando em pancadaria, com alguém esticado no chão, vítima de p e i x e i r a d a . '' (José Condé, *Como uma Tarde em Dezembro*, p. 10.)

peixeiro. *S. m.* **1.** Vendedor de peixe. **2.** *Bras.* V. *santista*[2] (3).

peixe-lagarto. *S. m. Bras.* Peixe teleósteo, iniomo, da família dos sinodontídeos (*Synodus, intermedius* (Agass.)), da costa leste do Brasil, de coloração amarelada e 40 cm de comprimento. Tem o corpo alongado, as nadadeiras ventrais relativamente grandes, e o focinho lembra o do lagarto. Alimenta-se de outros peixes e crustáceos. [Sin.: *lagarto-do-mar, calango.* Pl.: *peixes-lagartos* e *peixes-lagarto.*]

peixe-lenha. *S. m. Bras.* V. *surubim-mena.* [Pl.: *peixes-lenhas* e *peixes-lenha.*]

peixelim. *S. m. Peixe miúdo do mar.*

peixe-lua. *S. m.* Peixe teleósteo, plectógnato, da família dos molídeos (*Mola mola* (Gmel.)), do Atlântico, de corpo discóide, prateado, dorso azulado, estrias azuis transversais sobre os lados do focinho e atravessando os olhos, e nadadeiras dorsal e ventral situadas na parte posterior. Chega a medir 2,5 m e a pesar 900 kg. [Sin.: *peixe-roda.* Pl.: *peixes-luas* e *peixes-lua.*]

peixe-macaco. *S. m. Bras.* Peixe teleósteo, percomorfo, da família dos eleotrízeos (*Eleotris pisonis* (Gmel.)), do Atlântico, de coloração oliváceo-escura, uniforme, e até 17 cm de comprimento. Tem hábitos sedentários e freqüenta, também, a água doce. [Pl.: *peixes-macacos* e *peixes-macaco.*]

peixe-martelo. *S. m.* Peixe elasmobrânquio, pleurotremado, da família dos esfirnídeos (*Syphyrna zygaena* (L.)), dos mares tropicais e subtropicais, de dorso cinzento, e cuja parte inferior varia do amarelado ao branco. É o maior dos cações-martelos; alcança até 4,5 m de comprimento. Sua carne é razoável; o fígado, rico em óleo, com 30 a 40 vezes mais conteúdo de vitamina que o fígado do bacalhau. Alimenta-se de peixes e de crustáceos. [Sin.: *cação-martelo, martelo, tubarão-martelo, cornuda, cambeba, cambeva.* Pl.: *peixes-martelos* e *peixes-martelo.*]

peixe-moela. *S. f. Bras.* V. *barbado*[1] (6). [Pl.: *peixes-moelas* e *peixes-moela.*]

peixe-morcego. [De *peixe* + *morcego*[2].] *S. m.* Peixe teleósteo, pediculado, da família dos oncocefalídeos (*Oncocephalus longirostris* (Val.)), do Atlântico, de dorso terroso e abdome brancacento. O corpo apresenta feitio de sapo na parte anterior e é pisciforme na posterior; nadadeiras ventrais, utilizadas para caminhar na lama, pediformes, e as peitorais lembram asas. É peixe de profundidade. [Tb. se diz apenas *morcego.* Sin.: *peixe-anjo.* Pl.: *peixes-morcegos* e *peixes-morcego.*]

peixe-mulher. *S. m. Bras. P. us.* A fêmea do peixe-boi. [Pl.: *peixes-mulheres* e *peixes-mulher.*]

peixe-negro. *S. m. Bras.* V. *mandi-bandeira.* [Pl.: *peixes-negros.*]

peixense. *Adj. 2 g.* **1.** De, ou pertencente ou relativo a Peixe (GO). ● *S. 2 g.* **2.** Natural ou habitante de Peixe.

peixe-palmito. *S. m. Bras.* V. *palmito-de-ferrão.* [Pl.: *peixes-palmitos* e *peixes-palmito.*]

peixe-pedra. *S. m. Bras.* Certo peixe do mar. [Pl.: *peixes-pedras* e *peixes-pedra.*]

peixe-pegador. *S. m. Bras.* V. *rêmora.* [Pl.: *peixes-pegadores.*]

peixe-pena. [De *peixe* + *pena*[1].] *S. m.* Peixe (*Callamus penna*) pertencente à família *Sparidae*, de corpo comprido e ovóide, com um pequeno osso sobre o qual se move o segundo acúleo da nadadeira anal. Tem a forma de uma pena de escrever, e ocorre do S. da Flórida ao S. do Brasil. [Pl.: *peixes-penas* e *peixes-pena.*]

peixe-pescador. *S. m. Bras.* Peixe teleósteo, pediculado, da família dos lofídeos (*Lophius gastrophysus* Mir. Rib.), da costa brasileira. Coloração cinzenta com manchas negras; comprimento de 1 a 2 m. Tem sobre o focinho um pedúnculo terminado em dilatação foliácea, usado para atrair outros peixes e capturá-los para sua alimentação. Extremamente voraz, pode engolir presas quase do seu próprio tamanho. A espécie *Lophius piscatorius* L. não existe na costa do Brasil. [Sin.: *peixe-diabo, diabo-marinho, lófio.* Pl.: *peixes-pescadores.*]

peixe-piolho. *S. m.* V. *rêmora.* [Pl.: *peixes-piolhos* e *peixes-piolho.*]

peixe-porco. *S. m. Bras.* **1.** Peixe teleósteo, plectógnato, da família dos monacantídeos (*Monacanthus hispidus* (L.)), do Atlântico, desde a América do Norte até o RJ, de coloração cinérea, irregularmente manchada de amarelo-oliváceo, escamas pequenas, de aspecto granuloso, e um grande espeto ereto atrás da cabeça. Sua carne não é venenosa, como o povo crê. [Sin.: *negro--mina.*] **2.** Gudunho. [Pl.: *peixes-porcos* e *peixes-porco.*]

peixe-prata. *S. m. Bras.* V. *peixe-cadela.* [Pl.: *peixes-pratas* e *peixes-prata.*]

peixe-prego. *S. m. Bras.* V. *enchova-preta.* [Pl.: *peixes-pregos* e *peixes-prego.*]

peixe-preto. *S. m. Bras.* V. *mandi-bandeira.* [Pl.: *peixes-pretos.*

peixe-purgativo. *S. m. Bras.* V. *enchova-preta.* [Pl.: *peixes-purgativos.*]

peixe-rato. *S. m.* **1.** Pequeno peixe do mar alto. **2.** Bras. V. *obaraba-rato.* [Pl.: *peixes-ratos* e *peixes-rato.*]

peixe-rei. *S. m. Bras.* **1.** Peixe teleósteo, percomorfo, da família dos aterinídeos (*Basilichthys brasiliensis* (Quoy & Gain.)), de águas salgadas e salobras da América do Sul, de coloração branca com faixa lateral prateada, e que se alimenta de moluscos e microcrustáceos. **2.** Peixe teleósteo, percomorfo, da família dos aterinídeos (*B. bonariensis*), da Argentina, muito apreciado em piscicultura de água doce. **3.** Peixe teleósteo, percomorfo, da família dos aterinídeos (*Pseudothyrina iheringi* Mir.-Rib.). **4.** Peixe teleósteo, faringeógnato, da família dos labrídeos (*Halichoeres cyanocephalus* (Bloch)), do Atlântico, desde as Antilhas até o RJ, de coloração geral amarelo-cromo no focinho e no alto da cabeça, com uma faixa que se vai estreitando sob a base da nadadeira dorsal, na qual se nota uma fímbria azul-celeste. As cores violeta, rubra e azul-cobalto aparecem em certas regiões do corpo. **5.** V. *bijupirá.* [Pl.: *peixes-reis* e *peixes-rei.*]

peixe-roda. *S. m.* Peixe-lua. [Pl.: *peixes-rodas* e *peixes-roda.*]

Peixes. [Do lat. *pisces.*] *S. m. pl.* **1.** *Astr.* A 12ª constelação do zodíaco, situada no hemisfério norte, a 1 h de ascensão reta e 15º de declinação norte. **2.** O 12º signo do zodíaco, relativo aos que nascem entre 19 de fevereiro e 20 de março. [Sin. ger.: *Pisces.*] ~ V. *peixe.*

peixe-sapo. *S. m. Bras.* V. *pacamão* (1). [Pl.: *peixes-sapos* e *peixes-sapo.*]

peixe-serra. *S. m.* Designação comum a várias espécies de peixes elasmobrânquios, hipotremados, da família dos pristídeos (*Pristis microdon* Lath., *P. pectinatus* Lath. e *P. cuspidatus* Lath.), dos mares tropicais, de coloração cinza-escura, mais clara no abdome, cabeça provida de um longo rostro, ou serra, que atinge até 2 m de comprimento. Certos indivíduos podem alcançar 7 m de extensão. Vivem no fundo das águas, mais comumente no estuário dos grandes rios, e alimentam-se de outros peixes. São tidos como espécies agressivas. [Sin.: *araguaguá, araguaguai.* Pl.: *peixes-serras* e *peixes-serra.*]

peixe-soldado. *S. m. Bras.* Peixe da família dos caetodontídeos (*Holacanthus tricolor* L.). [Pl.: *peixes--soldados* e *peixes-soldado.*]

peixe-sono. *S. m. Bras.* V. *prejereba.* [Pl.: *peixes-sonos* e *peixes-sono.*]

peixe-trombeta. *S. m. Bras.* Peixe teleósteo, aulóstomo, da família dos fistularídeos (*Fistularia babacaria* L.), da costa atlântica, de forma alongada, cilíndrica, coloração pardacenta, com manchas azuis nos flancos, e nadadeira caudal terminada em filamento. A cabeça ocupa uma terça parte do corpo, que pode atingir até 2 m de comprimento. [F. red.: *trombeta.* Sin.: *agulhão--trombeta.* Pl.: *peixes-trombetas* e *peixes-trombeta.*]

peixe-vermelho. *S. m.* Peixe teleósteo, cipriniforme, da família dos ciprinídeos (*Carassius auratus auratus* (L)), originário da China, cuja coloração varia do vermelho ao dourado, tendendo ao amarelo nas nadadeiras. É uma das espécies mais antigas em aquários, uma das primeiras criadas pelo homem, e atinge até 25 cm de comprimento. Alimenta-se de vegetais, insetos e vermes, restos ou detritos de modo geral. Há numerosas variedades, que de ordinário recebem nomes populares. [Pl.: *peixes-vermelhos.* Cf. *cabeça-de-leão, cabeça-de--tomate, cauda-de-véu, cometa* (3), *mira-céu* (1) e *telescópio* (5).]

peixe-voador. *S. m.* **1.** Peixe teleósteo, sinentógnato, da família dos exocoetídeos (*Exocoetus volitans* (L.)), da costa atlântica, de cabeça quadrangular, óssea, terminando em longos espinhos na região temporal, e nadadeiras peitorais maculadas e ponteadas com tal desenvolvimento que lhe permitem dar pequenos vôos próximo à superfície da água, quando fogem aos seus predadores; coió. **2.** V. *voador* (5). [Pl.: *peixes-voadores.*]

peixe-zebra. *S. m. Bras.* Bandeira-paulista. [Pl.: *peixes-zebras* e *peixes-zebra.*]

peixinho. [Dim. de *peixe.*] *S. m. Bras. Fam.* Pessoa que é favorita de outrem, gozando, assim, de certas regalias; peixe.

peixote. *S. m.* Peixe de tamanho médio. [Cf. *pexote.*]

peja (ê). [Dev. de *pejar.*] *S. f.* **1.** O ato de pejar (6). [Antôn.: *botada.*] **2.** O término dos trabalhos da safra.

pejado. [Part. de *pejar.*] *Adj.* **1.** Que sente pejo; envergonhado, acanhado. **2.** Repleto, carregado, cheio. **3.** Diz-se de mulher ou doutra fêmea em estado de gestação.

pejamento. *S. m.* **1.** Ato ou efeito de pejar(-se). **2.** Aquilo que peja ou embaraça; estorvo.

pejar. *V. t. d.* **1.** Encher; carregar. **2.** Estorvar, impedir, embaraçar: *Caixas amontoadas* pejavam *a passagem. T. d.* e *i.* **3.** Encher, carregar: *A cena* pejava*-lhe a memória com tristes lembranças. T. i.* **4.** Causar pejo, vergonha ou vexame: *A censura* pejou*-lhe vivamente. Int.* **5.** Tornar-se grávida, prenhe, pejada, engravidar, gravidar, conceber. **6.** *Bras.* Parar (o engenho de açúcar) de moer. [Antôn., nesta acepç.: *botar.*] *P.* **7.** Embaraçar-se, estovar-se. **8.** Recear; hesitar: *Não se* pejou *de eliminar o adversário.* **9.** Acanhar-se por modéstia ou por timidez; envergonhar-se, correr: "E quantos fidalgos havia que não se pejavam de casar com mulheres que tinham sido barregãs de outros!..." (Antero de Figueiredo, *Leonor Teles,* p. XXVIII.) [Var.: *apejar.* Conjug.: v. *pelejar.*]

peji. [De or. afr.] *S. m. Bras.* Santuário do candomblé baiano: "Quando ele se ocultou no santuário, ... todos os cágados como que chamados por uma voz secreta começaram a rojar em direção do peji." (Xavier Marques, *O Feiticeiro,* p. 155.)

pejo (ê). [Dev. de *pejar.*] *S. m.* **1.** Pudor (1): "Valente, como era, chorou sem ter pejo" (Gonçalves Dias, *Obras Poéticas,* II, p. 34). **2.** *Ant.* Acanhamento, timidez; vergonha. **3.** *Ant.* Impedimento, estorvo.

pejorar. [Do lat. *pejorare.*] *V. int. P. us.* **1.** Tornar pior. **2.** Rebaixar, depreciar, aviltar.

pejorativo. [Do lat. *pejoratu,* part. pass. de *pejorare,* 'piorar', + *-ivo.*] *Adj.* **1.** Diz-se de vocábulo que adquiriu ou tende a adquirir significação torpe, obscena, ou só desagradável. **2.** Diz-se de tal significação: *Usou a palavra* moleque *em sentido* pejorativo.

pejoso (ô). [De *pejo* + *-oso.*] *Adj. P. us.* Pejado, envergonhado; acanhado.

▲-pel. Equiv. de *pel(o)-.*

pela. [Aglut. da prep. *per* e do art. arc., fem., *la* (a²).] *Fem. de pelo* (1 a 3). [q.v.]. [Pl. *pelas.* Cf. *péla,* s. f., pl. *pélas,* e *péla* e *pélas,* do v. *pelar.*]

péla¹. [Do lat. vulg. **pilella,* dim. de *pila,* atr. do arc. *pela.*] *S. f.* **1.** *Bola, especialmente a de borracha, usada para jogar ou brincar.* **2.** Bola usada no jogo da péla. **3.** Jogo da péla. **4.** *Jogralesca: "O som destes instrumentos semibárbaros .... marcava o compasso às danças dos jograis e das* pélas *ou jogralesas, de que também há memórias." (Alexandre Herculano, O Monge de Cister,* II, p. 259.) **5.** *Fig.* V. *joguete* (1). [Pl.: *pélas.* Cf. *pela* e *pelas,* flex. de *pelo.*]

péla². [Dev. de *pelar.*] *S. f.* **1.** Cada camada de cortiça, nos sobreiros. **2.** Ato de pelar². [Pl.: *pélas.* Cf. *pela* e *pelas,* flex. de *pelo.*]

pelada¹. [Fem. substantivado do adj. *pelado¹.*] *S. f.* **1.** Campo de serra. **2.** *Patol.* Afecção das regiões pilosas, particularmente o couro cabeludo, a qual se manifesta por placas de alopecia arredondadas ou ovais.

pelada². [Talvez de *péla¹* + *-ada¹.*] *S. f. Bras.* **1.** Jogo de futebol ligeiro, sem importância, em geral entre garotos ou amadores, e que se realiza em campo improvisado. **2.** Partida de futebol mal jogada ou sem maior interesse. ◆ **Bater uma pelada.** *Bras.* Jogar pelada² (1).

peladeiro. *S. m. Bras.* Jogador de pelada² (1).

pelado¹. [Part. de *pelar¹.*] *Adj.* **1.** A que tiraram o pêlo. **2.** Que não tem pêlo. **3.** Calvo, careca. **4.** *Fam.* Finório, espertalhão. ~ V. *morro* —. ● *S. m.* **5.** *Bras., S.* V. *rapador¹.*

pelado². [Part. de *pelar².*] *Adj.* **1.** A que se tirou a pele; esfolado. **2.** A que se tirou a casca. **3.** *Fig.* Sem dinheiro; pobre, miserável. **4.** *Bras., Fam.* Nu, desnudo, despido: "afastando-se, apareceu de corpo inteiro aos olhos da mulher, esquecendo-se de que estava pelado." (Fernando Sabino, *Medo em Nova Iorque. A Cidade Vazia,* p. 120). ● *S. m.* **5.** Indivíduo pobre, sem dinheiro.

pelador¹ (ô). [De *pelar¹* + *-(d)or.*] *Adj.* **1.** Que péla ou tira o pêlo. ● *S. m.* **2.** Aquele que péla ou tira o pêlo. **3.** *Bras., RS.* V. *rapador¹.*

pelador² (ô). [De *pelar²* + *-(d)or.*] *Adj.* e *s. m.* Que ou aquele que péla ou tira a pele.

peladura¹. *S. f.* **1.** Ato ou efeito de pelar¹. **2.** V. *alopecia.*

peladura². *S. f.* **1.** Ato de pelar². **2.** *Bras., RS.* Susto, sobressalto. **3.** *Bras., RS.* Desgraça, desastre.

pelagem. *S. f.* O pêlo dos animais; pelame.

pelagianismo. *S. m.* **1.** Doutrina do heresiarca inglês Pelágio (séc. V), a qual nega o pecado original e a corrupção da natureza humana. **2.** O conjunto dos seguidores dessa doutrina.

pelágico. [Do gr. *pelagikós,* pelo lat. *pelagicu.*] *Adj.* V. *pelágio* (1). ~ V. *depósito —, região —a, rio — e vida —a.*

pelágio. [Do gr. *pelágios,* pelo lat. *pelagiu.*] *Adj.* **1.** Relativo a pélago; oceânico, pelágico. **2.** Que ocorre nos mares: *rios* pelágios.

pélago. [Do gr. *pélagos,* pelo lat. *pelagu.*] *S. m.* **1.** Mar profundo; abismo marítimo; pego. **2.** Mar alto; oceano. **3.** *Fig.* Abismo, profundidade, imensidade; pego: *um* pélago *de sofrimentos;* "No período da vida em que o coração da mulher se abre às paixões há duas épocas distintas. A primeira é aquela em que, tímida e inexperiente, ela se embriaga nesse pélago de vagas aspirações de um amor sem objeto" (Alexandre Herculano, *O Monge de Cister,* II, p. 142).

pelagografia. [De *pélago* + *-graf(o)-* + *-ia.*] *S. f.* No antigo conceito de geografia, o estudo dos mares.

pelagográfico. *Adj.* Referente à pelagografia.

pelagoscopia. [De *pélago* + *-scop-* + *-ia.*] *S. f.* Arte de examinar o fundo das águas.

pelagoscópico. *Adj.* Referente à pelagoscopia.

pelagoscópio. [De *pélago* + *-scop-* + *-io².*] *S. m.* Instrumento com que se observa o fundo das águas.

pelagra. [Do fr. *pellagre.*] *S. f. Patol.* Avitaminose caracterizada por eritema das partes descobertas e por perturbações digestivas, nervosas e mentais.

pelagroso (ô). *Adj.* Referente à, ou que tem pelagra. ● *S. m.* **2.** O doente de pelagra.

pelame¹. [De *pêlo* + *-ame.*] *S. m.* Pelagem.

pelame². [De *pele* + *-ame.*] *S. m.* **1.** Porção de peles; pelaria, courama. **2.** A pele dos animais.

pelanca. *S. f.* **1.** Pele flácida e pendente; pele: "puxava a camisa, guardava as pelancas dos peitos e, com um grunhido, chamava o cão e partia resmungando o seu canto monótono" (Coelho Neto, *Sertão,* p. 29). **2.** Carne magra e engelhada. [Var., nessas acepç.: *pelanga* e *pelhanca;* sin.: *pelangana.*] **3.** *Bras.* Peso de carne de má qualidade; pele. *S. m.* **4.** *Bras. Gír.* Repórter antigo.

pelanco. [De *pelanca*] *S. m. Bras., N.E.* **1.** Passarinho novo. **2.** *Fig.* Rapazinho, garoto, fedelho.

pelancudo. [De *pelanca* (1 e 2) + *-udo.*] *Adj.* Que tem pelancas: *velha* pelancuda.

pelanga. *S. f.* V. *pelanca* (1 e 2).

pelangana. [De *pelanga.*] *S. f.* V. *pelanca* (1 e 2).

péla-porco. [Da 3ª pess. sing. do pres. ind. do v. *pelar* + *porco.*] *S. m. Bras., PB. Pop.* Barbeiro (1) de feira livre. [Pl.: *péla-porcos.*]

pelar¹. [De *pêlo* + *-ar².*] *V. t. d.* **1.** Tirar o pêlo a. *P.* **2.** Ficar sem pêlo. [Pres. ind.: *pélo, pélas, péla,* etc. Cf. *pelo,* flex. *pela, pelas,* e *pêlo, s. m.*]

pelar². [De *pele* + *-ar².*] *V. t. d.* **1.** Tirar a pele ou casca de. **2.** *Gír.* Depenar (4). **3.** *Bras., RS.* Desembainhar (a espada ou o facão). [Sin., no N.E., nesta acepç.: *desfolhar.*] *Int.* **4.** *Bras.* Atingir temperatura elevadíssima, capaz de, ou quase capaz de, ao simples contacto, tirar a pele: "Faltava-lhe a arma que destruía esses monstros [tubarões]: uma abóbora pelando, no fogareiro de bordo." (Reginaldo Guimarães, *Uma Blusa no Cais,* p. 27.) *P.* **5.** Ficar sem pele. **6.** Despir-se, desnudar-se. **7.** *Fig.* Gostar muito: *O Rodrigo* se péla *por mariscos;* "O homem tinha um fraco: pelava-se pela canja!" (D. João da Câmara, *Contos,* p. 136). [Pres. ind.: *pélo, pélas, péla,* etc. Cf. *pelo,* flex. *pela* e *pelas,* e *pêlo,* s. m.]

pelargônico. [De *pelargônio* + *-ico².*] *Adj.* ~ V. *ácido* —.

pelargônio. [Do gr. *pelargós,* 'cegonha', + *-n-* + *-io.*] *S. m.* Erva da família das geraniáceas (*Pelargonium grandiflorum*), cultivada como ornamental, em jardins, graças à beleza de suas grandes flores odoríferas e variadamente coloridas, e cujas folhas são também aromáticas.

pelaria. *S. f.* V. *pelame²* (1) **2.** Indústria do preparo de peles. **3.** V. *peleteria.* [F. paral.: *peleria.*]

pelásgico. [Do gr. *pelasgikós.*] *Adj.* Pertencente ou relativo aos pelasgos.

pelasgo. [Do lat. *pelasgu.*] *S. m.* Indivíduo dos pelasgos, primitivos habitantes da Grécia e da Itália.

pele. [Do lat. *pelle.*] *S. f.* **1.** Órgão mais ou menos espesso que reveste exteriormente o corpo humano, bem como o dos animais vertebrados e o de muitos outros. [Sin.: *derma* e (pop.) *couro.*] **2.** *Fam.* A camada mais externa da pele (1); epiderme. **3.** Cútis, tez: *Não é bonita, mas tem uma linda pele.* **4.** V. *pelanca* (1). **5.** Couro (2). **6.** Partes coriáceas e nervosas que se encontram nas carnes comestíveis; pelanca. **7.** A pele de um animal separada do corpo: *É de La Fontaine a fábula acerca do lobo vestido com a pele da ovelha.* **8.** A pele de certos animais, dotada de pêlos finos, sedosos e abundantes, preparada industrialmente para ser usada na fabricação de agasalhos, ou como ornamento ou guarnição de certas peças do vestuário. **9.** Odre (1). **10.** Peça de vestuário, ou manta, feita ou forrada de pele: *A atriz usava uma pele de raro valor.* **11.** A casca de certos frutos e legumes: *a pele do pêssego.* **12.** *Fig.* A própria pessoa; o próprio corpo: *sentir na pele [q. v.]; defender a pele.* **13.** *Bras., PA.* O disco achatado da borracha bruta, tal como é apresentada à venda, depois de preparada nos seringais. **14.** *Bras. Gír.* Pelega. ◆ **Pele anserina.** *Med.* **1.** Pele rugosa conseqüente a doença. **2.** Pele arrepiada fisiologicamente, pelo medo, pelo frio, etc. **Pele e osso.** Diz-se de pessoa ou animal muito magro. **Cair na pele de.** *Bras. Pop.* Zombar ou escarnecer de; gozar. **Cortar na pele de.** Falar mal de (alguém); difamar; tosar na pele de. **Estar na pele de.** Estar na posição, situação, etc., ocupada por (alguém); estar no lugar de. **Salvar a pele.** *Bras.* Esquivar-se da responsabilidade em mau ato; livrar-se de castigo ou reprimenda. **Sentir na pele.** Ressentir-se profundamente de (alguma coisa); sofrer na própria carne; sentir na própria pele. **Sentir na própria pele.** V. *sentir na pele.* **Tirar a pele a.** Explorar, defraudar (alguém); tirar a pele de. **Tirar a pele de.** Tirar a pele a. **Tosar na pele de.** Cortar na pele de.

peleador (ô). [Do esp. plat. *peleador.*] *Adj.* e *s. m. Bras., SC* e *RS.* Brigão; turbulento.

pelear. [Do esp. plat. *pelear.*] *V. int. Bras., SC* e *RS.* Brigar, lutar, batalhar, pelejar: "Ele pinchou-se, a espada reverberando na mão. Peleamos um mundo de tempo." (Tito Carvalho, *Bulha d'Arroio,* p. 10.) [Conjug.: v. *frear.*]

pelebreu. *S. m. Bras., PI* e *CE.* Pinto pelado.

pelechar. [Do esp. plat. *pelechar.*] *V. int. Bras., RS.* Mudar o pêlo (o animal). [Conjug.: v. *fechar.*]

pelecho (ê). [Do esp. plat. *pelecho.*] *S. m. Bras., RS.* Ato ou efeito de pelechar.

pelecípode. [Do gr. *pélekys,* 'machado', + *-pode.*] *S. m.* **1.** Espécime dos pelecípodes. ● *Adj. 2 g.* **2.** Pertencente ou relativo a eles. [Sin. ger.: *acéfalo, bivalve, lamelibrânquio.*]

pelecípodes. *S. m. pl. Zool.* Animais moluscos, da classe *Pelecypoda,* que têm o corpo revestido por concha de duas valvas laterais, com charneira dorsal, sola pediosa em forma de machado, protraída do lado ventral quando o animal está em movimento, e desprovido de cabeça. São as ostras e os mexilhões. [Sin.: *acéfalos, bivalves, lamelibrânquios.*]

pelecóide. [Do gr. *pélekys,* 'machado', + *-óide.*] *Adj. 2 g.* Que tem forma de machado.

pele-de-ovo. *S. f.* Tecido de algodão natural ou sintético, muito fino e macio, usado sobretudo em roupas de recém-nascidos. [Pl.: *peles-de-ovo.*]

pele-de-lixa. *S. f. Bras., RS.* Varíola confluente. [Pl.: *peles-de-lixa.*]

pelega (ê). [De *pelego.*] *S. f. Bras. Gír.* Cédula de dinheiro; pele: "Uma carteira bem recheada: muitas pelegas de cinqüenta, de cem, de duzentos." (Guido Vilmar Sassi, *Piá,* p. 94.)

pelegada[1]. *S. f. Bras., S.* Muitas pelegas; pelegama.

pelegada[2]. *S. f. Bras., RS.* **1.** Grande porção ou partida de pelegos [v. *pelego* (1 e 2)]; pelegama. **2.** Porção de pelegos [v. *pelego* (4 e 5)]. **3.** Os pelegos.

pelegama[1]. [De *pelega* + *-ama.*] *S. f. Bras., S.* Pelegada[1].

pelegama[2]. [De *pelego* + *-ama.*] *S. f. Bras., RS.* Pelegada[2] (1).

pelego (ê). [Do esp. *pellejo.*] *S. m.* **1.** *Bras.* A pele do carneiro com a lã: "Trazia o sertanejo .... na garupa a maleta de pelego de carneiro" (José de Alencar, *O Sertanejo,* p. 36). **2.** *Bras.* Essa pele, usada nos arreios à maneira de xairel. **3.** *Bras.* Tapete feito dessa pele. **4.** *Bras. Deprec.* Designação comum aos agentes mais ou menos disfarçados do Ministério do Trabalho nos sindicatos operários. **5.** *Bras. Fig.* Pessoa subserviente; capacho. **6.** *RS.* Passo errado nas danças gaúchas.

pelego-branco. *S. m. Bras., RS.* Alcunha que os habitantes da fronteira dão aos do N. do Estado, especialmente aos do município de Taquari. [Pl.: *pelegos-brancos.*]

peleguear. *V. int. Bras., RS.* **1.** Trabalhar em pelegos. **2.** Bater com um pelego na cabeça do potro, quando este se acha preso ao palanque, a fim de tirar-lhe os sestros ou fazê-lo perder o medo ao homem. **3.** Errar na dança, fazendo pelego (6). [Conjug.: v. *frear.*]

peleguismo. *S. m. Bras.* Procedimento ou atitude de pelego (4 e 5).

peleia. [Do esp. plat. *pelea.*] *S. f. Bras., SC* e *RS.* **1.** Pugilato, contenda, peleja, briga. **2.** Combate entre forças beligerantes; batalha, peleja.

peleiro. *S. m.* Preparador e/ou vendedor de peles. [Sin., gal.: *peleteiro.*]

peleja (ê). [Dev. de *pelejar.*] *S. f.* **1.** Ato de pelejar. **2.** Combate, luta, batalha. **3.** Briga, contenda, desavença. **4.** *Liter. Pop. Bras.* Desafio (4).

pelejador (ô). *Adj.* e *s. m.* **1.** Que ou aquele que peleja. **2.** Trabalhador, lidador, batalhador. **3.** Brigão, brigalhão.

pelejar. [De *pêlo* + *-ejar.*] *V. int.* **1.** Batalhar; combater, lutar, pugnar: *O Duque de Caxias pelejou na Revolução Farroupilha, na Balaiada e na Guerra do Paraguai.* [Sin., bras., SC e RS: *pelear.*] **2.** Sustentar certas doutrinas verbalmente ou por escrito; discutir. **3.** Estar em desacordo; desavir-se. *T. i.* **4.** Batalhar, combater, lutar, pugnar: *Glória a quantos pelejam pela paz!* **5.** Estar em desacordo; desavir-se. **6.** *Bras.* Insistir, instar, com obstinação: *Pelejou para obter um emprego — em vão; Pelejou com o amigo para entrar na sociedade, mas em vão. T. d.* **7.** Travar luta, combate, etc., em favor de: "já ouço o hino vitorioso, que há de aclamar .... a crença e a tenacidade de todos os que pelejam e pelejarem esta nobre campanha de patriotismo." (Olavo Bilac, *Últimas Conferências e Discursos,* p. 206); *Pelejou duras pelejas.* [O segundo e do radical é fechado nas f. rizotônicas: pres. ind.: *pelejo* (ê), *pelejas* (ê) *peleja* (ê), *pelejam* (ê); pres. subj.: *peleje* (ê), *pelejes* (ê), *peleje* (ê), *pelejem* (ê); imperat.: *peleja* (ê), *peleje* (ê), *pelejem* (ê).]

peleria. [De *pele* + *-eria.*] *S. f.* V. *peleteria.*

pelerine. [Do fr. *pèlerine.*] *S. f.* **1.** Capa[1] (1) longa, em geral godê e com fendas para os braços. **2.** Capa[1] (1) curta que cobre os ombros e a parte superior do corpo.

peletaria. *S. f. Bras.* V. *peleteria.*

peleteiro. [Do fr. *pelletier.*] *S. m. Bras. Gal.* Peleiro.

peleteria. [Do fr. *pelleterie.*] *S. f. Bras. Gal.* Estabelecimento onde se confeccionam abrigos de pele ou se vendem peles (8 e 10) e peliças. [Var.: *peletaria.* Sin. (vernacularmente preferíveis, mas p. us. no Brasil): *pelaria, peleria.*]

pé-leve. *S. m. Bras., BA.* Indivíduo reles; vadio. [Pl.: *pés-leves.*]

pele-vermelha. *S. 2 g.* **1.** Indivíduo dos peles-vermelhas, designação comum às tribos aborígines dos E.U.A., e originária do costume de ungirem corpo e rosto de matéria corante vermelha. ● *Adj. 2 g.* **2.** Pertencente ou relativo aos peles-vermelhas. [Pl.: *peles-vermelhas.*]

pelhanca. *S. f.* V. *pelanca* (1 e 2).

pelhancaria. *S. f.* Quantidade de pelhancas.

peliagudo. *Adj. Bras., S.* **1.** Que ameaça ter más conseqüências; arriscado, perigoso. **2.** Incerto, duvidoso.

pelica. [De *pele* + *-ica*[1].] *S. f.* Pele fina, curtida e preparada para luvas, calçados, etc.

peliça. [Do lat. *pellicea,* 'feita de pele'.] *S. f.* Peça de vestuário, ou colcha, feita ou forrada de peles [v. *pele* (8)] finas e macias: "Tipo de inglesa. Recoberta de peliças exageradas, excessivas, mas elegantíssima." (Jaime Adour da Câmara, *Oropa, França e Bahia,* p. 17.).

pelicânida. *S. m.* V. *pelicanídeo.*

pelicânidas. *S. m. pl.* V. *pelicanídeos.*

pelicanídeo. *S. m.* **1.** Espécime dos pelicanídeos. ● *Adj.* **2.** Pertencente ou relativo a eles. [Sin. ger.: *pelicânida.*]

pelicanídeos. *S. m. pl. Zool.* Aves pelicaniformes, da família *Pelecanidae,* caracterizadas por terem o bico largo e muito desenvolvido, o corpo grosso, com pernas curtas, e pescoço longo, com uma bolsa membranácea muito grande abaixo do bico. São os pelicanos. [Sin.: *pelicânidas.*]

pelicaniforme. [De *pelicano* + *-i-* + *-forme.*] *Adj. 2 g.* **1.** Que tem forma ou aspecto de pelicano (1). **2.** Pertencente ou relativo aos pelicaniformes; totipalmado. ● *S. m.* **3.** Espécime dos pelicaniformes; totipalmado.

pelicaniformes. *S. m. pl. Zool.* Aves neórnites, neógnatas, da ordem *Pelecaniformes.* São aquáticas, de pernas curtas, pés estéganos, narinas vestigiais ou ausentes, e uma bolsa ou saco gular, exceto nas espécies tropicais. São os pelicanos e os atobás. [Sin.: *totipalmados.*]

pelicano. [Do gr. *pelekán,* pelo lat. *pelicanu.*] *S. m.* **1.** Designação comum às aves pelicaniformes, da família dos pelicanídeos, do gênero *Pelecanus L.,* das quais ocorre uma única espécie no extremo N. do Brasil, o *pelicano-pequeno.* **2.** Instrumento com que se extraem dentes. **3.** Antiga peça de artilharia.

pelicano-pequeno. *S. m. Bras., Amaz.* Ave pelicaniforme, da família dos pelicanídeos (*Pelecanus occidentalis* L.), das Antilhas e N. da América do Sul, de coloração geral cinzenta com parte das penas do dorso marginadas de pardo-escuro, parte da cabeça branca, e pescoço vermelho no período de incubação. Alimenta-se de peixes. [Pl.: *pelicanos-pequenos.*]

peliceiro. [De *peliça* + *-eiro.*] *S. m. Ant.* Curtidor de peles: "uma massa compacta de milhares de homens, mercadores, peliceiros, ... calafates, petintais" (Antero de Figueiredo, *Leonor Teles,* pp. 83-84).

pelico. [De *pele* + *-ico*[2].] *S. m.* **1.** Traje de pastor, feito de peles de carneiro. **2.** *Pop.* Envoltório do feto no ventre materno; secundina. [Cf. *Pélico,* antr.]

película. [Do lat. *pellicula.*] *S. f.* **1.** Camada muito delgada que envolve ou recobre certas substâncias. **2.** Pele ou membrana muito fina. **3.** Pedacinhos da epiderme que se desprendem por efeito de febre, queimadura, etc. **4.** V. *filme* (2).

pelicular. [De *película* + *-ar*[1].] *Adj. 2 g. Morfol. Veg.* Diz-se do perispermo constituído de uma lâmina delgada, como o das labiadas.

pelincho. *S. m. Bras.* V. *anum-branco.*

pelintra. *Adj. 2 g.* e *s. 2 g.* **1.** Que ou quem é mal trajado, mas tem pretensões a fazer figura. **2.** Diz-se de, ou pessoa pobre e malvestida. **3.** V. *maltrapilho* (1 e 2). **4.** V. *avaro* (1). **5.** Que ou quem é safado, descarado. **6.** *Bras.* Que ou quem é afetado de maneiras, ou muito requintado no trajar; peralta.

pelintrão. [Aum. de *pelintra* (3).] *S. m. Pop.* V. *maltrapilho* (2). [Fem.: *pelintrona.*]

pelintrar. *V. t. d.* Reduzir à condição de pelintra (1 e 2).

pelintraria. *S. f.* Chusma de pelintras.

pelintrice. *S. f.* **1.** Qualidade ou caráter de pelintra. **2.** Ato de pelintra. **3.** Sovinice, avareza.

pelintrona. *S. f.* Fem. de *pelintrão* [q. v.].

peliqueiro. *S. m.* **1.** Aquele que trabalha em pelica. **2.** Vendedor de pelicas.

pelitrapo. [De *pel(intra)* + *trapo,* talvez.] *S. m. P. us.* V. *maltrapilho* (2).

➡**pellet** (pélet). [Ingl.] *S. m.* **1.** Produto mineral prensado e apresentado em forma de pequenas bolas. **2.** Produto químico prensado e apresentado em forma de pequenas bolas ou drágeas; lentilha.

pelletizado. [Part. de *pelletizar.*] *Adj.* Que se pelletizou.

pelletizar. [De *pellet* + *-izar.*] *V. int.* Transformar em *pellet.*

pelmatozoário. *S. m.* **1.** Espécime dos pelmatozoários. ● *Adj.* **2.** Pertencente ou relativo a eles.

pelmatozoários. *S. m. pl. Zool.* Animais equinodermos, do sub-ramo *Pelmatozoa.* São as espécies do ramo com órgãos especiais de fixação que as mantêm presos a uma base pelo menos em uma fase da vida. Entre eles se incluem os crinóides.

pelo. [De *per* + *lo* (*o*[2]).] **1.** Aglut. da prep. *per* e do art. arc. *lo* (*o*): "Sem responderem, lá se iam / As andorinhas pelo ar" (Raimundo Correia, *Poesias,* p. 140). [Flex.: *pela, pelos, pelas.* Cf. *pêlo,* s. m., pl. *pêlos; péla,* s. f., pl. *pélas;* e *pélo, pélas, péla,* do v. *pelar.*] **2.** *Antiq.* Aglut. da prep. *per* e do pron. pess. complementar, arc., *lo* (*o*): "conta-se que nos primeiros tempos .... não pudera [o P^e Antônio Vieira] fazer grandes progressos, pelo não ajudar a memória, rude e pesada" (João Francisco Lisboa, *Obras,* IV, p. 10). [Flex.: *pela, pelos, pelas.* Cf. *pêlo,* s. m., pl. *pêlos; péla,* s. f., pl. *pélas;* e *pélo, pélas, péla,* do v. *pelar.*] **3.** Aglut. da prep. *per* e do pron. dem. masc., arc., *lo* (*o*): *Troquei meu relógio pelo de João;* "E escuta-se, ao luar, / A mãe do Pescador, rezando a ladainha / Pelos que andam, Senhor! sobre as águas do Mar..." (Antônio Nobre, *Só,* p. 141). [Flex.: *pela, pelos, pelas.* Cf. *pêlo,* s. m., pl. *pêlos; péla,* s. f. pl. *pélas;* e *pélo, pélas, péla,* do v. *pelar.*] **4.** Aglut. da prep. *per* e do pron. dem. neutro, arc., *lo* (*o*): *Pelo que vejo, ela não virá.* [Cf. *pêlo,* s. m., e *pélo,* do v. *pelar.*] **5.** O por; aquilo por: *Pelo que eu me bateria é pela educação do povo.* [Cf. *pêlo,* s. m., e *pélo,* do v. *pelar.*]

▲**pel(o)-.** [Do gr. *pelós, oú.*] *El. comp.* = 'lama', 'lodo': *pelomancia.* [Equiv.: *-pel: sapropel.*]

pêlo. [Do lat. *pilu.*] *S. m.* **1.** Prolongamento filiforme que cresce na pele dos homens e de certos animais. **2.** O conjunto dos pêlos de um animal: *o pêlo do cão, do cavalo,* etc. **3.** Cabelo (1 e 2). **4.** Penugem (1). **5.** *Morfol. Veg.* Filamento, em geral curto ou muito curto, que recobre variadas partes de numerosas plantas, e é um prolongamento externo da parede das células epidérmicas. [São muitos os tipos de pêlos vegetais, e têm sensível importância taxionômica. — Pl.: *pêlos*. Cf. *pélo*, do v. *pelar*, e *pelo*, pl. *pelos*.] ♦ **Pêlo capitado.** *Morfol. Veg.* Pêlo glanduloso. **Pêlo glandular.** *Morfol. Veg.* Pêlo que se transforma por inteiro numa glândula, podendo até não ter forma que sugira pêlo. **Pêlo glanduloso.** *Morfol. Veg.* Pêlo que termina por uma esférula cheia de líquido por ele segregado; pêlo capitado. **Pêlo malpighiáceo.** *Morfol. Veg.* Pêlo constituído de dois ramos horizontais colocados sobre curta base, lembrando agulha de bússola, e que ocorre nas malpighiáceas e sapotáceas. **Pêlo tapado.** *Bras., RS.* A pelagem do cavalo quando é de uma cor uniforme e não classificada como cor clara. **Dar pêlo.** *Bras., MG. Pop.* **1.** Deixar-se montar em pêlo (a cavalgadura). **2.** Deixar-se explorar, sugar, por excesso de bondade ou complacência. **Em pêlo. 1.** Nu, despido; pelado; em pelote: "Na escola, eu estava distraído. Só via Dona Laura em pêlo." (Povina Cavalcanti, *Volta à Infância*, p. 48.) **2.** *Bras.* Sem sela ou cangalha. **Ir ao pêlo a.** Bater em (alguém). **Manso de em pêlo.** *Bras., RS.* Diz-se do cavalo que se deixa montar sem a sela ou sem os arreios. **Nu em pêlo.** *Bras. Fam.* Completamente nu; inteiramente despido; nuelo. **Viajar de pêlo a pêlo.** *Bras., RS.* Viajar sem mudar de montaria. **Vir a pêlo.** Vir a propósito.

pêlo-de-arame. *S. m.* Cão de raça inglesa, cor de canela, ou preto com manchas avermelhadas, e que apresenta pelame espesso e duro como arame. [Pl.: *pêlos-de-arame*.]

pêlo-de-rato. *S. m.* Cavalo de pêlo cinzento, semelhante ao do rato: "Atrás, o açougueiro montado no seu pêlo-de-rato, a vara a chocalhar, o ferrão açulando." (Bariani Orêncio, *Vão dos Angicos*, p. 111.) [Pl.: *pêlos-de-rato*.]

peloirada. *S. f.* Var. de *pelourada* [q. v.].

peloirinho. *S. m.* Var. de *pelourinho* [q. v.].

peloiro. *S. m.* Var. de *pelouro* [q. v.].

pelomancia (cí). [De *pel(o)-* + *-mancia*.] *S. f.* Adivinhação pela observação da lama.

pelomante. *S. 2 g.* Pessoa que pratica a pelomancia.

pelomântico. *Adj.* Relativo à pelomancia, ou a pelomante.

pelória. *S. f. Morfol. Veg.* Anomalia floral, comum nas orquídeas, que consiste na transformação de uma flor zigomorfa em actinomorfa.

pelórico. *Adj. Morfol. Veg.* Relativo à, ou próprio da pelória: *forma pelórica; variedade pelórica.*

pelo-sinal. *S. m.* **1.** Oração que acompanha o ato de persignar-se [q. v.]: "Alguma pessoa tinha ensinado a ele rezar jaculatória e fazer o pelo-sinal." (João Guimarães Rosa, *Corpo de Baile*, I, p. 371.) **2.** *Liter. Pop. Bras.* Espécie de pé-quebrado em que se aproveitam como verso final de cada quadra (o de pé-quebrado) palavras do pelo-sinal (1). [Pl.: *pelos-sinais*.]

peloso (ô). *Adj.* **1.** Que tem pêlos; piloso. **2.** Peludo (1).

pelota¹. [Do esp. *pelota*.] *S. f.* **1.** Bola ou péla pequena. **2.** Bola de metal. **3.** Aparelho cirúrgico para compressões. **4.** Almofada de funda herniária. **5.** Almofada usada pelos chapeleiros para alisarem os chapéus depois de engomados. **6.** *Bras.* Bolota de barro endurecido usada como projetil para o bodoque. **7.** *Bras.* Qualquer objeto com a forma de pequena bola: *uma pelota de lã, de papel*, etc. **8.** *Bras.* A bola de futebol. **9.** *Bras.* Pelota basca. **10.** *Bras., S. Chulo.* Testículo. [Dim., irreg.: *pelotilha*. Cf. *pilota*, do v. *pilotar* e s. f.] ♦ **Pelota basca.** Jogo no qual participam dois ou quatro jogadores munidos de pala, que arremessam a bola contra uma parede frontal, num local especialmente preparado. [Tb. se diz apenas *pelota*. Cf. *frontão* (2).] **Dar pelota a.** *Bras. Gír.* Dar importância a; dar bola a; dar atenção a.

pelota². [Do esp. plat. *pelota*.] *S. f. Bras., RS* e *MT.* Embarcação ligeira, tosca e pequena, feita de um couro de boi inteiriço, e utilizada para transportar passageiros de uma à outra margem de um rio. [Cf. *pilota*, do v. *pilotar*, e s. f.]

pelotaço. [De *pelota¹* + *-aço*.] *S. m. Bras.* Grande pelotada.

pelotada. [De *pelota¹* + *-ada¹*.] *S. f. Bras.* Chute (1).

pelotão¹. [Do fr. *peloton*.] *S. m.* **1.** Cada uma das três partes em que se divide uma companhia de soldados. **2.** *Fig.* Grande quantidade de pessoas; multidão: "viria um pelotão de repórteres e cinegrafistas, autoridades isolariam o local" (Carlos Drummond de Andrade, *Cadeira de Balanço*. p. 149).

pelotão². [Aum. de *pelota¹*.] *S. m.* Grande pelota¹ (1 e 2).

pelotar. *S. m. Bras.* Var. apocopada de *pelotário*. [Cf. *pilotar*.]

pelotário. [Do basco, pelo esp. *pelotari*.] *S. m.* Jogador de pelota. [Var.: *pelotar*.]

pelote¹. [De *pele* + *-ote*.] *S. m.* **1.** Antigo casaco sem mangas que se trazia por baixo da capa ou do tabardo: "Nos Paços de Medranhos ... passavam eles as tardes desse inverno, engelhados nos seus pelotes de camelão" (Eça de Queirós, *Contos*, p. 129). **2.** Antiga roupa curta de mulher. ♦ **Em pelote.** Nu, despido; em pêlo: "E, ao Sol do meio-dia, os banhos em pelote." (Antônio Nobre, *Só*, p. 52.)

pelote². [Do fr. *pelote*.] *S. m. Bras.* Pequena pelota¹ (1) de pêlos ou fios.

peloteador (ô). *Adj.* e *s. m.* Que ou aquele que peloteia.

pelotear. [De *pelota¹* + *-ear*.] *V. t. d.* Açoitar, maltratar. [Conjug.: v. *frear*. Cf. *pilotear*.]

peloteiro. [De *pelota¹* + *-eiro*.] *S. m.* Aquele que faz ou vende pelotas.

pelotense. *Adj. 2 g.* **1.** De, ou pertencente ou relativo a Pelotas (RS). ● *S. 2 g.* **2.** Natural ou habitante de Pelotas.

peloterapia. [De *pel(o)-* + *terapia*.] *S. f.* Terapia pelo uso de terra ou de lama.

peloterápico. *Adj.* Relativo à peloterapia.

pelotica. [De *pelota¹* + *-ica¹*.] *S. f.* **1.** Bolinha com que os pelotiqueiros fazem habilidades. **2.** Ato de habilidade manual ou de prestidigitação. **3.** *Fig.* Travessura, traquinice, arte. **4.** *Fig.* Trapaça, chicana.

pelotilha. *S. f.* Dim. irreg. de *pelota¹*.

pelotiqueiro. *S. m.* **1.** Indivíduo que faz peloticas; malabarista. **2.** V. *saltimbanco* (3). **3.** Trapaceiro, trampolineiro.

pelotização. *S. f. Metal.* Tratamento a que se submete um minério visando a aglomerar suas partículas a fim de propiciar maior facilidade em operações metalúrgicas subseqüentes.

pelourada. *S. f.* Tiro de pelouro. [Var.: *peloirada*. Cf. *pilourada* e *pilorada*.]

pelourinho. [Do fr. *pilori*.] *S. m.* Coluna de pedra ou de madeira, em praça ou lugar público, junto da qual se expunham e castigavam criminosos: "Fez-se a consagração do novo município, segundo o velho uso português, plantando na praça principal o pelourinho, símbolo da autoridade e da justiça." (João Ribeiro, *História do Brasil*, pp. 240-241.) [Var.: *peloirinho*.]

pelouro. [De *péla¹*.] *S. m.* **1.** *Ant.* Bala de ferro ou de pedra, esférica, empregada antigamente em peças de artilharia. **2.** *Ant.* Bola de cera na qual se incluía um papel com o voto do eleitor. **3.** Cada um dos ramos da administração de uma cidade afetos aos vereadores da câmara municipal. [Var.: *peloiro*.] ~ V. *pelouros*.

pelouros. [Pl.: de *pelouro*.] *S. m. pl.* Certo jogo de meninos. ~ V. *pelouro*.

➧**pelouse** (peluz). [Fr.] *S. f. Turfe.* Parte gramada de um hipódromo diante da pista de corridas, em geral situada nas sociais.

pelta. [Do gr. *pélte*, pelo lat. *pelta*.] *S. f.* Pequeno escudo crescentiforme, que era usado pelos trácios e por outros povos antigos.

peltado. [De *pelta* + *-ado¹*.] *Adj.* **1.** Em forma de escudo; escutiforme. **2.** *Morfol. Veg.* Diz-se de órgãos planos cuja haste de sustentação se insere na face inferior: *folha peltada*.

peltasta. [Do gr. *peltastés*, pelo lat. *peltasta*.] *S. m.* Soldado de infantaria que usava a pelta, entre os gregos.

peltiforme. [De *pelta* + *-i-* + *-forme*.] *Adj. 2 g. Morfol. Veg.* Em forma de pequeno escudo: *apotécio peltiforme*.

pelúcia. [Talvez do fr. *peluche*.] *S. f.* **1.** Tecido de lã, seda, algodão, fibra sintética, etc., com um lado felpudo e outro liso, e que apresenta pêlos mais longos e mais ralos que os do veludo. **2.** Pelugem, pêlos. **3.** *Fig.* Revestimento vegetal que lembra a pelúcia (1) pela maciez real ou aparente; alcatifa: "O pé grácil e nu .... alisava apenas a verde pelúcia que vestia a terra com as primeiras águas" (José de Alencar, *Iracema*, p. 51).

pelucioso (ô). *Adj.* Que tem pelúcia, ou a ela se assemelha.

peludear. [De *peludo* (9) + *-ear*.] *V. int. Bras., S.* Lutar para, com muito trabalho e dificuldade, retirar uma carreta dum atoleiro. [Cf. *tirar um peludo*. Conjug.: v. *frear*.]

peludo. *Adj.* **1.** Que tem muito pêlo; peloso: "Mãos peludas, ombros grandes" (Ciro de Matos, *Os Brabos*, p. 25). **2.** Coberto de pêlo. **3.** *Fig.* Bisonho, desconfiado, acanhado. **4.** *Bras.* V. *sortudo* (1). **5.** *Bras.* Diz-se do animal que não é de raça. **6.** *Bras., AM.* V. *irritável¹*. ● *S. m.* **7.** *Bras., RS.* Empregado de circo de cavalinhos incumbido de tirar da cena os objetos deixados pelos artistas. **8.** *Bras. Pop.* Pileque, porre, bebedeira: *Tomou um peludo*. **9.** *Bras., RS.* V. *tatupeba*. ♦ **Tirar um peludo.** *Bras., RS.* Retirar a muito custo um veículo de um atoleiro ou buraco onde as suas rodas ficaram presas. [Cf. (nesta acepç.): *peludear*.]

pelugem. *S. f.* Conjunto de pêlos.

peluginoso (ô). *Adj.* Que tem pelugem ou pêlos.

➧**pelure.** (pelur'). [Fr.] *Adj.* ~ V. *papel* —.

pelve. [Do lat. *pelve*.] *S. f. Anat.* Bacia (12). ♦ **Pelve renal.** *Anat.* Bacinete (1).

▲**pelvi-.** [Do lat. *pelvis, is*.] *El. comp.* = 'bacia', 'pelve': *pelviforme, pelvímetro*.

pelviano. [De *pelvi-* + *-ano*.] *Adj.* Pélvico.

pélvico. *Adj.* Pertencente ou relativo à pelve; pelviano. ~ V. *cintura* —a.

pelviforme. [De *pelvi-* + *-forme*.] *Adj. 2 g.* Que tem forma de bacia ou taça.

pelvimetria. [De *pelvi-* + *-metr(o)-²* + *-ia*.] *S. f. Med.* Mensuração dos diâmetros da pelve.

pelvimétrico. *Adj.* Referente à pelvimetria.

pelvímetro. [De *pelvi-* + *-metro*.] *S. m.* Instrumento para medir o diâmetro da pelve.

pélvis. [Do lat. *pelvis*.] *S. f. 2 n.* V. *pelve*.

pema. [F. abrev. de *camuripema*.] *S. m. Bras., BA.* V. *camurupim*.

pemba. [Do ioruba.] *S. f. Bras., ES* e *RJ. Folcl.* Giz que se usa para riscar os pontos [v. *ponto* (44)], nas macumbas.

pemedebista. *Adj. 2 g.* e *s. 2 g.* Peemedebista.

pena¹. [Do lat. *penna*.] *S. f.* **1.** Cada uma das peças que revestem o corpo das aves; pluma: "Fala! / — rede de penas onde a minha alma se embala!" (Gilca Machado, *Poesias*, p. 61.) **2.** Tubo córneo oriundo da pena de algumas aves, e preparado para com ele se escrever: "Nũa mão sempre a espada, e noutra a pena" (Luís de Camões, *Os Lusíadas*, V, 79). **3.** Pequena lâmina de metal, terminada em ponta, que, adaptada a uma caneta, serve para escrever ou desenhar. [Sin., lus., *aparo*.] **4.** *Fig.* O instrumento da escrita. **5.** *Fig.* Trabalhos de escrita: *viver da pena*. **6.** *Fig.* A classe dos escritores: *um expoente da pena*. **7.** *Fig.* A maneira de escrever; estilo, cálamo: *a pena machadiana*. **8.** *Fig.* Autor, escritor: *Este rapaz é uma pena brilhante*. **9.** Parte espalmada da bigorna. ♦ **Pena de ouro.** Escritor ou jornalista brilhante, talentoso. **Pegar na pena.** Principiar a escrever. **Uma pena.** Muito leve (coisa ou pessoa).

pena². [Do gr. *poiné*, pelo lat. *poena*.] *S. f.* **1.** Castigo, punição: "A rainha D. Maria I, por um ato de clemência, comutou as penas de quase todos em extermínio para a África, e só um, o *Tiradentes*, subiu ao patíbulo" (João Ribeiro, *Histórias do Brasil*, p. 311). **2.** Sofrimento, padecimento, aflição: "Quem ama inventa as penas em que vive" (Olavo Bilac, *Poesias*, p. 44). **3.** Piedade, compaixão, dó: "Donzela, deixa tua aia, / Tem pena do meu penar." (Manuel Bandeira, *Estrela da Vida Inteira*, p. 26.) **4.** Mágoa, desgosto, tristeza. **5.** *Bras.* Punição imposta pelo Estado ao delinqüente ou contraventor, em processo judicial de instrução contraditória, por causa de crime ou contravenção que tenham cometido, com o fim de exemplá-los e evitar a prática de novas infrações. **6.** Sanção de caráter civil, fiscal ou administrativo, pecuniária ou não, proveniente de infrações previstas nas respectivas leis, e, quanto às civis, também nos contratos. ♦ **Pena acessória.** *Bras. Jur.* Aquela que, em certos casos, acompanha a reclusão ou detenção, e que consiste em perda de função pública, interdições de direito e publicação da sentença condenatória. **Pena capital.** Pena de morte; pena mortal: *crimes passíveis de pena capital*. **Pena de talião. 1.** Pena antiga pela qual se vingava o delito infligindo ao delinqüente o mesmo dano ou mal que ele praticara. **2.** Aplicação ou imposição desta pena. [Tb. se diz apenas *talião*; sin. ger.: *lei de talião, retaliação, talionato*. — Atenção: escreve-se *talião*, com minúscula, pois não é nome próprio.] **Pena mortal.** Pena capital. **A duras penas.** Com extraordinário esforço, com grande afã. **Poucas penas.** Pouco ou nenhum interesse desperta determinado assunto ou fato. **Sob pena de. 1.** Incorrendo na pena de. **2.** Expondo-se às conseqüências de. **Valer a pena.** Merecer o sacrifício ou o trabalho que custa.

pena³. [Do celta *penn*, 'cabeça, cabeço', pelo lat. *pinna*, 'ameia'.] *S. f.* **1.** *Ant.* Penha. **2.** *Marinh.* V. *penol*.

penação. *S. f.* Ato de penar.

penáceo. *Adj. Bot.* e *Zool.* Semelhante a uma pena¹ (1). [Cf. *pináceo*.]

penacheiro. [De *penacho* + *-eiro*.] *S. m. Bras.* Planta da família das mirtáceas (*Callistemon rigidum*).

penacho. [Do it. *pennacchio*.] *S. m.* **1.** Conjunto de penas para adorno de chapéus, capacetes, etc; plumeiro, pluma, garçotas. **2.** Crista, poupa. **3.** *Arquit.* Parte triangular de abóbada que sustenta a volta de uma cúpula. **4.** *Fig.* Governo, comando, direção.

penachudo. *Adj.* Que tem penacho; ornado de penacho.

pé-na-cova. *Bras. Burl. S. m.* **1.** Indivíduo muito doente, magro, ou de aspecto cadavérico. **2.** Abono pago pelo I.N.P.S. àqueles que, havendo completado 30 anos de serviço, ficam aguardando a conclusão do processo de aposentadoria. [Pl.: *pés-na-cova.*]

penada. *S. f.* **1.** Traço de pena[1] (2 e 3). **2.** Tinta que a pena toma de cada vez. **3.** Palavras escritas com uma pena. **4.** *Caligr.* Traço ininterrupto que compõe letra, palavra ou ornamento: *laçaria de uma só penada.* ♦ **Dar uma penada por.** Intervir em favor de: *Deu uma penada por João, e o delegado mandou soltá-lo imediatamente.*

pena-d'água. *S. f. Bras.* **1.** Antiga medida usada em partilhas de água, da grossura, aproximadamente, de uma pena de pato. **2.** Taxa fixa paga pelo fornecimento de água aos prédios, independentemente da quantidade consumida. [Pl.: *penas-d'água.*]

penado[1]. [De *pena*[1] + *-ado*[1].] *Adj.* Que tem penas [v. *pena*[1] (1)]; emplumado. ~ V. *folha* —*a.*

penado[2]. [Part. de *penar.*] *Adj.* **1.** Que está penando; padecente. ~ V. *alma* —*a.* ● *S. m.* **2.** Aquele que está penando; padecente: "A bala pegou em cheio na nuca do preso, ele num giro e num fim. O militar brandiu a machadinha, e descendo do cavalo decepou a cabeça do penado." (Fernando Ramos, *Os Enforcados*, p. 168.)

penafidelense. *Adj. 2 g.* **1.** De, ou pertencente ou relativo a Penafiel (Portugal). ● *S. 2 g.* **2.** Natural ou habitante de Penafiel.

penafiel. [Do top. *Penafiel.*] *S. m.* Dança e ária popular do N. de Portugal. [Pl.: *penafiéis.*]

penagris. [De *pena*[1] + *gris.*] *S. m.* Penugem ou plumagem parda. [Pl.: *penagrises.*]

penal[1]. [De *pena*[1] + *-al.*] *S. m. Bras., MG* e *PR. Escol.* Estojo onde se guardam penas, lápis, borracha, etc.

penal[2]. [Do lat. *poenale.*] *Adj. 2 g.* **1.** Relativo a penas judiciais [v. *pena*[2] (5 e 6)]: *legislação penal.* **2.** Relativo às leis penais: *código penal.* **3.** Que comina penas: *ação penal.* ~ V. *direito* —.

penalidade. [De *penal*[2] + *-i-* + *-dade.*] *S. f.* **1.** Conjunto ou sistema de penas impostas pela lei. **2.** Natureza de pena. **3.** Pena, castigo, punição. ♦ **Penalidade máxima.** *Fut.* Pênalti.

penalista. *S. 2 g.* Especialista em direito penal; criminalista.

penalística. [De *penalista* + o fem. de *-ico.*] *S. f.* Teoria e doutrina das penas criminais.

penalizar. [De *pena*[2] + *-l-* + *-izar.*] *V. t. d.* **1.** Causar pena ou desgosto a; pungir; afligir, desgostar: "Também o penalizavam os resultados da última guerra com Castela, por as coisas não terem ido por diante" (Antero de Figueiredo, *Leonor Teles*, p. 232). *P.* **2.** Sentir grande pena ou desgosto, aflição: "César esperou da nervosa e delicada criatura alguma efusão derivativa. E como Augusta continuasse a olhá-lo passivamente, pareceu-lhe que havia traído aquele pensamento humilhante. Penalizou-se." (Xavier Marques, *As Voltas da Estrada*, pp. 140-141.)

penalogia. [Do lat. *poena*, 'pena[2]', + *-log(o)-* + *-ia.*] *S. f.* Parte da ciência penal que estuda os problemas filosóficos, sociológicos e jurídicos respeitantes ao fundamento e aplicação das penas, como medida de repressão ou defesa da sociedade.

penalógico. *Adj.* Referente à penalogia.

penalogista. *S. 2 g.* Especialista em penalogia. [Sin., bras.: *penálogo.*]

penálogo. *S. m. Bras.* Penalogista.

pênalti. [Do ingl. *penalty*, 'penalidade'.] *S. m. Fut.* **1.** Falta máxima, dentro da grande área [q. v.], cometida por jogador que defende, e que é punida por um tiro direto, sem barreira, a 11 metros do gol. **2.** Esse tiro. [Sin. ger.: *penalidade máxima.*]

penalvense. *Adj. 2 g.* **1.** De, ou pertencente ou relativo a Penalva (MA). ● *S. 2 g.* **2.** Natural ou habitante de Penalva.

penamar. *Adj. (f.)* Diz-se da pérola de pouco brilho.

penanguba. [De provável or. tupi.] *S. f. Bras., L.* Árvore da família das leguminosas (*Machaerium pedicellatum*), da floresta pluvial, caracterizada pela madeira escura, muito forte e resistente, que pode ser usada em móveis, e cujos frutos são sâmaras com asas coriáceas.

penante. *S. m. Gír.* V. *chapéu* (1): "Atacara rijamente o penante de abas largas, estragado e sebento. Que era uma vergonha trazer aquilo na cabeça..." (João Alphonsus, *Totônio Pacheco*, p. 96.)

penapolense. *Adj. 2 g.* **1.** De, ou pertencente ou relativo a Penápolis (SP). ● *S. 2 g.* **2.** Natural ou habitante de Penápolis.

penar. [De *pena*[2] + *-ar*[2].] *V. int.* **1.** Sofrer pena, dor, aflição; ter pesares; padecer: *aflige-se quando vê alguém a penar*; "O homem nasceu livre como nasceu bom e próprio para ser feliz: e todavia por toda a parte está escravizado, e pena sob essa escravidão." (Eça de Queirós, *Ecos de Paris*, p. 182); "ouvi-lo pena e dói." (Gonçalves Crespo, *Obras Completas*, p. 357). *T. d.* **2.** Causar dor ou pena a; fazer padecer ou sofrer; afligir, desgostar. **3.** Expiar, purgar: *penar os pecados.* **4.** Sofrer, padecer: "Quantas penúrias, / Quantos perigos, desalentos, sustos / Em viageiras fadigas se hão penado, / Este momento só, esta alegria, / Oh! quão sobejo as paga." (Almeida Garrett, *Camões*, I, p. 19). *P.* **5.** Afligir-se, entristecer-se, padecer, penar. [Pres. subj.: *pene, penes*, etc. Cf. *pêni, pênis* e *pinar.*] ● *S. m.* **6.** Padecimento, sofrimento: "Donzela, deixa tua aia, / Tem pena do meu penar." (Manuel Bandeira, *Estrela da Vida Inteira*, p. 26.)

penaroso (ô). [De *penar* + *-oso.*] *Adj. Bras., RS* e *prov. lus.* **1.** Que causa pena[2]; penoso; pungente: "era tão penaroso o sofrer daqueles velhos, que não diziam nada, que a gente entendia tudo." (Simões Lopes Neto, *Contos Gauchescos e Lendas do Sul*, p. 229). **2.** V. *pesaroso* (2): "Desanimado e penaroso, compôs o cavalo e montou" (Id., *ib.*, p. 315).

penates. [Do lat. *penates.*] *S. m. pl.* **1.** Deuses domésticos dos pagãos. **2.** *Fig.* A casa paterna; a família, o lar: "no meio da tarde, já febril, decidi regressar a penates" (José Gomes Ferreira, *O Mundo dos Outros*, p. 39).

▲**penati-.** [Do lat. *penatus, a, um.*] *El. comp.* = 'que tem penas [v. *pena*[1]], ou cujo feitio os lembra; penado, emplumado': *penatífido.*

penatífido. [De *penati-* + *-fido.*] *Adj. Morfol. Veg.* ~ V. *folha* —*a.*

penatilobado. [De *penati-* + *lobado.*] *Adj. Morfol. Veg.* ~ V. *folha* —*a.*

penatinérveo. [De *penati-* + *nérveo.*] *Adj. Morfol. Veg.* Que tem nervuras secundárias ordenadas de cada lado da nervura central.

penatipartido. [De *penati-* + *partido.*] *Adj. Morfol. Veg.* ~ V. *folha* —*a.*

penatissecto. [De *penati-* + *secto.*] *Adj. Morfol. Veg.* ~ V. *folha* —*a.*

penatuláceo. *S. m.* **1.** Espécime dos penatuláceos. ● *Adj.* **2.** Pertencente ou relativo a eles.

penatuláceos. *S. m. pl. Zool.* Animais celenterados, alcionários, da ordem *Pennatulacea.* Formam colônia carnosa, com um pólipo axial longo e numerosos pólipos dimórficos laterais, acima do esqueleto nu, com espículas calcárias.

penca. *S. f.* **1.** Conjunto ou esgalho de flores ou frutos. **2.** *fig.* V. *narigão* (2). **3.** *Fig.* V. *quantidade* (3): *uma penca de filhos.* **4.** *Bras.* Espécie de balangandã. **5.** *Bras.* Carreira na qual tomam parte muitos cavalos. ♦ **Penca de chaves.** Argola ou chaveiro com diversas chaves. **Em penca.** *Bras.* Em grande quantidade: "Apinhou-se gente em penca nas janelas e sacadas" (Augusto Meyer, *No Tempo da Flor*, p. 17).

pence. [Do fr. *pince.*] *S. f.* Pequena prega que vai afinando gradativamente, quer nos dois sentidos quer em um só feita no avesso do tecido, para ajustar ou amoldar ao corpo as diferentes partes de um vestuário; pinça.

➧**pence.** [Ingl.] *S. m. pl.* Pl. de *penny* (port. *pêni* [q. v.]), quando designa quantia, usando-se o pl. *pennies* para designar moedas.

pencenê. [Do fr. *pince-nez.*] *S. m.* Pincenê.

pencó. *Adj. 2 g.* e *s. 2 g. Bras.* V. *capenga* (1 e 2).

pencudo. [De *penca* (2) + *-udo.*] *Adj. Fam.* Narigudo.

pendanga[1]. [De *pender*?] *S. f. Desus.* **1.** Coisa que se usa continuamente para diversos fins. **2.** Ocupação acessória.

pendanga[2]. *S. f. Bras.* V. *pendenga.*

➧**pendant** (pandã). [Fr.] *S. m.* Objeto de arte destinado a figurar simetricamente com outro.

pendão. [Do esp. *pendón.*] *S. m.* **1.** V. *bandeira* (1): "Auriverde pendão de minha terra, / Que a brisa do Brasil beija e balança" (Castro Alves, *Obra Completa*, p. 283). **2.** Guião (1 e 2). **3.** V. *galhardete* (2). **4.** *Fig.* Emblema ou símbolo de um partido, de uma causa: *Os pernambucanos levantaram o pendão da resistência contra os holandeses.* **5.** Inflorescência masculina do milho: "os pés de milho com seus pendões inclinados e suas corpulentas espigas" (Franklin Távora, *O Cabeleira*, p. 222).

pendas. *S. f. pl. Bras., PE.* Var. de *prendas* [q. v.].

pendência. [Do lat. *poenitentia.*] *S. f.* **1.** Contenda, litígio, conflito; briga: "Nas publicações a pedido dos jornais no tempo do Império quanta gente vinha espontaneamente expor 'a S. M. o Imperador e ao público' a origem, a história e a discussão das suas dificuldades domésticas, dos seus conflitos e pendências com vinhos" (Domício da Gama, *Histórias Curtas*, p. II). [Var., pop. (nesta acepç.): *pendenga.*] **2.** V. *litígio* (1). **3.** Tempo durante o qual uma causa ou um recurso está pendente ou correndo. [Cf. *pendencia*, do v. *pendenciar.*]

pendenciador (ô). [De *pendenciar* + *-(d)or.*] *Adj.* e *s. m.* Brigão, rixador.

pendenciano. *Adj.* **1.** De, ou pertencente ou relativo a Pendências (RN). ● *S. m.* **2.** O natural ou habitante de Pendências.

pendenciar. *V. int.* e *t. i.* Ter pendência ou conflito; brigar, contender. [Pres. ind.: *pendencio, pendencias, pendencia*, etc. Cf. *pendência*, s. f., e *Pendências*, top.]

pendenga. [De *pendência.*] *S. f. Bras. Pop.* **1.** V. *pendência* (1). **2.** Discussão, bate-boca. **3.** Desinteligência; quizila. [Var.: *pendanga.*]

pendente. [Do lat. *pendente.*] *Adj. 2 g.* **1.** Que pende; pêndulo. **2.** Pendurado, suspenso. **3.** Caído, descaído: *braços pendentes.* **4.** Inclinado, oblíquo: *O espelho pendente refletia a sala.* **5.** Ainda não colhido (fruto). **6.** Que está para acontecer; iminente: *ameaça pendente.* **7.** Tendente, inclinado. **8.** Dependente, subordinado: *O resultado do concurso estava pendente da contagem de pontos.* **9.** Que está por decidir: *assunto pendente; negócio pendente.* **10.** Com a atenção fixa; atento (1): *Os torcedores estavam pendentes dos movimentos do jogador.* ● *S. m.* **11.** Pingente (2). ● *S. f.* **12.** *Bras., RS.* V. *vertente* (3).

➧**pendentif** (pãdãtif). [Fr.] *S. m.* Jóia que se usa dependurada em colar, em corrente, ao pescoço.

pendepender. [De *pender*, repetido.] *V. int.* Pender continuamente: "E partiu, no passo ronceiro da mula cambeta, pendependendo no arção" (Hugo de Carvalho Ramos, *Tropas e Boiadas*, p. 9).

pender. [Do lat. *pendere.*] *V. int.* e *t. c.* **1.** Estar pendurado ou suspenso; estar pendente: *O corpo do enforcado pendia, sinistro; O lustre pendia sobre a mesa;* "Parecia-lhe que os lírios, cheios de orgulho imperial, se retraíam ao avistá-lo, pendiam das hastes ricas ao senti-lo aproximar-se" (Alphonsus de Guimaraens, *Obra Completa*, p. 398). **2.** Estar ou ficar em posição inclinada; inclinar-se, descair: *Com a ventania, os arbustos pendiam;* "as espadas em bainhas lavradas pendem de soberbos talins." (Rebelo da Silva, *Contos e Lendas*, p. 175). **3.** Estar para cair; estar ameaçado de próxima ruína. *T. i.* **4.** Ter tendência, inclinação, propensão: *O jovem pende para as letras.* **5.** Depender (1): *O destino da nação pendia das palavras de seu chefe.* **6.** Ter propensão; ter predileção; propender: *Pendia para uma resolução imediata.* **7.** Estar disposto, inclinado ou meio resolvido: *Pendia a demitir o auxiliar, porém mudou de parecer. T. d.* **8.** Fazer cair; inclinar: *Pendeu o rosto.* **9.** Fazer descair, murchando (flores, frutos). *P.* **10.** Encostar-se, apoiar-se, arrimar-se: *Pendeu-se à bengala.* **11.** Inclinar-se, descair.

penderica. [De *pender.*] *S. f.* Qualquer coisa pendente; penduricalho. [F. paral.: *penderico.*]

pendericalho. [De *penderica* ou *penderico* + *-alho.*] *S. m.* V. *penduricalho.*

penderico. *S. m.* V. *penderica.*

penderucalho. [Var. de *pendericalho.*] *S. m.* V. *penduricalho.*

pendoado. [Part. de *pendoar.*] *Adj. Bras.* Diz-se do milho florado, que deitou pendão (5).

pendoar. *V. int. Bras.* Apendoar (3): "De vez em quando, nalgum rincão pedregoso, verdejavam milhos curtos, mas viçosos, pendoando por sobre as folhas caídas." (José Vieira, *Sol de Portugal*, pp. 136-137.) [Conjug.: v. *coroar.*]

pendor (ô). [De *pend(er)* + *-or.*] *S. m.* **1.** Declive ou aclive; inclinação, rampa: "E as casas brancas — que feliz paisagem! — / Pelo pendor da serra se derramam..." (Raimundo Correia, *Poesias*, p. 18). **2.** Propensão, inclinação, tendência: "Distinguiu-se ainda [Gonçalves Ledo] pelo pendor ao liberalismo" (Afonso d'E. Taunay, *Grandes Vultos da Independência Brasileira*, p. 43); *É notável o seu pendor para as ciências.* **3.** *Geol.* Inclinação das camadas em uma região dobrada.

pendorada. *S. f.* Série de pendores ou encostas. [Cf. *pendurada*, do v. *pendurar* e f. do adj. *pendurado.*]

pêndula. [De *pêndulo.*] *S. f.* **1.** Relógio de pêndulo, que pode ser pendurado na parede ou assentado no chão: "a pêndula marcava uma hora e quarenta minutos" (José de Alencar, *Lucíola*, p. 63). **2.** *Astr.* Pêndula astronômica. **3.** Pêndulo (2) de relógio: "Todo esse conjunto .... revelava a pulsação da vida no baloiço da pêndula, na contagem dos segundos ou na toada musical das horas" (Josué Montelo, *A Luz da Estrela Morta*, p. 13). ♦ **Pêndula astronômica.** *Astr.* Relógio astronômico, cuja regularidade se baseia na oscilação de um pêndulo. [Tb. se diz apenas *pêndula*.] **Pêndula horizontal.** *Geofís.* Instrumento idealizado, em 1831, pelo astrônomo alemão Lorenz Hengler e aperfeiçoado depois, em 1872, pelo astrônomo alemão Johann Zöllner (1834-1882), o qual, empregando o método do espelho girante de Poggendorf, construiu uma pêndula horizontal que possibilitou as primeiras observações de real valor científico relativas aos movimentos lentos de deformação do solo. [As pêndulas horizontais são particularmente utilizadas no estudo da maré terrestre.] **Pêndula média.** *Astr.* Pêndula astronômica que marca o tempo médio. **Pêndula sideral.** *Astr.* Pêndula astronômica que marca o tempo sideral.

pendular[1]. [De *pêndulo* + *-ar*[1].] *Adj. 2 g.* **1.** Relativo ao, ou próprio do pêndulo: "Um frouxo movimento pendular / O nosso vôo lírico entorpece: / Ou lúgubre queixume, ou riso alvar..." (Carlos Queirós, *Breve Tratado de Não-Versificação*, p. 13.) **2.** V. *oscilante* (1). ~ V. *movimento* —.

pendular[2]. [De *pêndulo* + *-ar*[2].] *V. int.* **1.** Oscilar ou mover-se à maneira de pêndulo (1). *T. d.* **2.** Mover como pêndulo. [Sin. ger.: *pendulear*.]

pendulear. *V. int.* e *t. d.* Pendular[2]. [Conjug.: v. *frear*.]

pendulifloro. [Do lat. *pendulu*, 'pendente, pêndulo', + *-floro*.] *Adj. Morfol. Veg.* Diz-se das plantas cujas flores são pendentes.

pendulifoliado. [Do lat. *pendulu*, 'pendente, pêndulo', + *-foliado*.] *Adj.* Diz-se das plantas que têm as folhas pendentes.

pêndulo. [Do lat. *pendulu*, 'pendente'.] *Adj.* **1.** Pendente (1): "Enfim... Nas verdes pêndulas ramadas / Cantai, pássaros!" (Alberto de Oliveira, *Poesias*, 1ª série, p. 186.) • *S. m.* **2.** Corpo pesado, suspenso no extremo inferior de um fio ou de uma vara metálica que oscila sob a ação do próprio peso ou serve para aprumar. **3.** *Fís.* Sistema que pode girar em torno de um eixo horizontal e efetuar oscilações periódicas. ♦ **Pêndulo balístico.** *Fís.* Pêndulo físico de grande inércia que se utiliza para medição da velocidade de projetis. **Pêndulo cicloidal.** *Fís.* Pêndulo em que um pequeno corpo suspenso de uma haste descreve arcos de ciclóide. **Pêndulo composto.** *Fís.* O que é constituído por um corpo móvel em torno de um eixo horizontal; pêndulo físico. **Pêndulo esférico.** *Fís.* O que é constituído por um corpo constrangido a se mover sobre uma superfície esférica. **Pêndulo físico.** *Fís.* Pêndulo composto. **Pêndulo ideal.** *Fís.* Pêndulo simples. **Pêndulo simples.** *Fís.* O que é constituído por um ponto material suspenso a um fio inextensível e sem massa; pêndulo ideal.

pendura. [Dev. de *pendurar*.] *S. f.* **1.** Ato ou efeito de pendurar(-se); dependura. **2.** Coisa pendurada, pendente; dependura. *S. 2 g.* **3.** *Bras. Gír.* Pessoa que penhora ou pendura algo na Caixa Econômica. ♦ **Na pendura.** *Bras. Pop.* Sem dinheiro; na pindaíba; na dependura.

pendurado. [Part. de *pendurar*.] *Adj.* **1.** Preso pela parte de cima e solto pela parte de baixo; suspenso, pendente. **2.** *Fig.* Colocado no alto, como que pendente: *Vêem-se no morro várias casas penduradas.* **3.** *Bras. Gír.* Deixado a crédito; fiado: *compra pendurada.* **4.** *Bras. Gír.* Endividado. **5.** *Bras. Gír.* Que se empenhou, que se hipotecou; posto no prego. • *S. m.* **6.** *Bras., SP.* Terreno em declive fortíssimo, muito íngreme. [Fem.: *pendurada*. Cf. *pendorada*.]

pendural. [De *pendura* + *-al*.] *S. m.* A viga ou barrote que do vértice da asna cai sobre a linha.

pendurar. [Do lat. vulg. **pendulare* e *pendulu*, 'pendente, pêndulo'.] *V. t. d.* **1.** Suspender (alguma coisa) em lugar elevado, prendendo-a em cima de modo que não toque no chão: *Pendurou a gaiola de sorte que o gato não a alcançasse.* **2.** Fitar, fixar (os olhos, a vista). **3.** *Bras.* Pôr no prego; empenhar. **4.** *Bras. Pop.* Não pagar (uma conta): *Como estava sem dinheiro, pendurou a despesa. T. d.* e *c.* **5.** Prender, colocar (em lugar alto): "Elisiário despiu a sobrecasaca, ... e foi pendurá-la a um prego, porque o cabide estava cheio." (Machado de Assis, *Páginas Recolhidas*, p. 26); "pendurei a seu pescoço a medalha da Independência" (Joaquim Manuel de Macedo, *Os Romances da Semana*, p. 14); *Pendurou o paletó no cabide;* "Os cachos dionisíacos [de uvas] eram como jóias, ... e mulheres moças penduravam das orelhas bagadas delas" (Pina de Morais, *Sangue Plebeu*, pp. 80-81). *P.* **6.** Estar suspenso, pendente; pender. **7.** Estar colocado a grande altura: *A cidadezinha pendura-se no alto da montanha.* **8.** Estar na dependência; depender. [Var.: *dependurar*. Antôn. (de 1 a 5): *despendurar*.]

penduricalho. [Var. de *pendericalho*, com infl. de *pendurar*.] *S. m.* **1.** Coisa pendente, para ornato; pingente, balangandã. **2.** V. *berloque*. **3.** *Burl.* Condecoração (2 e 3). [F. paral.: *penderucalho*; var.: *pendurucalho*.]

pendurucalho. *S. m.* V. *penduricalho*.

pene. [Do lat. *pene*.] *S. m.* V. *pênis*.

▲**pen(e)-.** [Do lat. *paene* ou *pene*.] *El. comp.* = 'quase': *peneplanície; península*.

▲**-pene.** *El. comp.* = 'pena[1]': *angustipene, fuscipene*.

peneácea. *S. f.* Espécime das peneáceas.

peneáceas. *S. f. pl. Bot.* Família de plantas floríferas, da ordem das mirtales, formada de arbustos de folhas opostas e flores solitárias. Ocorrem somente na África austral.

peneáceo. *Adj.* Pertencente ou relativo às peneáceas.

penedal. *S. m.* Penedia (1): "onde a rocha formava um patamar invisível do fundo e de cima, para resvalar depois em mais brusca ladeira até ao penedal caótico e cortante" (José Rodrigues Miguéis, *Onde a Noite se Acaba*, p. 50).

penedense. *Adj. 2 g.* **1.** De, ou pertencente ou relativo a Penedo (AL e RJ). • *S. 2 g.* **2.** Natural ou habitante de Penedo.

penedia. *S. f.* **1.** Reunião de penedos; penedal. **2.** Rocha, rochedo: "canteiro de flores maravilhosas escondido nas anfractuosidades da penedia bruta" (Afonso Arinos, *Lendas e Tradições Brasileiras*, p. 116). [F. paral. (p. us.): *penedio*.]

penedio. *S. m. P. us.* V. *penedia*: "Do penedio agreste a doçaina do pastor respondia com a ária bucólica ao coro místico" (Coelho Neto, *Obra seleta*, p. 776).

penedo (ê). [De *pena*[3] + *-edo*.] *S. m.* **1.** Grande rocha; fraga, rochedo. **2.** Penha escarpada; penhasco. **3.** Calhau grande; pedregulho, fraga.

penego (ê). [De *pena*[1] (1) + *-ego(ê)*.] *S. m.* Travesseiro ou almofada cheia de penas.

peneídeo. *S. m.* **1.** Espécime dos peneídeos. • *S. m.* **2.** Pertencente ou relativo a eles.

peneídeos. *S. m. pl. Zool.* Família de crustáceos decápodes, macruros, caracterizados por apresentarem pinças nos três primeiros pares de patas, mas o terceiro par não é maior que os dois primeiros. São os camarões, dos quais algumas espécies das regiões tropicais e subtropicais podem atingir até 25 cm.

peneira. [Do lat. vulg. **panaria*, de *pane*, 'pão'.] *S. f.* **1.** Objeto, geralmente circular, com caixilho de madeira ou de metal, com o fundo formado de fios entrançados, de tela, taquara, crina ou metal, e empregado para separar substâncias reduzidas a fragmentos (moídas, britadas, trituradas, etc.), retendo as partes mais grossas. **2.** Crivo, joeira. **3.** *Bras. Fig.* Seleção, crivo: "Botei na peneira, você não passou" (do samba *Mora na Filosofia*, de Monsueto). **4.** *Bras.* Tela metálica transversalmente colocada nas chaminés das locomotivas para impedir, tanto quanto possível, a saída das faíscas. **5.** *Bras.* V. *chuvisco* (1). **6.** *Bras., RS.* V. *chapéu de palha*.

peneiração. *S. f.* Ato ou tarefa de peneirar; peneiramento, peneirada.

peneirada. *S. f.* **1.** V. *peneiração*. **2.** O que se peneira duma vez.

peneirado. [Part. de *peneirar*.] *Adj.* **1.** Que passou por peneira. **2.** Próprio de quem se peneira ou saracoteia: *andar peneirado.* **3.** Que passou, ou como que passou, pela peneira: *farinha peneirada;* "Uma chuva miúda, peneirada, batida de vento, entrava pela janela" (Coelho Neto, *Turbilhão*, p. 212).

peneirador (ô). *Adj.* e *s. m.* Que ou aquele que peneira.

peneiragem. [De *peneirar* + *-agem*[1].] *S. f.* Ato de separar o carvão da Terra, no balão (12).

peneiramento. *S. m.* **1.** V. *peneiração*. **2.** Sociol. Processo de classificação social que antecede, não raro, o de seleção, e segundo o qual as variantes são especializadas em funções e serviços diversos; classificação. [Cf. *seleção* (3).]

peneirar. *V. t. d.* **1.** Fazer passar pela peneira. **2.** Fazer ou deixar passar através de si; coar, filtrar: "Entro às vezes na selva que peneira / Orvalho e sol, como um dourado crivo." (Alberto de Oliveira, *Poesias*, 1ª série, p. 132.) **3.** Agitar na peneira, para separar a casca **4.** Mover em saracoteio; saracotear: "No ar arrufa o pandeiro, / Todo enfeitado de fitas, / A morena peneirando / Redondas formas bonitas." (Melo Morais Filho, *Cantos do Equador*, p. 53.) *Int.* **5.** *Bras.* V. *chuviscar*: "chovia — peneirava — uma chuvinha miúda, triste e constante" (Machado de Assis, *Memórias Póstumas de Brás Cubas*, p. 2). **6.** *Bras.* Pairar, no vôo, batendo as asas. **7.** *Bras., N.E.* Assistir da rua a bailes e outras festas realizadas dentro de casa; fazer sereno. *P.* **8.** Bambolear(-se), saracotear-se, ao andar. **9.** *Bras., RS.* Sacudir-se todo (o potro que está sendo domado), saindo aos pinotes.

peneirável. *Adj. 2 g.* Que pode ser peneirado.

peneireiro. *S. m.* **1.** Fabricante e/ou vendedor de peneiras. **2.** Aquele que trabalha com peneira.

peneiro. *S. m.* Peneira (1) grande, usada em algumas padarias para separar a farinha.

penejado. [Part. de *penejar*.] *Adj.* Diz-se de desenho feito à pena.

penejar. [De *pena*[1] + *-ejar*.] *V. t. d.* **1.** Escrever (1). **2.** Desenhar à pena. [Conjug.: v. *pelejar*.]

penela. [De *pena*[3] + *-ela*.] *S. f.* Penha (2) pequena.

peneplanície. [De *pene-* + *planície*.] *S. f. Geol.* Superfície plana ou levemente inclinada, formada por processos erosivos cuja natureza é controversa; peneplano.

peneplanizado. [Part. de *peneplanizar*.] *Adj.* Diz-se de terreno que a erosão tornou plano ou quase plano.

peneplanizar. [De *peneplano* + *-izar*.] *V. t. d.* Tornar plano ou quase plano (um terreno): *A erosão peneplanizou larga faixa de terra.*

peneplano. [De *pene-* + *plano*.] *S. m.* Peneplanície.

penetra. [Dev. de *penetrar*.] *S. 2 g.* **1.** Pessoa petulante. **2.** *Bras. Gír.* Pessoa que entra em bailes, festas, cinemas, teatros, etc., sem convite ou bilhete de entrada. [Sin., nesta acepç. *emboca* (N.E.) e *bicão* (S.).]

penetrabilidade. *S. f.* Qualidade de penetrável.

penetração. [Do lat. *penetratione*.] *S. f.* **1.** Ato ou efeito de penetrar. **2.** *P. ext.* Facilidade de compreensão; perspicácia, sagacidade, acuidade: *espírito de grande penetração.* **3.** *Constr.* Medida da consistência de solos ou de certos materiais de construção, expressa pela profundidade a que penetra num corpo de prova uma agulha-padrão, sob condições especificadas de peso, tempo e temperatura. **4.** *Fig.* Capacidade de atingir o mais fundo do pensamento, dos sentimentos, das idéias de uma pessoa ou de um grupo: *penetração nas massas.*

penetrador (ô). [Do lat. *penetratore*.] *Adj.* V. *penetrante*.

penetrais. [Do lat. *penetralia*.] *S. m. pl.* A parte mais íntima; o interior.

penetrante. [Do lat. *penetrante*.] *Adj. 2 g.* **1.** Que penetra. **2.** *Fig.* Pungente, doloroso: *A expressão penetrante da mulher revelava grande sofrimento.* **3.** *Fig.* Muito vivo ou intenso: *frio penetrante.* **4.** *Fig.* Arguto, agudo, sagaz, perpicaz: *inteligência penetrante; análise penetrante.* [Sin., p. us.: *penetrador, penetrativo*.]

penetrar. [Do lat. *penetrare*.] *V. t. d.* **1.** Passar para dentro de; transpor, entrar, atravessar, invadir: *As águas pluviais penetram o solo.* **2.** Passar através de; atravessar: *A espada penetrou-lhe o peito.* **3.** Chegar ao íntimo de; repassar. **4.** Chegar a perceber; compreender: "— Bem, irás entendendo aos poucos a minha filosofia; no dia em que a houveres penetrado inteiramente, ah! nesse dia terás o maior prazer da vida, porque não há vinho que embriague como a verdade." (Machado de Assis, *Quincas Borba*, p. 11.) **5.** Descobrir, descortinar: *Tentou, em vão, penetrar o mistério. T. d.* e *i.* **6.** Tornar pleno, cheio; encher, repassar: *Suas palavras penetraram o ânimo dos ouvintes de profundo respeito. T. c.* **7.** Introduzir-se, entrar: *Penetrou entre as tropas acampadas.* **8.** Embrenhar-se, meter-se, internar-se. **9.** Insinuar-se; atingir: *O dramático apelo não lhe penetrou na alma. P.* **10.** Convencer-se intimamente; compenetrar-se, capacitar-se, persuadir-se: *Penetrou-se, por fim, da conveniência de seu afastamento.* **11.** Deixar-se possuir; tomar-se: *Penetraram-se de vivo temor.* **12.** Deixar-se penetrar, absorver; imbuir-se, impregnar-se: "corre a observar a sociedade, a penetrar-se dela, onde ela é mais original, mais complexa, ... — em Paris e em Londres" (Eça de Queirós, *Ecos de Paris*, p. 5).

penetrativo. *Adj.* V. *penetrante*.

penetrável. [Do lat. *penetrabile*.] *Adj. 2 g.* Que pode ser penetrado.

penetrômetro. [De *penetrar* + *-o-* + *-metro*.] *S. m.* Instrumento para medir, por penetração, a consistência de sólidos, tais como materiais de construção, plásticos, solos, etc.

pênfigo. [Do gr. *pémphix, igos*, 'bolha', 'pústula'.] *S. m. Med.* Designação comum a várias dermatoses que se caracterizam pelo aparecimento de grupos de bolhas que se sucedem e, uma vez absorvidas, deixam man-

chas cutâneas fragmentadas; ponfólige. [Sin., bras., pop.: *fogo-selvagem*.]
pengó. *S. m. Bras., N.* **1.** V. *tolo* (8). **2.** Sujeito mal vestido. ● *S. 2 g.* **3.** V. *capenga* (2). ● *Adj. 2 g.* **4.** V. *capenga* (1).
penha. [Do esp. *peña*.] *S. f.* **1.** Grande massa de rocha isolada e saliente, penhasco, penedo. **2.** Rocha, fraga: "Uma rua de pedra por onde a cada momento eu esperava ver descer o pastor Viriato. O baiano subia aquelas penhas com um desembaraço que me espantava." (Davi Nasser, *Portugal, Meu Avozinho*, p. 14.) [Dim. irreg.: *panela*; sin., ant.: *pena*.].
penhascal. [De *penhasco* + *-al*.] *S. m.* Penhasqueira: "os broncos / Penhascais do deserto, o rio, a selva, os troncos" (Alberto de Oliveira, *Poesias*, 2ª série, p. 247).
penhasco. [Do esp. *peñasco*.] *S. m.* **1.** Penha elevada. **2.** Rochedo escarpado e extenso: "Neste cimo de serra, entre as arestas / Dos penhascos" (Alberto de Oliveira, *Poesias*, 2ª série, p. 363).
penhascoso (ô). *Adj.* Abundante em penhascos: "cortava pelo espinhaço das serras, descia as abas penhascosas dos contrafortes alcantilados" (Gustavo Barroso, *Terra de Sol*, p. 134).
penhasqueira. *S. f.* Série de penhascos; penhascal.
penhoar. [Do fr. *peignoir*.] *S. m.* Peça caseira de vestuário feminino, de talhe confortável, em geral aberta na frente, usada sobre a roupa de dormir ou a roupa de baixo, ou para se ficar à vontade; robe, quimono: "foi abrir a porta assim mesmo como estava, de penhoar e rolinhos no cabelo." (Maria Julieta Drummond de Andrade, *O Valor da Vida*, p. 178).
penhor (ô). [Do lat. *pignore*.] *S. m.* **1.** Direito real que vincula coisa móvel, ou mobilizável, a uma dívida, como garantia do pagamento desta. **2.** A coisa móvel ou mobilizável que constitui essa garantia, em geral entregue ao credor. **3.** *Fig.* Garantia, segurança; prova. **4.** Espécie de jogo popular. [Pl.: *penhores* (ô). Cf. *penhores*, do v. *penhorar*.]
penhora. [Dev. de *penhorar*.] *S. f.* **1.** Apreensão judicial de bens, valores, dinheiro, direitos, etc., pertencentes ao devedor executado, em quantidade bastante para garantir a execução. **2.** *P. ext.* Execução judicial por quantia determinada. ♦ **Penhora no rosto dos autos.** *Jur.* Aquela que se faz em direitos do executado constantes de ação pendente em juízo, e que é lavrada pelo escrivão na face externa da primeira folha dos respectivos autos.
penhorabilidade. *S. f.* Qualidade de penhorável.
penhorado. [Part. de *penhorar*.] *Adj.* **1.** Tomado em penhor. **2.** Apreendido por penhora. **3.** *Fig.* Grato, reconhecido.
penhorante. *Adj. 2 g.* Que penhora, torna agradecido, obriga a reconhecimento.
penhorar. [Do lat. vulg. **pignorare*, por *pingnerare*.] *V. t. d.* **1.** Dar em garantia ou penhor; empenhar. **2.** Efetuar a penhora de; apreender em virtude de processo executivo. **3.** *Fig.* Dar motivo de gratidão a; tornar agradecido; obrigar: *A fidelidade do amigo, naquela hora difícil, penhorou-o.* **4.** Impor gratidão a; cativar. *T. d. e i.* **5.** Exigir por obrigação; impor: *A lisura dos juízes penhorou-lhes respeito.* **6.** Garantir, afiançar: *Cristo penhorou aos que o seguiram a salvação de suas almas. P.* **7.** Mostrar-se reconhecido, grato. **8.** Dar-se por vencido; render-se: *Penhorou-se àquelas sábias palavras.* [Pres. subj.: *penhore*, *penhores*, etc. Cf. *penhores* (ô), pl. de *penhor*.]
penhorável. *Adj. 2 g.* Que pode ser penhorado.
penhorista. *Adj. 2 g.* **1.** Referente a penhores. ● *S. 2 g.* **2.** Dono de casa de penhores.
▲**pen(i)-.** *El. comp.* = 'pena'[1]: *peninérveo*, *penudo*.
pêni. [Do ingl. *penny*.] *S. m.* Moeda divisionária que até 1971 representou a duodécima parte do xelim[1] (1), e corresponde atualmente à centésima parte da libra (5). [Pl.: *pênis*. Cf. *pene* e *penes*, do v. *penar*, e *pênis*, s. m. O pl. da f. inglesa *penny* é *pence*.]
peniano. *Adj. Anat.* Relativo ou pertencente ao pênis.
penicada. *S. f. Pleb.* Porção de urina ou de excremento contida num penico. [Cf. *pinicada*.]
peniciliforme. [Do lat. *penicillu*, 'pincel', + *-i-* + *-forme*.] *Adj. 2 g.* Que tem forma de pincel.
penicilina. [Do ingl. *penicillin* < lat. cient. *Penicillium* 'designação genérica de uma bactéria', + *-ina*[1].] *S. f.* **1.** *Quím.* Grupo de substâncias formado no crescimento de certos fungos (*Penicillium* e outros), com acentuada ação antibiótica. **2.** Designação comum aos medicamentos fabricados com esta substância: *Tomou penicilina e melhorou.*
penicilinado. *Adj.* Que contém penicilina.
penico. *S. m. Pop.* V. *urinol* (1). [Aum.: *Penicão*. Cf. *pinico*, do v. *pinicar* e s. m., *pênico* e *pinicão*.] ♦ **Penico do mundo.** *Bras., RJ.* Região extremamente pluviosa. **Pedir penico.** *Bras. Gír.* **1.** Acovardar-se, amedrontar-se. **2.** Mostrar-se fraco, vencido. [Sin. ger.: *pedir arrego*, *pedir bexiga*.]
pênico. [Do lat. *poenicu*.] *Adj.* e *s. m.* V. *cartaginês*. [Cf. *penico*, s. m., e *pinico*, do v. *pinicar* e s. m.]
penífero. [Do lat. *penniferu*.] *Adj.* Que tem penas; penígero, penudo. [Cf. *pinífero*.]
peniforme. [De *pen(i)-* + *-forme*.] *Adj. 2 g.* Que tem forma de pena. [Cf. *piniforme*.]
penígero. [Do lat. *pennigeru*.] *Adj.* V. *penífero*. [Cf. *pinífero*.]
penina. [De *peninita*, com síncope.] *S. f. Min.* Mineral monoclínico do grupo das cloritas, silicato hidratado de alumínio, ferro e magnésio; peninita.
peninervado. [De *pen(i)-* + *nervado*.] *Adj.* ~ V. *folha —a*.
peninérveo. [De *pen(i)-* + *nérveo*.] *Adj.* ~ V. *folha —a*.
peninita. [Do top. **Peninos*, por região dos Alpes peninos (Europa) + *-ita*[3].] *S. f. Min.* Penina.
península. [De *pen(e)-* + lat. *insula*, 'ilha'.] *S. f.* Porção de terra cercada de água por todos os lados, menos um, pelo qual se liga a outra terra. [Sin., ant.: *quersoneso*.]
peninsular. *Adj. 2 g.* **1.** Pertencente ou relativo a península. ● *S. 2 g.* **2.** Natural ou habitante de uma península. **3.** *Restr.* Natural ou habitante da Península Ibérica.
penipotente. [Do lat. *pennipotente*.] *Adj. 2 g. Poét.* **1.** Que voa muito. **2.** Que tem asas muito vigorosas.
peniqueira. [De *penico* + *-eira*.] *S. f.* **1.** *Bras., N.E. Pop. Deprec.* Criada de servir. **2.** *Pop.* Caixa ou mesa-de-cabeceira para guardar penico.
pênis. [Do lat. *penis*, 'pincel'.] *S. m. 2 n. Anat.* O órgão copulador do macho; falo, falus. [Cf. *penes*, do v. *penar*, e *pênis*, pl. de *pêni*.]
peniscar. *V. int.* Comer pouco, sem apetite; beliscar; pepinar. [Conjug.: v. *trancar*.]
penisco. *S. m.* **1.** Semente de pinheiro-bravo. **2.** Porção de pinhão miúdo.
penisqueiro. *Adj.* Que penisca.
penitência. [Do lat. *poenitentia*.] *S. f.* **1.** Arrependimento ou pesar por falta cometida; contrição; metanóia. **2.** Expiação dessa falta. **3.** Incômodo, fadiga, sacrifício. **4.** Aflição, tormento. **5.** *Rel.* Virtude cristã que leva ao arrependimento pelos próprios pecados, na medida em que constituem ofensa aos desígnios divinos. **6.** *Rel.* Ato de expiação dos pecados, assumido por iniciativa pessoal, ou por indicação da Igreja ou de seus delegados. **7.** *Rel.* O sacramento que consiste na acusação contrita dos próprios pecados, feita a um ministro legítimo da Igreja ou a seus delegados, a fim de obter o perdão divino ou a absolvição; confissão. **8.** *Rel.* A absolvição tomada com sinal de perdão. [Cf. *penitencia*, do v. *penitenciar*.]
penitenciado. [Part. de *penitenciar*.] *Adj.* e *s. m.* Diz-se de, ou aquele a quem se cominou a pena de penitência.
penitencial. [Do lat. *poenitentiale*.] *Adj. 2 g.* **1.** Relativo a penitência; penitenciário. **2.** *Fig.* Desolado, lúgubre. ~ V. *multa —*. ● *S. m.* **3.** Ritual das penitências.
penitenciar. *V. t. d.* **1.** Impor penitência a: *O sacerdote penitenciou-o com três padre-nossos.* **2.** Expiar, pagar: "Depois de penitenciar tão tragicamente o seu crime, no mesmo sepulcro onde vivera como um morto, foi Jacobo sepultado." (Alphonsus de Guimaraens, *Obra Completa*, p. 419.) *P.* **3.** Castigar-se por culpa cometida, arrependendo-se. **4.** Fazer sacrifícios para expiação dos pecados. [Pres. Ind.: *penitencio*, *penitencias*, *penitencia*. etc.; fut. pret.: *penitenciaria*, etc. Cf. *penitência*, *s. f.*, e *penitenciária*, fem. de *penitenciário* e *s. f.*]
penitenciaria. [De *penitência* + *-aria*.] *S. f.* Tribunal pontifício no qual se resolvem os negócios da privada competência do Papa. [Cf. *penitenciária*, fem. de *penitenciário* e *s. f.*]
penitenciária. [De *penitência* + o fem. de *-ário*.] *S. f.* Estabelecimento oficial a que se recolhem os condenados à pena de reclusão ou detenção, os quais, no decorrer do cumprimento da sentença, ficam sujeitos a trabalho remunerado e, mediante medidas progressivamente aplicadas, recebem assistência para sua reeducação e readaptação social. [Cf. *penitenciaria*, do v. *penitenciar* e *s. f.*]
penitenciário[1]. [De *penitência* + *-ário*.] *Adj.* **1.** Penitencial (1). **2.** Relativo às penitenciárias: *sistema penitenciário.* ● *S. m.* **3.** Indivíduo preso em penitenciária. **4.** Aquele que impõe penitência. [Fem.: *penitenciária*. Cf. *penitenciaria*, do v. *penitenciar* e *s. f.*]
penitenciário[2]. [De *penitenci(aria)* + *-ário*.] *S. m.* Cardeal que preside a penitenciaria pontifícia.
penitenciarista. *S. 2 g.* Jurista especializado na ciência penitenciária.
penitencieiro. *S. m.* **1.** Cardeal que é membro da penitenciaria. **2.** Frade ou padre confessor, em certas igrejas ou capelas.
penitente. [Do lat. *poenitente*.] *Adj. 2 g.* **1.** Que se arrepende. **2.** Que faz penitência ou confissão de seus pecados. ● *S. 2 g.* **3.** Pessoa que se arrepende. **4.** Pessoa que faz penitência ou confissão dos pecados. **5.** Pessoa que acompanha procissões como penitente (3).
peno. [Do lat. *poenu*.] *Adj.* e *s. m.* V. *cartaginês*.
pé-no-chão. *S. m. Bras.* V. *caipira* (1). [Pl.: *pés-no-chão*.]
penol. [Do esp. *penol*.] *S. m. Marinh.* A extremidade livre da carangueja; o lais da carangueja; pena. [Pl.: *penóis*.]
penosa. [De *pena*[1] + o fem. de *-oso*.] *S. f.* **1.** *Gír.* Galinha (especialmente magra); "Preparava-se [o remédio] como caldo de galinha, só que usando rã em vez da penosa." (Pedro Nava, *Baú de Ossos*, p. 328.) **2.** *Bras., AL. Pop.* V. *perua* (1).
penoso (ô). *Adj.* **1.** Que causa pena ou sofrimento: *assunto penoso.* **2.** Que incomoda: *sensação penosa; impressão penosa.* **3.** Que produz dor; doloroso: *tratamento penoso.* **4.** Difícil, complicado: *estudo penoso; pesquisa penosa.*
pensabundo. [De *pensar* + o final de *meditabundo*.] *Adj.* V. *pensativo*: "A fama desse talento alastrou então por toda a academia — que, vendo Pacheco sempre pensabundo, já d'óculos, austero nos seus passos, ... percebia ali um grande espírito que se concentra e se retesa todo em força íntima." (Eça de Queirós, *A Correspondência de Fradique Mendes*, p. 179.)
pensado. [Part. de *pensar*.] *Adj.* Que se ponderou pelo raciocínio; raciocinado: *atos pensados.*
pensador (ô). *Adj.* **1.** Que pensa, que reflete. **2.** Que pensa alguém, que faz curativo em alguém. **3.** Diz-se de parceiro que recebe animais para os fins estipulados na parceria pecuária. ● *S. m.* **4.** Aquele que pensa, que reflete. **5.** Aquele que tem idéias ou faz observações novas, profundas ou pessoais, sobre determinados problemas. [Cf., nesta acepç., *filósofo* (2).] **6.** Aquele que pensa ou faz curativos. **7.** O parceiro que recebe animais para os fins estipulados na parceria pecuária [q. v.].
pensadura. *S. f.* **1.** Ato de pensar (12) uma criança. **2.** A roupa que se lhe veste, ao pensá-la.
pensamentar. *V. int.* V. *pensar* (1 a 3).
pensamentear. *V. int.* V. *pensar* (1 a 3): "ao subir [Mário de Andrade] a Ladeira de São Francisco — a que lhe tirava o fôlego — tivera boa idéia para um estudo, parara em meio ao percurso e a anotara, como fazia habitualmente sempre que andava pelas ruas pensamenteando." (Mário da Silva Brito, *Ângulo e Horizonte*, p. 121.) [Conjug.: v. *frear*.]
pensamento. *S. m.* **1.** Ato ou efeito de pensar, refletir, meditar; processo mental que se concentra nas idéias: *O nosso pensamento abrange quanto vemos, sentimos ou compreendemos.* **2.** Faculdade de pensar logicamente: *Tinha o pensamento voltado para a solução do problema.* **3.** Poder de formular conceitos: *O pensamento de Einstein revolucionou a física do século XX.* **4.** Aquilo que é pensado; o produto do pensamento; idéia: *Os tímidos precisam ser estimulados com pensamentos otimistas;* "Noite, vão para ti meus pensamentos, / Quando olho e vejo, à luz cruel do dia, / Tanto estéril lutar, tanta agonia" (Antero de Quental, *Sonetos*, p. 145). **5.** Reflexão, meditação: *estar absorto em pensamentos.* **6.** Mente, intelecto, espírito: *A civilização é produto do pensamento humano.* **7.** Fantasia, sonho, imaginação: *Perdido em pensamentos, não sentiu passar as horas.* **8.** Lembrança, recordação, idéia: *O pensamento do tempo passado foi a inspiração e tema da obra de Proust;* "Pensa em mim, como em ti saudoso penso, / Quando a lua no mar se vai doirando: / Pensamento de mãe é como incenso / Que os anjos do Senhor beijam passando." (Álvares de Azevedo, *Obras Completas*, I, p. 313). **9.** Modo de pensar; ponto de vista; opinião: *Você não agiu de acordo com o pensamento de sua família.* **10.** Cuidado; solicitude, preocupação: *É objeto constante de seu pensamento a educação dos filhos.* **11.** Esperança, expectativa, idéia: *O pensamento de ganhar na bolsa quase o levou à ruína.* **12.** Frase que encerra um conceito moral, ou tema que dá matéria para reflexão: *o pensamento do dia.* **13.** A idéia, o tema, o núcleo de uma obra: *É complexo o pensamento do poema* Invenção de Orfeu, *de* Jorge de

Lima. **14.** O produto intelectual de um determinado indivíduo, grupo, país, ou época: *o pensamento de Aristóteles; o pensamento científico moderno.* **15.** *Filos.* Atividade psíquica que abarca os fenômenos cognitivos, distinguindo-se do sentimento e da vontade.

pensante. [Do lat. *pensante.*] *Adj. 2 g.* Que pensa; que faz uso da razão.

pensão. [Do lat. *pensione,* 'pagamento'.] *S. f.* **1.** Renda anual ou mensal paga a alguém durante toda a vida: *pensão de invalidez; pensão de aposentadoria; pensão militar.* **2.** Foro (ô) (1). **3.** Quantia paga pela educação e sustento de aluno em colégio interno. **4.** Pequeno hotel de caráter familiar. **5.** *Fig.* Encargo, ônus, obrigação. **6.** *Fig.* Trabalho, preocupação, cuidado. **7.** *Bras.* Fornecimento regular de comida a domicílio. **8.** *Bras. Prev. Soc.* Benefício devido aos dependentes do segurado que morre depois de haver pago 12 contribuições mensais.

pensar. [Do lat. *pensare.*] *V. int.* **1.** Formar ou combinar no espírito pensamentos ou idéias: *O homem é um animal que pensa; ''*Pensar exige dedicação integral.'' (Guilherme Figueiredo, *Despropósitos,* p. 43). **2.** Fazer reflexões; refletir, raciocinar: *Diz o que lhe vem à cabeça, sem antes pensar.* **3.** Reflexionar, refletir; meditar, cismar: "Em nada mais penses. Ama. / Melhor que pensar — é amar." (Alberto de Oliveira, *Póstuma,* p. 71); *Com um olhar longínquo, ficava horas a pensar.* [Sin., p. us., nestas acepç.: *pensamentar, pensamentear.*] *T. i.* **4.** Fazer tenção; tencionar, cogitar: "Os antigos, embora interessados na coleção e interpretação dos fatos literários, nunca pensaram em organizar panoramas históricos das suas literaturas." (Oto Maria Carpeaux, *História da Literatura Ocidental,* I, p. 15.) **5.** Estar preocupado; ter cuidado: *Não pensa no seu trabalho.* **6.** Lembrar-se; imaginar: "Pensa em mim, como em ti saudoso penso, / Quando a lua no mar se vai doirando" (Álvares de Azevedo, *Obras Completas,* I, p. 313). **7.** Meditar; refletir, reflexionar: "Fiquei pensando em como o avião é elemento aglutinador, capaz de igualar os seres, transformando-os num bloco unitário" (Maria Julieta Drummond de Andrade, *Um Buquê de Alcachofras,* p. 14). *T. d.* **8.** Avaliar pelo raciocínio; julgar, imaginar: *Que pensará ele se souber da tua invenção?;* "Não pensava participar .... de tantas intrigas palacianas" (Nélida Piñón, *A Força do Destino,* p. 35). **9.** Delinear mentalmente; meditar: "Nessa hora de monólogos sublimes, / A companhia dos ladrões da noite, / Buscando uma taverna que os açoite, / Vai pela escuridão pensando crimes." (Augusto dos Anjos, *Eu,* p. 27); *Tal era o seu ódio que pensou dar cabo do assassino.* **10.** Imaginar, supor: *Não pensei que ele fosse tão generoso.* **11.** Dar ração a (animal). **12.** Cuidar ou tratar convenientemente de: "Os fradinhos correm a defender os franceses, a pensar os feridos" (Antero de Figueiredo, *Jornadas em Portugal,* p. 353); "As grandes mãos da sombra evangélicas pensam / As feridas que a vida abriu em cada peito." (Manuel Bandeira, *Estrela da Vida Inteira,* p. 14). **13.** Pôr penso[1] (2) em. **14.** Dar penso[1] (3) a. [Pres. subj.: *pense,* .... *penseis, pensem.* Cf. *pênseis,* pl. de *pênsil.*] *S. m.* **15.** Pensamento, opinião. **16.** Tino, prudência. ♦ **Pensar alto.** Raciocinar em voz alta, transmitindo ou não o(s) pensamento(s).

pensativo. [Do lat. *pensatu,* part. de *pensare,* + *-t-* + *-ivo.*] *Adj.* Absorto em pensamentos; meditativo, absorto, pensabundo, penseroso.

pensável. *Adj. 2 g.* Que pode ser pensado; que pode ocorrer ao pensamento; imaginável.

penseroso (ô). [Do it. *pensieroso.*] *Adj.* V. *pensativo:* "sua atitude penserosa [era] tão tranqüila que, ao primeiro olhar, ninguém, por certo, lhe daria uma alma" (Coelho Neto, *Sertão,* p. 101).

pênsil. [Do lat. *pensile.*] *Adj. 2 g.* **1.** Suspenso, pendurado: "Puxando a ponta de um barbante pênsil de um buraco feito na porta, ela consegue abri-la sem dificuldade." (Ana Elisa Gregori, *Os Barões da Candeia,* p. 17.) **2.** Construído sobre abóbadas ou colunas. ~ V. *ponte* —. [Pl.: *pênseis.* Cf. *penseis,* do v. *pensar.*]

pensionar. *V. t. d.* **1.** Dar ou pagar pensão a. **2.** Sobrecarregar com trabalhos. *T. d.* e *i.* **3.** Impor cargo ou pensão: *O mosteiro pensionou-o em 10 missas; S. M. vai pensioná-los com a décima.* [Fut. pret.: *pensionaria,* etc. Cf. *pensionária,* fem. de *pensionário.*]

pensionário. *Adj.* **1.** Relativo a pensão. ● *S. m.* **2.** *P. us.* Pensionista (2). [Fem.: *pensionária.* Cf. *pensionaria,* do v. *pensionar.*]

pensionato. *S. m.* **1.** Internato (1). **2.** Casa que recebe pensionistas. **3.** Patronato (4).

pensioneiro. *Adj.* Que paga pensão.

pensionista. *Adj. 2 g.* **1.** Que recebe pensão, especialmente do Estado. ● *S. 2 g.* **2.** Pessoa que recebe uma pensão, especialmente do Estado; pensionário. **3.** *Bras.* Pessoa que mora em pensão. **4.** *Bras.* Pessoa que recebe pensão de alimento. ● *S. f.* **5.** Recolhida ou noviça que paga pensão no convento.

penso[1]. [Dev. de *pensar.*] *S. m.* **1.** Tratamento, sustento, limpeza, curativo, de crianças ou animais. **2.** Curativo (2 e 3): "Soltara .... a pressa esquiva, a mão subitamente recolhida, sangrando. Fizera um penso com a camisa, até chegar em casa, onde a mãe, desvelada e sábia, tomara sob os seus cuidados o ferimento." (Herberto Sales, *Histórias Ordinárias,* pp. 170-171.) **3.** Ração para o gado.

penso[2]. [Do lat. *pensum,* de *pendere,* 'estar pendente'.] *Adj. Bras.* **1.** Pendido, inclinado: "Costumava [José de Alencar] orar com a cabeça um tanto pensa para a direita" (Visconde de Taunay, *Reminiscências,* p. 82); "Através dos vidros que os isolavam de nós, um mar de cabeças pensas sobre velhas carteiras." (Francisco Inácio Peixoto, *Passaporte Proibido,* p. 23.) **2.** De mau jeito.

▲**pent(a)-.** [Do gr. *pénte.*] *El. comp.* = 'cinco': *pentacampeão; pentandro.*

pentacampeã. *S. f.* e *adj. (f.)* Fem. de *pentacampeão.*

pentacampeão. [De *pent(a)-* + *campeão.*] *S. m.* Indivíduo, clube, etc., que é campeão pela quinta vez. [Tb. us. como adj. Fem.: *pentacampeã.*]

pentacampeonato. [De *pent(a)-* + *campeonato.*] *S. m.* Campeonato obtido pela quinta vez.

pentacapsular. [De *pent(a)-* + *capsular.*] *Adj. 2 g. Morfol. Veg.* Que tem cinco cápsulas; qüinqüecapsular.

pentacarpelar. [De *pent(a)-* + *carpelar.*] *Adj. 2 g. Morfol. Veg.* Diz-se do ovário ou do fruto formado por cinco carpelos.

pentacêntrico. [De *pent(a)-* + *-centri-* + *-ico*[2].] *Adj.* Que tem cinco centros.

pentacontaedro. [Do gr. *pentékonta,* 'cinqüenta' + *-edro.*] *S. m. Geom.* Poliedro de 50 faces.

pentacontágono. [Do gr. *pentékonta,* 'cinqüenta', + *-gono*[1].] *S. m. Geom.* Polígono de 50 lados.

pentacórdio. [Var. de *pentacordo* < gr. *pentáchordon,* pelo lat. *pentachordu.*] *S. m. Mús.* **1.** Instrumento de cinco cordas. **2.** Entre os gregos, sistema de cinco sons conjuntos que formavam uma quinta justa.

pentacordo. *S. m. Mús.* Pentacórdio [q. v.].

pentacosaedro. [De *pent(a)-* + *(i)cosaedro.*] *S. m. Geom.* Poliedro de 25 faces.

pentacoságono. [De *pent(a)-* + *(i)coságono.*] *S. m. Geom.* Polígono de 25 lados.

pentacótomo. [Do gr. *pentákis,* 'cinco vezes', + *-o-* + *-tomo.*] *Adj. Bot.* Que se divide em cinco partes.

pentáculo. [Do lat. medieval *pentaculu.*] *S. m.* **1.** Estrela de cinco pontas, feita com um traçado contínuo, formando ao centro um pentágono regular, e à qual se atribuem virtudes mágicas e talismânicas. **2.** Qualquer dos diversos símbolos do ocultismo semelhantes, por seu traçado contínuo, ao verdadeiro pentáculo. [Sin. ger.: *pentalfa.* Cf. *pentagrama* (2).]

pentadáctilo. [Do gr. *pentadáktylos,* pelo lat. *pentadactylu.*] *Adj.* **1.** *Zool.* Que tem cinco dedos. **2.** *Bot.* Que tem cinco divisões (tratando-se de folhas). [Var.: *pentadátilo.*]

pentadátilo. *Adj. Zool.* e *Bot.* Var. de *pentadáctilo.*

pentadecaedral. *Adj. 2 g.* Pentadecaédrico.

pentadecaédrico. *Adj.* **1.** Que tem a forma do pentadecaedro. **2.** Relativo ao pentadecaedro. [Sin. ger.: *pentadecaedral.*]

pentadecaedro. [De *pent(a)-* + *decaedro.*] *S. m. Geom.* Poliedro de 15 faces.

pentadecagonal. *Adj. 2 g.* **1.** Que tem a forma do pentadecágono. **2.** Relativo ao pentadecágono.

pentadecágono. [De *pent(a)-* + *decágono.*] *S. m. Geom.* Polígono de 15 lados.

pentadelfo. [De *pent(a)-* + *-adelfo.*] *Adj. Morfol. Veg.* Diz-se dos estames reunidos em cinco fascículos.

pentaedral. *Adj. 2 g.* Pentaédrico.

pentaédrico. *Adj.* Que tem a forma do pentaedro, ou relativo a ele; pentaedral.

pentaedro. [De *pent(a)-* + *-edro.*] *S. m. Geom.* Poliedro de cinco faces.

pentafilácea. [De *pent(a)-* + *-fil(o)-*[1] + *-ácea.*] *S. f.* Espécime das pentafiláceas.

pentafiláceas. *S. f. pl. Bot.* Família de plantas floríferas da ordem das sapindales, composta de uma espécie arbórea do gênero *Pentaphylax,* de Hong-Kong.

pentafiláceo. *Adj.* Pertencente ou relativo às pentafiláceas.

pentafólio. [De *pent(a)-* + *-fólio.*] *S. m. Geom.* Rosácea com cinco folhas.

pentagonal. *Adj. 2 g.* **1.** Referente a pentágono. **2.** Que tem cinco lados.

pentágono. [Do gr. *pentágonos,* pelo lat. *pentagonu.*] *S. m. Geom.* Polígono de cinco lados.

pentágrafo. *S. m.* V. a f. que deve ser a correta, *pantógrafo.*

pentagrama. [Do gr. *pentágramma.*] *S. m.* **1.** *Mús.* Pauta de cinco linhas. **2.** Figura ou símbolo formado por cinco letras ou sinais, e ao qual se atribuem poderes mágicos: "O 5 resplandece nas cinco pontas do pentagrama, o mais famoso símbolo das artes mágicas, a estrela da sorte e do exorcismo." (Augusto Meyer, *A Forma Secreta,* p. 158.) [Cf. *pentáculo.*] **3.** *Geom.* O pentágono regular estrelado, usado como distintivo pelos pitagóricos.

pentalfa. *S. m.* V. *pentáculo.*

pentâmero. [Do gr. *pentamerés.*] *Adj.* **1.** Que tem cinco divisões. ● *S. m.* **2.** Espécime dos pentâmeros.

pentâmeros. *S. m. pl. Zool.* Grande divisão dos insetos coleópteros que têm cinco artículos nos tarsos.

pentâmetro. [Do gr. *pentámetros,* pelo lat. *pentametru.*] *Adj.* e *s. m.* ~ V. *verso* —.

pentandro. [De *pent(a)-* + *-andro.*] *Adj. Morfol. Veg.* Que tem cinco estames.

pentangular. [De *pent(a)-* + *angular.*] *Adj. 2 g.* Que tem cinco ângulos; qüinqüeangular.

pentano. [De *pent(a)-* + *-ano.*] *S. m. Quím.* Hidrocarboneto saturado com cinco átomos de carbono, líquido, inflamável. [Fórm.: C_5H_{12}.]

pentapétalo. [De *pent(a)-* + *-pétalo.*] *Adj. Morfol. Veg.* Diz-se da corola formada de cinco pétalas distintas.

pentápole. [Do gr. *pentápolis,* pelo lat. *pentapole.*] *S. f.* **1.** União política ou aliança de cinco cidades. **2.** Território que abrange cinco cidades.

pentáptico. [De *pent(a)-* + gr. *ptyché,* 'dobra', 'prega', + *-ico*[2].] *S. m.* V. *tábula* (2).

pentarca. *S. m.* Membro de uma pentarquia.

pentarcado. *S. m.* **1.** Dignidade ou funções de pentarca. **2.** A duração dessas funções.

pentarquia. [Do gr. *pentarchía.*] *S. f.* Governo exercido por cinco chefes.

pentárquico. *Adj.* Relativo a pentarquia.

pentarreme. [De *pent(a)-* + o final de *qüinqüerreme, birreme,* etc.] *S. f.* V. *qüinqüerreme.*

pentaspermo. [Do lat. *pent(a)-* + *-spermo.*] *Adj. Morfol. Veg.* Diz-se do fruto que contém cinco sementes.

pentassílabo. [Do gr. *pentasyllabos,* pelo lat. *pentasyllabu.*] *Adj.* **1.** Que tem cinco sílabas. ● *S. m.* **2.** Vocábulo ou verso pentassílabo.

pentastilo. [De *pent(a)-* + *-stilo.*] *S. m. Arquit.* Pórtico ou edifício com cinco colunas no frontispício.

pentastomídeo. *S. m.* **1.** Espécime dos pentastomídeos. ● *Adj.* **2.** Pertencente ou relativo a eles. [Sin. ger.: *linguatulídeo.*]

pentastomídeos. *S. m. pl. Zool.* Animais artrópodes, do sub-ramo ou classe *Pentastomida,* cujo corpo é mole, vermiforme, segmentado, tendo a extremidade anterior dois pares de ganchos ao lado da boca. São parasitos de vertebrados. [Sin.: *linguatulídeos.*]

Pentateuco. [Do gr. *Pentáteuchos* (de *pent(a)-* + *teûchos,* 'livro', pelo lat. *Pentateuchu.*] *S. m.* Os cinco primeiros livros do Velho Testamento, atribuídos a Moisés: o Gênese, o Êxodo, o Levítico, o Números e o Deuteronômio; Tora.

pentatlo. [Do gr. *pénthathlon,* pelo lat. *pentathlu.*] *S. m.* **1.** O conjunto dos cinco exercícios atléticos principais, entre os antigos gregos: corrida, arremesso do disco, salto, lançamento do dardo e luta. **2.** Concurso de atletismo que consta desses exercícios.

pentatônico. [De *pent(a)-* + *-ton(o)-* + *-ico*[2].] *Adj. Mús.* Que tem cinco sons: *escala pentatônica.*

pentavalente. [De *pent(a)-* + *valente.*] *Adj. 2 g. Quím.* Que tem cinco valências.

pente. [Do lat. *pectine.*] *S. m.* **1.** Instrumento feito de tartaruga, osso, matéria plástica, etc., com dentes muito próximos, presos a uma barra, e que serve para alisar, desembaraçar, ajeitar ou limpar os cabelos. **2.** Objeto análogo, mais curto e de dentes mais longos, que se utiliza para prender o cabelo. **3.** Caixilho com aberturas perpendiculares pelas quais passam os fios duma teia. **4.** Instrumento de ferro com que os cardadores cardam a lã. **5.** Utensílio de bordadeira com que se limpam bordados de ponto alto. **6.** Peça onde se encaixam as balas das armas automáticas; pente de balas. **7.** *Anat.* Porção anterior da pelve que no adulto está recoberta de pêlos: "Em meio do pente, / A concha bivalve / Num mar de escarlata." (Manuel Bandeira, *Estrela da Vida Inteira,* p. 162.) **8.** *Tip.* Cada uma das duas lâminas (*pente superior* e *pente inferior*) que servem de guias às varetas que acionam os escapes da linotipo. **9.** *Encad.* Utensílio com que os encadernadores dão aspecto ondulado ao banho de marmoreação. **10.** *Art. Gráf.* Barra com punções perfuradoras, da picotadeira. **11.** *Lus.* V. *leque* (6). ~ V. *pentes.* ♦ **Pente de balas.** Pente (6). **Pente inferior.** *Tip.* V. *pente* (8). **Pente superior.** *Tip.* V. *pente* (8).

penteação. *S. f.* Ação ou efeito de pentear(-se); penteadura.

penteadeira. [De *pentear* + *-deira.*] *S. f. Bras.* Pequena mesa com espelho e gavetas, na qual se encontram utensílios com que as mulheres se penteiam e se pintam.

penteadela. *S. f.* Ato ou efeito de pentear(-se) ligeiramente e/ou às pressas.

penteado. [Part. de *pentear.*] *Adj.* **1.** Composto ou alisado com o pente (cabelo). **2.** Alisado, desemaranhado. **3.** Que compôs ou penteou os próprios cabelos: *Anda sempre penteado.* ● *S. m.* **4.** Arranjo do cabelo: *O penteado singelo ia-lhe muito bem.* **5.** Maneira especial de cortar ou arranjar os cabelos: *A atriz apareceu com um penteado feito com o auxílio de duas perucas.* **6.** A arte de pentear os cabelos: *O figurino tem uma ótima seção dedicada ao penteado.*

penteador (ô). *Adj.* **1.** Que penteia. ● *S. m.* **2.** Cabeleireiro (2). **3.** Roupão [q. v.] ou espécie de toalha que se põe nos ombros de quem se penteia ou corta o cabelo: "e empoou-se, e perfumou-se, e enfiou camisa, anágua e penteador" (Aluísio Azevedo, *O Cortiço*, p. 198).

penteadura. *S. f.* Penteação.

pentear. [Do lat. *pectinare.*] *V. t. d.* **1.** Compor, alisar ou limpar (os cabelos) com o pente: "umas [moças] penteiam as tranças, / outras tangem pensamentos" (Cecília Meireles, *Obra Poética*, p. 988). **2.** Compor, alisar ou limpar os cabelos de: "Há muitas casas parisienses onde uma criada, só, compra, cozinha, ... veste e despe a senhora, penteia-a, frisa-a, faz-lhe os vestidos" (Ramalho Ortigão, *Em Paris*, p. 163). **3.** Alisar; desemaranhar: *Penteava com os dedos os pêlos do animal.* **4.** *Bras. Gír.* Polir, melhorar, aperfeiçoar (um texto). *P.* **5.** Compor os próprios cabelos: "Passou ao banho, vestiu-se, penteou-se" (Machado de Assis, *Quincas Borba*, p. 123). **6.** Pretender, desejar; prepararse: "Isto dizia um sujeito grave, que se penteia para ser deputado, a outro que já o foi" (Pedro Ivo, *Contos*, p. 123). [Conjug.: v. *frear.*]

pentearia. *S. f.* Oficina ou estabelecimento de penteeiro.

pentecostal. *Adj. 2 g.* **1.** Relativo ou pertencente a Pentecostes, ou ao pentecostismo. **2.** Pentecostalista. ● *S. 2 g.* **3.** Pentecostalista.

pentecostalismo. *S. m.* Pentecostismo.

pentecostalista. *Adj. 2 g.* e *s. 2 g.* Que ou quem é adepto ou seguidor do pentecostismo. [Sin. ger.: *pentecostal.*]

pentecostes. [Do gr. *pentekosté*, pelo lat. *pentecoste.*] *S. m.* Festa católica celebrada 50 dias depois da Páscoa em comemoração da descida do Espírito Santo sobre os apóstolos. [V. *ano litúrgico.*]

pentecostismo. [De *Pentecostes* + *-ismo.*] *S. m.* Movimento religioso que, no início do séc. XX, partindo dos E.U.A., se desenvolveu fora do protestantismo tradicional; pentecostalismo.

pente-de-macaco. *S. m. Bras.* Cipó da família das bignoniáceas (*Pithecoctenium echinatum*), de ampla dispersão, caracterizado pelos frutos compridos e largos, revestidos de longos espinhos, pelo quê dão a idéia de pentes primitivos, e que têm sementes grandes e com asas membranáceas. [Pl.: *pentes-de-macaco.*]

pente-dos-bichos. *S. m. Pop.* Pente-fino (1). [Pl.: *pentes-dos-bichos.*]

penteeira. *S. f. Bras.* V. *sambaíba-de-minas-gerais.*

penteeiro. *S. m.* Fabricante e/ou vendedor de pentes.

pente-fino. *S. m.* **1.** *Bras.* Pente pequeno, de dentes finos, para limpar a cabeça de piolhos, caspa, etc. [Sin. (pop.): *pente-dos-bichos.*] **2.** *Bras. Fam.* Indivíduo finório, velhaco, espertalhão, que de tudo tira proveito. **3.** *Bras. Fig.* Pessoa que procura os menores defeitos em tudo quanto examina. **4.** *Bras. Gír.* Vassoura (5). **5.** *Bras. Fig.* Peneira, crivo, triagem: *O gerente passou os candidatos pelo pente-fino.* [Pl.: *pentes-finos.*] ♦ **Passar o pente fino em.** *Bras.* Submeter a crivo rigoroso.

pentelha. *S. f. Bras. Chulo.* Fem. de *pentelho* (3).

pentelhação. *S. f. Bras. Chulo.* Ato ou efeito de pentelhar; amolação, chateação.

pentelhar. *V. t. d. Bras. Chulo.* Aborrecer, amolar, chatear. [Conjug.: v. *aparelhar.*]

pentelho (ê). [Do lat. **pectiniculu*, dim. de *pecten* (v. *pente* [7]).] *S. m. Chulo.* **1.** Cada um dos pêlos que cobrem o pente (7). **2.** O conjunto desses pêlos. **3.** *Bras.* Indivíduo maçante, aborrecido, chato. [Fem., nesta acepç.: *pentelha.*]

pentelhudo. *Adj. Chulo.* Que tem pentelho em abundância.

pentélico. [Do gr. *pentelikós*, pelo lat. *pentelicu.*] *Adj.* **1.** Diz-se do mármore do monte Pentélico, em Atenas, apreciadíssimo pelos escultores: "Em pentélico mármore esculpido, / Pla finura das linhas, bem revela / Ser um pé de mulher, deusa ou napéia" (Eugênio de Castro, *Obras Poéticas*, X, p. 154). ● *S. m.* **2.** O mármore dessa procedência: "Era dessas figuras talhadas em pentélico, de um lavor nobre, rasgado e puro, tranqüilamente bela, como as estátuas, mas não apática nem fria." (Machado de Assis, *Memórias Póstumas de Brás Cubas*, p. 175.)

pentem. *S. m. Ant.* **1.** Pente (1): "Aquelas [náiades], / soltas e ondadas as madeixas lúcidas / que o pentem não bruniu!" (Antônio Feliciano de Castilho, *Os Fastos*, I, p. 45.) **2.** Instrumento musical.

pentes. [Pl. de *pente.*] *S. m. pl. Zool.* Órgãos ventrais dos escorpiões, situados logo atrás das patas. ~ V. *pente.*

pentlandita. [Do antr. *Pentland*, de J. B. Pentland, cientista irlandês (— - 1873), + *-ita*[3].] *S. f. Min.* Mineral monométrico bronzeado, de brilho metálico, sulfeto de ferro e níquel.

pentódio. [De *pent(a)-* + *-odo-* + *-io*[1].] *S. m. Eletrôn.* V. *pentodo.*

pentodo (ô). [De *pent(a)-* + *-odo.*] *S. m. Eletrôn.* Válvula eletrônica com cinco eletrodos. [No Brasil o voc. é us., em geral, como parox.]

pêntodo. *S. m. Eletrôn.* V. *pentodo.*

pentose. [De *pent(a)-* + *-ose.*] *S. f. Quím.* Ose com cinco átomos de carbono.

pentóxido (cs). [De *pent(a)-* + *óxido.*] *S. m. Quím.* Qualquer óxido que contenha na sua molécula cinco átomos de oxigênio.

penudo. [De *pena*[1] + *-udo.*] *Adj.* V. *penífero.*

penugem. *S. f.* **1.** As penas, pêlos ou cabelos que nascem primeiro. **2.** Pêlo macio e curto. **3.** V. *buço* (1). **4.** Frouxel (1). **5.** O conjunto de pequenos pêlos que revestem os diversos órgãos vegetais. [Cf. *penujem*, do v. *penujar.*]

penugento. *Adj.* Cheio ou coberto de penugem.

penujar. *V. int.* Começar a cobrir-se de penugem. [3ª pess. pl. do pres. subj.: *penujem*. Cf. *penugem*]

pênula. [Do lat. *paenula.*] *S. f. Ant.* Manto, capa.

penúltimo. [Do lat. *penultimu.*] *Adj.* Que antecede imediatamente o último.

penumbra. [De *pen(e)-* + *-umbra.*] *S. f.* **1.** Sombra incompleta, produzida por um corpo que não intercepta de todo os raios luminosos. **2.** *P. ext.* Meia-luz. **3.** *Art. Plást.* Zona de transição entre a luz e a sombra. **4.** *Astr.* A parte da sombra de um corpo que é iluminada pela luz refratada. [Em todo eclipse há um cone de sombra e um cone de penumbra.] **5.** *Fig.* Retraimento; insulamento; meia obscuridade: *Greta Garbo vive há muitos anos na penumbra.*

penumbral. [De *penumbra* + *-al.*] *Adj. 2 g.* Que produz penumbra (4). ~ V. *eclipse* —.

penumbrar. *Bras. V. t. d.* **1.** Produzir penumbra em; escurecer parcialmente: *O cair da tarde penumbrava o salão. Int.* **2.** Produzir penumbra: "Penumbrava o lusco-fusco. / Acendeu prestes a lâmpada" (Alberto de Oliveira, *Poesias*, 3ª série, p. 146).

penumbroso (ô). *Adj.* **1.** Em que há penumbra: *sala penumbrosa.* **2.** De, ou próprio de penumbra: "O próprio sol .... coava-se através das árvores que davam aos pátios um tom penumbroso e conventual" (Mendonça Júnior, *Jornal de Província*, p. 65).

penúria. [Do lat. *penuria.*] *S. f.* **1.** Pobreza extrema; indigência, miséria: "Era tanoeiro de ofício, natural do Rio de Janeiro, onde teria morrido na penúria e na obscuridade, se somente exercesse a tanoaria." (Machado de Assis, *Memórias Póstumas de Brás Cubas*, p. 7.) **2.** Privação do necessário; escassez, falta, pobreza: *penúria de alimentos, de recursos, de informações.*

penurioso (ô). *Adj.* **1.** Em que há penúria: *existência penuriosa.* **2.** Que padece penúria: *um casal de velhinhos penuriosos.*

peoa (ô). [Fem. de *peão.*] *S. f. Bras., S.* Peona.

peona. *S. f. Bras., S.* Fem. de *peão*; peoa.

peonada. [Do esp. plat. *peonada.*] *S. f. Bras., S.* Grande número de peões [v. *peão*[2]]; peonagem.

peonagem[1]. *S. f.* **1.** Os peões [v. *peão*[1] (1)]. **2.** Soldados de infantaria [v. *peão*[1] (2)].

peonagem[2]. [Do esp. plat. *peonage.*] *S. f. Bras., S.* Peonada [q. v.].

peônia. [Do gr. *paionía*, pelo lat. *paeonia.*] *S. f.* Erva alta, da família das ranunculáceas (*Paeonia officinalis*), nativa na Europa e cultivada pelo valor ornamental que deriva das grandes flores dobradas, de pétalas nobovadas. As folhas são discolores, subdivididas e com segmentos lanceolados, e os frutos são folículos.

peopaia. *Bras. S. 2 g.* **1.** Indivíduo dos peopaias, tribo indígena das vizinhanças do rio Xingu. ● *Adj. 2 g.* **2.** Pertencente ou relativo a essa tribo.

pepé. [De *pé*, repetido.] *Adj.* e *s. 2 g. Bras., SP. Pop.* V. *coxo* (1 e 4).

peperômia. *S. f.* Erva da família das piperáceas (*Peperomia sandersii*), cultivada como ornamental graças à folhagem, de porte modesto e aspecto delicado, folhas arredondadas e suculentas, e flores inaparentes, dispostas em longas e finas espigas.

pepéua. [Do tupi *pe'pewa*, 'chata'.] *S. f. Bras.* V. *boipeva.*

pepeva. [Do tupi *pe'pewa*, 'chata'.] *S. f. Bras.*, C.O. V. *boipeva.*

pepinal. [De *pepino* + *-al.*] *S. m.* Quantidade mais ou menos considerável de pepineiros dispostos proximamente entre si; pepineira.

pepinar. [De *pepino* + *-ar*[2], possivelmente.] *V. t. d. Bras.* **1.** Cortar em pedacinhos; picar. **2.** Fazer muitos furos em. **3.** Comer aos poucos, sem apetite, devagar; debicar; beliscar: *Ao almoço, mal pepinou alguns bocados. Int.* **4.** Comer aos poucos, sem apetite, devagar; peniscar, beliscar.

pepineira[1]. [De *pepino* + *-eira.*] *S. f.* **1.** Pepinal. **2.** V. *pepineiro.*

pepineira[2]. [Do fr. *pepinière.*] *S. f.* **1.** V. *viveiro* (3). **2.** *Fig.* Fonte de proventos sem maior trabalho; mamata, pechincha. **3.** *Pop.* Pândega, patuscada, farra.

pepineiro. *S. m.* Trepadeira da família das cucurbitáceas (*Cucumis sativus*), muito cultivada para obtenção dos frutos, que são alongados e crassos, ricos em água, e se comem em salada e conserva; pepino. [F. paral: *pepineira.*]

pepino. [Do esp. *pepino?*] *S. m.* **1.** Fruto do pepineiro. **2.** V. *pepineiro.*

pepino-de-papagaio. *S. m. Bras., Amaz.* Trepadeira da família das cucurbitáceas (*Gurania multiflora*), provida de gavinhas, com folhas grandes, profundamente partidas, segmentos agudos e pilosas, flores unissexuais, que se agregam em umbelas globosas e fruto elipsóide, liso, com 6 a 7 cm, carnoso e polispermo. [Pl.: *pepinos-de-papagaio.*]

pepino-do-mar. *S. m.* Animal marinho, do filo dos equinodermos, classe dos holoturóides, de forma alongada, com um esqueleto de espículas microscópicas inseridas na pele. As espículas são de dois tipos: as mais profundas, que ajudam a formar o esqueleto, e as externas, mais grossas, e ásperas, que permitem a locomoção. [O pepino-do-mar, desidratado, é utilizado como alimento pelos asiáticos. Pl.: *pepinos-do-mar.*]

pepino-do-mato. *S. m. Bras. Amaz.* Arvoreta da família das apocináceas (*Ambellania tenuiflora*), da mata úmida, de folhas ovado-lanceoladas e amplas, flores (em número de 4 a 6) que se congregam em inflorescências cimosas, e fruto que lembra um pepino pela forma e tamanho, é leitoso, e contém uma polpa comestível, doce e algo ácida. [Pl.: *pepinos-do-mato.*]

pepista. *Adj. 2 g.* **1.** Relativo ao, ou que era partidário ou simpatizante do PP (Partido Popular), extinto, em 1981, por incorporação ao PMDB. ● *S. 2 g.* **2.** Partidário ou simpatizante do PP.

pepita. [Do esp. *pepita.*] *S. f.* Grão ou palheta de metal nativo, particularmente de ouro: "Voltando dos mergulhos nos poços profundos, muitos deles traziam em cada mão escalavrada grãozinhos dourados, pepitas miúdas, pedrinhas faiscantes." (Nélson de Faria, *Bazé*, p. 117.)

peplo. [Do gr. *péplos*, pelo lat. *peplu.*] *S. m.* Túnica sem mangas que os antigos traziam presa ao ombro por fivela: "Lá, num jardim de sonho, entre frescos rosais / e fontes canoras, te chama, / suave e bela no seu peplo cor de flama, / fronte e olhos num fulgor de estrelas imortais, / a tua amiga fiel" (Carlos Magalhães de Azeredo, *Vida e Sonho*, p. 66).

peponídeo. [Do gr. *pépon*, 'melão', + *-ídeo.*] *Adj.* e *s. m. Morfol. Veg. Adj.* **1.** Diz-se do fruto carnoso como a baga, porém oriundo de um ovário ínfero com três a cinco carpelos, no qual as placentas são tão desenvolvidas que enchem totalmente a cavidade. É peculiar às cucurbitáceas. ● *S. m.* **2.** Esse fruto; pepônio.

pepônio. *S. m. Morfol. Veg.* Peponídeo (2).

▲**peps(i)-.** [Do gr. *pépsis, eos.*] *El. comp.* = 'digestão': *pepsia, pepsina.*

pepsia. [Do *peps(i)-* + *-ia.*] *S. f.* O conjunto dos fenômenos da digestão.

pepsina. [De *peps(i)-* + *-ina*[1].] *S. f. Quím.* Enzima do suco gástrico capaz de hidrolisar proteínas.

peptase. *S. f. Bioquím.* Designação genérica das proteases que desdobram os polipeptídeos em aminoácidos.

péptico. [De *pept(o)-* + *-ico*[2].] *Adj.* Que auxilia a digestão dos alimentos. ~ V. *úlcera —a.*

peptidase. *S. f. Bioquím.* Enzima que atua na decomposição de peptídeos.

peptídeo. *S. m. Quím.* Peptídio.

peptídio. [De *pept(o)-* + *-ídio.*] *S. m. Quím.* Qualquer substância com dois ou mais aminoácidos conjugados e que se reúnem por uma ligação -CO-NH-, exercendo funções específicas no organismo; peptídeo.

peptização. [De *peptizar* + *-ão*[3].] *S. f. Fís.-Quím.* Formação de um colóide pela desagregação ou dissolução parcial das partículas de um precipitado, realizada por um agente químico.

peptizante. [De *peptizar* + *-nte.*] *Adj. 2 g. Fís.-Quím.* Que peptiza.

peptizar. [De *pept(o)-* + *-izar.*] *V. t. d. Fís.-Quím.* Provocar a formação dum colóide a partir de (um precipitado).

▲pept(o)-. [Do gr. *pépto* ou *pésso.*] *El. comp.* = 'digerir': *peptona, peptizar.*

peptona. [De *pept(o)-* + *-ona.*] *S. f. Quím.* Proteína solúvel em água e ácidos, não coagulável pelo calor, e resultante da degradação de outra proteína de maior massa molecular.

peptonuria. *S. f. Patol.* Var. pros. de *peptonúria.*

peptonúria. [De *peptona* + *-ur(o)-* + *-ia.*] *S. f. Patol.* Presença de peptona na urina. [Var. pros.: *peptonuria.*]

pepuíra. [Do tupi *pi'pira,* 'pés ou pernas curtas'.] *S. f. Bras., SP.* Galinha pouco desenvolvida, nanica.

pepuxi. *Bras. S. 2 g.* **1.** Indivíduo dos pepuxis, tribo indígena que habita as margens do rio Tocantins. ● *Adj. 2 g.* **2.** Pertencente ou relativo a essa tribo.

pé-quebrado. *S. m. Liter. Pop. Bras.* Composição poética, quase sempre satírica, formada por quadras em que os três primeiros versos são heptassílabos e o quarto de medida inferior (ordinariamente de três sílabas), rimando o segundo com o terceiro verso e o quarto com o primeiro da quadra imediata. As quadras de pé-quebrado são muito empregadas no pelo-sinal (2), no padre-nosso (3), na ave-maria (3), na salve-rainha (2) e no testamento-de-judas. [Pl.: *pés-quebrados.*]

pequena. [Fem. substantivado do adj. *pequeno.*] *S. f.* **1.** *Pop.* Mocinha, rapariga. **2.** *Bras. Fam.* Menina (1). **3.** *Bras.* Namorada (1).

pequenada. [De *pequeno* + *-ada*[1].] *S. f.* **1.** Porção de crianças. **2.** *Fam.* V. *filharada.*

pequenez (ê). *S. f.* **1.** Qualidade de pequeno. **2.** Meninice, infância. **3.** Pequena estatura. **4.** *Fig.* Mesquinhez; insignificância; modéstia: *a pequenez da esmola, do presente.* **5.** *Fig.* Pouca elevação intelectual ou moral: *pequenez do espírito, de sentimentos.* [F. paral.: *pequeneza.* Pl.: *pequenezes.* Cf. *pequinês* e pl. *pequineses.*]

pequeneza (ê). *S. f.* Pequenez: "Que vida não transborda de P[e] Saulo! E de Luisita Veras, superior às pequenezas que a rodeiam!" (Geraldo França de Lima, *Branca Bela,* p. 157.) [Pl.: *pequenezas.* Cf. *pequinesa* e *pequinesas,* flex. de *pequinês.*]

pequenininho. [De *pequenino* + *-inho.*] *Adj.* Muito pequeno.

pequenino. *Adj.* **1.** Muito pequeno [q. v.] ~ V. *evangelho—.* ● *S. m.* **2.** Menino, criança: *Deixai vir a mim os pequeninos — disse Jesus.* **3.** *P. us.* Pedacinho. ~ V. *pequeninos.*

pequeninos. [Pl. de *pequenino.*] *S. m. pl.* Os humildes, os pequenos. ~ V. *pequenino.*

pequenito. *Adj.* Muito pequeno [q. v.]: "Tertuliano estava sentado numa cadeira, ... rodeado pelos filhos, o olhar fixo no mais pequenito" (Artur Azevedo, *Contos fora da Moda,* p. 16).

pequenitote. [De *pequenito* + *-ote.*] *Adj.* **1.** Muito pequenino [q. v.] ● *S. m.* **2.** Menino pequenino.

pequeno. [Do lat. vulg. *pitinnu,* associado a uma raiz expressiva *pikk-* = 'pequenez'.] *Adj.* **1.** Pouco extenso: *caminho pequeno; sala pequena.* **2.** De tamanho diminuto: *cachorro pequeno; carro pequeno.* **3.** Diz-se de quem está na infância, de quem é muito novo: *Perdeu o pai quando pequeno.* **4.** De baixa estatura: *homem pequeno.* **5.** Pouco apreciável; de pouco valor: *oferta pequena; pequeno sacrifício.* **6.** Que não se distingue pela fortuna ou condição; modesto: *pequeno comerciante.* **7.** Limitado, acanhado, mesquinho: *pequeno de sentimentos.* [Dim.: *pequenino, pequenito, pequenote, pequerrucho, pequetito.* Comp. de inferioridade: *menor* e *mais pequeno.* Superl. abs. sint.: *pequeníssimo, mínimo.* — O comp. *mais pequeno,* além de corretíssimo, é, decerto, m. us. em Portugal, na linguagem escrita e mais ainda, talvez, na falada, do que *menor.* Daremos dele, aqui, quatro exemplos, aos quais se poderiam acrescentar muitas dezenas, de autores portugueses e brasileiros antigos e modernos: "Este orbe que primeiro vai cercando / Os outros mais pequenos" (Luís de Camões, *Os Lusíadas,* X, p. 81); "lá no mais pequeno recinto .... há paz íntima, há o Céu" (Alexandre Herculano, *Eurico,* p. 92); "quando era mais pequeno, metia a cara no vidro, e via o cocheiro .... escanchado na mula da esquerda" (Machado de Assis, *Dom Casmurro,* p. 249); "Amo-te até nas coisas mais pequenas." (Manuel Bandeira, *Estrela da Vida Inteira,* p. 449). ~ V. — *almoço, amostra —a, —a área, —a burguesia, —a cabotagem, café —, caixa —a, —a circulação, — epíploo, —a indústria, —os lábios, mar —, — peitoral, — planeta, — psoas, rabecão —, veia safena —a, — veículo* e *pequenos.* ● *S. m.* **8.** V. *menino* (1). **9.** V. *namorado* (4).

pequeno-burguês. *Adj.* Pertencente ou relativo à pequena burguesia: "Nasceu [Franz Kafka] em 1883 em Praga, filho de família pequeno-burguesa, dessa nacionalidade incerta, germano-tcheco-judia, característica dos meios intelectuais dessa cidade." (Oto Maria Carpeaux, *A Cinza do Purgatório,* p. 151.) [Flex.: *pequeno-burguesa* (ê), *pequeno-burgueses* (ê), *pequeno-burguesas* (ê).]

pequeno-caixão-de-defunto. *S. m. Bras.* Nome popular do inseto lepidóptero, da família dos papilionídeos (*Papilio lycophron* (Hubn.)), praga das folhas de plantas novas. As lagartas têm cor verde-sujo, com faixa irregular branca de pontinhos roxos sobre o corpo, e atacam plantas cítricas. V. *papílio.* [Pl.: *pequenos-caixões-de-defunto.*]

pequenos. [Pl. de *pequeno.*] *S. m. pl.* A classe inferior da sociedade; os humildes. ~ V. *pequeno.*

pequenota. *Adj.* (*f.*) e *s. f.* Fem. de *pequenote.*

pequenote. *Adj.* **1.** Um tanto pequeno [q. v.]. ● *S. m.* **2.** Meninote, rapazola. [Fem.: *pequenota.*]

pé-quente. *S. m. Bras. Pop.* **1.** Pessoa que tem sorte no jogo, nos negócios, na vida. [Antôn.: *pé-frio.*] **2.** Motorista que abusa da velocidade. [Pl.: *pés-quentes.*]

pequeriense. *Adj. 2 g.* **1.** De, ou pertencente ou relativo a Pequeri (MG). ● *S. 2 g.* **2.** Natural ou habitante de Pequeri.

pequerrucho[1]. *Adj.* e *s. m.* Muito pequeno [q. v.].

pequerrucho[2]. [Do al. *Fingerhut.*] *S. m. Bras., PR.* V. *dedal* (1).

pequetito. *Adj. Bras.* Muito pequeno [q. v.].

pequi[1]. [Do tupi *peki'i.*] *S. m. Bras., C.* **1.** Árvore da família das cariocaráceas (*Caryocar brasiliense*), muito grossa e própria dos cerrados. Tem folhas trifolioladas e tomentosas, flores enormes com muitos estames compridos, frutos drupáceos, oleaginosos e aromáticos, estimados como condimento para arroz e para fabricar licor, e madeira amarela, que também poderia ser utilizada. [Sin.: *pequizeiro.*] **2.** O fruto do pequi[1] (1).

pequi[2]. *S. m.* Var. de *ipequi.*

pequiá. [Do tupi *piki'á.*] *S. m.* **1.** *Bras., Amaz.* Grande árvore da família das cariocaráceas (*Caryocar villosum*), da floresta pluvial amazônica, que difere do pequi pelos folíolos mais finos, ovado-oblongos, acuminados e sésseis, já que os frutos e a madeira são semelhantes. **2.** *Bras., RJ.* Cestinho de taquara.

pequiá-amarelo. *S. m. Bras.* Árvore da família das apocináceas (*Aspidosperma sessiliflorum*). [Pl.: *pequiás-amarelos.*]

pequiá-café. *S. m. Bras.* Arbusto da família das samidáceas (*Casearia* sp.); café-bravo, pau-espeto. [Pl.: *pequiás-cafés* e *pequiás-café.*]

pequiagra. [Do gr. *pêchys,* 'cotovelo', + *-agra.*] *S. f. Patol.* Dor de gota, que se fixou no cotovelo.

pequiá-marfim. *S. m. Bras. Amaz.* Árvore da família das apocináceas (*Aspidosperma album*), da floresta pluvial, de folhas elípticas e emarginadas, pequenas flores que se reúnem em amplas cimeiras terminais, e cujos frutos são grandes folículos lenhosos, sendo a madeira, pardo-avermelhado-clara, útil como peroba. [Sin.: *araracanga; araraúba.* Pl.: *pequiás-marfins* e *pequiás-marfim.*]

pequice. *S. f.* **1.** Ato ou dito de peco; tolice, frioleira; sandice. **2.** Birra, teimosia, caturrice.

pequiense. *Adj. 2 g.* **1.** De, ou pertencente ou relativo a Pequi (MG). ● *S. 2 g.* **2.** Natural ou habitante de Pequi.

pequinês. *Adj.* **1.** De, ou pertencente ou relativo a Pequim (China). **2.** Diz-se de uma raça muito antiga de pequenos cães oriundos da China, de pelagem longa, lisa e abundante e de colorido variável, focinho achatado e olhos proeminentes. **3.** Diz-se de uma raça de patos. ● *S. m.* **4.** O natural ou habitante de Pequim. **5.** Cão pequinês. **6.** Pato pequinês. [Flex.: *pequinesa* (ê), *pequineses* (ê), *pequinesas* (ê). Cf. *pequenez,* pl. *pequenezes,* e *pequeneza,* pl. *pequenezas.*]

pequira. *Adj. 2 g.* e *s. m. Bras.* V. *piquira.*

pequito. [De *pequenito.*] *S. m. Bras.* Criança, pequenino, pequerrucho.

pequizeiro. *S. m. Bras.* V. Pequi[1] (1).

per. [Do lat. *per.*] *Prep. Ant.* Por. V. *pelo* (1 a 3). ♦ **De per si.** Cada um por sua vez; isoladamente.

▲per-. [Do lat. l *per.*] *Pref.* = 'movimento através'; 'proximidade'; 'intensidade', 'totalidade': *percorrer* (< lat. *percurrere*), *perfoliado; perpassar; perdurar* (< lat. *perdurare*), *perlavar* (< lat. *perlavare*).

pera. [Do lat. *per,* 'por', + *ad.* 'a'.] *Prep. Ant.* Para. [Cf. *péra,* s. f., *Péra,* top., *pêra,* s. f., e *Pêra,* antr.]

péra. *S. f. Ant.* Pedra. [Pl.: *péras.* Cf. *pera,* prep.; *pêra,* s. f., pl. *peras* (ê); e *Pêra,* antr., pl. *Peras* (ê).]

pêra. [Do lat. *pira,* pl. de *pirum,* 'pêra'.] *S. f.* **1.** O fruto da pereira. **2.** Porção de barba, não muito longa, que se deixa crescer no queixo. **3.** Pequena peça alongada, que contém um interruptor elétrico: "Carregou na pêra de eletricidade e logo, bruscamente, o quarto escureceu." (Urbano Tavares Rodrigues, *A Noite Roxa,* p. 73.) **4.** *Med.* Artefato piriforme, de borracha, destinado a insuflar manguito integrante de equipamento destinado a medir pressão arterial. [Pl.: *peras* (ê). Cf. *pera,* prep.; *péra,* s. f., pl. *péras;* e *Péra,* top.]

peracarídeo. *S. m.* **1.** Espécime dos peracarídeos. ● *Adj.* **2.** Pertencente ou relativo a eles.

peracarídeos. *S. m. pl. Zool.* Grupo de crustáceos malacostráceos, talvez o maior de todos. Habitam águas salgadas, doces, salobras; são subterrâneos ou mesmo terrestres. [V. *isópodes.*]

pé-rachado. *S. m. Bras., RS.* V. *pé-rapado.* [Pl.: *pés-rachados.*]

perácido. [De *per-* + *ácido.*] *S. m. Quím.* Substância ácida que contém dois átomos de oxigênio diretamente ligados.

perada. *S. f.* **1.** Doce de peras. **2.** Vinho de peras.

peragração. [Do lat. *peragratione.*] *S. f. Astr.* Revolução de um astro em torno de um ponto do zodíaco.

peragratório. [Do lat. *peragratu,* part. pass. de *peragrare,* 'percorrer (em viagem)', + *-ório.*] *Adj.* **1.** Que percorre ou serve para percorrer. **2.** Relativo a peragração: *mês peragratório.*

peral. [De *pêra* + *-al.*] *S. m.* **1.** Quantidade mais ou menos considerável de pereiras dispostas proximamente entre si; pereiral. ● *Adj. 2 g.* **2.** Semelhante ou relativo a pêra.

peralta. [Do antr. *Peralta,* de famoso aventureiro espanhol do séc. XIX.] *S. 2 g.* **1.** Pessoa afetada nas maneiras ou no vestir; janota, peralvilho. **2.** *Bras.* Indivíduo ocioso, vadio. **3.** *Bras.* Menino travesso, traquina(s). ● *Adj. 2 g.* **4.** *Bras.* Travesso, traquina(s).

peraltar. *V. int.* Peraltear.

peraltear. *V. int.* Ter vida de peralta; peraltar. [Conjug.: v. *frear.*]

peraltice. *S. f.* **1.** Qualidade de peralta. **2.** Ato ou vida de peralta. [Sin. ger.: *peraltismo, peralvilhice.*]

peraltismo. *S. m. Bras.* **1.** V. *peraltice.* **2.** Os peraltas.

peralvilhada. *S. f.* **1.** Porção de peralvilhos. **2.** Os peralvilhos.

peralvilhar. *V. int.* Ser ou mostrar-se peralvilho.

peralvilhice. [De *peralvilho* + *-ice.*] *S. f.* V. *peraltice.*

peralvilho. *S. m.* Peralta, janota, casquilho: "era um peralvilho da pior laia, que gastava em passeios e ceatas a fortuna do pai" (Machado de Assis, *Contos sem Data,* p. 89).

perambeira. *S. f. Bras.* Precipício; abismo: "quando a noite fechou deveras .... , só Noss'enhor sabe por que não acompanhei o compadre para o outro mundo, rodando por alguma perambeira" (Afonso Arinos, *Histórias e Paisagens,* p. 12). [F. paral.: *pirambeira.*]

perambulação. *S. f. Bras.* Ato de perambular; perambulagem.

perambulagem. *S. f.* Perambulação.

perambular. [Do lat. *perambulare.*] *V. int. Bras.* V. *vaguear*[1] (1 e 2): "Perambulou sem destino, procurando não se sabe se o fantasma de um moço,..., ou simplesmente um emprego,.... um lugar para dormir." (Fernando Sabino, *Medo em Nova Iorque. A Cidade Vazia*, p. 127.)

perambulatório. [Do lat. *perambulatu*, part. pass. de *perambulare*, 'percorrer', + *-ório*.] *Adj. Bras.* Relativo a perambulação: *hábito perambulatório.*

perante. [De *per* + *ante*.] *Prep.* Na presença de; diante de; ante: "Perante a Morte empalidece e treme." (Cruz e Sousa, *Últimos Sonetos*, p. 95); "Uma cólera surda fervia em mim, perante aquele espetáculo indecoroso." (Domingos Monteiro, *Histórias das Horas Vagas*, p. 109).

pé-rapado. *S. m. Bras.* Homem de condição humílima; pobretão. [Tb. se diz apenas *rapado*. Sin. (no RS): *pé-rachado*. Pl.: *pés-rapados*.]

perapeunense (e-u). *Adj. 2 g.* **1.** De, ou pertencente ou relativo a Perapeúna (RJ). ● *S. 2 g.* **2.** Natural ou habitante de Perapeúna.

perau. [Do tupi *pe'rau*, 'caminho falso'.] *S. m. Bras.* **1.** Declive rápido do fundo do mar ou de um rio, junto à costa ou à margem; pego. **2.** *Bras.* Barranco, itambé: "Mas continuava ininterruptamente / A chuva. Em lamaçais com as enxurradas / E em peraus fundos mudam-se as estradas." (Alberto de Oliveira, *Poesias*, 2ª série, p. 276.) **3.** *Bras.* V. *precipício* (1). **4.** *Bras., RS.* Declive áspero que dá para um rio ou para um arroio.

pêra-uva-e-maçã. *S. f. 2 n. Jog. Inf.* Brincadeira de salão em que as moças se afastam para os rapazes combinarem a sós os gestos que irão corresponder às palavras *pêra*, *uva* e *maçã* (aperto de mãos, abraço ou beijo), devendo, na volta, dizer a cada rapaz que as interpela qual das três prefere.

perca[1]. [Do gr. *pérke*, pelo lat. *perca*.] *S. f.* Peixe acantopterígeo, de água doce, da família dos pércidas, e de carne muito saborosa.

perca[2]. [Dev. de *perder*.] *S. f. Pop.* Perda, prejuízo, dano.

percal. [Var. de *percale* < fr. *percale* < *persa pargālah*.] *S. m.* Tecido fino de algodão, muito tapado e macio.

percalçar. [De *percalço* + *-ar*[2].] *V. t. d. Ant.* Lucrar, ganhar, alcançar. [Conjug.: v. *laçar*.]

percalço. [Dev. do lat. vulg. **percaptiare* < lat. *capere*, 'tomar', com infl. de *encalçar*.] *S. m.* **1.** Lucro, rendimento, proventos. **2.** Vantagem fortuita; proveito. **3.** Transtorno, dificuldade: "Poderia jactar-se de não ter cruzado os braços, nem haver temido os percalços da tarefa ingente." (Alberto Rangel, *Fura-Mundo!*, p. 354.) **4.** Estorvo próprio de uma profissão, estado, etc.: *os percalços do matrimônio*; "Como ficava cego de todo a jogar, fácil era lográ-lo. No propósito de preservá-lo de tão ruins percalços a mulher, pelas festas, não o largava um instante." (Aquilino Ribeiro, *Quando ao Gavião Cai a Pena*, p. 138).

percale. *S. m.* Percal [q. v.]: "Simples engomadeiras .... abandonam o percale dos vestidinhos baratos, e aparecem nas lojas embonecadas como senhoras" (Fialho d'Almeida, *Pasquinadas*, p. 262).

percalina. [Do fr. *percaline*.] *S. f.* Tecido de algodão, leve e forte, usualmente de uma só cor e de superfície lustrosa, empregado sobretudo em encadernação.

➧**per capita** (pér cápita). [Lat., 'por cabeça'.] Para cada indivíduo.

percarbonato. *S. m. Quím.* Designação genérica dos sais de fórmula $M_2C_2O_6$ ou M_2CO_4.

percebe (ê). *S. m.* Perceve. [Pl.: *percebes* (ê). Cf. *percebe* e *percebes*, do v. *perceber*.]

perceber. [Do lat. *percipere*, 'apoderar-se de'.] *V. t. d.* **1.** Adquirir conhecimento de, por meio dos sentidos: *Apesar do estado de fraqueza, procurava perceber o que se passava.* **2.** Formar idéia de; abranger com a inteligência; entender, compreender: *Achou confusa a fala do conferencista, não percebendo o seu conteúdo.* **3.** Conhecer, distinguir; notar: *Percebeu o embaraço de seu interlocutor e mudou de assunto.* **4.** Ouvir (1): *Não conseguia perceber os sons.* **5.** Ver bem. **6.** Ver ao longe; divisar, enxergar: *Percebia a espiral de fumaça que saía dentre o arvoredo.* **7.** Receber (ordenado, honorários, lucros, vantagens, etc.): "Ganhava salário miserável, percebendo dois mil-réis por légua andada" (Nélson de Faria, *Tiziu e Outras Estórias*, pp. 133-134). [Pres. ind.: *percebo* (ê), *percebes*, *percebe*, etc. Cf. *percebe* (ê) e pl. *percebes* (ê).]

percebimento. *S. m.* Ato de perceber.

percebível. [De *perceber* + *-ível*.] *Adj. 2 g. P. us.* Perceptível: "Riscava-se o oriente de dúbias linhas vermelhas, prenúncio mal percebível da manhã" (Visconde de Taunay, *Inocência*, p. 213).

percentagem. [Do lat. *per centum*, 'por cento', + *agem*[2].] *S. f.* **1.** Parte proporcional calculada sobre uma quantidade de 100 unidades: *Aumentou a percentagem de alunos dos cursos de inglês.* **2.** Taxa de juros, de comissão, etc., sobre um capital de 100 unidades: *percentagem nos lucros.* [F. paral.: *porcentagem*; sin.: *percentualidade*.]

percentil. *Adj. 2 g.* **1.** Referente a uma propriedade percentual. ~ V. *amplitude — e intervalo —*. ● *S. m.* **2.** *Estat.* Centil (1).

percentual. [Do lat. *per centum*, 'por cento', + *-al*.] *Adj. 2 g.* **1.** Relativo a percentagem. ● *S. m.* **2.** Taxa, percentagem.

percentualidade. [De *percentual* + *-i-* + *-dade*.] *S. f.* V. *percentagem*.

percepção. [Do lat. *perceptione*.] *S. f.* Ato, efeito ou faculdade de perceber. [Cf. *apercepção*.]

perceptibilidade. *S. f.* **1.** Qualidade de perceptível. **2.** Faculdade de perceber.

perceptível. [Do lat. *perceptu*, 'percebido', + *-ível*.] *Adj. 2 g.* Que se pode perceber. [Sin., p. us.: *percebível*.]

perceptividade. [De *perceptivo* + *-i-* + *-dade*.] *S. f.* Qualidade de perceptivo.

perceptivo. [Do lat. *perceptu*, 'percebido', + *-ivo*.] *Adj.* **1.** Relativo à percepção. **2.** Que tem a faculdade de perceber.

percesoce. *S. m.* **1.** Espécime dos percesoces. ● *Adj. 2 g.* **2.** Pertencente ou relativo a eles.

percesoces. *S. m. pl. Zool.* Ordem de peixes marinhos, da classe dos actinopterígios, na qual se classificam três famílias de valor econômico: *Mugilidae*, *Atherinidae* e *Sphyraenidae*. Ex.: a *rainha*, a *barracuda*.

perceve (ê). [Var. de *percebe* < b.-lat. *pollicipede*.] *S. m.* Marisco de água salgada (*Lepas anatifera* Lin.), que vive agarrado às rochas e corpos submersos por um comprido pedúnculo comestível.

percevejada. *S. f.* Porção de percevejos.

percevejão. [De *percevejo* + *-ão*[1].] *S. m. Bras., BA.* V. *barbeiro* (6).

percevejo (ê). *S. m.* **1.** Designação comum aos insetos da ordem dos hemípteros cujas asas anteriores são metade córneas e metade membranosas (*hemiélitros*), e cujo aparelho bucal é sugador. Dividem-se em fitófagos, hematófagos e predadores. Atualmente se conhecem mais de 22.000 espécies de percevejos. **2.** Preguinho de cabeça chata, para fixar papel, tecido, plástico, etc.

percevejo-das-plantas. *S. m. Bras.* Designação comum aos insetos hemípteros fitófagos, especialmente os de grande porte, encontrados geralmente sobre os vegetais. [Sin.: *percevejo-do-mato*, *piapé*. Pl.: *percevejos-das-plantas*.]

percevejo-de-cama. *S. m. Bras.* Inseto hemíptero, da família dos cimicídeos, gênero *Cimex* L., cosmopolita. As espécies mais comuns no Brasil são *C. hemipterus* (Fabr.) e *C. lectularius* L. Na primeira, os bordos das cerdas do pronoto e dos hemiélitros são lisos; na segunda, tais cerdas apresentam rebarbas num dos bordos. Ambas são noturnas, escondendo-se durante o dia nas fendas e orifícios dos muros e móveis, principalmente nas camas. [Sin.: *percevejo-de-casa*, *percevejo-do-comércio*. Pl.: *percevejos-de-cama*.]

percevejo-de-casa. *S. m. Bras.* V. *percevejo-de-cama*. [Pl.: *percevejos-de-casa*.]

percevejo-do-comércio. *S. m. Bras.* V. *percevejo-de-cama*. [Pl.: *percevejos-do-comércio*.]

percevejo-do-mato. *S. m. Bras.* V. *percevejo-das-plantas*. [Pl.: *percevejos-do-mato*.]

percevejo-do-sertão. *S. m. Bras., BA.* V. *barbeiro* (6). [Pl.: *percevejos-do-sertão*.]

percevejo-gaudério. *S. m. Bras., BA.* V. *barbeiro* (6). [Pl.: *percevejos-gaudérios*.]

percevejoso (ô). *Adj.* Cheio de percevejos: *catre percevejoso.*

percha[1]. [Do fr. *perche*.] *S. f.* **1.** Vara comprida, de madeira, para exercício de ginastas. **2.** *Ant. Constr. Nav.* Designação genérica de peças de madeira empregadas como vigas.

percha[2]. *S. f.* F. red. de *guta-percha*.

percherão. [Do fr. *percheron*.] *Adj.* **1.** De, ou pertencente ou relativo a Perche (França). **2.** Diz-se, especialmente, de certa raça de cavalos dessa região. ● *S. m.* **3.** O natural ou habitante de Perche. **4.** Cavalo percherão.

perchina. *S. f. Arquit.* Triângulo curvilíneo que faz parte duma abóbada; trompa.

percingir. [De *per-* + *cingir*.] *V. t. d.* Cingir ou abarcar fortemente. [Conjug.: v. *dirigir*.]

percinta. [De *per-* + *cinta*.] *S. f. Marinh.* Tira de lona ou de brim, em geral alcatroada, que se enrola em volta de um cabo antes de forrá-lo. [Var.: *precinta*.]

percintado. [Part. de *percintar*.] *Adj. Marinh.* Diz-se de cabo em que se enrolou percinta. [Cf. *precintado*.]

percintar. *V. t. d.* Enrolar percinta em (um cabo). [Cf. *precintar*.]

perclorato. [De *per-* + *clorato*.] *S. m. Quím.* Qualquer sal do ácido perclórico.

percloreto (ê). [De *per-* + *cloreto*.] *S. m. Quím. Obsol.* Designação comum aos cloretos correspondentes à valência máxima de um metal.

perclórico. [De *per-* + *clórico*.] *Adj.* ~ V. *ácido —*.

percluso. [Do fr. *perclus*.] *Adj.* Impossibilitado de exercer as funções da locomoção: "um velho esquimó, mais que percluso das pernas, caduco de todo" (Aquilino Ribeiro, *Arcas Encoiradas*, p. 66).

percóide. [De *perca*[1] + *óide*.] *Adj. 2 g.* Semelhante à perca.

percolação. [Do lat. *percolatione*.] *S. f.* Operação de passar um líquido através de um meio para filtrá-lo ou para extrair substâncias deste meio.

percolador (ô). [De *percolar* + *-(d)or*.] *S. m.* Equipamento em que se efetua uma percolação.

percolar. *V. t. d.* Efetuar a percolação de.

percomorfo. *S. m.* **1.** Espécime dos percomorfos. ● *Adj.* **2.** Pertencente ou relativo a eles.

percomorfos. *S. m. pl. Zool.* Animais neopterígios, classe dos peixes, ordem *Percomorphi*. Têm as nadadeiras dorsais com raios ósseos, espiniformes, e as ventrais torácicas, providas tipicamente de um espinho e cinco raios ósseos. Ocorrem em água doce e salgada, em número aproximado de 80 famílias. São os acarás, os atuns, as percas, etc.

percorrer. [Do lat. *percurrere*.] *V. t. d.* **1.** Correr ou andar por; visitar em grande extensão ou em vários sentidos: *Nestes três meses pretende percorrer a França e a Itália.* **2.** Passar por, ou ao longo de: "Blocos e mais blocos percorriam as ruas cantando 'Ai, seu Mé', 'Quebra, quebra, guabiraba', ou 'Iaiá, me deixa eu subir nesta ladeira' " (Hermano Requião, *Itapagipe*, p. 109). **3.** Esquadrinhar, investigar; explorar: *Inconstante, percorreu vários setores do conhecimento humano sem se deter em nenhum.*

percuciência. *S. f.* Qualidade de percuciente.

percuciente. [Do lat. *percutiente*.] *Adj. 2 g.* **1.** Que percute. **2.** Agudo, penetrante, profundo: *observação percuciente*; "sentia a mirada percuciente e aguda do homem incidindo sobre mim." (Domingos Monteiro, *Histórias Castelhanas*, p. 90).

percurso. [Do lat. *percursu*.] *S. m.* **1.** Ato ou efeito de percorrer. **2.** Espaço percorrido; trajeto: *o percurso de um peregrino*; *o percurso de um ônibus.* **3.** Movimento, deslocação: *o percurso de um planeta.* **4.** Itinerário, roteiro: *o percurso da viagem.*

percussão. [Do lat. *percussione*.] *S. f.* **1.** Ato ou efeito de percutir. **2.** Choque ou embate de dois corpos. **3.** *Jur.* Incidência fiscal direta sobre o contribuinte. [Cf. *incidência* (3).] **4.** *Med.* Forma de exame físico, de que há técnicas diversas, e que consiste em aplicar a uma área pequenos golpes, com extremidade de quirodáctilo, borda de mão ou instrumento próprio, para, de acordo com o fim em vista, obter sons que podem ser normais ou anormais, ou pesquisar normalidade ou anormalidade de reflexo (4). **5.** *Mús.* O conjunto dos instrumentos de percussão [q. v.]. ♦ **Percussão imediata.** *Med.* Percussão (4) em que não se emprega plessímetro. **Percussão mediata.** *Med.* Percussão (4) que se faz mediante o uso de plessímetro.

percussionista. *S. 2 g. Bras.* Tocador de instrumento de percussão: "o percussionista Paulinho da Costa, escolhido o melhor músico de sua especialidade este ano" (Zózimo Barroso do Amaral, *Jornal do Brasil*, 11.12.1980).

percussor (ô). [Do lat. *percussore*.] *Adj.* **1.** Que percute; percutidor. ● *S. m.* **2.** Aquele ou aquilo que percute; percutidor. **3.** Peça metálica acicular, que percute uma cápsula fulminante, para transmitir fogo à pólvora.

percutâneo. [De *per-* + *cutâneo*.] *Adj. Med.* Que se faz através da pele intata.

percutidor (ô). [De *percutir* + *-(d)or*.] *Adj.* e *s. m.* Percussor (1 e 2).

percutir. [Do lat. *percutere*.] *V. t. d.* **1.** Bater ou tocar fortemente em; ferir: "Os cascos das mulas percutiam o lajedo do caminho velho." (Domingos Monteiro, *Contos do Natal*, p. 17); "O falcão continuava vivo, leve, eufórico e numa excitação desafiante, percutia com a asa a cabeça vagarosa de Raca." (Luís da Câmara Cascudo, *Canto de Muro*, p. 113). *T. i* **2.** Repercutir (4): *O estrondo percutiu em todo o casarão.*

percutível. *Adj. 2 g.* Que se pode percutir, ou próprio para ser percutido: *instrumento de cordas percutíveis.*

perda (ê). [Do lat. *perdita*, 'perdida', atr. de uma f. erudita **perdeda*, com haplologia.] *S. f.* **1.** Ato ou efeito de perder. **2.** Privação de alguma coisa que se possuía: *perda de fortuna, de propriedade.* **3.** Privação da presença de alguém; ausência, falta, desaparecimento: *a perda de um colaborador, de um chefe.* **4.** *P. ext.* Morte, falecimento, desaparição: *Doeu-lhe fundo a perda do amigo.* **5.** Extravio, sumiço: *a perda de documentos, de uma quantia.* **6.** Destruição, ruína, aniquilamento: *a perda de vidas, de material.* **7.** O ato ou fato de deixar de ganhar: *a perda de uma batalha, de um jogo, de uma oportunidade.* **8.** Decréscimo, diminuição: *perda de velocidade, de altura.* **9.** Danação, perdição: *a perda de uma alma.* [Sin. (nessas acepç.): *perdida*.] **10.** *Av.* e *Aerom.* Estol. ♦ **Perdas e danos.** Prejuízos sofridos pelo credor em conseqüência de concreta diminuição do seu patrimônio e também pela cessação de lucros que normalmente deveria ter percebido.

perdão. [Dev. do arc. *perdõar*.] *S. m.* Remissão de pena; desculpa; indulto.

perdedoiro. [De *perder* + *-(d)oiro*².] *Adj.* Var. de *perdedouro.*

perdedouro. [De *perder* + *-(d)ouro*².] *Adj.* Que faz perder. [Var.: *perdedoiro*.]

perde-ganha. [De *perder* + *ganhar*.] *S. m. 2 n.* Ganhaperde.

perder. [Do lat. *perdere*.] *V. t. d.* **1.** Ser privado de (coisa que se possuía); ficar sem o domínio, a propriedade, a posse de. **2.** Cessar de ter; deixar de sentir: *Perdeu o gosto pela música.* **3.** Ficar parcialmente e/ou temporariamente privado de: *Com a idade, perdeu a eloqüência; Perderam a saúde;* "E, depois de cruzar o talher no prato, acrescentou: — Perdi o apetite, meu caro" (Garcia Redondo, *A Choupana das Rosas*, p. 5). **4.** Ficar privado, para sempre ou por muito tempo, da companhia, presença ou amizade de: "Pouco terá visto Isabel .... do mundo de renovações em que viveu Don Juan II, já que aos três anos de idade perdeu o pai." (J. Carlos Lisboa, *Isabel, a do Bom Gosto*, p. 11); "Em 1980 o Brasil perdeu Vinícius de Morais, Cartola, Nélson Rodrigues, Almirante, Otávio de Faria." (*Jornal do Brasil*, 9.1.1981). **5.** Sofrer perda, dano, prejuízo ou detrimento em: *Nada perderá neste negócio.* **6.** Deixar fugir; não aproveitar: *perder uma oportunidade.* **7.** Sofrer o prejuízo de: *Perdeu 100 cruzados na transação.* **8.** Ter mau êxito, malograr-se, em; colher mau resultado de: *perder uma questão judiciária.* **9.** Esquecer em lugar de que não se tem lembrança; sumir: *Perdeu o casaco durante a viagem.* **10.** Deixar de viajar em (um veículo) por não chegar na hora própria ao ponto de partida ou ao lugar de parada: *Por apenas alguns minutos de atraso, perdeu o trem; Perdeu o avião.* **11.** Causar a ruína moral de; perverter; corromper: *As más companhias perderam-no.* **12.** Deixar de presenciar, de ver ou de ouvir: *perder um espetáculo.* **13.** Não fazer bom uso ou proveito de; desperdiçar, esperdiçar, malbaratar: *perder tempo.* **14.** Passar sem dormir, em claro: *Perdeu noites de sono.* **15.** Dar cabo de; arruinar: *As enchentes perderam a colheita.* **16.** Deixar de reter na memória; esquecer, olvidar: *Com o tempo, perdeu os ensinamentos recebidos na escola.* **17.** Ser vencido em: *perder um jogo; perder uma guerra.* **18.** Não chegar a dar à luz: *A mulher perdeu a criança. Int.* **19.** Valer menos: *As ações da bolsa de valores perderam na última semana.* **20.** Sofrer dano ou prejuízo. **21.** Passar a uma condição pior; desmerecer. **22.** Ficar vencido: *Na II Guerra Mundial os países do Eixo perderam.* **23.** Cessar de fruir certas vantagens. *P.* **24.** Perder todos os seus poderes; arruinar-se. **25.** Tornar-se inútil; frustrar-se. **26.** Desaparecer; extraviar-se. **27.** Confundir-se; desordenar-se. **28.** Atrapalhar-se, confundir-se: *Por um lapso de memória, perdeu-se no discurso.* **29.** Cessar, extinguir-se (som). **30.** Cair em desgraça; desgraçar-se: "Perdi meu pai. Perdi minha mãe. Perdi-me." (Mário da Silva Brito, *Conversa Vai, Conversa Vem*, p. 10.) **31.** Absorver-se, concentrar-se, engolfar-se, mergulhar: *Perdeu-se em reflexões.* **32.** *Bras. Pop.* Entregar-se à prostituição; cair na vida. [Irreg. na 1ª pess. sing. do pres. ind.: *perco* (ê), e, portanto, em todo o pres. subj.: *perca, percas, perca, percamos, percais, percam*.]

perdição. [Do lat. *perditione*.] *S. f.* **1.** Ato ou efeito de perder(-se): "Meu nome, — dir-lhes-ei a seu tempo. Idade... Perdi a idade! E não me arrependo da perdição..." (Jorge de Lima, *Salomão e as Mulheres*, p. 10.) **2.** Desgraça, ruína, estrago, desastre, perda: *a perdição da esquadra; a perdição dos grevistas.* **3.** Condenação às penas eternas; danação: *perdição da alma.* **4.** Desonra, descrédito, imoralidade, desregramento: *A perdição da filha o levou ao suicídio.* [Sin. (p. us.), nestas acepç.: *perdimento*.] **5.** *Fam.* Aquilo a que não se pode resistir; tentação: *Estes doces são uma perdição.*

perdíceo. [Do lat. *perdice*, 'perdiz', + *-eo*.] *Adj.* Pertencente, relativo ou semelhante à perdiz.

perdida¹. [De *perder* + *-ida*.] *S. f.* **1.** V. *perda* (1 a 9). **2.** *Bras.* Errada (1).

perdida². [Fem. substantivado do adj. *perdido*.] *S. f.* V. *meretriz*.

perdidiço. *Adj.* Fácil de ser perdido; muito sujeito a perder-se.

perdido. [Part. de *perder*.] *Adj.* **1.** Sumido, desaparecido: *jóia perdida.* **2.** Extraviado, desencaminhado: *carta perdida; bala perdida.* **3.** Disperso, difuso: *os acordes perdidos na noite.* **4.** Seduzido, pervertido: *juventude perdida.* **5.** Imoral, devasso, libertino: *É um sujeito viciado, perdido.* **6.** Destruído, irrecuperável: *navio perdido; amizade perdida.* **7.** Sem esperança ou salvação: *Tudo está perdido.* **8.** Cuja morte é inevitável: *doente perdido.* **9.** Extremamente apaixonado: *Está perdido pela noiva;* "A Lulu era perdida por bailes" (Lúcio de Mendonça, *Esboços e Perfis*, p. 141). **10.** Aflito, ansioso: *Andava perdido pelo quarto.* **11.** Distante, longínquo: *lugar perdido.* ~ V. *alma—a*, *elo—*, *horas—as*, *manga—a*, *mulher —a*, *sentinela —a* e *unha —a*. ● *S. m.* **12.** Qualquer coisa perdida. ~ V. *perdidos*.

perdidos. [Pl. de *perdido*.] *S. m. pl. Art. Gráf.* Restos da tiragem, representados por folhas de refugo e maculaturas. ~ V. *perdido*.

perdidoso (ô). [De *perdida* + *-oso*.] *Adj. Ant.* **1.** Que sofreu perda ou perdida. **2.** V. *prejudicial* (1).

perdigão. [Do lat. vulg. **perdicone*, aum. de *perdice*, 'perdiz'.] *S. f.* **1.** O macho da perdiz. **2.** V. *codorna-buraqueira*. **3.** *Bras., SP.* Ave gruiforme, da família dos ralídeos (*Micropygia schomburgkii chapmani* (Naum.)), do Brasil central e meridional, de dorso pardo, com numerosas manchas ovóides brancas marginadas de preto, as coberteiras da asa avermelhadas, e a asa bastarda também avermelhada.

perdigoteiro. *Adj.* e *s. m. Bras.* Diz-se de, ou indivíduo que, ao falar, lança perdigotos ao rosto dos interlocutores.

perdigoto (ô). [Do lat. vulg. **perdiccottu*, dim. de *perdice*, 'perdiz'.] *S. m.* **1.** Filhote de perdiz. **2.** *Pop.* Salpico de saliva que alguém lança quando fala. **3.** *Bras., SP* e *GO.* Certo tipo de chumbo de caça. [Pl.: *perdigotos* (ô).]

perdigueiro. [Do lat. vulg. **perdicariu* < *perdix*, 'perdiz'.] *Adj.* **1.** Que caça perdizes. ● *S. m.* **2.** Designação comum a diferentes espécies de cães de estatura variável, focinho curto, orelhas grandes e pendentes e com marcada aptidão para a caça, em especial a de perdizes. [Cf. *pointer* e *setter*.]

perdiguense. *Adj. 2 g.* **1.** De, ou pertencente ou relativo a Perdigão (MG). ● *S. 2 g.* **2.** Natural ou habitante de Perdigão.

perdimento. [De *perder* + *-i-* + *-mento*.] *S. m. P. us.* V. *perdição* (1 a 4): "Sei que ela sempre foi meu perdimento, / então por medo e agora por pecado." (Martins Napoleão, *Oleiro Cego*, p. 45.)

perdita. [De *per* + *dita*.] *Adv. Ant.* Porventura, acaso.

perdível. *Adj. 2 g.* **1.** Que se pode perder. **2.** Cujo lucro ou bom resultado é incerto.

perdiz. [Do gr. *pérdix*, pelo lat. *perdice*.] *S. f.* Ave tinamiforme, da família dos tinamídeos (*Rhynchotus rufescens* (Tem.), distribuída pelos cerrados e caatingas de todo o Brasil ao S. do rio Amazonas. Tem coloração avermelhada, com matizes amarelos e ferrugíneos, penas dorsais listradas de preto, e garganta esbranquiçada. É muito procurada para caça e esta se faz de agosto a setembro, período em que estão piando, ou em outras épocas, com auxílio de cães perdigueiros. Alimenta-se de toda sorte de grãos e artrópodes de modo geral, ingerindo também folhas tenras. Vive e nidifica no solo. [Masc.: *perdigão*. Sin.: *inhambuapé, inhapupê, nhampupê, napopé*.]

perdizense. *Adj. 2 g.* **1.** De, ou pertencente ou relativo a Perdizes (SP). ● *S. 2 g.* **2.** Natural ou habitante de Perdizes.

perdizinha-do-campo. *S. f. Bras., RJ.* Ave passeriforme, da família dos fringilídeos (*Embernagra platensis* (Gmel.), do Brasil este-meridional, de dorso pardo-oliváceo, o abdome plúmbeo-claro, os flancos ocráceos e a asa amarelo-esverdeada. Vive em lugares descampados e se alimenta de sementes de capins. [Sin.: *sabiá-do-banhado*. Pl.: *perdizinhas-do-campo*.]

perdoador (ô). *Adj.* e *s. m.* Que ou aquele que perdoa com facilidade.

perdoar. [Do lat. vulg. *perdonare*.] *V. t. d.* **1.** Desculpar, absolver, remitir (pena, culpa, dívida, etc.). **2.** Poupar; evitar: *Não perdoou gastos para educar o filho.* **3.** *P. us.* Conceder perdão a; desculpar. *T. d.* e *i.* **4.** Desculpar, absolver, remitir; *Perdoa aos amigos todas as ofensas;* "Byron nunca pôde perdoar à sorte o tê-lo feito coxo de nascença" (Carlos Magalhães de Azeredo, *Homens e Livros*, p. 10). *T. i.* **5.** Conceder perdão, desculpa; remitir as faltas: *Cristo perdoou a seus flageladores. Int.* **6.** Conceder perdão ou desculpa: *E rancoroso, não perdoa. P.* **7.** Poupar-se. [É muito corrente, embora irregular, o uso deste verbo com objeto direto de pessoa: *Perdoou os inimigos.* [Conjug.: v. *coroar*.]

perdoável. [De *perdoar* + *-ável*.] *Adj. 2 g.* Merecedor ou suscetível de perdão.

perdoe (ô). [Da 2ª pess. sing. imperat. de *perdoar*.] *S. f. Bras., AL.* Espécie de bolsa grande e ordinária, em geral de palha, onde os mendigos guardam os gêneros que lhes dão de esmola, e também usada por outras pessoas, sobretudo como depósito de mercadorias adquiridas em feiras.

perdulário. [De *perder*.] *Adj.* e *s. m.* Que, ou aquele que gasta em excesso; dissipador, esbanjador, gastador; extravagante.

perdularismo. *S. m.* Qualidade ou ato de perdulário.

perduração. *S. f.* Ato de perdurar; duração longa.

perdurar. [Do lat. *perdurare*.] *V. int.* **1.** Durar muito. **2.** Continuar a existir; permanecer, persistir, substituir.

perdurável. *Adj. 2 g.* Suscetível de durar muito, de perdurar; duradouro, durável.

pereba. [Do tupi *pe'rewa*.] *S. f.* **1.** *Bras* Lesão cutânea imprecisa. **2.** *Bras.* V. *sarna* (1). **3.** *Bras.* Pequena ferida. **4.** *Bras., RS.* Ferida de mau caráter, de crosta duríssima. [Var.: *pereva, bereba, bereva*.]

perebagem. *S. f. Bras., N.E.* **1.** Porção de perebas. **2.** As perebas.

perebento. *Adj. Bras.* Que tem perebas.

perecedoiro. [De *perecer* + *-(d)oiro*².] *Adj.* V. *perecedouro.*

perecedor (ô). *Adj.* V. *perecedouro.*

perecedouro. [De *perecer* + *-(d)ouro*².] *Adj.* **1.** Que há de perecer. **2.** Findável, morredouro, mortal. [Var.: *perecedoiro*; sin.: *perecível, perituro, perecedor*.]

perecer. [Do lat. vulg. **periscere*, incoativo de *perire*, 'morrer'.] *V. int.* **1.** Deixar de existir; ter fim; acabar, findar: *Não encontrando eco nos meios governamentais, o projeto pereceu.* **2.** V. *morrer* (1). **3.** Ser destruído, assolado ou devastado. [Conjug.: v. *aquecer*.]

perecimento. *S. m.* **1.** Ato de perecer. **2.** Esgotamento, depauperamento, extenuação. **3.** Extinção, destruição, extermínio. **4.** Decadência, definhamento.

perecível. *Adj. 2 g.* Sujeito a perecer, a extinguir-se; perecedouro: *bens perecíveis; amor perecível.*

peregrim. *S. m. Ant.* V. *peregrino* (5).

peregrinação. [Do lat. *peregrinatione*.] *S. f.* **1.** Ato de peregrinar. **2.** Viagem a lugares santos ou de devoção; romaria.

peregrinador (ô). [Do lat. *peregrinatore*.] *Adj.* e *s. m.* V. *peregrinante*.

peregrinante. [Do lat. *peregrinante*.] *Adj. 2 g.* e *s. 2 g.* Que ou quem peregrina; peregrino, peregrinador.

peregrinar. [Do lat. *peregrinare*.] *V. int.* **1.** Viajar ou andar por terras distantes; correr por diferentes partes. **2.** Ir em romaria por lugares santos ou de devoção. *T. c.* **3.** Ir em romaria: *Peregrinou durante anos pela Terra Santa; Já peregrinou a Lourdes. T. d.* **4.** Andar em peregrinação por. **5.** Percorrer, viajando.

peregrinismo. [De *peregrino* + *-ismo*.] *S. m.* **1.** Emprego de vocábulo ou frase estranha à língua vernácula, ou de uso raro; estrangeirismo. **2.** *Bras.* Raridade, excelência.

peregrino. [Do lat. *peregrinu.*] *Adj.* **1.** Que peregrina. **2.** Estranho, estrangeiro. **3.** De bondade ou beleza rara. **4.** Excelente, raro, extraordinário, excepcional: "Conta-se que era D. Francisco [D. Francisco Manuel de Melo] amoroso da Condessa de Vila Nova, mulher de peregrina formosura" (Afrânio Peixoto, *Poeira da Estrada*, p. 200); "Como um cheiro de céu, na muda noite / Errava da ipoméia da montanha / A peregrina essência delicada." (Alberto de Oliveira, *Poesias*, 3ª série, p. 77). ● *S. m.* **5.** Aquele que peregrina, que faz peregrinação (2); romeiro, peregrinante, peregrinador. [Var., ant., nesta acepç.: *peregrim.*]

pereiorá. [Do tupi *pereyo'rá.*] *S. m. Bras.* V. *casca-preciosa* (2).

pereira. [De *pêra* + *-eira.*] *S. f.* **1.** Árvore da família das rosáceas (*Pyrus communis*), originária do hemisfério norte e cultivada universalmente pelos excelentes frutos edules, que são uma espécie de baga múltipla, visto procederem de vários pistilos de uma mesma flor. **2.** *Bras.* V. *acarirana.*

pereira-do-campo. *S. f.* Cabacinha-do-campo. [Pl.: *pereiras-do-campo.*]

pereira-do-japão. *S. f.* Variedade de marmeleiro (*Pyrus japonica*). [Pl.: *pereiras-do-japão.*]

pereiral. [De *pereira* + *-al.*] *S. m.* Peral (1).

pereirense[1]. *Adj. 2 g.* **1.** De, ou pertencente ou relativo a Pereiras (SP). ● *S. 2 g.* **2.** Natural ou habitante de Pereiras.

pereirense[2]. *Adj. 2 g.* **1.** De, ou pertencente ou relativo a Pereiro (CE). ● *S. 2 g.* **2.** Natural ou habitante de Pereiro.

pereiro. [De *pereira.*] *S. m.* **1.** Variedade de macieira. **2.** *Bras., N.E.* Árvore da família das apocináceas (*Aspidosperma pyrifolium*), de pequeno porte e muito difundida pela caatinga, e que às vezes é simples arbusto. As folhas são pequenas, não ultrapassando 5 cm; os folículos medem apenas 4 a 5 cm; não tem valor como fonte de lenho útil. **3.** *Bras., CE.* V. *aguilhada.*

perempção. [Do lat. *peremptione.*] *S. f. Bras. Jur.* Modo por que se extingue uma relação processual civil (ou penal, caso a ação pertença privativamente à vítima), por causas taxativas em lei, e que se fundam, por via de regra, na inércia, no desinteresse ou na emulação do autor (ou querelado). [Cf. *decadência* (5).]

perempto. [Do lat. *peremptu.*] *Adj. Jur.* Extinto por perempção.

peremptoriedade. *S. f.* Qualidade de peremptório.

peremptório. [Do lat. *peremptoriu.*] *Adj.* **1.** Que perime. **2.** Terminante, decisivo: *ordem peremptória*; "Todo esse discurso não me saiu assim, de vez, enfiado naturalmente, peremptório. .... mas aos pedaços, mastigado, em voz um pouco surda e tímida." (Machado de Assis, *Dom Casmurro*, p. 75.)

perenal. *Adj. 2 g.* V. *Perene* (1 a 3): *"O Bem e o Mal".* [romance camiliano] é um perenal idílio" (Ramalho Ortigão, *Primeiras Prosas*, p. 186).

perendengues. [Voc. onom.] *S. m. pl. Bras.* e *ant.* Penduricalhos para ornato; berloques: "Camargo agitou entre as mãos os perendengues do relógio" (Machado de Assis, *Helena*, p. 117).

perene. [Do lat. *perenne.*] *Adj. 2 g.* **1.** Que dura muitos anos. **2.** Que não acaba; perpétuo, imperecível, imperecedouro, eterno. **3.** Incessante, contínuo, ininterrupto: *fonte perene*; "De longe, em perene murmúrio, vinha docemente o choro da cascata." (Coelho Neto, *Miragem*, p. 123). [Sin., nestas acepç.: *perenal.*] **4.** *Bot.* Que vive mais de dois anos: *erva perene.* ~ V. *filosofia* —.

perenibrânquio. *S. m.* e *adj.* Proteído.

perenibrânquios. *S. m. pl. Zool.* Proteídos.

perenidade. [Do lat. *perennitate.*] *S. f.* Qualidade de perene.

perenifólio. [Do lat. *perenne* + *-i-* + *-fólio.*] *Adj. Bot.* Cujas folhas não caem antes de as novas estarem já desenvolvidas: *árvore perenifólia.* [Opõe-se a *caducifólio.*]

perenizar. *V. t. d.* e *p.* Tornar(-se) perene.

perequê. *S. m. Bras., S. Pop.* **1.** Discussão, barulho, briga: "Se Sílvia der com a língua nos dentes, vamos ter perequê." (Antônio Olavo Pereira, *Marcoré*, p. 14.) **2.** V. *rolo*[1] (6).

perequeté. [Do tupi, talvez.] *Adj. 2 g. Bras. Pop.* **1.** Faceiro, elegante; emperiquitado. **2.** Saliente nos modos. [Var.: *prequeté.*]

perereca. [Do tupi; ger. de *pere'reg*, 'ir aos saltos'.] *S. f.* **1.** *Bras.* Designação comum aos anfíbios anuros, arborícolas, de ventosas nos dedos, sobretudo os da família dos hilídeos. O número de espécies de pererecas no Brasil sobe a mais de 80. [Sin.: *rela, raineta, tanoeiro.*] **2.** *Bras.* V. *mosquito* (1). **3.** *Bras. Gír.* V. *garrucha* (3). **4.** *Bras. Pop.* Pequeno rádio de pilha. **5.** *Bras. Pop.* Vulva. ● *S. 2 g.* **6.** *Bras.* Pessoa ou animal pequeno e buliçoso. ● *Adj. 2 g.* **7.** Diz-se de pessoa ou animal pequeno e buliçoso.

pererecar. [De *perereca* + *-ar*[2].] *V. int. Bras.* **1.** Andar de um lado para outro; desnortear-se, desorientar-se; aturdir-se, atrapalhar-se. **2.** *Bras., RS.* Dar saltos ou pulos (o pião). [Conjug.: v. *trancar.* Cf. *piriricar.*]

perereca-azul. *S. f. Bras.* Anfíbio anuro, da família dos hilídeos (*Phyllomedusa bicolor* Bodd.), do N. do Brasil e Guianas, de dorso verde-azulado, ventre branco com tons purpúreos e dedos purpúreos com ponta branca. Comprimento: 11 cm. [Pl.: *pererecas-azuis.*]

perereca-verde. *S. f. Bras.* Anfíbio anuro, da família dos hilídeos (*Phyllomedusa burmeisteri* Boul.), do Brasil oriental e meridional, de coloração geral verde-azulada, a parte inferior parda, levemente cárnea, com pintas claras, uma pinta em cada ângulo ocular e outras na superfície do braço. Comprimento: até 8 cm. [Pl.: *pererecas-verdes.*]

pererecO. [De *perereca.*] *S. m.* **1.** *Bras., SP. Pop.* Briga cheia de peripécia; conflito. V. *rolo*[1] (16). **2.** *Bras., RJ. Gír.* Dança desenfreada do maxixe.

pererenga. *S. f. Bras., MA.* Tambor médio, de origem africana, usado para a dança da punga ou do tambor; mungangüê, mangongu.

pererento. [Talvez por *perento < *péra* + *-ento.*] *Adj. Bras.* **1.** V. *pedrês* (1). **2.** Salpicado de pintas brancas. **3.** *Bras., PR.* Pedrento (2).

pereva. *S. f. Bras.* V. *pereba.*

➧**per fas et nefas.** [Lat. 'pelo permitido e pelo proibido'.] Por todos os meios; por fás e por nefas.

perfazer. [De *per-* + *fazer.*] *V. t. d.* **1.** Completar o número ou o valor de; completar, atingir: "Certo indivíduo houve, que a título de empréstimo lhe tomou quantias mui avultadas, perfazendo o total de três contos de réis pelo mínimo." (Pe Silvério Gomes Pimenta, *Vida de D. Antônio Ferreira Viçoso*, p. 341.) **2.** Acabar de fazer; levar a cabo; concluir: *Mal conseguiu perfazer a longa obra.* **3.** Executar, fazer: "O brilho do sol no mar, as ondas perfazendo uma longa curva esbranquiçada" (Valdomiro Autran Dourado, *Nove Histórias em Grupos de Três*, p. 51). [Irreg. Conjug.: v. *fazer.*]

perfazimento. *S. m. P. us.* Ato ou efeito de perfazer.

perfeccionismo. [Do lat. *perfectione*, 'perfeição', + *-ismo.*] *S. m.* Tendência obsessivamente exagerada para atingir a perfeição na realização de alguma coisa.

perfeccionista. *Adj. 2 g.* **1.** Relativo ao, ou que tem ou denota perfeccionismo. ● *S. 2 g.* **2.** Pessoa que o tem.

perfectibilidade. *S. f.* Qualidade de perfectível.

perfectível. [Do lat. *perfectu*, 'perfeito', + *-ível.*] *Adj. 2 g.* Suscetível de perfeição ou de aperfeiçoamento.

perfectivo. [Do lat. *perfectivu.*] *Adj.* **1.** Que perfaz. **2.** Que mostra ou denota perfeição.

perfeição. [Do lat. *perfectione.*] *S. f.* **1.** O conjunto de todas as qualidades; a ausência de quaisquer defeitos: a *perfeição do ser absoluto.* **2.** O máximo de excelência a que uma coisa pode chegar; primor, correção: *a perfeição de um soneto*; *a perfeição de um gráfico.* **3.** O maior grau de bondade ou virtude a que pode alguém chegar; pureza: *perfeição de caráter, de sentimentos.* **4.** O mais alto grau de beleza a que pode chegar alguém ou algo: *perfeição de traços, de formas.* **5.** Execução sem falhas, perfeita: *a perfeição de um objeto*; *a perfeição de uma interpretação musical.* **6.** Precisão (5). **7.** Requinte, apuro, esmero: *a perfeição de uma roupa, de uma decoração.* **8.** Mestria, perícia: *a perfeição de um artista, de um aviador.*

perfeiçoar. *V. t. d. P. us.* V. *aperfeiçoar.* [Conjug.: v. *coroar.*]

perfeito. [Do lat. *perfectu*, 'feito até o fim', 'acabado, terminado'.] *Adj.* **1.** Que reúne todas as qualidades concebíveis: *Para os crentes, Deus é perfeito.* **2.** Que atingiu o mais alto grau numa escala de valores; incomparável, único, sem-par: *amizade perfeita, beleza perfeita.* **3.** Que corresponde precisamente a um conceito ou padrão ideal: *corpo perfeito*; *entrosamento perfeito.* **4.** Ótimo, excelente, irrepreensível: *jantar perfeito*; *cozinheira perfeita.* **5.** Executado ou fabricado da melhor maneira possível; sem defeito; primoroso, impecável: *O carro saiu da oficina perfeito.* **6.** Que não deixa margem a dúvidas; cabal, rigoroso: *prova perfeita*; *explicação perfeita.* **7.** Completo, total, acabado, rematado, perficiente: *ordem perfeita*; *uma perfeita idiotice.* **8.** *Gram.* Diz-se de tempo verbal que exprime ação ou estado já passado em relação a certa época. ~ V. *conjunto* —, *constante dos gases* —*s*, *cubo* —, *difusor* —, *gás* —, *número* — e *quadrado* —.

perficiente. [Do lat. *perficiente.*] *Adj. 2 g.* V. *perfeito* (7).

perfídia. [Do lat. *perfidia.*] *S. f.* Ação ou qualidade de pérfido; deslealdade, traição.

pérfido. [Do lat. *perfidu.*] *Adj.* **1.** Que mente à fé jurada; fementido; traidor, desleal; infiel. **2.** Que denota ou envolve perfídia; falso, enganador, traiçoeiro: *maneiras pérfidas*; *pérfida esperança.*

perfil. [Do it. *profilo*, atr. do fr. *profil*, com mudança de prefixo.] *S. m.* **1.** Contorno do rosto de uma pessoa vista de lado: *um perfil grego.* **2.** O aspecto ou a representação gráfica dum objeto que é visto só de um lado. **3.** Contorno, silhueta: *o perfil das montanhas.* **4.** Descrição de uma pessoa em traços mais ou menos rápidos. **5.** Desenho que representa o corte perpendicular dum edifício ou dum objeto, mostrando os detalhes relativos a tal seção. **6.** O ato de alinhar, de perfilar tropas. **7.** *Constr. Nav.* Peça de metal laminada, cuja seção reta tem forma de *L, T, I, U* ou *Z.* ◆ **Perfil do solo.** Corte vertical feito no solo, desde a sua superfície até o material original ou rocha matriz que lhe deu origem, com o fim de o estudar física e quimicamente. **De perfil.** De lado; de flanco: "Duas mulheres numa: tinha o rosto / Gordo de frente, magro de perfil." (Manuel Bandeira, *Estrela da Vida Inteira*, p. 244.)

perfilado. [Part. de *perfilar.*] *Adj.* **1.** Posto de perfil. **2.** Que se perfilou. **3.** *Mil.* Em posição de sentido.

perfilar. *V. t. d.* **1.** Traçar ou fazer o perfil de. **2.** Pôr em linha, alinhar (soldados). **3.** Aprumar entre o braço e o corpo (a arma). **4.** Endireitar, aprumar: *perfilar o corpo. T. d. e i.* **5.** Pôr em paralelo; comparar: *É difícil perfilar Teixeira de Pascoais com Fernando Pessoa. P.* **6.** Pôr-se direito, aprumado; endireitar-se: *Perfilou-se ante o coronel.*

perfil-diagrama. *S. m. Fitogeog.* Maneira de representar, em escala sobre papel milimetrado, uma formação vegetal arbórea: derrubadas as árvores após as mensurações de distância e altura, são estas medidas uma por uma, identificadas e lançadas no papel, e obtém-se um desenho que é uma representação esquemática da vegetação estudada. [Pl.: *perfis-diagramas* e *perfis-diagrama.*]

perfilhação. *S. f.* **1.** Ato ou efeito de perfilhar. **2.** V. *adoção* (2). [Sin. ger.: *perfilhamento.*]

perfilhador (ô). *Adj.* e *s. m.* Que ou aquele que perfilha.

perfilhamento. *S. m.* V. *adoção* (2).

perfilhar. [De *per-* + *filho* + *-ar*[2].] *V. t. d.* **1.** Receber legalmente como filho; filiar, filhar: "Ele pretendia enriquecer muito mais, casando com a Salvina, perfilhando-lhe as duas filhas generosamente" (Gustavo Barroso, *Mississípi*, p. 90). **2.** *Jur.* Reconhecer voluntariamente (filho ilegítimo), no próprio termo do nascimento, mediante escritura pública, ou por testamento. **3.** Adotar, defender, abraçar, filhar (uma teoria, um princípio). *Int.* **4.** *Bot.* Emitir rebentos (a planta).

perfluxo (cs). [De *per-* + *fluxo.*] *S. m.* Fluxo abundante de humores.

perfolhada. [De *per-* + *folha* + *-ada*[1].] *S. f.* Arbustinho da família das umbelíferas (*Bupleurum intermedium*), nativo na Europa e ocasional nos trópicos, de folhas simples, inteiras, coriáceas, flores pequeninas, dispostas em umbelas compostas, e frutos inconspícuos.

perfolhado. *Adj.* ~ V. *folha* —*a.*

perfolhear. [De *per-* + *folhear*; criação de Nélson Vaz.] *V. t. d. Neol.* Folhear com atenção, demoradamente. [Conjug.: v. *frear.*]

perfoliação. *S. f.* Ato ou efeito de se tornar perfoliado.

perfoliado. [De *per-* + *-foli-* + *-ado*[1].] *Adj. Morfol. Veg.* Diz-se da folha que é atravessada pelo ramo, ficando este nela incluído.

➧**performance** (perfórmãnç'). [Ingl.] *S. f.* **1.** Atuação, desempenho (especialmente em público). **2.** *Esport.* O desempenho de um desportista (ou de um cavalo de corrida) em cada uma de suas exibições. [V. *desempenho.*]

perfulgência. *S. f.* Qualidade de perfulgente.

perfulgente. [Do lat. *perfulgente.*] *Adj. 2 g.* Brilhantíssimo, resplandecente: "pôde [João de Deus] alumiar-se, desde a antecâmara da morte, a um intenso clarão com que nunca sonhara: o resplendor perfulgente da glória." (Silva Ramos, *Pela Vida fora ...*, p. 143).

perfumado. [Part. de *perfumar.*] *Adj.* Que tem ou exala perfume; cheiroso, aromático, oloroso, olente: "Mr. Bauer é um homem baixo, pálido, de cara feminina e larga, ... asseado, perfumado, delicado, e com voz assombrosa." (Eça de Queirós, *Notas Contemporâneas*, p. 8.)

perfumador (ô). *Adj.* **1.** Que perfuma; perfumante. ● *S. m.* **2.** Recipiente onde se queimam perfumes.

perfumadura. *S. f.* Ato de perfumar.

perfumante. *Adj. 2 g.* Perfumador (1).

perfumar. [De *per-* + *fumar.*] *V. t. d.* **1.** Espalhar perfume em ou sobre; impregnar de aroma: *Perfumou os cabelos após o banho.* **2.** Encher de perfume; tornar odorífero, aromático: "E só havia paz no interior dos muros dos mosteiros, em cujos pátios .... as pombas voavam em redor da margela do poço e cresciam os jasmineiros e as roseiras, perfumando o ar." (Gustavo Barroso, *Livro dos Milagres*, p. 27.) *P.* **3.** Pôr perfume em si mesmo.

perfumaria. *S. f.* **1.** Fábrica ou loja de perfumes [v. *perfume* (2)]. **2.** Os perfumes. **3.** *Bras. Deprec.* ou *irôn.* Bebida não alcoólica, ou que, sendo-o, é muito doce. **4.** *Bras. Fam.* Coisa sem importância: *Vamos ao essencial: o resto é perfumaria;* "A única dor que existe é a de cotovelo. As outras dores, físicas ou morais, são conversa fiada, perfumaria!" (Nélson Rodrigues, *100 Contos Escolhidos. A Vida Como Ela É*, II, p. 47). **5.** *Bras. Chulo.* V. *roçado* (6).

perfume. [Dev. de *perfumar.*] *S. m.* **1.** Cheiro agradável e penetrante exalado de uma substância aromática; aroma, fragrância: *o perfume do jasmim, da baunilha.* **2.** Produto de preparação caseira ou industrial, feito de essências aromáticas, e usado para perfumar a pele, as roupas, etc.: *um vidro de perfume.* **3.** Composição odorífera empregada na preparação de licores, iguarias, etc. **4.** *Fig.* Suavidade, doçura.

perfumista. *S. 2 g.* Fabricante e/ou vendedor de perfumes.

perfumoso (ô). *Adj.* Que exala perfume; perfumado, cheiroso, odorífero.

perfunctório. [Do lat. *perfunctoriu.*] *Adj.* Que se faz como simples rotina funcional, e não por necessidade ou visando a um fim útil; superficial, ligeiro: "Como orador sagrado, Macedo deveu a popularidade de que gozou a um falso brilho no fundo das idéias, e sobretudo a essa instrução perfunctória que começa a invadir a capital e que é mais danosa às letras do que a ignorância." (Alexandre Herculano, *Opúsculos*, IX, p. 15.) [Var.: *perfuntório.*]

perfuntório. *Adj.* V. *perfunctório.*

perfuração. *S. f.* Ato ou efeito de perfurar.

perfurado. [Part. de *perfurar.*] *Adj.* Que tem furo(s); furado. ~ V. *cartão* —.

perfurador (ô). *Adj.* **1.** Que perfura; perfurante, perfurativo. ● *S. m.* **2.** Aquilo que perfura ou é próprio para perfurar.

perfuradora (ô). [Fem. substantivado do adj. *perfurador.*] *S. f. Bras.* **1.** Máquina para perfurar cartões, fichas, etc. **2.** Perfuratriz.

perfurante. *Adj. 2 g.* V. *perfurador* (1). ~ V. *úlcera* —.

perfurantemente. [De *perfurante* + *-mente.*] *Adv.* De modo perfurante; provocando perfuração: "E fere-me [a palavra], fina, obscura, / funda, perfurantemente" (Abgar Renault, *A Outra Face da Lua*, p. 24).

perfurar. [Do lat. *perforare.*] *V. t. d.* Fazer furo(s) em; penetrar, furar: "dois negros possantes perfuravam o chão com alavancas pesadas e pontudas. Findo esse trabalho, fincava-se o clássico mastro" (Melo Morais Filho, *Festas e Tradições Populares do Brasil*, p. 168).

perfurativo. *Adj.* V. *perfurador* (1).

perfuratriz. *S. f.* Máquina dotada de broca, destinada a perfurar o solo; perfuradora: "ver o asfalto rachando sob o impacto da perfuratriz é uma beleza que não tive quando menino." (Carlos Drummond de Andrade, *Fala, Amendoeira*, p. 204).

perfurocortante (pèr). *Adj. 2 g.* Que tem ponta e gume; que perfura e corta ao mesmo tempo: *instrumento perfurocortante.*

perfusão. [Do lat. *perfusione.*] *S. f.* Passagem de líquido através dum órgão.

pergamináceo. [Do lat. *pergaminu*, 'pergaminho', + *-áceo.*] *Adj.* **1.** Que tem o aspecto de pergaminho; membranáceo. **2.** Que é feito de pergaminho: *códice pergamináceo.* [F. paral.: *pergaminháceo.*]

pergaminháceo. [De *pergaminho* + *-áceo.*] *Adj.* V. *pergamináceo.*

pergaminharia. *S. f.* Comércio ou indústria de pergaminheiro.

pergaminheiro. *S. m.* Indivíduo que prepara e/ou vende pergaminho.

pergaminho. [Do lat. tardio *pergaminu.*] *S. m.* **1.** Pele de cabra, de ovelha ou de outro animal, macerada em cal, raspada e polida, para servir de material de escrita, e também de encadernação. **2.** Manuscrito em pele assim tratada, e cuja utilização determinou a forma de códice que passou a ter o livro manuscrito. [V. *velino.*] **3.** *Bras.* Diploma de curso superior. ~ V. *pergaminhos.* ◆ **Pergaminho vegetal.** Papel que tem o aspecto e a resistência do pergaminho, e se obtém pelo tratamento a ácido sulfúrico das folhas fabricadas com celulose pura; papel-pergaminho.

pergaminhos. [Pl. de *pergaminho.*] *S. m. pl. Fig.* Títulos de nobreza: "Fidalga entre todas, com pergaminhos históricos de incomparável nobreza .... , a França estava, na Europa, entre as velhas monarquias aristocráticas, com o ar embaraçado de uma merceeira entre duquesas!" (Eça de Queirós, *Ecos de Paris*, p. 114.) ~ V. *pergaminho.*

pergaminhoso (ô). *Adj.* Que tem o aspecto e/ou a consistência do pergaminho; semelhante a ele; apergaminhado.

pergídeo. *S. m.* **1.** Espécime dos pergídeos. ● *Adj.* **2.** Pertencente ou relativo a eles.

pergídeos. *S. m. pl. Zool.* Família de insetos da ordem dos himenópteros, que apresentam antenas de seis a nove segmentos, ramificadas ou plumosas, e esporões tibiais simples. As larvas, no último estágio, alimentam-se de esterco seco, sendo com freqüência ingeridas pelos porcos, que com isto se envenenam, donde vem a denominação *mata-porcos*, que a elas se dá no RS.

pérgola. *S. f.* V. *pérgula.*

pérgula. [Do it. *pergola.*] *S. f.* Passeio ou abrigo, em jardins, feito de duas séries de colunas paralelas, e que serve de suporte a trepadeiras: "preferia [Ferdinando Paolieri] .... deter-se num banco de jardim citadino, sob uma pérgula amável, junto a um cântaro espumante, a ir extraviar-se num desses vilarejos de província adormecida" (Agripino Grieco, *O Sol dos Mortos*, p. 69). [Seria preferível a grafia *pérgola.*]

pergunta. [Dev de *perguntar.*] *S. f.* **1.** Palavra ou frase com que se interroga; interrogação. **2.** Quesito, questão: *A prova constava de 10 perguntas sobre história do Brasil.* ◆ **Pergunta de algibeira.** Pergunta, em geral de resposta difícil, feita com o intuito de confundir o interpelado.

perguntador (ô). *Adj.* e *s. m.* **1.** Que ou aquele que pergunta. **2.** Que ou aquele que é dado a perguntar; curioso, indagador.

perguntante. *S. 2 g.* Pessoa que faz perguntas, que interroga.

perguntar. [Do lat. vulg. **praecunctare.*] *V. t. d.* **1.** Fazer pergunta(s) a; interrogar, inquirir: *A polícia perguntou quase todos os presentes.* **2.** Propor (uma questão); indagar, investigar: *Não quis perguntar a razão de semelhante mudança. T. d. e i.* **3.** Solicitar (informação); inquirir, indagar: *Perguntou-lhe o seu nome. T. i.* **4.** Fazer pergunta: *Pergunte a quem possa informar.* **5.** Solicitar informação; indagar, inquirir: "a baronesa lembrou-se do Tomnay, o galgo da condessa; perguntou por Tomnay." (Eça de Queirós, *Os Maias*, II, p. 80); "E perguntava sobre os últimos inventos / Agrícolas." (Cesário Verde, *Obra Completa*, p. 117). *Bit. i.* **6.** Inquirir, indagar: "O feitor perguntava-lhe pela tarefa, em que pé estava ela" (Silva Guimarães, *Os Borrachos*, p. 6). *Int.* **7.** Fazer pergunta; pedir ou buscar esclarecimentos: *Curioso, tem a mania de perguntar. P.* **8.** Perguntar a si mesmo; indagar de si próprio: "até hoje me pergunto como é que tive coragem de ir ver o vigário." (Oto Lara Resende, *O Braço Direito*, p. 6).

peri[1]. [Do persa *pari.*] *S. m.* Certo gênio benfazejo da mitologia persa. [Cf. *piri.*]

peri[2]. [Do tupi *pi'ri*, 'junco'.] *S. m.* **1.** *Bras.* Sulco formado pelo escoamento de águas em declive. **2.** *Bras., MT.* A parte baixa de terreno alagada pelas águas de um rio. [Cf. *piri.*]

▲**peri-.** [Do gr. *perí.*] *Pref.* = 'movimento em torno', 'posição em torno': *peristalse, periscópio, pericondro.*

periacto. [Do gr. *períaktos.*] *S. m. Teat.* No antigo teatro grego, cada um dos prismas triangulares giratórios executados em madeira e tela, em cujas três faces se pintavam diferentes cenários, e que eram providos de um eixo central que permitia o movimento giratório das faces, para mudanças rápidas de ambientação cênica. [Cf. *telaro.*]

periambo. [Do lat. *periambu.*] *S. m.* V. *pirríquio.*

periamigdaliano. [De *peri-* + *amígdala* + *-i-* + *-ano.*] *Adj. Med.* Que está ou se forma ao redor das amígdalas: *abscesso periamigdaliano.*

perianal. [De *peri-* + *anal.*] *Adj. 2 g. Anat.* Que circunda ou envolve o ânus.

periândrico. [De *peri-* + *-andr(o)-* + *ico*[2].] *Adj. Bot.* Situado ao redor dos estames.

periantã. [Do tupi *piriã'tã*, 'junco duro'.] *S. m. Bras., Amaz.* **1.** Lugar onde há peris [v. *peri*[2]]. **2.** Camalote. **3.** V. *matupá* (2).

periantado. *Adj. Morfol. Veg.* Provido de perianto: *flor periantada.*

perianto. [De *peri-* + *-anto.*] *S. m. Morfol. Veg.* O conjunto dos verticilos protetores da flor. Consta de cálice e corola, não devendo ser confundido com o *perigônio* [q. v.].

periantopódio. [De *perianto* + *-pod(o)-* + *-io*[2].] *S. m. Morfol. Veg.* Porção inferior do tubo periantal, que é concrescente com a base dos estiletes. Ocorre nas fragáceas.

periarterite. [De *peri-* + *arterite.*] *S. f. Patol.* Inflamação das camadas externas de uma artéria e do tecido em sua volta. ◆ **Periarterite nodosa.** *Patol.* V. *poliarterite nodosa.*

periastro. [De *peri-* + *astro.*] *S. m. Astr.* Ponto da órbita de um astro em que ele se encontra mais próximo de outro astro, em torno do qual gravita. [Aplica-se, em geral, ao caso das estrelas binárias.]

periatri. *Bras. S. 2 g.* **1.** Indivíduo dos periatris, tribo indígena do PA. ● *Adj. 2 g.* **2.** Pertencente ou relativo a essa tribo.

periblema. [Do gr. *períblema*, 'vestido, manto'.] *S. m. Bot.* Conjunto de células meristemáticas do ponto vegetativo do caule ou da raiz, as quais dão origem aos tecidos da casca.

períbolo. [Do gr. *períbolos*, 'circuito', pelo lat. *peribo-lu.*] *S. m.* **1.** Terreno, em geral arborizado, que, na Antiguidade, rodeava um templo. **2.** Área livre entre um edifício e o muro que o circunda. **3.** Adro (1).

pericardiário. *Adj. Anat.* V. *pericárdico.*

pericárdico. *Adj. Anat.* **1.** Relativo ao pericárdio. **2.** Que se forma no pericárdio. [Sin. Ger.: *pericardiano, pericardino.*]

pericardino. *Adj.* V. *pericárdico.*

pericárdio. [Do gr. *perikárdion.*] *S. m. Anat.* Saco externamente fibroso e internamente seroso, que reveste por fora o coração.

pericardite. [De *pericárdio* + *-ite*[1].] *S. f. Patol.* Inflamação do pericárdio.

pericardítico. *Adj.* Relativo a pericardite.

pericárpico. *Adj.* Relativo ou pertencente ao pericarpo: *parede pericárpica.*

pericarpo. [Do gr. *perikárpion.*] *S. m. Morfol. Veg.* O fruto em si, com exclusão das sementes; a parede de um fruto. [O pericarpo comporta, nos frutos bem desenvolvidos, três partes, de dentro para fora: *endocarpo, mesocarpo* e *epicarpo* (q. v.).]

pericecal. [De *peri-* + *ceco* + *-al.*] *Adj. 2 g. Anat.* Situado em torno do ceco.

pericementite. [De *pericemento* + *-ite*[1].] *S. f. Odont.* Inflamação do pericemento.

pericemento. [De *peri-* + *cemento.*] *S. m. Odont.* Estrutura formada por tecido conjuntivo que circunda as raízes dentárias e mantém os dentes nos seus alvéolos.

pericentral. [De *peri-* + *central.*] *Adj. 2 g.* Situado interiormente, em volta de alguma coisa: *O peritônio é uma membrana pericentral.*

pericêntrico. *Adj.* Situado em torno de um centro.

perícia. [Do lat. *peritia.*] *S. f.* **1.** Qualidade de perito. **2.** Habilidade, destreza. **3.** Vistoria ou exame de caráter técnico e especializado. **4.** Conjunto de peritos (ou um só) que faz essa vistoria: *A perícia está fazendo investigações sobre o crime.* **5.** Conhecimento, ciência.

pericial. *Adj. 2 g.* **1.** Relativo a perícia. **2.** Da perícia (3); feito ou apresentado por ela: *laudo pericial.*

pericíclico. *Adj.* Relativo ou pertencente ao periciclo: *fibras pericíclicas.*

periciclo. [Do gr. *períkyklos*, 'circunferência'.] *S. m. Anat. Veg.* Camada de células parenquimatosas, quase sempre única, que está entre o cilindro central e a

endoderme, seja no caule, seja na raiz. [O periciclo é região formadora de raízes, e pode ter fibras lignificadas e celulóticas; às vezes importantes na indústria, como as do linho.]
pericistite. [De *peri-* + *-cist(i)-* + *-ite*[1].] *S. f. Patol.* Inflamação dos tecidos que cercam a bexiga.
pericistítico. *Adj.* Referente à pericistite.
periclásio. [De *peri-* + *-clas(e)-* + *-ico*[2].] *S. m. Min.* Mineral monométrico, óxido de magnésio.
periclinal. [Do gr. *periklinés*, 'inclinado de todos os lados', + *-al.*] *Adj. 2 g.* **1.** *Geom.* Que, a partir do centro, se inclina em direção a todos os pontos da circunferência. **2.** *Geol.* Diz-se das camadas geológicas que se orientam tomando a forma cônica. [Cf. *anticlinal.*]
periclíneo. [De *peri-* + *-clin(o)-* + *-eo.*] *Adj.* **1.** *Anat. Veg.* Periclínico. ● *S. m.* **2.** *Min.* Lei de geminação que ocorre entre os feldspatos triclínicos.
periclínico. *Adj. Morfol. Veg.* Diz-se da parede celular que é paralela à superfície do órgão ao qual pertence; periclíneo. Há duas: uma externa e uma interna.
pericliniforme. [De *periclino* + *-i-* + *-forme.*] *Adj. 2 g. Bot.* Que tem forma de periclino.
periclinita. *S. f. Min.* Variedade de albita (plagioclásio) geminada conforme a lei do periclíneo (2).
periclino. [Do gr. *periklinés*, 'inclinado de todos os lados'.] *S. m. Bot.* Reunião de brácteas imbricadas e dispostas ao redor de uma porção de flores insertas em um receptáculo comum, como ocorre nas dálias.
periclitância. *S. f.* Estado de periclitante.
periclitante. [Do lat. *periclitante.*] *Adj. 2 g.* Que periclita, que corre perigo: *situação periclitante; saúde periclitante.*
periclitar. [Do lat. **periclitare.*] *V. int.* Correr perigo; estar em perigo; perigar: *Sua vida periclita, ameaçado que foi por aquele bandido;* "Essa era a sua [de Nabuco de Araújo] qualidade principal de político: adaptar os meios aos fins e não deixar periclitar o interesse social maior por causa de uma doutrina ou de uma aspiração." (Joaquim Nabuco, *Minha Formação*, pp. 189-190).
pericondrite. *S. f. Patol.* Inflamação no pericôndrio.
pericondrítico. *Adj.* Referente à pericondrite.
pericôndrio. [De *peri-* + *-condr(o)-* + *-io*[1].] *S. m. Anat.* Membrana que recobre superfície de cartilagem.
pericondro. *S. m. Anat.* Pericôndrio.
perícope. [Do gr. *perikopé*, 'ação de cortar em volta', 'secção'.] *S. f.* **1.** Extrato de um livro usado para transcrição ou para outro fim. **2.** *Restr.* Trecho da Bíblia escolhido para leitura durante o culto, ou como tema de sermão.
pericote. [Dim. do esp. *perico*, 'antigo penteado'.] *S. m. Bras., SP.* V. *cocó.*
pericrânio. [Do gr. *perikrânios.*] *S. m. Anat.* Periósteo craniano.
periculosidade. [Do lat. *periculosu*, 'perigoso', + *-i-* + *-dade.*] *S. f.* **1.** Estado ou qualidade de perigoso. **2.** *Jur.* Conjunto de circunstâncias que indicam a probabilidade de alguém praticar ou tornar a praticar um crime. [Cf. *temibilidade.*]
peridá. *Bras. S. 2 g.* **1.** Indivíduo dos peridás, tribo indígena do N. ● *Adj. 2 g.* **2.** Pertencente ou relativo a essa tribo.
peridental. [De *peri-* + *dental*[2].] *Adj. 2 g.* Situado em volta de dente.
periderme. [De *peri-* + *derme.*] *S. f. Bot.* O conjunto dos tecidos que formam a casca externa das plantas floríferas de índole lenhosa.
peridérmico. *Adj.* Relativo ou pertencente à periderme, ou que nela ocorre: *lesão peridérmica.*
peridesmo. [Do gr. *perídesmos*, 'laço, cintura'.] *S. m. Anat.* Membrana que envolve os ligamentos.
perididimite. [De *perididimo* + *-ite*[1].] *S. f. Patol.* Inflamação do peridídimo.
perididimítico. *Adj.* Relativo à perididimite.
peridídimo. [De *peri-* + *-dídimo.*] *S. m. Anat.* Túnica vaginal do(s) testículo(s).
peridínea. *S. f.* V. *dinoflagelada.*
peridíneas. *S. f. pl. Bot.* V. *dinoflageladas.*
peridíneo. *Adj.* V. *dinoflagelado.*
perídio. [Do gr. *perídion*, dim. de *péra*, 'saco de couro'.] *S. m. Bot.* Envoltório do aparelho esporífero (corpo de frutificação) de fungos.
peridiscal. [De *peri-* + *disco* + *-al.*] *Adj. 2 g. Bot.* Diz-se dos estames que se inserem à volta da base de um disco.
peridotito. [De *peridoto* + *-ito*[2].] *S. m. Pet.* Rocha eruptiva granular constituída essencialmente de olivina [q. v.].
peridoto. [Do fr. *péridot.*] *S. m. Pet.* Olivina.
perídromo. [Do gr. *perídromos.*] *S. m. Arquit.* Espaço coberto que rodeia um edifício.
periecos. [Do gr. *períoikoi*, 'moradores nas cercanias'.] *S. m. pl. Astr.* Habitantes da Terra que vivem no mesmo paralelo de latitude, mas em longitudes que diferem entre si 12 horas; periscios. [Cf. *antecos* e *antípoda.*]
periélio. [De *peri-* + *-élio.*] *S. m. Astr.* **1.** O ponto de menor afastamento de um astro do sistema solar no seu movimento de translação em torno do Sol, e que ocorre em janeiro. [Antôn.: *afélio.*] ● *Adj.* **2.** Do periélio, ou relativo a ele. ~ V. *distância —a.*
periergia. [Do gr. *periergía*, 'excesso de cuidado', pelo lat. *periergia.*] *S. f.* Apuro excessivo de linguagem.
periferia. [Do gr. *periphéreia*, 'circunferência', pelo lat. *peripheria.*] *S. f.* **1.** Superfície ou linha que delimita externamente um corpo; contorno, âmbito: *periferia de uma praça, de uma cidade.* **2.** *Geom.* Contorno de uma figura geométrica curvilínea. **3.** *Geom.* Superfície de um sólido. **4.** *Bot.* Extremidade marginal da folha. **5.** *Fig.* Contorno; vizinhança, proximidade: *A explicação não é completa: fica na periferia do problema.* **6.** *Urb. Bras.* Numa cidade, a região mais afastada do centro urbano, em geral carente em infra-estrutura e serviços urbanos, e que abriga os setores de baixa renda da população.
periférico. *Adj.* **1.** Relativo à periferia. **2.** Situado na periferia (1): *bairros periféricos.* **3.** *Bot.* Diz-se do perispermo quando envolve e oculta o embrião. **4.** *Proc. Dados.* Diz-se de qualquer equipamento usado em conjunto com o computador para receber ou transmitir dados, permitindo assim a comunicação do computador com o meio exterior. Ex.: terminal, unidade de fita, impressora, fita, disco.
periflebite. [De *peri-* + *-fleb(o)-* + *-ite*[1].] *S. f. Patol.* Inflamação que compromete tecidos dispostos em torno de veia, ou a camada externa desta.
periflebítico. *Adj.* Relativo à periflebite.
perifoco. [De *peri-* + *foco.*] *S. m. Astr.* Apside de uma órbita elíptica, no qual o astro secundário se acha mais próximo do centro de forças.
periforme. [De *pêra* + *-forme.*] *Adj. 2 g.* Piriforme.
perífrase. [Do gr. *periphrasis*, pelo lat. *periphrase.*] *S. f.* V. *circunlóquio:* "O estilo de Matias Aires é simples, puro e claro. Sente-se que, escrevendo, o pensamento abundante e poderoso não lhe permitia delongas, perífrases, volteios, variações" (Andrade Murici, *O Suave Convívio*, p. 120).
perifrasear. *V. t. d.* **1.** Explicar ou expor por perífrase. **2.** Fazer uso de perífrase. [Conjug.: v. *frear.*]
perifrástico. [Do gr. *periphrastikós.*] *Adj.* Respeitante a, ou que encerra perífrase.
perigador (ô). *Adj. P. us.* **1.** Que ameaça perigo. **2.** Em que há perigo; perigoso.
perigalho. [De esp. *perigallo?*] *S. m.* **1.** Pele do queixo ou do pescoço descaída por magreza ou velhice; pelanca. [Cf. *barbela* (1).] **2.** *Bras. Marinh.* Cabo ou teque usado para suspender o espinhaço dos toldos.
perigar. [De *perigo* + *-ar*[2].] *V. int.* Periclitar: "Concedeu-lhe entrar alta noite, a hora que ninguém o visse, para que a sua honra não perigasse" (Camilo Castelo Branco, *D. Luís de Portugal*, pp. 11-12). [Conjug.: v. *largar.*]
perigeu. [Do gr. *perígeion.*] *S. m. Astr.* Ponto da órbita de um astro em torno da terra, no qual esse astro se encontra mais próximo do centro do nosso planeta. [Antôn.: *apogeu.*]
periginia. *S. f. Bot.* Estado ou disposição de perígino.
perígino. [De *peri-* + *-gino.*] *Adj. Morfol. Veg.* Inserido em torno do ovário quando o receptáculo é profundo: *flor perígina.*
perigo. [Do lat. *periculu.*] *S. m.* **1.** Circunstância que prenuncia um mal para alguém ou para alguma coisa: *evitar o perigo; temer o perigo; expor seu patrimônio ao perigo.* **2.** Aquilo que provoca tal circunstância; risco: *Os entorpecentes são um perigo para a sociedade.* **3.** Estado ou situação que inspira cuidado; gravidade: *É um mal sem perigo.* **4.** *Bras. Gír.* Mulher tentadora, provocante. **5.** *Jur.* Situação de fato da qual decorre o temor de uma lesão física ou moral a uma pessoa ou de uma ofensa aos direitos dela. ◆ **A perigo.** *Bras. Gír.* **1.** Sem dinheiro; pindaíba. **2.** *P. ext.* Em qualquer situação difícil. [Sin. ger.: *na pior.*]
perigônico. *Adj. Morfol. Veg.* Relativo ou pertencente ao perigônio: *peça perigônica.*
perigônio. [De *peri-* + *-gon(o)-* + *-io*[1].] *S. m. Morfol. Veg.* Verticilo protetor formado somente de um círculo de peças, ou de mais de um, todas elas iguais, não podendo, assim, ser confundido com perianto (q. v.). [As peças do perigônio chamam-se *tépalas.*]
perígono. [De *peri-* + *-gono*[1].] *S. m. Geom.* Ângulo ou arco de 360°.
perigosa. [Fem. substantivado de *perigoso.*] *S. f. Bras., PB. Pop.* V. *cachaça* (1).
perigosidade. [De *perigos(o)* + *-i-* + *-dade.*] *S. f. Lus.* Periculosidade: "o Estado Maior da Armada tem procurado .... 'sensibilizar os utentes, chamar a atenção para a perigosidade de certos actos, procurar o equilíbrio de interesses'." (*Diário Popular*, Lisboa, 27.7.1983).
perigoso (ô). *Adj.* **1.** Em que há perigo; arriscado: *cruzamento perigoso.* **2.** Que causa ou ameaça perigo: *ferida perigosa; arma perigosa.* **3.** *Jur.* Que apresenta periculosidade.
perígrafo. [Do gr. *perigraphé*, 'contorno, esboço'.] *S. m. Anat.* Inserção tendinosa dos músculos retos do abdome.
perigual. [De *per* + *igual.*] *Adv. Ant.* Por igual; igualmente.
perilha. [De *pêra* + *-ilha.*] *S. f.* Ornato piriforme.
perilinfa. [De *peri-* + *linfa.*] *S. f. Anat.* Líquido que se encontra entre o labirinto ósseo e o membranoso.
perilo. *S. m.* Remate piramidal, muito agudo.
perilustre. [Do lat. *perillustre.*] *Adj. 2 g. P. us.* Ilustríssimo.
perimedular. [De *peri-* + *medular.*] *Adj. 2 g. Anat.* Situado à volta de medula.
perimetral. *Adj. 2 g.* Perimétrico.
perimetria. *S. f. Geom.* Medida do perímetro.
perimétrico. *Adj.* Relativo ou pertencente a perímetro; perimetral.
perímetro. [Do gr. *perímetros*, pelo lat. *perimetros.*] *S. m.* **1.** *Geom.* Contorno de uma figura limitada por segmentos de curvas. **2.** *Geom.* Medida do contorno de uma figura. [Com relação à circunferência, o voc. *perímetro* traduz-se por *comprimento.*] **3.** Linha que limita uma determinada área ou região: *perímetro urbano.* ◆ **Perímetro molhado.** Nas canalizações, a parte do perímetro de uma seção transversal em contato com o líquido.
perimir. [Do lat. *perimere.*] *V. t. d.* Pôr termo a, extinguir (ação ou instância judicial).
perimísio. [De *peri-* + *-mis-* + *-io*[1].] *S. m. Anat.* Tecido conjuntivo frouxo que reveste feixes musculares primitivos (*perimísio interno*) ou secundários (*perimísio externo*). ◆ **Perimísio externo.** *Anat.* V. *perimísio.* **Perimísio interno.** *Anat.* V. *perimísio.*
periná. [Do tupi *peri' ná.*] *S. m. Bras.* V. *cana-de-macaco* (1 e 2).
perinã. [Do tupi, decerto.] *S. m. Bras.* V. *anajá*[1] (1).
perinasal. [De *peri-* + *nasal.*] *Adj. 2 g.* ~ V. *seio —.*
perinatal. [De *peri-* + *natal.*] *Adj. 2 g. Med.* Diz-se dos períodos imediatamente anterior e posterior ao parto.
perineal. *Adj. 2 g.* Relativo ou pertencente ao períneo.
perinefrite. [De *peri-* + *-nefr(o)-* + *-ite*[1].] *S. f. Patol.* Inflamação do conjunto de tecidos que envolve cada um dos rins. [Cf. *nefrite.*]
perinefrítico. *Adj.* Referente à perinefrite.
períneo. [Do gr. *períneon*, pelo lat. *perineon.*] *S. m. Anat.* Espaço entre o ânus e os órgãos sexuais.
perineocele. [De *perineo-* + *-cele.*] *S. f. Patol.* Saliência herniária no períneo.
perineocélico. *Adj.* Referente à perineocele.
perineorrafia. [De *períneo* + *-raf-* + *-ia.*] *S. f. Cir.* Sutura para reparo de ruptura perineal.
perineorráfico. *Adj.* Relativo à perineorrafia.
perineotomia. [De *perineo-* + *-tom(o)-* + *-ia.*] *S. f. Cir.* Incisão no períneo.
perineotômico. *Adj.* Relativo à perineotomia.
perineu. *S. m. Anat.* V. *períneo.*
perineuro. [De *peri-* + *neuro.*] *S. m. Histol.* e *Anat.* Bainha conjuntiva que circunda cada feixe de fibras de nervo periférico.
periocular. [De *peri-* + *ocular.*] *Adj. 2 g. Anat.* Situado em redor de um olho ou de cada um deles.
periódica. [Fem. substantivado do adj. *periódico.*] *S. f. Gram.* Conjunção periódica.
periodical. *Adj. 2 g. Deprec.* Referente a periódicos, ou a periodistas ou jornalistas.
periodicidade. *S. f.* Qualidade do que é periódico.
periodicista. *S. 2 g. P. us.* V. *periodista.*

periódico. [Do gr. *periodikós*, pelo lat. *periodicu.*] *Adj.* **1.** Relativo ou pertencente a período: *O caráter periódico de um fenômeno.* **2.** Que se repete com intervalos regulares: *chuvas periódicas.* **3.** Que apresenta certos fenômenos ou sintomas em horas ou dias certos: *doença periódica.* ~ V. *cometa* —, *conjunção* —*a*, *dízima* —*a*, *dízima* —*a composta*, *dízima* —*a simples*, *movimento* — e *publicação* —*a*. ● *S. m.* **4.** Publicação periódica.

periodiqueiro. *S. m. Deprec.* V. *periodista.*

periodismo. *S. m.* **1.** Estado daquilo que é sujeito a movimentos periódicos. **2.** Jornalismo (2): "Quis .... o acaso que um jovem repórter do velho jornal, que a essa altura sofrera uma reforma de base e impunha modernas técnicas de periodismo, descobrisse o fio da meada." (Macedo Miranda, *As Três Chaves*, p. 76.)

periodista. *S. 2 g.* Pessoa que escreve em periódicos. [Sin.: *periodicista* (p. us.) e *periodiqueiro* (deprec.).]

periodização. *S. f.* Ato ou efeito de periodizar.

periodizar. *V. t. d.* **1.** Dividir em períodos. **2.** Expor em períodos.

período. [Do gr. *períodos*, 'circuito', pelo lat. *periodu.*] *S. m.* **1.** O tempo transcorrido entre duas datas ou dois fatos mais ou menos marcantes: *o período da ocupação holandesa em Pernambuco; o período da incubação de uma doença;* "Einstein concebeu sua teoria da relatividade generalizada no período de 1912 a 1915" (Ronaldo Rogério de Freitas Mourão, *Astronomia e Astronáutica*, p. 53). **2.** Qualquer intervalo de tempo, mais ou menos longo, determinado ou indeterminado: *período de adaptação; período de crise; período de uma doença.* **3.** Período (2), marcado por certas características gerais, e que se subdivide em épocas, fases, etc.: *o período colonial; os períodos pré-históricos; Este retrato foi tirado no último período de sua vida.* **4.** Época, fase: *o período da dentição; o período áureo de Atenas.* **5.** Estação, quadra; tempo, época: *No período do frio as andorinhas voam para o Sul.* **6.** *Arit.* O conjunto de algarismos que se repetem, numa dízima periódica. **7.** *Fís.* Num fenômeno periódico, tempo necessário para a realização de um ciclo; intervalo de tempo que, num fenômeno periódico, separa a passagem do sistema por dois estados idênticos. **8.** *Fís. Nucl.* Meia-vida. **9.** *Geol.* Divisão de cada uma das eras [v. *era* (7)], e que se subdivide em épocas [v. *época* (12)]. [Cronologicamente, assim se classificam os períodos: na *era proterozóica:* **a)** *período azóico:* aquele em que não há vestígio de vida (tb. chamado *período arqueano*); **b)** *período pré-cambriano:* aquele em que surgem os primeiros sinais de vida rudimentar (tb. chamado *período algonquiano*); § na *era paleozóica;* **c)** *período cambriano:* aquele em que aparecem os equinodermos, foraminíferos e trilobites; **d)** *período ordoviciano:* o que se caracteriza pelo desenvolvimento gradativo da fauna, sem ultrapassar os crustáceos; **e)** *período siluriano:* o que se caracteriza pelo progresso dos crustáceos, atingindo os trilobites o seu maior desenvolvimento, e pelo aparecimento dos peixes antracodermos e dos escorpiões; **f)** *período devoniano:* o que se caracteriza, na fauna, pelo aparecimento dos braquiópodes, vermes, insetos miriápodes, peixes (seláquios e ganóides), e na flora, pela predominância dos criptógamos vasculares; **g)** *período carbonífero:* o que se caracteriza na fauna, pela ampliação do número de invertebrados e surgimento dos batráquios e reptis, e na flora, pelas grandes dimensões a que chegam os criptógamos (quase 30 mm), e pelo aparecimento dos fanerógamos e dos gimnospermos; **h)** *período permiano:* aquele em que, na fauna, ocorre o desaparecimento dos trilobites, o desenvolvimento dos cefalópodes, batráquios, peixes e reptis, e na flora, a substituição dos criptógamos vasculares pelos gimnospermos (para alguns autores, os dois últimos períodos constituem o antracolítico); § na *era mesozóica:* **i)** *período triásico:* o que se caracteriza pela presença dos grandes sáurios aquáticos e terrestres; **j)** *período jurássico:* o que se caracteriza pelo aparecimento dos animais de transição entre reptis e aves (arqueoptérix); **l)** *período cretáceo:* aquele em que, na fauna, aparecem os primeiros mamíferos, de pequeno porte (marsupiais), e na flora, se nota o progresso dos gimnospermos (coníferas) e o surgimento dos angiospermos mono e dicotiledôneos; na *era cenozóica:* **m)** *período terciário:* aquele em que se observa intensa atividade do núcleo central, freqüentes mudanças da crosta terrestre, e extinção completa dos grandes sáurios, ao passo que os reptis, peixes e aves assumem um aspecto semelhante ao atual, e os mamíferos, sobretudo os ruminantes e proboscídeos, adquirem grande porte, e no fim do qual surgem os primeiros símios antropomorfos; **n)** *período quaternário:* aquele em que o clima, a fauna e a flora são semelhantes aos de hoje, e que é caracterizado pelo aparecimento do homem.] **10.** *Gram.* Oração ou reunião de orações que formam sentido completo. [Pode o período ser composto por *coordenação*, quando as orações que se sucedem são gramaticalmente independentes; por *subordinação*, quando há uma oração principal, a que se subordina(m) outra(s); e por *coordenação* e *subordinação*, quando formado por orações coordenadas e subordinadas.] **11.** *Mat.* O menor dos valores *T* para os quais uma função periódica *f(x) obedece à relação* $f(x) = f(x + t)$. **12.** *Mús.* Sucessão de grupos melódicos (frase) que formam um todo coerente. **13.** *Quím.* Conjunto de elementos que, no quadro da classificação periódica, ocupam uma mesma linha. **14.** *Bras.* V. *menstruação* (1). ◆ **Período anomalístico.** *Astr.* V. *revolução anomalística.* **Período antracolítico.** *Geol.* Designação comum aos períodos carboníferos e permiano. [Tb. se diz apenas *antracolítico.*] **Período arqueano.** *Geol.* V. *período* (9). [Tb. se diz apenas *arqueano.*] **Período azóico.** *Geol.* V. *período* (9). [Tb. se diz apenas *azóico.*] **Período calcolítico.** *Geol.* Período de transição entre o neolítico e a Idade do Bronze. **Período cambriano.** *Geol.* V. *período* (9). [Tb. se diz apenas *cambriano.*] **Período carbonífero.** V. *período* (9). [Tb. se diz apenas *carbonífero.*] **Período composto por coordenação.** *Gram.* V. *período* (10). **Período composto por coordenação e subordinação.** *Gram.* V. *período* (10). **Período composto por subordinação.** *Gram.* V. *período* (10). **Período cretáceo.** *Geol.* V. *período* (9). [Tb. se diz apenas *cretáceo.*] **Período da pedra lascada.** *Geol.* V. *período paleolítico.* **Período da pedra polida.** *Geol.* V. *período neolítico.* **Período de Chandler.** *Astr.* Variação polar [q. v.] descoberta, em 1891, pelo astrônomo norte-americano S. Chandler (1846-1913), a qual se realiza num período de 14 meses, ou 427 dias; nutação livre, ciclo de Chandler, componente chandleriano. **Período de incubação.** *Med.* O que decorre entre o momento em que se dá a penetração do germe no organismo e o momento em que surgem as primeiras manifestações de infecção. [Tb. se diz apenas *incubação.*] **Período de latência.** *Fisiol.* Período de aparente inatividade, tal como o que ocorre entre o início de estimulação e o início de uma resposta. [Tb. se diz apenas *latência.*] **Período devoniano.** *Geol.* V. *período* (9). [Tb. se diz apenas *devoniano.*] **Período draconítico.** *Astr.* V. *revolução draconítica.* **Período eolítico.** *Geol.* O período mais antigo do paleolítico. **Período jurássico.** *Geol.* V. *período* (9). [Tb. se diz apenas *jurássico.*] **Período menstrual.** Tempo de duração do fluxo menstrual; menstruação. **Período mesolítico.** Período pré-histórico intermediário, com características culturais próprias do paleolítico e do neolítico, ocorrido no final do plistoceno, após as últimas glaciações. [Tb. se diz apenas *mesolítico.*] **Período neolítico.** *Geol.* Período do holoceno em que os vestígios culturais do homem pré-histórico se caracterizam pela presença de artefatos de pedra polida (ainda não era utilizado o bronze) e pelo aparecimento da agricultura; período da pedra polida; idade da pedra polida. [Tb. se diz apenas *neolítico.*] **Período nódico.** *Astr.* V. *revolução draconítica.* **Período orbital.** *Astr.* Intervalo de tempo em que um astro completa uma revolução na sua órbita. **Período ordoviciano.** *Geol.* V. *período* (9). [Tb. se diz apenas *ordoviciano.*] **Período paleolítico.** *Geol.* Período pré-histórico que principia no final do plistoceno [q. v.], com o aparecimento dos mais antigos fósseis humanos, e se caracteriza pela presença de artefatos de osso e/ou de pedra fragmentada ou lascada, datando do final deste período notáveis desenhos e pinturas rupestres; período da pedra lascada; idade da pedra lascada. [Tb. se diz apenas *paleolítico.*] **Período permiano.** *Geol.* V. *período* (9). [Tb. se diz apenas *permiano.*] **Período permocarbonífero.** *Geol.* Reunião dos períodos permiano e carbonífero do paleozóico [v. *era paleozóica*]. **Período pré-cambriano.** *Geol.* V. *período* (9). [Tb. se diz apenas *pré-cambriano.*] **Período quaternário.** *Geol.* V. *período* (9). [Tb. se diz apenas *quaternário.*] **Período siluriano.** *Geol.* V. *período* (9). [Tb. se diz apenas *siluriano.*] **Período simples.** *Gram.* O que é formado por uma única oração. **Período sinódico.** *Astr.* V. *revolução sinódica.* **Período terciário.** *Geol.* V. *período* (9). [Tb. se diz apenas *terciário.*] **Período triádico.** *Geol. Obsol.* Período triásico. **Período triásico.** V. *período* (9). [Tb. se diz apenas *triásico.*]

periodontia. [De *peri-* + *-odont(e)-* + *-ia.*] *S. f.* Ramo da odontologia que se ocupa das periodontopatias.

periodontite. [De *peri-* + *-odont(e)-* + *-ite*[1].] *S. f. Odont.* Inflamação do periodonto; parodontite.

periodonto. [De *peri-* + *-odonto.*] *S. m. Odont.* O conjunto formado por osso em que está implantado um dente, formação ligamentar disposta em torno dele e cemento.

periodontoclasia. *S. f. Odont.* Degeneração do periodonto.

periodontopatia. [De *peri-* + *-odont(e)-* + *-pat(o)-* + *-ia.*] *S. f. Odont.* Qualquer condição mórbida do periodonto.

perioftalmia. [De *peri-* + *-oftalm(o)-* + *-ia.*] *S. f. Patol.* Inflamação de tecidos em torno do(s) olho(s).

perioftálmico. *Adj.* **1.** Relativo à perioftalmia. **2.** Relativo ou pertencente à região que rodeia cada globo ocular.

periórbita. [De *peri-* + *órbita.*] *S. f. Anat.* Periósteo que reveste cada cavidade orbitária.

periósseo. [De *peri-* + *ósseo.*] *S. m. Anat.* V. *periósteo.*

periostal. *Adj. 2 g.* V. *periosteal.*

periosteal. *Adj. 2 g. Anat.* e *Histol.* Relativo ou pertencente ao periósteo; periostal.

periosteíte. *S. f. Patol.* Inflamação do periósteo; periostite.

▲**periost(e)(o)-.** [Do gr. *periósteos, os, on.*] *El. comp.* 'periósteo': *periosteófito, periosteíte.*

periósteo. [Do gr. *periósteon.*] *S. m. Anat.* Membrana conjuntiva que reveste externamente os ossos; periósseo.

periosteose. [De *periost(e)(o)-* + *-ose.*] *S. f.* Neoformação óssea em volta dum osso.

periosteófito. [De *periost(e)(o)-* + gr. *phytón*, 'produção, formação'.] *S. m. Med.* Formação óssea que se origina do periósteo.

periosteotomia. [De *periost(e)(o)-* + *-tom(o)-* + *-ia.*] *S. f. Cir.* Incisão do periósteo.

periosteotômico. *Adj.* Referente à periosteotomia.

periostico. *Adj.* V. *periosteal.*

periostite. [De *periost(e)(o)-* + *-ite*[1]] *S. f. Patol* V. *periosteíte.*

periostose. [De *periost(e)(o)-* + *ose.*] *S. f. Patol.* Acúmulo anormal de osso no periósteo.

perióstraco. [De *peri-* + *-óstraco.*] *S. m. Zool.* Epiderme das conchas.

periovular. [De *peri-* + *ovular.*] *Adj. 2 g. Anat.* Que envolve o óvulo.

periparoba. *S. f. Bras.* Var. de *pariparoba.*

peripatético. [Do gr. *peripatetikós*, 'que gosta de passear', pelo lat. *peripateticu.*] *Adj.* **1.** *Filos.* Aristotélico (1 e 2). **2.** *Restr.* Pertencente ou relativo ao peripatetismo. **3.** Que se ensina passeando. **4.** Fig. Exagerado na expressão, nos gestos. ~ V. *escola* —*a*. ● *S. m.* **5.** Aristotélico (3): "Consultamos .... todos os escolásticos, todos os platônicos, todos os peripatéticos, todos os epicuristas" (Ramalho Ortigão, *As Farpas*, II, p. 37).

peripatetismo. [De *peripatético* + *-ismo*, com síncope.] *S. m. Hist. Filos.* **1.** Aristotelismo (1). **2.** *Restr.* Conjunto de doutrinas dos filósofos que, na Antiguidade, pertenceram à escola de Aristóteles. [V. *alexandrinismo.* Sin. ger.: *escola peripatética.*]

peripatetizar. [De *peripatético* + *-izar*, com síncope.] *V. int.* Passear, lecionando, ou falando em tom professoral: "o Dr. Mendes Pimentel e o Desembargador Rafael Magalhães (Platão e Sócrates) peripatetizam ao anoitecer, rumo ao Cinema Odeon." (Carlos Drummond de Andrade, *A Bolsa & a Vida*, p. 178).

perípato. [Do gr. *perípatos*, 'passeio'.] *S. m.* O sistema filosófico de Aristóteles [v. *aristotélico.*]

peripécia. [Do gr. *peripéteia*, 'incidente'.] *S. f.* **1.** Lance de narrativa, peça teatral, poema, etc., que altera a face das coisas, e modifica a ação e a situação de personagens: "É verdade que à primeira vista parece estranho que um poema, que nasceu nos braços da alegria e da festividade, exija de sua natureza uma peripécia sanguinolenta" (Correia Garção, *Obras Poéticas e Oratórias*, p. 434). **2.** *Fam.* Sucesso imprevisto; incidente; aventura: "Interessou-me aquele rosto enrugado e macilento, em que julguei descobrir vestígios de um passado cheio de peripécias e vicissitudes." (Artur Azevedo, *Contos Cariocas, p. 152.)

periperiaçu. [Do tupi.] *S. m. Bras.* V. *papiro* (1).

peripetunga. [Do tupi, decerto.] *S. f. Bras.* Peixe teleósteo, caraciforme, da família dos caracídeos *(Brycon reinhardti,* Luetk.), do rio São Francisco.

peripiema. [Do gr. *peripyema.*] *S. m. Patol.* Supuração em redor de um órgão.

peripitinga. [Do tupi.] *S. f. Bras.* Certo peixe fluvial.

périplo. [Do gr. *períplous,* pelo lat. *periplu.*] *S. m.* **1.** Navegação à volta de um continente: *périplo africano;* "Magalhães caiu, quando eram passados os transes gloriosos daquele circuito aventuroso de milhares de léguas, o qual não ousariam nem sequer fantasiar como poema os que admiraram na Antiguidade os périplos de Cílax e de Hanon, e os que contaram a famosa expedição dos Argonautas." (Latino Coelho, *Fernão de Magalhães,* p. 212.) **2.** Relação de uma viagem desse gênero.

peripneumonia. [Do gr. *peripneumonía,* pelo lat. *peripneumonia.*] *S. f. Obsol.* Inflamação em torno do pulmão.

peripneumônico. [Do gr. *peripneumonikós,* pelo lat. *peripneumonicu.*] *Adj.* **1.** Relativo a, ou que tem peripneumonia. • *S. m.* **2.** Aquele que tem peripneumonia.

peripolar. [De *peri-* + *polar.*] *Adj. 2 g.* Situado em volta do pólo.

peripomonga. [Do tupi *peripo'mong,* 'junco pegajoso'.] *S. f. Bras.* V. *maçambará.*

periproctite. [Do *peri-* + *-proct(o)-* + *-ite*[1].] *S. f. Patol.* Inflamação dos tecidos que envolvem o reto.

periproctítico. *Adj.* Relativo à periproctite.

períptero. [Do gr. *perípteron,* pelo lat. *peripteron.*] *S. m. Arquit.* Edifício que em todo o derredor tem colunas isoladas.

periquécio. [De *peri-* + gr. *chaitē,* 'cabelos esvoaçantes', 'folhagem' + *-io*[1].] *S. m. Morfol. Veg.* O conjunto das folhas que protegem os arquegônios dos musgos. É facilmente identificável por assumir a forma de pequena rosa verde, sobretudo quando está no ápice dos raminhos.

periquita. [De *periquito*[1].] *S. f. Bras., N.* e *N.E. Chulo.* V. *vulva:* "Vi a periquita da prima e aquilo me arrastou para a libertinagem da casa dos carros." (José Lins do Rego, *Meus Verdes Anos,* p. 110.)

periquitambóia. *S. f. Bras., Amaz.* V. *ararambóia.*

periquitar. [De *periquito* + *-ar.*[2].] *V. int. Bras. Fam.* Andar com os pés para dentro.

periquiteira. [De *periquito*[1] + *-eira.*] *S. f. Bras.* Designação comum a duas plantas da família das coclospermáceas *(Cochlospermum regium* e *C. orinocense),* providas de grandes flores amarelas, e de cápsulas que contêm uma sorte de paina. A primeira é um subarbusto dos cerrados, dito *algodoeiro-do-campo,* e a segunda é pequena árvore da mata.

periquiteira-do-campo. *Bras. S. f.* V. *butuá-de-corvo.* [Pl.: *periquiteiras-do-campo.*]

periquitinho. [Dim. de *periquito*[1].] *S. m. Bras.* V. *tuim.*

periquito[1]**.** [Do esp. *periquito.*] *S. m.* **1.** *Bras.* Ave psitaciforme, da família dos psitacídeos (*Tirica chiriri* (Vieil.)), de larga distribuição geográfica, de coloração verde, com parte das coberteiras superiores maiores da asa amareladas e as coberteiras das rêmiges da mão azuis; tuixiriri. **2.** *Bras.* V. *integralista* (3). **3.** *Bras.* V. *palmeirense*[6]. **4.** *Bras.* Chupão (6). **5.** *Bras., Amaz.* Erva da família das amarantáceas *(Alternanthera paronychioides),* reptante, que cobre amplas extensões nas praias de lama, expostas durante o verão, de flores pequeninas, secas por natureza e agregadas em inflorescências compactas. **6.** *Bras., N.E.* Pequeno candeeiro de folha-de-flandres, com torcida de algodão embebida em querosene; alcoviteiro, bibiano, corriqueiro, fifó, mexeriqueiro. **7.** *Bras., N.* e *N.E. Pop. Chulo.* V. *vulva.* • *Adj.* **8.** *Bras.* V. *palmeirense*[6].

periquito[2]**.** [Do esp. *periquillo.*] *S. m.* **1.** *Bras.* Nó que se dá com o próprio cabelo na cabeça dos meninos. **2.** *Bras., Amaz.* Nó que se dá nas extremidades das mortalhas dos indigentes. **3.** *Bras., SP.* V. *cocó.*

periquito-da-campina. *S. m. Bras.* V. *periquito-de-asa-branca.* [Pl.: *periquitos-da-campina.*]

periquito-d'anta. *S. m. Bras.* **1.** V. *periquito-urubu.* **2.** V. *marianita.* [Pl.: *periquitos-d'anta.*]

periquito-da-serra. *S. m. Bras.* Ave psitaciforme, da família dos psitacídeos (*Pyrrhura leucotis griseipectus* Salv.), da Serra de Baturité, no CE. Tem peito cinzento, coberteiras das rêmiges primárias azuis, alto da cabeça pardacento, nuca azul-esverdeada, dorso rubro da região escapular à cauda, coberteiras auriculares brancacentas, a curva da asa rubra e o vértice cor de sépia. Alimenta-se de bagas, frutos e sementes em geral. [Pl.: *periquitos-da-serra.*]

periquito-de-asa-branca. *S. m. Bras.* Ave psitaciforme, da família dos psitacídeos (*Tirica virescens* (Gmel.)), do E. do Peru, Guiana, baixo Amazonas, desde o Jamundá e o Tapajós até o delta amazônico, e leste do PA. Coloração geral verde, coberteiras superiores maiores da asa amarelas, coberteiras das rêmiges da mão azuis, e as rêmiges do braço amarelo-claras. [Sin.: *periquito-da-campina, juparaba.* Pl.: *periquitos-de-asa-branca.*]

periquito-de-cabeça-preta. *S. f. Bras.* Ave psitaciforme, da família dos psitacídeos (*Pionites melanocephalus* (L.)), do N. do rio Amazonas, de coloração geral verde, com alto da cabeça e rêmiges pretas, nuca alaranjada, garganta, coxas e coberteiras inferiores da cauda amarelas, e abdome branco; maipuré. [Pl.: *periquitos-de-cabeça-preta.*]

periquito-de-são-joão. *S. m. Bras.* V. *periquito-do-espírito-santo.* [Pl.: *periquitos-de-são-joão.*]

periquito-de-testa-amarela. *S. m. Bras.* V. *periquito-estrela.* [Pl.: *periquitos-de-testa-amarela.*]

periquito-do-espírito-santo. *S. m. Bras.* Designação comum a várias espécies de aves psitaciformes, da família dos psitacídeos, do gênero *Forpus Boie,* especialmente *F. modestus* Cab. e *F. passerinus* (L.), esta com cinco subespécies no Brasil. O macho do primeiro é verde, com a fronte e lados da cabeça amarelados, dorso inferior, rêmiges e coberteiras superiores maiores da asa azuis; a fêmea é verde. [Sin.: *periquito-santo, periquito-de-são-joão.* Pl.: *periquitos-do-espírito-santo.*]

periquito-estrela. *S. m. Bras.* Ave psitaciforme, da família dos psitacídeos (*Brotogeris sanctithomae* (Mul.)), do N.E. do Brasil e E. do Equador e do Peru, de coloração verde, com a fronte, a parte anterior do vértice e uma mancha atrás do olho amarelas. [Sin.: *periquito-de-testa-amarela, estrelinha.* Pl.: *periquitos-estrelas* e *periquitos-estrela.*]

periquito-gangarra. *S. m. Bras., PB.* Periquito comum nas Caatingas do N.E. *(Aratinga cactorum* (Wied.)). [Pl.: *periquitos-gangarras* e *periquitos-gangarra.*]

periquito-real. *S. m. Bras.* V. *cuiú-cuiú* (1). [Pl.: *periquitos-reais.*]

periquito-rei. *S. m.* **1.** *Bras., Amaz.* V. *jandaia.* **2.** *Bras., RJ.* V. *cuiú-cuiú* (1). [Pl.: *periquitos-reis.*]

periquito-santo. *S. m. Bras.* V. *periquito-do-espírito-santo.* [Pl.: *periquitos-santos.*]

periquito-tapuia. *S. m. Bras.* V. *tiriba.* [Pl.: *periquitos-tapuias.*]

periquito-urubu. *S. m. Bras.* Ave psitaciforme, da família dos psitacídeos (*Gypopsitta vulturina* (Kuhl)), do E. do PA e margem direita do baixo Amazonas. Tem coloração geral verde, cabeça nua, nuca e garganta amarelas, marginadas de preto, peito amarelo tirante a oliváceo, encontro alaranjado, coberteiras inferiores das asas vermelhas, rêmiges pretas marginadas de azul e parte inferior com tom azulado. [Sin.: *periquito-d'anta, papagaio-urubu, urubu-paraguá, piripiri.* Pl.: *periquitos-urubus* e *periquitos-urubu.*]

periquito-vassoura. *S. m. Bras.* V. *tuim.* [Pl.: *periquitos-vassouras* e *periquitos-vassoura.*]

periquito-verdadeiro. *S. m. Bras.* Ave psitaciforme, da família dos psitacídeos (*Tirica tirica* (Gmel.)), do E. do Brasil, de coloração verde, axilas e lados do tórax amarelos, coberteiras azuis, e as duas rêmiges medianas com centro azul. Vive em bandos e freqüenta as matas. [Pl.: *periquitos-verdadeiros.*]

períscio. [De *periscios.*] *S. m. Astr.* Ponto da superfície terrestre situado nos círculos árticos, de tal sorte que a sombra de uma haste vertical pode estar em todas as direções em um plano horizontal no decorrer do mesmo dia. ~ V. *períscios.*

períscios. [Do gr. *perískioi,* 'que dão sombra para todos os lados'.] *S. m. pl.* **1.** *Astr.* Periecos [q. v.]. **2.** *Geog.* Habitantes das zonas glaciais, que no mesmo dia vêem projetar-se a sombra para todos os lados do horizonte. ~ V. *períscio.*

periscópico. *Adj.* **1.** Relativo ao periscópio. **2.** Diz-se das lentes que têm uma das faces plana ou côncava e a outra convexa. **3.** Que permite ver em toda a volta do horizonte, em todas as direções.

periscópio. [De *peri-* + *-scop-* + *-io*[2].] *S. m.* Instrumento óptico que permite ver por cima de um obstáculo, usado especialmente nos submarinos, nas trincheiras, etc.

perisperma. [De *peri-* + *-sperma.*] *S. m. Morfol. Veg.* Tecido de reserva originária da nucela, que se forma em certas sementes. Pode coexistir com o endosperma e é bem manifesto nas piperáceas.

perispermada. *Adj. (f.). Bot.* Diz-se da semente que tem perisperma.

perispérmico. *Adj. Bot.* Que tem perisperma.

perispirítico. *Adj.* Referente a perispírito; perispiritual.

perispírito. [De *peri-* + *espírito.*] *S. m.* Organismo homogêneo que desempenha, conforme os espíritas, todas as funções da vida psíquica ou da vida separada do corpo, funções essas correspondentes, na vida terrena, a outros tantos sentidos.

perispiritual. *Adj. 2 g.* Perispirítico.

perisporângio. [De *peri-* + *esporângio.*] *S. m. Bot.* **1.** Membrana que envolve os esporângios dos fetos. **2.** *Desus.* Indúsio (2).

perissístole. [De *peri-* + *sístole.*] *S. f.* Intervalo entre a sístole e a diástole.

perissistólico. *Adj.* Respeitante à perissístole.

perissodáctilo. [Do gr. *perissodáktylos.*] *S. m.* **1.** Espécime dos perissodáctilos. • *Adj.* **2.** Pertencente ou relativo a eles. [Var.: *perissodátilo.*]

perissodáctilos. *S. m. pl. Zool.* Animais mamíferos, da ordem *Perissodactyla,* geralmente de grande porte. Têm membros alongados, dedos em número ímpar, cada um revestido de um casco córneo, e estômago simples. São os cavalos, as antas e os rinocerontes. [Var.: *perissodátilos.*]

perissodátilo. *S. m.* e adj. Var. de *perissodáctilo.*

perissodátilos. *S. m. pl. Zool.* Var. de *perissodáctilos.*

perissologia. [Do gr. *perissología,* pelo lat. *perissologia.*] *S. f.* Vício de linguagem que consiste em repetir várias vezes, por palavras diferentes, um pensamento já enunciado.

perissológico. *Adj.* Relativo à, ou em que há perissologia.

peristalse. [De *peri-* + gr. *stálsis,* 'ação de enviar'.] *S. f. Fisiol.* Movimento vermiforme, progressivo, da musculatura de órgãos ocos, e que impulsiona para diante o conteúdo desses órgãos, em certos casos (fezes, urina), eliminando-o para o exterior; peristaltismo. [Cf. *aperistalse.*]

peristáltico. [Do gr. *peristaltikós,* 'compressor'.] *Adj.* Relativo à, ou próprio da peristalse.

peristaltismo. [De *peristáltico* + *-ismo,* com síncope.] *S. m. Fisiol.* Peristalse. [Cf. *aperistaltismo.*]

perístase. [Do gr. *perístasis,* pelo lat. *peristase.*] *S. f.* O assunto completo de um discurso, com todos os seus pormenores.

peristerídeo. *S. m.* **1.** Espécime dos peristerídeos. • *Adj.* **2.** Pertencente ou relativo a eles.

peristerídeos. *S. m. pl. Zool.* Aves columbiformes, da família *Peristeridae,* caracterizadas pelo tarso do mesmo comprimento ou mais comprido que o dedo anterior médio. Regime alimentar semelhante ao dos columbídeos. São as rolinhas e as juritis. [Cf. *columbídeos.*]

peristilo. [Do gr. *perístylon,* pelo lat. peristylu.] *S. m.* Galeria de colunas em volta de um pátio ou de um edifício: "Pinta-a enfim — não em vasto peristilo / De capitéis coríntios, mas naquela / Sóbria feição do estilo dório, estilo / Que, por mais simples, é mais próprio dela" (Raimundo Correia, *Poesias,* p. 35).

perístole. [Do gr. *peristolé,* 'ação de envolver'.] *S. f. Biol.* Capacidade que tem o estômago de adaptar-se ativamente à massa dos alimentos ingeridos.

perístoma. [De *peri-* + *-stoma.*] *S. m. Bot.* Conjunto de dentes que se insere no bordo superior, livre, da cápsula dos musgos, e que regula a saída dos esporos, conforme a umidade do ar circundante. Pode ser simples, ou duplo (com duas séries de dentes).

peristomático. *Adj.* Relativo ou pertencente ao, ou próprio do perístoma: *dente peristomático.*

peristômio. [De *peri-* + *-stoma-* + *-ico*[2].] *S. m.* **1.** *Zool.* Cavidade da cabeça da mosca, onde se recolhe a tromba. **2.** *Zool.* Espessura duma concha univalve, na direção da sua abertura.

peritagem. *S. f.* Exame ou vistoria feita por perito(s) [V. *perito* (5 e 6)]; perícia.

peritalo. [De *peri-* + *talo.*] *S. m. Bot.* Porção marginal, mais jovem e de cor diferente, do talo liquênico.

peritécio. [De *peri-* + *-tec(o)-* + *-io*[2].] *S. m. Morfol. Veg.* Órgão produtor de ascos, que está mergulhado no talo e só se abre por um orifício. É próprio de fungos ascomicetos e de liquens.

peritético. [De *peri-* + gr. *téktikos,* 'solúvel'] *S. m. Fís.-Quím.* Sólido binário que se decompõe ao fundir, e cuja temperatura de fusão não é nem um máximo

nem um mínimo na curva de fusão.
peritiflite. [De *peri-* + *-tifl(o)-* + *-ite*[1].] *S. f. Patol. Desus.* Peritonite pericecal.
peritiflítico. *Adj.* Relativo à peritiflite.
perito (i). [Do lat. *peritu.*] *Adj.* **1.** Experimentado, experiente, prático, versátil: "Lavradeira perita, bordava a branco, a matiz e a ouro" (Coelho Neto, *Rei Negro*, p. 41); *É pessoa perita em radiotelegrafia.* **2.** Sábio, douto, erudito, sabedor: *Compareceram ao congresso alguns historiadores peritos em egiptologia.* **3.** Hábil, destro, fino, sagaz: *O comerciante escolheu um advogado perito em direito trabalhista.* ● *S. m.* **4.** Aquele que é sabedor ou especialista em determinado assunto; experto: "Tratava-se de Mr. Brown, o mais célebre perito do *British Museum* em matéria de porcelanas do Oriente" (Joaquim Paço d'Arcos, *O Navio dos Mortos e Outras Novelas*, p. 273). **5.** Aquele que se acha habilitado para fazer perícia (3). **6.** Aquele que é nomeado judicialmente para exame ou vistoria.
perito-contador. *S. m.* Contador especializado em efetuar perícia de escritas contábeis. [Pl.: *peritos-contadores.*]
peritoneal. *Adj. 2 g.* Relativo ou pertencente ao peritônio. ~ V. *diálise* —.
peritoneu. *S. m. Anat.* V. *peritônio.*
peritônio. [Do gr. *peritónion*, pelo lat. *peritoneu.*] *S. m. Anat.* Membrana serosa que reveste internamente as cavidades abdominal e pélvica (*peritônio parietal*) e órgãos nelas contidos (*peritônio visceral*). ♦ **Peritônio parietal.** *Anat.* V. *peritônio.* **Peritônio visceral.** *Anat.* V. *peritônio.*
peritonite. [De *peritônio* + *-ite*[1].] *S. f. Patol.* Inflamação do peritônio.
peritonização. [De *peritonizar* + *-ção.*] *S. f. Cir.* Ação de peritonizar.
peritonizar. [De *peritônio* + *-izar.*] *V. t. d. Cir.* Recobrir com peritônio (área traumatizada acidental ou cirurgicamente).
peritorácico. [De *peri-* + *torácico.*] *Adj. Anat.* Situado à volta do tórax.
perítrico. [De *peri-* + *-trico.*] *Adj. Morfol. Veg.* Que tem pêlos em todo o contorno: *bacilo perítrico.*
peritríquio. [De *peri-* + *-triqu(i)-* + *-io*[1].] *S. m.* **1.** Espécime dos peritríquios. ● *Adj.* **2.** Pertencente ou relativo aos peritríquios.
peritríquios. *S. m. pl. Zool.* Animais protozoários, euciliados, da ordem *Peritricha*, providos de uma fileira de cílios adorais, que principia à esquerda do peristômio, dirigindo-se para a direita.
perituro. [Do lat. *perituru.*] *Adj.* **1.** V. *perecedouro.* **2.** Que vai perecer.
perivascular. [De *peri-* + *vascular.*] *Adj. 2 g. Anat.* Situado em torno de vaso sanguíneo.
perivisceral. [De *peri-* + *visceral.*] *Adj. 2 g. Anat.* e *Patol.* Situado ou ocorrente em torno de víscera.
periviscerite. [De *peri-* + *víscera* + *-ite*[1].] *S. f. Patol.* Inflamação em torno de víscera.
perjurar. [Do lat. *perjurare.*] *V. t. d.* **1.** Abjurar (1 e 2). *T. i.* **2.** Jurar falso. *Int.* **3.** Quebrar o juramento; jurar falso: *Não perjures ao Céu, sê fiel ao que juraste.*
perjúrio. [Do lat. *perjuriu.*] *S. m.* **1.** Ato ou efeito de perjurar. **2.** Juramento falso.
perjuro. [Do lat. *perjuru.*] *Adj.* e *s. m.* Que ou aquele que perjura; que falta à fé jurada.
perla. *S. f. Ant.* e *pop.* Pérola: "ondas de azul e prata em cada rio, / as perlas e os rubis de tuas fontes" (Tomás Ribeiro, *D. Jaime*, p. 4).
perlado. [De *perla* + *-ado*[1].] *Adj.* Que tem forma ou aparência de pérola; perolado.
perlar. [De *perla* + *-ar*[2].] *V. t. d.* **1.** Dar forma ou aparência de pérola a. **2.** Tornar como que revestido de pérolas: "Dantas se agitava, o suor lhe perlava a fronte marmórea." (Gilberto Amado, *Depois da Política*, p. 134.) [F. paral.: *perolar.*]
perlário. *S. m.* e *adj.* V. *plecóptero.*
perlários. *S. m. pl. Zool.* V. *plecópteros.*
perlasso. [Do al. *Perlasche*, 'cinza de pérola'.] *S. m.* Designação comercial comum às potassas mais puras e brancas.
perlavar. [Do lat. *perlavare.*] *V. t. d.* **1.** Lavar totalmente; abluir, purificar. *T. d.* e *i.* **2.** Limpar; livrar: *A absolvição do réu perlavou a sua dignidade de desonrosas implicações.*
perlenda. *S. f. Pop.* V. *parlenda.*
perlenga. *S. f. Pop.* V. *parlenda*: "o dissídio prolongava-se e o tempo urgia. Interveio então, e cortou a perlenga, ... o Marquês de Barbacena" (Darci Azambuja, *A Prodigiosa Aventura*, p. 8).
perleúdo. [De *per* + *leúdo*, part. arc. de *ler.*] *Adj. Deprec.* Muito lido; muito sabedor.
perlífero. [De *perla* + *-i-* + *-fero.*] *Adj.* Que produz ou contém pérolas; perolífero.
perliquitete (ê). *Adj.* Espevitado, pretensioso, pernóstico.
perlítico. [De *perla* + *-ito-*[2] + *-ico*[2].] *Adj. Geol.* Diz-se de estrutura semelhante à da pérola, caracterizada por camadas concêntricas, e peculiar ao vidro vulcânico, e originada em virtude de contração durante o resfriamento.
perlonga. [Dev. de *perlongar.*] *S. f.* Demora capciosa; delonga, adiamento.
perlongante. *Adj. 2 g.* Que perlonga.
perlongar. [De *per-* + *longo* + *-ar*[2].] *V. t. d.* **1.** Ir ao longo de; costear: *A embarcação perlonga vários estados litorâneos.* **2.** Estender-se ao longo de: "Verdes mares, que brilhais como líquida esmeralda aos raios do sol nascente, perlongando as alvas praias ensombradas de coqueiros" (José de Alencar, *Iracema*, p. 49). **3.** Demorar, dilatar; adiar. *T. i.* **4.** Mover-se paralelamente; ir em sentido paralelo: *O viandante perlongava com o rio.* [Conjug.: v. *largar.*]
perlongo. [Do lat. *perlongu.*] *S. m. Bras.* **1.** Telhado em declive. **2.** Cada um dos lados do perlongo (1).
perlóptero. *S. m.* e *adj.* V. *plecóptero.*
perlópteros. *S. m. pl. Zool.* V. *plecópteros.*
perlustração. *S. f.* Ato de perlustrar.
perlustrador (ô). *Adj.* e *s. m.* Que ou aquele que perlustra.
perlustrar. [Do lat. *perlustrare.*] *V. t. d.* **1.** Percorrer com a vista, observando, examinando; observar diligentemente. **2.** Correr ou andar por; correr, percorrer: "parecia-lhe que .... uns animálculos desconhecidos perlustravam seu corpo em carreira vertiginosa." (Afonso Arinos, *Pelo Sertão*, p. 25.) **3.** Percorrer, visitar: "Perlustrando as criptas de abomináveis defuntos da história moderna, cita a morte horrenda dos perseguidores da religião." (Camilo Castelo Branco, *Maria da Fonte*, p. 330.)
perluxidade (cs). *S. f. Pop.* Qualidade de perluxo.
perluxo (cs). [Alter. de *prolixo.*] *Adj. Pop.* **1.** Demorado; prolixo. **2.** Vaidoso, presumido.
permanecente. *Adj. 2 g.* Que permanece; duradouro; estável.
permanecer. [Do lat. **permanescere*, incoativo de *permanere.*] *V. pred.* **1.** Continuar a ser ou ficar; conservar-se: "tão profundamente francesa é Joana d'Arc, que permanece absolutamente francesa, mesmo naqueles estados d'alma que são mais alheios ao gênio da França" (Eça de Queirós, *Cartas Familiares e Bilhetes de Paris*, p. 3); "Não suportei permanecer parada: precisava andar" (Geraldo França de Lima, *Branca Bela*, p. 82). *T. i.* **2.** Persistir, perseverar, insistir: *Permanece na idéia de ausentar-se.* *Int.* **3.** Demorar-se, fixar: *Veio por uma semana, e permaneceu três meses.* **4.** Continuar existindo; durar; existir: *Morreram-lhe quase todos os parentes, e ele permanece.* [Conjug.: v. *aquecer.*]
Permanência. [Do lat. *permanentia.*] *S. f.* **1.** Ato de permanecer; demora, estada: Minha permanência na Europa foi de três semanas. **2.** Estado ou qualidade de permanente; perseverança, continuidade, constância: *a permanência de uma enfermidade, de um mal-entendido.*
permanente. [Do lat. *permanente.*] *Adj. 2 g.* **1.** Que permanece; contínuo, ininterrupto; constante; *uma dor permanente; sessão permanente.* **2.** Duradouro, durável: *As pregas desta saia são permanentes.* **3.** Que tem organização estável: *residência permanente; conselho permanente.* ~ V. *crime* —, *dente* —, *exército* —, *gás* — e *via* —. ● *S. m.* **4.** *Bras.* Cartão ou senha que permite ao seu possuidor ingressar graciosamente nas casas de diversões, viajar também de graça nas viaturas de determinada companhia, etc. **5.** *Bras.* Soldado do corpo dos permanentes [q. v.]: "Fora porteiro de diversas ordens religiosas, ... depois permanente de polícia" (Aluísio Azevedo, *O Coruja*, p. 17). *S. f.* **6.** *Bras.* Ondulação artificial do cabelo, relativamente duradoura. ~ V. *permanentes.*
permanentes. [Pl. de *permanente.*] *S. m. pl. Bras.* Os antigos soldados da Guarda Nacional, com os quais se formaram os primeiros corpos de polícia. ~ V. *permanente.*
permanganato. *S. m. Quím.* Qualquer sal com o ânion monovalente MnO_4^-.
permeabilidade. *S. f.* **1.** Qualidade de permeável. **2.** *Fís.* Quociente do módulo da indução magnética pela intensidade do campo magnético.
permeabilização. *S. f.* Ação ou efeito de permeabilizar (-se).
permeabilizar. *V. t. d.* e *p.* Tornar(-se) permeável.
permeação. *S. f.* Ação ou efeito de permear.
permeâmetro. [De *permear* + *-metro*[2].] *S. m. Fís.* Instrumento com que se mede a permeabilidade dum material ferromagnético.
permeância. [De *permear* + *-ância.*] *S. f. Fís.* Num circuito magnético, o inverso da relutância do circuito.
permear. [Do lat. *permeare.*] *V. t. d.* **1.** Penetrar, atravessar, traspassar, trespassar: *Belos brincos permeavam as orelhas da dama*; "O interesse pelo feitio excepcional do homem permeou a escuridão que se me espessara no ânimo." (Gilberto Amado, *Depois da Política*, p. 139). *T. d.* e *i.* **2.** Fazer passar pelo meio; entremear: *Os botocudos furam o lábio inferior e os lóbulos da orelha, permeando-os de botoques.* *T. i.* **3.** Estar de permeio; interpor-se. *Int.* **4.** Vir, sobrevir. [Conjug.: v. *frear.*]
permeável. [Do lat. *permeabile.*] *Adj. 2 g.* Que se pode permear; que pode ser repassado ou transpassado; que deixa passar: *Essa parede é permeável ao som.* ~ V. *terreno* —.
permeio. [De *per-* + *meio.*] *Adv. P. us.* No meio; de permeio: "Deu-me uma cadeira, e, com o balcão permeio, falou-me longamente de si" (Machado de Assis, *Memórias Póstumas de Brás Cubas*, p. 117). ♦ **De permeio.** **1.** Entre (pessoas ou coisas); no meio: *Falavam a pequena distância um do outro, apenas com a mesa de permeio*; "Tenho diante de mim .... este mundo e o nada. Não te metas de permeio, que já não tens razão de ser." (Raul Brandão, *Húmus*, p. 83). **2.** No meio; de mistura: *Comprei um cesto de laranjas, e vieram algumas tangerinas de permeio.* **3.** Neste entremeio; neste ínterim; entretanto, entrementes: *Trabalhou muito, viajou terras e terras, e, de permeio, amou intensamente.*
permiano. [Do top. *Perm* + *-i-* + *-ano.*] *Adj.* **1.** De, ou pertencente ou relativo a Perm (Rússia). ~ V. *período* —. ● *S. m.* **2.** Língua uralo-altaica, do grupo ugro-finlandês. **3.** *Geol.* Período permiano.
permil. [De *per* + *mil.*] *S. m. Estat.* Qualquer das separatrizes que dividem a área de uma distribuição de freqüência em domínios de área igual a múltiplos inteiros de um milésimo da área da distribuição.
permissão. [Do lat. *permissione.*] *S. f.* **1.** Ato ou efeito de permitir; consentimento, licença, autorização. **2.** *Ret.* Figura pela qual se deixa aos ouvintes ou adversários a decisão de algo.
permissibilidade. *S. f.* Qualidade do que é permissível.
permissionário. [Do lat. *permissione*, 'permissão', + *-ário.*] *Adj.* e *s. m.* Que ou aquele que recebeu licença; licenciado: *Os militares permissionários visitaram as famílias.*
permissível. [Do lat. *permissu*, part. pass. de *permittere*, 'permitir', + *-ível.*] *Adj. 2 g.* Que pode ser permitido; admissível, lícito.
permissividade. *S. f.* **1.** Qualidade de permissivo. **2.** *Eletr.* Produto da constante dielétrica de um material pela permissividade do vácuo; razão entre o módulo do vector deslocamento elétrico em um material e o módulo do campo elétrico. ♦ **Permissividade do vácuo.** *Eletr.* Fator numérico que aparece na expressão analítica da lei de Coulomb, e que pode assumir diferentes valores e dimensões, conforme o sistema de unidades de medida adotado para exprimir as grandezas elétricas.
permissivo. *Adj.* **1.** Que dá permissão; tolerante, indulgente: *pais permissivos.* **2.** Que envolve permissão: *a atitude permissiva desta época.*
permissor (ô). [Do lat. *permissore.*] *Adj.* **1.** Que permite; permitidor, permissório. **2.** Que envolve permissão; permissório.
permissório. *Adj.* V. *permissor.*
permistão. [Do lat. *permixtione.*] *S. f.* Mistura; confusão.
permisto. [Do lat. *permixtu.*] *Adj.* Muito misturado; confundido; amalgamado.
permitido. [Part. de *permitir.*] *Adj.* ~V. *banda*[1] —a e *transição* —a.
permitidor (ô). [De *permitir* + *-(d)or.*] *Adj.* V. *permissor* (1).
permitir. [Do lat. *permittere.*] *V. t. d.* **1.** Dar liberdade, poder ou licença para; consentir em: *Não permitiram a publicação da obra sem prévia censura.* **2.** Dar lugar, ocasião, a: *A sua intervenção permitiu a*

vitória. **3.** Admitir, tolerar: *As transações não permitiam demora. T. d. e i.* **4.** Dar liberdade, poder ou licença para; consentir: *Não lhe permitirei que viaje; Permito-lhe a saída.* **5.** Autorizar a fazer uso de: *Seu dietista permite-lhe o açúcar.* **6.** Dar, conceder: *Permite-me, Senhor, uma vida tranqüila.* **7.** Tornar possível: "A atenção dedicada ao fenômeno lingüístico, considerado em si mesmo, permitiu a Machado de Assis aproveitá-lo ao máximo em sua obra de ficção." (Maria Nazaré Lins Soares, *Machado de Assis e a Análise da Expressão*, p. 99.) *P.* **8.** Tomar a liberdade de: *Permitiu-se alguns comentários satíricos.*

permocarbonífero. [De *perm(iano)* + *-o-* + *carbonífero.*] *Adj. e s. m.* V. *período* —.

permuta. [Dev. de *permutar.*] *S. f.* **1.** V. *troca* (2): *permuta de selos entre colecionadores; permuta de prisioneiros.* **2.** *Fig.* Comunicação recíproca; permutação: *permuta de idéias, de informação.* **3.** *Genét.* Troca de material genético entre cromossomos homólogos. [Sin., ingl., nesta acepç.: *crossing over.*]

permutabilidade. *S. f.* Qualidade de permutável.

permutação. [Do lat. *permutatione.*] *S. f.* **1.** Ato ou efeito de permutar. V. *troca* (2). **2.** V. *substituição* (2). **3.** Transposição dos elementos de um todo para se obter uma nova combinação; permuta. **4.** *Gram.* Substituição de uma letra por outra; permuta. **5.** *Alg. Mod.* Seqüência ordenada dos elementos de um conjunto, ou de um subconjunto de um conjunto dado. **6.** *Álg. Mod.* Bijeção de um conjunto em si mesmo. ♦ **Permutação cíclica.** *Álg. Mod.* Num conjunto ordenado, permutação em que cada elemento é substituído pelo seu sucessor, e o último pelo primeiro; permutação circular; ciclo. **Permutação circular.** *Álg. Mod.* V. *permutação cíclica.*

permutador (ô). *Adj. e s. m.* Que ou aquele que permuta.

permutar. [Do lat. *permutare.*] *V. t. d.* Dar mutuamente; trocar: "fez-se lavrador, plantou, colheu, permutou o seu produto por boas e honradas patacas" (Machado de Assis, *Memórias Póstumas de Brás Cubas*, p. 7).

permutativo. *Adj.* Referente a permuta.

permutável. [Do lat. *permutabile.*] *Adj. 2 g.* Que pode ser permutado.

perna. [Do lat. *perna.*] *S. f.* **1.** A parte de cada um dos membros inferiores do corpo humano compreendida entre o joelho e o tornozelo. **2.** *P. ext.* Cada um dos membros inferiores do corpo humano destinados à sustentação ou à locomoção: *No acidente fraturou as duas pernas.* **3.** Cada um dos membros locomotores de certos animais (mamíferos, aves, insetos, etc.). **4.** Qualquer haste ou prolongamento de coisa que se bifurca, se ramifica ou se irradia: *as pernas dum compasso, duma chave gráfica, duma estrela.* **5.** Designação comum a várias peças que servem de suporte a um objeto: *as pernas duma cadeira, duma mesa.* **6.** A haste de qualquer letra. **7.** Cada uma das partes da calça que corresponde a uma perna: "Vestia uma batina surrada e curta, abaixo da qual apareciam as pernas das calças" (Lúcio de Mendonça, *Esboços e Perfis*, p. 61). **8.** *Constr.* Cada um dos lados da asna. **9.** *Bras., N.E.* Parceiro, companheiro. **10.** *Bras.* Cédula de cem cruzados. ♦ **Perna artificial.** Aparelho ortopédico usado para substituir uma perna amputada. **Perna de pau.** Peça de madeira que se adapta a um toco de perna para permitir a locomoção. [Cf. *perna-de-pau* e *pernas de pau.*] **Perna mecânica.** Perna artificial dotada de certo número de movimentos. **Pernas de cercar frango.** *Bras. Fam.* Pernas arqueadas para os lados. **Pernas de pau.** Andas (1). [Cf. *perna de pau* e *perna-de-pau.*] **Pernas, para que te quero!** *Fam.* Exclamação (gramaticalmente incorreta) que indica a ação de fugir correndo ante um perigo. **Abrir as pernas.** *Bras. Chulo.* **1.** Entregar-se fisicamente (a mulher). **2.** *Bras. P. ext.* Ceder, transigir, sob pressão; capitular, acovardar-se. **3.** *Bras. Fut.* Jogar mal de propósito, para que o adversário ganhe. **À perna solta.** À vontade; descansadamente. **Bater pernas.** *Bras. Fam.* Andar à toa; passear ociosamente; vaguear: "Fazia já vinte dias que batíamos pernas pelo Rio." (Ribeiro Couto, *Prima Belinha*, p. 50.) **Bolear a perna.** *Bras., S.* Apear-se, ou montar a cavalo. **Cerrar perna.** *Bras., RS.* Fazer o cavalo parar de súbito. **Com uma perna às costas.** Com extrema facilidade. **Dar à perna.** Andar depressa. [Cf. *dar às pernas.*] **Dar às pernas.** V. *fugir.* (1 e 2). [Cf. *dar à perna.*] **Desenferrujar as pernas.** *Bras.* Estirar as pernas. **Em cima da perna.** *Bras.* Nas coxas: *Fez o trabalho em cima da perna.* **Estirar as pernas.** Espairecer; desenferrujar as pernas. **Fazer uma perna. 1.** Tomar o lugar de parceiro no jogo. **2.** Entrar em uma negociação; conluiar-se. **Não ir lá das pernas.** *Fam.* **1.** Não ir adiante; não fazer progressos: *Aquele namoro não vai lá das pernas.* **2.** Não sair-se bem nalguma tarefa ou propósito: *Nos estudos o menino não vai lá das pernas.* **Não ter pernas.** Não ter força nas pernas. **Passar a perna em. 1.** Tomar-lhe a dianteira em alguma coisa. **2.** Enganar, lograr, burlar, ludibriar: "Os sabidos passavam a perna nos bobos." (Nélson de Faria, *Tiziu e Outras Estórias*, p. 190.) **Ter à perna.** Ser perseguido ou maçado por (alguém). **Ter boas pernas.** Estar em condições de andar muito. **Trocar pernas.** Andar à toa, sem rumo, passeando; vaguear: "Eu andava inquieto, trocando pernas, ia à cidade e voltava a qualquer pretexto ou sem nenhum" (Valdomiro Autran Dourado, *Nove Histórias em Grupos de Três*, p. 166).

pernaça. [De *perna* + *-aça.*] *S. f. Pop.* V. *pernão*[1].

pernaço. [De *perna* + *-aço.*] *S. m. Pop.* V. *pernão*[1].

pernada. [De *perna* + *-ada*[1].] *S. f.* **1.** Passada larga. **2.** As primeiras e mais fortes ramificações das árvores. **3.** Pequeno braço de rio. **4.** Pancada com a perna. **5.** *Bras. Marinh.* Cada uma das seções de um cabo, corrente, etc., que se estendem numa direção definida, distinta das demais seções. **6.** *Bras.* Caminhada longa. **7.** *Bras. Cap.* Jogo ginástico, praticado principalmente na BA e no RJ, de ritmo marcado pela mesma orquestra da capoeira, e que é uma simplificação desta: os jogadores, de pés juntos, procuram derrubar-se mutuamente com golpes da coxa, do joelho, da perna ou do pé. [Sin.: *bate-coxa, batuque, batuque-boi.*] **8.** V. *rasteira* (1). **9.** *Bras., PE. Folcl.* Passo do frevo que lembra a capoeira, e em que o dançarino dá um salto para elevar o corpo e lançar a perna em todas as direções, com giros contínuos. **10.** *Esport.* Movimento das pernas, em natação.

perna-de-moça. *S. f. Bras.* V. *pescadinha* (1). [Pl.: *pernas-de-moça.*]

perna-de-pau. *Bras. S. 2 g.* **1.** Perneta (2). **2.** Jogador de futebol que não tem qualidades ou habilitações para esse jogo. **3.** *Fam.* Pessoa medíocre ou desajeitada em algum trabalho ou profissão. ● *S. m.* **4.** Maçaricão (1). [Pl.: *pernas-de-pau.* Cf. *perna de pau* e *pernas de pau.*]

perna-de-serra. *S. f. Bras.* Peça de madeira usada em construções. [Pl.: *pernas-de-serra.*]

perna-de-xis. *S. m. Bras. Pop.* Cambaio (5). [Pl.: *pernas-de-xis.*]

perna-lavada. *S. f. Bras.* V. *tovacuçu.* [Pl.: *pernas-lavadas.*]

pernalta. [Fem. de *pernalto.*] *S. f.* **1.** Espécime das pernaltas. ● *Adj. 2 g.* **2.** Pertencente ou relativo a elas. **3.** V. *pernalto.*

pernaltas. *S. f. pl. Zool.* Designação imprópria dos animais metazoários, cordados, vertebrados, aves, cujas pernas são longas, desprovidas de penas sobre o tarso e a porção inferior da perna. O grupo, muito heterogêneo, compreende, atualmente, as ordens dos ciconiformes, caradriiformes e gruiformes.

pernalteiro. [De *pernalto* + *-eiro.*] *Adj.* V. *pernalto.*

pernalto. [De *perna* + *alto.*] *Adj.* Que tem pernas altas; pernalta, pernalteiro, pernaltudo.

pernaltudo. [De *pernalto* + *-udo.*] *Adj.* V. *pernalto.*

perna-manca. *S. f. Bras.* Travessa de madeira. [Pl.: *pernas-mancas.*]

pernambucana. [Fem. substantivado do adj. *pernambucano.*] *S. f. Bras.* **1.** Faca de ponta [v. *lambedeira* (3)]: "de repente, tirando a pernambucana da cinta, ia pular no Benício." (Bernardo Élis, *Ermos e Gerais*, p. 20). **2.** *Bras., BA.* Cachaça (1) de boa qualidade.

pernambucano. *Adj.* **1.** De, ou pertencente ou relativo a PE. ● *S. m.* **2.** O natural ou habitante desse estado.

pernambucos. [Do top. *Pernambuco.*] *El. s. m. pl. Bras., RS.* Us. na loc. *estar nos pernambucos.* ♦ **Estar nos pernambucos.** Achar-se à vontade, a gosto, na situação desejada.

pername. [De *perna* + *-ame.*] *S. m. Bras. Pop.* V. *pernão*[1].

pernão[1]. [De *perna* + *-ão.*] *S. m.* Perna grossa. [Sin., pop.: *pernaça, pernaço, pernona* e (no Brasil) *pername.*]

pernão[2]. *Adj. Pop.* Var. de. *parnão.*

perné. *S. m. Bras., BA.* Certo barco de pesca.

pernear. [De *perna* + *-ear.*] *V. int.* **1.** V. *espernear* (1): "A criança passava fome, frio e desamparo, vagindo e perneando na sua canastra." (Camilo Castelo Branco, *Vulcões de Lama*, p. 121.) **2.** Dar pulos; pular, saltar. [F. paral.: *pernejar.* Conjug.: v. *frear.*]

pernegudo. [De *perna.*] *Adj. Bras.* **1.** V. *pernilongo* (1). ● *S. m.* **2.** Indivíduo pernegudo: "Envergava o pernegudo a japona de pano um tanto surrado" (Alberto Rangel, *Fura-Mundo!*, p. 22).

perneira. *S. f.* **1.** Doença que ataca as pernas dos bois. **2.** *Bras., N.E.* Calça de couro ajustada ao corpo, usada pelos vaqueiros. V. *couros.* **3.** *Bras., MG.* Beribéri. ~ V. *perneiras.*

perneiras. [Pl. de *perneira.*] *S. f. pl. Bras.* **1.** Peças de couro ou pano grosso, ou tiras de pano grosso, que envolvem as pernas para protegê-las. **2.** Espécie de botas usadas pelos soldados e habitantes do interior e sertão. [Tb. us. no sing.] ~ V. *perneira.*

pernejar. [De *perna* + *-ejar.*] *V. int.* Pernear. [Conjug.: v. *pelejar.*]

perneta (ê). [De *perna* + *-eta.*] *S. f.* **1.** Perna pequena. ● *S. 2 g. Bras.* **2.** Pessoa a quem falta uma perna, ou que tem defeito numa das pernas; perna-de-pau.

pernetear[1]. [De *perna*, com possível infl. de *perneta.*] *V. int. Bras.* Bater muito com as patas. [Conjug.: v. *frear.*]

pernetear[2]. [De *perneta* + *-ear.*] *V. int. Bras., RS.* Mancar, claudicar. [Conjug.: v. *frear.*]

perniaberto. [De *perna* + *-i-* + *aberto.*] *Adj.* Que tem as pernas afastadas, abertas.

pernibambo. [De *perna* + *-i-* + *bambo.*] *Adj. Bras.* Que tem pernas bambas: "A quem encontrei foi o Zé Herculino, liquefeito e pernibambo, que, com insistentes acenos e exclamações, me convidou à sua mesa" (Ciro dos Anjos, *A Menina do Sobrado*, p. 349).

pernície. [Do lat. *pernicie.*] *S. f.* Estrago, destruição, ruína.

perniciosa. [Fem. substantivado de *pernicioso.*] *S. f.* V. *malária.*

perniciosidade. *S. f.* Qualidade de pernicioso.

pernicioso (ô). [Do lat. *perniciosu.*] *Adj.* Mau, nocivo, ruinoso; perigoso: *influência perniciosa.*

pernicurto. [De *perna* + *-i-* + *curto.*] *Adj.* Que tem pernas curtas: "O moço guerreiro .... tem uma perna fraturada, e a cruel operação que teve de sofrer deixou-o estropiado, pernicurto e coxo para o resto de sua vida." (Eduardo Frieiro, *O Alegre Arcipreste*, p. 131.) [Antôn.: *pernilongo, pernigrande.*]

pernigordo (ô). [De *perna* + *-i-* + *gordo.*] *Adj.* Que tem as pernas gordas, muito cheias.

pernigrande. [De *perna* + *-i-* + *grande.*] *Adj. 2 g.* V. *pernilongo* (1). [Antôn.: *pernicurto.*]

pernigrosso (ô). [De *perna* + *-i-* + *grosso.*] *Adj.* Que tem as pernas grossas. [Flex.: *pernigrossa, pernigrossos* (ó), *pernigrossas.*]

pernil. [De *perna* + *-il.*] *S. m.* **1.** A parte mais delgada da perna do porco e doutros animais. **2.** Perna magra. **3.** *Bras.* Coxa de quadrúpede comestível, especialmente a do porco. ♦ **Esticar o pernil.** V. *morrer* (1).

pernilongo. [De *perna* + *-i-* + *longo.*] *Adj.* **1.** Que tem pernas longas; pernigrande, pernudo, pernegudo. [Antôn.: *pernicurto.*] ● *S. m.* **2.** *Bras.* Ave caradriiforme, da família dos recurvirrostros (*Himantopus h. melanurus* (Vieil.)), do Chile, Argentina, Uruguai, Paraguai, e grande parte do Brasil: RS, MT, SP, MG e BA. Coloração geral preta, com a cabeça e lado inferior brancos, e uma faixa da mesma cor do pescoço ao dorso. Vive em lagoas e terrenos alagadiços. [Sin.: *bico-revolto.*] **3.** *Bras.* V. *mosquito* (1).

pernilongo-rajado. *S. m.* Mosquito raiado de preto e branco (*Aedes aegypti* (Lin)), transmissor da febre amarela. [Pl.: *pernilongos-rajados.*]

perno. [Do cat. *pern.*] *S. m.* Pequeno eixo cilíndrico de vários maquinismos.

pernoca. [De *perna* + *-oca.*] *S. f. Fam.* Perna (1 e 2), especialmente perna gorda.

pernoita. [Dev. de *pernoitar.*] *S. f.* V. *pernoitamento.* [F. paral.: *pernouta.*]

pernoitamento. *S. m.* Ato ou efeito de pernoitar. [F. paral.: pernoutamento. Sin.: *pernoita* e (bras.) *pernoite.*]

pernoitar. [Do lat. *pernoctare.*] *V. int.* Ficar durante a noite; passar a noite; tomar pousada (6); dormir: *Insistiu com os viajantes para que pernoitassem ali.* [F. paral.: *pernoutar.*]

pernoite. [Dev. de *pernoitar.*] *S. m. Bras.* V. *pernoitamento*: "Desci em Posadas, capital do Território de Missiones, para um pernoite. Dia seguinte, retomei o expresso de Assunção." (Raul Bopp, *Putirum*, p. 189.) [F. paral.: *pernoute.*]

pernona. *S. f.* V. *pernão*[1].

pernosticidade. *S. f. Bras.* Pernosticismo.

pernosticismo. *S. m. Bras.* Qualidade ou maneiras de pernóstico; pernosticidade.

pernóstico. [Do s. ant. *pronóstico*, 'petulante, espevitado', com troca de prefixo.] *Adj. Pop.* **1.** Presumido, afetado, pretensioso, pedante; pronóstico. **2.** Espevitado, repontão. **3.** *Bras.* Diz-se de pessoa que gosta de empregar termos difíceis, os quais, freqüentemente, desconhece. ● *S. m.* **4.** Indivíduo pernóstico; pronóstico.

pernouta. [Dev. de *pernoutar.*] *S. f.* V. *pernoita.*

pernoutamento. *S. m.* V. *pernoitamento.*

pernoutar. *V. int.* Pernoitar.

pernoute. [Dev. de *pernoutar.*] *S. m.* V. *pernoite.*

pernudo. *Adj.* V. *pernilongo* (1).

pero. [De *peró* (q. v.).] *Conj. Ant.* **1.** Porém, mas. **2.** Ainda que; mesmo que. [Cf. *pêro.*]

pêro[1]. [De *pêra* (q. v.).] *S. m.* Certa maçã doce e oblonga. [Pl.: *peros* (ê). Cf. *pero*, conj., e *Pêro*, antr.]

pêro[2]. [Do antr. *Pêro, Pedro.*] *S. m. Bras.* Nos tempos coloniais, designação que davam os índios aos portugueses. [V. *galego* (4). Pl.: *peros* (ê). Cf. *pero.*]

peró. [Do lat. tardio *per hoc*, 'por isso, portanto', 'no entanto'.] *Conj. Arc.* Pero [q. v.].

peroba. [Do tupi *ïpe'rob*, 'casca amargosa'.] *S. f. Bras.* **1.** Designação comum a muitas árvores das famílias das apocináceas e das bignoniáceas que têm madeiras de boa qualidade, sobretudo a peroba-de-campos e a peroba-rosa [q. v.]; perobeira. **2.** Trabalho, serviço, ocupação, emprego. ● *S. 2 g.* **3.** *Fam.* V. *maçante* (2). **4.** *Pop.* V. *galalau.* ● *Adj. 2 g.* **5.** *Fam.* V. *maçante* (1).

peroba-amarela. *S. f.* V. *peroba-de-campos.* [Pl.: *perobas-amarelas.*]

peroba-amargosa. *S. f.* V. *peroba-rosa.* [Pl.: *perobas-amargosas.*]

peroba-de-campos. *S. f. Bras., L.* Grande árvore da família das bignoniáceas (*Paratecoma peroba*), da mata do norte do ES e do centro da BA, cujas folhas têm cinco folíolos serreados, cujas flores têm dois estames apenas, sendo os frutos ensiformes e lenhosos, e a madeira, amarela, dura e resistente, de grandíssima utilidade. [Tb. se diz apenas *peroba.* Sin.: *peroba-amarela, ipê.* Pl.: *perobas-de-campos.*]

perobal. *S. m. Bras.* Quantidade mais ou menos considerável de perobas dispostas proximamente entre si.

peroba-rosa. *S. f. Bras., L.* e *S.* Grande árvore da família das apocináceas (*Aspidosperma polyneuron*), das matas pluviais, de folhas coriáceas e com múltiplas nervuras muito aproximadas, flores dispostas em glomérulos, frutos que são pequenos folículos, e madeira róseo-amarelada, forte e resistente, de extraordinária utilidade. [Tb. se diz apenas *peroba*; sin.: *peroba-amargosa, sobro.* Pl.: *perobas-rosas.*]

perobeação. *S. f. Bras. Gír.* Ato ou efeito de perobear; caceteação, maçada.

perobear. [De *peroba* + *-ear.*] *V. t. d. Bras. Gír.* Importunar, maçar, cacetear, chatear. [Conjug.: v. *frear.*]

perobeira. *S. f. Bras.* V. *peroba* (1).

perobinha. *S. f. Bras., C.O.* **1.** Árvore da família das leguminosas (*Sweetia elegans*), dispersa pelos cerrados, de folhas penadas e coriáceas, flores pequeninas e racemosas, e cujos frutos são legumes minutos. **2.** V. *chapada* (6).

pêro-botelho. [De antr. *Pêro Botelho.*] *S. m. Bras., CE. Pop.* V. *diabo* (2). [Pl.: *peros-botelhos.*]

pérola. [Do lat. vulg. **pernula*, dim. de *perna*, 'certo tipo de ostra', pelo it. **perla*, com suarabácti.] *S. f.* **1.** Glóbulo duro, brilhante e nacarado, que se forma nas conchas de alguns moluscos bivalves. [Sin., p. us.: *margarita.*] **2.** Conta feita desse glóbulo, e que se usa em objetos de adorno: *anel de pérola.* **3.** A cor da pérola (1). **4.** *Fig.* Pessoa de grandes qualidades morais. **5.** *Fig.* Gota de água; camarinha, lágrima: *as pérolas do orvalho; Duas pérolas rolavam-lhe da face.* **6.** *Morfol. Veg.* Gema das plantas lenhosas, envolvida em catafilos imbricados. [F. paral. (ant. e pop.): *perla.*] ● *Adj. 2 g.* e *2 n.* **7.** Que tem a cor da pérola: "Estou de saia pérola e de blusa verde, estampada com rododendros negros." (Osmã Lins, *Nove, Novena*, p. 25.) **8.** Diz-se dessa cor: *lenço de cor pérola.* [Cf. *perola*, do v. *perolar*, e *pérula.*] ◆ **Deitar pérolas a porcos. 1.** Favorecer, obsequiar, a quem não o merece. **2.** Dizer coisas finas, preciosas, a quem não é capaz de as entender.

perolado. [De *pérola* + *-ado*[1].] *Adj.* Que tem aparência de pérola; perlado: "O leite na mesa-de-cabeceira cobriu-se todo de uma nata perolada." (Lia Luft, *A Asa Esquerda do Anjo*, p. 107.)

perolar. [De *pérola* + *-ar*[2].] *V. t. d.* Perlar. [Pres. ind.: *perolo, perolas, perola*, etc. Cf. *pérola*, s. f., e *Pérola*, antr.]

pérola-vegetal. *S. f. Bras.* Arbusto ou arvoreta da família das euforbiáceas (*Phyllanthus nobilis*), nativo nas florestas pluviais, que tem folhas lanceoladas ou elípticas e acuminadas, flores mínimas, unissexuais e pouco numerosas, e cujo fruto é uma cápsula subglobosa de pequeno tamanho. [Pl.: *pérolas-vegetais.*]

peroleira. [Do esp. *perulero.*] *S. f.* Vasilha afunilada, própria para guardar azeitonas.

perolífero. [De *pérola* + *-i-* + *-fero.*] *Adj.* Perlífero.

perolino. *Adj.* De pérola.

perolizar. *V. t. d.* Dar cor ou aparência de pérola a.

peromedusa. *S. m.* e *adj.* Coronada.

peromedusas. *S. f. pl. Zool.* Coronadas.

peroneal. *Adj. 2 g. Anat.* Relativo ou pertencente ao perônio.

peroneu. *S. m. Anat.* V. *perônio.*

perônio. [Do gr. *perónion*, dim. de *peroné*, 'cravelha'.] *S. m. Anat.* Osso da perna, situado lateralmente ao lado da tíbia; fíbula.

peronismo. *S. m.* **1.** Pensamento ou ação política de Juan Domingo Perón, estadista argentino (1895-1974). **2.** Adesão ao peronismo, ou simpatia por ele.

peronista. *Adj. 2 g.* **1.** Relativo ao, ou próprio do peronismo. **2.** Que é partidário dele. ● *S. 2 g.* **3.** Partidário do peronismo (1).

peroração. [Do lat. *peroratione.*] *S. f.* **1.** A parte final de um discurso; epílogo. **2.** Pequeno discurso. **3.** *Mús.* A última parte de uma sinfonia.

perorador (ô). *Adj.* **1.** Que perora. ● *S. m.* **2.** Aquele que perora. **3.** Orador (1).

perorar. [Do lat. *perorare.*] *V. int.* **1.** Terminar um discurso: *O vereador perorou irritado.* **2.** Discursar pretensiosamente: *O orador, muito pedante, perorou insuportavelmente. T. i.* **3.** Falar com afetação: *Os demagogos peroram às massas. T. d.* **4.** Falar a favor de; defender, advogar: *Mártires morreram perorando a independência.*

peroxidar (cs). [De *per-* + *oxidar.*] *V. t. d.* Oxidar no mais alto grau. [Pres. ind.: *peroxido*, etc. Cf. *peróxido.*]

peróxido (cs). [De *per-* + *óxido.*] *S. m. Quím.* Óxido em que existem dois átomos de oxigênio diretamente ligados e que formam água oxigenada pela ação de ácidos diluídos. [Cf. *peroxido*, do v. *peroxidar.*]

perpassar. [De *per-* + *passar.*] *V. t. c.* **1.** Passar junto ou ao longo: *Perpassou pelo velho e não o reconheceu; Perpassou pela casa rapidamente.* **2.** Roçar de leve: *Uma brisa perpassou pelos pares que dançavam no jardim. T. d. e i.* **3.** Fazer correr ou roçar: *Perpassou os dedos pelos cabelos da noiva. Int.* **4.** Seguir certa direção; percorrer um caminho sem se deter; passar: *A procissão perpassa, seguida por devotos.* **5.** Passar, escoar-se (o tempo); decorrer: *Perpassaram, lentos, meses e anos. T. d.* **6.** Deixar atrás ou do lado; postergar, preterir: *perpassar um compromisso.*

perpassável. [De *perpassar* + *-ável.*] *Adj. 2 g.* **1.** Que se pode passar, percorrer, transpor; passável. **2.** Desculpável, tolerável.

perpendicular. [Do lat. *perpendiculare.*] *Adj. 2 g.* **1.** *Geom.* Diz-se de qualquer configuração geométrica cuja interseção com outra forma um ângulo reto. ● *S. f.* **2.** Linha perpendicular. **3.** Qualquer configuração geométrica perpendicular.

perpendicularidade. *S. f.* Qualidade ou posição de perpendicular.

perpendículo. [Do lat. *perpendiculu.*] *S. m.* Fio de prumo.

perpetração. [Do lat. *perpetratione.*] *S. f.* Ato ou efeito de perpetrar.

perpetrador (ô). [Do lat. *perpetratore.*] *Adj.* e *s. m.* Que ou aquele que perpetra.

perpetrar. [Do lat. *perpetrare*, 'fazer inteiramente, levar a cabo'.] *V. t. d.* **1.** Cometer, praticar (ato condenável): "os crimes da Inquisição .... só transitoriamente afetaram o prestígio da confissão religiosa que os perpetrou, porque as sociedades humanas não desfrutam do privilégio aristocrático da vergonha e a sua memória depressa cansa" (Fidelino de Figueiredo, *Entre Dois Universos*, p. 107). **2.** Perfazer, realizar.

perpétua. [Fem. substantivado do adj. *perpétuo.*] *S. f.* **1.** Pequeno arbusto, da família das compostas (*Helichrysum lancifolium*), oriundo da África ou Ásia, e cultivado pelo valor ornamental, de folhas lanceoladas e estreitas e capítulos magnos, solitários e amarelos. **2.** A flor dessa planta: "Saudades roxas e perpétuas cobriam o túmulo singelo" (José de Alencar, *O Tronco do Ipê*, p. 194). [Cf. *perpetua*, do v. *perpetuar.*]

perpetuação. [Do lat. *perpetuatione.*] *S. f.* Ato ou efeito de perpetuar(-se); perpetuamento: "A noite, alma nutriz da volúpia e do sono, / Perpetuação da vida e iniciação do nada..." (Olavo Bilac, *Tarde*, p. 11).

perpétua-do-mato. *S. f. Bras.* Macela-do-mato. [Pl.: *perpétuas-do-mato.*]

perpetuador (ô). *Adj.* e *s. m.* Que ou aquele que perpetua.

perpetuamento. *S. m.* Perpetuação.

perpetuar. [Do lat. *perpetuare.*] *V. t. d.* **1.** Tornar perpétuo; fazer durar sempre, ou por muito tempo; eternizar: *Criou Deus o homem à sua imagem, mas não lhe perpetuou a vida; Alguns pretendem perpetuar a desordem.* **2.** Multiplicar, reproduzindo ou por geração; propagar: *Os animais de porte gigantesco não conseguiram perpetuar a espécie.* **3.** Dar fama imorredoura a; eternizar na memória dos homens; imortalizar: *Os pintores renascentistas perpetuaram sua técnica e sensibilidade;* "O *maire* (prefeito municipal) de Clochemerle quer deixar uma obra que lhe perpetue o nome." (Costa Rego, *Águas Passadas*, p. 273). *T. d.* e *i.* **4.** Manter para sempre; conservar-se: *Os membros do Partido Monarquista pretendem perpetuar o rei no poder.* **5.** Transmitir para sempre: *Os gregos perpetuaram sua glória à posteridade. P.* **6.** Durar sempre; eternizar-se: *As instituições não se perpetuam, amoldam-se às necessidades do progresso;* "E é como jornalista que passa [Justiniano José da Rocha] à História, e se perpetua na memória dos brasileiros." (Elmano Cardim, *Justiniano José da Rocha*, p. 11). **7.** Transmitir-se de geração em geração: *Os traços de caráter não se perpetuam de pai para filho.* **8.** Multiplicar-se, reproduzindo por geração; propagar-se: *Segundo a Bíblia, o homem não se perpetuará para sempre.* [Pres. ind.: *perpetuo, perpetuas, perpetua*, etc. Cf. *perpétuo*, adj., fem. *perpétua*, o s. f. *perpétua*, e os antr. *Perpétuo* e *Perpétua.*]

perpétua-roxa. *S. f. Bras.* Erva da família das amarantáceas (*Gomphrena globosa*), espalhada pelos campos, que tem raiz central grossa e lenhosa; folhas ásperas, e flores que, conquanto pequenas, se congregam em grande número em inflorescências densas, de belo efeito ornamental, e que, por serem secas e paleáceas, não murcham. [Sin., em alguns estados: *suspiro.* Pl.: *perpétuas-roxas.*]

perpetuidade (u-i). [Do lat. *perpetuitate.*] *S. f.* **1.** Qualidade do que é perpétuo. **2.** Duração perpétua. **3.** Duração muitíssimo longa; eternidade: *Fez-me esperar uma perpetuidade.*

perpétuo. [Do lat. *perpetuu.*] *Adj.* **1.** Incessante, contínuo, ininterrupto: *movimento perpétuo.* **2.** Que dura sempre; eterno; eternal: *degredo perpétuo; jazigo perpétuo.* **3.** Diz-se de cargo ou função vitalícia: *É secretário perpétuo da Academia.* **4.** Freqüente, constante, contínuo: *Andam em perpétuas discussões.* ~ V. *calendário* —. [Cf. *perpetuo*, do v. *perpetuar.*]

perpianho. [Do esp. *perpiaño.*] *S. m.* Cantaria que tem toda a largura duma parede e quatro faces aparelhadas.

perplexão (cs). [Do lat. *perplexione.*] *S. f.* V. *perplexidade.*

perplexidade (cs). [Do lat. *perplexitate.*] *S. f.* Estado ou qualidade de perplexo; perplexidez, perplexão.

perplexidez (cs ... ê). *S. f.* V. *perplexidade.*

perplexo (cs). [Do lat. *perplexu*, 'emaranhado' e, daí, 'indeciso'.] *Adj.* **1.** Indeciso, duvidoso hesitante, irresoluto: "As suas cartas desta época mostram Antero em grande incerteza sobre os caminhos que se lhe abriam na vida, perplexo, hesitante, numa 'eterna flutuação' " (José Bruno Carreiro, *Antero de Quental*, I, p. 232). **2.** Espantado, admirado, atônito: *Ficou perplexo com a notícia do suicídio do amigo.*

perponte. [Var. de *perpunto* < lat. *perpunctu*, 'picado de um lado ao outro', atr. do cat. *perpunt* e do esp. *perpunte.*] *S. m.* Antigo gibão acolchoado, usado por guerreiros. [Var.: *perponto.*]

perponto. *S. m.* V. *perponte.*

perpunto. *S. m.* V. *perponte.*

perquirição. *S. f.* Ato ou efeito de perquirir. [F. paral.: *perquisição.*]

perquiridor (ô). *Adj.* e *s. m.* Que ou aquele que perquire. [F. paral.: *perquisidor.*]

perquirir. [Do lat. *perquirere.*] *V. t. d.* **1.** Investigar com escrúpulo; inquirir minudentemente; pesquisar, indagar, perscrutar, esquadrinhar: *Foi Machado de Assis o romancista brasileiro que melhor perquiriu as profundezas da alma humana;* "Médicos perquiriram-lhe o consciente e o inconsciente e.... aquele fundo de alma a lhe subir à tona deixava-a com modos de rio revolvido, latejante de incontáveis coisas." (Helena Silveira, *Mulheres freqüentemente*, p. 65). *Int.* **2.** Investigar, esquadrinhar, perscrutar.

perquisição. [Do lat. *perquisitione.*] *S. f.* Perquirição.

perquisidor (ô). [De *perquisição.*] *Adj.* e *s. m.* Perquiridor.

perquisitivo. [Do lat. *perquisitu*, part. passado de *perquirere*, 'perquirir', + *-ivo.*] *Adj.* Relativo a, ou em que há perquisição.

perra (ê). [Do esp. *perra.*] *S. f.* Cadela (1).

perrádio. *S. m. Zool.* Um dos quatro raios principais primários dos celenterados.

perraria. [De *perro*[1] + *-aria.*] *S. f.* V. *pirraça* (2).

perreiro. [Do esp. *perrero.*] *S. m. Bras.* e *prov. lus.* **1.** Guarda de matilha. **2.** Enxota-cães.

perremismo. *Bras. S. m.* **1.** O ideário do P.R.M. (Partido Republicano Mineiro), agremiação política extinta em 1965; o programa, o espírito desse partido. **2.** Filiação a esse partido, ou simpatia por ele.

perremista. *Bras. Adj. 2 g.* **1.** Relativo ao P.R.M., ou ao perremismo (1). **2.** Que é partidário ou simpatizante do P.R.M. ● *S. 2 g.* **3.** Partidário ou simpatizante do P.R.M.

perrengada. *S. f. Bras., S.* Grupo de indivíduos covardes, perrengues.

perrengagem. *S. f. Bras.* Qualidade ou ação de perrengue.

perrengar. *V. int. Bras.* Perrenguear. [Conjug.: v. *largar.*]

perrengue. [Do esp. *perrengue.*] *Adj. 2 g.* **1.** *Bras.* Covarde, medroso, pusilânime. **2.** *Bras.* Fraco, desalentado; lerdo. **3.** *Bras.* Imprestável, ruim. **4.** *Bras.* Teimoso, birrento. **5.** *Bras.* Que sofre de manqueira crônica; capenga. **6.** *Bras., S.* Diz-se do animal que não presta para o serviço. ● *S. 2 g.* **7.** *Bras.* Pessoa ou animal perrengue: "— Vai-te, p e r r e n g u e ! Um homem que se deixa amarrar pela barba, não é homem, não é homem!" (Hugo de Carvalho Ramos, *Tropas e Boiadas*, p. 59.) ● *S. m.* **8.** *Bras., RJ. Gír.* Bate-boca, altercação, confusão.

perrenguear. *V. int. Bras.* **1.** Mostrar-se perrengue (1); perrengar. **2.** Andar adoentado, fraco ou perrengue (2); perrengar: *Não p e r r e n g u e i a jamais: tem uma saúde de ferro.* [Conjug.: v. *frear.*]

perrepismo. *Bras. S. m.* **1.** O ideário do P.R.P. (Partido Republicano Paulista), agremiação política extinta em 1965; o programa, o espírito desse partido. **2.** Filiação a esse partido, ou simpatia por ele.

perrepista. *Bras. Adj. 2 g.* **1.** Relativo ao P.R.P., ou ao perrepismo (1). **2.** Que é partidário ou simpatizante do P.R.P. ● *S: 2 g.* **3.** Partidário ou simpatizante dele.

perrexil. [Do esp. *perejil*, 'salsa'.] *S. m.* **1.** Aquilo que estimula o apetite; aperitivo. **2.** Certa casta de uva branca portuguesa.

perrice. [De *perro*[1] + *-ice.*] *S. f.* **1.** V. *pirraça* (2). **2.** Mau humor; caturrice, zanga.

perro (ê). [Do esp. *perro.*] *S. m.* **1.** Cão[1] (1). **2.** *Deprec.* Homem vil; canalha. ● *Adj.* **3.** Difícil de abrir e fechar; emperrado; resistente: *portão p e r r o .* **4.** *Fig.* Obstinado, teimoso, pertinaz.

perruma. [De *perro.*] *S. f.* Pão ordinário feito de farelo, que se dá aos cães.

persa. [Do lat. *persa.*] *Adj. 2 g.* **1.** Da, ou pertencente ou relativo à Pérsia (Ásia); pérseo, pérsico, persiano, pérsio. ● *S. 2 g.* **2.** Natural ou habitante da Pérsia; persiano, pérsio. ● *S. m.* **3.** A língua indo-européia dos persas [v. *indo-iraniano* (3)].

➧**per saecula saeculorum** (per sécula seculórum). [Lat.] Pelos séculos dos séculos; para sempre.

perscrutação. [Do lat. *perscrutatione.*] *S. f.* Ato ou efeito de perscrutar.

perscrutador (ô). [Do lat. *perscrutatore.*] *Adj.* e *s. m.* Que ou aquele que perscruta.

perscrutar. [Do lat. *perscrutare.*] *V. t. d.* **1.** Investigar minuciosamente; indagar com escrúpulo; perquirir: *A polícia p e r s c r u t o u a vida do suspeito*; "o inseto p e r s c r u t a , com inveja dos sábios, o ignorado mundo dos infinitamente pequenos" (Antônio Feliciano de Castilho, *Amor e Melancolia*, p. 382). **2.** Procurar devassar o futuro de: *Os astrólogos p e r s c r u t a m o homem, o mundo e seu destino.* **3.** Procurar conhecer; estudar, sondar, penetrar: *p e r s c r u t a r os mistérios da religião. Int.* **4.** Investigar, indagar com escrúpulo; esquadrinhar, perquirir: "e o homem, nu e desarmado, armava-se e vestia-se, construía o tugúrio e o palácio, a rude aldeia e Tebas de cem portas, criava a ciência, que p e r s c r u t a , e a arte, que enleva" (Machado de Assis, *Memórias Póstumas de Brás Cubas*, p. 26).

perscrutável. [Do lat. *perscrutabile.*] *Adj. 2 g.* Que pode ser perscrutado.

➧**per se.** [Lat.] *Filos.* Por si (2).

persecução. [Do lat. *persecutione.*] *S. f.* Perseguição (1).

persecutório. [Do lat. *persecutu*, part. pass. de *persequi*, 'perseguir', + *-ório.*] *Adj.* **1.** Em que há, ou que envolve perseguição: *delírio p e r s e c u t ó r i o .* **2.** Próprio para perseguir.

perseguição. *S. f.* **1.** Ato ou efeito de perseguir; persecução. **2.** Tratamento injusto e cruel infligido com encarniçamento: *as p e r s e g u i ç õ e s sofridas pelos cristãos.*

perseguida. [Fem. substantivado do adj. *perseguido.*] *S. f. Bras., PB, Chulo.* A vulva.

perseguido. [Part. de *perseguir.*] *Adj.* e *s. m.* Que ou aquele que é objeto de perseguição.

perseguidor (ô). *Adj.* **1.** Que persegue. ● *S. m.* **2.** Indivíduo ou animal que persegue.

perseguir. [Do lat. **persequere*, por *persequi.*] *V. t. d.* **1.** Seguir de perto; ir ao encalço de; acossar: *Otávio p e r s e g u i u Marco Antonio e Cleópatra implacavelmente, até liquidá-los.* **2.** Incomodar com súplicas repetidas; importunar: *Após a eleição os cabos eleitorais p e r s e g u i r a m o deputado, pleiteando empregos.* **3.** Fazer punir; castigar: *A lei não p e r s e g u e religiosos por professarem a sua fé.* **4.** Vexar com violência; atormentar, torturar, flagelar: *Alguns imperadores romanos p e r s e g u i r a m os cristãos. P.* **5.** Perseguir a si próprio: "Tempo, vais para trás ou para diante? / O passado carrega a minha vida / Para trás e eu de mim fiquei distante, // Ou existir é uma contínua ida / E eu m e p e r s i g o nunca me alcançando?" (Dante Milano, *Poesias*, p. 23.) [Irreg. Conjug.: v. *seguir.*]

perseidade. [Do lat. escolástico *perseitate* (de *per se*, 'por si').] *S. f.* Na filosofia escolástica, a qualidade daquilo que existe de per si.

persentir. [Do lat. *persentire.*] *V. t. d.* Sentir intimamente, profundamente, penetrantemente. [Irreg. Conjug.: v. *sentir.* Cf. *pressentir.*]

pérseo. [Do top. *Pérsia* + *-eo.*] *Adj.* V. *persa* (1). [Cf. *pérsio.*]

Perseu. [Do lat. *Perseus.*] *S. m. Astr.* Constelação do hemisfério boreal, próxima a Andrômeda e Auriga, e cuja estrela principal é Algol.

persevão. [Do esp. *persebrón.*] *S. m.* Tábua inferior do coche, onde o passageiro apóia os pés.

perseverança. [Do lat. *perseverantia.*] *S. f.* Qualidade ou procedimento de perseverança; pertinácia, constância, firmeza.

perseverante. [Do lat. *perseverante.*] *Adj. 2 g.* Que persevera.

perseverar. [Do lat. *perseverare.*] *V. t. i.* **1.** Conservar-se firme e constante; persistir, prosseguir, continuar: *Quem p e r s e v e r a em seus propósitos acaba vencendo; Por que p e r s e v e r a r no erro? Pred.* **2.** Continuar a ser ou ficar; manter-se, pemanecer, conservar-se, persistir; *Os soldados p e r s e v e r a r a m corajosos em face de perigo. Int.* **3.** Conservar a sua força ou ação; continuar, perdurar, subsistir, persistir: *O doente foi medicado, mas a febre p e r s e v e r o u .* **4.** Ter ou mostrar perseverança, firmeza; permanecer sem mudar ou sem variar de intento: "Disseram-lhe que no amor a perseverança vencia tudo, e ele p e r s e v e r o u até se tornar insuportável" (Ramalho Ortigão, *Primeiras Prosas*, p. 300).

persiana. [Do fr. *persienne.*] *S. f.* Caixilho de tabuinhas móveis, que se coloca por fora das janelas ou das sacadas para resguardar do sol ou impedir que se devasse o interior das casas: "A cidade estaria ciente e, por trás das p e r s i a n a s corridas, olhos curiosos acompanhariam o desfile." (Renard Perez, *Os Sinos. O Tombadilho*, p. 111.)

persiano. [Do top. *Pérsia* + *-ano.*] *Adj.* e *s. m.* V. *persa* (1 e 2).

persicária. [Do lat. *persicaria* < *persicu*, 'pessegueiro'.] *S. f.* Erva da família das poligonáceas *(Persicaria hidropiper)*, de folhas herbáceas, ovadas e pontudas, flores insignificantes, apétalas e dispostas em amplas inflorescências, e fruto pequeno e seco.

pérsico. [Do gr. *persikós*, pelo lat. *persicu.*] *Adj.* V. *persa* (1). ~ V. *estátua —a.*

persigal. [De *presigo* + *-al*, com metátese.] *S. m.* **1.** Pocilga, curral, chiqueiro. **2.** Manada de porcos.

persignação. *S. f.* Ato de persignar-se.

persignar-se. [Do lat. *per signum*, palavras iniciais do texto litúrgico pronunciado por quem se persigna.] *V. p.* **1.** Fazer com o polegar da mão direita três cruzes, uma na testa, outra na boca e outra no peito, pronunciando a fórmula litúrgica:"Pelo sinal da Santa Cruz, livrai-nos Deus, Nosso Senhor, dos nossos inimigos". **2.** Persignar-se (1) e benzer-se, fazendo o sinal-da-cruz: "Aterrada, a rapariga p e r s i g n o u - s e , algumas vezes, ... rezou depressa pelo morto e seguiu o vivo." (Tristão da Cunha, *Histórias do Bem e do Mal*, p. 39); "Tudo moroso, pachorrento e triste, nas tardes quentes que a noite fecha rapidamente, quando na Sé batem as ave-marias, os homens se descobrem e as mulheres s e p e r s i g n a m ." (Graça Aranha, *Obra Completa*, p. 553).

pérsio. [Do top. *Pérsia* + *-io*[1].] *Adj.* e *s. m.* V. *persa* (1 e 2). [Cf. *pérseo.*]

persistência (sis). *S. f.* **1.** Qualidade ou ato de persistente. **2.** Perseverança, constância, pertinácia.

persistente (sis). [Do lat. *persistente.*] *Adj. 2 g.* Que persiste; pertinaz, contumaz, constante. ~ V. *cálice —.*

persistir (sis). [Do lat. *persistere.*] *V. t. i.* **1.** Ser constante, perseverar, continuar, prosseguir, insistir: "Os que p e r s i s t e m em considerar a religião, a arte e a ciência como compartimentos estanques, pouco avançarão no conhecimento do universo." (Murilo Mendes, *O Discípulo de Emaús*, p. 105). *Pred.* **2.** Continuar a ser ou ficar; permanecer, manter-se, conservar-se, perseverar: *Todos p e r s i s t i r a m calados, inabaláveis, Int.* **3.** Existir; durar, perdurar: *P e r s i s t e m as guerras e as discórdias.*

persolver. [Do lat. *persolvere.*] *V. t. d.* Pagar ou solver inteiramente; desobrigar-se de: *Conseguiu p e r s o l v e r suas dívidas.*

personagem. [Do fr. *personnage.*] *S. f.* e *m.* **1.** Pessoa notável, eminente, importante; personalidade, pessoa. **2.** Cada um dos papéis que figuram numa peça teatral ou filme, e que devem ser encarnados por um ator ou uma atriz; figura dramática. **3.** *P. ext.* Cada uma das pessoas que figuram em uma narrativa, romance, poema ou acontecimento. **4.** *P. ext.* Ser humano representado em uma obra de arte: *O guerreiro é a p e r s o n a g e m mais expressiva do quadro.*

personagem-tipo. *S. f.* e *m. Teat.* Personagem que representa um tipo padrão de comportamento; máscara. [Pl.: *personagens-tipos* e *personagens-tipo.*]

personagem-título. *S. f.* e *m.* Personagem cujo nome é o título de um romance, peça teatral, filme, etc.: *Quincas Borba é o p e r s o n a g e m - t í t u l o do romance* Quincas Borba, *de Machado de Assis.* [Pl.: *personagens-títulos* e *personagens-título.*]

➧**persona grata.** [Lat., 'pessoa bem-vinda, bem-aceita'.] *S. f.* **1.** Na linguagem diplomática, indica que uma pessoa será recebida com prazer pelo governo junto ao qual foi despachada como representante diplomático. [Cf. *agrément.*] **2.** *P. ext.* Pessoa recebida com simpatia, com agrado, por alguém ou por alguma entidade.

▲**personal(i)-.** [Do lat. *personalis, e.*] *El. comp.* = 'pessoal': *personalizar, personalidade.*

personalidade. [De *personal(i)-* + *-dade.*] *S. f.* **1.** Caráter ou qualidade do que é pessoal; pessoalidade. **2.** O que determina a individualidade duma pessoa moral. **3.** O elemento estável da conduta de uma pessoa; sua maneira habitual de ser; aquilo que a distingue de outra: *São grandes amigos, apesar de terem p e r s o n a l i d a d e s inteiramente diversas.* **4.** Traços típicos; originalidade: *criatura banal, sem p e r s o n a l i d a d e .* **5.** V. *personagem* (1). **6.** *Jur.* Aptidão, reconhecida pela ordem jurídica, para exercer direitos e contrair obrigações. V. *pessoa* (5). **7.** *Psicol.* Organização constituída por todas as características cognitivas, afetivas, volitivas e físicas de um indivíduo. ♦ **Personalidade de base.** *Sociol.* Configuração psicológica própria dos membros de uma determinada sociedade, e que se manifesta por um certo estilo de vida. **Personalidade jurídica.** Aptidão que a lei atribui a uma entidade coletiva para ser titular de direitos e obrigações; personalidade moral. **Personalidade moral.** Personalidade jurídica. **Personalidade psicopática.** *Psicol.* Personalidade caracterizada por tendência constitucional ao desenvolvimento de uma psicose.

personalismo. [De *personal(i)-* + *-ismo.*] *S. m.* **1.** Qualidade do que é pessoal, subjetivo. **2.** Conduta de quem refere tudo a si próprio: *indivíduo de p e r s o n a l i s m o onipotente.* **3.** *Filos.* Doutrina segundo a qual o mundo é constituído por uma totalidade de espíritos finitos que, no seu conjunto, formam uma ordem ideal, em que cada um deles conserva sua autonomia. **4.** *Filos.* Doutrina que, concebendo embora o ser humano em sua individualidade como um valor absoluto, considera que esse valor não é independente nem superior ao do relacionamento do indivíduo com a coletividade e com a natureza, mas por intermédio deste relacionamento se expressa e se perfaz. [O personalismo toma corpo nas cruzadas ético-políticas que afirmam a necessidade do aprimoramento moral do indivíduo como panacéia para a cura de todos os males político-sociais.] **5.** *Polít.* Fenômeno caracterizado pela concentração da unidade da força eleitoral e do prestígio de um partido na pessoa de um chefe carismático.

personalíssimo. [Do lat. *personalissimu.*] *Adj.* Superl. abs. sint. de *pessoal;* pessoalíssimo. ~ V. *direito* —.

personalista. [De *personal(i)-* + *-ista.*] *Adj. 2 g.* **1.** Pessoal, subjetivo; personalístico: *interpretação personalista de um fato.* **2.** Egocêntrico. **3.** Relativo ao, ou próprio do personalismo (3 a 5). **4.** Que é partidário do personalismo (3 a 5). ● *S. 2 g.* **5.** Pessoa egocêntrica. **6.** Partidário do personalismo (3 a 5).

personalístico. *Adj.* V. *personalista* (1).

personalização. *S. f.* Ato ou efeito de personalizar.

personalizado. [Part. de *personalizar.*] *Adj.* **1.** Que se personalizou. **2.** Diz-se de documento ou papel de uso pessoal que leva o nome do seu dono ou usuário: *cheque personalizado.* **3.** Feito segundo o gosto do freguês: *móveis personalizados.*

personalizar. [De *personal(i)-* + *-izar.*] *V. t. d.* **1.** Atribuir qualidades de pessoa a; personificar: *As religiões orientais personalizavam as forças da natureza.* **2.** Nomear ou indicar a pessoa de: *Contou o milagre sem personalizar o santo.* **3.** Dar caráter pessoal a; tornar pessoal: *Os políticos não deveriam personalizar divergências impessoais. Int.* **4.** Fazer alusões injuriosas; lançar indiretas: *Tem o mau costume de personalizar: jamais fala claro.*

personativo. *Adj.* Pessoal (1).

personificação. *S. f.* **1.** Ato ou efeito de personificar. **2.** Pessoa que representa ou evoca uma coisa abstrata ou inanimada; expressão: *Harpagão é a personificação da avareza; O gaúcho, em seu traje regional, é a personificação dos pampas.* **3.** Pessoa que representa um princípio, uma idéia, uma qualidade, etc.: "Homero é a personificação da Grécia ao triunfar sobre a Ásia" (Antero de Quental, *Prosas,* I, p. 66). **4.** *Ret.* V. *prosopopéia* (1).

personificar. [De *persona* + *-ficar.*] *V. t. d.* **1.** Considerar como pessoa; atribuir qualidades de pessoa a; personalizar: *Os gregos personificavam os seus deuses.* **2.** Representar por meio duma pessoa; pessoalizar: *O diretor do filme pretende personificar o Sol.* **3.** Ser a personificação, o modelo de: *A separação de poderes e o voto universal personificam a democracia liberal.* **4.** Representar simbolicamente; simbolizar, exprimir: *A cena em que o mundo parece rodopiar personifica bem o caos interior da personagem. T. d. e i.* **5.** Exprimir (por um tipo); representar (na figura de uma pessoa): *O diretor procurou personificar no artista principal a sua própria visão céptica do mundo.* [Conjug.: v. *trancar.*]

perspéctico. [Do lat. *perspectu,* part. pass. de *perspicere,* 'ver através', + *-ico*².] *Adj.* V. *perspectivo.* Var.: *perspético.*]

perspectiva. [Do lat. *perspectiva.*] *S. f.* **1.** Arte de representar os objetos sobre um plano tais como se apresentam à vista. **2.** Pintura que representa paisagens e edifícios à distância. **3.** Aspecto dos objetos vistos de uma certa distância; panorama: "Quão tristonhos e acanhados lhe pareceram .... os horizontes e os outeiros de Congonhas do Campo à vista das risonhas campinas e largas perspectivas da fazenda paterna!" (Bernardo Guimarães, *O Seminarista,* p. 97.) **4.** Aparência, aspecto: "Ele [o homem] gosta de se contemplar, através da Saudade, — essa distância espiritual, que dá perspectiva eterna ao seu frágil ser transitório." (Teixeira de Pascoais, *Obras Completas,* VII, p. 115.) **5.** Aspecto sob o qual uma coisa se apresenta; ponto de vista: *Numa perspectiva egoística, tais atos não são condenáveis.* **6.** Expectativa, esperança, probabilidade: *A perspectiva de uns dias de folga calmou-lhe os nervos.* [Var.: *perspetiva.*] ♦ **Em perspectiva.** *Fig.* Esperado no futuro.

perspectivação. *S. f.* Ato ou efeito de perspectivar. [Var.: *perspetivação.*]

perspectivar. *V. t. d.* Pôr em perspectiva: *perspectivar um objeto para desenho.* [Var.: *perspetivar.*]

perspectivismo. [De *perspectiva* + *-ismo.*] *S. m. Filos.* Doutrina de Nietzsche [v. *nietzschiano*], segundo a qual todo conhecimento é relativo às necessidades e especialmente às necessidades vitais do ser que conhece. [Var.: *perspetivismo.*]

perspectivista. *Adj. 2 g.* **1.** Relativo ao, ou que é adepto do perspectivismo. ● *S. 2 g.* **3.** Adepto do perspectivismo. [Var.: *perspetivista.*]

perspectivo. *Adj.* Relativo a perspectiva; perspéctico. [Var.: *perspetivo.*]

perspectógrafo. *S. m.* Quareógrafo.

perspético. [Var. de *perspéctico* (q. v.).] *Adj.* V. *perspectivo.*

perspetiva. *S. f.* V. *perspectiva.*

perspetivação. *S. f.* Var. de *perspectivação.*

perspetivar. *V. t.* Var. de *perspectivar.*

perspetivismo. *S. m. Filos.* Var. de *perspectivismo.*

perspetivista. *Adj. 2 g.* e *s. 2 g.* Var. de *perspectivista.*

perspetivo. *Adj.* V. *perspectivo.*

perspicácia. [Do lat. *perspicacia.*] *S. f.* **1.** Qualidade de perspicaz. **2.** Agudeza de espírito; sagacidade.

perspicacíssimo. *Adj.* Superl. abs. sint. de *perspicaz.*

perspicaz. [Do lat. *perspicace.*] *Adj. 2 g.* **1.** Que vê bem; que observa; penetrante. **2.** Dotado de agudeza de espírito, ou que denota essa qualidade; fino, sagaz; observador: *homem perspicaz; observação perspicaz, olhar perspicaz.* **3.** Inteligente, talentoso. [Sin. ger.: *perspícuo.* Superl. abs. sint.: *perspicacíssimo.*]

perspicuidade (u-i). [Do lat. *perspicuitate.*] *S. f.* Qualidade de perspícuo.

perspícuo. [Do lat. *perspicuu.*] *Adj.* **1.** Que se pode ver nitidamente; claro, nítido, evidente, manifesto: "ainda é hoje [a ciência hipocrática] um monumento admirável de perspícua investigação." (Latino Coelho, *A Oração da Coroa,* p. CCCXLIX). **2.** Perspicaz.

perspiração. *S. f.* Ato ou efeito de perspirar.

perspirar. [Do lat. *perspirare.*] *V. int.* **1.** Transpirar, de forma sensível ou não: *O doente perspirou, preocupando os médicos. T. d.* **2.** Perceber por determinados indícios; pressentir, entrever: *O repórter perspirou a anormalidade política.*

perspiratório. *Adj. Med.* Resultante da perspiração.

perstrição. [Do lat. *perstrictione,* 'constrição, aperto (pelo frio)', 'resfriamento'.] *S. f. Med.* Aplicação de ligaduras muito apertadas.

persuadição. [De *persuadir* + *-ção.*] *S. f. P. us.* V. *persuasão.*

persuadimento. [De *persuadir* + *-mento.*] *S. m.* V. *persuasão.*

persuadir. [Do lat. *persuadere.*] *V. t. d.* e *i.* **1.** Levar a crer ou a aceitar: "Uma ocasião, ardendo ele em febre, a mulher o persuadiu de que estava perfeitamente bom" (José de Alencar, *Sonhos d'Ouro,* p. 176.) **2.** Decidir (a fazer algo); convencer; induzir: "entre os refugos da filial, havia uma porção de frascos de perfumes franceses, já pelo meio, a evaporarem. Não consegui persuadir a freguesia a levá-los, nem mesmo por preço irrisório." (Ciro dos Anjos, *Explorações no Tempo,* p. 212). **3.** Mover, induzir, aconselhar: *Persuadiu os rebeldes à rendição.* **4.** Fazer adquirir certeza; obrigar a convencer-se: *Os últimos acontecimentos persuadiram o governo do estado de calamidade. T. d.* **5.** Dispor a fazer, a praticar; decidir, determinar: *A prática religiosa nem sempre persuade o bem.* **6.** Determinar a vondade de; convencer: *Ninguém conseguiu persuadir o teimoso.* **7.** Mostrar a conveniência de; aconselhar, indicar; apontar: *Os conselheiros persuadiram a assinatura da paz. Int.* **8.** Levar o convencimento ao ânimo de alguém; induzir à persuasão; convencer: *O arrazoado não persuadiu. P.* **9.** Adquirir persuasão ou convicção; convencer-se: "Persuadira-se de que já estava condenado ao inferno" (Inglês de Sousa, *O Missionário,* p. 65). **10.** Mostrar-se pronto ou disposto; decidir-se, resolver-se: *A viúva não se persuadiu a casar de novo.* **11.** Estar ciente; formar juízo; tomar conhecimento: *Os réus devem persuadir-se do processo.* [Antôn.: *dissuadir.*]

persuadível. *Adj. 2 g.* Que pode ser persuadido facilmente.

persuasão. [Do lat. *persuasione.*] *S. f.* **1.** Ato ou efeito de persuadir(-se). **2.** Convicção, certeza. [Sin. ger.: *persuadimento* e (p. us.) *persuadição.*]

persuasiva. [Fem. substantivado de *persuasivo.*] *S. f.* Habilidade ou talento de persuadir.

persuasível. [Do lat. *persuasibile.*] *Adj. 2 g.* V. *persuasivo.*

persuasivo. [Do lat *persuasu,* part. pass. de *persuadere,* 'persuadir', + *-ivo.*] *Adj.* Que persuade, persuasível, persuasório, persuasor, suasivo, suasório. [Antôn.: *dissuasivo, dissuasório.*]

persuasor (ô). [Do lat. *persuasore.*] *Adj.* **1.** V. *persuasivo.* ● *S. m.* **2.** Aquele que persuade.

persuasória. [Fem. substantivado de *persuasório.*] *S. f.* Motivo ou razão persuasiva ou persuasória.

persuasório. [Do lat. *persuasoriu.*] *Adj.* V. *persuasivo.*

persulfato. [De *per-* + *-sulf(o)-* + *-ato*².] *S. m. Quím.* Qualquer sal do ácido persulfúrico.

persulfúrico. *Adj.* ~ V. *ácido* —.

pertença. [Var. de *pertence.*] *S. f.* **1.** Pertence. **2.** Domínio (5): *Tais assuntos são pertenças da literatura.* **3.** Atribuição, poder: *A resolução a esse respeito é pertença do diretor administrativo.* [Sin., p. us.: *pertinência.*]

pertence. [Dev. de *pertencer.*] *S. m.* Declaração que se faz em certos títulos, designando a pessoa a quem se transmite a propriedade deles. [Var.: *pertença* (q. v.).] ~ V. *pertences.*

pertencente. *Adj. 2 g.* **1.** Que pertence a alguém ou a alguma coisa. **2.** V. *pertinente* (1): *assuntos pertencentes à administração pública.*

pertencer. [Do lat. **pertinescere,* incoativo de *pertinere.*] *V. t. i.* **1.** Ser propriedade de: *Aquelas terras pertencem ao Estado;* "São sempre iguais na idade os deuses e as quimeras. / O poeta é um deus também. Pertence-lhe o infinito." (Félix Pacheco, *Poesias,* p. 63). **2.** Ser parte de: *Usa palavras que não pertencem ao português;* "O conto pertence a uma camada mais velha da literatura do que o romance." (Oto Maria Carpeaux, *A Cinza do Purgatório,* p. 95). **3.** Dizer respeito; ter relação; referir-se, reportar-se, concernir: *Relatou fatos que pertenciam à Proclamação da República.* **4.** Ser devido ou merecido; caber: *A vaga pertencia ao mais antigo.* **5.** Ser próprio ou característico de; ser peculiar a: *A inteligência pertence ao homem.* **6.** Ser de jurisdição ou obrigação de alguém; caber, competir, tocar, incumbir: *A educação das crianças espartanas pertencia ao Estado.* [Conjug.: v. *vencer.*]

pertences. [Pl. de *pertence.*] *S. m. pl.* **1.** Aquilo que faz parte de alguma coisa, que lhe pertence; pertenças: *um estojo de viagem com todos os seus pertences.* **2.** Objetos de uso pessoal: *Tinha como pertences um grande chapéu, dois leques, cigarros e várias pulseiras.* [P. us. no sing.] ~ V. *pertence.*

pertentar. [De *per-* + *tentar.*] *V. t. d.* Tentar de novo, ou repetidamente: "com tardo auxílio / tenta a morte vencer; pertenta, e balda, / quantos lhe ocorrem, médicos segredos" (Antônio Feliciano de Castilho, *As Metamorfoses,* p. 98).

pértiga. [Do lat. *pertica.*] *S. f.* **1.** Vara, varapau. [Var.: *pírtiga.*] **2.** Vara com um saquinho de gaze numa das extremidades, que se utiliza para pulverizar fungicidas e inseticidas sobre as plantas. [Var. (nas duas acepç.): *pértigo.*]

pértigo. *S. m.* Var. de *pértiga* [q. v.].

pertinácia. [Do lat. *pertinacia.*] *S. f.* Qualidade, caráter ou ação de pertinaz.

pertinacíssimo. [Do lat. *pertinacissimu.*] *Adj.* superl. abs. sint. de *pertinaz.*

pertinaz. [Do lat. *pertinace.*] *Adj. 2 g.* Muito tenaz; obstinado, persistente, teimoso, pervicaz: *É pertinaz como poucos, alcança quanto deseja;* "E isto trazia conjuntamente outra idéia, que nesses últimos dias já o atravessara, pertinaz e torturante" (Eça de Queirós, *Os Maias,* II, p. 165). [Superl. abs. sint.: *pertinacíssimo.*]

pertinência. *S. f.* **1.** Qualidade ou condição de pertinente. **2.** *P. us.* V. *pertença.*

pertinente. [Do lat. *pertinente.*] *Adj. 2 g.* **1.** Relativo, referente, concernente, respeitante, pertencente: "É que .... o problema desdobra-se em dois. Um pertinente à elaboração da obra, outro relativo à sua impressão." (Luís Viana Filho, *Rui & Nabuco,* p. 135.) **2.** Que vem a propósito; próprio, apropositado: *Suas razões são muito pertinentes;* "em virtudes cívicas, em moral doméstica, a nossa decadência .... atesta que temos levado a obra da reformação além dos limites pertinentes" (Franklin Távora, *O Cabeleira,* p. 197). **3.** Importante, relevante, válido: "Miranda disse cousas pertinentes acerca da música moderna e antiga" (Machado de Assis, *Várias Histórias,* p. 122); *Até hoje a mensagem do Evangelho é pertinente para os cristãos.* [Cf. *apertinente.*]

pertita. [Do top. *Perth* (Canadá) + *-ita*³.] *S. f. Min.* Intercrescimento de ortoclásio e albita.

perto. *Adv.* **1.** A pequena distância; junto de; próximo: *Não enxerga bem, nem perto nem longe.* **2.** Dentro de um futuro próximo; brevemente: *Perto findará o ano.* ● *Adj. 2 g.* **3.** Próximo, vizinho: *Mora num sítio perto.* ~ V. *pertos.* ♦ **Perto de. 1.** A pequena distância de; próximo de (no espaço ou no tempo): *Plantaram perto da casa árvores frutíferas; Está perto da morte.* **2.** Cerca de; aproximadamente: *Morou em Paris perto de três anos; Gastei perto de 100 cruzados.* **3.** A ponto de; quase: *fulo de raiva, esteve perto de destruir tudo à sua volta.* **4.** Em comparação com; em confronto com: "O tipo louro / Vale um tesouro, / Mas perto do moreno / É café-pequeno." (da marcha *Tipo 7*, de Antônio Nássara e Alberto Ribeiro.) **Ao perto.** V. *de perto* (1). **De perto. 1.** A pouca distância; ao perto; junto, vizinho: *Conversavam bem de perto.* **2.** *Fig.* Intimamente; profundamente: *conheço-a bem de perto; Conhece de perto a história do Brasil.*

pertos. [Pl. substantivado do adj. *perto.*] *S. m. pl.* **1.** Objetos próximos. **2.** Qualidades que se descobrem estando junto às pessoas ou objetos que as têm: *os pertos da pintura.* ~ V. *perto.*

pertransido (zi). [Part. de *pertransir.*] *Adj.* Atravessado de lado a lado; traspassado, transpassado.

pertransir (zi). [Do lat. *pertransire.*] *V. t. d.* Transir totalmente; atravessar de lado a lado; traspassar, transpassar.

pertucho. *S. m.* Portucho [q. v.].

pertuito. [Do lat. *pertuitu.*] *S. m.* **1.** Passagem estreita. **2.** Furo, buraco, orifício.

perturbação. [Do lat. *perturbatione.*] *S. f.* **1.** Ato ou efeito de perturbar(-se). **2.** Estado de quem se acha perturbado. *Enquanto falavam, era visível sua perturbação.* **3.** Perplexidade, hesitação, embaraço: *perturbação do espírito.* **4.** Transtorno, desordem, confusão, tumulto: *perturbações na esfera social.* **5.** Tontura, estonteamento, vertigem. **6.** Alteração das características físicas que se verifica em qualquer ponto de um meio, como, p. ex., uma variação de densidade, de temperatura, dos campos elétrico e magnético. **7.** *Patol.* Distúrbio, de intensidade variável, no desempenho de uma função física ou psíquica: *perturbação respiratória; perturbação mental.* **8.** *Astr.* Desvio do movimento ideal de um astro em torno de outro, causado pela atração gravitacional de um terceiro astro. ♦ **Perturbação astral.** *Astr.* Marca superficial do planeta Júpiter, observada pela primeira vez em 1901, a qual se encontra nas latitudes austrais do planeta e tem um movimento de rotação superior ao dos outros objetos da mesma região.

perturbado. [Part. de *perturbar.*] *Adj.* **1.** Que sofreu perturbação. **2.** Desnorteado, alucinado, desvairado.

perturbador (ô). [Do lat. *perturbatore.*] *Adj.* **1.** Que perturba; perturbativo, perturbatório, perturbante. ~ V. *corpo* —. ● *S. m.* **2.** Aquele que perturba.

perturbante. *Adj. 2 g.* V. *perturbador* (1): "Lídia, a trigueira hostil, severa e dura, / E Fábia, a de olhos perturbantes, lassos" (Eugênio de Castro, *Obras Poéticas*, II, p. 40).

perturbar. [Do lat. *perturbare.*] *V. t. d.* **1.** Causar perturbação a ou em; alterar, mudar, modificar, desarranjar: *As erupções vulcânicas perturbam a composição do solo.* **2.** Causar embaraço ou perturbação a; constituir dificuldade para; embaraçar, atrapalhar, estorvar: *Acidentes perturbaram a execução do plano.* **3.** Provocar vergonha, embaraço em; envergonhar, confundir, embaraçar: *O relato das próprias façanhas perturba os homens modestos.* **4.** Pôr em movimento desordenado; agitar, abalar: *Netuno perturba os mares.* **5.** Causar abalo ou comoção a; abalar, desassossegar, comover: *Sua morte súbita perturbou os amigos.* **6.** Fazer perder a serenidade de espírito; embaraçar, atrapalhar: *As vaias não perturbaram o orador.* **7.** Pôr fim a (sossego, tranqüilidade, paz); cortar, interromper: *Ninguém perturbou o silêncio.* **8.** Criar desordem em: *Sua interferência tem perturbado o bom andamento dos fatos.* **9.** Desnortear; desorientar: *O trauma perturbou-lhe a razão.* **10.** Provocar tonteira ou atordoamento em; aturdir, atordoar, estontear, desnortear, desorientar: *O choque provocado pela má notícia perturbou-o.* *Int.* **11.** Causar perturbação, atordoamento: "Os perfumes do Rio de Janeiro, desde os do mar até os das montanhas, perturbam, enfeitiçam." (Martins Fontes, *Nós, as Abelhas*, p. 16.) *P.* **12.** Perder a serenidade de espírito; atrapalhar-se, atarantar-se, embaraçar-se: *O orador não se perturbou com os apartes.* **13.** Sentir vergonha ou pejo; envergonhar-se, corar, ruborizar: *Perturbou-se ante a presença da mulher.* **14.** Sofrer perturbação ou alteração; alterar-se, modificar-se: *A realidade física perturba-se com freqüência.*

perturbativo. [Do lat. *perturbativu.*] *Adj.* V. *perturbador* (1).

perturbatório. [De *perturbar* + *-(t)ório.*] *Adj.* **1.** V. *perturbador* (1). **2.** Próprio para, ou capaz de perturbar: *Irado, lançou-lhe palavras perturbatórias.* **3.** Oscilante, oscilatório.

perturbável. *Adj. 2 g.* Que se pode perturbar; sujeito a perturbação.

pertuso. [Do lat. *pertusu*, 'furado, vazado'.] *Adj. Morfol. Veg.* Diz-se da folha que tem algumas perfurações.

peru[1]. [Do top. *Peru* (América do Sul).] *S. m.* **1.** Grande ave galinácea doméstica (*Gallipavo meleagris*). **2.** Prato preparado com essa ave. **3.** *Bras.* No jogo do bicho [q. v.], o 20º grupo (8), que abrange as dezenas 77, 78, 79 e 80, e corresponde ao número 20. **4.** *Bras.* Mirão, sobretudo nos jogos de carta. **5.** *Bras.* Namorado ridículo. **6.** *Bras.* Barco da roça. **7.** *Bras. Chulo.* O pênis. **8.** *Bras. Gír.* Indivíduo que gosta de dar palpites. **9.** *Bras. Gír. Desus.* Cédula de 20 cruzeiros. ♦ **Peru de roda.** Peru (1) que forma com a cauda uma espécie de leque: "Ela nunca viu homem, e por isso anda aqui feita galinho de terreiro, ou peru de roda" (Franklin Távora, *O Cabeleira*, p. 42). **Não enjeitar peru por carregado.** *Bras., N.E. Pop.* Não fugir a perigos; gostar de encrencas, de topar paradas.

peru[2]. *S. m.* Língua indígena falada no Peru (América do Sul).

perua. [Fem. de *peru.*[1]] *S. f.* **1.** A fêmea do peru. [Sin., bras., pop.: *pássara* (PE) e *penosa* (AL).] **2.** *Pop.* V. *bebedeira* (1). **3.** *Bras.* V. *caminhonete*: "Chegou uma perua abarrotada de meninos, colegas e professoras do rapazinho que ia estudar na capital." (Nélson de Faria, *Cabeça-Torta*, p. 91.) **4.** *Bras. Chulo.* Mulher de vida irregular. V. *meretriz.* **5.** *Bras., AL. Pop.* Mistura de aguardente com caldo de cana.

peruação. *S. f. Bras.* Ação de peruar. [Var.: *aperuação.*]

perua-choca. [De *perua* + o fem. de *choco*[2].] *S. f. Bras.* V. *surucuá-de-barriga-amarela.* [Pl.: *peruas-chocas.*]

peruada. *S. f. Bras. Gír.* Ato de peruar (1 e 4); palpite.

peruana. [Do top. *Peru* (América do Sul) + *-ana.*] Bras. *S. 2 g.* **1.** Indivíduo dos peruanas, tribo indígena que habitava as margens do rio Branco (RR). ● *Adj. 2 g.* **2.** Pertencente ou relativo a essa tribo.

peruano. *Adj.* **1.** Do, ou pertencente ou relativo ao Peru (América do Sul). ● *S. m.* **2.** O natural ou habitante do Peru. [Sin. (p. us.), nessas acepç.: *peruviano.*] **3.** *Bras., N.E.* Espécie de galinha de pescoço pelado.

peruar. [De *peru*[1] + *-ar*[2].] *V. int. Bras.* **1.** Observar um jogo, dando palpites: *Quando joga, não admite que peruem.* **2.** Rondar bisbilhoteiramente alguma coisa: *Os ladrões peruaram antes de agir.* **3.** Cortejar, requestar; namorar. *T. d.* **4.** Assistir a (um jogo), dando palpites: *Não gosta que lhe peruem o jogo.* [Var.: aperuar.]

peruca. [Do fr. *perruque.*] *S. f.* V. *cabeleira*[1] (2).

peru-de-festa. [De *peru*[1] + *de* + *festa.*] *S. m. Fam.* Pessoa demasiado assídua a festas e divertimentos; arroz-doce-de-pagode, arroz-de-festa, ariri-de-festa, pão-de-ló-de-festa. [Pl.: *perus-de-festa.* [Cf. *nariz-de-folha.*]

peru-de-sol. [De *peru*[1] + *de* + *sol.*] *S. m. Bras., BA.* V. *surucuá-de-barriga-amarela.* [Pl.: *perus-de-sol.*]

peru-do-mato. [De *peru*[1] + *do* + *mato.*] *S. m. Bras. MG.* V. *jacutinga* (1). [Pl.: *perus-do-mato.*]

peruinho-do-campo. [De *peruinho*, dim. de *peru*[1] + *do* + *campo.*] *S. m. Bras.* V. *caminheiro* (5). [Pl.: *peruinhos-do-campo.*]

pérula. [Do lat. *perula*, 'sacola'.] *S. f. Bot.* O conjunto das escamas que protegem as gemas dormentes de certas árvores. [Cf. *pérola.*]

perum. [De *peru*[1], com nasalação.] *S. m. Ant.* e *pop.* Peru[1] (1).

peruruca. [Var. de *pururuca.*] *S. f. Bras.* Espécie de milho.

perusino. *Adj.* **1.** De, ou pertencente ou relativo a Perúsia (Itália). ● *S. m.* **2.** O natural ou habitante de Perúsia.

peruviano. [Do fr. *péruvien.*] *Adj.* e *s. m. P. us.* V. *peruano* (1 e 2).

peruzinho-do-campo. [De *peruzinho*, dim. de *peru*[1], + *do* + *campo.*] *S. m. Bras.* V. *caminheiro* (5). [Pl.: *peruzinhos-do-campo.*]

pervagante. [Do lat. *pervagante.*] *Adj. 2 g.* Que pervaga.

pervagar. [Do lat. **pervagare*, por *pervagari.*] *V. t. d.* **1.** Percorrer em diversas direções; atravessar, cruzar: *Os bandeirantes pervagaram o interior brasileiro. Int.* **2.** Andar a esmo ou sem destino; errar, vagar, vaguear: "Pervagar nos caminhos / estrelados de hortênsias, e quaresmas abertas..." (Adelmar Tavares, *Poesias Completas*, p. 168). [Conjug.: v. *largar.*]

pervencer. [Do lat. *pervincere.*] *V. t. d.* Vencer inteiramente; esmagar, destruir, aniquilar. [Conjug.: v. *vencer.*]

perversão. [Do lat. *perversione.*] *S. f.* **1.** Ato ou efeito de perverter(-se). **2.** Corrupção, desmoralização, depravação. **3.** Alteração, transtorno: *perversão do olfato, do gosto.* **4.** *Med.* Desvio ou perturbação de uma função normal, sobretudo no terreno psíquico. ♦ **Perversão sexual.** Qualquer anomalia do comportamento sexual.

perversidade. [Do lat. *perversitate.*] *S. f.* **1.** Qualidade de perverso; fereza. **2.** Índole ferina ou ruim.

perversivo. [Do lat. *perversu*, part. pass. de *pervertere*, 'perverter', + -ivo.] *Adj.* V. *pervertedor* (1).

perverso. [Do lat. *perversu.*] *Adj.* **1.** Que tem malíssima índole; muito mau; malvado. **2.** Que revela perversão: *hábitos perversos.* ● *S. m.* **3.** Indivíduo perverso.

perversor (ô). [Do lat. *perversu*, part. pass. de *pervertere*, 'perverter', + *-sor.*] *Adj.* e *s. m.* V. *pervertedor.*

pervertedor (ô). *Adj.* **1.** Que perverte; perversivo, perversor. ● *S. m.* **2.** Aquele que perverte; perversor.

perverter. [Do lat. *pervertere.*] *V. t. d.* **1.** Tornar perverso ou mau; corromper, depravar desmoralizar: *As más companhias perverteram -no.* **2.** Realizar mudança, alteração, em; alterar, transtornar: *Os invasores persas impunham-se, mas sem perverterem a ordem institucional dos povos subjugados.* **3.** Tomar em mau sentido; desvirtuar, deturpar, desfigurar, malsinar: *Costuma perverter, de caso pensado, o que ouve. P.* **4.** Tornar-se perverso; corromper-se, desmoralizar-se, depravar-se: *A sociedade romana perverteu-se ao assimilar as riquezas dos povos mediterrâneos.*

pervertido. [Part. de *perverter.*] *Adj.* **1.** Que se perverteu. **2.** Depravado; desmoralizado, corruto. ● *S. m.* **3.** Indivíduo pervertido.

pervicácia. [Do lat. *pervicacia.*] *S. f.* Qualidade de pervicaz.

pervicacíssimo. *Adj.* Superl. abs. sint. de *pervicaz.*

pervicaz. [Do lat. *pervicace.*] *Adj. 2 g.* V. *pertinaz.* [Superl. abs. sint.: *pervicacíssimo.*]

pervígil. [Do lat. *pervigile.*] *S. 2 g.* Pessoa que não dorme. [Pl.: *pervígeis.*]

pervigília. [Do lat. *pervigilia.*] *S. f.* Vigília prolongada: "Honra .... a Seabra Fagundes .... e a Temístocles Marcondes Ferreira, ... Carlos A. Dunshee de Abranches e José Maria MacDowell da Costa, solidários colaboradores dos cuidados e desvelos, das vigílias e pervigílias com que nos entregamos à penosa mas nobilitante tarefa de redigir o projeto hoje transformado em lei." (Neemias Gueiros, *A Advocacia e o Seu Estatuto*, p. 18.)

pervinca. [Do lat. *pervinca.*] *S. f.* Designação comum a duas plantas da família das apocináceas (*Vinca disformis* e *Vinca major*); vincapervinca.

pervinco. *S. m. Ant.* Parente muito próximo.

pérvio. [Do lat. *perviu.*] *Adj.* Que dá passagem; transitável, franco, patente: *floresta pérvia.* [Antôn.: *impérvio, ínvio.*]

pés. [Pl. de *pé.*] *El. s. m. pl.* Us. na loc. adv. *pés e pêlo.* [Cf. pez, s. m., e pês, pl. de pê e f. apocopada de *pese* (ê); do v. *pesar.*] ♦ **Pés e pêlo.** A pé e descalço; pesepelo.

pesa-ácido. [Da 3ª pess. sing. do pres. ind. de *pesar* + *ácido.*] *S. m.* Areômetro para medição da densidade de líquidos mais densos que a água. [Pl.: *pesa-ácidos.*]

pesa-cartas. [Da 3ª pess. sing. do pres. ind. de *pesar* + o pl. de *carta.*] *S. m. 2 n.* Pequeno aparelho que indica o peso das cartas.

pesada. [Fem. substantivado do adj. *pesado.*] *S. f.* **1.** Aquilo que se pesa de uma vez numa balança. **2.** Pesagem (1). **3.** *Fís.* Operação em que se mede o peso ou a massa de um corpo. [Cf. *pezada* (è).] ♦ **Da pesada. 1.** *Bras. Pop.* Que enfrenta qualquer situação; disposto a tudo. **2.** Que infunde respeito ou receio quer por ser poderoso, quer porque faz parte de grupo agressivo, radical.

pesadão. *Adj.* **1.** Muito pesado. **2.** Que anda a custo em virtude da gordura; molangueirão. [Fem.: *pesadona.*]

pesadelar. *Adj. 2 g.* Relativo a, ou próprio de pesadelo: "Página desenvolvida com lógica rigorosa, ... não dá a impressão de um momento pesadelar na vida real do personagem" (Augusto Meyer, *Machado de Assis*, p. 31).

pesadelo (ê). [De *pesado.*] *S. m.* **1.** Agitação ou opressão durante o sono, causada por sonhos aflitivos. **2.** Mau sonho. **3.** Letargo, marasmo. **4.** *Fig.* Pessoa ou coisa importuna, molesta ou enfadonha.

pesado. [Part. de *pesar.*] *Adj.* **1.** Que tem muito peso. **2.** Cuja densidade é elevada; denso: *atmosfera pesada.* **3.** Em que há iminência de aborrecimento, de complicação, de perigo, etc., tenso, carregado: *ambiente pesado.* **4.** Trabalhoso, árduo, difícil: *Viveu pesados anos no exílio.* **5.** Prolixo, cansativo, enfadonho, fastidioso: *estilo pesado.* **6.** Lento, vagaroso. **7.** Falto de elegância e leveza; desairoso: *Tem um andar pesado.* **8.** Cheio de ornatos; carregado, sobrecarregado: *arquitetura pesada.* **9.** Indelicado, grosseiro, ofensivo: *piada pesada.* **10.** Que exige dispêndio de força física: *trabalhos pesados.* **11.** Profundo (8): *sono pesado.*

12. *Pop.* Difícil de ser digerido: *comida pesada.* **13** *Bras.* Diz-se da mulher em adiantado estado de gravidez. **14.** *Bras. Gír.* Com peso (24); sem sorte; azarento, azarado, caipora. **15.** *Bras., RS.* Diz-se de pessoa importante, poderosa; de peso. ~ V. *água —a, indústria —a, infantaria —a, luto —, óleo —, peso —, raia —a* e *sono —.* ● *S. m.* **16.** *Bras. Gír.* Indivíduo pesado (14), azarado, caipora. **17.** *Bras. Fam.* Trabalho que exige esforço, difícil: *Não gosta de pegar no pesado.*

pesadona. *Adj. (f.)* Fem. de *pesadão.*

pesador (ô). *Adj.* **1.** Que pesa. ● *S. m.* **2.** Aquele que pesa. **3.** Aquilo que serve para pesar ou calcular o peso de algo.

pesadume. [De *pesado* + *-ume.*] *S. m.* **1.** Peso, carga, carregamento. **2.** Azedume, acrimônia, aspereza. **3.** Tristeza, desgosto, pesar: "Camilo [Camilo Castelo Branco] nem sempre consegue fugir de si mesmo, ... quando tenta viver as aventuras imaginárias da sua ficção; o peso íntimo arrasta-o a um desequilíbrio, e então a sua extraordinária agilidade de criador entra em conflito com o *pesadume*, a queixa, o remordimento." (Augusto Meyer, *A Chave e a Máscara*, p. 69.)

pesa-filtro. [Da 3ª pess. sing. do pres. ind. de *pesar* + *filtro.*] *S. m. Quím.* Pequeno frasco de vidro, de boca larga e rolha de vidro, esmerilhada, usado para pesagem de substâncias ao abrigo do ar e da umidade. [Pl.: *pesa-filtros.*]

pesagem. *S. f.* **1.** Ato ou operação de pesar; pesada. **2.** Lugar, num hipódromo, onde se pesam os jóqueis, antes de cada páreo. **3.** Repesagem (2).

pesa-leite. [Da 3ª pess. sing. do pres. ind. de *pesar* + *leite.*] *S. m.* V. *lactômetro.* [Pl.: *pesa-leites.*]

pesa-licor. [Da 3ª pess. sing. do pres. ind. de *pesar* + *licor.*] *S. m.* Aerômetro para medição da densidade de líquidos menos densos que a água, especialmente soluções alcoólicas. [Pl.: *pesa-licores.*]

pêsame. [De *pesa* (ê), 3ª pess. sing. do pres. ind. de *pesar*, na acepç. de 'causar mágoa', + *me.*] *S. m. P. us.* V. *pêsames*: "o pobre Dâmaso estava saudando a senhora condessa, gravemente, funebremente. E o bom Gouvarinho não quis deixar de lhe ir dar logo .... o seu *pêsame.*" (Eça de Queirós, *Os Maias*, II, p. 34).

pêsames. [Pl. de *pêsame.*] *S. m. pl.* Expressão de condolência pela morte de alguém ou por alguma desgraça; condolências, sentimentos. [Tb. us. (pouco) no sing.]

pesa-papéis. [Da 3ª pess. sing. do pres. ind. de *pesar* + o pl. de *papel.*] *S. m. 2 n.* Pequeno objeto pesado que se põe sobre os papéis para evitar que se espalhem; peso.

pesar. [Do lat. *pensare*, v. freqüentativo de *pendere*, 'pendurar (os pratos da balança, para ver o peso)'.] *V. t. d.* **1.** Determinar ou avaliar o peso de; pôr na balança para conhecer o peso; abalançar: *O freguês mandou pesar 20 quilos de arroz.* **2.** Avaliar, com a mão, o peso de; sopesar: *O comerciante pesou a mercadoria e calculou-a nuns 15 quilos.* **3.** Examinar atentamente; considerar, calcular, ponderar: "A História o julgará [a Getúlio Vargas], *pesando* tudo o que ele fez de bom e de mau" (Augusto Frederico Schmidt, *As Florestas*, p. 214). **4.** Calcular prévia e minuciosamente o alcance, as conseqüências de; medir: *O político habilidoso pesa cada palavra, cada ação. T. i.* **5.** Fazer carga; recair: *Pesam sobre eles todos os encargos da família.* **6.** Ter ou exercer influência; influenciar: *Suas palavras muito pesaram na minha resolução.* **7.** Causar mágoa, desgosto, pesar: *Pesa-lhe ver o amigo em má situação.* **8.** Causar arrependimento, remorso: *Pesam-lhe as palavras sacrílegas ditas em momento de ira.* **9.** Ser lançado ou dirigido; recair: *O castigo pesa sobre os culpados. Int.* **10.** Ter certo peso: *Todos os corpos pesam; A criança pesa 25 quilos.* **11.** Ser pesado; pesar muito: *Este móvel não pesa, será fácil deslocá-lo.* **12.** Produzir mal-estar, incomodar, abater, como se pesasse, se fizesse carga: *Esta paisagem, monótona e triste, pesa*; "Uma atmosfera de chumbo, de luto e gelo, *pesa* sobre as nossas cabeças." (Mateus de Albuquerque, *Da Arte e do Patriotismo*, p. 190). *P.* **13.** Verificar o próprio peso: *Pesei-me e notei que emagreci.* **14.** Equilibrar-se, suspender-se no ar; sopesar-se: *Os urubus pesam-se de asas abertas como verdadeiros planadores.* **15.** Ter pesar, tristeza, ou piedade; compadecer-se, condoer-se, doer-se. **16.** Constituir como que um peso na alma; ser pesado, molesto: "As minhas noites *pesam* de amargura / E a neve cai sobre os meus tristes dias!" (Luís Guimarães [filho], *Pedras Preciosas*, p. 105.) [Pres. ind.: *peso, pesas, pesa*, etc.; pres. subj.: *pese*, etc. Cf. *pesa* e *pesa* (ê), *pese* e *pese* (ê), *peso* e *peso* (ê); nas acepç. 7 e 8 só é us. nas 3ªs pess., e tem o *e* fechado nas formas rizotônicas: *pesa* (ê), *pese* (ê).] ● *S. m.* **17.** Sentimento, tristeza, desgosto, consternação: "Estendeu-se até esta semana o *pesar* causado pela morte de Júlio Ribeiro." (Raul Pompéia, *Crônicas* 4, p. 22.) ◆ **Pesar de.** Apesar de; a despeito de: "enfim posso, / Curvado a teus pés, dizer-te, / Que não cessei de querer-te, / *Pesar* de quanto sofri." (Gonçalves Dias, *Obras Poéticas*, I, p. 343). [Atenção: o *e* de *pese*, a rigor, é fechado, conquanto seja comuníssimo ouvi-lo aberto.] **Apesar dos pesares.** Apesar de tudo: "Mesmo num lugar como Paris, que *apesar dos pesares* procura preservar a imagem histórica, os cafés de Léon-Paul Fargue não foram os cafés de Alphonse Daudet" (Paulo Mendes Campos, *Os Bares Morrem numa Quarta-Feira*, p. 10). **Em que pese a. 1.** Ainda que custe, doa, pese, a (alguém); mau grado seu: *O emprego de o que em orações interrogativas é corretíssimo, em que pese a certos gramaticões.* **2.** *P. ext.* Apesar de; não obstante: "Ele [Tavares Bastos] foi mais do que uma esperança, foi uma ardente afirmação, *em que pese* a prematuração da morte." (Carlos Pontes, *Tavares Bastos*, p. 360); "*Em que pese* à necessidade de estrutura e de unidade para um romance, *A Noite no Espelho* [de Heitor Marçal] está muito acima da média do atual romance brasileiro." (Fausto Cunha, *Situações da Ficção Brasileira*, p. 50).

pesaroso (ô). *Adj.* **1.** Que tem, ou em que há pesar. **2.** Arrependido, contrito, penaroso.

pesca. [Dev. de *pescar.*] *S. f.* **1.** Ato ou prática de pescar; pescaria: *ir à pesca.* **2.** Arte de pescar; pescaria. **3.** Aquilo que se pescou. **4.** Ato de tirar alguma coisa da água. **5.** *P. ext.* Procura, investigação, pesquisa. ◆ **Pesca de farracho.** V. *farracho* (1). **Pesca submarina.** Caça submarina.

pescada. [Fem. substantivado do adj. *pescado.*] *S. f.* Designação comum a várias especies de peixes teleósteos, percomorfos, da família dos cianídeos, gênero *Cynoscion*, especialmente *C. steindachneri* (Jord. & Eig.), da costa brasileira, de coloração prateada, escurecida no dorso, onde as escamas são estriadas, e que é pescada com redes e arrastões de pesca. É a espécie mais comum no S. do País. [Sin.: *pescada-comum.*] ◆ **Pescada perna-de-moça.** *Bras.* V. *pescadinha* (1). [Tb. se diz apenas *perna-de-moça.*]

pescada-amazônica. *S. f. Bras.* Pescada-branca (2). [Pl.: *pescadas-amazônicas.*]

pescada-banana. *S. f. Bras., RJ.* Peixe teleósteo, percomorfo, da família dos cianídeos (*Nebris micropus* Cuv.), da nossa costa; pescada-rosa. [Pl.: *pescadas-bananas* e *pescadas-banana.*]

pescada-branca. *S. f. Bras.* **1.** Peixe teleósteo, percomorfo, da família dos cianídeos (*Cynoscion virescens* (Cuv.)), do Atlântico, das Guianas ao RS, de coloração prateada, fosca, dorso oliváceo e ventre branco. Comprimento: até 90 cm. Freqüenta água doce, e alimenta-se de peixes e crustáceos. [Sin.: *pescadinha-do-reino, pescada-do-reino, pescada-cambuci, pescada-de-dente, pescada-legítima, pescada-cambucu, rabo-seco.* Cf. *pescadinha* (1).] **2.** Peixe teleósteo, percomorfo, da família dos cianídeos (*Plagioscion squamosissimus* (Heck.)), de larga distribuição geográfica; pescada-amazônica. **3.** Peixe teleósteo, percomorfo, da família dos cianídeos (*Cynoscion steindachneri* (Jord. & Eig.)), da costa atlântica. [Pl.: *pescadas-brancas.*]

pescada-cachorro. *S. f. Bras.* V. *papa-terra* (3). [Pl.: *pescadas-cachorros* e *pescadas-cachorro.*]

pescada-cambuci. *S. f. Bras.* V. *pescada-branca* (1). [Pl.: *pescadas-cambucis* e *pescadas-cambuci.*]

pescada-cambucu. *S. f. Bras.* V. *pescada-branca* (1). [Pl.: *pescadas-cambucus* e *pescadas-cambucu.*]

pescada-comum. *S. f. Bras., SP.* Pescada (1). [Pl.: *pescadas-comuns.*]

pescada-de-angola. *S. f. Bras.* V. *enchova-preta.* [Pl.: *pescadas-de-angola.*]

pescada-de-dente. *S. f. Bras.* V. *pescada-branca* (1). [Pl.: *pescadas-de-dente.*]

pescada-do-reino. *S. f. Bras.* V. *pescada-branca* (1). [Pl.: *pescadas-do-reino.*]

pescada-foguete. *S. f. Bras.* Peixe teleósteo, percomorfo, da família dos cianídeos (*Macrodon ancylodon* (Schn.)), da costa atlântica. [Pl.: *pescadas-foguetes* e *pescadas-foguete.*]

pescada-legítima. S. f. Bras., *ES.* V. *pescada-branca* (1). [Pl.: *pescadas-legítimas.*]

pescada-marmota. *S. f.* Pescada pequena. [Tb. se diz apenas *marmota.* Pl.: *pescadas-marmotas* e *pescadas-marmota.*]

pescada-polacha. *S. f.* Peixe gadídeo (*Gadus pollachius*). [Pl.: *pescadas-polachas* e *pescadas-polacha.*]

pescada-preta. *S. f. Bras.* Peixe teleósteo, percomorfo, da família dos cianídeos (*Plagioscion auratus* (Cast.)), da Amaz., Guianas e rio São Francisco. [Pl.: *pescadas-pretas.*]

pescadaria. [De *pescado* + *-aria.*] *S. f.* Praça onde se vende peixe.

pescada-rosa. *S. f. Bras.* Pescada-banana. [Pl.: *pescadas-rosas.*]

pescadinha. [Dim. de *pescada.*] *S. f.* **1.** Designação comum a vários peixes teleósteos, percomorfos, da família dos cianídeos, da costa brasileira. [Sin.: *pescada perna-de-moça, perna-de-moça*, Cf. *pescada-branca.*] **2.** Peixe teleósteo, percomorfo, da família dos cianídeos (*Cynoscion leiarchus* (Cuv. & Val.)), de coloração branca prateada, com tonalidades douradas no flanco, e cuja pesca é feita com arrastões de praia. Atinge até 50 cm de comprimento. É espécie muito comum, de boa carne. **3.** Designação comum aos peixes teleósteos, percomorfos, da família dos cianídeos: *C. virescens* (Cuv.) e *C. striatus* (Cuv.), que se alimentam de moluscos e crustáceos.

pescadinha-branca. *S. f. Bras.* V. *gorete.* [Pl.: *pescadinhas-brancas.*]

pescadinha-do-reino. *S. m. Bras.* V. *pescada-branca* (1). [Pl.: *pescadinhas-do-reino.*]

pescado. [Part. de *pescar.*] *Adj.* **1.** Que se pescou: *Vi duas baleias pescadas.* ● *S. m.* **2.** Qualquer peixe (ou outro animal) que se pesca para fins alimentares.

pescado-aratanha. *S. m. Bras.* V. *roncador* (3). [Pl.: *pescados-aratanhas* e *pescados-aratanha.*]

pescador (ô). [Do lat. *piscatore.*] *Adj.* **1.** Que pesca. **2.** Pesqueiro (2): *barco pescador.* ● *S. m.* **3.** Aquele que pesca: "*Pescadores* a pescar / Com a linha cheia de anzóis!" (Antônio Nobre, *Só*, p. 27.) [Sin.: em AL, *seribeiro*; no RJ e SP, *piraquara.*] **4.** Peixeiro.

pesca-em-pé. [Da 3ª pess. sing. do pres. ind. de *pescar* + *em* + *pé.*] *S. m. 2 n. Bras.* V. *maçarico* (4).

pescanço. [De *pescar.*] *S. m. Fam.* O ato de espreitar o jogo de um parceiro.

pescante. [Do esp. *pescante.*] *S. m.* Boléia de diligência[2]: "em triunfo o queria passear por todo esse norte da Europa no *pescante* de sua sege de posto". (Almeida Garrett, *Obras Completas*, I, p. 121).

pescar. [Do lat. *piscare.*] *V. t. d.* **1.** Apanhar na água (peixe). **2.** Apanhar na água por processo semelhante ao da pesca de peixes. *pescar pérolas.* **3.** Retirar da água, como que pescando: "o avião precipitou-se no mar, a pouca distância da costa de Flórida. .... E ali ...., na negra noite, começaram a *pescar* os cadáveres de passageiros e tripulantes." (Érico Veríssimo, *A Volta do Gato Preto*, p. 11). **4.** Inquirir cautelosamente, sondar, averiguar, perquirir: *O verdadeiro cientista pesca na ciência os segredos do Universo.* **5.** Conseguir ardilosamente; apanhar, pegar: "Para consolar-se da perda do americano .... e também do prejuízo nas ações, Miss *pescou* um banqueiro pançudo" (Garcia Redondo, *A Choupana das Rosas*, p. 35). **6.** *Pop.* Apanhar, alcançar, atingir. **7.** *Pop.* Ver de relance e sem intenção: *O rapaz pescou o crime quando passou de carro.* **8.** *Pop.* Surpreender em flagrante; dar flagrante em: *A polícia pescou o gatuno roubando uma senhora.* **9.** *Pop.* Perceber, entender, compreender: *Ninguém pescou o sentido do livro*; "Nada podendo *pescar* da conversa entre os cinco, o autor prefere sair com o Ricardo Luz" (Cardoso de Oliveira, *Dois Metros e Cinco*, p. 12). *T. i.* **10.** Ter conhecimentos, noções; entender, petiscar: *Não pesca de astronomia. Int.* **11.** Ocupar-se da pesca: "Pescadores a *pescar* / Com a linha cheia de anzóis!" (Antônio Nobre, *Só*, p. 27.) **12.** *Bras.* Colar, filar, em provas ou exames: *Nenhum aluno pescou.* **13.** *Bras.* Cochilar, sentado, erguendo de súbito a cabeça derreada pelo sono. [Conjug.: v. *trancar.*]

pescarejo (ê). [De *pescar.*] *Adj. P. us.* V. *pesqueiro* (1).

pescarez (ê). [De *pescar.*] *Adj. P. us.* V. *pesqueiro* (1).

pescaria. [De *pesca* + *-aria.*] *S. f.* **1.** Pesca (1 e 2). **2.** Indústria da pesca. **3.** Grande quantidade de peixe. **4.** *Bras. Gír.* Cola em provas ou exames. ◆ **Pescaria de corrico.** *Bras.* Corrico.

pesca-siri. *S. f. Bras. Pop.* V. *calça pesca-siri.* [Pl.: *pesca-siris.*]

pescaz. *S. m.* Cunha que liga o arado à rabiça.

pescoçada. *S. f.* Pancada no pescoço; pescoção, cachação.

pescoção. [Aum. de *pescoço.*] *S. m.* **1.** V. *pescoçada.* **2.** *P. ext.* Sopapo, tapona, tabefe.

pescoceador (ô). [De *pescocear* + *-(d)or.*] *Adj. Bras., S.* V. *pescoceiro* (1 e 2).

pescocear. *V. t. d.* **1.** *Bras., S.* Dar pescoção ou cachação em. *Int.* **2.** *Bras., S.* Dar com o pescoço a um lado e outro (o cavalo, quando lhe querem pôr o buçal ou o freio). **3.** *Bras., S. Fig.* Esquivar-se manhosamente a pagar dívidas, a cumprir promessas, a assumir compromissos ou cumprir os assumidos; marombar. [Conjug.: v. *frear.*]

pescoceiro. *Adj.* **1.** *Bras., S.* Diz-se do cavalo que pescoceia (2); pescoceador. **2.** *Bras., S. Fig.* Indivíduo que pescoceia [v. *pescocear* (3)]; pescoceador. **3.** *Bras. SP. Pop.* Falador, loquaz.

pescocinho. [Dim. de *pescoço.*] *S. m.* Gola branca, móvel, das batinas dos eclesiásticos. [Cf. *cabeção* (3).]

pescoço (ô). [De um **posoço* (de que faz parte o pref. *pos-*), por dissimilação.] *S. m.* **1.** A parte do corpo que liga a cabeça ao tronco; colo. **2.** *P. ext.* Garganta (1). **3.** *P. ext.* Gargalo: "por um pequeno arredondamento no bojo de um pote, ... no pescoço mais ou menos esguio de uma moringa, nos desenhos decorativos, ... as artesãs identificam suas peças." (Regina Lacerda, *Papa-Ceia*, p. 100). **4.** *Turfe.* Diferença correspondente ao tamanho aproximado de um pescoço, que distancia um cavalo de outro, no final de um páreo. [Pl.: *pescoços* (ô), no Brasil; sobretudo *pescoços* (ó), em Portugal.] ♦ **Até o pescoço.** Até o máximo; pelo pescoço: *Está, de dívidas, até o pescoço.* **Pelo pescoço.** Até o pescoço.

pescoçudo. *Adj.* Que tem o pescoço grosso e/ou comprido.

pescotapa. [De *pescoço* + *tapa.*] *S. m. Bras. Gír.* Pescoção, sopapo.

pés-de-lebre. *S. m. pl.* Carris recurvados que acompanham o centro do cruzamento das linhas férreas e determinam a mudança de direção dos trens.

pesebre. [Do esp. *pesebre.*] *S. m.* Lugar destinado, na manjedoura, a cada cavalgadura.

pesepelo (ê). *Adv.* Pés e pêlo [q. v.].

peseta (ê). [Do esp. *peseta.*] *S. f.* **1.** Moeda espanhola, de prata, cujo valor e peso variaram segundo as épocas. **2.** Unidade monetária, e moeda, da Espanha, Andorra e Guiné Equatorial, dividida em 100 cêntimos.

pesga (ê). [Dev. de *pesgar.*] *S. f.* Ato ou efeito de pesgar. [Pl.: *pesgas* (ê). Cf. *pesga* e *pesgas*, do v. *pesgar.*]

pesgada. *S. f.* Ato de pesgar.

pesgar. [Do lat. **picicare* pix, cis, 'pez'.] *V. t. d.* Barrar interiormente com pez (as vasilhas de barro próprias para a fermentação da uva). [Conjug.: v. *largar.* Pres. ind.: *pesgo, pesgas, pesga,* etc. Cf. *pesga* (ê), pl. *pesgas* (ê), e *pisgar-se.*]

pés-no-chão. *S. m. 2 n.* Homem que anda descalço, que é paupérrimo, de ínfima condição social: "aquele pés-no-chão, aquele inofensivo maluco do Largo da Glória é um sarcasmo animado, uma sátira palpitante contra a indiferença geral." (Olavo Bilac, *Crítica e Fantasia*, p. 165).

peso (ê). [Do lat. *pensu.*] *S. m.* **1.** *Fís.* Força que age sobre um corpo nas vizinhanças de um planeta e resulta da atração universal; o produto da massa de um corpo pela aceleração da gravidade. [Cf. *massa* (17).] **2.** Força que um corpo exerce sobre qualquer obstáculo que se oponha diretamente à sua queda. **3.** Medida dessa força em unidades determinadas. **4.** Qualidade de um corpo pesado: *Esta criança é de mais peso que a outra.* **5.** Qualquer objeto pesado: *Não agüento carregar este peso.* **6.** Tudo que faz pressão. **7.** Carga, carregamento: *Dirija com cuidado: o caminhão está transportando muito peso.* **8.** Sólido de metal de formato especial que serve para avaliar na balança a massa de um corpo. **9.** Pesa-papéis. **10.** Em atletismo, objeto esférico de metal que é lançado a distância. **11.** V. *haltere.* **12.** Grande pedra do lagar, ligada pelo fuso à viga. **13.** Antiga moeda de prata espanhola. **14.** Unidade monetária, e moeda, da Argentina [substituída pelo *austral* (2) (q. v.) em 15 de junho de 1985], Bolívia [v. *boliviano* (3)], Chile, Colômbia, Cuba, Guiné-Bissau, México, República Dominicana e República das Filipinas, dividida em 100 centavos, e do Uruguai, dividida em 100 centésimos. **15.** Indisposição, mal-estar: *Não se sente bem, está com um peso no estômago.* **16.** Cada uma das categorias do boxe: *peso-mosca* (até 52,802 kg); *peso-galo* (até 53,525 kg); *peso-pena* (até 57,152 kg); *peso leve* (até 61,237 kg); *peso meio-médio* (até 66,678 kg); *peso médio* (até 72,574 kg); *peso meio-pesado* (até 79,379 kg); *peso pesado* (acima de 79,378 kg). **17.** *Mat.* Parâmetro com que, em várias operações matemáticas, se multiplicam certas grandezas para dar-lhes maior ou menor importância. **18.** *Tip.* Força (20). **19.** *Fig.* Tudo quanto incomoda, molesta, fatiga, preocupa ou abate; carga, fardo: *ter um peso na consciência; estar sentindo o peso dos anos; o peso da responsabilidade.* **20.** *Fig.* Encargo, ônus: *ser um peso para a família.* **21.** Importância, valia, valor, mérito: *Seus trabalhos são de pouco peso.* **22.** *Fig.* Influência, prestígio, autoridade: *Procure-o: é pessoa de muito peso.* **23.** *Fig.* Impulso, ímpeto, força: *A polícia não conteve o peso da multidão.* **24.** *Bras.* V. *caiporismo.* **25.** *Bras.* Porção determinada de carne, nos açougues. **26.** *Bras., N.E.* Calço de pedra que se põe sob outra maior, para deixar pega, quando se deseja tombá-la. [Pl.: *pesos* (ê). Cf. *peso*, do v. *pesar.*] ♦ **Peso aderente.** A parcela do peso de um veículo transmitida por suas rodas motrizes à superfície de rolamento. **Peso atômico.** *Fís-Quím.* V. *massa atômica.* **Peso específico.** *Fís.* Peso da unidade de volume de um corpo. **Peso leve.** V. *peso* (16). **Peso médio.** V. *peso* (16). **Peso meio-médio.** V. *peso* (16). **Peso meio-pesado.** V. *peso* (16). **Peso molecular.** *Fís.-Quím.* Massa molecular. **Peso morto.** **1.** Peso de um veículo ou de um aparelho que absorve parte do trabalho útil. **2.** Aquilo que não tem utilidade ou que, além de não a ter, é dispendioso. **3.** *Fig.* Indivíduo que nada faz e vive à custa do seu país ou de outrem; parasito. **Peso orbital.** *Astron.* Peso total da fração de um veículo espacial colocado em órbita. **Peso pesado.** V. *peso* (16). **Peso próprio.** *Constr.* A parte da carga permanente suportada por uma estrutura, e devida exclusivamente ao peso da própria estrutura. **A peso de ouro.** Por preço elevadíssimo; muito caro: *Comprou uns livros raros a peso de ouro; O antiquário vende a peso de ouro;* "hoje vendem-se os palmos [de terrenos] a peso de ouro" (Antônio Álvares Pereira Coruja, *Antigualhas*, p. 28). **De peso.** **1.** De chofre e/ou com grande violência: *A chuva caiu de peso, impedindo-nos de prosseguir.* **2.** De valor sólido, ponderável: *argumento de peso.* **Em peso.** Na totalidade: *O Rio em peso compareceu à festa;* "E a Câmara em peso, por todos os votos menos um, votou um crédito suplementar de cinco contos de réis." (Ramalho Ortigão, *As Farpas*, II, p. 11). **Prematuro de peso.** Diz-se de, ou criança, prematura ou não, que nasceu pesando menos de 2,5 kg. **Ter dois pesos e duas medidas.** Julgar diferentemente situações iguais ou análogas; agir sem eqüidade. **Valer o seu peso em ouro.** Ser muito bom, precioso; valer muitíssimo.

peso-galo. [De *peso* + *galo*[1].] *S. m.* V. *peso* (16). [Pl.: *pesos-galos* e *pesos-galo.*]

peso-mosca. [De *peso* + *mosca.*] *S. m.* V. *peso* (16). [Pl.: *pesos-moscas* e *pesos-mosca.*]

peso-pena. *S. m.* V. *peso* (16). [Pl.: *pesos-penas* e *pesos-pena.*]

pespegar. [F. dissimilada de **pospegar* pos- + *pegar.*] *V. t. d. e i.* **1.** Assentar com violência ou energia; assestar, impingir, aplicar: *Pespegou um murro no atrevido; Pespeguei-lhe um beijo e fugi.* **2.** Aplicar, colocar, pôr: *Pespegou um remendo no rasgão da calça.* **3.** Dizer, contar (mentira) como se fosse verdade; impingir, aplicar. [Conjug.: v. *regar.* Pres. ind.: *pespego,* etc. Cf. *pespego* (ê).]

pespego (ê). *S. m.* Empecilho, estorvo. [Pl.: *pespegos* (ê). Cf. *pespego*, do v. *pespegar.*]

pespontar. [De *pospontar*, com dissimilação.] *V. t. d.* **1.** Daresponto em; coser a pesponto: *pespontar uma costura:* **2.** Ter presunção, vaidade; vangloriar-se, presumir, timbrar: *Muitos ignorantes pespontam de sábios.* [F. paral.: *pespontear.*]

pesponteado. [Part. de *pespontear.*] *Adj.* **1.** Cosido a pesponto. **2.** *Fig.* Feito com todo o apuro.

pespontear. *V. t. d.* V. *pespontar.* [Conjug.: v. *frear.*]

pesponto. [Dev. de *pespontar.*] *S. m.* **1.** V. *ponto-atrás.* **2.** Costura externa, feita à máquina com pontos graúdos que lembram o pesponto (1), e cujo fim é prender ou ornamentar a parte costurada. [Sin. ger.: *posponto.*]

pesporrência. *S. f.* Exibição de autoridade; arrogância, pedantismo.

pesqueira. [Fem. substantivado do adj. *pesqueiro.*] *S. f.* **1.** Lugar onde há armações de pesca. **2.** Armação de pesca.

pesqueirense. *Adj. 2 g.* **1.** De, ou pertencente ou relativo a Pesqueira (PE). ● *S. m.* **2.** Natural ou habitante de Pesqueira.

pesqueiro. [De *pesca* + *-eiro.*] *Adj.* **1.** Referente à pesca: *indústria pesqueira.* [Sin., p. us: *pescarejo, pescarez.*] **2.** Que serve para pescar; pescador: *embarcação pesqueira.* ● *S. m.* **3.** Fio com aselha em uma das extremidades e anzol na outra. **4.** Lugar que serve para comedouro, viveiro ou abrigo para peixes. **5.** *Bras.* Ramadas lançadas ao mar com o fim de atrair e juntar peixes. **6.** *Bras. S.* Lugar onde se pesca: "Chamas, talvez, ao seu posto... — Quem? algum camaroeiro / Retardado e maldisposto / A seguir para o pesqueiro?" (Vicente de Carvalho, *Poemas e Canções*, p. 200.) ♦ **Estragar o pesqueiro.** *Bras., SP. Pop.* Atrapalhar, confundir, perturbar.

pesquisa. [Do esp. *pesquisa.*] *S. f.* **1.** Ato ou efeito de pesquisar. **2.** Indagação ou busca minuciosa para averiguação da realidade; investigação, inquirição. **3.** Investigação e estudo, minudentes e sistemáticos, com o fim de descobrir ou estabelecer fatos ou princípios relativos a um campo qualquer do conhecimento: *pesquisa química; pesquisa arqueológica.* ♦ **Pesquisa de campo.** V. *de campo.* **Pesquisa de mercado.** Levantamento, registro, análise ou coleta dos fatores relacionados com os problemas de distribuição e venda de mercadoria ou de prestação de serviços. **Pesquisa de motivação.** A que tem por fim conhecer mais em profundidade a reação psicológica do público a um dado produto, marca, acontecimento ou serviço.

pesquisador (ô). *Adj.* e *s. m.* Que ou aquele que pesquisa.

pesquisar. [De *pesquisa* + *-ar*[2].] *V. t. d.* **1.** Buscar com diligência; inquirir, perquirir; investigar: *Estão pesquisando, na cidadezinha, as origens humildes do célebre escritor.* **2.** Informar-se a respeito de; indagar, esquadrinhar, devassar: *O tribunal pesquisou a vida dos réus. Int.* **3.** Fazer pesquisas: "Aurélio andava adoentado e raramente subia à roleta, passando os dias .... na Biblioteca, pesquisando, escavando assuntos para novelas e poemas." (Coelho Neto, *Turbilhão*, p. 226).

pessanhense. *Adj. 2 g.* **1.** De, ou pertencente ou relativo a Pessanha (MG). ● *S. 2 g.* **2.** Natural ou habitante de Pessanha.

pessário. [Do lat. *pessariu.*] *S. m. Med.* Aparelho de borracha que pode ter formas diversas, e cujo grau de flexibilidade é variável, usado para a contenção de órgãos pélvicos, como, p. ex., o útero, e, outrora, como instrumento anticoncepcional.

pessebismo. *Bras. S. m.* **1.** O ideário do P.S.B. (Partido Socialista Brasileiro); o programa, o espírito desse partido. **2.** Filiação a esse partido, ou simpatia por ele.

pessebista. *Bras. Adj. 2 g.* **1.** Relativo ao P.S.B., ou ao pessebismo (1). **2.** Que é partidário ou simpatizante do P.S.B. ● *S. 2 g.* **3.** Partidário ou simpatizante dele.

pessedismo. *Bras. S. m.* **1.** O ideário do P.S.D. (Partido Social Democrático), agremiação política brasileira; o programa, o espírito desse partido. **2.** Filiação a esse partido, ou simpatia por ele.

pessedista. *Bras. Adj. 2 g.* **1.** Relativo ao P.S.D., ou ao pessedismo (1). **2.** Que é partidário ou simpatizante do P.S.D. ● *S. 2 g.* **3.** Partidário ou simpatizante dele.

pêssega. [De *pêssego.*] *S. f. Lus. Pop.* **1.** Moça bonita, atraente, graciosa, tentadora. **2.** V. *amante* (4):"— Vens? / — Não, não vou. Hoje não janto em casa. / E em voz de confidência: / — Vou jantar com uma pêssega." (José Gomes Ferreira, *O Mundo dos Outros*, p. 92.)

pessegada. *S. f.* Doce de pêssego.

pessegal. [De *pêssego* + *-al.*] *S. m.* Quantidade mais ou menos considerável de pessegueiros dispostos proximamente entre si.

pêssego. [Do lat. *persicu*, i. e., *persicu malum*, 'maçã da Pérsia'.] *S. m.* O fruto do pessegueiro.

pessegueiro. *S. m.* Árvore da família das rosáceas (*Prunus persica*), cultivada como frutífera mercê dos excelentes frutos. Floresce sem folhas, enchendo-se de pequenas e belas flores rosadas; os frutos são drupas com mesocarpo carnoso, edule, e endocarpo muito duro.

pessegueiro-da-índia. *S. m.* Árvore da família das ebenáceas (*Diospyrus discolor*). [Pl.: *pessegueiros-da-índia.*]

pessegueiro-do-mato. *S. m. Bras.* Cereja-do-rio-grande. [Pl: *pessegueiros-do-mato.*]

pessepismo. *Bras. S. m.* **1.** O ideário do P.S.P. (Partido Social Progressista), agremiação política brasileira; o programa, o espírito desse partido. **2.** Filiação a esse partido, ou simpatia por ele.

pessepista. *Bras. Adj. 2 g.* **1.** Relativo ao P.S.P., ou ao pessepismo (1). **2.** Que é partidário ou simpatizante do P.S.P. ● *S. 2 g.* **3.** Partidário ou simpatizante dele.

pessimismo. [De *péssimo* + *-ismo.*] *S. m.* **1.** Disposição de espírito que leva o indivíduo a encarar tudo pelo lado negativo, a esperar de tudo o pior. **2.** *Filos.* Doutrina segundo a qual o mal predomina sobre o bem, valendo mais não ser do que ser.

pessimista. *Adj. 2 g.* **1.** Que tem ou revela pessimismo: *um escritor pessimista; visão pessimista do mundo; opinião pessimista.* **2.** Relativo ao pessimismo ou aos seus sectários: *filosofia pessimista.* ● *S. 2 g.* **3.** Pessoa pessimista. **4.** Partidário do pessimismo (2).

péssimo. [Do lat. *pessimu.*] *Adj.* Superl. abs. sint. de mau; malíssimo.

pessoa (ô). [Do lat. *persona.*] *S. f.* **1.** Homem ou mulher. **2.** V. *personagem* (1): *O bispo era a primeira pessoa da cidade.* **3.** V. *individualidade* (2): *A pessoa dele era motivo de chacota* **4.** *Gram.* Flexão pela qual o verbo indica as relações dos sujeitos falantes entre si. **5.** *Jur.* Ser ao qual se atribuem direitos e obrigações. ♦ **Pessoa coletiva.** V. *pessoa jurídica.* **Pessoa complexa.** V. *pessoa jurídica.* **Pessoas divinas.** *Teol.* As três pessoas da Santíssima Trindade [v. *trindade* (1)]: o Pai, o Filho e o Espírito Santo. **Pessoa fictícia.** V. *pessoa jurídica.* **Pessoa física.** Pessoa natural. **Pessoa interposta.** A que, sem ter legítimo interesse, aparece num ato jurídico como parte, a fim de ocultar o verdadeiro interessado, que, por motivos quase sempre ilícitos, não quer aparecer; presta-nome. **Pessoa jurídica.** Entidade jurídica resultante dum agrupamento humano organizado, estável, e que visa a fins de utilidade pública ou privada e é completamente distinta dos indivíduos que o compõem, sendo capaz de exercer direitos e contrair obrigações, tais como a União, cada um dos estados ou municípios (pessoas jurídicas de direito público), e as sociedades civis, mercantis, pias, fundações, etc. (pessoas jurídicas de direito privado); pessoa coletiva, pessoa complexa, pessoa fictícia, pessoa moral. **Pessoa moral.** V. *pessoa jurídica.* **Pessoa natural.** O ser humano considerado singularmente, como sujeito de direitos; pessoa física. **Como uma só pessoa.** V. *como um só homem:* "A multidão se levantou como se fora uma só pessoa. E conservou um silêncio religioso." (Jorge Amado, *Jubiabá,* p. 11.) **Em pessoa. 1.** Pessoalmente: "A mãe teria notícias dela todos os dias e havia de lhe aparecer em pessoa duas vezes por semana." (Aluísio Azevedo, *Casa de Pensão,* p. 250.) **2.** Representado ou simbolizado em um indivíduo: *Joana é a bondade em pessoa;* "Ele, Paulo, era a alegria em pessoa e a hospitalidade." (Pedro Nava, *Beira-Mar,* p. 46). **Ser a segunda pessoa de.** Ser o substituto mais categorizado, o auxiliar mais importante, o braço direito de: *F. é a segunda pessoa do diretor.* **Uma pessoa.** Eu, nós; a gente: *Está uma pessoa a descansar em sua casa, e vem um desocupado importuná-la.*

pessoal. [Do lat. *personale.*] *Adj. 2 g.* **1.** Relativo ou pertencente a pessoa: *liberdades pessoais.* **2.** Concernente ou peculiar a uma só pessoa; individual, particular: *objeto de uso pessoal; gesto pessoal; convite pessoal.* **3.** Que é de propriedade duma certa pessoa: *fortuna pessoal.* **4.** Reservado, particular, íntimo: *assunto estritamente pessoal; recordações pessoais.* [Superl. abs. sint.: *pessoalíssimo* e *personalíssimo.*] ~ V. *direito* —, *falta* —, *garantia* —, *infinitivo* —, *lei* — e *pronome* —. ● *S. m.* **5.** Conjunto de pessoas que exercem diferentes funções ou serviços em qualquer núcleo de trabalho: *O pessoal da empresa abrange desde economistas até faxineiros.* **6.** *Bras.* A turma; os amigos; a família: *Ontem o pessoal reuniu-se lá em casa.* ● *S. f.* **7.** *Basq.* Falta pessoal [q. v.].

pessoalidade. [De *pessoal* + *-i-* + *-dade.*] *S. f.* Personalidade (1).

pessoalíssimo. *Adj.* Superl. abs. sint. de *pessoal;* personalíssimo.

pessoalizar. [De *pessoal* + *-izar.*] *V. t. d.* Personificar (2).

pessoalizável. *Adj. 2 g.* Que pode ser pessoalizado.

pessoense. *Adj. 2 g.* **1.** De, ou pertencente ou relativo a João Pessoa, capital da PB. ● *S. 2 g.* **2.** Natural ou habitante de João Pessoa.

pestana. *S. f.* **1.** Cada um dos pêlos da orla das pálpebras; cílio, celha. **2.** Tira cosida a uma peça de vestuário e guarnecida de casas, a qual serve para abotoar sem que se notem os botões. **3.** Debrum de costura. **4.** *Art. Gráf.* Recorte de papel, cartolina, etc., colado à margem das páginas de certos livros, para constituir índice de dedo. **5.** *Art. Gráf.* Aba com que se fecha o envelope; fecho. **6.** *Tip.* Bandeira (9). **7.** *Mús.* Nos instrumentos de cordas, pequeno filete, de madeira ou de marfim, próximo do cravelhal, e sobre o qual as cordas passam a igual distância umas das outras. **8.** *Bras.* Posição, nos instrumentos de corda, como o violão, o violino, etc., na qual se prendem todas as cordas com o índice da mão esquerda aplicado sobre o braço do instrumento. **9.** *Bras. Constr. Nav.* Meia-calha metálica que se fixa no costado, por cima da parte superior de vigia, para impedir que nela penetre a água que eventualmente escorrer pelo costado. [Sin., lus. (nesta acepç.), *telha.*] **10.** *Bras.* Vegetação arbórea à margem dos rios e lagos. ♦ **Queimar as pestanas.** Estudar muito. **Tirar uma pestana.** *Fam.* Cochilar, dormitar; tirar uma soneca.

pestanear. *V. int. P. us.* V. *pestanejar.* [Conjug.: v. *frear.*]

pestanejante. *Adj. 2 g.* Que pestaneja.

pestanejar. *V. int.* **1.** Mover as pestanas; abrir e fechar os olhos; piscar: "abriu o dorminhoco as pálpebras, pestanejou com a claridade do dia, esfregou os olhos" (José de Alencar, *O Sertanejo,* p. 76). **2.** Tremeluzir, cintilar (estrelas): "nos espaços pestanejavam as estrelas com brilho bastante amortecido" (Visconde de Taunay, *Inocência,* pp. 213-214). [F. paral. p. us.: *pestanear.* Conjug.: v. *pelejar.*]

pestanejo (ê). [Dev. de *pestanejar.*] *S. m.* Ato de pestanejar: "cruzava diante dela, regirando, os olhos fincados nos olhos de Rosinha, sem pestanejos." (Tio Carvalho, *Bulha d'Arroio,* p. 160).

pestanudo. *Adj.* Que tem grandes pestanas: "Esbelta, viva, grandes olhos movediços, pestanudos." (Rodrigo Otávio, *Contos de Ontem e de Hoje,* p. 207.)

peste. [Do lat. *peste,* 'calamidade, flagelo'.] *S. f.* **1.** Doença contagiosa grave; epidemia, pestilência. **2.** Qualquer epidemia caracterizada por uma grande mortandade; pestilência: "Os anos matam e dizimam tanto / Como as inundações e como as pestes ..." (Olavo Bilac, *Poesias,* p. 180). **3.** *Patol.* Doença infecciosa, essencialmente do rato, causada pelo bacilo de Yersin, e que por meio da pulga se transmite ao homem, assumindo, neste, uma de duas formas: a *bubônica* (em que há o aparecimento de tumefações ganglionares denominadas, popularmente, *bubões*), e a *pneumônica* (que se desenvolve com um quadro clínico típico de pneumonia lobar). A primeira dessas formas é benigna, e a segunda acarreta a morte, praticamente, em todos os casos. **4.** Pessoa corrutora. **5.** *Fig.* Pessoa má, ou rabugenta. [Tb. us., nesta acepç., como s. 2 g.] **6.** *Fig.* Pestilência (2). **7.** *Fig.* Coisa funesta, perniciosa. ● *S. 2 g.* **8.** *Bras. Pop.* Pessoa má, ou rabugenta: "— Só deixarei a Bahia quando matar aquele peste." (Adonias Filho, *Luanda, Beira Bahia,* p. 64.) ♦ **Peste bubônica.** *Patol.* V. *peste* (3). [Sin.: *febre-de-caroço.* Tb. se diz apenas *bubônica.*] **Peste pneumônica.** *Patol.* V. *peste* (3). **Da peste.** *Bras. Pop.* **1.** De causar espanto ou medo; espantoso; terrível; do diabo: *A discussão acabou num rolo da peste.* **2.** Diz-se de coisa ou pessoa muito má, ou, ao contrário, ótima, excelente, extraordinária; dos diabos: *Passei fome, com aquela comida da peste; Que sujeito malvado da peste!; É um cabra bom da peste.* **Pra peste.** *Bras., N.E. Pop.* Em grande quantidade, ou com grande intensidade: *No baile havia gente pra peste; Choveu pra peste.*

pesteado. [Part. de *pestear.*] *Adj. Bras.* **1.** Atacado de peste. **2.** *P. ext.* Doente, enfermo.

pestear. [De *peste* + *-ear.*] *V. t. d.* **1.** Empestar (1 e 2). *Int.* **2.** *Bras.* Ser o animal atacado de peste: *O gado não vacinado arrisca-se a pestear e morrer.* [Conjug.: v. *frear.*]

pesteira. [De *peste* + *-eira.*] *S. f. Bras., RS.* Doença, achaque.

pesticida. [Do ingl. *pesticide.*] *Adj. 2 g.* e *s. m.* Diz-se de, ou substância que combate a praga (5).

pestiferar. *V. t. d.* Tornar pestífero; empestar. [Pres. ind.: *pestifero,* etc. Cf. *pestífero.*]

pestífero. [Do lat. *pestiferu.*] *Adj.* **1.** Que produz peste; pestilento: *vírus pestífero.* **2.** *Fig.* Danoso, nocivo, pernicioso, corrutor. ● *S. m.* **3.** Doente de peste. [Cf. *pestifero,* do v. *pestiferar.*]

pestilência. [Do lat. *pestilentia.*] *S. f.* **1.** Peste (1 e 2). **2.** Mal contagioso. **3.** *Fig.* Mau cheiro; fedor, peste.

pestilencial. [De *pestilência* + *-al.*] *Adj. 2 g.* V. *pestilento:* "o cheiro adocicado da sua pomada dominou o odor pestilencial que vinha do canil." (Lúcio Cardoso, *O Desconhecido,* p. 62).

pestilencioso (ô). [De *pestilência* + *-oso.*] *Adj.* V. *pestilento.*

pestilente. [Do lat. *pestilente.*] *Adj. 2 g.* V. *pestilento:* "Por que rompe no azul do puro amor / O sopro do desejo pestilente?" (Antero de Quental, *Sonetos,* p. 312.)

pestilento. [Do lat. *pestilentu.*] *Adj.* **1.** Que tem o caráter de, ou que é próprio de peste, ou que a lembre: *febre pestilenta; cheiro pestilento.* **2.** Infectado de peste: *navio pestilento.* **3.** Pestífero (1). **4.** Que tem cheiro infecto; mefítico. **5.** *Fig.* Que corrompe ou desmoraliza: *vício pestilento.* [F. paral.: *pestilente.* Sin. ger.: *pestilencial, pestilencioso.*]

pestilo. [Do lat. vulg. **pestellu,* por **pestulu* < *pessulu,* 'ferrolho', atr. do galego *pestelo* e do esp. *pestillo.*] *S. m.* Aldraba ou tranqueta de porta. [Cf. *pistilo.*]

pestologia. [De *peste* + *-o-* + *-log(o)-* + *-ia.*] *S. f.* Ramo da ciência que estuda as pestes em todos os seus aspectos.

pestológico. *Adj.* Relativo à pestologia.

pestólogo. *S. m.* Especialista em pestologia.

pestoso (ô). *Adj.* e *s. m.* Doente de peste, especialmente da peste bubônica.

pé-sujo. *S. m. Bras., RJ.* Botequim de ínfima categoria; lata-de-lixo. [Pl.: *pés-sujos.*]

peta[1] (ê). [Do gr. *pítta,* 'pez', pelo lat. **pitta.*] *S. f.* **1.** Mancha no olho do cavalo. **2.** Cunha cortante nas costas do dão ou do sacho. **3.** Prolongamento de madeira usado para evitar que o vidro se risque. [Pl.: *petas* (ê). Cf. *peta* e *petas,* do v. *petar.*]

peta[2] (ê). *S. f.* **1.** V. *mentira* (1): "Como os grandes mentirosos, que acabam acreditando nas próprias petas, o charlatão de classe é o que se convence da autenticidade das suas burlas." (Walter Benevides, *Da Arte de Ter Clínica.*) **2.** *Bras., N.* e *N.E.* Espécie de bolo leve de mandioca. **3.** *Bras., BA.* Mentira-carioca. [Pl.: *petas* (ê). Cf. *peta* e *petas,* do v. *petar.*]

▲**peta-.** Pref. que, anteposto ao nome duma unidade de medida, forma o nome de uma unidade derivada 10^{15} vezes a primeira. [Símb.: *P.*]

pétala. [Do gr. *pétalon.*] *S. f. Morfol. Veg.* Cada uma das peças que constituem a corola das flores. São alvas ou diversamente coloridas, livres entre si ou concrescidas, e muitas desiguais. [A f. classicamente usada é masculina: *pétalo.*]

petalado. *Adj. Morfol. Veg.* que tem pétala(s).

petalhada. *S. f. Bras.* Porção de petas [v. *peta*[2] (1)]; mentirada.

petaliforme. [De *petal(o)-* + *-i-* + *-forme.*] *Adj. 2 g.* que tem forma de pétala; petalino.

petalino. *Adj.* **1.** Relativo ou pertencente a pétala. **2.** Petaliforme.

petálio. [Do gr. *pétalon,* 'folha (de nardo)', + *-io*[2].] *S. m.* Ungüento de folhas de nardo.

petalismo. [Do gr. *petalismós.*] *S. m.* Ostracismo (1) que se praticava em Siracusa, assim denominado porque os sufrágios eram inscritos em folhas de oliveira.

petalita. [De *petal(o)-* + *-ita*[3].] *S. f. Min.* Mineral monoclínico, silicato de alumínio e lítio.

pétalo. [Do gr. *pétalon.*] *S. m. Morfol. Veg.* V. *pétala.*

▲**petal(o)-.** [Do gr. *pétalon,* 'folha de planta', 'de flor', 'lâmina de metal'. *El. comp.* = 'pétala': *petalóide, petalomania.* [Equiv.: *-petalo: apopétalo, epipétalo.*]

▲**-petalo.** Equiv. de *petal(o)-.*

petalóide. [De *petal(o)-* + *-óide.*] *Adj. 2 g. Morfol. Veg.* Semelhante a uma pétala: *sépala petalóide.*

petalomania. [De *petal(o)-* + *-mania.*] *S. f. Morfol. Veg.* Multiplicação anormal das pétalas.

petanisca. *S. f. Lus.* Patanisca.

petar. [De *peta*[2] (ê) (1) + *-ar*[2].] *V. int.* Dizer petas [v. *peta*[2] (1)]; mentir, petear. [Pres. ind.: *peto, petas, peta,* etc. Cf. *peta* (ê), pl. *petas* (ê), e *peto* (ê).]

petardar. *V. t. d.* Fazer saltar com petardos; petardear: *Os bombardeiros petardaram as bases militares.*

petardear. [De *petardo* + *-ear.*] *V. t. d.* Petardar. [Conjug.: v. *frear.*]

petardeiro. *S. m.* Aquele que faz ou aplica petardos.

petardo. [Do fr. *pétard.*] *S. m.* **1.** Engenho explosivo, portátil, para destruir obstáculos; bomba. **2.** Pequena peça de fogo de artifício que rebenta com estampido. **3.** *Fut.* Chute violento.

petaurista. [Do gr. *petauristés,* pelo lat. *petaurista.*] *S. 2 g.* Entre os antigos romanos, equilibrista ou funâmbulo.

petauro. [Do gr. *pétauron,* pelo lat. *petauru.*] *S. m.* Na antiga Roma, tablado de acrobatas.

peté. [Do ioruba.] *S. m. Bras.* Comida predileta de Oxum, feita de inhame, cebola e camarão seco, lembrando vatapá.

petear. [De *peta*[1] + *-ear.*] *V. int.* V. *petar.* [Conjug.: v. *frear.*]

petebismo. *S. m.* **1.** O ideário do P.T.B. (Partido Trabalhista Brasileiro); o programa, o espírito desse partido. **2.** Filiação a esse partido, ou simpatia por ele.

petebista. *Adj. 2 g.* **1.** Relativo ao P.T.B., ou ao petebismo (1). **2.** Que é partidário ou simpatizante do P.T.B. ● *S. 2 g.* **3.** Partidário ou simpatizante dele.

peteca. [Do tupi *pe'teka,* ger. de *pe'teg,* 'bater'.] *S. f. Bras.* **1.** Espécie de pequena bola achatada e leve, feita de couro ou de outro material, e guarnecida de penas longas reunidas em molho, e que se lança ao ar com a palma das mãos. [No Nordeste fazem-na com a palha e o cabelo do milho, e chamam-lhe *bola-de-milho.* Cf. *volante* (8).] **2.** *P. ext.* Objeto semelhante, feito de plástico, borracha, cortiça, etc., que se joga com raquete. **3.** *Fig.* Joguete de escárnio. **4.** *N.E.* V. *atiradeira.* **5.** *PA.* V. *gude.* ♦ **Deixar a peteca cair.** *Bras.* Vacilar; falhar.

petecada. *S. f.* **1.** *Bras.* Uma jogada com peteca. **2.**

Pancada com a peteca. **3.** Pedrada com a peteca (4).

petecar. [De *peteca?*] *V. t. d.* e *p.* Empetecar(-se). [Conjug.: v. *trancar.*]

petegar. *V. t. d.* Cortar com a peta[1] (ê) (2): *petegar árvores.* [Conjug.: v. *regar.*]

peteiro. [De *peta*[2] (ê) (1).] *Adj.* e *s. m.* Que ou aquele que diz petas; patranheiro, mentiroso.

peteleca. *S. f. Bras.* V. *bofetada* (1). [Cf. *peteleco.*]

petelecada. *S. f. Bras.* V. *peteleco.*

peteleco. *S. m. Bras.* Pancada com a ponta do dedo médio, firmada, para o golpe, no polegar, e dada geralmente nas orelhas. [Sin.: *peteleque, petelecada, picotê,* teco e (na BA) *chá-de-burro.* Cf. *peteleca.*]

peteleque. *S. m. Bras.* V. *peteleco.*

petema. *S. m. Bras.* V. *petume.*

petequear. *V. int. Bras.* Jogar peteca. [Conjug.: v. *frear.*]

petequial. *Adj. 2 g.* **1.** Relativo a petéquia(s), ou que a(s) tem.

petéquia. [Do it. *petecchie.*] *S. f. Patol.* Cada uma das pequenas manchas vermelhas ou purpúreas, não salientes, que surgem na pele ou em membranas mucosas, devidas a hemorragias intradérmicas ou submucosas. No seu curso evolutivo, essas manchas passam a azuis ou amarelas.

petiçada. *S. f. Bras., RS.* Porção de petiços.

petição[1]. [Do lat. *petitione.*] *S. f.* **1.** Ato de pedir. **2.** V. *rogo* (1). **3.** Requerimento (2). ♦ **Petição de princípio.** *Filos.* Paralogismo que consiste em apoiar-se uma demonstração sobre a tese que se pretende demonstrar. **Em petição de miséria.** Em estado deplorável, miserável: *Está mal de vida, em petição de miséria; A casa está em petição de miséria, só falta cair.*

petição[2]. [Aum. de *petiço* (q. v.).] *S. m. Bras., S.* Petiço corpulento. [Fem.: *petiçona.*]

peticego. [De *peto*[1] (ê) + *cego.*] *Adj.* e *s. m.* Que ou aquele que tem vista curta.

peticionar. *V. int.* Fazer petição[1] (3): *O réu tem o direito de peticionar em causa própria.* [Fut. pret.: *peticionaria,* etc. Cf. *peticionária,* fem. de *peticionário.*]

peticionário. *S. m.* **1.** Aquele que faz petição; requerente. **2.** *Jur.* Aquele que intenta demanda em juízo. [Fem.: *peticionária.* Cf. *peticionaria,* do v. *peticionar.*]

petiço. [Do esp. plat. *petiso.*] *S. m. Bras., S.* **1.** Cavalo pequeno, curto, baixo: "vi toda a minha vida, desde pequenino. Desde o tempo em que era guri e ia à venda do Tico, num petiço tordilho." (Darci Azambuja, *Coxilhas,* pp. 57-58). **2.** *P. ext.* Pessoa de pequena estatura. [Dim.: *petiçote,* fem. *petiçota;* aum.: *petição,* fem. *petiçona.*]

petiçona. *S. f. Bras., S.* Fem. de *petição*[2] [q. v.].

petiçota. *S. f. Bras., S.* Fem. de *petiçote* [q. v.].

petiçote. [Dim. de *petiço* (q. v.).] *S. m. Bras.* Petiço de pequeno porte.

petigris. [Do fr. *petit-gris.*] *S. m. 2 n.* Variedade de esquilo cinzento, de cuja pele se fazem agasalhos.

petiguar. *Bras. S. 2 g.* e *adj. 2 g.* Var. de *potiguar* (1 e 3).

petima. *S. f. Bras.* V. *petume.*

petimbuaba. [Do tupi *petĩbu'ab,* 'cachimbo'.] *S. m. Bras.* V. *peixe-agulha* (1).

petimetre. [Do fr. *petit-maître.*] *Adj.* e *s. m.* Diz-se de, ou indivíduo vestido com apuro exagerado; janota ridículo.

petinga. [Do tupi *pe'tĩga,* 'de pele branca'.] *S. f.* **1.** Sardinha miúda. **2.** Peixe miúdo, que se usa como isca. [Cf. *pitinga.*]

petintal. *S. m. Ant. Mar. G.* **1.** Carpinteiro especializado na construção de galés. **2.** Carpinteiro-calafate que servia a bordo das galés.

petipé. *S. m.* **1.** Escala ou régua com divisões, utilizada por arquitetos. **2.** Escala de reduções em mapas e cartas.

petisca. *S. f.* Brinquedo de meninos, em que se lançam pedrinhas a uma moeda posta no chão, ganhando-a aquele que lhe acertar.

petiscador (ô). *Adj.* e *s. m.* Que ou aquele que é dado a petiscar; lambiscador.

petiscar. *V. int.* **1.** Comer petisco (1). **2.** Comer um pouco, provando ou saboreando; provar: *Petiscou tanto que acabou não almoçando. T. i.* **3.** Tocar, provando ou saboreando: *O velho mal petiscava na comida.* **4.** Ter conhecimentos superficiais ou rudimentares; entender, pescar: *petiscar de matemática. T. d.* **5.** Comer pouco e sem apetite; beliscar: *O doente está sem apetite: petisca o alimento e logo o rejeita.* **6.** Ferir (lume) com o fuzil na pederneira: "Acabavam de triscar um fuzil não mui distante e petiscar fogo do isqueiro." (José de Alencar, *O Sertanejo,* p. 73.) [Conjug.: v. *trancar.*]

petisco. *S. m.* **1.** Iguaria saborosa, preparada com esmero. [Sin.: *acepipe, petisqueira, pitéu* e (bras.) *paparicho, quitute.*] **2.** Fuzil (4) para ferir lume na pederneira. **3.** *Fam.* Indivíduo ridicularmente pretensioso.

petisqueira. [De *petisco* + *-eira.*] *S. f. Pop.* **1.** V. *petisco* (1). **2.** Casa de pasto; restaurante. **3.** *Bras., N.* e *N.E.* V. *guarda-comida.*

petisqueiro. [De *petisco* (1) + *-eiro.*] *S. m. Bras., N.* e *N.E.* V. *guarda-comida.*

petisquice. [De *petisco* (3) + *-ice.*] *S. f. Fam.* Qualidade de petisco (3).

petisseco (ê). [De *seco.*] *Adj.* Murcho, peco, entanguido.

petista. *Adj. 2 g.* **1.** Relativo ao, ou que é partidário ou simpatizante do PT (Partido dos Trabalhadores). ● *S. 2 g.* **2.** Partidário ou simpatizante dele.

petitinga. [De provável or. tupi] *S. f. Bras.* Pequeno peixe de rio ou de mar.

petitório. [Do lat. *petitoriu.*] *Adj.* **1.** Relativo a pedido ou a petição. ~ V. *ação —a.* ● *S. m.* **2.** *Jur.* A parte da petição inicial em que o autor, após haver deduzido a exposição dos fatos e do direito, formula o seu pedido ou pretensão.

➧**petit-pois** (peti-puá). [Fr.] *S. m.* Ervilha sem casca.

petiz. [Do fr. *petit.*] *Adj. 2 g. Fam.* **1.** Que é criança; pequeno. ● *S. m.* **2.** Menino, guri, garoto.

petizada. *S. f.* **1.** *Fam.* Os petizes. **2.** Reunião de petizes.

peto. *El. s. m.* Us. na loc. *de peto.* [Cf. *peto* (ê).] ♦ **De peto.** *Prov. lus.* De propósito; expressamente.

▲-peto. [Do lat. *petere.*] *El. comp.* = 'que se dirige': *centrípeto.*

peto[1] (ê). *Adj.* V. *estrábico* (2). [Pl.: *petos* (ê). Cf. *peto,* do v. *petar* e el. s. m.]

peto[2] (ê). [De *petar.*] *Adj.* V. *maçante* (1). [Pl.: *petos* (ê). Cf. *peto,* do v. *petar* e el. s. m.]

petrarquesco (ê). [Do it. *petrarchesco.*] *Adj.* V. *petrarquiano.*

petrarquiano. [Do antr. *Petrarca* + *-i-* + *-ano.*] *Adj.* **1.** Relativo ou pertencente a Francesco Petrarca, poeta e humanista italiano (1304-1374), ou próprio dele. ● *S. m.* **2.** Grande admirador e/ou profundo conhecedor da obra de Petrarca. [Sin. ger.: *petrarquesco* e *petrarquista.*]

petrarquismo. *S. m.* Imitação da maneira poética de Petrarca [v. *petrarquiano.*]

petrarquista. [Do it. *petrarchista.*] *Adj. 2 g.* **1.** V. *petrarquiano:* "A concepção petrarquista nunca o abandonou [a Luís de Camões] de todo." (J. Capistrano de Abreu, *Ensaios e Estudos,* 1ª série, p. 157.) ● *S. 2 g.* **2.** V. *petrarquiano.* **3.** Imitador da maneira poética de Petrarca.

petrarquizar. *V. int.* Poetar ou escrever ao jeito de Petrarca [v. *petrarquiano*].

petrechar. [Do esp. *pertrechar.*] *V. t. d.* Prover de petrechos; preparar, aparelhar, aperceber, apetrechar: *O general petrechou as tropas; O capitão petrechou o navio.* [Conjug.: v. *fechar.*]

petrechos (ê). [Do esp. *pertrechos.*] *S. m. pl.* **1.** Munições e instrumentos de guerra. **2.** Quaisquer objetos necessários à execução de algo; apestos. [Var.: *apetrechos.*]

petreco. *S. m. Bras.* Indivíduo sem profissão.

petrel. *S. m.* Designação comum às aves procelariformes, especialmente da família dos hidrobatídeos, que freqüentam os oceanos, se alimentam de peixes e nidificam em ilhas isoladas. [Pl.: *petréis.*]

pétreo. [De *petr(i)-* + *-eo.*] *Adj.* **1.** De pedra; petroso. **2.** Com aparência ou resistência de pedra; petroso. **3.** Relativo a pedra; pedernal. **4.** *Fig.* Insensível, duro, desumano. [Sin. ger.: *sáxeo.*]

▲petr(i)-. [Do lat. *petra, ae.*] *El. comp.* = 'rochedo', 'pedra': *pétreo, petrificar.*

petrificação. *S. f.* **1.** Ato ou efeito de petrificar(-se). **2.** Processo de substituição dos constituintes orgânicos por minerais; mineralização.

petrificador (ô). *Adj.* Que petrifica; petrífico, petrificante.

petrificante. *Adj. 2 g.* V. *petrificador.*

petrificar. [De *petr(i)-* + *-ficar.*] *V. t. d.* **1.** Converter em pedra; empedernir, lapidificar. **2.** Tornar duro, insensível, desumano; empedernir: *O sofrimento prolongado petrifica as pessoas.* **3.** Tornar imóvel de estupefação; aterrar, assombrar, imobilizando: *A violência de sua atitude petrificou os presentes. P.* **4.** Converter-se em pedra; lapidificar-se: *As matérias orgânicas petrificaram-se, constituindo as rochas orgânicas.* **5.** Tornar-se duro, insensível, desumano, empedernir-se. **6.** Ficar imóvel ou estupefato de susto ou medo; paralisar-se de susto ou medo: *As crianças petrificaram-se ao aparecimento do monstro.* [Conjug.: v. *trancar.* Pres. ind.: *petrifico,* etc. Cf. *petrífico.*]

petrífico. [De *petr(i)-* + *-fico.*] *Adj.* V. *petrificador.* [Cf. *petrifico,* do v. *petrificar.*]

petrina. [Do lat. *pectorina < *pectus, oris,* 'peito'.] *S. f. Ant.* **1.** Peito, seio. **2.** Cinto com fivelas. **3.** Cinta, cintura.

▲petro-. [Do gr. *pétra, as.*] *El. comp.* = 'rocha': *petrografia, petrologia.*

petrodólar. [De *petr(óleo)* + *-o-* + *dólar.*] *S. m.* Dólar proveniente da venda de petróleo, sobretudo pelos países árabes, e que se encontra disponível no mercado financeiro internacional. [Pl.: *petrodólares.*]

petróglifo. [De *petro-* + *-glifo.*] *S. f.* V. *gravura rupestre.*

petrografia. [De *petro-* + *-graf(o)-* + *-ia.*] *S. f.* **1.** Estudo descritivo e sistemático das rochas. **2.** V. *pintura rupestre.*

petrográfico. *Adj.* Relativo à petrografia. ~ V. *província —a.*

petrógrafo. *S. m.* Especialista em petrografia.

petrolandense. *Adj. 2 g.* **1.** De, ou pertencente ou relativo a Petrolândia (PE). ● *S. 2 g.* **2.** Natural ou habitante de Petrolândia.

petrolaria. *S. f.* Refinaria de petróleo.

petrolear. *V. t. d.* Derramar petróleo em, sobretudo para atear incêndio: *Os incendiários petrolearam um barracão.* [Conjug.: v. *frear.*]

petroleiro. *Adj.* **1.** Referente a petróleo: *indústria petroleira.* **2.** De, ou pertencente ou relativo ao transporte do petróleo: *frota petroleira;* "terminais petroleiros das ilhas da baía" (*Jornal do Brasil,* "Revista do Domingo", 23.9.1982). **3.** Que é produtor de petróleo: *país petroleiro.* ● *S. m.* **4.** Navio que transporta petróleo. **5.** Empregado de refinaria de petróleo. **6.** Aquele que emprega petróleo como meio de destruição; terrorista, petrolista. **7.** *Fig.* Extremista, revolucionário, petrolista.

petróleo. [Do lat. *petroleu,* i. e., *petra* + *oleum,* 'óleo de pedra'.] *S. m.* Combustível líquido natural constituído quase só de hidrocarbonetos, e que se encontra preenchendo os poros de rochas sedimentares, formando depósitos muito extensos. [Sin., bras.: *óleo.*]

petrolífero. [De *petróleo* + *-i-* + *-fero.*] *Adj.* Que contém ou produz petróleo. ~ V. *lençol —.*

petrolinense. *Adj. 2 g.* **1.** De, ou pertencente ou relativo a Petrolina (PE). ● *S. 2 g.* **2.** Natural ou habitante de Petrolina.

petrolista. [De *petróleo* + *-ista.*] *S. 2 g.* **1.** Pessoa que trabalha em refinaria de petróleo. **2.** V. *petroleiro* (6 e 7).

petrologia. [De *petro-* + *-log(o)-* + *-ia.*] *S. f.* Ramo da história natural que trata do estudo genético e das transformações físicas e químicas das rochas.

petrológico. *Adj.* Referente à petrologia.

petrólogo. *S. m.* Especialista versado em petrologia.

petromax (cs). [Nome comercial.] *S. f.* Certo tipo de lampião a querosene, com camisa (4): "folhinha de mês na parede, despertador em cima de armário, petromax presa num prego" (Fernando Ramos, *Os Enforcados,* p. 152).

petromizonte. *S. m.* **1.** Espécime dos petromizontes. ● *Adj. 2 g.* **2.** Pertencente ou relativo a eles.

petromizontes. *S. m. pl. Zool.* Animais cordados, ciclostomados, ordem *Petromyzontia,* marinhos ou de água doce, que têm a boca circundada por grande funil suctorial, ventral, provido de numerosos dentes córneos, sete pares de fendas branquiais que se abrem separadamente, e saco nasal dorsal, sem ligação com a boca. São as lampreias e formas afins.

petrópolis. [Do top. *Petrópolis* (RJ).] *S. m. 2 n. Gír.* Bastão grosso antigamente usado pelos agentes de polícia: "Surge à porta da rua o pai austero, / Armado de um petrópolis bem grosso" (Artur Azevedo, *Sonetos e Peças Líricas,* p. 53).

petropolitano. *Adj.* **1.** De, ou pertencente ou relativo a Petrópolis (RJ). ● *S. m.* **2.** O natural ou habitante de Petrópolis.

petroquímica. [De *petr(óleo)* + *-o-* + *química.*] *S. f.* Ciência, técnica ou indústria dos produtos químicos derivados do petróleo: "Vendas caem 40% e petroquímicas acumulam estoques." (*Jornal do Brasil,* 19.7.1981.)

petroquímico. *Adj.* **1.** Referente à petroquímica. ● *S. m.* **2.** Especialista em petroquímica.

petrosite. [De *petro-* + *-s-* + *-ite*[1].] *S. f. Patol.* Inflamação da porção petrosa de osso temporal.

petroso (ô). [Do lat. *petrosu.*] *Adj.* **1.** V. *pétreo* (1 e 2). **2.** *Anat.* Diz-se de uma das porções que constituem cada osso temporal.

petulância. [Do lat. *petulantia.*] *S. f.* Qualidade, ato ou modos de petulante; ousadia, atrevimento.

petulante. [Do lat. *petulante.*] *Adj. 2 g.* **1.** Atrevido, ousado, insolente: "Numa delas [janelas], muito graciosa nos seus dezoito anos de seios petulantes, uma jovem que tinha evidente simpatia pelo meu *Buick* a prestações." (Orígenes Lessa, *João Simões Continua*, p. 63.) **2.** V. *desavergonhado.* ● *S. 2 g.* **3.** V. *desavergonhado.*

petum. *S. m. Bras.* V. *petume.*

petume. [Do tupi *pe'tĩm.*] *S. m. Bras.* **1.** Designação tupi do tabaco (1). **2.** V. *fumo* (6). [Var.: *petum, petema, petima.*]

petúnia. [De *petum.*] *S. f.* Erva da família das solanáceas *(Petunia violacea),* cultivada como ornamental pela beleza das grandes flores roxas, cuja corola é infundibuliforme, e que, apesar de ter pequeno porte, floresce densamente.

péua. *S. 2 g.* e *adj. 2 g. Bras.* V. *taconhapé.*

peucédano. [Do gr. *peukédanon,* pelo lat. *peucedanu.*] *S. m.* Erva da família das umbelíferas *(Peucedanum officinale),* nativa na Europa, de folhas profundamente partidas, flores reunidas em umbelas compostas, fruto fortemente comprimido, e usada como aperitivo e diurético; funcho-de-porco.

peúga. [Do lat. **peduca* < *pede,* 'pé'.] *S. f. Lus.* **1.** Meia curta para homem; coturno: "a maleta cilíndrica de afivelar à sela, dentro da qual o inglês transporta de vinha para vinha um par de peúgas, as suas chinelas, a sua camisa de dormir" (Ramalho Ortigão, *As Farpas,* I, p. 129). **2.** *Ant.* Sapato.

peugada (e-u). [De *peúga?*] *S. f.* Pegada, vestígio; rasto: "E na peugada do burro, esbaforido e como doido, seguia agora o lavrador" (Trindade Coelho, *Os Meus Amores,* p. 86).

peúva. [Do tupi *ip'ïwa,* 'árvore da casca'.] *S. f. Bras., SP* e *MT.* **1.** V. *ipê* (1). ● *S. 2 g.* **2.** *Bras., SP.* V. *maçante* (2).

peúva-amarela. *S. f. Bras.* V. *pau-d'arco-amarelo.* [Pl.: *peúvas-amarelas.*]

peúva-roxa. *S. f. Bras.* V. *pau-d'arco-roxo.* [Pl.: *peúvas-roxas.*]

peuvação (e-u). [De *peúva* (2) + *-ação.*] *S. f. Bras., SP.* Maçada, caceteação, chateação.

peuval (e-u). [De *peúva* (1) + *-al.*] *S. m. Bras., MT.* Quantidade mais ou menos considerável de peúvas dispostas proximamente entre si.

peva. [De *peba*[1].] *S. f.* Raça de galinha de pernas curtas.

▲-peva. Equiv. de *-peba.*

pevide. [Do lat. *pituita.*] *S. f.* **1.** Semente de vários frutos carnosos: *pevide de melão; pevide de tomate.* **2.** Película mórbida na língua de algumas aves, que lhes impede beber, causando-lhes a morte se não for retirada. **3.** Massa de farinha com a forma de pevide de melão. **4.** Parte carbonizada da torcida ou pavio; morrão. **5.** *Patol.* Disartria na qual o paciente tem dificuldade, ou até impossibilidade, de pronunciar o *r.* **6.** *Bras., ES* e *RJ. Pop.* V. *cachaça* (1). **7.** *Gír.* V. *ânus.*

pevidoso (ô). *Adj.* Que tem pevide.

pevinha. [De *peva.*] *S. f. Bras.* Cão pequeno.

pevitada. *S. f.* Porção de pevides (especialmente de melancia) pisadas e diluídas em água.

▲-pex-. [Do gr. *pêxix, eos.*] *El. comp.* = 'fixação': *retopexia.*

pexeti. *Bras. S. 2 g.* **1.** Indivíduo dos pexetis, tribo indígena que habitava as margens do rio Tocantins. ● *Adj. 2 g.* **2.** Pertencente ou relativo a essa tribo.

pexorim. *S. m. Bras.* V. *pixurim.*

pexotada. *S. f.* **1.** Ação de pexote; má jogada. **2.** Falta cometida por inexperiência e/ou ignorância.

pexote. [Do chin. *pe xot,* 'não sei' (expressão de jogo us. em Macau, Ásia).] *S. 2 g.* **1.** Pessoa que joga mal: "— Jogo a leite de pato .... não dá arrepios na gente, nem faz usura em ninguém. I Ria-se dos pexotes e recolhia os tentos ganhos..." (Nélson de Faria, *Tiziu e Outras Estórias,* p. 126.) **2.** Novato, principiante, inexperiente. **3.** Menino novo; criança. ● *S. m.* **4.** *Bras.* Pequena broca usada para abrir pequenos furos nas pedras, ou para dividi-las pelas fendas produzidas pela explosão da dinamite. [Cf. *peixote.*]

pez (ê). [Do lat. *pice.*] *S. m.* Designação comum a substâncias betuminosas, sólidas ou semi-sólidas, naturais ou artificiais, resíduo da destilação de líquidos densos, de alcatrões, etc.; piche: "Inutilmente Pilatos abanou a túnica embebida em pez inflamado." (Alberto Rangel, *Livro de Figuras,* p. 182). [Pl.: *pezes* (ê). Cf. *breu,* e *pês,* pl. de *pê* e f. apocopada de *pese* (ê), do v. *pesar; peses* (ê) e *peses,* desse v.; e *pés,* pl. de *pé.*] ◆ **Pez mineral.** Betume (1).

pezada (è). *S. f. Bras.* Pancada forte com o pé. [Cf. *pesada,* fem. de *pesado* e s. f.]

pez-de-borgonha. [De *pez* + *de* + top. *Borgonha* (França).] *S. m.* A resina do abeto. [Pl.: *pezes-de-borgonha.*]

pezenho. *Adj.* Que tem a cor do pez.

pezudo. [De *pé* + *-z-* + *-udo.*] *Adj.* Que tem pés grandes.

pezunho. [De *pé.*] *S. m.* **1.** V. *chispe.* **2.** *Burl.* Pé grande e malfeito.

pH. *S. m. Fís.-Quím.* Logaritmo decimal do inverso da atividade dos íons hidrogênio numa solução.

➡Physis (físis). [Gr.] *S. f. Filos.* Segundo os filósofos pré-socráticos, a matéria que é fundamento eterno de todas as coisas e confere unidade e permanência ao Universo, o qual, na sua aparência, é múltiplo, mutável e transitório.

pi. [Do fenício, atr. do gr. *pî.*] *S. m.* **1.** A 16ª letra do alfabeto grego (⊓, π), correspondente fonético do *p* do nosso alfabeto. **2.** *Mat.* Número pi (π). **3.** *Fís. Nucl.* Méson com massa em repouso da ordem de 140 MeV, spin nulo, número bariônico nulo e estranheza nula, com três estados de carga elétrica.

■ PI. Sigla do Estado do Piauí.

pia. [Do lat. *pila,* 'almofariz.'] *S. f.* **1.** Vaso de pedra para líquidos. **2.** Lavabo, lavatório. **3.** Bacia retangular, com água encanada e esgoto, para o serviço de cozinha. **4.** *Bras., BA.* Concavidade nas pedras, na qual se acumula a água das chuvas. ◆ **Pia batismal.** Grande vaso de pedra onde se verte a água utilizada no bastismo. [Cf. *pia-batismal.*] **Salgado que só pia.** *Bras., N.E. Fam.* Salgado em excesso.

piá. [Do tupi *pi'á,* 'coração, estômago, entranhas'.] *S. m.* **1.** *Bras.* Índio jovem. **2.** *Bras.* Mestiço jovem de branco com índio; pequeno caboclo. **3.** *Bras.* V. *menino* (1). **4.** *Bras., SC* e *RS.* Qualquer menor que não é branco e trabalha como peão de estância. **5.** *Bras., MA.* V. *alma-de-gato* (1).

piã. [Do tupi *pi'ã,* 'pele erguida', 'tumor'.] *S. m. Bras. Patol.* V. *bouba* (1). [Cf. *peã.*]

piaba. [Do tupi *pi'awa,* 'pele manchada'.] *S. f.* **1.** *Bras.* Designação comum a várias espécies de peixes fluviais, teleósteos, caraciformes, da família dos caracídeos, especialmente dos gêneros *Leporinus* Spix e *Schizodon* Agass, de boca pequena, dentição forte, e que se alimentam de matéria vegetal e de animais em decomposição; piava, piau, aracu. **2.** *Bras., N. E.* V. *lambari* (1). **3.** *Bras., PE.* Pequena quantia. **4.** *Bras., PE.* Coisa de pouca importância.

piaba-da-lagoa. *S. f. Bras.* V. *tambiú.* [Pl.: *piabas-da-lagoa.*]

piabanha. [Do tupi *pia'bae,* 'o que é manchado'.] *S. f. Bras.* **1.** Designação comum a vários peixes teleósteos, caraciformes, da família dos caracídeos, especialmente *Brycon carpophagus* (Val.) e *B. opalinus* (Cuv.), o primeiro das bacias do Amazonas e do Paraná, e o segundo apenas do Amazonas. Coloração plúmbea no dorso, prateada nos flancos. São muito apreciados na pesca esportiva feita com linha e iscas de peixes ou pequenas pererecas. [Sin.: *pirapitinga.*] **2.** Peixe teleósteo, caraciforme, da família dos caracídeos *(Megalobrycon piabanha* Mir. Rib.), do rio Paraíba do Sul com a mesma coloração geral das piabanhas anteriormente definidas e máculas róseas ao longo da linha lateral. Comprimento: até 50 cm.

piabar. [De *piaba* (3) + *-ar*[2].] *V. int. Bras.* **1.** Arriscar pouca coisa: *Negociante que piaba não enriquece.* **2.** Fazer, no jogo, lances pequenos. **3.** Pedir dinheiro emprestado, no jogo; apiabar. *T. d.* **4.** Procurar saber; indagar, perquirir: *piabar a verdade.*

piaba-rodoleira. *S. f. Bras.* V. *tambiú.* [Pl.: *piabas-rodoleiras.*]

pia-batismal. *S. f. Bras.* Erva ornamental, da família das orquidáceas *(Coryanthes maculata),* originária da Guiana, que vive epifiticamente nas matas. As flores têm forma exótica e reúnem-se em racemos pendentes; as sépalas e pétalas são amarelo-claras; as folhas, grossas e lanceoladas. [Pl.: *pias-batismais.* Cf. *pia batismal.*]

piaba-torta. [De *piaba* + o fem. de *torto.*] *S. f. Bras.* V. *timburetinga.* [Pl.: *piabas-tortas.*]

piabinha. [Dim. de *piaba.*] *S. f. Bras.* Designação comum a várias espécies de peixes teleósteos, caraciformes, da família dos caracídeos, especialmente as formas de pequeno porte da subfamília dos tetragonopterídeos, do gênero *Hyphessobrycon* Durbin. No S.E. do País é comum *H. parvellus* Ellis, de coloração clara com mancha escura bem acentuada na cauda, mancha essa prolongada por uma linha preta até o meio do corpo. Comprimento: 3 cm. No CE, conhece-se *H. piabinhas* Fowl., de cor prateada e uniforme. [Var.: *piavinha.* Cf. *lambari* (1).]

piabuçu. [De *piaba* + tupi *wa'su,* 'grande'.] *S. f. Bras.* **1.** Designação comum, em certas regiões, às espécies de piabas de porte avantajado. **2.** *Bras., SP.* Espécie do gênero *Leporinus* Spix, com seis dentes em cada maxila.

piaçá. *S. f. Bras.* V. *piaçaba.*

piaçaba. [Do tupi.] *S. f. Bras.* **1.** Designação de palmeiras produtoras de fibras empregadas no fabrico de vassouras *(Attalea funifera* e *Leopoldinia piassaba),* ambas importantes. A primeira é da Bahia, a principal produtora; a segunda, da Amazônia. Tais fibras ocorrem na base das folhas. **2.** Vassoura fabricada dessa fibra. [Var.: *piaçava* e *piaçá.*]

piaçabal. *S. m. Bras.* Quantidade mais ou menos considerável de piaçabas dispostas proximamente entre si.

piaçabarana. [De *piaçaba* + *-rana.*] *S. f. Bras.* Variedade de palmeira *(Barcella odora).*

piaçabuçuense. *Adj. 2 g.* **1.** De, ou pertencente ou relativo a Piaçabuçu (AL). ● *S. 2 g.* **2.** Natural ou habitante de Piaçabuçu.

piacaense. *Adj. 2 g.* **1.** De, ou pertencente ou relativo a Piacá (GO). ● *S. 2 g.* **2.** Natural ou habitante de Piacá.

piacatuense. *Adj. 2 g.* **1.** De, ou pertencente ou relativo a Piacatu (SP). ● *S. 2 g.* **2.** Natural ou habitante de Piacatu.

piaçava. *S. f. Bras.* V. *piaçaba.*

piaçó. [F. apocopada de *piaçoca.*] *S. f. Bras.* V. *jaçanã* (1).

pia-cobra. [De *piar* + *cobra*[1].] *S. m. Bras.* Ave passeriforme, da família dos compsotlipídeos *(Geothlypis aequinoctialis velata* (Vieil.)), do Brasil este-setentrional e central, com cabeça, nuca, retrizes, cauda e dorso cinzento-esverdeados, uma estria negra, larga, que parte do bico, passando pela região ocular, e atinge a região auricular, e garganta, peito, abdome e uropígio amarelo-limão. Alimenta-se de insetos e outros artrópodes, não desdenhando frutas. [Sin.: *canário-do-brejo, canário-do-sapé.* Pl.: *pia-cobras.*]

piaçoca. [Do tupi *pia'soka;* var.: *piaçó*] *S. f. Bras.* V. *jaçanã* (1).

piacular. [Do lat. *piaculare.*] *Adj. 2 g. Ant.* Expiatório.

piáculo. [Do lat. *piaculu.*] *S. m. Ant.* **1.** Sacrifício expiatório. **2.** Crime, delito.

piacururu. [F. dissimilada de *piracururu* (q. v.).] *S. m. Bras., SP.* V. *bagre-sapo* (4).

piada. [Fem. substantivado de *piado,* part. de *piar.*] *S. f.* **1.** V. *pio*[1] (2). **2.** V. *estertor* (1). **3.** Dito engraçado e espirituoso; pilhéria, chiste. **4.** Chalaça picante. **5.** V. *picuinha* (2). **6.** Conversa fiada; lorota.

piadade. *S. f. Ant.* e *pop.* Piedade.

piadeira. [De *piar* + *-deira.*] *S. f.* **1.** *Bras.* V. *irerê.* **2.** V. *estertor* (1).

piadinha. *S. f. Pop.* Piada leve; alusão irônica; picuinha ligeira.

piadista. [De *piada* (3, 4 e 5).] *Adj. 2 g.* e *s. 2 g.* Que ou quem diz ou cria piadas.

piado. [Part. de *piar.*] *S. m.* **1.** V. *pio*[1] (2). **2.** V. *estertor* (1).

piaga. *S. m. Bras.* V. *pajé* (1): "E os campos talados, / E os arcos quebrados, / e os piagas coitados / já sem maracás" (Gonçalves Dias, *Obras Poéticas,* II, p. 23).

pia-máter. [Do lat. *pia mater,* 'mãe piedosa'.] *S. f. Anat.* A mais interna das membranas que envolvem o encéfalo e a medula espinhal. V. *meninge.* [Pl.: *pias-máteres.*]

piampara. *S. f. Bras.* V. *piapara.*

piançar. [De *pianço* + *-ar*[2].] *V. t. i. Bras.* Desejar ardentemente; ansiar, anelar, almejar. [Conjug.: v. *laçar.*]

pianço. [F. nasalada de um **piaço,* de *piar.*] *S. m. Bras.* V. *pieira.*

piancoense (ò). *Adj. 2 g.* **1.** De, ou pertencente ou relativo a Piancó (PB). ● *S. 2 g.* **2.** Natural ou habitante de Piancó.

pianeiro. *S. m. Bras. Deprec.* Mau pianista.

pianice. *S. f. Deprec.* Mania de tocar piano[1].

pianino. [Do it. *pianino.*] *S. m.* Piano de armário [q. v.] de pequenas dimensões.

pianíssimo. [Do it. *pianissimo.*] *Adv. Mús.* **1.** Muito piano[2]. [Abrev.: *pp* ou *ppp.*] ● *S. m.* **2.** Passagem executada com pouquíssima sonoridade.

pianista. *S. 2 g.* Pessoa que sabe tocar, ou que toca piano[1].

pianística. [Fem. substantivado de *pianístico.*] *S. f.* Arte e técnica de tocar piano[1], ou de compor peças para esse instrumento.

pianístico. *Adj.* Relativo ou próprio de piano[1], de pianista, da pianística, ou do repertório para piano: *efeitos pianísticos; peça pianística.*

piano[1]**.** [F. red. do it. *pianoforte.*] *S. m.* **1.** Instrumento de cordas percutíveis por martelos de madeira revestida de feltro, munido de teclado de 88 teclas, que abrange sete oitavas, e pedais com funções específicas, e dotado de uma caixa de ressonância onde se estendem as cordas. **2.** O pianista de uma orquestra ou de outro conjunto. ♦ **Piano de armário.** Aquele cujas cordas e caixa de ressonância são verticais. **Piano de cauda.** Piano que tem a caixa de ressonância ansiforme, construída horizontalmente e dotada de tampa que se levanta para ampliar a sonoridade. **Piano de válvulas.** *Constr. Nav.* Conjunto dos volantes de comando de diversas válvulas semelhantes, reunidos em um mesmo bloco, para facilidade de instalação e de manobra das válvulas. **Piano de vidro.** *Mús.* V. *celesta.* **Piano mecânico.** Aquele cujo teclado é acionado quer por meio de pedais colocados na frente do instrumento ou no seu interior, quer por meio de uma manivela. **Piano mudo.** Pequeno piano sem cordas, destinado a exercícios dos dedos. **Piano transpositor.** Piano com teclado móvel, como o do harmônio, e que permite uma transposição de um semitom a alguns tons.

piano[2]. [Do it. *piano.*] *Adv.* **1.** *Mús.* Suavemente, com pouca força. [Abrev.: *p.*] **2.** *Fig.* Pausadamente, devagar.

piano-bar. *S. m.* Bar[1] (3) com música de piano: "ir ao cinema antes das 15 h, pagando apenas Cr$ 100, ou a um piano-bar ou a restaurantes que não cobram consumação mínima." (*Jornal do Brasil*, 30.7.1982). [Pl.: *pianos-bares.*]

pianocoto. *Bras. S. m.* **1.** Indivíduo dos pianocotos, tribo caraíba do alto Trombetas e Jamundá (AM). ● *Adj.* **2.** Pertencente ou relativo a essa tribo. [Var.: *pianogoto.*]

piano-de-cuia. [De *piano*[1] + cuia.] *S. m. Bras., BA.* V. *cabaça*[1] (4). [Pl.: *pianos-de-cuia.*]

pianoforte. [Do it. *pianoforte.*] *S. m. Ant.* Piano[1] (1).

pianogoto. *Bras. S. 2 g.* e *Adj. 2 g.* Var. de *pianocoto.*

pianola. [Do ingl. *pianola,* marca registrada.] *S. f. Mús.* Piano mecânico, com as cordas verticais, baseado no sistema pneumático.

pião. [Var. de *peão.*] *S. m.* **1.** Brinquedo piriforme, com uma ponta de ferro, que gira impulsionado por um cordel, enrolado, nele, ou por meio de uma mola. **2.** Mastro da escada em caracol. **3.** *Constr. Nav.* Eixo em torno do qual gira uma peça ou dispositivo: *pião do cabrestante; pião da verga.* **4.** *Turfe.* Parte de um hipódromo, em geral ajardinada e tratada, circunscrita pela pista de corridas, e à qual o espectador às vezes tem acesso; pião do prado. **5.** *Bras. Cap.* Figura do jogo da capoeira. **6.** *Bras., AL.* Tipo de puxa-puxa com o feitio de um pião (1). [Cf. *peão.*] ♦ **Pião do prado.** *Turfe.* Pião (4). **Fazer pião em.** Girar apoiando-se em determinado objeto ou determinado ponto, ou tomando-o como referência. **Tomar o pião na unha.** *Bras.* Enfrentar situação difícil, caótica, desesperadora, etc., com decisão e sentimento de responsabilidade; pegar o touro pelos chifres.

piapara. [Do tupi.] *S. f. Bras.* **1.** Peixe teleósteo, caraciforme, da família dos caracídeos (*Leporinus conirostris* Steind.), das bacias dos rios Paraguai, Paraná, Paraíba e Doce, cujo corpo tem faixas transversais escuras, em forma de X ou Y, em número variável entre 8 e 11, e comprimento de até 16 cm; piau-vermelho, boga. **2.** Peixe teleósteo, caraciforme, da família dos caracídeos (*Leporinus piapara* Spix), da bacia do Paraná, com até 70 cm de comprimento e peso de até 4 kg. Alimenta-se de vegetais e de toda sorte de detritos da água, e é muito estimado para pesca esportiva de linha. [Var.: *piampara* e *pirapara.*]

piapé. *S. m. Bras., SP.* V. *percevejo-das-plantas.*

pia-pouco. [De *piar* + *pouco.*] *S. m. 2 n. Bras., Amaz.* V. *tucano-de-peito-branco.*

piar[1]. [Da onom. *pi* + *-ar*[2].] *V. int.* **1.** Dar pios [v. *pio*[1] (1).]: "Noites de junho. O caburé com frio, / Ao luar, sobre o arvoredo, piando, piando..." (Da Costa e Silva, *Sangue*, p. 41.) *T. d.* **2.** Soltar, emitir, piando: *A coruja piou funestos agouros;* "Olhai a triste coruja a piar desgraças..." (Teixeira de Pascoais, *D. Carlos*, p. 10). **3.** *Gír.* Falar, conversar: *Não piou durante a reunião.* **4.** *Gír.* Em jogo de cartas, dar a dica do jogo do parceiro ou do próprio. [Cf. *pear.*]

piar[2]. *Gír. Desus. no Brasil. V. int.* **1.** Beber vinho. **2.** Ingerir (bebida alcoólica). [Cf. *pear.*]

piara. *S. f.* **1.** Bando de animais. **2.** Grupo de animais do mesmo tamanho, da mesma idade, ou da mesma parição: "Comer pão negro, pão duro, / Beber o leite das piaras." (Augusto Gil, *Luar de Janeiro*, p. 96.) **3.** Multidão de gente. [Cf. *peara*, do v. *pear.*]

piaremia. [Do gr. *píar*, 'gordura', + *-(h)em(o)-* + *-ia.*] *S. f. Med.* Presença de gordura em emulsão no sangue.

piarêmico. *Adj.* Referente à piaremia.

piartrose. [De *pi(o)-* + *-artr(o)-* + *-ose.*] *S. f. Patol.* Pus dentro de cavidade articular.

piastra. [Do it. *piastra.*] *S. f.* **1.** Moeda de prata, de valor variável, corrente em vários países. **2.** Unidade monetária, e moeda, do Vietnã do Sul, dividida em 100 cêntimos. **3.** Moeda divisionária que representa a centésima parte da libra (6).

piatãense. *Adj. 2 g.* **1.** De, ou pertencente ou relativo a Piatã (BA). ● *S. 2 g.* **2.** Natural ou habitante de Piatã.

piau. [Do tupi *pi'au*, 'pele manchada'.] *S. m.* **1.** *Bras.* V. *piaba* (1). **2.** *Bras. Gír.* V. *surra* (1). **3.** *Bras., SP. Pop.* Logro, embuste: *passar um piau.*

piau-da-lagoa. *S. m. Bras.* V. *tambiú.* [Pl.: *piaus-da-lagoa.*]

piauense. *Adj. 2 g.* **1.** De, ou pertencente ou relativo a Piau (MG). ● *S. 2 g.* **2.** Natural ou habitante de Piau. [Sin., bras., joc.: *papa-bode.*]

piauí. [Do top. *Piauí.*] *Adj.* **1.** *Bras.* Diz-se de um tipo de gado bovino de pequeno porte e dotado de cornos desenvolvidos. ● *S. m.* **2.** *Bras.* Gado piauí. **3.** *Bras. ambindas.* ♦ **Fazer piauí.** *Bras., N.E.* Levantar e torcer o sabugo da cauda de uma rês, para derrubá-la ou encostá-la ao mourão a fim de ser facilmente ferrada.

piauiense (au-i). *Adj. 2 g.* **1.** Do, ou pertencente ou relativo ao PI. ● *S. 2 g.* **2.** Natural ou habitante do PI. [Sin. ger. (gír. pej.): *piauizeiro.*]

piauizeiro (au-i). [Do top. *Piauí* + *-z-* + *-eiro.*] *Adj.* e *s. m. Bras. Gír. Pej.* Piauiense.

piau-verdadeiro. *S. m. Bras.* Peixe teleósteo, caraciforme, da família dos caracídeos (*Leporinus piau* Fowl.), do CE, com duas manchas negras arredondadas nos flancos e faixas escuras, em número de 15 ou 16, no dorso. Alimenta-se de substâncias vegetais e animais, e é utilizado em piscicultura. [Pl.: *piaus-verdadeiros.*]

piau-vermelho. *S. m. Bras.* V. *piapara* (1). [Pl.: *piaus-vermelhos.*]

piava. [Var. de *piaba.*] *S. f. Bras.* V. *piaba* (1).

piava-verdadeira. *S. f. Bras.* Peixe teleósteo, caraciforme, da família dos caracídeos (*Leporinus bimaculatus* Cast.), dos rios Amazonas, Tocantins e Paraíba, de coloração cinza-prateada com duas máculas escuras de cada lado do corpo. É uma das maiores espécies do gênero, muito apreciada para pesca esportiva. [Pl.: *piavas-verdadeiras.*]

piavinha. *S. f. Bras.* Var. de *piabinha* [q. v.].

pia-vovó. [Voc. onom.] *S. m. Bras.* V. *vovó* (2). [Pl.: *pia-vovós.*]

piazada (i-à). [De *piá-* + *-z-* + *-ada*[1].] *S. f. Bras.* Porção de piás.

■**PIB.** Sigla de *Produto Interno Bruto.*

pica[1]. [Dev. de *picar.*] *S. f.* **1.** Lança antiga; pique. **2.** *Chulo.* O pênis. [Var., chula e eufêmica, nesta acepç.: *piça.*] **3.** *Lus.* Injeção (8). ~ V. *Picas.*

pica[2]. [Do lat. *pica*, 'pega'.] *S. f.* Perversão do apetite observada no decurso de certas situações como a gravidez e o pitiatismo. ~ V. *picas.*

piça. *S. f. Chulo.* Var. eufêmica de *pica*[1] (2).

piçaço. [Do esp. plat. *picazo.*] *Adj.* **1.** *Bras.* Diz-se do eqüídeo escuro com testa ou pés brancos. [Cf. *malacara.*] **2.** *Bras.* Eqüídeo com essas características: "O seu piçaço começou a espumar na tábua do pescoço onde roça a rédea" (Darci Azambuja, *Coxilhas*, p. 11). ● *S. m.* **3.** *Bras., SP* e *S.* de *MG.* V. *carrapato-estrela* (1). **4.** *Bras., RS.* Trem de ferro. ♦ **Picaço bragado.** *Bras., RS.* Cavalo malhado de branco.

picaçu. [Do tupi *apika'su*, 'pomba'.] *S. m. Bras.* V. *pomba-legítima.*

picada[1]. [De *picar* + *-ada*[1].] *S. f.* **1.** Ato ou efeito de picar(-se). **2.** Ferida feita com objeto pontiagudo. **3.** Mordedura de inseto ou de cobra. **4.** Bicada (1). **5.** *Pop.* Facada; navalhada. [Sin., nessas acepç.: *picadura.*] **6.** Sangria (em cavalo). **7.** Mergulho de avião em ângulo a pique. **8.** *Fig.* Sofrimento ou desgosto moral. **9.** *Bras.* Atalho estreito, aberto no mato a golpes de facão; pique: "Atravessou primeiro por uma estreita picada .... a pequena capoeira que limitava os campos do marido." (José Veríssimo, *Cenas da Vida Amazônica*, p. 276.)

picada[2]. *S. f.* V. *pico*[1] (3).

picadão. [De *picada*[1] + *-ão*[1].] *S. m. Bras.* Grande picada[1] (9).

picadeira. [De *picar* + *-deira.*] *S. f.* **1.** Ferro de picar as mós. **2.** Pequeno martelo com dois gumes. **3.** Pequena lança de ferro utilizada na limpeza das fornalhas. **4.** *Bras., PE.* Cortadeira (4). **5.** *Lus. Folcl.* Mulher que faz o cartão da renda de bilros e o pinta com a cor de açafrão, risca o desenho e perfura os moldes.

picadeiro. [De *picar.*] *S. m.* **1.** Local onde se adestram cavalos, se fazem exercícios ou se ministram ensinamentos de equitação; picaria. **2.** Área circular e central do circo, onde os artistas realizam suas exibições. **3.** Cepo sobre o qual os tanoeiros encurvam as aduelas. **4.** *Constr. Nav.* Cada uma das peças de ferro com cobertura de madeira que formam um berço ou leito sobre o qual descansa o casco do navio, quando em construção, ou quando em reparo, em seco. **5.** *Constr. Nav.* Suporte de madeira ou de metal onde assenta uma embarcação miúda, quando em seco. **6.** *Bras., N.E.* Monte de cana ou de lenha picada, cortada: "Chupar cana no picadeiro do engenho e chupar caboje no plantio da safra nova." (Carlos de Gusmão, *Boca da Grota*, p. 4.)

picadela. [De *picada*[1] + *-dela.*] *S. f.* Picada[1] (1 a 5) ligeira.

picadinho. [De *picado* + *-inho.*] *Adj.* **1.** Um tanto picado. **2.** *Pop.* Que se melindra com facilidade. ● *S. m.* **3.** *Bras.* Qualquer prato de carne cortada em pedacinhos ou passada na máquina, podendo ou não ter molho; picado. **4.** *Bras.* Puladinho.

picado. [Part. de *picar.*] *Adj.* **1.** Coberto de picadas [v. *picada*[1] (2 a 5)]. **2.** Marcado com pintas ou sinais. **3.** Ferido com picadas [v. *picada* (2 a 5)]; espicaçado. **4.** Rasgado ou cortado em pedacinhos: *papel picado.* **5.** Diz-se do mar agitado, com pequenas ondas; encapelado: "Estavam fora da barra, o mar estava picado e o Ventura tremia." (D. João da Câmara, *Contos*, p. 78.) **6.** Diz-se do vôo em que o nariz do avião se inclina para baixo. **7.** Diz-se do avião em tal situação. [Cf., nas acepç. 6 e 7, *cabrado.*] **8.** *Fig.* Melindrado, irritado, ofendido. **9.** Diz-se, em geral, de bebida (particularmente do caldo de cana) um pouco azeda: "Bebia garapa, mas preferia-a picada." (Júlio Ribeiro, *A Carne*, p. 38.) **10.** *Bras.* Levemente embriagado. ~ V. *vôo —.* ● *S. m.* **11.** Aspereza duma superfície picada: *o picado da pedra.* **12.** Picadinho (3). **13.** Recorte na extremidade de certas peças de vestuário. **14.** *Bras., N.* e *N.E.* V. *baixo* (25). **15.** *Bras., RJ.* Cacundê.

picador (ô). *Adj.* **1.** Que pica. ● *S. m.* **2.** Aquele que pica. **3.** Aquele que ensina equitação ou amestra cavalos. **4.** Aquele que pica o touro, nas touradas, para enfurecê-lo. **5.** *Bras.* Picotador. **6.** *Bras.* Aquele que abre picada[1] (9). **7.** *Bras.* Indivíduo que retalha baleias pescadas.

picadura. [De *picar* + *-(d)ura.*] *S. f.* V. *picada*[1] (1 a 5).

pica-flor. [De *picar* + *flor.*] *S. m. Bras.* V. *beija-flor.* [Pl.: *pica-flores.*]

pica-fumo. [De *picar* + *fumo.*] *S. m.* **1.** *Bras.* Cavalo de andadura incômoda e irregular. **2.** *Bras., S.* V. *avaro* (3). **3.** *Bras., S.* Canivete (1). ● *Adj.* **4.** *Bras., S.* V. *avaro* (1). [Pl.: *pica-fumos.*]

picagem. [De *picar* + *-agem*[2].] *S. f.* **1.** Pterofagia. **2.** O conjunto de dentes, filetes e ranhuras de uma lima.

piçamá. *S. m. Bras.* Certo utensílio culinário.

picamento. *S. m.* Ato de picar(-se).

pica-milho. [De *picar* + *milho.*] *S. m.* **1.** Broeiro (3). **2.** *Fig.* Pessoa ordinária, de baixa classe. [Pl.: *pica-milhos.*]

picana. [Do esp. plat. *picana.*] *S. f. Bras., RS* e *MT.* V. *aguilhada.*

picanear. [Do esp. plat. *picanear.*] *V. t. d. Bras., RS.* Ferir (o boi) com a picana; aguilhoar, espicaçar, aferretoar. [Conjug.: v. *frear.*]

picanha. [De *picar.*] *S. f. Bras., RS.* **1.** A parte posterior da região lombar da rês. **2.** A carne dessa região. **3.** Prato preparado com essa carne.

picante. *Adj. 2 g.* **1.** Que pica. **2.** Que excita ou irrita o paladar: *tempero picante.* **3.** *Fig.* Malicioso e/ou mordaz; salgado: *piada picante; picantes epigramas.* ● *S. m.* **4.** Aquilo que estimula ou que provoca o apetite.

picão[1]. [De *picar* + *-ão*[2].] *S. m.* **1.** Espécie de escopro com ponta, para lavrar pedra. **2.** V. *picareta* (1). **3.** Sacho para picar milho. **4.** Ferrão da aguilhada. **5.** *Bras.* V. *dois-amores.*

picão[2]. [De *pica*[1] + *-ão*[1].] *S. m. Bras. Chulo.* Indivíduo, em geral bem-apessoado, que atrai invulgarmente as mulheres.

picão-açu. *S. m. Bras.* V. *amor-de-moça.* [Pl.: *picões-açus.*]

picão-branco. *S. m. Bras.* Fazendeiro (4). [Pl.: *picões-brancos.*]

picão-da-praia. *S. m. Bras.* **1.** Erva anual, da família das compostas (*Melampodium divaricatum*), originária da América tropical, que tem folhas oblongas e pubérulas, capítulos terminais e pedúnculos longos, e cujos frutos são aquênios tetragonais. **2.** V. *carrapicho-da-praia.* [Pl.: *picões-da-praia.*]

picão-de-flor-grande. *S. m. Bras.* V. *amor-de-moça.* [Pl.: *picões-de-flor-grande.*]

picão-uçu. *S. m. Bras.* V. *amor-de-moça.* [Pl.: *picões-uçus.*]

picãozeiro. *S. m. Bras.* Terreno onde cresce com abundância o picão[1] (5).

picapara. [Do tupi *ipeka'para*, 'pato curvo, de pescoço comprido'.] *S. f. Bras.* V. *ipequi.*

pica-pau. [De *picar* + *pau.*] *S. m.* **1.** Designação comum a aves da ordem dos piciformes, da família dos picídeos, bastante numerosas no Brasil, com cerca de 55 espécies e várias subespécies. São aves trepadoras com dois dedos para a frente e dois para trás, a cauda freqüentemente com retrizes endurecidas e pontudas, bico forte e língua muito longa, usada para perfurar a madeira e retirar as larvas dos insetos, seu alimento preferido. A maioria das espécies nidifica em ocos de paus ou em buracos, em galerias que elas mesmas perfuram. [Sin., nesta acepç.: *ipecu, carapina, pinica-pau.*] **2.** Reisado de origem sergipana. **3.** Soldado de polícia. **4.** Lazarina (2). **5.** *Bras., SP.* Na zona do rio Paraná, pequena serraria. **6.** *Bras., RS.* Alcunha que os rebeldes rio-grandenses de 1893 davam aos republicanos ou legalistas. [Pl.: *pica-paus.*] ♦ **Pica-pau fura-laranja.** *Bras.* Ave piciforme, da família dos picídeos (*Veniliornis affinis ruficeps* (Spix)), da Amaz., de coloração geral olivácea, parte superior do corpo pintada de encarnado, alto da cabeça vermelho (macho), fita nucal amarela, asas, parte da cauda e região abdominal listradas de esbranquiçado. Costuma freqüentar pomares, tendo predileção por laranjas (donde o nome popular), e alimenta-se também de insetos.

pica-pau-amarelo. [De *pica-pau* + *amarelo.*] *S. m. Bras.* Ave piciforme da família dos picídeos (*Crocormorphus flavus* (Mul.)), do O., N.E. e E. do País, de coloração amarela, asas pardas, cauda preta, e macho com estria malar encarnada; ipecutauá. [Pl.: *pica-paus-amarelos.*]

pica-pau-anão. [De *pica-pau* + *anão.*] *S. m. Bras.* Pica-pauzinho. [Pl.: *pica-paus-anões.*]

pica-pau-branco. [De *pica-pau* + *branco.*] *S. m. Bras.* Birro-branco. [Pl.: *pica-paus-brancos.*]

pica-pau-carijó. [De *pica-pau* + *carijó.*] *S. m. Bras.* Ave piciforme, da família dos picídeos (*Chrysoptilus melanochloros* (Gmel.)), do S.E. do País. Tem coloração geral verde-amarela, com faixas pretas transversais dos lados do dorso, manchas arredondadas no abdome, fronte e vértice negros, nuca vermelha, face branco-amarelada, rêmiges escuras e uropígio amarelo. [Pl.: *pica-paus-carijós.*]

pica-pau-de-cabeça-amarela. [De *pica-pau* + *de* + *cabeça* + *amarela.*] *S. m. Bras.* Ave piciforme, da família dos picídeos (*Celeus flavencens* (Gmel.)), do S.E. do País, caracterizada pela cabeça provida de um longo topete de penas amarelas. Corpo preto; uropígio amarelo; penas do dorso e da asa com barras amarelas. Alimenta-se de insetos, preferindo cupins e formigas. [Sin.: *joão-velho, ipecuati.* Pl.: *pica-paus-de-cabeça-amarela.*]

pica-pau-de-cabeça-vermelha. [De *pica-pau* + *de* + *cabeça* + *vermelha.*] *S. m. Bras.* Ave piciforme, da família dos picídeos (*Phloeoceastes robustus* (Lich.)), do S.E. do País, de coloração geral amarelada com faixas escuras na porção inferior, asas e cauda negras, pescoço, cabeça e topete vermelhos, motivo de seu nome popular. Vive nas matas, alimenta-se de insetos e larvas, e bate nas árvores como se fosse autêntico lenhador. [Sin.: *pica-pau-soldado, pica-pau-grande.* Pl.: *pica-paus-de-cabeça-vermelha.*]

pica-pau-de-penacho. [De *pica-pau* + *de* + *penacho.*] *S. m. Bras.* Ave piciforme, da família dos picídeos (*Scapaneus rubricollis* (Bod.)), do extremo N. do País, de coloração preta, cabeça, pescoço, peito, abdome e parte da barba interior das retrizes vermelhos, tendo a fêmea com fronte e faces brancas. [Pl.: *pica-paus-de-penacho.*]

pica-pau-do-campo. [De *pica-pau* + *do* + *campo.*] *S. m. Bras.* Ave piciforme, da família dos picídeos (*Colaptes campestris* (Vieil.)), do C. e S.E. do País, especialmente das regiões de cerrados. Tem o alto da cabeça e garganta pretos, lados da cabeça, fita nucal e peito anterior amarelos, dorso pardo, listrado de branco, uropígio branco e parte inferior listrada de pardo. [Sin.: *pica-pau-malhado, chanchão.* Pl.: *pica-paus-do-campo.*]

pica-pau-doirado. [De *pica-pau* + *doirado.*] *S. m. Bras.* Var. de *pica-pau-dourado.* [Pl.: *pica-paus-doirados.*]

pica-pau-do-mato-virgem. [De *pica-pau* + *do* + *mato* + *virgem.*] *S. m. Bras.* Ave piciforme, da família dos picídeos (*Tripsurus flavifrons* (Vieil.)), do S.E. do País, de dorso, asas e cauda pretos, uropígio e coberteiras superiores da cauda brancos, fronte e garganta amarelas, vértice, nuca e peito vermelhos. Freqüenta matas virgens e se alimenta de insetos. [Sin.: *benedito, rididico.* Pl.: *pica-paus-do-mato-virgem.*]

pica-pau-dourado. [De *pica-pau* + *dourado.*] *S. m. Bras.* Ave piciforme, da família dos picídeos (*Piculus aurulentus* (Tem.)), do S.E. do País, de dorso oliváceo, parte inferior esbranquiçada e com faixas transversais negras, garganta amarelo-ouro, alto da cabeça vermelho, retrizes e rêmiges pretas com faixas pardas tirantes a encarnado. Na fêmea, só a nuca é vermelha. Vive em matas e capoeiras, nidificando em ocos de árvores mortas. [Var.: *pica-pau-doirado.* Pl.: *pica-paus-dourados.*]

pica-pau-grande. [De *pica-pau* + *grande.*] *S. m. Bras.* V. *pica-pau-de-cabeça-vermelha.* [Pl.: *pica-paus-grandes.*]

pica-pau-malhado. [De *pica-pau* + *malhado.*] *S. m. Bras.* V. *pica-pau-do-campo.* [Pl.: *pica-paus-malhados.*]

pica-pau-soldado. [De *pica-pau* + *soldado* (3).] *S. m. Bras.* V. *pica-pau-de-cabeça-vermelha.* [Pl.: *pica-paus-soldados.*]

pica-pau-vermelho. [De *pica-pau* + *vermelho.*] *S. m. Bras.* V. *arapaçu.* [Pl.: *pica-paus-vermelhos.*]

pica-pauzinho. [Dim. de *pica-pau.*] *S. m. Bras.* Designação comum a várias espécies de aves piciformes, da família dos picídeos, gênero *Picummus* Tem., que compreende formas de tamanho muito pequeno, com os mesmos hábitos dos demais pica-paus; pica-pau-anão. [Pl.: *pica-pauzinhos.*]

pica-peixe. [De *picar* + *peixe.*] *S. m.* **1.** V. *martim-pescador.* **2.** *Constr. Nav.* Haste presa transversalmente ao conjunto do gurupés, pau da bujarrona e pau da giba, para impedir que ele se arqueie ou quebre com o esforço das velas de proa; pau de pica-peixe. [Pl.: *pica-peixes.*]

pica-ponto. [De *picar* + *ponto.*] *S. m.* Espécie de sovela com que sapateiros e correeiros marcam o local do ponto. [Pl.: *pica-pontos.*]

picar. [De uma base *pik*, 'golpe', existente em diversas línguas, + *-ar*[2].] *V. t. d.* **1.** Ferir ou furar com objeto pontiagudo ou perfurante; espicaçar: *O cavaleiro picou o animal.* **2.** Ferir ou morder com o ferrão: *As abelhas picaram a criança.* **3.** Ferir (o touro) com farpa; farpear. **4.** Cravar o arpão ou arpéu em; arpear: *Os pescadores picaram uma baleia.* **5.** Ferir com o bico; bicar: *Os urubus picam a carniça.* **6.** Abrir buraquinhos em; moer, traçar: *As traças picaram os livros.* **7.** Reduzir a pequenos fragmentos; cortar em pedacinhos: *picar frutas para a salada;* "alisava a palha, picava o fumo, palmeava-o, enrolava o cigarro" (Nélson de Faria, *Bazé*, p. 101). **8.** Produzir sensação acre ou queimante em; fazer arder: *Esta pimenta pica muito a língua.* **9.** Crivar de pequenos orifícios com instrumento de ponta. **10.** Fazer (tatuagem) com agulhas ou com máquina apropriada. **11.** Causar grande dor moral a; pungir, molestar, magoar: *O arrependimento picava-lhe o coração e a alma.* **12.** Comunicar ânimo, entusiasmo, estímulo, a; animar, estimular, excitar: *As vitórias retumbantes picaram as tropas mais desalentadas.* **13.** Tornar rápido ou mais rápido, apressar, apertar, estugar (o passo): "seguia picando o passo, na direção do Largo da Carioca, para entrar num tílburi." (Machado de Assis, *Várias Histórias*, p. 12). **14.** Correr no encalço de; perseguir, acossar: *O general picou os inimigos na retirada.* **15.** *Fig.* Atacar rapidamente, retirando-se em seguida; aguilhoar, espicaçar: *Os fanáticos de Antônio Conselheiro picavam as tropas governamentais, evitando o combate frontal.* **16.** Provocar irritação em; irritar, encolerizar: *A desobediência picou-lhe o ânimo.* **17.** Apropriar-se fraudulentamente de; roubar, furtar, surripiar: *picar um objeto.* **18.** Causar comichão em: *A sarna picou sua pele.* **19.** Impelir (a bola de bilhar) com o taco quase a prumo. **20.** Cobrir o lance que outrem oferecera por (objeto leiloado): *O velho esperto picou o automóvel, arrematando-o.* **21.** Lavrar com picão[1] (1): *picar um bloco de mármore.* **22.** *Marinh.* Bater, com raspa ou picadeira, a ferrugem de (uma chapa ou peça de ferro). **23.** *Marinh.* Ant. Cortar a golpes de machado (amarra da âncora, um mastro, etc.), em situação de emergência. *Int.* **24.** Dar de esporas; esporear o animal: *O cavaleiro picou e saiu a galope.* **25.** Morder a isca: *O lambari picou e foi fisgado.* **26.** Produzir comichão ou coceira: *A urticária pica muito.* **27.** Aumentar de preço; tornar-se mais caro; encarecer: *O arroz picou.* **28.** Voar (o avião) baixando o nariz em direção a terra: *O avião picou, mas não aterrou logo.* [Cf., nesta acepç.: *cabrar.*] *P.* **29.** Ferir-se com objeto pontiagudo; espetar-se: *A desajeitada picou-se na agulha.* **30.** Sentir-se ofendido; melindrar-se, ofender-se, magoar-se: *O digno homem picou-se ao receber os insultos.* **31.** Fazer alarde; gabar-se, jactar-se, vangloriar-se: *Só os tolos se picam de pequeninas vitórias.* **32.** Tornar-se revolto, agitado; enfurecer-se, encrespar-se, encapelar-se: *Pica-se o mar, afundando navios.* **33.** *Bras. Gír.* Tomar pico[1] (7); carpar-se. [Conjug.: v. *trancar.* M.-q.-perf.: *picara*, etc. Cf. *pícara*, fem. de *pícaro.*]

picarço. *Adj.* e *s. m. Bras.* e *prov. lus.* Var. de *pigarço.*

picardia. [Do esp. *picardía.*] *S. f.* **1.** Ação de pícaro. **2.** Pirraça, partida. **3.** Desfeita, desconsideração.

picardo. [Do fr. *picard.*] *Adj.* **1.** Da, ou pertencente ou relativo à Picardia (França). ● *S. m.* **2.** O natural ou habitante da Picardia. **3.** O dialeto dessa região.

picaré. *S. m. Bras., SP.* Rede de pesca empregada no litoral santista.

picaresco (ê). [Do esp. *picaresco.*] *Adj.* **1.** Burlesco, cômico, ridículo; pícaro: "dava grandes risadas, ouvindo de uma dama bisbilhoteira anedotas e aventuras picarescas de certa senhora, de quem já se falava à boca pequena." (Afonso Arinos, *Pelo Sertão*, p. 149). **2.** *Liter.* Diz-se do gênero literário de origem espanhola (sécs. XVI e XVII) que tem como protagonista o pícaro (5).

picareta (ê). [De *picar.*] *S. f.* **1.** Instrumento de ferro, de duas pontas, usado para escavar terra, arrancar pedras, etc.; picão, alvião. ● *S. m.* **2.** *Bras., MG* e *RS.* V. *chapéu de palha.* ● *S. 2 g.* **3.** *Bras.* Pessoa que usa de expedientes ou embustes para alcançar favores. ● *Adj. 2 g.* **4.** *Bras.* Diz-se de pessoa assim. [Pl.: *picaretas* (ê). Cf. *picareta* e *picaretas*, do v. *picaretar.*]

picaretagem. [De *picareta* + *-agem*[2].] *S. f. Bras.* Expediente ou embuste do picareta (3).

picaretar. [De *picareta* + *-ar*[2].] *V. int. Bras.* Agir como picareta (3); fazer picaretagem. [Pres. ind.: *picareto, picaretas, picareta*, etc. Cf. *picareta* (ê), pl. *picaretas* (ê).]

picaria. [De *picar* + *-ia.*] *S. f.* **1.** Arte de equitação: "Tinham os marqueses um filho .... que cantava bem à viola tonadilhos espanhóis e espotrejava cavalos como um mestre de picaria." (Júlios Dantas, *Abelhas Doiradas*, p. 89.) **2.** Picadeiro (1).

pícaro. [Do esp. *pícaro.*] *Adj.* **1.** Ardiloso, astuto, velhaco, patife, vigarista. **2.** Fino, esperto, sagaz. **3.** V. *picaresco* (1). ● *S. m.* **4.** Indivíduo pícaro: "Quantos bêbados, vagabundos, jogadores, jactanciosos, pícaros, velhacos, libertinos, ... o são pela inferioridade mórbida do caráter, pela degeneração psíquica que lhes vieram do berço, e se incrementaram com a má educação!" (A. Austregésilo, *Obras Completas*, I, p. 392.) **5.** *Liter.* Tipo de personagem travessa, bufona, ardilosa, que vive de expedientes, a expensas das várias classes da sociedade. [Fem.: *pícara.* Cf. *picara*, do v. *picar.*]

picaroto[1] (ô). [De *pico*[1].] *S. m.* V. *cume* (1).

picaroto[2] (ô). *Adj.* **1.** Da, ou pertencente ou relativo à ilha do Pico (Açores). ● *S. m.* **2.** O natural ou habitante dessa ilha.

piçarra. [Do esp. *pizarra.*] *S. f.* **1.** *Geol.* Qualquer rocha sedimentar argilosa estratificada, endurecida. **2.** Terra misturada com areia e pedra; cascalho. [Sin., bras., nesta acepç.: *tapururuca.*] **3.** Pedreira, penedia. **4.** *Bras.* A última parte dos terrenos das lavras diamantíferas. **5.** *Bras., N.* Solo laterítico muito empregado no revestimento do leito de estradas. [Var.: *piçarro.*]

piçarral. [Do esp. *pizarral.*] *S. m.* Lugar onde há piçarra em abundância.

piçarramento. [De *piçarra* + *-mento.*] *S. m. Bras., N.* Ato, operação ou efeito de piçarrar.

piçarrar. *V. t. d. Bras., N.* Revestir (o leito de uma estrada) de piçarra.

piçarreira. *S. f. Bras., N.* Jazida de piçarra.

piçarrento. [De *piçarra* + *-ento.*] *Adj.* Piçarroso.

picarro. *Adj. Bras., CE. Gír.* Famoso, notável.

piçarro. *S. m.* Var. de *piçarra:* "Pisavam sem cuidados, os pés acostumados às pedrinhas do piçarro." (Permínio Asfora, *Vento Nordeste*, p. 43.)

piçarroso (ô). [Do esp. *pizarroso.*] *Adj.* **1.** Abundante em, ou da natureza da piçarra; piçarrento.

picas. [Pl. de *pica*[1].] *Pron. indef. Bras. Chulo.* Coisa nenhuma; nada: *O cargo é honorífico, não lhe rende picas, e ainda lhe dá muita dor de cabeça.* ~ V. *pica.*

piças. [F. eufemística de *picas.*] *Interj.* Designa irritação.

picassiano. *Adj.* **1.** Pertencente ou relativo ao pintor espanhol Pablo Picasso (1881-1974), ou próprio dele ou de sua obra ou estilo. ● *S. m.* **2.** Grande admirador e/ou profundo conhecedor da obra de Picasso, e/ou seguidor de qualquer de seus estilos.

picatoste. [Do esp. *picatoste.*] *S. m.* Iguaria de carne de carneiro, ovos e pão ralado.

picaú. [Do tupi?] *S. m. Bras.* Pomba (1).

picaúro. *S. m. Bras.* V. *pomba-legítima.*

picega (é). *S. 2 g. Bras.* Pessoa míope, vesga, que enxerga mal.

picentino. [Do lat. *picentinu.*] *S. m.* **1.** Indivíduo dos picentinos, povo montanhês da antiga Itália central. V. *sabelo* (1). **2.** O natural ou habitante de Piceno, hoje Marca de Ancona (Itália). ● *Adj.* **3.** pertencente ou relativo a Piceno, ou aos picentinos.

píceo. [Do lat. *piceu.*] *Adj.* **1.** Da natureza do, ou semelhante ao pez. **2.** Que produz pez. **3.** Negro azevichado. [Cf. *písceo.*]

pichação. *Bras. S. f.* **1.** Ato ou efeito de pichar; pichamento. **2.** Dístico, em geral de caráter político, escrito em muro de via pública.

pichado. [Part. de *pichar.*] *Bras. Adj.* **1.** Em que há pichação (2): *paredes pichadas.* **2.** Que é alvo de pichação (1); criticado.

pichador (ô). *Adj.* e *s. m. Bras.* Diz-se de, ou aquele que picha.

pichamento. *S. m. Bras.* Pichação (1).

pichar. *Bras. V. t. d.* **1.** Aplicar piche em; untar com piche: *Pichou a laje para impermeabilizá-la.* **2.** Escrever (dizeres políticos, por via de regra) em muros ou paredes: *Os candidatos estão pichando as siglas de seus partidos.* **3.** Escrever, sobretudo, dizeres políticos, em: *pichar um muro.* **4.** *Gír.* V. *espinafrar* (2). *Int. Gír.* **5.** Falar mal; maldizer, tesourar: *Tem o mau costume de pichar.* [Pres. ind.: *picho, pichas, picha,* etc.; pres. subj.: *piche, piches, ... picheis, pichem.* Cf. *pixa,* s. m. e adj. 2 g., e *pichéis,* pl. de *pichel.*]

pichardismo. [Do antr. *Pichardo,* aventureiro sul-americano.] *S. m. Jur.* Crime contra a economia popular, que consiste em fraudulentamente prometer a devolução, após certo tempo, de dinheiro de mercadorias vendidas.

piche. [Do ingl. *pitch.*] *S. m.* Substância negra, resinosa, muito pegajosa, obtida da destilação do alcatrão ou da terebintina; pez.

pichel. [Do fr. ant. *pichier.*] *S. m.* **1.** Antiga vasilha empregada para tirar vinho das pipas ou dos tonéis. **2.** Vaso antigo, geralmente de estanho, para beber vinho: "sentavam-se os grupos comendo as petisqueiras, regadas pelo vinho dos *pichéis* e das borrachas" (José Loureiro Botas, *Maré Alta,* p. 118). [Sin. ger.: *picho.* Pl.: *pichéis.* Cf. *picheis,* do v. *pichar.*]

pichelaria. [De *pichel* + *-aria.*] *S. f.* **1.** Oficina de picheleiro. **2.** Ofício ou obra de picheleiro.

picheleiro. *S. m.* **1.** Fabricante de pichéis. **2.** Fabricante e/ou vendedor de obras de folha-de-flandres: "Prometo .... escrever a favor do comércio, da indústria, da agricultura, ... dos *picheleiros,* .... dos violeiros, dos pedestres, e mais entidades, que se oferecerem à minha pena." (Machado de Assis, *Crônicas,* I, pp. 235-237.)

pichilinga. *S. f. Bras., AL. Fam.* Coisa muito pequenina.

pichelingue. [Do esp. *pechelingue,* 'pirata' < top. *Flessingue* ou *Vliissinger* (Holanda).] *S. m. Pop.* e *desus.* **1.** Larápio, gatuno, ratoneiro. **2.** Corsário, pirata.

pichititinho. *Adj. Bras. Fam.* Pequenininho, pequenito: *guri pichititinho;* "A mulata só queria / que Seu Manuel lhe desse / uma nauzinha daquelas, / inda a mais *pichititinha*" (Ascenso Ferreira, *Catimbó* e *Outros Poemas,* p. 165).

picho. [Der. regress. de *pichel.*] *S. m.* Pichel.

picholeio. [Do esp. plat. *picholeo.*] *S. m. Bras., RS.* Jogo de cartas, ou de outra coisa qualquer, que em geral se improvisa nas ramadas e barracas, no intervalo das carreiras no campo.

pichororé. [Voc. onom.] *S. m. Bras.* V. *joão-tenenêm.*

pichorra^{1} (ô). [De *picho* + *-orra.*] *S. f.* **1.** Pichel com bico. **2.** Pequeno cântaro de barro com bico. **3.** *Bras. Pop.* V. *égua* (1). ♦ **Mijar fora da pichorra.** *Bras., RS.* Não cumprir à risca (um dever, uma obrigação, uma determinação, etc.).

pichorra^{2} (ô). *Bras., SP. S. f.* **1.** Preguiça, lassidão, indolência. ● *S. 2 g.* **2.** Covarde, poltrão. ● *Adj. 2 g.* **3.** Indivíduo pichorra (2).

pichuleta (ê). *S. f. Bras., PE.* O membro genital da criança.

picica. *S. m.* **1.** *Bras., CE. Pop.* Meninote, fedelho: "Ganhou-o pra acabar de criar, quando o *picica* ainda estava com fiapo de boeta no embigo." (Manuel Lobato, *Garrucha 44,* p. 72.) ● *S. 2 g. Bras., N.* **2.** Pessoa de muito baixa estatura. **3.** Coisa insignificante.

picídeo. *S. m.* **1.** Espécime dos picídeos. ● *Adj.* **2.** Pertencente ou relativo a eles.

picídeos. *S. m. pl. Zool.* Aves piciformes, da família *Picidae,* caracterizadas por terem o bico direito, forte, de comprimento médio, plumagem às vezes de cores vivas, mas não brilhantes. Alimentam-se de larvas de insetos e de toda sorte de artrópodes. Existem algumas espécies frugívoras. São os pica-paus.

piciforme. [Do lat. *pice,* 'pez', + *-i-* + *-forme.*] *Adj. 2 g.* **1.** Semelhante ao pez. **2.** Pertencente ou relativo aos piciformes. ● *S. 2 g.* **3.** Espécime dos piciformes. [Cf. *pisciforme.*]

piciformes. *S. m. pl. Zool.* Aves neórnites, neógnatas, ordem *Piciformes,* de porte médio ou pequeno, pés zigodáctilos, retrizes em número de 12, se moles, e em número de 11, se rígidas e pontudas. São os tucanos, os araçaris e os pica-paus.

➧**pick-up** (picáp). [Ingl.] *S. m.* **1.** Dispositivo eletromagnético que nos toca-discos transforma as vibrações mecânicas da agulha em vibrações elétricas. **2.** *P. ext.* Toca-discos. **3.** Camioneta dotada de boléia e carroceria aberta à maneira dos caminhões.

picles. [Do ingl. *pickles.*] *S. m. pl.* Legumes conservados em vinagre, usados como acepipe ou condimento.

picnaspídio. *S. m.* **1.** V. *tarso picnaspídio.* ● *Adj.* **2.** ~ V. *tarso —.*

pícnico. [De *picn(o)-* + *-ico*^{2}.] *Adj.* e *s. m.* Na tipologia de Krestschmer, diz-se do, ou o tipo corporal de formas arredondadas, baixo e reforçado, e membros relativamente curtos, correspondente ao caráter ciclotímico.

picnídio. [De *picn(o)-* + *-ídio.*] *S. m. Micol.* Órgão variado, entre fungos e liquens, cuja função é gerar esporos especiais destinados à propagação das respectivas espécies.

▲**picn(o)-.** [Do gr. *pyknós, é, ón.*] *El. comp.* = 'denso', 'compacto', 'espesso': *pícnico, picnômetro.*

picnogônida. *S. m.* **1.** Espécime dos picnogônidas. ● *Adj. 2 g.* **2.** Pertencente ou relativo a eles. [Sin. ger.: *pantópode.*]

picnogônidas. *S. m. pl. Zool.* Animais artrópodes, da classe *Pycnogida,* de porte pequeno, delgado, com quatro pares de patas de oito segmentos, terminados em garras, e boca adaptada para sucção, provida de tromba. São marinhos, vivendo até a 4.000 m de profundidade. [Sin.: *pantópodes.*]

picnometria. [De *picn(o)-* + *-metr(o)*^{2}- + *-ia.*] *S. f.* Medida da densidade dos corpos pelos picnômetros.

picnométrico. *Adj.* Referente à picnometria.

picnômetro. [De *picn(o)-* + *-metro.*] *S. m. Fís.* Frasco aferido destinado à medição de massa específica de sólidos ou líquidos.

picnose. [Do gr. *pyknosis,* 'ação de espessar'.] *S. f. Biol.* Destruição dos núcleos das células, a qual se efetua por partes: desaparece a estrutura, há fragmentação e desaparece o núcleo.

picnostilo. [Do gr. *pyknóstylos,* pelo lat. *pycnostylos.*] *S. m. Arquit.* **1.** Pequeno intercolúnio. **2.** Edifício cujas colunas apresentam pequeno intervalo entre si.

pico^{1}. [Dev. de *picar.*] *S. m.* **1.** Ponta aguda; bico. **2.** Espinho, acúleo. **3.** Cume agudo de monte; picada, picoto. **4.** *Pop.* Pequena quantidade. **5.** *Fig.* Sabor picante ou ácido; pique: *vinho com um certo pico.* **6.** Chiste, graça; malícia. **7.** *Bras. Gír.* Dose de entorpecente injetável com seringa, de uma vez. **8.** *Bras., N.* Pêlo de alguns vegetais, que produz comichão. **9.** *Bras.* Pique^{2} (3).

pico^{2}. *Adv.* Um pouco mais: *meio-dia e pico.* [Us. antecedido sempre da conj. e.]

▲**pico-.** *Pref.* que, anteposto ao nome de uma unidade, forma o nome de uma unidade derivada 10^{-12} vezes a primeira. [Símb.: *p.*]

picola. [De *picar* + *-ola.*] *S. f.* Pequeno picão empregado para trabalho de pedra iniciado com o picão, i. e., para alisá-la.

picolé. *S. m.* **1.** *Bras.* Sorvete solidificado em uma das extremidades dum pauzinho, e que se toma segurando-o pela outra extremidade. [Sin., bras.: *dolé.*] **2.** *Bras., RJ. Pop.* Caixa do Correio, que é fixada a um pequeno poste, em via pública ou prédios do Estado.

picolina. *S. f. Quím.* Designação de qualquer dos dois isômeros da metilpiridina, líquidos, incolores, usados na indústria de vernizes e tintas. [Fórm.: C_6H_7N.]

picoso (ô). [De *pico*^{1} + *-oso.*] *Adj.* **1.** Que tem picos. **2.** Que pica; picante. **3.** Que termina em pico^{1} (1).

picota^{1}. [De *pico*^{1}.] *S. f. Ant.* **1.** Pau a prumo que se usava como pelourinho. **2.** *Ant. Mar.* Alavanca que dava movimento ao êmbolo da bomba de esgotar porão.

picota^{2}. *S. f. Bras., Amaz.* V. *galinha-d'angola.*

picotadeira. [De *picotar* + *-deira.*] *S. f.* Picotadora.

picotado. [Part. de *picotar.*] *Adj. Bras.* **1.** Em que há picote^{3}: *estampilha picotada.* **2.** Perfurado com picotador: *ingresso picotado.*

picotador (ô). [De *picotar* + *-(d)or.*] *S. m. Bras.* Instrumento com que se furam ou cortam bilhetes de passagem ou de ingresso; picador.

picotadora (ô). [De *picotar* + o fem. de *-(d)or.*] *S. f.* Máquina dotada de pente (10), que produz uma série de pequenas perfurações nos impressos que devem ter partes destacáveis; picotadeira.

picotagem. *S. f.* Ato ou efeito de picotar.

picotar. [De *picote*^{3} + *-ar*^{2}.] *V. t. d. Bras.* **1.** Perfurar (papel, etc.) com picotadora ou com o fio de picote; fazer picote^{3} em. **2.** Inutilizar (bilhetes de passagem ou ingresso), perfurando-os com o picador. [Pres. ind.: *picoto,* etc. Cf. *picoto* (ô).]

picote^{1}. [Do esp. *picote.*] *S. m.* Certo pano grosseiro.

picote^{2}. [Do fr. *picot.*] *S. m.* Ponto de rendaria; pequena argola de linha que se usa em rendas finas.

picote^{3}. [De *pico*^{1}.] *S. m. Bras.* **1.** Recorte denteado dos selos postais, talões, blocos de papel, etc. **2.** Seqüência de pequenas perfurações feitas em folhas, blocos, etc., para facilitar a separação das partes que devem ser destacadas manualmente.

picote^{4}. [De *picotar.*] *Bras. Chulo.* Cópula, coito.

picotê. *S. m. Bras. Pop.* V. *peteleco.*

picotilho. [Do esp. *picotillo.*] *S. m.* Picote^{1} menos grosseiro e de melhor qualidade.

picoto (ô). [De *pico*^{1}.] *S. m.* **1.** V. *pico*^{1} (3): "parecia ter-se condensado em seus olhos o azul que escorre do céu sobre os montes, com os *picotos* cobertos de neve" (Aquilino Ribeiro, *Cinco Réis de Gente,* p. 262). **2.** Pirâmide ou marco geodésico. [Pl.: *picotos* (ô). Cf. *picoto,* do v. *picotar.*]

picrato. [De *picr(o)-* + *-ato*^{2}.] *S. m. Quím.* Qualquer sal do ácido pícrico.

pícrico. [De *picr(o)-* + *-ico*^{2}.] *Adj.* ~ V. *ácido —.*

▲**picr(o)-.** [Do gr. *pikrós, á, ón.*] *El. comp.* = 'ácido'; 'amargo': *pícrico.*

pictografia. [Do lat. *pictu* part. de *pingere,* 'pintar' + *-o-* + *-graf(o)-* + *-ia.*] *S. f.* Sistema de escrita de natureza icônica, baseada em representações bastante simplificadas dos objetos da realidade.

pictográfico. *Adj.* Respeitante à, ou representado mediante pictografia.

pictograma. [Do lat. *pictu,* part. de *pingere,* 'pintar', + *-o-* + *-grama.*] *S. m.* Qualquer signo utilizado em pictografia.

pictorial. [Do lat. *pictoriu,* 'de pintor', + *-al.*] *Adj. 2 g.* V. *pictórico.*

pictórico. [Do lat. *pictore,* 'pintor', + *-ico*^{2}.] *Adj.* Referente à, ou próprio da pintura; pictorial, pitoresco, pictural.

pictural. [Do lat. *pictura,* 'pintura', + *-al.*] *Adj. 2 g.* V. *pictórico.*

picuá. [Do tupi *piku'à.*] *S. m. Bras.* **1.** Cesto, balaio, samburá, patuá. **2.** Saco de lona ou de algodão para levar roupa ou comida: "Crescêncio já estava na cidade, já vinha de volta, a carne no *picuá* dependurado na garupa" (João Pacheco, *Negra a caminho da Cidade,* p. 28). **3.** Peça cilíndrica e oca, para guardar diamantes, feita de um gomo de taquara, de chifre, de osso ou doutra substância, e fechada à rolha na extremidade aberta: "Diamantes e ouro foram trazidos de Grão-Mogol, apanhados nas velhas catas quando .... dos socavões e gupiaras saíam arrobas de pepitas e *picuás* atochados de pedras de primeira água." (Nélson de Faria, *Tiziu e Outras Estórias,* p. 126.) ~ V. *picuás.*

picuaba. [De provável or. tupi.] *S. f. Bras., PE.* Reboco de argamassa de cimento, areia e qualquer matéria colorante, com o qual se imita cantaria de pedra.

picuar. *V. t. d. Bras.* **1.** Guardar em picuá. **2.** Acumular, arrecadar, entesourar: *O velho picuou todas as suas economias.* [Conjug.: v. *averiguar.*]

picuás. [Pl. de *picuá.*] *S. m. pl. Bras.* Móveis, trastes, trens. ~ V. *picuá.*

picuçaroba. *S. m. Bras.* **1.** V. *pomba-amargosa.* **2.** V. *pomba-legítima.*

picudo. [De *pica*^{1} + *-udo.*] *Adj.* e *s. m. Bras. Chulo.* Diz-se de, ou aquele cujo membro viril é avantajado.

piçudo. [De *piça* + *-udo.*] *Adj. Chulo* Furioso, enraivecido, indignado.

picuense. *Adj. 2 g.* **1.** De, ou pertencente ou relativo a Picos (PI). ● *S. 2 g.* **2.** Natural ou habitante de Picos.

picueta (ê). [De *picar.*] *S. f.* V. *picuinha* (2).

picuetada. [De *picueta* + *-ada*^{1}.] *S. f. Bras.* V. *picuinha* (2).

picuí. [Do tupi *piku'i,* 'pombinha'.] *S. m. Bras., Amaz.* Ave columbiforme, da família dos columbídeos (*Columbina p. picui* (Tem.)), distribuída do S. do Amazonas ao RS, de dorso pardo-acinzentado, fronte esbranquiçada, occipício cinzento, parte inferior vináceo-clara, garganta, meio do abdome e crisso brancos, uma fita azul-escura nas coberteiras superiores menores da asa. Alimenta-se de grãos em geral, especialmente de sementes de capim. [Sin.: *picuipeom, picuí-caboclo, pomba-rola.*]

picuí-caboclo. [De *picuí* + *caboclo.*] *S. m. Bras.* V. *picuí.* [Pl.: *picuís-caboclos.*]

picuiense (u-i). *Adj. 2 g.* **1.** De, ou pertencente ou relativo a Picuí (PB). ● *S. 2 g.* **2.** Natural ou habitante de Picuí.

picuim (u-í). *Adj. 2 g.* **1.** Diz-se do cabelo crespo, duro, próprio da raça negra. ● *S. 2 g.* **2.** Pessoa que tem esse cabelo.

picuinha (u-í). [De *picar.*] *S. f.* **1.** O primeiro pio das aves. **2.** Dito ou alusão picante; remoque, piada, picueta, picuetada. **3.** Provocação, pirraça.

picuipeba (u-i). [Do tupi *piku'i*, 'pombinha', + *-peba.*] *S. m. Bras.* V. *rola-azul.*

picuipeom (u-i). *S. m. Bras.* V. *picuí.*

picuipinima (u-i). [De *picuí* + o adj. tupi *pinima*, 'pintado, malhado'.] *S. m. Bras.* V. *fogo-pagou.*

picula. *S. f. Bras.* Jogo de crianças análogo ao da cabra-cega:"Os meninos brincavam de picula, correndo sem cessar de um lado para outro." (Reginaldo Guimarães, *Uma Blusa no Cais*, p. 53.)

picum[1]. [Alter. de *pico*[1].] *S. m. Bras., BA.* Cume, pico.

picum[2]. *S. m. Bras., PA.* Var. aferética de *apicum.*

picumã. [Do tupi *apeku'mã.*] *S. m. Bras.* **1.** V. *fuligem.* **2.** Teia de aranha enegrecida pela fuligem: "O teto, de telha-vã, com as vigas fuliginosas, como carbonizadas, estava colgado de flocos negros de picumã." (Coelho Neto, *Obra Seleta*, I, p. 197); "A caliça das paredes lasca-se enegrecida, suja de fuligem, com pingentes de picumã." (Gustavo Barroso, *Terra de Sol*, p. 193). **3.** *Gír.* V. *carapinha* (1). [Var.: *pucumã*; sin. ger.: *taticumã* (q. v.).]

pidão. *Adj.* e *s. m. Bras.* Que ou aquele que pede muito. V. *pedinchão* (2). [Fem. *pidona.*]

➧**pidgin** (pídjen). [Ingl.] *S. m. Ling.* Forma simplificada de fala, constituída, em geral, por uma mistura de duas ou mais línguas, com vocabulário e gramática rudimentares, e utilizada para comunicação entre grupos falantes de línguas diferentes.

pidona. *Adj. (f.)* e *s. f.* Fem. de *pidão* [q. v.].

pidonho. *Adj.* e *s. m.* V. *pedinchão* (2).

➧**pièce de résistance.** [Fr., 'peça de resistência'.] *Loc. s. f.* **1.** O prato principal de uma refeição. **2.** Realização fora do comum.

piedade. [Do lat. *pietate.*] *S. f.* **1.** Amor e respeito às coisas religiosas; religiosidade; devoção. **2.** Pena dos males alheios; compaixão, dó, comiseração: "Tende piedade dos leprosos, / dos que são execrados como Judas!" (Jorge de Lima, *Obra Completa*, I, p. 252.)

piedadense. *Adj. 2 g.* **1.** De, ou pertencente ou relativo a Piedade (SP). ● *S. 2 g.* **2.** Natural ou habitante de Piedade.

piedmontita. [Do top. *Piedmont*, f. inglesa do it. *Piemonte* + *-ita*[3].] *S. f.* Piemontita.

piedoso (ô). [Do lat. *pietosu.*] *Adj.* Que tem piedade.

piegas. *Adj. 2 g.* e *2 n.* **1.** Diz-se de quem se embaraça com bagatelas. **2.** Que é ridiculamente sentimental: *É um sujeito piegas, comove-se à toa.* **3.** Próprio de piegas; em que há pieguice: *história piegas.* ● *S. 2 g.* e *2 n.* **4.** Pessoa piegas.

piegueiro. [De *piegas* + *-eiro.*] *Adj. Bras.* **1.** Dócil, meigo. **2.** Acariciador, acariciante, caricioso.

pieguice. *S. f.* **1.** Qualidade de piegas. **2.** Modos, ato ou dito de piegas. [Sin. ger.: *pieguismo.*]

pieguismo. *S. m.* Pieguice.

pieira. [De *pio* + *-eira.*] *S. f.* V. *estertor* (1). [Cf. *peeira.*]

piela. [De *piar*[2].] *S. f. Pop.* V. *bebedeira* (1).

pielite. [De *piel(o)-* + *-ite*[1].] *S. f. Patol.* Inflamação da pelve renal, em cujo quadro clínico figuram febre, dor e sensibilidade lombares, eliminação de sangue ou pus pela urina, alterações digestivas, dor causada pela flexão de coxa.

▲**piel(o)-.** [Do gr. *pýelos, ou.*] *El. comp.* = 'cavidade': *pielite, pielonefrite.*

pielografia. [De *piel(o)-* + *-graf(o)-* + *-ia.*] *S. f. Med.* Visualização radiológica de rins, ureteres e bexiga, após administração de contraste (6) por via intravenosa *(pielografia intravenosa* ou *descendente)*, ou de rins, ureteres e, eventualmente, bexiga, após introdução de contraste, em sentido ascendente, por cateterização ureteral *(pielografia ascendente* ou *retrógrada).* ◆ **Pielografia ascendente.** *Med.* V. *pielografia.* **Pielografia descendente.** *Med.* V. *pielografia.* **Pielografia intravenosa.** *Med.* V. *pielografia.* **Pielografia retrógrada.** *Med.* V. *pielografia.*

pielonefrite. [De *piel(o)-* + *nefrite.*] *S. f. Patol.* Pielite acompanhada de nefrite.

pielonefrítico. *Adj.* Relativo à pielonefrite.

pielonefrose. [De *piel(o)-* + *nefrose.*] *S. f. Patol.* Doença de rim e da pelve renal correspondente.

pielonefrótico. *Adj.* Referente à pielonefrose.

piêmese. [De *pi(o)-* + gr. *émesis*, 'vômito'.] *S. f. Patol.* Vômito purulento.

piemia. [De *pi(o)-* + *-(h)em(o)-* + *-ia.*] *S. f. Patol.* Septicemia acompanhada de numerosos focos secundários de supuração.

piêmico. *Adj.* Referente à piemia.

piemonte. [Do top. *Piemonte* (Itália).] *S. m.* **1.** *Geol.* Região situada entre a montanha e a planície. **2.** *Geol.* Depósito sedimentar que, formado no sopé das montanhas, passa gradualmente aos depósitos aluviais, e se constitui, em geral, de blocos não arredondados e mal selecionados, de mistura com partículas mais finas.

piemontês. *Adj.* **1.** Do, ou pertencente ou relativo ao Piemonte (Itália). ● *S. m.* **2.** O natural ou habitante do Piemonte. [Flex.: *piemontesa* (ê), *piemonteses* (ê), *piemontesas* (ê).] **3.** O dialeto dos piemonteses.

piemontita. [Do top. *Piemonte* (Itália) + *-ita*[3].] *Min.* Mineral monoclínico, magnesífero, do grupo dos epídotos; piedmontita.

pientíssimo. [Do lat. *pientissimu.*] *Adj.* Superl. Abs. sint. de *pio*[3].

píer. [Do ingl. *pier.*] *S. m.* Molhe especialmente destinado a servir de cais acostável. [Pl.: *píeres.*]

piérides. [Do gr. *Pierídes*, pelo lat. *Pierides.*] *S. f. pl.* As musas.

pierídeo. *S. m.* **1.** Espécime dos pierídeos. ● *Adj.* **2.** Pertencente ou relativo a eles.

pierídeos. *S. m. pl. Zool.* Família de insetos da ordem dos lepidópteros, a qual compreende borboletas de tamanho médio e pequenas, brancas ou amareladas, com manchas pretas, muito abundantes, nas margens das asas.

piério. [Do gr. *piérios*, pelo lat. *pieriu.*] *Adj. Poét.* Relativo ou pertencente às piérides, ou à poesia.

pierrette. [Do fr. *pierrette.*] *S. f.* **1.** Mulher fantasiada com o traje feminino análogo ao do pierrô (1). **2.** Fantasia de pierrete (1).

pierrô. [Do fr. *pierrot.*] *S. m.* **1.** *Teat.* Personagem originário da comédia italiana, ingênuo e sentimental, transportado para o teatro francês e depois para o da pantomima, e cuja indumentária (casaco e calça muito amplos) é ornada de pompons e de grande gola franzida. **2.** Fantasia de carnaval que é a reprodução do vestuário de tal personagem.

▲**-piese.** [Do gr. *píesis, eos.*] *El. comp.* = 'pressão': *hiperpiese, hipopiese.*

pietismo. [Do fr. *piétisme.*] *S. m.* Movimento de intensificação da fé, nascido na Igreja Luterana alemã no séc. XVII.

pietista. [Do fr. *piétiste.*] *Adj. 2 g.* **1.** Relativo ao pietismo. **2.** Que é partidário do pietismo. ● *S. 2 g.* **3.** Partidário dele.

piezeletricidade. [De *piez(o)-* + *eletricidade.*] *S. f. Fís.* Fenômeno observado em cristais anisotrópicos nos quais deformações mecânicas provocam polarizações elétricas seguindo determinadas direções.

piezelétrico. [De *piez(o)-* + *elétrico.*] *Adj.* Relativo à piezeletricidade. ~ V. *cristal* —.

piezo. [Do gr. *piezo*, 'fazer pressão'.] *S. m. Fís.* Unidade de medida de pressão, no Sistema MTS: a pressão exercida por uma força de um steno que age perpendicular e uniformemente sobre uma área de um metro quadrado. Vale 10^3 N/m^2. [Símb.: *pz.*]

▲**piez(o)-.** [Do gr. *piezo.*] *El. comp.* = 'que comprime', 'que pressiona': *piezômetro; piezeletricidade.*

piezometria. [De *piez(o)-* + *-metr(o)*[2]- + *-ia.*] *S. f.* Ramo da física que estuda a compressibilidade dos líquidos.

piezométrico. *Adj.* Concernente à piezometria. ~ V. *altura* —.

piezômetro. [De *piez(o)-* + *-metro.*] *S. m. Fís.* Instrumento para medir a compressibilidade de líquidos em pressões elevadas.

pifado. [Part. de *pifar.*] *Adj. Bras. Gír.* Quebrado, avariado, escangalhado.

pífano. [Var. de *pífaro*, com infl. de *tímpano.*] *S. m.* V. *pífaro:* "Os guizos dos pandeiros / Dão risadas no ar; os pífanos dão gritos" (Conde de Monsaraz, *Musa Alentejana*, p. 66).

pifão. *S. m. Pop.* V. *bebedeira* (1).

pifar. *V. t. d. Fam.* **1.** Beber em demasia: *O rapaz pifou aguardente e passou mal. T. d. e i.* **2.** Subtrair fraudulentamente; furtar, roubar, bifar: *Um malandro pifou à pobre mulher todo o salário. Int.* **3.** *Bras. Pop.* Não surtir o efeito esperado; falhar, gorar: *O projeto pifou;* "Quando o jornal pifou, mudou de dono, e Marisa foi para *O Globo*" (Rubem Braga, *in* Marisa Raja Gabaglia, *Milho pra Galinha, Mariquinha*, p. 6). **4.** *Bras. Pop.* Sofrer avaria; deixar de funcionar; quebrar, avariar-se: *O automóvel pifou;* "Se o limpador [do caminhão] pifa, o cigarro que o homem fuma é esfregado sobre o vidro, para que deslizem os pingos de chuva, sem prejudicar a visão do motorista." (Marcos Vinícios Vilaça, *Em torno da Sociologia do Caminhão*, p. 19). **5.** *Bras. Pop.* V. *morrer* (1).

pífaro. [Do médio alto-al. *pifer.*] *S. m.* **1.** *Ant.* Espécie de flautim militar, com seis orifícios, que os soldados tocavam juntamente com o tambor, e que produzia sons agudos e estridentes. **2.** O tocador desse instrumento. **3.** Espécie de oboé italiano, com nove orifícios, usado pelos músicos ambulantes dos Abruzos (Itália). **4.** *Bras.* Instrumento rústico, semelhante ao pífaro (1 e 3), usado ainda hoje, sobretudo em conjuntos musicais populares; flauta: "Deitado na relva, Eliezer embeiçava o pequeno pífaro e dele tirava sons ciciantes e nostálgicos" (Eduardo Frieiro, *O Mameluco Boaventura*, pp. 52-53). **5.** *Ant.* Espécie de cornamusa italiana. [Var.: *pífano* (por infl. de *tímpano*) e *pifre, pife* (pop.).]

pife[1]. *S. m. Bras. Pop.* V. *pífaro.*

pife[2]. *S. m.* F. red. de *pife-pafe.*

pife-pafe. [Voc. onom.] *S. m. Bras.* Jogo de cartas em que tomam parte, usualmente, cinco a nove pessoas, com dois baralhos de 52 cartas, das quais recebe nove cada pessoa, e no qual não se permite arriar na mesa combinações de trincas e seqüências a não ser para bater, o que pode ser feito com qualquer descarte adversário, mesmo fora da vez. [F. red.: *pife.* Pl.: *pife-pafes.*]

pífio. [Do esp. *pifia*, 'golpe em falso no bilhar'.] *Adj.* Reles, grosseiro, ordinário, vil: "deprime-me a monótona estupidez estatuária de cruzes, calvários, Cristos, colunas truncadas e anjos chorando, como se a morte, nivelando os mortos, só merecesse moldes pífios e convencionais" (Marques Rebelo, *O Trapicheiro*, p. 138).

pif-paf. [Voc. onom.] *S. m.* V. *pife-pafe.*

pifre. *S. m. Pop.* V. *pífaro.*

pigalgia. [De *pig(e)-* + *-alg(o)-* + *-ia.*] *S. f. Patol.* Dor nas nádegas.

pigálgico. *Adj.* Relativo à pigalgia.

pigarço. *Adj.* e *s. m.* Diz-se de, ou eqüídeo de cor grisalha: "aconteceu que o 'Zé Velino' atravessou a estrada montado no seu reforçado pigarço." (João Sarmento Pimentel, *Memórias do Capitão*, p. 27). [Var. (bras. e prov. lus.): *picarço.*]

pigarra. [Var. de *pigarro.*] *S. f. Bras.* Gosma (1) peculiar das galinhas; gogo (ô). [Cf. *pigarro.*]

pigarrar. *V. int.* V. *pigarrear.*

pigarrear. *V. int.* **1.** Ter pigarro; tossir com pigarro: "Passam velhos, lentos, encurvados, tossindo e pigarreando." (Eduardo Frieiro, *O Mameluco Boaventura*, p. 71.) **2.** Procurar desembaraçar da garganta o pigarro; limpar a garganta, temperar a garganta. [F. paral.: *pigarrar.* Conjug.: v. *frear.*]

pigarrento. *Adj.* **1.** Que tem pigarro, que pigarreia; pigarroso. **2.** Que pode causar pigarro.

pigarro. *S. m.* Embaraço na garganta produzido pela aderência de mucosidades ou por outro fator, e que se procura desobstruir produzindo ruído característico. [Cf. *pigarra.*]

pigarroso (ô). [De *pigarro* + *-oso.*] *Adj.* **1.** Pigarrento (1). **2.** Produzido por pigarro.

▲**pig(e)-.** [Do gr. *pygé, ês.*] *El. comp.* = 'nádega': *pigalgia.* [Equiv.: *-pig(e)-* e *pigo-*: *esteatopigia, cianopígio; pigostílio.*]

▲**-pig(e)-.** V. *pig(e)-.*

pigídio. [Do gr. *pygídon*, 'pequeno traseiro'.] *S. m. Zool.* Placa do último segmento abdominal de alguns insetos.

pigmalionismo. [Do antr. *Pigmalião*, escultor lendário da Grécia antiga, + *-ismo.*] *S. m. Med. Leg.* Perversão sexual consistente em satisfazer a libido sobre estátuas ou outras obras do gêneno, feitas pelo próprio paciente.

pigméia. *Adj. (f.)* e *s. f.* Fem. de *pigmeu:* "Almas pigméias! Deus subjuga-as, cinge-as / À imperfeição!" (Augusto dos Anjos, *Eu*, p. 28.)

pigmentação. *S. f.* **1.** Formação e acumulação, normal ou patológica, de pigmento em certos pontos do organismo animal ou vegetal. **2.** Coloração produzida por um pigmento.

pigmentado. [Part. de *pigmentar.*] *Adj.* Que tem pigmento.

pigmentar[1]. [De *pigmento* + *-ar*[1].] *Adj. 2 g.* Relativo a pigmento.

pigmentar². [De *pigmento* + *-ar²*.] *V. t. d.* **1.** Dar a cor da pele a. **2.** *P. ext.* Dar cor a; colorir: *pigmentar uma tela.* *P.* **3.** Adquirir determinada cor por pigmentação. [Fut. pret.: *pigmentaria*, etc. Cf. *pigmentária*, fem. de *pigmentário*.]

pigmentário. [Do lat. *pigmentariu*.] *Adj.* De, ou relativo a pigmento. [Fem.: *pigmentária*. Cf. *pigmentaria*, do v. *pigmentar*.]

pigmento. [Do lat. *pigmentu*, 'cor para pintar'.] *S. m.* **1.** Designação comum a várias substâncias, de natureza diversa, que dão coloração aos líquidos ou aos tecidos vegetais ou animais que as contêm: *pigmento da pele; pigmento biliar*, etc. **2.** Substância pulverulenta, sólida, insolúvel num veículo, usada para dar cor e poder de cobertura a uma tinta.

pigmeu. [Do gr. *pygmaîos*, 'da altura de um côvado', pelo lat. *pygmaeu*.] *Adj.* **1.** Que é de estatura muito baixa; anão: "Ninguém se contenta com a estatura, que Deus lhe deu: e não há homem tão *pigmeu*, ou tão formiga, que não aspire a ser gigante." (Pe Antônio Vieira, *Sermões*, II, pp. 252-253.) **2.** *Fig.* De talento ou cultura insignificante. **3.** *P. ext.* Sem grandeza; pequenino, mesquinho: *espírito pigmeu*. [V. abonação em *pigméia*.] ● *S. m.* **4.** Indivíduo pertencente a certas raças de homens muito pequenos (estatura inferior a 1,50 m) da África central. **5.** *Deprec.* Indivíduo pigmeu. [Fem.: *pigméia*.]

pignoratício. [Do lat. *pignoraticiu*.] *Adj.* Relativo a penhor. ~ V. *cédula —a, credor — e endosso—*.

▲pigo-. V. *pig(e)-*.

pigópode. [De *pigo-* + *-pode*.] *S. f.* e *Adj. 2 g.* V. *podicipediforme*.

pigópodes. *S. f. pl. Zool.* V. *podicipediformes*.

pigostílio. [De *pigo-* + *-stil(o)-* + *-io²*] *S. m. Zool.* O cóccix das aves.

piguancha. *S. f.* **1.** *Bras., RS.* Caboclinha de vida fácil; china, chinoca. **2.** *Bras., SP.* V. *égua* (1). [Var.: *biguancha*.]

piina. [De *pi(o)-* + *-ina¹*.] *S. m. Quím.* Proteína existente no pus.

piíssimo. *Adj.* Pientíssimo.

pijama. [Do persa *pa-jama*, 'cobertura das pernas', pelo hind. *pae-jama*, pelo ingl. *pyjama* e pelo fr. *pyjama*.] *S. m.* e *f.* **1.** Calças largas e leves, usadas pelas mulheres em certas regiões da Índia. **2.** Vestuário caseiro ou para dormir, amplo e leve, constituído de casaco e calças. ♦ **Pijama de madeira.** *Bras. Gír.* V. *paletó de madeira*. **De pijama.** *Bras. Burl.* Diz-se de oficial-general que ascendeu ao generalato na ocasião de passar para a reserva (em virtude de lei especial que lhe dava esse direito): *general de pijama*. **Vestir o pijama de madeira.** *Bras. Gír.* V. *morrer* (1).

pijerecu. [De or. afr.] *S. m. Bras.* V. *coajerucu*.

pila¹. [Der. regress. de *pilantra* (4), provavelmente.] *S. m.* Indivíduo desocupado ou inútil.

pila². *S. m.* **1.** *Bras., S. Pop.* Dinheiro, gaita, grana. **2.** Mil-réis (1): "Nunca lambi espora pra ter os meus dez *pilas* na guaiaca." (Tito Carvalho, *Bulha d'Arroio*, p. 100.)

pilado. [Part. de *pilar²*.] *Adj.* **1.** Pisado com o pilão; socado. **2.** Descascado no pilão. **3.** Seco ao fumo.

pilador (ô). *Adj.* e *s. m.* Que ou aquele que pila.

pilano. [Do lat. *pilanu*.] *S. m.* Na Roma antiga, soldado armado de pilo.

pilantra. [De *pelintra*, provavelmente.] *Bras. Gír. Adj. 2 g.* **1.** Que gosta de apresentar-se bem, mas não tem recursos bastantes para isso: "Lá vem ele. E ganjento, *pilantra*: roupinha de brim amarelo, vincada a ferro; chapéu tombado de banda, lenço e caneta no bolsinho do jaquetão abotoado" (Mário Palmério, *Vila dos Confins*, p. 9). **2.** Diz-se de pessoa de mau caráter, desonesta. ● *S. 2 g.* **3.** Pessoa pilantra (2): "Ele se casara com a inglesa de cachos por causa de dinheiro, tio Maximiliano não passava de um *pilantra*." (Lígia Fagundes Teles, *O Jardim Selvagem*, p. 29.) ● *S. m.* **4.** Entre gatunos, malandro reles ou desprezível.

pilantragem. *S. f. Bras. Gír.* Ato próprio de pilantra.

pilão. [De *pilar²* + *-ão³*.] *S. m.* **1.** Mão de almofariz. **2.** Maço dos moinhos onde se pisa o papel, a casca de carvalho, a massa da pólvora, etc. **3.** Designação comum a diversos instrumentos que servem para bater, triturar, calcar. **4.** Peso cursor da balança romana. **5.** Pão de açúcar [q. v.] de forma cônica. **6.** *Expl.* O conjunto dos furos convenientemente localizados em rochas, para desmonte a fogo ou para abertura de túneis, galerias e poços. **7.** *Bras.* Gral de pau rijo, usado para descascar e triturar arroz, café, milho, etc.: "a gente acordava aqui com os *pilões* batendo. Eram as donas de casa madrugadoras, pilando o milho" (Hélio Galvão, *Cartas da Praia*, p. 51). **8.** *Bras.* Fermentação de tabaco. **9.** *Bras., SP.* Cavalo ou burro trotador.

pilão-arcadense. *Adj. 2 g.* **1.** De, ou pertencente ou relativo a Pilão Arcado (BA). ● *S. 2 g.* **2.** Natural ou habitante de Pilão Arcado. [Pl.: *pilão-arcadenses*.]

pilar¹. [Do esp. *pilar*.] *S. m.* Coluna simples, sem ornatos, de seção poligonal, que constitui elemento vertical da estrutura de uma construção. [Dim. irreg.: *pilarete*.]

pilar². [Do lat. tardio *pilare*, 'apoiar, segurar com força'.] *V. t. d.* **1.** Pisar ou moer no pilão; pisar, apiloar: "De primeiro a gente acordava aqui com os pilões batendo. Eram as donas de casa madrugadoras, *pilando o milho*" (Hélio Galvão, *Cartas da Praia*, p. 51). **2.** Descascar no pilão: *pilar arroz*. **3.** Pôr a secar ao fumo (castanhas).

pilarense¹. *Adj. 2 g.* **1.** Do, ou pertencente ou relativo ao Pilar (PB e AL). ● *S. 2 g.* **2.** Natural ou habitante do Pilar.

pilarense². *Adj. 2 g.* **1.** Do, ou pertencente ou relativo ao Pilar do Sul (SP). ● *S. 2 g.* **2.** Natural ou habitante do Pilar do Sul.

pilarense³. *Adj. 2 g.* **1.** De, ou pertencente ou relativo a Pilar de Goiás (GO). ● *S. 2 g.* **2.** Natural ou habitante de Pilar de Goiás.

pilarete (ê). *S. m.* Dim. irreg. de *pilar¹*.

pilarte. *S. m.* Antiga moeda portuguesa, de prata.

pilastra. [Do it. *pilastro*.] *S. f.* Coluna, geralmente de seção quadrada, que fica adaptada à fachada de um prédio ou embutida numa parede.

pilcha. [Do esp. plat. *pilcha*.] *S. f. Bras. RS* **1.** V. *dinheiro* (3). **2.** Adorno, adereço; jóia. **3.** Qualquer objeto de algum valor, como, p. ex., anéis, roupas, arreios de animal.

pilchudo. *Adj. Bras., RS.* **1.** Que tem muitas ou boas pilchas. **2.** Endinheirado, ricaço.

pilé. [Do fr. *pilé*, part. pass. de *piler*, 'triturar'.] *Adj.* e *s. m.* Diz-se do, ou o açúcar cristalizado em fragmentos ou pedras.

pileca. *S. f. Pop.* Cavalgadura ordinária e escanzelada: "Junto às rodas passou choutando, numa *pileca* branca, o correio agaloado." (Eça de Queirós, *Os Maias*, II, p. 409.)

pilecado. [De *pileque²* + *-ado¹*.] *Adj. Bras. Pop.* V. *embriagado* (1).

píleo. [Do lat. *pileu*.] *S. m.* **1.** Barrete de feltro, perfeitamente ajustado à cabeça, que era usado pelos antigos romanos nas saturnais e noutras solenidades. **2.** Barrete de bispos ou cardeais. **3.** *Micol.* A porção esporígena dos fungos agaricales; chapéu, orelha-de-pau. **4.** *Ornit.* O lado superior da cabeça das aves.

pileque¹. *S. m. Bras.* Argola de borracha.

pileque². *S. m. Bras.* V. *bebedeira* (1). ♦ **Suspender um pileque.** *Bras., RS., Pop.* V. *embriagar* (4).

pilequinho. [Dim. de *pileque²*.] *S. m. Bras.* Bebedeira ocasional, não muito forte, que deixa a pessoa amável e bem-humorada.

pileta (ê). [Do esp. plat. *pileta*.] *S. f. Bras., RS.* Tanque ou pia.

pilha¹. [Dev. de *pilhar*.] *S. f.* **1.** Ruma de coisas dispostas umas sobre as outras: *pilha de roupa*. **2.** Caixas que contêm outras mais pequenas, metidas umas dentro das outras. **3.** *Fís.-Quím.* Pilha eletroquímica. **4.** *Bras. Pop.* Indivíduo nervoso, frenético, irritado. ♦ **Pilha atômica.** *Fís. Nucl.* V. *reator nuclear*. **Pilha de combustível.** *Quím.* Pilha eletroquímica em que a reação global é uma reação de combustão, como p. ex., a do hidrogênio. **Pilha eletroquímica.** *Fís.-Quím.* Sistema que transforma energia química em elétrica à custa de reações que se passam em dois eletrodos metálicos imersos em uma solução, ou em diferentes soluções. [Tb. se diz apenas *pilha*.] **Pilha seca.** *Fís.-Quím.* Pilha eletroquímica em que o eletrólito forma uma pasta com um material inerte, o pólo positivo é um bastão de carvão, e o negativo um invólucro de zinco. **Às pilhas.** Em grande quantidade, força ou intensidade; à beça. **Ser uma pilha de nervos.** Ser muito nervoso; ter os nervos à flor da pele.

pilha². [Dev. de *pilhar*.] *S. f.* **1.** Pilhagem (1). **2.** Larápio, ratoneiro, gatuno. **3.** Certo jogo de cartas ou dados.

pilhagem. *S. f.* **1.** Ato ou efeito de pilhar; pilha. **2.** Aquilo que se pilhou. **3.** Furto praticado pelas tropas que ocupam cidades conquistadas em combates; saque.

pilhante. *Adj. 2 g.* e *s. 2 g.* Que ou quem pilha; gatuno.

pilhar. [Do it. *pigliare*.] *V. t. d.* **1.** Haver às mãos; obter, conseguir, alcançar: *Pilhou, afinal, o cargo tão acalentado.* **2.** Subtrair fraudulentamente; furtar, roubar, surripiar: *O malandro vivia de pilhar indefesas senhoras.* **3.** Submeter a saque²; despojar com violência devastadora; saquear: *Os romanos pilhavam as cidades vencidas.* **4.** Ser acometido por; apanhar: *pilhar uma gripe.* **5.** Aparecer inopinadamente diante de, surpreender: *A polícia pilhou os gatunos de madrugada. Transobj.* **6.** Deparar-se com; encontrar, surpreender, apanhar: *Não conseguia pilhar a jovem sozinha. P.* **7.** Conseguir chegar a encontrar-se (em certo lugar, estado ou condição): *Os soldados correram desabaladamente quando se pilharam fora do cerco; Trabalhou desde criança, mas na velhice pilhou-se abastado.*

pilheira. [De *pilha¹* + *-eira*.] *S. f.* **1.** Lugar onde há coisas empilhadas. **2.** Lugar, junto à lareira, onde se amontoam cinzas.

pilheiro. *S. m.* Depósito de água para qualquer serviço.

pilhéria. *S. f.* V. *piada* (3). [Cf. *pilheria*, do v. *pilheriar*.]

pilheriador (ô). *Adj.* e *s. m.* Que ou aquele que é dado a pilheriar.

pilheriar. *V. int.* e *t. i.* Fazer pilhéria; galhofar; zombar; troçar: "Vendo-se assim mimada por tão grandes homens de seu tempo, Marie [Marie-Antoinette Elizabeth] costumava dizer, *pilheriando*, que seus amigos a tornariam imortal." (Melo Nóbrega, *O Soneto de Arvers*, p. 53); *Brincalhão, pilheria com todo o mundo.* [Pres. ind.: *pilherio, pilherias, pilheria*, etc. Cf. *pilhéria*.]

pilhérico. [De *pilhéria* + *-ico²*.] *Adj. Bras.* **1.** Que diz ou faz pilhérias; pilheriador. **2.** Engraçado, espirituoso. **3.** Irônico, zombeteiro, chistoso.

pilheta (ê). [De *pilha¹* + *-eta*.] *S. f.* Espécie de selha; gamela.

▲pili-. [Do lat. *pilus, i*.] *El. comp.* = 'pelo': *piliforme, pilífero*. [Equiv.: *pil(o)-²*: pilonidal.]

pilífero. [De *pili-* + *-fero*.] *Adj.* **1.** *Morfol. Veg.* Provido de pêlos; piloso: *zona pilífera*. **2.** V. *mamífero* (2). ● *S. m.* **3.** V. *mamífero* (3).

pilíferos. *S. m. pl. Zool.* V. *mamíferos*.

piliforme. [De *pili-* + *-forme*.] *Adj. 2 g.* Que tem forma de pêlo.

pilípede. [De *pili-* + *-pede*.] *Adj. 2 g. Zool.* Que tem pêlos nos pés.

pilo. [Do lat. *pilu*.] *S. m.* Entre os antigos romanos, espécie de dardo pesado.

▲pil(o)-¹. [Do gr. *pýle, es*.] *El. comp.* = 'porta', 'passagem': *pilômetro*. [Equiv.: *-pilo*.]

▲pil(o)-². Equiv. de *pili-*.

▲-pilo. Equiv.: de *pil(o)-¹*.

piló. *S. m. Bras., GO.* V. *anum-branco*.

piloada. [De *pilão* + *-ada¹*.] *S. f.* Pancada com pilão.

pilocarpina. [Do lat. bot. *Pilocarpus*, 'designação genérica do jaborandi', + *-ina¹*.] *S. f.* Alcalóide líquido extraído do jaborandi, e empregado em medicina.

pilóia. *S. f. Bras. Pop.* V. *cachaça* (1).

pilômetro. [De *pil(o)-¹* + *-metro*.] *S. m. Med.* Instrumento com que se mede o grau de obstrução em cada orifício ureteral da bexiga.

pilone. *S. m. Arquit.* Pilono.

pilonense. *Adj. 2 g.* **1.** De ou pertencente ou relativo a Pilões (PB). ● *S. 2 g.* **2.** Natural ou habitante de Pilões.

pilonidal. [De *pil(o)-²* + lat. *nidu*, 'ninho', + *-al*.] *Adj. 2 g.* Que contém pêlo(s). ~ V. *quisto —*.

pilono. [Do gr. *pylón*.] *S. m. Arquit.* Pórtico de templo egípcio, com a forma de duas pirâmides truncadas, entre as quais fica a entrada; pilone.

pilorada. *S. f. Bras., N.E. Pop.* Cacetada, bordoada. [Cf. *pilourada* e *pelourada*.]

pilórico. *Adj.* Relativo ou pertencente ao piloro.

piloro. [Do gr. *pylorós*, 'guarda da porta'.] *S. m. Anat.* Orifício de comunicação do estômago com o duodeno.

pilorriza. [Do gr. *pílos* < do lat. *pileu*, 'barrete', + *-riza*.] *S. f. Morfol. Veg.* Coifa (5) na extremidade da raiz.

pilosidade. *S. f.* **1.** Qualidade de piloso. **2.** Formação de pêlos.

pilosismo. [De *piloso* + *-ismo*.] *S. m.* Desenvolvimento anormal de pêlos em um ponto onde geralmente não crescem, ou crescem pouco.

pilosiúsculo. [De *piloso* + *-i-* + *-úsculo*.] *Adj. Morfol. Veg.* Dotado de pêlos curtos, ou em número reduzido: *folha pilosiúscula; sépala pilosiúscula*.

piloso (ô). [Do lat. *pilosu*.] *Adj.* **1.** Que tem pêlos; peludo: "a cortina, abrindo-se de todo, mostrou-lhe um desconhecido enorme, varão *piloso*, dos que o latino certifica serem ou valentes ou amorosos." (Tristão da Cunha, *Histórias do Bem e do Mal*, p. 107). **2.** *Morfol. Veg.* Pilífero (1): *folha pilosa*.

pilósulo. [De *piloso* + *-ulo²*.] *Adj.* Um tanto piloso.

pilota. [De *pilar²*?] *S. f. Pop.* **1.** Estafa resultante de haver andado muito. **2.** Perda, prejuízo. **3.** Derrota¹ (1): *levar uma pilota no jogo*. **4.** Crítica severa. [Cf. *pelota*.]

pilotado. [Part. substantivado de *pilotar*.] *S. m. Turfe.* O cavalo conduzido por um jóquei.

pilotagem. *S. f.* Arte, profissão ou serviços de piloto.
pilotar. *V. t. d.* **1.** Governar ou dirigir como piloto: *pilotar um navio, um avião;* "Como se sabe, Darke de Matos pereceu em lamentável desastre, pilotando o seu próprio avião." (Vivaldo Coaraci, *Paquetá,* p. 106); "A viagem triunfante de Pedro Teixeira, ... guiado pelos índios nheengaíbas, deve-se certamente aos geógrafos botânicos da grande nação selvagem, ... que pilotavam as igarités da expedição pela rosa-dos-ventos do helianto." (Raimundo Morais, *Na Planície Amazônica,* pp. 45-46). **2.** Dirigir, guiar (veículos): *pilotar um carro de corridas.* **3.** *Turfe.* Conduzir, montar (cavalo ou égua de corrida). *Int.* **4.** Exercer as funções de piloto (1 a 4): "Danilo, vara em punho, falava que o seu gosto era estar longe, viajando ao lado de um primo no mar da Contracosta aprendendo a pilotar." (Dalcídio Jurandir, *Três Casas e Um Rio,* p. 35.) [F. paral.: *pilotear.* Pres. ind.: *piloto, pilotas, pilota,* etc. Cf. *piloto* (ô), s. m.; *Piloto* (ô), antr.; *pelota,* s. f., pl. *pelotas; Pelotas,* top.; e *pelotar,* v.]
pilotaxítica (cs). [Do gr. *pílos.* 'tecido de lã semelhante ao feltro', 'feltro', + *-tax(i)(o)-* + o fem. de *-ico*².] *Adj. (f.) Pet.* Diz-se da textura de certas lavas constituídas unicamente por micrólitos aciculares, sem vidro intersticial.
pilotear¹. [De *piloto* + *-ear.*] *V. t. d.* e *int.* Pilotar. [Conjug.: v. *frear.* Cf. *pelotear.*]
pilotear². *V. t. d.* **1.** *Fam.* Dar pilota ou estafa em: *A marcha piloteou as tropas.* **2.** Vencer moralmente, acompanhando a vitória com zombarias: *O intelectual presunçoso gosta de pilotear os menos capazes.* **3.** Corrigir criticando; dar quinau em. [Conjug.: v. *frear.* Cf. *pelotear.*]
piloteiro. *S. m. Bras., MS.* V. *prático* (7).
▸**pilotis.** [Fr.] *S. m. pl. Arquit.* O conjunto das colunas que sustentam uma edificação, deixando área livre para circulação no pavimento térreo.
piloto (ô). [Do gr. bizantino **pedótes,* 'timoneiro', pelo it. *piloto.*] *S. m.* **1.** *Mar. Merc.* Aquele que dirige a navegação e a manobra de uma embarcação mercante, subordinado ao comandante. **2.** *Ant.* V. *prático* (7). **3.** Pessoa que dirige uma aeronave. **4.** *P. ext.* Aquele que dirige embarcação qualquer. **5.** *Fig.* Guia, dirigente, diretor. **6.** *Bras.* Motorista que participa de provas automobilísticas. **7.** *Bras. Turfe.* Jóquei. **8.** *Bras.* Peixe teleósteo, percomorfo, da família dos carangídeos (*Naucrates ductor* (L.)), dos mares tropicais e subtropicais, inclusive do Mediterrâneo. Coloração olivácea ou verde-marinho, com faixas transversais escuras, abdome claro, e acúleos muito curtos, que substituem a primeira nadadeira dorsal. É pelágico, acompanhando com freqüência navios e tubarões, razão dos nomes *ductor* e *piloto.* [Sin. nesta acepç.: *romeiro, remeiro.*] **9.** *Bras.* Peixe teleósteo, percomorfo, da família dos carangídeos (*Seriola falcata* Brauer), muito semelhante ao piloto (8), distinguindo-se dele por ter a primeira nadadeira dorsal pequena. **10.** *Bras.* Nos aquecedores a gás, bico que permanece aceso, ou que se acende em primeiro lugar, e a partir do qual a chama se propaga aos demais bicos. **11.** *Bras.* V. *zarolho* (4). **12.** *Bras., RS.* Agrimensor (1). ● *Adj. 2 g.* e *2 n.* **13.** Que serve de modelo e/ou campo de experimentação para métodos ou processos inovadores: *usina piloto.* **14.** *Bras.* V. *zarolho* (1). ~ V. *plano* —. [Pl.: *pilotos* (ô). Cf. *piloto,* do v. *pilotar.*] ♦ **Piloto automático.** Dispositivo que assegura a pilotagem sem que intervenha a tripulação. **Piloto de prova.** Especialista que testa os novos modelos de aviões, carros de corrida, etc.
piloura. *S. f. Bras., N.E. Pop.* **1.** V. *síncope* (1). **2.** Loucura ou acesso de loucura.
pilourada. [De *piloura* + *-ada*¹.] *S. f. Bras., N. Pop.* Ação de louco; loucura, doidice, maluquice. [Cf. *pelourada* e *pilorada.*]
pilrete (ê). *S. m.* Homem pequeníssimo; homúnculo.
pilriteiro. *S. m.* Arvoreta ornamental, da família das rosáceas *(Crataegus oxyacantha),* procedente da Europa e África, que tem espinhos grossos e compridos, folhas arredondadas ou ovadas, com três a cinco lobos e serruladas, flores congregadas em corimbos vistosos, e cujo fruto, o pilrito, é drupa vermelha. [Sin.: *estripeiro.*]
pilrito. *S. m.* O fruto do pilriteiro.
pílula. [Do lat. *pilula,* 'bolinha'.] *S. f.* **1.** Forma (18) farmacêutica sólida, para uso por via oral. **2.** *Fig.* Coisa desagradável. **3.** *Pop.* Logro, burla, mentira. **4.** Pílula anticoncepcional. ~ V. *pílulas.* ♦ **Dourar a pílula.** Procurar fazer que alguém aceite uma coisa desagradável ou prejudicial, usando de palavras amáveis, lisonjeiras, ou de qualquer expediente hábil e brando; ensebar a bola. **Engolir a pílula. 1.** Suportar sem protesto coisa desagradável: *Disse o que queria, e o outro engoliu a pílula direitinho.* **2.** Deixar-se enganar, lograr, geralmente por meio de palavras melífluas: *Dei uma desculpa mal convincente, e ele engoliu a pílula.*
pilulador (ô). *S. m.* Instrumento empregado para dividir em pílulas a massa pilular.
pilular. *Adj. 2 g.* **1.** Que tem forma de, ou é da natureza da pílula. **2.** Que pode ser dividido em pílulas: *massa pilular.*
pílulas. [Pl. de *pílula.*] *Interj.* Designa enfado ou reprovação; bolas; ora sebo; ora pílulas: *Pílulas! isso não é novidade.* ~ V. *pílulas.* ♦ **Ora pílulas.** V. *pílulas.*
piluleiro. *S. m. Bras.* **1.** Vaso ou utensílio em que se preparam pílulas. **2.** Fabricante de pílulas.
pilungada. *S. f. Bras., S.* Porção ou grupo de pilungos.
pilungo. [Cruz. de *pileca* com *matungo?*] *S. m. Bras., S.* Cavalo imprestável, ruim; matungo.
pi-mais. *S. m. Fís. Nucl.* Méson de massa igual a 0.147 unidades de massa atômica, spin nulo, paridade negativa, e carga positiva igual à do próton. [Pl.: *pis-mais.*]
pimba¹. *S. f. Bras., BA.* V. *bimba*² (3).
pimba². *Interj.* Exprime acontecimento imprevisto e/ou que marca o desfecho de uma ação: *O automóvel derrapou e — pimba! — bateu no poste.*
pimbar. *V. t. d. Bras.* Dar socos em; socar.
pimbinha. *S. f. Bras., BA. Fam.* V. *bimba*² (1).
pimélico. [De *pimel(o)-* + *-ico*².] *Adj.* ~ V. *ácido* —.
▲**pimel(o)-.** [Do gr. *pimelé.*] *El. comp.* = 'gordura': *pimelose, pimélico.*
pimelodídeo. *S. m.* **1.** Espécime dos pimelodídeos. ● *Adj.* **2.** Pertencente ou relativo a eles.
pimelodídeos. *S. m. pl. Zool.* Família de peixes teleósteos da ordem dos cipriniformes. Ex.: surubim.
pimelose. [De *pimel(o)-* + *-ose.*] *S. f. Med.* Obesidade.
pimelótico. *Adj.* Relativo à pimelose.
pi-menos. *S. m. Fís. Nucl.* Méson de massa igual a 0.147 unidade de massa atômica, spin nulo, paridade negativa, e carga negativa igual à do elétron. [Pl.: *pis-menos.*]
pimenta. [Do lat. *pigmenta,* 'drogas', 'suco de plantas', 'condimento', pl. de *pigmentu,* 'cor para pintar'.] *S. f.* **1.** Designação comum a diversas plantas piperáceas e solanáceas; pimenteira. **2.** O fruto de qualquer dessas plantas. **3.** *Fig.* Brejeirice, malícia, ronha: *uma história com muita pimenta.* **4.** *Fig.* Erotismo, lubricidade. **5.** *Bras.* Pessoa colérica, briguenta, geniosa. **6.** *Bras.* Pessoa má. **7.** *Bras.* Pessoa muito viva, irrequieta, levada: *Este menino é uma pimenta.* **8.** *Bras.* Cavalo bom corredor, fogoso, irrequieto. **9.** *Bras., O.* de *SP.* Pequeno carrapato. **10.** *Bras.* V. *potó*².
pimenta-apuã. *S. f. Bras.* V. *cumarim.* [Pl.: *pimentas-apuãs* e *pimentas-apuã.*]
pimenta-cumarim. *S. f. Bras.* V. *cumarim.* [Pl.: *pimentas-cumarins* e *pimentas-cumarim.*]
pimenta-da-costa. *S. f. Bras., BA.* Planta africana, cujas sementes têm o ardor da pimenta, introduzida na culinária baiana pelos nagôs; atarê. [Pl.: *pimentas-da-costa.*]
pimenta-da-jamaica. *S. f.* Árvore da família das mirtáceas *(Pimenta officinalis),* nativa da América Central e do México, de folhas elípticas, agudas e coriáceas, flores pequenas e cimosas, e cujas bagas imaturas dessecadas, fortemente aromáticas, constituem apreciada especiaria. [Pl.: *pimentas-da-jamaica.*]
pimenta-de-bugre. *S. f. Bras., C.O.* Pimenta-de-macaco. [Pl.: *pimentas-de-bugre.*]
pimenta-de-fruto-ganchoso. *S. f. Bras.* V. *aperta-ruão* (2). [Pl.: *pimentas-de-fruto-ganchoso.*]
pimenta-de-galinha. *S. f. Bras.* V. *caraxixu.* [Pl.: *pimentas-de-galinha.*]
pimenta-de-macaco. *S. f. Bras., C.O.* Árvore da família das anonáceas *(Xylopia grandiflora),* muito repartida nos cerrados, de folhas lanceoladas e coriáceas, flores grandes, alvas e com três pétalas, e cujos frutos são folículos lenhosos que, como as pequenas sementes negras, têm acentuado aroma, podendo ser usados para condimentar carne; pimenta-de-bugre. [Pl.: *pimentas-de-macaco.*]
pimenta-do-mato. *S. f. Bras.* **1.** V. *capeba-cheirosa.* **2.** V. *fruto-de-morcego.* [Pl.: *pimentas-do-mato.*]
pimenta-do-reino. [De *pimenta* + *do* + *reino* (4).] *S. f.* **1.** Trepadeira da família das piperáceas *(Piper nigrum),* introduzida e intensamente cultivada no Brasil por japoneses, cujas flores são mínimas e se ordenam em espigas, bem como os frutos amarelos, que, dessecados e livres da película, constituem a pimenta. **2.** O fruto dessa planta, seco ou moído. [Pl.: *pimentas-do-reino.*]
pimenta-dos-índios. *S. f. Bras.* **1.** V. *capeba-cheirosa.* **2.** Nhandi (1). **3.** V. *fruto-de-morcego.* [Pl.: *pimentas-dos-índios.*]
pimental. [De *pimenta* + *-al.*] *S. m.* Quantidade mais ou menos considerável de pimenteiras dispostas proximamente entre si.
pimenta-malagueta. *S. f. Bras.* Malagueta. [Pl.: *pimentas-malaguetas* e *pimentas-malagueta.*]
pimenta-negra. *S. f.* Pimenta-do-reino cujos frutos foram colhidos imaturos. [Pl.: *pimentas-negras.*]
pimentão. [De *pimenta* + *-ão*¹.] *S. m.* **1.** Erva alta, da família das solanáceas (*Capsicum annuum*) muitíssimo cultivada como hortaliça. Os enormes frutos, que vão a 20 cm, verdes ou vermelhos, doces ou picantes, contêm inúmeras sementes discóides e são alimentares, servindo, ainda, para preparar um pó vermelho, usado como condimento com o nome de *colorau.* **2.** *Bras.* V. *bico-de-pimenta.* ♦ **Um pimentão.** Com a pele muito vermelha por queimadura solar ou por rubor; um camarão, rubro: *Voltou da praia um pimentão; Ficou um pimentão ao ouvir as admoestações intempestivas.*
pimentão-doce. *S. m.* Planta da família das solanáceas (*Solanum pseudocapsicum*). [Pl.: *pimentões-doces.*]
pimenteira¹. *S. f.* **1.** Pimenta (1). **2.** Pequeno recipiente de levar pimenta à mesa; pimenteiro.
pimenteira². *Bras. S. 2 g.* **1.** Indivíduo dos pimenteiras, tribo caraíba do N.E. ● *Adj. 2 g.* **2.** Pertencente ou relativo a essa tribo.
pimenteira-do-peru. *S. f. Bras.* V. *aroeira* (1). [Pl.: *pimenteiras-do-peru.*]
pimenteirense. *Adj. 2 g.* **1.** De, ou pertencente ou relativo a Pimenteiras (PI). ● *S. 2 g.* **2.** Natural ou habitante de Pimenteiras.
pimenteiro. [De *pimenta* + *-eiro.*] *S. m.* **1.** *Bras.* Árvore da família das verbenáceas (*Vitex agnuscastus*), exótica e cultivada, de folhas digitadas, flores com corola bilabiada, e que se arrumam em cimeiras tricótomas, e fruto drupáceo, com o cálice ampliado; alecrim-de-angola. **2.** Pimenteira¹ (2).
pimentelense. *Adj. 2 g.* **1.** De, ou pertencente ou relativo a Mendes Pimentel (MG). ● *S. 2 g.* **2.** Natural ou habitante de Mendes Pimentel.
pimentense. *Adj. 2 g.* **1.** De, ou pertencente ou relativo a Pimenta (MG). ● *S. 2 g.* **2.** Natural ou habitante de Pimenta.
pimpão¹. [Voc. onom.?] *S. m. Bras., CE. Pop.* Arma de fogo.
pimpão². [De *pimpar* + *-ao*³.] *Adj.* e *s. m.* **1.** V. *fanfarrão.* **2.** Vaidoso, jactancioso. **3.** Garrido, janota, engalanado. [Fem.: *pimpona.*]
pimpar. *V. int.* **1.** Fazer-se de pimpão², arrotar valentia; pimponear: *O covardão pimpa diante dos fracos.* **2.** Exibir pompa; ostentar riqueza; luxar, pompear, pimponar: *Os novos-ricos gostam de pimpar.* **3.** Levar vida faustosa ou divertida; divertir-se. **4.** Ter importância; fazer figura; aparecer, figurar: *Nem sempre os grandes artistas pimparam em vida.*
pimpilim. *S. m.* Pimenta longa.
pimpinela. [Do b.-lat. *pimpinella,* alter. de **pepinella* < lat. *pepo,* 'melão'.] *S. f.* V. *anis* (1).
pimpleu. *S. m.* Pequena garrocha enfeitada, no toureio.
pimpolhar. *V. int.* **1.** Ter pimpolho ou rebento; rebentar, abrolhar. **2.** Aumentar em número; reproduzir-se, multiplicar-se, proliferar: *Os coelhos pimpolham com enorme rapidez.* [Pres. ind.: *pimpolho,* etc. Cf. *pimpolho* (ô).]
pimpolho (ô). [Do esp. *pimpollo.*] *S. m.* **1.** Rebento da videira; sarmento, vergôntea. **2.** *Fig.* Meninote taludo, bem desenvolvido. **3.** Criança pequena e robusta. [Pl.: *pimpolhos* (ô). Cf. *pimpolho,* do v. *pimpolhar.*]
pim-pom. *S. m.* V. *pingue-pongue.* [Pl.: *pim-pons.*]
pimpona. *Adj. (f.)* e *s. f.* Fem. de *pimpão*².
pimponar. *V. int.* Mostrar-se pimpão²; pimpar, pimponear.
pimponear. *V. int.* V. *pimponar.* [Conjug.: v. *frear.*]
pimponete (ê). [Dim. de *pimpão*².] *S. m. Fam.* Janota ridículo; petimetre.
pimponice. *S. f.* Ato ou modos de pimpão². V. *fanfarrice* (2).
pina. [Do lat. *pinna,* 'ameia'; 'pá da roda de moinho'; 'pena de ave'.] *S. f.* **1.** Cada uma das peças que constituem a circunferência da roda de um veículo. [Cf., nesta acepç.: *camba*¹ (1).] **2.** *Morfol. Veg.* Segmento de uma folha bipenada, formado de um eixo secundário com folíolos ao longo. [Não é sin. de *folíolo.*]
piná. *S. f. Bras.* V. *açaí* (1).
pinaça. [Do esp. *pinaza.*] *S. f.* **1.** *Lus.* Antiga embarcação de boca aberta, a remo ou a vela, usada no transporte de carga e na pesca. [Documentos do séc. XVII rezam de pinaças que faziam longas viagens, visto como, ao tornarem ao reino, tocavam em portos do Brasil.] **2.**

Grande embarcação de fundo chato, usada para transporte no rio Ganges. **3.** Corda para levantar o cepo dos macacos [v. *macaco* (4)].

pinácea. [De *pin(i)-*[2] + *ácea.*] *S. f.* Espécime das pináceas.

pináceas. [Pl. de *pinácea.*] *S. f. pl. Bot.* Família de gimnospermas, da classe das coníferas, caracterizada pelos estames com dois sacos polínicos e carpelos diferenciados em duas porções. Uns e outros se agregam em cones ou estróbilos. Sementes aladas, em geral. Há umas 220 espécies, quase todas arbóreas, de folhas aciculares; formam amplas florestas no hemisfério norte; não ocorrem no Brasil.

pináceo. *Adj.* Pertencente ou relativo às pináceas. [Cf. *penáceo.*]

pinacóide. [Do gr. *pinakoeidés*, 'em forma de prancha'.] *S. m. Crist.* Conjunto de duas faces paralelas e equivalentes, que constitui uma forma aberta, por se tratar de duas faces apenas.

pinacoteca. [Do gr. *pinakothéke*, 'depósito de quadros', pelo lat. *pinacotheca.*] *S. f.* **1.** Museu de pintura. **2.** Coleção de quadros: "Hoje o nosso patrício [Dioclécio Redig de Campos] é um dos maiores críticos e historiadores de arte de todo o mundo, especializado naquilo que o Vaticano (de cuja *pinacoteca* é um dos dois conservadores) chama Fase Moderna, e que vai do fim da Idade Média ao fim do Renascimento." (Afonso Arinos de Melo Franco, *A Alma do Tempo*, p. 43.)

pináculo. [Do lat. *pinnaculu*, 'cume'.] *S. m.* **1.** O ponto mais alto de um edifício; píncaro. **2.** V. *cume* (1). **3.** *Fig.* O mais alto grau; o auge.

pinafres. *S. m. pl. Bras., PE.* Desarranjos indeterminados em motor de automóvel.

pinante. [De *empinar*?] *S. m. Bras.* **1.** Garoto. **2.** Menino que trabalha em construções civis como servente, em especial nas construções de estradas, como guia das carrocinhas de aterro.

pinar. *V. t. d.* **1.** *Bras.* Meter pinos em. **2.** *Bras., PB. Pop.* Estabelecer contatos lascivos durante uma dança. [Cf. *penar.*]

pinaúna. *S. m. Bras., BA.* V. *ouriço-do-mar.*

pinaxame. *S. m. Bras.* F. red. de *acarapinaxame.* [V. *acará-bererê.*]

pinázio. [De *pina.*] *S. m.* **1.** Cada uma das fasquias que nos caixilhos das portas e janelas seguram e separam os vidros. **2.** Cada uma das peças de cantaria que ladeiam as chaminés de uma cozinha. **3.** Cada uma das tábuas verticais que amparam a horizontal, onde assentam os pés, no degrau de uma escada.

pinça. [Do fr. *pince*, pelo esp. *pinzas.*] *S. f.* **1.** Instrumento constituído de duas hastes rígidas que funcionam como alavancas articuladas, e usado para segurar, apertar ou arrancar sob pressão. **2.** A parte inferoanterior do casco do cavalo. **3.** A parte da ferradura correspondente a essa parte do casco. **4.** Pence. **5.** Apêndice preênsil de certos artrópodes. **6.** *Cir.* Instrumento metálico empregado para apertar, manter numa posição ou aproximar tecidos. **7.** *Tip.* Instrumento com que o tipógrafo retira tipos da fôrma para emendá-la e que é, geralmente, encimado por um cravador. **8.** *Tip.* Cada uma das peças metálicas que, nas máquinas cilíndricas, prendem a folha de papel, para a margeação; dente, unha, pegadeira.

pinçamento. *S. m.* Ato ou efeito de pinçar.

pinçar. *V. t. d.* **1.** Prender ou apertar com pinça, ou como com pinça. **2.** *Bras., PE.* Apanhar (peixe); pescar, fisgar. **3.** *Bras., MG.* Tirar com pinça os pêlos de: *pinçar as sobrancelhas.* **4.** *Bras.* Tomar ao acaso certo número de (exemplos, casos, etc.) que comprovam determinada opinião, com o fito de ilustrá-la. [Conjug.: v. *laçar.* Pres. subj.: *pince, ... pinceis, pincem.* Cf. *pincéis*, pl. de *pincel.*]

píncaro. *S. m.* **1.** V. *cume* (1): "O interior das florestas e as largas planuras medidas com a vista do *píncaro* dos montes são também espetáculo igualmente solene" (Ramalho Ortigão, *Em Paris*, p. 12). **2.** Pináculo (1).

pincel. [Do cat. *pincell*, pelo arc. *pinzel.*] *S. m.* **1.** Objeto constituído de um tubo de pêlos ou de fibras fixado na extremidade dum cabo, e que se usa para espalhar tintas, verniz, cola, etc. **2.** Espécie de pincel de cabo curto, próprio para ensaboar a cara, ao barbear; pincel de barba. **3.** *Fig.* A pintura (7): *o pincel da Renascença.* **4.** *Fig.* A maneira de pintar de cada artista: *Tem um pincel muito forte.* **5.** *Fig.* O próprio pintor, em relação às suas obras: *Portinari é um excelente pincel.* **6.** Planta da família das compostas (*Emilia flammea*). **7.** *Ópt.* Conjunto de raios luminosos mais ou menos divergentes. **8.** *Bras., MA. Fut.* V. *drible.* [Pl.: *pincéis.* Cf. *pinceis*, do v. *pinçar.*] ◆ **Pincel de barba.** Pincel (2). **Pincel de luz.** Feixe de luz extremamente fino, de incidência punctiforme.

pincelada. *S. f.* Traço ou toque de pincel; pincelagem.

pincelagem. [De *pincelar* + *-agem*[2].] *S. f.* **1.** Pincelada. **2.** Ação de pincelar (3); embrocação.

pincelamento. *S. m.* Ato ou efeito de pincelar.

pincelar. *V. t. d.* **1.** Aplicar o pincel em: *pincelar um objeto para tirar-lhe a poeira.* **2.** Pintar com o pincel: *pincelar um muro, uma parede.* **3.** Aplicar medicamento líquido em (a garganta, p. ex.), mediante movimentos semelhantes ao toque de pincel.

pinceleiro. *S. m.* **1.** Fabricante e/ou vendedor de pincéis. **2.** Vaso onde se lavam pincéis.

pincenê. [Do fr. *pince-nez.*] *S. m.* Óculos sem haste que uma mola prende no nariz: "Um velho de *pincenê*, folheando papéis, parecia não ouvir a narração de uma portuguesa chorosa" (Ribeiro Couto, *Prima Belinha*, p. 158). [F. paral.: *pencenê.*]

➡**pince-sans-rire** (penç çã rir'). [Fr.] Gozador com ar sério.

pincha-cisco. [De *pinchar* + *cisco.*] *S. m. Bras.* Vira-folhas. [Pl.: *pincha-ciscos.*]

pinchar. [Do esp. *pinchar.*] *V. t. d.* e *i.* **1.** Impelir, fazendo saltar; empurrar, derrubar. **2.** Atirar com ímpeto; lançar com força; arremessar, apinchar: "E chegou a sonhar .... que ele a pusera à força num caixão azul .... e .... a *apinchara* a uma cova muito fria." (Valdomiro Silveira, *Os Caboclos*, p. 151.) *T. c.* **3.** Descer, ou subir, saltando; saltar, pular: *Pinchou do muro; O peão pinchou para o lombo do potro. Int.* **4.** Saltar, pular, folgando; dar pulos de alegria. *P.* **5.** Saltar, pular; atirar-se: "saia eu daqui suja ... e me vou logo e logo *pinchar* ao rio." (Visconde de Taunay, *Ao Entardecer*, p. 61).

pincho[1]. [Dev. de *pinchar.*] *S. m.* **1.** Pulo, salto, cabriola. **2.** *Bras., PA.* Jogo semelhante à malha.

pincho[2]. [Do esp. *pincho*, 'aguilhão, ferrão'.] *S. m. Bras., S. Gír.* **1.** Pequeno pé-de-cabra (1). **2.** Alfinete de gravata. **3.** V. *rufião* (3).

pinchote. *S. m.* Pequeno ponteiro (5).

pinçote. *S. m. Marinh.* Nas canas do leme constituídas por duas peças ligadas em cotovelo, é aquela em que o timoneiro segura. [A outra é a *cana.*]

pinda. *S. f. Bras. Gír.* V. *pindaíba* (4).

pindá. [Do tupi *pĩ'dá*, 'anzol'.] *S. m. Bras.* **1.** Entre os indígenas, anzol (1). **2.** O ouriço-do-mar regular, esferóide, com lanterna-de-aristóteles, ânus e boca centrais. São as formas mais comuns. [Cf., nesta acepç.: *ouriço-do-mar.*]

pindacuema. [Do tupi *pĩ'dá*, 'anzol', + *ko'ema*, 'manhã'.] *S. f. Bras., N.* **1.** Certo tipo de espinhel. **2.** *Bras., SP.* Certa rede de pesca.

pindaíba. [Do tupi *pĩ'dá*, 'anzol', + *ĩwa*, 'vara'.] *S. f. Bras.* **1.** Corda feita de palha de coqueiro. **2.** V. *coajerucu.* **3.** V. *benjoeiro* (2). **4.** Falta de dinheiro. [F. red., nesta acepç.: *pinda.* Var.: *pindaíva.* Sin.: *arrebentação, dureza, prontidão, quebradeira, quebreira.*] ◆ **Na pindaíba.** *Bras. Gír.* Sem dinheiro; a nenhum; a zero; duro: *Não posso contribuir para a festa: estou na pindaíba.*

pindaibal (a-i). [De *pindaíba* (2 e 3).] *S. m. Bras.* Quantidade mais ou menos considerável de pindaíbas dispostas proximamente entre si.

pindaíva. *S. f. Bras.* V. *pindaíba.*

pindapóia. [Do tupi *pẽ'da'pói*, 'pescar'.] *S. f. Bras., BA.* Anzol de espera.

pindá-preto. *S. m. Bras.* Variedade de ouriço-do-mar, preto, comestível, que vive em locas nas pedras da costa marítima (*Echinometria subangularis* A. Ag.). [Pl.: *pindás-pretos.*]

pindareense (èèn). *Adj. 2 g.* **1.** De, ou pertencente ou relativo a Pindaré-Mirim (MA). ● *S. 2 g.* **2.** Natural ou habitante de Pindaré-Mirim.

pindárico. [Do gr. *pindarikós*, pelo lat. *pindaricu.*] *Adj.* **1.** Pertencente ou relativo a Píndaro, poeta lírico grego (sécs. VI-V a. C.), ou próprio dele: *odes pindáricas.* **2.** À imitação ou à maneira poética de Píndaro: *estilo pindárico.* V. *pindarismo.* **3.** *Fam.* Excelente, magnífico.

pindarismo. *S. m.* Imitação do gênero poético de Píndaro [v. *pindárico*], i. e., a prática de um lirismo empolado e obscuro.

pindarista. *Adj. 2 g.* **1.** Respeitante ao gênero pindárico. **2.** Que fala em estilo empolado: *orador pindarista.* ● *S. 2 g.* **3.** Indivíduo pindarista (2). **4.** Adulador, bajulador.

pindarizar. [Do antr. *Píndaro* [v. *pindárico*] + *-izar.*] *V. t. d.* **1.** Louvar pomposa ou exageradamente. *Int.* **2.** Fazer versos, poetar como Píndaro [v. *pindárico*].

pindá-siririca. [Do tupi *pĩdasĩ-rĩka*, de *pĩ'dá*, 'anzol', + *sĩ' rĩka*, ger. de *sĩrĩg*, 'deslizar', com epêntese.] *S. m. Bras., AM.* **1.** Disfarce do anzol (*pindá*) com penas de cores. **2.** Anzol com isca artificial e linha curta. [Pl.: *pindás-siriricas* e *pindás-siririca.*]

pindauaca. [Do tupi *pĩda'waka.*] *S. f. Bras., AM.* Anzol pendente não de vara, porém de canoa em movimento.

pindaubuna (a-u). *S. f. Bras.* V. *benjoeiro* (2).

pindaúva. [Var. de *pindaíba.*] *S. f. Bras.* V. *coajerucu.*

pindauvuna (a-u). *S. f. Bras.* V. *benjoeiro* (2).

pindense. [De *Pinda(monhangaba)* + *-ense.*] *Adj. 2 g.* **1.** De, ou pertencente ou relativo a Pindamonhangaba (SP). ● *S. 2 g.* **2.** Natural ou habitante de Pindamonhangaba.

pindoba. [Do tupi *pĩ' dob.*] *S. f. Bras.* **1.** Palmeira de belo porte (*Attalea compta*), que compõe amplos palmeirais em certas regiões do C.O. e apresenta nozes muito duras, com algumas sementes, ricas em óleo utilizável. **2.** A noz dessa palmeira. [Var.: *pindova.*]

pindobaçuense. *Adj. 2 g.* **1.** De, ou pertencente ou relativo a Pindobaçu (BA). ● *S. 2 g.* **2.** Natural ou habitante de Pindobaçu.

pindobal. *S. m. Bras.* **1.** Mata de pindobas. **2.** Floresta de palmeiras de coco-de-macaco (babaçu), quando ainda pouco desenvolvidas. [Var.: *pindoval*; sin.: *palmital.*]

pindobeira. [De *pindoba* + *-eira.*] *S. f. Bras.* V. *fruta-de-anel.*

pindocar. *V. t. d.* **1.** *Bras.* Descascar grãos de (milho). **2.** *Bras., SC.* Pôr (o milho seco) de molho, para tirar-lhe a película. [Conjug.: v. *trancar.*]

pindonga. *S. f. Bras.* Mulher que é dada a sair muito, a pindongar.

pindongar. [De *pindonga* + *-ar*[2].] *V. int. Bras.* **1.** Andar fora de casa com muita freqüência; sair muito. **2.** *Bras. PR.* Estar de bom juízo. [Parece que só se usa em orações negativas. Conjug.: v. *largar.*]

pindopeua. [Do tupi, talvez de *pĩ'dá*, 'anzol', + *-peva.*] *S. f. Bras.* Nas tapagens de pesca, parede chata lateral, feita de palmas.

pindorama. [Do tupi *pĩ'dob*, 'palmeira', + *-orama.*] *S. m. Bras.* **1.** Região ou país das palmeiras. **2.** Nome que dão ao Brasil as gentes ando-peruanas e pampianas.

pindoramense. *Adj. 2 g.* **1.** De, ou pertencente ou relativo a Pindorama (SP). ● *S. 2 g.* Natural ou habitante de Pindorama.

pindova. *S. f. Bras.* Var. de *pindoba*: "os três estão ali, no arrasta-pé da Ribeira, a lamparina grande alumiando da cumeeira aos cantos, no varandão armado nos caibros de tucum, nas ripas de carnaúba e coberto de *pindova*" (José Sarney, *Norte das Águas*, p. 22).

pindoval. *S. m. Bras.* V. *pindobal.*

pineal. [Do lat. *pinea*, 'pinha', + *-al.*] *Adj. 2 g.* **1.** Que tem a forma de pinha. **2.** Píneo (1). ~ V. *glândula* —.

pinel. [Do nome de pronto-socorro psiquiátrico do Rio de Janeiro, *Hospital Pinel*, assim batizado em homenagem ao psiquiatra francês Philippe Pinel (1745-1826).] *S. 2 g. Bras. Gír.* Pessoa adoidada, amalucada. [Pl.: *pinéis.*] ◆ **Ficar pinel.** *Bras. Gír.* Ficar louco; enlouquecer, endoidar, pinelar.

pinelar. [De *pinel* + *-ar*[2].] *V. int. Bras. Gír.* V. *ficar pinel.*

pineno. *S. m. Quím.* Terpeno dicíclico, encontrado nos óleos essenciais das coníferas e doutros vegetais, constituinte da terebintina, com dois isômeros, líquido, incolor, com cheiro característico. [Fórm.: $C_{10}H_{16}$.]

píneo. [Do lat. *pineu.*] *Adj.* **1.** Relativo ao pinheiro; pineal. **2.** Feito de pinho: *móvel píneo.*

pinéu. *S. m. Bras., BA.* V. *tiziu.*

pinga. [De *pingo*[1].] *S. f.* **1.** V. *gota* (1): *uma pinga de água.* **2.** Gole, golo, trago: "Assim entregue o boi à multidão, os laçadores subiram até à casa do Vidal, a tomar uma *pinga* da branca." (Virgílio Várzea, *Histórias Rústicas*, pp. 161-162.) **3.** *Pop.* Vinho (1). **4.** *Bras. Pop.* Bebida alcoólica, sobretudo aguardente [v. *cachaça* (1)]: "Depois, passamos do chope ao conhaque, e do conhaque à *pinga*" (Ciro dos Anjos, *A Menina do Sobrado*, p. 349). **5.** *Bras. Gír. P. ext.* Bêbedo, ébrio. **6.** *Bras., MG.* Goteira do telhado: "E chovia dentro de casa, nas camas, com *pingas* que atravessavam o leve cobertor." (Eduardo Frieiro, *Feijão, Angu e Couve*, p. 120.) ● *S. m.* **7.** *Pop.* Homem sem dinheiro; pelintra. ● *Adj.* **8.** *Pop.* Diz-se do pinga (7). ◆ **Ficar sem pinga de sangue.** Ficar pálido de susto, de dor, etc.: "Sofia, ao ler o nome de Carlos Maria, *ficou sem pinga de sangue*" (Machado de Assis, *Quincas Borba*, p. 193). **Na pinga.** *Bras. Pop.* Em estado de embriaguez: *estar, andar, viver na pinga.*

pingaço. [De *pingo*[2] + *-aço.*] *S. m. Bras., S.* Cavalo muito bom e bonito.

pingada. [De *pingo*² + *-ada*¹.] *S. f. Bras., RS.* Porção de pingos.

pingadeira. [De *pingar* + *-deira.*] *S. f.* **1.** Vaso onde se recolhe o líquido que escorre da carne, ao assar. **2.** Série de pingos [v. *pingo*¹ (1)]. **3.** *Constr.* Sulco ou saliência longitudinal feitos nos elementos em balanço das fachadas de uma edificação (parapeitos, cimalhas, etc.), destinados a desviar as águas pluviais, impedindo assim que escorram ao longo das paredes. **4.** Coisa que pinga. **5.** *Pop.* Negócio que vai rendendo sempre e aos poucos. **6.** *Pop.* Despesa continuada. **7.** *Pop.* V. *menstruação* (1). **8.** *Pop.* V. *gonorréia.*

pingado. [Part. de *pingar.*] *Adj.* **1.** Cheio de pingos: *O orvalho deixou as folhas* p i n g a d a s. **2.** *Pop.* V. *embriagado* (1). **3.** *Bras.* Diz-se do café a que se adiciona um pouco de leite, ou vice-versa. **4.** *Bras.* Diz-se do arroz ao qual se mistura um pouco de feijão.

pingadoiro. [De *pingar* + *-(d)oiro*¹.] *S. m.* Pingadouro [q. v.].

pingadouro. [De *pingar* + *-(d)ouro*¹; var. de *pingadoiro.*] *S. m.* Parte saliente de uma cornija, destinada a fazer escoar as águas pluviais a uma distância conveniente da base do edifício.

pinga-fogo. [De *pingar* + *fogo.*] *S. m. Bras.* **1.** Indivíduo valentão, desordeiro, provocador. **2.** *Gír.* V. *revólver.* **3.** A primeira parte da sessão da Câmara dos Deputados, quando se permitem curtos pronunciamentos sem inscrição prévia: "Ontem, também, no 'p i n g a - f o g o' (parte da sessão da Câmara destinada a breves discursos e comunicações de deputados, sem direito a apartes), o Sr. Irã Saraiva .... acusou o Ministro Golberi do Couto e Silva" (*Jornal do Brasil,* 23.4.1981). [Pl.: *pinga-fogos.*]

pingalim. [Alter. de *bengalim,* dim. de *bengala?*] *S. m.* Chicote fino e comprido, usado pelos cocheiros para incitar os animais: "De espaço em espaço, ... as linhas dos p i n g a l i n s zimbravam o ar por cima da burrama carregada." (Xavier Marques, *As Voltas da Estrada,* p. 47.) [Var.: *pinguelim.*]

pingante. *Adj. 2 g.* **1.** Que pinga. ● *S. m.* **2.** Indivíduo muito pobre, miserável, pobretão.

pingão. [De *pingar.*] *S. m.* Homem miserável e imundo.

pinga-pinga. [Da 3ª pess. sing. do pres. ind. de *pingar,* repetida.] *Bras. Adj.* **1.** Diz-se de avião que pousa em vários aeroportos, entre o ponto inicial e o final da sua linha, para embarcar e/ou desembarcar passageiros. ● *S. m.* **2.** Avião pinga-pinga. **3.** Aquilo que pinga ou rende aos poucos sucessivamente: *Este negócio é um excelente* p i n g a - p i n g a.

pingar. [Do lat. vulg. **pendicare* < lat. *pendere,* 'pender'.] *V. t. d.* **1.** Deitar pingos ou borrifos em; borrifar, respingar. **2.** Deitar ou verter aos pingos; gotejar: *O coador* p i n g a v a *o café;* "Os bigodes p i n g a v a m neve." (Machado de Assis, *A Semana,* II, p. 253); "As árvores, imitando sombras de árvores paradas no ar, e a folhagem molhada p i n g a n d o orvalho..." (Amadeu de Queirós, *João,* p. 154). *Int.* **3.** *Bras.* Deixar passageiros em vários pontos da viagem: *O avião demora, porque vai* p i n g a n d o; *O ônibus* p i n g a *muito.* **4.** Cair ou escorrer aos pingos; gotejar: *O sangue* p i n g o u *até exaurir-se.* **5.** Começar a chover; chover brandamente; peneirar. **6.** Render a pouco e pouco: *O capital empregado está* p i n g a n d o; *O negócio* p i n g a. **7.** *Bras.* Ser vendido pouco a pouco, lentamente: *O livro não é nenhum* best-seller, *mas vai* p i n g a n d o. [Sin. (bras., S.): *pingotear.* Conjug.: v. *largar.* Pres. subj.: *pingue* .... *pingueis, pinguem.* Cf. *pinguéis, pl. de pinguel.*]

pingente. [Do esp. *injante.*] *S. m.* **1.** Pequeno objeto pendente, em geral com a forma de pingo: *colar com* p i n g e n t e; "ao estalo do comutador elétrico, cintilaram os p i n g e n t e s de cristal do grande lustre sobre a mesa" (Josué Montelo, *O Fio da Meada,* p. 54). **2.** Brinco (1) pendente; pendente: "Crioulas .... de rutilantes p i n g e n t e s nas orelhas fuscas" (Leôncio Correia, *A Boêmia do Meu Tempo,* p. 29). **3.** V. *penduricalho* (1): "cabelos riçados na testa e nos lados, grandes brincos cujos p i n g e n t e s desciam até à raiz do pescoço." (Pedro Nava. *Beira-Mar,* p. 326). **4.** *Bras.* Passageiro que viaja no estribo de um bonde ou pendurado em qualquer veículo: "Não havia táxis, os bondes se arrastavam pesados de p i n g e n t e s, e a cada minuto crescia o movimento." (Malu de Ouro Preto, *Siri na Noite sem Lua,* p. 36).

pingo¹. [Dev. de *pingar.*] *S. m.* **1.** V. *gota* (1). **2.** Banha de porco derretida; pingue: "quatro perus de rechelo atiravam pro ar as pernas mutiladas, afogados em túbaras reluzentes de p i n g o e polpa de tomate." (Fialho d'Almeida, *À Esquina,* p. 98). **3.** Gota, especialmente de gordura: *Sua gravata está manchada com dois* p i n g o s. **4.** Pequena porção de solda com que se tapam os orifícios de vasilhas rotas. **5.** Mucosidade nasal. **6.** *Bras.* Porção ínfima: *Só quero um* p i n g o *de arroz.* ◆ **Pingo de gente.** Criança ou adulto de estatura insignificante. **Pôr os pingos nos is.** Pôr os pontos nos is.

pingo². [Do esp. plat. *pingo.*] *S. m. Bras., S.* Cavalo bom, bonito e corredor.

pingo-d'água. [De *pingo*¹ + *de* + *água.*] *S. m. Bras.* **1.** Designação dada pelos garimpeiros ao quartzo hialino e ao topázio incolor rolados. **2.** V. *informação* (11). **3.** Certa planta silvestre de fruto comestível. [Pl.: *pingos-d'água.*]

pingolada. [De *pingolar* + *-ada*².] *S. f.* **1.** Ato de pingolar. **2.** *Chulo.* Cópula (2).

pingolar. [De *pingo*¹, com infl. de *gole?*] *V. t. d.* **1.** Bebericar (bebidas alcoólicas). *T. i.* e *int.* **2.** *Chulo.* Copular (2).

pingoleta (ê). [De *pinga.*] *S. f.* Pequena porção de qualquer bebida alcoólica.

pingoso (ô). [De *pingo*¹ + *-oso.*] *Adj.* Que pinga ou deita pingos.

pingotear. *V. t. d.* e *int. Bras., RS.* Pingar. [Conjug.: v. *frear.*]

pinguaciba. [Do tupi, talvez.] *S. f. Bras.* V. *pau-pereira* (1).

pinguço. [De *pinga* (4).] *Adj. Bras., N.E.* e *S. Pop.* **1.** V. *embriagado* (1). **2.** Diz-se dos olhos dos bêbedos contumazes ou de quem está com muito sono: *Mesmo com os olhos* p i n g u ç o s *a criança faz manha para não ir dormir.* ● *S. m.* **3.** *Bras., MG.* Indivíduo dado à pinga (3 e 4); pingueiro, cachaceiro.

pingue. [Do lat. *pingue,* 'gordo'.] *Adj. 2 g.* **1.** Gordo, gorduroso. **2.** Fértil, fecundo; produtivo; rendoso, lucrativo: "quarenta contos de renda em p i n g u e s terras de pão, azeite e gado." (Eça de Queirós, *Contos,* p. 87). **3.** Abundante, farto: "À uma hora é o jantar, sério e p i n g u e. A quinta tudo fornece prodigamente" (Id., *A Correspondência de Fradique Mendes,* p. 216). **4.** Polpudo, vultoso. ● *S. m.* **5.** Pingo¹ (2).

pingueiro. *Adj.* e *s. m.* Diz-se de, ou indivíduo dado à pinga (3 e 4); bêbedo.

pinguel. [De *pinguela,* talvez.] *S. m.* Peça pela qual se desarma uma armadilha. [Pl.: *pinguéis.* Cf. *pingueis,* do v. *pingar.*]

pinguela. [De *pingar?*] *S. f.* **1.** Tronco ou prancha que serve de ponte sobre um rio. **2.** Pauzinho com que se arma o laço para apanhar aves; pinguelo. **3.** Gancho com que se armam ratoeiras.

pinguelear. [De *pinguela* + *-ear.*] *V. int. Bras.* Pular de um lado para outro, como os macacos nas árvores: *O menino, contente, pulou, gritou,* p i n g u e l e o u. [Conjug.: v. *frear.*]

pinguelim¹. *S. m.* Var. de *pingalim.*

pinguelim². *S. m. Bras., RJ.* Espécie de roleta provida de uma agulha que indica o número sorteado.

pinguelo. [Var. de *pinguela* (2).] *S. m.* **1.** Pinguela (2). **2.** *Bras.* V. *gatilho* (1). "A ordem foi continuar no jirau e esperar que a cutia voltasse .... para puxar o p i n g u e l o da fogo-central." (M. Cavalcanti Proença, *Manuscrito Holandês,* p. 156.) **3.** *Bras. Chulo.* O pênis. **4.** *Bras., N.E. Chulo.* Clitóris. **5.** *Bras., N.* Antiga designação do partido liberal monárquico e de seus sectários.

pingue-pongue. [Do ingl. *ping-pong;* voc. onom.] *S. m.* Jogo que consiste em arremessar sobre uma rede, com uma pequena raqueta, uma bola de celulóide, para o lado oposto de uma mesa, de modo que a bola toque na área do adversário, a quem cabe devolvê-la após um só toque na mesa, sob pena de perder um ponto; tênis de mesa. [Pl.: *pingue-pongues.*]

pingüim. [Do fr. *pingouin.*] *S. m. Bras.* **1.** Erva rígida, da família das bromeliáceas (*Bromelia pinguin*), cujas folhas são compridas, duras, aculeadas nas margens e pontudas, e cujas flores se organizam em cachos, bem como os frutos, que são bagas amarelas e de sabor excessivamente ácido. **2.** Ave esfenisciforme, da família dos esfeniscídeos (*Spheniscus magellanicus* (J. R. Forst.)), marinha, das costas pacíficas e atlânticas da América meridional, e que atinge freqüentemente até o ES. Tem as asas atrofiadas e as pernas colocadas muito atrás, cabeça preta, com uma faixa branca estendendo-se até o pescoço, dois colares negros, um largo e um estreito, sobre o pescoço e o peito, e bico com mancha vermelha na base. Alimenta-se de peixes, vive a maior parte do tempo no oceano e nidifica no pólo sul. [Sin., nesta acepç.: *naufragado, pato-marinho.*]

pinguinho. [Dim. de *pingo.*] *S. m. Bras. Fam.* **1.** Pequenina quantidade; pingo. **2.** Coisa pequena ou insignificante; ninharia. ◆ **Pinguinho de gente.** **1.** Criança pequena. **2.** Pessoa de baixa estatura.

pinguipedídeo. *S. m.* **1.** Espécime dos pinguipedídeos. ● *Adj.* **2.** Pertencente ou relativo a eles.

pinguipedídeos. *S. m. pl. Zool.* Família de peixes crossopterígios, percomorfos, marinhos, de corpo alongado, cabeça, focinho e maxilas sem escamas, e o resto do corpo com escamas ctenóides. Ex.: o namorado.

pinguruto. [Voc. expressivo, que lembra *cocoruto.*] *S. m. Bras., N.* V. *cume* (1).

pinha. [Do lat. *pinea,* 'pinha' (1).] *S. f.* **1.** O fruto, geralmente cônico, do pinheiro e doutras coníferas. **2.** O fruto da pinheira [v. *fruta-de-conde* (1).] **3.** V. *pinheira.* **4.** V. *coração-de-boi.* **5.** Qualquer objeto semelhante à pinha (1): p i n h a *de cerâmica, de opalina.* **6.** Babado nas partes laterais das meias. **7.** Cacho ou magote de coisas ou pessoas: "quando, ao entrar numa praça, surgiram a seus olhos p i n h a s de povo ...., Jana, mais sobressaltada, pensou em Joel" (Xavier Marques, *Jana e Joel,* pp. 133-134). **8.** *Marinh.* Entrelaçamento feito no chicote de um cabo com as extremidades dos cordões, para enfeite ou para impedir que o chicote escape de um olhal ou de um gorne de poleame. [Recebe vários nomes, segundo a maneira como é feito: *pinha singela, pinha dobrada, pinha de colhedor, pinha de boca, pinha de rosa,* etc.]

pinhal. [De *pinho* (2) + *-al.*] *S. m.* Quantidade mais ou menos considerável de pinheiros dispostos proximamente entre si; pinheiral, pinheirame. [Sin. (bras., RS): *catanduval.*] ◆ **Pinhal de Azambuja.** *Lus.* Lugar, casa ou repartição onde se perpetram muitas ladroeiras.

pinhalense. *Adj. 2 g.* **1.** De, ou pertencente ou relativo a Pinhal (SP). ● *S. 2 g.* **2.** Natural ou habitante de Pinhal.

pinhalonense. *Adj. 2 g.* **1.** De, ou pertencente ou relativo a Pinhalão (PR). ● *S. 2 g.* **2.** Natural ou habitante de Pinhalão.

pinhão. [De *pinha* + *-ão*².] *S. m.* **1.** Cada uma das sementes contidas na pinha do pinheiro-do-paraná. **2.** *Bras.* Planta euforbiácea, nordestina (*Jatropha curcas*); pinhão-do-paraguai, purgueira. **3.** *Bras. Mec.* Engrenagem com reduzido número de dentes; de duas engrenagens acopladas, a que tem o menor número de dentes. **4.** *Bras.* A menor engrenagem, num trem de engrenagem. **5.** *Bras.* Peça do diferencial dos automóveis. ● *Adj. 2 g.* e *2 n.* **6.** *Bras., S.* Diz-se do eqüídeo ou do muar de cor vermelha, semelhante à do pinhão (1).

pinhão-de-purga. *S. m. Bras.* Mandubiguaçu. [Pl.: *pinhões-de-purga.*]

pinhão-do-paraguai. [De *pinhão* + *do* + top. *Paraguai* (América do Sul).] *S. m. Bras.* V. *pinhão* (2). [Pl.: *pinhões-do-paraguai.*]

pinhãoense. *Adj. 2 g.* **1.** De, ou pertencente ou relativo a Pinhão (SE). ● *S. 2 g.* **2.** Natural ou habitante de Pinhão.

pinha-queimadeira. *S. f. Bras.* Arbusto da família das euforbiáceas (*Cnidoscolus urens*), lactescente, espinhoso e urente, de folhas lobadas e membranáceas, e flores apétalas dispostas em cimeiras axilares. O fruto é um tricoco, e as sementes são ricas em óleo purgativo e tóxico. [Pl.: *pinhas-queimadeiras.*]

pinhé. [Voc. onom., decerto.] *S. m. Bras., SP.* V. *gavião-carrapateiro.*

pinhé-pinhé. *S. m. Jog. Inf.* Brincadeira de crianças em que cada uma, com leve beliscão, segura as costas da mão duma companheira, formando-se aos poucos uma escadinha de mãos, balançada devagar, para se desfazer de súbito, quando alguém grita: "Pinhé, pinhé!" [Pl.: *pinhés-pinhés.*]

pinheira. [De *pinha* + *-eira.*] *S. f. Bras.* Arvoreta da família das anonáceas (*Annona squamosa*), cultivada como frutífera em razão dos deliciosos frutos bacáceos, ricos em polpa doce e delicada, e de flores grandes, carnosas e trimeras no perianto; ateira, fruta-de-conde, pinha.

pinheiral. [De *pinheiro* + *-al.*] *S. m.* V. *pinhal.*

pinheirame. *S. m.* V. *pinhal.*

pinheirense¹. *Adj. 2 g.* **1.** De, ou pertencente ou relativo a Pinheiro (MA). ● *S. 2 g.* **2.** Natural ou habitante de Pinheiro.

pinheirense². *Adj. 2 g.* **1.** De, ou pertencente ou relativo a Pinheiro Machado (RS). ● *S. 2 g.* **2.** Natural ou habitante de Pinheiro Machado.

pinheirense³. *Adj. 2 g.* **1.** De, ou pertencente ou relativo a João Pinheiro (MG). ● *S. 2 g.* **2.** Natural ou habitante de João Pinheiro.

pinheirinho. [Dim. de *pinheiro.*] *S. m. Bras., S.* e *L.* Árvore da família das podocarpáceas (*Podocarpus lambertii*), do interior da floresta atlântica, de folhas rígidas, lineares e pontudas, flores masculinas dispostas em pequeninos cones, que se agrupam em fascículos, e semente globosa, com endosperma farináceo. A madeira é semelhante à do pinheiro-do-paraná. [Sin.: *pi-*

nheiro-bravo.]
pinheirinho-d'água. *S. m. Bras.* V. *cavalinho-d'água.* [Pl.: *pinheirinhos-d'água.*]
pinheirismo. *Bras. S. m.* **1.** Partido político do General Pinheiro Machado (1852-1915), político sul-rio-grandense. **2.** Sua influência na política estadual e federal.
pinheirista. *Bras. Adj. 2 g.* **1.** Relativo ao, ou que é partidário do pinheirismo. ● *S. 2 g.* **2.** Partidário dele.
pinheiro[1]. [Do b.-lat. *pinariu* < *pinu.*] *S. m.* **1.** Designação de várias árvores do gênero *Pinus*, da família das pináceas e próprias dos climas temperados do Velho Mundo. Fornecem madeira para construção e para fabricar polpa celulósica; pinho. **2.** *Bras., RS.* Modalidade de fandango. ● *Adj.* **3.** *Bras.* Diz-se da rês que tem os chifres direitos.
pinheiro[2]. *S. m. Bras.* V. *pinheiro-do-paraná.*
pinheiro-brasileiro. *S. m.* V. *pinheiro-do-paraná.* [Pl.: *pinheiros-brasileiros.*]
pinheiro-bravo. *S. m.* Pinheirinho. [Pl.: *pinheiros-bravos.*]
pinheiro-do-canadá. [De *pinheiro* + *do* + top. *Canadá* (América do Norte).] *S. m.* Cipreste. [Pl.: *pinheiros-do-canadá.*]
pinheiro-do-paraná. [De *pinheiro* + *do* + *top. Paraná* (Brasil).] *S. m. Bras.* Grande árvore da família das araucariáceas (*Araucaria angustifolia*), nativa nas florestas e campos do S. do País, de folhas lanceoladas, duras e pontudas, flores com sexos separados, sementes ou pinhões, reunidos em grandes cones e importantes como alimento, e cuja madeira, branca e mole, tem grande utilidade. [F. red.: *pinheiro; sin.: pinho-do-paraná, pinheiro-brasileiro, araucária* e *curi.* Pl.: *pinheiros-do-paraná.*]
pinheiro-machado. [Do antr. *Pinheiro Machado* (v. *pinheirismo*).] *S. m. Bras., MG* e *C.O.* Revólver de calibre 44. [Pl.: *pinheiros-machados.*]
pinheiro-marítimo. *S. m.* Árvore da família das pináceas (*Pinus maritima*), existente na região mediterrânea. [Pl.: *pinheiros-marítimos.*]
pinheiro-silvestre. *S. m.* pinho-de-riga. [Pl.: *pinheiros-silvestres.*]
pinhém. *S. m. Bras.* V. *gavião-carrapateiro.*
pinhiforme. [De *pinha* + *-i-* + *-forme.*] *Adj. 2 g. Bras.* Que tem forma de pinha (1); piniforme.
pinho. [Do lat. *pinu*, 'pinheiro'.] *S. m.* **1.** Madeira de pinheiro. **2.** Pinheiro[1] (1). **3.** *Bras. Pop.* V. *violão* (1). ◆ **Chorar no pinho.** *Bras.* Tocar viola ou violão.
pinhoada. *S. f.* Confeito ou pasta comestível, feita de mel e de pinhões.
pinho-de-riga. [De *pinho* + *-de* + top. *Riga* (Europa).] *S. m.* Árvore do N. da Europa, conífera (*Pinus sylvestris*), que produz a famosa madeira do mesmo nome, muito usada para confeccionar esquadrias e móveis de luxo; pinheiro-silvestre. [Pl.: *pinhos-de-riga.*]
pinho-do-brejo. *S. m. Bras. L.* Árvore da família das magnoliáceas (*Talauma ovata*), que habita lugares muito úmidos nas matas, de folhas coriáceas e frutos grandes, lenhosos, duros, com numerosas sementes; magnólia-branca. [Pl.: *pinhos-do-brejo.*]
pinho-do-paraná. *S. m. Bras.* V. *pinheiro-do-paraná.* [Pl.: *pinhos-do-paraná.*]
pinhoela. *S. f.* Antigo tecido de seda com círculos aveludados.
pinhola. *S. f.* Canzil; cangalho.
pinhum. *S. m. Bras.* Var. de *pium.*
▲**pini-[1].** [Do gr. *pínna, es.*] *El. comp.* = 'barbatana': *pinípede.*
▲**pini-[2].** [Do lat. *pinus, i ou us.*] *El. comp.* = 'pinheiro': *pinígero* (< lat. *pinigeru*).
pinicada. *S. f. Bras.* **1.** Ação ou efeito de pinicar. **2.** Pinicão. [Cf. *penicada.*]
pinicão. [De *pinicar* + *-ão*[1].] *S. m. Bras.* Beliscão; pinicada. [Cf. *penicão*, aum. de *penico.*]
pinica-pau. [De *pinicar* + *pau.*] *S. m.* **1.** *Bras., N.* e *N.E.* V. *pica-pau* (1). **2.** *Bras., N.E.* Personagem do bumba-meu-boi [q. v.], agitado e impertinente, representado por um ator vestido com uma estilização multicolorida dessa ave. [Pl.: *pinica-paus.*]
pinicar. *V. t. d.* **1.** *Bras.* Ferir com o bico; bicar, picar. **2.** Dar belisco ou beliscão em; beliscar: *Pinicou o menino levado.* **3.** Produzir comichão ou ardor em; picar: *O capim pinica a pele.* **4.** Cutucar, futucar. **5.** *Bras., S.* Fincar as esporas em; esporear: *pinicar o cavalo.* **6.** *Bras., N.E.* Piscar (1): *pinicar os olhos.* [Conjug.: V. *trancar.* Pres. ind.: *pinico*, etc. Cf. *penico* e *pínico.*]
pinico. *S. m. Bras. Pop.* **1.** Ponta aguda. **2.** Bico[1] (1). [Cf. *pínico* e *penico.*]
pínico. [De *pini-*[2] + *-ico*[2].] *Adj.* Referente ao pinheiro. [Cf. *pinico*, do V. *pinicar*, e s. m.]
pinífero. [Do lat. *piniferu.*] *Adj. Poét.* Pinígero. [Cf. *penífero.*]
piniforme. [De *pini-*[2] + *-forme.*] *Adj. 2 g.* Pinhiforme. [Cf. *peniforme.*]
pinígero. [Do lat. *pinigeru.*] *Adj. Poét.* **1.** Que produz pinheiros. **2.** Plantado de pinheiros. [Sin. ger.: *pinífero.* Cf. *penígero.*]
pinima. [Do tupi.] *S. f. Bras. Gír.* **1.** Coisa ruim ou fatal; praga. **2.** Birra, embirrância, implicância. [Var.: *pinimba.*]
pinimba. *S. f. Bras. Gír.* V. *pinima:* "Sei de muita gente que não gosta do que ele [José Condé] escreve, por pinimba, inveja e até por motivos talvez razoáveis." (Carlos Heitor Cony, *Da Arte de Falar mal*, p. 139.)
pinípede. [De *pini-*[1] + *-pede.*] *S. m.* **1.** Espécime dos pinípedes. ● *Adj. 2 g.* **2.** Pertencente ou relativo a eles.
pinípedes. *S. m. pl. Zool.* Animais metazoários, cordados, vertebrados, mamíferos, carnívoros, marinhos, da subordem *Pinnipedia*, de membros curtos e achatados, com os dedos ligados por membrana. São os otarídeos e os focídeos.
pino. [Do lat. *pinu*, 'pinheiro'.] *S. m.* **1.** Prego de pinho ou de cana usado por sapateiros. **2.** Peça, em geral cilíndrica e alongada, que se introduz em orifícios de duas ou mais peças para estabelecer entre elas uma união fixa ou articulada. **3.** Peça que firma as duas asas de uma dobradiça e lhes serve de eixo. **4.** Haste de válvula, em motor de explosão. **5.** Posição vertical do corpo com a cabeça para baixo sobre as palmas da mão. **6.** O ponto mais alto a que chega o Sol; o zênite. **7.** *Fig.* O ponto mais alto; auge. **8.** *Eletr.* Terminal elétrico de forma cilíndrica, que serve para fazer ligações rápidas. ◆ **Pino banana.** *Eletr.* Pino cujo aspecto lembra o de uma banana. **A pino.** A prumo; verticalmente: *sol a pino;* "A Lua estava a pino, o céu puríssimo" (Lúcio de Mendonça, *Esboços e Perfis*, p. 168). **Bater pino. 1.** *Mec.* Bater (o pino da válvula) no bloco, produzindo som intermitente por não estar o motor bem regulado. **2.** *Bras. Pop. Fig.* Achar-se mal, física ou moralmente: *Ando preocupado com ele: está batendo pino já faz uns meses.* **3.** Ter reduzida capacidade vital por efeito dos anos: *Depois dos 50 muita gente começa a bater pino.*
pinoguaçu. *S. m. Bras.* V. *mamoeiro* (1).
pinóia. *S. f. Pop.* **1.** Mulher elegante e de vida airada. **2.** *Bras.* Coisa reles, sem valor. **3.** *Bras.* Aborrecimento, caceteação, amolação; chateação: *Que pinóia, está chovendo!* **4.** Mau negócio; engano, logro. ● *S. m.* **5.** *Bras., MT.* Pessoa fraca, sem préstimo. ● *Adj. 2 g.* **6.** *Bras., MT.* Diz-se de pinóia (5).
pinote. [De *pino* + *-ote.*] *S. m.* **1.** Salto que a cavalgadura dá, escoiceando. **2.** Salto, cabriola, pulo; pirueta. **3.** *Bras. Gír.* Fuga, evasão. **4.** Passeio breve; volta. ◆ **Dar um pinote.** *Bras. Gír. de prisão.* Fugir da cadeia; escapulir: *Tentou dar um pinote, mas foi agarrado.*
pinotear. *V. int.* Dar pinote(s); saltar, pular, escoiceando: *Cavalo bravo pinoteia muito;* "o bando resfolegante de animais apareceu daí a pouco, pinoteando, relinchando" (Afonso Arinos, *Pelo Sertão*, p. 88). [Conjug.: v. *frear.*]
➧**pinscher** (pínxer). [Al.] *S. m.* Cão de porte médio, originário da Alemanha, de cabeça longa e estreita, pescoço comprido, orelhas retas, pêlo liso e brilhante. [A variedade anã desse cão é chamada *miniatura pinscher.*]
➧**pint** (páint). [Ingl.] *S. m.* Quartilho (2).
pinta[1]. [Dev. de *pintar.*] *S. f.* **1.** Pequena mancha; salpico, pingo. **2.** Pequena mancha escura, artificial ou não, na cútis; sinal. **3.** *Pop.* Aparência, aspecto; fisionomia, feição: *A pinta do rapaz é ótima.* **4.** *Bras.* Sinal, indício: *Está com pinta de chover.* **5.** *Bras.* Padrão[1] (4). **6.** *Bras.* Amostra de jazida aurífera. ◆ **Pinta do olho.** *Bras.* Expressão do olhar. **Conhecer pela pinta.** *Bras.* Conhecer à primeira vista, por certos sinais e/ou modos.
pinta[2]. *S. f.* **1.** A fêmea do pinto (1). **2.** *Bras., N.E. Pop.* Pênis, principalmente de menino.
pinta[3]. [Do gr. *pinte.*] *S. f.* Antiga medida portuguesa.
pinta[4]. *S. f. Bras. Gír.* F. red. de *pinta-brava.*
pinta-brava. [De *pinta*[1] (3) + o fem. de *bravo.*] *S. 2 g. Bras.* Pessoa suspeita; mau elemento; cafajeste. [Tb. se diz apenas *pinta.* Pl.: *pintas-bravas.*]
pinta-cega. [De *pinta*[2] + o fem. de *cego.*] *S. f.* **1.** V. *bacurau* (1). ● *S. m.* **2.** *Bras., PE. Pop.* Indivíduo curto da vista. [Pl.: *pintas-cegas.*]
pinta-cuia. [Da 3ª pess. sing. do pres. ind. de *pintar* + *cuia.*] *Adj.* e *s. m. Bras. Pop.* Monte-alegrense[1] (1 e 2). [Pl.: *pinta-cuias.*]
pintada[1]. [Fem. substantivado do adj. *pintado.*] *S. f.* V. *galinha-d'angola.*
pintada[2]. *S. f. Bras.* F. red. de *onça-pintada.*
pintada[3]. *S. f. Bras.* F. red. de *raia-pintada.*
pintado[1]. [Part. de *pintar.*] *Adj.* **1.** Representado por meio de pintura. **2.** Coberto de tinta: *parede pintada.* **3.** Que tem cores; colorido: *O papel pintado alegrou o corredor da casa.* **4.** *Cheio de pintas; mosqueado: É sardento, tem o rosto pintado.* **5.** Perfeito, excelente. **6.** Muito parecido; idêntico, igual: *É o pai pintado.* **7.** *Bras., BA.* Audacioso, atrevido. ~ V. *papel* —. ● *S. m.* **8.** *Ant.* Chita (1). **9.** *Bras.* Pessoa capaz de determinada coisa. **10.** *Bras.* Almoço de roceiro: feijoada, milho pilado, toicinho e carne-seca de porco.
pintado[2]. *S. m. Bras.* F. red. de *surubim-pintado.*
pintagol. [De *pintassilgo?*] *S. m. Bras.* Exemplar híbrido, resultante do cruzamento do pintassilgo (*Spinus magellanicus ictericus* (Lich.)) (macho) com o canário (*Serinus canarius* L.); (fêmea); arlequim. [Pl.: *pintagóis.*]
pintainhada (a-i). *S. f.* Porção de pintainhos.
pintainhar (a-i). *V. int.* Imitar o pio e os modos dos pintainhos.
pintainho (a-í). [Dim. irreg. de *pinto.*] *S. m.* Pinto (1) ainda ou quase implume. [Sin., Bras.: *pipio.*]
pintalegrete (ê). [De *pintar* + *alegre?*] *Adj.* e *s. m.* **1.** Casquilho, janota, peralta. **2.** Diz-se de, ou indivíduo pedante, vaidoso, presumido. [Sin. ger.: *pintão.*]
pintalgado. [Part. de *pintalgar.*] *Adj.* Sarapintado, variegado, mosqueado.
pintalgar. [De *pintar.*] *V. t. d.* **1.** Pintar de cores variegadas; sarapintar, mosquear, matizar: *A natureza pintalga as penas de várias aves;* "a lombada de morros pintalga de verde-esmeralda, verde-garrafa, verde-mar, ... pintalga o azulado opalino do dia." (Lima Barreto, *Diário Íntimo*, p. 72). *P.* **2.** Mostrar-se pintado de cores variegadas, pintalgado: "Os laranjais recendiam, as copas das árvores pintalgavam-se, nas águas branqueavam os lírios." (Coelho Neto, *Banzo*, p. 212.) [Conjug.: v. *largar.*]
pinta-monos. [Da 3ª pess. sing. do ind. pres. de *pintar* + o pl. de *mono.*] *S. m. 2 n.* Mamarracho (1).
pinta-no-cabo. [De *pinta*[1] (2) + *no*[1] + *cabo*[2].] *S. f. Bras.* Marimbá. [Pl.: *pintas-no-cabo.*]
pintão[1]. [De *pinto* + *-ão*[1].] *S. m.* Pinto crescido. [Fem.: *pintona.*]
pintão[2]. *Adj. Bras. S.* **1.** Diz-se do fruto que principia a amadurecer, que está pintando. **2.** Mestiço. **3.** V. *pintalegrete.* [Fem.: *pintona.*]
pintar. [Do v. freqüentativo lat. **pinctare* < lat. **pinctu*, por *pictu*, part. de *pingere*, 'pintar'.] *V. t. d.* **1.** Representar por traços ou cores; figurar: *pintar uma paisagem;* "Pintou [o Grão Vasco], numa adega, um Baco pançudo escachado numa pipa." (José Vieira, *Sol de Portugal*, p. 73.) **2.** Recobrir de tinta; colorir; cobrir de cor: *pintar uma parede.* **3.** Executar por meio de pintura: *pintar um painel.* **4.** Cobrir de figuras, mediante pintura: *Miguel Ângelo pintou o teto da Capela Sistina.* **5.** Representar por escrito; escrever, grafar: "Pessoas de posição e escritores, como Rebelo da Silva e Camilo, dizem *angorá*, com acento tônico na última sílaba e pintando, na escrita, um acento agudo em cima do a dessa última sílaba!" (Mário Barreto, *De Gramática e de Linguagem*, I, p. 202.) **6.** Descrever, por escrito ou oralmente, de maneira minuciosa e fiel; retratar: *Eça de Queirós pinta excelentemente as suas personagens.* **7.** Enganar com astúcia a; iludir; lograr, burlar, embaçar. **8.** *Bras.* Dar mostras de ter (algo) ocultamente ou em potência: *Aquela chapada pinta lavra de ouro; Esta festa pinta briga. T. i.* **9.** V. *pintar o sete. Int.* **10.** Tomar cor; começar a colorir-se: *O pêssego pintou cedo.* **11.** Começar a encanecer: *Seus cabelos pintaram muito cedo.* **12.** Começar a encanecer, a ficar de cabelos brancos: "Negro quando pinta tem três vezes trinta" (prov.). **13.** Surgir ou começar a surgir: *O navio pinta ao longe.* **14.** Praticar a arte ou exercer a profissão de pintor: "Deixando tudo, posição, família, negócios prósperos, Gauguin deseja pintar, e parte para Taiti, nos mares do sul." (Santa Rosa, *Roteiro de Arte*, p. 19.) **15.** Saber pintar; ser capaz de o fazer. **16.** *Bras.* Dar (um terreno) indícios de riqueza aurífera. **17.** *Bras.* Dar sinais de boa produção, de boa atuação; mostrar-se promissor; prometer. **18.** *Bras.* Dar indícios de ser bom ou mau, vantajoso ou desvantajoso, etc.; cheirar: *O seu negócio está pintando bem, mas o meu pinta pessimamente; Os entendimentos entre as duas potências estão pintando mal.* **19.** *Bras. Gír.* Comparecer a algum lugar; aparecer: *O Geraldo não pintou por aqui hoje.* **20.**

Bras., RS. Dar mostra (o gado invernado) de que está principiando a engordar: *O fazendeiro vendeu a boiada antes de p i n t a r.* **21.** *Bras.* V. *pintar* o sete. **22.** Manifestar-se, apresentar-se, surgir, aparecer: "P i n t o u uma chance legal / Um lance lá na capital / Nem tem que ter ginasial / Meu amor." (Chico Buarque e Roberto Menescal, *Bye bye Brasil*). *Transobj.* **23.** Fazer a descrição; descrever: "Fala-se tanto no Rio!... P i n t a m -no tão grande, tão bonito, que o pobre provinciano, ao chegar aqui, logo sofre uma terrível decepção!..." (Aluísio Azevedo, *Casa de Pensão*, p. 95). *Transobj. ind.* **24.** Fazer a descrição; descrever: "que fora ela .... que a enganara, a p i n t a r -lhe muito alegre a vida daquele inferno onde se via presa." (Camilo Castelo Branco, *História e Sentimentalismo*, p. 227). **25.** Representar mentalmente; representar, figurar, imaginar, conceber: *Heráclito p i n t a v a a matéria como fogo. P.* **26.** Aplicar cosméticos no rosto; maquilar-se: *Já no antigo Egito as mulheres s e p i n t a v a m;* "As mulheres s e p i n t a m que parecem mascaradas" (José Carlos Cavalcanti Borges, *Padrão G*, p. 22). **27.** Pintar o corpo e o rosto com tintas, em geral para fins guerreiros ou festivos (os indígenas). **28.** Tornar-se evidente; patentear-se, revelar-se, manifestar-se, estampar-se: *P i n t a - s e - l h e no rosto o sofrimento.* **29.** Dar ares de; parecer: *O rapaz p i n t a - s e - m e inteligente e estudioso.* **30.** Prestar-se às mil maravilhas; ser ótimo, excelente: *O homem p i n t a - s e para a função.* **31.** Fazer bem, ser bom (um remédio). ◆ **Pintar e bordar.** *Bras. Fam.* **1.** V. *pintar* o sete. **2.** Deitar e rolar (1). **A pintar.** Como convém; em condições ideais: "Para um passeio matinal a cavalo, o Engenho Velho era bairro a p i n t a r, com suas casuarinas sombreando as chácaras e cochichando segredos (Miécio Tati, *O Mundo de Machado de Assis*, p. 43). **Vir ao pintar.** Vir na melhor ocasião, no momento propício.

pintarada. *S. f.* Grande porção de pintos [v. *pinto* (1)].

pintarroxo (ô). [De *pinto* + *roxo*, por *vermelho*.] *S. m.* Pássaro da família dos fringilídeos, que vive na Europa e cujo canto é muito suave.

pintassilgo. [De *pinto* + lat. *sericu*, 'seda', atr. do arc. *pintassirgo*.] *S. m.* **1.** *Bras.* Ave passeriforme, da família dos fringilídeos (*Spinus magellanicus ictericus* (Lich.)), distribuída da BA para o S., de dorso oliváceo, cabeça, garganta, asas e cauda pretas, espelho, base da cauda e lado inferior amarelos. [É muito estimado como pássaro de gaiola, dando, quando cruzado com o canário-do-reino, um híbrido chamado *pintagol*. Alimenta-se de sementes de capim. [Var., bras. *pintassilva*; sin.: *pintassilgo-do-campo*.] **2.** *Bras.* Ave passeriforme, da família dos traupídeos (*Hemithraupis guira nigrigula* (Bod)), da Amaz., macho verde-oliváceo, dorso baixo e peito alaranjado-vivo, sobrancelha, meio do abdome e crisso amarelos, e garganta e lados da cabeça pretos. **3.** *Lus.* Ave passeriforme, da família dos fringilídeos (*Fringilla spinus* L.), de coloração geral amarelo-esverdeada.

pintassilgo-da-mata. *S. m. Bras.* Ave passeriforme, da família dos traupídeos (*Cissopis leveriana major* Cab.), distribuída por quase todo o País. Coloração geral preta; lado inferior e dorso baixo, brancos; dorso alto, branco-acinzentado; orlas da cauda e das asas, brancas. Vive nas matas. Por sua cor e pelo grande comprimento da cauda costuma ser, impr., denominado *pega* (ê). [Pl.: *pintassilgos-da-mata*. Sin.: *anicavara, pintassilgo-da-mata-virgem, prebixim, sabiatinga*.]

pintassilgo-da-mata-virgem. *S. m. Bras.* V. *pintassilgo-da-mata*. [Pl.: *pintassilgos-da-mata-virgem*.]

pintassilgo-do-brejo. *S. m. Bras.* **1.** V. *chupim-do-brejo*. **2.** V. *japacanim* (2). [Pl.: *pintassilgos-do-brejo*.]

pintassilgo-do-campo. *S. m. Bras.* V. *pintassilgo* (1). [Pl.: *pintassilgos-do-campo*.]

pintassilva. [De *pintassilgo*, com infl. do antr. *Silva*?] *S. f. Bras.* V. *pintassilgo* (1).

pinteiro. [De *pinto* + *-eiro*.] *S. m.* **1.** *Bras.* Gaiola ou cercado para criação de pintos incubados artificialmente. **2.** *Bras., N.E.* Aquele que faz pintos [v. *fazer pinto*]. ● *Adj.* **3.** *Bras., N.E.* Que faz pintos [v. *fazer pinto*].

pinto. [De uma raiz onom. *pitt*, atr. de *pito*, f. esta que, passando a significar 'partes pudendas da mulher', foi, eufemicamente nasalada.] *S. m.* **1.** Filhote da galinha ainda novo; franguinho. [Cf., nesta acepç.: *pintainho*.] **2.** Peixe da família dos ciliorrinídeos (*Catullus haeckeli*). **3.** *Ant.* Certa moeda portuguesa. **4.** *Gír.* Criança (1). **5.** *Chulo.* O pênis. ◆ **Comer como pinto e cagar como pato.** *Bras.* Ganhar pouco e gastar muito. **Como um pinto.** Inteiramente a pingar, de tão molhado; num pinto: *Pegou chuva grossa, e ficou c o m o u m p i n t o.* **Fazer pinto.** *Bras., N.E.* Fazer (empregado doméstico, por via de regra) pequenos furtos nas compras diárias. **Num pinto.** Como um pinto: *Pegou um toró brabo, está n u m p i n t o.* **Ser pinto.** *Bras.* **1.** Não oferecer nenhuma dificuldade ou obstáculo; não constituir problema; ser muito fácil: *Andar 50 km para ele é p i n t o.* **2.** Ser ou valer muito pouco, quase nada: *Por mais que Paulo saiba matemática, para o Fernando ele é p i n t o.* [Sin. ger.: *ser canja, ser sopa*.]

pinto-calçudo. [De *pinto* + *calçudo*.] *S. m. Bras.* **1.** Menino cujas calças aderem às pernas, ou que usa as calças caindo sobre o sapato. **2.** Menino que principia a usar calças compridas. **3.** Pessoa deselegante, cuja roupa como que está sempre a cair-lhe do corpo. [Pl.: *pintos-calçudos*.]

pinto-d'água. *S. m. Bras.* V. *frango-d'água* (1). [Pl.: *pintos-d'água*.]

pinto-do-mato. *S. m. Bras.* **1.** Ave passeriforme, da família dos formicarídeos (*Myrmornis torquata* (Bod.)), do Brasil oeste-setentrional, de dorso pardo pintado de vermelho e preto, alto da cabeça e cauda vermelhos, e garganta preta marginada de branco. Na fêmea a garganta e o crisso são vermelhos. **2.** V. *tauoca*. [Pl.: *pintos-do-mato*.]

pintona¹. *S. f.* Fem. de *pintão¹* (1).

pintona². *Adj.* (*f.*) Fem. de *pintão²*.

pintor (ô). [Do lat. vulg. **pinctore*, por *pictore*, 'pintor', com infl. de *pintar*.] *S. m.* **1.** Indivíduo que sabe ou exerce a arte da pintura. **2.** Aquele que pinta: *p i n t o r de paredes.* **3.** *Fig.* Escritor que narra com grande exatidão. ◆ **Pintor de liso.** Pintor de paredes.

pintor-verdadeiro. *S. m. Bras.* Ave passeriforme, da família dos traupídeos (*Tangara fastuosa* (Less.)), do N.E., de cabeça e pescoço verde-azulados, fronte e dorso superior pretos, dorso baixo, margens das rêmiges secundárias externas alaranjado-brilhantes, asas e cauda marginadas de purpúreo, o meio da garganta preto, abdome azul-purpúreo-escuro e cauda preta. [Pl.: *pintores-verdadeiros*.]

pintosa. [Fem. substantivado de *pintoso*.] *S. f. Bras. Gír.* Homossexual masculino efeminado e exibicionista.

pintoso (ô). *Adj. Bras. Gír.* Diz-se de indivíduo de boa pinta, bonito e elegante.

pintura. [Do lat. vulg. *pinctura*.] *S. f.* **1.** Ato ou efeito de pintar(-se). **2.** Profissão de pintor. **3.** Revestimento de uma superfície com matéria corante. **4.** Colorido, cor: *Nos quartos é preferível uma p i n t u r a clara.* **5.** V. *quadro* (4). **6.** Maquilagem (1). **7.** *Art. Plást.* A arte e a técnica de aplicar tintas sobre uma superfície plana a fim de representar figuras, formas abstratas, etc., em quadros, painéis ou outras composições, tendo a cor como elemento básico. **8.** *Art. Plást.* A obra de arte assim realizada. **9.** *Art. Plást.* O conjunto de tais obras de arte: *A p i n t u r a renascentista caracteriza-se pelo emprego da perspectiva.* **10.** *Fig.* Descrição minuciosa e evocativa, escrita ou verbal. **11.** *Fig.* Pessoa ou coisa bonita. ◆ **Pintura a óleo. 1.** A que é feita com pigmentos diluídos num solvente, em especial óleo de linhaça, aplicados com pincel, espátula sobre tela, papel, madeira, etc. **2.** O quadro pintado com essa técnica. [Tb. se diz, nessa acepç., apenas *óleo*.] **Pintura a têmpera.** *Art. Plást.* **1.** A que se faz com pigmentos dissolvidos num adstringente, como cola ou clara de ovo, o que facilita a adesão da matéria pictórica ao suporte. **2.** O mural ou o quadro em que se emprega essa técnica. [Tb. se diz, nessa acepç., apenas *têmpera*.] **Pintura de boneca.** A que se faz com pedaço de pano embebido em líquido próprio para brunir e envernizar. **Pintura de cavalete.** *Art. Plást.* A que, por suas dimensões, é facilmente transportável; quadro de cavalete. **Pintura mural.** *Art. Plást.* A que é feita diretamente sobre uma parede, ou nela aplicada. [Tb. se diz apenas *mural*.] **Pintura rupestre.** Sinais e figuras pintados pelos primitivos em rochedos e paredes de cavernas; petrografia. [Cf. *pictografia* e *gravura rupestre*.]

pinturesco (ê). [De *pintura*, com infl. de *pitoresco*.] *Adj.* V. *pitoresco*: "A ilha de Santa Catarina, mais nítida agora à visão, num rendado p i n t u r e s c o de montes esmeraldinos, passava lentamente, para o norte, no correr da singradura." (Virgílio Várzea, *Nas Ondas*, p. 146.)

pinturilar. [De *pintura*.] *V. t. d.* e *int.* Pintar sem arte, sem escolher tintas, ao acaso.

pínula. [Do lat. *pinnula*, 'peninha', 'asinha'.] *S. f.* **1.** Peça laminar, com uma fenda ou um furo, nos extremos da alidade, e que serve para fazer alinhamentos. **2.** *Morfol. Veg.* Segmento de folha tripenada, formado de folíolos ao longo de um eixo. **3.** *Zool.* Pequeno ramo lateral dos braços dos crinóides.

pinulado. *Adj. Morfol. Veg.* Provido de pínula.

➡**pin-up.** (pinap). [Ingl.] *S. f.* Representação da mulher e, eventualmente, do homem, em pose erótica, utilizada em impressos, como calendários, cartazes, etc.

pio¹. [Voc. onom.] *S. m.* **1.** Voz característica de muitas aves e animais, como, p. ex., o mocho, o pardal, o morcego, o pinto; piada, piado, pipiar. **2.** Som que imita essa voz. **3.** *Bras.* Instrumento ou assobio que imita o pio das aves.

pio². [De *pia*.] *S. m.* Pia grande, na qual se pisam uvas.

pio³. [Do lat. *piu*.] *Adj.* **1.** Que tem piedade; piedoso, devoto. **2.** Que revela piedade ou caridade; caritativo, caridoso: *ação p i a.* ~ V. *estabelecimento* —. [Superl. abs. sint.: *pientíssimo, piíssimo*.]

▲**pi(o)-.** [Do gr. *pyon* ou *pŷon, ou*.] *El. comp.* = 'pus': *piorréia; piartrose.*

pió. [Do lat. *pediola pede*, 'pé'.] *S. f.* Armadilha, esparrela. [Pl. *piós* e *pioses*.] ~ V. *piós*.

pioca. [V. *tapiocano*.] *S. 2 g. Bras.* V. *caipira* (1).

piocada. *S. f. Bras.* Reunião de piocas; caipirada, matutada.

piocamecrã. *Bras. S. 2 g.* **1.** Indivíduo dos piocamecrãs, tribo indígena que habita o L. do rio Tocantins. ● *Adj. 2 g.* **2.** Pertencente ou relativo a essa tribo.

piócito. [De *pi(o)-* + *-cito*.] *S. m. Patol.* Célula de pus.

piocobjê. *Bras. S. 2 g.* **1.** Indivíduo dos piocobjês, tribo jê da parte superior da bacia do rio Grajaú (MA). ● *Adj. 2 g.* **2.** Pertencente ou relativo a essa tribo. [Var.: *paicojê* e *pucóbie*.]

piodermite. [De *pi(o)-* + *-derm(a)-* + *-ite¹*.] *S. f. Med.* Inflamação cutânea pustulosa.

piogênese. [De *pi(o)-* + *gênese*.] *S. f. Patol.* Produção de pus.

piogênico. [De *pi(o)-* + *-gen(o)²* + *-ico²*.] *Adj.* Que gera pus: *germe p i o g ê n i c o.*

pioié. *Bras. S. 2 g.* **1.** Indivíduo dos pioiés, tribo indígena tucana, do alto Amazonas, que ocupava regiões próximas dos rios brasileiros Napos e Putumaio. ● *Adj. 2 g.* **2.** Pertencente ou relativo a essa tribo.

piola. [Do esp. plat. *piola*.] *S. f.* **1.** *Bras., RS.* Barbante, cordel, cordão. **2.** *Bras., RS.* Qualquer pedaço de corda. **3.** *Bras., N.E.* V. *guimba*.

piolhada. *S. f.* Porção de piolhos; piolheira, piolharia, piolhama.

piolhama. *S. f. Bras., S.* V. *piolhada*.

piolhar. *V. int. Bras.* Criar piolhos: *O cabelo p i o l h o u.*

piolharia. *S. f.* **1.** V. *piolhada*. **2.** *Fig.* Pobreza extrema; miséria.

piolheira. *S. f.* **1.** V. *piolhada*. **2.** *Fig.* Habitação imunda; pocilga. **3.** *Fig.* Conjunto de coisas imundas e miseráveis. **4.** Planta semelhante à vide brava. **5.** *Pop.* Negócio pouco rendoso.

piolhento. *Adj.* **1.** Que tem piolhos; coberto de piolhos. **2.** Propício à criação de piolhos. **3.** *P. ext.* Muito sujo; imundo: *Miserável, vivia num ambiente p i o l h e n t o e fétido.* [Sin. ger.: *piolhoso*.] ● *S. m.* **4.** Indivíduo piolhento.

piolho (ô). [Do lat. vulg. *peduclu*, por *peduculu*, var. do lat. clássico *pediculu*.] *S. m.* **1.** Designação comum aos insetos malófagos mastigadores e anopluros sugadores, ectoparasitos de vertebrados, desprovidos de asas. [Sin., fam.: *bicho*.] **2.** *Bras.* Designação imprópria de certos ácaros de ninhos, coccídios e afídeos de plantas. **3.** *Tip.* Pequeno erro tipográfico, que escapa à revisão. **4.** *Bras.* Arbusto ou arvoreta da família das flacurtiáceas (*Casearia parviflora*), latamente dispersa pela América tropical, de folhas elípticas ou lanceoladas, acuminadas, serreadas, com pontos translúcidos, e flores pequenas, esbranquiçadas e cimosas, sendo o fruto uma cápsula subglobosa de cerca de 1 cm de diâmetro. [Pl.: *piolhos* (ó).]

piolho-branco. *S. m. Bras.* Inseto homóptero, da família dos ortezídeos (*Orthezia praelonga* Dougl.), praga de plantas cítricas, entre outras. Tem na parte posterior do corpo um saco céreo-calcário, com aspecto de cauda mais ou menos alongada. [Pl.: *piolhos-brancos*.]

piolho-da-cabeça. *S. m. Bras.* Inseto anopluro, da família dos pediculídeos (*Pediculus humanus humanus* L.), cosmopolita. Ectoparasito do homem, vive normalmente na cabeça, onde deposita, sob forma de lêndeas, até 300 ovos durante o seu período de vida, que varia entre seis e oito semanas. Comprimento: 1,6 a 2,7 mm. Transmite doenças infecciosas, entre as quais o tifo exantemático. [Pl.: *piolhos-da-cabeça*. V. *piolho-do-homem*.]

piolho-das-virilhas. *S. m.* V. *chato* (5). [Pl.: *piolhos-das-virilhas*.]

piolho-de-cação. *S. m. Bras.* V. *rêmora*. [Pl.: *piolhos-de-cação*.]

piolho-de-cobra. *S. m. Bras.* V. *embuá*. [Pl.: *piolhos-de-cobra*.]

piolho-de-galinha. *S. m. Bras.* Designação comum aos

insetos malófagos que vivem como ectoparasitos das galinhas. São mastigadores, em geral de coloração branca, e alojam-se permanentemente entre as penas do hospedeiro. Alimentam-se de escamações da pele e resíduos das penas. [Pl.: *piolhos-de-galinha.*]

piolho-de-onça. *S. m. Bras., Amaz.* V. *formiga-chiadeira.* [Pl.: *piolhos-de-onça.*]

piolho-de-planta. *S. m. Bras.* **1.** V. *pulgão* **2.** V. *cochonilha.* [Pl.: *piolhos-de-planta.*]

piolho-de-são-josé. *S. m. Bras.* **1.** Inseto homóptero, da família dos diaspidídeos (*Diaspidotus perniciosus* (Comst.)), praga de numerosas plantas cultivadas, sobretudo rosáceas arborescentes, na região meridional do País. Introduzido da China, é tido por uma das maiores pragas agrícolas dos E.U.A. **2.** Inseto homóptero, da família dos coccídeos (*Quadraspidotus perniciosus* (Comst.)), originário da China, hoje cosmopolita. Ataca diversas plantas, sendo muito nocivo às rosáceas (pereiras, macieiras) arborescentes. Sua presença produz vermelhidão da casca das plantas, nas partes adjacentes do escudo ou escama. A fêmea tem corpo ovalado, amarelo. [Sin. ger.: *escama-chinesa, escama-de-são-josé.* Pl.: *piolhos-de-são-josé.*]

piolho-de-tubarão. *S. m. Bras.* V. *rêmora.* [Pl.: *piolhos-de-tubarão.*]

piolho-do-cafeeiro. *S. m. Bras., PR.* V. *piolho-vermelho.* [Pl.: *piolhos-do-cafeeiro.*]

piolho-do-homem. *S. m. Bras.* Designação comum a duas subespécies de piolhos anopluros, da família dos pediculídeos, que vivem no corpo humano. [Pl.: *piolhos-do-homem.* V. *piolho-da-cabeça* e *muquirana.*]

piolho-do-púbis. *S. m.* V. *chato* (5). [Pl.: *piolhos-do-púbis.*]

piolho-dos-vegetais. *S. m. Bras.* **1.** V. *pulgão* **2.** V. *cochonilha.* [Pl.: *piolhos-dos-vegetais.*]

piolho-farinhento. *S. m. Bras.* V. *pseudococcídeos.* [Pl.: *piolhos-farinhentos.*]

piolho-ladro. *S. m. Lus.* V. *chato* (5). [Pl.: *piolhos-ladros.*]

piolho-mastigador. *S. m. Bras.* Inseto da ordem dos malófagos. Vive nas penas das aves e nos mamíferos, e alimenta-se de escamas epidérmicas, pêlos e outras substâncias ou excreções da pele. [Pl.: *piolhos-mastigadores.*]

piolhoso (ô). [De *piolho* + *-oso.*] *Adj.* V. *piolhento* (1 a 3).

piolho-sugador. *S. m. Bras.* Inseto da ordem dos anopluros, ectoparasito de mamíferos, de aparelho bucal sugador. Alimenta-se exclusivamente de sangue dos seus hospedeiros e não raro transmite doenças contagiosas. [Pl.: *piolhos-sugadores.*]

piolho-verde. *S. m. Bras.* V. *cochonilha-verde.* [Pl.: *piolhos-verdes.*]

piolho-vermelho. *S. m. Bras., PR.* Inseto homóptero, da família dos coccídeos (*Cerococcus parahybensis* Hemp.), praga dos cafeeiros. Tem o aspecto de pequenino ouriço, e lança uma secreção avermelhada, que depois se torna escura. [Pl.: *piolhos-vermelhos.* Sin.: *piolho-vermelho-do-cafeeiro, piolho-do-cafeeiro, vermelho-do-cafeeiro* e apenas *vermelho.*]

piolho-vermelho-da-macieira. *S. m. Bras., RS.* V. *pulgão-lanígero.* [Pl.: *piolhos-vermelhos-da-macieira.*]

piolho-vermelho-do-cafeeiro. *S. m. Bras., PR.* V. *piolho-vermelho.* [Pl.: *piolhos-vermelhos-do-cafeeiro.*]

piom-piom. [Voc. onom.] *S. m. Bras.* V. *cancã*[2] (1). [Pl.: *piom-pions.*]

▲-pion. [Do gr. *píon, pion; pîon, píonos.*] *El. comp.* = 'gordura': *oligopionia.*

pioneirismo. *S. m.* Caráter ou qualidade de pioneiro, de precursor.

pioneiro. [Do fr. *pionnier* 'soldado sapador', 'explorador de sertões'.] *S. m.* **1.** Explorador de sertões; o primeiro que abre ou descobre caminho através de região mal conhecida. **2.** *Fig.* Precursor (5): "Garrett .... é o grande p i o n e i r o da escola e da psicologia romântica entre nós" (Álvaro J. da Costa Pimpão, *Gente Grada,* p. 1.) ● *Adj.* **3.** Diz-se de obra, serviço, iniciativa, idéia, etc., que se antecipa ou abre caminho a outros iguais ou similares: *instituição p i o n e i r a; empreendimento p i o n e i r o.*

pionense. *Adj. 2 g.* **1.** De, ou pertencente ou relativo a Pio Nono (RJ). ● *S. 2 g.* **2.** Natural ou habitante de Pio Nono.

piongo. *Adj. Bras., N.E.* V. *capiongo* (1).

pio-nono. [Do antr. *Pio,* do Papa Pio IX.] *S. m. Bras., BA.* V. *rocambole* (1). [Pl.: *pios-nonos.*]

piopio. [De *pio*[1], repetido.] *S. m. Bras. Inf.* **1.** Qualquer ave, principalmente galinácea. ● *Interj.* **2.** Voz com que se chamam os galináceos. [Cf. *pipi*[1] e *pipio.*]

pior. [Do lat. *pejore,* atr. do arc. *peyor.*] *Adj. 2 g.* **1.** Comp. super. de *mau;* mais mau: *Este livro é p i o r do que o seu; É o p i o r pintor que existe.* ● *S. m.* **2.** Aquilo que é inferior a tudo o mais. **3.** O que é inconveniente ou insensato mais que outras coisas: *Estamos cansados, com fome, e o p i o r é ficarmos expostos ao mau tempo.* ● *S. f.* **4.** El. us. nas loc. *levar a pior* e *na pior.* ● *Adv.* **5.** Comp. de *mal:* mais mal; de modo pior; piormente: *Vive p i o r que os seus amigos;* "tal foi a página inicial daquele livro, que tinha de sair mal composto e p i o r brochado." (Machado de Assis, *Relíquias de Casa Velha,* p. 6). [Antôn.: *melhor.* V. observações em *melhor.*] ◆ **Levar a pior.** Ser derrotado numa contenda. **Na pior. 1.** *Bras.* V. *a perigo.* **2.** *Bras. Gír.* Na fossa [q. v.].

piora. [Dev. de *piorar.*] *S. f.* Ato ou efeito de piorar; pioramento, pioria.

pioramento. [De *piorar* + *-mento.*] *S. m.* V. *piora.*

piorar. [Do lat. *pejorare.*] *V. t. d.* **1.** Tornar pior; pôr em pior estado; agravar, empiorar: *As medicações erradas p i o r a r a m a doença. Int.* **2.** Tornar-se ou pôr-se pior; empiorar: "Seu Amaro adoecera, seu Amaro p i o r a v a, seu Amaro morrera." (João Clímaco Bezerra, *O Homem e Seu Cachorro,* p. 31.)

pioria. *S. f.* **1.** O fato de ser pior. **2.** V. *piora.* [Cf. *piuria.*]

piorno (ô). *S. m.* Giesta brava e picosa.

pioró. [Voc. onom., decerto.] *S. m. Bras., SP.* Ave passeriforme, da família dos traupídeos (*Pyrrhocoma ruficeps* (Srick)), do Brasil este-meridional. O macho tem coloração plúmbea, a cabeça castanho-avermelhada e a fronte negra; a fêmea é acinzentada, com a cabeça pardo-pálida. [Sin.: *cabecinha-castanha.*]

piorra (ô). [De *pião,* provavelmente.] *S. f.* **1.** Pião pequeno; pitorra: "A moeda tilinta nas lajes, por um breve segundo rodopia como uma p i o r r a" (Érico Veríssimo, *Noite,* pp. 208-209). **2.** Zorra[1] (3).

piorréia. [De *pi(o)-* + *-réia.*] *S. f. Med.* Eliminação de pus. ◆ **Piorréia alveolar dentária.** *Odont.* Processo inflamatório purulento do periósteo dentário, acompanhado de necrose alveolar evolutiva e frouxidão dentária.

piorréico. *Adj.* Relativo à piorréia.

piós. [De *pió.*] *S. m.* Correia que as aves de volataria trazem nos pés. [Pl.: *pioses.*] ~ V. *pió.*

▲-piose. [Do gr. *pýosis, eos.*] *El. comp.* = 'supuração': *nefropiose.*

pipa. *S. f.* **1.** Vasilha bojuda, de madeira, para vinho e outros líquidos. **2.** Antiga unidade de medida de capacidade para líquidos equivalente a 15 almudes, i. e., 4,972 hectolitros. **3.** *Pop.* Pessoa baixa e gorda. **4.** *Bras. Pop.* V. *ébrio* (8). **5.** *Bras.* V. *papagaio* (5). **6.** *Bras., Amaz.* Anfíbio anuro, da família dos pipídeos (*Pipa pipa* (L.)), de coloração pardo-esverdeada ou pardo-clara, com manchas ruivo-claras. Corpo achatado, revestido de pequenos nódulos ou tubérculos; cabeça pontuda; apêndices dérmicos nos cantos da boca; mãos com quatro dedos isolados, terminados em papilas sensoriais; pés com cinco dedos, ligados por membrana; é desprovido de língua. Vive na água, onde se alimenta de animais aquáticos em geral, e os ovos são incubados no dorso das fêmeas. [Sin., nesta acepç.: *aru, sapo-aru, sapo-do-surinã.*]

pipal. [Do concani *pimpal.*] *S. m.* Árvore da família das moráceas (*Ficus indica*), procedente da Ásia tropical, cujas folhas, coriáceas, têm nervuras pouco salientes, e que possui receptáculos sésseis, apinhados, globosos, com 8mm, vermelho-amarelados, não emitindo raízes nos ramos.

piparote. [Do esp. *papirote,* atr. de uma f. *paparote,* que sofreu dissimilação.] *S. m.* Pancada que se dá com a cabeça do dedo médio ou do índice apoiada sobre o polegar e soltando-se com força; tálitro.

piparotear. *V. int.* Dar piparotes. [Conjug.: v. *frear.*]

pipeirense. *Adj. 2 g.* **1.** De, ou pertencente ou relativo a Pipeiras (RJ). ● *S. 2 g.* **2.** Natural ou habitante de Pipeiras.

▲piper-. [Do lat. *piper, eris.*] *El. comp.* = 'pimenta': *piperáceo, piperina.*

piperácea. [De *piper-* + *-ácea.*] *S. f.* Espécime das piperáceas.

piperáceas. *S. f. pl. Bot.* Família de plantas superiores, da ordem das piperales, composta de ervas, arbustos e algumas trepadeiras, de folhas alternas, inflorescências em espigas densas, flores nuas, com um a 10 estames e ovário unilocular, e cujos frutos são bagas ou nozes. Só o gênero *Piper* encerra umas 700 espécies, e o *Peperomia* mais de 1.000, basicamente tropicais, sendo o Brasil muito bem aquinhoado. A pimenta-do-reino é a espécie mais importante.

piperáceo. *Adj.* Pertencente ou relativo às piperáceas.

piperale. *S. f.* Espécime das piperales.

piperales. *S. f. pl. Bot.* Ordem de plantas dicotiledôneas, arquiclamídeas, de flores aclamídeas, inconspícuas e ordenadas em espigas cerradas. Compreende as saururáceas, piperáceas e clorantáceas.

piperazina. [De *piper-* + *-az(o)-* + *-ina*[1].] *S. f. Quím.* Substância orgânica, dietilenodiamina, usada em medicina, e que é uma base forte, com a propriedade de formar com o ácido úrico sais facilmente solúveis na água. [Fórm.: $C_4H_6N_2$.]

piperina. [De *piper-* + *-ina*[1].] *S. f. Quím.* Alcalóide encontrado na pimenta, cristalino. [Fórm.: $C_{17}H_{19}O_3N$.]

piperonal. [De *piper(ina)* + *-ona-* + *-al.*] *S. m. Quím.* Aldeído fenólico de cheiro agradável, usado como perfume; heliotropina. [Fórm.: $C_8H_6O_3$.]

pipeta (ê). [Do fr. *pipette.*] *S. f.* **1.** Bomba utilizada nas adegas, formada por um tubo que se introduz no batoque dos tonéis com vinho e se retira tapando-se-lhe com o dedo o orifício superior; tubo para transvasar líquidos. **2.** *Quím.* Tubo de vidro com as extremidades afiladas, em que se recolhe, por aspiração, um líquido, a fim de medir-lhe com precisão o volume. [Cf. *pipeta,* do V. *pipetar.*]

pipetar. *V. t. d.* Retirar (líquido) com a pipeta. [Pres. ind.: *pipeto, pipetas, pipeta,* etc. Cf. *pipeta* (ê).]

pipi[1]. [De *pio*[1]; voc. onom.] *S. m.* **1.** *Lus. Inf.* Qualquer ave, especialmente galinácea. ● *Interj.* **2.** Voz com que se chamam os galináceos. [No Brasil a f. mais us. é *piopio.*]

pipi[2]. [Do tupi *pi'pi.*] *S. m. Bras.* Mucuracaá.

pipi[3]. [Do fr. *pipi* < *pisser,* 'urinar'.] *S. m.* **1.** *Inf.* O órgão sexual feminino, ou o masculino, das crianças. **2.** *Bras. Inf.* V. *urina.* ◆ **Fazer pipi.** Urinar (1).

pipia. [Dev. de *pipiar.*] *S. f.* **1.** Pequena flauta pastoril, feita geralmente da cana do trigo ou da cevada, com que se produz um som estridente que imita o canto de pássaros, a fim de prendê-los: "Na frente .... iam arautos a soar trombetas e p i p i a s" (Antero de Figueiredo, *Leonor Teles,* p. 242). [Cf. *avena.*] **2.** *Bras.* Certa ave. ● *S. 2 g.* **3.** Pessoa míope.

pipião. *Bras. S. 2 g.* **1.** Indivíduo dos pipiões, tribo indígena que habitou o sertão de PE. ● *Adj. 2 g.* **2.** Pertencente ou relativo a essa tribo.

pipiar[1]. [Do lat. *pipiare,* 'dar vagidos'.] *V. int.* **1.** Piar (as aves). **2.** Produzir som semelhante à voz das aves: *O velho asmático p i p i a v a, ofegante. T. d.* **3.** Dizer em voz semelhante ao pipio: *P i p i o u palavras amigas.* ● *S. m.* **4.** V. *pio*[1] (1). [Sin. ger.: *pipilar* e *pipitar.*]

pipiar[2]. *V. int.* Tocar pipia (1).

pipídeo. *S. m.* **1.** Espécime dos pipídeos. ● *Adj.* **2.** Pertencente ou relativo a eles.

pipídeos. *S. m. pl. Zool.* Família de anfíbios da subordem dos aglossos, aquáticos de forma ligeiramente achatada. Têm pele rugosa com tentáculos sensoriais nas extremidades dos dedos.

pipilante. [Do lat. *pipilante.*] *Adj. 2 g.* Que pipila; pipitante.

pipilar. [Do lat. *pipilare.*] *V. int.* e *t. d.,* e *s. m.* V. *pipiar*[1]: "estranhei .... não ouvir .... p i p i l a r e m as cambaxirras defronte das janelas" (Aluísio Azevedo, *Pegadas,* p. 115); "Pássaros saltavam de um lado para outro, p i p i l a n d o um madrigal." (Machado de Assis, *Quincas Borba,* p. 239); *Gosto de ouvir o p i p i l a r dos passarinhos.*

pipilo. [Dev. de *pipilar.*] *S. m.* V. *pipio* (1).

pipio. [Dev. de *pipiar*[1].] *S. m.* **1.** Ato de pipiar[1]; pipilo, pipito. **2.** *Bras.* Pintainho. [Cf. *piopio.*]

pipió. [Voc. onom., decerto.] *S. m. Bras.* V. *vivió.*

pipira. [Do tupi *pi'pira.*] *S. m.* **1.** *Bras.* Designação comum a várias aves passeriformes, da família dos traupídeos, e especialmente as dos gêneros *Tachyphonus Vieil.* e *Ramphocelus* Desm., de coloração preta com partes avermelhadas. São frugívoras, e vivem bem em cativeiro quando alimentadas com freqüência. [Sin.: *bico-de-prata, jacapá, tié-sangue.*] **2.** *Bras., MA* e *PI.* Moça empregada como operária em fábrica de tecidos.

pipira-encarnada. *S. f. Bras., Amaz.* Ave passeriforme, da família dos traupídeos (*Ramphocelus nigrigularis* (Spix)). Coloração geral encarnado-viva; lados da cabeça, mento, dorso alto, asas, cauda e meio do abdome pretos (macho) ou pardo-enegrecidos (fêmea). Alimenta-se de frutas e de insetos. [Pl.: *pipiras-encarnadas.*]

pipiral. [De *pipira* (2) + *-al.*] *S. m. Bras. MA* e *PI.* **1.** Bairro onde moram pipiras [v. *pipira* (2)]. **2.** Reunião ou baile de pipiras.

pipira-preta. *S. m. Bras., Amaz.* V. *guarandi.* [Pl.: *pipiras-pretas.*]

pipiri. [Do tupi *piripiri,* com haplologia.] *S. m. Bras.*

Erva graminiforme, da família das ciperáceas (*Rynchospora setacea*), que preenche densamente áreas alagadiças. Fixa-se por meio de um rizoma, e tem longas folhas coriáceas, lineares e pontudas, e flores insignificantes, reunidas em panículas bracteadas.

pipirioca. [Do tupi *piripiri'oka*, 'junco de casa', com haplologia.] *S. m. Bras.* Erva graminoide, da família das ciperáceas (*Ciperus sanguíneo-fuscus*), própria de lugares muito úmidos, que tem uma inflorescência compacta, inserida no ápice de um escapo longo, e folhas lineares.

pipitante. *Adj. 2 g.* Que pipita; pipilante.

pipitar. *V. int.* e *t. d.*, e *s. m.* V. *pipiar*[1]: "As aves que *pipitam* docemente" (Gonçalves Dias, *Obras Poéticas*, I, p. 203). [Pres. ind.: *pipito, pipitas, pipita*, etc. Cf. *pepita*, s. f., e *Pepita*, antr.]

pipitinga. [Var. de *pititinga*, por assimilação.] *S. f. Bras.* V. *manjuba* (1).

pipito. [Dev. de *pipitar*.] *S. m. Bras.* V. *pipio* (1).

pipiu. *S. m. Bras., PB. Fam.* A vulva.

pipo. [De *pipa*.] *S. m.* **2.** Pipa pequena; barril. **2.** Tubo por onde se extrai o líquido contido em certas vasilhas. **3.** *Bras., AM, PA* e *MA.* V. *chupeta* (2).

pipoca. [Do tupi *pĩ'poka*, 'estalando a pele'.] *S. f. Bras.* **1.** O grão de milho rebentado ao calor do fogo. [Sin., no PA: *pororoca*.] **2.** *Bras. Pop.* V. *borbulha* (4). **3.** *Gír.* Processo criminal: *Aquele cara responde a cinco pipocas por latrocínio.* **4.** *Bras.* V. *cisticerco.* ~ V. *pipocas.*

pipocamento. *S. m. Bras.* Ato de pipocar.

pipocar. *V. int. Bras.* **1.** Arrebentar, estourar, estalar, como pipoca (1); espocar, espipocar, papocar, popocar, pipoquear: "Foi Arandu embicar a igarité e *pipocou* o foguetório com muitos vivas ao herói" (M. Cavalcanti Proença, *Manuscrito Holandês*, p. 223); "sopra as brasas, avivando o fogo, fagulhas saem *pipocando*, diluem-se na luz do dia." (Juarez Barroso, *Mundinha Panchico e o Resto do Pessoal*, p. 115); *A pústula pipocou.* **2.** Ferver em borbotões; escachoar. **3.** Surgir ou aparecer de repente: "Por toda parte, *pipocam* insubordinações." (Vilas-Boas Correia, *Jornal do Brasil, 1.9.1983.*) **4.** *Fut.* Mostrar-se receoso. **5.** *Mar.* Aparecer de repente acima do horizonte: *O farol pipocou na hora prevista.* **6.** No gerúndio, precedido de *estar* ou *vir*, significa 'estar prestes a chegar ou a ocorrer': *F. chega por estes dias, está pipocando; Vêm por aí duas vagas pipocando, e numa delas você será aproveitado.* [Conjug.: v. *trancar*. Pres. ind.: *pipoco*, etc. Cf. *pipoco* (ô).]

pipocas. [Pl. de *pipoca*.] *Interj.* V. *bolas* (4). ♦ **Ora pipocas.** V. *bolas* (4). ~ V. *pipoca.*

pipoco (ô). [Dev. de *pipocar*.] *S. m. Bras., N.E.* **1.** Ato ou efeito de pipocar; estalo, estampido. **2.** Ruído daquilo que pipoca ou explode. [Var.: *papoco* (ô).] **3.** V. *rolo*[1] (16). [Pl.: *pipocos* (ô). Cf. *pipoco*, do v. *pipocar*.]

pipoqueamento. *S. m. Bras., S.* Ação de pipoquear; estouro, estampido.

pipoquear. *V. int. Bras., S.* V. *pipocar* (1): "E *pipoqueou* a fuzilaria em cima da camelada!" (Simões Lopes Neto, *Contos Gauchescos e Lendas do Sul*, p. 183); "A chuva *pipoqueou* cerrada no zinco." (Ciro Martins, *Paz nos Campos*, p. 16). [Conjug.: v. *frear*.]

pipoqueira. *S. f. Bras.* Panela onde se põem grãos de milho para fazer pipocas.

pipoqueiro. *S. m. Bras.* Vendedor de pipocas.

pipuíra. [Do tupi.] *Bras. Adj. 2 g.* **1.** Diz-se de certa raça de galinha: "mandou arrear a melhor besta de sela que tinha, ... e riscou o chão ...., nem bem o galo *pipuíra* .... acabou de bater as asas e cantar pela terceira vez." (Valdomiro Silveira, *Os Caboclos*, p. 68). ● *S. 2 g.* **2.** Galinha ou galo dessa raça.

pipuiruçu (u-i). [De *pipuíra* + *-açu*, com assimilação.] *Bras. Adj. 2 g.* **1.** Diz-se de certa raça de galinhas ou galos. ● *S. 2 g.* **2.** Exemplar dessa raça.

pique[1]. [Dev. de *Picar*.] *S. m.* **1.** Lança antiga. **2.** Sabor picante; acidez, pico. **3.** *Bras.* Brinquedo infantil em que uma criança tem de pegar alguma das outras antes que esta chegue a certo ponto determinado — o *pique*. [Sin., bras., nesta acepç.: *angapanga, maria-macumbé, pegador, pega-pega*.] **4.** *Bras. P. ext.* O local que os que estão brincando de pique têm de alcançar antes de serem pegados. [Sin., no MA, nesta acepç.: *ganzola*.] **5.** *Bras.* Buraquinho como que feito por instrumento pontiagudo. **6.** *Bras.* Pequeno corte. **7.** *Bras.* Pequeno corte dado no tecido na parte interna das costuras, para facilitar a queda ou os arremates. **8.** *Bras.* Pirraça, acinte; prevenção. **9.** *Bras.* Picada[1] (9). [No AM usam-se expressões como *pôr as árvores em piques* = abrir trilhos ou picadas que rapidamente vão ter a elas.] **10.** *Bras., SP.* Corte que se dá nas orelhas de animal doméstico para diferençá-lo de outros, ou para melhor o assinalar. ♦ **A pique.** Verticalmente; a prumo: "via-se à margem direita do rio uma casa larga e espaçosa, construída sobre uma eminência e protegida de todos os lados por uma muralha de rocha cortada a *pique*." (José de Alencar, *O Guarani*, I, p. 82). **A pique de. 1.** Em risco de. **2.** Em ponto de: *Esteve a pique de enlouquecer*; "Seguiu-se um alto silêncio, durante o qual estive a *pique de* entrar na sala" (Machado de Assis, *Dom Casmurro*, p. 10). **De pique.** *Bras.* De propósito; por teimosia; por pique. **Ir a pique. 1.** Afundar-se (a embarcação). **2.** *Fig.* Arruinar-se. **Por pique.** De pique.

pique[2]. [Do ingl. *peak*.] *S. m.* **1.** O mais alto grau; o ponto mais elevado; o auge: *Ontem o calor chegou ao pique.* **2.** Grande disposição ou entusiasmo; garra. **3.** Grande movimento; agitação, tumulto; pico: *Toma o ônibus na hora de maior pique.*

piquê. [Do fr. *piquet*.] *S. m.* Tecido de algodão, feito de dois panos sobrepostos e unidos por pontos cujas linhas formam desenhos.

pique-baixo. *S. m. Jog. Inf.* Pique[1] (3) em que não é considerado pego quem, ao se ver em perigo, abaixar o corpo. [Pl.: *piques-baixos*.]

pique-cola. *S. m. Jog. Inf.* Pique[1] (3) em que todo jogador tocado pelo perseguidor deve parar no lugar onde foi alcançado e assim permanecer, *colado*, até ser salvo por algum companheiro que lhe toque no corpo, passando a pegador quem for colado cinco vezes. [Pl.: *piques-colas*.]

piqueiro. [De *picar* + *-eiro*.] *S. m.* **1.** *Ant.* Homem armado de pique ou lança. **2.** *Taur.* Indivíduo que pica touros com vara curta. **3.** *Bras., AM.* Auxiliar do mateiro na abertura de estradas. [V. *pique*[1] (9).]

piquenique. [Do ingl. *picnic*.] *S. m.* Excursão festiva no campo, em geral entre pessoas de várias famílias e com refeição, para a qual, ordinariamente, cada um leva a sua parte. [Sin., bras., RS: *jerra*.]

pique-rabo-emenda. *S. m. 2 n. Jog. Inf.* Brincadeira infantil em que dois participantes vão girando uma corda grande, para que os demais nela entrem, um a um, em sucessão rápida e ininterrupta, dêem três pulos, dizendo: — "Pique, rabo, emenda" — e saiam depressa.

piquerobiense. *Adj. 2 g.* **1.** De, ou pertencente ou relativo a Piquerobi (SP). ● *S. 2 g.* **2.** Natural ou habitante de Piquerobi.

piqueta (ê). *S. f.* Var. de *piquete* (4). [Pl.: *piquetas* (ê). Cf. *piqueta* e *piquetas*, do v. *piquetar*.]

piquetagem. *S. f.* Ato ou efeito de piquetar.

piquetar. *V. t. d.* Cravar piquetas em (um terreno). [Pres. ind.: *piqueto, piquetas, piqueta*, etc.; pres. subj.: *piquete, piquetes*, etc. Cf. *piqueta* (ê), pl. *piquetas* (ê); *piquete* (ê), pl. *piquetes* (ê), e *Piquete* (ê), top.]

piquete (ê). [Do fr. *piquet*.] *S. m.* **1.** Troço de soldados que formam guarda avançada. **2.** Porção de tropa, a cavalo, incumbida de guarda de honra, etc. **3.** Porção de empregados a quem toca certo serviço por turno. **4.** Pequena estaca, de madeira ou metálica, que se crava no terreno para marcar com exatidão um ponto importante em trabalho topográfico. [Var., nesta acepç.: *piqueta*.] **5.** *Bras. Fig.* Pessoa que a cada momento está sendo solicitada por outro trabalho. **6.** *Bras.* Grupo de pessoas que se posta à entrada de fábricas, empresas, estabelecimentos de ensino, etc., para impedir a entrada de outras, por ocasião de greve. **7.** *Bras., MG.* Pequeno pasto ou plantação. **8.** *Bras., RS.* Pequeno potreiro, próximo das habitações, onde se recolhem os animais para serviços diários. **9.** *Bras., RS.* Cavalo que está permanentemente pronto para qualquer necessidade nas estâncias; piqueteiro. [Pl.: *piquetes* (ê). Cf. *piquete* e *piquetes*, do v. *piquetar*.]

piquetear. [De *piquete* (9) + *-ear*.] *V. t. d. Bras., RS.* Arrear com muita freqüência (um ou mais cavalos), usando-os para todo serviço, às vezes com o fim de os amansar. [Conjug.: v. *frear*.]

piqueteiro. *S. m.* **1.** *Bras.* Aquele que participa de um piquete (6). **2.** *Bras., RS.* Piquete (9).

piquetense. *Adj. 2 g.* **1.** De, ou pertencente ou relativo a Piquete (SP). ● *S. 2 g.* **2.** Natural ou habitante de Piquete.

piquira. [Do tupi *pi'kir*, 'pele tenra', 'pequeno'.] *Adj. 2 g.* **1.** *Bras.* Diz-se de eqüídeo de pequena estatura. **2.** *Fig.* Diz-se de sujeito insignificante. **3.** Diz-se de peixe miúdo. ● *S. m.* **4.** Eqüídeo de pequena estatura: "O filho mais novo, de cinco anos, ... ainda teve jeito de lhe pedir um *piquira* lazão de crina branca" (Valdomiro Silveira, *Os Caboclos*, p. 68). **5.** *Fig.* Sujeito insignificante. **6.** *Bras., SP.* Designação comum às espécies de lambaris de pequeno porte, subfamília dos tetragonopteríneos. [Sin., nesta acepç.: *lambari-piquira, tambi*.] **7.** *Bras., SP.* Designação comum a peixes pequenos, entre 3 e 5 cm de comprimento. **8.** *Bras., SP.* Peixe teleósteo, caraciforme, da família dos caracídeos (*Holoshestes pequira* (Steind.)), do rio Paraguai. [Var.: *pequira*.]

piquirão. [Aum. de *piquira*.] *S. m. Bras.* **1.** Peixe teleósteo, caraciforme, da família dos caracídeos (*Brycono ps alburnoides* Kner), do rio Madeira. Comprimento: 15 cm; tem dentição forte, semelhante à dos piaus. [Sin., nessa acepç.: *amaiaripucu*.] **2.** *Bras., SP.* Peixe teleósteo, caraciforme, da família dos caracídeos (*Aphyocharax difficilis* (Mar. Nic. La Monte)), de coloração pálida e cerca de 9 cm de comprimento.

piquitinga. [Do tupi *pĩki'tĩ*, 'pele recortada, lanhada'.] *S. f. Bras.* V. *enchova* (2).

pira[1]. [Do gr. *pyrá*, pelo lat. *pyra*.] *S. f.* **1.** Fogueira onde se queimavam cadáveres. **2.** *P. ext.* Qualquer fogueira. **3.** *Fig. Lugar onde alguma coisa é submetida a prova; crisol.*

pira[2]. [Do tupi *pĩr*, 'pele'.] *S. f. Bras., N.* V. *sarna* (1).

pira[3]. *El. s. f.* Us. na loc. *dar o pira.* ♦ **Dar o pira.** *Bras. Gír.* **1.** Ir-se embora; sair; dar o fora. **2.** V. *fugir* (1 e 2).

▲-pira. V. *pir(i)-*[1].

pirá[1]. [Do tupi *pi'rá*.] *S. m. Bras.* Peixe (1).

pirá[2]. *S. m. Bras.* F. red. de *pirá-tamanduá* (1).

▲pirá-. [Do tupi *pi'rá*.] *El. com.* = 'peixe[1]': *pirá-andirá: piracaá, piracanjuba.*

piraaca. [Do tupi; contém o el. *pira-*.] *S. m. Bras.* V. *cangulo* (1).

pirá-andirá. [De *pirá-* + tupi *ãdi'rá*, 'morcego'.] *S. m. Bras.* V. *peixe-cachorro* (2). [Pl.: *pirás-andirás* e *pirás-andirá*.]

piraba. [Do tupi, decerto, entrando *pirá-* na composição.] *S. f. Bras.* Peixe teleósteo, caraciforme, da família dos caracídeos (*Triportheus auritus* (Val.)), dos rios Amazonas e Araguaia, de coloração prateada, nadadeira caudal com raio central mais longo que os demais, e porte reduzido; arauarl, arauiri, aravari, avari.

pirá-bandeira. [De *pirá* + *bandeira*.] *S. m. Bras.* V. *bagre-bandeira*. [Pl.: *pirás bandeiras* e *pirás-bandeira*.]

pirabebe. [De *pirá-* + tupi *be'bê*, 'voar'.] *S. m. Bras.* V. *voador*[1] (5).

pirabiju. *S. m. Bras.* V. *bijupirá*.

piraboca. [Do tupi, certamente; contém o el. *pirá-*.] *S. f. Bras.* V. *pirajica*.

piracá. [De *pirá-* + *-cá*.] *S. m. Bras.* V. *prejereba*.

piracaá. [De *pirá-* + *-caá*; var.: *piracará*.] *S. m. Bras.* V. *peixe-folha* (1).

piracaiense. *Adj. 2 g.* **1.** De, ou pertencente ou relativo a Piracaia (SP). ● *S. 2 g.* Natural ou habitante de Piracaia.

piracajara. [Do tupi; contém o el. *pirá-*.] *S. m. Bras., Amaz.* V. *surubim-pintado*.

piracambucu. [De *pirá-* + tupi *a'kã*, 'cabeça', + tupi *mbu'ku*, 'comprida'.] *S. m. Bras.* V. *surubim-rajado*.

piracanjuba. *S. f. Bras.* V. *piracanjuva*.

piracanjubense. *Adj. 2 g.* **1.** De, ou pertencente ou relativo a Piracanjuba (GO). ● *S. 2 g.* **2.** Natural ou habitante de Piracanjuba.

piracanjuva. [Var. de *piracanjuba* < *pirá-* + tupi *kãg*, 'osso', + *yub*, 'amarelo'.] *S. f. Bras.* Designação comum a algumas espécies de peixes teleósteos, caraciformes, da família dos caracídeos, gênero *Brycon* Muel. & Trosch. [Cf. *matrinxã*], especialmente *B. nattereri* Guent., do rio Paraná, e a espécie *B. lundii* (Lutk.), do rio São Francisco, que pode atingir até 80 cm e 10 kg; piracanjuva-arrepiada, piracanjuvira.

piracanjuva-arrepiada. *S. f. Bras.* V. *piracanjuva*. [Pl.: *piracanjuvas-arrepiadas*.]

piracanjuvira. *S. f. Bras.* V. *piracanjuva*.

piracará. [Var. de *piracaá*.] *S. m. Bras.* V. *peixe-folha* (1).

piracatinga. [De *pirá-* + *catinga*[1].] *S. m. Bras.* V. *patI* (2).

piracema. [Do tupi *pira'sem*, 'sair peixe'.] *S. f.* **1.** *Bras., Amaz.* Cardume de peixes. **2.** *Bras., Amaz.* A época em que os grandes cardumes de peixes arribam para as nascentes dos rios: "logo aos primeiros repiquetes da cheia, tivéramos o espetáculo das *piracemas*. Jaraquis, pirapitingas, pacus e curimatás abandoam-se por essa época e, descendo dos lagos e igarapés, enfiam pelas correntes caudalosas em demanda das suas cabeceiras, onde vão talvez à procriação." (Gastão Cruls, *4 Romances*, p. 160). **3.** Época de desova; curso. **4.** *Bras., SP.* O rumor que fazem os peixes ao subir para a nascente, nessa época: "Quase chorava de alegria ao recordar o guaiú das *piracemas*, em dezembro, ... e imitar o ronco dos bagres, o canto fino das pirapitingas, o resmungado das saricangas e das ferreiras, o baque dos campineiros na volta dos pulos, o remexer da miuçalha, com os focinhos igualados, em cardumes barulhentos.'' (Valdomiro Silveira, *Nas Serras e nas Furnas*, p. 120.)

piracicaba. [De *pirá-* + tupi *siri'rika*, 'deslizando'.] *S. f. Bras. SP.* Lugar que, tendo uma cachoeira ou qualquer outro acidente natural, impede a passagem do peixe, sendo, assim, excelente pesqueiro.

piracicabano. *Adj. 2 g.* **1.** De, ou pertencente ou relativo a Piracicaba (SP). ● *S. m.* **2.** O natural ou habitante de Piracicaba.

piracuca. *S. f. Bras.* V. *garoupa-verdadeira* (1).

piracuí. [De *pirá-* + tupi *ku'i*, 'farinha'.] *S. m. Bras., AM.* Farinha de peixe. [Var.: *piracuim.*]

piracuim (u-ím). *S. m. Bras., AM.* Var. de *piracuí* [q. v.]

piraçununguense. *Adj. 2 g.* **1.** De, ou pertencente ou relativo a Piraçununga (SP). ● *S. 2 g.* **2.** Natural ou habitante de Piraçununga.

piracuruquense. *Adj. 2 g.* **1.** De, ou pertencente ou relativo a Piracuruca (PI). ● *S. 2 g.* **2.** Natural ou habitante de Piracuruca.

piracururu. [De *pirá-* + tupi *kuru'ru*, 'sapo'.] *S. m. Bras.* **1.** V. *pacamão* (1). **2.** V. *bagre-sapo* (4).

piracururuca. [De *pirá-* + tupi *kuru'ruka*, 'ronco'.] *S. m. Bras., AM.* Ruído forte de peixes, ou seja, a passagem de cardumes de um a outro igarapé, quando das enchentes.

pirado. [Part. de *pirar.*] *Adj.* Que pirou; amalucado, adoidado.

piraém. [De *pirá-* + tupi ẽ, 'vazio'.] *S. m. Bras., Amaz.* O pirarucu, quando salgado e seco.

piragaia. *S. f. Bras.* V. *piriguara*[2].

pirágua. [Do caraíba, pelo esp. plat. *piragua.*] *S. f. Bras., RS.* Embarcação feita de tábuas, empregada no alto Uruguai para transporte de erva-mate e de outros artigos.

piraguaia. *S. f.* V. *piriguara*[2].

piraguara. [Do tupi *pirá-* + tupi *war*, 'que come'.] *S. f. Bras.* **1.** Piriguara[1]. [Var. (nesta acepç.): *piraguaia.*] **2.** V. *caipira* (1).

piraí. [Do tupi.] *S. m. Bras.* **1.** Azorrague de couro cru: ''Há obra de três anos, tiveram um pequeno desentendimento, ele lhe deu uma surra de p i r a í, mandou-a .... ir pros infernos.'' (Antônio Versiani, *Viola de Queluz*, p. 99.) **2.** Designação indígena de peixes de pequeno porte. [Cf. *pirai*, do v. *pirar.*]

piraiapeva (a-i). [Do tupi; contém o el. *pirá-*.] *S. f. Bras.* V. *pirauaca.* [Var.: *pirajapeva.*]

piraíba. [De *pirá-* + tupi *a'íba:* 'que não presta'.] *S. f. Bras.* Peixe teleósteo, siluriforme, da família dos pimelodídeos (*Brachyplatistoma filamentosum* (Lich.)), dos rios Amazonas e Parnaíba, de cabeça e boca muito grandes, a maxila mais avantajada que a mandíbula. É o maior peixe de couro do Brasil, chegando a medir 3 m e a pesar acima de 150 kg. A coloração geral é escura, mas há exemplares claros e bronzeados. Os jovens são mais apreciados para culinária. Na Amazônia corre a lenda de que a piraíba engole crianças e ataca pessoas adultas. [Sin.: *piratinga, piranambu.*] ◆ **Puxar piraíba.** *Bras., Amaz. Pop.* V. *pegar traíra.*

piraiense[1] (a-i). *Adj. 2 g.* **1.** De, ou pertencente ou relativo a Piraí (RJ). ● *S. 2 g.* **2.** Natural ou habitante de Piraí.

piraiense[2] (a-i). *Adj. 2 g.* **1.** De, ou pertencente ou relativo a Piraí do Sul (PR). ● *S. 2 g.* **2.** Natural ou habitante de Piraí do Sul.

pirajá. [Talvez aglut. da expr. *pára já*, com dissimilação.] *S. m. Bras.* Aguaceiro rápido e súbito, comum nos trópicos e na região da costa situada entre os Abrolhos e o cabo de Santo Agostinho: ''já não olhava as vagas; volvia o mortiço olhar para a nuvem negra do p i r a j á'' (Eugênio de Castro [o brasileiro], *Terra à vista*, p. 95); ''o despenho de um p i r a j á violento e aluvial.'' (Xavier Marques, *Jana e Joel*, p. 91). [Var.: *parajá.*]

pirajaguara. [De *pirá-* + tupi *ya'wara*, 'cão'.] *S. m. Bras., Amaz.* V. *tucuxi.*

pirajapeva. [Var. de *piraiapeva.*] *S. f. Bras.* V. *pirauaca.*

pirajeba. *S. f. Bras.* V. *prejereba.*

pirajica. [Do tupi, decerto; entra na composição o el. *pirá-*.] *S. f. Bras.* Peixe teleósteo, percomorfo, da família dos quifosídeos (*Kyphosus sectatrix* (L.)), do Atlântico, desde Cuba até o RJ, de coloração uniformemente prateada, com a região frontal e as nadadeiras denegridas. Vive no fundo, em lugares pedregosos, alimentando-se de vegetais. [Sin.: *quara, piraboca.*]

piraju. [F. apocopada de *pirajuba.*] *S. m. Bras.* V. *dourado* (7).

pirajuba. [De *pirá-* + tupi *yub*, 'amarelo'; var.: *piraju.*] *S. f. Bras.* V. *dourado* (7).

pirajubense. *Adj. 2 g.* **1.** De, ou pertencente ou relativo a Pirajuba (MG). ● *S. 2 g.* **2.** Natural ou habitante de Pirajuba.

pirajuense. *Adj. 2 g.* **1.** De, ou pertencente ou relativo a Piraju (SP). ● *S. 2 g.* **2.** Natural ou habitante de Piraju.

purajuiense (u-i). *Adj. 2 g* **1.** De, ou pertencente ou relativo a Pirajuí (SP). ● *S. 2 g.* **2.** Natural ou habitante de Pirajuí.

pirajupeva. [De *pirá-* + tupi *yub*, 'amarelo', + *-peva.*] *S. f. Bras.* V. *surubim-mena.*

piramapu. *S. m. Bras.* V. *Barbado*[1] (6).

pirambé. [Var. de *pirambeba*, com apócope.] *S. f. Bras.* Peixe teleósteo, caraciforme, da família dos caracídeos (*Serrasalmus spilopleura* Kner), dos rios Amazonas e Paraguai; piranha-pequena, piranha-doce. [Cf. *pirambeba.*]

pirambeba. [Do tupi *pi'raĩ*, 'piranha (1)', provavelmente.] *S. f. Bras.* Peixe teleósteo, caraciforme, da família dos caracídeos (*Serrasalmus brandtii* Reinh.), do rio São Francisco. [Var.: *pirambeva, pirampeba.* Sin.: *piranha-da-lagoa.* Cf. *pirambé.*]

pirambeira. *S. f. Bras.* V. *perambeira.*

pirambeva. *S. f. Bras.* V. *pirambeba.*

pirambóia. [De *pirá-* + tupi *mboy*, 'cobra'.] *S. f. Bras.* Peixe dipnóico, da ordem dos lepidossirenídeos, da família dos lepidossirenídeos (*Lepidosiren paradoxa* Fitz.), das bacias amazônica e do Paraguai. Coloração cinza-olivácea, com manchas negras irregulares; o corpo é revestido de pequenas escamas, com dois pares de apêndices vermiculares e olhos muito pequenos. Comprimento: até 1,20 m. Vive em lugares pantanosos ou em águas rasas, passando de uma estação chuvosa à outra enterrado na lama. [Var. e sin.: *parauambóia, trairabóia, trairambóia, pirarucubóia.*]

pirambu. [Do tupi; contém o el. *pirá-*.] *S. m.* **1.** *Bras., BA.* V. *sargo-de-beiço.* **2.** *Bras., N.* V. *corcoroca* (1 e 2).

pirambucu. [De *pirá-* + tupi *mbu'ku*, 'comprido'.] *S. m. Bras.* **1.** Peixe teleósteo, siluriforme, da família dos pimelodídeos (*Pseudoplatystoma tigrinum* (Val.)), da Amaz., cuja coloração vai do amarelado ao cinza-claro, com manchas escuras pelo corpo; coruto. **2.** V. *surubim-rajado.*

pirambuense. *Adj. 2 g.* **1.** De, ou pertencente ou relativo a Pirambu (SE). ● *S. 2 g.* **2.** Natural ou habitante de Pirambu.

piramembeca. *S. f. Bras.* V. *gorete.*

pirametara. *S. f. Bras.* V. *salmonete.*

piramidal. *Adj. 2 g.* **1.** Em forma de pirâmide. **2.** *Fig.* Extraordinário, colossal, estupendo: ''São pilhas p i r a m i d a i s de laranjas globosas e doiradas'' (Martins Fontes, *Terras da Fantasia*, p. 57); *um talento p i r a m i d a l.* ~ V. *tronco* —.

pirâmide. [Do egípcio *pi-mar*, pelo gr. *pyramís, idos*, e pelo lat. *pyramide.*] *S. f.* **1.** *Geom.* Poliedro em que uma das faces é um polígono qualquer e as outras são triângulos com um vértice comum. **2.** Monumento em forma de pirâmide quadrangular. ◆ **Pirâmide de terra.** *Geol.* Coluna de terra que suporta um bloco de pedra que a protege da erosão. **Pirâmide oblíqua.** *Geom.* A que não é reta. **Pirâmide orbitária.** *Anat.* Forma sob que se apresenta cada uma das duas cavidades orbitárias, e que se assemelha a uma pirâmide de base quadrangular, de paredes ósseas. **Pirâmide quadrada.** *Geom.* Aquela cuja base é um quadrado. **Pirâmide regular.** *Geom.* Pirâmide reta cuja base é um polígono regular. **Pirâmide reta.** *Geom.* Pirâmide em que a reta perpendicular à base e que passa pelo vértice encontra a base no seu centróide. **Pirâmide truncada.** *Geom.* V. *tronco de pirâmide.*

piramido. [Do gr. *pyramidon.*] *S. m. Quím.* Nome comercial de uma substância orgânica antipirética e analgésica, cuja fórmula é $C_{12}H_{17}ON_3$.

piramidografia. [Do gr. *pyramís, ídos*, 'pirâmide', + *-graf(o)-* + *-ia.*] *S. f.* Descrição de pirâmides.

piramidográfico. *Adj.* Referente à piramidografia.

pirampeba. *S. f. Bras.* V. *pirambeba.*

piramutá. *S. m. Bras.* V. *piramutaba.*

piramutaba. [Do tupi *piramu'tawa.*] *S. f. Bras.* **1.** Peixe teleósteo, siluriforme, da família dos pimelodídeos (*Piramutana piramuta* (Kner)), da Amaz. **2.** Peixe siluriforme (*Brachyplatystoma vaillanti* (Val.)), da Amaz. e rio Parnaíba, de coloração cinza-amarelada e barbilhões maxilares e caudais tão longos quanto o corpo. Comprimento: até 1,20 m. [Var.: *piramutava, piramutaua, piramutá.*]

piramutaua. *S. f. Bras.* V. *piramutaba.*

piramutava. *S. f. Bras.* V. *piramutaba.*

piranambu. [De *pirá-* + *nambu.*] *S. m., Bras., Amaz.* **1.** V. *piraíba.* **2.** V. *barbado*[1] (6). [Var., nesta acepç.: *piranampu.*]

piranampu. [Var. de *piranambu.*] *S. m. Bras.* V. *barbado*[1] (6).

pirandelliano. *Adj.* **1.** Relativo ou pertencente ao escritor italiano Luigi Pirandello (1867-1936), ou próprio dele. **2.** Que é seu admirador e/ou conhecedor profundo de sua obra. ● *S. m.* **3.** Admirador e/ou conhecedor profundo da obra desse escritor.

piranema. *S. m. Bras.* V. *olho-de-cão.*

piranga[1]. *Adj. 2 g.* **1.** *Pop.* Pobre, reles, pelintra. ● *S. m.* **2.** Indivíduo piranga. ● *S. f.* **3.** Falta de dinheiro; pobreza, quebradeira, pindaíba: *Perdeu o emprego, e vive na p i r a n g a.*

piranga[2]. [Do tupi *pi'rãg.*] *Adj. 2 g.* **1.** *Bras.* Vermelho, encarnado. ● *S. m.* **2.** *Bras.* Barro vermelho. ● *S. f.* **3.** *Bras., Amaz.* Arvoreta da família das bignoniáceas (*Arrabidaea chica*), com que os índios preparavam um corante vermelho para a pele. As folhas, fermentadas e cozidas, produziam o corante, que, insolúvel em água, era dissolvido em óleo de andiroba. [Sin., nesta acepç.: *carajuru, chica, cipó-cruz, guajuru.*] **4.** *Bras., Amaz.* V. *sabiá-laranjeira.*

pirangagem. *S. f. Bras., PB.* Atitude ou procedimento de pirangueiro (3) [q. v.].

pirangar. [De *piranga*[1] + *-ar*[2].] *V. int. Pop.* **1.** Pedir ou viver de esmolas; mendigar, esmolar. *T. d.* e *t. d. e i.* **2.** *Bras., PB.* V. *filar* (3, 7, 8, 11 e 13). [Conjug.: v. *largar.*]

pirangueiro[1]. [De *piranga*[1] + *-eiro.*] *Adj.* **1.** Reles, desprezível, ridículo. **2.** *Bras. Mar. Merc.* Diz-se de navio de cabotagem, geralmente velho e em mau estado. ● *S. m.* **3.** *Bras., PB.* Indivíduo aproveitador da boa-fé alheia. **4.** *Bras. Mar. Merc.* Navio pirangueiro.

pirangueiro[2]. *Bras. Adj.* **1.** Apaixonado pela pesca de anzol, ou adestrado nela. ● *S. m.* **2.** Indivíduo apaixonado por esse tipo de pesca, ou nele adestrado; barriga-verde: ''Muitos p i r a n g u e i r o s esfregam folhas verdes nas suas linhas de pescar.'' (Nélson de Faria, *Tiziu e Outras Estórias*, p. 25.)

piranha. [Do tupi *pi'raĩ*, 'corta a pele'.] *S. f. Bras.* **1.** Designação comum a várias espécies de peixes teleósteos, caraciformes, da família dos caracídeos, gêneros *Pygocentrus* Muel. & Trosch., *Pygopristis* Val. e *Serrsalmus* Lac., conhecidos como carnívoros, extremamente vorazes, com dentes numerosos e cortantes. Demonstram predileção especial por animais sangrantes, tornando perigosos os rios ou lagos onde vivem. Ao todo, 15 espécies são conhecidas no Brasil, variando o tamanho entre 18 e 45 cm. Seus dentes são usados pelos índios para cortarem cabelos, cordas, e para uso doméstico em geral. **2.** *Bras., GO. Folcl.* Dança de roda infantil, em que a figura do centro deve executar o que os outros brincantes ordenam. **3.** *Bras., PA.* V. *tesoura* (7). **4.** *Bras. Gír.* Mulher que, sem ser necessariamente meretriz, leva vida licenciosa; piranhuda, pistoleira, bocetinha. **5.** *Bras. Pop.* Prendedor de cabelos denteado, de plástico e molas fortes.

piranha-caju. *S. f. Bras.* V. *piranha-vermelha.* [Pl.: *piranhas-cajus* e *piranhas-caju.*]

piranha-da-lagoa. *S. f. Bras.* V. *pirambeba.* [Pl.: *piranhas-da-lagoa.*]

piranha-doce. *S. f. Bras.* V. *pirambé.* [Pl.: *piranhas-doces.*]

piranha-mapará. *S. f. Bras., Amaz.* Peixe teleósteo, caraciforme, da família dos caracídeos (*Pygopristis denticulatus* (Cuv.)), da Amaz. e Guianas. [Pl.: *piranhas-maparás* e *piranhas-mapará.*]

piranha-pequena. *S. f. Bras.* V. *pirambé.* [Pl.: *piranhas-pequenas.*]

piranha-preta. *S. f. Bras.* Peixe teleósteo, caraciforme, da família dos caracídeos (*Pygocentrus piraya* (Cuv.)), do rio São Francisco, de dorso oliváceo-escuro e abdome mais claro. É uma das maiores espécies do gênero. [Sin.: *rodoleira.* Pl.: *piranhas-pretas.*]

piranha-vermelha. *S. f. Bras.* Peixe teleósteo, da família dos caracídeos (*Pygocentrus nattereri* Kner), das bacias do Amazonas, Paraná e São Francisco, de coloração cinza-clara, com a região do mento vermelha. É espécie muito comum e causa grande destruição nos peixes presos em anzóis ou redes. [Sin.: *piranha-caju, coicoa, chupita.* Pl.: *piranhas-vermelhas.*]

piranheira. [Adapt. do tupi *piraĩawa.*] *S. f. Bras., Amaz.* Árvore da família das euforbiáceas (*Piranhea trifoliata*), que habita a floresta pluvial e produz madeira de boa qualidade, mas inteiramente sem préstimo.

piranheiro. *Adj.* **1.** De, ou pertencente ou relativo a Piranhas (BA). ● *S. m.* **2.** O natural ou habitante de Piranhas.

piranhense[1]. *Adj. 2 g.* **1.** De, ou pertencente ou relativo a Piranhas (AL e GO). ● *S. 2 g.* **2.** Natural ou habitante de Piranhas.

piranhense[2]. *Adj. 2 g.* **1.** De, ou pertencente ou relativo a Jardim de Piranhas (RN). • *S. 2 g.* **2.** Natural ou habitante de Jardim de Piranhas.

piranhense[3]. *Adj. 2 g.* **1.** De, ou pertencente ou relativo a São José de Piranhas (PB). • *S. 2 g.* **2.** Natural ou habitante de São José de Piranhas.

piranhuda. [De *piranha* + o fem. de *-udo.*] *S. f. Bras. Gír.* V. *piranha* (3).

piraniampu. [De *pirá-* + tupi *niãbu*, 'nambu'.] *S. m. Bras.* V. *barbado*[1] (6).

piranjiense. *Adj. 2 g.* **1.** De, ou pertencente ou relativo a Piranji (SP). • *S. 2 g.* **2.** Natural ou habitante de Piranji.

pirantera. *S. f. Bras.* V. *peixe-cachorro* (1).

pirão. [Do tupi *mĩdipi'rõ*, 'ensopado', com aférese.] *S. m. Bras.* **1.** Papa grossa, de farinha de mandioca escaldada. **2.** *Pop.* Mulher jovem e bonita; uva.

piraoba. [Do tupi; contém o el. *pirá-*.] *S. m. Bras.* Designação indígena das chuvas de outubro, no N.E. conhecidas por *chuvas-de-caju*; piroaba.

pirão-na-unha. *S. 2 g. Bras., BA. Pop.* V. *avaro* (3). [Pl.: *pirões-na-unha.*]

pirapamenho. *Adj.* **1.** De, ou pertencente ou relativo a Santana de Pirapama (MG). • *S. m.* **2.** O natural ou habitante de Santana de Pirapama.

pirapanema. [De *pirá-* + tupi *pa'nema*, 'imprestável'.] *S. m. Bras.* Trecho de rio onde o peixe é escasso.

pirapara. *S. f. Bras.* V. *piapara.*

pirapebebe. [Do tupi; contém o el. *pirá-*.] *S. m. Bras.* Espécie de peixe-voador (*Trigla volitans* L.).

pirapema. [De *pirá-* + tupi *pema*, 'anguloso'.] *S. f. Bras.* **1.** V. *olho-de-cão.* **2.** V. *camurupim.*

pirapemense. *Adj. 2 g.* **1.** De, ou pertencente ou relativo a Pirapemas (MA). • *S. 2 g.* **2.** Natural ou habitante de Pirapemas.

pirapetinguense. *Adj. 2 g.* **1.** De, ou pertencente ou relativo a Pirapetinga (MG). • *S. 2 g.* **2.** Natural ou habitante de Pirapetinga.

pirapeua. [De *pirá-* + *-peva.*] *S. f. Bras.* V. *surubim-mena.*

pirapeuaua. [Do tupi *pirapé'wawa.*] *S. f. Bras.* V. *surubim-mena.*

pirapiranga. [De *pirá-* + *tupi pi'rãg*, 'vermelho'?] *S. f. Bras.* V. *garoupa-gato.*

pirapitanga. *S. f. Bras.* Piraputanga.

pirapitinga. [Do tupi *pirapi'tĩga*, 'peixe branco'.] *S. f. Bras.* **1.** Peixe teleósteo, caraciforme, da família dos caracídeos (*B. nattereri* Guent.), do rio Paraná, [Var.: *trapitinga, tarapitinga.*] **2.** Piabanha (1).

piraporense. *Adj. 2 g.* **1.** De, ou pertencente ou relativo a Pirapora (MG). • *S. 2 g.* **2.** Natural ou habitante de Pirapora.

pirapozense (ô). *Adj. 2 g.* **1.** De, ou pertencente ou relativo a Pirapozinho (SP). • *S. 2 g.* **2.** Natural ou habitante de Pirapozinho.

pirapucá. [Do tupi, decerto; contém o el. *pirá-*.] *S. m. Bras.* V. *peixe-cachorro* (2).

pirapucu. [De *pirá-* + tupi *pi'ku* 'comprido'.] *S. m. Bras.* **1.** Designação comum ao peixe caracídeo, hidrocianíneo, *Boulengerella cuvieri* (Spix), de coloração amarela tendente ao dourado, e a outros do gênero que se alimentam de outros peixes. [Sin.: *dente-de-cão.* Cf. *bicudo* (7).] **2.** Peixe fluvial, da família dos belonídeos (*Potamorrhaphis guianensis* (Schomb.)), da Amaz. e do Paraguai, de coloração verde-clara, translúcida, maxilares providos de dentes em toda a extensão, prolongados em rostro, o inferior um pouco mais longo, e nadadeiras dorsal e anal muito atrás, situadas abaixo e acima do pedúnculo caudal; peixe-agulha-d'água-doce. **3.** V. *peixe-cachorro* (2).

pirapuia. [Do tupi, decerto, com o el. *pirá-*.] *S. f. Bras.* V. *juruva.*

piraputanga. [Var. de *pirapitanga* < tupi *pirapĩtã*, 'peixe vermelho'.] *S. f. Bras.* **1.** Peixe teleósteo, caraciforme, da família dos caracídeos (*Brycon orbignyanus* (Val.)), da Amaz. e do Paraguai. **2.** Peixe teleósteo, caraciforme, da família dos caracídeos (*B. reinhardti* Luetk.), do rio São Francisco. [Ambos alcançam bom tamanho, e são apreciados na pesca esportiva de linha.]

piraquara. [Do tupi *pira'kwar*, 'pescaria'.] *S. 2 g. Bras.* **1.** Alcunha que se dá aos habitantes das margens do Paraíba do Sul. **2.** *Bras. Fig.* V. *caipira* (1). • *S. m.* **3.** *Bras., RJ* e SP. V. *pescador* (3).

piraquarense. *Adj. 2 g.* **1.** De, ou pertencente ou relativo a Piraquara (PR). • *S. 2 g.* **2.** Natural ou habitante de Piraquara.

piraquém. [Do tupi]. *S. m. Bras.* Espécie de coco (ô).

piraquenanã. *S. m. Bras.* V. *acará-bandeira.*

piraqüera. [De *pirá-* + tupi *kwera*, 'dormindo'.] *S. f. Bras., AM.* Pescaria noturna com auxílio de fachos, servindo-se o pescador sobretudo da fisga.

piraquiba. *S. f. Bras.* V. *rêmora.*

pirar. [Do cigano *pirar*, 'ir', "correr', 'fugir'.] *V. Int. Gír.* **1.** Retirar-se à socapa; safar-se, esgueirar-se, escapar-se, escapulir-se; dar o pira; pirar-se: *Pirou sem se despedir de ninguém.* **2.** V. *fugir* (1). **3.** *Bras.* Perder o contato com a realidade, em conseqüência do uso excessivo de droga (3). **4.** *Bras. P. ext.* Enlouquecer, endoidar, endoidecer. *P.* **5.** V. *pirar* (1 e 2). [Imperat.: *pira, pirai,* etc. Cf. *piraí, s. m., e Piraí,* top.]

pirarara. [Aglut. de *pirá-* e *uarara*?] *S. f. Bras.* Peixe teleósteo, siluriforme, da família dos pimelodídeos (*Phractocephalus hemiliopterus* (Schn.)), da Amaz. Tem dorso escuro, uma faixa amarela ao longo da linha lateral, com duas séries de pigmentos amarelo-ouro; cabeça e parte anterior do dorso revestidas de uma couraça amarela, e comprimento de até 1,25 m. A gordura costuma ser dada aos papagaios a fim de provocar a mudança do verde das penas em amarelo. [Sin.: *uarara, cajaro, laitu.*]

pirargirita. [De *pir(i)-* + *-argir(o)-* + *-ita*[3].] *S. f. Min.* Mineral trigonal, sulfeto de antimônio e prata.

piraroba. [De *pirá.* + tupi *rob*, 'amargo'.] *S. f. Bras.* V. *pampo*[1] (1).

pirarucu. [Do tupi *piraru'ku*, 'peixe vermelho'.] *S. m. Bras.* Peixe teleósteo, da ordem dos clupeídeos, da família dos osteoglossídeos (*Arapaima gigas* (Cuv.)), da bacia amazônica. Coloração escura com partes avermelhadas, sobretudo na porção posterior do corpo e nos flancos; nadadeiras dorsal e anal situadas na extremidade posterior do corpo; escamas muito grandes e ásperas; e comprimento de até 2,5 m, peso de até 80 kg. É o maior peixe de escamas do Brasil. A pesca é feita com anzóis ou com arpão. A língua é usada para ralar o guaraná, e a escama para lixar unhas. Defende seus alevinos recolhendo-os na boca. A carne, fresca, salgada ou seca, é muito apreciada. Atualmente se usa tb. para piscicultura. [Sin.: *anato, bodeco.*]

pirarucubóia. [De *pirarucu* + o final de *pirambóia.*] *S. m. Bras., PA.* V. *pirambóia.*

pirata. [Do gr. *peiratés*, pelo lat. *pirata.*] *S. 2 g.* **1.** Bandido que cruza os mares só com o fito de roubar. [Cf. *corsário* (2).] **2.** *P. ext.* Ladrão, gatuno. • *S. m.* **3.** *Bras.* Namorador, sedutor. **4.** Sujeito audacioso, tratante, espertalhão, malandro. • *Adj. (f.)* **5.** ~ V. *edição* —a.

piratagem. *S. f.* V. *pirataria.*

pirá-tamanduá. [De *pirá* + *tamanduá.*] *S. m. Bras.* **1.** Peixe teleósteo, siluriforme, da família dos pimelodídeos (*Conostome conirostris* (Val.)), do rio São Francisco, de focinho afilado, lembrando o do tamanduá. [Tb. se diz apenas *pirá.*] **2.** Peixe gimnotídeo (*Orthosternachus tamandua* (Boul.)), do rio Juruá, caracterizado pelo focinho longo, fino e curvo para baixo, um filamento peculiar na parte posterior do dorso, e comprimento de até 10 cm. [Pl.: *pirás-tamanduás* e *pirás-tamanduá.*]

piratantã. [Certamente do tupi; contém o el. *pirá-*.] *S. m. Bras.* Peixe teleósteo, caraciforme, da família dos caracídeos (*Copeina arnoldi* Regan), da Amaz., Guianas e Colômbia, de coloração rósea, tornando-se vermelha no dorso e nas nadadeiras dorsal e caudal durante o período reprodutivo. Comprimento: 6 a 7 cm. É espécie utilizada para aquários.

pirá-tapioca. [De *pirá* + *tapioca.*] *S. f. Bras.* Peixe teleósteo, caraciforme, da família dos caracídeos (*Roeboides myersil* Gill), da Amaz., de coloração cinzaprateada com mácula negra atrás do opérculo, acima da linha lateral, nadadeira anal bastante desenvolvida, e a adiposa reduzida. [Pl.: *pirás-tapiocas* e *pirás-tapioca.*]

pirataria. *S. f.* **1.** Ação ou vida de pirata. [Cf. *corso*[1] (2).] **2.** *P. ext.* Roubo, extorsão. [Sin. ger.: *piratagem.*]

piratear. *V. t. d.* **1.** Roubar como pirata: *Muitos navios ingleses piratearam ouro espanhol. Int.* **2.** Levar vida de pirata; viver da pirataria. **3.** Roubar como pirata: *Ingleses, flamengos e franceses piratearam nas costas brasileiras no século XVI.* [Conjug.: v. *frear.*]

pirático. [Do lat. *piraticu.*] *Adj.* Relativo a, ou próprio de pirata.

piratinga. [De *pirá-* + *-tinga.*] *S. f. Bras., Amaz.* V. *piraíba.*

piratiniense. *Adj. 2 g.* **1.** De, ou pertencente ou relativo a Piratini (RS). • *S. 2 g.* **2.** Natural ou habitante de Piratini.

piratiningano. [Do top. *Piratininga* + *-ano.*] *Adj.* e *s. m. P. us.* Paulista[1] (1 e 4).

piratubano. *Adj.* **1.** De, ou pertencente ou relativo a Piratuba (SC). • *S. m.* **2.** O natural ou habitante de Piratuba.

piraú. [De possível or. tupi.] *S. f. Bras.* V. *pomba-trocaí* (1).

pirauaca. [Do tupi *pira'waka.*] *S. f. Bras.* Peixe teleósteo, siluriforme, da família dos pimelodídeos (*Sorubimichthys planiceps* (Agass.)), da Amaz. e Paraguai, de coloração cinza-clara salpicada de pequenas manchas escuras, cabeça achatada, olhos na parte superior, maxila prolongada em forma de bico de pato, barbilhões com a parte basal ossificada e encurvada, e cerca de 35 cm de comprimento. [Sin.: *piraiapeva, pirajapeva.*]

piraubano (a-u). *Adj.* **1.** De, pertencente ou relativo a Piraúba (MG). • *S. m.* **2.** O natural ou habitante de Piraúba.

piraúna. [De *pirá-* + *-una.*] *S. f. Bras.* **1.** Peixe teleósteo, percomorfo, da família dos cianídeos (*Pogonias cromis* (L.)), do Atlântico ocidental, desde Long Island até a Argentina. A coloração geral é plúmbeo-escura, com nadadeiras escuras, lábios vermelhos, vários barbilhões curtos no mento e um ferrão antes da nadadeira anal; os jovens têm quatro a cinco estrias escuras. Alimenta-se de mariscos e ostras, freqüenta regiões de mangue e emite sons semelhantes ao rufar de um tambor. Os exemplares jovens recebem o nome de *burriquete.* [Sin.: *miragaia, miraguaia, vaca, quindunde.*] **2.** V. *garoupinha.*

pirauxi. [Do tupi; contém o el. *pirá-*.] *S. m. Bras., Amaz.* Arvoreta da família das rosáceas (*Couepia paraensis*), da floresta pluvial, de folhas oblongas, acuminadas, coriáceas e esbranquiçadas embaixo, flores organizadas em panículas acinzentadas e pubescentes, e fruto elipsóide, curvo e rígido, com 2,5 cm.

pirazol. *S. m. Quím.* Base fraca, que com o ácido sulfúrico forma o ácido sulfônico. [Fórm.: $C_6H_4N_2$. Pl.: *pirazóis.*]

pireletricidade. [De *pir(o)-* + *eletricidade.*] *S. f. Fís.* Separação de cargas elétricas em certos cristais, quando aquecidos.

pirelétrico. *Adj.* Relativo à pireletricidade.

pireliômetro. [De *pir(i)-*[1] + *-élio-* + *-metro.*] *S. m.* Instrumento com que se mede a radiação solar.

pirenaico. [Do lat. *pyrenaicu*:] *Adj.* Dos Pireneus, cordilheira entre a França e a Espanha; pireneu.

pirenéia. *Adj. (f.)* Fem. de *pireneu* [q. v.].

pireneu. [Do lat. *pyrenaeu.*] *Adj.* Piremaico. [Fem.: *pirenéia.*]

pireno. [De *pir(i)-*[1] + *-eno.*] *S. m.* **1.** *Quím.* Hidrocarboneto tetracíclico obtido da fração do alcatrão de hulha que ferve acima de 360ºC. Solúvel no éter e insolúvel na água. [Fórm.: $C_{16}H_{10}$.] **2.** *Morfol. Veg.* Putâmen.

pirenocarpo. [De *pireno* + *-carpo.*] *S. m. Morfol. Veg.* **1.** Fruto dotado de putâmen ou pireno. • *Adj.* **2.** Diz-se da planta que tem fruto com putâmen.

pirenóide. [Do gr. *pyrenoeidés*, 'em forma de caroço'.] *Adj. 2 g.* **1.** Semelhante a um caroço. • *S. m.* **2.** *Morfol. Veg.* Corpúsculo incolor, protéico, que se localiza no interior dos cromatóforos das algas verdes, e que em geral está circundado por um depósito de grãos de amilo.

pirenopolino. *Adj.* **1.** De, ou pertencente ou relativo a Pirenópolis (GO). • *S. m.* **2.** O natural ou habitante de Pirenópolis.

pirento. *Adj. Bras., N.* Diz-se do animal atacado de pira[2]; sarnento: "O mormaço subia da poeira, das pedras, da maré seca, dos cachorros *pirentos*, dos porcos na rua" (Dalcídio Jurandir, *Três Casas e um Rio*, p. 375).

pirera. [De *pireras.*] *Adj. 2 g. Bras. Gír.* Mole, brando. ~ V. *pireras.*

pireras. [Do tupi *pi'rera*, 'couro de animal morto'.] *S. f. pl. Bras., AM.* Mamas pendentes, chatas e flácidas; peitos caídos. ~ V. *pirera.*

pires. [De or. oriental; talvez do malaio.] *S. m. 2 n.* Pratinho sobre o qual se põe a chávena ou a xícara.

piresino. *Adj.* **1.** De, ou pertencente ou relativo a Pires do Rio (GO). • *S. m.* **2.** O natural ou habitante de Pires do Rio.

pirético. [De *piret(o)-* + *-ico*[2].] *Adj. Med.* Febril (2).

pireto. *S. m.* Planta da família das iridáceas (*Trimezia juncifolia*).

▲piret(o)-. [Do gr. *pyretós, oû.*] *El. comp.* = 'ardor', 'febre': *piretoterapia, pirético, piretologia.*

piretogênese. [De *piret(o)-* + *-gênese.*] *S. f. Patol.* Origem e mecanismo de produção de febre.

piretogenético. *Adj.* Referente à piretogênese.

piretologia. [De *piret(o)-* + *-log(o)-* + *-ia.*] *S. f.* Estudo ou tratado acerca das febres.

piretológico. *Adj.* Referente à piretologia.

piretoterapia. [De *piret(o)-* + *-terapia.*] *S. f. Terap.* Tratamento de uma doença pela elevação da temperatura do doente.

piretoterápico. *Adj.* Relativo à piretoterapia.
piretrina. [De *píretro* + *-ina*[1].] *S. f. Quím.* Líquido viscoso, incolor, isolado das flores do píretro, inseticida. [Fórm.: $C_{21}H_{28}O$.]
piretro. [Do gr. *pyrethron*, pelo lat. *pyrethru*.] *S. m.* Erva da família das compostas (*Chrysanthemum cinerariaemum cinerariaefolium*), cultivada no RS, e de propriedades inseticidas. A droga é constituída pelos capítulos dessecados e pulverizados, que contêm piretrina como substância ativa. Não deve ser confundida com *Anacyclus pyrethrum*, das compostas e do Mediterrâneo, cujas raízes são medicinais.
pirexia (cs). [De *pir(i)-*[1] + *-ex-*[2] + *-ia*.] *S. f.* **1.** Estado febril. **2.** Febre[1] (1): "Um dia sucumbiu-lhe o organismo ao insulto de uma dessas violentas p i r e x i a s que a ciência batiza com mil nomes" (Carlos de Laet, *O Frade Estrangeiro e Outros Escritos*, p. 33).
piri. [Do tupi *pi'ri*, 'junco'.] *S. m. Bras., N.* Espécie de junco da família das ciperáceas (*Rynchospora cephalotes*), que cresce nos terrenos pantanosos, e do qual se fazem esteiras; piripiri. [Cf. *peri*, s. m., e *Peri*, antr.]
▲**pir(i)-**[1]. [Do gr. *pŷr*, *pyrós*.] *El. comp.* = 'calor', 'fogo', 'calor da febre', 'ardor de um sentimento': *pirífora*, *pireliômetro*. [Equiv.: *piro-* e *-pira*: *pirogênico*, *pirotecnia*; *nerópira*.]
▲**pir(i)-**[2]. [Do lat *pirum*, *i*.] *El. comp.* = 'pêra': *piriforme*.
piribita. [Alter. de *jeribita*.] *S. f. Bras., PB. Pop.* V. *cachaça* (1).
pírico. [De *pir(i)-*[1] + *-ico*[2].] *Adj.* **1.** Da pira[1]. **2.** Do fogo.
piridina. [De *pir(i)-*[1] + *-d-* + *-ina*.] *S. f. Quím.* Composto heterocíclico, líquido, incolor, de cheiro desagradável, extraído do alcatrão do carvão e usado como solvente. [Fórm.: C_5H_5N.]
pirífora. [De *pir(i)-*[1] + *-foro*.] *S. f. Bras.* V. *pirilampo*.
piriforme. [De *pir(i)-*[2] + *-forme*.] *Adj. 2 g.* Em forma de pêra; periforme.
piriguá. [Do tupi, decerto.] *S. m. Bras.* V. *anum-branco*.
piriguara[1]. *S. f. Bras.* Reptil ofídio, da família dos colubrídeos (*Helicops leopardina* (Schl.)), do C.O., N.E. e N. do Brasil, cuja coloração é manchada de negro, o que motivou o nome científico. Mede pouco mais de meio m de comprimento. [F. paral.: *piraguara*.]
piriguara[2]. *S. f. Bras., L.* e *S.* Cipó da família das violáceas (*Anchietea salutaris*), nativo da floresta atlântica, de folhas moles, membranáceas, flores aromáticas e amarelas, frutos que são cápsulas grandes, alados, com sementes, e que goza de grande estima popular por serem as raízes consideradas purgativas e eméticas, e a parte aérea dada como anti-sifilítica. [Sin.: *cipó-suma*, *piragaia*, *paraguaia*, *piraguaia*, *puruuara*.]
pirilampagem. [De *pirilampo* + *-agem*[2].] *S. f. Bras.* V. *fantasma* (3).
pirilampear. *V. int. Bras.* Brilhar como pirilampo; pirilampejar: "Nem desse lustre aí suspenso, áureo e sutil / Pirilampeia um só dentre os pingentes mil." (Alberto de Oliveira, *Poesias*, 2ª série, p. 86); "Alma de prata das estrelas / P i r i l a m p e i a na penumbra" (Raul Bopp, *Putirum*, p. 146). [Conjug.: v. *frear*. Normalmente é defectivo, conjugável só nas 3as pess.]
pirilampejar. [De *pirilampo* + *-ejar*.] *V. int. Bras.* Pirilampear. [Conjug.: v. *pelejar*. Normalmente é defectivo, conjugável somente nas 3as pess.]
pirilâmpico. [De *pirilampo* + *-ico*[2].] *Adj.* Que luz como um pirilampo; fosforescente.
pirilampo. [Do gr. *pyrilampís*.] *S. m.* Inseto da ordem dos coleópteros, que apresenta órgãos fosforescentes localizados na parte inferior dos segmentos abdominais: "pousavam faiscando, desapareciam — eram p i r i l a m p o s erradios que fugiam ao clarão do luar." (Coelho Neto, *Treva*, p. 75). Encontram-se na família dos lampirídeos e na dos elaterídeos, onde os focos luminosos são os dois olhos. São, por via de regra, de cores pouco vistosas, alguns amarelados ou pardoclaros, com faixas negras, de cabeça grande, arredondada na frente; dão grandes saltos quando colocados de costas. As larvas são predadoras, alimentando-se de madeira em decomposição ou de raízes e base dos caules das plantas. A fosforescência decorre-lhes de uma reação entre um fermento e outras substâncias químicas. [Sin.: *vaga-lume*, *caga-lume*, *caga-fogo*, *cudelume*, *luzecu*, *luze-luze*, *lampíride*, *lampírio*, *lampiro*, *lumeeira*, *lumeeiro*, *mosca-de-fogo*, *noctiluz*, *pirífora*, *salta-martim*, *uauá*. Destes sin., vários são bras., e alguns lus.]
pirimidínico. *Adj. Bioquím.* Diz-se dos compostos derivados da pirimidina.
pirimidina. *S. f. Bioquím.* Substância líquida que cristaliza a 21°C, e de cheiro penetrante, de onde derivam três das bases nitrogenadas encontradas nos ácidos nucléicos: a citosina, a timina e o uracil. [Fórm.: $C_4H_4N_2$.]
pirinola. [Do esp. *perinola*.] *S. f.* Rapa (1).
piripiri[1]. *S. m. Bras.* Piri: "as crianças sentadas em fresca esteira de p i r i p i r i" (Raul Lima, *O Fio do Tempo*, p. 127).
piripiri[2]. *S. m. Bras.* V. *periquito-urubu*.
piripiriense. *Adj. 2 g.* **1.** De, ou pertencente ou relativo a Piripiri (PI). ●*S. 2 g.* **2.** Natural ou habitante de Piripiri.
piriquitete (ê). *Adj. 2 g. Bras., N. Fam.* Bem trajado, com decência e apuro, mas sem ostentação.
piriquiti. [Do tupi *piriki'ti*.] *S. m. Bras.* Erva ornamental, alta, da família das canáceas (*Canna glauca*), amplamente dispersa pelas florestas da América tropical, de folhas oblongo-lanceoladas, glaucas e com a margem branca, flores vistosas, amarelo-esverdeadas, dispostas em racemos, cápsulas lenhosas e muricadas, e que se reproduz por rizoma.
piriri. [Do tupi *piri'ri*.] *S. m.* **1.** *Bras.* Arbusto da família das euforbiáceas (*Mabea occidentalis*), muito difundida no Brasil, de folhas pubescentes, flores apétalas, unissexuais e monadelfas, fruto que é um tricoco e cujas sementes não têm carúncula. Os ramos fistulosos servem para fazer tubos de cachimbo, enquanto o látex cede alguma borracha. **2.** *Bras.* V. *diarréia*: "— Torresmo em demasia faz mal, meu filho. Pode dar p i r i r i ..." (Nélson de Faria, *Cabeça-Torta*, p. 38.)
piririca. [Do tupi *piri'rika*.] *S. f. Bras.* **1.** Pequena corredeira (1). **2.** Ondulação à tona da água, produzida pelos peixes. ●*Adj. 2 g.* **3.** Áspero como lixa. **4.** Sem modos; sirigaita, perereca.
piriricar. [De *piririca* + *-ar*[2].] *V. int. Bras.* **1.** Ondular ou encrespar-se de leve (a superfície da água do rio). **2.** Produzir leve tremura ou ondulação na água: *O peixe saltou p i r i r i c a n d o.* **3.** *Fig.* Enrugar a testa em demonstração de zanga: *O homem p i r i r i c o u, dizendo que não aceitava desculpas. T. d.* **4.** *Bras.* Provocar abalo ou comoção em; tocar, abalar, comover: *A notícia p i r i r i c o u todos os amigos.* [Conjug.: v. *trancar*. Cf. *pererecar*.]
piririguá. [Do tupi *piriri'wá*.] *S. m. Bras., Amaz.* V. *saci*[2].
pirita. [De *pir(i)-*[1] + *-ita*[3].] *S. f. Min.* Mineral monométrico, sulfeto de ferro, usado na fabricação de ácido sulfúrico, e que, por sua cor amarela e brilho metálico, recebe, no Brasil, a denominação popular de *ouro dos trouxas*.
piritibano. *Adj.* **1.** De, ou pertencente ou relativo a Piritiba (BA). ● *S. m.* **2.** O natural ou habitante de Piritiba.
piritífero. [De *pirita* + *-i-* + *-fero*.] *Adj.* Que contém pirita; piritoso.
piritiforme. [De *pirita* + *-i-* + *-forme*.] *Adj. 2 g.* Que tem forma de pirita.
piritoso (ô). [De *pirita* + *-oso*.] *Adj.* Piritífero.
pirizal. [De *piri* + *-z-* + *-al*.] *S. m. Bras.* Terreno onde é abundante o piri; juncal.
▲**piro-.** V. *pi(i)-*[1].
piroaba. *S. f. Bras.* V. *piraoba*.
piroantimoniato. *S. m. Min.* Composto mineral de piroantimonita e um óxido alcalino ou alcalino-terroso.
piroantimonita. *S. f. Min.* Estibina parcialmente oxidada. [Fórm.: $2Sb_2S_3.Sb_2O_3$.]
pirobalística. [De *piro-* + *balística*.] *S. f.* Arte de calcular o alcance das armas de fogo.
pirobalístico. *Adj.* Respeitante à pirobalística.
pirobetume. *S. m. Quím.* Betume que se obtém por destilação seca.
pirobo (ô). *S. m. Bras., N.E.* V. *efeminado* (6).
piroca. [Do tupi *pi'roka*, 'calvo'.] *Adj. 2 g.* **1.** *Bras., AM.* Calvo, careca. **2.** *Bras., N.* V. *avaro* (1). ● *S. f.* **3.** *Bras. Chulo.* Pênis de menino. **4.** *Bras. Chulo.* O pênis.
pirocar. *V. int.* **1.** *Bras., AM.* Tornar-se calvo ou piroca; encalvecer: *Começou a p i r o c a r aos 30 anos.* **2.** *Bras., AM.* Perder a pele, casca ou cabelo; esfolar: *O cachorro, atacado de raiva, p i r o c o u. T. d.* **3.** *Bras. Chulo.* Copular com. [Conjug.: v. *trancar*.]
pirocatecol. *S. m. Quím.* Substância cristalina, incolor, solúvel em água e álcool, obtida pela fusão de ácido fenolsulfônico com potassa cáustica, e usada como antisséptico, em fotografia e na indústria de corantes; pirocatequina, ácido pirocatequínico, catecol. [Fórm.: $C_6H_4(OH)_2$.]
pirocatequina. *S. f. Quím.* V. *pirocatecol*.
pirocatequínico. *Adj. Quím.* ~ V. *ácido* —.
piroclástico. [De *piro-* + *-clast(o)-* + *-ico*[2].] *Adj. Geol.* Diz-se dos sedimentos originários das atividades vulcânicas explosivas, das quais provêm fragmentos de vários tamanhos, desde poeiras até blocos, que se vão depositar, formando os depósitos piroclásticos.
piroclímax (cs). *S. m. 2 n. Fitog.* Vegetação cuja fisionomia e estrutura são devidas à ação deletéria do fogo periódico. [Na opinião de muitos, o cerrado é um piroclímax.]
pirocloro. [De *piro-* + *-cloro*.] *S. m. Min.* Mineral monométrico, fluorniobato e titanato de cálcio e sódio, que pode ser uma fonte de tório.
piroculu. [De or. indígena.] *S. m. Bras., Amaz.* **1.** V. *parauaçu*. **2.** Cuxiú-de-nariz-branco.
piroeletricidade. [De *piro-* + *eletricidade*.] *S. f. Fís.* V. *pireletricidade*.
piroelétrico. *Adj.* V. *pirelétrico*.
pirófago. [De *piro-* + *-fago*.] *S. m.* Prestidigitador que simula engolir fogo.
pirófilo. [De *piro-* + *-filo*[2].] *Adj. Ecol. Veg.* Que se beneficia com o calor do fogo das queimadas de vegetação: *semente p i r ó f i l a.* [O cerrado é uma vegetação pirófila: rebrota vigorosamente após as queimadas.]
pirófito. [De *piro-* + *-fito*.] *S. m. Ecol. Veg.* Vegetal pirófilo.
pirofobia. [De *piro-* + *-fob(o)-* + *-ia*.] *S. f.* Horror doentio ao fogo.
pirofóbico. *Adj.* Relativo à pirofobia.
pirófobo. *Adj.* e *s. m.* Diz-se de, ou aquele que tem pirofobia.
pirofórico. [De *piro-* + *-for(o)-* + *-ico*[2].] *Adj. Quím.* Que se inflama espontaneamente.
piróforo. [Do gr. *pyrophóros*.] *Adj.* **1.** Inflamável (1). ● *S. m.* **2.** Substância que se inflama espontaneamente ao ar.
pirofosfórico. [De *piro-* + *fosfórico*.] *Adj.* ~ V. *ácido* —.
piroga. [Do caraíba *piragua*, pelo esp. *piragua*, ou talvez pelo fr. *pirogue*.] *S. f.* Antiga embarcação indígena, esguia e aberta, feita de um tronco de árvore escavado a fogo: "— Tomadas de pavor, dando contra os baixios, / As p i r o g a s dos teus fugiam pelo mar..." (Olavo Bilac, *Poesias*, p. 260). [É a almadia brasileira.]
pirogalol. [Do ingl. *pyrogallol*.] *S. m. Quím.* Derivado triidroxilado do benzeno, sólido, cristalino, usado como revelador em fotografia. [Fórm.: $C_6H_6O_3$.]
pirogenação. [De um **pirogenar* pir(o)- + *-gen(o)-* + *-ar*[2-] + *-ção*.] *S. f.* Reação que se produz com o concurso do fogo.
pirogênese. [De *piro-* + *-gênese*.] *S. f. Fís.* Produção de calor.
pirogenético. *Adj.* Referente à pirogênese.
pirogênico. [De *piro-* + *-gen(o)-*[1] + *-ico*[2].] *Adj.* Produzido pelo calor, ou pela ação dele.
pirogênio. [De *piro-* + *-gen(o)-*[2] + *-io*[2].] *S. m. Med.* Substância originada em células vivas, que produz elevação de temperatura corporal.
pirogravura. [De *piro-* + *gravura*.] *S. f.* **1.** Arte de desenhar ou gravar com ponta incandescente. **2.** Desenho feito desta maneira.
pirola. *S. f. Bras., CE. Chulo.* V. *pênis*.
pirolácea. *S. f.* Espécime das piroláceas.
piroláceas. *S. f. pl. Bot.* Família de plantas floríferas, da ordem das ericales, composta de ervas verdes ou sem clorofila, saprofíticas, de folhas alternas e flores solitárias ou racemosas. Existem apenas umas 35 espécies, do hemisfério boreal.
piroláceo. *Adj.* Pertencente ou relativo às piroláceas.
pirólatra. [De *piro-* + *-latra*.] *S. 2 g.* Pessoa que pratica a pirolatria; adorador do fogo.
pirolatria. [De *piro-* + *-latria*.] *S. f.* Adoração do fogo.
pirolátrico. *Adj.* Relativo à pirolatria, ou a pirólatra.
pirolenhoso (ô). *Adj. Quím.* Diz-se de material proveniente, ou resultante, da ação do calor sobre a madeira.
pirólise. [De *piro-* + *-lise*.] *S. f. Quím.* Decomposição pelo calor.
pirolisita. *S. f. Min.* Pirolusita [q. v.].
pirolito. [De *pirlito*, por *pilrito*, com epêntese.] *S. m.* Certo estribilho popular. [Cf. *pirulito*.]
pirologia. [De *piro-* + *-log(o)-* + *-ia*.] *S. f.* Tratado sobre o fogo.
pirológico. *Adj.* Concernente à pirologia.
pirolusita. [Var. de *pirolisita* < *piro-* + *-lis(e)-* + *-ita*[3].] *S. f. Min.* Mineral ortorrômbico, preto, opaco, óxido de manganês, minério de manganês, empregado como oxidante nas indústrias de vidros, para os tornar límpidos.
piromancia (cí). [De *piro-* + *-mancia*.] *S. f.* Adivinhação por meio de fogo.

piromania. [De *piro-* + *-mania.*] *S. f.* Mania de fogo; tendência de incendiário, de piromaníaco.

piromaníaco. *Adj.* **1.** Relativo à piromania. **2.** Que tem piromania; incendiário. ● *S. m.* **3.** V. *pirômano*: "Piromaníaco é procurado em São João da Barra depois que cinco casas da região foram arrombadas e incendiadas sem que nada fosse roubado." (*Jornal do Brasil*, 3.11.1984.)

pirômano. *S. m.* Aquele que tem piromania; piromaníaco, incendiário.

piromante. [De *piro-* + *-mante.*] *S. 2 g.* Pessoa que pratica a piromancia.

piromântico. *Adj.* Referente à piromancia, ou a piromante.

pirometalurgia. [De *piro-* + *metalurgia.*] *S. f.* Designação genérica dos processos metalúrgicos que ocorrem em temperaturas elevadas e nos quais o calor é agente importante para o desenvolvimento das reações químicas entre os materiais envolvidos.

pirometalúrgico. *Adj.* Relativo à metalurgia.

pirometria. [De *piro* + *-metr(o)-*[2] + -ia.] *S. f.* Arte de avaliar as altas temperaturas.

pirométrico. *Adj.* Referente à pirometria, ou ao pirômetro.

pirômetro. [De *piro-* + *-metro.*] *S. m.* Instrumento para medição de temperatura mediante a radiação emitida por um sistema aquecido.

piromorfita. [De *piro-* + *-morf(o)-* + *-ita*[3].] *S. f. Min.* Mineral hexagonal, clorofosfato de chumbo, minério pobre de chumbo.

pironga. *S. f. Bras.*, V. *urupê.*

pironomia. [De *piro-* + *-nom(o)-* + *-ia.*] *S. f.* Arte de regular a temperatura nas reações químicas.

pironômico. *Adj.* Respeitante à pironomia.

piroplasma. [De *pir(i)-*[2] + *-o-* -plasma.] *S. m.* Parasito de aspecto piriforme, encontrado no sangue dos animais domésticos, e que produz certa moléstia febril de forma aguda.

piroplasmose. [De *piroplasma* + *-ose.*] *S. f. Veter.* Infecção causada por piroplasma.

piropo[1]. [Do gr. *pyropós*, 'com aspecto de fogo' (subentende-se *lithos*, 'pedra').] *S. m.* **1.** A cor do fogo. **2.** *Min.* Mineral monométrico vermelho-escuro, do grupo das granadas, constituído essencialmente de silicato de alumínio e magnésio.

piropo[2]. [Do lat. *pyropu.*] *S. m.* Liga usada pelos antigos, com quatro partes de cobre e uma de ouro.

piroquetagem. *S. f.* Atitude, modos ou caráter de piroquete.

piroquete. [Alter. de *espiroqueta?*] *S. m. Bras. Gír.* **1.** Indivíduo ruidoso, agitado, irrequieto. **2.** Aquele que emite opiniões levianas; palpiteiro.

pirosca. *S. f. Bras., MG.* V. *gude.*

piroscópio. [De *piro-* + *-scop-* + *-io*[2].] *S. m.* Instrumento que, regulado para determinado grau térmico, indica que a temperatura atingiu esse grau.

pirose. [Do gr. *pyrosis*, 'ação de queimar'.] *S. f. Med.* Sensação de queimação que se inicia em situação retrosternal e se propaga, geralmente, em ondas sucessivas, até a faringe, estando acompanhada de eructação ácida e de aumento de salivação. [Sin.: *azia*, e (bras., PR) *cremor.*]

pirosfera. [De *piro-* + *-sfera.*] *S. f. Geol.* Camada interior, ígnea, do globo terrestre, compreendida entre o nife e a crosta superior, e onde se originam as lavas do vulcão.

pirosférico. *Adj.* Concernente à pirosfera.

pirosômido. *S. m.* **1.** Espécime dos pirosômidos. ● *Adj.* **2.** Pertencente ou relativo a eles.

pirosômidos. *S. m. pl. Zool.* Animais cordados, taliáceos, da ordem *Pyrosomida*, sem configuração larvar, que formam colônia tubular, compacta. Têm bandas musculares presentes apenas na extremidade do corpo, fendas branquiais altas e numerosas (até 50), e são fosforescentes quando vivos.

pirote. *S. m. Bras.* V. *cocó.*

pirotecnia. [De *piro-* + *-tecn(o)-* + *-ia.*] *S. f.* **1.** Arte de empregar o fogo ou os explosivos. **2.** O conjunto dos conhecimentos necessários para preparar os fogos de artifício.

pirotécnico. *Adj.* **1.** Referente à pirotecnia. ~ V. *artefato* —, *chuva* —a e *pólvora* —a. ● *S. m.* **2.** Fabricante de fogos de artifício.

pirótico. [Do gr. *pyrotikós.*] *Adj.* Que cauteriza.

piroxênio (cs). [De *piro-* + *-xen(o)-* + *-io*[2].] *S. m. Min.* Designação comum aos minerais do grupo dos piroxênios, formado por silicatos de magnésio, ferro, cálcio, por vezes também alumínio e sódio, raramente puros, as quais das vezes em misturas isomorfas.

piroxenito (cs). *S. m. Geol.* Rocha magmática constituída essencialmente por piroxênios.

piroxila (cs). [De *piro-* + *-xilo.*] *S. f. Quím.* Piroxilina.

piroxilina (cs). *S. f. Quím.* Variedade de nitrocelulose com baixo teor de nitrogênio; piroxila.

pirpiritubense. *Adj. 2 g.* **1.** De, ou pertencente ou relativo a Pirpirituba (PB). ● *S. 2 g.* **2.** Natural ou habitante de Pirpirituba.

pirraça. *S. f.* **1.** Coisa feita de propósito com o intuito de contrariar, agastar, aborrecer, amolar. **2.** Acinte, desfeita, partida, perraria, perrice.

pirraçar. *V. int.* **1.** Fazer pirraça; contrariar, pirracear. *T. d.* **2.** Fazer pirraça a; contrariar de caso pensado: *A criança, ressentida, procurou pirraçar a mãe.* [F. paral.: *pirracear.* Conjug.: v. *laçar.*]

pirracear. *V. int.* e *t. d.* pirraçar: "o fazendeiro recomendou, pediu insistido — e o caboclo, só de ruim, desatende, pirraceia." (Mário Palmério, *Vila dos Confins*, p. 140). [Conjug.: v. *frear.*]

pirraceiro. *Adj.* e *s. m.* Pirracento.

pirracento. *Adj.* e *s. m.* Que ou aquele que é dado a fazer pirraças; pirraceiro.

pirralhada. *S. f. Bras.* Conjunto de pirralhos; pequenada, gurizada.

pirralho. *s. m. Bras.* e *prov. lus.* **1** Menino pequeno; criança, guri. **2.** Indivíduo de baixa estatura.

pírrica. [Do gr. *pyrríche*, pelo lat. *pyrrhicha.*] *S. f.* Dança guerreira, de origem dórica, que se dançava tanto em Atenas quanto em Esparta, e na qual os homens eram exercitados desde a infância, a fim de prepararem-se para enfrentar os combates: "O divino Homero .... acreditava que a tomada de Tróia se deu, devido à maneira impecável por que os gregos, em combate, dançaram a pírrica." (Martins Fontes, *A Dança*, pp. 14-15.)

pirríquio. [Do gr. *pyrrichios* (subentendendo-se *pons* 'pé'), pelo lat. *pyrrhichiu.*] *S. m.* Pé de verso grego ou latino constituído de duas sílabas breves; pariambo, periambo.

pirrol. [Do gr. *pyrrhós*, 'cor de fogo', + *-ol.*] *S. m. Quím.* Composto heterocíclico, cujo anel tem quatro átomos de carbono e um de nitrogênio, líquido incolor, de odor semelhante ao do clorofórmio, é base muito fraca. [Fórm.: C_4H_5N.]

pirrola (ô). *S. f. Bras., MG. Pop.* Pênis de menino.

pirronice. *S. f.* **1.** Qualidade, ato, atitude ou dito de pirrônico. **2.** Desconfiança sistemática. **3.** Obstinação acintosa.

pirrônico. *Adj.* e *s. m.* **1.** Que ou aquele que segue a doutrina do pirronismo. **2.** *P. ext.* Que, ou aquele que duvida de tudo. **3.** *Fam.* Teimoso, obstinado.

pirronismo. [Do antr. *Pírron* + *-ismo.*] *S. m.* **1.** *Filos.* Doutrina de Pirron de Élis, filósofo grego (c. 365- c.270 a.C.), e de seus seguidores, caracterizada pelo cepticismo radical. [Cf. *cepticismo (1 e 2).*] **2.** *P. ext.* Hábito de duvidar de tudo. **3.** *Fam.* Teimosia, obstinação.

pirronizar. *V. int.* Proceder como pirrônico (1); ser ou mostrar-se céptico.

pirrotita. [Do gr. *pyrrhótes*, 'avermelhado, cor de fogo', + *-ita*[3].] *S. f. Min.* Mineral hexagonal, cor de bronze, de brilho metálico, magnético, sulfito de ferro, e que pode ser minério de níquel quando este se encontra em quantidade apreciável como impureza.

pírtiga. [Var. de *pértiga.*] *S. f.* **1.** *Ant.* Vara, varapau. **2.** Cabeçalho de carro.

pírtigo. [Var. de *pírtiga.*] *S. m.* Vara do mangual.

piruá. [Do tupi *piru' á*, 'empola'.] *S. m. Bras.* Grão de milho que não rebenta ao ser feita a pipoca.

pirucaia. [De *pira-* + tupi *u'kai*, 'ele se queima'.] *S. f. Bras., PE.* V. *oveva.*

pirueta (ê). [Do fr. *pirouette.*] *S. f.* **1.** Volta do cavalo sobre uma das mãos. **2.** Rodopio sobre um pé. **3.** Pulo, salto, cabriola. [Pl.: *piruetas* (ê). Cf. pirueta e *piruetas*, do v. *piruetar.*]

piruetar, *V int.* **1.** Fazer pirueta (1): *O cavalo piruetou, derrubando a moça.* **2.** Dar cambalhotas ou cabriolas; cabriolar, cambalhotar: *O palhaço piruetava, divertindo as crianças.* [Pres. ind.: *pirueto, piruetas, pirueta*, etc. Cf. *pirueta* (ê) e o pl. *piruetas* (ê).]

pirulito. [De *pirolito?*] *S. m. Bras.* **1.** Cone de mel escuro e solidificado preso na extremidade de um palito, por onde se pega para consumi-lo. **2.** *Fig.* Pessoa muito magra. **3.** *Inf.* Pênis de menino. **4.** *Chulo.* O pênis. [Cf. *pirolito.*]

pirupiru. [Do tupi *pirupi'ru.*] *S. m. Bras.* Ave caradriiforme, da família dos hematopodídeos (*Haematopus ostralegus palliatus* Tem.), das costas pacíficas da América, do S. do México ao Panamá, e das costas atlânticas desde os E.U.A. Coloração preta na cabeça e pescoço, cinzento-escura no dorso, asas e cauda, tendo esta a ponta preta; peito, abdome, coberteiras maiores das asas e coberteiras exteriores, brancas; bico amarelo, com cerca de 8 cm. Alimenta-se de artrópodes aquáticos, vermes e, até, vegetais. [Sin.: *baiacu, baiagu, batuíra-do-mar-grosso, bejaqui.*]

piruruca. [Var. de *pururuca.*] *S. f. Bras., MG.* V. *canjica* (4).

pirúvico. *Adj.* ~ V. *ácido*— e *álcool* —.

pisa. [Dev. de *pisar.*] *S. f.* **1.** Ato de pisar. **2.** V. *surra* (1): "Quando acabava a pisa, que me deixava moída, as carnes roxas, nosso bem-querer durava a semana toda" (Nélson de Faria, *Tiziu e Outras Estórias*, p. 22). **3.** *Bras., BA.* Operação que consiste em revolver com os pés as bagas de cacau que secam ao sol, para lhes dar polimento. ● *S. m.* **4.** *Bras. Gír.* A arte de roubar em lojas. **5.** *Bras. Gír.* V. *pisante.* ♦ **Trabalhar no pisa.** *Bras. Gír.* Roubar em lojas.

pisada. [Fem. substantivado de *pisado.*] *S. f.* **1.** Pegada, rastro. **2.** V. *pisadela.* **3.** *Bras., N.E.* Andadura de cavalo. **4.** *Bras., N.E.* Rojão, diapasão, andamento: *A dança está boa, e nesta pisada eu vou até o amanhecer.*

pisadeira. [De *pisar* + *-deira.*] *S. f. Bras.* Velha feia, magra, que para amedrontar as crianças dizem achar-se no telhado e vir sentar-se-lhes no peito quando choram.

pisadela. *S. f.* Ato ou efeito de pisar; pisada, pisão.

pisado. [Part. de *pisar.*] *Adj.* **1.** Calcado, esmagado. **2.** Contundido, magoado.

pisador (ô). *Adj.* e *s. m.* Que ou aquele que pisa.

pisadura. [De *pisar* + *-(d)ura.*] *S. f.* **1.** Vestígio de pisadas. **2.** V. *equimose.* **3.** Bras., N.E. Ferida no lombo dos animais; matadura.

pisa-flores. [Da 3ª pess. sing. do pres. ind. de *pisar* + o pl. de *flor.*] *S. m. 2 n.* V. *salta-pocinhas.*

pisa-mansinho. [Da 3ª pess. sing. do pres. ind. de *pisar* + *mansinho*, adv., dim. de *manso.*] *Adj. 2 n.* e *s. m. 2 n.* Que ou aquele que é dissimulado, sonso.

pisano. *Adj.* **1.** De, ou pertencente ou relativo a Pisa (Itália). ● *S. m.* **2.** O natural ou habitante de Pisa.

pisante. [De *pisar.*] *S. m. Bras. Gír.* Calçado, sapato; calcante, pisa. ~ V. *pisantes.*

pisantes. *S. m. pl. Bras.* Os pés. ~ V. *pisante.*

pisão. [De *pisar* + *-ão*[3].] *S. m.* **1.** Máquina em que se aperta e bate o pano, para torná-lo mais consistente e tapado. **2.** *Bras.* V. *pisadela.*

pisar. [Do lat. *pinsare*, 'bater, pilar, moer'.] *V. t. d.* **1.** Pôr o(s) pé(s) sobre; tocar com o (s) pé(s): *Sentia emoção em pisar de novo, o solo pátrio.* **2.** Passar ou andar por cima de: "Pelo mundo vagueando, / Juntos os Alpes subimos, / Estranhas terras pisando." (D. J. G. de Magalhães, *Suspiros Poéticos e Saudades*, p. 281); *Os soldados pisavam cuidadosos o terreno minado.* **3.** Esmagar com os pés; calcar; espezinhar: *pisar as uvas para fazer o vinho.* **4.** Triturar ou moer no pilão; pilar, trilhar; *pisar o café.* **5.** Comprimir até rebentar ou achatar; esmagar, calcar, amolgar: *Uma pedra enorme rolou, pisando casas e pessoas.* **6.** Causar pisadura ou contusão em; magoar, contundir, moer: *As pancadas pisaram-lhe todo o corpo.* **7.** Quebrantar (o corpo), por meio de jejuns, cilícios, etc.: submeter a maceramento; macerar: *Alguns ascetas medievais penitenciavam-se pisando o corpo.* **8.** Tratar com desprezo; desprezar, espezinhar: *Orgulhoso, pisa amigos e inimigos.* **9.** Atacar o bom nome ou os preceitos de; ofender, injuriar, melindrar: *Publicações meramente pornográficas pisam a tradição cultural.* **10.** Dominar física ou moralmente; vencer, abater, subjugar: *A modéstia acaba pisando a arrogância.* **11.** Pôr os pés, entrar, em; percorrer, atravessar: *Os bandeirantes pisaram o interior do Brasil, alargando-lhe as fronteiras.* **12.** Insistir em (um assunto); repetir várias vezes, repisar: *Os primeiros capítulos do livro pisam o mesmo tema* **13.** Calcar, passando por cima; atropelar: *O automóvel pisou um cão.* **14.** Desfazer os torrões de; esterroar, desterroar: *Garimpeiros pisavam ribanceiras à cata de ouro.* **15.** *Bras.* Causar pisadura (3) em (o animal): *Ajeitou a sela para não pisar o potro. Int.* **16.** Mover-se com os pés no chão; andar, caminhar: "Foi andando à toa, num contentamento enorme. Pisava firme" (Jorge Medauar, *Água Preta*, p. 207). **17.** *Bras.* Acelerar veículo automóvel; acelerar: *A estrada era ótima, e ele pisou.* **18.** *Bras. Gír.* V. *fugir* (1 e 2). *T. i.* **19.** Pôr o(s) pé(s) no chão; andar, caminhar: *Vai ligeiro, como quem sabe onde pisa.*

pisa-verdes. [De *pisar* + o pl. de *verde* (12).] *S. m. 2 n.* V. *salta-pocinhas.*

pisca[1]. [Do esp. *pizca.*] *S. f.* **1.** Coisa extremamente pequena. **2.** Grãozinho, grânulo: "Reluz no saibro ou pedra a pisca de ouro, / Ou diamante, talvez" (Alberto de Oliveira, *Poesias*, 3ª série, p. 284). **3.** Pó[1] (1). **4.** Fagulha, faúlha.

pisca[2]. [Voc. onom.] *Interj. Bras.* Voz para açular os cães.

piscação. *S. f.* **1.** *Desus.* V. *piscadela.* **2.** Sucessão de piscadelas.

piscadela. *S. f.* **1.** Ato ou efeito de piscar. **2.** Sinal que se faz piscando. [Sin. ger.: *piscamento; piscação* (desus.); *piscado* (bras.).]

piscado. *S. m. Bras.* V. *piscadela.*

piscamento. *S. m.* V. *piscadela.*

piscante. *Adj. 2 g.* V. *pisco[2]* (1).

pisca-pisca. [Da 3ª pess. sing. do pres. ind. de *piscar*, repetida.] *S. 2 g.* **1.** *Fam.* Pessoa que tem o cacoete de piscar continuamente. ● *S. m.* **2.** Ato ou movimento de piscar seguidamente, de pisca-piscar. **3.** Farol que acende e apaga sem cessar, na sinalização do trânsito. **4.** Nos automóveis, farolete que, piscando, indica mudança de direção na marcha do veículo. **5.** *Jog. Inf.* Jogo de salão em que alguns participantes se sentam em roda, deixando vazia uma cadeira, enquanto outros se postam atrás de cada cadeira, inclusive a desocupada, com os braços para trás, vigiando o companheiro sentado para impedir que corra a ocupar o lugar vago, atendendo ao piscar de olhos de quem está sem parceiro. **6.** *Mar.* Escorte[2]. [Pl.: *piscas-piscas* e *pisca-piscas.*]

pisca-piscar. [De *pisca(r)* + *piscar.*] *V. int.* Piscar repetidas vezes: *O farol pisca-piscava ao longe*; "Abriu os olhos, mas esses, meio cerrados, pisca-piscando, tornaram a fechar-se com força." (Hugo de Carvalho Ramos, *Tropas e Boiadas*, p. 75.) [Conjug.: v. *trancar.*]

piscar. *V. t. d.* **1.** Fechar e abrir rapidamente (os olhos): *Pisca os olhos quando começa a irritar-se. T. d. e i.* **2.** Dar sinal, piscando: "houve um instante em que teve a impressão exata de que ele sorrira cinicamente e lhe piscara o olho direito." (José Condé, *Como uma Tarde em Dezembro*, p. 132). *Int.* **3.** Fechar e abrir rapidamente os olhos: *O homem piscava nervosamente.* **4.** *Fig.* Brilhar intermitentemente; tremeluzir: *As estrelas piscavam no firmamento. P.* **5.** Trocar sinais piscando os olhos: *Os dois amigos piscaram-se, como tinham convencionado.* [Conjug.: v. *trancar.*] ● *S. m.* **6.** Ato de piscar. ◆ **Num piscar de olhos.** Num abrir e fechar de olhos.

piscativo. [Do lat. *piscatu*, part. de *piscare*, 'pescar', + *-ivo.*] *Adj. Desus.* Piscatório.

piscatória. [Fem. substantivado de *piscatório.*] *S. f. Liter.* Composição poética em que aparecem como personagens pescadores ou homens do mar.

piscatório. [Do lat. *piscatoriu.*] *Adj.* Respeitante à pesca ou aos pescadores. [Sin., desus.: *piscativo.*]

písceo. [Do lat. *pisceu.*] *Adj.* Relativo ou pertencente a peixe. [Cf. *píceo.*]

pisces. [Do lat. *pisces.*] *S. m. pl.* **1.** Astr. Peixes (1). **2.** Peixes (2).

▲pisci-. [Do lat. *piscis, is.*] *El. comp.* = 'peixe': *piscicultura, pisciforme.*

pisciano. [Do lat. *Pisces*, 'Peixes', + *-i-* + *-ano.*] *S. m.* **1.** Indivíduo nascido sob o signo de Peixes ou Pisces. ● *Adj.* **2.** Diz-se de, ou pertencente ou relativo a pisciano (1).

piscicaptura. [De *pisci-* + *captura.*] *S. f.* Ação de apanhar peixes; pesca.

piscicultor (ô). [De *pisci-* + *cultor.*] *S. m.* Aquele que se entrega à piscicultura.

piscicultura. [De *pisci-* + *cultura.*] *S. f.* Arte de criar e multiplicar os peixes.

pisciforme. [De *pisci-* + *-forme.*] *Adj. 2 g.* Que tem forma de peixe: "No largo tanque, nas ruidosas fontes, / ..... / .... Tritões flutuam, pisciformes déias, / Crocodilos, esfinges, minotauros" (Araújo Porto-Alegre, *Colombo*, p. 240). [Cf. *piciformes.*]

piscina. [Do lat. *piscina*, 'viveiro de peixes'.] *S. f.* **1.** Reservatório de água onde se costumava criar peixes. **2.** Tanque para banho, lavagem de roupa ou bebedouro de gado. **3.** Tanque artificial para natação. **4.** Pia de batismo. **5.** *Fig.* O sacramento da penitência. ◆ **Piscina probática.** Piscina ao pé do templo de Jerusalém, na qual se guardava água para lavar os animais destinados ao sacrifício.

piscinal. [Do lat. *piscinale.*] *Adj. 2 g.* Que vive em piscina.

piscívoro. [Do lat. *piscivoru.*] *Adj.* Que se alimenta de peixe.

pisco[1]. [Do quíchua.] *S. m.* Certa aguardente peruana de uva, muito estimada.

pisco[2]. [Dev. de *piscar.*] *Adj.* **1.** Que pisca os olhos; piscante, pisqueiro. **2.** Diz-se do(s) olho(s) de quem pisca freqüentemente: "Teatros alegres, onde se acotovelam francesinhas perfumadas, de olhos piscos circulados de olheiras provocantes" (Olavo Bilac, *Ironia e Piedade*, p. 119).

píscola. *S. f. Lus.* Dois ou mais arados que lavram juntos.

piscosidade. *S. f.* Qualidade de piscoso: "o que mais atrai o interesse dos pescadores .... é a extrema piscosidade dessas ilhas [as Cagarras]." (Cleusa Maria, *Jornal do Brasil*, 3.1.1982.)

piscoso (ô). [Do lat. *piscosu.*] *Adj.* Em que há muito peixe: *rio piscoso*; "Os mares piscosos traziam a fartura, e alentavam a costeagem" (J. Capistrano de Abreu, *Capítulos de História Colonial*, p. 101).

pisgar-se. *V. p.* Retirar-se à socapa; escapar-se, escapulir-se, safar-se, pirar(-se). V. *fugir* (1 e 2). [Conjug.: v. *largar*. Cf. *pesgar.*]

▲-pisi. [Do lat. *pisum, i.*] *El. comp.* = 'ervilha': pisiforme. [Equiv.: *piso-*: *pisolítico.*]

pisiforme. [De *pisi-* + *-forme.*] *Adj. 2 g.* Do tamanho e da forma da ervilha. ~ V. *osso* —.

piso. [Dev. de *pisar.*] *S. m.* **1.** Modo de andar. **2.** Terreno em que se anda. **3.** Revestimento, com material apropriado, do solo (ou parte de uma construção) onde se pisa; chão, pavimento, pavimentação: *piso de ladrilhos, de mármore.* **4.** A face superior dos degraus. **5.** Propina ou dote que pagam as freiras ao entrarem no convento. **6.** *Bras.* Piso salarial. **7.** *Bras., CE.* Pisada, pegada, rastro. ◆ **Piso salarial.** *Bras.* O menor salário de uma classe de servidor público ou de trabalhador. [Tb. se diz apenas *piso.*]

▲piso-. Equiv. de *pisi-*.

pisoador (ô). *S. m.* Aquele ou aquilo que pisoa; pisoeiro.

pisoagem. [De *pisoar* + *-agem[2].*] *S. f.* Pisoamento.

pisoamento. *S. m.* Ato de pisoar; pisoagem.

pisoar. *V. t. d.* Apertar e bater (o pano) com o pisão (1); apisoar. [Conjug.: v. *coroar.*]

pisoeiro. [De *pisoar* + *-eiro.*] *S. m.* Pisoador.

pisolítico. *Adj. Geol.* **1.** Pertencente ou relativo ao, ou da natureza do pisólito. **2.** Constituído de pisólitos.

pisólito. [De *piso-* + *-lito.*] *S. m. Geol.* **1.** Concreção pisiforme, maior que a dum oólito. **2.** Rocha calcária constituída por concreções desse tipo.

pisotear. [Do esp. plat. *pisotear.*] *V. t. d. Bras., S.* **1.** Esmagar com os pés; calcar, pisar, espezinhar: *pisotear as uvas*; *"derrubei cruzes, pisoteei ramos, calquei sepulturas!..."* (Simões Lopes Neto, *Contos Gauchescos e Lendas do Sul*, p. 297). **2.** *Fig.* Rebaixar moralmente; humilhar, vexar: *Sua ostentação pisoteia os que dele se aproximam.* [Conjug.: v. *frear.*]

pisoteio. [Do esp. plat. *pisoteo.*] *S. m. Bras., S.* Ação de pisotear.

pisqueiro. [De *piscar* + *-eiro.*] *Adj.* V. *pisco[2]* (1).

pisquila. *S. 2 g. Bras. Fam.* Pessoa franzina e de pequena estatura.

pissandó. [Var. de *pissandu.*] *S. m. Bras.* V. *ariri* (1).

pissandu. [Do tupi amazonense *pisã'du*; var.: *pissandó.*] *S. m. Bras.* V. *ariri* (1).

pissasfáltico. *Adj.* Relativo ao, ou da natureza do pissasfalto.

pissasfalto. [Do gr. *pissásfaltos*, pelo lat. *pissasphaltu.*] *S. m.* Mistura de pez e betume, à qual se adicionava suco de cedro, e que os romanos e outros povos usavam para embalsamar os cadáveres.

pisseta (ê). *S. f. Quím.* Vaso de vidro ou de plástico, fechado, provido de um tubo afilado de saída, por onde se pode fazer escoar, mediante compressão, o líquido que encerra (em geral, água destilada), e que se usa para lavar precipitados.

píssico. [De *psico(pata)*, com epêntese e hiperbibasmo.] *Adj.* e *s. m. Bras., RJ. Gír.* Diz-se de, ou indivíduo amalucado, adoidado.

pissitar. [Voc. onom.] *V. int.* **1.** Soltar a voz (o estorninho). ● *S. m.* **2.** A voz, o grito dessa ave.

pista. [Do it. *pista.*] *S. f.* **1.** V. *vestígio.* **2.** *P. ext.* Encalço, procura: *Passou o dia todo na pista dos fugitivos, sem os encontrar.* **3.** *Fig.* Indicação, orientação: *Vou dar uma pista — veja se descobre o que aconteceu.* **4.** Recinto circular dentro do qual os cavalos correm, nos exercícios de equitação. **5.** A parte do hipódromo onde correm os cavalos. **6.** Lugar onde se pratica atletismo. **7.** Superfície retangular de um aeroporto preparada para o pouso e a decolagem de aviões. **8.** Pista de rolamento: "De lá se toma uma pequena estrada de uma só pista até Lafaiete." (Fernando Sabino, *A Companheira de Viagem*, p. 55.) **9.** Estrado ou parte de salão reservado a danças: *Os pares rodopiavam na pista ao som da orquestra.* **10.** *Bibliot.* Relação, na ficha principal, dos cabeçalhos secundários pelos quais deve a obra ser representada no catálogo. ◆ **Pista de rolamento. 1.** A parte de uma rodovia ou de uma rua sobre a qual os veículos circulam. **2.** Num aeroporto, via preparada para que nela os aviões façam táxi [v. *fazer táxi*]. [Tb. se diz apenas *pista.*] **Dar na pista.** *Bras. Gír.* V. *fugir* (1 e 2). **Fazer a pista.** *Bras. Gír.* **1.** ir-se embora; sair. **2.** V. *fugir* (1 e 2).

pistacha. [Var. de *pistache.*] *S. f.* V. *pistácia.*

pistache. [Do fr. *pistache.*] *S. f.* **1.** V. *pistácia.* **2.** A essência do pistácio.

pistacho. [Var. de *pistache.*] *S. m.* V. *pistácia.*

pistácia. [Do persa *pishtā*, pelo gr. *pistáke*, pelo lat. *pistacia.*] *S. f.* Designação comum a duas árvores pequenas, da família das anacardiáceas (*Pistacia vera* e *P. lentiscus*), características da região mediterrânea, cujos frutos cedem material de sabor delicado, usado como condimento em cozinha e confeitaria, especialmente no preparo de sorvetes. [F. paral.: *pistache* (e suas var.: *pistacha, pistacho*).]

pistácio. [Do gr. *pistákia, on*, pelo lat. *pistaciu.*] *S. m.* O fruto ou a semente da pistácia.

pistacita. [De *pistácio* + *-ita[3].*] *S. f. Min.* Epídoto.

pistão. *S. m.* Pistom [q. v.].

pistilado. *Adj. Morfol. Veg.* Provido de pistilo; pistiloso: *flor pistilada.*

pistilar. *Adj. 2 g. Morfol. Veg.* Relativo ou pertencente ao pistilo: *nectário pistilar.*

pistilo. [Do lat. pistillu, 'mão de pilão'.] *S. m. Morfol. Veg.* Unidade do gineceu (2), formada de ovário, estilete e estigma. [Quando o gineceu é apocárpico, há mais de um pistilo.] [Cf. *pistilo.*]

pistiloso (ô). *Adj. Morfol. Veg.* Pistilado.

pistola. [Do tcheco *pistal*, pelo al. *Pistole* e pelo fr. *pistole.*] *S. f.* **1.** Arma de fogo portátil, leve, de cano muito curto, e que se maneja com uma só mão. [Sin. (bras., gír.): *fria.* Cf. *revólver.*] **2.** Canudo de fogo de artifício que dispara glóbulos luminosos: "Espocaram novas pistolas, correram pelos pés 'espanta-coiós', restos de fogueiras .... foram acesos." (Dalcídio Jurandir, *Três Casas e Um Rio*, p. 113.) **3.** Aparelho de ar comprimido, em forma de pistola, empregado para pulverizar tinta ou verniz. **4.** Moeda de ouro espanhola. **5.** Antiga moeda francesa que valia 10 francos. **6.** *Bras., MG* e *RJ. Chulo.* O pênis. [Dim. irreg.: *pistoleta, pistolete, pistolim.*] ◆ **Pistola automática.** Pistola (1) que realiza automaticamente as operações de ejeção e realimentação. Seu funcionamento automático baseia-se no aproveitamento da expansão dos gases formados com a combustão de carga de projeção dos projetis. Em geral dispõe de culatra móvel e, eventualmente, de mecanismo que permite o fogo automático intermitente ou contínuo; seu depósito de projetis é removível, e tem o nome vulgar de pente. [Tb. se diz apenas *automática.*] **Pistola fogo-central** *Bras.* Fogo-central.

pistolaço. *S. m. Bras.* Pistolada.

pistolada. *S. f.* Tiro de pistola. [Sin. (bras.): *pistolaço.*]

pistolão[1]. [De *pistola* + *-ão.*] *S. m.* **1.** Espécie de fogo de artifício.

pistolão[2]. [Do lat. *epistolam*, 'epístola, carta', lido como ox. em vez de propar., com aférese.] *S. m.* **1.** Empenho ou recomendação de pessoa importante; cunha. **2.** Pessoa que faz esse empenho ou recomendação; cunha.

pistoleira. [Fem. de *pistoleiro.*] *S. f. Bras. Gír.* V. *piranha* (4).

pistoleiro. [De *pistola* + *-eiro.*] *S. m.* **1.** Facínora, bandido. **2.** V. *capanga* (3). **3.** Assassino profissional.

pistoleta (ê). *S. f.* **1.** V. *pistolete* (1). **2.** Espécie de jogo de bisca entre dois parceiros.

pistolete (ê). *S. m.* **1.** Pequena pistola (1); pistoleta, pistolim: "trabuco à tiracolo e adaga à cinta, além dos pistoletes nos coldres, completavam o equipamento destes indivíduos" (José de Alencar, *O Sertanejo*, p. 28). **2.** Tipo de broca usada em trabalhos de minas.

pistolim. *S. m.* V. *pistolete* (1).

pistoludo. *Adj. Bras., MG* e *RJ. Chulo.* Que tem pistola (6) grande; picudo.

pistom. [Do fr. *piston.*] *S. m.* **1.** Êmbolo (1). **2.** Dispositivo permanente, em certos instrumentos de metal (trompas, trompetes, trombones, etc.), que assegura a justeza da afinação e permite que o instrumentista, alongando o tubo do instrumento, produza todos os graus da escala cromática. **3.** Trompete de pistons [v. *pistom* (2)]. **4.** Tocador de pistom (3); pistonista. [F. paral.: *pistão.*]

pistonista. *S. 2 g.* V. *pistom* (4).

pita. [Do quíchua *pita*, 'fio fino', pelo esp. amer.] *S. f.* **1.** Fio ou fios da folha da piteira[1] (1). **2.** Trança desses fios. **3.** Piteira[1] (1). **4.** V. *agave* (1).

pitada. [De um *pitt, 'pequenez', + *-ada[1].*] *S. f.* **1.** Porção de pós, particularmente de rapé, que se toma entre o polegar e o índice para cheirar; narigada. **2.** *P. ext.* Pequena porção de uma coisa; ponta.

pitadear. *V. int.* e *p.* **1.** Tomar pitada(s) de rapé. *T. d.* **2.** Sorver (rapé) pelo nariz. **3.** Acompanhar com pitada (1). [Conjug.: v. *frear.*]

pitador (ô). [De *pitar* + *-(d)or.*] *S. m. Bras.* Fumador, fumante.

pitagórico. [Do gr. *pythagorikós,* pelo lat. *pythagoricu.*] *Adj.* **1.** *Filos.* Pertencente ou relativo a Pitágoras ou ao pitagorismo [q. v.], ou próprio daquele ou deste. **2.** Que é seguidor ou adepto do pitagorismo. ~ V. *escola* —a e *número* —. ● *S. m.* **3.** Seguidor ou adepto do pitagorismo; pitagorista.

pitagorismo. *S. m. Filos.* Conjunto de doutrinas e regras de vida atribuídas a Pitágoras de Samos, filósofo e matemático grego (séc. VI a.C.), e a seus seguidores, os pitagóricos, que, dos sécs. VI ao IV a.C., organizados em comunidades filosófico-religiosas multiplicadas pela Magna Grécia, constituíram a chamada *escola itálica* ou *escola pitagórica.* Define-se o pitagorismo por duas tendências: a místico-moralista, ligada ao orfismo e ao chamanismo, e a filosófico-matemática, de que resultou brilhante acervo de conhecimentos aritméticos, geométricos, astronômicos e acústicos, integrados pelo descobrimento de correspondências numéricas entre as várias ordens de realidade.

pitagorista. *S. 2 g.* Pitagórico (3).

pitaguar. *Bras. S. 2 g.* e *adj. 2 g.* V. *potiguar* (1 e 3).

pitaguara. *S. m. Bras.* V. *apojitaguara.*

pitaica. [Do tupi *pi'taika.*] *S. f. Bras., Amaz.* Árvore da família das leguminosas (*Swartzia platygyne*), da floresta pluvial, de tronco profundamente sulcado, e cuja madeira é branca, de dureza média, e serve para lenha.

pitança. [Do lat. vulg. *pietantia < lat. *pietate,* 'comida que se dá por piedade'.] *S. f.* **1.** Ração diária. **2.** Prato extraordinário, servido só em dias de festas. **3.** Pensão, mesada. **4.** Esmola da missa. **5.** *P. ext.* O comer; comida.

pitanceiro. [De *pitança* + *-eiro.*] *S. m. Ant.* O distribuidor das rendas de um convento.

pitanga. [Do tupi *pi'tãg,* 'vermelho'.] *S. f. Bras.* O fruto da pitangueira. ♦ **Chorar pitangas.** *Bras., S.* Pedir insistentemente, lamuriando-se, algo que é negado.

▲-pitanga. [Do tupi.] *Bras. El. comp.* = 'menino'.

pitangaçu. *S. m. Bras.* V. *bem-te-vi-do-bico-chato.*

pitanga-da-praia. *S. f. Bras., L.* Arbusto ou arvoreta da família das mirtáceas *(Eugenia pitanga),* cujos frutos, bacáceos e sucosos, são apreciados, e cujas folhas são coriáceas, acuminadas e algo odoríferas. [Pl.: *pitangas-da-praia.*]

pitangão. [Aum. de *pitanga.*] *S. m. Bras., L.* e *S.* Arvoreta da família das mirtáceas *(Eugenia edulis),* semelhante à pitanga-da-praia.

pitanga-traíra. *S. f. Bras.* Planta da família das mirtáceas *(Eugenia trahyra).* [Pl.: *pitangas-traíras* e *pitangas-traíra.*]

pitangatuba. [Do tupi *pitangatĩb,* 'abundância de pitangas'.] *S. f. Bras., L.* Subarbusto da família das mirtáceas *(Phyllocalyx edulis),* peculiar à restinga, piloso, de folhas ovadas, curtamente acuminadas, cartáceas e revolutas, flores solitárias e pequenas, bagas elipsóides, angulosas, amarelas, ácidas e edules, e que atinge até 1m de altura.

pitangola. *S. f. Bras.* V. *olho-de-boi* (4).

pitanguá. [Do tupi *pitã'gwá.*] *S. m. Bras., BA.* **1.** V. *bem-te-vi-do-bico-chato.* **2.** V. *bem-te-vi-de-coroa.*

pitanguá-açu. *S. m. Bras., Amaz.* V. *bem-te-vi-de-coroa.* [Pl.: *pitanguás-açus.*]

pitangueira. *S. f.* **1.** Planta cujo porte varia desde subarbusto, nas proximidades do mar, até árvore, na restinga próxima às montanhas, própria das areias litorâneas *(Eugenia uniflora),* de folhas delgadas e com odor *sui generis,* flores minutas e alvas, e cujo fruto, a pitanga, é uma baga vermelha e angulosa, agridoce, bastante saborosa. **2.** V. *acapu.*

pitangueirense. *Adj. 2 g.* **1.** De, ou pertencente ou relativo a Pitangueiras (SP). ● *S. 2 g.* **2.** Natural ou habitante de Pitangueiras.

pitanguense. *Adj. 2 g.* **1.** De, ou pertencente ou relativo a Pitanga (PR) ● *S. 2 g.* **2.** Natural ou habitante de Pitanga.

pitanguiense. *Adj. 2 g.* **1.** De, ou pertencente ou relativo a Pitangui (MG). ● *S. 2 g.* **2.** Natural ou habitante de Pitangui.

pitar. [Do tupi *petĩ'ar,* 'tomar o tabaco'.] *Bras. V. t. d.* **1.** Aspirar o fumo ou tabaco de; fumar: "alinhavam-se na sala, ... sem ânimo de conversar, sem se atreverem a p i t a r o cigarro" (Inglês de Sousa, *O Coronel Sangrado,* p. 273). *Int.* **2.** Aspirar fumo de cigarro, cachimbo, etc.; fumar: *Deixou de p i t a r, a conselho médico.* [3ª pess. pl. do pres. subj.: *pitem.* Cf. *pitém.*]

pitauá. [Do tupi *pita'wã.*] *S. m. Bras., Amaz.* V. *bem-te-vi-de-coroa.*

pite. [Do ingl. *pit.*] *S. m.* **1.** *Eng. Ind.* V. *cratera* (7). **2.** *Quím.* Alvéolo que se forma numa peça metálica em virtude de corrosão localizada.

pitecantropo (trô). [De *pitec(o)-* + *-antropo.*] *S. m. Paleont.* Designação genérica dos antropóides (especialmente o *Pithecanthropus erectus*) cujos fósseis, encontrados em Java, em 1894, indicariam um gênero intermediário entre o macaco e o homem. [V. *elo perdido.*]

pitecantropóide. [De *pitecantropo* + *-óide.*] *Adj. 2 g. Paleont.* Semelhante ao pitecantropo.

▲pitec(o)-. [Do gr. *píthekos, ou.*] *El. comp.* = 'macaco': *pitecantropo.* [Equiv.: *-piteco: antropopiteco.*]

▲-piteco. Equiv. de *pitec(o)-.*

pitecóide. [Do gr. *pithekoidés.*] *Adj. 2 g.* Semelhante ou referente ao macaco.

piteira[1]. [De *pita* + *-eira.*] *S. f.* **1.** *Bras.* Grande erva rosulada, da família das agaviáceas *(Fourcroya gigantea),* de origem mexicana, mas já subespontânea no Brasil, e cujas folhas, grossas, longas e aceradas, fornecem boas fibras. A inflorescência é enorme panícula, que alcança vários metros, e, em vez de fruto, produz uma multidão de bolbilhos, que servem à propagação vegetativa. [Sin.: *pita.*] **2.** V. *agave* (1). **3.** *Gír.* Aguardente de figo. **4.** *P. ext.* V. *bebedeira* (1).

piteira[2]. [De *pitar* + *-eira.*] *S. f. Bras.* V. *boquilha* (1).

piteireiro. [De *piteira*[1] + *-eiro.*] *Adj.* e *s. m. Pop.* Que ou aquele que tem por hábito embriagar-se; bêbedo, bêbado.

pitém. *S. m.* Pequena escavação ou entalhe que se faz em uma viga para o prego que há de segurá-la entrar mais fundo e fixá-la melhor. [Cf. *pitem.* do v. *pitar.*]

pitéu. *S. m.* **1.** *Fam.* V. *petisco* (1): "os p i t é u s da mesa suculenta do vigário" (Inglês de Sousa, *O Missionário,* p. 36). **2.** *Bras., PE.* V. *galopeado* (1).

pítia. [Do gr. *pythía,* pelo lat. *pythia.*] *S. f.* Sacerdotisa de Apolo, a qual pronunciava oráculos em Delfos; pitonisa.

pitiácea. *S. f.* Espécime das pitiáceas.

pitiáceas. *S. f. pl. Paleob.* Família de gimnospermas fósseis pertencente à classe das cordaitales [q. v.].

pitiáceo. *Adj.* Pertencente ou relativo às pitiáceas.

pitiático. [Do gr. *peithó,* 'persuasão', + gr. *iatós,* 'curável', + *-ico*[2].] *Adj.* Relativo ao pitiatismo.

pitiatismo. [Do gr. *peithó,* 'persuasão', + gr. *iatós,* 'curável', + *-ismo.*] *S. m. Psiq.* Designação dada à histeria por J. Bablnski, médico francês (1857-1932), e que constitui afecção mental produzida por sugestão, sendo o paciente passível de ser curado, também, por sugestão.

piticaia. [Var. de *pitigaia* (q. v.)?] *S. m. Bras., MA.* V. *camarão-verdadeiro.*

pítico. [Do gr. *pithikós,* pelo lat. *pythicu.*] *Adj.* Relativo a pítia.

pitigaia. [Do tupi; talvez de *pitinga* (3), com desnasalação.] *S. m. Bras., MA.* V. *camarão-verdadeiro.*

pitiguar. *Bras. S. 2 g.* e *adj. 2 g.* V. *potiguar* (1 e 3).

pitiguara. *Bras. S. 2 g.* e *adj. 2 g.* V. *potiguar* (1 e 3): "O cristão com um gesto ordenou silêncio ao chefe p i t i g u a r a." (José de Alencar, *Iracema,* p. 105.)

pitiguari. [Voc. onom.] *S. m. Bras., N.E.* V. *gente-de-fora-vem-aí.*

pitiguirra. *S. m. Bras., AL.* Pitinguirra.

pitimbóia. [Do tupi, com base em *po'tĩ,* 'camarão'.] *S. f.* **1.** *Bras.* Aparelho usado para auxiliar a pesca dos camarões. **2.** *Bras., AL.* Curral de pesca.

pitinga. [Do tupi *pi'tĩg,* 'de casca branca'.] *Adj. 2 g.* **1.** *Bras.* Branco, claro. **2.** *Bras., AM.* Diz-se da cuia que ainda não foi tinta. [Cf., nesta acepç., *cuiapitinga.*] **3.** *Bras., CE.* Diz-se de certa espécie de camarão. ● *S. f.* **4.** *Bras.* V. *criciúma.* [Cf. *petinga.*]

pitinguirra. [De *pitinga* (1)?] *S. m. Bras., AL.* Camarão miúdo; pitiguirra.

pitiríase. [Do gr. *pityrón,* 'farelo', + *-i-* + *-ase.*] *S. f. Med.* Deslgnação comum a diversas dermatoses caracterizadas pela produção de escamas que se esfarelam.

pititinga. [Do tupi *pĩ,* 'pele', + ti tĩg, 'branca, branca'.] *S. f. Bras., N.E.* **1.** V. *manjuba* (1). **2.** V. *enchova* (2). [Var.: *pipitinga.*]

pitiú. [Do tupi *piti'u.*] *S. m.* **1.** *Bras., Amaz.* Cheiro forte, característico do peixe; cheiro de maresia: *Fiquei com as mãos que é só p i t i ú, de limpar os peixes.* [Var.: *pitium, pituí.*] **2.** *Bras., PA.* V. *tracajá.*

pitium (i-úm). *S. m. Bras., Amaz.* V. *pitiú* (1).

pito[1]. [Dev. de *pitar.*] *S. m.* **1.** *Bras.* Cachimbo (1): "Dina, calma, sempre a fumar o seu p i t o, sacudiu a cabeça negativamente." (Coelho Neto, *Sertão,* p. 48.) **2.** *Bras.* O tubo de borracha por onde se enche a bola de futebol. **3.** *Bras., S.* Cigarro: "Calados acenderam os p i t o s e puseram-se a fumar." (Coelho Neto, *Banzo,* p. 95.) **4.** *Bras., S.* Cavalo muito magro. ♦ **De pito aceso.** *Bras., S.* Em estado de excitação; agitado, assanhado. **Sossegar o pito.** *Bras., S. Fam.* V. *abaixar o facho: Você já brincou demais: agora s o s s e g u e o p i t o.*

pito[2]. *S. m. Bras. Fam.* V. *repreensão* (1).

pito[3]. *S. m. Bras., MG.* V. *libélula.*

pitó. *S. m.* **1.** *Bras., Amaz.* V. *cocó.* **2.** *Bras., PB. Pop.* Caracolzinho feito com os dedos no cabelo.

pitoca. [Var. de *piroca,* com infl. de *pito*[1]?] *S. f. Bras.* Pênis de criança.

pitoco[1] (ô). [De *pito*[1].] *S. m. Bras., N.* Pedaço de cachimbo; cachimbo quebrado. [Pl.: *pitocos* (ô).]

pitoco[2] (ô). *Adj.* **1.** *Bras., S.* Que tem rabo curto. **2.** *Bras., S.* V. *suru* (1). **3.** *Bras., RS. Fig.* Diz-se daquele a quem falta uma das falanges dos dedos. **4.** *Bras., RS.* Diz-se de objetos normalmente longos aos quais falta um pedaço. **5.** *Bras., RS.* Pequeno, curto.

pito-de-saci. [De *pito*[1] + *de* + *saci.*] *S. m. Bras.* Designação comum a várias espécies de insetos dípteros, da família dos sirfídeos, comuns em flores de crucíferas e outras plantas. As larvas desses insetos são predadoras de pulgões. [Pl.: *pitos-de-saci.*]

pitomba. [Do tupi *pito'mba.*] *S. f.* **1.** *Bras.* O fruto da pitombeira. **2.** *Bras. Gír.* Tapa, bofetada, sopapo, pitombada. **3.** *Bras. Fut.* Chute forte; pelotaço. [Var.: *pitombo.*]

pitombada. *S. f. Bras.* **1.** Golpe resultante do arremesso de pitomba ou caroço de pitomba. **2.** V. *pitomba* (2).

pitombarana. [Do tupi *pitomba'rana,* 'parecida com a pitomba'.] *S. f. Bras., Amaz.* Arvoreta da família das sapindáceas (*Pseudima frutescens*), de casca verrucosa, folhas que vão até 50 cm e se reúnem na ponta do tronco, pequenas flores alvas e dispostas em amplas panículas, e cujo fruto é uma cápsula bilobada e lenhosa.

pitombeira. *S. f. Bras., N.E.* a *L.* Árvore da família das sapindáceas *(Talisia esculenta),* de folhas ovado-oblongas ou lanceoladas e mais ou menos obtusas, flores alvas, pequenas, arrumadas em compridas e finas panículas terminais, fruto (a pitomba) que é uma baga com 25 mm, e sementes com arilo carnoso e comestível. [F. paral.: *pitombeiro.*]

pitombeira-da-baía. [De *pitombeira* + *da* + top. *Bahia.*] *S. f. Bras.* Curuiri. [Pl.: *pitombeiras-da-baía.*]

pitombeiro. *S. m. Bras.* Pitombeira.

pitombo. *S. m. Bras.* Var. de *pitomba.*

píton. [Do mit. gr. *Python,* pelo lat. *Python.*] *S. m.* **1.** Serpente monstruosa morta por Apolo. **2.** Designação comum às grandes serpentes como a *boa* e a *anaconda.* **3.** Na Antiguidade, adivinho que previa o futuro. **4.** Mago, nigromante. [Fem., nas acepç. 3 e 4; *pitonisa.*]

pitônico. [Do gr. *pythonikós,* pelo lat. *pythonicu.*] *Adj.* **1.** Relativo ou pertencente a píton. **2.** Nigromântico, mágico.

pitonisa. [Do lat. *pythonissa,* com infl. de *sacerdotisa.*] *S. f.* **1.** Fem. de *píton* [q. v.]. **2.** Pítia. [F. paral.: *pitonissa.*]

pitonissa. *S. f.* V. *pitonisa.*

pitora. *S. f. Lus.* Fatias de lombo fritas com toucinho e condimentadas com pimenta.

pitoresco (ê). [Do it. *pittoresco.*] *Adj.* **1.** V. *pictórico.* **2.** Próprio para ser pintado. **3.** Divertido, recreativo. **4.** Graciosamente original. **5.** *Fig.* Imaginoso, cintilante, vivo. ● *S. m.* **6.** Aquilo que é pitoresco: "Pela beleza natural, pelo p i t o r e s c o da paisagem, pela salubridade do clima .... Paquetá sempre exerceu poderosa atração sobre os espíritos sensíveis a essas influências." (Vivaldo Coaraci, *Paquetá,* p. 121.) [F. paral.: *pinturesco* (q. v.).]

pitorra (ô). *S. f.* **1.** Piorra (1). *S. 2 g.* **2.** Pessoa baixa e gorda. *S. f.* **3.** *Bras., Amaz.* Criancinha.

pitosga. *Adj. 2 g. Pop.* **1.** Que vê pouco; pisco dos olhos; míope: "E saiu fora a contemplar o moleque novamente. I — É zambro, murmurou. E creio que também é p i t o s g a." (Eduardo Frieiro, *O Mameluco Boaventura,* p. 17.) ● *S. 2 g.* **2.** Pessoa que pisca os olhos habitualmente; cegueta.

pitosporácea. *S. f.* Espécime das pitosporáceas.

pitosporáceas. *S. f. pl. Bot.* Família de plantas superiores, da ordem das rosales, constituída de arbustos, arvoretas e trepadeiras com folhas alternas. Só existem umas 200 espécies, do Velho Mundo; algumas são cultivadas no Brasil como ornamentais.

pitosporáceo. *Adj.* Pertencente ou relativo às pitosporáceas.

pitósporo. *S. m.* Arbusto ornamental da família das

pitosporáceas (*Pitosporum tobira*), oriundo da China e do Japão, de folhas obovadas, espessas, coriáceas e revolutas, flores alvas ou amarelas, fragrantes, ordenadas em umbelas terminais, e cujo fruto é uma cápsula ovóide, pubescente e angulosa.

pitote. *S. m. Bras., SP.* V. *cocó.*

pitu. [Do tupi *pi'tu*, 'casca escura'.] *S. m. Bras.* **1.** Designação comum às espécies de camarões da família dos palemonídeos, especialmente *Macrobrachium carcinus* (Linnaeus), de água doce, de coloração esbranquiçada (exceto o cefalotórax e os quatro pares de patas posteriores, que são pardo-escuros), rostro serrilhado, com 14 a 16 dentes, o abdome grosso e do mesmo comprimento do cefalotórax. Chega a 48 cm, destacando-se as pinças, muito desenvolvidas, que, juntamente com outras partes, têm carne saborosa. [Sin: *camarão-d'água-doce.*] **2.** V. *camarão-castanho.*

pituá. [Do fr. *putois.*] *S. m.* Pincelzinho feito de sedas finas, usado por douradores.

pituã. [Do tupi *pita'wã.*] *S. m. Bras.* V. *bem-te-vi* (1).

pituba. [Do tupi *pitu'a.*] *Bras. Adj. 2 g.* **1.** Diz-se da pessoa covarde, medrosa, fraca. ● *S. m.* **2.** Ladrão de cavalo.

pituí. *S. m. Bras.* **1.** Suor fétido dos pretos; bodum, inhaca, morrinha. **2.** V. *pitiú* (1). [Var.: *pituim.*]

pituim (u-ím). *S. m. Bras.* Var. de *pituí*: "parou numa casa de esquina onde dançavam coco. .... Vinha um pituim enjoativo .... lá de dentro" (Jorge de Lima, *Calunga*, p. 25).

pituíta. [Do lat. *pituita.*] *S. f. Med.* **1.** *Obsol.* Na Antiguidade, secreção mucosa que se acreditava ser produzida pelo encéfalo e eliminada pelo nariz. **2.** Secreção mucosa glutinosa.

pituitária (u-i). [Fem. substantivado de *pituitário.*] *S. f. Anat.* **1.** Membrana mucosa que reveste parcialmente as narinas, por dentro. **2.** V. *hipófise.*

pituitário (u-i). *Adj.* **1.** Relativo à, ou que tem o caráter da pituíta. **2.** Relativo à pituitária (1 e 2). ~ V. *glândula* —*a* e *membrana* —*a.*

pituitoso (u-i...ô). [Do lat. *pituitosu.*] *Adj.* Cheio ou abundante de pituíta.

pitura. [De *pito*[1].] *S. f. Bras.* V. *fumo* (6).

piturisca. *S. f. Bras. AL. Chulo.* V. *meretriz.*

piúca. [Do tupi, talvez.] *S. f. Bras., S.* **1.** Pau seco que se esfarela, tornando-se muito combustível. **2.** Tronco meio carbonizado.

piüiense (i-ü-i). *Adj. 2 g.* **1.** De, ou pertencente ou relativo a Piüi (MG). ● *S. 2 g.* **2.** Natural ou habitante de Piüi.

pium (i-úm). [Do tupi *pi'ũ*, 'o que come a pele'.] *S. m. Bras., Amaz.* V. *borrachudo* (2). [Var.: *pinhum.*]

piúna. [Do tupi *pi'una*, 'pele negra'.] *S. f. Bras.* Árvore frutífera silvestre, de cuja casca se extrai matéria corante.

piuria (i-u). *S. f. Patol.* Piúria. [Cf. *pioria.*]

piúria. [De *pi(o)-* + *-ur(o)-* + *-ia.*] *S. f. Patol.* Emissão de urina purulenta. [Var. pros.: *piuria.*]

piúrico. *Adj.* Referente à piúria.

piverada. [Do it. *piverada*] *S. f.* Refogado em que entra sal, azeite, vinagre, alho e pimenta: *galinha de piverada.*

pivete. [Do esp. *pebete.*] *S. m.* **1.** Substância aromática que se queima para perfumar: "a poesia .... recende o almíscar e o pivete dos toucadores." (Latino Coelho, *Cervantes*, p. 49). **2.** Criança esperta. **3.** *Bras. Gír.* Menino ladrão e/ou que trabalha para ladrões: "os pivetes que sonham ser grandes criminosos" (Ledo Ivo, *A Morte do Brasil*, p. 10). [Sin. (bras., AL), nesta acepç.: *maloqueiro.*]

piveteiro. *S. m.* Vasilha onde se põe ou queima o pivete (1).

pivô. [Do fr. *pivot.*] *S. m.* **1.** Haste metálica, cilíndrica ou quadrangular, que suporta coroas nas raízes ou incrustações de dentes. **2.** *Fig.* Sustentáculo, base, suporte. **3.** *Fig.* Agente principal: *o pivô do crime.* **4.** *Bras.* No futebol de salão e no basquete, jogador que tem a missão de ir à frente e passar a bola a um companheiro para o arremesso final.

pivoca. *Bras. S. 2 g.* **1.** Indivíduo dos pivocas, tribo indígena de GO. ● *Adj. 2 g.* **2.** Pertencente ou relativo a essa tribo.

pivotante. [Do fr. *pivotant.*] *Adj. 2 g.* **1.** *Morfol. Veg.* ~V. *janela* — e *raiz* —. **2.** *Mec.* Diz-se de qualquer peça capaz de girar em torno de um ponto fixo.

pixa. *S. m.* e *adj. 2 g. Bras. Pop.* F. red. de *pixaim* [q. v.]. [Cf. *picha*, do v. *pichar.*]

pixaim (a-ím). [Do tupi *apixa'ĩ*, 'couro da cabeça crespo'.] *S. m. Bras.* **1.** V. *carapinha* (1): "A Ana Triste, com seu pixaim repuxado para as orelhas, à força de pente, ... encostara-se ao balcão" (Valdomiro Silveira, *Os Caboclos*, p. 33). ● *Adj. 2 g.* **2.** V. *encarapinhado*: "Sei que era uma exposição [de mulheres] — gordas e magras, cabelo liso e pixaim." (Humberto Crispim Borges, *Cacho de Tucum*, p. 61.)

pixanxão. *S. m. Bras.* V. *pixoxó* (1 e 2).

pixarro. *S. m. Bras.* Ave passeriforme, da família dos fringilídeos (*Saltator similis* Laf. & d'Órb.), do Brasil Central e este-meridional, de cabeça e dorso negros, tirantes ao oliváceo, asa verde, abdome cinzento, garganta branca com larga faixa negra, e sobrancelha branca; pixororém, tico-tico-guloso, tico-tico-do-mato, bico-de-ferro.

pixé. [Do tupi *pi'xé*, 'cheiro de couro queimado'.] *S. m.* **1.** *Bras., N.* Mau cheiro. ● *Adj. 2 g.* **2.** *Bras.* Diz-se da comida ou de outra coisa que tem fumaça.

pixéu. [De *pixé?*] *S. m. Bras. BA. Chulo.* As partes pudendas da mulher.

pixi. [Voc. onom.] *S. m. Bras., MG, RJ* e *SP.* V. *urina.*

pixica. *S. f. Bras.* Formiga das menores, lenta nos movimentos, que vive nos frutos de certas sapotáceas no S. da BA, e cujo contato com a pele origina prurido e sensação de queimadura.

píxide (cs). [Do gr. *pyxis, dos*, 'caixa de buxo', pelo lat. *pixide.*] *S. f. Lit.* Vaso onde se guardam as hóstias ou partículas consagradas: "foi visto .... o prior em grandes vestes, nimbado entre clarões de círios e a fumarada dos turíbulos, tendo nas mãos a píxide maravilhosa." (Fialho d'Almeida, *O País das Uvas*, p. 222).

pixídio (cs). [Do gr. *pyxídion*, 'caixinha'.] *S. m. Morfol. Veg.* Fruto capsular que se abre por uma fenda transversal, desprendendo-se a porção superior, dita *opérculo.* São exemplos típicos a sapucaia, o jequitibá e o eucalipto.

pixirica. [Do tupi *pixi'rika.*] *S. f. Bras.* Arbusto da família das melastomatáceas (*Clidemia hirta*), da mata úmida, de folhas macias, com nervuras curvas e pouco numerosas, flores pequenas e pouco aparentes, e cujos frutos são bagas minutas.

pixiricuçu. [Do tupi *pixiriku'su*, 'grande pixirica'.] *S. m. Bras.* Planta da família das melastomáceas (*Melastoma tacoari*).

pixispixi. *Bras. S. 2 g.* **1.** Indivíduo dos pixispixis, tribo indígena do PA. ● *Adj. 2 g.* **2.** Pertencente ou relativo a essa tribo.

pixito. *S. m. Bras., MS.* A vulva.

pixororém. [Voc. onom.] *S. m. Bras.* V. *pixarro.*

pixotada. *S. f.* V. *pexotada.*

pixote. *S. m.* V. *pexote.*

pixoxó. [Voc. onom.] *S. m. Bras.* **1.** Ave passeriforme, da família dos fringilídeos (*Sporophila frontalis* (Verr.)), que ocorre do RJ ao RS, de dorso verde-oliváceo, brancacenta na parte inferior, com duas faixas amarelas nas asas e uma estria branca, característica, na sobrancelha. **2.** Ave passeriforme, da família dos fringilídeos (*Haplospiza unicolor* (Cab.)), do S.E. do País, de coloração cinzento-escura o macho, e tirante ao verde, uniforme, a fêmea. [Ambas as espécies freqüentam os arrozais, onde causam danos. Sin., nestas acepç.: *pixanxão, xanxão.*] **3.** Ave passeriforme, da família dos fringilídeos (*Sporophila leucoptera leucoptera* (Vieil.)), do Brasil Central; cigarra.

pixuá. [Do tupi *pixu'a.*] *S. m.* **1.** *Bras.* Erva prostrada, da família das euforbiáceas (*Euphorbia portulacoides*), lactescente, de folhas sésseis, pequenas, com 2 cm, obovadas, cartilaginosas na margem, flores em pequenas umbelas, cápsulas minutíssimas. **2.** *Bras., RS.* Fumo forte e de má qualidade.

pixuna. [Do tupi *pi'xuna*, 'pele negra, casca negra'.] *S. f. Bras.* **1.** Espécie de pequeno rato; camundongo selvagem: "um canto de pássaro, um alto pio d'ave de rapina, um guincho de pixuna, tudo é triste" (Gustavo Barroso, *Terra de Sol*, p. 11). **2.** *Bras., Amaz.* Arvoreta da família das poligonáceas (*Coccoloba pixuna*), da floresta úmida, de folhas amplas, coriáceas, rígidas, flores congregadas em longos cachos, e frutos pequenos, vermelho-escuros ou quase negros, azedos, porém agradáveis ao paladar.

pixundé. *S. m. Bras., Amaz.* V. *poraquê.*

pixundu. *S. m. Bras., Amaz.* V. *poraquê.*

pixunxu. *S. m. Bras., Amaz.* V. *poraquê.*

pixurim. [Do tupi. *pixi'rĩ.*] *S. m. Bras., Amaz.* **1.** Árvore da família das lauráceas (*Licaria puchurymajor*), da floresta pluvial, cujos frutos contêm uma semente que encerra 2,5% de um óleo volátil rico em safrol e eugenol, além de gorduras. **2.** O fruto dessa árvore, também chamado *noz-do-pará.* [Var.: *pexorim, puxiri, puxuri.*]

pixurum. *S. m. Bras., RS.* V. *mutirão* (1).

pizicato. [Do it. *pizzicato*, 'beliscado'.] *Mús. Adj.* **1.** Diz-se do modo de fazer vibrar as cordas dos instrumentos de arco, não com o arco, mas de preferência com o polegar ou o indicador da mão direita, ou com o indicador da mão esquerda. ● *S. m.* **2.** Esse modo. **3.** Trecho para ser executado desse modo. [Abrev.: *pizz.*]

pi-zero. *S. m. Fís. Núcl.* Méson de massa igual a 0,147 unidades de massa atômica, spin nulo, paridade negativa e carga nula. [Pl.: *pis-zeros* e *pis-zero.*]

■**pizz.** Abrev. de *pizicato.*

➧**pizza** (pitsa). [It.] *S. f.* Comida italiana feita com massa de pão, de forma em geral arredondada e achatada, sobre a qual se dispõem camadas de mozarela, tomates, enchovas, etc., temperadas com orégão.

pizzaria (tsa). *S. f. Bras.* Restaurante especializado em pizza.

■**pK.** *Quím.* Logaritmo decimal do inverso da constante de dissociação de um ácido ou de uma base.

pla. F. sincopada de *pela*[1]: "Pla sombra que dás no chão / E de hora a hora varia / Se mede a minha ambição, / Hora a hora, dia a dia..." (Augusto Gil, *O Craveiro da Janela*, p. 79.)

plá. *S. m. Bras. Gír.* **1.** V. *dica.* **2.** Conversa, papo.

placa. [Do neerl. médio *placke*, pelo fr. *plaque.*] *S. f.* **1.** Chapa ou lâmina de material resistente: *placa metálica; placa óssea.* **2.** Escápula fixa, na parede, em piano, etc., cujo braço suporta vela, lâmpada ou candeeiro. **3.** *Bras., N.E.* Esse candeeiro: "Uma placa iluminando a sala de jantar" (Adalberon Cavalcanti Lins, *Curral Novo*, p. 406); "Perpétua, mande acender as placas." (Jorge Amado, *Tieta do Agreste*, p. 115). **4.** Placa (1) de metal colocada de modo visível na parte traseira e dianteira de um automóvel, com seu número de licenciamento; chapa. **5.** Chapa fornecida pela administração pública, como sinal da concessão de certas licenças ou autorizações. **6.** *P. ext.* Qualquer dessas licenças ou autorizações. **7.** *Pop.* Condecoração, broche ou qualquer ornamento semelhante a uma placa. **8.** *Eletr.* V. *eletrodo* (2). **9.** *Eletrôn.* Eletrodo de uma válvula, que tem potencial positivo em relação ao emissor de elétrons e por onde a corrente elétrica penetra na válvula. **10.** *Grav.* Lâmina de metal cortada em tamanhos convenientes, aplainada e polida, que serve como fôrma nos processos de gravura; chapa, matriz. **11.** *Mil.* Reparo de morteiro constante apenas de uma chapa metálica muito grossa com munhoneiras. ◆ **Placa basilar.** Placa da carapaça dos equinodermos, situada perto do ápice da haste dos crinóides ou que constitui o disco apical dos equinóides. **Placa crivada.** *Anat. Veg.* A parte especializada da parede de um elemento de tubo crivoso, a qual pode compreender uma área crivada única ou várias muito próximas, neste último caso com ordenação escalariforme ou reticulada. **Placa dérmica.** *Zool.* Designação das placas que formam um estojo, onde se encerram os quelônios, composto de duas partes: a dorsal (*carapaça*) e a ventral (*plastrão*). **Placa de Soleil.** *Ópt.* Biquartzo. **Placa envolvente.** *Art. Gráf.* Placa fina, de metal ou de plástico, levemente mordaçada em relevo, e que se adapta ao cilindro da prensa, para impressão tipográfica, em geral pelo processo de ofsete seco. **Placa infrabasilar.** Placa perradial dos crinóides, abaixo da basilar. **Placa madrepórica.** Madreporita.

placabilidade. [Do lat. *placabilitate.*] *S. f.* Qualidade de placável.

placar[1]. [Do fr. *placard.*] *S. m.* **1.** Venera, condecoração. **2.** *Bras.* Marcador (3 e 4). **3.** *Bras.* V. *escore.*

placar[2]. [Do lat. *placare.*] *V. t. d., int.* e *p.* V. *aplacar.* [Conjug.: v. *trancar.*]

placável. [Do lat. *placabile.*] *Adj. 2 g.* Que se pode aplacar.

placê. [Do fr. *placé.*] *S. m. Turfe.* **1.** Colocação de um cavalo pelo menos em segundo ou em terceiro lugar. **2.** Sistema de aposta no qual o jogador acerta, caso o cavalo escolhido chegue, pelo menos, em segundo ou em terceiro lugar. **3.** O rateio pago em tal sistema de aposta. ◆ **Pagar placê.** *Turfe.* Chegar (o cavalo) pelo menos em segundo lugar.

placebo. [Do lat. *placebo*, 1ª pess. do sing. do fut. ind. de *placere*, 'agradar'.] *S. m. Med.* Medicamento inerte ministrado com fins sugestivos ou morais, ou, ainda, em trabalhos de pesquisa, quando é dado a um grupo de pacientes que ignoram estar tomando o medicamento cuja ação se quer investigar.

placenta. [Do gr. *plakoûs, oûntos*, 'bolo', pelo lat. *placenta.*] *S. f.* **1.** *Anat.* Órgão localizado no útero, durante a gestação, e que, através do cordão umbilical, estabelece comunicação biológica entre a mãe e o filho. **2.** *Morfol. Veg.* Tecido da folha carpelar sobre o qual se desenvolvem os óvulos, que ali ficam inseridos. [Sin., p. us., nesta acepç.: *trofosperma*.] ♦ **Placenta prévia.** *Med.* A que se situa entre o canal cervical e o feto, dificultando, assim, a expulsão deste.

placentação. *S. f.* **1.** Formação de placenta. **2.** *Morfol. Veg.* Disposição da placenta no ovário, a qual pode ser de vários tipos.

placentário. *Adj.* **1.** Relativo ou pertencente à placenta. ● *S. m.* **2.** *Morfol. Veg.* A parte do fruto constituída pela reunião de numerosas placentas. **3.** *Zool.* Mamífero em que se desenvolve uma placenta; eutério.

placidez (ê). *S. f.* Qualidade ou estado de plácido; serenidade, tranqüilidade; sossego.

plácido. [Do lat. *placidu*.] *Adj.* **1.** Sereno, tranqüilo: "Longe da turba egoísta, que os meus gozos / Afeleia e envenena, / Leva-me a um doce e plácido recesso" (Raimundo Correia, *Poesias*, p. 40); "Ouviram do Ipiranga as margens plácidas / De um povo heróico o brado retumbante" (Osório Duque-Estrada, *Hino Nacional Brasileiro*). **2.** Manso, sossegado. **3.** Pacífico, brando.

placitar. [Do lat. *placitare*.] *V. t. d. P. us.* Dar o plácito (1) a; aprovar. [Pres. ind.: *placito*, etc. Cf. *plácito*, s. m.]

plácito. [Do lat. *placitu*.] *S. m.* **1.** Beneplácito; aprovação. **2.** Promessa de vida casta feita pelos bispos. **3.** Pacto, promessa. [Cf. *placito*, do v. *placitar*.] ~ V. *plácitos*.

plácitos. [Pl. de *plácito*.] *S. m. pl. Desus.* Máximas, aforismos ~ V. *plácito*.

placóforo. *S. m.* e *adj.* V. *poliplacóforo*.

placóforos. *S. m. pl. Zool.* V. *poliplacóforos*.

placóide. [De *placa* + *-óide*.] *Adj. 2 g. Zool.* Diz-se das escamas quadrangulares dos seláquios.

plaga. [Do lat. *plaga*, 'extensão de terra'.] *S. f. Poét.* **1.** Região, país: "O Viriato ia louco por avistar as suas plagas natais" (Virgílio Várzea, *Nas Ondas*, p. 257). **2.** Trato de terreno.

plagal. [Do lat. eclesiástico *plaga* + *-al*.] *Adj. 2 g.* ~ V. *modo* —.

plagiador (ô). [De *plagiar* + *-(d)or*.] *S. m.* Plagiário.

plagiar. [De *plágio* + *-ar*[2].] *V. t. d.* **1.** Assinar ou apresentar como seu (obra artística ou científica de outrem). **2.** Imitar (trabalho alheio): *As pequenas semelhanças no tema não comprovam que o autor tenha plagiado o conhecido escritor francês.* [Pres. ind.: *plagio*, etc.; fut. do pret.: *plagiaria*, etc. Cf. *plágio*, s. m., e *plagiária*, fem. de *plagiário*.]

plagiário. [Do lat. *plagiariu*.] *S. m.* Indivíduo que plagia; plagiador. [Fem.: *plagiária*. Cf. *plagiaria*, do v. *plagiar*.]

plagiato. [Do lat. *plagiatu*.] *S. m.* Plágio.

plagiedro. [De *plagi(o)-* + *-edro*.] *Adj. Cristal.* Diz-se do cristal que tem facetas oblíquas.

plágio. [Do gr. *plágios*, 'oblíquo', pelo lat. *plagiu*.] *S. m.* Ato ou efeito de plagiar; plagiato. [Cf. *plagio*, do v. *plagiar*.]

▲**plagi(o)-.** [Do gr. *plágios, a, on*.] *El. comp.* = 'oblíquo', 'transversal': *plagiocéfalo, plagióstomo; plagiedro*.

plagiocéfalo. [De *plagi(o)-* + *-céfalo*.] *Adj.* e *s. m. Antr.* Que ou aquele cuja cabeça tem aspecto assimétrico, decorrente de soldadura anômala das suturas cranianas.

plagioclásio. [De *plagi(o)-* + *-clase-* + *-io*[1].] *S. m. Min.* Série de minerais triclínicos do grupo dos feldspatos, que se obtêm por meio de misturas isomorfas de albita e anortita em todas as proporções. São estes os termos intermediários: *oligoclásio, andesita, labradorita* e *bytownita*.

plagióstomo. [De *plagi(o)-* + *-stomo*.] *Adj.* **1.** Que tem a boca oblíqua e transversal. ● *S. m.* **2.** Espécime dos plagióstomos.

plagióstomos. *S. m. pl. Zool.* Ordem de peixes cartilaginosos de boca ventral, em forma de *U* invertido.

plaina (ã). [Fem. de *plaino* (q. v.).] *S. f.* **1.** Instrumento usado pelos carpinteiros para alisar madeira. **2.** *Topog.* V. *niveladora*.

plainete (ê). [Dim. de *plaina*.] *S. m.* Instrumento para cinzelar metais.

plaino. [F. epentética de *plano*, com um *i* não explicado.] *S. m.* **1.** V. *planície*: "o amplo, infinito plaino das paisagens ermas e dos chapadões desertos" (Herman Lima, *Garimpos*, p. 13). ● *Adj.* **2.** Plano (1): "A estrada era já plaina" (João de Araújo Correia, *Cinza do Lar*, p. 32).

plana. [De *plano*.] *S. f.* Categoria; classe: "figura de primeira plana, a discreta Henriqueta Lisboa, de Minas Gerais." (Carlos Drummond de Andrade, *Passeios na Ilha*, p. 209).

planador (ô). [Do fr. *planeur*.] *S. m. Av.* e *Aerom.* **1.** Avião ou aeromodelo desprovido de aparelhos de propulsão, e cuja sustentação se faz mediante reação aerodinâmica em superfícies que se conservam fixas durante o vôo. **2.** Competição de vôo livre, categoria planador.

planáltico. *Adj.* **1.** Referente a planalto. **2.** Que tem planaltos.

planaltinense. *Adj. 2 g.* **1.** De, ou pertencente ou relativo a Planaltina (GO). ● *S. 2 g.* **2.** Natural ou habitante de Planaltina.

planalto. [De *plano* + *alto*.] *S. m.* Grande extensão de terreno plano ou pouco ondulado, elevado, cortado por vales nele encaixados. [Sin.: *achada, planura, lhanura, altiplanura, altiplano, altoplano, chapada, platô, plató, rechã, rechão, rechano* e (bras.) *araçari, araxá, chã, chamusco, tabuleiro*.] ♦ **O Planalto.** O Palácio do Planalto, em Brasília (DF), onde o presidente da República despacha [v. *despachar* (11)].

planar. [Do fr. *planer*.] *V. int.* **1.** Voar (a aeronave) sustentada apenas pela ação das asas, sem interferência do motor. **2.** Pairar (2): "Um urubu na praia / luta contra o vento. / Paira, plana sobre os quintais de areia" (H. Dobal, *A Cidade Substituída*, p. 14). **3.** Pairar (4): "Dentre os papagaios que, nos ares infestados de varíola, planam serenos, surgiu a Novidade, o Acontecimento." (Osmã Lins, *Nove, Novena*, p. 50.) [Fut. do pret.: *planaria*, etc. Cf. *planária*.]

planária. *S. f.* Animal platelminto, tuberlário, de epiderme ciliada com numerosas glândulas mucosas, boca ventral e desprovida de ventosas, e cujo ciclo evolutivo é direto, sendo algumas espécies capazes de reproduzirem assexuadamente. São marinhos ou de água doce, podendo viver também em lugares úmidos. [Sin.: *lesma*. Cf. *planaria*, do v. *planar*.]

plancha. [Do fr. *planche*.] *S. f.* Prancha.

planchada[1]. [De *plancha* + *-ada*[1].] *S. f. Bras., PR* a *RS*. Pranchada.

planchada[2]. *S. f. Bras., RS.* Ato ou efeito de planchar (-se).

planchador (ô). *Adj. Bras., PR* a *RS*. Que facilmente se plancha ou plancheia; plancheador.

planchar. *V. int.* e *p. Bras., PR* a *RS*. Escorregar com as quatro patas, caindo de lado (o cavalo, com ou sem cavaleiro); planchear.

plancheador (ô). *Adj. Bras., PR* a *RS*. Planchador.

planchear. *V. int.* e *p. Bras., PR* a *RS*. Planchar. [Conjug.: v. *frear*.]

plancto. *S. m.* Plâncton.

plâncton. [Do gr. *plágchton*, 'errante'.] *S. m. Biol. Ger.* Comunidade de pequenos animais (*zooplâncton*) e vegetais (*fitoplâncton*) que vivem em suspensão nas águas doces, salobras e marinhas. O plâncton das águas doces diz-se *limnoplâncton*; o das águas salobras, *hifalmiroplâncton*; e o das salgadas, *haloplâncton*. [F. paral.: *plancto*.]

planctônico. *Adj. Bot.* Relativo ou pertencente ao plâncton ou plancto, ou da natureza dele: *clorofila planctônica*.

planctonte. *S. m. Bot.* Organismo planctônico.

planear. [De *plano* + *-ear*.] *V. t. d.* Planejar: "porque .... o fim da sua vida não foi juntar dinheiro, mas correr mundo, planear empresas .... e sonhar, sobretudo sonhar." (Raul Brandão, *Memórias*, II, pp. 246-247). [P. us. no Brasil. Conjug.: v. *frear*.]

planejado. [Part. de *planejar*.] *Adj.* Que obedece a planejamento; planificado.

planejador (ô). *Adj.* **1.** Diz-se de órgão, serviço ou seção que planeja. ● *S. m.* **2.** Aquele que planeja; especialista na elaboração de planejamentos.

planejamento. *S. m.* **1.** Ato ou efeito de planejar. **2.** Trabalho de preparação para qualquer empreendimento, segundo roteiro e métodos determinados; planificação: *o planejamento de um livro, de uma comemoração*. **3.** *Bras.* Elaboração, por etapas, com bases técnicas (especialmente no campo sócio-econômico), de planos e programas com objetivos definidos; planificação.

planejar. *V. t. d.* **1.** Fazer o plano ou planta de; projetar, traçar: *Um bom arquiteto planejará o edifício*. **2.** Fazer o planejamento de; elaborar um plano ou roteiro de; programar, planificar: *planejar um roubo*. **3.** Fazer tenção ou resolução de; tencionar, projetar: "Mesmo antes do dia nascer, levantara-se, planejando uma vistoria aos serviços" (Nélson de Faria, *Cabeça-Torta*, p. 135). [F. paral.: *planear*. Conjug.: v. *pelejar*.]

planeta. [Do b.-lat. *planeta*.] *S. f.* Casula sacerdotal. [Pl.: *planetas*. Cf. *planeta* (ê) e pl. *planetas* (ê).]

planeta (ê). [Do gr. *planétes*, 'errante', pelo lat. *planeta*.] *S. m.* **1.** *Astr.* Astro sem luz própria, e que gravita em torno de uma estrela, particularmente o Sol, que é a única com a qual são observáveis diretamente os planetas. [Os planetas que giram em torno do Sol constituem com outros astros (*asteróides, cometas, meteoritos, satélites* e *poeira interplanetária*) o sistema solar, e são, pela ordem de afastamento do Sol: Mercúrio, Vênus, Terra, Marte, Júpiter, Saturno, Urano, Netuno e Plutão.] **2.** *Restr.* O planeta que habitamos; a Terra: "andou esse extravagante inglês [Cook] pisando todos os areais, ... galgando todos os montes, ouvindo todos os idiomas e correndo todos os andurriais do planeta" (Olavo Bilac, *Crítica e Fantasia*, p. 150). [Pl.: *planetas* (ê). Cf. *planeta* e pl. *planetas*.] ♦ **Planeta de navegação.** *Astr.* Planeta usado pela navegação astronômica. **Planeta exterior.** *Astr.* Planeta superior. **Planeta inferior.** *Astr.* Cada um dos planetas (Mercúrio e Vênus) cuja órbita é interior à órbita da Terra; planeta interior. **Planeta interior.** *Astr.* Planeta inferior. **Planeta intramercurial.** *Astr.* Vulcano. **Planeta superior.** *Astr.* Cada um dos planetas — Marte, Júpiter, Saturno, Urano, Netuno e Plutão — cuja órbita é exterior à órbita da Terra; planeta exterior. **Planeta telescópico.** *Astr.* Planeta que só é observável através de um telescópio. [Além dos asteróides, são também telescópicos Netuno e Plutão.] **Planeta vermelho.** *Astr.* V. *Marte*. **Pequeno planeta.** *Astr.* V. *asteróide* (3).

planetário. [De *planeta* + *-ário*.] *Adj.* **1.** Relativo ou pertencente aos planetas. ~ V. *aberração —a, disco —, nebulosa —a* e *sistema —*. ● *S. m.* **2.** Anfiteatro em cúpula, dotado de mecanismo mediante o qual se transmite à assistência a situação e o movimento do sistema solar.

planetesimal. *S. m. Astr.* Corpo sólido hipotético de pequenas dimensões que se teria formado quando a nebulosa proto-solar se colapsou em um disco e se fragmentou.

planetocêntrico. *Adj. Astr.* Relativo ao centro de um planeta. ~ V. *coordenadas —as, latitude —a, longitude —a* e *posição —a*.

planetografia. [De *planeta* (ê), + *-graf(o)-* + *-ia*.] *S. f.* Estudo dos planetas; planetologia.

planetográfico. *Adj.* Referente à planetografia; planetológico. ~ V. *coordenadas —as, latitude —a* e *longitude —a*.

planetóide. [De *planeta* (ê) + *-óide*.] *S. m. Astr.* V. *asteróide* (3).

planetologia. [De *planeta* (ê) + *-o-* + *-log(o)-* + *-ia*.] *S. f.* Planetografia.

planetológico. *Adj.* Referente à planetologia; planetográfico.

planetologista. *S. 2 g.* Planetólogo.

planetólogo. *S. m.* Astrônomo especialista em planetologia ou planetografia; planetologista.

planeza (ê). *S. f.* Estado ou qualidade de plano.

plangência. *S. f.* Qualidade ou estado de plangente.

plangente. [Do lat. *plangente*.] *Adj. 2 g.* **1.** Que chora. **2.** Lastimoso; triste: "a sua voz plangente tem um tom de melancolia sentimental, levemente minhota." (Ramalho Ortigão, *As Farpas*, XI, p. 19); "Ah! plangentes violões dormentes, mornos, / Soluços ao luar, choros ao vento..." (Cruz e Sousa, *Faróis*, p. 58).

planger. [Do lat. *plangere*.] *V. int.* **1.** Derramar lágrimas, lamentando-se; chorar: "Isto é a vida; não há planger, nem imprecar, mas aceitar as cousas .... com seus ônus e precalços" (Machado de Assis, *Papéis Avulsos*, p. 88); *Os amigos do morto plangiam comovidos*. **2.** Soar tristemente; chorar: *Plangem tristes violinos*; "Um sino plange. A sua voz ritma o murmúrio / Do rio, e isso parece a voz da solidão." (Manuel Bandeira, *Estrela da Vida Inteira*, p. 14). *T. d.* **3.** Soar, tocar, fazer ouvir, tristemente: *Os sinos plangem as ave-marias*; "Plangem as campanas monacais baladas" (Martins Fontes, *Verão*, p. 200); "Plangem os cavos relógios góticos / As badaladas da meia-noite." (Id., *ib.*, p. 241). [Conjug.: v. *tanger*.]

▲**plani-.** [Do lat. *planus, a, um*.] *El. comp.* = 'plano': *planifólio, planisfério*.

planície. [Do lat. *planitie*.] *S. f.* Grande porção de terreno plano. [Sin.: *campina, plano, plaino, planura, lhanura, chanura* e (bras.) *vereda, chão-parado, praino*.]

planiço. [De *plano* + *-iço*, ou alter. de *planície*.] *S. m. Bras.* Planície ou várzea de extensão algo considerável, nas terras altas ou baixas.

planicórneo. [De *plani-* + *-corn(e)-* + *-eo*.] *Adj. Zool.* Que tem cornos achatados.

planificação. *S. f.* **1.** Ato ou efeito de planificar (1). **2.** Planejamento (2 e 3).

planificado. [Part. de *planificar*.] *Adj.* Que obedece a uma planificação; planejado.

planificar. [De *plani-* + *-ficar.*] *V. t. d.* **1.** Reduzir a um plano (6). **2.** Projetar num plano (os vários acidentes de uma perspectiva): *planificar uma região.* **3.** Estabelecer um plano ou roteiro para; programar, planejar, planear: *O comerciante planificará as vendas deste ano.* **4.** Submeter a plano (10). **5.** *Mat.* Determinar a área de (uma superfície). [Conjug.: v. *trancar.*]

planificável. *Adj. 2 g.* Que se pode planificar.

planifólio. [De *plani-* + *-fólio.*] *Adj. Bot.* Que tem folhas planas.

planiforme. [De *plani-* + *-forme.*] *Adj. 2 g.* Que tem forma plana ou achatada; chato.

planiglobo (ô). [De *plani-* + *globo.*] *S. m. P. us.* Planisfério.

planigrafia. [De *plano* (4) + *-graf(o)-* + *-ia.*] *S. f. Med.* V. *tomografia.*

planiimpressão. [De *plani-* + *impressão.*] *S. f. Tip.* Impressão com fôrma plana, em prensa de platina ou prensa planocilíndrica; impressão plana. [Cf. *rotoimpressão.*]

planilha. [Do esp. amer. *planilla.*] *S. f.* **1.** *Tip.* Cada uma das duas páginas de uma carteira de identidade; espelho. **2.** Folha impressa, padronizada, em cujas colunas se registram os cálculos de levantamentos topográficos. **3.** *P. ext.* Qualquer formulário impresso onde se lançam informações padronizadas.

planimetragem. [Por *planimetriagem* < *planimetria* + *-agem*[2].] *S. f.* Aplicação da planimetria a um terreno.

planimetria. [De *plani-* + *-metr(o)-* + *-ia.*] *S. f.* Levantamento topográfico destinado a fornecer as medidas do terreno plano, i. e., a projeção horizontal dos pontos significativos da área levantada.

planimétrico. *Adj.* Relativo à planimetria.

planímetro. [De *plani-* + *-metro.*] *S. m. Mat.* Instrumento com que se mede a área de uma figura plana.

planipene. [De *plani-* + *-pene.*] *Adj. 2 g. Zool.* **1.** Que tem penas ou asas planas. **2.** Pertencente ou relativo aos planipenes; hemerobiforme. • *S. m.* **3.** Espécime dos planipenes; hemerobiforme.

planipenes. *S. m. pl. Zool.* Insetos da ordem dos neurópteros, subordem *Planipennia*, com dois pares de asas transparentes com veias ramificadas próximo à margem e cujas larvas têm aparelho bucal sugador. [Sin.: *hemerobiformes.*]

planisférico. *Adj.* Relativo a planisfério.

planisfério. [De *plani-* + *-sfera-* + *-io*[1].] *S. m.* **1.** Representação duma esfera ou globo em um plano. **2.** *Restr.* Mapa que representa toda a superfície terrestre ou celeste em um plano retangular. [Sin., p. us.: *planiglobo.*] **3.** *Astr.* Analema.

planista. *Adj. 2 g.* e *s. 2 g. Bras., N.E.* Que ou quem arquiteta planos, estratagemas.

plano. [Do lat. *planu.*] *Adj.* **1.** Liso, sem desigualdades. [V. *plano* (18).] **2.** Que tem a superfície plana: *terreno plano; vidro plano.* **3.** *Fig.* Claro, simples; fácil. ~ V. *geometria —a, impressão —a, máquina —a, onda —a, prensa —a, seção —a* e *trigonometria —a.* • *S. m.* **4.** Qualquer superfície plana limitada, tomada isoladamente ou em relação a outras: *um plano elevado; planos paralelos.* **5.** V. *planície:* "Corre o ribeiro suave / Pela terra brandamente, / Se o plano condescendente / Dele se deixa regar" (Laurindo Rabelo, *Poesias Completas*, p. 44). **6.** Representação gráfica, numa dada escala, da estrutura ou da organização de algo em três dimensões; planta: *Consultou o plano do teatro e escolheu boas localidades.* **7.** Mapa (1) de cidade, região, rede de transportes, vias de comunicação, etc., em grande escala: *Tem na parede o plano de Paris.* **8.** Projeto (4): *Ele próprio fez o plano de sua residência.* **9.** Projeto ou empreendimento com fim determinado: "adquiriu [Charles Nodier] fama de conspirador, havendo .... participado, realmente, de planos sediosos" (Melo Nóbrega, *O Soneto de Arvers*, p. 12). **10.** Conjunto de métodos e medidas para a execução de um empreendimento: *Osvaldo Cruz estabeleceu um plano para a erradicação da febre amarela.* **11.** Arranjo ou disposição de uma obra: *o plano de* Guerra e Paz, *de Tolstói.* **12.** *Fig.* Nível; tom, caráter. **13.** *Fig.* Situação, posição, categoria: *Vaidoso, quer estar sempre em primeiro plano; O concurso de misses é hoje assunto de segundo plano.* **14.** *Fig.* Intento, propósito, desígnio; projeto: *Seu plano é dar aos filhos a instrução que não pôde receber.* **15.** *Art. Plást.* Plano (4) imaginário, perpendicular à linha de visão do observador, que, numa pintura ou num desenho, dá, por efeito da perspectiva, a noção de profundidade e distância. **16.** *Cin.* e *Telev.* Trecho filmado ou focalizado numa única tomada, e em que a posição da câmara determina a aproximação ou o afastamento da imagem. **17.** *Encad.* Pasta (11). **18.** *Geom.* Superfície que contém inteiramente qualquer reta que une dois de seus pontos. ◆ **Plano complexo.** *Mat.* Plano em que se associa a cada ponto um número complexo. **Plano coordenado.** *Geom. Anal.* Qualquer dos planos das três famílias que definem um sistema cartesiano de coordenadas. **Plano de Argand.** *Anal. Mat.* Plano em que só existe um sistema de coordenadas cartesianas em que a abscissa é a parte real de um complexo e a ordenada a parte imaginária. **Plano de curvatura.** *Geom. Anal.* Plano osculador. **Plano de geminação.** *Crist.* V. *macla.* **Plano de incidência.** *Ópt.* Plano definido por um raio luminoso incidente sobre uma superfície e pela perpendicular a esta superfície no ponto de incidência. **Plano de onda.** *Fís.* Plano determinado, num instante dado, pelos vectores elétrico (ou deslocamento elétrico) e magnético duma onda eletromagnética. **Plano de polarização.** *Ópt.* Plano perpendicular ao de vibração do vector elétrico em um raio luminoso planopolarizado. **Plano de reflexão.** *Ópt.* Plano definido pelo raio refletido por uma superfície e pela perpendicular a esta superfície no ponto de reflexão. **Plano de vibração.** *Ópt.* Plano que contém o vector elétrico de um raio luminoso planopolarizado. **Plano em traços.** *Maç.* Relatório escrito. **Plano ideal.** *Geom. Proj.* V. *plano impróprio.* **Plano impróprio.** *Geom. Proj.* Conjunto de todos os pontos impróprios e retas impróprias; plano ideal, plano no infinito. **Plano inclinado.** **1.** *Fís.* Máquina simples, constituída, na sua forma fundamental, por uma superfície rígida, plana, que faz um ângulo oblíquo em relação ao plano horizontal. **2.** *Arquit.* Rampa suavemente inclinada que substitui a escada na ligação entre andares. **Plano invariável.** *Fís.* Plano perpendicular ao vector momento angular dum corpo que gira livremente com apenas um ponto fixo, e que é determinado univocamente pelas condições iniciais do movimento. **Plano meridiano.** *Astr.* Plano que contém o eixo do mundo e a vertical de um lugar. **Plano no infinito.** *Geom. Proj.* V. *plano impróprio.* **Plano normal.** *Geom. Dif.* Plano perpendicular à tangente a uma curva num ponto dado. **Plano osculador.** *Geom. Anal.* Plano que contém o círculo osculador a uma curva; plano de curvatura. **Plano piloto.** *Bras.* Planejamento básico de uma obra, ao qual deverão ajustar-se todas as instalações e construções. **Plano radical.** *Geom.* Lugar geométrico dos pontos de igual potência em relação a duas superfícies esféricas. **Planos conjugados.** *Ópt.* Num sistema óptico, planos perpendiculares ao eixo óptico, e que passam, respectivamente, por um ponto-objeto e pelo correspondente ponto-imagem. **Planos paralelos.** *Geom.* Planos que só têm em comum uma reta no infinito. **Planos principais.** *Ópt.* Numa lente, dois planos conjugados que têm aumento lateral positivo e unitário. **Plano supergaláctico.** *Cosm.* Plano aparente de simetria que passa através do aglomerado de galáxias da Virgem, região onde estão concentradas as mais brilhantes galáxias do cosmo. **Plano tangente.** *Geom. Dif.* Plano que contém todas as tangentes a uma superfície num ponto dado. **De plano.** **1.** De pronto; prontamente. **2.** Sumariamente. **Salso plano.** *Poét.* O mar; salso argento: "De pé, no salso plano, / O longo mastro, a interrogar o arcano / Do horizonte infinito, alto se apruma." (Alberto de Oliveira, *Poesias*, 4ª série, p. 237.)

planocilíndrico. [De *plano* + *cilíndrico.*] *Adj.* ~ V. *impressão —a* e *prensa —a.*

plano-côncavo. *Adj.* Que tem uma superfície plana e outra côncava. [Pl.: *plano-côncavos.*] ~ V. *lente —a.*

plano-convexo. *Adj.* Que tem uma superfície plana e outra convexa. [Pl.: *plano-convexos.*] ~ V. *lente —a.*

planografia. [De *plano* + *-graf(o)-* + *-ia.*] *S. f.* **1.** Qualquer processo de gravura ou de fotogravura cuja placa não apresenta diferenças de superfície, retendo a tinta nas partes que recebem tratamento químico adequado. [V. *gravura em plano, impressão de plano* e *fotogravura em plano.*] **2.** Arte de desenhar planos.

planográfico. *Adj.* Relativo à planografia e à impressão planográfica. ~ V. *impressão —a.*

planógrafo. [De *plano* + *-grafo.*] *S. f.* Aparelho para tirar cópias de fotografias.

plano-paralelo. *Adj.* Que tem superfícies planas paralelas. [Pl.: *plano-paralelos.*]

planopolarizado. [De *plano* + *polarizado.*] *Adj. Fís.* Diz-se de radiação eletromagnética que tem invariável o plano de vibração. ~ V. *luz —a.*

planorrotativo. [De *plano* + *rotativo.*] *Adj.* ~V. *prensa —a.*

planqueta (ê). *S. f. Ant.* Peça empregada em combates navais para desmastrear navios.

planta. [Do lat. *planta.*] *S. f.* **1.** Ser vivo do reino vegetal; vegetal. **2.** *Anat.* Parte do pé que assenta no chão. **3.** *P. ext.* Pé (1). **4.** *Arquit.* Representação gráfica da projeção horizontal de edifício, de cidade, etc. **5.** *Bras. N. E.* Plantação, plantio. **6.** *Bras.* V. *soca* (2). ◆ **Planta baixa.** *Arquit.* Representação gráfica do corte horizontal de um edifício, e que passa, geralmente, acima do plano dos peitoris das janelas. **Planta de localização.** *Arquit.* e *Urb.* Representação gráfica da posição exata de um terreno, e que compreende a região onde está localizado, com logradouros e terrenos vizinhos. **Planta de sol.** *Ecol.* Heliófito. **Planta topográfica.** Representação gráfica, convencional e minuciosa, de uma pequena área da superfície terrestre; carta topográfica.

plantação. [Do lat. *plantatione.*] *S. f.* **1.** Ato ou efeito de plantar[2]; plantio. **2.** Terreno plantado; plantio. **3.** *P. ext.* Aquilo que se plantou: *Com a seca a plantação morreu toda.*

plantado. [Part. de *plantar.*] *Adj.* **1.** Diz-se de terreno em que se fez plantação: *Percorreu toda a parte plantada do sítio.* **2.** Firme, arraigado.

plantador (ô). [Do lat. *plantatore.*] *Adj.* e *s. m.* Que ou o que planta.

plantaginácea. *S. f.* Espécime das plantagináceas.

plantagináceas. *S. f. pl. Bot.* Família de plantas superiores, da ordem das plantaginales, composta de ervas de folhas alternas e minutas flores em espigas. Corola inconspícua e seca; ovário súpero; fruto: pixídio ou núcula. Compreende umas 300 espécies, sendo raras as brasileiras. A *plantago major*, cosmopolita, é a única comum, inclusive nas ruas das cidades.

plantagináceo. *Adj.* Pertencente ou relativo às plantagináceas.

plantaginale. *S. f.* Espécime das plantaginales.

plantaginales. *S. f. pl. Bot.* Ordem de plantas dicotiledôneas, metaclamídeas, caracterizada pelas flores actinomorfas e tetrâmeras. Só inclui a família das plantagináceas.

planta-misteriosa. *S. f. Bras.* Arbusto da família das berberidáceas (*Nandina doméstica*), que se caracteriza por ter folhas tripenadas, fato raro. É encontrado, entre nós, ocasionalmente, em jardins, como planta ornamental, cuja graça procede das folhas amplamente subdivididas. [Sin.: *fruta-de-cachorro.* Pl.: *plantas-misteriosas.*]

plantão. [Do fr. *planton.*] *S. m.* **1.** Serviço policial distribuído cada dia a um soldado, dentro da respectiva caserna, companhia, etc. **2.** O soldado que fica em tal serviço. **3.** Horário de serviço escalado para determinado profissional exercer suas atividades em delegacia, hospital, etc. **4.** Quarto (5). **5.** Serviço noturno ou em dia ou horas normalmente sem expediente em redações de jornais, hospitais, fábricas, etc. **6.** Pessoa incumbida de tal serviço; plantonista: "O senhor é o plantão, doutor veterinário?" (João Uchoa Cavalcanti Neto, *O Menino*, p. 35.) ◆ **De plantão.** *Fig.* À espera.

plantar[1]. [Do lat. *plantare.*] *Adj. 2 g. Anat.* Relativo à planta do pé.

plantar[2]. [Do lat. *plantare.*] *V. t. d.* **1.** Meter (um vegetal) na terra para aí enraizar: *plantar árvores.* **2.** Realizar a semeadura de; semear, cultivar: *Os camponeses plantaram trigo e cevada.* **3.** Fazer plantação em; amanhar: *plantar uma roça.* **4.** Preparar (a terra) para a plantação; cultivar, amanhar, arrotear. **5.** Fincar verticalmente na terra: *plantar estacas.* **6.** Assentar, colocar, erigir: *Plantou no local do crime um cruzeiro.* **7.** Dispor na terra: *Plantou três casas em fileira.* **8.** Incentivar o desenvolvimento de; propagar, semear, disseminar; implantar: *plantar a cultura, as belas-artes; plantar ódios.* **9.** Introduzir no ânimo; sugerir, insinuar, instilar, implantar: *Os missionários buscavam extirpar o paganismo e plantar a doutrina cristã.* **10.** Empreender o estabelecimento ou fundação de; estabelecer, fundar, instituir, edificar, implantar: *Os fenícios plantaram* Cartago. *T. d.* e *c.* **11.** Fazer estacionar; deixar parado; fixar, estabelecer: *O oficial plantou cada soldado na sua posição.* **12.** Fazer entrar, ou nascer; insinuar, instilar, incutir: *Aquela moça plantava amor nos corações dos homens. Int.* **13.** Preparar a terra para a plantação: "Fez-se labrador, plantou, colheu, permutou o seu produto por boas e honradas patacas" (Machado de Assis, *Memórias Póstumas de Brás Cubas*, p. 7). *P.* **14.** Ficar parado ou estacionado; estacionar: *Todos plantaram-se imóveis diante do cortejo.* **15.** Deixar-se ficar por longo tempo (à maneira da planta que se arraiga num determinado lugar): *Plantou-se a meu lado e pôs-se a conversar.* [Pres. subj.: *plante, ... planteis, plantem.* Cf. *plantéis*, pl. de *plantel.*]

planta-telégrafo. *S. f.* Planta da família das leguminosas, subfamília papilionácea (*Desmodium gyrans*). [Pl.:

plantas-telégrafos e *plantas-telégrafo*.]

plantear. [De *planta* (4) + *-ear.*] *V. t. d. P. us.* Desenhar ou fazer a planta de (uma construção); planejar, projetar, traçar. [Conjug.: v. *frear*.]

plantel. [Do esp. plat. *plantel*.] *S. m. Bras., MG* e *S.* **1.** *Zootec.* Grupo de animais de boa raça (em especial bovinos e eqüinos) que o criador conserva para a reprodução. **2.** Grupo de animais de raça fina, selecionada: "O plantel de Virgílio era bem renomado entre os conhecedores. Seus reprodutores puros, importados da Holanda, cruzavam com as fêmeas aclimatadas na serra, dando crias que não se diferençavam dos animais estrangeiros." (Afonso Arinos de Melo Franco, *A Alma do Tempo*, p. 389.) **3.** *Bras., S.* Grupo de atletas, ou coristas, ou técnicos, etc., que são os mais capazes em sua profissão: "O triste é quando .... o foca permanece foca a vida toda, como um marginal ou peça sobressalente no plantel profissional e humano de uma redação." (Valdemar Cavalcanti, *Jornal Literário*, p. 53.) [Pl.: *plantéis*. Cf. *planteis*, do v. *plantar*.]

plantígrado. [De *planta* (2) + *-i-* + *-grado*[1].] *Adj.* **1.** Que anda sobre as plantas dos pés. **2.** Pertencente ou relativo aos plantígrados. ● *S. m.* **3.** Espécime dos plantígrados.

plantígrados. [Pl. de *plantígrado*.] *S. m. pl. Zool.* Tribo de mamíferos que andam sobre as plantas dos pés.

plantio. *S. m.* Plantação (1 e 2).

plantonista. *S. 2 g. Bras.* Plantão (6).

plântula. [Dim. de *planta*.] *S. f.* Planta (1) em estado de vida latente, na semente; planta em embrião.

planturoso (ô). [Do gr. *plantureux*.] *Adj. Gal.* **1.** Volumoso; crescido. **2.** Abundante; copioso.

planura. [De *plano* + *-ura*.] *S. f.* **1.** V. *planalto*. **2.** V. *planície*.

plaquê. [Do fr. *plaqué*.] *S. m.* **1.** Folha de metal, mais ou menos delgada e em geral amarela ou da cor do ouro, com a qual se revestem certos objetos ou ornatos de metal ordinário. **2.** Metal ordinário com que se fabricam objetos de adorno imitantes a objetos de ouro.

plaqueamento. *S. m. Bras.* Colocação de placas orientadoras do trânsito.

plaqueta (ê). [Do fr. *plaquette*.] *S. f.* **1.** Livro de poucas páginas e aspecto gráfico apurado, e que geralmente é uma obra literária. [F. paral.: *plaquete*.] **2.** Peça de joalheria, semelhante a uma medalha, mas que não tem forma circular. **3.** Pequena placa de metal. **4.** *Bras. Auton.* Pequena placa (1) metálica que, nos veículos automóveis se sobrepõe à placa (4), destinada a comprovar o pagamento anual da licença. ◆ **Plaqueta sanguínea.** *Histol.* Corpúsculo do sangue, de importância na hemóstase.

plaquete. *S. f.* Plaqueta (1).

▲**-plas(i)-.** [Do gr. *plasis, eos*.] *El. comp.* = 'ação de dar forma, de modelar', 'formação': *hipoplasia, leucoplasia.*

▲**plasm(a)-.** [Do gr. *plásma, atos*.] *El. comp.* = 'plasma': *plásmase*. [Equiv.: *-plasma, -plasm(a)-* e *plasmo-*: *citoplasma; histoplasmose; plasmólise*.]

▲**-plasm(a)-.** V. *plasm(a)-*.

▲**-plasma.** V. *plasm(a)-*.

plasma. [Do gr. *plásma*, 'obra modelada', pelo lat. *plasma*, 'criatura'.] *S. m.* **1.** *Histol.* A parte líquida coagulável, do sangue e da linfa e onde se acham, em suspensão, as células destes. **2.** *Min.* Variedade verde-escura de calcedônia. **3.** *Fís.* Gás rarefeito com elétrons e íons positivos livres, mas cuja carga espacial é nula.

plasmado. [Part. de *plasmar*.] *Adj.* Feito, organizado, constituído, modelado.

plasmar. [Do lat. *plasmare*.] *V. t. d.* **1.** Modelar em gesso, em barro, etc.: *O escultor plasmou várias imagens.* **2.** Dar forma a; afeiçoar, modelar: "Passou a plasmar o barro e foi a mão do próprio Sardoeira o que ele primeiro modelou." (Coelho Neto, *Treva*, p. 16.)

plásmase. [De *plasm(a)-* + *-ase*[1].] *S. f. Bioquím.* Diástase que coagula as substâncias albuminóides dos plasmas.

plasmático. [Do gr. *plasmatikós*.] *Adj.* Relativo ao, ou do plasma; plásmico.

plásmico. [De *plasm(a)-* + *-ico*[2].] *Adj.* Plasmático.

plasmídeo. [De *plasm(a)* + *-ídeo*.] *S. m. Genét.* Molécula circular do ácido desoxirribonucleico não integrada ao cromossomo bacteriano capaz de auto-replicação.

▲**plasmo-.** V. *plasm(a)-*.

plasmodesma. [De *plasm(a)-* + *-o-* + gr. *desmós, on*, 'laço'.] *S. m. Citol.* Filamento plasmático muito delgado que passa de uma célula para outra através de canalículos na membrana ou parede celular.

plasmódio. [Do lat. cient. *plasmodiu*.] *S. m.* **1.** *Bot.* Massa protoplasmática resultante da união das mixamebas dos mixomicetos. [Nos plasmódios de agregação as células conservam a individualidade; nos plasmódios de fusão, misturam-se intimamente, visto que as membranas desaparecem.] **2.** *Zool.* Espécie de animal protozoário, esporozoário, telosporídeo, hemosporídeo, gênero *Plasmodium* Machiafava & Celin, cujo esquizonte, luniforme ou esférico, parasita hemácias e gametas nos vertebrados. [Os plasmódios são os agentes etiológicos da malária.]

plasmodiocarpo. [De *plasmódio* + *carpo*.] *S. f.* Frutificação dos mixomicetos na qual se conserva a forma reticular ou venenosa dos plasmódios.

plasmódromo. [De *plasm(a)-* + *-o-* + *-dromo*.] *S. m.* **1.** Espécime dos plasmódromos. ● *Adj.* **2.** Pertencente ou relativo a eles.

plasmódromos. *S. m. pl. Zool.* Animais do ramo dos protozoários, do sub-ramo *Plasmodroma*, sem organelas para locomoção ou com flagelos ou pseudópodes e núcleos de um só tipo. São os flagelos ou pseudópodes, e núcleos de um só tipo. São os flagelados, os sarcodíneos e os esporozoários.

plasmóide. [De *plasma* (3) + *-óide*.] *S. m. Fís.* Plasma animado com velocidade de translação.

plasmólise. [De *plasm(a)-* + *-o-* + *-lise*.] *S. f.* Contração, por perda de água, do protoplasma de célula viva, quando esta é colocada em meio hipertônico.

plasmolítico. *Adj.* Referente à plasmólise.

▲**plast-.** [Do gr. *plásso* ou *plátto*.] *El. comp.* = 'modelar[2]', 'moldar': *plastia*. [Equiv.: *-plaste -plasto*: *ridoplastia; cloroplasto*.]

▲**-plast-.** V. *plast-*.

plasta. [Do esp. plat. *plasta*.] *S. f. Bras., RS.* Pessoa inútil, moleirona.

plastia. [De *plast-* + *-ia*.] *S. f. Cir.* Intervenção plástica.

plástica. [Fem. substantivado do adj. *plástico*.] *S. f.* **1.** Arte de plasmar, amoldar, modelar, etc. **2.** Cirurgia plástica. **3.** *P. ext.* Operação (4) plástica. **4.** A conformação geral do corpo humano: Falta-lhe [ao sertanejo] a plástica impecável, o desempeno, a estrutura corretíssima das organizações atléticas." (Euclides da Cunha, *Os Sertões*, p. 114.)

plasticidade. *S. f.* Estado ou qualidade daquilo que é plástico.

plasticização. *S. f.* Ação ou efeito de plasticizar.

plasticizar. [De *plástico* + *-izar*.] *V. t. d.* **1.** Dar expressão plástica, deformada, a; conformar, configurar: *As imagens dessoterradas plasticizavam a índole naturalista do povo grego.* **2.** Plastificar (1).

plástico. [Do gr. *plastikós*, 'relativo às dobras de argila', pelo lat. *plasticu*, 'que modela'.] *Adj.* **1.** Relativo à plástica. **2.** Que tem propriedade de adquirir determinadas formas sensíveis, por efeito de uma ação exterior: *O barro é um material plástico.* **3.** *Art. Plást.* Diz-se do relacionamento expressivo (numa obra de arte) dos elementos sensíveis (cores, formas, linhas, volume, etc.). **4.** Diz-se de artista que se dedica às artes plásticas. **5.** *P. ext.* Que tem características de beleza e harmonia: *os aspectos plásticos da paisagem carioca.* **6.** *Med.* Relativo à cirurgia plástica. ~ V. *cirurgia —a, cirurgião —, clichê —, deformação —a, escoamento —, estéreo — e matéria —a.* ● *S. m.* **7.** V. *Matéria plástica.*

plastídio. [Do gr. *plástis, idos*, 'a que forma, a que modela', 'autora'.] *S. m. Citol.* Designação de qualquer estrutura especializada da célula, exceto o núcleo e o centrossomo; leucito.

plastidoma. *S. m. Citol.* Conjunto dos plastídios de uma célula.

plastificação. *S. f.* Ato ou efeito de plastificar.

plastificado. [Part. de *plastificar*.] *Adj.* Que se plastificou.

plastificador (ô). *Adj.* Que plastifica: *aparelho plastificador.*

plastificadora (ô). [Fem. substantivado de *plastificador*.] *S. f.* **1.** *Art. Gráf.* Máquina para fazer aderir ao papel, cartão, etc., a película de plástico transparente. **2.** *Bras.* Estabelecimento especializado em plastificação.

plastificante. [De *plastificar* + *-nte*.] *S. m. Constr.* Aditivo que aumenta a resistência de um concreto por permitir, sem prejuízo da trabalhabilidade, reduzir a água da mistura.

plastificar. *V. t. d.* **1.** Tornar plástico; plasticizar. **2.** Cobrir (papel, cartão, tecido, etc.) com película de celofane ou de outro plástico transparente, que se faz aderir na plastificadora. [Conjug.: v. *trancar*.]

plastilina. [De *plast-* + *-il-* + *-ina*[1].] *S. f.* Espécie de argila muito plástica, empregada em modelagem.

▲**-plasto.** V. *plast-*.

plastotipia. [De *plast-* + *-o-* + *-tip(o)-* + *-ia*.] *S. f. Tip.* **1.** Processo de estereotipia pelo qual se produzem clichês de borracha ou de matéria plástica. **2.** Clichê obtido por esse processo; clichê plástico; estéreo plástico.

plastotípico. *Adj.* Relativo à plastotipia.

plastrão. *S. m.* Plastrom [q. v.].

plastrom. [Do fr. *plastron*.] *S. m.* **1.** Gravata larga, cujas pontas se cruzam obliquamente. **2.** Peitilho de camisa. **3.** Almofada de esgrimista. **4.** *Zool.* Escudo ósseo ventral dos quelônios. [F. paral.: *plastrão*.]

plataforma. [Do fr. *plate-forme*.] *S. f.* **1.** Área plana horizontal, mais ou menos alteada. **2.** Terraço, eirado. **3.** Estrado na parte posterior ou anterior de alguns carros. **4.** Vagão (1) raso. **5.** Área de cimento ou estrado de madeira, elevada mais ou menos à altura do piso dos vagões, para facilitar o embarque ou desembarque de passageiros ou de carga nas estradas de ferro. **6.** Tabuleiro circular que se move em torno de um eixo, para deslocar vagões de estrada de ferro. **7.** Rampa de onde se lançam foguetes ou outros projéteis. **8.** Construção de terra, madeira ou aço para assentar a artilharia. **9.** Superfície regularizada, obtida por terraplenagem, sobre a qual se assenta uma via férrea, com seus dormentes e lastro. **10.** Qualquer peça que lembra uma plataforma (1): *Continuam em moda os sapatos com plataforma.* **11.** *Fig. Pop.* Aparência, simulacro. **12.** Programa administrativo ou de trabalho, ou reivindicatório anunciado em discurso solene por candidato a cargo eletivo. ◆ **Plataforma continental.** *Ocean.* Zona imersa que declina suavemente, a começar da praia até o talude continental, e que, por convenção, se estende até à isóbata de 200m (embora nem sempre o talude se apresente a partir dessa profundidade); banqueta continental, plataforma submarina. **Plataforma de abrasão.** A que é formada pelo trabalho erosivo prolongado do mar sobre a costa. **Plataforma espacial.** *Astr.* Estação espacial. **Plataforma submarina.** *Ocean.* V. *plataforma continental.*

platal. [Do esp. plat. *platal*.] *S. m. Bras., RS.* Vultosa soma de dinheiro.

plataleídeo. *S. m.* **1.** Espécime dos plataleídeos. ● *Adj.* **2.** Pertencente ou relativo a eles.

plataleídeos. *S. m. pl. Zool.* Aves ardeiformes, da família *Plataleidae*, de bico muito alargado na extremidade, lembrando uma espátula ou colher. Vivem aos bandos, em locais onde haja terrenos alagadiços ou praias lamacentas. São os colhereiros.

platanácea. *S. f.* Espécime das platanáceas.

platanáceas. *S. f. pl. Bot.* Família de plantas floríferas, da ordem das rosales, constituída de árvores cujas grandes folhas são palmadas ou lobadas e levam estípulas concrescentes, e cujas flores, insignificantes, são unissexuais, reunidas em inflorescências compactas, globosas. Abrange umas poucas espécies, do gênero *Platanus*, da zona temperada; entre nós, cultiva-se, no S., a *Platanus occidentalis*.

platanáceo. *Adj.* Pertencente ou relativo às platanáceas.

platanistídeo. *S. m.* **1.** Espécime dos platanistídeos. ● *Adj.* **2.** Pertencente ou relativo a eles.

platanistídeos. *S. m. pl. Zool.* Família de mamíferos da ordem dos cetáceos, subordem dos odontocetos, a qual compreende os gêneros *Platanista* e *Stenodelphe*, delfins de focinho largo e fino, e dentes aguçados e que vivem na embocadura do rio Ganges.

plátano. [Do gr. *plátanos*, pelo lat. *platanu*.] *S. m.* Árvore da família das platanáceas (*Platanus orientalis*).

platéia. [Do fr. *platée*.] *S. f.* **1.** O espaço destinado aos espectadores em um teatro, cinema ou auditório. **2.** *Fig.* Os espectadores ou assistentes [v. *público* (9)] que se encontram na platéia (1).

platelminte. *S. m.* e *adj. 2 g.* V. *platelminto.*

platelmintes. *S. m. pl. Zool.* V. *platelmintos.*

platelminto. [Var. de *platielminto*, < *plat(i)-* + *-helminto*.] *S. m.* **1.** Espécime dos platelmintos. ● *Adj.* **2.** Pertencente ou relativo a eles. [Var.: *platelminte, platelmíntio, platielminte*.]

platelmintos. *S. m. pl. Zool.* Animais acelomados, de simetria bilateral, do ramo *Platyhelminthes*, de corpo achatado, foliáceo ou em forma de fita, segmentado ou não, e tubo digestivo (quando presente) desprovido de ânus. Algumas espécies são de vida livre (os turbelários), mas na maioria são parasitos (os trematódeos e os cestóideos). [Var.: *platelmintes, platelmíntios, platielmintes*.]

platense. [Do esp. *platense*.] *Adj. 2 g.* e *s. 2 g.* V. *platino.*

plateresco (ê). [Do esp. *plateresco*.] *Adj.* e *s. m.* Diz-se de, ou o estilo artístico ornamental, empregado especialmente em arquitetura, que surgiu na Espanha durante o Renascimento, desenvolvendo-se no período barroco, e cuja característica é a desfiguração dos cânones clássicos pelo acréscimo de vários elementos de decoração.

▲plat(i)-. [Do gr. *platýs, êia, ý.*] *El. comp.* = 'chato', 'plano', 'largo': *platidáctilo, platirrostro.*

platibanda. [Do fr. *plate-bande.*] *S. f.* **1.** *Arquit.* Mureta de alvenaria maciça ou vazada, construída no topo das paredes externas de uma edificação, contornando-a acima da cobertura, e que se destina a proteger ou camuflar o telhado e compor ornamentalmente a fachada: "De dia, desde o arrebol, / calçadas, jardins, varandas, / telhados e platibandas / eram lavados de sol." (Onestaldo de Pennafort, *Poesias,* p. 202.) **2.** Grade de ferro, ou muro, que limita um terraço, etc. **3.** Bordadura de canteiros de jardim.

platicarpo. [De *plat(i)-* + *-carpo.*] *S. m. Bot.* Fruto achatado.

platicefalia. *S. f.* Qualidade ou estado de platicéfalo.

platicefálico. *Adj.* Relativo à platicefalia.

platicéfalo. [De *plat(i)-* + *-céfalo.*] *Adj.* **1.** Que tem cabeça chata. **2.** Cuja parte superior é achatada. ● *S. m.* **3.** Indivíduo de cabeça chata.

platícopo. *S. m.* **1.** Espécime dos platícopos. ● *Adj.* **2.** Pertencente ou relativo a eles.

platícopos. *S. m. pl. Zool.* Animais marinhos, artrópodes, crustáceos, ostracódios, da ordem *Platycopa.* Têm carapaça sem entalhe antenal; primeiro e segundo par de antenas, grandes, porém não utilizados para natação, e o segundo par achatado, com dois ramos; forquilha caudal com ramos estiliformes ou apenas esboçados.

platictênio. *S. m.* **1.** Espécime dos platictênios. ● *Adj.* **2.** Pertencente ou relativo a eles.

platictênios. *S. m. pl. Zool.* Animais ctenóforos, tentaculados, da ordem *Platyctenea,* de corpo comprimido no eixo que parte da boca até alcançar forma achatada própria para reptação, grandemente modificada. As formas larvárias são parasitas de tunicados.

platicúrtico. [De *platicurt(ose)* + *-ico*[2].] *Adj. Estat.* Diz-se da curva de freqüência mais achatada que a curva de Gauss.

platicurtose. [De *plat(i)-* + *curtose.*] *S. f. Estat.* Propriedade de uma curva de freqüência ou de probabilidade na qual a curtose é menor que três, e que, por isso, é mais achatada que a curva normal de probabilidade.

platidáctilo. [De *plat(i)-* + *-da(c)tilo.*] *Adj. Zool:* Que tem dedos achatados ou largos. [Var.: *platidátilo.*]

platidátilo. *Adj. Zool.* Var. de *platidáctilo.*

platielminte. *S. m.* e *adj. 2 g.* V. *platelminto.*

platielmintes. *S. m. pl. Zool.* V. *platelmintos.*

platielmíntio. *S. m.* e *adj.* V. *platelminto.*

platielmíntios. *S. m. pl. Zool.* V. *platelmintos.*

platiglosso. [Do gr. *platyglossos.*] *Adj. Zool.* Que tem língua larga.

platilobulado. [De *plat(i)-* + *lobulado.*] *Adj. Bot.* Que tem lóbulos ou segmentos largos.

platina[1]. [Do esp. *platino.*] *S. f. Quím.* Elemento de número atômico 78, metálico, branco-prateado, denso, dúctil e maleável, muito nobre, usado em ligas preciosas e com aplicações científicas. [Símb.: *Pt.*]

platina[2]. [Do fr. *platine.*] *S. f.* **1.** Presilha ou pestana em que os soldados de infantaria seguram as correias. **2.** Peça metálica, achatada e em geral recoberta de platina, empregada em diversos aparelhos submetidos a corrente elétrica. **3.** *Mar.* Peça metálica ou de couro, recoberta de pano, onde se pregam os galões ou as divisas indicativas do posto ou da graduação do militar, assim como o distintivo da sua especialidade, e que se usa em cada ombro, nalguns uniformes. [M. us. no pl.] **4.** *Ópt.* Num microscópio, suporte sobre o qual se coloca o portador do objeto, e que tem dispositivos que lhe permitem a movimentação. **5.** *Tip.* Peça plana de ferro que, revestida da almofada, exerce, nas prensas de platina, a pressão contra a fôrma.

platinado[1]. [De *platina*[1] + *-ado*[1].] *Adj.* Que contém platina[1].

platinado[2]. [Part. de *platinar.*] *Adj.* **1.** Que se platinou [v. *platinar* (1).]. **2.** Diz-se do cabelo de um louro quase branco que lembra a cor da platina, ou da pessoa cujo cabelo tem essa cor: *uma loura platinada.* ● *S. m.* **3.** A cor da platina. **4.** A cor dos cabelos platinados. **5.** *Autom.* Dispositivo de motor a gasolina, destinado a interromper de súbito a corrente que atravessa um circuito elétrico, e assim chamado porque as duas peças que se afastam para interromper o circuito são platinadas.

platinador (ô). *S. m.* Aquele que platina.

platinagem. *S. f.* Ato ou operação de platinar.

platinar. *V. t. d.* **1.** Recobrir de platina mediante processos eletroquímicos. **2.** Branquear com uma mistura de estanho ou de mercúrio. **3.** *P. ext.* Dar o tom ou o brilho da platina a: *platinar os cabelos.*

platinense[1]. *Adj. 2 g.* **1.** De, ou pertencente ou relativo a Platina (SP). ● *S. 2 g.* **2.** Natural ou habitante de Platina.

platinense[2]. *Adj. 2 g.* **1.** De, ou pertencente ou relativo a Santo Antônio da Platina (PR). ● *S. 2 g.* **2.** Natural ou habitante de Santo Antônio da Platina.

platineuro. [De *plat(i)-* + *-neuro.*] *Adj. Bot.* Que tem nervuras largas.

platino. [Do esp. *platino.*] *Adj.* **1.** Da, ou pertencente ou relativo à região do rio da Prata. ● *S. m.* **2.** O natural ou habitante dessa região. [Sin.: *platense, rio-platense.*]

platinotipia. [De *platina*[1] + *-o-* + *-tip(o)-*[2] + *-ia.*] *S. f.* Processo de impressão fotográfica em chapas revestidas de sais de platina.

platinotípico. *Adj.* Referente à platinotipia.

platípode. [Do gr. *platypous.*] *Adj. 2 g.* **1.** *Bot.* Cujo pedúnculo é largo ou chato. **2.** *Zool.* Que tem pés largos. **3.** Pertencente ou relativo aos platípodes. ● *S. m.* **4.** Espécime dos platípodes.

platípodes. *S. m. pl. Zool.* Animais metazoários, moluscos, gastrópodes, estreptoneuros, pectinibrânquios, da subordem *Platypoda,* de pé achatado ventralmente, pelo menos na frente, e maxilas, em geral, presentes.

platirrinia. [De *plat(i)-* + *-rin(o)-* + *ia.*] *S. f. Antrop.* Qualidade ou estado de platirrino (1). [Cf. *leptorrinia* e *mesorrinia.*]

platirrínico. *Adj. Antrop.* V. *platirrino* (1).

platirrínio. [De *plat(i)-* + *-rin(o)-* + *-io*[2].] *Adj. Antrop.* V. *platirrino* (1).

platirrino. [Do gr. *platyrrhinos.*] *Adj.* **1.** *Antrop.* Diz-se de indivíduo de índice nasal elevado, i. e., superior a 53, e, por conseguinte, nariz alargado em relação ao comprimento; platirrínico, platirrínio. [Cf. *leptorrino* e *mesorrino* (1).] **2.** Pertencente ou relativo aos platirrinos [q. v.]. ● *S. m.* **3.** *Antrop.* Indivíduo platirrino (1). **4.** Espécime dos platirrinos.

platirrinos. [Pl. de *platirrino.*] *S. m. pl. Zool.* Superfamília da ordem dos primatas, subordem dos antropóides, que se caracteriza pelo septo nasal largo, 36 dentes, e, amiúde, por uma cauda preênsil. Inclui numerosas espécies americanas.

platirrostro. [De *plat(i)-* + *-rostro.*] *Adj. Zool.* Que tem bico ou focinho largo.

platispermo. [De *plat(i)-* + *-spermo.*] *Adj.* e *s. m. Bot.* Diz-se do, ou o fruto que tem semente chata.

platitude. [Do lat. *plattus,* 'plano, sem relevo', + *-i-* + *-(t)ude.*] *S. f.* **1.** Qualidade ou caráter de uniforme, monótono, enfadonho. **2.** Qualidade ou caráter de banal, trivial, insulso. **3.** Qualidade ou caráter de medíocre ou inexpressivo; mediocridade.

platiúro. [Do gr. *platyouros.*] *Adj. Zool.* Que tem cauda chata.

plató. [Var. de *platô.*] *S. m.* V. *planalto:* "nos altos platós catarinenses de Lajes, Curitibanos e S. Joaquim" (Oliveira Viana, *Pequenos Estudos de Psicologia Social,* p. 51).

platô. [Do fr. *plateau;* var.: *plató*] *S. m.* **1.** V. *planalto.* **2.** *Mec.* Na embreagem de discos de fricção, o disco dotado de molas compressoras sob cuja ação ele transmite a força do motor à(s) roda(s) de tração.

platônico. [Do gr. *platonikós, pelo lat. platonicu.*] *Adj.* **1.** Relativo ou pertencente a Platão [v. *platonismo*], ou próprio desse filósofo, ou de sua doutrina. **2.** Que é sectário do platonismo. **3.** *P. ext.* Alheio a interesses ou gozos materiais; ideal, casto: *amor platônico.* ● *S. m.* **4.** Sectário do platonismo. **5.** *P. ext.* Indivíduo platônico.

platonismo. *S. m. Filos.* Doutrina de Platão, filósofo grego (429-347 a.C.), e de seus seguidores, caracterizada principalmente pela teoria das idéias e pela preocupação com os temas éticos, visando toda meditação filosófica ao conhecimento do Bem, conhecimento este que se supõe suficiente para a implantação da justiça entre os estados e entre os homens.

plaudir. *V. t. d.* e *p. P. us.* V. *aplaudir.*

plauditivo. *Adj. P. us.* Que plaude; encomiástico.

plausibilidade. *S. f.* Qualidade de plausível.

plausível. [Do lat. *plausibile.*] *Adj. 2 g.* **1.** Que merece aplauso: "Os modernos teóricos da Poesia são às vezes muito engenhosos e fazem esforços plausíveis para o cabal assédio da criação poética." (Eduardo Frieiro, *Torre de Papel,* p. 111.) **2.** Razoável, aceitável, admissível.

plaustro. [Do lat. *plaustru.*] *S. m. Poét.* Carro descoberto: "Orna-lhe fulva pedraria o manto / Régio; tiram-lhe o plaustro resplendente / Nédias parelhas e possantes urcos..." (Raimundo Correia, *Poesias,* p. 74.)

plautiano. *Adj.* Plautino.

plautino. *Adj.* Pertencente ou relativo a Tito Márcio Plauto, comediógrafo romano (235-184 a.C.), próprio dele ou de seu estilo; plautiano: "Difere o caráter do Sósia camoniano do do Sósia plautino." (Hernâni Cidade, in *Luís de Camões, Obras Completas,* III, p. XVII.)

➡play (plei). [Ingl.] *S. m. Bras.* F. red. de *playground* [q. v.].

➡play-back (plei-béc). [Ingl.] *S. m.* Processo de sonorização que utiliza gravação prévia de trilha sonora (diálogo, música, acompanhamento, etc.).

➡playboy (pleibói). [Ingl.] *S. m.* Homem, geralmente jovem, rico e ocioso, que se entrega a uma vida social intensa, ao convívio de belas mulheres, aos esportes, etc.

➡playground (pleigráund). [Ingl.] *S. m.* Local destinado à recreação infantil, aparelhado com brinquedos [v. *brinquedo* (1)] e/ou equipamentos de ginástica. [F. red., no Brasil: *play.*]

plebe. [Do lat. *plebe.*] *S. f.* **1.** Entre os romanos, a classe popular, por oposição ao patriciado. **2.** O povo, por oposição aos nobres. **3.** V. *povo* (6). **4.** *Deprec.* V. *zé-povinho.*

plebécula. [Do lat. *plebecula.*] *S. f.* A baixa plebe; a ralé [q. v.].

plebéia. *Adj. (f.)* e *s. f.* Fem. de *plebeu.*

plebeidade (e-i). *S. f.* Qualidade de plebeu; plebeísmo.

plebeísmo. *S. m.* **1.** Plebeidade. **2.** Modos, usos, frases, palavras, de uso exclusivo da plebe.

plebeizar (e-i). *V. t. d.* e *p. Bras.* Tornar(-se) plebeu. [Conj.: v. *ajuizar.*]

plebeu. [Do lat. *plebeiu.*] *Adj.* **1.** Pertencente ou relativo à, ou próprio da plebe. ● *S. m.* **2.** Homem da plebe. [Sin. nesta acepç.: *peão* e (bras.) *pé-de-poeira.* Fem.: *plebéia.*]

plebiscitar. [De *plebiscito* + *-ar*[2].] *V. t. d.* Submeter a plebiscito. [Fut. pret.: *plebiscitaria,* etc. Cf. *plebiscitária,* fem. de *plebiscitário.*]

plebiscitário. *Adj.* Respeitante a plebiscito.

plebiscito. [Do lat. *plebiscitu.*] *S. m.* **1.** Na Roma antiga, decreto do povo reunido em comícios. **2.** Modernamente, resolução submetida à apreciação do povo. **3.** Voto do povo, por sim ou não, sobre uma proposta que lhe seja apresentada.

plecóptero. *S. m.* **1.** Espécime dos plecópteros. ● *Adj.* **2.** Pertencente ou relativo a eles. [Sin. ger.: *perlóptero, perlário.*]

plecópteros. *S. m. pl. Zool.* Animais artrópodes, da classe dos insetos, pterigotos, da ordem *Plecoptera,* de aparelho bucal mastigador, às vezes ausente nos adultos. São hemimetabólicos, de asas membranosas, providas de numerosas nervuras, sendo as posteriores dobradas longitudinalmente. De vida curta, as ninfas são carnívoras, aquáticas, e vivem em regiões pedregosas. Os adultos vivem perto de cursos de água. [Sin.: *perlópteros, perlários.*]

plectógnato. [Do gr. *plektós,* 'enlaçado, soldado', + *-gnato.*] *S. m.* **1.** Espécime dos plectógnatos. ● *Adj.* **2.** Pertencente ou relativo a eles.

plectógnatos. *S. m. pl. Zool.* Animais da classe dos peixes, neopterígios, da ordem *Plectognathi,* de corpo revestido de escamas irregulares, formando, às vezes, um estojo ósseo, dentes reunidos em placas, e nadadeiras ventrais atrofiadas ou ausentes. No grupo se incluem os baiacus.

plectóptero. *S. m.* e *adj.* V. *efemeróptero.*

plectópteros. *S. m. pl. Zool.* V. *efemerópteros.*

plectro. [Do gr. *pléktron,* 'coisa com que se bate', pelo lat. *plectru.*] *S. m.* **1.** *Ant.* Varinha de madeira, ouro ou marfim, para fazer vibrar as cordas da lira: "Nas tranças idália murta, / Inglório plectro na mão, / Vem pois, Musa, e em verso humilde / Cantemos a escravidão!" (Antônio Feliciano de Castilho, *Os Amores,* I, p. 43.) **2.** Espécie de unha de marfim, de osso, de prata ou, modernamente, de plástico, com que se vibram as cordas de certos instrumentos (bandolim, guitarra, banjo, etc.); palheta. **3.** Pedacinho da parte dura, das penas de ganso ou de corvo, ou de couro ou plástico, montado em pequenos dispositivos chamados *saltadores* [V. *saltador* (4)], utilizado para fazer vibrar as cordas do cravo. **4.** *Fig.* Inspiração poética; poesia.

▲-pleg-. [Do gr. *plésso* ou *plétto.*] *El. comp.* = 'paralisia': *faringoplegia, pneumoplegia.*

plêiada. *S. f.* Var. de *plêiade.*

plêiade. [Sing. de *plêiades.*] *S. f.* **1.** *Astr.* Cada uma das estrelas do aglomerado das Plêiades. **2.** *Fig.* Reunião de sete pessoas ilustres. **3.** Reunião ou grupo de homens ou poetas célebres, etc.: "Da plêiade dos primeiros padres que aportaram à nova conquista com Tomé de Sousa e Duarte da Costa, entre eles dois principalmente se distinguiram, Nóbrega e Anchieta." (João Ribeiro, *História do Brasil*, p. 99.) ~ V. *plêiades*. [Var.: *plêiada*.]

plêiades. [Do gr. *pleiádos*, pelo lat. *pleiades*.] *S. f. pl. Astr.* Grupo de sete estrelas visíveis a olho desarmado, que fazem parte do aglomerado galáctico aberto situado na constelação do Touro. [Sin., pop.: *sete-estrelo*, *sete-cabrinhas*.] ~ V. *plêiade*.

▲pleio-. [Do gr. *pleîon, on, on*.] *El. comp.* = 'maior número': *pleiofilia*. [Equiv.: *plio-*: *pliocásio, plioceno*.]

pleiocásio. *S. m. Morfol. Veg.* V. *pliocásio*.

pleiofilia. *S. f. Morfol. Veg.* V. *pliofilia*.

pleiotropia. [De *pleio-* + *-trop(o)-* + *-ia*.] *S. f. Genét.* Capacidade de ser um único gene responsável, no fenótipo de um organismo, por múltiplos efeitos que, aparentemente, não se relacionam.

pleiotrópico. *Adj. Genét.* Relativo à pleiotropia.

pleistoceno. *Adj.* V. *plistoceno*.

pleiteador (ô). [De *pleitear* + *-(d)or*.] *Adj.* e *s. m.* Pleiteante.

pleiteante. *Adj. 2 g.* e *s. 2 g.* Que ou quem pleiteia; pleiteador.

pleitear. [De *pleito* + *-ear*.] *V. t. d.* **1.** Questionar em juízo; litigar, requerer: *pleitear o despejo dos inquilinos*. **2.** Falar a favor de; sustentar em discussão; defender disputar: "Natividade queria um filho, Santos uma filha, e cada um pleiteava a sua escolha com tão boas razões, que acabavam trocando de parecer." (Machado de Assis, *Esaú e Jacó*, p. 24.) **3.** Fazer por conseguir; esforçar-se, empenhar-se por; diligenciar: *pleitear um bom emprego*. **4.** Tornar objeto de pleito ou discussão; disputar, discutir, contestar: *Não resolveu assunto antes de pleiteá-lo por horas seguidas*. **5.** Ir a concurso; concorrer a; disputar: *Seis candidatos pleiteiam uma única vaga de senador*; "partiu [Cipião] a toda a pressa para Roma a pleitear a eleição de senador" (Aquilino Ribeiro, *Os Avós dos Nossos Avós*, p. 203). *Int.* **6.** Ter pleito ou discussão com alguém; discutir, disputar: *Pleiteiam há dois anos, sem chegarem a acordo*. *T. i.* **7.** Competir em mérito, força, etc.; rivalizar, ombrear: *Nossos arquitetos pleiteiam com os melhores do mundo*. [Conjug.: v. *frear*.]

pleito. [Do fr. ant. *plait*, pelo esp. *pleito*.] *S. m.* **1.** Questão em juízo; demanda; litígio. **2** Debate, discussão. **3.** V. *eleição* (3). ◆ **Pleito eleitoral.** V. *eleição* (3).

plenamente. *Adv.* **1.** De modo pleno; de todo; inteiramente. ● *S. m.* **2.** *Obsol.* Grau de aprovação em exames, compreendido entre as notas 6 e 9 (em escala de 0 a 10).

plenária. [Fem. substantivado do adj. *plenário*.] *S. f.* Sessão plenária.

plenário. [do lat. tardio *plenariu*.] *Adj.* **1.** Pleno, completo. ~ V. *indulgência* —*a*. ● *S. m.* **2.** Qualquer assembléia ou tribunal que reúne em sessão todos (ou quase todos) os seus membros; pleno. **3.** *P. ext. Bras.* O local onde este se reúne.

▲pleni-. [Do lat. *plenus, a, um*.] *El. comp.* = 'pleno', 'cheio': *plenipotência, plenicórneo*.

plenicórneo. [De *pleni-* + *-corn(e)-* + *-eo*.] *Adj. Zool.* Diz-se dos animais que têm os cornos cheios.

plenificar. [De *pleni-* + *-ficar*.] *V. t. d.* **1.** Tornar pleno; preencher. **2.** *Bras. Obsol.* Dar plenamente (2) a (um examinando). [Conjug.: v. *trancar*.]

plenilunar. [De *pleni-* + *lunar*.] *Adj. 2 g.* Do, ou relativo ao plenilúnio.

plenilúnio. [Do lat. *pleniluniu*.] *S. m.* Lua cheia: "Plenilúnio de maio em montanhas de Minas! / Canta, ao longe, uma flauta e um violoncelo chora. / Perfuma-se o luar nas flores das campinas" (Augusto de Lima, *Poesias*, p. 185).

plenipotência. [De *pleni-* + *potência*.] *S. f.* Pleno poder; poder absoluto.

plenipotenciário. [De *plenipotência* + *-ário*.] *Adj.* **1.** Que tem plenos poderes. ● *S. m.* **2.** Enviado de um governo ou de um soberano, que leva plenos poderes para celebrar negociações junto de outro governo ou soberano.

plenirrostro. [De *pleni-* + *-rostro*.] *Adj. Zool.* Que tem o bico inteiro, não denteado nem chanfrado.

plenitude. [Do lat. *plenitudine*.] *S. f.* Qualidade ou estado de pleno. ◆ **Em plenitude.** Em plena ou máxima extensão, brilho, glória, etc.: *Seu talento está em plenitude*; *É uma beleza em plenitude*.

pleno. [Do lat. *plenu*.] *Adj.* **1.** Cheio, repleto: "Maio que chega num doce raio, / Pleno de rosas e de alegria" (B. Lopes, *Val de Lírios*, p. 41). **2.** Completo, inteiro, absoluto; cabal: "Nessa madrugada, às quatro horas, em plena escuridão, Carlos cerrara de manso o portão da Rua de S. Francisco." (Eça de Queirós, *Os Maias*, II, p. 488) **3.** Perfeito, acabado. **4.** Diz-se do arco cuja flecha é igual à metade do vão. ~ V. *aval* —, *endosso* —, *letra* —*a*, *mar* —, —*s poderes*, *propriedade* —*a* e *tribunal* —. ● *S. m.* **5.** Plenário (2).

▲pleo-. [Do gr. *pléos, a, on*.] *El. comp.* = 'cheio', 'abundante': *pleocroísmo, pleonasmo* (< lat. *pleonasmu* < gr. *pleonasmós*).

pleocroísmo. [De *pleo-* + gr. *chróa*, 'cor da pele', + *-ismo*.] *S. m.* **1.** *Min.* Propriedade que têm os cristais birrefringentes coloridos de absorver seletivamente os raios luminosos conforme a direção em que estes atravessam o cristal, determinando, assim, diferença nas cores, consoante a direção em que é o cristal examinado. **2.** *Ópt.* Dicroísmo.

pleomedúsida. *S. m.* e *adj. 2 g.* V. *pleomedusídeo*.

pleomedúsidas. *S. m. pl. Zool.* V. *pleomedusídeos*.

pleomedusídeo. *S. m.* **1.** Espécime dos pleomedusídeos. ● *Adj. 2 g.* **2.** Pertencente ou relativo a eles.

pleomedusídeos. *S. m. pl. Zool.* Família de reptis quelônios que escondem a cabeça no pescoço, como a tartaruga-do-amazonas (*Podocnemis expansa*), a maior do grupo. Habitam as regiões tropicais da América do Sul.

pleonasmo. [Do gr. *pleonasmós*, 'superabundância', pelo lat. *pleonasmu*.] *S. m.* **1.** *Gram.* Redundância de termos que em certos casos tem emprego legítimo, para conferir à expressão mais vigor, ou clareza. Ex.: *Vi com estes olhos que a terra há de comer*; "Vi claramente visto o lume vivo / Que a marítima gente tem por santo" (Luís de Camões, *Os Lusíadas*, V, 18); "entraram no coche, carruagem sua especial dele." (Camilo Castelo Branco, *O Judeu*, I, p. 117); "A vida continua. É seu ofício dela." (Antônio Carlos Vilaça, *O Anel*, p. 99.) **2.** Circunlóquio, circunlocução. **3.** Superfluidade, inutilidade.

pleonástico. [Do gr. *pleonastikós*.] *Adj.* Em que há pleonasmo; redundante.

pleorama. [Do gr. *pléo*, 'navegar', + *-orama*.] *S. m.* Quadro movediço que se desenrola aos olhos do espectador da mesma forma por que o faz ao lado de um barco que vai singrando a margem de um rio.

pleorâmico. *Adj.* Referente a pleorama.

plerocercóide. *S. f.* Designação comum às formas larvares dos animais platelmintos, cestóideos, de aspecto sólido, alongadas, em forma de fita, com a extremidade anterior invaginada e destituídas de vesícula. O ciclo evolutivo faz-se através de dois hospedeiros intermediários, geralmente um crustáceo e um peixe.

pleroma. [Do gr. *pléroma*, 'plenitude', pelo lat. *pleroma*.] *S. m. Bot.* Zona central da região de crescimento longitudinal (ponto vegetativo) do caule ou da raiz, que dará origem aos tecidos do cilindro central.

plerose. [Do gr. *plérosis*, 'ação de encher', 'saciedade'.] *S. f. Med.* Recuperação, do ponto de vista nutricional, após doença.

plerótico. [Do gr. *plerotikós*, 'suplementar', pelo lat. *pleroticu*.] *Adj.* **1.** Relativo à plerose. ● *S. m.* **2.** Medicamento que servia para favorecer a regeneração dos tecidos nas chagas.

plesiossauro. [Do gr. *plesíos*, 'próximo', + *-sauro*.] *S. m.* Reptil de enormes proporções, da fauna mesozóica, de crânio pequeno e oval, e pescoço e corpo de 3 a 5 m.

▲plessi-. Equiv. de *plesso-*.

plessimetria. [De *plessi-* + *-metr(o)-*[2] + *-ia*.] *S. f.* Emprego do plessímetro; plessometria.

plessimétrico. *Adj.* Referente à plessimetria; plessométrico.

plessímetro. [De *plessi-* + *-metro*.] *S. m. Med.* Instrumento formado por pequena placa que é golpeada, na percussão mediata; plessômetro.

▲plesso-. [Do gr. *plésso* ou *plétto*.] *El. comp.* = 'choque', 'ferimento'; 'paralisia': *plessômetro*. [Equiv.: *plessi-*: *plessímetro*.]

plessometria. *S. f.* Plessimetria.

plessométrico. *Adj.* Plessimétrico.

plessômetro. [De *plesso-* + *-metro*.] *S. m. Med.* Plessímetro.

pletênquima. *S. m. Anat. Veg.* Falso tecido dos fungos.

pletora (ó). [Do gr. *plethóra*, 'grande quantidade'.] *S. f.* **1.** *Med.* Congestão generalizada; aumento do volume sanguíneo, que provoca distensão anormal dos vasos sanguíneos. **2.** *Fig.* Indisposição ou mal-estar de quem tem excesso de vida, de atividade. **3.** Superabundância qualquer, que produz efeito nocivo. **4.** *Fig.* Superabundância, exuberância: "A poesia de Stecchetti é simples e musical, ... e certos acentos seus, de suavidade enternecida, contrastantes com a pletora léxica e os arroubos peninsulares do seu contemporâneo Carducci, pagão e bárbaro mal diluído no cristianismo, lhe garantiram longa popularidade e numerosas reedições." (Martins Napoleão, *Pequena Antologia de Poemas Alheios*, p. 49).

pletórico. [Do gr. *plethorikós*, 'que regurgita sangue ou humores'.] *Adj.* **1.** Que tem pletora. **2.** Relativo a pletora. **3.** Estuante, exuberante.

pleura. [Do gr. *pleurá*, 'lado, flanco'.] *S. f.* **1.** *Anat.* Dupla membrana serosa que envolve cada um dos pulmões externamente, e a cavidade torácica internamente. **2.** *Zool.* A parte lateral do tórax dos insetos.

▲-pleura. Equiv. de *pleur(o)-*[1].

pleural. *Adj. 2 g.* Relativo ou pertencente à pleura.

pleuris. [Do lat. *pleurise*, de or. grega.] *S. m. Patol.* V. *pleurisia*.

pleurisia. [Do fr. ant. *pleurisie*.] *S. f. Patol.* Inflamação pleural; pleurite, pleuris.

pleurite. [Do gr. *pleuritis* (subentende-se *nósos*), 'doença do lado', i. e., 'doença da pleura', pelo lat. *pleurite*.] *S. f. Patol.* V. *pleurisia*.

pleurítico. [Do gr. *pleuritikós*, pelo lat. *pleuriticu*.] *Adj.* **1.** Relativo à pleurisia, ou provocado por ela. **2.** Que sofre de pleurisia. ● *S. m.* **3.** Aquele que sofre desse mal.

▲pleur(o)-[1]. [Do gr. *pleurá, âs*.] *El. comp.* = 'lado', 'flanco': *pleurodonte, pleurodinia*. [Equiv.: *-pleura*: *somatopleura*.]

▲pleur(o)-[2]. [De *pleura*.] *El. comp.* = 'pleura': *pleural, pleuropneumonia*.

pleurocárpico. *Adj. Bot.* Pleurocarpo.

pleurocarpo. [De *pleur(o)-*[1] + *-carpo*.] *Adj. Bot.* Diz-se do musgo cujos esporogônios são inseridos nos flancos do caule, em vez de no ápice; pleurocárpico. [Opõe-se a *acrocarpo*.]

pleurocele. [De *pleur(o)-*[2] + *-cele*.] *S. f. Patol.* Saliência herniária de pleura.

pleurodinia. [De *pleur(o)-*[1] + *-odin(o)-* + *-ia*.] *S. f. Patol.* Dor reumática interna nos músculos intercostais. ◆ **Pleurodinia epidêmica.** *Patol.* Infecção aguda, virótica, em que há, além de fenômenos gerais, como febre, anorexia e mal-estar, dor súbita e intensa na área de inserção do músculo diafragma, e que se agrava pelos movimentos respiratórios.

pleurodínico. *Adj.* Referente à pleurodinia.

pleurodonte. [De *pleur(o)-*[1] + *-odonte*.] *Adj. 2 g. Odont.* Diz-se dos dentes não implantados em alvéolos, porém soldados por um lado na face interna de maxilar ou de mandíbula.

pleurogono. *S. m.* **1.** Espécime dos pleurogonos. ● *Adj.* **2.** Pertencente ou relativo a eles.

pleurogonos. *S. m. pl. Zool.* Animais cordados, tunicados, ascidiáceos, ordem *Pleurogona*, de corpo indiviso, glândula neural geralmente dorsal ou lateral em relação ao gânglio, gônada dupla, ou em maior número, nas paredes laterais do manto, e as larvas, quase sempre, com um órgão sensorial na cabeça.

pleuronectídeo. *S. m.* **1.** Espécime dos pleuronectídeos. ● *Adj.* **2.** Pertencente ou relativo a eles.

pleuronectídeos. *S. m. pl. Zool.* Família de peixes crossopterígios, com opérculo que apresenta bordo livre, e com nadadeiras pélvicas simétricas. Os olhos estão, em geral, no lado direito do corpo. [Sin., pop.: *linguados*.]

pleuronecto. [De *pleur(o)-*[1] + *-necto*.] *S. m.* Espécime dos pleuronectos.

pleuronectos. [Pl. de *pleuronecto*.] *S. m. pl. Zool.* Subordem de peixes chatos, assimétricos.

pleuropneumonia. [De *pleur(o)-*[2] + *pneumonia*.] *S. f. Patol.* Inflamação simultânea da pleura e do pulmão.

pleuropneumônico. *Adj.* Relativo à pleuropneumonia.

pleuropulmonar. [De *pleur(o)-*[2] + *pulmonar*.] *Adj. 2 g. Med.* Pertencente ou relativo à pleura e aos pulmões.

pleurorrizo. [De *pleur(o)-*[1] + *-rizo*.] *Adj. Morfol. Veg.* Diz-se do embrião dotado de cotilédones aplicados um contra o outro, e cuja radícula se localiza lateralmente ao longo do bordo deles.

pleurotremado. *S. m.* Espécime dos pleurotremados. ● *Adj.* **2.** Pertencente ou relativo a eles. [Sin. ger.: *esqualo, esqualóideo*.]

pleurotremados. *S. m. pl. Zool.* Animais cordados, elasmobrânquios, seláquios, da subordem *Pleurotremata*, de corpo alongado e cilíndrico, com cinco a sete pares de fendas branquiais laterais, nadadeira caudal heterocerca, e que se locomovem por meio da cauda. São os tubarões em geral. [Sin.: *esqualos, esqualóideos*.]

pleusto. *S. m. Ecol. Veg.* Plêuston.

plêuston. [Do gr. *pléouso*, 'flutuante', part. pres. de *pléo*, com o final de *plâncton* (q. v.).] *S. m. Ecol. Veg.* Vegetação macroscópica que vive em suspensão na água, seja flutuando, seja submersa. [F. paral.: *pleusto*.]

plévia. [Alter. de *plebe*?] *S. f. Bras., RS.* **1.** Gente ruim, ordinária. **2.** V. *ralé* (1).

plexo (cs). [Do lat. *plexu*, 'enlaçamento'.] *S. m.* **1.** *Anat.* Denominação genérica de rede de vasos, nervos, ou nervos e gânglios, no sistema nervoso autônomo. **2.** *Fig.* Encadeamento, entrelaçamento. ♦ **Plexo celíaco.** *Anat.* Plexo solar. **Plexo coróide.** *Anat.* Dobra vascular da pia-máter nos ventrículos cerebrais, a qual segrega o líquido cefalorraquidiano. **Plexo solar.** *Anat.* Conjunto de gânglios e filetes nervosos cuja forma lembra uma teia de aranha, pertencente ao setor simpático do sistema nervoso autônomo, e situado por diante da parte superior do segmento abdominal da artéria aorta; plexo celíaco.

plica. [Do lat. cient. *plica* < lat. *plicare*, 'dobrar'.] *S. f.* **1.** *Anat.* Prega, dobra; ruga: "Seixas permaneceu imóvel como uma estátua; apenas duas plicas profundas sulcaram-lhe as faces desde o canto dos olhos até a comissura dos lábios." (José de Alencar, *Senhora*, p. 233.) **2.** *Gram. P. us.* Acento agudo. **3.** *Gram.* Sinal análogo a este ('), que se antepõe à sílaba tônica de uma palavra na sua representação prosódica por meio do alfabeto fonético internacional. Ex.: *pleo'nazmu* (pleonasmo). **4.** *Mat.* Sinal gráfico que se coloca ao alto e à direita de uma letra: *b'* (lê-se *b linha*).

plicado. [Part. de *plicar*.] *Adj. Morfol. Veg.* Pregueado longitudinalmente como leque: *folha plicada.*

plicar. [Do lat. *plicare*, 'dobrar'.] *V. t. d.* **1.** Fazer pregas em; preguear, pregar, franzir: *plicar uma saia.* **2.** Pôr plica (2 a 4) ou plicas em. [Conjug.: v. *trancar.*]

plicatura. [Do lat. *plicatura.*] *S. f.* Prega, dobra.

plicipene. *S. m.* e *adj. 2 g.* V. *tricóptero.*

plicipenes. *S. m. pl. Zool.* V. *tricópteros.*

plinto. [Do gr. *plínthos*, pelo lat. *plinthu.*] *S. m.* **1.** *Arquit.* Peça quadrangular que serve de base a um pedestal ou uma coluna. **2.** Soco ou pedestal de estátua: "Nos altos plintos negros, pelos cantos da casa, grandes figuras de mármore estendiam mantos e mãos translúcidos, e olhavam umas para as outras com tão profunda intensidade nas pupilas brancas e tão expressivo movimento no curvo lábio arregaçado que imagináramos estarem conversando" (Cecília Meireles, *Giroflê, Giroflá*, pp. 20-21). [Sin. ger.: *alaque.*]

▲plio-. Equiv. de *pleio-.*

pliocásio. [De *plio-* + gr. *chásis*, 'divisão', + *-io*[2].] *S. m. Morfol. Veg.* Inflorescência cimosa em que abaixo do eixo principal, terminado por uma flor, surgem três ou mais ramos laterais, cada um dos quais se ramifica, em geral, do mesmo modo.

pliocênico. *Adj.* Relativo ao plioceno.

plioceno. [De *plio-* + *-ceno.*] *Adj.* e *s. m.* ~ V. *época—a.*

pliofilia. [De *plio-* + *-fil(o)-*[1] + *-ia.*] *S. f. Morfol. Veg.* Aumento anormal do número de folíolos numa folha composta.

plissado. [Part. de *plissar.*] *Adj. Cost.* **1.** Em que se fez plissê: *saia plissada;* "Os vestidinhos curtos, pregueados ou plissados" (Autran Dourado, *As Imaginações Pecaminosas*, p. 35). ● *S. m.* **2.** Plissê.

plissagem. [Do fr. *plissage.*] *S. f.* Operação de plissar.

plissamento. [Do fr. *plissement.*] *S. m. Geol.* Dobra[1] (3).

plissar. [Do fr. *plisser.*] *V. t. d. Cost.* Fazer plissê ou plissado em: *plissar uma blusa.*

plissê. [Do fr. *plissé.*] *S. m.* Série de pregas feitas num tecido, em geral com máquina própria para marcá-las e que, graças à ação do calor, não se desmancham; plissado.

plistocênico. *Adj.* Relativo ao plistoceno.

plistoceno. [Do gr. *pleistos*, 'o máximo', + *-ceno.*] *Adj.* e *s. m.* ~ V. *época—a.*

plo. F. sincopada de *pelo*, us. em poesia (muito pouco no Brasil) e para reproduzir a linguagem oral (talvez em Portugal somente): "Plas costas, torrentes de ouro, / Plo rosto, rios de prata..." (Eugênio de Castro, *Obras Poéticas*, III, p. 134); *Plo que vejo, não queres ir.* [Flex.: *pla, plos, plas.*]

ploceídeo. *S. m.* **1.** Espécime dos ploceídeos. ● *Adj.* **2.** Pertencente ou relativo a eles.

ploceídeos. *S. m. pl. Zool.* Aves passeriformes, da família *Ploceidae*, caracterizadas por terem a planta dos tarsos sem escudos e as narinas situadas em posição elevada no bico. São as espécies africanas introduzidas no Brasil conhecidas pelos nomes populares de *pardal* e *bico-de-lacre.*

ploidia. [Do suf. grego *-ploos* < *diplóos*, 'duplo', + *-d-* + *-ia.*] *S. f. Genét.* O número *n* de conjuntos de cromossomos de um indivíduo.

ploimo. [Do gr. *plóimos*, 'próprio para navegar'.] *S. m.* **1.** Espécime dos ploimos. ● *Adj.* **2.** Pertencente ou relativo a eles.

ploimos. *S. m. pl. Zool.* Animais metazoários, rotíferos, ordem *Ploima*, cujos adultos nadam livremente e são providos de cauda forquilhada e, às vezes, retrátil.

plotagem. *S. f. Bras. Mar.* Ato ou efeito de plotar (2).

plotar. [Do ingl. *to plot.*] *V. t. d.* **1.** *Mat.* Locar (3). **2.** *Bras. Mar.* Locar (2) numa carta náutica a posição de (embarcação, aeronave, alvo, etc.).

plotídeo. *S. m.* e *adj.* Anhingídeo.

plotídeos. *S. m. pl. Zool.* Anhingídeos.

plugar. [Do ingl. *to plug.*] *V. t. d.* Ligar (aparelho eletrodoméstico, luz, etc.) a uma tomada [Conjug.: v. *largar.*]

plugue. [Do ingl. *plug.*] *S. m.* Peça com um, dois ou mais pinos, que penetra na tomada, estabelecendo a ligação elétrica.

pluma. [Do lat. *pluma.*] *S. f.* **1.** Pena[1] (1) **2.** *Restr.* Pluma (1) usada como adorno, especialmente a do avestruz. **3.** V. *penacho* (1). **4.** Pena de escrever. **5.** *Marinh.* Guardim (2).

plumaceiro. [De *plumaço* + *-eiro.*] *S. m.* **1.** Aquele que prepara ou vende plumas. **2.** Aquele que faz plumaços.

plumacho. [Alter. de *plumaço* < lat. *plumaciu*, 'leito de penas'.] *S. m.* **1.** Plumagem (1 e 2). **2.** Adorno de plumas para enfeitar cavalos. **3.** *Ant.* Travesseiro cheio de penas.

plumaço. *S. m.* V. *plumacho.*

plumagem. [De *pluma* + *-agem*[2].] *S. f.* **1.** O conjunto das penas duma ave; plumacho, plumaço. **2.** Penas para adorno; plumacho, plumaço. ♦ **Bater a bela plumagem.** *Fam.* V *bater a linda plumagem*: "tinha já resolvido não ficar ali nem mais um dia. Era fazer as malas e bater quanto antes a bela plumagem!" (Aluísio Azevedo, *Casa de Pensão*, p. 68). **Bater a linda plumagem.** *Fam.* **1.** V. *fugir* (1 e 2). **2.** Ir-se embora; desaparecer. [Sin. ger.: *bater a bela plumagem.*]

plumão. [De *pluma* + *-ão*[2].] *S. m.* Penacho de plumas.

plumar. [Do lat. *plumare.*] *V. t. d.* Adornar de plumas; empenar, emplumar, plumejar: *plumar um chapéu.* [Fut. pret.: *plumaria*, etc. Cf. *plumária*, fem. de *plumário* e s. f.]

plumária. [Fem. substantivado do adj. *plumário.*] *S. f.* Arte plumária: "é na plumária que encontramos a atividade mais eminentemente artística dos nossos índios" (Darci Ribeiro e Berta G. Ribeiro, *Arte Plumária dos Índios Caapor*, p. 12). [Cf. *plumaria*, do v. *plumar.*]

plumário. [Do lat. *plumariu.*] *Adj.* **1.** Relativo a, ou constituído de plumas: "estilos plumários." (Darci Ribeiro e Berta G. Ribeiro, *Arte Plumária dos Índios Caapor*, p. 16); "ornato plumário" (Id., *ib.*, p. 58). **2.** Diz-se da arte cuja matéria-prima são plumas: "A arte plumária dos índios do Brasil apresenta certas uniformidades essenciais" (Id., *ib.*, p. 15). **3.** Referente a, ou próprio dessa arte: "os ornamentos plumários raras vezes foram objeto de estudos etnológicos ou artísticos" (Id., *ib.*, p. 12). ● *S. m.* **4.** Entre os antigos, bordador que representava em tela, por meio de agulha, várias figuras, particularmente aves. [Fem.: *plumária.* Cf. *plumaria*, do v. *plumar.*]

plumbagina. [Do lat. *plumbagine*, 'lavra ou mina de chumbo'.] *S. f.* Substância mineral escura, da qual se fazem lápis; grafita.

plumbaginácea. *S. f.* Espécime das plumbagináceas.

plumbagináceas. *S. f. pl. Bot.* Família de plantas superiores, da ordem das plumbaginales, formada de ervas e arbustos com inflorescências variadas. Corola não raro vistosa; estilete com cinco ramos estigmáticos; fruto seco, indeiscente e monospérmico. Há umas 260 espécies, na maioria halófilas, uma delas brasileira; a *Plumbago capensis*, da África, é muito comum em nossos jardins.

plumbagináceo. *Adj.* Pertencente ou relativo às plumbagináceas.

plumbaginale. *S. f.* Espécime das plumbaginales.

plumbaginales. *S. f. pl. Bot.* Ordem de dicotiledôneas metaclamídeas, que compreende unicamente a família das plumbagináceas.

plumbaginoso (ô). [Do lat. *plumbagine*, 'mina de chumbo' + *-oso.*] *Adj.* Que tem chumbo.

plumbato. [Do lat. *plumbatu*, 'guarnecido de chumbo'.] *Adj.* Diz-se dos antigos diplomas que traziam selo de chumbo.

plumbear. [De *plumbo* + *-ear.*] *V. t. d.* Dar aparência ou cor de chumbo a: *Nuvens sombrias plumbearam o céu.* [Conjug.: v. *frear.*]

plúmbeo. [Do lat. *plumbeu.*] *Adj.* **1.** De chumbo. **2.** Da cor do chumbo: "Quando se embruscava o tempo a paisagem mudava: o céu pardacento, carregado de nuvens plúmbeas, como que se abaixava, como que queria afogar a terra." (Júlio Ribeiro, *A Carne*, p. 11.) **3.** Relativo a chumbo; plúmbico. **4.** *Fig.* Pesado, tristonho, soturno: "Iam os dias assim, longos e plúmbeos, num chafurdar de mágoas contundidas" (Fialho d'Almeida, *O País das Uvas*, p. 267).

▲plumb(i)-. [Do lat. *plumbum, i.*] *El. comp.* = 'chumbo': *plumbífero, plúmbico.*

plúmbico. [De *plumb(i)-* + *-ico*[2].] *Adj.* **1.** Plúmbeo (3). **2.** Plumbífero. **3.** *Quím.* Referente a, ou próprio de compostos do chumbo tetravalente.

plumbífero. [De *plumb(i)-* + *-fero.*] *Adj.* Que contém chumbo; plúmbico.

plumboso (ô). [Do lat. *plumbosu.*] *Adj.* **1.** Que encerra o chumbo, em especial o chumbo divalente. **2.** *Quím.* Relativo a, ou próprio de compostos de chumbo divalente.

plumeiro. [Do lat. *plumariu.*] *S. m.* V. *penacho* (1).

plumejar. [De *pluma* + *-ejar.*] *V. t. d.* **1.** V. *plumar.* *Int.* **2.** Encher-se de plumas. [Conjug.: v. *pelejar.*]

plúmeo. [Do lat. *plumeu.*] *Adj. Poét.* **1.** Relativo a plumas. **2.** Que tem plumas; emplumado: "Bicos da cor do ferro ou bronze afiando / À competência, vai ao sol no poente / Dizendo o adeus da tarde o plúmeo bando." (Alberto de Oliveira, *Poesias*, 3ª. série, p. 243.) **3.** Feito ou estofado de plumas: "Deixai os plúmeos leitos / Onde o espírito lânguido desmaia!" (Guerra Junqueiro, *A Musa em Férias*, p. 192.)

plumetis. [Do fr. *plumetis.*] *S. m. 2 n.* Cassa de salpicos.

plumícolo. [De *pluma* + *-i-* + *-colo.*] *Adj.* Que tem plumas no pescoço.

plumilha. *S. f.* **1.** Pequena pluma para enfeite. **2.** Pequeno adorno semelhante a uma pluma.

plumista. *S. 2 g.* **1.** Pessoa que negocia com plumas ou as prepara para o comércio. **2.** Artista que se dedica à arte plumária: "Aqui, se apresenta ao plumista o problema específico das artes gráficas, a necessidade de dividir o campo decorativo para 'pintar' desenhos geométricos (nos brincos) ou 'descrever' o motivo (nos tembetás, pingentes e medalhões dos colares)." (Darci Ribeiro e Berta G. Ribeiro, *Arte Plumária dos Índios Caapor*, p. 35.)

plumitivo. [Do fr. *plumitif.*] *S. m. Deprec.* **1.** Jornalista. **2.** V. *escritor.*

plumoso (ô). [Do lat. *plumosu.*] *Adj.* **1.** Que tem plumas: "Se ledos gorjeiam / Plumosos cantores" (Barão de Paranapiacaba, *Poesias Escolhidas*, p. 141). **2.** Em forma de pluma. **3.** *Morfol. Veg.* Provido de curtas ramificações laterais: *pêlo plumoso; estigma plumoso.*

plúmula. [Do lat. *plumula*, 'peninha'.] *S. f.* **1.** Pena pequena. **2.** *Morfol. Veg.* Gema terminal do embrião das plantas floríferas que fica entre os cotilédones, e de cujo crescimento procede o caule.

plumular. *Adj. 2 g. Morfol. Veg.* Relativo ou semelhante à plúmula: *folha plumular.*

plumuliforme. [De *plúmula* + *-i-* + *-forme.*] *Adj. 2 g. Bot.* Que tem forma de pluma ou pena.

plural. [Do lat. *plurale.*] *Adj. 2 g.* **1.** Diz-se do número gramatical que indica mais de um. ~ V. *voto*—. ● *S. m.* **2.** Flexão nominal ou verbal que indica referência a mais de uma pessoa ou coisa. ♦ **Plural de modéstia.** Emprego do pron. pess. *nós*, em lugar do *eu*, com o qual alguém, modestamente, procura diminuir a sua participação em ato ou obra dignos, ou supostamente dignos, de louvor; plural majestático. **Plural majestático.** **1.** Emprego do pron. pess. *nós* em lugar de *eu*, habitual nas mensagens do trono. **2.** Plural de modéstia.

➧pluralia tantum (plurália tântum). [Lat., 'só plurais'.] *S. m. pl.* Os substantivos que só se empregam no plural. Ex: *endoenças; férias* (dias de descanso).

pluralidade. [Do lat. *pluralitate.*] *S. f.* **1.** O maior número; o geral. **2.** Grande número; multiplicidade. **3.** Qualidade atribuída a mais de uma pessoa ou coisa.

pluralismo. [De *plural* + *-ismo.*] *S. m.* **1.** Doutrina que atribui aos fenômenos cosmológicos e aos históricos uma pluralidade de causas. **2.** *Polít.* Voto de qualidade (2). **3.** *Polít.* Doutrina que admite a coexistência de uma pluralidade de partidos políticos, com iguais direitos ao exercício do poder público, segundo procedimentos de eleição juridicamente estabelecidos. [Opõe-se à doutrina do partido único.] **4.** Linha terapêutica da homeopatia (1) que adota o emprego de mais de um medicamento para a mesma doença e para cada doente.

pluralista. *Adj. 2 g.* **1.** Referente ao pluralismo. **2.** Que é adepto do pluralismo. ● *S. 2 g.* **3.** Adepto do pluralismo. **4.** Homeopata que adota o pluralismo (4).

pluralização. *S. f.* Ato ou efeito de pluralizar.

pluralizar. *V. t. d.* **1.** Pôr ou usar no plural: *Para pluralizar a palavra* cônsul *acrescenta-se-lhe* es; *Falando ou escrevendo, gosta de pluralizar os* *vocábulos.* **2.** Aumentar em número; multiplicar: *As negociatas pluralizaram fortunas.*

▲pluri-. [Do lat. *plus, pluris.*] *El. comp.* = 'muitos', 'vários': *pluricelular, plurissecular.*

plurianual. [De *pluri-* + *anual.*] *Adj. 2 g.* Referente a vários anos, em geral mais de três: "Os orçamentos plurianual e anual puseram em relevo a atuação do Ministro do Planejamento" (Carlos Castelo Branco, *in Jornal do Brasil, 2.9.1971*).

pluriarticulado. [De *pluri-* + *articulado.*] *Adj.* Que tem muitas articulações.

pluricelular. [De *pluri-* + *celular.*] *Adj. 2 g. Biol.* Composto de mais de uma célula; multicelular; *pêlo pluricelular; fungo pluricelular.*

pluriciliado. [De *pluri-* + *ciliado.*] *Adj. Bot.* Que tem vários cílios [V. *cílio* (2)].

pluridentado. [De *pluri-* + *dentado.*] *Adj.* Que tem muitos dentes.

plurifloro. [De *pluri-* + *-floro.*] *Adj. Bot.* Que tem muitas flores.

plurilateral. [De *pluri-* + *lateral.*] *Adj. 2 g.* **1.** Que tem muitos lados. **2.** *Jur.* Diz-se do ato jurídico que se constitui pela manifestação da vontade de várias partes.

plurilíngüe. [De *pluri-* + *língua.*] *Adj. 2 g.* **1.** Relativo a diversas línguas. **2.** V. *poliglota* (1 e 2).

plurilingüismo. *S. m.* Qualidade de plurilíngüe; ocorrência de diversas línguas em um mesmo contexto: "Ao leitor desprevenido espanta o plurilingüismo de alguns textos [de Anchieta]. Cenas são representadas em português, outras em castelhano e ainda muitos diálogos são travados em tupi." (Sábato Magaldi, *Panorama do Teatro Brasileiro,* p. 18.)

plurilobulado. [De *pluri-* + *lobulado.*] *Adj.* Multilobado.

plurilocular. [De *pluri-* + *locular.*] *Adj. 2. g.* Subdividido em vários compartimentos ou lojas ou lóculos; multilocular: *ovário plurilocular.*

plurinominal. [De *pluri-* + *nominal.*] *Adj. 2 g.* Que tem muitos nomes.

pluriovulado. [De *pluri-* + *ovulado.*] *Adj. Morfol. Veg.* Provido de vários óvulos: *ovário pluriovulado.*

pluripartidário. [De *pluri-* + *partidário.*] *Adj.* **1.** Relativo a mais de um partido (3). **2.** Pluripartidarista (1).

pluripartidarismo. [De *pluripartidário* + *-ismo.*] *S. m.* Regime político que admite a formação legal de vários partidos.

pluripartidarista. *Adj. 2 g.* **1.** Relativo ao pluripartidarismo; pluripartidário. **2.** Que é adepto do pluripartidarismo, ou que o defende: *político pluripartidarista; tese pluripartidarista.* ● *S. 2 g.* **3.** Adepto do pluripartidarismo.

pluripartido. [De *pluri-* + *partido.*] *Adj. Bot.* Diz-se do órgão que se apresenta dividido em numerosas partes.

pluripétalo. [De *pluri-* + *-pétalo.*] *Adj. Morfol. Veg.* V. *polipétalo.*

plurissecular. [De *pluri-* + *secular.*] *Adj. 2 g.* Multissecular.

plurisseriado. [De *pluri-* + *seriado.*] *Adj.* Disposto em muitas séries.

plurivalve. [De *pluri-* + *-valve.*] *Adj. 2 g. Morfol. Veg.* Multivalve.

plurívoco. [De *pluri-* + o final de *unívoco.*] *Adj.* — V. *função* —a.

➡plush (plâch). [Ingl.] *S. m.* Espécie de veludo de algodão, elástico.

plutão. [Do antr. *Plutão,* deus do fogo na mitologia greco-romana.] *S. m.* **1.** Poét. O fogo. **2.** *Astr.* O planeta mais distante do sistema solar, e cujo descobrimento foi anunciado em 1930 por Clyde W. Tombaugh (1906 - —), astrônomo americano, após a série de pesquisas iniciadas pelo astrônomo americano Percival Lowell (1855-1916). Sua massa provavelmente equivale à da Terra, está situado a uma distância média do Sol da ordem de 40 vezes a da Terra, e completa o seu período de revolução em 249 anos.

plutarco. [Do antr. *Plutarco,* historiador e moralista grego (50-120).] *S. m. Fig.* Cronista ou biógrafo de vidas ilustres.

plúteo. [Do lat. *pluteu.*] *S. m. Arquit.* Parede que fecha o espaço entre duas colunas.

pluto. *S. m. Poét.* A riqueza, ou o poder decorrente dela.

▲pluto-. [Do gr. *ploûtos, ou.*]. *El. comp.* = 'riqueza': *plutonomia.*

plutocracia. [Do gr: *ploutokratía.*] *S. f.* **1.** Influência do dinheiro. **2.** Preponderância dos homens ricos.[Sin., bras, nestas acepç.: *milionocracia.*] **3.** *Sociol.* Dominação da classe capitalista, detentora dos meios de produção, circulação e distribuição de riquezas, sobre a massa proletária, mediante um sistema político e jurídico que assegura àquela classe o controle social e econômico.

plutocrata. [De *pluto-* + *-crata.*] *S. 2 g.* Pessoa influente e preponderante pelo seu dinheiro: "Deixá-lo, porém, ó charra geração de plutocratas, que não é com raciocínios de banqueiro que se há de condenar semelhante perdulário." (Raimundo Correia, *Poesia Completa e Prosa,* p. 488.)

plutocrático. *Adj.* Relativo ou pertencente a plutocrata, ou à plutocracia.

plutônico. [Do mit. *Plutone,* 'Plutão', + *-ico*[2].] *Adj.* — V. *rocha* —a.

plutônio[1]. [Do mit. *Plutone,* 'Plutão', + *-io*[2].] *S. m. Quím.* Elemento de número atômico 94, artificial, radioativo, fissionável, metálico. [Símb.: *Pu.*]

plutônio[2]. [Do gr. *ploutónios,* pelo lat. *plutoniu.*] *Adj.* Relativo a Plutão, deus dos Infernos.

plutonismo. [Do mit. lat. *Plutone,* 'Plutão', + *-ismo.*] *S. m. Geol.* Conjunto de fenômenos magmáticos profundos aos quais se deve a formação dos batólitos e doutras intrusões que freqüentemente se relacionam com a orogenia.

plutonomia. [De *pluto-* + *-nom(o)-* + *-ia.*] *S. f. P. us.* Economia política.

plutonômico. *Adj.* Referente à plutonomia.

pluvial. [Do lat. *pluviale.*] *Adj. 2 g.* **1.** Da, ou relativo à chuva; pluviátil: *água pluvial;* "todas as águas perenes, todas as torrentes pluviais estão dirigidas, encanadas, por calhas de pedras, de tijolos de juntas tomadas, por bicames de madeira." (Júlio Ribeiro, *A Carne,* p. 136). **2.** *Ecol. Veg.* Que habita regiões muito chuvosas; ombrófilo: *floresta pluvial.* ● *S. m.* **3.** *Lit. V. capa de asperges:* "Onde havia paramentos sacerdotais, véu de cálice, sudário, pluvial, que traduzissem na tonalidade uma delicadeza de cores igual àquela?" (Aquilino Ribeiro, *Dom Frei Bertolameu,* p. 37.)

pluviátil. [Do lat. *pluviatile.*] *Adj. 2 g.* Pluvial (1). [Pl.: *pluviáteis.*]

plúvio. [Do lat. *pluviu.*] *S. m. Poét.* Nuvem carregada de chuva.

▲pluvio-. [Do lat. *pluvia, ae.*] *El. comp.* = 'chuva': *pluviômetro.*

pluviógrafo. *S. m.* Instrumento que registra a quantidade, duração e intensidade da chuva caída em determinado lugar.

pluviometria. [De *pluvio-* + *-metr(o)-*[2] + *-ia.*] *S. f.* Ramo da climatologia que se ocupa da distribuição das chuvas em diferentes épocas e regiões; hietometria.

pluviométrico. *Adj.* Relativo à pluviometria; hietométrico.

pluviômetro. [De *pluvio-* + *-metro.*] *S. m.* Instrumento usado para medir a quantidade de chuva caída em determinado lugar e em determinado tempo; hietômetro, udômetro: "Retirava a fita do heliógrafo, examinava o barômetro, o anemômetro, abria a torneirinha do pluviômetro, recolhia as gotas de sereno ao tubo de vidro graduado" (Nélson de Faria, *Cabeça-Torta,* p. 118).

pluvioso[1] (ô). [Do fr. *pluviôse.*] *S. m. Cronol.* V. *calendário republicano.*

pluvioso[2] (ô). [Do lat. *pluviosu.*] *Adj. Poét.* Chuvoso: "Foi bem fecunda, a estação pluviosa!" (Camilo Pessanha, *Clepsidra e Outros Poemas,* p. 219); "corria para o combóio, que, apenas parou, no meio do negrume da tarde pluviosa, parecia querer fugir para lugar enxuto." (João de Araújo Correia, *Cinza do Lar,* pp. 39-40).

■P.M. *S. m.* Pê-eme.

■Pm. *Quím.* Símb. de *promécio.*

■PNB. Sigla de *Produto Nacional Bruto.*

▲-pnéia. [Do gr. *pnoía.*] *El. comp.* = 'respiração': *dispnéia* (< lat. *dyspnoea* < gr. *dyspnoía*).

pneu. [F. red. de *pneumático* (3).] *S. m.* **1.** Pneumático (3). **2.** *Bras.* Excesso de gordura localizada na cintura.

pneu-balão. *S. m.* Pneumático de grande seção transversal, e que, pouco inflado, amortece o choque. [Pl.: *pneus-balões* e *pneus-balão.*]

pneuma. [Do gr. *pneuma,* 'sopro'.] *S. m. Med.* Na Antiguidade, essência espiritual invisível e intangível, de conceituação difícil. Admitia-se que se formasse com base no ar, ou com auxílio deste. [Era considerado pelos pneumatistas (v. *pneumatista*) como espírito vital, atribuindo-se-lhe a natureza de calor inato, funções respiratórias, circulatórias e nutricionais. O conceito *pneuma* era, na realidade, uma mistura de noções religiosas, filosóficas e científicas.]

pneumática. [Fem. substantivado do adj. *pneumático.*] *S. f.* Ciência que estuda as propriedades físicas do ar e dos outros gases.

pneumático. [Do gr. *pneumatikós,* pelo lat. *pneumaticu.*] *Adj.* **1.** Relativo ao ar. **2.** Diz-se de máquina, aparelho ou dispositivo que funciona graças à energia proporcionada pelo ar comprimido: *freio pneumático; broca pneumática.* — V. *chassi* — e *tubo* —. ● *S. m.* **3.** Aro de borracha, inflado por ar comprimido, com que se revestem rodas de veículos. [F. red. (da 3ª acepç.): *pneu.*]

pneumatista. [De *pneumat(o)-* + *-ista.*] *S. 2 g.* Adepto da seita médica que, na Antiguidade, atribuía ao pneuma diversas funções orgânicas.

▲pneumat(o)-. [Do gr. *pneûma, atos.*] *El. comp.* = 'ar' 'gás'; 'sopro', 'espírito': *pneumatólise; pneumatologia.*

pneumatóforo. [De *pneumat(o)-* + *-foro.*] *S. m. Morfol. Veg.* Raiz que, nas plantas dos mangues ou dos pântanos, deixa a descoberto a ponta para exercer função respiratória.

pneumatólise. [De *pneumat(o)-* + *-lise.*] *S. f. Pet.* Ação de emanações gasosas provenientes do magma sobre outra rocha, ou sobre o próprio magma já consolidado em suas partes periféricas, e da qual provém a transformação de minerais já formados ou a formação de novos minerais.

pneumatologia. [De *pneumat(o)-* + *log(o)-* + *-ia.*] *S. f.* Tratado dos espíritos, dos seres intermediários que formam a ligação entre Deus e o homem.

pneumatológico. *Adj.* Referente à pneumatologia.

pneumatologista. *S. 2 g.* Especialista em pneumatologia; penumatólogo.

pneumatólogo. *S. m.* Pneumatologista.

pneumatose. [Do gr. *pneumátosis.*] *S. f. Patol.* Presença de gás em localizacão anormal.

pneumectomia. [De *pneum(o)(n)-* + *-ectom-* + *ia.*] *S. f. Cir.* Ablação de pulmão, em extensão variável.

pneumectômico. *Adj.* Referente à peneumectomia.

pneumobrânquio. [De *pneum(o)(n)-* + *-brânquio.*] *Adj. Zool.* Diz-se dos peixes que respiram por brânquias e pulmões.

pneumocele. [De *pneum(o)(n)-* + *-cele.*] *S. f. Patol.* **1.** Hérnia que contém parte de pulmão. **2.** Tumor ou formação saciforme que contém gás, em especial a tumoração gasosa escrotal.

pneumocélico. *Adj.* Respeitante à pneumocele.

pneumococia. *S. f. Patol.* Infecção por pneumococo.

pneumocócico. *Adj.* Relativo a pneumococo, ou à pneumococia.

pneumococo. [Do lat. cient. *pneumococcu* < gr. *pneúmon,* 'pulmão', + gr. *kókkos,* 'pequeno corpo redondo (bactéria arredondada)'.] *S. m. Bacter.* Bactéria *(Diplococcus pneumoniae)* que pode ser, no homem, o agente etiológico de diversas infecções (pneumonia, sinusite, meningite, otite, etc.).

pneumoconiose. [De *pneum(o)(n)-* + gr. *kónis,* 'poeira', + *-ose.*] *S. f. Med.* Pneumopatia devida à inalação de poeira, e da qual existem várias formas, segundo o tipo de material inalado (berilo, asbesto, carvão, etc.).

pneumogástrico. [De *pneum(o)(n)-* + *-gastr(o)-* + *-ico*[2].] *Adj. Anat.* Comum ao pulmão e ao estômago. — V. *nervo* —.

pneumólise. [De *pneum(o)(n)-* + *-lise.*] *S. f. Cir.* Operação para libertar um pulmão de aderências inflamatórias com a parede torácica.

pneumolitíase. [De *pneum(o)(n)-* + *litíase.*] *S. f. Patol.* Condição mórbida caracterizada pelo aparecimento de concreções pulmonares.

pneumolítico. *Adj.* Referente à pneumólise.

pneumologia. [De *pneum(o)(n)-* + *-log(o)-* + *-ia.*] *S. f.* **1.** Tratado ou estudo acerca dos pulmões. **2.** Ramo da medicina que se ocupa do estudo, em todos os seus aspectos, das doenças pleuropulmonares; pneumonologia.

pneumológico. *Adj.* Relativo à pneumologia; pneumonológico.

pneumologista. *S. 2 g.* Especialista em pneumologia (2); pneumólogo, pneumonologista.

pneumólogo. *S. m.* V. *pneumologista.*

pneumômetro. *S. m. Fís.* Instrumento para medir a pressão dum fluido em movimento.

▲pneum(o)(n)-. [Do gr. *pneúmon, onos.*] *El. comp.* = 'pulmão': *pneumogástrico; pneumonalgia; pneumectomia.*

pneumonalgia. [De *pneum(o)(n)-* + *-alg(o)-* + *-ia.*] *S. f. Patol.* Dor em pulmão.

pneumonálgico. *Adj.* Relativo à pneumonalgia.

pneumonia. [Do gr. *pneumonía.*] *S. f. Patol.* Inflamação pulmonar que pode ser devida a bactérias, vírus, fungos, irritação por substância química, ou ser de natureza alérgica. ◆ **Pneumonia aguda.** *Patol.* Denominação comum a pneumonias de causas diversas e cuja evolução é aguda; pneumonia fibrinosa. **Pneumonia dupla.** *Patol.* A que compromete ambos os pulmões. **Pneumonia fibrinosa.** *Patol.* Pneumonia aguda. **Pneumonia lobar.** *Patol.* A que afeta um ou mais lobos pulmonares.

pneumônico. [Do gr. *pneumonikós.*] *Adj.* **1.** Relativo à, ou que sofre de pneumonia. ~ V. *peste —a.* ● *S. 2 g.* **2.** Aquele que sofre de pneumonia.

pneumonite. [De *pneum(o)(n)-* + *-ite*[1].] *S. f. Patol.* Inflamação pulmonar.

pneumonologia. *S. f.* Pneumologia (2).

pneumonológico. *Adj.* Pneumológico.

pneumonologista. *S. 2 g.* V. *pneumologista.*

pneumopatia. [De *pneum(o)(n)-* + *-pat(o)-* + *-ia.*] *S. f. Patol.* Qualquer doença pulmonar.

pneumopático. *Adj.* Relativo à pneumopatia.

pneumopericárdico. *Adj.* Pertencente ou relativo ao pneumopericárdio.

pneumopericárdio. [De *pneum(o)(n)-* + *pericárdio.*] *S. m. Patol.* Presença de ar na cavidade pericárdica.

pneumoperitônio. [De *pneum(o)(n)-* + *peritônio.*] *S. m. Patol.* Presença de ar na cavidade peritoneal.

pneumoplegia. [De *pneum(o)(n)-* + *-pleg-* + *-ia.*] *S. f. Patol.* Paralisia de pulmão.

pneumoplégico. *Adj.* Referente à pneumoplegia.

pneumopleurisia. [De *pneum(o)(n)-* + *pleurisia.*] *S. f. Patol.* Inflamação da pleura e do pulmão.

pneumopleurítico. [De *pneum(o)(n)-* + *pleurítico.*] *Adj.* Relativo à pneumopleurisia.

pneumorragia. [De *pneum(o)(n)-* + *-ragia.*] *S. f. Patol.* Hemorragia de origem pulmonar.

pneumorrágico. *Adj.* Referente à pneumorragia.

pneumotomia. [De *pneum(o)(n)-* + *-tom(o)-* + *-ia.*] *S. f. Cir.* Incisão cirúrgica em pulmão.

pneumotômico. *Adj.* Relativo à pneumotomia.

pneumotórax (cs). [De *pneum(o)(n)-* + *tórax.*] *S. m. 2 n. Med.* Introdução, espontânea ou acidental, de ar ou gases inertes em cavidade pleural. [A f. preferível, *toracopneumia*, é desus.] ◆ **Pneumotórax artificial.** *Med.* O que é empregado como tratamento de moléstias do pulmão, particularmente a tuberculose; pneumotórax terapêutico. **Pneumotórax terapêutico.** *Med.* Pneumotórax artificial.

■**Po.** *Quím.* Símb. de *polônio.*

pó[1]. [Do lat. vulg. **pulvus, pulvis.*] *S. m.* **1.** Tenuíssimas partículas de terra seca, ou de qualquer outra substância, que cobrem o solo, se depositam nos aposentos ou se elevam na atmosfera; poeira, polvilho. **2.** Qualquer substância reduzida a pó: *pó de café; canela em pó.* **3.** *Bras. Gír.* Cocaína em pó; poeira, brizola, brilho. **4.** *Bras., N.* V. *rapé.* **5.** *Fig.* Coisa sem valor. [Cf. *pô.*] ~ V. *pós.* ◆ **Pó de faca.** *Bras.* Pó de polir metais. V. *trípole.* **Morder o pó.** Cair morto.

pó[2]. *S. m.* F. red. de *pó-de-arroz* (1). [Cf. *pô.*]

pô. *Interj. Bras. Chulo.* V. *porra* (4) "Um pouco mais de respeito pelos vivos, *pô*!" (Lígia Fagundes Teles, *A Disciplina do Amor*, p. 104.) [Cf. *pó.*]

poá. [Do fr. *pois.*] *S. m.* Pinta redonda, ponto: *tecido de fundo azul com poá branco.*

poaçu. [Do tupi *poa'su*, 'mão grossa ou grosseira, a mão esquerda'.] *S. m. Bras., N.* Espécie de tecido de algodão, nalgumas tribos amazônicas.

poaense. *Adj. 2 g.* **1.** De, ou pertencente ou relativo a Poá (SP). ● *S. 2 g.* **2.** Natural ou habitante de Poá.

poaia. [Do tupi *pu'aya.*] *S. f. Bras.* **1.** V. *ipecacuanha.* ● *S. 2 g.* **2.** Pessoa sem graça, desenxabida, enjoada.

poaia-do-campo. *S. f. Bras., L.* Erva rasteira, da família das rubiáceas (*Richardia scabra*), usada pelo povo em lugar da ipecacuanha, de folhas pequenas e ásperas, e flores e frutos inconspícuos. [Pl.: *poaias-do-campo.*]

poaieiro. *S. m.* **1.** *Bras.* Indivíduo que se entrega à colheita da poaia. **2.** *Bras., MT.* V. *vivió.*

poalha. [De *pó* + *-alha.*] *S. f.* Poeira leve em suspensão no ar; polilha: "Na *poalha* de oiro que cai do céu, descubro um risco indeciso: é a terra." (Raul Brandão, *Os Pescadores*, p. 34.)

pobre. [Do lat. *paupere.*] *Adj. 2 g.* **1.** Que não tem o necessário à vida. **2.** Cujas posses são inferiores à sua posição ou condição social. **3.** Que revela pobreza: *Tinha um aspecto pobre* **4.** Pouco produtivo: *terra pobre.* **5.** Mal dotado, pouco favorecido: *pobre de inteligência.* **6.** Digno de lástima; que inspira compaixão: *É uma pobre mulher.* [Superl. abs. sint.: *pobríssimo* e *paupérrimo.*] ~ V. *gás — e rimas —s.* ● *S. 2 g.* **7.** Pessoa pobre. **8.** Mendigo, pedinte. [Aum.: *pobretão*; dim.: *pobrezinho, pobrinho, pobrete.*] ◆ **Pobre de Cristo.** Pessoa de condição muito humilde, e/ou paupérrima: "— E essa negra? indagou o caboclo com voz surda. / — Coitada da *pobre de Cristo*! .... Para que havia ela de fazer mal à Ana Rosa? com que fim?" (Coelho Neto, *Sertão*, p. 183.) **Pobre de espírito.** Pessoa simplória, ingênua, parva, tola. **Dos pobres.** *Irôn.* Diz-se do que é de qualidade inferior, posto em confronto com o bom ou excelente: *É metido a orador — um Rui Barbosa dos pobres.*

pobre-diabo. *S. m.* **1.** Sujeito sem importância, sem eira nem beira. **2.** Homem inofensivo ou sem personalidade. [Pl.: *pobres-diabos.*]

pobrerio. [Do esp. plat. *pobrerío.*] *S. m. Bras., RS.* **1.** Porção de pobres. **2.** Pobreza (3): "porque logo o ganhador mandou distribuir .... côvados de baeta e baguais e deu o resto, de mota, ao *pobrerio*." (Simões Lopes Neto, *Contos Gauchescos e Lendas do Sul*, p. 330).

pobretão. *S. m.* **1.** Aquele que é muito pobre; pé-rapado. **2.** Indivíduo que mendiga sem necessidade. **3.** Pobre que pretende passar por abastado. [Fem.: *pobretona.*]

pobrete (ê). [Dim. de *pobre.*] *Adj.* **1.** Um tanto pobre. ● *S. m.* **2.** Homem digno de compaixão, mísero, desgraçado.

pobretona. *S. f.* Fem. de *pobretão.*

pobreza (ê). *S. f.* **1.** Estado ou qualidade de pobre. **2.** Falta do necessário à vida; penúria, escassez. **3.** A classe dos pobres: "era um mãos-rotas para a *pobreza*" (Luís de Magalhães, *O Brasileiro Soares*, p. 23).

pobríssimo. *Adj.* Superl. abs. sint. de *pobre*; paupérrimo: "*É pobríssimo*; e rico a mais não ser / Não lhe aceitava um óbolo sequer." (João de Deus, *Campo de Flores*, II, p. 270.)

poca. [Do tupi *'poka.*] *S. f. Bras.* Taquara de que se fazem cestos.

poça[1] (ô). [De *poço.*] *S. f.* **1.** Depressão natural do terreno, de pouca fundura, com água. **2.** Cova artificial, larga e não muito funda, onde se represa água nascente para regas. [Cf. *possa*, do v. *poder.*]

poça[2] (ô). *Interj. Bras. Pop.* V. *puxa*[2]. [Cf. *possa*, do v. *poder.*]

pocadinho. *S. m. Pop.* V. *poucadinho.*

poção[1]. [Do lat. *potione.*] *S. f.* **1.** *Farmac.* Hidrólio que contém medicamento dissolvido ou em suspensão, e administrada por via oral. **2.** Qualquer bebida.

poção[2]. [De *poço* + *-ão*[1].] *S. m. Bras.* Lugar, no leito de um igarapé, rego ou lago, onde é maior a profundidade.

poçãoense. *Adj. 2 g.* **1.** De, ou pertencente ou relativo a Poção (PE). ● *S. 2 g.* **2.** Natural ou habitante de Poção.

pocar. [Do tupi *'poka*, ger. de *pog*, 'arrebentar', onom.] *V. int. Bras. Pop.* **1.** V. *pipocar* (1): "o jereré estava meio puído, mas servia. .... Havia três dias *pocara* — um rombo desgraçado, que não o deixava pescar." (Ricardo Ramos, *Terno de Reis*, p. 37). *T. d.* **2.** Bater com força em; rebentar. [Conjug.: v. *trancar.* Normalmente é defect., só conjugável nas 3as pess.]

poceirão. [De *poço* ou *poça* + *-eirão.*] *S. m.* Grande poço ou poça; lamaçal: "a cada momento o pé encontra um tremedal, terra empapada, ... *poceirão* escondido sob a courama da erva ou do mato." (Aquilino Ribeiro, *Aldeia*, p. 272).

poceiro. [De *poço* + *-eiro.*] *S. m.* **1.** Cesto para lavagem de lã. **2.** Cesto vindimo; cabano. **3.** Cavador de poços ou poças. [Cf. *posseiro* e *puceiro.*]

pocema. [Do tupi *po'sema*, 'mão saindo'.] *S. f. Bras.* **1.** Grito de guerra: "Estrugem longe; ecoam pela mata / As *pocemas* da guerra que enfurece." (José de Alencar, *Obra Completa*, IV, p. 591.) **2.** Canto selvagem: "dispartidos em dois grupos e entoando uma *pocema* alegre, foram ladear-lhe o trono, postando-se imediatamente atrás das amazonas." (Gastão Cruls, *4 Romances*, p. 153). **3.** Vozearia, algazarra, clamor.

pochade. [Do fr. *pochade.*] *S. f.* **1.** *Gal.* Pintura executada sumariamente, em algumas pinceladas. **2.** *P. ext.* Obra (artística, literária, teatral, etc.) de estilo ligeiro, feita com rapidez ou apenas esboçada.

pocheti. *Bras. S. 2 g.* **1.** Indivíduo dos pochetis, tribo indígena tupi, que habita entre o Araguaia e o Tocantins. ● *Adj. 2 g.* **2.** Pertencente ou relativo a essa tribo.

pocilga. [De um arc. **porcilga* < *porco.*] *S. f.* **1.** Curral de porcos: "viu que um pegureiro, que guardava uma vara de animais imundos, os que queria encerrar na *pocilga*; e por mais que porfiou com um pau, e com a funda, ... nunca pôde; até que enfadado levantou a voz, e disse: 'Porcos, entrai na *pocilga*, como os advogados entram no Inferno.' " (P[e] Manuel Bernardes, *Os Últimos Fins do Homem*, p. 134). **2.** Casa ou lugar imundo; cortelho, cortelha.

pocinhense. *Adj. 2 g.* **1.** De, ou pertencente ou relativo a Pocinhos (PB). ● *S. 2 g.* **2.** Natural ou habitante de Pocinhos.

poço (ô). [Do lat. *puteu.*] *S. m.* **1.** Cavidade funda, aberta na terra, a fim de atingir o lençol aqüífero mais próximo da superfície. **2.** Grande buraco, geralmente circular e murado, cavado na terra, para acumular água. **3.** Pego[1] (1). **4.** V. *clarabóia.* **5.** Espaço no qual circula o elevador. **6.** *Geol.* Perfuração que se faz no solo. **7.** *Mar.* Espaço entre o castelo ou o tombadilho e a superestrutura central, em um navio mercante. **8.** *Constr. Nav.* O local de maior profundidade, num ancoradouro. **9.** *P. ext.* Aquilo que é profundo; abismo. **10.** *Teat.* V. *orquestra* (6). [Pl.: *poços* (ó). Cf. *posso*, do v. *poder.*] ◆ **Poço artesiano.** Poço natural ou artificial em que a água é impelida naturalmente até à superfície do solo, dispensando bombeamento. **Poço da orquestra.** *Teat.* V. *orquestra* (6). **Poço de potencial.** *Fís.* Qualquer região de um diagrama de energia em que o potencial é um mínimo e sensivelmente menor que a energia na região que lhe é vizinha. **Poço de visita.** Entrada que permite a inspeção e a limpeza de uma galeria de águas pluviais. **Ser um poço de.** Ter (uma qualidade) em alto grau, exageradamente: *É um poço de vaidade; Era um poço de sabedoria.*

poçoca. [Var. de *paçoca.*] *S. f. Bras., N. Pop.* V. *mentira* (1).

poçõense. *Adj. 2 g.* **1.** De, ou pertencente ou relativo a Poções (BA). ● *S. 2 g.* **2.** Natural ou habitante de Poções.

poço-fundense. *Adj. 2 g.* **1.** De, ou pertencente ou relativo a Poço Fundo (MG). ● *S. 2 g.* **2.** Natural ou habitante de Poço Fundo. [Pl.: *poço-fundenses.*]

poconeano (nè). *Adj.* **1.** De, ou pertencente ou relativo a Poconé (MT). ● *S. m.* **2.** O natural ou habitante de Poconé. [Sin. ger.: *poconeense.*]

poconeense (èên). *Adj. 2 g.* e *s. 2 g.* Poconeano.

poço-redondense. *Adj. 2 g.* **1.** De, ou pertencente ou relativo a Poço Redondo (SE). ● *S. 2 g.* **2.** Natural ou habitante de Poço Redondo. [Pl.: *poço-redondenses.*]

poços-caldense. *Adj. 2 g.* **1.** De, ou pertencente ou relativo a Poços de Caldas (MG). ● *S. 2 g.* **2.** Natural ou habitante de Poços de Caldas. [Pl.: *poços-caldenses.*]

poço-verdense. *Adj. 2 g.* **1.** De, ou pertencente ou relativo a Poço Verde (SE). ● *S. 2 g.* **2.** Natural ou habitante de Poço Verde. [Pl.: *poço-verdenses.*]

pocranense. *Adj. 2 g.* **1.** De, ou pertencente ou relativo a Pocrane (MG). ● *S. 2 g.* **2.** Natural ou habitante de Pocrane.

poçuca. *S. 2 g. Bras., S.* Pessoa que poçuqueia; filante, poçuqueador.

poculiforme. [Do lat. *poculu*, 'copo', + *-i-* + *-forme.*] *Adj. 2 g. Morfol. Veg.* Em forma de copo: *corola poculiforme.*

poçuqueador (ô). *Adj.* e *s. m. Bras., S.* Que ou aquele que poçuqueia.

poçuquear. [De *poçuca* + *-ear.*] *V. t. d. Bras., S.* Pedir emprestado; filar: *Poçuqueou a camisa do irmão.* [Conjug.: v. *frear.*]

poda. [Dev. de *podar.*] *S. f.* **1.** Ato ou efeito de podar; podadura. **2.** Corte de ramos das plantas; desbaste, podadura. **3.** *P. ext.* A época própria para se podar; podadura. ◆ **Fazer a poda de.** *Fam.* Falar mal de; tosar na pele de.

pó-da-china. *S. m. Quím. Bras. Pop.* O pentaclorofenato de sódio, pó branco, muito tóxico e agressivo, usado como fungicida, herbicida, desinfetante e na indústria de papel, de manipulação perigosa. [Fórm.: C_6Cl_5ONa.]

podadeira. [De *podar* + *-deira.*] *S. f.* V. *podão* (2).

podador (ô). [Do lat. *putatore.*] *Adj.* **1.** Que poda. ● *S. m.* **2.** Aquele que poda. **3.** Pequeno coleóptero (*Chalcodermus bondari* Marsh.) que poda as pontas dos galhos do algodoeiro.

podadura. *S. f.* V. *poda* (1 a 3).

podagra. [Do gr. *podágra*, pelo lat. *podagra.*] *S. f. Patol.* Dor gotosa em pododáctilo.

podagrária. [De *podagra* + o fem. de *-ário.*] *S. f.* Planta medicinal que se empregava contra a podagra.

podágrico. [Do gr. *podagrikós*, pelo lat. *podagricu.*] *Adj.* Relativo à podagra.

podal. [Do gr. *poús, podós*, 'pé', + *-al.*] *Adj. 2 g. Anat.* Relativo ao pé.

podálico. [De *podal* + *-ico*[2].] *Adj.* **1.** Que se efetua por meio do pé. **2.** Do lado dos pés.

podão. [De *podar* + *-ão*[3].] *S. m.* **1.** Espécie de foice, de cabo curto, afiadíssima, usada para cortar madeira, podar árvores, abrir picada, etc. **2.** Tesoura para podar; podadeira, podoa: "Egídio não andaria afastado porque sobre o murozinho de pedra solta ficara pousado o seu cântaro, o seu *podão* e a sua enxada." (Eça de Queirós, *Contos*, p. 144.) **3.** *Fig.* Pessoa trôpega, sem forças, desajeitada.

podar. [Do lat. *putare.*] *V. t. d.* **1.** Cortar ramos de (plantas); desbastar: *podar uma árvore.* **2.** Cortar, aparar (folhas, ramos, etc.): "Aprendeu a subir pelos longos caules com o auxílio dum cinturão de corda; e ele próprio, facão na mão, podava folhas, derrubava cocos." (Vasconcelos Maia, *O Leque de Oxum*, p. 43.) **3.** *Fig.* Tornar menos basto ou espesso; cortar, desbastar: *podar o cabelo.* **4.** *Bras., SP. Autom. Gír.* Ultrapassar (um carro, a outro), tomando-lhe a frente num golpe de direção; cortar: *o ônibus podou o fusca.* [Fut. pret.: *podaria*, etc. Pres. subj.: *pode, podes, pode, podemos, podeis, podem.* Cf. *podária*, s. f., e *pôde, pudemos*, do v. *poder.*]

podária. [Do gr. *poús, podós*, 'pé', + o fem. de *-ário.*] *S. f. Geom. Anal.* **1.** Curva podária. ● *Adj. (f.)* **2.** ~ V. *curva* —. [Cf. *podaria*, do v. *podar.*]

▲-pode. Equiv. de *pod(o)-*.

pó-de-arroz. *S. m.* **1.** Pó finíssimo que se aplica à epiderme do rosto, para absorver a gordura da pele e dar certa coloração à cútis. [Tb. se diz apenas *pó.*] ● *S. 2 g.* **2.** *Bras., RJ.* V. *fluminense*[2]. ● *Adj. 2 g.* **3.** *Bras., RJ.* V. *fluminense*[2]. [Pl.: *pós-de-arroz.*]

podécio. [Do gr. *poús, podós*, 'pé', pelo lat. bot. *podetium.*] *S. m. Bot.* Porção do talo das cladoniáceas que se eleva para sustentar, no ápice, os apotécios. Pode ser ramificado, cilíndrico, infundibuliforme, etc.

podengo. *S. m.* Cão para a caça de coelhos: "Um podengo, ocorrido de longe, veio latindo." (Garibaldino de Andrade, *O Sol e a Nuvem*, p. 70.)

pó-de-mico. *S. m. Bras.* **1.** Planta leguminosa, papilionácea (*Mucuna pruriens*), cujas vagens têm um revestimento piloso que causa prurido na pele de quem lhes toca. V. *mucunã.* **2.** O revestimento, pruriente, da vagem dessa planta, extraído e posto a secar. [Pl.: *pós-de-mico.*]

pó-de-pedra. [De *pó*[1] + *de* + *pedra.*] *S. m. Constr.* Material proveniente do britamento de pedra, com diâmetros máximos inferiores a 0,075 mm. [Pl.: *pós-de-pedra.*]

poder. [Do lat. vulg. **potere*, calcado nas f. *potes, potest* e outras de *posse.*] *V. t. d.* **1.** Ter a faculdade de: *O soberano podia determinar, a seu gosto, a política do Estado.* **2.** Ter possibilidade de, ou autorização para: *As crianças não podem assistir a determinados espetáculos.* **3.** Estar arriscado ou exposto a; arriscar-se, expor-se a: *Quem não cuida da saúde pode morrer cedo.* **4.** Ter ocasião, ter oportunidade, meio de; conseguir: *Com as grades reforçadas, a fera não poderá escapar.* **5.** Ter força para: *O halterofilista pode erguer 150 quilos.* **6.** Ter calma, paciência, para: *Apressado, não pôde esperar cinco minutos.* **7.** Ter força de ânimo, energia de vontade, para: *Não podia esconder a vergonha que sentia.* **8.** Ter o direito, a razão, o motivo de: *Pelo que presenciou, podia afirmar que fora um acidente.* **9.** Ter vigor, robustez, saúde ou capacidade para agüentar, para suportar, etc.: *É alérgico: não pode usar lã; Não pode ver sangue.* **10.** Ter ocasião ou oportunidade de: *Naquela festa eu pude conhecer vários homens ilustres. Int.* **11.** Ter possibilidade. **12.** Dispor de força ou autoridade: *Os homens que podem devem governar bem o País.* **13.** Ter força física ou moral; ter influência, valimento. *T. i.* **14.** Ter força, robustez, capacidade, para suspender, agüentar, suportar: *"A criança não podia com o peso.* **15.** Ter grande influência ou poder sobre: *Ninguém pode com este traquinas.* [Irreg. Pres. ind.: *posso, podes, pode, podemos*, etc.; perf.: *pude, pudeste, pôde, pudemos, pudestes, puderam*; m.-q.-perf.: *pudera, puderas*, etc.; fut. pres.: *poderei, poderás*, etc.; pres. subj.: *possa, possas*, etc.; imperf.: *pudesse, pudesses*, etc.: fut.: *puder, puderes*, etc.; ger.: *podendo.* Cf. *poço* (ô), s. m.; *pôde*, do v. *poder*, e *pode*, deste v. e do v. *podar*; *pudemos*, do v. *poder*, e *podemos*, deste v. e do v. *podar*; *poça*, s. f.; *poder* e *puder*; *poderes* (ê), do v. *poder* e *pl. dos s. podere* (ê) e *poder*, e *puderes*, do mesmo v.; e, ainda, *pudendo*, adj Não se conjuga no imperativo, embora o tenha feito o P.e Antônio Vieira: "Se quereis ser onipotentes, podei somente o justo, o lícito, e não queirais poder o ilícito, e injusto." (*Sermões*, VI, p. 309.)] ● *S. m.* **16.** Direito de deliberar, agir e mandar. **17.** Faculdade, possibilidade. **18.** Vigor, potência. **19.** Autoridade, soberania, império. **20.** Domínio, influência, força. **21.** Posse, jurisdição. **22.** Eficácia, efeito, virtude: *Extraordinário o poder deste remédio.* **23.** Recurso, meios. **24.** Capacidade, aptidão: *Tem o poder de dissimular.* **25.** O governo de um Estado: *poder monárquico; poder constitucional.* **26.** *P. ext.* O poder (25) considerado segundo suas formas e manifestações: *Os três poderes (o executivo, o judiciário e o legislativo) são independentes e se harmonizam entre si.* **27.** Grande quantidade; grande número: *um poder de gente*; "Foi logo um poder de balas, caindo de todos os lados, ... zunindo a esmo sobre as cabeças tontas." (Albertino Moreira, *Boca-Pio*, p. 36); "primeiro que lá se chegasse ainda era preciso andar... Era um poder de passos e paciência" (Trindade Coelho, *Os Meus Amores*, p. 51). **28.** *Estat.* Probabilidade associada a uma região crítica, e cujo complemento é a probabilidade de se cometer um erro de tipo II. [Pl.: *poderes.* Cf. *puderes*, do v. *poder.*] ~ V. *poderes.* ◆ **Poder aéreo.** A força aérea nacional e sua infra-estrutura de apoio. **Poder aquisitivo.** Capacidade de aquisição de bens e serviços de um indivíduo ou grupo. **Poder calorífico.** *Fís.* Medida de quantidade de energia térmica liberada pela combustão da unidade de peso de um combustível. **Poder combatente.** *Mil.* A combinação de efetivos, mobilidade, apoio de fogo e habilidade ou capacidade tática de uma força ou de um conjunto de unidades militares, navais e/ou aéreas. **Poder de cobertura. 1.** *Art. Gráf.* Grau de opacidade das tintas. **2.** *Pint.* Capacidade de uma tinta de recobrir uma superfície mascarando-a completamente. **Poder de fogo.** Capacidade destrutiva de uma arma de fogo ou de um conjunto delas. **Poder dispersor.** *Ópt.* Qualquer medida de dispersão da luz por um meio ou por um sistema óptico. **Poder emissivo.** *Fís.* Radiância energética. **Poderes constituídos.** Os poderes executivo, legislativo e judiciário, considerados globalmente como órgãos da soberania nacional. **Poder espiritual.** Autoridade eclesiástica. **Poder executivo.** *Jur.* Aquele que, segundo a organização constitucional do Estado, tem a seu cargo a execução das leis, bem como o governo e a administração dos negócios públicos. [Tb. se diz apenas *executivo.* Cf. *poder judiciário* e *poder legislativo.*] **Poder jovem.** O conjunto dos jovens, a juventude, como força atuante e participante. **Poder judiciário.** *Jur.* Aquele a que, segundo a organização constitucional do Estado, compete determinar e assegurar a aplicação das leis que garantem os direitos individuais. [Tb. se diz apenas *judiciário.* Cf. *poder executivo* e *poder legislativo.*] **Poder legislativo.** *Jur.* Aquele a que, segundo a organização constitucional do Estado, compete elaborar as leis. [Tb. se diz apenas *legislativo.* Cf. *poder executivo* e *poder judiciário.*] **Poder marítimo.** Capacidade que tem uma nação de utilizar, na guerra, as vias marítimas, e de negar o uso delas aos navios inimigos. [Inclui, pois, não somente a sua marinha de guerra, mas também a sua marinha mercante, os seus estaleiros de construção e de reparos navais, e outros elementos que concorrem para aquela capacidade.] **Poder moderador.** Nos regimes representativos, o quarto poder do Estado (abolido no Brasil com o advento da República), que faculta ao soberano intervir, com funções fiscalizadoras, em determinados assuntos próprios dos outros poderes, assegurando-lhes, dentro dos limites constitucionais, o devido equilíbrio. **Poder nacional.** Conjunto de condições políticas e psicossociais, e de recursos econômicos e militares, de que uma nação dispõe para alcançar e manter, tanto no âmbito interno quanto no campo internacional, seus objetivos nacionais, a despeito dos antagonismos que se lhe oponham. **Poder naval.** A marinha de guerra nacional e sua infra-estrutura de apoio imediato. **Poder negro.** Movimento com que os negros visam a atingir a igualdade social por meio do poder político, alcançado com a união da sociedade negra em instituições culturais e políticas especificamente de negros, em oposição à procura de uma integração com a comunidade branca. **Poder público. 1.** O conjunto dos órgãos investidos de autoridade para realizar os fins do Estado. **2.** Administração pública; o governo. **Poder rotatório.** *Fís.* Medida do desvio angular que uma substância opticamente ativa imprime ao plano de vibração de um feixe de radiação planopolarizado. **Poder separador.** *Ópt.* Medida da capacidade de um instrumento óptico de produzir imagens distintas, de pontos muito próximos. **Poder temporal. 1.** O poder do Papa como soberano territorial. **2.** Autoridade civil. **A poder de.** Com o auxílio ou emprego de; à força de; à custa de: *Tudo alcança a poder de trabalho.* **Pátrio poder.** O conjunto dos direitos e deveres dos pais em relação às pessoas e bens dos filhos menores. **Plenos poderes.** Carta branca.

podere (ê). [Do gr. *podéres*, pelo lat. *podere.*] *S. f.* Longa túnica sacerdotal, que descia até os pés, entre os antigos; espécie de hábito talar. [Pl.: *poderes* (ê). Cf. *puderes*, do v. *poder.*]

poderes (ê). [Pl. de *poder.*] *S. m. pl.* Procuração (1). ~ V. *poder.*

poderio. [De *poder* (16 a 20) + *-io*[2].] *S. m.* **1.** Grande poder. **2.** Autoridade, domínio, poder.

poderoso (ô). *Adj.* **1.** Que tem poder. **2.** Que exerce poderio. **3.** Que tem influência, valimento; influente. **4.** Que produz grande efeito; intenso, enérgico: *medicação poderosa.* **5.** Que demove, dissuade. ~ V. *poderosos.*

poderosos. [Pl. substantivado de *poderoso.*] *S. m. pl.* Indivíduos que têm grande poder ou influência, com base na riqueza ou na posição social. ~ V. *poderoso.*

pó-de-sapato. *S. m.* Pó escuro, produzido pela fuligem ou pela combustão de certas substâncias, como, p. ex., o marfim, e que entra na composição da graxa, servindo para diferentes usos; negro-de-fumo. [Pl.: *pós-de-sapato.*]

podestade. [Do lat. *potestate.*] *S. m.* O primeiro magistrado, nas cidades centrais e setentrionais da Itália, na Idade Média: "Condestáveis, podestades, gonfaloneiros, comissários, capitães-generais e cabos-d'esquadra, balistários, escopeteiros e lanceiros franceses encontravam-se nesse vestíbulo, enchendo-o com a animação de seu trânsito mesclado e febricitante." (Alberto Rangel, *Livro de Figuras*, p. 96.) [Cf. *potestade.*]

pódice. [Do lat. *podice.*] *S. m.* **1.** O ânus. **2.** As nádegas.

podicípede. [Do lat. *podice*, 'ânus' + *-i-* + *-pede.*] *Adj. 2 g. Zool.* Diz-se de algumas aves que têm os pés junto ao ânus.

podicipedídeo. *S. m.* **1.** Espécime dos podicipedídeos. ● *Adj.* **2.** Pertencente ou relativo a eles. [Sin. ger.: *colimbídeo.*]

podicipedídeos. *S. m. pl. Zool.* Aves podicipediformes, da família *Podicipedidae*, caracterizadas por terem os dedos marginados por uma membrana, porém não reunidos por ela. Vivem na água, alimentando-se de peixes e artrópodes aquáticos. São os mergulhões. [Sin.: *columbídeos.*]

podicipediforme. *S. m.* **1.** Espécime dos podicipediformes. ● *Adj. 2 g.* **2.** Pertencente ou relativo a eles. [Sin. ger.: *colimbiforme, pigópode.*]

podicipediformes. *S. m. pl. Zool.* Aves neórnites, neógnatas, da ordem *Podicipitiformes*, de pernas situadas muito atrás, patela grande, três dedos anteriores unidos na base por uma membrana, que se prolonga até a ponta dos dedos em orla chata, asas curtas, cauda formada por penugem e desprovida de retrizes. São os mergulhões. [Sin.: *colimbiformes, pigópodes.*]

pódio. [Do gr. *pódion*, 'pequeno pé', 'pequena base', pelo lat. *podiu.*] *S. m.* **1.** Muro baixo que, nos anfiteatros romanos, circundava a arena, separando-a das arquibancadas. **2.** Tribuna junto ao pódio (1), para alojar o imperador e personagens grados. **3.** *Arquit.* Na fachada de uma edificação, espécie de pedestal destinado a suportar pilares, em geral com plinto e cornija. **4.** *Arquit.* Piso (3) elevado, que se destina a pôr em destaque parte de um ambiente. [Cf., nesta acepç., *jirau* (5).] **5.** *Desp.* Nos estádios, plataforma onde os concorrentes classificados nos primeiros lugares são apresentados ao público. **6.** *Mús.* Estrado para regente de orquestra. **7.** *Zool.* Projeção do aparelho ambulacrário dos equinodermos, terminada, geralmente, em pequena ventosa.

▲pod(o)-. [Do gr. *poús, odós.*] *El. comp.* = 'pé': *podofalange; podálico.* [Equiv.: *-pode: artrópode.*]

podoa (ô). [Do lat. *podo.*] *S. f.* V. *podão* (2).

podobrânquia. [De *pod(o)-* + *-brânquio.*] *S. f. Zool.* Brânquia cuja inserção aparente é no primeiro segmento das patas.

podocarpácea. *S. f.* Espécime das podocarpáceas.

podocarpáceas. *S. f. pl. Bot.* Família de gimnospermas, da classe das coníferas, formada de arbustos e árvores do hemisfério austral. Os estames têm dois sacos polínicos, e o pólen vesículas aeríferas que o fazem flutuar no ar; carpelos com um só óvulo; semente drupácea; folhas escamiformes ou lineares. Há umas 90 espécies, sendo apenas duas brasileiras.

podocarpáceo. *Adj.* Pertencente ou relativo às podocarpáceas.

podocarpo. [De *pod(o)-* + *-carpo.*] *S. m.* Gênero de gimnospermas (*Podocarpus*), de que existem duas espécies no Brasil.

podócopo. *S. m.* **1.** Espécime dos podócopos. ● *Adj.* **2.** Pertencente ou relativo a eles.

podócopos. *S. m. pl. Zool.* Animais artrópodes, crustáceos, ostracódios, da ordem *Podocopa*, de carapaça sem entalhe antenal, a segunda antena em forma de perna, provida de garra na extremidade. Vivem na água doce ou no mar.

pododáctilo. [De *pod(o)-* + *-da(c)tilo.*] *S. m. Anat.* Dedo de pé. [Sin.: pedartículo e, desus., *artelho.* Var.: *pododátilo.*]

pododátilo. *S. m. Anat.* Var. de *pododáctilo.*

pododigital. [De *pod(o)-* + *digital.*] *Adj. 2 g. Anat.* Relativo ou pertencente aos dedos dos pés.

podofalange. [De *pod(o)-* + *falange.*] *S. f. Anat. Desus.* Falange de pododáctilo.

podofalangeta. [De *pod(o)-* + *falangeta.*] *S. f. Anat. Desus.* Falangeta de pododáctilo.

podofalanginha. [De *pod(o)-* + *falanginha.*] *S. f. Anat. Desus.* Falanginha de pododáctilo.

podofilino. *S. m.* Resina purgativa extraída de *Podophyllum peltatum,* berberidácea norte-americana.

podofilo. [De *pod(o)-* + *filo*[1].] *S. m.* Arbusto ornamental da família das berberidáceas *(Podophyllum peltatum),* nativo na América do Norte, que produz frutos comestíveis. É importante a resina purgativa que dele se extrai, usada com o nome de *podofilino.*

podoftalmo. *S. m.* **1.** Espécime dos podoftalmos. ● *Adj.* **2.** Pertencente ou relativo a eles. [Sin. ger.: *toracostráceo.*]

podoftalmos. *S. m. pl. Zool.* Animais metazoários, artrópodes, crustáceos, malacostráceos, providos de olhos pedunculados e de uma carapaça cefalotorácica. São os esquizópodes, os estomatópodes e os decápodes. [Sin.: *toracostráceos.*]

podogônio. *S. m.* **1.** Espécime dos podogônios. ● *Adj.* **2.** Pertencente ou relativo a eles. [Sin. ger.: *ricinúleo.*]

podogônios. *S. m. pl. Zool.* Artrópodes aracnídeos, da ordem *Podogona,* com cefalotórax articulado ao abdome em quase toda a largura, o abdome com uma série de placas em mosaico, olhos ocultos pelo cuculo, e órgão copulador do macho no terceiro par de patas. [Sin.: *ricinúleos.*]

podometragem. *S. f. Bras.* Avaliação de distância percorrida, por meio do podômetro.

podometrar. *V. t. d. Bras.* Medir com o podômetro. [Pres. ind.: *podometro,* etc. Cf. *podômetro.*]

podométrico. *Adj.* Relativo ao podômetro.

podômetro. [De *pod(o)-* + *-metro.*] *S. m.* Instrumento de bolso para contagem dos passos percorridos por um caminhante; passômetro: "durante 25 anos, andou [Max Hubner] com um podômetro que, registrando os seus passos, mostrou a diminuição da sua atividade física pelo avanço da idade." (A. da Silva Melo, *Estados Unidos. Prós & Contras,* p. 207). [Cf. *podometro,* do v. *podometrar.*]

podospermo. [De *pod(o)-* + *-spermo.*] *S. m. Bot. Desus.* Funículo (4).

podostemonácea. *S. f.* Espécime das podostemonáceas.

podostemonáceas. *S. f. pl. Bot.* Família de plantas floríferas, da ordem das podostemonales. O organismo é taliforme, achatado ou laminar; as folhas são dísticas; as flores, insignificantes, envolvidas numa espatela; e o fruto é capsular. Vivem sobre rochas mergulhadas na água corrente, e possuem raízes assimiladoras. [Conhecem-se perto de 180 espécies tropicais, muitas das quais brasileiras.]

podostemonáceo. *Adj.* Pertencente ou relativo às podostemonáceas.

podostemonale. *S. f.* Espécime das podostemonales.

podostemonales. *S. f. pl. Bot.* Ordem de plantas dicotiledôneas arquiclamídeas, de flores hermafroditas, e que apenas inclui as podostemonáceas.

podrão. [De *podre* + *-ão*[1].] *Adj. Bras., CE. Pop.* Péssimo. [Fem.: *podrona.*]

podre (ô). [Do lat. *putre.*] *Adj. 2 g.* **1.** Em decomposição; deteriorado; corrupto. **2.** Fétido, malcheiroso; infeto. **3.** *Fig.* Pervertido, contaminado. ~ V. *burgo —, linha —* e *paz —.* ● *S. m.* **4.** A parte putrefata de alguma coisa. **5.** *Fig.* O lado fraco ou condenável. **6.** *Bras., GO.* Ouro nativo de cor escura. ~ V. *podres.* ♦ **Podre de.** Em alto grau; muitíssimo: *podre de rico; podre de chique;* "— Mas ele vai ser podre de feliz comigo!" (Lígia Fagundes Teles, *O Jardim Selvagem,* p. 13).

podredoiro. [De *podre* + *(d)oiro*[1].] *S. m.* V. *podredouro.*

podredouro. [De *podre* + *-(d)ouro*[1]; var. de *podredoiro.*] *S. m.* **1.** Lugar onde apodrecem quaisquer substâncias. **2.** Lugar onde existe muita podridão; monturo, podrigueira.

podres (ô). [Pl. de *podre.*] *S. m. pl.* Máculas, defeitos, vícios. ~ V. *podre.*

podricalho. [De **podrico,* dim. de *podre,* + *-alho.*] *Adj.* **1.** Sem energia; preguiçoso, moleirão, molangueirão. ● *S. m.* **2.** Coisa podre.

podrida. *S. f.* Olha-podrida.

podridão. *S. f.* **1.** Estado de podre. **2.** *Fig.* Desmoralização, corrupção, devassidão; sânie. [Sin. ger.: *podriqueira.*]

podridão-parda. *S. f. Bras.* Moléstia causada por um fungo que ataca os frutos do cacaueiro, e que é responsável pela perda de grande parte da produção; mela, geada. [Pl.: *podridões-pardas.*]

podrido. *Adj.* Apodrecido, podre, putrefato: "As moças ao serão, entre o fiar palreiro, / também têm da invernia indício bem certeiro, / quando o candil de barro entra a espirrar, e estira / os podridos morrões." (Antônio Feliciano de Castilho, *As Geórgicas de Virgílio,* p. 51); "Bem cego e bem surdo aquele que não veja nem ouça a sociedade velha a estalar e desconjuntar-se em seu podrido arcaboiço." (Aquilino Ribeiro, *Alemanha Ensangüentada,* pp. 159-160).

podrigueira. *S. f. Bras.* V. *podredouro* (2).

podriqueira. *S. f. Bras.* V. *podridão.*

podrona. *Adj. (f.) Bras., CE. Pop.* Fem. de *podrão.*

podrura. *S. f.* **1.** *Ant.* Podridão. **2.** *Bras., PE. Fig.* Pessoa sem préstimo, ociosa, moleirona.

poduro. [De *pod(o)-* + *-uro.*] *Adj. Zool.* Que anda sobre a cauda.

poduromorfo. *S. m.* **1.** Espécime dos poduromorfos. ● *Adj.* **2.** Pertencente ou relativo a eles.

poduromorfos. *S. m. pl. Zool.* Insetos da ordem dos colêmbolos, da subordem *Symphypleona,* seção *Poduromorpha,* que têm o tergo do protórax piloso e semelhante aos outros segmentos do corpo.

poedeira (o-e). [Do ant. *poer,* 'pôr', + *-deira.*] *Adj. (f.).* Diz-se da galinha que já põe, ou que põe muitos ovos: "Tivera o intuito de empolgar uma galinha .... poedeira, que soubera existir no quintal do Trancoso..." (Cândido Jucá [filho], *Noite Insone,* p. 86.) [Cf. *puideira.*]

poedoiro (o-e). [Do ant. *poer* + *-(d)oiro*[1].] *S. m.* Var. de poedouro.

poedouro. [Var. de *poedoiro;* de *poer* + *-(d)ouro*[1].] *S. m.* **1.** Trapos ou fios que se usavam no tinteiro para conservar a tinta embebida neles. **2.** Trapo embebido em tintas, do qual se servem os pintores. **3.** Trapo dobrado pelo qual passa o fio da meada que se doba.

poeira. [De *pó* + *-eira.*] *S. f.* **1.** Terra seca pulverizada; pó. **2.** *P. ext.* O solo, o chão. **3.** *Fam.* Vaidade, presunção, jactância. **4.** *Bras.* V. *ralé* (1). **5.** *Bras. Gír.* V. *pó* (3). ● *S. m.* **6.** *Bras.* Cinema de ínfima ordem; pulgueiro: "Nas feiras e armazéns, pechinchava sempre. Preferia esperar pelos filmes nos 'poeiras'." (Ledo Ivo, *O Flautim,* p. 52.) ● *Adj.* **7.** *Bras.* Diz-se de cinema de ínfima ordem. **8.** *Bras.* Diz-se de indivíduo brigão, irascível, irritadiço. [Cf. *puera.*] ♦ **Poeira cósmica.** *Astr.* Partículas de matéria de fraca densidade, existente nos espaços interstelar, intergaláctico e interplanetário. [Cf. *matéria interstelar.*] **Poeira vulcânica.** *Geol.* Produto sólido reduzido a pó e lançado por vulcão em erupção. **Dar poeira.** *Bras. Gír.* Passar (um automóvel) à frente de outro, deixando-o distanciado. **Fazer poeira.** *Bras. Gír.* Provocar desordem. **Levantar poeira.** *Bras. Gír.* Mostrar-se fanfarrão; bazofiar.

poeirada. *S. f.* **1.** Grande porção de pó ou de poeira. **2.** Nuvem de pó. [Sin. (no RS), nessas acepç.: *polvadeira.*] **3.** *Fig.* Presunção, pretensão, vaidade. **4.** *Bras. Pop.* Rumor, barulho, tumulto, sem conseqüências graves.

poeirento. *Adj.* **1.** Que tem poeira; coberto de pó; poento. **2.** *Fig.* Antigo, antiquado.

poejo (ê). [Do lat. *pulegiu, puleiu.*] *S. m.* Erva da família das labiadas *(Mentha pulegium),* cultivada no Brasil como planta aromática, de delgados ramos prostrados e folhas pequenas, fortemente odoríferas quando esmagadas, e que cedem um óleo rico em mentol. A reprodução é vegetativa, por meio de pedaços de ramos: "Nos quintais, canteiros de couve-gigante, os temperos, macela-galega, poejo" (Antônio Celso, *A Porta de Jerusalém,* p. 23).

poema. [Do gr. *poíema,* 'o que se faz', pelo lat. *poema.*] *S. m.* **1.** Obra em verso. **2.** Composição poética de certa extensão, com enredo. [Dim. irreg., nestas acepç.: *poemeto.*] **3.** *P. ext.* Epopéia (1). **4.** *Mús.* Composição de estrutura livre, para instrumento único ou instrumento solista. ♦ **Poema dramático.** *Teat.* Designação genérica das peças e espetáculos nos quais os elementos psicológicos, dramáticos, visuais, musicais, coreográficos, etc., convergem para o simbólico, o fantástico, o lírico. **Poema sinfônico.** *Mús.* Peça orquestral em um só movimento, de caráter descritivo e de forma muito livre.

poemático. *Adj.* Referente a, ou próprio de poema.

poematizar. *V. t. d.* Dar forma de poema a.

põe-mesa. [De *pôr* + *mesa.*] *S. f. Bras., N.E.* V. *louva-a-deus.* [Pl.: *põe-mesas.*]

poemeto (ê). *S. m.* Poema (1 e 2) curto.

poente. [Do lat. *ponente.*] *Adj. 2 g.* **1.** Que põe; que se põe. **2.** Diz-se do Sol quando está no ocaso. ● *S. m.* **3.** *Astr.* e *Geog.* V. *oeste* (1 e 2). **4.** O pôr do Sol; o ocaso.

poento. [De *pó* + *-ento.*] *Adj.* Poeirento (1): "Eu deixo a vida como deixa o tédio / Do deserto, o poento caminheiro" (Álvares de Azevedo, *Obras Completas,* I, p. 122).

poer. [Do lat. *ponere.*] *V. t. d. Ant.* Pôr.

▲-poese. [Do gr. *poíesis, eos.*] *El. comp.* = 'formação', 'criação': *galactopoese.*

poesia. [Do gr. *poíesis,* 'ação de fazer algo', pelo lat. *poese* + *-ia.*] *S. f.* **1.** Arte de escrever em verso. **2.** Composição poética de pequena extensão. **3.** Entusiasmo criador; inspiração. **4.** Aquilo que desperta o sentimento do belo. **5.** O que há de elevado ou comovente nas pessoas ou nas coisas. **6.** Encanto, graça, atrativo. ♦ **Poesia pura.** *Liter.* Corrente da poesia moderna que renuncia à expressão de sentimentos individuais e ao material anedótico.

poesia-de-sete. *S. f. Liter. Pop. Bras.* Estrofe de sete versos heptassílabos, com o esquema rimático ABCBDDB; obra-de-sete-pés. [Pl.: *poesias-de-sete.*]

poeta. [Do gr. *poietés,* 'aquele que faz', pelo lat. *poeta.*] *S. m.* **1.** Aquele que tem faculdades poéticas e se consagra à poesia; aquele que faz versos. [Sin. (eruditos): *aedo* e *vate.*] **2.** Aquele que tem imaginação inspirada. **3.** Aquele que devaneia ou tem caráter idealista. **4.** *Bras. Gír.* Qualquer indivíduo. **5.** *Bras., MG.* Indivíduo loquaz, bem-falante. [Fem.: *poetisa;* deprec.: *poetaço, poetastro.* Cf. *poetiza,* do v. *poetizar.*] ♦ **O Poeta Negro.** Antonomásia de Cruz e Sousa, poeta brasileiro (1861-1898). **Poeta de água doce.** **1.** Poeta que em seus versos celebra um rio. **2.** Mau poeta. **3.** Poeta muito jovem. **Poeta de bancada.** *Bras., N.E.* Poeta popular.

poetaço. *S. m.* Mau versejador; poetastro.

poetagem. [De *poeta* + *-agem*[2].] *S. f. Bras., MG.* **1.** Loquacidade, verbosidade. **2.** *Bras., SP. Pop.* Invencionice, mentira.

poetar. [Do lat. *poetare.*] *V. t. d.* **1.** Cantar em verso: *Camões poetou as navegações portuguesas. Int.* **2.** Fazer versos; versejar, poetizar: "Todos os moços, quando chegam à idade de amar e de poetar, associam a idéia do amor à idéia da morte." (Olavo Bilac, *Conferências Literárias,* p. 48.)

poetastro. *S. m.* Poetaço.

poética. [Fem. substantivado de *poético.*] *S. f.* **1.** Arte de fazer versos. **2.** Teoria da versificação. **3.** *Liter.* Crítica literária que trata da natureza, da forma e das leis da poesia. **4.** *Liter.* Estudo ou tratado sobre a poesia ou a estética.

poético. [Do gr. *poietikós,* pelo lat. *poeticu.*] *Adj.* **1.** Relativo à, ou próprio da poesia. **2.** Que encerra poesia. **3.** Que inspira; inspirador. ~ V. *função —a* e *licença —a.*

▲-poético. [Do gr. *poietikós, é, ón.*] *El. comp.* = 'que produz', 'que cria', 'que forma': *hematopoético, galactopoético.*

poético-musical. *Adj. 2 g.* **1.** Relativo à poesia e à música. **2.** Que participa da natureza de uma e da de outra. [Pl.: *poético-musicais.*]

poetificar. [De *poeta* + *-i-* + *-ficar.*] *V. t. d.* **1.** Poetizar (1). **2.** Inspirar poesia a. [Conjug.: v. *trancar.*]

poetisa. [Fem. de *poeta.*] *S. f.* Mulher que faz poesias. [Cf. *poetiza,* do v. *poetizar.*]

poetismo. *S. m.* Os poetas.

poetização. *S. f.* Ato de poetizar.

poetizar. *V. t. d.* **1.** Tornar poético; poetificar: "No campo de Viana a verdura da vegetação suaviza a luz; a água doce do rio .... poetiza a natureza como nas regiões dos lagos." (Ramalho Ortigão, *As Farpas,* I, p. 39.) *Int.* **2.** Fazer versos; versejar, poetar: "poetizava por natureza, como as flores dimanam cheiros" (Machado de Assis, *Crônicas,* I, p. 347). [Pres. ind.: *poetizo, poetizas, poetiza,* etc. Cf. *poetisa.*]

pogoníase. [De *pogon(o)-* + *-i-* + *-ase*[1].] *S. f.* **1.** Crescimento exagerado da barba. **2.** Desenvolvimento da barba em uma mulher.

▲pogon(o)-. [Do gr. *pógon, onos.*] *El. comp.* = 'barba', 'pêlo': *pogonópode; pogoníase.*

pogonóforo. [De *pogon(o)-* + *-foro.*] *Adj. Zool.* Diz-se do animal que tem pêlos no focinho, à maneira de barba.

pogonópode. [De *pogon(o)-* + *-pode.*] *Adj. 2 g. Zool.* que tem os pés cobertos de pêlos.

➡pogrom. [Russo.] *S. m.* Movimento popular de violência contra os judeus.

poia. [De *poio.*] *S. f.* **1.** Pão alto, ou bolo grande, de trigo. **2.** O pão que se deixa ao dono do forno, ou ao forneiro, em retribuição da cozedura da fornada. [Cf. *pôia,* do v. *poiar* e s. f.]

póia. *S. f. Bras., MG. Pop.* Pessoa moleirona, preguiçosa, indolente. [Cf. *poia.*]

poiá. *S. m. Bras.* Fogão rústico, formado de pedras sobre as quais assentam as panelas. [Cf. *poial.*]

poial. [De *poio* + *-al.*] *S. m.* **1.** Lugar onde se põe ou assenta alguma coisa. [Sin., ant.: *pojo.*] **2.** Assento de pedra na entrada de uma casa, junto às paredes, e nos muros das entradas: "Enquanto o barqueiro, comido e refeito, ... descia o poial da casa para ir rever o barco, ... a velha agitava com toda a força os braços secos, passando um esfregão no couro encarquilhado de umas botinas velhas." (Xavier Marques, *Jana e Joel*, pp. 14-15.) [Sin. ger.: *poio.* Cf. *poiá.*]

poiana. *S. 2 g.* e *adj. 2 g. Bras.* V. *pauxiana.*

poianaua. *Bras. S. 2 g.* **1.** Indivíduo dos poianauas, tribo indígena pano, que habita ao N. do rio Moa (AC). ● *Adj. 2 g.* **2.** Pertencente ou relativo a essa tribo.

poiar. [De *poio* + *-ar*[2].] *V. t. d.* **1.** Colocar ou dispor (algo) de modo que fique firme: *Os egípcios construíram as pirâmides poiando pedra por pedra. Int.* **2.** Apoiar-se, escorar-se, para subir: *Trôpego, o velho poiava tentando alcançar o topo da escada.* **3.** Subir a lugar elevado: *O animal ferido tentava poiar, porém caía a cada metro de aclive vencido.* [Conjug.: v. *apoiar.* Pres. ind.: *póio, póias, póia,* etc. Cf. *poia.*]

➧**poilu** (pualü). [Fr.] *S. m.* Soldado francês da linha de frente, na I Guerra Mundial.

poinsétia (o-in). [Do lat. cient. *Poinsettia* < antr. *Poinsett*, de Joel R. Poinsett, diplomata norte-americano (1799-1851).] *S. f. Bras.* V. *folha-de-sangue.*

➧**pointer** (pôinter). [Ingl.] *S. m.* Cão de caça de pelagem macia, branca com manchas negras ou castanhas, orelhas grandes, longas e pendentes, cauda longa e afilada, focinho largo, e que é dotado de faro agudo e velocidade na corrida. [Cf. *perdigueiro* (2).]

poio. [Do gr. *pódion*, 'pequeno pé, suporte duma sacada', pelo lat. *podiu.*] *S. m.* Poial.

poiquilítica. [Do gr. *poikílos*, 'de cores variadas', + *-lit(o)-* + o fem. de *-ico*[2].] *Adj. (f.). Pet.* Diz-se da textura das rochas magmáticas que apresentam vários cristais diminutos caoticamente incluídos num cristal maior, de natureza mineralógica diversa.

pois. [Do lat. *post*, 'depois, detrás'.] *Conj.* **1.** À vista disso; por conseguinte; portanto, logo: *Está doente, não podendo, pois, viajar.* [Nesta acepç. é, por via de regra, pospositivo.] **2.** Diante disso, nesse caso; então, pois então, ora: — *Seu companheiro o enganou? Pois rompa com ele.* **3.** Mas, porém, entretanto, no entanto: — *Estou muito bem de vida.* — *Pois eu, meu caro, ando na miséria.* **4.** Visto que; porque, porquanto; pois que: "Não descende o cobarde do forte; / Pois choraste, meu filho não és." (Gonçalves Dias, *Obras Poéticas*, II, p. 31); "Os latinos não conservaram a ficção poética do canto melodioso da cigarra, pois o increpavam de rouco, desagradável" (Alberto Faria, *Acendalhas*, p. 71). **5.** Antecede, não raro, uma pergunta: *Você falou comigo, pois não falou?* ● *Adv.* **6.** *Lus.* Indica assentimento, aprovação; pois sim; sim: "Parece que dão sorte quando aparecem de noite. / 'Os besouros?' / 'Pois. Na minha terra dizem que é bom sinal aparecer um bicho destes'." (José Cardoso Pires, *Jogos de Azar*, pp. 32-33.) ♦ **Pois então.** V. *pois* (2). **Pois que.** V. *pois* (4): "Pois que a tanta vileza chegaste, / Que em presença da morte choraste, / Tu, cobarde, meu filho não és." (Gonçalves Dias, *Obras Poéticas*, II, p. 32); "E pois que és meu filho, / Meus brios reveste" (Id., *ib.*, p. 43). [Cf. *pois quê.*] **Pois quê.** Designa espanto: *Pois quê! estás eleito?* [Cf. *pois que.*]

poisa. *S. f.* V. *pousa.*

poisada. *S. f.* V. *pousada.*

poisadia. *S. f.* V. *pousadia.*

poisa-mão. [De *poisar* + *mão.*] *S. m.* V. *pousa-mão.* [Pl.: *poisa-mãos.*]

poisar. *V. t. d., t. c., int.* e *p.* V. *pousar:* "— A casa da serra? / — Não convém. / Um caso muito especial, pelos vistos./ Poiso o telefone com uma sensação de alívio e de segurança" (Fernanda Botelho, *Lourenço É Nome de Jogral*, p. 228); "Um lindo par de borboletas brancas vinha sempre poisar no peitoril de sua janela" (Belmiro Braga, *Cantos e Contos*, p. 48).

poise (puaz). [Do antr. *Jean-Louis Marie Poiseuille*, fisiologista francês (1799-1869).] *S. m. Fís.* Unidade c.g.s. de medida de viscosidade: é a viscosidade dum fluido em que o gradiente de velocidade, sob uma tensão tangencial de um dine por centímetro quadrado, é igual a um centímetro por segundo por centímetro de afastamento perpendicular ao plano de deslizamento. Vale 10^{-3} Pa.s. [Símb.: *P.*]

poiseiro. *S. m.* Var. de *pouseiro.*

➧**poiseuille** (puazéie). [Fr.] *S. m. Fís.* Unidade SI de viscosidade, igual à viscosidade de um fluido cujo gradiente de velocidade, sob uma tensão tangencial de um newton por metro quadrado, é de um metro por segundo por metro de afastamento normal ao plano de deslizamento.

poisio. *S. m.* e *adj.* V. *pousio.*

poiso. *S. m.* Var. de *pouso.* ~ V. *poisos.*

poisos. [Pl. de *poiso.*] *S. m. pl.* Var. de *pousos.* ~V. *poiso.*

poita. [Var. de *pouta* < franco *pauta*, 'pata, garra'.] *S. f.* Corpo pesado que se usa nas pequenas embarcações, em vez de âncora, para fundear: "conta que, pescando numa chata com a poita no fundo, qualquer peixe se lhe enrodilhou na corda e arrastou o barco" (Raul Brandão, *As Ilhas Desconhecidas*, p. 239).

poitar. [Var. de *poutar* < *pouta* + *-ar*[2].] *V. t. d.* **1.** Segurar com a poita. **2.** *Bras.* Parar (a canoa) em meio a rio ou mar: *Poitou a canoa para pescar na correnteza.* **3.** *Bras. Mar. G. Gír.* Lançar ao fundo do mar: *Poitou o boné do comandante, em represália à punição que lhe aplicara. Int.* **4.** Lançar âncora; ancorar, fundear: *O navio poitou na baía.*

pojadoiro. *S. m.* V. *pojadouro.*

pojadouro. *S. m.* V. *chã* (2). [Var.: *pojadoiro.*]

pojante. *Adj. 2 g. Ant.* Que navega bem ou com vento de feição. [Cf. *pujante.*]

pojar[1]. [Do lat. vulg. **podiare* < *podium*, 'pojo'.] *V. int.* **1.** Saltar em terra; desembarcar: "os guerreiros .... correm sobre as ondas nas ligeiras pirogas e pojam na praia" (José de Alencar, *Iracema*, p. 127). *T. d.* **2.** Deixar em terra; tirar de uma embarcação; desembarcar. [Pres. ind.: *pojo*, etc. Cf. *pojo* (ô) e *pujar.*]

pojar[2]. *V. t. d.* **1.** Fazer subir; elevar, levantar: *pojar a voz. Int.* **2.** Tornar-se tumefato; intumescer, inchar: *As tetas da cabra pojavam.* [Pres. ind.: *pojo*, etc. Cf. *pojo* (ô) e *pujar.*]

pojo (ô). [Dev. de *pojar*[1].] *S. m. Ant.* **1.** Lugar de desembarque. **2.** Poial (1). [Pl.: *pojos* (ô). Cf. *pojo*, do v. *pojar.*]

pojucano. *Adj.* e *s. m.* Pojuquense.

pojuquense. *Adj. 2 g.* **1.** De, ou pertencente ou relativo a Pojuca (BA). ● *S. 2 g.* **2.** Natural ou habitante de Pojuca. [Sin.: *pojucano.*]

pola. [De *por* + arc. *la* (a[2]); fem. de *polo* (q. v.).] *Ant.* e *pop.* **1.** Aglut. da prep. *por* e do art. arc., fem., *la (a):* "Por esmolas que tiraram pola terra, ... ajuntaram duzentos pardaus" (Fernão Mendes Pinto, *Peregrinação*, I, p. 25). **2.** Aglut. da prep. *por* e do pron. arc., fem., *la (a): Lutei pola trazer comigo, e nada consegui.* **3.** Aglut. da prep. *por* e do pron. dem. arc., fem., *la (a): Responde pola sua tarefa, não polas alheias.* [Pl.: *polas.* Cf. *pôla*, pl. *pôlas*, e *póla*, pl. *pólas.* Pronuncia-se mais ou menos, *pula* (v. nota final em *polo*).]

pôla. [Do lat. *pullu*, com mudança de declinação.] *S. f.* Ramo novo de árvore; rebento, renovo. [Pl.: *pôlas.* Cf. *póla*, pl. *pólas*, e *pola*, pl. *polas.*]

póla. *S. f.* V. *surra* (1). [Pl.: *pólas.* Cf. *pôla*, pl. *pôlas*, *pola*, pl. *polas.*]

polaca[1]. [Fem. substantivado do adj. *polaco.*] *S. f.* **1.** Dança de andamento moderado e caráter pomposo, originária da Polônia. **2.** Música para essa dança. **3.** *Pej.* A Constituição do Brasil promulgada a 10/11/1937. **4.** *Bras. Chulo.* Meretriz estrangeira. **5.** *Bras. Chulo.* V. *meretriz.*

polaca[2]. [Do cat. *pollaca.*] *S. f. Marinh.* **1.** Vela que, em caso de mau tempo, enverga num estai especial de reforço ao estai do traquete, chamado *enque* ou *estai da polaca*; vela de estai do traquete. **2.** Antigo navio à vela, de mastreação constituída de gurupés e três mastros inteiriços — os dois de vante com três velas redondas, e o de ré com vela latina quadrangular: "era um velho conviva da casa, pois a freqüentava desde os dezoito anos, quando aí aportara, pela primeira vez, como piloto de uma polaca portuguesa" (Virgílio Várzea, *Nas Ondas*, p. 21).

polaciuria (i-u). [Do gr. *pollákis*, 'muitas vezes', + *-ur(o)-*[2] + *-ia.*] *S. f. Med.* Emissão freqüente de urina, sendo eliminada, de cada vez, pequena quantidade; tanuria.

polaciúria. *S. f. Med.* Var. pros. de *polaciuria.*

polaciúrico. *Adj.* Referente à polaciúria.

polaco. [Do pol. *polak*, pelo fr. *polaque.*] *Adj.* e *s. m.* V. *polonês.*

polaina. *S. f.* Polainas [q. v.].

polainado. [De *polaina* + *-ado*[1].] *Adj.* Que traz ou usa polainas.

polainas. [Pl. de *polaina* < fr. ant. *polaine.*] *S. f. pl.* Peças de vestuário que protegem a parte inferior da perna e a superior do pé, e se usam por cima do calçado. [Tb. us. no sing.]

polaqueiro. [De *polaco* + *-eiro.*] *Adj. Bras., PR.* De mau gosto; berrante: *roupa polaqueira.*

polar. *Adj. 2 g.* **1.** Dos pólos. **2.** Que fica junto aos pólos, ou na direção do pólo. ~ V. *aurora —, calota —, círculos —es, coordenadas —es, distância —, eixo —, estrela —, frente —, ligação —, molécula —, raio —, satélite —, seqüência — norte, simetria —, sistema —* e *zona —.* ● *S. f.* **2.** V. *estrela polar.*

polaridade. [De *polar* + *-i-* + *-dade.*] *S. f. Eletr.* Propriedade que caracteriza o sentido da passagem de corrente elétrica por um terminal de um circuito elétrico, e, portanto, o seu potencial em relação a outro ponto.

polarimetria. [De *polarímetro* + *-ia.*] *S. f. Fís.-Quím.* Análise de substâncias opticamente ativas, baseada na medição do desvio angular do plano de vibração de uma radiação planopolarizada que as atravessa.

polarimétrico. *Adj.* Referente à polarimetria, ou ao polarímetro.

polarímetro. [De *polar* + *-i-* + *-metro.*] *S. m. Ópt.* Instrumento com que se mede o desvio angular do plano de vibração de uma radiação planopolarizada que atravessa um corpo de substância opticamente ativa.

polariscopia. [De *polar* + *-i-* + *-scop-* + *-ia.*] *S. f. Ópt.* Observação de objetos à luz polarizada.

polariscópico. *Adj.* Relativo à polariscopia, ou ao polariscópio.

polariscópio. [De *polar* + *-i-* + *-scop-* + *-io*[2].] *S. m. Ópt.* Instrumento para observação de objetos à luz polarizada.

polarizabilidade. [De *polarizável.*] *S. f. Fís.* Quociente entre os módulos do momento de dipolo induzido numa molécula e o da intensidade do campo elétrico que induz.

polarização. [De *polarizar* + *-ção.*] *S. f. Fís.* **1.** Fenômeno apresentado por uma radiação eletromagnética em que o plano de vibração permanece constante. **2.** *Eletr.* Estabelecimento duma diferença de potencial elétrico entre dois eletrodos. **3.** *Eletr.* Num dielétrico, momento de dipolo por unidade de volume; polarização elétrica. **4.** *Fís.-Quím.* Conjunto de fenômenos elétricos e químicos ocorrentes quando a um eletrodo, em um sistema eletroquímico, se atribui um potencial elétrico. ♦ **Polarização circular.** *Ópt.* A de um raio luminoso em que o vector elétrico gira com velocidade angular uniforme em torno da direção de propagação. **Polarização elétrica.** *Eletr.* Polarização (3). **Polarização elíptica.** *Ópt.* Estado de um raio luminoso em que a extremidade do vector elétrico descreve uma hélice cilíndrica elíptica com eixo na direção de propagação.

polarizado. *Adj.* Que sofreu polarização. ~ V. *luz —a, luz circularmente —a* e *luz elipticamente —a.*

polarizador (ô). *Adj.* **1.** Que polariza. ● *S. m.* **2.** Aquilo ou aquele que polariza.

polarizar. [De *polar* + *-izar.*] *V. t. d.* **1.** Sujeitar à polarização: *polarizar um raio luminoso.* **2.** Chamar sobre si; fazer convergir para si; atrair; concentrar: *O desenvolvimento industrial polariza as atenções dos economistas.* **3.** *Eletr.* Atribuir potenciais elétricos distintos a (dois eletrodos). **4.** *Ópt.* Fixar o plano de vibração do vector elétrico de (um raio luminoso). *P.* **5.** Concentrar-se (para um determinado objetivo): *Certas vidas polarizaram-se na religião.*

polarizável. *Adj. 2 g.* Que pode ser polarizado.

polarografia. [De *polar(ização)* + *-o-* + *-grafia.*] *S. f. Fís.-Quím.* Técnica de investigação qualitativa ou quantitativa de soluções, baseada no comportamento de eletrodos polarizados.

polarográfico. *Adj.* Referente à polarografia.

polarograma. [De *polar(ização)* + *-o-* + *-grama.*] *S. m. Fís.-Quím.* Curva representativa da variação do potencial de um eletrodo polarizado numa análise polarográfica.

polaron. [De *polar* + *-on.*] *S. m. Fís.* Num dielétrico, o conjunto formado por um elétron e pela deformação que ele causa na rede do dielétrico.

polca. [De or. eslava, atr. do al. *Polka.*] *S. f.* **1.** Dança da Boêmia (Tchecoslováquia), em compasso binário e andamento alegro, muito em voga nos meados do séc. XIX. **2.** Música para essa dança.

polca-mancada. *S. f. Bras., RS.* Polca usada outrora no campo, acompanhada de cantigas. [Pl.: *polcas-mancadas.*]

polcar. *V. int.* Dançar polca: "estourou, depois duma ceia de peixe — à hora em que defronte, na casa do Dr. Godinho, que fazia anos, se polcava com alarido." (Eça de Queirós, *O Crime do Padre Amaro*, p. 1). [Conjug.: v. *trancar.*]

pôlder. [Do hol. *polder.*] *S. m.* Planície que, inundada ou sujeita a inundação pelo mar ou rios, é protegida por diques e dessecada continuamente com o fim de torná-la utilizável na agricultura e/ou na habitação. [Grande parte do território da Holanda é constituído de pôlderes. Pl.: *pôlderes*.]

poldra^{1} (ô). [Fem. de *poldro*.] *S. f.* Égua nova.

poldra^{2} (ô). *S. f.* Alter. de *alpondra* [v. *alpondras*].

poldril. [De *poldro* + *-il*.] *S. m.* V. *potril.*

poldro (ô). [Do lat. vulg. **pullitru* < lat. *pullus*, 'animal jovem'.] *S. m.* Potro (1): "metia-se no mato, ou andava cercando os magotes para montar nos poldros brabos" (José de Alencar, *O Sertanejo*, p. 106).

▲-pole. V. *poli-*^{2}.

polé. [Do esp. *polé*.] *S. f.* **1.** Antigo instrumento de tortura: "E o Inquisidor apontou .... para o fundo do aposento, onde se espalhavam as polés, uma roda eriçada de farpas" (Alberto Rangel, *Quando o Brasil Amanhecia*, p. 255). **2.** Tormento que consistia em pendurar o torturado, com uma corda grossa de cânhamo, pelos pulsos e pelas mãos, com pesos de ferro presos nos pés. **3.** *Marinh.* Poleame de laborar constituído de duas caixas sobrepostas a topo e com os eixos das suas rodas dispostos paralelamente ou perpendicularmente um em relação ao outro.

poleá. [Do malaiala *pulayan*.] *S. m.* Pária, pariá; polear: "Um poleá que a viu, espantado e tristonho, / Um poleá lhe perguntou: / 'Mosca, esse refulgir, que mais parece um sonho, / Dize, quem foi que to ensinou?' " (Machado de Assis, *Poesias Completas*, p. 314.)

poleame. [De *polé* + *-ame*.] *S. m. Marinh.* **1.** Conjunto de todas as peças (moitões, cadernais, patescas, bigotas, etc.) destinadas à passagem ou ao retorno de cabos: *o poleame da embarcação.* **2.** Qualquer dessas peças: "artigos e coisas concernentes a navios ...., tais como cabos e poleame de toda a ordem, folhas de cobre, ... agulhas de palombar" (Virgílio Várzea, *Histórias Rústicas*, p. 93). ◆ **Poleame de laborar.** *Marinh.* Poleame com roldana(s) nas quais correm os cabos de manobra. **Poleame surdo.** *Marinh.* Poleame com uma ou mais aberturas, sem roldana(s), por onde passam os cabos fixos.

polear^{1}. *S. m.* V. *poleá.*

polear^{2}. *V. t. d.* **1.** Torturar com polé (1): *A Inquisição poleava os hereges.* **2.** *Fig.* Afligir muito; angustiar, atormentar: *A incerteza poleava-o.* [Conjug.: v. *frear*.]

polearia. *S. f.* A arte ou profissão do poleeiro.

poleeiro. *S. m.* Fabricante de poleame.

polegada. [Do lat. vulg. **pullicata* < lat. *pollex*, 'dedo polegar'.] *S. f.* **1.** Medida aproximadamente igual à do comprimento da segunda falange do polegar (1); úncia. **2.** Medida inglesa de comprimento, equivalente a 25,4 mm do sistema métrico decimal. [Abrev. (nesta acepç.): *in.*] **3.** Antiga medida de unidade de comprimento, equivalente a 2,75 cm. ◆ **Polegada cúbica.** Volume equivalente a 16,387 cm^3. [Abrev.: *cu.in.*] **Polegada quadrada.** Área equivalente a 6,4516 cm^2. [Abrev.: *sq.in.*]

polegar. [Do lat. *pollicare*, 'que tem uma polegada de extensão'.] *S. m.* **1.** V. *dedo polegar* (1): "a flecha caminha sobre o polegar da mão esquerda, que segura o arco." (Júlio Dantas, *Abelhas Doiradas*, p. 210). ● *Adj. 2 g.* **2.** Diz-se de, ou pequena vara de poda, só com um, dois ou três olhos. ~ V. *dedo* —.

poleiro. [De *polo* (ô) + *-eiro*.] *S. m.* **1.** Vara onde as aves pousam e dormem, na gaiola ou na capoeira. **2.** *Fig.* Posição elevada, de mando, autoridade. **3.** *Bras.* V. *torrinha.* **4.** *Bras., S.* Animal (10) velho que todos ocupam.

polem. *S. m.* Var. de *pólen.*

polemarco. [Do gr. *polémarchos*, pelo lat. *polemarchu*.] *S. m.* O chefe supremo do exército, entre os gregos antigos.

polemarquia. *S. f.* Cargo, dignidade ou funções de polemarco.

polemárquico. *Adj.* Relativo a polemarco, ou a polemarquia.

polêmica. [Fem. substantivado do adj. *polêmico*.] *S. f.* Debate oral; questão, controvérsia. [Dim. deprec. (irreg.): *polemícula*. Cf. *polemica*, do v. *polemicar*.]

polemicar. *V. int.* Polemizar. [Conjug.: v. *trancar*. Pres. ind. *polemico, polemicas, polemica*, etc. Cf. *polemícula, polêmico* e *polêmica*.]

polêmico. [Do gr. *polemikós*, 'guerreiro'.] *Adj.* Relativo ou próprio de polêmica. [Cf. *polemico*, do v. *polemicar*.]

polemícula. [De *polêmica* + *-ula*.] *S. f.* Polêmica insignificante, chinfrim.

polemismo. *S. m.* Mania de polêmica.

polemista. [Do gr. *polemistés*.] *Adj. 2 g.* e *s. 2 g.* Que ou quem trava polêmicas, é dado a questionar, discute bem.

polemístico. *Adj.* Relativo a, ou próprio de polêmica, ou de polemista.

polemizar. *V. int.* Travar polêmica; polemicar: "Não vale a pena polemizar em resposta a esta argumentação." (Fidelino de Figueiredo, *Entre Dois Universos*, p. 106.)

polemologia. [Do gr. *pólemos*, 'guerra', + *-log(o)-* + *-ia*.] *S. f.* Estudo da guerra como fenômeno social autônomo.

polemológico. *Adj.* Relativo à polemologia.

polemoniácea. *S. f.* Espécime das polemoniáceas.

polemoniáceas. *S. f. pl. Bot.* Família de plantas superiores, da ordem das tubifloras, composta de ervas e trepadeiras com folhas alternas e flores solitárias ou cimosas. Flores pentâmeras, com gineceu tricarpelar; fruto capsular. Existem perto de 270 espécies, dos climas temperados; a *Cobaea scandens*, bela trepadeira de amplas flores, é a única introduzida no Brasil, onde é subespontânea.

polemoniáceo. *Adj.* Pertencente ou relativo às polemoniáceas.

pólen. [Do lat. *pollen*.] *S. m. Morfol. Veg.* Espécie de fina poeira que esvoaça das anteras das plantas floríferas, e cuja função é fecundar os óvulos, representando, assim, o elemento masculino da sexualidade vegetal. O envoltório externo, muito resistente, pode ser liso, mas, por via de regra, é complicadamente ornamentado. Hoje tem grande importância na taxionomia das plantas. Em certos países tem importância médica, pelos acidentes alérgicos que soem provocar. [Var.: *polem*. Pl.: *pólens*.]

polenose. [Do ingl. *pollinosis* ou *pollenosis*.] *S. f. Med.* V. *rinite alérgica.*

polenta. [Do it. *polenta*.] *S. f.* Massa ou pasta de farinha de milho com água e sal, escaldada ao fogo, à qual se pode adicionar manteiga e queijo. [Cf. *angu* (1).]

pólex (cs). [Do lat. *pollex*.] *S. m.* V. *dedo polegar* (1).

polha (ô). [Do esp. *polla*.] *S. f.* **1.** Franga. **2.** *Ant.* Galinha (1). **3.** *Fig.* Moça, rapariga.

polhastro. [Do esp. *pollastro*.] *S. m.* **1.** Grande frango. **2.** *Fig.* Rapagão; mocetão. **3.** Sujeito espertalhão.

▲poli-^{1}. [Do gr. *polys, pollé, polý, polloû, ês, oû*.] *El. comp.* = 'muito': *poliandro, politeísmo.*

▲poli-^{2}. [Do gr. *pólis, eos*.] *El. comp.* = 'cidade': *policlínica*^{2}. [Equiv.: *-polis* e *-pole*: *Petrópolis; metrópole* (< lat. *metropole* < gr. *metrópolis*).]

polia^{1}. [Do fr. *poulie*.] *S. f.* Roda presa a um eixo, e cuja circunferência, cavada ou não de um canal, recebe uma correia da qual uma das extremidades é aplicada à força e a outra à resistência: "sempre que ouvia a crepitação das correias nas polias...., murmurava, com ódio e nojo: 'Lá está a besta mastigando!' " (Coelho Neto, *Turbilhão*, p. 10).

polia^{2}. [Alter. de *polilha*.] *S. f. Bras.* Designação comum a numerosas larvas de insetos coleópteros, da família dos dermestídeos, densamente pilosas, que se criam em várias substâncias orgânicas, sobretudo em couro e toucinho, e muito particularmente às larvas do besourinho *Dermestes* sps. [Os pêlos, mais ou menos alongados, principalmente os dos tergitos, formam, em geral, tufos laterais ou na extremidade posterior do corpo. Sin.: *punilha*.]

poliacanto. [De *poli-*^{1} + *-acanto*.] *Adj. Bot.* Que tem muitos espinhos.

poliácido. [De *poli-*^{1} + *ácido*.] *S. m. Quím.* Ácido complexo constituído por diversos resíduos ácidos.

políada. [De *poli-*^{1} + *-ada*^{1}.] *S. f. Cálc. Vect.* Operador formado pela justaposição de vários vectores. [Cf. *díada, tríada* e *tétrada*.]

poliadelfia. *S. f. Morfol. Veg.* **1.** Soldadura dos estames, pelos filetes, em vários feixes. **2.** Antigo grupo de plantas caracterizado pelas flores hermafroditas e estames poliadelfos.

poliadélfico. *Adj.* Referente à poliadelfia.

poliadelfo. [Do gr. *polyádelphos*.] *Adj. Morfol. Veg.* Que apresenta poliadelfia: *androceu poliadelfo.*

poliadição. *S. f. Quím.* Reação em cadeia, de formação de macropolímero, na qual os monômeros bifuncionais ou polifuncionais se acoplam e segue-se uma reordenação dos átomos de hidrogênio.

poliádico. *S. m. Cálc. Vect.* Soma de duas ou mais políadas.

poliálcool. [Do *poli-*^{1} + *álcool*.] *S. m. Quím.* Substância que possui vários grupamentos da função álcool. [Pl.: *poliálcoois*.]

poliamida. [De *poli-*^{1} + *amida*.] *S. f. Quím.* Classe de compostos resultantes da polimerização de aminoácidos ou pela condensação destes polímeros com ácidos policarboxílicos.

poliandra. [De *poli-*^{1} + o fem. de *-andro*.] *Adj. (f.)* e *s. f.* **1.** Diz-se de, ou mulher que tem mais de um marido ao mesmo tempo. **2.** *Morfol. Veg.* Diz-se de, ou flor que tem número grande e indeterminado de estames.

poliandria. [De *poliandro* + *-ia*.] *S. f.* **1.** Matrimônio da mulher com diversos homens. [Cf. *poliginia* (1).] **2.** Regime que se observa em sociedades matrilineares e no qual diversos homens em geral irmãos ou primos, participam de posse de uma mulher. **3.** *Morfol. Veg.* A existência de estames numerosos em uma flor. **4.** *Morfol. Veg.* Grupo antigo de plantas cujas flores são hermafroditas e têm estames acima de 20. [Cf., nas acepç. 3 e 4: *poliginia* (2).]

poliândrico. *Adj.* Que exerce a poliandria, ou é referente a ela: *sociedade poliândrica.* [Cf. *polígino* (1).]

poliandro. [Do gr. *polyandros*.] *Adj. Morfol. Veg.* Que apresenta poliandria (3 e 4). [Cf. *polígino* (2).]

poliantéia. [Do gr. *polyanthéa*.] *S. f.* V. *miscelânea* (2): "A 15 de maio, a primeira página [do jornal cearense *O Pão*] lhe era dedicada [a Xavier de Castro], e a edição de 30 de maio foi uma tocante poliantéia, em que todos os prosaístas e poetas firmavam versos e artiguetes em honra do delicado bardo cearense." (Leonardo Mota, *A "Padaria Espiritual"*, p. 144.)

poliantéico. *Adj.* Referente a poliantéia.

polianto. [Do gr. *polyanthés*.] *Adj. Morfol. Veg.* Provido de muitas flores.

poliaquênio. [De *poli-*^{1} + *aquênio*.] *S. m. Morfol. Veg.* Fruto constituído de muitos aquênios congregados numa unidade.

poliarquia. [Do gr. *polyarchía*.] *S. f.* Governo exercido por muitos.

poliárquico. *Adj.* Relativo à poliarquia.

poliarterite. [De *poli-*^{1} + *arterite*.] *S. m. Patol.* **1.** Inflamação concomitante de várias artérias. **2.** V. *poliarterite nodosa.* ◆ **Poliarterite nodosa.** *Patol.* Doença que apresenta manifestações clínicas diversas, causada por alterações inflamatórias difusas de pequenas artérias, arteríolas e, ocasionalmente, veias. [Tb. se diz apenas *poliarterite*. Sin., obsol.: *periarterite nodosa*.]

poliarticular. [De *poli-*^{1} + *articular*^{1}.] *Adj. 2 g.* ~ V. *reumatismo — agudo.*

poliartrite. [De *poli-*^{1} + *artrite*.] *S. f. Patol.* Inflamação concomitante de várias articulações.

poliartrítico. *Adj.* Referente à poliartrite.

polibásico. *Adj. Quím.* ~ V. *ácido —.*

policarbonato. [De *poli-*^{1} + *carbonato*.] *S. m. Quím.* Classe de polímeros derivados do ácido carbônico, sólidos, de larga aplicação industrial e doméstica.

policarboxílico (cs). [De *poli-*^{1} + *carboxila* + *-ico*^{2}.] *Adj. Quím.* Diz-se de substância que tem na sua molécula várias carboxilas.

policárpico. [De *poli-*^{1} + *-carp(o)* + *-ico*^{2}.] *Adj. Morfol. Veg.* **1.** Que tem muitos carpelos. **2.** Que floresce durante muitos anos. [Opõe-se a *monocárpico* (2).]

policarpo. [Do gr. *polykarpos*.] *Adj. Bot.* Que tem ou produz muitos frutos.

pólice. [Do lat. *pollice*.] *S. m.* V. *dedo polegar* (1).

policêntrico. [De *poli-*^{1} + *-centr(o)-* + *-ico*^{2}.] *Adj. Geom.* Diz-se de curva formada por diversos arcos de circunferência, cada qual com um centro. ~ V. *abóbada —a.*

polichinelo. [De *polichinello*, personagem da comédia italiana.] *S. m.* **1.** *Teat.* Antiqüíssimo personagem-tipo, cujas origens remontam ao teatro latino, e que alcança maior desenvolvimento na *commedia dell'arte*, caracterizado pelo nariz longo, pela corcunda, barriga grande, barrete e roupas multicoloridas, e pela fala tremida e esganiçada. [O feitio moral do polichinelo varia de país para país: o francês é falsamente heróico e fanfarrão; o alemão, tolo; o inglês, astuto e sinuoso.] **2.** Indivíduo ou títere que representa esse personagem. **3.** *Fig.* Homem apalhaçado e/ou sem dignidade; palhaço.

polícia. [Do gr. *politéia*, pelo lat. *politia*.] *S. f.* **1.** Conjunto de leis ou regras impostas ao cidadão com o fito de assegurar a moral, a ordem e a segurança públicas. **2.** A corporação que engloba os órgãos e instituições incumbidos de fazer respeitar essas leis ou regras, e de reprimir e perseguir o crime. **3.** Os membros de tal corporação. **4.** Boa ordem; disciplina, ordem. **5.** *Ant.* Civilização; cultura. **6.** *Biol.* Fiscalização, inspeção, profilaxia. **7.** *Tip.* Lista em que o fundidor estabelece a proporção de letras e sinais que devem constituir uma fonte de tipos, para composição em determinada língua. ● *S. m.* **8.** Policial (2). [Cf. *policia*, do v. *policiar*.] ◆ **Polícia aduaneira.** Polícia encarregada de vigiar os portos, aeroportos, e a costa, a fim de evitar que entrem ou saiam do país mercadorias contrabandeadas. **Polícia militar.** *Bras.* Corporação policial dos Estados, dos Territórios e do Distrito Federal, cuja atribuição é manter a segurança e a ordem internas, e que é organizada e armada nos moldes do Exército nacional, do qual é força auxiliar e reserva. **Polícia naval.** *Bras. Mar.* Fiscalização exercida pelas capitanias de portos sobre as embarcações mercantes, o pessoal marítimo e as construções efetuadas em terrenos de marinha, no sentido de obrigá-los ao cumprimento das normas legais referentes à segurança das embarcações e à segurança da navegação. **Polícia política.** Órgão policial encarregado da defesa ou preservação do regime político vigente num Estado. **Polícia rodoviária.** Polícia que patrulha ou vigia as estradas. **Casar na polícia.** *Bras.* **1.** Casar obrigado por mandado judicial. **2.** Casar em prazo muito curto. [Sin. ger.: *casar na capelinha verde.*]

policiado. [Part. de *policiar.*] *Adj.* **1.** Guardado pela polícia ou segundo os regulamentos dela. **2.** Civilizado, bem-educado. **3.** Sem excessos; equilibrado, comedido, morigerado.

polícia-e-ladrão. *S. m. 2 n. Jog. Inf.* Brincadeira infantil dramatizada em que dois grupos se perseguem, tentando os policiais aprisionar o maior número possível de ladrões, os quais, por sua vez, procuram rendê-los sob a ameaça de armas.

polícia-inglesa. *S. m. Bras.* Ave passeriforme, da família dos icterídeos (*Leistes militaris* (L.)), distribuída por quase todo o Brasil. Coloração bruna, com garganta, parte do peito e o encontro das asas carmim. A subespécie *L. m. superciliaris* (Bon.) tem uma estria superciliar branca, e a fêmea o dorso bruno, com manchas pretas. [Sin.: *puxa-verão, tem-tem-do-espírito-santo, rouxinol-do-campo.* Pl.: *polícias-inglesas.*]

policial. *Adj. 2 g.* **1.** Relativo à, ou próprio da polícia, ou que serve a seus fins: *assuntos* p o l i c i a i s; *inquérito* p o l i c i a l; *cão* p o l i c i a l. ~ V. *cão* — e *inquérito* — *militar.* • *S. m.* **2.** Indivíduo pertencente à polícia (2); polícia. **3.** V. *pastor alemão.*

policialesco (ê). *Adj. Bras.* Relativo à polícia, ou a romance policial, ou próprio dela ou dele.

policiamento. *S. m.* Ato ou efeito de policiar(-se).

policiar. [De *polícia* + *-ar*[2].] *V. t. d.* **1.** Vigiar, em cumprimento de leis ou regulamentos policiais: *Homens bem armados* p o l i c i a m *a cidade.* **2.** Vigiar com cuidado e interesse; zelar: *O vizinho* p o l i c i a r á *a casa em sua ausência.* **3.** Dar ou transmitir civilização a; civilizar: p o l i c i a r *povos primitivos.* **4.** Impedir que se manifeste; reprimir, conter, moderar: *É impetuoso, mas costuma* p o l i c i a r *as suas ações. P.* **5.** Dominar-se, conter-se, refrear-se, evitando a indiscrição ou outra manifestação inconveniente: "Aires p o l i c i a - s e a si mesmo, analisa, critica a própria expressão ou a alheia, defende-se contra toda forma de linguagem figurada ou de ênfase." (Maria Nazaré Lins Soares, *Machado de Assis e a Análise da Expressão*, p. 95); "p o l i c i o u - s e para não sorrir." (Macedo Miranda, *As Três Chaves*, p. 57). [Pres. ind.: *policio, policias, policia,* etc. Cf. *polícia.*]

policiável. *Adj. 2 g.* Que pode ser policiado.

policitação. [Do lat. *pollicitatione.*] *S. f.* **1.** Promessa ou oferecimento. **2.** Proposta ou oferta de negócio feita a alguém, pendente de aceitação, mas que, salvo poucas exceções, obriga desde logo o proponente.

policitado. [Do lat. *pollicitatu.*] *S. m.* Aquele a quem se faz uma policitação.

policitante. [Do lat. *pollicitante.*] *S. 2 g.* Pessoa que formula uma policitação; proponente.

policitemia. [De *poli-*[1] + *-cit(o)-* + *-(h)em(o)-* + *-ia.*] *S. f. Patol.* Alteração sanguínea de que há formas primitivas e secundárias (estas últimas, p. ex., na hipóxia e em tumores diversos), e que se caracteriza por aumento grande e absoluto da quantidade de hemácias circulantes.

policitêmico. *Adj.* Relativo à policitemia.

policladia. [De *poli-*[1] + *-clad(o)-* + *-ia.*] *S. f. Morfol. Veg.* Produção de um número anormal de ramos em uma planta.

policládio. *S. m.* **1.** Espécime dos policládios. • *Adj.* **2.** Pertencente ou relativo a eles.

policládios. *S. m. pl. Zool.* Animais platelmintos, turbelários, da ordem *Polycladida*, providos de tubo digestivo com várias ramificações irregulares. São marinhos, algumas espécies pelágicas, e medem até 150 mm de comprimento.

policlínica[1]. [De *poli-*[1] + *clínica.*] *S. f. Med.* Hospital onde se tratam doenças de todos os tipos, que conta com todas as especialidades.

policlínica[2]. [De *poli-*[2] + *clínica.*] *S. f. Med.* Hospital da cidade.

policlínico. [De *poli-*[1] + *clínico.*] *S. m.* V. *generalista.*

polícomo. [Do gr. *polykomos.*] *Adj.* Que tem muitos cabelos.

policondensação. [De *poli-*[1] + *condensação.*] *S. f. Quím.* Reação em cadeia que leva à formação de um macropolímero mediante as sucessivas condensações entre monômeros ou entre duas substâncias diversas, como, p. ex., entre o fenol e o formaldeído.

policônico. [De *poli-*[1] + *cone* + *-ico*[2].] *Adj.* Que tem muitos cones.

policórdio. [De *policordo* + *-io*[2].] *S. m.* Policordo.

policordo. [Do gr. *polychordos*, 'que tem muitas cordas'.] *S. m.* Antigo instrumento musical, que se tocava com arco; policórdio.

policresto. [Do gr. *polychrestos*, pelo lat. *polychrestos.*] *Adj.* Que tem numerosas aplicações: *substância* p o l i c r e s t a.

policromado. [Part. de *policromar.*] *Adj.* V. *multicolor:* "Painéis de azulejos em azul e branco ou p o l i c r o m a - d o s estendem-se pelos corredores" (*Jornal do Brasil*, Rio, 17.3.1971).

policromar. *V. t. d.* Tornar policromo; policromizar.

policromático. *Adj.* Que tem várias cores ou várias radiações com diferentes comprimentos de onda.

policromia. [De *policromo* + *-ia.*] *S. f.* **1.** Estado de um corpo em que há diferentes cores. **2.** Conjunto de várias cores. **3.** *Art. Gráf.* Qualquer processo de impressão em que se empreguem mais de três cores. **4.** *Art. Gráf.* Estampa obtida por esse processo. [Cf., nas acepç. 3 e 4, *tricromia.*]

policromizar. *V. t. d.* Policromar.

policromo. [Do gr. *polychromos.*] *Adj.* V. *multicolor:* "Muitos destes móveis são de uma elegância de formas, de uma pureza de estilo, de uma finura de acabamento, que se não excede. Alguns são incrustados de flores p o l i c r o m a s." (Ramalho Ortigão, *A Holanda*, p. 312.)

policultor (ô). [De *poli-*[1] + *cultor.*] *S. m.* Indivíduo que pratica a policultura.

policultura. [De *poli-*[1] + *cultura.*] *S. f.* Cultura de muitos produtos agrícolas em determinada área. [Opõe-se a *monocultura.*]

polidactilia. *S. f. Ter.* Anomalia de desenvolvimento que consiste em ter o indivíduo número de quirodáctilos ou pododáctilos superior ao normal. [Var.: *polidatilia.*]

polidáctilo. [Do gr. *polydáktylos.*] *Adj.* e *s. m.* Que ou quem apresenta polidactilia.

polidatilia. *S. f. Ter.* Var. de *polidactilia.*

polidátilo. *Adj.* e *s. m.* Var. de *polidáctilo.*

polidésmida. *S. m.* **1.** Espécime dos polidésmidas. • *Adj. 2 g.* **2.** Pertencente ou relativo a eles.

polidésmidas. *S. m. pl. Zool.* Ordem de artrópodes da subclasse dos quilógnatos, na qual se encontram os piolhos-de-cobra ou embuás.

polidesmóideo. *S. m.* **1.** Espécime dos polidesmóideos. • *Adj.* **2.** Pertencente ou relativo aos polidesmóideos.

polidesmóideos. *S. m. pl. Zool.* Artrópodes miriápodes, diplópodes, ordem *Polydesmoidea*, com 19 a 22 somitos, o macho com gonópodes formados pelo primeiro ou pelos dois pares de pernas do sétimo somito, e desprovidos de glândulas sericígenas na extremidade do abdome.

polidez (ê). *S. f.* **1.** Qualidade ou estado de polido. **2.** Delicadeza, cortesia, civilidade, urbanidade.

polidipsia. [Do gr. *polydipsos*, 'muito sedento', + *-ia.*] *S. f. Med.* Sede excessiva.

polidípsico. *Adj.* Referente à polidipsia.

polidisperso. [De *poli-*[1] + *disperso.*] *Adj. Quím.* Diz-se de polímero cujas cadeias não têm todas a mesma massa molecular.

polido. [Part. de *polir.*] *Adj.* **1.** Alisado, liso. **2.** Lustroso, luzidio, brunido, envernizado. **3.** Atencioso, delicado, cortês, civilizado, civil: "Muito cortês, sinceramente p o l i d o, recebeu-me Sua Mercê à porta da rua" (Luís Guimarães, *Samurais e Mandarins*, p. 11). ~ V. *pedra* —*a.*

polidor (ô). *Adj.* **1.** Que pule. • *S. m.* **2.** Aquele ou aquilo que pule; brunidor.

polidoro. *S. m. Bras., GO.* Soldado de polícia.

polidura. *S. f.* Ato ou efeito de polir.

poliedral. *Adj. 2 g.* Poliédrico.

poliédrico. *Adj.* Que tem a forma de, ou referente a poliedro; poliedral. ~ V. *alvenaria* —*a* e *superfície* —*a.*

poliedro. [Do gr. *polyedros.*] *S. m. Geom.* Sólido limitado por polígonos planos. ♦ **Poliedro côncavo.** *Geom.* O que pode ser dividido em duas ou mais partes por um plano que contém uma das suas faces. **Poliedro convexo.** *Geom.* O que está inteiramente de um dos lados de qualquer plano que contém uma das suas faces. **Poliedro regular.** *Geom.* Poliedro convexo cujas faces são polígonos regulares iguais e cujos ângulos sólidos são todos iguais. **Poliedro simples.** *Geom.* Poliedro maciço, topologicamente equivalente a uma esfera.

polielectrólito. [De *poli-* + *electrólito.*] *S. m.* Polieletrólito.

polieletrólito. [De *poli-*[1] + *eletrólito;* var. *polielectrólito.*] *S. m. Quím.* Composto macromolecular que contém diversos grupamentos ionizáveis.

poliembrionia. [De *poli-* + *embrionia.*] *S. f. Biol. Ger.* Segmentação do zigoto com formação de vários embriões (geralmente do mesmo sexo).

poliéster. [De *poli-*[1] + *éster.*] *S. m. Quím.* Qualquer substância macromolecular resultante da condensação de álcoois poliidroxilados com ácidos polibásicos. [Pl.: *poliésteres.*]

poliestireno. [De *poli*, f. abrev. de *polímero*, + *estireno.*] *S. m. Quím.* Polímero de estireno, termoplástico, com variadas aplicações industriais e domésticas.

polietileno. [De *poli(merização)* + *etileno.*] *S. m. Quím.* Substância obtida pela polimerização do etileno, termoplástica, translúcida, flexível, com importantes e variadas aplicações.

polifagia. [Do gr. *polyphagía.*] *S. f.* Qualidade de polífago.

polífago. [Do gr. *polyphágos.*] *Adj.* **1.** Onívoro. **2.** Que tem fome canina. **3.** Pertencente ou relativo aos polífagos. • *S. m.* **4.** Espécime dos polífagos.

polífagos. *S. m. pl. Zool.* Insetos da ordem dos coleópteros, subordem *Polyphaga*, com o primeiro urosternito inteiro (não dividido pelos quadris posteriores), o segundo e o terceiro não soldados na linha mediana, e os tarsos em peça única.

polifásico. [De *poli-*[1] + *fase* (4) + *-ico*[2].] *Adj.* ~ V. *corrente* —*a.*

polifibra. [De *poli-*[1] + *fibra.*] *S. f. Quím.* Fibra têxtil, natural ou artificial, constituída por diversos filamentos.

polifilético. [De *poli-*[1] + *-filético*[1].] *Adj. Biol.* Que se origina de vários troncos, ou seja, que não evolveu a partir de um único organismo primitivo.

polifilia. [De *polífilo* + *-ia.*] *S. f. Morfol. Veg.* Aumento do número de peças de um verticilo floral.

polífilo. [Do gr. *polyphyllos.*] *Adj. Morfol. Veg.* **1.** Que apresenta polifilia. **2.** Que tem muitas folhas.

polifiodonte. [De *poli-*[1] + rad. gr. *phy* < *phyo*, 'produzir', + *-odonte.*] *S. m. Zool.* Animal que tem mais de duas dentições.

polífito. [Do gr. *polyphytos.*] *Adj.* Bot. **1.** Relativo a, ou próprio de muitas plantas. **2.** Diz-se dos gêneros que compreendem numerosas plantas.

polifonia. [Do gr. *polyphonía.*] *S. f. Mús.* **1.** Entre os gregos antigos, reunião de vozes ou de instrumentos. **2.** Simultaneidade de várias melodias que se desenvolvem independentemente, mas dentro da mesma tonalidade.

polifônico. *Adj.* **1.** Relativo a, ou em que há polifonia. **2.** Diz-se do eco que repete o som várias vezes. **3.** Diz-se do sinal taquigráfico que representa vários fonemas. **4.** Diz-se do sistema que emprega sinais polifônicos. ~ V. *canção* —*a* e *missa* —*a.*

polifuncional. [De *poli-*[1] + *funcional.*] *Adj. 2 g. Quím.* Diz-se de composto que tem mais de uma função química.

polígala. [Do gr. *polygalon*, pelo lat. *polygala.*] *S. f.* Erva norte-americana, da família das poligaláceas (*Polygala senega*), cujas raízes, ricas em saponina, são consideradas medicinais, e cujas flores e frutos são insignificantes, aquelas dispostas em racemos terminais.

poligalácea. *S. f.* Espécime das poligaláceas.

poligaláceas. *S. f. pl. Bot.* Família de plantas superiores, da ordem das geraniales, formada de ervas e arbustos, raramente arvoretas ou trepadeiras, de folhas alternas, flores racemosas, zigomorfas, corola com uma das pétalas dotada de um apêndice laciniado, filetes soldados, fruto capsular ou drupáceo. Existem umas 800 espécies, temperadas e tropicais; só a *Polygala* engloba metade desse número; muitas se dispersam pelo Brasil.

poligaláceo. *Adj.* Pertencente ou relativo às poligaláceas.

poligamia. [Do gr. *polygamía*, pelo lat. *polygamia.*] *S. f.* **1.** Matrimônio de um com muitos. **2.** Estado de polígamo. **3.** *Morfol. Veg.* Coexistência de flores unissexuais e hermafroditas numa mesma espécie, podendo-se, assim, ter numa planta flores hermafroditas, masculinas e femininas. [Antôn.: *monogamia.*]

poligâmico. *Adj.* Referente à poligamia. [Antôn.: *monogâmico.*]

polígamo. [Do gr. *polygamos.*] *Adj.* **1.** Que tem mais de um cônjuge ao mesmo tempo. **2.** Diz-se de certos animais dos quais os machos têm muitas fêmeas: "Como polígamo e amoroso galo, / Nasá... que digo?! O Grão-Senhor delira! / A asa arrastando a inúmeras esposas, / Nem sabe qual prefira." (Raimundo Correia, *Poesias*, p. 76.). **3.** *Morfol. Veg.* Que apresenta poligamia: *arbusto polígamo*. ● *S. m.* **4.** Aquele que tem mais de um cônjuge ao mesmo tempo. [Antôn.: *monógamo.*]

poligamodióico. [De *polígamo* + *dióico.*] *Adj. Morfol. Veg.* Diz-se do vegetal que, sendo monóico, apresenta, também, flores hermafroditas.

poligastricidade. *S. f. Zool.* Qualidade poligástrico.

poligástrico. [De *poli-*[1] + *gastr(o)-* + *-ico*[2].] *Adj. Zool.* Que tem muitos estômagos.

poligenia. [De *poli-*[1] + *-gen(o)-*[1] + *-ia.*] *S. f. Genét.* Condição do caráter (11) determinado por vários genes.

poligênico. *Adj. Genét.* Relativo à poligenia, ou que a apresenta.

polígeno. [De *poli-*[1] + *-geno*[1].] *Adj.* Que produz muito. [Cf. *polígino.*]

poliginia. *S. f.* **1.** Estado ou qualidade de polígino (1); casamento do homem com muitas mulheres. [Cf. *poliandria* (1).] **2.** *Morfol. Veg.* Existência de muitos pistilos.

polígino. [Do gr. *polygynes.*] *Adj.* **1.** Que tem muitas mulheres. [Cf. *poliândrico* e *polígeno.*] **2.** *Morfol. Veg.* Que tem muitos pistilos em cada flor; que apresenta poliginia (2); *gineceu polígino*. [Cf. *poliandro* e *polígeno.*]

poliglota. [Do gr. *polyglottos.*] *Adj. 2 g.* **1.** Que sabe ou fala muitas línguas; multilíngüe, plurilíngüe. **2.** Que está escrito em muitas línguas; poliglótico, multilíngüe, plurilíngüe. ● *S. 2 g.* **3.** Pessoa que sabe ou fala muitas línguas.

poliglótico. *Adj.* **1.** Poliglota (2). **2.** Relativo a poliglota.

poliglotismo. *S. m.* **1.** Qualidade de poliglota: "puxava as rezas e ladainhas num latinório levado da breca e que o Padre Eterno, apesar do seu poliglotismo, custaria bem a entender." (Visconde de Taunay, *Ao Entardecer*, p. 83). **2.** Facilidade de falar muitas línguas.

poligonácea. *S. f.* Espécime das poligonáceas.

poligonáceas. *S. f. pl. Bot.* Família de plantas floríferas, da ordem das poligonales, que se caracteriza pela longa bainha estipular, dita *ócrea* [q. v.]. A maioria são plantas hebáceas e, menos vezes, arbustos e trepadeiras. Inflorescências multifloras, flores pequeninas. Há cerca de 1.000 espécies por todo o mundo; uma delas, o amor-agarradinho, é muito cultivada entre nós.

poligonáceo. *Adj.* Pertencente ou relativo às poligonáceas.

poligonal. *Adj. 2 g.* **1.** Relativo ao polígono. **2.** Que tem muitos ângulos. **3.** Que tem por base um polígono. ~ V. *linha* — e *setor* —. ● *S. f. Geom.* **4.** Linha poligonal.

poligonale. *S. f.* Espécime das poligonales.

poligonales. *S. f. pl. Bot.* Ordem de vegetais dicotiledôneos arquiclamídeos que compreende unicamente a família das poligonáceas.

polígono. [Do gr. *polygonon*, pelo lat. *polygonu.*] *S. m.* **1.** *Geom.* Linha poligonal fechada. **2.** *Geom.* Região plana limitada por uma linha poligonal fechada. **3.** Figura que determina a forma geral de uma praça de guerra. ♦ **Polígono de freqüência.** *Estat.* Poligonal que representa, num diagrama cartesiano, uma distribuição de freqüência. **Polígono de tiro.** *Mil.* Lugar onde se testam bocas-de-fogo, projetis, cargas de projeção, etc.; campo de provas. **Polígono eqüiângulo.** *Geom.* O que tem todos os ângulos iguais. **Polígono eqüilátero.** *Geom.* O que tem todos os lados iguais. **Polígono esférico.** *Geom.* Região de uma superfície esférica limitada por três ou mais arcos de grandes círculos. **Polígono estrelado.** *Geom.* Polígono cujos ângulos são, alternadamente, reentrantes e salientes. **Polígono geodésico.** *Geom. Anal.* Numa superfície, polígono formado por geodésicas que se interceptam duas a duas. **Polígono mistilíneo.** *Geom.* O que tem alguns lados retos e outros curvilíneos. **Polígono regular.** *Geom.* O que tem todos os lados e todos os ângulos iguais; polígono simultaneamente eqüilátero e eqüiângulo.

poligórdio. *S. m. Zool.* Gênero de vermes da classe dos arquianelídeos, pequenos, sem cerdas ou parápodes, com dois tentáculos cefálicos. Marinhos, vivem ao longo das praias costeiras.

poligrafar. *V. t. d.* Escrever com o polígrafo (2). [Pres. ind.: *poligrafo*, etc. Cf. *polígrafo.*]

poligrafia. [Do gr. *polygraphía.*] *S. f.* **1.** Coleção de obras diversas, literárias ou científicas. **2.** Conjunto de conhecimentos vários. **3.** Qualidade de quem é polígrafo.

poligráfico. *Adj.* Diz-se do estabelecimento cujas atividades abrangem diversos ramos das artes gráficas.

polígrafo. [Do gr. *polygraphos.*] *S. m.* **1.** Aquele que escreve acerca de matérias diversas: "Foi Alberto Pimentel um dos polígrafos mais fecundos da última geração romântica" (Pe Arlindo Ribeiro da Cunha, *A Língua e a Literatura Portuguesa*, p. 557). **2.** Maquinismo que, movendo muitas penas, produz muitas cópias simultâneas do mesmo escrito. **3.** V. *copiógrafo*. **4.** V. *polímata*. **5.** *Bras.* V. *apostila* (5). [Cf. *poligrafo*, do v. *poligrafar.*]

poligrama. [De *poli-*[1] + *-grama.*] *S. m.* Taquigrama formado por dois ou mais sinais.

poligrâmico. *Adj.* Diz-se do sistema taquigráfico que emprega sinais polifônicos.

poliidroxilado (cs). [De *poli-*[1] + *hidroxila* + *-ado*[1].] *Adj. Quím.* Em cuja estrutura molecular se encontram muitas hidroxilas.

poliinsaturado. [De *poli-*[1] + *insaturado.*] *Adj. Quím.* Em cuja estrutura molecular se encontram várias insaturações.

poliisopreno. *S. m. Quím.* Material sintético obtido pela polimerização do isopreno, muito parecido com a borracha natural.

polilépide. [De *poli-*[1] + *-lépide.*] *Adj. 2 g. Bot.* Que tem muitas escamas.

polilha. [Do esp. *polilla.*] *S. f.* **1.** Pó finíssimo; poalha. **2.** Espécie de traça[1].

polimastigino. *S. m.* **1.** Espécime dos polimastiginos. ● *Adj.* **2.** Pertencente ou relativo a eles.

polimastiginos. *S. m. pl. Zool.* Animais protozoários, zoomastiginos, da ordem *Polymastigina*, cujo corpo apresenta três ou mais flagelos. São holozóicos ou saprozóicos. Alimentam-se de substâncias orgânicas em decomposição ou não, e são, na maioria, parasitos ou comensais da cavidade intestinal e de outros órgãos de invertebrados e vertebrados.

polímata. [Do gr. *polymathés.*] *S. 2 g.* Aquele que estudou ou sabe muitas ciências; polígrafo, polímate.

polímate. *S. 2 g.* V. *polímata*.

polimatia. [Do gr. *polymathía.*] *S. f.* Instrução extensa e variada.

polimático. *Adj.* Relativo a, ou que tem polimatia.

polimentar. *V. t. d.* Dar polimento a; polir.

polimento. *S. m.* **1.** Ato ou efeito de polir. **2.** *Fig.* Aprimoramento, finura: *É boa moça, mas não tem polimento.* **3.** Couro envernizado de que se fazem calçados; verniz.

polimerídeo. *S. m.* **1.** Espécime dos polimerídeos. ● *Adj.* **2.** Pertencente ou relativo a eles.

polimerídeos. *S. m. pl. Zool.* Animais metazoários, artiozoários, cujas formas são complexas, constituídas por seguimentos sucessivos ou metâmeros.

polimerização. [De *polimerizar* + *-ção.*] *S. f. Quím.* Processo em que duas ou mais moléculas de uma mesma substância, ou dois ou mais grupamentos atômicos idênticos, se reúnem para formar uma estrutura de peso molecular múltiplo do das unidades iniciais e, em geral, elevado.

polimerizado. [Part. de *polimerizar.*] *Adj. Quím.* Em que houve polimerização.

polimerizar. [De *polímero* + *-izar.*] *V. t. d. Quím.* Transformar (um monômero) em polímero.

polímero. [Do gr. *polymerés.*] *S. m. Quím.* Composto formado por sucessivas aglomerações de grande número de moléculas fundamentais. Ex.: o polietileno, formado pela aglomeração de centenas de milhares de moléculas de etileno. ♦ **Polímero atáctico.** *Quím.* Polímero em que não há ordenação regular das unidades monômeras. **Polímero isotáctico.** *Quím.* O que tem unidades monômeras assimétricas, mas orientadas de igual maneira em cada uma das cadeias elementares. **Polímero sindiotáctico.** *Quím.* Polímero com unidades monômeras assimétricas, orientadas assimetricamente, nas cadeias elementares vizinhas. **Polímero táctico.** *Quím.* Aquele em que as unidades monômeras estão regularmente orientadas, formando cadeias com ordenação constante.

polimetileno. *S. m. Quím.* Hidrocarboneto cíclico, saturado, de fórmula geral C_nH_{2n}.

polimetria. [De *poli-*[1] + *-metr(o)-*[2] + *-ia.*] *S. f.* **1.** Qualidade de polimétrico. **2.** Emprego de versos polimétricos. [V. abonação em *polimétrico* (2).]

polimétrico. [De *poli-*[1] + *-metr(o)-*[2] + *-ico*[2].] *Adj.* **1.** Formado de versos de várias medidas: *poema polimétrico; As poesias de Mário Pederneiras são, na maioria, polimétricas.* **2.** Diz-se de versos de várias medidas: "O poema ['Paisagem Noturna', de Manuel Bandeira] é feito em versos assimetricamente polimétricos. Se a combinação de versos de várias medidas é processo antiqüíssimo, não se pode dizer que a assimetria seja excludente da polimetria." (Emânuel de Morais, *Manuel Bandeira*, p. 12.)

polímnico. [Do mit. *Polímnia*, 'a musa da retórica', + *-ico*[2].] *Adj.* Respeitante à retórica. [Cf. *polínico.*]

polimodalidade. [De *poli-*[1] + *modalidade.*] *S. f. Mús.* Superposição de melodias pertencentes cada uma a um modo diferente.

polimórfico. [De *polimorfo* + *-ico*[2].] *Adj.* Diz-se de substância que apresenta polimorfismo (2).

polimorfismo. [De *polimorfo* + *-ismo.*] *S. m.* **1.** *Bot.* Existência de órgãos ou plantas com diversas formas. [O polimorfismo foliar significa que um vegetal apresenta folhas de vários tipos morfológicos.] **2.** *Quím.* Fenômeno apresentado por substâncias que cristalizam em diferentes sistemas [v. *sistema* (16)]. **3.** *Genét.* Ocorrência simultânea, na população, de genomas que apresentam variações nos alelos de um mesmo lócus, resultando em diferentes fenótipos, cada um com uma freqüência determinada.

polimorfo. [Do gr. *polymorphos.*] *Adj.* **1.** Que se apresenta sob numerosas formas; multiforme: "Talento polimorfo, Eduardo [Eduardo Guimaraens] tem explorado, até agora, e às vezes com sucesso, todos os gêneros literários, exceto o romance." (João Pinto da Silva, *Fisionomias de "Novos"*, p. 40.) **2.** Sujeito a variar de forma. **3.** *Bot.* Que apresenta polimorfismo: *fruto polimorfo*. [Uma espécie polimorfa apresenta características distintas em diferentes lugares.] [Sin. ger.: *multiforme.*]

polimorfonuclear. [De *polimorfo* + *núcleo* + *-ar*[1].] *Histol. Adj. 2 g.* **1.** Diz-se de célula cujo núcleo se apresenta sob forma de lóbulos, ou dividida de tal maneira que dá a impressão de ser múltipla. ● *S. m.* **2.** Leucócito polimorfonuclear.

polinemídeo. *S. m.* **1.** Espécime dos polinemídeos. ● *Adj.* **2.** Pertencente ou relativo a eles.

polinemídeos. *S. m. pl. Zool.* Família de peixes crossopterígios, da ordem dos percomorfos, na qual as nadadeiras peitorais se dividem em duas partes, sendo a inferior composta de raios longos e filamentosos, às vezes maiores que o corpo. Ex.: o barbado.

polinésio. *S. m.* **1.** Indivíduo dos polinésios, povo nativo da Polinésia (um dos três grandes agrupamentos das ilhas do Pacífico), de cor parda, estatura elevada e cabelos finos. **2.** O natural ou habitante da Polinésia. **3.** *Ling.* Um dos subgrupos do malaio-polinésio [q. v.]. ● *Adj.* **4.** Pertencente ou relativo à Polinésia, ou aos polinésios.

polineurite. [De *poli-*[1] + *neurite.*] *S. f. Patol.* Inflamação simultânea de vários nervos; polinevrite.

polineurítico. *Adj.* Relativo à polineurite; polinevrítico.

polinevrite. [De *poli-*[1] + *nevrite.*] *S. f. Patol.* Polineurite.

polinevrítico. *Adj.* Relativo à polinevrite; polineurítico.

▲**polin(i)-.** [Do lat. *pólen*, ou *pollis, inis.*] *El. comp.* = 'pólen': *polínico, polinífago.*

polínia. *S. f. Morfol. Veg.* Massa que congrega, nas orquidáceas e asclepiadáceas, os grãos do pólen.

polínico. [De *polin(i)-* + *-ico*[2].] *Adj. Morfol. Veg.* Que contém pólen. ~ V. *tubo* —. [Cf. *polímnico.*]

polinífago. [De *polin(i)-* + *-fago.*] *Adj.* Que se nutre de pólen.

polinífero. [De *polin(i)-* + *-fero.*] *Adj.* Que contém pólen.

polínio. [De *polin(i)-* + *-io*[2].] *S. m. Bot.* Massa de pólen aglutinado, transportável por pássaros e insetos, que se encontra nas anteras das orquídeas e das asclepiadáceas.

polinização. [De *polinizar* + *-ção.*] *S. f. Bot.* Transporte do grão de pólen da antera para o estigma. [Pode-se dar dentro de uma flor (*autogamia*), ou entre flores distintas, que não raro estão bem afastadas uma da outra (*alogamia*). O pólen é veiculado pela água, ou pelo vento, ou por animais, entre os quais se distingue uma multidão de insetos, ditos *polinizadores.*]

polinizador (ô). *Adj.* e *s. m.* Diz-se de, ou animal (especialmente inseto) que poliniza.

polinizar. [De *polin(i)-* + *-izar.*] *V. t. d.* **1.** Realizar a polinização de. *Int.* **2.** Propiciar polinização.

polinômio. [De *poli-*[1] + *(bi)nômio.*] *S. m. Mat.* Forma algébrica racional inteira. ♦ **Polinômio diádico.** *Cálc. Vect.* Diádico. **Polinômio inteiro.** *Álg.* O que só contém potências naturais da variável. **Polinômio mônico.** *Álg.*

O que tem o coeficiente da maior potência igual à unidade. **Polinômio redutível.** *Álg. Mod.* Polinômio que, num corpo, pode ser fatorado em polinômios de menor grau com coeficientes pertencentes a esse corpo. **Polinômios idênticos.** *Mat.* Aqueles cujos coeficientes das potências do mesmo grau são iguais. **Polinômios ortogonais.** *Anál. Mat.* Dois polinômios cujo produto tem a integral, sobre um certo domínio, igual a zero.
polinuclear. [De *poli-* + *núcleo* + *-ar*[1].] *Adj. 2 g.* Que tem mais de um núcleo.
polinucleotídico. *Adj. Genét.* ~ V. *cadeia —a.*
pólio[1]. [Do gr. *pólion*, pelo lat. *polion.*] *S. m.* Erva medicinal da família das labiadas (*Teucrium polium*), semelhante ao maro [q. v.].
pólio[2]. *S. f.* **1.** *Bras. Patol.* F. red. de *poliomielite.* **2.** V. *poliomielite anterior aguda.*
▲polio-. [Do gr. *poliós.*] *El. comp.* = 'cinzento': *poliomielite, polioencefalite.*
polioencefalite. [De *polio-* + *encefalite.*] *S. f. Patol.* Inflamação de substância cinzenta encefálica.
polioencefalítico. *Adj.* Relativo à polioencefalite.
poliomielite. [De *polio-* + *-miel(o)-* + *-ite*[1].] *S. f. Patol.* Inflamação da substância cinzenta da medula espinhal. [F. red.: *pólio*[2].] ♦ **Poliomielite anterior aguda.** *Patol.* V. *paralisia infantil.* [Tb. se diz apenas *pólio.*]
poliomielítico. *Adj.* Referente à poliomielite.
poliônimo. [Do gr. *polyónymos*, pelo lat. *polyonymu.*] *Adj.* Que tem muitos nomes; que pode ser nomeado de várias maneiras.
poliope. [Do gr. *poliopés.*] *S. 2 g.* Pessoa que sofre de poliopia.
poliopia. [De *poli-*[1] + *-op(s)(e)-* + *-ia.*] *S. f. Patol.* Percepção de mais de uma imagem de um único objeto, podendo ocorrer com apenas um dos olhos ou com ambos.
poliópico. *Adj.* Relativo à poliopia, ou a poliope.
poliorama. [De *poli-*[1] + *-orama.*] *S. m.* Espécie de panorama em que os quadros móveis, interpenetrando-se, mudam de contornos e se transfiguram aos olhos do observador.
poliorcética. [Fem. substantivado de *poliorcético.*] *S. f.* Arte de fazer cercos militares.
poliorcético. [Do gr. *poliorketikós.*] *Adj.* Respeitante à poliorcética.
poliorquia. [De *poli-*[1] + *orqu(i)-* + *-ia.*] *S. f. Anat.* A existência de mais de dois testículos em um homem.
poliórquico. *Adj.* Relativo à poliorquia.
poliose[1]. [Do gr. *políosis.*] *S. f. Med.* Embranquecimento precoce dos pêlos.
poliose[2]. [De *poli-*[1] + *-ose.*] *S. f. Quím.* Polissacarídeo.
polipedia. [Do gr. *polypaidía.*] *S. f. Med.* Gravidez com vários fetos.
polipédico. *Adj.* Referente à polipedia.
polipeiro. *S. m.* **1.** Reunião de pólipos. **2.** Habitação de pólipos que vivem agrupados.
polipeptídico. *Adj.* De, ou relativo a polipeptídio.
polipeptídio. [De *poli-*[1] + *peptídio.*] *S. m. Quím.* Peptídio com mais de dois aminoácidos.
polipétalo. [De *poli-*[1] + *-pétalo.*] *Adj. Morfol. Veg.* **1.** Que tem muitas pétalas. **2.** *Morfol. Veg. Desus.* Dotado de pétalas livres entre si. [Sin. ger.: *pluripétalo, multipétalo.*]
polipiforme. [De *pólipo* + *-i-* + *-forme.*] *Adj. 2 g.* Que tem forma de pólipo.
poliplacóforo. *S. m.* **1.** Espécie dos poliplacóforos. ● *Adj.* **2.** Pertencente ou relativo a eles. [Sin. ger.: *loricado, placóforo.*]
poliplacóforos. *S. m. pl. Zool.* Animais moluscos, anfineuros, da ordem *Polyplacophora*, de corpo revestido por concha dividida em oito placas ou loricas, sola pediosa grande, achatada. Vivem em rochas, especialmente nas costas rasas. [Sin.: *loricados, placóforos.*]
poliplóide. [De *poli-*[1] + *(ha)plóide.*] *Adj. 2 g. Genét.* Que tem um número *n* múltiplo maior do que 2 do número haplóide.
pólipo. [Do gr. *polypous*, 'polvo, pólipo', pelo lat. *polypu.*] *S. m.* **1.** *Patol.* Neoformação pediculada que surge de membrana mucosa. **2.** Cada um dos indivíduos de uma colônia de celenterados: "Começaram-nos os pés a radiar em longos e ávidos tentáculos de p ó l i p o" (Aluísio Azevedo, *Pegadas*, p. 152). ~ V. *pólipos.*
polípode. [De *poli-*[1] + *pode.*] *Adj. 2 g.* Que tem muitos pés.
polipodiácea. *S. f.* Espécime das polipodiáceas.
polipodiáceas. *S. f. pl. Bot.* Família de pteridófitos, da ordem das eufilicales, caracterizada pelos esporângios com anel vertical incompleto, que se abrem por uma fenda transversal. Reúnem-se em grande número, formando os soros, com indúsio ou sem ele. A maioria é herbácea, mas há formas de tamanho avantajado; comumente possuem rizoma escamoso. Há em todo o orbe perto de 3.000 espécies, numerosas das quais brasileiras. A samambaia cultivada é o exemplo mais comum.
polipodiáceo. *Adj.* Pertencente ou relativo às polipodiáceas.
polipódio. [Do gr. *polypódion*, pelo lat. *polypodiu.*] *Adj.* Multípede.
poliporácea. *S. f.* Espécime das poliporáceas.
poliporáceas. *S. f. pl. Bot.* Importante família de cogumelos (fungos) sapróf itos que se nutrem de matéria orgânica em decomposição. Ex.: a orelha-de-pau.
poliporáceo. *Adj.* Pertencente ou relativo às poliporáceas.
pólipos. [Pl. de *pólipo.*] *S. m. pl. Zool.* Designação comum às formas tróficas dos cnidários, com aspecto de tubo fechado em uma das extremidades e uma coroa de tentáculos em torno da abertura apical. ~ V. *pólipo.*
poliposo (ô). [Do lat. *polyposu.*] *Adj.* Da natureza do pólipo.
poliprisma. [De *poli-*[1] + *prisma.*] *S. m. Ópt.* Prisma constituído pela justaposição de vários outros, opticamente acoplados, ou constituindo peça única.
polipropileno. *S. m. Quím.* Substância macromolecular obtida pela polimerização do propeno.
poliprótico. *Adj. Quím.* ~ V. *ácido —.*
poliprotodonte. *S. m.* **1.** Espécime dos poliprotodontes. ● *Adj. 2 g.* **2.** Pertencente ou relativo a eles.
poliprotodontes. *S. m. pl. Zool.* Animais metazoários, cordados, mamíferos, metatérios, marsupiais, da subordem *Polyprotodontia*, providos de numerosos dentes incisivos, pequenos e subiguais, os caninos grandes e os molares com cúspides. São os marsupiais carnívoros.
políptico. [Do gr. *polýptychos*, pelo lat. *polyptychu.*] *Adj.* **1.** Dizia-se, em Roma, das placas chamadas *tábulas* [v. *tábula* (2)]. ● *S. m.* **2.** V. *tábula* (2). **3.** Conjunto de quatro ou mais quadros [v. *quadro* (3)] independentes, porém subordinados ao mesmo tema. [Cf., nesta acepç., *tríptico* (1).] **4.** Retábulo com diversos compartimentos fixos ou móveis.
poliptoto. [Do gr. *polýptoton*, pelo lat. *polyptoton.*] *S. m. Gram.* Emprego, em um período, de uma palavra sob várias formas gramaticais. Ex.: *Trabalhar, trabalhei, porém antes não houvesse trabalhado.*
poliptóton. *S. m.* V. *poliptoto.*
poliqueta (ê). [De *poli-*[1] + *-queta.*] *S. m.* **1.** Espécime dos poliquetas. ● *Adj. 2 g.* **2.** Pertencente ou relativo a eles.
poliquetas (ê). *S. m. pl. Zool.* Animais marinhos, anelídeos, da classe *Polychaeta*, de segmentação distinta, anéis com parápodes e numerosas cerdas, região cefálica evidente, com tentáculos, e sexos, em geral, separados.
polir. [Do lat. *polire.*] *V. t. d.* **1.** Tornar lustroso, friccionando; brunir, lustrar: "ela a esfregar soalhos, ela a p o l i r metais" (José Régio, *Histórias de Mulheres*, p. 65). **2.** Aplicar polimento ou verniz em; envernizar: *p o l i r um móvel.* **3.** Dar ou transmitir civilização a; civilizar: *p o l i r uma tribo indígena.* **4.** Tornar polido, delicado, cortês; educar: *A escola p u l e as crianças; O moço p o l i u as maneiras.* **5.** Tornar perfeito; aprimorar, esmerar: *p o l i r o estilo.* *P.* **6.** Tornar-se polido ou lustroso: *O piso p u l e - s e mais ainda ao reflexo da luz.* **7.** Tornar-se perfeito, primoroso; aperfeiçoar-se, aprimorar-se: *Pela biografia do escritor, vê-se claramente como s e l h e p o l i u o estilo.* [Irreg. Pres. ind.: *pulo, pules, pule, polimos, polis, pulem*; imperat. *pule, poli,* etc.; pres. subj.: *pula, pulas, pula, pulamos, pulais, pulam.*]
polirritmia. [De *poli-*[1] + *ritmo* + *-ia.*] *S. m. Mús.* Emprego simultâneo de duas ou mais estruturas rítmicas diferentes em sua constituição.
polirrítmico. [De *poli-*[1] + *ritmo* + *-ico*[2].] *Adj.* **1.** Que tem diversos ritmos. **2.** Que tem o ritmo muito variado.
polirrizo. [Do gr. *polyrrhizos*, pelo lat. *polyrrhizos.*] *Adj. Bot.* Que tem muitas raízes.
▲-pólis. V. *poli-*[2].
polispermático. *Adj. Morfol. Veg.* V. *polispérmico.*
polispermia. [De *poli-*[1] + *-sperm(o)-* + *-ia.*] *S. f. Biol.* Penetração de vários espermatozóides no óvulo ao dar-se a fecundação.
polispérmico. [De *polispermo* + *-ico*[2].] *Adj. Morfol. Veg.* Que tem muitas sementes; polispermático, polispermo: *cápsula p o l i s p é r m i c a.*
polispermo. [Do gr. *polyspermos.*] *Adj. Morfol. Veg.* V. *polispérmico.*
polisporo. [Do gr. *polysporos.*] *S. m. Bot.* Esporo que é produzido em grande número nos esporângios de certas rodofíceas.
polissacarídeo. [De *poli-*[1] + *sacarídeo.*] *S. m. Quím.* Carboidrato que fornece por hidrólise outros carboidratos, de menor massa molecular, e que constituem a sua molécula mediante ligações efetuadas através de átomos de oxigênio; poliose.
polissacarídico. *Adj.* De, ou relativo a polissacarídeo.
polissemia. [Do gr. *polisemía.*] *S. f.* O ter uma palavra muitas significações: "Quando um termo se usa com várias acepções diz-se que há p o l i s s e m i a." (M. Said Ali, *Meios de Expressão e Alterações Semânticas*, p. 83.)
polissêmico. *Adj.* Referente à polissemia.
polissialia. [De *poli-*[1] + *-sial(o)-* + *-ia.*] *S. f. Med.* V. *ptialismo.*
polissiálico. *Adj.* Respeitante à polissialia.
polissilábico. *Adj.* **1.** Relativo ao polissílabo. **2.** Que tem mais de uma sílaba; polissílabo.
polissílabo. [Do gr. *polysyllabos*, pelo lat. *polysyllabu.*] *S. m.* **1.** Palavra que tem mais de uma sílaba, e especialmente mais de três. ● *Adj.* **2.** Polissilábico (2).
polissilogismo. [De *poli-*[1] + *silogismo.*] *Lóg.* Cadeia de dois ou mais silogismos tais que a conclusão de cada um deles se torna uma das premissas do seguinte.
polissindético. *Adj.* Em que há polissíndeto. [Cf. *assindético* e *sindético.*]
polissíndeto. [Do gr. *polysyndeton.*] *S. m.* Espécie de pleonasmo que consiste em repetir uma conjunção maior número de vezes do que o exige a ordem gramatical. Ex: "E zumbia, e voava, e voava, e zumbia." (Machado de Assis, *Poesias Completas*, p. 314); "Contra a destruição se aferra à vida, e luta, / E treme, e cresce, e brilha, e afia o ouvido, e escuta / A voz, que na soidão só ele escuta, — só" (Olavo Bilac, *Poesias*, p. 269); "Tua irmã é carinhosa, e doce, e meiga, e casta, e consoladora." (Eça de Queirós, *Prosas Bárbaras*, p. 5); "O amor que a exalta e a pede e a chama e a implora." (Manuel Bandeira, *Estrela da Vida Inteira*, p. 13); "Mão gentil, mas cruel, mas traiçoeira, / Vibrou-se o golpe." (Alberto de Oliveira, *Poesias*, 1ª série, p. 302); "Não é este edifício obra de reis, ... mas nacional, mas da gente portuguesa" (Alexandre Herculano, *Lendas e Narrativas*, I, p. 243). [F. paral.: *polissíndeton.* Cf. *assíndeto* e *síndeto.*]
polissíndeton. *S. m.* V. *polissíndeto.*
polissomia. [Do ingl. *polysomia*, ou de *poli-*[1] + *-som(o)-* + *-ia.*] *S. f. Genét.* Ocorrência de um cromossomo três ou mais vezes, numa célula ou num organismo.
polissômico. *Adj. Genét.* Relativo à polissomia, ou que a apresenta.
polissulfeto (ê). *S. f. Quím.* Sulfeto que contém dois ou mais átomos de enxofre na fórmula molecular.
polista. *S. f. 2 g. Bras.* Jogador de pólo[2].
polistelia. [De *poli-*[1] + *estelo* + *-ia.*] *S. f. Anat. Veg.* A existência de vários estelos individualizados, i. e., cada um com seu periciclo e endoderma particulares.
polistélico. *Adj. Anat. Veg.* Relativo à, ou em que há polistelia: *Caule p o l i s t é l i c o.*
polistêmone. [De *poli-*[1] + *-stemone.*] *Adj. 2 g. Morfol. Veg.* Que tem estames em número superior ao dobro de pétalas.
polistilo. [Do gr. *polystylos.*] *Adj.* **1.** Que tem muitas colunas: "A portada da igreja, de arco tricêntrico firmado em pilares p o l i s t i l o s de meio-relevo, era o mais claro testemunho da idade provecta do presbitério." (Alexandre Herculano, *Lendas e Narrativas*, II, p. 121.) ● *S. m.* **2.** Edifício com numerosas colunas.
polístomo. [De *poli-*[1] + *-stomo.*] *S. m.* **1.** Espécime dos polístomos. ● *Adj.* **2.** Pertencente ou relativo a eles.
polístomos. [Pl. de *polistomo.*] *S. m. pl. Zool.* Animais metazoários, platelmintos, trematódeos, com mais de duas ventosas, de ciclo evolutivo direto, sem hospedeiro intermediário, e geralmente ectoparasitos.
politaina. *S. m. Bras., MG.* Certo jogo de azar: "O que lhes vale é o jogo da p o l i t a i n a de dia e o de trinta-e-um de noite." (Helena Morley, *Minha Vida de Menina*, p. 33.)
politburo. [Do russo *politbyuro* < *politichoskoe byuro*, 'agência política'.] *S. m.* Órgão político do Partido Comunista da U.R.S.S., entre 1917 e 1952.
politeama. [De *poli-*[1] + gr. *théama*, 'espetáculo'.] *S. m. Teat.* Casa de espetáculos para diversos gêneros de representações.
politécnica. [Fem. substantivado de *politécnico.*] *S. f.* Escola politécnica.
politécnico. [Do gr. *polytechnos*, 'hábil em muitas artes', + *-ico*[2].] *Adj.* **1.** Que abrange numerosas artes ou ciências. **2.** Diz-se da escola onde se estuda engenharia.
politéico. [Do gr. *polýtheos*, 'que adora muitos deuses',

+ -*ico*[2].] *Adj.* Relativo ao, ou próprio do politeísmo.
politeísmo. [De *poli-*[1] + *teísmo.*] *S. m.* Religião em que há pluralidade de deuses. [Cf. *monoteísmo* e *henoteísmo.*]
politeísta. [De *poli-*[1] + *teísta.*] *Adj. 2 g.* **1.** Politeístico. **2.** Que professa o politeísmo. ● *S. 2 g.* **3.** Pessoa que o professa.
politeístico. *Adj.* Referente ao politeísmo; politeísta.
política. [Fem. substantivado de *político.*] *S. f.* **1.** Ciência dos fenômenos referentes ao Estado; ciência política. **2.** Sistema de regras respeitantes à direção dos negócios públicos. **3.** Arte de bem governar os povos. **4.** Conjunto de objetivos que enformam determinado programa de ação governamental e condicionam a sua execução. **5.** Princípio doutrinário que caracteriza a estrutura constitucional do Estado. **6.** Posição ideológica a respeito dos fins do Estado. **7.** Atividade exercida na disputa dos cargos de governo ou no proselitismo partidário. **8.** Habilidade no trato das relações humanas, com vista à obtenção dos resultados desejados. **9.** *P. ext.* Civilidade, cortesia. **10.** *Fig.* Astúcia, ardil, artifício, esperteza. [Cf. *politica*, do v. *politicar.*] ♦ **Política econômica.** Meio pelo qual um governo busca regular ou modificar os negócios econômicos de uma nação. **Política monetária.** Controle do sistema bancário e monetário exercido por um governo com o propósito de estabilizar a moeda.
politicagem. *S. f. Deprec.* **1.** Política (4 a 7) mesquinha, estreita, de interesses pessoais. **2.** O conjunto dos políticos pouco escrupulosos, desonestos. [Sin. ger.: *politicalha, politicaria, politiquice, politiquismo.*]
politicalha. *S. f. Deprec.* V. *politicagem.*
politicalhão. *S. m. Deprec.* V. *politiqueiro* (5). [Fem.: *politicalhona.*]
politicalheiro. [De *politicalho* + *-eiro.*] *Adj. Deprec.* Relativo à política.
politicalho. [De *político* + *-alho.*] *S. m. Deprec.* V. *politiqueiro* (5).
politicalhona. *S. f. Deprec.* Fem de *politicalhão.*
politicante. *Adj. 2 g.* e *s. 2 g. Deprec.* V. *politiqueiro* (2 e 5).
politicão. [Aum. de *político.*] *S. m. Pop.* Grande político.
politicar. *V. int.* **1.** Tratar ou ocupar-se de política: *Deputados e senadores* p o l i t i c a m *dia e noite.* **2.** Discorrer acerca de política. [Conjug.: v. *trancar.* Pres. ind.: *politico, politicas, politica,* etc. Cf. *político* e *política.*]
politicaria. *S. f. Deprec.* V. *politicagem.*
politicastro. [De *político* + *-astro.*] *S. m. Deprec.* V. *politiqueiro* (5).
político. [Do gr. *politikós*, pelo lat. *politicu.*] *Adj.* **1.** Relativo à, ou próprio da política. **2.** Relativo aos negócios públicos. **3.** Que trata ou se ocupa de política. **4.** Delicado, polido, cortês. **5.** *Fig.* Esperto, astuto. ~ V. *direito —, economia —a, estado —, geografia —a, liberalismo —, maioridade —a, ordem —a,* e *polícia —a.* ● *S. m.* **6.** Aquele que trata ou se ocupa de política; estadista. **7.** *Fig.* Indivíduo político, astuto, esperto. [Cf. *politico*, do v. *politicar.*] **Estar político com.** *Bras. Pop.* Estar zangado, de relações cortadas, com (alguém).
politicóide. [De *político* + *-óide.*] *Adj. 2 g.* e *s. 2 g. Deprec.* V. *politiqueiro* (2 e 5).
politicologia. [De *política* + *-o-* + *-log(o)-* + *-ia.*] *S. f.* Estudo da política; ciência política.
politicológico. *Adj.* Relativo à politicologia.
politicomania. [De *política* + *-o-* + *-mania.*] *S. f.* Paixão ou mania de política.
politicomaníaco. *S. m.* Aquele que tem politicomania; politicômano.
politicômano. *S. m.* Politicomaníaco.
político-social. *Adj. 2 g.* Relativo ou pertencente à política e à sociedade. [Pl.: *político-sociais.*]
politípico. *Adj. Bot.* Polítipo.
polítipo. [De *poli-*[1] + *-tipo.*] *Adj. Bot.* Diz-se do gênero que compreende numerosas espécies; politípico.
politiqueiro. *Adj. Deprec.* **1.** Diz-se daquele que se ocupa muito com a política partidária. **2.** Diz-se daquele que, em política, usa de processos menos corretos, faz politicagem; politicante, politicóide. **3.** *P. ext.* Diz-se de indivíduo intrigante, mexeriqueiro. ● *S. m.* **4.** Aquele que é politiqueiro (1). **5.** Indivíduo politiqueiro (2); politicalhão, politicalho, politicante, politicastro, politicóide, politiquete, politiquilho. **6.** *P. ext.* Indivíduo politiqueiro (3).
politiquete (ê). [De *político* + *-ete.*] *S. m. Deprec.* **1.** V. *politiqueiro* (5). **2.** Político de pouca ou nenhuma importância.
politiquice. [De *política* + *-ice.*] *S. f.* **1.** *Deprec.* Ato de politicagem. **2.** V. *politicagem.*
politiquilho. [De *político* + *-ilho.*] *S. m. Deprec.* V. *politiqueiro* (5).
politiquismo. [De *política* + *-ismo.*] *S. m. Deprec.* V. *politicagem.*
politização. *S. f.* Ato ou efeito de poltizar.
politizado. [Part. de *politizar.*] *Adj.* **1.** Que tem consciência de seus deveres e direitos políticos, e se acha habilitado a exercê-los: "Rever provas, paginar, idealizar um frontispício eram operações que lhe mereciam [a Lélio Landucci] tanto apreço quanto o debate sobre os rumos da arte no mundo p o l i t i z a d o de hoje." (Carlos Drummond de Andrade, *Fala, Amendoeira*, pp. 239-240). **2.** Que tem conhecimento mais aprofundado da política e procura exercer papel atuante no processo político de seu país.
politizar. [Do ingl. *to politize.*] *V. t. d.* Inculcar a (certas classes ou categorias sociais) ou a (indivíduos dessas classes) a consciência dos deveres e direitos políticos dos cidadãos que as compõem, preparando-os para o livre exercício deles: *p o l i t i z a r os trabalhadores.*
politizável. *Adj. 2 g.* Que pode ser politizado.
politomia. [De *poli-*[1] + *-tom(o)-* + *-ia.*] *S. f.* **1.** Divisão de um assunto, de uma classificação, etc., em várias partes. **2.** Divisão sucessiva duma coisa em mais de duas partes. [Cf. *dicotomia* (1).]
politômico. [De *poli-*[1] + *-tom(o)-* + *-ico*[2]] *Adj.* Diz-se duma classificação homógrafa em relação a mais de um atributo.
politonalidade. [De *poli-*[1] + *tonalidade.*] *S. f. Mús.* Processo de composição musical em que se usam concomitantemente duas ou mais tonalidades.
politonar. [De *poli-*[1] + *-ton(o)-* + *-ar*[2].] *V. t. d.* e *int. Bras.* Cantar em vários tons: "À distância as vozes macias das meninas p o l i t o n a v a m : / Roseira dá-me uma rosa / Craveiro dá-me um botão" (Manuel Bandeira, *Estrela da Vida Inteira*, p. 115).
polítrico. [Do gr. *polytrikos.*] *Adj.* Que tem muitos pêlos.
politrofia. [Do gr. *polýthrophía.*] *S. f. Med.* Nutrição excessiva.
politrófico. *Adj.* Relativo à politrofia.
politrópica. *Adj. (f.)* e *s. f. Fís.* Diz-se de, ou qualquer transformação em que se mantém constante o quociente entre a quantidade de calor trocada e a variação de temperatura provocada.
politrópico. [De *poli-*[1] + *-trop(o)-* + *-ico*[2].] *Adj.* ~ V. *transformação —a.*
poliuretana (i-u). [De *poli-*[1] + *uretana.*] *S. f. Quím.* Substância sintética e polimérica que tem o grupamento característico -NHCO.0- na cadeia do polímero.
poliuria (i-u). *S. f. Med.* Poliúria.
poliúria. [De *poli-*[1] + *ur(o)-* + *-ia.*] *S. f. Med.* Secreção excessiva de urina. [Var. pros.: *poliuria.*]
poliúrico. *Adj.* Referente à poliúria.
polivalente. [De *poli-*[1] + *valente.*] *Adj. 2 g.* **1.** Que é eficaz em vários casos diferentes; versátil. **2.** Que oferece diversas possibilidades de aplicação ou emprego: *palavra* p o l i v a l e n t e. **3.** *Med.* Diz-se dos produtos biológicos (soros, vacinas) que visam a vários agentes patogênicos. **4.** Diz-se dos sinais taquigráficos ou estenogramas que podem representar valores ou palavras distintas.
políxeno (cs). [Do gr. *polyxenos*, 'que recebe muitos hóspedes'.] *S. m. Min.* Mineral monométrico, liga de platina, ferro, irídio, ósmio e outros metais, modernamente chamado *platina nativa.*
polizoário. *S. m.* e *adj.* **1.** V. *eucestóideo.* **2.** V. *briozoário.*
polizoários. *S. m. pl. Zool.* **1.** V. *eucestóideos.* **2.** V. briozoários.
polizoicidade. *S. f. Zool.* Qualidade de polizóico.
polizóico. [De *poli-*[1] + *-zóico.*] *Adj. Zool.* Diz-se dos animais que vivem em colônias.
polmaço. *S. m. Bras., N.E.* Nevoeiro denso.
polmão. *S. m. Pop.* Inchação, tumor, fleimão. [Cf. *pulmão.*]
polme. [Do lat. vulg. **pulmen.*] *S. m.* Massa um pouco líquida. [Cf. *polmo* (1).]
polmo (ô). [De *polme.*] *S. m.* **1.** Turvação causada em um líquido pela presença de corpúsculos estranhos: "A canilha estava no fim, com muito p o l m o no fundo" (José J. Veiga, *Os Pecados da Tribo*, p. 42). [Cf. *polme.*] **2.** *Bras., BA.* Resíduo do cascalho.
polo. *Ant.* e *pop.* **1.** Aglut. da prep. *por* e do art. arc. *lo(o)*: "P o l o muito grande desejo que el-Rei tinha do descobrimento da Índia" (Garcia de Resende, *Crônica dos Valerosos e Insignes Feitos del-Rei Dom João II*, p. 94); "— É um passo [pássaro] que tem p o l o sertão, a acauã" (Manuel de Oliveira Paiva, *Dona Guidinha do Poço*, p. 82); "P o l o amor de Deus, Seu major capitão, meus cobres..." (Bernardo Élis, *Veranico de Janeiro*, p. 27). [Flex: *pola, polos, polas.* Cf. *pôlo*, pl. *pôlos*, e *pólo*, pl. *pólos.*] **2.** Aglut. da prep. *por* e do pron. pess. complementar, masc., arc., *lo (o)*: "O batel de Coelho foi depressa / P o l o tomar" (Luís de Camões, *Os Lusíadas*, V, 32). [Flex.: *pola, polos, polas.* Cf. *pôlo*, pl. *pôlos*, e *pólo*, pl. *pólos.*] **3.** Aglut. da prep. *por* e do pron. dem. masc., arc., *lo(o)*: "E posto de joelhos fez devota oração p o l o s que o acabavam de afrontar com tanta exorbitância." (Fr. Luís de Sousa, *Vida de D. Fr. Bertolameu dos Mártires*, II, p. 36); *Tudo fez por seus amigos, sobretudo* p o l o *que estava mais necessitado.* [Flex.: *pola, polos, polas.* Cf. *pôlo*, pl. *pôlos*, e *pólo*, pl. *pólos.*] **4.** Aglut. da prep. *por* e do pron. dem. neutro, arc., *lo(o)*: "por esmolas que tiraram pola terra e p o l o que também deram de suas casas, ajuntaram duzentos pardaus" (Fernão Mendes Pinto, *Peregrinação*, I, p. 25). [Cf. *pôlo* e *pólo.* Sendo *polo* e, naturalmente, as flex. *pola, polos, polas*, indicadas nas acepç. anteriores, dissílabos átonos, o o da sílaba inicial não é aberto nem fechado, mas reduzido, pronunciando-se, aproximadamente, como *u.*]
pólo[1]. [Do gr. *pólos*, 'eixo em torno do qual uma coisa gira', pelo lat. *polu.*] *S. m.* **1.** Cada uma das extremidades do eixo imaginário sobre o qual a Terra executa o seu movimento de rotação. [Há o *pólo norte* ou *ártico* e o *pólo sul* ou *antártico.*] **2.** Designação comum às regiões glaciais vizinhas dessas extremidades. **3.** Face ou aspecto oposto a outro: *os dois* p ó l o s *de uma questão.* **4.** *Fig.* O que dirige ou encaminha; norte, guia. **5.** *Anál. Mat.* Ponto singular de uma função de variável complexa, que se torna regular multiplicando-se a função por uma potência inteira de um binômio do primeiro grau na variável. **6.** *Eletr.* Qualquer dos terminais de um gerador elétrico. **7.** *Eletr.* Qualquer das cargas de um dipolo elétrico. **8.** *Fís.* Pólo magnético. **9.** *Geom.* Centro de inversão. **10.** *Ópt.* Vértice da calota que constitui a superfície duma lente ou dum espelho esféricos. [Pl.: *pólos.* Cf. *pôlo*, pl. *pôlos*, e *polo*, pl. *polos.*] ♦ **Pólo antártico.** V. *pólo* (1). **Pólo ártico.** V. *pólo* (1). **Pólo celeste.** *Astr.* Cada um dos pólos do equador celeste, orientados, ambos, no sentido da rotação da Terra, sendo o *pólo celeste positivo* chamado de *pólo norte*, e o *pólo celeste negativo* de *pólo sul.* **Pólo celeste negativo.** *Astr.* V. *pólo celeste.* **Pólo celeste positivo.** *Astr.* V. *pólo celeste.* **Pólo geomagnético.** *Geofís.* Um dos dois pontos da superfície terrestre em que a inclinação magnética é igual a 90º. Pode ser o pólo geomagnético norte ou o sul, segundo se ache no hemisfério boreal ou no austral. [Os pólos geomagnéticos não são diametralmente opostos, nem se mantêm fixos na superfície terrestre. Sin.: *pólo magnético terrestre* ou simplesmente *pólo magnético.*] **Pólo magnético.** **1.** *Fís.* Num ímã, qualquer das partes de onde divergem ou para onde convergem as linhas de força do seu campo magnético. [Tb. se diz apenas *pólo.*] **2.** *Geofís.* V. *pólo geomagnético.* **Pólo magnético terrestre.** *Geofís.* V. *pólo geomagnético.* **Pólo negativo.** *Eletr.* Numa fonte geradora de corrente elétrica, o pólo por onde entra a corrente; terminal de uma fonte geradora de corrente ou de tensão elétrica que está no potencial mais baixo. [Tb. se diz apenas *negativo.*] **Pólo norte.** **1.** V. *pólo* (1). **2.** *Astr.* V. *pólo celeste.* **Pólo positivo.** *Eletr.* Numa fonte geradora de corrente elétrica, o pólo por onde sai a corrente da fonte; terminal de uma fonte geradora de corrente elétrica ou de tensão elétrica que está no potencial mais elevado. [Tb. se diz apenas *positivo.*] **Pólo sul.** **1.** V. *pólo* (1). **2.** *Astr.* V. *pólo celeste.* **Passar de um pólo a outro.** Mudar de assunto para outro muito ou inteiramente diverso, numa conversação.
pólo[2]. [De uma língua asiática, atr. do ingl. *polo.*] *S. m.* Jogo praticado a cavalo, por duas equipes, em campo de grama, e que consiste em movimentar uma bola de madeira, com um taco, para além dos postes da meta adversária. [Pl.: *pólos.* Cf. *pôlo*, pl. *pôlos*, e *polo*, pl. *polos.*] ♦ **Pólo aquático.** Jogo disputado entre duas equipes de nadadores que, numa piscina, lutam para fazer entrar a bola, com as mãos, dentro do gol do adversário. [Corresponde ao ingl. *water polo.*]
pôlo. [Do lat. *pullu.*] *S. m.* Falcão, açor ou gavião que não chega a ter um ano. [Pl.: *pôlos.* Cf. *pólo*, pl. *pólos*, e *polo*, pl. *polos.*]
polodia. *S. f. Fís.* Curva que, juntamente com a herpolodia, determina o movimento de um corpo que gira livremente com um ponto fixo.
polografia. [Do gr. *pólos*, 'céu', + *-graf(o)-* + *-ia.*] *S. f.*

Astr. Descrição do céu.
polográfico. *Adj.* Concernente à polografia.
polóide. [De *pólo* + *-óide.*] *S. f. Astr.* Curva descrita pelo movimento do pólo sobre a superfície terrestre, e que se compõe de espirais irregulares de amplitude variável, e cujo ponto central aproximativo tem sido escolhido convencionalmente como origem do sistema de coordenadas retangulares ao qual se relaciona o pólo instantâneo.
polonês. [Do fr. *polonais.*] *Adj.* **1.** Da, ou pertencente ou relativo à Polônia (Europa). ● *S. m.* **2.** O natural ou habitante da Polônia. **3.** A língua falada na Polônia. V. *eslavo* (1). [Sin. ger.: *polônio, polaco.* Este último, f. tradicional, mais vernáculo, tem hoje, no fem., conotação pejorativa. Flex.: *polonesa* (ê), *poloneses* (ê), *polonesas* (ê).]
polonesa. (ê). [Do fr. *polonaise.*] *S. f.* **1.** Dança originária da Polônia, em compasso ternário e andamento de marcha, com ligeiro acento no primeiro tempo. **2.** Música para essa dança. **3.** Mulher natural da Polônia; polaca.
poloniense. *Adj. 2 g.* **1.** De, ou pertencente ou relativo a Poloni (SP). ● *S. 2 g.* **2.** Natural ou habitante de Poloni.
polônio. [Do lat. cient. *polonium* < top. *Polônia,* pátria de Maria Slodowska Curie (1867-1934), cientista que o descobriu.] *Adj.* **1.** V. *polonês.* ● *S. m.* **2.** V. *polonês.* **3.** *Quím.* Elemento de número atômico 84, radioativo, metálico. [Símb.: *Po.*]
polonização. *S. f.* Ato de polonizar.
polonizar. *V. t. d.* Dar feição polonesa a.
polpa (ô). [Do lat. *pulpa.*] *S. f.* **1.** Carne musculosa, sem ossos nem gorduras. **2.** A parte carnosa dos frutos, raízes, etc. **3.** *Anat.* Polpa dentária. **4.** *P. ext.* Massa, pasta. **5.** *Fig.* Importância, substância, valor: *obra de polpa.* **6.** *Ind. Pap.* Pasta (9). ◆ **Polpa dentária.** *Anat.* Tecido conjuntivo altamente vascularizado e inervado, e que se situa em cavidade pulpar. [Tb. se diz apenas *polpa.*]
polpação. *S. f. Ind. Pap.* Transformação da matéria-prima na polpa com que se fabrica o papel.
polposo. (ô). *Adj.* Que tem abundância de polpa; carnudo, polpudo: "E sei que .... o nosso p o l p o s o âmago e a nossa medula foi-se alcalinando, até de todo converter-se em grés .... calcária" (Aluísio Azevedo, *Pegadas,* p. 155).
polpudo. *Adj.* **1.** V. *polposo:* "Vê como tua boca se parece / Às p o l p u d a s romãs que o sol aquece!" (Ronald de Carvalho, *Poemas e Sonetos,* p. 70.) **2.** Diz-se de negócio muito rendoso. **3.** Considerável, vultoso: *Ganhou na transação a p o l p u d a quantia de 200 milhões de cruzados.*
polquista. *S. 2 g.* e *adj. 2 g.* Dançador de polca.
poltranaz. *S. m.* Grande poltrão (1).
poltrão. [Do it. *poltrone.*] *S. m.* **1.** Indivíduo covarde ou medroso. [Aum., irreg.: *poltranaz.*] ● *Adj.* **2.** Que não tem coragem; covarde. **3.** Diz-se do animal que, solto, engorda e se torna preguiçoso. [Fem.: *poltrona.*]
poltrona[1]. [Do it. *poltrona.*] *S. f.* **1.** Grande cadeira de braços, ordinariamente estofada. **2.** Sela com arções baixos. **3.** *Bras.* Cadeira de platéia, em teatros e cinemas.
poltrona[2]. *S. f.* e *adj. (f.).* Fem. de *poltrão.*
poltronaria. *S. f.* Qualidade ou procedimento de poltrão; poltronice.
poltronear. *V. int.* Portar-se como poltrão; dar mostras de poltronaria; acovardar-se, intimidar-se. [Conjug.: v. *frear.* Cf. *poltronear-se.*]
poltronear-se. *V. p.* Recostar-se em poltrona; refestelar-se, repoltrear-se. [Conjug.: v. *frear.* Cf. *poltronear.*]
poltronice. *S. f.* Poltronaria.
polução. [Do lat. *pollutione.*] *S. f.* **1.** Poluição. **2.** Emissão involuntária de esperma. [Cf., nesta acepç., *ejaculação* (5).]
polucional. *Adj 2 g.* Relativo a polução.
poluente. [Do lat. *polluente.*] *Adj. 2 g.* Que polui; poluidor: "ação depredatória excessiva ou p o l u e n t e" (*O Estado de S. Paulo,* SP, 10.12.71).
poluição (u-i). *S. f.* Ato ou efeito de poluir(-se); polução.
poluído. [Part. de *poluir.*] *Adj.* Em que houve ou há poluição.
poluidor (u-i...ô). *Adj.* Poluente.
poluir. [Do lat. *polluere.*] *V. t. d.* **1.** Sujar, corromper, tornando prejudicial à saúde: *As leis tentam impedir que fábricas e veículos continuem p o l u i n d o o ambiente.* **2.** Sujar, macular: "Quem p o l u i u, quem rasgou os meus lençóis de linho, / onde esperei morrer, — meus tão castos lençóis?" (Camilo Pessanha, *Clepsidra e Outros Poemas,* p. 203.) **3.** Manchar ou macular a honra, o lustre, a dignidade de; profanar, deslustrar, corromper, desdourar, conspurcar: *p o l u i r homens de bem. P.* **4.** Cometer ação infamante; corromper-se, perverter-se: *Homens como este não s e p o l u e m por dinheiro.* [Conjug.: v. *atribuir.*]
poluível. *Adj. 2 g.* Que se pode poluir.
poluto. [Do lat. *pollutu.*] *Adj.* Manchado, maculado, corrompido: "Num mundo escuro e p o l u t o se desentendem os amantes" (Álvaro Pacheco, *A Matéria do Sonho*).
Pólux (cs). [Do mit. lat. *Pollux.*] *S. f. Astr.* Nome tradicional da estrela beta dos Gêmeos. [Cf. *Castor* (3).]
polvadeira. [Do esp. plat. *polvadera.*] *Bras., RS. S. f.* **1.** Poeirada (1 e 2): "e o cachorrinho .... troteava miúdo e ligeiro dentro da p o l v a d e i r a rasteira que as patas do flete levantavam." (Simões Lopes Neto, *Contos Gauchescos e Lendas do Sul,* p. 128). ● *S. m.* **2.** Turbulento ou desordeiro, mas covarde. **3.** V. *valentão* (3).
polvarim. *S. m. Expl.* Var. de *polvorim.*
polvarinho. *S. m. Expl. Var.* dissimilada de *polvorinho:* "Um embornal de milho fresco ... Um p o l v a r i n h o de pólvora seca..." (Albertino Moreira, *Boca-Pio,* p. 71.)
polvilhação. *S. f.* Ato ou efeito de polvilhar; polvilhamento.
polvilhamento. *S. m.* Polvilhação.
polvilhar. [De *polvilho* + *-ar[2].*] *V. t. d.* **1.** Cobrir de pó; salpicar de pó; enfarinhar, empoar: *Usou enxofre para p o l v i l h a r a plantação. T. d. e i.* **2.** Cobrir, tornar recoberto (de pós): *p o l v i l h a r a comida de sal;* "limpava as latrinas, espalhava desinfetantes, ... p o l v i l h a v a as vias de um pó branco e misterioso." (José Rodrigues Miguéis, *Gente da Terceira Classe,* p. 66.) [Sin. ger.: *apolvilhar.*]
polvilheiro. *S. m. Bras.* Fabricante de polvilho.
polvilho. [Do esp. *polvillo.*] *S. m.* **1.** Pó fino. **2.** Farinha amilácea finíssima, que se obtém da mandioca. **3.** Amido (2). **4.** *Bras.* Tapioca ou goma. ~ V. *polvilhos.*
polvilhos. [Pl. de *polvilho.*] *S. m. pl.* **1.** Pós para branquear o cabelo. **2.** Qualquer substância em pó, de aplicação medicamentosa, culinária, etc. ~ V. *polvilho.*
polvo (ô). [Do gr. *pól'ypous,* 'de muitos pés', atr. do lat. *polypu.*] *S. m.* Designação comum aos moluscos cefalópodes, octópodes, caracterizados por terem oito tentáculos circundando a abertura bucal córnea, com o feitio de bico de papagaio, e corpo formado por um saco ovóide desprovido de concha. Usam-se como alimento. No Brasil são comuns as espécies gênero *Octopus* Lam., especialmente *O. tehuelchus* Orb., que raro chega a 1 m. As grandes espécies, com até 12 m de comprimento, são conhecidas apenas na Austrália.
pólvora. [Do cat. *polvora,* atr. do esp. *pólvora.*] *S. f.* **1.** Mistura (*pólvora mecânica*) ou composto químico (*pólvora química*) explosivo, utilizado como carga de propulsão ou de arrebatamento em projetis, bombas, minas, etc. **2.** Qualquer das substâncias explosivas empregadas para carregar armas de fogo. **3.** *Expl.* V. *baixo explosivo.* **4.** *Bras.* Designação comum a mosquitos pequeníssimos e muito incômodos. ◆ **Pólvora chocolate.** *Expl. Ant.* Variedade de pólvora negra usada em armas de longo alcance. **Pólvora de atirar.** *Expl.* Polvorim (1). **Pólvora de base dupla.** *Expl.* A constituída de um composto de nitrocelulose e nitroglicerina. **Pólvora de base simples.** *Expl.* A constituída de nitrocelulose. [Tem o inconveniente de ser muito instável.] **Pólvora mecânica.** *Expl.* A constituída de elementos misturados, que não se combinam quimicamente; p. ex., a pólvora negra. **Pólvora negra.** Substância explosiva constituída pela mistura de salitre, carvão e enxofre. **Pólvora pirotécnica.** *Expl.* A que se utiliza em fogos de artifício e usualmente provém de resíduos da fabricação de outros tipos de pólvora. **Pólvora química.** *Expl.* A constituída de elementos que se combinam quimicamente, como, p. ex., o algodão-pólvora ou a nitrocelulose. **Pólvora seca.** Carga (12) sem projetil, que provoca, apenas, estampido. **Pólvora sem fumaça.** *Expl.* Pólvora química, sobretudo de base dupla, que, diversamente da pólvora negra, quase não produz fumaça ao inflamar-se. **Brincar com pólvora.** Não ligar importância a perigos; arriscar-se, expor-se. **Descobrir a pólvora.** Ter pressuposta originalidade.
pólvora-com-farinha. *Adj. 2 g.* e *2 n.* Sal-e-pimenta.
polvorada. *S. f.* Explosão ou fumaça de pólvora.
polvorento. [Do esp. *polvoriento.*] *Adj.* Que se desfaz em pó.
polvorim. [Do esp. *polvorín.*] *S. m. Expl.* **1.** Pólvora negra, de grãos muito finos; pólvora de atirar. **2.** Pó que sai da pólvora. [Var.: *polvarim.*]
polvorinho. *S. m.* Utensílio onde se leva pólvora para a caça: "o Bermudes ofereceu-lhes um presente de cinco espingardas com suas chumbeiras e p o l v o r i n h o s" (Aquilino Ribeiro, *Portugueses das Sete Partidas,* p. 80). [Var.: *polvarinho.*]
polvorosa. [Do esp. *polvorosa,* 'poeirenta'.] *S. f. Pop.* **1.** Grande atividade; azáfama, rebuliço, roda-viva. **2.** Agitação, perturbação, tumulto. ◆ **Em polvorosa. 1.** Tomado de grande agitação, pressa, azáfama. **2.** Muito desarrumado; desarranjado, desorganizado: *Ao retornar, encontrou a casa e m p o l v o r o s a.*
polvoroso (ô). [Do esp. *polvoroso.*] *Adj.* Poeirento, poento, pulverulento.
poma. [De *pomo.*] *S. f.* **1.** Seio de mulher; mama, pomo: "a espalda, o busto / E as torres de marfim das p o m a s nuas" (Raimundo Correia, *Poesias,* p. 75). **2.** *Fig.* Qualquer esfera ou bola.
pomacentrídeo. *S. m.* **1.** Espécime dos pomacentrídeos. ● *Adj.* **2.** Pertencente ou relativo a eles.
pomacentrídeos. *S. m. pl. Zool.* Família de peixes crossopterígios, da ordem dos percomorfos, marinhos, forma oblonga, cor castanha, e mancha negra na base das nadadeiras peitorais. Ex.: a maria-mole.
pomada. [Do it. *pomata,* pelo fr. *pomade.*] *S. f.* **1.** *Farmac.* Forma (18) farmacêutica, ou de perfumaria. **2.** *Bras.* Vaidade, presunção. **3.** *Bras.* V. *mentira* (1).
pomadasídeo. *S. m.* **1.** Espécime dos pomadasídeos. ● *Adj.* **2.** Pertencente ou relativo a eles.
pomadasídeos. *S. m. pl. Zool.* Família de peixes crossopterígios que compreende, segundo a maioria dos autores, *Anisotremus* e *Plectorhincus.* [Outros reúnem também a família *Haemulidae.*]
pomadear. *V. int. Bras.* Mostrar-se cheio de pomada ou presunção; proceder como pomadista ou presunçoso: *P o m a d e i a - s e com um diploma comprado.* [Conjug.: v. *frear.*]
pomadista. [De *pomada* + *-ista.*] *Adj. 2 g.* e *s. 2 g. Bras.* **1.** Diz-se de, ou pessoa pedante, vaidosa, presunçosa. **2.** V. *mentiroso* (1 e 4).
pomar. [Do b.-lat. *pomare,* por *pomariu.*] *S. m.* **1.** Arvoredo frutífero. **2.** Terreno onde crescem numerosas árvores frutíferas.
pomarada. *S. f.* Reunião de pomares.
pomareiro. *Adj.* **1.** Referente a pomar. **2.** Que cuida de pomares. ● *S. m.* **3.** Cultivador ou guarda de pomar.
pomari. *Bras. S. 2 g.* **1.** Indivíduo dos pomaris, tribo indígena da Amaz. ● *Adj. 2 g.* **2.** Pertencente ou relativo a essa tribo.
pomba. [Do lat. *palumba.*] *S. f.* **1.** Designação comum a todas as aves columbiformes, da família dos columbídeos, de vôo possante, bico coberto de cera na base, e granívoras. Constroem ninhos muito toscos, de gravetos na maioria. A espécie doméstica originou-se de *Columbia livia.* L. da região paleártica, e atualmente é criada para servir de alimento e como pombo-correio. [Sin.: *picaú.*] **2.** Vasilha de cobre para a qual se passa o caldo limpo da cana, nos engenhos de açúcar. **3.** *Bras., N.E. Pop.* O pênis. **4.** *Bras., S.* e *C.O. Pop.* A vulva. ● Interj. **5.** *Gíria.* Pombas. ~ V. *pombas.* ◆ **Pomba sem fel.** Pessoa ingênua, sem maldade. [Us. muitas vezes ironicamente.]
pomba-amargosa. *S. f. Bras.* Designação comum a algumas espécies de pombas da família dos columbídeos, particularmente a subespécie *Columba plumbea* Vieil., de plumagem quase incolor, mais ou menos cinzenta; pomba-de-santa-cruz, pomba-santa-cruz, pomba-preta, picuçaroba, caçuiroba, caçuirova. [Pl.: *pombas-amargosas.*]
pomba-cabocla. *S. f. Bras.* V. *juriti-vermelha.* [Pl.: *pombas-caboclas.*]
pomba-cascavel. *S. f. Bras.* V. *fogo-pagou.* [Pl.: *pombas-cascavéis* e *pombas-cascavel.*]
pomba-de-arribação. *S. f. Bras.* V. *avoante.* [Pl.: *pombas-de-arribação.*]
pomba-de-bando. *S. f. Bras.* V. *avoante.* [Pl.: *pombas-de-bando.*]
pomba-de-santa-cruz. *S. f. Bras.* V. *pomba-amargosa.* [Pl.: *pombas-de-santa-cruz.*]
pomba-do-ar. *S. f. Bras., MG* e *SP.* V. *pomba-legítima.* [Pl.: *pombas-do-ar.*]
pomba-do-cabo. [De *pomba* + *do* + o top. *Cabo* (da Boa Esperança).] *S. f. Bras.* Ave procelariforme, da família dos procelarídeos (*Daption capensis* (L.)), do Atlântico e Pacífico meridionais, coloração branca, com a cabeça negra e as asas negras com duas manchas brancas. Nidifica na região antártica, e alimenta-se de peixes. [Sin.: *feixas-fradinho.* Pl.: *pombas-do-cabo.*]
pomba-do-sertão. *S. f. Bras.* V. *avoante.* [Pl.: *pombas-do-sertão.*]
pomba-espelho. *S. f. Bras.* Ave columbiforme, da família dos columbídeos (*Claravis geoffroyi* (Tem. & Knip)), do

S.E. do Brasil e países limítrofes, de coloração geral cinzento-escura, retrizes das asas ornadas de larga fita violeta, rêmiges e cauda quase negras, abdome e uropígio esbranquiçados; a fêmea é pardo-amarelada. Alimenta-se de sementes e pequenos frutos. [Sin.: *pararu*. Pl.: *pombas-espelhos* e *pombas-espelho*.]
pomba-galega. *S. f. Bras., CE.* V. *pomba-legítima*. [Pl.: *pombas-galegas*.]
pomba-gemedeira. *S. f. Bras., RJ.* V. *pomba-legítima*. [Pl.: *pombas-gemedeiras*.]
pombal. *S. m.* Casa ou local onde se recolhem ou criam pombos.
pomba-legítima. *S. f. Bras.* Ave columbiforme, da família dos columbídeos (*Columba rufina sylvestris* Vieil.), do Paraguai, N. da Argentina e quase todo o Brasil até a margem direita do rio Amazonas. A plumagem é multicolor, com penas marginadas de escuro exceto no pescoço e vértice, esverdeados com brilho metálico. [Sin.: *pomba-galega, galega, pomba-gemedeira; pomba-do-ar, pomba-pucaçu, pucaçu, picaçu, picaúro, picuçaroba, saroba, sarova, caçaroba, caçarova*. Pl.: *pombas-legítimas*.]
pombalense[1]. *Adj. 2 g.* **1.** De, ou pertencente ou relativo a Pombal (PB). ● *S. 2. g.* **2.** Natural ou habitante de Pombal.
pombalense[2]. *Adj. 2 g.* **1.** De, ou pertencente ou relativo a Ribeira do Pombal (BA). ● *S. 2 g.* **2.** Natural ou habitante de Ribeira do Pombal.
pomba-lesa. [De *pomba* (3) + o fem. de *leso*.] *S. m.* **1.** *Bras., PB* e *PE.* Indivíduo sexualmente impotente. **2.** *Bras., PB.* Tolo, abobado, imbecil. [Pl.: *pombas-lesas*.]
pombalino. *Adj.* Relativo ao, ou próprio do primeiro Marquês de Pombal, Sebastião José de Carvalho e Melo (1699-1782), estadista português, ou à sua época.
pomba-pararu. *S. f. Bras.* V. *rola-azul*. [Pl.: *pombas-pararus* e *pombas-pararu*.]
pomba-pedrês. *S. f. Bras.* V. *pomba-trocaz*. [Pl.: *pombas-pedreses*.]
pomba-preta. *S. f. Bras.* V. *pomba-amargosa*. [Pl.: *pombas-pretas*.]
pomba-pucaçu. *S. f. Bras.* V. *pomba-legítima*. [Pl.: *pombas-pucaçus*.]
pomba-rola. *S. f. Bras.* V. *picuí*. [Pl.: *pombas-rolas*.]
pomba-santa-cruz. *S. f. Bras.* V. *pomba-amargosa*. [Pl.: *pombas-santa-cruz*.]
pombas. *Interj. Gír.* Indica admiração, espanto, surpresa ou imitação; pomba: "Sou um homem descasado, *pombas*!" (José Carlos Oliveira, *Jornal do Brasil*, 19.10.1980.) ~ V. *pomba*.
pomba-trocal. *S. f. Bras.* **1.** Ave columbiforme, da família dos columbídeos (*Columba speciosa* Gmel.), do México, América Central e quase todo o Brasil, de plumagem multicor, penas do pescoço marginadas de cor escura, cabeça e o dorso pardo-avermelhados, e nuca, garganta e peito com brilho cúpreo. [Tb. se diz apenas *trocal*. Sin.: *rola-pedrês, pirauí*.] **2.** V. *pomba-trocaz*. [Pl.: *pombas-trocais* e *pombas-trocal*.]
pomba-trocaz. *S. f. Bras.* **1.** Ave columbiforme, da família dos columbídeos (*Columba picazuro* Tem.), do C. e L. da América meridional, de coloração pardo-acinzentado-violácea, com penas orladas de branco, o que lhe dá uma aparência escamosa, e abdome plúmbeo. Vive em bandos, e é uma das maiores pombas brasileiras, muito popular no N.E., onde recebe o nome de *asa-branca*. [Outros sin.: *pomba-trocal, jacaçu, pomba-pedrês*.]
pombear. [Alter. de *pombeirar* (q. v.).] *V. int. Bras.* **1.** Trabalhar como pombeiro[2]. *T. d.* **2.** Seguir no encalço de; perseguir: *A polícia* p o m b e o u *os cangaceiros.* **3.** Observar às ocultas; espionar, espreitar: *Escondido entre os arbustos,* p o m b e a v a *os assaltantes.* [Sin. ger.: *pombeirar*. Conjug.: v. *frear*.]
pombeira. *S. f. Bras.* V. *âncora* (1).
pombeirar. [De *pombeiro*[2] + *-ar*[2].] *V. int.* e *t. d. Bras.* V. *pombear*.
pombeiro[1]. [Do quimb. *pumbelu*.] *S. m.* Negociante ou emissário que atravessava os sertões comerciando com indígenas.
pombeiro[2]. *S. m. Bras.* Espião da polícia.
pombeiro[3]. [De *pombo* + *-eiro*.] *Adj.* **1.** Diz-se de uma variedade miúda de milho branco. ● *S. m.* **2.** *Bras.* Vendedor ambulante de pombos, galinhas, etc. **3.** *Bras., N.E.* Revendedor de peixe.
pombinha. [Dim. de *pomba*.] *S. f.* **1.** Carne em redor da cauda e das nádegas das reses. **2.** *Bras., S. Pop.* As partes pudendas da mulher; pomba. **3.** Fruta-de-pomba.
pombinha-das-almas. *S. f. Bras., SP.* Designação comum às aves passeriformes, da família dos tiranídeos, do gênero *Xolmis* Boie, especialmente *X. velata* (Lich.), com ampla distribuição no Brasil, de coloração geral cinzenta, asas pretas com espelho branco e cauda branca com larga fita preta. São comuns nas regiões descampadas, sobretudo nos cerrados, e alimentam-se apenas de insetos. [Sin.: *mocinha-branca, primavera*. Cf. *lavandeira* (2) e *maria-branca*. Pl.: *pombinhas-das-almas*.]
pombinho. [Dim. de *pombo*.] *Adj.* Diz-se duma variedade de trigo.
pombo. [Do lat. *palumbu*.] *S. m.* **1.** O macho da pomba (1). **2.** *Bras., ES* e *RJ.* Charuto usado nas cerimônias das macumbas. **3.** *Bras., CE. Pop.* Invólucro de fezes lançado à rua. [Sin., nesta acepç., em *AL* e *MG*: *pombo-sem-asa*.] ● *Adj.* **3.** *Bras.* Diz-se do cavalo branco.
pombo-anambé. *S. m. Bras.* V. *anambé-açu*. [Pl.: *pombos-anambés* e *pombos-anambé*.]
pomboca. [De *boboca*?] *Adj. 2 g.* e *s. 2 g. Bras., N.E. Fam.* Diz-se de, ou pessoa moleirona, incapaz. [M. us. como s. 2 g.]
pombo-correio. *S. m.* **1.** Variedade de pombo (1) que se utiliza para levar comunicações e correspondência. **2.** *Fig.* Aquele que faz o papel de pombo-correio (1), levando mensagens de uma pessoa a outra. [Pl.: *pombos-correios*.]
pombo-sem-asa. *S. m.* **1.** *Bras., AL* e *MG. Pop.* V. *pombo* (3). **2.** *Bras., RS.* Pedra que se arremessa; pedrada. [Pl.: *pombos-sem-asa*.]
pomerânio. *Adj.* **1.** Da, ou pertencente ou relativo a Pomerânia (Polônia), região que no decurso da história foi objeto de disputa entre a Prússia, a Suécia e a Polônia. ● *S. m.* **2.** O natural ou habitante da Pomerânia.
▲**pomi-.** [Do lat. *pomum, i.*] *El. comp.* = 'fruta', 'pomo': *pomicultura*. [Equiv.: *pomo-*: *pomologia*.]
pomicultor (ô). [De *pomi-* + *cultor*.] *S. m.* Aquele que se dedica à pomicultura.
pomicultura. [De *pomi-* + *cultura*.] *S. f.* Cultura das árvores frutíferas.
pomífero. [De *pomi-* + *-fero*.] *Adj.* Que tem ou produz pomos.
pomiforme. [De *pomi-* + *-forme*.] *Adj. 2 g. Morfol. Veg.* Semelhante a uma maçã; maliforme: *baga* p o m i f o r m e.
pomo. [Do lat. *pomu*.] *S. m.* **1.** *Morfol. Veg.* Fruto complexo, carnoso e indeiscente, com a parte central subdividida em lojas coriáceas correspondentes ao número de carpelos, e em cuja constituição toma parte, além do ovário, o receptáculo, que forma a porção carnosa comestível. Ex.: a maçã, a pêra, o marmelo. **2.** *Poét.* V. *poma* (1). ◆ **Pomo de discórdia.** Coisa ou pessoa que origina discórdia.
▲**pomo-.** Equiv. de *pomi-*.
pomo-de-adão. [De *pomo* + *de* + o antr. *Adão*.] *S. m.* A saliência da cartilagem tireóide: "inglês de sapatos brancos e cachimbo, com o p o m o - d e - a d ã o saliente como um bico" (Marques Rebelo, *A Mudança*, p. 231). [Tb. se diz apenas *adão*; sin.: *maçã-de-adão, nó-de-adão, nó da garganta, nó da goela, gogó*. Pl.: *pomos-de-adão*.]
pomologia. [De *pomo-* + *log(o)-* + *-ia*.] *S. f.* O estudo das árvores frutíferas.
pomológico. *Adj.* Referente à pomologia.
pomólogo. *S. m.* Especialista em pomologia.
pomona. [Do mit. lat. *Pomona*.] *S. f.* **1.** *Mitol.* Deusa dos pomares **2.** *Poét.* O outono.
pompa. [Do gr. *pompé*, 'procissão', pelo lat. *pompa*, 'séquito, cortejo, procissão'.] *S. f.* **1.** Aparato suntuoso e magnífico; ostentação, bizarria. **2.** Grande luxo; fausto, gala.
pompeano[1]. *Adj.* **1.** De, ou pertencente ou relativo a Pompéu (MG). ● *S. m.* **2.** O natural ou habitante de Pompéu.
pompeano[2]. *Adj.* **1.** De, ou pertencente ou relativo a Pompéia (SP). ● *S. m.* **2.** O natural ou habitante de Pompéia.
pompeante. *Adj. 2 g.* Que pompeia.
pompear. [De *pompa* + *-ear*.] *V. t. d.* **1.** Expor vaidosamente; ostentar, brilhar: *As mulheres* p o m p e a v a m *caras jóias*; "P o m p e a v a Felisberto Caldeira .... a riqueza deslumbradora do contrato .... para a extração dos diamantes" (Afonso Arinos, *Pelo Sertão*, p. 137). *Int.* **2.** Exibir pompa; ostentar riqueza; pimpar, pimponar: *Os ricos* p o m p e i a m *nos grandes salões.* **3.** Exibir viço ou beleza; brilhar: P o m p e i a m *praias e matas, no verão.* [Conjug.: v. *frear*. Pres. ind.: *pompeio, pompeias, pompeia, pompeamos, pompeais, pompeiam*. Cf. *Pompéia*, top. e antr.]
pompilídeo. *S. m.* **1.** Espécime dos pompilídeos. ● *Adj.* **2.** Pertencente ou relativo a eles.
pompilídeos. *S. m. pl. Zool.* Família de insetos da ordem dos himenópteros, que compreende vespas caçadoras de aranhas, de corpo delgado, pernas longas e cheias de espinhos, de cor escura e asas cinzentas ou amareladas, e em geral com 3 cm de comprimento. Atacam as aranhas no chão, ou em suas tocas, paralisando-as, e depositam seus ovos sobre elas, que servirão de repasto às larvas.
pompom. [Do fr. *pompon*.] *S. m.* **1.** Borla de fios curtos de seda, algodão, lã, etc., cortados em forma esférica, usada como enfeite. **2.** Objeto análogo para pôr pó-de-arroz na pele.
pomposo (ô). [Do lat. *pomposu*.] *Adj.* Em que há, ou que revela pompa.
pômulo. [Do lat. *pomulu*.] *S. m.* Maçã do rosto: "aquele insignificante rosto moreno, um tanto chupado, aqueles p ô m u l o s salientes" (Aluísio Azevedo, *Casa de Pensão*, p. 12).
poncã. *S. m. Bras.* Tipo de tangerina originária do Japão, hoje cultivada em nosso país, sobretudo em São Paulo, por japoneses, e que se caracteriza pelas dimensões avantajadas e casca muito frouxa.
ponçador (ô). [De *ponçar* + *(d)or*.] *S. m. Grav.* Disco de metal com furos cônicos que conduzem areia e água, munido de cabo vertical que se empunha para fazê-lo girar sobre a pedra litográfica a fim de aparelhá-la, alisá-la ou limpá-la.
ponçagem. *S. f. Grav.* Ato ou efeito de ponçar.
ponçar. [Do fr. *poncer* < *ponce*, 'pedra-pomes'.] *V. t. d. Grav.* Passar pedra-pomes ou ponçador na pedra litográfica, a fim de aparelhá-la e alisá-la, ou, ainda, limpá-la, i. e., anular em sua superfície a imagem anteriormente gravada. [Conjug.: v. *laçar*. Cf. *granir*.]
poncatejé. *Bras. S. 2 g.* **1.** Indivíduo dos poncatejés, tribo indígena jê das margens do Tocantins (PA e GO). ● *Adj. 2 g.* **2.** Pertencente ou relativo a essa tribo.
ponchaço. *S. m. Bras., S.* **1.** Pancada com poncho. **2.** Grande porção de coisas ou de dinheiro. [Sin. ger.: *ponchada*.]
ponchada. *S. f. Bras., S.* Ponchaço.
ponche[1]. [Do hid. *pāc*, 'cinco' (cinco ingredientes), < sânscr. *pañca*, pelo ingl. *punch*.] *S. m.* **1.** Bebida feita com aguardente, rum ou conhaque, sumo e casca de limão, chá, açúcar, etc. **2.** *Bras.* Bebida feita, em geral, com vinho, água mineral e frutas picadas. **3.** *Bras., N.E.* Refresco de frutas: "Do loiro caju, / Anália, bebamos / O p o n c h e gostoso, / Que aviva o prazer" (José da Natividade Saldanha, *ap.* Sérgio Buarque de Holanda, *Antologia dos Poetas Brasileiros da Fase Colonial*, II, p. 267).
ponche[2]. *S. m. Bras., SP.* Var. de *poncho*.
poncheira. *S. f.* Vaso onde se faz e/ou serve o ponche[1].
poncho. [Do araucano *pontho* ou do esp. *pocho*, 'descorado', pelo esp. plat. *poncho*.] *S. m. Bras., S.* Capa quadrangular, de lã grossa, com uma abertura no meio, pela qual se passa a cabeça. [Var., em SP: *ponche*.] ◆ **Poncho do pobre.** *Bras., S.* O Sol; poncho dos pobres. **Poncho dos pobres.** *Bras., S.* Poncho do pobre. **Forrar o poncho.** *Bras., S.* Ter bom lucro; ganhar muito dinheiro. **Passar por baixo do poncho.** *Bras. S.* Passar às escondidas; contrabandear. **Pisar no poncho de.** *Bras., S.* V. *sacudir o poncho de*. **Sacudir o poncho de.** *Bras., S.* **1.** Ofender, insultar. **2.** Desafiar, provocar. [Sin. ger.: *pisar no poncho de*.]
poncho-pala. *S. m. Bras., RS.* Poncho leve; pala. [Pl.: *ponchos-palas*.]
➡**poncif.** [Fr.] *S. m.* Trabalho banal, sem originalidade.
ponçó. [Do fr. *ponceau*, 'da cor vermelho-viva da papoula'.] *Adj. 2 g. Ant.* **1.** De cor vermelha como fogo. **2.** Diz-se dessa cor. ● *S. m.* **3.** Essa cor.
ponderabilidade. *S. f.* Qualidade de ponderável.
ponderação. [Do lat. *ponderatione*.] *S. f.* **1.** Ato ou efeito de ponderar. **2.** Reflexão, meditação, consideração: *Depois de longa* p o n d e r a ç ã o, *resolveu aceitar a proposta.* **3.** Tino, prudência, juízo, circunspeção, bom senso: *Confie na* p o n d e r a ç ã o *do rapaz.* **4.** Importância, relevância, peso: *tema de grande* p o n d e r a ç ã o.
ponderado. [Part. de *ponderar*.] *Adj.* Que tem ou denota ponderação (2 e 3): *pessoa sensata,* p o n d e r a d a; *argumentos* p o n d e r a d o s; "Resolvia tudo por bem, com palavras e atos p o n d e r a d o s" (Marques Rebelo, *Marafa*, p. 33).
ponderador (ô). [Do lat. *ponderatore*.] *Adj.* e *s. m.* Que ou aquele que pondera.
ponderal. [Do lat. *pondere*, 'peso', + *-al*.] *Adj. 2 g.* Relativo a peso.
ponderar. [Do lat. *ponderare*.] *V. t. d.* **1.** Examinar com atenção e minúcia; apreciar maduramente; considerar, medir, pesar: *O relator só dará parecer depois de*

ponderar cada argumento. **2.** Expor, alegar (coisa importante, que merece reflexão, ponderação): *Ponderara que a abdicação seria humilhante.* **3.** Ter em consideração; considerar: *Ponderai o possível resultado de cada ato antes de o praticar.* **4.** *Mat.* Atribuir pesos para extração de uma média a (uma grandeza ou uma função). *T. d. e i.* **5.** Dizer em defesa de uma opinião; alegar, observar: *Experiente, ponderou aos jovens que atentassem para a História. T. i.* **6.** Pensar muito; refletir, meditar: *Ponderamos sobre a proposta antes de qualquer resolução.*

ponderativo. [Do lat. *ponderatu*, part. pass. de *ponderare*, 'ponderar', + *-ivo*.] *Adj.* Que faz ponderar.

ponderável. [Do lat. *ponderabile*.] *Adj. 2 g.* **1.** Que se pode ponderar. **2.** Que merece ponderação (2). **3.** Que pode ser pesado: *Esse gás não é ponderável.*

ponderoso (ô) [Do lat. *ponderosu*.] *Adj.* **1.** Que tem peso (1); pesado: "enchia ele uma ou duas páginas à luz do ponderoso candeeiro de latão amarelo de três bicos" (Rebelo da Silva, *Contos e Lendas*, p. 9). **2.** Importante, relevante: *cargo ponderoso; negociação ponderosa.* **3.** Digno de atenção; notável: *Chopin tem obras de ponderosos efeitos pianísticos.* **4.** Grave, sério: *Escreveu uma ponderosa obra sobre economia.* **5.** Que impressiona; convincente: *argumento ponderoso.*

pondra. *S. f. Pop.* Var. aferética de *alpondra*.

pônei. [Do ingl. *pony*, pelo fr. *poney*.] *S. m.* Cavalo da Bretanha, pequeno, porém ágil e fino: "os cães mansos, os gatos amimalhados, os pequenos pôneis de sela" (Ramalho Ortigão, *Pela Terra Alheia*, II, p.189).

ponente. [Do lat. *ponente*.] *Adj. 2 g. e s. m. Poét.* Poente: "Amarelado o sol, e túrbido o ponente; / Nublada, toda em volta, a lua no crescente" (Bulhão Pato, *Livro do Monte*, p. 18).

ponerínео. *S. m.* **1.** Espécime dos poneríneos. ● *Adj.* **2.** Pertencente ou relativo a eles.

poneríneos. *S. m. pl. Zool.* Subfamília de insetos da ordem dos himenópteros, família dos formicídeos, que se caracterizam por possuir o pecíolo do abdome com um segmento e uma constrição distinta entre o primeiro e o segundo segmento do gáster.

ponfólige. [Do gr. *pompholyx*, 'bolha de ar ou de água' pelo lat. *pompholige*.] *S. f. Patol.* Pênfigo.

ponga. *S. f.* **1.** *Bras., N.* Jogo de dados que se faz em um quadrilátero de madeira ou de papel dividido por duas diagonais e duas perpendiculares que se cruzam. **2.** *Bras., MA.* V. *punga*[2]. **3.** *Bras.* V. *sabiá-laranjeira*.

pongaiense (a-í). *Adj. 2 g.* **1.** De, ou pertencente ou relativo a Pongaí (SP). ● *S. 2 g.* **2.** Natural ou habitante de Pongaí.

pongar. [Var. de *bongar*.] *V. t. d. Bras., N.E.* Subir para (o bonde ou outro veículo) em movimento. [Conjug.: v. *largar*.]

pongo[1]. [Do mal. *pongo*.] *S. m.* V. *chimpanzé*.

pongo[2]. [Do quíchua *pumco*, 'porta', pelo esp. amer. *pongo*.] *S. m. Bras.* Trecho de um rio, apertado entre montes escarpados.

pongó. *Adj. 2 g. e s. 2 g. Bras., RS.* V. *tolo* (1 a 3, e 8).

ponhar. [De *ponho*, 1ª p. sing. pres. ind. de *pôr*, *-ar*[2].] *V. t. d. e t. d. e c. Bras., S. e C.O. Pop.* Pôr: "— A gente não tem é cômodo adonde ponhar o desinfeliz..." (Bernardo Élis, *Ermos e Gerais*, p. 10); "Só aquela carijó rabona é que ponhou um ovo, ontem..." (Telmo Vergara, *Contos da Vida Breve*, p. 210); "quem não me der esmola eu quebro de manguara, porque ninguém tem coragem de me ponhar a mão" (Valdomiro Silveira, *Os Caboclos*, p. 76).

ponjê. [Do chin. *pen-chi*, 'tecido em casa', atr. do ingl. *pongee* e do fr. *pongée*.] *S. m.* Tecido leve, do tipo do tussor, feito de lã e seda.

ponom. [De possível or. indígena.] *S. m. Bras. MA.* V. *água-viva* (2).

ponta. [Do lat. *puncta*, 'estocada'.] *S. f.* **1.** A parte ou o ponto em que alguma coisa termina; extremidade: *ponta de uma rua, de uma corda, de uma linha.* **2.** Extremidade aguçada; bico: *ponta de faca, de alfinete.* **3.** Extremidade estreita, delgada: *a ponta do sapato; a ponta do guarda-chuva; a ponta do dedo; a ponta do nariz.* **4.** O princípio ou fim de uma série. **5.** Bico[1] (4). **6.** Extremidade em ângulo; canto: *a ponta de um lenço; a ponta da mesa.* **7.** Vértice (3): *a ponta duma pirâmide, dum telhado.* **8.** Qualquer saliência que tenha ponta (2, 3, 5 e 6): *escultura cheia de pontas.* **9.** Chifre, corno, chavelho. **10.** V. *guimba*. **11.** *Fig.* Um pouco; pontinha: *uma ponta de febre; ponta de malícia.* **12.** *P. ext.* Pitada (2): *uma ponta de sal e outra de pimenta.* **13.** *Geog.* Ponta de terra. **14.** *Grav.* Estilete de metal, pouco aguçado, com que o gravador a água-forte desenha sobre o verniz, descobrindo o metal; agulha. [Cf. *choupa*[1] (3) e *ponta-seca*.] **15.** *Teat., Cin.* e *Telev.* Papel curto, ou de importância secundária, ao qual por vezes não corresponde texto algum; figuração: "De pequena estatura, rechonchudo, fazia também pontas nas comédias." (Brito Broca, *Memórias*, p. 90.) **16.** *Teat., Cin.* e *Telev.* V. *extra*[1] (4). **17** *Tip.* V. *cravador* (3). **18.** *Bras.* Pequena porção de animais. **19.** *Bras.* Lugar de um rio onde a passagem é difícil. **20.** *Bras.* Evidência, destaque, voga; glória: *andar, estar, viver na ponta.* **21.** *Bras.* Renda com um dos lados em pontas ou bicos, ou em curvas. [Cf. *entremeio* (4).] **22.** *Bras. Coreog.* Biqueira reforçada da sapatilha de bailarina. **23.** *Bras. Coreog.* Atitude da bailarina que faz evoluções apoiando os artelhos retesados na ponta da sapatilha, de jeito que o pé fique praticamente em posição vertical. **24.** *Bras. Fut.* A parte lateral do campo mais afastada do centro. **25.** *Bras. Fut.* Jogador que ocupa a posição de ponta-direita [q. v.] ou ponta-esquerda [q. v.]; ponteiro. ~ V. *pontas*. ♦ **Ponta de diamante.** *Arquit.* V. *bico de diamante*. **Ponta de terra.** *Geog.* Cabo que se estreita à medida que avança sobre o mar; ponta. **Ponta dos trilhos.** Lugar onde termina uma estrada de ferro. **Agüentar as pontas.** *Bras. Gír.* Agüentar a mão. **Andar na ponta.** Vestir-se com esmero; luxar: *Depois que acertou na loteria esportiva, só anda na ponta.* **Da ponta.** *Bras. Gír.* V. *da pontinha*. **De ponta a ponta.** Do princípio ao fim; de cabo a rabo. **De ponta com.** *Bras.* De relações estremecidas com (alguém); zangado: *andar, estar, viver de ponta com várias pessoas;* "o Firmo andava sempre de ponta com os companheiros e, mais de uma vez, o descante acabou varrido à faca" (Coelho Neto, *Sertão*, p. 153). **Em pontas de pé.** V. *pé ante pé:* "Em pontas de pé, dissimulando o tilintar das rosetas no cachorro das esporas, Zé menino alcançou o alpendre, a banda, desamarrou a mula estradeira" (Hugo de Carvalho Ramos, *Tropas e Boiadas*, p. 8). **Na ponta da unha.** Com rapidez. **Na ponta do pé.** V. *pé ante pé*. **Nas pontas dos pés.** V. *pé ante pé*. **Pegar uma ponta.** *Bras., N.E.* V. *namorar* (9). **Saber na ponta da língua.** Ter (lição, assunto, etc.) perfeitamente sabido, estudado, compreendido; saber nas pontas dos dedos, ter na ponta dos dedos: *Sabe a matéria de português na ponta da língua.* **Saber nas pontas dos dedos.** V. *saber na ponta da língua*. **Segurar as pontas.** Agüentar o rojão. **Ter na ponta dos dedos.** V. *saber na ponta da língua:* "Mrs. Oswald, que, como boa protestante que era, tinha a Escritura na ponta dos dedos, continuou por este modo, acentuando as palavras" (Machado de Assis, *A Mão e a Luva*, pp. 58-59). **Tomar de ponta.** Embirrar com (uma pessoa); trazer de ponta. **Trazer de ponta.** Tomar de ponta.

ponta-cabeça. *El. s. f.* Us. na loc. adv. *de ponta-cabeça*. ♦ **De ponta-cabeça.** *Bras.* De cabeça para baixo: *uma queda de ponta-cabeça;* "queria .... atirar-se ao tecto e cair de ponta-cabeça ao soalho, dando um salto no espaço, como um funâmbulo adestrado." (João Pacheco, *Negra a caminho da Cidade*, p. 20.)

pontaço. [Do esp. plat. *puntazo*.] *S. m. Bras., S.* V. *pontoada:* "Creio que havia uns oito, dez ou mais pontaços de faca no corpo da infeliz" (Érico Veríssimo, *Noite*, p. 129).

pontada. [De *ponta* + *-ada*[1].] *S. f.* **1.** Dor aguda e rápida; ferroada. **2.** V. *pontoada*. ♦ **Pontada no vazio.** *Pop.* Suposta dor na região ântero-lateral e inferior do abdome.

ponta-de-lança. *S. 2 g.* Elemento avançado que, num ataque ou numa investida, é capaz de penetrar no campo adversário: *O jogador tem qualidades que o destacam como ponta-de-lança do time.* [Pl.: *pontas-de-lança*.]

ponta de rama. *S. f. Bras.* O filho mais novo; o caçula; fim-de-rama, fim-de-safra. [Pl.: *pontas-de-rama*.]

ponta-direita. *S. 2 g. Bras.* Jogador de futebol que ocupa a extremidade direita da linha de avantes ou linha dianteira; extrema-direita. [Pl.: *pontas-direitas*.]

ponta-esquerda. *S. 2 g. Bras.* Jogador de futebol que ocupa a extremidade esquerda da linha de avantes ou linha dianteira; extrema-esquerda. [Pl.: *pontas-esquerdas*.]

ponta-grossense. *Adj. 2 g.* **1.** De, ou pertencente ou relativo a Ponta Grossa (PR). *S. 2 g.* **2.** Natural ou habitante de Ponta Grossa. [Pl.: *ponta-grossenses*.]

pontal. [De *ponta* + *-al*.] *S. m.* **1.** *Constr. Nav.* Altura da embarcação entre a quilha e o convés principal **2.** Ponta de terra ou penedia que penetra um pouco no mar ou no rio. **3.** Pontalete (1) de madeira serrada longitudinalmente.

pontalense. *Adj. 2 g.* **1.** De, ou pertencente ou relativo a Pontal (SP). ● *S. 2 g.* **2.** Natural ou habitante de Pontal.

pontaletar. *V. t. d.* Segurar com pontaletes. [Pres. subj.: *pontalete, pontaletes*, etc. Cf. *pontalete* (ê), pl. *pontaletes* (ê).]

pontalete (ê). *S. m.* **1.** Barrote ou peça de metal com que se escoram edifícios, pavimentos, etc. **2.** Apoio em que descansa o braço dos andores, nas procissões. [Pl.: *pontaletes* (ê). Cf. *pontalete* e *pontaletes*, do v. *pontaletar*.]

pontalinense. *Adj. 2 g.* **1.** De, ou pertencente ou relativo a Pontalina (GO). ● *S. 2 g.* **2.** Natural ou habitante de Pontalina.

pontão[1]. [Do lat. *pontone*.] *S. m.* **1.** Plataforma flutuante que, por si, ou ligada a outras, forma uma ponte. **2.** Pequena ponte. **3.** Pequeno viaduto em estradas. **4.** *Bras. AM.* Barcaça que vai de reboque e serve como pontão (1).

Pontão[2]. [De *ponta* + *-ão*.] *S. m.* **1.** Espeque ou escora. **2.** Língua de mato que avança em meio do campo.

pontapé. [De *ponta* + *pé*.] *S. m.* **1.** Pancada com a ponta do pé; panázio, chute. **2.** *Fig.* Ofensa, ultraje. **3.** *Fig.* Ato de ingratidão. **4.** *Fig.* Contratempo, azar.

Pontapear. [De *pontapé* + *-ar*[2].] *V. t. d.* Dar pontapés em. [Conjug.: v. *frear*.]

ponta-pedrense. *Adj. 2 g.* **1.** De, ou pertencente ou relativo a Ponta de Pedras (PA). ● *S. 2 g.* **2.** Natural ou habitante de Ponta de Pedras. [Pl.: *ponta-pedrenses*.]

pontar[1]. [De *ponta* + *-ar*[2].] *V. t. d.* V. *apontar* (1). [Pres. subj.: *ponte, pontes, ponteis*, etc. Cf. *pontéis*, pl. de *pontel*.]

pontar[2]. [De *apontar*[2], com aférese.] *V. t. d.* Apontar[2] (8): "Uma noite eu estava pontando uma cena entre Luísa e Tancredo, sentado no tamborete alto debaixo da cúpula" (Hermilo Borba Filho, *Margem das Lembranças*, p. 44). *Int.* **2.** Apontar[2] (9). [Pres. subj.: *ponte, pontes, ponteis*, etc. Cf. *pontéis*, pl. de *pontel*.]

pontareco. *S. m.* **1.** Ponto de costura grande e malfeito. **2.** Pontarelo.

pontarelo. *S. m.* Ponto grande e saliente, na costura. [Sin., bras.: *pontareco*.]

pontaria. [De *ponto* + *-aria*.] *S. f.* **1.** Ato de assestar, de apontar. **2.** Ação de colocar uma arma de fogo na direção da linha de mira. **3.** *P. ext.* Habilidade de acertar num alvo; mira: *A vida dele dependia da pontaria do mocinho.* **4.** *Fig.* V. *alvo*. (6). ♦ **Dormir na pontaria.** *Bras.* Fazer pontaria demorada antes de atirar. **Fazer pontaria.** Visar o alvo.

pontas. [Pl. de *ponta*.] *S. f. pl. Bras.* Cabeceiras de rio ou de arroio. ~ V. *ponta*.

ponta-seca. [De *ponta* + o fem. do adj. *seco*.] *S. f.* **1.** Instrumento com ponta afiada, de aço ou de diamante, usado pelo gravador para sulcar diretamente o metal, no processo de gravura a entalhe que tem esse nome [Cf. *ponta* (14).] **2.** Gravura à ponta-seca. **3.** A perna do compasso de desenho que não é dotada de lápis ou tiralinhas. [Pl.: *pontas-secas*.]

pontavante. [De *ponte* + *avante*.] *S. f. Ant. Constr. Nav.* Ponte ou anteparo na proa do navio.

ponte. [Do lat. *ponte*.] *S. f.* **1.** Construção destinada a estabelecer ligação entre margens opostas de um curso de água ou de outra superfície líquida qualquer [Dim. irreg.: *pontícula* e *pontilhão* (q. v.). Cf. *viaduto*.] **2.** *Ant. Constr. Nav.* Cada uma das cobertas de um navio. **3.** *Eletr.* Circuito elétrico de medida em que um componente faz a ligação entre dois pontos cujos potenciais são iguais, quando nos outros componentes circulam correntes que guardam entre si relações bem determinadas. **4.** Peça de prótese dentária que se prende por meio de uma placa a dois ou mais dentes naturais, podendo ser fixa ou móvel. **5.** *Fig.* Qualquer elemento que estabelece ligação, contato, comunicação ou transição entre pessoas ou coisas: *Professores, tentamos criar uma ponte entre nós e os discípulos; Não há uma ponte por onde se possam relacionar as duas ocorrências.* **6.** *Anat.* Porção do sistema nervoso central situada entre o bulbo raquiano e o mesencéfalo; protuberância anular. [Sin., desus.: *ponte de Varólio*.] ♦ **Ponte aérea.** *Bras.* Serviço aéreo comercial regular e muito intenso, entre cidades. **Ponte afogada.** Ponte (1) cujo tabuleiro pode, eventualmente, ser coberto pelas águas de grandes cheias. **Ponte branca.** *Constr.* Estrutura provisória, em geral de madeira rústica, montada para facilitar a construção de uma ponte definitiva. **Ponte de CA.** *Eletr.* Ponte de medida cuja fonte de alimentação é de corrente alternada. **Ponte de capacitância.** *Eletr.* A que se destina a medir a capacitância de um componente. **Ponte de CC.** *Eletr.* Ponte de medida cuja fonte de alimentação é de corrente contínua. **Ponte de comando.**

Lus. Constr. Nav. Passadiço (4). **Ponte de condutividade.** *Fís.-Quím.* Ponte de CA especialmente indicada para medir a resistência ou a condutividade duma solução eletrolítica. **Ponte de fio.** *Eletr.* Ponte de resistência bastante simples, na qual o braço de medida é constituído por um simples fio sobre o qual corre um contato elétrico móvel. **Ponte de freqüência.** *Eletr.* Tipo de ponte cujas equações de equilíbrio são função da freqüência e cujas impedâncias são conhecidas. **Ponte de indutância.** *Eletr.* A que se destina a medir a indutância dum componente elétrico. **Ponte de resistência.** *Eletr.* A que se destina a medir a resistência dum componente elétrico. **Ponte de safena.** *Cir.* Intervenção cirúrgica em que se objetiva ultrapassar um ou vários segmentos arteriais coronários obliterados ou estenosados, mediante a colocação de um ou mais enxertos entre a porção ascendente da artéria aorta e a(s) artéria(s) coronária(s), além da zona de obliteração ou de estenose. [O material do enxerto é constituído por segmentos de veia safena interna retirados do próprio doente.] **Ponte de sal.** *Fís.-Quím.* Coluna de eletrólito com que se ligam dois eletrodos para eliminar ou diminuir o potencial de junção líquida. **Ponte de Varólio.** *Anat. Desus.* V. *ponte* (6). **Ponte de viés.** *Lus.* Ponte esconsa. **Ponte do nariz.** *Anat.* Formação resultante da junção dos dois nasais [v. *nasal* (3)]. **Ponte esconsa.** Ponte (1) cuja direção é oblíqua à do curso de água que transpõe. [Sin.., lus.: *ponte de viés.*] **Ponte giratória.** Ponte (1) móvel em torno de um eixo vertical. **Ponte levadiça.** Ponte (1) móvel em torno de um eixo horizontal. [Tb. se diz apenas *levadiça.*] **Ponte levante.** Ponte (1) móvel, cujo tabuleiro se pode elevar paralelamente a si mesmo. **Ponte metálica.** Ponte (1) cuja superestrutura é constituída de peças de aço laminado. **Ponte mista.** Ponte (1) destinada a dar passagem tanto a uma rodovia como a uma ferrovia. **Ponte modulante.** *Mús.* Na sonata bitemática, passagem de transição, que prepara a entrada do segundo tema. **Ponte móvel.** Ponte (1) cujo tabuleiro se pode deslocar para interromper a ligação ou para permitir a passagem de embarcações. **Ponte pênsil.** Ponte (1) cujo tabuleiro é sustentado por cabos ancorados; ponte suspensa. **Ponte suspensa.** Ponte pênsil.

ponteado. [Part. de *pontear*¹.] *Adj.* **1.** Marcado ou coberto com pontinhos; pontilhado. ● *S. m.* **2.** Traçado ou desenho representado apenas por pontinhos. **3.** *Bras.* Certo toque de viola.

pontear¹. [De *ponto*¹ + *-ear.*] *V. t. d.* **1.** Marcar com pontos; pontilhar: *p o n t e a r uma linha.* **2.** Marcar com pontos de costura ou com alinhavo: *p o n t e a r um vestido.* **3.** *Mús.* Colocar os dedos nos pontos de (instrumento de corda dotado de ponto ou de trastos), enquanto a mão direita dedilha; tanger, tocar; dedilhar. **4.** Dedilhar (cordas de instrumento): "Uma viola só, de repente, ficou gemendo no silêncio. P o n t e a v a - l h e as cordas mão segura de caboclo" (Albertino Moreira, *Boca-Pio,* p. 62). [Conjug.: v. *frear.*]

pontear². [De *ponta* + *-ear.*] *V. t. d. Bras. Turfe.* Disputar (corrida, competição, etc.), mantendo-se no primeiro lugar: "Ilo p o n t e o u a carreira, mas terminou no último posto." (*Correio da Manhã,* Rio, 1.2.1969). [Conjug.: v. *frear.*]

pontear³. [De um **ponteirar* < *ponteiro*¹ + *-ar*².] *V. int. Bras., S.* Fazer o ofício de ponteiro² (6). [Conjug.: v. *frear.*]

ponte-canal. *S. f.* Ponte (1) destinada a dar passagem a uma canalização; aqueduto. [Pl.: *pontes-canais.*]

ponte-de-água. *S. f. Bras., BA.* Correnteza forte em uma volta de rio. [Pl.: *pontes-de-água.*]

pontederiácea. *S. f.* Espécime das pontederiáceas.

pontederiáceas. *S. f. pl. Bot.* Família de monocotiledôneas, da ordem das farinosas, composta de ervas aquáticas, muitas das quais são flutuantes. Flores zigomorfas e hermafroditas; ovário súpero; fruto capsular. Há umas 25 espécies tropicais; o Brasil possui várias, algumas cultivadas em lagos pela beleza delas e de suas flores azuis.

pontederiáceo. *Adj.* Pertencente ou relativo às pontederiáceas.

ponteio. [Dev. de *pontear*¹.] *S. m.* **1.** Ato ou efeito de pontear¹. **2.** *Mús.* Composição instrumental de forma livre inspirada na maneira de pontear os instrumentos de corda: *o "P o n t e i o" de Lourenço Fernandez, para violão.*

ponteira. [De *ponta* + *-eira.*] *S. f.* **1.** Peça de metal que reveste a extremidade inferior de bengalas, guarda-chuvas, etc. **2.** Peça de metal que reforça a bainha das armas brancas. **3.** Haste de aço, terminada em ponta, que se adapta a certas ferramentas. **4.** Extremidade postiça que tem a piteira ou boquilha, e na qual se introduzem os cigarros ou charutos. **5.** *Bras.* Fio ou cordão especial que se usa na extremidade dos relhos a fim de que estalem quando brandidos. **6.** *Bras.* A última colheita de algodão. [Cf., nesta acepç., *baixeira* e *meeira.*]

ponteiro¹. [De *ponto*¹ + *-eiro.*] *Adj.* **1.** *Ant.* De boa pontaria; certeiro. ● *S. m.* **2.** Pequena haste com que se aponta em livros, quadros, etc. **3.** Espécie de agulha de metal que indica, nos quadrantes dos relógios, as horas, minutos e segundos. **4.** *P. ext.* Qualquer agulha ou haste móvel, terminada em ponta, que percorre o mostrador dum aparelho a fim de fornecer indicação: *o p o n t e i r o de um velocímetro, de um barômetro.* **5.** Instrumento de canteiro ou de escultor, usado para desbastar pedras. **6.** Peça ou lâmina para ferir as cordas de alguns instrumentos. **7.** *Bras., RJ. Folcl.* Punhal usado nas cerimônias da macumba. ◆ **Acertar os ponteiros.** V. *acertar os relógios.*

ponteiro². [De *ponta* + *-eiro.*] *Adj.* **1.** Diz-se do cão que se desmanda, não obedecendo ao caçador. **2.** Diz-se da espingarda que, quando apontada, se equilibra mal, pendendo para a ponta. **3.** *Bras., PE.* Diz-se do cavalo doente, defeituoso. ~ V. *vento —.* ● *S. m.* **4.** *Bras.* Aquele que ponteia [v. *pontear*²] uma corrida ou competição. **5.** *Bras. Fut.* V. *ponta.* (25). **6.** *Bras., S.* O peão ou campeiro que vai na frente ou na ponta da tropa a fim de a conter e guiar; chamador. **7.** *Bras, S. Fig.* Aquele que dá mau exemplo. ◆ **Ponteiro de tabela.** O clube que numa série de jogos de campeonato ocupa o primeiro lugar.

pontel. [Do cat. *puntill,* pelo esp. *puntel.*] *S. m.* Haste com que se segura o vidro quando se caldeia. [Pl.: *pontéis.* Cf. *ponteis,* do v. *pontar.*]

ponte-novense. *Adj. 2 g.* **1.** De, ou pertencente ou relativo a Ponte Nova (MG). ● *S. 2 g.* **2.** Natural ou habitante de Ponte Nova. [Pl.: *ponte-novenses.*]

pontense. *Adj. 2 g.* **1.** De, ou pertencente ou relativo a São João da Ponte (MG). ● *S. 2 g.* **2.** Natural ou habitante de São João da Ponte.

ponte-suela (ê). [Do esp. *pontezuela,* 'pontinha'.] *S. f. Bras., RS.* Penduricalho de enfeite que se põe no freio do cavalo. [Pl.: *pontes-suelas.*]

pontiagudo. [De *ponta* + *-i-* + *agudo.*] *Adj.* Que termina em ponta aguçada; pontudo, bicudo: "os pés calçam balugas p o n t i a g u d a s , ornadas e armadas de acicates lanceolares." (Júlio Dantas, *Abelhas Doiradas,* p. 210).

pôntico. [Do gr. *pontikós,* pelo lat. *ponticu.*] *Adj.* De, ou pertencente ou relativo ao Ponto, região ao S. do Mar Negro, na Ásia Menor.

pontícula. [Do lat. *ponticulu,* com adapt. ao gên. de *ponte.*] *S. f.* Dim. irreg. de *ponte* (1). Cf. *pontilhão.*]

pontificado. [Do lat. *pontificatu.*] *S. m.* **1.** Dignidade de pontífice. **2.** Tempo durante o qual se exerce essa dignidade. [Sin. ger.: *papado.*]

pontifical. [Do lat. *pontificale.*] *Adj. 2 g.* **1.** Relativo ou pertencente a pontífice, ou aos pontífices. **2.** Respeitante à dignidade episcopal. [Sin. ger.: *pontificial* e *pontifício.*] ~ V. *missa —.* ● *S. m.* **3.** Livro que contém os ritos que devem ser observados por pontífices ou bispos. **4.** Capa comprida que se usa na celebração de certas cerimônias religiosas.

pontificante. *Adj. 2 g.* **1.** Que pontifica. ● *S. 2 g.* **2.** O sacerdote que pontifica.

pontificar. [De *pontífice* + *-ar*².] *V. int.* **1.** Celebrar missa usando o pontifical (4). **2.** Falar ou escrever com ênfase, em tom categórico: "Trancara-se [D. Pedro I] no círculo isolante de um gabinete secreto, onde p o n t i f i c a v a m singularíssimos personagens" (Euclides da Cunha, *À margem da História,* p. 250). [Conjug.: v. *trancar.*]

pontífice. [Do lat. *pontifice.*] *S. m.* **1.** Dignitário eclesiástico (bispo, arcebispo, patriarca). **2.** O Papa [v. *papa*¹ (1)]. **3.** Sacerdote da religião romana. **4.** Ministro do culto de uma religião. **5.** *Fig.* Chefe de seita, sistema ou escola. ◆ **Pontífice romano.** V. *papa*¹ (1). **Sumo Pontífice.** V. *papa*¹ (1).

pontificial. *Adj. 2 g.* V. *pontifical* (1 e 2).

pontifício. [Do lat. *pontificiu.*] *Adj.* **1.** V. *pontifical.* **2.** Próprio de pontífice, ou dele procedente. ~ V. *cadeira —a.*

pontilha. [De *ponta* + *-ilha.*] *S. f.* **1.** Ponta muito aguda. **2.** Franja de prata ou de ouro, delgada e estreita. **3.** Espiguilha. **4.** Arma curta e pontiaguda para ferir o touro, nas touradas. **5.** *Tip.* Agulha com que os tipógrafos desencravam o olho dos tipos.

pontilhado. [Part. de *pontilhar.*] *Adj.* **1.** Marcado ou coberto com pontinhos; ponteado. ● *S. m.* **2.** Agrupamento de pequenos pontos. **3.** *Art. plást.* Pintura, desenho ou gravura executada com pontos. [Cf., nesta acepç., *pontilhismo* e *pontilhista.*] **4.** *Bras., PE. Folcl.* Passo do frevo em que o dançarino, com a perna direita semiflexionada, cruzando a esquerda no joelho e tocando o chão com o calcanhar, dá um salto mudando o pé e a direção, marcando o ritmo.

pontilhão. [Dim. irreg. de *ponte.*] *S. m.* Pequena ponte (1), de vão total inferior a cerca de uma dezena de metros:"uma igrejinha / Um sino, um rio, um p o n t i l h ã o e um carro / De três juntas bovinas que ia e vinha / Rinchando alegre, carregando barro." (B. Lopes, *ap.* Álvaro Lins e Aurélio Buarque de Holanda, *Roteiro Literário de Portugal e do Brasil,* II, p. 241). [Cf. *pontícula.*]

pontilhar. [De *ponto*¹ + *-ilh(o)-* + *-ar*².] *V. t. d.* **1.** Marcar com pontinhos; pontear, pontoar. **2.** Desenhar a pontos; granir: *p o n t i l h a r um perfil.*

pontilheiro. *S. m.* Indivíduo que pica touros com pontilha ou agulhão.

pontilhismo. [Do fr. *pointillisme.*] *S. m. Art. plást.* **1.** Processo de pintar por pequenas manchas nítidas, justapostas, em geral de cores puras e que se baseia na vibração luminosa obtida pelo contraste dessas cores. [Cf. *ponto* (40).] **2.** A escola que adota este processo. [Sin. ger.: *puntilismo.* Cf. *divisionismo.*]

pontilhista. *Adj. 2 g.* **1.** Pertencente ou relativo ao pontilhismo. ● *S. 2 g.* **2.** Pintor que adota o pontilhismo. **3.** Desenhista ou gravador que adota o pontilhado (4). [Sin. ger.: *puntilista.* Cf. *divisionista.*]

pontilho. *S. m.* V. *tom* (17).

pontilhoso (ô). [De *ponto*¹ + *-ilh(o)-* + *-oso.*] *Adj.* **1.** Exigente em minúcias e casos de honra. **2.** Que se ofende com facilidade.

pontinha. [Dim. de *ponta.*] *S. f.* **1.** Ponta (11): *uma p o n t i n h a de inveja, de vaidade.* **2.** Birra, contenda, questão. ◆ **Da pontinha.** *Bras. Gír.* Que agrada, que é bom, bonito ou gostoso; da ponta, da pontinha da orelha. **Da pontinha da orelha.** V. *da pontinha.*

pontinho. [Dim. de *ponto*¹.] *S. m. Bras.* Jogo carteado, semelhante ao pife-pafe, porém com curinga, e em que cada parceiro começa com 99 pontos [v. *ponto*¹ (17)] e tem como objetivo livrar-se de todas as cartas da mão, podendo até arriá-las sobre as cartas dos jogos dos outros parceiros, pois dos 99 pontos iniciais será descontada a soma de todas as que não tiverem sido arriadas, ganhando o jogador que ficar por último. ~ V. *pontinhos.*

pontinhos. [Pl.: de *pontinho.*] *S. m. pl.* V. *reticências.* ~ V. *pontinho.*

pontino. [Do lat. *pontinu.*] *Adj.* Relativo ou pertencente à região pantanosa da província romana, hoje saneada.

ponto¹. [Do lat. *punctu.*] *S. m.* **1.** Picada produzida com a agulha que se enfia no tecido, couro, plástico, etc., para passar o fio de costura, bordado, etc.: *Só faltam alguns p o n t o s para terminar o vestido.* **2.** Porção de linha compreendida entre dois furos. **3.** *P. ext.* Cada uma das laçadas de linha ou de lã feitas no tricô ou no crochê; malha. **4.** Designação comum aos diversos tipos de nós ou laçadas feitos com agulha ou sem ela em renda, macramé, etc. **5.** Cerzidura em meia ou em tecido. **6.** Pequeno sinal semelhante ao que a ponta de um lápis imprime no papel: *Os p o n t o s pretos indicam, no mapa, cidades principais.* **7.** Sinal de pontuação [q. v.] com que se encerra um período; ponto-final. **8.** Sinal idêntico, usado em abreviaturas [Ponto abreviativo] e sobre o *i* e o *j.* **9.** Manchazinha arredondada: *A alergia deixou uns p o n t o s vermelhos na pele da criança.* **10.** Lugar fixo e determinado: *Não sei em que p o n t o do mapa fica essa cidade.* **11.** V. *ponto de parada* (1): *Costuma tomar o ônibus naquele p o n t o.* **12.** Livro, cartão, folha, onde se registra a entrada e saída diária do trabalho: *Esqueceu-se de assinar o p o n t o; Bateu o p o n t o na hora exata.* **13.** Cada um dos espaços em que está dividida a craveira do sapateiro ou a do luveiro: *O sapato deve ser maior um p o n t o.* **14.** *P. ext. Fig.* Grau pelo qual se mede algum valor, por acréscimo ou diminuição: *As relações entre eles não melhoraram um p o n t o.* **15.** Grau de consistência que se dá ao açúcar em calda. **16.** Cada um dos pontos ou pintas marcadas nos dados, peças de dominó, etc., e que lhes indicam o valor. **17.** Unidade de valor relativa a cartas de baralho ou a outros elementos de certos jogos: *No biriba o ás vale 15 p o n t o s.* **18.** Cada uma das unidades que, num jogo, se obtêm como vantagem sobre o adversário: *Pela contagem de p o n t o s o Flamengo estava em primeiro lugar no campeonato carioca.* **19.** Cada uma das unidades de um número variável que se convenciona tomar como objetivo em certos jogos: *uma partida de bilhar em 100 p o n t o s ;*

uma partida de biriba em 2.000 pontos. **20.** Em certos jogos de azar, como, p. ex., o loto, o bingo, a loteria esportiva, cada uma das unidades marcadas pelo jogador, segundo normas fixadas para atingir um total preestabelecido, sem o qual não é possível vencer: *Muitas pessoas fizeram os 13 pontos exigidos para ganhar na loteria esportiva*. **21.** Em certos jogos de azar, como o bacará, o grupo de pessoas que jogam contra a banca (8), ou as cartas tiradas contra esta. **22.** Sinal que se dá para marcar o tempo: *Ao ponto dado, os cavalos arrancaram*. **23.** Unidade que, nas bolsas de valores, exprime a variação dos índices [v. *índice* (9)]: *Estes papéis subiram cinco pontos em um mês*. **24.** Grau de merecimento (em lição, exame, comportamento, etc.): *O professor tirou-lhe um ponto na nota*. **25.** Parte de um assunto, de uma ciência, arte, etc.: *Pontos importantíssimos da psicologia foram abordados por Freud*. **26.** *P. ext.* Em exames ou concursos, a matéria tirada à sorte para sobre ela responder ou discorrer o aluno ou o candidato: *Estudara bem o ponto sorteado, e fez ótimo exame*. **27.** *Teat.* Auxiliar de cena que, fora da vista do público, vai recordando aos atores, em voz baixa, suas respectivas falas; apontador: "era o ponto; um homem colocado naquele alçapão, coberto por uma pequena cúpula, bem em frente do palco, encarregado de dizer para os artistas o que eles deviam repetir em cena." (Brito Broca, *Memórias*, p. 91). **28.** *Fig.* Assunto, matéria: *Não é esse o ponto em discussão*. **29.** *Fig.* Grau de adiantamento, altura em que se acha algum trabalho, empreeendimento, etc.: *Em que ponto anda o livro que você está escrevendo?; Não sei em que ponto está o desquite de X*. **30.** *Fig.* Lance; momento. **31.** Caso, problema ou questão importante, em que se tem vivo empenho: *O ponto é lutar, lutar até vencer*. **32.** *Fig.* Termo, fim; parada, suspensão; ponto final: *Morreu, chegou ao ponto do seu padecimento; É preciso pôr um ponto nessa mania de criticar os outros*. **33.** *Cir.* Porção de fio firmada por um nó, deixada numa estrutura ou num órgão depois de se efetuar a introdução e retirada da agulha que a conduzia, a fim de promover a união dos tecidos. [Pode ser ou não removido, conforme a natureza ou a situação do material empregado.] **34.** *Geom.* Configuração geométrica sem dimensão, e que se caracteriza por sua posição; ponto geométrico. **35.** *Geom.* Elemento com que se definem axiomaticamente as propriedades dum espaço. **36.** *Marinh.* Cada um dos modos por que se entretece um fio ou uma linha para coser lona ou outro tecido utilizando agulha de coser. **37.** *Mús.* A célula primária da notação neumática. **38.** *Mús.* Régua de madeira escura, que acompanha a forma e o comprimento do braço dos instrumentos de cordas, e sobre a qual os dedos do executante comprimem as cordas. V. *trasto*. **39.** *Náut.* A posição, na carta náutica, de uma embarcação que está navegando. **40.** *Pint.* Pequena mancha de cor. [Cf. *pontilhismo*] **41.** *Tip.* Unidade tipométrica básica (a sexta parte da linha), equivalente a 0,3759 mm no sistema Didot e a 0,351 mm no sistema anglo-norte-americano. **42.** *Bras.* Lugar, geralmente nas vias públicas, onde artigos ou serviços estão à disposição do freguês: *ponto de jornais, de frutas; ponto de táxi*. **43.** *Bras.* Ponto cantado [q. v.]: "Pontos de macumba, em um outro canto, ao som do violão." (Adonias Filho, *Luanda Beira Bahia*, p. 57.) **44.** *Bras.* Ponto riscado [q. v.] ♦ **Ponto aberto.** Ponto de bordado em que se abrem orifícios arredondados, arrematados com um ponto cerrado previamente demarcado com alinhavo. **Ponto abreviativo.** V. *ponto*[1] (8). **Ponto alto.** Ponto básico de crochê, cuja sucessão constitui uma carreira, na qual a linha, depois de introduzida num ponto da parte tecida, é passada por uma laçada e pela alça do ponto anterior, para formar um novo ponto. **Ponto americano.** *Tip.* Ponto anglo-norte-americano. **Ponto anfidrômico.** Lugar determinado da superfície de um mar em que é nula a oscilação de maré. **Ponto anglo-norte-americano.** *Tip.* O que serve de base ao sistema anglo-norte-americano; ponto americano. **Ponto anguloso.** *Geom. Anal.* Numa curva, o ponto em que as tangentes à esquerda e à direita são diferentes. **Ponto cantado.** *Bras.* Nos sincretismos [v. *sincretismo* (3)] afro-brasileiros, cantos rituais para propiciar a descida dos espíritos. [Tb. se diz apenas *ponto*.] **Ponto cardeal.** *Geog.* Designação comum às direções da rosa-dos-ventos que apontam para norte, sul, leste ou oeste. **Ponto cego.** *Anat.* Em cada retina, área por onde penetra nervo óptico, assim chamada por não existirem, no local, receptores sensoriais, não havendo, portanto, resposta à estimulação. **Ponto central.** Lugar onde se podem reunir com maior facilidade aqueles que moram em sítios diferentes. **Ponto cheio.** Ponto de bordado feito com pontos paralelos muito próximos, executados sobre um risco (monogramas, bolas, folhas, etc.) previamente recheado com ponto de alinhavo, de maneira que o trabalho fique com um aspecto firme e igual. **Ponto colateral.** *Geog.* Designação comum às direções da rosa-dos-ventos que são bissetrizes de cada dois pontos cardeais consecutivos, i. e., nordeste, sueste, sudoeste e noroeste. **Ponto crítico.** *Fís.* Estado de um fluido em que a temperatura e a pressão são, respectivamente, a temperatura crítica e a pressão crítica. **Ponto culminante.** **1.** V. *cume* (1): *O ponto culminante do Brasil é o pico da Neblina, com 3.014 m de altitude*. **2.** *Fig.* Auge, apogeu. **Ponto cuspidal.** V. *cúspide* (5). **Ponto de acumulação.** *Mat.* Ponto em cuja vizinhança arbitrária qualquer existe sempre pelo menos um ponto de um conjunto; ponto-limite. **Ponto de admiração.** V. *sinal de pontuação*. **Ponto de afloramento.** Ponto marcado em areômetros e noutros instrumentos, e que a superfície dos líquidos deve rasar. **Ponto de apoio.** **1.** Ponto sobre o qual uma alavanca se firma. **2.** *Fig.* Tudo o que sustenta, auxilia; arrimo, proteção. **3.** Obstáculo natural ou artificial, ou região fortificada, que coloca um exército em campanha ao abrigo de um movimento envolvente do adversário. **Ponto de areia.** Conjunto de pequenos pontos de bordado que cobrem uma superfície, lembrando areia espalhada. **Ponto de aumento.** *Mús.* O ponto que se escreve à direita da figura musical para aumentá-la na metade do seu valor. **Ponto de auto-ignição.** A menor temperatura em que os vapores emitidos por um combustível líquido, quando em mistura com o ar atmosférico, se inflamam espontaneamente. [É uma importante característica, condicionadora das medidas de segurança que se devem tomar com relação ao combustível.] **Ponto de bainha.** Ponto com que se prende uma bainha ou um tecido aplicado sobre outro, e que consta de um ponto na peça embainhada e outro na bainha, que deve ter a borda dobrada. **Ponto de bala.** Ponto de calda (1) em que esta, depois de fria, adquire consistência pastosa e se dissolve lentamente na boca. [Cf. *em ponto de bala*.] **Ponto de bolha.** *Fís.-Quím.* Temperatura em que, sob pressão constante, principia a ebulição de um líquido. **Ponto de cadeia.** Ponto de bordado em que a linha forma pequenas alças que se encadeiam, e que, em geral, deve seguir os traços de um risco. **Ponto de canutilho.** Ponto de bordado em que o fio é enrolado várias vezes na agulha e fixado a uma certa distância do ponto inicial, tomando a forma de canutilho (2) [q. v.]. **Ponto de cedência.** *Fís.* O menor valor da tensão que, aplicada a um sólido, lhe provoca uma deformação plástica. **Ponto de condensação.** *Fís.* Temperatura em que, sob pressão constante, um vapor começa a condensar-se reversivelmente. **Ponto de condição.** Ponto obrigado [v. esta loc.] por efeito de deliberação prévia, geralmente em virtude de se tratar de localidade que vai ser servida pela estrada. **Ponto de congelação.** *Fís.* Temperatura em que, sob pressão constante, principia a cristalização reversível da água numa solução aquosa. **Ponto de contato.** Ponto em que se comunicam coisas ou pessoas. **Ponto de cristalização.** *Fís.* Ponto de solidificação. **Ponto de cruz.** Ponto de bordado ou de tapeçaria com o aspecto de pequenas cruzes que, agrupadas, vão formar um desenho. **Ponto de descontinuidade.** *Anál. Mat.* No domínio de uma função, ponto em que ela não é contínua. [Tb. se diz apenas *descontinuidade*.] **Ponto de diminuição.** *Mús.* Ponto que, colocado por cima ou por baixo das notas, indica o destacado e, na execução, faz que a nota perca uma parte do seu valor. **Ponto de ebulição.** *Fís.* **1.** Temperatura em que, sob pressão constante, um líquido está em equilíbrio com bolhas do vapor. **2.** Ponto normal de ebulição. **Ponto de espadana.** O ponto da calda do açúcar em que ela, ao ser levantada, com a espátula, cai ao modo de fita. **Ponto de espinha.** Ponto russo. **Ponto de estrangulamento.** A parte crítica de um problema, a qual, uma vez resolvida, abre caminho para a solução do todo. **Ponto de exclamação.** V. *sinal de pontuação*. **Ponto de festonê.** Ponto de bordado, feito da esquerda para a direita, em que a linha é trabalhada cerradamente em posição perpendicular ao risco e presa em alça na extremidade em que sai a agulha, formando um acabamento sólido, capaz de ser cortado sem esgarçar o tecido. [Pode ser reto ou formando festão, grega, etc., e usa-se como ornamento ou como acabamento. Tb. se diz apenas *festonê*; sin.: *caseado*.] **Ponto de fluidez.** A menor temperatura em que um óleo é capaz de escorrer ao ser entornado. [É uma característica importante quando se trabalha com óleo em temperaturas frígidas.] **Ponto de fuga.** *Geom.* Ponto de convergência das linhas paralelas numa perspectiva cônica. **Ponto de fulgor.** A menor temperatura em que os vapores emitidos por um combustível líquido, quando em mistura com o ar atmosférico, se inflamam em presença de uma chama, sem, no entanto, continuarem queimando quando a chama é afastada. [É uma importante característica, condicionadora das medidas de segurança que se devem tomar em relação ao combustível.] **Ponto de fusão.** *Fís.* Temperatura em que, sob pressão constante, ocorre a fusão reversível de um sólido. **Ponto de gota.** *Quím.* Temperatura em que uma substância graxa ou pastosa, submetida ao aquecimento em condições controladas, principia a gotejar. **Ponto de haste.** Ponto de bordado, geralmente destinado a seguir o traçado de um risco, e que tem o aspecto de uma corda enrolada. **Ponto de honra.** **1.** Questão de dignidade, de melindre. **2.** Suscetibilidade, brio, pundonor. **Ponto de ignição.** A menor temperatura em que os vapores emitidos por um combustível líquido, quando em mistura com o ar atmosférico, se inflamam em presença de uma chama e continuam queimando, mesmo depois de afastada a chama. [É uma importante característica, condicionadora das medidas de segurança a tomar com o combustível.] **Ponto de impacto.** Ponto final da trajetória de um projetil, em que este se choca com o alvo ou com um obstáculo que o intercepta. **Ponto de inflexão.** *Geom. Anal.* Inflexão (4). **Ponto de interrogação.** V. *sinal de pontuação*. **Ponto de Libra.** *Astr.* Interseção da eclíptica com o equador, na qual o Sol, em seu movimento aparente anual, passa do hemisfério norte para o sul; equinócio do outono. **Ponto de marca.** Espécie de ponto de cruz pequeno, usado para marcar roupa. **Ponto de meia.** Ponto básico de tricô em que a agulha direita é introduzida de um modo na ida e de outro na volta, de sorte que o direito fique liso, com aspecto de pequenas espinhas verticais, e o avesso todo ondeado. [É o tecido característico do jérsei.] **Ponto de mira.** Vértice do prisma colocado na parte anterior e superior do cano da arma, e que, ao apontar esta, deve o atirador fazer coincidir com o entalhe da alça de mira, para obter o enquadramento do alvo; vértice de mira. **Ponto de nó.** Ponto de bordado em que o fio é enrolado cerca de três vezes na agulha e fixado bem próximo do ponto inicial, de maneira que tome o aspecto de um nó em relevo. **Ponto de orvalho.** *Fís.* Temperatura em que o ar úmido se torna saturado de vapor de água quando resfriado sob pressão constante. **Ponto de osculação.** *Geom. Anal.* Cúspide (5) em que as duas tangentes coincidem. **Ponto de palomba.** *Marinh.* Palomba (2). **Ponto de parada.** **1.** Lugar onde os veículos coletivos param a fim de receber e/ou deixar passageiros; parada. [Tb. se diz apenas *ponto*.] **2.** *Geom. Anal.* Numa curva, ponto singular em que só existe tangente à esquerda ou à direita. **Ponto de Paris.** Ponto de bordado, usado para aplicações, e em que a linha, firmando a fazenda aplicada, ao jeito de bainha, delimita o desenho formado por ela. **Ponto de passagem.** Ponto obrigado [q. v.] em virtude das características topográficas da região, como gargantas, travessias de cursos de água, etc. **Ponto de ramificação.** *Proc. Dados.* Numa rotina, ponto em que se testam várias alternativas de processamento; ramificação. **Ponto de referência.** Coisa, lugar, fato (ou, excepcionalmente, pessoa) que constitui um dado, um elemento básico, para orientação, percepção, julgamento, recordação, memorização, etc.: *Para não se perder, tomou como ponto de referência a igreja*; "A jindiba, ... para o menino, era o centro de tudo. O mar e as colinas tinham nela o ponto de referência." (Adonias Filho, *Luanda Beira Bahia*, p. 9); "Tobias Barreto, homem do povo, representa um ponto singular de referência para o estudo de vários aspectos da sociedade brasileira, na segunda metade do século XIX." (Hermes Lima, *Tobias Barreto*, p. 1); "Ele era o dono da tabacaria. / Um ponto de referência de quem sou. / Eu passava ali de noite e de dia. / Desde ontem a cidade mudou." (Fernando Pessoa, *Poesias de Álvaro de Campos*, p. 44). **Ponto de repouso.** *Automat.* Ponto quiescente. **Ponto de reversão.** *Geom. Anal.* V. *cúspide* (5). **Ponto de seção.** Lugar que limita uma subdivisão de preço de passagens nos itinerários dos veículos coletivos urbanos (bondes, ônibus, etc.). **Ponto de sela.** *Geom. Dif.* Numa superfície, o ponto em que o plano tangente divide a superfície em duas partes; uma que lhe fica de um lado, e a outra, do outro. **Ponto de simetria.** *Geom.* V. *centro de simetria*. **Ponto de solidificação.** *Fís.* Temperatura em que, sob pressão constante, ocorre a cristalização reversível de um líquido; ponto de cristalização. **Ponto de sombra.** Ponto de bordado cruzado, feito pelo avesso em tecido transparente, de sorte que a linha seja apenas delineada pelo direito, formando o cruzamento desse ponto uma superfície opaca, que determina o risco desejado. **Ponto de transição.** *Fís.* Temperatura em que, sob pressão constante, ocorre um equilíbrio entre duas fases de um sistema. **Ponto de tricô.** Ponto básico de tricô, que se executa, na ida e na volta, introduzindo-se a agulha da mão direita na alça formada na outra agulha, sempre na mesma posição, do que resultam carreiras iguais, no avesso e no direito, com aspecto ondulado; ponto simples. **Ponto de universo.** *Fís.* Ponto no contínuo espaço-tempo. **Ponto de vaporização.** *Fís.* Temperatura em que, sob pressão constante, um líquido está em equilíbrio com o seu vapor. **Ponto de vista. 1.** Ponto escolhido por um pintor ou um desenhista para melhor observação de um objeto, sobretudo para colocá-lo em perspectiva. **2.** Lugar alto donde se descortina amplo horizonte. **3.** *Fig.* Maneira de considerar ou de entender um assunto ou uma questão; óptica, perspectiva. **4.** *Liter.* Recurso literário que visa a situar o narrador no âmbito da obra literária. **Ponto Didot.** *Tip.* O que serve de base ao sistema Didot. **Ponto do telhado.** *Arquit.* Inclinação da água do telhado. **Ponto duplo.** *Geom. Anal.* Ponto múltiplo de ordem dois. **Ponto estacionário.** *Astr.* Ponto da trajetória aparente de um planeta, em que ele parece não se mover em relação às estrelas fixas, o que corresponde à mudança do seu movimento de direto para retrógrado, ou vice-versa. **Ponto exterior.** *Mat.* Ponto que tem pelo menos uma vizinhança cuja interseção com um conjunto é vazia. **Ponto facultativo.** Dia em que é facultativo o trabalho nas repartições públicas. **Ponto falso.** Pedaço de esparadrapo ou de outra matéria adesiva que se aplica sobre uma ferida para unir-lhe os bordos. **Ponto final. 1.** Ponto[1] (7). **2.** *Fig.* Ponto[1] (32). **3.** Expressão usada para indicar que não se admite réplica a uma determinação, que se dá um assunto por encerrado: *Faça o que lhe mando, e ponto final.* **4.** Terminal de uma linha de transportes coletivos: *O ponto final deste ônibus é no Posto Seis, em Copacabana.* **Ponto fixo.** *Fís.* Temperatura de um sistema que pode ser reproduzida fácil e precisamente, e serve como referência numa escala de temperatura. **Ponto fraco.** Calcanhar-de-aquiles. **Ponto geométrico.** *Geom.* Ponto (34). **Ponto ideal.** *Geom. Proj.* V. *ponto impróprio.* **Ponto imagem.** *Ópt.* Ponto que é a imagem de outro formada por um sistema óptico. **Ponto impróprio.** *Geom. Proj.* O que tem pelo menos uma coordenada infinita; ponto infinito, ponto ideal. **Ponto infinito.** *Geom. Proj.* V. *ponto impróprio.* **Ponto interior.** *Mat.* Num conjunto, ponto para o qual existe uma vizinhança cuja interseção com o conjunto não é vazia. **Ponto inverso.** *Geom.* Qualquer dos dois pontos cujas distâncias a um terceiro ponto fixo sobre uma reta que os une têm um produto constante. **Ponto isoelétrico.** *Quím.* O pH de uma solução coloidal, ou de macromoléculas, em que o potencial zeta das partículas é nulo. **Ponto isolado.** *Mat.* Ponto de uma curva que tem pelo menos uma vizinhança onde não existe outro ponto da curva. **Ponto material.** *Fís.* Ponto geométrico a que se atribui massa. **Ponto morto.** *Autom.* **1.** Posição da alavanca de mudança em que o motor fica desligado da transmissão; ponto neutro: " — Ponha a alavanca em ponto morto. Isto! Ligue a máquina..." (Herberto Sales, *Histórias Ordinárias*, p. 86.) **2.** Cada uma das duas posições em que o êmbolo de uma máquina alternativa ou motor de combustão interna ou à gasolina inverte o movimento, no seu curso alternativo. **Ponto múltiplo.** *Geom. Anal.* Numa curva, ponto em que há mais de uma tangente. **Ponto neutro.** *Autom.* Ponto morto (1). **Ponto nodal.** *Geom. Anal.* Numa curva, ponto duplo em que as tangentes são distintas; ponto duplo em que o hessiano é positivo; nó. **Ponto normal de ebulição.** *Fís.* Ponto de ebulição sob pressão de uma atmosfera. [Tb. se diz apenas *ponto de ebulição.*] **Ponto objeto.** *Ópt.* Ponto de onde partem os raios luminosos para formar a imagem num sistema óptico. **Ponto obrigado.** Local por onde uma estrada deverá obrigatoriamente passar. **Ponto ordinário.** *Geom. Anal.* **1.** Numa curva, aquele em que a tangente existe e é única. **2.** Numa superfície, aquele em que o plano tangente existe e é único. [Sin. ger.: *ponto regular, ponto simples.*] **Ponto pacífico.** Aspecto de uma questão sobre o qual não há controvérsia ou discordância. **Ponto por ponto.** Particularizadamente, minuciosamente: *A questão foi debatida ponto por ponto.* **Ponto principal.** *Ópt.* Numa lente, ponto de interseção dum plano principal com o eixo óptico. **Ponto quiescente.** *Automat.* Estado de um sistema em que o mecanismo de controle está em repouso; ponto de repouso. **Ponto regular.** *Geom. Anal.* V. *ponto ordinário.* **Ponto riscado.** *Bras.* Nos sincretismos [v. *sincretismo* (3)] afro-brasileiros, desenhos rituais à entrada dos terreiros, que simbolizam os espíritos e se destinam a fazê-los descer. [Tb. se diz apenas *ponto.*] **Ponto russo.** Ponto de bordado feito alternadamente à direita e à esquerda de uma linha central, parecendo uma seqüência de ramificações; ponto de espinha. **Ponto simples. 1.** Ponto de tricô [q. v.]. **2.** *Geom. Anal.* V. *ponto ordinário.* **Ponto singular.** *Geom. Anal.* O que não é ordinário; singularidade. **Ponto solsticial.** *Astr.* Cada um dos dois pontos da eclíptica mais distantes do equador. Um corresponde à constelação de Câncer; o outro, à do Capricórnio. **Ponto triplo.** *Fís.* Estado de um sistema em que coexistem, em equilíbrio termodinâmico, três fases diferentes. **Ponto umbilical.** *Geom. Dif.* Numa superfície, ponto em que a curvatura normal é a mesma em qualquer direção. **Ponto vernal.** *Astr.* Interseção da eclíptica com o equador, na qual o Sol, em seu movimento aparente anual, passa do hemisfério sul para o norte; equinócio da primavera. **Pontos antinodais.** *Ópt.* Num sistema óptico, par de pontos para o qual o aumento angular é igual a menos um. **Pontos antiprincipais.** *Ópt.* Num sistema óptico, par de pontos para o qual o aumento transversal é igual a menos um. **Pontos conjugados.** *Ópt.* Num sistema óptico, par de pontos em que um é a imagem do outro, e vice-versa. **Pontos de acompanhamento.** *Tip.* V. *pontos de condução.* **Pontos de carreira.** *Tip.* V. *pontos de condução.* **Pontos de condução.** *Tip.* Linha pontilhada que relaciona palavras ou números, quando dispostos em colunas, como nos índices, corandéis, etc.; pontos de carreira, pontos de acompanhamento. **Pontos de reticência.** V. *reticências.* **Pontos de suspensão.** V. *reticências.* **Pontos nodais.** *Ópt.* Par de pontos para os quais o aumento angular dum sistema óptico é igual à unidade. **Aí é que bate o ponto.** V. *aí é que são elas.* **Ao ponto.** *Cul.* Diz-se de carne[1] (3) medianamente assada: *bife ao ponto.* **A ponto de.** Prestes ou próximo a; em perigo de; a pique de: *Esteve a ponto de afogar-se; Acha-se a ponto de morrer.* **A ponto que.** V. *de maneira que:* "Concordava em ficar, mas ia falando do pai e de minha mãe, da falta de notícias nossas, disto e daquilo, a ponto que nos arrufamos um pouco." (Machado de Assis, *Dom Casmurro*, p. 290.) **Assinar o ponto. 1.** Inscrever o nome no livro de ponto. **2.** *Fig.* Passar rapidamente em um local onde se costuma ir. **3.** *Fig.* Fazer coisa que se faz diariamente, com muita freqüência: *Antes de ir ao escritório assina o ponto na livraria; Saiu com uma mulher, decerto para assinar o ponto.* **4.** *Fig. Fam.* Cumprir obrigação sexual. **De ponto em branco. 1.** Com apuro, com esmero: "vestem as negrinhas de ponto em branco para aquela *mise-en-scène.*" (França Júnior, *Folhetins*, p. 526). **2.** Inteiramente (armado): "Eis que entra outro formosíssimo mancebo de galharda estatura, armado de ponto em branco, com espada nua e reluzente na mão" (Pe Manuel Bernardes, *Vários Tratados*, II, p. 422). **De ponto fixo.** *Bras., S. Pop.* Diretamente; em rumo certo. **Dormir no ponto.** *Bras. Fam.* **1.** Tardar a tomar providência em defesa dos próprios interesses; não agir no momento oportuno; perder boa oportunidade. **2.** Deixar-se enganar, ludibriar. [Sin. ger.: *dormir de touca.*] **Em ponto.** Exatamente, precisamente: *Partiu às oito em ponto.* **Em ponto de bala. 1.** *Bras. Gír.* Preparado ou adestrado para exame, prova, competição, etc. **2.** *Bras. Gír.* Em ótimo estado de conservação ou funcionamento: " — Amanhã o carro está pronto. Vai ficar em ponto de bala" (Haroldo Maranhão, *A Estranha Xícara*, p. 140). **3.** *Bras. Chulo.* Em estado de excitação sexual; arreitado. **4.** Diz-se da mulher já em idade própria para o coito, na puberdade. [Cf. *ponto de bala.*] **Em ponto morto.** Na banguela [q. v.]. **Entregar os pontos.** *Bras. Gír.* Reconhecer a própria derrota; dar-se por vencido. **Fazer ponto em.** Estacionar habitualmente em (determinado lugar), ou freqüentar com muita assiduidade (esse lugar): *O bicheiro faz ponto na praça; Costuma fazer ponto na casa do primo.* **Ir ao ponto de.** *Irôn.* Ter a capacidade de. **Não dar ponto sem nó.** Ser interesseiro; não fazer nada sem visar a algum interesse; não meter prego sem estopa: "Ouvindo-a [a burra] ornear, o Monge compreendeu o intuito da dona, que não dava ponto sem nó, e foi-lhe deitar de comer." (Aquilino Ribeiro, *Cinco Réis de Gente*, p. 314.) **Pôr ponto a.** Terminar, acabar, concluir. **Pôr os pontos nos is.** Explicar-se de maneira clara e minuciosa, sem omissões ou disfarces: "— Pois bem, disse ele animando-se de súbito. Vamos pôr os pontos nos is. Quanto é que vai ficar recebendo?" (João Alphonsus, *Eis a Noite!*, p. 124.) **Subir de ponto.** Aumentar, crescer.

ponto². [Do gr. *póntos*, pelo lat. *pontu.*] *S. m. Desus.* Mar[1] (1).

pontoação. [De *pontoar* + *-ção.*] *S. f.* **1.** Os pontos da epiderme de certos animais. **2.** *Anat. Veg.* Lacuna da parede secundária da célula, aberta internamente para o lúmen, e que consta, essencialmente, de cavidade da pontoação e membrana da pontoação. [Cf. *pontuação.*] ◆ **Pontoação areolada.** *Anat. Veg.* Pontoação característica do lenho das plantas superiores, e na qual a membrana aparece, quando vista de face, parcialmente recoberta pela parede secundária da célula. **Pontoação guarnecida.** *Anat. Veg.* Pontoação areolada cuja cavidade é total ou parcialmente revestida de projeções da parede celular. **Pontoação simples.** *Anat Veg.* Pontoação cuja cavidade se torna mais larga ou não durante o crescimento em espessura da parede secundária da célula.

pontoada. [De *ponta* + *-o-* + *-ada*[1].] *S. f.* Golpe com a ponta ou ponteira de um objeto; pontada, pontaço: "arremessavam contra o seu pobre estômago pontoadas de lança, que o faziam gemer e estorcer sobre o leito de pau-preto." (Eça de Queirós, *A Ilustre Casa de Ramires*, p. 72). [Cf. *pontuada*, fem. de *pontuado.*]

pontoado. [Part. de *pontoar.*] *Adj.* **1.** Marcado com pontos; pontilhado. **2.** *Anat. Veg.* Diz-se do conjunto de pontoações ou dos pares de pontoações. [Cf. *pontuado.*]

pontoar. [De *ponto*[1] + *-oar.*] *V. t. d.* **1.** Marcar com ponto; pontilhar. **2.** Apontoar[1]. [Conjug.: v. *coroar.* Cf. *pontuar.*]

ponto-atrás. *S. m.* Ponto de costura ou bordado em que a agulha entra no pano um pouco atrás do lugar onde saiu, formando, pelo direito, uma linha contínua de pontos sucessivos; pesponto, posponto. [Pl.: *pontos-atrás.*]

ponto-de-venda. *S. m.* **1.** *Mercad.* Local onde se vendem produtos ou serviços: *Colocamos nossos produtos em todos os tipos de ponto-de-venda, desde a birosca de favela até o supermercado.* **2.** *Propag.* Atributo de um produto, ou de um serviço mencionado com destaque em sua propaganda pelos benefícios que poderá proporcionar aos consumidores: *A facilidade no preparo é um ponto-de-venda básico do leite em pó instantâneo.* [Pl.: *pontos-de-venda.*]

ponto-e-vírgula. *S. m.* Sinal de pontuação (;) que indica uma pausa mais forte que a da vírgula e menos que a do ponto final. [Pl.: *ponto-e-vírgulas* e *pontos-e-vírgulas.* Parece-nos preferível a 1ª f. de pl., preconizada por Nélson Vaz.]

ponto-limite. [De *ponto*[1] + *limite.*] *S. m. Mat.* Ponto de acumulação. [Pl.: *pontos-limites* e *pontos-limite.*]

pontoneiro. *S. m.* **1.** Soldado que trabalha na construção de pontes militares. **2.** Construtor de pontões.

pontoso (ô). *Adj. P. us.* Escrupuloso em pontos de honra; brioso, pundonoroso.

pontuação. [De *pontuar* + *-ção.*] *S. f.* **1.** Ato ou efeito de pontuar. **2.** Colocação dos sinais ortográficos na escrita. **3.** Sistema de sinais gráficos que indica, na escrita, pausa (6), na linguagem oral. [Cf. *pontoação.*]

pontuado. [Part. de *pontuar.*] *Adj.* **1.** Marcado por meio de pontos. **2.** Que se pontuou; em que se fez a pontuação; marcado com os sinais de pontuação. [Fem.: *pontuada.* Cf. *pontoado.* adj., e *pontoada*, fem. de *pontoado* e s. f.]

pontual. [De *ponto*[1].] *Adj. 2 g.* **1.** Exato, preciso, regular (com relação ao tempo). **2.** Que chega, parte, ou cumpre as obrigações, à hora marcada. **3.** Que executa trabalhos ou leva a efeito compromissos no tempo combinado; brioso, fiel: *A costureira é pontual na entrega dos vestidos.* **4.** Que é feito à hora marcada ou dentro do prazo combinado: *pagamento pontual; almoço pontual.* **5.** Que tem a natureza ou as propriedades de um ponto geométrico. **6.** Constituído por, ou reduzido a um ponto: *imagem pontual.* ~ V. *defeito* —, *fonte* — e *fonte de rádio* —. ● *S. f.* **7.** *Mat.* Série de pontos dispostos em linha reta.

pontualidade. *S. f.* **1.** Qualidade de pontual (1 a 4). **2.** Exatidão no cumprimento dos deveres ou compromissos; rigor. ◆ **Pontualidade inglesa.** Pontualidade absoluta.

pontuar. [De *ponto*[1] + *-ar*[2].] *V. t. d.* **1.** Usar a pontuação em; marcar com pontuação: *pontuar corretamente um texto.* *Int.* **2.** Fazer uso da pontuação: *O menino aprendeu a pontuar.* [Part.: *pontuado*, fem. *pontuada.* Cf. *pontoar* e *pontoada.*]

pontudo. *Adj.* **1.** Em ponta. **2.** Que tem ponta. **3.** Bicudo, aguçado, pontiagudo. **4.** Que tem a superfície cheia de pontas; eriçado, áspero. **5.** *Fig.* Agressivo, áspero, ofensivo.

pontusal. [Do fr. *pontuseau,* pronunciado erroneamente.] *S. m. Ind. Pap.* **1.** Cada um dos fios metálicos que, no sentido da largura, a espaços de dois a três cm e cruzando com as vergaturas, integram o tear da fôrma usada na fabricação manual do papel. **2.** Cada uma das linhas, mais nítidas e afastadas que as vergaturas, marcadas na folha ainda úmida por esses fios, e que se vêem por transparência, nos papéis avergoados.

ponxirão. *S. m. Bras., O. de SP.* V. *mutirão* (1).

➧**poodle** (pudl). [Ingl.] *S. m.* Designação comum a certos caẽs de tamanhos e cores variáveis, focinho retangular, orelhas pendentes e pelagem crespa e macia; inteligentes e bons caçadores, podem ser também cães de estimação.

➧**pool** (pul). [Ingl.] *S. m.* **1.** Econ. Organização baseada no acordo entre produtores e/ou empresas do mesmo ramo, com o fim de formar uma caixa única ou um mercado comum para os respectivos produtos: *o pool de petróleo; um pool bancário.* **2.** *P. ext.* Conjunto de pessoas ou entidades que formam uma caixa comum para alcançar determinado objetivo: *A contratação do craque efetuou-se graças a um pool.*

popa. [Do lat. *popa.*] *S. m.* Sacerdote de categoria inferior que, nos templos romanos, cuidava do fogo, dos vasos, do incenso, etc., e levava a vítima até o altar para sacrificá-la; vitimário. [Pl.: *popas.* Cf. *popa* (ô), s. f., pl. *popas* (ô); *Popa* (ô), astr.; e *poupa, poupas,* do v. *poupar* e s. f.]

popa (ô). [Do lat. **puppa,* por *puppe,* por analogia com *prora,* 'proa'.] *S. f.* **1.** Parte posterior da embarcação. [Antôn.: *proa* (1).] **2.** *Bras.* V. *nádegas.* **3.** *Bras., N.E.* Corcovo, upa. [Pl.: *popas* (ô). Cf. *popa,* s. m., pl. *popas,* e *poupa, poupas,* do v. *poupar,* e s. f.] ♦ **Dar uma popa.** *Bras., PB. Pop.* Censurar com violência.

popão. [De *popa* (ô).] *S. m. Bras. Pop.* Traseiro de rês.

popança (ô). [De *popa* (ô) + *-ança.*] *S. f. Bras. Gír.* V. *nádegas.* [Cf. *poupança.*]

pope. [Do gr. eclcs. *páppos,* pelo russo *pop.*] *S. m.* Sacerdote do rito grego: "Um jovem *pope* e sua negra batina sobem a escadaria do Palácio das Armas" (Francisco Inácio Peixoto, *Passaporte Proibido,* p. 107).

popeiro. [De *popa* (ô) + *-eiro.*] *Adj.* **1.** *Bras., PB. Pop.* Irascível, irritadiço, zangadiço. ● *S. m.* **2.** *Bras.* Piloto de canoa fluvial que a maneja sentado na popa (1). **3.** *Bras., PB.* Indivíduo popeiro (1).

popelina. [Do fr. *popeline.*] *S. f.* Tecido lustroso, de algodão, para vestes femininas, camisas de homem, etc.: "Nesse dia [o dia da festa dos Remédios] não há homem .... que não gaste seu bocado nos leilões ....; nem há mulher, senhora ou moça-dama que não arrote grandeza, pelo menos seu vestidinho novo de *popelina.*" (Aluízio Azevedo, *O Mulato,* pp. 95-96.)

poperi. [De possível or. indígena.] *S. m. Bras.* Barraca provisória na qual os seringueiros da Amazônia defumam o látex depois de extraído.

póplite. [Do lat. *poplite.*] *S. m. Anat.* A região posterior do joelho; jarrete.

poplíteo. *Adj. Anat.* Relativo ou pertencente ao póplite.

popô. [De *popa* (ô).] *S. m. Bras.* V. *nádegas.*

popocar. [De *pocar,* ou var. de *pipocar.*] *V. int.* V. *pipocar* (1). [Normalmente é defect., conjugável só nas 3as pess. Conjug.: v. *trancar.*]

popuca. *Adj. 2 g. Bras.* De pouca resistência; frágil, fraco.

populaça. [De *popul(o)-* + *-aça.*] *S. f.* **1.** V. *ralé* (1). **2.** Agrupamento mais ou menos numeroso de pessoas das classes populares; populacho: *A populaça ameaçava invadir o recinto.*

população. [Do lat. *populatione.*] *S. f.* **1.** O conjunto de habitantes de um território, de um país, de uma região, de uma cidade, etc.: *Portugueses, negros e índios constituíam basicamente a população do Brasil colonial.* **2.** O número desses habitantes: *A população do globo duplicou entre 1750 e 1900; O Brasil tem uma população de mais de 100 milhões de habitantes.* **3.** Conjunto de pessoas pertencentes a uma determinada categoria num total de habitantes: *a população operária, a escolar; a população ativa de uma região; a população italiana de São Paulo.* **4.** Conjunto de animais ou vegetais em determinadas áreas; *população de roedores; a população de pinhos-do-paraná.* **5.** *Biol.* Comunidade de seres vivos que se entrecruzam livremente, graças ao quê trocam entre si material genético. **6.** *Estat.* Conjunto, em geral infinito ou com grande número de membros, cujas propriedades se investigam por meio das de subconjuntos que lhes pertencem; universo. **7.** *Astr.* População estelar. ♦ **População estelar.** *Astr.* Conjunto de corpos celestes com características muito semelhantes entre si. [Tb. se diz apenas *população.*]

populacho. [Do it. *popolaccio.*] *S. m.* **1.** V. *ralé* (1). **2.** Populaça (2).

populacional. *Adj. 2 g.* **1.** Respeitante a população: *decréscimo populacional.* **2.** Demográfico: *densidade populacional.*

popular. [Do lat. *populare.*] *Adj. 2 g.* **1.** Do, ou próprio do povo: *hábitos populares.* **2.** Feito para o povo (2 e 6): *bibliotecas populares; habitações populares.* **3.** Agradável ao povo; que tem as simpatias dele: *A Festa da Uva é uma comemoração popular.* **4.** Democrático (4): *governo popular.* **5.** Vulgar, trivial, ordinário; plebeu. ~ V. *aura —, casa —, democracia —, economia —, edição —, nome —, república —* e *sabedoria —.* ● *S. m.* **6.** Homem do povo: *Um popular foi ferido no choque de automóveis.* ~V. *populares.*

populares. [Pl. de *popular.*] *S. m. pl.* Os partidários do povo; os democratas. ~ V. *popular.*

popularesco. [De *popular* + *-esco.*] *Adj.* De caráter popular (5).

popularidade. [Do lat. *popularitate.*] *S. f.* **1.** Qualidade de quem ou do que é popular. **2.** Estima geral.

populário. [De *popul(o)-* + *-ário.*] *S. m. Bras.* V. *folclore:* "Assim apareceram, canhestras, ... as manifestações líricas iniciais, traduzidas nas redondilhas do *populário* gauchesco." (Moisés Velinho, *Letras da Província,* p. 71.)

popularismo. *S. m.* Escola da poesia moderna (especialmente na Espanha) que imita as formas de poesia popular.

popularização. *S. f.* Ato ou efeito de popularizar(-se).

popularizante. *Adj. 2 g.* Que populariza ou serve para popularizar: "Com a força *popularizante* que envolve o início de sua atuação dramática, chega Miguel [de Cervantes Saavedra], através das bufonadas correntes .... , à realização de um primor: os 'entremezes', a saber: o seu 'teatro menor.' " (José Carlos Lisboa, *O Teatro de Cervantes,* p. 17.)

popularizar. *V. t. d.* **1.** Tornar popular, conhecido ou estimado do povo: *A campanha eleitoral popularizou o candidato.* **2.** Propagar entre o povo; divulgar: *A propaganda popularizou o produto;* "Esta razão supõe que o *Buscapié* fora escrito como hoje se escreve um folhetim panegírico, ou um reclamo artificioso num jornal para acelerar a extração de um livro, ou *popularizar* rapidamente um mau autor." (Latino Coelho, *Cervantes,* p. 128). **3.** Tornar corrente, conhecido, entre o povo: *O filme popularizou a obra clássica;* "Eu espero, para o admirar [a Gambetta], que um mestre o imortalize na tela e o *popularize* pela litografia." (Eça de Queirós, *Ecos de Paris,* p. 31). *P.* **4.** Granjear popularidade: *O jovem político popularizou-se.*

populeão. [Do fr. *populéum.*] *S. m.* Ungüento em que entram beladona, folhas de papoula, etc.

populéo. [Do lat. *populeu.*] *Adj. Poét.* Relativo ao álamo ou ao choupo.

populismo. [De *popul(o)-* + *-ismo.*] *S. m.* **1.** Gênero literário que procura os seus temas no povo. **2.** *Bras.* Simpatia pelo povo. **3.** *Bras.* Política fundada no aliciamento das classes sociais de menor poder aquisitivo.

populista. [De *popul(o)-* + *-ista.*] *Adj. 2 g.* **1.** Que é amigo do povo. **2.** Diz-se de certo gênero literário em que se descreve com simpatia a vida do povo, ou que nele busca os seus temas. **3.** Diz-se do escritor que cultiva esse gênero. **4.** *Bras.* Relativo a populismo. **5.** Que é adepto do populismo.

▲**popul(o)-.** [Do lat. *populus, i.*] *El. comp.* = 'povo': *populista.*

populoso. (ô). [Do lat. *populosu.*] *Adj.* Muito povoado; com população numerosa.

poqueca. [Do tupi *po'keka.*] *S. f. Bras., PA.* V. *moqueca.*

pôquer. [Do ingl. *poker.*] *S. m.* **1.** Cada uma das diversas modalidades do jogo de cartas, de origem norte-americana, para dois ou mais parceiros, em que estes apostam sobre o valor real ou fictício das cartas que recebem. [O objetivo é ter a mão (17) mais alta, conforme a seguinte ordem: *royal straight flush* (cinco cartas do mesmo naipe, em seqüência máxima); *straight flush* (cinco cartas do mesmo naipe, em seqüência); *four* (quatro cartas do mesmo valor, como, p. ex., quatro damas); *flush* (cinco cartas do mesmo naipe); *full hand* (uma trinca e um par, ganhando quem tiver a trinca mais alta); *seqüência* (cinco cartas seguidas, independentemente de naipe); *trinca; dois pares; um par;* e *sem par,* quando vence quem tiver as cartas mais altas.] **2.** Pôquer fechado. [Pl.: *pôqueres.*] ♦ **Pôquer aberto.** Modalidade de pôquer em que apenas a primeira das cinco cartas distribuídas aos jogadores é coberta, fazendo-se as apostas ao final de cada mão; estique-pôquer. **Pôquer canadense.** Variante do pôquer em que cada jogador recebe duas cartas, e mais cinco são colocadas, cobertas, no centro da mesa, fazendo-se as apostas após a abertura de cada uma das cartas. **Pôquer de dados.** Jogo com cinco dados, em cujas bases estão impressas as cartas do baralho, do nove ao ás, e cujas combinações são as mesmas do pôquer (1). **Pôquer fechado.** Modalidade de pôquer em que os jogadores podem descartar até quatro das cinco cartas recebidas e receber outras tantas do distribuidor. [Tb. se diz apenas *pôquer.*]

por. [Do lat. *pro,* com metátese resultante da infl. de *per.*] *Prep.* Partícula usada em numerosíssimos casos, entre os quais os seguintes: **a)** serve para juntar ao verbo, adjetivo ou substantivo que a antecede o complemento terminativo que lhe determina a significação: *O menino saiu sem que o pai desse por isto; Trocou a casa por um apartamento; É cordial por natureza.* **b)** Rege o predicativo do sujeito ou do objeto direto: *Esteve por escrevente num cartório; Alberto de Oliveira passa por grande poeta; Todos o têm por sábio.* **c)** Rege especialmente o agente da voz passiva: "Repetidos [os brados] *por* muitas vozes, ... formavam um ruído medonho." (Alexandre Herculano, *O Bobo,* p. 261.) **d)** Entra na formação de adjuntos ou de orações que indicam: **1.** Motivo determinante; causa, motivo, razão: "porque a ela pertencia o trono *por* um costume gradualmente introduzido" (Alexandre Herculano, *O Bobo,* p. 2); "*Por* teu amor, vaguei nas ruínas leprosas. / *Por* ti, uivei, chorei..." (Gomes Leal, *A Mulher de Luto,* p. 181). **2.** Fim, destino, propósito, tenção, desejo: "Durante quinze anos lutou *por* conservar intacta a independência da terra que lhe chamava rainha" (Alexandre Herculano, *O Bobo,* p. 10); "Morro, e *por* dar-te mais gosto, / Vou morrendo devagar" (Domingos Caldas Barbosa, *ap.* Sérgio Buarque de Holanda, *Antologia dos Poetas Brasileiros da Fase Colonial,* I, p. 285); "correndo o campo com um molho de arnica, pisava a planta *por* extrair-lhe o suco." (Afonso Arinos, *Pelo Sertão,* p. 42); "Mordia, *por* não rir, o lábio úmido e langue" (Menotti Del Picchia, *As Máscaras,* p. XI). **3.** Meio ou intervenção: "sorriu-se segunda vez .... e *por* um gesto gracioso exprimiu ao prelado o desejo de principiar a visita." (Rebelo da Silva, *De noite Todos os Gatos São Pardos,* p. 79); *Tudo consegue por intercessão de amigos poderosos.* **4.** O agente intermediário: "*Por* esse mesmo diretor tive conhecimento de um caso bizarro que inicialmente não aceitei fosse verdadeiro" (José Paulo Moreira da Fonseca, *Breves Memórias de Alexandros Apollônios,* p. 55). **5.** Expediente, recurso, maneira, forma: *Chegou ao posto por adulações e intrigas.* **6.** Lugar através do qual se passa, corre ou entra, ou por cima do qual alguém ou algo desliza ou se estende: "Nós ambos, mesquinhos, / *Por* ínvios caminhos, / Cobertos d'espinhos / Chegamos aqui!" (Gonçalves Dias, *Obras Poéticas,* II, p. 24); "Ela andou *por* aqui; andou." (Luís Delfino, *Íntimas e Aspásias,* p. 11). **7.** Lugar onde se está de passagem: *Na próxima semana ele estará por Londres.* **8.** Duração limitada ou indeterminada de tempo: "Joaquim, do Adro, tinha o gozo daquela água, *por* um número determinado de horas." (Pedro Ivo, *Contos,* p. 24); "Havia adoecido e estivera no hospital *por* uma semana." (Osvaldo França Júnior, *Um Dia no Rio,* p. 49); "Amo-te até nas coisas mais pequenas. / *Por* toda a vida." (Manuel Bandeira, *Estrela da Vida Inteira,* p. 449); "*Por* anos, a dama e o cavaleiro viveram em boa paz e união." (Alexandre Herculano, *Lendas e Narrativas,* II, p. 49); *D. Pedro II governou o Brasil por 49 anos.* **9.** O momento da ação, do fato: *Foi por uma dessas belas tardes de verão que ele a conheceu;* "Era *por* uma noite escura e fria de abril." (Camilo Castelo Branco, *A Queda dum Anjo,* p. 163). **10.** Época aproximativa: *Chegou ao Brasil por 1955.* **11.** Continuação, seqüência, prosseguimento, no tempo ou no espaço: *É preciso trabalhar de verdade, dagora por diante.* **12.** O preço: *Comprei este livro por 500 cruzados.* **13.** Unidade, em sentido distributivo: *O jantar no restaurante sai a 800 cruzados por pessoa.* **14.** Circunstância, condição, estado de coisa, que envolve ou em que se dá um fato: "Bela! dizia eu, como um navio à vela, / para um país polar, *por* um silêncio amigo." (Gomes Leal, *Claridades do Sul,* p. 188.) **15.** Troca, permuta; substituição: *Permutou seu relógio de parede novo por um antigo; Trocou por um maior o seu caderno de apontamentos.* **16.** Reciprocidade: *É notória a paixão dos dois um pelo outro.* **17.** Altura a que chega uma coisa: *Estavam quase afogando-se, com água pelo pescoço.* **18.** Número aproximado: *Sua* *biblioteca anda já por 20.000 volumes; Seu patrimônio orça por 2 milhões de cruzados.* **19.** Favor, defesa, proteção: *Os cavaleiros medievais pelejam por suas damas.* **20.** Amizade, amor: *É louco por sua mulher e filhos.* **21.** Condição de representante ou procurador; em nome de: *Compareceu por si e por seu chefe; Falou por todos os presentes.* **22.** Padrão, estalão, modelo; norma: "aferindo tudo por esse padrão, procedia em conformidade com ele." (Alexandre Herculano, *O Bobo*, p. 4). **23.** Em nome de (nas fórmulas de protesto ou de pedido): *Jurou por Deus que era inocente; Por teus filhos te peço perdão.* **24.** Em honra de; em homenagem a; pela vida ou saúde de: "Gritando o céu tocavam, / Dizendo em alta voz: 'Real,' real, / Por Afonso, alto Rei de Portugal." (Luís de Camões, *Os Lusíadas*, III, 46.) **e)** Entra na formação de numerosas locuções adverbiais, prepositivas e conjuntivas: *por cima, por baixo, por fora, por então, por certo; por sobre, por entre, por meio de, por causa de, por mais que, por menos que.* **f)** Quando se lhe segue infinitivo, indica não achar-se ainda realizado o ato ou estado expresso no verbo, e é, por vezes, negativa, equivalendo a *sem*: *Há muitas novidades por acontecer; Já vai longa esta exposição, e ainda fica muito por dizer.*

pôr. [Do lat. *ponere*.] *V. t. d.* e *c.* **1.** Colocar (em algum lugar); depor: *pôr o copo sobre a mesa; Deus pôs o homem na Terra.* **2.** Colocar, firmando ou apoiando; apoiar, firmar, pousar: *pôr o pé no degrau.* **3.** Arrastar, impelir (a uma determinada situação); reduzir, deixar: *Campos Sales pôs as finanças públicas do Brasil em boa situação.* **4.** Fazer mudar ou trocar; converter, transformar: *A ambição põe homens capazes em avarentos improdutivos.* **5.** Fazer penetrar, ou nascer; incutir, infundir, instilar: "Tão temerosa vinha [a nuvem] e carregada, / Que pôs nos corações um grande medo" (Luís de Camões, *Os Lusíadas*, V, 38). **6.** Colocar próximo ou chegado; aproximar, levar, chegar: *Pôs a taça à boca.* **7.** Colocar em posição adequada; descansar, apoiar: *Pôs a cabeça na almofada.* **8.** Guardar (em lugar seguro); meter, depositar: *Pôs o dinheiro no banco; Pôs as jóias no cofre.* **9.** Pôr por escrito; escrever, apor: *pôr a assinatura num documento.* **10.** Colocar (enfeite, adorno); *Pôs galões dourados na fantasia.* **11.** Deitar, misturando: *pôr sal no molho. T. d.* e *i.* **12.** Fazer recair, atribuir, imputar: *Não lhe ponham a culpa de tudo.* **13.** Fazer consistir; concentrar: *Põe todo o esforço na felicidade dos filhos.* **14.** Dar (nome); colocar: *Pôs-lhe o nome de Ricardo, em homenagem ao avô.* **15.** Dirigir (para alguém, ou algum lugar); pousar; fixar, cravar, pregar: *Pôs a vista na moça, e depois no céu azul.* **16.** Atribuir (defeito, falha): *Põe defeito em obras consideradas clássicas.* **17.** Fazer entrar; introduzir, conduzir: *Seus méritos literários o puseram na Academia.* **18.** Apresentar como objeção ou oposição; opor: *Os técnicos puseram sérias dúvidas ao projeto.* **19.** Dar, obrigando a aceitar; aplicar, impor: *Os governantes puseram uma constituição ao povo.* **20.** Colocar (em determinado grau de importância); classificar: *Põe a riqueza em primeiro lugar.* **21.** Apresentar à vista; expor: *pôr um objeto à venda.* **22.** Passar (para outra forma, em outra língua); traduzir, trasladar: *pôr uma frase em alemão.* **23.** Fazer inclusão de; incluir, inserir: *Ponha meu nome na relação.* **24.** Elevar, erguer: *Põe os mestres nas alturas.* **25.** Restituir, devolver: *Põe para cá o que te emprestei.* **26.** Usar habitualmente; aplicar: *A menina põe ruge em si e na amiga.* **27.** Colocar (em cartaz, em cena); exibir, apresentar: *pôr uma peça de teatro em cartaz.* **28.** Estabelecer (em emprego, função ou ofício); colocar: *Pôs todos os parentes no serviço público.* **29.** Voltar, virar (numa certa posição ou direção): *O aviso manda pôr esta face para cima.* **30.** Arriscar, apostando; apostar: *Pôs 20 cruzados no macaco.* **31.** Gastar, consumir, despender (tempo): *O navio pôs dois meses na travessia.* **32.** Fazer recair; determinar, sentenciar: *As leis põem várias penas contra os falsários.* **33.** Fazer passar; passar (a outrem); deixar, legar: *O dinheiro, ele o pôs a seus parentes. T. d.* **34.** Abrir ao público; estabelecer, montar, instalar: *pôr uma loja de roupas.* **35.** Empreender a construção de; levantar, edificar, erigir: *pôr cidades; pôr monumentos.* **36.** Usar como vestimenta e/ou como adorno; vestir: *Pôs uma camisa verde e uma gravata preta;* "põe teu vestido de tisso, / bracelete, anel, colar." (Cecília Meireles, *Obra Poética*, p. 843). **37.** Fazer aplicação de; aplicar: *A enfermeira pôs compressas.* **38.** Apresentar como oposição ou objeção; opor: *pôr argumentos.* **39.** Introduzir nos pés, nas mãos ou nas pernas; calçar: *pôr meias; pôr luvas.* **40.** Assentar ou firmar no solo: *O cão põe bem a pata doente.* **41.** Aceitar por hipótese; admitir, supor, pressupor: *Pondo que seja verdade sua alegação, ainda assim ele sai-se mal.* **42.** Afirmar solenemente; afiançar, assegurar: *Ponho que ninguém me desobedecerá.* **43.** Levar a cabo a instituição de; instituir, estipular: *pôr uma lei, um regulamento.* **44.** Preparar de modo que se possa utilizar; arranjar, dispor: *pôr a mesa; pôr o automóvel.* **45.** Fazer descrição de; descrever, contar, narrar: *Não há tempo para pôr os fatos minuciosamente.* **46.** Deitar (ovos) no ninho: *Esta semana a galinha não pôs ovos.* **47.** Lançar por escrito; escrever: *Não ponha mais nenhuma palavra.* **48.** Referir-se a; citar, apresentar: *Deu a regra e pôs vários exemplos.* **49.** Deixar de lado; largar, depor: *Os vencidos puseram as armas.* **50.** Dar em contribuição ou auxílio; contribuir com: *Ponho só 20 cruzados para as despesas.* **51.** Empregar, usar, ao escrever: *Lamenta que a lei não permita pôr o acento diferencial; Põe os sinais de pontuação devidos. Transobj.* **52.** Fazer alcançar (função pública); tornar, eleger: *O Estado pôs 15 representantes por deputados.* **53.** Dar nome; chamar, nomear, denominar: *Chamou Pedro ao filho mais velho e pôs João o mais novo.* **54.**Ter na conta; considerar, reputar, classificar: *Experimentado, pôs de ingênuos os argumentos. Int.* **55.** Deitar ovos no ninho: "meia-água de zinco do forno onde se cozinhavam as polentas e as galinhas punham" (Silva Guimarães, *Os Borrachos*, p. 57). **56.** Decidir-se a fazer alguma coisa; propor-se: *Os cargos foram oferecidos, mas ninguém pôs.* **57.** Fazer propósito; planejar alguma coisa: "O homem põe e Deus dispõe" (prov.). *P.* **58.** Colocar-se (em certo local ou posição); postar-se, situar-se: *pôr-se de pé.* **59.** Permanecer (em determinada situação); ficar, postar-se: *pôr-se de vigia.* **60.** Dar começo (a uma ação); começar, principiar: *Pôs-se a trabalhar; Pôs-se a rir;* "E estávamos nós dois; eu e minh'alma, ali; / eu sentado, ela em frente; e pus-me a interrogá-la..." (Marcelo Gama, *Via-Sacra e Outros Poemas*, p. 32). **61.** Desaparecer no ocaso: "Do alto da torre romana da Floresta Negra vi pôr-se o sol além dos Vosges" (Salvador de Mendonça, *in* Lúcio de Mendonça, *Esboços e Perfis*, p. VI); *No inverno o Sol se põe cedo.* **62.** Passar a ser; tornar-se, fazer-se; *Quando a avistou, suas faces puseram-se vermelhas.* **63.** Ficar (em situação perigosa); expor-se: *Ponho-me em grande risco por você.* **64.** Colocar roupa; vestir-se, trajar-se: *Pôs-se de gala para ir ao teatro.* **65.** Chegar (a uma determinada situação); reduzir-se: *Ele próprio se pôs na miséria.* **66.** Colocar-se hipoteticamente; imaginar-se, supor-se: *Pondo-se no meu lugar, que faria você?* **67.** Passar ao estado de: *pôr-se aos choros; pôr-se aos gritos.* [Pres. ind.: *ponho, pões, põe, pomos, pondes, põem*; imperf.: *punha, punhas*, etc.; perf.: *pus, puseste, pôs*, etc.; m.-q.-perf.: *pusera, puseras*, etc.; fut. pres.: *porei, porás*, etc.; fut. pret.: *poria, porias*, etc.; imperat.: *põe, ponde*, etc.; pres. subj.: *ponha, ponhas*, etc.; imperf.: *pusesse, pusesses*, etc.; fut.: *puser, puseres*, etc.; ger.: *pondo*; part.: *posto* (ô). Cf. *por*, prep.; *porém*, conj.; *pós*, prep., e *posto*, do v. *postar*.] ● *S. m.* **68.** *Astr.* O ocaso (1). ♦ **Pôr acrônico.** *Astr.* O pôr de um astro quando o Sol nasce. **Pôr cósmico.** *Astr.* O pôr de um astro que ocorre simultaneamente com o do Sol; pôr helíaco. **Pôr helíaco.** *Astr.* Pôr cósmico.

poracá. [Do tupi *pora'ka*, 'colher, caçar, pescar'.] *S. m. Bras., RJ.* Cesto grande para pesca.

poracamecrã. *S. 2 g.* e *adj. 2 g. Bras.* Var. de *porecamecrã.*

poracé. [Do tupi *pora'sé*, 'dançar'.] *S. m.* e *f. Bras.* Dança religiosa dos índios, ao som do maracá, do tambor e da flauta: "Das festas religiosas e sacrifícios [dos tupis] eram inseparáveis as danças chamadas *poracés*, as quais deviam ser acompanhadas de bebidas fermentadas, de fumar-se muito tabaco ou seus equivalentes, e dos sons de muitos instrumentos." (Visconde de Porto Seguro, *História Geral do Brasil*, I, p. 45); "Bárbara poracé, banzo africano, / E soluços de trova portuguesa." (Olavo Bilac, *Tarde*, p. 18).

poranduba. [Do tupi *porã'duba*, 'pergunta, notícia, informação'.] *S. f. Bras.* História; notícia; relação: "— Irovi está me ouvindo e parou no remanso para escutar minha poranduba." (M. Cavalcanti Proença, *Manuscrito Holandês*, p. 251.)

poranga. *S. f. Bras.* V. *inhambuanhanga.*

porangaba. [Do tupi *porã'gaba*, 'beleza'.] *S. f. Bras.* V. *chá-de-bugre.*

porangueiro. [De *porango*[1] + *-eiro*, com dissimilação.] *S. m.* V. *porongo*[1] (1).

porão. [Do lat. *planu*, 'plano'.] *S. m.* **1.** Constr. Nav. Qualquer espaço compreendido entre o convés mais baixo e o teto do duplo-fundo, ou entre o convés mais baixo e o fundo (quando a embarcação não tem duplo-fundo). **2.** *Constr. Nav.* Nos navios mercantes,cada um dos grandes espaços estanques situados entre o duplo-fundo e uma coberta, e destinados à arrumação da carga. **3.** *Bras.* Parte da habitação entre o chão e o assoalho. **4.** *Bras.* Parte de uma casa entre o chão e o primeiro pavimento: *porão habitável.* **5.** *Teat.* A parte inferior, subterrânea ou não, da caixa de cena. **6.** *Bras. Gír.* Cada um dos bolsos traseiros ou laterais da calça, em que se costuma guardar dinheiro. ♦ **Ir para o porão.** Sair de cartaz (peça teatral).

poraquê. [Do tupi *pora'kê*, 'o que faz dormir, o que entorpece'.] *S. m. Bras.* Peixe teleósteo, caraciforme, da família dos electroforídeos (*Electrophorus electricus* (L.)), da Amaz., de coloração negra tendente ao chocolate-escuro, salpicada de pequenas manchas amarelas, vermelhas ou branco-sujo, corpo alongado, cilíndrico, e provido apenas de nadadeira anal, que percorre grande extensão do abdome. Há exemplares em que a parte abdominal anterior à nadadeira é vermelha. Emite descargas elétricas, como arma de defesa e também para aturdir os peixes dos quais se alimenta. Tem o hábito de vir periodicamente à tona engolir ar: "Agora, à noite, mais na sua imaginação que na água, passavam ilhas de vagalumes e saúvas, ... a cabeça de um jacaré adormecido e um poraquê, o peixe-elétrico" (Dalcídio Jurandir, *Três Casas e Um Rio*, p. 9). [Sin.: *peixe-elétrico, enguia-elétrica, muçum-de-orelha, pixundu, pixunxu, pixundé*.]

porca. [Do lat. *porca*.] *S. f.* **1.** A fêmea do porco. **2.** Pequena peça de ferro, em geral sextavada ou quadrada, munida de furo em espiral que se atarraxa na extremidade de parafuso cilíndrico. **3.** Certo jogo de meninos.

porcada. *S. f.* **1.** V. *vara de porcos.* **2.** V. *porcaria* (3).

porcagem. [De *porco* + *-agem*[2].] *S. f. Bras., S.* Estrumação do campo por animais.

porcalhada. *S. f.* V. *porcaria* (1).

porcalhão. [Aum. de *porco*.] *Adj.* e *s. m.* **1.** Que ou aquele que é muito porco, imundo. **2.** Que trabalha mal; trapalhão **3.** V. *porqueira* (6 e 7). [Fem.: *porcalhona*.]

porcalhona. *Adj. (f.)* e *s. f.* Fem. de *porcalhão* [q. v.].

porção. [Do lat. *portione*.] *S. f.* **1.** Parte de alguma coisa; bocado, parcela, fração. **2.** Quantidade (1) limitada de alguma coisa; dose: *Esta porção de açúcar é suficiente para adoçar o café.* **3.** *Bras.* V. *quantidade* (3). [Dim. irreg.: *porciúncula*.]

porcaria. *S. f.* **1.** Ato ou estado do que é porco; porcalhada, porqueira. **2.** Imundície,sujidade, porqueira. **3.** *Fig.* Coisa malfeita ou ruim; porcada, porqueira. **4.** Grande porção de porcos. **5.** *Fig.* Palavra ou dito sujo, grosseiro ou obsceno. **6.** Aquilo que não tem valor. **7.** Aquilo que é ruim ou malfeito. ● *S. 2 g.* **8.** V. *porqueira* (6 e 7). ● *Adj. 2 g.* **9.** Que não tem valor: *livro porcaria.* ♦ **Uma porcaria.** Muito ruim; péssimo; uma miséria: *O filme era uma porcaria.*

porcariada. *S. f.* **1.** *Bras.* e *prov. lus.* Grande porcaria ou imundície. **2.** *Bras. Deprec.* Coisa muito malfeita ou muito ruim.

porcariço. [Do esp. *porquerizo?*] *S. m.* Porqueiro (1): "Deram uma bíblia ao ganha-pão, ao porcariço, ao bufarinheiro, e por esse fato constituíram-no teólogo, santo-padre e, até, concílio." (Alexandre Herculano, *Lendas e Narrativas*, II, p. 203.)

porcelana. [Do it. *porcellana*.] *S. f.* **1.** Variedade de cerâmica dura, branca e translúcida, mais ou menos fina, preparada essencialmente com caulim, podendo ser ou não vitrificada. **2.** Objeto feito com esse produto: "Mas logo à mesa voltavam, / que a fome bem pouco espera, / e os seus olhos descansavam / em porcelanas da China / e cristais da Baviera" (Carlos Pena Filho, *Memórias do Boi Serapião*, p. 14). **3.** V. *beldroega-pequena.* **4.** *Bras., S. da BA.* Tigela (de porcelana ou de outra substância).

porcelanita. [De *porcelana* + *-ita*[2].] *S. f.* Argila endurecida pelo cozimento, ou fundida por magma quente ou por combustão de carvão em contato com a argila.

porcelanizado. *Adj.* Que tem aspecto da porcelana (1): "o restante da maquilagem mantém a sobriedade das cores claras porcelanizadas" (Iesa Rodrigues, *Jornal do Brasil*, 20.3.1985).

porcentagem. [Da loc. *por cento* + *-agem*.] *S. f.* V. *percentagem*: "Em 1900 os negros formavam 11,6% da população norte-americana; em 1910, essa porcentagem desceu a 10,7." (E. Roquete-Pinto, *Seixos Rolados*, pp. 58-59.)

porcino. [Do lat. *porcinu*.] *Adj.* **1.** V. *suíno* (1): "querendo criar porcos, precisava agir de maneira superior. Precisava estudar a ciência da criação porcina" (Nélson Palma Travassos, *O Porco, Esse Desconhecido*, p. 17). **2.** Relativo a porco, ou que o lembra.

▲porci(o)-. [Do lat. *portio, onis.*] *El. comp.* = 'parte, porção. [Equiv.: *porcion(e)-*: *porcionário.*]

porcionário. [De *porcion(e)-* + *-ário.*] *S. m.* **1.** Aquele que tem ou recebe uma porção (1) ou qualquer pensão ou renda. **2.** Benefício eclesiástico.

▲porcion(e)-. Equiv. de *porci(o)-*.

porcionista. [De *porcion(e)-* + *-ista.*] *S. 2 g.* Aluno que num colégio paga a sua educação ou sustento.

porciúncula. [Do lat. *porticuncula.*] *S. f.* **1.** Pequena porção; porçãozinha. **2.** Jubileu da Ordem de S. Francisco. **3.** O primeiro convento dessa ordem.

porciunculense (i-u). *Adj. 2 g.* **1.** De, ou pertencente ou relativo a Porciúncula (RJ). ● *S. 2 g.* **2.** Natural ou habitante de Porciúncula.

porco (ô). [Do lat. *porcu.*] *S. m.* **1.** Mamífero da ordem dos artiodáctilos, não ruminantes, originário do javali, porém existente quase em toda parte como animal doméstico; cerdo. **2.** *P. ext.* Carne de porco. **3.** Prato preparado com ela. **4.** *Fig.* Indivíduo sujo, imundo. **5.** V. *diabo* (2). **6.** *Bras., CE.* V. *bebedeira* (1). **7.** *Bras.* No jogo do bicho [q. v.], o 18º grupo (8), que abrange as dezenas 69, 70, 71 e 72, e corresponde ao número 18. ● *Adj.* **8.** Sujo, imundo. **9.** Grosseiro, torpe; obsceno. [Flex.: *porca, porcos, porcas.* Aum. (com referência a pessoas): *porcalhão.*] ♦ **Montar num porco.** *Bras., S.* Encabular, envergonhar-se. **Passar de porco a porqueiro.** Melhorar de situação, de condição, de vida. **Tomar um porco.** *Bras., CE. Pop.* V. *embriagar* (4).

porco-bravo. *S. m.* V. *javali.* [Pl.: *porcos-bravos.*]

porco-do-mato. *S. m. Bras.* Designação impropriamente dada aos taiassuídeos queixada [q. v.] e caititu [q. v.]. Diferem do porco doméstico por terem cauda atrofiada, cerdas mais longas e mais rijas, apenas dois incisivos superiores e seis molares, e (o que é neles mais típico) uma glândula dorsal próxima da garupa que secreta uma substância oleosa com cheiro de almíscar. Vivem em bandos, às vezes de algumas dezenas de indivíduos, e alimentam-se de toda sorte de frutos e raízes da mata. [Pl.: *porcos-do-mato.*]

porco-espim. *S. m.* Var. de *porco-espinho.* [Pl.: *porcos-espins.*]

porco-espinho. *S. m.* **1.** Impr. Ouriço-cacheiro. **2.** Mamífero roedor histricomorfo, da família dos histricídeos, que não ocorre na região neotrópica. São animais da Europa e da África, de pêlos transformados em longos espinhos. [Var.: *porco-espim.* Pl.: *porcos-espinhos.*]

porco-montês. *S. m.* V. *javali.* [Pl.: *porcos-monteses.*]

porco-sujo. *S. m. Pop.* V. diabo (2). [Pl.: *porcos-sujos.*]

pôr-do-sol. *S. m.* Crespúsculo vespertino; crepúsculo, ocaso: "Luares, pores-do-sol, cousas que morrem breve" (Alphonsus de Guimaraens, *Obra Completa*, p. 99). [Pl.: *pores-do-sol.*]

porecamecrã. *Bras. S. 2 g.* **1.** Indivíduo dos porecamecrãs, tribo jê que habitava as margens do rio Tocantins. ● *Adj. 2 g.* **2.** Pertencente ou relativo a essa tribo. [Var.: *poracamecrã.*]

porecatuense. *Adj. 2 g.* **1.** De, ou pertencente ou relativo a Porecatu (PR). ● *S. 2 g.* **2.** Natural ou habitante de Porecatu.

porejar. [De *poro* + *-ejar.*] *V. t. d.* **1.** Exsudar poros; suar, ressudar: "Tiãozinho sentiu-se acovardado, a pele porejando suor gelado" (Nélson de Faria, *Tiziu e Outras Estórias*, p. 34). **2.** Deixar cair gota a gota; destilar, ressumar: *O teto poreja a água da chuva.* *Int.* **3.** Sair pelos poros: *O suor poreja no corpo quente.* [Conjug.: v. *pelejar.*]

porém. [Do lat. *proinde*, 'por conseguinte', atr. do arc. *porende*, 'por isso', com apócope.] *Conj.* **1.** Contudo; mas; todavia. [Correttíssimo é o emprego da conjunção *porém* em começo de período. É fato da língua, facilmente documentável desde a fase arcaica (p. ex., Joam Roiz de Castel Branco *in Cancioneiro Geral de Garcia de Resende*, III, p. 122, e Gomes Eanes de Azurara, *Crônica do Descobrimento e Conquista de Guiné*, pp. 3, 38, 70,80) até os nossos dias. Só em uma das obras do seiscentista Manuel Bernardes, clássico dos maiores (*Nova Floresta*, 5 vols.), podem encontrar-se mais de 300 exemplos; às vezes vêm dois exemplos, e, muito raro, três, numa mesma página.] ● *S. m.* **2.** *Bras.* Empecilho, obstáculo, óbice. **3.** *Bras.* Lado mau; aspecto negativo; inconveniente: "a inteligência do rapaz clareou, que foi aquela beleza. Deu-se, porém, uma remandiola, porque não há nada de bom neste mundo que não tenha o seu porém." (Horácio de Almeida, *in Revista das Academias de Letras*, nº 78, p. 122). [Em geral é us. na loc. *ter o seu porém* (como se vê no exemplo citado) ou *ter os seus poréns*. Cf. *porem* (ô), do v. *pôr.*]

por-favor-me-pegue. *S. m. 2 n. Bras.* Na Ilha da Trindade, peixe de uns 30 cm de comprimento, muito abundante, e que é pescado com balde pelos marinheiros que servem ali: "Nossa atenção foi desviada para um cardume de por-favor-me-pegue, que escureceu a água em volta de nós, com sua vestimenta negra e seu palmo e meio de comprimento; ignoro seu nome de batismo, por isso o chamo por-favor-me-pegue, nome com que os marinheiros o celebrizaram, pela facilidade de o pescarem." (Moacir C. Lopes, *Maria de Cada Porto*, p. 75.)

porfia. [Do lat. *perfidia.*] *S. f.* **1.** Discussão ou contenda de palavras; polêmica. **2.** Insistência, pertinácia, teima, obstinação: *A porfia de Fleming levou-o a descobrir a penicilina.* **3.** *Fig.* Competição, rivalidade; disputa: *A porfia dos dois tenistas deu grande interesse ao jogo.* ♦ **À porfia.** **1.** À competência; com rivalidade; em disputa pela primazia: "Devaneamos à porfia sobre aquelas eras, tão sedutoras, que todos as recordam como se as houveram desfrutado." (Antônio Feliciano de Castilho, *Os Amores*, I, p. 27.) **2.** Sem descanso ou trégua; sem cessar; sucessivamente: "Todos à porfia corriam a socorrer os infelizes atacados pela cólera" (Joaquim Manuel de Macedo, *Os Romances da Semana*, p. 4).

porfiada. *S. f. Pesc.* Cosedura que une umas às outras as testas das redes por meio de um fio passado nas malhas.

porfiado. [Part. de *porfiar.*] *Adj.* **1.** Em que houve porfia. **2.** Pertinaz, perseverante, obstinado. **3.** Renhido, disputado.

porfiador (ô). *Adj. e s. m.* Que ou aquele que porfia, que é teimoso, contumaz, pertinaz.

porfiar¹. [De *porfia* + *-ar²*.] *V. int.* **1.** Discutir acaloradamente; contender, debater, altercar: *Porfiaram horas seguidas, sem chegar a acordo.* *T. i.* **2.** Debater com ardor; discutir, altercar: *porfiar com alguém.* **3.** Fazer empenho; teimar, insistir, obstinar-se: *Porfiava em seus propósitos.* **4.** Competir, rivalizar, concorrer: *Este escritor porfia com os melhores prosadores da língua.* *Bit. i.* **5.** Competir, rivalizar: "Entre dois homens que o fado / Juntou, nenhum deles diz, / Mas cada um há porfiado / Com o outro em ser mais feliz." (Raimundo Correia, *Poesias*, p. 194.) *T. d.* **6.** Fazer por obter; disputar: *porfiar um cargo.* **7.** Empenhar-se em; travar: *porfiar questões.*

porfiar². [De *por* + *fio* + *-ar²*.] *V. t. d.* **1.** Guarnecer com fio (cabo ou linha). **2.** Coser (cabos ou tralhas) com um fio ou cabo mais delgado.

pórfido. [Do it. *porfido.*] *S. m.* Var. de *pórfiro*: "Nem mármores, nem pórfidos luzentes / Nos alisares brilham." (Correia Garção, *Obras Poéticas e Oratórias*, p. 125).

porfioso (ô). *Adj.* **1.** Em que há porfia. **2.** Amigo de porfiar; persistente, teimoso. **3.** Contínuo, constante, aturado: "Deploro, meu amigo, o que deploras / Com porfiosa dor, com dor interna" (Bocage, *Poesias*, p. 33).

porfiria. [De *porfir(ina)* + *-ia.*] *S. f. Med.* Perturbação do metabolismo das porfirinas, com aumento significativo de formação e excreção destas ou de seus precursores.

porfírico. *Adj. Pet.* Diz-se da textura de rocha magmática que apresenta fenocristais disseminados numa pasta vítrea ou finamente cristalizada.

porfirina. [Do gr. *porphyra*, 'púrpura', + *-ina¹*.] *S. f. Quím.* Cada um dos grupos vermelho-escuros ou púrpura-escuros de derivados do pirrol, isentos de ferro ou de magnésio, que existem universalmente no protoplasma e compõem os pigmentos respiratórios de animais e plantas.

porfirítico. *Adj.* ~ V. *textura* —*a.*

porfirização. *S. f.* Ato ou efeito de porfirizar.

porfirizar¹. [De *pórfiro* + *-izar.*] *V. t. d.* **1.** Reduzir a pó muito fino em pórfiro ou noutra rocha.

porfirizar². [De *Porfírio*?] *V. t. d. Fig.* Negar, argumentando; refutar: *porfirizar as heresias.*

pórfiro. [Do gr. *porphyra*, 'púrpura'; o nome alude à cor.] *S. m.* **1.** *Pet.* Designação comum às rochas extrusivas e aos diques que se apresentam com textura porfirítica. **2.** *P. ext.* Qualquer mármore que apresenta cristais muito brancos, em contraste com o fundo: "O Imperador [Napoleão] voltou a Paris, e agora jaz num soberbo túmulo de pórfiro da Sibéria" (Martins Fontes, *Terras da Fantasia*, p. 222). **3.** Utensílio de farmácia destinado a pulverizar substâncias. [Var.: *pórfido* (q. v.).]

porfiroblástico. [De *pórfiro* + *-blast(o)-* + *-ico²*.] *Adj.* ~ V. *textura* —*a.*

porfiróide. [Do gr. *porphyroeidés.*] *Adj. 2 g.* ~V. *textura* —.

▲pori-. [De *poro.*] *El. comp.* = 'poro': *porífero, poricida.*

poricida. [De *pori-* + *-cida.*] *Adj. 2 g. Morfol. Veg.* Que se abre por meio de poros: *cápsula poricida; antera poricida.*

porífero. [De *pori-* + *-fero.*] *Adj.* **1.** Que tem poros. **2.** Pertencente ou relativo aos poríferos; espongiário. ● *S. m.* **3.** Espécime dos poríferos; espongiário.

poríferos. *S. m. pl. Zool.* Animais parazoários, do ramo *Porifera*, que têm simetria bilateral, formas variadas, esqueleto interno formado por espículas silicosas ou calcárias, ou fibras de espongina, e a superfície do corpo com numerosos poros ligados a canais ou câmaras revestidos por células flageladas ou coanócitos. São as esponjas marinhas ou de água doce, todas sésseis. [Sin.: *espongiários.*]

pormenor. [Da loc. *por menor.*] *S. m.* Circunstância particular; particularidade, minúcia, minudência, miudeza: *Descreveu a situação com todos os pormenores.*

pormenorização. *S. f.* Ato ou efeito de pormenorizar.

pormenorizado. [Part. de *pormenorizar.*] *Adj.* Referido, descrito com pormenores; minuciado, minudenciado, detalhado: "quiseram ver os livros, verificar os balanços; obter explicações pormenorizadas a respeito dos débitos incobráveis" (João da Silva Correia, *Farândola*, p. 116).

pormenorizar. *V. t. d.* Referir, descrever, minuciosa ou pormenorizadamente; expor os pormenores de; minudenciar, minuciar; particularizar: *pormenorizar um acontecimento.*

pornéia. [Do gr. *porneía.*] *S. f.* Devassidão, libertinagem.

▲porno-. [Do gr. *pórne, es.*] *El. comp.* = 'prostituta': 'prostituição': *pornocracia; pornógrafo* (< gr. *pornográphos*).

pornô¹. *Adj. 2 g. e 2 n. Bras. Pop.* **1.** F. red. de *pornográfico*: *cinema pornô.* ● *S. m.* **2.** Peça ou filme pornográfico: "O autor desconhecido de 'O Mate Saboroso' — um dos primeiros pornôs do cinema, roçou a criação de gênio sem percebê-la" (Pedro Nava, *Galo-das-Trevas*, p. 214).

pornô². *S. m.* F. red. de *pornochanchada.*

pornochanchada. [De *porno(grafia)* + *chanchada.*] *S. f. Bras.* Chanchada (1) pornográfica. [F. red.: *pornô.*]

pornocracia. [De *porno-* + *-cracia.*] *S. f.* Influência das cortesãs no governo.

pornocrático. *Adj.* Referente à, ou próprio da pornocracia.

pornofonia. [De *porno-* + *-fon(o)-* + *-ia.*] *S. f. Bras. Neol.* Palavra ou expressão obscena; palavrão: "O açougueiro ignorante ferrava e gritava as suas pornofonias tão comuns naquela lida." (Bariani Ortêncio, *Vão dos Angicos*, p. 111.) [Cf. *pornografia.*]

pornografar. [De *porno-* + *-graf(o)-* + *-ar²*.] *V. t. d.* **1.** Descrever pornograficamente. **2.** Descrever (atos ou episódios obscenos). [Pres. ind.: *pornografo*, etc. Cf. *pornógrafo.*]

pornografia. [De *porno-* + *-graf(o)-* + *-ia.*] *S. f.* **1.** Tratado acerca da prostituição. **2.** Figura(s), fotografia(s), filme(s), espetáculo(s), obra literária ou de arte, etc., relativos a, ou que tratam de coisas ou assuntos obscenos ou licenciosos, capazes de motivar ou explorar o lado sexual do indivíduo. **3.** Devassidão, libidinagem. [F. red. (bras., pop.), nesta acepç.: *pornô.* Cf. *pornofonia.*]

pornográfico. *Adj.* **1.** Relativo à pornografia (2 e 3). **2.** Que pratica, ou em que há pornografia (3).

pornografismo. *S. m.* **1.** Caráter pornográfico. **2.** Gosto da pornografia.

pornógrafo. [Do gr. *pornográphos.*] *S. m.* **1.** Aquele que se ocupa de pornografia. **2.** Aquele que pinta ou descreve obscenidades. [Cf. *pornografo*, do v. *pornografar.*]

poro. [Do gr. *póros*, 'passagem', pelo lat. *poru*, 'canal'.] *S. m.* **1.** *Anat.* Designação genérica de cada um dos pequenos orifícios do corpo: *poro gustativo, poro acústico externo.* **2.** *Anat.* Poro sudorífero [q. v.]. **3.** Cada um dos interstícios hipotéticos entre as moléculas do corpo. **4.** Cada um dos pequenos orifícios ou interstícios em certas matérias sólidas: *os poros da madeira.* **5.** *Morfol. Veg.* Qualquer orifício muito estreito num órgão ou parte vegetal. Ex.: a abertura dos peritécios de fundos e liquens, a dos grãos de pólen, a da parede de muitas células. **6.** *Anat. Veg.* Vaso ou traqueóide vascular vista em seção transversal. ♦ **Poro**

germinativo. *Morfol. Veg.* Abertura da exina dos grãos de pólen, pela qual se exterioriza o tubo polínico. **Poro solar.** *Astr.* Pequena mancha na superfície do Sol, o menor dos acidentes visíveis ali. **Poro sudorífero.** *Anat.* Orifício de canal de glândula sudorípara, situado na superfície cutânea. [Tb. se diz apenas *poro.*] **Suar por todos os poros.** V. *suar em bica.*

▲poro-¹. [Do gr. *póros, ou.*] *El. comp.* = 'passagem', 'poro': *porócito.* [Equiv.: *-poro: megalóporo.*]

▲poro-². [Do gr. *pôros, ou.*] *El. comp.* = 'concreção', 'calo': *porocele.*

▲-poro. Equiv. de *poro-¹.*

porocefálido. *S. m.* **1.** Espécime dos porocefálidos. ● *Adj.* **2.** Pertencente ou relativo a eles.

porocefálidos. *S. m. pl. Zool.* Artrópodes pentastomídeos, da ordem *Porocephalida.* Ganchos bucais com fulcro ou ramo basal; abertura genital anterior no macho e posterior na fêmea; desenvolvimento indireto, com hospedeiro intermediário.

porocele. [De *poro-²* + *-cele.*] *S. f. Patol.* Hérnia escrotal em que se nota que as camadas que recebem os testículos estão espessadas e endurecidas.

porocélico. *Adj.* Referente à porocele.

porócito. [De *poro-¹* + *-cito.*] *S. m.* Célula chata, perfurada, das esponjas.

porocotó. *Bras. S. 2 g.* e *adj. 2 g.* Var. de *purucotó.*

porogamia. [De *poro-¹* + *-gam(o)-* + *-ia.*] *S. f. Bot.* Penetração do tubo polínico no óvulo através da micrópila. É o caso geral nos fanerógamos. [Sin.: *acrogamia.* Opõe-se a *calazogamia.*]

porongo¹. [Do quíchua *poronco,* 'vaso de barro com o gargalo estreito e comprido', pelo esp. plat. *porongo.*] *S. m.* **1.** *Bras., L.* e *N.E.* Trepadeira da família das cucurbitáceas (*Lagenaria vulgaris*), originária da África e subespontânea no Brasil, que fornece enormes frutos ocos e de casca dura, com os quais o povo do interior faz as cuias e as cabaças; porongueiro, porangueiro, cabaça, calabaça. **2.** Cuia ou cabaça feita do fruto do porongo; cabaça, calabaça. [Var.: *purunga, purungo.*]

porongo². *S. m. Bras., SE. Pop.* V. *cachaça* (1).

porongudo. *Adj. Bras., RS.* Diz-se do cavalo que tem nos membros uma grande exostose, que lembra uma cuia ou porongo.

porongueiro. *S. m. Bras.* V. *porongo¹* (1).

pororoca¹. [Do tupi *poro'roka,* ger. de *poro'rog,* 'estrondar'.] *S. f.* **1.** *Bras.* Macaréu de alguns metros de altura, grande efeito destruidor e forte estrondo, que ocorre próximo à foz do Amazonas e de alguns rios do MA; mupororoca: "Assim que começou a fase da lua cheia, chegou também a *p o r o r o c a .* .... De repente, ouviu-se um estrondo distante. Parecia que o mar tinha se quebrado. Surgiu depois, no horizonte fluvial, um vagalhão imenso, como um Niágara avançando rio adentro. Vinha arrebentando tudo. Destruía o que encontrava pela frente. Solapava .... as ribanceiras das ilhas. Fatias de terra molhada escorregavam, como uma mole, dentro d'água." (Raul Bopp, *Putirum,* p. 206.) [As ondas menores que acompanham a onda principal chamam-se *banzeiros.*] **2.** *Bras., PA.* Pipoca (1).

pororoca². [F. abrev. de *capororoca.*] *S. f.* **1.** *Bras.* V. *anta²* (1). **2.** *Bras., PR.* V. *azeitona-do-mato.* **3.** V. *jutaipeba.*

pororocar. *V. int. Bras.* Produzir pororocas (o rio); *O Amazonas p o r o r o c a na foz.* [Conjug.: v. *trancar.* Defect., conjugável só nas 3ªs pess.]

pororom. *Adj. 2 g. Bras., S.* **1.** Diz-se de fruta atrofiada ou de qualidade ruim. ● *S. m.* **2.** Fruta atrofiada ou de qualidade ruim. **3.** V. *tamboeira* (1).

porosidade. *S. f.* Qualidade de poroso.

porosimetria. [De *porosímetro* + *-ia.*] *S. f.* Atividade que consiste em medir a porosidade de materiais.

porosímetro. [De *poroso* + *-i-* + *-metro.*] *S. m.* Instrumento para caracterização de materiais porosos, medindo volume total e distribuição de poros.

poroso (ô). *Adj.* **1.** Que tem poros. **2.** *Fig.* Predisposto, tendente, propenso: "Interesse nervoso. Mas, por quê? Por uma terrível e íntima coerência comigo, a obstinação minuciosíssima das naturezas *p o r o s a s* à solidão." (Antônio Carlos Vilaça, *O Nariz do Morto,* p. 127.)

porquanto. [De *por* + *quanto.*] *Conj.* Por isso que; visto que; porque: *Não foi premiado, p o r q u a n t o a isso não fez jus.*

porque. [De *por* + *que.*] *Conj.* Designa causa; em razão de que; pelo motivo de; porquanto: "Eu canto *p o r q u e* o instante existe / e a minha vida está completa." (Cecília Meireles, *Obra Poética,* p. 4.) [Cf. *por que, por quê* e porquê.]

porquê. [De *por* + *quê.*] *S. m.* Causa, motivo, razão: "proclamavam Castilho príncipe dos poetas e seu mestre — e ninguém dizia o *p o r q u ê .*" (Antônio Salgado Júnior, *in* João Gaspar Simões, *Perspectiva da Literatura Portuguesa do Século XIX,* p. 80.) [Cf. *porque, por quê* e por que.]

porqueira. [De *porco* + *-eira.*] *S. f.* **1.** Curral de porcos. **2.** Casa imunda. **3.** V. *porcaria* (1 a 3). **4.** Mulher que trata de porcos. **5.** *Bras., S. Pop.* V. *rolo¹* (16). ● *S. 2 g.* **6.** *Bras., S. Deprec.* Pessoa desprezível, ou que é julgada ou tratada como tal: *Lá vem esse p o r q u e i r a querendo botar banca.* **7.** *Bras., S. Fam.* Pessoa, especialmente criança, sem juízo, turbulenta ou irresponsável. [Sin., nas acepç. 6 e 7: *porcaria, porcalhão, porcalhona.*]

porqueiro. *S. m.* **1.** Guardador de porcos; porcariço. ● *Adj.* **2.** V. *suíno* (1). **3.** Diz-se de uma espécie de abóbora e de uma espécie de couve.

porquinho. [Dim. de *porco.*] *S. m.* **1.** Bacorinho. **2.** Molho de fibras de linho.

porquinho-da-índia. *S. m.* Cobaia (1). [Pl.: *porquinhos-da-índia.*]

porra (ô). [De *porro.*] *S. f.* **1.** *Ant.* Clava com saliência arredondada num dos extremos. **2.** *Chulo.* O pênis. **3.** *Bras., S. Chulo.* V. *esperma.* ● *Interj.* **4.** *Bras. Chulo.* Exprime enfado, impaciência, desagrado, etc. [Var. (eufemicamente apocopada), nesta acepç.: *pô.*]

porráceo. [Do lat. *porraceu.*] *Adj.* Que tem a cor esverdeada do porro (1).

porrada¹. [De *porra* + *-ada¹.*] *S. f.* **1.** *Chulo.* Pancada com cacete. **2.** *Chulo.* Pancada, bordoada. **3.** *Bras.* V. *quantidade* (3).

porrada². [De *porro* + *-ada¹.*] *S. f. Ant.* Qualquer guisado em que entrem porros.

porrado. [De *porre* + *-ado¹.*] *Adj. Bras.* Que está no porre. V. *embriagado* (1).

porral. *S. m.* Quantidade mais ou menos considerável de porros dispostos proximamente entre si.

porra-louca. *S. 2 g.* e *adj. 2 g. Bras. Chulo.* Pessoa, ou diz-se de pessoa, que age de maneira inconseqüente, irrefletida, que não tem noção de responsabilidade. [Pl.: *porras-loucas.*]

porra-louquice. *S. f. Bras. Chulo.* Qualidade, ato ou dito de porra-louca; porra-louquismo. [Pl.: *porra-louquices.*]

porra-louquismo. *S. m. Bras. Chulo.* Porra-louquice. [Pl.: *porra-louquismos.*]

porrão. [Do esp. *porrón.*] *S. m.* **1.** Pote ou vasilha de barro, comumente bojuda e de boca e fundo estreitos: "objetos de cerâmica (moringas, quartinhas, alguidares, panelas, frigideiras, *p o r r õ e s* e talhas)" (Hermano Requião, *Itapagipe,* p. 92). **2.** *Fig.* Homem baixo e atarracado.

porre. [Der. regress. de *porrão?*] *S. m.* **1.** *Bras. Pop.* V. *bebedeira* (1). **2.** *Bras., PA.* Copo ou dose de cachaça. **3.** *Bras. Gír.* Enfadonho, maçante, chato.

porrecto. [Do lat. *porrectu,* 'estendido, alongado'.] *Adj. Morfol. Veg.* Estendido horizontalmente: *pétala p o r r e c t a*

porreiro. *Adj. Lus. Pop.* **1.** Afável, simples e prestativo. **2.** Muito bonito; lindo. **3.** Bom, excelente. [Sin. bras., nas acepç. 2 e 3: *porreta, caceteiro.*]

porreta (ê). *Adj. 2 g. Bras. Pop.* Porreiro (2 e 3).

porretada. *S. f.* Pancada com porrete (1).

porrete (ê). [Dim. de *porra.*] *S. m.* **1** Cacete com uma das extremidades arredondada. **2.** V. *cacete* (1). **3.** *Bras.* Coisa (sobretudo remédio) eficaz e decisiva: "ninguém poderia negar a eficácia das virtuosas águas no combalido organismo. Aquilo fora um *p o r r e t e*" (Cândido Jucá [filho], *Noite Insone,* p. 11).

porrigem. [Do lat. *porrigine.*] *S. f. Patol.* Tinha¹ (1).

porriginoso (ô). [Do lat. *porrigine,* 'porrigem', + *-oso.*] *Adj.* Que tem porrigem ou semelhante a ela.

porrinha. *S. f. Bras.* Jogo em que os parceiros encerram na mão certo número (entre 0 e 3) de moedas ou palitos de fósforo, para depois, um a um, tentarem adivinhar o total; basquete-de-bolso, jogo de palitinhos.

porrista. [De *porre* + *-ista.*] *Adj. 2 g.* e *s. 2 g. Bras.* Que ou quem é dado a porres; ébrio.

porro (ô). [Do lat. *porru.*] *S. m.* **1.** Erva da família das liliáceas (*Allium porrum*), de origem européia e cultivada no S. do Brasil. **2.** O bolbo e as folhas dessa planta, empregados na culinária como condimento. [Tb. se usa, nestas acepç., *alho-porro* e *alho-poró.*] **3.** Espécie de calo que se forma no lugar duma fratura.

porta. [Do lat. *porta.*] *S. f.* **1.** Abertura em parede, ao nível do solo ou de um pavimento, para dar entrada ou saída: *p o r t a de uma sala, de uma casa, de uma povoação.* **2.** Peça de madeira ou de metal que gira sobre gonzos e fecha essa abertura: *p o r t a entalhada; p o r t a pintada.* **3.** Peça com que se fecham certos móveis, veículos, objetos, etc., à maneira de porta (2): *a p o r t a do oratório; a p o r t a do automóvel.* **4.** Sala, casa, edifício, etc., a que pertence uma determinada porta (2): *Anda de p o r t a em p o r t a .* **5.** Local onde as margens de um rio são estreitas ou alcantiladas. **6.** Outrora, na Ásia, palácio de um monarca. **7.** *Fig.* Ponto por onde se entra ou sai de algum lugar. **8.** *Fig.* Ponto por onde se passa para atingir outro mais distante: *No século XVI Lisboa tornou-se a p o r t a do comércio com o Oriente.* **9.** *Fig.* Maneira de sair de uma dificuldade; solução, recurso, saída: *Encontrou no casamento a p o r t a para seus problemas financeiros.* **10.** *Fig.* Meio de acesso: *O ensino médio bem ministrado é a p o r t a para alto rendimento universitário.* **11.** *Anat.* Veia porta. ◆ **Porta basculante.** Porta com um ou mais batentes móveis, acionados por báscula (2), que proporciona a entrada de ar e luz sem se lhe devassar o interior. **Porta de sanfona.** Porta de couro, ou de outro material flexível, que se fecha ou abre mediante retração ou extensão orientadas por pequenos trilhos; porta sanfonada. **Porta do leme.** *Constr. Nav.* Parte plana do leme, a qual, atuando sobre o fluxo de água conseqüente à translação da embarcação, obriga esta a guinar. **Porta falsa.** Porta disfarçada numa parede ou num muro. **Porta real.** *Teat.* A principal das cinco entradas dos cenários clássicos grego e romano, situada ao centro, e por onde entravam e saíam as personagens mais destacadas das tragédias. [Cf. *hospitália.*] **Porta sanfonada.** Porta de sanfona. **Porta de vaivém.** Porta dotada de molas especiais que lhe permitem abrir-se para dentro e para fora. [Tb. se diz apenas *vaivém* (q. v.).] **Portas adentro.** Dentro de casa; no interior. **Arrombar uma porta aberta.** **1.** Fazer trabalho inútil. **2.** Deter-se na explicação de coisa evidente ou demasiado fácil. **Bater à boa porta.** Pedir a quem se acha em condições de atender. **Casado atrás da porta.** *Bras.* Amancebado, amasiado, amigado. **Dar com a porta na cara de.** **1.** Negar-se a receber. (alguém). **2.** Despedir (alguém). **3.** Desfeitear (alguém) em público. **Entre portas.** À entrada da casa; no limiar. **Errar de porta.** Tomar o bonde errado. [q. v.]. **Jogar de porta.** Evitar perder a primeira cartada no jogo do monte. **Pedir por portas.** Mendigar de casa em casa. **Por portas secretas.** Por portas travessas. **Por portas travessas.** Por meios ocultos, indiretos, menos lícitos; por portas secretas. **Sublime Porta.** O governo turco ao tempo dos sultões. **Surdo como uma porta.** Extremamente surdo.

porta-aviões. [De *portar¹* + o pl. de *avião.*] *S. m. 2 n. Impr.* Navio-aeródromo.

porta-bagagem. [De *portar¹* + *bagagem.*] *S. m.* **1.** A parte dum veículo destinada ao transporte de bagagem; porta-malas. **2.** V. *bagageiro* (5). [Pl.: *porta-bagagens.*]

porta-bandeira. [De *portar¹* + *bandeira.*] *S. m.* **1.** Oficial que conduz a bandeira do regimento. ● *S. 2 g.* **2.** Pessoa que leva uma bandeira em solenidade ou desfile. **3.** Porta-estandarte (2): "Procura a *p o r t a - b a n d e i r a* / E põe a turma em fileira" (do samba *Laurindo,* de Herivelto Martins). [Pl.: *porta-bandeiras.*]

porta-baquetas. [De *portar¹* + o pl. de *baqueta.*] *S. m. 2 n.* Chapa de metal, com dois cilindros, nos quais se enfiam as baquetas quando não se está tocando o tambor.

porta-batel. [De *portar¹* + *batel.*] *S. m. Mar.* Flutuador destinado a fechar um dique seco pelo lado do mar, para o que é levado até o portal do dique, aí ajustado e alagado, fechando, assim, o dique, que em seguida é esgotado. A operação inversa consiste em alagar o dique, e logo depois esgotar a porta-batel, que flutua e é retirada do portal do dique. [Pl.: *porta-batéis.*]

porta-cabos. [De *portar¹* + o pl. de *cabo³.*] *S. m. 2 n. Mar.* Foguetão com que se arremessa do navio de socorro uma retenida para bordo de uma embarcação encalhada.

porta-cartas. [De *portar¹* + o pl. de *carta.*] *S. m. 2 n.* Bolsa em que o carteiro transporta cartas; carteira.

porta-cartões. [De *portar¹* + o pl. de *cartão.*] *S. m. 2 n.* Caixa, etc., onde se guardam cartões de visita.

porta-chapas. [De *portar¹* + o pl. de *chapa.*] *S. m. 2 n. Fot.* e *Fotograv.* Dispositivo das máquinas fotográficas onde fica a chapa sensibilizada.

porta-chapéus. [De *portar¹* + o pl. de *chapéu.*] *S. m. 2 n.* **1.** Chapeleira (2). **2.** *Bras.* Cabide para chapéus.

porta-chaves. [De *portar¹* + o pl. de *chave.*] *S. m. 2 n.* Chaveiro¹ (3).

porta-cigarros. [De *portar¹* + o pl. de *cigarro.*] *S. m. 2 n.* Cigarreira.

porta-clavina. [De *portar¹* + *clavina.*] *S. m.* Peça de couro que suspende a clavina. [Pl.: *porta-clavinas.*]

porta-cocheira. [De *porta* + *cocheira.*] *S. f.* Porta ou portão largo de uma habitação, por onde passam carros: "Pela *p o r t a - c o c h e i r a ,* trafegam os serviçais que entram e saem, ocupados em seus misteres." (Eduardo Frieiro, *O Mameluco Boaventura*, p. 97.) [Pl.: *portas-cocheiras.*]

porta-colo. [Alter. de *protocolo.*] *S. m.* Pasta de estudante. [Pl.: *porta-colos.*]

portada. *S. f.* **1.** Grande porta, em geral com ornatos; portal, pórtico: *As* portadas *das igrejas barrocas brasileiras são tratadas em pedra-sabão.* **2.** V. *fachada principal.* **3.** *Bibliogr.* Página de rosto ornamental, especialmente a gravada, com motivos arquitetônicos, proscênios, etc. [Sin., nesta acepç.: *folha de rosto gravada, página de rosto gravada, frontispício* e (p. us.) *rosto gravado.*]

portador (ô). [De *portar*[1] + *-(d)or.*] *Adj.* **1.** Que porta ou conduz, ou traz consigo, ou em si: "As necessidades da guerra e da caça sugeriram o uso, entre as populações primitivas de todos os continentes, de flechas portadoras de venenos." (Paulo E. de Berredo Carneiro, *O 'Curare', Veneno das Flechas na Amazônia*, p. 21.) ● *S. m.* **2.** Aquele que porta ou conduz: portador *de armas, de notícias, de moléstia infecciosa.* **3.** Aquele que, em nome de outrem, leva a qualquer destino carta, encomenda, etc. **4.** Possuidor de títulos ou documentos que devem ser pagos a quem os apresente. **5.** *Fís.* Num semicondutor, a entidade (elétron ou buraco) por meio da qual se faz o transporte de carga elétrica. **6.** *Bras.* Carregador (2).

portadora (ô). [Fem. substantivado do adj. *portador.*] *S. f. Telecom.* Onda portadora.

porta-e-janela. *S. f. Bras.* Casa de uma porta e uma janela: "Os olhos de Mariana .... dão com o carro funerário, negro, quatro penachos, recolhendo um corpo envolto em lençol, na porta-e-janela aos fundos da casa de Sinhazinha Dourado." (Josué Montello, *Os Degraus do Paraíso*, p. 24.) [Pl.: *porta-e-janelas.* Cf. *meia-morada* e *morada-inteira.*]

porta-emendas. [De *portar*[1] + o pl. de *emenda.*] *S. m. 2 n. Tip.* Espécie de componedor de madeira usado para transportar os tipos necessários às emendas de máquina.

porta-enxerto. [De *portar*[1] + *enxerto.*] *S. m.* V. *cavalo* (3). [Pl.: *porta-enxertos.*]

porta-espaços. [De *portar*[1] + o pl. de *espaço.*] *S. m. 2 n. Art. Gráf.* Eixo onde se colocam os discos e os espaços da pautadora.

porta-espada. [De *portar*[1] + *espada.*] *S. m.* Peça localizada no lado esquerdo do selim, e que serve para suspender e segurar a espada. [Pl.: *porta-espadas.*]

porta-estandarte. [De *portar*[1] + *estandarte.*] *S. 2 g.* **1.** Pessoa que conduz o estandarte. **2.** *Bras., RJ.* Moça que, nos desfiles, leva o estandarte das escolas de samba, fazendo graciosas evoluções; porta-bandeira. [Pl.: *porta-estandartes.*]

porta-flores. [De *portar*[1] + o pl. de *flor.*] *S. m. 2 n.* Floreira (1).

porta-fólio. [De *portar*[1] + *fólio.*] *S. m.* Pasta de cartão usada para guardar papéis, desenhos, estampas, etc. [Pl.: *porta-fólios.* Cf. *álbum* (4).]

porta-frasco. [De *portar*[1] + *frasco.*] *S. m.* Cordão onde pendura o polvorinho quem vai à caça. [Pl.: *porta-frascos.*]

portagão. [De *porta* + *-g-* + *-ão*[1].] *S. m.* Porta de dique ou represa; comporta.

porta-garrafas. [De *portar*[1] + o pl. de *garrafa.*] *S. m. 2 n.* Caixa de madeira ou de plástico destinada ao transporte de garrafas, e provida de compartimentos onde estas são acondicionadas.

portageiro. *S. m.* Cobrador dos direitos de portagem.

porta-gelo. [De *portar*[1] + *gelo.*] *S. m.* Caixa onde se deposita gelo, revestida ou feita de material isolante capaz de conservá-lo. [Pl.: *porta-gelos.*]

portagem. [Do fr. *portage.*] *S. f. Lus.* **1.** V. *pedágio* (1). **2.** Lugar onde se cobra esse tributo.

porta-guardanapos. [De *portar*[1] + o pl. de *guardanapo.*] *S. m. 2 n.* **1.** Peça em que se dispõem guardanapos (em geral de papel) para utilização à mesa, nos balcões dos bares, etc. **2.** Argola ou envelope de pano para guardar, individualmente, os guardanapos usados às refeições.

porta-jóias. [De *portar*[1] + o pl. de *jóia.*] *S. m. 2 n.* Pequeno vaso, caixa, cofre, etc., onde se guardam jóias; guarda-jóias.

porta-jornais. [De *portar*[1] + o pl. de *jornal.*] *S. m. 2 n.* Peça ou utensílio onde se depositam jornais.

portal. *S. m.* **1.** A porta principal, ou o conjunto das portas principais, dum edifício nobre, ou de templo, em geral artisticamente ornamentadas; pórtico, portela, portador: *o* portal *de Notre Dame.* ● *Adj. 2 g.* **2.** *Anat.* Pertencente ou relativo à veia porta.

porta-lanterna. [De *portal*[1] + *lanterna.*] *S. m.* Peça metálica das bicicletas, ligada à haste do garfo da roda dianteira. [Pl.: *porta-lanternas.*]

porta-lápis. [De *portar*[1] + *lápis.*] *S. m. 2 n.* **1.** Lapiseira. **2.** Peça que se adapta ao lápis para melhor utilizá-lo na escrita ou no desenho.

portalegrense. *Adj. 2 g.* **1.** De, ou pertencente ou relativo a Portalegre (Portugal e RN). ● *S. 2 g.* **2.** Natural ou habitante de Portalegre. [Cf. *porto-alegrense.*]

porta-lenços. [De *portar*[1] + o pl. de *lenço.*] *S. m. 2 n.* Utensílio próprio para guardar lenços.

porta-leque. [De *portar*[1] + *leque.*] *S. m.* Utensílio onde se traz o leque. [Pl.: *porta-leques.*]

porta-livros. [De *portar*[1] + o pl. de *livro.*] *S. m. 2 n.* Correia com fivela, que os estudantes usam para transportar livros.

portaló. [Do cat. *portaló.*] *S. m. Constr. Nav.* Abertura feita na borda, ou passagem na balaustrada, ou, ainda, abertura feita no costado de navio mercante de grande porte, por onde o pessoal entra a bordo e sai de bordo, ou por onde passa a carga leve: "Então revive, mais coordenado e mais nítido aos nossos olhos, o alegre movimento de um tombadilho: os botes que chegam ao portaló; os amigos que se despedem; os beijos que se trocam; as malas que se içam para bordo" (Ramalho Ortigão, *Banhos de Caldas e Águas Minerais*, p. 274). [Nos navios de guerra brasileiros, o portaló de boreste é considerado portaló de honra.]

porta-luvas. [De *portar*[1] + o pl. de *luva.*] *S. m. 2 n.* Pequeno compartimento, em geral na parte direita do painel dos automóveis, para guardar documentos e pequenos objetos.

porta-maça. [De *portar*[1] + *maça.*] *S. m.* Maceiro. [Pl.: *porta-maças.*]

porta-machado. [De *portar*[1] + *machado.*] *S. m.* Soldado munido de machado, para trabalhos de sapa. [Pl.: *porta-machados.*]

porta-malas. [De *portar*[1] + o pl. de *mala.*] *S. m. 2 n.* Porta-bagagem (1).

porta-marmita. [De *portar*[1] + *marmita.*] *S. m.* Caixa de folha-de-flandres na qual se levam as marmitas do rancho para os soldados que se acham de serviço fora do quartel. [Pl.: *porta-marmitas.*]

portamento. [Do It. *portamento.*] *S. m. Mús.* **1.** Modo de execução, quer vocal, quer instrumental, que consiste em ligar dois sons separados por um intervalo grande, em geral ascendente, passando rápido por todas as notas intermediárias. **2.** Ornamento melódico que consiste na rápida antecipação da nota real.

porta-mitra. [De *portar*[1] + *mitra.*] *S. m.* Eclesiástico que, em certas solenidades, leva nas mãos a mitra do prelado. [Pl.: *porta-mitras.*]

portância. [Do fr. *portance.*] *S. f.* Componente vertical de sustentação da aeronave em vôo; força que, opondo-se diretamente ao peso da aeronave, a mantém no ar.

porta-negativo. [De *portar*[1] + *negativo.*] *S. m. Tip.* Caixilho que encerra as matrizes intercambiáveis da monofoto, constituídas de negativos que contêm letras de cerca de oito pontos, as quais podem ser reduzidas ou ampliadas, para composição em filme, mediante sistemas de objetivas, prismas e espelhos. [Pl.: *porta-negativos.*]

porta-níqueis. [De *portar*[1] + *níquel*[1].] *S. m. 2 n. Bras.* Pequena bolsa em que se levam moedas. [Sin., no RS: *niqueleira.*]

porta-novas. [De *portar*[1] + o pl. de *nova.*] *S. 2 g. e 2 n.* **1.** Aquele que gosta de dar novidades; noveleiro, novidadeiro. **2.** Indivíduo bisbilhoteiro, mexeriqueiro.

portante. [De *portar*[1] + *-nte.*] *Adj. 2 g.* Que porta ou leva.

portanto. [De *por* + *tanto.*] *Conj.* Logo; por conseguinte; conseqüentemente: *Seu carro está ruim,* portanto *não viaje nele.*

portão. *S. m.* **1.** Porta grande; portada. **2.** Porta de madeira ou de ferro, geralmente trabalhada, que dá acesso ao jardim ou ao quintal de uma casa. **3.** *P. ext.* A porta da rua. **4.** *Bras.* Barranco alto na região do rio São Francisco.

porta-objeto. [De *portar*[1] + *objeto.*] *S. m.* Lâmina retangular de vidro, sobre a qual se coloca o objeto que vai ser observado por microscópio. [Pl.: *porta-objetos.*]

porta-original. [De *portar*[1] + *original.*] *S. m. Tip.* Divisório (5). [Pl.: *porta-originais.*]

porta-página. [De *portar*[1] + *página.*] *S. m. Tip.* Papel forte, dobrado várias vezes, no qual o tipógrafo transporta granéis ou páginas de composição. [Sin. (p. us.): *porta-paquê.* Pl.: *porta-páginas.*]

porta-paquê. [De *portar*[1] + *paquê.*] *S. m. Tip.* **1.** *P. us.* Porta-página. **2.** Paqueteiro (2). [Pl.: *porta-paquês.*]

porta-paz. [De *portar*[1] + *paz.*] *S. m.* Quadro com uma cruz ou imagem, que se dá a beijar por ocasião de certas missas; osculatório. [Pl.: *porta-pazes.*]

porta-pedra. [De *portar*[1] + *pedra.*] *S. m.* Pequeno instrumento onde se põe a substância que serve para cauterizar. [Pl.: *porta-pedras.*]

porta-penas. [De *portar*[1] + o pl. de *pena*[1].] *S. m. 2 n.* Tubo em que se encaixam as penas para escrever; caneta.

porta-pneumático. [De *portar*[1] + *pneumático.*] *S. m.* Acessório do automóvel, onde se guardam pneumáticos de sobressalente. [Pl.: *porta-pneumáticos.*]

porta-pontas. [De *portar*[1] + o pl. de *ponta.*] *S. m. 2 n. Grav.* Haste em que se fixa a ponta do água-fortista, quando não constitui instrumento inteiriço. [V. *ponta* (14).]

portar[1]. [De *porto*[1] + *ar*[2].] *V. t. d.* **1.** Carregar consigo; levar, conduzir: *Um menino* portava *encomendas. T. i.* **2.** *Marinh.* Exercer esforço de tração sobre alguma coisa: *O navio está* portando *pela amarra. Int.* **3.** *Marinh.* Achar-se (um cabo) submetido a esforço de tração: *O cabo está* portando. *P.* **4.** Agir, proceder (de uma certa maneira); haver-se, comportar-se: "O pequeno, enquanto se achou novato em casa do padrinho, portou-se com toda a sisudez e gravidade" (Manuel Antônio de Almeida, *Memórias de um Sargento de Milícias*, p. 119). [Pres. ind.: *porto*, etc. Cf. *porto* (ô), s. m., e *Porto* (ô), antr. e top.]

portar[2]. [Do lat. *portare.*] *V. int.* **1.** Chegar ao porto; fundear, aportar: *O navio* portará *pela manhã.* **2.** Ir ter a determinado lugar: *A expedição* portará *em dois meses.* [Pres. ind.: *porto*, etc. Cf. *porto* (ô), s. m., e *Porto* (ô), antr. e top.]

porta-rede. [De *portar*[1] + *rede.*] *S. m. Pesc.* Barco que, em pescarias de alto-mar, conduz a rede. [Pl.: *porta-redes.*]

porta-relógio. [De *portar*[1] + relógio.] *S. m.* Utensílio onde se acomoda o relógio quando está fora do bolso. [Pl.: *porta-relógios.*]

porta-retícula. [De *portar*[1] + *retícula.*] *S. m. Fotograv.* Caixilho que sustenta a retícula, nas câmaras fotográficas destinadas aos processos fotomecânicos. [Pl.: *porta-retículas.*]

porta-retratos. [De *portar*[1] + o pl. de *retrato.*] *S. m. 2 n.* Moldura (1) de metal, ou madeira, ou couro, etc., ou armação análoga, em geral com um fundo, e com um tampo de vidro, plástico, etc., na qual se põem fotografias sobre os móveis.

porta-revistas. [De *portar*[1] + o pl. de *revista.*] *S. m. 2 n.* Pequeno móvel ou receptáculo, onde se colocam revistas, jornais, etc.

portaria. [De *portar*[1] + *-aria.*] *S. f.* **1.** Vestíbulo de edifício, de estabelecimento ou de repartição onde há, de ordinário, um porteiro ou pessoa encarregada de prestar informações, receber correspondência, etc. **2.** Porta principal de convento. **3.** Átrio de convento. **4.** Documento de ato administrativo de qualquer autoridade pública, que contém instruções acerca da aplicação de leis ou regulamentos, recomendações de caráter geral, normas de execução de serviço, nomeações, demissões, punições, ou qualquer outra determinação de sua competência. **5.** *Ant.* Cargo ou ofício de porteiro. **6.** *Bras. Restr.* Ato escrito da autoridade judicial ou policial, em que, excepcionalmente, se articula acusação contra alguém, por prática de contravenção, encetando-se com ela a ação penal de ofício.

porta-seios. [De *portar*[1] + o pl. de *seio.*] *S. m. 2 n.* V. *sutiã*: "Abrindo a blusa, despi o porta-seios, atraí para mim sua cabeça, com as duas mãos." (Osmã Lins, *Nove, Novena*, p. 66.)

porta-sementes. [De *portar*[1] + o pl. de *semente.*] *S. m. 2 n.* **1.** *Bot.* Planta cultivada, em especial para produção de sementes. **2.** Árvore que se poupa ao corte, nos matos, para colher semente; árvore-mãe, sementão.

portátil. [De *portar*[1] + a term. de voc. como *volátil.*] *Adj. 2 g.* **1.** De fácil transporte: *máquina de escrever* portátil; "o livro grosso .... transformou-se ...., dividiu-se em *cadernetas*, voluminho portátil" (Latino Coelho, *Tipos Nacionais*, p. 81). **2.** De pequeno volume e/ou pouco peso. **3.** Que se pode armar e desarmar, sendo, pois, mais ou menos facilmente transportável: *altar* portátil. [Pl.: *portáteis.*]

porta-toalhas. [De *portar*[1] + o pl. de *toalha.*] *S. m. 2 n. Bras.* Cabide ou haste disposta horizontalmente para nela se pendurarem toalhas nos banheiros e lavabos.

portável. [Do fr. *portable.*] *Adj. 2 g. Jur.* **1.** Diz-se da obrigação ou dívida que se tem de pagar no domicílio do credor. **2.** Diz-se do pagamento que assim se faz. ~ V. *dívida* —.

porta-voz. [De *portar*[1] + voz.] *S. m.* **1.** Instrumento semelhante a uma trombeta, usado para reforçar a voz de quem fala por ele. • *S. 2 g.* **2.** *Fig.* Pessoa que fala, não raro oficialmente, em nome de outrem. [Pl.: *porta-vozes.*]

porte. [Dev. de *portar*[1].] *S. m.* **1.** Ato de conduzir ou trazer. **2.** Transporte, carga. **3.** Preço de transporte ou de franquia de correspondência. **4.** Aspecto físico; aparência. **5.** O modo por que alguém apresenta o corpo; apresentação, atitude, postura: *um porte altivo.* **6.** Modo de se comportar; comportamento. **7.** *Fig.* Importância, valor, vulto, alcance: *empresa de grande porte.* **8.** *Mar. Merc.* Diferença entre o deslocamento leve e o deslocamento em plena carga de um navio mercante; peso necessário, compreendendo passageiros, tripulação, combustível e mantimentos, para levar um navio mercante do calado mínimo ao calado máximo. [Cf., nesta acepç., *tonelagem de arqueação.*]

portear. [De *porte* + *-ear.*] *V. t. d.* Selar devidamente (carta ou qualquer correspondência postal). [Conjug.: v. *frear.*]

➧**porte-bonheur** (port'-bonér). [Fr.] *S. m. 2 n.* Objeto a que se atribui a faculdade de tornar feliz quem o usa ou possui; mascote.

porteira. [Fem. de *porteiro*[1].] *S. f.* **1.** Mulher encarregada de porta ou portaria. **2.** Mulher de porteiro. **3.** Portão de entrada em propriedades rurais. **4.** Cancela (1).

porteirense. *Adj. 2 g.* **1.** De, ou pertencente ou relativo a Porteiras (CE). • *S. 2 g.* **2.** Natural ou habitante de Porteiras.

porteirinhense. *Adj. 2 g.* **1.** De, ou pertencente ou relativo a Porteirinha (MG). • *S. 2 g.* **2.** Natural ou habitante de Porteirinha.

porteiro[1]. [De *porta* + *-eiro.*] *S. m.* Homem que guarda porta ou portaria; guarda-portão. ◆ **Porteiro dos auditórios.** *Jur.* Serventuário da justiça incumbido de apregoar a abertura e encerramento das audiências, afixar editais, e apregoar nas audiências, hastas públicas e licitações. **Porteiro eletrônico.** Num edifício onde não há porteiro, mecanismo eletrônico instalado para permitir a comunicação verbal entre cada uma de suas unidades e alguém que pretende entrar.

porteiro[2]. [De *porte* + *-eiro.*] *S. m. Ant.* Cobrador de direitos reais.

porteiro-mor. [De *porteiro*[1] + *mor.*] *S. m.* O principal dos porteiros. [Pl.: *porteiros-mores.*]

portela. [Do lat. *portella*, por *portula.*] *S. f.* **1.** V. *portal* (1). **2.** Ângulo ou cotovelo de estrada ou de caminho. **3.** Passagem estreita entre montes. **4.** *Ant.* Pequena porta.

portelense[1]. *Adj. 2 g.* **1.** De, ou pertencente ou relativo a Portel (PA). • *S. 2 g.* **2.** Natural ou habitante de Portel.

portelense[2]. *Adj. 2 g.* **1.** De, ou pertencente ou relativo a Portela (RJ). • *S. 2 g.* **2.** Natural ou habitante de Portela.

portelense[3]. *Bras. Adj. 2 g.* **1.** Pertencente ou relativo ao Grêmio Recreativo Escola de Samba Portela. • *S. 2 g.* **2.** Membro ou grande admirador dessa escola de samba.

portenho. [Do esp. *porteño.*] *Adj.* **1.** De, ou pertencente ou relativo a Buenos Aires, capital da República Argentina. • *S. m.* **2.** O natural de Buenos Aires. [Sin. ger.: *buenairense, bonaerense.*]

portento. [Do lat. *portentu.*] *S. m.* **1.** Coisa ou sucesso maravilhoso; prodígio: "Daquela estátua de Apolo, / portento de formosura, / faze, Batilo, o meu bem" (Antônio Feliciano de Castilho, *A Lírica de Anacreonte*, p. 83). **2.** Pessoa de inteligência e/ou saber incomuns.

portentoso (ô). [Do lat. *portentosu.*] *Adj.* **1.** Que tem o caráter de portento; maravilhoso, prodigioso, assombroso. **2.** Insólito, raro, extraordinário. **3.** Talentoso e/ou inteligente e/ou culto em altíssimo grau.

pórtico. [Do lat. *porticu.*] *S. m.* **1.** *Arquit.* Átrio amplo, com o teto sustentado por colunas ou pilares. **2.** V. *portal* (1): "o pórtico é baixo, obrigando a arriar o andor à saída, levantar de novo no adro" (M. Cavalcanti Proença, *Uniforme de Gala*, p. 41). **3.** *Astron.* Estrutura em forma de pórtico, com plataforma, em diversos níveis, utilizada para erigir mísseis, antes do lançamento.

portilha. [De *porta* + *-ilha.*] *S. f. Desus.* Seteira (2).

portilho. [De *porto* + *-ilho.*] *S. m.* Pequeno porto[1] (1 a 5).

portinhola. [De *porta* + o fem. de *-inho* + *-ola.*] *S. f.* **1.** Pequena porta. **2.** Espécie de pestana ou tira de pano para resguardar a abertura da algibeira. **3.** Braguilha (1). **4.** *Constr. Nav.* Abertura retangular, feita na borda ou no costado de navio, para permitir atirar com canhões, lançar torpedos, etc., ou para dar passagem a pequena carga. **5.** *Constr. Nav.* Aba que fecha tal abertura, ou o portaló.

porto[1] (ô). [Do lat. *portu.*] *S. m.* **1.** *Ant.* Lugar que dá passagem, entrada por terra. **2.** *Ant.* V. *passo*[2] (1). **3.** *Ant.* Abertura ou passagem na mata, por onde a caça costuma transitar e onde se postam os caçadores à espreita. **4.** Lugar da costa ou em um rio, lagoa, etc., que, por oferecer às embarcações certo abrigo, lhes permite fundear ou amarrar e estabelecer contatos ou comunicações com a terra: *Para fugir ao temporal, demandou o porto, onde fundeou e passou a noite.* **5.** Cidade, vila ou povoação que tem junto um porto marítimo, fluvial ou lacustre: *Santos é um bom porto.* **6.** *Fig.* Lugar de descanso ou refúgio. **7.** *Bras.* Praia de rio, lago ou lagoa: *As lavadeiras dirigiam-se ao porto com suas trouxas.* [Pl.: *portos* (ó); dim. irreg.: *portilho.* Cf. *porto*, do v. *portar.*] ◆ **Porto aberto.** V. *porto franco.* **Porto franco.** Aquele em que se pode exercer livremente o comércio internacional, sem pagamento de direitos ou taxas alfandegárias; porto aberto, porto livre. **Porto livre.** V. *porto franco.*

porto[2] (ô). *S. m.* F. abrev. de *vinho do Porto:* "A canha e o porto avivavam os jogadores." (Ciro Martins, *Paz nos Campos*, p. 10.) [Cf. *porto*, do v. *portar.*]

porto-alegrense. *Adj. 2 g.* **1.** De, ou pertencente ou relativo a Porto Alegre (RS). • *S. 2 g.* **2.** Natural ou habitante de Porto Alegre. [Pl.: *porto-alegrenses.* Cf. *portalegrense.*]

porto-amazonense. *Adj. 2 g.* **1.** De, ou pertencente ou relativo a Porto Amazonas (PR). • *S. 2 g.* **2.** Natural ou habitante de Porto Amazonas. [Pl.: *porto-amazonenses.*]

porto-belano. *Adj.* **1.** De, ou pertencente ou relativo a Porto Belo (SC). • *S. m.* **2.** O natural ou habitante de Porto Belo. [Pl.: *porto-belanos.*]

porto-calvense. *Adj. 2 g.* **1.** De, ou pertencente ou relativo a Porto Calvo (AL). • *S. 2 g.* **2.** Natural ou habitante de Porto Calvo. [Pl.: *porto-calvenses.*]

porto-felicense. *Adj. 2 g.* **1.** De, ou pertencente ou relativo a Porto Feliz (SP). • *S. 2 g.* **2.** Natural ou habitante de Porto Feliz. [Pl.: *porto-felicenses.*]

porto-firmense. *Adj. 2 g.* **1.** De, ou pertencente ou relativo a Porto Firme (MG). • *S. 2 g.* **2.** Natural ou habitante de Porto Firme. [Pl.: *porto-firmenses.*]

porto-folhense. *Adj. 2 g.* **1.** De, ou pertencente ou relativo a Porto da Folha (SE). • *S. 2 g.* **2.** Natural ou habitante de Porto da Folha. [Pl.: *porto-folhenses.*]

porto-franquino. *Adj.* **1.** De, ou pertencente ou relativo a Porto Franco (MA). • *S. m.* **2.** O natural ou habitante de Porto Franco. [Pl.: *porto-franquinos.*]

porto-lucenense. *Adj. 2 g.* **1.** De, ou pertencente ou relativo a Porto Lucena (RS). • *S. 2 g.* **2.** Natural ou habitante de Porto Lucena. [Pl.: *porto-lucenenses.*]

porto-pedrense. *Adj. 2 g.* **1.** De, ou pertencente ou relativo a Porto de Pedras (AL). • *S. 2 g.* **2.** Natural ou habitante de Porto de Pedras. [Pl.: *porto-pedrenses.*]

porto-realense. *Adj. 2 g.* **1.** De, ou pertencente ou relativo a Porto Real (RJ). • *S. 2 g.* **2.** Natural ou habitante de Porto Real. [Pl.: *porto-realenses.*]

porto-riquenho. [Do esp. *portorriqueño.*] *Adj.* **1.** De, ou pertencente ou relativo a Porto Rico (Antilhas). • *S. m.* **2.** O natural ou habitante de Porto Rico. [Pl.: *porto-riquenhos.* Sin.: *porto-riquense.*]

porto-riquense. *Adj. 2 g.* e *s. 2 g.* Porto-riquenho. [Pl.: *porto-riquenses.*]

porto-seco. [De *porto*[1] + *seco.*] *S. m. Bras., RJ.* Na Baixada Fluminense, armazém de grande sortimento de mercadorias, secos, molhados e tecidos, espécie de bazar. [Pl.: *portos-secos.*]

porto-segurense. *Adj. 2 g.* **1.** De, ou pertencente ou relativo a Porto Seguro (BA). • *S. 2 g.* **2.** Natural ou habitante de Porto Seguro. [Pl.: *porto-segurenses.*]

porto-velhense[1]. *Adj. 2 g.* **1.** De, ou pertencente ou relativo a Porto Velho (RO). • *S. 2 g.* **2.** Natural ou habitante de Porto Velho. [Pl.: *porto-velhenses.*]

porto-velhense[2]. *Adj. 2 g.* **1.** De, ou pertencente ou relativo a Porto Velho do Cunha (RJ). • *S. 2 g.* **2.** Natural ou habitante de Porto Velho do Cunha. [Pl.: *porto-velhenses.*]

➧**portrait-charge** (portré-charge). [Fr.] *S. m.* Retrato caricatural.

portuário. *Adj.* **1.** Relativo a porto[1] (4). • *S. m.* **2.** Indivíduo que trabalha no porto. **3.** Funcionário do serviço portuário.

portucho. [Var. de *pertucho* < it. *pertugio.*] *S. m.* Cada um dos orifícios da fieira dos ourives.

portuense[1]. *Adj. 2 g.* **1.** Do, ou pertencente ou relativo ao Porto (Portugal e Pl). • *S. 2 g.* **2.** Natural ou habitante do Porto. [Sin. (deprec.), como s. m., e só aplicável ao de Portugal: *tripeiro.*]

portuense[2]. *Adj. 2 g.* **1.** De, ou pertencente ou relativo a Porto Nacional (GO). • *S. 2 g.* **2.** Natural ou habitante de Porto Nacional.

portuense[3]. *Adj. 2 g.* **1.** De, ou pertencente ou relativo a Senhora do Porto (MG). • *S. 2 g.* **2.** Natural ou habitante de Senhora do Porto.

portuga. *S. 2 g.* **1.** *Bras. Deprec.* Português (2): "muito haverá que dizer noutra parte sobre a missa das nove e esses portugas que nos roubavam namoradas." (Ciro dos Anjos, *A Menina do Sobrado*, p. 47). **2.** V. *galego* (4).

portugalizar. [Do top. *Portugal* + *-izar.*] *V. t. d.* Conferir o caráter português a.

português. [Do lat. vulg. *portucalense.*] *Adj.* **1.** De, ou pertencente ou relativo a Portugal. ~ V. *guitarra*—a. • *S. m.* **2.** O natural ou habitante de Portugal. [Sin. (deprec., nesta acepç.): *portuga.* **3.** A língua românica oficial de Portugal e do Brasil, falada nas regiões que compreendem ou compreendiam as províncias portuguesas ultramarinas, e que é a continuação histórica do galego-português ou galaico-português, idioma falado na Galiza e ao N. de Portugal, na Idade Média. [Flex.: *portuguesa* (ê), *portugueses* (ê), *portuguesas* (ê). Cf. *portuguesas, portuguesa* e *portugueses*, do v. *portuguesar.*] ◆ **Falar português claro.** Dizer as coisas como são, com toda a franqueza.

portuguesar. [De *português* + *-ar*[2].] *V. t. d.* e *p. P. us.* Aportuguesar. [Pres. ind.: *portugueso, portuguesas, portuguesa*, etc.; pres. subj.: *portuguese, portugueses*, etc. Cf. *portuguesa* (ê), *portuguesas* (ê), *portugueses* (ê), flex. de *português.*]

portuguesismo. [De *português* + *-ismo.*] *S. m.* **1.** Locução ou idiotismo próprio da língua portuguesa. **2.** Modismo próprio da linguagem do português lusitano; lusitanismo. **3.** Caráter distintivo do português e/ou de Portugal. **4.** Sentimento de amor a Portugal, ao seu povo, e/ou às coisas portuguesas.

portulaca. [Do lat. *portulaca.*] *S. f.* Designação científica da beldroega.

portulacácea. *S. f.* Espécime das portulacáceas.

portulacáceas. *S. f. pl. Bot.* Família de plantas superiores, da ordem das centrospermas, composta de ervas suculentas cujas flores, hermafroditas e actinomorfas, são geralmente vistosas, cujos estames são variáveis em número, e que têm ovário súpero e fruto capsular. Existem umas 600 espécies, na maioria americanas, e poucas brasileiras, como a onze-horas e a beldroega, vulgares entre nós, embora não nativas.

portulacáceo. *Adj.* Pertencente ou relativo às portulacáceas.

portulano. [Do it. *portolano*, 'catálogo de portos'.] *S. m. Ant. Náut.* **1.** Espécie de roteiro em que os navegadores da Antiguidade descreviam os pormenores das costas marítimas que descobriam ou freqüentavam. [No começo os portulanos abrangiam apenas o Mediterrâneo; estenderam-se depois ao Mar Negro, N.O. da costa africana e costa ocidental da Europa até Flandres e as Ilhas Britânicas.] **2.** Mapa adaptado às necessidades da navegação marítima, no qual os pontos do litoral eram localizados por meio dos rumos magnéticos e das distâncias que se estimavam percorridas (donde a imprecisão dos contornos litorâneos neles representados), e que não levava graduações de latitude nem de longitude, mas apresentava linhas de rumo que irradiavam de vários pontos distribuídos pela superfície do mapa: "alcançando além da terra / ignota região lunar, / na perturbadora rota / que antigos não palmilharam / mas ficou traçada em branco / nos mais velhos portulanos / e no pó dos marinheiros / afogados em mar alto." (Carlos Drummond de Andrade, *Reunião*, p. 172). [V. *carta rumada.* Cf. *carta de marear.*]

portunhol. [Cruz. de *português* + *espanhol.*] *S. m. Burl.* Linguajar em que se misturam a língua portuguesa e o espanhol.

portuoso (ô). [Do lat. *portuosu.*] *Adj.* Que tem muitos portos [v. *porto*[1] (4)].

poruca. [Talvez do tupi *po'ruka*, 'deslocado, desconjuntado'.] *S. f. Bras.* Peneira onde se escolhe o café em grão.

porunga. *S. f. Bras.* Vaso de couro, para líquidos.

poruti. *S. f. Bras.* Ave micropodiforme, da família dos micropodídeos (*Reinarda squamata* (Cassin)), distribuída de MG para o N., até a Venezuela, de coloração preto-azulada, com as penas marginadas de branco, a parte inferior do corpo branca, com sombreado preto, e cauda fundamente recortada.

porventura. [De *por* + *ventura.*] *Adv.* Acaso; por acaso: "Porventura, meu Deus, estarei louco?!" (Augusto dos Anjos, *Eu*, p. 112.)

porvindoiro. *Adj.* Var. de *porvindouro.* ~ V. *porvindoiros.*

porvindoiros. *S. m. pl.* Var. de *porvindouros.* ~ V. *porvindoiro.*

porvindouro. [De *por* + *vindouro.*] *Adj.* Que há de vir; futuro. [Var.: *porvindoiro.*] ~ V. *porvindouros.*
porvindouros. [Pl. de *porvindouro.*] *S. m. pl.* Vindouros, posteros. [Var.: *porvindoiros.*] ~ V. *porvindouro.*
porvir. [De *por* + *vir.*] *S. m.* Tempo que há de vir; o futuro: "Era o porvir — em frente do passado" (Castro Alves, *Poesias Escolhidas*, p. 110).
▲**pos-.** [Do lat. *post.*] *Pref.* = 'posterioridade', 'após': *poscéfalo, posfácio.* [Equiv.: *pós-* (quando não aglutinado): *pós-glacial, pós-dorsal.*]
pós. [Do lat. *post.*] *Prep.* Após. [Cf. *pôs*, do v. *pôr.*]
▲**pós-.** Equiv. de *pos-*.
posar. [De *pose* + *-ar*[2].] *V. int.* **1.** Pôr-se em atitude conveniente para ser representado numa obra de arte (escultura, pintura, fotografia, etc.); servir de modelo. **2.** Ser posudo: *Era um homem simples, mas hoje, milionário, posa de modo ridículo. Pred.* **3.** Assumir atitude, modos, ares; bancar: "Tinha [Custódio Mesquita] prazer em ajudar. Não se exibia com isso. Não posava de bom; era bom, mesmo." (Nestor de Holanda, *Memórias do Café Nice*, p. 194.) [Pres. subj.: *pose*, etc. Cf. *pose* (ô), s. f., *pouse*, do v. *pousar*, e este verbo.]
pós-auricular. [De *pós-* + *auricular.*] *Adj. 2 g.* Que fica atrás do ouvido. [Pl.: *pós-auriculares.*]
pós-bíblico. [De *pós-* + *bíblico.*] *Adj.* Posterior aos tempos bíblicos (em geral referidos ao Antigo Testamento). [Pl.: *pós-bíblicos.*]
pós-boca. [De *pós-* + *boca* (ô).] *S. f. Anat. Desus.* A parte posterior da boca. [Pl.: *pós-bocas.* Antôn.: *ante-boca.*]
poscefálico. *Adj. Desus.* Relativo ou pertencente ao poscéfalo.
poscéfalo. [De *pós-* + *-céfalo.*] *S. m. Anat. Desus.* A parte posterior da cabeça.
poscênio. [Do lat. *postceniu.*] *S. m. Teat.* A parte do teatro que fica atrás da cena ou do palco; bastidores.
pós-conciliar. [De *pós-* + *conciliar.*] *Adj. 2 g.* Posterior a um concílio. [Pl.: *pós-conciliares.*]
pós-data. [De *pós-* + *data.*] *S. f.* Data posta num documento, e que é posterior à data real. [Pl.: *pós-datas.* Cf. *pré-data.*]
pós-datado. [Part. de *pós-datar.*] *Adj.* Em que se colocou pós-data. [Antôn.: *antedatado.* Pl.: *pós-datados.* Cf. *pré-datado.*]
pós-datar. [De *pós-* + *datar.*] *V. t. d.* Pôr pós-data em: *pós-datar um documento.* [Antôn.: *antedatar.* Cf. *pré-datar.*]
pós-diluviano. [De *pós* + *diluviano.*] *Adj.* Posterior ao dilúvio, de que reza a Bíblia. [Pl.: *pós-diluvianos.* Antôn.: *antediluviano.*]
pós-dorsal. [De *pós-* + *dorsal.*] *Adj. 2 g. Anat. Desus.* Situado atrás das costas. [Pl.: *pós-dorsais.*]
pós-doutorado. [De *pós-* + *doutorado.*] *S. m.* Curso ou especialização abertos àqueles que concluíram o doutorado [q. v.]; pós-doutoramento. [Pl.: *pós-doutorados.*]
pós-doutoramento. [De *pós-* + *doutoramento.*] *S. m.* **1.** Conclusão do curso de pós-doutorado. **2.** Pós-doutorado.
pose (ô). [Do fr. *pose.*] *S. f. Gal.* **1.** Postura do corpo; maneira, posição. **2.** Postura estudada, artificial. [Sin., bras., N.E.: *cancha.*] **3.** Ato de servir de modelo a um artista. **4.** *Fot.* Tempo de exposição que ultrapassa 1/20. [Cf. *pose*, do v. *posar*, e *pouse*, do v. *pousar.*]
pós-eleitoral. [De *pós-* + *eleitoral.*] *Adj. 2 g.* Diz-se do período subseqüente a uma eleição, ou de fato ocorrente nesse período. [Pl.: *pós-eleitorais.*]
pós-escrito. [De *pós-* + *escrito.*] *Adj.* **1.** Escrito depois. **2.** Escrito no fim. ● *S. m.* **3.** Aquilo que se escreve no fim duma carta depois de assinada, e que não ocorrera ou não convinha juntar com o assunto principal: "redigia [D. Pedro I] .... uma carta em que a própria D. Domitila adscrevia um pós-escrito" (Alberto Rangel, *D. Pedro Primeiro e a Marquesa de Santos*, p. 145). [Pl.: *pós-escritos.* Abrev. (do lat., e m. us.): *PS* (q. v.). Cf. *apostila* (4).]
posfaciar. [De *posfácio* + *-ar*[2].] *V. t. d.* Pôr posfácio em. [Pres. ind.: *posfacio*, etc. Cf. *posfácio.*]
posfácio. [De *pos-* + lat. *fatio*. 'discurso'.] *S. m.* Advertência posta no fim de um livro. [Antôn.: *prefácio* (1) (q. v.). Cf. *posfacio*, do v. *posfaciar.*]
pós-gênero. [De *pós-* + *gênero.*] *S. m. Liter.* Cada um dos vários gêneros literários a partir do séc. XIX, até então divididos em lírico, épico e dramático. [Pl.: *pós-gêneros.*]
pós-glacial. [De *pós-* + *glacial.*] *Adj. 2 g. Geol.* Diz-se de época que se segue a uma época glacial. [Pl.: *pós-glaciais.*]
pós-graduação. [De *pós-* + *graduação.*] *S. f.* Grau de ensino superior, para aqueles que já concluíram o curso de graduação, e que visa a formar e aperfeiçoar pessoal docente para o ensino de nível superior, estimular o desenvolvimento da pesquisa científica e tecnológica, e proporcionar o treinamento de técnicos de alto padrão. [Pl.: *pós-graduações.*]
pós-graduado. *Adj.* **1.** Que fez o curso de pós-graduação. **2.** De, ou relativo à pós-graduação: "dentre essas instituições, avulta a universidade, ... com as suas escolas de cultura geral, os seus cursos profissionais superiores, os seus estudos especializados, seus cursos pós-graduados, de doutorado e de aperfeiçoamento" (Anísio Teixeira, *A Universidade e a Liberdade Humana*, p. 26). ● *S. m.* **3.** Aquele que fez o curso de pós-graduação.
pós-graduando. [De *pós-* + *graduando.*] *S. m.* Aquele que está prestes a receber pós-graduação. [Pl.: *pós-graduandos.*]
pós-graduar. [De *pós-* + *graduar.*] *V. t. d.* **1.** Conferir o título de pós-graduado a. *P.* **2.** Adquirir esse título.
pós-guerra. [De *pós-* + *guerra.*] *S. m.* Após-guerra: "o mundo exaurido do pós-guerra" (Lúcio Costa, *Jornal do Brasil*, 4.2.1981). [Pl.: *pós-guerras.*]
posição. [Do lat. *positione.*] *S. f.* **1.** Lugar onde uma pessoa, ou coisa está colocada. **2.** Postura do corpo; maneira, pose. **3.** Disposição, arranjo: *Não gostou da posição dos móveis.* **4.** Circunstância; situação. **5.** Situação social, hierárquica, funcional, econômica, etc.: *Ocupa alta posição nas letras nacionais; Sua posição no Banco é invejável.* **6.** *Mil.* Terreno mais ou menos apropriado para ataque ou defesa. **7.** *Mil.* Postura do corpo na ordem-unida, como, p. ex., a posição de sentido, a posição de descansar, a posição à vontade em forma. **8.** *Mús.* A disposição das notas de um acorde nas diferentes vozes da polifonia. **9.** *Mús.* Na técnica dos instrumentos de cordas dedilháveis ou de arco, a colocação da mão sobre o braço do instrumento. **10.** *Mús.* No trombone, cada um dos vários graus de extensão da vara. ◆ **Posição de descansar.** Postura em que o militar, conservando-se na formatura, mantém os músculos relaxados, as pernas separadas, as mãos cruzadas às costas. **Posição de sentido.** Postura em que o militar, de calcanhares unidos e juntando as palmas das mãos à coxa, cabeça ereta, com o queixo encolhido e o peito saliente, assume atitude de contração muscular intensa, dentro do ritual da ordem-unida militar. **Posição estimada.** *Náut.* Cada uma das posições da embarcação sucessivamente plotadas numa carta náutica tomando-se por base os rumos e as distâncias navegadas, como indicados pela agulha e pelo hodômetro. **Posição geocêntrica.** *Astr.* Posição de um astro referida ao centro da Terra. **Posição geodésica.** *Topog.* Latitude e longitude das estações topográficas secundárias, determinadas por triangulação, em relação às das estações principais, e levando-se em conta a forma especial da Terra (*geóide*). **Posição heliocêntrica.** *Astr.* Posição de um astro referida ao centro do Sol. **Posição observada.** *Náut.* **1.** A posição da embarcação plotada numa carta náutica, tomando-se por base a determinação de marcações simultâneas de pontos geográficos representados na carta e identificados no terreno. **2.** A posição da embarcação determinada pela observação do Sol, da Lua, de determinados planetas ou determinadas estrelas (planetas ou estrelas de navegação). **Posição planetocêntrica.** *Astr.* Posição de um astro referida ao centro de um planeta. **Posição topocêntrica.** *Astr.* Posição de um astro referida a um observador que está na superfície da Terra.
posicional. *Adj. 2 g.* De, ou relativo a posição: "No primeiro verso, de entoação exclamativa, mas pausada, aparece em realce posicional a palavra esta." (Celso Cunha, *Língua e Verso*, p. 72.)
posicionamento. *S. m.* Ato ou efeito de posicionar(-se).
posicionar. *V. t. d.* **1.** Pôr em posição. *P.* **2.** Tomar posição; situar-se: "O Bispo posicionava-se bem acima dos outros dois, de acordo com seu próprio julgamento, uma vez que humildade não era o seu forte." (Lustosa da Costa, *Sobral do Meu Tempo*, p. 82.)
posídeon. [Do gr. *Poseideón, ônos.*] *S. m. Cronol.* O sexto mês do calendário grego, com 29 dias, correspondente ao mês de dezembro do calendário gregoriano.
pós-impressionismo. [De *pós-* + *impressionismo.*] *S. m.* Período que sucedeu ao impressionismo e durante o qual ocorreram as primeiras manifestações artísticas que originaram as novas correntes de pintura do séc. XX, como, p. ex., o expressionismo, o fovismo, o cubismo. [Pl.: *pós-impressionismos.*]
pós-impressionista. *Adj. 2 g.* **1.** Relativo ao pós-impressionismo. **2.** Diz-se de artista (sobretudo pintor) desse movimento. ● *S. 2 g.* **3.** Artista (sobretudo pintor) pós-impressionista. [Pl.: *pós-impressionistas.*]
positivação. *S. f.* Ato ou efeito de positivar.
positivar. *V. t. d.* **1.** Tornar positivo; reduzir às condições da realidade: *positivar um negócio.* **2.** *Fot.* Tirar cópia positiva de (um negativo). *P.* **3.** Tornar-se ou mostrar-se positivo, evidente, indiscutível: "Positivam-se os caracteres da família. Retraída, impetuosa." (Geraldo França de Lima, *Jazigo dos Vivos*, p. 89.)
positividade. *S. f.* Estado ou qualidade do que ou de quem é positivo.
positivismo. [Do fr. *positivisme.*] *S. m. Filos.* Conjunto de doutrinas de Augusto Comte, filósofo francês (1798-1857), caracterizado sobretudo pelo impulso que deu ao desenvolvimento de uma orientação cientificista do pensamento filosófico, atribuindo à constituição e ao processo da ciência positiva importância capital para o progresso de qualquer província do conhecimento; comtismo. ◆ **Positivismo lógico.** **1.** *Filos.* Movimento doutrinário do chamado "Círculo de Viena", fundado por Moritz Schlick, filósofo alemão (1882-1936), e que reuniu os filósofos germânicos Philipp Franck (1884-1956), Otto Neurath (1882-1945), Rudolf Carnap (1891- —), Hans Reichenbach (1891-1935) e Ludwig Wittgenstein (1889-1951), assinalado pelo caráter cientificista e expressamente antimetafísico, que associa a tradição empirista ao formalismo lógico matemático. **2.** *Restr.* Movimento de língua inglesa, que desenvolveu a orientação do Círculo de Viena mediante a ação de filósofos que emigraram para a Inglaterra e os E.U.A., caracterizado principalmente pelo fisicalismo, pela crítica da linguagem e pela adoção do método axiomático. [Sin. ger.: *neopositivismo* e *empirismo lógico.*]
positivista. [Do fr. *positiviste.*] *Adj. 2 g.* **1.** Respeitante à filosofia do positivismo, ou que dela é adepto. ● *S. 2 g.* **2.** Adepto da filosofia positivista. [Cf. *comtista.*]
positivo. [Do lat. escolástico *positivu.*] *Adj.* **1.** Que não admite dúvida; indiscutível, evidente: *um fato positivo; resposta positiva.* **2.** Real, efetivo, verdadeiro; certo, seguro: *o aspecto positivo de uma questão; Não há nada positivo quanto à data da inauguração.* **3.** Baseado nos fatos e na experiência: *conhecimento positivo.* **4.** Sem rodeios; direto, objetivo; prático: *discurso positivo.* **5.** Afirmativo, construtivo: *crítica positiva.* **6.** Confiante, otimista: *pensamento positivo.* **7.** Derivado da vontade, e não da natureza das coisas. **8.** *Gram.* Diz-se do grau que, no substantivo, indica a dimensão normal dos seres, e no adjetivo exprime simplesmente a qualidade. ~ V. *ângulo —, carga —a, cristal —, direção —a, direito —, filme —, geotropismo —, infinito —, inteiro —, número —, ocular —a, pólo celeste —, pólo —, raios —s, sentido —, sinal —,* e *valor —.* ● *S. m.* **9.** Aquilo que é certo, claro, real, útil. **10.** Imagem fotográfica em que as luzes e as sombras são iguais às do original, e não invertidas, como sucede no negativo. **11.** *Eletr.* Pólo[1] positivo. **12.** *Mat.* Número positivo. **13.** *Mús.* Pequeno órgão medieval, apoiado sobre um jogo de pés. [Cf., nesta acepç., *regal* (1).] **14.** *Mús.* Um dos teclados manuais do órgão. **15.** *Bras.* Mensageiro, portador. **16.** Indivíduo encarregado de determinada missão. ● *Adv.* **17.** *Bras. Pop.* e *fam.* Sim (1).
pósiton. [Var. de *pósitron* < *posi*, f. abrev. de *positivo*, + *tron*, o final de *elétron.*] *S. m. Fís. Nucl.* Antipartícula do elétron, a qual tem massa e spin iguais aos do elétron, mas carga elétrica igual e de sinal contrário.
pósitron. *S. m. Fís. Nucl.* Pósiton, [q. v.].
poslimínio. [Do lat. *postliminiu.*] *S. m.* **1.** *Ant.* Restituição de direitos civis a quem os tinha perdido por ausência ou cativeiro. **2.** *Jur.* Anulação dos atos da administração do inimigo durante a ocupação.
poslúdio. [De *pos-* + o final de *prelúdio.*] *S. m. Mús.* Conclusão musical de uma cerimônia religiosa, ou de uma composição vocal ou instrumental, que se caracteriza pela grande liberdade de construção.
pós-maturação. [De *pós-* + *maturação.*] *S. f. Bot.* Conjunto de fenômenos que se processam na semente depois que se desprendeu da planta-mãe, e que tem por fim terminar a preparação do embrião para germinar, o qual, sem isso, não o pode fazer, atacando-se o tratamento das sementes pelo frio úmido, como um processo usual de pós-maturação. [Pl.: *pós-maturações.*]
pós-meridiano. [Do lat. *postmeridianu.*] *Adj.* Posterior ao meio-dia. [Pl.: *pós-meridianos.* Antôn.: *antemeridiano.*]
posologia. [Do gr. *posón*, 'quantidade', + *-log(o)-* + *-ia.*] *S. f. Terap.* Indicação das doses em que devem ser aplicados os medicamentos.
posológico. *Adj.* Referente à posologia.

pós-operatório. [De *pós-* + *operatório.*] *Adj. Med.* **1.** Que ocorre após uma intervenção cirúrgica: *estado pós-operatório; problema pós-operatório.* **2.** Diz-se do período, de extensão variável, que decorre desde o término de uma intervenção cirúrgica até o momento em que cessam os cuidados ministrados pelo cirurgião. ~ V. *acidente* —. ● *S. m.* **3.** O período pós-operatório. [Pl.: *pós-operatórios.*]

pós-opercular. [De *pós-* + *opercular.*] *Adj. 2 g. Zool.* Situado depois do opérculo. [Pl.: *pós-operculares.*]

posoquéria. [Do lat. cient. *Posoqueria.*] *S. f.* **1.** V. *açucena-do-mato.* **2.** V. *aimara.*

pospasto. [De *pos-* + *pasto.*] *S. m.* V. *sobremesa:* "estavam reunidos no alpendre, de palito à boca os velhos, saboreando o *pospasto* de há pouco" (Afonso Arinos, *Pelo Sertão,* p. 87).

pospelo (ê). [De *pós-* + *pêlo.*] *S. m.* **1.** Direção contrária à do pêlo. **2.** Violência, força. ♦ **A pospelo. 1.** Em direção contrária à do pêlo; ao revés: "Se cursarmos a *pospelo* a nossa história, encontramos a mesma cegueira nos quebra-quilos infensos ao sistema métrico" (João Ribeiro, *Cartas Devolvidas,* pp. 209-210). **2.** Com violência; à força.

pós-perna. [De *pós-* + *perna.*] *S. f.* A parte superior da perna da besta, desde o curvejão ao quadril. [Pl.: *pós-pernas.*]

pospontar. *V. t. d.* Coser a posponto: "Achou-a na barraca, sentada, ... a cabeça inclinada sobre a almofada chata de costura, onde tinha pregado a ombreira de uma camisa, que *pospontava*" (José Veríssimo, *Cenas da Vida Amazônica,* pp. 68-69.)

posponto. [Dev. de *pospontar.*] *S. m.* V. *pesponto* (1 e 2).

pospor. [De *pos-* + *pôr.*] *V. t. d.* **1.** Pôr depois; *Deixou o texto como estava — não pospôs a observação solicitada.* **2.** Deixar para depois; adiar, preterir, delongar, procrastinar: *pospor uma decisão.* **3.** Não fazer caso de; pôr de parte; desprezar, desdenhar, postergar: *O historiador deve analisar o fato em si, pospondo seus interesses pessoais. T. d. e i.* **4.** Ter em menos conta; não preferir: *Tiradentes pospôs a vida à Pátria.* [Conjug.: v. *pôr.* Antôn.: *antepor.*]

posposição. *S. f.* Ato ou efeito de pospor. [Antôn.: *anteposição.*]

pospositiva. [Fem. substantivado de *pospositivo.*] *S. f. Gram.* O segundo fonema de um ditongo, ou o terceiro de um tritongo; subjuntiva.

pospositivo. [Do lat. *postpositivu.*] *Adj.* **1.** Que se pospõe. [Antôn.: *antepositivo.*] **2.** *Gram.* Diz-se das palavras que não se empregam no princípio da frase, e das partículas denominadas *sufixos.*

posposto (ô). [Part. de *pospor.*] *Adj.* **1.** Posto depois. **2.** Omitido, preterido, desprezado, postergado.

pós-prandial. [De *pós-* + *prandial.*] *Adj. 2 g.* **1.** Diz-se do período que se segue a uma refeição. **2.** Diz-se do que ocorre nesse período. [Pl.: *pós-prandiais.*]

pós-romano. [De *pós-* + *romano.*] *Adj.* Posterior ao império romano ou à dominação dos romanos. [Pl.: *pós-romanos.*]

possança. [De *possante.*] *S. f.* **1.** Poder, força, vigor; pujança. **2.** *Geol.* Espessura dum estrato geológico ou de uma série de camadas, dum dique ou dum veeiro, medida pela perpendicular às suas paredes laterais; pujança. **3.** *Mat.* O cardinal de um conjunto; potência.

possante. [De *posse* + *-ante.*] *Adj. 2 g.* **1.** Que tem possança; vigoroso, forte; poderoso. **2.** Grandioso, majestoso.

posse. [Do lat. *posse,* 'poder'.] *S. f.* **1.** Detenção de uma coisa com o objetivo de tirar dela qualquer utilidade econômica. **2.** Estado de quem frui uma coisa ou a tem em seu poder. **3.** Investidura em cargo público, ou função gratificada, ou posto honorífico, etc.: *Amanhã será a posse do novo diretor da Biblioteca Municipal.* **4.** *P. ext.* A solenidade da investidura em cargo público, função gratificada, posto honorífico, etc.: *A posse do novo acadêmico revestiu-se de grande pompa.* **5.** *Bras., MG* e *MT.* Área correspondente a uma légua quadrada. ~ V. *posses.*

possear. *V. t. d. Bras. Jur.* Tomar posse de, ocupar (terra devoluta): *Os camponeses possearam extensas regiões.* [Conjug.: v. *frear.*]

posseiro. *Adj.* e *s. m.* **1.** *Jur.* Que ou aquele que está na posse legal de imóvel ou imóveis indivisos. ● *S. m.* **2.** *Bras.* Aquele que posseia. [Cf. *poceiro* e *puceiro.*]

possense¹. *Adj. 2 g.* **1.** De, ou pertencente ou relativo a Posse (GO). ● *S. 2 g.* **2.** Natural ou habitante de Posse.

possense². *Adj. 2 g.* **1.** De, ou pertencente ou relativo a Santo Antônio de Posse (SP). ● *S. 2 g.* **2.** Natural ou habitante de Santo Antônio de Posse.

posses. [Pl. de *posse.*] *S. f. pl.* **1.** Haveres, bens, cabedais. **2.** Meios de vida. **3.** Aptidão, capacidade. [Sin. ger.: *possibilidades.*] ~ V. *posse.* ♦ **De posses.** Endinheirado, abastado: *É homem de posses.*

possessão. [Do lat. *possessione.*] *S. f.* **1.** V. *colônia¹* (4). **2.** *Bras.* Ato em que o iniciado ou filho-de-santo recebe o seu orixá, tornando-se o seu cavalo e materializando a divindade.

possessibilidade. *S. f.* Qualidade de possessível.

possessível. [Do lat. *possessu,* 'possuído', + *-ível.*] *Adj. 2 g.* Que pode ser possuído.

possessivo. [Do lat. *possessivu.*] *Adj.* e *s. m.* **1.** Diz-se de, ou indivíduo que tem exacerbado sentimento de posse. **2.** *Gram.* Diz-se de, ou pronome que indica posse: *meu livro; sua casa; Aquele carro é nosso; Esta espátula é a tua.* ~ V. *pronome* —.

possesso. [Do lat. *possessu,* 'possuído'.] *Adj.* **1.** Possuído do Demônio; endemoninhado. **2.** Tomado de ira; furioso, encolerizado. ● *S. m.* **3.** Indivíduo endemoninhado, possesso.

possessor (ô). [Do lat. *possessore.*] *Adj.* **1.** Que possui. ● *S. m.* **2.** Aquele que possui. **3.** Cada um dos colonos, ou indivíduos pelos quais, entre os romanos, se repartiam terras conquistadas.

possessório. [Do lat. *possessoriu.*] *Adj.* **1.** Respeitante ou inerente à posse. **2.** *Jur.* Diz-se do juízo onde são movidas as ações de posse. ● *S. m.* **3.** *Jur.* O juízo possessório.

possibilidade. [Do lat. *possibilitate.*] *S. f.* Qualidade de possível. ~ V. *possibilidades.*

possibilidades. [Pl. de *possibilidade.*] *S. f. pl.* Posses. ~ V. *possibilidade.*

possibilitar. [Do lat. *possibilitate,* 'possibilidade', + *-ar²,* com síncope.] *V. t. d.* e *t. d. e i.* **1.** Tornar possível: *Só um tratamento demorado possibilitará sua cura;* "porque tal bispo não admite em seu coração a mais mínima sombra de ódio, e só *possibilita* a entrada nele à humildade, ... aos mais delicados afetos paternais" (Franklin Távora, *O Cabeleira,* p. 56); *O oxigênio possibilita a vida aos seres humanos.* **2.** Apresentar como possível.

pós-simbolista. [De *pós-* + *simbolista.*] *Adj. 2 g.* **1.** Posterior ao simbolismo. **2.** Diz-se de escritor pertencente à fase posterior ao simbolismo. ● *S. 2 g.* **3.** Escritor pertencente a essa fase. [Pl.: *pós-simbolistas.* Antôn.: *pré-simbolista.*]

possível. [Do lat. *possibile.*] *Adj. 2 g.* **1.** Que pode ser, acontecer ou praticar-se. ● *S. m.* **2.** Aquilo que é possível: *O médico fez o possível para salvá-lo.* **3.** *Filos.* Do ponto de vista lógico, o que não implica contradição. **4.** *Filos.* Do ponto de vista físico, quer o que satisfaz às leis gerais da experiência, quer o que não está em contradição com nenhum fato ou lei empiricamente estabelecida, quer o que é mais ou menos provável. **5.** *Filos.* Do ponto de vista moral, o que não contraria nenhuma norma moral. [Cf., nas acepç. 3,4 e 5: *impossível* (8).]

pós-socrático. [De *pós-* + *socrático.*] *Adj.* Posterior a Sócrates [v. *socrático*]: *a filosofia pós-socrática.* [Pl.: *pós-socráticos.*]

possuído. [Part. de possuir.] *Adj.* **1.** De que se tem ou frui a posse. **2.** Diz-se de mulher com quem se teve cópula carnal. **3.** *Bras. Gír.* Cheio de si; soberbo, enfatuado. ~ V. *possuídos.*

possuidor (u-i... ô). *Adj.* **1.** Que possui; possuinte. ● *S. m.* **2.** Aquele que possui.

possuídos. [Pl. substantivado de *possuído.*] *S. m. pl.* **1.** Bens, haveres. **2.** *Bras., N.* e *N.E. Chulo.* As partes genitais. ~ V. *possuído.*

possuinte (u-ín). *Adj. 2 g.* Possuidor (1).

possuir. [Do lat. **possidire,* por *possidere.*] *V. t. d.* **1.** Ter ou reter em seu poder; ter a posse de; deter: *Afirma que não possui o documento procurado.* **2.** Ter conter; contar: "Nenhum país da Europa *possui* mais belos túmulos do que Portugal." (Ramalho Ortigão, *As Farpas,* I, p. 229.) **3.** Ter como propriedade; ser proprietário de: *Possui uma bela casa.* **4.** Fruir a posse de; gozar, desfrutar de; fruir: *O atleta possui uma saúde de ferro.* **5.** Ter o gozo de; desfrutar: *Possui alto cargo administrativo.* **6.** Ter em si; conter, encerrar: *O trabalho possuía falhas gritantes;* "Um mistério de Amor que eu não resolvo / *Possui* teu ser" (Da Costa e Silva, *Sangue,* p. 60). **7.** Ser naturalmente dotado de: *Este moço possui habilidades.* **8.** Ter o domínio de (estado ou região); dominar, subjugar: *Roma possuiu o Mediterrâneo.* **9.** Dominar moralmente; empolgar: *Maus pensamentos possuíam aquele homem;* "*Possuía*-o todo um desejo louco e inadiável de tê-la já nos braços" (Herman Lima, *Tijipió,* p. 145). **10.** Ter cópula com (uma mulher): "a intensidade das carícias o exacerbou a ponto de tentar *possuí*-la ali mesmo, na praça." (Fernando Sabino, *Medo em Nova Iorque. A Cidade Vazia,* pp. 123-124). *P.* **11.** Deixar-se convencer; convencer-se, compenetrar-se, imbuir-se: *Em 1889, só pequena parte do povo brasileiro se possuíra das idéias republicanas.* **12.** Deixar-se dominar: *Os romeiros possuíram-se de fervor.* [Conjug.: v. *atribuir.*]

posta¹. [Fem. de *posto,* part. de *pôr.*] *S. f.* **1.** Pedaço de peixe. **2.** Pedaço, talhada. **3.** *Fam.* Emprego rendoso. **4.** *Bras.* Pessoa moleirona. ♦ **Posta de sangue.** Porção de sangue coalhado. **Arrotar postas de pescada.** *Fam.* Jactar-se, vangloriar-se, arrotar.

posta² [Do it. *posta.*] *S. f.* **1.** Posto de parada outrora situado nas estradas, de espaço a espaço, onde se efetuava a muda dos cavalos das diligências e outros veículos, ou do serviço de correio. **2.** O correio (2) e/ou sua administração.

postagem. *S. f. Bras.* Ato ou efeito de postar².

postal¹. [Do fr. *postal.*] *S. m.* V. *cartão-postal.*

postal². [De *posta²* + *-al.*] *Adj. 2 g.* Relativo ao correio. ~ V. *caixa* —, *franquia* —, *mala* — e *selo* —.

postalista. [De *postal²* + *-ista.*] *S. 2 g. Bras.* Funcionário da repartição dos correios: "O *postalista* Edésio Arruda — funcionário dos Correios e Telégrafos do Recife — acabara de colocar a aliança de noivado no dedo de Queridinha" (José Condé, *Como uma Tarde em Dezembro,* p. 20).

postar¹. [De *posto¹* + *-ar².*] *V. t. d.* **1.** Pôr (alguém) num lugar ou posto: *postar um vigia atento. P.* **2.** Permanecer muito tempo; colocar-se, pôr-se: *Os homens postaram-se na rua.* [Pres. ind.: *posto,* etc. Cf. *posto* (ô), do v. *pôr* e s. m.]

postar². [De *posta²* + *-ar².*] *V. t. d. Bras.* Pôr (carta, postal, impresso, etc.) na caixa do correio: *O contínuo postará a carta.*

posta-restante. [De *posta²* + *restante.*] *S. f.* **1.** Indicação que se escreve no envelope de uma carta para significar que ela deve permanecer na repartição do correio até que a reclamem. **2.** Lugar onde ficam, no correio, as cartas com essa indicação. [Pl.: *postas-restantes.*]

poste. [Do lat. *poste,* 'ombreira da porta', 'porta'.] *S. m.* **1.** Pau cravado verticalmente no chão. **2.** Haste de madeira, ferro ou cimento, presa verticalmente no solo, para servir de suporte a isoladores ou acumuladores sobre os quais se apóiam cabos de eletricidade, fios telegráficos, etc., ou de suporte, nas cidades, às luzes para iluminação urbana. **3.** Pilar de portada. **4.** Espécie de coluna à qual se prendiam os criminosos, expondo-os à ignomínia pública. **5.** *Bras. Fut.* A trave do gol.

▲**post(e)-.** [Do gr. *pósthe, es.*] *El. comp.* = 'prepúcio': *postetomia; postite.* [Equiv.: *posto-: postoplastia.*]

posteação. *S. f. Bras.* V. *posteamento.*

posteamento. *S. m. Bras.* **1.** Ato ou efeito de postear. **2.** Série de postes colocados para determinado fim: "os objetos imersos em penumbra e mal definidos pela luz difusa do *posteamento* espaçado lhe despertavam o interesse, como tudo o que era vago." (Samuel Rawet, *Os Sete Sonhos,* pp. 115-116). [Sin. ger.: *posteação.*]

postear. [De *poste* + *-ear.*] *V. t. d. Bras.* Colocar postes em (logradouros públicos, estradas, etc.) [Conjug.: v. *frear.*]

postectomia. [De *post(e)-* + *-ectom(e)-* + *-ia.*] *S. f. Cir.* Circuncisão (1).

postectômico. *Adj.* Relativo à postectomia.

posteirada. *S. f. Bras., S.* Conjunto de posteiros.

posteiro. [De *posto¹* + *-eiro.*] *S. m. Bras., S.* **1.** Homem que mora no limite ou divisa de uma fazenda. **2.** O vigia do gado.

postejar. [De *posta¹* + *-ejar.*] *V. t. d.* Partir em postas; espostejar: *postejar um peixe.* [Conjug.: v. *pelejar.*]

postema. *S. m.* F. aferética de *apostema.*

postemão. [De *postema* + *-ão².*] *S. m.* Navalha de alveitar usada para abrir apostemas.

postemar. *V. t. d., int.* e *p.* V. *apostemar.*

posteplastia. [De *post(e)-* + *-plast-* + *-ia.*] *S. f. Cir.* Operação plástica no prepúcio.

pôster. [Do ingl. *poster.*] *S. m.* **1.** Cartaz de tamanho reduzido, que se usa com fins decorativos: *Usa posteres art-nouveau na decoração do quarto.* **2.** Ampliação fotográfica semelhante a um pôster (1). [Pl.: *pôsteres.*]

postergação. *S. f.* Ato ou efeito de postergar; postergamento.

postergamento. *S. m.* Postergação.

postergar. [Do b.-lat. *postergare.*] *V. t. d.* **1.** Deixar atrás ou em atraso; preterir: *Alcançou a presidência da firma postergando os colegas.* **2.** Não fazer caso de; desprezar, desdenhar, pospor: *Interessado pela causa* *pública, posterga as conveniências pessoais.* **3.** Deixar de cumprir; violar, transgredir, infringir: *Posterga normas estabelecidas.* [Conjug.: v. *largar.*]

postergável. *Adj. 2 g.* Que se pode postergar; adiável.

posteridade. [Do lat. *posteritate.*] *S. f.* **1.** Série de indivíduos procedentes da mesma origem. **2.** Os vindouros; as gerações futuras. **3.** O tempo futuro. **4.** Celebridade ou glorificação futura.

posterior (ô). [Do lat. *posteriore.*] *Adj. 2 g.* **1.** Que vem ou está depois; ulterior. **2.** Situado atrás, ou que ficou atrás. [Antôn. ger.: *anterior.*] ~ V. *câmara —, fachada — e vogal —.* ● *S. m.* **3.** *Pop.* As nádegas.

posterioridade. *S. f.* Caráter ou situação do que é posterior.

póstero. [Do lat. *posteru.*] *Adj.* Futuro, porvindouro: "tão sublime conformar-se com os terríveis golpes por ele [o destino] vibrados, apelando, a um tempo, para a justiça póstera dos homens e para Deus!" (Visconde de Taunay, *Reminiscências,* p. 167). ~ V. *pósteros.*

▲póstero-. [Do lat. *posteru.*] *El. comp.* = 'posterior, posterioridade': *póstero-exterior.*

póstero-exterior. [De *póstero-* + *exterior.*] *Adj. 2 g.* Que está atrás e por fora. [Pl.: *póstero-exteriores.*]

póstero-inferior. [De *póstero-* + *inferior.*] *Adj. 2 g.* Que está atrás e por baixo. [Pl.: *póstero-inferiores.*]

póstero-interior. [De *póstero-* + *interior.*] *Adj. 2 g.* Que está atrás e por dentro. [Pl.: *póstero-interiores.*]

póstero-medial. [De *póstero-* + *medial.*] *Adj. 2 g.* Que está atrás e no meio. [Pl.: *póstero-mediais.*]

pósteros. [Pl. de *póstero.*] *S. m. pl.* As gerações que hão de suceder à atual. ~ V. *póstero.*

póstero-superior. [De *póstero-* + *superior.*] *Adj. 2 g.* Que está atrás e por cima. [Pl.: *póstero-superiores.*]

pós-textual. [De *pós-* + *textual.*] *Adj. 2 g.* Numa publicação, diz-se de cada um dos elementos que sucedem ao texto propriamente dito, como, por ex., anexos, apêndice, bibliografia, colofão, etc. [Pl.: *pós-textuais.*]

postiço. [De *posto*[2] + *-iço.*] *Adj.* **1.** De pôr e tirar. **2.** Acrescentado a obra já concluída. **3.** Colocado artificialmente. **4.** Que não é natural. ~ V. *acento —.*

postigo. [Do lat. *posticu* (subentende-se *ostiu*), 'porta traseira'.] *S. m.* **1.** Pequena porta. **2.** Abertura quadrangular em porta ou janela, que permite observar sem as abrir: "O diálogo .... era travado em uma antiga sala, vasta e pouco alumiada por estreitas janelas, cujas vidraças de postigo mal deixavam coar o dia." (Rebelo da Silva, *Contos e Lendas,* p. 57.) **3.** Tampa de gateiras, escovéns, vigias, etc., nas embarcações.

postígrafo. [De *posto*[1] + *-i-* + *(telé)grafo.*] *S. f. Bras.* Posto que transmite sinais pelo sistema telegráfico.

postila. [Da expr. do lat. escolástico *post illa (verba auctoris),* 'após aquelas palavras do autor'.] *S. f.* **1.** V. *apostila* (5). **2.** Comentário, explicação, explanação. **3.** Explicação ditada pelo professor e escrita pelo aluno.

postilhão. [Do it. *postiglione.*] *S. m.* **1.** Homem que transportava a cavalo notícias e correspondência. **2.** Boleeiro de mala-posta. **3.** *P. ext.* Mensageiro (3).

postimária. [De uma alter. de *postremo* (q. v.) + *-ária.*] *S. f.* Termo, fim.

postimeiro. [Altern. de *postremeiro.*] *Adj.* V. *postremo.*

postite. [De *poste-* + *-ite*[1].] *S. f. Patol.* Inflamação do prepúcio.

postítico. [De *postite* + *-ico*[2].] *Adj.* Referente à postite.

postlimínio. [Do lat. *postliminiu.*] *S. m.* V. *poslimínio.*

➧post-mortem (póçt mórtem). [Lat., 'depois da morte'.] Além do túmulo; na outra vida.

posto[1] (ô). [Do lat. *postu.*] *S. m.* **1.** Lugar onde se acha colocada uma pessoa ou uma coisa. **2.** Estação ou alojamento de tropas ou guardas policiais. **3.** Cargo; dignidade. **4.** *Bras.* Grau hierárquico de oficial (12). [Cf. *graduação* (4).] **5.** Lugar que cada um deve ocupar no desempenho de suas funções. **6.** *Bras.* Estabelecimento ou repartição subordinada a um órgão central, e que se destina ao atendimento público: *posto de saúde; posto de venda de Ingressos.* **7.** *Bras.* Estabelecimento equipado para a venda de gasolina, álcool, óleos, lubrificantes, etc.: "Estávamos num posto de gasolina, à saída de Belo Horizonte." (Fernando Sabino, *A Companheira de Viagem,* p. 56.) **8.** *Bras.* Cada um dos graus hierárquicos da carreira diplomática: *Foi promovido ao posto de primeiro-secretário.* **9.** *Bras.* Local, no estrangeiro, onde os funcionários diplomáticos exercem as suas funções: *Foi transferido do posto em Barcelona, e agora serve em Brasília.* **10** *Bras., S.* Moradia primitiva nos campos afastados de uma estância ou de uma fazenda, e quase sempre só habitada no tempo de tirar leite e fazer queijo. [Pl.: *postos.* Cf. *posto,* do v. *postar.*] ◆ **Posto avançado.** *Mil.* Posto instalado à frente de uma tropa estacionada, para protegê-la de uma surpresa do inimigo. **Posto de comando.** *Mil.* Local onde o comando exerce as suas atividades. **Posto de guarda.** Lugar onde se colocam pessoas, especialmente soldados, com o fim de guardar, vigiar ou combater. **Posto de monta.** *Zootec.* Estabelecimento onde se mantêm animais de raça, selecionados, do sexo masculino, para cobertura de fêmeas que ali são levadas com o fim de melhorar os rebanhos; estação de monta. **Posto meteorológico.** Estabelecimento onde há um conjunto de instrumentos que servem para observações dos fenômenos meteorológicos, em determinado lugar ou região. **A postos. 1.** *Mil.* Preparado para, à primeira advertência, resistir a um perigo ou tomar a ofensiva. **2.** Pronto para iniciar uma atividade: *Desde cedo a equipe médica estava a postos.*

posto[2] (ô). [part. de *pôr.*] *Adj.* **1.** Colocado, apresentado, disposto, plantado. **2.** Diz-se do Sol quando desaparece no horizonte. [Flex.: *posta, postos, postas.* Cf. *posto,* do v. *postar.*] ~ V. *mãos —as.* ● *Conj.* **3.** V. *posto que:* "Como caráter, fazia-lhe a mãe grandes elogios, e eram fundados, posto fossem de mãe." (Machado de Assis, *Ressurreição,* p. 32.) ◆ **Posto que.** Ainda que; se bem que; embora; posto: "Teve excelente recepção, posto que a viúva, sem deixar de ser cortês e graciosa, parecia um pouco reservada e preocupada." (Machado de Assis, *Ressurreição,* pp. 50-51.)

▲posto-. Equiv. de *post(é)-.*

posto-chave. *S. m.* Posto (1) de importância primordial para o bom desempenho de certas tarefas ou funções. [Pl.: *postos-chaves* e *postos-chave.*]

postônico. [De *pós-* + *tônico.*] *Adj. Gram.* Diz-se de vogal ou de sílaba que vem após a vogal ou a sílaba tônica de uma palavra. [Antôn.: *pretônico, antetônico.*] ~ V. *sílaba —a.*

postre. [Do esp. *postre.*] *S. m.* V. *sobremesa:* "Ergue-se o Rei, e finaliza o postre / Co' um brinde extremo aos campeões da Ibéria, / E a seus novos vassalos" (Araújo Porto-Alegre, *Colombo,* p. 33).

postreiro. [Do esp. *postrero.*] *Adj. Ant.* V. *postremo.*

postremeiro. [De *postremo* + *-eiro,* ou alter. de *postrimeiro.*] *Adj.* V. *postremo.*

postremo. [Do lat. *postremu.*] *Adj.* Último, derradeiro, extremo, postimeiro, postremeiro, postrimeiro (ant.) e postreiro (ant.).

postres. [Pl. de *postre.*] *S. m. pl.* V. *sobremesa.*

postrídio. [Do adv. lat. *postridie.*] *S. m.* O dia seguinte.

postrimeiro. [Do esp. *postrimero.*] *Adj. Ant.* Postremo

➧post-scriptum. [Lat.] V. *pós-escrito.* [Abrev.: *PS.*]

postulação. [Do lat. *postulatione.*] *S. f.* Ato de postular; solicitação.

postulado. [Do lat. *postulatu.*] *S. m.* **1.** *Filos.* Proposição não evidente nem demonstrável, que se admite como princípio de um sistema dedutível, de uma operação lógica ou de um sistema de normas práticas. **2.** Fato ou preceito reconhecido sem prévia demonstração: *Esse postulado emana de uma profunda convicção.* **3.** Tempo de exercício e provações que antecede o noviciado das comunidades religiosas. [Cf. *pustulado.*] ◆ **Postulado das paralelas.** *Geom.* Postulado de Euclides. **Postulado de Euclides.** *Geom.* Aquele que propõe: "Se se traçar uma secante a duas retas coplanares e a soma dos ângulos internos de um mesmo lado da secante for menor que dois ângulos retos, as duas retas se interceptam num ponto situado nesse lado da secante"; postulado das paralelas.

postulante. [Do lat. *postulante.*] *Adj. 2 g.* e *s. 2 g.* **1.** Que ou quem postula. **2.** Que ou quem cumpre o período de postulado, nas comunidades religiosas.

postular. [Do lat. *postulare.*] *V. t. d.* **1.** Pedir com instância; suplicar, rogar, implorar: *Postulou o perdão.* **2.** Requerer, documentando a alegação: *O advogado postulou a soltura do preso.* **3.** Tomar como postulado (1 e 2): *O ministro postula medidas radicais e inovadoras. T. d. e i.* **4.** Pedir com instância; suplicar, rogar, implorar: *Postulava aos presentes que dessem crédito às suas palavras.*

postumária. [De *póstumo* (i.e., *tempos póstumos*) + *-ária.*] *S. f.* Os tempos que sobrevêm à morte de alguém.

postumeiro. [De *póstumo* + *-eiro.*] *Adj. Ant.* V. *postremo.*

póstumo. [Do lat. *postumu,* 'último, derradeiro'.] *Adj.* **1.** Nascido após a morte do pai: *uma criança póstuma.* **2.** Posterior à morte de alguém: *honras póstumas.* **3.** Publicado após a morte do autor: *obra póstuma.* [Cf. a acepç. que tem o voc. na loc. *endosso póstumo.*] ~ V. *endosso —, falência —a, filho — e obra —a.*

postura. [Do lat. *positura.*] *S. f.* **1.** Posição do corpo ou de uma parte dele: *uma postura cômoda; a postura da cabeça.* **2.** Modo de manter o corpo ou de compor os movimentos dele; atitude: *a postura de uma bailarina.* **3.** Aspecto físico ou expressão fisionômica: "Os olhos encovados e a postura / Medonha e má" (Luís de Camões, *Os Lusíadas,* V, 39). **4.** *Obsol.* Pintura ou outro artifício para embelezamento do rosto. **5.** Ato ou efeito de pôr ovos: *Entre certos animais, a postura ocorre na água.* **6.** A época da postura (5). **7.** Preceito municipal escrito, que obriga os munícipes a cumprirem certos deveres de ordem pública. **8.** *Fig.* Ponto de vista; maneira de pensar e agir; atitude: *a postura liberal daquele político.* **9.** Posição clássica no sistema ioga; assane. ~ V. *posturas.*

posturas. [Pl. de *postura.*] *S. f. pl.* Conjunto de preceitos municipais, geralmente codificados: *código de posturas.* ~ V. *postura.*

postureiro. [De *postura* (3) + *-eiro.*] *S. m. Obsol.* Vendedor de posturas para embelezamento.

posudo. *Adj.* e *s. m. Bras. Gír.* Que ou aquele que faz ou tem pose (2), que é cheio de pose (2), cheio de si; canchudo: "— Mas o povo daqui é meio besta, fechado, posudo." (Gustavo Barroso, *Mississípi,* p. 99.)

pós-védico. [De *pós-* + *védico.*] *Adj.* Posterior aos tempos védicos. [Pl.: *pós-védicos.*]

pós-verbal. [De *pós-* + *verbal.*] *Adj.* e *s. m. Gram.* Deverbal. [Pl.: *pós-verbais.*]

potaba. [Do tupi *po'taba,* 'o que a mão colhe'.] *S. f. Bras., N.E.* **1.** Presente, dádiva, mimo. **2.** Legado[2] (1). **3.** V. *gorjeta* (2). **4.** Isca para apanhar pitu. [Var.: *potava.*]

potabilidade. *S. f.* Qualidade de potável.

potâmide. [Do gr. *potameís, ídos,* pelo lat. *potamide.*] *S. f. Mitol.* Ninfa dos rios.

potamita. [De *potam(o)-* + *-ita*[2].] *Adj. 2 g.* Que vive nos rios.

▲potamo-. [Do gr. *potamós, oû.*] *El. comp.* = 'rio': *potamologia, potamografia.*

potamofobia. [De *potam(o)-* + *-fob(o)-* + *-ia.*] *S. f.* Medo mórbido dos rios.

potamofóbico. *Adj.* Referente à potamofobia.

potamófobo. *S. m.* Aquele que tem potamofobia.

potamogetonácea. *S. f.* Espécime das potamogetonáceas.

potamogetonáceas. *S. f. pl. Bot.* Família de monocotiledôneas, da ordem das helobiales, composta de ervas aquáticas com flores aclamídeas ou com perigônio, inconspícuas e dispostas em espiga, estames de um a oito, fruto monospérmico, drupáceo ou membranáceo. Ocorrem no mundo inteiro, inclusive no Brasil.

potamogetonáceo. *Adj.* Pertencente ou relativo às potamogetonáceas.

potamografia. [De *potam(o)-* + *-graf(o)-* + *-ia.*] *S. f.* Potamologia.

potamográfico. *Adj.* Relativo à potamografia; potamológico.

potamologia. [De *potam(o)-* + *-log(o)-* + *-ia.*] *S. f.* A parte da geografia que estuda os rios; potamografia.

potamológico. *Adj.* Relativo à potamologia; potamográfico.

potamologista. *S. 2 g.* Especialista em potamologia; potamólogo.

potamólogo. *S. m.* Potamologista.

potamônimo. [De *potam(o)-* + *-ônimo.*] *S. m.* Nome de rio.

potassa. [Do al. *Pottasche,* 'cinza de panela'.] *S. f.* Hidróxido de potássio; potassa cáustica. ◆ **Potassa cáustica.** Potassa. **Potassa do comércio.** Carbonato de potássio impuro.

potássico. *Adj.* **1.** Relativo ao potássio. **2.** Em cuja composição entra o potássio.

potássio. [Do lat. científico *potassium.*] *S. m. Quím.* Elemento de número atômico 19, pertencente aos metais alcalinos, branco-prateado, pouco denso e muito mole. [Símb.: *K* .]

potava. *S. f. Bras., N.E.* Var. de *potaba.*

potável. [Do lat. *potabile.*] *Adj. 2 g.* Que se pode beber; que é bom para se beber. ~ V. *água —.*

pote. [Do prov. *pot.*] *S. m.* **1.** Grande vaso de barro para líquidos; **2.** Vasilha de barro, louça ou metal com diferentes formas e/ou dimensões. **3.** Recipiente de louça, vidro, etc., de largo bocal: *pote de geléia; de pomada.* **4.** Antiga unidade de medida de capacidade para líquidos, equivalente a seis canadas, i. e., 15,972 litros. **5.** *Burl.* Pessoa atarracada. **6.** *Bras., N.E.* e *GO. Pop.* V. *cadeia* (3). ◆ **A potes.** V. *a cântaros:* "Chovia a potes." (D. João da Câmara, *Contos,* p. 136.) **De pote.** *Bras. Pop.* Em estado de gravidez: *estar de pote; ficar de pote.* **Encher o pote.** *Bras., N.E. Pop.* Soltar-se em impropérios contra alguém; dizer-lhe desaforos.

poteense (êen). *Adj. 2 g.* **1.** De, ou pertencente ou relativo a Poté (MG). ● *S. 2 g.* **2.** Natural ou habitante de Poté.

potéia. [Do fr. *potée.*] *S. f.* Óxido de estanho reduzido a pó, usado para polir espelhos e outros objetos.

potência. [Do lat. *potentia.*] *S. f.* **1.** Qualidade de potente; poderio, poder. **2.** Vigor, força. **3.** Autoridade, domínio. **4.** Faculdade (da alma). **5.** Vigor ou capacidade sexual. **6.** Capacidade de realizar. **7.** Força aplicada à realização de certo efeito. **8.** Pessoa muito importante e/ou poderosa. **9.** Nação soberana dotada de poderio. **10.** *Arit.* Produto de *n* fatores iguais. **11.** *Filos.* Caráter do que pode ser produzido, ou produzir-se, mas que ainda não existe. **12.** *Filos.* Fonte original da ação. **13.** *Geom.* O produto constante das distâncias de um ponto fixo às interseções de uma reta que passa por ele e encontra uma circunferência de círculo ou uma esfera. **14.** *Mat.* Possança (3). **15.** *Fís.* Num sistema gerador ou absorvedor de energia, a energia produzida ou consumida por unidade de tempo. **16.** *Ópt.* O inverso da distância focal duma lente; convergência. [Cf. *potencia* do v. *potenciar.*] ♦ **Potência aparente.** *Eletr.* Em um circuito de corrente alternada, o produto da tensão eficaz pela corrente eficaz quando o fator de potência é igual à unidade. **Potência ativa.** *Eletr.* A potência que em média é fornecida por ou consumida em um circuito de corrente alternada, e que é igual ao produto da tensão eficaz pela corrente eficaz e pelo fator de potência; potência real, potência verdadeira. **Potência real.** *Eletr.* V. *potência ativa.* **Potência reativa.** *Eletr.* Num circuito de corrente alternada, o produto da tensão eficaz pela corrente eficaz e pelo fator reativo. **Potência verdadeira.** *Eletr.* V. *potência ativa.* **Elevar a uma potência.** *Mat.* Multiplicar (uma quantidade) por si mesma tantas vezes quantas forem as unidades da potência.

potenciação. [De *potenciar* + *-ção.*] *S. f. Mat.* Elevação a potências.

potencial. *Adj. 2 g.* **1.** Respeitante a potência. **2.** Virtual, possível. ~ V. *energia —, escoamento — e infinito —.* ● *S. m.* **3.** Poder ou força potencial: "Esses dois núcleos, o de Paris e o de Varsóvia, ... estabeleciam o dever de acudir com todo o seu p o t e n c i a l militar em caso de 'agressão'" (Fidelino de Figueiredo, *Entre Dois Universos,* p. 88). **4.** *Expl.* Trabalho máximo produzido pela unidade de massa de um explosivo. **5.** *Filos.* Que está em potência. [Opõe-se a *atual* e *virtual* (3).] **6.** *Fís.* Designação comum a uma classe de funções de diversas variáveis cujas derivadas parciais são parâmetros ou funções importantes de um campo. **7.** *Fís.* Potencial elétrico. **8.** *Fin.* Totalidade dos meios disponíveis de pagamento, considerada num determinado momento e numa determinada comunidade. ♦ **Potencial aceleração.** *Fís.* A função *F* definida por: grad $F = -a$, onde *a* é o vector aceleração associado ao movimento de um fluido. **Potencial de contato.** *Fís.* Diferença de potencial elétrico desenvolvida entre dois metais diferentes em contato direto. **Potencial de decomposição.** *Fís.-Quím.* O menor potencial que, aplicado a um eletrodo de um sistema eletroquímico, provoca uma passagem de corrente elétrica com densidade de corrente apreciavelmente grande. **Potencial de deposição.** *Fís-Quím.* O potencial elétrico em que, num catodo metálico imerso numa solução, começa a ocorrer a deposição de íons do mesmo metal. **Potencial de escoamento.** *Fís.* Tensão elétrica que se estabelece quando um líquido é forçado a escoar-se através dum capilar. **Potencial de excitação.** *Fís.* Diferença de potencial necessária para acelerar um elétron e comunicar-lhe energia suficiente para excitar até um nível determinado um átomo ou uma molécula que se achava no estado normal. **Potencial de ionização.** *Fís.* Num sistema atômico neutro, a energia mínima necessária para separar o sistema num elétron e num íon positivo. **Potencial de junção líquida.** *Fís.-Quím.* Diferença de potencial que se estabelece na interface de dois eletrólitos diferentes postos em contato. **Potencial de oxidação.** *Fís.-Quím.* Potencial de um eletrodo medido em relação a outro tomado como padrão, quando nele ocorre uma oxidação. **Potencial de oxirredução.** *Fís.-Quím.* Potencial elétrico de um eletrodo em que ocorre uma reação de oxirredução. **Potencial de redução.** *Fís.-Quím.* O de um eletrodo em que ocorre uma reação de redução. **Potencial de ruptura.** *Eletr.* A maior tensão elétrica que pode ser aplicada a um condutor sem provocar a formação duma descarga disruptiva; tensão de ruptura. **Potencial de sedimentação.** *Fís.-Quím.* Diferença de potencial elétrico que se estabelece quando numa coluna vertical ocorre a sedimentação de uma suspensão. **Potencial elétrico.** *Fís.* Função de um campo elétrico, igual, em cada ponto, ao trabalho necessário para trazer do infinito ao ponto uma carga elétrica positiva e unitária. [Tb. se diz apenas *potencial.*] **Potencial eletrocinético.** *Fís-Quím. P. us.* Potencial zeta. **Potencial eletrodinâmico.** *Fís.* Qualquer dos potenciais associado a um campo eletromagnético. **Potencial eletrostático.** *Fís.* A função potencial associada a uma carga elétrica em repouso. **Potencial escalar.** *Fís.* Num campo eletrostático, a função cujo gradiente é igual a menos o campo elétrico. **Potencial gravitacional.** *Fís.* Potencial newtoniano. **Potencial magnético.** *Fís.* Função cujo gradiente é igual ao negativo da intensidade de um campo magnético irrotacional. **Potencial newtoniano.** *Fís.* Função escalar de ponto cujo gradiente coincide com o campo de forças gravitacionais associado a uma distribuição de massas no espaço; potencial gravitacional. **Potencial químico.** *Fís.-Quím.* A função de Gibbs parcial molar de um componente num sistema. **Potencial vector.** *Fís.* Função vectorial cujo rotacional é igual ao vector indução magnética dum campo magnético. **Potencial velocidade.** *Fís.* Função cujo gradiente é igual ao negativo do vector velocidade de um campo. **Potencial zeta.** *Fís.-Quím.* Parte do potencial elétrico existente numa interface sólido-líquido, que condiciona os fenômenos eletrocinéticos; potencial eletrocinético. **Em potencial.** Como possibilidade ou probabilidade de realização ou aproveitamento; como virtualidade: *O Brasil apresenta grandes riquezas e m p o t e n c i a l.*

potencialidade. *S. f.* **1.** Qualidade de potencial. **2.** Potencial (3): "Como haveríamos de alcançar qualquer noção de uma realidade fenomenal que está fora da alçada das p o t e n c i a l i d a d e s da nossa condição mental?" (Fidelino de Figueiredo, *Entre Dois Universos,* p. 225.)

potencializar. [De *potencial* + *-izar.*] *V. t. d.* Tornar potente; reforçar.

potenciar. *V. t. d. Mat.* Elevar (qualquer quantidade) a uma potência. [Pres. ind.: *potencio, potencias, potencia,* etc. Cf. *potência.*]

potenciometria. [De *potenciômetro* + *-ia.*] *S. f. Fís.-Quím.* Técnica de análise quantitativa baseada na medida de potenciais elétricos associados a sistemas eletroquímicos.

potenciométrico. *Adj.* Relativo ao potenciômetro, ou à potenciometria.

potenciômetro. [De *potência* + *-o-* + *-metro.*] *S. m.* **1.** *Eletr.* Instrumento para medir diferenças de potencial elétrico em condições de quase reversibilidade do sistema. **2.** *Eletr.* Resistor com um cursor central móvel, e que pode servir como divisor de tensão.

potentado. [Do lat. *potentatu.*] *S. m.* **1.** Príncipe soberano de grande autoridade e/ou poder material: "A bordo vinha uma águia. Era um presente / Que um p o t e n t a d o, — um certo rei do Oriente, / Mandava a outro" (Luís Guimarães, *Sonetos e Rimas,* p. 13). **2.** *P. ext.* Pessoa muito influente e/ou poderosa. [Sin. ger.: *potestade.*]

potente. [Do lat. *potente.*] *Adj. 2 g.* **1.** Que pode. **2.** Que tem a faculdade de fazer ou produzir algo. **3.** Que tem poderio ou importância. **4.** Violento, enérgico. **5.** Rude, áspero, rijo.

potentéia. [Do fr. *potencée.*] *S. f. Heráld.* Cruz vazada cujas hastes são rematadas por figura quadrilonga.

potentilha. [Do esp. *potentilla.*] *S. f.* Planta da família das rosáceas *(Potentilla reptans); cinco-em-rama.*

poterna. [Do fr. *poterne.*] *S. f.* Porta falsa, ou galeria subterrânea, que permite sair secretamente duma praça fortificada.

potestade. [Do lat. *potestate.*] *S. f.* **1.** Poder, potência. **2.** Potentado. **3.** *P. ext.* A divindade. [Cf. *podestade.*] ~ V. *potestades.*

potestades. [Pl. de *potestade.*] *S. f. pl.* Os anjos da sexta hierarquia. ~ V. *potestade.*

potestativo. [Do lat. *potestativu.*] *Adj.* **1.** Revestido de poder. **2.** *Jur.* Diz-se da condição que torna a execução contratual dependente duma convenção que se acha subordinada à vontade ou ao arbítrio de uma ou outra das partes.

poti. [Do tupi.] *S. m. Bras.* Camarão (1).

potiche. [Do fr. *potiche.*] *S. m.* Vaso de porcelana decorada, arredondado e em geral com tampa, e cujos primeiros exemplares são de origem chinesa.

potici. [De *potosi.*] *S. m. Bras. Pop.* Grande quantidade; quantidade, abundância, superabundância, cópia.

potiguar. [Do tupi *potí'war,* 'comedor de camarão'.] *Bras. S. 2 g.* **1.** Indivíduo dos potiguares, tribo indígena tupi que habitava as margens do rio Paraíba do Norte (PB). **2.** V. *rio-grandense-do-norte.* ● *Adj. 2 g.* **3.** Pertencente ou relativo a essa tribo. **4.** V. *rio-grandense-do-norte.* [Var., nas acepç. 1 e 3: *petiguar, pitaguar, pitiguar, pitiguara* e *potiguara.*]

potiguara. *Bras. S. 2 g.* e *adj. 2 g.* V. *potiguar* (1 e 3).

potimirim. [Do tupi *potimi'ri,* 'camarão pequeno'.] *S. m. Bras.* V. *camarão-rosa.*

➧**potin** (potã). [Fr.] *S. m.* Notícia maliciosa sobre alguém ou algum fato; mexerico, bisbilhotice.

potiragüense. *Adj. 2 g.* **1.** De, ou pertencente ou relativo a Potiraguá (BA). ● *S. 2 g.* **2.** Natural ou habitante de Potiraguá.

potirendabano. *Adj.* **1.** De, ou pertencente ou relativo a Potirendaba (SP). ● *S. 2 g.* **2.** O natural ou habitante de Potirendaba.

potitinga. [De *poti* + *-tinga.*] *S. m. Bras.* V. *camarão-rosa.*

potiúna. [Do tupi *potí'una,* 'camarão preto'.] *S. m. Bras.* Espécie de camarão escuro.

poto. [Do lat. *potu.*] *S. m. Poét.* Bebida (1).

potó¹. [Do concani.] *S. m.* Espada de dois gumes, usada em certas festividades na Índia.

potó². [Do tupi *po'tó.*] *S. m. Bras., Amaz.* Inseto coleóptero, da família dos estafilinídeos, gênero *Paederus,* cuja secreção, de propriedades cáusticas e vesicantes, produz lesões na pele, como eritema, prurido, vesiculação e ulceração, às vezes extensas e numerosas, rebeldes ao tratamento: "Registra-se .... na Amazônia um inseto, irmão da formiga até nas asas que cria e perde. Da variedade dos himenópteros, alaranjado, rajado de preto, ... chama-se p o t ó." (Raimundo Morais, *Na Planície Amazônica,* p. 152.) [Sin.: *potó-pimenta, pimenta, papa-pimenta, burrico, trepa-moleque.*]

potoca. *S. f. Bras.* V. *mentira* (1): "E vira com seus olhos crueldades que, contadas, pareciam p o t o c a, exagero." (Jorge Medauar, *Água Preta,* p. 166.)

potocar¹. [De *potó¹* + *-c-* + *-ar².*] *S. m.* Aquele que maneja o potó¹.

potocar². [De *potoca* + *-ar².*] *V. int. Bras.* Dizer potocas; mentir, lorotar. [Conjug.: v. *trancar.*]

potômetro. [Do gr. *pótos, ou,* 'ação de beber', + *-metro.*] *S. m. Fisiol. Veg.* Aparelho para avaliar a quantidade de água que uma planta absorve.

potó-pimenta. *S. m. Bras.* V. *potó².* [Pl.: *potós-pimentas* e *potós-pimenta.*]

potoqueiro. [De *potoca* + *-eiro.*] *Adj.* e *s. m. Bras.* V. *mentiroso* (1 e 4).

potoquista. [De *potoca* + *-ista.*] *Adj. 2 g.* e *s. 2 g. Bras.* V. *mentiroso* (1 e 4).

potosi. [Do top. *Potosi,* cidade boliviana famosa por suas ricas minas de prata.] *S. m. Fig.* Grande fonte de riqueza; tesouro.

potosino. *Adj.* **1.** De, ou pertencente ou relativo a Potosi (Bolívia). ● *S. m.* **2.** O natural ou habitante de Potosi.

➧**pot-pourri.** (pôpurrí). [Fr.] *S. m. Mús.* **1.** Miscelânea de trechos tirados de diversas canções ou outras peças musicais. **2.** Mistura de coisas heterogêneas.

potra (ô). [Fem. de *potro.*] *S. f.* **1.** Égua (1) nova. **2.** Hérnia intestinal. **3.** Doença dos vegetais, caracterizada por saliências nodosas na haste e na raiz de algumas plantas hortenses. **4.** *Bras., S.* Felicidade, ventura, sorte. **5.** *Bras., S.* Ares de importância; arrogância, soberba, empáfia.

potrada. *S. f. Bras., S.* Conjunto ou porção de potros; potraria.

potranca. *S. f. Bras.* Fem. de *potranco* [q. v.].

potrancada. *S. f. Bras.* Porção de potrancos ou potrancas.

potranco. [De *potro.*] *S. m. Bras.* Potro de menos de dois anos. [Sin.: *potrilho* (q. v.), *potreco;* fem.: *potranca.*]

potraria. *S. f. Bras., S.* Potrada.

potreação. *S. f. Bras., S.* Ação de potrear; potreada.

potreada. [Fem. substantivado de *potreado,* part. de *potrear.*] *S. f. Bras., S.* Potreação.

potreador (ô). *Adj.* e *s. m. Bras., S.* Que ou aquele que potreia ou dirige a potreação.

potrear. [De *potro* + *-ear.*] *V. t. d. Bras., S.* **1.** Arrebanhar (gado cavalar), com violência, do campo do proprietário. **2.** Arrebanhar (gado cavalar bravio) com o fim de o amansar. **3.** Desafiar com motejos: *O valentão vive p o t r e a n d o os mais fracos. Int.* **4.** Ficar encolerizado; irar-se, encolerizar-se. **5.** Ralhar com ares de valente: *Gosta de p o t r e a r sem razão.* **6.** Reagir, espumando. [Conjug.: v. *frear.* Pres. ind.: *potreio, potreias, potreia,* etc. Cf. *potréia.*]

potreco. [De *potro* + *-eco¹.*] *S. m. Bras., S.* V. *potranco.*

potréia. *S. f.* **1.** Bebida desagradável ou estragada. **2.** *P. ext.* Coisa que não presta. [Cf. *potreia,* do v. *potrear.*]

potreiro. *S. m.* **1.** Negociante de potros e de gado para a cavalaria e tiro. **2.** *Bras.* V. *potril.* **3.** *Bras., S.* Lugar cercado, pouco extenso, nos arredores duma estância, no qual se guardam os animais empregados nos trabalhos quotidianos (cavalos de montaria, vacas de leite, etc.) e os animais doentes que necessitam cuidados diários. ● *Adj.* **4.** ~ V. *campo* —.

potril. [Do esp. *potril.*] *S. m.* Pátio ou alpendre onde se guardam potros para adestrar. [Sin.: *poldril* e (bras.) *potreiro.*]

potrilha. [De *potra* (2) + *-ilha.*] *S. m.* **1.** Indivíduo potroso. **2.** *Deprec.* Bisbórria, pobre-diabo.

potrilhada. *S. f. Bras., S.* Porção de potrilhos.

potrilho. *S. m. Bras., S.* V. *potranco.* [Não se usa no fem.]

potro (ô). [Do lat. vulg. **pulletru*, derivado de *pullu*, 'animal novo'; v. *poldro.*] *S. m.* **1.** Cavalo novo, até aos quatro anos; poldro. **2.** Cavalo de madeira, no qual se torturavam os acusados ou condenados; ecúleo. **3.** *Bras., RS.* Cavalo, novo ou não, ainda não domado ou somente com alguns galopes. [Pl.: *potros* (ô).]

potroso (ô). *Adj.* Que tem potra (2).

pouca. [De *pouco.*] *S. f.* V. *pouco*[2] (2): "Do cântaro, que tens, dá-me uma *pouca* d'água" (Francisca Júlia, *Esfinges*, p. 14). ~ V. *poucas.*

poucachinho. *Adv.* e *s. m.* V. *poucochinho*: "Quem mais ama mais padece; / Eu hei de amar *poucachinho*." (Antônio Boto, *As Canções*, p. 100.)

poucadinho. [Cruz. de *pou(co)* e *(bo)cadinho.*] *S. m. Bras. Pop.* V. *bocadinho.*

poucas. *El. s. f. pl.* Us. na loc. *dizer poucas e boas.* ~ V. *pouca.* ♦ **Dizer poucas e boas.** *Fam.* Dizer verdades muito duras.

pouca-vergonha. [Do fem. de *pouco*[2] (1) + *vergonha.*] *S. f.* **1.** Falta de vergonha. **2.** Ato vergonhoso e imoral; tratantada, patifaria, maroteira. [Pl.: *poucas-vergonhas.*]

pouco[1]. *S. m.* F. red. de *pouco-caso.* Us. na loc. *fazer pouco de.* ♦ **Fazer pouco de. 1.** Desprezar, menosprezar, desdenhar. **2.** Zombar, mofar, escarnecer de.

pouco[2]. [Do lat. *paucu.*] *Pron.* **1.** Em pequena quantidade; escasso, reduzido. [Superl. abs. sint.: *pouquíssimo.*] ● *S. m.* **2.** Aquilo que é em pequena quantidade; bagatela. ● *Adv.* **3.** Não muito; insuficientemente: *Estuda pouco, e é pouco inteligente.* [Cf. *pouca* e *poucas* ♦ **Pouco a pouco. 1.** Em pequenas porções; dos fatos que lhe pareciam sair de remoto e esquecido passado" (Coelho Neto, *Obra Seleta*, I, p. 793). **2.** Com breves intervalos; de espaço a espaço. [Sin. ger.: *a pouco e pouco, aos poucos, pouco e pouco.*] **Pouco e pouco.** V. *pouco a pouco*: "via com enlevos .... surgir *pouco e pouco* do vulto da menina a imagem rediviva da mulher" (José de Alencar, *Til*, p. 182). **Pouco mais ou menos.** Aproximadamente, proximamente: *Tem 50 anos, pouco mais ou menos.* **Aos poucos.** V. *pouco e pouco*: "*aos poucos*, a cada quarteirão vencido, as gorduras dela iam se derretendo" (Pedro Nava, *Baú de Ossos*, p. 107). **A pouco e pouco.** V. *pouco a pouco*: "Natividade não foi logo, logo, assim; a *pouco e pouco* é que veio sendo vencida" (Machado de Assis, *Esaú e Jacó*, p. 20). **Por pouco.** V. *por um triz*: *Por pouco não morreu.*

pouco-caso. *S. m.* Desprezo, desdém: "Ora era uma [mulher] que se aborrecia da minha fidelidade, ora era outra que eu magoava com uma inconstância e um *pouco-caso* mais fingidos que reais." (Miroel Silveira, *Bonecos de Engonço*, p. 27.) [F. red.: *pouco* (q. v.) Pl.: *poucos-casos.*]

poucochinho. [Dim. irreg. de *pouco.*] *Pron. indef.* **1.** Muito pouco: "O nariz tem a aresta um *poucochinho* larga" (Gonçalves Crespo, *Obras Completas*, p. 432). ● *S. m.* **2.** Pequena quantidade. [Var.: *poucachinho.*]

poupa[1]. [Do lat. *upupa.*] *S. f.* **1.** Pássaro semelhante à pega. **2.** Tufo de pena que adorna a cabeça de algumas aves; crista, penacho: "O galo-da-campina ergue a *poupa* escarlate fora do ninho." (José de Alencar, *Iracema*, p. 57.) **3.** *Bras., BA.* Certo penteado levantado na testa. [Pl.: *poupas.* Cf. *popa* (ô), pl. *popas* (ô); *Popa* (ô), astr., e *popa*, pl. *popas.*]

poupa[2]. [Dev. de *poupar.*] *S. f.* Poupança. [Pl.: *poupas*, Cf. *popa* (ô), pl. *popas* (ô); *Popa* (ô), astr.; e *popa*, pl. *popas.*]

poupado. [Part. de *poupar.*] *Adj.* Que é dado a poupar, que não é gastador; econômico, parcimonioso.

poupador (ô). *Adj.* e *s. m.* Que ou aquele que poupa.

poupança. [De *poupar* + *-ança.*] *S. f.* **1.** Economia, parcimônia: "Elvira era a própria cozinheira, um pouco por economia, um nem sempre bem disfarçado instinto de *poupança*" (Ledo Ivo, *O Flautim*, p. 53). **2.** *Fam.* Sovinice, mesquinhez, avareza. **3.** *Bras. Pop.* Caderneta de poupança. [Cf. *popança* (ô).]

poupão. [De *poupar* + *-ão*[2].] *Adj. Bras., CE. Pop.* **1.** Diz-se do boi que, no carro ou na bolandeira, se esquiva, poupando-se ao trabalho. **2.** Diz-se de indivíduo que se poupa ao trabalho, que é encostado.

poupar. [Do lat. *palpare.*] *V. t. d.* **1.** Gastar com moderação ou economia; despender com parcimônia; não desperdiçar; economizar: *poupar dinheiro; poupar energia.* **2.** Deixar escapar; não fazer uso de; desaproveitar, desperdiçar, perder: *Não poupa nenhuma oportunidade de ganhar dinheiro.* **3.** Ser tolerante com; indulgenciar; perdoar: *Não poupou os inimigos.* **4.** Tratar com clemência; não fazer mal a; respeitar: De tanta formosura eis o que resta! / A doença ninguém *poupa*." (Conde de Monsaraz, *Musa Alentejana*, p. 189); *Os invasores não pouparam velhos nem crianças.* **5.** Pôr de lado; não tratar de; pospor, postegar: *É um erro poupar as tarefas mais árduas. T. d. e i.* **6.** Fazer que não despenda; evitar: *A confissão do réu poupou trabalho à polícia.* **7.** Pôr a salvo; esquivar, subtrair; *poupar alguém de desgostos; Poupei-o a decepções*: "*poupem-me*, quando morto, à sepultura: odeio / A cova, escura e fria." (Vicente de Carvalho, *Poemas e Canções*, p. 223). **8.** Não tirar, não suprimir, estando a ponto de fazê-lo: *Poupou a vida aos vendidos*; "O tempo, que tudo rói, *poupou* a Artur Azevedo o gênio bom e amorável, dando-lhe cem anos sem lhe dar a velhice." (Josué Montelo, *Artur Azevedo e a Arte do Conto*, p. 64). **9.** Deixar de aplicar: *Não poupará castigo aos culpados. Int.* **10.** Viver com economia; economizar; amealhar: "Trabalhai, *poupai*, acumulai, sabereis quanto podeis." (Marquês de Maricá, *Máximas, Pensamentos e Reflexões*, p. 56.) *P.* **11.** Deixar de realizar ou cumprir; esquivar-se, eximir-se, furtar-se: *poupar-se a uma obrigação*; "Para *poupar-se* a comentários dessa ordem, vindos de todos os lados. Teresa fechava-se ainda mais nas suas cismas e cogitações" (Gastão Cruls, *De Pai a Filho*, p. 31). [Pres. ind.: *poupo, poupas, poupa*, etc. Cf. *popa* (ô), pl. *popas* (ô); Popa (ô), *astr.*; e *popa*, pl. *popas.*]

poupudo. *Adj.* Que tem poupa[1] (2).

pouquidade. [De *pouco* + *-i-* + *-dade.*] *S. f.* **1.** Pequena porção. **2.** Pequenez, exigüidade. **3.** Insignificância, ninharia: "abre mão de pequenas polêmicas .... , não malbarates em *pouquidades* o talento que Deus te concedeu" (Machado de Assis, *Crônicas*, I, p. 137). [Sin. ger.: *pouquidão.*]

pouquidão. *S. f.* V. *pouquidade*: "Tinham o quartel num lugarejo que, pela dispersão e *pouquidão* das casas, escapara até ali à foiçada da artilharia." (Aquilino Ribeiro, *Caminhos Errados*, p. 186.)

pouquinho. [Dim. de *pouco.*] *S. m.* Muito pouca coisa; quase nada; poucachinho, poucochinho.

pouquíssimo. [De *pouco* + *-íssimo.*] *Pron. indef.* Superl. abs. sint. de *pouco.*

➡**pour épater le bourgeois** (pur êpatê le burjuá). [Fr.] Para escandalizar o burguês (3).

pousa. [De *pousar.*] *S. f.* **1.** Ato de pousar. **2.** Lugar onde se pousa a carga para descansar. [Var.: *poisa.*]

pousada. [Fem. substantivado de *pousado*, part. de *pousar.*] *S. f.* **1.** Ato ou efeito de pousar. **2.** Hospedagem, alojamento, pousadia: *Tinha por hábito não negar pousada em seu sítio.* **3.** Hospedaria, albergue: *Todas as pousadas da região estão lotadas.* **4.** Residência, domicílio. **5.** Choupana, cabana. **6.** *Bras.* Lugar que serve de pouso por uma noite. [Var.: *poisada.*]

pousadia. *S. f.* V. *pousada* (2). [Var.: *poisadia.*]

pousa-mão. [De *pousar* + *mão.*] *S. m.* Suporte em que o litógrafo ou o fotogravador apóiam a mão enquanto desenham ou fazem retoques. [Var.: *poisa-mão.* Pl.: *pousa-mãos.* Cf. *cavalete* (6).]

pousar. [Do lat. *pausare.*] *V. t. d.* **1.** Pôr, depor, assentar, colocar (em algum lugar): *Terminado o café, pousou a xícara; O viajante pousou as malas. T. d.* e *c.* **2.** Colocar, firmando ou apoiando; pôr, firmar, apoiar: *pousar o pé no estribo.* **3.** Dirigir (para algum lugar); cravar, pregar: *A moça, envergonhada, pousou os olhos no chão.* **4.** Fazer tocar de leve; dar levemente: *O namorado pousou um beijo na face da pequena. T. c.* **5.** Estar assente ou colocado; repousar: *Os castiçais pousavam na mesa.* **6.** Descer, baixar, pousando [v. *pousar* (11 a 13)]: *O helicóptero pousou na base aérea*; "A mosca esvoaçou brevemente no ar, *pousou* na beira dum dos castiçais" (Érico Veríssimo, *Noite*, p. 69). **7.** Fixar residência; morar, residir, estabelecer-se, fixar-se: *Os nômades não pousam em nenhuma região.* **8.** Passar a noite; pernoitar: *Cansados, resolveram pousar no caminho. Int.* **9.** Recolher-se em pousada ou casa onde passar a noite; pernoitar, abrigar-se, albergar-se, hospedar-se, pousar-se: *À noite chegaremos ao hotel e pousaremos.* **10.** Parar, geralmente para descanso: *A tropa andou três dias sem pousar.* **11.** Descer à terra (avião, helicóptero); aterrar, aterrissar: *O avião pousará às 15 horas.* **12.** Descer a uma superfície de água (hidravião); amerissar. [Cf., nas acepç. 11 e 12: *decolar.*] **13.** Descer (as aves, os insetos) tocando o solo, a água, ou outro pouso: *Os pombos pousaram. P.* **14.** V. *pousar* (9): *Os viajantes pousaram-se num pequeno albergue.* [Var.: *poisar.* Pres. subj. *pouse*, etc. Cf. *pose* (ô), s. f., *pose*, do v. *posar*, e este verbo.]

pouseiro. [De *pousar* + *-eiro.*] *S. m. Desus.* Nádegas. [Var.: *poiseiro.*]

pousio. [De *pouso* + *-io*[2].] *S. m.* **1.** Interrupção do cultivo da terra por um ou mais anos. **2.** Terra cuja cultura foi interrompida para que se tornasse mais fértil. ● *Adj.* **3.** Não cultivado; inculto. [Var.: *poisio.*]

pouso. [Dev. de *pousar.*] *S. m.* **1.** Ato ou efeito de pousar. **2.** Lugar onde alguém ou algo pousa, se coloca, costuma estar ou descansar. **3.** Ancoradouro, fundeadouro. **4.** A mó de baixo, nas azenhas. [Var.: *poiso.*] ~ V. *pousos.*

pouso-alegrense. *Adj. 2 g.* **1.** De, ou pertencente ou relativo a Pouso Alegre (MG). ● *S. 2 g.* **2.** Natural ou habitante de Pouso Alegre. [Pl.: *pouso-alegrense.*]

pouso-altense. *Adj. 2 g.* **1.** De, ou pertencente ou relativo a Pouso Alto (MG). ● *S. 2 g.* **2.** Natural ou habitante de Pouso Alto. [Pl.: *pouso-altenses.*]

pousos. [Pl. de *pouso.*] *S. m. pl.* Travessas de madeira sobre as quais assenta a quilha do navio nos estaleiros. [Var.: *poisos.*] ~ V. *pouso.*

pouta. *S. f.* Poita [q. v.].

poutar. [De *pouta* + *-ar*[2].] *V. t. d.* e *int.* Poitar [q. v.].

povão. [De *povo* + *-ão*[1].] *S. m. Bras.* V. *zé-povinho.*

povaréu. [De *povo* + *-aréu.*] *S. m.* **1.** Grande multidão. **2.** V. *ralé* (1).

poveiro. *Adj.* **1.** De, ou pertencente ou relativo a Póvoa de Varzim (Portugal). ● *S. m.* **2.** O natural ou habitante de Póvoa de Varzim. [Cf. *povoeiro.*]

poviléu. [Dim. irreg. de *povo* (q. v.).] *S. m. Deprec.* V. *ralé* (1).

povinho. [Dim. de *povo.*] *S. m.* V. *zé-povinho.*

povo (ô). [Do lat. *populu.*] *S. m.* **1.** Conjunto de indivíduos que falam a mesma língua, têm costumes e hábitos idênticos, afinidade de interesses, uma história e tradições comuns. [Cf., nesta acepç., *nação* (1).] **2.** Os habitantes de uma localidade ou região: *É alegre o povo do Rio.* **3.** V. *povoado*: "Combinara na fazenda dormir num pequeno *povo*, a três léguas de Cacimbas." (José Vieira, *Vida e Aventura de Pedro Malasarte*, pp. 279-280.) **4.** Aglomeração de gente; multidão: *O povo, enfurecido, quase linchou o malfeitor.* **5.** O conjunto das pessoas que constituem o corpo de uma nação, que se submetem às mesmas leis: *governo do povo, para o povo, pelo povo*; "A praça! A praça é do *povo* / Como o céu é do condor" (Castro Alves, *Obra Completa*, p. 352). **6.** O conjunto das pessoas pertencentes às classes menos favorecidas; plebe: *O povo de Paris tomou a Bastilha em 1789.* **7.** V. *ralé* (1). **8.** *Fig.* Grande número; quantidade. **9.** *Bras.* A família: *Meu povo é todo do Ceará.* **10.** *Bras. P. ext.* As pessoas que nos cercam; os colegas, os amigos, os companheiros; gente: *— Meu povo é ordeiro, dona — explicou o que parecia ser o chefe do grupo.* [Pl.: *povos* (ó); aum.: *povaréu* [q. v.], dim. deprec.: *poviléu, povoléu.*] ~ V. *povos.* ♦ **Povos naturais.** *Etnol.* Povos ou sociedades que têm pouco desenvolvimento técnico e/ou meios reduzidos para dominar a natureza; povos primitivos, sociedades primitivas. **Povos primitivos.** *Etnol.* V. *povos naturais.*

póvoa. *S. f.* V. *povoado.* [Cf. *povoa* (ô), do v. *povoar.*]

povoação. *S. f.* **1.** Ato ou efeito de povoar; povoamento: *A povoação do lugar fez-se demoradamente: os colonos foram chegando aos poucos.* **2.** Os habitantes de um determinado lugar ou região: *A povoação do Pantanal é predominantemente indígena.* **3.** Lugar povoado: *A povoação, de simples vila, passara a florescente cidade.* **4.** V. *povoado.* **5.** *Bras., Amaz.* Porção de seringueiras reunidas na floresta.

povoado. [Part. de *povoar.*] *Adj.* **1.** Em que se formou povoação. ● *S. m.* **2.** Pequena aglomeração urbana; lugarejo, vila, aldeia, povoação, povo, póvoa: *De povoados à beira-mar nasceram modernas cidades.*

povoador (ô). *Adj.* **1.** Que povoa. ● *S. m.* **2.** Aquele que povoa. **3.** Colono que emigra para povoar ou cultivar outras terras.

povoamento. *S. m.* **1.** Povoação (1). **2.** Grupo numeroso de árvores de uma mata, que é objeto de exploração ou

de tratamento florestal.
povoar. [De *povo* + *-ar*[2].] *V. t. d.* **1.** Formar povoação em; prover de habitantes; tornar habitado: *Os descobridores trataram de* povoar *a terra.* **2.** Habitar, ocupar: *Os colonos portugueses* povoaram *o Brasil.* **3.** Ajuntar-se, amontoar-se, aglomerar-se em: *Os pombos* povoavam *a praça. T. d. e i.* **4.** Disseminar (animais) para reprodução em: povoar *de peixes um lago.* **5.** Tornar cheio; encher; dotar, prover: povoar *de árvores um campo;* povoar *a cidade de escolas.* **6.** Infundir (sentimentos ou idéias) abundantemente em (o coração, a mente, etc.): *Vive a* povoar *a mente de sonhos. P.* **7.** Encher-se (de coisas incorpóreas): *Seu ânimo* povoara-se *de esperança.* [Conjug.: v. *coroar.* Pres. ind.: *povôo, povoas* (ô), *povoa* (ô), etc. Cf. *póvoa*, s. f., *Póvoa*, top., e *Póvoas*, antr.]
povoeiro. [De *povo* + *-eiro.*] *S. m. Bras., RS.* Designação dada pelos camponeses aos habitantes de um povoado, vila ou cidade. [Cf. *poveiro.*]
povoléu. [Dim. de *povo* (q. v.).] *S. m. Deprec.* V. *ralé* (1).
povos. [Pl. de *povo.*] *S. m. pl.* As nações. ~ V. *povo.*
poxa (ô). *Interj. Bras. Pop.* Puxa[2] [q. v.]: "E não dormiu um segundo, pensando naquela coisinha humana no frio da terra, e ele preso, processado, poxa!" (Carlos Drummond de Andrade, *Fala, Amendoeira*, p. 253); "— Poxa, seu! Até pareço mulher!" (Vinícius de Morais, *Para Viver um Grande Amor*, p. 188.)
poxoreano. *Adj.* **1.** De, ou pertencente ou relativo a Poxoreu (MT). ● *S. m.* **2.** O natural ou habitante de Poxoreu. [Sin. ger. *poxorense.*]
poxorense. *Adj. 2 g.* e *s. 2 g.* Poxoreano.
poxvírus (cs). [Do ingl. *pox*, 'doença eruptiva', + *vírus.*] *S. m. 2 n. Virol.* Vírus que tem, entre outras, a característica geral de originar vesicopústulas.
pozeira (pò). [De *pó* + *-z-* + *-eira.*] *S. f. Bras.* Recipiente, geralmente de cristal, prata, louça, etc., para pó-de-arroz.
pozolana. [Do it. *pozzolana.*] *S. f.* Produto de origem piroclástica, que se encontra nas imediações de Pozzuoli (Itália), e que, misturado com cal, se usa como cimento hidráulico.
pozolânico. *Adj.* Referente à pozolana, ou da natureza dela.
■**pp.** Abrev. de *pianíssimo* (1).
■**ppm.** *Quím.* Sigla de *parte por milhão*, que é uma medida de concentração expressa pelas partes em peso de uma certa substância presentes em um milhão de partes em peso de um sistema.
■**ppp.** Abrev. de *pianíssimo* (1).
■**Pr.** *Quím.* Símb. de *praseodímio.*
■**PR.** Sigla do Estado do Paraná.
pra[1]. Contr. da prep. *para:* "Deixa-me os lábios teus, rubros de encanto, / Somente pra os meus beijos." (Junqueira Freire, *Contradições Poéticas*, p. 192); "Se a mulher era o diabo, pra que bebeu / essa jurema que é o beijo seu!" (Ascenso Ferreira, *Catimbó e Outros Poemas*, p. 77); "— Põe pra lá, marroeiro" (João Guimarães Rosa, *Sagarana*, p. 36).
pra[2]. Contr. de *pra*[1] com o art. def. fem., ou o pron. dem. *a:* "Vim pra missa..." (João Guimarães Rosa, *Sagarana*, p. 261); *Vou levar uma lembrança* pra *quem está doente.* [A rigor, constituindo, como constitui, um monossílabo tônico terminado em *a*, devia ser acentuado.]
praça. [Do gr. *plateia* (subtende-se *hodos*), 'rua larga', pelo lat. *platea.*] *S. f.* **1.** Lugar público cercado de edifícios; largo. **2.** Mercado; feira. **3.** O conjunto das instituições comerciais e financeiras de uma cidade. **4.** Leilão (1). **5.** *Mil.* Indivíduo que, na hierarquia militar [q. v.], se situa abaixo de segundo-tenente: "Uns fugiam à prisão; outros cuidavam em defender a casa. Mas as praças, loucas de cólera, ... iam invadindo e quebrando tudo" (Aluísio Azevedo, *O Cortiço*, p. 185). **6.** Praça-forte. **7.** Alarde, ostentação. **8.** *Bras. Constr. Nav.* Designação dada, a bordo, a qualquer compartimento onde haja instalações de máquinas: *praça de caldeiras; praça de carregamento; praça de máquinas.* [Sin., lus., nesta acepç.: *casa.*] **9.** *Bras. Mar. Merc.* Espaço utilizável para transporte de carga, em um navio mercante. **10.** *Bras. Pop.* Pessoa velhaca: *Que* praça *me saiu o rapaz que você me apresentou!* **11.** *Bras.* Cidade, especialmente a capital. ● *S. m.* **12.** *Bras.* Soldado de polícia [v. *mata-cachorro* (2)]: "Severo mandou que Sargento Odilon e mais dois praças revistassem as selas, os baixeiros, os suadouros." (Bernardo Élis, *O Tronco*, p. 148.) **13.** Praça (5). ● *S. 2 g.* **14.** Militar sem graduação ou posto. ♦ **Praça de armas. 1.** Local destinado a exercícios ou revistas militares, à formatura das tropas de uma guarnição. **2.** Terreno à frente de um saliente, no traçado de fortificação abaluartado e poligonal, entre o caminho coberto e o parapeito, onde se pode fazer a concentração de tropas para uma surtida ou outra operação ofensiva. **3.** Parte das trincheiras em que se reúnem, durante um cerco, as tropas destinadas a repelir as surtidas do defensor. **4.** Lugar onde se acha o depósito principal dos víveres e das munições do exército, e para onde as tropas podem retirar-se, em caso de necessidade. [Cf. *praça-d'armas.*] **Praça de guerra. 1.** Fortaleza ou cidade fortificada, devidamente armada e preparada para defesa militar. **2.** *Fig.* Local preparado para oferecer resistência a investidas de força. **Praça de pré.** *Ant.* Militar que não tinha patente de oficial. **Assentar praça.** Fazer-se soldado. **1.** Alistar-se. **2.** *Bras., MG. Pop.* Cair na vida; prostituir-se. [Tb. se diz, nas 2 acepç., *sentar praça.*] **Fazer praça de.** Fazer alarde de; estadear: "não fazes praça de generosidade ou largueza; acenas com o razoável, com a justa medida das coisas" (Carlos Drummond de Andrade, *Fala, Amendoeira*, p. 167). **Sentar praça.** Assentar praça; "Firmino deixou a rua, cresceu, sentou praça na Polícia." (Fran Martins, *Dois de Ouros*, p. 18.)
praça-d'armas. *S. m. Bras. Mar. G.* Refeitório dos oficiais, assim chamado porque era aí, em cabides dispostos ao longo de suas anteparas, que outrora se guardavam as armas portáteis de que dispunham os navios de guerra. [Pl.: *praças-d'armas.* Cf. *praça de armas.*]
praça-forte. *S. f.* Vila ou cidade fortificada; praça. [Pl.: *praças-fortes.*]
pracari. *S. m.* V. *fava-bolota.*
pracata. *S. f. Bras., N. E. Pop.* V. *alpercata.*
pracaxi. [De *paracaxi*, por síncope.] *S. f. Bras., Amaz.* V. *paracaxi.*
pracear. [De *praça* + *-ear.*] *V. t. d.* Pôr em praça; fazer leilão de; leiloar: *pracear um espólio.* [Conjug.: v. *frear.*]
praceiro. *Adj.* **1.** Relativo a praça. **2.** Público, manifesto, patente.
pracejar. [De *praça* + *-ejar.*] *V. t. d.* Fazer praça ou alarde de; alardear, ostentar: *pracejar riqueza.* [Conjug.: v. *pelejar.*]
praciano. *Adj.* e *s. m. Bras.* **1.** Que ou aquele que mora na praça, i. e., na cidade (ordinariamente a capital). **2.** Diz-se de, ou indivíduo de maneiras finas, corteses, mesmo que resida no sertão.
pracinha. [Dim. de *praça* (14).] *S. m. Bras.* Soldado da Força Expedicionária Brasileira, na II Guerra Mundial (1939-1945).
pracista. *S. 2 g.* **1.** Vendedor duma companhia em determinada praça; zangão. **2.** Pessoa do campo que tem alguma educação e já freqüentou cidades. **3.** *Bras., RS.* Designação, muitas vezes desdenhosa, dada pelos homens do campo aos da cidade.
prácrito. [Do sânscr. *prakrta* (subtende-se *blasha*), 'língua natural, vulgar'.] *S. m. Ling.* Cada uma das línguas comuns faladas na Índia antiga e derivadas duma forma algo diferente da que originou o sânscrito.
pracuuba. *S. f. Bras.* F. sincopada de *paracuuba.*
pracuubal. *S. m. Bras.* F. sincopada de *paracuubal.*
pradaria. *S. f.* **1.** Série de prados. **2.** Grande planície: "Vêem-se ao longe os trigos ondulando... / Maio sorri na pradaria bela." (Gonçalves Crespo, *Obras Completas*, p. 311). **3.** *Fitogeog.* Tipo de cobertura vegetal formado de gramíneas com plantas herbáceas ou subarbustivas, de árvores raras, e que é comum nas áreas temperadas: "*Pascoli* é uma paisagem alpestre de inverno, duma calma e pureza divinas, com a neve diluída na luz, ... salpicando a pradaria verde em que pasta a pachorrentíssima vacada." (Aquilino Ribeiro, *Alemanha Ensangüentada*, p. 252.)
pradense[1]. *Adj. 2 g.* **1.** De, ou pertencente ou relativo ao Prado (BA). ● *S. 2 g.* **2.** Natural ou habitante do Prado.
pradense[2]. *Adj. 2 g.* **1.** De, ou pertencente ou relativo a Prados (MG). ● *S. 2 g.* **2.** Natural ou habitante de Prados.
pradense[3]. *Adj. 2 g.* **1.** De, pertencente ou relativo a Antônio Prado (RS). ● *S. 2 g.* **2.** Natural ou habitante de Antônio Prado.
prado. [Do lat. *pratu.*] *S. m.* **1.** Campo coberto de plantas herbáceas que servem para pastagem; campo relvoso; pasto. **2.** Campina (1). **3.** Hipódromo.
pradoso (ô). [De *prado*[1] + *-oso.*] *Adj.* **1.** Em que há prados. **2.** Semelhante a prado; que lembra um prado.
➧**praetium aestimationis** (précium eçtimaciôniç). [Lat.] *S. m.* Valor estimativo.
pra-frente. [De *pra* + *frente.*] *Bras. Gír. Adj. 2 g.* e *2 n.* **1.** Que é muito moderno em relação ao comum dos padrões vigentes: "Escolhia-os [os livros, para oferta às alunas] com o maior rigor, pois naquele tempo era assim. Ninguém diria então o que ..., disse um pai bem atual, bem pra-frente: '— Menina, leia e veja se é romance que sua mãe possa ler'." (Genolino Amado, *O Reino Perdido*, p. 131.) **2.** *P. ext.* Exótico, excêntrico, extravagante. **3.** V. *incrementado* (3). [Sin. ger.: *prafrentex.*]
prafrentex (técs). [De *pra-frente.*] *Bras. Gír. Adj. 2 g.* e *2 n.* V. *incrementado* (3): "Menininhas prafrentex que se cuidem, porque galinha velha é que dá bom caldo." (Marisa Raja Gabaglia, *Milho pra Galinha, Mariquinha*, p. 16.)
praga. [Do lat. *plaga.*] *S. f.* **1.** Imprecação de males contra alguém. [Sin. *maldição, jura*, e (fam.) *paulina.*] **2.** *P. ext.* Grande desgraça; calamidade. **3.** Pessoa ou coisa importuna. **4.** Abundância de coisas nocivas ou desagradáveis. **5.** Designação comum aos insetos e moléstias que atacam as plantas e os animais. **6.** *Ant.* Chaga (1). **7.** *Bras.* Erva daninha. ♦ **Rogar praga a.** Fazer imprecação contra (alguém).
pragal. [De *praga* (7) + *-al.*] *S. m.* Terreno árido onde crescem apenas algumas plantas bravias.
pragana. *S. f.* **1.** Barba de espiga de cereais; aresta. **2.** V. *rabeira* (2).
praganoso (ô). *Adj.* Diz-se de cereal que tem pragana.
pragata. *S. f. Bras. Pop.* V. *alpercata.*
pragmática. [Fem. substantivado do adj. *pragmático.*] *S. f.* **1.** Conjunto de regras ou fórmulas para as cerimônias da corte ou da Igreja. **2.** *P. ext.* O conjunto das normas formais e rigorosas da etiqueta. **3.** *Semiol.* Ramo da Semiologia que se interessa especificamente pela relação entre o signo e o usuário deste.
pragmaticismo. [De *pragmático* + *-ismo.*] *S. m. Filos.* Pragmatismo (1).
pragmático. [Do gr. *pragmatikós*, 'relativo aos atos que se devem praticar', pelo lat. *pragmaticu.*] *Adj.* **1.** Referente ou conforme à pragmática. **2.** Relativo ao pragmatismo; pragmatista. **3.** Suscetível de aplicações práticas; voltado para a ação: *medidas pragmáticas.*
pragmatismo. [Do ingl. *pragmatism.*] *S. m. Filos.* **1.** Doutrina de Charles Sanders Peirce, filósofo americano (1839-1914), cuja tese fundamental é que a idéia que temos de um objeto qualquer nada mais é senão a soma das idéias de todos os efeitos imagináveis atribuídos por nós a esse objeto, que possam ter um efeito prático qualquer; pragmaticismo. **2.** Doutrina segundo a qual a verdade duma proposição é uma relação totalmente interior à experiência humana, e o conhecimento é um instrumento a serviço da ação, tendo o pensamento caráter puramente finalístico: a verdade de uma proposição consiste no fato de que ela seja útil, tenha alguma espécie de êxito ou de satisfação. [Cf. *ativismo* (1), *humanismo* (1) e *naturalismo* (5).]
pragmatista. *Adj. 2 g.* **1.** Pragmático (2). **2.** Que é partidário do pragmatismo. ● *S. 2 g.* **3.** Partidário dele.
praguá. *S. f. Bras.* Folha-dourada-da-praia.
praguari. *S. m. Bras.* Var. de *preguari.*
praguejado. [Part. de *praguejar.*] *Adj. Bras.* **1.** Atacado de praga (5): "Encontra tudo revirado, as roças praguejadas, os pastos sem bichos; a família espalhada..." (Nélson de Faria, *Tiziu e Outras Estórias*, p. 135.) **2.** Enfezado, mofino, doentio.
praguejador (ô). *Adj.* e *s. m.* Que ou aquele que pragueja.
praguejamento. *S. m.* Ação ou efeito de praguejar.
praguejar. [De *praga* + *-ejar.*] *V. int.* **1.** Dizer pragas ou imprecações; amaldiçoar, imprecar. **2.** *Bras.* Encher-se (o terreno) de pragas ou vegetais daninhos: *O campo praguejou.* **3.** *Bras.* Existir em grande abundância; abundar: "Nos campos pragueja a caça miúda das perdizes, codornas e nhambus." (Mário Palmério, *Vila dos Confins*, p. 5.) *T. i.* **4.** Lançar pragas; imprecar: "Mme. Brizard arrepelava-se, praguejando contra o maldito caiporismo que a perseguia ultimamente." (Aluísio Azevedo, *Casa de Pensão*, p. 249); "Saíra o pai de manhã, para o quartel, a praguejar contra a tropa" (Joaquim Paço d'Arcos, *Carnaval e Outros Contos*, p. 85). **5.** Dizer mal: *praguejar de alguém. T. d.* **6.** Vociferar contra; maldizer, amaldiçoar: *A mãe praguejou os assassinos do filho;* "Praguejei meus negros dias, / Dias de pranto, e de dor" (Nicolau Tolentino de Almeida, *Obras Poéticas*, II, p. 140). [Conjug.: v. *pelejar.*]
praguento. *Adj.* **1.** Que pragueja; que costuma dizer pragas. **2.** Maldizente, difamador.
praguicida. [De *praga* (5) + *-i-* + *-cida.*] *Adj. 2 g.* e *S. m.* Diz-se de, ou substância usada para eliminar pragas.
praia. [Do lat. tardio *plagia.*] *S. f.* **1.** Orla da terra, em

declive suave, ordinariamente coberta de areia, e que confina com o mar: *as belas praias do Nordeste.* [Sin., bras.: *fralda do mar; pancada do mar.*] **2.** Qualquer extensão do leito dos rios que forma coroas ou ilhas rasas, as quais ficam a descoberto quando as águas baixam muito. **3.** Praia (1) freqüentada por banhistas. **4.** Cidade situada à beira-mar e dotada de praia: *fazer uma estação de praia.* **5.** *Bras., RS.* A cancha na charqueada, onde se esquarteja a rês. ◆ **Praia de tempestade.** *Bras., RN* a *AL.* Aquela cujos materiais são lançados pelas ondas formadas pelas tempestades além do alcance das vagas comuns. **Praia de viração.** *Bras., Amaz.* e *GO.* Praia freqüentada por tartarugas, que ali põem seus ovos, e onde, por isso, se efetua a viração (6).

praiá. *Bras. S. 2 g.* **1.** Indivíduo dos praiás, tribo indígena da qual ainda existem remanescentes no município de Tacaratu (PE). ● *Adj. 2 g.* **2.** Pertencente ou relativo a essa tribo.

praiano. *S. m. Bras.* **1.** Habitante da praia ou do litoral; praieiro: "Para pescar à linha as garoupas, usam os praianos iscas apodrecidas" (E. Roquette-Pinto, *Seixos Rolados*, p. 325). [Sin., bras., SP: *caiçara.*] **2.** *Bras.* V. *santista*[2] (3). ● *Adj.* **3.** Relativo a, ou próprio da praia; praieiro: "cantigas praianas" (Vicente de Carvalho, *Poemas e Canções*, p. 196). **4.** Situado em praia, à beira-mar; litorâneo, praieiro: "Nem rumor da natureza, / Nem eco da voz humana / Perturba a infinita calma, / A solitária tristeza / Da pobre vila praiana." (Id., *ib.*, p. 196.) **5.** *Bras.* V. *santista*[2] (1 e 2).

praieiro. *Bras. S. m.* **1.** Praiano (1). **2.** Rebelde da revolução pernambucana de 1848, dita *Revolução Praieira.* ● *Adj.* **3.** V. *praiano* (3 e 4). **4.** Diz-se do Partido Liberal, a que pertenciam esses rebeldes, e que se opunha ao Partido Conservador — o *guabiru* ou *miguelista.*

prainhense (a-i). *Adj. 2 g.* **1.** De, ou pertencente ou relativo a Prainha (PA). ● *S. 2 g.* **2.** Natural ou habitante de Prainha.

praino. [Alter. de *plaino.*] *S. m. Bras., RS.* V. *planície.*

prairial. [Do fr. *prairial.*] *S. m. Cronol.* V. *calendário republicano.*

prajá. [De *pra*[1] + *já.*] *S. m. Bras.* Doce de melaço e ovos.

pralina. [Do fr. *praline.*] *S. f.* Amêndoa confeitada.

prana. *S. m. Teos.* O princípio (2) da vida.

prancha. [Alter. de *plancha.*] *S. f.* **1.** Grande tábua, grossa e larga; tabuão. **2.** *Mar.* Espécie de ponte, geralmente de madeira, posta entre embarcações e cais, ou entre duas embarcações atracadas uma na outra, para trânsito de pessoal. **3.** Circular que uma loja maçônica envia às outras. **4.** *Grav.* Bloco de madeira, inteiriço ou formado de várias peças solidamente coladas, aparelhado para constituir a fôrma xilográfica; taco. **5.** *P.* ext. Qualquer gravura (3). **6.** *Bibliogr. Gal.* Estampa (8). **7.** *Bras.* Vagão ferroviário aberto de todos os lados, essencialmente reduzido no seu estrado, e destinado ao transporte de automóveis, caminhões e cargas volumosas indivisíveis. **8.** *Bras.* Peça chata e alongada de madeira ou de outro material flutuante, de feitio arredondado numa das extremidades e pontudo na outra, e que se destina à natação ou ao surfe. **9.** *Bras. Gír.* Pé grande espalmado; lancha. **10.** *Bras., RJ.* Tipo de embarcação fluvial, provida de velas triangulares, que navega no baixo rio Paraíba do Sul. **11.** *Bras., SP.* Recusa a pedido de casamento; tábua. **12.** *Bras., MT.* Embarcação de proa lançada, bordos largos e salientes, com uma cobertura chata de tábuas, impelida à vara ou à vela, e usada para transporte de carga em alguns rios da bacia do Paraguai. **13.** *Bras., S.* Embarcação constituída de um casco de canoa aberto ao meio no sentido longitudinal, completado com duas ou três grossas tábuas, cavernas, borda-falsa e proa e popa postiças. [Var.: *plancha.*] ◆ **De prancha.** *Bras.* Com a folha da espada ou do sabre.

pranchada. [De *prancha* + *-ada*[1].] *S. f.* **1.** Pancada com prancha (1). **2.** Pancada a toda a largura da folha de espada ou de sabre. **3.** Tampo de chumbo para resguardo do ouvido da peça de artilharia.

pranchão. *S. m.* Grande prancha.

pranchar. [De *prancha* + *-ar*[2].] *V. t. d. Bras.* Dar pranchadas em; pranchear.

pranchear. [De *prancha* + *-ear.*] *V. int.* **1.** *Bras.* e *prov. lus.* Cair de lado; estender-se ao comprido: *O cavalo pranchеou na lama. T. d.* **2.** Pranchar. [Conjug.: v. *frear.*]

prancheiro. *S. m. Bras., MT.* Remador de prancha (12).

prancheta (ê). *S. f.* **1.** Pequena prancha. **2.** Instrumento topográfico para levantamento de plantas. **3.** Tábua ou mesa própria para desenhar. **4.** *Bras.* Pequena prancha (1) usada como suporte para escrever.

prandial. [De *prândio* + *-al.*] *Adj. 2 g.* Que ocorre às refeições.

prândio. [Do lat. *prandiu*, 'almoço'.] *S. m. Poét.* Jantar; banquete.

prantar. *V. t. d., t. d. e i.* e *p. Ant.* e *pop.* Plantar[2].

plantaria. [De *pranto* + *-aria.*] *S. f. Bras., S. Pop.* Prantina.

pranteadeira. *S. f. Ant.* Mulher que pranteia; carpideira.

pranteado. [Part. de *prantear.*] *Adj.* Por quem se verteram lágrimas; lastimado, chorado.

pranteador (ô). *Adj.* e *s. m.* Que ou aquele que pranteia.

prantear. *V. t. d.* **1.** Verter pranto por; deplorar; lastimar, lamentar: *prantear um morto. Int.* **2.** Verter lágrimas; chorar: "Nos ais do sofrimento inda mais bela / Pranteando sobre uma alma que pranteia" (Álvares de Azevedo, *Obras Completas*, I, p. 313). *P.* **3.** Lastimar os próprios males; chorar. [Conjug.: v. *frear.*]

prantina. [De *pranto* + *-ina*[1].] *S. f. Bras., N.* e *N.E. Pop.* Choro copioso; prantaria: "Os recrutas caminhavam sob um sol ardente, seguidos das mães, das irmãs e das noivas, que soluçavam alto, numa prantina desordenada" (Inglês de Souza, *Contos Amazônicos*, p. 26).

pranto. [Do lat. *planctu.*] *S. m.* **1.** Choro, lágrimas: "De repente do riso fez-se o pranto" (Vinícius de Morais, *Poesias Completas*, p. 266). **2.** Lamentação, queixa. **3.** Antiga poesia elegíaca em que se lamentava a morte de pessoa ilustre. ◆ **Debulhar-se em pranto.** Chorar muito.

prase. *S. m.* V. *prásino* (2).

praseodímio. *S. m. Quím.* Elemento de número atômico 59, metálico, pertencente aos lantanídeos, usado em algumas ligas. [Simb.: *Pr.*]

prásino. [Do gr. *prásinos*, 'verde claro', pelo lat. *prasinu.*] *Adj.* **1.** *P.* us. Verde (1). ● *S. m.* **2.** A esmeralda.

prasiodímio. [Do gr. *prásios* ou *prásinos*, 'verde-claro', + *-didim(o)-* + *-io*[2] com haplologia.] *S. m. Quím.* V. *praseodímio.*

prata [Do provenç. *plata*, 'lâmina de metal'.] *S. f.* **1.** *Quím.* Elemento de número atômico 47, metálico, branco-brilhante, denso, maleável e dúctil, utilizado em numerosas ligas preciosas. [Símb. *Ag.*] **2.** Moeda, baixela ou qualquer objeto feito com esse metal. **3.** *Bras.* V. *dinheiro* (3). ◆ **Prata da casa.** Os recursos próprios: *Fez a pesquisa com a prata da casa, sem pedir a ajuda de ninguém.* [Tb. se diz *prata de casa.*] **Prata de casa.** Prata da casa. **Prata de lei.** A que tem o teor determinado por lei, e que varia segundo cada país. **Prata dourada.** Prata recoberta de uma douradura de cor tirante a vermelho. [Sin., fr.: *vermeil.*] **Prata fulminante.** *Expl.* Sal de prata do ácido fulmínico, instável e explosivo.

pratada. *S. f.* **1.** Aquilo que um prato contém. **2.** Prato cheio.

pratalhada. *S. f.* **1.** Porção de comida que enche um prato. **2.** Prataria[2]: *Há uma pratalhada para lavar.*

pratalhaz. [Aum. de *prato.*] *S. m.* **1.** Prato repleto de qualquer iguaria. **2.** V. *pratarraz.*

pratapolense. *Adj. 2 g.* **1.** De, ou pertencente ou relativo a Pratápolis (MG). ● *S. 2 g.* **2.** Natural ou habitante de Pratápolis.

prataria[1] [De *prata* + *-aria.*] *S. f.* Conjunto de vasos ou utensílios de prata.

prataria[2]. [De *prato* + *-aria.*] *S. f.* Porção de pratos; pratalhada.

pratarrão. [Aum. irreg. de *prato.*] *S. m.* V. *pratarraz:* "Trouxeram primeiro o caldo verde, fumegando e cheirando nos pratarrões pintados de ramagens azuis." (José Vieira, *Sol de Portugal*, p. 45.)

pratarraz. [Aum. irreg. de *prato.*] *S. m.* Prato grande; pratalhaz, pratarrão, pratázio: "E ... vamos almoçar! rematou, vendo já sobre o couro no chão o pratarraz de feijão com gordura e carne da ovelha." (Cardoso de Oliveira, *Dois Metros e Cinco*, p. 364.)

pratázio. [Aum. irreg. de *prato.*] *S. m.* V. *pratarraz:* "não comera pratázios de arroz bem cozido ....?" (Visconde de Taunay, *Ao Entardecer*, p. 43.)

prateação. *S. f.* Ato ou efeito de pratear; prateadura.

prateado. [Part. de *pratear.*] *Adj.* **1.** Coberto de folhas de prata ou de uma solução de prata; argentado. **2.** *Fig.* Branco e brilhante como a prata. ~ V. *papel* —. ● *S. m.* **3.** Cor ou tonalidade de prata. **4.** Aquilo que é prateado: *Os prateados da igreja estavam perdendo o brilho.* **5.** *P.* ext. As próprias folhas de prata, ou a solução de prata: *O prateado do jarro gastou-se.* **6.** A cor da prata.

prateador (ô). *Adj.* e *s. m.* Que ou aquele que prateia; argentador.

prateadura. *S. f.* Prateação.

pratear. *V. t. d.* **1.** Revestir de uma camada de prata: *pratear um objeto de latão.* **2.** Dar a cor e o brilho da prata a; argentar: "Brancuras de luz da manhã prateiam as águas quietas" (Cruz e Sousa, *Obra Completa*, p. 406); "Cai a noite do céu desfeita em pirilampos... / Uma lua de maio anda a pratear os campos." (Olegário Mariano, *Toda uma Vida de Poesia*, I, p. 29.) [Conjug.: v. *frear.*]

prateira. [De *prata* + *-eira.*] *S. f.* Armário ou lugar onde se guarda baixela de prata.

prateiro. [De *prata* + *-eiro.*] *S. m.* **1.** Artesão que fabrica objetos de prata. **2.** Comerciante que vende esses objetos.

pratel. *S. m. Ant.* Prato pequeno. [Pl.: *pratéis.*]

prateleira. [De *pratel* (q. v.) + *-eira.*] *S. f.* **1.** Tábua, ou espécie de estante, onde se colocam pratos. **2.** Cada uma das tábuas horizontais e interiores dum armário ou de uma estante. [F. paral. (p. us.): *prateleiro.*] ◆ **Prateleira de cima.** *Bras., BA.* Mercadoria de boa qualidade. **Ir para a prateleira.** *Bras., MA. Fam.* V. *ficar para tia.*

prateleiro[1]. [De *pratel* (q. v.) + *-eiro.*] *S. m. P.* us. Prateleira.

prateleiro[2]. *S. m. Bras.* Alter. de *pratilheiro.*

pratense[1]. [Do lat. *pratu*, 'prado', + *-ense.*] *Adj. 2 g.* Que vive nos campos não cultivados; pratícola: *erva pratense.*

pratense[2]. *Adj. 2 g.* **1.** De, ou pertencente ou relativo a Prata (PB e MG). ● *S. 2 g.* **2.** Natural ou habitante de Prata.

pratense[3]. *Adj. 2 g.* **1.** De, ou pertencente ou relativo a Águas da Prata (SP). ● *S. 2 g.* **2.** Natural ou habitante de Águas da Prata.

pratense[4]. *Adj. 2 g.* **1.** De, ou pertencente ou relativo a Nova Prata (RS). ● *S. 2 g.* **2.** Natural ou habitante de Nova Prata.

▲**prati-.** [Do lat. *pratum, i.*] *El. comp.* = 'prado': *pratícola, praticultura.*

pratiano. *Adj.* **1.** De, ou pertencente ou relativo a São Domingos do Prata (MG). ● *S. m.* **2.** O natural ou habitante de São Domingos do Prata.

pratibu. [De provável or. tupi: *para'ti*, 'tainha'.] *S. m. Bras., BA.* V. *parati*[2].

prática. [Dev. de *praticar.*] *S. f.* **1.** Ato ou efeito de praticar. **2.** Uso, experiência, exercício. **3.** Rotina; hábito. **4.** Saber provindo da experiência; técnica. **5.** Aplicação da teoria. **6.** Discurso rápido; conversação; conferência. **7.** Licença concedida a navegantes para comunicarem com um porto ou uma cidade. [Cf. *pratica*, do v. *praticar.*]

praticabilidade. *S. f.* Qualidade de praticável.

praticagem. [De *prático* (7) + *-agem*[2].] *S. f.* **1.** *Mar.* Ação de conduzir embarcações através de áreas restritas, com base no conhecimento minucioso dos acidentes hidrográficos de tais áreas; navegação de praticagem: "senhor supremo, espécie de tzar marujo, que o era de fato para tudo a bordo, à exceção da praticagem em si mesma" (Virgílio Várzea, *Nas Ondas*, p. 41). **2.** O conjunto de práticos de determinada área.

praticante. *Adj. 2 g.* e *s. 2 g.* Que ou quem pratica, quem se vai exercitando em alguma profissão.

praticar. [Do b.-lat. *praticare*, 'agir, tratar com as gentes'.] *V. t. d.* **1.** Levar a efeito; fazer, realizar, cometer, executar: *praticar um roubo; praticar uma operação.* **2.** Atuar profissionalmente ou como amador em; exercer, exercitar: *praticar o magistério; praticar a medicina.* **3.** Expor ou exprimir por palavras; dizer, proferir: *praticar um sermão.* **4.** Manter relações ou trato com; tratar, freqüentar: "Há vinte e dois anos conheço e pratico Manuel Bandeira, e ainda não me arrependi de o ter procurado." (Carlos Drummond de Andrade, *Passeios na Ilha*, p. 139.) **5.** Converter em obra; obrar, perfazer, realizar: *Vasco da Gama praticou o sonhado descobrimento do caminho marítimo para as Índias.* **6.** Tratar com intimidade, familiaridade ou amizade; conversar: *Costuma praticar pessoas ilustres.* **7.** Ler ou estudar constantemente; manusear: *praticar obras literárias. T. d. e i.* **8.** Pregar; ensinar: *Pratica a religião aos pagãos. T. i.* **9.** Manter conversação; falar, conversar: "Conheci muito esse tal de Piano — disse o Neca, o qual, descendo do mocho furado posto do lado de dentro da janela da sala, veio praticar com o par de mendigos." (Bernardo Élis, *Veranico de Janeiro*, pp. 79-80); "Lado a lado, praticando de coisas e lousas, vamos reparando na veniaga exposta, em especial os gordíssimos adens" (Aquilino Ribeiro, *Alemanha Ensangüentada*, p. 156). **10.** Ter relações ou trato: *praticar com escritores.* **11.** Procurar adquirir prática ou experiência: *Pratica com um famoso cirurgião. Int.* **12.** Adquirir prática ou experiência: *Trabalha de graça para praticar.* **13.** Manter conversação ou palestra; conversar, conferenciar, falar: "Vulna, Brandt e Prescot praticavam a um canto da saleta." (Jorge de Lima, *Salomão e as Mulheres*, p. 163.) **14.** *Mar.* Exercer o ofício de prático (7). [Conjug.: v. *trancar*. Pres. ind.: *pratico, praticas, pratica*, etc. Cf. *prático* e *prática*.]

praticável. *Adj. 2 g.* **1.** Que se pode praticar ou pôr em prática. **2.** Que pode dar passagem; transitável; viável. ● *S. m.* **3.** *Teat.* Cada um dos elementos cenográficos tridimensionais e móveis (como, p. ex., estrado, plataforma, esquadria, armação, suporte), utilizados para compor o cenário e para que neles os atores se movimentem.

prático. [Do gr. *praktikós*, 'capaz de agir', pelo lat. *practicu*.] *Adj.* **1.** Relativo à prática. **2.** Experiente, perito. **3.** Que encara as coisas pelo lado positivo. **4.** Que visa a fins utilitários; funcional: *móveis práticos*. **5.** *Filos.* Que determina a conduta; que prescreve o que deve ser. ~ V. *astronomia* —*a* e *razão* —*a*. ● *S. m.* **6.** Homem experimentado. **7.** *Náut.* Homem que conhece minuciosamente os acidentes hidrográficos de áreas restritas, e que com esses conhecimentos conduz embarcação através dessas áreas. [Sin., nesta acepç.: *piloto* e (bras., MS) *piloteiro*.] **8.** *Bras.* Aquele que exerce profissão liberal sem ser diplomado. [Cf. *pratico*, do v. *praticar*.]

pratícola. [De *prati-* + *-cola*.] *Adj. 2 g.* **1.** Pratense[1]. **2.** Relativo à cultura dos prados.

praticultor (ô). [De *prati-* + *cultor*.] *S. m.* Aquele que se ocupa de, ou é especialista em praticultura.

praticultura. [De *prati-* + *cultura*.] *S. f.* **1.** Cultura dos prados. **2.** Parte da agricultura que trata em especial de pastos e forragens.

pratilheiro. *S. m.* Instrumentista que bate ou percute os pratos em uma banda ou orquestra. [Sin., bras.: *prateleiro*.]

pratinhense. *Adj. 2 g.* **1.** De, ou pertencente ou relativo a Pratinha (MG). ● *S. 2 g.* **2.** Natural ou habitante de Pratinha.

pratinho. [Dim. de *prato*.] *S. m. Fig.* Aquilo ou aquele que serve de objeto de zombaria, maledicência ou entretenimento; joguete.

pratiqueira. [De *paratiqueira*, com síncope.] *S. f. Bras., N.* e *N. E.* V. *parati*[2]. [Cf. *paratiqueira*.]

prato. [Do fr. *plat*.] *S. m.* **1.** Vaso de louça ou de metal comumente circular, em que se serve a comida. **2.** Cada uma das iguarias de que se compõe uma refeição. **3.** *P. ext.* Alimentação, comida. **4.** Concha de balança. **5.** Peça de vários maquinismos, em forma de prato. [Aum.: *pratalhaz, pratarraz, pratarrão* e *pratázio*; dim. irreg. (ant.): *pratel*.] **6.** *Morfol. Veg.* Porção basal sólida, de natureza caulinar, dos bolbos. **7.** *Mús.* Instrumento de percussão semelhante a cada um dos pratos [q. v.], e que se percute com baqueta ou vassourinha de metal. ● *Adj.* **8.** Chato, plano: *queijo prato*; "A negra trouxe a dieta da patroa ....: pão de glúten, ovo cozido, queijo prato, abacate e melancia" (Marques Rebelo, *O Simples Coronel Madureira*, p. 146). ~ V. *pratos*. ♦ **Prato comercial.** V. *almoço comercial*. **Prato de borbulhamento.** *Eng. Ind.* Prato horizontal, com calotas e condutos, no qual, em uma torre de destilação, ficam em contato o líquido e o vapor; bandeja de borbulhamento. **Prato de resistência. 1.** Prato (2) muito substancial. **2.** *Fig.* A obra ou o feito principal, ou o mais louvado, de um escritor, um artista, um desportista, etc. **Prato feito. 1.** Conjunto de elementos ou fatos como que preparados para determinado fim: *Não lhe foi difícil resolver a questão: já encontrou o prato feito*. **2.** V. *almoço comercial*. **Cuspir no prato em que comeu.** V. *sujar a água que bebe*. **Pôr em pratos limpos.** Esclarecer por inteiro (assunto controvertido): *Como havia muitos implicados, foi impossível pôr em pratos limpos a origem do conflito*. [Cf. *tirar a limpo*.]

pratos. [Pl. de *prato*.] *S. m. pl.* Instrumento de percussão formado por duas peças circulares de metal. ~ V. *prato*.

pravidade. [Do lat. *pravitate*.] *S. f. P. us.* Ruindade, maldade, perversidade.

pravo. [Do lat. *pravu*.] *Adj. P. us.* **1.** Injusto, incorreto. **2.** Mau, perverso, infame: "e eis pelo castelo passa, / na ausência do castelão, / um vilão que bem levava / sua feia e prava tenção." (Onestaldo de Pennafort, *Romanceiro*, p. 23); "Continuam as intrigas, os boatos, as insinuações, todas as coisas pecas e pequenas, parvas ou pravas que a ambição levanta e que a política suscita" (Ramalho Ortigão, *Correio de hoje*, II, p. 109).

praxe. [Do gr. *práxis*, 'ação'.] *S. f.* Aquilo que se pratica habitualmente; rotina, uso, prática, pragmática. [Pl.: *praxes*. Cf. *práxis* (cs).]

práxis (cs.) [Do gr. *práxis*, 'ação'.] *S. f. 2 n.* **1.** Atividade prática; ação, exercício, uso. **2.** *Filos.* No marxismo, o conjunto das atividades humanas tendentes a criar as condições indispensáveis à existência da sociedade e, particularmente, à atividade material, à produção; prática. [Cf. *praxes*, pl. de *praxe*.]

praxista. *Adj. 2 g.* **1.** Que conhece e/ou segue as praxes. ● *S. 2 g.* **2.** Pessoa praxista. **3.** *Restr.* Pessoa versada em direito processual; processualista.

praxiterapia (cs). [Do gr. *práxis*, 'ação', + *terapia*] *S. f. Psiq.* Técnica de tratamento usada, em geral, com doentes crônicos internados, e que consiste na utilização terapêutica do trabalho, distribuindo-se aos pacientes tarefas de complexidade crescente. [Cf. *terapia ocupacional*.]

praxiterápico (cs). *Adj.* Relativo à praxiterapia.

prazente. *Adj. 2 g. Ant.* Que praz ou apraz; aprazível.

prazentear. [De *prazente* + *-ear*.] *V. t. d.* **1.** Tratar com adulação ou lisonja; adular, lisonjear, bajular: *prazentear os poderosos*. *Int.* **2.** Mostrar-se prazenteiro ou alegre; gracejar. [Conjug.: v. *frear*.]

prazenteio. [Dev. de *prazentear*.] *S. m.* Ato de prazentear; adulação, bajulação, lisonja.

prazenteiro. [De *prazente* + *-eiro*.] *Adj.* **1.** Que tem ou revela prazer; alegre, festivo, jovial. **2.** Afável; simpático.

prazer. [Do lat. *placere*.] *V. t. i.* **1.** Causar prazer ou satisfação; agradar, aprazer, comprazer: *Passeemos um pouco, se isto lhe praz*; "Praza a Deus que o noivado não seqüestre / Ao nosso afeto o carinhoso mestre." (Silva Ramos, *Pela Vida fora...*, p. 270). [Defect. Conjug.: v. *aprazer*. Só se conjuga nas 3ª pess.; na 3ª pess. sing. do pres. ind. perde o *e* da terminação: *praz*.] ● *S. m.* **2.** Sensação ou sentimento agradável, harmonioso, que atende a uma inclinação vital; alegria, contentamento, satisfação, deleite: *Caminhar na praia é um prazer*; *o prazer da leitura*. **3.** Disposição cortês, afável; agrado; satisfação: *A diretoria do clube tem o prazer de convidar os novos sócios para uma reunião informal*. **4.** Distração, divertimento, diversão: *Vive num turbilhão de prazeres*. **5.** Gozo (4).

prazeroso (ô). *Adj. Bras.* Cheio de prazer; alegre, jovial, prazenteiro.

prazimento. *S. m.* Agrado, prazer, aprazimento.

prazível. [De *prazer* + *-ível*.] *Adj. 2 g. P. us.* Aprazível.

praz-me. [De *praz*, do v. *prazer*, + *me*.] *S. m. 2 n.* **1.** *Ant.* Beneplácito, consentimento. **2.** Despacho a um requerimento.

prazo. [Do lat. *placitu*. 'agradado', (subentende-se *dies*), 'dia aprovado'.] *S. m.* **1.** Tempo determinado. **2.** Espaço de tempo durante o qual deve realizar-se alguma coisa. **3.** Prédio (1 a 3) enfitêutico; aforamento. ♦ **A prazo. 1.** Integralizável em prestações, dentro de um prazo fixado, a contar da aquisição ou da entrega da mercadoria: *A casa custa 800.000 cruzados a prazo*; *O pagamento a prazo acresce de juros o preço da mercadoria*. **2.** Com pagamento integralizável em prestações, dentro de um prazo fixado, a contar da aquisição ou da entrega da mercadoria: *Muitos não gostam de comprar a prazo*; *Esta loja não vende a prazo*. [Cf. *à vista*.]

prazo-dado. [De *prazo* + o adj. *dado*.] *S. m.* **1.** Encontro combinado; entrevista. **2.** Lugar onde se dá esse encontro, ou pretexto para ele: "O jantar é em Paris o prazo-dado para a reunião dos amigos, que o trabalho separa durante o dia." (Ramalho Ortigão, *Em Paris*, p. 106.) [Pl.: *prazos-dados*.]

▲**pre-.** [Do lat. *prae*.] *Pref.* = 'anterioridade': *preexistir*, *prescrito* (< lat. *praescriptu*). [Equiv., quando não aglutinado: *pré-*: *pré-história*.]

pré. [Do fr. *prêt*.] *S. m. Ant.* O vencimento diário de um soldado: "nenhum dinheiro lhe parecia [ao cartaginês] tão mal-empregado como o pré que dava à tropa" (Aquilino Ribeiro, *Os Avós dos Nossos Avós*, p. 53). [Atualmente não se usa essa palavra, e sim *diária*.]

▲**pré-.** Equiv. de *pre-*.

preá. [De *apereá*, com aférese e síncope.] *S. m.* e *f.* **1.** *Bras.* Designação comum às espécies de mamíferos roedores da família dos cavídeos, gênero *Cavia* Pal., especialmente a *Cavea aperea* Erxl., que ocorre de PE para o S. **2.** *Bras.* Designação comum a três espécies do gênero *Galea* Mey., comuns no N. e no N. E., de dorso manchado de amarelo-sujo e preto, variando com as espécies, e superfície ventral branca, tendente ao amarelo-sujo. Vivem nos capinzais à beira de córregos, lagoas e rios, saindo ao anoitecer, e se alimentam de gramíneas. [Sin., nestas acepç.: *bengo*.] ● *S. m.* **3.** *Bras.*, N. E. Indivíduo que toma parte em divertimentos sem gastar. **4.** *Bras. Mar. G.* Marinheiro bisonho.

preaca. *S. f. Bras.* Açoite de couro cru em tiras trançadas, para tanger animais. V. *chicote* (1). [Cf. *priaca*.]

preacada. *S. f. Bras.* Golpe com preaca; chicotada.

preação. *S. f.* Ato ou efeito de prear.

preá-da-índia. *S. f. Bras. SE.* V. *cobaia*. [Pl.: *preás-da-índia*.]

pré-adamita. [De *pré-* + *adamita*.] *Adj. 2 g.* Anterior a Adão. [Pl.: *pré-adamitas*.]

pré-adolescente. [De *pré-* + *adolescente*.] *Adj. 2 g.* e *s. 2 g.* Que ou aquele que está próximo da adolescência. [Pl.: *pré-adolescentes*.]

pré-agônico. [De *pré-* + *agônico*.] *Adj.* Que antecede a agonia ou a morte: *estado pré-agônico*. [Pl.: *pré-agônicos*.]

pré-ajustado. [Part. de *pré-ajustar*.] *Adj.* ~ V. *guiamento* —.

pré-ajustar. [De *pré-* + *ajustar*.] *V. t. d., t. d. e i.* e *int.* Ajustar previamente.

pré-alegar. [De *pre-* + *alegar*.] *V. t. d.* **1.** Alegar com antecipação: *pré-alegou justificativas para a futura acusação*. [Conjug.: v. *regar*.]

preamar. [Da loc. lat. *plena mare*, 'mar cheio'.] *S. f.* V. *maré alta*: *O instante e a altura da preamar variam de dia para dia e de lugar para lugar, segundo diversos fatores*. [Antôn.: *baixa-mar*.]

preambulação. *S. f.* Ato ou efeito de preambular[2].

preambular[1]. [De *preâmbulo* + *-ar*[1].] *Adj. 2 g.* **1.** Respeitante a preâmbulo. **2.** Que serve ou tem forma de preâmbulo.

preambular[2]. [Do lat. *praeambulare*.] *V. t. d.* Fazer o preâmbulo ou a introdução de; prefaciar, proemiar: *preambular um romance*. [Pres. ind.: *preambulo*, etc. Cf. *preâmbulo*.]

preâmbulo. [Do lat. *praeambulu*.] *S. m.* **1.** V. *prefácio* (1). **2.** Preliminar (2). **3.** A parte preliminar de uma lei, decreto ou diploma na qual o soberano anuncia a sua promulgação. **4.** Palavras ou atos que precedem as coisas definitivas. **5.** *Mús.* Prelúdio (5). [Cf. *preambulo*, do v. *preambular*.] ♦ **Sem mais preâmbulos.** De pronto; sem demora; entrando logo no assunto; sem preâmbulos: "aconteceu que um freqüentador da casa, ... uma noite, sem mais preâmbulos, disse à Serafina, em presença da mãe, que estava encarregado de a pedir em casamento para um primo dele" (Lúcio de Mendonça, *Esboços e Perfis*, p. 102). **Sem preâmbulos.** V. *sem mais preâmbulos*: " — Empresta-me o teu fato preto! bradei num ímpeto e sem preâmbulos." (Artur Azevedo, *Contos Possíveis*, p. 12.)

pré-amplificador. [De *pré-* + *amplificador*.] *S. m. Eletrôn.* Amplificador que, num circuito, antecede o amplificador principal. [Pl.: *pré-amplificadores*.]

pré-anestésico. *S. m. Impr.* **1.** *Anest.* Medicação pré-anestésica. ● *Adj.* **2.** ~ V. *medicação* —*a*.

pré-antepenúltimo. [De *pré-* + *antepenúltimo*.] *Adj.* Anterior ao antepenúltimo. [Pl.: *pré-antepenúltimos*.]

pré-antessaber. [De *pré-* + *-ante-* + *saber*.] *V. t. d.* Saber com grande antecedência: "Eu digo: sente, pressente, / Pré-sabe, pré-antessabe ..." (João de Deus, *Campo de Flores*, II, p. 123).

preanunciação. *S. f.* Ato de preanunciar.

preanunciar. [De *pre-* + *anunciar*.] *V. t. d.* Anunciar previamente; prenunciar: *Nuvens negras preanunciam chuva*.

preaquecer. [De *pre-* + *aquecer*.] *V. t. d.* Aquecer de antemão. [Conjug.: v. *aquecer*.]

preaquecimento. *S. m.* Ação de preaquecer.

prear. [Do lat. **praedare*, por *praedari*.] *V. t. d.* **1.** Tornar prisioneiro ou cativo; prender, aprisionar: *Os bandeirantes preavam índios*; "Quem tantos imigos / Em guerras preou?" (Gonçalves Dias, *Obras Poéticas*, I, p. 24). *Int.* **2.** Fazer presa: *Os vencedores saquearam a vila e prearam à vontade*. [Conjug.: v. *frear*.]

pré-ariano. [De *pré-* + *ariano*.] *Adj.* Anterior aos arianos. [Pl.: *pré-arianos*.]

pré-aviso. [De *pré-* + *aviso*.] *S. m.* Aviso prévio; comunicação antecipada. [Pl.: *pré-avisos*.]

prebenda. [Do lat. *praebenda*, 'coisas que devem ser dadas'.] *S. f.* **1.** Rendimento de um canonicato: "um arcipreste, muitos cônegos e vários tercenários, vivendo todos fartamente das suas prebendas, visitas e igrejas pingues." (Antero de Figueiredo, *Jornadas em Portugal*, p. 188). **2.** O canonicato. **3.** *P. ext.* Renda eclesiástica: "Entrando no mosteiro, ... fazendo-se mestre em teologia, ou doutor em decretos, podia aspirar-se a uma grossa prebenda nalguma catedral ou colegiada bem pingue de rendimentos" (Latino Coelho, *Cervantes*, p. 53). **4.** *Fig.* Ocupação rendosa e de pouco trabalho. V. *sinecura*. **5.** *Bras.* Encargo ou tarefa desagradável, ingrata.

prebendado. [Part. de *prebendar*.] *Adj.* e *s. m.* Que ou

aquele a quem se conferiu prebenda ou prebendaria.
prebendar. *V. t. d.* Conferir prebenda ou prebendaria a.
prebendaria. *S. f.* Cargo ou ofício de prebendeiro.
prebendeiro. *S. m.* Arrematante de prebendas ou das rendas de um bispado.
prebixim. *S. m. Bras.* V. *pintassilgo-da-mata.*
prebostado. [De *preboste* + *-ado*[2].] *S. m.* Cargo de preboste.
prebostal. *Adj. 2 g.* Relativo ou pertencente a preboste.
preboste. [Do cat. *prebost*, 'preposto' (do soberano).] *S. m.* **1.** Antigo magistrado da justiça militar. **2.** Designação comum a diversos antigos funcionários reais e senhoriais.
pré-cabraliano. [De *pré-* + o antr. *Cabral*, + *-i-* + *-ano.*] *Adj. Bras.* Anterior a Pedro Álvares Cabral, ao descobrimento do Brasil, que a ele se deve; pré-cabralino: *era pré-cabraliana.* [Pl.: *pré-cabralianos.*]
pré-cabralino. [De *pré-* + *cabralino.*] *Adj. Bras.* Pré-cabraliano. [Pl.: *pré-cabralinos.*]
precação. [Do lat. *precatione.*] *S. f.* Rogação, rogativa, súplica, deprecação. [Cf. *precaução.*]
pré-cambriano. [De *pré-* + *cambriano.*] *Adj. e s. m.* ~ V. *período* —. [Pl.: *pré-cambrianos.*]
precantar. [Do lat. *praecantare.*] *V. t. d.* Vaticinar em versos.
precariedade. *S. f.* Qualidade ou estado de precário.
precário. [Do lat. *precariu*, 'concedido por mercê revogável.'] *Adj.* **1.** Difícil, minguado, estreito. **2.** Escasso, raro, pouco, insuficiente: "O que me impressionou foi ver, mesmo à luz precária, as mulheres com lágrimas rolando pelo rosto" (Macedo Miranda, *As Três Chaves*, p. 38). **3.** Incerto, vário, contingente; inconsistente: "És precária e veloz, Felicidade. / Custas a vir, e, quando vens, não te demoras." (Cecília Meireles, *Obra Poética*, p. 13.) **4.** Pouco durável; insustentável: *poderio precário.* **5.** Delicado, débil: *saúde precária.*
preçário. *S. m. Lus.* Relação de preços.
precarista. *S. 2 g. Jur.* Pessoa que possui a título precário.
pré-carnavalesco. [De *pré-* + *carnavalesco.*] *Adj.* Um pouco anterior ao período do carnaval: "Nos bailes pré-carnavalescos a animação promete esquecer os altos preços dos ingressos" (*Jornal do Brasil*, 20.2.1981). [Pl.: *pré-carnavalescos.*]
pré-carolíngio. *Adj.* Anterior a Carlos Magno ou ao período carolíngio. [Pl.: *pré-carolíngios.*]
precatado. [Part. de *precatar.*] *Adj.* Que tem ou denota precaução; precavido, acautelado.
precatar. [De *percartar*, com troca do prefixo.] *V. t. d.* **1.** Pôr de precaução; pôr de sobreaviso; prevenir, precaver, acautelar: *O ronco dos motores precatou as tropas.* *T. d. e i.* **2.** Pôr de sobreaviso ou precaução; prevenir, precaver, acautelar: *A tentativa de ataque precatou o país contra os invasores;* "A quinta edição do Dicionário de Morais, ano 1884, e João Ribeiro, ... precatam o leitor contra a sintaxe popular, entre nós, *custo a crer, custo a ler*" (Mário Barreto, *Últimos Estudos*, p. 127). *P.* **3.** Tomar cuidado; acautelar-se, precaver-se: *Todos se precataram, esperando o pior;* "Deve [a França] precatar-se contra os especuladores." (Costa Rego, *Águas Passadas*, p. 266). **4.** Dar fé, advertir-se de alguma coisa; perceber: *Quando se precatou, já estava na miséria.* **5.** Estar ou ficar pronto ou resolvido; dispor-se; preparar-se: *Precate-se para o pior.*
precatória. [Fem. substantivado do adj. *precatório.*] *S. f.* Carta precatória: "Nem se lembravam mais de brigas, quando o delegado de Pombal recebeu uma precatória do Rio Grande do Norte, ... mandando prender os Calados." (Gustavo Barroso, *Heróis e Bandidos*, pp. 177-178.)
precatório. [Do lat. *precatoriu.*] *Adj.* **1.** Em que se pede algo; rogatório. ~ V. *carta* —*a.* • *S. m.* **2.** Documento precatório. [Cf. *precautório.*]
precaução. [Do lat. *praecautione.*] *S. f.* **1.** Disposição ou medida antecipada que visa a prevenir um mal; prevenção. **2.** Cautela, cuidado. [Cf. *precação.*]
precaucionar-se. [Do lat. *praecautione*, 'precaução', + *-ar*[2] + *se*[1].] *V. p.* Acautelar-se antecipadamente; premunir-se, precaver-se.
precautelar. [De *pre-* + *cautelar*[2].] *V. t. d., t. d. e i.* e *p.* V. *precaver.*
precautório. [Do lat. *praecautu*, part. pass. de *praecavere*, 'precaver', + *-ório.*] *Adj.* Que envolve precaução. [Cf. *precatório.*]
precaver. [Do lat. *praecavere.*] *V. t. d.* **1.** Acautelar com antecipação; prevenir, precatar: *Dirija com cuidado, para precaver acidentes.* *T. d. e i.* **2.** Pôr de sobreaviso; precatar: *Medicou-se para precaver o organismo contra a gripe.* *P.* **3.** Tomar cuidado; acautelar-se, precatar-se: "cauteloso .... em perscrutar a marcha dos fatos, em precaver-se contra as intrigas" (Lima Barreto, *Numa e a Ninfa*, p. 177). **4.** Estar ou ficar pronto ou resolvido; preparar-se: *Confessou-se, precavendo-se para a morte.* [Sin. ger.: *precautelar.* Defect., conjugável só nas f. arrizotônicas, que são regulares. Assim, faz no pres. ind.: *precavemos, precaveis.* Raro se usa sem o pron. reflexivo.]
precavidamente. [Do fem. de *precavido* + *-mente.*] *Adv.* De modo precavido; por precaução: "escondi precavidamente o caderno debaixo da túnica" (José J. Veiga, *Os Pecados da Tribo*, p. 19).
precavido. [Part. de *precaver.*] *Adj.* Acautelado, cauto, prevenido, prudente.
prece. [Do lat. *prece.*] *S. f.* **1.** V. *rogo* (2). **2.** *P. ext.* Pedido instante; súplica.
precedência. [Do lat. *praecedentia.*] *S. f.* **1.** Qualidade de precedente; precessão. **2.** Preferência; primazia: *Em certos países, nas cerimônias oficiais, o núncio apostólico tem precedência sobre os demais diplomatas.* [Cf. *procedência* e *procidência.*]
precedente. [Do lat. *praecedente.*] *Adj. 2 g.* **1.** Que precede; antecedente. [Cf. *procedente* e *procidente.*] • *S. m.* **2.** Fato ou circunstância considerados em relação de anterioridade a outros de natureza igual ou semelhante. **3.** Deliberação ou procedimento que serve de critério ou pretexto a práticas posteriores semelhantes.
preceder. [Do lat. *praecedere.*] *V. t. d.* **1.** Ir, vir, estar adiante de; anteceder: *Na língua inglesa o adjetivo precede o substantivo.* **2.** Pagar antes de: *O devedor precedeu o vencimento.* **3.** Chegar antes de: *O vencedor precedeu muito o segundo colocado.* **4.** Existir antes de; viver em época anterior a: *César precedeu Tibério.* **5.** Suceder ou ocorrer antes de; anteceder: *Tristes acontecimentos precederam a queda do rei.* *T. i.* **6.** Apresentar qualidade superior; avantajar-se: *A arte grega precede à romana.* **7.** Preceder (5): *A tempestade precede à bonança.* *Int.* **8.** Vir antes; anteceder. *T. d. e i.* **9.** Fazer vir ou aparecer antes; anteceder: *Precedeu o livro de uma nota explicativa.* [Cf. *proceder.*]
preceito. [Do lat. *praeceptu.*] *S. m.* **1.** Regra de proceder; norma. **2.** Ensinamento, doutrina. **3.** Ordem, determinação, prescrição. **4.** *Bras. Folcl.* Momento em que os dois capoeiras se agacham, em silêncio, diante dos músicos, antes de começar a luta. ♦ **Preceito pascal.** *Rel.* Obrigação de comungar pela Páscoa. **A preceito. 1.** Com todas as regras. **2.** Por miúdo; minuciosamente, particularizadamente: "Dava tudo para conseguir desmontar este meu mecanismo psicológico de poeta. Gostava de saber a preceito o que se passa cá por dentro." (Miguel Torga, *Diário*, IX, p. 153.)
preceituação. *S. f.* Ação ou efeito de preceituar.
preceituar. *V. t. d.* **1.** Estabelecer como preceito; ordenar, determinar: *preceituar normas;* "Era um sussurro largo e profundo na pequena ermida, respondendo à voz do sacerdote que, terminado o ofício, preceituava orações pelos que andavam nas ondas do mar." (Xavier Marques, *Jana e Joel*, p. 46). *Int.* **2.** Estabelecer regras; dar ordens ou instruções: *Ao Legislativo cabe preceituar.*
preceiturário. *S. m.* Coleção ou conjunto de preceitos, de regras ou normas.
pré-céltico. [De *pré-* + *céltico.*] *Adj.* Anterior aos celtas. [Pl.: *pré-célticos.*]
precentor (ô). [Do lat. *praecentore.*] *S.m.* **1.** Chefe de orquestra, entre os antigos. **2.** Cantor de salmos diante da arca, entre os hebreus.
preceptivo. [Do lat. *praeceptivu.*] *Adj.* **1.** Em que há preceito. **2.** Que tem forma ou natureza de preceito.
preceptor (ô). [Do lat. *praeceptore.*] *S. m.* **1.** Aquele que ministra preceitos ou instruções; aio, mestre, mentor. **2.** Professor encarregado da educação de crianças no lar. **3.** *Ant.* Mestre ou comendador de ordem militar.
preceptoral. *Adj. 2 g.* Próprio de preceptor.
preceptoria. *S. f.* **1.** Qualidade ou cargo de preceptor. **2.** Prebenda ou rendimento aplicado a professores ou magistrados.
precessão. [Do lat. *praecessu*, part. pass. de *praecedere*, 'preceder', + *-ão*[3].] *S. f.* **1.** Ato ou efeito de preceder; precedência, antecedência. **2.** *Fís.* Movimento de rotação do eixo de rotação de um corpo rígido que gira e está sujeito à ação de um conjugado externo. [Cf. *processão* e *procissão.*] ♦ **Precessão dos equinócios.** *Astr.* Movimento cíclico dos equinócios ao longo da eclíptica, na direção oeste, causado pela ação perturbadora do Sol e da Lua sobre a dilatação equatorial da Terra, e que tem um período de cerca de 26.000 anos.
pré-científico. [De *pré-* + *científico.*] *Adj.* Anterior à ciência. [Pl.: *pré-científicos.*]
precingir. [Do lat. *praecingere.*] *V. t. d.* **1.** Ligar com cinta; cingir, precintar. **2.** Cercar, rodear, cingir. [Conjug.: v. *dirigir.*]
precinta. [De *precinto* < lat. *praecinctu.*] *S. f.* **1.** Cinta, faixa. **2.** Pano para cilhas. **3.** *Marinh.* Percinta [q. v.]. [Cf. *pressinta*, do v. *pressentir.*]
precintado. [Part. de *precintar.*] *Adj.* **1.** Atado ou cingido com precinta. **2.** Rodeado, cercado, circundado. **3.** Forrado, coberto, revestido. [Cf. *percintado.*]
precintar. *V. t. d.* **1.** Atar ou cingir com precintas; precingir. **2.** Rodear, cercar, circundar: *Um traço vermelho precinta os substantivos do texto.* *T. d. e i.* **3.** Forrar, cobrir, revestir: *Precintou a carga de faixas resistentes.* [Pres. ind.: *precinto, precintas, precinta*, etc. Cf. *pressinto, pressintas, pressinta*, do v. *pressentir*, e *percintar.*]
precinto. [Do lat. *praecinctu*, part. pass. de *praecingere*, 'cingir'.] *S. m.* Precinta (q. v.). [Cf. *pressinto*, do v. *pressentir.*]
preciosa. [Fem. substantivado de *precioso.*] *S. f. Bras., BA. Pop.* A vulva.
preciosidade. [Do lat. *pretiositate.*] *S. f.* **1.** Qualidade de precioso. **2.** Aquilo que é precioso: "— Oh! .... Deixa disso! reclamava Pombinha, estorcendo-se em cócegas, e deixando ver preciosidades de nudez fresca e virginal" (Aluísio Azevedo, *O Cortiço*, p. 195).
preciosismo. [De *precioso* (5) + *-ismo.*] *S. m.* Delicadeza ou sutileza excessiva no falar e no escrever, particularmente a que se usava nos salões literários da França no séc. XVII.
precioso (ô). [Do lat. *pretiosu.*] *Adj.* **1.** De grande preço: *jóia preciosa.* **2.** Magnífico, suntuoso, rico, finíssimo: *Tinha o palácio preciosas alfaias.* **3.** A que se dá vivo apreço: *amizade preciosa.* **4.** De grande importância; valiosíssimo: *colaboração preciosa.* **5.** Presumido, afetado, amaneirado: *estilo precioso.* ~ V. — *líquido, opala* —*a, pedra* —*a* e —*a rubiácea.*
precipício. [Do lat. *praecipitiu.*] *S. m.* **1.** Lugar escarpado, íngreme, alcantilado. **2.** Despenhadeiro, abismo. **3.** *Fig.* Grave perigo. **4.** *Fig.* Grande desgraça; ruína, perdição. **5.** *Bras., MG.* V. *finca* (4).
precipitação. [Do lat. *praecipitatione.*] *S. f.* **1.** Ato ou efeito de precipitar(-se). **2.** Pressa irrefletida. **3.** *Quím.* Processo em que se forma um sólido insolúvel numa solução. ♦ **Precipitação atmosférica.** Fenômeno pelo qual a nebulosidade atmosférica se transforma em água, formando o orvalho, a neve, o granizo e a chuva. **Precipitação radioativa.** *Fís. Nucl.* Tombamento de nuclídeos radioativos formados numa explosão nuclear sobre a superfície terrestre.
precipitado. [Part. de *precipitar.*] *Adj.* **1.** Que não reflete; inconsiderado, imprudente. **2.** Apressado, açodado, arrebatado. • *S. m.* **3.** Indivíduo que procede sem refletir, ou açodadamente. **4.** *Quím.* Sólido que se forma e se deposita no seio de uma solução líquida.
precipitante. [Do lat. *praecipitante.*] *Adj. 2 g.* **1.** Que precipita. • *S. m.* **2.** Reagente químico com que se obtém um precipitado.
precipitar. [Do lat. *praecipitare.*] *V. t. d. e i.* **1.** Lançar ou arrojar (de lugar elevado); despenhar: *O assassino precipitou o corpo do alto do edifício.* **2.** Lançar ou arrojar (em precipício, em lugar profundo); abismar: *Precipitou o objeto ao mar.* **3.** Atirar, lançar, arremessar (em situação desfavorável): *O jogo precipitou-o na miséria.* **4.** Levar, arrastar (a aventuras, perigos): *O espírito aventureiro precipitou-o no cenário político.* *T. d.* **5.** Tornar mais rápido; apressar, acelerar: *precipitar o passo.* **6.** Fazer chegar antes do tempo; antecipar: *precipitar os fatos.* **7.** Pronunciar com rapidez: *Nervoso, precipitava as palavras.* *Int.* **8.** *Quím.* Formar precipitado (4). *P.* **9.** Atirar-se ou lançar-se de cima para baixo; abismar-se: *Acuados, os guerreiros precipitaram-se na ribanceira.* **10.** Correr desabaladamente: *Os automóveis precipitavam-se na pista.* **11.** Lançar-se com força e ímpeto; arrojar-se, atirar-se, arremessar-se: "Precipitou-se então o animal com fúria cega e irresistível." (Rebelo da Silva, *Contos e Lendas*, p. 178); "De repente deu com Raimundo e precipitou-se para ele de braços abertos." (Aluísio Azevedo, *O Mulato*, p. 235); *O mar precipita-se contra as pedras.* **12.** Chegar ou ocorrer antes do tempo; antecipar-se: *Com as ocorrências políticas, os acontecimentos precipitaram-se.* **13.** Proceder com excessiva precipitação; apressar-se: *Precipitou-se e pôs tudo a perder.* **14.** Cair impetuosamente; despenhar-se: *A cachoeira precipita*

se de grandes alturas. **15.** Atirar-se (em situação desfavorável); arremessar-se: *Precipitou-se ela própria na perdição.* **16.** Vir, proceder, provir, rápida e tumultuosamente: *Os invasores precipitaram-se do Norte.* [Pres. subj.: *precipite*, etc. Cf. *precípite.*]

precipitável. *Adj. 2 g.* Que se pode ou deve precipitar.

precípite. [Do lat. *praecipite.*] *Adj. 2 g.* **1.** Arriscado a precipitar-se; precipitoso. **2.** Apressado, rápido, veloz. [Cf. *precipite*, do v. *precipitar.*]

precipitoso (ô). [De *precípite* + *-oso.*] *Adj.* **1.** Em que há precipícios ou despenhadeiros. **2.** Precípite (1). **3.** *Fig.* Arrojado, temerário, impetuoso. **4.** Impaciente, precipitado.

precípuo. [Do lat. *praecipuu.*] *Adj.* Principal, essencial: "Há um trabalho de fôlego de grande repercussão nos estudos do folclore — o que deriva da necessidade de regularizar o trabalho pelo ritmo, donde a fonte precípua da cantiga, como medida de ordem e suavidade nos próprios exercícios de esforço físico." (João Ribeiro, *O Folclore*, p. 223.)

precisado. [Part. de *precisar.*] *Adj.* Necessitado, carecente, carente, pobre.

precisão. *S. f.* **1.** Carência daquilo que é preciso, necessário, ou útil. **2.** Urgência, necessidade. **3.** Exatidão de cálculos. **4.** Rigor sóbrio de linguagem; concisão. **5.** Funcionamento sem falhas; perfeição: *a precisão de um relógio.* **6.** Regularidade na execução; exatidão. ♦ **De precisão.** Apropriado para cálculos, registros, etc., rigorosamente exatos: *relógio de precisão.* · **Fazer precisão.** *Bras., N.E. Fam.* e *pop.* Fazer necessidade. [Cf. *defecar* (5).]

precisar. [De *preciso* + *-ar*[2].] *V. t. d.* **1.** Indicar com exatidão; particularizar, distinguir, especializar: *Não sabe precisar a época de sua primeira viagem.* **2.** Ter precisão ou necessidade de; necessitar: "deu-lhe dez tostões, recomendando-lhe que, quando precisasse algum dinheiro, viesse procurá-lo." (Machado de Assis, *Quincas Borba*, pp. 180-181); "Celeste aluno, / Precisamos conselho em tal perigo" (Manuel Odorico Mendes, *Ilíada de Homero*, p. 125); *precisa espairecer.* **3.** Citar ou mencionar especialmente: *A testemunha precisou o criminoso. T. i.* **4.** Ter necessidade; carecer, necessitar: "Precisávamos de um empregado para ajudar na limpeza da repartição e servir café." (Maria Julieta Drummond de Andrade, *Um Buquê de Alcachofras*, p. 27); *Precisa de dinheiro. Int.* **5.** Ser pobre, necessitado: *Trabalha porque precisa.* **6.** Ter precisão ou necessidade: *Afoba-se sem precisar.* **7.** Ser preciso ou necessário: *Não precisa inquietarem-se: ele está chegando*; "Só excepcionalmente colhia uma [rosa] para dar à visita (e precisava que essa visita fosse de prol ....)" (Pedro Nava, *Balão Cativo*, p. 22). *P.* **8.** Tornar-se ou mostrar-se preciso, definito, exato: "Os traços comuns desse grupo são um tanto fugidios e vagos. Não se delineiam, não se precisam, não se fixam. É que o fluminense é, na verdade, uma transição social" (Oliveira Viana, *Populações Meridionais do Brasil*, p. 57).

preciso. [Do lat. *praecisu*, 'cortado pela extremidade'.] *Adj.* **1.** Necessário; urgente. **2.** Exato, certo, definido. **3.** Claro, categórico, terminante: *Fez uma declaração precisa, sem subterfúgios.* **4.** Resumido, lacônico: *estilo preciso.*

precitado. [De *pre-* + *citado.*] *Adj.* Citado anteriormente.

precito. [Do lat. *praescitu*, 'sabido de antemão'; segundo certa doutrina, os réprobos se acham de antemão condenados.] *Adj.* e *s. m.* Réprobo, condenado, maldito: "Pouco importava que o gênio de Virgílio e o módulo grego, de vez em quando, o acordasse [a Dante] desse pesadelo, e fizesse emergir das sombras, aonde havia o ranger de dentes e o desespero eterno do precito, as estátuas belas de Francesca de Rimini e de Beatriz" (Araripe Júnior, *Ibsen*, p. 41).

preclaridade. *S. f.* Qualidade de preclaro.

preclaro. [Do lat. *praeclaru.*] *Adj.* **1.** Ilustre, notável, famoso, brilhante, claro: *O preclaro jurista*; "esteve [Alexandre de Gusmão] na Bahia entregue aos cuidados de seu padrinho, preclaro fundador do Colégio da Cachoeira, do qual adotou integralmente o nome" (Visconde de Carnaxide, *D. João V e o Brasil*, p. 25). **2.** Formoso, belo.

pré-clássico. [De *pré-* + *clássico.*] *Adj.* Anteclássico. [Pl.: *pré-clássicos.*]

preclávio. [Do lat. *praeclaviu.*] *S. m.* A parte da toga romana que ficava antes do laticlavo.

precluir. [Do lat. *praecludere*, 'fechar, obstruir; proibir, vedar'.] *V. int. Jur.* Ser (uma faculdade processual) atingida por preclusão. [Conjug.: v. *atribuir*, mas é defect., só us. nas 3as pess.]

preclusão. [Do lat. *praeclusione.*] *S. f.* **1.** *Filol.* Contato prévio de dois órgãos para a produção dum fonema explosivo, como, p. ex., *b* e *p*. **2.** *Jur.* Perda de uma determinada faculdade processual civil, ou pelo não exercício dela na ordem legal, ou por haver-se realizado uma atividade incompatível com esse exercício, ou, ainda, por já ter sido ela validamente exercitada.

preclusivo. [Do lat. *praeclusu*, part. pass. de *praecludere*, 'fechar, obstruir; vedar', + *-ivo.*] *Adj.* Que envolve ou produz preclusão.

preço (ê). [Do lat. *pretiu.*] *S. m.* **1.** Custo unitário dalguma coisa posta à venda. **2.** V. *valor* (5). **3.** Prestação pecuniária a cargo do comprador, no contrato de compra e venda. **4.** Compensação, recompensa, prêmio. **5.** Castigo, punição. **6.** Importância, merecimento, valia. **7.** Perfeição, quilate, excelência, quilate. ♦ **Preço arrastado.** Preço vil. **Preço corrente.** O preço do mercado. **Preço de capa.** Preço de um livro para o consumidor. **Preço de fatura.** O preço pelo qual o vendedor comprou a mercadoria. **Preço fixo.** O que não sofre redução. **Preço global.** Preço de execução da totalidade dos serviços de determinada obra. **Preço unitário.** Preço de cada unidade de material, ou de execução de cada unidade de serviço, numa determinada obra. **Preço vil.** Preço baixo; preço arrastado. **Justo preço.** *Jur.* Valor de uma coisa estabelecido por estimativa pericial ou técnica, ou pelas cotações oficiais da bolsa. **A preço de banana.** *Bras.* Muito barato; a preço vil: *Vendeu seus livros a preço de banana*; "Contavam .... de terras adquiridas a preço de banana, sob ameaça de clavinote e punhal" (Jorge Amado, *Teresa Batista Cansada de Guerra*, p. 66). **Vender pelo preço de fatura.** *Bras., AL.* Contar um fato (em geral escandaloso) tal como o ouviu de outrem, sem exagerar nada: *Estou vendendo pelo preço da fatura — explicou o maledicente ante a dúvida do ouvinte.*

precoce. [Do lat. *praecoce.*] *Adj. 2 g.* **1.** Prematuro, antecipado; temporão. **2.** Diz-se das pessoas com determinadas faculdades prematuramente desenvolvidas: *criança precoce.* ~ V. *demência* —.

precocidade. *S. f.* Qualidade de precoce ou prematuro.

precogitação. *S. f.* Ação de precogitar; premeditação.

precogitar. [Do lat. *praecogitare.*] *V. t. d.* Cogitar antes; premeditar: *precogitar um crime.*

precógnito. [Do lat. *praecognitu.*] *Adj.* Conhecido antes; previsto.

pré-colombiano. [De *pré-* + *colombiano.*] *Adj.* Anterior ao descobrimento da América por Cristóvão Colombo (1436-1506), navegador genovês a serviço da Espanha. [Pl.: *pré-colombianos.*]

pré-coma. [De *pré-* + *coma*[2].] *S. m.* e *f. Med.* O estado pré-comatoso. [Pl.: *pré-comas.*]

pré-comatoso. [De *pré-* + *comatoso.*] *Adj. Med.* Que antecede a coma[2] (1): *estado pré-comatoso.* [Pl.: *pré-comatosos.*]

preconceber. [De *pré-* + *conceber.*] *V. t. d.* **1.** Conceber antecipadamente; planear ou idear com antecipação: *Preconceberam com todo o cuidado o plano do assalto.* **2.** Supor com antecipação.

preconcebido. [Part. de *preconceber.*] *Adj.* **1.** Concebido de antemão; premeditado. **2.** Concebido ou planeado sem maior reflexão, sem fundamento sério: *idéias preconcebidas.*

preconceito. [Do lat. *praeconceptu.*] *S. m.* **1.** Conceito ou opinião formados antecipadamente, sem maior ponderação ou conhecimento dos fatos; idéia preconcebida. **2.** Julgamento ou opinião formada sem se levar em conta o fato que os conteste; prejuízo. **3.** *P. ext.* Superstição, crendice; prejuízo. **4.** *P. ext.* Suspeita, intolerância, ódio irracional ou aversão a outras raças, credos, religiões, etc.: *O preconceito racial é indigno do ser humano.*

pré-conciliar. [De *pré-* + *conciliar*[1].] *Adj. 2 g.* Que antecede um concílio; um pouco anterior a um concílio. [Pl.: *pré-conciliares.*]

precondição. [De *pre-* + *condição.*] *S. f.* Condição prévia.

preconício. [Do lat. *praecone*, 'pregoeiro público'.] *S. m. Bras. P. us.* Reclamo, propaganda, divulgação.

preconização. *S. f.* **1.** Ato ou efeito de preconizar. **2.** Declaração, em consistório pontifício, de que um eclesiástico nomeado para um bispado ou para outro benefício tem as condições exigidas para esse fim.

preconizador (ô). *Adj.* e *s. m.* Que ou aquele que preconiza.

preconizar. [Do lat. tardio *praeconizare.*] *V. t. d.* **1.** Fazer a preconização (2) de. **2.** Apregoar com louvor; louvar, elogiar, lisonjear: *Vive a preconizar os filhos.* **3.** Aconselhar ou recomendar com louvor; divulgar, propagar: *preconizar idéias novas; preconizar a prática do bem*; "Deu-me comprimidos, fez-me ingerir mais líquidos, preconizou um purgante salino" (Marques Rebelo, *O Trapicheiro*, p. 318). *Transobj.* **4.** Apregoar com louvor; apregoar, propalar: "Com este monge desvelara-se a fama preconizando-o orador primaz da ordem igualmente no púlpito que nas assembléias eleitorais." (Camilo Castelo Branco, *Mosaico e Silva de Curiosidades*, p. 92.)

pré-consciente. [De *pré-* + *consciente.*] *S. m. Psicol.* O conjunto dos processos psíquicos latentes, mas disponíveis, i. e., aptos a se tornarem conscientes, como, p. ex., as lembranças. [Pl.: *pré-conscientes.*]

pré-constitucional. [De *pré-* + *constitucional.*] *Adj. 2 g.* Anterior ao período constitucional, à constituição. [Pl.: *pré-constitucionais.*]

pré-contrato. [De *pré-* + *contrato.*] *S. m.* Antecontrato. [Pl.: *pré-contratos.*]

precordial. [Do lat. *praecordia*, 'diafragma', + *-al.*] *Adj. 2 g. Anat.* Relativo ou pertencente à região que fica adiante do coração, ou nela situado.

pré-cozido. [De *pré-* + *cozido.*] *Adj.* Cozido de antemão. [Pl.: *pré-cozidos.*]

pré-cristão. [De *pré-* + *cristão.*] *Adj.* Anterior ao cristianismo. [Flex.: *pré-cristã, pré-cristãos, pré-cristãs.*]

precursor (ô). [Do lat. *praecursore.*] *Adj.* **1.** Que vai adiante. **2.** Que anuncia um sucesso, ou a chegada de alguém. **3.** Que precede: *Eram as chuvas precursoras do inverno nos trópicos.* **4.** Que faz prever, prepara os atos, o surto de outras figuras. ~ V. *destacamento* —. ● *S. m.* **5.** Aquele que é precursor (1, 2 e 4); batedor: "Sem discussão possível, cabe a Friedrich Bouterwek o título de precursor da nossa historiografia literária" (Guilhermino César, *Bouterwek*, p. 6). ♦ **O precursor de Cristo.** S. João Batista.

predador (ô). [Do lat. *praedatore.*] *Adj.* e *s. m.* Diz-se do, ou o ser que destrói outro com violência.

pré-datado. [Part. de *pré-datar.*] *Adj.* A que se apôs data futura; datado de antemão. [Pl.: *pré-datados.* Cf. *antedatado* e *pós-datado.*]

pré-datar. [De *pré-* + *datar.*] *V. t. d.* Pôr data futura em; datar de antemão: *pré-datar um cheque.* [Cf. *antedatar* e *pós-datar.*]

predatório. [Do lat. *praedatoriu.*] *Adj.* **1.** Pertencente ou relativo a predador. **2.** Respeitante a roubos ou a piratas. **3.** *Restr.* Referente a navios de corsários.

predecessor (ô). [Do lat. *praedecessore.*] *S. m.* Antecessor.

predefinição. *S. f.* **1.** Ato ou efeito de predefinir. **2.** Predestinação, prognóstico.

predefinir. [De *pre-* + *definir.*] *V. t. d.* Definir ou determinar com antecipação: *Ninguém predefine a vida de um homem.*

predestinação. [Do lat. *praedestinatione.*] *S. f.* **1.** Ato ou efeito de predestinar; predefinição, prognóstico. **2.** *Teol.* Determinação formada por Deus de conduzir os justos à vida eterna.

predestinado. [Part. de *predestinar.*] *Adj.* **1.** Destinado de antemão; fadado. **2.** Que é eleito de Deus; que é santo. ● *S. m.* **3.** O que é destinado de antemão. **4.** Aquele que é eleito de Deus; santo.

predestinar. [Do lat. *praedestinare.*] *V. t. d.* e *i.* Destinar com antecipação: *A natureza não predestina espécie alguma à eternidade.* **2.** *Teol.* Escolher desde toda a eternidade (os justos): *Deus predestinou os justos para o Céu.* **3.** Destinar ou reservar a grandes feitos: *A História predestinou Alexandre para as grandes conquistas.*

predeterminação. *S. f.* Ato ou efeito de predeterminar.

predeterminado. [Part. de *predeterminar.*] *Adj.* Que se predeterminou.

predeterminante. *Adj. 2 g.* Que predetermina.

predeterminar. [De *pre-* + *determinar.*] *V. t. d.* Determinar com antecipação: *predeterminar o resultado de uma partida de futebol.*

predial. *Adj. 2 g.* Respeitante a prédios. ~ V. *imposto*—.

prédica. [Dev. de *predicar.*] *S. f.* **1.** V. *sermão* (1): "Um dia, achando-me em Westminster à hora de principiar a prédica, vi o templo encher-se quase repentinamente de gente." (Ramalho Ortigão, *John Bull*, p. 232.) **2.** Discurso; oração. [Cf. *predica*, do v. *predicar.*]

predicação. [Do lat. *praedicatione.*] *S. f.* **1.** V. *sermão* (1). **2.** *Filos.* V. *juízo de predicação.* [Cf., nesta acepç.: *inerência* (2).] **3.** *Gram.* Emprego ou qualidade de predicado.

predicado. [Do lat. *praedicatu*, 'de que já se falou'.] *S. m.* **1.** Qualidade característica; atributo. **2.** Dote, prenda, virtude: *É pessoa cheia de predicados.* **3.** *Gram.* Aquilo que na oração se declara acerca do sujeito (salvo, é claro, nas orações sem sujeito). **4.** *Lóg.* V. *atributo* (7).

predicador (ô). [Do lat. *praedicatore.*] *Adj.* e *s. m.* Predicante.

predical. *Adj. 2 g.* Referente a prédica, a sermão.

predicamental. *Adj. 2 g.* Relativo a predicamento.

predicamentar. *V. t. d.* Dar predicamento a; classificar, graduar: *predicamentar um médico.*

predicamento. [Do lat. *praedicamentu.*] *S. m.* Categoria, classe, graduação: "Hoje não há lugarejo elevado ao predicamento de vila que não tenha o seu periódico." (Antônio Álvares Pereira Coruja, *Antigualhas*, p. 29); "Os tolos passam muitas vezes por acesso a velhacos, e procuram neste predicamento indenizar-se com usura das perdas que sofreram no primeiro estado." (Marquês de Maricá, *Máximas, Pensamentos e Reflexões*, p. 26.)

predicante. [Do lat. *praedicante.*] *Adj. 2 g.* **1.** Que predica. ● *S. 2 g.* **2.** Pessoa que predica. **3.** Pregador protestante. [Sin. ger.: *predicador.*]

predição. [Do lat. *praedictione.*] *S. f.* Ato ou efeito de predizer; profecia; vaticínio. [Cf. *prodição.*]

predicar. [Do lat. *praedicare*, 'dizer diante de todos'.] *V. t. d.* Fazer indicação de; aconselhar, indicar, pregar [Conjug.: v. *trancar.* Pres. ind.: *predico, predicas, predica*, etc. Cf. *prédica.*]

predicativo. [Do lat. *praedicativu.*] *Adj.* e *s. m. Gram.* Diz-se da, ou a qualidade atribuída ao sujeito ou ao objeto, e que inteira a significação do verbo. ~ V. *verbo* —.

predicatório. [Do lat. *praedicatoriu.*] *Adj.* Encomiástico, lisonjeiro.

predicável. *Adj. 2 g.* Que se pode aconselhar ou pregar.

predileção. [Do lat. **praedilectione* < *prae*, 'diante de', + *dilectione*, 'amor, preferência', pelo fr. *prédilection.*] *S. f.* **1.** Gosto ou amizade preferente por algo ou por alguém; preferência. **2.** Afeição extremosa.

predileto. [Do lat. **praedilectu* < *prae*, 'diante de', + *dilectu*, 'amado, querido'.] *Adj.* **1.** Que é querido com predileção; preferido. ● *S. m.* **2.** Indivíduo predileto.

pré-diluviano. [De *pré-* + *diluviano.*] *Adj.* Antediluviano. [Pl.: *pré-diluvianos.*]

prédio. [Do lat. *praediu*, 'propriedade rústica'.] *S. m.* **1.** Propriedade imóvel. **2.** Prédio rústico. **3.** Prédio urbano. **4.** Casa; edifício (1 e 2). ~ *Prédio rústico.* Prédio (1) que se destina à exploração agrícola. [Tb. se diz apenas *prédio.*] *Prédio urbano.* Prédio (1) destinado à moradia, esteja ou não no perímetro urbano. [Tb. se diz apenas *prédio.*]

predisponência. *S. f.* **1.** Ato ou efeito de predispor (-se); predisposição.

presdisponente. [De *pre-* + *disponente.*] *Adj. 2 g.* **1.** Que predispõe. **2.** Que favorece o aparecimento de sintoma ou doença.

predispor. [De *pre-* + *dispor.*] *V. t. d.* e *t. d.* e *i.* Dispor com antecipação; preparar: *Tinha de ausentar-se, e predispôs todo o plano dos negócios;* "O ar fresco nos predispunha a um bom repasto regado a vinho da Macedônia." (José Lins do Rego, *Gregos e Troianos*, p. 122); "Pode-se calcular o efeito dessa triste nova ..... Não só alarmou os crédulos, como predispôs o espírito público para ostensivos e futuros desagravos." (Raimundo Morais, *País das Pedras Verdes*, p. 278). [Irreg. Conjug.: v. *pôr.* (q. v.).]

predisposição. [De *pre-* + *disposição.*] *S. f.* **1.** Ato de predispor(-se). **2.** Vocação, tendência, pendor, inclinação, propensão: "Esses três desligamentos forçados, ... criaram nessa sensibilidade delicada predisposição ao alheamento" (Barreto Filho, *Introdução a Machado de Assis*, p. 11)

predisposto (ô). [Do lat. *praedispositu.*] *Adj.* **1.** Que tem predisposição. **2.** Disposto com antecedência. ● *S. m.* **3.** Indivíduo predisposto a um mal físico ou mental.

pré-dissociação. [De *pré-* + *dissociação.*] *S. f. Fís.* Transição molecular não radioativa, decorrente da existência de estados excitados com energia superior à de dissociação da molécula. [Pl.: *pré-dissociações.*]

predito. [Do lat. *praedictu.*] *Adj.* Dito ou citado anteriormente.

predizer. [Do lat. *praedicere.*] *V. t. d.* e *t. d.* e *i.* Dizer antecipadamente; vaticinar; profetizar, prognosticar; *Nostradamus predisse acontecimentos futuros; Predisseram -lhe toda a sua desgraça.* [Irreg. Conjug.: v. *dizer.*]

predominação. *S. f.* Ato ou efeito de predominar; predominância, predomínio.

predominador (ô). *Adj.* e *s. m.* Que ou aquele que predomina.

predominância. *S. f.* Qualidade de predominante; predomínio, predominação.

predominante. *Adj. 2 g.* **1.** Que predomina; predominador. **2.** *Gram.* Diz-se do acento mais forte de uma palavra, e da sílaba ou vogal em que ele recai.

predominar. [De *pre-* + *dominar.*] *V. int.* **1.** Ser o primeiro em domínio ou influência: *Predominaram os mais fortes.* **2.** Dominar muito; prevalecer: "A propriedade privada, dentro do sistema que predominava, na metrópole, trouxe-a o português para o Brasil nas primeiras caravelas" (Manuel Diegues Júnior, *Regiões Culturais do Brasil*, p. 69). **3.** Ser, estar, fazer-se ver, em maior quantidade ou intensidade; sobressair: *O azul predomina neste painel.* *T. d.* **4.** Excercer domínio sobre; sobrepujar, vencer: *Napoleão não conseguiu predominar o universo russo.*

predomínio. [De *pre-* + *domínio.*] *S. m.* **1.** Domínio principal; preponderância, supremacia, superioridade. **2.** Influência, influxo.

pré-dorsal. [De *pré-* + *dorsal.*] *Adj. 2 g. Anat. Desus.* Situado no pré-dorso. [Pl.: *pré-dorsais.*]

pré-dorso. [De *pré-* + *dorso.*] *S. m. Anat. Desus.* A parte anterior do dorso. [Pl.: *pré-dorsos.*]

pré-eleitoral. [De *pré-* + *eleitoral.*] *Adj. 2 g. Bras.* Um pouco antecedente a eleição ou eleições. [Pl.: *pré-eleitorais.*]

preeminência. [Do lat. *praeeminentia.*] *S. f.* **1.** Qualidade de preeminente; primazia, superioridade. **2.** Grandeza, excelência. [Cf. *proeminência.*]

preeminente. [Do lat. *praeeminente.*] *Adj. 2 g.* **1.** Que ocupa lugar mais elevado. **2.** Superior, sublime. **3.** Nobre; distinto. [Cf. *proeminente.*]

preempção. [De *pre-* + lat. *emptione*, 'compra'.] *S. f.* **1.** Compra antecipada. **2.** Precedência na compra. **3.** *Jur.* Cláusula contratual que impõe ao comprador a obrigação de, ao alienar a coisa comprada, oferecê-la ao vendedor de quem a obteve, tendo este, preço por preço, preferência para readquiri-la, com exclusão dos outros interessados. [Nesta acepç., cf. *opção.*]

preencher. [De *pre-* + *encher.*] *V. t. d.* **1.** Encher completamente; ocupar, completar; atestar, rechear: *O cimento preencherá os vãos.* **2.** Exercer (cargo ou função); ocupar, desempenhar: *Um homem decente preencherá o cargo.* **3.** Ocupar (espaço de tempo): *As distrações preencheram as suas férias.* **4.** Cumprir plenamente: *preencher exigências.* **5.** Escrever em, completando os claros com as respostas pedidas: *preencher um formulário.*

preenchimento. *S. m.* Ato ou efeito de preencher.

preenchível. *Adj. 2 g.* Que pode ser preenchido.

pré-encolhido. [De *pré-* + *encolhido.*] *Adj.* Diz-se de tecido que se submeteu a operação química destinada a evitar-lhe o encolhimento após a lavagem. [Pl.: *pré-encolhidos.*]

pré-ênfase. [De *pré-* + *ênfase.*] *S. f. Eletrôn.* Reforço de uma faixa de freqüência num sinal com várias freqüências; acentuação. [Pl.: *pré-ênfases.*]

preensão. [Do lat. *praehensione.*] *S. f.* Ato de segurar, agarrar ou apanhar.

preênsil. [Do lat. *praehensu*, part. pass. de *praehendere*, 'agarrar', + *-il.*] *Adj. 2 g.* Que tem a faculdade de agarrar ou apanhar; preensor. [Pl.: *preênseis.*]

preensor (ô). [Do lat. *praehensu*, part. pass. de *praehendere*, 'agarrar', + *-or.*] *Adj.* Preênsil.

pré-escolar. [De *pré-* + *escolar.*] *Adj. 2 g.* **1.** Anterior à idade ou ao período escolar. ● *S. m.* **2.** Essa idade ou esse período. [Pl.: *pré-escolares.*]

pré-escolaridade. [De *pré-* + *escolaridade.*] *S. f.* Qualidade de pré-escolar (1). [Pl.: *pré-escolaridades.*]

pré-escolhido. [De *pré-* + *escolhido.*] *Adj.* Escolhido de antemão. [Pl.: *pré-escolhidos.*]

pré-esforçado. [De *pré-* + *esforçado.*] *Lus. Adj.* ~ V. *concreto* —. [Pl.: *pré-esforçados.*]

preestabelecer. [De *pre-* + *estabelecer.*] *V. t. d.* **1.** Estabelecer ou fixar com antecipação; determinar previamente; predispor: *O engenheiro preestabeleceu a função de cada operário.*

preestabelecido. [Part. de *preestabelecer.*] *Adj.* Estabelecido ou preparado antecipadamente. ~ V. *harmonia* —*a.*

preestabelecimento. *S. m.* Ação de preestabelecer.

pré-estelar. [De *pré* + *estelar.*] *Adj. 2 g.* ~ V. *corpo* — e *matéria* —. [Pl.: *pré-estelares.*]

pré-estréia. [De *pré-* + *estréia;* neol. proposto por Nélson Vaz para substituir o fr. *avant-première*, e plenamente aceito.] *S. f. Bras.* Representação de uma peça teatral, ou projeção de um filme, para convidados especiais (críticos de arte, etc.), a qual antecede a estréia (a *première*, em francês). [Pl.: *pré-estréias.*]

preexcelência. [De *pre-* + *excelência.*] *S. f.* Qualidade de preexcelente; magnificência.

preexcelente. [De *pre-* + *excelente.*] *Adj. 2 g.* Muito excelente; magnífico.

preexcelso. [De *pre-* + *excelso.*] *Adj.* Muito alto ou excelso; excelso, sublime.

preexistência (z). [De *pre-* + *existência.*] *S. f.* **1.** Qualidade de preexistente. **2.** *Teol.* Existência do Cristo no Céu antes da encarnação. **3.** *Teol.* Existência das almas antes do nascimento.

preexistente (z). [De *pre-* + *existente.*] *Adj. 2 g.* Que preexiste.

preexistir (z). [De *pre-* + *existir.*] *V. int.* **1.** Existir primeiro ou anteriormente; existir antes de outro ou de outrem: *A aplicação de reformas exige que preexista uma consciência nacional.* *T. i.* **2.** Existir anteriormente; ser anterior; anteceder, preceder: *As mudanças econômicas preexistiram, historicamente, às grandes transformações políticas.*

■**pref.** *Bibliogr.* e *Bibliot.* Abrev. de *prefácio.*

pré-fabricado. [De *pré-* + *fabricado.*] *Adj.* **1.** Cujas peças ou partes já se acham fabricadas e prontas para ser armadas ou montadas: *casa pré-fabricada.* **2.** *Fig. Irôn.* Preparado ou planejado para surtir determinado efeito; arquitetado: *Recebeu-nos com um sorriso pré-fabricado.* [Pl.: *pré-fabricados.*]

prefação. [Do lat. *praefatione.*] *S. f.* **1.** V. *prefácio* (1). **2.** Aquilo que se diz antes.

prefaciador (ô). *S. m.* Aquele que prefacia.

prefacial. *Adj. 2 g.* Relativo a, ou que serve de prefácio.

prefaciar. *V. t. d.* **1.** Fazer prefácio ou introdução a (obra literária); escrever o prefácio de; preambular, prologar, preludiar, proemiar. **2.** *Fig.* Servir de introdução a; começar, iniciar, introduzir: *Uma revoada de pombos prefaciou as festividades.* [Pres. ind.: *prefacio*, etc. Cf. *prefácio.*]

prefácio. [Do lat. *praefatio* (nom.), 'o que se diz no princípio'.] *S. m.* **1.** Texto ou advertência, ordinariamente breve, que antecede uma obra escrita, e que serve para apresentá-la ao leitor. [Sin., alguns deles p. us.: *prefação, preâmbulo, prólogo, proêmio, prolusão, prelúdio, preliminar, introdução, anteâmbulo, antelóquio, exórdio.* [Antôn.: *posfácio.*] **2.** *Lit.* Parte da missa católica que precede imediatamente o cânon. [Cf. *prefacio*, do v. *prefaciar.*]

pré-fala. [De *pré-* + *fala.*] *S. f.* Fase de emissão de sons orais pela criança, anterior à fala.

prefeito. [Do lat. *praefectu*, 'posto como chefe'.] S. m. **1.** Chefe de prefeitura, no Império Romano. **2.** Chefe de departamento, na França. **3.** Superior de certas comunidades. **4.** Empregado colegial encarregado de vigiar os estudantes. **5.** *Bras.* Aquele que está investido do poder executivo nas municipalidades. [Sin., bras., desus., nesta acepç.: *edil.*]

prefeitoral. *Adj. 2 g.* Referente a, ou próprio de prefeito ou de prefeitura.

prefeitura. [Do lat. *praefectura.*] *S. f.* **1.** Uma das divisões administrativas do Império Romano. **2.** Cargo de prefeito. **3.** *Bras.* Prédio onde funcionam os órgãos da administração municipal.

preferência. [De um lat. **praeferentia* < *praeferre.*] *S. f.* **1.** Ato ou efeito de preferir. **2.** Predileção (1). **3.** Manifestação de agrado ou distinção. **4.** Anteposição, precedência, primazia. **5.** *Jur.* Vantagem assegurada por lei a certos direitos creditórios, de serem pagos em primeiro lugar, preterindo os créditos quirografários concorrentes à execução dos bens do devedor comum; antelação. [Cf., nesta acepç., *opção.* Cf. ger.: *preempção.*]

preferencial. *Adj. 2 g.* **1.** Que tem preferência. ~ V. *ação* —. ● *S. f.* **2.** *Bras.* Via pública na qual os veículos têm preferência de passagem com relação aos que procedem das vias confluentes.

preferente. [Do lat. *praeferente.*] *Adj. 2 g.* e *s. 2. g.* Que ou quem prefere.

preferido. [Part. de *preferir.*] *Adj.* **1.** A que se dá preferência; escolhido: *Este é o meu prato preferido.* **2.** Eleito, predileto: *meu amigo preferido.*

preferir. [Do lat. **praeferere*, por *praeferre*, 'levar à frente'.] *V. t. d.* **1.** Dar a primazia a; determinar-se por; escolher: *O livre-arbítrio confere ao homem o direito de preferir o bem ou o mal;* "Não podendo lutar, preferiu a morte, que se lhe afigurou mais fácil que a vida e mais necessária também." (Machado de Assis, *A Semana*, II, p. 176). *T. d.* e *i.* **2.** Querer antes; achar melhor; antepor, prepor: *Preferiu morrer a ser traidor.* **3.** Ter predileção por; gostar mais de: *Prefere a música de câmara à sinfônica;* "nós, aqui, preferimos às maiores maravilhas em nossa língua as maiores tolices em língua estranha." (Mateus de Albuquerque, *Da Arte e do Patriotismo*, pp. 85-86). "Maria Bárbara tinha grande admiração pelos portugueses, ..., preferia-os em tudo aos brasileiros." (Aluísio Azevedo, *O Mulato*, p. 15). **4.** Dar primazia ou prioridade: *À vida prefere a honra. T. i.* **5.** Ser preferido; ter preferência: *No meu entender, o teatro prefere ao cinema.* [Irreg. Conjug.: v. *aderir.*]

preferível. *Adj. 2 g.* Que pode ou deve ser preferido: "desde criança soube que era formosa, mas não aprendeu que alguma cousa há preferível à beleza." (Joaquim Manuel de Macedo, *Os Romances da Semana*, p. 258).

prefiguração. [Do lat. *praefiguratione.*] *S. f.* **1.** Ato de prefigurar. **2.** Representação daquilo que ainda não existe, mas que há de existir, ou pode existir, ou se receia que exista.

prefigurar. [Do lat. *praefigurare.*] *V. t. d.* **1.** Figurar ou representar de antemão (coisa futura): *A derrota de Hitler na Rússia prefigurou a derrocada do nazismo.* **2.** Figurar, imaginando; conjeturar, pressupor: *Analisando os dados recolhidos, alguns cientistas prefiguram a existência de vida em Marte. P.* **3.** Ser opinião (de alguém); parecer, antolhar-se, afigurar-se: *Prefigura-se-me que esta façanha é impossível.*

prefigurativo. [Do lat. *praefiguratu*, part. pass. de *praefigurare*, 'prefigurar', + *-ivo.*] *Adj.* Que prefigura.

pré-filosófico. [De *pré-* + *filosófico.*] *Adj.* Anterior aos primeiros filósofos, à existência da filosofia. [Pl.: *pré-filosóficos.*]

prefinir. [Do lat. *praefinire.*] *V. t. d.* Determinar com antecipação; predeterminar, preestabelecer, prefixar: *O juiz prefiniu o dia do julgamento.*

prefixação (cs). *S. f.* Ato ou efeito de prefixar.

prefixado (cs). [Part. de *prefixar.*] *Adj.* Prefixo (1).

prefixal (cs). *Adj. 2 g.* **1.** Referente a prefixo (3). **2.** Que funciona como prefixo (3).

prefixar (cs). [De *pre-* + *fixar.*] *V. t. d.* Fixar ou determinar antecipadamente; aprazar, prefinir: *prefixar uma data.* [Cf. *aprefixar.*]

prefixo (cs). [Do lat. *praefixu.*] *Adj.* **1.** Fixado ou determinado antes; prefixado. **2.** Preciso, exato: "Nada mais fácil em aritmética do que calcular desde já o prazo prefixo em que .... chegaremos fatalmente a ter de pagar tanto de juros quanto o que cobramos de receita." (Ramalho Ortigão, *As Farpas*, IV, p. 170.) ● *S. m.* **3.** *Gram.* Sílaba(s) que antecede(m) a raiz de uma palavra, modificando-lhe o significado e formando palavra nova. **4.** *Bras.* Conjunto de letras e/ou números com que se identificam estações de rádio, aeronaves, embarcações, localização de telefones, etc. **5.** *Bras.* Frase ou trecho musical, ou ruído, empregado como característica de programa de rádio ou de televisão, e que sempre se faz ouvir no início e/ou no fim do programa.

prefloração. [De *pre-* + *floração.*] *S. f. Morfol. Veg.* Disposição de sépalas e pétalas no botão. [Cf. *prefoliação.*]

prefoliação. [De *pre-* + *foliação.*] *S. f. Morfol. Veg.* Disposição das folhas jovens na gema terminal do caule; vernação. [Cf. *prefloração.*]

pré-formado. [Part. de *pré-formar.*] *Adj.* Formado previamente, de antemão. [Pl.: *pré-formados.*]

pré-formar. [De *pré-* + *formar.*] *V. t. d.* Formar de antemão, com antecedência.

pré-frontal. [De *pré-* + *frontal.*] *Adj. 2 g.* ~ V. *lobotomia* —.

prefulgente. [Do lat. *praefulgente.*] *Adj. 2 g.* Que prefulge.

prefulgir. [Do lat. *praefulgere.*] *V. int.* **1.** Fulgir ou brilhar muito; resplandecer, rebrilhar, refulgir: "E prefulge, aos meus olhos, abrasados, / Apaixonada, incendiando os prados, / A amada de Salomão" (Martins Fontes, *Verão*, p. 55). **2.** Brilhar ou luzir primeiro. [Defect. Conjug.: v. *fulgir.*]

prega. [Do lat. *plica.*] *S. f.* **1.** Parte de tecido ou outro material propositalmente dobrada sobre si mesma, e que serve para dar maior folga ao mesmo ou para ornamentá-lo: *as pregas de uma saia; Fez pregas no papel para imitar um leque.* [Cf. *macho* (5).] **2.** Carquilha defeituosa, ou dobra casual, de um estofo. **3.** Ruga, gelha, carquilha. **4.** Depressão de terreno. **5.** *Anat.* Cada uma das rugas formadas pela pele ao nível das articulações. **6.** *Anat.* Cada uma das rugas do ânus. ♦ **Prega do cotovelo.** *Anat.* Conjunto de partes moles que se dispõe adiante da face anterior da articulação de cada braço com o antebraço.

pregação. [De *pregar*[3] + *-ção.*] *S. f.* **1.** V. *sermão* (1). **2.** *Fam.* Ralho, repreensão. **3.** Discurso maçante.

pregada. [De *prego* + *-ada*[1].] *S. f.* **1.** *Bras., N.E. Pop.* Ferimento com instrumento perfurante; ferrada. **2.** *Bras. Gír.* V. *pancada* (3).

pregadeira. [De *pregar*[1] + *-deira.*] *S. f.* Pequena almofada em que se pregam agulhas, alfinetes, etc., para não se perderem ou não se enferrujarem.

pregado. [Part. de *pregar*[1].] *Adj.* **1.** Fixado com prego. **2.** *Bras.* Esfalfado, extenuado. **3.** *Bras., N.E. Pop.* V. *embriagado* (1).

pregador[1] (ô). [De *pregar*[3] + *-(d)or.*] *S. m.* **1.** Aquele que faz pregações; orador sacro. **2.** *Fam.* Aquele que ralha ou admoesta.

pregador[2] (ô). [De *pregar*[1] + *-(d)or.*] *Adj.* e *s. m.* **1.** Que ou aquele ou aquilo que segura ou fixa, com ou à maneira de prego. **2.** *P. ext.* Que ou aquilo que abotoa, prende, etc.; prendedor. **3.** *Bras., S. Gír.* V. *mentiroso* (1 e 4).

pregadura. [De *pregar* + *-(d)ura.*] *S. f.* **1.** Série de pregos para segurar ou adornar. **2.** Pregaria (2).

pregagem. *S. f.* Ato ou efeito de pregar[1].

pregalhas. [De *pregar*[3] + o pl. de *-alha.*] *S. f. pl. Ant.* Súplicas, rogos, preces.

pregalho. *S. m. Ant.* Var. de *perigalho* (1) [q. v.].

pregão. [Do lat. *praecone.*] *S. m.* **1.** Ato de apregoar. **2.** Divulgação, reclamo, preconício. **3.** Proclamação pública. **4.** Ato pelo qual os porteiros dos auditórios, os corretores de bolsas ou os leiloeiros apregoam a coisa que vai ser vendida e os lanços já oferecidos. [Sin., p. us.: *bando.*] **5.** Voz ou pequena melodia, de ritmo livre, bastante próxima do recitativo musical, e com a qual os vendedores ambulantes anunciam suas mercadorias: "Minha rua está cheia de pregões. / Parece que estou vendo com os ouvidos: / 'Couves! Abacaxis! Caquis! Melões!' " (Mário Quintana, *A Rua dos Cata-Ventos*, p. 26). ~ V. *pregões.*

pregar[1]. [De *prego* + *-ar*[2].] *V. t. d.* **1.** Pôr pregos em; fixar ou segurar com pregos: *pregar uma ripa de madeira.* **2.** Introduzir à força (prego ou objeto pontiagudo); cravar: *pregar um prego, um percevejo.* **3.** Unir, cosendo: *A costureira pregou o bolso da camisa.* **4.** *P. ext.* Unir, juntar, ligar: *Usou cola para pregar a xícara partida. T. d.* e *i.* **5.** Dirigir fixamente; fixar, cravar, fitar: *O menino, envergonhado, pregou os olhos no chão.* **6.** Aplicar, assentar, com violência; pespegar, impingir: *Provocado, pregou um murro no agressor.* **7.** Produzir, causar, originar: *Máscaras carnavalescas já não pregam susto às crianças.* **8.** Fazer ou tentar fazer acreditar, iludindo; impingir: *O fanfarrão gosta de pregar mentiras nos incautos. Bit. ind.* **9.** Fazer cair; arremessar: *O lutador pregou com o adversário no tablado.* **10.** Levar, conduzir, arrastar: *A mãe pregou com a criança no quintal. Int.* **11.** *Bras.* Interromper qualquer tarefa por cansaço; dar o prego; ficar exausto; esfalfar-se, extenuar-se: *O corredor pregou após alguns minutos.* **12.** *Bras.* Dar o prego; deixar de andar; emperrar, empacar: *O automóvel pregou.* **13.** *Bras.* Contar mentiras; mentir: *Criança educada não prega.* **14.** *Bras., N.E.* Embebedar-se, embriagar-se. *P.* **15.** Conservar-se por muito tempo: *O universitário pregа-se nos estudos.* **16.** Penetrar, fincar-se, cravar-se: *A seta pregou-se no alvo.* [Conjug.: v. *regar.*]

pregar[2]. [Do lat. *plicare.*] *V. t. d.* Preguear[1]. [Conjug.: v. *regar.*]

pregar[3]. [Do lat. *praedicare.*] *V. int.* **1.** Pronunciar sermões: *Recém-ordenado, gosta de pregar nas missas dominicais.* **2.** Propagar o cristianismo; evangelizar infiéis; missionar, apostolar: *Os jesuítas, originariamente, propunham-se a pregar. T. d.* **3.** Pronunciar, dizer (prédica ou sermão): "O padre Vasco / Pregou sermão / Contra a notória / Devassidão" (Conde de Monsaraz, *Musa Alentejana*, p. 197). **4.** Desenvolver (um assunto) em sermão. **5.** Aplicar, dirigir, passar: *Ranzinza, prega repreensão a torto e a direito.* **6.** Propagar, difundir (uma doutrina): *Missionários abnegados pregam o cristianismo.* **7.** Louvar, exaltar, preconizar: *Pregar a virtude, ele, o grande viciado.* **8.** Recomendar, aconselhar, preconizar: *Os bons médicos pregam a medicina preventiva.* **9.** Fazer alarde de; alardear, arrotar: *Passado o perigo, o covarde prega valentia.* **10.** Afirmar ou sustentar com ênfase; proclamar: "Os ascetas começaram a pregar a inutilidade dos esforços humanos" (Olavo Bilac, *Crítica e Fantasia*, p. 138). *T. d.* e *i.* **11.** Anunciar, ensinar, sob forma de doutrina: *A Companhia de Jesus pregou o cristianismo aos indígenas brasileiros.* **12.** Indicar, recomendar, aconselhar: *O confessor pregou penitência ao pecador;* "os venezianos recorreram ao Papa para que pregasse à cristandade uma nova cruzada" (Latino Coelho, *Cervantes*, p. 41). **13.** Incutir, insinuar, infundir: *Os políticos astutos tentam pregar suas idéias às pessoas desprevenidas.* **14.** Aplicar, dirigir, passar: *O filho andou mal, e o pai pregou-lhe um sermão. T. i.* **15.** Ensinar a religião: *Os carmelitas também pregaram aos índios.* **16.** Bradar, clamar, vociferar: *Os conservadores pregam contra as novas idéias.* [Conjug.: v. *regar.*]

pregareta (ê). [De *pregar*[3].] *S. f.* Freira dominicana.

pregaria. *S. f.* **1.** Porção de pregos. **2.** Pregos ou tachas para adorno de móveis; pregadura: "Cadeiras de espaldar com fulvas pregarias" (Gonçalves Crespo, *Obras Completas*, p. 264). **3.** Fábrica de pregos.

pré-glacial. [De *pré-* + *glacial.*] *Adj. 2 g. Geol.* Diz-se da época antecedente a um período de glaciação. [Pl.: *pré-glaciais.*]

pregnância. [Do ingl. *pregnance.*] *S. f.* Qualidade que tem uma forma de impregnar o espírito do indivíduo e de ser por ele percebida no processo de grupação de elementos; a força da forma.

pregnante. [Do ingl. *pregnant.*] *Adj. 2 g.* Diz-se da forma que apresenta o maior grau de pregnância na percepção de um conjunto de elementos.

prego. [Do esp. *priego.*] *S. m.* **1.** Haste de metal, pontiaguda de um lado e com cabeça de outro, destinada a cravar-se em um ponto ou objeto que se quer segurar ou fixar. **2.** Cravo (1 e 2). **3.** *Ant.* Alfinete longo, com cabeça grande, para segurar e/ou enfeitar chapéus de senhoras. **4.** *Pop.* V. *casa de penhor.* **5.** *Bras.* V. *mentira* (1). **6.** *Bras.* V. *bebedeira* (1). **7.** *Bras.* Cansaço, fadiga, **8.** *Bras. Pop.* V. *cachaça* (1). **9.** *Bras. Gír.* Indivíduo tolo, fácil de ser enganado; otário. **10.** *Bras., BA.* Indivíduo de cor preta; preto, negro. ♦ **Prego caibral.** Grande prego com que se fixam caibros ou madeira grossa; prego de caverna. **Prego de caverna.** *Bras.* Prego caibral. **Prego estopar.** Certo prego de cabeça larga e pé curto. **Prego trabal.** Prego usado para pregar traves. **Bater o prego.** V. *morrer* (1): "— Renival bebia cachaça ordinária, enquanto eu só bebo da boa. A pança dele foi crescendo, estourou, batendo o prego com a danada da hidropisia" (Fernando Ramos, *Os Enforcados*. p. 174). **Dar o prego.** *Bras.* **1.** Ficar exausto **2.** Deixar de andar; pregar. **3.** Considerar-se vencido; entregar-se. [Cf. *dar os pregos.*] **Dar os pregos.** *Bras., S.* **1.** Enfurecer-se, irritar-se, zangar-se. **2.** Ficar desapontado. [Cf. *dar o prego.*] **Ir no prego.** *Bras., N.E.* Ir atrasado, fora do horário. **Não botar prego sem estopa.** Não meter prego sem estopa. **Não meter prego sem estopa.** Não fazer obséquio ou benefício sem visar a alguma vantagem; não botar prego sem estopa.

pregoamento. *S. m.* Ato de pregoar.

pregoar. [Do lat. **praeconare*, por *praeconari.*] *V. t. d., transobj.* e *int.* V. *apregoar:* "andavam pelas ruas a pregoar cabazes de morangos" (Aquilino Ribeiro, *Maria Benigna*, p. 35); *O governo pregoou campeões os atletas.* [Conjug.: v. *coroar.*]

prego-cachorro. *S. m. Bras.* Prego (1) com que se prendem os trilhos aos dormentes. [Pl.: *pregos-cachorros* e *pregos-cachorro.*]

prego-doirado. *S. m. Bras. CE. Pop.* Var. de *prego-dourado.* [Pl.: *pregos-doirados.*]

prego-dourado. *S. m. Bras., CE. Pop.* Menino louro. [Var.: *prego-doirado.* Pl.: *pregos-dourados.*]

pregoeiro. *S. m.* Aquele que pregoa ou lança pregão; leiloeiro.

pregões. [Pl. de *pregão.*] *S. m. pl.* Proclamas de casamento. ~ V. *pregão.*

pregostar. [De *pre-* + *gostar.*] *V. t. d.* V. *antegozar:* "Ao comprido, no largo leito de talha, pregostava eu as delícias de uma noitada de cansaço, nesses indefinidos momentos, de meia vida, que precedem o sono." (Rodrigo Otávio, *Contos de ontem e de hoje*, p. 22.) [Cf. *pregustar.*]

pré-gravado. [De *pré-* + *gravado*[1].] *Adj. Rád.* e *Telev.* Gravado de antemão; de que se fez gravação[1] (2) antecipada. [Pl.: *pré-gravados.*]

pregresso. [Do lat. *praegressu.*] *Adj.* **1.** Decorrido anteriormente: *Nada sei de sua vida pregressa;* "É este, na melhor das hipóteses, o nosso sumário, não já da história pregressa de um país que, falando a nossa língua, se separou de nós, mas de uma parte integrante do nosso território até quase ao fim do primeiro quartel do século passado" (Vitorino Nemésio, *O Segredo de Ouro Preto*, p. 71). **2.** *Med.* Sucedido primeiro (falando-se em especial da história patológica da família do doente). [Cf. *progresso.*]

preguari. [Do tupi.] *S. m. Bras.* Molusco gastrópode, da família dos estrombídeos (*Strombus pugilis* L.), do Atlântico, desde a América do Norte até o S. do Brasil. Concha espiralada, variável, com 7 a 10 cm de comprimento, lábio cor de laranja ou vermelho. É espécie muito comum, e serve de abrigo aos bernardos-eremitas. [Var.: *praguari*.]

pregueadeira. [De *preguear* + *-deira*.] *S. f.* **1.** Instrumento de costura, para fazer pregas; pregueador.

pregueado. [Part. de *preguear*[1].] *Adj.* **1.** Em que se fizeram pregas; pregado. ● *S. m.* **2.** Coisa pregueada. [Cf. *franzido*.]

pregueador (ô). *S. m.* Pregueadeira.

preguear[1]. [De *prega* + *-ear*.] *V. t. d.* Fazer pregas em; pregar: *preguear uma saia;* "A mulher pregueou a cara num sorriso." (Fernando Namora, *Retalhos da Vida de um Médico*, p. 158). [Conjug.: v. *frear*. Cf. *franzir*.]

preguear[2]. [De *prego* + *-ear*.] *V. int. Bras.* Ficar exausto; dar o prego; esfalfar-se, pregar: *O atleta pregueou logo.* [Conjug.: v. *frear*.]

pregueiro. [De *prego* + *-eiro*.] *S. m.* e *adj.* Aquele ou diz-se daquele, que faz e/ou vende pregos.

preguiça. [Do lat. *pigritia*.] *S. f.* **1.** Aversão ao trabalho; negligência, indolência, mandriice. **2.** Morosidade, lentidão, pachorra, moleza. **3.** A corda dos guindastes. **4.** Pau a que estão pregadas as cangalhas da canoura. **5.** *Bras.* Designação comum aos mamíferos desdentados da família dos bradipodídeos, arborícolas, de pelagem muito densa e longa, membros muito desenvolvidos e cauda rudimentar, assim chamados pela notável lentidão de seus movimentos. Entre os seus pêlos vivem carrapatos e microlepidópteros ou traças. [Sin., nesta acepç.: *aí, aígue* e (PA e MG) *cabeluda*.] **6.** *Bras.* V. *urutau*.

preguiça-de-bentinho. *S. f. Bras.* Mamífero da ordem dos desdentados, da família dos bradipodídeos (*Bradypus tridactylus* L.), com cinco subespécies, distribuídas por todo o País. Tem três dedos, e a coloração é cinzenta com manchas mais claras, o macho com uma mancha avermelhada na nuca, atravessada por uma linha preta. Alimenta-se quase só de folhas de umbaúba. [Sin. (na Amaz.): *aí-mirim*. Pl.: *preguiças-de-bentinho*.]

preguiça-de-coleira. *S. f. Bras.* Mamífero desdentado, da família dos bradipodídeos (*Bradypus torquatus* (Ill.)), distribuído da BA ao RJ, de coloração bruno-pardacenta com uma faixa preta que cobre a espádua e a nuca. Alimenta-se exclusivamente de umbaúbas. [Sin.: *aipixuna*. Pl.: *preguiças-de-coleira*.]

preguiçar. *V. int.* Andar ou estar com preguiça; entregar-se à preguiça; fazer as coisas com preguiça; mandriar, madracear: "O inverno alegra o sertão farto: ele [o sertanejo] preguiça e modorra." (Gustavo Barroso, *Terra de Sol*, p. 177.) [Conjug.: v. *laçar*.]

preguiceira. [De *preguiça* + *-eira*.] *S. f.* **1.** V. *espreguiçadeira* (2). **2.** *Bras.* Planta da família das sapotáceas (*Barylucuma decussata*). ~ V. *preguiceiras*.

preguiceiras. [Pl. de *preguiceira*.] *S. f. pl.* Bola ou rolo em que se embebem as barbelas das agulhas de meia para não se enferrujarem. ~ V. *preguiceira*.

preguiceiro. *Adj.* **1.** V. *preguiçoso* (1). **2.** Que dá vontade de dormir. ● *S. m.* **3.** *Bras.* V. *espreguiçadeira* (1).

preguicento. *Adj.* e *s. m. Bras.* e *prov. lus.* V. *preguiçoso* (1 e 4): "apenas, de momento / a momento, voam machos, / num vôo incerto, preguicento." (Gilca da Costa Melo Machado, *Poesias*, pp. 152-153).

preguiçosa. [Fem. substantivado do adj. *preguiçoso*.] *S. f. Bras.* **1.** V. *espreguiçadeira* (2 e 3): "atravessou, lentamente, como um sonâmbulo, a sala de jantar, e foi estender-se em uma preguiçosa que ficava junto à janela." (Aluísio Azevedo, *Casa de Pensão*, p. 119). **2.** Abelha pequenina, que permite lhe tirem impunemente o mel.

preguiçoso (ô). *Adj.* **1.** Que tem preguiça; mandrião. [Sin.: *preguiceiro; preguicento* (bras. e prov. lus.); *encostado ao pé da imbaúba* (bras. N.E.).] **2.** Calmo, sereno. **3.** Que revela ou sugere preguiça; próprio de preguiçoso (1): *andar preguiçoso; movimentos preguiçosos.* ~V. *cadeira* —a. ● *S. m.* **4.** Indivíduo preguiçoso; madrião. [Sin. (bras. e prov. lus.): *preguicento*.]

preguilha. *S. f. Bras., SP.* Prega miúda; preguinha, pregazinha.

pregunta. *S. f. Lus.* e *pop.* Pergunta.

preguntador (ô). *Adj.* e *s. m. Lus.* e *pop.* Perguntador.

preguntante. *S. 2 g. Lus.* Perguntante.

preguntar. *V. t. d., t. d. e i., t. i., bit. i., int.* e *p. Lus* e *pop.* Perguntar.

pregustação. *S. f.* Ato de pregustar.

pregustar. [Do lat. *praegustare*.] *V. int.* **1.** Provar comida ou bebida: *A cozinheira pregusta a fim de experimentar o tempero.* **2.** Beber antes de outrem. [Cf. *pregostar*.]

pré-helênico. [De *pré-* + *helênico*.] *Adj.* Anterior aos helenos. [Pl: *pré-helênicos*.]

pré-história. [De *pré-* + *história*.] *S. f.* Período histórico que antecede o aparecimento da escrita e do uso dos metais, e que é reconstituído e estudado por meio da antropologia, da arqueologia, da paleontologia, etc. [Pl.: *pré-histórias*.]

pré-historiador. [De *pré-* + *historiador*.] *S. m.* Especialista em pré-história. [Pl.: *pré-historiadores*.]

pré-histórico. [De *pré-* + *histórico*.] *Adj.* **1.** Anterior ao aparecimento da escrita e ao uso dos metais; ante-histórico: *tempos pré-históricos*. **2.** Pertencente ou relativo à pré-história, ante-histórico. **3.** *P. ext. Irôn.* Muito antigo; antiquado, antediluviano: *Apareceu-me com um casaco pré-histórico.* [Pl.: *pré-históricos*.]

pré-humano. [De *pré-* + *humano*.] *Adj.* Anterior à existência do homem: "E agora de novo se trava, para assombro do primeiro Homem, ... o combate que foi a desolação dos pré-humanos dias da Terra." (Eça de Queirós, *Contos*, p. 178.) [Pl.: *pré-humanos*.]

preia. [Do lat. *praeda*.] *S. f.* V. *presa* (4): "A cobra .... abriu, escancarou uma boca enorme, começou a deglutir a preia" (Júlio Ribeiro, *A Carne*, p. 181).

preia-mar. *S. f. Lus.* V. *preamar*. [Pl.: *preia-mares*.]

pré-inaugural. [De *pré-* + *inaugural*.] *Adj. 2 g.* **1.** Diz-se do período que antecede uma inauguração. **2.** Diz-se do que ocorre nesse período. [Pl.: *pré-inaugurais*.]

pré-incaico. [De *pré-* + *incaico*.] *Adj.* Anterior aos incas, à sua civilização. [Pl.: *pré-incaicos*.]

pré-industrial. [De *pré-* + *industrial*.] *Adj. 2 g.* **1.** Diz-se da fase histórica que antecede o aparecimento da indústria (4 a 6). **2.** Diz-se do que ocorre nessa fase. [Pl.: *pré-industriais*.]

pré-islâmico. [De *pré-* + *islâmico*.] *Adj.* Anterior ao islamismo. [Pl.: *pré-islâmicos*.]

preitear. *V. t. d. e i.* Prestar ou render preito; preitejar: *A Nação preiteou ao herói a mais profunda reverência.* [Conjug.: v. *frear*.]

preitejar. *V. t. d. e i.* Preitear. [Conjug.: v. *pelejar*.]

preitesia. [Do esp. *pleitesia*.] *S. f. Ant.* V. *preito*. (3).

preito. [Do provenç. ant. *plait*.] *S. m.* **1.** Sujeição, dependência, vassalagem. **2.** Homenagem (2): "a boa donzela d'Orleães, guerreira e santa [Joana d'Arc], nunca poderia reunir e gozar pacificamente e simultaneamente o preito da Igreja e o preito da sociedade civil." (Eça de Queirós, *Cartas Familiares e Bilhetes de Paris*, p. 25). **3.** *Ant.* Pacto, ajuste, preitesia.

prejereba. [Talvez do tupi *pirá-* + *ye'reb*, 'volver-se'.] *S. f. Bras.* Peixe teleósteo, percomorfo, da família dos lobotídeos (*Lobotes surinamensis* (Bloch)), do Atlântico e doutros mares, de coloração cinzento-metálica com manchas apagadas esparsas pelo corpo. É peixe de profundidade e mede até 70 cm de comprimento. [Var.: *brejereba, frejereba, pirajeba;* sin.: *peixe-folha, peixe-sono, dorminhoco, piracá*.]

prejudicado. [Part. de *prejudicar*.] *Adj.* **1.** Que sofreu prejuízo; lesado. **2.** Danificado; inutilizado.

prejudicador (ô). *Adj.* e *s. m.* Que ou aquele que prejudica.

prejudicar. [Do lat. *praejudicare*.] *V. t. d.* **1.** Causar prejuízo ou dano a; lesar, danificar, molestar: *O álcool prejudica a saúde.* **2.** Causar transtorno a; transtornar, perturbar: *A tempestade prejudicou o desfile.* **3.** Diminuir o valor de; depreciar, rebaixar: *As preocupações intensas não prejudicam sua beleza.* **4.** Tornar sem efeito; anular: *A falta de provas prejudicou o processo. P.* **5.** Sofrer prejuízo: *Meteu-se em negócio arriscado, e prejudicou-se.* [Conjug.: v. *trancar*.]

prejudicial. [Do lat. *praejudiciale*.] *Adj. 2 g.* **1.** Que prejudica; nocivo lesivo, perdidoso. **2.** *Bras. Jur.* Diz-se da ação não patrimonial que tem em vista a defesa do estado civil da pessoa. ~ V. *julgamento* — e *questão* —. ● *S. f.* **3.** Questão prejudicial. ● *S. m.* **4.** Julgamento prejudicial.

prejuízo. [Do lat. *praejudiciu*.] *S. m.* **1.** Ato ou efeito de prejudicar; dano. **2.** Preconceito (2 e 3).

prejulgado. [Part. substantivado de *prejulgar*.] *S. m. Bras. Jur.* Pronunciamento prévio das câmaras reunidas dum tribunal de justiça, ou do órgão competente das justiças especiais, a respeito da interpretação de qualquer norma jurídica, caso se reconheça que sobre ela ocorre, ou poderá ocorrer, discrepância de interpretação entre as várias câmaras ou turmas julgadoras.

prejulgar. [De *pre-* + *julgar*.] *V. t. d.* **1.** Julgar antecipadamente; avaliar com antecipação: *Não quis prejulgar a vitória de nenhuma das partes.* **2.** Formar ou emitir juízo sobre (alguma coisa) sem exame prévio; conjeturar, presumir, supor. **3.** *Jur.* Interpretar (uma norma) em prejulgado. *Transobj.* **4.** Julgar ou considerar com antecipação: *O deputado prejulgou bom o projeto do Executivo.* [Conjug.: v. *largar*.]

pré-jurídico. [De *pré-* + *jurídico*.] *Adj.* **1.** Anterior à ação judicial. **2.** *Desus.* Que antecede o curso universitário de direito. [Pl.: *pré-jurídicos*.]

prelação. [Do lat. *praelatione*.] *S. m.* Direito de preferência que os filhos tinham a ser providos nos cargos dos pais. [Cf. *preleção*.]

prelacia. *S. f. Ant.* V. *prelazia*.

prelacial. [De *prelacia* + *-al*.] *Adj. 2 g.* Relativo a, ou próprio de prelado.

prelaciar. [De *prelacia* + *-ar*[2].] *V. int.* Exercer prelazia.

prelada. [Do lat. *praelata*, 'levada adiante'.] *S. f.* Superiora de convento.

preladia. [De *prelado* + *-ia*.] *S. f.* V. *prelazia*.

prelado. [Do lat. *praelatu*, 'levado adiante'.] *S. m.* Título honorífico de dignitário eclesiástico.

pré-lançamento. [De *pré-* + *lançamento*.] *S. m.* Lançamento (2) de projeto imobiliário, ou de filme, produto, etc., para certo número de pessoas, e que às vezes precede o lançamento comercial; lançamento antecipado. [Pl.: *pré-lançamentos*.]

prelatício. [Do lat. *praelatu*, 'prelado', + *ício*.] *Adj.* Respeitante a prelado ou a prelatura.

prelatura. [Do lat. *praelatu*, 'prelado', + *-ura*.] *S. f.* V. *prelazia*.

prelazia. [Do b.-lat. *praelatia*.] *S. f.* Cargo, dignidade ou jurisdição de prelado; prelatura, preladia.

preleção. [Do lat. *praelectione*.] *S. f.* **1.** Ato de prelecionar; lição. **2.** Discurso ou conferência didática; acroase. [Cf. *prelação*.]

prelecionador (ô). *S. m.* Aquele que preleciona; preletor, professor.

prelecionar. *V. t. d.* **1.** Dar preleção ou lição a; ensinar a: *Costuma prelecionar alunos particulares.* **2.** Dar lição sobre; ensinar, lecionar: *prelecionar geografia. Int.* **3.** Fazer preleções; dar lições ou aulas; ensinar, lecionar. **4.** Discursar em público; orar. *T. c.* **5.** Falar, discorrer, discursar: *Todos os oradores prelecionaram sobre o mesmo tema.*

prelegado. [Do lat. *praelegatu*.] *S. m.* Legado[1] (1) que deve ser entregue antes da partilha.

pré-leitura. [De *pré-* + *-leitura*.] *S. f.* Primeira leitura de um texto, muito rápida, para ligeira apreensão do assunto, seguida de outra leitura mais atenta. [Pl.: *pré-leituras*.]

preletor (ô). [Do lat. *praelectore*.] *S. m.* Aquele que preleciona; prelecionador, professor: "Do que o ministro não tem o mínimo direito é da rude supressão da palavra a preletores de literatura, de arte e de pedagogia." (Eça de Queirós, *Uma Campanha Alegre*, I, p. 109.)

preletorado. *S. m.* Cargo ou função de preletor.

pré-letrado. [De *pré-* + *letrado*.] *Adj.* e *s. m. Antrop.* Por influência norte-americana, diz-se de, ou cada um dos povos que ainda não desenvolveram ou adquiriram a arte de ler e escrever, i. é., os chamados *povos naturais* ou *povos primitivos*. [Pl.: *pré-letrados*.]

prelevamento. *S. m.* [De *pré-* + *levantamento*.] *S. m. Mús. Concr.* Toda ação que produz um som cujo efeito é gravado na fita magnética. [Pl.: *pré-levantamentos*.]

prelevantamento. *S. m.* Ação ou efeito de prelevar.

prelevar. [De um lat. * *praelevare*.] *V. int.* **1.** Distinguir-se, sobressair, sobrelevar-se, destacar-se: *Naquele governo prelevava a prosperidade do povo. T. d.* **2.** Desculpar, perdoar, relevar: *prelevar culpas*.

preliar. [Do lat. *proeliare*, 'combater, lutar'.] *V. int.* Lutar, combater, contender. [Pres. ind.: *prelio*, etc. Cf. *prélio*.]

prelibação. [Do lat. *praelibatione*.] *S. f.* Ato ou efeito dê prelibar.

prelibador (ô). *Adj.* e *s. m.* Que ou aquele que preliba.

prelibar. [Do lat. *praelibare*.] *V. t. d.* Libar ou gozar com antecipação; provar, antegostar, antegozar: *Prelibava, deliciado, as emoções do espetáculo;* "Hospedou-se em casa do capitão-mor, onde estava prelibando as delícias de feitorizar as quintas prometidas" (Camilo Castelo Branco, *A Enjeitada*, p. 114).

preliminar. [Do fr. *préliminaire*.] *Adj. 2 g.* **1.** Que antecede fato, assunto ou empreendimento principal; prévio, preambular: *reunião preliminar*. **2.** *Obsol.* Primário (3): *curso preliminar.* ~V. *folhas* — es. ● *S. m.* **3.** Relatório que antecede uma lei ou decreto; preâmbulo. **4.** V. *prefácio* (1). ● *S. f.* **5.** Condição prévia. **6.** *Bras.* Partida, especialmente de futebol, que antecede a competição principal. ~ V. *preliminares*.

preliminares. [Pl. de *preliminar*.] *S. f. pl. Bibliogr.* V. *folhas preliminares.* ~ V. *preliminar*.

preliminarista. *S. 2 g. Bras., S. Desus.* Aluno de curso preliminar.

prélio. [Do lat. *proeliu.*] *S. m.* Luta, batalha, peleja, combate: "São rudos, severos, sedentos de glória, / Já prélios incitam, já cantam vitória" (Gonçalves Dias, *Obras Poéticas*, II, p. 18). [Cf. *Prelio*, do v. *preliar.*]

prelista. *S. 2 g. Tip.* **1.** Impressor que trabalha em prelo. [Cf. *minervista.*] **2.** Tirador de provas.

prelo. [Do lat. *prelu*, 'o que espreme'.] *S. m.* **1.** *Tip.* V. *prelo manual*: "Uma tipografia modesta, de um só prelo bastava, ... facilitaria esta sementeira de indústria e civilização." (Antônio Feliciano de Castilho, *Amor e Melancolia*, p. 342.) **2.** *Art. Gráf.* V. *prensa* (2). **3.** *Art. Gráf.* V. *prelo de provas.* ♦ **Prelo de provas.** Aparelho constituído de mármore e rolo movido a mão, e usado para tirar provas tipográficas, litográficas, etc.; tirador de provas, tira-provas. [Tb. se diz apenas *prelo.*] **Prelo manual.** Antiga prensa de imprimir de madeira, dotada de berço e de carro móvel, com tímpano e frasqueta, e que constituiu aperfeiçoamento do tórculo imitado da prensa de lagar. [Tb. se diz apenas *prelo.*] **No prelo.** Diz-se de livro que está para ser publicado.

pré-lógica. [De *pré-lógica.*] *S. f.* Sistema de noções lógicas e pseudológicas que determina a mentalidade dos povos primitivos. [Pl.: *pré-lógicas.*]

pré-lombar. [De *pré-* + *lombar.*] *Adj. 2 g. Anat. Desus.* Situado adiante da região lombar. [Pl.: *pré-lombares.*]

prelóquio. [Do lat. *praeloquiu.*] *S. m. Desus.* Exórdio, preâmbulo. [Cf. *prolóquio.*]

prelucidação. [De *pre-* + *elucidação*, com crase.] *S. f.* Elucidação preliminar; esclarecimento prévio.

prelúcio. [Do lat. *praelucidu.*] *Adj.* Muito lúcido.

preludiar. *V. t. d.* **1.** Fazer prelúdio ou iniciação a; começar, iniciar, estrear, inaugurar: "E, vendo o piano, quis logo experimentá-lo preludiando com intenção a *Marcha Nupcial* de Mendelssohn." (Coelho Neto, *Obra Seleta*, I, p. 269.) **2.** Escrever o prelúdio ou prefácio de; prefaciar, preambular. **3.** Preparar com antecedência, prenunciar: *Na Grécia antiga a especulação naturalista precedeu e preludiou o pensamento lógico.* **4.** Preceder como prelúdio; executar como prelúdio: "Os tocadores de violão preludiam chulas e toadas" (Melo Morais Filho, *Festas e Tradições Populares do Brasil*, p. 61). *Int.* **5.** Ensaiar a voz ou um instrumento antes de começar a cantar ou a tocar: *A violinista passou horas preludiando, preparando-se para o concerto.* **6.** Tocar um prelúdio: *A garota preludia divinamente.* [Pres. ind.: *preludio*, etc. Cf. *prelúdio.*]

prelúdio. [Do fr. *prélude.*] *S. m.* **1.** Ato ou exercício prévio; primeiros passos; iniciação: *os prelúdios de uma campanha, de uma negociação.* **2.** Aquilo que precede ou anuncia alguma coisa; prenúncio: *As invenções e descobertas do séc. XV foram os prelúdios de grandes transformações históricas.* **3.** V. *prefácio* (1). **4.** Ensaio da voz ou de intrumento antes de cantar ou tocar. **5.** *Mús.* Introdução instrumental ou orquestral de uma obra musical (ópera, fuga, suíte, etc); preâmbulo. **6.** *Mús.* Composição livre, de caráter imaginativo e sugestivo, e que se aproxima, às vezes, do improviso (3): *prelúdios de Chopin; prelúdios de Debussy.* [Cf. *preludio*, do v. *preludiar.*]

preluzir. [Do lat. *praelucere.*] *V. int.* **1.** Brilhar muito; resplandecer, prefulgir: "E, na fronde celeste, as flores fabulosas / E os frutos zodiacais, por entre as nebulosas, / Despontam aos milhões, preluzindo pelo ar" (Martins Fontes, *Verão*, p. 44). **2.** *Fig.* Realçar, destacar-se, distinguir-se, sobressair: *Preluzem a técnica e a arte do futebol brasileiro.* [Normalmente é unipes. Conjug.: v. *aduzir.*]

prema. [Dev. de *premar.*] *S. f. Ant.* Ato ou efeito de premar; peia; opressão.

premar. [De *premer.*] *V. t. d. Ant.* Afligir, vexar; violentar, oprimir.

pré-marital. [De *pré-* + *marital.*] *Adj. 2 g.* Anterior ao estado de marido, ao casamento. [Pl.: *pré-maritais.*]

pré-matrícula. [De *pré-* + *matrícula.*] *S. f.* Matrícula feita previamente, para assegurar o direito à definitiva. [Pl.: *pré-matrículas.*]

prematuração. *S. f.* V. *prematuridade.*

prematurar. [De *prematuro* + *-ar*[2].] *V. t. d. Bras.* Realizar antes do tempo, prematuramente; antecipar.

prematuridade. *S. f.* Qualidade de prematuro; precocidade, prematuração.

prematuro. [Do lat. *praematuru.*] *Adj.* **1.** Que amadureceu antes do tempo: *fruta prematura.* **2.** Que se manifesta ou sucede antes do tempo; precoce: *aptidão prematura; desgaste prematuro.* **3.** Que ocorre fora do tempo; temporão: *colheita prematura.* **4.** Que nasceu antes do termo normal da gestação: *bebê prematuro.* ~ V. *órbita —a e parto —.* ● *S. m.* **5.** Feto nascido antes do período normal da gestação (em geral, entre o sexto e o oitavo mês).

pré-maxilar. [De *pré-* + *maxilar.*] *S. m. Zool.* Osso par, de membrana, da cabeça dos vertebrados, que forma a parte anterior da maxila superior. [Pl.: *pré-maxilares.*]

premedeira. [De *premer* + *-deira.*] *S. f.* Pedal de tear.

pré-medicação. [De *pré-* + *medicação.*] *S. f. Anest.* Medicação dada previamente à entrada de paciente em sala de operações. [O t. correto seria medicação pré-anestésica. Pl.: *pré-medicações.*]

pré-médico. [De *pré-* + *médico.*] *Adj.* **1.** Anterior ao tratamento médico. **2.** *Desus.* Precedente ao curso universitário de medicina. [Pl.: *pré-médicos.*]

premeditação. [Do lat. *praemeditatione.*] *S. f.* Ato ou efeito de premeditar.

premeditado. [Part. de *premeditar.*] *Adj.* Que se premeditou: *crime premeditado; mentiras premeditadas.*

premeditar. [Do lat. **praemeditare*, por *praemeditari.*] *V. t. d.* Resolver com antecipação e refletidamente; planejar: *premeditar um crime.*

premência. *S. f. Bras.* Qualidade de premente; urgência.

pré-menstrual. [De *pré-* + *menstrual.*] *Adj. 2 g.* Que ocorre antes do mênstruo. ~ V. *tensão —.* [Pl.: *pré-menstruais.*]

premente. [Do lat. *premente.*] *Adj. 2 g.* **1.** Que faz pressão; que comprime: *pedal premente.* **2.** Que não permite demora; urgente: *assunto premente*; "Gracinda valeu-se da grande, confessada amizade de Ortulano pelo marido para dar remédio às suas dificuldades mais prementes." (Joaquim Paço d'Arcos, *Carnaval e Outros Contos*, p. 170). ~ V. *bomba —.*

premer. [Do lat. *premere.*] *V. t. d.* **1.** Fazer pressão em; calcar, apertar, comprimir: *O assassino premeu calmamente o gatilho;* "Adorava a macieza tépida, perfumosa, da pele nua de Lenita: mas, refinado em lubricidade, gostava de lhe premer as mãos quando calçadas de luvas de pelica ou de *peau de Suède*" (Júlio Ribeiro, *A Carne*, p. 225). **2.** Apertar para extrair o sumo; espremer: *premer limões.* **3.** Tornar estreito ou apertado; apertar, estreitar: *As montanhas premem um pequeno vale. P.* **4.** Comprimir-se, apertar-se. [Var.: *premir.*]

pré-metrô. [De *pré-* + *metrô.*] *S. m.* Sistema de transporte urbano ou suburbano suscetível de transformar-se, sem maiores dificuldades, em metrô [q. v.] quando o desenvolvimento das áreas servidas o justificar. [Pl.: *pré-metrôs.*]

premiação. *S. f.* Ato ou efeito de premiar.

premiado. [Part. de *premiar.*] *Adj.* **1.** Que alcançou um prêmio. **2.** Diz-se dos bilhetes de loteria ou de rifa aos quais correspondem prêmios, em dinheiro ou em objetos de maior ou menor valor, tirados à sorte. ● *S. m.* **3.** Aquele que alcançou prêmio.

premiador (ô). *Adj.* e *s. m.* Que ou aquele que dá prêmio, que recompensa, que galardoa.

premiar. [De *prêmio* + *-ar*[2].] *V. t. d.* **1.** Dar prêmio ou galardão a; laurear, galardoar: *O exército premiou os heróis.* **2.** Pagar, recompensar; remunerar: *premiar serviços.* [Pres. ind.: *premio, premias, premia*, etc. Cf. *prêmio.*]

premiê. *S. m.* V. *premier.*

➧**premier** (premiê). [Fr.] *S. m.* Primeiro-ministro.

➧**première** (premiér'). [Fr.] V. *estréia* (5).

pré-militar. [De *pré-* + *militar.*] *Adj. 2 g.* Anterior ao ensino ou ao serviço militar. [Pl.: *pré-militares.*]

prêmio. [Do lat. *praemiu.*] *S. m.* **1.** Bem material ou moral recebido por um serviço prestado, por um trabalho executado, ou por méritos especiais; recompensa, galardão: *obter um prêmio; merecer um prêmio.* **2.** Recompensa conferida a quem se distingue em competição, jogo ou concurso: *Diversos escritores concorreram ao prêmio Machado de Assis; Ganhou um bonito prêmio no bingo.* **3.** Recompensa dada a alunos que se distinguem: *prêmio de aproveitamento escolar.* **4.** *Bras.* Juros, lucros. **5.** *Jur.* Pagamento feito pelo segurado em favor da companhia seguradora, e graças à qual adquire ele o direito a uma indenização previamente combinada. **6.** *Com.* Ágio exigido pelos subscritores de ações, por ocasião do aumento de capital das sociedades anônimas. **7.** *Com.* Diferença entre a taxa de emissão de debêntures e o preço do reembolso. **8.** *Fin.* Excesso encontrado no cotejo do valor nominal dum título com o valor real das moedas de metais diversos. [Cf. *premio*, do v. *premiar.*] ♦ **Prêmio de consolação.** Compensação dada a alguém merecedor de prêmio ou outra distinção que não chegou a beneficiá-lo. **Grande prêmio.** *Turfe.* Qualquer dos páreos principais disputados anualmente nos hipódromos, com dotações especiais aos vencedores.

premir. [Do lat. *premere.*] *V. t. d.* e *p.* Var. de *premer:* "Como o sol batia de chapa, os trabalhadores faziam teto com as mãos em arco, à altura das sobrancelhas, abrindo a boca e premindo as pálpebras" (Fialho d'Almeida, *Contos*, p. 143); "Uns ladrões premiram-se contra o portão, escoando-se pela brecha que os machados abriram" (Camilo Castelo Branco, *O Judeu*, II, p. 257).

premissa. [Do lat. *praemissa*, 'a que é mandada primeiramente', part. pass. fem. de *praemittere.*] *S. f.* **1.** *Filos.* Cada uma das duas primeiras proposições de um silogismo [q. v.], que servem de base à conclusão. **2.** *P. ext.* Fato ou princípio que serve de base a um raciocínio: *Você parte de uma premissa falsa;* "De tais premissas psicológicas, Matias Aires deduz logicamente a conclusão ética de que algo de vicioso é sempre inerente à virtude, algo de injusto à justiça, e vice-versa." (Antônio José Saraiva e Óscar Lopes, *História da Literatura Portuguesa*, p. 598). ♦ **Premissa maior.** A que encerra o termo maior, i. e., o predicado da conclusão. **Premissa menor.** A que encerra o termo menor, i. e., o sujeito da conclusão.

pré-misturado. [De *pré-* + *misturado.*] *Adj.* Misturado de antemão. [Pl.: *pré-misturados.*]

premoção. [Do lat. *praemotione.*] *S. f. Teol.* Ação divina que influi na vontade das criaturas. [Cf. *promoção.*]

pré-molar. [De *pré-* + *molar*[1].] *Adj.* e *s. m.* V. *dente* (1). [Pl.: *pré-molares.*]

pré-moldado. [De *pré-* + *moldado.*] *Adj.* Que foi previamente vazado em molde, para utilização posterior. ~ V. *concreto —.* ● *S. m.* **2.** Bloco de concreto pré-moldado: *Utilizam-se pré-moldados em certos logradouros para orientar o trânsito.* Pl.: *pré-moldados.*]

premonição. [Do lat. *praemonitione.*] *S. f.* **1.** Sensação ou advertência antecipada do que vai acontecer; pressentimento: "um gatinho de pouca idade, ainda vivo, com os olhos já embaciados pela premonição da morte" (Fernanda Botelho, *Lourenço É Nome de Jogral*, p. 75). **2.** Circunstância ou fato que deve ser tomado como aviso; presságio: "Que espécie de peçonhas estranhas podia o selvagem ter trazido do país misterioso como premonição das sinistras almas civilizadas?!" (Aquilino Ribeiro, *Portugueses das Sete Partidas*, p. 57.) [Cf. *premunição.*]

premonitório. [Do lat. *praemonitoriu.*] *Adj.* **1.** Em que há premonição: *sonho premonitório.* **2.** Que adverte, ou como que adverte com antecipação; que se deve tomar como aviso: *sintoma premonitório.*

premonstratense. [Do lat. *Praemonstratum* (em fr., *Prémontré*), nome que S. Norberto deu ao lugar de seu primeiro recolhimento, + *-ense.*] *Adj.* **1.** Diz-se da ordem de cônegos regulares fundada na França no séc. XII, ou de frade dessa ordem. ● *S. m.* **2.** Cônego premonstratense.

premorso. [Do lat. *praemorsu.*] *Adj.* ~ V. *folha —a.*

pré-mosaico. [De *pré-* + *mosaico.*] *Adj.* Anterior a Moisés [v. *mosaico*[2]], ou à sua época: "esta [a palavra latina Pascha] .... surge do vocábulo *pesach*, que indicava, na época pré-mosaica, a festa da primavera dos pastores nômades." (Maria Julieta Drummond de Andrade, *O Valor da Vida*, p. 61). [Pl.: *pré-mosaicos.*]

premunição. *S. f.* **1.** Ato ou efeito de premunir. **2.** Estado especial de imunidade ou resistência a uma infecção. [Cf. *premonição.*]

premunir. [Do lat. *praemunire.*] *V. t. d.* **1.** Evitar com antecipação; precaver, prevenir: *O planejamento visa a premunir acidentes. T. d. e i.* **2.** Acautelar; prevenir, precaver, precatar: "Intenta o cômico mordaz [Aristófanes] .... premunir os seus concidadãos contra os novos educadores" (Latino Coelho, *A Oração da Coroa*, p. CCXV). **3.** Munir, prover, guarnecer, com antecipação: *Os comandantes premuniram a tropa de boas armas. P.* **4.** Preparar-se, apetrechar-se; armar-se, precaver-se, prevenir-se: *Os cristãos devem premunir-se contra o pecado.*

premunitivo. [Do lat. *praemunitu*, part. pass. de *praemunire*, 'premunir', + *-ivo.*] *Adj.* Que tem ação profilática.

pré-natal. [De *pré-* + *natal.*] *Adj. 2 g.* **1.** Anterior ao nascimento da criança: *período pré-natal.* **2.** Relativo a esse período, ou que se realiza nele: *tratamento pré-natal.* [Pl.: *pré-natais.*]

prenda. [Do lat. *pignera*, 'penhor', pelo arc. *pindra*, *pendra*, com metátese.] *S. f.* **1.** Objeto oferecido a alguém; dádiva, presente. **2.** Predicado, qualidade, dote: *Tem muitas prendas naturais.* **3.** Habilidade, aptidão: *É moça de várias prendas artísticas.* **4.**

Objeto que, nos *jogos de prendas* [q. v.], é entregue por quem perde ou se engana, para identificar o perdedor no momento da aplicação das penalidades. **5.** Objeto que é dado como prêmio em certos jogos ou competições. **6.** *Fam.* e *irôn.* Pessoa má. **7.** *Bras., RS.* V. *jóia* (1). ~ V. *prendas.* ♦ **Prendas domésticas.** Designação oficial da atividade das mulheres que, não exercendo profissão remunerada, se ocupam do lar.

prendado. [Part. de *prendar.*] *Adj.* Que possui prendas ou qualidade apreciáveis.

prendar. [Do lat. **pignorare*, por *pignorari*, atr. do arc. *pindrar, pendrar*, com metátese.] *V. t. d.* **1.** Dar prendas a; presentear, brindar: *A direção da escola prendou os primeiros alunos. T. d. e i.* **2.** Tornar hábil ou destro; dotar.

prendas. [De *prender.*] *S. f. pl. Bras., N.E.* As duas peças de madeira que, introduzidas nas duas forquetas que formam as cangalhas, as prendem entre si. [Var.: *pendas.*] ~ V. *prenda.*

prendedor (ô). *Adj.* **1.** Que prende. ● *S. m.* **2.** Aquilo ou aquele que prende ou segura; pregador: *prendedor de cabelo.*

prender. [Do lat. *prehendere.*] *V. t. d.* **1.** Tornar unido (o que estava separado); ligar, atar, unir: *Usou cola para prender os pedaços do prato.* **2.** Obstar, embaraçar, estorvar, tolher: *O terno apertado prendia os movimentos do rapaz.* **3.** Pregar em algum lugar; fixar, segurar: *Tomou dos pregos para prender a prateleira.* **4.** Privar da liberdade; capturar, encarcerar: *A polícia prendeu os marginais.* **5.** Atrair, cativar, encantar, seduzir, fascinar: *Seus verdes olhos prendem corações.* **6.** Subornar, peitar: *Os contraventores prendem, às vezes, autoridades corruptas.* **7.** Pescar com rede; apanhar: *prender peixes. T. d. e i.* **8.** Atar, ligar, amarrar: *Chegando à cidade, prendeu o burro a um poste.* **9.** Estabelecer encadeamento, conexão, de; encadear, vincular: *Ao falar, procurava prender uma idéia central às demais.* **10.** Ligar, moral ou afetivamente; vincular: *A tradição familiar o prendia aos parentes;* "As cartas enviadas da Inglaterra documentam a mudança dos sentimentos que prendiam o poeta à sua musa de outros tempos." (Melo Nóbrega, *O Soneto de Arvers*, p. 63). *T. i.* **11.** Criar raízes; fixar-se, arraigar-se: *O pinheiro prendeu no solo; O amor prende nos corações.* **12.** Encontrar obstáculo; pegar, emperrar: *O automóvel não desliza, e sim prende na lama.* **13.** Comunicar, ligar: *A ponte prende com a terra.* **14.** Ter relação; relacionar-se, prender-se: *O progresso material do país prende com a expansão da cultura. P.* **15.** Ficar seguro, preso; segurar-se, agarrar-se: *A camisa prendeu-se num prego e rasgou-se.* **16.** Sentir embaraços; embaraçar-se, complicar-se: *Inexperiente, prendeu-se com problemas tolos.* **17.** Contrair matrimônio; casar(-se), amarrar-se: *Afirma que não se prenderá antes dos 30 anos.* **18.** Ter comunicação ou relação; ligar-se, relacionar-se; prender-se: *Suas atitudes se prendem às suas idéias.* **19.** Encher-se de preocupações; preocupar-se, inquietar-se: *A mãe prende-se com a saúde do bebê.* **20.** Tomar afeição; afeiçoar-se: *Bem cedo se prendeu à bela moça.* [Part.: *prendido*, e *preso* (ê), flex. *presa* (ê), *presos* (ê), *presas* (ê). Cf. *preso, presas, presa*, do v. *presar*, e *prezo, prezas, preza*, do v. *prezar.*]

prenha. *Adj. (f.) Pop.* Var. de *prenhe* (1): "A barriga dela crescera, como um fruto quase maduro de todo. / — A tola 'tá prenha ..." (Papiniano Carlos, *Terra com Sede*, p. 24.)

prenhe. [Do lat. **praegne*, por *praegnans.*] *Adj. 2 g.* **1.** Diz-se da fêmea pejada, grávida. [Var., pop.: *prenha.*] **2.** *Fig.* Pleno, repleto, cheio; repassado. **3.** *Fig.* Cheio, enfunado, pando: "Já no roxo oriente branqueando / As prenhes velas da troiana frota / Entre as vagas azuis do mar dourado / Sobre as asas dos ventos se escondiam." (Correia Garção, *Obras Poéticas e Oratórias*, p. 381.)

prenhez (ê). *S. f.* Estado de fêmea prenhe; gravidez, ciese. ♦ **Prenhez molar.** *Obst.* Aquela em que ocorre a conversão do ovo em mola[2] (2). **Prenhez tubária.** V. *gravidez tubária.*

prenoção. [Do lat. *praenotione.*] *S. f.* **1.** Noção antecipada; preconceito. **2.** Noção imperfeita e vaga.

prenome. [Do lat. *praenomen.*] *S. m.* Nome que antecede o de família; nome de batismo; nome, antenome, nome próprio.

prenominar. [Do lat. *praenominare.*] *V. t. d.* **1.** Dar prenome a: *Os pais prenominaram o filho homenageando o avô.* **2.** Designar pelo prenome.

pré-normal. [De *pré-* + *normal.*] *Bras. Adj. 2 g.* **1.** Que antecede o curso normal. **2.** Diz-se de curso preparatório para ingresso no normal. ● *S. m.* **3.** Esse curso. [Pl.: *pré-normais.*]

prenotação. [Do lat. *praenotatione.*] *S. f. Jur.* Anotação prévia e provisória feita por oficial de registro público em um título apresentado para inscrição ou transcrição. [Cf. *registro* (2).]

prenotar. [Do lat. *praenotare.*] *V. t. d.* Notar antecipadamente.

prensa. [Dev. de *prensar.*] *S. f.* **1.** Instrumento manual ou mecânico destinado a comprimir ou achatar uma coisa entre as suas duas placas ou outras peças apropriadas: *prensa de manivela; prensa hidráulica; prensa litográfica.* **2.** *Art. Gráf.* Aparelho manual ou mecânico destinado a reproduzir em papel ou noutro material, com tinta pastosa ou fluida, imagens e textos moldados, gravados ou fotogravados em placa ou cilindro, em relevo, a entalhe ou em plano; máquina de impressão, máquina impressora, impressora, prelo. [Conforme o feitio das superfícies que promovem a pressão, as prensas podem ser *planas, planocilíndricas* ou *rotativas.*] **3.** *Fot.* Caixilho de impressão. **4.** *Ind. Pap.* Qualquer dos conjuntos de cilindros entre os quais passa a folha de papel em formação, na parte úmida da máquina contínua. **5.** *Bras., N.E.* Trave de madeira, grossa e larga, colocada horizontalmente ao arrocho (4) das casas de farinha, ficando-lhe na parte superior o cocho, que recebe a massa e é perfurado embaixo a fim de deixar vazar a manipueira. **6.** *Bras., N.E.* O conjunto das peças de que se forma o arrocho: a *prensa* propriamente dita, a *virgem*, a *vara*, o *fuso*, a *mão*, a *masseira* e o *brinqueto.* ♦ **Prensa alisadora.** *Ind. Pap.* Aquela que, colocada em último lugar na série de prensas existentes após a tela da máquina de papel, não tem feltro nem elimina água, destinando-se apenas, com seus dois rodos lisos, a igualar tanto quanto possível a textura das duas faces da folha; prensa ofsete. **Prensa a vácuo.** *Fotograv.* V. *chassi pneumático.* **Prensa cilíndrica.** V. *prensa planocilíndrica.* **Prensa de branco.** Aquela que, tendo um só cilindro, tira de cada vez apenas um lado da folha (branco ou retiração). [V. *prensa de retiração.*] **Prensa de cilindro.** V. *prensa planocilíndrica.* **Prensa de dourar.** *Encad.* Aparelho dotado de platina com aquecedores, usado na douração mecânica de livros. **Prensa de dupla rotação** *Art. Gráf.* Prensa de rotação contínua cujo cilindro dá dois giros para cada folha impressa, realizando a tiragem no primeiro, e erguendo-se no segundo para permitir a volta do carro. **Prensa de encaixe.** *Encad.* Prensa em que se aperta o livro, do lado da lombada, para fazer o encaixe, batendo com o martelo. **Prensa de gofrar.** *Ind. Pap.* Máquina destinada a produzir no papel ou no cartão desenhos em relevo, e que consta de dois rolos de metal [*cilindros gofradores*], um dos quais, aquele onde está gravado o desenho da gofragem, serve de molde, representando o outro, que às vezes é formado de discos de papel fortemente comprimidos, o contramolde. **Prensa de lagar.** Prensa (1) para espremer as uvas, as sementes oleaginosas, etc. **Prensa de manchão.** *Ind. Pap.* Prensa montada na mesa de fabricação, para apressar a eliminação da água da folha de papel em formação, e que é hoje substituída pelo rolo de sucção. [Tb. se diz apenas *manchão.*] **Prensa de matrizar.** *Tip.* Prensa hidráulica usada em substituição à calandra para estampar o flã destinado à estereotipia. **Prensa de papelão.** *Ind. Pap.* Prensa-pasta. **Prensa de platina.** Aquela em que são superfícies planas tanto a fôrma, presa em cofre vertical pelo engate da rama, quanto o órgão de pressão, quadro móvel [platina] onde se põe a almofada e faz o aviamento; minerva. **Prensa de reação.** Aquela cujos cilindros, em geral dois ou quatro, giram em ambos os sentidos, acompanhando o vaivém do carro. **Prensa de retiração.** Aquela que, tendo cilindros, cofres e tinteiros duplos, imprime a um só tempo ambos os lados da folha de papel, a qual passa automaticamente do primeiro para o segundo cilindro, que gira em sentido contrário e faz a retiração. **Prensa de rotação contínua.** Aquela cujo cilindro não se imobiliza para a volta do carro. [V. *prensa de rotação simples* e *prensa de dupla rotação.*] **Prensa de rotação intermitente.** Aquela cujo cilindro, depois de tirada a folha, se imobiliza durante a volta do carro. **Prensa de rotação simples.** Prensa de rotação contínua, hoje pouco usada, dotada de grande tambor, que realiza um giro completo enquanto o carro vai e vem; prensa de tambor, máquina de tambor. **Prensa de sucção.** *Ind. Pap.* Prensa úmida que tem o cilindro inferior perfurado e ligado a um aparelho de sucção, para ativar a eliminação da água e assim possibilitar maior velocidade à máquina de papel. **Prensa de talho-doce.** Prensa manual, derivada do tórculo do polidor de pedras preciosas e do laminador do moedeiro, formada por dois cilindros horizontais, primitivamente de madeira e hoje de metal, que giram por meio de cruzeta ou volante, e entre os quais passa, a grande pressão, a mesa com o conjunto formado pela placa entintada, o papel umedecido e a manta, na estampagem das gravuras a entalhe; tórculo. **Prensa de tambor.** V. *prensa de rotação simples.* **Prensa de vácuo.** *Fotograv.* V. *chassi pneumático.* **Prensa dúplex.** V. *prensa rotoplana.* **Prensa hidráulica.** *Fís.* Máquina em que se aproveita a incompressibilidade dos líquidos e a transmissão de pressão, para exercer grande força. **Prensa horizontal.** Prensa planocilíndrica cujo cofre desliza em posição horizontal. **Prensa montante.** *Ind. Pap.* Prensa colocada em segundo ou terceiro lugar, após a tela da máquina de papel, e assim chamada por ser o seu feltro dirigido para cima. É precedida de um dispositivo que vira a folha de papel, colocando o lado da tela em contato com o rolo superior, para tornar menos ostensiva a marca deixada pelos fios de metal. [Sin.: *prensa reversa.*] **Prensa ofsete.** *Ind. Pap.* Prensa alisadora. **Prensa plana.** **1.** Denominação genérica das prensas em que, como na prensa de platina [q. v.], a pressão se realiza entre duas superfícies planas: a que constitui a fôrma e a que conduz o suporte; máquina plana. [V. *impressão plana.*] **2.** V. *prensa planocilíndrica.* **Prensa planocilíndrica.** Aquela em que a pressão se realiza entre uma superfície plana, que constitui a fôrma, e outra cilíndrica, que conduz o suporte, e entre as quais há os tipos apropriados à impressão planográfica, direta ou indireta *(ofsete)*; prensa cilíndrica, prensa de cilindro, prensa plana, máquina cilíndrica. [As prensas planocilíndricas classificam-se: *1)* segundo a maneira de funcionamento dos cilindros, em: *a)* prensa de branco, *b)* prensa de retiração, *c)* prensa de rotação intermitente, *d)* prensa de rotação contínua, *e)* prensa de reação, *f)* prensa rotoplana; *2)* segundo a posição do cofre, em: *a)* prensa horizontal, *b)* prensa vertical. V. *impressão planocilíndrica.*] **Prensa planorrotativa.** V. *prensa rotoplana.* **Prensa reversa.** *Ind. Pap.* Prensa montante. **Prensa rotativa.** Máquina de impressão (tipográfica, rotográfica ou planográfica, especialmente a primeira) em que a pressão se realiza entre duas superfícies cilíndricas — a que constitui a fôrma (telha, cilindro-matriz, fotolito, placa envolvente) e a que conduz o suporte, papel contínuo que se desenrola das bobinas alimentadoras — e que, horizontalmente, se divide em unidades de impressão, e verticalmente, em andares; máquina rotativa. [Tb. se diz apenas *rotativa.*] **Prensa rotoplana.** Prensa planocilíndrica, alimentada a papel de bobina, e cujo cofre é fixo deslocando-se o cilindro pressor; prensa dúplex, prensa planorrotativa; máquina rotoplana. **Prensa úmida.** *Ind. Pap.* Cada um dos conjuntos de dois rolos superpostos (o inferior, revestido de borracha, e o superior, geralmente feito de granito, e de maior diâmetro), destinados a comprimir a folha de papel, que passa entre eles conduzida por um feltro, e a extrair parte da água nela contida, antes de sua entrada na parte seca da máquina contínua. **Prensa vertical.** Prensa planocilíndrica cujo cofre desliza em posição vertical.

prensado. [Part. de *prensar.*] *Adj.* Que se prensou.

prensador (ô). *S. m. Encad.* Operário que faz qualquer trabalho de prensagem, em oficina de encadernação.

prensagem. *S. f.* Operação de prensar.

prensa-pasta. [De *prensar* + *pasta.*] *S. f. Ind. Pap.* Espécie de máquina de papel simplificada, usada na fabricação de papelão, ou na confecção de lençóis úmidos de pasta química ou de folhas de pasta mecânica, na forma como são fornecidas às fábricas de papel; prensa de papelão. [Pl.: *prensa-pastas.*]

prensar. [Do lat. *pressare*, freqüentativo de *premere*, 'apertar', com infl, de *praehensa* praehendere, '*prender*'.] *V. t. d.* **1.** Comprimir na prensa. **2.** Apertar muito; achatar, esmagar, espremer, premer: *prensar uma fruta para extrair-lhe o suco.*

prenseiro. *S. m. Bras., N.E.* Indivíduo que maneja a prensa (5), no fabrico da farinha de mandioca.

prensista. [De *prensa* + *-ista.*] *S. 2 g.* **1.** *Art. Gráf.* Impressor (3). **2.** *Ind. Pap.* Operário papeleiro que trabalha na parte úmida da máquina de papel; telista.

prenunciação. [Do lat. *praenuntiatione.*] *S. f.* Ato ou efeito de prenunciar.

prenunciador (ô). [Do lat. *praenuntiatore.*] *Adj.* **1.** Que prenuncia. ● *S. m.* **2.** Aquele ou aquilo que prenuncia.

prenunciar. [Do lat. *praenuntiare.*] *V. t. d.* **1.** Anunciar antecipadamente; predizer, profetizar: *Os povos mesopotâmicos tinham fórmulas de prenunciar o futuro;* "uma espécie de arrepio leve, prenunciando a aragem da tarde." (Augusto Meyer, *No Tempo da Flor*, p. 39). **2.** Ser precursor de. [Pres. ind.: *prenuncio*, etc.

Cf. *prenúncio* e o v. *prenunciar.*]

prenunciativo. [Do lat. *praenuntiativu.*] *Adj.* Que prenuncia, ou serve para prenunciar.

prenúncio. [Do lat. *praenuntiu.*] *S. m.* Anúncio de coisa futura; prognóstico: "O calor que fizera de dia era o prenúncio de chuva, para o entardecer." (Viriato Correia, *Contos do Sertão,* p. 219.) [Cf. *prenuncio,* do v. *prenunciar,* e *pronúncio.*]

pré-nupcial. [De *pré-* + *nupcial.*] *Adj. 2 g.* Que antecede as núpcias; antenupcial: *exame pré-nupcial.* [Pl.: *pré-nupciais.*]

preocupação. [Do lat. *praeoccupatione.*] *S. f.* **1.** Ato ou efeito de preocupar(-se). **2.** Idéia fixa e antecipada que perturba o espírito a ponto de produzir sofrimento moral: *A preocupação com a saúde deixava-o acabrunhado.* **3.** Inquietação proveniente dessa idéia; cuidado: *Os problemas financeiros provocam-lhe um estado de grande preocupação.* **4.** Pensamento dominante, que se sobrepõe a qualquer outro: *A literatura é a preocupação de sua vida.* **5.** Opinião antecipada; preconceito, prejuízo. **6.** Atitude de quem visa a um resultado ou forma um projeto: *A preocupação do governo é abrir escolas.*

preocupante. *Adj.* **1.** Que preocupa. **2.** Que ocupa primeiro. ● *S. 2 g.* **3.** Pessoa preocupante.

preocupar. [Do lat. *praeoccupare.*] *V. t. d.* **1.** Prender a atenção de; absorver: *Os espetáculos e festas populares não o preocupam.* **2.** Causar preocupação ou inquietação a; tornar inquieto, apreensivo; dar cuidado a; inquietar, impressionar: *A queda dos preços preocupou os comerciantes. P.* **3.** Ter preocupação; inquietar-se, impressionar-se: *O homem preocupa-se com o desconhecido.* [Sin. ger., p. us.: *anteocupar.*]

pré-olímpico. [De *pré-* + *olímpico.*] *Adj.* Diz-se da fase que antecede imediatamente os jogos olímpicos. [Pl.: *pré-olímpicos.*]

pré-operatório. [De *pré-* + *operatório.*] *Adj.* e *s. m. Cir.* Diz-se do, ou o período que decorre entre o início do preparo do paciente para a intervenção cirúrgica e essa intervenção. [Pl.: *pré-operatórios.*]

pré-opérculo. [De *pré-* + *opérculo.*] *S. m. Zool.* Peça do esqueleto dos peixes por meio da qual o opérculo se articula com o crânio. [Pl.: *pré-opérculos.*]

preopinante. *Adj. 2 g.* e *s. 2 g.* Que ou quem preopina, fala antes de outrem.

preopinar. [De *pré-* + *opinar.*] *V. int.* **1.** Opinar antes de outrem: *O relator examina o processo e preopina, podendo o tribunal recusar-lhe o parecer.* **2.** Emitir a sua opinião ou parecer, em discurso, antes de outrem.

preordenação. *S. f.* Ato ou efeito de preordenar.

preordenar. [Do lat. *praeordinare.*] *V. t. d.* **1.** Ordenar de antemão: *Deus preordena os destinos do mundo. T. d.* e *i.* **2.** Determinar ou ordenar com antecipação; predestinar: *Deus não preordena os homens para o bem nem para o mal.*

pré-palatal. *Adj. 2 g. Fon.* Palatoalveolar. [Pl.: *pré-palatais.*]

preparação. [Do lat. *praeparatione.*] *S. f.* **1.** Ato, efeito ou modo de preparar(-se); preparativo, apresto, preparo. [Sin., p. us.: *preparamento.*] **2.** Produto de operações culinárias. **3.** Preparado (3). **4.** *Litogr.* Operação que consiste em acidular a pedra ou placa de metal com solução de goma arábica, ácido azótico e água, a fim de melhor fixar o desenho feito à tinta-graxa e aumentar a hidrofilia das partes que devem ficar em branco; acidulação. **5.** *Tip.* Preparo (4).

preparado. [Part. de *preparar.*] *Adj.* **1.** Disposto ou arranjado com antecedência. **2.** *Bras.* Que tem preparo (6); culto, instruído. ~ V. *instrumento* — ● *S. m.* **3.** Produto químico ou farmacêutico; preparação.

preparador (ô). [Do lat. *praeparatore.*] *Adj.* **1.** Que prepara. ● *S. m.* **2.** Aquele que prepara. **3.** *Bras.* Aquele que cuida de um laboratório de ciências naturais em escola secundária ou superior, e auxilia o professor preparando o material para as lições práticas. ♦ **Preparador físico.** Indivíduo que, ministrando ginástica, prepara fisicamente um atleta ou uma equipe.

preparamento. *S. m. P. us.* V. *preparação* (1).

preparar. [Do lat. *praeparare.*] *V. t. d.* **1.** Dispor com antecedência; aprontar, arranjar, prevenir: *O chefe do cerimonial preparou a recepção; A cozinheira prepara o almoço.* **2.** Planejar com antecedência; premeditar: *O inimigo prepara um ataque.* **3.** Armar, tramar, urdir, maquinar: *Os assaltantes prepararam e executaram um grande golpe.* **4.** Favorecer o aparecimento ou a evolução de; promover, provocar, fomentar: *O militarismo prepara a guerra.* **5.** Obter (uma preparação) por meio de operações químicas, de combinação dosada de certos elementos ou de outros processos: *preparar um remédio; preparar uma torta.* **6.** Compor, associando vários elementos: *preparar um cenário.* **7.** Pôr em condições de atingir um objetivo: *Os livros preparam o bom técnico.* **8.** Pôr (instrumento, aparelho, coisa qualquer) em condições de ser utilizado; armar: *preparar a barraca.* **9.** Pôr (um texto, um original) em condições de ser editado, atualizando-lhe a ortografia e/ou fazendo observações, em geral em pé de página, sobre possíveis impropriedades sintáticas, de pontuação, etc. *T. d.* e *c.* **10.** Pôr em condições de servir; tornar apto; adaptar, apropriar: *As medidas objetivam preparar o Exército para a defesa do País.* **11.** Dispor com antecedência; predispor: *Os professores preparam o ânimo dos alunos para os exames finais. P.* **12.** Arranjar-se, vestir-se, ataviar-se: *Preparou-se com cuidado para a festa.* **13.** Dispor-se (para alguma coisa); armar-se, aparelhar-se, aprontar-se: *Os parlamentares estudaram o projeto, preparando-se para os debates.* **14.** Acomodar-se, ajustar-se, adaptar-se: *Os jovens preparam-se para a vida.* **15.** Informar pouco a pouco; pôr em condições de suportar, de enfrentar (acontecimento súbito): *Um primeiro telefonema preparou a família para o terrível golpe; Com perguntas sutis preparavam o espírito do amigo que acertara na loto.* **16.** *Bras.* Adquirir preparo ou cultura; instruir-se: *Os dirigentes preparam-se nas universidades.*

preparativo. [De *praeparatu,* part. pass. do lat. *praeparare,* 'preparar', + *-ivo.*] *Adj.* **1.** Preparatório (1) ● *S. m.* **2.** V. *preparação* (1). ~ V. *preparativos.*

preparativos. [Pl. de *preparativo.*] *S. m. pl.* Disposições preliminares relacionadas com algum empreendimento: *os preparativos de uma viagem, de uma operação.* ~ V. *preparativo.*

preparatoriano. *S. m. Bras. Obsol.* Estudante de preparatórios.

preparatório. [Do lat. *praeparatoriu.*] *Adj.* **1.** Que prepara; preparativo. **2.** Que serve para preparar; preparativo. **3.** Prévio, preliminar: *trabalhos preparatórios.* ~ V. *preparatórios.*

preparatórios. [Pl. de *preparatório.*] *S. m. pl. Obsol.* Estudos prévios para efeito de matrícula nos cursos superiores e em alguns especiais. ~ V. *preparatório.*

preparo. [Dev. de *preparar.*] *S. m.* **1.** V. *preparação* (1). **2.** Arte de preparar, de aparelhar: *O preparo da tela de um quadro; preparo de uma pele.* **3.** *Jur.* Quantia que se deposita na mão do escrivão de um processo para pagamento de custas. **4.** *Tip.* O conjunto das operações — mudança do padrão, aviamento, acerto, regulagem do tinteiro e lavagem dos rolos — que, no lado de serviço das prensas, se realizam desde que se deita a fôrma até encontrar-se esta pronta para a tiragem; preparação. **5.** *Pop.* Castração (de animais). **6.** *Bras.* Instrução, cultura, competência: *É inteligente, mas não tem preparo.* **7.** *Bras.* O conjunto das providências capazes de determinar as melhores condições possíveis para a realização dum empreendimento: *o preparo físico de um atleta; o preparo de um campo operatório.* **8.** *Bras., RJ.* V. *cerol* (2). ~ V. *preparos.* ♦ **Preparo físico.** Conjunto de condições físicas adquiridas por treinamento, e que se exigem de um atleta.

preparos. [Pl. de *preparo.*] *S. m. pl.* **1.** Aviamento (3). **2.** *Bras., RS.* Peças que constituem o arreamento de animal de montaria, de tração, ou cargueiro. **3.** Os aparelhos de couro dos serviços das carretas de bois. ~ V. *preparo.*

prepau. [Do cat. *perpal.*] *S. m.* Tabuão preso horizontalmente às escoteiras, junto ao mastro, para nele darem volta os cabos de manobra.

pré-peritoneal. [De *pré-* + *peritoneal.*] *Adj. 2 g. Anat.* Situado adiante do peritônio. [Pl.: *pré-peritoneais.*]

preponderância. *S. f.* **1.** Qualidade ou estado de preponderante. **2.** Predomínio, supremacia, hegemonia.

preponderante. [Do lat. *praeponderante.*] *Adj. 2 g.* Que prepondera: "a preponderante influência do francês nos costumes, nas maneiras, na conversação, na moda, ... nos hábitos sociais, em suma" (Delso Renault, *O Rio Antigo nos Anúncios de Jornais,* p. 3).

preponderar. [Do lat. *praeponderare.*] *V. int.* **1.** *P. us.* Ser mais pesado; ter maior peso: *O ouro prepondera mais que a prata.* **2.** Ter mais influência ou importância; predominar, prevalecer: *Minha opinião não preponderou. T. i.* **3.** Levar vantagem; prevalecer: *Nem sempre a verdade prepondera sobre a mentira.*

preponente. [Do lat. *praeponente.*] *Adj. 2 g.* e *s. 2 g.* **1.** Que ou quem prepõe. **2.** *Dir.* Que ou quem constitui, em seu nome, por sua conta e sob sua dependência, para ocupar-se dos negócios relativos a suas atividades, um auxiliar direto. [Cf., nesta acepç.: *preposição* (3) e *preposto* (4). Cf. *proponente.*]

prepor. [Do lat. *praeponere.*] *V. t. d.* **1.** Pôr adiante ou antes: *prepor o artigo.* **2.** Anunciar ou dar previamente: *Os organizadores prepuseram as normas do concurso. T. d.* e *i.* **3.** Pôr ou colocar antes; antepor: *O Presidente prepôs a Constituição ao decreto.* **4.** Querer antes; antepor, preferir: *prepor a saúde aos prazeres.* **5.** Nomear, escolher, designar (alguém) para assumir a direção de (qualquer serviço): *O rei prepôs um governante a cada colônia.* [Irreg. Conjug.: v. *pôr.* Cf. *propor.*]

preposição. [Do lat. *praepositione.*] *S. f.* **1.** Ato de prepor. **2.** *Gram.* Palavra invariável que liga partes da oração dependentes umas das outras, estabelecendo entre elas numerosas relações. **3.** Mandato remunerado, verbal ou escrito, constituído pelo preponente (2) para que outra pessoa, o preposto (4) em seu nome, por sua conta e sob sua dependência efetue negócios concernentes às suas atividades profissionais. [Cf. *proposição.*]

preposicional. *Adj. 2 g.* Referente à, ou em que há preposição.

prepositiva. [Fem. substantivado de *prepositivo.*] *S. f. Gram.* O primeiro fonema de um ditongo ou de um tritongo.

prepositivo. [Do lat. *praepositivu.*] *Adj.* **1.** Que se põe adiante ou em primeiro lugar. **2.** *Gram.* Respeitante à preposição, ou que é da natureza dela.

prepósito. [Do lat. *praepositu,* 'posto à testa de'.] *S. m.* **1.** Intenção, intuito, propósito. **2.** Antigo prelado de certas corporações religiosas. [Cf. *propósito.*]

prepositura. [Do lat. *praepositura.*] *S. f.* Cargo ou dignidade de prepósito. [Cf. *propositura.*]

preposteração. *S. f.* Ato ou efeito de preposterar.

preposterar. [Do lat. *praeposterare.*] *V. t. d.* Inverter a ordem de: *Há quem deseje preposterar os valores de bem e mal.* [Pres. ind.: *prepostero,* etc. Cf. *prepóstero.*]

preposteridade. [Do lat. *praeposteritate.*] *S. f.* Qualidade de prepóstero.

prepóstero. [Do lat. *praeposteru.*] *Adj.* **1.** Feito às avessas do que deve ser; invertido, transposto. **2.** Oposto à boa ordem. [Cf. *prepostero,* do v. *preposterar.*]

preposto (ô). [Do lat. vulg. *praepostu.*] *Adj.* **1.** Posto adiante ou antes. **2.** Anunciado ou dado previamente. **3.** Preferido. ● *S. m.* **4.** Aquele que dirige um serviço, um negócio, por delegação da pessoa competente; institor. [Cf. *preposição* (3) e *preponente* (2).] **5.** *Bras.* Representante, delegado: *O preposto do bispo não mereceu a confiança da congregação.* [Cf. *proposto.*]

prepotência. [Do lat. *praepotentia.*] *S. f.* **1.** Grande poder ou influência. **2.** Opressão, despotismo: "recuar parecia aos políticos, sempre pouco inclinados a qualquer sombra de renúncia, um ato de covardia ou de humilhante submissão à prepotência de um grupo de militares..." (José Maria Belo, *Memórias,* p. 121).

prepotente. [Do lat. *praepotente.*] *Adj. 2 g.* **1.** Muito poderoso ou influente. **2.** Que abusa do poder ou da autoridade; opressivo, despótico, tirânico: *governo prepotente; pai prepotente.* **3.** Que revela prepotência; próprio de quem é prepotente: *atitudes prepotentes.*

pré-preparação. [De *pré-* + *preparação.*] *S. f. Tip.* Sistema de aviamento que visa a reduzir o tempo de parada da prensa e consiste no preparo antecipado da fôrma, fora da máquina, por meio de aparelho de medição micrométrica, plainas especiais para normalização da altura de blocos e linhas-blocos, etc. [Pl.: *pré-preparações.*]

pré-primário. [De *pré-* + *primário.*] *Adj.* e *s. m. Bras.* Diz-se do, ou o curso anterior ao primário. [Pl.: *pré-primários.*]

pré-pubiano. [De *pré-* + *pubiano.*] *Adj. Anat.* Situado adiante do púbis. [Pl.: *pré-pubianos.*]

prepucial. *Adj. 2 g.* **1.** Relativo ou pertencente ao prepúcio. **2.** Que nasce ou aparece no prepúcio.

prepúcio. [Do lat. *praeputiu.*] *S. m. Anat.* Pele que cobre a glande do pênis.

prepupa. [De *pre-* + *pupa.*] *S. f.* Fase quiescente entre o fim do período larvar e o período pupal.

pré-qualificação. [De *pré-* + *qualificação.*] *S. f.* Qualificação que se exige ou apresenta antes de qualquer outra. [Pl.: *pré-qualificações.*]

pré-qualificar. [De *pré-* + *qualificar.*] *V. t. d.* e *p.* Qualificar(-se) antecipadamente. [Conjug.: v. *trancar.*]

prequeté. *Adj. 2 g.* **1.** *Bras.* Perequeté [q. v.]: "falou Manuelzinho, ... sujeitinho prequeté, novidadeiro" (Nélson de Faria, *Tiziu e Outras Estórias,* p. 58). ● *S. f.* **2.** *Bras., AM.* Sandália usada pelos índios para andar nos campos.

pré-rafaelismo. [De *pré-* + *rafaelismo.*] *S. m.* Corrente estética surgida na Inglaterra (com Dante Gabriel Rossetti, Burne-Jones e outros) em meados do séc. XIX, segundo a qual as obras dos predecessores de Rafael, pintor italiano (1483-1520), representavam o apogeu da pintura. [Pl.: *pré-rafaelismos.*]

pré-rafaelista. [De *pré-* + *rafaelista.*] *Adj. 2 g.* e *s. 2 g.* V. *pré-rafaelita.* [Pl.: *pré-rafaelistas.*]

pré-rafaelita. [De *pré-* + *rafaelita.*] *Adj. 2 g.* **1.** Anterior à época de Rafael [v. *rafaelesco.*] **2.** Que é adepto do pré-rafaelismo [q. v.]. ● *S. 2 g.* **3.** Adepto dessa corrente estética. [Sin. ger.: *pré-rafaelista.* Pl.: *pré-rafaelitas.*]

pré-renascentista. [De *pré-* + *renascentista.*] *Adj. 2 g.* **1.** Anterior à Renascença (3). ● *S. 2 g.* **2.** Escritor ou artista pré-renascentista (1). [Pl.: *pré-renascentistas.*]

pré-republicano. [De *pré-* + *republicano.*] *Adj.* Anterior à república. [Pl.: *pré-republicanos.*]

pré-requisito. [De *pré-* + *requisito.*] *S. m.* Requisito básico, primordial: "Como ninguém, ele [Nélson Rodrigues] tinha a noção da desmedida, do desenfreado — queiramos ou não, *pré-requisitos* de todo grande teatro." (Yan Michalski, *Jornal do Brasil*, 22.12.1984.) [Pl.: *pré-requisitos.*]

pré-revolucionário. [De *pré-* + *revolucionário.*] *Adj.* Diz-se do período antecedente a uma revolução. [Pl.: *pré-revolucionários.*]

pré-romano. [De *pré-* + *romano.*] *Adj.* **1.** Anterior à dominação romana. ● *S. m.* **2.** Língua ou dialeto pré-romano. [Pl.: *pré-romanos.*]

pré-romântico. [De *pré-* + *romântico.*] *Adj.* **1.** Anterior ao romantismo (1 e 2). **2.** Relativo ou pertencente a esse movimento estético e literário. ● *S. m.* **3.** Prosador ou poeta pré-romântico. [Pl.: *pré-românticos.*]

pré-romantismo. [De *pré-* + *romantismo.*] *S. m.* **1.** Fase que antecedeu o romantismo (1 e 2). **2.** *Liter.* Movimento literário do séc. XVIII que preparou a nova sensibilidade típica do romantismo. [Pl.: *pré-romantismos.*]

prerrogativa. [Do lat. *praerogativa* (subentende-se *tribo* ou *centúria*), 'a tribo ou centúria que tinha o privilégio de votar em primeiro lugar'.] *S. f.* **1.** Concessão ou vantagem com que se distingue uma pessoa ou uma corporação; privilégio, regalia: *as prerrogativas do Presidente da República; as prerrogativas do corpo diplomático.* **2.** Faculdade ou vantagem de que desfrutam os seres de um determinado grupo ou espécie; apanágio, privilégio: *Na Idade Média o saber era prerrogativa dos monges.*

presa (ê). [Do lat. *prensa.*] *S. f.* **1.** Ato de apreender ou apresar; apresamento. **2.** Aquilo que se apreendeu ao inimigo; espólio, despojo. **3.** Coisa ou pessoa arrebatada ou apreendida com violência ou rapacidade; despojo: "Possas tu, descendente maldito / De uma tribo de nobres guerreiros, / Implorando cruéis forasteiros, / Seres *presa* de vis aimorés." (Gonçalves Dias, *Obras Poéticas*, II, p. 31.) **4.** Aquilo de que o animal carniceiro se apodera para comer; preia: *O tigre persegue sua presa.* **5.** Dente canino: "Quando soltava uma das suas escandalosas gargalhadas, viam-se-lhe as *presas*, solitárias como as *presas* de um cão, porque ele já não possuía os dentes da frente." (Aluísio Azevedo, *O Coruja*, pp. 258-259.) **6.** Garra de ave de rapina. **7.** Mulher presa, encarcerada. **8.** Estado de substância que se solidifica ou coagula: *uma presa de cimento.* **9.** *P. ext. Lus.* Pega[1] (6). **10.** *Bras. Fig.* Pessoa explorada ou atormentada; vítima: *Otelo foi presa do ciúme.* [Pl.: *presas* (ê). Cf. *presa, presas,* do v. *presar,* e *preza, prezas,* do v. *prezar.*]

pré-saber. [De *pré-* + *saber.*] *V. t. d.* Saber antecipadamente: "Eu digo: sente, pressente, / *Pré-sabe*, pré-antessabe..." (João de Deus, *Campo de Flores*, II, p. 123). [Conjug.: v. *saber.*]

presador (ô). *Adj.* e *s. m. Desus.* Que ou aquele que presa. [Cf. *prezador.*]

pré-santificado. [De *pré-* + *santificado.*] *Adj.* Santificado de antemão. [Pl.: *pré-santificados.*]

presar. [De *presa* + *-ar*[2].] *V. t. d. Desus.* Apresar. [Pres. ind.: *preso, presas, presa,* etc.; part.: *presado.* Cf. *preso* (ê), flex. *presa* (ê), *presas* (ê), e o pres. ind. e o part. do v. *prezar.*]

▲**presbi(o)-.** [Do gr. *présbys.*] *El. comp.* = 'velho', 'ancião': *presbiofrenia; presbiopia.*

presbiofrenia. [De *presbi(o)-* + *-fren(o)-*[1] + *-ia.*] *Psiq.* Modalidade de demência senil, de incidência predominante no sexo feminino, que consiste no esquecimento dos fatos recentes e na tendência a compensá-lo mediante fabulação.

presbiofrênico. *Adj.* Relativo à presbiofrenia.

presbiopia. [De *presbi(o)-* + *-op(e)-* + *-ia.*] *S. f. Med.* V. *presbiopsia.*

presbiopsia. [De *presbi(o)-* + *-ops(e)-* + *-ia.*] *S. f. Med.* Distúrbio visual que se observa na velhice, e em que se perde, por baixa de elasticidade e diminuição da capacidade de acomodação do cristalino, o poder de distinguir, com nitidez, os objetos próximos; presbiopia, presbitia, presbitismo, vista cansada.

presbita. [Do gr. *presbytes,* 'velho'.] *Adj. 2 g.* e *s. 2 g.* Diz-se do olho ou da pessoa que só vê bem ao longe, por efeito do cristalino, o qual, havendo perdido, com a idade, a elasticidade, já não se pode curvar para acomodar-se à visão a curta distância.

presbiterado. *S. m.* Dignidade de presbítero. [F. paral.: *presbiterato.*]

presbiteral. *Adj. 2 g.* Relativo ou pertencente a presbítero.

presbiteranismo. *S. m.* Presbiterianismo.

presbiterano. *S. m.* Presbiteriano (1).

presbiterato. [Do lat. *presbyteratu.*] *S. m.* Presbiterado.

presbiterianismo. *S. m.* A seita religiosa dos presbiterianos; presbiteranismo.

presbiteriano. *S. m.* **1.** Protestante que não reconhece a autoridade episcopal nem aceita hierarquia superior à dos presbíteros. [F. paral.: *presbiterano.*] ● *Adj.* **2.** Relativo ao presbiterianismo.

presbitério. [Do gr. *presbytérion,* pelo lat. *presbyteriu.*] *S. m.* **1.** Residência paroquial. **2.** Igreja paroquial. **3.** Capela-mor. **4.** Na Igreja protestante, a corporação dos presbíteros.

presbítero. [Do gr. *presbyteros,* 'mais velho', pelo lat. *presbyteru.*] *S. m.* **1.** Sacerdote, padre: "Uns cônegos, padres, outros *presbíteros* seculares; enfim, renque de gente do mais subido valor e posição e que deixou numerosa e estimável prole." (Visconde de Taunay, *Ao Entardecer*, p. 82.) **2.** Superintendente da Igreja protestante; bispo, ancião.

presbitia. [De *presbita* + *-ia.*] *S. f.* V. *presbiopsia.*

presbitismo. [De *presbita* + *-ismo.*] *S. m. Med.* V. *presbiopsia.*

presciência. [Do lat. *praescientia.*] *S. f.* **1.** Qualidade de presciente. **2.** Previdência, previsão; pressentimento, presságio. **3.** Ciência inata, anterior ao estudo.

presciente. [Do lat. *praesciente.*] *Adj. 2 g.* **1.** Que sabe com antecipação; que prevê o futuro. **2.** *P. ext.* Previdente, prudente, acautelado.

prescindência. *S. f.* Ação de prescindir.

prescindir. [Do lat *praescindere.*] *V. t. i.* **1.** Separar mentalmente; não fazer caso; não levar em conta; abstrair: *Os místicos prescindem da realidade.* **2.** Pôr de lado; renunciar; abrir mão de; dispensar: *Não pode prescindir do uso de óculos; Orgulhoso, prescindiu de qualquer ajuda;* "Pagão e católico, d'Annunzio não *prescindiu* de explorar os deuses gregos, abusando por vezes dos dicionários de mitologia, mas, simultaneamente, ressuscitou a tragédia cristã, se não o mistério à moda da Idade Média" (Agripino Grieco, *Estrangeiros*, p. 233).

prescindível. *Adj. 2 g.* De que se pode prescindir.

prescrever. [Do lat. *praescribere.*] *V. t. d.* **1.** Ordenar de maneira explícita previamente: *A lei prescreve as penas para os diversos crimes.* **2.** Indicar com precisão; determinar, fixar, preceituar: *O Presidente prescreveu as atribuições de seus auxiliares.* **3.** Marcar, limitar, fixar: *O professor prescreveu prazos para a entrega dos trabalhos.* **4.** Indicar como remédio; receitar: *prescrever penicilina. Int.* **5.** Cair em desuso: *Toda a moda prescreveu, para reviver mais tarde.* **6.** *Jur.* Incidir em prescrição; ser atingido por prescrição: *Esta pena já prescreveu.* [Part., irreg.: *prescrito.* Cf. *proscrever.*]

prescribente. [Do lat. *praescribente.*] *Adj. 2 g.* **1.** *Jur.* Em que ocorre prescrição; que prescreve. ● *S. 2 g.* **2.** Pessoa que invoca prescrição em seu benefício.

prescrição. [Do lat. *praescriptione.*] *S. f.* **1.** Ato ou efeito de prescrever. **2.** Ordem expressa e formal: *O ministro deu rigorosas prescrições para a assinatura do acordo.* **3.** Norma, preceito, regra: *As Carmelitas estão sujeitas a severas prescrições.* **4.** Indicação exata; determinação, ordem: *Cumpre seguir as prescrições do clínico.* **5.** *Jur.* Perda da ação atribuída a um direito, que fica assim juridicamente desprotegido, em conseqüência do não uso dela durante determinado tempo. [Cf., nesta acepç.: *decadência* (5).] **6.** *Jur.* A maneira pela qual se extingue a punibilidade do autor de um crime ou contravenção, por não haver o Estado exercido contra ele no tempo legal o seu direito de ação, ou por não ter efetivado a condenação que lhe impôs. [Cf., nesta acepç.: *proscrição.*] ♦ **Prescrição aquisitiva.** *Jur.* Meio de adquirir coisas ou direitos pelo fato da posse; usucapião.

prescritível. *Adj. 2 g.* **1.** Que pode ser prescrito ou ordenado. **2.** *Jur.* Sujeito a prescrição (5).

prescritivo. *Adj.* ~ V. *gramática —a.*

prescrito. [Do lat. *praescriptu.*] *Adj.* **1.** Explicitamente ordenado ou estabelecido: *As normas prescritas não podem ser alteradas.* **2.** Que prescreveu. [Cf. *proscrito.*]

pré-seletor. [De *pré-* + *seletor.*] *S. m. Radiotécn.* Circuito destinado a melhorar a sintonia de radiorreceptores, e que se coloca entre a antena do aparelho e a entrada do circuito de sintonia. [Pl.: *pré-seletores.*]

presença. [Do lat. *praesentia.*] *S. f.* **1.** O estar uma pessoa em lugar determinado: *A presença dos imigrantes em São Paulo criou grandes alterações econômicas e sociais.* **2.** Comparecimento de alguém a determinado lugar: *solicitar a presença; livro de presença.* **3.** Assiduidade, freqüência: *É obrigatória a presença dos alunos.* **4.** O estar alguma coisa em local determinado: *A presença do cloro na água se faz sentir pelo gosto.* **5.** Vista, aspecto: *A presença daqueles objetos trouxe-lhe à memória acontecimentos da infância.* **6.** Aspecto físico; aparência, compleição: *As candidatas a recepcionista precisam ter boa presença.* **7.** Talhe, porte: *Onde quer que esteja, sua presença majestosa se impõe.* **8.** Personalidade, individualidade: *Esse ator tem grande presença.* **9.** *Fig.* A participação de alguém ou alguma entidade num empreendimento, numa atividade: *Sua presença na política era inevitável; A presença da ONU tem evitado vários conflitos.* **10.** *Fig.* Caráter vivo; influência, prestígio: *a presença do indianismo na literatura romântica; a presença de Camões.* ♦ **Presença de espírito.** Resposta ou reação ágil, oportuna, serena e imediata. **Em presença de. 1.** À vista de; diante de; na presença de: "Tu choraste *em presença da* morte? / *Na presença de* estranhos choraste?" (Gonçalves Dias, *Obras Poéticas*, II, p. 31.) **2.** Em virtude de; em conseqüência de; diante de: *Em presença das irregularidades apuradas, teve de ser demitido.* **Marcar presença.** Ser ou estar presente: *Não marcará presença na festa, infelizmente.* **Na presença de.** V. *em presença de* (1).

presencial. *Adj. 2 g.* **1.** Respeitante a pessoa ou coisa que está presente. **2.** Feito à vista de alguém. **3.** Que presenciou; que viu: *testemunha presencial.*

presencialidade. *S. f.* Qualidade ou estado de presencial.

presenciar. [De *presença* + *-iar.*] *V. t. d.* **1.** Estar presente a; assistir a; ver: *Toda a família presenciou a cena;* "Dolores, aflita pelo horrível acontecimento, relatado por alguns que o tinham *presenciado*, estava sobressaltada" (Galpi, *Narrativas Brasileiras*, p. 82). **2.** Verificar por meio de inspeção ou observação; observar.

pré-sensibilizado. [De *pré-* + *sensibilizado.*] *Adj.* ~ V. *chapa —a.* [Pl.: *pré-sensibilizados.*]

presentação. [Do lat. *praesentatione.*] *S. f. P. us.* V. *apresentação.*

presentâneo. [Do lat. *praesentaneu.*] *Adj.* **1.** Momentâneo, rápido. **2.** Eficaz, eficiente.

presentar. [Do lat. *praesentare.*] *V. t. d., t. d. e i.* e *p. P. us.* V. *apresentar.*

presente. [Do lat. *praesente.*] *Adj. 2 g.* **1.** Que assiste pessoalmente: *achar-se presente a um espetáculo.* **2.** Diz-se de pessoa ou coisa que está à vista: *As testemunhas e as provas presentes mostram a inocência do réu.* **3.** Que existe ou acontece no momento em que se fala; atual: *a presente conjuntura; a moda presente.* **4.** *Fig.* Patente ao espírito; evidente, manifesto: *Era presente a incompatibilidade entre os dois.* **5.** *Fig.* Que participa; assíduo; interessado: *mãe presente; professor presente.* ● *S. m.* **6.** O período de maior ou menor duração, compreendido entre o passado e o futuro; o tempo atual. **7.** Pessoa que comparece a um dado lugar ou presencia algum fato. **8.** Aquilo que se oferece com o intento de agradar, retribuir ou fazer-se lembrado; brinde, dádiva, lembrança, mimo, regalo. **9.** *Fig.* Dádiva; dom; condão. *A bondade é um presente dos Céus.* **10.** *Gram.* Tempo verbal que exprime atualidade. **11.** *Bras., BA. Folcl.* Oferenda especial dedicada a Iemanjá e realizada, por tradição, em determinadas praias. ~ V. *presentes.* ♦ **Presente de grego.** Presente que prejudica a quem o recebe. [Cf. *cavalo de Tróia.*]

presenteador (ô). *Adj.* e *s. m.* Que ou aquele que presenteia.

presentear. [De *presente* + *-ear.*] *V. t. d.* **1.** Dar presente ou dádiva a; mimosear com presente; brindar: "Mesmo as italianinhas que ele pegara, durante a guerra, nunca deixara de *presenteá*-las: uma lata de conservas, um par de meias, um maço de cigarro." (Guido Vilmar Sassi, *São Miguel*, p. 77.) *T. d.* e *i.* **2.** Mimosear (com presentes); brindar: *O milionário presenteou a noiva com um brilhante.* [Conjug.: v. *frear.*]

presentes. [Pl. de *presente.*] *S. m. pl.* As pessoas que se encontram num lugar. ~ V. *presente.*

presepada. [De *presepe* + *-ada*[1].] *S. f. Bras.* **1.** V. *fanfarrice* (2). **2.** Atitude ou espetáculo fantástico e/ou ridículo.

presepe. [Do lat. *praesepe*, 'tapada para animais'.] *S. m.* **1.** V. *presépio.* **2.** *Bras.* Mamulengo.

presepeiro. *S. m. Bras.* **1.** Armador de presepes. **2.** Indivíduo escandaloso; fanfarrão. ● *Adj.* **3.** *Bras.* Escandaloso; fanfarrão.

presépio. [Do lat. *praesepiu.*] *S. m.* **1.** Lugar onde se recolhe gado; curral, estábulo. **2.** Representação, na tradição do Natal, do estábulo de Belém e das figuras que participaram, segundo o Evangelho, do nascimento de Cristo, e das cenas que a ele se seguiram. "Pelo Natal havia um *presépio* na capela, com missa cantada pelos frades do convento e uma ceia em que se comia o porco novo." (Eça de Queirós, *Últimas Páginas*, p. 347.) **3.** A manjedoura onde o Menino Jesus foi posto ao nascer. [F. paral.: *presepe.*]

presepista. *S. 2 g.* **1.** Comediante que participa dos autos de Natal ou presépios. **2.** *Bras., N.E.* Fabricante de figuras de presépio.

preservação. *S. f.* **1.** Ato ou efeito de preservar(-se). **2.** Ação que visa garantir a integridade e a perenidade de algo, como, p. ex., um bem cultural [q. v.]; salvaguarda: *O Patrimônio Histórico tomou medidas para a preservação do centro histórico de Salvador.*

preservador (ô). *Adj.* e *s. m.* Que ou aquele que preserva.

preservar. [Do lat. *praeservare*, 'observar previamente'.] *V. t. d.* **1.** Livrar de algum mal; manter livre de corrupção, perigo ou dano; conservar: *A Monarquia brasileira preservou a unidade nacional. T. d. e i.* **2.** Livrar, defender, resguardar: "*Preservai*, juízes de amanhã, *preservai* vossas almas juvenis desses baixos e abomináveis sofismas." (Rui Barbosa, *Oração aos Moços*, p. 68.) *P.* **3.** Defender-se, proteger-se, resguardar-se.

preservativo. [Do lat. *praeservatu*, part. pass. de *praeservare*, 'preservar', + *-ivo.*] *Adj.* **1.** Próprio para preservar. ● *S. m.* **2.** Aquilo que preserva, defensivo: *preservativo contra gripe.* **3.** V. *camisa-de-vênus.*

presidência. *S. f.* **1.** Ato de presidir. **2.** Dignidade ou cargo de presidente. **3.** *P. ext.* O presidente. **4.** *P. ext.* O gabinete (5) do presidente. **5.** Tempo de exercício das funções de presidente. **6.** O estrado ou cadeira onde fica o presidente de uma assembléia, de um tribunal, etc. **7.** A residência ou o local de trabalho do presidente. **8.** *Pop.* Lugar de honra numa festa, numa reunião, etc.

presidencial. *Adj. 2 g.* **1.** Pertencente ou relativo ao presidente, ou à presidência. **2.** Que emana do presidente: *poder presidencial.* ~ *V. regime — e siste -ma —.*

presidencialismo. [De *presidencial* + *-ismo.*] *S. m.* Regime político em que a chefia do governo cabe ao presidente da República, mantendo-se a independência e a harmonia dos três poderes (executivo, legislativo e judiciário); sistema presidencial; regime presidencial.

presidencialista. *Adj. 2 g.* **1.** Relativo ao presidencialismo. **2.** Em que domina o presidencialismo. **3.** Que é partidário do presidencialismo. ● *S. 2 g.* **4.** Partidário desse regime.

presidenciável. [De um **presidenciar* + *-vel.*] *Adj. 2 g.* e *s. 2 g.* Que ou quem tem qualidades para ser eleito presidente e/ou possibilidade de o ser.

presidenta. [Fem. de *presidente.*] *S. f.* **1.** Mulher que preside. **2.** Mulher de um presidente.

presidente. [Do lat. *praesidente.*] *S. 2 g.* **1.** Pessoa que preside. **2.** Pessoa que dirige os trabalhos duma assembléia ou corporação deliberativa. *S. m.* **3.** O presidente da República. ● *Adj. 2 g.* **4.** Que preside. ◆ **Presidente da República.** Chefe de Estado republicano.

presidente-da-porcaria. *S. m. Bras., MG.* V. *macuquinho.* [Pl.: *presidentes-da-porcaria.*]

presidente-das-porcarias. *S. m. Bras., RS.* V. *macuquinho.* [Pl.: *presidentes-das-porcarias.*]

presidente-varguino. *Adj.* **1.** De, ou pertencente ou relativo a Presidente Vargas (MA). ● *S. m.* **2.** O natural ou habitante de Presidente Vargas. [Pl.: *presidente-varguinos.*]

presidiar. [Do lat. **praesidiare*, por *praesidiari.*] *V. t. d.* *Pôr presídio ou guarnição a; proteger, defender, custodiar: Chegaram reforços para presidiar o território ocupado.* [Pres. ind.: *presidio*, etc.; fut. pret.: *presidiaria*, etc. Cf. *presídio*, s. m., *Presídio*, antr., e *presidiária*, fem. de presidiário.]

presidiário. [De *presídio* + *-ário.*] *Adj.* **1.** Relativo a, ou que tem natureza de presídio. ● *S. m.* **2.** Detento condenado a cumprir pena ou a trabalhar num presídio. [Fem.: *presidiária.* Cf. *presidiaria*, do v. *presidiar.*]

presídio. [Do lat. *praesidiu.*] *S. m.* **1.** Ato de defender uma praça militar ou forte. **2.** Tropa de guarnição encarregada dessa defesa. **3.** Praça de guerra. **4.** Prisão militar. **5.** Pena de prisão que deve ser cumprida numa praça de guerra. **6.** V. *cadeia* (3). **7.** Estabelecimento público destinado a receber presos. V. *penitenciária.* [Cf. *presidio*, do v. *presidiar.*]

presidir. [Do lat. *praesidere.*] *V. t. d. e t. i.* **1.** Dirigir como presidente; exercer funções de presidente em: *Não se sabe ainda quem presidirá o país: Vai presidir a uma grande instituição.* **2.** Assistir, dirigindo ou guiando: *Orientadores educacionais presidem os alunos; Ninguém queria presidir à reunião;* "Itaquê, o grande chefe dos tocantins, *preside* ao combate, orgulhoso pela valente nação que dirige" (José de Alencar, *Ubirajara*, p. 283). **3.** Dirigir, regular, reger, governar: *Muitos acreditam em leis imutáveis que presidem o mundo;* "Sendo a lei do menor esforço o que *preside* às manifestações da alma coletiva, a tendência natural de quem fala é criar pelos próprios meios, mas utilizar o que se encontra feito." (Maria Nazaré Lins Soares, *Machado de Assis e a Análise da Expressão*, p. 23); "*Presidia* então na Igreja o Pontífice S. Pio V." (Latino Coelho, *Cervantes*, p. 41). **4.** Dirigir como chefe (comissão, empresa, obra, etc.): superintender. **5.** Guiar, orientar, nortear: *Estes são os princípios que presidem minha vida; São normas que presidem à existência. Int.* **6.** Guiar, orientar, nortear uma atividade, uma tarefa: "*Preside* sempre, no trabalho de enriquecer uma língua, o princípio de se removerem dificuldades, suprindo faltas e satisfazendo a exigências de expressão." (Artur Mota, *José de Alencar*, p. 268.)

presidutrense. *Adj. 2 g.* **1.** De, ou pertencente ou relativo a Presidente Dutra (MA). ● *S. 2 g.* **2.** Natural ou habitante de Presidente Dutra.

presiganga. [Do ingl. *pressgang*, com infl. de *preso.*] *S. f. Ant. Mar. G.* Navio, geralmente um pontão, que servia de prisão ou que recolhia presos: "Este [o Major Marques de Sousa], conduzido a Porto Alegre, mesmo a bordo da *presiganga* em que se encontrava preso promoveu e obteve a retomada da capital." (Hélio Viana, *História do Brasil*, II, p. 119.)

presigo. *S. m. Lus.* **1.** Aquilo que se come com o pão; conduto. **2.** Presunto (1). **3.** Toucinho.

presilha. [Do esp. *presilla.*] *S. f.* **1.** Tira de pano, couro, plástico, etc., ou cordão, que tem na extremidade uma espécie de aselha ou casa, na qual se enfia um botão, para apertar, prender, etc.: *presilha de suspensório: presilha de sapatos.* **2.** *P. ext.* Tira que serve para amarrar, afivelar ou prender alguma coisa. **3.** Peça dotada de fecho apropriado para prender o cabelo. **4.** *Eletr.* Terminal, de formas variadas, que se utiliza para efetuar conexões rápidas e não permanentes. ◆ **Sentar-se na presilha.** *Bras., RS. Fig.* Opor-se ou negar-se a alguma coisa; não ceder. **Ser de presilha.** *Fam.* Ter lábia para aproveitar-se de alguém.

presilhar. [De *presilha* + *-ar*[2].] *V. t. d.* Apresilhar.

presilheiro. [De *presilha* + *-eiro.*] *S. m. Pop.* Finório, intrujão.

pré-simbolista. [De *pré-* + *simbolista.*] *Adj. 2 g.* **1.** Anterior ao simbolismo. ● *S. 2 g.* **2.** Escritor pertencente à fase anterior ao simbolismo. [Pl.: *pré-simbolistas.* Antôn.: *pós-simbolista.*]

preso (ê). [Do lat. *prensu.*] *Adj.* **1.** Seguro por corda, correia ou corrente; *O cavalo estava preso ao tronco.* **2.** De mãos atadas; maniatado, manietado. **3.** Metido em prisão; encarcerado. **4.** Condenado à pena de prisão, ainda que não seja na cadeia: *Está preso sob palavra.* **5.** Diz-se da pessoa que é detida pela polícia para ulterior processo: *O senhor está preso.* **6.** Que está impedido de mover-se livremente: *Está preso ao leito.* **7.** *Fig.* Que não pode agir com liberdade: *Está preso por laços morais.* **8.** *Fig.* Incapacitado de agir: língua *presa*; vontade *presa*. **9.** *Fig.* Casado (1). ● *S. m.* **10.** Indivíduo encarcerado; prisioneiro. V. *detento* e *recluso.* [Flex.: *presa* (ê), *presos* (ê), *presas* (ê). Cf. *preso, presas, presa*, do v. *presar*, e *prezo, prezas, preza*, do v. *prezar.*]

pré-socrático. [De *pré-* + *socrático.*] *Adj.* **1.** Anterior a Sócrates. **2.** *Filos. Restr.* Pertencente ou relativo aos filósofos ou às escolas filosóficas anteriores a Sócrates. ● *S. m.* **3.** Cada um dos filósofos anteriores a Sócrates que floresceram do séc. VII ao séc. IV a.C., criadores da filosofia ocidental. [Sin. ger.: *ante-socrático.* Cf. *milésio, pitagorismo, heraclitismo, eleatismo* e *tomismo.*]

pressa. [Dev. de um **pressar* < lat. *pressare*, freqüentativo de *premere*, 'apertar', ou do lat. *pressa*, part. pass. de *premere*, 'apertar'.] *S. f.* **1.** Velocidade, ligeireza, rapidez: *Os jogadores se movimentaram com tal pressa que era impossível distingui-los.* **2.** Necessidade intensa de atingir um objetivo, de apressar-se; premência, urgência: *ter pressa; assunto de pressa.* **3.** Grande afã; azáfama: *Antes da festa reinava muita pressa e confusão.* **4.** Precipitação; irreflexão: "*A pressa* é inimiga da perfeição" (prov.). **5.** Impaciência, sofreguidão: *A pressa do corretor vinha provar a importância da transação.* **6.** Dificuldade, embaraço; aperto, aflição. ◆ **À pressa.** Rapidamente, apressadamente; precipitadamente; às pressas. **Às pressas.** *Bras.* V. *à pressa:* "fui chamado às *pressas*, e, interrompendo meus folguedos, corri à casa de Lipa." (Eduardo Canabrava Barreiros, *O Segredo de Sinhá Ernestina*, p. 5). **A toda a pressa.** Com a maior rapidez possível. **Dar-se pressa.** Apressar-se.

pressagiador (ô). *Adj.* e *s. m.* Que ou aquele que pressagia.

pressagiar. *V. t. d.* **1.** Anunciar por presságio ou agouro; profetizar, vaticinar: *O oráculo pressagiou vitórias;* "Os seis triângulos das hemiólias, agora cor de fogo ao crepúsculo, ... lembravam seis estranhas, formidáveis borboletas de sangue a voejar sinistramente nas águas, *pressagiando* assassinatos tremendos ou pavorosas matanças..." (Virgílio Várzea, *Nas Ondas*, p. 105). **2.** Adivinhar, prever, pressentir: *A moça, após a discussão, pressagiou o rompimento. T. d. e i.* **3.** Prever, predizer, prognosticar: *Todos pressagiaram sucesso ao novo advogado. P.* **4.** Predizer a si próprio: *O otimista pressagia-se vitórias.* [Pres. ind.: *pressagio*, etc. Cf. *presságio.*]

presságio. [Do lat. *praesagiu.*] *S. m.* **1.** Fato ou sinal que prenuncia o futuro; agouro: *Sonhar com morte costuma ser bom presságio;* "levando a arma à cara, se lhe sucedia ouvir um gemido no bosque: voz de rola tristonha ou pio surdo de nambu, impressionado, baixava a arma tirando *presságios* do canto da ave misteriosa" (Coelho Neto, *Sertão*, p. 284). **2.** Indício de um acontecimento futuro: *As dificuldades econômicas eram presságio de uma crise no governo.* **3.** V. *presciência* (2). **4.** V. *pressentimento* (2). [Cf. *pressagio*, do v. *pressagiar.*]

pressagioso (ô). *Adj.* Em que há presságio; pressago.

pressago. [Do lat. *praesagu.*] *Adj.* **1.** Que pressagia. **2.** Pressagioso: "Há nos teus olhos fundos e *pressagos* / Um mistério de vida singular" (Olegário Mariano, *Toda uma Vida de Poesia*, I, p. 115).

pressama. *S. f. Bras. SP. Pop.* Inflamação e engrossamento da pele: "Um belo dia, ... pegaram a aparecer pelo rosto do Zeca Estevo umas grossuras, uma vermelhidão, uma *pressama* que ninguém sabia como explicar." (Valdomiro Silveira, *Os caboclos*, p. 67.)

pressão. [Do lat. *pressione.*] *S. f.* **1.** Ato ou efeito de comprimir ou apertar: *A pressão dos dedos sobre as teclas do piano leva a grandes diferenças de sonoridade.* **2.** *Fig.* Influência constrangedora e coercitiva; coação. **3.** *Bras.* Colchete de pressão. **4.** *Fís.* Numa superfície sujeita à ação de uma força de módulo constante perpendicular a ela, o quociente da força pela área da superfície. ◆ **Pressão arterial.** *Fisiol.* e *Med.* Aquela que o sangue exerce sobre as paredes arteriais, na dependência de fatores diversos, como, p. ex., elasticidade das paredes arteriais e resistência de capilares; pressão sanguínea. **Pressão atmosférica.** *Fís.* A pressão exercida pela atmosfera terrestre em qualquer ponto da mesma, e que é igual ao produto da massa da coluna de ar que tem por base a unidade de área, no ponto dado, vezes a aceleração da gravidade no mesmo ponto. **Pressão capilar.** *Fís.* Pressão ou diferença de pressão provocada por superfícies curvas numa interface líquida. **Pressão crítica.** *Fís.* Pressão acima da qual não podem coexistir, como fases distintas, um vapor e o líquido correspondente. **Pressão de degenerescência.** *Astr.* Pressão num elétron em degeneração ou num gás. **Pressão de impacto.** *Fís.* Pressão dinâmica. **Pressão de linha.** *Anest.* Pressão reinante em circuito em que transitam gases. **Pressão de vapor.** *Fís.* A pressão de equilíbrio de um líquido com o seu vapor; tensão de vapor. **Pressão dinâmica.** *Fís.* Componente da pressão devida ao movimento de um fluido, e igual ao produto da massa volumar do fluido pela metade do quadrado da velocidade; pressão de impacto. **Pressão estática.** *Fís.* Componente da pressão num fluido em movimento que se exerce sobre uma superfície que se move com o fluido. **Pressão hidrostática.** *Fís.* Pressão exercida por um fluido em repouso. **Pressão interna.** *Fís.* Em um fluido, componente da pressão que é determinado pela existência de forças de interação entre suas moléculas. **Pressão neutra.** Pressão a que está submetida a água que se encontra nos poros existentes entre as partículas de um solo. **Pressão osmótica.** *Fís.-Quím.* Na osmose, excesso de pressão que se deve exercer sobre a solução para impedir a passagem de solvente através da membrana semipermeável. **Pressão parcial.** *Fís.* Numa mistura de gases ideais, pressão que cada gás teria se ocupasse, isoladamente e na mesma temperatura, todo o volume da mistura. **Pressão reduzida.** *Fís.* Quociente da pressão de um gás pela pressão crítica do mesmo gás. **Pressão sanguínea.** *Fisiol.* e *Med.* Pressão arterial. **Pressão venosa.** *Fisiol.* e *Med.* Aquela que o sangue exerce sobre as paredes venosas.

pressentido. [Part. de *pressentir.*] *Adj.* **1.** Sentido de antemão: *O medo pressentido das crianças explicava-se, pois conheciam o feitio violento do pai.* **2.** Previsto (2). **3.** Que facilmente percebe qualquer pequeno barulho ou rumor. **4.** Que tem desconfianças; receoso.

pressentimento. *S. m.* **1.** Ato ou efeito de pressentir. **2.** Sentimento intuitivo e alheio a uma causa conhecida, que permite a previsão de acontecimentos futuros; intuição, palpite, presságio: *Cancelou a viagem porque teve um pressentimento do que ia suceder.* **3.** V. *presciência* (2).

pressentir. [Do lat. *praesentire.*] *V. t. d.* **1.** Sentir antecipadamente: *O artista pressentia o bem-estar que lhe adviria dos aplausos.* **2.** Adivinhar, prever, pressagiar: *Analisando a capacidade militar das tropas, os observadores pressentiram o desastre.* **3.** Ter suspeitas de; desconfiar, suspeitar: *Não pressente que está sendo vigiado.* **4.** Ouvir ou perceber ao longe, ou antes de ver: *O gatuno pressentiu a polícia e escapou.* **5.** Sentir influência de (coisa longínqua, ou que não se vê): *Certos intelectuais de sensibilidade pressentem a importância da cultura popular.* [Irreg. Conjug.: v. *sentir.* Pres. ind.: *pressinto,* etc.; pres. subj.: *pressinta,* etc. Cf. *precinto,* s. m., *precinta,* s. f., e o pres. ind. dos v. *precintar* e *persentir.*]

pressionar. *V. t. d.* **1.** Fazer pressão sobre (algo ou alguém): "*Pressionou* a nuca na quina de mármore em busca de uma dor mais violenta" (Samuel Rawet, *Os Sete Sonhos*, pp. 8-9); "Jesuíno *pressionou* o corpo contra a alavanca mas o toro nem se moveu do lugar." (Guido Vilmar Sassi, *São Miguel*, p. 27). **2.** Exercer pressão ou coação sobre; constranger, coagir: *A forte campanha publicitária não pressionou os jurados.* *T. d. e i.* **3.** Obrigar, coagir, constranger: *Prepotente, quer pressionar o proprietário a vender suas terras.* *Int.* **4.** Exercer pressão ou coação sobre alguém: *Esgotadas as fórmulas persuasivas, começaram a pressionar.*

pressirrostro. [Do lat. *pressu,* 'apertado', + *-i-* + *-rostro.*] *Adj. Zool.* Que tem bico comprido.

pressóstato. *S. m. Tec.* Manóstato.

pressupor. [De *pre-* + *supor.*] *V. t. d.* **1.** Supor antecipadamente; conjeturar, presumir: "A ingratidão faz *pressupor* vistas de interesse no benfeitor, ou indignidade no beneficiado." (Marquês de Maricá, *Máximas, Pensamentos e Reflexões*, p. 55.) **2.** Fazer supor; dar a entender; subentender: *A intimidade pressupõe amizade profunda.* [Irreg. Conjug.: v. *pôr.*]

pressuposição. *S. f.* Ato ou efeito de pressupor; conjetura antecipada.

pressuposto (ô). [Part. de *pressupor.*] *Adj.* **1.** Que se pressupõe. ● *S. m.* **2.** Pressuposição; conjetura. **3.** Desígnio, tenção, projeto. **4.** *Jur.* Circunstância ou fato considerado como antecedente necessário de outro.

pressurização. *S. f.* **1.** Ato ou efeito de pressurizar. **2.** O processo adotado para pressurizar.

pressurizado. [Part. de *pressurizar.*] *Adj.* Que se pressurizou; que sofreu pressurização.

pressurizar. [Do ingl. *to pressurize.*] *V. t. d.* Manter por processos mecânicos pressão aproximadamente normal dentro de um espaço hermeticamente fechado em (veículos ou cabinas destinados a funcionar em grandes altitudes ou a grandes profundidades).

pressuroso (ô). [Do lat. *pressura,* 'ação de apertar', + *-oso.*] *Adj.* **1.** Cheio de pressa; apressado. **2.** Muito zeloso e diligente: "Latem os cães; as portas se franqueiam / Rangendo sobre os quícios; os criados / Acodem *pressurosos*" (Fagundes Varela, *Poesias Completas*, I, p. 241). **3.** Azafamado, atarefado. **4.** Irrequieto, impaciente.

prestabilidade. *S. f.* Qualidade de prestável; prestimosidade.

prestação. [Do lat. *praestatione,* 'ação de satisfazer, pagamento'.] *S. f.* **1.** Ato ou efeito de prestar; prestamento. **2.** Pagamento a prazo, para solver dívida ou encargo. **3.** Cota^{2} (3). **4.** *Jur.* Ato pelo qual alguém cumpre a obrigação que lhe cabe, na forma estipulada no contrato. *S. m. Bras.* **5.** Vendedor ambulante de mercadorias pelo sistema de prestações; prestamista, turco, turco da prestação. ♦ **Prestação de contas.** Demonstração dos gastos apresentada por pessoas ou entidades que recebem adiantadamente uma quantia para fim ou fins determinados.

prestacionar. *V. t. d.* **1.** *P. us.* Pagar em prestações: *prestacionar o débito.* **2.** Dar como subvenção; subvencionar: *A assistência social prestaciona famílias pobres.*

prestacionista. *S. 2 g.* **1.** Pessoa que realiza uma prestação. **2.** Pessoa que paga em prestações.

prestadio. *Adj.* **1.** Que presta; prestável, prestador, prestante. **2.** V. *prestativo.* **3.** Útil, proveitoso. **4.** Que se presta (a algum fim); adequado, apropriado: "O assunto é decerto *prestadio* a declamações" (Machado de Assis, *Poesia e Prosa*, pp. 125-126).

prestador (ô). [De *prestar* + *-(d)or.*] *Adj.* **1.** V. *prestadio* (1). ● *S. m.* **2.** Aquele que dá (alguma coisa) por empréstimo. **3.** *Jur.* Aquele que efetiva uma prestação (4).

prestamente. [Do fem. de *presto* + *-mente.*] *Adv.* V. *prestemente.*

prestamento. *S. m.* Prestação (1).

prestamista. [Do ant. *préstamo,* de *prestar,* + *-ista.*] *S. 2 g.* **1.** Pessoa que empresta dinheiro a juros: "Se fosse trabalhador, iria amanhã a um *prestamista* que mo daria [o dinheiro] com um juro indecentíssimo." (João do Rio, *Vida Vertiginosa*, p. 233.) **2.** Pessoa que recebe juros de inscrições de dívida pública. **3.** Pessoa que compra a prestações. **4.** *Bras., N.E.* V. *prestação* (5).

prestança. [De *prestar* + *-ança.*] *S. f. Ant.* Prestância.

prestância. [Do lat. *praestantia.*] *S. f.* Qualidade de prestante.

presta-nome. [De *prestar* + *nome.*] *S. m. Bras.* Pessoa interposta. [Pl.: *presta-nomes.*]

prestante. [Do lat. *praestante.*] *Adj. 2 g.* **1.** V. *prestadio* (1). **2.** V. *prestativo.* **3.** Excelente; insigne.

prestar. [Do lat. *praestare.*] *V. t. d. e i.* **1.** Dar com presteza e cuidado; dispensar: "Um cavalo cansado *prestou*-lhe altos serviços" (Solange Lajes, *Passagem*, p. 85); *A enfermeira presta cuidados aos doentes.* **2.** Dar, conceder, conferir: *O Estado deve prestar a todos os cidadãos as condições mínimas de sobrevivência.* **3.** Transmitir, comunicar; emprestar: *Móveis antigos e pesados prestavam à mansão um ar lúgubre.* **4.** Dedicar, consagrar, render: *Os fiéis prestam culto a Deus.* *T. d.* **5.** Realizar, efetuar, praticar, por imposição legal ou contratual: *prestar serviço militar; prestar depoimento;* "Foi [Duarte da Costa] o sucessor de Tomé de Sousa. *Prestou* igualmente serviços de valia, mas estava longe de ser equiparado ao seu antecessor." (João Ribeiro, *História do Brasil*, p. 89.) *Int.* **6.** Ter préstimo, serventia ou proveito; ser útil; valer: *O meu automóvel já não presta.* **7.** Ter boa índole; ser bom, correto, honesto: *Aquele sujeito não presta.* **8.** Estar ao alcance de alguém para ser útil: *Soluções que exijam maiores gastos não prestam no momento.* *T. i.* **9.** Ser útil; aproveitar, valer, servir: *O dinheiro presta para quase tudo, não para tudo.* *Bit. i.* **10.** Ser útil; valer, aproveitar: *O invento não lhe prestou para nada.* *P.* **11.** Ser adequado; acomodar-se, adequar-se, servir: *Este utensílio presta-se a vários usos.* **12.** Estar disposto; condescender: *Homem honesto, não se presta a bajular.*

prestatário. [Do lat. *praestatu,* part. de *praestare,* 'prestar', + *-ário.*] *S. m. Jur.* Aquele que recebe alguma coisa por empréstimo.

prestativo. [Do lat. *praestatu,* part. pass. de *praestare,* 'prestar', + *-ivo.*] *Adj.* Pronto para servir; prestável, prestadio, prestante; serviçal, obsequioso: *empregada prestativa.*

prestável. [Do lat. *prestabile.*] *Adj. 2 g.* **1.** Que presta ou pode prestar; servível: *móvel antigo, mas ainda prestável.* **2.** V. *prestativo*: *É um funcionário prestável: atende com prontidão os que o procuram.*

preste^{1}. [Do fr. ant. *prestre,* com dissimilação.] *S. m. Ant.* Sacerdote, padre.

preste^{2}. *Adj. 2 g.* e *adv.* Prestes.

prestemente. [De *preste*^{2} + *-mente.*] *Adv.* Com presteza; prestesmente, prestamente.

prestes. [De *praestis < lat. tardio praestus, a, um.] *Adj. 2 g. e 2 n.* **1.** Disposto; pronto, preparado. **2.** Que está a ponto de acontecer; próximo: "O furriel Inocêncio, já velho, *prestes* a dar baixa, não excitava a admiração da infância" (Ciro dos Anjos, *A Menina do Sobrado*, p. 96). **3.** Rápido, ligeiro. ● *Adv.* **4.** Com presteza; prestemente, prestamente. [F. paral.: *preste.*]

prestesmente. [De *prestes* + *-mente.*] *Adv.* V. *prestemente.*

presteza (ê). [De *preste* ou *prestes* + *-eza.*] *S. f.* **1.** Ligeireza, prontidão: *Executou a ordem com presteza.* **2.** Rapidez, agilidade: *presteza de gestos.*

▲**presti-.** [Do lat. *praestus, i.*] *El. comp.* = 'rápido', 'ligeiro': *prestímano, prestidigitação.*

prestidigitação. [De *presti-* + *-digit(i)-* + *-a-* + *-ção.*] *S. f.* Arte e técnica de prestidigitador; ilusionismo, passe-passe, arte mágica.

prestidigitador (ô). [De *presti-* + *digit(i)-* + *-a-* + *-(d)or.*] *S. m.* Artista que, pela ligeireza dos movimentos das mãos, faz deslocar ou desaparecer objetos, iludindo a vigilância do espectador de maneira que parece inexplicável; prestímano, prestigiador, ilusionista, mágico: "a bola .... escapa-lhe dos dedos e toma a forma de um vaso, de uma xícara, de um prato, como nos espetáculos ilusivos, quando surgem pombos das mangas do *prestidigitador.*" (Costa Rego, *Águas Passadas*, p. 409).

prestigiação. [De *prestígio* (1 e 2) + *-ar*^{2} + *-ção.*] *S. f.* Ação de prestigiador; bruxaria, feitiçaria; magia.

prestigiador (ô). [Do lat. *praestigiatore.*] *S. m.* **1.** Aquele que opera prestígios; feiticeiro. **2.** V. *prestidigitador.*

prestigiar. [De *prestígio* (4 e 5) + *-ar*^{2}.] *V. t. d.* Dar prestígio a; tornar prestigioso: *O rápido desenvolvimento e bem-estar do povo prestigiam uma nação.* [Pres. ind.: *prestigio,* etc. Cf. *prestígio.*]

prestígio. [Do lat. *praestigiu.*] *S. m.* **1.** Ilusão atribuída a causas sobrenaturais ou a sortilégios; magia. **2.** Artifício usado para seduzir, para encantar; fascinação, atração, encanto, magia. **3.** Influência exercida por pessoa, coisa, instituição, etc., que provocam admiração ou respeito: *o prestígio de Pelé; o prestígio da televisão; o prestígio da Igreja.* **4.** Superioridade pessoal baseada no bom êxito individual em qualquer setor da atividade, e que é admitida pela maioria de um dado meio social. [Cf. *prestigio,* do v. *prestigiar.*]

prestigioso (ô). [Do lat. *praestigiosu.*] *Adj.* **1.** Que encerra prestígio (1 a 3). **2.** Que exerce prestígio (3 e 4).

prestimanear. *V. t. d.* **1.** Adquirir ou roubar, como prestímano ou prestidigitador: *O ladrão, habilíssimo, prestimaneou mais de 100 carteiras.* *Int.* **2.** Proceder como prestímano ou prestidigitador: *O malandro prestimaneia com perfeição.* [Conjug.: v. *frear.*]

prestímano. [De *presti-* + *-mano.*] *S. m.* **1.** V. *prestidigitador*: "Sob o encanto combinado da sedução feminina da rainha e das artes mágicas do *prestímano* que expunha verbosamente, com gestos rápidos e mobilidade na vista, o seu plano, o pobre rei deixava-se penetrar pela tentação que mais uma vez ia lançar o reino em guerra." (Oliveira Martins, *A Vida de Nun'Álvares*, p. 48.) **2.** *P. ext.* Manipresto.

préstimo. [De *prestar;* formação anômala.] *S. m.* **1.** Qualidade do que presta. **2.** Qualidade do que tem mérito ou capacidade de ser útil: *pessoa de grandes préstimos; móvel sem préstimo.* **3.** Obséquio, favor, serviço: *Ofereceu-me os préstimos.* **4.** Amparo, auxílio.

prestimoniado. *Adj.* e *s. m.* Que, ou aquele que recebe ou tem prestimônio.

prestimonial. *Adj. 2 g.* Referente a prestimônio; prestimoniário.

prestimoniário. *Adj.* Prestimonial.

prestimônio. [Do lat. ecles. *praestimoniu.*] *S. m.* Pensão ou bens destinados ao sustento de um padre e separados das rendas de um benefício.

prestimosidade. *S. f.* Qualidade de prestimoso; prestabilidade: "Lá no quarto outros ponteiros se moviam na cabeça do alferes, ... levando-o à convicção de que outros propósitos não poderiam ter para com ele, os seus amigos, senão de amor, fidelidade e *prestimosidade.*" (José Maria de Melo, *Os Canoés*, p. 17).

prestimoso (ô). *Adj.* **1.** Que tem préstimo: *dona de casa prestimosa.* **2.** Prestante, prestável, serviçal, obsequioso.

prestíssimo. [Do it. *prestissimo.*] *Adv.* **1.** Com grande presteza ou rapidez (andamento musical). ● *S. m.* **2.** Trecho em que há esse andamento.

prestite. [Do lat. *praestite,* 'o que está na frente'.] *S. m.* Entre os antigos romanos, aquele que presidia a certas solenidades.

préstito. [Do lat. *praestitu,* 'o que está adiante, o que avança'.] *S. m.* Agrupamento de numerosas pessoas em marcha; cortejo, procissão: "Pungido pelo dente acerbo das quimeras, / o espírito subtil de um trágico poeta /

quis ver a desfilar, como o antigo profeta, / em préstito solene, as porvindouras eras..." (Augusto de Lima, *Poesias*, p. 23.)

presto. [Do it. *presto.*] *Adv.* **1.** Com presteza ou rapidez (andamento musical). ● *S. m.* **2.** Trecho em que há esse andamento. ● *Adj.* **3.** Ligeiro, rápido, prestes.

presumido. [Part. de *presumir.*] *Adj.* **1.** Vaidoso, presunçoso. **2.** Amaneirado, afetado. **3.** *Jur.* Em que há presunção; admitido como certo e verdadeiro por presunção (2). ● *S. m.* **4.** Aquele que tem presunção ou vaidade.

presumidor (ô). *Adj.* e *s. m.* Que ou aquele que presume.

presumir. [Do lat. *praesumere*, 'tomar antecipadamente'.] *V. t. d.* **1.** Entender, baseando-se em certas probabilidades; imaginar, supor, conjeturar, suspeitar: *Não existindo prova de culpa, devem os jurados presumir inocência.* **2.** Ver ou supor antecipadamente; prever, pressupor: *Presumo que tudo sairá conforme planejamos.* **3.** Desconfiar de; suspeitar: *O chefe político presumia traições e revoltas. T. i.* **4.** Ter presunção ou vaidade; arrogar-se, vangloriar-se; ter ou formar (de si) grande opinião ou conceito: *Presume de inteligente. P.* **5.** Julgar-se, supor-se, pretender-se: "Quanto a mim, já não leio romances, mas que são a história, a filosofia, senão outras tantas ficções, e talvez mais ousadas, porque se presumem de alicerçadas no real?" (Ciro dos Anjos, *Abdias*, p. 24.)

presumível. *Adj. 2 g.* **1.** Que se pode presumir, supor, ou suspeitar. **2.** Provável, verossímil.

presunção. [Do lat. *praesumptione.*] *S. f.* **1.** Ato ou efeito de presumir(-se). **2.** Opinião ou juízo baseado nas aparências; suposição, suspeita. **3.** Vaidade, orgulho; pretensão: "Presunção e água benta, cada qual toma a contento" (prov.). **4.** *Jur.* Conseqüência que a lei deduz de certos atos ou fatos, e que estabelece como verdade por vezes até contra prova em contrário. [Cf. *indício* (2).]

presunçoso (ô). *Adj.* e *s. m.* Que ou aquele que tem ou denota presunção (3); pretensioso.

presunho. [Alter. de *pezunho.*] *S. m.* Parte do pé do porco junto das unhas.

presuntivo. [Do lat. *praesuntivu*, 'que deve tomar em primeiro lugar'.] *Adj.* **1.** Presumível, pressuposto. **2.** Que se espera que seja; que apresenta possibilidades de ser: *o presuntivo sogro.* **3.** Designado de antemão pelo parentesco (tratando-se de herdeiro): "Que Vossa Alteza era o herdeiro presuntivo de um cetro; nunca o de um cachucho de pregador!" (Ramalho Ortigão, *As Farpas*, II, p. 15.)

presunto. [Do lat. **persunctu*, 'inteiramente sugado, inteiramente dessecado ao lume'.] *S. m.* **1.** Perna ou espádua de porco, salgada e curada ao fumeiro. [Sin. (bras., pop.): *fiambre.*] **2.** *Bras. Gír.* Cadáver, defunto. ♦ **Virar presunto.** *Bras. Gír.* V. *morrer* (1).

presúria. [Do lat. bárbaro *presura?*] *S. f.* **1.** Reivindicação ou reconquista pelas armas. **2.** V. *açude* (1). **3.** *P. ext.* Mota[1] (1).

preta (ê). [Fem. de *preto* (ê).] *S. f.* Mulher negra.

pretalhada. *S. f. Deprec.* **1.** Grande porção de pretos. **2.** Os pretos. [Sin. ger.: *pretaria.*]

pretalhão. *S. m.* Preto corpulento; negralhão. [Fem.: *pretalhona.*]

pretalhona. *S. f.* Fem. de *pretalhão;* negralhona.

➧**prêt-à-porter** (pré-tá-portê). [Fr.]. *Adj. 2 g.* e *2 n.* Diz-se da roupa comprada pronta em lojas, seja fabricada industrialmente, seja feita à mão.

pretaria. *S. f. Deprec.* Pretalhada.

pretejar. *V. int.* **1.** *Bras.* Ficar preto; enegrecer, negrejar, escurecer: "De tarde o céu pretejou engrossado pelos colchões de nuvens espessas" (José Fonseca Fernandes, *Joatão e a Ilha*, p. 5). **2.** *Bras., SP.* Estar cheio de gente (rua), de frutas (árvore), etc.: *Pretejam as avenidas; As mangueiras pretejavam.* [Conjug.: v. *pelejar.*]

pretendedor (ô). *Adj.* **1.** Pretendente (1). ● *S. 2 g.* **2.** Pretendente (2).

pretendente. [Do lat. *praetendente.*] *Adj. 2 g.* **1.** Que pretende; pretendedor. ● *S. 2 g.* **2.** Pessoa que pretende; pretendedor. **3.** Aspirante, candidato: *Os pretendentes ao cargo devem trazer os documentos exigidos.* **4.** Príncipe que pretende ter direitos a um trono ocupado por outro. *S. m.* **5.** Aquele que aspira à mão de uma mulher.

pretender. [Do lat. *praetendere.*] *V. t. d.* **1.** Reclamar como um direito; exigir: *Os prejudicados pretendem indenização.* **2.** Solicitar; pleitear: *Pretende um bom cargo público.* **3.** Aspirar a; desejar, querer: *Pretende fazer uma longa viagem.* **4.** Empenhar-se ou esforçar-se por; intentar, diligenciar: *Trabalhou duro quando moço, pretendendo uma velhice tranqüila.* **5.** Projetar, planejar, tencionar: *Os inimigos pretendem atacar amanhã.* **6.** Dar ou tomar como pretexto; pretextar: *A convocação foi feita por escrito, de modo que ninguém pode pretender desconhecê-la.* **7.** Julgar; sustentar, afirmar, asseverar: *Pretendem alguns autores que o homem tenha surgido na Ásia;* "Teofrasto, citado por Ateneu, pretende ter sido um tocador de avena, chamado Ândron, natural da Sicília, o inventor da dança." (Martins Fontes, *A Dança*, p. 14). *T. d.* e *i.* **8.** Pedir com autoridade; exigir, reclamar: *É absurdo pretenderes tanto de nós. Int.* **9.** Fazer diligência por conseguir, esforçar-se por obter alguma coisa: *Pretendeu o lugar por todos os meios, mas em vão. T. i.* **10.** Tratar; cogitar, cuidar: *Todos pretendiam de resolver os mistérios. P.* **11.** Ter-se na conta de; julgar-se, considerar-se, reputar-se: *Pretende-se um bom profissional.*

pretendida. [Fem. substantivado de *pretendido*, part. de *pretender.*] *S. f.* **1.** Noiva, prometida. **2.** Mulher requestada por um pretendente.

pretensão. [Do lat. *praetensu*, 'pretendido, pretenso', + *-ão*[2].] *S. f.* **1.** Ato ou efeito de pretender. **2.** Direito suposto e reivindicado. **3.** Vaidade exagerada; presunção. **4.** Aspiração; ambição: *Expôs com clareza a sua pretensão, e foi atendido.* **5.** *Dir.* Pedido ou objeto da ação judicial. ~ V. *pretensões.*

pretensioso (ô). *Adj.* **1.** Que tem pretensão ou vaidade; presumido, presunçoso, convencido: *Era um homem ignorante e pretensioso.* **2.** Que tem soberba; orgulhoso, soberbo: *grã-fino pretensioso.* **3.** Em que há, ou que denota pretensão: *atitude pretensiosa; modos pretensiosos.* **4.** Amaneirado, afetado. ● *S. m.* **5.** Indivíduo pretensioso.

pretenso. [Do lat. *praetensu.*] *Adj.* **1.** Que pretende ou supõe (qualquer coisa). **2.** Suposto, fictício.

pretensões. [Pl. de *pretensão.*] *S. f. pl.* Jactância. bazófia. ~ V. *pretensão.*

▲**preter-.** [Do lat. *praeter.*] *El. comp.* = 'que vai além de, que transcende': *preterdoloso.*

preterdolo. [De *preter-* + *dolo.*] *S. m. Jur.* Causalidade psíquica complexa do crime preterdoloso; preterintenção.

preterdoloso (ô). [De *preter-* + *doloso.*] *Adj.* ~ V. *crime* —.

preterição. [Do lat. *praeteritione.*] *S. f.* **1.** Ato ou efeito de preterir. **2.** *Ret.* Figura que consiste em tratar de um assunto ao mesmo tempo que se afirma que ele será evitado; paralipse. Ex.: *Não, não me referirei aos seus horrendos crimes.*

preterintenção. [De *preter-* + *intenção.*] *S. f. Jur.* Preterdolo.

preterintencional. [De *preterintenção.*] *Adj. 2 g.* ~ V. *crime* —.

preterintencionalidade. *S. f. Jur.* Qualidade de preterintencional.

preterir. [Do lat. *praeterire*, 'passar além'.] *V. t. d.* **1.** Deixar de parte; desprezar; rejeitar: *O bom governante não deve preterir os préstimos de homens capazes.* **2.** Deixar de promover a posto ou emprego sem justificativa legal ou moral: *Os diretores preteriram o empregado mais antigo, escolhendo um parente para o cargo de chefia.* **3.** Preencher ou ocupar indebitamente posto ou lugar que cabia a (outrem). **4.** Ser empregado indevidamente em lugar de: *Em certas tendências literárias, o intelectualismo excessivo pretere a arte.* **5.** Ir além de; ultrapassar: *Este ano os lucros preteriram a casa dos 10 milhões.* **6.** Abstrair ou prescindir de; omitir: *A justiça não pode preterir as provas, deixando-se arrastar por paixões.* [Irreg. Conjug.: v. *aderir.* Sin.: *pretermitir.*]

pretérito. [Do lat. *praeteritu.*] *Adj.* **1.** Que passou; passado: "O homem adulto .... conhece as experiências pretéritas dos outros homens através dos livros" (João Gaspar Simões, *O Mistério da Poesia*, p. 21). ● *S. m.* **2.** Tempo verbal que exprime ação passada ou anterior. **3.** O passado (15 e 16).

preterível. *Adj. 2 g.* Que pode ser preterido.

pretermissão. [Do lat. *praetermissione.*] *S. f.* Ato ou efeito de pretermitir; preterição.

pretermitir. [Do lat. *praetermittere.*] *V. t. d.* V. *preterir.*

preternatural. [Do lat. *praeter*, 'além de', + *natural.*] *Adj. 2 g.* V. *sobrenatural* (1 a 5).

pretexta (ês). [Do lat. *praetexta.*] *S. f.* Toga branca, franjada de púrpura, que usavam, em Roma, os mancebos das famílias patrícias, senadores e altos magistrados.

pretextar (ês). *V. t. d.* Dar ou tomar como pretexto; pretender: "Pretextei uma enxaqueca e fui deitar-me." (Ciro dos Anjos, *Abdias*, p. 84.) [Pres. ind.: *pretexto* (ês), *pretextas* (ês), etc.]

pretexto (ês). [Do lat. *praetextu.*] *S. m.* Razão aparente ou imaginária que se alega para dissimular o motivo real de uma ação ou omissão; desculpa. ♦ **A pretexto de.** Com o fim ou razão aparente de; à conta de.

pré-textual. [De *pré-* + *textual.*] *Adj. 2 g.* Numa publicação, diz-se de cada um dos elementos suscetíveis de preceder o texto propriamente dito, como, p. ex., folha de rosto, dedicatória, epígrafe, sumário, etc. [Pl.: *pré-textuais.*]

pretidão. *S. f.* **1.** Qualidade de preto. **2.** Cor preta carregada. [Sin. ger. (bras.): *pretura.*]

pretinha. [Dim. do fem. de *preto* (ê).] *S. f. Bras., MT.* V. *feijão-preto* (3).

pré-tipográfico. [De *pré-* + *tipográfico.*] *Adj.* Protipográfico. [Pl.: *pré-tipográficos.*]

preto. *Adv. Ant.* e *prov. lus.* Perto. [Cf. *preto* (ê), adj. e s. m., e *Preto* (ê), top.]

preto (ê). *Adj.* **1.** Que tem a mais sombria de todas as cores; da cor do ébano, do carvão. [Rigorosamente, no sentido físico, o preto é a ausência de cor, como o branco é o conjunto de todas as cores. V. *cor* (1).] **2.** Diz-se dessa cor. **3.** Diz-se de diversas coisas que apresentam cor escura, sombria; negro: *O céu ficou preto de fumaça.* **4.** Sujo, encardido. **5.** Diz-se do indivíduo negro. **6.** Diz-se da cor da pele desses indivíduos, ou da cor da pele clara queimada pelo sol; negro. **7.** *Tip.* Diz-se do tipo (ou fio) de traços acentuadamente mais fortes que o normal; negro, gordo. [Nesta acepç., cf. *negrito* e v. *meio-preto.*] **8.** *Bras.* Difícil, perigoso; roxo: *Eu vi as coisas pretas.* ~ V. *bode* —, *café* —, *chá* —, *fava* —*a*, *frades* —*s*, *naipes* —*s*, *pão* — e *terra* —*a*. ● *S. m.* **9.** Indivíduo negro. [Aum., nesta acepç.: *pretalhão.*] **10.** A cor preta [v. *de cor* (3)]: "Toda de preto vestida / como um poema fechado / num envelope de luto" (Raul Bopp, *Putirum*, p. 147); "Andava quase sempre de preto, cor muito da época." (Carlos Lacerda, *A Casa do Meu Avô*, p. 77). [Sin. (salvo na acepç. 7): *negro.* Pl.: *pretos* (ê). Cf. *preto*, adv., *Preto*, mit. e antr., e pl. *Pretos.*] ♦ **Preto de alma branca.** Indivíduo negro bom, generoso, nobre, leal. **Pôr o preto no branco.** Passar a documento escrito qualquer declaração verbal.

preto-aça. [De *preto* (ê) + *aça.*] *S. m. Bras.* Designação dada aos albinos; negro-aça. [Flex.: *preta-aça, pretos-aças, pretas-aças.*]

preto-e-branco. *Adj. 2 g.* **1.** Diz-se de trabalho impresso, ou de arte-final, produzido apenas com uma cor (preto e seus meios-tons). **2.** Diz-se de filme fotográfico que reproduz as cores naturais em tons de preto. **3.** Diz-se de cópia fotográfica, de filme cinematográfico ou de imagem de TV produzidos sem colorido. **4.** Diz-se de aparelho de TV que reproduz a imagem sem colorido. [Tb. é us., abrev., *P. & B.*] ~ V. *filme* —.

pretolim. [Do fr. *pétroline*, com metátese.] *S. m.* Verniz dos espadeiros.

preto-mina. [De *preto* (ê) + *mina*[2].] *S. m. Bras.* V. *mina*[2] (1). [Flex.: *preta-mina, pretos-minas, pretas-minas.*]

pretônico. [De *pre-* + *tônico.*] *Adj. Gram.* Diz-se de vogal ou sílaba situada antes da vogal ou sílaba tônica duma palavra; antetônico. ~ V. *sílaba* —*a*. [Antôn.: *postônico.*]

pretor (ô). [Do lat. *praetore.*] *S. m.* **1.** Magistrado que, na Roma antiga, distribuía a justiça. **2.** *Bras., RJ. Magistrado de alçada inferior à de juiz de direito.*

pretoria. [De *pretor* + *-ia.*] *S. f. Bras.* **1.** Jurisdição de pretor. **2.** Repartição do pretor. [Cf. *pretória*, fem. de *pretório* e s. f., e *Pretória*, top.]

pretória. [Do lat. *praetoria.*] *S. f.* Sala anexa aos conventos, na qual se julgavam os pleitos. [Cf. *pretoria.*]

pretoriano. [Do lat. *praetorianu.*] *Adj.* **1.** Relativo ou pertencente ao pretor. **2.** Diz-se da guarda dos imperadores da Roma antiga. ● *S. m.* **3.** Soldado dessa guarda.

pretório[1]. [Do lat. *praetoriu.*] *S. m.* **1.** Na Roma antiga, tenda do general em campanha. **2.** Tb. na Roma antiga, tribunal do pretor (1). **3.** Modernamente, qualquer tribunal.

pretório[2]. [Do lat. *praetoriu*, 'tribunal do pretor'.] *Adj.* Relativo a pretor. [Fem.: *pretória.* Cf. *pretoria.*]

pré-traçar. [De *pré-* + *traçar.*] *V. t. d.* Traçar de antemão; planear, planejar. [Conjug.: v. *laçar.*]

pré-trovadoresco. [De *pré-* + *trovadoresco.*] *Adj.* Anterior aos trovadores [v. *trovador* (1 a 3)], à época trovadoresca: "tudo nos indica a existência de uma antiga lírica peninsular, espécie de lírica pré-trovadoresca, vinda do Norte para o Sul" (Leodegário A. de Azevedo Filho, *A Poesia dos Trovadores Galego-Portugueses*, I, p. 19). [Pl.: *pré-trovadorescos.*]

pretucano. *S. m. Bras., SP.* Paru-das-pedras.

pretume. *S. m. Bras. Pop.* **1.** A cor preta. **2.** Negrume, escuridão: "Nem percebia a escuridão em torno, o pretume que sòmente acabava muito além, na beira da lagoa." (Ricardo Ramos, *Os Caminhantes de Santa Luzia*, p. 53.)

pretura¹. [Do lat. *praetura*.] *S. f.* Dignidade ou cargo de pretor.

pretura². *S. f. Bras.* Pretidão.

pré-universitário. [De *pré-* + *universitário*.] *Adj.* Antecedente aos estudos universitários. [Pl.: *pré-universitários*.]

prevalecente. [Do lat. *praevalescente*.] *Adj. 2 g.* Que prevalece.

prevalecer. [Do lat. *praevalescere*.] *V. int.* **1.** Ter mais valor; levar vantagem; preponderar, predominar: *Quase sempre a verdade prevalece*; "Acontecia .... que D. João V era essencialmente Rei. E num Rei o que prevalece não é ele, o indivíduo." (Visconde de Carnaxide, *D. João V e o Brasil*, p. 29.) **2.** Ter primazia ou prioridade: *Realizado o concurso, prevalecerão os candidatos mais capazes.* **3.** Dar bons resultados; vingar: *As boas ações prevalecem e frutificam.* **4.** Vencer em juízo; ser acolhido; *Não prevaleceu o requerimento. T. i.* **5.** Levar vantagem; preponderar: *O coração não deve prevalecer à razão. P.* **6.** Revoltar-se, levantar-se, insurgir-se: *Deus castigará a quantos se prevaleçam contra suas leis.* **7.** Tirar partido; valer-se, aproveitar-se, utilizar-se: *Será punido o funcionário que se prevaleça de seu cargo.* [Conjug.: v. *aquecer*.]

prevalecido. [Part. de *prevalecer*.] *Adj. Bras., S. Fam.* Que abusa da sua posição, ou da consideração de que desfruta, e se mostra despótico e intratável com os outros; atrevido, confiado.

prevalência. [Do lat. *praevalentia*.] *S. f.* Qualidade daquele ou daquilo que prevalece: superioridade.

prevalente. [Do lat. *praevalente*.] *Adj. 2 g.* V. *valor* —.

prevaricação. [Do lat. *praevaricatione*.] *S. f.* **1.** Ato ou efeito de prevaricar. **2.** *Jur.* Crime perpetrado por funcionário público, e que consiste em retardar ou deixar de praticar, indebitamente, ato de ofício, ou em praticá-lo contra disposição legal expressa, para satisfação de interesse ou sentimento pessoal. **3.** *P. ext.* Adultério (1).

prevaricador (ô). [Do lat. *praevaricatore*.] *Adj.* e *s. m.* Que ou aquele que prevarica.

prevaricar. [Do lat. **praevaricare*, por *praevaricari*.] *V. int.* **1.** Faltar ao dever: *É de criança que se aprende a não prevaricar.* **2.** Faltar, por interesse ou por má fé, aos deveres do seu cargo, do seu ministério: *Serão demitidos os empregados que prevaricaram.* **3.** Torcer a justiça: *Razões pessoais não podem levar um magistrado a prevaricar.* **4.** Agir ou proceder mal; incorrer em falta; errar: *O rapaz prevaricou, mas não tinha consciência do erro.* **5.** Cometer o crime de prevaricação (2): *O governo punirá os funcionários que prevaricarem.* **6.** Perpetrar adultério: "As virtudes conjugais de uma senhora de engenho antiga eram como um dogma inatacável. Raras prevaricaram." (Júlio Belo, *Memórias de um Senhor de Engenho*, p. 18.) *T. i.* **7.** Faltar (aos seus deveres): *Homem honesto, não prevarica às obrigações de sua consciência. T. d.* **8.** Corromper, perverter: *prevaricar a moral.* [Conjug.: v. *trancar*.]

prevenção. [Do lat. tardio *praeventione*.] *S. f.* **1.** Ato ou efeito de prevenir(-se). **2.** Disposição ou preparo antecipado e preventivo. **3.** Modo de ver antecipado; premeditação: *Nada sabendo sobre o assunto, estudarei a proposta sem prevenção.* **4.** Opinião ou sentimento de atração ou de repulsa, sem base racional: *Você está de prevenção contra o rapaz.* **5.** Precaução, cautela. **6.** *Dir.* A maneira por que um juiz estabelece competência para conhecer e julgar uma ação, excluindo a de outros juízes, por havê-la conhecido em primeiro lugar.

pré-venda. [De *pré-* + *venda*.] *S. f.* Venda¹ (1) de imóveis, de um produto, etc., para certos números de pessoas, e que antecede, às vezes, o lançamento comercial; venda antecipada. [Pl.: *pré-vendas*.]

prevenido. [Part. de *prevenir*.] *Adj.* **1.** Acautelado, cauteloso, previdente, precavido, prudente: *chefe de família prevenido.* **2.** Que duvida de alguma coisa ou de alguém; desconfiado: *jogador prevenido.* [Sin. ger., *p. us.*: *prevento*.] ♦ **Estar prevenido.** Trazer dinheiro consigo.

preveniente. [Do lat. *praeveniente*.] *Adj. 2 g.* **1.** Que nos induz à prática do bem (falando-se da graça divina). **2.** *P. us.* Que chega antes. [Cf. *proveniente*.]

prevenir. [Do lat. *praevenire*, 'vir antes', 'tomar a dianteira'.] *V. t. d.* **1.** Dispor com antecipação; preparar: *O médico mandou prevenir os instrumentos necessários à cirurgia.* **2.** Chegar antes de; adiantar-se ou antecipar-se a: *Correu muito para prevenir os atletas adversários.* **3.** Dispor de maneira que evite (dano, mal); evitar: *O Governo realiza obras que visam a prevenir os danos das enchentes.* **4.** Impedir que se realize; proibir, vedar: *A lei previne o jogo.* **5.** Dizer ou fazer antes que outro diga ou faça: *O aluno preveniu a resposta que o professor daria.* **6.** Realizar antecipadamente; ir ao encontro de: *Deus parecia prevenir-lhe os desejos.* **7.** Interromper, cortar, atalhar: *O político preveniu a fala do adversário, impedindo-o de continuar. T. d. e i.* **8.** Avisar, informar com antecedência: *Mandou prevenir os pais de sua chegada*; "Não quer que ninguém se indigne com esta narrativa. Previno-os de que é triste" (João de Araújo Correia, *Cinza do Lar*, p. 59). **9.** Fazer propender; dispor: *A defesa conseguiu prevenir o júri em favor do réu. Int.* **10.** Acautelar-se, defender-se: *"É melhor prevenir do que remediar"* (Prov.). *P.* **11.** Acautelar-se, preparar-se, precaver-se: *O Governo ordenou que a população se prevenisse para a guerra.* **12.** Armar-se, apetrechar-se, premunir-se: *A equipe preveniu-se do equipamento necessário aos treinos.* [Irreg. conjug.: v. *agredir*.]

preventivo. [Do lat. *praeventu*, part. pass. de *praevenire*, 'prevenir', + *-ivo*.] *Adj.* **1.** Que previne; próprio para prevenir ou evitar: *medidas preventivas; tratamento preventivo.* **2.** Em que há prevenção. ~ V. *prisão* — e *vacinação* —a. ● *S. m.* **3.** Aquilo que previne, que evita. **4.** V. *camisa-de-vênus.*

prevento. [Do lat. *praeventu*.] *Adj.* **1.** *Bras.* V. *prevenido.* **2.** *Jur.* Que se determinou por prevenção (competência ou jurisdição). [Cf. *provento*.]

preventório. [Do lat. *praeventu*, part. pass. de *praevenire*, 'prevenir', + *-ório*.] *S. m.* **1.** Estabelecimento onde os enfermos são cuidados preventivamente. **2.** *Bras.* Instituição onde são internadas crianças filhas de tuberculosos ou morféticos para afastá-las do contágio.

prever. [Do lat. *praevidere*.] *V. t. d.* **1.** Ver antecipadamente; calcular, conjeturar, supor: *Já previra esse feliz resultado*; "Em certo ponto avistou um séquito de carros que seguiam na mesma direção. Já os previra, ouvindo de longe os graves e agudos de sua solfa no ermo." (Xavier Marques, *As Voltas da Estrada*, p. 7). **2.** Fazer supor; subentender, pressupor: *O desenvolvimento dos recursos materiais prevê a ampliação da cultura.* **3.** Profetizar, prognosticar, predizer: *As cartas prevêem um desastre.* **4.** Ver, estudar, examinar, com antecedência: *O bom artista prevê o papel antes de executá-lo. Int.* **5.** Fazer conjeturas; reflexionar, calcular: *Ninguém raciocinou, ninguém previu.* [Irreg. Conjug.: v. *ver.* Imperf. ind.: *previa*, etc. Cf. *prévia*, fem. do adj. *prévio* e s. f.]

prevérbio. [Do lat. *praeverbiu*.] *S. m. Gram. Desus.* Prefixo que se junta a um verbo. Ex.: *re-*, a *republicar*. [Cf. *provérbio*.]

pré-vestibular. [De *pré-* + *vestibular*.] *Adj. 2 g.* **1.** Que antecede o vestibular. **2.** Diz-se de curso preparatório para o concurso vestibular. ● *S. m.* **3.** Esse curso. [Pl.: *pré-vestibulares*.]

prévia. [Fem. substantivado de *prévio*.] *S. f. Bras.* Pesquisa anterior às eleições, realizada junto aos eleitores para prever-lhes as tendências. [Cf. *previa*, do v. *prever*.]

previdência. [Do lat. *praevidentia*.] *S. f.* Qualidade ou ato de previdente; antevidência. [Cf. *providência*.] ♦ **Previdência social. 1.** Conjunto de normas de proteção e defesa do trabalhador ou do funcionário, mediante aposentadoria, amparo nas doenças, montepios, etc. **2.** Instituição que as aplica.

previdencial. *Adj. 2 g.* Concernente às normas da previdência social. [Cf. *providencial*.]

previdenciário. *S. m. Bras.* **1.** Funcionário de instituto de previdência.

previdente. [Do lat. *praevidente*.] *Adj. 2 g.* Que prevê; cauteloso, prevenido, precavido, prudente. [Sin. bras.: *previsor*. Cf. *providente*.]

previgente. [De *pre-* + *vigente*.] *Adj. 2 g.* Previgorante.

previgorante. [De *pre-* + *vigorante*.] *Adj. 2 g.* Que vigorou anteriormente àquilo de que se trata; previgente.

prévio. [Do lat. *praeviu*.] *Adj.* **1.** Que se faz ou diz antes de outra coisa: *Alguns delegados tiveram uma reunião prévia e passaram depois à sala das sessões.* **2.** Dito ou feito de antemão; anterior; antecipado: *O bom êxito da viagem depende duma combinação prévia.* **3.** Preliminar, preambular: *medida prévia; condição prévia.* ~ V. *placenta* —a e *questão* —a. [Fem.: *prévia*. Cf. *previa*, do v. *prever*.]

previsão. [De *pre-* + *visão*.] *S. f.* **1.** Ato ou efeito de prever; antevisão, presciência. **2.** Estudo ou exame feito com antecedência: *previsão do tempo; previsão de uma eleição.* **3.** Cautela, prevenção.

previsibilidade. *S. f.* Qualidade de previsível.

previsível. *Adj. 2 g.* Que se pode prever.

previso. [Do lat. *praevisu*.] *S. m. Ant.* **1.** Astrólogo. **2.** Feiticeiro, bruxo. ● *Adj.* **3.** Previsto.

previsor (ô). [De *previso* + *-or*.] *Adj. Bras.* V. *previdente.*

previsto. [Part. de *prever*.] *Adj.* **1.** Conjeturado, calculado. **2.** Prenunciado, pressentido.

previver. [De *pre-* + *viver*.] *V. int.* Sentir existência futura; prever que não será olvidado.

pré-vocacional. [De *pré-* + *vocacional*.] *Adj. 2 g.* Que visa a pôr em relevo o pendor ou vocação de alguém: *teste pré-vocacional.* [Pl.: *pré-vocacionais*.]

prexeca. *S. f. Bras., MG* e *S. Chulo.* A vulva.

prezado. [Part. de *prezar*.] *Adj.* **1.** Estimado, querido. **2.** Cuidadoso, limpo, asseado. [Cf. *presado*, part. de *presar*.]

prezador (ô). *Adj.* e *s. m.* Que ou aquele que preza. [Cf. *presador*.]

prezar. [Do lat. *pretiare*.] *V. t. d.* **1.** Ter em alto preço; ter em grande consideração ou respeito; estimar muito; apreciar: *Preza os bons amigos, porque os reconhece raros*; "Os velhos prezam ordinariamente os mortos e desprezam os vivos." (Marquês de Maricá, *Máximas, Pensamentos e Reflexões*, p. 57). **2.** Desejar, amar, querer: *Prezo as boas coisas da vida; O avarento preza o dinheiro como a vida.* **3.** Respeitar, acatar: *prezar as autoridades. P.* **4.** Ter dignidade; estimar-se, respeitar-se: *Um homem que se preza não aceitaria este papel.* **5.** Orgulhar-se, honrar-se, gloriar-se, ufanar-se: *Prezo-me de ser brasileiro.* [Pres. ind.: *prezo, prezas, preza*, etc.; part.: *prezado*. Cf. *preso* (ê), flex. *presa* (ê), *presas* (ê), e o pres. ind. e o part. de *presar*.]

prezável. *Adj. 2 g.* Digno de ser prezado.

priaca. [De *preaca*, com alter. semântica?] *S. f. Bras., PB.* Bolsa de couro, para caçada. [Cf. *preaca* e *bruaca*.]

priapesco (ê). [De *priapo* + *-esco*.] *Adj.* **1.** Respeitante ao priapismo. **2.** Em que há priapismo.

priápico. *Adj.* Referente ao priapo e ao seu antigo culto.

priapismo. [Do gr. *priapismós*, pelo lat. *priapismu*.] *S. m.* **1.** *Patol.* Ereção dolorosa e persistente, não acompanhada de desejo sexual e que pode ocorrer em condições mórbidas diversas, como, p. ex., traumatismo da medula espinhal. **2.** *P. ext.* Excitação sexual excessiva.

priapo. [Do mit. gr. *Príapos*, pelo lat. *Priapu*.] *S. m.* Falo, pênis.

priapulídeo. *S. m.* **1.** Espécime dos priapulídeos. ● *Adj.* **2.** Pertencente ou relativo a eles.

priapulídeos. *S. m. pl. Zool.* Animais enterozoários, de simetria bilateral, ramo *Priapuloidea*, que têm o corpo em forma de salsicha, extremidade anterior com porção introversível, dilatada, provida de fileiras longitudinais de espinhos, e a parte mediana não segmentada, com anéis ou estrias externas, ânus posterior, circundado por lóbulos branquiais. Têm os sexos separados, e vivem enterrados na areia ou na lama, a pouca profundidade.

priapulóide. *S. m.* **1.** Espécime dos priapulóides. ● *Adj. 2 g.* **2.** Pertencente ou relativo a eles.

priapulóides. *S. m. pl. Zool.* Pequenos vermes cilíndricos dos mares temperados e frios, de corpo não segmentado, mas com numerosos anéis na metade posterior.

prima¹. [De *primo*.] *S. f.* Pessoa do sexo feminino em relação aos filhos de tios e tias. V. *primo¹* (1).

prima². [Do lat. *prima*.] *S. f.* **1.** Na liturgia católica, a primeira das horas canônicas (1) [q. v.], correspondente às seis da manhã. **2.** A corda mais fina de certos instrumentos (violino, violoncelo, guitarra, etc.), que dá o som mais agudo. **3** Em composições para piano a quatro mãos, a parte, no registro mais agudo, à qual, geralmente, está confiada a melodia. [Nesta acepç, cf. *seconda*.] **4.** *Mús.* A nota geradora da série dos harmônicos superiores ou inferiores. **5.** *Mús.* A nota que serve de base.

primacia. *S. f. Desus.* Primazia.

primacial. [De *primacia* + *-al*.] *Adj. 2 g.* **1.** Relativo ou pertencente ao primaz (1). **2.** Em que há, ou a que se dá primazia: *a questão primacial entre todas*; "Não nego .... a necessidade primacial de sermos mestres de nós mesmos e alunos até morrer." (Alceu Amoroso Lima, *Pelo Humanismo Ameaçado*, p. 99). **3.** Que é de qualidade superior: "Chegamos assim a um contraste curioso entre as duas primaciais figuras da novelística brasileira da segunda metade do século XIX [Machado de Assis e José de Alencar]" (Matoso Câmara Jr., *Ensaios Machadianos*, p. 92).

primado. [Do lat. *primatu.*] *S. m.* **1.** Primazia (1). **2.** Prioridade, preferência. **3.** Superioridade, excelência.

prima-dona. [Do it. *primadonna.*] S. f. **1.** Cantora que representa o papel principal numa ópera. **2.** *P. ext.* A atriz principal de uma companhia dramática. [Pl.: *prima-donas.*]

➡**prima facie** (prima fácie). [Lat., 'à primeira vista'.] Que se pode verificar de pronto, sem ser preciso maior exame.

primagem. [Do fr. *primage.*] *S. f. Ant.* Remuneração que alguém combinava dar ao capitão de um navio mercante no caso de o levar a porto e salvamento.

primaiense. *Adj. 2 g.* **1.** De, ou pertencente ou relativo a Primeiro de Maio (PR). ● *S. 2 g.* **2.** Natural ou habitante de Primeiro de Maio.

primar. [Do fr. *primer.*] *V. t. c.* **1.** Ser o primeiro; ter a primazia ou a preferência: *Machado de Assis prima entre os escritores do Brasil.* **2.** Mostrar-se notável, o mais notável; destacar-se, distinguir-se: *O Brasil prima no futebol;* "Tito Franklin, prático de farmácia, primava nos papéis cômicos, assim como Maninho Andrade nos dramáticos." (Carlos Drummond de Andrade, *Fala, Amendoeira*, p. 72). **3.** Ser primoroso, hábil. **4.** Notabilizar-se, distinguir-se, sobressair: *Napoleão primou pelo gênio militar;* "Na bancada baiana, os seus oradores primavam pelas declamações cintilantes, os remoques, a ironia ácida" (Oliveira Viana, *Pequenos Estudos de Psicologia Social*, p. 204). [Fut. pret.: *primaria*, etc. Cf. *primária*, fem. de *primário.*]

primariedade. *S. f.* Qualidade de primário.

primário. [Do lat. *primariu.*] *Adj.* **1.** Que antecede outro; primeiro. **2.** Elementar, rudimentar, primeiro: *noções primárias.* **3.** Diz-se da instrução ou ensino de nível elementar, e do curso ou do estabelecimento em que se ministra essa instrução. **4.** Que leciona no curso primário: *professora primária.* **5.** Destinado ao curso primário: *gramática primária.* **6.** *Astr.* Principal (4). **7.** *Geol. Obsol.* Diz-se da era paleozóica. **8.** *Jur.* Que cometeu o primeiro crime ou contravenção. **9.** *Bras.* Limitado, rudimentar, acanhado, estreito, primitivo: "Alma primária e selvagem" (Paulo Rónai, *Encontros com o Brasil*, p. 193). **10.** *Bras.* Sem consistência ou grandeza; mesquinho; superficial: *argumentos primários.* [Fem.: *primária.* Cf. *primaria*, do v. *primar.*] ~ V. *bateria —a, carbono —, ensino —, era —a, foco —, fogo —, memória —a, qualidades —as, raiz —a, rêmiges —as* e *sífiloma —.* ● *S. m.* **11.** O curso primário [v. *primário* (3)]. **12.** *Astr.* Principal (9). **13.** *Jur.* Aquele que cometeu o primeiro crime ou contravenção. **14.** *obsol.* Era paleozóica.

primarismo. *S. m.* Qualidade ou caráter de primário [q. v.].

primata. [Do lat. *primate*, 'que está no primeiro plano'.] *S. m.* **1.** Espécime dos primatas. ● *Adj. 2 g.* **2.** Pertencente ou relativo a eles. [F. paral.: *primate.*]

primatas. *S. m. pl. Zool.* Animais mamíferos, da ordem *Primates*, em sua maioria adaptados à vida arborícola, de membros muito desenvolvidos, polegares geralmente opostos, dedos em número de cinco, em geral com unhas achatadas, e duas tetas na região peitoral. São os macacos, os antropóides e o homem. [F. paral.: *primate.*]

primate. *S. m.* e *adj. 2 g.* Primata.

primates. *S. m. pl. Zool.* Primatas.

primavera. [Do lat. *primo vere*, 'no começo do verão'.] *S. f.* **1.** Estação do ano que sucede ao inverno e antecede o verão. [No hemisfério sul, principia quando o Sol alcança o equinócio de setembro (dia 22) e termina quando ele atinge o solstício de dezembro (dia 20); e, no hemisfério norte, principia quando o Sol alcança o equinócio de março (dia 21) e termina quando ele atinge o solstício de junho (dia 20).] **2.** *Fig.* Época primeira; aurora. **3.** *Fig.* A juventude: "Ela [a planta] no pátrio céspede ficara, / Com o mesmo viço, a mesma primavera" (Alberto de Oliveira, *Poesias*, 3ª série, p. 254). **4.** *Poét.* Ano (4): *Completa hoje 15 primaveras;* "*Os meus trinta e nove outonos estão, como sempre, às ordens das tuas vinte e cinco primaveras.*" (Artur Azevedo, *Contos fora da Moda*, p. 104). [Nesta acepç., usa-se apenas com relação a pessoa jovem, particularmente do sexo feminino.] **5.** V. *sempre-lustrosa.* **6.** V. *flor-de-cardeal.* **7.** Maria-branca. **8.** V. *pombinha-das-almas.*

primavera-de-flores. *S. f.* Certo antigo tecido de seda. [Pl.: *primaveras-de-flores.*]

primaveral. *Adj. 2 g.* Relativo à, ou próprio da primavera: "Que linda Mágoa se me avizinha / e me recorda os primaverais / dias vividos na infância minha" (Gilca da Costa Melo Machado, *Poesias*, p. 96). [Sin.: *vernal, primaveril* e (p. us.) *primavero.*]

primaverar. *V. int.* Passar ou gozar a primavera: "Em abril iam primaverar na quinta do Flórido" (Camilo Castelo Branco, *Vulcões de Lama*, p. 152).

primaveril. *Adj. 2 g.* **1.** V. *primaveral.* **2.** Diz-se de pessoa jovem, de pouca idade: "Na redação, o secretário fazia a sua cozinha, quando a senhora, não primaveril, ... dele se aproximou timidamente." (Carlos Drummond de Andrade, *Fala, Amendoeira*, p. 150.)

primavero. *Adj. P. us.* V. *primaveral.*

primaz. [Der. regress. de *primazia.*] *S. m.* **1.** Prelado que tinha jurisdição sobre certo número de arcebispos e bispos, e que atualmente só usufrui uma categoria superior à desses arcebispos e bispos. ● *Adj. 2 g.* **2.** Que ocupa o primeiro lugar.

primazia. [Do b.-lat. *primatia*, 'o primeiro plano'.] *S. f.* **1.** Dignidade de primaz; primado. **2.** Prioridade (1 e 2). **3.** Excelência, superioridade. **4.** *P.* ext. Rivalidade, competência.

primeira. [Fem. substantivado do num. *primeiro.*] *S. f.* **1.** *Autom.* A marcha mais potente do motor de um veículo automóvel, usada na arrancada do veículo e em subidas; primeira marcha. **2.** Jogo de cartas em que se distribuem quatro a cada parceiro. **3.** Primeira classe. ◆ **À primeira.** **1.** De começo. **2.** À primeira vista. **De primeira.** De primeira ordem; de primeira qualidade: *É pessoa de primeira: pode confiar.*

primeira-cruzense. *Adj. 2 g.* **1.** De, ou pertencente ou relativo a Primeira Cruz (MA). ● *S. 2 g.* **2.** Natural ou habitante de Primeira Cruz. [Pl.: *primeira-cruzenses.*]

primeira-dama. *S. f.* A esposa do chefe de uma nação ou do governador de um estado. [Pl.: *primeiras-damas.*]

primeiranista. [De *primeiro* + *ano*¹ + *-ista.*] *S. 2 g.* Estudante que freqüenta o primeiro ano do curso de uma escola ou faculdade.

primeiras-águas. *S. f. pl.* **1.** *Bras., N.E.* As primeiras chuvas que caem depois do verão, em geral nas proximidades do dia de S. José (19 de março), e daí por diante; águas de março. **2.** As primeiras chuvas de trovoada, em novembro e dezembro. **3.** Primeiras chuvas de começo de ano; águas de janeiro.

primeiro. [Do lat. *primariu.*] *Num.* **1.** Ordinal correspondente a um. ● *Adj.* **2.** Que antecede outros quanto ao tempo, lugar, série ou classe; primário. **3.** Que é o mais antigo em uma série ou classe. **4.** Que antecede a todos na prática de alguma coisa. **5.** Que está adiante ou acima de todos em qualidade, posição, importância, etc.; principal. **6.** Essencial, fundamental. **7.** Elementar, rudimentar, primário: *Aprendeu as primeiras letras com a mãe.* **8.** Dos primeiros tempos; primitivo. **9.** Que é o primogênito ~ V. *derivada —a, descontinuidade de — a espécie, eclipse do — gênero, ensino de — grau, erro de —a espécie, —a falange, filosofia —a, forma —a, — grau, —a infância, —as letras, matéria —a, — meridiano, —a pedra, —a prova, —a quadratura, qualidades —as, — quarto, —os socorros, —tempo* e *—a tipográfica.* ● *S. m.* **10.** O que numa série ocupa o primeiro lugar. **11.** Qualquer pessoa, coisa, série, classe, lugar, etc., que é o primeiro: "Foi [Alexandre Magno] na glória das armas o primeiro" (Tomás Antônio Gonzaga, *Marília de Dirceu*, p. 64). **12.** O primeiro dia de um mês: *As aulas recomeçarão no primeiro vindouro.* **13.** A primeira coisa de sua espécie. **14.** Aquele que ganhou em corrida ou competição. ● *Adv.* **15.** Antes de qualquer outra pessoa ou coisa; no começo; primeiramente: "O sol, nascendo apenas, vem primeiro / Seus raios nesta campina dardejar" (Gonçalves Dias, *Obras Poéticas*, II, p. 99); "Primeiro olhou-me confusa. Depois, infeliz e abandonada, deitou a cabeça no meu ombro" (Natércia Freire, *A Alma da Casa Velha*, p. 57). ◆ **Primeiro que.** Antes que: *Primeiro que viaje, me visitará.* **De primeiro.** **1.** Primeiramente. **2.** Antigamente, outrora: "Ela, de primeiro, ria de quem se amarrava por xodó. Agora está sofrendo a mesma coisa, castigo." (Juarez Barroso, *Mundinha Panchico e o Resto do Pessoal*, p. 134.) **3.** No princípio. **O primeiro sem segundo.** Aquele que ocupa lugar de destaque, sem a concorrência de um segundo.

primeiro-cadete. *S. m.* **1.** V. *hierarquia militar.* **2.** Militar que detinha a posição hierárquica de primeiro-cadete. [Pl.: *primeiros-cadetes.*]

primeiro-de-abril. *S. m.* Trote que se costuma passar no dia 1º de abril. [Pl.: *primeiros-de-abril.*]

primeiro-elevador. *S. m. Tip.* V. *elevador* (4). [Pl.: *primeiros-elevadores.*]

primeiro-ministro. *S. m.* No parlamentarismo, chefe de governo, em geral escolhido pelo chefe do Estado entre os membros do partido majoritário: *Churchill foi primeiro-ministro da Grã-Bretanha; Indira Gandhi foi primeira-ministra da Índia.* [Corresponde ao fr. *premier.* Pl.: *primeiros-ministros.*]

primeiro-sargento. *S. m.* **1.** V. *hierarquia militar.* **2.** Militar que detém a posição hierárquica de primeiro-sargento. [Tb. se diz, no Brasil, apenas *sargento* (v. *sargento*¹ (2)). Pl.: *primeiros-sargentos.*]

primeiro-tenente. *S. m.* **1.** V. *hierarquia militar.* **2.** Militar que detém a posição hierárquica de primeiro-tenente. [Tb. se diz, no Brasil, apenas *tenente* (v. *tenente* (5)). Pl.: *primeiros-tenentes.*]

primevo. [Do lat. *primaevu.*] *Adj.* **1.** Relativo aos tempos primitivos: "na história primeva de São Paulo, quase tudo se apresenta provisório, devido à documentação escassa, quase ilegível" (Aureliano Leite, *Pequena História da Casa Verde*, p. 37). **2.** Antigo, primitivo: "uma alma amante das lendas primevas" (Afonso Arinos, *Pelo Sertão*, p. 64).

▲**primi-.** [Do lat. *primus, a um.*] *El. comp.* = 'primeiro': *primípara* (< lat. *primipara*); *primina.* [Equiv.: *prim(o)-*: *primogênito* (< lat. *primogenitu*).]

primicério. [Do lat. *primiceriu.*] *S. m.* **1.** O primeiro em qualquer dignidade. **2.** *Ant.* Chantre.

primícias. [Do lat. *primitias.*] *S. f. pl.* **1.** Primeiros frutos. **2.** Primeiras produções. **3.** Primeiros efeitos; primeiros lucros. **4.** Primeiros sentimentos; primeiros gozos. **5.** Começos, prelúdios.

primigênio. [Do lat. *primigeniu.*] *Adj.* O primeiro da sua espécie; primitivo, primordial, primígeno: "Essa psicologia coletiva ou étnica .... é o fundo comum e a camada primigênia que explica e define o caráter especial de cada povo" (João Ribeiro, *O Folclore*, pp. 7-8).

primígeno. [Do lat. *primigenu.*] *Adj.* V. *primigênio.*

primina. [Do lat. *primu*, 'primeiro', + *-ina*¹.] *S. f.* **1.** O primeiro invólucro do óvulo, contando-se de fora para dentro. **2.** *Morfol. Veg.* Tegumento externo do óvulo vegetal.

primípara. [Do lat. *primipara.*] *Adj. (f.)* Diz-se da fêmea que tem o primeiro parto.

primiparidade. *S. f.* Estado ou condição de primípara.

primitiva. [Fem. substantivado do adj. *primitivo.*] *S. f.* *Fam.* **1.** A origem, o princípio. **2.** *Anál. Mat.* Função que é a integral indefinida de outra. **3.** *Anál. Mat.* Função que é a solução de uma equação diferencial.

primitivismo. *S. m.* **1.** Qualidade de primitivo. **2.** Tendência artística que adota por modelo a ingenuidade de forma e o sentimento da arte dos povos primitivos. **3.** Doutrina que afirma a bondade primitiva da natureza humana e a existência de uma idade áurea da humanidade, no estado primitivo.

primitivista. *Adj. 2 g.* **1.** Relativo ao, ou que é adepto do primitivismo (2 e 3); primitivo. ● *S. 2 g.* **2.** Adepto do primitivismo (2 e 3); primitivo.

primitivo. [Do lat. *primitivu.*] *Adj.* **1.** De primeira origem; original, inicial, inaugural: *os tempos primitivos.* **2.** Dos primeiros tempos; primordial, primeiro: *povos primitivos.* **3.** Que não é derivado; básico, primário. **4.** V. *primigênio.* **5.** Diz-se de um organismo, órgão, etc., em começo de evolução, ou muito pouco diferenciado de seus antepassados mais remotos. **6.** *P. ext.* Simples; áspero, rude: *É uma alma primitiva; Usa métodos primitivos para alcançar seus fins.* **7.** Diz-se dos povos ainda em estado natural, por oposição a *civilizado.* **8.** *Gram.* Diz-se da palavra que serve de radical a outra. **9.** *Gram.* Diz-se dos tempos verbais que servem para formar outros. São: o presente do infinitivo, o gerúndio, o particípio, o presente do indicativo e o pretérito perfeito. **10.** Primitivista (1). ~ V. *artéria carótida —a, corpo —, dado —, povos —s, sociedades —as* e *vesículas encefálicas —as.* ● *S. m.* **11.** Pessoa ou coisa primitiva. **12.** Primitivista (2).

primitura. *S. m. Bras., N.E.* V. *carapicu.*

primo¹. [Do lat. *consobrinus primus*, 'primeiro primo', 'primo direito'.] *S. m.* **1.** Indivíduo em relação aos filhos de tias e tios. **2.** Parente sem outra designação especial. ◆ **Primos carnais.** *Bras., MG.* V. *primos coirmãos.* **Primos coirmãos.** Primos filhos de irmãos; primos carnais, primos germanos, primos irmãos. **Primos cruzados.** Primo e prima filhos de irmão e irmã. **Primos direitos.** Primo e prima filhos de dois irmãos ou de duas irmãs. **Primos germanos.** V. *primos coirmãos.* **Primos irmãos.** *Bras., RJ.* V. *primos coirmãos.*

primo². [Do lat. *primu.*] *Adj.* **1.** *P. us.* Primeiro (1): "Mosqueado tigre, / Se cai no meio de preás medrosos, / Talvez no primo impulso algum aferra" (Gonçalves Dias, *Obras Poéticas*, II, p. 435). **2.** *P. us.* Ótimo, excelente. ~ V. —*a tonsura, número* — e *números* —*s entre si*. ● *S. m.* **3.** *Mat.* Número primo.

▲prim(o)-. Equiv. de *primi-*.

primogênito. [Do lat. *primogenitu*.] *Adj.* e *s. m.* Que ou aquele que foi gerado antes dos outros; que ou o que é o filho mais velho.

primogenitor (ô). *S. m.* **1.** Pai do primogênito. **2.** Os avós; os antepassados.

primogenitura. *S. f.* Qualidade de primogênito.

primoponendo. *Adj.* Que deve ser anteposto.

primor (ô). [Do lat. *primore*, 'o que ocupa o primeiro lugar'.] *S. m.* **1.** Qualidade superior. **2.** Perfeição, excelência. **3.** Delicadeza, beleza, encanto. ♦ **A primor.** Com grande esmero; esmeradamente, primorosamente; a capricho: *Esculpe a primor*; "olhos coruscantes, compostura de feições a primor, bem que um tanto rústicas." (Camilo Castelo Branco, *A Mulher Fatal*, p. 55).

primordial. [Do lat. *primordiale*.] *Adj.* 2 *g.* **1.** Referente a primórdio. **2.** V. *primitivo* (2): "Sendo [a dança] a arte primordial, pois que a sua origem se perde na noite dos tempos, era, e ainda é, a mais acessível e querida do povo." (Martins Fontes, *A Dança*, p. 14.) **3.** Básico, principal, primeiro: "O conceito primordial da arte encerra a idéia de equilíbrio." (Murilo Mendes, *O Discípulo de Emaús*, p. 15.) **4.** V. *primigênio*. ~ V. *átomo* —, *bola de fogo* — e *caos* —.

primordialidade. *S. f.* Qualidade ou caráter do que é primordial.

primórdio. [Do lat. *primordiu*.] *S. m.* **1.** Aquilo que se organiza ou ordena primeiro. **2.** Fonte, origem, princípio: "O começo da religião, os seus primórdios na história da cultura humana, constituem problemas que oferecem as mesmas dificuldades na investigação de todas as origens." (João Ribeiro, *O Folclore*, p. 193.)

primoroso (ô). *Adj.* **1.** Em que há primor; feito com primor; perfeito, excelente: *uma tela primorosa; tradução primorosa.* **2.** Notável, distinto.

prímula. *S. f.* Planta ornamental e medicinal da família das primuláceas (*Primula officinalis*). [Sin. pop.: *pão-e-queijo*.]

primulácea. *S. f.* Espécime das primuláceas.

primuláceas. *S. f. pl. Bot.* Família de plantas floríferas, da ordem das primulales, composta de ervas de folhas alternas ou rosuladas, flores actinomorfas, vistosas, com cinco estames opositipétalos e ovário súpero, e fruto capsular. Existem cerca de 500 espécies, quase todas dos países temperados.

primuláceo. *Adj.* Pertencente ou relativo às primuláceas.

primulale. *S. f.* Espécime das primulales.

primulales. *S. f. pl. Bot.* Ordem de vegetais dicotiledôneos na qual se incluem as primuláceas, as teofrastáceas e as mirsináceas.

primulina. *S. f.* Substância corante extraída da prímula.

➧primum (prímum). [Lat.] *Adv.* Em primeiro lugar.

➧primus inter pares (prímuç ínter páreç). [Lat.] O primeiro entre os seus pares, os seus iguais.

➧princeps (prínceps). [Lat.] *Adj.* (*f.*) ~ V. *edição* —.

princês. [De *princesa*.] *S. m.* **1.** *Irôn.* Príncipe[1]. **2.** *Bras.* Mascarado vestido de príncipe. [Pl.: *princeses* (ê).]

princesa (ê). [Do fr. *princesse*, atr. do esp. *princesa* e da f. ant. *princessa*, influenciada por *duquesa*, *baronesa*, etc.] *S. f.* **1.** Mulher do príncipe[1]. (1 a 3 e 5). **2.** Soberana de principado. **3.** Filha de rei. **4.** *P. ext.* Soberana ou rainha. **5.** *Fig.* A primeira ou a mais distinta na sua categoria.

princesense. *Adj.* 2 *g.* **1.** De, ou pertencente ou relativo a Princesa Isabel (PE). ● *S.* 2 *g.* **2.** Natural ou habitante de Princesa Isabel.

principado. [Do lat. *principatu*.] *S. m.* **1.** Dignidade de príncipe[1]. **2.** Território ou Estado cujo soberano é um príncipe[1] ou uma princesa. ~ V. *principados*.

principados. [Pl. de *principado*.] *S. m. pl. Teol.* Um dos nove coros de anjos. ~ V. *principado*.

principal. [Do lat. *principale*.] *Adj.* 2 *g.* **1.** Que está em primeiro lugar. **2.** Fundamental, essencial. **3.** Que é o mais notável. **4.** *Astr.* Diz-se de corpo celeste em torno do qual gravita outro, denominado *satélite* [q. v.]; primário. ~ V. *curvatura* —, *determinante* —, *diagonal* —, *elemento* —, *fachada* —, *memória* —, *normal* —, *planos principais*, *ponto* — e *raio* —. ● *S. m.* **5.** O superior de comunidade religiosa. **6.** O chefe. **7.** O capital de uma dívida. ● *S. f.* **8.** *Gram.* V. *oração* (4). ● *S.* 2 *g.* **9.** *Astr.* Corpo principal (4); primário.

principalidade. *S. f.* Qualidade de principal.

príncipe[1]. [Do lat. *principe*, 'presidente do senado romano', pelo it. *principe*.] *S. m.* **1.** Filho ou membro de família reinante. **2.** Filho primogênito do rei. **3.** Chefe de principado (2). **4.** Consorte da rainha, nalguns Estados. **5.** Em alguns países, titular de que pertence à nobreza. **6.** O primeiro ou mais notável em talento ou em outras qualidades. **7.** Homem muito fino, de maneiras polidas, aristocráticas. [Fem.: *princesa*; dim. irreg. deprec.: *principelho*, *principículo*.] **8.** *Bras.* Ave passeriforme, da família dos tiranídeos (*Pyrocephalus rubinus* (Bodd.)), do N. e C.O. do Brasil, de dorso pardo, com o alto da cabeça e a parte inferior vermelho-vivos. A fêmea é parda, com a parte inferior branca pintada de pardo e a cauda escura. [Sin., nesta acepç.: *verão*, *miguim*, *mãe-do-sol*, *passarinho-de-verão*.] ~ V. *príncipes*. ♦ **Príncipe das trevas.** V. *diabo* (2). **Príncipe da Treva.** V. *diabo* (2): "E foi somente então que o Príncipe da Treva / Instituiu o amor furioso e desgrenhado" (Vicente de Carvalho, *Poemas e Canções*, p. 27). **Príncipe do ar.** V. *diabo* (2). **Príncipe dos demônios.** V. diabo (2).

príncipe[2]. [Do lat. *principe*.] *Adj.* 2 *g.* **1.** Principal, primeiro. [F. preferível ao lat. *princeps*.] ● *S. f.* **2.** Espécime das príncipes; palmale. ~ V. *edição* — e *príncipes*.

principelho (ê). *S. m. Deprec.* **1.** Pequeno príncipe[1]. **2.** Príncipe[1] ridículo ou de pouco mérito. [Sin. ger.: *principículo*.]

príncipes. *S. f. pl. Bot.* Ordem de plantas monocotiledôneas que compreende unicamente a família das palmeiras; palmales. ~ V. *príncipe*.

principesco (ê). [Do it. *principesco*.] *Adj.* **1.** Relativo a, ou próprio de príncipe[1]. **2.** Opulento, ostentoso.

principiador (ô). *Adj.* e *s. m.* Que ou aquele que principia ou dá começo a alguma coisa.

principiante. *Adj.* 2 *g.* **1.** Que principia; que está no começo. ● *S.* 2 *g.* **2.** Pessoa que principia a exercitar-se ou a aprender alguma coisa.

principiar. [De *princípio* + *-ar*[2]; o lat. *principiare* quer dizer 'começar a falar'.] *V. t. d.* **1.** Dar princípio a; começar, iniciar, abrir: *O Presidente da Câmara discursou, principiando os trabalhos daquele exercício. T. i.* **2.** Ter princípio; começar: *Numerosas palavras principiam com* h; *Imbaúba principia por* i. **3.** Dar princípio; começar: "O mar, muito calmo até ali, principia a encrespar-se quase subitamente." (João da Silva Correia, *Farândola*, p. 141); "ao chegar aos quinze, o rapaz que até ali era robusto, principiou de emagrecer" (Alberto Braga, *Novos Contos*, p. 12). *Pred.* **4.** Ter princípio ou começo (revelando condição ou estado); começar: *Principiou pobre e acabou milionário. Int.* **5.** Ter princípio, início; começar. [Pres. ind.: *principio*, etc. Cf. *princípio*.]

principículo. *S. m. Deprec.* V. *principelho*.

princípio. [Do lat. *principiu*.] *S. m.* **1.** Momento ou local ou trecho em que algo tem origem; começo: *o princípio de um incêndio; O princípio da estrada já está pavimentado.* **2.** Causa primária. **3.** Elemento predominante na constituição de um corpo orgânico. **4.** Preceito, regra, lei. **5.** *P. ext.* Base; germe: *O garoto tem em si o princípio da rebeldia.* **6.** *Filos.* Fonte ou causa de uma ação. **7.** *Filos.* Proposição que se põe no início de uma dedução, e que não é deduzida de nenhuma outra dentro do sistema considerado, sendo admitida, provisoriamente, como inquestionável. [São princípios os axiomas, os postulados, os teoremas, etc. Cf. *principio*, do v. *principiar*.] ~ V. *princípios*. ♦ **Princípio antrópico.** *Cosm.* Proposição segundo a qual tudo quanto podemos observar no Universo deve depender estritamente das condições próprias da nossa existência e da nossa presença, como observadores no cosmo. **Princípio cosmológico.** *Cosm.* Hipótese segundo a qual o Universo é homogêneo e isotrópico, ou melhor, não existe nem local nem direção privilegiada, qualquer que seja a posição ocupada pelo observador. **Princípio da identidade dos indiscerníveis.** *Filos.* Conforme Leibniz [v. *leibniziano*], princípio segundo o qual dois seres reais diferem sempre por caracteres intrínsecos e não por suas posições no tempo e no espaço. **Princípio da realidade.** *Psican.* Substituição ou controle das exigências do princípio do prazer [q. v.] com o objetivo de adaptar o organismo às exigências da realidade, assegurando, conseqüentemente, a satisfação das suas necessidades. **Princípio de causalidade.** *Filos.* Uma das relações fundamentais apreendidas pelo pensamento, e que assim se enuncia: "Todo fenômeno tem uma causa." **Princípio de contradição.** *Filos.* Princípio lógico que deste modo se enuncia: "O contrário do verdadeiro é o falso." **Princípio de finalidade.** *Filos.* Uma das relações fundamentais apreendidas pelo pensamento, e que consiste na atribuição de uma finalidade a tudo o que é, do que resulta a busca da compreensão do que é pelo que está para vir. **Princípio de identidade.** *Filos.* Princípio lógico que se enuncia assim: "O que é, é: o que não é, não é." **Princípio de individuação.** *Filos.* Essência própria a cada indivíduo, e graças à qual se pode dizer, de cada um deles, "Ei-lo": o singular, concreto, determinado no tempo e no espaço. Ex.: a hecceidade. [Cf. *individuação* (2).] **Princípio de razão suficiente.** *Filos.* Segundo Leibniz [v. *leibniziano*], o princípio que afirma que nada acontece sem que haja uma causa ou razão determinante. **Princípio do prazer.** *Psican.* Tendência da atividade psíquica a buscar a satisfação e evitar o pesar, sem levar em conta a realidade. **Princípio do terceiro excluído.** *Filos.* Princípio lógico que assim se enuncia: "Se duas proposições são contraditórias, uma delas é verdadeira e a outra é falsa." **Em princípio.** Antes de qualquer consideração; antes de tudo; antes de mais nada.

princípios. *S. m. pl.* **1.** Rudimentos. **2.** Primeira época da vida. **3.** *Bibliogr.* V. *folhas preliminares*. **4.** *Filos.* Proposições diretoras de uma ciência, às quais todo o desenvolvimento posterior dessa ciência deve estar subordinado. ~ V. *princípio*.

prior (ô). [Do lat. *priore*, 'o primeiro entre dois'.] *S. m.* **1.** O pároco de certas freguesias: "Por entre as searas / A multidão / Vai murmurando: / 'Perdão, perdão!' / E o prior velho / Levanta a mão, / E agita o hissope / Da remissão" (Conde de Monsaraz, *Musa Alentejana*, p. 198). **2.** *Ant.* superior de convento, nalgumas ordens monásticas. **3.** Dignitário, nas antigas ordens militares. [Fem.: *priora*, *prioresa*.]

priora (ô). *S. f.* Prioresa.

priorado. [Do lat. *prioratu*.] *S. m.* **1.** Cargo de prior ou de prioresa. **2.** Tempo durante o qual o prior ou a prioresa exerce as suas funções. [F. paral.: *priorato*.]

prioral. *Adj.* 2 *g.* Pertencente ou relativo a prior, ou a priorado: "passou pela residência prioral a retribuir a visita que o pároco lhe fizera" (Manuel Ribeiro, *A Planície Heróica*, p. 193).

priorato. *S. m.* Priorado [q. v.].

prioresa (ê). *S. f.* Superiora de convento de certas ordens; priora.

prioridade. [De *prior* + *-i-* + *-dade*.] *S. f.* **1.** Qualidade do que está em primeiro lugar, ou do que aparece primeiro; primazia. **2.** Preferência dada a alguém relativamente ao tempo de realização de seu direito, com preterição do de outros; primazia. **3.** Qualidade duma coisa que é posta em primeiro lugar, numa série ou ordem.

prioritário. *Adj.* Que tem prioridade.

priorizar. *V. t. d.* Dar prioridade a.

prioste. [Do fr. *pre(v)ost*.] *S. m.* Antigo cobrador de rendas eclesiásticas.

prisão. [Do lat. *prensione*, por *prehensione*, 'ato de prender', atr. do lat. vulg. **presione*.] *S. f.* **1.** Ato ou efeito de prender; captura. **2.** V. *cadeia* (3). **3.** Recinto fechado; clausura. **4.** Corda com que se prende. **5.** Vínculo, peia, laço. **6.** Dificuldade nos movimentos e/ou atos naturais. **7.** Coisa ou pessoa que atrai ou cativa o espírito e/ou o coração. ♦ **Prisão de Deus.** *Ant.* Qualquer doença. **Prisão de ventre.** Dificuldade de evacuar. [Sin. pop: *caseira* e (bras., N.), *vento-virado* (bras., MG), *escandescência* (bras., S).] **Prisão preventiva.** *Jur.* Aquela que se inflige ao acusado de um delito quando há indícios bastantes da autoria.

prisca. [Alter. de *pisca*.] *S. f. Bras.*, *S.* V. *Guimba*.

priscador (ô). *Adj.* e *s. m. Bras.*, *S.* Que ou aquele que prisca.

priscar. *V. int. Bras.*, *S.* **1.** Dar priscos [v. *prisco*[1]]; pular ou saltar para os lados: "Desfeito à roseta, o cavalo, um baio ruano faceiro e gordo, priscou brioso ao sentir à virilha a pua férrea." (Alcides Maia, *Tapera*, p. 7.) **2.** Fugir, priscando: *O cavalo priscou, quando tentaram pegá-lo. P.* **3.** Afastar-se de algum lugar; retirar-se. [Conjug.: v. *trancar*.]

priscilianismo. *S. m.* Teoria de Prisciliano, herege hispânico do séc. IV, pela qual a alma do homem vem do Céu e o princípio do mal se reúne ao corpo.

priscilianista. *S.* 2 *g.* Partidário do priscilianismo; prisciliano.

prisciliano. *S. m.* Priscilianista.

prisco[1]. *S. m. Bras.*, *S.* Salto ou pulo para os lados: "Precisamente nesta altura, Negrinho .... dá o pulo, o prisco ágilimo" (Telmo Vergara, *Contos da Vida Breve*, p. 240).

prisco[2]. [Do lat. *priscu*.] *Adj. Poét.* **1.** Antigo (1): "É sublime o espetáculo que of'recem / Da prisca Roma os pálidos destroços" (D. J. G. de Magalhães, *Suspiros Poéticos e Saudades*, p. 198). **2.** Relativo a tempos passados. [Sin., poét.: *prístino*.]

prise. [Do fr. *prise*.] *S. f. Gal.* **1.** *Bras. Autom. P. us.*

Posição das engrenagens da caixa de mudanças na qual o motor transmite maior velocidade às rodas. **2.** *Bras. Gír.* Pitada ou dose de cocaína ou de outro entorpecente, aspiradas.

prisional. *Adj. 2 g.* Respeitante a prisão; carcerário.

prisioneiro. [De *prisão.*] *S. m.* **1.** Indivíduo privado da liberdade; preso. **2.** Indivíduo aprisionado em ocasião de guerra. **3.** Parafuso especial, que tem na cabeça uma pequena haste de seção quadrangular onde encaixa uma chave para aparafusá-lo, haste essa que se corta depois que o parafuso está no lugar. [Empregam-se prisioneiros quando não é possível atravessar por meio de rebites as peças que se devem ligar, quer por ser uma delas muito grossa em relação a outra, quer por não ser possível fazer a cravação.] **4.** *Tec.* Pino de fixação de duas peças que, uma vez colocado, não faz qualquer saliência na superfície das peças.

prisma. [Do gr. *prísma*, 'serragem', pelo lat. *prisma.*] *S. m.* **1.** *Ópt.* Sólido de substância transparente, com forma prismática, utilizado para dispersar ou refratar ou refletir luz. **2.** *Geom.* Poliedro em que duas faces são polígonos paralelos e congruentes, e as outras são paralelogramos. **3.** Cristal com duas faces planas inclinadas, que decompõe a luz. **4.** *Fig.* Ponto de vista ilusório. ♦ **Prisma da caixa seletora.** *Tip.* Barra da caixa seletora. **Prisma de iluminação e ventilação.** *Arquit.* e *Urb.* Espaço livre dentro do lote[1] (8), em toda a altura de uma edificação, e que se destina a garantir a iluminação e a ventilação dos compartimentos habitáveis (quartos, salas, etc.) que com ele se comuniquem. [Cf. *prisma de ventilação.*] **Prisma de Nicol.** *Ópt.* Nicol. **Prisma de ventilação.** *Arquit.* e *Urb.* Espaço livre dentro do lote[1] (8), em toda a altura de uma edificação, e que se destina a garantir a ventilação dos compartimentos não habitáveis (banheiros, áreas de circulação, etc.) que com ele se comuniquem. [Cf. *prisma de iluminação e ventilação.*] **Prisma oblíquo.** *Geom.* O que não é reto. **Prisma regular.** *Geom.* Prisma reto cujas bases são polígonos regulares. **Prisma reto.** *Geom.* Aquele cujas arestas laterais são perpendiculares à base. **Prisma truncado.** *Geom.* V. *tronco de prisma.*

▲prism(a)-. [Do gr. *prîsma, atos.*] *El. comp.* = 'prisma': *prismóide.* [Equiv.: *-prisma: poliprisma;* e *prismat(o)-: prismático, prismatóide.*]

▲-prisma. V. *prism(a)-.*

prisma-objetiva. *S. m. Astr.* Instrumento astronômico acessório, que consiste em um prisma de poucos graus colocado antes da objetiva de um telescópio, de modo que permita a obtenção simultânea do espectro de muitas estrelas. [Pl.: *prismas-objetivas* e *prismas-objetiva.*]

prismático. *Adj.* Referente a, ou que tem feitio de prisma. ~ V. *tronco* —.

prismatização. *S. f.* **1.** Ação de prismatizar. **2.** Disposição em prisma, em forma de prisma.

prismatizado. [Part. de *prismatizar.*] *Adj.* Disposto em prisma.

prismatizar. [De *prismat(o)-* + *-izar.*] *V. t. d.* Dar a forma de prisma a; dispor em prisma.

▲prismat(o)-. V. *prism(a)-.*

prismatóide. [De *prismat(o)-* + *-óide.*] *Adj. 2 g.* **1.** Derivado de um prisma. ● *S. m.* **2.** *Geom.* Poliedro cujos vértices estão em dois planos paralelos. [Cf., nesta acepç.: *prismóide* (2).]

prismóide. [De *prism(a)-* + *-óide.*] *Adj. 2 g.* **1.** Que tem forma parecida à do prisma. ● *S. m.* **2.** *Geom.* Prismatóide de cujas bases são polígonos com igual número de lados.

prista. *S. m. Desus.* Aquele que serra; serrador.

pristídeo. *S. m.* **1.** Espécime dos pristídeos. ● *Adj.* **2.** Pertencente ou relativo a eles.

pristídeos. *S. m. pl. Zool.* Família de peixes elasmobrânquios, da ordem dos hipotremados, na qual se encontra o gênero *Pristes.* Ex.: o peixe-serra.

prístino. [Do lat. *pristinu.*] *Adj. Poét.* Prisco[2]: "Custame pouco aceitar o outono brasileiro, se o vejo, como aqui no Rio, de um azul tão diáfano, arrepiado por um friozinho que enxuga e perfuma o suor das coisas, tristes coisas urbanas usadas pelo sol do trópico, e por ele restituídas à sua *prístina* pureza." (Carlos Drummond de Andrade, *Passeios na Ilha*, p. 30.)

prítane. [Do gr. *prytanís*, pelo lat. *prytane.*] *S. m.* Na Grécia antiga, cada um dos 50 delegados das tribos ao Conselho dos Quinhentos.

pritaneu. [Do gr. *prytaneîon*, pelo lat. *prytaneu.*] *S. m.* **1.** Na Grécia antiga, lugar de reunião dos prítanes, onde tomavam refeições, à custa do Estado, além deles, grande número de funcionários públicos e certos cidadãos a quem se concedia tal privilégio em recompensa de serviços prestados à pátria. **2.** *P. ext.* Estabelecimento fundado em favor dos beneméritos da pátria.

privação. [Do lat. *privatione.*] *S. f.* Ato ou efeito de privar(-se). ~ V. *privações.*

privacidade. [Do ingl. *privacy.*] *S. f. Angl.* Vida privada; vida íntima; intimidade.

privações. [Pl. de *privação.*] *S. f. pl.* Falta do necessário à vida. ~ V. *privação.*

privada. [Fem. substantivado do adj. *privado.*] *S. f.* **1.** V. *latrina* (1). **2.** V. *vaso sanitário.*

privado[1]. [Do lat. *privatu* < *privus*, 'particular'.] *S. m.* Favorito, valido, confidente.

privado[2]. [Part. de *privar.*] *Adj.* **1.** Que não é público; particular. **2.** Falto, desprovido, carecido, carente. ~ V. *cárcere —, direito —, direito internacional —, testamento — e vida —a.*

privança. [Do lat. *privantia.*] *S. f.* **1.** Estado de quem é favorito, valido, privado[1]. **2.** Intimidade; amizade: "Voltou-se para o lacaio, mestiço emproado a quem, pelos modos, admitia em sua *privança*. / — Olha, Nazário, será a família do visconde?" (Xavier Marques, *As voltas da Estrada*, pp. 7-8.)

privar. [Do lat. *privare.*] *V. t. d. e i.* **1.** Despojar, desapossar alguém de alguma coisa; destituir, tolher, fraudar: *Os vícios privam o homem de saúde.* **2.** Impedir de ter a posse de (alguma coisa); motivar a (alguém) a perda, falta ou cessação de (algum gozo): *Os vencedores privaram da liberdade os vencidos. T. i.* **3.** Conviver intimamente; ser íntimo; tratar: *O rapaz priva com gente rica e importante;* "*Privou* [o P.e Sena Freitas] com todos os principais homens de letras do tempo, e de quase todos recebeu provas de apreço e consideração." (P.e Arlindo Ribeiro da Cunha, *A Língua e a Literatura Portuguesa*, p. 501.) *P.* **4.** Tirar a si mesmo o gozo (de alguma coisa); fraudar-se: *privar-se dos prazeres mundanos.*

privativo. [Do lat. *privativu.*] *Adj.* **1.** Que exprime privação. **2.** Peculiar, próprio. **3.** V. *particular* (2). ~ V. *crime —.*

privatização. *S. f. Bras.* Ato ou efeito de privatizar.

privatizado. [Part. de *privatizar.*] *Adj. Bras.* Que foi objeto de privatização.

privatizar. [Do lat. *privatu* < *privus*, 'particular', + *-izar.*] *V. t. d. Bras.* Trazer para o setor privado ou particular: *privatizar uma empresa.* [Cf. *estatizar.*]

privilegiado. [Part. de *privilegiar.*] *Adj.* **1.** Que goza de privilégio. **2.** *Fig.* Singular, único. **3.** Distinto, elevado. ~V. *dívida —a.*

privilegiar. *V. t. d.* **1.** Conceder privilégio a: *Deve o Estado servir a todos dentro da lei, sem privilegiar ninguém.* **2.** Conceder algo exclusivamente a: *O bom pai não privilegia nenhum dos filhos.* **3.** Dotar com dom especial ou com alguma prerrogativa: *O Estado feudal privilegiava a Igreja, isentando-a de impostos.* **4.** Tratar com distinção; especializar, particularizar: *Classificou os documentos e privilegiou os que lhe pareceram mais relevantes. P.* **5.** Considerar-se ou tornar-se privilegiado: *Algumas regiões se privilegiaram com o surto industrial.* [Pres. ind.: *privilegio*, etc. Cf. *privilégio.*]

privilegiável. *Adj. 2 g.* Que pode ser objeto de privilégio.

privilégio. [Do lat. *privilegiu.*] *S. m.* **1.** Vantagem que se concede a alguém com exclusão de outrem e contra o direito comum. **2.** Permissão especial. **3.** Prerrogativa, imunidade. **4.** Dom, condão. [Cf. *privilegio*, do v. *privilegiar.*]

pro. [F. contrata de *para* + *o*[2].] Para o: "E a casa toda correu em alvoroço *pro* terreiro" (Alberto Deodato, *Canaviais*, p. 29); *Comprou um livro pro filho e um pro do vizinho.* [Em Portugal se usa *pró.* Cf. *pró*[1] e *pró*[2].]

▲pro-[1]. [Do gr. *pró.*] *Pref.* = 'movimento para diante', 'posição em frente'; 'anterior, antecipado': *próclise, prólogo* (< lat. *prologu* < gr. *prólogos*), *prófase; profilo.*

▲pro-[2]. [Do lat. *pro.*] *Pref.* = 'movimento para a frente': *progresso* (< lat. *progressu.*).

pró[1]. [Do lat. *pro.*] *Adv.* **1.** A favor. ● *S. m.* **2.** Vantagem, conveniência: *os prós e os contras.* [Cf. *pro.*]

pró[2]. *Lus.* Pro: "As estrelas que nasciam no céu dúbio eram *pró* Moço Hebreu pólen doirado" (Antônio Patrício, *Serão Inquieto*, p. 17); "*Pr'o* distrair, há dias, o tio Eduardo tirou os anéis e deu-lhos" (Id. *ib.*, p. 61). [Cf. *pro.*]

▲pró-. [De *pró.*] *El. comp.* = 'a favor de': *pró-socialista, pró-americano.*

proa (ô). [Do lat. *prora*, com dissimilação.] *S. f.* **1.** A parte anterior da embarcação. [Sin., pop.: *cabeça.* Antôn.: *popa* (ô) (1).] **2.** A frente de qualquer coisa. **3.** *Fam.* Presunção, vaidade, bazófia, jactância, fumaça. ● *S. m.* **4.** Aquele que rema na proa. ♦ **De proa.** De frente; pela parte anterior. **Fazer proa.** *Mar.* V. *aproar.*

proada. *S. f.* Pancada com a proa do barco.

pró-americano[1]. [De *pró-* + *americano*[1].] *Adj.* Favorável às Américas (do Norte, Central ou do Sul), ou a seus habitantes, em relação a outros continentes. [Pl.: *pró-americanos.*]

pró-americano[2]. [De *pró-* + *americano*[3].] *Adj.* Favorável aos E.U.A., aos americanos. [Pl.: *pró-americanos.*]

pró-análise. *Adj. 2 g. Quím.* Diz-se de substância que tem grau de pureza suficientemente elevado para ser utilizada em operações de análise química. [Sigla: P.A.]

proar. *V. t. d.* e *i.* e *t. i.* V. *aproar.* [Conjug.: v. *coroar.*]

probabilidade. [Do lat. *probabilitate.*] *S. f.* **1.** Qualidade de provável. **2.** Motivo ou indício que deixa presumir a verdade ou a possibilidade dum fato; verossimilhança. **3.** *Mat.* Número positivo e menor que a unidade, que se associa a um evento aleatório, e que se mede pela freqüência relativa da sua ocorrência numa longa sucessão de eventos. ♦ **Probabilidade complementar.** *Estat.* A probabilidade de um acontecimento não se realizar. **Probabilidade composta.** *Estat.* A de realização de um evento composto; probabilidade conjunta. **Probabilidade de condicionada.** *Estat.* A de um evento aleatório cuja realização depende da de outros. **Probabilidade conjunta.** *Estat.* Probabilidade composta. **Probabilidade termodinâmica.** *Fís.* Número de microestados de um sistema compatíveis com um mesmo macroestado deste sistema. **Probabilidade total.** *Estat.* A de um evento aleatório cuja realização é, indiferentemente, a dos eventos de um conjunto determinado.

probabilismo. [Do lat. *probabile*, 'provável', + *-ismo.*] *S. m. Filos.* Doutrina que afirma que a certeza é inalcançável, sendo a verdade absoluta impossível de ser atingida.

probabilíssimo. [Do lat. *probabile*, 'provável', + *-íssimo.*] *Adj.* Superl. abs. sint. de *provável.*

probabilista. *Adj. 2 g.* Relativo ao, ou que é partidário do probabilismo. ● *S. 2 g.* **2.** Partidário dele.

probante. [Do lat. *probante.*] *Adj. 2 g. Jur.* Que prova (em juízo).

probasídio. [De *pro-*[1] + *basídio.*] *S. m. Micol.* O basídio antes da maturidade, até que se formem os esporos.

probático. [Do gr. *probatikós*, 'referente a ovelha', pelo lat. *probaticu.*] *Adj.* ~ V. *piscina —a.*

probatório. [Do lat. *probatoriu.*] *Adj.* **1.** Referente a prova. **2.** Que contém prova. **3.** Que serve de prova: "Os processos de que usa — negligência no cumprimento dos seus deveres conjugais, descuidos propositados e *probatórios* das suas relações amorosas com outras mulheres, ... — acabam por produzir o efeito desejado." (Domingos Monteiro, *Histórias Castelhanas*, p. 100.) [Var.: *provatório.*]

probidade. [Do lat. *probitate.*] *S. f.* Qualidade de probo; integridade de caráter; honradez, pundonor.

problema. [Do gr. *próblema*, pelo lat. *problema.*] *S. m.* **1.** Questão matemática proposta para que se lhe dê a solução. **2.** Questão não solvida e que é objeto de discussão, em qualquer domínio do conhecimento: *problemas* filosóficos, *o problema* da autoria das Cartas Chilenas. **3.** Proposta duvidosa, que pode ter numerosas soluções. **4.** Qualquer questão que dá margem a hesitação ou perplexidade, por difícil de explicar ou de resolver: *problemas técnicos; problema social; problemas do tráfego.* **5.** *Psicol.* Conflito afetivo que impede ou afeta o equilíbrio psicológico do indivíduo. ♦ **Problema dos três corpos.** *Astr.* Problema da integração das equações do movimento de três corpos sujeitos às suas atrações gravitacionais recíprocas.

problemática. *S. f.* **1.** O conjunto dos problemas tocantes a um assunto. **2.** Arte ou ciência de colocar os problemas. **3.** O conjunto das questões que uma ciência ou um sistema filosófico pode apresentar em relação a seus meios, seus pontos de vista ou seus objetos de estudo.

problematicidade. *S. f.* Qualidade de problemático.

problemático. [Do gr. *problematikós.*] *Adj.* **1.** Respeitante a problema. **2.** Que constitui problema. **3.** Incerto, duvidoso: *O bom êxito de sua missão é problemático.* **4.** Que tem problema (5): *criança problemática.* ~ V. *juízo —.*

problematizar. *V. t. d.* **1.** Tornar problemático; pôr em dúvida: *Os agnósticos problematizam a existência de Deus.* **2.** Dar forma de problema a.

problemista. [De *problema* + *-ista.*] *S. 2 g. Bras.* V.

enxadrista (2).

probo. [Do lat. *probu.*] *Adj.* De caráter íntegro; honesto, honrado, reto, justo: "As letras pátrias perderam neste homem de caráter [Bourbon e Meneses], com uma noção severa da dignidade humana, probo, entregue de todas as veras à missão improba de escritor, ... um profissional que as enobrecia." (Aquilino Ribeiro, *Camões, Camilo, Eça e Alguns mais,* p. 346.)

probóscida. *Zool.* Probóscide.

probóscide. [Var. de *probóscida* gr. *proboskís, ídos,* 'tromba', pelo lat. *proboscida.*] *S. f. Zool.* **1.** Tromba de elefante. **2.** Aparelho bucal dos dípteros.

proboscídeo. [De *probóscide* + *-ídeo.*] *Adj.* **1.** Diz-se dos mamíferos cujo focinho é prolongado em forma de tromba, como o elefante. **2.** Pertencente ou relativo aos proboscídeos. ● *S. m.* **3.** Espécime dos proboscídeos.

proboscídeos. *S. m. pl. Zool.* Mamífero da ordem *Proboscidea,* de porte avantajado, cabeça grande, orelhas largas e foliáceas, pele grossa [v. *paquiderme*], esparsamente pilosa, lábio superior e nariz transformados em tromba, com aberturas nasais na ponta, dentes incisivos superiores em número de dois, transformados em longas presas, caninos ausentes, molares grandes, com faixas de esmalte transversais, e dos quais apenas um ou dois em cada maxila são funcionais. São os elefantes.

pró-britânico. [De *pró-* + *britânico.*] *Adj.* Favorável à Grã-Bretanha, aos ingleses. [Pl.: *pró-britânicos.*]

procá. *Bras. S. 2 g.* **1.** Indivíduo dos procás, antiga tribo indígena. ● *Adj. 2 g.* **2.** Pertencente ou relativo a essa tribo.

procacidade. [Do lat. *procacitate.*] *S. f.* Qualidade de procaz.

procacíssimo. [Do lat. *procacissimu.*] *Adj.* Superl. abs. sint. de *procaz.*

procaína. [Do ingl. *procaine.*] *S. f. Quím.* Substância cristalina, incolor, usada como anestésico local. [Fórm.: $C_{13}H_{20}O_2N_2$.]

procarionte. *S. m. Genét.* Procarioto.

procariote. *S. 2 g.* Espécime dos procariotes.

procariotes. *S. 2 g. pl. Bot.* Seres vivos caracterizados pela ausência de um núcleo individualizado em suas células, como é o caso das bactérias, vírus e cianofíceas.

procariótico. *Adj.* Pertencente ou relativo aos procariotes.

procarioto (ô). [De *pro-*[1] + *-cari(o)-* + a term. *-oto,* como em *zigoto.*] *S. m. Genét.* Organismo formado por uma única célula desprovida de membrana nuclear; procarionte.

procatalético. [Do gr. *procatalego,* 'cessar antes', + *-ico*[2].] *Adj. Mús.* V. *acéfalo* (5).

procaz. [Do lat. *procace.*] *Adj. 2 g.* Insolente, petulante, impudente, descarado. [Superl. abs. sint.: *procacíssimo.*]

procedência. *S. f.* **1.** Ato ou efeito de proceder. **2.** Lugar de onde se procede. **3.** Proveniência, origem. [Sin., p. us., nestas acepç.: *procissão.*] **4.** *Jur.* Justa causa; fundamento, razão. [Cf. *procidência* e *precedência.*]

procedente. [Do lat. *procedente.*] *Adj. 2 g.* **1.** Que procede; proveniente, oriundo. **2.** Conseqüente, concludente, lógico. [Cf. *procidente* e *precedente.*]

proceder. [Do lat. *procedere,* 'ir para adiante'.] *V. t. i.* **1.** Ter origem; originar-se, derivar(-se): *O amor não procede do hábito;* "A existência do mercantilismo em Portugal procede dos grupos interessados nos suprimentos das frotas que abordavam os portos do reino." (Paulo Mercadante, *A Consciência Conservadora no Brasil,* p. 17); "O vocábulo *estilo,* que nas línguas modernas designa a maneira de escrever, e, por extensão, maneira de pintar, de construir, procede do latim *stilus* (ou *stylus*), nome dado a princípio ao instrumento pontudo com que se escrevia, e que hoje chamaríamos estilete." (M. Said Ali, *Meios de Expressão e Alterações Semânticas,* p. 83). **2.** Provir por geração; descender: *Segundo o cristianismo, todos os homens são irmãos porque procedem de Adão e Eva.* **3.** Instaurar processo: *O Governo procederá contra os agiotas.* **4.** Levar a efeito; fazer, executar, realizar "Fora chamado o capitão Albernaz a dirigir o inquérito, mandar proceder ao corpo de delito, arrolar testemunhas" (Afrânio Peixoto, *Maria Bonita,* p. 130). *Int.* **5.** Ter seguimento; ir por diante: prosseguir, continuar: *A marcha procedeu, dura e incessante.* **6.** Dirigir os seus atos; portar-se, comportar-se: "o fim era proceder de modo que a renúncia da carreira eclesiástica se fizesse cautelosamente, sem dor para a mãe nem escândalo público." (Machado de Assis, *Páginas Recolhidas,* p. 151). **7.** Entregar alguém ou algum negócio à justiça: *O prejudicado não pensa em proceder.* **8.** Ser decisivo na prova; ser contundente; concluir: *Os novos dados procedem, não há como refutá-los.* **9.** Pôr em prática desígnios ou intentos; agir, obrar: *o homem maduro procede consultando apenas sua consciência.* **10.** *Jur.* Ter causa justificada por lei; ter fundamento. ● *S. m.* **11.** Ações, procedimento: "Amigos e sócios, desde cedo juntando o destino por manias comuns e comuns procederes." (José Sarney, *Norte das Águas,* p. 31.) [Cf. *preceder.*]

procedimento. *S. m.* **1.** Ato ou efeito de proceder. **2.** Modo de proceder, de portar(-se); comportamento. **3.** Processo, método. **4.** *Jur.* Forma que a lei estabelece para se tratarem as causas em juízo. **5.** *Jur.* Formas a que está subordinado o cumprimento dos atos e trâmites do processo.

procela. [Do lat. *procella.*] *S. f.* **1.** Tempestade marítima: "Ora embalado pelas bravas ondas / Do oceano em fúria grande, ouvindo os uivos / Da procela a bramir forte e medonha" (Casimiro de Abreu, *Obras,* p. 18). **2.** *Fig.* Agitação extraordinária; tumulto.

procelária. [De *procela* + *-ária.*] *S. f. Zool.* Gênero-tipo das aves procelariformes: "procelárias e gaivotas alvíssimas acudiam, em revoadas, a saudar alegremente a frota, passando por entre as velas e mastros numa grazinada festiva." (Virgílio Várzea, *Nas Ondas,* p. 117).

procelarídeo. *S. m.* **1.** Espécime dos procelarídeos. ● *Adj.* **2** Pertencente ou relativo a eles.

procelarídeos. *S. m. pl. Zool.* Aves procelariformes, da família *Procellariidae,* caracterizadas por terem os três dedos anteriores reunidos por membrana, pernas mais curtas que o corpo (excluído o pescoço), e ventas prolongadas em tubo. Vivem no alto-mar, só vindo a terra para nidificar, e alimentam-se de peixes. São os andorinhões-das-tormentas.

procelariforme. *S. m.* **1.** Espécime dos procelariformes. ● *Adj. 2 g.* **2.** Pertencente ou relativo a eles. [Sin. ger.: *tubinar.*]

procelariformes. *S. m. pl. Zool.* Aves neórnites, da ordem *Procellariiformes,* espécies oceânicas de grande porte, que têm pés palmados, com hálux rudimentar ou ausente, e narinas prolongadas em tubo, na base do bico. São os albatrozes e as procelárias. [Sin.: *tubinares.*]

procelo. *S. m.* **1.** Espécime dos procelos. ● *Adj.* **2.** Pertencente ou relativo a eles. **3.** Que tem a face anterior côncava: *vértebras procelas.*

procelos. *S. m. pl. Zool.* Animais cordados, anfíbios, anuros, ordem *Procoela,* com vértebras procelas e urostilo com côndilo duplo.

proceloso (ô). [Do lat. *procellosu.*] *Adj.* **1.** Relativo à, ou próprio da procela; tempestuoso. **2.** Que traz procela.

prócer. [Do lat. *procere.*] *S. m.* Homem importante em uma nação, classe, partido, etc.: "Há nos próceres republicanos uma necessidade extraordinária de serem gloriosos e não esquecidos pelo futuro" (Lima Barreto, *Triste Fim de Policarpo Quaresma,* p. 273). [F. paral.: *prócere.* Pl.: *próceres.* Cf. *prócero.*]

prócere. *S. m.* V. *prócer.*

proceridade. [Do lat. *proceritate.*] *S. f.* **1.** *Ant.* Qualidade de alto ou corpulento. **2.** A altura do corpo.

prócero. [Do lat. *proceru.*] *Adj.* **1.** Alto e elevado: "Nesse momento chegavam os viajantes a uma pequena elevação, donde se avistava ao longe .... a copa verde e frondosa de uma prócera oiticica." (José de Alencar, *O Sertanejo,* p. 33.) **2.** Notável, importante. [Cf. *prócer.*]

processabilidade. *S. f.* **1.** Qualidade de processável. **2.** *Tec.* Propriedade de material que o torna apto ou conveniente para sofrer as operações de um processo industrial.

processado. [Part. de *processar.*] *Adj.* **1.** Que está submetido a processo penal; denunciado, querelado. ● *S. m.* **2.** Tudo que consta de um processo, desde o seu começo até um determinado ponto do seu desenvolvimento; aquilo que já faz parte de um processo.

processador (ô). *Adj.* **1.** Que processa. ● *S. m.* **2.** Aquele que processa. **3.** *Proc. Dados.* Conjunto de circuitos integrados que constitui a unidade central de processamento do computador. **4.** *Proc. Dados.* Denominação dada, em geral, para a unidade central de processamento do computador. ♦ **Processador central.** *Proc. Dados.* V. *unidade central de processamento.*

processamento. *S. m.* **1.** Ato ou efeito de processar. **2.** Processamento de dados. ♦ **Processamento batch.** *Proc. Dados.* Processamento no qual os dados a serem processados ou programas a serem executados são agrupados para que seus processamentos sejam efetuados de uma só vez; processamento em lote. **Processamento de dados.** **1.** Tratamento dos dados por meio de máquinas, com o fim de obter resultados da informação representada pelos dados. **2.** *P. ext.* Qualquer operação ou combinação de operações efetuadas com os dados. [Tb. se diz apenas *processamento.*] **Processamento em lote.** *Proc. Dados.* Processamento batch. **Processamento em série.** *Proc. Dados.* Tipo de processamento de dados realizado em computadores digitais em que os programas são manipulados seqüencialmente e não simultaneamente. **Processamento on-line.** *Proc. Dados.* Designação dada ao funcionamento dos terminais, arquivos e equipamentos auxiliares do computador, que operam sob o controle direto deste, eliminando a necessidade de intervenção humana entre qualquer das fases compreendidas entre a entrada de dados e o resultado final. **Processamento paralelo.** *Proc. Dados.* Processamento independente e simultâneo, por um computador, de vários programas separados.

processante. [De *processar* + *-nte.*] *Adj. 2 g.* Diz-se da autoridade judicial que preside a um processo.

processão. [Do lat. *processione.*] *S. f.* Procedência (1 a 3). [Cf. *procissão* e *precessão.*]

processar. *V. t. d.* **1.** Instaurar processo contra; proceder contra; demandar: *O deputado processou o jornal que o difamara.* **2.** Organizar processo de; reunir em processo; autuar: *O juiz ordenou que processassem os depoimentos.* **3.** Conferir, verificar (algum documento), para validar: *O advogado mandou processar as certidões.* **4.** Juntar e reunir em caderno (documentos de assunto judicial ou administrativo), neles escrevendo os autos e termos que as leis determinam: *processar as petições, os requerimentos.* **5.** Submeter a processamento (2).

processável. *Adj. 2 g.* Que pode ser processado.

processional. [Do lat. *processione,* 'procissão', + *-al.*] *Adj. 2 g.* Relativo a procissão. — V. *avenida —.*

processionário. [Do lat. *processione,* 'procissão', + *-ário.*] *S. m.* Livro de rezas que se usa nas procissões.

processo. [Do lat. *processu.*] *S. m.* **1.** Ato de proceder, de ir por diante; seguimento, curso, marcha. **2.** sucessão de estados ou de mudanças: *O processo inflamatório está melhorando.* **3.** Maneira pela qual se realiza uma operação, segundo determinadas normas; método, técnica; *processo manual; processo mecânico.* **4.** *Fís.* Seqüência de estados de um sistema que se transforma; evolução. **5.** *Jur.* Atividade por meio da qual se exerce concretamente, em relação a determinado caso, a função jurisdicional, e que é instrumento de composição das lides. **6.** *Jur.* Pleito judicial; litígio. **7.** *Jur.* Conjunto de peças que documentam o exercício da atividade jurisdicional em um caso concreto; autos: *a leitura do processo.* ♦ **Processo da albumina.** *Fotograv.* Método de copiagem em que o metal é sensibilizado com albumina bicromada. **Processo da soda.** *Ind. Pap.* Processo do sulfato. **Processo de entrada.** *Proc. Dados.* V. *input* (3). **Processo de saída.** *Proc. Dados.* V. *output* (3). **Processo dissipativo.** *Fís.* Processo de evolução dum sistema em que ocorre dissipação de energia. **Processo do bissulfito.** *Ind. Pap.* Processo do sulfito. **Processo do sulfato.** *Ind. Pap.* Método de cozimento da madeira baseado no emprego de sulfeto de sódio e soda cáustica, para obtenção da pasta com que se fabrica o papel Kraft; processo da soda. **Processo do sulfito.** *Ind. Pap.* Método de cozimento da madeira para obtenção da pasta, baseado no emprego do bissulfito de cálcio ou do bissulfito de magnésio; processo do bissulfito. **Processo estocástico.** *Estat.* Conjunto de variáveis aleatórias dependentes de um parâmetro cujo domínio é um conjunto de números reais. **Processo fotomecânico.** Qualquer das técnicas de reprodução de imagens e de textos pelas quais se obtêm superfícies impressoras fotoquimicamente gravadas em relevo, a entalhe ou em plano, para tiragem por qualquer sistema de impressão; fotogravura: **Processo irreversível.** *Fís.* O que tem pelo menos um estádio em que o sistema está em não-equilíbrio, ou em que há um desequilíbrio entre o sistema e o exterior. **Processo reversível.** *Fís.* O que se efetua por meio de uma sucessão de estados em que o sistema está em quase-equilíbrio. **Processo unitário.** *Tec. Quím.* Conversão química.

processologia. [De *processo* + *-log(o)-* + *-ia.*] *S. f.* Estudo ou conhecimento dos processos aplicáveis a uma arte ou ciência.

processológico. *Adj.* Relativo à processologia.

processual. *Adj. 2 g.* Referente a processo judicial. — V. *direito —, lei —* e *letra —.*

processualista. [De *processual* + *-ista.*] *S. 2 g. Bras.*

Jurista especializado em processualística.

processualística. [De *processualista* + *-ica*[2].] *S. f. Bras.* Teoria do processo judicial.

processualístico. *Adj.* Relativo à processualística.

procidência. [Do lat. *procidentia.*] *S. f. Med.* Prolapso. [Cf. *procedência* e *precedência.*]

procidente. [Do lat. *procidente.*] *Adj. 2 g.* Que se desloca ou cai para a frente ou para baixo. [Cf. *procedente* e *precedente.*]

prociônida. *S. m.* e *adj. 2 g.* V. *procionídeo.*

prociônidas. *S. m. pl. Zool.* V. *procionídeos.*

procionídeo. *S. m.* **1.** Espécime dos procionídeos. ● *Adj.* **2.** Pertencente ou relativo a eles.

procionídeos. *S. m. pl. Zool.* Família de mamíferos da ordem dos carnívoros, subordem dos fissípedes, os quais, apesar de terrestres, se locomovem bem nas águas e nas árvores. É a maior família de carnívoros, relacionada aos ursos, dos quais diferem pela forma do crânio. Ex.: quati.

procissão. [Do lat. *processione.* 'marcha para adiante', com metafonia do *e.*] *S. f.* **1.** Cerimônia religiosa em que sacerdotes e sectários de um culto seguem, geralmente em filas, entoando preces, levando expostas imagens ou relíquias dignas de veneração, etc. **2.** *P. ext.* Qualquer acompanhamento ou cortejo; séquito, cortejo. **3.** *Fam.* Série de pessoas que seguem umas atrás das outras. [Cf. *processão.*]

proclama. [Dev. de *proclamar.*] *S. m.* **1.** Pregão de casamento, lido na igreja; proclamação. **2.** *Jur.* Edital de casamento que o oficial do registro civil faz publicar. [M. us. no pl.]

proclamação. [Do lat. *proclamatione.*] *S. f.* **1.** Ato ou efeito de proclamar. **2.** Proclama (1).

proclamador (ô). [Do lat. *proclamatore.*] *Adj.* e *s. m.* Que, ou aquele que proclama.

proclamar. [Do lat. *proclamare.*] *V. t. d.* **1.** Anunciar em público e em voz alta: *D. Pedro* proclamou *a Independência às margens do Ipiranga;* proclamar *as qualidades de alguém.* **2.** Publicar, promulgar, decretar: *O Governo* proclama *as leis.* **3.** Afirmar com ênfase. *Transobj.* **4.** Eleger, aclamar: *Os brasileiros* proclamaram *D. Pedro imperador do Brasil;* "E assim se caía em pleno equívoco: proclamavam Castilho príncipe dos poetas e seu Mestre — e ninguém dizia o porquê." (Antônio Salgado Júnior, *in* João Gaspar Simões, *Perspectiva da Literatura Portuguesa do Século XIX,* I, p. 80). *P.* **5.** Fazer-se aclamar; arvorar-se em: Proclamou-se *diretor da empresa.* **6.** Apresentar-se, mostrar-se, inculcar-se como: Proclama-se *bom aluno, mas estuda pouco.*

proclamas. [Pl. de *proclama.*] *S. m. pl.* Proclama [q. v.]: "Ele casa, casa porque, enfim, já estão correndo os proclamas" (Coelho Neto, *A Conquista,* p. 298).

próclise. [De *pro-*[1] + *-clise*[1].] *S. f. Gram.* O fenômeno fonético de anteposição duma palavra átona a outra que o não é, subordinando-se aquela ao acento desta. [Por vezes o voc. é us. para indicar a simples anteposição de um vocábulo a outro: *a* próclise *dos pronomes átonos.* Cf. *ênclise* (1), *mesóclise* e *sínclise.*]

proclítico. *Adj. Gram.* Diz-se do vocábulo que está em próclise. [Cf. *enclítico, mesoclítico* e *sinclítico.*]

proclive. [Do lat. *proclive.*] *Adj. 2 g.* Inclinado para diante.

proclividade. [Do lat. *proclivitate.*] *S. f.* Qualidade ou estado de proclive.

procniatídeo. *S. m.* **1.** Espécime dos procniatídeos. ● *Adj.* **2.** Pertencente ou relativo a eles.

procniatídeos. *S. m. pl. Zool.* Aves passeriformes, da família *Procniatidae,* caracterizadas por terem o tarso ocreado (escamas anteriores), de tegumento não ou indistintamente dividido em placas, a primeira das rêmiges da mão mais longa ou de comprimento igual ao da segunda, o bico forte e chato, e a plumagem verde e azul. São frugívoras.

procônsul. [Do lat. *proconsule.*] *S. m.* Antigo magistrado romano, governador de uma província. [Pl.: *procônsules.*]

proconsulado. [Do lat. *procosulatu.*] *S. m.* **1.** Cargo ou dignidade de procônsul. **2.** O tempo de exercício das funções de procônsul.

proconsular. [Do lat. *proconsulare.*] *Adj. 2 g.* Relativo a, ou próprio de procônsul.

procopense. *Adj. 2 g.* **1.** De, ou pertencente ou relativo a Cornélio Procópio (PR). ● *S. 2 g.* **2.** Natural ou habitante de Cornélio Procópio.

procordado. *S. m.* e *adj.* Protocordado.

procordados. *S. m. pl. Zool.* Protocordados.

procotó. *S. m. Bras.* V. *barbeiro* (6).

procrastinação. [Do lat. *procrastinatione.*] *S. f.* Ato ou efeito de procrastinar; adiamento, delonga.

procrastinador (ô). *Adj.* e *s. m.* Que ou aquele que procrastina.

procrastinar. [Do lat. *procrastinare.*] *V. t. d.* **1.** Transferir para outro dia; adiar, delongar, demorar, espaçar, protrair: *Não podemos* procrastinar *a solução do caso;* "meu Pai procrastinou quanto pôde a viagem. Ora, porque o enxoval não estava completo. Ora, pela necessidade de um novo exame médico." (João Neves da Fontoura, *Memórias,* I, p. 152). *Int.* **2.** Usar de delongas, de adiamentos.

procriação. [Do lat. *procreatione.*] *S. f.* Ato ou efeito de procriar.

procriador (ô). [Do lat. *procreatore.*] *Adj.* e *s. m.* Que ou aquele que procria.

procriar. [Do lat. *procreare.*] *V. t. d.* **1.** Dar origem, nascimento, existência, a; gerar: *A cadela* procriou *filhotes sadios.* **2.** Promover a cultura ou a germinação de (planta). **3.** Dar nascimento ou origem a; produzir, gerar: *A própria história* procria *os grandes líderes. Int.* **4.** Crescer em número, pela procriação; multiplicar-se, reproduzir-se: *Homens e animais* procriam *enquanto a natureza lhes garante a sobrevivência da espécie.* **5.** Lançar rebentos; germinar, rebentar, renovar: *Os bacelos* procriam.

procronismo. [Do gr. *prochronos, os, on,* 'anterior', + *-ismo.*] *S. m.* Anacronismo consistente em atribuir a um fato data anterior à verdadeira. [Antôn.: *metacronismo.*]

proctalgia. [De *proct(o)-* + *-alg(o)*[2]- + *-ia.*] *S. f. Med.* Dor no reto[1] (6).

proctálgico. *Adj.* Referente à proctalgia.

proctectasia. [De *proct(o)-* + *-ectas-* + *-ia.*] *S. f. Med.* Dilatação do reto[1] (6).

proctectomia. [De *proct(o)-* + *-ectom-* + *-ia.*] *S. f. Cir.* Excisão do reto[1] (6), em extensão variável; retectomia.

proctectômico. *Adj.* Relativo à proctectomia; retectômico.

proctite. [De *proct(o)-* + *-ite*[1].] *S. f. Med.* Inflamação do reto[1] (6); retite.

▲**proct(o)-.** [Do gr. *proktós, oû.*] *El. comp.* = 'ânus': *proctite, proctologia.*

proctocele. [De *proct(o)-* + *-cele.*] *S. f. Patol. Med.* Retocele.

proctocélico. *Adj.* Referente à proctocele.

proctóclise. [De *proct(o)-* + *-clise*[2].] *S. f. Med.* Injeção de quantidade vultosa de líquido no reto[1] (6).

proctologia. [De *proct(o)-* + *-log(o)-* + *-ia.*] *S. f. Med.* Estudo das afecções do reto e do ânus.

proctológico. Relativo à proctologia.

proctologista. *S. 2 g.* Especialista em proctologia.

proctopexia (cs). [De *proct(o)-* + *-pex(i)-* + *-ia.*] *S. f. Cir.* Fixação cirúrgica do reto[1] (6); retopexia.

proctorragia. [De *proct(o)-* + *-ragia.*] *S. f. Med.* Hemorragia de origem retal.

proctorrágico. *Adj.* Respeitante à proctorragia.

proctoscopia. [De *proct(o)-* + *-scop-* + *-ia.*] *S. f. Med.* Retoscopia.

procumbente. [De *procumbir* + *-nte.*] *Adj. 2 g. Morfol. Veg.* Rastejante: *caule* procumbente.

procumbir. [Do lat. *procumbere.*] *V. int.* **1.** Cair para diante. **2.** Estirar-se morto ou ferido. **3.** Curvar-se até o chão; prosternar-se: *Os súditos* procumbiam *diante do soberano.*

procura. [Dev. de *procurar.*] *S. f.* **1.** Ato de procurar. **2.** O conjunto das produções ou dos serviços que se pedem no comércio ou na indústria; demanda.

procuração. [Do lat. *procuratione.*] *S. f.* **1.** Incumbência dada a outrem por alguém para tratar de negócio(s) em seu nome; poderes. **2.** Documento em que se consigna legalmente essa incumbência. **3.** *Jur.* Instrumento do mandato. **4.** *P. ext.* V. *mandato* (1). ♦ **Procuração *a pud acta.*** *Jur.* A que o réu outorga ao defensor mediante simples indicação verbal feita ao juiz do processo. **Procuração por instrumento particular.** *Jur.* Procuração redigida de próprio punho, ou dactilografada, sendo obrigatório o reconhecimento da firma do mandante e, no primeiro caso, também da letra. [Cf. *mandato* (1).] **Procuração por instrumento público.** *Jur.* Procuração lavrada por tabelião público em seu livro de notas, e da qual se fornece traslado.

procuradeira. [De *procurar* + *-deira.*] *S. f.* Mulher curiosa que gosta de procurar ou investigar.

procurador (ô). [Do lat. *procuratore.*] *Adj.* **1.** Que procura. ● *S. m.* **2.** Aquele que tem procuração para tratar dos negócios de outrem; administrador; mandatário. **3.** *P. ext.* Mediador, intermediário. **4.** Advogado do Estado. ♦ **Procurador da Justiça.** Membro da superior instância do Ministério Público. **Procurador de linguagem.** *Bras., SP. Pop.* Procurador de causas forenses.

procuradora (ô). [Fem. substantivado do adj. *procurador.*] *S. f. Astr.* Pequena luneta instalada na montagem de um grande instrumento e destinada a facilitar a calagem[2]. ♦ **Procuradora de cometa.** *Astr.* Equatorial (3) de grande campo e luminosidade, utilizada no descobrimento de cometas, mediante pesquisa que se faz seguindo um mesmo paralelo celeste de horizonte a horizonte.

procuradoria. *S. f.* **1.** Ofício, funções, escritório ou repartição de procurador. **2.** Quantia que se paga ao procurador ou defensor.

procurar. [Do lat. *procurare.*] *V. t. d.* **1.** Esforçar-se por achar; buscar, catar: Procurou *em vão os papéis.* **2.** Pedir com instância; pretender, solicitar: *Percorreu várias empresas,* procurando *emprego.* **3.** Dirigir-se ou encaminhar-se para; buscar: *O rio Amazonas, após confluir com o Xingu,* procura *o mar.* **4.** Desejar falar a: *Os romeiros* procuravam *o velho franciscano.* **5.** Fazer que se lhe depare; esforçar-se por obter; buscar: Procurou *avidamente uma boa oportunidade para o encontro.* **6.** Ir ao encontro de: *O aventureiro* procura *situações perigosas.* **7.** Empregar todos os recursos para; esforçar-se, empenhar-se, por; tratar de; diligenciar: Procura *o bem-estar dos seus semelhantes.* **8.** Indagar, investigar, pesquisar, inquirir: *Os técnicos* procuraram *as causas da catástrofe.* **9.** Fazer seleção de; escolher, selecionar: *O instrutor* procurou *os melhores atletas.* **10.** Ser atraído por: *Os metais* procuram *o ímã. T. d. e i.* **11.** Tentar atrair ou adquirir, granjear: *O amigo* procurou-*lhe um cargo excelente.* **12.** Procurar saber; indagar, perguntar: Procurou *a verdade ao menino. T. i.* **13.** Esforçar-se por encontrar; buscar: "O amigo procura por ele, vem salvá-lo." (Leo Vítor, *Círculo de Giz,* p. 135.) *Int.* **14.** Exercer as funções de procurador ou solicitador.

procuratório. [Do lat. *procuratoriu.*] *Adj.* Relativo a procuração ou a procurador. ~ V. *endosso —.*

procustiano. *Adj.* Pertencente ou relativo a, ou próprio de Procusto. [Cf. *leito de Procusto.*]

prodição. [Do lat. *proditione.*] *S. f. Desus.* **1.** Traição (1). **2.** Entrega de mulher para ato obsceno. [Cf. *predição.*]

prodigalidade. [Do lat. *prodigalitate.*] *S. f.* **1.** Qualidade ou caráter de pródigo. **2.** Ação de prodigalizar. **3.** Esbanjamento, desperdício, dissipação. **4.** Gastos exagerados. **5.** Generosidade, liberalidade, largueza. **6.** Profusão, abundância.

prodigalíssimo. *Adj.* Superl. abs. sint. de *pródigo.*

prodigalizador (ô). *Adj.* e *s. m.* Que ou aquele que prodigaliza; pródigo.

prodigalizar. [De *pródigo* + *-al-* + *-izar.*] *V. t. d.* **1.** Gastar excessivamente; dissipar, esbanjar: Prodigalizou *a fortuna do pai.* **2.** Expor a perigos; arriscar: prodigalizar *a saúde, a vida.* **3.** Conceder ou empregar com profusão; despender com generosidade: *Durante vários séculos a Igreja* prodigalizou *indulgências. T. d. e i.* **4.** Distribuir prodigamente; dar com profusão: Prodigaliza *favores a seus amigos.* [Sin.: *prodigar.*]

prodigar. [De *pródigo* + *-ar*[2].] *V. t. d.* e *t. d. e i.* [V. *prodigalizar.* Conjug.: v. *largar.* Pres. ind.: *prodigo,* etc. Cf. *pródigo.*]

prodígio. [Do lat. *prodigiu.*] *S. m.* **1.** Coisa sobrenatural. **2.** Coisa ou pessoa anormal. [Sin. ger.: *maravilha, milagre, portento.*]

prodigioso (ô). *Adj.* **1.** Em que há prodígio; maravilhoso, miraculoso, sobrenatural. **2.** Admirável, extraordinário.

pródigo. [Do lat. *prodigu.*] *Adj.* **1.** Que despende com excesso; dissipador, esbanjador. **2.** Que dá, distribui, faz ou emprega profusamente e sem dificuldade: *É homem* pródigo *em favores; Foi* pródigo *de gentilezas com todos.* **3.** Generoso, liberal: "Eu podia dizer que a natureza é que foi convosco pródiga de graças" (Machado de Assis, *Páginas Recolhidas,* p. 191). [Superl. abs. sint.: *prodigalíssimo.*] ~ V. *filho —.* ● *S. m.* **4.** Indivíduo pródigo. **5.** *Constr. Nav.* Peça colocada diagonalmente ao tabuado dos pavimentos ou do costado a fim de travar os vaus ou as cavernas entre si e aumentar a resistência do casco. [Cf. *prodigo,* do v. *prodigar.*]

pródito. [Do lat. *proditu.*] *Adj.* **1.** Atraiçoado, traído. **2.** Divulgado, revelado.

proditor (ô). [Do lat. *proditore.*] *S. m. Desus.* Traidor (3).

proditório. [Do lat. *proditoriu.*] *Adj.* Que revela ou encerra traição; traiçoeiro.

➧**pro domo.** [Lat.] V. *pro domo sua.*

➧**pro domo sua.** [Lat.] 'Pela sua casa', i. e., em seu favor, em defesa dos seus próprios interesses. [Título de um discurso de Cícero. Us. tb. abreviadamente: *pro domo.*]

prodrômico. *Adj.* Relativo aos pródromos.

pródromo. [Do gr. *pródromos*, pelo lat. *prodromu.*] *S. m.* **1.** Espécie de prefácio. **2.** Preâmbulo, preliminar. **3.** *Med.* Fenômeno clínico que revela o início de uma doença; propatia. ~ V. *pródromos*.

pródromos. [Pl. de *pródromo.*] *S. m. pl. Fig.* As primícias dum escritor. ~ V. *pródromo*.

produção. [Do lat. *productione.*] *S. f.* **1.** Ato ou efeito de produzir, criar, gerar, elaborar, realizar. **2.** Aquilo que é produzido ou fabricado pelo homem, e, especialmente, por seu trabalho associado ao capital e à técnica: *produção doméstica; A empresa diversificou a produção para atender exigências do mercado.* **3.** O volume da produção (2) de um indivíduo ou de um grupo, levando-se em consideração fatores circunstanciais, como tempo, qualidade, procura, etc.: *incentivo à produção; aumento de produção.* **4.** A(s) obra(s) de um escritor, de um artista, ou de uma escola, ou de um período: *O poema 'Pneumotórax', de Manuel Bandeira, é uma produção da fase modernista; A produção barroca no Brasil estendeu-se até o princípio do séc. XIX.* **5.** Atividade ou setor de uma agência de propaganda, casa editora, etc., responsável pela transformação de uma obra projetada em obra acabada, pronta. **6.** *Cin. Teat.* e *Telev.* Realização de espetáculo de certo vulto, para a qual são necessários recursos financeiros e equipe especializada. **7.** *Econ.* Criação de bens e de serviços capazes de suprir as necessidades econômicas do homem. ♦ **Produção de par.** *Fís. Nucl.* Fenômeno de transformação dum fóton em um elétron e um pósiton; materialização. **Produção editorial.** Processo desenvolvido sob a responsabilidade do editor (3) que abrange desde a concepção do projeto de uma obra, ou do recebimento de originais, até sua publicação. **Produção gráfica.** Processo de transformação de um trabalho de criação em obra impressa, que abrange desde a composição até o acabamento.

producente. [Do lat. *producente.*] *Adj. 2 g.* **1.** Que produz. **2.** Lógico, concludente.

produtibilidade. *S. f.* Qualidade ou estado de produtível ou produtivo.

produtível. [De *productu*, part. pass. do lat. *producere*, 'produzir', + *-ível.*] *Adj. 2 g.* Que se pode produzir; produzível.

produtividade. *S. f.* **1.** Faculdade de produzir. **2.** Qualidade ou estado de produtivo. **3.** Rendimento (5).

produtivo. [Do lat. *productu*, part. pass. de *producere*, 'produzir', + *-ivo.*] *Adj.* **1.** Que produz; fértil. **2.** Rendoso, proveitoso. ~ V. *forças —as*.

produto. [Do lat. *productu.*] *S. m.* **1.** Aquilo que é produzido pela natureza: *produto vegetal; produto mineral.* **2.** Resultado de qualquer atividade humana (física ou mental): *o produto da colheita; um produto da imaginação.* **3.** O resultado da produção (2): *produtos agrícolas; produtos da indústria pesada.* **4.** Produção (2) que visa especialmente a fins comerciais: *produtos eletrodomésticos; produtos de beleza.* **5.** V. *receita* (1): *O produto do festival decepcionou os seus organizadores.* **6.** Quantia recebida como pagamento: *o produto da venda de um carro.* **7.** Resultado, conseqüência: *O enfarte foi produto de excesso de trabalho.* **8.** Animal ou planta que resulta de função reprodutiva dirigida, com vista ao aprimoramento da espécie: *O touro campeão é produto de animais selecionados; Esse caqui é produto das experiências de fruticultores japoneses.* **9.** *Arit.* O resultado de uma multiplicação. **10.** *Mat.* Conjunto constituído por elementos comuns a dois ou mais conjuntos; interseção, conjunto interseção. **11.** *Mat.* Interseção (3). ♦ **Produto de beleza.** Produto para o embelezamento e cuidado do corpo. **Produto de fissão.** *Fís. Nucl.* Qualquer nuclídeo formado pela fissão de outro ou pela desintegração de um isótopo produzido numa fissão nuclear. **Produto de solubilidade.** *Quím.* Produto das atividades dos íons em uma solução saturada por um sal. **Produto diádico.** *Cálc. Vect.* Díada (2). **Produto escalar.** *Cálc. Vect.* A soma dos produtos das componentes homólogas de dois vectores referidos a uma base ortonormal; produto interno. **Produto externo.** *Cálc. Vect.* Produto vectorial. **Produto infinito.** *Anál. Mat.* Seqüência infinita em que o elemento de ordem *n* é igual ao produto dos *n* primeiros elementos de outra seqüência infinita. **Produto interno.** *Cálc. Vect.* Produto escalar. **Produto interno líquido.** *Econ.* Valor da produção dos setores econômicos no país, excluídos os impostos indiretos e as importações de mercadorias e serviços. **Produto nacional bruto.** *Econ.* Valor dos bens e serviços finais produzidos por um país num determinado período de tempo. **Produto nacional líquido.** *Econ.* Valor do produto nacional bruto [q. v.] abatido da depreciação do capital fixo. **Produto vectorial.** *Cálc. Vect.* Vector cujo suporte é normal ao plano determinado por dois outros vectores, e cujo módulo é igual ao produto dos módulos destes dois pelo seno do ângulo que formam; produto externo.

produtor (ô). [Do lat. *productore.*] *Adj.* **1.** Que produz. [Fem. irreg. (p. us.): *produtriz.*] ● *S. m.* **2.** Aquele que produz. **3.** Autor, elaborador. **4.** Indivíduo ou organização que produz bens para o consumo. **5.** Aquele que financia e supervisiona uma produção (5). ♦ **Produtor gráfico.** Indivíduo responsável pela produção gráfica de um impresso.

produtriz. *Adj.* (*f.*) *P. us.* Fem. de *produtor* (1).

produzido. [Part. de *produzir.*] *Adj. Bras.* **1.** Que se produziu [v. *produzir* (14)]: *Mudou o visual: agora anda toda produzida.* **2.** Diz-se daquilo que se apresenta de acordo com a moda vigente e mais avançada: *penteado produzido.*

produzir. [Do lat. *producere.*] *V. t. d.* **1.** Dar nascimento ou origem a; dar o ser a; fazer existir; criar, gerar: *Esta árvore produz bons frutos.* **2.** Fazer aparecer; ocasionar, originar: *A seca produziu a figura do retirante, muitas vezes personagem da literatura nacional.* **3.** Pôr em prática; levar a efeito; realizar: *Os alunos produziram um belo espetáculo de teatro.* **4.** Fazer apresentação ou exposição de; apresentar, exibir: *O réu produziu inúmeras testemunhas em sua defesa.* **5.** Ter como conseqüência; causar, motivar, ocasionar: *O alcoolismo produz males físicos e morais.* **6.** Ser o berço de; ser a pátria de: *Roma produziu grandes generais.* **7.** Dar como proveito ou rendimento; render: *Esta loja produz bom lucro.* **8.** Fabricar, manufaturar: *A nova fábrica produzirá aviões;* "No início do século [XX], os Estados Unidos eram praticamente autárquicos. Produziam tudo o de que necessitavam para a vida de suas indústrias." (Alceu Amoroso Lima, *A Realidade Americana*, p. 118.) **9.** Criar pela imaginação; compor: *Machado de Assis produziu excelentes contos e romances.* **10.** Descobrir, inventar; criar: *Os povos mesopotâmicos produziram o horóscopo. T. d. e i.* **11.** Dar como proveito ou rendimento; render: *O emprego lhe produz bom ordenado. Int.* **12.** Ser fértil: *As terras arenosas não produzem.* **13.** *Econ.* Criar utilidades para satisfazer as necessidades econômicas do homem. *P.* **14.** *Bras.* Vestir-se, arranjar-se com apuro, de acordo com a moda vigente e mais avançada. [Irreg. Conjug.: v. *aduzir.*]

produzível. [De *produzir* + *-vel.*] *Adj. 2 g.* Produtível.

proeiro. *S. m.* Marinheiro que vigia, trabalha ou rema à proa da embarcação.

proejar. [De *proa* + *-ejar.*] *V. t. c. P. us.* Dirigir-se, navegar (em determinada direção); aproar: *O comandante proeja para nordeste;* "As galés de Castela .... sarparam, tenderam velas e demandaram a barra, proejando ao norte" (Antero de Figueiredo. *Leonor Teles*, p. 229). [Conjug.: v. *pelejar.*]

proembião. [De *pro-*[1] + *embrião.*] *S. m. Anat. Veg.* Massa pluricelular que se forma após a fecundação da oosfera, e que formará o embrião.

proemial. *Adj. 2 g.* Respeitante a, ou da natureza do proêmio; preambular.

proemiar. [Do lat. **prooemiare*, por *prooemiari.*] *V. t. d.* Fazer proêmio a; prefaciar. [Pres. ind.: *proemio*, etc. Cf. *proêmio.*]

proeminência. *S. f.* **1.** Qualidade ou estado de proeminente. **2.** Relevo, saliência, eminência; protuberância: "o seu colo tomara irresistíveis proeminências que meus olhos cobiçosos não se fartavam de beijar." (Aluísio Azevedo, *Pegadas*, pp. 184-185). **3.** Elevação de terreno. **4.** Superioridade, preeminência. [Cf. *preeminência.*] ♦ **Proeminência solar.** *Astr.* Jacto de gás luminoso que se eleva acima da cromosfera solar. [Cf. *protuberância solar.*]

proeminente. [Do lat. *proeminente.*] *Adj. 2 g.* **1.** Que se alteia acima do que o circunda; alto. **2.** Que sobressai, ressalta; saliente: "Tinha o rosto comprido mas cheio, com um nariz aquilino, proeminente, muito acentuado." (Virgílio Várzea, *Nas Ondas*, p. 13); "a boca aberta, as mãos cruzadas sobre a barriga proeminente, a roncar." (Alberto Braga, *Novos Contos*, p. 56). **3.** Superior, preeminente. [Cf. *preeminente.*]

proêmio. [Do gr. *prooímion*, 'canto introdutório', pelo lat. *prooemiu.*] *S. m.* **1.** V. *prefácio* (1): "vejo arder a fogueira de Savonarola, e vejo a praça encher-se de cadáveres, e a multidão que chora .... ; e, entre lágrimas e vociferações, Boccaccio, risonho e belo, imaginando o proêmio do *Decameron*." (Martins Fontes, *Nós, as Abelhas*, p. 72). **2.** Princípio, origem. [Cf. *proemio*, do v. *proemiar.*]

proeza (ê). [Do fr. ant. *proëce.*] *S. f.* **1.** Ação de valor; façanha. **2.** *Fam.* Qualquer ato invulgar praticado por alguém. **3.** *P. ext. Pej.* Ato censurável ou escandaloso.

profanação. [Do lat. *profanatione.*] *S. f.* **1.** Ato ou efeito de profanar; sacrilégio, profanidade. **2.** *P. ext.* Irreverência contra pessoa ou coisa digna de todo o respeito. **3.** Mau emprego, abusivo, de coisa digna de apreço ou respeito.

profanador (ô). [Do lat. *profanatore.*] *Adj.* e *s. m.* Que ou aquele que profana as coisas sagradas ou dignas de apreço.

profanar. [Do lat. *profanare.*] *V. t. d.* **1.** Tratar com irreverência (coisas sagradas); desconsagrar: *profanar uma religião.* **2.** Transgredir, violar, infringir (norma, regra, princípio sagrado, ou como que sagrado): "Esse crime, bandido, é um crime que profana / Todas as grandes leis da consciência humana, / Todas as grandes leis da vida universal." (Guerra Junqueiro, *A Velhice do Padre Eterno*, p. 35.) **3.** Dar aplicação profana a: *Jesus Cristo expulsou os vendilhões que profanavam o templo.* **4.** Violar a santidade de: *profanar leis divinas.* **5.** Fazer mau uso de; degradar, aviltar: *O crescente número de maus compositores profana a música popular.* **6.** Tornar impuro; macular, desonrar: *Sua atitude profana o bom nome da família.* **7.** Ofender, injuriar, afrontar: *O excesso de termos grosseiros profana a sensibilidade literária.*

profanável. *Adj. 2 g.* Que pode ser profanado.

profanidade. [Do lat. *profanitate.*] *S. f.* **1.** Ato ou dito profano. **2.** V. *profanação* (1).

profano. [Do lat. *profanu.*] *Adj.* **1.** Não pertencente à religião. **2.** Contrário ao respeito devido a coisas sagradas. **3.** Não sagrado. **4.** Secular, leigo. **5.** *Fig.* Estranho ou alheio a idéias ou conhecimentos sobre determinados assuntos. ● *S. m.* **6.** Pessoa ou coisa profana.

prófase. [De *pró-*[1] + *fase.*] *S. f. Biol.* A primeira fase da divisão celular indireta. [Cf. *mitose.*]

profecia. [Do gr. *propheteía*, pelo lat. *prophetia.*] *S. f.* **1.** Predição do futuro feita por um profeta; oráculo, vaticínio, presságio. **2.** *Fig.* Hipótese, suposição, conjetura.

profectício. [Do lat. *profecticiu.*] *Adj.* Profetício [q. v.].

profeito. [Do lat. *profectu.*] *S. m. Ant.* Proveito.

proferição. *S. f.* Ação de proferir; proferimento.

proferimento. *S. m.* Proferição.

proferir. [Do lat. * *proferere*, por *proferre*, 'levar para diante'; 'enunciar'.] *V. t. d.* **1.** Pronunciar em voz alta e clara: *O deputado proferiu oportuno discurso;* "tinha sido incumbida, pelas colegas, de proferir algumas palavras de despedida" (Ciro dos Anjos, *Abdias*, p. 61). **2.** Dizer, pronunciar: "Ia com passo firme, rezando e proferindo repetidas vezes o nome da filha" (Bulhão Pato, *Memórias*, I, p. 17). **3.** Dizer, lendo: *De posse da relação, proferiu os nomes aprovados.* **4.** Publicar ou dizer em voz alta; decretar, publicar: *O juiz proferiu a sentença.* [Irreg. Conjug.: v. *aderir.*]

proferível. *Adj. 2 g.* Que pode ser proferido.

professar. [De *professo* + *-ar*[2].] *V. t. d.* **1.** Reconhecer publicamente; confessar: *Os homens deveriam professar os princípios que norteiam suas ações.* **2.** Preencher as funções inerentes a (um cargo ou profissão); abraçar (cargo ou profissão): *professar a advocacia.* **3.** Ensinar na qualidade de professor ou lente; lecionar, professorar: "Como ele professava pedagogia na secção didática do meu curso, esperava encontrar ali a realização das idéias que ele nos expunha na sua cátedra." (Fidelino de Figueiredo, *Um Colecionador de Angústias*, p. 84.) **4.** Fazer propaganda de; preconizar, propagar, apregoar: *Quintino Bocaiúva escreveu muitos artigos professando o ideal republicano.* **5.** Seguir a regra de; obedecer às normas de: *Sempre agiu professando o bom senso e a temperança.* **6.** Pôr em prática; levar a cabo; realizar, executar: *O governo professa os compromissos assumidos nas eleições.* **7.** Adotar, abraçar, seguir (uma doutrina): *professar o cristianismo, o socialismo. Int.* **8.** Fazer votos, entrando para uma ordem religiosa ou de cavalaria: *Professou 25 anos e foi a bispo 15 anos depois. T. d. e i.* **9.** Confessar ou prometer publicamente: *O cavaleiro professava fidelidade a seu amo.* **10.** Ter, manter (afeição, amizade): *A moça professa grande amor aos pais.* **11.** Prometer, jurar: *Professou afeição profunda aos companheiros.*

professo. [Do lat. *professu.*] *Adj.* **1.** Que professou. **2.** Relativo a frades ou freiras. **3.** *Fig.* Perito, adestrado. ● *S. m.* **4.** Aquele que professou. **5.** Indivíduo adestrado, perito.

professor (ô). [Do lat. *professore.*] *S. m.* **1.** Aquele que professa ou ensina uma ciência, uma arte, uma técnica, uma disciplina; mestre: professor *universitário;* professor *de ginástica.* **2.** *Fig.* Homem perito ou adestrado. **3.** Aquele que professa publicamente as verdades religiosas. [Flex.: *professora* (ô), *professores* (ô), *professoras* (ô). Cf. *professora, professoras* e *professores,* do v. *professorar.*] ♦ **Professor titular.** O que exerce cátedra (3).

professoraço. [De *professor* + *-aço.*] *S. m. Deprec.* Professor charlatão; mau professor.

professora (ô). [Fem. de *professor.*] *S. f.* **1.** Mulher que ensina ou exerce o professorado; mestra. **2.** *Bras., N.E. Pop.* Prostituta com que adolescentes se iniciam na vida sexual. [Pl.: *professoras* (ô). Cf. *professora* e *professoras,* do v. *professorar.*]

professorado. [De *professor* + *-ado*[2].] *S. m.* **1.** A classe dos professores. **2.** V. *magistério* (2).

professoral. *Adj. 2 g.* Respeitante a professor ou professora.

professorando. [Ger. de *professorar.*] *S. m. Bras.* Estudante que está prestes a concluir o curso de professorado: "o Dr. Romero Fagundes, deputado do distrito, vinha ser o paraninfo das professorandas." (Godofredo Rangel, *Falange Gloriosa,* p. 236).

professorar. [De *professor* + *-ar*[2].] *V. t. d.* **1.** Ser professor de; ensinar, professar: Professora *história do Brasil. Int.* **2.** Exercer as funções de professor; dedicar-se ao magistério. [Pres. ind.: *professoro, professoras, professora,* etc.; pres. subj.: *professore, professores,* etc. Cf. *professora* (ô), *professoras* (ô) e *professores* (ô), flex. de *professor.*]

profesto. [Do lat. *profestu.*] *Adj.* ~ V. *dia* —.

profeta. [Do gr. *prophétes,* pelo lat. *propheta.*] *S. m.* **1.** Indivíduo que prediz o futuro. **2.** *P. ext.* V. *adivinho.* [Fem., nessas acepç.: *profetisa.*] **3.** Título que os muçulmanos dão a Maomé. **4.** *Bras. Pop.* Acendedor de lampiões: "o acendedor de lampiões, a quem os garotos apelidavam profeta" (Agripino Grieco, *Memórias,* II, p. 38).

profetar. [Do lat. *prophetare.*] *V. t. d., t. d. e i.* e *int.* V. *profetizar.*

profetício. [Var. de *profectício* < lat. *profecticiu.*] *Adj.* ~ V. *bens —s* e *dotes —s.*

profético. [Do gr. *prophetikós,* pelo lat. *propheticu.*] *Adj.* Relativo a profeta ou a profecia.

profetisa. [Do lat. *prophetissa.*] *S. f.* Fem. de *profeta* (1 e 2). [Cf. *profetiza,* do v. *profetizar.*]

profetismo. [De *profeta* + *-ismo.*] *S. m.* Doutrina religiosa que tem por base as profecias.

profetista. *Adj. 2 g.* **1.** Relativo ao profetismo ou a profetas. **2.** Que tem ares ou maneiras de profeta.

profetizador (ô). *Adj.* e *s. m.* Que ou aquele que profetiza.

profetizar. [Do gr. *prophetízo,* pelo lat. *prophetizare.*] *V. t. d.* **1.** Predizer como profeta; vaticinar, predizer: *Dizendo-se enviado de Deus,* profetizava *o fim do mundo.* **2.** Anunciar por conjeturas; anunciar antecipadamente; prever: *Quando os especialistas* profetizaram *o malogro, foram tachados de incapazes. T. d. e i.* **3.** Anunciar como profeta; vaticinar, predizer: *O místico* profetizou *aos que o ouviam a reencarnação de Jesus. Int.* **4.** Dizer ou fazer profecias: *Nunca* profetiza *sem que se lhe confirmem as profecias.* [F. paral.: *profetar.* Pres. ind.: *profetizo, profetizas, profetiza,* etc. Cf. *profetisa.*]

proficiência. *S. f.* **1.** Qualidade de proficiente; competência, aptidão, capacidade; habilidade: "A doutrina cristã, anotada pela proficiência do explicador, foi ocasião de dobrado ensino que muito me interessou." (Raul Pompéia, *O Ateneu,* p. 57.) **2.** Proveito, vantagem; proficuidade.

proficiente. [Do lat. *proficiente.*] *Adj. 2 g.* **1.** Que tem perfeito conhecimento; competente, capaz, hábil, destro. **2.** V. *profícuo.*

proficuidade (u-i). *S. f.* Qualidade de profícuo; vantagem, proveito, utilidade.

profícuo. [Do lat. *proficuu.*] *Adj.* Útil, proveitoso, vantajoso, proficiente.

profiláctico. [Do gr. *prophylaktikós.*] *Adj.* **1.** Relativo a profilaxia. **2.** Preservativo, preventivo. [Var.: *profilático.*]

profilático. *Adj.* Var. de *profiláctico.*

profilaxia (cs). [Do gr. *prophylaxis,* 'precaução', + *-ia.*] *S. f.* **1.** Parte da medicina que tem por objeto as medidas preventivas contra as enfermidades. **2.** Emprego de meios para evitar doenças. **3.** *P. ext.* Preservativo (2).

profilo. [De *pro-*[1] + *-filo.*] *S. m. Morfol. Veg.* A primeira folha, ou o primeiro par de folhas, de um broto lateral.

profissão. [Do lat. *professione.*] *S. f.* **1.** Ato ou efeito de professar (1, 8 e 9). **2.** Declaração ou confissão pública de uma crença, sentimento, opinião ou modo de ser. **3.** Atividade ou ocupação especializada, e que supõe determinado preparo: *a* profissão *de engenheiro; a* profissão *de motorista.* **4.** V. *ofício* (2). **5.** Profissão (3) que encerra certo prestígio pelo caráter social ou intelectual: *a* profissão *de jornalista, de ator; as* profissões *liberais.* **6.** Carreira (8): *a* profissão *jurídica.* **7.** Meio de subsistência remunerado resultante do exercício de um trabalho, de um ofício: *Não tem* profissão. **8.** *Rel.* Confissão (2). ♦ **Profissão de fé.** Declaração pública revestida de certa solenidade em que se afirma uma crença religiosa, uma convicção política, uma opinião estética, etc.; manifesto. **Profissão liberal.** Profissão (3) de nível superior caracterizada pela inexistência de qualquer vinculação hierárquica e pelo exercício predominantemente técnico e intelectual de conhecimentos. **De profissão. 1.** Profissional (1). **2.** Pela conduta ou modo habitual de agir: *É intrigante de* profissão.

profissional. *Adj. 2 g.* **1.** Respeitante ou pertencente a profissão, ou a certa profissão: *ensino* profissional; *deformação* profissional; *Diversas categorias* profissionais *pleiteiam revisão de salário.* **2.** Que exerce uma atividade por profissão ou ofício: *fotógrafo* profissional; *atleta* profissional. [Cf., nesta acepç., *amador* (2).] **3.** Diz-se do que é necessário ao exercício de uma profissão, ou próprio dela: *equipamento* profissional; *embalagem* profissional. **4.** *Deprec.* Diz-se de pessoa voltada habitualmente para certa atividade como se fosse ela ofício ou profissão: *carreirista* profissional. ~ V. *orientação —, orientador —, salário —, segredo —* e *sigilo —.* ● *S. 2 g.* **5.** *Bras.* Pessoa que exerce uma atividade por ofício.

profissionalismo. *Bras. S. m.* **1.** Carreira de profissional. **2.** Conjunto de profissionais. **3.** Maneira de ver ou de agir dos profissionais.

profissionalização. *S. f.* Ação de profissionalizar(-se).

profissionalizante. *Adj. 2 g.* Diz-se do ensino destinado a formar técnicos em determinados ofícios ou profissões: "o ensino [no Brasil de umas décadas atrás] era pouco profissionalizante." (*Jornal do Brasil,* "Domingo", nº 111).

profissionalizar. *V. t. d.* **1.** Dar o caráter de coisa profissional a: "A um povo [o norte-americano] capaz de profissionalizar até o amadorismo, não será difícil fazer da conversa rendosa profissão." (Fernando Sabino, *Medo em Nova Iorque. A Cidade Vazia,* p. 56.) *P.* **2.** Tornar-se um profissional (2): *Pelé* profissionalizou-se *com menos de 18 anos;* "Ela preferia falar .... da sua vocação de bailarina. Sempre em seguida aos espetáculos de caridade, recebia propostas comerciais para se profissionalizar." (Joaquim Paço d'Arcos, *Neve sobre o Mar,* p. 243). **3.** Tornar-se profissional (2); adquirir caráter de profissional (2): "Autodidata, no Brasil, é sinônimo de amador. Eis por que emprego essa palavra com certa temeridade, pois estamos atravessando uma época em que tudo se está profissionalizando, até mesmo o exercício das letras." (Nereu Correia, *O Canto do Cisne Negro e Outros Estudos,* p. 82.)

profitente. [Do lat. *profitente.*] *Adj. 2 g.* Que professa.

profligação. [Do lat. *profligatione.*] *S. f.* **1.** Ato ou efeito de profligar. **2.** Desbarato, ruína.

profligador (ô). [Do lat. *profligatore.*] *Adj.* e *s. m.* Que ou aquele que profliga.

profligar. [Do lat. *profligare.*] *V. t. d.* **1.** Lançar por terra; abater, prostrar, destruir, derrotar: *Aníbal* profligou *o poderoso exército romano.* **2.** Procurar destruir com argumentos; atacar ou cambater com palavras; reprovar energicamente; verberar: "José Bonifácio rompeu com o irmão e profligou a sua solidariedade em tão nefasta obra." (Tobias Monteiro, *Pesquisas e Depoimentos para a História,* p. 14.) **3.** Perverter moralmente; corromper, depravar: *A avareza* profliga *o homem.* [Conjug.: v. *largar.*]

➧**pro forma.** [Lat.] Por formalidade.

prófugo. [Do lat. *profugu.*] *Adj.* Fugitivo, desertor: "Quando, para estudar, da loira turba / Algum de nós fugia, / Emigrando, qual prófuga andorinha, / Que tristeza o invadia..." (Luís Delfino, *A Angústia do Infinito,* p. 135.)

profundador (ô). *Adj.* e *s. m.* Que ou o que profunda.

profundar. *V. t. d., t. i.* e *p.* V. *aprofundar:* "O resultado desta disposição .... foi que os juízes, nas espécies duvidosas, não profundaram as leis nem recorreram ao seu espírito e analogia" (João Ribeiro, *História do Brasil,* p. 173).

profundas. [Pl. do fem. substantivado do adj. *profundo.*] *S. f. pl. Pop.* **1.** A parte mais funda; profundidade: "O Chico Mendengue vivia enfezado, com planos de .... dar um pontapé na mulher, mandá-la para as profundas do inferno e atirar-se no mundo" (Viriato Correia, *Novelas Doidas,* p. 214). **2.** O Inferno.

profundável. *Adj. 2 g.* Que se pode profundar; aprofundável.

profundez (ê). *S. f.* V. *profundidade:* "Na hora do crepúsculo há um frêmito de pássaros e um milhão de vozes na profundez das folhas." (Gerardo Melo Mourão, *O Valete de Espadas,* p. 53.)

profundeza (ê). *S. f.* V. *profundidade.*

profundidade. [Do lat. *profunditate.*] *S. f.* **1.** Qualidade ou caráter do que é profundo: *a* profundidade *do oceano, de um bosque, de uma ferida; a* profundidade *de um sentimento.* **2.** Distância vertical, em relação ao volume entre as bordas e o fundo de um objeto: *a* profundidade *de uma poltrona.* **3.** Dimensão vertical considerada de cima para baixo: *O navio* Titanic, *naufragado em 1912, foi localizado a 4.000 m de* profundidade. **4.** Aquilo que vai além das aparências, que atinge o fundo das coisas: *a* profundidade *do olhar; a* profundidade *da poesia de Fernando Pessoa.* **5.** *P. ext.* Grandeza ou intensidade extraordinária. **6.** A intimidade, o âmago, a parte mais difícil de penetrar ou atingir: *a* profundidade *da alma.* **7.** Sugestão de um espaço em três dimensões numa representação em perspectiva: *a* profundidade *de um baixo-relevo, de um quadro.* [Sin. ger.: *profundez, profundeza, profundura.*] ♦ **Profundidade de campo.** *Ópt.* Distância entre as posições extremas de um objeto cuja imagem formada por um sistema óptico é de boa qualidade. **Profundidade de foco.** *Ópt.* Distância entre as posições extremas de um anteparo sobre o qual um sistema óptico pode projetar imagens de boa qualidade.

profundo. [Do lat. *profundu.*] *Adj.* **1.** Que tem o fundo muito distante da superfície ou da borda: *mar* profundo; *poço* profundo. **2.** Que tem grande extensão, considerado desde a entrada até o extremo oposto: *O salão é mais* profundo *que largo.* **3.** Afastado da superfície do solo ou da água: *A terra tremia em suas camadas mais* profundas. **4.** Que tem grande espessura. **5.** Muito marcado: Profundas *mudanças se operaram na cidade.* **6.** Que penetra muito: *incisão* profunda. **7.** Diz-se de cor escura, carregada: *verde* profundo. **8.** De grande intensidade; muito forte, pesado: *sono* profundo. **9.** Muito íntimo; entranhado, entranhável: *ódio* profundo. **10.** Grave: *voz* profunda. **11.** Que vem ou parece vir do íntimo; fundo: "Mas eu que sempre te segui os passos / Sei que cruz infernal prendeu-te os braços / E o teu suspiro como foi profundo." (Cruz e Sousa, *Últimos Sonetos,* p. 18.) **12.** Enorme, desmedido, excessivo, demasiado: *ignorância* profunda; *saber* profundo. **13.** De grande alcance; muito importante. **14.** Que tem grande saber; sagaz, perspicaz. **15.** Difícil de compreender. **16.** *Psicol.* Relativo ao caráter, ou ao inconsciente: *tendências* profundas. ~ V. *lençol —* e *psicoterapia —a.* ● *S. m.* **17.** Profundeza, profundidade: "Mas na onda do mar, que irado freme, / Tornando a aparecer desde o profundo, / 'Ah Diogo cruel!' disse com mágoa, / E sem mais vista ser, sorveu-se n'água." (Santa Rita Durão, *Caramuru,* VI, 42). **18.** *Fig.* O mar. **19.** O Inferno. ● *Adv.* **20.** Profundamente.

profundura. *S. f.* V. *profundidade.*

profusão. [Do lat. *profusione.*] *S. f.* **1.** Grande porção ou abundância; exuberância: "No planalto calcário e basáltico da Estremadura, a água é escassa. De sorte que não temos a profusão de córregos e riachos, cantando e tremulando sob a copa do arvoredo, como no Sul do Brasil." (Afonso Arinos, *Histórias e Paisagens,* p. 195.) **2.** Gasto excessivo.

profuso. [Do lat. *profusu.*] *Adj.* **1.** Que se espalha em abundância. **2.** Muito gastador; dissipador, pródigo. **3.** *P. ext.* Copioso, abundante, exuberante: profusas *taças de champanha.*

progênie. [Do lat. *progenie.*] *S. f.* **1.** Origem, procedência, ascendência. **2.** Geração, prole: "engastava-se ele [Holanda Cavalcanti] na progênie ilustre celebrizada nos fastos da restauração da Bahia e Pernambuco, na qual houve soldados e frades, gente limpa e afazendada" (Alberto Rangel, *Textos e Pretextos,* p. 10); "Olha cá dous Infantes, Pedro e Henrique, / Progênie generosa de Joane" (Luís de Camões, *Os Lusíadas,* VIII, 37). [Sin. ger.: *progenitura.*]

progênito. [Do lat. *progenitu.*] *Adj.* e *s. m. Poét.* Que ou aquele que é procriado; descendente.

progenitor (ô). [Do lat. *progenitore.*] *S. m.* **1.** Aquele que procria antes do pai; avô, ascendente. **2.** V. *pai* (1).

progenitura. [Do lat. *progenitura.*] *S. f.* V. *progênie.*

progéria. [De *pro-*^{1} + *-ger(o)(n)-* + *-ia.*] *S. f. Med.* Modalidade de nanismo congênito que apresenta características faciais da senilidade.

progesterona. [De *pro-*^{3} + *ge(stação)* + *ester(ol)* + *-ona.*] *S. m. Quím.* Substância cristalina, incolor, hormônio que governa o crescimento do útero feminino; progestina. [Fórm.: $C_{21}H_{30}O_2$.]

progestina. [De *pro-*^{3} + *gest(ação)* + *-ina*^{1}, ou do ingl. *progestin.*] *S. f. Quím.* Progesterona.

proglote. *S. f. Zool.* V. *proglótide.*

proglótide. [Do gr. *proglottís, ídos,* 'ponta da língua'.] *S. f. Zool.* Anel ou segmento completo da tênia; proglote.

prognata. *Adj. 2 g.* e *s. 2 g.* V. *prógnato.*

prognatismo. [De *prógnato* + *-ismo.*] *S. f. Med.* Projeção anormal da mandíbula (1) para a frente.

prógnato. [De *pro-*^{1} + *-gnato.*] *Adj.* e *s. m.* Que ou aquele que tem a mandíbula (1) alongada e proeminente (falando-se do tipo humano). [A f. usual é *prognata.*]

progne. [Do mit. *Progne* < gr. *Próchne,* pelo lat. *Procne.*] *S. f. Poét.* **1.** A andorinha. **2.** *Fig.* A primavera.

prognose. [Do gr. *prógnosis,* 'conhecimento antecipado' pelo lat. *prognose.*] *S. f.* V. *prognóstico.*

prognosticação. *S. f. P. us.* Ação de prognosticar; prognóstico.

prognosticar. *V. t. d.* **1.** Fazer o prognóstico de; predizer, pressagiar, profetizar, conjeturar: *Os analistas prognosticam o reinício das hostilidades.* **2.** Deixar entrever com antecipação; anunciar, prenunciar: *Os últimos pronunciamentos prognosticam a reabertura da crise política. T. d.* e *i.* **3.** Fazer o prognóstico; predizer, pressagiar, profetizar, conjeturar: "Tristonhos pios a acauã desata, / Quando ao guerreiro prognostica males" (Gonçalves Dias, *Obras Poéticas,* II, p. 268); "prognosticara aos pais de Carlota grandes dissabores" (Camilo Castelo Branco, *Carlota Ângela,* p. 10). *Int.* **4.** *Med.* Fazer o prognóstico de uma doença. [Pres. ind.: *prognostico,* etc. Cf. *prognóstico.* Conjug.: v. *trancar.*]

prognóstico. [Do gr. *prognostikón,* pelo lat. *prognosticu.*] *S. m.* **1.** Conjetura sobre o desenvolvimento de um negócio, de uma situação, etc.; predição, agouro, presságio, profecia: "adotamos o sistema da crítica, fenômeno literário, se lhe posso chamar, que era em Portugal espantoso prognóstico de desastres" (Correia Garção, *Obras Poéticas e Oratórias,* p. 553). **2.** *Med.* Juízo médico, baseado no diagnóstico e nas possibilidades terapêuticas, acerca da duração, evolução e termo de uma doença. [Sin. ger.: *prognose.* Cf. *prognostico,* do v. *prognosticar.*]

progoniado. *S. m.* **1.** Espécime dos progoniados. ● *Adj.* **2.** Pertencente ou relativo a eles.

progoniados. *S. m. pl. Zool.* Animais artrópodes, miriápodes, do grupo ou subclasse *Progoniata,* que se caracterizam por ter a abertura genital situada na porção anterior do corpo. São todos os miriápodes, excluídos os quilópodes ou lacraias.

prógono. [Do gr. *prógonos.*] *S. m.* Precursor de um movimento científico, literário, etc.; iniciador, precursor. [Antôn.: *epígono.*]

programa. [Do gr. *prógramma,* pelo lat. *programma.*] *S. m.* **1.** Escrito ou publicação em que se anunciam e/ou descrevem os pormenores de um espetáculo, festa ou cerimônia, das condições dum concurso, etc. **2.** *P. ext.* Aquilo que se anuncia num programa. **3.** Indicação geral da(s) matéria(s) para estudar num curso. **4.** *P. ext.* Essa(s) matéria(s). **5.** Exposição sumária das intenções ou projetos dum indivíduo, dum partido político, duma organização, etc. **6.** Plano, intento, projeto. **7.** Apresentação, sistemática ou não, de audições radiofônicas ou espetáculos televisionados: *A Rádio X está com um bom programa de música clássica às sextas-feiras.* **8.** Diversão, recreação, previamente planejada: *O programa para esta noite é ir ao cinema; Ontem, como não tinha programa, ficou em casa.* **9.** *Proc. Dados.* Seqüência de etapas que devem ser executadas pelo computador para resolver um problema determinado. ♦ **Programa audiovisual.** Mensagem didática, promocional, artística, etc., que utiliza uma série de eslaides e fita magnética gravada com narração e trilha sonora, apresentados simultânea e sincronizadamente através de equipamento adequado. [Tb. se diz apenas *audiovisual.*] **Programa de aplicação.** *Proc. Dados.* Qualquer programa de computador criado para resolver um problema específico de um usuário de processamento de dados. **Programa de computador.** *Proc. Dados.* Seqüência de instruções ou declarações expressas em uma linguagem de programação, com o objetivo de obter um resultado específico. **Programa de índio.** *Bras. Fam.* e *pop.* Programa (8) aborrecido, cacete, chato. **De programa.** Diz-se de pessoa que faz programas amorosos por dinheiro.

programação. *S. f.* **1.** Ato de programar, de estabelecer um programa. **2.** O programa ou plano de trabalho de uma empresa, indústria, organização, etc., para ser cumprido ou executado em determinado período de tempo: *A programação da editora para o ano passado foi totalmente cumprida.* **3.** O conjunto dos programas [v. *programa* (7)]: *A programação diurna das estações de televisão visa, em geral, o público feminino.* **4.** *Proc. Dados.* Elaboração de um programa para um computador. ♦ **Programação linear.** *Mat.* Teoria matemática de maximalização ou minimalização de uma função linear sujeita a restrições lineares. **Programação visual.** **1.** Parte do desenho industrial [q. v.] que se ocupa da concepção, representação gráfica e organização de sistemas e mensagens veiculadas através de canal visual (sistemas de sinalização, identidade visual de empresas, planejamento gráfico-editorial, etc.); comunicação visual, *design.* **2.** O produto desta atividade.

programado. *Adj.* Que se programou; que foi objeto de programação. ~ V. *instrução —a.*

programador (ô). *S. m.* **1.** Aquele que programa, que faz programação. **2.** *Proc. Dados.* Pessoa que se dedica a projetar, escrever e testar programas de computador. ♦ **Programador visual.** Indivíduo com formação em programação visual [q. v.] (3º grau) ou profissional que exerce ocupação própria desta habilitação; comunicador visual, *designer.*]

programa-fonte. *S. m. Proc. Dados.* Programa existente em uma linguagem-fonte; código-fonte, módulo-fonte; fonte. [Pl.: *programas-fontes* e *programas-fonte.*]

programa-objeto. *S. m. Proc. Dados.* Programa que foi traduzido em linguagem de máquina; código-objeto, módulo-objeto. [Pl.: *programas-objetos* e *programas-objeto.*]

programar. *V. t. d.* **1.** Fazer o programa de; planejar, projetar: *Programaram o roteiro da viagem.* **2.** Incluir em programação. **3.** *Proc. Dados.* Preparar (um programa). *Int.* **4.** Preparar um programa.

programático. [Do gr. *prógramma, atos,* 'programa', + *-ico*^{2}.] *Adj.* Relativo ou pertencente a programa.

progredimento. [De *progredir* + *-mento.*] *S. m.* V. *progresso* (1).

progredir. [Do lat. **progredere,* por *progredi.*] *V. int.* **1.** Caminhar para a frente; avançar: *A locomotiva progredia a todo o vapor;* "As viaturas .... não progrediam: as carretas atolavam-se na lama" (Fernando Sabino, *O Homem Nu,* p. 21). **2.** Ir aumentando; aumentar pouco a pouco; prosperar: *Os lucros progridem.* **3.** Ter progresso (3 a 5); fazer progresso; evoluir, evolver, evolucionar, desenvolver-se: *A ciência, neste século, progrediu em ritmo acelerado.* **4.** Tornar-se mais intenso (um mal); agravar-se: *A infecção progride, apesar dos antibióticos. T. i.* **5.** Estar em progresso; desenvolver-se, adiantar-se: *Os alunos progrediam nos estudos.* [Irreg. Conjug.: v. *agredir.*]

progressão. [Do lat. *progressione.*] *S. f.* **1.** V. *progresso* (1). **2.** Sucessão ininterrupta e constante dos diversos estágios de um processo (2). ♦ **Progressão aritmética.** *Arit.* Sucessão em que a diferença entre dois termos consecutivos é constante. **Progressão geométrica.** *Arit.* Aquela em que o cociente entre dois termos consecutivos é constante. **Progressão harmônica.** **1.** *Arit.* Aquela em que os inversos dos seus termos formam uma progressão aritmética. **2.** *Mús.* V. *marcha harmônica.*

progressista. *Adj. 2 g.* **1.** Respeitante ao progresso. **2.** Favorável ao progresso. **3.** Que é adepto ou partidário do progresso político, social ou econômico. **4.** *Bras.* Diz-se de quem, não pertencendo a um partido socialista ou comunista, aceita e/ou apóia, no entanto, os princípios socialistas ou marxistas. **5.** *Bras.* Partidário da regência de Diogo Antônio Feijó (1784-1843). ● *S. 2 g.* **6.** Pessoa progressista.

progressiva. [Fem. substantivado de *progressivo.*] *S. f. Art. Gráf.* V. *prova progressiva.*

progressividade. *S. f.* **1.** Qualidade de progressivo. **2.** Estado progressivo.

progressivo. [De *progresso* + *-ivo.*] *Adj.* **1.** Que progride. **2.** Que encerra progressão. **3.** Que se vai realizando gradualmente. ~ V. *ataxia locomotora —a, numeração —a, numerador —, onda —a, paralisia geral —a* e *prova —a.*

progresso. [Do lat. *progressu.*] *S. m.* **1.** Ato ou efeito de progredir; progredimento, progressão. **2.** Movimento ou marcha para diante; avanço: *o progresso de uma expedição.* **3.** O conjunto das mudanças ocorridas no curso do tempo; evolução. **4.** Desenvolvimento ou alteração em sentido favorável; avanço, melhoria. **5.** Acumulação de aquisições materiais e de conhecimentos objetivos capazes de transformar a vida social e de conferir-lhe maior significação e alcance no contexto da experiência humana; civilização, desenvolvimento: *os fatores do progresso.* **6.** Expansão, propagação: *o progresso de um incêndio, de uma campanha publicitária.* [Cf. *pregresso.*]

pró-homem. [De *pró-* + *homem.*] *S. m.* Homem importante, ilustre, de uma época ou de um movimento social; prócer. [Pl.: *pró-homens.*]

➧**proh pudor!** (pró púdor). [Lat.] *Excl.* Ó vergonha!

proibição (o-i). [Do lat. *prohibitione.*] *S. f.* Ação ou efeito de proibir.

proibicionismo (o-i). *S. m.* Prática de estabelecer tarifas proibitivas de importação.

proibicionista (oi). *Adj. 2 g.* **1.** Relativo ao, ou que envolve proibicionismo. **2.** Que é partidário dessa prática. ● *S. 2 g.* **3.** Partidário dela.

proibido (o-i). [Part. de *proibir.*] *Adj.* **1.** Cuja utilização não é permitida pela lei; ilegal, ilícito. **2.** Defeso; interdito. ~ V. *banda —a, fruto —* e *transição —a.*

proibidor (o-i...ô). [Do lat. *prohibitore.*] *Adj.* e *s. m.* Que ou aquele que proíbe.

proibir (o-i). [Do lat. *prohibere.*] *V. t. d.* **1.** Impedir que se faça; ordenar que não se faça: *Certas leis brasileiras proíbem e punem o aborto.* **2.** Tornar defeso ou interdito; interdizer: *As autoridades proibiram a venda de publicações pornográficas.* **3.** Não permitir; impedir, vedar: *A cancela abaixada proíbe a passagem de automóveis e pedestres. T. d. e i.* **4.** Impedir que faça; não permitir: *O pai dá-lhe toda a liberdade, não lhe proíbe nada.* **5.** Prescrever a abstenção de; tornar defeso; vedar: *A Igreja Católica proíbe aos fiéis a ingestão de carne em certos dias.* **6.** Não permitir; impedir: *Ele mesmo proibiu-me de ajudá-lo;* "Isto [o alto preço das flores] .... proíbe os pobres da sugestiva delícia de terem em casa, à mesa de jantar ...., um belo ramo de .... anêmonas, lilases e pilriteiros" (Fialho d'Almeida, *Pasquinadas,* p. 182); *Proibiu aos amigos a inclusão do seu nome entre os dos homenageados;* "Proibiu aos fiéis que o defendessem." (Euclides da Cunha, *Os Sertões,* p. 166).

proibitivo (o-i). *Adj.* **1.** Que proíbe ou impede que se faça algo. **2.** Que encerra proibição; proibitório. **3.** Que torna ou praticamente torna impossível a aquisição de alguma(s) coisa(s): *preço proibitivo.*

proibitório (o-i). [Do lat. *prohibitoriu.*] *Adj.* Proibitivo (2).

proiz (o-íz). [Do cat. *proís.*] *S. m. Ant. Marinh.* Cada um dos cabos com que se amarravam embarcações à terra. [Pl.: *proízes.* Cf. *lançante* (2), *espringue* e *través* (5).]

projeção. [Do lat. *projectione.*] *S. f.* **1.** Ato ou efeito de projetar(-se). **2.** Lanço, arremesso. **3.** Saliência, proeminência. [Sin., p. us., nessas acepç.: *projetação.*] **4.** Representação duma parte da superfície da Terra ou do céu em um plano. **5.** *Fig.* Importância, valor. **6.** *Geom.* Operação em que se transforma uma configuração em outra mediante retas sujeitas a condições. **7.** *Psicol.* Mecanismo de defesa que consiste em projetar seus próprios impulsos, seus conflitos internos, ou seja, em considerá-los como provenientes de outrem e, mais generalizadamente, do mundo externo. **8.** *Tip.* Crena^{1} (3). **9.** Apresentação de imagens fotográficas numa tela com auxílio de projetor: *a projeção de um filme; um aparelho de projeção de diapositivos.* ♦ **Projeção celeste globular.** Representação plana de uma área da esfera celeste tal como seria vista no interior de um hemisfério num ponto a 0,85 do raio, a partir do centro. **Projeção conforme.** Aquela que abrange pequenas extensões da superfície terrestre, não apresentando, por isso, deformações sensíveis; projeção ortomórfica. [Nela os meridianos e os paralelos se mantêm perpendiculares entre si.] **Projeção cônica.** Aquela em que a superfície da Terra é projetada, de um ponto de vista situado no seu centro, sobre um cone que lhe é tangente na latitude média da representação. [Nela os meridianos figuram como retas convergentes e os paralelos como arcos de círculos concêntricos.] **Projeção cônica conforme.** Aquela em que o cone de projeção é secante em duas latitudes medianas do trecho da superfície da Terra a representar, o que, em trechos não muito grandes, reduz, substancialmente, as deformações; projeção de Lambert. **Projeção de Lambert.** Projeção cônica conforme. **Projeção de Mercator.** Aquela em que os meridianos são representados por meio de linhas retas paralelas igualmente intervados entre si, e os paralelos por linhas retas perpendiculares aos primeiros, intervalados de distâncias crescentes do equador para os pólos, na mesma proporção em que os graus de longitude são alongados pela projeção. [Nela, as linhas de rumo são representadas por linhas retas.] **Projeção gnomônica.** Representação plana da superfície terrestre, em que os detalhes geográficos aparecem projetados de um ponto de vista situado no centro da Terra, sobre um plano tangente à superfície desta. [Nesta projeção todos os círculos máximos aparecem como retas.] **Projeção ortomórfica.** Projeção conforme. **Projeção polar.** Projeção gnomônica em que o plano de projeção é tangente a um dos pólos terrestres. [Nela, os meridianos são representados por meio de retas que irradiam do pólo, e os paralelos, por círculos concêntricos ao mesmo pólo.] **Projeção zenital eqüidistante.** Representação plana da superfície terrestre, que se obtém tomando um ponto da superfície como origem, e considerando como retas os círculos máximos que passam por esse ponto.

projetação. [De *projetar* + -*ção.*] *S. f. P. us.* V. *projeção* (1 a 3).

projetado. [Part. de *projetar.*] *Adj.* ~ V. *letra* —*a.*

projetante. [Do lat. *projectante.*] *Adj. 2 g.* **1.** Que se projeta. **2.** *Geom.* Diz-se de reta com que se efetua uma projeção (6). ● *S. f.* **3.** *Geom.* Qualquer reta com que se efetua uma projeção (6).

projetar. [Do lat. *projectare.*] *V. t. d.* **1.** Atirar longe; arremessar: *A catapulta projetava grandes pedras.* **2.** Fazer projeto de; planear; planejar: *Projetou viajar nas férias.* **3.** Fazer projeto (4) de: *projetar edifício.* **4.** Efetuar a projeção (9) de: *projetar um filme. T. d. e i.* **5.** Efetuar a projeção de, fazer incidir; estender, prolongar: *O passado projeta sua penumbra sobre o futuro.* **5.** *Geom.* Representar por meio de projeção (6): *projetar um triângulo sobre um plano. P.* **6.** Atirar-se, lançar-se, arremessar-se arrojar-se, precipitar-se: *Os pára-quedistas projetaram-se de grande altura.* **7.** Prolongar-se em sentido horizontal ou oblíquo: *A sombra da estaca projeta-se no chão;* "Cortei a estrada deserta e nua. / A minha sombra se projetava, / Tristonha e longa..." (Artur de Sales, *Poesias*, p. 66). [Pres. subj.: *projete, projetes, projeteis*, etc. Cf. *projéteis*, pl. de *projétil.*]

projetável. *Adj. 2 g.* Que pode ser projetado.

projetil. [Do fr. *projectile.*] *Adj. 2 g.* **1.** Que pode ser arremessado. ● *S. m.* **2.** Qualquer sólido pesado que se move no espaço, abandonado a si mesmo depois de haver recebido impulso; projetil balístico. [Cf. *míssil* (2).] **3.** Qualquer objeto que se arremessa para fazer mal. **4.** Corpo arremessado por arma de fogo. ♦ **Projetil balístico.** Projetil (2). [V. *balística* (1).] **Projetil químico.** *G. Quím.* Qualquer tipo de munição ou petrecho carregado com agente químico. **Projetil dirigido.** Míssil guiado.

projétil. *Adj.* e *s. m.* V. *projetil.* [Pl.: *projéteis.* Cf. *projeteis*, do v. *projetar.*]

projetil-foguete. *S. m.* Projetil que, em vez de receber o impulso inicial por meio de uma arma de fogo, recebe-o por meio de um foguete; rojão. [Pl.: *projetis-foguetes* e *projetis-foguete.*]

projetista. [De *projeto* + -*ista.*] *Adj. 2 g.* **1.** Diz-se de engenheiro que se encarrega de plantas ou projetos arquitetônicos. ● *S. 2 g.* **2.** Pessoa que faz numerosos planos ou projetos. **3.** Engenheiro projetista.

projetividade. [De *projetivo* + -*i*- + -*dade.*] *S. f. Geom. Projet.* Conjunto de duas configurações, uma delas a projeção da outra, em que se conservam as relações harmônicas.

projetivo. [Do lat. *projectu* (v. *projeto*) + -*ivo.*] *Adj.* ~ V. *geometria* —*a.*

projeto. [Do lat. *projectu*, 'lançado para diante'.] *S. m.* **1.** Idéia que se forma de executar ou realizar algo, no futuro; plano, intento, desígnio. **2.** Empreendimento a ser realizado dentro de determinado esquema: *projeto administrativo; projetos educacionais.* **3.** Redação ou esboço preparatório ou provisório de um texto: *projeto de estatuto; projeto de tese.* **4.** Esboço ou risco de obra a se realizar; plano: *projeto de cenário.* **5.** *Arquit.* Plano geral de edificação. ♦ **Projeto de lei.** Texto articulado contendo normas que virão a ter caráter jurídico através do processo legislativo. **Projeto de resolução.** Texto para ato administrativo expedido por organismos internacionais, assembléias, etc., e que visa à execução de determinações ou de leis.

projetor (ô). [Do lat. *projectu* (v. *projeto*) + -*or.*] *S. m.* **1.** Aparelho usado para projetar feixes luminosos. **2.** Aparelho de projeção cinematográfica. **3.** *Ópt.* Instrumento óptico com que se forma num anteparo uma imagem, geralmente ampliada, de um objeto.

projeto-tipo. *S. m.* Projeto padronizado, que deverá ser observado em diversas obras ou instalações da mesma natureza e de características gerais semelhantes. [Pl.: *projetos-tipos* e *projetos-tipo.*]

projetura. [Do lat. *projectura.*] *S. f.* **1.** *Arquit.* Saliência de sacadas ou balcões ou das abas dos telhados. **2.** *Morfol. Veg.* Lâmina saliente que da origem da folha se prolonga sobre o tronco.

prol. [Do lat. *prode*, 'que é útil', atr. de uma f. **prole.*] *S. m. Antiq.* Lucro, proveito: "Se o Sr. Boaventura faz gosto em levar adiante a questão e quer correr-lhe os próis e os percalços, já não é comigo..." (Eduardo Frieiro, *O Mameluco Boaventura*, p. 27). [Pl.: *próis.*] ♦ **A prol de.** Em prol de. **De prol.** De destaque; relevante: "Só excepcionalmente colhia uma [rosa] para dar a visita (e precisava que essa visita fosse de prol ....)" (Pedro Nava, *Balão Cativo*, p. 22); *homem de prol.* **Em prol de. 1.** Em proveito de; em favor de. **2.** Em defesa de: "Acusando os autores de indecentes, erguem-se como heróis duma cruzada em prol da moralidade e dos bons costumes." (Érico Veríssimo, *A Volta do Gato Preto*, p. 299.) [Sin. ger.: *a prol de.*]

pró-labore. [Do lat. *pro labore*, 'pelo trabalho'.] *S. m.* Remuneração por serviço prestado: "não podia ela vacilar entre o casamento com o fazendeiro e os magros pró-labores do rádio." (Jorge Amado, *Dona Flor e Seus Dois Maridos*, p. 509). [Pl.: *pró-labores.*]

prolação. [Do lat. *prolatione.*] *S. f.* **1.** Ato ou efeito de proferir. **2.** Prolongação de som. **3.** Procrastinação, delonga.

prolapso. [Do lat. *prolapsu.*] *S. m. Med.* Queda ou deslocamento de um órgão de seu lugar normal, em extensão variável, por insuficiência de seus meios de fixação; procidência.

prolatar. [De *prolação.*] *V. t. d. Bras.* Proferir (sentença); promulgar.

prolato. [Do lat. *prolatu.*] *Adj. Morfol. Veg.* Alongado na direção do eixo maior. ~ V. *elipsóide* —.

prolator (ô). [Por **prolatador* < *prolatar* + -*(d)or*, com infl. de *relator*, etc.] *S. m. Jur.* **1.** Aquele que promulga uma lei. **2.** Juiz que prolata ou profere uma sentença.

prole. [Do lat. *prole.*] *S. f.* **1.** Geração, progênie descendência. **2.** Filho ou filhos.

prolegômenos. [Do gr. *prolegómena*, 'coisas que se dizem antes'.] *S. m. pl.* **1.** Exposição preliminar dos princípios gerais de uma ciência ou arte. **2.** Introdução geral de uma obra. **3.** Prefácio longo.

prolepse. [Do gr. *prolépsis*, 'antecipação', pelo lat. *prolepse.*] *S. f. Ret.* Figura pela qual se refutam ou destroem antecipadamente as objeções do adversário.

proléptico. [Do gr. *proleptikós*, 'que antecipa'.] *Adj.* **1.** Referente a prolepse. **2.** Diz-se dum fato que se fixa segundo uma era ou método cronológico ainda não conhecido quando ele ocorreu.

proleta. *Adj. 2 g.* e *s. 2 g. Pop.* Der. regress. de *proletário* (2).

proletariado. [De *proletário.* + -*ado*[2].] *S. m.* **1.** A classe dos proletários. **2.** Estado ou condição de proletário. **3.** Camada social formada de indivíduos que se caracterizam por sua qualidade permanente de assalariados e por seus modos de vida, atitudes e reações decorrentes de tal situação. [Cf. *operariado.*]

proletário. [Do lat. *proletariu*, 'cidadão pobre, útil apenas pela prole, i. e., pelos filhos que gerava'.] *S. m.* **1.** Na Roma antiga, cidadão pobre, pertencente à última classe do povo. **2.** Homem de nível de vida relativamente baixo, e cujo sustento depende da remuneração recebida pelo trabalho que exerce em ofício ou profissão manual ou mecânico. [Cf. *camponês, operário* e *trabalhador.*] ● *Adj.* **3.** De, ou pertencente ou relativo a, ou próprio de proletário.

proletarização. [De *proletarizar* + -*ção.*] *S. f. Sociol.* Processo social pelo qual indivíduos de camadas superiores perdem seu *status* social, ou tornando-se proletários ou adquirindo uma consciência específica, própria do proletariado.

proletarizado. [Part. de *proletarizar.*] *Adj.* e *s. m.* Que ou aquele que se proletarizou.

proletarizar. [De *proletário* + -*izar.*] *V.t.d.* e *p.* Tornar-(se) objeto de proletarização [q. v.].

prolfaça. [Da expr. *prol faça*, 'faça prole', i. e., seja fecunda us. outrora por ocasião das bodas.] *S. m. P. us.* V. *parabéns.*

prolfaças. [Pl. de *prolfaça.*] *S. m. pl. P. us.* V. *parabéns.*

▲**proli-.** [Do lat. *proles, is.*] *El. comp.* = 'prole': *prolífico, prolígero.*

proliferação. *S. f.* **1.** Ato de proliferar. **2.** *Biol.* Multiplicação de uma célula pela divisão.

proliferar. [De *prolífero* + -*ar*[2].] *V. int.* **1.** Ter prole ou geração; reproduzir-se, prolificar: *O homem proliferou, espalhando-se sobre os cinco continentes.* **2.** Reproduzir-se (o micróbio). **3.** Aumentar, crescer em número; propagar-se, multiplicar-se: *Na Alemanha, hoje em dia, proliferam os técnicos.* [Pres. ind.: *prolifero*, etc. Cf. *prolífero.*]

proliferativo. *Adj.* Que produz proliferação.

prolífero. [De *proli-* + -*fero.*] *Adj.* **1.** Que faz prole. **2.** Que tem a faculdade de gerar: fecundante. **3.** Produtivo, fecundo (com relação a pessoas): "Gray [Thomas Gray] não foi um escritor prolífero, nem em verso, nem em prosa, e era muito lento no compor" (Abgar Renault, *O Romantismo na Poesia Inglesa*, p. 83). [Sin. ger.: *prolífico.* Cf. *prolifero*, do v. *proliferar.*]

prolificação. *S. f.* Ato ou efeito de prolificar.

prolificar. [De *proli-* + -*ficar.*] *V. int.* Ter prole; reproduzir-se, proliferar: *Adão prolificou, gerando a humanidade.* [Pres. ind.: *prolifico*, etc. Cf. *prolífico.* Conjug.: v. *trancar.*]

prolificentíssimo. *Adj.* Superl. abs. sint. de *prolífico.*

prolificidade. *S. f. Bras.* Qualidade de prolífico.

prolífico. [De *proli-* + -*fico.*] *Adj.* V. *prolífero:* "Essa gente prolífica e tenaz, amontoada numa terra pobre, de agricultura rotineira e indústria atrasada, naturalmente vive mal." (Graciliano Ramos, *Linhas Tortas*, p. 137.) [Superl. abs. sint.: *prolificentíssimo.* Cf. *prolifico*, do v. *prolificar.*]

prolígero. [De *proli-* + -*gero.*] *Adj.* Que contém germes.

prolixidade (cs). [Do lat. *prolixitate.*] *S. f.* Qualidade de prolixo. [Antôn.: *concisão.*]

prolixo (cs). [Do lat. *prolixu.*] *Adj.* **1.** Muito longo ou difuso. **2.** Superabundante, excessivo, demasiado. **3.** Muito longo; dilatado, duradouro: "As ciências médicas puderam contentar essa vontade de viver muito, porque dilataram a existência até a mais prolixa longevidade" (Fidelino de Figueiredo, *Entre Dois Universos*, p. 267). **4.** *P. ext.* Fastidioso, enfadonho: "Não queremos fatigar a atenção (aqui realmente piedosa) dos leitores, para esses confrontos que acabariam por ser demasiado prolixos num simples ensaio de vulgarização." (João Ribeiro, *O Folclore*, p. 201-202.) [Antôn.: *conciso.*]

prologal. *Adj. 2 g.* Respeitante a, ou em forma de prólogo.

prologar. [De *prólogo* + -*ar*[2].] *V. t. d.* Preceder de prólogo; prefaciar, preambular, preludiar, proemiar: *Machado de Assis costumava prologar suas obras.* [Pres. ind.: *prologo*, etc. Cf. *prólogo.* Conjug.: v. *largar.*]

prólogo. [Do gr. *prólogos*, pelo lat. *prologu.*] *S. m.* **1.** V. *prefácio* (1). **2.** *Teat.* A primeira parte, dialogada, da tragédia, no antigo teatro grego. **3.** *Teat.* Cena introdutória, onde, em geral, se fornecem dados prévios elucidativos do enredo da peça. **4.** Nas peças de artilharia, corda que liga o reparo ao armão para fazer fogo. [Cf. *prologo*, do v. *prologar.*]

prolonga. [Dev. de *prolongar.*] *S. f.* V. *prolongação.*

prolongação. *S. f.* Ato ou efeito de prolongar(-se). [Sin.: *dilação, prolongamento*, e, desus., *prolonga.*]

prolongado. [Part. de *prolongar.*] *Adj.* Que se prolonga; duradouro, demorado.

prolongamento. *S. m.* **1.** V. *prolongação.* **2.** Continuação de uma coisa na mesma direção.

prolongar. [Do lat. *prolongare.*] *V. t. d.* **1.** Tornar mais longo; continuar na mesma direção; alongar: *Os mateiros prolongaram o caminho.* **2.** Aumentar a extensão ou a duração de; dilatar, protrair, alongar: *prolongar a vida;* "Cigarras chiavam nas árvores vizinhas e na rua um vendedor de frutas prolongava um pregão monótono." (Coelho Neto, *Turbilhão*, p. 52). **3.** Adiar, demorar, procrastinar, protrair, delongar: *Não prolonguemos o que pode ser feito imediatamente. T. d. e. i.* **4.** Pôr ou dirigir ao longo de: *O maquinista prolongou o comboio com a estação.* **5.** Colocar (a embarcação) em posição paralela e muito próxima de outra embarcação, de um cais, etc.: *prolongar o navio com o cais a fim de nele atracar. P.* **6.** Continuar-se, estender-se: *O Brasil prolonga-se do Oiapoque ao Xuí.* **7.** Durar, protrair-se, alongar-se: *O espetáculo não pode prolongar-se por mais de três horas.* **8.** Tornar-se longo; alongar: "As ausências prolongaram-se, e as visitas cessaram imediatamente." (Machado de Assis, *Várias Histórias*, p. 9.) [Conjug.: v. *largar.*]

prolongo. [Dev. de *prolongar.*] *S. m.* Parte do telhado paralela à fronteira ou à traseira da casa.

proloquial. *Adj. 2 g.* **1.** Referente a, ou que encerra prolóquio. **2.** Que se deduz de um prolóquio.

prolóquio. [Do lat. *proloquiu.*] *S. m.* Máxima, ditado, adágio, provérbio, anexim: "O velho *prolóquio* que diz que 'boa romaria faz quem em sua casa fica em paz' — tem para o mineiro, embora já urbanizado, o valor sagrado de um versículo bíblico para um puritano do tempo dos Stuarts..." (Oliveira Viana, *Pequenos Estudos de Psicologia Social*, p. 43.) [Cf. *prelóquio*.]

prolusão. [Do lat. *prolusione*.] *S. f.* V. *prefácio* (1).

promanar. [De *pro-*^{1} + *manar*.] *V. t. i.* Ser derivado ou procedente; derivar, proceder, provir, dimanar: *O poder promana do povo;* "O bafio morno da sala golpeia-nos o rosto. *Promana* dos livros que encerram o passado." (Antônio Olavo Pereira, *Marcoré*, p. 28).

promandar. [De *pro-*^{3} + *mandar*.] *V. t. d. p. us.* Mandar em auxílio.

promécio. [Do lat. cient. *promethium* mit. *Prometheus*, 'Prometeu', + *-io*^{2}.] *S. m. Quím.* Elemento de número atômico 61, radioativo, muito raro, pertencente aos lantanídeos. [Simb.: *pm-*^{3}.]

promediar. [De *pro*^{3} + *média* + *-ar*^{2}.] *V. t. d. Estat.* Calcular a média de (um conjunto de valores). [Pres. ind.: *promedio*, etc. Cf. *promédio*.].

promédio. [Do lat. *promediu*.] *S. m. Estat.* Um valor do argumento compreendido no intervalo da observação. [Cf. *promedio*, do v. *promediar*.]

pró-memória. [Do lat. *pro-memoria*.] *S. m. Bras. Aide-mémoire.* [Pl.: *pró-memórias*.]

promessa. [Do lat. *primissa*, 'prometida'.] *S. f.* **1.** Ato ou efeito de prometer. **2.** *P. ext.* Coisa prometida. **3.** Oferta, dádiva. **4.** Compromisso (1). **5.** Voto, juramento.

promesseiro. *S. m.* Aquele que faz promessa(s).

prometedor (ô). *Adj.* **1.** Que promete. **2.** *Fig.* Que dá esperança; esperançoso. ● *S. m.* **3.** Aquele que promete.

prometéico. [Do mit. *Prometeu* (< lat. *Prometheus* gr. *Prometheús*) + *-ico*^{2}.] *Adj.* Relativo ou pertencente a, ou próprio de Prometeu, um dos titãs, o qual, segundo a mitologia grega, roubou o fogo do Olimpo e o deu aos homens, ensinando-os a empregá-lo, razão por que Zeus o castigou, acorrentando-o no cimo do Cáucaso.

prometer. [Do lat. *promittere*, 'atirar longe'.] *V. t. d.* **1.** Obrigar-se verbalmente ou por escrito a (fazer ou dar alguma coisa); comprometer-se a: *Prometeu o emprego, mas foi demitido antes da nomeação.* **2.** Pressagiar, anunciar: *O dia promete chuva.* **3.** Dar esperanças ou probabilidades de: *O rapaz promete ser bom médico. T. d. e i.* **4.** Fazer promessa de dar; obrigar-se a dar: "O ministro *prometeu-lhe* o cargo" (R. Magalhães Júnior, *Artur Azevedo e Sua Época*, p. 51); "Houve um Xerxas que *prometeu* um prêmio enorme a quem descobrisse um prazer novo." (Eduardo Prado, *Coletâneas*, I, p. 311). **5.** Asseverar ou assegurar de antemão: *Prometeu-me que não trairia a causa. Int.* **6.** Fazer promessas: *Não prometa se não tem certeza de cumprir.* **7.** Dar esperanças de bom futuro: *Este rapaz promete.* **8.** Dar sinais de progresso ou de boa produção: *A firma promete; A safra deste ano promete. P.* **9.** Ter grande esperança de obter; esperar: *O jovem prometeu-se sucesso.*

prometida. [Fem. de *prometido*.] *S. f.* Noiva (1).

prometido. [Part. de *prometer*.] *Adj.* **1.** De que se fez promessa. **2.** Apalavrado, ajustado. ● *S. m.* **3.** Aquilo que se prometeu: "O *prometido* é devido" (prov.). **4.** *P. us.* Noivo (1).

prometimento. *S. m.* Ato de prometer; promessa.

promiscuidade (u-i). *S. f.* Qualidade de promíscuo; mistura desordenada e confusa.

promiscuir-se (u-í). [De *promíscuo* + *-ir*^{1} + *se*^{1}.] *V. p.* Unir-se desordenadamente; misturar-se, mesclar-se, confundir-se: *É preciso evitar que os jovens se promiscuam com pessoas degeneradas.* [Conjug.: v. *atribuir*.]

promíscuo. [Do lat. *promiscuu*.] *Adj.* **1.** Agregado sem ordem nem distinção; misturado, confuso, indistinto: "O outro [prédio], em cujo primeiro andar mora o ricaço, alberga no segundo, em montão *promíscuo* e doloroso, meia dúzia de famílias." (Armindo Rodrigues, *A Vida perto de Nós*, p. 169.) **2.** *Gram. Obsol.* V. *epiceno*. **3.** *Bras.* Diz-se de pessoa que se entrega sexualmente com facilidade.

promissão. [Do lat. *promissione*.] *S. f.* Promessa (1 e 2): *a Terra da Promissão* [Canaã, que também se chama 'a Terra Prometida']; "Já a longa e cansada peregrinação do deserto deste mundo, vê o desejado termo da terra de *Promissão*." (P^{e} Manuel Bernardes, *Exercícios Espirituais*, II, p. 370, 2ª col.)

promissário. [Do lat. *promissu*, 'promessa', + *-ário*.] *S. m. Jur.* Aquele em favor de quem se faz uma promessa. [Antôn.: *promitente*.]

promissense. *Adj. 2 g.* **1.** De, ou pertencente ou relativo a Promissão (SP). ● *S. 2 g.* **2.** Natural ou habitante de Promissão.

promissivo. [Do lat. *promissivu*.] *Adj.* **1.** Relativo a promessa. **2.** Que encerra promessa. [Sin. ger.: *promissório*.]

promissor (ô). [Do lat. *promissore*.] *Adj.* **1.** Cheio de promessa; feliz, próspero: *futuro promissor*. **2.** Promitente. ● *S. m.* **3.** Promitente.

promissória. [Fem. substantivado de *promissório*.] *S. f.* Título de crédito formal, nominativo, circulável mediante endosso, e em que alguém *(emitente)* se compromete a pagar a outrem *(beneficiário* ou *favorecido)*, em lugar e tempo determinados, certa quantia; nota promissória. [V. *título de crédito*.]

promissório. [De *promissor* + *-ório*.] *Adj.* Promissivo. ~ V. *caução* —a e *nota* —a.

promitente. [Do lat. *promitente*.] *Adj. 2 g.* e *s. 2 g.* Que ou pessoa que promete; promissor. [Antôn.: *promissário*.]

promoção^{1}. [Do lat. *promotione*, 'adiantamento'.] *S. f.* **1.** Ato ou efeito de promover. **2.** Elevação ou acesso a cargo ou categoria superior; ascensão. [Antôn., nessas acepç.: *decesso* (3).] **3.** Manifestação do promotor nos autos (requerimentos, pareceres, etc.), em que funciona. [Cf. *premoção*.]

promoção^{2}. [Do ingl. *promotion*.] *S. f. Bras.* **1.** *Propag.* Impulso publicitário; campanha de propaganda. **2.** Propaganda que, direta ou indiretamente, alguém faz de outrem, ou de si mesmo, de sua obra, de seus possíveis méritos. [Cf. *premoção*.]

promocional. *Adj. 2 g. Bras.* Relativo a, ou que tem caráter de promoção^{2}.

promombó. [Do tupi *piramõ'bó*, 'peixe salta'.] *S. m. Bras.* Pescaria que consiste em fazer uma fogueira dentro da canoa a fim de que os peixes, atraídos pela luz, caiam nela por salto.

promontório. [Do lat. *promontoriu*.] *S. m. Geog.* Cabo formado de rochas elevadas ou alcantis: "Numa planície rasa está deitado / Um membrudo Titã fitando o céu: / Parece um *promontório* alcantilado / Ao mar opondo o enorme vulto seu!" (Goulart de Andrade, *Poesias*, p. 72.)

promotor (ô). [Do lat. *promotu*, part. pass. de *promovere*, 'mover para diante', + *-or*.] *Adj.* **1.** Que promove, fomenta ou determina; promovedor. ● *S. m.* **2.** Aquele que promove, fomenta ou determina; promovedor. **3.** Funcionário que, nalguns tribunais, promove o andamento das causas e certos atos de justiça. **4.** *Bras.* V. *borrachudo* (2). **5.** *Genét.* Região do ácido desoxirribonucléico que é reconhecida por uma enzima responsável pelo início da síntese do ácido ribonucléico. ♦ **Promotor público.** *Bras.* Órgão do Ministério Público junto aos juízes de direito, do cível e do crime. **Promotor público adjunto.** *Bras.* Órgão do Ministério Público junto às pretorias cíveis e criminais.

promotoria. *S. f.* **1.** Cargo ou ofício de promotor (3). **2.** Escritório ou repartição do promotor (3).

promovedor (ô). *Adj.* e *s. m.* V. *promotor* (1 e 2).

promovente. [Do lat. *promovente*.] *S. 2 g. Jur.* Pessoa que propõe uma ação judicial, particularmente a divisória e a demarcatória de terras.

promover^{1}. [Do lat. *promovere*.] *V. t. d.* **1.** Dar impulso a; trabalhar a favor de; favorecer o progresso de; fazer avançar; fomentar: *Rico, emprega parte de sua fortuna em promover a cultura brasileira.* **2.** Fazer avançar; dar: "Martim a afastou docemente de si, e *promoveu* o passo." (José de Alencar, *Iracema*, p. 73); "E *promovendo* um passo, apresentou com desgarro o peito à mira da espingarda de Miguel" (id., *Til*, p. 20); "Já *promovia* o passo a fim de aparecer ao mascate, quando foi tolhido por um receio, que estacou." (Id., *ib.*, p. 144). **3.** Ser a causa de; causar, gerar, provocar, originar: "O primeiro fim das *Farpas* foi *promover* o riso." (Eça de Queirós, *Notas Contemporâneas*, p. 33); *A impiedade dos homens promove castigos divinos, segundo os crentes.* **4.** Requerer, solicitar, propondo: *O promotor promoveu a instauração de processos.* **5.** Diligenciar para que se realize, se efetue, se verifique: *promover uma reunião; promover a efetivação de alguém num cargo;* "O Governo do Estado *promoveu* um conclave, em Campina Grande" (Ernâni Sátiro, *Sempre aos Domingos*, p. 121). *T. d. e i.* **6.** Elevar a (cargo ou categoria superior): *O comandante promoveu a cabo dois soldados.*

promover^{2}. [Do ingl. *promove*.] *V. t. d.* **1.** *Propag.* Fazer promoção^{2} de. *P.* **2.** Fazer promoção^{2} de si próprio; autopromover-se, badalar-se.

promulgação. [Do lat. *promulgatione*.] *S. f.* **1.** Ato ou efeito de promulgar. **2.** Publicação, divulgação.

promulgador (ô). [Do lat. *promulgatore*.] *Adj.* e *s. m.* Que ou aquele que promulga.

promulgar. [Do lat. *promulgare*.] *V. t. d.* **1.** Ordenar a publicação de (lei): *O Governo promulgou a Constituição;* "No tempo do Emperador Diocleciano, presidia em Espanha Daciano, ... o qual *promulgou* em Saragoça um fatal edito, que toda a pessoa que soubesse que outra seguia a lei de Cristo, fosse obrigada sob pena de talião a denunciá-la logo" (P^{e} Manuel Bernardes, *Nova Floresta*, II, p. 307). **2.** Transmitir ao vulgo; tornar público; publicar oficialmente: *A Igreja promulgou nos últimos anos várias encíclicas;* "Pelos anos de 1259 a 1267 *promulgaram-se* regulamentos severos tendentes a coibir os excessos dos delegados régios." (Alexandre Herculano, *História de Portugal*, III, p. 85.) [Conjug.: v. *largar*.]

pronação. [Do lat. *pronatione, calcado em *pronare*, 'inclinar para diante'.] *S. f.* **1.** Movimento em que a mão roda de fora para dentro, ficando o polegar junto ao corpo e a palma para baixo. **2.** Posição da mão assim voltada. **3.** Posição de quem está deitado sobre o ventre.

pronador (ô). [Do lat. *pronatore < *pronare*, 'inclinar para diante'.] *Adj.* e *s. m.* ~ V. *músculo* —.

prono. [Do lat. *pronu*.] *Adj. Poét.* **1.** Dobrado para diante; inclinado. **2.** *Fig.* Tendente, inclinado, disposto.

pronome. [Do lat. *pronomen*.] *S. m. Gram.* Palavra que substitui o substantivo, ou que o acompanha para tornar-lhe claro o significado. ♦ **Pronome adjetivo.** *Gram.* O que especifica pessoa ou coisa em suas várias relações de espaço, posse, etc. **Pronome complementar.** *Gram.* V. *pronome objetivo*. **Pronome demonstrativo.** *Gram.* Aquele que determina o nome, ajuntando-lhe uma idéia de indicação: *este, esse, aquele; isto, isso, aquilo.* [Tb. se diz apenas *demonstrativo*.] **Pronome de tratamento.** *Gram.* Palavra ou locução que funciona tal como os pronomes pessoais. **Pronome indefinido.** *Gram.* Aquele que se aplica à 3ª pessoa gramatical quando é vago ou indeterminado o sentido desta. **Pronome interrogativo.** *Gram.* Cada um dos pronomes indefinidos (*que, quem, qual* e *quanto*) quando usados em perguntas diretas ou indiretas. **Pronome objetivo.** *Gram.* F. do pronome pessoal empregada como objeto direto ou indireto; pronome complementar, pronome oblíquo. **Pronome oblíquo.** *Gram.* V. *pronome objetivo*. **Pronome pessoal.** *Gram.* O que designa as três pessoas. **Pronome possessivo.** *Gram.* O que se refere às pessoas do discurso, relacionando-as ao que lhes cabe ou pertence. **Pronome recíproco.** *Gram.* Pronome átono que indica que a ação expressa pelo verbo implica uma relação mútua de causa e efeito entre os agentes indicados no sujeito. Ex.: *Eles se abraçaram* (i. e., *abraçaram-se mutuamente, um ao outro*). **Pronome reflexivo.** *Gram.* O que faz recair a ação verbal sobre o mesmo sujeito que a pratica. **Pronome relativo.** *Gram.* O que se refere a uma palavra ou sentido anterior. **Pronome reto.** *Gram.* F. do pronome pessoal empregada como sujeito; pronome subjetivo. **Pronome subjetivo.** *Gram.* Pronome reto. **Pronome substantivo.** *Gram.* O que designa pessoa ou coisa.

pronominação. [Do lat. *pronominatione*.] *S. f. Ret.* Antonomásia.

pronominado. [Do lat. *pronominatu*.] *Adj. Gram.* ~ V. *verbo* —.

pronominal. [Do lat. *pronominale*.] *Adj. 2 g.* Relativo ao pronome. ~ V. *verbo acidentalmente* —, *verbo essencialmente* — e *verbo* —.

pronominalidade. *S. f. Gram.* Qualidade de pronominal.

pronominalizar. *V. t. d.* e *p.* Tornar(-se) pronominal.

pronóstico. [De *prognóstico*, com síncope.] *S. m.* **1.** *Ant.* Prognóstico (1). **2.** *Pop.* Indivíduo presunçoso, afetado, petulante, pernóstico. ● *Adj.* **3.** *Pop.* Presunçoso afetado, petulante, pernóstico.

pronotal. *S. 2 g. Zool.* Pertencente ou relativo ao, ou situado no pronoto.

pronoto. [De *pro-*^{1} + *-noto*.] *S. m. Zool.* Porção dorsal do primeiro segmento do tórax dos insetos.

prontidão. *S. f.* **1.** Qualidade do que é pronto. **2.** Presteza, agilidade, desembaraço, rapidez. **3.** Rapidez de compreensão ou na execução de alguma coisa. **4.** Estado de quem se acha pronto para fazer determinada coisa. **5.** Estado de alerta de uma unidade militar. **6.** *Bras.* V. *pindaíba* (4). ● *S. m.* **7.** *Bras., RJ* e *SP.* Soldado de serviço numa delegacia de polícia. ♦ **De prontidão.** Prestes ou pronto a agir, a entrar em ação: *O exército ficou de prontidão com a notícia da invasão do país.*

prontificação. *S. f.* Ato ou efeito de prontificar(-se).

prontificar. [De *pronto* + *-i-* + *-ficar*.] *V. t. d.* **1.**

Apresentar pronto; aprontar: *Prontificou em tempo sua parte do trabalho.* **2.** Dar, oferecer; ministrar: *O Governo prontificou recursos. P.* **3.** Mostrar-se pronto; declarar-se pronto a executar um trabalho; oferecer-se; dispor-se: *Ninguém se prontificou para a missão.* **4.** Mostrar-se disposto; prestar-se, condescender. "Quando lhe falei do meu desejo de mandar tirar algumas fotografias da casa de tio Marcelino, ... ele mesmo se prontificou a fazê-las." (Herberto Sales, *Dados Biográficos do Finado Marcelino*, p. 25.) [Conjug.: v. *trancar*.]

pronto. [Do lat. *promptu*, 'disponível'.] *Adj.* **1.** Que não tarda; ligeiro, breve, rápido. **2.** Eficaz: *Este xarope é um pronto remédio contra a tosse.* **3.** Ativo, diligente, ágil. **4.** Imediato, instantâneo: *Dava resposta pronta a qualquer insulto.* **5.** Que age ou opera com rapidez; vivo, ágil: *É dotado de inteligência pronta.* **6.** Concluído, terminado, acabado: *A casa já está pronta.* **7.** Disposto, apto, preparado: *Estou pronto a agir.* **8.** Desimpedido, livre. **9.** *Bras., Pop.* Diz-se da mulher grávida. **10.** *Bras. Gír.* Diz-se do indivíduo sem dinheiro, ou pobre; areado, duro, estourado, fino, frito, limpo, liso, miqueado, quebrado, teso. **11.** *Bras., CE. Pop.* Bem-vestido. ● *S. m.* **12.** *Bras. Gír.* Indivíduo pronto (10); duro, frito, limpo, liso, teso. ● *Adv.* **13.** Com prontidão; prontamente. ◆ **De pronto.** Prontamente, imediatamente; num instante; num pronto: "Árquias, endoideceste? Então que desvario / É o teu? Larga de pronto essa gentil criança!" (Eugênio de Castro, *Obras Poéticas*, VI, p. 61.) **Num pronto.** De pronto: "Num pronto arrancou precipitadamente a própria camisa; ateou-lhe fogo com um fósforo trêmulo e apressado" (Amadeu de Queirós, *Os Casos do Carimbamba*, p. 53).

pronto-socorro. *S. m.* Hospital de assistência pública para atendimento de casos de urgência. [Pl.: *prontos-socorros*.]

prontuário. [Do lat. *promptuariu*.] *S. m.* **1.** Lugar onde se guardam ou depositam coisas das quais se pode necessitar a qualquer instante. **2.** Manual de indicações úteis. **3.** *Bras.* Ficha (médica, policial, etc.) com os dados referentes a uma pessoa. **4.** *Bras. P. ext.* Esses antecedentes.

prônubo. [Do lat. *pronubu*.] *Adj.* **1.** *Poét.* De, ou respeitante a noivo ou a noiva, ou a núpcias: "Senhora, digno do teu afeto / Prônubo e casto — já não sou eu; / Do amor, que à Bênção segue direto, / Minh'alma há muito que se perdeu..." (B. Lopes, *Val de Lírios*, p. 21); "São flores que apanhei na minha estrada / Para a prônuba noite de outra flor." (Luís Murat, *Ondas*, II, p. 4). **2.** Que promove casamento; casamenteiro.

pronúncia. [Dev. de *pronunciar*.] *S. f.* **1.** Ato ou efeito de pronunciar; pronunciação. **2.** Modo de pronunciação. **2.** Modo de pronunciar; fala: *Os cearenses têm uma pronúncia inconfundível.* **3.** *Jur.* Decisão judicial que, reconhecendo como provada a existência dum crime e admitindo haver indícios suficientes de ser o réu quem o praticou, determina que se lhe registre a culpa e o remete ao julgamento final no tribunal do júri. [Cf. *pronuncia*, do v. *pronunciar*.]

pronunciação. [Do lat. *pronuntiatione*.] *S. f.* **1.** Ato ou efeito de pronunciar. **2.** Modo de pronunciar. **3.** *Jur. Ant.* Pronúncia (3).

pronunciado. [Part. de *pronunciar*.] *Adj.* **1.** Evidente, nítido, saliente, marcado, acentuado: *traços fisionômicos muito pronunciados; um pronunciado interesse pelas ciências.* **2.** *Jur.* Contra quem se deu despacho de pronúncia.

pronunciamento. [Do esp. *pronunciamiento*.] *S. m.* **1.** Ato ou efeito de pronunciar-se ou insurgir-se coletivamente contra o governo ou quaisquer medidas governativas; revolta, sublevação: "O velho caudilho militar, o homem dos pronunciamentos, preconiza, desta vez, a regeneração pacífica do país." (José Osório de Oliveira. *O Romance de Garrett*, p. 153.) **2.** Ato ou efeito de pronunciar-se ou manifestar a opinião. **3.** *Jur.* Decisão judicial.

pronunciar. [Do lat. *pronuntiare*.] *V. t. d.* **1.** Exprimir verbalmente; proferir, articular: *A acentuação mostra como pronunciar corretamente muitos vocábulos;* "— Feio!... dizia-me então. / E pronunciava essa palavra como se ela simbolizasse a maior injúria possível." (José de Alencar, *Diva*, p. 197). **2.** Ler em voz alta e clara; proferir, recitar: *pronunciar um discurso.* **3.** Declarar com autoridade; decretar, publicar, proferir: *O juiz pronunciou a sentença.* **4.** Fazer realçar; acentuar, salientar: *O escultor pronunciou os traços do rosto.* **5.** *Jur.* Dar despacho de pronúncia (3) contra: *O juiz pronunciou o réu.* **6.** Articular as palavras de (uma língua) mais ou menos de acordo com a prosódia: *Pronuncia mal o inglês. Transobj.* **7.** Considerar, julgar, declarar: *O tribunal pronunciou o réu inocente. P.* **8.** Manifestar o que pensa ou sente; emitir sua opinião; manifestar-se: *Achou o momento oportuno para pronunciar-se a respeito do assunto.* **9.** Fazer pronunciamento; rebelar-se, insurgir-se, revoltar-se: *Várias províncias pronunciaram-se contra o imperador.* [Pres. ind.: *pronuncio, pronuncias, pronuncia*, etc. Cf. *pronúncio*, s. m., *pronúncia*, s. f., e o v. *prenunciar*.]

pronunciável. *Adj. 2 g.* Que pode ser pronunciado.

pronúncio. [De *pro-*[1] + *núncio*.] *S. m.* Eclesiástico transitoriamente investido nas funções de núncio pontifício. [Cf. *pronuncio*, do v. *pronunciar*, e *prenúncio*.]

propagação. [Do lat. *propagatione*.] *S. f.* **1.** Ato ou efeito de propagar(-se). **2.** Desenvolvimento, proliferação. **3.** Divulgação, difusão.

propagador (ô). [Do lat. *propagatore*.] *Adj.* **1.** Que propaga; propagativo. ● *S. m.* **2.** Aquele que propaga.

propaganda. [Do lat. *propaganda*, do gerundivo de *propagare*, 'coisas que devem ser propagadas'.] *S. f.* **1.** Propagação de princípios, idéias, conhecimentos ou teorias. **2.** Sociedade vulgarizadora de certas doutrinas. **3.** Publicidade (3).

propagandista. *S. 2 g.* Pessoa que faz propaganda.

propagar. [Do lat. *propagare*.] *V. t. d.* **1.** Multiplicar, ou reproduzindo ou por geração; dilatar: *Segundo a Bíblia, Adão e Eva propagaram a espécie humana.* **2.** Aumentar as dimensões de; dilatar, estender: *O rei Dario I propagou as fronteiras do império persa.* **3.** Fazer propaganda de; tornar conhecido; difundir, espalhar: *Os jesuítas propagaram e defenderam o cristianismo romano.* **4.** Tornar público; publicar, propalar, proclamar, vulgarizar: *A imprensa, por vezes, propaga boatos. Int.* **5.** Ter prole; reproduzir-se, proliferar: *Os animais propagam, perpetuando a espécie. P.* **6.** Multiplicar-se por meio da reprodução; reproduzir-se, proliferar: *A espécie humana, provavelmente surgida na Ásia, propagou-se, passando aos outros continentes.* **7.** Desenvolver-se por contágio: *A epidemia de tifo propagou-se, por vários estados.* **8.** Difundir-se, expandir-se, alastrar-se, propalar-se, grassar: "Fora de Portugal, o sentimento de pavor, resultante do abalo, propagou-se com intensidade" (J. Lúcio d'Azevedo, *O Marquês de Pombal e a Sua Época*, p. 146). **9.** Tornar-se comum a muitas pessoas; generalizar-se: *A partir da Revolução Francesa propagaram-se as idéias liberais.* **10.** Atravessar o espaço ou um corpo; transmitir-se: *O som propagou-se com rapidez.* [Conjug.: v. *largar*.]

propagativo. [Do lat. *propagatu*, part. pass. de *propagare*, 'propagar', + *-ivo*.] *Adj.* Propagador (1).

propagem. [Do lat. *propagine*.] *S. f. Bot.* Vide de mergulhia.

propagulífero. [De *propágulo* + *-i-* + *-fero*.] *Adj. Bot.* Portador de propágulos.

propágulo. [Do lat. bot. *propagulu* < *propago*, atr. do fr. *propagule*.] *S. m. Bot.* Designação de orgânulo destinado a multiplicar vegetativamente as plantas, e que podem ser: sorédio (liquens), estolho (fanerógamas), bulbilhos (agaváceas), fragmentos de talo (liquens), corpúsculos especiais, etc.

propalador (ô). *Adj.* e *s. m.* Que ou aquele que propala.

propalar. [Do lat. *propalare*.] *V. t. d.* **1.** Tornar público: divulgar, espalhar, publicar, propagar: *A intrigante propala calúnias;* "É de surpreender que mesmo pessoas cuja cultura deveria estar acima de tão flagrante inverossimilhança propalem a insustentável afirmativa." (Vivaldo Coaraci, *Paquetá*, p. 132). *P.* **2.** Propagar-se (8).

propano. [De *prop(il)-* + *-ano*.] *S. m. Quím.* Hidrocarboneto saturado, gasoso, incolor, com cheiro característico, encontrado no gás de petróleo. [Fórm.: C_3H_8.]

propanona. [De *propano* + *-ona*.] *S. f. Quím.* Líquido incolor, volátil, com cheiro agradável, usado como solvente em inúmeras indústrias; acetona. [Fórm.: CH_3COCH_3.]

proparoxitonia (cs). *S. f. Gram.* Qualidade de proparoxítono.

proparoxítono (cs). [Do gr. *proparoxytonos*.] *Adj.* **1.** *Gram.* Diz-se do vocábulo que tem o acento tônico na antepenúltima sílaba. Ex.: *cálido; pólipo.* ● *S. m.* **2.** Palavra proparoxítona. [Sin. ger, obsol.: *esdrúxulo*.]

propatia. [Do gr. *propátheia*.] *S. f. Med.* Pródromo (3).

propático. *Adj.* Referente à propatia.

propedêutica. [Fem. substantivado de *propedêutico*.] *S. f.* **1.** Introdução, prolegômenos, de uma ciência; ciência preliminar. **2.** Conjunto de estudos que antecedem, como um estágio preparatório, os cursos superiores.

propedêutico. [De *pro-*[1] + gr. *paideutikós*, 'relativo à educação'.] *Adj.* **1.** Que serve de introdução; preliminar. **2.** Que prepara para receber ensino mais completo.

propelente. [Do lat. *propellente*, do part. pres. de *propellere*, 'impelir para diante'.] *S. m.* Baixo explosivo, ou mistura de materiais combustíveis e agentes oxidantes, capaz de efetuar a propulsão controlada de um corpo sólido, como um projetil, um foguete comum, um foguete espacial.

propelir. [Do lat. *propellere*.] *V. t. d.* **1.** Impelir para diante: "Sempre seguindo a mesma direção, mas destacando-se nítidas no azul do céu, como farrapos de nuvens muito alvas que o vento fosse propelindo brandamente, de espaço a espaço, cortavam o ar grande revoadas de pássaros." (Gastão Cruls, *4 Romances*, p. 116.) **2.** Arremessar, arrojar, atirar: *A arma propele balas de grosso calibre.* [Irreg. Conjug.: v. *aderir*.]

propendente. [Do lat. *propendente*.] *Adj. 2 g.* Que propende.

propender. [Do lat. *propendere*.] *V. t. i.* **1.** Estar inclinado; inclinar-se, tender, pender: *O eixo da Terra propende 23 graus em relação à eclíptica.* **2.** Ter disposição ou tendência; tender: "Entendeu Ledo [Gonçalves Ledo] que o ilustre Andrada [José Bonifácio] não propendia para os sentimentos liberais como ele os compreendia" (Afonso d'E. Taunay, *Grandes Vultos da Independência Brasileira*, p. 44).

propeno. [De *prop(il)-* + *-eno*.] *S. m. Quím.* Hidrocarboneto não saturado, gasoso, incolor, encontrado nos gases do craqueio do petróleo. [Fórm.: C_3H_6.]

propensão. [Do lat. *propensione*.] *S. f.* **1.** Ato ou efeito de propender; inclinação. **2.** Tendência, pendor, vocação.

propenso. [Do lat. *propensu*.] *Adj.* **1.** Inclinado, disposto, tendente: "Este homem [Francisco Xavier de Oliveira], tão pouco propenso aos trabalhos graves de erudição, veio a ser o fundador da nossa bibliografia histórica." (Fidelino de Figueiredo, *Aristarcos*, p. 89); "Giacomo Leopardi .... teve desde criança índole refletida e séria, e, como ele mesmo disse, muito propensa à melancolia." (Carlos Magalhães de Azeredo, *Homens e Livros*, p. 10). **2.** Favorável, benévolo.

properístoma. [De *pro-*[1] + *perístoma*.] *S. m. Morfol. Veg.* Apêndice do perístoma, formado de placas membranáceas, lignificadas e frouxamente inseridas, que fica entre a parede capsular e os dentes do perístoma externo.

propiciação. [Do lat. *propitiatione*.] *S. f.* Ato ou efeito de propiciar.

propiciador (ô). [Do lat. *propitiatore*.] *Adj.* **1.** Que propicia; propiciatório. ● *S. m.* **2.** Aquele ou aquilo que propicia.

propiciar. [Do lat. *propitiare*.] *V. t. d.* e *t. d. e i.* **1.** Tornar propício, favorável: *O apoio aéreo propiciou a invasão; A herança propiciou-lhe a continuação dos estudos.* **2.** Fazer aparecer inesperadamente; deparar, proporcionar: *A sorte propiciou-lhe bens inimagináveis; Quando o acaso lhe propiciou a fortuna, já não era moço.* [Pres. ind.: *propicio*, etc. Cf. *propício*, adj., e *Propício*, antr.]

propiciatório[1]. [Do lat. *propitiatoriu*.] *S. m.* **1.** Lâmina de ouro que cobria o tabernáculo dos hebreus. **2.** Vaso sagrado no qual se oferecem sacrifícios a Deus. **3.** Aquele ou aquilo que aplaca a ira divina, que torna Deus propício.

propiciatório[2]. [Do lat. *propitiatu*, part. pass. de *propitiare*, 'tornar propício, propiciar', + *-ório*.] *Adj.* Propiciador (1).

propício. [Do lat. *propitiu*.] *Adj.* **1.** Que protege ou auxilia. **2.** Favorável, favorecedor: "Na Grécia, a geografia não foi propícia à unidade do país." (Heitor Lisboa de Araújo, *Engenharia de Transportes*, p. 5.) **3.** Adequado, apropriado, oportuno. [Cf. *propicio*, do v. *propiciar*.]

propileu. [Do gr. *propylaia*, pelo lat. *propylaeon*.] *S. m.* A porta, monumental, da Acrópole de Atenas.

propina. [Do b.-lat. *propina*, 'dádiva'.] *S. f.* **1.** Gratificação, gorjeta. **2.** *Lus.* Quantia que se paga em certas escolas por abertura ou encerramento de matrícula, etc. **3.** *Lus.* Jóia (4).

propinação. [Do lat. *propinatione*.] *S. f.* Ato ou efeito de propinar.

propinador (ô). *Adj.* e *s. m.* Que ou aquele que propina.

propinar. [Do lat. *propinare*.] *V. t. d.* e *t. d. e i.* Dar a beber; ministrar, administrar: *propinar uma dose de veneno;* "Ó Natureza! ó mãe piedosa e pura! / Ó cruel, implacável assassina! / — Mão, que o veneno e o bálsamo propina / E aos sorrisos as lágrimas mistura!"

(Olavo Bilac, *Poesias*, p. 119); *Propinou um sonífero ao doente.*
propinqüidade. [Do lat. *propinquitate.*] *S. f.* Qualidade ou estado de propínquo; proximidade.
propínquo. [Do lat. *propinquu.*] *Adj.* Próximo, vizinho. ~ V. *propínquos.*
propínquos. [Pl. de *propínquo.*] *S. m. pl.* Os parentes. ~ V. *propínquo.*
própio. *Adj. Ant.* e *pop.* Próprio.
proplasma. [Do gr. *próplasma*, pelo lat. *proplasma.*] *S. m.* Modelo de barro ou de cera para trabalhos de escultura; esboço.
proplástica. [Fem. substantivado de *proplástico* (1).] *S. f.* Arte de modelagem em barro.
proplástico. [De *pro-*[1] + *-plast-* + *-ico*[2].] *Adj.* **1.** Relativo a obras de barro. ● *S. m.* **2.** Modelo de barro ou de cera para trabalhos de escultura.
própole. [Do gr. *própolis*, pelo lat. *propole.*] *S. f.* Substância resinosa que as abelhas segregam e com que tapam as fendas do próprio cortiço.
própolis. *S. f. 2 n.* V. *própole.*
propolisação. *S. f.* Ação ou efeito de propolisar.
propolisar. *V. t. d.* Tapar (as fendas dos cortiços) com própole ou própolis.
proponente. [Do lat. *proponente.*] *Adj. 2 g.* e *s. 2 g.* Que ou quem que propõe. [Cf. *preponente.*]
propor. [Do lat. *proponere.*] *V. t. d.* **1.** Oferecer a exame; submeter a apreciação; apresentar: *Três deputados propuseram projetos conflitantes.* **2.** Fazer sugestão de; lembrar, sugerir, alvitrar: *As crianças propuseram um passeio.* **3.** Requerer em juízo; intentar: *propor uma ação criminal.* **4.** Fazer propósito de; prometer: *O criminoso propôs emendar-se.* **5.** Fazer conhecer; expor, apresentar: *Ninguém propôs uma dúvida sequer.* **6.** Oferecer como lance, ou como preço: *Gostou da peça leiloada, mas propôs apenas 100 cruzados.* **7.** Dispor, ordenar, determinar: *A jovem esposa cumpria tudo que o marido propunha.* **8.** Oferecer à vista; mostrar, apresentar: *O presidente propôs oficialmente os candidatos. T. d. e i.* **9.** Submeter a exame, ou a apreciação; apresentar: *O deputado propôs uma lei ao Congresso.* **10.** Referir, relatar, expor: *A mãe propôs histórias ao filhinho para adormecê-lo.* **11.** Oferecer, endereçar, dirigir: *O escritor propôs seu livro a todos os jovens;* "Na segunda-feira da semana que findou, acordei cedo, pouco depois das galinhas, e dei-me ao gosto de propor a mim mesmo um problema." (Machado de Assis, *A Semana*, I, p. 13). **12.** Oferecer como preço: *O comprador propôs 100.000 cruzados pelo terreno;* "Na véspera do dia em que ele devia ser queimado, os juízes propuseram-lhe o perdão a troco do simples depoimento de que não era legítima a sua mulher." (Ramalho Ortigão, *As Farpas*, II, p. 318). **13.** Ordenar, fixar, determinar: *A lei propõe aos cidadãos numerosas obrigações.* **14.** Apresentar como sugestão; lembrar, sugerir: *O irmão mais velho propôs aos demais uma tarefa.* **15.** Requerer em juízo; intentar: *O locador propôs uma ação de despejo contra o inquilino. Transobj.* **16.** Apresentar como: *Propôs secretário do clube o velho amigo. T. i.* **17.** Tomar intento; fazer propósito: *Os atletas propuseram de vencer a partida. Int.* **18.** Apresentar proposição; fazer alvitres: *A princípio os cidadãos atenienses votavam proposições, mas não podiam propor. P.* **19.** Ter em vista; tencionar, planear: *Esta escola propõe-se formar técnicos de nível médio;* "Vestiu de livros as paredes do seu gabinete, propondo-se o recreio do estudo" (Camilo Castelo Branco, *Amor de Salvação*, p. 131); "Propunha-me dormir no teu regaço / as quentes horas da comprida sesta" (Tomás Antônio Gonzaga, *Marília de Dirceu*, p. 107); "tal o material de que necessitamos, sempre que nos proponhamos a examinar, expor e criticar o sistema jurídico de um povo." (Pontes de Miranda, *Fontes e Evolução do Direito Civil Brasileiro*, p. 1). **20.** Destinar-se, dispor-se a: *Os segredos só podem ser revelados àqueles que se proponham abraçar a doutrina;* "Propôs-se a ajudar-me nos estudos com o seu próprio ensino, latim, francês, inglês, história..." (Machado de Assis, *Páginas Recolhidas*, pp. 30-31). **21.** Apresentar-se como candidato: *Propôs-se a deputado.* [Irreg. Conjug.: v. *pôr*. Cf. *prepor.*]
proporção. [Do lat. *proportione.*] *S. f.* **1.** Relação entre coisas; comparação. **2.** Dimensão, extensão. **3.** Disposição regular, harmônica; simetria, harmonia. **4.** Conformidade, identidade. **5.** *Arit.* Igualdade de duas razões. ~ V. *proporções.* ♦ **Proporção contínua.** *Arit.* Igualdade de três ou mais razões. **À proporção.** Em quantidade proporcional: "Tibúrcio comeu com apetite, e bebeu à proporção." (Camilo Castelo Branco, *Doze Casamentos Felizes*, p. 225.) **À proporção que.** À medida que; ao passo que: "À proporção que o barco afundava, surgia, do barro escuro, uma horrenda carapinha" (Eduardo Canabrava Barreiros, *O Segredo de Sinhá Ernestina*, p. 21).
proporcionado. [Do lat. *proportionatu.*] *Adj.* Disposto regularmente; bem-proporcionado, bem-conformado; harmônico.
proporcionador (ô). *Adj.* e *s. m.* Que, ou o que proporciona.
proporcional. [Do lat. *proportionale.*] *Adj. 2 g.* **1.** Proporcionado. **2.** Relativo a proporção matemática. **3.** *Mat.* Diz-se de uma variável cujo quociente por outra é constante. ~ V. *conjunção —, função —, média —, partes proporcionais, sufrágio — e terceira —.* ● *S. 2 g.* **4.** *Gram.* Conjunção proporcional.
proporcionalidade. [Do lat. *proportionalitate.*] *S. f.* Qualidade ou propriedade de proporcional.
proporcionalizar. *V. t. d.* Tornar proporcional; proporcionar.
proporcionar. [Do lat. *proportione*, 'proporção', + *-ar*[2].] *V. t. d.* e *t. d. e i.* **1.** Observar proporção entre; tornar proporcional; harmonizar, acomodar, adaptar: *O Governo proporcionará as gratificações com o tempo de serviço.* **2.** Dar, prestar, oferecer, deparar, apresentar: "A mesa de escrita, a secretária usual, está .... longe de proporcionar as comodidades subsidiárias do pensamento moderno." (Ramalho Ortigão, *Notas de Viagem*, p. 204); "Proporcionava- lhes atrações esportivas, passeios pitorescos." (Vasconcelos Maia, *O Leque de Oxum*, p. 47). *P.* **3.** Tornar-se proporcional; harmonizar-se, acomodar-se, adaptar-se: *O luxo proporciona-se com o caráter ostentador.* **4.** Vir em ocasião oportuna; oferecer-se, apresentar-se: *Proporcionou-se-lhe, de repente, a idéia.*
proporcionável. *Adj. 2 g.* O que se pode proporcionar.
proporções. [Pl. de *proporção.*] *S. f. pl.* **1.** Intensidade, importância. **2.** Dimensão; tamanho. ~ V. *proporção.*
proposição. [Do lat. *propositione.*] *S. f.* **1.** Ato ou efeito de propor. **2.** Aquilo que se propõe; proposta. **3.** Expressão verbal de um juízo; asserção, asseveração. **4.** Máxima, sentença. **5.** *Filos.* Enunciado verbal suscetível de ser dito verdadeiro ou falso. **6.** *Filos.* Enunciado algorítmico, equivalente a um enunciado verbal suscetível de ser dito verdadeiro ou falso. **7.** *Ret.* Assunto que vai ser discutido ou asserção que vai ser defendida. [Cf. *preposição* e, nessa acepç., *invocação* (4). ♦ **Proposição alternada.** *Lóg.* Alternativa (5). **Proposição modal.** *Lóg.* Proposição que enuncia a maneira como o predicado convém ou não ao sujeito. Distinguem-se quatro modos: possível, impossível, contingente e necessário. **Proposição particular.** *Lóg.* Proposição cujo sujeito é um termo particular. Ex.: Algum homem é francês. **Proposição particular afirmativa.** *Lóg.* Proposição particular cujo sujeito e predicado são tomados ambos, numa parte da extensão. Ex.: 'Algum homem é francês', em que uma parte dos homens compõe uma parte dos franceses. [Símb.: *I* .] **Proposição particular negativa.** *Filos.* Proposição particular cujo sujeito é tomado numa parte da sua extensão e cujo predicado é tomado em toda a extensão. Ex.: Algum homem não é francês, em que uma parte dos homens não é nenhuma parte dos franceses. [Símb.: *O* .] **Proposição universal.** *Filos.* Proposição em que o sujeito é um termo universal, tomado universalmente. Ex.: 'Todo homem é mortal'. **Proposição universal afirmativa.** Proposição universal cujo predicado é tomado numa parte da extensão. Ex.: 'Todo homem é mortal', em que o homem é um dos seres que são mortais. [Símb.: *A* .] **Proposição universal negativa.** *Lóg.* Proposição universal cujos sujeito e predicado são tomados em toda a extensão. Ex.: 'Homem não é uma máquina', que significa que nenhum homem é nenhuma máquina. [Símb.: *E* .]
proposicional. *Adj. 2 g.* Pertencente ou relativo a proposição. ~ V. *função —.*
propositado. [Do *propósito* + *-ado*[1].] *Adj.* Em que há propósito, intenção ou resolução prévia; acintoso, proposital.
proposital. *Adj. 2 g.* V. *propositado.*
propósito. [Do lat. *propositu.*] *S. m.* **1.** Algo que se pretende fazer ou conseguir; intenção, intento, projeto. **2.** Deliberação, determinação, decisão, resolução. **3.** Modo sisudo; tino, prudência. **4.** Relação, ligação. **5.** Fim a que se visa. [Cf. *prepósito.*] ♦ **A propósito. 1.** A respeito. **2.** Oportunamente, convenientemente. **3.** V. *por sinal.* **A propósito de. 1.** Pelo fato de. **2.** Com respeito a. **De propósito.** Por querer; por acinte; intencionalmente, adrede. **Fora de propósito.** Alheio ao assunto ou às circunstâncias presentes; despropositado.
propositura. [De *propósito* + *-ura.*] *S. f. P. us.* Ato de propor (ação judicial). [Cf. *prepositura.*]
proposta. [F. substantivada do adj. *proposto.*] *S. f.* **1.** Ato ou efeito de propor. **2.** Aquilo que se propõe, se apresenta; proposição: *Sua proposta de aumento de salário foi recusada.* **3.** Plano ou projeto proposto: *A firma perdeu a concorrência por ser a sua proposta onerosa demais.* **4.** Oferecimento, oferta. **5.** Moção (3). **6.** Determinação, resolução.
proposto (ô). [Do lat. *propositu.*] *Adj.* **1.** Que se propôs; que foi objeto de proposta. ● *S. m.* **2.** Aquilo que se propôs. **3.** Indivíduo escolhido por outro para exercer as funções deste outro. [Cf. *preposto.*]
propretor (ô). [Do lat. *propraetore.*] *S. m.* Antigo magistrado com autoridade de pretor.
propretoria. *S. f.* Cargo ou funções de propretor.
propriador (ô). *S. m.* Aquele que trabalha em propriagens.
propriaense. *Adj. 2 g.* **1.** De, ou pertencente ou relativo a Propriá (SE). ● *S. 2 g.* **2.** Natural ou habitante de Propriá.
propriagem. [De *propriar* + *-agem*[2], com aférese?] *S. f.* Trabalho que fazem os chapeleiros nos chapéus, depois de tintos.
propriedade. [Do lat. *proprietate.*] ● *S. f.* **1.** Qualidade de próprio. **2.** Qualidade especial; particularidade, caráter. **3.** Emprego apropriado de linguagem. **4.** Pertença ou direito legítimo. **5.** Prédio, fazenda, herdade. **6.** *Jur.* Direito de usar, gozar e dispor de bens, e de reavê-los do poder de quem quer que injustamente os possua. **7.** Bens sobre os quais se exerce este direito. ♦ **Propriedade aditiva.** *Fís.-Quím.* Propriedade de um sistema que é uma função linear do número de partículas que o constituem, e que não depende da interação entre estas. **Propriedade aditivo-constitutiva.** *Fís.-Quím.* Propriedade que depende linearmente do número de partículas constitutivas de um sistema e das interações entre essas partículas. **Propriedade coligativa.** *Fís.* Num sistema, propriedade que só depende do número de algumas partículas idênticas que dele fazem parte, mas não depende da natureza dessas partículas. Ex.: a pressão osmótica em uma solução ideal. **Propriedade constitutiva.** *Fís.-Quím.* A que depende essencialmente, ou em grande parte, da estrutura dum sistema, i. e., das interações e da disposição espacial das partículas constitutivas dele. **Propriedade extensiva.** *Fís.* A que é proporcional à massa de um sistema. **Propriedade intensiva.** *Fís.* A que não depende da massa do sistema e lhe caracteriza o estado. **Propriedade limitada.** *Jur.* A que está sujeita a ônus reais, ou é resolúvel. **Propriedade de nua.** *Jur.* A que é limitada por ônus reais. **Propriedade de plena.** *Jur.* Aquela em que todos os direitos elementares a ela inerentes (posse, uso, gozo e disposição) se acham reunidos na pessoa do proprietário. **Propriedade resolúvel.** *Jur.* Aquela que está sujeita a ser revogada, ou destinada a extinguir-se, independentemente da vontade do proprietário. **Propriedades topológicas.** *Mat.* As que podem ser expressas pela noção de continuidade.
proprietariado. *S. m.* **1.** Classe dos proprietários. **2.** A influência ou predomínio dessa classe.
proprietário. [Do lat. *proprietariu.*] *Adj.* e *s. m.* Que ou aquele que tem a propriedade de alguma coisa, que é senhor de bens.
propriíssimo. *Adj.* Superl. abs. sint. de *próprio.*
próprio. [Do lat. *propriu.*] *Adj.* **1.** Que pertence a; pertencente: *Reside em casa própria.* [Equivalente ao possessivo: *meu, teu, seu, nosso, vosso.*] **2.** Peculiar, particular, natural: "O orgulho é próprio dos homens, a vaidade das mulheres." (Marquês de Maricá, *Máximas, Pensamentos e Reflexões*, p. 31.) **3.** Adequado, apropriado: *Gosto de estudar no livro próprio.* **4.** Oportuno, conveniente: *Chegou em hora própria.* **5.** Idêntico, exato. **6.** Exato, certo; preciso: *Chegaram na própria hora combinada.* **7.** Textual (3): *Repeti suas próprias palavras.* **8.** Verdadeiro, autêntico: *Nem o próprio Deus me demoveria.* **9.** Não figurado; primitivo: *Usei a palavra em seu sentido próprio.* [Superl. abs. sint.: *propriíssimo.*] ~ V. *divisor —, freqüência —a, função —a, movimento —, nome —, oscilação —a, peso —, substantivo —, tempo — e valor —.* ● *S. m.* **10.** Qualidade ou feição especial. **11.** Portador ou mensageiro: "Nesse mesmo dia Joaquim Ribeiro despachou um próprio com um bilhete a Roberto" (Bernardo Guimarães, *História e Tradições da Província de Minas Gerais*, p. 122). **12.** *Lit. Obsol.* Até o Concílio Vaticano II (1962-1965), cada uma das partes variáveis da missa (1) [intróito, gradual, aleluia, trato (eventualmente, seqüência), ofertório, comunhão], cujos textos lidos,

recitados ou cantados, mudam de acordo com as sucessivas divisões do ano litúrgico ou com as festas dos santos. [V. *ano litúrgico*.] ◆ **Próprios nacionais.** Bens próprios da nação ou do Estado.

proprioceptivo. [Do ingl. *proprioceptive*, t. criado pelo fisiologista inglês Sir Charles S. Shenington (1857-1952).] *Adj.* **1.** Relativo a proprioceptor. **2.** Capaz de receber estímulos originados no interior do próprio organismo.

proprioceptor (ô). [Do ingl. *proprioceptor*.] *S. m. Fisiol.* Tipo de receptor cuja estimulação se origina, de hábito, da própria atividade do órgão que o contém (excluídos, geralmente, os de vida vegetativa).

proptose. [Do gr. *próptosis*, 'queda para a frente', pelo lat. *proptose*.] *S. f. Med.* Deslocamento de órgão para diante.

propugnáculo. [Do lat. *propugnaculu*.] *S. m.* **1.** Lugar de defesa; baluarte, fortaleza. **2.** *Fig.* V. *sustentáculo*.

propugnador (ô). [Do lat. *propugnatore*.] *Adj.* e *S. m.* Que ou aquele que propugna.

propugnar. [Do lat. *propugnare*.] *V. t. d.* **1.** Defender, combatendo: *A Inquisição pretendia* propugnar *a fé cristã*; "Propugnava ele [Alexandre Herculano], como revisor do código civil, a sua obra, quando lhe opuseram o código penal." (Rui Barbosa, *Réplica*, p. 45). *T. i.* **2.** Sustentar luta, moral ou física; lutar: "Propugnava [Luís Gama], ousadamente, pela abolição completa, imediata e incondicional do elemento servil." (Lúcio de Mendonça, *Caricaturas Instantâneas*, p. 152.)

propulsão. *S. f.* **1.** Ato ou efeito de propulsar. **2.** O mecanismo ou sistema propulsor. ◆ **Propulsão a jato.** *Aer.* A propulsão de um corpo, provocada pela ejeção, em alta velocidade, de um fluido através de um bocal apropriado, orientado em sentido oposto ao do movimento do corpo, e que é originada pela conservação da quantidade de movimento. [Exemplo de propulsão a jato é a dos foguetes de S. João.] **Propulsão solar.** *Astron.* Utilização da pressão de radiação do Sol para o deslocamento de um veículo espacial.

propulsar. [Do lat. *propulsare*.] *V. t. d.* **1.** Impelir para diante; repelir, rechaçar, repulsar, propelir: *Os combatentes* propulsaram *o exército agressor.* **2.** Dar impulso enérgico a: *Os mecenas* propulsaram *a cultura renascentista.* [Sin. ger.: *propulsionar*.]

propulsionar. *V. t. d.* V. *propulsar*.

propulsivo. [Do lat. *propulsu*, part. pass. de *propellere*, 'propelir', + *-ivo*.] *Adj.* Propulsor (1).

propulsor (ô). [Do lat. *propulsore*.] *Adj.* **1.** Que propulsa; propulsivo. ● *S. m.* **2.** O que produz propulsão. **3.** Qualquer mecanismo ou engenho que transmite movimento a certos maquinismos. **4.** *Fot.* V. *disparador* (5). **5.** *Constr. Nav.* O hélice da embarcação.

proquestor (ô). [Do lat. *proquaestore*.] *S. m.* Aquele que era enviado para uma província romana a fim de aí exercer as funções de questor; substituto do questor.

proquestura. *S. f.* Cargo ou dignidade de proquestor.

➧**pro rata.** [Lat., 'em proporção'.] Pagando ou recebendo cada um a parte que lhe toca num rateio.

prorrogabilidade. *S. f.* Qualidade de prorrogável.

prorrogação. [Do lat. *prorogatione*.] *S. f.* **1.** Ato ou efeito de prorrogar. **2.** Dilação ou adiamento de prazo ou de tempo.

prorrogar. [Do lat. *prorogare*.] *V. t. d.* **1.** Alongar, dilatar (um prazo estabelecido), protrair: *O Governo* prorrogou *o prazo para pagamento do imposto.* **2.** Fazer durar além do prazo estabelecido; estender, ampliar; prolongar: *A medicina preventiva* prorroga *a vida.* **3.** Fazer continuar em exercício; adiar o término de: *O decreto* prorrogou *os mandatos dos deputados.* [Conjug.: v. *largar*.]

prorrogativo. [Do lat. *prorogativu*.] *Adj.* Que prorroga ou serve para prorrogar.

prorrogável. *Adj. 2 g.* Que se pode prorrogar.

prorromper. [Do lat. *prorumpere*.] *V. t. i.* **1.** Sair ou irromper impetuosamente; romper: "E Tertuliano, prorrompendo em soluços, abraçou-se .... ao Doutor Ciaudino." (Artur Azevedo, *Contos fora da Moda*, p. 14.) *Int.* **2.** Manifestar-se de repente: Prorrompem *inesperados aplausos.*

▲**pros-.** [Do gr. *prós*.] *Pref.* = 'a, contra', 'em frente': *prosênquima, prosônimo.*

prosa. [Do lat. *prosa* (subentende-se *oratione*), 'discurso que vai em linha reta até o fim', ao contrário do que se dá com o verso, que volta quando completo.] *S. f.* **1.** A maneira natural de falar ou de escrever, sem forma retórica ou métrica, por oposição ao verso. **2.** *Fig.* Aquilo que é vulgar, trivial, positivo ou material. **3.** *Fam.* Astúcia, manha, lábia; conversa fiada: "Eu estimo vosmecês mesmo, não é prosa, estimo!" (Coelho Neto, *Turbilhão*, p. 68.) **4.** *Lit.* V. *seqüência* (11). **5.** Conversa, palestra. **6.** *Bras.* e *prov. lus. Pop.* V. *fanfarrice* (2). **7.** *Bras.*, *N. Pop.* V. *namoro* (1). ● *S. 2 g.* **8.** Indivíduo pedante, cheio de si. **9.** *Bras.* Indivíduo loquaz, conversador; proseador. **10.** *Bras.* V. *fanfarrão* (2). ● *Adj. 2 g.* **11.** Diz-se de quem é prosa (8 a 10). ◆ **Perder a prosa.** *Bras.* V. *perder a graça.*

prosador (ô). *S. m.* Aquele que escreve em prosa: "bem mais fecundo [do que Coelho Neto] foi Camilo Castelo Branco, o que não o impediu de ser o maior prosador de língua portuguesa" (Fausto Cunha, *Situações da Ficção Brasileira*, p. 146). [Sin.: *prosista* e (bras., p. us.) *prosaísta*.]

prosaico. [Do lat. *prosaicu*.] *Adj.* **1.** Da, ou semelhante à prosa. **2.** Relativo a prosa. **3.** Sem grandeza ou elevação; trivial, comum, vulgar: "No poema de Iriarte só a forma é poética porque o fundo, prosaico e limitado, lhe imprime os caracteres de um verdadeiro tratado musical." (Latino Coelho, *Cervantes*, p. 227.) **4.** De caráter prático; positivo.

prosaísmo. *S. m.* **1.** Qualidade ou caráter de prosaico. **2.** Expressão ou construção prosaica: *Seus poemas estão cheios de* prosaísmos. **3.** Falta de poesia nos versos.

prosaísta. *S. 2 g. Bras. P. us.* V. *prosador.*

prosápia. [Do lat. *prosapia*.] *S. f.* **1.** Progênie, raça, linhagem, ascendência: "Os olindenses olhavam para eles [os comerciantes do Recife] com toda a soberania de sua prosápia e de seus postos, desdenhosamente chamavam-nos mascates" (Capistrano de Abreu, *Capítulos de História Colonial*, p. 253). **2.** V. *fanfarrice* (2): "Havia tanta prosápia britânica em conceber um tal Império, como em o condenar, e em dizer, com um ar de nobre renunciamento: 'Não nos convém a responsabilidade de governar o mundo!'" (Eça de Queirós, *Cartas de Inglaterra*, p. 112.) **3.** Altivez, orgulho, soberba.

prosar. *V. int.* **1.** Escrever em prosa. **2.** *Bras.* Conversar fiado; conversar, bater papo, papear, prosear: *Gosta muito de* prosar; "O certo é que o víamos sempre a prosar com ela, quando .... meu Pai também ia visitá-la." (Ciro dos Anjos, *Explorações no Tempo*, p. 43).

proscênio. [Do gr. *proskénion*, pelo lat. *prosceniu*.] *S. m.* **1.** Nos antigos teatros gregos e romanos, e também no teatro elisabetano e demais palcos antigos, era o espaço de maior dimensão compreendido entre a cena e a orquestra (ou a platéia), e onde se verificava a maior parte da ação dramática. **2.** A parte anterior do palco italiano [q. v.], de menor dimensão, que vai do pano de boca até o limite com a orquestra ou a platéia: "Fundo branco em geral, nos tectos e caixas dos camarotes, e fundo azul-celeste nas pilastras do arco do proscênio" (João Francisco Lisboa, *Obras*, IV, p. 603). **3.** *P. ext.* Palco, cena. [Sin.: *antecena*.]

proscopídeo. *S. m.* **1.** Espécime dos proscopídeos. ● *Adj. 2 g.* **2.** Pertencente ou relativo a eles.

proscopídeos. *S. m. pl. Zool.* Família de insetos da ordem dos ortópteros, caracterizados pela cabeça muito alongada e aspecto muito semelhante ao dos fasmídeos. Ex.: o bicho-pau.

proscrever. [Do lat. *proscribere*, 'anunciar por escrito'. Os editais de degredo eram escritos em tábuas que se afixavam em lugares públicos.] *V. t. d.* **1.** Condenar a degredo por voto escrito ou por sentença; desterrar; expulsar: *A Assembléia de Atenas* proscreveu *muitos cidadãos*; "Enfrentando rancores, não fugindo a represálias, nem hesitando em face do castigo a aplicar, Pombal destituiu; proscreveu e até perseguiu dois outros ministros seus colegas no governo." (Costa Rego, *Águas Passadas*, p. 63). **2.** Pôr fora de uso; abolir, suprimir: *O Governador promete* proscrever *os vícios da máquina burocrática*; "O brâmane anula Deus e proscreve as lendas arianas, conservando apenas do seu fervor religioso o ascetismo, de que se inspira a sua mais audaz sabedoria." (Latino Coelho, *A Oração da Coroa*, p. LXXXVIII). **3.** Ordenar que não se faça; proibir, condenar: *As leis de Deus e dos homens* proscrevem *e punem o assassinato.* *T. d. e. i.* **4.** Condenar a degredo; desterrar, banir: *A República* proscreveu *do Brasil a família real.* **5.** Fazer sair; afastar, expulsar: *A diretoria* proscreveu *do clube os sócios indesejáveis.* [Part. irreg.: *proscrito*. Cf. *prescrever*.]

proscrição. [Do lat. *proscriptione*.] *S. f.* **1.** Ação ou efeito de proscrever. **2.** Desterro, banimento. [Cf. *prescrição*.]

proscrito. [Do lat. *proscriptu*.] *Adj.* **1.** Que se proscreveu. ● *S. m.* **2.** Aquele que foi desterrado; emigrado: "Como a um grilheta, a um mísero proscrito, / Ela [a Morte] te arranca os ferros, sobre-humana." (Martins Fontes, *Nos Jardins de Augusto Comte*, p. 179.) [Cf. *prescrito*.]

proscritor (ô). [Do lat. *proscriptore*.] *Adj.* e *s. m.* Que ou aquele que proscreve.

proseador (ô). [De *prosear* + *-(d)or*.] *Adj.* e *s. m. Bras.* Conversador, palrador, prosa.

prosear. [De *prosa* (4) + *-ear*.] *V. int. Bras.* **1.** Falar muito; conversar fiado; bater papo; tagarelar, papear, conversar, prosar: "— Hoje não dá mais tempo de nada. Vamos comer alguma coisa, prosear e dormir." (Amadeu de Queirós, *João*, p. 17); *Muito faladeira,* proseia *mais do que trabalha.* **2.** Vangloriar-se, gabar-se, jactar-se, blasonar-se: Proseia *muito e nada faz.* **3.** Andar em galanteios; namorar. [Conjug.: v. *frear*.]

proselitismo. *S. m.* **1.** Atividade diligente em fazer prosélitos. **2.** O conjunto de prosélitos.

prosélito. [Do gr. *prosélytos*, 'aquele que se aproxima', pelo lat. *proselytu*.] *S. m.* **1.** Pagão que abraçou o judaísmo. **2.** Indivíduo que abraçou religião diferente da sua. **3.** *P. ext.* Indivíduo convertido a uma doutrina, idéia ou sistema; sectário, adepto, partidário.

prosencéfalo. [De *pros-* + *encéfalo*.] *S. m. Embriol.* A mais anterior das vesículas encefálicas primitivas e que irá dividir-se em telencéfalo e diencéfalo.

prosênquima. [De *pros-* + gr. *éghchyma*, 'infusão'.] *S. m. Morfol. Veg.* Tecido vegetal constituído de células alongadas, com extremidades agudas.

prosenquimatoso (ô). *Adj. Morfol. Veg.* Relativo ao prosênquima, ou às suas células.

prosista. [De *prosa* + *-ista*.] *S. 2 g.* **1.** V. *prosador*. **2.** *Bras.* Aquele que conta lorotas; gracejador, palrador. ● *Adj. 2 g.* **3.** Que conta lorotas; gracejador, palrador.

▲**pros(o)-.** V. *prosop(o)-*.

prosobranquiado. [De *pros(o)-* + *branquiado*.] *Adj.* e *s. m. Zool.* Diz-se de, ou molusco cujas brânquias estão situadas à frente do coração. São gastrópodes, com concha típica, quase todos marinhos, e de sexos separados. Alguns conseguiram atingir as águas doces; outros, a terra.

prosobrânquio. *S. m.* e *adj.* Estreptoneuro.

prosobrânquios. *S. m. pl. Zool.* Estreptoneuros.

pró-socialista. [De *pró* + *socialista*.] *Adj. 2 g.* e *s. 2 g.* Que ou quem é favorável ao socialismo. [Pl.: *pró-socialistas*.]

prosódia. [Do gr. *prosodía*, 'acento que se põe sobre as vogais', pelo lat. *prosodia*.] *S. f.* **1.** Pronúncia regular das palavras, com a devida acentuação. **2.** A parte da gramática que estuda as pronúncias das palavras; ortoépia. ◆. **Prosódia musical.** *Mús.* Ajuste das palavras à música e vice-versa, a fim de que o encadeamento e a sucessão das sílabas fortes e fracas coincidam, respectivamente, com os tempos fortes e fracos dos compassos .

prosódico. [Do gr. *prosodikós*.] *Adj.* Relativo à prosódia.

prosonímia. *S. f.* Emprego de prosônimos.

prosonímico. *Adj.* Relativo à prosonímia.

prosônimo. [De *pros-* + *-ônimo*.] *S. m.* Cognome, alcunha, apodo.

prosonomásia. [Do gr. *prosonomasía*, 'sobrenome'.] *S. f. Ret.* Figura baseada na semelhança das vozes.

prosopalgia. [De *prosop(o)-* + *-alg(o)-* + *-ia*.] *S. f. Med.* Dor na face.

prosopálgico. *Adj.* Relativo à prosopalgia.

prosoplegia. [De *prosop(o)-* + *-pleg-* + *-ia*.] *S. f. Med.* V. *prosopoplegia*.

prosoplégico. *Adj.* V. *prosopoplégico*.

▲**prosop(o)-.** [Do gr. *prósopon, ou*.] *El. comp.* = 'face', 'rosto': *prosopografia, prosopalgia.* [Equiv.: *-prosopo* e *pros(o)-*: *leptoprosopo; prosobranquiado*.]

▲**-prosopo.** V. *prosop(o)-*.

prosopografia. [De *prosop(o)-* + *-graf(o)-* + *-ia*.] *S. f.* **1.** Descrição das feições do rosto. **2.** Esboço de uma figura.

prosopográfico. *Adj.* Referente à prosopografia.

prosopopéia. [Do gr. *prosopopoiía* 'personificação', pelo lat. *prosopopoeia*.] *S. f.* **1.** *Ret.* Figura pela qual se dá vida e, pois, ação, movimento e voz, a coisas inanimadas, e se empresta voz a pessoas ausentes ou mortas e a animais; personificação, metagoge. **2.** *Fig.* Discurso empolado ou veemente. **3.** *Bras.*, *N. E. Pop.* Entono, vaidade.

prosopoplegia. [De *prosop(o)-* + *-pleg-* + *-ia*.] *S. f. Med.* Paralisia facial.

prosopoplégico. *Adj. Med.* Relativo à prosopoplegia.

prospecção. [Do ingl. *prospection*.] *S. f.* Método e/ou técnica empregada para localizar e calcular o valor econômico das jazidas minerais. ◆ **Prospecção geotécnica.** *Constr.* Conjunto de operações destinadas a determinar a natureza, a disposição, os acidentes e outras características de um terreno em que se vai realizar uma obra.

prospectar. [Do lat. *prospectare.*] *V. t. d.* Calcular o valor econômico de (jazida mineral), mediante prospecção. [Var.: *prospetar.*]

prospectivo. [Do lat. *prospectivu.*] *Adj.* **1.** Que faz ver adiante, ou ao longe. **2.** Concernente ao futuro: *crítica prospectiva; visão prospectiva.* [Var.: *prospetivo.*]

prospecto. [Do lat. *prospectu.*] *S. m.* **1.** Ato de ver de frente. **2.** Aspecto, vista. **3.** Pequeno impresso, em geral com ilustrações, e estampado em folha única, às vezes dobrada em sanfona (*prospecto desdobrável*), no qual se anuncia ou faz propaganda de qualquer coisa, ou que acompanha um aparelho ou produto, com instruções a respeito do uso. **4.** *Bibliogr.* Impresso com que se anuncia a publicação de um livro, e que se constitui, geralmente, de espécimes das respectivas páginas e estampas. **5.** Bula (3). [Var.: *prospeto.*] ♦ **Prospecto desdobrável.** V. *prospecto* (3).

prospector (ô). [Do ingl. *prospector.*] *S. m.* Indivíduo que conhece e indica terrenos metalíferos. [Var.: *prospetor.*]

prosperamente. [Do fem. de *próspero* + *-mente.*] *Adv.* De modo próspero; propiciamente, favoravelmente: "Porém já cinco sóis eram passados / Que dali nos partíramos, cortando / Os mares nunca doutrem navegados, / *Prosperamente* os ventos assoprando" (Luís de Camões, *Os Lusíadas*, V, 37).

prosperar. [Do lat. *prosperare.*] *V. int.* **1.** Tornar-se próspero ou afortunado; ter fortuna favorável; enriquecer: *Por sua boa visão de negócios, o industrial prosperou.* **2.** Ir em aumento; aumentar pouco a pouco; progredir: *Os lucros continuam prosperando.* **3.** Desenvolver-se, adiantar-se, medrar: *No Renascimento prosperaram e rebrilharam as artes.* **4.** Dar bom resultado; melhorar, desenvolver-se: *A indústria prospera a olhos vistos. T. i.* **5.** Correr bem; ser favorável: *Prosperando-lhe a sorte, alcançará seu objetivo.* **6.** Favorecer o progresso, o desenvolvimento: *A nova política econômica prosperou ao comércio. T. d.* **7.** Tornar próspero; melhorar: *Não raro o trabalho prospera a vida.* **8.** Fazer ir em aumento; fazer progredir: *Os negócios prosperam o capital. P.* **9.** Tornar-se próspero; progredir, desenvolver-se: *O país prosperou-se com a nova política econômica.* [Pres. ind.: *prospero*, etc. Cf. *próspero*, adj. e s. m., e o antr. *Próspero.*]

prosperidade. [Do lat. *prosperitate.*] *S. f.* **1.** Qualidade ou estado de próspero. **2.** Situação próspera.

próspero. [Do lat. *prosperu.*] *Adj.* **1.** Propício, favorável: *viajar com ventos prósperos.* **2.** Ditoso, feliz, venturoso. **3.** Bem-sucedido; afortunado: *empreendimento próspero.* [Superl. abs. sint.: *prospérrimo* e *prosperíssimo.*] ● *S. m.* **4.** Prosperidade. [Cf. *prospero*, do v. *prosperar.*]

prospérrimo. [Do lat. *prosperrimu.*] *Adj.* Superl. abs. sint. de *próspero*; prosperíssimo: "E a terra a cada passo / Eu a via *prospérrima* a sorrir-me, / Com uma flor nova e um fruto no regaço!" (Alberto de Oliveira, *Poesias*, 3ª série, p. 283.)

prosperíssimo. *Adj.* Superl. abs. sint. de *próspero*; prospérrimo.

prospetar. *V. t. d.* Var. de *prospectar.*

prospetivo. *Adj.* Var. de *prospectivo.*

prospeto. *S. m.* V. *prospecto.*

prospetor (ô). *S. m.* Var. de *prospector.*

prossecução. [Do lat. *prosecutione.*] *S. f.* V. *prosseguimento.*

prosseguição. *S. f.* V. *prosseguimento.*

prosseguidor (ô). *Adj.* e *s. m.* Que ou aquele que prossegue.

prosseguimento. *S. m.* Ato ou efeito de prosseguir; prossecução, prosseguição, continuação.

prosseguir. [Do lat. *prosequere, por *prosequi.*] *V. t. d.* **1.** Fazer seguir; dar seguimento a; continuar: *Amanhã prosseguirão o trabalho;* "O escrivão, entretanto, *prosseguia* a sua leitura, enchendo a sala do ruído monótono da sua voz rouquenha." (José Veríssimo, *Cenas da Vida Amazônica*, p. 140). **2.** Falar ou dizer em seguida: *Depois de afirmar que desejava muitas coisas para os seus, prosseguiu: — Para mim nada quero.* **3.** Continuar por (um caminho); seguir: *Os romeiros prosseguiram a estrada.* **4.** Continuar a improvisar ou a ler: *O orador, depois dos aplausos, prosseguiu o discurso. T. i.* **5.** Continuar a falar, a proceder, etc.: "O passageiro *prossegue* na leitura ou na conversação interrompida, se não vai simplesmente pensando na instabilidade das cousas desta vida." (Machado de Assis, *A Semana*, II, p. 174.) *Int.* **6.** Ir por diante; seguir avante. [Irreg. Conjug.: v. *seguir.*]

prossímio. *S. m.* **1.** Espécime dos prossímios. ● *Adj.* **2.** Pertencente ou relativo a eles.

prossímios. *S. m. pl. Zool.* Animais metazoários, cordados, mamíferos, eutérios, primatas, representados pelos lemuróides e tarsióides. Têm o segundo dedo dos membros posteriores com unha em forma de garra e polegar e hálux sempre bem desenvolvidos. São noturnos e arborícolas.

prostaférese. [Do gr. *prósthen*, 'adiante', + gr. *aphaíresis*, 'subtração'.] *S. f. Astr.* Diferença entre o movimento real e o movimento médio dum planeta.

prostaferético. *Adj.* Referente à prostaférese.

prostaglandina. *S. f. Fisiol.* Ácido graxo, de que existem várias espécies, presente no sêmen e no cérebro, e cuja função fisiológica não é bem conhecida.

próstase. [Do gr. *próstasis*, 'autoridade de chefe'.] *S. f. Obsol.* Predomínio de um humor sobre outro.

próstata. [Do gr. *prostátes*, 'que está adiante' (subentende-se *dos testículos*).] *S. f. Anat.* Glândula própria do sexo masculino, e que circunda o colo vesical e parte da uretra.

prostatalgia. [De *próstata* + *-alg(o)-* + *-ia.*] *S. f. Patol.* Dor na próstata.

prostatálgico. *Adj.* Relativo à prostatalgia.

prostatectomia. [De *próstata* + *-ectom-* + *-ia.*] *S. f. Cir.* Ablação da próstata, em extensão variável.

prostatectômico. *Adj.* Relativo à prostatectomia.

prostático. *Adj.* **1.** Relativo ou pertencente à, ou que sofre da próstata. ● *S. m.* **2.** Aquele que sofre da próstata.

prostatite. [De *próstata* + *-ite*[1].] *S. f. Patol.* Inflamação na próstata.

prostatítico. *Adj.* Referente à prostatite.

prostatotomia. [De *próstata* + *-tom(o)-* + *-ia.*] *S. f. Cir.* Incisão da próstata.

prostatotômico. *Adj.* Relativo à prostatotomia.

prosternação. *S. f.* Ato ou efeito de prosternar(-se); prosternamento.

prosternamento. *S. m.* Prosternação.

prosternar. [Do lat. *prosternare.*] *V. t. d.* **1.** Deitar por terra; prostrar: *prosternar os poderosos.* **2.** Deitar por terra em sinal de respeito ou admiração: *Os fiéis prosternaram os corpos, reverentes.* **3.** Abater, dominar, subjugar: *As cruzadas tentaram prosternar os infiéis. P.* **4.** Curvar-se até ao chão; procumbir: *Os vassalos prosternaram-se ante o rei;* "Segues, em triunfo, e tombo ao luar dos teus olhares, / Como um padre sem fé que, abjurando os altares, / De joelhos *se prosterne* ante um ídolo pagão!" (Alphonsus de Guimaraens, *Obra Completa*, p. 298). **5.** Mostrar humilde respeito: *O crente prosternou-se diante da visão.*

próstese. [Do gr. *prósthesis*, pelo lat. *prosthese.*] *S. f. Gram.* V. *prótese* (4).

prostibular. *Adj. 2 g.* Relativo a, ou próprio de prostíbulo.

prostibulário. *S. m.* Freqüentador de prostíbulos.

prostíbulo. [Do lat. *prostibulu.*] *S. m.* Lugar de prostituição. [Sin.: *alcoice, bordel, covil, curro, harém, lupanar, serralho, putaria, puteiro, putedo, açougue* e (bras.) *castelo, liceu, conventilho.* Cf. *casa de tolerância.*]

prostilo. [Do gr. *próstylon*, pelo lat. *prostylon.*] *S. m.* **1.** Fachada de um templo, com ornamentação de colunas. **2.** Templo ou edifício com uma só ordem de colunas na parte anterior.

prostituição (u-i). *S. f.* **1.** Ato ou efeito de prostituir(-se). **2.** Comércio habitual ou profissional do amor sexual. **3.** O conjunto das prostitutas. **4.** A vida das prostitutas. **5.** *P. ext.* Vida desregrada. **6.** Profanação, aviltamento.

prostituído. [Part. de *prostituir.*] *Adj.* V. *prostituto.*

prostituidor (u-i...ô). *Adj.* e *s. m.* Que ou aquele que prostitui.

prostituir. [Do lat. *prostituere*, 'expor, pôr à venda'.] *V. t. d.* **1.** Iniciar na vida de prostituta; entregar à devassidão; desmoralizar, corromper. **2.** *Fig.* Tornar vil ou degradante; degradar, aviltar, desonrar: *prostituir a justiça. T. d. e i.* **3.** Entregar, para que se prostitua: *O miserável prostituiu a filha adotiva a um milionário.* **4.** Expor publicamente: *As dançarinas prostituem o corpo aos olhos dos fregueses do cabaré. P.* **5.** Entregar-se à vida de pública devassidão; tornar-se prostituta. **6.** Produzir (o artista ou o cientista de capacidade) obra artística ou científica com o objetivo exclusivo de enriquecer, desprezando princípios, idéias, ou a qualidade do trabalho: *Muitos pintores de talento se prostituem, tornando-se verdadeiros comerciantes.* **7.** *Fig.* Desonrar-se, aviltar-se, praticando ações vergonhosas ou indecorosas; rebaixar-se: *A justiça não pode prostituir-se.* **8.** Deixar-se corromper por suborno de favores. [Conjug.: v. *atribuir.*]

prostituível. *Adj. 2 g.* Que se pode prostituir.

prostituta. [Do lat. *prostituta.*] *S. f.* V. *meretriz.*

prostituto. [Do lat. *prostitutu.*] *Adj.* Que se prostituiu; desonrado, aviltado, prostituído.

próstoma. [De *pro-*[1] + *-stoma.*] *S. m.* Pequeno orifício através do qual as formigas penetram no tronco das imbaúbas para aí estabelecerem uma colônia.

prostração. [Do lat. *prostratione.*] *S. f.* **1.** Ação ou efeito de prostrar(-se). **2.** Grande debilidade, resultante de doença ou cansaço; enfraquecimento, abatimento.

prostrado. [Part. de *prostrar.*] *Adj.* **1.** Lançado por terra; abatido, derribado. **2.** Desfalecido, enfraquecido. **3.** Abatido moralmente. **4.** *Morfol. Veg.* Situado sobre o solo: *ramo prostrado.*

prostrar. [Do lat. tardio *prostrare.*] *V. t. d.* **1.** Lançar por terra, abater, derribar, prosternar: *O lutador prostrou o adversário;* "Raios caíram com fragor enorme, *prostrando* cedros grandes, velhos de cem anos." (Inglês de Sousa, *Contos Amazônicos*, p. 84). **2.** Enfraquecer muito (física ou moralmente); extenuar: *A caminhada prostrou as tropas;* "E agora só lhes restava mendigarem, até que o frio, a fome, os *prostrassem* ... mortos" (Eça de Queirós, *Últimas Páginas*, p. 199). **3.** Dominar, submeter, subjugar: *Alexandre prostrou o Oriente;* "a alma só o procura [ao céu], só o contempla, quando a dor a *prostra*." (José de Alencar, *Til*, p. 18). *P.* **4.** Lançar-se de bruços no chão: *Os fiéis prostraram-se diante de Deus;* "A população gritava cheia de amor em volta de Lesseps, *prostrando-se* e beijando-lhe as mãos." (Eça de Queirós, *Notas Contemporâneas*, p. 25). **5.** Humilhar-se, abater-se, em sinal de reverência: *Milhões de súditos prostravam-se aos pés do grande rei persa.* **6.** Arquear-se, curvar-se: *Prostra-se o corpo com a velhice.*

protactínio. *S. m. Quím.* Elemento de número atômico 91, da família dos actinídeos, metálico, de difícil obtenção sob forma pura, sem aplicações diretas. [Símb.: *Pa.*]

protagonista. [Do gr. *protagnistés*, o principal 'ator', ou 'competidor'.] *S. 2 g.* **1.** O primeiro ator do drama grego. [Cf. *deuterogonista* e *tritagonista.*] **2.** *Teat.* e *Cin.* A personagem de uma peça teatral, de um filme, de um romance, etc. **3.** *Fig.* Pessoa que desempenha ou ocupa o primeiro lugar num acontecimento.

protagonizar. *V. t. d. Bras.* Ser protagonista (2) de (peça, filme).

protálico. *Adj. Morfol. Veg.* Relativo ou pertencente ao prótalo: *rizóide protálico.*

prótalo. [De *pro*[1] + *talo.*] *S. m. Morfol. Veg.* Planta minúscula ou rudimentar que, nas pteridófitas, nasce do esporo. É o *gametófito*, porque nela surgem os órgãos sexuais feminino e masculino; leva vida livre, por ter clorofila e por absorver, pelos rizóides, a solução mineral do solo, e, após a fecundação, dá origem à planta normal, o *esporófito.*

protândrico. [De *prot(o)-* + *-andr(o)-* + *-ico*[2].] *Adj. Morfol. Veg.* Diz-se da dicogamia na qual os órgãos sexuais masculinos se desenvolvem inteiramente antes dos femininos.

protanopsia. [De *prot(o)-* + *-an-* + *-op(s)(e)-* + *-ia.*] *S. f. Med.* Distúrbio de visão das cores caracterizado pela perda do mecanismo sensorial relativo ao vermelho e ao verde, e de seus derivados.

protargol. [Do ingl. *Protargol*, marca registrada.] *S. m. Farm.* Medicamento em que se encontram combinados albumina e prata. [Pl.: *protargóis.*]

prótase. [Do gr. *prótasis*, pelo lat. *protase.*] *S. f.* **1.** *Teat.* No antigo teatro grego, a primeira parte da ação dramática, na qual o argumento é anunciado e se inicia o seu desenvolvimento. [À prótase segue-se a *epítase* (q. v.) e a *catástase* (q. v.).] **2.** *P. ext.* Exposição do assunto de um drama. **3.** *Gram.* A primeira parte dum período gramatical. [Cf. *prótese* e, nessa acepç., *apódose.*]

protático. [Do gr. *protatikós*, pelo lat. *protaticu.*] *Adj.* Respeitante à prótase.

proteácea. *S. f.* Espécime das proteáceas.

proteáceas. *S. f. pl. Bot.* Família de plantas floríferas, da ordem das proteales, compostas de arbustos e árvores de folhas duras, flores hermafroditas ou unissexuais, com perigônio corolino, e androceu peculiarmente estruturado, sendo o fruto seco ou drupáceo. Há cerca de 1.200 espécies, a grande maioria da Austrália e África do Sul, tendo o Brasil algumas. As flores vistosas da grevílea são cultivadas nos jardins.

proteáceo. *Adj.* Pertencente ou relativo às proteáceas.

proteale. *S. f.* Espécime das proteales.

proteales. *S. f. pl. Bot.* Ordem de plantas dicotiledôneas aquiclamídeas que compreende unicamente a família das proteáceas.

protease. *S. f. Bioquím.* **1.** Qualquer enzima capaz de hidrolisar as proteínas e os peptídios. **2.** Mistura das enzimas do malte, ou do levedo, constituída por peptase, triptase e ereptase.

proteção. [Do lat. *protectione.*] *S. f.* **1.** Ato ou efeito de proteger(-se). **2.** Abrigo, resguardo. **3.** Dedicação pessoal àquilo ou àquele que dela precisa. **4.** Auxílio, amparo. **5.** Privilégio ou favor concedido ao exercício de certas indústrias. **6.** *Fam.* Aquele que protege. **7.** Modos ou ares de protetor. ♦ **Proteção catódica.** *Eng. Ind.* Anulação ou redução da atividade corrosiva sobre um equipamento ao torná-lo catódico, seja pelo uso de ânodos de sacrifício, seja aplicando-lhe corrente externa.

protecionismo. [Do fr. *protectionnisme.*] *S. m.* Sistema daqueles que pretendem conceder à indústria nacional o monopólio do mercado interno, onerando de taxas mais ou menos altas os produtos da indústria estrangeira. [Opõe-se a *livre-cambismo.*]

protecionista. [Do fr. *protectionniste.*] *Adj. 2 g.* **1.** Relativo ao, ou que é partidário do protecionismo. ● *S. 2 g.* **2.** Partidário dele. [Opõe-se a *livre-cambista.*]

protegedor (ô). *Adj.* e *s. m. P. us.* V. *protetor.*

proteger. [Do lat. *protegere.*] *V. t. d.* **1.** Dispensar proteção a; ajudar, auxiliar: *O orfanato* p r o t e g e *as crianças desamparadas.* **2.** Tomar a defesa de; apoiar: *O magnata* p r o t e g e u *o seu candidato à Câmara.* **3.** Preservar do mal; defender; socorrer: *A polícia* p r o t e g e *os habitantes da cidade.* **4.** Tratar de manter ou desenvolver; fomentar: *Novas leis* p r o t e g e m *a indústria nacional.* **5.** Ter a seu cuidado os interesses de; favorecer; beneficiar: *As leis não podem* p r o t e g e r *apenas parte dos habitantes. T. d. e i.* **6.** Resguardar, abrigar, amparar: *O alto muro* p r o t e g i a *o jardim contra os olhares curiosos;* "Os rochedos p r o t e g e m a pequena enseada dos ventos fortes." (James Amado, *Chamado do Mar,* p. 15); "Ao incluir o soneto na coletânea *Mes heures perdues,* Arvers [Félix Arvers] procurou resguardar ainda mais a pessoa amada, p r o - t e g e n d o -a da maledicência" (Melo Nóbrega, *O Soneto de Arvers,* p. 44). [Conjug.: v. *reger.*]

protegido. [Part. de *proteger.*] *Adj.* e *s. m.* **1.** Que ou aquele que recebe de alguém ou alguma coisa proteção especial. **2.** Valido, favorito.

protéico¹. [De *Protei,* gen. do lat. *Proteus* < gr. *Proteús,* divindade célebre por suas metamorfoses, + *-ico².*] *Adj.* **1.** Multiforme, polimorfo. **2.** *Med.* Diz-se de febre que se apresenta sob aspectos diversos.

protéico². [De *prote(ína)* + *-ico².*] *Adj.* Da proteína, relativo a ela, ou que é da natureza dela.

proteídeo. *S. m. Bioquím.* Substância presente nos seres vivos, capaz de engendrar, por hidrólise, os aminoácidos naturais.

proteído. *S. m.* **1.** Espécime dos proteídos. ● *Adj.* **2.** Pertencente ou relativo a eles. [Sin. ger.: *perenibrânquio.*]

proteídos. *S. m. pl. Zool.* Animais anfíbios, caudados, da ordem *Proteida,* aquáticos, de corpo achatado, desprovido de pálpebras, cauda com nadadeira, brânquias permanentes e arborescentes, e pulmões presentes. Não ocorrem no Brasil. [Sin.: *perenibrânquios.*]

proteiforme. [De *Protei* (v. *protéico*) + *-forme.*] *Adj. 2 g.* Que muda de forma com freqüência.

proteína. [Do gr. *proteía,* 'primazia', + *-ina¹.*] *S. f. Quím.* Classe de compostos orgânicos de carbono, nitrogênio, oxigênio e hidrogênio, que constituem o principal componente dos organismos vivos.

proteinase. [De *proteína* + *-ase.*] *S. f. Bioquím.* Enzima que atua na decomposição de proteínas.

proteinoterapia (e-i). [De *proteína* + *-o-* + *-terapia.*] *S. f. Terap.* Método de tratamento de doenças por meio de injeção de proteína estranha [v. *estranho* (2)].

proteinoterápico (e-i). *Adj.* Referente à proteinoterapia.

proteinuria (e-i). *S. f. Med.* Var. pros. de *proteinúria.*

proteinúria (e-i). [De *proteína* + *-ur(o)-* + *-ia.*] *S. f. Med.* presença de proteína na urina. [Var. pros.: *proteinuria.*]

proteinúrico (e-i). *Adj.* Relativo à proteinúria.

protelação. *S. f.* Ato ou efeito de protelar.

protelador (ô). *Adj.* e *s. m.* Que ou aquele que protela.

protelar. [Do lat. *protelare,* 'impelir para a frente com um aguilhão'.] *V. t. d.* Protrair, adiar, retardar, prorrogar, procrastinar: "Já não era possível p r o t e l a r uma resolução qualquer. Cada vez mais tornava-se insuportável aquela situação." (Nélio Reis, *O Rio Corre para o Mar,* p. 184); "Fazia muito tempo que minha mãe desejava mudar-se de Lavras. Meu pai .... p r o t e l a r a sempre a viagem" (Fran Martins, *Estrela do Pastor,* p. 8).

protelatório. *Adj.* Próprio para protelar.

protelável. *Adj. 2 g.* Que pode ou deve ser protelado; adiável.

protender. [De *pro-¹* + *tender.*] *V. t. d.* **1.** Estender para diante. **2.** Pôr (arma) em riste. **3.** Efetuar a protensão em (concreto armado).

protendido. [Part. de *protender.*] *Adj.* **1.** Estendido para diante. **2.** Posto em riste. ~ V. *concreto* —. ● *S. m.* **3.** V. *concreto protendido.*

protensão. [Do lat. *protensione.*] *S. f.* **1.** Ato ou efeito de protender. **2.** *Constr.* Processo pelo qual se aplicam tensões prévias ao concreto.

proteocefalóideo. *S. m.* **1.** Espécime dos proteocefalóideos. ● *Adj.* **2.** Pertencente ou relativo a eles.

proteocefalóideos. *S. m. pl. Zool.* Animais platelmintos, cestóideos, da ordem *Proteocephaloidea,* que têm o escólex com quatro ventosas laterais e uma ventosa ou órgão glandular terminal. São parasitos de peixes de água doce, anfíbios e reptis.

proteólise. [De *prote(ína)* + *-o-* + *-lise.*] *S. f. Bioquím.* Decomposição dos protídeos em compostos mais simples.

proteolítico. *Adj. Bioquím.* Diz-se de substâncias capazes de decompor os proteídeos nos seus constituintes.

proteomixo (cs). *S. m.* **1.** Espécime dos proteomixos. ● *Adj.* **2.** Pertencente ou relativo a eles.

proteomixos (cs). *S. m. pl. Zool.* Animais protozoários, rizópodes, da ordem *Proteomyxa,* em cujo corpo há prolongamentos protoplasmáticos radiados e ramificados, com tendência a anastomosarem-se.

proterandria. [De *proter(o)-* + *-andr(o)-* + *-ia.*] *S. f. Bot.* Amadurecimento do pólen antes de o estigma estar apto a recebê-lo, por se achar o gineceu ainda imaturo, mecanismo este com que a natureza evita a autofecundação.

proterandro. [De *proter(o)-* + *-andro.*] *Adj. Bot.* Que apresenta proterandria: *composta* p r o t e r a n d r a.

proterânteo. [De *proter(o)-* + *-ant(o)-* + *-eo.*] *Adj. Morfol. Veg.* Diz-se das plantas cujas flores se desenvolvem antes das folhas.

▲**proter(o)-.** [Do gr. *próteros, a, on.*] *El. comp.* = 'primeiro de dois', 'antes', 'dianteiro': *proteróglifa, proterozóico, proterânteo.*

proteroginia. [De *proter(o)* + *-gin(o)-* + *-ia.*] *S. f. Bot.* Amadurecimento do gineceu antes de estar maduro o pólen, pelo quê não pode haver autofecundação.

proterogínico. *Adj.* Referente à proteroginia.

proterógino. *Adj. Bot.* Que apresenta proteroginia.

proteróglifa. [De *proter(o)-* + gr. *glyphe,* 'incisão'.] *S. f.* Serpente cujos dentes superiores dianteiros são grandes e sulcados para deixar que escorra a peçonha.

proteróglifo. *S. m.* **1.** Espécime dos proteróglifos. ● *Adj.* **2.** Pertencente ou relativo a eles.

proteróglifos. *S. m. pl. Zool.* Animais cordados, reptis, ofídios, da série *Proteroglypha,* com um ou mais pares de presas ou dentes inoculadores de peçonha, curtos, eretos, sulcados ou canaliculados, situados na porção anterior dos maxilares superiores.

proterozóico. [De *proter(o)-* + *-zo(o)-* + *-ico².*] *Adj.* e *s. m.* ~ V. *era* —*a.*

protérvia. [Do lat. *protervia.*] *S. f.* Qualidade ou ação de protervo.

protervo. [Do lat. *protervu.*] *Adj.* Impudente, petulante, insolente, descarado: "Perderei já agora mais algumas [horas] em falar de um idiota p r o t e r v o e malcriado." (Antônio Feliciano de Castilho, *Ou Eu ou Eles,* p. 41.)

prótese. [Do gr. *próthesis,* pelo lat. *prothese.*] *S. f.* **1.** *Cir.* Substituto artificial de uma parte ou perdida acidentalmente (p. ex., dente, braço), ou retirada de modo intencional (p. ex., artéria), ou que, permanecendo no corpo, é de muito pouca ou nenhuma utilidade e pode produzir dano (p. ex., artéria). **2.** Qualquer aparelho que auxilie ou aumente uma função natural (como, p. ex., a da audição ou da visão). **3.** *Gram.* Aumento de uma letra ou sílaba no princípio duma palavra sem que se lhe altere o sentido. Ex.: *alagoa, por lagoa; arruído,* em vez de *ruído.* **4.** *Mús.* V. *anacruse.* [Cf. *prótase.*]

protestação. [Do lat. *protestatione.*] *S. f.* Ato ou efeito de protestar; protesto.

protestante. [Do lat. *protestante.*] *Adj. 2 g.* **1.** Que protesta. **2.** Relativo ao, ou próprio do protestantismo. **3.** Diz-se de partidários da Reforma que protestaram contra a decisão da Dieta de Espira (1529). **4.** Diz-se de membros de seitas não católicas da religião cristã, com exceção dos ortodoxos [v. *ortodoxo* (5)]. ● *S. 2 g.* **5.** Partidário da Reforma. **6.** *P. ext.* Indivíduo protestante (4). [Cf. *huguenote.* Sin., bras., pop.: *crente, evangelista, nova-seita, missa-seca, bíblia, bode, come-santo, frei-bode.*]

protestantismo. *S. m.* **1.** A religião dos protestantes. **2.** O conjunto dos protestantes.

protestantizar. *V. t. d.* e *p. P. us.* Converter(-se) ao protestantismo.

protestar. [Do lat. *protestare.*] *V. t. d.* **1.** Comprometer-se solenemente a; afirmar solenemente: *Os soldados* p r o t e s t a r a m *morrer pela Pátria.* **2.** Obrigar-se verbalmente ou por escrito a; afirmar a intenção de; prometer: *Os faltosos* p r o t e s t a r a m *não repetir o erro.* **3.** Declarar publicamente; professar, jurar: *Os cidadãos* p r o t e s t a r a m *respeito e obediência;* "Tu dizes que eu sempre minto, / Que p r o t e s t o o que não sinto" (Casimiro de Abreu, *Obras,* p. 151). **4.** Mandar a protesto (4): p r o t e s t a r *uma promissória, uma duplicata. T. d. e i.* **5.** Assegurar, afirmar, solenemente; prometer: *O menino* p r o t e s t o u *ao mestre que estudaria mais.* **6.** Avisar formalmente: *O governo* p r o t e s - t o u *ao povo as diretrizes políticas do novo ministério.* **7.** Declarar publicamente; professar, testemunhar, jurar, render: *O hipócrita* p r o t e s t a *amizade a todos;* "P r o - t e s t a n d o a minha gratidão aos ilustres professores desta Casa, peço-lhes vênia para que as minhas palavras sejam especialmente dirigidas aos alunos." (Olavo Bilac, *Últimas Conferências e Discursos,* p. 212). *T. i.* **8.** Levantar-se, insurgir-se, rebelar-se: "Sempre p r o t e s - t e i contra violências e estreitezas, viessem elas donde viessem." (Antônio Sérgio, *Cartas do Terceiro Homem,* p. 73.) **9.** Queixar-se em voz alta; clamar, bradar: *Os sofredores* p r o t e s t a m *por justiça;* "É então que .... uma voz bem-intencionada se levanta, corajosamente, para p r o t e s t a r contra desvarios e apontar ao rei o caminho estreito, mas honrado, do dever." (Antero de Figueiredo, *Leonor Teles,* p. 69.) *Int.* **10.** Insurgir-se contra uma injustiça ou ilegalidade: *Os jovens sentiram-se prejudicados e* p r o t e s t a r a m.

protestativo. [Do lat. *protestatu,* part. pass. de *protestare,* 'protestar', + *-ivo.*] *Adj.* Que protesta.

protestatório. [Do lat. *protestatu,* part. pass. de *protestare,* 'protestar', + *-ório.*] *Adj.* Que envolve ou significa protesto; que serve para protestar.

protesto. [Dev. de *protestar.*] *S. m.* **1.** Protestação. **2.** Desígnio ou resolução inabalável. **3.** Reclamação, queixa. **4.** Ato jurídico formal, praticado por oficial público, e com o qual se prova ter sido um título de crédito apresentado ao sacado, emitente, endossadores ou avalistas, para pagamento (ou ao aceitante, para o aceite), e se certifica a falta de pagamento (ou de aceite), constituindo o devedor em mora e assegurando ao credor o exercício do direito regressivo contra os co-obrigados. [V. *aceite¹* (2) e *mora* (3).] ♦ **Protesto formado a bordo.** *Jur.* Comprovação escrita e formal de sinistros, avarias e perdas sofridas por uma embarcação ou por sua carga, e que, em casos fortuitos ou de força maior, visa a isentar de responsabilidade o capitão do navio; protesto marítimo. **Protesto marítimo.** *Bras. Jur.* Protesto formado a bordo.

protético. [Do gr. *prothetikós.*] *Adj.* **1.** Referente à prótese. **2.** Em que há prótese. **3.** *Mús.* V. *anacrústico.* ~ V. *charada* —*a.* ● *S. m.* **4.** *Bras.* Aquele que se dedica exclusivamente à prótese dentária.

protetor (ô). [Do lat. *protectore.*] *Adj.* **1.** Que protege. ● *S. m.* **2.** Aquele ou aquilo que protege. **3.** V. *padroeiro* (2). [Sin. ger., p. us.: *protegedor.*]

protetorado. [De *protetor* + *-ado².*] *S. m.* **1.** Situação dum Estado posto sob a autoridade de outro, particularmente no tocante à política externa. **2.** O Estado posto nessa situação.

protetoral. *Adj. 2 g.* Relativo ou pertencente a protetorado ou a protetor.

protetório. [De *protetor* + *-io²*; o lat. *protectoriu* significa 'relativo aos satélites'.] *Adj.* **1.** Relativo a protetor. **2.** Que protege.

proteu. [Do mit. *Proteu,* entidade famosa pelas suas metamorfoses.] *S. m.* Aquele que muda facilmente de opinião ou de sistema.

protídeo. *S. m. Bioquím.* Designação genérica dos peptídios e dos proteídeos, outrora denominados *albuminas.*

protipográfico. [De *pro-¹* + *tipográfico.*] *Adj.* Anterior à invenção da tipografia; pré-tipográfico. [Cf. *prototipográfico.*]

protista. [Do gr. *prótistos,* 'o primeiro de todos'.] *S. m. Biol.* Organismo unicelular, tanto animal quanto vegetal.

protistologia. [De *protista* + *-o-* + *-log(o)-* + *-ia.*] *S. f.* Parte da biologia que trata dos protistas.

protistológico. *Adj.* Referente à protistologia.

proto¹. [Do al. *Brot.,* 'pão'.] *S. m. Bras., RS.* Pão de milho e centeio. [Cf. *brote* e *próton*.]

proto[2]. *S. m. Fís. Nucl.* V. *próton*.

▲prot(o)-. [Do gr. *prôtos, e, on*.] *El. comp.* = 'primeiro': *protofonia, proto-história: protozoário, protóxido.*

proto-actínio. *S. m. Quím.* V. *protactínio*. [Pl.: *proto-actínios*.]

protobrânquio. [De *prot(o)-* + *-brânquio*.] *S. m.* **1.** Espécime dos protobrânquios. ● *Adj.* **2.** Pertencente ou relativo a eles.

protobrânquios. *S. m. pl. Zool.* Animais moluscos, pelecípodes, da ordem *Protobranchia*, com um eixo central nas brânquias, provido de duas fileiras divergentes de filamentos curtos, e o pé achatado ventralmente.

protocolar[1]. [De *protocolo* + *-ar*[1].] *Adj. 2 g.* **1.** Relativo ao protocolo. **2.** Em conformidade com o protocolo. **3.** Que se atém ou parece ater-se ao protocolo (7), ou ditado ou como que ditado por ele; cerimonioso, formal, convencional: "— Como você sabe, o Conde de Ficalho era uma criatura reservada, glacial, p r o t o c o l a r, pouco comunicativa" (Júlio Dantas, *Abelhas Doiradas*, pp. 146-147); "Juvenal mantinha com os dois relações frias, p r o t o c o l a r e s" (Nélson de Faria, *Cabeça-Torta*, p. 98).

protocolar[2]. [De *protocolo* + *-ar*[2].] *V. t. d. Bras.* Protocolizar.

protocolizar. [De *protocolo* + *-izar*.] *V. t. d.* Registrar ou inscrever no protocolo (1 e 2): *O funcionário p r o t o c o l i z o u os requerimentos.* [Sin., bras.: *protocolar*.]

protocolo. [Do gr. *protókollon*, 'primeira folha colada aos rolos de papiro, e na qual se escrevia um resumo do conteúdo do manuscrito', pelo lat. medieval *protocollum* e pelo fr. *protocole*.] *S. m.* **1.** Registro dos atos públicos. **2.** Registro das audiências nos tribunais. **3.** Registro de uma conferência ou deliberação diplomática. **4.** Formulário regulador de atos públicos. **5.** Convenção internacional. **6.** Livro de registro da correspondência de uma firma, repartição pública, etc. **7.** *Bras.* Cartão ou papeleta em que se anotam a data e o número de ordem com que foi registrado no livro de protocolo (6) um requerimento, e que serve como recibo. **8.** *Fig.* Formalidade, etiqueta, cerimonial.

protocordado. [De *prot(o)-* + *cordado*.] *S. m.* **1.** Espécime dos protocordados. **2.** V. *acrânio* (3). ● *Adj.* **3.** Pertencente ou relativo aos protocordados. **4.** V. *acrânio* (2). [Sin. ger.: *procordado*.]

protocordados. *S. m. pl. Zool.* **1.** Subfilo de animais metazoários, cordados, que se caracterizam pelo fato de a corda dorsal, ou notocórdio, persistir após o nascimento, só em alguns casos, como na classe dos urocórdios, desaparecendo no adulto. Ex.: o anfioxo. **2.** V. *acrânios*. [Sin. ger.: *procordados*.]

protocormo. *S. m. Morfol. Veg.* **1.** Corpo tuberoso procedente da germinação dos esporos das licopodíneas. **2.** Corpo semelhante oriundo da germinação das sementes das orquídeas, e que se fixa ao substrato por meio de rizóides e, posteriormente, emite o ramo primário.

protofílico. [De *prot(o)-* + *-fil(o)-*[1] + *-ico*[2].] *Adj.* ~ V. *solvente* —.

protofilo. [De *prot(o)-* + *-filo*[1].] *S. m. Morfol. Veg.* Folha juvenil que se forma no início do desenvolvimento de muitas plantas, e cujo feitio é diferente do da folha da fase adulta. Ex.: muitas leguminosas cujas folhas são compostas começam com folhas simples; no eucalipto, as primeiras folhas são bem diversas das subseqüentes.

protófito. [Do gr. *protóphytos*, 'nascido primeiro'.] *S. m. P. us.* Designação comum a vegetais primitivos, de organização extremamente simples.

protofloema. [De *prot(o)-* + *floema*.] *S. m. Anat. Veg.* O conjunto dos primeiros elementos condutores do líber, que se formam nos primórdios da estrutura primária.

protofonia. [De *prot(o)-* + *-fon(o)-* + *-ia*.] *S. f. Bras.* Introdução orquestral de qualquer obra lírica: "Para celebrar as glórias da Cidade de Santos, eu desejava não escrever um discurso, ... mas entoar um hino heróico, uma sonata patética, p r o t o f o n i a apaixonada, canto coral" (Martins Fontes, *Terras da Fantasia*, p. 271); *a p r o t o f o n i a de O Guarani, de Carlos Gomes.* [Cf. *abertura* (11).]

protofônico. *Adj.* Relativo a protofonia.

protogaláxia (cs). [De *prot(o)-* + *galáxia*.] *S. f. Cosm.* Matéria cósmica que, pelas suas características físicas, pode transformar-se em uma galáxia.

protogaláctico. [De *prot(o)-* + *galáctico*.] *Adj.* Referente a protogaláxia.

protogênico. [De *prot(o)-* + *(hidro)gên(io)* + *-ico*[2].] *Adj.* ~ V. *solvente* —.

protogínico. [De *prot(o)-* + *-gin(e)-* + *-ico*[2].] *Adj.* ~V. *flor* —*a*.

proto-história. [De *prot(o)-* + *história*.] *S. f.* A história primitiva; os primeiros tempos históricos. [Pl.: *proto-histórias*.]

proto-histórico. *Adj.* Referente à proto-história. [Pl.: *proto-históricos*.]

protomártir. [Do gr. *protómartyr*.] *S. m.* **1.** O primeiro mártir, entre os de uma religião ou de um ideal político. **2.** Designação especial de Santo Estêvão. **3.** *Bras.* Antonomásia de Tiradentes. [Pl.: *protomártires*.]

protomecóptero. *S. m.* **1.** Espécime dos protomecópteros. ● *Adj.* **2.** Pertencente ou relativo a eles.

protomecópteros. *S. m. pl. Zool.* Insetos da ordem dos mecópteros, da subordem *Protomecoptera*. O macho é provido de terminália relativamente simples, com gonocóxitos finos.

protomedicato. [De *protomédico* + *-ato*[1].] *S. m.* **1.** Antiga junta de médicos que fazia inspeções sanitárias, fiscalizava as boticas, etc. **2.** Cargo de protomédico.

protomédico. [De *prot(o)-* + *médico*[1].] *S. m.* Na Idade Média, o médico principal dum rei, dum príncipe, duma associação, etc.

protominério. [De *prot(o)-* + *minério*.] *S. m.* Minério de baixo teor, sem valor econômico, e que, graças ao enriquecimento secundário na sua superfície, pode converter-se em minério econômico.

protomonadino. *S. m.* **1.** Espécime dos protomonadinos. ● *Adj.* **2.** Pertencente ou relativo a eles.

protomonadinos. *S. m. pl. Zool.* Animais protozoários, zoomastiginos, da ordem *Protomonadina*, de corpo amebóide ou plástico, provido de um ou dois flagelos, e que vivem na água doce, em fezes ou como parasitos. Do grupo fazem parte os tripanossomos e leishmânias.

próton. [Do gr. *prôton*, 'primeiro'.] *S. m. Fís. Nucl.* Núcleo estável, com número de massa unitário, spin um meio, estranheza nula, spin isobárico um meio, carga elétrica igual à do pósitron, e massa igual a 1,6723 x 10^{-24}g. [Símb.: *p*. Cf. *proto*[1].]

protonauta. [De *prot(o)-* + *nauta*.] *S. m.* **1.** O nauta principal. **2.** Aquele que primeiro navegou por certas paragens.

protonefrídio. *S. m.* Tubo excretor primitivo, formado por células providas de um cílio ou de um conjunto de cílios.

protonema. [De *prot(o)-* + *-nema*.] *S. m. Morfol. Veg.* Corpo, geralmente filamentoso e ramificado, que emerge do esporo em germinação nos musgos, parecido com uma alga verde, e forma gemas que constituirão a futura planta verde, normal, dita *gametófito*.

protonemertino. *S. m.* e *adj.* Anoplo.

protonemertinos. *S. m. pl. Zool.* Anoplos.

protonotariado. *S. m.* Cargo ou dignidade de protonotário.

protonotário. [Do lat. tardio *protonotariu*.] *S. m.* **1.** O primeiro notário, entre os romanos. **2.** Dignitário da Cúria Romana, que recebe e expede os atos dos consistórios: "monsenhor Gaume, p r o t o n o t á r i o apostólico" (Ramalho Ortigão, *As Farpas*, II, p. 152).

protopapa. [De *prot(o)-* + *papa*[1].] *S. m.* O primeiro papa.

protopatia. [Do gr. *protopátheia*.] *S. f. Med.* Doença primária, que independe de outra anterior.

protopático. *Adj.* Relativo à protopatia.

protoplaneta (ê). [De *prot(o)-* + *planeta*.] *S. m. Astr.* Matéria cósmica que, pelas suas características físicas, pode transformar-se em um planeta.

protoplasma. [De *prot(o)-* + *-plasma*.] *S. m. Zool.* e *Bot.* O conteúdo celular vivo, formado principalmente de citoplasma e núcleo.

protoplasmático. *Adj.* Protoplásmico.

protoplásmico. *Adj.* Relativo ao protoplasma; protoplasmático.

protoplasta. [De *prot(o)-* + *-plast-* + desin. *-a*.] *S. m. Citol.* Conteúdo plasmático da célula.

protorácico. *Adj.* Relativo ou pertencente ao protórax.

protórax (cs). [De *prot(o)-* + *tórax*.] *S. m. 2 n. Zool.* Segmento anterior do tórax dos insetos.

proto-revolução. [De *prot(o)-* + *revolução*.] *S. f.* **1.** Princípio de revolução. **2.** Primeira revolução; revolução primitiva. [Pl.: *proto-revoluções*.]

proto-revolucionário. [De *prot(o)-* + *revolucionário*.] *Adj.* **1.** Referente a proto-revolução. ● *S. m.* **2.** O primeiro revolucionário. [Pl.: *proto-revolucionários*.]

proto-satélite. [De *prot(o)-* + *satélite*.] *S. m. Astr.* Matéria cósmica que pelas suas características físicas pode transformar-se em um satélite de um planeta. [Pl.: *proto-satélites*.]

proto-solar. [De *prot(o)-* + *solar*.] *Adj. 2 g.* ~ V. *nebulosa* —.

protospôndilo. *S. m.* **1.** Espécime dos protospôndilos. ● *Adj.* **2.** Pertencente ou relativo a eles.

protospôndilos. *S. m. pl. Zool.* Animais da classe dos peixes, neopterígios, da ordem *Protospondyli*, de corpo com escamas rombicais ou com ciclóides, longa nadadeira dorsal baixa, e nadadeira caudal arredondada. Ocorrem na América do Norte.

protosseláquio. *S. m.* **1.** Espécime dos protosseláquios. ● *Adj.* **2.** Pertencente ou relativo a eles.

protosseláquios. *S. m. pl. Zool.* Animais metazoários, cordados, peixes, condrictes, pleurotremados, caracterizados por terem mais de cinco fendas branquiais e coluna vertebral inteiramente descalcificada.

protostélico. *Adj. Anat. Veg.* Relativo ou pertencente ao protostelo: *raiz p r o t o s t é l i c a*.

protostelo. [De *prot(o)-* + *estelo*.] *S. m. Anat. Veg.* Estelo primitivo, constituído de uma coluna maciça de lenho circundado por um cilindro de líber, por fora da qual há um endoderma, e que se encontra nas filicíneas atuais.

prototério. [De *prot(o)-* + *-tério*[1].] *S. m.* **1.** Espécime dos prototérios. ● *Adj.* **2.** Pertencente ou relativo a eles.

prototérios. *S. m. pl. Zool.* Mamíferos da subclasse *Prototheria*, aplacentários e ovíparos.

prototípico. *Adj.* Relativo a, ou que tem o caráter de protótipo.

protótipo. [Do gr. *protótypos*, pelo lat. *prototypu*.] *S. m.* **1.** Primeiro tipo ou exemplar; original, modelo: "Permanecessem, lá, durante um mês, o Cid e Baiardo, p r o t ó t i p o s da bravura e da altivez, e poderiam ser atrelados, cabisbaixos e mansos, ao carro do sultão Murad." (Humberto de Campos, *Memórias*, pp. 371-372.) **2.** *Tip.* Tipômetro (1).

prototipográfico. [De *prot(o)-* + *tipográfico*.] *Adj.* Relativo à origem ou aos primeiros tempos da tipografia. [Cf. *protipográfico*.]

prototrofia. [De *prot(o)-* + *-trof(o)-* + *-ia*.] *S. f. Genét.* Independência nutricional com relação a determinado nutriente, como, p. ex., vitamina e aminoácido.

prototrófico. *Adj. Genét.* Relativo à prototrofia, ou que a apresenta.

protóxido (cs). [De *prot(o)-* + *óxido*.] *S. m. Quím.* Óxido menos rico em oxigênio.

protoxilema. [De *prot(o)-* + *xilema*.] *S. m. Anat. Veg.* O primeiro lenho que se forma na ponta da raiz e do caule, no início da estrutura primária.

protoxilemático. *Adj. Anat. Veg.* Relativo ou pertencente ao protoxilema.

protozoário. [De *prot(o)-* + *-zoário-*.] *S. m.* **1.** Espécime dos protozoários. ● *Adj.* **2.** Pertencente ou relativo a eles. [Sin. ger.: *citozoário*.]

protozoários. [Pl. de *protozoário*.] *S. m. pl. Zool.* Animais unicelulares, que constituem um grande sub-reino, *Protozoa*, em oposição ao outro sub-reino, em que se dividem os *Metazoa*, e no qual se reúnem os animais pluricelulares. Formam um filo do mesmo nome: *Protozoa*. Ex.: a ameba. [Sin.: *citozoários*.]

protozoologia. [De *prot(o)-* + *zoologia*.] *S. f.* Parte da zoologia que trata dos protozoários.

protozoológico. *Adj.* Respeitante à protozoologia.

protozoonose. [De *prot(o)-* + *zoonose*.] *S. f. Zool.* Doença causada por ação patogênica de animal protozoário; doença em que o agente etiológico é um animal protozoário. Ex.: *a doença de Chagas*.

protraimento (a-i). *S. m.* Ato ou efeito de protrair; delonga, adiamento.

protrair. [Do lat. *protrahere*.] *V. t. d.* **1.** Tirar para fora; retirar. **2.** Fazer ir à frente; salientar, ressaltar: *O soldado, em posição de continência, p r o t r a i o peito;* "Deixaram pender os braços, afastaram as cabeças, p r o t r a í r a m os ventres, curvando as pernas, fizeram estalar uma embigada artística, sonora, retumbante, que se ouviu longe." (Júlio Ribeiro, *A Carne, p. 100.)* **3.** Aumentar a duração de; alongar, prolongar, dilatar: *O medicamento não salvará a doente, mas protrairá sua vida.* **4.** Deixar para outro dia; adiar, procrastinar: "subida responsabilidade contrairiam aqueles que p r o t r a í s s e m a solução urgente e imediata das questões da fazenda com debates que podem lisonjear a arte, mas que não resolvem nem atenuam dificuldades." (Ramalho Ortigão, *Correio de Hoje*, I, p. 16). *P.* **5.** Sobressair, ressair, ressaltar, destacar-se: "Estertorava com a face tumefacta, com os tendões do pescoço retesados; os olhos p r o t r a í a m - s e das órbitas" (Júlio Ribeiro, *A Carne*, pp. 154-155). **6.** Procrastinar-se; prolongar-se, prorrogar-se: "Apagou-se para todo o sempre uma civilização efêmera, principiou uma decadência irremediável que s e p r o t r a i até aos nossos dias." (Oliveira Martins, *História da Civilização Ibérica*,

p. 142.) [Conjug.: v. *sair*.]

protraível. *Adj. 2 g.* Que se pode protrair.

protraqueado. *S. m.* e *adj.* Onicóforo.

protraqueados. *S. m. pl. Zool.* Onicóforos.

protrátil. [Do lat. *protractu*, part. pass. de *protrahere*, 'protrair', + *-il*.] *Adj. 2 g.* Que se pode protrair, ou alongar para a frente. [Pl.: *protráteis*. Antôn.: *retrátil*.]

protrusão. [De *protruso* + *-ão*[2].] *S. f. Hist. Nat.* Estado de um órgão que, por efeito do crescimento, normal ou anormal, se acha colocado na frente de outros órgãos que ele normalmente não ultrapassa.

protruso. [Do lat. *protrusu*, part. pass. de *protrudere*, 'impelir com força para diante'.] *Adj.* Relativo à protrusão.

protuberância. [De *protuberante*.] *S. f.* **1.** Eminência, saliência: "Este papel fora confiado a um latagão, oficial de carpinteiro, com os pulsos cabeludos e os nós dos dedos com umas protuberâncias calosas que pareciam castanhas piladas antigas." (Camilo Castelo Branco, *A Brasileira de Prazins*, p. 202.) **2.** Coisa saliente. **3.** *Astr.* Protuberância solar. ♦ **Protuberância anular.** *Anat.* V. *ponte* (6). **Protuberância eruptiva.** *Astr.* Protuberância solar de caráter violento. [Cf. *protuberância quiescente*.] **Protuberância quiescente.** *Astr.* Protuberância solar pouco ativa e de aspecto estável. [Cf. *protuberância eruptiva*.] **Protuberância solar.** *Astr.* Jacto de matéria solar lançada explosivamente da fotosfera, e que se eleva a milhares de quilômetros acima da superfície solar. [Tb. se diz apenas *protuberância*. Cf. *proeminência solar*.]

protuberante. [Do lat. *protuberante*.] *Adj. 2 g.* Que tem protuberância; saliente.

protuberar. [Do lat. *protuberare*.] *V. int.* Apresentar protuberância; ser protuberante.

proturo. *S. m.* **1.** Espécime dos proturos. ● *Adj.* **2.** Pertencente ou relativo a eles. [Sin. ger.: *mirientomado*.]

proturos. *S. m. pl. Zool.* Animais artrópodes, da classe dos insetos, apterigotos, da ordem *Protura*, ametabólicos, de comprimento variável entre 0,6 a 1,5 mm, com peças bucais entógnatas, e desprovidos de antenas e olhos compostos. Vivem em lugares úmidos, debaixo de folhas, madeira podre e musgos. [Sin.: *mirientomados*.]

protutela. [Do lat. *protutela*.] *S. f.* **1.** Cargo ou funções de protutor. **2.** O tempo de exercício das funções do protutor.

protutor (ô). [Do lat. *protutore*.] *S. m.* Aquele que exerce a tutela em vez do tutor, ou juntamente com ele e com o conselho da família.

proustiano (prus). *Adj.* **1.** Relativo ou pertencente ao escritor francês Marcel Proust (1871-1922), ou próprio dele. ● *S. m.* **2.** Grande admirador e/ou profundo conhecedor da sua obra.

proustita (prus). [Do antr. *Proust*, de J. L. Proust, químico francês (1754-1826), + *-ita*[3].] *S. f. Min.* Mineral trigonal avermelhado, de brilho adamantino, sulfarsenieto de prata.

prova. [Do lat. *proba*.] *S. f.* **1.** Aquilo que atesta a veracidade ou a autenticidade de alguma coisa; demonstração evidente: *São inequívocas as* provas *de sua responsabilidade; Deu-nos uma* prova *de seu virtuosismo ao piano.* **2.** Ato que atesta ou garante uma intenção, um sentimento; testemunho, garantia: *A fidelidade é uma* prova *de seu amor.* **3.** Processo pelo qual se verifica a exatidão de um cálculo. **4.** Ato de ingerir ou degustar certa porção de comida ou bebida a fim de verificar-lhe a qualidade, o sabor, a temperatura, o teor alcoólico, ou o estado. **5.** Experiência para se verificar se uma roupa que está sendo feita se ajusta bem ao corpo, ou se assentará bem. **6.** Concurso ou exame, ou qualquer das partes em que se dividem. **7.** Competição, porfia: *A* prova *de lançamento de dardo foi vencida pela concorrente carioca.* **8.** Experiência, ensaio: *O novo carro foi submetido a todas as* provas. **9.** V. *provação* (2). **10.** Ordálio. **11.** *Art. Gráf.* Impressão tirada de fôrma de qualquer espécie, para inspeção do trabalho e correção de erros e falhas. **12.** *Art. Gráf.* Exemplar de gravura. **13.** *Astron.* Veículo espacial, não tripulado, com finalidade específica, e que pode ter qualquer órbita — terrestre, solar ou lunar. **14.** *Fot.* A primeira revelação de um negativo. **15.** *Dir. Jud. Civ.* e *Pen.* Atividade realizada no processo com o fim de ministrar ao órgão judicial os elementos de convicção necessários ao julgamento: *O objeto da* prova *são os fatos.* **16.** *Dir. Jud. Civ.* e *Pen.* O resultado dessa atividade: *julgar segundo a* prova *dos autos.* **17.** *Dir. Jud. Civ.* e *Pen.* Cada um dos meios empregados para formar a convicção do julgador: prova *documental;* prova *testemunhal.* **18.** *Filos.* O que leva à admissão de uma afirmação ou da realidade de um fato. [Cf. *demonstração* (6), *dedução* (3 e 4) e *raciocínio* (4).] **19.** *Ret.* Parte do discurso em que o orador faz a prova. ♦ **Prova circunstancial.** A que se baseia em indícios. **Prova de artista.** Prova de gravura tirada pelo artista fora da série destinada ao público, e que contém anotações marginais, anuladas na tiragem definitiva. **Prova de autor.** *Tip.* Prova, geralmente de página, que se fornece ao autor, quando também a este cabe rever o trabalho. **Prova de carga.** *Constr.* Medição da resistência de solos ou de estruturas, realizada pela aplicação direta de cargas. **Prova de cores.** *Art. Gráf.* V. *prova progressiva*. **Prova de escova.** *Tip.* A que se tira golpeando com a escova de provas uma folha de papel umedecido estendida sobre composição entintada. **Prova de galé.** *Tip.* V. *prova de granel*. **Prova de granel.** *Tip.* A que se tira da composição ainda não paginada; prova de galé, prova de paquê, primeira prova, primeira tipográfica. **Prova de máquina.** *Tip.* A última prova entregue à revisão, depois de deitada a fôrma, para verificação, inclusive, da imposição e do preparo da prensa. **Prova de página.** *Tip.* A que se tira da composição já paginada. [V. *segunda página*.] **Prova de paquê.** *Tip.* V. *prova de granel*. **Prova de revezamento.** *Esport.* Prova de atletismo ou de natação, feita em equipe, e na qual cada um dos participantes realiza um trecho do percurso. [Tb. se diz apenas *revezamento*.] **Prova de uma operação.** *Mat.* Outra operação destinada a verificar a exatidão da primeira. **Prova dos noves.** *Arit.* Algoritmo para controlar operação aritmética elementar (soma, subtração, multiplicação, divisão), baseado na verificação de serem, os números envolvidos, congruentes em relação a nove. **Prova funcional.** *Med.* A que investiga determinada função orgânica, como, p. ex., prova funcional hepática, que investiga certa função do fígado. **Prova parcial.** Prova escolar que, em geral, se realizava ao fim de um semestre, e à qual, de ordinário, se atribuía maior valor. **Prova progressiva.** *Art. Gráf.* Cada uma das provas do conjunto que o gravador ou fotogravador fornece ao impressor, a fim de orientá-lo acerca de tonalidades e ordem da tiragem, em qualquer processo de impressão em cores. [Tb. se diz apenas *progressiva*. Sin.: *prova de cores*.] **Prova terapêutica.** *Med.* A que contribui para confirmar um diagnóstico, diante do bom êxito de medicação. **Prova raiada.** *Grav.* A que se estampa com a matriz raiada e indica o fim da tiragem. [V. *raiar*[2] (4).] **Primeira prova.** *Tip.* [V. *prova de granel*.] **Segunda prova.** *Tip.* A que se tira depois de emendada a primeira, sendo, em geral, uma prova de página. [Tb. se diz apenas *segunda*. Cf. *contraprova* (4).]

provação. [Do lat. *probatione*.] *S. f.* **1.** Ato ou efeito de provar. **2.** Situação aflitiva ou penosa; prova, provança, transe.

provado. [Part. de *provar*.] *Adj.* **1.** Demonstrado com provas: *Teve participação* provada *no crime.* **2.** Que passou por provas; experimentado: *É um ás* provado *do volante.* **3.** Sabido, reconhecido, incontestável: *É pessoa de* provada *honestidade.* **4.** Que sofreu provação (2): *Levou uma vida de miséria: é uma alma* provada.

provador (ô). [Do lat. *probatore*.] *Adj.* e *s. m.* Que ou aquele que prova.

provadura. [De *provar* + *-(d)ura*.] *S. f.* **1.** Ato de provar (7). **2.** A porção de líquido que serve para verificar a qualidade desse.

provança. [De *provar* + *-ança*.] *S. f.* V. *provação* (2): "estes momentos em que somos iluminados pelo sol da vida celestial passam rápidos: o espírito cai logo dentro dos limites da sua existência de provança e desterro" (Alexandre Herculano, *Lendas e Narrativas*, II, p. 221).

provar. [Do lat. *probare*.] *V. t. d.* **1.** Estabelecer a verdade, a realidade de; dar prova irrefutável de: *Cabe à promotoria* provar *a culpabilidade do réu.* **2.** Tornar evidente; demonstrar, patentear, testemunhar, justificar, comprovar: *As vestes rotas* provavam *a miséria do pobre homem.* **3.** Submeter a prova; experimentar, ensaiar: *A própria vida* prova *a capacidade de cada homem; Vão* provar *o mecanismo.* **4.** Fazer conhecer; revelar, mostrar, denotar: Provou *sua bravura quando defendeu o irmão.* **5.** Empregar meios para conseguir; esforçar-se, diligenciar, por; tentar, procurar: Provou *de todos os meios para alcançar o seu objetivo.* **6.** Ser atormentado, afligido, martirizado, por; sofrer, suportar, padecer: *Esta criança* provou *fome e miséria.* **7.** Comer ou beber pequena porção de (qualquer coisa) para verificar-lhe a qualidade, o sabor ou o estado. **8.** Experimentar, vestindo: provar *uma roupa.* **9.** Experimentar, sofrendo: *Muitos* provaram *a morte na defesa da pátria.* *T. d.* e *i.* **10.** Estabelecer a verdade ou realidade; dar a prova ou a demonstração: *O réu* provou *aos jurados que era inocente.* **11.** Testemunhar, demonstrar, patentear: *Sua constante presença* provou *a todos a dedicação de que é capaz.* *T. i.* **12.** Comer ou beber pequena porção de qualquer coisa para verificar-lhe a qualidade, o sabor ou o estado: "Bebeste o primeiro trago do vinho; provaste uma vez do fruto proibido." (José de Alencar, *Lucíola*, p. 85.) *Int.* **13.** Exercer ou aplicar o sentido do paladar: "Prova. Olha. Toca. Cheira. Escuta. / Cada sentido é um dom divino." (Manuel Bandeira, *Estrela da Vida Inteira*, p. 20.) [Pres. subj.: *prove, proves, prove, provemos, proveis, provem*. Cf. *provém* e *provêm*, do v. *provir*.]

provará. [Da 3ª pess. sing. do fut. ind. do v. *provar*.] *S. m. Jur.* Cada um dos artigos dum libelo ou dum requerimento judicial.

provativo. *Adj.* Que prova; provador.

provatório. *Adj.* Var. de *probatório* [q. v.].

provável. [Do lat. *probabile*.] *Adj. 2 g.* **1.** Que se pode provar. **2.** Que apresenta probabilidades de acontecer: *É* provável *que jante comigo hoje.* **3.** Que tem aparências de verdadeiro; verossímil: *É mais do que* provável *a data do descobrimento do Brasil: 22 de abril de 1500;* "Vive [a pedra]? É possível. Morre? É provável." (Hermes-Fontes, *Gênese*, p. 34). [Superl. abs. sint.: *probabilíssimo*.] ~ V. *afastamento — e valor mais —*.

prove. *Adj. 2 g.* e *s. 2 g. Ant.* e *pop.* Pobre.

provecto. [Do lat. *provectu*.] *Adj.* **1.** Que tem progredido; adiantado: provecto *nos estudos;* "Respondeu a menina, não como menina, mas como já muito provecta em desenganos, e cortada de experiências." (Pe Manuel Bernardes, *Os Últimos Fins do Homem*, p. 153.) **2.** Avançado em anos: *varão* provecto **3.** Avançado, adiantado (idade): "Estas águas correram de várias fontes .... Se as reúno, é para que tenham um estuário; e esse estuário, ai de mim! representa o fim das coisas em que me deixei consumir até a idade provecta." (Costa Rego, *Águas Passadas*, p. V.) **4.** *Fig.* Muito sabedor; experimentado: "Sanches teve louvor; Mânlio, louvor; Cruz, louvor também, graças à especialidade de cartilha, em que era provecto" (Raul Pompéia, *O Ateneu*, p. 168).

provedor. (ô). *S. m.* **1.** Aquele que provê. **2.** O dirigente ou o chefe de certos estabelecimentos pios.

provedoria. *S. f.* Cargo, jurisdição ou repartição do provedor.

proveito. [Do lat. *profectu*.] *S. m.* **1.** Ganho, lucro, interesse, provento: *Seus negócios têm-lhe dado grandes* proveitos. **2.** Utilidade, vantagem, benefício: *Tirou pouco* proveito *de sua estada na Europa.* ♦ **Não caberem dois proveitos num só saco.** Ser impossível auferir duas vantagens ao mesmo tempo.

proveitoso (ô). *Adj.* Que dá proveito; que convém; profícuo; útil.

provençal. *Adj. 2 g.* **1.** De, ou pertencente ou relativo à Provença (França). **2.** Diz-se do tecido de estamparia miúda e em geral com fundo preto ou azul-marinho. ~V. *flauta —* ● *S. 2 g.* **3.** Natural ou habitante da Provença. *S. m.* **4.** Língua românica falada no S. da França desde fins do séc. XI, e que, em sua forma literária, serviu de expressivo instrumento para os trovadores. [A começar do séc. XIV foi, pouco a pouco, sendo substituída pelo francês, permanecendo, no entanto, através de seus muitos dialetos.]

provençalesco (ê). *Adj.* Relativo à poesia ou aos poetas provençais.

provençalismo. *S. m.* **1.** Influência da literatura provençal. **2.** Escola dos poetas provençais.

provençalista. *S. 2 g.* Pessoa versada na língua e literatura provençais.

proveniência. [De *proveniente*.] *S. f.* **1.** Lugar de onde alguma coisa provém: procedência: *artigo de* proveniência *espanhola.* **2.** Fonte, procedência, origem: *Preso, não conseguiu explicar a* proveniência *de sua fortuna.*

proveniente. [Do lat. *proveniente*.] *Adj. 2 g.* Que provém; oriundo, procedente. [Cf. *preveniente*.]

provento. [Do lat. *proventu*.] *S. m.* **1.** Proveito, rendimento, lucro: "E evidentemente o digno homem revendia as minhas preciosidades com gordo provento — porque bem depressa, sobre o seu colete de veludo preto, rebrilhou uma corrente d'ouro." (Eça de Queirós, *A Relíquia*, p. 391.) ● *S. m. pl.* **2.** Honorários (1): *os* proventos *de um advogado.* [Cf. *provento*.]

prover. [Do lat. *providere*.] *V. t. d.* **1.** Tomar providências acerca de; regular, ordenar, dispor, providenciar: *O procurador* proverá *tudo, evitando-nos problemas.* **2.** Despachar ou nomear alguém para (cargo ou função vaga): *O governo* proveu *ontem a vaga ministerial.* **3.**

Nomear para cargo ou função vaga: *O governador proveu diversos parentes.* **4.** *Jur.* Receber e deferir (um recurso). *T. d. e i.* **5.** Fornecer, abastecer, munir: *As colônias americanas proveram a Europa de açúcar.* **6.** Dotar, prendar: *A natureza provê os homens de inteligência.* **7.** Nomear, promover, investir: *Os reis proviam os bispos em suas funções:* "repreendeu-lhe particularmente os vícios da carnalidade e da ambição desenfreada; mas proveu-o logo no governo de Diu" (Camilo Castelo Branco, *História e Sentimentalismo,* p. 93). **8.** Preencher por nomeação ou despacho: *Proveu a função em um de seus filhos. Int.* **9.** Tomar providências. *T. i.* **10.** Correr, acudir, atender, remediar, providenciar: *O dinheiro proverá às despesas. P.* **11.** Munir-se, abastecer-se: *prover-se de dinheiro, de alimentos.* [Salvo o pret. perf. e o m.-q.-perf. ind., o imperf. subj. e o part., que são regulares, conjuga-se pelo v. *ver,* de que é composto.]

proverbial. [Do lat. *proverbiale.*] *Adj. 2 g.* **1.** Relativo a provérbio. **2.** Que tem a natureza de provérbio: *citação proverbial.* **3.** *Fig.* Sabido, notório, conhecido: *É proverbial a pontualidade britânica.*

proverbializar. *V. t. d. e p.* **1.** Tornar(-se) proverbial. **2.** Reduzir(-se) a, ou transformar(-se) em provérbio.

proverbiar. *V. int.* Usar provérbios. [Pres. ind.: *proverbio,* etc. Cf. *provérbio.*]

provérbio. [Do lat. *proverbiu.*] *S. m.* **1.** Máxima ou sentença de caráter prático e popular, comum a todo um grupo social, expressa em forma sucinta e geralmente rica em imagens; adágio, ditado, anexim, exemplo, refrão, refrém, rifão. Ex.: "Casa de ferreiro, espeto de pau"; "Quanto maior a nau, maior a tormenta". **2.** *Teat.* Peça curta, em geral de um só ato, que tem por tema o desenvolvimento de um provérbio. **3.** *Jog. Inf.* Jogo de salão, em que um participante se afasta enquanto os outros combinam em segredo o provérbio a adivinhar, e, na volta, faz uma pergunta a cada companheiro, cabendo a este encaixar na resposta a palavra do provérbio que lhe coube na distribuição geral. [Às vezes, em lugar de perguntas e respostas, os participantes dramatizam o provérbio todo (ou as suas partes) a fim de que o companheiro possa descobri-lo]. [Cf. *proverbio,* do v. *proverbiar* e *prevérbio.*]

proveta (ê). [Do fr. *éprouvette.*] *S. f.* **1.** Tubo de vidro onde se fazem ensaios de pequenas quantidades de substâncias. **2.** Recipiente cilíndrico, ou cônico, graduado, para medição de líquidos ou recolhimento de gases. **3.** Pequeno tubo empregado para determinar o grau dos álcoois. [F. paral.: *provete.*]

provete. *S. f.* Proveta [q. v.]. [Cf. *provete* (ê).]

provete[1] (ê). [De *provar.*] *S. m. Pop.* Aerômetro. [Cf. *provete.*]

provete[2] (ê). [De *prova* + *-ete.*] *S. m.* Pequeno morteiro para experiências de pólvora. [Cf. *provete.*]

providência. [Do lat. *providentia.*] *S. f.* **1.** A suprema sabedoria com que Deus conduz todas as coisas. **2.** *P. ext.* O próprio Deus. **3.** Prudência e presciência do futuro para acautelamento com relação a ele. **4.** Pessoa que protege ou ajuda outrem. **5.** Acontecimento feliz: *Foi uma providência estarmos todos reunidos ontem.* **6.** Disposições ou medidas prévias para alcançar um fim, remediar qualquer necessidade ou regularizar certos serviços; prevenção: *Neste caso as providências administrativas foram acertadas.* [Cf. *providencia,* do v. *providenciar,* e *previdência.*]

providencial. *Adj. 2 g.* **1.** Relativo ou pertencente à providência; providente. **2.** Determinado ou inspirado pela Providência (1 e 2): *Para a piedosa mulher, a visita do padre era um caso providencial.* **3.** Que vem a propósito; muito oportuno; feliz: *Sua ajuda nesta conjuntura é providencial.* [Cf. *previdencial.*]

providencialidade. *S. f.* Qualidade de providencial.

providencialismo. [De *providencial* + *-ismo.*] *S. m.* Doutrina filosófica que atribui tudo à ação da providência divina.

providencialista. *Adj. 2 g.* **1.** Relativo ao, ou que é sectário do providencialismo. *S. 2 g.* **2.** Sectário dele.

providenciar. *V. t. d.* **1.** Dispor providentemente; acudir com medidas adequadas; prover: *Providenciará o que for necessário para o conforto do hóspede. Int.* **2.** Dar ou tomar providência; prover: *Já providenciamos para que nada falte. T. i.* **3.** Dar ou tomar providências: *Os responsáveis pela festa providenciarão acerca das fantasias.* **4.** Acorrer, acudir, atender, remediar, prover: *Os mantimentos providenciarão às necessidades.* [Pres. ind.: *providencio, providencias, providencia,* etc. Cf. *providência,* s. f., e *Providência,* hier., antr. e top.]

providente. [Do lat. *providente.*] *Adj. 2 g.* **1.** Que provê; próvido. **2.** Prudente, cauteloso, cuidadoso, próvido. **3.** Providencial (1). [Cf. *previdente.*]

providentíssimo. *Adj.* Superl. abs. sint. de *providente* e *próvido.*

provido. [Part. de *prover.*] *Adj.* **1.** Que tem abundância do que é necessário; cheio: *Tem a despensa provida para uma semana.* **2.** Que foi nomeado ou designado para cargo ou função pública. **3.** *Jur.* Diz-se do recurso a que se deu provimento. [Cf. *próvido.*]

próvido. [Do lat. *providu.*] *Adj.* V. *providente* (1 e 2): "vemos .... que a sábia e próvida Natureza encerra o precioso diamante nas entranhas de um rudo penedo" (D. Francisco Manuel de Melo, *Apólogos Dialogais,* p. 325). [Superl. abs. sint.: *providentíssimo.* Cf. *provido.*]

provigário. [De *pro-*[1] + *vigário.*] *S. m.* Eclesiástico investido nas funções de vigário.

provimento. *S. m.* **1.** Ato ou efeito de prover; provisão. **2.** V. *provisão* (2 e 3). **3.** Cuidado, cautela, prudência. **4.** Ato de preencher cargo ou ofício público por nomeação, promoção, transferência, reintegração, readmissão, aproveitamento ou reversão. **5.** *Jur.* Manifestação dos tribunais superiores ao receberem e julgarem favoravelmente o recurso interposto contra decisões dos juízes inferiores. **6.** *Jur.* Instruções ou determinações administrativas baixadas pelo corregedor ao realizar as correições.

província. [Do lat. *provincia.*] *S. f.* **1.** Divisão regional e/ou administrativa de muitos países, em geral sob a autoridade de um delegado do poder central. **2.** No Segundo Reinado, cada uma das grandes divisões administrativas, a qual tinha por chefe um presidente. **3.** O interior de um país, por oposição à capital e seus subúrbios: *ser da província; viver na província.* **4.** *P. ext.* Os habitantes da província; os provincianos: *Cada dia a província está mais perto da capital.* **5.** Entre os antigos romanos, região conquistada fora da Itália e administrada por um governador patrício. **6.** Conjunto de conventos e conventuais duma ordem religiosa num país, governados pelo provincial e dependentes do superior-geral da ordem. **7.** Extensão da jurisdição de uma metrópole (3). **8.** *Fitogeog.* Território florístico que se caracteriza pela posse de ao menos uma comunidade climática e pelo endemismo de nível genérico e específico. [No Brasil há três províncias: amazônica, central e atlântica.] **9.** *Fig.* Parte, divisão, seção, ramo: *Sua faixa de estudo aproxima-o de várias províncias do conhecimento.* ♦ **Província petrográfica.** *Geol.* Rochas ígneas de certa área, que apresentam caracteres de consangüinidade.

provincial. [Do lat. *provinciale.*] *Adj. 2 g.* **1.** Da, ou relativo ou pertencente à província: *assembléia provincial; território provincial.* ~ V. *acento* —. • *S. m.* **2.** O superior de certo número de casas religiosas, numa província da ordem.

provincialado. *S. m.* Cargo de provincial (2); provincialato.

provincialato. *S. m.* Provincialado.

provincialismo. *S. m.* Provincianismo.

provincianismo. *S. m.* **1.** Palavra ou locução própria duma ou mais províncias. **2.** Acento ou pronúncia peculiar a uma província. **3.** Costume de província. **4.** *P. ext.* Costumes, modos e/ou mentalidade imbuídos do espírito da província (3 e 4). [Sin. ger.: *provincialismo.*]

provincianizar-se. [De *provinciano* + *-izar* + *se*[1].] *V. p. Bras.* Adquirir hábitos provincianos.

provinciano. *Adj.* **1.** Da, relativo à ou natural ou próprio da província (em geral por oposição à capital): *hábitos provincianos; espírito provinciano.* [Us. muitas vezes pejorativamente, com a conotação de 'atrasado', 'superado'. Cf. *provincial* (1).] • *S. m.* **2.** Indivíduo natural ou habitante da província e/ou imbuído do espírito provinciano. [Cf. *caipira* (1, 3 a 5) e *matuto* (1, 2 e 6).]

provindo. [Part. de *provir.*] *Adj.* Que proveio; procedente, derivado, oriundo.

provir. [Do lat. *provenire.*] *V. t. i.* **1.** Ter origem; derivar, proceder: *Os reis acreditavam que seu poder provinha de Deus;* "O material de *Os Lusíadas* provém da história portuguesa." (Gilberto Mendonça Teles, *Camões e a Poesia Brasileira,* p. 51); "Não me surpreendeu .... verificar que caroço provém da forma *coroço,* derivada de *cor, cordis:* sendo o núcleo da fruta, é sobretudo o seu coração, sua parte sensível e palpitante." (Maria Julieta Drummond de Andrade, *Um Buquê de Alcachofras,* p. 38). **2.** Proceder por geração; descender: *Segundo a Bíblia, a humanidade provém de Adão e Eva.* **3.** Vir como conseqüência ou resultado; resultar, advir: *Os antigos pensavam que as fatalidades provinham das iras divinas;* "A descomunal popularidade de Boulanger .... proveio de que, em certo momento, ele conseguiu ser o chefe dos descontentes. Aliou-se-lhe a França." (Ramalho Ortigão, *Últimas Farpas,* pp. 151-152). [Irreg. Conjug.: v. *vir.* Pres. ind.: *provenho, provéns, provém, provimos, provindes, provêm.* Cf. *provem,* do v. *provar.*]

provisão. [Do lat. *provisione.*] *S. f.* **1.** Provimento (1). **2.** Abastecimento, fornecimento, sortimento, provimento. **3.** Mantimentos, víveres; provimento. **4.** Abundância de coisas necessárias ou proveitosas: *Sempre tem provisão de material de escrita.* **5.** Documento oficial em que o governo confere cargo, mercê, dignidade, ofício, etc., autoriza o exercício de uma profissão ou expede instruções. **6.** Prescrição, ordem, disposição, providência. **7.** *Com.* Reserva em dinheiro ou em valores. **8.** *Com.* Cobertura de um título cambial. ♦ **Provisão de boca.** *Mil.* Qualquer material para alimentação; munição de boca. [M. us. no pl.] **Provisão de guerra.** *Mil.* Qualquer munição para arma de fogo, quaisquer artefatos de guerra, etc. [M. us. no pl.]

provisionado. [Part. de *provisionar.*] *Adj. Bras.* **1.** Diz-se daquele que, não sendo bacharel em direito, recebeu provisão para advogar em juízo de primeira instância, uma vez inscrito na Ordem dos Advogados. **2.** *Com.* Que está garantido por provisão ou nela tem origem. • *S. m.* **3.** Indivíduo provisionado.

provisional. *Adj. 2 g.* **1.** Relativo a provisão. **2.** V. *provisório* (1 e 2).

provisionar. *V. t. d.* **1.** V. *aprovisionar.* **2.** Conceder provisão a (alguém) para exercer, como prático, certas profissões: *O governo provisionou os jornalistas sem diploma com mais de cinco anos na profissão.*

provisioneiro. *S. m. Ant.* Fazedor ou fornecedor de provisões.

provisor (ô). [Do lat. *provisore.*] *Adj.* **1.** Que faz provisões. • *S. m.* **2.** Aquele que as faz. **3.** Magistrado eclesiástico encarregado de jurisdição contenciosa pelo prelado de uma diocese.

provisorado. [De *provisor* + *-ado*[2].] *S. m.* Provisoria.

provisoria. [De *provisor* + *-ia.*] *S. f.* Cargo ou funções de provisor; provisorado. [Cf. *provisória,* fem. de *provisório.*]

provisório. [Do lat. *provisu,* part. pass. de *providere,* 'prover', + *-ório.*] *Adj.* **1.** Feito por provisão; provisional. **2.** Interino, passageiro, temporário, provisional. ~ V. *liberdade* —*a* e *órbita* —*a.* • *S. m.* **3.** *Bras.* Jaraguá (1). **4.** *Bras.* Soldado auxiliar da milícia estadual, pertencente aos corpos criados a título provisório. [Fem. do adj.: *provisória.* Cf. *provisoria.*]

provista. *S. 2 g.* **1.** *Fotograv.* Gráfico encarregado, nas clicherias, de tirar provas dos clichês antes da montagem. [Cf. *tirador de provas.*] **2.** *Litogr.* Litógrafo encarregado de tirar provas das pedras-matrizes, para transporte.

provitamina. *S. f. Bioquím.* Substância natural que se transforma, no organismo, numa vitamina, como, p. ex., o caroteno em vitamina A.

provocação. [Do lat. *provocatione.*] *S. f.* **1.** Ato ou efeito de provocar. **2.** Insulto, afronta, ofensa: *Reagiu com violência às provocações da turma.* **3.** Desafio, repto. **4.** Pessoa que provoca, seduz, tenta; tentação: *Aquela mulher é uma provocação.* **5.** Estimulação, incitação.

provocador (ô). [Do lat. *provocatore.*] *Adj.* **1.** V. *provocante* (1 e 2). • *S. m.* **2.** Aquele que provoca.

provocante. [Do lat. *provocante.*] *Adj. 2 g.* **1.** Que provoca, excita, desafia. **2.** Que induz à irritação, à exasperação, à cólera. [Sin., nessas acepç.: *provocador, provocativo, provocatório.*] **3.** Que provoca desejo sexual; sedutor: *garota provocante.*

provocar. [Do lat. *provocare.*] *V. t. d.* **1.** Chamar a provocação ou desafio; desafiar: *Covarde, só provoca os mais fracos.* **2.** Dirigir insultos a; afrontar, injuriar, insultar. **3.** Ser causa ou motivo de; ocasionar, produzir, gerar: *O frio provocou as dores reumáticas;* "Há paisagens que provocam a sede do mistério" (Antero de Figueiredo, *Jornadas em Portugal,* p. 93). **4.** Tornar fácil; promover, facilitar: *As sinecuras provocaram o enriquecimento ilícito dos apadrinhados.* **5.** Trabalhar para que ocorra; armar, aprontar, promover: *Arruaceiro, vive a provocar desordens.* **6.** Chamar sobre si; atrair: *O crime provoca a vingança.* **7.** Causar desejo, apetite sexual, a. **8.** Atrair vivamente; tentar: *O clima da montanha provoca turistas.* **9.** Chamar alguém para manifestar-se a propósito de um assunto ou questão. *T. d. e i.* **10.** Incitar, estimular, excitar: *O mau tempo não o provocou a seguir viagem. Int.* **11.** Dirigir provocação ou desafio: *Não se deve dar trela a quem provoca.* [Conjug.: v. *trancar.*]

provocativo. [Do lat. *provocativu.*] *Adj.* V. *provocante* (1 e 2).

provocatório. [Do lat. *provocatoriu.*] *Adj.* V. *provocante* (1 e 2).

proxeneta (cs...ê). [Do gr. *proxenetés*, 'mediador entre os estrangeiros e os cidadãos', pelo lat. *proxeneta.*] *S. 2 g.* **1.** Pessoa que ganha dinheiro servindo de intermediário em casos amorosos. **2.** Explorador da prostituição de outrem; cáften. [Sin. ger.: *alcoviteiro* e (bras.) *caraxué.*]

proxenético (cs). [Do gr. *proxenetikós.*] *Adj.* Relativo a proxeneta.

proxenetismo (cs). *S. m.* **1.** Qualidade ou profissão de proxeneta. **2.** Tipo de lenocínio que consiste em servir, como mediador, à libidinagem alheia, favorecer a prostituição, manter prostíbulos ou ter lugar destinado a fins libidinosos. V. *lenocínio.*

proxenia (cs). [Do gr. *proxenía.*] *S. f.* **1.** Cargo ou dignidade de próxeno. **2.** Na Grécia antiga, hospitalidade pública prestada a um estrangeiro. **3.** Contrato de hospitalidade pública entre dois estados gregos.

próxeno (cs). [Do gr. *próxenos, ou.*] *S. m.* **1.** Título concedido por um Estado grego a estrangeiros ou a outros Estados gregos em reconhecimento de serviços prestados. **2.** Aquele que, numa cidade grega, era incumbido de cuidar dos estrangeiros e receber as visitas importantes.

proximal (ss). *Adj. 2 g.* **1.** *Anat.* Diz-se do ponto em que uma estrutura ou um órgão fica próximo a seu centro ou a sua origem. **2.** *Anat.* Que fica voltado no sentido da cabeça. [Cf., nestas acepç., *distal* (1 e 2).] **3.** *Bot.* Que se localiza perto do ponto de origem (ou da base): *glândula proximal.* ~ V. *falange* —.

proximidade (ss). [Do lat. *proximitate.*] *S. f.* **1.** Estado ou condição do que é ou se acha próximo; contigüidade. **2.** Pequena distância de lugar ou de tempo; vizinhança, adjacência. **3.** Imediação, iminência: *a proximidade da morte.* ~ V. *proximidades.*

proximidades (ss). [Pl. de *proximidade.*] *S. f. pl.* Arredores, imediações, cercanias. ~ V. *proximidade.*

próximo (ss). [Do lat. *proximu.*] *Adj.* **1.** Que está perto, a pouca distância (no espaço ou no tempo); vizinho: *Estas duas prateleiras da estante estão muito próximas; Examinamos as causas próximas e as causas remotas do problema.* **2.** Seguinte ao atual; imediatamente seguinte; imediato, seguinte: *a semana próxima; Sua entrevista sairá no próximo número da revista.* **3.** Que está prestes a chegar, a acontecer: *Suas férias se acham próximas.* **4.** Ocorrido há muito pouco tempo: *Esses fatos, que estarreceram a população, ainda estão bem próximos de nós.* **5.** Diz-se de pessoa que tem com outra, ou de pessoas que têm entre si, relação próxima de parentesco: *É parente próximo do Manuel; Elza e Teresa são parentas muito próximas.* **6.** Muito chegado; muito ligado; íntimo: *São amigos próximos.* **7.** Que é pouco diferente; um tanto análogo; aproximado: *Seu temperamento é mais próximo do da família do pai.* ~ V. *Oriente* —. ● *S. m.* **8.** Pessoa, ser humano, considerado como um semelhante; semelhante: "Não desejar a mulher do *próximo*" (um dos 10 mandamentos da Lei de Deus); *É um misantropo: tem horror ao próximo.* ● *Adv.* **9.** Em lugar próximo; na vizinhança; perto; proximamente: *Ela morou três anos aqui próximo.* ♦ **Próximo futuro.** Imediatamente seguinte; próximo vindouro: *Irei visitá-la no mês próximo futuro.* **Próximo passado.** Imediatamente anterior; último; próximo pretérito: *Escrevi-lhe em começos de abril próximo passado.* **Próximo pretérito.** Próximo passado. **Próximo vindouro.** Próximo futuro.

pru. *S. m.* Tipo de flauta nasal usada pelos índios botocudos.

pruca. *S. f. Bras., SP.* Banco de madeira, de assento redondo.

prudência. [Do lat. *prudentia.*] *S. f.* **1.** Qualidade de quem age com moderação, comedimento, buscando evitar tudo o que acredita ser fonte de erro ou de dano. **2.** Cautela, precaução: *Dirige o carro com muita prudência.* **3.** Circunspeção, ponderação, cordura, sensatez: *Leu os autos com toda a prudência.* [Cf. *prudencia*, do v. *prudenciar.*]

prudencial. *Adj. 2 g.* Respeitante à prudência.

prudenciar. *V. t. d.* **1.** Dizer como quem aconselha prudência. *Int.* **2.** Usar de prudência; proceder prudentemente: *Em situações difíceis, prudencia.* [Pres. ind.: *prudencio, prudencias, prudencia*, etc. Cf. *prudência*, s. f., *Prudência*, antr. fem., e *Prudêncio*, antr. m.]

prudente. [Do lat. *prudente.*] *Adj. 2 g.* **1.** Que tem ou revela prudência; moderado, comedido. **2.** Cauteloso, previdente, precavido. **3.** Circunspeto, sensato; judicioso, cordato, ponderado.

prudentino. *Adj.* **1.** De, ou pertencente ou relativo a Presidente Prudente (SP). ● *S. m.* **2.** O natural ou habitante de Presidente Prudente.

prudentopolitano. *Adj.* **1.** De, ou pertencente ou relativo a Prudentópolis (PR). ● *S. m.* **2.** O natural ou habitante de Prudentópolis.

➧**pruderie** (prüderri). [Fr.] *S. f.* Falso recato.

prudhommesco (ê). [Do fr. *prudhommesque.*] *Adj.* Que encarna a banalidade sentenciosa, enfática e ridícula própria de Prudhomme, personagem criada pelo escritor e caricaturista francês Henri Monnier (1805-1877); prudhommiano. [Equivale ao bras. *acaciano.*]

prudhommiano. *Adj.* Prudhommesco.

pruído. *S. m.* V. *prurido.*

pruína. [Do lat. *pruina*, 'geada, granizo'.] *S. f. Morfol. Veg.* Revestimento tenuíssimo de cera em órgãos e partes vegetais, que lhes confere um aspecto particular (glauco ou alvacento, p. ex.), e que, esfregando-se, sai facilmente.

pruinoso (u-i...ô). [Do lat. *pruinosu.*] *Adj. Morfol. Veg.* Que tem pruína: *râmulo pruinoso.*

pruir. [Var. de *prurir*, com dissimilação.] *V. t. d., int.* e *t. i.* Prurir: "o poeta .... palpitara ao acorde sonoro dos cânticos sagrados, *pruíra*-lhe os lábios o ressábio do ideal" (Capistrano de Abreu, *Ensaios e Estudos*, 1ª série, p. 55). [Defect. Não se conjuga nas f. em que ao *u* se seguiria o ou a.]

prumada. *S. f.* **1.** Posição vertical da linha de prumo. **2.** *Mar.* Lançamento do prumo à água do mar, de um rio, etc., para determinar-lhe a profundidade e, em alguns casos, a natureza do fundo: *Faça uma prumada.* **3.** Profundidade da água em determinado ponto do mar, de um rio, etc.: *O porto tem prumada de 15 metros.* **4.** *Bras. Arquit.* Conjunto de peças ou elementos iguais de um edifício, considerados em seu alinhamento vertical: *a prumada das áreas de serviço; a prumada das escadas; a prumada dos elevadores.* **5.** *Bras., DF.* Conjunto de apartamentos superpostos, com uma entrada comum e servidos por um mesmo elevador ou uma mesma escadaria: *Moro na prumada de F.* [Em cada bloco de apartamentos há, por via de regra, de duas a quatro prumadas.]

prumar. *V. int. Mar.* Medir a profundidade da água por meio de uma linha de prumo ou de máquina adequada; largar o prumo, deitar o prumo, botar o prumo; aprumar.

prumiforme. [De *prumo* + *-i-* + *-forme.*] *Adj. 2 g.* Que tem feitio de prumo.

prumo. [Do lat. *plumbu*, 'chumbo'.] *S. m.* **1.** Instrumento constituído de uma peça de metal ou de pedra, suspensa por um fio, e utilizado para determinar a direção vertical. **2.** Prudência, tino, juízo, tato. **3.** Agudeza, penetração, perspicácia: *Com o prumo de sua inteligência convenceu a todos.* **4.** Elegância, graça. **5.** *Constr. Nav.* Ferro perfilado disposto verticalmente numa antepara a fim de reforçá-la. **6.** *Mar.* Régua de metal, ou outro dispositivo, destinada a medir a altura de um líquido armazenado num tanque ou acumulado no porão do navio. **7.** *Mar.* Dispositivo ou aparelho destinado a determinar a profundidade das águas em que se encontra a embarcação, bem como, em alguns casos, a natureza do fundo. **8.** *Agr.* Garfo de enxerto. ♦ **Prumo de mão.** *Mar.* Dispositivo constituído de uma peça de chumbo de forma troncônica (chumbada), em cuja base menor existe uma alça à qual se fixa uma linha graduada em metros ou em braças (linha de prumo), na qual se lê o ponto da graduação da linha que aflora a água. **A prumo.** Verticalmente, perpendicularmente: "A *prumo* atira o sol as frechas rúbicas, / Sobre a vasta campina!" (Bulhão Pato, *Livro do Monte*, p. 101.) **Botar o prumo.** *Mar.* V. *prumar.* **Deitar o prumo.** *Mar.* V. *prumar.* **Largar o prumo.** *Mar.* V. *prumar.* **Perder o prumo.** *Bras.* Perder a cabeça; endoidecer, transviar.

pruniforme. [Do lat. *prunu*, 'ameixa', + *-i-* + *-forme.*] *Adj. 2 g.* Que tem forma de ameixa.

prurido (i). [Do lat. *pruritu.*] *S. m.* **1.** *Med.* Sensação desagradável peculiar, causada por enfermidade ou agente irritante, que leva o indivíduo a coçar-se em procura de alívio. [Sin.: *comichão, coceira* e (pop.) *iuçá, já-começa, cafubira, quipá*]: "andavam-me *pruridos* na pele, davam-me a sensação de ser agredido por multidões de pulgas." (Graciliano Ramos, *Memórias do Cárcere*, I, p. 210). **2.** *Fig.* Desejo veemente; tentação: *pruridos de erudição;* "O *prurido* eterno da aventura veio para o sertanejo de três gentes, do luso, do cigano e do indígena." (Gustavo Barroso, *Heróis e Bandidos*, p. 62). **3.** *Fig.* Impaciência, frenesi, inquietação. [Var.: *pruído.*]

pruriente. [Do lat. *pruriente.*] *Adj. 2 g.* Que prure ou prui; que causa prurido; prurígeno.

prurigem. [Do lat. *prurigine.*] *S. f. Med.* Designação genérica das dermatoses em que o prurido é o sintoma essencial, e nas quais se encontram pequenas pápulas, pálidas e de localização profunda.

prurígeno. [De *pruri(do)* + *-geno.*] *Adj.* **1.** Relativo ao prurido. **2.** Pruriente.

pruriginoso (ô). [Do lat. *pruriginosu.*] *Adj.* Que tem prurido ou em que há prurido.

prurigo. [Do lat. *prurigo* (nom).] *S. m.* V. *prurigem.*

prurir. [Do lat. *prurire.*] *V. t. d.* **1.** Causar prurido ou comichão a; comichar. **2.** Ser agradável ou comprazível a; lisonjear, comprazer: *As atitudes enérgicas prurem uns e desagradam outros.* **3.** Incitar, instigar, estimular: *As vitórias prurem os combatentes. Int.* **4.** Causar prurido ou comichão; arder: *A sarna prure, irritando a pele. T. i.* **5.** Estar ansioso, inquieto; ter grandes desejos: *Exausto, eu pruria pelo descanso.* [Var.: *pruir.* Defect. Não se conjuga nas f. em que ao *r* da raiz se seguiria o ou a.]

prussianização. *S. f.* Ato ou efeito de prussianizar(-se).

prussianizar. *V. t. d.* e *p.* Tornar(-se) prussiano.

prussiano. *Adj.* **1.** Da, ou pertencente ou relativo à Prússia, antigo Estado alemão, dividido atualmente entre a República Democrática Alemã, a República Federal da Alemanha, a Polônia e a U.R.S.S. **2.** *P. ext.* Imbuído do espírito militarista próprio da antiga aristocracia rural da Prússia: *político prussiano.* ● *S. m.* **3.** O natural ou habitante da Prússia. ♦ **Prussiano antigo.** *Ling.* V. *báltico* (3).

prussiato. [De *pruss*, f. abrev. de *prússico*, + *-i-* + *-ato*[2].] *S. m. Quím.* Designação comum aos sais do ácido prússico.

prússico. [De *pruss*, f. abrev. de *prússico*, + *-ico*[2].] *Adj.* ~ V. *ácido* —.

■**PS.** [Do lat.] Abrev. de *post scriptum*, 'pós-escrito'.

psamito. [De *psam(o)-* + *-ito*[2].] *S. m. Geol.* Designação comum aos arenitos ou rochas sedimentares clásticas formadas de elementos que, embora finos, são visíveis a olho desarmado.

▲**psam(o)-.** [Do gr. *psámmos, ou.*] *El. comp.* = 'areia': *psamito, psamófilo.*

psamobiídeo. *S. m.* e *adj.* Sanguinolarídeo.

psamobiídeos. *S. m. pl. Zool.* Sanguinolarídeos.

psamofilia. [De *psam(o)-* + *-fil(o)-*[2] + *-ia.*] *S. f. Ecol. Veg.* Preferência por solos arenosos.

psamófilo. [De *psam(o)-* + *-filo*[2].] *Adj. Ecol. Veg.* Que apresenta psamofilia: *vegetação psamófila.*

psamoma. [De *psam(o)-* + *-oma.*] *S. m. Patol.* Tumor, em especial de meninges, que contém corpos psamomatosos.

psamomatoso (ô). [De *psamoma* + *-t-* + *-oso.*] *Adj.* Do psamoma ou relativo a ele. ~ V. *corpo* —.

➧**pschent** (pskent). [Egípcio.] *S. m.* Toucado dos faraós e deuses do Egito.

pseca. *S. f.* V. *psécade.*

psécade. [Do gr. *psekás, ádos*, pelo lat. *psecade.*] *S. f.* Entre os antigos romanos, escrava que penteava e perfumava os cabelos de sua ama.

psefite. [Do gr. *pséphos*, 'seixo rolado', + *-ite*[2].] *S. f. Geol.* Designação comum aos conglomerados e brechas, por serem formados de seixos ou cascalhos.

psefito. *S. f. Geol.* V. *psefite.*

psefógrafo. [Do gr. *pséphos*, 'seixo rolado', + *-grafo.*] *S. m.* Máquina para registrar e contar votos em assembléias eleitorais.

pselafógnato. *S. m.* **1.** Espécime dos pselafógnatos. ● *Adj.* **2.** Pertencente ou relativo a eles.

pselafógnatos. *S. m. pl. Zool.* Artrópodes miriápodes, diplópodes, da ordem *Pselaphognatha.* São espécies pequenas, corpo formado por 30 somitos, tegumento mole, com tufos de pêlos denteados nos segmentos do tronco e um ou dois pincéis caudais.

psélio. [Do gr. *pselion.*] *S. m.* Entre os antigos persas, gregos e romanos, anel ou bracelete para adorno do pescoço, braços ou pernas.

pselismo. [Do gr. *psellismós.*] *S. m. Med.* V. *gaguez.*

pseudartrose. [De *pseud(o)-* + *artrose.*] *S. f. Med.* Condição patológica em que se produz uma falsa articulação entre as extremidades de um osso fraturado, por não ter ocorrido a consolidação entre elas.

pseudencéfalo. [De *pseud(o)-* + *encéfalo.*] *S. m. Ter.* Monstruosidade fetal em que existe um angioma em lugar do encéfalo.

pseudepígrafe. [De *pseud(o)-* + *epígrafe.*] *S. f.* Título falso, ou nome falso de autor.

pseudestesia. [De *pseud(o)-* + *estesia.*] *S. f. Psiq.* Sensação imaginária, percebida sem que tenha havido estímulo externo, ou que não corresponde ao estímulo que a produziu.

▲pseud(o)-. [Do gr. *pseudés*.] *El. comp.* = 'falso': *pseudópode; pseudestesia.*

pseudoborniácea. *S. f.* Espécime das pseudoborniáceas.

pseudoborniáceas. *S. f. pl. Bot.* Família de pteridófitos articulados que compreende tão-somente *Pseudobordina ursina*, própria do devoniano.

pseudoborniáceo. *Adj.* Pertencente ou relativo às pseudoborniáceas.

pseudocaule. [De *pseud(o)- + caule*.] *S. m. Morfol. Veg.* Coluna semelhante a um caule, constituída pelas bainhas foliares, muito grandes, apertadamente superpostas, e na ponta da qual estão as magnas folhas; pseudotronco. Ex.: o caule da bananeira.

pseudocelomado. *S. m.* **1.** Espécime dos pseudocelomados. ● *Adj.* **2.** Pertencente ou relativo a eles.

pseudocelomados. *S. m. pl. Zool.* Animais enterozoários, de simetria bilateral, cuja cavidade entre a parede do corpo e os órgãos internos é desprovida de revestimento mesodérmico. São os asquelmintos e os acantocéfalos.

pseudociese. [De *pseud(o)- + -ciese*.] *S. f.* Gravidez imaginária. [Sin.: *gravidez nervosa*.]

pseudococcídeo. [De *pseud(o)- + coccídeo*.] *S. m.* **1.** Espécime dos pseudococcídeos. ● *Adj.* **2.** Pertencente ou relativo a eles.

pseudococcídeos. *S. m. pl. Zool.* Família de insetos da ordem dos homópteros, conhecidos pelos nomes de *cochonilha* e *piolho-farinhento*, em virtude de uma secreção cerosa e pulverulenta que lhes cobre o corpo. São pragas das plantas cítricas.

pseudocódigo. [De *pseud(o)- + código*.] *S. m. Proc. Dados.* Instruções do computador escritas pelo programador em linguagem simbólica.

pseudocúbico. [De *pseud(o)- + cúbico*.] *Adj.* Falsamente cúbico.

pseudodiamante. [De *pseud(o)- + diamante*.] *S. m.* Pedra ordinária ou artificial que imita o diamante.

pseudodominância. [De *pseud(o)- + dominância*. *S. f. Genét.* Expressão de um alelo recessivo decorrente de uma alteração cromossômica que resultou na perda do seu alelo dominante.

pseudo-epiléptico. [De *pseud(o)- + epiléptico*.] *Adj.* Aparentemente epiléptico (1). [Pl.: *pseudo-epilépticos*.]

pseudo-escorpião. *S. m.* Designação comum aos pseudoscorpionidos, de porte muito reduzido, entre 4 a 10 mm, e desprovidos de acúleo peçonhento na extremidade do abdome. O grande desenvolvimento dos palpos dá-lhe o aspecto de escorpião. São comuns debaixo de casca de árvores.

pseudo-esfera. [De *pseud(o)- + esfera*.] *S. f.* Superfície que tem de comum com a esfera a propriedade de possuir um coeficiente de curvatura constante e, por conseqüência, de permitir que toda figura traçada sobre ela possa ser deslocada sem a deformar. [Pl.: *pseudo-esferas*.]

pseudo-esférico. *Adj.* Relativo à pseudo-esfera. [Pl.: *pseudo-esféricos*.]

pseudofilídeo. *S. m.* **1.** Espécime dos pseudofilídeos. ● *Adj.* **2.** Pertencente ou relativo a eles.

pseudofilídeos. *S. m. pl. Zool.* Animais platelmintos, cestóideos, ordem *Pseudophyllidea* de escólex nem sempre distinto, ventosas alongadas, em número de duas a seis, e algumas espécies sem órgãos adesivos. As larvas vivem em copépodes, e os adultos em peixes de água doce. Ao grupo pertence *Dibothriocephalus latus* (L.), tênia que o homem adquire através do peixe.

pseudofilosofia. [De *pseud(o)- + filosofia*.] *S. f.* Falsa filosofia: "A p s e u d o f i l o s o f i a, de que a meã classe engafecera, pegou-se dela, pelo contato" (Antônio Feliciano de Castilho, *O Presbitério da Montanha*, p. 114).

pseudofobia. [De *pseud(o)- + -fob(o)- + -ia*.] *S. f.* Medo mórbido de algo que não causa dor nem molesta, mas apenas desgosta.

pseudofóbico. *Adj.* Referente à pseudofobia.

pseudófobo. [De *pseud(o)- + -fobo*.] *S. m.* Aquele que manifesta pseudofobia.

pseudofruto. [De *pseud(o)- + fruto*.] *S. m. Morfol. Veg.* Órgão semelhante a uma baga, resultante do crescimento de partes acessórias da flor, como, p. ex., o receptáculo floral das ervas-de-passarinho e o pedicelo dos cajueiros, e que pode incluir ou não a semente.

pseudológico. [De *pseud(o)- + lógico*.] *Adj.* Lógico apenas na aparência; falsamente lógico.

pseudomembrana. [De *pseud(o)- + membrana*.] *S. f. Patol.* Falsa membrana formada por exsudato, e que se localiza, superficialmente, em mucosas.

pseudomorfose. [De *pseud(o)- + morfose*.] *S. f. Min.* Tipo de cristalização adquirido por um mineral, e diferente do que lhe é próprio.

pseudoneuróptero. [De *pseud(o)- + neuróptero*.] *Adj.* e *s. m.* V. *odonato*.

pseudoneurópteros. [Pl. de *pseudoneuróptero*.] *S. m. pl. Zool.* V. *odonatos*.

pseudonímia. *S. f.* Qualidade de pseudônimo.

pseudonímico. *Adj.* Referente à pseudonímia.

pseudônimo. [Do gr. *pseudónymos*.] *S. m.* **1.** Nome falso ou suposto, em geral adotado por um escritor, por um artista, etc.; criptônimo, onomatópose: *Stendhal é p s e u d ô n i m o de Henry Beyle; Tristão de Ataíde é o p s e u d ô n i m o de Alceu Amoroso Lima.* [Antôn.: *autônimo*. Cf. *ortônimo* e *heterônimo*.] ● *Adj.* **2.** Que assina as suas obras com um nome que não é o seu: *autor p s e u d ô n i m o.* **3.** Diz-se da obra escrita ou publicada sob um nome suposto: *As Cartas Chilenas são um livro p s e u d ô n i m o; "Critilo", que vem como o nome do autor, é, ao que hoje se admite, Tomás Antônio Gonzaga.*

pseudo-ortorrômbico. *Adj. Min.* Que aparenta cristalização ortorrômbica. [Pl.: *pseudo-ortorrômbicos*.]

pseudoparênquima. [De *pseud(o)- + parênquima*.] *S. m. Bot.* Falso tecido resultante da aproximação e soldadura de células antes livres, como se verifica em fungos e algas.

pseudoparenquimatoso (ô). *Adj.* Relativo ao pseudoparênquima.

pseudópode. [De *pseud(o)- + -pode*.] *S. m.* Saliência protoplásmica que se forma na periferia dos leucócitos e das amebas e outros protozoários, servindo-lhes para a locomoção.

pseudo-rincoto. [De *pseudo- + rincoto*.] *S. m.* e *adj.* V. *anopluro*. [Pl.: *pseudo-rincotos*.]

pseudo-rincotos. [Pl. de *pseudo-rincoto*.] *S. m. pl. Zool.* V. *anopluros*.

pseudoscorpionido. *S. m.* **1.** Espécime dos pseudoscorpionidos. ● *Adj.* **2.** Pertencente ou relativo a eles. [Sin. ger.: *queloneto*.]

pseudoscorpionidos. *S. m. pl. Zool.* Artrópodes aracnídeos, da ordem *Pseudoscorpionida*, de abdome segmentado, largamente articulado com o cefalotórax, quelíceras bissegmentadas, palpos muito robustos, terminados em pinças, como nos escorpiões, e respiração traqueal. Vivem sob cascas de árvores, pedras ou musgos. [Sin.: *quelonetos*.]

pseudo-sigla. [De *pseud(o)- + sigla*.] *S. f.* Forma léxica, aparentemente siglar, composta caprichosamente. Ex.: *Novacap* (= Nova Capital). [Pl.: *pseudo-siglas*.]

pseudosofia. [De *pseud(o)- + -sofia*.] *S. f.* Falsa ciência.

pseudosófico. *Adj.* Relativo à pseudosofia.

pseudospermo. [De *pseud(o)- + -sperma*.] *Adj. Bot.* Diz-se do fruto que pode ser confundido com a semente, como, p. ex., o milho e o girassol.

pseudosporocnácea. *S. f.* Espécime das pseudosporocnáceas.

pseudosporocnáceas. *S. f. pl. Bot.* Família de pteridófitos do devoniano.

pseudosporocnáceo. *Adj.* Pertencente ou relativo às pseudosporocnáceas.

pseudotronco. [De *pseud(o)- + tronco*.] *S. m. Morfol. Veg.* Pseudocaule.

pseudozoário. [De *pseud(o)- + -zo(o)- + -ário*.] *Adj. Bot.* Diz-se dalguns vegetais que têm aparência de animais.

psi. [Do gr. *psi*.] *S. m.* A 23ª letra do alfabeto grego (Ψ, ψ), correspondente ao nosso grupo consonantal *ps*.

psicagogia. [Do gr. *psychagogía*.] *S. f.* **1.** Entre os antigos gregos, cerimônia religiosa de invocação das almas dos mortos. **2.** Evocação mágica dos mortos.

psicagógico. *Adj.* Respeitante à psicagogia.

psicagogo (ô). [Do gr. *psychagogós*.] *S. m.* Aquele que pratica a psicagogia.

psicalgia. [De *psic(o)- + -alg(o)- + -ia*.] *S. f.* **1.** Dor moral; amargura ingênita. **2.** *Med.* Dor cuja causa é considerada apenas psíquica, não se encontrando outra origem.

psicálgico. *Adj.* Referente à psicalgia.

psicanalisado. [Part. de *psicanalisar*.] *Adj.* Que se submeteu ao tratamento de psicanálise. [F. red.: *analisado*.]

psicanalisando. [Do ger. de *psicanalisar*.] *S. m.* Aquele que se trata por psicanálise. [F. red.: *analisando*.]

psicanalisar. *V. t. d.* e *p.* Submeter(-se) à psicanálise. [F. red.: *analisar*.]

psicanálise. [De *psic(o)- + análise*.] *S. f.* **1.** Método de tratamento, criado por Sigmund Freud [v. *freudiano*], das desordens mentais e emocionais que constituem a estrutura das neuroses e psicoses, por meio de uma investigação psicológica profunda dos processos mentais. [F. red., nesta acepç.: *análise*.] **2.** O conjunto das teorias de Freud e seus discípulos, concernentes à vida psíquica consciente e inconsciente. **3.** Qualquer terapia por esse método. **4.** Estudo psicanalítico de uma obra de arte, de um tema, etc.: *p s i c a n á l i s e das religiões; p s i c a n á l i s e da sociedade contemporânea.*

psicanalismo. [De *psicanálise + -ismo*, com síncope.] *S. m.* Tendência para explicar e interpretar os fatos, ou históricos, ou psicológicos, ou culturais, etc., pelos conceitos fundamentais da psicanálise.

psicanalista. [De *psicanálise + -ista*, com síncope.] *Adj. 2 g.* e *s. 2 g.* Diz-se de, ou especialista em psicanálise. [F. red.: *analista* (v. *analista*[3]).]

psicanalítico. *Adj.* Relativo ou pertencente à psicanálise.

psicastenia. [De *psic(o)- + -asten(o)- + -ia*.] *S. f.* **1.** Fraqueza intelectual. **2.** *Med.* Afecção mental caracterizada por depressão, ansiedade, tendência a manias e obsessões, e perda do sentido da realidade.

psicastênico. *Adj.* Referente à psicastenia.

psichê. [Do mit. gr. *Psyché*, atr. do fr. *psyché*.] *S. m.* **1.** Grande espelho móvel e inclinável montado numa armação. **2.** Móvel de toucador, com grandes espelhos e muitas gavetas: "leito candidamente rematado, no alto, por um cortinado branco, em quarto em que possivelmente existiriam um pequeno oratório, e, em lugar do desaparecido p s i c h ê, um toucador comum." (Miécio Tati, *O Mundo de Machado de Assis*, p. 83).

▲psic(o)-. [Do gr. *psyché, ês*.] *El. comp.* = 'alma', 'espírito', 'intelecto': *psicologia, psicometria; psicanálise.* [Equiv.: *psiqu(e)-* e *-psice*: *psiquiatria, psiquismo; onfalópsico*.]

▲-psico. V. *psic(o)-*.

psicocirurgia. [De *psic(o)- + cirurgia*.] *S. f. Cir.* Emprego de métodos cirúrgicos para tratamento de psicoses.

psicocirúrgico. *Adj.* Relativo à psicocirurgia.

psicocultural. [De *psic(o)- + cultural*.] *Adj. 2 g.* Referente à psicologia e à cultura (sobretudo tratando-se de povos ou sociedades).

psicodança. [De *psic(o)- + dança*.] *S. f.* Método psicoterápico que utiliza a dança como meio de liberação catártica.

psicodélico. [De *psic(o)- +* gr. *delos*, 'visível, manifesto, evidente', *-ico*[2].] *Adj.* **1.** Diz-se das drogas que provocam alucinações. **2.** Diz-se das alucinações ou visões, em geral coloridas e fragmentadas, que essas drogas provocam. **3.** Diz-se de decoração, roupas, objetos, etc., de cores muito vivas, e totalmente fora dos padrões costumeiros. **4.** Diz-se daquilo ou daquele que se distingue do meio tradicional, ou pela decoração, ou pela atitude, ou pela maquilagem, ou pela roupa, etc.: *restaurante p s i c o d é l i c o; atriz p s i c o d é l i c a.*

psicodiagnóstico. [De *psic(o)- + diagnóstico*.] *S. m. Psic.* Método de diagnóstico por meio de testes psicológicos.

psicodídeo. *S. m.* **1.** Espécime dos psicodídeos. ● *Adj.* **2.** Pertencente ou relativo a eles.

psicodídeos. *S. m. pl. Zool.* Família de insetos da ordem dos dípteros. São mosquitos pequenos, às vezes muito diminutos, e bastante pilosos, abundantes em ralos e esgotos. Embora, na maioria, inofensivos ao homem, no gênero *Phlebotomus* encontramos os vectores de doenças graves do homem e dos animais, entre elas a úlcera de Bauru. Vulgarmente conhecidos pelos nomes de *mosquito-palha* e *birigui*.

psicodinâmica. [Fem. substantivado de *psicodinâmico*.] *S. f. Psic.* O estudo dos processos mentais e emocionais subjacentes ao comportamento humano, e de sua motivação, em especial quando se manifestam em resposta inconsciente às influências ambientais.

psicodinâmico. [De *psico- + dinâmico*.] *Adj.* Respeitante ao psicodinamismo e à psicodinâmica.

psicodinamismo. [De *psic(o)- + dinamismo*.] *S. m.* Doutrina filosófica daqueles que reduzem todas as energias do Universo a uma força única.

psicodrama. [De *psic(o)- + drama*.] *S. m. Psic.* Método de psicoterapia em grupo que, utilizando a livre improvisação dramática, visa à catarse e ao desenvolvimento da espontaneidade do indivíduo.

psicodramático. *Adj.* Relativo ao psicodrama, à terapia que o utiliza.

psicodramista. *S. 2 g. Psic.* Especialista em psicodrama.

psicofármaco. *Adj.* e *s. m.* Diz-se de, ou medicamento utilizado em psicofarmacologia.

psicofarmacologia. [De *psic(o)- + farmacologia*.] *S. f. Terap.* **1.** Pesquisa e estudo farmacológico de substâncias psicotrópicas que exercem efeitos psicológicos utilizáveis na terapêutica psiquiátrica. **2.** Emprego de medicamentos no tratamento de psicose.

psicofarmacológico. *Adj.* Relativo à psicofarmacologia.

psicofísica. [De *psic(o)-* + *física.*] *S. f.* Estudo das relações funcionais entre a mente e os fenômenos físicos.

psicofísico. [De *psic(o)-* + *físico.*] *Adj.* **1.** Relativo ao espírito e à matéria. **2.** Relativo à psicofísica. ~ V. *paralelismo —.*

psicofisiologia. [De *psic(o)-* + *fisiologia.*] *S. f.* Estudo científico das relações entre a atividade fisiológica e o psiquismo.

psicofisiológico. *Adj.* Relativo à psicofisiologia.

psicofisiologista. *Adj. 2 g.* e *s. 2 g.* Diz-se de, ou especialista em psicofisiologia.

psicofonia. [De *psic(o)-* + *-fon(o)-* + *-ia.*] *S. f. Esp.* Comunicação dos espíritos pela voz do médium.

psicofônico. *Adj.* Relativo à psicofonia.

psicogênese. [De *psic(o)-* + *gênese.*] *S. f.* Psicogenia.

psicogenético. *Adj.* Relativo à psicogênese; psicogênico.

psicogenia. [De *psic(o)-* + *-gen(o)-*[1] + *-ia.*] *S. f.* Estudo da origem e da evolução das funções psíquicas; psicogênese.

psicogênico. *Adj.* Referente à psicogenia; psicogenético.

psicognosia. [De *psic(o)-* + *-gnos(i)(o)-* + *-ia.*] *S. f.* Conhecimento profundo das faculdades psíquicas.

psicognóstico. [De *psic(o)-* + *-gnóstico.*] *Adj.* Respeitante à psicognosia.

psicografar. [De *psic(o)-* + *grafar.*] *V. t. d. Esp.* Escrever por meio do espiritismo; redigir (o que é ditado por espíritos): *Aquele médium psicografou alguns romances.* [Pres. ind.: *psicografo,* etc. Cf. *psicógrafo.*]

psicografia. [De *psic(o)-* + *-graf(o)-* + *-ia.*] *S. f.* **1.** História ou descrição da mente ou das suas faculdades; análise psicológica. **2.** *Esp.* Escrita dos espíritos pela mão do médium.

psicográfico. *Adj.* Referente à psicografia.

psicógrafo. [De *psic(o)-* + *-grafo.*] *S. m.* **1.** Especialista em psicografia. **2.** *Esp.* O médium que escreve por sugestão ou ação dos espíritos. [Cf. *psicografo,* do v. *psicografar.*]

psicograma. [De *psic(o)-* + *-grama.*] *S. m.* Descrição ou análise da personalidade.

psicolepsia. [De *psic(o)-* + gr. *lépsis* 'ação de tomar, dominar', + *-ia.*] *S. f.* **1.** Estado de diminuição da tensão mental. **2.** *Med.* Baixa abrupta e breve da tensão psicológica, observada especialmente em estados psicastênicos e esquizofrênicos.

psicoléptico. *Adj.* **1.** Relativo à psicolepsia. **2.** Diz-se das drogas que têm ação relaxante ou calmante sobre as funções psíquicas, variando esta ação desde o simples repouso até o sono completo. ● *S. m.* **3.** Droga psicoléptica.

psicolingüística. [De *psic(o)-* + *lingüística.*] *S. f. Ling.* Disciplina que compreende o estudo do sistema lingüístico adquirido (a gramática), dos métodos de aquisição desse sistema, e dos modelos de percepção e locução.

psicolingüístico. *Adj.* Relativo ou pertencente à psicolingüística: *trabalhos psicolingüísticos.*

psicologar. [De *psic(o)-* + *-log(o)-* + *-ar*[2].] *V. t. i.* e *p.* Fazer reflexões de natureza especulativa: "Não psicologuemos mais sobre esta viva, atrás do morto que morreu por ela!" (Eça de Queirós, *Contos,* p. 296); *É dado a psicologar.* [Conjug.: v. *largar.*]

psicologia. [De *psic(o)-* + *-log(o)-* + *-ia.*] *S. f.* **1.** A ciência dos fenômenos psíquicos e do comportamento. **2.** Conjunto de estados e disposições psíquicas de idéias de um indivíduo ou de um grupo de indivíduos: *Conhece bem a psicologia do povo francês.* **3.** Conjunto de conhecimentos relativos a essa ciência, ou que têm implicações com ela, ministrados nas respectivas faculdades: *estudante de psicologia.* **4.** Estudo psicológico de uma obra de arte, de um tema, etc.: *a psicologia da guerra; a psicologia do séc. XX.* **5.** Conhecimento intuitivo e/ou empírico dos sentimentos de outrem; aptidão para prever ou compreender comportamentos alheios: *Faltou-lhe psicologia quando repreendeu o filho em público.* ♦ **Psicologia animal.** Ramo da psicologia que tem por objeto o estudo descritivo e a análise experimental do comportamento dos animais. **Psicologia clínica.** Ramo da psicologia que estuda o comportamento do indivíduo (ou do grupo) por meio de técnicas apropriadas, tais como testes de inteligência, de personalidade, entrevistas, etc., numa tentativa de compreender-lhe e resolver-lhe os conflitos. **Psicologia diferencial.** Estudo comparativo da psicologia de diferentes seres ou classes de seres: *psicologia diferencial dos sexos; psicologia diferencial dos povos.* **Psicologia estrutural.** Método ou tratamento sistemático psicológico que estuda e descreve a composição e integração de diversos estados psíquicos e experiências conscientes. **Psicologia evolutiva.** Ramo da psicologia que estuda o desenvolvimento dos psiquismos, a transformação da criança em adulto, os progressos e os estágios por que ela passa, procurando compreender o significado funcional desses progressos e estágios. **Psicologia experimental.** Ramo da psicologia que submete à experimentação científica os fatos conhecidos pela observação a fim de verificá-los e deles extrair as leis gerais. **Psicologia industrial.** Conhecimentos psicológicos aplicados aos problemas humanos da indústria. **Psicologia racional.** *Filos.* Parte da metafísica que estuda o princípio e a causa dos fenômenos do pensamento humano. **Psicologia social.** Ciência que estuda os comportamentos dos indivíduos considerados como tais, dentro do campo social, por ele influenciados, mas igualmente reagindo a ele e transformando-o. Ex.: a psicologia do comportamento do líder.

psicológico. *Adj.* **1.** Relativo ou pertencente à psicologia: *teorias psicológicas.* **2.** Concernente aos fatos psíquicos, à mente: *Quando de nossa conversa, o seu estado psicológico não era bom.* ~ V. *guerra —a.*

psicologismo. [De *psicologia* + *-ismo.*] *S. m.* **1.** Tendência a fazer prevalecer o ponto de vista psicológico sobre o de outra ciência, num assunto de domínio comum. **2.** *Filos.* Doutrina que considera todos os nossos conhecimentos meros fatos psicológicos.

psicologista. *S. 2 g.* Psicólogo (1).

psicologizar. *V. int.* **1.** Dedicar-se à psicologia. *T. d.* **2.** Estudar ou fazer a psicologia de.

psicólogo. [De *psic(o)-* + *-logo.*] *S. m.* **1.** Especialista em psicologia; psicologista. **2.** Profissional em psicologia aplicada: *psicólogo clínico; psicólogo infantil.* **3.** *P. ext.* Pessoa que tem conhecimentos intuitivos ou empíricos da alma humana: *Machado de Assis era um psicólogo nato.* ● *Adj.* **4.** Diz-se de psicólogo (3): *É inteligente, mas não é muito psicólogo.*

psicologuês. *S. m. Bras. Burl.* Linguajar pedantemente recheado de expressões próprias de psicologia.

psicomancia (cí). [Do gr. *psychomanteía.*] *S. f.* Arte de adivinhar pela evocação das almas do outro mundo.

psicomante. [Do gr. *psychomántis.*] *S. 2 g.* Pessoa que pratica a psicomancia.

psicomântico. *Adj.* Referente à psicomancia, ou a psicomante.

psicometria. [De *psic(o)-* + *-metr(o)-*[2] + *-ia.*] *S. f.* Registro e medida dos fenômenos psíquicos por meio de métodos experimentais padronizados. [Cf. *psicrometria.*]

psicométrico. *Adj.* Respeitante à psicometria. [Cf. *psicrométrico.*]

psicomiorrelaxante. [De *psic(o)-* + *miorrelaxante.*] *Adj. 2 g.* e *s. m.* Diz-se de, ou medicamento miorrelaxante que age também sobre o psiquismo (1).

psicopata. [De *psic(o)-* + *-pata.*] *Adj. 2 g.* **1.** Que sofre de doença mental ou tem personalidade psicopática [q. v.]. ● *S. 2 g.* **2.** Pessoa psicopata. *S. m.* **3.** *Bras. Pop.* Hospício de alienados.

psicopatia. [De *psic(o)-* + *-pat-* + *-ia.*] *S. f.* **1.** *Psiq.* Designação comum às doenças mentais. **2.** *Psiq.* Estado mental patológico caracterizado por desvios, sobretudo caracterológicos, que acarretam comportamentos anti-sociais. **3.** *Med.* Psicose (1).

psicopático. *Adj.* Relativo à psicopatia. ~ V. *personalidade —a.*

psicopatologia. [De *psic(o)-* + *patologia.*] *S. f. Patol.* Estudo das doenças mentais no tocante à sua descrição, classificação, mecanismos de produção e evolução.

psicopatológico. *Adj.* Concernente à psicopatologia.

psicopatologista. *S. 2 g.* Especialista em psicopatologia.

psicopedagogia. [De *psic(o)-* + *pedagogia.*] *S. f.* Aplicação da psicologia experimental à pedagogia.

psicopedagógico. *Adj.* Relativo à psicopedagogia.

psicopedologia. [De *psic(o)-* + *pedologia.*] *S. f.* Estudo da atividade psíquica infantil.

psicopedológico. *Adj.* Referente à psicopedologia.

psicopompo. [Do gr. *psychopómpos.*] *S. m.* Na mitologia antiga, condutor das almas dos mortos, epíteto de Hermes, Caronte, Apolo, Orfeu.

psicose. [De *psic(o)-* + *-ose.*] *S. f.* **1.** *Med.* Designação comum às doenças mentais; psicopatia. **2.** *Fig.* Idéia fixa; obsessão: *psicose coletiva; a psicose da guerra.* ♦ **Psicose maníaco-depressiva.** *Psiq.* Psicopatia que se manifesta por acessos , que se alternam, de excitação psíquica e de depressão psíquica; mania.

psicossexual (cs). [De *psic(o)-* + *sexual.*] *Adj. 2 g.* Pertencente ou relativo, simultaneamente, aos domínios psíquico e sexual.

psicossocial. [De *psic(o)-* + *social.*] *Adj. 2 g. Bras.* Diz-se de atividade, estudo, etc., relacionados com os aspectos psicológicos conjuntamente com os aspectos sociais da nação, considerados distintos dos aspectos políticos (condução e administração da coisa pública), dos aspectos econômicos (aumento e distribuição da riqueza nacional) e dos aspectos militares (salvaguarda dos interesses, da riqueza e dos valores culturais da nação).

psicossociologia. [De *psic(o)-* + *sociologia.*] *S. f.* Estudo da natureza da sociedade e da sua influência nas funções psíquicas.

psicossociológico. *Adj.* Referente à psicossociologia.

psicossomático. [De *psic(o)-* + *somático.*] *Adj.* **1.** Pertencente ou relativo, simultaneamente, aos domínios orgânico e psíquico. **2.** Diz-se das perturbações ou lesões orgânicas produzidas por influências psíquicas (emoções, desejos, medo, etc.): *A úlcera gástrica é, muitas vezes, uma lesão psicossomática.*

psicostasia. [Do gr. *psychostasía.*] *S. f.* Na mitologia egípcia, julgamento simbólico da alma após a morte.

psicostimulante. [De *psic(o)-* + *estimulante.*] *Adj. 2 g.* e *s. m.* Diz-se de, ou medicamento próprio para ativar a capacidade mental.

psicotécnica. [De *psic(o)-* + *técnica.*] *S. f.* **1.** Disciplina que estuda e rege a aplicação dos dados da psicofisiologia e da psicologia experimental aos problemas humanos, tais como orientação profissional, organização do trabalho, e outros. **2.** O conjunto das técnicas científicas que permitem determinar as reações psicológicas e fisiológicas dos indivíduos.

psicotécnico. *Adj.* Relativo ou pertencente à psicotécnica: *exame psicotécnico.*

psicoterapeuta. [De *psic(o)-* + *terapeuta.*] *S. 2 g.* Especialista em psicoterapia.

psicoterapia. [De *psic(o)-* + *terapia.*] *S. f.* Aplicação metódica de técnicas psicológicas determinadas para restabelecer o equilíbrio emocional perturbado de um indivíduo. [As *psicoterapias de apoio* utilizam-se, em especial, de técnicas sugestivas, persuasivas, reeducativas, tranqüilizantes, ao passo que as chamadas *psicoterapias profundas* recorrem a técnicas catárticas, as quais variam da psicanálise clássica ao psicodrama. Cf. *psicroterapia.*] ♦ **Psicoterapia de apoio.** V. *psicoterapia.* **Psicoterapia profunda.** V. *psicoterapia.*

psicoterápico. *Adj.* Pertencente ou relativo à psicoterapia. [Cf. *psicroterápico.*]

psicótico. [De *psic(o)-* + *-t-* + *-ico*[2].] *Adj.* **1.** De, ou relativo a psicoses: *surto psicótico.* **2.** Que sofre psicose: *doente psicótico.* ● *S. m.* **3.** Indivíduo psicótico.

psicotrópico. [De *psic(o)-* + *-trop(o)-* + *-ico*[2].] *Adj.* e *s. m.* Diz-se de, ou substância medicamentosa que age sobre o psiquismo, como calmante ou como estimulante, ou que provoca perturbações psíquicas.

▲**psicro-.** [Do gr. *psychrós, á, ón.*] *El. comp.* = 'frio': *psicroalgia, psicroterapia.*

psicroalgia. [De *psicro-* + *-alg(o)-* + *-ia.*] *S. f. Med.* Sensação dolorosa de frio.

psicroálgico. *Adj.* Relativo à psicroalgia.

psicroestesia. [De *psicro-* + *estesia.*] *S. f. Med.* Estado em que uma parte do corpo dá a impressão de frio, embora esteja quente.

psicrofilia. [De *psicro-* + *-fil(o)-*[2] + *-ia.*] *S. f.* Predileção pelo frio.

psicrófilo. *Adj.* **1.** Relativo à psicrofilia. **2.** *Ecol. Veg.* Diz-se dos vegetais que se desenvolvem sob temperaturas baixas, por via de regra em torno de zero grau. ● *S. m.* **3.** Indivíduo que prefere habitar as regiões geladas.

psicrofobia. [De *psicro-* + *fobia.*] *S. f.* Medo mórbido ao frio.

psicrofóbico. *Adj.* Relativo à psicrofobia.

psicrometria. [De *psicro-* + *-metr(o)-*[2] + *-ia.*] *S. f. Fís.* Medição da umidade do ar por meio de psicrômetro. [Cf. *psicometria.*]

psicrométrico. *Adj.* Relativo à psicrometria, ou ao psicrômetro. [Cf. *psicométrico.*]

psicrômetro. [De *psicro-* + *-metro.*] *S. m. Fís.* Higrômetro com que se mede a umidade relativa mediante a diferença de temperatura de dois termômetros, dos quais um tem o bulbo seco e o outro o tem molhado.

psicroterapia. [De *psicro-* + *-terapia.*] *S. f.* Método terapêutico por meio do frio, como, p. ex., aplicações de compressas geladas, banhos frios, etc. [Cf. *psicoterapia.*]

psicroterápico. *Adj.* Relativo à psicroterapia. [Cf. *psicoterápico.*]

psilídeo. *S. m.* **1.** Espécime dos psilídeos. ● *Adj.* **2.** Pertencente ou relativo a eles.

psilídeos. *S. m. pl. Zool.* Família de insetos da ordem dos homópteros, de 2 a 5 mm de comprimento, muito semelhantes a cigarras em miniatura, antenas longas, e fortes pernas saltatórias. Alimentam-se da seiva das plantas, atacando plantas cultivadas.

psilo. [Do gr. *psyllos*, pelo lat. *psyllu.*] *Adj.* **1.** De, ou pertencente ou relativo aos psilos, antigo povo da Líbia que, segundo reza a tradição, sabia domesticar as serpentes e conhecia antídotos poderosos contra a picada destas. ● *S. m.* **2.** Indivíduo desse povo. **3.** *P. ext.* Domesticador de serpentes.

▲**psilo-.** [Do gr. *psilós.*] *El. comp.* = 'calvo', 'glabro': *psilófito, psilotáceas.*

psilófito. [De *psilo-* + *fito.*] *S. m. Ecol. Veg.* Planta própria do clima seco tropical, onde há savana.

psilomelanita. [De *psilo-* + *-melan(o)-* + *ita*[3].] *S. f. Min.* Mineral terroso ou concrecionado, óxido hidratado de manganês que encerra quantidades variáveis de ferro, bário e potássio; minério de manganês.

psilotácea. *S. f.* Espécime das psilotáceas.

psilotáceas. [De *psilo-* + *-t-* + *-áceas.*] *S. f. pl. Bot.* Família de pteridófitos, da classe das psilotinas, que tem apenas dois gêneros e quatro espécies, uma delas a *Psilotum triquetrum*, a única brasileira, pequena erva sem folhas nem raízes, comum sobre árvores silvestres.

psilotáceo. *Adj.* Pertencente ou relativo às psilotáceas.

psique. [Do gr. *psyché.*] *S. f.* **1.** A alma, o espírito, a mente: "os escritores brasileiros surpreenderam, em toda a sua nativa pureza, o centro da p s i q u e nacional." (João Gaspar Simões, *Crítica, I*, p. 175). **2.** Psiquismo (1). [Na mitologia grega, *Psique* era a personificação da alma.]

▲**psiqu(e)-.** V. *psic(o)-*.

psiqueuterpia. [De *psiqu(e)-* + mit. *Euterpe*, 'musa da poesia lírica e da música', + *-ia.*] *S. f. Esp.* Qualidade do médium que toca instrumentos sob o influxo dos espíritos.

psiquialgia. [De *psiqu(e)-* + *-i-* + *-alg(o)-* + *-ia.*] *S. f.* **1.** *Med.* Dor de origem mental. **2.** Sofrimento do espírito.

psiquiálgico. *Adj.* Respeitante à psiquialgia.

psiquiatra. [De *psic(o)-* + *-iatra.*] *S. 2 g.* Especialista em psiquiatria. [Var.: *psiquiatro.* Sin. (p. us.): *psiquiatrista.*]

psiquiatria. [De *psic(o)-* + *-iatria.*] *S. f.* Parte da medicina que trata do estudo e tratamento das doenças mentais.

psiquiátrico. *Adj.* Relativo à psiquiatria.

psiquiatrista. *S. 2 g. P. us.* V. *psiquiatra.*

psiquiatro. *S. m.* V. *psiquiatra.*

psíquico. [Do gr. *psychikós.*] *Adj.* Relativo ou pertencente à psique, à alma ou ao psiquismo (1); anímico: "Dor, saúde dos seres que se fanam, / Riqueza da alma, p s í q u i c o tesouro" (Augusto dos Anjos, *Eu*, 30ª ed., p. 199). ~ V. *reeducação —a.*

psiquídeo. *S. m.* **1.** Espécime dos psiquídeos. ● *Adj.* **2.** Pertencente ou relativo a eles.

psiquídeos. *S. m. pl. Zool.* Família de insetos da ordem dos lepidópteros, gênero *Oikesticus sp.*, vulgarmente conhecidos como *bichos-de-cesto* em virtude dos casulos compostos de seda e pedaços de folhas e ramos. Os machos adultos são pequenos e com asas bem desenvolvidas; as fêmeas são desprovidas de asas e patas, e têm aspecto vermiforme.

psiquismo. [De *psic(o)-* + *ismo.*] *S. m.* **1.** O conjunto dos fenômenos ou dos processos mentais conscientes ou inconscientes de um indivíduo ou de um grupo de indivíduos; psique: "Na estrutura que Freud propõe para o nosso p s i q u i s m o, ... a parte principal do drama se passa entre o id e o superego." (Gustavo Corção, *Lições de Abismo*, p. 279.) **2.** Doutrina filosófica que admite a existência de um fluido universal que anima todos os seres vivos.

psit. *Interj.* Psiu.

psitácida. *S. m.* e *adj. 2 g.* V. *psitacídeo.*

psitácidas. *S. m. pl. Zool.* V. *psitacídeos.*

psitacídeo. [De *psic(o)-* + *-ídeo.*] *S. m.* **1.** Espécime dos psitacídeos. ● *Adj.* **2.** Pertencente ou relativo a eles.

psitacídeos. *S. m. pl. Zool.* Aves psitaciformes, da família *Psittacidae*, caracterizadas por terem os dedos livres, dispostos dois para a frente e dois para trás, o bico com altura igual ao seu comprimento e as margens não serradas. Alimentam-se de toda a sorte de frutas e sementes. São as araras, os papagaios, as jandaias e os periquitos.

psitaciforme. [De *psitac(o)-* + *-i-* + *-forme.*] *S. m.* **1.** Espécime dos psitaciformes. ● *Adj. 2 g.* **2.** Pertencente ou relativo a eles.

psitaciformes. *S. m. pl. Zool.* Aves neórnites, neógnatas, da ordem *Psitacciformes*, de bico robusto, grosso e muito recurvo, língua carnuda e grossa, maxila superior móvel, pés zigodáctilos, adaptados para preensão, metacarpo coberto de escamas rugosas, e dedo posterior externo não reversível. Vivem nos campos e florestas, alimentando-se principalmente de frutas. São os papagaios, as araras e os periquitos em geral.

psitacismo. [De *psitac(o)-* + *-ismo.*] *S. m.* **1.** Distúrbio da linguagem, que consiste na repetição mecânica de palavras ou de frases vazias de sentido para quem as repete. **2.** Arte de alinhar frases ocas; verborragia: "Não faltou em Portugal um pretenso Gênio .... que em artigos de vulgarização sobre a doutrina da Relatividade .... explicasse esta última, e a esclarecesse ao público, definindo-a como 'a beleza de Vênus de Milo projetada num sistema de equações'. Em tempos — ai de mim! — sonhei que desmascarando estes p s i t a c i s m o s vácuos poderia prestar um bom serviço ao povo" (Antônio Sérgio, *Ensaios*, I, pp. 448-449). **3.** Processo de aprendizagem apenas por memorização.

▲**psitac(o)-.** [Do gr. *psittakós, oû.*] *El. comp.* = 'papagaio': *psitacismo, psitacose.*

psitacose. [De *psitac(o)* + *-ose.*] *S. f. Med.* Infecção própria do papagaio, produzida por uma clamidiácea, e que, eventualmente, pode transmitir-se ao homem, em quem provoca uma pneumonia atípica.

psiu. [Voc. onom.] *Interj.* e *s. m.* Us. para fazer calar ou para chamar; psit: "P s i u ! Ó moço! Quanto custa esse bilhete?" (Artur Azevedo, *Contos Efêmeros*, p. 58); "Chamavam, quando ele já se distanciava, com p s i u s veementes." (Pedro Nava, *Baú de Ossos*, p. 312).

psoas (ô). [Do gr. *psóai*, 'lombos', pelo lat. *psoas.*] *S. m. 2 n. Anat.* Cada um dos integrantes de dois pares de músculos abdominais, um par de cada lado: *grandes psoas* e *pequenos psoas.* ◆ **Grande psoas.** *Anat.* Cada um dos dois músculos que se originam lateralmente à borda inferior da 12ª vértebra lombar e se estendem até às coxas. **Pequeno psoas.** *Anat.* Cada um dos dois músculos, ausentes com freqüência, que se estendem do disco situado entre a 12ª vértebra torácica e a 1ª lombar, até a bacia.

psocóptero. *S. m.* e *adj.* V. *corrodente.*

psocópteros. *S. m. pl. Zool.* V. *corrodentes.*

psofídeo. *S. m.* **1.** Espécime dos psofídeos. ● *Adj.* **2.** Pertencente ou relativo a eles.

psofídeos. *S. m. pl. Zool.* Aves gruiformes, da família *Psophiidae*, caracterizadas por terem as penas da cabeça curtas e eretas. Vivem na floresta amazônica, alimentam-se de toda sorte de frutos e pequenos animais, e acostumam-se bem no cativeiro. São os jacamins.

psoíte. [De *psoa(s)-* + *-ite*[1].] *S. f. Med.* Inflamação de músculo psoas ou de sua bainha.

psora. [Do gr. *psora, as*, 'sarna'.] *S. f. Patol. Desus.* Psoríase.

psoríaco. [Do gr. *psora, as*, 'sarna', + *-ico*[2].] *Adj.* Relativo à, ou que tem psoríase.

psoríase. [Do gr. *psorías is.*] *S. f. Med.* Doença de etiologia desconhecida, de evolução crônica, sujeita a remissões e recidivas, e caracterizada pela presença de eritema e escamas, produzindo-se eflorescências [v. *eflorescência* (4)] avermelhadas semelhantes a discos, com escamas prateadas.

■**Pt.** *Quím.* Símb. de *platina*[1].

ptármico. [Do gr. *ptarmikós.*] *Adj.* V. *esternutatório* (1).

▲**pteri-.** Equiv. de *pterido-*.

▲**pterido-.** [Do gr. *pterís, ídos.*] *El. comp.* = 'feto[2]': *pteridologia, pteridografia.* [Equiv.: *pteri-*: *pterigrafia.*]

pteridófito. [De *pterido-* + *-fito.*] *S. m.* Espécime dos pteridófitos.

pteridófitos. *S. m. pl. Bot.* Grupo de plantas sem flores, que formam esporângios nas folhas ou em folhas modificadas, cujo órgãos sexuais aparecem em pequenas plantas taliformes, ditas *prótalos*, procedentes dos esporos formados pelas plantas verdes normais, conhecidas como *samambaias e avencas*, p. ex., e que se dividem em seis classes.

pteridografia. [De *pterido-* + *-graf(o)-* + *-ia.*] *S. f.* Descrição ou tratado acerca dos pteridófitos.

pteridográfico. *Adj.* Relativo à pteridografia.

pteridógrafo. *S. m.* Especialista em pteridografia.

pteridologia. [De *pterido-* + *-log(o)-* + *-ia.*] *S. f.* Parte da botânica que trata dos pteridófitos.

pteridológico. *Adj.* Relativo à pteridologia; *manual p t e r i d o l ó g i c o.*

pteridosperma. [De *pterido-* + *-sperma.*] *S. f.* Espécime das pteridospermas.

pteridospermas. *S. f. pl. Bot.* Cicadofilicales.

pterígio. [Do gr. *pterýgion*, 'asinha', pelo lat. *pterygiu.*] *S. m. Med.* Formação resultante de proliferação fibrovascular conjuntival que se estende em direção à córnea, de cujo estroma pode, até, destruir algumas camadas superficiais. [Sin., pop.: *unha-do-olho, unha-no-olho.*]

▲**pterígio.** [Do gr. *pterýgion, ou.*] *El. comp.* ='barbatana': *acantopterígio; micropterígio.*

pterigogêneo. *S. m.* e *adj.* Pterigoto.

pterigogêneos. *S. m. pl. Zool.* Pterigotos.

pterigóide. [Do gr. *pterigoeidés.*] *Adj. 2 g. Anat.* **1.** Que tem a forma de uma asa; aliforme. **2.** Diz-se de cada uma de duas apófises de osso esfenóide, situadas uma de cada lado da linha mediana desse osso. [F. paral.: *pterigóideo.*]

pterigóideo. *Adj. Anat.* Pterigóide. ~ V. *folha —a.*

pterigoto. *S. m.* **1.** Espécime dos pterigotos. ● *Adj.* **2.** Pertencente ou relativo a eles. [Sin. ger. *pterigogêneo.*]

pterigotos. *S. m. pl. Zool.* Animais artrópodes, da classe dos insetos, subclasse *Pterygota*, de metamorfose variada. São, na maioria, alados, com algumas espécies ou ordens ápteras por atrofia das asas (aladas na fase embrionária), sem apêndices abdominais além dos corpos dos cercos e da genitália. São todos os insetos, com exclusão dos proturos, colêmbolos, dipluros e tisanuros. [Sin.: *pterigogêneos.*]

pterigrafia. [De *pteri-* + *-graf(o)-* + *-ia.*] *S. f.* V. *pteridografia.*

pterigráfico. *Adj.* V. *pteridográfico.*

ptério. [De *pter(o)-* + *-io*[2].] *S. m. Anat.* Área do crânio, geralmente com a forma de *H*, e na qual os ossos frontal, parietal e temporal se articulam com a asa correspondente do esfenóide.

ptérion. *S. m. Anat.* V. *ptério.*

▲**pter(o)-.** [Do gr. *pterón, oû.*] *El. comp.* = 'asa': *pterocarpo; ptério, pteróide.* [Equiv.: *-ptero: tetráptero.*]

▲**-ptero.** Equiv. de *pter(o)-*.

pterobrânquio. [De *pter(o)-* + *-brânquio.*] *S. m.* **1.** Espécime dos pterobrânquios. ● *Adj.* **2.** Pertencente ou relativo a eles.

pterobrânquios. *S. m. pl. Zool.* Animais cordados, acrânios, hemicordados, da classe *Pterobranchia*, formada por espécies de porte minúsculo, com fendas branquiais em número de duas ou ausentes.

pterocarpo. [De *pter(o)-* + *-carpo.*] *S. m. Morfol. Veg.* Fruto que tem excrescências membranosas em forma de asa: fruto alado.

pterodáctilo. [De *pter(o)-* + *-dá(c)tilo.*] *Adj.* **1.** Que tem os dedos unidos por membrana. ● *S. m.* **2.** Certo reptil fóssil. [Var.: *pterodátilo.*].

pterodátilo. *Adj.* e *s. m.* Var. de *pterodáctilo* [q. v.].

pterodófita. [De *pterido-* + *-fita.*] *S. f.* V. *pteridófito.*

pterodófitas. *S. f. pl. Bot.* V. *pteridófitos.*

pterofagia. [De *pter(o)-* + *-fag(o)-* + *-ia.*] *S. f.* O comerem as aves as suas próprias penas, ou as alheias; picagem.

pterofágico. *Adj.* Respeitante à pterofagia.

pteróforo. [Do gr. *pterophóros.*] *Adj. Zool.* Que tem asas; alado, alífero.

pteróide. [De *pter(o)-* + *-óide.*] *Adj. 2 g. Morfol. Veg.* Que tem forma ou aparência de asa; pteróideo.

pteróideo. *Adj. Morfol. Veg.* Pteróide.

pteroma. [Do gr. *ptéroma*, pelo lat. *pteroma.*] *S. m. Arquit.* **1.** Na Grécia antiga, ala de um edifício. **2.** Renque de colunas em volta de um edifício.

pteromedusa. [De *pter(o)-* + *medusa.*] *S. f.* **1.** Espécime das pteromedusas. ● *Adj. 2 g.* **2.** Pertencente ou relativo a elas.

pteromedusas. *S. f. Pl. Zool.* Animais metazoários, celenterados, hidrozoários, traquilinos, subordem *Pteromedusae*, de corpo delgado, lembrando duas pirâmides, quatro lóbulos natatórios no centro, e gônadas abaixo do véu, projetando-se para dentro e enchendo o celêntero.

pterópode. [Do gr. *pterópous, odos.*] *Adj. 2 g. Zool.* **1.** De pés em forma de barbatana. **2.** Pertencente ou relativo aos pterópodes. ● *S. m.* **3.** Espécime dos pterópodes.

pterópodes. *S. m. pl. Zool.* Animais metazoários, invertebrados, moluscos, gastrópodes, pelágicos, com grandes expansões laterais do pé em forma de nadadeiras.

pteroptoquídeo. *S. m.* **1.** Espécime dos pteroptoquídeos. ● *Adj.* **2.** Pertencente ou relativo a eles.

pteroptoquídeos. *S. m. pl. Zool.* Aves passeriformes, da família *Pteroptochidae*, caracterizadas por terem o tarso taxaspidiano e ventas cobertas por uma membrana. São aves andinas, representadas na Amazônia por uma única espécie.

pterospermo. [De *pter(o)-* + *-spermo.*] *Adj. Morfol.*

Veg. Que tem sementes aladas.

pterossauro. [De *pter(o)-* + *-sauro.*] *S. m.* Reptil fóssil voador e marinho, que viveu do período triásico ao cretáceo.

ptialagogo (ô). [De *ptial(o)-* + *-agogo.*] *Adj.* e *s. m. Med.* Sialagogo.

ptialina. [De *ptial(o)-* + *-ina*[1].] *S. f.* Diástase da saliva, que converte o amido em maltose e dextrose.

ptialismo. [De *ptial(o)-* + *-ismo.*] *S. m. Med.* Secreção excessiva de saliva; polissialia, sialorréia.

▲**ptial(o)-.** [Do gr. *ptýalon* ou *ptýelon, ou.*] *El. comp.* = 'saliva': *ptialina, ptialagogo.*

pticodactiário. *S. m.* **1.** Espécime dos pticodactiários. ● *Adj.* **2.** Pertencente ou relativo a eles.

pticodactiários. *S. m. pl. Zool.* Animais metazoários, celenterados, antozoários, zoantários, actiniários, da subordem *ptychodactiaria,* sem áreas ciliadas nos filamentos e desprovidos de tentáculos capitados.

ptilose. [Do gr. *ptylosis.*] *S. f. Patol.* **1.** Queda dos cílios **2.** Pneumoconiose produzida pela inalação de poeira de penas de avestruz.

ptolemaico. [Do gr. *ptolemaikós,* pelo lat. *ptolemaicu.*] *Adj.* **1.** Pertencente ou relativo a Ptolomeu, astrônomo, matemático e geógrafo grego (séc. II), ou próprio dele: *sistema ptolemaico.* ~ V. *sistema* —. **2.** Pertencente ou relativo a Ptolomeu I Sóter e à sua dinastia, assim como à civilização helênica desse período, no Egito: *templos ptolemaicos; época ptolemaica.* [Var.: *ptolomaico.*]

ptolomaico. *Adj.* Ptolemaico [q. v.].

▲**ptoma-.** [Do gr. *ptôma, atos.*] *El. comp.* = 'cadáver'; 'queda': *ptomaína.* [Equiv.: *-ptoma: proptoma.*]

▲**-ptoma.** Equiv. de *ptoma-.*

ptomaína. [De *ptoma-* + *-ina*[2].] *S. f.* Qualquer das substâncias tóxicas aminadas provenientes da putrefação das matérias orgânicas de origem animal.

ptose. [Do gr. *ptôsis,* 'queda'.] *S. f. Patol.* Queda de um órgão pelo relaxamento dos ligamentos viscerais ou das paredes abdominais; descenso.

▲**-ptose.** Equiv. de *ptoseo-.*

▲**ptoseo-.** [Do gr. *ptôsis, eos.*] *El. comp.* = 'caso, flexão'; 'queda': *ptoseonomia.* [Equiv.: *-ptose: histeroptose.*]

ptoseonomia. [De *ptoseo-* + *-nom(o)-* + *-ia.*] *S. f. Gram. Obsol.* Campenomia.

ptótico. [Do gr. *ptotikós.*] *Adj.* Relativo à ptose.

■**Pu.** *Quím.* Símb. de *plutônio*[1].

pu. [Voc. onom.] *Interj.* e *s. m. Bras. Fam.* V. *pum.*

pua. *S. f.* **1.** Ponta aguda; bico, aguilhão, pico, espinho. **2.** Haste da espora, na ponta da qual está a roseta. **3.** Intervalo entre os dentes do pente do tear. **4.** Bico de verruma. **5.** V. *broca* (1). **6.** *Bras. Pop.* V. *torno* (5). **7.** *Bras. Pop.* V. *bebedeira* (1). **8.** *Bras., RS.* Espora de aço que se põe nos galos para a rinha.

puã. [Do tupi *po'ã,* 'dedo polegar'.] *S. f. Bras.* **1.** A pata do siri. **2.** V. *siripuã.*

puaço. [De *pua* + *-aço.*] *S. m. Bras., RS.* Golpe com puas [v. *pua* (8)].

puaçu. [Do tupi.] *S. m. Bras., Amaz.* Tecido de algodão usado por certos indígenas.

puava. [Do tupi?] *Bras., RS. Adj. 2 g.* **1.** Espantadiço, arisco, bravio. **2.** Colérico, raivoso, irado: "Gaúcho querendão e *puava,* ..., passara por uma radical mudança desde o encontro, num bailarico de Lavras, com a sia Rosa" (Alcides Maia, *Tapera,* p. 11). ● *S. 2 g.* **3.** Pessoa ou animal puava. *S. m.* **4.** Indivíduo valente, destemido.

✦**pub** (pãb). [Abrev. do ingl. *public house,* 'hospedaria'; 'botequim'.] *S. m.* Na Grã-Bretanha e em certos países de influência britânica, estabelecimento onde se servem bebidas alcoólicas.

puba. [Do tupi *puba,* 'fermentado'.] *S. f.* **1.** *Bras., N.* e *N.E.* Massa puba [q. v.]: "Cuscuz de tapioca, pamonha de *puba,* beijus, banana cozida." (Vasconcelos Maia, *O Leque de Oxum,* p. 32.) **2.** Terreno úmido, coberto de capim. **3.** Apuro exagerado no trajar; faceirice. ● *S. m.* **4.** *Bras., N.* Boi de corte, gordo.

▲**-puba.** [Do tupi.] *El. comp.* = 'podre': *capimpuba.*

pubar. *V. t. d. Bras.* Fazer fermentar, tornar puba (a mandioca). [V. *pubo* (1). Pres. subj.: *pube, pubes,* etc. Cf. *púbis.*]

pube. [Do lat. *pube.*] *S. m.* V. *púbis.*

puberdade. [Do lat. *pubertate.*] *S. f.* **1.** Conjunto das transformações psicofisiológicas ligadas à maturação sexual que traduzem a passagem progressiva da infância à adolescência. **2.** Estado ou qualidade de púbere. [Sin. ger.: *pubescência.*]

púbere. [Do lat. *pubere.*] *Adj. 2 g.* Que chegou à puberdade; pubescente.

puberulento. *Adj. Morfol. Veg.* Pubérulo [q. v.].

pubérulo. *Adj. Morfol. Veg.* Que é curtamente pubescente; puberulento: *sépala pubérula.* ~ V. *folha* —*a.*

pubescência. [De *pubescer* + *-ência.*] *S. f.* **1.** Puberdade: "As formas da graciosa *pubescência,* que um corpinho justo debuxaria em doce e palpitante relevo, as dissimulava o frouxo corte de uma jaqueta de flanela escarlate com mangas compridas" (José de Alencar, *Til,* p. 25). **2.** *Morfol. Veg.* Indumento das plantas formado de pêlos finos e curtos.

pubescente. [Do lat. *pubescente.*] *Adj. 2 g.* **1.** Púbere: "Três gregas de alvos pés, *pubescentes* e esguias, / Torcendo os corpos nus donde acre aroma escapa, / Dançam meneando véus, flexíveis como enguias." (Manuel Bandeira, *Estrela da Vida Inteira,* p. 69.) **2.** *Morfol. Veg.* Que apresenta pubescência (2): *pétala pubescente; folha pubescente.*

pubescer. [Do lat. *pubescere.*] *V. int.* **1.** Tornar-se púbere; atingir a puberdade; empubescer-se. [Conjug.: v. *crescer.*] ● *S. m.* **2.** Puberdade.

▲**pubi-.** [Do lat. *pubis, is.*] *El. comp.* = 'pêlo, penugem': *pubicórneo.*

pubiano. *Adj.* Relativo ou pertencente ao púbis; púbico.

púbico. *Adj.* Pubiano.

pubicórneo. [De *pubi-* + *-corn(e)-* + *-eo.*] *Adj. Zool.* Que tem os chifres cobertos de pêlos.

púbis. [Do lat. *pubis* (nom)., 'pêlo, penugem'.] *S. m. 2. n.* **1.** *Anat. Desus.* A parte inferior e mediana da região hipogástrica, que forma uma eminência triangular e se cobre de pêlos na puberdade; pente. **2.** *Anat.* A parte ínfero-anterior do osso ilíaco. [Diversos dicionários dão *púbis* como do gênero feminino; no entanto, a maior parte dos lexicógrafos, antigos e modernos — Morais, Fr. Domingos Vieira, Lacerda, Constâncio, Aulete, Adolfo Coelho, João de Deus, Jaime de Séguier, Simões de Fonseca, Silva Bastos, Augusto Moreno, Antenor Nascentes, Artur Bivar, Rodrigo Fontinha, Francisco Fernandes e outros —, têm por masculino o vocábulo, estando, pois, acordes com o uso geral de nossa língua e com o espanhol, o francês e o italiano. O ser feminina a palavra em latim não deve prevalecer contra um fato de linguagem. F. paral.: *pube.* Cf. *pubes,* do v. *pubar.*]

publicação. [Do lat. *publicatione.*] *S. f.* **1.** Ato ou efeito de publicar: *a publicação duma lei.* **2.** Obra publicada: *uma publicação ilustrada.* **3.** Exposição à venda de uma obra: *Já está anunciada a publicação do seu novo romance.* **4.** Opúsculo, folheto: *Li a publicação sobre Machado de Assis.* ♦ **Publicação não-periódica:** Aquela publicada numa só vez, ou publicada a intervalos, em volumes cujo número é geralmente determinado previamente (livro, folheto, separata, etc.). **Publicação oficial.** Publicação editada por órgão estatal oú paraestatal. **Publicação periódica.** Publicação editada em série contínua, sob um mesmo título, a intervalos regulares ou irregulares, por tempo indeterminado, sendo os números da série datados ou numerados consecutivamente (jornal, revista, etc.). **Publicação seriada.** Aquela que aparece em volumes ou fascículos numerados cronologicamente ou seqüencialmente, sem data prevista de término (periódicos em geral, anuários, anais, séries monográficas, etc.).

publicador (ô). [Do lat. *publicatore.*] *Adj.* e *s. m.* Que ou aquele que publica.

pública-forma. *S. f. Jur.* Cópia integral, exata e certificada, de um documento, feita por tabelião, e que pode substituir esse documento na maioria dos casos. [Pl.: *públicas-formas.*]

publicano. [Do lat. *publicanu.*] *S. m.* **1.** Na Roma antiga, cobrador de rendimentos públicos: "Nas altas do preço de vida, ..., não restava ao plebeu outro recurso que não fosse apelar para o agiota. Duas ou três prestações insatisfeitas, o *publicano* ia, seqüestrava os bens do insolvente e passava-lhe os anjinhos aos pulsos." (Aquilino Ribeiro. *Os Avós dos Nossos Avós,* p. 69.) **2.** *Pej.* Homem de negócios. ● *Adj.* **3.** De, ou próprio de publicano (2): "A origem de sua fortuna, ou o aumento dela, posteriormente, deve prender-se à atividade *publicana,* favorecida pelo prestígio do poder de Otávio, seu amigo" (Mecenas Dourado, *Mecenas ou o Suborno da Inteligência,* p. 17).

publicar. [Do lat. *publicare.*] *V. t. d.* **1.** Tornar público, manifesto, notório; vulgarizar: *publicar um segredo.* **2.** Divulgar, espalhar, propalar: *Muito faladeira, vive a publicar boatos.* **3.** Afirmar publicamente; proclamar, pregar: *O Governo publicou sua orientação política e econômica.* **4.** Dar conhecimento de (lei, decreto, etc.). **5.** Editar; dar à estampa, dar à luz, dar a lume: "*Publicara* [Charles Nodier], em 1801, uma seleção de pensamentos de Shakespeare" (Melo Nóbrega, *O Soneto de Arvers,* p. 7). **6.** Proferir com solenidade (sentenças, decisões, etc.) **7.** Fazer-se conhecer; manifestar-se, declarar-se: *O impostor publicou-se por autor da peça musical.* [Conjug.: v. *trancar.* Pres. ind.: *publico,* etc. Cf. *público.*]

publicável. *Adj. 2 g.* Que pode ser publicado.

publicidade. [Calcado no fr. *publicité.*] *S. f.* **1.** Qualidade do que é público: *a publicidade dum escândalo.* **2.** Caráter do que é feito em público: *a publicidade dos debates judiciais.* **3.** A arte de exercer uma ação psicológica sobre o público com fins comerciais ou políticos; propaganda: *agência de publicidade; a publicidade governamental.* **4.** Cartaz, anúncio, texto, etc., com caráter publicitário: *duas páginas de publicidade no jornal.*

publicismo. [Do fr. *publicisme.*] *S. m.* **1.** Profissão de publicista. **2.** Os publicistas.

publicíssimo. *Adj.* Superl. abs. sint. de *público.*

publicista. [Do fr. *publiciste.*] *S. 2 g.* **1.** Especialista em direito público. **2.** Escritor político. **3.** Pessoa que escreve para o público, sobre assuntos vários.

publicitário. [Do lat. **publicitate,* 'publicidade', + *-ário.*] *Adj. Bras.* **1.** Relativo a publicidade (3) ~ V. *arte* —*a.* ● *S. m.* **2.** Aquele que trabalha em organizações de publicidade.

público. [Do lat. *publicu.*] *Adj.* **1.** Do, ou relativo, ou pertencente ou destinado ao povo, à coletividade: *opinião pública; bem-estar público; movimento público.* **2.** Relativo ou pertencente ao governo de um país: *repartição pública; cargo público.* **3.** Que é do uso de todos; comum: *hospital público; passeio público.* **4.** Aberto a quaisquer pessoas: *exposição pública; conferência pública; concurso público.* **5.** Conhecido de todos; manifesto, notório: *O escândalo tornou-se público.* **6.** Que se realiza em presença de testemunhas, em público; não secreto: *sessão pública; votação pública.* [Superl. abs. sint.: *publicíssimo.*] ~ V. *arquivo* —, *assistência* —*a, ato* —, *clamor* —, *coisa* —*a, direito* —, *direito internacional* —, *dívida* —*a, dívida* —*a externa, dívida* —*a interna, estabelecimento* —, *fazenda* —*a, fé* —*a, força* —*a, funcionário* —, *fundos* —*os, hasta* —*a, homem* —, *inimigo* —, *instrumento* —, *limpeza* —*a, ministério* —, *múnus* —, *opinião* —*a, ordem* —*a, poder* —, *promotor* —, *promotor* — *adjunto, receita* —*a, relações* —*as, repartição* —*a, servidor* —, *testamento* —, *título de dívida* —*a* e *vida* —*a.* ● *S. m.* **7.** O povo em geral: *interdito ao público.* **8.** Conjunto de pessoas que lêem, vêem, ou ouvem, uma obra literária, dramática, musical, etc.: *o público de um autor, de um músico.* **9.** Conjunto de pessoas que assistem efetivamente a um espetáculo, a uma reunião, a uma manifestação; assistência, ou auditório: *o público das corridas, do congresso médico, de uma sessão de cinema, de um concerto.* **10.** *P. ext. Irôn.* Conjunto de pessoas que dão atenção ao que alguém faz, diz, etc.: *Para onde ele vai carrega o seu público.* **11.** Conjunto de pessoas às quais se destina uma mensagem artística, jornalística, publicitária, etc. **12.** *Sociol.* Agregado ou conjunto instável de pessoas pertencentes a grupos sociais diversos, e dispersas sobre determinada área, que pensam e sentem de modo semelhante a respeito de problemas, gostos ou movimentos de opinião. [Cf. *publico,* do v. *publicar.*] ♦ **Público externo.** *Prop.* Segmento do público (11) de certa forma relacionado às atividades de uma empresa ou organização, mas que não faz parte integrante desta (v.g., fornecedores, consumidores, autoridades governamentais, público em geral). **Público interno.** *Prop.* Segmento do público (11) constituído essencialmente dos diretores e empregados de uma empresa ou organização, incluindo, eventualmente, acionistas, conselheiros, vendedores, etc. **Em público. 1.** Na presença de numerosas pessoas: *falar em público.* **2.** Na presença de testemunhas: *Assinou a escrita em público.* **Em público e raso.** *Jur.* Com o sinal público e mais a assinatura particular do tabelião ou do oficial de registro.

público-alvo. *Prop.* Segmento do público (11) ao qual se destina uma mensagem específica.

publícola. [Do lat. *publicola.*] *S. 2 g.* Pessoa que ama o povo; democrata.

pubo. [De *puba.*] *Adj. Bras., N.* e *N.E.* **1.** Fermentado; podre: *massa puba.* **2.** Cansado, estafado, doido. ~ V. *massa* —*a.*

puça. *S. m. Bras., N.E.* Designação pejorativa dada a portugueses na época das lutas da Independência. [V. *galego* (4).]

puçá. [Do tupi *pï'sá.*] *S. m.* **1.** *Bras.* Fruto do puçazeiro. **2.** *Bras.* Pequena rede cônica, com círculo de arame ou de madeira na boca, para pesca de camarões, pitus, siris, etc.; jereré: "Para chegar à costeira / Tem ele [o camaroeiro] uma légua inteira / De caminho a caminhar, / Vencendo-a de combro em combro, / De atoleiro em atoleiro, / Com o remo e o p u ç á no ombro / E, na mão, o candeeiro..." (Vicente de Carvalho, *Poemas e Canções*, p. 201.) **3.** *Bras., N.* Peneira de malhas para apanhar peixe miúdo, camarões, siris, etc. **4.** *Bras., CE.* Borla de algodão com a qual se enfeitam redes. **5.** *Bras., SP.* Tipo de renda de guarnição para vestidos.

pucaçu. [Do tupi *pika'su.*] *S. m. Bras., BA.* V. *pombalegítima.*

puçanga. [Do tupi *pu'sãga.*] *S. f.* **1.** *Bras., N.* Remédio caseiro; meizinha, mezinha. **2.** *Bras., Amaz. Folcl.* Medicação mágica receitada pelos pajés, após consulta aos espíritos com quem trabalham, para curar doenças ou afastar malefícios.

puçanguara. [Do tupi *pusã'gwara.*] *S. m. Bras., MG.* V. *curandeiro* (1).

púcara. *S. f.* Var. de *púcaro:* "Jarros, bacias, porta-jóias, tigelas, p ú c a r a s, malgas" (Raimundo Morais, *Na Planície Amazônica*, p. 60).

púcaro. *S. m.* **1.** Pequeno vaso com asa, ordinariamente destinado a extrair líquidos de outros recipientes maiores: "Então é que era saber um p ú c a r o d'água fria das vertentes do Outeiro, aquela água de prata viva que Deus mandava se bebesse..." (Xavier Marques, *O Sargento Pedro*, p. 14.) **2.** Pequeno vaso de toucador, para depósito de pó-de-arroz. [Var.: *púcara.*]

puçazeiro (çà). [De *puçá* + *-z-* + *-eiro.*] *S. m. Bras., L.* Arvoreta da família das apocináceas *(Rauwolfia bahiensis)*, dotada de folhas opostas, pequenas flores, frutos bacáceos, e cuja casca possui a reserpina, que é extraída, porém, de outras espécies mais ricas; casca-de-anta-brava.

puceiro. *S. m. Lus.* Cesto vindimo. [Cf. *poceiro* e *posseiro.*]

pucela. [Do fr. *pucelle.*] *S. f.* Virgem, donzela.

pucha. *Interj. Bras.* V. *puxa.*

pucho¹. [Do mal. *puchuq.*] *S. m. Ant.* Planta aromática, outrora negociada na Índia. [Cf. *puxo*, do v. *puxar* e *s. m.*]

pucho². [Do esp. plat. *pucho.*] *S. m. Bras., RS.* V. *guimba.* [Cf. *puxo*, do v. *puxar* e *s. m.*]

pucínia. *S. f.* Gênero de fungos *(Puccinia graminis)*, causador da moléstia chamada ferrugem, que ataca as culturas de cereais, particularmente de trigo.

puço. [Do tupi?] *S. m. Bras.* Instrumento de pesca, usado na Amaz.

pucóbie. *Bras. S. 2 g.* e *adj. 2 g.* V. *piocobjê.*

pucumã. *S. m. Bras.* Var. de *picumã;* "E dos coibros dos galpões pendem p u c u m ã s." (Ledo Ivo, *A Noite Misteriosa*, p. 76.)

pudendo. [Do lat. *pudendu*, 'de que deve haver pudor ou vergonha'.] *Adj.* **1.** Envergonhado, vergonhoso; pudico: "Compreende-se que as impudicícias da *Corja* manchassem o pulcro arminho do Sr. Conceição, demasiadamente p u d e n d o e donzel em anos pouquíssimos virginais." (Camilo Castelo Branco, *Boêmia do Espírito*, p. 397.) **2.** Que o pudor deve recatar: *partes p u d e n d a s.* **3.** *Med.* Relativo ou pertencente aos órgãos genitais externos: *nervo p u d e n d o; região p u d e n d a.* ~V. *partes —as.* [Cf. *podendo*, do v. *poder.*]

pudente. [Do lat. *pudente.*] *Adj. 2 g.* V. *pudico* (1).

pudera. [Do m.-q.-perf. ind. de *poder.*] *Interj.* Não era para menos; pois então, claro: "Todo o mundo começava a reparar, hem! P u d e r a ! Um rapaz novo, janota, vir todos os dias de trem, estar duas, três horas!" (Eça de Queirós, *O Primo Basílio*, p. 175.)

pudibundo. [Do lat. *pudibundu.*] *Adj.* **1.** V. *pudico:* "Nesse mundo de luz, doce e risonho, / A p u d i b u n d a virgem do meu sonho / Seria minha irmã!" (Casimiro de Abreu, *Obras*, p. 191); "O dicionário, em certos meios, é tão desconsiderado como os palavrões obscenos que a crítica p u d i b u n d a repele." (Graciliano Ramos, *Linhas Tortas*, p. 276.) **2.** *Fig.* Corado, rubicundo.

pudicícia. [Do lat. *pudicitia.*] *S. f.* **1.** Qualidade de pudico. **2.** Sentimento feminino de honra; pureza, castidade. **3.** *P. ext.* V. *pudor* (2): "Os decotes da ruiva, as dúvidas sobre o casamento, chocavam a p u d i c í c i a das famílias." (Viriato Correia, *Novelas Doidas*, p. 115.) **4.** Ato, procedimento ou palavras que denotam pudor: *falsas p u d i c í c i a s.*

pudicíssimo. [Do lat. *pudicissimu.*] *Adj.* Superl. abs. sint. de *pudico.*

pudico (í). [Do lat. *pudicu.*] *Adj.* **1.** Que tem ou revela pudor; casto, recatado, pudente: *donzela p u d i c a ; olhar p u d i c o.* **2.** Que se envergonha; tímido, vergonhoso, envergonhado, [Sin.: ger.: *pudibundo;* superl. abs. sint.: *pudicíssimo.*]

pudim. [Do ingl. *pudding.*] *S. m.* Iguaria de consistência cremosa e composição variada (laranja, pão, creme de leite, queijo, peixe, galinha desfiada, etc.), assada em banho-maria, e em geral servida com uma calda, quando doce, e com um molho, quando salgada.

pudlagem. *S. f. Metal.* Processo de descarburização do ferro mediante a ação de escória ou de óxidos.

pudor (ô). [Do lat. *pudore.*] *S. m.* **1.** Sentimento de vergonha, de mal-estar, gerado pelo que pode ferir a decência, a honestidade ou a modéstia; pejo. **2.** *P. ext.* Este sentimento, ligado a atos ou coisas que se relacionam com o sexo; recato, vergonha, pudicícia: *atentado ao p u d o r.*

pudoroso (ô). [Do lat. *pudorosu.*] *Adj.* **1.** Que tem, ou em que há pudor. **2.** Relativo ao pudor.

puelar. [Do lat. *puellare.*] *Adj.* **2. g.** Relativo ou pertencente a, ou próprio de menina ou mocinha.

puelche. [Do mapuche *puel-che*, 'gente do leste'.] *S. 2 g.* **1.** Indivíduo dos puelches, tribo araucana que habitava a vertente oriental dos Andes, i. e., os Pampas. *S. m.* **2.** O idioma dessa tribo. ● *Adj. 2 g.* **3.** De, ou pertencente ou relativo aos puelches.

puera (ê). *S. f. Bras., PA.* V. *ipueira.* [Cf. *poeira.*]

▲pueri-. [Do lat. *puer, i.*] *El. comp.* = 'menino', 'criança': *puericultura.*

puerícia. [Do lat. *pueritia.*] *S. f.* Infância (1): "Estando ainda na p u e r í c i a, viera para o Brasil, recomendado a um rico mercador da Bahia" (Eduardo Frieiro, *O Mameluco Boaventura*, p. 62).

puericultor (ô). [De *pueri-* + *cultor.*] *S. m.* Especialista em puericultura.

puericultura. [De *pueri-* + *cultura.*] *S. f.* Conjunto de técnicas empregadas para assegurar o perfeito desenvolvimento físico, mental e moral da criança, desde o período da gestação.

pueril. [Do lat. *puerile.*] *Adj. 2 g.* **1.** Da, ou relativo à puerícia: *idade p u e r i l.* **2.** Próprio de crianças; meninil, infantil: *jogos p u e r i s;* "É verdade que é preciso deixar de ser criança para poder sentir em toda a sua plenitude a força do espírito p u e r i l" (Augusto Meyer, *Segredos da Infância*, p. 18). **3.** Ingênuo, fútil, frívolo: *argumentos p u e r i s ;* "Sua réplica é sempre chocante, freqüentemente p u e r i l ou absurda" (Moisés Velinho, *Letras da Província*, p. 56).

puerilidade. [Do lat. *puerilitate.*] *S. f.* **1.** Qualidade de pueril. **2.** Ato, dito ou modos de crianças; criancice, infantilidade. **3.** Futilidade, frivolidade, banalidade; parvoíce, parvulez.

puerilismo. [De *pueril* + *-ismo.*] *S. m. Psiq.* Regressão da mentalidade adulta para a da criança, fenômeno que se assinala por atitudes, linguagem, ocupações infantis.

puerilizar. [De *pueril* + *-izar.*] *V. t. d.* e *p.* Tornar(-se) pueril.

puérpera. [Do lat. *puerpera.*] *Adj. (f.)* e *s. f.* Diz-se de, ou mulher que pariu recentemente. [Cf. *parturiente.*]

puerperal. *Adj. 2 g.* Referente à puérpera, ou ao parto. ~ V. *febre —.*

puerpério. [Do lat. *puerperiu.*] *S. m.* **1.** Período que se segue ao parto até que os órgãos genitais e o estado geral da mulher retornem à normalidade. **2.** O conjunto de fenômenos ocorrentes nesse período.

puetana. *Bras. S. 2 g.* **1.** Indivíduo dos puetanas, tribo indígena do AM. ● *Adj. 2 g.* **2.** Pertencente ou relativo a essa tribo.

puf. *Interj.* Designa cansaço, enfado, etc. [Cf. *pufe.*]

pufe. [Do fr. *pouf.*] *S. m.* **1.** Almofada com que se entufavam saias ou vestidos. **2.** Assento acolchoado, circular e baixo, sem braços e sem espaldar, geralmente recoberto de estofo, que dissimula os pés. **3.** Anúncio ou propaganda impudente. [Cf. *puf.*]

pufinídeo. *S. m.* **1.** Espécime dos pufinídeos. ● *Adj.* **2.** Pertencente ou relativo a eles,

pufinídeos. *S. m. pl. Zool.* Família de aves palmípedes.

pufismo. [De *pufe* (3) + *-ismo.*] *S. m.* Arte de propaganda impudente.

púgil. [Do lat. *pugile.*] *Adj. 2 g.* **1.** Dado a brigas. [Superl. abs. sint.: *pugílimo* e *pugilíssimo.*] ● *S. m.* **2.** *Ant.* Pugilista (1): "Pólux! Castor! Os p ú g i l e s valentes / A Pólux propiciem." (Antônio Feliciano de Castilho, *Os Amores de P. Ovídio Nasão*, III, p. 21.) [Pl.: *púgeis, púgiles.*]

pugilar. [Do lat. *pugillare.*] *S. m.* V. *tábula* (2).

pugilato. [Do lat. *pugillatu.*] *S. m.* **1.** Luta com os punhos: luta a socos. **2.** *Fig.* Discussão acalorada.

pugílimo. *Adj.* Superl. abs. sint. de *púgil;* pugilíssimo.

pugilismo. *S. m.* **1.** Hábitos de pugilista. **2.** O esporte do pugilato (1); boxe.

pugilíssimo. *Adj.* Superl. abs. sint. de *púgil;* pugílimo.

pugilista. [De *pugil(o)-* + *-ista.*] *S. 2 g.* Atleta do pugilato; boxeador: "Os ânimos ainda mais se exaltavam porque justamente naqueles dias seria disputado o campeonato mundial de boxe, cujo título pertencia a um p u g i l i s t a negro." (Fernando Sabino, *O Homem Nu*, p. 118.)

pugilo. [Do lat. *pugillu.* 'punho, 'punhado'.] *S. m.* **1.** Porção de alguma coisa que se pode abranger com o polegar, o indicador e o dedo médio. **2.** Magote; grupo: "em parte alguma do Brasil há um p u g i l o de moços de intuição mais moderna e pureza de ideais artísticos mais perfeita que naquela bela e florescente capital do Paraná." (Nestor Vítor, *A Crítica de ontem*, p. 24).

▲pugil(o)-. [Do lat. *pugillus, i.*] *El. comp.* = 'punho': *pugilista, pugilômetro.*

pugilômetro. [De *pugil(o)-* + *-metro.*] *S. m.* Instrumento que permite avaliar o impulso dado pelo punho.

pugna. [Do lat. *pugna.*] *S. f.* **1.** Ato de pugnar. **2.** Briga, peleja, luta, combate: "foi [o padre] o guerreiro e o mártir nas p u g n a s da independência, ora arcabuzado, estoicamente, ora trepando à forca, glorioso" (Mário Sete, *Senhora de Engenho*, p. 50).

pugnace. *Adj. 2 g. P. Us.* Pugnaz.

pugnacidade. [Do lat. *pugnacitate.*] *S. f.* **1.** Qualidade pugnaz. **2.** Tendência para a briga; animosidade.

pugnacíssimo. [Do lat. *pugnacissimu.*] *Adj.* Superl. abs. sint. de *pugnaz.*

pugnador (ô). [Do lat. *pugnatore.*] *Adj.* V. *pugnaz* (1).

pugnar. [Do lat. *pugnare.*] *V. t. d.* **1.** Tomar a defesa de; punir por: *O advogado p u g n a os direitos de seu constituinte.* **2.** Tomar parte em (luta, batalha); travar: *As legiões p u g n a r a m a maior batalha de nossa história. T. i.* **3.** Combater, brigar, pelejar, lutar: *As tropas e a população p u g n a r a m ardorosamente com os invasores;* "E sonhou, um instante, que, à frente de soldados, p u g n a v a pela emancipação da colônia e libertação da pátria." (Afonso Arinos, *Pelo Sertão*, p. 155). **4.** Discutir acaloradamente; altercar: *P u g n o u com o vizinho, sem razão.* **5.** Lutar moralmente (por alguma coisa), esforçar-se, punir: *O liberal pugna pelos direitos do homem. Int.* **6.** Combater, brigar, pelejar, lutar. **7.** Discutir acaloradamente.

pugnaz. [Do lat. *pugnace.*] *Adj. 2 g.* **1.** Que pugna; brigador, polêmico, lutador, pugnador. **2.** Dado a pugnas; brigão, belicoso. [Superl. abs. sint.: *pugnacíssimo.*]

puh. *Interj.* **1.** Exprime queda, choque. **2.** Indica tb. desprezo.

puideira (u-i). [De *puir* + *-deira.*] *S. f.* Material com que se fricciona o objeto que se quer puir. [Cf. *poedeira.*]

puído. [Part. de *puir.*] *Adj.* **1.** Desgastado pelo roçar, pela fricção: "Fez pose de comprador, ele de sapatos surrados, camisa de punhos p u í d o s" (Solange Lajes, *Paisagem*, p. 87). **2.** Polido, alisado, mediante o roçar. [Var.: *buído.*]

puinave. *Bras. S. 2 g.* **1.** Indivíduo dos puinaves, tribo indígena que constitui, com a tribo dos macus, uma família lingüística, na zona fronteiriça entre a Colômbia e o Brasil, na parte superior das bacias dos rios Negro e Orinoco. ● *Adj. 2 g.* **2.** Pertencente ou relativo a essa tribo. [Sin. ger.: *macunabe.*]

puir. [Do lat. *polire*, 'aplainar, alisar'; 'nivelar'.] *V. t. d.* **1.** Desgastar; desfazer pouco a pouco, roçando ou friccionando; gastar: *p u i r a camisa.* **2.** Polir, alisar, roçando: *p u i r os cromados.* [Var.: *buir.* Defect. Não se conjuga nas f. em que ao *u* da raiz se seguiria o ou a, i. e., na 1ª pess. sing. do pres. ind. e no pres. subj.]

puíta¹. [De *poita?*] *S. f. Bras., N.* e *N.E.* Corda de embira que se utiliza nas jangadas como amarra.

puíta². [Do quimb. *puita*, 'tambor'.] *S. f. Bras.* V. *cuíca* (2): "Ele era o mestre dos jongos, maestro da orquestra de zabumbas e p u í t a s, tocador de atabaques nos caxambus da Fazenda." (Silva Guimarães, *Os Borrachos*, p. 5.)

puitar (u-i). [De *puíta¹* + *-ar².*] *V. t. d. Bras.* **1.** Fazer parar (a canoa) no meio do rio. **2.** Fundear, lançando âncora; ancorar.

pujacá. *Bras. S. 2 g.* e *adj. 2 g.* V. *puxacar.*

pujança. [Do esp. *pujanza.*] *S. f.* **1.** Qualidade de pujante. **2.** Grande força vegetativa: *a p u j a n ç a das árvores.* **3.** Robustez, força, vigor, possança: *O rapaz está na p u j a n ç a dos anos.* **4.** *Fig.* Grandeza, poderio, magnificência. **5.** *Geol.* Possança (2).

pujante. [Do esp. *pujante.*] *Adj. 2 g.* **1.** Que tem grande força; possante: "Vede agora Zola. É o sucessor de Balzac. Talento p u j a n t e, grande romancista" (Machado de Assis, *A Semana*, II, p. 83.) **2.** Que tem poderio; grandioso, magnificente. **3.** Denodado, altivo, altaneiro, brioso. [Cf. *pojante.*]

pujar. [Do esp. *pujar.*] *V. t. d.* **1.** Superar, suplantar, sobrepujar: *Seu heroísmo* pujou *o dos demais combatentes; As guerras do séc. XX* pujaram *todas as anteriores em crueldade. Int.* **2.** Lutar por conseguir alguma coisa; esforçar-se. [Cf. *pojar.*]

pujixá. *Bras. S. 2 g.* **1.** Indivíduo dos pujixás, tribo indígena que habitava as matas de São Mateus (MG). ● *Adj. 2 g.* **2.** Pertencente ou relativo a essa tribo.

pul. [Do persa *pul.*] *S. m.* Designação comum às moedas de cobre, da Pérsia, atual Irã. [Pl.: *pules.*]

pula. *S. m.* Unidade monetária, e moeda, de Botsuana (África).

pulação. *S. f. Bras.* Ato de pular.

puladinho. [De *pulado* + *-inho.*] *S. m. Bras.* Dança popular, de origem africana, espécie de samba de passos calmos, simples e arrastados; picadinho.

pulado. [Part. de *pular.*] *Adj. Bras.* ~ V. *fogo* —.

pulador (ô). *Adj.* Que pula; pulante.

pulante. *Adj. 2 g.* Pulador.

pula-pula. [Da 3ª pess. sing. do pres. ind. de *pular*, repetida.] *S. m. Bras.* Ave passeriforme, da família dos compsotlipídeos (*Basileuterus auricapillus* (Sw.)), do Brasil oriental e centro-meridional, de dorso verde-oliva, abdome amarelo, vértice amarelo-alaranjado com uma estria preta de cada lado, e outra mais larga, sobre o olho, de cor cinza. Alimenta-se de artrópodes e frutas. [Pl.: *pulas-pulas* e *pula-pulas.*]

pular. [Do lat. *pullare*, 'brotar'.] *V. int.* **1.** Elevar-se do chão imprimindo ao corpo um impulso mais ou menos rápido; saltar. **2.** Manifestar-se com sobressalto e movimento; agitar-se: *Ao ouvir a boa nova,* pulou *de contente.* **3.** Ferver, pulular. **4.** Pulsar com veemência (o coração); dar pulo (2): Pula *o coração inquieto.* **5.** + Crescer muito rapidamente: *Nos últimos seis meses o guri* pulou. **6.** *Bras. Cap.* Jogar capoeira. *T. c.* **7.** Aumentar depressa (em bens, em fortuna, em postos): *Quem tem amigos influentes* pula *em fortuna.* **8.** Saltar, rolar, jorrar: *As lágrimas* pulam *dos olhos; T. d.* **9.** Transpor de um pulo; saltar: pular *uma cerca, uma vala.*

pulário. [Do lat. *pullariu.*] *S. m.* Entre os antigos romanos, aquele que cuidava dos galos sagrados.

pula-ventana. [De *pular* + *ventana.*] *S. m. Bras.* Ventanista. [Pl.: *pula-ventanas.*]

▲pulcri-. [Do lat. *pulcher, chra, chrum.*] *El. comp.* = 'lindo, belo': *pulcrícomo.*

pulcrícomo. [De *pulcri-* + *-como.*] *Adj.* Cujos cabelos são belos.

pulcríssimo. *Adj.* Superl. abs. sint. de *pulcro*; pulquérrimo.

pulcritude. [Do lat. *pulchritudine.*] *S. f. Poét.* Qualidade de pulcro; beleza, formosura: "Deus te conserve sempre a pulcritude / do coração, e a doce claridade / desses teus olhos cheios de virtude!" (Austro-Costa, *Mulheres e Rosas*, p. 33.)

pulcro. [Do lat. *pulchru.*] *Adj. Poét.* Gentil, belo, formoso: "Adeus aos filtros da mulher bonita; / A esse rosto espanhol, pulcro e moreno" (Raimundo Correia, *Poesias*, p. 62); "Arfam na graça dos coleios, / Nos rodopios e meneios, / Os pomos pulcros dos seus seios." (Martins Fontes, *Verão*, p. 88). [Superl. abs. sint.: *pulquérrimo* e *pulcríssimo.*]

pule. [Do ingl. *pool*, 'o total das apostas, em certos jogos', pelo fr. *poule.*] *S. f. Bras. Turfe.* **1.** Bilhete de aposta no número de determinado cavalo, e que pode referir-se ao vencedor, à dupla, ou a um placê. **2.** Bolo formado por essas apostas.

pulga. [Do lat. **pulica*, por *pulice.*] *S. f.* **1.** Designação comum aos insetos sifonápteros ou suctórios, ápteros, de corpo comprimido, com pernas muito desenvolvidas, apropriadas para o salto, e que se alimentam de sangue dos vertebrados de sangue quente. A pulga doméstica *Pulex irritans* é um ectoparasito de cães, gatos e ratos. Trata-se de veículo de inúmeras infecções, entre as quais se destaca a peste bubônica, causada pela *Pasteurella pestis.* **2.** *Bras. Gír.* Automóvel muito pequeno. ◆ **Com a pulga atrás da orelha.** *Bras.* Com desconfiança, suspeita, dúvidas, de alguém ou de algo; com a pulga na orelha: *O cochicho dos irmãos deixou-o* com a pulga atrás da orelha. **Com a pulga na orelha.** *Bras.* Com a pulga atrás da orelha.

pulga-da-areia. *S. f. Bras.* V. *bicho-do-pé.* [Pl.: *pulgas-da-areia.*]

pulga-d'água. *S. f.* Designação comum aos artrópodes, crustáceos, branquiópodes, especialmente do gênero *Daphnia* L., cosmopolitas, que vivem nas águas paradas e se locomovem com auxílio de suas antenas. Alimentam-se de algas, bactérias e protozoários. [Pl.: *pulgas-d'água.*]

pulga-da-macieira. *S. f.* V. *pulgão-lanígero.* [Pl.: *pulgas-da-macieira.*]

pulga-de-galinha. *S. f.* Pulga (*Ceratophyllus gallinae*) cosmopolita que ataca os galináceos, parasitando-os. [Pl.: *pulgas-de-galinha.*]

pulga-do-homem. *S. f. Bras.* Inseto sifonáptero, da família dos pulicídeos (*Pulex irritans* L.), cosmopolita. Desova no chão das habitações, de onde emergem as larvas vermiformes, que se alimentam dos detritos orgânicos. O seu desenvolvimento total pode efetuar-se em duas semanas, e uma pulga alimentada diariamente pode viver até 513 dias. [Pl.: *pulgas-do-homem.*]

pulga-do-mar. *S. f.* Animal artrópode, crustáceo, anfípode, especialmente os do gênero *Talitrus Latreille*, de coloração branca, e que mede até 1 cm de comprimento. Vive nas praias, geralmente em grande número, saltando à procura da matéria orgânica de que se alimenta. [Sin.: *saltão-da-praia.* Pl.: *pulgas-do-mar.*]

pulga-do-rato. *S. f.* V. *pulga* (1). [Pl.: *pulgas-do-rato.*]

pulgão. [Aum. de *pulga.*] *S. m.* Inseto homóptero, da superfamília dos afidóideos, especialmente da família dos afidídeos, de 1 a 5 mm de comprimento, corpo piriforme, ovalar ou túmido, uniformemente colorido de verde-alaranjado, pardo e outras cores, de consistência muito delicada, polimórfico, provido de tecas, alares ou ápteros. Alimentam-se dos vegetais, aos quais podem transmitir várias doenças. [Sin.: *afídio, piolho-de-planta, piolho-dos-vegetais, pulgão-de-planta.*]

pulgão-carmim. *S. m. Bras., RS.* V. *pulgão-lanígero.* [Pl.: *pulgões-carmins* e *pulgões-carmim.*]

pulgão-da-aveia. *S. m. Bras.* V. *pulgão-verde-das-gramíneas.* [Pl.: *pulgões-da-aveia.*]

pulgão-da-couve. *S. f.* V. *afídeos.* [Pl.: *pulgões-da-couve.*]

pulgão-da-laranjeira. *S. f.* V. *afídeos.* [Pl.: *pulgões-da-laranjeira.*]

pulgão-da-roseira. *S. f.* V. *afídeos.* [Pl.: *pulgões-da-roseira.*]

pulgão-de-planta. *S. m. Bras.* V. *pulgão.* [Pl.: *pulgões-de-planta.*]

pulgão-do-trigo. *S. m. Bras.* V. *pulgão-verde-das-gramíneas.* [Pl.: *pulgões-do-trigo.*]

pulgão-lanígero. *S. m.* Inseto homóptero, da família dos afidídeos (*Eriosoma lanigerum* (Hausm.)), praga da macieira. A forma áptera é negra, brilhante, com pequenos tubérculos; a alada expele uma secreção branca, espécie de cera, na parte posterior do corpo, na qual se envolve. [Sin.: *piolho-vermelho-da-macieira, pulgão-vermelho-da-macieira, pulgão-carmim, pulga-da-macieira, pulgão-lanígero-da-macieira.* Pl.: *pulgões-lanígeros.*]

pulgão-lanígero-da-macieira. *S. m. Bras.* V. *pulgão-lanígero.* [Pl.: *pulgões-lanígeros-da-macieira.*]

pulgão-verde-das-gramíneas. *S. m. Bras.* Inseto homóptero, da família dos afidídeos (*Toxoptera graminum* Rond.), parasita de gramíneas, e bastante prejudicial ao trigo. É áptero, de cor verde-clara, antenas mais escuras, e olhos pretos. [Sin.: *pulgão-da-aveia, pulgão-do-trigo, pulgão-verde-dos-cereais, pulgão-verde-do-trigo.* Pl.: *pulgões-verdes-das-gramíneas.*]

pulgão-verde-dos-cereais. *S. m. Bras.* V. *pulgão-verde-das-gramíneas.* [Pl.: *pulgões-verdes-dos-cereais.*]

pulgão-verde-do-trigo. *S. m. Bras.* V. *pulgão-verde-das-gramíneas.* [Pl.: *pulgões-verdes-do-trigo.*]

pulgão-vermelho-da-macieira. *S. m. Bras.* V. *pulgão-lanígero.* [Pl.: *pulgões-vermelhos-da-macieira.*]

pulgo. *S. m.* O macho da pulga.

pulgoso (ô). *Adj.* Pulguento.

pulguedo (ê). *S. m.* **1.** Grande porção de pulgas. **2.** Lugar onde há muitas pulgas. **3.** *Bras., RS.* Agrupamento de casas toscas, habitadas por gente pobre.

pulgueiro. [De *pulga* + *-eiro.*] *S. m.* **1.** *Bras.* Poeira (6). **2.** *Bras., SP. Pop.* V. *cobertor* (1 e 2).

pulguento. *Adj.* Cheio de pulgas; pulgoso.

pulha. [Do esp. *pulla.*] *S. f.* **1.** Gracejo escarninho. **2.** Peta, mentira. **3.** Dito pouco decoroso. **4.** Ação de pulha (5); vergonha, ignomínia, pulhice. ● *S. m.* **5.** Indivíduo sem caráter, sem dignidade, sem brio; pelintra, biltre, patife. ● *Adj.* **6.** Vil, desprezível, acanalhado, indecente. **7.** Desmazelado, relaxado.

pulhador (ô). *Adj.* e *s. m.* Diz-se de, ou aquele que pulha, que diz pulhas [v. *pulha* (1, 2 e 3)].

pulhar. *V. int.* Dizer pulhas.

pulhice. *S. f.* **1.** Ação ou dito próprio de pulha (5). **2.** Vida miserável. **3.** Pelintrice, patifaria.

pulicídeo. [Do lat. **pulica*, 'pulga', + *-ídeo.*] *S. m.* **1.** Espécime dos pulicídeos. ● *Adj.* **2.** Pertencente ou relativo a eles.

pulicídeos. *S. m. pl. Zool.* Grande família de insetos da ordem dos sifonápteros, com diversas espécies cosmopolitas, na qual se incluem as pulgas que parasitam o homem e os animais domésticos. Gêneros mais importantes: *Ctenocephalides, Pulex* e *Xenopsyla.*

pulitrica. *S. f. Bras., MA.* Acrobacia.

pulmão. [Do lat. *pulmone.*] *S. m. Anat.* Designação comum a dois órgãos (direito e esquerdo), divididos em lobos, nos quais se efetua a hematose, ocupando, cada um, uma cavidade lateral do tórax, estando separados um do outro pelo coração e outras formações anatômicas mediastinais, e revestidos de pleura visceral. [Sin., pop.: *bofe.* Cf. *polmão.*] ◆ **Pulmão de aço.** *Med.* Aparelho destinado a suprir a falência dos movimentos respiratórios de um doente atingido de paralisia dos músculos respiratórios. **A plenos pulmões.** Com toda a força dos pulmões; em voz muito alta: "Só pela madrugada um pretinho chorou a plenos pulmões, do fundo de um monte de flanelas." (Caci Cordovil, *Ronda de Fogo*, p. 44.)

▲pulmo-. [Do lat. *pulmo, onis.*] *El. comp.* = 'pulmão', 'bofe': *pulmonite, pulmoeira, pulmotuberculose.*

pulmoeira. [De *pulmo-* + *-eira.*] *S. f. Vet.* Tuberculose pulmonar do gado.

pulmonado. *S. m.* **1.** Espécime dos pulmonados. ● *Adj.* **2.** Pertencente ou relativo a eles.

pulmonados. *S. m. pl. Zool.* Animais metazoários, moluscos, gastrópodes, da subclasse *Pulmonata.* São hermafroditos, terrestres ou de água doce, respiram por meio de pulmão, e têm dois ou quatro tentáculos na cabeça, e um par de olhos.

pulmonar. *Adj. 2 g.* **1.** Relativo ou pertencente ao pulmão. **2.** Provido de pulmões. ~ V. *alvéolo* —, *circulação* —, *colapso* —, *docimasia* —, *enfisema* —, *hipertensão* — e *tísica* —.

pulmonária. [Do lat. cient. *pulmonaria*, de *pulmonarius.*] *S. f. Bot.* Gênero de liquens.

pulmonia. [De *pulmo-* + *-n-* + *-ia.*] *S. f. Patol. P. us.* V. *pneumonia.*

pulmonite. [Do lat. *pulmone*, 'pulmão', + *-ite*[1].] *S. f. Patol. P. us.* V. *pneumonia.*

pulmotuberculose. [De *pulmo-* + *tuberculose.*] *S. f. Patol. Desus.* Tuberculose dos pulmões.

pulo. [Dev. de *pular.*] *S. m.* **1.** Ação de pular; salto, pincho. **2.** Pulsação violenta: *Sentiu o coração aos* pulos *com a emoção de rever o amigo.* **3.** Ida rápida a um lugar; passada: *Hoje dei um* pulo *no escritório do advogado.* **4.** *Bras. Cap.* Qualquer golpe de capoeira. ◆ **Dar um pulo.** **1.** Crescer, desenvolver-se, com muita rapidez: *O garoto* deu um pulo *enorme, está um homem.* **2.** Prosperar grandemente; melhorar muito de vida: *F.* deu um pulo *— quem o viu e quem o vê!* **Dar um pulo a.** Ir a (algum lugar), voltando logo em seguida; dar um salto a; dar um saltinho a; dar um pulo até: Dê um pulo *à farmácia e compre-me uns comprimidos para dor de cabeça.* **Dar um pulo até.** V. *dar um pulo a:* "vez por outra, mesmo de chinelas, e ajeitando os cabelos, dava um pulo até lá." (Moreira Campos, *Os Doze Parafusos*, p. 46). **Em dois pulos.** Em muito pouco tempo; rapidamente; num pulo: *Foi à cidade* em dois pulos. **Num pulo.** Em dois pulos: "Ao anoitecer vão num pulo buscar ao centro da cidade as folhas do Rio." (Raul Pompéia, *Crônicas 4*, p. 14.)

pulo-do-gato. *S. m.* Recurso que consiste em fugir com destreza a uma situação desvantajosa. [Pl.: *pulos-do-gato.*]

pulo-do-macaco. *S. m. Bras. Cap.* Golpe traumatizante em que o capoeirista, dobrando-se para trás, se apóia com uma só das mãos no chão e joga as duas pernas por cima da cabeça, procurando atingir o adversário, que vem pela retaguarda em sua perseguição. [Pl.: *pulos-do-macaco.*]

pulo-do-nove. *S. m. Bras.* Modalidade de conto-do-vigário em que a vítima é atraída ardilosamente para um jogo e nele ludibriada. [Pl.: *pulos-do-nove.*]

pulôver. [Do ingl. *pull-over.*] *S. m.* Agasalho de malha, com mangas ou sem elas, que se veste enfiando pela cabeça: "Foi vestindo, sujo mesmo, com ânsia, a camisa, o pulôver esburacado, o paletó." (Mário de Andrade, *Contos Novos*, p. 81.) [Pl.: *pulôveres.*]

▲pulp(a)-. [Do lat. *pulpa, ae.*] *El. comp.* = 'parte carnosa', 'polpa': *pulpectomia, pulpite.*

pulpar. [Do lat. *pulpa*, 'polpa', + *-ar*[1].] *Adj. 2 g.* Da, ou relativo à polpa dentária. ~ V. *canal* — e *cavidade* —.

pulpectomia. [De *pulp(a)-* + *-ecto-* + *-tom(o)-* + *-ia.*] *S. f.* Extirpação total ou parcial da polpa de um dente.

pulpectômico. *Adj.* Da, ou relativo à pulpectomia.

pulpeiro. [Do esp. plat. *pulpero.*] *S. m. Bras., RS.* Proprietário de pulperia; taverneiro.

pulperia. [Do esp. plat. *pulpería.*] *S. f. Bras., RS.*

Taverna, venda no campo.
pulpite. [De *pulp(a)-* + *-ite*[1].] *S. f. Patol.* Inflamação da polpa dentária.
púlpito. [Do lat. *pulpitu.*] *S. m.* **1.** Tribuna para pregadores, nos templos religiosos: "Muito recomendamos ao pregador que se penetre bem do verdadeiro espírito do Evangelho em todas as matérias que houver de tratar no *p ú l p i t o*" (J.-I. Roquete, *Manual de Eloqüência Sagrada*, p. 253). **2.** *Fig.* Eloqüência sagrada. **3.** Armação onde o cerieiro pendura os pavios para fazer velas.
pulque. *S. m.* Bebida fermentada fabricada, sobretudo no México, com o suco do agave.
pulquérrimo. [Do lat. *pulcherrimu.*] *Adj.* Superl. abs. sint. de *pulcro*; pulcríssimo: "assim Roma *p u l q u é r r i m a*, abrangendo sete montes, se tornou a maravilha do mundo!" (Eça de Queirós, *Últimas Páginas*, p. 448).
pulsação. [Do lat. *pulsatione.*] *S. f.* **1.** Ato ou efeito de pulsar. **2.** Palpitação, latejo, batimento; pancada. **3.** *Med.* Movimento de contração e dilatação do coração e das artérias.
pulsador (ô). [De *pulsar*[1] + *-(d)or.*] *Adj.* V. *pulsátil.*
pulsante. *Adj. 2 g.* V. *pulsátil.*
pulsão. [Do ingl. *pulsion.*] *S. f.* **1.** *Patol.* Impulso que se produz em qualquer direção, dentro de uma estrutura oca, e que, ao encontrar um ponto fraco na parede dessa estrutura, pode produzir uma hérnia. **2.** *Psican.* Tendência permanente, e em geral inconsciente, que dirige e incita a atividade do indivíduo: *p u l s õ e s sexuais.* [Cf. *libido.*]
pulsar[1]. [Do ingl. *pulsa(ting) r(adio sources)*, 'fonte de rádio pulsante'.] *S. m. Astr.* Fonte radiestelar emissora de impulsos que têm a duração média de 35 milionésimos de segundos e se repetem a intervalos extremamente regulares, de cerca de 1,4 s.
pulsar[2]. [Do lat. *pulsare.*] *V. t. d.* **1.** Movimentar por meio de impulso; impelir: *Os passageiros p u l s a r a m o automóvel avariado.* **2.** Pôr em movimento desordenado; agitar, abalar: *Éolo p u l s a os mares;* "Era rir diabólico o do lobo; porque nunca deixava de ir *p u l s a r* dolorosamente as fibras de algum coração." (Alexandre Herculano, *O Bobo*, p. 28). **3.** Tocar, ferir, tanger, dedilhar: "Mestre querido! viverás, enquanto / Houver quem *p u l s e* o mágico instrumento, / E preze a língua que prezavas tanto" (Olavo Bilac, *Poesias*, p. 63); "Vou *p u l s a n d o* a guitarra, corda a corda, / Ao luar!" (Id., *ib.*, p. 129). **4.** Perceber por certos indícios; sentir, pressentir: *A platéia p u l s o u o constrangimento do orador.* **5.** Procurar saber a opinião de; sondar, consultar: *P u l s a r a m a opinião do líder. T. i.* **6.** Repercutir, soando ou ressoando: *Aqueles gritos p u l s a v a m no coração do velho pai. Int.* **7.** Ter pulsação (3); bater, palpitar, latejar: "O meu coração *p u l s a* fortemente." (José Rodrigues Miguéis, *Páscoa Feliz*, p. 140.) **8.** Respirar a custo; ofegar, arquejar, anelar: *O corredor chegou p u l s a n d o.*
pulsátil. *Adj. 2 g.* Que pulsa; pulsador, pulsante. [Pl.: *pulsáteis.*]
pulsatila. [Do lat. cient. *pulsatilla.*] *S. f.* Erva da família das ranunculáceas *(Anemone pulsatilla)*, originária da Europa e cultivada em jardins, de folhas muito subdivididas e vilosas, com os segmentos delgados, flores azuis ou violáceas, que vão até 6 cm e são muito vistosas, e fruto que é um aquênio de pequeno tamanho; flor-da-páscoa.
pulsativo. *Adj.* **1.** Que faz pulsar. **2.** Acompanhado ou caracterizado por pulsações.
pulsatório. *Adj.* Relativo à, ou próprio da pulsação.
pulsear. [Do esp. plat. *pulsear.*] *V. int.* **1.** Medir com outrem a força do pulso, apoiando os cotovelos sobre um ponto e travando as mãos direitas; jogar queda-de-braço: *O halterofilista gosta de p u l s e a r, exibindo força. T. d.* **2.** Tomar o pulso a; apalpar, sentir, observar: *O engenheiro foi ao local das obras para p u l s e a r o andamento delas.* **3.** *Bras., S.* Conservar seguro, prendendo ou apertando com as mãos; pegar com força: *O policial p u l s e o u dois ladrões de uma só vez.* [Conjug.: v. *frear.*]
pulseira. *S. f.* **1.** Ornato circular para os pulsos ou para os braços; bracelete. **2.** *Bras. Gír.* Algema (1).
pulsimétrico. *Adj.* Referente ao pulsímetro.
pulsímetro. [De *pulso* + *-i-* + *-metro.*] *S. m.* Instrumento que mede a força e freqüência do pulso; esfigmômetro.
pulso. [Do lat. *pulsu*, 'abalo, agitação, pulsação'.] *S. m.* **1.** *Med.* Batimento arterial que se faz sentir em várias partes do corpo, especialmente na região do punho (1), percebido pelo dedo que palpa ou registrado por aparelho apropriado. **2.** *P. ext.* Parte do antebraço que se articula com a mão, onde se sente o pulso da artéria radial. **3.** *Fig.* Força, vigor. **4.** *Eletrôn.* Variação, usualmente limitada a um pequeno intervalo de tempo, de uma grandeza elétrica; impulso. **5.** *Eletrôn.* Brusca mudança momentânea em uma grandeza, seguida de rápido retorno ao seu valor normal. **6.** *Eletrôn.* Cada um dos trens de ondas eletromagnéticas que o radar e outros aparelhos eletrônicos emitem em intervalos de tempo predeterminados. ◆**Pulso aberto.** Distensão dolorosa dos músculos do punho (1). **Pulso de entrada.** *Eletrôn.* Entrada (15). **Pulso dicrótico.** *Med.* Aquele que apresenta dicrotismo. **Pulso formicante.** *Med.* Pulso muito fraco, dificilmente perceptível. **Pulso heterócrono.** *Med.* O que bate com intervalos desiguais. **Pulso intercadente.** *Med.* O que apresenta intercadências. **Pulso intercorrente.** *Med.* Pulso irregular. **Pulso livre. 1.** Faculdade que tem o médico que trabalha em repartição pública de trabalhar remuneradamente em clínicas particulares ou por conta própria. **2.** Liberdade que tem o empregado ou funcionário de exercer outras atividades noutras empresas. **3.** *P. ext.* Liberdade de procedimento. **Pulso miúro.** *Med.* O que enfraquece gradualmente. **Pulso serrátil.** *Med.* O que apresenta, a um só tempo, pulsações em vários pontos. **Pulso venoso.** *Med.* Batimento observado em certas veias. **A pulso.** À força, à viva força; a pulso e a canelão: *Tomou a p u l s o o brinquedo do irmão.* **A pulso e a canelão.** *Bras., N.E. Fam.* V. *a pulso.* **De pulso. 1.** Enérgico, impositivo, autoritário: *homem de p u l s o ; governo de p u l s o .* **2.** Poderoso, forte, importante: *escritor de p u l s o ; obra de p u l s o .* **Tomar o pulso de.** *Bras.* Pesquisar, sondar, informar-se, com o fim de bem conhecer (situação, problema, etc.).
pulsógrafo. [De *pulso* + *-grafo.*] *S. m.* Esfigmógrafo.
pulsojacto. [Do ingl. *pulse-jet.*] *S. m.* Jacto (4) impulsionado por explosões rápidas e periódicas, produzidas pela entrada e combustão intermitentes do ar. [Var.: *pulsojato.*]
pulsojato. *S. m.* Var. de *pulsojacto.*
pulsorreator (ô). [De *pulso* + *reator.*] *S. m. Astron.* Motor a reação, semelhante ao estatorreator, de empuxo intermitente, e que dispõe de uma série de válvulas para admissão de ar.
pultáceo. [Do lat. *pulte*, 'suco de legume', 'papa', + *-áceo*[1].] *Adj.* Que tem o aspecto ou a consistência cremosa da papa: *tumor p u l t á c e o ; matéria p u l t á c e a .*
pululância. [De *pulular* + *-ância.*] *S. f.* Grande força vegetativa; pujança.
pululante. [Do lat. *pullulante.*] *Adj. 2 g.* Que pulula.
pulular. [Do lat. *pullulare.*] *V. int.* **1.** Lançar rebentos (a planta). **2.** Germinar com rapidez; brotar, rebentar, renovar: *P u l u l a m as roseiras na primavera.* **3.** Multiplicar-se muito e com rapidez: *P u l u l a m fábricas na região do ABC paulista.* **4.** Possuir ou ganhar muito calor; ferver, arder: *O sangue p u l u l a nas veias.* **5.** Existir, ser ou concorrer em grande número; abundar, sobejar, fervilhar: "Nos seus romances [de Pío Baroja] .... *p u l u l a m* os tipos burlescos" (Eduardo Frieiro, *O Alegre Arcipreste*, p. 201). *T. i.* **6.** Estar cheio, repleto; possuir em grande quantidade; formigar, fervilhar: *O país p u l u l a de advogados.* **7.** Irromper, surgir: *As rebeliões p u l u l a v a m de toda parte.*
pulveráceo. [De *pulver(o)-* + *-áceo*[1].] *Adj.* Coberto de pó.
pulvéreo. [De *pulver(o)-* + *-eo.*] *Adj.* **1.** Referente ao, ou que é reduzido a pó. **2.** Que tem a natureza do pó.
pulverescência. [De um lat. **pulverescere*, incoativo de *pulverare*, 'cobrir de pó', + *-ência.*] *S. f.* Estado do vegetal que se acha ou parece achar-se coberto de pó.
pulverização. *S. f.* Ato ou efeito de pulverizar(-se).
pulverizado. [Part. de *pulverizar.*] *Adj.* Em que se fez pulverização.
pulverizador (ô). *Adj.* **1.** Que pulveriza. ● *S. m.* **2.** Aquilo que pulveriza. **3.** Aparelho utilizado para projetar matéria pulverizada ou espargir líquidos em gotas tenuíssimas.
pulverizar. [Do lat. *pulverizare.*] *V. t. d.* **1.** Reduzir a pó: *p u l v e r i z a r o grão do café; p u l v e r i z a r o tabaco.* **2.** Quebrar, converter em pequenos fragmentos; esmigalhar: *O choque p u l v e r i z o u os copos de cristal.* **3.** Cobrir de pó; polvilhar: *Os técnicos aconselham compostos de enxofre para p u l v e r i z a r as plantações.* **4.** *Fig.* Desbaratar, destroçar, rechaçar: *As tropas p u l v e r i z a r a m os inimigos.* **5.** Refutar com plena eficácia, inteiramente; rechaçar: *P u l v e r i z o u os argumentos do opositor.* **6.** Difundir (líquido) em gotas tenuíssimas. *P.* **7.** Converter-se em pó.
pulverizável. *Adj. 2 g.* Que se pode pulverizar.
▲**pulver(o)-.** [Do lat. *pulvis, eris.*] *El. comp.* = 'pó', 'poeira': *pulvéreo, pulveroso.*
pulveroso (ô). [De *pulver(o)-* + *-oso.*] *Adj.* Coberto ou cheio de pó; poeirento, pulverulento.
pulverulência. *S. f.* Estado ou aspecto de pulverulento.
pulverulento. [Do lat. *pulverulentu.*] *Adj.* **1.** V. *pulveroso:* "Uma nuvem *p u l v e r u l e n t a* ergueu-se ao longe, ... e o bando refolegante de animais apareceu daí a pouco, pinoteando, relinchando" (Afonso Arinos, *Pelo Sertão*, p. 88). **2.** Diz-se das plantas cuja epiderme parece coberta de pó.
pulviniforme. [Do lat. *pulvinu*, 'almofada', + *-i-* + *-forme.*] *Adj. 2 g. Morfol. Veg.* Em forma de almofada: *erva p u l v i n i f o r m e .*
pulvino. [Do lat. *pulvinu*, 'almofada'.] *S. m. Morfol. Veg.* Pulvínulo.
pulvinular. *Adj. 2 g. Morfol. Veg.* Relativo ao pulvínulo.
pulvínulo. [Do lat. *pulvinu*, 'almofada', + *-ulo.*] *S. m. Morfol. Veg.* Dilatação situada na base do pecíolo de muitas plantas, sobretudo leguminosas, compostas de parênquima, e que, mediante variações de turgescência, pode provocar movimentos nas folhas; pulvino.
pum. [Voc. onom.] *Interj.* **1.** Designa estrondo ou detonação; pu: "— Suicido-me. Entro em casa dela de revólver em punho, e digo-lhe: — Mulher, contempla a tua obra! e *p u m !*" (Artur Azevedo, *Contos Possíveis*, p. 24.) ● *S. m.* **2.** *Fam.* Peido, traque, pu.
puma. [Do quíchua *puma*, pelo esp. plat.] *S. m.* V. *suçuarana.*
pumacaá. *Bras. S. 2 g.* **1.** Indivíduo dos pumacaás, tribo indígena do N. ● *Adj. 2 g.* **2.** Pertencente ou relativo a essa tribo.
pumba. [Voc. onom.] *Interj.* V. *zás:* "foi só o velhote virar as costas, e o Conde d'Almaviva .... saiu de seu esconderijo, pegou o papel, jogou um beijo para Rosinha e, *p u m b a*, escondeu-se de novo atrás da coluna." (Cora Rónai Vieira e Paulo Rónai, *Aventuras de Fígaro*, p. 13).
púmice. [Do lat. *pumice.*] *S. m. Pet.* Pedra-pomes.
puna[1]. [Do quíchua *puna.*] *S. f.* **1.** Planalto frio da cordilheira dos Andes, situado entre 3.000 e 5.000 m. **2.** Mal-estar produzido pela rarefação do ar nessas alturas da cordilheira.
puna[2]. [Do malaiala *punna.*] *S. f. Bras.* Árvore da família das gutíferas *(Calophyllum tomentosum)*, que é muito próxima da jacareúba *(C. brasiliense)* [q. v.].
punã. [Do tupi *pu'nã.*] *S. f. Bras., Amaz.* Árvore da família das miristicáceas *(Iryanthera tricornis)*, da floresta pluvial, de flores insignificantes, frutos que são cápsulas com três pontas, e madeira parda e de boa qualidade.
punaré. [De or. indígena.] *Adj. 2 g.* **1.** *Bras.* Diz-se de eqüídeo de pêlo amarelado. ● *S. m.* **2.** *Bras., N.* Mamífero roedor, da família dos equimídeos, do gênero *Cercomys* Cuv., com a espécie *C. cunicularius* Cuv. e cinco subespécies brasileiras. A coloração geral é agrisalhada de preto e ocráceo, dando aspecto de um fundo cinéreo, ventre branco, uma mancha abaixo e outra acima do olho, uma terceira na base da orelha. Vive em cerrados, sob pedras, cupinzeiros, moitas de cactáceas e buracos nos barrancos.
punaru. [Do tupi *puna'ru.*] *S. m. Bras., N.E.* Peixe teleósteo, perciforme, da família dos blenídeos *(Altícus atlanticus* (Val.)), da nossa costa.
punção. [Do lat. *punctione.*] *S. f.* **1.** Ato ou efeito de pungir ou puncionar. **2.** *Cir.* Operação que consiste em praticar abertura, por meio de instrumento apropriado (agulha, trocarte, etc.) em cavidade cheia de líquido ou matéria purulenta, em veia, etc. ● *S. m.* **3.** Instrumento pontiagudo para furar ou gravar. **4.** Pequeno instrumento de aço para marcar objetos de ouro e prata. **5.** *Desus.* Estilete cirúrgico. **6.** *Encad.* Ferro para douração de ornatos. **7.** *Tip.* Haste de aço adoçado, em uma de cujas extremidades se abre em relevo letra ou sinal tipográfico, e que, depois de temperada, serve para bater as matrizes com que se fundem os tipos. [V. *contrapunção.*]
punçar. *V. t. d.* Abrir com punção; puncionar: *O cirurgião p u n ç o u os tumores.* [Conjug.: v. *laçar.*]
punceta (ê). [De *punçar* + *-eta.*] *S. f.* Instrumento para cortar pequenas lâminas de ferro.
puncionar. *V. t. d.* Furar com o punção; punçar: *p u n c i o n a r um furúnculo; p u n c i o n a r uma chapa metálica.*
puncionista. *S. 2 g. Tip.* Gravador de punções. [Sin., ant.: *abridor de letras.*]
▲**puncti-.** [Do lat. *punctum, i.*] *El. comp.* = 'ponto': *punctiforme.*
punctiforme. [De *puncti-* + *-forme.*] *Adj. 2 g.* Que tem forma ou aparência de ponto. [Var.: *puntiforme.*]

➧punctum saliens (púnktum sálienç). [Lat.] *S. m.* O ponto principal (duma questão).
punctura. [Do lat. *punctura.*] *S. f.* Picada ou ferimento feito com punção ou objeto semelhante. [Var.: *puntura.*] ~ V. *puncturas.*
puncturas. [Pl. de *punctura.*] *S. f. pl.* Chapas de ferro com puas nas margens, onde os impressores colocam as folhas a fim de bem marginá-las. [Var.: *punturas.*] ~ V. *punctura.*
pundonor (ô). [Do esp. *pundonor.*] *S. m.* **1.** Sentimento de dignidade; brio, honra, decoro: "tinha [Mancinelli] o orgulho alto, o p u n d o n o r agudo e o sentimento da responsabilidade vivíssimo." (Machado de Assis, *A Semana*, II, p. 176). **2.** Suscetibilidade exagerada em questões de amor-próprio; zelo da própria reputação: "O p u n d o n o r do vaqueiro, que julga desdouro para si voltar sem o boi que afrontou-lhe as barbas, o campeão o compreende e o sente" (José de Alencar, *O Sertanejo*, p. 241).
pundonoroso (ô). *Adj.* Que tem pundonor.
punga[1]. [Do lunf.] *S. m. Gír.* **1.** A vítima do furto praticado pelo punguista. **2.** O produto desse furto. **3.** O próprio punguista. *S. f.* **4.** A arte do punguista; lança.
punga[2]. [Do afr.?] *S. f. Bras., MA.* Espécie de samba de roda, cantado, com solo coreográfico e umbigada, e ao som do tambor grande, da pererenga e do socador; ponga, tambor-de-crioula.
punga[3]. [Do tupi?] *Adj. 2 g. Bras.* **1.** Ordinário, imprestável, ruim. **2.** Moleirão, preguiçoso; inepto. **3.** Diz-se do cavalo que é o último a chegar, em corridas. ● *S. m.* **4.** Cavalo ruim. **5.** *Turfe.* Bacamarte (2).
pungência. *S. f.* Qualidade de pungente: "Como me embala toda essa p u n g ê n c i a, / Essas lacerações como me embalam, / Como abrem asas brancas de clemência / As harmonias dos violões que falam!" (Cruz e Sousa, *Faróis*, p. 61.)
pungente. [Do lat. *pungente.*] *Adj. 2 g.* **1.** Que punge. **2.** Comovente, doloroso, lancinante: *grito p u n g e n t e.* [Sin. ger.: *pungitivo.*]
pungidor (ô). *Adj.* e *s. m.* Que ou o que punge.
pungimento. *S. m.* Ato ou efeito de pungir.
pungir. [Do lat. *pungere*, 'picar, furar'.] *V. t. d.* **1.** Ferir ou furar com objeto pontiagudo, ou dar a impressão de que o faz; picar, espicaçar: *Tomou do facão e p u n g i u - a sem dó;* "Sempre o céu, como um tecto incendido, / Creste e p u n j a teus membros malditos" (Gonçalves Dias, *Obras Poéticas*, II, p. 32). **2.** Causar estímulo ou incentivo a; incentivar, estimular, incitar, espicaçar: *A lembrança do filho assassinado p u n g e a família.* **3.** Causar grande dor moral a; afligir, torturar, atormentar: *A imagem do país derrotado p u n g i u os patriotas. Int.* **4.** Começar a apontar (a vegetação, a barba): "rosto afiado, face seca, de um vermelho sujo de sardas, onde, aqui e acolá, no buço e no mento, p u n g e uma penugem de faúlhas de oiro" (Antero de Figueiredo, *Leonor Teles*, p. 202). **5.** Causar grande dor moral; afligir, torturar: "Sou a Saudade, a tua companheira / Que p u n g e, que consola e que perdoa..." (Olegário Mariano, *Toda uma Vida de Poesia*, I, p. 119.) *T. i.* **6.** Começar a apontar (a barba) [cf. *pungir* (4)]: "Tinha dezessete anos; p u n g i a - me um buçozinho que eu forcejava por trazer a bigode." (Machado de Assis, *Memórias Póstumas de Brás Cubas*, p. 48.) [*O me* equivale a 'em mim'.] [Defect. Conjug.: v. *jungir.* Não se conjuga na 1ª pess. sing. do pres. ind. e em todo o pres. subj. Contudo, veja-se o *punja* da abonação supra de Gonçalves Dias.]
pungitivo. [De *pungir* + *-t-* + *-ivo.*] *Adj.* **1.** V. *pungente.* **2.** Agudo; penetrante: *dor p u n g i t i v a.*
punguear. [De *punga*[1] + *-ear.*] *V. t. d. Bras. Gír.* Furtar (dinheiro, carteira, jóias, etc.) de alguém, nas ruas ou locais de reunião ou grande aglomeração; praticar punga[1] (4). [Conjug.: v. *frear.*]
punguista. [De *punga*[1] + *-ista.*] *S. 2 g. Bras. Gír.* Pessoa que pungueia; batedor de carteiras; lança, lanceiro.
punhada. *S. f.* Pancada com o punho; murro, soco.
punhado. [De *punho* + *-ado*[1].] *S. m.* **1.** V. *mancheia: um p u n h a d o de areia.* **2.** *Fig.* Pequena porção; número reduzido. ♦ **Ser um punhado de trabalho.** *Bras., N.E. Fam.* Ser muito travesso, ou violento, ou brigão, de modo que dá sérias preocupações (especialmente aos pais).
punhal. [Do lat. vulg. **pugnale*, 'que se segura no punho' (subentende-se *faca*).] *S. m.* **1.** Pequena arma branca de lâmina curta e penetrante. **2.** *Fig.* Tudo o que ofende ou fere gravemente.
punhalada. *S. f.* **1.** Golpe de punhal. **2.** *Fig.* Grande golpe moral.
punheta (ê). [De *punho.*] *S. f.* **1.** *Chulo.* Masturbação masculina. **2.** *Bras.* Bolinho de tapioca cozida. ♦ **Bater punheta.** *Bras. Chulo.* Masturbar-se; tocar punheta. **Tocar punheta.** *Bras. chulo.* Bater punheta.
punheta-de-estudante. *S. f. Bras., BA. Chulo.* Doce com base na tapioca. [Pl.: *punhetas-de-estudante.*]
punhete (ê). [De *punho* + *-ete.*] *S. m.* Mitene.
punheteiro. *Adj.* e *s. m. Chulo.* Que ou aquele que se masturba com freqüência, que é dado a bater punhetas.
punho. [Do lat. *pgnu.*] *S. m.* **1.** *Anat.* Segmento de membro superior situado entre antebraço e mão. **2.** *P. ext.* Mão fechada. **3.** Força de um golpe com o punho: *Tinha p u n h o s de campeão.* **4.** Tira de tecido dobrado adaptada às extremidades das mangas de camisas, blusas ou vestidos, e que cinge o pulso. **5.** Peça postiça, de couro ou de fazenda resistente, utilizada por pessoas que trabalham em certos ofícios como proteção das mangas. **6.** A parte por onde se empunham certos instrumentos, utensílios ou armas. **7.** A parte do remo onde os remadores põem as mãos no ato de remar. **8.** *Marinh.* Cada um dos cantos de uma vela formados pelo encontro de dois lados consecutivos. **9.** *Bras.* Corda tecida em forma de elo, a qual segura a rede nos ganchos ou armadores: "Mas estatelou-se à escuta, agarrado aos p u n h o s da rede, a olhar atento." (Coelho Neto, *Rei Negro*, p. 76.) ♦ **Punho da amura.** *Marinh.* Punho da vela latina junto à parte inferior do mastro ou estai, onde se fixa a amura. **Punho da boca.** *Marinh.* Punho superior de latino quadrangular junto ao mastro. **Punho da escota.** *Marinh.* Punho inferior da vela, oposto ao da amura, onde se fixa a escota da vela latina, e que, no pano redondo, é cada um dos dois punhos inferiores. **Punho da pena.** *Marinh.* O punho superior externo de uma vela latina quadrangular ou o superior de uma vela latina triangular. **Punho do gurutil.** *Marinh.* Cada um dos punhos superiores de vela redonda, junto aos laises da verga. **Desatar o punho da rede.** *Bras., CE. Pop.* V. *fugir* (1 e 2). **Pelo próprio punho de.** Pela própria mão de: *testamento redigido p e l o p r ó p r i o p u n h o d o a v ô; recibo feito p o r s e u p r ó p r i o p u n h o.*
punibilidade. *S. f.* Qualidade de punível.
punicácea. *S. f.* Espécime das punicáceas.
punicáceas. *S. f. pl. Bot.* Família de plantas floríferas, da ordem das mirtales, composta de duas espécies do gênero *Punica*, das quais a romãzeira, *P. granatum*, é muito cultivada. São arvoretas cujo fruto é uma baga sucosa e multisseptada.
punicáceo. *Adj.* Pertencente ou relativo às punicáceas.
➧punica fides (púnica fideç). [Lat., 'fé púnica'.] Traição.
punição. [Do lat. *punitione.*] *S. f.* Ato ou efeito de punir; pena, castigo.
puníceo. [Do lat. *puniceu.*] *Adj.* Da cor da romã; vermelho; purpúreo, purpurino: "Vens... Na brisa odorífera e orvalhosa, / Passas... Abre o p u n í c e o cravo ardente, / Abre a magnólia esplêndida, abre a rosa, / Abre o alvíssimo lírio, redolente..." (Raimundo Correia, *Poesias*, p. 70.)
púnico. [Do lat. *punicu.*] *Adj.* **1.** De, ou pertencente ou relativo a Cartago ou aos cartagineses; cartaginês [q. v.]. **2.** *Fig.* Desleal, traidor, pérfido: *ardil p ú n i c o.* ~ V. *fé —a.* ● *S. m.* **3.** O natural ou habitante de Cartago; cartaginês [q. v.]. **4.** O idioma dos cartagineses.
punidor (ô). [Do lat. *punitore.*] *Adj.* e *s. m.* Que ou aquele que pune.
punilha. [Alter. de *polilha.*] *S. f. Bras., PA.* Espécie de cupim branco, que ataca móveis e papéis; polia.
punir[1]. [Do lat. *punire.*] *V. t. d.* **1.** Infligir pena a; dar castigo a; castigar: *A lei p u n e os faltosos;* "Sebastião José de Carvalho [o Marquês de Pombal] voltava de propósito as costas falando com o monarca. P u n i a assim a barbaridade do circo." (Rebelo da Silva, *Contos e Lendas*, p. 184). **2.** Servir de castigo a: *Nem a morte p u n e tão hediondo crime.* **3.** Aplicar correção a; reprimir, cobrir: *A legislação p u n e o roubo. T. d. e. i.* **4.** Submeter a pena; castigar: *P u n i r ã o de morte o assassino. P.* **5.** Infligir pena ou castigo a si próprio: "O sertanejo esculpiu o maldito à sua imagem. Vinga-se de si mesmo: p u n e - s e, afinal, da ambição que o levou àquela terra" (Euclides da Cunha, *À margem da História*, p. 90).
punir[2]. [Do arc. *punar* < lat. *pugnare*, 'lutar'.] *V. t. i.* **1.** Tomar as dores ou a defesa de; bater-se, pugnar: *Quem não p u n i r i a pelo próprio irmão?;* "Os reformistas p u n e m esforçadamente pela persistência do Sr. Saraiva de Carvalho no ministério." (Ramalho Ortigão, *Correio de hoje*, I, p. 43). **2.** Lutar, bater-se moralmente (por alguma coisa); pugnar.
punitivo. [De *punitu*, part. pass. do lat. *punire*, 'punir'[1], + *-ivo.*] *Adj.* **1.** Que pune; punidor. **2.** Que envolve punição: *medida p u n i t i v a.*
punível. *Adj. 2 g.* Que se pode ou deve punir[1]; que é digno de castigo, de punição.
➧punk (panc). [Ingl.] *S. 2 g.* **1.** Indivíduo em geral jovem, rebelde e contestador, que adota diversos sinais exteriores de provocação, por completo desprezo aos valores estabelecidos pela sociedade. ● *Adj. 2 g.* **2.** Diz-se desses diversos sinais adotados pelos *punks: moda p u n k; cabelo p u n k.*
puntiforme. *Adj. 2 g. Bot.* Var. de *punctiforme.*
puntilismo. *S. m.* V. *pontilhismo.*
puntilista. *S. 2 g. Grav.* V. *pontilhista.*
puntura. *S. f.* Var. de *punctura.*
punturas. *S. f. pl.* Var. de *puncturas.*
punxirão. *S. m. Bras.* V. *mutirão* (1).
pupa. [Do lat. *pupa*, 'menina, boneca'.] *S. f.* Estado intermediário entre a larva e a imago, nos insetos holometabólicos.
pupila. [Do lat. *pupilla*, dim. de *pupa*, 'menina'.] *S. f.* **1.** Fem. de *pupilo.* **2.** Mulher que se prepara para professar num convento; noviça. **3.** *Anat.* Orifício situado no centro da íris, e pelo qual passam os raios luminosos; menina do olho. ♦ **Pupila de entrada.** *Ópt.* Num instrumento óptico, diafragma ou imagem dum diafragma que limita a entrada de raios luminosos no instrumento. **Pupila de saída.** *Ópt.* Num instrumento óptico, diafragma ou imagem dum diafragma que delimita a região de emergência de raios luminosos que atravessam o instrumento.
pupilagem. *S. f.* **1.** Educação de pupilo ou pupila. **2.** Tempo que leva essa educação.
pupilar[1]. [Do lat. *pupillare.*] *Adj. 2 g.* **1.** Respeitante a pupilo ou pupila. **2.** *Anat.* Relativo ou pertencente à pupila (3): *contração p u p i l a r.*
pupilar[2]. [Voc. onom.] *V. int.* Gritar (o pavão). [Normalmente não se conjuga nas 1as pess.]
pupilar-se. *V. p.* Proceder como pupilo; subordinar-se.
pupilo. [Do lat. *pupillu.*] *S. m.* **1.** Órfão menor a cargo de tutor. **2.** Educando, colegial, aluno. **3.** *Fig.* Protegido, valido.
pupunha. [Do tupi *pu'puña.*] *S. f. Bras.* Fruto da pupunheira.
pupunha-brava. *S. f. Bras., Amaz.* Alta palmeira (*Guilielma microcarpa*), cujos frutos têm cor vermelha e forma esférica e são menos apreciados que os da pupunheira, por serem menores. [Pl.: *pupunhas-bravas.*]
pupunha-de-porco. *S. f. Bras.* Pupunharana. [Pl.: *pupunhas-de-porco.*]
pupunha-piranga. [De *pupunha* + *piranga*[2].] *S. f. Bras. Amaz.* Palmeira (*Guilielma speciosa*), que tem frutos rubros, com a ponta verde. [Pl.: *pupunhas-pirangas.*]
pupunharana. [Do tupi *pu'puña rana*, 'semelhante à pupunha'.] *S. f. Bras., Amaz.* Palmeira pequena (*Syagrus inajai*), que vai a 6 m e se acha dispersa pela Amazônia inteira, em especial nos terrenos altos, secos e pedregosos. Os frutos são drupas que medem 3 a 4 por 2 a 3 cm, e as sementes são grandes e comestíveis, contendo boa quota de óleo. [Sin.: *pupunha-de-porco.*]
pupunha-verde-amarela. *S. f. Bras.* Pupunheira. [Pl.: *pupunhas-verde-amarelas.*]
pupunheira. *S. f. Bras., Amaz.* Palmeira (*Guilielma speciosa*) largamente distribuída na floresta amazônica, que produz frutos amarelos, com polpa fibrosa e de sabor agradável, de grande importância na alimentação das populações autóctones e que se comem cozidos em água; pupunha-verde-amarela.
pura. [Fem. substantivado de *puro.*] *S. f. Bras. Pop.* V. *cachaça* (1).
puraquê. *S. m. Bras.* V. *poraquê.*
purê. [Do fr. *purée.*] *S. m.* Alimento de consistência pastosa, feito de legumes, de batatas ou de frutas, espremidos ou passados em peneira ou em liqüidificador.
purenumá. *Bras. S. 2 g.* **1.** Indivíduo dos purenumás, tribo indígena do N. ● *Adj. 2 g.* **2.** Pertencente ou relativo a essa tribo.
pureu. *Bras. S. 2 g.* **1.** Indivíduo dos pureus, tribo indígena das margens do Japurá (AM). ● *Adj. 2 g.* **2.** Pertencente ou relativo a essa tribo.
pureza (ê). [Do lat. *puritia.*] *S. f.* **1.** Estado ou qualidade de puro: *p u r e z a do vinho; p u r e z a dos costumes; p u r e z a de alma.* **2.** Limpidez, transparência, nitidez: *a p u r e z a do ar das montanhas; a p u r e z a de um diamante.* **3.** Inocência, singeleza, sinceridade: *p u r e z a de sentimento; p u r e z a de intenções.* **4.** Virgindade, castidade. **5.** Finura, elegância; correção, perfeição: *a p u r e z a do estilo; a p u r e z a das linhas de um edifício; p u r e z a de um desenho.* **6.** Casticismo, verna-

culidade. [Sin. (p. us.), nessas acepç.: *puridade*.] **7.** *Fotom.* Propriedade quantitativa de uma cor, que caracteriza a presença da cor dominante no espectro da sua radiação.

purezense. *Adj. 2 g.* **1.** De, ou pertencente ou relativo a Pureza (RJ). ● *S. 2 g.* **2.** Natural ou habitante de Pureza.

purga. [Dev. de *purgar*.] *S. f.* **1.** V. *purgante* (2). **2.** *Bras.* Designação comum a diversas plantas medicinais.

purgação. [Do lat. *purgatione*.] *S. f.* **1.** Ato ou efeito de purgar(se); purificação. **2.** Corrimento; supuração. **3.** *Pop.* V. *gonorréia*. ♦ **Purgação do mês.** *Bras. Pop.* V. *menstruação* (1).

purga-de-caboclo. *S. f. Bras.* V. *fruta-de-gentio*. [Pl.: *purgas-de-caboclo*.]

purga-de-carijó. *S. f. Bras.* V. *espelina*. [Pl.: *purgas-de-carijó*.]

purga-de-gentio. *S. f. Bras.* **1.** V. *taiuiá* (1). **2.** V. *andá-açu*. [Pl.: *purgas-de-gentio*.]

purga-de-joão-pais. *S. f. Bras.* V. *buchinha*. [Pl.: *purgas-de-joão-pais*.]

purga-de-veado. *S. f. Bras.* V. *ganha-saia* (2). [Pl.: *purgas-de-veado*.]

purga-de-vento. *S. f. Bras.* V. *ganha-saia* (2). [Pl.: *purgas-de-vento*.]

purgado. [Part. de *purgar*.] *Adj.* Livre de impurezas; limpo, purificado: "plantando cana e fazendo açúcar bruto e p u r g a d o , ... Messias de Gusmão ia moendo o seu bangüê e remoendo idéias" (Carlos de Gusmão, *Boca da Grota*, p. 420).

purgador (ô). [De *purgar* + *-(d)or*.] *Adj.* **1.** V. *purgante* (1). ● *S. m.* **2.** *Bras., N.E.* Nos engenhos, operário encarregado de purgar o açúcar. **3.** *Tec.* Dispositivo automático que serve para separar e eliminar o líquido condensado numa tubulação de vapor, sem provocar a suspensão da operação da linha e sem deixar o vapor escapar.

purga-dos-paulistas. *S. f.* **1.** V. *andá-açu*. **2.** V. *buchinha*. [Pl.: *purgas-dos-paulistas*.]

purgante. [Do lat. *purgante*.] *Adj. 2 g.* **1.** Que faz purgar; desistivo, purgativo, purgatório, purgador. ● *S. m.* **2.** Medicamento ou qualquer substância que causa forte evacuação intestinal; purga, purgativo. **3.** *Fam.* Pessoa ou coisa tediosa, enfadonha, chata; injeção, xarope: *Sua amiga é um p u r g a n t e .*

purgar. [Do lat. *purgare*.] *V. t. d.* **1.** Tornar puro; purificar, limpar: *p u r g a r o açúcar bruto.* **2.** Desembaraçar ou limpar (os intestinos). **3.** Tratar por meio de purgante: *O médico p u r g o u o doente.* **4.** Remir (culpa), cumprindo pena; pagar, expiar: "Diziam as velhas mexeriqueiras .... que ao bater da meia-noite via-se vagar pelas ruas a alma do pernambucano, a p u r g a r culpas passadas." (Inglês de Sousa, *Contos Amazônicos*, p. 177.) *T. d.* e *i.* **5.** Livrar, desembaraçar, purificar: *A revisão p u r g a r á o texto de erros. Int.* **6.** Expelir pus ou maus humores: *A ferida p u r g a v a abundantemente. P.* **7.** Tomar purga (1). **8.** Justificar-se; redimir-se, remir-se: *A alma p u r g a - s e na penitência.* [Conjug.: v. *largar*.]

purgativo. [Do lat. *purgativu*.] *Adj.* **1.** V. *purgante* (1). **2.** Expiativo; purificativo: *vida contemplativa e p u r g a t i v a .* ~ V. *limonada* —a. ● *S. m.* **3.** V. *purgante* (2).

purgatório. [Do lat. *purgatoriu*.] *Adj.* **1.** V. *purgante* (1). **2.** V. *purificatório* (2). ● *S. m.* **3.** *Teol.* Lugar de purificação das almas dos justos antes de admitidas na bem-aventurança. **4.** *P. ext.* Qualquer lugar onde se sofre por algum tempo. **5.** Expiação, padecimento, sofrimento.

purgueira. [De *purga* + *-eira*.] *S. f. Bras.* V. *pinhão* (2).

puri[1]. [De or. indígena.] *Bras. S. m.* **1.** Espécie de mandioca. *S. 2 g.* **2.** Mestiço de índio: "A mulher, p u r i muito moça, ... desabotoou a blusa e deu o peito pojado para o caçula de cueiros" (João Alphonsus, *Totônio Pacheco*, p. 16).

puri[2]. *Bras. S. 2 g.* **1.** Indivíduo dos puris, tribo indígena dos coroados do ES e de MG. ● *Adj. 2 g.* **2.** Pertencente ou relativo a essa tribo.

púrica. *Adj. (f.) Bioquím.* Diz-se de qualquer base derivada da purina e que entra na composição de inúmeras substâncias naturais.

puridade. [Do lat. *puritate*.] *S. f.* **1.** *P. us.* Pureza. **2.** *Desus.* Segredo; confidência. ♦ **À puridade.** Em segredo, em particular: "E ali sem testemunhas e muito à p u r i d a d e podes desabafar com teu Deus tuas ânsias e trabalhos" (Pe. Manuel Bernardes. *Vários Tratados*, I, p. 505).

purificação. [Do lat. *purificatione*.] *S. f.* **1.** Ato ou efeito de purificar(-se). **2.** Conjunto de ritos religiosos purificadores. **3.** Ablução litúrgica. **4.** Festa da Igreja Católica, celebrada em 2 de fevereiro.

purificador (ô). *Adj.* **1.** Que purifica; purificante, purificativo. ● *S. m.* **2.** Aquilo que purifica. **3.** Sanguinho (1). **4.** Vaso onde se lavam a boca e as pontas dos dedos após as refeições. [Cf. *lavanda* (3).] **5.** Aparelho de purificar; filtro. **6.** *Med.* Emulgente (3).

purificante. [Do lat. *purificante*.] *Adj. 2 g.* V. *purificador* (1).

purificar. [Do lat. *purificare*.] *V. t. d.* **1.** Tornar puro; livrar ou desembaraçar de substâncias que alteram, corrompem; depurar, purgar, mundificar, acrisolar: *p u r i f i c a r o cobre.* **2.** Tirar mácula(s) a; tornar puro moralmente; santificar, mundificar: *A confissão p u r i f i c a as almas;* " — Porque p u r i f i c o u a torpeza da terra / Quem deixou sobre a terra uma lágrima e um verso." (Olavo Bilac, *Poesias*, p. 144). *T. d.* e *t. i.* **3.** Limpar, isentar: *A penitência p u r i f i c a as almas da culpa.* **4.** Limpar, desembaraçar, purgar [de impureza(s)]; mundificar. *P.* **5.** Limpar-se (física ou moralmente); mundificar-se. [Conjug.: v. *trancar*.]

purificativo. [De *purificar* + *-t-* + *-ivo*.] *Adj.* V. *purificador* (1).

purificatório. *Adj.* **1.** Próprio para purificar. **2.** Purgatório, expiatório.

puriforme. [Do lat. *pure*, 'pus', + *-i-* + *-forme*.] *Adj. 2 g.* Semelhante ao pus.

purina[1]. [Do lat. *pur(um)*, 'puro' e *ur(icum)*, 'úrico', 'ácido úrico', + *-ina*[1].] *S. f. Bioquím.* Substância cristalina, incolor, de onde derivam as bases purínicas adenina e guanina, encontradas nos ácidos nucléicos. [Fórm.: $C_5H_4N_4$.]

purina[2]. [Do fr. *purin*.] *S. f.* Líquido que escorre das esterqueiras, formado pela urina de animais e pela água de chuva, e que constitui um bom fertilizante.

purinha. [Fem. substantivado do dim. de *puro*.] *S. f. Bras. Pop.* V. *cachaça* (1).

purínico. [De *purina*[1] + *-ico*[2].] *Adj. Bioquím.* Da purina[1], ou próprio dela.

purismo. [De *puro* + *-ismo*.] *S. m.* **1.** Preocupação excessiva de observar a pureza da linguagem, a correção gramatical em relação a um modelo ideal; vernaculismo. **2.** Pronúncia afetada ou pretensiosa das palavras.

purista. *S. 2 g.* **1.** Partidário do purismo. **2.** Pessoa exagerada, a ponto de pretensiosa, em matéria de pureza da linguagem escrita ou falada. [Tb. us. (pouco) como adj.]

purístico. *Adj.* Relativo ao, ou próprio do purismo (1).

puritanismo. [De *puritano* + *-ismo*.] *S. m.* **1.** Doutrina ou espírito dos puritanos. **2.** *P. ext.* Qualquer forma de rigor exagerado nos princípios.

puritano. [Do ingl. *puritan*.] *Adj.* **1.** Diz-se do membro de uma seita de presbiterianos mais rigorosa que as demais, e que pretendia interpretar melhor que ninguém o sentido literal das Escrituras. **2.** Pertencente ou relativo a essa seita. **3.** *P. ext.* Que é ou aparenta ser muito rigoroso na aplicação de princípios morais. **4.** *P. ext.* Austero, rígido; moralista: *indivíduo p u r i t a n o ; costumes p u r i t a n o s .* ● *S. m.* **5.** Sectário do puritanismo. **6.** Indivíduo puritano (3 e 4).

puro. [Do lat. *puru*.] *Adj.* **1.** Sem mistura nem alteração; genuíno; *vinho p u r o ; raça p u r a ; tecido de p u r a lã.* **2.** Sem impurezas; não infectado: *água p u r a ; brisa p u r a .* **3.** Límpido, claro, transparente, cristalino: *céu p u r o ; água p u r a .* **4.** Sem manchas ou nódoas; limpo, imaculado: *Vestia um avental de linho branco p u r o .* **5.** Inocente, cândido, virginal: *coração p u r o .* **6.** Singelo, simples; sincero, verdadeiro: *Gosta de gente p u r a do campo.* **7.** Casto, virtuoso: *mulher p u r a .* **8.** Honesto, íntegro, probo: *Suas intenções são p u r a s , desinteressadas.* **9.** Correto, castiço, vernáculo: *linguagem p u r a ; estilo p u r o .* **10.** Total, completo, inteiro, cabal: *Ouviste a p u r a verdade dos fatos; Morreu à p u r a míngua.* **11.** Exclusivo, só: *Escreve obras de p u r a imaginação; Tudo que disse é p u r a fantasia.* ~ V. *água-forte* —a, *botânica* —a, *matemáticas* —as, *música* —a, *poesia* —a e *razão* —a. ♦ **Puro de.** Isento de; livre de: *espírito p u r o de ambições políticas.* **Puro e simples.** Sem restrição nem modificação: *promessa p u r a e s i m p l e s .*

puro-sangue. *Adj. 2 g.* e *s. 2 g.* Diz-se de, ou animal, especialmente eqüídeo, de raça pura, sem cruzamento de outra. [Pl.: *puros-sangues*.]

púrpura. [Do gr. *porphyra*, pelo lat. *purpura*.] *S. f.* **1.** Matéria corante vermelho-escura tirante a violeta, que se extrai da púrpura (11), e largamente utilizada pelos antigos para tingir tecidos; ostro. **2.** A cor da púrpura. **3.** *P. ext.* A cor vermelha. **4.** Antigo tecido purpurino, símbolo de riqueza ou de alta dignidade social: *manto de p ú r p u r a .* **5.** Vestuário de reis. **6.** *P. ext.* Dignidade real; o trono. **7.** *P. ext.* Dignidade cardinalícia. **8.** *Ant.* Entre os romanos, a dignidade de cônsul. **9.** Esmalte heráldico vermelho, representado por traços diagonais em barra. **10.** *Med.* Síndrome representada por erupção espontânea de manchas hemorrágicas que não desaparecem à compressão, e que corresponde, anatomicamente, a extravasamento sanguíneo ao nível de capilares, indicando alteração da hemóstase. **11.** *Bras.* Molusco gastrópode, da família dos muricídeos (*Murex senegalensis* Gmelin), da costa brasileira, de coloração variável do marrom ao branco, concha com formações espiniformes na superfície, e 9 cm de comprimento. Dele se obtém tinta especial, que a glândula anal fornece. De certas espécies desse gênero e da *Purpura* Brug os antigos obtinham a púrpura (1), de grande valor comercial na época. [Cf. *purpura*, do v. *purpurar*.]

purpurado. [Part. de *purpurar*.] *Adj.* **1.** Tingido de púrpura. **2.** Vestido de púrpura. **3.** Elevado à dignidade cardinalícia. ● *S. m.* **4.** Indivíduo elevado a essa dignidade: "Conversando, em Roma, com um dos mais eminentes Cardeais da Cúria, disse-me ele, a propósito do Papa João XXIII, com um sorriso ligeiramente enigmático: 'É bom homem.' Não desejo, nem por sombra, interpretar o sorriso do ilustre p u r p u r a d o ." (Alceu Amoroso Lima, *João XXIII*, p. 210.)

purpural. *Adj. 2 g.* V. *purpúreo*: "Velhas chagas do sol, ensangüentadas chagas / De ocasos p u r p u r a i s de atroz melancolia" (Cruz e Sousa, *Últimos Sonetos*, p. 15).

purpurar. [Do lat. *purpurare*.] *V. t. d.* **1.** Tingir de púrpura: *Os fenícios foram os primeiros a p u r p u r a r tecidos.* **2.** Dar a cor da púrpura a; purpurear: "É a umidade que nas leiras, / De mansinho, / Faz abrolhar as sementeiras, / Sazona, p u r p u r a a uva" (Martins Fontes, *Verão*, p. 50). **3.** Vestir de púrpura. **4.** Elevar à dignidade de cardeal. [Pres. ind.: *purpuro, purpuras, purpura*, etc. Cf. *púrpuro* e *púrpura*.]

purpurear. *V. t. d.* **1.** Dar cor de púrpura a; tornar vermelho, avermelhar: *O poente p u r p u r e i a a tarde;* "Montando o tardo, trôpego jumento, / Aos cambaleios e desconjunturas, / Com o mosto / A p u r p u r e a r -lhe o rosto" (Martins Fontes, *Verão*, p. 51). *Int.* e *p.* **2.** Tomar a cor da púrpura; tornar-se vermelho; avermelhar-se: *O céu p u r p u r e o u ;* "notou que o rosto da bela mocetona reverdecia em graças e p u r p u r e a v a - s e de rosas." (Camilo Castelo Branco, *12 Casamentos Felizes*, p. 139). **3.** Avermelhar-se ligeiramente por vergonha ou pudor; corar(-se), enrubescer(-se), ruborizar-se: *O rosto p u r p u r e o u de súbito; Suas faces purpurearam-se, denotando timidez.* [F. paral.: *empurpurar, purpurejar, purpurizar.* Conjug.: v. *frear*.]

purpurejante. *Adj. 2 g.* V. *purpúreo*.

purpurejar. *V. t. d., int.* e *p.* V. *purpurear*: "A luz que ainda havia .... descia de umas nuvens grandes, de intenso vermelho, a p u r p u r e j a r e m todo o lado do poente." (Visconde de Taunay, *Ao Entardecer*, p. 61.) [Conjug.: v. *pelejar*.]

purpúreo. [Do lat. *purpureu*.] *Adj.* **1.** Que tem a cor da púrpura: "N o c é u p u r p ú r e o ferve a luz do poente / Como a cratera acesa de um vulcão" (Ronald de Carvalho, *Poemas e Sonetos*, p. 81). **2.** Diz-se dessa cor: *tecido de cor p u r p ú r e a .* [Sin. ger.: *purpural, purpurejante, purpurino, púrpuro, apurpurado*.]

purpurífero. [De *púrpura* + *-i-* + *-fero*.] *Adj.* Que tem ou produz púrpura.

purpurina. [Fem. substantivado de *purpurino*.] *S. f.* **1.** Substância cristalina, acicular, alaranjada, que se extrai da raiz da ruiva[1], e de fórmula $C_{14}H_8O_5$. **2.** Pó metálico empregado em tipografia para as impressões a ouro e prata. **3.** Pó metálico prateado, dourado ou em cores, utilizado em maquiagem, para impressão em roupas, objetos, etc. **4.** *Bras., Amaz.* Arbusto da família das melastomatáceas (*Rhynchanthera serrulata*), peculiar aos campos alagadiços, de folhas grossas e com poucas nervuras, estas alongadas e curvas, e flores de um vermelho intenso.

purpurino. [De *púrpura* + *-ino*[1].] *Adj.* V. *purpúreo*: "Arcos de flores, fachos p u r p u r i n o s , / Trons festivais, bandeiras desfraldadas" (Raimundo Correia, *Poesias*, p. 117).

purpurizado. [Part. de *purpurizar*.] *Adj.* Que se purpurizou ou que tem ou tomou a cor da púrpura: "uma ampla corola eritrina, sulfurina, sandicina, p u r p u r i z a d a , irial, que, onímoda, onicolor, ... se cobaltiza, se ambreia, se acobreia" (Martins Fontes, *A Dança*, p. 64).

purpurizar. [De *púrpura* + *-izar*.] *V. t. d., int.* e *p.* V. *purpurear*.

púrpuro. [De *púrpura*.] *Adj.* V. *purpúreo*: "Não havia uma flor nas roseiras desertas, / E esse riso estival dos púrpuros gerânios / Na treva interior das janelas abertas." (Manuel Bandeira, *Estrela da Vida Inteira*, p. 42.) [Cf. *purpuro, do v. purpurar.*]

purrinhém. *S. m. Bras., N.E.* **1.** Casa ou quarto acanhado e ordinário. **2.** *P.* ext. Qualquer coisa em condições idênticas.

puruborá. *Bras. S. 2 g.* e *adj. 2 g.* V. *aruá*.

puruca. *S. f. Bras.* Peneira com que se separa o café em grão.

purucotó. *Bras. S. 2 g.* **1.** Indivíduo dos purucotós, tribo caraíba do rio Uraricuera (RR). ● *Adj. 2 g.* **2.** Pertencente ou relativo a essa tribo. [Var.: *porocotó*.]

puruí. [Do tupi *puru'i*.] *S. m. Bras.* V. *açucena-do-mato*.

puruí-grande. *S. m. Bras.* Designação comum a várias espécies do gênero *Thieleodoxa*, da família das rubiáceas, que produzem frutos carnosos, comíveis, de polpa escura e agridoce. [Pl.: *puruís-grandes*.]

puruí-grande-da-mata. *S. m. Bras., Amaz.* Árvore da família das rubiáceas *(Amajoua monteiroi)*, da floresta pluvial, que se caracteriza pelos grandes frutos bacáceos. [Pl.: *puruís-grandes-da-mata*.]

puruí-pequeno. *S. m. Bras., L. e S.* Subarbusto da família das rubiáceas *(Alibertia edulis)*, próprio dos campos e cerrados, de flores pequenas e isoladas, e frutos que são pequenas bagas comestíveis, ácidas e ricas em sementes, com polpa escura. [Pl.: *puruís-pequenos*.]

purulência. [Do lat. *purulentia*.] *S. f.* Qualidade de purulento.

purulento. [Do lat. *purulentu*.] *Adj.* **1.** Que contém pus: *urina purulenta*. **2.** Que segrega pus: *ferida purulenta*. **3.** *Fig.* Sórdido, infecto, podre.

purumã. [Do tupi *puru'mã*.] *S. f. Bras. Amaz.* Árvore da família das moráceas *(Pourouma cecropiaefolia)*, da floresta pluvial, bastante semelhante à imbaúba, e cujas folhas, esmagadas, desprendem odor de salicilato de metila. Os frutos inserem-se em cachos, são doces, algo ácidos e mucilaginosos, e têm também cheiro de salicilato de metila, mas dão uma bebida vinácea. [Sin.: *imbaúba-de-cheiro*.]

purunga. *S. f. Bras., S.* V. *porongo*[1].

purungo. *S. m. Bras., S.* V. *porongo*[1].

purupaqui. [De or. indígena, decerto.] *S. m. Bras.* Erva da família das leguminosas *(Crotalaria incana)*, de folhas trifolioladas e pilosas, flores vistosas e amarelas, e legumes coriáceos com sementes pequeninas.

purupuru. [Do tupi *purupu'ru*.] *S. m.* **1.** *Bras.* Dermatose contagiosa que se caracteriza por manchas brancas. ● *S. 2 g.* **2.** *Bras.* Indígena da tribo dos paumaris, assim chamados por ser o purupuru endêmico entre eles.

pururu. [De or. indígena, decerto.] *S. m. Bras., BA.* V. *juruva*.

pururuca. [Var. de *pororoca*.] *S. f.* **1.** *Bras.* Coco[1] (ô) (2) ainda tenro. **2.** *Bras., MG.* V. *canjica* (4). **3.** *Bras., S.* Variedade de milho de grão pequeno e duro, próprio para cavalos de corrida. ● *S. 2 g.* **4.** Pessoa irritadiça, arrelienta. ● *Adj. 2 g.* **5.** *Bras.* Diz-se de coco[1] (ô) já um pouco endurecido. **6.** *Bras.* Quebradiço, frágil. **7.** *Bras.* Diz-se de pessoa irritadiça, arrelienta.

puruuara. *S. f. Bras.* V. *piriguara*[2].

pus. [Do lat. *pus*.] *S. m. Patol.* Mistura de exsudato inflamatório, leucócitos polimorfonucleares vivos e mortos, e bactérias vivas e mortas.

puseísmo. *S. m.* Movimento ritualístico iniciado pelo teólogo inglês Ed. Pusey (1800-1882), que aproximou do catolicismo uma parte da Igreja anglicana.

pusilânime. [Do lat. *pusillanime*, 'de alma pequenina'.] *Adj. 2 g.* **1.** Fraco de ânimo; falto de energia. **2.** Falto de firmeza, de decisão: *homem pusilânime; caráter pusilânime*. **3.** Medroso, covarde, poltrão: "Um contraste: a raça forte e íntegra abatida dentro de um quadrado de mestiços indefinidos e pusilânimes." (Euclides da Cunha, *Os Sertões*, p. 609.) ● *S. 2 g.* **4.** Pessoa que tem pusilanimidade.

pusilanimidade. [Do lat. *pusillanimitate*.] *S. f.* **1.** Qualidade de pusilânime. **2.** Fraqueza de ânimo; covardia, poltronaria.

pústula. [Do lat. *pustula*.] *S. f.* **1.** Vesícula cutânea cheia de um líquido purulento. **2.** Bostela. **3.** *Morfol. Veg.* Saliência ou pequena elevação na haste ou nas folhas. **4.** *Fig.* Corrupção, perversão, depravação. **5.** *Fig.* Sujeito infame, de péssimo caráter. ◆ **Pústula maligna.** *Patol.* V. *carbúnculo hemático*.

pustulado. [Do lat. *pustulatu*.] *Adj.* e *s. m.* V. *pustulento*. [Cf. *postulado*.]

pustulento. *Adj.* **1.** Coberto de pústulas: *homem pustulento; mão pustulenta*. ● *S. m.* **2.** Indivíduo pustulento. [Sin. ger.: *pustulado, pustuloso*.]

pustuloso (ô). [Do lat. *pustolosu*.] *Adj.* **1.** V. *pustulento*: *cara pustulosa*. **2.** Que tem forma ou natureza da pústula: *pele pustulosa*. **3.** Caracterizado por pústulas. ● *S. m.* **4.** V. *pustulento*.

puta. [Do lat. **putta*, por *puta*, 'menina'.] *S. f. Chulo.* **1.** V. *meretriz*. **2.** Mulher devassa, libertina.

putada. *S. f.* **1.** Conjunto de putas ou putos. **2.** As putas; femeaço.

putal. [De *puta* + *-al*.] *S. m. Bras., RN. Chulo.* As ruas onde se acha estabelecido o meretrício; zona.

putâmen. [Do lat. *putare*, 'limpar, desbastar'.] *S. m. Morfol. Veg.* Caroço das drupas, formado pelo endocarpo pétreo, como se vê no pêssego; pireno. [Pl.: *putamens* e (p. us. no Brasil) *putâmenes*.]

putaria. *S. f. Chulo.* **1.** Comportamento próprio de puto ou de puta. **2.** Porção de putas; putedo, puteiro. **3.** Devassidão, libertinagem, frascarice. **4.** V. *prostíbulo*: "A primeira cousa que faço como chego, é saber o trato todo da terra, quantas putarias tem, quantos covis, quantas alcoviteiras" (Antônio Ferreira, *Obras Completas*, II, pp. 309-310). **5.** *P. ext.* Safadeza, sacanagem, vileza.

putativo. [Do lat. *putativu*.] *Adj.* Que aparenta ser verdadeiro, legal e certo, sem o ser; suposto, reputado: *pai putativo*. ~ V. *casamento — e filho —*.

putauá. *S. m. Bras.* Var. de *patauá*.

puteação. [De *putear* + *-ção*.] *S. f. Bras., RS. Chulo.* **1.** Descompostura com palavras obscenas; xingação. **2.** V. *descompostura*. (2). [Sin. ger.: *puteada*.]

puteada. [De *putear* + *ada*[1].] *S. f. Bras., RS.* Puteação.

puteador (ô). [Do esp. plat. *puteador*.] *Adj.* e *s. m. Bras., RS. Chulo.* Que ou aquele que puteia.

puteal. [Do lat. *puteale*.] *S. m.* **1.** Bocal de poço. **2.** Muro que borda um poço. **3.** Entre os antigos romanos, muro baixo que circundava o lugar considerado sagrado por haver nele caído um raio.

putear. [Do esp. plat. *putear*.] *V. t. d. Bras., RS. Chulo.* Descompor com palavras obscenas, em geral ofensivas, à mãe da vítima. [Conjug.: v. *frear*.]

putedo (ê). [De *puta* + *-edo*.] *S. m. Chulo.* **1.** V. *prostíbulo*. **2.** V. *putaria* (2).

pútega. *S. f.* Planta da família das raflesiáceas *(Cytinus hypocistis)*.

puteiro. [De *puta* + *-eiro*.] *S. m.* **1.** *Bras. Chulo.* V. *prostíbulo*; "A gente ia aos botecos e aos puteiros não propriamente em busca de embriaguez ou prazer." (Ricardo Gontijo, *Prisioneiro do Círculo*, p. 11.) **2.** *Bras., S. Chulo.* V. *putaria* (2).

putirão. *S. m. Bras., PA.* V. *mutirão* (1).

putirom. *S. m. Bras., PA.* V. *mutirão* (1).

putirum. *S. m. Bras., PA.* V. *mutirão* (1).

puto. [Do lat. **puttu*, por *putu*, 'menino'.] *Adj. Chulo.* **1.** Diz-se de homossexual. **2.** Diz-se de indivíduo devasso, corrompido, dissoluto. **3.** *Bras.* V. *danado da vida*. **4.** *Bras.* Seguido de um substantivo (às vezes com intercalação da prep. *de*, seguida de artigo ou contraída com ele), corresponde a uma qualificação depreciativa ou apreciativa de coisa ou pessoa designada pelo substantivo: *Não tinha um puto vintém; Escreveu um puto dum romance; Diabo! o puto do menino foi embora.* ● *S. m.* **5.** Homossexual. **6.** Indivíduo devasso, corrompido, dissoluto. **7.** *Lus. Pop.* Garoto, menino, rapazinho: "Um puto português só por um triz não foi campeão da Europa." (*A Bola*, Lisboa, 26.7.1982.)

▲**putre-.** [Do lat. *putris, e*.] *El. comp.* = 'podre': *putrefacto* (< lat. *putrefactu*). [Equiv.: *putri-*: *putrificar*.]

putredinosidade. *S. f.* Qualidade ou estado de putredinoso.

putredinoso (ô). [Do lat. *putredine*, 'podridão', + *-oso*.] *Adj.* Em que há putrefação.

putrefação. [Do lat. *putrefactione*.] *S. f.* **1.** Decomposição das matérias orgânicas pela ação das enzimas microbianas. **2.** Estado de putrefato; apodrecimento, corrupção: "com o movimento que fez, levantou da cama uma lufada de ar quente e cadaveroso, rescaldo da putrefação em que o corpo se lhe consumia." (Aquilino Ribeiro, *Aventura Maravilhosa*, p. 293).

putrefaciente. [Do lat. *putrefaciente*.] *Adj. 2 g.* Que putrefaz; putrefativo, putrefatório.

putrefacto. *Adj.* V. *putrefato*: "Cheiro de carnes putrefactas feriu-lhe logo o olfato agudíssimo" (Franklin Távora, *O Cabeleira*, pp. 141-142).

putrefativo. [De *putrefato* + *-ivo*.] *Adj.* V. *putrefaciente*.

putrefato. [Var. de *putrefacto* < lat. *putrefactu*.] *Adj.* Que apodreceu; podre, corrompido, corrupto; putrefeito.

putrefatório. [De *putrefato* + *-ório*.] *Adj.* V. *putrefaciente*.

putrefazer. [De lat. *putrefacere*.] *V. t. d.* **1.** Tornar podre; corromper, decompor, deteriorar: *A terra putrefaz os cadáveres*. *Int.* e *p.* **2.** Tornar-se podre (física ou moralmente); corromper-se, deteriorar-se: *A carne putrefez; Os políticos, por vezes, putrefazem-se no poder.* [Sin. ger.: *putrificar*.]

putrefeito. [Do lat. *putrefactu*.] *Adj.* V. *putrefato*.

putrescência. *S. f.* Estado de putrescente.

putrescente. [Do lat. *putrescente*.] *Adj. 2 g.* **1.** Que está em via de putrefação. **2.** Que principia a putrefazer-se.

putrescibilidade. *S. f.* Qualidade ou estado de putrescível.

putrescina. *S. f. Quím.* Tetrametilenodiamina, substância encontrada nos tecidos em putrefação. [Fórm.: $C_4H_{12}N_2$.]

putrescível. [Do lat. *putrescere*, 'principiar a apodrecer', + *-i-* + *-ível*.] *Adj. 2 g.* Que é suscetível de apodrecer ou putrefazer-se.

▲**putri-.** Equiv. de *putre-*.

putrião. *S. m. Bras., N.E.* V. *pato-de-crista*: "Se meus ouvidos não mentem, Seu Caçador, é canto de pato-do-mato, também chamado putrião." (Luís Jardim, *Proezas do Menino Jesus*, p. 101.)

pútrido. [Do lat. *putridu*.] *Adj.* **1.** Podre, putrefato, corrupto: "Em vez do fruto / Sazonado e maduro, que eu podia / Como em jardim colher, mordi no fruto / Pútrido e amargo e rebuçado em cinzas" (Gonçalves Dias, *Obras Poéticas*, I, p. 78). **2.** Pestilento, pestilente, infetuoso: "Margeando agora vou pútridos charcos." (Alberto de Oliveira, *Poesias*, 2ª série, p. 375.)

putrificar. [De *putri-* + *-ficar*.] *V. t. d., int.* e *p.* V. *putrefazer*. [Conjug.: v. *trancar*.]

➧**Putsch** (putx). [Al.] *S. m.* Golpe ou tentativa de golpe para tomada do poder.

putuca. *S. 2 g. Bras., PE. Pop.* Pessoa azarenta, caipora.

putumuiú-iriribá. *S. m.* V. *araribá-amarelo*. [Pl.: *putumuiús-iriribás*.]

putumuju. [Do tupi *putumu'vu*.] *S. m. Bras., N.E.* a *S.* **1.** Árvore da família das leguminosas *(Centrolobium robustum)*, da floresta pluvial, caracterizada pelas grandes sâmaras providas de longos espinhos acerados, e cuja madeira, pardo-avermelhada, pesada e dura, serve para construção civil e naval, mobiliário fino e obras externas; arariba, araribá, iriribá. **2.** V. *araribá-rosa*.

putumuju-amarelo. *S. m. Bras., N.E.* a *S.* V. *araribá-amarelo*. [Pl.: *putumujus-amarelos*.]

puvi. [Do tupi, talvez.] *S. m. Bras.* V. *vivi*.

puxa[1]**.** [De *puxar*.] *Adj. 2 g. Bras.* **1.** F. red. de *puxa-puxa* (1): cocada *puxa*. **2.** F. red. de *puxa-saco*. ● *S. 2 g.* **3.** *Bras.* F. red. de *puxa-saco*. *S. m.* **4.** *Bras., N.* Puxa-puxa (3). *S. f.* **5.** *Bras., N.E.* Certa dança popular, espécie de fandango.

puxa[2]**.** [F. eufemística do esp. *puta*, provavelmente; *pucha* será melhor grafia, como querem Nascentes e Jucá.] *Interj. Bras.* Exprime espanto, surpresa, impaciência, desapontamento, zanga, etc.; puxa vida; poxa(ô), poça(ô): "— Como o senhor gostava de pimenta, puxa!" (Maria Julieta Drummond de Andrade, *O Valor da Vida*, p. 21); "— Você conhece o hino nacional, criatura? — Puxa, se conheço, Seu Sargento!" (Antônio de Alcântara Machado, *Novelas Paulistanas*, p. 71.)

puxá. [De *puxar*, em alusão à angústia dos asmáticos.] *S. m. Bras.* V. *asma*.

puxação. *S. f.* **1.** *Bras.* Ação de puxar(-se). **2.** *Bras.* Ação ou palavras de puxa-saco; adulação, bajulação, puxada. **3.** *Bras.* V. *asma*. **4.** *Bras., Amaz.* Tração ou condução de madeira pela floresta.

puxacar. [Var. de *pujacá*.] *Bras. S. 2 g.* **1.** Indivíduo dos puxacares, tribo indígena das cabeceiras do Juína e do Corumbiara (MT). ● *Adj. 2 g.* **2.** Pertencente ou relativo a essa tribo. [Sin. ger.: *pujacá* e *bacaa*.]

puxada. [De *puxar* + *-ada*[1].] *S. f.* **1.** Ato ou efeito de puxar. **2.** A carta que um parceiro joga ao principiar a mão. **3.** *Bras.* Puxão (1). **4.** *Bras.* Esforço enérgico para alcançar algum fim: *Deu uma puxada e conseguiu passar de ano*. **5.** *Bras.* Construção que prolonga o corpo central da casa; puxado. **6.** *Bras.* Caminhada longa e forçada. **7.** *Bras.* Ato de levantar a rede na pesca. **8.** *Bras.* V. *puxação* (2). **9.** *Bras. Fut.* Puxeta.

puxadeira. [De *puxar* + *-deira*.] *S. f.* **1.** Aselha, na parte superior dos canos das botas, para puxá-las ao calçar. **2.** Objeto análogo com que se ergue ou puxa qualquer coisa. **3.** *Bras.* Cabo grosso por onde se puxa a rede do xaréu. **4.** *Bras.* V. *puxadoura*.

puxadinho. [De *puxado*[1] + *-inho*, dim. irôn.] *Adj.* e *s. m.* Que ou aquele que se veste com elegância; casquilho, janota.

puxado[1]**.** [Part. de *puxar*.] *Adj.* **1.** Esticado, retesado, reteso. **2.** Esmerado ou afetado no trajar ou no falar: "a D. Plácida, ... pequenina, muito puxada, fresca ainda nos seus quarenta anos." (Conde de Ficalho, *Uma Eleição Perdida*, p. 73). **3.** Diz-se de uma iguaria em cujo preparo houve muito apuro: *O molho da carne está muito* puxado. **4.** Diz-se de olho oblíquo, amendoado. **5.** *Fam.* Elevado no preço; caro: *Nem quis ver o apartamento: O aluguel era muito* puxado. **6.** *Bras.* Cansativo, exaustivo: *trabalho* puxado. **7.** *Bras.* Árduo, difícil, custoso: *exame* puxado. ● *S. m.* **8.** *Bras.* Puxada (5). **9.** *Bras., N.E.* V. *asma.*

puxado². *S. m. Bras., S.* F. red. de *chico-puxado.*

puxadoira. [De *puxar* + o fem. de *-(d)oiro*¹.] *S. f.* Var. de *puxadoura.*

puxador (ô). [De *puxar* + *-(d)or.*] *S. m.* **1.** Peça de madeira, metal, etc., por onde se puxa para abrir portas, gavetas, portinholas, etc.; puxavante: "a cômoda com puxadores de prata" (Coelho Neto, *Treva*, p. 87). **2.** Aquele que puxa, especialmente em relação a puxar (9). **3.** *Art. Gráf.* Rodo (5). **4.** *Bras. Gír.* Ladrão de automóveis. **5.** *Bras. Gír.* Indivíduo viciado em maconha; maconheiro.

puxadoura. [De *puxar* + o fem. de *-(d)ouro*¹.] *S. f.* Peça de serralheiros, para puxar rebites; puxadeira. [Var.: *puxadoira.*]

puxa-encolhe. [De *puxar* + *encolher.*] *S. m. 2 n. Bras., CE. Pop.* Indecisão irritante; chove-não-molha.

puxamento. *S. m.* **1.** Ato de puxar. **2.** *Bras., MA.* V. *asma.*

puxante. *Adj. 2 g.* **1.** Que puxa; puxativo. **2.** *Fig.* Picante, estimulante, acirrante, puxavante, puxativo.

puxão. [De *puxar* + *-ão*³.] *S. m.* **1.** Ato ou efeito de puxar com força; puxada. **2.** Repelão, empuxão, sacão.

puxa-puxa. [Da 3ª pess. sing. do pres. ind. de *puxar* repetida.] *Bras. Adj. 2 g.* **1.** Diz-se do doce ou da bala de consistência elástica e grudenta; puxa. ● *S. m.* **2.** Doce ou bala puxa-puxa. [Sin., no N.E.: *quebra-queixo.*] **3.** Espécie de alféloa; puxa. [Pl.: *puxas-puxas* e *puxa-puxas.*]

puxar. [De um **puxiar* < lat. *pulsare*, 'impelir'.] *V. t. d.* **1.** Atrair ou deslocar para si: *Puxou a cadeira e sentou-se.* **2.** Mover após si; exercer tração em; arrastar: *Os cavalos puxaram o corpo do mártir.* **3.** Fazer sair à força, tirar, arrancar: *Puxou a rolha da garrafa.* **4.** Fazer esforços para arrancar: *Puxou o prego inutilmente.* **5.** Tornar tenso ou retesado; esticar, estirar, retesar: *puxar um cordão.* **6.** Tirar e empunhar; sacar: *puxar um revólver, uma espada; Puxou uma nota de 100.* **7.** Provocar o desencadeamento de; provocar: "Nessa noite ele dormiu na redação e o secretário puxou conversa, anotou coisas, tirou fotografias." (M. Cavalcanti Proença, *Manuscrito Holandês*, p. 163.) **8.** Ser causa ou motivo de; causar, motivar: *A vida desregrada puxou a doença e morte do infeliz.* **9.** Começar (música, reza, etc.) para que outros acompanhem: "Quando Padre Angelim .... se ausentava, ele puxava o terço na igreja." (Moreira Campos, *O Puxador de Terço*, p. 6.) **10.** Forçar ou facilitar a manifestação de; provocar: *O seu todo capitoso puxa a sensualidade.* **11.** Incitar, instigar, estimular: *As esporadas puxam a cavalgadura.* **12.** Fazer aparecer; avivar: *A fricção com flanela puxa o brilho da prataria.* **13.** Conchegar, ajeitar, compor (as vestes). **14.** Consumir, gastar: *Aparelho de ar condicionado puxa muita energia.* **15.** Deixar ferver bem (um molho, ou um guisado). **16.** *Pop.* Excitar a vontade de beber: *Os salgadinhos puxam a cerveja.* **17.** *Fam.* Trazer consigo a necessidade de; pedir, exigir: *Casa nova puxa automóvel novo.* **18.** *Bras. Gír.* Roubar (automóveis). **19.** *Bras. Gír.* Adular, bajular, incensar. **20.** *Bras.* Transportar (coisas em quantidade vultosa): *Este caminhão puxa 10 toneladas.* **21.** *Bras., MG.* Tomar para si uma porção de (comida ou bebida); servir-se de. **22.** *Bras. Gír.* Fumar (maconha); queimar: *Vive puxando fumo.* **23.** Jogar na mesa (carta de baralho). *T. i.* **24.** Ter vocação, pendor; inclinar-se, tender: *O menino puxa para engenheiro;* "Não era ambicioso, e mais puxava para a quietação que para o movimento." (Machado de Assis, *Relíquias de Casa Velha*, p. 52). **25.** Atrair, inclinar, trazer: *A raça puxa para os semelhantes.* **26.** Exercer qualquer tração: *Os burros puxam pela carroça.* **27.** Tocar, falar (num assunto): *Não puxe pela sua doença: ele não gosta de falar nisso.* **28.** Fazer exigência(s): *Se não puxarem pelo contrato, haverá demora.* **29.** *Bras.* Herdar qualidades de (antecedentes); sair semelhante: *O pequeno puxou mais ao pai do que à mãe;* "Você puxou pela família dele, tudo anão de cara redonda" (Lígia Fagundes Teles, *Filhos Pródigos*, p. 12). *Int.* **30.** Custar muito; ser caro. **31.** Fazer instâncias; pedir com insistência: *Não adianta puxar: o secretário não pode resolver nada.* **32.** Esforçar-se por dejetar. **33.** *Bras.* Sofrer ou sentir as manifestações do puxado ou asma. **34.** *Bras. Gír.* Fumar maconha; puxar fumo. **35.** *Bras. Chulo.* Usar de puxa-saquismo; ser puxa-saco; adular de maneira vil. **36.** Achar-se embriagado, bêbedo. [Sin., nesta acepç. (no N.E.): *puxar fogo.*] **37.** *Bras., PR.* Curvar-se ou torcer-se (a madeira) em consequência de umidade ou calor; empenar. *P.* **38.** *Fam.* Esmerar-se muito no trajar: *O casquilho puxa-se.* [Pres. ind.: *puxo*, etc. Cf. *pucho.*]

puxa-saco. [De *puxar* + *saco.*] *Adj. 2 g.* e *s. 2 g. Bras.* V. *bajulador* (1 e 2). [F. paral.: *puxa-sacos.* F. red.: *puxa.* Pl.: *puxa-sacos.*]

puxa-sacos. *Adj. 2 g.* e *s. 2 g.* e *2 n. Bras.* V. *puxa-saco.*

puxa-saquismo. *S. m. Bras.* Qualidade, ação ou modos de puxa-saco(s). [Pl.: *puxa-saquismos.*]

puxativo. [De *puxar* + *-t-* + *-ivo.*] *Adj.* V. *puxante.*

puxavante. [De *puxar* + *avante.*] *Adj. 2 g. Pop.* **1.** Que desperta vontade de beber; picante, puxante: *O vatapá estava puxavante.* ● *S. m.* **2.** Instrumento com que o ferrador apara os cascos dos animais antes de os ferrar; renete. **3.** Ferramenta com que o calafate retira a estopa velha das costuras da embarcação. **4.** Comida puxavante (1). **5.** *Bras.* Puxador (1). **6.** *Bras.* Pedal articulado com a manivela de um torno, de um rebolo, etc. **7.** *Bras.* Barra de aço horizontal, que transmite o movimento retilíneo alternativo do êmbolo à manivela da roda motriz das locomotivas, transformando-o em circular. **8.** *Bras.* Puxavão. **9.** *Bras., PE.* V. *concubina* (1).

puxavão. [De *puxar.*] *S. m. Bras.* Grande puxão; empuxão, puxavante: "Corri para a tia e ela me deu um puxavão: — 'Deixa de besteira, menino!'" (José Lins do Rego, *Meus Verdes Anos*, p. 154.)

puxa-verão. [De *puxar* + *verão.*] *S. m. Bras., Marajó.* V. *polícia-inglesa.* [Pl.: *puxa-verões.*]

puxa-vista. [De *puxar* + *vista.*] *S m.* **1.** Aquilo que chama a atenção, que puxa pela vista. **2.** Indivíduo que leva cartazes pela rua, atraindo a atenção do público. [Pl.: *puxa-vistas.*]

puxe. [Da 3ª pess. sing. do pres. ind. de *puxar.*] *Interj. Bras.* Vá-se embora; suma-se.

puxeira. [De *puxá* + *-eira.*] *S. f. Bras.* **1.** Defluxo, coriza. **2.** V. *asma.*

puxeta (ê). [De *puxar.*] *S. f. Bras. Fut.* Jogada individual, que consiste em o jogador chutar a bola para trás, com o peito do pé, por cima da própria cabeça; puxada.

puxiana. *Bras. S. 2 g.* **1.** Indivíduo dos puxianas, tribo indígena do N. ● *Adj. 2 g.* **2.** Pertencente ou relativo a essa tribo.

puxicaraim (a-ím). [Do tupi *puxikará'i.*] *S. m. Bras. MG.* e *SP.* V. *bico-de-pimenta.*

puxinanãense. *Adj. 2 g.* **1.** De, ou pertencente ou relativo a Puxinanã (PB). e *S. 2 g.* **2.** Natural ou habitante de Puxinanã.

puxirão. *S. m. Bras. RS.* V. *mutirão* (1).

puxiri. [Var. de *pituri*, com metátese e palatalização.] *S. m. Bras.* V. *pixurim.*

puxirum. *S. m. Bras., PA.* V. *mutirão* (1).

puxo. [Dev. de *puxar.*] *S. m.* **1.** Dor do ânus, que acompanha ou antecede uma evacuação difícil; tenesmo. **2.** Contratura por irritação. **3.** Esforço que a parturiente faz para dar à luz. [Cf. *pucho.*]

puxuri. [Var. de *pixuri.*] *S. m. Bras.* V. *pixurim.*

➧**puzzle** (pâzl). [Ingl.] *S. m.* **1.** Quebra-cabeça (4). **2.** *Fig.* Qualquer problema cuja solução exige trabalho de paciência.

■**Pz.** *Fís.* Símb. de *piezo.*

q. *S. m.* **1.** A 16ª letra do nosso alfabeto. [V. *alfabeto fonético internacional.*] • *Num.* **2.** O décimo sexto, em uma série indicada pelas letras do alfabeto: *casa Q* (ou *casa q*). **3.** A décima sexta, num grupo de séries: *série Q* (ou *série q*). [Cf. *que, quê.*]

■**Q. G.** Sigla de *quartel-general.*

■**Q. I.** Sigla de *quociente de inteligência.*

■**q. s.** Abrev. de *quantum satis.*

qt. Abrev. de *quart* [v. *quarta*[1] (3)].

quacre. [Do ingl. *quaker.*] *S. m.* Membro de uma seita protestante *(Sociedade de Amigos)* fundada na Inglaterra, no séc. XVII, e difundida principalmente nos E.U.A. Os quacres não admitem sacramento algum, não prestam juramento perante a justiça, não pegam em armas, nem aceitam hierarquia eclesiástica.

quaderna. [Do lat. *quaterna*, 'em número de quatro'.] *S. f.* **1.** *Heráld.* Objeto composto de quatro peças dispostas em quadrado e, de ordinário, em forma de crescente: "vinham os bacios de prata que tinham servido a todas as avós, com o quartel das armas do Reino e a quaderna de crescentes dos Sousas" (Júlio Dantas, *O Amor em Portugal no Século XVIII*, p. 200). **2.** Face do dado que apresenta quatro pontos. ~ V. *quadernas.*

quadernado. [De *quaderna* + *-ado*[1].] *Adj. Bot.* Diz-se das folhas ou flores dispostas quatro a quatro na haste da planta.

quadernal. *S. m. Ant. Marinh.* Cadernal.

quadernas. [Pl. de *quaderna.*] *S. f. pl.* Os quatro pontos de uma face dos dados. ~ V. *quaderna.*

quado. *S. m.* **1.** Indivíduo dos quados, antigo povo germânico das margens do Danúbio. • *Adj.* **2.** Pertencente ou relativo a esse povo.

▲**quadr(a)-.** [De lat. *quadr(u).*] *El. comp.* = 'quatro': *quadrangular* (< lat. *quadrangulare).* [Equiv.: *quadri-* e *quadru-*: *quadrilobado; quadrúpede* (< lat. *quadrupede*).]

quadra. [Do lat. *quadra.*] *S. f.* **1.** Compartimento com a forma aproximada de um quadrilátero. **2.** Divisão de terreno com essa forma. **3.** Série de quatro, em certos jogos. **4.** Estrofe de quatro versos. [Sin., nesta acepç.: *quarteto* (m. us. com relação aos sonetos) e *copla.*] **5.** O lado de um quadrado. **6.** *Fig.* Período, época, tempo; fase. **7.** *Bras.* A distância entre uma esquina e outra do mesmo lado de uma rua. **8.** *P. ext.* Quarteirão (3). **9.** *Bras.* Campo de esportes especialmente para tênis, voleibol, basquetebol, etc. **10.** *Bras., N.* Medida agrária equivalente ao alqueire (2) de 48,400 m². **11.** *Bras.* Antiga unidade de medida de comprimento, equivalente a 60 braças, i. e., 132 m. **12.** *Bras., S.* Medida de superfície, com 17 424 m²; quadra quadrada. **13.** *Bras., S.* Medida de superfície, equivalente a 50 quadras quadradas; quadra de sesmaria. **14.** *Bras., RS.* Extensão de 132 m, tomada por base para as carreiras de parelheiros; quadra de carreira. **15.** *Bras.* V. *loto*[2]. ◆ **Quadra de carreira.** *Bras., RS.* Quadra (14). **Quadra de sesmaria.** Quadra (13). **Quadra do ano.** V. *estação* (7). **Quadra quadrada.** Quadra (12).

quadradão. *Bras. Gír. Adj.* e *s. m.* V. *quadrado* (5 e 11).

quadrado. [Do lat. *quadratu.*] *Adj.* **1.** Que tem a forma de quadrado (6). **2.** Diz-se de pessoa baixa, atarracada. **3.** Que tem forma quadrangular. **4.** De inteligência muito limitada; atrasado, rude, burro. **5.** *Bras. Gír.* Que é muito preso aos padrões tradicionais; que não aceita inovações; careta, cocoroca, quadradão. ~ V. *braça —a, matriz —, metro —, onda —a, pirâmide —a, polegada —a, quadra —a, raiz —a,* e *variável qui —.* • *S. m.* **6.** *Geom.* Quadrilátero cujos lados são iguais entre si e cujos ângulos são retas; quadrilátero regular. **7.** *Mat.* O produto de uma quantidade por si mesma. **8.** *Tip.* Material branco [q. v.] de corpo variável e largura, em geral, de dois a quatro cíceros, usado para formar linhas brancas ou completar linhas quebradas. **9.** Qualquer coisa que tem forma quadrada ou quadrangular. **10.** *Bras.* Nas antigas fazendas, o conjunto das habitações dos escravos. **11.** *Bras.* Indivíduo quadrado (5); careta, cocoroca, quadradão. **12.** *Bras., SP.* Carro quadrangular, rústico, empregado unicamente no transporte de toras ou de madeira em bruto. **13.** *Bras., SP.* V. *papagaio* (5). ◆ **Quadrado mágico.** *Mat.* Matriz numérica quadrada em que são iguais as somas dos números de cada fila, de cada coluna e de cada diagonal. **Quadrado perfeito.** *Arit.* Inteiro que é o quadrado de outro.

quadrador (ô). [Do lat. *quadratore.*] *Adj.* e *s. m.* **1.** Que ou aquele que estabelece a área de um terreno. **2.** Que ou aquele que dá forma quadrada a certos objetos.

quadradura. *S. f.* Quadratura[1].

quadrafônico. [De *quadr(a)* + *-fon(e)-* + *-ico*[2].] *Adj.* Diz-se do sistema acústico composto basicamente de quatro fontes reprodutoras dos sons, cujo objetivo é distribuir no espaço, com mais recursos que o sistema estereofônico [q. v.], as fontes sonoras gravadas.

quadragenário. [Do lat. *quadragenariu.*] *Adj.* e *s. m.* **1.** Que ou aquilo que abrange 40 unidades. **2.** Que ou aquele que está na casa dos 40 anos de idade; quarentão: "Era quadragenária, magra e pálida" (Machado de Assis, *Dom Casmurro*, p. 63).

quadragésima. [Do lat. *quadragesima.*] *S. f.* **1.** Período de 40 dias. **2.** *Desus.* Quaresma[1] (1).

quadragesimal. *Adj. 2 g.* Respeitante a quadragésima [q. v.].

quadragésimo. [Do lat. *quadragesimu.*] *Num.* **1.** Ordinal e fracionário correspondente a quarenta: *Acaba de sair o quadragésimo volume da enciclopédia; Tocou-lhe a quadragésima parte dos bens do bilionário.* • *S. m.* **2.** A quadragésima parte. **3.** Aquele ou aquilo que ocupa o quadragésimo lugar.

quadrangulado. [Do lat. *quadrangulatu.*] *Adj.* Quadrangular.

quadrangular. [Do lat. *quadrangulare.*] *Adj. 2 g.* Que tem quatro ângulos; quadrangulado: "resiste .... o paço onde nasceu el-rei D. Duarte, uma torre quadrangular, pintada a ocra" (José Vieira, *Sol de Portugal*, p. 64).

quadrângulo. [Do lat. *quadrangulu.*] *S. m. Geom.* Figura com quatro ângulos.

quadrantal. [Do lat. *quadrantale.*] *Adj. 2 g.* **1.** *Ant.* Que é quadrado em suas quatro faces, como, p. ex., o dado. **2.** *Ant.* Diz-se da fortificação cuja defesa era proporcional à quarta parte do alcance do canhão.

quadrante. [Do lat. *quadrante.*] *S. m.* **1.** *Geom.* Qualquer das quatro partes centradas em que se pode dividir igualmente um círculo. **2.** *Ant. Náut.* Instrumento semelhante ao sextante (2), mas cujo setor abrange apenas um quarto de círculo, ou 90º. [Cf. *sextante* (2).] **3.** Mostrador de relógio. **4.** *Pop.* A quarta parte da esfera. **5.** *P. ext.* Região do globo terrestre. **6.** Ramo ou esfera de atividade; terreno, setor: "Em todos os quadrantes — na arte, na metafísica, até na medicina (com a psicanálise) — a reação consistiria na volta ao primordial, no apelo ao instintivo." (Walter Benevides, *Sobre Raul de Leoni*, p. 19.) ◆ **Quadrante solar.** *Astr.* Qualquer dos instrumentos empregados para obter a hora solar verdadeira, e que utilizam a modificação da posição da sombra durante o dia.

quadrantídeo. [De *quadrante* + *-ídeo.*] *S. m. Astr.* Meteoro pertencente à chuva cujo radiante se localiza ao N. da constelação da Coroa Boreal.

quadrão. [Aum. de *quadra.*] *S. m. Bras., AL. Lit. Pop.* Oitava de poesia popular, cantada, na qual os três primeiros versos rimam entre si, o quarto com o oitavo, e o quinto, o sexto e o sétimo também entre si.

quadrar. [Do lat. *quadrare.*] *V. t. d.* **1.** Dar forma quadrada a. **2.** *Bras., S.* Dar certa postura a (o corpo), distendendo o tórax e erguendo os ombros; perfilar-se. *T. i.* **3.** Ser conveniente; agradar, convir: *Faz apenas o que lhe quadra.* **4.** Adaptar-se, ajustar-se, amoldar-se: *A sagacidade quadra às coisas políticas. Int.* **5.** Ser satisfatório, conveniente; convir: *Fecharia o negócio se a proposta quadrasse.* **6.** *Taur.* Perfilar-se diante do touro para colocar bandarilhas.

quadrarão. [De *quadrum* (ingl. *quadroon*).] *Adj.* e *s. m.* Diz-se de, ou aquele que tem um quarto de sangue negro; quadrum, quarterão. [Fem.: *quadrarona.*]

quadrarona. *Adj. (f.)* e *s. f.* Fem. de *quadrarão.*

▲**quadrat(i)-.** [Do lat. *quadratus, a, um.*] *El. comp.* = 'quadrado': *quadratífero; quadrático.*

quadrática. [Fem. substantivado de *quadrático.*] *S. f. Geom.* V. *curva quadrática.*

quadrático. [Do lat. *quadratu*, 'quadrado', + *-ico*[2].] *Adj.* **1.** Referente ao quadrado. **2.** *Mat.* Referente a, ou próprio de uma expressão do segundo grau. ~ V. *afastamento — médio, afastamento — médio da média, curva —a, média —a* e *sistema —.*

quadratífero. [De *quadrat(i)-* + *-fero.*] *Adj.* Que tem facetas quadradas.

quadratim. [Do it. *quadratino.*] *S. m. Tip.* **1.** Espaço de grossura igual ao corpo a que pertence, usado sobretudo para recolher parágrafo, e em geral tomado como base para o cálculo da remuneração do compositor tarefeiro. [V. *compor a quadratim e eme.*] **2.** Medida correspondente ao número de pontos de um quadratim. ◆ **Compor a quadratim.** *Tip.* Compor com remuneração à base do milheiro de quadratins, de acordo com os preços estipulados para cada corpo.

quadratriz. [De um lat. **quadratrice*, fem. de *quadrator*, 'quadrador'.] *Adj. (f.)* e *s. f. Geom.* Diz-se de, ou curva que serve para resolver aproximadamente o problema da quadratura do círculo e da trissecção do ângulo.

quadratura[1]. [Do lat. *quadratura.*] *S. f.* **1.** *Geom.* Operação em que se calcula ou estima a área de uma configuração. **2.** *Astr.* Configuração de dois astros quando a diferença de suas longitudes celestes é de 90º. **3.** *Mús.* Processo de organizar a melodia por número par de frases, todas de tamanho igual. [F. paral.: *quadradura.*] ♦ **Quadratura do círculo.** *Geom.* Cálculo ou operação que visa a encontrar a área de um círculo. **Primeira quadratura.** *Astr.* V. *quarto crescente.* **Segunda quadratura.** *Astr.* V. *quarto minguante.*

quadratura[2]. [De *quadrar* (1) + *-(t)ura.*] *S. f.* Pintura de ornatos arquitetônicos.

quadraturista. *S. 2 g.* Pessoa que pinta quadraturas.

quadrela. [De *quadra* ou *quadro* + *-ela.*] *S. f.* **1.** Lanço de qualquer edifício ou construção. **2.** Muro; parede: "rompe por entre as cimitarras que lhe decepam as duas mãos, e surde na q u a d r e l a da torre albarrã, com os dous pulsos a esguichar sangue" (Eça de Queirós, *A Ilustre Casa de Ramires*, p. 8).

quadrelo. [De *quadra* ou *quadro* + *-elo.*] *S. m. Ant.* Seta de quatro faces, que se atirava com a besta.

▲**quadri-.** V. *quadr(a)-.*

quadriaceleração. [De *quadri-* + *aceleração.*] *S. f. Fís.* Quadrivector cujos componentes são as derivadas da quadrivelocidade em relação ao elemento de linha de universo.

quadrialado. [De *quadri-* + *alado.*] *Adj.* Que tem quatro asas.

quádrica. [De *quadri-* + *-ica*[2].] *S. f. Geom.* Lugar geométrico dos pontos do espaço que obedecem a uma equação do segundo grau nas três coordenadas cartesianas; conicóide.

quadricapsular. [De *quadri-* + *capsular.*] *Adj. 2 g. Morfol. Veg.* Que tem quatro cápsulas.

quadríceps. [De *quadri-* + o final de *bíceps.*] *Adj. 2 g.* e *2 n.* e *s. m. 2 n. Anat.* Quadricípite.

quadricipital. *Adj. 2 g.* Relativo ao quadricípite.

quadricípite. [De *quadri-* + lat. *capite*, 'cabeça', com apofonia.] *Adj. 2 g.* e *s. m. Anat.* Diz-se de, ou um músculo da coxa que, superiormente, tem quatro feixes distintos de inserção, que se fixam inferiormente, na rótula, mediante tendão comum; quadríceps.

quádrico. [De *quadri-* + *-ico*[2].] *Adj.* ~ V. *cone —.*

quadricolor (ô). [De *quadri-* + *-color.*] *Adj. 2 g.* Que tem quatro cores.

quadricórneo. [De *quadri-* + *-corn(e)-* + *-eo.*] *Adj. Zool.* Que tem quatro antenas ou cornos.

quadricromia. [De *quadri-* + *-crom(a)-* + *-ia.*] *S. f. Fotograv.* **1.** Tricromia [q. v.] a que se junta um quarto clichê para reprodução do preto ou do cinza; tetracromia. **2.** Estampa obtida por esse processo.

quadrícula. [Dim. irreg. de *quadra.*] *S. f.* **1.** Pequena quadra. **2.** Pequeno quadrado ou retângulo. [F. paral.: *quadrículo.* Cf. *quadricula*, do v. *quadricular.*]

quadriculado. [Part de *quadricular*[2] (2).] *Adj.* Dividido em quadrículas [v. *quadrícula* (2)]; quadricular, quadrilhado: "guerreiros orgulhosos, envoltos nos seus *plaids* q u a d r i c u l a d o s e heráldicos" (Gustavo Barroso, *Livro dos Milagres*, p. 19). ~ V. *papel —.*

quadricular[1]. [De *quadrícula* + *-ar*[1].] *Adj. 2 g.* V. *quadriculado.*

quadricular[2]. [De *quadrícula* + *-ar*[2].] *V. t. d.* **1.** Dar forma de quadrícula a. **2.** Dividir em quadrículas. [Pres. ind.: *quadriculo, quadriculas, quadricula*, etc. Cf. *quadrículo* e *quadrícula.*]

quadrículo. [Dim. irreg. de *quadra.*] *S. m.* Quadrícula. [Cf. *quadriculo*, do v. *quadricular.*]

quadricúspide. [De *quadri-* + *-cúspide.*] *Adj. 2 g. Morfol. Veg.* Que tem quatro pontas agudas.

quadridentado. [De *quadri-* + *dentado.*] *Adj. Zool.* Que tem quatro dentes.

quadridigitado. [De *quadri-* + *-digitado.*] *Adj. Zool.* Que tem quatro dedos ou digitações.

quadridimensional. [De *quadri-* + *dimensional.*] *Adj. 2 g.* Que tem quatro dimensões. [Var.: *quadrimensional.*]

quadrienal. [Do lat. *quadriennale.*] *Adj. 2 g.* **1.** Que aparece, acontece ou se efetua de quatro em quatro anos. **2.** Realizável ou executável num quadriênio: *plano q u a d r i e n a l.*

quadriênio. [Do lat. *quadrienniu.*] *S. m.* Período de quatro anos. [Var.: *quatriênio.*]

quadrifendido. [De *quadri-* + *fendido.*] *Adj.* V. *quadrífido.*

quadrífido. [De lat. *quadrifidu.*] *Adj.* **1.** Fendido em quatro partes iguais. **2.** Fendido em quatro partes. **3.** Que tem quatro profundas divisões. [Sin. ger.: *quadrifendido, quadripartido, quadripartito.*]

quadriflóreo. [De *quadri-* + *-flor(i)-* + *-eo.*] *Adj. Morfol. Veg.* Cujas flores se acham dispostas quatro a quatro.

quadrifoliado. [De *quadri-* + *foliolado.*] *Adj. Morfol. Veg.* Que tem quatro folíolos.

quadrifólio. [De *quadri-* + *-fólio.*] *Adj. Bot.* **1.** Que tem quatro folhas. **2.** Cujas folhas estão dispostas quatro a quatro. **3.** *Geom. Anal.* Podária da astróide em relação a um ponto sobre o segmento de reta que liga duas cúspides opostas. ● *S. m.* **4.** *Bras.* Subarbusto rizomatoso, da família das leguminosas (*Zornia tenuifolia*), que vai a 30 cm e vive nos campos arenosos. Tem folhas com quatro folíolos obovados, ou mesmo lineares e obtusos, flores amarelas, pequenas, reunidas em racemos delgados e numerosos, e legume articulado e glanduloso.

quadrifonte. [De *quadri-* + *fonte.*] *Adj. 2 g. Poét.* Que tem quatro fontes. [Cf. *quadrifronte.*]

quadriforme. [Do lat. *quadriforme.*] *Adj. 2 g.* Que apresenta quatro formas.

quadrifronte. [Do lat. *quadrifronte.*] *Adj. 2 g. Poét.* Que tem quatro frontes ou faces. [Cf. *quadrifonte.*]

quadrifurcado. [De *quadri-* + lat. *furca*, 'forca', + *-ado*[1].] *Adj.* Que tem quatro ramos.

quadriga. [Do lat. *quadriga.*] *S. f.* **1.** Conjunto de quatro cavalos que puxam um carro. **2.** Carro tirado por quatro cavalos: "destacavam-se no tecto figuras mitológicas: a Aurora, toda púrpura, em áurea q u a d r i g a tirada por corcéis brancos pinoteando sobre nuvens; Vênus, seminua .... ; Orfeu puxando da flauta quérulas endechas" (Afonso Arinos, *Pelo Sertão*, p. 140).

quadrigário. [Do lat. *quadrigariu.*] *S. m.* Condutor de quadriga.

quadrigato. [Do lat. *quadrigatu.*] *S. m.* Moeda romana que tinha por cunho uma quadriga (2).

quadrigêmeo. [Do lat. *quadrigeminu.*] *Adj.* **1.** Referente a cada um dos quatro irmãos gêmeos, ou a todos eles; quadrigêmino. ● *S. m.* **2.** Cada um dos quatro irmãos gêmeos; quádruplo. ~ V. *tubérculos —s.*

quadrigeminado. [De *quadri-* + *geminado.*] *Adj. Morfol. Veg.* Diz-se dos órgãos vegetais dispostos no mesmo nível quatro a quatro.

quadrigêmino. [Do lat. *quadrigeminu.*] *Adj.* Quadrigêmeo (1).

quadrigúmeo. [De *quadri-* + *gume* + *-eo.*] *Adj.* Que tem quatro gumes.

quadrijugado. [De *quadri-* + lat. *jugatu*, 'ligado'.] *Adj. Morfol. Veg.* Que tem quatro pares de folíolos opostos.

quadríjugo. [Do lat. *quadrijugu.*] *Adj. Poét.* Puxado por quatro cavalos.

quadril. [De uma f. *cadril < *cadeiril*, 'da cadeira' (osso), com síncope.] *S. m. Anat.* Cada uma de duas regiões, uma de cada lado da pelve, em que se situa cada articulação de fêmur com ilíaco; anca. **2.** *Bras.* Alcatra (de gado).

quadrilateral. [De *quadrilátero* + *-al.*] *Adj. 2 g.* Que tem quatro lados; quadrilátero.

quadrilátero. [Do lat. *quadrilateru.*] *Adj.* **1.** Quadrilateral. ● *S. m.* **2.** Polígono de quatro lados. **3.** *Mil.* Espaço quadrangular fortificado. ♦ **Quadrilátero regular.** *Geom.* Quadrado (6).

quadrilha. [Do esp. *cuadrilla.*] *S. f.* **1.** Turma de quatro ou mais cavaleiros, dispostos para o jogo das canas (2) [q. v.]. **2.** Bando de ladrões, assaltantes ou malfeitores: "Q u a d r i l h a s assaltando as quintas mais bonitas" (Cesário Verde, *Obra Completa*, p. 97). **3.** Contradança de salão, de origem francesa, muito em voga no séc. XIX, e de caráter alegre e movimentado, na qual tomam parte diversos pares. [Cf. *lanceiros.*] **4.** A música que acompanha essa contradança. **5.** *Pop.* Súcia, corja. **6.** *Bras, RS.* Grupo de cavalos de pêlos diferentes que acompanha a égua madrinha. ♦ **Quadrilha de cães.** Matilha (1).

quadrilhado. [De *quadra* + *-ilha-* + *-ado*[1].] *Adj.* V. *quadriculado.*

quadrilheiro. [Do esp. *cuadrillero.*] *S. m.* **1.** Indivíduo que faz parte de quadrilha. **2.** *Ant.* Membro de quadrilha de guerreiros ou de jogadores das canas (2) [q. v.]. **3.** V. *beleguim*: "O corregedor .... mandou dous q u a d r i l h e i r o s agarrar o espectador desgostoso, e metê-lo no Limoeiro." (Camilo Castelo Branco, *Noites de Insônia*, I, p. 10.) **4.** *Bras., RS.* Animal que faz parte de quadrilha (6).

quadrilobado. [De *quadri-* + *lobado.*] *Adj. Morfol. Veg.* Quadrilobulado.

quadrilobulado. [De *quadri-* + *lobulado.*] *Adj. Morfol. Veg.* Que tem quatro lóbulos; quadrilobado.

quadrilóbulo. [De *quadri-* + *lóbulo.*] *S. m. Arquit.* Ornato constituído por quatro porções ligadas de arcos ogivais.

quadriloculado. [De *quadri-* + *loculado.*] *Adj. Morfol. Veg.* Que tem quatro lóculos ou cavidades; quadrilocular.

quadrilocular. [De *quadri-* + *locular.*] *Adj. 2 g. Morfol. Veg.* Quadriloculado.

quadrilongo. [De *quadri-* + *longo.*] *Adj.* **1.** Que tem quatro lados paralelos dois a dois, sendo dois desses lados maiores que os outros dois: "— O mundo .... é uma loja de belchior, com uma pequena gaiola de taquara, q u a d r i l o n g a, pendente de um prego" (Machado de Assis, *Páginas Recolhidas*, p. 94). ● *S. m.* **2.** Figura ou coisa quadrilonga. **3.** *Tip.* Lingão.

quadrilunulado. [De *quadri-* + *lunulado.*] *Adj.* Diz-se do animal que tem quatro manchas luniformes.

quadrímano. [Do lat. *quadrimanu.*] *Adj. Zool.* Que tem quatro tarsos dilatados em forma de mão.

quadrimembre. [De *quadri-* + *membro.*] *Adj. 2 g.* Que tem quatro membros.

quadrimensional. *Adj. 2 g.* F. haplológica de *quadridimensional.*

quadrimestral. *Adj. 2 g.* **1.** Relativo a quadrimestre. **2.** Que se realiza ou sucede de quatro em quatro meses.

quadrimestre. [Do lat. *quadrimestre.*] *S. m.* Período de quatro meses.

quadrimomentum (mên). [De *quadri-* + lat. *momentum*, 'momento'.] *S. m. Fís.* Quadrivector cujos componentes são as derivadas parciais da ação em relação a cada uma das coordenadas do contínuo espaço-tempo; quadrivector dos momenta.

quadrimosqueado. [De *quadri-* + *mosqueado.*] *Adj.* Que tem quatro malhas ou manchas.

quadrimotor (ô). [De *quadri-* + *motor.*] *Adj.* **1.** Que tem quatro motores. ● *S. m.* **2.** Aeronave dotada de quatro motores.

quadringentenário. [Do lat. *quadringentini*, 'que tem quatrocentos anos', + *-ário.*] *S. m.* Transcurso de um fato significativo ocorrido 400 anos antes, ou comemoração deste fato.

quadringentésimo (zi). [Do lat. *quadringentesimu.*] *Num.* **1.** Ordinal e fracionário correspondente a quatrocentos: *Em 1900 ocorreu o q u a d r i n g e n t é s i m o aniversário do descobrimento do Brasil; Recebeu a q u a d r i n g e n t é s i m a parte do prêmio.* ● *S. m.* **2.** A quadringentésima parte. **3.** Aquele ou aquilo que ocupa o quadringentésimo lugar.

quadrinho. [Dim. de *quadro.*] *S. m.* Unidade gráfica das tiras [v. *tira* (5)] de uma história em quadrinhos.

quadrinhos. [Pl. de *quadrinho.*] *S. m. pl. Bras.* História em quadrinhos.

quadrinização. *S. f. Bras.* Ato ou efeito de quadrinizar.

quadrinizar. [De *quadrin(h)os* + *-zar.*] *V. t. d. Bras.* Adaptar (uma narrativa, uma história) à forma de quadrinhos, de história em quadrinhos.

quadrinômio. [De *quadri-* + o final de *binômio.*] *S. m.* Expressão algébrica constituída de quatro termos ou monômios.

quadrioctogonal. [De *quadri-* + *octogonal.*] *Adj. 2 g.* Que tem a forma de um prisma octogonal.

quadripartição. [De *quadri-* + *partição.*] *S. f.* Partilha de um todo em quatro partes.

quadripartido. [De *quadripartito.*] *Adj.* V. *quadrífido.*

quadripartito. [Do lat. *quadripartitu.*] *Adj.* V. *quadrífido.*

quadripétalo. [De *quadri-* + *-pétalo.*] *Adj. Morfol. Veg.* Que tem quatro pétalas.

quadriplegia. [De *quadri-* + *-pleg-* + *-ia.*] *S. f. Med.* Paralisia dos quatro membros; tetraplegia.

quadriplégico. *Adj.* **1.** Relativo à, ou próprio da quadriplegia. **2.** Que sofre de quadriplegia. ● *S. m.* **3.** Indivíduo quadriplégico.

quadripolo. [De *quadri-* + *pólo.*] *S. m. Eletr.* Dispositivo elétrico com quatro terminais diretamente acessíveis.

quadriposição. [De *quadri-* + *posição.*] *S. f. Fís.* Quadrivector cujos componentes são as coordenadas de um ponto de universo; quadrivector posição.

quadripotencial. [De *quadri-* + *potencial.*] *S. m. Fís.* Quadrivector cujos componentes espaciais são os do potencial vector e o componente temporal é o produto iF, onde F é o potencial escalar.

quadrirreme. [Do lat. *quadrirene.*] *S. f. Ant.* Navio de quatro ordens de remos, ou de quatro remadores em cada remo.

quadrissecular. [De *quadri-* + *secular.*] *Adj. 2 g.* Que tem ou durou quatro séculos; quatro vezes secular: "E quase admiti que um *real psíquico* do grande Palácio do Louvre houvesse fechado suas portas à invasão revolucionária que lhe quebraria as linhas históricas, conservadoras, clássicas, majestosas, e definidoras da sua q u a d r i s s e c u l a r existência." (Carlos de Gusmão, *Boca da Grota*, p. 353.)

quadrissilábico. *Adj. Gram.* V. *quadrissílabo* (1).

quadrissílabo. [De *quadri-* + *sílaba.*] *Gram. Adj.* **1.** Que tem quatro sílabas; quadrissilábico, tetrassílabo. ● *S. m.* **2.** Vocábulo ou verso de quatro sílabas; tetrassílabo: "esta quadrinha, primeira de uma dupla em q u a d r i s s í l a b o s .... : O galo canta, / O galo chora, / O galo canta / Quando é hora.'' (Paulino Santiago, *Temas e Processos do Cancioneiro de Alagoas*, p. 17).

quadrissulco. [Do lat. *quadrisulcu*.] *Adj*. **1**. *Morfol. Veg.* Que apresenta quatro sulcos. **2.** *Zool.* Que tem o pé dividido em quatro dedos.

quadrivalve. [De *quadri-* + *-valve*.] *Adj. 2 g. Morfol. Veg.* Que tem quatro valvas.

quadrivalvulado. [De *quadri-* + *valvulado*.] *Adj.* Que tem quatro válvulas; quadrivalvular.

quadrivalvular. [De *quadri-* + *valvular*.] *Adj. 2 g.* Quadrivalvulado.

quadrivector (ô). [De *quadri-* + *vector*.] *S. m. Fís. Mat.* Conjunto ordenado de quatro quantidades, cada uma delas associada a um dos eixos de coordenadas no contínuo espaço-tempo, e que se transformam de acordo com a transformação de Lorentz quando o sistema de coordenadas é transformado. [Var.: *quadrivetor*.] ♦ **Quadrivector dos momenta.** *Fís.* Quadrimomentum. **Quadrivector posição.** *Fís.* Quadriposição.

quadrivelocidade. [De *quadri-* + *velocidade*.] *S. f. Fís.* Quadrivector cujos componentes dão as derivadas das componentes da quadriposição em relação ao elemento infinitesimal da linha de universo.

quadrivetor (ô). *S. m. Fís. Mat.* Var. de *quadrivector* [q. v.].

quadrívio. [Do lat. *quadriviu*.] *S. m.* **1.** Lugar onde terminam quatro caminhos ou quatro ruas. [V. *encruzilhada* (1).] **2.** *Ant.* Na Idade Média, o conjunto das quatro disciplinas matemáticas, a saber, aritmética, geometria, música e astronomia.

quadro. [Do lat. *quadru*.] *S. m.* **1.** Aquilo que tem a forma de um quadrilátero. **2.** Moldura (1), ou cercadura gráfica, em geral com essa forma, que limita externamente pinturas, mapas, gráficos, etc., tornando-os facilmente visíveis ao observador. **3.** Qualquer obra de arte (pintura, gravura, colagem, fotografia, etc.) executada sobre superfície plana, em geral guarnecida de moldura (1), e que se pode transportar com relativa facilidade. **4.** *P. ext.* Obra pictórica feita sobre tela, madeira, etc.; painel, pintura. **5.** Peça plana, quadrilateral, usada nas escolas para cálculos, traçados, etc.; quadro-negro, quadro-de-giz, pedra. **6.** Qualquer superfície de limites mais ou menos precisos, móvel ou fixa, onde estão distribuídas informações, gráficos, pontos luminosos, botões, etc., destinados à informação e/ou ao controle mecânico. [Cf. *painel* (7).] **7.** Relação metódica; resenha, lista: *O jornal publicou o* q u a d r o *dos alunos aprovados*. **8.** O total dos empregados de uma empresa, dos associados de um clube, etc. **9.** Conjunto de carreiras e/ou de cargos isolados da administração pública. **10.** *Fig.* Panorama, espetáculo: ''O q u a d r o de aflições que me consomem / O próprio Pedro Américo não pinta...'' (Augusto dos Anjos, *Eu*, p. 114.) **11.** *Fig.* Aquilo que se vê, se observa ou se manifesta: *O* q u a d r o *da doença agravou-se*. **12.** *Teat.* Subdivisão de ato de uma peça. **13.** Tipo de figura (ilustração) utilizada para apresentação esquemática de informações textuais; a exemplo da tabela, apresenta estrutura básica constituída de fios, colunas, linhas, etc. **14.** Imagem apresentada em fotograma. **15.** *Bras.* Conjunto de tubos metálicos que forma a armação das bicicletas, motonetas, etc. **16.** *Bras.* V. *time*. **17.** *Bras., CE.* Espaço de terreno compreendido em um quadrado cujas faces têm 75 metros. **18.** *Bras., PE.* V. *cortiço* (2). ♦ **Quadro de cavalete.** V. *pintura de cavalete*. **Quadro de gênero.** *Art. Plást.* O que representa cenas da vida cotidiana: ''se aparecia uma visita, ... mostrava-lhe as paisagens, os q u a d r o s históricos ou de g ê n e r o, uma aquarela, um pastel'' (Machado de Assis, *Dom Casmurro*, p. 397). **Quadro vivo.** Representação de certas cenas históricas ou populares, de episódios ou de alegorias, etc., efetuada por pessoas nas atitudes ou posições requeridas pelo assunto.

quadro-de-feltro. *S. m.* V. *flanelógrafo*. [Pl.: *quadros-de-feltro*.]

quadro-de-flanela. *S. m.* V. *flanelógrafo*. [Pl.: *quadros-de-flanela*.]

quadro-de-giz. *S. m. Bras.* V. *quadro* (5). [Pl.: *quadros-de-giz*.]

quadro-negro. *S. m.* V. *quadro* (5). [Pl.: *quadros-negros*.]

quadroplegia. *S. f. Med.* V. *quadriplegia*.

quadroplégico. *Adj. e s. m.* V. *quadriplégico*.

▲**quadru-.** V. *quadr(a)-*.

quadrum. [Do ingl. *quadroon*.] *Adj. 2 g. e s. 2 g.* V. *quadrarão*.

quadrúmano. [Do lat. *quadrumanu*.] *Adj.* **1.** Que tem quatro mãos. ● *S. m.* **2.** *Obsol.* Símio (1).

quadrupedante. [Do lat. *quadrupedante*.] *Adj. 2 g.* **1.** Que anda em quatro pés. **2.** Que monta em quadrúpedes. **3.** Relativo a, ou próprio de quadrúpedes: ''Inda em nossos ouvidos estremecem / q u a d r u p e d a n t e estrépito, relinchos, / retinir d'armas, rufos de tambores'' (Antônio Feliciano de Castilho, *Amor e Melancolia*, p. 370).

quadrupedar. [Do lat. desus. *quadrupedare*.] *V. int. Poét.* **1.** Andar de quatro pés. **2.** Fazer estrépito como os quadrúpedes ao andar: ''em estralada, estrepitosa, estrondeante, ... q u a d r u p e d a n d o, estrupidando, rugitando, ... estalida o sapateio, retumba o rundo africano, trabuca o cateretê!'' (Martins Fontes, *A Dança*, p. 93). [Pres. subj.: *quadrupede, quadrupedes*, etc. Cf. *quadrúpede e quadrúpedes*.]

quadrúpede. [Do lat. *quadrupede*.] *Adj. 2 g.* **1.** Que tem quatro pés. **2.** Pertencente ou relativo aos quadrúpedes. ● *S. m.* **3.** Espécime dos quadrúpedes. ● *S. 2 g.* **4.** *Fig.* Pessoa estúpida, bruta. [Cf. *quadrupede*, do v. *quadrupedar*.]

quadrúpedes. [Pl. de *quadrúpede*.] *S. m. pl. Zool.* Designação usada por Aristóteles para os animais com sangue e providos de quatro pés. Segundo esse autor, os quadrúpedes vivíparos e os quadrúpedes ovíparos, juntamente com as aves e os peixes, formavam o grupo dos animais. [Cf. *quadrupedes*, do v. *quadrupedar*.]

quadrupleto (ê). [De *quádruplo* + *-eto*.] *S. m. Fís.* Termo espectral com multiplicidade igual a quatro.

quadruplicação. [Do lat. *quadruplicatione*.] *S. f.* Ato ou efeito de quadruplicar(-se).

quadruplicar. [Do lat. *quadruplicare*.] *V. t. d.* **1.** Multiplicar por quatro. **2.** Tornar quatro vezes maior; redobrar, reduplicar. *Int. e p.* **3.** Tornar-se quatro vezes maior, ou mais numeroso; redobrar, reduplicar: ''Não obstante as vitórias sobre a doença, as moléstias aumentaram. Segundo alguns, q u a d r u p l i c a r a m em relação às do século passado.'' (Walter Benevides, *Da Arte de Ter Clínica*.) [Conjug.: v. *trancar*.]

quádruplo. [Do lat. *quadruplu*.] *Num.* **1.** Que é quatro vezes maior. **2.** Que se compõe de quatro membros: *Em 1834 formou-se a* q u á d r u p l a *aliança entre Portugal, Inglaterra, França e Espanha*. ● *S. m.* **3.** Quantidade quatro vezes maior que outra. **4.** Quadrigêmeo (2).

quadrupolo. [De *quadru-* + *pólo*.] *S. m. Eletr.* Sistema eletricamente neutro, constituído por duas cargas pontuais positivas e duas negativas, iguais e de sinais contrários, dispostas alternadamente nos vértices de um pequeno quadrado.

quaiapá. [De provável or. indígena.] *S. m. Bras.* V. *espinho-de-judeu*.

quaiquica. *S. f. Bras.* **1.** V. *cuíca* (1). **2.** Mamífero marsupial (*Metachirops opossum quica* (Tem.)), do N.E., C.O. e porção S. do Brasil, cuja coloração do dorso oscila entre cinza e pardo, com tonalidade metálica, a região inferior creme-pálida, cara quase preta, com duas manchas brancas distintas em cima dos olhos, cauda preta e quarto terminal branco-amarelada. Mede 35 cm de corpo e 30 cm de cauda, que é coberta de pelagem comum até 5 cm da sua base. Alimenta-se de pássaros, insetos e crustáceos de água doce.

qual. [Do lat. *quale*.] *Pron.* **1.** Que pessoa ou que coisa, dentre duas ou mais: Q u a l *de nós foi escolhido?*; Q u a l *destas casas é a tua?*; *O professor indicou* q u a l *seria o premiado*. **2.** De que natureza, de que qualidade, etc.: Q u a l *a cor de seus olhos?*; *Não sabíamos* q u a l *reação seria a sua*. **3.** É us. com o valor de demonstrativo ou indefinido, correspondendo a este .... *aquele*, ou *um* .... *outro*: ''Q u a l do cavalo voa, que não desce, / Q u a l co cavalo em terra dando, geme'' (Luís de Camões, *Os Lusíadas*, VI, 64). ● *Conj.* **4.** Como; assim como; tal qual: ''Retida em casa, D. Ana, / Q u a l num cárcere, vivia'' (Raimundo Correia, *Poesias*, p. 183); ''Nossas roupas comuns dependuradas / Na corda, q u a l bandeiras agitadas, / Pareciam um estranho festival'' (Orestes Barbosa, *Chão de Estrelas*, p. 275). ● *Interj.* **5.** Designa espanto, negação, etc.: Q u a l ! *ninguém pode com ele*. ♦ **O qual.** V. *que*[2]. [Flex.: *a qual, os quais, as quais*.]

qualidade. [Do lat. *qualitate*.] *S. f.* **1.** Propriedade, atributo ou condição das coisas ou das pessoas capaz de distingui-las das outras e de lhes determinar a natureza. **2.** Numa escala de valores, qualidade (1) que permite avaliar e, conseqüentemente, aprovar, aceitar ou recusar, qualquer coisa: *A* q u a l i d a d e *de um vinho não se mede apenas pelo rótulo; Não há relação entre o preço e a* q u a l i d a d e *do produto*. **3.** Disposição moral ou intelectual das pessoas: *Não possui as* q u a l i d a d e s *necessárias para o posto*. **4.** Dote, dom, virtude: ''Conhece-lhes as baldas, as nicas, as manhas, e as q u a l i d a d e s.'' (Afonso Arinos, *Histórias e Paisagens*, p. 123.) **5.** Condição, posição, função. **6.** *Deprec.* Espécie, casta, laia: *Os justos evitam pessoas dessa* q u a l i d a d e. **7.** *Filos.* Uma das categorias fundamentais do pensamento: maneira de ser que se afirma ou se nega de uma coisa. [Nesta acepç., cf. *quantidade* (4) e *relação* (8).] **8.** *Filos.* Aspecto sensível, e que não pode ser medido, das coisas. ♦ **Qualidades primárias.** *Filos.* Propriedades geométricas e mecânicas dos corpos, que se consideram como inseparáveis do próprio conceito de corpo, como, p. ex., a extensão, a impenetrabilidade, etc.; qualidades primeiras. **Qualidades primeiras.** *Filos.* Qualidades primárias. **Qualidades secundárias.** *Filos.* Propriedades que, por abstração, se podem suprimir sem que se destrua o conceito de corpo, como, p. ex., o peso, a cor, o sabor, etc. **De qualidade. 1.** De boa qualidade. **2.** Que se distingue pela posição social, pela educação, pela distinção, etc.

qualificação. *S. f.* **1.** Ato ou efeito de qualificar-se. **2.** Anotação em documentos oficiais da identidade (2) de uma pessoa. **3.** Habilitações [q. v.].

qualificado. [Part. de *qualificar*.] *Adj.* **1.** Que tem certas qualidades. **2.** Que possui qualificação (3); habilitado. **3.** *Jur.* Diz-se da forma dum crime especialmente agravada, em virtude de certas circunstâncias objetivas ou subjetivas expressas em lei.

qualificador (ô). *Adj. e s. m.* Que ou aquele que qualifica ou serve para qualificar.

qualificar. [Do lat. escolástico *qualificare*.] *V. t. d.* **1.** Indicar a(s) qualidade(s) de; classificar. **2.** Emitir opinião a respeito de; avaliar, apreciar: *Para bem* q u a l i f i c a r *estes trabalhos é necessário o auxílio de um especialista*. **3.** Considerar qualificado, apto, idôneo: *A junta* q u a l i f i c o u *dois mestres para cada disciplina*. *Transobj.* **4.** Atribuir qualidade(s) a; reputar, considerar: Q u a l i f i c o - o *de genial; O promotor* q u a l i f i c o u *o crime como bárbaro*. **5.** Tornar ilustre; enobrecer. *P.* **6.** Classificar (9): Q u a l i f i c o u - s e *para o cargo pela apresentação de títulos*. [Conjug.: v. *trancar*.]

qualificativo. [Do lat. *qualificatu*, part. pass. de *qualificare*, 'qualificar', + *-ivo*.] *Adj. e s. m.* Que ou aquilo que qualifica ou serve para qualificar.

qualificável. *Adj. 2 g.* Que pode ser qualificado.

qualira. *S. m. Bras., MA e CE. Chulo.* Pederasta passivo.

qualiragem. *S. f. Bras., MA e CE. Chulo.* Atitude ou procedimento próprio de qualira.

qualitativamente. [Do fem. de *qualitativo* + *-mente*.] *Adv.* Sob o aspecto da qualidade; de modo qualitativo.

qualitativo. [Do lat. *qualitativu*.] *Adj.* Que exprime ou determina a(s) qualidade(s).

qualquer. [De *qual* + a 3ª pess. sing. do pres. ind. do v. *querer*.] *Pron.* **1.** Designa coisa, lugar ou indivíduo indeterminado: *Veio duma cidade* q u a l q u e r; ''Sua vida não foi boa nem má: / foi como a dos homens comuns, / a dos que não fizeram nenhum destino: aceitaram q u a l q u e r...'' (Cecília Meireles, *Obra Poética*, p. 390). **2.** Algum (2). **3.** Pessoa indeterminada: *Fazer o que ele fez não é para* q u a l q u e r; ''Q u a l q u e r os fará [os versos] mais belos, / Ninguém tão d'alma os faria.'' (Almeida Garrett, *Folhas Caídas*, p. 170). [Pl.: *quaisquer*.]

quamanho. [Do lat. *quam magnu*, 'quão grande'; cf. *tamanho*.] *Adj. Desus.* Quão grande.

➧**quand même** (cã mém'). [Fr.] Apesar dos pesares.

quando. [Do lat. *quando*.] *Adv.* **1.** Em que época ou ocasião: ''Q u a n d o se erguerão as seteiras, / Outra vez, do castelo em ruína, / E haverá gritos e bandeiras / Na fria aragem matutina?'' (Camilo Pessanha, *Clepsidra e Outros Poemas*, p. 215); ''E, se morrer, não deixo quem te conte / a odisséia infeliz de amores que ando / — rio errante que ignora a própria fonte — / vertendo em prantos, desde não sei q u a n d o !...'' (Hermes-Fontes, *Gênese*, p. 174). ● *Conj.* **2.** No tempo em que; no momento em que: ''Q u a n d o chegaste, os violoncelos / Que andam no ar cantaram hinos.'' (Alphonsus de Guimaraens, *Obra Poética*, p. 212);''— E se acaso voltar? Que hei de dizer-lhe, q u a n d o / Me perguntar por ti?'' (Vicente de Carvalho, *Poemas e Canções*, p. 280). **3.** Ainda que; mesmo que; se acaso: ''— De maneira que te sacrificas a um desejo nosso? / Q u a n d o fosse sacrifício, fá-lo-ia de boa cara; mas não é.'' (Machado de Assis, *Helena*, p. 180); ''Q u a n d o houvesse alguma intenção sexual, quem me provaria que não era mais que uma sensação fulgurante, destinada a morrer com a noite e o sono?'' (Machado de Assis, *Dom Casmurro*, p. 336.) **4.** Apesar de que: ''Puseram-nos no almoço manteiga, rabanetes e azeitonas, q u a n d o nós só comemos azeitonas.'' (França Júnior, *Folhetins*, p. 288.) **5.** V. *ao passo que*: *Eles têm todas as regalias,* *quando nós temos só os encargos.* ● Pron. rel. **6.** Em que, no qual, na qual, nos quais ou nas quais: "Boa ou má, é [a colocação pronominal] usada pelo povinho de Portugal e já assim o era em época quando brasileiros que lhe pervertessem o idioma ainda não eram nascidos." (M. Said Ali, *Dificuldades da Língua Portuguesa*, p. 68); "Pequenino, em casa, tua mãe saudosa / Reza a sós... É a hora, quando a procuravas..." (Vicente de Carvalho, *Poemas e Canções*, p. 19). ♦ **Quando de.** Por ocasião de: *Recebeu muitas homenagens quando de seu cinqüentenário.* **Quando em quando.** V. *de quando em quando*: "Nunca o esqueci. E, quando em quando, o lembro em alguns dos atos religiosos por ele promovidos na sua freguesia." (Lima Júnior, *Alguns Homens do Meu Tempo*, p. 14.) **Quando menos.** Ao menos; pelo menos: "Dissimular erros no amigo, não é amor, é lisonja; não é prudência, é traição, ou quando menos pusilanimidade." (Pe Manuel Bernardes, *Nova Floresta*, I, p. 112.) **Quando muito.** Se tanto: "Era noute velha, noute velha daqueles tempos, nove horas quando muito" (Alexandre Herculano, *O Monge de Cister*, p. 6). **Quando não.** Do contrário: "Larga-me, larga-me, quando não dou cabo de ti!" (Fialho d'Almeida, *Aves Migradoras*, p. 45.) **A quando e quando.** V. *de quando em quando*: "E no céu desolado, a quando e quando, // Bandos loucos de avoantes forasteiras" (Olegário Mariano, *Toda uma Vida de Poesia*, I, p. 356). **De quando a quando.** V. *de quando em quando*: "E o curandeiro começa a cantar uma melopéia plangente, onde vibra de quando a quando ... uma africana sílaba nasal" (Gustavo Barroso, *Terra de Sol*, p. 162). **De quando em quando.** De tempos a tempos; de espaço a espaço; de onde em onde; de quando a quando (*p. us.*); a quando e quando; quando em quando; de vez em quando; de quando em vez; de vez em onde; de vez em vez; vez por outra; por vez, vez a vez, vez em vez; a trecho ou a trechos: "De quando em quando ia ao piano" (Machado de Assis, *Várias Histórias*, p. 65). **Senão quando.** De repente; repentinamente: "Senão quando, uma tarde, já escuro, por volta das sete horas, apareceu-me na casa de pensão o meu amigo Elisiário." (Machado de Assis, *Páginas Recolhidas*, p. 39.)

➡quanta. [Lat.] *S. m. pl.* Pl. de *quantum.*

quantas. *El. s. f. pl.* Us. na expr. *não saber a quantas anda.* ~ V. *quanta.* ♦ **Não saber a quantas anda.** Não saber com exatidão qual o estado ou condições de negócio ou situação em que está envolvido.

▲quant(i)-. [Do lat. *quantum, i.*] *El. comp.* = 'quão grande', 'quantidade': *quântico.*

quantia. [De *quanto* + *-ia.*] *S. f.* **1.** *Antiq.* Quantidade (1 e 2): "Entrei nas centenas [de orações] e agora no milhar. Era um modo de peitar a vontade divina pela quantia das orações" (Machado de Assis, *Dom Casmurro*, p. 62). **2.** Soma, porção ou quantidade de dinheiro; importância.

quântico. [De *quant(i)-* + *-ico*[2].] *Adj. Fís.* Diz-se de qualquer sistema ou fenômeno quantificado. ~ V. *mecânica —a* e *número —.*

quantidade. [Do lat. *quantitate.*] *S. f.* **1.** Número de unidades, ou medida, que determina um conjunto de coisas consideradas como equivalentes e suscetíveis de aumento ou diminuição. **2.** Grandeza (5) expressa em número. **3.** Grande porção de pessoas ou de coisas; grande número; grande quantidade. [Sin. nesta acepç., muitos dos quais pop.: *abada, abundância, acervo, batelada, cabazada, canchal, chusma, chuva, dilúvio, enxame, fula, horror, magote, metralha, montão, multidão, penca, porrada, ror, zamborrada* e (bras.) *porção, corrimaca, despotismo, despropósito, destempero, disparate, imundícia ou imundície, estandarte, mundo, mundão, mundaréu, mundéu, pá, panázio, montoeira, catervagem, um cesto e um samburá.*] **4.** *Filos.* Uma das categorias fundamentais do pensamento; caráter do que pode ser medido. [Nesta acepç., cf. *relação* (8) e *qualidade* (7)] **5.** *Fon.* Duração dum fonema ou dum grupo de fonemas. **6.** *Lóg.* Propriedade da proposição pela qual esta ou é universal ou é particular. ♦ **Quantidade de luz.** *Fotom.* Fluxo luminoso emitido por unidade de área de uma fonte luminosa; excitação luminosa. **Quantidade de movimento.** *Fís.* V. *momento* (6).

quantificação. [De *quantificar* + *-ção.*] *S. f.* **1.** Ato ou efeito de quantificar (1). **2.** *Fís.* A passagem da descrição clássica e contínua dum sistema para a descrição quântica, em que alguns observáveis só podem assumir os valores de um conjunto discreto; quantização.

quantificado. [Part. de *quantificar.*] *Adj.* Em que se efetuou quantificação.

quantificar. [De *quant(i)-* + *-ficar.*] *V. t. d.* **1.** Determinar a quantidade ou o valor de; avaliar com rigor. **2.** *Fís.* Efetuar a quantificação de (um sistema); quantizar. [Conjug.: v. *trancar.*]

quantil. [De *quant(i)-* + *-il.*] *S. m. Estat.* Qualquer das separatrizes de uma distribuição.

quantioso (ô). *Adj.* **1.** Respeitante a quantia. **2.** Muito numeroso. **3.** Valioso, considerável. **4.** Que possui grande quantia; rico.

quantitativamente. [Do fem. de *quantitativo* + *-mente.*] *Adv.* Sob o aspecto da quantidade; de modo quantitativo.

quantitativo. [Do lat. *quantitate* + *-ivo.*] *Adj.* Relativo a, ou indicativo de quantidade.

quantização. [De *quantizar* + *-ção.*] *S. f. Fís.* Quantificação.

quantizar. [De *quant(i)-* + *-izar.*] *V. t. d. Fís.* Quantificar (2).

quanto. [Do lat. *quantu.*] *Pron.* **1.** Que número de; que quantidade: *Quantos livros tem você?*; "Que formosas cousas, quantas maravilhas / Fm vos vendo sonho, em vos fitando vejo" (Vicente de Carvalho, *Poemas e Canções*, p. 251). **2.** Que preço: *Quanto quer pelo apartamento?* **3.** Tudo que; tudo quanto: "Num ai tudo se apaga e ela perde a noção de quanto a cerca." (Orlando Gonçalves, *Este Mundo dos Homens*, p. 96); "É mudo quanto habita / Da Terra n'amplidão." (Gonçalves Dias, *Obras Poéticas*, II, p. 230). ● *Adv.* **4.** Quão grandemente, ou intensamente, ou demoradamente; como: *Quanto andou o rapaz!*; *Quanto sofrem os pobres!*; *Bem sabe quanto o aprecio; Quanto falou!* ~ V. *quantos.* ♦ **Quanto a.** Relativamente a; a respeito de.

quantos. [Pl. de *quanto.*] *El. pron.* Us. na expr. *não sei dos quantos.* ~ V. *quanto.* ♦ **Não sei dos quantos.** Expr. que se acrescenta ao prenome de alguém (ou à palavra *Fulano*) por não se ter conhecimento ou lembrança do sobrenome: *Esteve aqui um Manuel não sei dos quantos.*

➡quantum (quân). [Lat.] *S. m. Fís.* **1.** Quantidade indivisível de energia eletromagnética que, para uma radiação de freqüência f, é igual ao produto h . f, onde h é a constante de Planck. **2.** A partícula associada a um campo. [Pl.: *quanta.*]

➡quantum satis (quântum sátiç). [Lat., 'quanto basta'.] Indica, em receitas médicas, dose suficiente ou razoável. [Abrev.: *q. s.*]

quão. [Do lat. *quam.*] *Adv.* Quanto; como: "quão insensato fui!" (Gonçalves Dias, *Obras Poéticas*, I, p. 75); "Ai! quão dura fadiga!" (Id., *ib.*, II, p. 459).

quapóia. [De provável or. indígena.] *S. f. Bras., AM.* Arvoreta epifítica, da família das gutíferas (*Clusia insignis*), da mata, cujas folhas são obovadas, arredondadas, coriáceas, e com muitas nervuras, cujas flores são especiosas, alvas por fora, alvirrubras por dentro, solitárias ou em grupos de duas a três, sendo o fruto uma cápsula avantajada encimada pelo estigma séssil.

quá-quá-quá. *Interj.* Onomatopéia de gargalhada.

quara. *S. f. Bras., ES.* V. *pirajica.*

quarador (ô). [De *quarar* + *(d)or.*] *S. m.* **1.** *Bras.* V. *coradouro* (1). **2.** *Bras., S. Fig.* Lugar muito exposto ao sol e onde, pois, se torna incômoda a permanência de pessoas ou animais.

quaradouro. *S. m. Bras.* V. *coradouro* (1).

quaraiense (a-i). *Adj. 2 g.* **1.** De, ou pertencente ou relativo a Quaraí (RS). ● *S. 2 g.* **2.** Natural ou habitante de Quaraí.

quarango. [De provável or. indígena.] *S. m. Bras. Pop.* Espécie de quina[2].

quarar. *V. int. Bras.* V. *corar* (2 e 5, e nota).

quarenta. [Do lat. vulg. *quarainta.*] *Num.* **1.** Cardinal dos conjuntos equivalentes a quatro dezenas de membros. **2.** Quadragésimo. ● *S. m.* **3.** Algarismo representativo do número quarenta. **4.** Aquele ou aquilo que numa série de quarenta ocupa o último lugar.

quarenta-feridas. *S. f. 2 n. Bras.* V. *espinho-de-judeu.*

quarentão. [De *quarenta* + *-ão*[1].] *Adj.* e *s. m.* Quadragenário (2): "É um senhor quarentão, barba primitiva" (Antônio Versiani, *Paisagens Humanas*, p. 48); "um quarentão muito espartilhado e tingido" (Valentim Magalhães, *Vinte Contos*, p. 42). [Fem.: *quarentona.*]

quarentena. [Do fr. *quarantaine.*] *S. f.* **1.** Período de 40 dias. **2.** Espaço de tempo (originariamente 40 dias) durante o qual os passageiros procedentes de países onde há doenças contagiosas graves são obrigados à incomunicabilidade a bordo dos navios ou em um lazareto. **3.** *P. ext.* Isolamento imposto a portadores ou supostos portadores de doenças contagiosas. **4.** Porção, ou número, de quarenta coisas: "A cidade era menos mais que umas três quarentenas de casas." (José Sarney, *Norte das Águas*, p. 157.) **5.** *Bras.* Abstinência sexual. **6.** *Rel.* Quaresma[1] (1). ♦ **De quarentena.** De reserva; de lado; separado: *Deixou de quarentena o grupo de rapazes enquanto procurava confirmar o que haviam alegado.*

quarentenar. *V. int.* **1.** Fazer quarentena. **2.** Estar de quarentena. [Fut. do pret.: *quarentenaria*, etc. Cf. *quarentenária*, fem. de *quarentenário.*]

quarentenário. *Adj.* **1.** Relativo a quarentena. **2.** Que faz quarentena. **3.** Que dura ou faz quarenta anos. ● *S. m.* **4.** Indivíduo que faz quarentena. [Fem., nestas acepç., *quarentenária*. Cf. *quarentenaria*, do v. *quarentenar.*] **5.** *Bras., S.* Curral onde se põe o gado de quarentena, para evitar contágio.

quarentona. *Adj. (f.)* e *s. f.* Fem. de *quarentão* [q. v.]: "entre um pirralho da minha idade e uma viúva quarentona não havia lugar para ciúmes." (Machado de Assis, *Dom Casmurro*, p. 68); *É uma bela quarentona.*

quareógrafo. *S. m.* Instrumento para desenhar perspectivas com exatidão; perspectógrafo.

quaresma[1]. [Do lat. *quadragesima.*] *S. f.* **1.** *Rel.* Os 40 dias que vão da quarta-feira de cinzas até domingo de Páscoa, destinados, pelos católicos e ortodoxos, à penitência; quarentena. [V. *ano litúrgico.*] **2.** *Bras.* V. *flor-da-quaresma*: "a quaresma abre suas pétalas roxas" (Afonso Arinos, *Histórias e Paisagens*, p. 96).

quaresma[2]. [Do antr. *Quaresma*, decerto.] *S. m Bras., Amaz. Pop.* Mentiroso, potoqueiro.

quaresmal. *Adj. 2 g.* Da, ou relativo à quaresma, ou próprio dela.

quaresmar. [De *quaresma* + *-ar*[2].] *V. int.* Cumprir os preceitos religiosos quaresmais.

quaresmeira. *S. f. Bras.* V. *flor-da-quaresma.*

quari-bravo. [Do tupi + o adj. *bravo.*] *S. m. Bras. L.* a *S.* Erva alta, da família das compostas (*Tagetes minuta*), um tanto aromática, e que prefere os lugares úmidos. Folhas penadas, com 12 a 16 segmentos lanceolados e serreados; os capítulos têm cinco a seis flores, ordenando-se em corimbos densos. [Sin.: *rojão.* Pl.: *quaris-bravos.*]

quariúba. *S. f. Bras.* Quaruba.

quark. *S. m. Fís.* Designação genérica de partículas elementares hipotéticas, com cargas iguais a fração da carga elementar, e que seriam os constituintes das outras partículas elementares.

quaró. [De provável or. indígena.] *S. m. Bras. L.* Arbusto ornamental, da família das malpighiáceas (*Galphimia brasiliensis*), das matas e das restingas arenosas, de folhas coriáceas e flores que, com cálice grosseiramente glanduloso e pétalas amarelas vistosas, compõem longo cacho; resedá-amarelo, tintureiro.

➡quart. (quórt). [Ingl.] *S. m.* Quarta[1] (3).

quarta[1]. [De *quarto.*] *S. f.* **1.** Uma das quatro partes iguais em que se pode dividir qualquer unidade. **2.** Antiga unidade de medida de capacidade para secos, equivalente à quarta parte de um alqueire (1), i. e., 9 litros, aproximadamente. **3.** Medida inglesa de capacidade, equivalente a 1,136 litro. [Abrev., nesta acepç., *qt.* (quart).] **4.** Cântaro de barro ou moringa (1). **5.** *Autom.* A quarta marcha de velocidade dum veículo automóvel; quarta marcha. **6.** *Mús.* Intervalo de quatro graus consecutivos na escala diatônica. **7.** *Bras., N.* Porção de qualquer coisa, equivalente a 40 litros. **8.** *Bras. Pl.* Medida de 72 litros, para cereais e legumes. **9.** *Bras., RS.* Junta dos bois, na carreta. **10.** *Ant. Náut.* Cada uma das 16 subdivisões da rosa-dos-ventos situadas entre os pontos cardeais e os pontos colaterais. ♦ **Quarta da ponta.** *Bras.* A junta de bois que vai perto da ponta. **Quarta do coice.** *Bras.* A junta de bois que se segue à da ponta. **Quarta proporcional.** *Arit.* Numa proporção, o conseqüente da segunda razão. **Dar na quarta.** *Bras., CE. Pop.* Dar à luz; parir. **Descansar na quarta.** Sentar-se (a parturiente) numa quarta[1] (4) para o trabalho do parto. **Enredar-se nas quartas.** *Bras., S.* Atrapalhar-se, embaraçar-se.

quarta[2]. *S. f.* F. red. de *quarta-feira.*

quartã. [Do lat. *quartana* (subentende-se *febre*), 'febre que dá de quatro em quatro dias'.] *Adj. (f.)* e *s. f.* V. *febre quartã*: "Tem estado doente com umas quartãs, mas vem aí de caminho..." (Carlos Malheiro Dias, *Os Teles de Albergaria*, p. 328.)

quarta-de-final. *S. f. Bras. Esport.* Num torneio disputado por eliminação, etapa em que se realizam quatro jogos, com oito times buscando a classificação às semifinais. [Pl.: *quartas-de-final.*]

quartado. [De *quarto* + *-ado*[1].] *Adj.* **1.** Dividido em quatro. **2.** Formado de quatro.

quarta-doença. *S. f. Patol.* Doença infecciosa produzida por vírus e que incide, com freqüência, em crianças, caracterizada por febre que dura três dias, ao fim dos quais cede e é seguida, algumas horas depois, por erupção no tronco; quarta-moléstia, exantema súbito, doença de Filatow-Dukes. [Pl.: *quartas-doenças.*]

quarta-feira. [Do fem. do num. *quarto* + *feira.*] *S. f.* O quarto dia da semana, começada no domingo. [F. red.: *quarta.* Pl.: *quartas-feiras.*] ◆ **Quarta-feira de cinzas.** O primeiro dia da quaresma[1] (1) imediatamente posterior à terça-feira gorda. **Quarta-feira de trevas.** *Rel.* A quarta-feira da Semana Santa [q. v.], em que o ofício divino prescreve a celebração do ofício de trevas. [Tb. se diz apenas *trevas.*]

quartaludo. [De *quarto(s)* + *-a-* + *-l-* + *-udo.*] *Adj.* **1.** Diz-se do cavalo que tem defeito nos quartos. **2.** Baixo e gordo.

quarta-moléstia. *S. f. Patol.* V. *quarta-doença.* [Pl.: *quartas-moléstias.*] ◆ **Quarta-moléstia venérea.** *Patol. Obsol.* V. *linfogranuloma venéreo.*

quartanário[1]. [Do lat. *quartanariu.*] *S. m. Ant.* Sacerdote que recebia a quarta parte da côngrua de um cônego.

quartanário[2]. *Adj.* e *s. m.* Que ou aquele que tem febre quartã.

quartanista. [De *quarto* + *ano* + *-ista.*] *S. 2 g.* Aluno que freqüenta o quarto ano de um curso escolar, principalmente em faculdades ou escolas superiores.

quartano. [Do lat. *quartanu.*] *S. m.* Medida antiga, equivalente à quarta parte dum quarteiro[1].

quartão[1]. [De *quarta*[1] (3) + *-ão*[2].] *S. m. Ant.* Quarta de vinho, ou a quarta parte de um almude. [Pl.: *quartãos.*]

quartão[2]. *S. m. Bras.* Var. de *quartau* (1).

quartar. *V. int.* Sair da linha, em esgrima. [Pres. subj.: *quarte, ... quarteis, quartem.* Cf. *quartéis,* pl. de *quartel,* e *Quartéis,* top.]

quartau. [Do fr. *courdaud,* 'pessoa ou animal de pequena estatura', atr. de uma f. **cortau,* com provável infl. de *quartos.*] *S. m.* **1.** *Bras.* Cavalo pequeno, porém robusto, próprio para carga. [Var.: *quartão.*] **2.** *Bras. Gír.* Mulher corpulenta, vistosa, bonitona. **3.** *Bras., N.E.* Cavalo castrado. **4.** *Ant.* Pequena peça de artilharia.

quarteado. [Part. de *quartear.*] *Adj.* **1.** Dividido em quatro partes, peças, cores ou desenhos. **2.** Diz-se do cavalo espadaúdo e bem-proporcionado.

quartear. [Do esp. plat. *cuartear.*] *V. t. d.* **1.** Dividir em quatro partes. **2.** Decorar com quatro cores diferentes. **3.** *Bras., RS.* Ajudar a desatolar (um carro), atando uma corda à cincha e prendendo-a pela outra extremidade à lança ou varais. **4.** *Taur.* Fazer quarteio a: *quartear um touro.* [Conjug.: v. *frear.*]

quarteio. [De *quarto* (2).] *S. m. Taur.* Quarto de volta dado pelo toureiro ao farpear um touro.

quarteirão. [De *quarteiro*[1] + *-ão*[2].] *S. m.* **1.** A quarta parte de um centro: "Felicidade! Felicidade! / Ai quem ma dera na minha mão! / Não passar nunca da mesma idade, / Dos 25, do quarteirão." (Antônio Nobre, *Só,* p. 45.) **2.** V. *lance de casas.* **3.** Grupo de casas que formam um quadrilongo do qual cada um dos lados dá para uma rua; quadra. **4.** Viga que parte de cada um dos quatro cantos do teto. **5.** Antigo tributo. **6.** *Bras., N.* A quarta parte de uma garrafa. [Cf. *quarterão.*]

quarteiro[1]. [Do b.-lat. *quartariu.*] *S. m.* A quarta parte de um moio.

quarteiro[2]. [De *quarto* (3) + *-eiro.*] *S. m. Bras., MG* e *SP.* Criado de quarto; camareiro: "O quarteiro fora mostrar ao Correia o que o colega havia feito com a toalha .... que encontrara no quarto" (João Alphonsus, *Pesca da Baleia,* p. 66). [Sin., BA: *quartilheiro.*]

quartejar. [De *quarto* + *-ejar.*] *V. t. d. P. us.* V. *esquartejar.* [Conjug.: v. *pelejar.*]

quartel[1]. [Do cat. *quarter,* atr. do esp. *cuartel.*] *S. m.* **1.** A quarta parte: "Durante o primeiro quartel do século XIX, os latifúndios cafeeiros já se haviam formado nos dois primeiros focos de irradiação em território fluminense: São João Marcos e Resende." (Alberto Passos Guimarães, *Quatro Séculos de Latifúndio,* p. 79.) **2.** *Heráld.* Cada uma das quatro partes em que se divide um escudo: "E o meu brasão... Tem de oiro, num quartel vermelho, um lis" (Camilo Pessanha, *Clepsidra e Outros Poemas,* p. 185). **3.** Soldada paga aos trimestres. **4.** *Fig.* Período, época. **5.** *Constr. Nav.* Cada uma das seções desmontáveis de um estrado, de um tampo de escotilha, etc. **6.** *Estat.* Numa distribuição de freqüência, conjunto de valores compreendidos entre dois quartis consecutivos. **7.** *Bras. Mar.* Cada uma das seções em que se subdividem as amarras de bitola grossa, e cujo comprimento é, em geral, de 12,5 a 15 braças ou 18,5 a 22m. [Pl.: *quartéis.* Cf. *quarteis,* do v. *quartar.*] ◆ **Quartel paulista.** *Bras., SP.* V. *alqueire* (2).

quartel[2]. [Do fr. *quartier.*] *S. m.* **1.** Edifício onde se alojam tropas; aquartelamento, caserna. **2.** Habitação, moradia; abrigo. [Pl.: *quartéis.* Cf. *quarteis,* do v. *quartar.*] ◆ **Não dar quartel a. 5.** *Constr. Nav.* Cada tel a. V. *não dar cartela.*

quartela. [De *quarto* + *-ela.*] *S. f.* **1.** Região entre a coroa do casco do cavalo e o boleto. **2.** *Arquit.* Mísula.

quartelada. [De *quartel*[2] + *-ada*[1].] *S. f. Bras. Pej.* Rebelião ou motim suscitado por militares com o fito de tomar o poder.

quarteleiro. [De *quartel*[2] + *-eiro.*] *S. m.* Militar encarregado de guardar o armamento e uniformes dum corpo de tropas.

quartelense. *Adj. 2 g.* **1.** De, ou pertencente ou relativo a Quartel-Geral (MG). ● *S. 2 g.* **2.** Natural ou habitante de Quartel-Geral.

quartel-general. [De *quartel*[2] + *general.*] *S. m.* **1.** *Desus.* Repartição militar dirigida por um oficial-general, e à qual compete executar, transmitir e fazer cumprir ordens ministeriais acerca do movimento, economia e disciplina militar. **2.** O lugar ocupado pelos oficiais-generais e seu estado-maior. **3.** O local de trabalho do general, donde ele expede as ordens aos corpos que lhe estão subordinados. [Sigla: *Q. G.,* nestas acepç.] **4.** Abrigo, asilo; valhacouto. [Pl.: *quartéis-generais.*]

quartel-mestre. [De *quartel*[2] + *mestre.*] *S. m.* **1.** V. *hierarquia militar.* **2.** Militar que detinha a posição hierárquica de quartel-mestre. [Pl.: *quartéis-mestres.*]

quarterão. [Do esp. *cuarterón.*] *Adj.* e *s. m.* V. *quadrarão.* [Cf. *quarteirão.*]

quarteto (ê). [Do it. *quartetto.*] *S. m.* **1.** Estrofe de quatro versos (especialmente nos sonetos); quadra. **2.** Peça de música para quatro vozes ou para quatro instrumentos. **3.** Conjunto de quatro vozes ou de quatro instrumentos. **4.** *Fam.* Reunião de quatro pessoas. ◆ **Quarteto com piano.** *Mús.* Quarteto (3) formado de piano, violino, viola e violoncelo. **Quarteto de cordas.** *Mús.* **1.** Dois violinos, viola e violoncelo, ou violino, viola, violoncelo e contrabaixo. **2.** Composição instrumental, em geral baseada no princípio da sonata clássica [q. v.], e especialmente escrita para esse agrupamento. **Quarteto de sopro.** *Mús.* O que é formado pelas madeiras (flauta, oboé, clarinete e fagote), ou pelos metais (pistom, trompa, trombone e tuba). **Quarteto vocal.** *Mús.* Conjunto formado por duas vozes femininas (soprano e contralto) e duas vozes masculinas (tenor e baixo), com acompanhamento ou sem ele.

quártica. [Fem. substantivado de *quártico.*] *S. f. Geom.* Curva representada por uma equação de quarto grau.

quártico. [De *quarto* + *-ico*[2].] *Adj. Mat.* Próprio de, ou referente a uma expressão de quarto grau.

quartil. [De *quarto* + *-il.*] *S. m. Estat.* **1.** Qualquer das separatrizes que dividem a área de uma distribuição de freqüência em domínios de área igual a múltiplos inteiros de um quarto da área total. ● *Adj. 2 g.* **2.** ~ V. *amplitude* —.

quartilhame. *S. m.* Porção de quartilhos.

quartilheiro. [De *quarto* (3) + *-ilho-* + *-eiro.*] *S. m. Bras., BA.* Quarteiro[2].

quartilho. [Do esp. *cuartillo.*] *S. m.* **1.** Antiga unidade de medida de capacidade para litros, equivalente à quarta parte de uma canada, i. e., 0,6655 litro. **2.** A unidade de capacidade do sistema inglês, equivalente a 0,568 litro; *pint.*

quartinha. [Dim. de *quarta* (4).] *S. f.* **1.** *Bras., N.E.* e *RS.* V. *moringa* (1): "tigelas com comida e azeite, quartinhas contendo água." (Vasconcelos Maia, *O Leque de Oxum,* p. 56). **2.** *Bras., RJ* e *SP.* Copo de barro com tampa. [Sin. RJ, nesta acepç.: *moringa.*]

quartinheira. *S. f. Bras., PE.* Móvel com uma série de buracos nos quais se metem as quartinhas até o bojo. [F. paral., na BA: *quartinheiro.*]

quartinheiro. *S. m. Bras., BA.* Quartinheira.

quartinho. [De *quarto* + *-inho.*] *S. m.* **1.** A quarta parte da antiga moeda de 4$800 (quatro mil e oitocentos réis). **2.** Antiga moeda de ouro de 1$200 (mil e duzentos réis). **3.** Pequeno quarto; cubículo. **4.** *Bras.* V. *latrina* (1).

quarto. [Do lat. *quartu.*] *Num.* **1.** Ordinal e fracionário correspondentes a quatro: *Este é o quarto livro que li; A quarta parte da matéria foi revista.* ~ V. —*a dimensão* e —*a marcha.* ● *S. m.* **2.** A quarta parte: *dois litros e um quarto: um quarto de hora.* **3.** Aquele ou aquilo que ocupa o quarto lugar: *Foi o quarto no concurso.* **4.** Compartimento de dormir. **5.** Espaço de tempo em que alguns soldados ou marinheiros, alternadamente, velam, enquanto outros descansam; plantão. **6.** Pequena bala angular, de chumbo. **7.** Fenda no casco das cavalgaduras. **8.** Mão e perna de uma rês considerada até a metade do lombo (na altura) e até a metade da barriga (na largura). **9.** *Taquigr.* Tempo de apanhamento pelos taquígrafos parlamentares, em plenário. **10.** *Bras., N.E.* V. *velório*[2]. **11.** *Bras., M.T.* Quantia igual a 300 réis do antigo sistema monetário. **12.** *Ant. Náut.* Cada uma das 64 subdivisões da rosa-dos-ventos situada entre as meias-quartas e os pontos cardeais, os pontos colaterais e as quartas. [Cf. *meia-quarta.*] ~ V. *quartos.* ◆ **Quarto crescente.** *Astr.* V. *Lua* (1). [Sin.: *crescente, primeiro quarto, primeira quadratura.*] **Quarto de tom.** *Mús.* Intervalo duas vezes menor que o semitom, e que já se encontrava no sistema enarmônico dos gregos. [É elemento comum na música oriental, e renasce na música ocidental do séc. XX atráves de uma teoria que utiliza os 24 quartos de tom da oitava.] **Quarto de despejo.** V. *despejo* (4). **Quarto minguante.** *Astr.* V. *Lua* (1). [Sin.: *minguante, segundo quarto, segunda quadratura.*] **Dar um quarto ao Diabo.** Fazer grande sacrifício, ser capaz de tudo (por ou para alguma coisa): "há quem dê um quarto ao Diabo para ter o gosto de desencantar casa encantada, desenterrando o tesouro que cause as assombrações." (Gilberto Freire, *Assombrações do Recife Velho,* p. 127). **Fazer quarto a.** *Bras.* Ficar durante uma parte da noite (ou a noite inteira) ao lado de (um doente ou um morto); velar: *Fez quarto ao seu velho professor;* "— Imagina tu: morreu o Maciel! — O marido da tua amiga? — Pois é. E não há escapatória: tenho que ir fazer o quarto." (Nélson Rodrigues, *100 Contos Escolhidos. A Vida como Ela É,* p. 101). **Passar no quarto.** *Bras., CE. Pop.* Enganar, lograr, burlar, embrulhar. **Passar um mau quarto de hora.** Ficar passageiramente em situação angustiosa, aflitiva. **Primeiro quarto.** *Astr.* V. *quarto crescente.* **Segundo quarto.** *Astr.* V. *quarto minguante.*

quarto-e-sala. *S. m. Bras.* Apartamento constituído apenas de um quarto e uma sala: "Mora com a mãe e quatro irmãos, num quarto-e-sala." (Marisa Raja Gabaglia, *Milho pra Galinha, Mariquinha,* p. 66.) [Pl.: *quartos-e-salas* e *quarto-e-salas.*]

quarto-forte. *S. m.* Nos hospícios de alienados, quarto onde são encerrados os loucos furiosos. [Pl.: *quartos-fortes.*]

quartola. [De *quarto* + *-ola.*] *S. f.* Pequena pipa, quase igual a um quarto de tonel; ancoreta. [Var.: *cartola.*]

quartos. [Pl. de *quarto.*] *S. m. pl.* Ancas, cadeiras, quadris [v. *quadril* (1).] ~ V. *quarto.* ◆ **Cair com os quartos.** *Bras., N.E. Pop.* Ser pederasta passivo. **Dar com os quartos de lado.** *Bras., N.E. Pop.* Fugir a um compromisso; roer a corda.

quartudo. [De *quarto* + *-udo.*] *Adj. Bras.* Que tem quartos ou ancas muito desenvolvidas; ancudo, cadeirudo, bundudo.

quartzífero. [De *quartzo* + *-i-* + *-fero.*] *Adj.* Que contém quartzo.

quartziforme. [De *quartzo* + *-i-* + *-forme.*] *Adj. 2 g.* Que tem forma ou semelhança de quartzo.

quartzina. [De *quartzo* + *-i-* + *-ina*[1].] *S. f. Min.* Variedade de calcedônia de aspecto fibroso.

quartzito. [De *quartzo* + *-ito*[2].] *S. m. Geol.* Rocha metamórfica, composta essencialmente de quartzo: arenito metamorfizado em que o cimento silicoso se recristalizou.

quartzo. [Do al. *Quartz.*] *S. m. Min.* Mineral trigonal, óxido de silício, que se apresenta em numerosas variedades, e também denominado *cristal de rocha,* quando é duro e transparente.

quartzoso (ô). *Adj.* Relativo ao quartzo, ou que tem a natureza dele.

quaruba. [Var. de *quariúba,* este com um el. tupi, + *ïwa,* 'árvore'.] *S. f. Bras.* V. *coariúba.*

quaruba-azul. *S. f. Bras.* Designação comum a três plantas da família das voquisiáceas: *Qualea caerulea, Qualea dinizii* e *Qualea ingens.* [Pl.: *quarubas-azuis.*]

quaruba-branca. *S. f. Bras., Amaz.* Árvore da família das voquisiáceas *(Vochysia melinonii),* da floresta úmida, que produz madeira castanho-rosada, macia e leve, razão por que serve para polpa celulótica, dando bom rendimento. [Pl.: *quarubas-brancas.*]

quaruba-de-flor-pequena. *S. f. Bras., Amaz.* Árvore de porte mediano, da família das voquisiáceas *(Vochysia obscura),* própria da floresta pluvial, de flores amarelas, que cobrem toda a copa, e madeira pardo-avermelhada, que serve para marcenaria. [Pl.: *quarubas-de-flor-pequena.*]

quaruba-vermelha. *S. f. Bras., Amaz.* Árvore da família das voquisiáceas *(Vochysia vismiaefolia),* da floresta pluvial, que tem flores amarelas e pequenas, ordenadas em racemos, e madeira pardo-rosada, dura e resistente, de uso em caixotaria e na construção de pequenas embarcações, sendo também indicada para o fabrico da polpa do papel. [Pl.: *quarubas-vermelhas.*]

quarup. *Bras. S. m.* Cerimônia sócio-religiosa que celebra Mavotsinin [q. v.], pelas tribos indígenas do alto Xingu.

quasar. [Do ingl. *quasar,* f. abrev. de *quas(i)- (stel)ar object.*] *S. m. Astr.* Fonte de rádio, de origem ainda misteriosa, que, apesar do aspecto estelar que apresenta às observações ópticas, emite mais amiudadamente na freqüência rádio que qualquer grande galáxia brilhante.

quase. [Do lat. *quasi,* 'como se'.] *Adv.* **1.** Perto, aproximadamente: *Está quase em idade escolar.* **2.** Pouco menos: *Tem quase 1.500 livros.* **3.** Por pouco, não; por um triz, não: *Quase enlouqueceu.*

quase-contrato. *S. m.* Compromisso voluntário, sem forma rigorosa de contrato. [Pl.: *quase-contratos.*]

quase-delito. *S. m. Jur.* Ato ilícito, culposo civil que gera a obrigação de indenizar. [Pl.: *quase-delitos.*]

quase-equilíbrio. *S. m. Fís.* Característica de um sistema que, não estando em equilíbrio, se acha num estado muito próximo de um estado de equilíbrio. [Pl.: *quase-equilíbrios.*]

quase-estático. *Adj. Fís. -Quím.* Diz-se de processo em que há equilíbrio entre o sistema e suas vizinhanças, e também no interior do sistema, em cada uma das suas etapas. [Pl.: *quase-estáticos.*]

quase-posse. *S. f. Jur.* Usufruto de direitos abstratos. [Pl.: *quase-posses.*]

quasimodal. [De *quasímodo*[2] + *-al.*] *Adj. 2 g. Bras.* V. *quasimodesco.*

quasimodesco (ê). [De *quasímodo*[2] + *-esco.*] *Adj. Bras.* Cuja fealdade lembra a de Quasímodo; monstruoso, quasimodal.

quasímodo[1]. [Do lat. *Quasi modo,* as palavras iniciais do intróito da missa celebrada no Domingo de Pascoela.] *S. m.* Domingo de Pascoela.

quasímodo[2]. [De *Quasimodo,* personagem monstruosa da obra *Notre-Dame de Paris,* de Vítor Hugo (v. *hugoano*).] *S. m.* Indivíduo quasimodesco; mostrengo, monstrengo.

quassação. [Do lat. *quassatione.*] *S. f.* Redução das raízes e cascas a fragmentos, para se extraírem melhor os princípios ativos. [Cf. *cassação.*]

quássia. [Do antr. *Quassi,* de um escravo negro do Suriname (América do Sul) que, no séc. XVIII, descobriu o valor medicinal dessa planta.] *S. f.* Arvoreta da família das simaroubáceas (*Quassia amara*), que se estende da América Central à região amazônica. Tem folhas compostas e pequeninas flores racemosas, e é célebre pela madeira extraordinariamente amarga, razão de seu uso em medicina para males do estômago. [Cf. *cássia,* s. f., e *Cássia,* antr. e top.]

quataense. *Adj. 2 g.* **1.** De, ou pertencente ou relativo a Quatá (SP). ● *S. 2 g.* **2.** Natural ou habitante de Quatá.

quataquiçaua. [Do tupi.] *S. f. Bras., Amaz.* Árvore da família das leguminosas, subfamília cesalpiniácea (*Peltogyne paniculata*).

quaternado. [De *quaterno* + *-ado*[1].] *Adj. Morfol. Veg.* Diz-se dos órgãos vegetais dispostos em grupos de quatro no mesmo plano.

quaternário. [Do lat. *quaternariu.*] *Adj.* **1.** Composto de quatro unidades ou elementos. ~ V. *compasso* — e *período* —. ● *S. m.* **2.** *Geol.* Período quaternário.

quaternião. [Do lat. tardio *quaternione.*] *S. m. Farm.* Bálsamo formado de quatro ingredientes.

quaternidade. [De *quaterno* + *-i-* + *dade.*] *S. f.* Grupo de quatro coisas ou pessoas.

quatérnion. [Do ingl. *quaternion.*] *S. m. Álg.* Qualquer elemento de um conjunto que constitui um corpo, exceto pela comutatividade da multiplicação, e que se pode representar pela soma $a + bi + cj + dk$, em que *a, b, c* e *d* são reais.

quaterno. [Do lat. *quaternu,* 'de quatro em quatro'.] *Adj.* Composto de quatro coisas, modos, elementos, etc.

quatetê. [De possível or. indígena.] *S. m. Bras., N.E.* V. *sapucaia* (1).

quati. [Do tupi *akwa'tĩ,* 'nariz pontudo'.] *S. m.* **1.** Mamífero carnívoro, da família dos procionídeos (*Nasua nasua* (L.)), com sete subespécies distribuídas por todo o Brasil. A coloração, em geral, é cinzento-amarelada, porém muito variável, havendo indivíduos quase pretos e outros bastante avermelhados, focinho e pés pretos, cauda com 55 cm, com sete a oito anéis pretos. Mede de corpo 70 cm. Vive em bandos de oito a 10, é praticamente onívoro, e se adapta bem ao cativeiro. [Sin.: *quati-de-bando.*] **2.** *Bras., PE.* Empregado aduaneiro extranumerário.

quatiaipé. [Do tupi.] *S. m. Bras., PE.* V. *caxinguelê.*

quatiara. [F. abrev. de *boiquatiara.*] *S. f. Bras.* V. *cotiara* (1).

quati-de-bando. *Bras. S. m.* Quati (1). [Pl.: *quatis-de-bando.*]

quatiense. *Adj. 2 g.* **1.** De, ou pertencente ou relativo a Quatis (RJ). ● *S. 2 g.* **2.** Natural ou habitante de Quatis.

quatiguaense. *Adj. 2 g.* **1.** De, ou pertencente ou relativo a Quatiguá (PR). ● *S. 2 g.* **2.** Natural ou habitante de Quatiguá.

quatimirim. [Do tupi *kwa'ti mi'rĩ,* 'quati pequeno'.] *S. m. Bras.* V. *caxinguelê.*

quatimundé. *S. m. Bras.* Quatimundéu.

quatimundéu. [Var. de *quatimundé* < tupi *akwa'ti,* 'quati', e *mũ'dé,* 'armadilha'.] *S. m. Bras.* Designação vulgar para os exemplares de quatis já velhos, em geral machos, de grande porte, que vivem desgarrados do bando; quatimundé.

quatindiba. [Alter. de *corindiba.*] *S. f. Bras., L.* e *S.* Designação comum a plantas arbustivas e espinescentes, da família das ulmáceas, de flores apétalas, alvo-esverdeadas, dispostas em fascículos axilares, cujos frutos são drupas pilosas e ásperas, e que fornecem madeira alva, fibrosa e flexível, com variado emprego na indústria; corindiúba, crindiúva.

quatipuru. [Do tupi *akutipu'ru,* 'cutia enfeitada'.] *S. m. Bras., Amaz.* Designação comum às espécies de mamíferos roedores, ciurídeos, do gênero *Sciurus* L., conhecidas em outras partes do Brasil por *serelepes* ou *caxinguelês,* e às espécies de *Microsciurus* J. A. Allen e *Sciurillus* Thom. São arborícolas, exclusivamente de matas, não vivendo nos cerrados ou caatingas, e têm a cauda provida de longos pêlos. [Sin.: *acutipuru, agutipuru, serelepe, esquilo, caxinguelê* (q. v.).]

quatipuruaçu. [De *quatipuru* + *-açu.*] *S. m. Bras., Amaz.* Mamífero roedor, da família dos ciurídeos (*Sciurus i. igniventris* Wagn.), com cerca de 50 cm da ponta da cabeça à ponta da cauda. De dorso preto, agrisalhado pelos pêlos amarelo-avermelhados, ventre vermelho-ferrugíneo, tornando-se vermelho-cereja na porção externa dos membros, e cauda tufosa, vermelho-ferrugínea com manchas pretas na parte basal. Não são raras as formas melânicas. [Var.: *acutipuruaçu.*]

quatipuruense. *Adj. 2 g.* **1.** De, ou pertencente ou relativo a Quatipuru (PA). ● *S. 2 g.* **2.** Natural ou habitante de Quatipuru.

quatipuruzinho. *S. m. Bras., Amaz.* Mamífero roedor, da família dos ciurídeos (*Sciurillus pusillus glaucinus* Thom.), distribuído desde a Guiana até o MT. Tem dorso cinzento, ventre cinzento-claro, lavado de camurça, e tufos pós-auriculares brancos. Mede 93 mm o conjunto de cabeça e corpo; 103 mm de cauda. Alimenta-se de frutos silvestres.

quatorze (ô). [Do lat. *quattuordecim.*] *Num.* **1.** Cardinal dos conjuntos equivalentes a um conjunto de uma dezena de membros mais quatro membros (em algarismos arábicos, *14;* em algarismos romanos, *XIV*). **2.** Décimo quarto. ● *S. m.* **3.** Algarismo representativo do número quatorze. **4.** Aquele ou aquilo que ocupa o último lugar numa série de quatorze. [Var.: *catorze.*]

quatorzeno. *Num.* O último em uma série de quatorze; décimo quarto. [Var.: *catorzeno.*]

quatragem. [De *quatro* + *-agem*[2].] *S. m. Bras., MG. Folcl.* Dança antiga, sapateada por quatro pessoas no meio de uma roda de outras que batiam palmas, tocavam adufes e tambores, e cantavam alternadamente.

quatralvo. [De *quatro* + *-alvo.*] *Adj.* Diz-se do cavalo malhado de branco até os joelhos: "Quando souberam .... que João Nonato fora visto muito além do arraial, montado num baio quatralvo .... disseram todos: — Nonato fugiu no cavalo da patroa." (Nélson de Faria, *Tiziu e Outras Estórias,* p. 117.)

quatreiro. [De esp. plat. *cuatrero.*] *S. m. Bras., RS.* e *MT.* V. *abigeatário.*

quatriduano. [Do lat. *quatriduanu.*] *Adj.* Que abrange um quatríduo.

quatríduo. [Do lat. *quatriduu.*] *S. m.* Espaço de quatro dias.

quatriênio. *S. m. Bras.* Var. de *quadriênio.*

quatrilhão. [Do fr. *quatrillon.*] *Num. Mat.* **1.** A vigésima quarta potência de dez. **2.** A décima quinta potência de dez. [Esta acepção não é recomendável cientificamente. F. paral.: *quatrilião* (q. v.).]

quatrilião. *Num. Mat.* Quatrilhão.

quatrim. [Do it. *quattrino,* pelo esp. *cuatrín.*] *S. m.* Pequena moeda antiga; ceitil.

quatrinca. [De *quatro* + o final de *trinca.*] *S. f.* **1.** Quatro cartas iguais, no jogo. **2.** *Ant.* Série de quatro.

quatro. [Do lat. vulg. **quattor,* por *quattuor.*] *Num.* **1.** Cardinal dos conjuntos equivalentes a um conjunto de quatro membros (em algarismos arábicos, 4; em algarismos romanos, IV). **2.** Quarto (1). ● *S. m.* **3.** Algarismo representativo do número quatro. **4.** Aquele ou aquilo que numa série de quatro ocupa o último lugar. **5.** Carta de jogar, ou face de dado ou de pedra de dominó que tem quatro sinais. **6.** A nota quatro, em exame ou concurso. ◆ **De quatro.** Com os joelhos e as mãos apoiados no chão, em postura semelhante à de um quadrúpede; de quatro pés: "Joca foi pelo meio do mato, abaixado, escondido. Só pra ver aquela diaba passar .... Ficou de quatro, atrás das primeiras touceiras de barba-de-bode." (Rute Guimarães, *Água Funda,* p. 114.)

quatro-cantinhos. [De *quatro* + o dim. de *canto*[1].] *S. m. 2 n.* Quatro-cantos.

quatro-cantos. [De *quatro* + *canto*[1].] *S. m. 2 n. Bras.* Brinquedo infantil em que os jogadores, colocados nos quatro cantos de um quadrado, procuram trocar de lugar entre si, enquanto um quinto jogador tenta ocupar uma das posições vagas; quatro-cantinhos.

quatrocentão. *Adj. Bras.* Que tem quatrocentos anos; quadrissecular: *Em 1965 houve muitas festas ao Rio quatrocentão.* [Fem.: *quatrocentona.*]

quatrocentismo. *S. m.* O estilo, gosto ou escola dos quatrocentistas.

quatrocentista. *Adj. 2 g.* **1.** Pertencente ou relativo ao Quatrocentos [v. *quatrocentos* (3)]: *poemas quatrocentistas.* **2.** Diz-se do escritor ou artista desse século. ● *S. 2 g.* **3.** Escritor ou artista do séc. XV.

quatrocentona. *Adj. (f.)* Fem. de *quatrocentão.*

quatrocentos. [De *quatro* + *cento.*] *Num.* **1.** Cardinal dos conjuntos equivalentes a um conjunto de quatro centenas de membros. **2.** Quadringentésimo. ● *S. m.* **3.** O séc. XV, ou o século que vai do ano de 1400 ao ano de 1499; o período quatrocentista: *Fernão Lopes é altíssima figura literária do Quatrocentos, em Portugal.* [Nesta acepç. é us. com inicial maiúscula.] **4.** Algarismo representativo do número quatrocentos. **5.** Aquele ou aquilo que numa série de quatrocentos ocupa o último lugar.

quatrolho (ô). [De *quatro* + *olho.*] *Adj. Bras.* Que tem as sobrancelhas brancas.

quatro-olhos. [De *quatro* + *olho.*] *S. m. 2 n.* **1.** *Bras.* V. *tralhoto.* ● *S. 2 g.* e *2 n.* **2.** *Bras. Burl.* Indivíduo que usa óculos.

quatro-patacas. [De *quatro* + *pataca.*] *S. f. 2 n. Bras., BA.* Trepadeira ornamental, lactescente, da família das apocináceas (*Allamanda blanchetii*), de folhas verticiladas, sésseis, obovado-lanceoladas, acuminadas e pubérulas, flores amarelas especiosas que alcançam 5 cm e se congregam em cimeiras, e cuja corola é campanulada. O fruto é uma cápsula bivalvar e equinada.

quatro-paus. [De *quatro* + *paus.* (O quatro de paus é a carta mais forte do truque[3].)] *S. m. 2 n. Bras.* V. *capanga* (3): "O quatro-paus teria matado Romualdo, a mando do Capitão." (Manuel Lobato, *Garrucha 44,* p. 17.)

quatro-quartos. [De *quatro* + o pl. de *quarto.*] *S. m. 2 n.* Apartamento de quatro quartos: "Um 4 - quartos pronto com 440 m²" (*Jornal do Brasil,* "Classificados", 18.12.1980).

quatro-réis. [De *quatro* + o pl. de *real* (3).] *S. m. 2 n.* Certo jogo de cartas.

quatrumano. [De *quadrúmano.*] *S. m. Bras. BA.* Sertanejo do rio São Francisco.

quaxinduba. [Var. de *quaxinguba* < tupi *kwaxĩ'guba.*] *S. f. Bras.* Árvore leitosa, da família das moráceas (*Ficus anthelmíntica*), comum nas matas úmidas, de folhas coriáceas e luzidias, e cujo látex tem propriedades vermicidas, por conter enzimas proteolíticas que atacam o revestimento mucoso protetor dos vermes; quaxinguba, gameleira, figueira-brava.

quaxinguba. *S. f. Bras.* V. *quaxinduba.*

que[1]. [Do lat. *quid.*] *Pron. interrog.* **1.** Que espécie de; qual: *Que matéria está você estudando? Não sei que livro leio;* "Que sombra, que fantasma vem banhado / No doce eflúvio dessa quadra linda?" (Casimiro de Abreu, *Obras,* p. 180). **2.** Que coisa(s): "Que me dizeis, mestre Ouguet?" (Alexandre Herculano, *Lendas e Narrativas,* I, p. 253); "Em que cismas, poeta?" (Casimiro de Abreu, *Obras,* p. 180). **3.** *Pron. exclamativo.* Que espécie ou feitio de, ou quão estranho, ou grande, ou belo, etc.: "Meu Deus! que noite negra!" (Castro Alves, *Obra Completa,* p. 623); "Que torvo olhar! que gesto de demente!" (Antero de Quental, *Sonetos,* p. 327); *Que sábio, aquele homem!; Que mulher, meu caro!* [Cf. *quê.*] ◆ **Que de.** Quanto(s); quanta(s): "Que de encanto não tem para nós a palavra mãe!" (Dr. J. J. Nunes, *Digressões Lexicológicas,* p. 53); "Que campina tão bonita, / Que de angélicas cheirosas!" (Junqueira Freire, *Obras Póstumas*, II, p. 129). [Cf. *quede.*] **Que nem.** Que só, tal qual; como se fosse, do mesmo modo que: *Bonito que nem um artista; Saiu que nem o pai;* "As feras, tímidas que nem cordeiros, acoutavam-se submissas nos povoados." (Rebelo da Silva, *Contos e Lendas*, p. 27). **Por que.** Por que razão, por que motivo: *Se estão noivos, por que não se casam.* [Cf. *porque, porquê* e *por quê.*]

que[2]. [Do lat. *quem.*] *Pron. rel.* Introduz oração subordinada, reproduzindo o sentido de um termo, ou da totalidade de uma oração anterior; não tem, pois, significação própria, e sim representa o seu antecedente: "Eu sou como a garça triste / Que mora à beira do rio..." (Castro Alves, *Poesias Escolhidas*, p. 321); "Escrevi páginas de simplicidade e verdade — páginas que, evidentemente, não são memórias de um cão danado" (Otávio de Faria, *Novelas da Masmorra*, p. 125). [Sin.: *o qual, a qual, os quais, as quais.* Cf. *quê.*]

que[3]. [Do lat. *quid.*] *Adv.* Quão: *Que linda!;* "Os braços ....; oh! os braços! Que bem-feitos!" (Machado de Assis, *Quincas Borba*, p. 3); "E que doido que eu fui!" (Álvares de Azevedo, *Obras Completas*, I, p. 325). [Cf. *quê.*]

que[4]. *Prep.* Exceto, salvo, salvante: "Entrou [José do Patrocínio, para a *Gazeta de Notícias*] sem outra recomendação que uns versos que por um amigo dele foram apresentados a Ferreira de Araújo, então já redator principal da folha." (Mário de Alencar, *Alguns Escritos*, p. 10); "Não queirais dos livros outra unidade que a do seu espírito." (Pontes de Miranda, *Obras Literárias*, p. 23). [Cf. *quê.*]

que[5]. *Conj. coord. adit.* E[2]: "E é razão que se diga tortura a arte de pensar e escrever, porque ela ondula que não corre e tem inflexões súbitas que não linhas certeiras e frias." (João Ribeiro, *Páginas de Estética*, p. 16); "Passo os dias metido no meu moinho, / E mói que mói saudades e tristezas" (Antônio Nobre, *Despedidas*, p. 18); "Se ela mandar retirar, que não manda, ofereça quinze por cento em vez dos doze que pagamos." (Graciliano Ramos, *Caetés*, p. 89). [Cf. *quê.*]

que[6]. *Conj. coord. alternativa.* Ou: "Lá longe, perdida na escuridão, uma que outra luz se projetava frágil, imprecisa" (Santos Morais, *Menino João*, p. 13). [Cf. *quê.*]

que[7]. [Do lat. *quam*, atr. das f. **qua* e *ca*, com redução da vogal.] *Conj. subord. comp.:* "Mais inocente e pura / Que o beija-flor das veigas" (Junqueira Freire, *Obras Póstumas*, II, p. 121). [Cf. *quê.*]

que[8]. [Do lat. *quia.*] *Conj. subord. integrante:* "Tu dizes que eu menti?..." (Castro Alves, *Obra Completa*, p. 122). [Cf. *quê.*]

que[9]. [Do lat. *quam.*] *Conj. subord. concess.* Ainda que; por mais que: "Talvez que a chuva passe e o tempo mude, / E que não mude, um tecto aqui nos cobre!" (Alberto de Oliveira, *Poesias*, 2ª série, p. 300); *Bom que seja o rapaz, não é nenhum santo.* [Cf. *quê.*]

que[10]. [Do lat. vulg. *quia.*] *Conj. subord. caus.* Porque, porquanto: "Mas Xixi Piriá não podia parar. Não podia, que um mundo de gente esperava por ele." (Mário Palmério, *Vila dos Confins*, p. 13); "— Vamos montar, que os outros não chegam." (Afrânio Peixoto, *Maria Bonita*, p. 47); "Terei, que o fado adverso me acompanha, / Grandes penas, duríssimos trabalhos." (Goulart de Andrade, *Poesias*, p. 210). [Cf. *quê.*]

que[11]. [Do lat. *quia*, atr. das f. **qua* e *ca*, com redução da vogal.] *Conj. subord. fin.* Para que: "Sim, eu devera comprimir meu peito, / Conter meu coração, que não pulsasse" (Gonçalves Dias, *Obras Poéticas*, II, p. 160); "— A quem estais carregando, / irmãos das almas, / embrulhado nessa rede? / dizei que eu saiba." (João Cabral de Melo Neto, *Duas Águas*, p. 174). [Cf. *quê.*]

que[12]. *Partícula expletiva:* "Oh! que saudades que tenho / Da aurora da minha vida, / Da minha infância querida / Que os anos não trazem mais!" (Casimiro de Abreu, *Obras*, p. 93); "Talvez que a chuva passe e o tempo mude" (Alberto de Oliveira, *Poesias*, 2ª série, p. 300); "Erva daninha, que bem que cheiras!" (Conde de Monsaraz, *Musa Alentejana*, p. 15); "Evidentemente que há cem maneiras de definir romantismo..." (João Gaspar Simões, *Liberdade do Espírito*, p. 33). [Cf. *quê.*]

quê[1]. [Do lat. *quid.*] *S. m.* **1.** Alguma coisa; qualquer coisa: "Um quê misterioso aqui me fala, / Aqui no coração" (Gonçalves Dias, *Obras Poéticas*, II, p. 27). **2.** Dificuldade, complicação. [Cf. *que.*] ♦ **Por quê.** Por que motivo, por que razão: *Vocês não se casam por quê?* [Cf. *porque, porquê* e *por que.*] **Sem quê nem para quê.** V. *sem mais nem menos* (1).

quê[2]. *S. m.* Nome da letra *q.* [Pl.: *quês* ou *qq.* Cf. *que.*]

quê[3]. *Interj.* Designa espanto: *Quê! você por aqui?;* "Quê! mortos ambos!" (Junqueira Freire, *Obras Póstumas*, p. 215).

queba. *Adj. 2 g. Bras., GO.* Antigo, velho.

quebioso (ô). [Do ioruba.] *S. m. Bras., BA. Folcl.* Representação jeje do orixá Xangô.

quebra[1]. [Dev. de *quebrar.*] *S. f.* **1.** Ato ou efeito de quebrar. **2.** Separação das partes de um todo. **3.** Perda; diminuição; desfalque: *Houve uma quebra no abastecimento.* **4.** Infração, transgressão: *A quebra do protocolo desagradou ao ministro.* **5.** Interrupção, rompimento: *quebra de relações.* **6.** Insolvência por parte de um indivíduo ou casa comercial; falência: *A quebra de seu estabelecimento abalou-o deveras.* **7.** V. *vertente* (3). **8.** Vinco, dobra. **9.** *Pop.* V. *hérnia* (1). **10.** *Bras.* Desconto ou abatimento que se faz no peso de uma mercadoria ou na venda de algum gênero. **11.** *Bras., N.E.* Objeto que, numa transação, se dá a mais, como agrado, ao comprador. ~ V. *quebras.* ♦ **Quebra de bitola.** Diferença de bitolas entre linhas ferroviárias em contato. **Quebra de verso.** *Liter.* V. *enjambement.* **De quebra.** Por acréscimo; a mais; de inhapa, de lambujem.

quebra[2]. *Adj. e s. 2 g. Bras., N.* Falador, gracejador, patusco.

quebra[3]. *S. m. Bras., S. F.* red. de *quebra-freio.*

quebra-bunda. [De *quebrar* + *bunda.*] *S. m. Bras., PA.* V. *mal-de-escancha.* [Pl.: *quebra-bundas.*]

quebra-cabeça. [De *quebrar* + *cabeça.*] *S. m.* **1.** *Pop.* Aquilo que dá cuidado, que preocupa, que é complicado; quebradeira. **2.** Questão ou problema difícil, complicado. **3.** Adivinhação que, para ser resolvida, necessita de habilidade ou inteligência. **4.** Jogo que consiste em combinar peças que se encontram baralhadas a fim de formar um todo, em geral uma figura. [Sin., ingl.: *puzzle.* Pl.: *quebra-cabeças.*]

quebrachal. *S. m. Bras., MT.* Quantidade mais ou menos considerável de quebraços situados proximamente entre si.

quebraço. [Do esp. plat. *quebracho.*] *S. m. Bras.* Árvore da família das anacardiáceas (*Schinopsis lorentzii*), que cresce na região limítrofe entre o Brasil, a Argentina e o Paraguai, e se caracteriza pelo fruto duro e provido de espessa asa terminal, sendo sua madeira rica em tanino e objeto de intensa exploração; quebracho-vermelho.

quebracho-vermelho. *S. m. Bras.* Quebracho. [Pl.: *quebrachos-vermelhos.*]

quebra-costela. [De *quebrar* + *costela.*] *S. m. Bras. Fam.* Abraço muito forte. [Pl.: *quebra-costelas.*]

quebrada. [Fem. substantivado de *quebrado.*] *S. f.* **1.** Cada um dos aclives ou declives de um terreno ondulado. **2.** V. *vertente* (3): "o som medonho, ululante e extenso, desvanecia-se de quebrada em quebrada, como a voz portentosa do trovão." (Teixeira de Queirós, *Comédia do Campo*, I, p. 212). **3.** Anfractuosidade do terreno produzida pela água; desbarrancado, esbarrancada. **4.** *Bras.* Brecha (4). **5.** *Bras., S.* Curva da estrada. **6.** *Bras., S.* Qualquer curva nos limites externos de um capão[2]. **7.** *Bras., S.* Dobrada.

quebra-de-braço. *S. f. Bras.* V. *queda-de-braço.* [Pl.: *quebras-de-braço.*]

quebra-dedos. [De *quebrar* + o pl. de *dedo.*] *S. f. 2 n. Bras., CE.* Cerca de ripas entrançadas.

quebradeira. [De *quebrar* + *-deira.*] *S. f.* **1.** Quebra-cabeça (1). **2.** *Pop.* V. *quebreira* (1). **3.** *Bras. Pop.* V. *pindaíba* (4).

quebradela. *S. f.* Ato ou efeito de quebrar(-se).

quebradiço. [De *quebrar* + *-(d)iço.*] *Adj.* Que se quebra com facilidade; quebrável, frágil.

quebradinho. [Dim. substantivado de *quebrado.*] *S. m. Bras.* Variedade de algodão[1] (1).

quebrado. [Part. de *quebrar.*] *Adj.* **1.** Que tem ruptura; partido, fragmentado. **2.** Cansado, abatido, alquebrado: *As vicissitudes o prostraram: é um homem quebrado.* **3.** Lânguido, langue, frouxo, voluptuoso: "já o enleava e cingia a doce sensibilidade elástica daquela voz, quebrada, curva, cheia de ondulações" (Aluísio Azevedo, *Casa de Pensão*, p. 100). **4.** V. *pronto* (10): *Anda quebrado, sem vintém.* **5.** Diz-se de qualquer maquinismo que não está em condições de funcionar; enguiçado. **6.** *Bras., N.E.* Diz-se do cavalo que obedece ao freio facilmente e com precisão; quebrado da boca. **7.** *Bras., N.E.* Herniado, rendido. ~ V. *composição —a, frase —a, linha —a, verso heróico — e quebrados.*

quebradoiro. [De *quebrar* + *-(d)oiro*[2].] *S. m. Bras.* Quebradouro [q. v.].

quebrador (ô). *Adj.* **1.** Que quebra. ● *S. m.* **2.** Aquele ou aquilo que quebra. **3.** *Bras., PA.* Colhedor de castanha, a quem compete quebrar os ouriços e extrair as castanhas.

quebrados. [Pl. substantivado de quebrado.] *S. m. pl. Bras.* V. *dinheiro miúdo:* "Tomei espanto quando o sócio largou na mesa dois contos e uns quebrados." (José Cândido de Carvalho, *O Coronel e o Lobisomen*, p. 192.) — V. *quebrado.*

quebradouro. [De *quebrar* + *-(d)ouro*[2]; var. de *quebradoiro.*] *S. m. Bras.* Parte da praia onde se dá a arrebentação das ondas.

quebradura. [De *quebrar* + *-(d)ura.*] *S. f.* V. *hérnia* (1).

quebra-febre. [De *quebrar* + *febre*[1].] *S. f.* Centáurea-menor. [Pl.: *quebra-febres.*]

quebra-foice. [De *quebrar* + *foice.*] *S. m. Bras.* **1.** V. *mandaravé.* **2.** Flor-do-céu. [Var. de *quebra-fouce.* Pl.: *quebra-foices.*]

quebra-fouce. *S. m. Bras.* Var. de *quebra-foice* [q. v.]. [Pl.: *quebra-fouces.*]

quebra-freio. [De *quebrar* + *freio.*] *Adj.* e *s. m. Bras. S.* **1.** Que ou aquele que é bravio, arisco. **2.** Que ou aquele que é turbulento, tumultuoso, desordeiro. **3.** Que ou aquele que é valente, corajoso. **4.** V. *valentão* (1 e 3). [Tb. se diz apenas *quebra.* Pl.: *quebra-freios.*]

quebra-galho. [De *quebrar* + *galho.*] *S. m. Gír.* Qualquer pessoa ou coisa que ajuda a resolver uma dificuldade, a quebrar um galho. [Pl.: *quebra-galhos.*]

quebra-gelos. [De *quebrar* + o pl. de *gelo.*] *S. m. 2 n.* Navio quebra-gelos.

quebra-goela. [De *quebrar* + *goela.*] *S. f. Bras., SE.* V. *cachaça* (1). [Pl.: *quebra-goelas.*]

quebra-largado. [De *quebra*[3] + *largado* (5).] *S. m. Bras., S.* V. *valentão* (3). [Pl.: *quebras-largados.*]

quebralhão. [De *quebrar* + *ão*[3], com palatalização.] *Adj.* e *s. m. Bras., S.* Muito mau, muito ruim. [Diz-se de pessoa ou de animal. Fem.: *quebralhona.*]

quebralhona. *Adj. (f.)* e *s. f. Bras., S.* Fem. de *quebralhão* [q. v.].

quebra-loiças. *S. 2 g. e 2 n.* Var. de *quebra-louças* [q. v.].

quebra-louças. [De *quebrar* + o pl. de *louça.*] *S. 2 g.* e *2 n. Bras.* Pessoa desastrada, espalhafatosa; espalha-brasas. [Var.: *quebra-loiças.*]

quebra-luz. [De *quebrar* + *luz.*] *S. m.* **1.** Peça para preservar os olhos da luz forte de vela, candeeiro, lâmpada, etc. **2.** V. *abajur* (1): "Uma claridade indecisa, afogada pelo quebra-luz, entornava uma sonolência vaga pela saleta." (Orlando Gonçalves, *Este Mundo dos Homens*, p. 78.) [Pl.: *quebra-luzes.*]

quebra-machado. [De *quebrar* + *machado.*] *S. m. Bras., L.* a *S.* Designação comum a dois arbustos ou arvoretas silvestres da família das rutáceas (*Metrodorea nigra* e *M. pubescens*), de folhas trifolioladas e com glândulas translúcidas, flores pequenas e arrumadas em grandes panículas, e fruto peculiar, lenhoso, pentágono, coberto de grossos tubérculos, e que se abre em quatro a cinco cocos. O pecíolo é muito dilatado na base; a madeira é dura. [Sin. da *Metrodorea nigra: tambetaru.* Pl.: *quebra-machados.*]

quebra-mar. [De *quebrar* + *mar.*] *S. m.* Estrutura ou barreira natural que protege um ancoradouro ou uma praia contra a agitação produzida por ondas ou por correntes marítimas: "O quebra-mar cinzento, as ilhas distantes se perdendo na névoa, as gaivotas procurando peixe, a fumaça das chaminés dos navios, tranqüilizavam os meus olhos" (Reginaldo Guimarães, *Uma Blusa no Cais*, p. 55). [Quando enraizado em terra, pode ser denominado *molhe* e servir à acostagem de embarcações no lado abrigado. Sin.: *corta-mar, talha-mar.* Pl.: *quebra-mares.*]

quebramento. *S. m.* **1.** Quebra, rompimento. **2.** *Pop.* V. *quebreira* (1).

quebra-molas. [De *quebrar* + o pl. de *mola.*] *S. m. 2 n.* Obstáculo alongado, de pequena altura, em relevo ou encavo, construído transversalmente em ruas, estradas, etc., para fazer que se reduza a velocidade de veículos.

quebra-munheca. [De *quebrar* + *munheca.*] *S. f. Bras., SE.* V. *cachaça* (1). [Pl.: *quebra-munhecas.*]

quebrança. *S. f.* **1.** O quebrar das ondas nos rochedos: "Nos versos de Victor Hugo sente-se o cheiro do mar, o salitre evaporado, a marejada, a quebrança, o marulho perene..." (Martins Fontes, *O Mar*, p. 38.) **2.** *Bras., BA.* A fase das marés em que elas principiam a ser pequenas, no curso das quadraturas.

quebrangulense. *Adj. 2 g.* **1.** De, ou pertencente ou relativo a Quebrangulo (AL). ● *S. 2 g.* **2.** Natural ou habitante de Quebrangulo.

quebra-nozes. [De *quebrar* + o pl. de *noz.*] *S. m. 2 n.* **1.** Instrumento de metal com que se partem nozes. **2.** Certo pássaro conirrostro.

quebrantado. [Part. de *quebrantar.*] *Adj.* **1.** Debilitado, abatido, extenuado. **2.** Prejudicado, lesado. **3.** Que sofreu revés.

quebrantador (ô). *Adj.* **1.** Que quebranta. ● *S. m.* **2.** Aquele ou aquilo que quebranta.

quebrantamento. *S. m.* **1.** Ato ou efeito de quebrantar (-se); quebranto. **2.** Prostração, abatimento, fraqueza, quebranto. **3.** Infração, transgressão.

quebrantar. [De um lat. vulg. **crepantare* < *crepare*, 'fazer estrépito, estalar; rachar, quebrar'.] *V. t. d.* **1.** Quebrar, aluir, abater, arrasar: *quebrantar muralhas; Suas loucuras quebrantavam o ânimo dos pais.* **2.** Machucar, macerar; ferir; mortificar: *O ataque injurioso quebrantou-a.* **3.** *Fig.* Infringir, transgredir, violar, quebrar: "Se, Dulce, quebrantei a fé jurada, / Nunca mais a meus olhos esclareça / O vivo e gentil lume, que amanhece / Em teu semblante angélico" (Correia Garção, *Obras Poéticas e Oratórias*, p. 366). **4.** Vencer, domar, amansar: *Impossível quebrantar a fúria do velho.* **5.** Tirar a energia a; abrandar, afrouxar; debilitar: *A insistência dos opositores quebrantou-o.* **6.** Desanimar, abater; frustrar: "E, na angústia que a quebranta, / Somente espera e antegoza / A proteção milagrosa / Da Virgem Mãe de Jesus!" (Vicente de Carvalho, *Poemas e Canções*, p. 208.) **7.** Passar além de; ultrapassar: *Sua atuação quebrantou quase todas as expectativas. Int.* **8.** Servir de lenitivo; suavizar, acalmar: *Em tais momentos, só a prece quebranta. P.* **9.** Tornar-se fraco; afrouxar(-se); abalar-se: *A argumentação baseada na mentira quebranta-se por si mesma.* **10.** Perder a coragem, a energia: *Sem comando, os exércitos quebrantaram-se.* [Var.: *aquebrantar.*]

quebranto. [Dev. de *quebrantar.*] *S. m.* **1.** V. *quebrantamento* (1 e 2). **2.** Resultado mórbido que, segundo a superstição popular, o mau-olhado de certas pessoas produz em outras.

quebra-pau. [De *quebrar* + *pau.*] *S. m. Bras. Gír.* **1.** Briga, discussão, altercação. **2.** V. *rolo*[1] (16). [Pl.: *quebra-paus.*]

quebra-pedra. [De *quebrar* + *pedra.*] *S. f. Bras.* V. *fura-paredes* (2). [Pl.: *quebra-pedras.*]

quebra-pote. [De *quebrar* + *pote.*] *S. m.* Brinquedo em que alguém, de olhos vendados, tenta com um pau quebrar um pote pendente de árvore, gancho, etc.: "Depois, jogos de *hand-ball*, corridas, quebra-pote, paus-de-sebo e outros entretenimentos." (A. S. de Mendonça Júnior, *O Anel de Brilhante e Outras Estórias*, p. 53.) [Pl.: *quebra-potes.*]

quebra-quebra. [Da 3ª pess. sing. do pres. ind. de *quebrar*, repetida.] *S. m. Bras.* **1.** Arruaça com depredações. **2.** V. *rolo*[1] (16). **3.** V. *cobra-vidro.* **4.** Certo sequilho muito brando, que se desfaz na boca: "Quebra-quebra é um sequilho que desmancha na boca" (Adélia Marques, *Jornal do Brasil*, 25.7.1978). [Pl.: *quebra-quebras.*]

quebra-queixo. [De *quebrar* + *queixo.*] *S. m.* **1.** *Bras.* Charuto ordinário; mata-rato, mata-ratos. **2.** *Bras., CE.* Charuto (1). **3.** *Bras., AL.* Puxa-puxa (2). ● *Adj. 2 g.* **4.** *Bras., CE.* Diz-se de bebida muito gelada. [Pl.: *quebra-queixos.*]

quebra-quilos. [De *quebrar* + o pl. de *quilo.*] *S. m. 2 n.* **1.** *Bras.* Designação comum aos sediciosos que em 1875 se levantaram na PB, por motivo da decretação de novos impostos provinciais e da lei que estabeleceu no Brasil o sistema métrico decimal. **2.** *Bras., N.* Chita estampada a preto e a vermelho.

quebrar. [Do lat. *crepare*, 'estalar'.] *V. t. d.* **1.** Reduzir a pedaços; fragmentar, despedaçar: *Quebrou o copo com raiva.* **2.** Partir, romper, fraturar: *Com o tombo, quebrou a clavícula.* **3.** Diminuir a intensidade de; enfraquecer, debilitar, esfriar: *As adversidades constantes quebram o entusiasmo.* **4.** Interromper, cortar: *Os gritos quebraram o silêncio da noite;* "Rumor suspeito quebra a doce harmonia da sesta." (José de Alencar, *Iracema*, p. 51). **5.** Infringir, violar, transgredir, quebrantar: *O Presidente quebrou o protocolo.* **6.** Acabar com; pôr termo a; destruir: *A miséria quebra os sentimentos mais puros.* **7.** Faltar ao cumprimento de (promessa ou palavra). **8.** Torcer, dobrar: *Quebrou o corpo, desviando-se do golpe.* **9.** Domar, subjugar; vencer, afrouxar, quebrantar: *Aquele doce olhar quebrou-lhe a vontade.* **10.** Desfazer, dissipar: *Suas palavras quebraram o mal-estar geral.* **11.** Inutilizar, danificar; enguiçar, encrencar: *A mudança de ciclagem quebrou a máquina.* **12.** Anular, cassar: *O decreto quebrou as imunidades parlamentares.* **13.** Mudar a direção de; desviar: *quebrar o vento.* **14.** *Tip.* Passar para a linha seguinte parte de (palavra, título, verso, etc., que não cabe na medida). **15.** *Bras. Pop.* V. *matar* (1). **16.** *Bras. Pop.* Bater em; espancar: *Afirmava que ia quebrar o adversário.* **17.** *Bras., N.E.* Ensinar (o cavalo) a obedecer bem ao freio, a voltear, esbarrar, etc., sem perder nem alterar a pisada. *Int.* **18.** Romper-se, partir-se, fragmentar-se, despedaçar-se, espedaçar-se, rachar; quebrar-se. **19.** Diminuir de intensidade, ou perdê-la; enfraquecer, afrouxar: "Depois do almoço, quebrando o sol um pouco, o Largo de Baixo começava a encher-se para as Cavalhadas." (Ciro dos Anjos, *A Menina do Sobrado*, p. 103); "O vento vai quebrando, e já rareiam / Grossos montões de acasteladas nuvens" (Alexandre Herculano, *Poesias*, p. 115). **20.** Declarar-se em estado de quebra; falir: "Quebrara em Santos uma casa comissária importantíssima. O coronel perdia na quebra cerca de trinta contos." (Júlio Ribeiro, *A Carne*, p. 81.) **21.** *P. ext.* Ficar sem dinheiro; ficar pronto, liso. **22.** Sofrer quebradura; adquirir hérnia. **23.** Dobrar-se, formando ângulo. **24.** Refratar-se, refletir-se. **25.** Dar com ímpeto, embater (as ondas). **26.** *Bras.* Sofrer quebra ou diminuir no peso, na qualidade, etc. **27.** Enguiçar, encrencar (máquina, maquinismo, veículo automóvel, etc.). **28.** *Bras., PE* e *AL.* Requebrar-se, fazendo o passo. *T. i.* **29.** Fugir, desviar-se; infringir, transgredir: "Não fugir sem independência à justiça, nem quebrar da verdade ante o poder." (Rui Barbosa, *Oração aos Moços*, p. 78.) **30.** *Bras. Pop.* Andar vestido luxuosamente: *O rapaz só quebra na seda. P.* **31.** Romper-se, partir-se; quebrar. **32.** Interromper-se. **33.** Desfazer-se; cessar. ● *S. m.* **34.** Ação ou efeito de quebrar-se. ◆ **O quebrar da barra.** *Bras.* As primeiras claridades da manhã.

quebra-rabicho. [De *quebrar* + *rabicho.*] *S. m. Bras., CE. Gír.* V. *rolo*[1] (16). [Pl.: *quebra-rabichos.*]

quebra-resguardo. [De *quebrar* + *resguardo.*] *S. m. Bras., N.E. Folcl. Pej.* Mau conjunto musical. [Pl.: *quebra-resguardos.*]

quebras. [Pl. de *quebra*[1].] *S. f. pl.* **1.** *Ind. Pap.* Sobra de papel defeituoso, que se vende como produto inferior ou se reaproveita como matéria-prima. **2.** *Bras. Gír.* Sobras, restos. ~ V. *quebra.*

quebra-urnas. [De *quebrar* + o pl. de *urna.*] *S. m. 2 n. Bras.* Ente fantástico, perturbador do sossego dos mortos.

quebrável. *Adj. 2 g.* **1.** Que se pode quebrar. **2.** V. *quebradiço.*

quebra-vento. [De *quebrar* + *vento.*] *S. m.* **1.** Qualquer dispositivo que sirva para desviar o vento ou impedir-lhe a passagem. **2.** Pequena janela móvel situada logo após o pára-brisa dianteiro de veículos automóveis e que dirige o vento para a direção desejada. [Pl.: *quebra-ventos.*]

quebra-verso. [De *quebrar* + *verso*[1].] *S. m. Tip.* Colchete ou parêntese reto de abrir ([ ), usado para indicar final de verso que se teve de quebrar [Pl.: *quebra-versos.*]

quebreira. [De *quebrar* + *-eira.*] *S. f. Pop.* **1.** Prostração, fadiga, moleza; quebradeira, quebramento: "essa vida de convalescente .... ajudava a despertar no seu sangue pobre essa quebreira lúbrica das puberdades, que tanto entristece e amolenta os fracos." (Carlos Malheiro Dias, *Os Teles de Albergaria*, p. 155). **2.** *Bras. Pop.* V. *pindaíba* (4).

quebro. [Dev. de *quebrar.*] *S. m.* **1.** Inflexão da voz ou do corpo; requebro. **2.** *Taur.* Qualquer movimento que o toureiro faz com a cintura sem mover os pés, a fim de evitar a marrada.

quecé. [Var. de *quicé.*] *S. f.* e *m. Bras., N.E.* V. *caxirenguengue.* [Var.: *quecê, quicê.*]

quecê. [Var. de *quecé.*] *S. f.* e *m. Bras.* V. *caxirenguengue.*

quéchua. *S. 2 g., s. m.* e *adj. 2 g.* V. *quíchua.*

queci-queci. *S. m. Bras.* V. *quijuba.* [Pl.: *queci-quecis.*]

queda[1]. [Do arc. *caeda*, part. de *caer* (f. arc. de *cair*).] *S. f.* **1.** Ato ou efeito de cair; caída. **2.** Trambolhão, tombo. **3.** Declive, descida, caimento. **4.** *Fig.* Decadência, declínio, ruína: *a queda de Roma.* **5.** *Fig.* Perda de crédito ou conceito; descrédito, desprestígio: *a queda de uma reputação.* **6.** *Fig.* Erro, falta, culpa, pecado; *a queda de Adão e Eva.* **7.** *Fig.* Inclinação natural; tendência, pendor. **8.** *Fig.* Extinção ou cessação do poder: *A queda da Monarquia ocorreu, no Brasil, em 1889.* **9.** Certo número de partidas em um jogo de cartas. **10.** *Bras.* Caimento (6). **11.** *Bras.* Desvalorização (1 e 2). [Pl.: *quedas.* Cf. *queda* (ê) e *quedas* (ê), flex. de *quedo* (ê).] ◆ **Queda de barreira.** *Bras.* Deslizamento de terra, geralmente ocasionado por fortes chuvas, que impede o trânsito nas estradas.

queda[2]. *S. f. Bras., MG.* F. red. de *queda-de-braço* [q. v.]. [Pl.: *quedas.* Cf. *queda* (ê) e *quedas* (ê), flex. de *quedo* (ê).]

queda-d'água. [De *queda*[1] + *de* + *água*[1].] *S. f.* Lugar onde o curso de um rio é acentuadamente vertical. [Sin.: *cachoeira, catadupa, cascata, catarata, salto, despenho* e (bras.) *cachoeiro, roncador.* Pl.: *quedas-d'água.*]

queda-de-asa. [De *queda*[1] + *de* + *asa.*] *S. f. Bras.* Guinada brusca do automóvel. [Pl.: *quedas-de-asa.*]

queda-de-braço. [De *queda*[1] + *de* + *braço.*] *S. f. Bras.* Jogo em que duas pessoas, com os cotovelos apoiados num suporte horizontal, se dão as mãos ou cruzam os pulsos, para medir forças e obrigar o adversário a dobrar o antebraço. [Tb. se diz (em MG) apenas *queda.* Sin.: *queda-de-braço* e (MA) *cana-de-braço.* Pl.: *quedas-de-braço.*]

queda-de-quatro. [De *queda*[2] + *de* + *quatro.*] *S. f. Bras. Cap.* Movimento defensivo em que o capoeirista se deixa cair para trás, aparando a queda com as duas mãos, mas sem tocar no solo com o corpo. [Pl.: *quedas-de-quatro.*]

quedar. [De um lat. **quetare*, por *quietare*, 'fazer descansar'.] *V. int.* **1.** Estar quedo; ficar ou deter-se em um lugar; estacionar, conservar-se; parar: "Eu quedara acaso, cismativo e absorto, / Junto a extenso campo" (Alberto de Oliveira, *Póstuma*, p. 23). *Pred.* **2.** Permanecer, conservar-se: *Passam-se os anos, e ele queda o mesmo;* "E a lágrima celeste, ingênua e luminosa, / ouviu, sorriu, tremeu, e quedou silenciosa." (Guerra Junqueiro, *ap.* Agostinho de Campos, *Junqueiro*, p. 124). *P.* **3.** Ficar, deter-se, conservar-se, quedar: "E olhando o azul, quedava-se esquecida." (Alberto de Oliveira, *Poesias*, 3ª série, p. 77); "agora tinha esquisitices de gênio e caía em fundas abstrações, quedando-se horas perdidas a olhar para o espaço, de boca aberta, o trabalho esquecido sobre os joelhos." (Aluísio Azevedo, *Demônios*, p. 256). [Pres. ind.: *quedo, quedas, queda*, etc. Cf. *quedo* (ê) e flex. *queda* (ê), *quedas* (ê).]

quede[1]. *S. m. Bras.* Calçado abotinado, de lona, usado por esportistas. [Cf. *que de.*]

quede[2]. [De *que é (feito) de.*] *Bras. Fam.* e *pop.* F. empregada interrogativamente no sentido de: *que é de? onde está?*: "Quede aquela menina chamada Naná, que tremia de medo com as histórias de lobisomens e de mulas-sem-cabeça?" (Ciro dos Anjos, *Montanha*, p. 355.) [Var. *quede* (ê), *quedê, cadê.* Cf. *que de.*]

quede (ê). *Bras. Fam.* e *pop.* V. *quede*[2].

quedê. *Bras. Fam.* e *pop.* V. *quede*[2].

que-diga. [F. red. de *não-sei-que-diga*, decerto.] *S. m. Bras.* V. *diabo* (2).

quediva. [Do persa *khīdīw*, 'príncipe', atr. do turco *khidīv* e do fr. *khédive.*] *S. m.* Título do antigo vice-rei do Egito, quando este país era tributário da Turquia.

quedo (ê). [Do lat. *quetu*, por *quietu.*] *Adj.* **1.** V. *quieto* (1 e 2): "Num rochedo / Varrido pelos ventos ululantes / Um vulto permanece mudo e quedo." (Múcio Teixeira, *Brasas e Cinzas*, p. 81); "E era tudo em silêncio, adormecido e quedo ..." (Olavo Bilac, *Poesias*, p. 10). **2.** Demorado, pausado. [Flex.: *queda* (ê), *quedos* (ê), *quedas* (ê). Cf. *quedo, queda* e *quedas*, do v. *quedar*, e *queda*, s. f., pl. *quedas.*] ◆ **Quedo e quedo.** Devagar, pausadamente, mansamente.

quefazer (ê). [De *que*[2] + *fazer.*] *S. m.* V. *quefazeres.*

quefazeres (ê). [Pl. de *quefazer.*] *S. m. pl.* Ocupações, faina, negócios; afazeres. [Tb. us. (embora pouco) no sing.]

quefir. [De uma língua caucasiana, atr. do fr. *kéfir.*] *S. m.* Bebida ácida e efervescente que os caucasianos e tártaros fazem de leite fermentado com certas sementes.

queijada. *S. f.* Pequena torta achatada, feita de massa de farinha de trigo e com recheio de leite, ovos, queijo e açúcar.

queijadeiro. *Adj.* **1.** Referente a queijada. ● *S. m.* **2.** Fabricante e/ou vendedor de queijadas.

queijadilho. [Alter. de *cajadilho*, dim. de *cajado*?] *S. m. Bras.* Erva humilde, da família das primuláceas (*Primula acaulis*), adventícia no Brasil, ornamental pelas flores vistosas, tubulosas e vivamente coloridas, e cujos frutos são pequenas cápsulas.

queijadinha. [Dim. de *queijada.*] *S. f.* **1.** *Bras., N.* V. *luminária* (6). **2.** *Bras., S.* Espécie de doce.

queijar. *V. int. P. us.* **1.** Fazer queijo: "Na mesma casa, ... para a direita os apartamentos descobertos das vacas, para a esquerda os utensílios e os produtos da queijaria. De um lado ordenha-se, do outro lado queija-se." (Ramalho Ortigão, *A Holanda*, p. 98.) **2.** Tornar-se queijo. [Ger.: *queijando.* Cf. *quejando.*]

queijaria. *S. f.* **1.** Fabricação de queijos. **2.** Lugar onde se fabricam queijos; queijeira.

queijeira[1]. [De *queijo* + *-eira.*] *S. f.* **1.** Casa onde se fabricam queijos; queijaria. **2.** *Bras.* Prato, em geral

coberto por uma campânula, destinado a guardar queijo.
queijeira². [Fem. de *queijeiro.*] *S. f.* Vendedora de queijos.
queijeiro. *S. m.* **1.** Fabricante e/ou vendedor de queijos. **2.** *Bras., GO.* V. *caipira* (1).
queijo. [Do lat. *caseu*, atr. do arc. *queiso.*] *S. m.* **1.** Alimento que se obtém pela coagulação e fermentação do leite de vaca, de cabra, de ovelha, etc., e cuja massa, de consistência variável (para untar, para cortar ou para ralar), é comprimida e moldada, adquirindo forma característica. **2.** Massa alimentícia da forma do queijo. **3.** *Bras., CE. Pop.* Retalho de fazenda com que se consertam fundilhos de calças, e de cor diferente da cor destas. ♦ **Queijo prato.** Queijo muito difundido no Brasil, de massa meio cozida, coloração amarela e consistência compacta e elástica, e que é fabricado com diversos feitios.
queijo-de-minas. *S. m. Bras.* Queijo muito difundido em nosso país, de massa crua, homogênea, consistência variável (segundo seja mais ou menos curada) e baixo teor de gordura, e que apresenta forma cilíndrica e coloração esbranquiçada. [Pl.: *queijos-de-minas.*]
queijo-do-reino. *S. m. Bras.* Certo tipo de queijo em forma de bola, com revestimento vermelho, que nos vinha de Portugal. [Pl.: *queijos-do-reino.*]
queijoso (ô). [De *queijo* + *-oso.*] *Adj.* Caseoso.
queilite. *S. f. Med.* V. *quilite.*
queilose. *S. f. Med.* V. *quilose.*
queima. [Dev. de *queimar.*] *S. f.* **1.** Ato ou efeito de queimar(-se); queimação, queimadura, queimamento. **2.** Queima (1) pelo fogo; queimação; combustão, incêndio, incineração; cremação. **3.** *Bras.* Liquidação (9). **4.** *Bras.* Venda com prejuízo. **5.** *Bras.* Queimada (1). ● *S. m.* **6.** *Bras.* Queima (3): "para assumir condignamente o governo, mandou fazer um terno de casimira e comprou, no queima, uns sapatos de vaqueta." (Jáder de Carvalho, *Meu Passo na Rua Alheia*, p. 16). **7.** *Bras., CE. Pop.* Casamento sem festas.
queimação. [De *queimar* + *-ção.*] *S. f.* **1.** V. *queima* (1 e 2). **2.** *Fig.* Coisa que molesta, irrita; impertinência, enfadamento.
queimada. [Fem. substantivado do adj. *queimado.*] *S. f.* **1.** Queima de mato, de vegetação seca ou verde, geralmente com o fim de preparar o terreno para semear ou plantar: "A queimada! A queimada é uma fornalha! / A irara — pula... O cascavel... chocalha..." (Castro Alves, *Poesias Escolhidas*, p. 259.) **2.** Lugar onde se fez queimada (1). **3.** *Pesc.* Cardume de sardinhas. **4.** *Bras.* Parte de floresta ou de campo que se incendeia casualmente ou de propósito. **5.** *Bras., S.* Aguardente fervida com açúcar e gengibre.
queimadeira. [De *queimar* + *-deira.*] *S. f. Bras. Pop.* V. *louco*¹.
queimadeiro. [De *queimar* + *-deiro.*] *S. m.* Lugar onde se faziam fogueiras para queimar os condenados à pena do fogo: "Impotente para reabrir os cárceres da Inquisição e para reacender os queimadeiros em Espanha, em Portugal, em França, na Flandres, a teologia empreende a obra de uma Contra-Revolução" (Ramalho Ortigão, *As Farpas*, II, p. 149).
queimadense¹. *Adj. 2 g.* **1.** De, ou pertencente ou relativo a Queimadas (PB e BA). ● *S. 2 g.* **2.** Natural ou habitante de Queimadas.
queimadense². *Adj. 2 g.* **1.** De, ou pertencente ou relativo a Queimados (RJ). ● *S. 2 g.* **2.** Natural ou habitante de Queimados.
queimadiço. *Adj.* **1.** Que se queima com facilidade. **2.** Escaldadiço (2).
queimado. [Part. de *queimar.*] *Adj.* **1.** Que se queimou e foi total ou parcialmente destruído pela ação do fogo; incendiado, carbonizado: *floresta queimada; cadáveres queimados.* **2.** Enegrecido pela ação do fogo; tostado. **3.** Que perdeu o viço pela ação do calor ou da geada; ressequido, emurchecido: *cafezal queimado.* **4.** Diz-se da pele avermelhada ou escurecida pela ação do sol; bronzeado; tostado. **5.** *Bras. Fig.* Ofendido, zangado; irado, encolerizado. **6.** *Bras. Fig.* Diz-se de candidato que por desgaste resultante de acusações, intrigas, etc., não tem condições de concorrer a um pleito ou disputar um cargo, e também da respectiva candidatura ou pretensão; liquidado. ~ V. *papel* —. ● *S. m.* **7.** Coisa queimada (especialmente comida): *cheiro de queimado; gosto de queimado.* **8.** *Bras., BA.* V. *bala* (6). **9.** *Bras.* Bala de melaço: "traz um pacote de pó de café, ... uns queimados envoltos em papel azul" (Jorge Amado, *Teresa Batista Cansada de Guerra*, p. 69). **10.** *Bras., RJ. Fam.* Certo jogo de bola.
queimador (ô). *Adj.* e *s. m.* Que ou aquele que queima.
queimador-de-campo. [De *queimar campo* (q. v.).] *S. m. Bras., SP* a *RS.* Mentiroso, loroteiro. [Pl.: *queimadores-de-campo.*]
queimadura. [De *queimar* + *-(d)ura.*] *S. f.* **1.** V. *queima* (1). **2.** Ferimento ou lesão causada pelo fogo ou pelo calor. **3.** Alforra.
queimamento. *S. m.* V. *queima* (1).
queimante. *Adj. 2 g.* **1.** Que queima; queimoso. **2.** Muito picante; queimoso: *pimenta queimante.* ● *S. m.* **3.** *Bras., N.E. Pop.* Arma de fogo.
queimão. *S. m.* V. *quimão.*
queimar. [De um **caimare*, 'cauterizar', 'queimar', que teria suplantado o lat. *cremare.*] *V. t. d.* **1.** Consumir pelo fogo; reduzir a cinzas: *Queimei todos os papéis velhos;* "Torquemada queima em 18 anos 10.000 pessoas e castiga com diversas penas 100.000." (Ramalho Ortigão, *As Farpas*, II, p. 147); "Torquemada .... queima em Salamanca 6.000 volumes de literatura oriental." (Id., *ib.*, pp. 147-148.) **2.** Pôr fogo a; incendiar: *Os salteadores queimaram as casas.* [Sin., nessas acepç.: *comburir* e *combustar.*] **3.** Aquecer muito; tostar, crestar, esbrasear: *O sol de verão queima e bronzeia a pele.* **4.** Tornar quente (1): "A febre me queima as veias, / A vertigem me tortura!..." (Fagundes Varela, *Poesias Completas*, I, p. 142.) **5.** Produzir ardência em; afoguear, abrasar; fazer arder: *A aguardente queimava-lhe as entranhas;* "A água estava fervendo, Joana trouxe a bebida, quente a ponto de queimar os beiços do doente." (Osmã Lins, *Nove, Novena*, p. 100). **6.** Tirar o viço a; ressecar, ressequir, murchar: *O prolongado estio queimou as plantações.* **7.** Destruir afetivamente; tornar insensível: *Nada mais o emociona: as paixões juvenis já o queimaram.* **8.** Dissipar, esbanjar, malbaratar, malbaratear: *Queimou o dinheiro em alguns dias.* **9.** Vender por preço vil; liquidar: *O comerciante queimou todo o estoque.* **10.** *Art Gráf.* Perder em grande quantidade (o papel), por defeito da máquina ou tiragem apressada. **11.** *Bras.* Ferir ou matar com arma de fogo; balear: *O policial queimou o assaltante.* **12.** *Bras.* Cozer (tijolo ou telha). **13.** *Bras.* Destruir ou desgastar (uma reputação, uma candidatura ou um candidato, etc.) opondo-lhe restrições, ou por meio de intrigas, fuxicos ou expediente semelhante: *A oposição queimou o candidato em algumas semanas.* **14.** *Bras.* Falar mal de; atacar duramente; pichar. **15.** *Bras. Gír.* Puxar (22). **16.** *Bras., N.E.* Errar (uma dança). *Int.* **17.** Estar muito quente; produzir calor intenso; arder, abrasar; comburir, combustar: *O mormaço do meio-dia queimava;* "O sol queimava." (Camilo Castelo Branco, *Serões de S. Miguel de Ceide*, III, p. 33). **18.** Produzir queimaduras. **19.** Estar quente (1); arder, escaldar: *A testa da criança queimava.* **20.** Causar ardor, paixão; abrasar; *Era um sentimento que queimava.* **21.** Inutilizar-se (uma lâmpada elétrica, um fusível), por se lhe fundir o filamento, acarretando interrupção da corrente elétrica: *A lâmpada, ainda nova, queimou; Os fusíveis queimaram.* **22.** *Bras.* Atirar com arma de fogo. **23.** Em volibol, pingue-pongue, etc., invalidar-se (o saque) por haver a bola tocado na rede antes de atravessar. *P.* **24.** Pegar fogo; incendiar-se, comburir, combustar. **25.** Sofrer queimaduras. **26.** Perder o viço; crestar-se. **27.** *Bras.* Expor-se ao sol para escurecer a pele; bronzear-se: *Vou à praia para me queimar um pouco.* **28.** *Bras. Fam.* Dar-se por ofendido; ficar queimado; melindrar-se, zangar-se: *Queimou-se com o amigo ao saber da deslealdade;* "O rapaz se queimou e lascou em árabe bem castiço um palavrão" (Adovaldo Fernandes Sampaio, *O Sol da Rede*, pp. 23-24). **28.** *Bras. Gír.* Perder o prestígio; ficar malvisto.
queima-roupa. [De *queimar* + *roupa.*] *El. s. f.* Us. na loc. adv. *à queima-roupa.* ♦ **À queima-roupa. 1.** De muito perto; cara a cara: "Com dois berros à queima-roupa sacudi Janjão da sonolência" (José Cândido de Carvalho, *O Coronel e o Lobisomem*, p. 59). **2.** De repente; de improviso; de chofre: "Eu .... não lhe anunciara a partida, decidida, quase à queima-roupa, nas vésperas do embarque." (Joaquim Paço d'Arcos, *Neve sobre o Mar*, p. 17.)
queimo. [Dev. de *queimar.*] *S. m.* Sabor picante, acre; queimor, requeime.
queimor (ô). [De *queimo* + *-or.*] *S. m.* **1.** V. *queimo:* "Nos selvagens vergéis de sápidos aromas / Sentem-se, pelo olfato, o queimor da pimenta, / A essência do ananás, os travores das gomas, / E a acidez tropical da manga sumarenta." (Martins Fontes, *Verão*, p. 38.) **2.** Calor grande.
queimoso (ô). *Adj.* **1.** Queimante (1 e 2). **2.** Quente, cálido, calmoso.
queira. *S. f. Bras.* Lote de serviçais, de escravos.
queiro. [Talvez de *queixeiro*, com síncope.] *Adj.* ~ V. *dente* —.
queirosiano. [Do antr. *Queirós* (v. *eciano*) + *-i-* + *-ano.*] *Adj.* Eciano.
queirostrobácea. *S. f.* Espécime das queirostrobáceas.
queirostrobáceas. *S. f. pl. Bot.* Família de pteridófitos, da classe das articuladas, que se constitui apenas do gênero *Cheirostrobus*, fóssil do período carbonífero inferior.
queirostrobáceo. *Adj.* Pertencente ou relativo às queirostrobáceas.
queixa. [Dev. de *queixar-se.*] *S. f.* **1.** Ato ou efeito de queixar-se. **2.** Motivo de desprazer, de ressentimento, de mágoa, de ofensa, de dor: *Tinha sérias queixas da família do marido.* **3.** Manifestação de tais sentimentos. **4.** Lamúria, lamentação, queixume: "Vinha-me às cordas glóticas a queixa / Das coletividades sofredoras." (Augusto dos Anjos, *Eu*, p. 37). **5.** V. *gemido* (3): *As queixas dos feridos cortavam o coração.* **6.** Comunicação à autoridade competente de ofensas ou danos recebidos. **7.** Reclamação, protesto. **8.** Sintoma (1) relatado pelo doente. ♦ **Queixa do peito.** *Pop.* V. *tuberculose.* **Fazer queixa de.** *Fam.* Fazer reclamação contra o procedimento de alguém a outrem que tem autoridade para repreender ou punir.
queixa-crime. [De *queixa* + *crime.*] *S. f. Jur.* Petição com que se inicia um processo por ofensa. [Pl.: *queixas-crimes* e *queixas-crime.*]
queixada. [De *queixo* + *-ada*¹.] *S. f.* **1.** Mandíbula (1). **2.** Queixo grande, proeminente **3.** *Bras.* Mamífero da ordem dos artiodáctilos, família dos taiaçuídeos (*Tayassu pecari* (Link)), distribuído da Venezuela ao N. do RS. Coloração negro-pardacenta, pelagem das costas muito longa; difere do caititu por ter os lábios brancos. Quando acuado, bate forte os queixos, e é valentíssimo. [Sin.: *queixada-ruiva, queixo-ruivo, canela-ruiva, sabacu, tacuité, taiaçu, tajaçu, tanhaçu, tanhocati, taguicati* e (impr.) *porco-do-mato.* [Tb. us., nesta acepç., como *s. m.*] **4.** *Tip.* Cada um dos quatro blocos triangulares que, na unidade fundidora da monotipo, são trancados pelos bujões.
queixada-ruiva. *S. f. Bras., GO.* V. *queixada* (3). [Pl.: *queixadas-ruivas.*]
queixal. *Adj. 2 g.* **1.** Do, ou pertencente ou relativo ao queixo. ● *S. m.* **2.** Dente molar.
queixar-se. [Do lat. vulg. **quassiare* < *quassare*, 'golpear violentamente', + *se*¹.] *V. p.* **1.** Manifestar dor ou pesar; soltar queixas ou gemidos: *A multidão chorava o morto, queixando-se pelas ruas.* **2.** Fazer queixa de pessoa ou coisa; manifestar descontentamento; apontar faltas; censurar; lastimar-se, lamentar-se: *Queixava-se da falta de dinheiro; O chefe de disciplina queixou-se dos alunos ao diretor.* **3.** Denunciar o mal ou a ofensa que recebeu: *Queixou-se ao juiz.* **4.** Fazer exposição (de estado físico ou moral); descrever (sofrimentos e agravos): "Queixou-se duma dor de cabeça que a torturava" (Eça de Queirós, *Os Maias*, II, p. 382). [Pres. ind.: *queixo-me*, etc. Cf. *Quêixome*, top.]
queixeiro. [De *queixo* + *-eiro.*] *Adj.* ~ V. *dente* —.
queixinho. [Dim. de *queixo.*] *S. m. Bras., PR.* V. *barbicacho* (3).
queixo. [Do lat. **capseu*, 'semelhante a uma caixa', der. de *capsa*, 'caixa, caixinha', e este do gr. *kapsákes*, 'recipiente'.] *S. m.* **1.** Qualquer das maxilas dos vertebrados. **2.** O maxilar inferior desses animais. **3.** A parte inferior do rosto, abaixo dos lábios; barba. **4.** Mento (1). ~ V. *queixos.* ♦ **Amolar os queixos.** *Bras., CE. Fam.* Aguardar com ânsia um rega-bofe. **Bater o queixo.** Tremer de frio ou de medo. **Botar os queixos em.** *Bras., S.* Descompor, destratar. **Cair de queixo.** *Bras. Chulo.* Praticar a felação. **Derrubar o queixo de.** *Bras., S.* Sujeitar, submeter, subjugar. **Duro de queixo.** *Bras.* **1.** Duro de boca. **2.** *Fig.* Diz-se de indivíduo desobediente, teimoso, recalcitrante. **Ficar de queixo caído.** *Bras.* Quedar admirado, pasmado, boquiaberto; boquiabrir; ficar de queixo na mão. **Ficar de queixo na mão.** *Bras.* V. *ficar de queixo caído.*
queixo-duro. *Adj.* e *s. m. Bras., S.* Diz-se de, ou indivíduo teimoso, renitente, desobediente. [Pl.: *queixos-duros.*]
queixo-ruivo. *S. m. Bras., Go.* V. *queixada* (3). [Pl.: *queixos-ruivos.*]
queixos. [Pl. de *queixo.*] *S. m. pl.* O rosto; a cara. ~ V. *queixo.*
queixoso (ô). *Adj.* **1.** Que se queixa. **2.** Que tem ou denota queixa; sentido, magoado: *pai queixoso; olhar queixoso.* **3.** V. *querelante.* ● *S. m.* **4.** Aquele que se queixa. **5.** V. *querelante.*

queixudo. *Adj.* Que tem grandes queixos, ou cuja maxila inferior é muito proeminente.

queixume. *S. m.* Queixa; lamentação; gemido: "E pelo vão destes penedos / Ficou um grande espaço repetindo / Q u e i x u m e s da ventura, e seus segredos" (Francisco Rodrigues Lobo, *Églogas*, p. 120); "Q u e i x u m e s amorosos — e gemidos." (José Albano, *Rimas*, p. 76).

queixumeiro. [De *queixume* + *-eiro*.] *Adj. Bras.* Que está constantemente a queixar-se; lamuriento.

quejando. [Do lat. **quid genitu*, pelo arc. *quegendo*.] *Pron. indef.* Que tem a mesma natureza ou qualidade; que tal: *Mete-se com aventureiros, beberrões e q u e j a n d o s.* [Cf. *queijando*, do v. *queijar*.]

quejeme. [De provável or. indígena.] *S. m. Bras., S.* da *BA.* Rancho ou maloca de índio ou caboclo.

quela. [Do gr. *chelé*, 'pinça', 'objeto em forma de pinça', pelo lat. *chele*.] *S. f. Zool.* Os dois últimos segmentos dos apêndices dos artrópodes, que formam uma pinça.

quelante. *Adj. 2 g. Quím.* Diz-se de substância que provoca a formação de quelato.

quelato. *S. m. Quím.* Qualquer composto em que se forma um anel graças a um enlace coordenado entre dois sítios de uma molécula.

quelelê. *S. m.* **1.** *Bras., PE. Gír.* Mexerico, fuxico, intriga. **2.** Discussão, briga. **3.** V. *rolo*[1] (16). [F. paral.: *quilelê*.]

quelha (ê). [Do lat. *canalicula*, 'cano pequeno'.] *S. f.* **1.** Calha (1) de telha para escoamento de águas. **2.** Rua estreita; viela: "Deixando-se as alamedas amplas, claras, arejadas de Maçorim, a cidade velha espanta pelo acanhado e escuridão das suas q u e l h a s" (José Vieira, *Sol de Portugal*, p. 64).

▲quel(i)-. [Do gr. *chelé*, ês.] *El. comp.* = '(objeto) em forma de pinça'; 'pinça': *quelícera, quelípode; quelóide.*

quelícera. [De *quel(i)-* + *-cera*.] *S. f. Zool.* Cada um dos apêndices anteriores, dos aracnídeos.

quelicerado. [De *quelícera* + *-ado*[3].] *S. m.* **1.** Espécime dos quelicerados. ● *Adj.* **2.** Pertencente ou relativo a eles.

quelicerados. *S. m. pl. Zool.* Animais artrópodes, do sub-ramo *Chelicerata*, de corpo dividido em cefalotórax e abdome, com seis pares de apêndices representados pelas quelíceras, palpos e quatro pares de patas, e desprovidos de antenas. São, na maioria, terrestres.

quelídeo. [De *quel(i)-* + *-ídeo*.] *S. m.* **1.** Espécime dos quelídeos. ● *Adj.* **2.** Pertencente ou relativo a eles.

quelídeos. [Pl. de *quelídeo*.] *S. m. pl. Zool.* Família de reptis da subclasse dos quelônios, tartarugas do Brasil, Guianas e Venezuela. Ex.: a matamatá.

quelidônia. [Do gr. *chelidónion*, pelo lat. *chelidonia*, i. e., *chelidonia herba*.] *S. f.* Erva da família das papaveráceas (*Chelidonium majus*) originária da Europa, ruderal em muitos lugares, de folhas partidas e penadas, com segmentos arredondados e denteados, flores pequenas, amarelas e arrumadas em umbelas compactas, e que produz um suco amarelo-brilhante.

quelífero. [De *quel(i)-* + *-fero*.] *Adj. Zool.* Provido de quela. [Cf. *quilífero*.]

quelípode. [De *quel(i)-* + *-pode*.] *S. m. Zool.* Pata terminada em pinça.

▲quel(o)-. V. *quil(o)-*[2].

quelóide. [De *quel(i)-* + *-óide*.] *S. m. Med.* Neoformação que, sem constituir um verdadeiro tumor, se assemelha a tal, e se origina, habitualmente, em cicatriz de pele, seguindo-se muitas vezes a intervenções cirúrgicas, e tendendo à recidiva, quando extirpada.

queloneto. *S. m.* e *adj.* Pseudoscorpionido.

quelonetos. *S. m. pl. Zool.* Pseudoscorpionidos.

quelonídeo. [De *quelônio* + *-ídeo*.] *S. m.* **1.** Espécime dos quelonídeos. ● *Adj.* **2.** Pertencente ou relativo a eles.

quelonídeos. [Pl. de *quelonídeo*.] *S. m. pl. Zool.* Grupo de insetos da ordem dos himenópteros, família dos braconídeos, gênero *chelonus*.

quelônio. [De *quelon(o)-* + *-io*[2].] *S. m.* **1.** Espécime dos quelônios. ● *Adj.* **2.** Pertencente ou relativo a eles. [Sin. ger.: *testudíneo*.]

quelonióideo. [De *quelônio* + *-óideo*.] *S. m.* **1.** Espécime dos quelonióideos. ● *Adj.* **2.** Pertencente ou relativo a eles.

quelonióideos. [Pl. de *quelonióideo*.] *S. m. pl. Zool.* Subordem de reptis da ordem dos quelônios, que compreende as tartarugas marinhas.

quelônios. *S. m. pl. Zool.* Animais cordados, reptis, da ordem *Chelonia*, terrestres e aquáticos. Têm o corpo encerrado num estojo ósseo formado por numerosos ossos dérmicos, maxilas revestidas por um estojo córneo, como nas aves, e desprovidas de dentes. São as tartarugas, os cágados e os jabutis. [Sin.: *testudíneos*.]

quelonite. [De *quelon(o)-* + *-ite*[2].] *S. f.* Tartaruga petrificada.

▲quelon(o)-. [Do gr. *chelóne*, es.] *El. comp.* = 'tartaruga': *quelonófago; quelônio.*

quelonófago. [De *quelon(o)-* + *-fago*.] *Adj.* e *s. m.* Que ou aquele que come tartarugas, que delas se alimenta.

quelonografia. [De *quelon(o)-* + *-graf(o)-* + *-ia*.] *S. f.* Descrição das tartarugas.

quelonográfico. *Adj.* Respeitante à quelonografia.

quelonógrafo. *S. m.* Especialista em quelonografia.

queluzense. *Adj. 2 g.* **1.** De, ou pertencente ou relativo a Queluz (SP). ● *S. 2 g.* **2.** Natural ou habitante de Queluz.

queluzito. [Do top. *Queluz* (MG) + *-ito*[2].] *S. m. Geol.* Rocha metamórfica complexa, que contém manganês em um ou mais minerais, os quais podem ser espessartita, rodonita, etc., e de cuja degradação intempérica se originam concentrações valiosas de minério de manganês.

quem. [Do lat. *quem*.] *Pron.* **1.** Pessoa(s) ou a(s) pessoa(s) que: *Não conheço q u e m me possa ajudar neste trabalho; Desconheço q u e m me fez tamanho mal.* "E há no mundo q u e m afronte / Uma mulher quando cai!" (Augusto Gil, *Luar de Janeiro*, p. 130); "Q u e m ama inventa as penas em que vive" (Olavo Bilac, *Poesias*, p. 44). **2.** A(s) pessoa(s) a quem: "Sol nulo dos dias vãos, / Cheios de lida e de calma, / Aquece ao menos as mãos / A q u e m não entras na alma!" (Fernando Pessoa, *Poesias de Fernando Pessoa*, p. 100); "com aquele amor das heras que morrem agarradas a q u e m se apegam." (Antero de Figueiredo, *Jornadas em Portugal*, p. 17). **3.** A(s) pessoa(s) de quem: "Na graça viva / que neles [nos olhos] lhe mora, / para ser senhora / de q u e m é cativa." (Luís de Camões, *Rimas*, p. 102). **4.** Que pessoa(s): "— Q u e m bate?" (Castro Alves, *Obra Completa*, p. 95); "Q u e m poluiu, q u e m rasgou os meus lençóis de linho, / Onde esperei morrer, — meus tão castos lençóis?" (Camilo Pessanha, *Clepsidra e Outros Poemas*, p. 203). **5.** Alguém que; uma pessoa que: *Ordenou, como q u e m queria ser obedecido.* **6.** Em autores antigos, e em muitos modernos, emprega-se com referência a animais e coisas: "Chamam-te fama e glória soberana, / Nomes com q u e m se o povo néscio engana" (Luís de Camões, *Os Lusíadas*, IV, 96); "Ora deveis de saber que o senhor de Biscaia tinha um alão a q u e m muito queria." (Alexandre Herculano, *Lendas e Narrativas*, II, p. 12); "Olhos por q u e m mais claro nasce o dia. / Por q u e m são os meus olhos tão ditosos, / Que de chorar por vós lhes coube em sorte!" (Antônio Ferreira, *Obras Completas*, I, p. 49); "Grande cousa é liberdade, / Ter pouco, mas sem contenda, / Que arrenego da fazenda, / Por q u e m se vende a vontade" (Rodrigues Lobo, *Églogas*, p. 63); "E a vingança era q u e m o impelia" (Alexandre Herculano, *Eurico, o Presbítero*, p. 102); "E o barco não dorme. / Suas queixas ouço: / é um desejo enorme / q u e m lhe dá balouço." (Alberto de Serpa, *Rua*, p. 78). ♦ **Quem .... quem.** Um .... outro; este .... aquele.

quembembe. [De provável or. indígena.] *S. m. Bras., CE.* V. *vertente* (3).

quemose. [Do gr. *chémosis*, 'afundamento', pelo lat. *chemose*.] *S. f. Med.* Edema considerável de conjuntiva ocular.

quem-te-vestiu. [Voc. onom.] *S. m. 2 n. Bras.* Ave passeriforme, da família dos fringilídeos (*Poospiza nigro-rufa* (Laf. & d'Orb.)), que ocorre em SC e RS, e nos países limítrofes. O macho é castanho-avermelhado, com a cabeça negra; a fêmea tem o ventre ocráceo-avermelhado e branco, o dorso pardo-oliváceo, e uma faixa negra sobre o olho.

quem-vai-ao-ar. *S. m. 2 n. Jog. Inf.* Jogo de correr, feito em roda com uma criança do lado de fora, a qual o inicia pondo-se a caminhar em volta do grupo até atingir a companheira que quer desafiar, e, ao atingi-la, pára, bate-lhe no ombro e prossegue a correr em roda, saindo a outra na direção oposta, a ver quem primeiro ocupa o lugar deixado vazio; quem-vai-ao-ar-perde-o-lugar.

quem-vai-ao-ar-perde-o-lugar. *S. m. 2 n. Jog. Inf.* Quem-vai-ao-ar.

quena. [Do quíchua, atr. do esp. plat. *quena*.] *S. f.* Flauta vertical e rústica, feita de tíbias ou de bambu, com a qual os índios do Peru, da Bolívia e do N. da Argentina acompanham seus cantos.

quencatajé. *S. 2 g.* **1.** *Bras.* Indígena dos quencatajés, grupo de índios canelas do MA. ● *Adj. 2 g.* **2.** Pertencente ou relativo a esses indígenas. [Var.: *quencateie*.]

quencateie. *S. 2 g.* e *adj. 2 g. Bras.* Var. de *quencatajé*.

quenga[1]. [Do quimb. *kienga*, 'tacho'.] *S. f. Bras., N. E.* **1.** Vasilha feita de metade do endocarpo de um coco. **2.** O Conteúdo dela; quengo. **3.** Chulo V. *meretriz*: "*Dizia-se entre q u e n g a s da Rua do Açougue que Colodina sabia de mandinga pra mulher*" (Alberto Deodato, *Canaviais*, p. 111).

quenga[2]. *S. f. Bras., BA.* Guisado de galinha com quiabos.

quengada[1]. [De *quengo* + *-ada*[1].] *S. f. Bras., N.* e *N.E. Pop.* **1.** Trapaça, esperteza. **2.** Tolice, cabeçada.

quengada[2]. [De *quenga*[1] + *-ada*[1].] *S. f. Bras., N.E. Chulo.* Grupo de quengas ou meretrizes.

quengo. *S. m.* **1.** *Bras., N.* e *N.E.* Quenga[1] (2). **2.** *Bras. Pop.* V. *cabeça* (1): *bater com o q u e n g o.* **3.** *Bras. Pop.* Talento, inteligência; cabeça. **4.** *Bras. Pop.* Indivíduo astuto, ardiloso, espertalhão.

queniano. *Adj.* **1.** Do, ou pertencente ou relativo ao Quênia (África). ● *S. m.* **2.** O natural ou habitante do Quênia.

quenopodiácea. [De *quenopódio* + *-ácea*.] *S. f.* Espécime das quenopodiáceas.

quenopodiáceas. *S. f. pl. Bot.* Família de plantas floríferas, da ordem das centrospermas, composta de ervas, não raro suculentas, com flores insignificantes, verdes, cujos estames são dobrados no botão, ovário unilocular e uniovulado, e fruto nuciforme, circundado pelo perianto. Há umas 1.400 espécies, poucas no Brasil.

quenopodiáceo. *Adj.* Pertencente ou relativo às quenopodiáceas.

quenopodídeo. [De *quenopódio* + *-ídeo*.] *S. m.* **1.** Espécime dos quenopodídeos. ● *Adj.* **2.** Pertencente ou relativo a eles.

quenopodídeos. [Pl. de *quenopodídeo*.] *S. m. pl. Zool.* Família de moluscos gastrópodes, da ordem dos prosobrânquios, que compreende os gêneros *Chenopus* e afins. Vivem em diferentes oceanos, e existem espécies fósseis a partir do período jurássico.

quenopódio. [Do gr. *chenópous, odós*, 'que tem pés espalmados como os do ganso', pelo lat. *chenopode*, + *-io*[1].] *S. m. Bot.* Gênero de plantas criptogâmicas, sem flores, e que se reproduzem por esporos, os quais surgem em esporângios localizados em densas espigas. Tem pequenas folhas rígidas e compactamente inseridas. Há espécies terrestres, de lugares úmidos, e arborícolas. [Sin.: *anserina, vulvária*.]

quenquém. [Voc. onom.] *S. f. Bras.* **1.** Inseto himenóptero, da família dos formicídeos, gênero *Acromyrmex* Mayr, cujos ninhos se restringem a uma única panela. Algumas espécies constroem ninhos subterrâneos, em cuja boca depositam fragmentos de vegetais. Apesar de cortarem apenas um pequeno raio de extensão, às vezes chegam a causar grandes prejuízos, sobretudo a arrozais. [Sin.: *quenquém-de-monte, formiga-quenquém, formiga-de-monte, formiga-cortadeira, formiga-carregadeira, formiga-mineira, carrieira, chanchã*.] **2.** V. *cancã*[2] (1).

quenquém-campeira. *S. f. Bras., SP.* Inseto himenóptero, da família dos formicídeos (*Acromyrmex laticeps nigrisetosus* (Forel)), que ocorre no N. e C.O. do Brasil. As operárias têm coloração castanho-avermelhada na cabeça e no tórax, e pedúnculo e gáster enegrecidos. Comprimento: 7,5 mm. Vivem nos cerrados e campos naturais. [Pl.; *quenquéns-campeiras*.]

quenquém-de-árvore. *S. f. Bras.* Inseto himenóptero, da família dos formicídeos (*Acromyrmex coronatus* (Fabr.)), distribuída pela região cisandina. As operárias são castanhas ou castanho-escuras, e têm o pedúnculo e o gáster mais escuros, este último geralmente com duas manchas laterais longitudinais. Os espinhos pronotais laterais são muito alongados. [Pl.: *quenquéns-de-árvore*.]

quenquém-de-monte. *S. m. Bras.* V. *quenquém* (1). [Pl.: *quenquéns-de-monte*.]

quenquém-mineira. *S. f. Bras., SP.* V. *Quenquém-mineira-de-duas-cores.* [Pl.: *quenquéns-mineiras*.]

quenquém-mineira-de-duas-cores. *S. f. Bras.* Inseto himenóptero, da família dos formicídeos (*Acromyrmex muticinodus* (Forel)), distribuído do CE até SC. As operárias têm coloração castanha, clara ou escura, e 7mm de comprimento. São comuns na Serra do Mar. [Sin.: *quenquém-mineira, mineira-de-Petrópolis.* Pl.: *quenquéns-mineiras-de-duas-cores*.]

quenquém-mirim. *S. f. Bras., SP.* Inseto himenóptero, da família dos formicídeos (*Acromyrmex disciger* (Mayr)), da região S. do Brasil. As operárias são castanho-avermelhadas, com o corpo revestido de pubescência densa, quase aveludada, e cerca de 5,3 mm de comprimento. [Pl.: *quenquéns-mirins*.]

quentão. *S. m. Bras.* **1.** Aguardente de cana com açúcar, temperada com gengibre e canela, e servida quente. **2.**

Qualquer bebida forte servida quente. [Cf. *requentão*.]
quentar. [De *quente* + *-ar*[2].] *V. t. d. e p.* V. aquentar: "Como sempre, a mãe foi à cozinha quentar o leite e fazer o café" (João Alphonsus, *Eis a Noite!*, p. 138); "Acocorados, quentando fogo, no terreiro da frente da casa-grande, pitando e conversando, estavam os vaqueiros." (Nélson de Faria, *Tiziu e Outras Estórias*, pp. 201-202).
quente. [Do lat. *calente*, atr. das f. **caente* e **queente*.] *Adj. 2 g.* **1.** De temperatura elevada; *água quente; ferro quente.* **2.** Em que há calor; cálido: *vento quente; país quente.* **3.** Abrasador, ardente, cálido, queimante: *deserto quente; asfalto quente.* **4.** Que transmite calor, que aquece: *sol quente; lareira quente.* **5.** Diz-se de tecido ou roupa que conserva o calor do corpo. **6.** Diz-se do alimento que é rico em gordura, ou que é picante, apimentado. **7.** Que sugere calor, vida; vivo, intenso, ardente: "Dos braceletes o ouro em brilho quente / Morde-lhe com volúpia os lisos braços" (Alberto de Oliveira, *Poesias*, 4ª série, p. 120). **8.** Cordial, caloroso; entusiástico: *Os jogadores tiveram uma recepção quente.* **9.** Sensual, voluptuoso, ardente, cálido: "De quando em quando, ... ouvia-se .... a voz quente e cheia de Maria, nas serenatas longas, pelas ruas ermas." (Alberto Deodato, *Canaviais*, p. 110.) **10.** Diz-se de documento, informação, etc., válidos, verdadeiros, que merecem fé: *cheque quente: notícia quente;* "Eu era redator de uma coluna política considerada das mais quentes e críticas, no 'Unitário'." (Lustosa da Costa, *Sobral do Meu Tempo*, p. 81). **11.** *Eletrôn. Gír.* Diz-se dum componente em que circula uma corrente, ou que está num potencial diferente de zero. **12.** *Fís. Nucl. Gír.* Diz-se duma substância ou dum sistema com radioatividade elevada. **13.** *Bras.* V. *embriagado* (1). **14.** *Bras. Gír.* V. *incrementado* (2 e 3): *som quente; moda quente.* ~ V. *batata —, clima —, composição —, cor —, esmalte —, frente —, nome —, panos —s, sangue — e trapos —s.* ● *S. m.* **15.** Lugar quente: *Prefiro ficar no quente.* [Nesta acepç., é us., por via de regra, com o artigo.] **16.** *P. ext.* A cama: *Permaneceu no quente até altas horas.* **17.** *Bras. Gír.* Aquilo que é quente (14): *O quente agora é acampar à beira-mar.* ♦ **Estar quente. 1.** Em certos brinquedos infantis, aproximar-se do objeto ou pessoa escondida. **2.** *P. ext.* Aproximar-se de uma verdade.
quente-e-frio. *S. m. Bras., BA.* Garrafa térmica. [Pl.: *quente-e-frios*.]
quentemente. [De *quente* + *-mente*.] *Adv.* **1.** De maneira quente; com calor. **2.** Calorosamente, intensamente: "Sentia-se, neste lance de aflição desolada, vibrar quentemente a caridade humana" (Oliveira Martins, *A vida de Nun'Álvares*, p. 211).
quentinha. [Fem. substantivado do dim. de *quente*.] *S. f. Bras.* Embalagem, aluminizada ou de isopor, para conservar quentes os alimentos, em geral para viagem.
quentura. [De *quente* + *ura*.] *S. f.* Calor (3).
que-pau-é-este. *S. m. 2 n. Bras., MG* e *SP.* Certo brinquedo de crianças.
quepe. [Do fr. *képi*.] *S. m.* **1.** Boné usado por militares de vários países: "Dólmã rasgado na altura do pescoço, sem quepe, cabo Queirós passou correndo, aos gritos" (José Condé, *Como uma Tarde em Dezembro*, p. 153). **2.** V. *boné*.
quepiquirinate. *Bras. S. 2 g.* **1.** Indígena tupi dos quepiquirinates, tribo do rio Ji-Paraná. ● *Adj. 2 g.* **2.** Pertencente ou relativo a essa tribo.
queque. [Do ingl. *cake*, 'bolo'.] *S. m.* Bolo semelhante ao pão-de-ló, porém mais compacto.
quer. [Da 3ª pess. sing. do pres. ind. do v. *querer*.] *Conj.* Ou: *quer queira, quer não; Virá hoje, quer chova, quer faça sol.* [Us. em orações alternativas.]
qüera. [Do tupi *ku'er*, 'velho'.] *Adj. Bras., S. Pop.* V. *valentão* (1): "um cabra qüera, bom troveiro e dançador, num desafio chama à dança a namorada" (Martins Fontes, *A Dança*, p. 92). [Sin.: *qüerudo*. Cf. *cuera*.]
➧**quérable** (quêrábl'). [Fr.] *Adj. Jur.* V. *dívida reclamável*.
queratina. [Do gr. *kéras*, *atos*, 'chifre', + *-ina*[1].] *S. f. Quím.* Proteína insolúvel encontrada nas unhas, pele, cabelo e outros tegumentos animais.
quercitol. [Do lat. *quercu*, 'carvalho', + *-i-* + *-t-* + *-ol*.] *S. m. Quím.* Álcool cíclico, pentaidroxilado, encontrado na casca do carvalho. [Fórm.: $C_6H_7(OH)_5$. Pl.: *quercitóis*.]
querela. [Do lat. **querella*, por *querela*, 'queixa'.] *S. f.* **1.** *Jur.* Petição com que se principia a ação penal a cargo do particular ofendido, e que deve conter as mesmas formalidades da denúncia. **2.** Discussão; pendência: "Há homens que compram questões e brigas por qualquer preço. A alma deles é preparada para discussões, ... lutas partidárias e querelas forenses." (A. Austregésilo, *Obras Completas*, I, p. 394.) **3.** *Poét.* Queixa (3): "Mas qual será a pessoa que as querelas / Da angustiada Virgem contemplasse / Que não se mova à dor e à mágoa delas?" (Luís de Camões, *Rimas*, p. 266). **4.** *Poét.* Som plangente; lamento, gemido, queixa: "Pede cantos aos ledos passarinhos, / Pede clarão ao Sol, perfume às flores, / Às brisas suspirar, murmúrio aos ventos, / Doces querelas ao correr das fontes" (Gonçalves Dias, *Obras Poéticas*, II, p. 70).
querelado. [Part. de *querelar*.] *S. m. Jur.* Aquele contra quem se move ação penal de natureza privada. [Cf. *réu* (1).]
querelador (ô). *Adj.* e *s. m.* V. *querelante*.
querelante. [Do lat. *querelante*.] *Adj. 2 g.* e *s. 2 g.* Que ou quem apresenta querela (1); querelador; queixoso.
querelar. *V. t. i.* **1.** Intentar ação penal privada em juízo contra alguém; promover querela; queixar-se no juízo ou no foro: *O corretor querelou contra a companhia imobiliária;* "Sucedeu que o conselho municipal .... querelou do homem e venceu a demanda." (Machado de Assis, *A Semana*, II, p. 19.) *P.* **2.** Queixar-se, lamentar-se, lastimar-se.
quereloso (ô). [Do lat. *querelosu*.] *Adj.* Queixoso (1 e 2).
queremismo. *S. m.* Movimento político, surgido no início de 1945, com o refrão "Queremos Getúlio", e que preconizava a continuação ou a volta de Getúlio Vargas [v. *getulismo*] ao poder.
queremista. *Bras. Adj. 2 g.* **1.** Relativo ao, ou que era partidário do queremismo. ● *S. 2 g.* **2.** Partidário dele.
querena. [Do it. *carena*.] *S. f.* **1.** *Ant. Constr. Nav.* Var de *carena* [q. v.]: "O carro vai rompendo o silêncio e a meia treva como a querena duma nave corta a água dum canal." (Aquilino Ribeiro, *Caminhos Errados*, *pp. 297-298*.) **2.** *Pop.* Rumo, direção. ♦ **Virar de querena.** *Ant. Mar.* Querenar (3).
querenar. [Var. de *carenar*.] *V. t. d.* **1.** *Ant.* Carenar. **2.** Restaurar, reconstituir. **3.** *Ant. Mar.* Fazer adernar (uma embarcação) sobre uma barcaça apropriada, por meio de talhas ou estralheiras, de forma que fique à flor da água todo um bordo até à quilha, para nele realizar reparo ou limpeza; virar de querena.
querença. [De *querer* + *-ença*.] *S. f.* **1.** Ato ou efeito de querer(-se). **2.** O querer a alguém ou a alguma coisa. **3.** Afeição, afeto. **4.** Lugar onde os falcões criam os filhos. **5.** Sítio ao qual os animais se apegam por instinto. [Cf. *querência*.]
querência. [Do esp. *querencia*.] *S. f. Bras., MG* e *S.* **1.** Lugar ou paradeiro onde o gado habitualmente pasta, ou onde foi criado: "mas o boi barroso, crioulo daquela querência, não aparecia" (Simões Lopes Neto, *Contos Gauchescos e Lendas do Sul*, p. 289). **2.** Local de nascimento ou residência de uma pessoa; pago, fogão. [Cf. *querença*.]
querenciano. *Adj.* **1.** De, ou pertencente ou relativo a Querência do Norte (PR). ● *S. m.* **2.** O natural ou habitante de Querência do Norte.
querençoso (ô). *Adj.* **1.** Que tem querença. **2.** Benévolo; afetuoso.
querendão. [Do esp. plat. *querendón*.] *Adj.* e *s. m. Bras., S.* **1.** Diz-se do animal que se habitua de pronto a uma nova querência. **2.** *P. ext.* Diz-se de quem facilmente se acostuma com outra pessoa. **3.** *Fig.* Amoroso; alegre, afetuoso. **4.** *Fig.* Namorador, namorado. [Fem.: *querendona*.]
querendona. *Adj. (f.)* e *s. f. Bras., S.* Fem. de *querendão* [q. v.].
querente. [Do lat. *quaerente*, 'que procura'.] *Adj. 2 g.* Que quer alguma coisa: "D. Henrique, sempre querente de paz com o seu vizinho, tentou, uma vez ainda, entender-se com D. Fernando" (Antero de Figueiredo, *Leonor Teles*, p. 146).
querê-querê. *S. m. Bras.* Peixe teleósteo, percomorfo, da família dos pomacentrídeos (*Abudefduf marginatus* Bloch.), do Atlântico, desde a Flórida até o rio da Prata. Tem coloração verde-escura, com faixas negras eqüidistantes, e nadadeiras negro-azuladas. Comprimento: 17 cm. [Sin.: *camisa-de-meia, camiseta, tinhuma, saberê*. Pl.: *querê-querês*.]
querequexé (rè). [T. onom.] *S. m. Bras.* V. *reco-reco* (1): "Bambus enfeitados, / compridos e ocos, / produzem sons roucos / de querequexé!" (Ascenso Ferreira, *Catimbó e Outros Poemas*, p. 99.)
querer. [Do lat. *quaerere*, 'procurar'.] *V. t. d.* **1.** Ter vontade de; desejar: "Não quero que uma nota de alegria / Se cale por meu triste passamento." (Álvares de Azevedo, *Obras Completas*, I, p. 122.) **2.** Ter a intenção de; projetar, tencionar, desejar: *Desde criança queria cursar a Universidade.* **3.** Desejar possuir ou adquirir: *Esteve na agência porque quer um automóvel novo.* **4.** Ordenar, exigir: *Quero que respondam imediatamente.* **5.** Desejar, apetecer: *A criança quis o doce que viu no armário.* **6.** Consentir, permitir: *Quero que me cortem o pescoço, se isto não é verdade.* **7.** Necessitar de; demandar, requerer; pedir: *Uma boa peixada quer muito tempero.* **8.** Ambicionar, cobiçar: *Os insurretos queriam o poder.* **9.** Ser de opinião; julgar, acreditar: *O doido quer que a realidade seja o que ele concebe como tal.* **10.** Pretender; solicitar: *Os grevistas querem aumento de salário.* **11.** Condescender em; dispor-se a: *Se quiseres pôr de lado o orgulho, podemo-nos entender.* **12.** Estar na iminência de; ameaçar: *Quando saí, estava querendo chover.* **13.** Estar próximo de; ameaçar: *O vento parecia querer arrancar o telhado das casas.* **14.** Ensaiar, tentar: *Aos 10 meses já queria andar.* **15.** Ter a bondade de; fazer o favor de; dignar-se: *Queira o senhor sentar-se.* **16.** Ter possibilidade de; poder: *O fogo não quer acender porque a lenha está molhada. Transobj.* **17.** Desejar que (alguém) chegue a (certa posição): *O pai o queria médico. T. i.* **18.** Ter afeição; gostar; estimar: *Quero-lhe muito;* "E então como ele a amava e lhe queria / A esta pobre terra portuguesa!" (Almeida Garrett, *Folhas Caídas*, p. 165). *Int.* **19.** Ter ou manifestar vontade firme e decidida: *Sabe querer. P.* **20.** Ter o desejo de estar (em certo lugar, ou em certa companhia, etc.). **21.** Ter necessidade, ânsia, de; desejar. **22.** Amar-se mutuamente: "Não há no mundo quem amantes visse / Que se quisessem como nos queremos." (Artur Azevedo, *Sonetos e Peças Líricas*, p. 13); "Os dous meninos queriam-se como se fossem irmãos" (Bernardo Guimarães, *O Seminarista*, pp. 17-18). [Irreg. Pres. ind.: *quero, queres, quer, queremos, quereis, querem*; imperf.: *queria, querias, queria*, etc.; perf.: *quis, quiseste*, etc.; m.-q.-perf.: *quisera, quiseras*, etc.; fut. pres.: *quererei, quererás*, etc.; fut. pret.: *quereria, quererias*, etc.; pres. subj.: *queira, queiras*, etc.; imperf.: *quisesse, quisesses*, etc. fut.: *quiser, quiseres*, etc. ger.: *querendo*; part.: *querido*. Não se conjuga no imperativo, a não ser em frases enfáticas, e com extrema raridade: "Querei só o que podeis, e sereis omnipotentes." (Pe Antônio Vieira, *Sermões*, VII, p. 310.)] ● *S. m.* **23.** Ato de querer; vontade; afeto; intenção. ♦ **Querer crer.** Admitir; acreditar: *Quero crer que ele está com a razão.* **Querer dizer. 1.** Ter a intenção de dizer. **2.** Equivaler a; ser sinônimo de; significar: Indolente *quer dizer* 'preguiçoso'. **Querer saber de.** *Bras.* Discutir ou pesquisar em profundidade; examinar detidamente. **Como quem não quer e querendo.** De maneira dissimulada; com dissimulação; dissimuladamente. **Não querer nada com. 1.** Não desejar a amizade ou o amor de. **2.** Não se interessar por: *Não quer nada com trabalho.* **Não querer ver nem pintado. 1.** Não querer ter sob os olhos. **2.** Rejeitar ou repelir com abominação; desejar que desapareça. **Por querer.** Voluntariamente; de propósito; de caso pensado. **Sem querer.** Involuntariamente: *Deixou cair, sem querer, a xícara.* **Quer dizer.** V. *isto é* (2).
queridão. *S. m. Fam.* Meu querido; querido. [Us., em geral, como vocativo. Fem.: *queridona*.]
querido. [Part. de *querer*.] *Adj.* **1.** A que ou a quem se quer muito: "Amor da esposa querida" (Almeida Garrett, *Folhas Caídas*, p. 170). ● *S. m.* **2.** Indivíduo amado, querido: "Aqui venho e virei, pobre querida, / Trazer-te o coração do companheiro." (Machado de Assis, *Relíquias de Casa Velha*, Introdução).
queridona. *S. f. Fam.* Fem. de *queridão* [q. v.].
querigma. [Do gr. *kérygma*, 'proclamação em alta voz', 'anúncio'.] *S. m.* **1.** Núcleo central e essencial da mensagem cristã. **2.** Anúncio da mensagem cristã ao não cristão, destinado a despertar nele a fé, e a convertê-lo. **3.** Cada um dos trechos do Novo Testamento, oriundos da tradição oral, que transcrevem alguma modalidade de querigma (1 e 2).
querigmático. [Do gr. *kérygma, atos*, + *-ico*[2].] *Adj.* **1.** Que tem a forma ou a função de querigma. **2.** Pertencente ou relativo ao querigma.
querima. *S. f. Ant.* Querimônia [q. v.].
querimônia. [Do lat. *querimonia*.] *S. f. Ant.* Queixa, querela; querima.
querite. [De *quer(o)(s)-* + *-ite*[2].] *S. f.* Substância sintética usada em substituição da guta-percha. [Pl.: *querites*. Cf. *quentes*.]
quermes. [Do persa *krim*, 'verme', atr. do ár. hispânico *garmaz*, 'chochonilha', e do fr. *kermès*.] *S. m. 2 n.* **1.** Excrescência vermelha e redonda que a fêmea do

pulgão forma sobre as folhas duma espécie de carvalho, e da qual se extrai um corante escarlate; quermes animal. **2.** Quermes mineral. ♦ **Quermes animal.** Quermes (1). **Quermes mineral.** Mistura formada essencialmente de trissulfeto de antimônio, de pequenas quantidades de trióxido de antimônio, piroantimoniato de sódio, e enxofre, usada para fins terapêuticos. [Tb. se diz apenas *quermes*.]

quermesse. [Do flamengo *kerkmesse*, atr. do fr. *kermesse*.] *S. f.* **1.** Feira paroquial que era celebrada anualmente nos Países Baixos, com grandes folguedos populares. **2.** Bazar ou feira beneficente, em geral com leilão de prendas.

quernita. [Do top. *Kern* (Califórnia, E.U.A.) + *-ita*³.] *S. f. Min.* Borato de sódio hidratado, mineral monoclínico branco, semelhante ao marfim; minério de boro.

quero-mana. [De *querer* + *mana*².] *S. m. Bras., S.* **1.** Antigo bailado campestre, espécie de fandango. **2.** Canto popular executado ao violão. [Pl.: *quero-manas*.]

quero-quero. [T. onom.] *S. m. Bras.* Ave caradriiforme, da família dos caradrídeos, do gênero *Belnopterus* Reich., com duas subespécies brasileiras: *B. chilensis cayennensis* (Gmel.), do N. e N.O., e *B. c. lampronotus* (Wagl.), da parte L. e S. A coloração geral é cinzento-clara, com ornatos pretos na cabeça, peito, asa e cauda, as coberteiras maiores e abdome brancos, bico e pernas encarnados. Caracteriza-se sobretudo pelo esporão vermelho no encontro das asas e penas longas da região posterior da cabeça. Vive nas várzeas, praias marítimas, margens de rios, lagoas, brejos, pastagens do interior. [Var. e sin.: *tero-tero, terêu-terêu, téu-téu, tetéu, terém-terém, gaivota-preta, espanta-boiada, chiqueira.* Pl.: *quero-queros*.]

▲**quer(o)(s)-.** [Do gr. *kerós, oû*.] *El. comp.* = 'cera': *querosene; querite.*

querosenagem. *S. f. Bras.* **1.** Ato ou efeito de querosenar. **2.** Em algumas operações agrícolas, tratamento pelo querosene.

querosenar. *V. t. d. Bras.* Derramar querosene em, a fim de exterminar certos insetos nocivos.

querosene. [Do fr. *kérosène*.] *S. m.* **1.** *Quím.* Líquido resultante da destilação do petróleo, com temperatura de ebulição entre 150 e 300 graus centesimais, fração entre a gasolina e o óleo diesel, usado como combustível e como base de certos inseticidas. [Sin., bras., N., N.E. e GO: *gás*.] **2.** *Bras., Amaz.* Grande árvore da família das lauráceas (*Nectandra elaophora*), da floresta pluvial, de cujo grosso tronco, perfurado, muitas vezes escorre grande quantidade de um óleo semelhante à terebintina, que o povo local usa como combustível e como remédio contra parasitos cutâneos; pau-de-gasolina, nhamuí. **3.** *Bras., BA.* Diamante de cor azul-leitosa.

quérquera. [Do lat. *querquera*.] *S. f.* Acesso febril com calafrios.

quersoneso. [Do gr. *chersónesos*, pelo lat. *chersonesu*.] *S. m. Ant.* Península.

querúbico. *Adj.* Querubínico.

querubim. [Do hebr. *kerubin*, pl. de *kerub*, atr. do lat. *cherubin*.] *S. m.* **1.** Anjo (1) da primeira hierarquia: "há legiões de anjos, de arcanjos, de querubins, de serafins, de demônios, que substituem as musas, as ninfas, as harpias e as parcas." (Ramalho Ortigão, *A Holanda*, p. 308). **2.** Pintura ou escultura duma cabeça de criança com asas, representando um querubim. **3.** *Fig.* Criança muito linda.

querubínico. *Adj.* Relativo ou semelhante a querubim; querúbico.

qüerudo. [De *qüera* + *-udo*.] *Adj. Bras., S.* V. *valentão* (1). [Cf. *cuerudo*.]

quérulo. [Do lat. *querulu*.] *Adj. Poét.* Queixoso, lamentoso, plangente: "Rolas gemiam quérulas" (Coelho Neto, *Rei Negro*, p. 214); "Auras subtis das frescas madrugadas, / Feitas de aroma e quérulo cicio" (Luís Carlos, *Colunas*, p. 113).

queruqueru. *S. m. Bras.* V. *cuiú-cuiú* (2).

quesito. [Do lat. *quaesitu*, 'pergunta'.] *S. m.* **1.** Ponto ou questão sobre que se pede resposta (opinião, juízo ou esclarecimento). **2.** Requisito (2 e 3).

quesível. [Do rad. *quaes* < *quaesere*, f. arc. de *quaerere*, 'buscar, procurar' + *-ível*.] *Adj. 2 g.* ~V. *dívida* —.

questão. [Do lat. *quaestione*.] *S. f.* **1.** Pergunta, interrogação. **2.** Tese, assunto, tema em geral, sujeito a meditação, estudo, etc.: *Expôs a questão com a maior clareza.* **3.** Contenda; desavença; discussão; conflito. **4.** Demanda; litígio. **5.** Ponto para ser resolvido; problema; *Isto não é uma questão de inteligência, mas de bom senso.* **6.** Ponto em discussão que é levado à Justiça e submetido à decisão de um magistrado. ♦ **Questão aberta.** Aquela para a qual ainda não se encontrou uma solução. [Antôn.: *questão fechada*.] **Questão de.** Cerca de; mais ou menos; aproximadamente; coisa de: *Chegou há questão de dois meses;* "Só voltei a pôr-lhe os olhos em cima há questão de dois anos, na Feira Popular" (José Gomes Ferreira, *O Mundo dos Outros*, p. 103). **Questão de ordem.** Em assembléias deliberativas, aquela que versa sobre o encaminhamento dos trabalhos. **Questão de tempo.** A que só poderá ser resolvida no futuro. **Questão de vida ou morte.** Questão de sumo perigo ou de grande importância. **Questão fechada.** A que já tem uma solução definitiva. [Antôn.: *questão aberta*.] **Questão prejudicial.** *Bras. Jur.* Questão independente da ação penal, ordinariamente de natureza privada, cuja decisão prévia se impõe, e que obrigatoriamente caberá ao juízo cível caso se relacione com o estado civil das pessoas. [Tb. se diz apenas *prejudicial*.] **Questão prévia.** Em assembléias deliberativas, a que é posta em discussão antes de qualquer outra coisa. **Em questão.** Sobre que se discute, em apreço, em foco (pessoa ou coisa). **Fazer questão de.** Exigir de si mesmo ou de outrem; não transigir em. **Fazer questão fechada de.** **1.** Ter o maior interesse, o máximo empenho, em: *Faço questão fechada de sua presença aqui.* **2.** Ser intransigente em relação a: *Faço questão fechada da manutenção dos meus princípios.* **Ser questão fechada.** Ser matéria da qual não se abre mão: *Para ele é questão fechada discursar em primeiro lugar.*

questionador (ô). *Adj.* e *s. m.* Que ou aquele que questiona; discutidor.

questionar. *V. t. d.* **1.** Fazer ou levantar questão acerca de; discutir, disputar, controverter: *Questionou a validade do argumento.* **2.** Retorquir, redargüir: *Questionou com veemência o interlocutor. T. d. e i.* **3.** Discutir, disputar: *Questionou filologia com antigos mestres seus. T. i.* **4.** Fazer ou levantar questão; discutir, disputar: *Questionava pelos seus direitos. Int.* **5.** Fazer ou levantar questão: altercar, discutir.

questionário. [Do lat. *quaestione*, 'questão', + *-ário*.] *S. m.* **1.** Série de questões ou perguntas. **2.** Interrogatório.

questionável. *Adj. 2 g.* Que pode ser questionado.

questiúncula. [Do lat. *quaestiuncula*.] *S. f.* **1.** Pequena questão. **2.** Discussão sem importância: "Um dia, uma questiúncula tivemos / Por um capricho, por uma tolice." (Artur Azevedo, *ap.* Manuel Bandeira, *Antologia dos Poetas Brasileiros da Fase Parnasiana*, p. 58.)

questor (ô). [Do lat. *quaestore*.] *S. m.* **1.** Antigo magistrado romano, encarregado das finanças. **2.** Magistrado de justiça criminal, na antiga Roma.

questório. [Do lat. *quaestoriu*.] *Adj.* De, ou relativo a questão.

questuário. [Do lat. *quaestuariu*.] *Adj.* e *s. m.* Que ou aquele que é interesseiro, ambicioso.

questuoso (ô). [Do lat. *quaestuosu*.] *Adj.* Que dá vantagens ou interesses.

questura. [Do lat. *quaestura*.] *S. f.* Cargo de questor.

▲**-queta.** V. *queto-*.

quetçal. [Do esp. amer. *quetzal*.] *S. m.* Unidade monetária, e moeda, da Guatemala, dividida em 100 centavos.

quetilquê. *S. m.* Pessoa ou coisa de pouca monta. V. *ninharia*. [Var.: *quotiliquê*.]

queto¹. *Adj. Fam.* F. sincopada de *quieto* [q. v.].

queto². *S. m. Bras.* Importante grupo tribal iorubano vindo para o Brasil, com o tráfico, em começos do séc. XIX.

▲**queto-.** [Do gr. *chaíte, es*.] *El. comp.* = 'cabeleira', 'crina', 'sedas': *quetópode.* [Equiv.: *-queto* e *-queta: espiroqueto, oligoqueta; poliqueta*.]

▲**-queto.** V. *queto-*.

quetodontídeo. *S. m.* **1.** Espécime dos quetodontídeos. ● *Adj.* **2.** Pertencente ou relativo a eles.

Quetodontídeos. *S. m. pl. Zool.* Família de peixes teleósteos, percomorfos, do oceano Atlântico, com escamas ctenóides, cores vivas, considerados peixes ornamentais.

quetógnato. [De *queto-* + *-gnato*.] *S. m.* **1.** Espécime dos quetógnatos. ● *Adj.* **2.** Pertencente ou relativo a eles.

quetógnatos. *S. m. pl. Zool.* Animais enterozoários, de simetria bilateral, ramo *Chaetognatha*, hermafroditos, pequenos, de vida livre, marinhos, e que medem de 20 a 70 mm de comprimento. O corpo é achatado, transparente, com tubo digestivo completo, duas nadadeiras no tronco e outra, terminal, na cauda, para locomoção.

quetonotóide. *S. m.* **1.** Espécime dos quetonotóides. ● *Adj.* **2.** Pertencente ou relativo a eles.

quetonotóides. *S. m. pl. Zool.* Animais asquelmintos, gastrotríquios, da ordem *Chaetonotoidea*, com reprodução partenogenética, na maioria das espécies. Têm tubos adesivos, em geral presentes apenas na cauda, dois protonefrídios. Vivem na água doce, sobre vegetação.

quetópode. [De *queto-* + *-pode*.] *S. m.* **1.** Espécime dos quetópodes. ● *Adj.* **2.** Pertencente ou relativo a eles.

quetópodes. [Pl. de *quetópode*.] *S. m. pl. Zool. Ant.* Designação com que se grupam em subclasse os anelídeos providos de cerdas, poliquetas e oligoquetas.

quetua. [Do tupi *ketu'a*.] *S. m. Bras.* V. *ararinha-de-cabeça-encarnada.*

quetzal. *S. m.* V. *quetçal*.

qui. [Do gr. *khi*.] *S. m.* A 22ª letra do alfabeto grego (χ).

quiabada. *S. f. Bras., PE, AL* e *BA.* Prato feito de quiabo refogado em azeite de oliveira, ao qual se adiciona, às vezes, carne bovina fresca ou camarões, ou peixe, ou peixe e camarões juntos, e temperado com cebola, alho, cheiro-verde, etc.

quiabeiro. *S. m.* Erva lenhosa, da família das malváceas (*Hibiscus esculentus*), de origem africana, e muito cultivada como hortaliça. Tem grandes folhas lobadas e flores axilares, e seus frutos são cápsulas alongadas, que se comem quando imaturas, pois endurecem quando próximas da maturidade.

quiabento. *S. m. Bras., L.* Arvoreta da família das cactáceas (*Peireskia zehntneri*), comum na BA, e que se caracteriza pelo tronco fortemente aculeado e pelas folhas bem diferenciadas.

quiabo. *S. m.* Fruto capsular cônico, verde e peludo, produzido pelo quiabeiro comum. [Sin., bras., todos originados do quimbundo: *guingombô, gombô, quibombô, quibombô, quigombô, quibombô, quimbombô, quimgobô, quingombô, quingombô*.]

quiabo-azedo. *S. m.* V. *caruru-azedo.* [Pl. *quiabos-azedos*.]

quiabo-cheiroso. *S. m. Bras., Amaz.* e *BA.* Subarbusto hirsuto da família das malváceas (*Hibiscus abelmoschus*). As folhas têm pecíolos longos e três a quatro lobos lanceolados e acuminados, serreados na margem. Flores solitárias, grandes e belas, de pétalas amarelas com mancha purpúrea na base. As cápsulas medem de 5 a 7 cm e são revestidas de pêlos rígidos. [Pl.: *quiabos-cheirosos*.]

quiaborana. [De *quiabo* + *-rana*.] *S. f. Bras.* Designação comum a ervas da família das malváceas (*Malachra fasciata* e *M. ruderalis*), originárias do México, de folhas lobadas, amplas e pilosas, flores pequenas, vermelhas, providas de grandes brácteas, e fruto seco, minuto. Não têm nenhum préstimo.

quiaborana-de-espinho. *S. f. Bras., Amaz.* Erva ou arbusto da família das malváceas (*Malachra fasciata*), de ampla dispersão, cujo caule é coberto de cerdas rígidas e verdes, cujas flores são alvas e vistosas, e que fornece fibra utilizável. [Pl.: *quiaboranas-de-espinho*.]

quiaborana-lisa. *S. f. Bras.* Planta da família das malváceas (*Malachra ruderalis*). [Pl.: *quiaboranas-lisas*.]

quiabo-róseo. *S. m.* V. *caruru-azedo.* [Pl.: *quiabos-róseos*.]

quiabo-roxo. *S. m.* V. *caruru-azedo.* [Pl.: *quiabos-roxos*.]

quiáltera. [Do lat. *sesquialtera*, 'que contém outro tanto e mais a metade; uma e meia'. A primeira sílaba foi confundida com o num. lat. *sex*, 'seis'.] *S. f. Mús.* Redução ou ampliação ocasional do valor das notas que formam uma unidade de tempo ou de compasso. [Os grupos de quiálteras chamam-se *tresquiálteras, quatroquiálteras, cincoquiálteras, sesquiálteras*, etc., conforme o número de figuras que os constituem, e costumam ser ligados por um arco ou um colchete. Cf. *sesquiáltera*.]

quiara. *S. m. Bras.* V. *rato-d'água.*

quiasma. [Do gr. *chiásma*, 'disposição em forma da letra grega < (qui), cruzamento'.] *S. m.* **1.** *Gram.* Construção anômala, originada do cruzamento de construções normais; cruzamento sintático, contaminação sintática. Ex.: "O homem que é forte / Não teme da morte; / Só teme fugir" (Gonçalves Dias, *Obras Poéticas*, II, p. 42). [A prep. *de*, em "Não teme da morte", provém do cruzamento das construções normais *não teme a morte* e *não tem medo da morte*.] **2.** *Anat.* Cruzamento ou decussação de duas formações anatômicas. **3.** *Ret.* V. *quiasmo.* **4.** *Genét.* Configuração que assumem os cromossomos homólogos durante um processo de permuta (3), na primeira divisão meiótica. ♦ **Quiasma óptico.** *Anat.* Pequena formação quadrangular, semelhante a um X, na qual os nervos ópticos parcialmente se juntam e se cruzam.

quiasmo. [Do gr. *chiasmós*, 'ação de dispor em cruz'.]

S. m. Ret. Figura de estilo pela qual se repetem palavras invertendo-se-lhes a ordem; conversão. Ex.: "Ignotas armas e tecidos ignotos cobrem-lhe o corpo." (José de Alencar, *Iracema*, p. 51); "Tinhas a alma de sonhos povoada, / E a alma de sonhos povoada eu tinha." (Olavo Bilac, *Poesias*, p. 126).

quiastro. [Do gr. *chiázo*, 'cruzar', pelo fr. *chiastre*.] *S. m.* Ligadura em forma de X, que se usava nas fraturas dos membros inferiores.

quiba. [Do quimb. *kiba*, 'pele, couro'.] *Adj. 2 g. Bras.* Forte, robusto. ~ V. *quibas*.

quibaana. *Bras. S. 2 g.* **1.** Indivíduo dos quibaanas, indígenas do N. ● *Adj. 2 g.* **2.** Pertencente ou relativo a essa tribo.

quibaca. [Do quimb. *kibaka*, 'ombreira'.] *S. f. Bras.* Tibaca [q. v.].

quibandar. *V. t. d. Bras.* Agitar (o arroz, o café, etc.) com o quibando, para sessá-los ou peneirá-los.

quibando. [Do quimb. *kibandu*.] *S. m. Bras., N.* Espécie de peneira grossa de palha para sessar o arroz, o café, etc. [Var.: *quibano*.]

quibano. *S. m. Bras., N.* Var. de *quibando*.

quibas. [Do quimb. *kiba*, 'pele, couro'; no pl.] *S. m. pl. Bras. Chulo.* Testículos. ~ V. *quiba*.

quibe. [Do ár.] *S. m.* Iguaria da culinária árabe, geralmente feita de carne moída e trigo integral, e temperada com hortelã-pimenta e outros condimentos.

quibebe (ê ou é). [Do quimb. *kibebe*.] *Bras. S. m.* **1.** Papa de abóbora. **2.** Prato preparado com grelos de aboboreira. ● *Adj. 2 g.* **3.** Da consistência do quibebe.

quibitca. [Do russo.] *S. f.* Tipo de tenda, de forma cilindro-cupular, usada pelos calmucos, povo mongólico da Ásia Central.

quibombó. *S. m. Bras.* V. *quiabo*.

quibombô. *S. m. Bras.* V. *quiabo*.

Quibuco. [Do ioruba.] *S. m. Bras., BA. Folcl.* Representação de Xangô nos candomblés de influência banto.

quibungo. [De provável or. indígena.] *S. m. Bras., MG.* Baile de negros.

quiçá. [Dos ant. *quiçab* e *quiçabe*, alter. de *qui sabe*, 'quem sabe'.] *Adv.* Talvez, porventura; quem sabe: "A tapeçaria e alfaias da casa eram de uma suntuosidade que se não encontra hoje igual, não só em toda a província, mas quiçá em nenhuma vivenda rural do império." (José de Alencar, *O Sertanejo*, p. 53.)

quiçaba. [De provável or. tupi.] *S. f. Bras.* Pote ou talha de barro; porrão, igaçaba.

quiçaça. [Do quimb. *kisada*, 'moita, ramo'.] *S. f. Bras., SP.* Terra árida, ruim, caracterizada sobretudo por vegetação xerófila, mato baixo e espinhento, espécie de capoeira de paus tortuosos e ásperos. ♦ **Derreter na quiçaça.** *Bras., SP. Pop.* V. *fugir* (1 e 2).

quiçama. *S. m. Bras., RJ.* Var. de *quiçamba* [q. v.].

quiçamã. [De or. afr.] *S. m.* **1.** *Bras.* Mingau de polvilho ou de goma de mandioca. **2.** Variedade de cana-de-açúcar.

quiçamba. [Do quimb. *kisambu*, 'samburá grande'.] *S. f. Bras., SP.* Espécie de jacá, de uso caseiro, feito de taquara. [Var.: *quiçama*.]

quiçameiro. *S. m. Bras., RJ.* Fabricante de quiçamas.

quiçanje. *S. m.* Instrumento de origem africana.

quicar. [Voc. onom.?] *V. int.* **1.** *Bras.* Saltar, pular (a bola): "Na falta cobrada por Edinho, ... a bola ultrapassou a barreira, quicou a um metro de Mazaropi, resvalou no braço do goleiro e entrou." (*Jornal do Brasil*, 1.12.1980.) **2.** Bater ou tocar uma bola na outra (bolas de gude, etc.). **3.** *Fam.* Ficar muito irritado, furioso; ficar uma bala. *T. d.* **4.** *Bras.* Fazer quicar (a bola): *O jogador quicou a bola e fez uma bela cesta.* [Conjug.: v. *trancar*.]

quicé. [Do tupi *ki'sé*; var.: *quicê, quecé, quecê*.] *S. f.* e *m. Bras., N.E.* V. *caxirenguengue*: "Picou fumo com a quicé na palma grossa da mão." (Gustavo Barroso, *Heróis e Bandidos*, pp. 123-124.)

quicê. [Var. de *quicé* (q. v.).] *S. f.* e *m. Bras., N.E.* V. *caxirenguengue*.

quichaça. [Alter. de *cachaça*.] *S. f. Bras. Pop.* Teimosia, mania, paixão; cachaça.

➧**quiche.** [Fr.] *S. f.* Iguaria feita com massa podre, recheio à base de ovos e creme ao qual se adicionam pedacinhos de toucinho defumado, e que não leva cobertura.

quíchua. [Do quíchua *k'eshua*, 'região temperada da serra', atr. do esp. *quichua*.] *S. 2 g.* **1.** Indivíduo dos quíchuas, povo indígena que habitava extensa região da América do Sul. *S. m.* **2.** Importante língua indígena sul-americana ainda hoje falada na Bolívia, Argentina, Equador e Peru, e que foi língua geral do antigo império inca. ● *Adj. 2 g.* **3.** Pertencente ou relativo aos quíchuas.

quício. [Do esp. *quicio*.] *S. m.* V. *gonzo* (1): "a pesada porta rangeu sobre os quícios" (Arnaldo Gama, *O Balio de Leça*, p. 118).

quico. *S. m. Bras., Centro de MG e de SP.* V. *cigano* (1).

quicuca. [De possível or. tupi.] *S. f. Bras., PE.* V. *cuca*^{5}.

➧**quid** (qüid). [Lat. pron. interrogat. = 'quê?'] *S. m.* O ponto difícil; o busílis.

➧**quid inde?** (qüindínde). [Lat.] Daí? E então? Qual a conseqüência disso?

➧**quid juris?** (qüid júriç). [Lat.] Qual é (a opinião) do Direito? Isto é, qual a solução proposta pela Jurisprudência?

qüídam. [Do lat. *quidam*, 'certo'.] *S. m. Bras.* Pessoa pouco importante; passanito. ♦ **Um qüídam.** Uma pessoa indeterminada; um tal; um fulano.

qüididade. [Do lat. escolástico *quidditate*.] *S. f.* **1.** A essência de uma coisa; qualidade essencial. **2.** O conjunto das condições que determinam um ser particular.

qüididativo. [Do lat. escolástico *quidditativu*.] *Adj.* Referente à qüididade.

quiescente. [Do lat. *quiescente*.] *Adj. 2 g.* **1.** Que está em descanso. **2.** Que está sereno; tranqüilo. ~ V. *ponto — e protuberância —*.

quietação. *S. f.* **1.** Ato ou efeito de quietar(-se). **2.** Estado de quem ou do que se acha quieto; estado de quietude; sossego, tranqüilidade, serenidade, calma: "Senhor! Ao pé do lar, na quietação, na calma, / Pode a flama subir brilhante, loura, eterna" (Castro Alves, *Poesias Escolhidas*, p. 104). **3.** Comedimento, modéstia. **4.** Paz, concórdia.

quietar. [Do lat. *quietare*.] *V. t. d.* **1.** Fazer estar quieto; dar descanso a; tranqüilizar; aquietar. *Int.* e *p.* **2.** Ficar quieto; aquietar(-se): "Deitou-se, quietou, alegrou-se." (Fr. Luís de Sousa, *História de S. Domingos*, I, pp. 173-174); "Ainda tremia. Quietava um pouco mas a tremura logo voltava." (Luís Vilela, *Tremor de Terra*, p. 49).

quietarrão. *Adj. Fam.* Muito quieto; muito sossegado e calmo. **2.** De poucas conversas; caladão. [Fem.: *quietarrona*.]

quietarrona. *Adj. (f.)* Fem. de *quietarrão*. [q. v.].

quiete. [Do late. *quiet*.] *S. m. Poét.* Sossego, tranqüilidade, quietação: "Rolas mariscavam à beira do rancho, confiadas no quiete daquele abrigo sempre deserto" (Coelho Neto, *Banzo*, p. 109).

quietez (ê). [De *quieto* + *-ez*.] *S. f.* V. *quietude*: "trançou os braços na cintura da Paulina, que lhe acenou com um mais que pequeno sinal de silêncio e quietez" (Valdomiro Silveira, *Os Caboclos*, pp. 121-122).

quieteza (ê). *S. f.* V. *quietude*: "Calma, sempre séria, nunca loquaz, ela ficava um tempão danado quieta na cozinha, numa quieteza tão humilde e vegetal que a gente tinha a impressão de que ela se dissolvia no ambiente." (Bernardo Élis, *Veranico de Janeiro*, p. 88.)

quietismo. [Do fr. *quiétisme*.] *S. m.* **1.** Doutrina mística, especialmente difundida na Espanha e na França no séc. XVII, segundo a qual a perfeição moral consiste na anulação da vontade, na indiferença absoluta, e na união contemplativa com Deus. **2.** Quietação, sossego. **3.** Imobilidade, indiferença, apatia.

quietista. [Do fr. *quiétiste*.] *Adj. 2 g.* **1.** Relativo ao, ou que é sectário do quietismo. ● *S. 2 g.* **2.** Sectário do quietismo.

quietitude. [De *quieto*, com infl. de, p. ex., *beatitude*.] *S. f.* V. *quietude*: "Sol imenso, quietitude infinita, vegetações estáticas" (Pina de Morais, *Sangue Plebeu*, p. 160.)

quieto. [Do lat. *quietu*.] *Adj.* **1.** Que não se mexe; que não bole; imóvel, parado, quedo: "As gameleiras .... estão quietas e mudas, sem uma só palpitação de folha" (Olavo Bilac, *Crítica e Fantasia*, p. 39); "A água quieta do Tejo te abençoa." (Augusto dos Anjos, *Eu*, p. 72). **2.** Que tem comedimento de maneiras. **3.** Tranqüilo, calmo, sossegado, sereno, plácido; quedo: "Torna a dormir quieto e sossegado." (Luís de Camões, *Os Lusíadas*, VIII, 48); *noite quieta; atitude quieta.* **4.** Dócil, manso. pacífico: *criança quieta.* **5.** Suave, brando, delicado. ● *S. m.* **6.** *Bras., MG.* Vida tranqüila.

quietude. [Do lat. *quietudine*.] *S. f.* **1.** Qualidade ou estado de quieto. **2.** Sossego, paz; tranqüilidade suave; quietação: "Estas manifestações e as arruaças dos estudantes eram as únicas coisas que sacudiam a quietude das ruas de Belo Horizonte." (Pedro Nava, *Beira-Mar*, p. 288.) **3.** Lugar ou região tranqüila, quieta, solitária: "Prometem-vos (quem sabe?!) entre os ciprestes, / Longe da mancebia dos alcouces, / Nas quietudes nirvânicas mais doces, / O noivado que em vida não tivestes!" (Augusto dos Anjos, *Eu*, p. 61.) [F. paral.: *quietitude*. Sin. ger.: *quietez, quieteza*.]

quifosídeo. *S. m.* **1.** Espécime dos quifosídeos. ● *Adj.* **2.** Pertencente ou relativo a eles.

quifosídeos. *S. m. pl. Zool.* Família de peixes teleósteos, percomorfos, marinhos, de forma rombóide, podendo alcançar 1 m de comprimento. Vivem nos fundos pedregosos e lamacentos. Ex.: a piraboca.

quigombó. *S. m. Bras.* V. *quiabo*.

quigombô. *S. m. Bras.* V. *quiabo*.

quiinácea. *S. f.* Espécime das quiináceas.

quiináceas. *S. f. pl. Bot.* Família de plantas floríferas, da ordem das parietales, constituída de arbustos e árvores com folhas opostas e estipuladas, e pequenas flores racemosas. A família, pequena, é americana, e destituída de importância.

quiináceo. *Adj.* Pertencente ou relativo às quiináceas.

quiijara. [De or. indígena.] *S. f. Bras.* Rato silvestre, que vive de preferência nos taquarais.

quijila. *S. f. P. us.* V. *quizila*.

quijuba. [Do tupi *wi'rá yuba*, 'ave amarela'.] *S. f. Bras., PA.* Ave psitaciforme, da família dos psitacídeos (*Aratinga solstitialis* (L.)), da Guiana e N. do AM e PA. Tem coloração geral amarela, cabeça, tórax, abdome e sacro amarelos, grandes retrizes com bases verdes e pontas azuis, e rêmiges com centro azul margeado de verde. [Sin.: *cacaué, queci-queci*.]

quilaia. *S. f.* Árvore da família das rosáceas (*Quilaja saponaria*), nativa no Peru e no Chile. A casca é rica em saponina, substância tóxica para o homem, conquanto usada em terapêutica, e o povo a emprega na lavagem de roupas, em lugar do sabão, porque espuma intensamente.

quilatação. *S. f.* Ato ou efeito de quilatar.

quilatar. [De *quilate* + *-ar*^{2}.] *V. t. d.* e *p.* V. *aquilatar*.

quilate. [Do gr. *kerátion*, 'chifrezinho', atr. do ár. *quirat* e do arc. *quirate*.] *S. m.* **1.** Teor de ouro de uma liga metálica, expresso em 24 avos da massa da liga. [O ouro de 18 quilates caracteriza uma liga que contém 75% de ouro, e o ouro puro é dito de 24 quilates.] **2.** Peso equivalente a 199 miligramas. **3.** *Fig.* Grau de excelência, valor, superioridade, perfeição: "apesar de seu elevado quilate literário, participam [as crônicas de Antônio Torres] de um caráter jornalístico que levará o grande público a pouco se interessar por elas hoje." (Brito Broca, *Horas de Leitura*, p. 245). ♦ **Quilate métrico.** Peso ou massa de dois decigramas.

quilateira. [De *quilate* + *-eira*.] *S. f.* Instrumento semelhante a uma peneira, com o qual se avalia o quilate das pedras preciosas, de acordo com seu volume.

quilelê. *S. m. Bras., PE. Gír.* V. *quelelê*.

quilemia. [De *quil(o)-*^{1} + *-(h)em(o)-* + *-ia*.] *S. f. Patol.* Presença de substâncias do quilo^{1} no sangue.

quilêmico. *Adj.* Relativo à quilemia.

quilgramento. [De um v. **quilgramar* (de *quilograma* + *-ar*^{2}) + *-mento*, com síncope e haplologia.] *S. m. Bras., AM.* O peso de uma rês em quilogramas.

quilha. [Do fr. *quille*.] *S. f.* **1.** *Constr. Nav.* Peça estrutural básica do casco de uma embarcação, disposta na parte mais baixa do seu plano diametral, em quase todo o seu comprimento, e sobre a qual assentam as cavernas, a roda de proa e o cadaste. **2.** *Fig. Ant.* Navio: *A frota era forte de 20 quilhas.* **3.** *Morfol. Veg.* Peça da corola papilionada, resultante da união das duas pétalas inferiores, e cuja forma lembra a quilha de um navio; carena. ♦ **Quilha dorsal.** *Zool.* O encontro das partes laterais da carapaça dos quelônios; crista dorsal.

quilhar. *V. t. d. Desus.* Assentar na carreira a quilha de (a embarcação).

▲**quili-.** [De *quilo*^{1}.] *El. comp.* = 'quilo^{1}': *quilífero*. [Equiv.: *quil(o)-*^{1} e *-quil(o)-*^{1}: *quilologia*.]

quilíada. *S. f.* Var. de *quilíade*.

quilíade. [Do gr. *chiliás, ádos*, 'milhar^{1}', pelo lat. *chiliade*.] *S. f.* Um milhar^{1}. [Var.: *quilíada*.]

quiliarca. *S. m.* V. *quiliarco*.

quiliarco. [Do gr. *chilíarchos*, pelo lat. *chiliarcu*.] *S. m.* Chefe de quiliarquia.

quiliare. [Do gr. *chílioi*, mil', + *-are*, atr. do fr. *kiliare*.] *S. m.* Medida agrária de mil ares.

quiliarquia. [Do gr. *chiliarchía*.] *S. f.* Formatura de 1.204 homens na falange macedônica.

quiliasmo. [Do gr. *chiliás*, 'mil'.] *S. m.* Milenarismo.

quiliasta. [Do gr. *chiliás*, 'mil'.] *Adj. 2 g.* e *s. 2 g.* Milenarista.

quilífero. [De *quili-* + *-fero*.] *Adj.* e *s. m. Anat.* e *Fisiol.* **1.** Formador de quilo^{1}. **2.** Condutor de quilo^{1}. [Cf. *quelífero*.]

quilificação. [De *quilificar* + *-ção.*] *S. f. Fisiol.* Formação do quilo[1]; digestão intestinal.
quilificar. [De *quili-* + *-ficar.*] *V. t. d.* Converter em quilo[1]. [Conjug.: v. *trancar.*]
quilificativo. *Adj.* Que produz ou elabora o quilo[1]; que quilifica.
quilim. *S. m. Bras, SE.* V. *tuim.*
▲quilio-. [Do gr. *chílioi, ai, a.*] *El. comp.* = 'mil': *quiliógono.* [Equiv.: *quil(o)-*[3]: *quilograma.*]
quiliógono. [De *quilio-* + *-gono*[1].] *S. m. Geom.* Polígono regular de 1.000 lados.
quilite. [De *quil(o)-*[2] + *-ite*[1].] *S. f. Med.* Inflamação de lábio bucal, que pode ter causas variadas (como, p. ex., infecciosas, alérgicas, ou provenientes de irradiações) e apresentar-se sob aspectos diversos (como eritemas, vesículas, eczemas). [A f. *queilite,* embora em uso, é condenada.] [Cf. *quilose.*]
quilo[1]. [Do gr. *chylós,* 'suco'.] *S. m.* Líquido esbranquiçado a que ficam reduzidos os alimentos na última fase da digestão nos intestinos. [Compõe-se de proteínas, gorduras, eletrólitos, e é estéril, além de conter, também, linfócitos.]
quilo[2]. *S. m. Fís.* V. *quilograma*[1].
quilo[3]. *S. m. Fís.* F. red. de *quilograma-força* [q. v.].
▲quil(o)-[1]. Equiv. de *quili-.*
▲quil(o)-[2]. [Do gr. *cheîlos, eos-ous.*] *El. comp.* = 'lábio': *quilose, quiloplastia.* [Equiv.: *quel(o)-* e *-quil(o)-*[2]: *lagoquilia.*]
▲quil(o)-[3] [Equiv. de *quilio-.*] Pref. que, anteposto ao nome duma unidade de medida, forma o nome duma unidade derivada 1.000 vezes maior que a primeira. [Símb.: *k.*]
▲-quil(o)-[1]. V. *quili-.*
▲-quil(o)-[2]. V. *quil(o)-*[2].
quilocaloria. [De *quil(o)-*[1] + *caloria.*] *S. f. Fís.* Grande-caloria.
quilocaule. [De *quil(o)-*[1] + *caule.*] *Adj. 2 g. Morfol. Veg.* Provido de caule suculento.
quilociclo. [De *quil(o)-*[3] + *-ciclo.*] *S. m. Fís.* V. *quilohertz.* [Abrev.: *kc.*]
quilofagia. [De *quil(o)-*[2] + *-fag(o)-* + *-ia.*] *S. f.* Vício de morder os lábios continuamente.
quilofágico. *Adj.* Referente à quilofagia.
quilófago. [De *quil(o)-*[2] + *-fago.*] *S. m.* Aquele que tem quilofagia.
quilofilo. [De *quil(o)-*[1] + *-filo*[1].] *Adj. Morfol. Veg.* Que tem folhas suculentas.
quilófito. [De *quil(o)-*[1] + *-fito.*] *S. m. Morfol. Veg.* Vegetal suculento.
quilógnato. [De *quil(o)-*[2] + *-gnato.*] *Adj.* e *s. m.* Diplópode.
quilógnatos. *S. m. pl. Zool.* Diplópodes.
quilograma[1]. [De *quil(o)-*[3] + *grama*[2], atr. do fr. *kilogramme.*] *S. m. Fís.* Unidade fundamental de medida de massa, no Sistema Internacional: é a massa do protótipo internacional constituído por um cilindro de platina e 10% de irídio depositado no Bureau International de Pesos e Medidas (Paris). [Tb. se diz, apenas e impr., *quilo.* Símb.: *kg.*]
quilograma[2]. *S. m.* F. red. de *quilograma-força* [q. v.].
quilograma-força. *S. m. Fís.* Unidade de medida de força, igual ao peso dum quilograma sujeito à ação da força normal da gravidade, e equivalente a 9,80665 N. [Tb. se diz apenas *quilograma* ou *quilo.* Símb.: *kgf.* Pl.: *quilogramas-forças* e *quilogramas-força.*]
quilogrâmetro. [De *quilograma* + *-metro.*] *S. m. Fís.* Unidade de medida de energia, equivalente ao trabalho realizado por uma força constante igual a um quilograma-força cujo ponto de aplicação se desloca de uma distância igual a um metro na direção da força, e equivalente a 9,80665 N. [Símb. *kgfm.*]
quilohertz. [De *quil(o)-*[3] + *hertz.*] *S. m. Fís.* Unidade de medida de freqüência, igual a 1.000 hertz. [Símb.: *kHz.* Tb. se diz impr. *quilociclo.*]
quilolitro. [De *quil(o)-*[3] + *litro,* atr. do fr. *kilolitre.*] *S. m.* Unidade de capacidade, equivalente a 1.000 litros. [Abrev.: *kl.*]
quilologia. [De *quil(o)-*[1] + *-log(o)-* + *-ia.*] *S. f. Med.* Tratado sobre o quilo[1].
quilológico. *Adj.* Respeitante à quilologia.
quilombo. [Do quimb. *kilombo,* 'capital, povoação, união'.] *S. m. Bras.* **1.** Valhacouto de escravos fugidos. [Cf. *mocambo* (1).] **2.** *Folcl.* Folguedo, usado no interior de AL durante o Natal, em que dois grupos numerosos, figurando negros fugidos e índios, vestidos a caráter e armados de compridas espadas e terçados, lutam pela posse da rainha índia, acabando a função pela derrota dos negros, vendidos aos espectadores como escravos; toré, torém. ◆ **Quilombo dos Palmares.** Quilombo (1) constituído de negros fugidos, os quais, no séc. XVII, se estabeleceram no interior de AL, formando uma república. [Tb. se diz apenas *Palmares.*]
quilombola. *S. m. Bras.* Designação comum aos escravos refugiados em quilombos; calhambola, calhambora, canhambola, canhambora, canhembora. [Cf. *mocamau.*]
quilometragem. *S. f.* **1.** Ação ou efeito de quilometrar. **2.** Número de quilômetros percorridos.
quilometrar. *V. t. d.* Medir ou marcar por quilômetros. [Pres. ind.: *quilometro,* etc. Cf. *quilômetro.*]
quilométrico. *Adj.* **1.** Que tem um quilômetro. **2.** Que se mede por quilômetros. **3.** Relativo a quilômetro. **4.** *Bras. Fig.* Demasiado extenso ou comprido: *discurso quilométrico;* "Chamo-me José Joaquim Marinho de Albuquerque Matos. Nome comprido. Era moda .... a ostentação desses nomes *quilométricos.*" (Luís Martins, *A Girafa de Vidro,* p. 13); "o padeiro me deixava à porta um pão *quilométrico,* do qual eu comia apenas uma pontinha" (Fernando Sabino, *A Falta Que Ela Me Faz,* p. 44). ~ V. *marco* —.
quilômetro. [De *quil(o)-*[3] + *metro,* atr. do fr. *kilomètre.*] *S. m.* **1.** Medida itinerária equivalente a 1.000 metros. **2.** *Bras.* Trecho de estrada compreendido entre dois marcos de quilometragem: *Trabalha no quilômetro 47 da Rio—São Paulo.* [Símb.: *Km.* Cf. *quilometro,* do v. *quilometrar.*]
quiloparsec. *S. m. Astron.* Unidade de medida de distâncias astronômicas, igual a mil parsecs, ou seja, 3.261,6 anos-luz.
quiloplastia. [De *quil(o)-*[2] + *-plast-* + *-ia.*] *S. f. Cir.* Intervenção cirúrgica plástica em lábio.
quiloplástico. *Adj.* Relativo à quiloplastia.
quilópode. [Do gr. *chiliópous, odos.*] *S. m.* **1.** Espécime dos quilópodes. ● *Adj. 2 g.* **2.** Pertencente ou relativo a eles. [Sin. ger.: *singnato.*]
quilópodes. *S. m. pl. Zool.* Animais miriápodes, opistogoniados, da subclasse *Chilopoda,* de corpo alongado, achatado, número variável de segmentos, entre 15 e 173, cada um com um par de patas, e as patas do primeiro segmento transformadas em maxilípedes. São as lacraias. [Sin.: *singnatos.*]
quilose. [De *quil(o)-*[2] + *-ose.*] *S. f. Med.* Lesão caracterizada por aparecimento de fissuras e descamação seca em lábio bucal, e que indica deficiência de riboflavina. [A f. *queilose,* embora de uso, é condenada.] [Cf. *quilite.*]
quiloso (ô). *Adj.* Relativo a quilo[1].
quilostomado. [De *quil(o)-*[2] + *-stomo-* + *-ado*[1].] *S. m.* **1.** Espécime dos quilostomados. ● *Adj.* **2.** Pertencente ou relativo a eles.
quilostomados. *S. m. pl. Zool.* Animais briozoários gimnolemados, da ordem *Cheilostomata,* cujos zoécios são quitinosos ou calcários, sendo os ectocistos fechados por um opérculo.
quilotado. [Part. de *quilotar.*] *Adj.* Que se quilotou; enegrecido ou amarelado pelo fumo: "bigode arrepiado, maltratado e *quilotado* ao fumo do cigarro que lhe não deixava a boca." (Rodrigo Otávio, *Minhas Memórias dos Outros,* p. 242).
quilotar. [Provavelmente do fr. *culotter,* 'revestir o fornilho de (o cachimbo), pelo hábito de fumá-lo, de uma espécie de crosta negra'.] *V. t. d. Bras.* **1.** Enegrecer (o cachimbo, a piteira, os dedos, etc.), fumando. *P.* **2.** Aquilotar-se.
quiloton. [De *quil(o)-*[3] + *ton(elada).*] *S. m. Fís.* Unidade utilizada para avaliar a energia que se desprende numa explosão nuclear, e equivalente à energia libertada na explosão de 1.000 toneladas de trinitrotolueno ou aproximadamente à liberação explosiva de 10^{12} calorias.
quilovolt-ampère. *S. m. Eletr.* Unidade utilizada especialmente para medir a potência aparente em circuitos de corrente alternada, e que é igual à potência aparente dum circuito capaz de fornecer ou de receber uma corrente de um ampère na tensão de 1.000 volts. [Símb.: *kVA.* Pl.: *quilovolts-ampères.*]
quilowatt (uóte). [De *quil(o)-*[3] + *watt.*] *S. m. Eletr.* Unidade de medida de potência ativa em circuitos elétricos de corrente alternada, igual a 1.000 watts [Símb.: *kW.*]
quilowatt-hora. *S. m.* Unidade de energia usada habitualmente para designar o consumo de instalações elétricas. [Símb.: *kWh.* Pl.: *quilowatts-horas.*]
quiluria. *S. f. Med.* V. *quilúria.*
quilúria. [De *quil(o)-*[1] + *-ur(o)-*[2] + *-ia.*] *S. f. Med.* Presença de gordura na urina, o que a esta dá um aspecto leitoso, semelhante ao do quilo[1]. [Var. pros.: *quiluria.* Sin.: *uroquilia,* f. preferível, mas p. us., e *galactúria,* desus.]
quilúrico. *Adj.* **1.** Relativo à, ou que sofre de quilúria. ● *S. m.* **2.** Aquele que sofre de quilúria.
quimana. [De provável or. afr.] *S. f. Bras.* Iguaria feita de gergelim, farinha e sal.
quimanga. [Do quimb. *kimanga,* 'alcofa, cesto'.] *S. f. Bras., N.E.* Cabaça ou vasilha feita com quengos de coco, na qual os jangadeiros levam comida para o mar.
quimano. *S. m. Bras., RS.* Quipoqué.
quimão. *S. m.* V. *quimono:* "Veste o *quimão* de cambraia, / Mostra-te ao fulgor lunar." (Manuel Bandeira, *Estrela da Vida Inteira,* p. 26.)
quimbanda. [Do quimb. *kimbanda,* 'curandeiro'.] *S. m.* **1.** Em Benguela, adivinho ou médico indígena. **2.** *Bras.* Grão-sacerdote do culto banto, simultaneamente médico, feiticeiro e adivinho. **3.** Local de macumba. **4.** Processo ritual de macumba.
quimbandeiro. *S. m. Bras.* Feiticeiro, pai de quimbanda. (4).
quimbembe. [De provável or. afr.] *S. m. Bras., N.* **1.** V. *cabana.* **2.** Rancho de palha. ~ V. *quimbembes.* ● *Adj. 2 g.* **3.** *Bras., N.* Pobre, mal vestido.
quimbembé. [De possível or. afr.] *S. m. Bras., N.* Espécie de aluá preparado com milho.
quimbembeques. [De possível or. afr.] *S. m. pl. Bras., N.* Berloques, penduricalhos que as crianças usam ao pescoço; quimbembes.
quimbembes. [De possível or. afr.] *S. m. pl. Bras., N.* **1.** V. *cacaréus.* **2.** Quimbembeques. ~ V. *quimbembe.*
quimbete (ê). [De or. afr.] *S. m. Bras. MG.* Certa dança de negros: "— Isto é o tatu, isto é a saramba, isto é o *quimbete,* isto é a tirana, ... isto é .... o corta-jaca, o fandango, o sarrabalho?" (Martins Fontes, *A Dança,* p. 90.)
quimbombó. *S. m. Bras.* V. *quiabo.*
quimbombô. *S. m. Bras.* V. *quiabo:* "Comer efó, / pimenta, jiló! / Iaiá me coma, / sou *quimbombô!*" (Jorge de Lima, *Obra Completa,* I, p. 295.)
quimbundo. [Do quimb. *kimbundu.*] *S. m.* **1.** Indivíduo dos quimbundos, indígenas bantos de Angola. **2.** A língua desses indígenas. [V. *bundo* (1 e 2).] ● *Adj.* **3.** V. *bundo* (5 e 6).
quimera. [Do gr. *chimáira,* pelo lat. *chimaera.*] *S. f.* **1.** Monstro fabuloso, com cabeça de leão, corpo de cabra e cauda de dragão. **2.** Produto da imaginação; fantasia, utopia, sonho: *as quimeras do amor;* "Mas a Arte, o lar, um filho, Antônio? Embora! / *Quimeras,* sonhos, bolas de sabão." (Antônio Nobre, *Só,* p. 134). **3.** Incoerência, incongruência, absurdo. **4.** *Morfol. Veg.* Planta, ou parte dela, formada de vários tecidos geneticamente diferentes. **5.** *Bras.* Peixe elasmobrânquio holocéfalo, da família dos calorrinquídeos (*Callorhynchus callorhyncus* (L.)), do Atlântico, de corpo alongado (aproximadamente 0,60 m), boca prolongada em apêndice cartilaginoso, nadadeiras peitorais muito desenvolvidas. Alimenta-se de moluscos e crustáceos, e freqüenta águas profundas. [Sin. nesta acepç.: *quimera-antártica, peixe-coelho, peixe-elefante, acagual.*]
quimera-antártica. *S. f. Bras.* V. *quimera* (5). [Pl.: *quimeras-antárticas.*]
quimérico. *Adj.* **1.** Relativo a quimera. **2.** Que não existe realmente; irreal, fantástico, fictício, utópico: *idéias quiméricas.* **3.** Que toma a fantasia como realidade: *espírito quimérico.*
quimerista. *S. 2 g.* Pessoa que inventa quimeras.
quimerizar. *V. int.* **1.** Inventar quimeras ou fantasias; fantasiar. *T. d.* **2.** Imaginar ou supor quimericamente.
▲quim(i)-. [De *química.*] *El. comp.* = 'química': *quimiluminescência; quimiatria.* [Equiv.: *quimio-*: *quimioterapia.*]
▲quimi-. [De *quimo.*] *El. comp.* = 'quimo': *quimificar.*
quimiatra. [De *quim(i)-* + *-iatra.*] *S. 2. g.* Médico partidário da quimiatria.
quimiatria. [De *quim(i)-* + *-iatria.*] *S. f.* Iatroquímica.
quimiátrico. *Adj.* Referente à quimiatria.
química. [Fem. substantivado do adj. *químico.*] *S. f.* **1.** Ciência em que se estuda a estrutura das substâncias, correlacionando-a com as propriedades macroscópicas, e se investigam as transformações destas substâncias. **2.** Tratado ou compêndio desta ciência. **3.** Exemplar de um desses tratados ou compêndios. **4.** Conjunto de conhecimentos relativos a esta ciência, ou que têm implicações com ela, ministrados nas respectivas faculdades. ◆ **Química biológica.** V. *bioquímica.* **Química bromatológica.** Bromatologia. **Química fina.** Ramo da atividade de química industrial que elabora, a partir de insumos produzidos pelas indústrias químicas de base (p. ex., a petroquímica), substâncias mais complexas, destinadas a aplicações específicas. A química fina se caracteriza

por processos descontínuos, em várias etapas, e em pequena escala, visando produtos de alta relação preço/peso. [As substâncias ativas empregadas na indústria farmacêutica (fármacos), os catalisadores da indústria química e os reagentes de alta pureza usados em análises e pesquisas químicas são típicos produtos da química fina.] **Química fisiológica.** V. *bioquímica.* **Química industrial.** Parte da química que investiga os processos de fabricação dos produtos que se usam na indústria ou se destinam ao consumo. **Química inorgânica.** Divisão didática do campo de conhecimento e investigação da química que estuda os compostos de todos os elementos, exceto os do carbono (com poucas exceções, como o monóxido de carbono, o dióxido de carbono, p. ex.); química mineral. **Química médica.** A que estuda as substâncias minerais e orgânicas aplicáveis à medicina. **Química mineral.** Química inorgânica. **Química nuclear.** Parte da química que investiga os nuclídeos radioativos e seus compostos, e os efeitos das radiações sobre nuclídeos e seus compostos, utilizando os procedimentos usuais de identificação, de análise e de preparação adotados nos procedimentos químicos. **Química orgânica.** Divisão didática do campo de conhecimento e investigação da química, que estuda os compostos de carbono. **Fazer química.** *Bras.* **1.** Nas repartições públicas, empregar uma verba em destino diverso do determinado pela lei, em benefício do serviço, porém de modo irregular. **2.** Arranjar as coisas e situações de modo tendente a levá-las ao ponto desejado.

químico. [Do rad. do ár. *(al)kimia,* 'alquimia' + *-ico*[2].] *Adj.* **1.** Referente à química (1). **2.** Que se obtém por meio de química (1). ~ V. *bomba —a, cinética —a, combinação —a, conversão —a, corpo —, equilíbrio —, guerra —a, oceanografia —a, pasta —a, pólvora —a, potencial —, projetil —* e *rocha —a.* ● *S. m.* **3.** Indivíduo versado em química (1).

químico-físico. *Adj.* Relativo ao mesmo tempo à química e à física. [Pl.: *químico-físicos.*]

químico-industrial. *Adj. 2 g.* **1.** Relativo à química e à indústria. **2.** Relativo à química industrial. ● *S. m.* **3.** Título profissional que atribui ao seu possuidor prerrogativas fixadas em lei que lhe asseguram o direito do exercício de atividades nas indústrias de caráter químico. ● *S. 2 g.* **4.** Pessoa que tem esse título. [Pl.: *químico-industriais.*]

quimificação. *S. f.* Ato ou efeito de quimificar; conversão das substâncias alimentícias em quimo.

quimificar. [De *quim(i)-* + *-ficar.*] *V. t. d.* Converter em quimo. [Conjug.: v. *trancar.*]

quimiluminescência. [De *quim(i)-* + *luminescência.*] *S. f. Fís.-Quím.* Luminescência originada de reações químicas.

▲**quimio-.** Equiv. de *quim(i)-.*

quimiosfera. [De *quimio-* + *-sfera.*] *S. f. Geofís.* Camada atmosférica situada entre 32 e 80 km de altitude, e onde predominam as atividades fotoquímicas.

quimiossíntese. [De *quimio-* + *síntese.*] *S. f. Fisiol. Veg.* Síntese da matéria orgânica efetuada por meio da energia química. Ex.: as nitrobactérias usam a energia oriunda da conversão dos nitritos em nitratos. [Cf. *fotossíntese.*]

quimiossintético. *Adj. Fisiol. Veg.* Relativo à, ou resultante da quimiossíntese: *substância quimiossintética.*

quimiotactismo. [De *quimio-* + *tactismo.*] *S. m.* Quimiotaxia. [Var.: *quimiotatismo.*]

quimiotatismo. *S. m.* Var. de *quimiotactismo* [q. v.].

quimiotaxia (cs). [De *quimio-* + *-tax(i)(o)-* + *-ia.*] *S. f. Bacter.* Ação atrativa ou repulsiva demonstrada por certas células vivas em relação a outras células ou substâncias que exercem sobre aquelas uma influência química; quimiotactismo.

quimioterápia. [De *quimio-* + *terapia.*] *S. f. Terap.* Tratamento por meio de agentes químicos que, além de poder interferir de modo variável sobre a doença, são passíveis de causar efeitos tóxicos, de maior ou menor intensidade, no organismo do paciente.

quimioterápico. *Adj.* Referente à quimioterapia.

quimiotrópico. *Adj. Fisiol. Veg.* Relativo ao quimiotropismo.

quimiotropismo. [De *quimio-* + *tropismo.*] *S. m. Fisiol. Veg.* Tropismo relacionado com estimulantes químicos, como, p. ex., progressão do tubo polínico através do estilete, a qual depende da presença de certas substâncias.

quimismo. [De *quim(i)-* + *-ismo.*] *S. m.* **1.** Conjunto de combinações ou de composições de um organismo. **2.** Emprego abusivo da química (1).

quimissorção. [De *quim(i)-* + *sorção.*] *S. f. Fís.-Quím.* Sorção em que ocorrem reações químicas.

quimitipia. [De *quim(i)-* + *-tip(o)-* + *-ia.*] *S. f.* Processo químico que transforma a lâmina da gravura em baixo-relevo em outra de alto-relevo, acomodando-a à impressão.

quimiotípico. *Adj.* Referente à quimiotipia.

quimo. [Do gr. *chymós,* 'suco', pelo lat. *chymu.*] *S. m.* Massa pastosa em que se transformam os alimentos após a digestão no estômago.

quimono. [Do jap. *kimono,* pelo fr. *kimono.*] *S. m.* **1.** Túnica longa, cruzada na frente, de mangas largas, sem costura na cava, e que é usada no Japão pelos dois sexos. **2.** *Bras.* V. *penhoar:* "fascinava-me aquela mulher esquisita, a voz açucarada .... .E mais que tudo, o *quimono* de cetim, gordo de babados." (Renard Pérez, *Os Sinos. O Tombadilho,* p. 25). [Var.: *quimão, queimão.*]

quimosina. [De *quimo-* + *-oso-* + *-ina*[1].] *S. f.* Renina[2].

quina[1]. [Do lat. *quini, ae, a,* 'de cinco em cinco'.] *S. f.* **1.** Grupo de cinco objetos, em geral iguais; quinta. **2.** Carta, dado ou pedra de dominó com cinco sinais. **3.** Série horizontal de cinco números, no jogo de loto. **4.** *Heráld.* Cada um dos cinco escudos que figuram nas armas de Portugal. **5.** *Bras. Gír. Obsol.* Nota de 500 cruzeiros. **6.** *Bras.* V. *loto*[2].

quina[2]. [De *quinaquina.*] *S. f. Bras.* **1.** Arvoreta da família das rubiáceas *(Cinchona ledgeriana),* originária do Peru e notável por suas propriedades antitérmicas. **2.** Designação comum a numerosas plantas nativas (*falsa-quina, quina-mineira, murta-do-mato,* etc.) cuja casca é amarga e sem motivo reputada ativa contra febres e malária, por comparação à quina[2] (1). **3.** *P. ext.* A casca da quina (1 e 2). **4.** V. *murta-do-mato.*

quina[3]. [De *esquina,* por aférese.] *S. f.* **1.** V. *aresta* (1). **2.** Qualquer mudança brusca na direção de uma superfície plana ou de uma linha reta.

quina-amarela. [De *quina*[2] + o fem. do adj. *amarelo.*] *S. f.* Arvoreta da família das rubiáceas *(Cinchona calisaya),* originária do Peru e hoje muito cultivada na Indonésia como fonte de quinina [q. v.], de folhas grandes e flores vermelhas, sendo o fruto uma pequena cápsula. [Pl.: *quinas-amarelas.*]

quina-branca. [De *quina*[2] + o fem. do adj. *branco.*] *S. f. Bras.* V. *agoniada.* [Pl.: *quinas-brancas.*]

quina-cruzeiro. [De *quina*[2] + *cruzeiro.*] *S. f.* V. *espinho-de-são-joão.* [Pl.: *quinas-cruzeiros* e *quinas-cruzeiro.*]

quina-da-serra. [De *quina*[2] + *da* + *serra.*] *S. f. Bras.* Autuparana. [Pl.: *quinas-da-serra.*]

quina-de-cipó. [De *quina*[2] + *de* + *cipó.*] *S. f. Bras.* Cipó da família das loganiáceas (*Strychnos gardneri*), das matas úmidas, que, pelo sabor amargo da casca, é confundido com a quina[2] (1). [Pl.: *quinas-de-cipó.*]

quina-de-condamine. *S. f.* V. *carqueja-amargosa.* [Pl.: *quinas-de-condamine.*]

quina-de-santa-catarina. *S. f. Bras.* V. *cauaçu* (3). [Pl.: *quinas-de-santa-catarina.*]

quinado[1]. [De *quina*[1] + *-ado*[1].] *Adj.* **1.** Disposto em grupos de cinco, ou que forma um grupo de cinco. **2.** *Morfol. Veg.* Ordenado cinco a cinco: *folíolos quinados.*

quinado[2]. [De *quina*[2] + *-ado*[1].] *Adj.* **1.** Em que há quina[2] (3); preparado com quina[2] (3). ● *S. m.* **2.** Vinho quinado.

quina-do-paraná. [De *quina*[2] + *do* + o top. *Paraná.*] *S. f. Bras.* V. *cauaçu* (3). [Pl.: *quinas-do-paraná.*]

quinaldina. [De *quina*[2] + *ald(eído)* + *-ina*[1].] *S. f. Quím.* Líquido incolor, com ponto de ebulição a 246ºC, e que se obtém do alcatrão de hulha. [Fórm.: $C_{10}H_9N$.]

quina-mineira. [De *quina*[2] + o fem. de *mineiro*[2].] *S. f. Bras., L.* Árvore da família das rubiáceas (*Remijia ferruginea*), muito difundida. [V. *quina*[2] (2). Pl.: *quinas-mineiras.*]

quina-mole. *S. f.* V. *agoniada.* [Pl.: *quinas-moles.*]

quinanga. *S. f. Bras., N.E.* Vasilha de madeira, com a forma de balde, na qual os jangadeiros guardam a comida.

quinante. *Adj. 2 g. Heráld.* Que tem escudos semelhantes à quina[1] (4).

quinaquina. [Do quíchua *kinakina.*] *S. f.* V. *murta-do-mato.*

quinar[1]. [De *quina*[1] + *-ar*[2].] *V. int.* Ganhar na loto, preenchendo ou cobrindo com marcas uma série de cinco números; fazer uma quina[1] (3). [Fut. pret.: *quinaria,* etc. Cf. *quinária,* fem. de *quinário.* Sin., bras.: *visporar.*]

quinar[2]. [De *quina*[2] + *-ar*[2].] *V. t. d.* Preparar com quina[2] (3). [Fut. pret.: *quinaria,* etc. Cf. *quinária,* fem. de *quinário.*]

quinarana. [De *quina*[1] + *-rana.*] *S. f. Bras.* V. *acarirana.*

quinário. [Do lat. *quinariu.*] *Adj.* **1.** Que tem cinco. **2.** Divisível por cinco. **3.** *Mús.* Diz-se do compasso de cinco tempos, formado por um compasso binário e um ternário ou vice-versa. **4.** De cinco sílabas (verso); pentassílabo. **5.** De base cinco (sistema de numeração). ~V. *compasso —.* Fem.: *quinária.* Cf. *quinaria,* do v. *quinar.*]

quinau. [Talvez da frase lat. *quin autem...,* 'mas ao contrário...'.] *S. m.* **1.** Ato ou efeito de corrigir; corretivo, lição. **2.** Sinal com que se marcam os erros de aluno na lição. ♦ **Dar quinau em. 1.** Mostrar que errou; corrigir por palavras: *O aluno deu quinau no professor.* **2.** Passar à frente de; adiantar-se a; sobrelevar: *Muito estudioso, o caçula está dando quinau em todos os mais velhos.*

quina-vermelha. [De *quina*[2] + o fem. de *vermelho.*] *S. f.* Árvore da família das rubiáceas (*Cinchona succirubra*), semelhante à quina-amarela, inclusive pelas propriedades. [Pl.: *quinas-vermelhas.*]

quinca. *S. m. Bras., AL. Pop.* Var. de *quincas:* "Seu Antônio Justino, homem sem profissão, era *quinca,* marido de professora" (Graciliano Ramos, *Infância,* p. 47).

▲**quinca-.** V. *qüinqüe-.*

quincálogo. [De *quinca-* + *-logo.*] *S. m.* Os cinco mandamentos da Igreja.

quincas. *S. m. 2 n. Bras., AL. Pop.* Marido de professora; filipe: "Você vai casar comigo, mas no dia do casamento em diante não será mais professora. Será a mulher do tenente Anacleto. Não quero ser *quincas* para o resto de minha vida..." (Adalberon Cavalcanti Lins, *Curral Novo,* p. 276.) [Var.: *quinca.*]

quincha. [Do esp. plat. *quincha.*] *S. f. Bras., RS.* Cobertura de palha para casas ou para carretas.

quinchador (ô). [Do esp. plat. *quinchador.*] *S. m. Bras., RS.* Indivíduo que faz quincha, ou cobre ranchos ou carretas com quincha.

quinchar. [Do esp. plat. *quinchar.*] *V. t. d. Bras., RS.* Fazer a cobertura ou quincha de.

quincôncio. [Do fr. *quinconce.*] *S. m.* V. *quincunce.*

quincunce. [Do lat. *quincunce.*] *S. m.* **1.** Plantação de árvores dispostas em xadrez, uma em cada canto e uma ao centro. **2.** Grupo de cinco, formando quatro um quadrado e ficando um no centro.

quincuncial. [Do lat. *quincunciale.*] *Adj. 2. g.* **1.** Disposto em quincunce. **2.** *Morfol. Veg.* Diz-se da prefloração em que as peças do perianto estão dispostas numa espiral.

quindão. [De *quind(im)* + *-ão*[1].] *S. m. Bras.* Quindim (4) feito em fôrma grande.

qüindecágono. [De *qüin(qüe)* + *decágono.*] *S. m. Geom.* Polígono de quinze lados.

qüindênio. [Do lat. *quindeni,* 'em número de quinze', + *-io*[2].] *S. m.* **1.** Porção de quinze. **2.** Espaço de 15 anos. **3.** Quinzena[1] (1 e 2). [Cf. *qüinqüênio.*]

quindim. [Talvez de or. afr.] *S. m.* **1.** Graça petulante; requebro, dengue, donaire: *os quindins de iaiá.* **2.** Suavidade, encanto, meiguice. [Nestas acepçs., é talvez m. us. no pl.] **3.** Benzinho, amorzinho: *meu quindim.* **4.** *Bras.* Doce feito de gema de ovo, coco e açúcar: "os olhos-de-sogra, ... as castanhas cristalizadas, mil quitutes da 'Colombo', mil *quindins* da Tia Bá." (Martins Fontes, *Terras da Fantasia,* p. 21).

quindunde. *S. m. Bras., PE.* V. *piraúna* (1).

quinecu. *S. m. Bras.* Variedade de arroz.

quineira. [De *quina*[2] + *-eira.*] *S. f. Bras.* Denominação dada a várias rubiáceas que o povo considera febrífugas. [As quineiras legítimas são do gênero *Cinchona,* também rubiáceas (cf. *quina*[2] [1]), e só ocorrem no Peru.]

qüingentésimo (zi). [Do lat. *quingentesimu.*] *Num.* **1.** Ordinal e fracionário correspondente a quinhentos. **2.** Relativo a quinhentos. ● *S. m.* **3.** A qüingentésima parte. **4.** Aquele ou aquilo que ocupa o qüingentésimo lugar: *Quando o fogo chegou ao qüingentésimo, toda a mata de pinheiros estava destruída.*

quingobó. *S. m. Bras.* V. *quiabo.*

quingombó. *S. m. Bras.* V. *quiabo.*

quingombô. [Do quimb. *kino'mo.*] *S. m. Bras.* V. *quiabo.*

quinguingu. [Do quimb. *kingungunu,* 'zangão'.] *S. m. Bras.* **1.** Serviço feito fora das horas normais de trabalho (e que, no tempo da escravatura, era muitas vezes obrigatório). **2.** *Bras., PE.* Pequena cultura agrícola. **3.** *Bras., PB.* Intriga, mexerico, fofoca.

quinhão. [Do lat. *quinione.*] *S. m.* **1.** A parte de um todo que cabe a cada um dos indivíduos pelos quais se divide; partilha, cota. **2.** *Fig.* Sorte, destino, fado.

quinhentão. *S. m. Bras. Fam.* **1.** Moeda de quinhentos réis, no antigo sistema monetário. **2.** Quinhentos mil-réis (hoje, cinqüenta centavos): "O Nino quis fechar com o Pepino uma aposta de *q u i n h e n t ã o*." (Antônio de Alcântara Machado, *Novelas Paulistanas*, p. 98.) **3.** *Bras. Gír. Obsol.* Nota de 500 cruzeiros.

quinhentismo. [De *quinhentos* (3) + *-ismo*.] *S. m.* **1.** Estilo, gosto ou escola dos quinhentistas. **2.** O estilo poético do séc. XVI.

quinhentista. *Adj. 2 g.* **1.** Pertencente ou relativo ao quinhentismo ou ao séc. XVI. **2.** Diz-se do escritor ou artista desse século. ● *S. 2 g.* **3.** Escritor ou artista do séc. XVI.

quinhentos. [Do lat. *quingentos*.] *Num.* **1.** Cardinal dos conjuntos equivalentes a um conjunto de cinco centenas de membros (em algarismos arábicos, *500;* em algarismos romanos, *D*). **2.** Qüingentésimo. ● *S. m.* **3.** O séc. XVI, ou o que vai do ano de 1500 a 1599; o período quinhentista: "Com autores de *Q u i n h e n t o s* pode abonar-se facilmente a coordenação de pronome átono e pronome tônico." (Rocha Lima, *Uma Preposição Portuguesa*, p. 72). [Nesta acepç., usa-se com inicial maiúscula.] **4.** Algarismo representativo do número quinhentos. **5.** Aquele ou aquilo que numa série de quinhentos ocupa o último lugar.

quinhoar. [De *quinhão* + *-ar*[2].] *V. t. d., t. d. e i. e t. i.* V. *aquinhoar:* "Este raio de esperança que o poeta [Lamartine] infiltrava no coração foi o que .... excitou a aclamação fremente dos que *q u i n h o a v a m* iguais incertezas e curtiam pesares não menos agudos." (Antero de Quental, *Prosas*, I, p. 67.) [Conjug.: v. *coroar*.]

quinhoeiro. *S. m.* **1.** Aquele que tem ou recebe quinhão; sócio, participante, compartilhante. **2.** Aquele que compartilha, que é solidário: *Sou q u i n h o e i r o do seu entusiasmo.* [Sin., bras.: *quinhoísta*.]

quinhoísta. *S. 2 g. Bras.* Quinhoeiro.

quínico. *Adj.* Relativo à quina[2].

quinidina. *S. f. Quím.* Alcalóide da quina, estereoisômero da quinina.

quinidrona. [De *quin(ona)* + *(h)idr(o quin)ona*.] *S. m. Quím.* Substância constituída por moléculas de quinona e hidroquinona, que se alternam e se enlaçam mediante pontes de hidrogênio. [Fórm.: $C_{12}H_{10}O_4$.]

quinimura. *Bras. S. 2 g.* **1.** Indígena dos quinimuras, tribo que antes da chegada dos portugueses vivia perto da baía de Todos os Santos. ● *Adj. 2 g.* **2.** Pertencente ou relativo a essa tribo.

quinina. [De *quina*[2] + *-ina*[1].] *S. m. Quím.* Alcalóide da quina[2] (1), da quina-amarela e doutras plantas congêneres, cristalino, branco, pulverulento, usado como antimalárico e antipirético. [Fórm.: $C_{20}H_{24}O_2N_2.3H_2O$.]

quinínico. *Adj.* Relativo à, ou próprio da quinina.

quinino. *S. m. Pop.* Sulfato de quinina.

quínio. *S. m.* Extrato total da quina[2] (3), o qual contém todos os alcalóides.

quiniquinau. *Bras., S. 2 g.* **1.** Indígena dos quiniquinaus, tribo aruaque de MS. ● *Adj. 2 g.* **2.** Pertencente ou relativo a essa tribo. [Var.: *quinquinado*.]

quinismo. [De *quin(ina)* + *-ismo*, com haplologia.] *S. m. Med.* Intoxicação produzida pelo mau uso de quinina, e que leva ao aparecimento de zumbido, surdez, cefaléia, entre outros sintomas.

quinjengue. *S. m. Bras., SP. Folcl.* Instrumento musical de percussão, de forma cônica e afunilada, usado no batuque do médio Tietê.

quino. [De *quina*[1].] *S. m.* V. *loto* (ô) (1): "Jogava-se o *q u i n o* marcado a feijões" (Ramalho Ortigão, *As Farpas*, I, p. 184).

quinoleína. *S. f. Quím.* Líquido incolor, de cheiro penetrante, formado por um núcleo de benzeno soldado a outro de piridina, e usado como intermediário na indústria de corantes. [Fórm.: C_9H_7N.]

quinona. *S. f. Quím.* Dicetona aromática, cristalina, amarela, com cheiro penetrante. [Fórm.: $C_6H_4O_2$.]

quinorrinco. *S. m.* **1.** Espécime dos quinorrincos. ● *Adj.* **2.** Pertencente ou relativo a eles. [Sin. ger.: *equinodero*.]

quinorrincos. *S. m. pl. Zool.* Animais marinhos, asquelmintos, da classe *Kinorhyncha*, de até 1 mm de comprimento, cilíndricos, com tubo digestivo completo, corpo segmentado, cabeça com duas coroas providas de espinhos, boca com tromba que pode ser protraída. Têm sexos separados. [Sin. ger.: *equinoderos*.]

qüinquagenário. [Do lat. *quinquagenariu*.] *Adj. e s. m.* Que ou aquele que está na casa dos 50 anos de idade; cinqüentão: "O presidente, um preto *q ü i n q u a g e n á r i o*, tinha uma perna de pau." (Leôncio Correia, *A Boêmia do Meu Tempo*, p. 29.)

qüinquagésima (zi). [Fem. substantivado do num. *quinquagésimo* (1).] *S. f.* **1.** Espaço de 50 dias. **2.** *Lit.* Domingo precedente ao primeiro domingo da quaresma.

qüinquagésimo (zi). [Do lat. *quinquagesimu*.] *Num.* **1.** Ordinal e fracionário correspondente a 50. **2.** Relativo a 50. ● *S. m.* **3.** A qüinquagésima parte. **4.** Aquele ou aquilo que ocupa o qüinquagésimo lugar: *Quando a chamada atingiu o q ü i n q u a g é s i m o as fichas de matrícula acabaram.*

▲**qüinqüe-.** [Do lat. *quinque*.] *El. comp.* = 'cinco': *qüinqüedentado.* [Equiv.: *qüinqüi-* e *quinca-*: *qüinqüídio; quincálogo*.]

qüinqüeangular. [De *qüinqüe-* + *angular*.] *Adj. 2 g. Geom.* Pentangular.

qüinqüecapsular. [De *qüinqüe-* + *capsular*.] *Adj. 2 g. Morfol. Veg.* Pentacapsular.

qüinqüedentado. [De *qüinqüe-* + *dentado*.] *Adj.* Que termina em cinco dentes.

qüinqüedigitado. [De *qüinqüe-* + *digitado*.] *Adj. Zool.* **1.** Que tem cinco dedos. **2.** *Morfol. Veg.* Cujas folhas são compostas de cinco folíolos que terminam o pecíolo.

qüinqüefoliado. [De *qüinqüe-* + *foliado*.] *Adj. Morfol. Veg.* Que tem cinco folíolos ou folhas; qüinqüefólio.

qüinqüefólio. [Do lat. *quinquefoliu*.] *Adj. Morfol. Veg.* Qüinqüefoliado.

qüinqüelíngüe. [De *qüinqüe-* + *língua*.] *Adj. 2 g.* **1.** Que fala cinco línguas. **2.** Escrito em cinco línguas.

qüinqüelobado. [De *qüinqüe-* + *lobo* + *-ado*[1].] *Adj. Morfol. Veg.* Que tem cinco lóbulos [v. *lóbulo* (2).]

qüinqüelocular. [De *qüinqüe-* + *locular*.] *Adj. 2 g. Morfol. Veg.* Que tem cinco lóculos.

qüinqüenal. [Do lat. *quinquennale*.] *Adj. 2 g.* **1.** Que dura um qüinqüênio: *plano q ü i n q ü e n a l*. **2.** Que se realiza de cinco em cinco anos: *jogos q ü i n q ü e n a i s*. ● *S. m.* **3.** Antigo magistrado municipal romano, cujo cargo durava um qüinqüênio.

qüinqüenérveo. [De *qüinqüe-* + *nerve-* + *-eo*.] *Adj. Morfol. Veg.* Com cinco nervuras que partem da base do limbo: *folha q ü i n q ü e n é r v e a*. [Cf. *quintuplinérveo*.]

qüinqüênio. [Do lat. *quinquenniu*.] *S. m.* Período de cinco anos; lustro. [Cf. *qüindênio*.]

qüinqüeovulado. [De *qüinqüe-* + *ovulado*.] *Adj. Morfol. Veg.* Provido de cinco óvulos.

qüinqüerreme. [Do lat. *quinquereme*.] *S. f.* Antigo navio com cinco ordens de remos ou com cinco remadores em cada remo; pentarreme.

qüinqüevalve. [De *qüinqüe-* + *-valve*.] *Adj. 2 g. Biol.* Que tem cinco valvas.

qüinqüevalvular. [De *qüinqüe-* + *valvular*.] *Adj. 2 g. Biol.* Que tem cinco válvulas.

qüinqüevirado. [Do lat. *quinqueviratu*.] *S. m.* **1.** Dignidade de qüinqüéviro. **2.** Tribunal dos qüinqüéviros. [F. paral.: *qüinqüevirato*.]

qüinqüevirato. *S. m.* Qüinqüevirado. [q. v.].

qüinqüéviro. [Do lat. *quinqueviru*.] *S. m.* Cada um dos cinco magistrados inferiores que, na república romana, velavam pela observância dos regulamentos policiais.

▲**qüinqüi-.** V. *qüinqüe-*.

qüinqüídio. [De *qüinqüi-* + lat. *dies*, 'dia'.] *S. m.* Espaço de cinco dias.

quinquilharias. [Do fr. *quincaillerie*.] *S. f. pl.* **1.** Brinquedos de criança. **2.** Jóias de fantasia, ou outras miudezas: "Bateu-lhe à porta, numa manhã de sol, um quinquilheiro da vila ..... la expondo na palma da mão larga as *q u i n q u i l h a r i a s*." (João de Araújo Correia, *Terra Ingrata*, pp. 194-195.) **3.** Bagatelas, ninharias.

quinquilheiro. [Do gr. *quincaillier*.] *S. m.* Fabricante ou vendedor de quinquilharias. [V. abonação em *quinquilharias*.]

quinquina. [F. sincopada de *quinaquina*.] *S. f.Bras.* V. *murta-do-mato*.

quinquinado. *S. m. e adj. Bras.* Var. de *quiniquinau*.

quinquió. [De provável or. indígena.] *S. m. Bras., Amaz.* Arvoreta semi-escandente, da família das olacáceas *(Aptandra spruceana)*, que habita as várzeas inundáveis, produz frutos globosos de uns 2 a 3 cm de diâmetro, os quais contêm uma branca amêndoa oleaginosa, e fornece 50% de um óleo de boa qualidade; castanha-de-cutia, sapucainha.

quinta[1]. [Fem. do ord. *quinto*.] *S. f.* **1.** Grande propriedade rústica, com casa de habitação. **2.** Extensão de terreno cultivado. [Nas acepç. 1 e 2 é p. us. no Brasil.] **3.** Quina[1] (1). **4.** Intervalo de cinco graus consecutivos na escala diatônica. **5.** Nos movimentos de esgrima, uma das paradas.

quinta[2]. *S. f. Bras. Pop.* Acesso de tosse demorado.

quinta[3]. *S. f.* F. red. de *quinta-feira*.

quintã[1]. *S. f. Ant.* Quintão[2].

quintã[2]. [Do lat. *quintana* (subentende-se 'febre'). *Adj. (f.)* e *s. f.* ~ V. *febre* —

quinta-coluna. [Do esp. *quinta-columna*, t. criado durante a Guerra Civil Espanhola (1936) para designar os que, dentro de Madri, apoiavam as quatro colunas rebeldes que marchavam contra esta cidade.] *S. f.* **1.** Quinta-colunismo (1). *S. 2 g.* **2.** Pessoa (estrangeira ou nacional) que atua sub-repticiamente num país em guerra ou em via de entrar em guerra com outro, preparando ajuda em caso de invasão ou fazendo espionagem e propaganda subversiva; quinta-colunista. [Pl.: *quintas-colunas*.]

quinta-colunismo. *S. m.* **1.** A classe ou o movimento dos quintas-colunas; quinta-coluna. **2.** Ação ou procedimento próprio de quinta-coluna (2). [Pl.: *quinta-colunismos*.]

quinta-colunista. *Adj. 2 g.* **1.** Relativo ao quinta-colunismo. **2.** Diz-se de pessoa pertencente ao quinta-colunismo. ● *S. 2 g.* **3.** Quinta-coluna (2). [Pl.: *quinta-colunistas*.]

quinta-essência. [Do fem. de *quinto* + *essência*.] *S. f.* **1.** Extrato (1) levado ao último apuramento. **2.** O que há de principal, de melhor ou de mais puro; o essencial: *a q u i n t a - e s s ê n c i a da religião.* **3.** O mais alto grau; o requinte, a plenitude, o auge: *a q u i n t a - e s s ê n c i a da delicadeza.* [Var.: *quintessência*. Pl.: *quinta-essências*. Cf. *quinta-essência*, do v. *quinta-essenciar*.]

quinta-essenciado. [Part. de *quinta-essenciar*.] *Adj.* Elevado à quinta-essência (3); apurado até o mais alto grau; requintado, refinado. [Var.: *quintessenciado*. Pl.: *quinta-essenciados*.]

quinta-essencial. *Adj. 2 g.* Relativo à, ou que atingiu a quinta-essência. [Var.: *quintessencial*. Pl.: *quinta-essenciais*.]

quinta-essenciar. *V. t. d.* Elevar à quinta-essência (3); apurar até o mais alto grau; requintar, refinar: "Com a surdez que o levara aos últimos quartetos, Beethoven *q u i n t a - e s s e n c i o u* a música." (Walter Benevides, *Compositores Surdos*, p. 44.) [Var.: *quintessenciar*. Pres. ind.: *quinta-essencio, quinta-essencias, quinta-essencia*, etc. Cf. *quinta-essência*.]

quinta-feira. [Do fem. do num. *quinto* + *feira*.] *S. f.* O quinto dia da semana principiada no domingo. [F. red.: *quinta*. Pl.: *quintas-feiras*.] ◆ **Quinta-feira maior.** A quinta-feira da semana santa; quinta-feira maior.

quintal[1]. [Do lat. vulg. *quintanale*.] *S. m.* **1.** Pequena quinta[1] (1). **2.** Pequeno terreno, muitas vezes com jardim ou com horta, atrás da casa. [Cf. *Quental*, antr.]

quintal[2]. [Do ár. *quintar*.] *S. m.* Antiga unidade de medida de peso, equivalente a quatro arrobas, i. e., 58,758 kg. [Cf. *Quental*, antr.]

quintalada. [De *quintal*[1] + *-ada*[1].] *S. f.* Porção ou conjunto de quintais.

quintalão. *S. m.* Grande quintal[1] (2): "permitia que ele .... entrasse no quintal dela para apanhar lima, laranja, abacate, manga, cana. Era um *q u i n t a l ã o* bem cuidado" (Bernardo Élis, *Ermos e Gerais*, p. 90).

quintalejo[1] (ê). [De *quintal*[1] (1) + *-ejo*.] *S. m.* Pequeno quintal[1] (1): "o hindu na sua aldeia, o árabe de Damasco no seu *q u i n t a l e j o*, serenos, sem pressas e sem cuidados, estão cobertos pelo esplendor dum céu que é uma fonte de alegria" (Eça de Queirós, *Cartas Familiares e Bilhetes de Paris*, pp. 110-111).

quintalejo[2]. (ê). [De *quintal*[2] + *-ejo*.] *S. m.* Peso de meio quintal[2].

quintanense. *Adj. 2 g.* **1.** De, ou pertencente ou relativo a Quintana (SP). ● *S. 2 g.* **2.** Natural ou habitante de Quintana.

quintanista. *S. 2 g.* Aluno que freqüenta o quinto ano de um curso, principalmente de faculdade ou de escola superior.

quintante. [De *quinto* (2) + o final de *sextante*.] *S. m Ant. Náut.* Instrumento semelhante ao sextante [q. v.], mas cujo setor abrange um quinto do círculo (72°).

quintão[1]. [Do lat. *quintanu*.] *S. m.* Antigo instrumento musical de cinco cordas.

quintão[2]. [De *quinta*[1] + *-ão*[1].] *S. m.* Grande quinta[1] (1 e 2). [F. paral. (ant.): *quintã*.]

quintar. [De *quinto* (1) + *-ar*[2].] *V. t. d.* **1.** Repartir por cinco. **2.** Tirar a quinta parte de (um todo). **3.** Tirar um de um grupo de cinco.

quintarola. *S. f. Fam. Deprec.* Quinta[1] (1 e 2) pequena e/ou de pouco valor.

quinteiro. *S. m.* Indivíduo que guarda uma quinta[1] (1 e 2) ou trata dela; caseiro.

quitessência. [De *quinta-essência*, com aglutinação.] *S. f.* Var de *quinta-essência* [q. v.].

quintessenciado. [Part. de *quintessenciar*.] *Adj. Var. de quinta-essenciado.*

quintessencial. [De *quintessência* + *-al.*] *Adj. 2 g.* Var. de *quinta-essencial.*

quintessenciar. [De *quintessência* + *-ar*^{2}.] *V. t. d.* Var. de *quinta-essenciar* [q. v.].

quinteto (ê). [Do it. *quintetto.*] *S. m.* **1.** Quintilha. **2.** *Mús.* Conjunto de cinco vozes ou de cinco instrumentos. **3.** *Mús.* Composição instrumental, em geral baseada na forma da sonata clássica [q. v.], e especialmente escrita para esse conjunto.

quíntico. *Adj. Mat.* Próprio de, ou referente a uma expressão do quinto grau; quintil.

quintil. [De *quinto* + *-il.*] *Adj. 2 g.* **1.** *Astr.* Diz-se do aspecto de dois planetas distantes entre si a quinta parte do zodíaco [q. v.]. **2.** *Mat.* Quíntico. ● *S. m.* **3.** *Estat.* Qualquer das separatrizes que dividem a área de uma distribuição de freqüência em domínios de área igual a múltiplos inteiros de um quinto da área inicial.

quintilha. [De *quinto* + *-ilha.*] *S. f.* Estrofe de cinco versos, comumente em redondilha maior; quinteto.

quintilhão. [De *quint(o)* + o final de *milhão.*] *S. m. Mat.* **1.** A trigésima potência de dez. **2.** A décima oitava potência de dez. [Esta acepç. não é cientificamente recomendável, sendo preferível *trilhão.* F. paral.: *quintilião.*]

quintilho. *S. m. Bras.* Erva ornamental, da família das solanáceas *(Nicandra physaloides),* originária do Peru, de folhas lobadas, crenadas e membranáceas, flores solitárias, campanuladas e vistosas, e cujos frutos são bagas polispérmicas envolvidas pelo cálice. [Cf. *quintílio.*]

quintilião. *S. m.* Quintilhão.

quintílio. *S. m.* Preparado farmacêutico de antimônio em pó. [Cf. *quintilho.*]

quinto. [Do lat. *quintu.*] *Num.* **1.** Ordinal e fracionário correspondente a cinco. ● *S. m.* **2.** Quinta parte. **3.** Aquele ou aquilo que ocupa o quinto lugar: *Ele era sempre o quinto na fila.* **4.** Imposto de 20% que o erário português cobrava sobre o ouro, a prata e os diamantes extraídos do solo brasileiro no período colonial. **5.** Barril cuja capacidade equivale à quinta parte de uma pipa. **6.** *Bras., BA.* Ônus cobrado pelos donos-de-serra [v. *dono-de-serra*], na base de 20% sobre o produto extraído. ~ V. *quintos.*

quintos. [Pl. de *quinto.*] *S. m. pl. Pop.* O Inferno (2): *Vá para os quintos!* ~ V. *quinto.* ◆ **Mandar para os quintos.** *Bras. Pop.* V. *matar* (1): "Cada um dos combatentes entrou em luta convencido de que .... mandaria o justo para os quintos." (Amadeu de Queirós, *Os Casos do Carimbamba,* p. 41.)

quintuplicado. [Part. de *quintuplicar.*] *Adj.* **1.** Multiplicado por cinco. **2.** Aumentado cinco vezes.

quintuplicador (ô). *Adj.* e *s. m.* Que ou aquele que quintuplica.

quintuplicar. [Do lat. *quintuplice,* 'quíntuplo', + *-ar*^{2}.] *V. t. d.* **1.** Multiplicar por cinco. **2.** Tornar cinco vezes maior, ou mais numeroso. *P.* **3.** Tornar-se cinco vezes maior. [Conjug.: v. *trancar.*]

quintuplicável. *Adj. 2 g.* Que se pode quintuplicar.

quintuplinérveo. [De *quíntuplo* + *-i-* + *-nerve-* + *-eo.*] *Adj.* ~ V. *folha —a.* [Cf. *qüinqüenérveo.*]

quíntuplo. [Do lat. **quintuplu,* moldado em *duplo, triplo, quádruplo.*] *Num.* **1.** Que é cinco vezes maior. ● *S. m.* **2.** Quantidade cinco vezes maior que outra. ~ V. *quíntuplos.*

quíntuplos. [Pl. de *quíntuplo.*] *S. m. pl.* Cinco crianças nascidas do mesmo parto. ~ V. *quíntuplo.*

quinze. [Do lat. *quindecim.*] *Num.* **1.** Cardinal dos conjuntos equivalentes a um conjunto de uma dezena de membros mais cinco membros (em algarismos arábicos, *15;* em algarismos romanos, *XV*). **2.** Décimo quinto: *o século XV.* ● *S. m.* **3.** Algarismo representativo do número quinze. **4.** Aquele ou aquilo que ocupa o último lugar numa série de quinze.

quinzena^1. [De *quinze* + *-ena.*] *S. f.* **1.** Espaço de 15 dias. **2.** Pagamento do trabalho de 15 dias. [Sin. (nestas acepç.): *qüindênio.*] **3.** Grupo de quinze. **4.** *Bras., BA.* Renda que os lavradores pagavam aos donos de engenho, e consistente numa arroba de açúcar por 15 que fabricam.

quinzena^2. *S. f.* Jaquetão leve: "Desde as quatro horas da tarde, no calor e silêncio do domingo de junho, o Fidalgo da Torre, ... com uma quinzena de linho envergada sobre a camisa de chita cor-de-rosa, trabalhava." (Eça de Queirós, *A Ilustre Casa de Ramires,* p. 5.)

quinzenal. *Adj. 2 g.* **1.** Respeitante a quinzena^1 (1). **2.** Que aparece, se faz ou se publica de 15 em 15 dias: *revista quinzenal.*

quinzenalista. [De *quinzenal* + *-ista.*] *S. 2 g. Bras.* Empregado que recebe os vencimentos de quinzena^1 (1) em quinzena.

quinzenário. [De *quinzena*^{1} + *-ário.*] *S. m.* Periódico (5) quinzenal.

quiloiô (i-oi). [De or. indígena, talvez.] *S. m. Bras.* Erva da família das labiadas *(Ocimum basilicum),* de folhas moles e aromáticas que servem de condimento, e pequenas flores em cachos alongados.

▲quion(o)-. [Do gr. *chión, ónos.*] *El. comp.* = 'neve': *quionablepsia.*

quionablepsia. [De *quion(o)-* + *ablepsia.*] *S. f. Patol.* Cegueira causada pela neve.

quiosque. [Do persa *kouchk,* atr. do turco *kioshk,* 'pavilhão de jardim', e do fr. *kiosque.*] *S. m.* **1.** Pequeno pavilhão de estilo oriental, para abrigo ou ornamentação de praças e jardins. **2.** Pavilhão de madeira, alumínio, etc., no qual ordinariamente se vendem jornais, revistas, cigarros, etc.

quiosqueiro. *S. m. Bras.* Dono de quiosque (2).

quiotomia. [Do gr. *kíon,* 'úvula', + *-tom(o)-* + *-ia.*] *S. f. Cir.* V. *cionotomia.*

quipá. [Do tupi *ki'pá.*] *S. m. Bras.* Vegetação nordestina, espécie de cardo rasteiro: "A cachorra Baleia saiu correndo entre os alastrados e quipás, farejando a novilha raposa." (Graciliano Ramos, *Vidas Secas,* p. 25.)

quipã. *S. f. Bras.* **1.** V. *prurido* (1). **2.** V. *coceira.*

quipapaense (ãen). *Adj. 2 g.* **1.** De, ou pertencente ou relativo a Quipapá (PE). ● *S. 2 g.* **2.** Natural ou habitante de Quipapá.

quíper. [Do ingl. *keeper.*] *S. m. Fut.* V. *goleiro.* [Pl.: *quíperes.*]

quipiú. *Bras. S. 2 g.* **1.** Indígena dos quipiús, tribo da bacia do rio Guaporé. ● *Adj. 2 g.* **2.** Pertencente ou relativo a essa tribo.

quipo. [Do quíchua *quipu,* 'nó', pelo esp. amer. *quipo.*] *S. m.* Escrita mnemotécnica usada pelos indígenas peruanos para fins aritméticos ou registro de fatos importantes, e que consiste em um grupo de cordas de comprimentos, grossuras e cores diferentes, pendentes de corda principal, e contendo, os mais curtos, nós representativos de números: "Entre as várias relíquias que elas [as amazonas] guardam cuidadosamente, fui encontrar algumas franjas e cordéis, tecidos com fios de várias cores, e que muito se assemelham aos curiosos quipos usados pelos incas à maneira de escrita." (Gastão Cruls, *4 Romances,* p. 63.)

quipoqué. [De provável or. afr.] *S. m. Bras., RS.* Iguaria de feijão partido e cozinhado com diversos temperos; quimano.

qüiproquó. [Do lat. *quid pro quo,* 'isto por aquilo', 'uma coisa por outra'.] *S. m.* **1.** Confusão duma coisa com outra. **2.** Situação cômica ou faceta resultante de equívoco(s): "O Soares nunca chegou a levar-me ao constrangimento de um equívoco irremediável, ... aos qüiproquós de uma situação difícil de explicar." (Herberto Sales, *Histórias Ordinárias,* p. 150.)

quique. [Dev. de *quicar.*] *S. m. Bras.* Ato ou efeito de quicar.

quiquiqui. [Voc. onom.] *S. 2 g. Bras., CE.* **1.** Pessoa que fala ou pronuncia mal; tatibitate. **2.** V. *gago* (2).

quiquiriqui. [Voc. onom.] *S. m.* **1.** V. *cocorocó.* **2.** Coisa ou pessoa insignificante. V. *ninharia.*

quiragra. [Do gr. *cheirágra,* pelo lat. *chiragra.*] *S. f. Med.* Dor gotosa em quirodáctilo.

quirais. *Adj. (pl.) Quím.* Diz-se de um par de compostos, de moléculas, ou de partes de moléculas, no qual um dos membros tem uma estrutura que é a imagem especular da estrutura do outro membro.

quiralgia. [Do gr. *cheiralgía.*] *S. f. Patol.* Dor na mão.

quirálgico. *Adj.* Referente à quiralgia.

quiralidade. *S. f. Quím.* A propriedade que distingue uma configuração espacial de átomos da imagem especular desta configuração.

quirana^1. [Do tupi *ki'rana.*] *S. f. Bras., Amaz.* **1.** V. *muquirana.* **2.** *P. ext.* Nó no cabelo, quando embaraçado.

quirana^2. [De or. afr.] *S. f.* Oito jardas de qualquer tecido.

quirapsia. [Do gr. *cheirapsía.*] *S. f. Med.* Massagem, fricção.

quirela. *S. f. Bras., S.* V. *quirera.*

quirera. [Do tupi *ki'rera.*] *S. f. Bras.* **1.** V. *crueira* (1). **2.** Milho quebrado que se dá aos pintos e pássaros. **3.** *Bras., SC* e *RS.* Sanga (4). [Var.: *quirela.*] ~ V. *quireras.*

quireras. [Pl. de *quirera.*] *S. f. pl. Bras.* Pequena quantia; dinheiro miúdo; trocados: "— De quem é a mulher? — É do Tanajura — respondeu um sujeitinho magro e catingoso, que estava sapeando o jogo e pegando umas quireras daqueles viciados." (Nélson de Faria, *Tiziu e Outras Estórias,* p. 159.) ~ V. *quirera.*

quirerear. *V. t. d. Bras., S.* Quebrar os grãos de (o milho), transformando-o em quirera, para dá-lo às aves. [Conjug.: v. *frear.*]

quirguiz. *S. 2 g.* **1.** Indivíduo dos quirguizes, povo de origem turca, que habita a Rússia Asiática. **2.** Natural ou habitante da República Socialista Soviética Independente de Quirguiz (Ásia Central). *S. m.* **3.** Dialeto turco falado pelos quirguizes. ● *Adj. 2 g.* **4.** Pertencente ou relativo a esse povo ou a essa república.

quiri. [De or. indígena.] *S. m. Bras.* V. *frei-jorge.* [Var.: *quirim.*]

quiriba. *S. 2 g. Bras., MA.* Entre os sertanejos, natural ou habitante da parte baixa do rio Pindaré.

quiribatiano. *Adj.* **1.** Da, ou pertencente ou relativo à República do Quiribati (sudoeste do oceano Pacífico). ● *S. m.* **2.** O natural ou habitante da República do Quiribati.

quirica. *S. f. Bras.* A vulva.

quirim. *S. m. Bras.* Var. nasalada de *quiri.*

quirina. *S. f. Bras., AM.* V. *tucano-de-peito-branco.*

quirinopolino. *Adj.* **1.** De, ou pertencente ou relativo a Quirinópolis (GO). ● *S. m.* **2.** O natural ou habitante de Quirinópolis.

quiriquiri. [Voc. onom.] *S. m. Bras.* **1.** V. *cuiú-cuiú* (2). **2.** V. *anum-branco.* **3.** V. *gavião-quiriquiri.*

quiriri. [Do tupi *kiri'ri,* 'silencioso'.] *S. m.* **1.** *Bras.* V. *cuiú-cuiú* (2). **2.** *Bras.* V. *anum-branco.* **3.** *Bras.* V. *gavião-quiriquiri.* **4.** *Bras., Amaz.* e *MT.* Calada da noite: "tudo caiu em enorme silêncio, ... esse silêncio noturno das nossas regiões a que o tapuio chama, talvez imitativamente, quiriri." (José Veríssimo, *Cenas da Vida Amazônica,* p. 32). **5.** *Bras. Ant.* V. *cairiri.* ● *Adj. 2 g.* **6.** *Bras.* Silencioso, deserto, ermo.

quiriripitá. [Do tupi.] *S. f. Bras., MT.* V. *cururubóia.*

quiriru. [Do tupi *kiri'ru.*] *S. m. Bras., Amaz.* V. *anum-branco.*

quirites. [Do lat. *quirites.*] *S. m. pl.* **1.** Título acrescentado ao dos romanos após a fusão deles com os sabinos. **2.** Título dos cidadãos civis romanos: "Os quirites acreditavam na predestinação do Capitólio ao futuro equilíbrio pacífico do mundo." (Alcides Maia, *Crônicas e Ensaios,* p. 115.) [Cf. *querites,* pl. de *querite.*]

▲quir(o)-. [Do gr. *cheír, cheirós.*] *El. comp.* = 'mão': *quirófano, quironomia.*

quirodáctilo. [De *quir(o)-* + *-dá(c)tilo.*] *S. m. Anat.* Dedo da mão. [Var.: *quirodátilo.*]

quirodátilo. *S. m. Anat.* Var. de *quirodáctilo.*

quirófano. [De *quir(o)-* + *-fano.*] *S. m. Cir.* Sala de operações cirúrgicas, com lugar para a assistência, separado por tabiques envidraçados.

quirografário. [Do lat. *chirographariu.*] *Adj. Jur.* Diz-se dos atos e contratos destituídos de qualquer privilégio ou preferência. ~ V. *credor — e dívida —a.*

quirógrafo. [Do gr. *cheirógraphon,* pelo lat. *chirographu.*] *S. m.* **1.** Autógrafo [q. v.]. **2.** Diploma devidamente assinado. **3.** Breve pontifício não publicado. **4.** *Ant.* Documento lavrado e assinado, ou assinado apenas por uma das partes interessadas.

quirologia. [De *quir(o)-* + *-log(o)-* + *-ia.*] *S. f.* Arte de conversar por meio de sinais feitos com os dedos; dactilologia.

quirológico. *Adj.* Referente à quirologia; dactilológico.

quiromancia (cí). [Do gr. *cheiromantéia.*] *S. f.* Adivinhação pelo exame das linhas da palma da mão; quiroscopia.

quiromania. [De *quir(o)-* + *-mania.*] *S. f.* V. *onanismo* (1).

quiromante. [Do gr. *cheirómantis.*] *S. 2 g.* Pessoa dada à prática da quiromancia.

quiromântico. *Adj.* Referente à quiromancia, ou a quiromante.

quironomia. [Do gr. *cheironomía.*] *S. f.* **1.** Arte de regular e acomodar os gestos ao discurso, à declamação, à dança ou à interpretação dramática. **2.** Mímica, pantomima.

quironômico. [Do gr. *cheironomikós.*] *Adj.* Referente à quironomia.

quirônomo. [Do gr. *cheirónomos.*] *S. m.* Indivíduo que pratica e/ou ensina a quironomia.

quiroplasto. [Do gr. *cheiróplastos.*] *S. m.* Aparelho que, adaptado ao teclado do piano, guia o movimento dos dedos, facilitando, assim, o estudo desse instrumento.

quiropodia. [Do gr. *cheiropódes, ou,* 'que tem rachaduras nos pés', + *-ia.*] *S. f. Med.* Ramo da medicina que diz respeito à prevenção e tratamento de lesões do pé.

quiropódico. *Adj.* Relativo à quiropodia.

quiróptero. [De *quir(o)-* + *-ptero.*] *S. m.* **1.** Espécime dos quirópteros. ● *Adj.* **2.** Pertencente ou relativo a eles.

quiropterofilia. [De *quiróptero* + *-fil(o)-*2 + *-ia.*] *S. f. Bot.* Polinização efetuada pelos morcegos, como, p. ex., em algumas andiras do Amazonas.
quiropterófilo. *Adj. Bot.* Que apresenta quiropterofilia: *flor quiropterófila.*
quirópteros. *S. m. pl. Zool.* Mamíferos da ordem *Chiroptera,* noctívagos, providos de patágio, e de uropatágio, que prende total ou parcialmente a cauda, e com membros anteriores e dedos, em número de dois a cinco, muito alongados. São os morcegos.
quiroscopia. [De *quir(o)-* + *-scop-* + *-ia.*] *S. f.* Quiromancia.
quiroscópico. *Adj.* Relativo à quiroscopia.
quiroxilográfico. [De *quir(o)-* + *xilográfico.*] *Adj.* Diz-se das antigas estampas xilográficas que traziam o texto manuscrito.
quiruá. *S. m. Bras.* V. *crejuá.*
➧**quisling** (quíçling). [Do antr. norueguês L. V. A. *Quisling* (1887-1945), chefe do governo da Noruega solidário aos nazistas, e que foi executado após a derrota alemã.] *S. m.* Chefe de governo de títeres, a soldo do inimigo; traidor.
quisto1. [Do gr. *kystis,* 'bexiga, vesícula', pelo fr. *kyste.*] *S. m.* **1.** *Patol.* Cavidade fechada onde se acumulam secreções que anormalmente não podem escoar-se. [A f. *cisto,* tida por melhor, é relativamente p. us.] **2.** *Fig.* Elemento ou conjunto de elementos discordantes ou incompatíveis, circunscritos ou isolados num todo homogêneo: *O grupo de arruaceiros era um quisto naquela classe de bons alunos.* ♦ **Quisto de retenção.** *Patol.* Aquele que se deve a acúmulo de secreção no interior de glândula exócrina, ou de outra cavidade epitelial obstruída. **Quisto dermóide.** *Patol.* Lesão congênita formada de parede fibrosa revestida de epitélio estratificado contendo folículos pilosos, glândulas sudoríparas e sebáceas. **Quisto pilonidal.** *Patol.* Quisto dermóide [q. v.] de situação sacrococcígea, em geral de origem congênita e, de hábito, com fístula(s) cujo(s) orifício(s) cutâneo(s) está(ão) comumente localizado(s) em nível supra-anal. **Quisto sebáceo.** *Patol.* Tumor subcutâneo resultante da dilatação cística de uma glândula sebácea com conseqüente retenção de sebo. **Quisto social.** Grupo de características, hábitos, costumes, etc., próprios, e que não se deixa assimilar pela comunidade onde se acha inserido.
quisto2. [Do lat. *quaesitu, quaestu,* part. pass. de *quaerere,* 'procurar'.] *Adj. Desus.* Querido, amado: "Aspiro a uma imortalidade mais nobre .... : a ascensão ao seio quisto de Deus" (Pe Júlio de Albuquerque, *Alma das Catedrais,* p. IX). [V. *benquisto* e *malquisto.*]
quitação. *S. f.* **1.** Ato ou efeito de quitar(-se). **2.** Documento escrito em que o credor declara o devedor liberado da obrigação por lhe haver pago a quantia devida. **3.** Recibo de pagamento.
quitado. [Part. de *quitar.*] *Adj.* Quite2 (1).
quitador (ô). *Adj.* e *s. m.* Que ou aquele que quita.
quitanda. [Do quimb. *kitanda,* 'feira, venda'.] *S. f.* **1.** Loja ou local onde se faz comércio. **2.** Pequena mercearia; tenda. **3.** Lojinha ambulante. **4.** *Bras.* Tabuleiro com gêneros e mercadorias dos vendedores ambulantes. **5.** *Bras.* Pastelaria caseira: "tomar café com quitanda às duas da tarde, jantar às cinco" (Caio de Freitas, *Intrusos no Paraíso,* p. 5). **6.** *Bras., RJ.* Pequeno estabelecimento onde se vendem frutas, legumes, ovos, cereais, etc. [Sin. (nesta acepç.), no RS: *mercadinho.*] **7.** *Bras., MG, S.* e *C.O.* Biscoitos, bolos e doces expostos em tabuleiro. ♦ **Quitanda da iaô.** *Bras.* Venda em leilão dos objetos que serviram à iaô durante o seu noviciado. **Ter quitanda.** *Bras., SP. Pop.* Ter saúde e/ou posição social.
quitandar. [De *quitanda* + *-ar*2.] *V. int. Bras.* Exercer a profissão de quitandeiro.
quitandê. [Do quimb. *kitande.*] *S. m. Bras.* Feijão miúdo e verde que, descascado à unha, se emprega em sopas e outras iguarias.
quitandeira. *S. f. Bras.* **1.** Mulher que negocia em quitanda. **2.** Mulher do quitandeiro. **3.** Regateira (3).
quitandeiro. *S. m. Bras.* **1.** Dono de quitanda **2.** Negociante ou caixeiro que trabalha em quitanda. (1 a 3 e 6). **3.** Vendedor ambulante de hortaliças; verdureiro. **4.** Aquele que faz quitandas [v. *quitanda* (5 e 7)].
quitão. [Do gr. *chitón,* 'túnica'.] *S. m.* Túnica leve usada pelos antigos gregos.
quitar. [Do fr. *quitter.*] *V. t. d.* **1.** Remitir a dívida a; tornar quite; desobrigar do que devia dar ou fazer, ou de pena ou satisfação: *Antes de morrer, quitou os seus devedores.* **2.** Poupar, evitar: *Era desejo seu quitar as dívidas.* **3.** Separar-se de; perder; deixar: *Perdoou aos inimigos, antes de quitar a vida.* **4.** Destituir de; tirar. **5.** Separar-se de ou desquitar-se de: *Quitou o marido. T. d. e i.* **6.** Tornar quite; desobrigar: *Quitou-o do compromisso.* **7.** Impedir, tolher, vedar. *T. i.* **8.** Ser dispensado; não ter necessidade de: *Vocês quitam de criar-me problemas. P.* **9.** Desembaraçar-se, livrar-se: *quitar-se de uma obrigação.* **10.** Separar-se, desquitar-se: "a intenção de D. Fernando era quitar-se de Leonor Teles" (Antero de Figueiredo, *Leonor Teles,* p. 91).
quite1. [Do fr. *quitte.*] *S. m. Bras., RS.* Floreio de espada.
quite2. [Part. irreg. de *quitar.*] *Adj. 2 g.* **1.** Que saldou as suas contas; livre de dívida; desobrigado, quitado: *Está quite com a maioria de seus credores;* "Somadas umas cousas e outras, qualquer pessoa imaginará que não houve míngua nem sobra, e conseguintemente que saí quite com a vida." (Machado de Assis, *Memórias Póstumas de Brás Cubas,* pp. 381-382.) **2.** Livre, desembaraçado: "Por minha parte, já quase quite da velha paixoneta, achei-me a considerar tudo aquilo muito estranho" (Vergílio Godinho, *Não Há Nada Mais Simples,* p. 207). **3.** Igualmente pago; igualado: *Estamos quites.*
quitenho. [Do esp. *quiteño.*] *Adj.* **1.** De, ou pertencente ou relativo a Quito, capital do Equador. ● *S. m.* **2.** Natural ou habitante de Quito.
quiteriense. *Adj. 2 g.* **1.** De, ou pertencente ou relativo a Santa Quitéria do Maranhão (MA). ● *S. 2 g.* **2.** Natural ou habitante de Santa Quitéria do Maranhão.
quiti. *S. m. Bras., Pl.* V. *cacete* (1).
quitina. [De *chit,* do gr. *chitón,* 'túnica', + *-ina*1.] *S. f. Zool.* Substância que reveste os animais artrópodes em geral. Quimicamente, é um polissacarídeo aminado. Plástica a princípio, torna-se espessa e rígida, formando um exosqueleto, como ocorre nos insetos e crustáceos, aracnídeos e miriápodes. Nos crustáceos apresenta-se impregnada de um revestimento contínuo e rígido de sais calcários, de modo que, para que possam crescer, sofrem periodicamente ecdises, quando a quitina se desprende totalmente, sendo substituída por nova camada, que então se forma.
quitinizado. [Part. de *quitinizar.*] *Adj.* Revestido de quitina.
quitinizar. [De *quitina* + *-izar.*] *V. t. d.* Revestir de quitina.
quitinóforo. [De *quitina* + *-o-* + *-foro.*] *S. m.* e *adj.* Artrópode.
quitinóforos. [Pl. de *quitinóforo.*] *S. m. pl. Zool.* Artrópodes.
quitinoso (ô). *Adj.* Referente à, ou que tem quitina.
▲**quito-.** V. *cit(o)-.*
quitoco (ô). *S. m. Bras., L.* e *S.* Erva ruderal, da família das compostas (*Pluchea quitoc*), de folhas moles e pilosas, e notável pelo aroma das partes esmagadas. [Sin.: *tabacarana* e (em MG) *caculucage.*]
quíton1. *S. m.* V. *quitão.* [Pl.: *quítons* e (p. us. no Brasil) *quítones.*]
quíton2. [Do gr. *chíton.*] *S. m. Zool.* Molusco marinho, anfineuro, dos *Chitonidae,* cuja concha é formada de placas articuladas. Mede cerca de 5 cm e habita rochedos litorâneos.
quitoptose. [De *quito-* + *-ptose.*] *S. f. Patol.* Prolapso da vagina.
quitundense. *Adj. 2 g.* **1.** De, ou pertencente ou relativo a São Luís do Quitunde (AL). ● *S. 2 g.* **2.** Natural ou habitante de São Luís do Quitunde.
quitungo. [Do quimb. *kitungu.*] *S. m. Bras.* Espécie de condessa2.
quitute. [Do quimb. *kitutu,* 'indigestão'.] *S. m. Bras.* **1.** V. *petisco* (1). **2.** *Fig.* Meiguices, carinhos, quindins.
quituteiro. *Adj.* **1.** Relativo a quitutes: *Tem bom paladar quituteiro.* **2.** Diz-se daquele que prepara quitutes. ● *S. m.* **3.** Aquele que sabe prepará-los.
quivi. *S. m.* Ave da ordem das apterigiformes, família *Apterygidae,* representada por três espécies, que se encontram na Nova Zelândia. Os quivis têm asas muito curtas, escondidas, e que apresentam penugem em vez de penas. Macho e fêmea de cor castanho-ferruginosa.
quixaba. [De possível or. indígena.] *S. f. Bras.* **1.** O fruto da quixabeira. **2.** Quixabeira.
quixabeira. [De *quixaba* + *-eira.*] *S. f. Bras., N.E.* Arvoreta lactescente, da família das sapotáceas (*Bumelia sartorum*), muito difundida na caatinga, e que tem folhas pequenas e numerosos espinhos robustos. O gado, na época da seca, come-lhe folhas e frutos.
quixadaense (àên). *Adj. 2 g.* **1.** De, ou pertencente ou relativo a Quixadá (CE). ● *S. 2 g.* **2.** Natural ou habitante de Quixadá.
quixiligangue. *S. m. Bras. Pop.* V. *ninharia.*
quixiúna. *S. f. Bras.* V. *criciúma.*
quixó. [Do tapuio, talvez.] *S. m. Bras., N.E.* Armadilha com que se apanham preás, mocós, etc.: "armar quixós e mondés na capoeira com o fim de apanhar preás para a menina." (Franklin Távora, *O Cabeleira,* p. 108).
quixotada. [Do antr. *Quixote* (v. *quixotismo*) + *-ada*1.] *S. f.* **1.** V. *fanfarrice.* **2.** Ato ou dito de ingênuo ou sonhador. [Sin. ger.: *quixotice.*]
quixote. *S. m.* **1.** Aquele que procede como D. Quixote [v. *quixotismo*], que ingenuamente se mete em questões que não lhe dizem respeito, e por via de regra se sai mal. **2.** Indivíduo ingênuo, romântico, sonhador. [Sin. ger.: *dom-quixote.*]
quixotesco (ê). *Adj.* **1.** Relativo a D. Quixote [v. *quixotismo*]. **2.** Relativo a, ou próprio de quixote, ou que envolve quixotada. **3.** Ingênuo, romântico, sonhador. **4.** Que se envolve em trapalhadas. [Sin. ger.: *quixótico.*]
quixotice. *S. f.* V. *quixotada.*
quixótico. *Adj.* Quixotesco.
quixotismo. *S. m.* **1.** Modos e hábitos próprios de D. Quixote, personagem da obra *Dom Quixote de la Mancha,* de Cervantes [v. *cervantesco*], herói romanesco, idealista, sempre em busca de aventuras fantásticas. **2.** Sentir e proceder quixotesco. **3.** Romantismo, aventureirismo ou cavalheirismo exagerado. **4.** V. *fanfarrice.* [Sin. ger.: *dom-quixotismo.*]
quizila. [Var. de *quijila* < quimb. *kijila,* 'preceito, mandamento, regra'.] *S. f.* **1.** Repugnância, antipatia. **2.** Aborrecimento, impaciência, chateação. **3.** Desavença, zanga, inimizade, desinteligência. **4.** Rixa, briga, pendência. [Var.: *quizília.*]
quizilar. *V. t. d.* **1.** Fazer quizila a; importunar, aborrecer, zangar. *Int.* e *p.* **2.** Incomodar-se, aborrecer-se, irritar-se, zangar-se. [F. paral.: *enquizilar.*]
quizilento. *Adj.* **1.** Que faz quizila. **2.** Propenso a quizilar-se.
quizília. *S. f.* V. *quizila.*
quizomba. [De or. angolana.] *S. m.* Certa dança dos negros angolenses.
quizumba. *S. f. Bras., RJ. Gír.* V. *rolo*1 (16).
quociente. [Do lat. **quotiente* < adv. lat. *quotiens,* 'quantas vezes', tratado como adj.] *S. m. Mat.* Quantidade resultante da divisão de uma quantidade por outra. [Var.: *cociente.*] ♦ **Quociente de inteligência.** *Psicol.* Proporção entre a inteligência de um indivíduo, determinada de acordo com alguma medida mental, e a inteligência normal ou média para sua idade; coeficiente de inteligência. [Entre as diversas maneiras de calcular esta proporção, a mais comum é a da idade mental dividida pela idade cronológica. Considera-se, de ordinário, que a debilidade mental começa com o índice abaixo de *70,* e a inteligência superior, acima de *130.* Sigla: *Q. I.*]
➧**quorum** (quórum). [Lat.] *S. m.* Número mínimo de pessoas presentes exigido por lei ou estatuto para que um órgão coletivo funcione.
quota. [Do lat. *quota,* 'de, ou em que número' (subentendendo-se 'parte'.] *S. f.* Cota2.
quotalício. *Adj.* Cotalício.
quota-parte. *S. f.* Cota-parte. [Pl.: *quotas-partes.*]
quotidade. [Do lat. *quot,* 'quanto', + *-i-* + *-dade.*] *S. f.* Cotidade.
quotidianidade. [De *quotidiano* + *-i-* + *-dade.*] *S. f.* Cotidianidade.
quotidiano. [Do lat. *quotidianu.*] *Adj.* Cotidiano: "Passados os dias de festejos tradicionais, a vida de Mazagão voltava à sua monotonia quotidiana." (Raul Bopp, *Putirum,* p. 202.)
quotiliquê. *S. m.* Var. de *quetilquê.* [Cf. *cutiliquê.*]
quotista. *Adj. 2 g.* e *s. 2 g.* Cotista.
quotização. *S. f.* Cotização.
quotizar. *V. t. d.* Cotizar.
quotizável. *Adj. 2 g.* Cotizável.

r. *S. m.* **1.** A 17ª letra do nosso alfabeto. Representa, em início de sílaba ou quando duplicada *(rr),* a fricativa velar [x]: *rato, rio, arroz.* Em posição intervocálica, o símbolo *r* representa a vibrante simples [ɾ]: *aro, areia.* [V. *alfabeto fonético internacional.*] **2.** *Fís.* Símb. de *constante dos gases perfeitos.* **3.** *Fís.* Símb. de *roentgen.* ● *Num* **4.** O 17º, numa série indicada pelas letras do alfabeto: *estante R* (ou *estante r*). **5.** A 17ª, num grupo de séries: *série R* (ou *série r*). [Cf. *erre.* Com maiúscula, nas acepç. 2 e 3]

■**R/2.** V. *oficial da reserva.* Com maiúscula, nas acepç. 2 e 3.]

■**Ra.** *Quím.* Símb. de *rádio*[2].

rã. [Do lat. *rana.*] *S. f.* **1.** Anfíbio anuro, da família dos ranídeos, gênero *Rana* L., de larga distribuição geográfica. **2.** Anfíbio anuro, da família dos ranídeos (*Rana palmipes* (Spix)), ocorrente desde o México até o rio São Francisco e paralelo 10º. A coloração vai do verde-oliváceo ao pardo, com manchas na parte posterior e nas pernas dianteiras. É comestível e mede até 9 cm de comprimento. [Sin., nesta acepç.: *rã-verdadeira.*] **3.** Designação comum aos anuros de pele lisa que, após o início de sua evolução na água, conservam vida aquática, vivendo à beira dos lagos, pantanais ou rios. No Brasil recebem tal nome os anuros do gênero *Leptodactylus* Fitz. [Sin., nesta acepç., em GO: caçote. Cf. *jia.*] **4.** Iguaria feita com coxas de rã.

rababe. [Do ár. *rabāb.*] *S. m. Mús.* Instrumento oriental de uma ou duas cordas friccionáveis com arco muito curto, e tampo de pele, e que talvez seja o mais antigo dos instrumentos de arco. [Var.: *rebabe.* Cf. *arrabil.*]

rabaça. [Do lat. *rapacia.*] *S. f.* **1.** Erva grande da família das umbelíferas (*Sium nodiflorum*), nativa da Europa, que tem folhas partidas, com segmentos denteados, flores alvas, pequenas e dispostas em umbelas compostas, terminais e laterais, e fruto ovóide e comprimido. **2.** *Fig.* Pessoa desengraçada.

rabaçã. [Var. de *arribação.*] *S. f. Bras.* V. *avoante.*

rabaçal[1]. *S. m.* Grande quantidade de pés de rabaça dispostos proximamente entre si.

rabaçal[2]. [Do top. *Rabaçal* (Portugal).] *Adj.* e *s. m.* Diz-se de, ou certo tipo de queijo português.

rabacuada. [De *rabo.*] *S. f. Bras., SP.* V. *ralé* (1).

rabacué. [De *rabo.*] *Adj. 2 g Bras., SP.* Reles, ordinário, desprezível.

rabada. [De *rabo* + *-ada*[1].] *S. f.* **1.** V. *rabadilha* (1). **2.** Rabo de boi, de porco ou de vitela, sem pele nem pêlos, para uso na alimentação humana. **3.** Iguaria preparada com rabada (2). **4.** Rabicho (1). **5.** *Fig.* O(s) último(s), numa corrida, fila, etc.; rabeira.

rabadão. [Do ár. *rabb aD-Dān,* 'dono de carneiros'.] *S. m.* **1.** Indivíduo que guarda gado miúdo. **2.** Maioral de pastores. **3.** Pastor subordinado ao maioral, mas de quem depende o zagal. [Pl.: *rabadães.*]

rabadela. [De *rabada* + *-ela.*] *S. f.* V. *rabadilha.*

rabadilha. [De *rabada* + *-ilha.*] *S. f.* **1.** A parte posterior do corpo das aves, peixes e mamíferos; rabada, rabadela. **2.** A porção do peixe que o pescador destina a seu próprio consumo em vez de vender; rabadela.

rabado. [De *rabo* + *-ado*[1].] *Adj.* Que tem rabo ou cauda; caudato.

rabalvo. [De *rabo* + *alvo.*] *Adj.* Que tem o rabo branco; rabialvo. [Antôn.: *rabipreto.*]

rabanada[1]. [De *rábano* + *-ada*[1].] *S. f.* Fatia de pão que se frita depois de embebida em água com açúcar ou com leite e passada em ovos batidos; fatia-de-parida, fatia-dourada, mãe-parida.

rabanada[2]. [De um *rabadada, com dissimilação.] *S. f.* **1.** Golpe com o rabo: "Enormes pirarucus vinham .... gozar a fresca da tarde, aspirando com delícia em grandes rabanadas a brisa do Amazonas." (Inglês de Sousa, *O Missionário,* p. 244.) **2.** *Fig.* V. *rajada*[1] (1): "O mestre e a equipagem desgalgaram-se aos trancos, ... sofrendo as rabanadas do sul que os açoitava de frente." (Xavier Marques, *Jana e Joel,* p. 18.) **3.** *Fam.* Gesto brusco, arrebatado, de irritação ou desdém: *Falei-lhe com todo o carinho, e ela me deu uma rabanada.* **4.** *Bras.* V. *rebolado* (2). **5.** *Bras. Gír.* V. *rasteira* (1).

rabanal. *S. m.* Quantidade mais ou menos considerável de pés de rábano dispostos proximamente entre si.

rabanete (ê). [De *rábano* + *-ete.*] *S. m.* **1.** Variedade de rábano de raiz curta e carnosa *(Raphanus sativus).* **2.** *P. ext.* A raiz, comestível, do rabanete.

rábano. [Do gr. *rháphanos,* pelo lat. *raphanu.*] *S. m.* **1.** Designação comum a várias plantas da família das crucíferas. **2.** A raiz comestível dessas plantas. [Var.: *rábão.*]

rábano-rústico. *S. m.* Erva da família das crucíferas *(Roripa armoracia),* própria da Europa, de raiz axial tuberosa e dura, folhas grandes, oblongas, crenadas ou serreadas (sendo as inferiores partidas), flores alvas, numerosas e organizadas em racemos, e cujos frutos, globosos e polispermos, raramente aparecem. [Pl.: *rábanos-rústicos.*]

rabão. [De *rabo.*] *Adj.* **1.** Que tem o rabo cortado ou curto. **2.** *Bras., S.* Que ficou curto. ● *S. m.* **3.** *Gír.* V. *diabo* (2). [Fem.: *rabona.* Cf. *rábão.*]

rábão. *S. m.* Var. de *rábano.* [Pl.: *rábãos.* Cf. *rabão.*]

rabavento. [De *rabo* + *a*[4] + *vento.*] *Adj.* Que vai ao sabor da direção do vento (vôo de ave).

rabaz. [Var. de *rapace.*] *Adj. 2 g. P. us.* Que arrebata ou tira com violência. V. *rapace* (1).

rabditídio. *S. m.* **1.** Espécime dos rabditídios. ● *Adj.* **2.** Pertencente ou relativo a eles.

rabditídios. *S. m. pl. Zool.* Animais asquelmintos, nematódeos, fasmídeos, ordem *Rhabditida,* cujo esôfago é dividido em três regiões, sobretudo nas larvas. Neles se inclui a maioria dos nematódeos parasitos de vertebrados e também de vida livre.

▲**rabd(o)-.** [Do gr. *rhábdos, ou.*] *El. comp.* = 'vara[1]': *rabdologia, rabdomante.*

rabdocélio. *S. m.* **1.** Espécime dos rabdocélios. ● *Adj.* **2.** Pertencente ou relativo a eles.

rabdocélios. *S. m. pl. Zool.* Animais platelmintos, turbelários, ordem *Rhabdocoela,* providos de tubo digestivo reto, com um a dois nefrídios, e de coloração pálida. Medem até 15 mm de comprimento, e são aquáticos, com algumas espécies comensais ou parasitas.

rabdóide. [Do gr. *rhabdoeidés.*] *Adj. 2 g.* Semelhante a uma varinha; rabdóideo.

rabdóideo. *Adj.* Rabdóide.

rabdologia. [De *rabd(o)-* + *-log(o)-* + *-ia.*] *S. f.* Método de calcular com pauzinhos nos quais se acham gravados os números simples.

rabdológico. *Adj.* Referente à rabdologia.

rabdólogo. *S. m.* Perito em rabdologia.

rabdomancia (cí). [Do gr. *rhabdomanteía.*] *S. f.* Adivinhação por meio de varinha mágica; rabdoscopia.

rabdomante. *S. 2 g.* Pessoa que pratica a rabdomancia.

rabdomântico. *Adj.* Relativo à rabdomancia, ou a rabdomante; rabdoscópico.

rabdopleurídio. *S. m.* **1.** Espécime dos rabdopleurídios. ● *Adj.* **2.** Pertencente ou relativo a eles.

rabdopleurídios. *S. m. pl. Zool.* Animais cordados, hemicordados, pterobrânquios, ordem *Rhabdopleuridea,* coloniais. O corpo apresenta lofóforo com dois ramos e uma gônada, e é desprovido de fendas branquiais.

rabdoscopia. [De *rabd(o)-* + *-scop-* + *-ia.*] *S. f.* Rabdomancia.

rabdoscópico. *Adj.* Referente à rabdoscopia; rabdomântico.

rabeador (ô). *Adj.* Que rabeia.

rabeadura. *S. f.* Ato de rabear; rabeio.

rabear. *V. int.* **1.** Mexer ou bulir com o rabo ou cauda: *O cão rabeava lambendo o seu dono.* **2.** Fazer movimentos semelhantes aos do animal que rabeia: "As altas chamas enoveladas afastam-se, choframse, investem furentes, rabeiam, baralhando-se" (Gustavo Barroso, *Terra de Sol,* p. 17). **3.** Estar inquieto ou incomodado; não parar; mexer-se: *Rabeou aflito durante a espera.* **4.** Rebolar(-se), saracotear-se. **5.** *Mar.* Mover a popa horizontalmente por motivo de alteração de rumo, ou, quando fundeado, pela ação do vento ou corrente. **6.** *Bras. Autom.* Derrapar (o automóvel) nas rodas traseiras. *T. i.* **7.** Prestar obséquios baixos; fazer adulações vis: *Passou a vida rabeando aos ricos, e morreu na miséria. T. d.* **8.** Dirigir (a charrua, ou o arado) segurando-os pela rabiça. *T. d. e i.* **9.** Volver ou dirigir de esguelha: *O policial rabeava os olhos para a cena suspeita.* [Conjug.: v. *frear.* Cf. *rabiar.*]

rabeca. [Do ár. *rabāb,* pelo fr. ant. *rebec* ou pelo provenç. ant. *rebec.*] *S. f.* **1.** Designação antiquada do violino. [F. paral.: *rebeca.*] **2.** Utensílio de ferreiro, que serve para fazer girar a broca; sanfona. **3.** *Lus.* V. *fancho.* **4.** *Bras.* Espécie de violino, com quatro cordas de tripa e sonoridade fanhosa, que se toca apoiando-o na altura do coração ou no ombro esquerdo, mas sempre com a voluta para baixo. **5.** *Tip.* Componedor amplo, ordinariamente de madeira, próprio para os tipos de grande corpo usados em cartazes, etc. **6.** *Bras.* Peixe teleósteo, siluriforme, da família dos aspredinídeos (*Platystacus cotylephorus* Bloch), da Amaz. e Guianas, de dorso plúmbeo, abdome claro, e cerca de 22 cm de comprimento. Noctívago, alimenta-se de vermes, larvas, crustáceos e insetos. **7.** *Bras.* Peixe teleósteo, siluriforme, da família dos aspredinídeos (*Bunocephaus coracoideus* (Cope)), da Amaz. [Cf. *rebeca* e o antr. *Rebeca.*]

rabecada. *S. f.* **1.** Ato ou efeito de tocar rabeca. **2.** *Fig.* V. *repreensão* (1). **3.** Maledicência, difamação, murmuração.

rabecão. [De *rabeca* + *-ão*[1].] *S. m.* **1.** *Pop.* Contrabaixo (1). **2.** O tocador desse instrumento. **3.** *Bras.* Carro para transporte de cadáveres. ♦ **Rabecão pequeno.** *Pop.* O violoncelo.

rabeio. [Dev. de *rabear.*] *S. m.* **1.** Rabeadura. **2.** *Mar.* Movimento da popa no sentido horizontal, quando o navio muda de rumo.

rabeira. [De *rabo* + *-eira.*] *S. f.* **1.** V. *vestígio* (1). **2.** Restos que sobram do grão depois de joeirado; pragana, moinha. **3.** Cauda de vestido. **4.** Lama ou sujeira na parte inferior dos vestidos. **5.** Rabada (5). **6.** *Bras.* e *prov. lus.* A parte traseira de um veículo.

rabejador (ô). *Adj.* e *s. m.* Que ou aquele que rabeja.

rabejar. *V. t. d.* **1.** *Taur.* Segurar (um touro) pelo rabo. *Int.* **2.** Roçar com a cauda do vestido pelo chão, andando. [Conjug.: v. *pelejar.*]

rabelaisiano (lè). *Adj.* **1.** Pertencente ou relativo a François Rabelais, escritor renascentista francês (1494-1553), ou próprio dele. **2.** Que lembra o gênero de Rabelais. **3.** *Fig.* Mordaz, picante, satírico. **4.** *Fig.* Libertino, devasso, licencioso.

rabelo (ê). [De *rabo.*] *S. m.* **1.** Rabiça (1). **2.** Corda para segurar a rabiça. **3.** *Lus.* Barco a vela usado no Rio Douro para transportar vinho em pipas.

rabequista. *S. 2 g.* Pessoa que toca rabeca; violinista. ♦ **Metido a rabequista.** *Bras. Fam.* Diz-se de indivíduo saliente, intrometido, namorador, que se mete em cavalarias altas, em camisa de onze varas. [Aplica-se, em particular, ao garoto ou rapazinho com fumaças de homem feito.]

rabi[1]. [Do hebr. *rabbi*, 'meu mestre'.] *S. m.* Rabino[1].

rabi[2]. [De *rabicó*, com apócope.] *Adj. 2 g. Bras., SP.* V. *suru* (1).

rábia. [Do lat. *rabia.*] *S. f.* V. *raiva* (1). [Cf. *rabia*, do v. *rabiar.*]

rabialvo. [De *rabo* + *-i-* + *alvo.*] *Adj.* Rabalvo [q. v.].

rabiar. [De *rábia* + *-ar*[2].] *V. int.* **1.** Perder a paciência; impacientar-se. **2.** Enfurecer-se, irar-se, zangar-se, quizilar-se, raivar: *Quando soube da reprovação, rabiou, e foi um deus-nos-acuda.* [Pres. ind.: *rabio, rabias, rabia*, etc. Cf. *rábia* e *rabear.*]

rabiça. [De *rabo.*] *S. f.* **1.** Braço ou guidão do arado, destinado ao manejo desse utensílio: "pegar penosamente à rabiça dum arado de ferro, e i-lo empurrando desde a alva ao crepúsculo, ... é labor doloroso" (Eça de Queirós, *Notas Contemporâneas*, p. 157). **2.** Lugar proeminente na parte traseira da albarda (1).

rabiçaca. [De *rabo.*] *S. f. Bras., N.E.* Empurrão, repelão, empuxão.

rabicano. *Adj. Bras., RS.* Rabicão [q. v.]

rabicão. [Var. de *rabicano* < esp. plat. *rabicano.*] *Adj. Bras., RS.* Diz-se do eqüídeo que tem o rabo entremeado de fios brancos. [Pl.: *rabicãos.*]

rabicha. [De *rabicho.*] *S. f. Bras., MG.* Corrente ou tira de couro para pendurar os caldeirões sobre a trempe, nas casas pobres.

rabicho. [De *rabo* + *-icho.*] *S. m.* **1.** Pequena trança de cabelo que pende da nuca; rabada. **2.** Correia dos arreios da cavalgadura que passa por sob a cauda e se prende à sela; retranca, atafal. **3.** *Lus.* Cabo da almanjarra (2). **4.** *Marinh.* Trabalho de embotijamento feito no chicote de um cabo para embelezá-lo, ou para impedir que desacoche, ou, ainda, para tornar mais fácil gornilo num poleame. [Os tipos mais comuns são: rabicho de rabo de raposa e rabicho de rabo de cavalo.] **5.** *Bras. Pop.* Amor, paixão. **6.** *Bras., S.* Reforço que consiste em prender a parte superior de um poste ou de um mourão com fios de arame que se ligam a uma estaca ou pedra, solidamente cravada na terra. ● *Adj.* **7.** Diz-se do touro sem pêlo na extremidade da cauda.

rabichola. [De *rabicho* + *-ola.*] *S. f. Bras., N.E.* Tira larga de couro que prende a cangalha e passa por detrás do animal para impedir que, nas descidas, a albarda escorregue.

rábico. *Adj.* Respeitante à rábia ou hidrofobia.

rabicó. [De *rabo.*] *Adj. 2 g. Bras., MG.* e *SP.* V. *suru* (1).

rabicurto. [De *rabo* + *-i-* + *curto.*] *Adj. Zool.* Que tem cauda curta. [Antôn.: *rabilongo.*]

rábido. [Do lat. *rabidu.*] *Adj.* V. *raivoso* (2):"Rábido o sol uivasse, uivasse o norte, / Chamejasse o verão, nevoasse o inverno, / Imutável no todo, augusto e forte. // O mesmo eu via! Era só ele eterno!" (Alberto de Oliveira, *Poesias*, 3ª série, p. 294).

rabifurcado. [De *rabo* + *bifurcado*, com síncope.] *Adj. Zool.* Cuja cauda é bifurcada.

rabigo. [De *rabo.*] *Adj.* **1.** Que mexe muito com a cauda. **2.** *Fig.* Que se mexe muito; irrequieto, buliçoso. **3.** Ativo, diligente.

rabil. *S. m.* Var. aferética de *arrabil*: "Música — uns finos, leves arruídos, / Flébeis violinos, flautins, rabis" (Alberto de Oliveira, *Lírica*, p. 95).

rabilhão. [De *rabo.*] *S. m. Bras.* V. *matraca* (7).

rabilinha. [De *rabo* + *-i-* + *linha.*] *S. f. Bras., RJ.* Rabiola (1).

rabilonga. [Fem. substantivado de *rabilongo.*] *S. f. Bras.* V. *alma-de-gato* (1).

rabilongo. [De *rabo* + *-i-* + *longo.*] *Adj. Zool.* Que tem rabo comprido. [Antôn.: *rabicurto.*]

rabinado. *S. m.* Dignidade ou funções de rabino[1].

rabinice. *S. f.* **1.** Qualidade ou ato de rabino[2]; travessura. **2.** Teima, teimosia, obstinação. **3.** Impertinência, rabugem, rabugice.

rabínico. *Adj.* Relativo ou pertencente aos rabinos [v. *rabino*[1].]

rabinismo. *S. m.* A doutrina dos rabinos[1] [v. *rabino*[1]] e seu estudo.

rabinizar. *V. int.* Consagrar-se a estudos rabínicos.

rabino[1]. [De *rabin*, pl. de *rabi*[1].] *S. m.* **1.** Doutor da lei judaica. **2.** Sacerdote do culto judaico. [Sin. ger.: *arabi.*]

rabino[2]. *Adj.* Travesso, traquinas, inquieto, irrequieto, buliçoso.

rabiola. [De *rabo* + *-i-* + *-ola.*] *S. f. Bras., RJ.* **1.** Rabo de papagaio de papel; rabilinha. **2.** Papagaio que tem rabo desse tipo.

rabioso (ô). [Do lat. *rabiosu.*] *Adj.* V. *raivoso* (2): "Vi então o que é uma mulher rabiosa ...: não há maneia nem buçal que sujeite: é pior que homem!..." (Simões Lopes Neto, *Contos Gauchescos e Lendas do Sul*, p. 136.)

rabiosque. [De *rabo.*] *S. m. Pop.* V. *nádegas.*

rabioste. [De *rabo.*] *S. m. Pop.* V. *nádegas.*

rabiote. [De *rabo* + *-i-* + *-ote.*] *S. m. Pop.* V. *nádegas.*

rabipreto (ê). [De *rabo* + *-i-* + *preto.*] *Adj. Zool.* Que tem cauda preta. [Antôn.: *rabalvo, rabialvo.*]

rabirruivo. [De *rabo* + *-i-* + *ruivo.*] *Adj. Zool.* Que tem cauda ruiva.

rabiscador (ô). *Adj.* **1.** Que rabisca; rabiscante. ● *S. m.* **2.** Aquele que rabisca. **3.** *Deprec.* V. *escrevinhador.*

rabiscante. *Adj. 2 g.* Rabiscador (1).

rabiscar. *V. int.* **1.** Fazer rabiscos ou garatujas; entreter-se a fazer traços ao acaso: *Enquanto a professora dava a aula, o aluno, distraído, rabiscava.* **2.** Escrever de modo ininteligível; traçar as letras mal. *T. d.* **3.** Cobrir de rabiscos; fazer rabiscos em: "Rabiscava umas tantas folhas de papel" (Rebelo da Silva, *Contos e Lendas*, p. 10). **4.** Escrever às pressas; escrevinhar: "Não me seria possível rabiscar uma página sobre todas as grandezas vistas de fora. A União Soviética é para mim completamente diversa." (Graciliano Ramos, *Viagem*, p. 12); *Rabiscou um bilhete, enquanto o portador esperava.* [Conjug.: v. *trancar.*]

rabisco. [De *rabo*, certamente, + *-isco*[1].] *S. m.* **1.** Risco tortuoso, mal traçado; garatuja. **2.** V. *garatuja* (2). ~ V. *rabiscos.*

rabiscos. [Pl. de *rabisco.*] *S. m. pl.* **1.** Letras malfeitas. **2.** Trecho escrito sem capricho e/ou às pressas. ~ V. *rabisco.*

rabisseco (ê). [De *rabo* + *-i-* + *seco.*] *Adj.* Que não dá fruto; estéril, sáfaro.

rabisteco. [De *rabo.*] *S. m. Fam.* V. *nádegas.*

rabistel. [De rabo.] *S. m. Fam.* V. *nádegas.* [Pl.: *rabistéis.*]

rabo. [Do lat. *rapu*, 'nabo'.] *S. m.* **1.** Cauda (1 e 2). **2.** *Restr.* O prolongamento da coluna vertebral de certos mamíferos; cauda. **3.** Cabo de certos utensílios ou instrumentos de trabalho: *o rabo da enxada.* **4.** *Pop.* Cauda (6): *o rabo de um foguete.* **5.** *Chulo.* As nádegas, ou o ânus. **6.** *Bras. Fam.* As abas da casaca ou do fraque. **7.** V. *rabo da cachoeira.* ♦ **Rabo da cachoeira.** A parte inferior da queda-d'água, quando separada da superior, denominada *cabeça* (21) [q. v.], por um trecho mais ou menos longo não encachoeirado; cauda. [Tb. se diz apenas *rabo.*] **Chegar o rabo à ratoeira.** *Fam.* Entregar os pontos. **Crescer como rabo de cavalo.** *Bras. Fam.* e *irôn.* Decrescer, declinar, decair: *A inteligência dele cresce como rabo de cavalo.* **Dar ao rabo.** Agitá-lo, andando. **Dar com o rabo na cerca.** *Bras. Pop.* V. *morrer* (1). **Dar rabo ao nambu.** *Bras.* Dar que falar; motivar a maledicência. **Encher o rabo.** *Chulo.* Encher-se, fartar-se, empanturrar-se. **Meter o rabo entre as pernas.** *Bras. Pop.* Encolher-se, calar, com medo ou por não ter razão. **Pegar em rabo de foguete.** *Bras. Fam.* Assumir compromisso difícil de cumprir; responsabilizar-se por coisa perigosa ou complicada; segurar em rabo de foguete. **Pegar no rabo da tirana.** *Bras., MG. Pop.* Trabalhar com a enxada. **Pregar rabo em nambu.** *Bras.* Dar importância a quem não a merece; responder a quem não é digno de resposta. Segurar em rabo de foguete. *Bras. Fam.* Pegar em rabo de foguete.

rabo-aberto. *S. m. Bras.* Peixe teleósteo, percomorfo, da família dos lutjanídeos (*Ocyurus chrysurus* (Bloch)), distribuído da Flórida ao RJ, dorso violáceo-esverdeado, abdome róseo, uma faixa amarelo-dourada do focinho até o pedúnculo, e todas as nadadeiras amarelo-douradas. Tem a nadadeira caudal escamosa, largamente bifurcada e aberta, o que lhe valeu o nome popular. [Sin.: *cioba-mulata, caúba, saúba.* Pl.: *rabos-abertos.*]

rabo-de-arara. *S. m. Bras., Amaz.* **1.** Arbusto ou arvoreta da família das rubiáceas *(Warzewiczia coccinea)*, da floresta pluvial, que se caracteriza por possuir nas flores uma sépala muito maior do que as outras e de cor vermelho-viva, o que lhe confere belo efeito ornamental. **2.** V. *fava-de-bolota.* [Pl.: *rabos-de-arara.*]

rabo-de-arraia. *S. m.* **1.** *Bras. Cap.* Golpe traumatizante em que o capoeirista apóia as mãos no solo, gira o corpo sobre a cabeça e procura atingir com os calcanhares a cabeça do adversário. **2.** *Bras., N.E.* Cavalo-de-pau. [Pl.: *rabos-de-arraia.*] ♦ **Rabo-de-arraia amarrado.** *Bras. Cap.* Rabo-de-arraia aplicado com um só pé, quando o capoeirista tem o outro pé seguro pelo adversário, o que lhe dá mais um ponto de apoio além do das mãos.

rabo-de-bugio. *S. m. Bras.* Cipó da família das combretáceas *(Combretum aubletii)*, freqüentemente cultivado como ornamental em jardins, cujas flores são de bonita cor vermelha e se agrupam compactamente em inflorescências que lembram, pela forma, uma escova. [Pl.: *rabos-de-bugio.*]

rabo-de-burro. *S. m. Bras.* Variedade de capim. [Pl.: *rabos-de-burro.*]

rabo-de-cameleão. *S. m. Bras.* Denominação comum a várias plantas trepadeiras da família das leguminosas, subfamília mimosácea *(Mimosa myriadena, Mimosa paniculata* e *Mimosa sagotiana).* [Pl.: *rabos-de-cameleão.*]

rabo-de-cavalo. *S. m. Bras.* **1.** Penteado em que se atam os cabelos na parte posterior da cabeça, deixando-os cair como a cauda de um cavalo. **2.** V. *cavalinha* (1). [Pl.: *rabos-de-cavalo.*]

rabo-de-couro. *S. m. Bras., N.E.* V. *ratazana* (2). [Pl.: *rabos-de-couro.*]

rabo-de-cutia. *S. m. Bras.* Arbusto da família das compostas *(Stifftia chrysantha)*, muito ornamental em virtude dos grandes capítulos dourados, e cujas flores são excepcionalmente desenvolvidas para a família a que ele pertence. [Pl.: *rabos-de-cutia.*]

rabo-de-escrivão. *S. m.* V. *alma-de-gato* (1). [Pl.: *rabos-de-escrivão.*]

rabo-de-galo. [Trad. do ingl. *cocktail*, 'coquetel'.] *S. m.* **1.** *Bras.* V. *flor-da-imperatriz.* **2.** *Bras. Pop.* Aperitivo feito com aguardente e um pouco de vermute. **3.** *Bras Pop.* Mistura de gasolina com álcool, na proporção de meio a meio. **4.** *Bras., RJ. Gír.* Navalhada sinuosa; gilvaz. **5.** *Bras., N.E. Pop.* Grande faca; facão. [Pl.: *rabos-de-galo.*]

rabo-de-gato. *S. m. Bras.* **1.** Laranja de qualidade ruim. **2.** Cavalo que não é de raça. **3.** *Bras., RJ.* Goiabada com queijo. [Pl.: *rabos-de-gato.*]

rabo-de-macaco. *S. m. Bras.* Crista-de-peru (1). [Pl.: *rabos-de-macaco.*]

rabo-de-maré. *S. m. Bras., PA.* Espécie de pororoca que se observa da costa do PA até Caiena. [Pl.: *rabos-de-maré.*]

rabo-de-osso. *S. m. Bras., GO,* V. *jararaca-pintada.* [Pl.: *rabos-de-osso.*]

rabo-de-palha. *S. m. Bras.* **1.** Mácula na reputação, ou qualquer defeito moral pelo qual se possa vir a ser censurado: " — Mas vai começar a dizer cobras e lagartos de mim, vou cair na rua da amargura. / — E você tem rabo-de-palha?" (M. Cavalcanti Proença, *Manuscrito Holandês*, p. 255.) **2.** *Bras.* Ave pelicaniforme, da família dos faetontídeos, de coloração branca, com ligeiros tons róseos, dorso com ondulações pretas, uma linha preta ligando o olho ao bico e às barbas externas das rêmiges, bico vermelho, 40 cm de corpo e 60 cm de cauda. **3.** Designação comum às espécies de pássaros cuculídeos, sobretudo as do gênero *Piaya* Less. [Cf. *alma-de-gato* (1).] [Pl.: *rabos-de-palha.*]

rabo-de-peixe. *S. m. Bras.* Automóvel de luxo que tinha os pára-lamas traseiros muito altos, lembrando a nadadeira caudal dos peixes. [Pl.: *rabos-de-peixe.*]

rabo-de-raposa. *S. m.* V. *cauda-de-raposa* (1). [Pl.: *rabos-de-raposa.*]

rabo-de-rato. [De *rabo* + *de* + *rato*[1].] *S. m. Bras.* **1.** Planta herbácea e epifítica, da família das cactáceas *(Rhipsalis myosurus)*, constituída de ramos verdes e sem folhas, e cujas flores e frutos são pequeninos e isolados. **2.** Cordão fino na união de duas partes de tecido costuradas, usado para dar relevo. [Pl.: *rabos-de-rato.*]

rabo-de-saia. *S. m.* **1.** *Bras. Fam.* Mulher (1): *Vive atrás de rabos-de-saia;* "— Esse menino é mesmo que o pai por um rabo-de-saia. É um agarrado com aquela professora..." (Adalberon Cavalcanti Lins, *Curral Novo*, p. 246). **2.** *Bras., CE.* Diabinho (2). [Pl.: *rabos-de-saia.*]

rabo-de-tatu. *S. m. Bras.* **1.** Planta da família das orquidáceas (*Cyrtopodium punctatum*). **2.** *Bras.* V. *sumaré.* **3.** *Bras., S.* Rebenque feito de couro trançado: "O tenente Galinha deu ordem pra meterem o rabo-de-tatu no preso, que apanhou até correr sangue." (Francisco Marins, ... *e a Porteira Bateu!*, p. 157.) [Pl.: *rabos-de-tatu.*]

rabo-de-tesoira. *S. m. Bras.* V. *rabo-de-tesoura.* [Pl.: *rabos-de-tesoira.*]

rabo-de-tesoura. [De *rabo* + *de* + *tesoura;* var. de *rabo-de-tesoira.*] *S. m. Bras.* V. *lacraia.* [Pl.: *rabos-de-tesoura.*]

rabo-de-tucano. *S. m. Bras.* Congonheiro. [Pl.: *rabos-de-tucano.*]

rabo-leva. [De *rabo* + a 3ª pess. sing. do pres. ind. de *levar.*] *S. m. 2 n.* Tira de papel ou de pano que, por brincadeira, se põe, disfarçadamente, nas costas de alguém, para depois zombar dessa pessoa.

rabona. *Adj. (f.)* **1.** Fem. de *rabão* (1 e 2). ● *S. f.* **2.** Fraque de abas curtas: "espigado, magríssimo e pernudo, com uma rabona curta de lustrina" (Eça de Queirós, *A Relíquia*, pp. 93-94). **3.** *Bras.* Mulher de soldado.

rabonar. [De *rabona* + *-ar*[2].] *V. t. d.* **1.** *Bras., S.* Cortar a cauda ou rabo de (o animal). **2.** Passar adiante de (animal perseguido na carreira). [Cf. *rabunar.*]

rabo-quente. *S. m.* **1.** *Bras. Pop. Desus.* Automóvel com motor na traseira. [Aplicava-se particularmente ao antigo *Renault* pequeno.] **2.** *Bras., PR.* Ebulidor. [Pl.: *rabos-quentes.*]

rabo-seco. [De *rabo* + *seco.*] *S. m. Bras.* V. *pescada-branca* (1). [Pl.: *rabos-secos.*]

raboso (ô). *Adj.* Rabudo (1).

rabotar. *V. t. d.* Alisar ou limpar com o rabote.

rabote. [Do fr. *rabot.*] *S. m.* Grande plaina de carpinteiro. [Var.: *rebote*[1].]

rabo-torto. *S. m. Bras., PA* e *MA.* V. *escorpião* (1). [Pl.: *rabos-tortos.*]

rabo-vermelho. *S. m. Bras.* V. *tubarana.* [Pl.: *rabos-vermelhos.*]

rabudo. *Adj.* **1.** Que tem cauda ou rabo grande; raboso. **2.** Diz-se de vestido de grande cauda: "Três ou quatro senhoras expõem com suficiência vestidos longos, rabudos e decotados" (Graciliano Ramos, *Viagem*, p. 40). **3.** *Bras., SP. Pop.* Cruel, malvado, perverso. ● *S. m.* **4.** *Bras. Pop.* V. *diabo* (2). **5.** *Bras., MG.* Armadilha para peixes em rios e riachos. **6.** *Bras.* Mamífero roedor, da família dos equimídeos (*Cercomys cunicularius apereoides* (Lund.)), do O. de MG, de coloração em tons de preto e ocráceo, dando um aspecto geral cinéreo-escuro, superfície ventral branca, a cauda muito longa, com pêlos relativamente grandes, pretos em cima e brancos embaixo; rato-boiadeiro.

rabugem. [Do lat. **robugine*, em vez de *robigine* ou *rubigine*, 'ferrugem', 'crosta'.] *S. f.* **1.** Doença de cães, semelhante à sarna. **2.** *Fig.* V. *rabugice* (1). **3.** Mau humor; arrufo, amuo, calundu. **4.** *Bras.* Madeira difícil para trabalhar. [Cf. *rabujem*, do v. *rabujar.*]

rabugento. *Adj.* **1.** Que tem rabugem. **2.** *Fig.* Que se queixa de tudo, reclama contra tudo; impertinente, rabuja, ranzinza, ranheta.

rabugice. *S. f.* **1.** Qualidade ou modos de rabugento; impertinência, rabugem. **2.** Mau humor permanente de pessoa rabugenta, ranzinza: *rabugice de velho.* [Sin. ger.: *rabuja.*]

rabuja. [Dev. de *rabujar.*] *Adj. 2 g. Bras. Fam.* **1.** V. *rabugento* (2). ● *S. 2 g.* **2.** V. *rabugice.*

rabujado. [Part. de *rabujar.*] *Adj.* Dito por entre os dentes, de mau humor.

rabujar. [De *rabugem.*] *V. int.* **1.** Ser ou mostrar-se rabugento, impertinente, importuno. **2.** Teimar e choramingar (principalmente crianças): *O menino rabujou porque lhe negaram a gulodice.* **3.** Ralhar ou zangar-se continuamente: *Ainda não tem 20 anos, e leva o tempo a rabujar.* [Pres. subj.: *rabuje, rabujes,* .... *rabujem.* Cf. *rabugem.*]

rábula. [Do lat. *rabula.*] *S. m.* **1.** Advogado de limitada cultura e chicaneiro; leguleio, pegas. **2.** Indivíduo que fala muito, mas não conclui nem prova nada. **3.** *Bras.* Indivíduo que advoga sem possuir o diploma. [Cf. *rabula*, do v. *rabular.*]

rabulão. *S. m.* **1.** Grande rábula. **2.** Fanfarrão, gabola(s).

rabular. *V. int.* **1.** Agir como rábula; proferir ou praticar rabulices. **2.** *Bras.* Advogar na condição de rábula. [Sin. ger.: *rabulejar, rabulear.* Pres. ind.: *rabulo, rabulas, rabula,* etc. Cf. *rábula.*]

rabularia. [De *rábula* + *-aria.*] *S. f.* **1.** V. *fanfarrice* (2). **2.** Palavrório que nada prova nem conclui; rabulice.

rabulear. [De *rábula* + *-ear.*] *V. int.* V. *rabular.* [Conjug.: v. *frear.*]

rabulejar. [De *rábula* + *-ejar.*] *V. int. Bras.* V. *rabular* (3): "tinha de sair para o interior rabulejando e fazendo dívidas em falta de que fazer." (Cornélio Pires, *Quem Conta um Conto* ..., p. 225). [Conjug.: v. *pelejar.*]

rabulice. *S. f.* **1.** Ato ou dito de rábula (1); chicana. **2.** Rabularia (2).

rabulista. *Adj. 2 g.* e *s. 2 g.* Que ou quem é dado a rabulices; chicaneiro: *advogado rabulista; É um conhecido rabulista.*

rabunar. *V. t. d.* Preparar (a cortiça) para fazer as rolhas. [Cf. *rabonar.*]

raca. [Caldaico.] *S. m.* Termo injurioso empregado no Evangelho de S. Mateus. Significação primitiva: 'vazio', 'chocho' ou 'conspurcado'.

raça[1] [Do it. *razza.*] *S. f.* **1.** Conjunto de indivíduos cujos caracteres somáticos, tais como a cor da pele, a conformação do crânio e do rosto, o tipo de cabelo, etc., são semelhantes e se transmitem por hereditariedade, embora variem de indivíduo para indivíduo. **2.** O conjunto dos ascendentes e descendentes de uma família, uma tribo ou um povo, que se origina de um tronco comum. **3.** Ascendência, origem, estirpe, casta. **4.** Descendência, progênie, geração. **5.** O conjunto dos indivíduos com origem étnica, lingüística ou social comum: *A América recebeu, pela imigração, europeus de diferentes raças.* **6.** Geração; gente: *Os sertanejos são uma raça forte.* **7.** Qualidade que se supõe própria de uma origem ilustre, como, p. ex., a distinção, a elegância, a coragem, o vigor. **8.** Categoria, classe, espécie: *Uma raça de motoristas imprudentes infestava a cidade.* **9.** Vontade firme, poderosa; grande determinação: "Fluminense vence com raça e coração" (Marcos Penido e Michel Laurence, *Jornal do Brasil*, 7.3.1983). **10.** Subespécie animal resultante do cruzamento de indivíduos selecionados pelo homem para manutenção ou aprimoramento de determinados caracteres. [Aplica-se especialmente aos animais domésticos.] ◆ **Acabar com a raça de.** *Bras. Pop.* Matar, assassinar. **Na raça.** *Bras. Gír.* V. *no peito e na raça.* **Ter raça.** *Bras.* **1.** Ter ascendência africana. **2.** Ser forte, lutador, bravo, brioso.

raça[2]. [Alter. de *racha.*] *S. f.* Fenda nos cascos das bestas.

rã-cachorro. *S. f. Bras.* Animal anfíbio (*Megaëlosia bufonia*), da subclasse dos anuros, muito comum no RJ. Apresenta dimorfismo sexual, sendo a fêmea, com 9 cm de comprimento, o dobro do macho. Cor verdoenga, com manchas negras; girinos muito grandes; habita os rios, e seu nome decorre da presença de uma lâmina dentada. [Pl.: *rãs-cachorros* e *rãs-cachorro.*]

raçador (ô). [De *raça* (9) + *-(d)or.*] *Adj.* e *s. m.* Diz-se do, ou o animal reprodutor que, graças à pureza da ascendência, melhora o rebanho.

ração. [Do lat. *ratione*, 'medida'.] *S. f.* **1.** O alimento necessário para manter em boas condições de funcionamento o organismo humano ou animal, durante um certo período. **2.** Quantidade de alimento calculada para uma refeição duma pessoa. **3.** A porção de alimento que deve cobrir as necessidades de manutenção de um animal, e assegurar sua eficiência em termos econômicos. **4.** Porção de alimento, ou de bens essenciais de consumo, que cabe a um indivíduo ou a um grupo, em circunstâncias excepcionais. **3.** *P. ext.* Alimento para animais. ● *S. m.* **6.** *Bras., BA.* Uma das personagens do fandango (7).

racear. *V. t. d.* Apurar a raça (9) de; arraçar. [Conjug.: v. *frear.*]

racemado. *Adj. Morfol. Veg.* Que tem disposição em racemo (2).

▲**racemi-.** [Do lat. *racemus, i.*] *El. comp.* = 'cacho': *racemifloro, racemiforme.*

racêmico. *Adj.* **1.** Pertencente ou relativo a racemo. **2.** Diz-se de qualquer mistura constituída por dois antípodas ópticos, em proporção eqüimolecular, e que é opticamente inativa. ● *S. m.* **3.** *Quím.* Mistura racêmica.

racemífero. [De *racemi-* + *-fero.*] *Adj. Poét.* Que tem ou produz cachos.

racemifloro. [De *racemi-* + *-floro.*] *Adj. Morfol. Veg.* Que tem flores distribuídas em racemo (2).

racemiforme. [De *racemi-* + *-forme.*] *Adj. 2 g. Morfol. Veg.* Em forma de racemo: *cimeira racemiforme.*

racemização. *S. f.* Transformação duma substância opticamente ativa na forma racêmica inativa.

racemo. [Do lat. *racemu.*] *S. m.* **1.** Cacho de uvas. **2.** *Morfol. Veg.* Tipo de inflorescência correspondente a cachos, ou constituído de um eixo indefinido sobre o qual se inserem flores pediceladas. Constitui o protótipo das inflorescências ditas *racemosas.* [Var.: *racimo* (q. v.).]

racemoso (ô). [Do lat. *racemosu.*] *Adj.* Que tem cachos ou aparência de cacho.

racha. [Dev. de *rachar.*] *S. f.* **1.** Abertura de coisa rachada; rachadura, rachão, fenda, greta. **2.** *P. us.* Lasca, estilha; estilhaço. **3.** *Fam.* Pequena porção; migalha. **4.** *Chulo.* A vulva. **5.** *Bras. Pop.* Partilha entre duas ou mais pessoas. **6.** *Bras. Pop.* Dissensão, rompimento. ● *S. m.* **7.** *Bras., RJ.* Pelada[2], em geral violenta. [Cf. *raxa.*]

rachada. [De *rachar* + *-ada*[1].] *S. f.* **1.** *Bras., RJ.* Bordoada, pancada, paulada, cacetada. **2.** *Bras., MG. Fig. Pop.* Resposta violenta ou grosseira. **3.** *Bras. Chulo.* Mulher (1).

rachadeira. [De *rachar* + *-deira.*] *S. f.* Instrumento próprio para fender os ramos e fazer a enxertia.

rachadela. [De *rachar* + *-dela.*] *S. f.* **1.** Pequena rachadura. **2.** V. *fenda* (1).

rachado. [Part. de *rachar.*] *Adj.* **1.** Que tem rachas. ● *S. m.* **2.** *Bras., S.* Certa dança plebéia indecente.

rachador (ô). *Adj.* e *s. m.* Que ou aquele que racha.

rachadura. *S. f.* **1.** Ato ou efeito de rachar(-se). **2.** V. *racha* (1).

rachão. [De *rachar* + *-ão*[3].] *S. m.* **1.** *Bras.* V. *racha* (1). **2.** *Bras., SP.* Trecho de um rio entre paredes abruptas. **3.** *Bras., SP.* Acha de madeira: "como, para sair, tivesse apartado os rachões de uma cerca, vararam também os outros" (Valdomiro Silveira, *Os Caboclos*, p. 87).

racha-pé. [De *rachar* + *pé.*] *S. m. Bras. Pop.* V. *sapateado* (4). [Pl.: *racha-pés.*]

rachar. *V. t. d.* **1.** Dividir no sentido de comprimento: rachar lenha. **2.** Abrir fendas ou gretas em; fender, gretar: *O sol quente rachou os tijolos.* **3.** Partir ou dividir violentamente; abrir de meio a meio: *O raio rachou a árvore.* **4.** Partir em estilhaços; fragmentar, lascar. **5.** Maltratar com palavras; ofender, injuriar: *Rachou o velho, injustamente.* **6.** *Bras.* Dar a alguém a metade de (lucros de um negócio); dividir: *No fim do dia, rachou a féria.* **7.** Dividir proporcionalmente: *Os amigos racharam a conta do jantar. T. d.* e *i.* **8.** *Bras.* Repartir, dividir: *Rachou o dinheiro com os colegas. Int.* e *p.* **9.** Lascar-se, fender-se, gretar-se: *O vaso rachou; O cristal rachou-se.* [Pres. ind.: *racho, rachas, racha*, etc. Cf. *raxar.*]

racial. [Do ingl. *racial.*] *Adj. 2 g.* Relativo a raça; rácico. ~ V. *integração* — e *segregação* —.

rácico. [De *raça*[1] + *-ico*[2].] *Adj.* Racial [q. v.].

racimo. [Do lat. vulg. **racimu* < *recemu*, 'cacho'.] *S. m.* Var. de *racemo:* "Faunos cornutos, sátiros maganos, / Engrinaldados de racimos e de parras, / Brandindo tirsos, no esplendor da luz!" (Martins Fontes, *Verão*, p. 49.)

racinar. [Do fr. *raciner.*] *V. t. d. Encad.* Decorar (encadernação) com raízes [q. v.].

raciniano. *Adj.* Pertencente ou relativo a Jean Racine, poeta e dramaturgo francês (1639-1699), ou próprio dele.

raciocinação. [Do lat. *ratiocinatione.*] *S. f. P. us.* V. *raciocínio* (1).

raciocinado. [Part. de *raciocinar.*] *Adj.* Que foi objeto de raciocínio; sobre que se raciocinou; pensado, ponderado: *atitude raciocinada.*

raciocinador (ô). [Do lat. *ratiocinatore.*] *Adj.* e *s. m.* Que, ou aquele que raciocina.

raciocinamento. [De *raciocinar* + *-mento.*] *S. m. P. us.* V. *raciocínio* (1).

raciocinar. [Do lat. **ratiocinare*, por *ratiocinari.*] *V. int.* **1.** Usar da razão para conhecer, para julgar da relação das coisas; fazer raciocínio(s): *Passou horas raciocinando.* **2.** Fazer cálculo(s); calcular. *T. i.* **3.** Formar um raciocínio; deduzir razões; discorrer: *Depois da aula costuma raciocinar sobre a lição.*

raciocinativo. [Do lat. *ratiocinativu.*] *Adj.* **1.** Relativo ao raciocínio. **2.** Que contém raciocínio.

raciocínio. [Do lat. *ratiociniu.*] *S. m.* **1.** Ato ou efeito de raciocinar. [Sin., p. us.: *raciocinação* e *raciocinamento.*] **2.** Encadeamento, aparentemente lógico, de juízos ou pensamentos. **3.** Capacidade de raciocinar; juízo, razão; racionabilidade: *Para assimilar bem uma ciência cumpre fazer uso do raciocínio.* **4.** *Filos.* Processo discursivo pelo qual de proposições conhecidas ou assumidas se chega a outras proposições a que se atribuem graus variados de verdade. [Cf. *dedução* (3 e

4), *demonstração* (6), *inferência* (2) e *prova* (18).] ♦ **Raciocínio por analogia.** *Filos.* **1.** Raciocínio pelo qual se determina o quarto termo de uma proporção, uma vez conhecidos os três outros. **2.** Processo de generalização fundado em semelhança de relação apresentada por elementos de totalidades diferentes, e que consiste em passar, de uma ou mais propriedades já observadas em um dos elementos, à atribuição das mesmas propriedades a outro elemento de outra totalidade no qual ainda não tenham sido observadas. **3.** Atribuição de uma qualidade a um objeto pela presença desta qualidade em outro objeto que, como o primeiro, já apresenta qualidades comuns.

racionabilidade. [Do lat. *rationabilitate.*] *S. f.* **1.** Qualidade de racionável ou de racional. **2.** V. *raciocínio* (3). [Sin.: *racionalidade.*]

racional. [Do lat. *rationale.*] *Adj. 2 g.* **1.** Que usa da razão; que raciocina. **2.** Que se deduz pela razão. **3.** Conforme à razão. **4.** *Filos.* Diz-se de conhecimento resultante de princípios *a priori.* [Cf., nesta acepç.: *empírico* (3).] ~ V. *animal —, dosagem —, equação —, equação algébrica —, equação algébrica — inteira, horizonte —, número — e psicologia —.* ● *S. m.* **5.** *Mat.* Número racional.

racionalidade. [Do lat. *rationalitate.*] *S. f.* V. *racionabilidade.*

racionalismo. [De *racional* + *-ismo.*] *S. m.* **1.** Método de observar as coisas baseado exclusivamente na razão, considerada como única autoridade quanto à maneira de pensar e/ou de agir. **2.** Atividade do espírito de caráter puramente especulativo. **3.** *Filos.* Doutrina segundo a qual nada existe que não tenha uma razão de ser, de tal modo que, de direito, nada existe que não seja inteligível. **4.** *Filos.* Doutrina segundo a qual todo conhecimento verdadeiro é conseqüência necessária de princípios irrecusáveis *a priori* e evidentes. **5.** *Filos.* Segundo Kant [v. *kantismo*], doutrina que afirma que a experiência só é possível para um espírito que disponha de um sistema de princípios universais e necessários que organizem os dados empíricos. **6.** *Filos.* Crença na razão e na evidência das demonstrações. [Opõe-se a *empirismo* (1).]

racionalista. *Adj. 2 g.* **1.** Referente ao, ou que é partidário do racionalismo. ● *S. 2 g.* **2.** Partidário dele.

racionalização. *S. f.* **1.** Ato ou efeito de racionalizar. **2.** *Álg.* Operação de racionalizar (4).

racionalizado. [Part. de *racionalizar.*] *Adj.* Que sofreu racionalização. ~ V. *sistema —.*

racionalizar. *V. t. d.* **1.** Tornar racional. **2.** Tornar reflexivo; inclinar à reflexão: *racionalizar o espírito.* **3.** Tornar mais eficientes os processos de (o trabalho industrial, agrícola, etc., ou a organização de empreendimentos, planos, etc.), pelo emprego de métodos científicos: *Pretende o governo racionalizar a produção de açúcar.* **4.** Eliminar os radicais de (uma expressão algébrica). **5.** Elaborar (raciocínio) sobre falsas razões: *racionalizar um erro.*

racionamento. *S. m.* **1.** Ação ou efeito de racionar. **2.** Limitação do consumo de certos bens, determinada pelas autoridades governamentais, a fim de garantir a distribuição eqüitativa dos produtos socialmente carentes.

racionar. [De *ração* (do lat. *ratione*, 'cômputo', 'medida') + *-ar*[2].] *V. t. d.* **1.** Distribuir em rações; distribuir ou repartir regradamente; arraçoar: *Os encarregados da cozinha racionam os alimentos da tropa; Racionaram a luz e a força elétricas.* **2.** Limitar a rações [v. *ração* (4)] a venda de: *Durante a guerra as autoridades racionaram a gasolina.* **3.** *Bras., S.* Dar ração a (animal): *Acordou cedo para racionar o gado.*

racionável. [Do lat. *rationabile.*] *Adj. 2 g.* Razoável (1): "Será racionável e verdadeiro o dizer-se que Cervantes escrevera o seu romance com o intuito exclusivo de atacar e destruir o ridículo do seu tempo, a febre dos livros cavaleirosos?" (Latino Coelho, *Cervantes*, p. 115.)

racioneiro. [Do lat. *rationariu*, aliás 'encarregado da contabilidade'.] *Adj.* Raçoeiro.

racismo. [Do ingl. *racism* < Fr. *racisme.*] *S. m.* **1.** Doutrina que sustenta a superioridade de certas raças. **2.** Qualidade, sentimento ou ato de indivíduo racista. [Cf. *segregacionismo.*]

racista. [Do ingl. *racist* < fr. *raciste.*] *Adj. 2 g.* **1.** Respeitante ao, ou que é partidário do racismo. ● *S. 2 g.* **2.** Partidário dele.

♦**racle.** [Fr.] *S. f. Fotograv.* Raspadeira (3).

raçoeiro. [De *ração* + *-eiro.*] *Adj.* Que recebe ou dá uma ração; racioneiro.

racontar. [De *raconto* + *-ar*[2].] *V. t. d. P. us.* Relatar, referir, narrar, contar.

raconto. [Do it. *racconto.*] *S. m.* Narração, narrativa, relato: "E os racontos da lenda, as histórias das *Mil / E Uma Noites*, à luz do seu olhar febril, / Súbito, fulgirão, miraculosamente." (Martins Fontes, *Verão*, p. 68).

raçudo. [De *raça* + *-udo.*] *Adj.* Que tem raça[1] (7): "A satisfação que me estufava o peito quando entrava com você numa sala, não pela sua beleza que você não era bonita mas tão elegante. Raçuda." (Lígia Fagundes Teles, *Seminário dos Ratos*, p. 52.)

rad. *S. m. Med. Nucl.* Unidade de medida de dose de radiação ionizante absorvida, e equivalente a uma transferência de energia de 100 ergs por grama de qualquer material com capacidade de absorção. Inclui tecidos do corpo. [Pl.: *rads.*]

rã-da-beira. *S. f. Bras.* Anfíbio anuro, da família dos braquicefalídeos (*Atelopus stelzneri* Weyenb.), do RS, de coloração denegrida, com manchas vermelhas por baixo, que vive no meio da relva, nas praias sulinas. [Pl.: *rãs-da-beira.*]

radar. [Das iniciais de *radio detecting and ranging.*] *S. m.* Técnica, ou equipamento, para localizar objetos móveis ou estacionários, medir-lhes a velocidade, determinar-lhes a forma e a natureza, e que utiliza a emissão de pulsos de microondas e a detecção e análise do eco refletido pelos objetos.

radarastronomia. [De *radar* + *astronomia.*] *S. f. Astr.* Técnica que consiste no envio de feixes de onda de rádio à Lua, ou aos planetas, e na recepção e análise do sinal refletido, com o fim de obter informes sobre a natureza da superfície dos planetas e a sua distância da Terra. [Cf. *radioastronomia.*]

radiação. [Do lat. *radiatione.*] *S. f.* **1.** Ato ou efeito de radiar. **2.** *Fís.* Qualquer dos processos físicos de emissão e propagação de energia, seja por intermédio de fenômenos ondulatórios, seja por meio de partículas dotadas de energia cinética. **3.** *Fís.* Energia que se propaga de um ponto a outro no espaço ou num meio material. ♦ **Radiação corpuscular.** *Fís.* Energia emitida por uma fonte sob a forma de partículas subatômicas (elétrons, alfas, nêutrons, etc.). **Radiação cósmica.** *Fís. Nucl.* Raios cósmicos. **Radiação de frenagem.** *Fís.* V. *Bremsstralung.* **Radiação de frenamento.** *Fís.* V. *Bremsstralung.* **Radiação eletromagnética.** *Fís.* Energia eletromagnética que se propaga sob a forma de ondas. **Radiação infravermelha.** *Eletromag.* Radiação eletromagnética de comprimento de onda entre um mícron e 500 micra, aproximadamente. [É muito eficiente no processo de transmissão de calor por irradiação, e provoca o aquecimento dum sistema quando por ele absorvida. Sin.: *calor radiante.*] **Radiação sincroton.** *Fís.* Radiação eletromagnética gerada num sincroton em virtude da aceleração das partículas carregadas. **Radiação ultravioleta.** *Eletromag.* Radiação eletromagnética de comprimento de onda entre 400 nanômetros e o comprimento de onda dos raios X moles.

radiado. [Do lat. *radiatu*, 'que tem raios'; 'irradiante', 'luminoso'.] *Adj.* **1.** Disposto em raios [v. *raio* (3)] **2.** Pertencente ou relativo aos radiados; zoófito. ~ V. *coletor—.* ● *S. m.* **3.** Espécime dos radiados; zoófito.

radiados. *S. m. pl. Zool.* Animais metazoários, enterozoários, divisão *Radiata*, caracterizados por terem simetria radial. São os celenterados e os ctenóforos. [George Cuvier (1769-1832) aplicou essa designação a um grupo de animais que abrange os equinodermos, os vermes intestinais, acalefos, pólipos e infusórios. Sin.: *zoófitos.*]

radiador (ô). [De *radiar* + *-(d)or.*] *S. m.* **1.** Aparelho destinado a aumentar a superfície de radiação dum tubo ou de outro dispositivo qualquer. **2.** Aparelho usado para aquecer ambientes. **3.** Aparelho para refrigerar certos motores ou máquinas: *radiador de automóvel; radiador elétrico.*

radial. [De *radi(o)-*[1] + *-al.*] *Adj. 2 g.* **1.** Que emite raios. **2.** Que é análogo a um raio (3): *avenida radial.* **3.** *Anat.* Referente ao rádio[1] (1), ou que mantém relação com ele. ~ V. *aceleração —, coroa —, movimento — e velocidade —.* ● *S. f.* **4.** Rua que vai do centro para a periferia urbana.

radialista. [De *radio-*[1] + *-al-* + *-ista.*] *S. 2 g. Bras.* Pessoa que se dedica à radiodifusão, organizando programas e/ou tomando parte neles: "Além de advogado, foi [Ari Barroso] radialista, autor teatral, jornalista e até político." (Nestor de Holanda, *Memórias do Café Nice*, p. 100.)

radiância. [De *radi(o)-* + *-ância.*] *S. f.* **1.** *Fotom.* Exitância. **2.** Qualidade de radiante; brilho interno; fulgurância. ♦ **Radiância energética.** *Fís.* Energia radiante emitida por um corpo em cada segundo e por unidade de área. **Radiância luminosa.** *Fotm.* Emitância luminosa.

radiano. [De *radi(o)-* + *-ano.*] *S. m.* Unidade de medida de arco, ou de ângulo, igual a um arco de circunferência, ou ao ângulo central que ele subtende, e cujo comprimento é igual ao raio da circunferência. [Equivale, na graduação sexagesimal, a 57°17′45″, aproximadamente. Símb.: *rad.*]

radiante. [Do lat. *radiante.*] *Adj. 2 g.* **1.** Que radia. **2.** Que brilha; cintilante; fulgurante. **3.** Muito bonito; belo, esplêndido. **4.** Cheio de alegria: *O menino ficou radiante com o presente.* ~ V. *calor —, densidade de fluxo —, emitância —, energia —, farosagem —, fluxo — e intensidade —.* ● *S. m.* **5.** *Astr.* Centro de uma pequena área do céu, do qual parecem provir os traços de meteoros que formam uma determinada chuva; convergente. [V. *chuva de meteoros.*]

radiar. [Do lat. *radiare.*] *V. int.* **1.** Emitir ondas e energia calorífica, luminosa ou, de modo geral, eletromagnética. **2.** Cintilar, refulgir, resplandecer: "O sol radiou: sob a brisa larga, que levara a névoa, toda a messe ondulou numa lenta vaga dourada" (Eça de Queirós, *A Cidade e as Serras*, p. 258). *T. d.* **3.** Cingir de raios brilhantes; aureolar: *Uma coroa de diamantes radiava a fronte da rainha.* **4.** Fazer brilhar; irradiar. *T. i.* **5.** Provir, proceder, emanar, manar: "O clarão doce, que de ti radia, / Mete-me em quente esfera gloriosa" (Luís Delfino, *Íntimas e Aspásias*, p. 155). [Pres. ind.: *radio*, etc. Cf. *rádio.*]

radiatividade. *S. f.* Var. de *radioatividade.*

radiativo. *Adj.* Var. de *radioativo.*

radiator (ô). *S. m. Bras.* Var. de *radioator.*

radiatro. [De *radioteatro*, com síncope.] *S. m. Bras.* V. *radioteatro.*

radicação. *S. f.* Ato ou efeito de radicar(-se).

radicado. [Part. de *radicar.*] *Adj.* **1.** Enraizado, arraigado. **2.** *Fig.* Entranhado, inveterado.

radical. [De *radic(i)-* + *-al.*] *Adj. 2 g.* **1.** Relativo à raiz. **2.** Fundamental, básico, essencial. **3.** Que prega o radicalismo ou age com radicalismo, ou que revela radicalismo, inflexibilidade; radicalista: *político radical; programa radical; medidas radicais.* **4.** *Morfol. Veg.* V. *radicular* (2). ~ V. *centro —, eixo — e plano —.* ● *S. 2 g.* **5.** Partidário do radicalismo; radicalista. ● *S. m.* **6.** *Gram.* Parte invariável de uma palavra. [Cf. *tema* (4).] **7.** *Mat.* Símbolo da potência fracionária duma expressão qualquer. **8.** *Quím.* Grupo de átomos que é capaz de, numa molécula, guardar a sua individualidade em determinadas reações, e que atribui à molécula propriedades características ou especiais; grupamento.

radicalismo. [De *radical* + *-ismo.*] *S. m.* **1.** Doutrina ou comportamento dos que visam a combater pela raiz as anomalias sociais mediante a implantação de reformas absolutas. **2.** *P. ext.* Qualquer doutrina ou comportamento que, sendo politicamente inflexível, provoca antagonismos. [Cf., nesta acepç., *jacobinismo* (2)]. **3.** Comportamento ou opinião inflexível.

radicalista. *Adj. 2 g.* **1.** Relativo ao radicalismo. **2.** Radical (3). ● *S. 2 g.* **3.** Radical (5).

radicalização. *S. f.* Ação ou efeito de radicalizar(-se).

radicalizar. *V. t. d.* **1.** Tornar radical (3): *A oposição radicalizou suas críticas ao governo. Int.* **2.** Tornar-se radical (3); assumir atitudes radicais; radicalizar-se: *A ordem era não radicalizar durante as eleições. P.* **3.** Radicalizar (2): "Tristão Teixeira, / moderado por natureza, / se radicaliza no amor." (H. Dobal, *A Serra das Confusões*, "O Radical".) **4.** Favorecer o surgimento de pessoas, posições ou atitudes radicais; tomar o rumo do radicalismo: *A situação radicalizou-se; A Revolução Russa radicalizou-se após a queda de Kerensky.*

radicando. [Do lat. *radicandu*, gerundivo de *radicare*, 'enraizar'.] *S. m. Mat.* Expressão sob o símbolo de um radical.

radicante. [Do lat. *radicante.*] *Adj. 2 g.* **1.** Que radica. **2.** *Morfol. Veg.* Que emite raízes: *caule radicante.*

radicar. [Do lat. *radicare.*] *V. t. d. e t. d. e i.* **1.** Enraizar, arraigar, aprofundar: "A comunidade de opiniões radicou a estima entre ambos" (Júlio Ribeiro, *A Carne*, p. 73). *P.* **2.** Enraizar-se, arraigar-se, firmar-se: *A imagem da moça radicou-se em sua mente;* "Nesse ponto de partida [o sentimento do enigma da existência, o contacto com o intemporal] se radicam as experiências de Pessoa [Fernando Pessoa]." (Jacinto do Prado Coelho, *Diversidade e Unidade em Fernando Pessoa*, p. 10.) **3.** Fixar-se por meio de laços morais; consolidar-se, firmar-se; confirmar-se: *Com a política do Marquês de Pombal radicou-se em Portugal o antijesuitismo.* **4.** Fixar residência: *Charles Chaplin radicou-se na Suíça.* [Conjug.: v. *trancar.*]

radicela. [Do lat. *radicella*, em lugar de *radicula*.] *S. f. Morfol. Veg.* Raiz pequena e delgada.

▲radic(i)-. [Do lat. *radix, icis*.] *El. comp.* = 'raiz': *radicívoro; radical.*

radiciação. [De *radic(i)-* + *-a-* + *-ção*.] *S. f. Mat.* Operação em que se calcula a potência fracionária de uma entidade.

radicícola. [De *radic(i)-* + *-cola*.] *Adj. 2 g. Bot.* Que vive sobre raiz: *bactéria radicícola.* [Var.: *radícola*.]

radiciforme. [De *radic(i)-* + *-forme*.] *Adj. 2 g. Morfol. Veg.* De forma semelhante à de uma raiz: *rizoma radiciforme.*

radicívoro. [De *radic(i)-* + *-voro*.] *Adj.* Que se alimenta de raízes.

radícola. *Adj. 2 g. Bot.* Var. sincopada de *radicícola*. [Cf. *radícula*.]

radicoso (ô). [De *radic(i)-* + *-oso*.] *Adj.* Que possui muitas raízes.

radícula. [Do lat. *radicula*.] *S. f.* **1.** Pequena raiz. **2.** *Morfol. Veg.* Pequena raiz do embrião das plantas fanerogâmicas. [Em muitos embriões não há radícula diferenciada, mas apenas o meristema que formará a futura raiz.] **3.** Objeto que semelha uma pequena raiz. [Cf. *radícola*.]

radiculado. [De *radícula* + *-ado*^{1}.] *Adj.* Que possui raízes ou radículas.

radicular. [De *radícula* + *-ar*^{1}.] *Adj. 2 g. Morfol. Veg.* **1.** Relativo à radícula. **2.** Relativo à, ou que tem forma de raiz: *folha radicular.* [Os autores brasileiros não usam, na 2ª acepç., *radical*, como seria de rigor.]

radiculite. [De *radícula* + *-ite*.^{1}] *S. f. Patol.* Inflamação de raiz de nervo espinhal.

radieletricidade. *S. f.* Var. de *radioeletricidade*.

radielétrico. *Adj.* Var. de *radioelétrico* [q. v.].

radiemissão. *S. f.* Var. de *radioemissão* [q. v.].

radiemissor (ô). *S. m. Radiotéc.* V. *radioemissor*.

radiemissora (ô). *S. f.* Var. de *radioemissora*.

radiespectro. *S. m. Astr.* V. *radioespectro*.

radiespectrógrafo. *S. m. Astr.* V. *radioespectrógrafo*.

radiespectrograma. *S. m. Astr.* V. *radioespectrograma*.

radiespetro. *S. m. Astr.* V. *radioespectro*.

radiespetrógrafo. *S. m. Astr.* V. *radioespectrógrafo*.

radiespetrograma. *S. m. Astr.* V. *radioespectrograma*.

radiestesia. *S. f.* Var. de *radioestesia*.

radiestrela (ê). *S. f. Astr. P. us.* V. *radioestrela*.

▲radi(o)-. [Do lat. *radius, ii*.] *El. comp.* = 'raio (1, 2 e 3)'; 'radiação': *radioatividade; radial, radiano; radiância; radiador.*

▲radio-. [De *radiofonia*.] *El. comp.: radioator, radiodifusão.*

rádio^{1}. [Do lat. *radiu*.] *S. m.* **1.** *Anat.* Cada um de dois ossos longos situados um em cada membro superior e que, com o cúbito (1) [em relação ao qual se situa externamente], do mesmo lado, constitui o esqueleto do antebraço. **2.** *Ant.* Raio ou semidiâmetro do círculo.

rádio^{2}. [Do lat. cient. *radium* < lat. *radiare*, 'irradiar'.] *S. m. Quím.* Elemento de número atômico 88, radioativo, metálico, branco-prateado, quimicamente aparentado aos alcalinos-terrosos. [Símb.: *Ra*. Cf. *radio*, do v. *radiar*.]

rádio^{3}. [F. red. de *radiofonia*.] *S. m.* **1.** Radiofonia (1). **2.** Aparelho ou conjunto de aparelhos para emitir e receber sinais radiofônicos. **3.** V. *radiodifusão*. **4.** Aparelho receptor de programas de radiodifusão: *Meu rádio é de fabricação nacional.* ● *S. f.* **5.** Estação emissora desses programas. [Cf. *radio*, do v. *radiar*.] ♦ **Ser meio rádio, meio televisão.** *Bras., PE. Pop.* Ser pederasta passivo.

rádio^{4}. *S. m.* F. red. de *radiograma* (1).

radioamador (ô). [De *radi(o)-* + *amador*.] *S. m.* **1.** Aquele que opera, sem finalidade lucrativa, em estação particular de rádio^{3} (2). ● *Adj.* **2.** De, ou relativo a radioamador ou a radioamadorismo.

radioamadorismo. *S. m.* Atividade de radioamador.

radioamadorístico. *Adj.* Pertencente ou relativo a, ou próprio de radioamador.

radioastronomia. [De *radi(o)-* + *astronomia*.] *S. f. Astr.* Parte da astronomia que estuda os fenômenos extraterrestres mediante a análise das ondas eletromagnéticas na freqüência rádio, emitidas pelos astros e pela matéria cósmica de um modo geral. [Cf. *radarastronomia*.]

radioastronômico. *Adj.* Relativo à radioastronomia.

radioatividade. [De *radi(o)-* + *atividade*.] *S. f.* **1.** Propriedade de qualquer sistema que irradia. **2.** *Fís. Núcl.* Propriedade que têm alguns nuclídeos de emitir espontaneamente partículas ou radiação eletromagnética, e que é característica de uma instabilidade dos seus núcleos. [Var.: *radiatividade*.] ♦ **Radioatividade artificial.** *Fís. Nucl.* A que é produzida pelo bombardeio de nuclídeos estáveis por fótons ou partículas aceleradas que os transformam em nuclídeos instáveis; radioatividade induzida. **Radioatividade induzida.** *Fís. Nucl.* Radioatividade artificial. **Radioatividade natural.** *Fís. Nucl.* A dos nuclídeos que ocorrem naturalmente na Terra.

radioativo. *Adj.* **1.** Que irradia. **2.** Que tem radioatividade. ~ V. *cemitério —, constante —a, deslocamento —, estalão —, família —a, nuclídeo —, precipitação —a, série —a, substância —a* e *traçador —*. [Var.: *radiativo*.]

radioator (ô). [De *radio-* + *ator*.] *S. m. Bras.* Ator de radioteatro. [Var.: *radiator*.]

radiobiologia. [De *radi(o)-* + *biologia*.] *S. f.* **1.** Estudo dos efeitos biológicos das radiações. **2.** Estudo dos efeitos biológicos das radiações que possuem energia suficiente para ionizar os principais elementos encontrados nos materiais biológicos (C, N, O, H).

radiobiológico. *Adj.* Relativo à radiobiologia.

radiobiologista. *S. 2 g.* Especialista em radiobiologia.

radiocintilação. [De *radi(o)-* + *cintilação*.] *S. f. Astr.* Variação na freqüência de emissão de uma radioestrela.

radiocomunicação. [De *radi(o)-* + *comunicação*.] *S. f.* **1.** Comunicação de sinais, sons ou imagens, por meio de ondas eletromagnéticas. **2.** V. *radiodifusão*.

radiocomunicador (ô). [De *radi(o)-* + *comunicador*.] *S. m.* Aquele que faz radiocomunicação.

radiocondutor (ô). [De *radi(o)-* + *condutor*.] *S. m.* Tubo de limalha usado na telegrafia sem fio.

radiocultura^{1}. [De *radi(o)-* + *cultura*.] *S. f.* Método de cultivo de plantas em que se utilizam diversos tipos de radiação (2).

radiocultura^{2}. [De *radio-* + *cultura*.] *S. f.* Difusão da cultura pelo rádio^{3}.

radiodermatite. [De *radi(o)-* + *dermatite*.] *S. f. Med.* Lesão cutânea, aguda ou crônica, que se pode considerar como queimadura, e resultante de excesso de exposição à radiação ionizante; radiodermite.

radiodermite. [De *radi(o)-* + *dermite*.] *Med.* Radiodermatite.

radiodeterminação. [De *radi(o)-* + *determinação*.] *S. f. Telecom.* Determinação, mediante o emprego de ondas radioelétricas, da posição de um móvel ou da direção ou distância em que este se encontra em relação a um ou dois pontos conhecidos. [Cf. *radiolocalização* e *radionavegação*.]

radiodiagnosticar. *V. t. d. Med.* Fazer o radiodiagnóstico de. [Conjug.: v. *trancar*. Pres. ind.: *radiodiagnostico*, etc. Cf. radiodiagnóstico.]

radiodiagnóstico. [De *radi(o)-* + *diagnóstico*.] *S. m. Med.* Diagnóstico feito ou complementado mediante exame(s) radiológico(s); roentgendiagnóstico. [Cf. *radiodiagnostico*, do v. *radiodiagnosticar*.]

radiodifundir. [De *radio-* + *difundir*.] *V. t. d.* Dar a conhecer, difundir, por meio do rádio^{3}.

radiodifusão. [De *radio-* + *difusão*.] *S. f.* Emissão e transmissão de notícias ou de programas recreativos, culturais, etc., por meio da radiofonia (1); radiocomunicação, rádio.

radiodifusor (ô). *Adj.* **1.** Que faz radiodifusão. ● *S. m.* **2.** Aparelho de radiodifusão.

radiodifusora (ô). [Fem. substantivado do adj. *radiodifusor*.] *S. f.* Estação de radiodifusão.

radioecologia. [De *radi(o)-* + *ecologia*.] *S. f.* Ramo da ecologia que estuda as relações dos organismos vivos com as radiações ou com os radioelementos que poluem o meio.

radioecológico. *Adj.* Relativo à radioecologia.

radioelemento. [De *radi(o)-* + *elemento*.] *S. m. Quím. Nucl.* Elemento químico constituído por um nuclídeo radioativo.

radioeletricidade. [De *radi(o)-* + *eletricidade*.] *S. f.* Parte da física que trata do estudo e aplicações das ondas hertzianas (telegrafia sem fio, telefonia sem fio). [Var.: *radieletricidade*.]

radioelétrico. *Adj.* Relativo à radioeletricidade. ~ V. *condensação —a, interferômetro —* e *onda —a*. [Var.: *radielétrico*.]

radioemissão. [De *radi(o)-* + *emissão*.] *S. f.* **1.** Emissão de qualquer radiação. **2.** Emissão por meio do rádio^{3}. [Var.: *radiemissão*.] ♦ **Radioemissão térmica.** *Astr.* Emissão eletromagnética de uma fonte cósmica, de origem térmica.

radioemissor (ô). [De *radi(o)-* + *emissor*.] *S. m. Radiotéc.* Radiotransmissor. [Var.: *radiemissor*. Cf. *radiorreceptor*.]

radioemissora (ô). [De *radio-* + *emissora*.] *S. f.* Estação emissora de rádio^{3}. [Var.: *radiemissora*.]

radioespectro. [De *radi(o)-* + *espectro*.] *S. m. Astr.* Parte do espectro das ondas eletromagnéticas relativas às emissões radioelétricas de origem celeste. [Var.: *radiespectro, radioespetro, radiespetro*.]

radioespectrógrafo. [De *radi(o)-* + *espectrógrafo*.] *S. m. Astr.* Instrumento astronômico capaz de registrar o espectro de freqüências das ondas de rádio emitidas por uma fonte cósmica, utilizando um analisador de freqüências. [Var.: *radiespectrógrafo, radioespetrógrafo, radiespetrógrafo*.]

radioespectrograma. [De *radi(o)-* + *espectro* + *-grama*.] *S. m. Astr.* Registro obtido pelo radioespectrógrafo. [Var.: *radiespectrograma, radioespetrograma, radiespetrograma*.]

radioespetro. *S. m. Astr.* V. *radioespectro*.

radioespetrógrafo. *S. m. Astr.* V. *radioespectrógrafo*.

radioespetrograma. *S. m. Astr.* V. *radioespectrograma*.

radioestesia. [De *radi(o)-* + *-estes(i)(o)-* + *-ia*.] *S. f.* Sensibilidade às radiações. [Var.: *radiestesia*.]

radioestrela (ê). [De *radi(o)-* + *estrela*.] *S. f. Astr. P. us.* V. *fonte de rádio*. [Var.: *radiestrela*.]

radiofarol. [De *radi(o)-* + *farol*.] *S. m. Náut.* Emissor de um sinal de radiotelegrafia característico, destinado a orientar o navegante, por meio de marcações obtidas com um radiogoniômetro. [Pl.: *radiofaróis*.]

radiofone. [De *radio-* + *-fone*.] *S. m. P. us. no Brasil.* Rádio^{3} (2).

radiofonia. [De *radi(o)-* + *-fon(o)-* + *-ia*.] *S. f.* **1.** Emissão e transmissão de sons mediante sinais eletromagnéticos. [F. red.: *rádio*.] **2.** V. *radiotelefonia*.

radiofônico. *Adj.* **1.** Referente à radiofonia; radiotelefônico. **2.** Que se divulga por meio da radiofonia (1): *noticiário radiofônico.*

radiofonização. *S. f. Bras.* Ato ou efeito de radiofonizar.

radiofonizar. [De *radio-* + *-fon(o)-* + *-izar*.] *V. t. d. Bras.* Adaptar ou escrever (peça teatral, crônica, etc.) para programas de rádio^{3}.

radiofoto. *S. f.* F. red. de *radiofotografia*.

radiofotografia. [De *radi(o)-* + *fotografia*.] *S. f.* Fotografia que é transmitida a distância através de ondas hertzianas. [F. red.: *radiofoto*.]

radiofreqüência. [de *radi(o)-* + *freqüência*.] *S. f. Fís.* Freqüência de radiações eletromagnéticas utilizadas em radiotransmissão, e que está compreendida aproximadamente entre 10kHz e 100.000MHz.

radioginasta. [De *radio-* + *ginasta*.] *S. 2 g.* Pessoa que segue curso de ginástica pelo rádio^{3}.

radiogoniometria. *S. f.* Orientação direcional dada pelo radiogoniômetro.

radiogoniométrico. *Adj.* Referente à radiogoniometria, ou ao radiogoniômetro.

radiogoniômetro. [De *radi(o)-* + *goniômetro*.] *S. m. Bras. Mar. G.* Receptor especial de sinais radiotelegráficos, que determina a direção de onde procedem os sinais recebidos. [Us. sobretudo a bordo de navios e aeronaves, como equipamento auxiliar de navegação.]

radiografar. [De *radi(o)-* + *-graf(o)-* + *-ar*^{2}.] *V. t. d.* **1.** Registrar mediante radiografia; produzir radiografia de. **2.** Expedir (notícia) sob a forma de radiograma. *Int.* **3.** Expedir radiograma: "O comandante lhes dera a esperança de, naquela tarde, ancorar finalmente em porto acolhedor. Radiografaram, e receberam, em resposta, vagas promessas." (Lia Correia Dutra, *Navio sem Porto*, p. 25.)

radiografia. [De *radi(o)-* + *-graf(o)-* + *-ia*.] *S. f.* **1.** Estudo dos raios luminosos. **2.** *Med.* Registro fotográfico realizado mediante a ação de raios X sobre superfície a eles sensibilizada; chapa: "O radiologista .... tirou-lhe radiografia até dos dedos do pé." (Fernando Sabino, *O Homem Nu*, p. 34.) **3.** Cópia duma chapa de radiografia; chapa. **4.** *Fig.* Análise em profundidade duma situação, dum fato, etc.: *Os especialistas fizeram a radiografia da crise política.*

radiográfico. *Adj.* Referente à radiografia.

radiograma. [De *radi(o)-* + *-grama*.] *S. m.* **1.** Comunicação através da telegrafia sem fio. [F. red.: *rádio*. Sin., p. us.: *aerograma*.] **2.** *Fís.* Imagem formada e registrada numa emulsão sensível quando radiações ionizantes atravessam um objeto.

radiogravador (ô). [De *rádio*^{3} + *gravador*.] *S. m.* Aparelho de rádio^{3} (2) que contém, na mesma caixa, um gravador (4).

radiointerferômetro (o-i). [De *radi(o)-* + *-interferômetro*.] *S. m. Astr.* V. *interferômetro radioelétrico*.

radioisótopo (o-i). [De *radi(o)-* + *isótopo*.] *S. m. Quím. Nucl.* V. *nuclídeo radioativo*.

radiojornal. [De *radio-* + *jornal*.] *S. m.* Programa de rádio^{3} que consiste na transmissão de notícias de atualidade.

radiola. [De *rádio*^{3} + *(vitr)ola*.] *S. f.* Aparelho em que se conjugam o rádio e a vitrola; radiovitrola.

radiolário. [Do lat. *radiolu*, 'raio pequeno', + *-ário*.] *S.*

m. **1.** Espécime dos radiolários. ● *Adj.* **2.** Pertencente ou relativo a eles.
radiolários. *S. m. pl. Zool.* Animais protozoários, actinópodes, ordem *Radiolaria*, geralmente esféricos, com o protoplasma dividido, por uma cápsula quitinosa com vários poros, em duas porções: interna e externa; e esqueleto em geral de sílica, ou sulfato de estrôncio, e com espinhos radiados. São marinhos e pelágicos, ocorrendo até a 5.000 m de profundidade.
radiolarito. [De *radiolário* + *-ito*[2].] *S. m. Geol.* Rocha dura e compacta, essencialmente constituída de restos silicosos de radiolários.
radiolesão. [De *radi(o)-* + *lesão.*] *S. f. Med.* e *Patol.* Lesão produzida por irradiação.
radiólise. [De *radi(o)-* + *-lise.*] *S. f. Fís.-Quím.* Decomposição de substâncias provocada pela ação de radiações ionizantes.
radiolocalização. [De *radi(o)-* + *localização.*] *S. f. Telecom.* Radiodeterminação utilizada para outros fins que não os da radionavegação.
radiologia. [De *radi(o)-* + *-log(o)-* + *-ia.*] *S. f.* **1.** Estudo científico de raios X e dos corpos radioativos. **2.** *Med.* Ramo da medicina que, com fim diagnóstico ou terapêutico, emprega raios X, isótopos radiativos e radiação não ionizante. **3.** Roentgenologia.
radiológico. *Adj.* Relativo à radiologia.
radiologista. *S. 2 g.* Especialista em radiologia.
radioluminescência. [De *radi(o)-* + *luminescência.*] *S. f. Fís.* Luminescência provocada pela ação de radiações emitidas por nuclídeos radioativos.
radiolux (cs). *S. m. Fotom.* Unidade de medida de emitância luminosa igual a um lúmen por metro quadrado.
radiomensagem. [De *radio-* + *mensagem.*] *S. f.* Mensagem emitida e transmitida pela radiofonia.
radiometria. [De *radi(o)-* + *-metr(o)-*[2] + *-ia.*] *S. f. Fís.* Designação comum às técnicas de medida de grandezas associadas à energia radiante.
radiométrico. *Adj.* Referente à radiometria, ou ao radiômetro.
radiômetro. [De *radi(o)-* + *-metro.*] *S. m. Fís.* Instrumento medidor de radiação eletromagnética ou acústica.
radionavegação. [De *radi(o)-* + *navegação.*] *S. f. Telecom.* Radiodeterminação utilizada para fins de navegação.
radionecrose. [De *radi(o)-* + *necrose.*] *S. f. Med.* e *Patol.* Necrose tecidual causada por irradiação.
radionovela. [De *radio-* + *novela.*] *S. f. Bras.* Novela (3) radiofônica.
radionuclídeo. [De *radi(o)-* + *nuclídeo.*] *S. m. Fís. Nucl.* Nuclídeo radioativo.
radiopaco. [De *radi(o)-* + *opaco.*] *Adj.* Impermeável aos raios X.
radiopatrulha. [De *radio-* + *patrulha.*] *S. f.* **1.** Serviço de policiamento urbano em que há uma estação central em comunicação contínua com viaturas providas de aparelhos transmissores e receptores, às quais determina o pronto atendimento das ocorrências. **2.** Qualquer dessas viaturas.
radioperador (ô). [De *radi(o)-* + *operador.*] *S. m.* Operador de rádio[3].
radioproteção. [De *radi(o)-* + *proteção.*] *S. f.* Estudos dos métodos e processos de proteção de organismos vivos contra radiações ionizantes.
radioquímica. [De *radi(o)-* + *química.*] *S. f.* Parte da química que investiga os nuclídeos radioativos e seus compostos, utilizando, em geral, a radioatividade como elemento indicador da presença ou como meio de se efetuarem determinações quantitativas.
radioquímico. *Adj.* Respeitante à radioquímica.
radioquimografia. [De *radi(o)-* + gr. *kyma*, atos, 'que incha', + *-graf(o)-* + *-ia.*] *S. f.* Processo de fixação, numa radiografia, da imagem dum órgão nas suas diferentes fases de dilatação.
radioquimográfico. *Adj.* Relativo à radioquimografia.
radioquimógrafo. *S. m.* Aparelho próprio para executar a radioquimografia.
radioquimograma. [De *radi(o)-* + gr. *kyma, atos*, 'que incha', + *-grama.*] *S. m.* Radiografia feita com o radioquimógrafo.
radiorreceptor (ô). [De *radi(o)-* + *receptor.*] *S. m. Radiotéc.* Dispositivo eletrônico capaz de receber sinais eletromagnéticos de radiofreqüência e transformá-los em impulsos elétricos que ativam um sistema mecânico, produzindo, assim, ondas acústicas. [Cf. *radioemissor* e *radiotransmissor.*]
radiorreportagem. [De *radio-* + *reportagem.*] *S. f.* Reportagem difundida pelo rádio[3].
radiorrepórter. [De *radio-* + *repórter.*] *S. 2 g.* Radialista que faz radiorreportagens. [Pl.: *radiorrepórteres.*]
radioscopia. [De *radi(o)-* + *-scop-* + *-ia.*] *S. f. Med.* Forma de exame de órgão realizada através de tela fluorescente, mediante o emprego de raios X; fluoroscopia.
radioscópico. *Adj.* Relativo à radioscopia; fluoroscópico.
radioso (ô). [Do lat. *radiosu.*] *Adj.* **1.** Que lança raios de luz; resplandecente. **2.** *Fig.* Muito alegre; jubiloso, contente, radiante.
radiossonda. [De *radi(o)-* + *sonda.*] *S. f. Telecom.* Emissor radioelétrico automático, transportado por uma aeronave, um balão livre, um pára-quedas, ou um balão cativo, e que transmite dados meteorológicos.
radiotáxi (cs). [De *radio-* + *táxi.*] *S. m.* Táxi equipado com serviço de rádio[3] (2), por intermédio do qual o motorista recebe ordens sobre onde ir buscar os passageiros.
radioteatral. *Adj. 2 g. Bras.* Relativo ao radioteatro.
radioteatro. [De *radio-* + *teatro.*] *S. m. Bras.* Representação teatral transmitida pelo rádio[3] (5). [A f. *radiatro* é pouco recomendável.]
radiotécnica. [De *radi(o)-* + *técnica.*] *S. f.* Ciência que trata da produção, transmissão, recepção e utilização geral das ondas eletromagnéticas.
radiotécnico. *Adj.* **1.** Relativo à radiotécnica. ● *S. m.* **2.** Especialista nessa matéria.
radiotelefonia. [De *radi(o)-* + *telefonia.*] *S. f. Telecom.* Telefonia realizada, no todo ou em parte, por meio de ondas radioelétricas; telefonia sem fio; radiofonia.
radiotelefônico. *Adj.* Referente à radiotelefonia; radiofônico.
radiotelefonista. *S. 2 g.* Pessoa que trabalha em radiotelefonia.
radiotelegrafia. [De *radi(o)-* + *telegrafia.*] *S. f.* Telegrafia em que se usam para a transmissão de sinais as propriedades das ondas eletromagnéticas; telegrafia sem fio.
radiotelegráfico. *Adj.* Relativo à radiotelegrafia.
radiotelegrafista. *S. 2 g.* Operador de radiotelegrafia.
radiotelemetria. [De *radi(o)-* + *telemetria.*] *S. f. Telecom.* Telemetria realizada por meio de ondas radioelétricas.
radiotelemétrico. *Adj.* Relativo à radiotelemetria.
radiotelescópio. [De *radi(o)-* + *telescópio.*] *S. m. Astr.* Instrumento quase sempre constituído por um grande espelho metálico em forma parabólica, e destinado a captar as emissões radioelétricas de origem celeste; astroantena. ◆ **Radiotelescópio interferométrico.** *Astr.* Interferômetro radioelétrico.
radioterapêutico. *Adj.* Relativo à radioterapia; radioterápico.
radioterapia. [De *radi(o)-* + *terapia.*] *S. f. Med.* Forma de tratamento empregada em doenças várias, a qual faz uso dos raios X ou de outra forma de energia radiante.
radioterápico. *Adj.* Radioterapêutico.
radiotransmissão. [De *radi(o)-* + *transmissão.*] *S. f.* Transmissão sonora por meio da radiofonia.
radiotransmissor (ô). [De *radi(o)-* + *transmissor.*] *S. m.* Aparelho que transmite sem fio ondas eletromagnéticas em radiofreqüência. [Cf. *radiorreceptor.*]
radiotransmitir. [De *radi(o)-* + *transmitir.*] *V. t. d.* Efetuar a radiotransmissão de.
radiouvinte. [De *radio-* + *ouvinte.*] *S. 2 g. Bras.* Pessoa que ouve emissões radiofônicas.
radiovitrola. [De *rádio*[3] (5) + *vitrola.*] *S. f.* Radiola.
radobar. [Do fr. *radouber.*] *V. t. d. Ant.* Consertar, reparar (navios). [Cf. *adubar* (7).]
radônio. *S. m. Quím.* Elemento de número atômico 86, gás nobre radioativo. [Símb.: *Rn.*]
rádula. [Do lat. *radula*, 'raspadeira'.] *S. f. Zool.* Fita membranosa móvel, provida de numerosos dentes quitinosos, dispostos em filas transversais, encontrada no soalho da boca dos moluscos, exceto nos lamelibrânquios.
raer. [Do lat. *radere*, 'raspar'.] *V. t. d. Lus.* **1.** Vassourar (o forno) depois de aquecido. **2.** Arrastar com rodo (o sal nas marinhas). [Var., nesta acepç.: *rer.*]
rafa[1]. [Do esp. *ráfaga*, 'rajada'.] *S. f. Ant.* Maré forte.
rafa[2]. [De *rafar.*] *S. f.* **1.** Corte feito nos veios de carvão de pedra, com rafadeiras ou com ferramentas comuns, para o desmonte da jazida. **2.** *Gír.* Fome, penúria, miséria. [Var., nesta acepç.: *ráfia.*]
rafadeira. [De *rafa*[2] (1) + *-(d)eira.*] *S. f.* Cortadeira especial para executar a rafa[2] (1), em minas de carvão.
rafado. [Part. de *rafar.*] *Adj. Pop.* **1.** Gasto pelo uso; surrado: *calça r a f a d a.* **2.** Que tem rafa[2].
rafael. *S. m. Bras., RS. Gír.* Fome, apetite. [Pl.: *rafaéis.*]
rafaelesco (ê). [Do antr. *Rafael* + *-esco.*] *Adj.* Pertencente ou relativo a Rafael Sanzio, pintor renascentista italiano (1483-1520), ou próprio dele, de sua arte, dos tipos por ele criados.
rafaelista. [Do antr. *Rafael* + *-ista.*] *S. m.* Rafaelita.
rafaelita. [Do antr. *Rafael* + *-ita*[2].] *S. m.* Pintor pertencente à escola de Rafael; rafaelista.
rafaméia. [De *rafa*[2].] *S. f. Bras., N.* e *N.E.* V. *ralé* (1).
rafar. *V. t. d.* **1.** Gastar com o uso; surrar: *r a f a r o casaco. P.* **2.** Estragar-se ou gastar-se com o uso; ficar no fio.
rafe[1]. [Do ingl. *rough.*] *S. m. Art. Gráf.* Esboço inicial, anterior ao leiaute, realizado na criação de uma obra gráfica.
rafe[2]. [Do gr. *rhaphé*, 'costura'.] *S. f.* **1.** *Anat.* Designação comum às linhas de união das metades de várias partes simétricas. **2.** *Morfol. Veg.* Linha em relevo que ocorre em muitas sementes, procedente da soldadura do funículo com o tegumento seminal. **3.** *Morfol. Veg.* Fissura que, nas células das diatomáceas, é paralela ao eixo longo e permite a comunicação do conteúdo celular com o meio exterior.
rafeiro. *Adj.* e *s. m.* Diz-se de, ou cão treinado para guardar gado: "À rês, que se tresmalha, o cão da Beira, / Um r a f e i r o de raça, / Latindo, a faz voltar." (Bulhão Pato, *Livro do Monte*, p. 116.)
➡**raffiné** (rafinê). [Fr.] *Adj.* De gosto apurado; requintado.
▲**rafi-.** [Do gr. *rhaphís, ídos.*] *El. comp.* = 'agulha': *rafigrafia.* [Equiv.: *rafido-* e *-raf(i)-*: *rafidografia; cantorrafia.*]
▲**-raf(i)-.** V. *rafi-.*
ráfia[1]. [Do malgaxe *rafia.*] *S. f.* **1.** Gênero de palmeiras africanas e americanas, cujas palmas dão ótima fibra. **2.** O fio industrializado dessa fibra. **3.** Fio sintético semelhante à ráfia[1] (2), usado em bordados, crochê, etc.
ráfia[2]. *S. f. Gír.* Var. de *rafa*[2] (2).
ráfide. [Do gr. *rhaphís, ídos*, 'agulha'.] *S. f. Anat. Veg.* Rafídeo.
rafídeo. [De *rafi-* + *-ídeo.*] *S. m. Anat. Veg.* Cristal acicular, constituído de oxalato de cálcio, pontiagudo nas duas extremidades, e que se dispõe em feixes no interior das células; ráfide.
rafídido. *S. m.* e *adj.* V. *megalóptero.*
rafídidos. *S. m. pl. Zool.* V. *megalópteros.*
rafidióideo. *S. m.* e *adj.* V. *megalóptero.*
rafidióideos. *S. m. pl. Zool.* V. *megalópteros.*
▲**rafido-.** V. *rafi-.*
rafidografia. [De *rafido-* + *-graf(o)-* + *-ia.*] *S. f.* Rafigrafia.
rafidográfico. [De *rafidografia* + *-ico*[2].] *Adj.* Rafigráfico.
rafigrafia. [De *rafi-* + *-graf(o)-* + *-ia.*] *S. f.* Sistema de escrita em relevo com ponteiro ou agulha, para uso ou ensinança de cegos; rafidografia.
rafigráfico. *Adj.* Respeitante à rafigrafia; rafidográfico.
rafígrafo. [De *raf(i)-* + *-grafo.*] *S. m. Tip.* Aparelho empregado para gravar os caracteres em relevo do alfabeto dos cegos.
raflesiácea. *S. f.* Espécime das raflesiáceas.
raflesiáceas. *S. f. pl. Bot.* Família de plantas floríferas, da ordem das aristoloquiales, desprovidas de clorofila, e que parasitam raízes e ramos, no interior dos quais vivem. Exteriorizam apenas as flores, que são unissexuadas; o fruto é bacáceo ou capsular. Pertence a esta família a maior flor do mundo, a *Rafflesia arnoldi*, que mede cerca de 1 m de diâmetro. No Brasil há o gênero *Pilostyles*, com umas poucas espécies, de flores insignificantes.
raflesiáceo. *Adj.* Pertencente ou relativo às raflesiáceas.
rágada. *S. f.* Rágade [q. v.].
rágade. [Do gr. *rhagás, ádos*, 'fenda', pelo lat. *rhagade.*] *S. f.* Ulceração estreita e alongada; rágada.
rageira. *S. f. Ant.* V. *regeira.*
▲**-ragia.** [Do gr. *-rhagía.*] *El. comp.* = 'derramamento': *linforragia; verborragia.*
raglã. [Do antr. *Raglan.*] *Adj. (f.)* **1.** Diz-se da manga cortada de modo que a cava, com as costuras enviesadas, termina no decote. **2.** Diz-se de peça de vestuário com manga raglã.
ragóideo. [Do gr. *rhagoeidés* + *-eo.*] *Adj.* Semelhante a um bago de uva.
➡**ragtime** (tai). [Ingl.] *S. m.* **1.** Tipo de música fortemente ritmada e sincopada, que resultou da fusão do folclore negro norte-americano com a música de dança dos brancos. **2.** *P. ext.* Estilo pianístico e orquestral inspirado nesse tipo de música e precursor do *jazz.*
ragu. [Do fr. *ragoût.*] *S. m.* Carne, em especial de vitela ou de carneiro, ensopada ou guisada com legumes, e

molho abundante.

ragueira. *S. f. Ant.* V. *regueira.*

raia¹. [Do lat. *radia < radiu (de carro, de luz).] *S. f.* **1.** Risca, traço, linha. **2.** Linha da palma da mão. **3.** V. *limite* (1). **4.** V. *fronteira* (1). **5.** *Fig.* Limite (6): "a intenção quase exclusiva do poeta [Antônio José] era a galhofa, e tal galhofa que transcendia muita vez as r a i a s da conveniência pública." (Machado de Assis, *Relíquias de Casa Velha*, p. 152). **6.** *Astron.* Área destinada às experiências com mísseis ou com veículos espaciais. **7.** *Ópt.* Imagem monocromática da fenda de entrada de um espectroscópio. **8.** *Fís.* V. *raia espectral.* **9.** *Bras.* Pista de corrida de cavalos, seja de grama ou de areia. **10.** *Bras., S.* Contramarca que se faz nos cavalos com ferro em brasa. ◆ **Raia de tiro.** *Bras. Mar. G.* Faixa de mar, demarcada com precisão, na qual se efetuam exercícios de tiro com canhões, torpedos ou outras armas. **Raia espectral.** *Fís.* Radiação monocromática, ou praticamente monocromática, no espectro de emissão ou de absorção de uma substância. [Tb. se diz apenas *raia;* sin.: *linha espectral.*] **Raia leve.** *Turfe.* Pista de corridas quando está seca. **Raia macia.** *Turfe.* Pista de corridas quando está úmida. **Raia pesada.** *Turfe.* Pista de corridas quando está muito molhada. **Raia reta.** *Turfe.* Cancha reta. **Raias de Fraunhofer.** *Astr.* Raias espectrais de absorção, descobertas no espectro solar pelo astrônomo alemão Joseph von Fraunhofer (1787-1826); linhas de Fraunhofer. **Raia telúrica.** *Astr.* Raia espectral que aparece no espectro dos astros quando observado da superfície da Terra, e que provém da absorção da atmosfera terrestre. **Fechar a raia.** *Turfe.* Chegar (o cavalo) em último lugar num páreo. **Passar as raias.** Exceder-se, abusar. **Tocar as raias.** Atingir o limite.

raia². [Do lat. *raja.*] *S. f. Bras.* **1.** Designação comum aos peixes elasmobrânquios, hipotremados, de corpo achatado, boca e fendas branquiais situadas na face ventral, nadadeiras peitorais muito desenvolvidas, em forma de asas. Há raias marinhas e de água doce. Repousam sempre no fundo, e nadam de maneira graciosa. A cauda é longa, afilada, provida de um, dois ou mais ferrões peçonhentos, dotados de farpas recurvadas, o que dificulta a sua retirada da carne onde penetram. No Brasil são conhecidas umas 30 espécies. [Sin.: *arraia.*] **2.** Arraia¹ (2).

raia-amarela. [De *raia²* + o fem. de *amarelo.*] *S. f. Bras.* **1.** Peixe elasmobrânquio, hipotremado, da família dos dasiatídeos (*Dasyatis say* (Le Sueur)), do Atlântico, de dorso cinza-amarelado e parte inferior clara. **2.** V. *raia-manteiga* (2). [Pl.: *raias-amarelas.*]

raia-arara. [De *raia²* + *arara¹.*] *S. f. Bras.* V. *raia-pintada* (2). [Pl.: *raias-araras* e *raias-arara.*]

raia-chita. [De *raia²* + *chita.*] *S. f. Bras.* Peixe elasmobrânquio, hipotremado, da família dos rajados (*Raja meta* Mir, Rib.), do Atlântico, de coloração parda, pontoada de preto. Uma linha longitudinal de acúleos no meio do corpo e espinhos laterais na cauda distinguem bem a espécie, que atinge pouco mais de 1 m de comprimento. [Pl.: *raias-chitas* e *raias-chita.*]

raiado. *Adj.* **1.** Que tem raias ou riscos; arraiado. **2.** Entremeado, mesclado, entressachado. **3.** Diz-se de cano de arma de fogo estriado interiormente em espiral. — V. *arma —a, buril —* e *prova —a.*

raia-elétrica. [De *raia²* + o fem. do adj. *elétrico.*] *S. f. Bras.* V. *treme-treme* (1). [Pl.: *raias-elétricas.*]

raia-grande. [De *raia²* + *grande.*] *S. f. Bras.* V *boró¹.* [Pl.: *raias-grandes.*]

raial. [De *real¹.*] *S. m.* Antiga moeda de ouro portuguesa.

raia-lixa. [De *raia²* + *lixa.*] *S. f. Bras.* Peixe elasmobrânquio, hipotremado, da família dos dasiatídeos (*Dasyatis guttatus* (Schn.)), do Atlântico, de dorso escuro, ventre branco-amarelado, cauda três vezes mais longa que o corpo, e com uma série de acúleos sobre a linha mediana do corpo até o ferrão caudal. [Sin.: *jabebiretê.* Pl.: *raias-lixas* e *raias-lixa.*]

raia-manteiga. [De *raia²* + *manteiga.*] *S. f. Bras.* **1.** Peixe elasmobrânquio, hipotremado, da família dos dasiatídeos (*Gymnura maclura* (Le Sueur)), do Atlântico ocidental, de coloração parda, com arabescos ou malhas escuras ou claras no dorso, abdome branco-acinzentado e cauda com dois ferrões situados um pouco antes do meio. Esta espécie é mais larga que longa, e alimenta-se de moluscos e crustáceos. [Sin.: *borboleta, arraia-borboleta, carapiaçaba.*] **2.** Designação comum às espécies *Dasyatis say* (Le Sueur) e *Gymnura altavela* (L.), do Atlântico, que são parecidas com a raia-amarela. (1); raia-amarela. [Pl.: *raias-manteigas* e *raias-manteiga.*]

raiamento. [De *raiar* + *-mento.*] *S. m. Bras. Mar. G.* Estriamento.

raiano. [De *raia¹* + *-ano*] *Adj.* **1.** Arraiano¹. **2.** Da raia¹ (4). ● *S. m.* **3.** Arraiano¹.

raia-pintada. [De *raia²* + o fem. do adj. *pintado.*] *S. f. Bras.* **1.** Peixe elasmobrânquio, hipotremado, da família dos miliobatídeos (*Aetobatus narinari* (Euph.)), dos mares equatoriais, de coloração olivácea pintada de branco no dorso e clara no abdome, cauda três a quatro vezes mais longa que o corpo, com ferrão na base. [Var.: *arraia-pintada.* Tb. se diz apenas *pintada.* Sin.: *narinari, papagaio.*] **2.** Peixe elasmobrânquio, pleurotremado, da família dos miliobatídeos (*Elipesurus strongylopterus* (Schomb.)), da Amaz. e do Paraguai, de coloração que varia do amarelado ao pardacento, com máculas arredondadas dispostas em simetria, cauda com espinhos em toda a extensão, e dois aguilhões logo após o início. [Sin.: *raia-arara* e var. *arraia-arara.* Pl.: *raias-pintadas.*]

raiar¹. [Do lat. *radiare.*] *V. int.* **1.** Emitir raios luminosos; brilhar, luzir, cintilar: *Mal r a i o u o Sol, retomou a caminhada.* **2.** Despontar no horizonte; começar a aparecer: "R a i a v a uma formosa madrugada." (José de Alencar, *O Sertanejo*, p. 195); "R a i a agora a manhã no ceu já todo azul." (Vicente de Carvalho, *Poemas e Canções*, p. 99). **3.** Surgir, aparecer: "Já r a i o u a liberdade / No horizonte do Brasil." (Evaristo da Veiga, *Hino da Independência*). *T. d.* **4.** Radiar, irradiar: *A Lua, oculta entre nuvens, r a i a v a uma luz pálida.* [Var.: *arraiar.*]

raiar². *V. t. d.* **1.** Traçar riscos ou raias em; cobrir de riscas: *O pintor r a i o u a tela.* **2.** Riscar, traçar, estriar: "R a i a- lhe a farda o sangue." (Fernando Pessoa, *Poesias de Fernando Pessoa*, p. 219.) **3.** Estriar (peças de artilharia). **4.** *Grav.* Inutilizar (a chapa cuja tiragem se completou) por meio de traços entrecruzados. [V. *prova raiada.*] *T. i.* **5.** Tocar as raias ou limites; aproximar-se: "As medidas propostas r a i a m pelos exageros máximos da fantasia." (Euclides da Cunha, *Contrastes e Confrontos*, p. 231.)

raia-santa. [De *raia²* + o fem. do adj. *santo.*] *S. f. Bras.* Peixe elasmobrânquio, hipotremado, da família dos rajidos (*Uraptera agassizii* (Mul. & Hein.)), do Atlântico, de coloração pardo-amarelada com uma nódoa escura sobre as grandes nadadeiras peitorais e cauda longa e fina. [Pl.: *raias-santas.*]

raigota (a-i). [De *raiz.*] *S. f.* **1.** Radícula (1). **2.** Espigão na base das unhas.

raigotoso (a-i...ô). *Adj.* Que tem raigotas.

➧**railway** (rêiluei). [Ingl.] *S. m. Desus.* Estrada de ferro.

raineta¹ (ê). [Do fr. *rainette*, 'rã pequena e arborícola'.] *S. f.* V. *perereca* (1).

raineta² (ê). [Do fr. *reinette.*] *Adj. (f.)* e *s. f. Lus.* Diz-se de, ou certa variedade de maçã (1): "suas faces lisas, cheias e coradas, ainda tinham a frescura de duas maçãs r a i n e t a s." (Rebelo da Silva, *Contos e Lendas*, p. 58).

rainha (a-í). [Do lat. *regina.*] *S. f.* **1.** A esposa (ou a viúva) do rei (1). **2.** Soberana que rege ou governa um reino (1). **3.** A principal, a primeira, entre outras: *Maria foi a r a i n h a da festa; A Inglaterra foi cognominada "a r a i n h a dos mares".* **4.** Mulher que detém poder absoluto. [Masc., nestas acepç.: *rei.*] **5.** Espécie de maçã e de pêra. **6.** Abelha-mestra (1). **7.** No jogo do xadrez, a peça mais poderosa, que pode ser movimentada em todas as direções, por quantas casas desimpedidas houver; dama. [Cf., nesta acepç., *rei* (6).] **8.** Dama (5). ◆ **Rainha da noite.** A Lua. **Rainha do mar.** *Bras.* V. *Iemanjá.*

rainha-cláudia. [Do fr. *reine-claude.*] *S. f.* Variedade de ameixa (1). [Pl.: *rainhas-cláudias.*]

rainha-do-abismo. *S. f. Bras.* Erva da família das gesneriáceas (*Corytholoma canescens*), com tubérculo basal que anualmente emite folhas e flores. É inteiramente esbranquiçada, por ser coberta de pêlos lanosos. Tem folhas arrendondadas ou ovadas, e crenadas, flores pequenas, rubras, agregadas em inflorescências corimbiformes, com corola ventricosa, e cápsulas ovadas e pilosas. [Pl.: *rainhas-do-abismo.*]

rainha-do-lago. *S. f.* V. *aguapé²* (1). [Pl.: *rainhas-do-lago.*]

rainha-dos-prados. *S. f.* V. *ulmária.* [Pl.: *rainhas-dos-prados.*]

rainha-mãe. *S. f.* **1.** A mãe do rei. **2.** A viúva de um rei, seja ou não seja mãe daquele que ocupa o trono. [Pl.: rainhas-mães.]

rainúnculo. *S. m.* Var. de *ranúnculo.*

raio. [Do lat. *radiu.*] *S. m.* **1.** A luz que emana de um foco luminoso e segue uma trajetória reta em determinada direção: *Um r a i o de sol filtrou-se entre a folhagem; O r a i o do holofote acompanhava os passos da bailarina.* **2.** Luz intensa e viva; claridade: *O r a i o dos faróis do caminhão cegou o motorista.* **3.** Cada um dos traços ou dos objetos retilíneos que, partindo de um centro, se distribuem em todas as direções, à maneira dos raios luminosos: *os r a i o s de uma roda; os r a i o s do resplendor de um santo.* **4.** Descarga elétrica entre uma nuvem e o solo, acompanhada de relâmpago e trovão: "Um r a i o / Fulgura / No espaço / Esparso, / De luz" (Gonçalves Dias, *Obras Poéticas*, II, p. 229). [Cf. *corisco* (2) e *relâmpago* (1).] **5.** Manifestação de uma radiação (2 e 3), perceptível ou não pelos sentidos. **6.** *Fig.* Tudo aquilo que fulmina ou destrói; desgraça, tragédia, fatalidade. **7.** *Fig.* Sinal, vislumbre, indício. **8.** *Fig.* A distância que se estende em todos os sentidos de uma área, a partir de um ponto central: *A explosão foi ouvida num r a i o de 50 km.* **9.** *Fam.* Pessoa turbulenta ou travessa. **10.** *Geom.* Segmento de reta que vai de uma circunferência, ou de uma superfície esférica, até o seu centro. **11.** *Geom.* Distância dos pontos de uma circunferência, ou de uma superfície esférica, ao seu centro. **12.** *Ópt.* Raio luminoso. **13.** *Zool.* Filamento ósseo de sustentação das nadadeiras dos peixes. **14.** *Bras. Fam.* Coisa horrível, muito feia, ou de mau gosto: *Aquele vestido é um r a i o.* **15.** *Bras. Fam.* Pessoa muito feia: *A garota é um r a i o.* **16.** *Bras. Fam.* Coisa ou pessoa que aborrece ou incomoda: *Não consigo encontrar o r a i o do papel; O r a i o do negociante vendeu um artigo deteriorado.* ◆ **Raio de ação. 1.** *Mil.* Raio do círculo dentro do qual se exerce eficazmente a ação de uma arma, de uma força militar, etc. **2.** *Mar. G.* A máxima distância que um navio pode alcançar, partindo de sua base, e a ela retornar, sem se reabastecer de combustível nem de alimentos. [Cf., nesta acepç., *autonomia* (4).] **3.** *Fig.* Área de atividade. **Raio de curvatura.** *Geom. Anal.* Módulo do inverso da curvatura de uma curva num ponto; raio do círculo osculador a uma curva num ponto. **Raio de giração.** *Fís.* Comprimento cujo quadrado é igual ao quociente do momento de inércia de um corpo em relação a um eixo de rotação pela massa do corpo. **Raio de Hubble.** *Cosm.* Raio do universo observável, que, segundo a constante hoje aceita, seria de 10^{27} cm. **Raio extraordinário.** *Ópt.* Num cristal birrefringente uniaxial, raio luminoso perpendicular às frentes de onda extraordinárias, e que não segue, por isso, a lei de refração de Snell. **Raio geodésico.** *Geom. Anal.* Raio de um círculo geodésico de uma superfície. **Raio hidráulico.** *Hidrol.* Elemento característico de uma canalização, medido pela relação entre a área da seção transversal e o perímetro molhado. **Raio luminoso.** *Ópt.* Reta que é o suporte das normais a uma frente de onda luminosa, e que representa aproximadamente a trajetória de uma fração limitada desta onda. [Tb. se diz apenas *raio.*] **Raio polar.** *Geom. Anal.* Raio vector. **Raio principal.** *Ópt.* Num sistema óptico, raio que incide sobre o sistema e passa pelo centro de sua pupila de entrada. **Raios alfa.** *Fís. Nucl.* Radiação constituída por partículas alfa. **Raios anódicos.** *Eletrôn.* Raios emitidos por um catodo aquecido, e que consistem em partículas carregadas positivamente. **Raios beta.** *Fís. Nucl.* Radiação constituída por partículas beta. **Raios canal.** *Fís.* Radiação constituída por íons positivos acelerados por um campo elétrico, e que se forma numa descarga elétrica em gases rarefeitos; raios positivos. **Raios catódicos.** *Fís.* Radiação constituída por elétrons acelerados, e emitida por um catodo. **Raios cósmicos.** *Fís. Nucl.* Conjunto formado por partículas de grande energia, de origem extraterrestre, e pela radiação corpuscular ou eletromagnética que elas provocam ao interagir com a atmosfera da Terra; radiação cósmica. **Raios delta.** *Fís. Nucl.* Radiação constituída por elétrons arrancados de átomos pela ação de partículas ionizantes e que têm, por sua vez, energia suficiente para provocar a formação de íons. **Raios gama.** *Fís. Nucl.* Radiação eletromagnética, de pequeno comprimento de onda, emitida num processo de transição nuclear ou de aniquilação de partículas. [Tb. se diz apenas *gama.*] **Raios o partam.** *Interj.* Indica repulsa, execração. **Raios positivos.** *Fís.* Raios canal. **Raios Roentgen.** *Fís.* Raios X. **Raios X.** *Fís.* Radiação eletromagnética de comprimento de onda compreendido, aproximadamente, entre 10^{-8} a 10^{-11} cm; raios Roentgen. **Raio vector.** *Geom. Anal.* **1.** Num sistema de coordenadas polares ou esféricas, segmento dirigido que vai do pólo ao ponto; raio polar. **2.** A coordenada linear, num sistema de coordenadas polares ou esféricas; raio polar. **Raio X branco.** *Fís.* Aquele em que o espectro de energia é distribuído continuamente por uma larga faixa de comprimentos de onda. [V. *raios X.*] **Raio X duro.** *Fís.* O que tem energia elevada e, portanto, pequeno comprimento de onda, da ordem de 10^{-11}cm. [V. *raios X.*] **Raio X mole.** *Fís.* O que tem energia pequena, pequeno poder de penetração nos sólidos e comprimento de onda relativamente grande, da ordem de 10^{-9}cm. [V. *raios X.*]

raiom. [Do ingl. *rayon* < fr. *rayonne.*] *S. m.* **1.** Designação comum a diversas fibras têxteis de aspecto e consistência sedosos, feitas de celulose. **2.** Seda artificial feita com essas fibras.

raiputo. *S. m.* Var. de *rajaputro.*

raiva. [Do lat. **rabia*, em vez de *rabie.*] *S. f.* **1.** *Med.* Doença infecciosa, virótica, que acomete o sistema nervoso central e incide em mamíferos, sendo os silvestres os que constituem o grande reservatório, e o homem e, até certo ponto, os animais domésticos, hospedeiros acidentais na cadeia infecciosa. [O período de incubação, no homem, vai de 20 a 60 dias. Sin.: *rábia, hidrofobia, mal, moléstia, danação.*] **2.** V. *cólera* (1): "Patrão ficou desatinado de raiva." (Afonso Arinos, *Pelo Sertão*, p. 167.) **3.** Ódio, ira, rancor: *Uma raiva surda roía-lhe o peito.* **4.** Grande aversão; horror: A criança tomou raiva ao estudo; "Dera para ter raiva do marido. Não podia vê-lo, que se arrepiava de nojo." (José Lins do Rego, *Meus Verdes Anos*, p. 332). **5.** Prurido produzido pela dentição nas crianças. **6.** Espécie de biscoito.

raivar. *V. int.* **1.** Ter raiva; encher-se de raiva; enfurecer-se, irar-se, enraivar-se, enraivecer-se, raivecer, raivejar: *Depois de tantos desgostos, raivou.* **2.** Irar-se muito; enfurecer-se, raivecer, raivejar: *Raivou com o irmão. T. i.* **3.** *Fig.* Debater-se com fúria; raivecer, raivejar: "Árvores desgrenhadas pela ventania; ondas revoltas raivando contra escarpas pontiagudas" (José Oiticica, *Curso de Literatura*, pp. 47-48). **4.** Estar ansioso, anelante: *Está raivando pelo dia da viagem. T. d.* **5.** Exprimir ou manifestar (raiva, queixa); esbravejar, raivejar: *Raivou seu ódio, gritando.*

raivecer. [De *raiva* + *-ecer.*] *V. int.* e *t. i.* V. *raivar* (1 a 3). [Conjug.: v. *aquecer.*]

raivejar. *V. int.* e *t. i.* **1.** V. *raivar* (1 a 3). *T. d.* **2.** V. *raivar* (5) [Conjug.: v. *pelejar.*]

raivento. *Adj.* **1.** V. *raivoso* (2). **2.** Que enraivece com facilidade; raivudo.

raivoso (ô). [Do lat. *rabiosu.*] *Adj.* **1.** Atacado de raiva (1); hidrófobo, danado. **2.** Cheio de raiva, de cólera; muito irritado; rábido, rabioso, raivento.

raivudo. *Adj.* Raivento (2).

raiz (a-í). [Do lat. *radice.*] *S. f.* **1.** *Morfol. Veg.* Porção do eixo das plantas superiores que cresce para baixo, em geral dentro do solo, e cuja função fundamental é fixar o organismo vegetal e retirar do substrato os nutrientes e a água necessários à vida da planta. Há raízes aquáticas e aéreas, razão por que a raiz se caracteriza melhor pela estrutura. Aparece nos pteridófitos e fanerógamos; os demais grupos vegetais têm rizóides, simples órgãos radiciformes, cujas funções são semelhantes. [Sin.: *estirpe.*] **2.** *P. ext.* A parte oculta de qualquer coisa enterrada, cravada, embutida ou fixada em outra. **3.** *P. ext.* Parte inferior; base. **4.** *P. ext.* A parte de certos órgãos cravada ou implantada num tecido: *raiz da unha, de um pêlo.* **5.** *Anat.* Raiz dentária. **6.** A parte lenhosa de certos vegetais com que se fabricam objetos para fins industriais. **7.** *Fig.* Germe, princípio, origem. **8.** *Fig.* Ligação moral; vínculo, liame. **9.** *Gram.* O semantema, como parte básica da estrutura da palavra: *-am-*, em *enamorado.* **10.** *Mat.* Potência fracionária de um número. **11.** *Mat.* Valor de uma variável que anula uma função desta variável. **12.** *Med.* Prolongamento profundo de certos tumores. ~ V. *raízes.* ◆ **Raiz adventícia.** *Morfol. Veg.* Qualquer raiz que não proceda da radícula do embrião ou da raiz primária. Pode ser subterrânea ou aérea. **Raiz axial.** *Morfol. Veg.* Raiz, primária quase sempre, que desce verticalmente no solo. **Raiz axonomorfa.** *Morfol. Veg.* Diz-se da raiz axial que desce perpendicularmente no solo com ramificações pouco importantes; raiz pivotante. **Raiz característica.** *Álg. Mod.* V. *autovalor* (2). **Raiz carnosa.** *Morfol. Veg.* Raiz tuberosa de consistência macia. **Raiz coraliforme.** *Morfol. Veg.* Raiz delgada, cheia de pequenos nódulos irregulares ou verrugas, resultantes da ação de um fungo a ela associado (micorrizo). **Raiz cúbica.** *Arit.* A potência 1/3 de um número. **Raiz da serra.** *Bras.* O lugar onde principia a elevação de um monte. **Raiz dentária.** *Anat.* Parte do dente que é recoberta pelo cemento, tem situação proximal em relação ao colo e, geralmente, está implantada no alvéolo dental. [Tb. se diz apenas *raiz.*] **Raiz dupla.** *Mat.* Numa equação, raiz que é também raiz da equação derivada. **Raiz em cabeleira.** *Morfol. Veg.* Raiz fasciculada. **Raiz enésima.** *Arit.* A potência 1/n de um número. **Raízes conjugadas.** *Mat.* Numa equação, duas raízes complexas cujo produto é real. **Raiz fasciculada.** *Morfol. Veg.* Conjunto de raízes adventícias que substitui a raiz primária, abortiva nesses casos, e forma um feixe. É tipo peculiar às monocotiledôneas. [Sin.: *raiz em cabeleira.*] **Raiz irredutível.** *Mat.* A que se representa por um radical que não pode ser transformado numa forma mais simples. **Raiz latente.** *Álg. Mod.* V. *autovalor* (2). **Raiz mestra.** A raiz principal. **Raiz múltipla.** *Mat.* Numa equação, raiz que é também raiz das equações derivadas até a ordem *n*, sendo *n* maior que a unidade; raiz repetida. **Raiz pivotante.** *Morfol. Veg.* Raiz axonomorfa. **Raiz primária.** A que cresce primeiro, e da qual se originam as secundárias. **Raiz quadrada.** *Arit.* A potência 1/2 de um número. **Raiz repetida.** *Mat.* Raiz múltipla. **Raiz simples.** *Mat.* A que não é múltipla. **Raiz tabular.** *Morfol. Veg.* Raiz lateralmente achatada, como tábua, e muito grande, que, em certas árvores tropicais, assume o aspecto de contraforte na base do tronco. [Cf. *sapopema.*] **Raiz tripla.** *Mat.* Raiz múltipla de ordem três. **Raiz tuberosa.** *Morfol. Veg.* Raiz engrossada em virtude do acúmulo de material nutritivo nela armazenado, e que pode ser dura ou mole. [A tuberização tanto atinge à raiz primária como qualquer outra. Ex.: a mandioca.] **Até a raiz dos cabelos.** Até não mais poder; inteiramente, completamente: *Está endividado até à raiz dos cabelos.* **De raiz.** A fundo; sem ser pela rama. **Lançar raízes.** Prender-se, enraizar-se, arraigar-se. **Pela raiz.** Indo até à raiz, à origem; cerce, rente: *cortar o mal pela raiz.*

raizada (a-i). *S. f.* V. *raizame.*

raizama (a-i). *S. f. Bras., S.* V. *raizame.*

raiz-amarga. *S. f.* V. *genciana-brasileira.* [Pl.: *raízes-amargas.*]

raizame (a-i). *S. m.* **1.** O conjunto das raízes duma planta. **2.** Grande porção de raízes. [F. paral.: *raizama*; sin. ger.: *raizada.*]

raiz-de-cedro. *S. f. Bras.* Certa árvore da Amazônia. [Pl.: *raízes-de-cedro.*]

raiz-de-chá. *S. f. Bras.* Planta arbustiforme, da família das liliáceas (*Cordyline terminalis*), muito cultivada pelo valor ornamental da folhagem. Tem caule alto e delgado, e no ápice uma coroa de grandes folhas violáceas; flores minutas. [Pl.: *raízes-de-chá.*]

raiz-de-cobra. *S. f. Bras.* V. *gafanhoto* (4). [Pl.: *raízes-de-cobra.*]

raiz-de-corvo. *S. f. Bras.* V. *boi-gordo.* [Pl.: *raízes-de-corvo.*]

raiz-de-frade. *S. f. Bras.*V. *cainça.* [Pl.: *raízes-de-frade.*]

raiz-de-jacaré-açu. *S. m. Bras., Amaz.* Arbusto da família das gencianáceas (*Tachia guianensis*), de flores amarelas, que tem os galhos ocos habitados por formigas, e cujo caule e raiz são amargos e dão um extrato venenoso; jacarearu, caferana. [Pl.: *raízes-de-jacaré-açu.*]

raiz-de-lagarto. *S. f. Bras.* V. *gafanhoto* (4). [Pl.: *raízes-de-lagarto.*]

raiz-de-laranja. *S. f. Bras.* V. *gafanhoto* (4). [Pl.: *raízes-de-laranja.*]

raiz-do-brasil. *S. f. Bras.* V. *ipecacuanha.* [Pl.: *raízes-do-brasil.*]

raiz-doce. *S. f. Bras.* Alcaçuz-da-terra. [Pl.: *raízes-doces.*]

raiz-do-sol. *S. f. Bras.* Planta medicinal da família das aristoloquiáceas (*Aristolochia*). [Pl.: *raízes-do-sol.*]

raizeiro (a-i). *S. m. Bras., N.E.* e *MG.* Curandeiro que trata doenças valendo-se de raízes vegetais. [Sin.: *raizista* (MG), *remedista* (MG), *doutor-de-raiz* (AL e BA).]

raízes. [Pl. de *raiz.*] *S. f. pl. Encad.* Decoração imitativa de raízes vegetais, a qual se executa fazendo escorrer no couro da encadernação, antes ou depois de aplicado às pastas, respingos de água misturada a ácidos ou tintas. [V. *racinar.*] ~ V. *raiz.*

raiz-escora. *S. f. Morfol. Veg.* Raiz grossa que, formando com outras um feixe, fica por baixo da planta e a sustenta no ar, como no mangue (2). [Pl.: *raízes-escoras* e *raízes-escora.*]

raiz-forte. *S. f.* Planta da família das crucíferas (*Nasturtium amoracea*), de raízes branco-amareladas, carnosas, de sabor picante, que lembra o da mostarda, e usadas como condimento. [Pl.: *raízes-fortes.*]

raizista (a-i). [De *raiz* + *-ista.*] *S. 2 g. Bras., MG.* V. *raizeiro.*

raiz-preta. *S. f. Bras.* V. *boi-gordo.* [Pl.: *raízes-pretas.*]

raja. [Do esp. *raya.*] *S. f.* Estria, listra, raia.

rajá. [Do sânscr. *raja*, 'rei', atr. das línguas neoáricas, ou com infl. do fr. na acentuação.] *S. m.* Príncipe ou soberano de um Estado indiano. [Fem.: *rani.* Cf. *marajá*[1].]

rajada[1]. *S. f.* Aumento repentino, temporário e forte da intensidade com que o vento sopra; lufa, lufada, rabanada: "rajadas formidandas do ciclone." (Virgílio Várzea, *O Brigue Flibusteiro*, p. 167). [Cf. *refrega* (3).] **2.** Ímpeto arrebatado e rápido, como o da rajada (1). **3.** *Fig.* Sucessão contínua e rápida: *uma rajada de impropérios.* **4.** *Bras.* Série ininterrupta de tiros de metralhadora ou de outra arma automática.

rajada[2]. [Fem. substantivado de *rajado*[2].] *S. f. Bras.* Variedade de mandioca.

rajadão. [Aum. de *rajado*[2].] *S. m. Bras.* V. *matraca* (7).

rajado[1]. *S. m.* Território ou reinado de um rajá.

rajado[2]. [Part. de *rajar.*] *Adj.* **1.** Estriado, listrado, raiado. **2.** *Bras.* Diz-se dos animais que têm manchas escuras: "Com pouco apareceu na porta que dava para a cozinha uma bonita cabra rajada" (José de Alencar, *O Sertanejo*, p. 207).

rajão. *S. m.* Viola de cinco cordas, um pouco maior que o cavaquinho (1), usada na ilha da madeira.

rajaputro. [Do sânscr. *rajaputra*, 'filho do rei'.] *S. m.* **1.** Indivíduo dos rajaputros, antiga raça nobre do N.O. da Índia, consagrada às armas. ● *Adj.* **2.** Pertencente ou relativo aos rajaputros. [Var.: *raiputo* e *resbuto.*]

rajar. [Do esp. *rayar.*] *V. t. d.* **1.** Estriar, listrar, raiar. *T. d.* e *i.* **2.** Entremear, entressachar, intercalar.

rajídeo. *S. m.* Espécime dos rajídeos; rajóideo.

rajídeos. *S. m. pl. Zool.* Família de peixes elasmobrânquios da ordem dos hipotremados. São raias que apresentam nadadeira caudal afinada e projetada para fora do corpo. [Sin.: *rajóideos.*]

rajido. *S. m.* e *adj.* V. *hipotremado.*

rajidos. *S. m. pl. Zool.* V. *hipotremados.*

rajo. [Do esp. *raja.*] *S. m.* Parte dos pinheiros que se corta para extrair-lhes a resina.

rajóideo. *S. m.* Rajídeo.

rajóideos. *S. m. pl. Zool.* Rajídeos.

rala[1]. *S. f.* V. *estertor* (1).

rala[2]. [De *ralo*[1].] *S. f.* Rolão[1] (1).

rala-bucho. [De *ralar* + *bucho.*] *S. m. Bras., AL. Pop.* V. *arrasta-pé* (1). [Pl.: *rala-buchos.*]

ralação. *S. f.* **1.** Ato ou efeito de ralar(-se). **2.** Apoquentação, amofinação, consumição, aflição. **3.** Canseira, moedeira. [Sin. ger.: *raladura* e *raleira.*]

rala-coco. [De *ralar* + *coco* (ô).] *S. f. Bras., BA.* V. *mija-mija.* [Pl.: *rala-cocos.*]

ralador (ô). *Adj.* **1.** Que rala. ● *S. m.* **2.** Qualquer utensílio próprio para ralar (1); ralo. **3.** Tal utensílio constituído de uma lâmina metálica crivada de orifícios de rebordos arrebitados, ou por uma espécie de colher com bordas dentadas; ralo.

raladura. [De *ralar* + *-(d)ura.*] *S. f.* **1.** Os fragmentos da substância ralada. **2.** V. *ralação.*

rala-gelo. [De *ralar* + *gelo.*] *S. m.* Aparelho para ralar ou moer gelo. [Pl.: *rala-gelos.*]

ralar. [De *ralo*[1] + *-ar*[2].] *V. t. d.* **1.** Reduzir (uma substância) a fragmentos pequenos, friccionando ou raspando com ralador (2): *A cozinheira ralou o coco*; "Ela mesma ralou uma porção da raiz [do tajá] em uma língua de pirarucu." (Inglês de Sousa, *Contos Amazônicos*, p. 76). **2.** Ferir de leve, raspando ou arranhando. **3.** *Fig.* Atormentar, amofinar, inquietar, afligir, consumir: "E ebriado de ventura, / Na própria pena que o lacera e rala, / O coração aplaude-me a loucura..." (Alberto de Oliveira, *Poesias*, 2ª série, p. 20.) **4.** V. *apoquentar. P.* **5.** Atormentar-se, amofinar-se, consumir-se, afligir-se: "Lourenço e Lucinda .... trocaram abraços e beijos .... à vista de todos, enquanto Mariquinha ralava-se de ciúmes e de raiva" (Inglês de Sousa, *Contos Amazônicos*, p. 72). **6.** V. *apoquentar.* [Var.: *relar.*]

ralassaria. *S. f.* Qualidade, modos ou hábitos de ralasso.

ralasso. [De *relapso*, com dissimilação.] *Adj.* e *s. m. Pop.* Indolente, mandrião, relaxado.

ralé. *S. f.* **1.** A camada mais baixa da sociedade; o refugo social. [Var.: *relé* e (desus.) *raleia.* Sin.: *arraia, arraia-miúda, borra, choldra, enxurro, escoalha, escória, escória social, escorralhas, escorralho, escuma, escumalha, fezes, lixo, gentalha, gentaça, gentinha, gentuça, patuléia, plebe, populaça, populacho, povão, povaréu, poviléu, povoléu, povo, sarandalhas, sarandalhos, vulgacho, vulgo, zé, zé-povo, zé-povinho* e (bras.) *bagaceira, bagagem, frasqueiro, gambá, gentama, plévia, poeira, rabacuada, rafaméia, mundiça.*] **2.** Animal de que a ave de rapina faz habitualmente sua presa. **3.** *Pop.* Energia, vontade. **4.** *Ant.* Espécie, casta, raça.

raleadura. *S. f.* Ato ou efeito de ralear(-se); raleamento.

raleamento. *S. m.* Raleadura.

ralear. [De *ralo*[4] + *-ear.*] *V. t. d.* **1.** Tornar ralo ou menos denso: *A cozinheira raleou o mingau acrescentando mais leite; A idade raleia os cabelos. Int.* e *p.* **2.** Tornar-se ralo ou menos compacto: "percebia-se o cuidado que empregava para não o descobrirem, já evitando o menor rumor, já afastando-se quando o mato raleava a ponto de não escondê-lo." (José de Alencar, *O Sertanejo*, p. 35); *Naquele trecho a vegetação raleava-se.* [Sin. ger.: *ralentar.* Conjug.: v. *frear.*]

raleia. *S. f. Desus.* V. *ralé* (1).

raleira[1]. [De *ralo*[4] + *-eira.*] *S f.* **1.** Claro de terreno cultivado onde a semente não germinou, ou onde as plantas não medram. **2.** Escassez, falta, carência. **3.** Espaço vazio entre duas filas de pessoas ou coisas; intervalo. [F. paral.: *raleiro.*]

raleira[2]. [De *ralar* + *-eira.*] *S. f.* V. *ralação.*

raleiro. [De *ralo*[4] + *-eiro.*] *S. m.* Raleira[1].

ralentar. [De *ralo*[4] + *-entar.*] *V. t. d. int.* e *p.* Ralear.

ralhação. [De *ralhar* + *-ção.*] *S. f.* Ralho (1).

ralhador (ô). *Adj.* e *s. m.* Que ou aquele que tem o costume de ralhar; ralhão.

ralhão. [De *ralhar* + *-ão*[2].] *Adj.* e *s. m.* Ralhador. [Fem.: *ralhona.*]

ralhar. [Do lat. **rabulare*, 'vociferar'.] *V. int.* **1.** Repreender em voz alta; desabafar a cólera com repreensões, ameaças vãs: *Os bons pais sabem ralhar e perdoar.* **2.** Falar em voz alta e em tom de repreensão. *T. i.* **3.** Repreender; admoestar, zangar-se: "Os pais de Eugênio não deixavam de ralhar com ele em razão de não parar em casa." (Bernardo Guimarães, *O Seminarista*, p. 29.)

ralho. [Dev. de *ralhar.*] *S. m.* **1.** Ato ou efeito de ralhar; ralhação. **2.** V. *repreensão* (1). **3.** Discussão violenta; altercação.

ralhona. *Adj. (f.)* e *s. f.* Fem. de *ralhão.*

rali. [Do ingl. *rallye.*] *S. m.* Competição automobilística (ou de motocicleta), destinada a comprovar a habilidade do piloto e/ou a qualidade do veículo, e onde os participantes, partindo de pontos diferentes, devem encontrar-se num determinado lugar.

ralídeo. *S. m.* **1.** Espécime dos ralídeos. ● *Adj.* **2.** Pertencente ou relativo a eles.

ralídeos. *S. m. pl. Zool.* Aves raliformes, da família *Rallidae*, caracterizadas por terem os dedos livres. Vivem nos brejos, à beira dos rios e lagos, sendo mais ativas à tarde, antes do anoitecer. Alimentam-se de artrópodes e peixinhos, vermes e pequenos animais em geral. São as saracuras, os frangos-d'água e as jaçanãs.

raliforme. *S. m.* **1.** Espécime dos raliformes. ● *Adj. 2 g.* **2.** Pertencente ou relativo a eles.

raliformes. *S. m. pl. Zool.* Aves neórnites, neógnatas, consideradas por alguns autores como uma ordem: *Ralliformes.* Têm cauda, dedos livres dispostos três para a frente e um para trás, pernas de comprimento médio. São as saracuras, os frangos-d'água, os ipequis e as jaçanãs.

♦**rall.** [It.] *Adv. Mús.* Abrev. de *rallentando* [q. v.].

♦**rallentando.** [It.] *Adv. Mús.* Diminuindo gradativamente a velocidade. [Abrev.: *rall.*]

ralo[1]. [Do lat. *rallu*, 'raspador'.] *S. m.* **1.** Ralador (2 e 3). **2.** O crivo da peneira. **3.** V. *pausa* (4). **4.** Lâmina com orifícios para coar água e outros líquidos, especialmente a que se adapta à abertura de um encanamento. **5.** *P. ext.* A parte de um encanamento (2) que fica imediatamente abaixo do ralo (4). **6.** Treliça (2) ou lâmina com orifícios, que se adapta a portas, confessionários, etc., para que as pessoas que estão do lado de dentro possam ver sem serem vistas, ou falar com as que estão de fora sem contato direto.

ralo[2]. [Do b.-lat. *rallu.*] *S. m.* Inseto ortóptero semelhante aos grilos *(Gryllus gryllotalpa).*

ralo[3]. [Do fr. *râle.*] *S. m.* V. *estertor* (1).

ralo[4]. [De *raro*, por dissimilação.] *Adj.* Pouco espesso, pouco denso; raro: *cabelo ralo; tecido ralo;* "À esquerda, eram planuras desmesuradas, com uma vegetação rala e monótona." (Raul Bopp, *Putirum.* p. 189). ~ V. *capoeira —a* e *cerrado —.*

■**RAM.** [Do ingl. *R(andon) A(cess) M(emory).*] *Proc. Dados.* Memória principal [q. v.] a que o usuário do equipamento tem acesso para gravação ou leitura de dados e programas; memória de leitura e gravação. [É uma memória do tipo volátil, que, ao ser desligado o computador, as informações nela armazenadas são perdidas. Cf. *ROM.*]

rama[1]. [De *ramo.*] *S. f.* **1.** O conjunto dos ramos de uma planta; ramada, ramagem, ramalheira, ramaria. **2.** Caixilho ou bastidor em que se estiram os panos na fabricação. **3.** *Bras., N.E.* Primeiras folhas que crescem nas árvores após as primeiras chuvas. **4.** Barbas (3). **5.** *Ind. Pap.* Margem franjada do papel de tina, ou do papel de fabricação mecânica que o imita; barba. **6.** *Bras., N.E.* Folhagem de árvores que alimenta o gado quando o pasto fica inteiramente seco. **7.** *Bras. Pop.* V. *cachaça* (1). ♦ **Em rama.** Diz-se da matéria-prima têxtil natural, em estado bruto, antes de ser preparada para fiar: *algodão em rama; seda em rama.* **Pela rama.** Sem aprofundar ou particularizar; superficialmente: *Tratou do assunto pela rama;* "Faz-se pela rama [nos inventários coloniais, no Brasil] a descrição dos bens." (Alcântara Machado, *Vida e Morte do Bandeirante*, p. 24). **Puxar uma rama.** *Bras., Al.* Embriagar-se.

rama[2]. *S. f. Tip.* Caixilho retangular de metal onde se engrada a fôrma tipográfica para deitá-la na prensa. ♦ **Rama de cruzeira.** *Tip.* A dos formatos maiores, que tem cruzeira. **Rama numeradora.** *Tip.* Rama que permite a adaptação de numeradores, para tiragem de impressos que devem levar seqüência de números.

ramada. [De *ramo* + *-ada*[1].] *S. f.* **1.** V. *rama*[1] (1). **2.** Enramada. **3.** *Bras.* Porção de ramos dispostos nos rios para juntar o peixe. **4.** *Bras.* Abrigo para o gado.

ramadã. [Do ár. *ramadân.*] *S. m.* **1.** O nono mês do ano muçulmano, considerado sagrado, e durante o qual a lei de Maomé prescreve o jejum num período diário entre o alvorecer e o pôr do Sol. **2.** O jejum observado durante esse mês: "É a hora / .... / Quando, entre lobo e cão, como ordena o ritual, / Termina o ramadã com a sombra vesperal." (Martins Fontes, *Verão*, p. 72.)

rama-de-bezerro. [De *rama*[1] + *de* + *bezerro.*] *S. f.* V. *catanduba* (1). [Pl.: *ramas-de-bezerro.*]

ramadão. *S. m.* Ramadã.

ramado. [De *ramo* + *-ado*[1].] *Adj.* Que tem rama ou ramos.

ramagem. [De *ramo* + *-agem*[2].] *S. f.* **1.** V. *rama*[1] (1). **2.** Desenho representativo de ramos e folhas sobre um tecido, papel, etc.: "as cachopas, com duas manchas rosadas na face morena e as ramagens do lenço de seda brilhando às luminárias, ganham à rampa, ... mortinhas de dançar." (José Vieira, *Sol de Portugal*, p. 158).

ramal. [Do lat. *ramale.*] *S. m.* **1.** Conjunto de fios próprios para fazer cordas. **2.** Borla[1] (1) em barrete ou coifa. **3.** Fileira, enfiada: *um ramal de contas.* **4.** Caminho subsidiário de estradas de rodagem ou de ferro. **5.** Ramo, ramificação, divisão. **6.** *Bras.* Cada uma das ramificações internas de uma rede telefônica particular.

ramalhada. *S. f.* **1.** Ato ou efeito de ramalhar. **2.** Porção de ramos: *Trazia nos braços uma ramalhada de flores silvestres.*

ramalhão. *S. m. Bras., SP. Folcl.* Dança popular, em Cunha e Guaratinguetá, na qual filas de homens e mulheres se defrontam e balanceiam cantando, ao som de violas.

ramalhar. [De *ramalho* + *-ar*[2].] *V. t. d.* **1.** Fazer sussurrar os ramos de : *O vento ramalha os salgueiros. Int.* **2.** Sussurrar (os ramos) com o vento.

ramalheira. [De *ramalho* + *-eira.*] *S. f.* V. *rama*[1] (1).

ramalhete (ê). [Dim. de *ramo.*] *S. m.* **1.** Pequeno molho de flores naturais ou artificiais, em geral harmoniosamente dispostas; ramo, buquê. **2.** Pequeno ramo (1). **3.** *Fig.* Grupo de pessoas ou de objetos escolhidos, selecionados. [F. paral.: *ramilhete.*]

ramalheteira. *S. f.* Mulher que faz e/ou vende ramalhetes ou ramos de flores.

ramalho. *S. m.* Grande ramo, normalmente cortado da árvore.

ramalhoso (ô). *Adj.* Ramalhudo.

ramalhudo. *Adj.* **1.** De muita rama. **2.** Que ramalha. **3.** *Fig.* Diz-se de escrito característico de autor palavroso mas vazio de idéias. **4.** *Fig.* Diz-se dos olhos que têm grandes pestanas: "Cântaro alentejano ao ombro, vão teorias de raparigas robustas, caminho da fonte, — a água não bastaria, se fosse para lhes apagar o fogo dos olhos ramalhudos ..." (Afrânio Peixoto, *Viagens na Minha Terra*, p. 200.) [Sin. ger.: *ramalhoso.*]

ramálias. [Do lat. *Ramalia.*] *S. f. pl.* Na antiga Roma, festas da agricultura e da vinha, por ocasião das quais se conduziam ramos de videira com cachos de uva.

ramarama. *Bras. S. 2 g.* **1.** Indivíduo dos ramaramas, tribo indígena que habita o rio Machadinho, afluente do rio Jiparaná (RO). ● *Adj. 2 g.* **2.** Pertencente ou relativo a essa tribo. [Sin. ger.: *itangá.*]

ramaria. [De *rama* + *-aria.*] *S. f.* V. *rama*[1] (1).

rambles. *Adj. 2 g.* e *2 n. Bras., RJ. Gír.* Inferior, ordinário, reles: "— É um hotelzinho rambles, não? ! — Podia ser pior." (Marques Rebelo, *O Trapicheiro*, p. 88.)

rambotã. [Do mal. *rambut*, 'cabelo'.] *S. m. Bras.* Planta da família das Sapindáceas *(Nephelium lappaceum).*

ramear. *V. t. d.* Adornar com ramos; enramar. [Conjug.: v. *frear.*]

rameira. [De *ramo* (1) + *-eira.*] *S. f.* V. *meretriz;* "A solução era se divertirem um pouco com as rameiras nos lupanares" (Lígia Fagundes Teles, *A Disciplina do Amor*, p. 79).

rameiro. [De *ramo* + *-eiro.*] *Adj.* **1.** Diz-se da ave que anda de ramo em ramo, preparando-se para voar. ● *S. m.* **2.** Aquele que arremata aos contratadores determinados ramos de um contrato.

ramela. *S. f.* Var. de *remela.*

ramelado. *Adj.* Var. de *remelado.*

ramelar. *V. int.* e *p.* Var. de *remelar.*

ramelento. *Adj.* Var. de *remelento.*

rameloso (ô). *Adj.* Var. de *remeloso.*

ramentáceo. *Adj. Morfol. Veg.* Relativo ao, ou que tem feitio de ramento: *rizoma ramentáceo.*

ramento. [Do lat. *ramentu.*] *S. m. Morfol. Veg.* **1.** Escama membranácea do rizoma e do pecíolo dos pteridófitos. **2.** Restos de velhas bainhas foliares que ficam na base de certas plantas, como, p. ex., as aráceas.

râmeo. [Do lat. *rameu.*] *Adj.* Diz-se de raízes, flores, etc., que nascem nos ramos das plantas.

ramerrame. *S. m.* Ramerrão.

ramerraneiro. *Adj.* **1.** Relativo ao, ou próprio do ramerrão. **2.** Contrário a idéias de progresso. **3.** Rotineiro, corriqueiro: "Agora, ... tudo isso lhe era muito mais complicado e a sua vida .... se tornara muito mais ramerraneira." (Gastão Cruls, *De Pai a Filho*, p. 28.)

ramerrão. [Voc. onom. expressivo.] *S. m.* **1.** Repetição monótona, enfadonha. **2.** *P. ext.* Uso continuado e costumeiro; rotina: "Entro nas mil comédias do ramerrão diário, sem me enganar nos papéis ou confundir as personalidades." (José Gomes Ferreira, *O Mundo dos Outros*, p. 26.) [F. paral.: *ramerrame.*]

rami. [Do mal. *rami.*] *S. m.* **1.** Grande erva da família das urticáceas *(Boehmeria nivea)*, subespontânea no Brasil, cujo caule e grandes folhas pilosas são macios e aqüíferos, e que tem flores verdes e inconspícuas. É planta têxtil importante, que fornece uma fibra valiosa no continente asiático, de onde se origina. [Sin.: *ranu, ranu-branco.*] **2.** Tecido feito com a fibra do rami (1), e usado sobretudo em decoração, para forração de móveis, em cortinas, etc.

▲**ram(i)-.** [Do lat. *ramu.*] *El. comp.* = 'ramo': *ramifloro, ramíparo.*

ramificação. *S. f.* **1.** Ato ou efeito de ramificar(-se). **2.** Divisão, ramo, ramal. **3.** *Morfol. Veg.* Subdivisão do eixo caulinar ou radicular em partes semelhantes, porém menores, da qual resultam os ramos de várias ordens, segundo o tamanho. [A ramificação processa-se também nas nervuras, nos talófitos, etc.] **4.** *Proc. Dados.* V. *ponto de ramificação.* ♦ **Ramificação dicotômica.** *Morfol. Veg.* Ramificação em que o ápice da planta se bifurca sucessivamente, dando sempre dois ramos de cada vez, e que é particularmente comum nos talófitos. **Ramificação lateral.** *Morfol. Veg.* Ramificação em que a gema axilar produz um ramo de cada vez, e que é própria das plantas superiores. **Ramificação monopodial.** *Morfol. Veg.* Ramificação lateral em que o eixo principal mantém a hegemonia, gerando ramos menores que ele, e o tronco se mostra retilíneo e uniforme. **Ramificação simpodial.** *Morfol. Veg.* Ramificação lateral em que o eixo não prevalece, sendo substituído por outro ramo, o qual, a seu turno, será pouco depois deslocado por outro, e assim sucessivamente, mostrando-se o tronco, neste caso, mais irregular do que na ramificação monopodial.

ramificado. [Part. de *ramificar.*] *Adj.* Dividido em ramos ou ramais. ~ V. *desintegração —a.*

ramificar. [Do lat. medieval *ramificare.*] *V. t. d.* **1.** Dividir em ramos, ramais, partes, etc.: *As árvores ramificam as raízes sob a terra; Ramificara a nova estrada de rodagem.* **2.** Dividir, subdividir: *ramificar uma disciplina, uma ciência. P.* **3.** Dividir-se em ramos. **4.** Dividir-se, subdividir-se. **5.** Propagar-se, divulgar-se. [Conjug.: v. *trancar.*]

ramifloro. [De *ram(i)-* + *-floro.*] *Adj.* Diz-se das plantas que produzem flores sobre os ramos.

ramiforme. [De *ram(i)-* + *-forme.*] *Adj. 2 g.* Em forma de ramo.

ramilhetar. *V. t. d.* Enfeitar com ramilhetes ou ramalhetes. [Pres. subj.: *ramilhete, ramilhetes, ramilhete*, etc. Cf. *ramilhete* (ê) e pl. *ramilhetes* (ê).]

ramilhete (ê). *S. m.* V. *ramalhete:* "Ramilhetes de rosas e camélias" (Fialho d'Almeida, *Lisboa Galante*, p. 85). [Pl.: *ramilhetes* (ê). Cf. *ramilhete* e *ramilhetes*, do v.

ramilhetar.]

ramíparo. [Do lat. *ram(i)-* + *-paro.*] *Adj.* Diz-se da planta que produz ramos.

ramista. [Do antr. *Ramus,* de Petrus Ramus, humanista francês (1515-1572), + *-ista.*] *Adj. 2 g.* ~V. *consoante — e letra —.*

ramnácea. *S. f.* Espécime das ramnáceas.

ramnáceas. *S. f. pl. Bot.* Família de plantas floríferas, da ordem das ramnales, formada de arbustos e árvores de folhas estipuladas e de minutas flores cimosas, muitas delas espinhosas, e cujos frutos são drupáceos ou nuciformes, com lóculos monospérmicos. Existem umas 500 espécies em todo o orbe; no Brasil, é muito estimado o juazeiro [q. v.].

ramnáceo. *Adj.* Pertencente ou relativo às ramnáceas.

ramnales. *S. f. pl. Bot.* Ordem de vegetais cuja família-tipo é a das ramnáceas [q. v.].

ramo. [Do lat. *ramu.*] *S. m.* **1.** Subdivisão do caule das plantas, com a mesma constituição deste; galho. **2.** Molho de flores ou de folhagens. [Dim. irreg., nestas acepç.: *ramalhete, ramilhete, ramúsculo.*] **3.** V. *ramalhete* (1): "tio Roberto, distraído, trazia o binóculo a tiracolo e um r a m o de flores na mão." (Vitorino Nemésio, *Mau Tempo no Canal,* p. 177). **4.** Palma benta que se distribui no domingo de Ramos. **5.** Cada família descendente de um mesmo tronco: *o r a m o brasileiro dos Braganças.* **6.** Ramificação ou divisão que, partindo de um tronco inicial, participa da mesma natureza deste: *os r a m o s de uma ciência, de um negócio.* **7.** Atividade específica em qualquer trabalho ou profissão. **8.** Em tecelagem, cada lanço da urdideira. **9.** Lote de objetos arrematados em leilão. **10.** Ataque de doença; acesso. **11.** Qualquer ornato ou emblema em forma de ramo (1, 2 e 3). ~ V. *ramos.* ♦ **Ramo de ar.** Estupor, paralisia. **Ramo ruim.** *Bras.* Congestão cerebral. **Não pisar em ramo verde.** Ser prudente, cauteloso.

ramona. [Do antr. *Ramona,* nome comercial de uma marca de grampos que veio a desaparecer.] *S. f. Bras., GO.* V. *grampo* (3).

ramonadeira. [Adapt. do fr. *ramoneuse,* 'máquina para limpar chaminés'.] *S. f.* Instrumento de ferro com que se desbastam peles.

ramonagem. [Do fr. *ramonage,* 'limpeza de chaminé'.] *S. f. Bras. Mar. G.* Operação que consiste em dar um jacto de vapor sobre a superfície externa dos tubos de uma caldeira, com esta funcionando, a fim de remover a fuligem neles depositada.

ramos. [Pl. de *ramo.*] *S. m. pl. Lit.* Festividade com que se comemora a entrada de Cristo em Jerusalém, e que marca o início da semana santa [q. v.]. ~ V. *ramo.*

ramosidade. *S. f.* Qualidade de ramoso.

ramoso (ô). [Do lat. *ramosu.*] *Adj.* Que tem ramos em abundância; ramudo: "A r a m o s a quaresma é púrpura e veludo" (Alberto de Oliveira, *Póstuma,* p. 19).

rampa. [Do fr. *Rampe.*] *S. f.* **1.** Plano inclinado considerado no sentido da subida; aclive. [Opõe-se a *contra-rampa.*] **2.** V. *vertente* (3). **3.** Ladeira (1): "Foi nessa altura que um automóvel .... , descendo a r a m p a que conduz ao aeroporto, estacou, num repuxar enérgico de travões, junto à larga porta de entrada." (Joaquim Paço d'Arcos, *Neve sobre o Mar,* p. 21.). **4.** *Teat.* Ribalta.

rampadoiro. *S. m.* Arrampadoiro [q. v.].

rampadouro. [Var. de *rampadoiro.*] *S. m.* Arrampadouro [q. v.].

rampante. [Do fr. *rampant.*] *Adj. 2 g. Heráld.* Diz-se do quadrúpede que se apresenta erguido sobre as patas traseiras e com a cabeça volvida para o lado direito do escudo.

rampear. *V. t. d.* Cortar (um terreno) em rampa (3). [Conjug.: v. *frear.*]

rampeiro. [De *rampa* + *-eiro.*] *Adj. Bras., S.* De baixa classe; inferior: "Vive metido com mulher à-toa e gente r a m p e i r a." (Rute Guimarães, *Água Funda.* p. 112.)

ramudo. *Adj.* Ramoso.

râmula. *S. f. Med.* Quisto de retenção localizado no soalho bucal.

ramular. *Adj. 2 g. Morfol. Veg.* Relativo ou pertencente ao ramo: *espinho r a m u l a r.* [Notar que não se refere ao râmulo.]

râmulo. [Dim. de *ramo.*] *S. m. Morfol. Veg.* **1.** Pequeno ramo. **2.** Ponta de ramo.

ramúsculo. [Do lat. *ramusculu.*] *S. m.* V. *ramo* (1 e 2).

rana. [Do esp. plat. *rana.*] *S. m. Bras. Gír.* Ladrão que age a bordo de embarcação.

▲-rana. [Do tupi.] *Suf.* = 'semelhança': *cajarana, imburana.*

ranale. *S. f.* Espécime das ranales.

ranales. *S. f. pl. Bot.* Ordem de vegetais dicotiledôneos, arquiclamídeos, na qual predominam flores diclamídeas, actinomorfas ou zigomorfas. Androceu, pelo geral, polistêmone; gineceu com carpelos livres. É ordem de grande amplitude.

ranário. [De *ran(i)-* + *-ário.*] *S. m.* Lugar onde se criam rãs, para fim culinário ou científico: "a rã-touro gigante, que está sendo intensamente criada .... em um r a n á r i o localizado na região de São José do Rio Preto, SP" (Hitoshi Nomura, *O Estado de S. Paulo,* 4.1.1976).

rançado. [Part. de *rançar.*] *Adj. P. us.* V. *rançoso.*

rançar. *V. int.* Criar ranço; tornar-se rançoso; rancescer; rancidificar: *A manteiga r a n ç o u.* [Conjug.: v. *lançar.*]

rancescer. [Do lat. *rancescere.*] *V. int.* V. *rançar.* [Conjug.: v. *crescer.*]

ranchada. *S. f.* Rancho (2).

ranchão. [De *rancho* + *-ão*[1].] *S. m. Bras., GO.* Designação comum a pequenos cômodos construídos nas imediações da cidade, por certas municipalidades para abrigo de trabalhadores.

rancharia. [De *rancho* + *-aria.*] *S. f. Bras., S.* **1.** Arranchamento (1). **2.** Povoado pobre. [F. paral. (no S.): *rancheria.* Sin. ger.: *rancherio.*]

rancheira. [Do esp. plat. *ranchera.*] *S. f. Bras.* **1.** Dança popular, de compasso ternário, originária da Argentina, comum no RS e mais tarde divulgada nos salões. **2.** A música dessa dança: "Um sabido interroga: 'Você sente a presença divina, Belisário?' Mas o assobiador, que está às voltas com uma r a n c h e i r a na vitrola, afasta o importuno: 'Pergunte ao vigário.'" (Raquel de Queirós, *100 Crônicas Escolhidas,* p. 31.)

rancheira-de-carreirinha. *S. f. Bras., RS.* Variante viva e saltitante da rancheira. [Pl.: *rancheiras-de-carreirinha.*]

rancheiro. *S. m.* **1.** Aquele que prepara o rancho ou comida para soldados ou presos. **2.** *Bras., S.* Pessoa que reside no rancho (2) e/ou cuida dele. ● *Adj.* **3.** *Bras., RS.* Diz-se do eqüídeo que tem o costume de, montado, parar em todas as casas que encontra no caminho. **4.** *P. ext.* Diz-se do homem caseiro, que gosta de ficar no rancho.

ranchel. *S. m.* Rancho pequeno. [Pl.: *ranchéis.*]

rancheria. [Do esp. plat. *ranchería.*] *S. f. Bras., S.* V. *rancharia.*

rancherio. [Do esp. plat. *rancherío.*] *S. m.* V. *rancharia:* "reboava o ladrido feroz de cães acorridos do r a n c h e r i o esparso nas cercanias." (Alcides Maia, *Tapera,* p. 58).

ranchinho. [Dim. de *rancho.*] *S. m. Bras.* V. *rancho* (9).

rancho. [Do esp. *rancho.*] *S. m.* **1.** Grupo de pessoas em passeio, marcha, jornada ou trabalho: *r a n c h o de colonos; r a n c h o de romeiros.* **2.** Acampamento ou barraca para abrigar rancho (1); ranchada. **3.** Bando de gente. **4.** Nos quartéis, refeitório. **5.** Refeição para muitos. **6.** Lugar onde os marinheiros comem. **7.** *Bras. Folcl.* Grupo de pessoas, figurando vários personagens, que cantavam, dançavam e, às vezes, representavam verdadeiros reisados, durante as festas populares do ciclo do Natal. [Cf. *reisado* e *terno*[1] (3).] **8.** *Bras.* Casa ou cabana no campo, nas roças, em canteiro de obras, etc., para abrigo provisório ou descanso dos trabalhadores. **9.** *Bras.* Casa pobre, da roça; choça, ranchinho. **10.** *Bras. RJ.* Rancho carnavalesco. [Dim. irreg.: *ranchel.*] ♦ **Rancho carnavalesco.** *Bras., RJ.* Bloco carnavalesco ou grupo de foliões que percorrem as ruas dançando e cantando em coro as músicas mais populares do carnaval, ou a marcha característica do grupo, desfilando em préstito e geralmente levando estandartes alegóricos. [Tb. se diz apenas *rancho.*]

rancidez (ê). *S. f.* Qualidade ou estado de râncido.

rancidificar. [De *râncido* + *-i-* + *-ficar.*] *V. int.* V. *rançar.* [Conjug.: v. *trancar.*]

râncido. [Do lat. *rancidu.*] *Adj.* V. *rançoso:* "Nesta sátira o que muito vale é a pureza da linguagem condimentada com espécies do século XVII, bastante avelhentadas e r â n c i d a s" (Camilo Castelo Branco, *Noites de Insônia,* IX, p. 19).

rancificação. *S. f.* Ato ou efeito de rancificar.

rancificar. [De *ranço* + *-i-* + *-ficar.*] *V. int.* V. *rançar.* [Conjug.: v. *ficar.*]

râncio. [Do lat. *rancidu.*] *Adj.* V. *rançoso.*

ranço. [Substantivação do adj. lat. *rancidu,* 'rançoso'.] *S. m.* **1.** Alteração que o contato com o ar produz nas substâncias gordas e que se caracteriza por cheiro forte e sabor acre. **2.** Bafio de coisa velha ou estragada. **3.** *Fig.* Aquilo que tem aspecto ou caráter antiquado; velharia. **4.** *Bras. Fig.* Pessoa desagradável, antipática. ● *Adj.* **5.** V. *rançoso.*

rancocamecra. *Bras. S. 2 g.* **1.** Indivíduo dos rancocamecras, tribo indígena jê do MA, chamada canela pela população regional. Habita as margens do rio Corda, tributário do Mearim, e mantém contacto com a civilização. ● *Adj. 2 g.* **2.** Pertencente ou relativo a essa tribo. [Sin. ger.: *canela.*]

rancor (ô). [Do lat. *rancore.*] *S. m.* **1.** Aversão profunda ou ressentimento amargo, não raro sopitado ou reprimido, ocasionado por algum ato alheio que causa dano material ou moral. **2.** Recordação tenaz e hostil de tais atos ou de acontecimentos análogos: *Seu r a n c o r refluía ao rever aquela casa.* **3.** V. *ódio* (1). [Pl.: *rancores* (ô). Cf. *rancores-te,* do v. *rancorar-se.*]

rancora. [De *rancor?*] *S. f. Ant.* Queixa em juízo; querela.

rancorar-se. [De *rancora* + *-ar*[2] + *se*[1].] *V. p. Ant.* Apresentar queixa ou rancora ao juiz; queixar-se judicialmente. [Pres. subj.: *rancore-me, rancores-te, rancore-se,* etc. Cf. *rancores* (ô), pl. de *rancor.*]

rancoroso (ô). *Adj.* **1.** Que tem rancor. **2.** Odiento (1).

rançoso (ô). *Adj.* **1.** Que tem ranço. [Sin., bras., pop.: *ardido.*] **2.** *P. ext.* Que sente a bafio; nauseabundo. **3.** *Fig.* Que caiu em desuso; antiquado, obsoleto. **4.** *Fig.* Desenxabido, insípido. **5.** *Fig.* Demorado, enfadonho, prolixo. [Sin. ger.: *rançado, râncido, râncio* e *ranço.*]

rancuãiangue. *Bras. S. m.* Minhoca imensa, da mitologia dos índios urubus, do MA, que tem cabeça de cobra, língua bifurcada e olhos de cobra: "As mulheres cuidavam de tudo: pescavam, caçavam, defendiam a aldeia. Os homens não tinham pênis. Em compensação havia um r a n c u ã i a n g u e para eles." (Edilson Martins, *Nossos Índios, Nossos Mortos,* p. 49.)

randevu. [Do fr. *rendez-vous.*] *S. m. Bras.* Casa de tolerância: "Ontem, ... módico michê no r a n d e v u onde cintilava Ivonete; hoje, figura nacional, ganhando num mês o que eu não ganho por ano." (Marques Rebelo, *O Trapicheiro,* p. 252.)

randômico. [Do ingl. *at random,* 'ao acaso'.] *Adj.* V. *aleatório.* ~ V. *amostra —a* e *amostragem —a.*

randomização. [Do ingl. *randomization.*] *S. f. Estat.* V. *acidentalização.*

ranfastídeo. *S. m.* **1.** Espécime dos ranfastídeos. ● *Adj.* **2.** Pertencente ou relativo a eles.

ranfastídeos. *S. m. pl. Zool.* Aves piciformes, da família *Ramphastidea,* caracterizadas por terem o bico muito forte, curvado e grosso, e plumagem de cores vivas. Vivem em bandos, nas matas e descampados, alimentando-se de toda sorte de frutas silvestres, especialmente de bagas. São os tucanos e os araçaris.

▲ranf(o)-. [Do gr. *rhámphos, eos-ous.*] *El. comp.* = 'bico', 'bico curvo': *ranfoteca, ranfastídeo.*

ranfoteca. [Do *ranf(o)-* + *-teca.*] *S. f. Zool.* Tegumento córneo do bico das aves.

rangar. [De *rango* + *-ar*[2].] *V. t. d.* e *int. Bras. Gír.* Comer, alimentar(-se). [Conjug.: v. *largar.*]

rangedeira. [De *ranger* + *-deira.*] *S. f.* Tira de couro ou de cortiça que se põe entre a sola e a palmilha do calçado para fazê-lo ranger quando se anda.

rangedor (ô). *Adj.* Rangente.

rangente. *Adj. 2 g.* Que range; rangedor.

ranger. [Alter. de *ringir.*] *V. int.* **1.** Produzir ruído áspero como o do atrito de um objeto duro sobre outro; chiar: *Esta porta r a n g e quando movimentada;* "De vez em quando, os mastros r a n g i a m com os turbilhões de vento" (Alexandre Herculano, *Lendas e Narrativas,* II, p. 329). *T. d.* **2.** Mover (os dentes), roçando uns contra os outros: *O ódio fazia-o r a n g e r os dentes.* [F. paral., p. us.: *rangir.* Sin.: *rilhar.* Conjug.: v. *tanger.*]

range-range. [Da 1ª pess. sing. do pres. ind. de *ranger,* repetida.] *S. m.* Rangido contínuo, constante. [Pl.: *ranges-ranges* e *range-ranges.*]

rangido. [Part. de *ranger.*] *S. m.* Ato ou efeito de ranger: "De improviso flutuaram todas [as canoas], com r a n g i d o s de adriças e palpitações do velame, que o vento encopava e propelia." (Xavier Marques, *Jana e Joel,* p. 53.)

rangífer. [Do lat. cient. *rangifer* < fr. ant. *rangier* < escand. ou isl. *hreindyri.*] *S. m.* Gênero de mamíferos ruminantes do hemisfério boreal, usados como animais de tiro. [Sin.: *rena.* F. paral.: *rangífero.* Pl.: *rangíferes.*]

rangífero. *S. m.* V. *rangífer.*

rangir. [De *ringir,* por dissimilação.] *V. int.* e *t. d.* V. *ranger:* "O portão r a n g i u e ela agora está na calçada." (Joel Silveira, *Onda Raivosa,* p. 120); "Foi quando r a n g i u a porteira grande do curral de entrada." (Mário Palmério, *Chapadão do Bugre,* p. 69). [Conjug.: v. *dirigir.*]

rango. *S. m. Bras. Gír.* Alimento, comida; refeição: "Ontem foi domingo e o 'r a n g o' lá em casa foi só pão com margarina." (Adriana Burd, *Jornal do Brasil,* 10.8.1984.)

ranhar. *V. t. d.* **1.** Arranhar. **2.** Esgaravatar, esgravatar, revolver, ciscar (o solo): *A galinha r a n h o u muito o* chão.

ranhento. [De *ranho* + *-ento*.] *Adj.* V. *moncoso* (1).

ranheta (ê). [De *ranho*.] *Adj. 2 g.* e *s. 2 g. Bras.* Diz-se de, ou pessoa impertinente, rabugenta; ranzinza.

ranhetice. *S. f. Bras.* Qualidade, ato ou modos de ranheta: "nem mesmo Doutor Teodoro se enganou por longo tempo: a ranhetice, o dom da intriga, a permanente irritação de Dona Rosilda logo se impuseram sobre seus melosos sorrisos" (Jorge Amado, *Dona Flor e Seus Dois Maridos*, p. 354).

ranho. [Der. regress. de *ranhoso*, alter. de *ronhoso ronha*.] *S. m. Pleb.* V. *muco*: "Escondido perto do tanque, ficou chorando baixinho e engolindo o ranho que lhe descia do nariz." (Macedo Miranda, *Pequeno Mundo outrora*, p. 42.)

ranhoso (ô). [De *ronhoso*, com dissimilação.] *Adj.* V. *moncoso* (1).

ranhura. [Do fr. *rainure*.] *S. f.* **1.** Entalhe alongado na espessura da madeira. **2.** Escavação que forma risca ou estria numa superfície plana. **3.** Tira de madeira ou de outro material encaixada em ranhura (1 e 2).

rani. [Do sânscr. *rajni*, 'rainha', atr. do hind. *rani* e do ingl. *rani, ranee*.] *S. f.* Mulher de rajá. [Cf. *marani*.]

▲**ran(i)-** [Do lat. *rana, ae*.] *El. comp.* = 'rã': *ranicultor, ranino*.

ranicultor (ô). [De *ran(i)-* + *cultor*.] *S. m.* Aquele que se dedica à ranicultura.

ranicultura. [De *ran(i)-* + *cultura*.] *S. f.* Criação de rãs.

ranídeo. [De *ran(i)-* + *-ídeo*.] *S. m.* **1.** Espécime dos ranídeos. ● *Adj.* **2.** Pertencente ou relativo a eles.

ranídeos. *S. m. pl. Zool.* Família de animais vertebrados, da classe dos anfíbios, ordem dos anuros, divisão dos opistoglossos, grupo dos raniformes. Essa família compreende as rãs; gênero, tipo: *Rana*.

ranilha. [Do esp. *ranilla*.] *S. f.* Saliência mole na planta do pé do cavalo. ~ V. *ranilhas*.

ranilhas. [De *ranilha*.] *S. f. pl.* A parte traseira do casco de bestas. ~ V. *ranilha*.

ranino. [De *ran(i)-* + *-ino*[1].] *Adj.* ~ V. *vaso* —.

ranu. *S. m.* V. *rami* (1).

ranu-branco. *S. m.* V. *rami* (1). [Pl.: *ranus-brancos*.]

rânula. [Do lat. *ranula*, 'rãzinha'.] *S. f. Patol.* Tumor na parte inferior da língua, formado pela obstrução do canal excretor duma glândula salivar ou mucosa.

ranunculácea. *S. f.* Espécime das ranunculáceas.

ranunculáceas. *S. f. pl. Bot.* Família de plantas floríferas, da ordem das ranales, compostas de ervas com folhas alternas, geralmente recortadas, flores vistosas, cálice e corola bem individualizados, androceu polímero, fruto variável. Há em torno de 1.200 espécies, quase só dos países temperados e frios, raras das quais, nativas ou cultivadas, se encontram no Brasil. ← V. *ranunculácea*.

ranunculáceo. *Adj.* Pertencente ou relativo às ranunculáceas.

ranúnculo. [Do lat. *ranunculu*.] *S. m.* Gênero de plantas da família das ranunculáceas, próprio das áreas temperadas, do qual algumas espécies são medicinais e outras ornamentais, prevalecendo hoje estas, em face de sua grande beleza. [Var.: *rainúnculo*.]

ranzinza. *Bras. Adj. 2 g.* **1.** Birrento, embirrento, insistente; teimoso. **2.** Aborrecido, zangado, mal-humorado. **3.** Rabugento, impertinente, ranheta. ● *S. 2 g.* **4.** Pessoa ranzinza.

ranzinzar. *V. int. Bras.* Ficar ou mostrar-se ranzinza.

ranzinzice. *S. f. Bras.* Qualidade, ato ou modos de ranzinza.

rapa. [Dev. de *rapar*.] *S. m.* **1.** Jogo que consiste em lançar uma espécie de dado em cada face do qual há uma das letras: *R* (rapa), *T* (tira), *D* (deixa), *P* (põe); pirinola: "Recordava-se duma rapariguinha de olhos grandes, com quem jogava o rapa no Natal" (Júlio Brandão, *Contos Escolhidos*, p. 44). **2.** *Fam.* Glutão, comilão. **3.** *Bras.* Resíduos de alimento que agarram no fundo da panela: *rapa de arroz; rapa de angu*. **4.** *Bras., MG* e *RJ.* Carro do governo do Estado, que percorre a cidade com fiscais incumbidos de apreender a mercadoria de vendedores ambulantes que negociam sem pagar licença. **5.** *Bras., MG* e *RJ. P.* ext. O próprio fiscal ou policial do rapa.

rapace. [Do lat. *rapace*, 'que agarra com rapidez, que rouba'.] *Adj. 2 g.* **1.** Que rouba; rapinante: "infames sicários, astutos e mal-intencionados, penetrando com mão rapace na residência do Ministro Bazorra, ... subtraíram .... todas as roupas brancas das vergônteas de S. Exª." (Ramalho Ortigão, *Farpas Esquecidas*, II, p. 25). [Var. (p. us.): *rapaz* (q. v.) e *rabaz*.] **2.** Pertencente ou relativo aos rapaces; raptator. ● *S. m.* **3.** Espécime dos rapaces; raptator.

rapaces. *S. f. pl. Zool.* Raptatores. ♦ **Rapaces diurnas.** *Zool.* V. *falconiformes*. **Rapaces noturnas.** *Zool.* Estrigiformes.

rapáceo. [De *rapu*, 'nabo', + *-áceo*.] *Adj.* Que tem forma de rábano [q. v.].

rapacidade. [Do lat. *rapacitate*.] *S. f.* Qualidade de rapace (1); tendência para o roubo, ou hábito de roubar: "não escapavam da rapacidade dos malfeitores as próprias bestas do serviço da engenhoca." (Franklin Távora, *O Cabeleira*, p. 112).

rapacíssimo. *Adj.* Superl. abs. sint. de *rapace* e *rapaz* (1).

rapa-coco. [De *rapar* + *coco* (ô).] *S. m.* **1.** *Bras.* Peça de ferro com um dos extremos arredondado e denteado, a qual se maneja para rapar o coco[1] (ô) (2): "os [utensílios] de ferro: as chaleiras, os caldeirões, ... as grelhas, as frigideiras, o rapa-coco" (Mauro Mota, *Votos e Ex-Votos*, p. 14). **2.** O conjunto constituído por uma dessas peças presa numa das extremidades de uma tábua assente sobre quatro pés, na qual se senta quem vai rapar o coco, rapando-o mediante a fricção dele de encontro à peça. **3.** *Bras., AL.* Rapa-cuia (2). [Pl.: *rapa-cocos*.]

rapa-colher. [De *rapar* + *colher*.] *S. m.* V. *girino*. [Pl.: *rapa-colheres*.]

rapa-cuia. [De *rapar* + *cuia*.] *S. f. Bras.* **1.** Designação comum aos besouros da família dos curculionídeos. **2.** *Bras., MG.* Espécie de rã que habita os gravatás e bromélias. [Sin. (em AL): *rapa-coco*. Pl.: *rapa-cuias*.]

rapadeira. *S. f.* Instrumento próprio para rapar.

rapadela. *S. f.* Ato ou efeito de rapar; rapadura.

rapado. [Part. de *rapar*.] *Adj.* **1.** Que se rapou. **2.** Cortado rente. ~ V. *campo* —. ● *S. m.* **3.** *Bras.* V. *pé-rapado*.

rapadoiro. [De *rapar* + *-(d)oiro*[1].] *S. m. Bras.* V. *rapadouro*.

rapador[1] (ô). [De *rapadouro*.] *S. m. Bras.* Campo com pastagem meio consumida pelo gado, ou com escassa forragem; pelado, pelador.

rapador[2] (ô). *Adj.* **1.** Que rapa; rapante. ● *S. m.* **2.** Aquilo ou aquele que rapa. **3.** Aquele que trabalha na marnota (2) com o rapão.

rapadouro. [De *rapar* + *-(d)ouro*[1]; var. de *rapadoiro*.] *S. m. Bras.* Lugar sem pastagem para o gado; campo rapado.

rapadura. *S. f.* **1.** Rapadela. **2.** *Bras.* Açúcar mascavo, em forma de pequenos tijolos. ♦ **Entregar a rapadura.** *Bras. Pop.* **1.** Desistir de um projeto ou plano. **2.** V. *morrer* (1).

rapagão. [Aum. de *rapaz*.] *S. m.* Rapaz vigoroso e corpulento e/ou belo.

rapagote. *S. m.* V. *rapazote*: "um esbelto rapagote de cerca de doze anos" (Bernardo Guimarães, *O Seminarista*, p. 32).

rapalhas. [De *rapar* + *-alha*.] *S. f. pl.* Restos de estrume que ficam nos currais e são aproveitados como adubo.

rapante. *Adj. 2 g.* **1.** Que rapa; rapador. **2.** *Heráld.* Diz-se dos animais que no brasão estão representados escarvando o solo.

rapão. [De *rapar* + *-ão*[3].] *S. m.* **1.** Aquele que ajunta lixo para estrumar. **2.** Utensílio de marnoto para rapar. **3.** V. *manta* (6).

rapapé. [De *rapar* + *pé*.] *S. m.* **1.** Ato de arrastar o pé ao cumprimentar. **2.** Cumprimento rasgado, exagerado. **3.** Bajulação, adulação, lisonja.

rapa-queixos. [De *rapar* + *queixo*.] *S. m. 2 n. Deprec.* V. *barbeiro* (1).

rapar. [Do germ. **hrapon*, 'arrebatar'.] *V. t. d.* **1.** Desgastar, cortando em fragmentos ou lascas; ralar, raspar: *rapar o coco*. **2.** Cortar rente o pêlo de; raspar: *rapar a cabeça*. **3.** Cortar à navalha o pêlo de; escanhoar. **4.** *Fam.* Causar a morte a; matar: *A epidemia rapou milhares de pessoas*. **5.** *Fam.* Conseguir, alcançar; papar: *Com seu último livro, rapou elogios da crítica*. *Int.* **6.** Roçar ou arranhar o chão com o pé, escarvar (o cavalo, o cão). *T. d. e i.* **7.** Furtar, roubar, extorquir ardilosamente: *O vigarista rapou-lhe todo o dinheiro*. *P.* **8.** Fazer a barba; barbear-se. **9.** Cortar o cabelo.

rapariga. *S. f.* **1.** *P. us. no Brasil.* Mulher nova; moça: "E tinha uma filha, rapariga morena, de olhos negros e dissimulados" (Enéias Ferraz, *Adolescência Tropical*, p. 15). **2.** *P. us. no Brasil.* Adolescente do sexo feminino. **3.** *Lus.* Moça do campo. **4.** *Bras., N., N.E., MG* e *GO.* V. *concubina* (1). **5.** *Bras., N., N.E., MG* e *GO.* V. *meretriz*. [Masc., (nas acepç. 1 a 3): *rapaz*. A rigor (como observa Antenor Nascentes), o masc. de *rapariga* é *raparigo*, prov. lus., e o fem. de *rapaz* é *rapaza*, desconhecido (ao que parece) no Brasil.]

raparigaça. *S. f.* Rapariga robusta, porém airosa, gentil: "desconfio .... que o meu hóspede e amigo desconhece a história daquela raparigaça de cabelos de ouro e ancas boleadas." (Camilo Castelo Branco, *Noites de Insônia*, II, p. 20).

raparigada. *S. f. Pop.* Porção ou grupo de raparigas.

raparigagem. [De *rapariga* + *-agem*[2].] *S. f. Bras., N., N.E., MG* e *GO.* Hábito ou vida de raparigueiro.

raparigueiro. [De *rapariga* + *-eiro*.] *Adj.* e *s. m. Bras., N.E.* V. *femeeiro* (1).

rapa-tábuas. [De *rapar* + o pl. de *tábua*.] *S. m. 2 n. Bras.* Carpinteiro ordinário, reles.

rapa-tachos. [De *rapar* + o pl. de *tacho*.] *S. 2 g.* e *2 n. Pop.* e *Fam.* Pessoa que come muito, aproveitando o que resta nos pratos, tachos, etc.

rapateácea. *S. f.* Espécime das rapateáceas.

rapateáceas. *S. f. pl. Bot.* Família de monocotiledôneas, da ordem das farinosas, constituída de pequenas ervas com folhas estreitas e flores dispostas em capítulos pequenos. Flores trímeras, hermafroditas, dotadas de seis estames concrescentes; fruto capsular. Há poucas espécies americanas, sem importância.

rapateáceo. *Adj.* Pertencente ou relativo às rapateáceas.

rapaz. *Adj. 2 g.* **1.** *P. us.* V. *rapace* (1). ● *S. m.* **2.** Adolescente do sexo masculino. **3.** Homem jovem; moço, mancebo, muchacho. **4.** *Lus.* V. *menino* (1). **5.** *Bras.* Escravo de pouca idade. **6.** *Bras., N.* Criado (2). [Fem.: *rapariga*; aum.: *rapagão*; dim. irreg.: *rapazelho, rapazote*.] **7.** V. *narcejão*. **8.** *Bras., CE. Pop.* V. *diabo* (2).

rapazelho (ê). *S. m.* V. *rapazote*: "Um rapazelho .... encorpado, barba nenhuma, e uma cicatriz" (Fialho d'Almeida, *O País das Uvas*, p. 89).

rapazete (ê). *S. m.* V. *rapazote*.

rapaziada. *S. f.* **1.** Grupo de rapazes; rapazio: "houve uma verdadeira epidemia de costeletas grandes entre a rapaziada." (Gilvã Lemos, *Jutaí Menino*, p. 92). **2.** Ato ou dito impensado, próprio de rapaz (2 a 4).

rapazinho. [Dim. de *rapaz* (q. v.).] *S. m.* **1.** Menino, garoto. **2.** *Bras., RS.* V. *narceja*.

rapazinho-dos-velhos. *S. m. Bras.* Designação comum a algumas espécies de aves piciformes, da família dos buconídeos, especialmente as dos gêneros *Bucco* L., *Nystalus* Cab. & Hein. e *Malacoptila* Gray. Têm bico largo e forte, são insetívoras, de índole lenta e preguiçosa, e vivem solitárias ou em bandos. [Sin.: *joão-bobo* (q. v.), *macuru*. Pl.: *rapazinhos-dos-velhos*.]

rapazio. *S. m.* Rapaziada (1): "Clemência .... distribuía canas, rapaduras e pinhões cozidos ao rapazio endiabrado e gritador da vizinhança" (Virgílio Várzea, *Histórias Rústicas*, p. 97).

rapazola. *S. m.* **1.** Rapaz (2) já crescido. [Sin. (bras., PB, pop.): *bigodete*.] **2.** Homem que tem procedimento de rapaz (2).

rapazote. *S. m.* Rapaz (2) no começo da adolescência; rapazelho, rapazete, rapagote.

rapé. [Do fr. *râpé*.] *S. m.* Tabaco em pó, para cheirar. [Sin.: *amostrinha* (bras.), *pó* (bras., N.), *simonte* (bras., BA), *tabaco* (bras., N.E.), *torrado* (bras., N e N.E.), *areia-preta* (MG).]

rapeira. *S. f.* Conjunto de plantas marinhas, algas, etc., onde se desenvolvem os pequeninos peixes e se efetua a germinação dos óvulos.

rapezista (pè). [De *rapé* + *-z-* + *-ista*.] *S. m. Bras.* Pessoa que toma rapé habitualmente; tabaquista.

rapidez (ê). [De *rápido* + *-ez*.] *S. f.* **1.** Ligeireza, velocidade, pressa. **2.** Brevidade, transitoriedade, efemeridade: *a rapidez da vida humana*. **3.** *Fot.* Sensibilidade (12).

rápido. [Do lat. *rapidu*.] *Adj.* **1.** Que se move depressa, com muita velocidade; ligeiro, veloz. **2.** Que dura pouco; breve, passageiro, transitório; efêmero. **3.** Que se efetua em pouco tempo; instantâneo. **4.** Que executa muito em pouco tempo; ligeiro. ~ V. *aço —, cortina —a, leitura —a, nêutron —, pano —* e *reator —*. ● *Adv.* **5.** Com rapidez; rapidamente: *Trabalharam rápido*. ● *S. m.* **6.** V. *corredeira* (1). **7.** *Bras.* V. *mensageiro* (5). **8.** *Bras.* Agência que se incumbe da entrega de cartas, pacotes, etc., no perímetro urbano. **9.** *Bras.* Denominação comum aos trens de longo percurso que correm durante o dia: "O rápido mineiro chegou com um atraso bárbaro" (Marques Rebelo, *A Mudança*, p. 453). ♦ **Às rápidas.** Rapidamente, rápido: "O sonho do moço era enriquecer às rápidas para reatar a gostosura do idílio interrompido." (Monteiro Lobato, *Urupês, Outros Contos e Coisas*, p. 63.)

rapieira. [Do ingl. *rapier*.] *S. f.* Espada de lâmina longa, fina, flexível e de seção quadrangular.

rã-pimenta. *S. f. Bras.* Anfíbio anuro, da família dos leptodactilídeos (*Leptodactylus pentadactylus* L.), comum em todo o Brasil. A coloração geral varia do cinzento-esverdeado ao marrom-claro, com manchas negras, abdome esbranquiçado e coxas avermelhadas internamente. Comprimento: até 18 cm; peso: até 700 g. Alimenta-se de toda sorte de pequenos animais. [Sin.: *nimbuia*. Pl.: *rãs-pimentas* e *rãs-pimenta*.]

rapina. [Do lat. *rapina*.] *S. f.* Ato ou efeito de rapinar; roubo violento.

rapinador (ô). [Do lat. *rapinatore*.] *Adj.* e *s. m.* Rapinante.

rapinagem. [De *rapinar* + *-agem*[2].] *S. f.* **1.** Qualidade de rapinante. **2.** Conjunto de roubos. **3.** Hábito de rapinar ou roubar.

rapinante. *Adj. 2 g.* e *s. 2 g.* Que ou quem rapina, costuma rapinar; rapinador.

rapinar. [De *rapina* + *-ar*[2].] *V. t. d.* **1.** Roubar, tirar, subtrair, com violência: *O bandido feriu o passante e rapinou -lhe o dinheiro.* **2.** Subtrair ardilosamente. **3.** *P. ext.* Subtrair, furtar. *Int.* **4.** Cometer rapinagem. [Var.: *rapinhar*.]

rapineiro. *Adj.* e *s. m. Bras.* Diz-se de, ou ave de rapina.

rapinhar. *V. t. d.* e *int.* V. *rapinar*.

rapioca. *S. f. Chulo.* Pândega, extravagância, patuscada.

rapistro. [Do lat. *rapistru*.] *S. m.* Espécie de rábano silvestre.

rapôncio. [Do it. *raponzo*?] *S. m.* Denominação comum a duas plantas campanuláceas; raponço.

raponço. *S. m.* Rapôncio [q. v.].

raposa (ô). [Do esp. ant. (leonês ou asturiano) *rabosa rabo*.] *S. f.* **1.** Animal mamífero *(Vulpes vulpes)*, da ordem dos carnívoros, da família dos canídeos, que habita a Europa, de pequeno porte, e grande predador das aves em geral. O pêlo, farto, é muito valorizado no comércio graças aos matizes, que vão do castanho ao branco-prateado. [Sin., ant.: *golpelha*.] **2.** A pele inteira deste animal (freqüentemente com cabeça e cauda), usada pelas senhoras como agasalho, ou parte dela, usada como complemento de vestuário de inverno: "é comovente a obstinação com que certas elegantes, depois de uma estada de alguns meses na capital, insistem em sair de bailes, em plena Fortaleza, com a sua raposa prateada" (Raquel de Queirós, *100 Crônicas Escolhidas*, p. 45). [Correspondente fr., nesta acepç.: *renard*.] **3.** *Fig.* Pessoa astuta, sagaz, manhosa. **4.** *Astr.* Pequena constelação do hemisfério boreal situada entre o Delfim, a Águia e o Cisne. **5.** *Lus.* Reprovação em exame. **6.** *Bras.* Apelido que os legalistas aplicavam aos rebeldes da Sabinada [q. v.]. **7.** *Bras., SP.* V. *gambá* (1). *S. 2 g.* **8.** *Bras.* V. *cruzeirense*[4]. ● *Adj. 2 g.* **8.** *Bras.* V. *cruzeirense*[4].

raposada. [De *raposa* + *-ada*[1].] *S. f.* V. *raposeira* (2).

raposa-do-campo. *S. f. Bras.* Mamífero carnívoro, da família dos canídeos (*Dusicyom* (L.) *vetulus* (Lund)), do C.O. e S. do País, de coloração cinzento-escura, com a barriga e parte interna das extremidades amareladas, e a ponta e base da cauda negras. Freqüenta os cerrados, e alimenta-se de toda sorte de pequenos animais e frutas silvestres; mede 60 cm de corpo e 36 cm de cauda. [Sin.: *jaguapitanga*, *jaguamitinga*. Pl.: *raposas-do-campo*.]

raposar. *V. t. d. Lus.* Aplicar uma raposa (5) em. [F. paral. (bras., SP): *raposear*. Pres. ind.: *raposo*, *raposas*, *raposa*, etc. Cf. *raposa* (ô), s. f., pl. *raposas* (ô); *raposo* (ô), s. m.; e *Raposo* (ô), antr. e top.]

raposear. [De *raposa* (4) + *-ear*.] *V. t. d. Bras., SP.* Reprovar em exame. [Conjug.: v. *frear*.]

raposeira. [De *raposa* + *-eira*.] *S. f.* **1.** Sensação agradável experimentada por quem se deita ao sol brando. **2.** Sono curto e reparador; raposada. **3.** Bebedeira, embriaguez. **4.** Covil de raposa.

raposeiro. [De *raposa* + *-eiro*.] *Adj.* **1.** V. *vulpino*. ● *S. m.* **2.** Indivíduo manhoso, astuto, raposa.

raposense. *Adj. 2 g.* **1.** De, ou pertencente ou relativo a Raposos (MG). ● *S. 2 g.* **2.** Natural ou habitante de Raposos.

raposia. *S. f.* Raposice.

raposice. *S. f.* Astúcia de raposa, ou que lembra a desse animal; raposia.

raposinhar. [De *raposa* + *-inhar*.] *V. int.* Usar de manha, astúcia, raposice.

raposinho. *S. m.* **1.** Raposo pequeno. **2.** Mau cheiro, semelhante ao da raposa; catinga, bodum.

raposino. [De *raposa* + *-ino*[1].] *Adj.* V. *vulpino*.

raposo (ô). *S. m.* **1.** O macho da raposa. **2.** *Fig.* Indivíduo manhoso, astuto. ● *Adj. 2 g.* **3.** Diz-se dos bovinos de cor análoga à da raposa (1): "A cachorra Baleia saiu correndo entre os alastrados e quipás, farejando a novilha raposa." (Graciliano Ramos, *Vidas Secas*, p. 25.) [Pl.: *raposos* (ô). Cf. *raposo*, do v. *raposar*.]

rapsoda (só). *S. 2 g.* V. *rapsodo*: "E era ourives mascate; levava, triste rapsoda, de povoado em povoado os seus poemetos de ouro e pedraria." (Lúcio de Mendonça, *Horas do Bom Tempo*, p. 142.)

rapsode (só). *S. m.* V. *rapsodo*: "Ninguém suspeita ainda .... que o discurso, proferido para acudir pela salvação ou pela honra da república, possa ter alguma coisa de comum com as formosas composições que os rapsodes e os aedos vão descantando pela Grécia" (Latino Coelho, *A Oração da Coroa*, pp. CDIII-CDIV).

rapsódia (s). [Do gr. *rhapsodía*, pelo lat. *rhapsodia*.] *S. f.* **1.** Cada um dos livros de Homero [v. *homérico* (1).] **2.** *P. ext.* Trecho de uma composição poética. **3.** Entre os gregos, fragmentos de poemas épicos cantados pelo rapsodo. **4.** *Mús.* Fantasia instrumental que utiliza temas e processos de composição improvisada tirados de cantos tradicionais ou populares: *as rapsódias húngaras de Liszt*.

rapsódico (s). [Do gr. *rhapsodikós*.] *Adj.* Referente a, ou que tem caráter de rapsódia.

rapsodista (s). *S. 2 g.* Pessoa que faz rapsódias, ou que compila poesias ou quaisquer trechos literários.

rapsodo (só). [Do gr. *rhapsodós*.] *S. m.* **1.** Na Grécia antiga, cantor ambulante de rapsódias: "Para d'Annunzio, qualquer crendice de camponeses da sua terra não é inferior às lendas que os rapsodos gregos iam cantarolando pelas ilhas do Egeu." (Agripino Grieco, *Estrangeiros*, p. 234). **2.** *Fig.* Poeta, vate, aedo.

rapsodomancia (s... cí). [De *rapsodo* + *-mancia*.] *S. f.* Adivinhação por meio de trechos extraídos das obras dum poeta.

rapsodomante (s). *S. 2 g.* Pessoa que pratica a rapsodomancia.

rapsodomântico (s). *Adj.* Relativo à rapsodomancia, ou a rapsodomante.

raptado. [Part. de *raptar*.] *Adj.* e *s. m.* Que ou aquele que foi vítima de rapto.

raptar. [Do lat. *raptare*, 'arrebatar'; 'arrastar'.] *V. t. d.* **1.** Cometer o crime de rapto contra: *Raptaram o filho do milionário, exigindo alto resgate*; "raptou -lhe a filha, fugindo com ela para Londres" (Melo Nóbrega, *O Soneto de Arvers*, p. 63). *T. d.* e *i.* **2.** Roubar, tirar, arrebatar: *O ladrão raptou a bolsa à transeunte*; "O barroco raptara-nos ao êxtase católico, impusera-nos a sua própria fruição." (Carlos Drummond de Andrade, *Passeios na Ilha*, p. 67.)

raptator (ô). [De *raptar* + *-(t)or*.] *S. m.* **1.** Espécime dos raptatores. ● *Adj.* **2.** Pertencente ou relativo a eles. [Sin. ger.: *rapace*.]

raptatores (ô). *S. m. pl. Zool.* Animais metazoários, cordados, vertebrados, aves, de hábitos predatórios. [Essa designação, desus., compreende os atuais falconiformes e estrigiformes. Sin.: *rapaces*.]

rapto[1]. [Do lat. *raptu*, 'roubo'.] *S. m.* **1.** Ato ou efeito de arrebatar, de roubar uma pessoa por violência ou sedução. **2.** Roubo; furto; rapina. **3.** *Fig.* Arrebatamento, enlevo, êxtase: "Os grandes poetas dos novos tempos .... ou expiam nos cárceres .... a natural sobranceria da sua musa democrática, ou saúdam do exílio, com V. [Vítor] Hugo, nos seus raptos inspirados, a pátria." (Latino Coelho, *Cervantes*, p. 155). **4.** *Bras. Jur.* Crime que consiste em tirar de seu lar mulher honesta por meio de violência, grave ameaça, ou fraude para fins libidinosos. ◆ **Rapto consensual.** *Bras. Jur.* O que se configura a despeito do consentimento da vítima, por ser esta maior de 14 e menor de 21 anos.

rapto[2]. [Do lat. *raptu*, 'arrebatado', 'agarrado rapidamente'.] *Adj.* **1.** Rápido, ligeiro, veloz. **2.** Extático, arroubado, enlevado, arrebatado.

raptor (ô). [Do lat. *raptore*.] *Adj.* e *s. m.* Que ou aquele que rapta.

raptorial. *Adj. 2 g.* **1.** *Zool.* Relativo ou pertencente às aves rapaces, i. e., da ordem das falconiformes. **2.** Diz-se da, ou pertencente ou relativo a ave capaz de capturar, com o auxílio de garras poderosas, outras aves e pequenos mamíferos.

raque. [Do gr. *ráchis*.] *S. f.* **1.** *Anat.* Conjunto formado por coluna vertebral e partes moles dispostas posteriormente a esta. **2.** *Morfol. Veg.* Eixo da inflorescência. **3.** *Zool.* Eixo da pena das aves.

raquel. [Do antr. *Raquel*.] *S. f. Bot.* Erva bolbosa, da família das amarilidáceas *(Nerine sarniensis)*, procedente da África do Sul. O bolbo mede uns 5 cm de diâmetro e tem escamas pardo-claras; as folhas, cerca de seis, medem mais ou menos 30 cm e têm forma linear; as flores são 10 a 12, reunidas em umbela, vermelho-brilhante, bastante vistosas; o fruto é cápsula trilocular. [Pl.: *raquéis*.]

raqueta (ê). [Do gr. *raquette*.] *S. f.* **1.** Instrumento usado para impelir a bola no tênis e em outros jogos, constituído de um forte anel ovalado, de madeira, onde se fixa uma rede de cordas esticadas, e que é manejado por meio de um cabo longo. **2.** Instrumento análogo na forma, porém todo de madeira, muitas vezes revestida de borracha ou cortiça, e destinado a jogos como o pingue-pongue, o frescobol, etc. **3.** Objeto semelhante à raqueta (1), que se adapta aos pés para andar na neve. [F. paral., m. us. no Brasil: *raquete*.]

raquetada. *S. f.* Golpe de raquete ou raqueta: "vândalos da raquete, jogando frescobol, ameaçando todos com raquetadas e boladas." (*Jornal do Brasil*, 30.8.1982).

raquete. *S. f.* Raqueta [q. v.].

raquetista. [De *raqueta* + *-ista*.] *S. 2 g. Bras.* Tenista.

raquialgia. [De *raqui(o)-* + *-alg(o)-* + *-ia*.] *S. f. Patol.* Dor em qualquer ponto da coluna vertebral.

raquiálgico. *Adj.* Referente à raquialgia.

raquianestesia. [De *raqui(o)-* + *anestesia*.] *S. f. Patol.* Anestesia por injeção do anestésico no canal vertebral.

raquianestésico. *Adj.* Respeitante à raquianestesia.

raquiano. [De *raqui(o)-* + *-ano*.] *Adj. Anat.* Relativo ou pertencente ao raque. — V. *bulbo* — e *oliva do bulbo* —.

raquicentese. *S. f. Cir.* Var. de *raquiocentese*.

raquicentésico. *Adj.* Relativo à raquicentese.

raquidiano. [De *raqui(o)-* + *-d-* + *-i-* + *-ano*.] *Adj. Anat.* V. *raquiano*.

raquimeningite. [De *raqui(o)-* + *meningite*.] *S. f. Patol.* Inflamação das meninges raquianas.

▲**raqui(o)-.** [Do gr. *rháchis, ios* ou *eos*.] *El. comp.* = 'coluna vertebral', 'raque': *raquiotomia*, *raquiano*. [Equiv.: *raquis-*: *raquissagra*.]

raquiocentese. [De *raqui(o)-* + *-centese*.] *S. f. Med.* Punção do canal vertebral. [Var.: *raquicentese*.]

raquiomielite. [De *raqui(o)-* + *mielite*.] *S. f. Patol.* Inflamação da medula espinhal.

raquiópago. [De *raqui(o)-* + *-pago*.] *S. m. Ter.* Monstruosidade em que dois gêmeos estão unidos raque a raque, união essa restrita à região cervical e à porção superior do tronco.

raquioplegia. [De *raqui(o)-* + *-pleg-* + *-ia*.] *S. f. Patol.* Paralisia da medula espinhal.

raquioplégico. *Adj.* Referente à raquioplegia.

raquioscoliose. [De *raqui(o)-* + *escoliose*.] *S. f. Patol.* V. *escoliose*.

raquiotomia. [De *raqui(o)-* + *-tom(o)-* + *-ia*.] *S. f. Cir.* Seção cirúrgica de uma ou mais vértebras.

raquiotômico. *Adj.* Relativo à raquiotomia.

ráquis. *S. f. 2 n. P. us.* V. *raque*.

▲**ráquis-.** Equiv. de *raqui(o)-*.

raquissagra. [De *raquis-* + *-s-* + *-agra*.] *S. f. Patol.* Dor gotosa na raque.

raquítico. *Adj.* **1.** Que tem raquitismo. **2.** *Pop.* Pouco desenvolvido; franzino. **3.** *Fig.* Mesquinho, acanhado, inexpressivo: *produções literárias raquíticas*; *inteligência raquítica*. ● *S. m.* **4.** Aquele que tem raquitismo.

raquitismo. [Do gr. *rhachítes*, 'da coluna vertebral', i. e., 'doença ou deformação da coluna vertebral', + *-ismo*.] *S. m.* **1.** *Patol.* Doença da infância, produzida por distúrbios do metabolismo do cálcio e do fósforo, por efeito de carência de vitamina D, e que se manifesta, sobretudo, por alterações e deformidades do esqueleto. **2.** *Bot.* Definhamento das plantas. **3.** *Fig.* Fraqueza intelectual ou moral.

raquitizar. *V. t. d.* Tornar raquítico; enfezar.

▲**rare-.** [Do lat. *rarus, a, um*.] *El. comp.* = 'raro': *rarefazer*. [Equiv.: *rari-*: *rarifloro*.]

rareamento. *S. m.* Ato ou efeito de rarear.

rarear. *V. t. d.* **1.** Tornar raro: *O desflorestamento rareou espécies como o pau-brasil*. *Int.* **2.** Tornar-se raro; ser ou estar em pequeno número: *As casas rareavam à medida que penetrávamos na mata*: "essa tarefa maçante de catequese pertencia de direito aos padres que nos vinham de fora, e que rareavam cada vez mais." (Inglês de Sousa, *O Missionário*, p. 193). **3.** Tornar-se menos espesso, menos denso, menos intenso; rarefazer-se: "Os cabelos brancos rareavam devassando a fronte" (Coelho Neto, *Obra Seleta*, I, p. 284); "O vento vai quebrando, e já rareiam / Grossos montões de acasteladas nuvens" (Alexandre Herculano, *Poesias*, p. 115). [Conjug.: v. *frear*.]

rarefação. *S. f.* Ato ou efeito de rarefazer(-se).

rarefaciente. [Do lat. *rarefaciente*.] *Adj. 2 g.* Que rarefaz; rarefativo.

rarefatibilidade. *S. f.* Qualidade de rarefatível.

rarefatível. [De *rare-* + *fatível*.] *Adj. 2 g.* Que pode

rarefazer-se.
rarefativo. [De *rarefato* + *-ivo.*] *Adj.* Rarefaciente.
rarefato. [Do lat. *rarefactu.*] *Adj.* Rarefeito.
rarefator (ô). [De *rarefato* + *-or.*] *Adj.* Que rarefaz. ● *S. m.* **2.** Aparelho ou aquilo que é próprio para rarefazer.
rarefazer. [Do lat. *rarefacere.*] *V. t. d.* **1.** Diminuir a densidade de; tornar menos denso ou menos espesso; desaglomerar; dilatar. *P.* **2.** Tornar-se menos denso, menos espesso; dilatar-se, expandir-se. **3.** Tornar-se menos numeroso: *O agrupamento de pessoas rarefazia-se aos poucos.* **4.** Diluir-se; desaparecer. [Irreg. Conjug.: v. *fazer.*]
rarefeito. [Do lat. *rarefactu.*] *Adj.* **1.** Que se rarefaz. **2.** Pouco denso: "fitava com ar deliberadamente distraído uma nuvenzita branca que deslizava pelo céu azul, rarefeita e sem rumo certo." (Domingos Monteiro, *O Primeiro Crime de Simão Bolandas*, p. 11). [Sin. ger.: *rarefato.*]
rareza (ê). *S. f. P. us.* Raridade.
▲**rari-.** Equiv. de *rare-.*
raridade. [Do lat. *raritate.*] *S. f.* **1.** Qualidade de raro. **2.** Objeto raro, pouco vulgar: *A primeira edição de* Os Lusíadas, *de 1572, é uma raridade.* **3.** Acontecimento raro. [Sin. ger., p. us.: *rareza.*]
rarifloro. [De *rari-* + *-floro.*] *Adj.* Paucifloro.
rarípilo. [Do lat. *raripilu.*] *Adj.* Que tem pêlos raros.
raro. [Do lat. *raru.*] *Adj.* **1.** De que há pouco; que não abunda: *Achei uma borboleta rara.* **2.** Que é pouco freqüente; incomum, invulgar, extraordinário: *acontecimento raro.* **3.** Que não é denso; pouco espesso; ralo. ● *Adv.* **4.** Poucas vezes; raramente: "Falou, o que raro sucedia." (José de Alencar, *Alfarrábios*, p. 271.) ◆ **Raro em raro.** V. *de raro em raro:* "Raro em raro descia à vila, num macho, a fazer compras." (Coelho Neto, *Sertão*, p. 168.) **De raro em raro.** Raras vezes; raramente, raro em raro, raro. **Não raro.** Com freqüência: "Sua presença é constante no jornal, não raro apenas com suas iniciais." (Barbosa Lima Sobrinho, *Presença de Alberto Torres*, p. 63.)
rás[1]. [Do top. *Arrás* (França).] *S. m.* Arrás: "certos bocados de sumptuosidade, como frisos de madeira escultada, rente às abóbadas, com pedaços de rás inda pendentes, ... alastravam na casa, pelo contraste das paredes caiadas, uma nódoa de miséria rica" (Fialho d'Almeida, *À Esquina*, p. 97). [Pl.: *rases.*]
rás[2]. [De um voc. aparentado ao ár. *raiç*, 'cabeça'.] *S. m.* Chefe etíope. [Pl.: *rases.*]
rasa. [Do lat. *rasa*, 'raspada'; 'alisada'.] *S. f.* **1.** Antiga medida de capacidade, equivalente, pouco mais ou menos, ao alqueire (1): *uma rasa de farinha.* **2.** V. *rasoura* (1). **3.** Porção de linhas manuscritas ou dactilografadas, que compreendem aproximadamente certo número de letras, segundo uma tabela regimentar. **4.** Custas judiciais determinadas em função do número de linhas. **5.** O preço mais baixo. **6.** Descrédito, desonra.
rasadura. *S. f.* Ato ou efeito de rasar(-se).
rasante. *Adj. 2 g.* **1.** Que rasa ou serve para rasar. **2.** Diz-se de fortificação cujos muros têm pouca altura em relação ao terreno em que foi construída. **3.** Que efetua trajetória (no ar) muito próxima do solo. ~ V. *tiro —.* ● *S. m.* **4.** Vôo rasante (de avião).
rasão. *S. f. Lus.* Alqueirão. [Cf. *razão.*]
rasar. [Do lat. *rasare < *radere*, 'raspar'.] *V. t. d.* **1.** Medir com a rasa (1): *rasar os cereais.* **2.** Acertar (a medida) com a rasoura. **3.** Tornar raso: *A seca rasou o rio.* **4.** Nivelar, igualar: *rasar um terreno.* **5.** Tocar de leve; roçar. **6.** Encher até à borda. *P.* **7.** Encher-se, transbordar: "Rasam-se os olhos d'água" (Alberto de Oliveira, *Poesias*, 2ª série, p. 47).
rasca. [Dev. de *rascar.*] *S. f.* **1.** Rede de arrastar; rascada. **2.** *Pop.* Parte do lucro; quinhão. **3.** *Bras. Pop.* V. *bebedeira* (1). **4.** Antiga embarcação portuguesa de pesca, de borda alta, convés corrido, três mastros com velas latinas (o de vante inclinado para a proa, e o de ré com a vela disparada para fora da popa) e uma vela de proa.
rascada. [De *rascar* + *-ada[1].*] *S. f.* **1.** Rasca (1). **2.** Dificuldade, aperto, entaladela, enrascada: "E era feliz, o temerário, pois nunca lhe sucedia uma rascada, um desastre." (Virgílio Várzea, *Nas Ondas*, p. 3.)
rascadeira. [De *rascar* + *-deira.*] *S. f. Bras., S.* Instrumento de ferro, com cabo de madeira, usado para raspar o pêlo dos cavalos.
rascador (ô). *S. m.* **1.** Instrumento de ourives, de serralheiro, etc., próprio para rascar. **2.** *Grav.* Instrumento de seção triangular e arestas afiadas, usado pelos gravadores para eliminar granido da maneira-negra, rebarba da ponta-seca, etc.; raspador.
rascância. *S. f.* Qualidade do vinho rascante.
rascante. *Adj. 2 g.* **1.** Que deixa travo na garganta; que rasca; adstringente. **2.** Diz-se do som áspero, que parece arranhar: "Quando cessa o ruído rascante da pena que já deve estar muito usada, começa o ruído delicado de alfinetes caindo no chão" (Lígia Fagundes Teles, *A Disciplina do Amor*, p. 83). ~ V. *vinho —.* ● *S. m.* **3.** Vinho rascante.
rascão. [De *rascar* + *-ão[3].*] *S. m.* **1.** Vadio, desleixado, preguiçoso, mandrião. **2.** Uma das cordas da rede de pesca.
rascar. [Do lat. *rasicare, freqüentativo de *radere*, 'raspar'.] *V. t. d.* **1.** Tirar fragmentos da superfície de (um corpo) com instrumento adequado; raspar, rapar. **2.** Lascar; desbastar. **3.** Perturbar, pelo som desagradável: *O grasnar do corvo rascava o silêncio.* **4.** *P. ext.* Perturbar, incomodar, importunar. **5.** Arranhar, ferir: "O trigo ...., desafogado, vai-lhes rascando as pernas cabeludas." (José Vieira, *Sol de Portugal*, p. 41.) *Int.* **6.** Deixar certo travo na garganta: *Aquele vinho rasca.* **7.** *Ant.* Gritar, clamar. **8.** *Bras., S.* da *BA.* Tagarelar, parolar. [Conjug.: v. *trancar.*]
rascoa (ô). [Fem. de *rascão.*] *S. f.* **1.** *Ant.* Aia. **2.** Cozinheira (1). **3.** V. *meretriz.*
rascolnismo. [Do fr. *rascolnisme.*] *S. m.* Seita separada da Igreja ortodoxa russa em 1667, e que considera contrárias à verdadeira fé a revisão das versões da Bíblia e a reforma litúrgica levada a efeito em 1654 pelo patriarca Nilkon.
rascolnista. *Adj. 2 g.* **1.** Relativo ao, ou que é sectário do rascolnismo. ● *S. 2 g.* **2.** Sectário dele. [Var.: *rascolnita.*]
rascolnita. *Adj. 2 g.* e *s. 2 g.* Var. de *rascolnista.*
rascunhar. [De um *rascanhar < *rascar*, com infl. de *unha.*] *V. t. d.* Fazer o rascunho de; minutar: *rascunhar uma carta.*
rascunho. [Dev. de *rascunhar.*] *S. m.* **1.** Minuta (1). **2.** Esboço ou conjunto de anotações que servem de base para dar feição definitiva a qualquer texto: *Guardou o rascunho para conferir a prova com os colegas.*
raseiro. [De *raso* + *-eiro.*] *Adj.* **1.** Que tem pouco fundo; achatado, chato, baixo, raso: *embarcação raseira.* **2.** Rasourado.
rasgadela. [De *rasgar* + *-dela.*] *S. f.* Pequeno rasgão (1): *O prego prendeu a saia e deu uma rasgadela.*
rasgado. [Part. de *rasgar.*] *Adj.* **1.** Que apresenta rasgo ou rasgão; despedaçado: *Estava com o terno rasgado.* **2.** Vasto, amplo, extenso, desembaraçado: *O panorama rasgado estendia-se até o horizonte.* **3.** Aflito, ferido, dilacerado: *coração rasgado.* **4.** Em que não há embaraço ou reserva; aberto, franco, liberal, generoso: *gesto rasgado; elogio rasgado.* **5.** Sem peias ou restrição; muito livre: *pândega rasgada; comezaina rasgada.* **6.** Diz-se dos olhos bonitos, grandes e amendoados. ● *S. m.* **7.** *Bras.* A parte do punho do sabre-baioneta que se adapta ao cano da carabina. **8.** *Bras. Mús.* Forma de acompanhamento peculiar a certos instrumentos populares, como a guitarra, o violão, a viola de arame, e que consiste em passar as unhas, sucessiva e rapidamente, sobre as cordas, sem as pontear: "A viola .... desandava em rasgados e repeniques por todas as patuscadas" (Vitorino Nemésio, *O Mistério do Paço do Milhafre*, p. 127). **9.** *Bras. Mús.* Dança executada ao som desse acompanhamento. **10.** *Bras. Mús.* Prelúdio de acordes arpejados, executado no violão ou na guitarra. [Sin. (nas acepç. 8 a 10): *rasqueado.*]
rasgadura. [De *rasgar* + *-(d)ura.*] *S. f.* V. *rasgamento* (1 e 2).
rasgamento. *S. m.* **1.** Ato ou efeito de rasgar(-se); rasgadura. **2.** V. *rasgão* (1).
rasga-mortalha. [De *rasgar* + *mortalha.*] *S. f. Bras.* **1.** V. *narceja.* ● *S. f.* e *m.* **2.** V. *suindara:* "Como se convocadas, os rasga-mortalhas tesouravam a noite com os seus grasnados agourentos e lúgubres." (A. S. de Mendonça Júnior, *O Anel de Brilhante e Outras Estórias*, p. 57.) [Pl.: *rasga-mortalhas.*]
rasgão. [De *rasgar* + *-ão[3].*] *S. m.* **1.** Abertura em superfície que se cortou, rompeu ou dilacerou; rasgamento, rasgadura; rasgo: *rasgão num tecido, num papel, na pele.* **2.** *Bras.* V. *brechão.* **3.** *Bras., C.O.* V. *fecho* (8).
rasgar. [Do lat. *rasicare < *radere*, 'arranhar', 'raspar'.] *V. t. d* **1.** Abrir rasgão em, romper, partir (um todo), ficando as partes separadas desse todo ou presas a ele: *O cão rasgou o paletó do bandido;* "Por fim, deliberadamente, lançou mãos ao sobrescrito, rasgou-o com inquietação crescente." (João da Silva Correia, *Farândola*, p. 119). **2.** Separar, ou dividir em pedaços ou fragmentos irregulares, destruindo; romper: *Rasgou a carta sem ler.* **3.** Golpear, ferir; romper, lacerar: *Os dentes afiados do cão rasgaram-lhe a carne.* **4.** Praticar (uma abertura); abrir: *rasgar uma porta.* **5.** Abrir fenda ou buraco em: *rasgar a terra.* **6.** Abrir, cortar: *rasgar um abscesso.* **7.** Dissipar, desfazer: *Surgiu o Sol, rasgando as nuvens.* **8.** Magoar, pungir, compungir: *O triste acontecimento rasgou-lhe a alma.* **9.** Alargar, espaçar, estender. **10.** Agravar, avivar. **11.** Cavar, lavrar: *O camponês rasga o campo de sol a sol.* **12.** Passar através de; atravessar: *O homem decidido rasga os mares, matas e montanhas.* **13.** Surgir de súbito; romper: "E rasga a tarde uma voz roufenha, a engasgar-se num chiado: Casa Edison, Rio de Janeiro!" (Augusto Meyer, *No Tempo da Flor*, p. 15.) *Int.* **14.** Assomar, despontar: *O dia rasgou cedo.* **15.** *Bras. Mús.* Tocar, à viola, o rasgado (8). *P.* **16.** Fender-se; romper-se: *O vestido rasgou-se.* **17.** Dar-se a conhecer; patentear-se: *Em situações difíceis, rasgam-se amigos e inimigos.* **18.** Separar-se, cindir-se: *O papel rasgou-se em dois.* **19.** Atormentar-se, afligir-se. **20.** Alargar-se, estender-se. [Conjug.: v. *largar.*]
rasgo. [Dev. de *rasgar.*] *S. m.* **1.** V. *rasgão* (1). **2.** Traço, risco. **3.** *Fig.* Ação nobre, exemplar. **4.** *Fig.* Arroubo, ímpeto: *rasgo de eloqüência, de audácia, de desprendimento.*
raso. [Do lat. *rasu.*] *Adj.* **1.** Diz-se de superfície lisa, plana. **2.** *P. ext.* Arrasado, destruído. **3.** Diz-se de recipiente (xícara, colher, etc.), tomado como medida, como se fosse rasourado. **4.** Sem ornatos ou floreios; liso, limpo: *paredes rasas.* **5.** Cortado rente; cérceo: *cabelo raso.* **6.** Rasteiro (3). **7.** Diz-se do sapato de gáspea baixa ou de salto baixo. **8.** *Fig.* Vil, reles, ordinário. **9.** *Bras.* De pouca profundidade; não fundo: *lagoa rasa; prato raso.* ~ V. *corrida —a, soldado —, tábua —a, tábula —a* e *tiro —.* ● *S. m.* **10.** Planície, campo. **11.** *Ant.* Certo tecido de seda lustrosa e fina, sem pêlo. **12.** *Bras.* Lugar em que a água é pouco profunda: *Não sei nadar, prefiro ficar no raso.* **13.** *Bras., SE* e *BA.* Capoeira baixa, na qual as árvores e arbustos se emaranham formando uma trama de urdidura.
rasóforo. [Do gr. bizantino *rhasophóros*, 'que veste casaco'.] *S. m.* Nas ordens monásticas da Igreja Grega cismática, indivíduo de uma categoria de noviços.
rasoira. [De *raso.*] *S. f.* Rasoura [q. v.].
rasoirado. *Adj.* V. *rasourado.*
rasoirante. *Adj. 2 g.* V. *rasourante.*
rasoirar. *V. t. d.* V. *rasourar.*
rasoura. [De *raso.*] *S. f.* **1.** Pau roliço usado para rasar ou tirar o cogulo das medidas de secos: arrasador, rasa. **2.** Tudo que nivela ou equipara. **3.** Instrumento de entalhador, formado por uma lâmina de aço encabada, próprio para tirar asperezas da madeira. **4.** *Fot.* Lâmina de borracha, fixada em suporte, para escorrer o excesso de água das chapas. **5.** *Grav.* Espécie de rascador usado para atenuar ou anular o granido ou o pontilhado da chapa, em certos gêneros de gravura em metal. **6.** *Bras., MG* e *SP.* Trecho raso de rio ou de lagoa. [F. paral.: *rasoira.*]
rasourado. [Part. de *rasourar.*] *Adj.* Diz-se da medida à qual se passou a rasoura; raseiro. [F. paral.: *rasoirado.*]
rasourante. *Adj.* Que rasoura ou iguala. [F. paral.: *rasoirante.*]
rasourar. *V. t. d.* **1.** Nivelar com a rasoura. **2.** Pôr em um mesmo nível; igualar. [F. paral.: *rasoirar.*]
raspa. [Dev. de *raspar.*] *S. f.* **1.** Pequena lasca ou apara tirada de um objeto que se raspou. **2.** V. *raspadeira* (1). **3.** *Bras., BA. Folcl.* Golpe rápido, com uma das pernas, nas pernas do rival, que é derrubado. **4.** Rapa (3).
raspadeira[1]. *S. f.* **1.** Instrumento próprio para raspar; raspador, raspa. **2.** Planta da família das moráceas (*Ficus asperrima*). **3.** *Fotograv.* Lâmina flexível de aço ou de plástico, fixada na prensa rotográfica, e que se preme contra o cilindro gravado, para raspar de sua superfície, durante a impressão, o excesso de tinta, que só deve ficar dentro dos alvéolos, mais ou menos profundos, criados pela retícula. [Sin. (fr.), nesta acepç.: *racle.*]
raspadeira[2]. *S. f.* **1.** V. *raspagem.* **2.** Raspagem pouco profunda.
raspador (ô). *Adj.* **1.** Que raspa. ● *S. m.* **2.** Aquele que raspa. **3.** V. *raspadeira* (1). **4.** *Grav.* Rascador (2). **5.** *Bras., AM. Folcl.* Reco-reco usado na folia de S. Benedito.
raspadura. [De *raspar* + *-(d)ura.*] *S. f.* **1.** Raspas [v. *raspa* (1)]. **2.** V. *raspagem* (1).
raspagem. *S. f.* **1.** Ato ou efeito de raspar; raspadela, raspadura. **2.** Curetagem.
raspança. [De *raspar* (5).] *S. f. Bras., AM* e *SP. Fam.* V. *repreensão* (1).
raspanete (ê). [De *raspar* (5).] *S. m. Fam.* **1.** V. descom-

postura (2). **2.** V. *repreensão* (1).

raspão. [De *raspar* + *-ão*³.] *S. m.* Ferimento ligeiro, produzido por atrito superficial; arranhão. ♦ **De raspão.** V. *de través:* "No seu couro, os punhais entortariam as pontas e as balas passariam de raspão." (Gustavo Barroso, *Terra de Sol,* p. 133.)

raspar. [Do germ. **hraspon,* 'arrancar'.] *V. t. d.* **1.** Tirar, com instrumento adequado, parte da superfície de; rascar, rapar: *O marceneiro* raspa *a madeira com que vai trabalhar.* **2.** Alisar ou apagar com a raspadeira. **3.** Limpar, esfregando: Raspou *a lama da sola do sapato.* **4.** Apagar, expungir; delir. **5.** Acabar com; destruir, aniquilar: *A má notícia* raspou *todos os resquícios de alegria.* **6.** Tocar ou ferir de raspão: *O automóvel* raspou *o poste.* **7.** Arranhar, agatanhar. **8.** Ralar, rapar: raspar *o queijo. T. i.* **9.** Tocar, ferir de raspão: *Seu braço* raspou *na parede. P.* **10.** V. *fugir* (1 e 2): "Tomara o pontapé, pregara um soco seguro, pregaria outros, mas, apagada a luz, raspara-se." (Marques Rebelo, *Marafa,* p. 33.) **11.** Sair, retirar-se: "— Ouve lá, isso que tu vais recitar, a *Democracia,* é política ou sentimento? Se é política, raspo-me." (Eça de Queirós, *Os Maias,* II, p. 396).

raspa-raspa. [Da 3ª pess. sing. do pres. ind. de *raspar,* repetida.] *S. m. Bras., N.E.* Raspas de gelo servidas no copo com xarope de fruta; gelada.

raspe. [Dev. de *raspar.*] *S. m.* **1.** *Bras., S.* Raspilha. **2.** *Fam.* V. *repreensão* (1). **3.** V. *descompostura* (2).

raspilha. [De *raspar.*] *S. f.* Instrumento de tanoeiro, próprio para raspar aduelas. [Sin., no S. do Brasil: *raspe.*]

rasqueado. [De *rascar*¹.] *S. m. Mús. Bras. Pop.* V. *rasgado* (8, a 10).

rasqueiro. *Adj. Bras., SP.* Raro, difícil de obter; vasqueiro.

rasqueteação. *S. f. Bras., RS.* Ato de rasquetear; rasqueteio.

rasquetear. [Do esp. plat. *rasquetear.*] *V. t. d. Bras., RS.* Limpar (o pêlo do animal) com a rascadeira. [Conjug.: v. *frear.*]

rasqueteio. [Dev. de *rasquetear.*] *S. m. Bras., RS.* Rasqueteação.

rastão. [De *rasto* + *-ão*².] *S. m.* Vara ou ramo de videira que, na poda, se deixa para ficar estendida pelo chão.

rastaqüera. [Do fr. *rastaquouère.*] *S. 2 g.* **1.** Pessoa recentemente enriquecida que não perde oportunidade para chamar a atenção, pelo luxo que ostenta e pelos gastos que faz. ● *Adj.* **2.** Próprio de rastaqüera.

rastaqüerar. *V. int. Bras.* Viver e/ou agir como rastaqüera.

rastaqüeresco (ê). *Adj.* Próprio de rastaqüera.

rastaqüerismo. *S. m.* Procedimento de rastaqüera.

rasteante. [De *rastear* + *-nte.*] *Adj. 2 g.* V. *rastejador* (1): "a vil miséria da lagarta / Rasteante sempre e sórdida" (Alberto de Oliveira, *Poesias,* 3ª série, p. 228).

rastear. [De *rasto* + *-ear.*] *V. t. d.* e *int.* **1.** V. *rastejar.* **2.** *Bras., S.* Procurar, catar (alguma coisa). [Conjug.: v. *frear.*]

rasteira. [Fem. substantivado do adj. *rasteiro.*] *S. f. Bras.* **1.** Movimento ardiloso, rápido e brusco, que consiste em meter o pé ou a perna entre as de outra pessoa, em luta, jogo ou simples brincadeira, e provocar-lhe a queda; calço, cambapé, pernada, rabanada, traspés, travessa. **2.** V. *comadre* (6). **3.** *Fig.* Ato traiçoeiro; perfídia, golpe: "sempre de bom humor, ... sublinhando com um sorriso, se não uma risada de satisfação ou malícia, a resolução benéfica, o ato justo, a medida acertada, ou a rasteira, a manobra, o ardil, o golpe político contra o adversário." (Carlos de Gusmão, *Boca da Grota,* p. 490). **4.** *Cap.* Golpe desequilibrador em que o capoeirista, apoiado numa das mãos, se agacha sobre uma perna, enquanto a outra, esticada, descreve um semicírculo para a frente, procurando arrastar e derrubar o adversário. ♦ **Dar uma rasteira em.** *Bras.* **1.** Levar vantagem sobre. **2.** Enganar, lograr. **3.** Derrubar (3). [Sin. ger.: *passar uma rasteira em, rasteirar.*] **Passar uma rasteira em.** *Bras.* V. *dar uma rasteira em.*

rasteirar. *V. t. d. Bras.* V. *dar uma rasteira em.*

rasteirinha. [Dim. de *rasteira,* fem. do adj. *rasteiro.*] *S. f. Bras.* Planta herbácea da família das malváceas *(Sida supina);* violeta-do-pará.

rasteiro. [De *rasto* + *-eiro.*] *Adj.* **1.** Que se arrasta; arrastadeiro, arrastado. **2.** Que anda de rastos; rastejador, rastejante. **3.** Que se eleva a pouca altura; raso: *vegetação* rasteira. **4.** Humilde, baixo, ordinário; chão: "a imaginação fecunda e moça, que se desfazia em ditos, anedotas, epigramas, versos, descrições, ora sério, quase sublime, ora familiar, quase rasteiro, mas sempre original" (Machado de Assis, *Páginas Recolhidas,* p. 28). ~ V. *engenho* — e *engenho copeiro* —. ● *S. m.* **5.** *Bras.* Arbusto da família das poligaláceas *(Cryptostomum multicaule).*

rastejador (ô). *Adj.* **1.** Que rasteja; rastejante, rasteante. ● *S. m.* **2.** Aquele que rasteja.

rastejadura. *S. f.* Ato ou efeito de rastejar (4); rastejamento.

rastejamento. [De *rastejar* + *-mento.*] *S. m.* Rastejadura.

rastejante. [De *rastejar.*] *Adj. 2 g.* **1.** V. *rastejador* (1): "os cachaceiros de vozes rastejantes, os gigolôs entediados que usam sapatos de duas cores" (Ledo Ivo, *A Morte do Brasil,* p. 10). **2.** *Morfol. Veg.* Que se estende horizontalmente sobre o solo; procumbente: *caule rastejante.*

rastejar. *V. t. d.* **1.** Seguir o rasto ou a pista de; rastrear: *A polícia* rastejou *o fugitivo.* **2.** Investigar, inquirir, indagar, rastrear: *Não dispunham de dados para* rastejar *as causas dos fenômenos.* **3.** Contar aproximadamente; orçar por; beirar: *O velho* rasteja *os 100 anos. Int.* **4.** Seguir rasto ou pista; rastrear. **5.** Andar de rastos, de rojo: *A tropa* rastejou *durante 10 horas.* **6.** *Fig.* Ter sentimentos baixos: *Costuma* rastejar, *como todos os que muito amam o dinheiro.* **7.** Abater-se, rebaixar-se; humilhar-se, aviltar-se: *Nem ser orgulhoso, nem* rastejar. [F. paral.: *rastear.* Conjug.: v. *pelejar.*]

rastejo (ê). [Dev. de *rastejar.*] *S. m.* Ato de rastejar.

rastelar. *V. t. d.* Limpar (o linho) com rastelo; assedar. [Var.: *restelar.* Pres. ind.: *rastelo,* etc. Cf. *rastelo* (ê), s. m., e *Rastelo* (ê), f. ant. do top. *Restelo* (ê).]

rastelo (ê). [Do lat. *rastellu.*] *S. m.* **1.** Instrumento formado por uma fileira de dentes de ferro por onde se passa o linho a fim de se lhe tirar a estopa; sedeiro. **2.** Instrumento constituído por uma grade com dentes de pau, com a qual se aplaina terra lavrada. [Var.: *restelo* (ê). Pl.: *rastelos* (ê). Cf. *rastelo,* do v. *rastelar,* e o top. *Restelo* (ê).]

rastilho. [De *rasto* + *-ilho.*] *S. m.* **1.** Fio embebido em pólvora ou em outra substância, para comunicar fogo a alguma coisa: "Por mais de duas horas, brocou a cavidade; por fim, meteu a dinamite, riscou um fósforo, acendeu o rastilho." (João da Silva Correia, *Farândola,* p. 169.) **2.** Tubo ou sulco cheio de pólvora, para o mesmo fim. **3.** *Fig.* Pretexto ou motivo para um acontecimento social de caráter violento (greve, revolução, guerra, etc.). **4.** *P. ext.* Rasto, pista, pegada.

rasto. [Var. de *rastro,* do lat. *rastru,* 'instrumento para quebrar torrões de terra'.] *S. m.* **1.** V. *vestígio* (1). **2.** *Fig.* Indício, vestígio, sinal. [Esta f. é m. us. que *rastro.*] ♦ **A rastos.** Rastejando, arrastando, arrastando-se; de rastos. **De rastos.** A rastos: "O povo leva / Com devoção / Nossa Senhora / Da Conceição, / De monte em monte, / Por onde estão / Velhos de rastos, / Olhos no chão, / E as mãos cruzadas / Em oração." (Conde de Monsaraz, *Musa Alentejana,* p. 196.) **Enredar o rasto a.** *Bras., RS.* Despistar, enganar, lograr.

rastreador (ô). [De *rastrear*¹ + *-(d)or.*] *Adj.* e *s. m.* Diz-se de, ou cão adestrado para rastrear a caça.

rastreamento. *S. m.* **1.** Ato ou efeito de rastrear¹. **2.** *Astron.* Processo de acompanhar um satélite, um míssil ou um veículo espacial por meio de radar, rádio ou fotografia; rastreio, acompanhamento.

rastrear¹. [De *rastro.*] *V. t. d.* **1.** Rastejar (1 e 2): "o mesmo crítico, rastreando conclusões subjetivas de Frank Harris, não hesita em sustentar que, entre todas as peças shakespearianas, com os seus milhares de personagens, existe apenas um homem: Shakespeare, e apenas uma mulher: Mary Fitton." (Eugênio Gomes, *Espelho contra Espelho,* pp. 151-152). *Int.* **2.** Rastejar (4). [Conjug.: v. *frear.*]

rastrear². *V. t. d.* **1.** *Bras., S.* Limpar (a terra) com o rastrilho. *Int.* **2.** Limpar a terra com o rastrilho: *O trabalhador* rastreia *com rapidez.* [Conjug.: v. *frear.*]

rastreio. [De *rastro.*] *S. m. Astron.* V. *rastreamento* (2).

rastrilho. [Do esp. *rastillo* < lat. *rastellu,* dim. de *rastru.*] *S. m. Bras., S.* Grade ou ancinho com pontas próprias para espicaçar e limpar a terra ao mesmo tempo.

rastro. *S. m.* V. *rasto:* "nenhum rugido na mata, onde, aliás, vimos rastros frescos de jaguares." (Afonso Arinos, *Histórias e Paisagens,* p. 179).

rasura. [Do lat. *rasura.*] *S. f.* **1.** Palavra(s) riscada(s) ou raspada(s) de modo que sua leitura se torne impossível; litura: "toda a escrita uniforme, sem uma emenda, sem uma rasura" (Coelho Neto, *A Conquista,* p. 78). **2.** Raspas [v. *raspa* (1)]. **3.** Fragmentação de substâncias medicinais, por meio do ralador, da lima ou de objeto semelhante.

rasurado. [Part. de *rasurar.*] *Adj.* Que apresenta rasura (1): *documento rasurado.*

rasurador (ô). [De *rasurar* + *-(d)or.*] *S. m. Bras.* Matagato (2).

rasurar. *V. t. d.* **1.** Fazer rasura (1) em: *É proibido rasurar documentos oficiais.* **2.** Reduzir a rasura (2).

rata¹. [Fem. de *rato.*] *S. f.* **1.** A fêmea do rato; ratazana. **2.** *Gír.* Mulher muito fecunda.

rata². [De *ratão?*] *S. f. Bras.* **1.** Ato inoportuno ou inconveniente; desazo. **2.** Fiasco, mancada, gafe, baixo.

ratada. *S. f.* **1.** Ninhada de ratos [v. *rato*¹ (1)]. **2.** Diabrura, travessura. **3.** V. *ratice.*

ratafiá. [Do fr. *ratafia.*] *S. f.* Licor aromático, em cuja composição entram aguardente, açúcar, etc.

ratânia. [De or. americana, talvez quíchua.] *S. f. Bras.* Erva ou subarbusto da família das leguminosas *(Krameria argentea),* cuja raiz, rica em tanino, é empregada contra diarréias, sob a forma de extratos; ratânia-do-pará.

ratânia-do-pará. *S. f. Bras.* Ratânia. [Pl.: *ratânias-do-pará.*]

ratão. [De *rato*¹ + *-ão*¹.] *S. m.* **1.** Grande rato¹ (1). **2.** Peixe plagióstomo da família dos miliobátidas *(Holorhinus aquila* (Lin.)). **3.** Indivíduo excêntrico, extravagante ou patusco: "Se era tido como estranho, ratão original, mais estranho, mais ratão, mais original pareceu ele a todos, quando se foi estabelecer, depois de jubilado, naquele cafundó do Rio de Janeiro" (Lima Barreto, *Vida e Morte de M. J. Gonzaga de Sá,* p. 227). **4.** *Bras.* V. *obarana-rato.* ● *Adj.* **5.** Diz-se de ratão (3). [Fem.: *ratona.*]

ratão-d'água. *S. m. Bras.* V. *ratão-do-banhado.* [Pl.: *ratões-d'água.*]

ratão-do-banhado. *S. m. Bras.* Mamífero roedor, da família dos octodontídeos *(Myocastor coypus bonariensis* (E. Geof.)), do Paraguai, Uruguai e RS, hoje criado comercialmente, para aproveitamento de peles, em vários países. Dorso com tons de negro e amarelo-escuro, ventre e lados do corpo amarelo-brunáceos, e dedos posteriores reunidos por membrana natatória. Mede 60 cm de corpo e 45 cm de cauda. Tem hábitos aquáticos, [Sin.: *ratão-d'água, nútria, caxingui.*]

rataplã. *S. m.* Onomatopéia do toque do tambor (2 e 3): "Há rataplãs, tarampantãs de tamboris, roucos tutuques de zabumbas" (Martins Fontes, *A Dança,* p. 93).

ratar. [De *rato*¹ + *-ar*².] *V. t. d.* Dentar ao modo de rato; roer. [Perf. ind.: *ratei, rataste, ratou,* etc. Cf. *ratô.*]

rataria. [De *rato*¹ + *-aria.*] *S. f.* Grande número de ratos.

ratazana. [Aum. anômalo de *rata*¹.] *S. f.* **1.** Rata¹ (1). **2.** Mamífero roedor, da família dos murídeos (*Rattus norvegious* (Berk.)), cosmopolita, mais comum na região litorânea do Brasil. Dorso cinzento-amarelado, ventre mais claro, queixo e garganta brancos. Mede cerca de 20 cm de cabeça e corpo, e 18 cm de cauda. Começa a procriar com três a quatro meses, pare de quatro a cinco vezes por ano, de cinco a 15 filhotes, e o período de gestação é de 21 dias. Pesa, em média, de 250 a 400 g. É onívoro, de hábitos semi-aquáticos, prefere viver em locais com cursos de água, pântanos, esgotos, etc., e cava galerias no solo. [Sin., nesta acepç.: *ratona, rato-de-esgoto, rabo-de-couro, arganaz.*] **3.** Ratona (3). ● *S. 2 g.* **4.** *Fig.* Pessoa ridícula ou divertida. **5.** *Bras. Gír.* Ladrão, ladra.

➧**raté** (ratê). [Fr.] *Adj.* e *s. m.* Diz-se de, ou pessoa que, por falta de talento ou de sorte, não conseguiu impor-se, vencer na vida particular ou profissional.

rateação. [De *ratear*¹ + *-ção.*] *S. f.* V. *rateio* (1).

rateador (ô). [De *ratear*¹ + *-(d)or.*] *Adj.* e *s. m.* Que ou aquele que rateia, que faz rateio.

rateamento. [De *ratear*¹ + *-mento.*] *S. m.* V. *rateio* (1).

ratear¹. [Do lat. *ratu,* 'calculado', + *-ear.*] *V. t. d.* Dividir proporcionalmente: ratear *despesas.* [Conjug.: v. *frear.*]

ratear². [Do fr. *rater.*] *V. int. Bras.* Falhar (um motor). [Conjug.: v. *frear.* Defect., p. us. só nas 3ªˢ. pess.]

rateio. [Dev. de *ratear*¹.] *S. m.* **1.** Ato ou efeito de ratear¹; rateação, rateamento. **2.** *Turfe.* Quantia que cabe a cada um dos apostadores das diversas modalidades de jogo das corridas que tenham acertado.

rateira. [De *rato*¹ + *-eira.*] *S. f. Bras. Mar.* Disco de metal colocado perpendicularmente à espia, entre o costado da embarcação atracada e o cabeço do cais, para evitar que entrem ratos a bordo.

rateiro. [De *rato*¹ + *-eiro.*] *Adj.* e *s. m.* Diz-se do, ou gato ou cão que é bom caçador de ratos.

▲**rat(i)-.** [Do lat. *ratus, a, um.*] *El. comp.* = 'calculado', 'confirmado': *ratear; ratificar.*

ratice. *S. f.* Ato ou dito de ratão (3); excentricidade, extravagância, ratada.

raticida. [De *rato*[1] + *-i-* + *-cida*.] *S. m.* Veneno para matar ratos. [v. *rato*[1] (1).]

ratificação. *S. f.* Ato ou efeito de ratificar. [Cf. *retificação*.]

ratificado. [Part. de *ratificar*.] *Adj.* Que se ratificou; confirmado. [Cf. *retificado*.]

ratificar. [De *rat(i)-* + *-ficar*.] *V. t. d.* **1.** Confirmar autenticamente, validar (o que foi feito ou prometido): *A testemunha ratificou as declarações.* **2.** Comprovar, corroborar: *Os fatos ratificaram as nossas deduções;* "Na paróquia todos lhe queriam bem, porque ele não enredava nem maldizia. .... José dizia-lhe a vida de Antônio e Antônio a de José. O que ele fazia era ratificar ou retificar um com outro, e os dous com Sancho, Sancho com Martinho, e vice-versa, todos com todos." (Machado de Assis, *Relíquias de Casa Velha*, pp. 130-131). *P.* **3.** Confirmar ou reafirmar o que foi dito: *O homem, ratificando-se, repetiu a história inicial.* [Conjug.: v. *trancar*. Cf. *retificar*.]

ratificável. *Adj. 2 g.* Que pode ser ratificado. [Cf. *retificável*.]

ratinhar. [Do prov. lus. *ratinho*, 'trabalhador beirão ou minhoto que vai trabalhar noutras províncias', + *-ar*[2].] *V. int.* **1.** Economizar exageradamente: *Os avaros sempre ratinham.* **2.** Questionar ou disputar sobre o preço de; regatear: "Imputou-se à Marquesa [Marquesa de Santos] ser forreta, mercando legumes e ratinhando-os, vendendo toucinho à sua escravatura" (Alberto Rangel, *Dom Pedro e a Marquesa de Santos* p. 300). **3.** Economizar em excesso. *T. d.* e *i.* **4.** Dar com parcimônia; regatear: *Não ratinhava dinheiro ao filho perdulário.*

ratinheiro[1]. [De *ratinho*, dim. de *rato*[1] (1 e 2), + *-eiro*.] *Adj.* V. *murídeo* (1).

ratinheiro[2]. [De *ratinhar* (q. v.) + *-eiro*.] *Adj.* **1.** Que economiza. **2.** Que pedincha; regateador.

ratinho. [Dim. de *rato*[1].] *S. m. Fam.* Cada um dos primeiros dentes da criança.

➧**ratio juris** (rácio júriç). [Lat., 'razão do direito'.] *Jur.* Fundamento jurídico-social atribuído pelo intérprete a determinado preceito legal.

➧**ratio legis** (rácio légiç). [Lat.] *Jur.* Razão da lei.

ratita. [Do lat. *rate*, 'jangada', + *-ita*[2].] *S. f.* **1.** Espécime das ratitas. ● *Adj. 2 g.* **2.** Pertencente ou relativo a elas.

ratitas. [Pl. de *ratita*.] *S. f. pl. Zool.* Aves com esterno desprovido de carena.

ratívoro. [De *rato*[1] + *-i-* + *-voro*.] *Adj.* Que come ratos.

rato[1]. [Do lat. vulg. **rattu*, t. onom., talvez, que suplantou *mus, muris*.] *S. m.* **1.** Designação comum aos mamíferos roedores, miomorfos, das famílias dos murídeos e cricetídeos, que apresentam os molares com a fórmula 3/3. A espécie mais típica é o rato-preto [q. v.] **2.** Designação comum aos histricomorfos de pequeno porte e com pilosidade rija. **3.** *Ant.* Pedras com arestas muito acentuadas, que corroem a amarra do navio fundeado. **4.** V. *ladrão* (2). **5.** *Expl.* Dispositivo constituído por um morrão aceso que, puxado por um cordel, se aproxima da escorva e a inflama. **6.** *Bras.* Freqüentador assíduo: *rato de teatro; rato de festas.* **7.** *Bras.* Tratante, canalha. **8.** *Bras., RS. Gír.* Agente de polícia; rato-branco. ● *Adj. 2 g.* e *2 n. P. us.* **9.** Que tem a cor do rato[1] (1). **10.** *P. us.* Ratão (5). ◆ **Rato de biblioteca.** Indivíduo maníaco por investigações em bibliotecas e arquivos. **Rato de hotel.** Larápio que age nos hotéis. **Rato de praia.** *Bras.* Larápio que age nas praias. **Rato de sacristia.** Carola que vive nas igrejas e sacristias: "Olhem a figura de quem quer se empertigar diante de mim!... este fedelho!... este rato de sacristia!..." (Bernardo Guimarães, *O Seminarista*, p. 134.)

rato[2]. [Do lat. *ratu*.] *Adj.* Confirmado, reconhecido, ratificado.

ratô. [Do fr. *râteau*, 'ancinho'.] *S. m. Litogr.* Rodo (4). [Cf. *ratou*, do v. *ratar*.]

rato-boiadeiro. [De *rato*[1] + *boiadeiro*.] *S. m. Bras.* Rabudo (6). [Pl.: *ratos-boiadeiros*.]

rato-branco. [De *rato*[1] + *branco*.] *S. m. Bras., RS.* Rato[1] (8). [Pl.: *ratos-brancos*.]

rato-calunga. [De *rato*[1] + *calunga*.] *S. m. Bras.* V. *camundongo*. [Pl.: *ratos-calungas*.]

rato-caseiro. [De *rato*[1] + *caseiro*.] *S. m. Bras.* **1.** V. *rato-preto*. **2.** V. *rato-pardo*. [Pl.: *ratos-caseiros*.]

rato-catita. [De *rato*[1] + *catita*.] *S. m. Bras.* V. *camundongo*. [Pl.: *ratos-catitas*.]

rato-coró. [De *rato*[1] + *coró*.] *S. m. Bras., Amaz.* V. *rato-toró*. [Pl.: *ratos-corós*.]

rato-d'água. [De *rato*[1] + *de* + *água*.] *S. m. Bras.* Mamífero roedor, da família dos cricetídeos (*Nectomys squamipes* (Brants)), distribuído por todo o País, com sete subespécies. Tem dorso ocre-escuro, tracejado de preto, ventre branco, e curtas membranas interdigitais. Vive em matas ou lugares cultivados onde haja água abundante, e é hábil nadador. [Sin.: *quiara, cuiara, cujara*. Pl.: *ratos-d'água*.]

rato-de-barriga-branca. [De *rato*[1] + *de* + *barriga* + o fem. de *branco*.] *S. m.* V. *rato-de-paiol*. [Pl.: *ratos-de-barriga-branca*.]

rato-de-casa. [De *rato*[1] + *de* + *casa*.] *S. m. Bras.* **1.** V. *rato-preto*. **2.** V. *rato-pardo*. [Pl.: *ratos-de-casa*.]

rato-de-esgoto. [De *rato*[1] + *de* + *esgoto*.] *S. m.* V. *ratazana* (2). [Pl.: *ratos-de-esgoto*.]

rato-de-espinho. [De *rato*[1] + *de* + *espinho*.] *S. m. Bras.* Designação comum aos mamíferos roedores das famílias dos equimídeos, gênero *Neacomys* Thom., e dos equimídeos, *Proechimys* J. A. Allen, *Phyllomys* Lund, *Echimys* Cuv. e *Lonchothrix* Thom., caracterizados por terem os pêlos em forma de cerdas espinhosas, sobretudo na região dorsal, onde pêlos aristiformes sobressaem a setiformes. [Sin.: *coró, curuá, cururuá, cururuxoré, imbucuru, toró, sabujá*. Cf. *rato-toró* e *sauiá*. Pl.: *ratos-de-espinho*.]

rato-de-paiol. [De *rato*[1] + *de* + *paiol*.] *S. m.* Mamífero roedor, da família dos murídeos (*Rattus r. frugivorus* Raf.)); comum nas zonas rurais do País, de coloração geral cinzento-avermelhada, e ventre branco. Difere do rato-preto e do rato-pardo por ter a cauda de comprimento quase igual ao da cabeça e corpo juntos. É a espécie que melhor se adapta a habitações rurais no Brasil. [Sin.: *rato-de-barriga-branca, gabiru, guabiru*. Pl.: *ratos-de-paiol*.]

rato-de-pentes. [De *rato*[1] + *de* + o pl. de *pente*.] *S. m. Bras.* V. *tuco-tuco*. [Pl.: *ratos-de-pentes*.]

rato-do-bambu. [De *rato*[1] + *do* + *bambu*.] *S. m. Bras.* Mamífero roedor, da família dos cricetídeos (*Oryzomys flavescens* (Wat.)), do S. do Brasil, arborícola, de coloração amarela tirante a castanho, dorso brilhante, com pêlos pretos intercalados, e ventre branco-amarelado; camundongo-do-mato. [Pl.: *ratos-do-bambu*.]

rato-do-mato. [De *rato*[1] + *do* + *mato*.] *S. m. Bras.* Designação comum a várias espécies de roedores da família dos cricetídeos, gênero *Oryzomys* Baird e outros, com aspecto do rato doméstico, porém de vida silvestre. [Pl.: *ratos-do-mato*.]

rato-doméstico. [De *rato*[1] + *doméstico*.] *S. m.* V. *rato*[1] (1). [Pl.: *ratos-domésticos*.]

ratoeira. [De *rato*[1] (1) + *-eira*.] *S. f.* **1.** Armadilha para capturar ratos. **2.** *P. ext.* V. *armadilha* (2). **3.** *Bras., SC.* Dança e canção populares, acompanhadas à viola. ◆ **Cair na ratoeira.** V. *cair na esparrela*.

ratona. [De *rata*[1] + *-ona*[1].] *S. f.* **1.** V. *ratazana* (2). **2.** Mulher esquisita, extravagante; ratazana.

ratonar. [De *ratão* + *-ar*[2].] *V. int.* V. *ratonear*.

ratonear. [De *ratão* + *-ear*.] *V. int.* Agir como ratoneiro; furtar; ratonar. [Conjug.: v. *frear*.]

ratoneiro. [De *ratão* + *-eiro*.] *S. m.* Ladrão que faz pequenos furtos.

ratonice. [De *ratão* + *-ice*.] *S. f.* Ação de ratoneiro.

rato-pardo. [De *rato*[1] + *pardo*[2].] *S. m.* Mamífero roedor, da família dos murídeos (*Rattus r. alexandrinus* (I. Geof.)), cosmopolita, de dorso cinzento-escuro e ventre branco. Freqüenta casas e outros locais usados pelo homem. [Sin.: *rato-de-casa, gabiru, rato-caseiro*. Pl.: *ratos-pardos*.]

rato-preto. [De *rato*[1] + *preto* (ê).] *S. m.* Mamífero roedor, da família dos murídeos (*Rattus r. rattus* (1.)), cosmopolita, de dorso preto-brilhante, ventre mais claro, com aproximadamente 190 mm de cabeça e corpo, e 260 mm de cauda. Pare três a quatro vezes por ano, de três a quatro filhos de cada vez. Freqüenta habitações humanas e prefere viver em lugares secos. [Sin.: *rato-de-casa, rato-caseiro, gabiru*. Pl.: *ratos-pretos*.]

rato-toró. [De *rato*[1] + *toró*[1].] *S. m. Bras., Amaz.* **1.** Mamífero roedor, da família dos equimiídeos (*Lonchotrix emiliae* Thom.), da região do baixo Tapajós, de dorso escuro, pontoado de fulvo, pêlos aristiformes dorsais com 30 mm predominando sobre os setiformes. **2.** Designação comum às espécies do gênero *Echimys* Cuv., todas providas de cerdas espinhosas. [Sin. ger.: *rato-coró, coró, toró*. Pl.: *ratos-torós*. Cf. *rato-de-espinho-sauiá*.]

ratuína. [Fem. substantivado de *ratuíno*.] *S. f. Bras., AL. Chulo.* Prostituta reles.

ratuíno. [De *rato*[1].] *Adj. Bras., N. Pop.* Ordinário, reles: *sujeito ratuíno; tecido ratuíno.*

ratzeliano. *Adj.* Pertencente ou relativo ao geógrafo alemão Frederico Ratzel (1844-1904), ou próprio dele.

raucíssono. [Do lat. *raucisonu*.] *Adj.* Que tem som rouco: "Vejo surgir detrás de uma colina / Homem rude, que sopra a quando e quando / Córnea, curva raucíssona buzina." (Alberto de Oliveira, *Poesias*, 3ª série, p. 281.)

raul-soarense. *Adj. 2 g.* **1.** De, ou pertencente ou relativo a Raul Soares (MG). ● *S. 2 g.* **2.** Natural ou habitante de Raul Soares. [Pl.: *raul-soarenses*.]

ravana. *S. m.* V. *ravanastrão*.

ravanastra. *S. m.* V. *ravanastrão*.

ravanastrão. [Do mit. *Râvana*, personagem do poema épico-religioso indiano *Ramaiana*.] *S. m.* Instrumento indiano de duas cordas friccionáveis; ravanastra, ravana.

rã-verdadeira. *S. f. Bras.* Rã (2). [Pl.: *rãs-verdadeiras*.]

ravina. [Do fr. *ravine*.] *S. f.* **1.** Enxurrada que cai de lugar elevado. **2.** Escavação provocada pela enxurrada; barranco.

ravinamento. [Do fr. *ravenement*.] *S. m. Geol.* Formação de sulcos em conseqüência da rápida erosão causada pelas ravinas [v. *ravina* (1)].

ravióli. [Do it. *ravioli*.] *S. m.* **1.** Pequeno pastel[1] (1) cozido, com recheio de pasta de carne moída, de espinafre, etc. **2.** Iguaria preparada com esta massa cozida e servida geralmente com um molho feito de tomates e queijo ralado.

raxa. *S. f.* Pano antigo, grosseiro, de algodão. [Cf. *racha*, do v. *rachar* e s. f.]

➧**ray-ban** (reiban). [Do ingl. *ray* 'raio' + *(to) ban*, 'banir', nome comercial.] *S. m.* Espécie de vidro de cor esverdeada, que filtra parte dos raios luminosos (luz) que sobre ele incidem. Usado em janelas (vidro *Ray-ban*) e lentes de óculos (óculos *Ray-ban*).

razão. [Do lat. *ratione*.] *S. f.* **1.** Faculdade que tem o ser humano de avaliar, julgar, ponderar idéias universais; raciocínio, juízo. **2.** Faculdade que tem o homem de estabelecer relações lógicas, de conhecer, de compreender, de raciocinar; raciocínio, inteligência. **3.** Bom senso; juízo; prudência: *A razão nos obriga a ser cautelosos.* **4.** A lei moral; o direito natural; justiça, direito: *A razão impõe, para o caso, pena severa.* **5.** Causa, motivo: *Qual a razão de tamanha mudança?* **6.** Fundamento ou causa justificativa de uma ação, atitude, ponto de vista, etc.: *Não há razão para abandonares a família; Despediram o empregado sem razão.* **7.** Prova por argumento. **8.** Conhecimento, notícia, participação: *Ordenou ao servo que lhe desse razão do ocorrido.* **9.** Relação entre grandezas da mesma espécie. **10.** Conta corrente; conta. **11.** *Filos.* Faculdade de conhecer de modo discursivo combinando os termos e as proposições. **12.** *Filos.* Sistema de princípios *a priori* cuja verdade não depende da experiência. **13.** *Filos.* Faculdade de conhecer o real, por oposição ao que é aparente ou acidental. **14.** *Filos.* Princípio de explicação: o que dá conta de um efeito. **15.** *Mat.* Quociente de dois números. **16.** *Mat.* Diferença entre os termos consecutivos de uma progressão aritmética. ● *S. m.* **17.** *Com.* Livro de escrituração mercantil que contém o resumo das contas lançadas no diário, às quais ele se reporta à maneira de índice. [Cf. *rasão*.] ~ V. *razões*. ◆ **Razão anarmônica.** *Geom.* Numa reta em que são dados quatro pontos, A, B, C e D, o cociente da razão em que C divide o segmento AB pela razão em que D divide o mesmo segmento. **Razão áurea.** *Mat.* Razão entre duas quantidades que é igual ao número áureo. **Razão de Estado.** Motivo baseado no interesse público. **Razão de homotetia.** *Geom.* Razão de semelhança. **Razão de massa.** *Astron.* Relação entre a massa de um foguete e a massa de seu combustível. **Razão de Poisson.** *Fís.* Razão entre a deformação lateral e a deformação longitudinal de um corpo. **Razão de semelhança.** *Geom.* O quociente constante das dimensões das linhas correspondentes de duas figuras semelhantes; razão de homotetia. **Razão de transferência.** *Fís.* Parâmetro que mede o transporte de energia de um sistema oscilante para outro que lhe está acoplado. [Quando é grande, a transferência de energia é elevada e o primeiro sistema determina fortemente o comportamento do segundo.] **Razão de variação.** *Mat.* Valor de variação, na unidade de tempo, de uma grandeza variável. **Razão de verossimilhança.** *Estat.* O quociente do máximo da função de verossimilhança correspondente a um subespaço de um espaço amostral pela função de verossimilhança de todo o espaço amostral. **Razão externa.** *Geom.* Numa reta em que são dados três pontos A, B e C, nesta ordem, a razão entre os segmentos AC e BC. **Razão giromagnética.** *Fís.* Relação entre o momento magnético de um sistema atômico, ou subatômico, e o seu momento angular intrínseco. **Razão**

harmônica. *Geom.* Razão anarmônica igual a -1. **Razão interna.** *Geom.* Numa reta em que são dados os três pontos ordenados A, B e C, a razão entre os segmentos BA e BC. **Razão inversa.** *Mat.* Razão entre inversos de números; razão recíproca. **Razão prática.** *Filos.* Segundo Kant [v. *kantismo*], a razão que se aplica à determinação da vontade. **Razão pura.** *Filos.* Segundo Kant [v. *kantismo*], quer a faculdade superior de conhecimento que se opõe à faculdade empírica, à intuição, quer a faculdade superior que produz as idéias de Alma, Mundo e Deus. **Razão recíproca.** *Mat.* Razão inversa. **Razão simples.** *Geom.* Razão entre os segmentos formados por um ponto que divide um dado segmento de reta. **Razão social.** Firma (4). **Razões de cabo-de-esquadra.** Razões disparatadas: "Tudo lhe servia de pretexto, necessidade de dar forte descanso aos animais, receio de chuvas próximas, razões todas de cabo-de-esquadra" (Visconde de Taunay, *Ao Entardecer*, p. 90). **À razão de. 1.** Ao preço de. **2.** À taxa de; à porcentagem de. **Em razão de.** Por motivo de; por causa de; por: "Os pais de Eugênio não deixavam de ralhar com ele em razão de não parar em casa." (Bernardo Guimarães, *O Seminarista*, p. 29.) **Estar coberto de razão.** Ter toda a razão.

razia. [Do ár. argelino *gaziâ*, atr. do fr. *razzia*.] *S. f.* **1.** Gázua. 2. *P. ext.* Invasão predatória em território inimigo; saque **3.** *Fig.* Destruição, devastação, assolação. **4.** *Fig.* Investida arremetida, ataque: "Os fatos criminosos a que se refere são um episódio apenas entre as razias, quase permanentes, da vida turbulenta dos sertões." (Euclides da Cunha, *Os Sertões*, p. 154.)

razoabilidade. *S. f.* Qualidade de razoável.

razoado. [Part. de *razoar*.] *Adj.* **1.** Razoável. ● *S. m.* **2.** V. *arrazoado* (3).

razoamento. *S. m.* Ato ou efeito de razoar.

razoar. [De *razão*.] *V. int.* **1.** Raciocinar, arrazoar. *T. d.* **2.** Defender, advogar (uma causa). *T. i.* **3.** Discorrer; falar. [Conjug.: v. *coroar*.]

razoável. *Adj. 2 g.* **1.** Conforme à razão; racionável. **2.** Moderado, comedido: *preço razoável*. **3.** Acima de medíocre; aceitável, regular: *atuação razoável*. **4.** Justo, legítimo: *queixa razoável*. **5.** Ponderado, sensato. [Sin. ger.: *razoado*.]

razões. [Pl. de *razão*.] *S. f. pl.* V. *arrazoado* (3). ~ V. *razão*.

■**Rb.** *Quím.* Símb. de *rubídio*.

■**Rd.** *Fís. Nucl.* Símb. de *rutherford*.

■**Re.** *Quím.* Símb. de *rênio*.

▲**re-.** [Do lat. *re*.] *Pref.* = 'movimento para trás'; 'repetição'; 'intensidade', 'reciprocidade'; 'mudança de estado': *regredir* (< lat. *regredere*), *ressaca*; *recomeçar*, *relâmpago*; *reavivar*, *rebrilhar*, *revezar*; *refrescar*.

ré¹. [Do lat. *rea*.] *S. f.* Mulher acusada ou criminosa. [Cf. *rê*.]

ré². [Do lat. *retro*, 'atrás', provavelmente.] *S. f.* **1.** *Ant. Mar.* A parte da embarcação que ficava entre o mastro grande e a popa; a metade traseira da embarcação; popa: "Tomou a esposa pela mão, por causa do grande jogo do navio, e encaminhou-se com ela e os dois passageiros para o salão de ré" (Virgílio Várzea, *Nas Ondas*, p. 17). [Hoje só us. em loc. adverbiais e prepositivas: *a ré*, *a ré de*, etc.] **2.** *Autom.* A marcha que faz o veículo recuar; marcha à ré. [Cf. *rê*.] ◆ **A ré.** *Mar.* **1.** Atrás, à popa, na popa: *Siga a ré*; *Coloque-se a ré*; *Forme a ré*. [Antôn.: *a vante*.] **2.** Para trás. **A ré de.** *Mar.* Depois de, atrás de (considerando como direção de referência a que se volta para a proa da embarcação). [Antôn.: *a vante de*.] **Cair a ré.** *Mar.* Recuar, descair (a embarcação). **De ré.** *Mar.* Da popa; traseira: *parte de ré do navio*. **Por ante a ré de.** *Mar* Pela retaguarda de (considerando como direção de referência a que se volta para a proa da embarcação); *A praça de máquinas fica por ante a ré da praça de caldeiras*. [Antôn.: *por ante a vante de*.] **Para ré.** *Mar.* Para a popa: *Fique voltado para ré*.

ré³. *S. m. Mús.* **1.** O nome da nota que corresponde ao 2º grau da escala diatônica ou natural de *dó²*. [Cf. *D* e *ut*.] **2.** O sinal que representa essa nota na pauta. [Cf. *rê*.]

rê. *S. m.* Erre. [Pl.: *rês* ou *rr*. Cf. *ré*.]

reabastecer. [De *re-* + *abastecer*.] *V. t. d. e. i.* **1.** Tornar a abastecer: *Já reabasteceu duas vezes o automóvel*. *P.* **2.** Abastecer-se de novo; tornar a abastecer-se: *Foi à cidade reabastecer-se de mantimentos*. Conjug.: v. *aquecer*.]

reabastecimento. *S. m.* Ato ou efeito de reabastecer.

reabertura. [De *re-* + *abertura*.] *S. f.* Ato ou efeito de reabrir(-se).

reabilitação. *S. f.* **1.** Ato ou efeito de reabilitar(-se). **2.** Recobramento de crédito, de estima, ou do bom conceito perante a sociedade. **3.** Recuperação das faculdades físicas ou psíquicas dos incapacitados. **4.** Reabilitação motora. **5.** *Arquit.* e *Urb.* O conjunto de medidas que visam a restituir a um imóvel ou um complexo urbanístico a capacidade de utilização. **6.** *Jur.* Uma das formas de extinção de punibilidade, a qual consiste em cancelar a pena acessória de interdição de direitos e, segundo alguns, em apagar os outros efeitos da sentença condenatória, exceto exclusão legal. **7.** *Jur.* Reintegração do falido nos direitos que a falência limitou, como efeito da declaração judicial de se haverem extinguido as suas obrigações. ◆ **Reabilitação motora.** Reeducação motora. [Tb. se diz apenas *reabilitação*.]

reabilitado. [Part. de *reabilitar*.] *Adj.* Que se reabilitou.

reabilitador (ô). *Adj.* e *s. m.* Que ou aquele que reabilita.

reabilitar. [De *re-* + *habilitar*.] *V. t. d.* **1.** Restituir ao estado anterior, aos primeiros direitos, prerrogativas, etc.: *O dinheiro emprestado aos amigos reabilitou o comerciante falido*. **2.** Restituir à estima pública ou à particular; regenerar: *A prisão deveria servir menos para punir que para reabilitar os condenados*. **3.** Restituir à normalidade do convívio social ou de atividades profissionais (pessoas incapacitadas física ou psicologicamente, ou pessoas delinqüentes); recuperar. **4.** Efetuar a reabilitação (5) de. **5.** Readquirir a estima pública ou particular.

reabilitatório. *Adj.* Que serve para reabilitar ou envolve reabilitação.

reabitar. [De *re-* + *habitar*.] *V. t. d.* Habitar novamente.

reabjurar. [De *re-* + *abjurar*.] *V. t. d.* Abjurar outra vez.

reabotoar. [De *re-* + *abotoar*.] *V. t. d.* Abotoar novamente. [Conjug.: v. *coroar*.]

reabrir. [De *re-* + *abrir*.] *V. t. d.* **1.** Abrir de novo: *O comerciante reabriu a loja*. *P.* **2.** Tornar a abrir-se (o que se havia fechado). [Part. irreg.: *reaberto*.]

reabsorção. [De *re* + *absorção*.] *S. f.* **1.** Ato ou efeito de reabsorver. **2.** *Pet.* Fenômeno que consiste em poderem os fenocristais ser redissolvidos pelo magma total ou parcialmente, apresentando-se, no último caso, com os contornos corroídos.

reabsorver. [De *re-* + *absorver*.] *V. t. d.* Tornar a absorver.

reaça. *S. 2 g. Bras. Gír.* Der. regress de *reacionário* (4).

reação. *S. f.* **1.** Ato ou efeito de reagir. **2.** Resposta (6) a uma ação qualquer por meio de outra ação que tende a anular a precedente: *reação literária*; *reação religiosa*; *A reação do time superou as expectativas*. **3.** Comportamento de alguém em face de ameaça, agressão, provocação, etc.: *A reação do guarda frustrou o assalto*. **4.** Oposição, luta, resistência. **5.** Oposição conservadora que tende a impedir qualquer inovação no campo das atividades humanas. **6.** Sistema político extremamente conservador, contrário às idéias que envolvem importantes transformações político-sociais., **7.** *P. ext.* Despotismo, tirania. **8.** *Fís.* Força que se opõe a outra. **9.** *Fisiol.* e *Patol.* Resposta, em extensão variável, do organismo a um estímulo normal ou patológico. **10.** *Quím.* A acidez ou a alcalinidade de uma solução. **11.** *Quím.* Operação pela qual duas ou mais substâncias, postas em contato, sofrem modificações profundas, originando novas substâncias. ◆ **Reação convergente.** *Fís. Nucl.* Reação em cadeia que se amortece. **Reação divergente.** *Fís. Nucl.* Reação em cadeia que se amplia indefinidamente. **Reação elementar.** *Quím.* A que ocorre pela interação direta de duas partículas (átomos, moléculas, moléculas ativadas, radicais) ou pela interação de uma partícula com uma superfície inerte. **Reação em cadeia. 1.** *Fís. Nucl.* Seqüência de reações nucleares em que um dos reagentes é produto de cada reação. **2.** *Fig.* Seqüência de fatos que ocorrem sob a ação de causa e efeito. **Reação nuclear.** *Fís. Nucl.* Fenômeno em que ocorre a modificação de um ou mais nuclídeos. **Reação termonuclear.** *Fís. Nucl.* Fusão nuclear.

reacender. [Do lat. *reaccendere*.] *V. t. d.* **1.** Tornar a acender: *Foi obrigado a reacender a fogueira que a chuva apagara*; "retiravam-se para as casas, reacendendo no isqueiro os cigarros pagados." (Amando Caiubi, *Sapezais e Tigueras*, p. 112). **2.** Ativar, animar, estimular, desenvolver: *Napoleão reacendeu o nacionalismo francês*. *P.* **3.** Ativar-se, animar-se; desenvolver-se. [Part.: *reacendido* e *reaceso*. Cf. *reascender*.]

reacional. *Adj. 2 g.* Referente a reação ou reações.

reacionário. *Adj.* **1.** Relativo à, ou próprio da reação (5 e 6). **2.** Que é sectário dela. **3.** Aferrado à autoridade constituída; contrário à liberdade; tirano, despótico. ● *S. m.* **4.** Indivíduo reacionário. [Sin., nas acepç. 2 a 4: *reacionarista*. Sin., bras., gír., na acepç. 4: *reaça*.]

reacionarismo. *S. m.* **1.** Qualidade, ato ou dito de reacionário. **2.** Sistema político partidário da reação (5 e 6). **3.** Os reacionários.

reacionarista. *Adj. 2 g.* **1.** Referente ao, ou que é adepto do reacionarismo; reacionário. ● *S. 2 g.* **2.** Adepto do reacionarismo; reacionário.

reacomodar. [De *re-* + *acomodar*.] *V. t. d.* Acomodar novamente.

reacusar. [De *re-* + *acusar*.] *V. t. d.* Tornar a acusar; recriminar.

readale. *S. f.* Espécime das readales.

readales. *S. f. pl. Bot.* Ordem de plantas dicotiledôneas, arquiclamídeas, formada, em geral, de ervas providas de racemos, com flores diclamídeas, dímeras ou tetrâmeras, ovário súpero e unilocular. É ordem das mais extensas.

readaptabilidade. *S. f.* Qualidade ou estado de readaptável.

readaptação. *S. f.* **1.** Ato ou efeito de readaptar. **2.** *Bras. Jur.* Investidura em função pública mais compatível com a capacidade física, intelectual ou vocacional do funcionário.

readaptar. [De *re-* + *adaptar*.] *V. t. d.* **1.** Adaptar de novo. **2.** *Jur.* Efetivar a readaptação (2) de.

readaptável. *Adj. 2 g.* Que pode ou deve ser readaptado.

readequação. *S. f.* Ato ou efeito de readequar(-se).

readequar. [De *re-* + *adequar*.] *V. t. d.* e *p.* Tornar a adequar(-se). [Conjug.: v. *adequar*.]

readmissão. [De *re-* + *admissão*.] *S. f.* **1.** Ato ou efeito de readmitir. **2.** *Jur.* Reingresso no serviço público de funcionário demitido ou exonerado, sem direito a indenizações. [Cf. *reintegração* (2).]

readmitir. [De *re-* + *admitir*.] *V. t. d.* Admitir novamente: *A firma readmitiu o empregado faltoso*.

readoção. [De *re-* + *adoção*.] *S. f.* Ação de readotar.

readormecer. [De *re-* + *adormecer*.] *V. int.* Tornar a adormecer: "Não podia porém readormecer, às voltas, num terrível mal-estar, com aquela idéia cravada na imaginação que o torturava." (Eça de Queirós, *Os Maias*, II, p. 482.) [Conjug.: v. *aquecer*.]

readotar. [De *re-* + *adotar*.] *V. t. d.* Voltar a adotar.

readquirir. [De *re-* + *adquirir*.] *V. t. d.* Tornar a adquirir: *Com o passar do tempo, readquiriu confiança no amigo*; "Parecia-lhe que tinha agora o coração limpo duma moléstia incômoda ou que saíra duma embriaguez de vinho, readquirindo a lucidez do espírito." (Inglês de Sousa, *O Missionário*, p. 357.) [Sin., p. us.: *reaquistar*.]

reafirmar. [De *re-* + *afirmar*.] *V. t. d.* Afirmar de novo.

reagente. [Do lat. *reagente*.] *Adj. 2 g.* **1.** Que reage. ● *S. m.* **2.** *Quím.* Qualquer substância que provoque uma reação; reativo.

reagir. [Do lat. *reagere*.] *V. int.* **1.** Exercer reação; opor a uma ação outra que lhe é contrária: *A doença progredia, embora o instinto vital buscasse reagir*. **2.** Demonstrar reação; protestar: *Espicaçado, o rapaz reagiu a murros*. *T. i.* **3.** Exercer reação; opor-se; lutar, resistir: *A pátria soube reagir às invasões*; "A arte e a literatura encontraram no romantismo o seu caminho para reagir à convenção, ao conformismo." (Carlos Lacerda, *O Cão Negro*, p. 101). [Conjug.: v. *dirigir*.]

reagradecer. [De *re-* + *agradecer*.] *V. t. d. e i.* Tornar a agradecer. [Conjug.: v. *aquecer*.]

reagravação. *S. f.* Ato ou efeito de reagravar(-se).

reagravar. [De *re-* + *agravar*.] *V. t. d.*, *int.* e *p.* Agravar novamente; exacerbar.

reajustamento. *S. m.* Ato ou efeito de reajustar; reajuste.

reajustar. [De *re-* + *ajustar*.] *V. t. d.* e *t. d. e i.* **1.** Tornar a ajustar. **2.** *Bras.* Tornar (vencimentos, ordenado, preço, etc.), proporcionados à elevação do custo de vida: *reajustar os vencimentos do funcionalismo*.

reajustável. *Adj. 2 g.* Que se pode reajustar; sujeito a reajustamento: *preço reajustável*.

reajuste. [Dev. de *reajustar*.] *S. m.* **1.** Reajustamento. **2.** A importância (4) do reajuste.

real¹. *S. m.* Arraial [q. v.]. [Pl.: *reais*. Cf. *riel*, s. m., e riais, do v. *rir*.]

real². [Do lat. *regale*.] *Adj. 2 g.* **1.** Pertencente ou relativo ao rei ou à realeza, ou próprio dele ou dela; realengo; régio. ~ V. *canastra* —, *canto* —, *estrada* —, e *vara* —. ● *S. m.* **2.** Moeda portuguesa antiga. **3.** Antiga unidade do sistema monetário de Portugal e do Brasil. [Pl., nesta acepç.; *réis*. Cf. *reis*, pl. de *rei*, e *Reis*, antr.] **4.** Unidade monetária, e moeda, da Arábia Saudita, da República Árabe do Iêmen, de Omã, de Qatar e do Irã. [Pl.: *reais*. Cf. *riel*, s. m. e riais, do v. *rir*.]

real³. [Do b.-lat. *reale* < lat. *res*, *rei*, 'coisa, coisas'.]

Adj. 2 g. **1.** Que existe de fato; verdadeiro. **2.** *Filos.* Diz-se daquilo que é uma coisa, ou que diz respeito a coisas. [Opõe-se a *aparente, fictício, ideal, ilusório, imaginário, possível, potencial,* etc.] **3.** *Tip.* Diz-se do tipo de obra [q. v.] característico do séc. XVIII, influenciado pelos traslados caligráficos do talho-doce, e que apresenta contraste médio entre finos e grossos, e serifas em forma de consolo. [Tb. us. como s. m. É tradicionalmente denominado *romano transicional.*] ~ V. *ativo —, bomba*[1] *—, cano —, caução —, contrato —, crédito —, direito —, domínio —, ente —, favorecimento —, função —, garantia —, gás —, imagem —, mastro —, número —, ônus reais, passivo —, potência —, valor —, variável —* e *vento —.* ● *S. m.* **4.** Aquilo que é real, verdadeiro. **5.** *Filos.* Aquilo que é uma coisa, ou que diz respeito a coisas. **6.** *Mat.* Número real. **7.** *Tip.* Tipo real[3] (3). [Pl.: *reais.* Cf. *riel, s. m.,* e *riais,* do v. *rir.*]

realçar. [De *re-* + *alçar.*] *V. t. d.* **1.** Pôr em lugar elevado. **2.** Dar mais brilho ou força a; avivar, salientar: *Procurou realçar com maquilagem a cor das faces;* "A minha impressão é que preparava [o Senador Nabuco de Araújo] os seus discursos, e a maneira por que os proferia realçava-lhes a matéria e a forma sólida e brilhante." (Machado de Assis, *Páginas Recolhidas,* pp. 170-171.) **3.** Atribuir especial merecimento a: *Os historiadores tradicionais realçam feitos e batalhas. P.* **4.** Adquirir realce; elevar-se: *A cultura realça-se a cada descoberta.* [Conjug.: v. *laçar.*]

realce. [Dev. de *realçar.*] *S. m.* **1.** Distinção, relevo, destaque. **2.** Maior lustre ou brilho.

realegrar. [De *re-* + *alegrar.*] *V. t. d.* **1.** Tornar a alegrar. **2.** Alegrar muito. *P.* **3.** Readquirir alegria.

realejar. *V. t. d. Bras.* Repetir à guisa de realejo. [Conjug.: v. *pelejar.*]

realejo (ê). [Do esp. *realejo.*] *S. m.* **1.** Órgão portátil. **2.** Pequeno órgão adicionado ao grande para os registros flautados. **3.** Instrumento popular, espécie de órgão mecânico portátil, cujo fole e teclado são acionados por um cilindro dentado movido a manivela. **4.** *Gír.* Piano[1] (1). **5.** *Bras., N.E.* Espécie de acordeão (1). **6.** *Bras.* V. *uirapuru* (1).

realejo-de-boca. *S. m. Pop.* Pequena gaita (2), usada sobretudo pelas crianças. [Pl.: *realejos-de-boca.*]

realengo. [Do lat. vulg. *regalengu.*] *Adj.* **1.** V. *real*[2] (1). **2.** Régio (2). **3.** *Bras., RS.* Sem dono; público. ◆ **Ao realengo.** *Bras., N.E.* Em desordem; entregue às moscas; abandonado: *Saiu, deixando o escritório ao realengo.*

realeza[1] (ê). [De *real*[2] + *-eza.*] *S. f.* **1.** Dignidade de rei. **2.** *Fig.* Grandeza, magnificência, sublimidade.

realeza[2] (ê). [De *real*[3] + *-eza.*] *S. f. P. us.* Realidade.

realgar. [Do ár. *rahj al-ghar,* 'pó da mina', pelo cat. *realgar.*] *S. m. Min.* Mineral monoclínico, amarelado ou avermelhado, sulfeto de arsênico, empregado em pirotecnia para se obter chama branca e brilhante.

realidade. *S. f.* **1.** Qualidade de real[2]. **2.** Aquilo que existe efetivamente; real. [Sin. (p. us.): *realeza.*] **3.** *Filos.* V. *juízo de realidade.*

realimentação. [De *re-* + *alimentação.*] *S. f.* **1.** Operação que consiste em introduzir os projetis no depósito de uma arma automática ou de repetição, ou o carregador na própria arma. **2.** *Eletrôn.* Retroalimentação (1).

realimentar. [De *re-* + *alimentar.*] *V. t. d.* Proceder à realimentação (1) de.

realismo[1]. [De *real*[3] + *-ismo.*] *S. m.* **1.** Qualidade ou estado do que é real[3] (1). **2.** Atitude ou posição de quem se prende fielmente ao que é real, verdadeiro, às vezes de maneira prática, objetiva: *Encarou a desgraça com realismo.* **3.** *Estét.* Doutrina segundo a qual a arte deve expressar somente os caracteres essenciais da realidade. **4.** Teoria ou processo teatral ou cinematográfico que objetiva a representação fiel dos relacionamentos humanos. **5.** *Filos.* Doutrina medieval, originada na teoria das idéias de Platão [v. *platonismo*] segundo a qual os universais existem por si, independentemente das coisas em que se manifestam. **6.** *Filos.* Doutrina ou atitude relativa ao problema do conhecimento, caracterizada, em graus e níveis diversos, pela afirmação da existência do ser independentemente do pensamento e pela busca dos relacionamentos possíveis que entre eles se estabelecem. [Cf. *realismo científico, realismo crítico, realismo transcendental, realismo imediato, realismo ingênuo* e *realismo volitivo.*] **7.** *Liter.* Movimento literário que, em meados do séc. XIX, surgiu como uma reação ao romantismo (1), i. e., aos excessos do lirismo e da imaginação, e que sofreu influência do desenvolvimento das ciências biológicas, do positivismo comtista e do determinismo de Hyppolite Taine (1828-1893). ◆ **Realismo científico.** *Filos.* Realismo característico dos que se ocupam com a ciência, e que se afirma pela busca do conhecimento cada vez mais acurado dos dados da experiência. **Realismo conceitual.** *Filos.* V. *conceitualismo.* **Realismo crítico.** *Filos.* **1.** Para Kant [v. *kantismo*], doutrina segundo a qual o ser é essencialmente diverso do pensamento, não podendo ser deduzido de princípios *a priori,* nem expressado de modo exaustivo em termos lógicos; realismo empírico, realismo formal. **2.** Realismo que se reconhece como tal, em oposição ao realismo ingênuo; *realismo filosófico.* **Realismo dogmático.** *Filos.* Realismo transcendental. **Realismo empírico.** *Filos.* V. *realismo crítico* (1). **Realismo filosófico.** *Filos.* V. *realismo crítico* (1). **Realismo formal.** *Filos.* V. *realismo crítico* (2). **Realismo imediato.** *Filos.* Doutrina segundo a qual o espírito, no ato de perceber, tem consciência imediata, e por isso verídica, da presença de uma realidade exterior a ele; realismo natural. **Realismo ingênuo.** *Filos.* Crença do senso comum que admite, sem criticá-la, a existência de um mundo de objetos materiais que são captados por sujeitos conscientes, mais ou menos à maneira de uma máquina fotográfica; realismo vulgar. **Realismo mágico.** *Liter.* Gênero adotado por escritores isolados que, a partir de uma realidade presente como fundamento inicial, desenvolvem uma narrativa que tende para o irreal, o onírico, o absurdo: "por ser um mundo de símbolos, o realismo mágico constitui um palco de infindáveis estranhezas e mistérios que nenhuma sensibilidade esgota e nenhum congresso de críticos consegue analisar em definitivo." (Massaud Moisés, *A Criação Literária,* p. 251). **Realismo moderado.** *Filos.* V. *conceitualismo* (2) **Realismo natural.** *Filos.* Realismo imediato. **Realismo transcendental.** *Filos.* Segundo Kant [v. *kantismo*], doutrina que afirma que o espaço, o tempo e os fenômenos são coisas em si; realismo dogmático. **Realismo volitivo.** *Filos.* Doutrina segundo a qual a realidade se opõe ao sujeito como resistência à sua atividade cognoscitiva. **Realismo vulgar.** *Filos.* Realismo ingênuo.

realismo[2]. [De *real*[2] + *-ismo.*] *S. m.* **1.** Sistema político em que o chefe do Estado é um rei. **2.** Fidelidade aos princípios monárquicos.

realista[1]. *Adj. 2 g.* **1.** Relativo ao realismo[1]; realístico. **2.** Que é partidário do realismo[1] (3 a 6). **3.** Que age com realismo[1] (2). ● *S. 2 g.* **4.** Partidário do realismo[1] (3 a 6). **5.** Pessoa realista[1] (2).

realista[2]. *Adj. 2 g.* **1.** Relativo ao, ou próprio do realismo[2]. **2.** Que é partidário do realismo[2] (1). **3.** Que pratica o realismo[2] (2). ● *S. 2 g.* **4.** Pessoa realista[2] (2 e 3).

realistar. [De *re-* + *alistar.*] *V. t. d.* Alistar novamente.

realístico. *Adj.* Relativo ao, ou próprio do realismo[1]; realista.

realito. *S. m. Bras., ES.* V. *mulata* (3).

realização. *S. f.* Ato ou efeito de realizar(-se).

realizado. [Part. de *realizar.*] *Adj.* **1.** Que se realizou; efetuado, executado, feito. **2.** *Bras.* Que se realizou; que alcançou seu objetivo ou ideal: *Teve o que desejou: é um homem realizado.*

realizador (ô). *Adj.* **1.** Que realiza. **2.** Que é dado a muitas e/ou grandes realizações ou empreendimentos: *prefeito, ministro, presidente realizador.* ● *S. m.* **3.** Aquele que realiza.

realizar. *V. t. d.* **1.** Tornar real, efetivo, existente: *realizar um ideal.* **2.** Pôr em prática; efetuar: *realizar um projeto.* **3.** Transformar em dinheiro ou valor monetário: *A firma precisou realizar uma soma avultada.* **4.** Fazer, constituir, criar, acumular: "Os mais ricos, os que realizam colossais fortunas nas colônias ou no alto comércio das praças de Roterdã ou de Amsterdã, estabelecem o seu pé de castelo nas cidades de luxo, na Haia ou em Arnhem." (Ramalho Ortigão, *A Holanda,* p. 135.) **5.** *Angl.* Perceber como realidade. *P.* **6.** Cumprir-se, efetivar-se, efetuar-se, verificar-se: *A previsão realizou-se;* "Os seus receios haviam se realizado." (Rebelo da Silva, *Contos e Lendas,* p. 180.) **7.** Ocorrer, acontecer, efetuar-se, dar-se: "Um colóquio a dois, nos parques, realiza-se geralmente entre pessoas de sexos diferentes." (Costa Rego, *Águas Passadas,* p. 385.) **8.** *Bras.* Alcançar seu objetivo ou ideal: *Sonhava ser escritor, e o é: realizou-se.*

realizável. *Adj. 2 g.* Que se pode realizar. ~ V. *ativo —.*

realmente[1]. [De *real*[3] + *-mente.*] *Adv.* De modo real; na realidade, verdadeiramente; sem dúvida.

realmente[2]. [De *real*[2] + *-mente.*] *Adv.* **1.** Ao modo de rei; de maneira real. **2.** Aparatosamente, majestosamente.

reamanhecer. [De *re-* + *amanhecer.*] *V. int.* **1.** Amanhecer outra vez. **2.** Rejuvenescer, remoçar. [Conjug.: v. *aquecer.*]

reandar. [De *re-* + *andar.*] *V. t. d.* Tornar a andar, a percorrer: "E volto ali cada ano, menos para tomar banho .... do que para reandar os caminhos que andei" (Hélio Galvão, *Cartas da Praia,* p. 17).

reanimação. *S. f.* Ato ou efeito de reanimar(-se).

reanimado. [Part. de *reanimar.*] *Adj.* **1.** Que se reanimou. **2.** Que readquiriu energia.

reanimador (ô). *Adj.* **1.** Que reanima. ● *S. m.* **2.** Aquele ou aquilo que reanima.

reanimar. [De *re-* + *animar.*] *V. t. d.* **1.** Dar novo ânimo, vida nova, a: *O apoio do companheiro reanimou-o;* "Gosto de ouvir as crianças / que brincam à minha porta. / A gritaria que fazem / reanima esta rua morta." (Onestaldo de Pennafort, *Romanceiro,* p. 64.) **2.** Restituir à vida: *As massagens no coração reanimaram o cadáver;* "Este tempo serve, quando muito, para reanimar conversações moribundas" (Machado de Assis, *A Semana,* II, p. 9). **3.** Fortificar, tonificar, avigorar: *A forte bebida reanimou o viajante.* **4.** Restituir o uso dos sentidos, o movimento, o vigor, a: *Os medicamentos reanimaram o moribundo;* "Tirado em braços [do carro], levam-no [a Almeida Garrett] à farmácia das Necessidades, onde lhe dão cordiais que o reanimam e lhe permitem voltar para casa ao fim de uma hora." (José Osório de Oliveira, *O Romance de Garrett,* p. 177.) *Int.* e *p.* **5.** Tornar a animar-se; readquirir animação, força ou energia: *Alguns meses após a catástrofe, reanimaram-se as cidades, reanimaram-se os homens.*

reaparecer. [De *re-* + *aparecer.*] *V. int.* Tornar a aparecer: "uma esplêndida taça persa, dum desenho raro, com um renque de negros ciprestes, cada um abrigando uma flor de cor viva: e aquilo fazia lembrar breves sorrisos reaparecendo entre longas tristezas." (Eça de Queirós, *Os Maias,* II, p. 143). [F. paral., p. us.: *reparecer.* Conjug.: v. *aquecer.*]

reaparecimento. [De *reaparecer* + *-i-* + *-mento.*] *S. m.* Reaparição.

reaparição. [De *re-* + *aparição.*] *S. f.* Ato ou efeito de reaparecer; reaparecimento.

reaplicação. *S. f.* Ato ou efeito de reaplicar.

reaplicar. [De *re-* + *aplicar.*] *V. t. d.* Fazer nova aplicação de; tornar a aplicar: *reaplicar capitais.* [Conjug.: v. *trancar.*]

reapoderar-se. [De *re-* + *apoderar-se.*] *V. p.* Apoderar-se de novo.

reapreciar. [De *re-* + *apreciar.*] *V. t. d.* Apreciar outra vez.

reaprender. [De *re-* + *aprender.*] *V. t. d.* e *t. i.* Aprender novamente.

reapresentação. *S. f.* Ato ou efeito de reapresentar; nova apresentação.

reapresentar. [De *re-* + *apresentar.*] *V. t. d.* Apresentar novamente.

reaproveitamento. *S. m.* Ato ou efeito de reaproveitar.

reaproveitar. [De *re-* + *aproveitar.*] *V. t. d.* Aproveitar novamente.

reaproximação (ss). *S. f.* Ação ou efeito de reaproximar(-se).

reaproximar (ss). [De *re-* + *aproximar.*] *V. t. d., t. d. e. i.* e *p.* Tornar a aproximar(-se).

reaquecimento. *S. m.* Ato ou efeito de reaquecer.

reaquecer. [De *re-* + *aquecer.*] *V. t. d.* e *p.* Aquecer(-se) novamente. [Conjug.: v. *aquecer.*]

reaquisição. [De *re-* + *aquisição.*] *S. f.* Ato ou efeito de readquirir; nova aquisição.

reaquistar. [De *re-* + *aquistar.*] *V. t. d. Desus.* Readquirir.

rearborização. *S. f.* Ação ou efeito de rearborizar.

rearborizar. [De *re-* + *arborizar.*] *V. t. d.* Arborizar de novo.

rearmamento. *S. m.* Ação ou efeito de rearmar(-se).

rearmar. [De *re-* + *armar.*] *V. t. d.* e *p.* Armar(-se) novamente.

rearranjar. [De *re-* + *arranjar.*] *V. t. d.* Arranjar de novo; dar nova disposição a.

rearranjo. [Dev. de *rearranjar.*] *S. m.* Ato ou efeito de rearranjar.

rearrepender-se. [De *re-* + *arrepender-se.*] *V. p.* Tornar a arrepender-se.

rearticulação. *S. f.* Ato ou efeito de rearticular.

rearticular. [De *re-* + *articular*[2].] *V. t. d.* e *p.* Tornar(-se) a articular.

reascender. [De *re-* + *ascender.*] *V. t. i.* **1.** Ascender de novo: *O soberano reascendeu ao trono após três anos de luta. T. d.* e *c.* **2.** Fazer subir de novo; tornar a elevar: *O povo reascendeu ao trono o velho impera-*

dor. [Cf. *reacender.*]
reassentar. [De *re-* + *assentar.*] *V. t. d.* e *p.* Assentar(-se) novamente; tornar a assentar(-se).
reassumir. [Do lat. *reassumere.*] *V. t. d.* Assumir de novo; tomar novamente posse de: *O oficial demitido reassumiu o comando.*
reassunção. [De *re-* + *assunção.*] *S. f.* Ato ou efeito de reassumir; nova assunção.
reata. *S. f.* V. *arreata.*
reatamento. *S. m.* Ato ou efeito de reatar.
reatância. [Do ingl. *reactance.*] *S. f. Eletr.* Num circuito de corrente alternada, o módulo da parte imaginária da impedância do circuito.
reatar. [De *re-* + *atar*[1].] *V. t. d.* **1.** Atar de novo: *reatar o nó desfeito;* "Ele olhou para a mulher vil, sacudida no espasmo de jovialidade maligna, que o feria na face, e, *reatando* a máscara, afastou-se." (Domício da Gama, *Histórias Curtas,* pp. 19-20). **2.** Continuar aquilo que se tinha interrompido: *reatar velhas amizades.*
reate. *S. m.* V. *arreata.*
reativação. *S. f.* Ato ou efeito de reativar(-se).
reativado. [Part. de *reativar.*] *Adj.* Que se reativou; em que se deu reativação.
reativar. [De *re-* + *ativar.*] *V. t. d.* e *p.* Ativar(-se) de novo.
reatividade. *S. f.* **1.** Qualidade ou estado do que é reativo. **2.** *Eng. Nucl.* Parâmetro que mede o afastamento de um reator nuclear em relação à sua criticalidade, e é igual à diferença entre a unidade e o inverso do fator de multiplicação.
reativo. [De *re-* + *ativo.*] *Adj.* **1.** Que reage. ~ V. *corrente —a, fator — e potência —a.* *S. m.* **2.** *Quím.* Reagente (2).
reato. [Do lat. *reatu.*] *S. m.* **1.** Estado ou condição do réu. **2.** *Teol.* Obrigação de cumprir penitência dada pelo confessor. **3.** *Teol.* Condição do pecador antes de se arrepender (*reato da culpa*), ou apenas antes de ter oferecido uma satisfação adequada pelo pecado cometido (*reato da pena*). ♦ **Reato da culpa.** *Teol.* V. *reato* (3). **Reato da pena.** *Teol.* V. *reato* (3).
reator. (ô). *Adj.* **1.** Que reage. ● *S. m.* **2.** *Fís.-Quím.* Dispositivo em que ocorre uma reação química em geral com grandes quantidades de substâncias. **3.** *Fís. Nucl.* V. *reator nuclear.* **4.** *Eletr.* Choque[2]. ♦ **Reator atômico.** *Eng. Nucl.* V. *reator nuclear.* **Reator conversor.** *Eng. Nucl.* Reator nuclear em que, com base num material fértil, se forma uma substância físsil diferente da que é consumida na operação do aparelho. **Reator de potência.** *Eng. Nucl.* Reator nuclear que funciona como fonte produtora de energia. **Reator heterogêneo.** *Eng. Nucl.* Aquele cujo comportamento não pode ser satisfatoriamente explicado por meio de uma hipótese que admita uma distribuição homogênea de nêutrons no caroço. **Reator homogêneo.** *Eng. Nucl.* Reator nuclear em que existe uma repartição homogênea de nêutrons no caroço, ou cujo comportamento é satisfatoriamente explicado por uma hipótese que admita essa repartição. **Reator nuclear.** *Eng Nucl.* Equipamento em que se produz, de forma controlada, uma reação nuclear em cadeia, para aproveitar os nêutrons libertados ou a energia desprendida; reator atômico, pilha atômica. [Tb. se diz apenas *reator.*] **Reator rápido.** *Eng. Nucl.* Aquele em que as fissões nucleares são produzidas por nêutrons rápidos. **Reator regenerador.** *Eng. Nucl.* Reator nuclear em que, com base numa substância fértil, se forma uma substância físsil idêntica à que é consumida na sua operação. **Reator subcrítico.** *Eng. Nucl.* Aquele em que a reatividade é negativa. **Reator térmico.** *Eng. Nucl.* Reator nuclear em que a fissão é produzida por nêutrons térmicos.
reavaliação. *S. f.* Ato ou efeito de reavaliar.
reavaliar. [De *re-* + *avaliar.*] *V. t. d.* Avaliar de novo.
reaver. [De *re-* + *haver.*] *V. t. d.* Haver de novo; recobrar, recuperar: *É difícil reaver o tempo perdido.* [Irreg. e defect. Conjuga-se como *haver*, porém somente nas f. em que se mantém o *v.*]
reaviar. [De *re-* + *aviar.*] *V. t. d.* **1.** Fazer reentrar na via, no caminho: *O pastor reaviou a ovelha.* *T. d. e i.* **2.** Orientar, encaminhar, dirigir: *O padre reavia as almas a Deus;* "esforçou-se [Domingos José Gonçalves de Magalhães] por melhorar a sua linguagem [nos *Suspiros Poéticos e Saudades*], *reaviando-a* às boas normas gramaticais em vários pontos em que delas se afastara" (Sousa da Silveira, *in* D. J. G. de Magalhães, *Suspiros Poéticos e Saudades,* p. V). **3.** Guiar de novo; reconduzir: *O boiadeiro reavia o gado para a estrada.* *P.* **4.** Orientar-se ou guiar-se de novo: "—Sim, demorei-me a divagar sem rumo, / Perdi-me nestas matas intrincadas, / *Reaviei-me* e tornei." (Gonçalves Dias, *Obras Poéticas,* II, p. 27).
reavisar. [De *re-* + *avisar.*] *V. t. d.* e *t. d. e i.* Avisar de novo; tornar a advertir.
reaviso. [De *re-* + *aviso.*] *S. m.* Ato ou efeito de reavisar.
reavivamento. *S. m.* Ação ou efeito de reavivar.
reavivar. [De *re-* + *avivar.*] *V. t. d.* **1.** Avivar muito. **2.** Fazer reviver; tornar vivo no espírito: *Os primeiros filmes de Chaplin reavivam os primórdios do cinema.* **3.** Estimular a lembrança de (um fato, um sentimento, etc.); relembrar: *Os dois primos reavivaram fatos do passado.*
reavultar. [De *re-* + *avultar.*] *V. int.* Avultar consideravelmente.
rebabe. *S. m. Mús.* Var. de *rababe.*
rebaçã. [Var. de *arribação.*] *S. f. Bras.* V. *avoante.*
rebaixa. [Dev. de *rebaixar.*] *S. f.* Ato ou efeito de baixar ou rebaixar o preço.
rebaixado. [Part. de *rebaixar.*] *Adj.* **1.** Que se rebaixou. **2.** *Fig.* Desacreditado, infamado, aviltado. **3.** *Fig.* Vil, desprezível, abjeto.
rebaixador (ô). *S. m.* **1.** Aquele que rebaixa. **2.** Instrumento de carpinteiro, próprio para rebaixar os ângulos de uma peça de madeira.
rebaixamento. *S. m.* Ato ou efeito de rebaixar(-se); rebaixe, rebaixo.
rebaixar. [De *re-* + *baixar.*] *V. t. d.* **1.** Tornar mais baixo: *rebaixar um terreno.* **2.** Fazer diminuir o preço ou o valor de; aviltar: *A superprodução rebaixou o café.* **3.** Desacreditar, humilhar: *Orgulhosa, rebaixa todos os pretendentes.* *Int.* **4.** Diminuir na altura; abater; rebaixar-se: *O terremoto fez um terreno rebaixar.* *P.* **5.** Rebaixar (4): *Rebaixaram-se os montes por causa da erosão contínua.* **6.** Praticar atos indignos; aviltar-se, humilhar-se: *A busca do dinheiro leva muitos homens a rebaixarem-se.*
rebaixe. [Dev. de *rebaixar.*] *S. m.* **1.** V. *rebaixamento.* **2.** Abertura longitudinal em madeira, ou noutro material, para encaixe duma peça; rebaixo.
rebaixo. [Dev. de *rebaixar.*] *S. m.* **1.** V. *rebaixamento.* **2.** Parte baixa de terreno; depressão. **3.** A parte rebaixada de uma superfície. **4.** Teto inclinado. **5.** Compartimento esconso em vão de escada ou de rebaixo (4). **6.** Rebaixe (2). ~ V. *rebaixos.*
rebaixos. [Pl. de *rebaixo.*] *El. s. m. pl.* Us. na loc. *rebaixos do olho.* ♦ **Rebaixos do olho.** *Tip.* V. *contrapunção* (2). ~ V. *rebaixo.*
rebalsado. [Part. de *rebalsar.*] *Adj.* **1.** Que se rebalsou, se tornou pantanoso, se estagnou; estagnado: "A água *rebalsada* dá lugar a grandes fundões adormecidos." (Aquilino Ribeiro, *O Homem da Nave,* p. 178). **2.** *Fig.* Afundado no lodo, na podridão.
rebalsar. [De *re-* + *balsa* + *-ar*[2].] *V. int.* e *p.* **1.** Pisar como na balsa (1); patinhar, chafurdar. **2.** Tornar-se pantanoso; estagnar-se. **3.** Ter a qualidade de paul, de pântano.
rebanhada. *S. f.* **1.** Grande rebanho. **2.** *Fig.* Grande ajuntamento de pessoas.
rebanhar. [De *rebanho*[1] + *-ar*[2].] *V. t. d.* e *p.* V. *arrebanhar.*
rebanhio. *Adj.* Que anda em rebanho[1].
rebanho[1]. *S. m.* **1.** Porção de gado lanígero. **2.** *P. ext.* O total de qualquer espécie que constitui gado para corte: *O Brasil tem um grande rebanho bovino.* **3.** Porção de animais como carneiros, cabras, etc., guardados por pastor. **4.** Grande número de certos quadrúpedes que vivem em hordas, de ordinário em estado selvagem: *um rebanho de elefantes.* [Substitui o coletivo apropriado para cada espécie animal.] **5.** *Fig.* Conjunto de fiéis, em relação a seu pastor, papa, bispo ou pároco. [Cf. *redil* (2).] **6.** *Fig.* Grupo de pessoas que se deixam levar sem manifestar opinião e vontade próprias.
rebanho[2]. *S. m.* Espécie de ave da família dos falconiformes; gavião, francelho.
rebar. *V. t. d.* Encher (o vão de uma parede) com rebos. [Pres. ind.: *rebo,* etc.: pres. subj.: *rebe, rebes, rebe, rebemos, rebeis, rebem.* Cf. *rebo* (ê) e *rebém.*]
rebarba. [De *re-* + *barba.*] *S. f.* **1.** Saliência angulosa; quina, aresta. **2.** Engaste de pedras preciosas em anéis, brincos, etc. **3.** Saliência de obras de fundição. **4.** *Grav.* Aspereza deixada nas bordas do sulco pela ponta-seca ou por certo gênero de burilada. **5.** *Tip.* Espaço que sobra em torno do olho do tipo. [Cf. *ombro* (2) e *aproximação* (6).] **6.** *Tip.* Intervalo entre duas linhas de composição compacta, determinado pela rebarba do ombro do tipo. **7.** Excrescência, quase sempre irregular, que apresenta uma obra de fundição, por haver o metal entrado nas juntas da fôrma. **8.** Excrescência que se forma na seção cortada ou trabalhada de uma peça metálica.
rebarbar. *V. t. d.* **1.** Tirar as rebarbas a. *Int.* **2.** Refugar (4). **3.** *Bras. Mar. G.* Reclamar contra algo que lhe pareça injusto, inoportuno, inadequado ou prejudicial aos seus próprios direitos ou interesses.
rebarbativo. [Do fr. *rébarbatif.*] *Adj.* **1.** Repelente por ser desagradável; rude, agreste; carrancudo: *semblante rebarbativo.* **2.** Irritante, antipático, desagradável. **3.** Difícil, enfadonho; árido: *leitura rebarbativa.* **4.** *Bras. Mar. G.* Diz-se de quem está sempre a rebarbar (3).
rebate. [Dev. de *rebater.*] *S. m.* **1.** Ato ou efeito de rebater; rebatimento. **2.** Ataque imprevisto. **3.** Ataque ou combate ligeiro; escaramuça. **4.** Chamamento ou sinal para avisar um acontecimento repentino e perigoso. **5.** Anúncio, prenúncio; ameaça. **6.** Palpite, pressentimento, desconfiança. **7.** Vantagem que as empresas de navegação concedem aos embarcadores para obterem preferência nos embarques. **8.** *Desus.* Desconto que se faz em letra (7), título de crédito, promissória, etc., quando trocado(s) por dinheiro. **9.** *Bras., BA.* Alujá. ♦ **Rebate falso.** Sinal ou notícia falsa de um acontecimento esperado. **Tocar a rebate.** Tocar (o sino) apressadamente para avisar de perigo.
rebatedor (ô). *Adj.* **1.** Que rebate. ● *S. m.* **2.** Aquele que rebate. **3.** Aquele que desconta títulos de crédito, adianta quantias a receber, etc., com rebate (8): "Prometo .... escrever a favor do comércio, da indústria, ... dos cambistas, dos *rebatedores*, dos leiloeiros, dos despachantes" (Machado de Assis, *Crônicas,* I, pp. 235-236). **4.** *Fot.* Elemento utilizado para redirecionar a luz do dia ou a luz artificial.
rebater. [De *re-* + *bater.*] *V. t. d.* **1.** Bater novamente. **2.** Afastar com violência; repelir, rechaçar: *O exército rebateu os invasores.* **3.** Aparar (um golpe): *O lutador rebateu o soco.* **4.** Contestar, refutar, repelir: *Rebateu com energia as acusações.* **5.** Descontar (notas, recibos, etc.). **6.** Refrear, reprimir, conter: *É preciso rebater os impulsos violentos.* **7.** Combater, debelar (uma doença): *O remédio rebaterá a gripe.* **8.** Deitar sobre uma superfície horizontal (uma peça que se encontra de pé): *rebater um mastro sobre o chão.* **9.** Censurar, criticar, verberar, profligar: *O bom governante rebate os aduladores.* **10.** Desmentir, refutar: *rebater injúrias.* **11.** Adiantar com ágio. **12.** Dobrar, batendo; arrebitar: *rebater um prego.* **13.** Redactilografar: *Rebateu cuidadosamente as três últimas laudas.* *Int.* **14.** Agiotar, especular.
rebatida. [De *rebater* + *-ida.*] *S. f.* **1.** V. *rebatimento.* **2.** Desmentido, refutação.
rebatido. [Part. de *rebater.*] *Adj.* **1.** Muito batido; calcado. **2.** Que se voltou ou dobrou. **3.** Repelido, rechaçado. **4.** Descontado com ágio. **5.** Dactilografado de novo.
rebatimento. *S. m.* Ato ou efeito de rebater; rebate, rebatida.
rebatinha. [Do esp. *rebatiña.*] *S. f. Ant.* Coisa muito disputada. ♦ **Às rebatinhas.** À porfia; em disputa; a quem der mais.
rebatismo. [De *re-* + *batismo.*] *S. m.* Ato ou efeito de rebatizar; novo batismo.
rebatível. *Adj. 2 g.* Que pode ser rebatido.
rebatizar. [De *re-* + *batizar.*] *V. t. d.* Batizar de novo.
rebato. [Do ár. *ribāT*, 'fortificação para defender a fronteira'.] *S. m.* **1.** Degrau de escada. **2.** Soleira de porta: "Não pode dizer que a viu, não pode localizá-la no *rebato* da porta" (João Gaspar Simões, *O Mistério da Poesia,* p. 97).
rebeca. *S. f.* **1.** *P. us.* Rabeca (1). **2.** *Bras., SP.* Matula, farnel. [Cf. *rabeca.*]
rebeijar. [De *re-* + *beijar.*] *V. t. d.* Beijar de novo, ou repetidamente: "A quinta [Ondina] *rebeija-lhe* as mãos, enlevada / Num sonho feliz" (Gonçalves Crespo, *Obras Completas,* p. 320).
rebelão. [Do lat. *rebelle,* 'revel', + *-ão*[1].] *Adj.* **1.** Diz-se do cavalo que não obedece ao freio. **2.** *Fig.* Que não escuta a voz da razão; teimoso. [Fem.: *rebelona.*]
rebelar. [Do lat. *rebellare.*] *V. t. d.* **1.** Tornar rebelde; insurgir; revoltar: *As injustiças acabaram rebelando o povo.* *T. i.* **2.** Revoltar-se, insurgir-se: *Os vassalos rebelaram contra o rei.* *T. d. e i.* **3.** Fazer rebelar-se; insurgir-se: *Os altos tributos rebelaram as colônias contra Roma.* *P.* **4.** Insurgir-se, revoltar-se: *Narra a Bíblia que os anjos maus se rebelaram contra Deus, chefiados por Lúcifer;* "o gênio verdadeiro e original *se rebelava* abertamente contra a omnipotência da poética de Aristóteles" (Latino Coelho, *Cervantes,* p. 107). [Pres. ind.: *rebelo,* etc. Cf. *Rebelo* (ê), antr.]
rebelde. [Do esp. *rebelde.*] *Adj. 2 g.* **1.** Que se rebela

contra a autoridade constituída; insurgente, revoltoso. **2.** Teimoso, obstinado; indisciplinado: *Criança rebelde.* **3.** Indomável, indomesticável, bravo, bravio: *potro rebelde.* **4.** Difícil, árduo, rebarbativo. **5.** Diz-se da doença que cede a custo, ou não cede, ao tratamento. ~ V. *anjo* —. ● *S. 2 g.* **6.** Pessoa rebelde (1); insurgente, revoltoso. **7.** *P. ext.* Pessoa rebelde.

rebeldia. *S. f.* **1.** Ato de rebelde; rebelião, revolta. **2.** Qualidade de rebelde. **3.** *Fig.* Oposição, resistência. **4.** Teimosia, obstinação, birra.

rebelião. [Do lat. *rebellione.*] *S. f.* **1.** Ato ou efeito de rebelar(-se). V. *revolta* (2). **2.** V. *rebeldia* (1).

rebelionar. *V. t. d.* Pôr em rebelião; revoltar, sublevar.

rebelona. *Adj. (f.)* Fem. de *rebelão* [q. v.].

rebém. [Do fr. *raban*, 'corda usada por marinheiros'.] *S. m.* **1.** *Obsol.* V. *arrebém* (1 e 2). **2.** Azorrague que se usava para castigar os condenados. [Cf. *rebem*, do v. *rebar.*]

rebencaço. *S. m. Bras., RS.* Rebencada.

rebencada. *S. f.* Pancada com rebenque. [Sin., no RS: *rebencaço.*]

rebendito. [De *re-* + *bendito.*] *Adj.* Mais que bendito; muito abençoado; felicíssimo: "Bendita e rebendita / A idade austera e nobre a que chegamos." (Alberto de Oliveira, *Poesias*, 4ª série, p. 107.)

rebenque. [Do esp. plat. *rebenque.*] *S. m. Bras.* Pequeno chicote.

rebenqueado. [Part. de *rebenquear.*] *Adj. Bras.* **1.** Açoitado com rebenque; sovado. **2.** Cansado, estafado, esfalfado.

rebenqueador (ô). *S. m.* **1.** *Bras.* Aquele que rebenqueia. **2.** *Bras.* Aquele que castiga freqüentemente. **3.** *Bras., RS. Fig.* Encanto natural, fascínio, que faz sofrer de amor: *O rebenqueador da guria são aqueles olhos verdes.*

rebenquear. *V. t. d.* **1.** *Bras.* Fustigar com o rebenque. **2.** *Bras., RS. Fig.* Maltratar (alguém), principalmente em amores. [Conjug.: v. *frear.*]

rebentação. *S. f.* **1.** Ato ou efeito de rebentar. **2.** *Ocean. Fís.* Arrebentação (1).

rebentado. [Part. de *rebentar.*] *Adj.* V. *arrebentado.*

rebentão. [De *rebento* + *-ão*^{1}.] *S. m.* **1.** Broto que surge da raiz ou da base do tronco e forma nova planta. [Cf. *ladrão* (5).] **2.** *Fig.* Descendente (3). **3.** *Bras.* Arbusto de terrenos incultos. **4.** *Bras., NE.* Seca prolongada. [F. paral.: *arrebentão.*]

rebentãozal. [De *rebentão* (3) + *-z-* + *-al.*] *S. m. Bras., S.* Quantidade mais ou menos considerável de rebentões dispostos proximamente entre si.

rebentar. [Do lat. *repente*, 'repentinamente'?] *V. int.* **1.** Estourar, explodir: *As bombas rebentaram, destruindo a ferrovia.* **2.** Quebrar-se com violência: "Rebenta a onda na areia de ouro claro" (Raul Bopp, *Putirum*, p. 155). **3.** Aparecer ou manifestar-se violentamente; estourar: *A guerra civil espanhola rebentou em 1936.* **4.** Desencadear-se, soltar-se: *A tempestade rebentou.* **5.** Fazer-se em pedaços: *A louça atirada rebentou.* **6.** Soar com força. **7.** Irromper, manar: *A fonte rebentou no solo.* **8.** Lançar rebentos, renovos. **9.** Nascer, surgir, desabrochar. *T. i.* **10.** Estar ou ficar dominado (de algum sentimento): *Ao receber o presente longamente esperado, o menino rebentou de alegria:* **11.** Transformar-se, converter-se: "a natureza cedia passiva às preces dos santos eremitas, ao clamor piedoso das vítimas inocentes, rebentando em milagres." (Coelho Neto, *Treva*, p. 103). *T. d.* **12.** Quebrar com estrondo; fazer estalar. **13.** Fazer morrer de fadiga (o cavalo). [F. paral.: *arrebentar.*]

rebentina. [De *rebentar* (q. v.).] *S. f.* Acesso de fúria; raiva, ira: "Parece calmo; súbito explodem naquele corpo estreito rebentinas bravas" (Antero de Figueiredo, *Leonor Teles*, p. 203). [Var., p. us.: *rebentinha.*]

rebentinha. *S. f. P. us.* Var. de *rebentina.*

rebento. [Dev. de *rebentar.*] *S. m.* **1.** Nos vegetais, broto (1) no início do desenvolvimento; gomo, refilho, renovo, vergôntea. [Cf. *botão* (1).] **2.** *Fig.* Filho; descendente: *os rebentos de uma família ilustre.* **3.** *Fig.* Fruto, produto. [Var.: *arrebento.*]

rebentona. [De *rebentar.*] *S. f. Bras., S.* **1.** Negócio grave e duvidoso que está prestes a decidir-se. **2.** Revolta de caráter político; motim, sedição.

rebenzer. [De *re-* + *benzer.*] *V. t. d.* e *p.* Tornar a benzer(-se).

rebimbar. [De *re-* + *bimbar.*] *V. int. Bras., N.* e *MG.* No jogo de pôquer, repicar.

rebimbo. [Dev. de *rebimbar.*] *S. m. Bras., N.* e *MG.* Ato de rebimbar.

rebiopsiar. *V. t. d. Patol.* Efetuar nova biópsia em.

rebique. *S. m.* Var. de *arrebique.*

rebitagem. *S. f.* Ato ou operação de rebitar (2). [Sin., bras.: *rebitamento.*]

rebitamento. *S. m. Bras.* Rebitagem.

rebitar. *V. t. d.* **1.** V. *arrebitar.* **2.** Ligar (chapas ou peças de metal) por meio de rebites [v. *rebite* (1)].

rebite. [Do ár. *ribāṭ*, 'laço, atadura'.] *S. m.* **1.** Cilindro de metal, com cabeça, destinado a unir permanentemente duas chapas ou peças de metal: depois de introduzido num orifício que atravessa as chapas ou peças, e cuja extremidade oposta à cabeça é bem martelada depois de ser ele introduzido num orifício que atravessa as chapas ou peças, de modo que se forme outra cabeça, que o impede de sair do orifício. [O martelamento pode ser feito com a extremidade do rebite aquecida ao rubro, ou na temperatura ambiente. Var.: *arrebite.*] **2.** Dobra na extremidade de um prego para que não saia da madeira.

rebo (ê). [Do lat. *replu*, atr. de uma f. vulg. **repulu.*] *S. m.* Pedra tosca; calhau. [Pl.: *rebos* (ê). Cf. *rebo*, do v. *rebar.*]

reboante. [Do lat. *reboante.*] *Adj. 2 g.* Que reboa; retumbante.

reboar. [Do lat. *reboare.*] *V. int.* Fazer eco; repercutir, retumbar: "Os trovões .... começavam a ecoar nos montes, a reboar no rio e, enfim, a estalar em volta da cidade" (Alexandre Herculano, *O Monge de Cister*, II, pp. 224-225); "Do lado da barra reboava o mugido das vagas" (Camilo Castelo Branco, *Perfil do Marquês de Pombal*, p. 190); "No recesso da brenha um som rouco reboou." (Coelho Neto, *Banzo*, p. 91). [Conjug.: v. *coroar.*]

rebobinadeira. [De *rebobinar* + *-deira.*] *S. f. Ind. Pap.* Aparelho que, recebendo o papel disposto na enroladeira da máquina contínua [q. v.], bobina em definitivo a folha e a corta nas larguras desejadas; bobinadeira, bobinosa.

rebobinar. [De *re-* + *bobinar.*] *V. t. d. Ind. Pap.* Bobinar nova e definitivamente, para expedição (o papel recém-fabricado na máquina contínua), desenrolando-o da enroladeira e, quando preciso, cortando-o longitudinalmente.

rebocado^1. [Part. de *rebocar*^{1}.] *Adj.* **1.** Revestido de reboco. **2.** Excessiva ou imperfeitamente maquilado.

rebocado^2. [Part. de *rebocar*^{2}.] *Adj.* Levado a reboque^2.

rebocador^1 (ô). [De *rebocar*^{1} + *-(d)or.*] *Adj.* e *s. m.* Que, ou aquele que reboca, que reveste de reboco.

rebocador^2 (ô). [De *rebocar*^{2} + *-(d)or.*] *Adj.* **1.** Diz-se de embarcação que leva outra a reboque. ● *S. m.* **2.** Embarcação, em geral de pequeno tamanho, grande robustez, elevada potência de máquina e boa mobilidade, destinada a rebocar outras embarcações. **3.** *Bras. N.E.* Agente dos seringais amazônicos que viaja pelos sertões e pelas cidades nordestinas, aliciando para a Amazônia as populações flageladas pela seca.

rebocadura. *S. f.* Ato de rebocar^1; reboque, reboco.

rebocar^1. [Do lat. *revocare*, 'chamar de novo, novamente (as paredes) ao primitivo estado de beleza'.] *V. t. d.* **1.** Revestir de reboco: *O pedreiro já rebocou a parede.* **2.** Maquilar em excesso e/ou imperfeitamente. [Conjug.: v. *trancar.* Pres. ind.: *reboco*, etc. Cf. *reboco* (ô).]

rebocar^2. [Do gr. *rhymoulkéo*, pelo lat. **remulcare* < *remulcu*, 'corda para içar', atr. das f. **remolcar*, **remurcar* e **reborcar.*] *V. t. d.* **1.** Puxar com corda, cabo, corrente, etc. (embarcação ou veículo), a fim de levá-lo a determinado destino, ou auxiliá-lo em manobra de atracação, desatracação, etc.; reboquear: *O Departamento de Trânsito rebocou o carro mal estacionado.* **2.** *Bras. Gír.* Estar em companhia de; estar de braço dado com; comboiar: *rebocar uma mulher.* [Conjug.: v. *trancar.* Pres. ind.: *reboco*, etc. Cf. *reboco* (ô).]

reboco (ô). [Dev. de *rebocar*^{1}.] *S. m.* **1.** V. *rebocadura.* **2.** *Constr.* Argamassa de cal, ou de cimento, e areia, que se aplica a uma parede, depois de esta emboçada, para lhe proporcionar uma superfície lisa e uniforme, apta a receber pintura ou outro material de revestimento; reboque. **3.** Substância com que se reveste a superfície interior dum vaso, para vedá-lo, etc. [Pl.: *rebocos* (ô). Cf. *reboco*, do v. *rebocar.*]

reboço (ô). [De *re-* + *(em)boço.*] *S. m. Bras.* Novo emboço. [Pl.: *reboços* (ô).]

rebojar^1. [De *re-* + *bojar.*] *V. int. Bras.* Formar bojo; remoinhar, redemoinhar. [Pres. ind.: *rebojo*, etc. Cf. *rebojo* (ô).]

rebojar^2. *V. t. d. Bras.* Juntar (o gado); aboiar. [Pres. ind.: *rebojo*, etc. Cf. *rebojo* (ô).]

rebojo (ô). [Dev. de *rebojar*^{1}.] *S. m. Bras.* **1.** Repercussão ou redemoinho do vento, provocado por mudança repentina de direção. **2.** Redemoinho ou contracorrente causada pela sinuosidade do rio ou pelos acidentes do seu leito ou das suas margens. **3.** Espumarada que a água faz no mar e nos rios. **4.** *Bras., S.* O vento sudoeste. [Pl.: *rebojos* (ô). Cf. *rebojo*, do v. *rebojar.*]

rebolada. *S. f.* **1.** *Bras.* Área ocupada por uma só espécie de plantas nativas. **2.** *Bras.* Grupo de árvores ou de vegetação arbustiva que sobressai, num campo; reboleira. [Cf. *capão*^{2}.] **3.** *Bras., N.* V. *reboleira*^{1} (3). **4.** *Bras., PB.* Pequena cultura agrícola.

rebolado. [Part. de *rebolar.*] *Adj.* **1.** Em que se rebola ou saracoteia: *dança rebolada.* ~V. *teatro* —. ● *S. m.* **2.** Meneio de quadris; rabanada, saracoteio. **3.** V. *teatro rebolado*: "nesse mar de aplausos partiu a sambar Teresa Batista, estrela do rebolado" (Jorge Amado, *Teresa Batista Cansada de Guerra*, p. 61). ♦ **Perder o rebolado.** *Bras. Pop.* V. *perder a graça*: *Quando eu desmentir tudo, o caloteiro vai perder o rebolado.*

rebolante. *Adj. 2 g.* Que (se) rebola.

rebolão. [De *rábula*?] *Adj.* **1.** V. *fanfarrão.* ● *S. m.* **2.** Indivíduo fanfarrão.

rebolar. [De *re-* + *bola* + *-ar*^{2}.] *V. t. d.* **1.** Fazer mover como uma bola; rolar: *rebolar um barril.* **2.** Saracotear (1): *Ao andar, rebola o corpo*; "Retorna à cozinha rebolando as ancas" (Antônio Olavo Pereira, *Marcoré*, p. 13). *Int.* e *p.* **3.** Mover-se em torno de um centro; rolar sobre si mesmo. **4.** Bambolear(-se), saracotear(-se), gingar; rebolir. [Pres. ind.: *rebolo*, etc. Cf. *rebolo* (ô).]

rebolaria. [De *rabularia*, decerto.] *S. f.* V. *fanfarrice* (2).

rebolativo. *Adj.* Próprio de quem se rebola: *andar rebolativo.*

rebolcar. [Var. de *revolcar.*] *V. t. d.* e *i.* **1.** Fazer mover como uma bola; fazer rebolar; lançar, fazendo rolar. **2.** Revolver, virando. **3.** Lançar, atirar, precipitar, arrojar. *P.* **4.** Atolar, chafurdar. **5.** Espojar-se, rebolar-se. [Conjug.: v. *trancar.*]

reboldrosa. *S. f. Bras.* Var. de *rebordosa.*

rebolear. [De *re-* + *bolear.*] *V. t. d. Bras., RS.* **1.** Dar movimento de rotação a (o laço ou as bolas) para arremessá-los contra o animal que se quer prender. *P.* **2.** Rebolar (3 e 4). [Conjug.: v. *frear.*]

reboleira^1. [De *rebolo* (5); + *-eira.*] *S. f.* **1.** A parte mais basta de uma seara, prado ou arvoredo; reboleiro. **2.** *Bras.* Rebolada (2). **3.** *Bras.* Capão, touça, moita; rebolada.

reboleira^2. [De *rebolo* + *-eira.*] *S. f.* Lodo que se acumula na caixa onde gira a pedra de amolar.

reboleiro^1. [Var. de *reboleira.*] *S. m.* Reboleira^1 (1).

reboleiro^2 [De *bola.*] *S. m.* Chocalho grande que, em geral, se prende ao pescoço dos animais.

reboleiro^3. [De *rebolar.*] *Adj.* **1.** *Bras.* Diz-se do gado que vive em redor das casas: "O gado reboleiro .... parou no meio do campo, de cabeça em pé" (Amadeu de Queirós, *João*, p. 112). **2.** *Bras., CE.* Diz-se do boi que não se deixa prender facilmente; velhaco.

reboliço. *Adj.* **1.** Que tem forma de rebolo. **2.** Que rebola. [Cf. *rebuliço.*]

rebolir. [Var. de *rebolar.*] *Bras. V. int.* e *p.* **1.** Rebolar (4). **2.** Andar depressa; girar, agitar-se. *T. d.* **3.** Bambolear, saracotear, rebolar: "ensaboava, jogando violentamente o busto, rebolindo os quadris nutridos." (Coelho Neto, *Turbilhão*, p. 62). [Cf. *rebulir.*]

rebolo (ô). [Dev. de *rebolar.*] *S. m.* **1.** Mó de arenito, fixada num eixo giratório, e na qual se roçam os objetos que se deseja afiar. **2.** *Bras.* Lugar aonde se levam os galos cuja luta promete demorar e se tornou desinteressante. **3.** *Bras., N.E.* Pedra ou pedaço de tijolo ou de telha usados como projetil. **4.** *Bras., N.E.* Parte da cana-de-açúcar com dois ou mais gomos, usada no plantio. **5.** *Prov. lus.* Qualquer seixo. **6.** *Pop.* Cilindro. [Pl.: *rebolos* (ô). Cf. *rebolo*, do v. *rebolar.*]

rebolqueada. [De *rebolquear-se* + *-ada*^{2}.] *S. f. Bras., RS.* Ato de rebolquear-se.

rebolquear-se. *V. p. Bras., RS.* Rebolcar-se (o animal) para se livrar do laço. [Conjug.: v. *frear.* Normalmente é defect.]

reboludo. [De *rebolo* + *-udo.*] *Adj.* Grosso e arredondado: "Uma grossa e espessa sanefa de cabelo amarelo .... cobre-lhe a testa reboluda e cai-lhe nos olhos" (Ramalho Ortigão, *A Holanda*, p. 42).

rebombar. [De *re-* + *bombo* + *-ar*^{2}.] *V. int.* *ribombar.*

rebombeação. [De *abombar.*] *S. f. Bras., S. Gír.* **1.** Fraqueza, debilidade, fragilidade. **2.** Mau estado.

rebôo. [Dev. de *reboar.*] *S. m.* Ato de reboar: "A rua, uma lindeza de lisura. Por ela, engrossando em empolado rebôo, arqueava-se o pregão dos vendedores" (Gilberto Amado, *Depois da Política*, p. 164).

reboque^1. [Dev. de *rebocar*^{1}.] *S. m. Desus.* **1.** V. *rebocadura.* **2.** Reboco (2).

reboque^2. [Dev. de *rebocar*^{2}.] *S. m.* **1.** Ato ou efeito de rebocar[2]. **2.** Corda, cabo, corrente, etc., que prende uma embarcação ou um veículo a outro que o reboca. **3.** Veículo sem tração própria, que se movimenta quando rebocado por outro. **4.** *Bras.* Veículo munido de quindaste, próprio para rebocar outro que se tenha avariado; socorro, guincho, carro-guincho. [Este mesmo veículo reboca também os carros que hajam incorrido em multa que a isto os sujeite.] **5.** *Fig.* Ato de levar atrás de si alguém, subordinado. **6.** *Bras., PE. Pop.* V. *meretriz.* ♦ **A reboque.** *Bras.* Como caudatário; sem independência; servilmente.

reboquear. *V. t. d.* Rebocar[2] (1). [Conjug.: v. *frear.*]

reboquismo. [De *reboque*[2] + *-ismo.*] *S. m. Bras.* Falta de opinião própria, de independência; servilismo.

reboquista. [De *reboque*[2] + *-ista.*] *Adj. 2 g.* e *s. 2 g. Bras.* Que ou quem não tem opinião própria; que ou quem vai a reboque.

rebordagem. [De *borda.*] *S. f.* **1.** Prejuízo causado aos navios que abalroam. **2.** Indenização de tal prejuízo.

rebordão. [De *borda.*] *Adj.* Diz-se de vegetal bravio, silvestre, utilizado para sebe viva.

rebordar. [De *re-* + *bordar.*] *V. t. d.* **1.** Bordar de novo, ou demoradamente. **2.** Alisar as arestas ou os cantos de (vidros polidos). *Int.* **3.** Fazer bordado muito cheio, com fios sobrepostos. [Pres. ind.: *rebordo, rebordas, reborda,* etc. Cf. *rebordo* (ô).]

rebordo (ô). *S. m.* Borda revirada: "Sentado no rebordo do tanque redondo e sem água que ornava o pátio, ... o Titó movia lentamente como um leque um velho chapéu de palha" (Eça de Queirós, *A Ilustre Casa de Ramires,* p. 35). [Pl.: *rebordos* (ó). Cf. *rebordo,* do v. *rebordar.*]

rebordosa. [De *rebordo* (ô) + o fem. de *-oso.*] *S. f. Bras.* **1.** V. *repreensão* (1). **2.** Doença grave. **3.** Situação desagradável; contingência(s) dura(s). **4.** Reincidência de moléstia. [Var.: *reboldrosa.*]

reborquiada. *S. f. Bras., S.* Pealo (1).

rebotalho. [De *rebotar*[1] (1) + *-alho.*] *S. m.* **1.** Coisa sem valor; ninharia, insignificância. **2.** Restos inúteis; refugo. **3.** Pedacinho, migalha, cigalho.

rebotar[1]. [De *reboto* (ô) + *-ar*[2].] *V. t. d.* **1.** Tornar boto; embotar: *rebotara navalha. P.* **2.** Enfastiar-se de fazer algo; desalentar-se. [Pres. ind.: *reboto, rebotas, rebota,* etc. Cf. *reboto* (ô) e as flex. *rebota* (ô), *rebotas* (ô).]

rebotar[2]. [De *re-* + *botar*[1].] *V. t. d. P. us.* Repelir, rechaçar. [Pres. ind.: *reboto, rebotas, rebota,* etc. Cf. *reboto* (ô) e as flex. *rebota* (ô), *rebotas* (ô).]

rebote[1]. *S. m.* Var. de *rabote.*

rebote[2]. [Do esp. *rebote.*] *S. m. Bras.* **1.** Segundo salto da péla ou pelota. **2.** *Basq.* Bola que, lançada à cesta, não se converte em ponto e é disputada debaixo da cesta. **3.** *Fut.* Volta de uma bola que vem rebatida: "Aos 45 minutos, após um rebote da zaga, a bola surgiu para Leandro que acertou um balaço que bateu no travessão, desceu nas costas de Paulo Vítor e entrou nas redes, levando ao delírio a galera do Flamengo." (*Jornal dos Sports,* 12.12.1985.)

reboto (ô). [De *re-* + *boto* (ô)[3].] *Adj.* **1.** Sem fio ou gume; que se embotou; cego. **2.** Rude, áspero, agreste. [Flex: *rebota* (ô), *rebotas* (ô), *rebotos* (ô). Cf. *reboto, rebotas, rebota,* do v. *rebotar.*]

reboucense. *Adj. 2 g.* **1.** De, ou pertencente ou relativo a Rebouças (PR). ● *S. 2 g.* **2.** Natural ou habitante de Rebouças.

rebraço. [De *re-* + *braço.*] *S. m. Ant.* A parte da armadura (1) que resguardava o braço desde o cotovelo ao ombro.

rebramar. [De *re-* + *bramar.*] *V. int.* **1.** Estrondear, ressoar, ribombar, retumbar: *rebramam os trovões na tempestade.* **2.** Bramar intensamente; rebramir: "Rebramam os ventos..." (Castro Alves, *Obra Completa,* p. 113). **3.** Irar-se, encolerizar-se, enfurecer-se.

rebramir. [De *re-* + *bramir.*] *V. int.* **1.** Bramir com intensidade; rebramar. *T. d.* **2.** Emitir, despedir, soltar, rebramindo: "Emboca a tuba lúgubre, estridente, / Em que aprendeste a rebramir teus brados!" (Castro Alves, *Poesias Escolhidas,* p. 312.)

rebrilhante. *Adj. 2 g.* Que rebrilha; esplendoroso, resplandecente, rebrilhoso.

rebrilhar. [De *re-* + *brilhar.*] *V. int.* **1.** Voltar a brilhar: *A chama quase extinta rebrilhou.* **2.** Brilhar com maior intensidade. **3.** Brilhar muito; resplandecer: "de repente uma visão rebrilhou, flamejou" (Eça de Queirós, *O Mandarim,* p. 40).

rebrilho. [De *re-* + *brilho.*] *S. m.* Brilho intenso: "E até a bela D. Ana se animou, com um sorriso lânguido dos beiços cheios, mais vermelhos que cerejas maduras sobre o fresco rebrilho dos dentes pequeninos" (Eça de Queirós, *A Ilustre Casa de Ramires,* p. 115).

rebrilhoso (ô). [De *re-* + *brilhoso.*] *Adj.* V. *rebrilhante:* "o cabelo esticado rebrilhoso e duro" (Autran Dourado, *As Imaginações Pecaminosas,* p. 47).

rebrotar. [De *re-* + *brotar.*] *V. int.* Brotar novamente.

rebu. [F. red. de *rebuliço.*] *S. m. Bras. Gír.* Confusão, agitação; rebuliço.

rebuçado. [Part. de *rebuçar.*] *S. m.* **1.** Bala (5) à qual se acrescentam essências de frutas ou de plantas, e que geralmente é embrulhada em papel. **2.** *Fig.* Aquilo que se faz ou diz com esmero. ● *Adj.* **3.** Encoberto com rebuço; embuçado. **4.** Escondido, oculto.

rebuçar. [De *re-* + *(em) buçar.*] *V. t. d.* **1.** Encobrir com rebuço; embuçar: *O grande capote rebuçava-lhe o rosto.* **2.** Esconder, ocultar, velar: *Uma leve cortina rebuça a alcova.* **3.** Disfarçar, dissimular: *Procurava rebuçar a tristeza mostrando-se indiferente. P.* **4.** Velar ou cobrir parte da face. **5.** Disfarçar-se, dissimular-se: "Quando mais a gente as deseja, não é quando elas andam .... quase despidas por essas ruas; é quando elas se recatam, quando se embiocam, quando se rebuçam" (Júlio Dantas, *Figuras de Ontem e de Hoje,* p. 35). **6.** Esconder-se, ocultar-se. [Conjug.: v. *laçar.*]

rebuço. [Dev. de *rebuçar.*] *S. m.* **1.** A parte da capa em que se esconde o rosto: "Agora o rebuço, que lhe escondera as feições, pregado com elegância, descaía sobre os ombros." (Rebelo da Silva, *Bosquejos Histórico-Literários,* I, p. 59.) **2.** Lapela. **3.** *Fig.* Falta de sinceridade; fingimento. **4.** Disfarce, dissimulação: "No escuro da sala, por todos os lados os pares de amorosos se beijavam e acariciavam sem rebuço, fazendo-me sentir mais alheio e mais só." (José Rodrigues Miguéis, *Léah,* p. 187.)

rebuliçar. *V. int. Bras.* Estar em rebuliço; mexer-se, agitar-se. [Conjug.: v. *laçar.*]

rebuliço. [De *re-* + *bulício.*] *S. m.* **1.** Grande barulho ou bulício; bulha. **2.** Agitação, motim, desordem, confusão. **3.** Gente em alvoroço. [Cf. *reboliço.*]

rebulir. [De *re-* + *bulir.*] *V. t. d.* **1.** Bulir novamente; tornar a bulir. **2.** Corrigir, emendar, retocar, polir: *rebulir um escrito. T. i.* **3.** Tornar a bulir, a tocar: *A briga começou quando ele rebuliu no delicado assunto.* [Irreg. Conjug.: v. *bulir.* Cf. *rebolir.*]

rébus. [Do fr. *rébus.*] *S. m. 2 n.* O ideograma no estágio em que deixa de significar diretamente o objeto que representa para indicar o fonograma correspondente ao nome desse objeto.

rebusca. [Dev. de *rebuscar.*] *S. f.* Ato de rebuscar; rebuscamento, rebusco. [Cf. *rebusque.*]

rebuscado. [Part. de *rebuscar.*] *Adj.* **1.** Que se rebuscou, se tornou a buscar. **2.** *Fig.* Apurado com excessivo esmero; requintado, buscado: "Sua linguagem [a de Henry James] rebuscada e metafórica .... levantava barreiras quase intransponíveis à compreensão comum" (Eugênio Gomes, *Espelho contra Espelho,* p. 221).

rebuscamento. *S. m.* **1.** V. *rebusca.* **2.** Efeito de rebuscar. **3.** Qualidade do que é rebuscado ou requintado.

rebuscar. [De *re-* + *buscar.*] *V. t. d.* **1.** Tornar a buscar: "Tirou um cigarro do bolso, rebuscou a caixa de fósforos e, como não a encontrasse, teve um ímpeto de cólera" (Coelho Neto, *Turbilhão,* p. 25). **2.** Buscar com toda a minúcia: *Percorre a mata rebuscando borboletas raras.* **3.** Ataviar com excesso; requintar: *Escritor gongórico, procura rebuscar o estilo.* **4.** Coligir, catar. *P.* **5.** *Bras., RS.* Conseguir algo para si por expedientes; filar; arranjar-se. [Conjug.: v. *trancar.*]

rebusco. [Dev. de *rebuscar.*] *S. m.* V. *rebusca.*

rebusnante. *Adj. 2 g. Desus.* Que rebusna.

rebusnar. [Do esp. *rebuznar.*] *V. int. Desus.* V. *zurrar* (1).

rebusno. [Dev. de *rebusnar.*] *S. m. Desus.* V. *zurro* (1).

rebusque. [Dev. de *rebuscar.*] *S. m. Bras., RS.* Ação de rebuscar-se; arranjo, negociata. [Cf. *rebusca.*]

recacau. *S. m. Bras.* Desordem, confusão, balbúrdia, tumulto.

recachar[1]. [De *recacho* + *-ar*[2].] *V. t. d.* Erguer (os ombros) com afetação.

recachar[2]. [De *re-* + *cachar*[1].] *V. int.* Retribuir com cilada outra cilada.

recacho. [De *re-* + *cacho*[2].] *S. m.* **1.** Postura elegante; aprumo. **2.** Postura afetada, altiva. **3.** Desabrimento, aspereza, rudeza. **4.** Desabafo, expansão.

recadastramento. *S. m.* Ato ou efeito de recadastrar.

recadastrar. [De *re-* + *cadastrar.*] *V. t. d.* Tornar a cadastrar.

recadeiro. *Adj.* **1.** Referente a recados [v. *recado*[1] (1 e 2).

2. Que vai a recados. ● *S. m.* **3.** Indivíduo que vai a recados, ou que faz recados; recadista.

recadista. *S. 2 g.* Recadeiro (3).

recado[1]. [Talvez do lat. vulg. **recapitu,* part. pass. de um **recapitare* < *receptare,* 'receber', 'acolher', 'recuperar'.] *S. m.* **1.** Mensagem (1) oral. **2.** Comunicação escrita ou oral. **3.** *Fam.* V. *repreensão* (1). ~ V. *recados.* ♦ **Dar o recado.** *Bras.* **1.** Dar conta do recado. **2.** Transmitir com eficácia ao leitor, ouvinte ou espectador, as idéias ou mensagem contidas em livro, filme, canção, obra de arte, palestra, entrevista, etc.

recado[2]. *S. m.* Var. de *recato.* ~V. *recados.* ♦ **A recado.** V. *a bom recado.* **A bom recado.** Livre de perigo; a salvo; em seguro; a recado; a bom recato.

recados[1]. [Pl. de *recado*[1].] *S. m. pl.* Comprimentos, lembranças. ~ V. *recado.*

recados[2]. *S. m. pl. Bras., RS.* Recaus [q. v.]. ~ V. *recado.*

recaída. [De *recair* + *-ida.*] *S. f.* **1.** Ato ou efeito de recair; recaimento. **2.** *Med.* Reaparecimento ou recrudescimento do quadro clínico de uma doença, estando o paciente em convalescença.

recaidiço (a-i). *Adj.* Que recai novamente; sujeito a recair.

recaimento (a-i). [De *recair* + *-mento.*] *S. m.* Recaída (1).

recair. [De *re-* + *cair.*] *V. int.* **1.** Cair outra vez. **2.** Voltar a um estado anterior, que se deixara ou que cessara; reincidir: "a música perdia-se, morria na distância, como levada pelo vento, e o silêncio recaiu." (Coelho Neto, *Turbilhão,* p. 161). **3.** Sofrer recaída (2): *O doente recaiu. T. i.* **4.** Tornar a cair (em culpa ou erro); incidir, reincidir: *Repreendido, não tardou que recaísse na mesma falta.* **5.** Tornar a adoecer da mesma moléstia; ter recaída. **6.** Ter por objeto algum assunto. **7.** Pesar, incidir: *A culpa recaiu sobre um inocente.* **8.** Incidir, cair: *Oxítonas são as palavras cujo acento recai na última sílaba.* [Irreg. Conjug.: v. *sair.*]

recalar. *V. int. Ant.* Buscar (o navio negreiro) o lugar próprio para o recebimento da carga.

recalcado. [Part. de *recalcar.*] *Adj.* **1.** Bem calcado. **2.** Concentrado, reprimido, retido. **3.** Que sofre de recalque. **4.** *Bras., RS.* Cansado de muito peso. **5.** Diz-se do indivíduo remisso, indolente, que foge do trabalho. ● *S. m.* **6.** Aquele que sofre de recalque (3).

recalcador (ô). *Adj.* **1.** Que recalca. ● *S. m.* **2.** Instrumento próprio para se recalcar a balsa (1).

recalcamento. *S. m.* Ato ou efeito de recalcar; recalque.

recalcar. [Do lat. *recalcare.*] *V. t. d.* **1.** Calcar outra vez; repisar: *recalcar o terreno.* **2.** Insistir em: *recalcar um pedido.* **3.** Impedir a expansão de; conter, reprimir, refrear: *recalcar o sentimentalismo.* **4.** *Bras., S.* Luxar (um membro): *Com a queda, recalcou a perna.* [Conjug.: v. *trancar.*]

recalcável. *Adj. 2 g.* Que pode ser recalcado.

recalcitração. *S. f.* Ato ou efeito de recalcitrar; recalcitrância.

recalcitrância. *S. f.* **1.** Qualidade de recalcitrante. **2.** Recalcitração.

recalcitrante. *Adj. 2 g.* Que recalcitra; obstinado, teimoso.

recalcitrar. [Do lat. *recalcitrare.*] *V. int.* **1.** Resistir, desobedecendo; não ceder; teimar; replicar; obstinar-se: *Branda é a pena para os que não recalcitram.* **2.** Insurgir-se, revoltar-se; rebelar-se: *Teve ordem de prisão, e recalcitrou.* **3.** Dar coices (o animal). *T. i.* **4.** Resistir com obstinação; insurgir-se, revoltar-se, rebelar-se: "Não há recalcitrar contra o amor, força é ceder." (Júlio Ribeiro, *A Carne,* p. 199.) **5.** Resistir, desobedecendo; não ceder; revoltar-se, rebelar-se, insurgir-se: "A pobre mulher, petrificada de terror, não respondia a tais estímulos, ou recalcitrava na pertinácia de se deixar matar." (Camilo Castelo Branco, *Carlota Ângela,* p. 128.) **6.** Retorquir ou replicar de modo descortês: *Interpelado, recalcitrou veemente à interpelação. T. d.* **7.** Dizer, responder, recalcitrando: *— Aceita a oferta? — De modo nenhum! recalcitrou o interrogado.* [Sin. ger.: *calcitrar.*]

recalcular. [De *re-* + *calcular.*] *V. t. d.* Calcular de novo.

recaldear. [De *re-* + *caldear*[1].] *V. t. d.* **1.** Caldear[1] novamente. **2.** Caldear[1] bem. [Conjug.: v. *frear.*]

recalescência. [Do lat. *recalescente,* part. pass. de *recalescere,* 'reaquecer'.] *S. f.* A produção de calor que ocorre quando se esfria o ferro ou o aço e ao fazê-los passar pelo ponto crítico.

recalmão. [De *re-* + *calma* + *-ão*[3].] *S. m. Mar.* Intervalo de bonança nas fortes ventanias ou temporais do mar.

recalque. [Dev. de *recalcar.*] *S. m.* **1.** Recalcamento. **2.** *Constr.* Rebaixamento da terra ou da parede após a construção da obra. **3.** *Psic.* A exclusão, do campo da consciência, de certas idéias, sentimentos e desejos, que o indivíduo não quisera admitir, e que, no entanto, continuam a fazer parte da vida psíquica, suscitando, não raro, graves distúrbios.

recamador (ô). *S. m.* **1.** Aquele que recama. **2.** Bordador que faz recamos [v. *recamo* (1)].

recamadura. *S. f.* V. *recamo.*

recamar. [Do it. *ricamare.*] *V. t. d.* **1.** Fazer recamo a; ornar com bordado em relevo: *recamar um vestido.* **2.** Adornar, enfeitar, ornamentar. **3.** Cobrir, recobrir, revestir: *Nuvens negras recamam o céu. T. d. e i.* **4.** Cobrir, encher, revestir: *A primavera recama de flores as matas. P.* **5.** Encher-se, cobrir-se, forrar-se: "De amenas flores se recamam prados" (Almeida Garrett, *Camões,* p. 9). [M.-q.-perf.: *recamara,* etc. Cf. *recâmara.*]

recâmara. [De *re-* + *câmara.*] *S. f.* **1.** Alcova (1): "subira [a cavalgada] silenciosa, achegada aos muros, a postar-se à entrada das casas onde Maria Teles nesse momento dormia, em recâmara de fortes portas" (Antero de Figueiredo, *Leonor Teles,* p. 168). **2.** Alfaia de uso doméstico. [Cf. *recamara,* do v. *recamar.*]

recambiar. [De *re-* + *cambiar.*] *V. t. d.* **1.** Devolver (uma letra não paga ou não aceita). **2.** V. *ressacar.* **3.** Fazer retornar ao lugar de onde viera: *A polícia recambiou o fugitivo. T. d. e i.* **4.** Reenviar, devolver: *Recambiou o filho ao internato. Int.* **5.** *Bras., SP.* Dar uma volta inteira com o corpo. [Pres. ind.: *recambio,* etc. Cf. *recâmbio.*]

recambiável. *Adj. 2 g.* Que pode ser recambiado.

recâmbio. [Dev. de *recambiar.*] *S. m.* **1.** *Jur.* Ato ou efeito de recambiar. **2.** *Jur.* A importância dos gastos efetuados com a negociação de um ressaque. [V. *ressaque* (2) e *retorno* (5). Cf. *recambio,* do v. *recambiar.*]

recambó. *S. m.* Tempo que dura um jogo de vaza, até se completar certo número de mãos ou partidas.

recamo. [Do it. *ricamo,* ou dev. de *recamar.*] *S. m.* **1.** Bordado ou ornato em relevo, sobre tecido: "As bordaduras e os recamos de oiro, os veludos e sedas de fora, talhados à francesa, resplandeciam constelados de pérolas e diamantes." (Rebelo da Silva, *Contos e Lendas,* p. 175.) **2.** *Fig.* Ornato, ornamento, adorno. [Sin. ger.: *recamadura.*]

recantação. *S. f.* Ato ou efeito de recantar.

recantar. [De *re-* + *cantar.*] *V. t. d.* **1.** Cantar de novo, ou repetidamente. **2.** Cantar com afetação. **3.** Desculpar-se ou retratar-se de: *recantar os pecados.*

recanto. [De *re-* + *canto*^{1}.] *S. m.* **1.** Lugar retirado ou oculto. **2.** Esconderijo, escondedouro, escaninho. **3.** Lugar aprazível ou confortável: *recanto íntimo; recanto pitoresco.*

recapacitar. [De *re-* + *capacitar.*] *V. t. i.* Capacitar novamente.

recapado. [Part. de *recapar.*] *Adj. Bras.* Recauchutado (1).

recapagem. [De *recapar* + *-agem*^{2}.] *S. f. Bras.* Recauchutagem.

recapar. [De *re-* + *capa*^{1} + *-ar*^{2}.] *V. t. d. Bras.* Recauchutar (1).

recapeamento. *S m.* Ato ou efeito de recapear.

recapear. [De *re-* + *capear*^{2}.] *V. t. d.* Cobrir (uma rua, uma estrada, etc.) com novo revestimento asfáltico, para restaurá-lo ou aumentar-lhe a espessura. [Conjug.: v. *frear.*]

recapitalização. *S. f.* Ato ou efeito de recapitalizar.

recapitalizar. [De *re-* + *capitalizar.*] *V. t. d.* Tornar a capitalizar.

recapitulação. *S. f.* Ato ou efeito de recapitular.

recapitular. [Do lat. *recapitulare.*] *V. t. d.* **1.** Repetir sumariamente; resumir ou sintetizar de novo: *recapitular uma aula.* **2.** Rememorar, relembrar, recapitulando: *Em apenas cinco aulas recapitulou a matéria do ano inteiro;* "A velha afastou-se e Paulo, deitando-se de novo, a fumar, recapitulou o desastre da véspera: quase todo o dinheiro perdido ao jogo" (Coelho Neto, *Turbilhão,* p. 183).

recapitulativo. *Adj.* Que recapitula; em que há recapitulação.

recaptura. [Dev. de *recapturar.*] *S. f.* Ato ou efeito de recapturar.

recapturar. [De *re-* + *capturar.*] *V. t. d.* Tornar a capturar: *A polícia recapturou os fugitivos;* "E enchendo suas horas vazias.... talvez pudesse expulsar da alma os seus fantasmas íntimos .... recapturando os anjos bons da tranqüilidade e da virtude..." (Peregrino Júnior, *A Mata Submersa,* p. 254).

recarga. [De *re-* + *carga.*] *S. f.* **1.** Segunda investida; novo ataque. **2.** *Taur.* Nova investida do touro contra o toureiro que o feriu.

recargar. [De *recarga* + *-ar*^{2}.] *V. t. d.* **1.** Dar uma recarga (1) contra. **2.** *Taur.* Suster com a vara o ímpeto de (um touro). [Conjug.: v. *largar.*]

recarregamento. *S. m.* Ato ou efeito de recarregar.

recarregar. [De *re-* + *carregar.*] *V. t. d. e p.* Carregar(-se) novamente, ou muito. [Conjug.: v. *regar.*]

recasar. [De *re-* + *casar.*] *V. t. d. e int.* Tornar a casar; casar outra vez.

recatado. [Part. de *recatar.*] *Adj.* **1.** Que tem modéstia; modesto. **2.** Que tem recato ou pudor; casto, pudico. **3.** Prudente, sensato.

recatar^1. [De um lat. **recaptare,* 'recear'; 'encobrir'.] *V. t. d.* **1.** Guardar com recato ou segredo; pôr em recato: *Sabe recatar confidências;* "Nos Estados onde o poder recata ciumento a memória das suas prerrogativas.... o gênio é uma rebelião ou uma arrogância." (Latino Coelho, *Cervantes,* pp. 183-184). *T. d. e i.* **2.** Resguardar, defender: *Cabe às autoridades recatar do vício os menores abandonados. P.* **3.** Resguardar-se, acautelar-se: *Devemos recatar-nos de nossos inimigos.* **4.** Viver em recato; ocultar-se: "Quando mais a gente as deseja, não é quando elas andam.... quase despidas por essas ruas; é quando elas se recatam, quando se embiocam, quando se rebuçam" (Júlio Dantas, *Figuras de Ontem e de Hoje,* p. 35).

recatar^2. [De *re-* + *catar.*] *V. t. d.* Tornar a catar; rebuscar.

recativar. [De *re-* + *cativar.*] *V. t. d.* Cativar ou prender de novo.

recativo. *Adj.* e *s. m.* Que, ou aquele que está muito cativo, que está sujeito ou subjugado moralmente.

recato. [Dev. de *recatar.*] *S. m.* **1.** Cautela, prudência, resguardo. **2.** Modéstia, simplicidade. **3.** V. *pudor* (2). **4.** Lugar escondido, retirado; recolhimento. [Var.: *recado.*] ♦ **A bom recato.** V. *a bom recado* [v. *recado*^{2}.]

recaução. [De *re-* + *caução.*] *S. f.* Ato ou efeito de recaucionar.

recauchutado. [Part. de *recauchutar.*] *Adj.* **1.** Em que se fez recauchutagem; recapado. **2.** *Fig. Fam.* Que foi restaurado, reconstituído. **3.** *P. ext. Fam.* Que sofreu operação plástica embelezadora: *A atriz apareceu recauchutada.*

recauchutadora (ô). [De *recauchutar* + o fem. de *-(d)or.*] *S. f. Bras.* Firma especializada em recauchutar pneumáticos.

recauchutagem. *S. f.* Ato ou efeito de recauchutar; recapagem.

recauchutar. [De *re-* + *caucho* + *-u-* + *-t-* + *-ar*^{2}.] *V. t. d.* **1.** Reconstituir a banda de rodagem de (o pneumático), aplicando-lhe uma nova camada de borracha; recapar. **2.** *Fig.* Restaurar, reconstituir.

recaucionar. [De *re-* + *caucionar.*] *V. t. d.* Efetuar nova caução de (aquilo que já fora caucionado).

recaucionável. *Adj. 2 g.* Que pode ser recaucionado.

recaus. [Var. de *recados*^{2} < esp. plat. *recados,* em pronúncia vulgar.] *S. m. pl. Bras., RS.* Os arreios da montaria.

recavalgar. [De *re-* + *cavalgar.*] *V. t. d.* Cavalgar outra vez. [Conjug.: v. *largar.*]

recavar. [De *re-* + *cavar.*] *V. t. d.* **1.** Cavar de novo, ou muitas vezes. **2.** Insistir ou instar em: *Recavou o assunto durante horas a fio.* [Pres. subj.: *recave, recaves, recavem,* etc. Cf. *recavém.*]

recavém. [De *recuar?*] *S. m.* **1.** Parte traseira do leito de carro ou de carroça. **2.** *Bras., RS. Fig.* Traseiro, nádegas. [Cf. *recavem,* do v. *recavar,* e *requebém.*]

receado. [Part. de *recear.*] *Adj.* Que inspira receio ou temor; temido.

recear. [De *re-* + lat. *celare,* 'encobrir, ocultar'.] *V. t. d.* **1.** Ter receio de; temer: *Receia os perigos da contaminação. T. i.* **2.** Ter receio ou medo; ter apreensão; temer: *recear pela vida de alguém. T. d. e i.* **3.** Ter medo ou receio do que suceda: *Receia represálias aos seus amigos. P.* **4.** Ter receio; temer-se; assustar-se; preocupar-se: *Não te receies de nada: tudo acabará bem.* [Var.: *arrecear.* Conjug.: v. *frear.*]

recebedor (ô). *Adj.* **1.** Que recebe: *funcionário recebedor.* [M. us. com relação a pessoas. Sin.: *receptor.*] • *S. m.* **2.** Aquele que recebe; receptor. **3.** Funcionário encarregado de receber e arrecadar impostos.

recebedoria. [De *recebedor* + *-ia.*] *S. f.* **1.** Repartição onde se recebem os impostos. **2.** Tesouraria de finanças.

receber. [Do lat. *recipere.*] *V. t. d.* **1.** Tomar, aceitar (dádiva). **2.** Aceitar em pagamento; tomar (o que é devido): *receber o salário;* "Oitocentos réis pelo ensino de dois rapazes durante três meses recebe Diogo Mendes Rodrigues em 1670." (Antônio de Alcântara Machado, *Vida e Morte do Bandeirante,* p. 99.) **3.** Exigir (o que é devido); cobrar: *Incumbiu o banco de receber a promissória.* **4.** Entrar na posse de (algo): *Os filhos receberão a herança.* **5.** Aceitar, admitir, acolher: *Não recebeu bem as críticas.* **6.** Agasalhar, hospedar, albergar: *Seus parentes o receberão.* **7.** Acolher (visita) em casa: *Era folgazão, tinha a casa bemposta, recebia todo o Rio de Janeiro.* **8.** Ter comunicação de: *Recebeu má notícia.* **9.** Ser alcançado ou atingido por; apanhar: *A Terra recebe a luz solar; Recebeu um golpe.* **10.** Recolher fluxo de fluido, energia, etc., de (uma fonte): *O mar Cáspio recebe as águas do Volga; Recebe muitas mensagens telegráficas.* **11.** Aceitar por esposo ou esposa; casar com: *Recebeu a moça após três anos de noivado.* **12.** Obter ou alcançar o gozo de: *Recebeu as férias atrasadas.* **13.** Obter como recompensa ou favor: *O soldado recebeu medalha de honra.* **14.** Submeter-se a; obedecer a: *receber ordens.* **15.** Suportar, padecer, sofrer: *Os réus receberão o castigo. T. d. e i.* **16.** Obter por comunicação, transmissão ou remessa: *Receberam notícias do irmão. Transobj.* **17.** Aceitar, admitir, acolher: "Quando cresci e tentei agradá-la, recebeu-me suspeitosa e hostil" (Graciliano Ramos, *Infância,* p. 37). *Int.* **18.** Recepcionar (1) ou receber (7): *O casal recebeu ontem; Mariana tem a arte de receber;* "Voltou lá algumas vezes, fez-se íntimo da casa. Começou a receber também. Viu entre os freqüentadores de sua casa o pai de Estela" (Machado de Assis, *Iaiá Garcia,* pp. 124-125). *P.* **19.** Unir-se por matrimônio; casar-se: *Os noivos recebem-se hoje;* "As moças, quando o viram na igreja receber-se com uma velha, exclamaram: mal-empregado!" (João de Araújo Correia, *Terra Ingrata,* p. 220.)

recebimento. *S. m.* Ato ou efeito de receber.

receio. [Dev. de *recear.*] *S. m.* **1.** Dúvida acompanhada de temor; medo: *Tem receio de que chova.* **2.** Apreensão quanto a possível dano, perigo ou malogro; medo, temor: *Um bom combatente não tem receios.* ♦ **Sem receio.** Afoitamente.

receita. [Do lat. *recepta,* 'coisas recebidas'.] *S. f.* **1.** Quantia recebida, ou apurada, ou arrecadada; produto, féria, renda: *A receita do campeonato ultrapassou as expectativas.* **2.** O conjunto dos rendimentos de um Estado, de uma entidade ou de uma pessoa, destinados a enfrentar gastos necessários: *Inspetoria da Receita Federal; Cumpre equilibrar a receita.* **3.** Renda^1 (5): *a receita mensal de um diarista.* **4.** Fórmula para preparação de um medicamento: *O farmacêutico aviou a receita.* **5.** *P. ext.* Indicação escrita de uma prescrição médica. **6.** *Cul.* Indicação minuciosa sobre a quantidade dos ingredientes e a maneira de preparar um prato salgado ou doce. **7.** *Fig.* Fórmula ou indicação especial para se alcançar um resultado: *Tem a receita da eterna juventude.* ♦ **Receita pública.** *Fin.* O conjunto dos recursos econômicos e financeiros previstos no orçamento de um Estado e arrecadado compulsoriamente para fazer face às suas despesas.

receitante. *Adj. 2 g.* Que receita.

receitar. [De *receita* + *-ar*^{2}.] *V. t. d. e t. d. e i.* **1.** Passar receita (4 e 5) de; prescrever como médico: "O Lambertosa receitou uma dose homeopática" (Aluísio Azevedo, *Casa de Pensão,* p. 157); "O doutor receitou-lhe uma garrafada" (Manuel Ribeiro, *A Planície Heróica,* p. 16). **2.** Aconselhar; opinar. *Int.* **3.** Formular receita (4 e 5): *O acadêmico ainda não pode receitar.*

receitário. *S. m.* Lugar para guardar receitas [v. *receita* (4 e 5)]. [Cf. *receituário.*]

receituário. *S. m.* **1.** Conjunto de receitas [v. *receita* (4 e 5)]. **2.** Formulário para receita (4). [Cf. *receitário.*]

recém. [De *recente,* com apócope, com infl. do esp. *recién.*] *Adv. Bras., SC* e *RS.* Recentemente: *Sigismundo chegou recém;* "Adeus, gosto de soltar o pensamento por aí, feito cavalo desencilhado recém" (M. Cavalcanti Proença, *Manuscrito Holandês,* p. 37). [*Recém* é de uso geral na língua, e com o mesmo sentido, mas como prefixo, unido exclusivamente a um particípio: *recém-chegado, recém-nascido;* ao passo que em SC e no RS ou aparece solto, após o verbo, como nos exemplos acima, ou antes dele, preso pelo hífen a outros tempos e modos verbais: *Recém-jantei; Recém-chegavam; Recém-amanhecera.*

▲**recém-.** [F. apocopada de *recente.*] *El. comp.* = 'recentemente': *recém-nascido, recém-vindo.* [Atenção: é oxítono.]

recém-aberto. [De *recém-* + o part. de *abrir.*] *Adj.* Aberto pouco antes, recentemente. [Pl.: *recém-abertos.*]

recém-admitido. [De *recém-* + o part. de *admitir.*] *Adj.* Admitido recentemente. [Pl.: *recém-admitidos.*]

recém-chegado. [De *recém-* + o part. de *chegar.*] *Adj.* e *s. m.* Que ou aquele que chegou há pouco; recém-vindo. [Pl.: *recém-chegados.*]

recém-concluído. [De *recém-* + o part. de *concluir.*] *Adj.* Concluído pouco antes, recentemente. [Pl.: *recém-concluídos.*]

recém-criado. [De *recém-* + o part. de *criar.*] *Adj.* Criado recentemente. [Pl.: *recém-criados.*]

recém-depositado. [De *recém-* + o part. de *depositar.*] *Adj.* Depositado recentemente, pouco tempo antes. [Pl.: *recém-depositados.*]

recém-fabricado. [De *recém-* + o part. de *fabricar.*] *Adj.* De fabricação recente. [Pl.: *recém-fabricados.*]

recém-fechado. [De *recém-* + o part. de *fechar.*] *Adj.* Fechado há pouco, recentemente: "Sobre recém-fechadas sepulturas, / Como vós outros eu dancei também." (Alberto de Oliveira, *Poesias* 3ª série, p. 162.) [Pl.: *recém-fechados.*]

recém-formado. [De *recém-* + o part. de *formar.*] *Adj.* Que se formou há pouco tempo. [Pl.: *recém-formados.*]

recém-nado. [De *recém-* + *nado*[2].] *Adj.* e *s. m.* Recém-nascido: "Conta-nos S. Mateus daqueles três reis magos, que abalaram de seus países em busca do Messias recém-nado" (Euclides da Cunha, *À margem da História,* p. 313); "abafaram vagidos de recém-nados a caminho da 'Roda dos Expostos' " (Antero de Figueiredo, *Miradouro,* p. 28). [Pl.: *recém-nados.*]

recém-nascido. [De *recém-* + o part. de *nascer.*] *Adj.* e *s. m.* **1.** Que ou aquele que nasceu há pouco. **2.** *Restr.* Diz-se de, ou criança recém-nascida; "Ouve-se o choro duma criança recém-nascida" (Érico Veríssimo, *O Senhor Embaixador,* p. 246). [Sin. ger.: *recém-nado.* Pl.: *recém-nascidos.*]

recém-nobre. [De *recém-* + *nobre.*] *Adj. 2 g.* e *s. 2 g.* Que ou quem é de nobreza recente. [Pl.: *recém-nobres.*]

recém-plantado. [De *recém-* + o part. de *plantar.*] *Adj.* Plantado recentemente pouco tempo antes. [Pl.: *recém-plantados.*]

recém-publicado. [De *recém-* + o part. de *publicar.*] *Adj.* Publicado pouco antes; recém-saído. [Pl.: *recém-publicados.*]

recém-saído. [De *recém-* + o part. de *sair.*] *Adj.* **1.** Que saiu há pouco; que acaba de sair. **2.** Recém-publicado. [Pl.: *recém-saídos.*]

recém-sintetizado. [De *recém-* + o part. de *sintetizar.*] *Adj.* Que se sintetizou há pouco; de recente sintetização. [Pl.: *recém-sintetizados.*]

recém-tirado. [De *recém-* + o part. de *tirar.*] *Adj.*Tirado recentemente. [Pl.: *recém-tirados.*]

recém-vindo. [De *recém-* + o part. de *vir.*] *Adj.* e *s. m.* Recém-chegado. [Pl.: *recém-vindos.*]

recenar. [Do it. *raccennare.*] *V. t. d.* Dourar ou pratear novamente.

recendência. *S. f.* Qualidade de recendente. [Cf. *rescindência.*]

recendente. *Adj. 2 g.* Que recende; fragrante.

recender. [Do lat. *incendere,* 'acender'?] *V. t. d.* **1.** Emitir, exalar (aroma penetrante); trescalar: *As flores murchas recendiam um cheiro enjoativo;* "Recende aroma a noite sossegada" (Antero de Quental, *Sonetos,* p. 314). *Int.* **2.** Ter cheiro agradável e intenso; trescalar: *Na primavera, a mata recende agradavelmente. T. i.* **3.** Cheirar agradavelmente: "O ar recende a jasmins e a manacás." (Martins Fontes, *A Dança,* p. 87.)

recensão. [Do lat. *recensione.*] *S. f.* **1.** Recenseamento (1). **2.** Cotejamento do texto de uma edição com o respectivo manuscrito. **3.** Apreciação breve de um livro ou de um escrito; resenha. **4.** Lista, rol, catálogo.

recenseado. [Part. de *recensear.*] *Adj.* e *s. m.* Diz-se de, ou aquele cujo nome foi incluído em um recenseamento.

recenseador (ô). *Adj.* e *s. m.* Que ou aquele que recenseia.

recenseamento. [De *recensear* + *-mento.*] *S. m.* **1.** Arrolamento de pessoas ou de animais; recensão. **2.** V. *censo* (1).

recensear. [De *re-* + *censo* + *-ear.*] *V. t. d.* **1.** Fazer o recenseamento de: *recensear a população do Brasil.* **2.** Enumerar, relacionar, arrolar: *recensear a fauna de uma região;* "O primeiro escritor europeu que recenseou essas lendas [sobre o café] .... foi G. E. Coubard d'Aulnay" (Basílio de Magalhães, *O Café na História, no Folclore e nas Belas-Artes,* p. 121). **3.** Apreciar, considerar. [Conjug.: v. *frear.*]

recenseio. [Dev. de *recensear.*] *S. m.* Ato ou efeito de recensear.

recental. [De *recente* + *-al.*] *Adj. 2 g.* e *s. m.* Diz-se de, ou cordeiro novo.

recente. [Do lat. *recente.*] *Adj. 2 g.* **1.** Que ocorreu há pouco. **2.** Que tem ainda pouco tempo de existência. ~ V. *época* —. ● *Adv.* **3.** Recentemente: "Minha filha me restava! / Eu já fantasma impotente, / Sobre os torrões tropeçava / Da cova aberta recente!" (Gonçalves Dias, *Obras Poéticas,* p. 103.)

recentemente. [De *recente* + *-mente.*] *Adv.* De modo recente; pouco tempo antes; recente.

recentidade. *S. f. P. us.* Qualidade de recente.

receoso (ô). *Adj.* **1.** Que tem receio; medroso, temeroso. **2.** Tímido, acanhado.

recepagem. [Do fr. *recépage.*] *S. f.* Operação consistente em cortar as árvores junto ao solo.

recepção. [Do lat. *receptione.*] *S. f.* **1.** Ato ou efeito de receber: *Você não acusou a recepção da minha carta.* **2.** Seção, em escritório, hotel, hospital, em congressos, etc., que se encarrega de receber as pessoas, receber e distribuir a correspondência e encomendas, dar informações, etc.: *A recepção do hotel fecha à meia-noite.* **3.** *P. Ext.* Os empregados da seção de recepção; os recepcionistas: *A recepção o informará dos preços do hotel.* **4.** Ato de receber convidados em casa: *Reservo as noites de sábado para a recepção de meus amigos.* **5.** Reunião mundana organizada em casa de residência, em clube, etc., por alguém: *Foi muito concorrida a recepção de ontem na Embaixada da Itália.* **6.** O receber alguém, ou ser recebido, em círculo literário ou artístico, em academia, em clube, etc.: *O discurso de recepção do novo acadêmico foi proferido por um colega de grande nome.* **7** *P. ext.* Cerimônia em que se processa esta recepção: *As recepções na Academia Brasileira de Letras são, quase sempre, a rigor.*

recepcionar. *V. int.* **1.** Dar recepções [v. *recepção* (5)]; receber: *Fazem vida social intensa, gostam muito de recepcionar. T. d.* **2.** *Bras.* Esperar (viajante) em aeroporto, estação, etc., com atenção ou certo aparato: *O Governador recepcionou o Presidente da República no Aeroporto Santos Dumont.*

recepcionista. *S. 2 g. Bras.* Empregado de hotéis, de hospitais de empresas comerciais, etc., encarregado da recepção (2).

➧**recepisse** (sè). [Lat.] *S. m.* Escrito no qual alguém reconhece haver recebido papéis, dinheiro, etc. [Errônea a pronúncia *recepissé.*]

receptação. *S. f.* **1.** Ato ou efeito de receptar. **2.** O crime de comprar, receber ou ocultar conscientemente, em proveito próprio ou alheio, produto de crime, ou influir para que terceiro de boa-fé o compre, receba ou oculte. ◆ **Receptação culposa.** *Jur.* Aquisição ou recebimento de coisa que, dada a sua natureza, a desproporção entre o valor e o preço, ou a condição de quem a oferece, deve presumir-se obtida por meio criminoso.

receptacular. *Adj. 2 g. Morfol. Veg.* Relativo ao, ou próprio do receptáculo: *vilosidade receptacular.*

receptáculo. [Do lat. *receptaculu.*] *S. m.* **1.** Lugar ou objeto onde se recolhe ou guarda alguma coisa: recipiente. **2.** Abrigo, refúgio, esconderijo. **3.** Tanque para onde correm as águas vindas de vários pontos. **4.** *Morfol. Veg.* Porção superior, alargada, do pedicelo floral, sobre a qual se inserem os verticilos da flor; tálamo. [Pode ser muito amplo e sustentar as flores de uma inflorescência, como sucede no capítulo das compostas.]

receptador (ô). [Do lat. receptatore.] *Adj.* e *s. m.* Que ou aquele que recepta [v. *receptar* (2)]: receptor, encobridor, escondedor.

receptar. [Do lat. *receptare.*] *V. t. d.* **1.** Dar receptáculo ou abrigo a: abrigar, albergar. **2.** Adquirir, receber ou ocultar (coisa de procedência criminosa): *Foi condenado por receptar furto.* [V. *receptação* (2).]

receptibilidade. *S. f.* Tendência para receber impressões ou influência de determinados agentes [v. *receptível*]; receptividade.

receptível. [Do lat. *receptibile.*] *Adj. 2 g.* Que se pode receber; aceitável.

receptividade. [De *receptivo* + *-i-* + *-dade.*] *S. f.* Receptibilidade.

receptivo. [Do lat. *receptu,* part. pass. de *recipere,* 'receber', + *-ivo.*] *Adj.* **1.** Que recebe ou é capaz de receber (especialmente estímulos ou impressões físicas ou psíquicas). **2.** Que tem para com outrem comportamento compreensivo e acolhedor. **3.** Diz-se de tal comportamento: *atitude receptiva.*

receptor (ô). [Do lat. *receptore.*] *Adj.* **1.** Que recebe; recebedor; *posto receptor.* [M. us. com relação a coisas.] **2.** V. *receptador.* ● *S. m.* **3.** O que recebe. **4.** V. *receptador.* **5.** Qualquer aparelho que recebe, registra, grava, etc., sinais acústicos, elétricos, eletromagnéticos ou luminosos: *o receptor do telefone; O receptor telegráfico registra as mensagens transmitidas pelo manipulador.* **6.** *Teor. Inf.* Um dos elementos básicos do processo de comunicação: aquele que recebe os sinais transmitidos, decodificando-os de forma a recuperar a mensagem original produzida para atingir um destinatário [2]. (Eventualmente, *receptor* e *destinatário* constituem um só elemento para efeito de análise do processo de comunicação.) V. *sistema de comunicação.*

recessão. [Do lat. *recessione.*] *S. f.* **1.** Ato ou efeito de tornar atrás; recuo. **2.** Período de atividade econômica reduzida. [Cf. *resseção.*] ◆ **Recessão das galáxias.** *Astr.* Hipótese segundo a qual todas as galáxias se afastam de nós com velocidades tanto maiores quanto mais afastadas estão.

recessividade. [De *recessivo* + *-i-* + *-dade.*] *S. f. Biol.* Fenômeno pelo qual um gene não manifesta o seu efeito, mas tem a sua individualidade mantida; criptomerismo.

recessivo. [De *recesso* + *-ivo.*] *Adj.* **1.** Relativo à recessão (2), ou próprio dela: *medidas econômicas recessivas.* **2.** Que subsiste em estado latente. **3.** *Genét.* Diz-se do caráter que, apesar de presente no híbrido, não se manifesta, oculto pelo caráter dominante, de sorte que o híbrido parece herdar apenas os caracteres de um dos genitores. ~ V. *gene* —.

recesso. [Do lat. *recessu.*] *S. m.* **1.** Retiro, recanto; esconso: "De par com o ministério penitencial e do púlpito ia o culto da música sacra, quase sempre inspirada em tonadilhas populares; e Palestrina, confessado de S. Filipe, enchia de unção e grandeza o recesso dos congregados." (Vitorino Nemésio, *A Mocidade de Herculano,* I, p. 103.) **2.** Suspensão temporária das atividades do legislativo e do judiciário: *A Câmara dos Deputados entrou em recesso.*

rechã. [De *re-* + *chã.*] *S. f.* V. *planalto:* "Sem linhas de cumeadas, as maiores serranias nada mais são que planuras altas, extensas rechãs terminando de chofre em encostas abruptas" (Euclides da Cunha, *Os Sertões,* p. 7).

rechaçar. [Do fr. ant. e médio *rechacier,* 'repelir', hoje *rechasser.*] *V. t. d.* **1.** Fazer retroceder, opondo resistência; repelir, rebater: *O exército rechaçou os invasores;* "Os jagunços deram à última investida com a artilharia, que timbravam em arrebatar à tropa. As metralhadoras, porém, disparadas a cavaleiro, rechaçaram-nos" (Euclides da Cunha, *Os Sertões,* p. 284). **2.** Oferecer resistência a; opor-se a; resistir. **3.** Interromper com palavra ou gesto repentino (dito, frase). [Conjug.: v. *laçar.*]

rechaço. [Dev. de *rechaçar.*] *S. m.* **1.** Ato ou efeito de rechaçar. **2.** V. *ricochete* (1).

rechano. [V. *rechão.*] *S. m.* V. *planalto.*

rechão. [De *re-* + *chão.*] *S. m.* V. *planalto.* [Pl.: *rechãos.*]

➧**réchaud** (rechô). [Fr.] *S. m.* Suporte para panelas, travessas, terrinas, etc., elétrico ou provido, na parte inferior, de pequeno recipiente que contém álcool, com pavio, ou vela, etc., para manter o calor dos alimentos à mesa. [Cf. *rescaldeiro* (2).]

recheado. [Part. de *rechear.*] *Adj.* **1.** Que tem recheio. **2.** Muito cheio; repleto; atulhado. ● *S.m.* **3.** V. *recheadura.*

recheadura. *S. f.* Ato ou efeito de rechear; recheio, recheado.

rechear. [De *recheio* + *-ar*[2].] *V. t. d.* **1.** Encher bem: *Recheou a bolsa, pois a viagem era longa.* **2.** Encher com preparado culinário ou de confeitaria: *A cozinheira recheou as empadas.* **3.** Tornar abundante. **4.** Tornar rico; enriquecer. *T. d.* e *i.* **5.** Encher (de recheio [3]). **6.** Entremear, com abundância: *Este romancista recheia o estilo de anglicismos. P.* **7.** Enriquecer-se, locupletar-se. [Conjug.: v. *frear.* Cf. *rechiar.*]

rechega (ê). [De *chegar?*] *S. f.* Operação que consiste em fender pinheiros na direção longitudinal para se aproveitar porção maior de resina.

rechegar. [De *re-* + *chegar.*] *V. t. d.* **1.** Mexer (os cristais de cloreto de sódio, em salinas) com rodos. **2.** *Bras.* Transportar (a carga) até o local onde o estivador a levará para o navio. [Conjug.: v. *chegar.*]

rechego (ê). [De *chegar.*] *S. m.* **1.** Lugar onde o caçador se oculta para melhor vigiar a caça. **2.** Lugar retirado, escondido.

recheio. [De *re-* + *cheio.*] *S. m.* **1.** V. *recheadura.* **2.** Aquilo que recheia ou enche; conteúdo: "o primeiro cuidado deste cronista foi esvaziar a bolsa e examinar-lhe o recheio, para o fim de identificar sua proprietária." (Carlos Drummond de Andrade, *A Bolsa & a Vida,*

p. 9). **3.** Preparado culinário destinado a rechear carnes, legumes, certos tipos de massa doce ou salgada, etc.: *recheio de lingüiça; recheio de creme.* **4.** *Fig.* Quantidade de palavras desnecessárias usadas para aumentar um texto, um discurso, etc.; lardo.

rechiar. [De *re-* + *chiar.*] *V. int.* Chiar muito, ou estrepitosamente. [Cf. *rechear.*]

rechinante. *Adj. 2 g.* Que rechina.

rechinar. [Voc. onom.] *V. int.* **1.** Produzir som agudo ou áspero: "Insetos *rechinavam* nos matos secos" (Coelho Neto, *Rei Negro,* p. 185). **2.** Produzir som semelhante ao do ferro em brasa sobre a carne: "e a palavra sai *rechinando,* esbraseando, chispando como o metal candente dos seios da fornalha." (Rui Barbosa, *Oração aos Moços,* p. 22). **3.** Ranger, estalar.

rechino. [Dev. de *rechinar.*] *S. m.* Ato ou efeito de rechinar.

rechonchudo. [Do esp. *rechoncho,* 'membrudo', + *-udo.*] *Adj.* Gorducho, gordo; nédio: *criança rechonchuda.*

reciário. [Do lat. *retiariu.*] *S. m.* Gladiador romano que lutava munido de tridente, punhal e uma rede na qual buscava envolver o adversário: "Abro um dos tomos [de *Os Maias,* de Eça de Queirós] e vou lendo-o ao acaso, evitando abri-lo quando disponho de pouco tempo, certo de que não fugirei à rede de ouro do *reciário* que me vai enlear uma hora, duas horas." (Agripino Grieco, *O Sol dos Mortos,* p. 228.)

recibado. [Part. de *recibar.*] *Adj. Bras.* De que se passou recibo.

recibar. [De *recibo* + *-ar*[2].] *V. t. d. Bras. P. us.* Passar recibo de.

recibo. [Dev. de *receber.*] *S. m.* **1.** Declaração escrita de se haver recebido alguma coisa; quitação. **2.** *Bras. Gír.* Resposta; revide: *Ele me desacatou, mas dei-lhe o recibo na mesma hora.* ♦ **Passar recibo.** Revidar, desforrar-se, vingar-se; dar troco.

reciclagem. [De *re-* + *ciclo* + *-agem*[2].] *S. f.* **1.** Alteração da ciclagem. **2.** Atualização pedagógica, cultural, etc., para se obterem melhores resultados. **3.** Repetição de uma operação sobre uma substância com o fim de melhorar propriedades ou aumentar o rendimento da operação global.

reciclar. [De *re-* + *ciclo* + *-ar*[2].] *V. t. d.* Fazer a reciclagem de.

recidiva. [Fem. substantivado de *recidivo.*] *S. f. Med.* Reaparecimento de uma doença algum tempo depois de se haver convalescido de um primeiro acometimento.

recidivante. *Adj. 2g. Med.* Que recidiva.

recidivar. [De *recidiva* + *-ar*[2].] *V. int.* Apresentar recidiva.

recidividade. *S. f. Med.* Tendência para a recidiva.

recidivista. [De *recidivo* + *-ista.*] *Adj. 2 g.* e *s. 2 g. Jur.* Diz-se de, ou criminoso reincidente.

recidivo. [Do lat. *recidivu.*] *Adj.* Que torna a aparecer ou manifestar-se; reincidente: "O restaurador imposto pelas armas dos chilenos, ... assediado pelas ambições contrariadas .... e pelas ameaças dos conspiradores *recidivos,* tonteava na vertigem daquela eminência" (Euclides da Cunha, *À margem da História,* p. 99).

recife. [Var. de *arrecife* < ár. *ar-cīf,* 'caminho pavimentado'.] *S. m.* Rochedo ou série de rochedos situados próximos à costa ou a ela diretamente ligados, submersos ou a pequena altura do nível do mar. [Os recifes podem ser constituídos de arenito, resultantes da consolidação de antigas praias, ou de formações coralíneas, resultantes do acúmulo de carapaças de certos animais marinhos associado a crostas de algas calcárias.] ♦ **Recife circular.** *Geog.* V. *recife em círculo.* **Recife em barreira.** *Geog.* Recife coralíneo que constitui uma barreira entre a costa e o mar, dando origem à formação de um canal entre este e aquela. **Recife em círculo.** *Geog.* Recife coralíneo que se apresenta com essa configuração e se forma afastado da costa, recebendo a denominação especial de *atol* [q. v.]; recife circular. **Recife em franja.** *Geog.* Recife coralíneo que se liga à terra por vários segmentos, apresentando o aspecto de franja.

recifense. *Adj. 2 g.* **1.** Do, ou pertencente ou relativo ao Recife, capital de PE. ● *S. 2 g.* **2.** Natural ou habitante do Recife.

recifoso (ô). *Adj.* Em que há recifes.

recingir. [De *re-* + *cingir.*] *V. t. d.* Cingir de novo. [Conjug.: v. *dirigir.*]

recinto. [Do lat. *recinctu.*] *S. m.* **1.** Espaço cercado ou fechado: *o recinto da assembléia; o recinto do pátio.* **2.** Certo e determinado espaço ou lugar.

récipe. [Do lat. *recipe,* 'recebe, toma', imperat. de *recipere.*] *S. m.* **1.** Receita (4). **2.** *Fam.* V. *repreensão* (1): "— Acabo de passar um *récipe* ao pessoal, por termos posto refeição à parte." (Godofredo Rangel, *Falange Gloriosa,* p. 140.)

recipiendário. [Do lat. *recipiendu,* gerundivo de *recipere,* 'receber', + *-ário.*] *Adj.* **1.** Que tem algo a receber. ● *S. m.* **2.** Aquele que tem algo para receber. **3.** Aquele que é solenemente recebido em uma agremiação.

recipiente. [Do lat. *recipiente.*] *Adj. 2 g.* **1.** Que recebe. ● *S. m.* **2.** Objeto capaz de conter líquidos ou sólidos; receptáculo. **3.** Vaso próprio para receber os produtos de uma operação química. **4.** Campânula de vidro que se coloca sobre a platina da máquina pneumática. ♦ **Recipiente do reator.** *Eng. Nucl.* V. *caixão do reator.*

recíproca. [Fem. substantivado de *recíproco.*] *S. f.* **1.** Reciprocidade. **2.** Idéia, fato ou situação inversa.

reciprocação. [Do lat. *reciprocatione.*] *S. f.* **1.** Ato ou efeito de reciprocar(-se). **2.** Reciprocidade.

reciprocar. [Do lat. *reciprocare.*] *V. t. d.* **1.** Tornar recíproco; dar e receber em troca; trocar, mutuar: *reciprocar beijos.* **2.** Compensar, substituir: *O sofrimento reciprocará a pena não cumprida. T. d. e i.* **3.** Mutuar, trocar: *Reciprocou com o irmão as funções de amparo da família. P.* **4.** Estar em correlação; corresponder-se: *Reciprocam-se o amor e a dedicação do casal.* **5.** Suceder alternadamente; alternar-se: *Reciprocam-se o verde e o branco, na tela.* [Conjug.: v. *trancar.* Pres. ind.: *reciproco,* etc. Cf. *recíproco.*]

reciprocidade. [Do lat. *reciprocitate.*] *S. f.* Qualidade de recíproco; reciprocação.

recíproco. [Do lat. *reciprocu.*] *Adj.* **1.** Que implica troca ou permuta, ou que se permuta entre duas pessoas ou dois grupos; mútuo: *confiança recíproca; concessões recíprocas.* ~ V. *equação —a, falta —a, pronome —, razão —a* e *verbo —.* ● *S. m.* **2.** *Mat.* O inverso de um número. [Cf. *reciproco,* do v. *reciprocar.*]

récita. [Dev. de *recitar,* com estranho e não explicado recuo do acento.] *S. f.* **1.** Espetáculo de declamação (1). **2.** *P. ext.* Espetáculo teatral: *récita popular; récita de gala.* **3.** *P. ext.* Concerto (7). [Cf. *recita,* do v. *recitar.*]

recitação. *S. f.* Ato ou efeito de recitar.

recitado. [Part. de *recitar.*] *Adj.* **1.** Lido ou repetido de cor e em voz alta; declamado. ● *S. m.* **2.** Trecho recitado.

recitador (ô). *Adj.* e *s. m.* Que ou aquele que recita; recitante.

recital. [Do ingl. *recital,* pelo fr. *récital.*] *S. m.* **1.** Concerto de um só artista (ou mais, quando se trata de música de câmara). [Cf. *concerto* (7).] **2.** Apresentação dos alunos de um professor de música. **3.** Espetáculo de dição realizado em geral por um só artista.

recitalista. *S. 2 g.* Pessoa que dá recital.

recitante. [Do lat. *recitante.*] *Adj. 2 g.* **1.** Que recita; recitador. **2.** Diz-se da voz ou do instrumento que executa isoladamente um trecho musical. ● *S. 2 g.* **3.** Pessoa que recita; recitador.

recitar. [Do lat. *recitare.*] *V. t. d.* **1.** Ler em voz alta e clara: *O pastor recitava trechos da Bíblia.* **2.** Pronunciar declamando; declamar: "animava a sala, cantando, tocando piano, fazendo prestidigitações e *recitando* poesias." (Aluísio Azevedo, *O Coruja,* p. 70). **3.** Contar, narrar, referir: *Levou horas a recitar as suas aventuras. Int.* **4.** Ser dado a recitar e/ou fazê-lo bem. [Pres. ind.: *recito, recitas, recita,* etc. Cf. *récita.*]

recitativo. [De *recitatu,* part. pass. de *recitare,* 'recitar', + *-ivo.*] *S. m.* **1.** *Mús.* Canto declamado, numa ópera, numa cantata ou num oratório, e que se caracteriza pela liberdade do ritmo e da melodia, e pelo assunto narrativo. **2.** *Mús.* Nos oratórios do séc. XVIII, recitativo (1) que servia de introdução às grandes árias. **3.** *Mús.* Um dos teclados manuais do órgão. **4.** *P. ext.* Trecho em poesia ou prosa declamado com acompanhamento de música. ● *Adj.* **5.** Que é próprio para se recitar. ♦ **Recitativo acompanhado.** *Mús.* Recitativo (1 e 2) que tem acompanhamento instrumental; recitativo instrumental. **Recitativo instrumental.** *Mús.* Recitativo acompanhado. **Recitativo seco.** *Mús.* Recitativo (1 e 2) cujo acompanhamento, muito simples, se limita a um baixo cifrado [q. v.] executado pelo cravo.

recivilizar. [De *re-* + *civilizar.*] *V. t. d.* e *p.* Tornar a civilizar(-se).

reclamação. [Do lat. *reclamatione,* 'desaprovação manifestada por gritos'.] *S. f.* **1.** Ato ou efeito de reclamar; reclamo, clamor. **2.** Queixa, protesto. **3.** Reivindicação legal; vindicação. **4.** *Jur.* Ato escrito ou verbal, tomado por termo, no qual o empregado reclama, na justiça do trabalho, contra ato do empregador prejudicial aos seus direitos trabalhistas.

reclamado. [Part. de *reclamar.*] *Adj.* **1.** Que foi objeto de reclamação ou reivindicação. ● *S. m.* **2.** *Jur.* Pessoa natural ou jurídica contra quem se propõe reclamação.

reclamador (ô). *Adj.* e *s. m.* Reclamante.

reclamante. [Do lat. *reclamante.*] *Adj. 2 g.* **1.** Que reclama. ● *S. 2 g.* **2.** Pessoa que reclama ou propõe reclamação. [Sin. ger.: *reclamador.*]

reclamar. [Do lat. *reclamare.*] *V. t. i.* **1.** Fazer impugnação ou protesto (verbal ou por escrito); opor-se: *Os vassalos reclamaram contra os impostos arbitrários.* **2.** Queixar-se, lamentar-se: *O paciente reclama de dores.* **3.** Apontar faltas; manifestar descontentamento: *Os alunos reclamam do professor. Int.* **4.** Fazer reclamação ou reclamações; queixar-se: "Quando alguma cousa faltar, *reclamem,* que aqui estou eu para as providências" (Raul Pompéia, *O Ateneu,* p. 198). *T. d.* **5.** Exigir, reivindicar: "Pois bem, sim! Um panfleto a favor do divórcio, *reclamando-o,* dirigindo-se ao senso moral e à inteligência de todo o mundo para demonstrar a conveniência e a vantagem prática dessa medida" (Pardal Mallet, *Pelo Divórcio!,* p. 9); *Os operários reclamam melhores salários.* **6.** Pretender passar por autor ou dono de: *O neto reclama a herança.* **7.** Invocar, implorar, clamar: *Os Céus reclamam justiça.* **8.** Pedir, demandar, exigir: "Todos *reclamam* reformas, mas ninguém se quer reformar." (Marquês de Maricá, *Máximas, Pensamentos e Reflexões,* p. 28); "As grandes distâncias *reclamam,* de fato, o avião que é a máquina mais apropriada para vencê-las" (Fernando de Azevedo, *Um Trem Corre para o Oeste,* p. 29). **9.** Atrair (aves) com reclamo (3). *T. d.* e *i.* **10.** Invocar, implorar: *O condenado reclamou perdão ao rei.*

reclamável. *Adj. 2 g.* Que pode ser reclamado. ~ V. *dívida —.*

reclame. [Do fr. *réclame.*] *S. m. Gal.* V. *reclamo* (2).

reclamista. *S. 2 g. Bras.* Pessoa que faz reclamo ou propaganda de casas comerciais.

reclamo. [Dev. de *reclamar.*] *S. m.* **1.** V. *reclamação* (1): "as fórmulas infinitas e as definições vagas podem resolver 'por comodidade' os *reclamos* imediatos da sabedoria humana, mas não saciarão o desejo do homem de saber de onde vem e pra onde vai." (Renato Almeida, *Fausto,* p. 79). **2.** Todo apelo à publicidade por anúncio, prospectos, etc.; propaganda, chamariz. [F. de maior uso no Brasil: *reclame* (gal.).] **3.** Instrumento que o caçador usa para imitar o canto das aves que deseja atrair; pio. **4.** Ato de chamar a atenção. **5.** Observação ou recomendação de caráter informativo ou publicitário inserta no corpo de um jornal ou revista. **6.** Palavra ou parte de palavra escrita ou impressa ao pé de cada página dos manuscritos e livros antigos, e que é uma repetição da que inicia a página seguinte, para facilitar a alçagem. **7.** *Constr. Nav.* Espécie de orelha, de madeira ou de ferro, com roldana ou sem ela, presa em mastro, mastaréu ou outra parte da embarcação, e destinada a receber e sujeitar qualquer cabo quando se pretenda mudar-lhe a direção ou dar-lhe retorno.

reclassificação. *S. f. Bras.* Ato ou efeito de reclassificar.

reclassificar. [De *re-* + *classificar.*] *V. t. d. Bras.* Dar nova classificação a (funcionário público) para efeito de vencimentos. [Conjug.: v. *trancar.*]

reclinação. *S. f.* Ato ou efeito de reclinar(-se).

reclinado. [Part. de *reclinar.*] *Adj.* **1.** Dobrado sobre si mesmo; recurvado: *haste reclinada.* **2.** Meio deitado; recostado: *A moça reclinada parecia enferma.*

reclinar. [Do lat. *reclinare.*] *V. t. d.* **1.** Fazer que se afaste da posição perpendicular; dobrar, recurvar: *reclinar a cabeça. T. d.* e *c.* **2.** Deitar, encostar: *Reclinou a cabeça ao ombro do pai;* "Sobre a mão *reclina* o rosto / tristemente pensativa" (Antônio Feliciano de Castilho, *Amor e Melancolia,* p. 33). *P.* **3.** Encostar-se, recostar-se; inclinar-se: "recolhe-se ao aposento, despe-se, *reclina-se* para dormir" (Id., *A Lírica de Anacreonte,* p. 13); *reclinar-se num sofá.* **4.** Pousar-se, deitar-se, descansar.

reclinatório. [Do lat. *reclinatoriu.*] *S. m.* Leito, encosto, almofada, etc., para alguém se reclinar, recostar ou descansar; recosto.

reclinável. *Adj. 2 g.* Que se pode reclinar ou dobrar; que permite reclinação: *cadeira reclinável.*

recluir. [Do lat. *recludere.*]. *V. t. d. P. us.* Encerrar, enclausurar: "as recordações exauriram-se e o que não se dissolvera .... estava definitivamente *recluído* no porão do inconsciente" (Maria Julieta Drummond de Andrade, *O Valor da Vida,* p. 224). [Conjug.: v. *atribuir.* Part., p. us.: *recluído* e *recluso.*]

reclusão. [Do lat. *reclusione.*] *S. f.* **1.** Ato ou efeito de encerrar(-se); encerramento: "sabem-se as condições em que Xavier de Maistre o compôs [o romance *Viagem à roda do Meu Quarto*]: durante os longos dias de reclusão, numa cidade da Itália, para livrar-se das penas impostas por um duelo." (Brito Broca, *Horas de Leitura*, p. 7). **2.** Prisão, cárcere. **3.** Pena rigorosa, para ser cumprida em penitenciária [q. v.], com estágios diversos, e que a lei comina aos crimes de maior gravidade.

recluso. [Do lat. *reclusu*.] *Adj.* **1.** Encerrado, preso, encarcerado: "Maria Cora não vivia absolutamente reclusa, dava alguns passeios e fazia visitas." (Machado de Assis, *Relíquias de Casa Velha*, p. 25.) **2.** Que vive em convento. ● *S. m.* **3.** Aquele que vive em clausura (2) ou que foi condenado a reclusão (3).

reco. *S. m. Bras.* **1.** Soldado recém-incorporado. **2.** Homem que presta serviço militar.

recobramento. *S. m.* Ato ou efeito de recobrar(-se).

recobrar. [Do lat. *recuperare*.] *V. t. d.* **1.** Adquirir de novo, receber (o que se havia perdido); recuperar, retomar; cobrar: *O país recobrou territórios perdidos; O descanso o fará recobrar as energias;* "Como sempre, a idéia da federação ibérica resultava da convicção de que o nosso País, atrasado, pobre, fraco, *curvado* à Inglaterra, recobraria na união o passado vigor, e voltaria a ser capaz de grandes cometimentos." (Costa Pimpão, *in* João Gaspar Simões, *Perspectiva da Literatura Portuguesa no Século XIX*, I, p. 229). *P.* **2.** Livrar-se (de coisa aflitiva ou molesta); restabelecer-se, recuperar-se: *Recobrou-se do susto tomado.* **3.** Retomar alento; reanimar-se. [Pres. ind.: *recobro*, etc. Cf. *recobro* (ô).]

recobrável. *Adj. 2 g.* Que pode ser recobrado.

recobrimento. *S. m.* **1.** Ato ou efeito de recobrir(-se). **2.** *Geol.* Superposição de dobras de terrenos mais antigos aos mais modernos.

recobrir. [De *re-* + *cobrir*.] *V. t. d.* e *p.* **1.** Tornar a cobrir(-se). **2.** Cobrir(-se) bem. [Irreg. Conjug.: v. *cobrir*.]

recobro (ô). [Dev. de *recobrar*.] *S. m.* Ato ou efeito de recobrar(-se). [Pl.: *recobros* (ô). Cf. *recobro*, do v. *recobrar*.]

recocto. [Do lat. *recoctu*.] *Adj.* Recozido. [Cf. *recoito*.]

recognição. [Do lat. *recognitione*.] *S. f.* Reconhecimento (1).

recognitivo. [Do lat. *recognitu*, part. pass. de *recognoscere*, 'reconhecer', + *-ivo*.] *Adj.* Próprio para reconhecer ou averiguar determinada coisa.

recoitar. [De *recoito* + *-ar*[2].] *V. t. d.* Recozer (metais). [F. paral.: *recoutar*.]

recoito. [Do lat. *recoctu*.] *Adj.* Recozido (metal). [F. paral.: *recouto*. Cf. *recocto*.]

recoleto. [Do lat. *recollectu*, 'que se recolheu'.] *Adj.* **1.** Relativo ou pertencente a um dos ramos da Ordem dos Agostinianos. **2.** *Fig.* Que leva vida austera. ● *S. m.* **3.** Frade recoleto. **4.** Sacerdote duma ordem que sofreu pena disciplinar.

recolha (ô). [Dev. de *recolher*.] *S. f.* V. *recolhimento* (1).

recolhedor (ô). *S. m.* **1.** Aquele que recolhe. **2.** *Bras.* Aquele que sai ao campo catando os cavalos para recolhê-los ao curral.

recolher. [Do lat. *recolligere*.] *V. t. d.* **1.** Pôr ao abrigo; guardar, arrecadar: *O peão saiu para recolher o gado.* **2.** Fazer a colheita de: *A menina recolhia maçãs no quintal.* **3.** Cobrar; receber; arrecadar: *Encarregaram-no de recolher mensalidades atrasadas.* **4.** Reunir, juntar (coisas dispersas). **5.** Obter como resultado ou recompensa: *Quem planta o mal não pode recolher o bem.* **6.** Dar hospitalidade a; abrigar, receber: *Recolheu os viajantes cansados.* **7.** Juntar; coligir, colher: *Durante anos recolheu dados acerca da Grécia antiga.* **8.** Retrair, encolher: *A tartaruga recolheu o pescoço.* **9.** Retirar da circulação: *O governo recolheu as notas antigas.* **10.** Puxar para si; encurtar: *recolher as rédeas.* **11.** Guardar na memória; memorizar: *As crianças costumam recolher os fatos com elas relacionados.* **12.** *Jur.* Devolver (um mandado) ao cartório de origem. **13.** *Tip.* Começar (linha) com um claro, geralmente de um quadratim. [Cf. *entrar* (27). *T. d.* e *c.* **14.** Conduzir, levar: *Os vaqueiros recolheram o gado ao curral para a ordenha. T. c.* **15.** Voltar, regressar, tornar: *Só pela manhã recolheu à residência;* "D. Rui recolheu ao solar melancolicamente." (Eça de Queirós, *Últimas Páginas*, p. 399). *Transobj.* **16.** Manter, conservar, guardar: *A polícia recolhia presos muitos ladrões. Int.* **17.** Voltar para casa; recolher-se: *Disse que hoje recolheria cedo;* "Quando a Rita chegou a casa, já depois das nove horas, o pai ainda não recolhera, e a mãe, a Benta, começava a estar inquieta" (Conde de Ficalho, *Uma Eleição Perdida*, p. 242). **18.** Desaparecer (doença da pele) na parte externa, passando a manifestar-se interiormente: *Os furúnculos recolheram. P.* **19.** Voltar para casa; recolher: "Recolhia-se habitualmente de madrugada." (Artur Azevedo, *Contos Possíveis*, p. 67.) **20.** Regressar à sua pátria. **21.** Refugiar-se, abrigar-se, asilar-se: *Recolheu-se à casa de um amigo para fugir aos perseguidores.* **22.** Ir para a cama ou para o quarto, à noite, para repousar ou dormir; deitar-se: "Meia-noite. Ao meu quarto me recolho." (Augusto dos Anjos, *Eu*, p. 13.) **23.** Dirigir-se (aos seus aposentos): *Recolheu-se logo, pois não lhe agradava a conversa.* **24.** Retrair-se, fugindo à vida mundana: *Recolheu-se ao convento franciscano.* **25.** Concentrar-se em reflexão. **26.** Recolher (18).

recolhida. [Fem. substantivado do adj. *recolhido*.] *S. f.* **1.** V. *recolhimento* (1). **2.** Mulher que não fez votos, mas vive em convento.

recolhido. [Part. de *recolher*.] *Adj.* **1.** Que se recolheu. **2.** Afastado do movimento mundano. **3.** Pouco expansivo; retraído, concentrado, fechado. ● *S. m.* **4.** *Tip.* Espaço que se deixa em começo de parágrafo, e que em geral corresponde a um quadratim; claro de abertura, claro de entrada, entrada. **5.** *Tip.* Espaço com que se iniciam as linhas subseqüentes à primeira, na composição em sumário.

recolhimento. *S. m.* **1.** Ato ou efeito de recolher(-se). [Sin.: *recolhida, recolha* e (p. us.) *recolho*.] **2.** Local onde se recolhe alguém ou algo. **3.** Recato, cautela, resguardo. **4.** Contemplação, meditação. **5.** Vida retraída, recatada. **6.** O costume, ainda mantido por certos povos em estado primitivo, de, ao nascimento de uma criança, o pai observar resguardo, não saindo de casa nem trabalhando. [Cf., nesta acepç., *couvade*.]

recolho (ô). [Dev. de *recolher*.] *S. m.* **1.** *P. us.* V. *recolhimento* (1). **2.** Respiração forte. **3.** O repuxo da água expelida pela baleia quando vem à superfície respirar. [Pl.: *recolhos* (ô).]

recolocação. *S. f.* Ação ou efeito de recolocar.

recolocar. [Do lat. *recollocare*.] *V. t. d.* Colocar de novo. [Conjug.: v. *trancar*.]

recolonização. *S. f.* Ato ou efeito de recolonizar.

recolonizar. [De *re-* + *colonizar*.] *V. t. d.* **1.** Tornar a colonizar. **2.** Reduzir novamente à condição de colônia: "Os acontecimentos evoluem, ... e não tarda que se patenteie a atitude das Cortes de Lisboa, o seu firme propósito de recolonizar o Brasil." (San Tiago Dantas, *Figuras do Direito*, p. 18.)

recombinação. *S. f.* **1.** Ato de recombinar. **2.** *Fís.* Captura de elétrons por um íon positivo, com a neutralização da respectiva carga. **3.** *Genét.* Troca de material genético entre cromossomos, que resulta num rearranjo de genes diferentes do original.

recombinar. [De *re-* + *combinação*.] *V. t. d.* Sujeitar a nova combinação.

recomeçar. [De *re-* + *começar*.] *V. t. d., t. i., int.* e *pred.* Começar de novo: "E os instrumentos, há pouco emudecidos e suspensos, recomeçam as suas harmonias" (Melo Morais Filho, *Festas e Tradições Populares do Brasil*, p. 161); *Depois de algumas horas a chuva recomeçou.* [Conjug.: v. *laçar*. Pres. ind.: *recomeço*, etc. Cf. *recomeço* (ê).]

recomeço (ê). [De *re-* + *começo* (ê).] *S. m.* Ato de recomeçar. [Pl.: *recomeços* (ê). Cf. *recomeço*, do v. *recomeçar*.]

recomendação. *S. f.* **1.** Ato ou efeito de recomendar (-se). **2.** Qualidade de quem é recomendável. **3.** Conselho, aviso, advertência. ~ V. *recomendações*.

recomendações. [Pl. de *recomendação*.] *S. f. pl.* Cumprimentos, saudações. ~ V. *recomendação*.

recomendado. [Part. de *recomendar*.] *Adj.* **1.** Que é objeto de recomendação, aviso, conselho; aconselhado. **2.** Que é alvo de recomendação ou de empenho. ● *S. m.* **3.** Indivíduo recomendado (2).

recomendar. [De um lat. **recommendare* < *commendare*.] *V. t. d.* **1.** Aconselhar, indicar: *O médico recomendou repouso. T. d.* e *i.* **2.** Fazer ver; lembrar: *Recomendou aos soldados que tivessem toda a precaução.* **3.** Encarregar, incumbir, encomendar: *Recomendou os melhores homens para a missão.* **4.** Pedir todo o cuidado e atenção para alguma coisa: *Recomendo-lhe a leitura dos trabalhos.* **5.** Aconselhar: *Seus mestres recomendaram-lhe cautela nas respostas.* **6.** Solicitar favor, proteção, etc., em proveito de alguém: *Recomendou o filho ao amigo.* **7.** Confiar a alguém: *Recomendei a casa aos criados.* **8.** Dar como bom; aconselhar com encarecimento; inculcar: *Recomendei-lhe a leitura do romance.* **9.** Enviar ou apresentar cumprimentos: *Recomendou-me à sua família. P.* **10.** Tornar-se recomendável; merecer distinção, favor, privilégio.

recomendatório. *Adj.* **1.** Que serve para recomendar. **2.** Que recomenda. **3.** Que serve de empenho.

recomendável. *Adj. 2 g.* Digno de ser recomendado; estimável.

recomer. [De *re-* + *comer*.] *V. t. d.* **1.** Remastigar, ruminar. **2.** Carcomer, comer.

recompensa. [Dev. de *recompensar*.] *S. f.* **1.** Ato ou efeito de recompensar(-se). **2.** Prêmio, galardão. [Sin. ger.: *recompensação*.]

recompensação. *S. f.* V. *recompensa*.

recompensador (ô). *Adj.* e *s. m.* Que ou aquele que recompensa.

recompensar. [De *re-* + *compensar*.] *V. t. d.* **1.** Reconhecer os serviços de (alguém), dando-lhe recompensa (2); premiar, galardoar: *A medalha recompensará sua bravura.* **2.** Corresponder a; retribuir: *A família não recompensava a sua dedicação.* **3.** Pagar, indenizar, compensar: *Os lucros atuais não recompensam o risco. P.* **4.** Pagar-se; indenizar-se, desforrar-se: *Recompensou-se do trabalho estafante exigindo pagamento extra.*

recompensável. *Adj. 2 g.* Digno de recompensa.

recompor. [Do lat. *recomponere*.] *V. t. d.* **1.** Tornar a compor; dar nova forma a: *recompor um escrito.* **2.** Reorganizar; restabelecer; reordenar: *Convém recompor os dados:* "Heróis de ambos os lados caíam, ensopados em sangue. O terror desfazia as linhas, a coragem as recompunha, e os combates sucediam aos combates." (Machado de Assis, *A semana*, II, p. 60). **3.** Recuperar, restabelecer: *Em poucos meses recomporá sua forma física.* **4.** Reconciliar, congraçar, recongraçar, harmonizar: *recompor desafetos. P.* **5.** Reconciliar-se, congraçar-se, recongraçar-se. **6.** Compor-se de novo; reconstituir-se: "A vida, nas cidades e nos campos, se recumpunha asperamente sobre compromissos ainda mal ajustados." (Moisés Velinho, *Letras da Província*, p. 9.) [Irreg. Conjug.: v. *pôr*.]

recomposição. [De *re-* + *composição*.] *S. f.* **1.** Ato ou efeito de recompor(-se). **2.** Congraçamento, reconciliação. **3.** Formação de um novo ministério, de uma nova equipe de trabalho, etc., com aproveitamento de alguns elementos do grupo anterior.

recomposto (ô). [Do lat. *recompositu*.] *Adj.* Que se recompôs.

recomprar. [De *re-* + *comprar*.] *V. t. d.* Comprar de novo.

recôncavo. [De *re-* + *côncavo*.] *S. m.* **1.** Cavidade funda; gruta, antro, lapa. **2.** A terra circunvizinha duma cidade ou dum porto; enseada. **3.** *Bras.* Extensa e fértil região da BA; recôncavo baiano. ♦ **Recôncavo baiano.** *Bras.* Recôncavo (3).

reconceituação. *S. f.* Ato ou efeito de reconceituar.

reconceituado. [Part. de *reconceituar*.] *Adj.* Que se reconceituou.

reconceituar. [De *re-* + *conceito* + *-ar*[2].] *V. t. d.* Conceituar novamente; dar novo conceito a.

reconcentração. *S. f.* Ato ou efeito de reconcentrar (-se).

reconcentrado. [Part. de *reconcentrar*.] *Adj.* **1.** Escondido muito profundamente. **2.** Reflexivo, meditabundo.

reconcentrar. [De *re-* + *concentrar*.] *V. t. d.* **1.** Reunir num ponto: *O general tentou inutilmente reconcentrar a sua divisão;* "O gênio, quando verdadeiro, não recua diante da dificuldade insuperável: pára, reconcentra as forças, e reconsidera." (Antônio Feliciano de Castilho, *O Outono*, p. XVII). **2.** Encerrar ou recolher dentro de si (um sentimento): *Durante anos reconcentrara aquele ódio mortal.* **3.** Fazer convergir para um centro. *T. d.* e *i.* **4.** Fazer convergir: *A viúva reconcentrava nos filhos todo o seu amor. P.* **5.** Chegar-se para o centro: *As populações reconcentraram-se, povoando o interior.* **6.** Reunir-se ou concentrar-se num ponto: *O exército inimigo reconcentra-se na fronteira.* **7.** Viver isolado; apartar-se da convivência: *Reconcentrou-se, fugindo ao convívio social.* **8.** Tornar-se mais intenso; aumentar de força; reforçar-se: *Os ideais de liberdade reconcentravam-se a cada arbitrariedade do soberano absolutista.* **9.** Concentrar a atenção num ponto ou assunto; meditar profundamente: *À medida que envelhecia, o filósofo reconcentrava-se na transitoriedade da existência.*

reconcertar. [De *re-* + *concertar*.] *V. t. d.* Concertar novamente; tornar a concertar. [Pres. ind., *reconcerto*, etc. Cf. *reconcerto* (ê) e *reconserto* (ê), s. m. *reconserto*, do v. *reconsertar*, e este verbo.]

reconcerto (ê). [De *re-* + *concerto* (ê).] *S. m.* Ato ou efeito de reconcertar. [Pl.: *reconcertos* (ê). Cf. *reconcerto*, do v. *reconcertar*; *reconserto* (ê), s. m.; e *reconserto*, do v. *reconsertar*.]

reconciliabilidade. *S. f.* Qualidade de reconciliável.

reconciliação. [Do lat. *reconciliatione.*] *S. f.* **1.** Ato ou efeito de reconciliar(-se). **2.** Reatamento de amizade. **3.** Confissão religiosa por devoção, i. e., feita além daquela que os preceitos determinam anualmente. **4.** Bênção de um templo que foi profanado.

reconciliado. [Part. de *reconciliar.*] *Adj.* **1.** Diz-se daquele que se reconciliou. **2.** Diz-se do penitente que se confessou e recebeu absolvição. ● *S. m.* **3.** O penitente reconciliado (2).

reconciliador (ô). [Do lat. *reconciliatore.*] *Adj. e s. m.* Que ou aquele que reconcilia.

reconciliar. [Do lat. *reconciliare.*] *V. t. d.* **1.** Estabelecer a paz entre: *O mediador não conseguiu reconciliar as potências beligerantes.* **2.** Tornar amigos (pessoas que se malquistaram). **3.** Restituir à graça de Deus: *A confissão reconcilia os pecadores.* **4.** Pôr de acordo, conciliar (coisas que parecem opostas): *É difícil reconciliar idéias novas e tradição. T. d. e i.* **5.** Congraçar, harmonizar: *A bondade dos pais acabou reconciliando com a família o filho extraviado:* "Goethe reconcilia a arte com a vida, reduzindo-as à Natureza, que jamais mente." (Oto Maria Carpeaux, *A Cinza do Purgatório,* p. 33). *P.* **6.** Fazer as pazes; congraçar-se: *Os inimigos reconciliaram-se;* "curvava a fronte ao peso do remorso, reconciliando-se com a vida e com Deus" (Coelho Neto, *Obra Seleta,* I, p. 776). [Sin. ger.: *recongraçar.*]

reconciliatório. [Do lat. *reconciliatu,* part. pass. de *reconciliare,* 'reconciliar', + *-ório.*] *Adj.* Que tem o poder de reconciliar; que serve para reconciliar.

reconciliável. *Adj. 2 g.* Que se pode reconciliar.

recondicionado. [Part. de *recondicionar.*] *Adj. Bras.* Recuperado por meio de recondicionamento: *bateria recondicionada.*

recondicionamento. *S. m. Bras.* Ato ou efeito de recondicionar.

recondicionar. [De *re-* + *condicionar.*] *V. t. d. Bras.* Pôr (motor, aparelho ou peça desgastados pelo uso) em condições de pleno funcionamento.

recôndito. [Do lat. *reconditu.*] *Adj.* **1.** Oculto, escondido. **2.** Ignorado, desconhecido. **3.** Íntimo, profundo: "as grandes tristezas do meu coração ferido por inconfessáveis e recônditas amarguras." (Fialho d'Almeida, *Pasquinadas,* p. 331); "pensamentos recônditos, intenções torcidas, ódios secretos" (Machado de Assis, *Várias Histórias,* p. 30). ● *S. m.* **4.** Lugar oculto; escaninho, esconso, reconditório. **5.** Íntimo, imo, âmago: "Os carapanãs começaram a invadir o barco e logo o devaneio sentimental acomodou-se no recôndito da alma e ali ficou como uma dor sob anestesia." (Braga Montenegro, *As Viagens,* p. 70.)

reconditório. [Do lat. *reconditoriu.*] *S. m.* V. *recôndito* (4).

recondução. *S. f.* **1.** Ato ou efeito de reconduzir. **2.** *Jur.* Prolongamento do prazo de um contrato, com as mesmas condições e sem renovação de ajuste.

reconduzir. [Do lat. *reconducere.*] *V. t. d. e i.* **1.** Remeter novamente (para o lugar de onde tinha vindo); conduzir de novo; devolver: *O vaqueiro reconduziu os bois ao curral.* **2.** Devolver, reenviar: *Não encontrando o destinatário, o carteiro reconduziu a carta ao remetente. T. d.* **3.** Prorrogar (a comissão temporária) por um novo período: *O diretor reconduziu seu secretário.* **4.** Nomear novamente para o cargo que vinha exercendo; reeleger: *A assembléia reconduziu os diretores. Transobj.* **5.** Remeter novamente (para o lugar donde viera); conduzir de novo; devolver: "Vairão era de antigos tempos uma das casas religiosas .... em que as famílias piedosas e discretas punham confiadamente suas filhas a educar, para depois as reconduzirem ao mundo graves sem fanatismo, puras sem míngua na sensibilidade" (Antônio Feliciano de Castilho, *Amor e Melancolia,* p. 277). [Conjug.: v. *aduzir.*]

reconfirmação. *S. f.* Ato ou efeito de reconfirmar.

reconfirmar. [De *re-* + *confirmar.*] *V. t. d.* Confirmar outra vez.

reconfortante. *Adj. 2 g.* **1.** Que reconforta. ● *S. m.* **2.** Remédio ou alimento que reconforta.

reconfortar. [De *re-* + *confortar.*] *V. t. d.* **1.** Confortar muito; revigorar; *Reconforta-o a ginástica.* **2.** Dar novo alento a: *A esperança da liberdade reconforta os presos. P.* **3.** Recobrar forças perdidas: *Reconfortei-me com um cálice de vinho.* [Pres. ind.: *reconforto,* etc. Cf. *reconforto* (ô).]

reconforto (ô). [De *re-* + *conforto* (ô).] *S. m.* Ato ou efeito de reconfortar(-se). [Pl.: *reconfortos* (ô). Cf. *reconforto,* do v. *reconfortar.*]

recongraçar. [De *re-* + *congraçar.*] *V. t. d., t. d. e i., e p.* V. *reconciliar.* [Conjug.: v. *laçar.*]

reconhecença. [De *re-* + *conhecença.*] *S. f.* **1.** *Ant.* Pensão ou tributo que se pagava a certos bispos ou cabidos. **2.** *Bras.* Sinal em terra, pelo qual os viajantes podem reconhecer as paragens das costas.

reconhecer. [Do lat. *recognoscere.*] *V. t. d.* **1.** Conhecer de novo (quem se tinha conhecido em outro tempo): *Os óculos impediram que o reconhecesse.* **2.** Admitir como certo: *Devemos reconhecer a verdade dos fatos.* **3.** Perfilhar (1): *Antes de morrer, reconheceu os filhos ilegítimos.* **4.** Certificar-se de; constatar, verificar: *É pela ação que reconhecemos as boas intenções.* **5.** Confessar, aceitar: *O réu reconheceu sua culpa.* **6.** Examinar a situação de; observar, explorar: *Enviou uma patrulha para reconhecer a região.* **7.** Declarar, afirmar, proclamar: *O povo reconheceu o novo rei.* **8.** Declarar (um governo) reconhecido legitimamente. **9.** Dar a conhecer; caracterizar, identificar. *Certos indícios reconhecem criminosos.* **10.** Mostrar-se agradecido por: *O rapaz reconheceu, emocionado, os favores recebidos. T. d. e i.* **11.** Admitir como legal; assegurar: *O juiz reconheceu-lhe o direito requerido. Transobj.* **12.** Admitir como bom, verdadeiro ou legítimo; conhecer: *O povo reconheceu-o como imperador. P.* **13.** Declarar-se, confessar-se: *O réu reconheceu-se culpado.* [Conjug.: v. *aquecer.*]

reconhecido. [Part. de *reconhecer.*] *Adj.* **1.** Que se reconheceu ou reconhece. **2.** Agradecido, grato. ~ V. *filho* —.

reconhecimento. *S. m.* **1.** Ato ou efeito de reconhecer (-se); recognição. **2.** Agradecimento, gratidão.

reconhecível. *Adj. 2 g.* Que se pode reconhecer, ou que se reconhece facilmente.

reconquista. [Dev. de *reconquistar.*] *S. f.* **1.** Ato ou efeito de reconquistar. **2.** Aquilo que se reconquistou.

reconquistar. [De *re-* + *conquistar.*] *V. t. d.* **1.** Conquistar de novo; recuperar por conquista: "Parece que um tão estreme espiritualista, reconquistando a idealidade do antigo amor, devia reentrar também na antiga felicidade perfeita." (Eça de Queirós, *Contos,* p. 297.) **2.** Recuperar, recobrar; consolidar: *reconquistar a estima de alguém.*

reconsertar. [De *re-* + *consertar.*] *V. t. d.* Consertar de novo. [Pres. ind.: *reconserto,* etc. Cf. *reconserto* (ê) e *reconcerto* (ê), s. m., *reconcerto,* do v. *reconcertar,* e este v.]

reconserto (ê). [De *re-* + *conserto.*] *S. m.* Ato ou efeito de reconsertar. [Pl.: *reconsertos* (ê). Cf. *reconserto,* do v. *reconsertar; reconcerto* (ê), s. m., e *reconcerto,* do v. *reconcertar.*]

reconsideração. *S. f.* Ato ou efeito de reconsiderar.

reconsiderar. [De *re-* + *considerar.*] *V. t. d.* **1.** Considerar ou ponderar novamente: *Reconsideremos o problema. Int.* **2.** Tomar nova resolução; arrepender-se de resolução tomada; pensar melhor; desdizer-se: *Reconsiderei, e resolvi não ir;* "Reconsidera, Belkiss, abandona o teu propósito e verás, de novo, o sol..." (Eugênio de Castro, *Obras Poéticas,* II, p. 162).

reconsolidação. *S. f.* Ação ou efeito de reconsolidar(-se).

reconsolidar. [De *re-* + *consolidar.*] *V. t. d., int.* e *p.* Consolidar de novo.

reconstitucionalizar. [De *re-* + *constitucionalizar.*] *V. t. d.* Constitucionalizar outra vez; *reconstitucionalizar um país.*

reconstituição (u-i). *S. f.* Ato ou efeito de reconstituir.

reconstituinte (u-ín). *Adj. 2 g.* **1.** Que reconstitui. ● *S. m.* **2.** Medicamento para reconstituir a saúde de pessoa doente ou fraca; tônico.

reconstituir. [De *re-* + *constituir.*] *V. t. d.* **1.** Tornar a constituir; recompor: *Reconstituiremos a parte danificada.* **2.** Restaurar as forças de; restabelecer: *O remédio reconstituiu o doente.* [Conjug.: v. *atribuir.*]

reconstrução. [De *re-* + *construção.*] *S. f.* **1.** Ato ou efeito de reconstruir. **2.** Edifício, ou parte dele, que se reconstruiu ou reformou.

reconstruir. [De *re-* + *construir.*] *V. t. d.* **1.** Construir novamente: *A população reconstruiu as cidades arrasadas pela guerra.* **2.** Reorganizar, reformar: *Os conhecimentos modernos permitiram-nos reconstruir a ciência. Int.* **3.** Construir novamente alguma coisa: *Os governos europeus do pós-guerra propunham-se reconstruir.* [Conjug.: v. *atribuir.*]

reconstrutor (ô). [De *re-* + *construtor.*] *Adj.* Que reconstrói ou serve para reconstruir. ~ V. *cirurgia* —*a.*

recontagem. *S. f.* Ato ou operação de recontar (1); nova contagem.

recontar. [De *re-* + *contar.*] *V. t. d.* **1.** Tornar a contar; contar de novo: *Recontaram o pessoal para saberem as baixas;* "mandava-lhe o grosso do pagamento em moedas que ele contava, recontava, levando-as num saco" (Coelho Neto, *Treva,* p. 330). **2.** Contar minuciosamente. **3.** Referir, narrar, contar: *As gerações futuras recontarão a mesma lenda. T. d. e i.* **4.** Narrar, referir, contar: *Recontou aos filhos a dolorosa história. P.* **5.** Incluir-se, contar-se: *Reconta-se entre os inteligentes.*

recontente. [De *re-* + *contente.*] *Adj. 2 g.* Muito contente.

reconto[1]. [De *re-* + *conto*[3].] *S. m.* Conto de lança, que fica no reverso da haste.

reconto[2]. [Dev. de *recontar.*] *S. m.* Ato ou efeito de recontar.

recontro. [De *contra.*] *S. m.* **1.** Embate de dois corpos; choque. **2.** Embate dos que lutam; conflito. **3.** Luta de pouca duração. **4.** Encontro casual.

reconvalescença. *S. f.* Ato de reconvalescer.

reconvalescente. *Adj. 2 g.* e *s. 2 g.* Que ou quem reconvalesce.

reconvalescer. [Do lat. *reconvalescere.*] *V. int.* Convalescer de novo. [Conjug.: v. *aquecer.*]

reconvenção. [De *re-* + *convenção.*] *S. f.* **1.** Ato ou efeito de reconvir. **2.** *Fig.* Ato ou efeito de reconvir, de recriminar; recriminação. **3.** *Jur.* Ação pela qual o réu demanda o autor, no mesmo processo em que por este é demandado, para opor-lhe direito que lhe altere ou elimine a pretensão.

reconversão. [De *re-* + *conversão.*] *S. f.* **1.** *Arquit.* Conjunto de intervenções arquitetônicas que visam, principalmente, a atualizar o acervo construído, viabilizando-lhe a utilização para novo fim, uma vez respeitadas as características fundamentais da construção. **2.** *Econ.* Adaptação a uma nova situação ou nova técnica econômica.

reconverter. *V. t. d. e i.* Efetuar a reconversão de: *Logo que pôde, reconverteu em ações a quantia que havia empregado nas despesas.*

reconvindo. [Part. de *reconvir.*] *Adj. e s. m. Jur.* Diz-se do, ou o demandante contra quem foi requerida pelo demandado a reconvenção (2).

reconvinte. [De *reconvir* + *-nte.*] *Adj. 2 g. e s. 2 g. Jur.* Diz-se de, ou demandado que requereu reconvenção (2) contra o demandante.

reconvir. [De *re-* + *convir.*] *V. t. d.* **1.** Reaver, recobrar, recuperar. **2.** Lembrar-se de; recordar. **3.** Recriminar (um acusador) com o fim de diminuir o valor da acusação. **4.** *Jur.* Propor (o réu) reconvenção contra o autor da demanda (2). [Irreg. Conjug.: v. *vir.*]

reconvocação. *S. f.* Ação ou efeito de reconvocar.

reconvocar. [De *re-* + *convocar.*] *V. t. d.* Tornar a convocar. [Conjug.: v. *trancar.*]

recópia. [De *re-* + *cópia.*] *S. f.* Ato ou efeito de recopiar; nova cópia. [Cf. *recopia,* do v. *recopiar.*]

recopiar. [De *re-* + *copiar.*] *V. t. d.* Copiar novamente. [Pres. ind.: *recopio, recopias, recopia,* etc. Cf. *recópia.*]

recopilação. *S. f.* Ato ou efeito de recopilar; resumo.

recopilador (ô). *Adj. e s. m.* Que ou aquele que recopila.

recopilar. [Do b.-lat. *recopilare.*] *V. t. d.* **1.** Abreviar, compendiar, coligir. **2.** Juntar extratos de; copilar: *recopilar autores clássicos.*

recordação. [Do lat. *recordatione.*] *S. f.* **1.** Ato ou efeito de recordar(-se). [Sin., p. us.: *recordo.*] **2.** V. *reminiscência* (1). **3.** Objeto que relembra algum lugar, pessoa ou coisa; lembrança.

recordador (ô). *Adj. e s. m.* Que ou aquele que recorda.

recordar. [Do lat. *recordare.*] *V. t. d.* **1.** Fazer vir à memória; lembrar-se de; lembrar: *Recordava, feliz, os seus tempos de criança.* **2.** Fazer lembrar; ser semelhante a: *Estes prédios recordam os da minha cidade. T. d. e i.* **3.** Lembrar novamente; fazer vir de novo à memória: *Recordei-lhe aqueles bons tempos;* "os dois ascetas estavam .... anojados, mas S. Francisco de Sales recordava-lhes o texto da Escritura: muitos são os chamados e poucos os escolhidos" (Machado de Assis, *Várias Histórias,* pp. 27-28). **4.** Fazer vir à memória; lembrar: "Seus troncos varonis recordam-me pilastras" (Cesário Verde, *Obra Completa,* p. 104). *T. i.* **5.** Vir à memória; lembrar: *Não lhe recordava o nome da obra. P.* **6.** Fazer vir à memória; lembrar-se: *O velho general recordava-se de seus tempos de soldado;* "Suspirou fundo, recordando-se da finada Maria — sua companheira de miséria por mais de vinte anos" (Nélson de Faria, *Tiziu e Outras Estórias,* p. 138). [Sin., pop., nas acepç. 1, 4 e 5: *escordar*[2]. Pres. ind.: *recordo,* etc. Cf. *recordo* (ô).]

recordativo. [Do lat. *recordativu.*] *Adj.* Que faz recordo.... para uma *vaquejada*, cantando o aboiado recordativo dos dias de tanger ou da luta com o gado das fazendas no emaranhado das caatingas." (Carlos de Gusmão, *Boca da Grota*, p. 36).

recordatório. [Do lat. *recordatu*, part. pass. de *recordare*, 'recordar', + *-ório*.] *Adj.* Recordativo.

recorde. [Do fr. *record* < ingl. *record*.] *S. m.* **1.** A melhor atuação desportiva que, no mesmo gênero e em condições idênticas, foi oficialmente registrada, superando as anteriores: *O nadador bateu o* recorde *sul-americano.* **2.** *P. ext.* Qualquer fato ou realização ou proeza com essas características: *A peça ultrapassou o* recorde *de bilheteria.* ● *Adj. 2 g.* e *2 n.* **3.** Que constitui recorde: *Fez o percurso em tempo* recorde.

recordista. [De *recorde* + *-ista*.] *Adj. 2 g.* e *s. 2 g.* Que ou quem bate um recorde.

recordo (ô). [De *recordar*.] *S. m. P. us.* Recordação (1): "Estes sonhos de todas as noites ali passadas ao relento eram talvez recordos, em que sua alma se revivia no passado" (José de Alencar, *O Sertanejo*, p. 71). [Pl.: *recordos* (ô). Cf. *recordo*, do v. *recordar*.]

reco-reco. [Voc. onom.] *S. m.* **1.** *Bras.* Instrumento de percussão que produz um ruído rascante e intermitente, causado pelo atrito de duas partes separadas, e que, em seu feitio mais conhecido, consiste num gomo de bambu no qual se abrem regos transversais e que se faz soar passando por estes uma varinha ou tala: "Zumbem, zunzunem os tambus e os urucungos, ... gritam estrídulos apitos, troam tambores, reco-recos e timbales" (Martins Fontes, *A Dança*, p. 91). [Sin.: *canzá* ou *ganzá*, *caracaxá*, *cracaxá*, *querequexé*.] **2.** *Bras.* Ruído semelhante ao que é produzido por esse instrumento. **3.** *Bras.* Brinquedo infantil que consiste numa haste em cuja ponta, ordinariamente revestida de breu, se enlaça um barbante preso pela outra extremidade ao fundo de um cilindro de papelão ou de cartolina, o qual, ao girar, emite um zumbido rascante; rói-rói, zumbidor. **4.** *Bras.* Brinquedo infantil que consiste numa roda provida de dentes presa à extremidade de um cabo de madeira, e sobre a qual passa uma palheta ligada a um suporte, fazendo um ruído característico ao saltar de um dente para outro. **5.** *Bras. RJ. Pop.* Pequena festa dançante. [F. paral.: *reque-reque*. Pl.: *reco-recos*.]

recoroar. [De *re-* + *coroar*.] *V. t. d.* Coroar novamente. [Conjug.: v. *coroar*.]

recorrência. *S. f.* **1.** Ação de recorrer. **2.** *Med.* Reaparecimento de sintomas de moléstia após a remissão deles. **3.** *P. ext.* Reaparecimento periódico ou freqüente de fato ou fenômeno. **4.** *Fís. Nucl.* Qualquer dos possíveis estados quantificados de uma partícula elementar.

recorrente. *Adj. 2 g.* **1.** Que recorre. **2.** Que retorna ao ponto de partida ou ressurge após haver desaparecido. ~ V. *nova* —. ● *S. 2 g.* **3.** *Jur.* Pessoa que recorre dum despacho ou sentença judicial. ● *S. m.* **4.** *Anat.* O nervo laríngeo inferior, ramo do pneumogástrico.

recorrer. [Do lat. *recurrere*.] *V. t. d.* **1.** Tornar a correr, a percorrer: Recorri *a mesma estrada;* "a máxima ambição do pai .... era voltar um dia à santa terrinha. Não para ficar, mas para revê-la, recorrer .... as quintas e os lugares, os agrestes caminhos .... da aldeia natal" (Marques Rebelo, *A Mudança*, p. 206). **2.** Esquadrinhar, investigar: *Os pesquisadores* recorrem *arquivos incontáveis.* **3.** Trazer à lembrança, à imaginação; evocar: recorrer *grandes feitos.* **4.** *Marinh.* Folgar ou arriar (um cabo, amarra, etc.) sob volta, à medida que se torne necessário. **5.** *Marinh.* Correr indesejavelmente (um cabo, amarra, etc.), sob a ação do peso ou da tração que agüenta, em virtude de nó ou volta imperfeitos. **6.** *Tip.* Reajustar (linhas, colunas ou páginas) a fim de passar letras ou palavras de uma linha para outra ou uma linha ou linhas de (uma coluna ou página) para outra, por motivo de acréscimo, de supressão, ou de correções muito numerosas, ou também por mudança de medida. *T. i.* **7.** Dirigir-se pedindo socorro, proteção: *Nos momentos de aperto* recorre *sempre ao pai.* **8.** Lançar mão; valer-se: Recorri *ao pecúlio para saldar compromissos urgentes.* **9.** *Jur.* Interpor recurso judicial; apelar, agravar: Recorreu *da sentença.*

recorribilidade. *S. f.* Qualidade de recorrível.

recorrido. [Part. de *recorrer*.] *Adj.* **1.** *Jur.* Diz-se do juízo de cuja sentença se recorreu. **2.** *Jur.* Diz-se do despacho ou decisão que é objeto de recurso. [Cf. *agravado* (4), *apelado* (1) e *embargado* (1).] ~ V. *composição* —*a*. ● *S. m.* **3.** *Jur.* Aquele contra quem se interpõe recurso judicial. **4.** *Tip.* Composição recorrida.

recorrigir. [De *re-* + *corrigir*.] *V. t. d.* Tornar a corrigir. [Conjug.: v. *atingir*.]

recorrível. [De um lat. **recurribile*.] *Adj. 2 g. Bras.* Que é passível de recurso; de que se pode recorrer.

recortada. *S. f. Bras., RS.* Recortado (5).

recortado. [Part. de *recortar*.] *Adj.* **1.** Cortado em miúdos: *carne* recortada. **2.** Cujas bordas apresentam ondulações ou recortes: *litoral* recortado. **3.** Adornado com recortes: *A prateleira está enfeitada de papel* recortado. ~ V. *autotipia*—*a* e *clichê*—. ● *S. m.* **4.** Recorte[1] (2). **5.** *Bras., RS.* Modalidade de fandango; recortada. **6.** *Bras., MG, SP, GO* e *MT.* Dança de roda, do tipo do cateretê, ao som da viola. **7.** *Bras., GO.* Canto popular, complementar da moda (6), em andamento vivo e com assunto humorístico.

recortar. [De *re-* + *cortar*.] *V. t. d.* **1.** Cortar formando (figuras): *As crianças gostam de* recortar *bichinhos.* **2.** Separar, cortando: Recortou *o anúncio do jornal.* **3.** Talhar ou cortar de novo, reduzindo: recortar *um terno.* *T. d.* e *i.* **4.** Intervalar, entremear, entressachar: *A pobre moça falava* recortando *de soluços as palavras.* *P.* **5.** Mostrar-se, imitando desenhos recortados: "As duas torres negras da Sé recortam-se no céu alvacento." (José Vieira, *Sol de Portugal*, p. 59.)

recorte[1]. [Dev. de *recortar*.] *S. m.* **1.** Ato ou efeito de recortar(-se). **2.** Lavor que se faz recortando; recortado. **3.** Artigo, notícia, etc., recortados de jornal ou revista. **4.** *Fig.* Ímpeto, rasgo: "A existência de Cícero tem recortes de heroísmo, posto nem sempre fosse essa — a da coragem pessoal — a impressão que dele tinham os contemporâneos" (Múcio Leão, *Emoção e Harmonia*, p. 36).

recorte[2]. [Do esp. *recorte*.] *S. m. Taur.* Encontro do toureiro com o touro no mesmo ponto, no momento em que o touro abaixa a cabeça para marrar e o homem sai por caminho diferente do caminho do animal.

recortilha. *S. f.* **1.** Instrumento próprio para fazer recortes. **2.** V. *carretilha* (2).

recoser. [De *re-* + *coser*.] *V. t. d.* **1.** Tornar a coser. **2.** Coser repetidas vezes. **3.** Coser (o que está descosido ou roto). [Cf. *recozer*.]

recosta. [Var. de *recosto* (ô) (3).] *S. f. Bras., RS.* V. *vertente* (3).

recostar. [De *re-* + *costa* + *-ar*[2].] *V. t. d.* e *i.* **1.** Inclinar, reclinar, encostar: *A moça* recostou *a cabeça ao ombro do pai.* *T. d.* **2.** Afastar obliquamente da posição vertical; apoiar em alguma coisa: recostar *o corpo.* *P.* **3.** Pôr-se meio deitado; reclinar-se, encostar-se: recostou-se *na cama, procurando descansar.* [Pres. ind.: *recosto*, etc. Cf. *recosto* (ô).]

recosto (ô). [Dev. de *recostar*.] *S. m.* **1.** Parte de um assento própria para alguém se recostar: "Do recosto do sofá e das cadeiras pendiam lindas cobertas" (José de Alencar, *Lucíola*, p. 142). **2.** Reclinatório. **3.** *Bras.* V. *vertente* (3). [Pl.: *recostos* (ô). Cf. *recosto*, do v. *recostar*.]

recoutar. *V. t. d.* Recoitar.

recouto. *Adj.* Recoito [q. v.].

recova. [Dev. de *recovar*.] *S. f.* Recovagem. [Cf. *récova*.]

récova. [F. aferética do ant. *arrécova* < ár. *ar-rakbâ*, 'grupo de viajantes montados em bestas'.] *S. f.* Récua [q. v.]. [Cf. *recova*, do v. *recovar* e s. f.]

recovagem. [De *recovar* + *-agem*[2].] *S. f.* **1.** Transporte feito pelos recoveiros. **2.** A carga por eles transportada. **3.** Empresa que transporta mercadorias ou bagagens. **4.** O preço ou o contrato desse transporte. **5.** A atividade ou a profissão de recoveiro: "Esse homem criara cabelos brancos no meio de carga, e não sabia, não podia abandonar a recovagem." (José Vieira, *Vida e Aventura de Pedro Malasarte*, p. 73.) [Sin. ger.: *recova*.]

recovar. [De *récova* + *-ar*[2].] *V. t. d.* **1.** Transportar (mercadorias, bagagens, etc.) dum lugar para outro em récua. *Int.* **2.** Trabalhar como recoveiro. [Pres. ind.: *recovo*, *recovas*, *recova*, etc. Cf. *recovo* (ô) e *récova*.]

recoveira. [Fem. de *recoveiro*.] *S. f.* **1.** Mulher que faz recovagem. **2.** Pau roliço em que os peixeiros sustentam os cabazes que trazem ao ombro.

recoveiro. *S. m.* Aquele que recova, que transporta mercadorias em récua; almocreve, arrieiro.

recovo (ô). [Der. regress. de **recovado* < lat. *recubatu*, part. pass. de *recubare*, 'recostar-se'?] *S. m.* **1.** Recostado, inclinado. **2.** Ato de achar-se ou ficar recostado no cotovelo. [Pl.: *recovos* (ô). Cf. *recovo*, do v. *recovar*.]

recozedura. [De *re-* + *cozedura*.] *S. f.* Recozimento.

recozer. [De *re-* + *cozer*.] *V. t. d.* **1.** Cozer novamente, ou muito. **2.** Deixar esfriar lentamente em forno especial (qualquer artefato de cerâmica ou de vidro). [Cf. *recoser*.]

recozido [Part. de *recozer*.] *Adj.* **1.** Cozido de novo. **2.** Muito cozido. [Sin.: *recocto*.]

recozimento. *S. m.* Ação ou efeito de recozer; recozedura.

recrava. [Dev. de *recravar*.] *S. f.* Encaixe que se faz na cantaria dum portal para nele se embeber o caixilho.

recravar. [De *re-* + *cravar*.] *V. t. d.* e *i.* **1.** Tornar a cravar. **2.** Cravar muito. *P.* **3.** Cravar-se novamente.

recreação. [De *recrear* + *-ção*.] *S. f.* Recreio. [Cf. *recriação*.] ◆ **Por sua alta recreação.** *Fam.* Por sua vontade, por seu querer; espontaneamente.

recrear. [Do lat. *recreare*.] *V. t. d.* **1.** Proporcionar recreio a; divertir: *Passeios* recreiam *a mente.* **2.** Causar prazer a; alegrar: Recreava-o *a recordação do passado.* *P.* **3.** Sentir prazer ou satisfação. **4.** Divertir-se; folgar, brincar: *As crianças* recrearam-se *nas férias.* [Conjug.: v. *frear*. Cf. *recriar*.]

recreativo. [Do lat. *recreatu*, part. pass. de *recreare*, 'recrear', + *-ivo*.] *Adj.* **1.** Que diverte: *leitura* recreativa. **2.** Próprio ou destinado ao recreio, à diversão: *clube* recreativo.

recreense. *Adj. 2 g.* **1.** De, ou pertencente ou relativo a Recreio (MG). ● *S. 2 g.* **2.** Natural ou habitante de Recreio.

recreio. [Dev. de *recrear*.] *S. m.* **1.** Divertimento, prazer. **2.** Coisa(s) que recreia(m). **3.** Lugar próprio para se recrear. [Sin. ger.: *recreação*.]

recrementício. [De *recremento* + *-ício*.] *Adj. Fisiol.* Diz-se das secreções que são absorvidas, como, p. ex., a saliva e a bílis.

recremento. [Do lat. **recrementu*, 'fezes, escória'.] *S. m.* Secreção recrementícia.

recrescência. *S. f.* **1.** Recrescimento. **2.** Qualidade ou estado de recrescente.

recrescente. [Do lat. *recrescente*.] *Adj. 2 g.* Que recresce.

recrescer. [Do lat. *recrescere*.] *V. int.* **1.** Tornar a crescer. **2.** Aumentar ou dobrar de intensidade: "Mal, porém, avançamos alguns passos, por tal forma recresceu a chuva, que era quase impossível prosseguir." (Aluísio Azevedo, *Demônios*, p. 165.) **3.** Sobrevir, ocorrer, acontecer: Recresceram *acontecimentos adversos, e o plano teve de ser modificado.* *T. i.* **4.** Sobrar, sobejar. *P.* **5.** Aumentar, crescer. **6.** Sobrevir, ocorrer, acontecer. **7.** Sobrar, abundar, sobejar. [Conjug.: v. *crescer*.]

recrescido. [Part. de *recrescer*.] *Adj.* Que recresceu ou aumentou.

recrescimento. *S. m.* Ato ou efeito de recrescer(-se); recrescência.

recrestar. [De *re-* + *crestar*.] *V. t. d.* Crestar de novo, ou em demasia; requeimar.

recria. [Dev. de *recriar*.] *S. f.* **1.** Recriação. **2.** Período compreendido entre a desmama de um animal e o aproveitamento dele no trabalho.

recriação. *S. f.* Ato ou efeito de recriar; recria. [Cf. *recreação*.]

recriador (ô). *Adj.* e *s. m.* Que ou aquele que recria.

recriar. [De *re-* + *criar*.] *V. t. d.* Criar novamente; tornar a criar: "A história, como engrenagem de sentimentos, juízos e interesses, ninguém a sabe; os pósteros é que a recriam a cada momento" (Fidelino de Figueiredo, *Entre Dois Universos*, p. 218). [Pres. ind.: *recrio*, *recrias*, *recria*, etc. Cf. *recrear*.]

recriminação. *S. f.* **1.** Ato ou efeito de recriminar. **2.** Censura, queixa, crítica. **3.** Reconvenção (2).

recriminador (ô). *Adj.* e *s. m.* Que ou aquele que recrimina.

recriminar. [De *re-* + *criminar*.] *V. t. d.* **1.** Responder com acusações às acusações de. **2.** Censurar, criticar, exprobrar, repreender. **3.** Acusar de falta ou crime.

recriminatório. [De *recriminar* + *-(t)ório*.] *Adj.* Que contém ou envolve recriminação.

recristalização. [De *re-* + *cristalização*.] *S. f.* **1.** *Geol.* Processo de transformação das rochas em que os minerais cristalinos, depois da dissolução, formam novos cristais diferentes dos primeiros. **2.** *Quím.* Processo de purificação de uma substância, realizado mediante cristalizações repetidas e sucessivas.

recristalizado. [Part. de *recristalizar*.] *Adj.* Que sofreu recristalização.

recristalizar. [De *re-* + *cristalizar*.] *V. t. d.* **1.** Submeter à recristalização. *P.* **2.** Ser submetido a ela.

recru. [De *re-* + *cru*.] *Adj.* **1.** Muito cru. **2.** Mal recozido. [Fem.: *recrua*.]

recrua. *Adj. (f.)* Fem. de *recru*.

recrucificar. [De *re-* + *crucificar*.] *V. t. d.* Crucificar novamente. [Conjug.: v. *trancar*.]

recrudescência. *S. f.* **1.** Qualidade de recrudescente. **2.** Renovação com maior intensidade; recrudescimento.

recrudescente. [Do lat. *recrudescente*.] *Adj. 2 g* Que recrudesce.

recrudescer. [Do lat. *recrudescere*, 'voltar a ser cruel'.] *V. int.* Tornar-se mais intenso; agravar-se, aumentar, exacerbar-se, recrescer: *Já no fim do verão, o calor* recrudesceu; "Mas a consciência do perigo voltava, as forças se reanimavam, e a luta recrudescia no escuro pavoroso." (Luís Jardim, *Maria Perigosa*, p. 55). [Conjug.: v. *crescer*.]

recrudescimento. *S. m.* Ato ou efeito de recrudescer, agravar(-se), exacerbar(-se); recrudescência.

recruta. [Dev. de *recrutar*.] *S. m.* **1.** Soldado que assentou praça recentemente e ainda está na fase inicial da instrução militar; soldado recruta. [Sin., lus.: *galucho* e (gír.) *bimbo*.] **2.** Pessoa que entrou há pouco em um grêmio. ● *S. f.* **3.** Exercício militar de recrutas. **4.** *Bras., S.* Grupo de peões que percorrem estância por estância, arrebanhando o gado tresmalhado de determinada fazenda. **5.** *Bras., S.* A porção de gado arrebanhado.

recrutador (ô). *S. m.* **1.** Aquele que recruta. **2.** *Bras. S. Restr.* Peão[2] que recruta os animais tresmalhados.

recrutamento. *S. m.* **1.** Ato ou efeito de recrutar. **2.** Leva (2) de recrutas.

recrutar. [Do fr. *recruter*.] *V. t. d.* **1.** Arrolar para o serviço militar: *O Estado* recruta *rapazes de 18 anos.* **2.** *Fig.* Aliciar, angariar (adeptos, etc.): *Os jesuítas desbravaram terras* recrutando *novos cristãos.* **3.** *Bras., S. Fig.* Arrebanhar (gado tresmalhado).

recruzar. [De *re-* + *cruzar*.] *V. t. d.* **1.** Tornar a cruzar. **2.** Cruzar repetidamente: "Recebe-nos à porta / Do templo de verdura / Azul, trêfega, leve borboleta; / Vai volateando inquieta, / Recruza o atalho, / o espaço corta" (Alberto de Oliveira, *Poesias*, 2ª série, p. 308).

recruzetado. [De *re-* + *cruzetado*.] *Adj.* Que tem cruzetas. ~ V. *cruz* —a.

recua. [Dev. de *recuar*.] *S. f.* *recuo* (1). [Cf. *récua*.]

récua. [Var. de *récova*.] *S. f.* **1.** Grupo de bestas de carga presas umas às outras: "Carros de recovagem, récuas de mulas e almocreves poeirentos" (Ramalho Ortigão, *Figuras e Questões Literárias*, I, p. 287). **2.** Manada de cavalgaduras. **3.** A carga transportada por elas. **4.** *Deprec.* Súcia, caterva, matula. [Cf. *recua*, do v. *recuar* e s. f.]

recuada. [De *recuar* + *-ada*[1].] *S. f.* V. *recuo* (1).

recuadeira. [De *recuar* + *-(d)eira*.] *S. f.* Correia presa à parte anterior do varal, e que servia para fazer recuar as antigas seges.

recuado. [Part. de *recuar*.] *Adj.* **1.** Que ocorre na retaguarda (de um campo, de uma área): *O jogo* recuado *foi o único recurso para reforçar a defesa do time.* **2.** Que está situado na parte de trás: *Mal podia ver a tela, porque estava numa fila* recuada *do cinema.* **3.** Afastado, distante; longínquo: *imagem* recuada; *luz* recuada. **4.** Muito antigo; longínquo: *tempo* recuado; *fato* recuado.

recuamento. [De *recuar* + *-mento*.] *S. m.* V. *recuo* (1).

recuanço. *S. m.* No bilhar, ato de fazer recuar uma bola.

recuar. [Do lat. **reculare*.] *V. int.* **1.** Andar para trás; retrogradar, retroceder: "O rochedo é deserto. Ele avança ... recua ..." (Augusto de Lima, *Poesias*, p. 53); "desfazia-se em galanteios, comovida, atendendo a toda a sala, avançando, recuando, ... pisando ligeiramente, com as botas muito lustrosas" (Coelho Neto, *Turbilhão*, p. 247). **2.** Perder ou ceder terreno (ao adversário): *Os exércitos* recuaram *com baixas; Ante as ameaças do chantagista, o industrial* recuou *apavorado.* **3.** Tentar fugir a um compromisso assumido; hesitar. **4.** Desistir de um intento; voltar atrás; reconsiderar: "Estuda e é inteligente, mas à primeira dificuldade recua desanimado." (Coelho Neto, *Turbilhão*, p. 103.) **5.** Atrasar-se, retrogradar, retroceder: *A ciência não* recua. **6.** Ter idéias contrárias ao progresso. *T. i.* **7.** Voltar atrás em relação ao tempo, ou a uma opinião anterior: Recuou *aos seus tempos de criança;* Recuou *para uma posição menos radical.* **8.** Desistir, renunciar: *Não* recuaremos *de nossas intenções.* *T. d.* **9.** Fazer retroceder; impelir para trás: recuar *um móvel.* **10.** Colocar aquém da posição atual: recuar *uma cerca.* **11.** Fazer andar para trás: recuar *o automóvel.* [Pres. ind.: *recuo, recuas, recua*, etc. Cf. *récua*.]

recúbito. [Do lat. *recubitu*.] *S. m.* Posição de quem se acha encostado.

recuco. [De *re-* + *cuco*[2].] *Adj.* e *s. m.* *Ant.* Dizia-se do, ou homem casado com mulher leviana, a qual continuava a proceder mal após o casamento. [M. us. como s. m.]

recuidar. [De *re-* + *cuidar*.] *V. t. d.* **1.** Pensar em; considerar, apreciar. *T. i.* **2.** Pensar profundamente.

recumbir. [Do lat. *recumbere*.] *V. t. c.* Estar encostado, inclinado: *O rosto* recumbe *sobre o peito.*

recunhar. [De *re-* + *cunhar*.] *V. t. d.* Cunhar outra vez.

recuo. [Dev. de *recuar*.] *S. m.* **1.** Ato ou efeito de recuar; recua, recuada, recuamento. **2.** Parte de terreno situado para trás de um limite convencionado: *O* recuo *é destinado ao ajardinamento.* **3.** *Urb.* Área de terreno de propriedade particular que é incorporada ao logradouro (2) mediante legislação específica.

recuperação. [Do lat. *recuperatione*.] *S. f.* Ato ou efeito de recuperar(-se).

recuperador (ô). [Do lat. *recuperatore*.] *Adj.* e *s. m.* Que ou aquele que recupera.

recuperar. [Do lat. *recuperare*.] *V. t. d.* **1.** Recobrar (o perdido); adquirir novamente: *O sono o fará* recuperar *as forças;* "Recuperara as suas cores fortes de boneca, e as pestanas baixas tinham uma timidez mais virginal sob o liso dos bandós puritanos." (Eça de Queirós, *Os Maias*, II, p. 170). **2.** Reabilitar (3). *P.* **3.** Indenizar-se; ressarcir-se: *O comerciante não conseguiu* recuperar-se *dos prejuízos.*

recuperativo. [Do lat. *recuperativu*.] *Adj.* Recuperatório (1).

recuperatório. [Do lat. *recuperatoriu*.] *Adj.* **1.** Que tem a força ou virtude de recuperar; recuperativo. **2.** *Jur.* Diz-se do mandato judicial que determina retorne um ato ao estado primitivo.

recuperável. *Adj. 2 g.* Que se pode recuperar.

recursão. *S. f.* *Tip.* Ato de recorrer (6).

recurso. [Do lat. *recursu*.] *S. m.* **1.** Ato ou efeito de recorrer (7 e 8). **2.** Auxílio, ajuda, socorro, proteção. **3.** Meio, expediente: *Usou de todos os* recursos *disponíveis.* **4.** Meio pecuniário; numerário: *Viu-se de repente sem* recursos *para enfrentar os gastos.* **5.** Meio para resolver um problema; remédio, solução. **6.** *Jur.* Meio de provocar, na mesma instância ou na superior, a reforma ou a modificação de uma sentença judicial desfavorável. **7.** *Bras., N.E.* V. *casa de tolerância*. ~ V. *recursos*. ♦ **Recurso extraordinário.** *Jur.* Aquele que a lei concede contra decisões dos tribunais de justiça proferidas em única ou última instância, e destina-se a manter, em casos excepcionais, a autoridade das leis e tratados federais em todo o território nacional. **Recursos naturais.** Fontes de riquezas materiais que existem em estado natural, tais como florestas, reservas minerais, etc.

recursos. [Pl. de *recurso*.] *S. m. pl.* Bens, haveres, posses. ~ V. *recurso*.

recurva. [Dev. de *recurvar*.] *S. f.* *Bras.* Contorção.

recurvado. [Part. de *recurvar*.] *Adj.* V. *recurvo*.

recurvar. [Do lat. *recurvare*.] *V. t. d.* **1.** Curvar de novo, ou muito. **2.** Inclinar; encurvar. *P.* **3.** Inclinar-se, encurvar-se.

recurvirrostrídeo. *S. m.* **1.** Espécime dos recurvirrostrídeos. ● *Adj.* **2.** Relativo ou pertencente a eles.

recurvirrostrídeos. *S. m. pl.* *Zool.* Aves caradriiformes, da família *Recurvirostridae*, caracterizadas por terem o bico delgado, muito mais longo que a cabeça, o tarso medindo mais do dobro do dedo médio com a unha e revestido em toda a volta de escamas hexagonais, e o hálux rudimentar ou ausente. São os maçaricões.

recurvo. [Do lat. *recurvu*.] *Adj.* Torcido, dobrado, curvo, recurvado: "O seu nariz, meio recurvo, parecia um anzol" (Gastão de Holanda, *O Burro de Ouro*, p. 145).

recusa. [Dev. de *recusar*.] *S. f.* Ato de recusar(-se); negativa. [Sin., p. us.: *recusação*.]

recusação. [Do lat. *recusatione*.] *S. f.* *P. us.* V. *recusa*.

recusador (ô). *Adj.* e *s. m.* Que ou aquele que recusa; recusante.

recusante. [Do lat. *recusante*.] *Adj. 2 g.* e *s. 2 g.* Recusador.

recusar. [Do lat. *recusare*.] *V. t. d.* **1.** Não aceitar (coisa oferecida); rejeitar: Recusou *os presentes;* "Por amor-próprio ferido, recusou [Almeida Garrett] o lugar de representante junto à Corte brasileira" (José Osório de Oliveira, *O Romance de Garrett*, p. 171). **2.** Não se prestar, opor-se, a; negar-se a: Recusou *terminantemente recorrer aos pais.* **3.** Não aceitar; não admitir: *O réu* recusou *o depoimento das testemunhas.* [Sin., p. us., nestas acepç.: refusar.] *T. d. e i.* **4.** Não permitir; não conceder; negar: *Os ricos não deveriam* recusar *auxílio aos necessitados.* *P.* **5.** Não se prestar; negar-se, opor-se: *A criança* recusa-se *a comer;* "recusando-se uma pobre mocinha a satisfazer-lhe os desejos, amarrou-lhe braços e pernas, e toda a horda .... cevou no pobre corpo os instintos infames." (Gustavo Barroso, *Terra de Sol*, p. 132). **6.** Declarar-se incompetente: *O tribunal* recusou-se. **7.** Não obedecer; desobedecer: *Todos* se recusaram *à ordem de silêncio.*

recusativo. *Adj.* Que envolve ou exprime recusa; recusatório.

recusatório. [De *recusar* + *-(t)ório*.] *Adj.* Recusativo.

recusável. [Do lat. *recusabile*.] *Adj. 2 g.* Que pode ou deve ser recusado.

redação. [Do lat. *redactione*.] *S. f.* **1.** Ato ou efeito de redigir. **2.** *P. ext.* Trabalho ou exercício escolar que versa sobre um assunto dado, ou de livre escolha, e se destina a ensinar o aluno a redigir corretamente, com seguimento lógico de idéias; composição. **3.** Modo de redigir. **4.** O conjunto das pessoas que redigem para um periódico, uma revista, uma editora, etc.; o corpo de redatores. [V. *redator* (2).] **5.** Lugar onde trabalham os redatores.

redacional. *Adj. 2 g.* Relativo a, ou próprio de redação.

redactilografar. [De *re-* + *dactilografar*.] *V. t. d.* Dactilografar de novo; rebater. [Var.: *redatilografar*.]

redada. *S. f.* **1.** Ato de redar[2] por uma vez; lanço de rede. **2.** *Bras.* A ninhada de uma ave: "as galinhas da vizinhança vieram com suas redadas de pintos" (Albertino Moreira, *Boca-Pio*, p. 99).

redambalar. [T. onom.] *V. int.* Despenhar-se, despencar-se, precipitar-se: "Guiada pelo chocalho da madrinha, levada no cabresto, ... a tropa desatrelada enveredou pela devesa, redambalando por intervalos cada polaco das cabeças de lote nos torcicolos abrutalhados da vereda, ribanceira abaixo." (Hugo de Carvalho Ramos, *Tropas e Boiadas*, p. 4.)

redar[1]. [De *re-* + *dar*.] *V. t. d.* Tornar a dar; dar novamente. [Irreg. Conjug.: v. *dar*.]

redar[2]. [De *rede* + *-ar*[2].] *V. int.* Lançar a rede. [Pres. subj.: *rede, redes*, etc. Cf. *rede* (ê) e pl. *redes* (ê).]

redar[3]. *V. t. d.* *Ant.* V. *redrar*. [Pres. subj.: *rede, redes*, etc. Cf. *rede* (ê) e pl. *redes* (ê).]

redargüente. *Adj. 2 g.* e *s. 2 g.* Redargüidor.

redargüição. *S. f.* Ato ou efeito de redargüir; réplica.

redargüidor (ô). *Adj.* e *s. m.* Que ou aquele que redargüi, redargüente.

redargüir. [Do lat. *redarguere*.] *V. t. d.* e *t. d. e i.* **1.** Replicar augumentando; responder argüindo; replicar: *Pediu minha opinião,* redargüi *que não estava de acordo;* " — Não é a fé que me falta, redargüiu melancólica a donzela, é a esperança, mãe!..." (Rebelo da Silva, *Contos e Lendas*, pp. 151-152); Redargüiu *ao velho amigo que não precisava de auxílio.* *Transobj.* **2.** Acusar; recriminar: Redargüiram-*no de ladrão.* *T. i.* **3.** Responder argüindo; replicar : *O advogado de defesa* redargüiu *ao promotor com veemência.* [Conjug.: v. *argüir*.]

redargüitivo. *Adj.* Que envolve redargüição.

redatilografar. *V. t. d.* V. *redactilografar*.

redator (ô). [Do lat. *redactu*, part. de *redigere*, 'dispor, ordenar', + *-or*.] *S. m.* **1.** Aquele que redige. **2.** Aquele que escreve habitualmente para um jornal, revista, etc. **3.** Aquele que revê ou corrige, quanto ao conteúdo ou à forma, um texto literário, científico, artístico, jornalístico, etc.; copidesque.

redatorial. *Adj. 2 g.* Relativo a redator ou a redação.

rede (ê). [Do lat. *rete*.] *S. f.* **1.** Entrelaçamento de fios, cordas, cordéis, arames, etc., com aberturas regulares, fixadas por malhas [v. *malha*[1] (1)], formando uma espécie de tecido. **2.** *P. ext.* Qualquer dos dispositivos feitos de rede, utilizados para apanhar peixes, pássaros, insetos, etc. **3.** *P. ext. Fig.* Cilada, armadilha. **4.** *P. ext.* Dispositivo feito de rede, utilizado em circos, ou pelo Corpo de Bombeiros, ou por qualquer outra instituição de salvamento, e cujo fim é amortecer o choque da queda de pessoas que, em exibições acrobáticas ou por efeito de incêndio ou de outra calamidade, se atiram ou caem de grande altura. **5.** Tela de arame que lembra uma rede. **6.** Rede finíssima, de linha, usada para prender os cabelos. **7.** Rede sustentada por uma armação, que em geral divide os dois campos adversários, utilizada em esportes como, p. ex., o tênis, o vôlei, o pingue-pongue. **8.** *Fig.* O conjunto dos meios de comunicação ou de informação (telefone, telégrafo, rádio, televisão, jornais, revistas, etc.), ou o conjunto das vias (e do equipamento) de transporte ferroviário, rodoviário, aéreo, etc., que, pela sua estrutura, se assemelham a uma rede (1), e se difundem em áreas mais ou menos consideráveis: rede *telefônica;* a Rede *Ferroviária Nacional.* **9.** *Fig.* O conjunto de estabelecimentos, agências, ou mesmo de indivíduos, pertencentes a organização que se destina a prestar determinado serviço: rede *bancária;* rede *de espionagem; A revolução venceu porque dispunha duma* rede *bem organizada de informantes.* **10.** *Fig.* Qualquer conjunto ou estrutura que por sua disposição lembre um sistema reticulado: *De tão emaranhada, a rede de vielas da cidade era intransponível.* **11.** *P. ext.* A canalização de água, esgoto, gás, etc., de uma localidade. **12.** *Eletr.* Circuito distribuidor de corrente elétrica que faz a ligação entre uma fonte geradora de tensão e diversas unidades de consumo. **13.** *Encad.* V. *grelha* (4). **14.** *Ópt.* Rede de difração. **15.** *Bras.* Espécie de leito balouçante, feito de tecido resistente de linho, algodão ou qualquer outra fibra, e pendentes pelas extremidades terminadas em punhos ou argolas, de armadores ou ganchos geralmente pregados em paredes, árvores, ou em armações metálicas, etc. **16.** *Bras., PA.* Gado manso que se destina a conter o gado malhadeiro ou fugidio. [Pl.: *redes* (ê). Cf. *rede* e *redes*, do v. *redar*.] ◆ **Rede de arrasto.** *Pesc.* Rede (2) dotada de arrasto (2), utilizada na pesca fluvial ou costeira, e que é arrastada no fundo do mar ou do rio para recolher diversos tipos de peixe. **Rede de computadores.** Rede de telecomunicações que envolve a interconexão entre dois ou mais computadores permitindo a troca de dados entre estas unidades e otimizando recursos de *hardware* e *software*. **Rede de difração.** *Ópt.* Sistema óptico formado por um conjunto de ranhuras paralelas e eqüidistantes, traçadas sobre uma superfície, e com que se pode desdobrar, em seus componentes, uma radiação policromática. [Tb. se diz apenas *rede*.] **Rede de quatro chinelos.** *Bras., CE.* Rede (15) em que dorme um casal. **Rede de telecomunicações.** Conjunto de linhas de comunicação interligadas por dispositivos (pontos da rede) capazes de receber uma mensagem e fazê-la transitar por estes canais de comunicação, para que, partindo de um ponto de origem, chegue ao seu destino. [V. *rede* (8).] **Cair na rede.** *Fig.* Deixar-se apanhar ou envolver de tal forma que se torna difícil desvencilhar-se. **Da rede rasgada. 1.** *Bras. Pop.* De vida dissoluta: *É da rede rasgada aquele homem, apesar de idoso.* **2.** *Bras., N.E. Pop.* Atrevido, insolente, desabusado: *cabra da rede rasgada.*

rédea. [Do lat. *retina < retinere, 'reter'.] *S. f.* **1.** Correia para guiar as cavalgaduras; brida. **2.** *Fig.* Direção, condução, governo: *Tomou as rédeas da situação.* ◆ **Afrouxar a rédea a.** Deixar à vontade, em plena liberdade; dar rédea a; dar rédea larga a; dar velas a. **Bancar na rédea.** *Bras., RS.* Fazer o animal rodopiar sobre as patas traseiras e tomar direção oposta. [Tb. se diz apenas *bancar*.] **Dar rédea a.** V. *afrouxar a rédea a*. **Dar rédea larga a.** V. *afrouxar a rédea a*.

redeador (ô). [De *rédea*.] *S. m. Bras. Turfe.* V. *jóquei* (2).

redeclaração. *S. f.* Ato ou efeito de redeclarar.

redeclarar. [De *re-* + *declarar*.] *V. t. d. e t. d. e i.* Tornar a declarar.

redecorar. [De *re-* + *decorar*[2].] *V. t. d.* Mudar a decoração de; tornar a decorar: "Aluguei um apartamentinho térreo num edifício velho da Saint Roman, redecorei tudo sozinha, está uma graça." (Maria Julieta Drummond de Andrade, *O Valor da Vida*, p. 155.)

redefinição. *S. f.* Ato ou efeito de redefinir.

redefinir. [De *re-* + *definir*.] *V. t. d.* Definir de novo.

rede-fole. [De *rede* + *fole*.] *S. f.* Rede (2) afunilada, para pesca. [Cf. *jereré*[1]. Pl.: *redes-foles* e *redes-fole*.]

redeiro. *S. m.* **1.** Fabricante de redes. **2.** Pequena rede empregada na pesca fluvial.

redemocratização. *S. f.* Ação ou efeito de redemocratizar(-se).

redemocratizar. [De *re-* + *democratizar*.] *V. t. d. e p.* Democratizar(-se) novamente.

redemoinhador (o-i ... ô). *Adj.* Que redemoinha.

redemoinhar (o-i). [De *redemoinho* + *-ar*[2].] *V. int.* V. *remoinhar*: "Adiante um tumulto de bolhas redemoinha e rebenta" (Eça de Queirós, *Contos*, p. 176).

redemoinho (o-i). [De *remoinho*, com infl. de *roda*.] *S. m.* V. *remoinho*: "Horas seguidas, os remos roncam em ritmo surdo, deixando para trás os redemoinhos gorgolejantes das águas." (Humberto de Campos, *Memórias Inacabadas*, p. 224.) [Var.: *redemunho*.]

redemunho. [Var. de *redemoinho*.] *S. m. Bras., prov. lus.*, e *ant.* V. *remoinho*: "E o vento soprava a areia fina, tentando fazer um redemunho aqui e ali." (O. G. Rego de Carvalho, *Somos Todos Inocentes*, p. 28.)

redenção. [Do lat. *redemptione*.] *S. f.* **1.** Ato ou efeito de remir ou redimir. **2.** Ajuda ou recurso capaz de livrar ou salvar alguém de situação aflitiva ou perigosa. **3.** *Rel.* A salvação oferecida por Jesus Cristo na cruz, com ênfase no aspecto de libertação da escravidão do pecado.

redencense. *Adj. 2 g.* **1.** De, ou pertencente ou relativo a Redenção da Serra (SP). ● *S. 2 g.* **2.** Natural ou habitante de Redenção da Serra.

redendê. *S. m. Bras.* Certo bordado em que se alternam pontos cheios, cobrindo os fios do tecido (um tipo de linhão), formando flores e outras figuras, com retângulos em ponto aberto; rendendê.

redengar-se. [De *derrengar-se*, com metátese.] *V. p. Bras., PE, Gír.* **1.** V. *derrengar* (3). **2.** *Bras., PE.* Apaixonar-se, derreter-se. [Conjug.: v. *largar*.]

redenho. [De *rede* + *-enho*.] *S. m.* **1.** *Anat.* V. *epíploo*. **2.** Rede (2) para apanhar o sargaço. **3.** Aparelho de rede envolvente móvel para a pesca do camarão.

redente. [De *re-* + *dente*.] *S. m.* **1.** Construção que forma ângulo em baluarte, trincheira, etc. **2.** Ressalto na parte superior de muros construídos em terreno inclinado, para nivelar essas construções. [Cf. *ridente*.]

redentor (ô). [Do lat. *redemptore*.] *Adj.* **1.** Que redime. ● *S. m.* **2.** Aquele que redime. **3.** *Restr.* Jesus Cristo.

redentora (ô). [Fem. substantivado do adj. *redentor*.] *S. f.* Aquela que redime. ◆ **A Redentora.** Antonomásia da Princesa Isabel, do Brasil (1846-1921).

redentorista. *S. m.* Religioso membro da Congregação do Santíssimo Redentor, fundada por Santo Afonso de Ligório em Scala, reino de Nápoles, em 1732: "— *Ite missa est*, perorava afinal o celebrante, um padre redentorista vindo expressamente da vila próxima." (Hugo de Carvalho Ramos, *Tropas e Boiadas*, p. 68.)

rede-pé. *S. f.* Rede de arrasto [q. v.] com um só pano, que dois pescadores lançam perto da praia e está presa a duas ripas de madeira. [Pl.: *redes-pés* e *redes-pé*.]

redescender. [Do lat. *redescendere*.] *V. int.* Tornar a descer.

redescobridor (ô). *S. m.* Aquele que redescobriu algo.

redescobrimento. *S. m.* Ação ou efeito de redescobrir; novo descobrimento.

redescobrir. [De *re-* + *descobrir*.] *V. t. d.* Descobrir novamente. [Irreg. Conjug.: v. *cobrir*.]

redescontador (ô). *Adj.* e *s. m. Jur.* e *Com.* Que ou aquele que redesconta (título de crédito).

redescontar. [De *re-* + *descontar*.] *V. t. d. Com.* Efetuar (uma operação de redesconto). [Fut. pret.: *redescontaria*, etc. Cf. *redescontária*, fem. de *redescontário*.]

redescontário. *Adj.* e *s. m. Jur.* e *Com.* Diz-se de, ou aquele a quem se redescontou (um título de crédito). [Fem.: *redescontária*. Cf. *recontaria*, do v. *redescontar*.]

redescontável. *Adj. 2 g. Com.* Que pode ser redescontado.

redesconto. [De *re-* + *desconto*.] *S. m. Com.* Operação pela qual um estabelecimento bancário desconta em outro títulos de crédito adquiridos de clientes por transação idêntica, objetivando lucrar a diferença entre a taxa que cobrou e a que lhe é cobrada.

redesenhado. [Part. de *redesenhar*.] *Adj.* **1.** Que foi desenhado de novo. **2.** Diz-se de produto de modelo inteiramente novo.

redesenhar. [De *re-* + *desenhar*.] *V. t. d.* Desenhar de novo.

redestilação. *S. f.* Ação de redestilar; nova destilação.

redestilar. [De *re-* + *destilar*.] *V. t. d.* Tornar a destilar.

redibição. [Do lat. *redhibitione*.] *S. f. Jur.* Ato ou efeito de redibir.

redibir. [Do lat. *redhibere*.] *V. t. d. Jur.* Anular judicialmente (uma venda ou outro contrato comutativo em que a coisa negociada foi entregue com vícios ou defeitos ocultos, que impossibilitam o uso ao qual se destina, que lhe diminuem o valor).

redibitório. [Do lat. *redhibitoriu*.] *Adj.* Que tem força para redibir.

redigir. [Do lat. *redigere*.] *V. t. d.* **1.** Escrever com ordem e método: "Diogo do Couto redigiu seis décadas completas da Ásia (4ª, 5ª, 6ª, 7ª, 8ª e 9ª)." (Feliciano Ramos, *História da Literatura Portuguesa*, p. 222); "No Palácio da Cachoeira, / com pena bem aparada, / começa Joaquim Silvério / a redigir sua carta." (Cecília Meireles, *Obra Poética*, p. 731). **2.** Escrever os artigos principais de (um periódico): *redigir a coluna política de um jornal.* **3.** Escrever como redator (2): *redigir reportagens.* *Int.* **4.** Exprimir-se sintaticamente por escrito: *Sabe redigir; Redige tão bem quanto fala.* [Conjug.: v. *dirigir*.]

redil. [De *rede* + *-il*.] *S. m.* **1.** Curral (sobretudo para gado lanígero e caprino); aprisco: "Como ovelhas acamadas num redil de fantasia, as casas da pequena aldeia .... acordam sonolentas e orvalhadas do sereno da noite." (Miguel Torga, *Traço de União*, p. 132.) **2.** *Fig.* Uma comunidade cristã [cf. *rebanho*[1] (5)]: "Entre pagãos buscava sinceramente encaminhar ovelhas para o redil do Evangelho" (Latino Coelho, *Cervantes*, p. 179).

redimensionamento. *S. m.* Ato ou efeito de redimensionar.

redimensionar. [De *re-* + *dimensionar*.] *V. t. d.* Dimensionar outra vez.

redimir. [Do lat. *redimere*.] *V. t. d., t. d. e i.* e *p.* Remir: "Tua voz salva e redime / Os que na vasa do crime / Vacilam desamparados!" (Conde de Monsaraz, *Musa Alentejana*, p. 137.)

redimível. *Adj. 2 g.* Que pode ou deve ser redimido ou remido.

redingote. [Do ingl. *riding-coat*, pelo fr. *redingote*.] *S. m.* **1.** V. *sobrecasaca*. **2.** *Bras.* Casaco feminino inteiriço, ajustado na cintura e que alarga para baixo.

redintegrar. [Do lat. *redintegrare*.] *V. t. d. e i.* e *p.* Reintegrar.

rediscussão. *S. f.* Ato ou efeito de rediscutir; nova discussão.

rediscutir. [De *re-* + *discutir*.] *V. t. d.* Discutir novamente.

redissolver. [De *re-* + *dissolver*.] *V. t. d.* Dissolver outra vez.

redistribuição (u-i). *S. f.* Ato ou efeito de redistribuir; nova distribuição.

redistribuir. [De *re-* + *distribuir*] *V. t. d. e t. d. e i.* Tornar a distribuir: *Redistribuiu seus livros; Redistribuirá os seus bens pelos amigos.* [Conjug.: v. *atribuir*.]

redito. [Do lat. *redictu*.] *Adj.* Dito novamente, ou muitas vezes. [Cf. *rédito*.]

rédito. [Do lat. *redditu*, 'restituído'.] *S. m.* **1.** Ato de voltar. **2.** Lucro, ganho: "Luís de Camões, mercê dos primores da sua inteligência, mantinha certas relações com gente altamente colocada, e iria acalentando as necessidades da vida com os réditos, futres réditos, dos trabalhos de cópia e escrituração, que faria a rogo deste e daquele." (Aquilino Ribeiro, *Luís de Camões*, II, pp. 80-81.) **3.** Rendimento, juro. [Cf. *redito*, do v. *redizer* e adj.]

rediviva. [Fem. substantivado de *redivivo*.] *S. f.* Rosa-de-jericó.

redivivo. [Do lat. *redivivu*.] *Adj.* **1.** Que retornou à vida; ressuscitado. **2.** Que remoçou; rejuvenescido.

redizer. [Do lat. *redicere*.] *V. t. d. e t. d. e i.* **1.** Tornar a dizer. **2.** Dizer muitas vezes: "caiu molemente numa canastra e, dobrando-se toda, rompeu a chorar, redizendo o nome do filho com a ternura a coar-se pelos soluços" (Coelho Neto, *Treva*, pp. 156-157). **3.** Repetir (o que outrem disse): *Redisse a advertência do pai; Redisse aos que se haviam ausentado as instruções do chefe.* **4.** Recontar, referir, narrar: *Gerações sucessivas rediziam a mesma história; Redisse aos turistas a lenda que se prendia ao castelo.* [Irreg. Conjug.: v. *dizer*. Part.: *redidito*. Cf. *rédito*.]

redobrado. [Part. de *redobrar*.] *Adj.* **1.** Dobrado mais uma vez. **2.** Muito repetido ou mais intenso; redobre.

redobramento. *S. m.* **1.** Ato ou efeito de redobrar; redobro. **2.** Aumento considerável; redobro.

redobrar. [De *re-* + *dobrar*.] *V. t. d.* **1.** Tornar a dobrar; fazer nova(s) dobra(s) em: *Dobrou e redobrou a toalha.* **2.** Tornar quatro vezes maior; tornar a dobrar; reduplicar, quadruplicar: *Os juros redobraram a conta em um ano.* **3.** Aumentar muito: "O vento parecia redobrar a força da chuva." (Lúcio Cardoso, *O Desconhecido*, p. 26.) **4.** Dizer ou fazer de novo; repetir: *Desconfiado, redobrava diariamente as medidas de precaução.* **5.** Fazer soar outra vez: *O sacristão redobrava os sinos às meias horas.* *T. i.* **6.** Aumentar, intensificar: *É preciso redobrar de astúcia.* *Int.* **7.** Aumentar de modo considerável; reduplicar: *O preço da carne redobrou.* **8.** Tornar a soar (o sino): *Os sinos redobram anunciando a ave-maria.* **9.** V. *quadruplicar* (3). *P.* **10.** V. *quadruplicar* (3). *P.* **11.** Crescer, aumentar, multiplicar-se: *Redobram-se as mesuras.* [Pres. ind.: *redobro*, etc. Cf. *redobro* (ô).]

redobre. [De *re-* + *dobre*[2].] *Adj. 2 g.* **1.** V. *redobrado* (2). **2.** *Fig.* Velhaco, manhoso, astuto, ardiloso. ● *S. m.* **3.** *Mús.* Na técnica dos instrumentos de bocal, repetição rápida de sons iguais, executada por golpes duplos da língua. **4.** *Mús.* Espécie de trêmulo (5) executado sobre um instrumento de percussão, principalmente tambor e tímpano; rufo. **5.** Gorjeio, trinado. **6.** *Fig.* Velhacaria, manha; doblez.

redobro (ô). [De *re-* + *dobro* (ô).] *S. m.* **1.** Duas vezes o dobro; quádruplo. **2.** Redobramento. [Pl.: *redobros* (ô). Cf. *redobro*, do v. *redobrar*.]

redoiça. *S. f.* V. *redouça*. [Cf *rodoiça*.]

redoirar. *V. t. d.* Var. de *redourar*.

redoleiro. [F. metatética de *rodeleiro* (q. v.).] *S. m. Bras.* V. *carrapato-estrela* (1).

redolente. [Do lat. *redolente*.] *Adj. 2 g. Poét.* Que tem cheiro agradável; aromático: "Abre a magnólia esplêndida, abre a rosa, / Abre o alvíssimo lírio, redolente..." (Raimundo Correia, *Poesias*, p. 57.)

redoma. *S. f.* **1.** Manga[1] (3) de vidro que acaba, de um lado, por uma calota esférica, e própria para proteger do pó objetos de feitura delicada: *uma redoma de santo.* **2.** Calota usada para proteger certos alimentos do contato com o ar e as impurezas. **3.** Vaso de vidro, de grande bojo e de gargalo largo;. empelota.

redomão. [Do esp. plat. *redomón.*] *Adj. Bras., S.* **1.** Diz-se do cavalo que experimentou poucos repasses, não estando, pois, completamente amansado. **2.** Diz-se do cavalo que ainda está sendo domado. **3.** *Fig.* Diz-se de peças de vestuário que, por serem novas, ainda molestam um pouco a parte do corpo à qual se ajustam: *sapatos redomões.* ● *S. m.* **4.** Cavalo redomão. [Fem.: *redomona.*]

redomoinhada (o-i). [De *redomoinho* + *-ada*[1].] *S. f.* Remoinhada: "Salteia o bosque redomoinhada de ventania." (Alberto de Oliveira, *Poesias*, 4ª série, p. 88.)

redomoinhar (o-i). [De *redomoinho* + *-ar*[2].] *V. int.* e *t. d.* V. *remoinhar*: "Eis que, porém, de encontro ao seio / O vento a enlaça, a beija, a envolve toda, / Redomoinhando em súbita rajada." (Alberto de Oliveira, *Poesias*, 4ª série, p. 34.)

redomoinho (o-i). *S. m.* V. *remoinho*: "Passa um pé-de-vento, passa um redomoinho." (Alberto de Oliveira, *Poesias*, 2ª série, p. 238.)

redomona. *Adj. (f.)* e *s. f.* v. *redomão.*

redomoneação. *S. f. Bras., S.* Ato de redomonear.

redomonear. [Do esp. plat. *redomonear.*] *V. t. d. Bras., S.* Sujeitar (o animal) a provas, para o amansar. [Conjug.: v. *frear.*]

redonda. [Fem. substantivado do adj. *redondo.*] *S. f. Bras. Fut.* A bola de futebol: "aquela do Tostão atirando a redonda para o arco de enfiada no buraco, fez vibrar todo torcedor" (Manuel Lobato, *Contos de agora*, p. 73).

redondamente. [Do fem. de *redondo* + *-mente.*] *Adv.* **1.** Inteiramente, completamente: "Se esperei palavra desestimuladora da viagem .... , enganei-me, redondamente." (Gilberto Amado, *Depois da Política*, p. 16.) **2.** Sem nenhuma dúvida; absolutamente. **3.** Repentinamente e por inteiro: *Caiu redondamente no chão.* [Tb. se diz com a f. adjetiva: *redondo.*]

redondear. *V. t. d.* Tornar redondo; arredondar. [Conjug.: v. *frear.*]

redondel. [Do esp. *redondel.*] *S. m.* **1.** Arena redonda, particularmente aquela onde se efetuam touradas: "A pista de dança transformava-se bruscamente em picadeiro. .... Entravam os cavalos por uma porta oculta, ao fundo da sala, e, enquanto o equitador fazia estalar o chicote, no centro do redondel, as meretrizes .... prendiam-se às crinas das dóceis alimárias e cavalgavam-nas, a galope, ao som da música" (Urbano Tavares Rodrigues, *A Noite Roxa*, pp. 57-58). **2.** Certo tipo de nó ou de ponto. [Pl.: *redondéis.*]

redondela. [De *redondo* + *-ela.*] *S. f. Pop.* Roda pequena; rodela.

redondez (ê). *S. f.* Redondeza (1): "E a redondez fem̃ínea dos quadris" (Raimundo Correia, *Poesia*, p. 76).

redondeza (ê). *S. f.* **1.** Qualidade de redondo. [F. paral., nesta acepç.: *redondez.*] **2.** Qualquer região da esfera terrestre, do globo. **3.** As cercanias de um lugar, arredores, arrabaldes: "Baltasar Pereira deixou em Moncorvo e suas redondezas reputação de doido." (Camilo Castelo Branco, *O Santo da Montanha*, p. 173.)

redondil. [De *redondo* + *-il.*] *Adj. 2 g.* **1.** *P. us.* Redondo. **2.** Diz-se de determinada espécie de oliveira. **3.** Diz-se da azeitona da oliveira redondil.

redondilha. [Do esp. *redondilla*, de *redondo.*] *S. f.* **1.** Antigamente, quadra de versos de sete sílabas, na qual rimava o primeiro com o quarto e o segundo com o terceiro, seguindo o esquema *abba.* **2.** Hoje, verso de cinco ou de sete sílabas, respectivamente *redondilha menor* e *redondilha maior.* [A redondilha maior tb. se chama apenas *redondilha.*] ♦ **Redondilha maior.** V. *redondilha* (2). **Redondilha menor.** V. *redondilha* (2).

redondo. [Do lat. vulg. *retundu* < lat. *rotundu.*] *Adj.* **1.** Que tem forma de círculo; circular: *mesa redonda.* **2.** Que tem a forma perfeita, ou quase perfeita, de uma esfera; esférico: *bola redonda; A Terra é redonda.* **3.** Que tem forma curva, arredondada. **4.** Cilíndrico: *A Torre de Pisa é redonda.* **5.** *Fig.* Muito gordo; obeso, rechonchudo. **6.** *Tip.* Diz-se do gênero de letra que se caracteriza, em oposição ao grifo, pelo olho vertical, em pé, a exemplo das letras romanas [cf. *romano* (4).] **7.** *Marinh.* Diz-se do navio que só arma velas redondas, ou em que estas predominam. ~ V. *conta —a, corpos —s, fôrma —a, letra —a, vela —a, verga —a, viagem —a* e *volta —a.* ● *S. m. Tip.* **8.** O tipo redondo (6). ● *Adv.* Redondamente. ♦ **Virar pelo redondo.** *Bras. Mar.* Trabalhar sem parar. [Sin., lus.: *virar redondo.*] **Virar redondo.** *Lus. Mar.* Virar pelo redondo.

redopiar. *V. int.* Var. dissimilada de *rodopiar* [q. v.].

redopio. *S. m.* Var. dissimilada de *rodopio* [q. v.].

redor. [Talvez de um *redro < lat. *retro*, 'atrás'.] *S. m.* **1.** Posição ou situação de quem ou do que contorna alguma coisa; roda: "O saltimbanco .... rufou numa caixa, alvoroçou a aldeia que se abalou toda para o redor dele". (Camilo Castelo Branco, *A Enjeitada*, p. 121). **2.** V. *volta* (10). **3.** Arrabalde, arredores. [Pl.: *redores.* Cf. *redor* (ô) e pl. *redores* (ô).] ♦ **Ao redor.** À volta, em volta; em torno; em derredor, em redor. **Em redor.** V. *ao redor.*

redor (ô). [De *rer* + *-(d)or.*] *S. m. Lus. Marn.* Trabalhador incumbido de tomar água para os viveiros e quebrar a crosta salina. [Pl.: *redores* (ô). Cf. *redor*, pl. *redores*, e *redoures*, do v. *redourar.*]

redouça. *S. f.* V. *retouça*: "uma gravura idílica em que havia uma redouça entre flores, unindo um jovem casal amoroso no mesmo balouço." (Coelho Neto, *Turbilhão*, p. 263). [Var.: *redoiça.* Cf. *rodouça.*]

redourar. [De *re-* + *dourar.*] *V. t. d.* **1.** Tornar a dourar. **2.** Iluminar vivamente. [Var.: *redoirar.* Pres. subj.: *redoure, redoures*, etc. Cf. *redores* (ô), pl. de *redor* (ô).]

redox (cs). [De *red(ução)* + *ox(idação).*] *Adj. 2 g. Quím.* Diz-se de uma reação, ou qualquer outro fenômeno, em que simultaneamente ocorrem uma oxidação e uma redução.

redra. [Dev. de *redrar.*] *S. f.* Ato ou efeito de redrar.

redrar. [Do lat. *reiterare*, 'reiterar'.] *V. t. d.* Cavar de novo (as vinhas), mas de leve, a fim de tirar as ervas. [Var. ant.: *redar*; var. moderna: *arrendar*; sin.: *arxar.*]

redução. [Do lat. *reductione.*] *S. f.* **1.** Ato ou efeito de reduzir(-se); diminuição: *redução de preços, de gastos.* **2.** Ato ou efeito de subjugar. **3.** Cópia reduzida: *redução de uma escultura; de uma fotografia.* [Antôn. (nesta acepç.): *ampliação* (3).] **4.** *Fot.* Processo para acentuar os contrastes de uma chapa fotográfica, dando mais ênfase aos seus brancos e negros. **5.** *Med.* Operação ou manobra que consiste em fazer retornar ao seu lugar ossos fraturados ou deslocados. **6.** *Mús.* Arranjo (6) para um só instrumento (geralmente piano ou órgão) ou para pequeno grupo de instrumentos, de uma partitura de orquestra e/ou de vozes. [Cf., nesta acepç.: *adaptação* (6), *harmonização* (v. *harmonizar* [3]), *instrumentação* (v. *instrumentar* [1]) e *transcrição* (6).] **7.** *Quím.* Processo em que ocorre a diminuição do número de cargas positivas de um íon. **8.** *Bras.* Desconto, abatimento. **9.** *Bras.* Redutor (4). **10.** *Taq.* Eliminação de vogais e emprego de sinais abreviativos, para maior rapidez na escrita.

reducente. [Do lat. *reducente.*] *Adj. 2 g.* V. *redutor* (1).

redundância. [Do lat. *redundantia.*] *S. f.* **1.** Qualidade de redundante; excesso. **2.** Superfluidade de palavras. [Cf. *pleonasmo* (1).] **3.** *Teor. Com.* Excesso ou desperdício de sinais ou de signos na transmissão da mensagem, que serve, contudo, para neutralizar os efeitos do ruído (8) no canal de comunicação.

redundante. [Do lat. *redundante.*] *Adj. 2 g.* Que redunda; excessivo.

redundar. [Do lat. *redundare.*] *V. int.* **1.** Transbordar; derramar-se: *O rio redundou.* **2.** Sobejar, superabundar: *Redundam, no texto, os adjetivos.* *T. i.* **3.** Nascer, provir, resultar: *O pensamento redunda do cérebro.* **4.** Advir, acontecer: *A eles redundam as desgraças.* **5.** Vir a dar; reverter, converter-se: *Nem toda boa ação redunda em benefício.* *Bit. i.* **6.** Trazer como resultado; reverter, converter-se: *A bebida redundou-lhe em desgraças.*

reduplicação. *S. f.* **1.** Ato ou efeito de reduplicar. **2.** Repetição de uma sílaba, de letra. **3.** *Ret.* V. *epizeuxe.*

reduplicar. [De *re-* + *duplicar.*] *V. t. d.* **1.** Duplicar novamente; redobrar, quadruplicar. **2.** Aumentar em quantidade, grandeza ou intensidade; multiplicar: *reduplicar as forças.* **3.** Repetir, redobrar: *Reduplicou muitas vezes o aviso.* *Int.* e *p.* **4.** V. *quadruplicar* (3): *Os preços reduplicaram; Reduplicou-se a população.* [Conjug.: v. *trancar.*]

reduplicativo. *Adj.* **1.** Que envolve reduplicação. **2.** *Gram.* Diz-se do vocábulo que indica repetição, que denota que a ação é reiterada. ● *S. m.* **3.** *Gram.* Esse vocábulo: *O verbo ressecar é um reduplicativo de secar.*

redutibilidade. *S. f.* Qualidade de redutível.

redutível. [De *reductu*, part. pass. de *reducere*, 'reduzir', + *-ível.*] *Adj. 2 g.* **1.** Que se pode reduzir. **2.** *Arit.* Diz-se da fração cujos termos não são primos entre si. [Sin. ger.: *reduzível.*] ~ V. *hérnia* — e *polinômio* —.

redutivo. [De *reductu*, part. pass. de *reducere*, 'reduzir', + *-ivo.*] *Adj.* **1.** Que tem a propriedade de reduzir. **2.** V. *redutor* (1).

reduto. [Do lat. *reductu*, 'apartado, arredado'.] *S. m.* **1.** Recinto (1) construído no interior de fortaleza para aumentar a resistência desta. **2.** Lugar fechado que serve de abrigo; refúgio, recinto: *reduto de marginais; Sua casa é um reduto de sossego.* **3.** Lugar onde se reúne um grupo que tem uma determinada tendência ou linha de ação: *Foi a Livraria Garnier, no começo deste século, um reduto de intelectuais.* **4.** *Fig.* Ponto onde se concentram os fatores mais importantes de alguma coisa: *A sociedade tem-se alterado em seus redutos tradicionais.* **5.** *Bras., MT.* Lugar alto, a salvo da inundação ou enchente dos grandes rios.

redutor (ô). [Do lat. *reductore.*] *Adj.* **1.** Que reduz; redutivo, reducente. ● *S. m.* **2.** Aquele que reduz. **3.** Instrumento utilizado para reduzir, com precisão, desenhos, gravuras, etc. [Cf. *pantógrafo.*] **4.** Luva (5) que une dois tubos de diâmetros diferentes; redução. **5.** Mecanismo utilizado para reduzir a velocidade de rotação de motor.

reduviídeo. *S. m.* **1.** Espécime dos reduviídeos. ● *Adj.* **2.** Pertencente ou relativo a eles.

reduviídeos. [Pl.: de *reduviídeo.*] *S. m. pl. Zool.* Família de insetos da ordem dos hemípteros, onde se encontram os transmissores da doença de Chagas. Tamanho médio, aparelho bucal sugador, hematófagos, conhecidos, em regiões diversas do Brasil, por vários nomes pop. V. *barbeiro* (6).

reduzida. [Fem. substantivado de *reduzido.*] *S. f.* **1.** *Gram.* Oração reduzida. **2.** *Bras. Autom.* Ato ou efeito de reduzir (16). **3.** *Bras. Autom.* Em ônibus e caminhões, marcha de grande poder de tração, engrenada especialmente em subidas muito íngremes.

reduzido. [Part. de *reduzir.*] *Adj.* **1.** Que sofreu redução. **2.** Parco, escasso: *reduzidos vencimentos.* ~V. *coordenada —a, equação —a, modelo —, oração —a, pressão —a, temperatura —a, variável —a, volume —* e *vogal —a.*

reduzir. [Do lat. *reducere*, 'reconduzir'; 'restringir'.] *V. t. d.* **1.** Tornar menor; restringir: *Com o alto custo de vida, cumpre reduzir as despesas.* **2.** Subjugar, submeter: *O general reduziu os exércitos inimigos.* **3.** Separar ou desagregar de uma combinação, de um composto. **4.** Fazer a redução (5) de: *reduzir uma fratura.* **5.** Afrouxar, abrandar, aplacar: *Nem sempre a bondade reduz o ódio.* **6.** Simplificar (uma fração). **7.** Fazer voltar ao primeiro estado. **8.** Abreviar, resumir, compendiar. **9.** *Quím.* Diminuir a carga positiva (de um cátion) ou aumentar a negativa de (um aníon). *T. d.* e *i.* **10.** Transformar, converter: "Tratou logo de reduzir a dinheiro um dos colares" (Visconde de Taunay, *Ao Entardecer*, p. 45); "o professor deu-me a impressão de haver reduzido o mundo a uma pequena caixa de música...." (Joraci Camargo, *Anastácio*, p. 21). **11.** Obrigar, constranger, forçar: *Os vitoriosos reduziram os vencidos à escravidão.* **12.** Arrastar ou impelir a (uma situação penosa): *Gastos supérfluos podem reduzir os ricos à miséria.* **13.** Converter, trocar, cambiar: *reduzir cruzeiros a dólares.* **14.** Exprimir em unidade diferente: *reduzir metros em centímetros.* **15.** Diminuir as proporções: *As medidas sanitárias reduziram a epidemia a índices muito baixos.* *Int.* **16.** *Bras. Autom.* Engrenar marcha de maior poder de tração para diminuir a velocidade do veículo automóvel sem usar os freios. *P.* **17.** Limitar-se, resumir-se, cifrar-se: *A questão reduz-se a encontrar o culpado.* **18.** Chegar, vir (a um estado inferior). **19.** Converter-se, transformar-se: *A cidade reduziu-se a escombros.* **20.** Abrandar(-se), afrouxar, aplacar(-se): *A chuva reduziu-se.* [Irreg. Conjug.: v. *aduzir.*]

reduzível. [De *reduzir* + *-ível.*] *Adj. 2 g.* Redutível.

reedição. [De *re-* + *edição.*] *S. f. Edit.* Edição de uma obra que se distingue das edições anteriores em virtude de alterações feitas no conteúdo ou na apresentação, ou, ainda, de mudança de editor; nova edição. [Cf. *reimpressão.*]

reedificação. *S. f.* Ato ou efeito de reedificar.

reedificador (ô). *Adj.* e *s. m.* Que ou aquele que reedifica.

reedificar. [Do lat. *reaedificare.*] *V. t. d.* **1.** Edificar outra vez; reconstruir. **2.** Restaurar, reformar. [Conjug.: v. *trancar.*]

reeditar. [De *re-* + *editar.*] *V. t. d.* **1.** Editar novamente; publicar outra vez; reproduzir, reeditorar. **2.** Produzir ou praticar de novo; reproduzir: *O mundo não deveria reeditar as guerras mundiais.*

reeditorar. [De *re-* + *editorar.*] *V. t. d.* V. *reeditar* (1).
reeducabilidade. *S. f.* Qualidade de reeducável.
reeducação. *S. f.* **1.** Ação ou efeito de reeducar. **2.** *Terap.* Treinamento de incapacitados destinado a restabelecer-lhes o uso das faculdades físicas ou psíquicas. ♦ **Reeducação motora.** *Terap.* Reeducação, freqüentemente com o auxílio de aparelhos ortopédicos, para o uso dos músculos em novas funções e/ou para o restabelecimento de uma função perdida ou diminuída; reabilitação motora. **Reeducação psíquica.** *Terap.* Reeducação da atenção, da vontade, ou combate aos impulsos, às idéias fixas, por meio de conversas, de explicações repetidas ou da aplicação de meios instrumentais.
reeducador (ô). *Adj.* **1.** Que reeduca; reeducativo. ● *S. m.* **2.** Aquele que reeduca.
reeducando. *S. m.* Aquele que está sendo reeducado.
reeducar. [De *re-* + *educar.*] *V. t. d.* **1.** Tornar a educar; educar novamente. **2.** Completar ou aprimorar a educação de. [Conjug.: v. *trancar.*]
reeducativo. *Adj.* Reeducador (1).
reeducável. *Adj. 2 g.* Que pode ser reeducado.
reeleger. [De *re-* + *eleger.*] *V. t. d.* e *p.* Tornar a eleger(-se): *O povo reelegeu o presidente; Muitos deputados não conseguiram reeleger-se.* [Conjug.: v. *eleger.* Part.: *reelegido* e *reeleito.*]
reelegibilidade. *S. f.* Qualidade de reelegível.
reelegível. *Adj. 2 g.* Que se pode reeleger.
reeleição. *S. f.* Ato de reeleger.
reeleito. [Part. irreg. de *reeleger.*] *Adj.* e *s. m.* Que ou aquele que foi eleito novamente.
reembarcar. [De *re-* + *embarcar.*] *V. int.* e *p.* Tornar a embarcar. [Conjug.: v. *trancar.*]
reembolsar. [De *re-* + *embolsar.*] *V. t. d.* **1.** Embolsar de novo; tornar a embolsar: *Reembolsei parte do dinheiro gasto.* **2.** Restituir a (alguém) o dinheiro desembolsado. *T. d.* e *i.* **3.** Indenizar, compensar: *O governo reembolsou aos proprietários as perdas. P.* **4.** Voltar à posse do que se emprestou: *Os agiotas reembolsam-se com polpudos juros das quantias que emprestam.* [Pres. ind.: *reembolso,* etc. Cf. *reembolso* (ô).]
reembolsável. *Adj. 2 g.* **1.** Que pode ser reembolsado. ● *S. m.* **2.** *Bras.* Estabelecimento que vende aos membros de uma corporação militar, repartição pública, ou empresa privada, freqüentemente, mediante desconto mensal na folha de vencimentos: *o reembolsável do Exército.*
reembolso (ô). [De *re-* + *embolso* (ô).] *S. m.* **1.** Ato ou efeito de reembolsar(-se). **2.** Reembolso postal. [Cf. *reembolso,* do v. *reembolsar.*] ♦ **Reembolso postal.** Sistema de vendas em que a mercadoria chega à mão do comprador pelo Correio, por intermédio do qual é feito o pagamento. [Tb. se diz apenas *reembolso.*]
reemenda. [Dev. de *reemendar.*] *S. f.* Ato ou efeito de reemendar.
reemendar. [De *re-* + *emendar.*] *V. t. d.* **1.** Emendar de novo. **2.** Emendar muitas vezes. [Cf. *remendar.*]
reemissão. *S. f.* Ato ou efeito de reemitir.
reemitir. [De *re-* + *emitir.*] *V. t. d.* Emitir novamente.
reempossar. [De *re-* + *empossar.*] *V. t. d.* e *t. d.* e *i.* Empossar novamente; reintegrar na posse: *Foi demitido, mas o novo prefeito reempossou-o; O governador reempossou-o no cargo de que foi injustamente afastado.*
reempregar. [De *re-* + *empregar.*] *V. t. d.* Tornar a empregar. [Conjug.: v. *regar.*]
reencadernar. [De *re-* + *encadernar.*] *V. t. d.* Substituir a encadernação de (um livro), com a renovação da costura. [Cf. *reencapar.*]
reencaminhar. [De *re-* + *encaminhar.*] *V. t. d., t. d.* e *c.* e *p.* Tornar a encaminhar(-se).
reencapar. [De *re-* + *encapar.*] *V. t. d.* Pôr nova capa em (livro brochado, cartonado ou mesmo encadernado), aproveitando a costura anterior. [Cf. *reencadernar.*]
reencarnação. *S. f.* Ato ou efeito de reencarnar(-se).
reencarnacionista. *Adj. 2 g.* **1.** Relativo à reencarnação. ● *S. 2 g.* **2.** Pessoa que encara a reencarnação como processo de expiação e auto-redenção.
reencarnar. [De *re-* + *encarnar.*] *V. int.* e *p.* **1.** Reassumir (o espírito) a forma material. **2.** Tornar a encarnar: *Os espíritas crêem que as almas reencarnam.*
reencher. [De *re-* + *encher.*] *V. t. d.* Tornar a encher: "E Afonso, *reenchendo* o cachimbo, olhava o neto, enternecido." (Eça de Queirós, *Os Maias,* II, p. 148.) [Conjug.: v. *encher,* mas tem apenas o part. reg.: *reenchido.*]
reenchimento. *S. m.* Ato ou efeito de reencher.
reencontrar. [De *re-* + *encontrar.*] *V. t. d.* e *p.* Encontrar(-se) de novo: *Reencontrei um velho amigo;* "Voltou por um caminho diferente, ... perdendo-se em pequenos largos ajardinados, *reencontrando-se,* fugindo, em ângulos, em curvas, labiríntico." (Macedo Miranda, *As Três Chaves,* p. 16); *Reencontrei-me com antigos colegas.*
reencontro. [De *re-* + *encontro.*] *S. m.* Ato ou efeito de reencontrar(-se).
reendereçamento. *S. m.* Ato ou efeito de reendereçar.
reendereçar. [De *re-* + *endereço* + *-ar*[2].] *V. t. d.* e *t. d.* e *i.* Tornar a endereçar. [Conjug.: v. *começar.*]
reendossabilidade. *S. f.* Qualidade de reendossável.
reendossar. [De *re-* + *endossar.*] *V. t. d.* Transferir (um título) por meio de reendosso. [Pres. ind.: *reendosso,* etc. Cf. *reendosso* (ô).]
reendossável. *Adj. 2 g.* Que pode ser reendossado.
reendosso (ô). [De *re-* + *endosso.*] *S. m.* Novo endosso, feito por endossatário. [Pl.: *reendossos* (ô). Cf. *reendosso,* do v. *reendossar.*]
reengajamento. *S. m.* Ato ou efeito de reengajar-se.
reengajar-se. [De *re-* + *engajar-se.*] *V. p.* Tornar a engajar-se.
reenlaçar. [De *re-* + *enlaçar.*] *V. t. d.* e *p.* Enlaçar(-se) de novo. [Conjug.: v. *laçar.*]
reenlace. [De *re-* + *enlace.*] *S. m.* Ato ou efeito de reenlaçar(-se).
reentrada. *S. f.* Ato ou efeito de reentrar.
reentrância. *S. f.* **1.** Qualidade de reentrante. **2.** Ângulo ou curva para dentro. [Cf. *saliência.*]
reentrante. *Adj. 2 g.* Que reentra; que forma ângulo ou curva para dentro. [Cf. *saliente* (1).]
reentrar. [De *re-* + *entrar.*] *V. t. i.* **1.** Tornar a entrar. **2.** Voltar para casa; recolher-se.
reentronizar. [De *re-* + *entronizar.*] *V. t. d.* Entronizar novamente.
reenviar. [De *re-* + *enviar.*] *V. t. d.* e *i.* Enviar novamente; devolver, recambiar: "se se arrepender deveras, e emendar-se, continuará a merecer a nossa estima .... . Do contrário o *reenviaremos* a seus pais" (Bernardo Guimarães, *O Seminarista,* p. 66).
reenvidar. [De *re-* + *envidar.*] *V. t. d.* **1.** Envidar de novo; revidar: *O agredido reenvidou os golpes.* **2.** Tirar desforra de; vingar-se ou desforrar-se de. **3.** Compensar (um agravo) com outro maior.
reenvio. [Dev. de *reenviar.*] *S. m.* Ação ou efeito de reenviar.
reequilibrar. [De *re-* + *equilibrar.*] *V. t. d.* e *p.* Tornar a equilibrar(-se).
reequilíbrio. [De *re-* + *equilíbrio.*] *S. m.* Ação ou efeito de reequilibrar(-se).
reequipagem. *S. f.* V. *reequipamento.*
reequipamento. *S. m.* **1.** Ação ou efeito de reequipar. **2.** Novo equipamento. [Sin. ger.: *reequipagem.*]
reequipar. [De *re-* + *equipar.*] *V. t. d.* Tornar a equipar; equipar de novo.
reerguer. [De *re-* + *erguer.*] *V. t. d.* e *p.* Erguer(-se) outra vez; tornar a erguer(-se): *O povo reergueu a cidade destruída pelo terremoto; Chegou à miséria, mas, tenacíssimo, conseguiu reerguer-se.* [Conjug.: v. *erguer.*]
reerguimento. *S. m.* Ato ou efeito de reerguer(-se).
reescalonamento. *S. m.* Ato ou efeito de reescalonar.
reescalonar. [De *re-* + *escalonar.*] *V. t. d.* Fixar novos prazos para o pagamento de (dívidas): *Após sua eleição, Campos Sales viajou à Europa a fim de conseguir reescalonar a dívida externa brasileira.*
reescrever. [De *re-* + *escrever.*] *V. t. d.* Tornar a escrever; escrever segunda vez. [Part., irreg.: *reescrito.*]
reespumas. [De *re-* + o pl. de *espuma.*] *S. f. pl. Bras.* Açúcar feito de espuma da primeira espuma.
reestampa. [Dev. de *reestampar.*] *S. f.* Ato ou efeito de reestampar; reimpressão. [Var.: *restampa.*]
reestampar. [De *re-* + *estampar.*] *V. t. d.* Estampar novamente; reimprimir. [Var.: *restampar.*]
reestruturação. *S. f.* **1.** Ação ou efeito de reestruturar. **2.** *Arquit.* Conjunto de medidas que visam a devolver a resistência às partes estruturais de uma edificação, mediante reforço destas ou sua substituição.
reestruturar. [De *re-* + *estruturar.*] *V. t. d.* Dar nova estrutura a: *Fala-se em reestruturar o serviço público.*
reestudar. [De *re-* + *estudar.*] *V. t. d.* Estudar novamente.
reestudo. [De *re-* + *estudo.*] *S. m.* Ato ou efeito de reestudar; novo estudo.
reexame (z). [De *re-* + *exame.*] *S. m.* Ação ou efeito de reexaminar; novo exame.
reexaminar (z). [De *re-* + *examinar.*] *V. t. d.* Examinar de novo: *As autoridades reexaminaram o planejamento econômico.*
reexibição (z). *S. f.* Ato ou efeito de reexibir; nova exibição.
reexibir (z). [De *re-* + *exibir.*] *V. t. d.* Tornar a exibir.
reexpedição. *S. f.* **1.** Ato ou efeito de reexpedir. **2.** Nova expedição.
reexpedir. [De *re-* + *expedir.*] *V. t. d.* **1.** Reexportar. **2.** Expedir (aquilo que se recebeu). [Irreg. Conjug.: v. *pedir.*]
reexploração. *S. f.* Ato ou efeito de reexplorar; nova exploração.
reexplorar. [De *re-* + *explorar.*] *V. t. d.* Explorar novamente.
reexportação. *S. f.* Ato ou efeito de reexportar; nova exportação.
reexportador (ô). *Adj.* e *s. m.* Que ou aquele que reexporta.
reexportar. [De *re-* + *exportar.*] *V. t. d.* Tornar a exportar; reexpedir.
reexposição. *S. f. Mús.* No fim de uma composição musical (movimento de sonata, sinfonia, concerto, etc.), o reaparecimento de exposição [q. v.], porém com os seus dois temas principais no tom fundamental do movimento, com a ausência da ponte modulante. [V. *sonata bitemática* e *forma lied.*]
reextradição. [De *re-* + *extradição.*] *S. f. Jur.* Ato ou efeito de reextraditar.
reextraditado. [Part. de *reextraditar.*] *Adj.* e *s. m. Jur.* Diz-se de, ou aquele contra quem se pediu reextradição.
reextraditar. [De *re-* + *extraditar.*] *V. t. d. Jur.* Extraditar novamente (um criminoso).
refalsado. [Do *re-* + falso + -ado[1].] *Adj.* Que não tem; ou em que não há sinceridade; desleal, fingido, hipócrita: "Benevenuto Cellini .... era um patife; assassino, ladrão, degenerado, erótico, *refalsado* para com seus amigos" (Antônio Torres, *Pasquinadas Cariocas,* p. 82); "Não é a imprensa salão de nobres senhores, aonde, em *refalsado* cumprimento, somente se cruze .... ponto de admiração com ponto de admiração." (Antero de Quental, *Prosa,* I, p. 59).
refalsamento. *S. m.* **1.** Qualidade ou ação de refalsado. **2.** Ato de refalsear.
refalsear. [De *re-* + *falsear.*] *V. t. d.* Enganar, atraiçoar, trair. [Conjug.: v. *frear.*]
refazedor (ô). *Adj.* e *s. m.* Que, ou o que refaz.
refazer. [De *re-* + *fazer.*] *V. t. d.* **1.** Fazer novamente: *Com a nova orientação, precisou refazer o trabalho.* **2.** Reformar, reorganizar: *Os republicanos refizeram a política do Império.* **3.** Emendar, corrigir: *As novas teorias obrigaram-no a refazer a tese.* **4.** Consertar, reparar: *Os operários refizeram o muro danificado.* **5.** Dar novo vigor a; restabelecer, restaurar: *O sono refaz as forças.* **6.** Nutrir, alimentar: *Depois da seca foi preciso refazer os animais.* **7.** Restaurar, recuperar: *O país refará sua riqueza em novas bases.* **8.** Ressarcir, indenizar: *Consegui refazer os gastos. T. d.* e *i.* **9.** Abastecer, prover: *A força aérea conseguiu refazer de alimentos a cidade sitiada. P.* **10.** Restaurar as próprias forças: *Após a corrida, teve de refazer-se;* "À hora em que a maior parte dos viajantes *se refazem* das fadigas da véspera num breve sono reparador, a parisiense, os gamos e os coelhos estão alerta na viçosa floresta." (Ramalho Ortigão, *Notas de Viagens,* p. 81). **11.** Abastecer-se ou prover-se novamente. [Irreg. Conjug.: v. *fazer.*]
refazimento. *S. m.* Ato ou efeito de refazer(-se).
refazível. *Adj. 2 g.* Que se pode refazer.
refece. [Do ár. *ar-rakhīç,* 'barato', 'tenro', 'mole'; 'súbito'.] *Adj. 2 g.* **1.** De maus sentimentos; miserável, infame, ordinário. **2.** *Fig.* Que não apresenta dificuldade; fácil. **3.** De baixo preço. [Var.: *refez.*]
refecer. *V. int.* e *t. d.* V. *arrefecer.* [Conjug.: v. *aquecer.*]
refectivo. [Do lat. *refectu,* 'refeito', 'restaurado', + *-ivo.*] *Adj.* Reconstituinte, fortificante, tonificante, refectório.
refectório. [Do lat. *refectu,* 'refeito', 'restaurado', + *-ório.*] *Adj.* V. *refectivo.*
refega. [Var. dissimilada de *refrega.*] *S. f.* V. *refrega:* "Sentiu passar por cima de si listões negros, sorte de farrapos funéreos balanceados nas *refegas* do vento." (Aquilino Ribeiro, *Caminhos Errados,* p. 266.)
refegado. [Part. de *refegar.*] *Adj.* Que tem refegos; enrugado.
refegar. *V. t. d.* Fazer refegos em; enrugar, arrugar, encarquilhar: *refegar o vestido.* [Conjug.: v. *regar.* Pres. ind.: *refego,* etc. Cf. *refego* (ê).]
refego (fê). [Var. assimilada de *rofego* < de *rofo* + *-ego* (ê).] *S. m.* **1.** Dobra ou prega de vestuário, alfaias, etc., geralmente para adornar: "as cortinas caídas em *refe-*

gos graciosos" (Orlando Gonçalvès, *Este Mundo dos Homens*, p. 83). **2.** Dobra em tecido, papel, etc. **3.** Dobra[1] (3): "Junto dele, colada a ele, a vértebra da serra, ... ouriçada de penhas, cheia de betas e refegos, como a couraça de um rinoceronte." (Afonso Arinos, *Histórias e Paisagens*, p. 89.) **4.** Dobra na pele das pessoas; ruga: "sorri de uma doce bondade irônica um deus Buda, dez vezes maior que a corpulência humana, o grande ventre em refegos semelhando os discos duma auréola de carne olímpica" (Ramalho Ortigão, *A Holanda*, p. 291). [Pl.: *refegos* (ê). Cf. *refego*, do v. *refegar*.]

refeição. [Do lat. *refectione*.] *S. f.* **1.** Ato de refazer as forças, de alimentar-se. **2.** Qualquer porção de alimento (1), de comida; repasto: *Antes de sair, fez uma refeição leve.* **3.** Refeição (2) tomada a horas certas do dia. ♦ **Refeição de assobio.** *Bras. Pop.* Café (ou café com leite) e pão com manteiga.

refeito. [Do lat. *refectu*.] *Adj.* **1.** Tornado a fazer. **2.** Restaurado, reparado. **3.** Reposto no estado anterior. **4.** Emendado, corrigido. **5.** Forte, robusto, nutrido: *criança refeita e rosada.*

refeitoreiro. *S. m.* Aquele que cuida do refeitório.

refeitório. [Do lat. tardio *refectoriu*.] *S. m.* Sala para refeições, nas comunidades, colégios, etc.

refém. [Do ár. vulg. *riHān*, em vez do clássico *raHn*, 'penhor'.] *S. 2 g.* **1.** Pessoa importante que o inimigo mantém em seu poder para garantir uma promessa, um tratado, etc.: "Em reféns deste pacto ficarão teus sobrinhos. Se, no fim de quatro meses, de Roma não vierem letras de bênção, tem tu por certo que as cabeças lhes voarão de cima dos ombros." (Alexandre Herculano, *Lendas e Narrativas*, II, p. 74.) **2.** Praças de guerra ou cidades mantidas nas mesmas condições. **3.** Pessoa inocente que é retida como garantia a fim de que se realizem certas exigências (em casos de guerra, revolução, seqüestro, etc.), e que em geral sofre represálias ou é executada, se tais exigências não são satisfeitas.

refender. [De *re-* + *fender*.] *V. t. d.* **1.** Tornar a fender. **2.** Fender em vários lugares; golpear muitas vezes. **3.** Lavrar em relevo.

refendimento. *S. m.* **1.** Ato ou efeito de refender. **2.** Escultura em alto-relevo.

➧**referee** (refâri). [Ingl.] *S. m. Fut.* V. *árbitro* (3).

referência[1]. [Do lat. *referentia* < **referere*, 'referir'.] *S. f.* **1.** Ato ou efeito de referir, de contar, de relatar. **2.** Aquilo que se refere, conta ou relata. **3.** Alusão, menção, insinuação. **4.** Relação que existe entre certas coisas: *Procuro uma referência que esclareça a causa destes acontecimentos.* **5.** *Semiol.* Conceito, informação ou imagem mental que o signo transmite ao seu usuário; faz a medição entre o signo (grandeza semiótica) e o referente (grandeza não semiótica). ~ V. *referências.* ♦ **Referência de nível.** Ponto do terreno ou marco artificial, perfeitamente identificado e materializado, cuja cota verdadeira é calculada com grande precisão, para servir de base à determinação das altitudes ou das profundidades de outros pontos que lhe ficam próximos. [Geralmente designado pela sigla *RN*.]

referência[2]. [Adapt. do ingl. *reference*, 'nota informativa de remissão' (em publicação); 'fonte de esclarecimento' (para o leitor).] *S. f. Bibliot.* Serviço destinado a orientar os leitores na consulta às obras de referência. [V. *obra de referência*.] ~ V. *referências.*

referencial. [De *referência* + *-al*.] *Adj. 2 g.* **1.** Que constitui referência, ou que a contém: *Os símbolos são inerentemente referenciais.* **2.** De, relativo a, ou que é utilizado como referência: *linguagem referencial.* ~ V. *função* — e *linguagem* —. ● *S. m.* **3.** *Fís.* Sistema rígido em relação ao qual se podem especificar as coordenadas espaciais e temporais de eventos físicos; sistema de referência. ♦ **Referencial acelerado.** *Fís.* O que tem uma velocidade variável em relação a um referencial inercial. **Referencial de Galileu.** *Fís.* Referencial inercial. **Referencial inercial.** *Fís.* O que é isotrópico em relação a qualquer fenômeno mecânico ou óptico; referencial de Galileu.

referências. *S. f. pl.* **1.** Indicação de pessoas que possam abonar a integridade ou a capacidade de outra pessoa ou de uma firma. **2.** *Bras.* Informações sobre a idoneidade de uma pessoa. ~ V. *referência.*

referenda. [Dev. de *referendar*.] *S. f.* Ato ou efeito de referendar.

referendar. [Do lat. *referendu*, gerundivo de *referre*, 'referir', + *ar*[2].] *V. t. d.* **1.** Assinar (um documento) como responsável: *O Presidente referendou o projeto.* **2.** Assinar (um ministro) por baixo da assinatura do chefe do governo (um documento legal, para que este se publique ou execute): *O Ministro da Fazenda referendou um decreto sobre correção monetária.* **3.** Aceitar a responsabilidade de (algo já aprovado por outrem), concorrendo para que essa coisa se realize: *O Congresso não referendou o tratado nos termos em que vinha redigido.* [Fut. pret.: *referendaria*, etc. Cf. *referendária*, fem. de *referendário*.]

referendário. [Do lat. *referendariu*.] *S. m.* Aquele que referenda. [Fem.: *referendária*. Cf. *referendaria*, do v. *referendar*.]

referendo. *S. m.* **1.** Mensagem que um representante diplomático expede a seu governo pedindo novas instruções. **2.** *Pol.* Direito que têm os cidadãos de se pronunciar diretamente a respeito das questões de interesse geral.

➧**referendum** (referêndum). [Lat.] *S. m.* V. *referendo.*

referente. [Do lat. *referente*.] *Adj. 2 g.* **1.** Que se refere; que diz respeito; respeitante, relativo, concernente. ● *S. m.* **2.** *Ling.* Situação contextual a que a mensagem remete. **3.** *Semiol.* Aquilo que o signo designa; contexto. [Tradicionalmente aplica-se o conceito de *referente* com relação aos objetos do mundo real a que as palavras das línguas naturais se referem. Cf. *referência* (5) e *função referencial*.]

referido. [Part. de *referir*.] *Adj.* Exposto por escrito ou oralmente; já mencionado, citado, supracitado.

referimento. *S. m.* Ato ou efeito de referir, contar, narrar.

referir. [Do lat. **referere*, em vez de *referre*, 'levar para trás, referir'.] *V. t. d.* **1.** Expor de viva voz ou por escrito; narrar, contar, relatar: "Sentado na rede, com as pernas cruzadas, escutava Iracema. A virgem referia os sucessos da tarde." (José de Alencar, *Iracema*, p. 73). **2.** Trazer à baila; alegar, citar: *Referiu bons autores.* *T. d. e i.* **3.** Narrar, contar, relatar: "A velha Teonila referia o caso ao filho, em presença dos netos." (Xavier Marques, *Jana e Joel*, p. 74); "Referiu à mulher o encontro que tivera" (Alberto Braga, *Novos Contos*, p. 177). **4.** Atribuir, imputar: *Refere a seu mestre profundos pensamentos.* **5.** Dizer, com referência ou alusão (a alguém ou alguma coisa); aludir: *Os historiadores referiram boas palavras ao empreendimento colonizador de Portugal.* **6.** Aplicar, destinar: *Referimos ao povo os agradecimentos pelo trabalho de reconstrução nacional.* *P.* **7.** Reportar-se, aludir: *Referiu-se, com tristeza, ao seu passado.* **8.** Ter relação; dizer respeito: *A carta referia-se a assunto particular.* [Irreg. Conjug.: v. *aderir*.]

refermentar. [De *re-* + *fermentar*.] *V. int.* **1.** Fermentar de novo. **2.** Fermentar muito.

referto. [Do lat. *refertu*.] *Adj. P. us.* **1.** Muito cheio; pleno: "A massa restante dos fiéis volve-lhes .... olhares carinhosos, refertos de esperanças." (Euclides da Cunha, *Os Sertões*, p. 201.) **2.** Abundante, cheio; volumoso: "O colo redondo, referto, bicando a camisa de crivo" (Coelho Neto, *Banzo*, p. 187).

refervedor (ô). *S. m. Tec.* Numa coluna de destilação, a parte inferior, por onde se injeta o calor necessário à operação.

refervente. [Do lat. *refervente*.] *Adj. 2 g.* Que referve.

referver. [De *re-* + *ferver*.] *V. int.* **1.** Ferver de novo; tornar a ferver. **2.** Ferver muito. **3.** Fermentar, levedar. **4.** Bramir, fremir, rugir, tumultuar: *As ondas, batendo contra os rochedos, referviam;* "Embaixo as águas referve ndo bramam ..." (Raimundo Correia, *Poesias*, p. 18). **5.** *Fig.* Excitar-se, agitar-se, exaltar-se, inflamar-se: *Em seu ânimo referviam as paixões.* **6.** Aumentar de intensidade, de vida, de animação; acalorar-se: *Com a distância o amor referveu;* "E ferve, referve a dança, / Na pousada, em corrupio ..." (Melo Morais Filho, *Cantos do Equador*, p. 53.) **7.** Fazer cachão; borbulhar. *T. d.* **8.** Fazer ferver outra vez.

refervimento. *S. m.* Ato ou efeito de referver.

refestelar-se. [De *re-* + *festa* + um el. incerto + *-ar*[2] + *-se*[1].] *V. p.* **1.** Comprazer-se, deleitar-se, regozijar-se: "Venha comigo a Portugal e refestele-se no Minho." (Davi Nasser, *Portugal, Meu Avozinho*, p. 29.) **2.** Estirar-se comodamente; recostar-se, repimpar-se; repoltrear-se: *refestelar-se numa poltrona.* [Pres. ind.: *refestelo-me*, etc. Cf. *refestelo* (ê), s. m.]

refestelo (ê). [Dev. de *refestelar-se*.] *S. m. Ant.* **1.** Folia, festa. **2.** Estado de quem se refestela ou se repoltreia. [Pl.: *refestelos* (ê). Cf. *refestelo-me*, do v. *refestelar-se*.]

refez. *Adj. 2 g.* Var. de *refece*. [Cf. *refez* (ê), do v. *refazer*.] ♦ **De refez.** Com facilidade; facilmente.

refiar. [De *re-* + *fiar*[2].] *V. t. d.* **1.** Fiar novamente. **2.** Dividir, separando em folhas: *refiar uma tábua.*

refil. [Do ingl. *refill*.] *S. m. Bras.* Produto que se gasta com o uso, e que constitui o conteúdo de certos objetos, como canetas esferográficas, batons, estojos de pó-de-arroz, etc., e que pode ser adquirido especialmente para substituir o que se gastou.

refilador (ô). *Adj.* Que refila.

refilão. [Do esp. plat. de *refilón*.] *Adj.* e *s. m.* Que ou aquele que refila. [Fem.: *refilona*.]

refilar[1]. *V. t. d.* **1.** Tornar a filar, a morder, a acometer: *Os cães refilaram a caça.* **2.** Morder em (o que o morde ou quer morder). *Int.* **3.** Reagir contra o agressor: recalcitrar.

refilar[2]. *V. t. d. Tip.* Dar o refilo a (obra, livro, etc.).

refilhar. *V. int.* **1.** Lançar refilhos ou rebentos; rebentar. **2.** Multiplicar-se, difundir-se, espalhar-se, propagar-se: *A partir da Contra-Reforma refilhou novamente o cristianismo romano.*

refilho. [De *re-* + *filho*.] *S. m.* V. *rebento* (1).

refilmagem. *S. f.* Ato ou efeito de refilmar.

refilmar. [De *re-* + *filmar*.] *V. t. d.* Tornar a filmar.

refilo *S. m. Tip.* Corte final e rente dado nas laterais de um impresso, exceto na lombada, em caso de livros e revistas, para acertar corretamente o formato dos exemplares ou para ajustar as dimensões da capa e do miolo.

refilona. *Adj. (f.)* e *s. f.* Fem. de *refilão*.

refinação. *S. f.* **1.** Ato ou efeito de refinar(-se); refinamento, refinadura, refino. **2.** Lugar próprio para refinar; refinaria. **3.** V. *refinamento* (2). **4.** *Ind. Pap.* Tratamento que se dá à semipasta, na holandesa ou no refinador, para torná-la adequada à formação da folha na máquina de papel. **5.** *Tec. Quím.* Operação complexa de destilação e craqueamento a que se submete o petróleo, visando à obtenção das diversas frações em que é possível dividi-lo.

refinado. [Part. de *refinar*.] *Adj.* **1.** Que se refinou; purificado pela refinação: *açúcar refinado.* **2.** Apurado, fino, requintado: *gosto refinado.* **3.** Completo, acabado, perfeito: *um intelectual refinado; um refinado patife.*

refinador (ô). *Adj.* **1.** Que refina. ● *S. m.* **2.** Aquele que refina. **3.** *Ind. Pap.* Aparelho que hoje substitui, em geral, a holandesa [q. v.], e serve para refinar a semipasta, mediante passagem desta entre um rotor e um estator dotados de lâminas.

refinadura. *S. f.* V. *refinação* (1).

refinamento. *S. f.* **1.** V. *refinação* (1). **2.** Requinte, apuro; refinação.

refinanciamento. *S. m.* Ato ou efeito de refinanciar.

refinanciar. [De *re-* + *financiar*.] *V. t. d.* Tornar a financiar.

refinar. [De *re-* + *fino*[1] + *-ar*[2].] *V. t. d.* **1.** Tornar mais fino; apurar. **2.** Tornar mais puro; aperfeiçoar, afinar, aprimorar: *refinar o estilo.* **3.** Tornar mais forte, mais intenso; requintar: *A repressão refina os descontentamentos.* **4.** Submeter (um produto) a uma série de operações químicas ou físico-químicas para dar-lhe certas qualidades próprias para o comércio: *refinar petróleo.* **5.** Separar de (uma substância) as matérias estranhas que lhe alteram a pureza: *refinar açúcar.* *Int.* **6.** Refinar (7). *P.* **7.** Esmerar-se, aprimorar-se, requintar-se, aperfeiçoar-se, apurar-se, refinar: *Com as boas leituras, o seu estilo refinou.*

refinaria. [De *refinar* + *-aria*.] *S. f.* **1.** Refinação (2). **2.** Usina onde se procede à clarificação do açúcar de cana para consumo comercial. **3.** Complexo de estabelecimentos industriais onde se efetua a transformação do petróleo bruto em produtos refinados, como a gasolina, a benzina, etc., e em produtos derivados.

refincar. [De *re-* + *fincar*.] *V. t. d.* Fincar com força. [Conjug.: v. *trancar*.]

refino. [Dev. de *refinar*.] *S. m.* V. *refinação* (1).

refitar. [De *re-* + *fitar*.] *V. t. d.* Fitar de novo, ou repetidamente.

reflada. *S. f.* **1.** Tiro de refle (1). **2.** *Bras.* Golpe de refle (2): "Entre soldados entrava um homem, a se debater, a chorar e a implorar, ... levando de quando em quando uma reflada." (Lima Barreto, *Triste Fim de Policarpo Quaresma*, p. 223.)

reflar. *V. t. d. Bras.* Espancar com o refle (2).

refle. *S. m.* **1.** Espingarda curta, espécie de bacamarte. **2.** *Bras.* Sabre-baioneta usado nas forças policiais: "refles desembainhados." (Euclides da Cunha, *Contrastes e Confrontos*, p. 190). [Cf. *rifle*.]

reflectografia. [Do lat. *reflectu*, part. pass. de *reflectere*, + *-graf(o)-* + *-ia*.] *S. f.* Processo de cópia de documentos, por contacto, em papel especial cuja camada sensível é atravessada ao mesmo tempo pela luz incidente e pela refletida. [Var.: *refletografia*.]

reflectográfico. *Adj.* Relativo à reflectografia. [Var.: *refletográfico*.]

refletância. *S. f. Fotom.* Relação entre o fluxo luminoso refletido por uma superfície e aquele que incide sobre ela; fator de reflexão.

refletido. [Part. de *refletir*.] *Adj.* **1.** Que sofreu reflexão (6). **2.** Ponderado, prudente, sensato, refletivo, reflexivo: *temperamento refletido; pessoa refletida.* **3.** Grave, sisudo, circunspeto, reflexivo.

refletidor (ô). [De *refletir* + *-(d)or*.] *Adj.* **1.** V. *refletor* (1 e 2). ● *S. m.* **2.** V. *refletor* (3). **3.** V. *abajur* (1).

refletir. [Do lat. *reflectere*.] *V. t. d.* **1.** Fazer retroceder, desviando da direção inicial: *A tabela do bilhar reflete as bolas.* **2.** Causar reflexão (6) de. **3.** Reproduzir a imagem de; espelhar, retratar: "E a água cai, refletindo estrelas, céu, folhagem ..." (Cecília Meireles, *Obra Poética*, p. 54); "E as poças de água, como em chão vidrento, / Refletem a molhada casaria." (Cesário Verde, *Obra Completa*, p. 99.) "A obra [de Graciliano Ramos] reflete o autor como raramente se terá verificado em outros casos." (Osório Borba, *A Comédia Literária*, p. 201). **4.** Deixar ver; revelar, mostrar, traduzir: *Seu rosto refletia o desespero.* **5.** Reproduzir, repercutir, repetir: *As montanhas refletem os sons, produzindo eco. T. d. e i.* **6.** Reproduzir a imagem de; espelhar, retratar: "Grandes vacas brancas .... mastigam lentamente, sentadas, e olham repletas e pasmadas no vago, refletindo a enorme planície verde nas pupilas mansas e luminosas" (Ramalho Ortigão, *A Holanda*, p. 78). *Int.* **7.** Mudar de direção, voltando; retroceder, recuar. **8.** Pensar maduramente; meditar, reflexionar: *Ouvi atento, e depois refleti. T. i.* **9.** Pensar maduramente; meditar, reflexionar: *Passou dias a refletir na proposta;* "toma [Almeida Garrett] ordens menores, sem por isso deixar de amar Isabel. Não refletiu ainda no sacrifício que lhe imporá a vida a que o destinam." (José Osório de Oliveira, *O Romance de Garrett*, p. 24). **10.** Fazer eco; recair, incidir: *A grande vitória refletiu em todo o mundo.* **11.** Mudar de direção, voltando; retroceder, recuar: *A luminosidade que reflete do espelho fere a vista. P.* **12.** Retratar-se, representar-se, reproduzir-se: *A Lua não se reflete nas águas turvas.* **13.** Incidir, recair. **14.** Transmitir-se, repercutir-se, comunicar-se: *A crise do café refletiu-se na economia global.* [Irreg. Conjug.: v. *aderir*.]

refletivo. [De *refletir* + *-ivo*.] *Adj.* V. *refletido* (2).

refletografia. *S. f.* Var. de *reflectografia*.

refletográfico. *Adj.* Var. de *reflectográfico*.

refletor (ô). [Do lat. *reflect(ere)*, 'virar para trás, refletir'.] *Adj.* **1.** Que reflete; refletidor. **2.** Que repercute; refletidor. ~ V. *telescópio* —. ● *S. m.* **3.** Aparelho destinado a refletir a luz; refletidor. **4.** *Astr.* V. *telescópio refletor*.

reflexão (cs). [Do lat. *reflexione*, 'ação de voltar para trás, de virar'; 'reciprocidade'.] *S. f.* **1.** Ato ou efeito de refletir(-se). **2.** Volta da consciência, do espírito, sobre si mesmo, para examinar o seu próprio conteúdo por meio do entendimento, da razão. **3.** Cisma, meditação; contemplação. **4.** Consideração atenta; prudência, tino, discernimento. **5.** Ponderação, observação, reparo. **6.** *Fís.* Modificação da direção de propagação de uma onda que incide sobre uma interface que separa dois meios diferentes, e retorna para o meio inicial. **7.** *Geom.* Operação em que um ponto se transforma no seu simétrico em relação a outro ponto, ou a uma linha.

reflexibilidade (cs). *S. f.* Qualidade de reflexível.

reflexionar (cs). [Do lat. *reflexione*, 'ato de voltar para trás', + *-ar*^{2}.] *V. int.* **1.** Refletir, meditar. **2.** Pesar, ponderar, objetar; refletir. *T. i.* **3.** V. *refletir* (9).

reflexível (cs). [De *reflexo* + *-ível*.] *Adj. 2 g.* Que se pode refletir.

reflexividade (cs). [De *reflexivo* + *-i-* + *-dade*.] *S. f. Mat.* Numa relação entre elementos de um conjunto, propriedade que é verdadeira quando relaciona um elemento com ele mesmo. A relação de igualdade é reflexiva.

reflexivo (cs). [De *reflexo* + *-ivo*.] *Adj.* **1.** Reflexo (1). **2.** Que reflete ou reflexiona. **3.** V. *refletido* (2 e 3). ~ V. *análise* —*a*, *pronome* —, *relação* —*a* e *verbo* —.

reflexo (cs). [Do lat. *reflexu*, 'voltado para trás', 'revirado', 'retorcido'.] *Adj.* **1.** Que se volta sobre si mesmo; reflexivo. **2.** Que se faz por meio de reflexão. **3.** Que não atua diretamente; indireto: *Por influência reflexa, a decisão do campeonato esvaziou a agressividade dos rapazes.* **4.** Que sofreu reflexão (6); refletido: "À luz escassa do sol ponente, que, reflexa em ângulo obtuso na caiada parede de S. Martinho, coava decomposta pelos vidros corados da janela, via-se assentado ao bufete do meio do aposento um figurão exótico." (Alexandre Herculano, *O Monge de Cister*, II, p. 231.) **5.** *Fisiol.* Diz-se de reflexo (12). **6.** *Morfol. Veg.* Voltado para baixo, ou, na direção da base: *pétala reflexa.* ~ *V. verbo* — e *voz* —*a*. ● *S. m.* **7.** Luz refletida, ou o efeito dela. **8.** Cópia, reprodução, imitação. **9.** Aquilo que evoca a realidade de maneira imprecisa ou incompleta: *Em seus traços ainda se podia ver um reflexo da beleza passada.* **10.** Manifestação indireta de uma circunstância, de um fato: *Observava, inquieta, o reflexo das más companhias no comportamento do menino.* **11.** Aquilo que manifesta, que revela um sentimento, uma idéia: "E com um sorriso único, reflexo de alma satisfeita, alguma cousa que traduzia a delícia íntima das sensações supremas, Fortunato cortou a terceira pata ao rato" (Machado de Assis, *Várias Histórias*, p. 113). **12.** *Fisiol.* Atividade involuntária de um órgão, como resposta a uma estimulação deste. ◆ **Reflexo aquileu.** *Med.* Resposta à percussão de tendão de Aquiles, e que se traduz, p. ext., de perna sobre coxa. **Reflexo gastrocólico.** *Fisiol.* Aumento de peristaltismo intestinal após entrada de alimento em estômago vazio. **Reflexo patelar.** *Med.* Resposta à percussão de tendão rotuliano, e que se traduz, p. ext., de perna sobre coxa.

reflexologia (cs). [De *reflexo* + *-log(o)-* + *-ia*.] *S. f.* **1.** Estudo dos reflexos. **2.** *Psicol.* Escola que reduz todos os fenômenos psíquicos a reflexos condicionados.

reflexológico (cs). *Adj.* Respeitante à reflexologia.

reflexologista (cs). *S. 2 g.* Especialista em reflexologia ou reflexoterapia; reflexólogo.

reflexólogo (cs). *S. m.* Reflexologista.

reflexoterapia (cs). [De *reflexo* + *-terapia*.] *S. f.* Tratamento por irritação de uma área do corpo distante da lesão.

reflexoterápico (cs). *Adj.* Concernente à reflexoterapia.

reflorescência. *S. f.* Qualidade de reflorescente.

reflorescente. *Adj. 2 g.* Que refloresce.

reflorescer. [Do lat. *reflorescere*.] *V. int.* **1.** Florescer novamente; tornar a florescer: *Refloresceram os jardins devastados.* **2.** Encher-se de flores: *Na primavera reflorescem os campos.* **3.** Restabelecer-se, reviver, reanimar-se: *As novas conquistas científicas fazem reflorescer a confiança na humanidade.* **4.** Remoçar, rejuvenescer, juvenescer: *A mente envelhecida dificilmente refloresce.* ● *T. d.* **5.** Fazer florescer: *A chuva refloresceu os bosques.* **6.** Reanimar, revigorar: *As novas notícias refloresceram as esperanças.* [Conjug.: v. *crescer*.]

reflorescido. [Part. de *reflorescer*.] *Adj.* Que refloresceu; reflorido.

reflorescimento. *S. m.* Ato ou efeito de reflorescer.

reflorestador (ô). *Adj.* e *s. m.* Que ou aquele que refloresta.

reflorestamento. *S. m.* Ato ou efeito de reflorestar.

reflorestar. [De *re-* + *floresta* + *-ar*^{2}.] *V. t. d.* Plantar árvores para formar florestas em (lugar onde foi derrubada uma floresta).

reflorido. [Part. de *reflorir*.] *Adj.* Que refloriu; reflorescido.

reflorir. [De *re-* + *florir*.] *V. int.* Reflorescer. [Defect. Só se conjuga nas f. em que ao *r* da raiz se seguir a vogal *i*.]

refluente. [Do lat. *refluente*.] *Adj. 2 g.* Que reflui; réfluo.

refluir. [Do lat. *refluere*.] *V. int.* **1.** Correr para trás, retroceder (falando-se de um líquido ou de uma extensão líquida): *A maré reflui às 10 horas. T. i.* **2.** Voltar (para o ponto de origem): *A multidão refluiu a seus lares;* "Injetaram-lhe um líquido no abdômen e o líquido refluiu para a seringa" (Haroldo Maranhão, *As Peles Frias*, p. 19). **3.** Acudir, vir, chegar, em quantidade: *Valiosos presentes refluíam aos noivos.* [Conjug.: v. *atribuir*. Cf. *réfluo*.]

réfluo. [Do lat. *refluu*.] *Adj.* Refluente. [Cf. *refluo*, do v. *refluir*.]

refluxar (cs). *V. t. d. Quím.* Aquecer um sistema num balão ligado a um condensador de modo que se recolhe no próprio balão todo o condensado.

refluxo (cs). [Do lat. *refluxu*, part. pass. de *refluere*, 'refluir'.] *S. m.* **1.** Ato ou efeito de refluir. **2.** Movimento de maré vazante. **3.** Movimento contrário e sucessivo a outro. **4.** *Med.* Regurgitação (2). ◆ **Refluxo da maré.** *Geofís.* V. *vazante da maré*.

refocilamento. *S. m.* Ato ou efeito de refocilar(-se).

refocilante. [Do lat. *refocillante*.] *Adj. 2 g.* Que refocila.

refocilar. [Do lat. *refocillare*.] *V. t. d.* **1.** Restaurar, reforçar, revigorar: *As palavras de Catão não bastaram para refocilar a decadente sociedade romana.* **2.** Dar descanso, recreio, a; recrear: *A viagem refocilará seu espírito abatido. P.* **3.** Recobrar as forças, o vigor; revigorar-se: *Com a boa refeição, o pobre faminto refocilou-se.* **4.** Distrair-se do estudo ou do trabalho; recrear-se: *Depois de árduos meses de esforço, pediu férias para se refocilar.* **5.** Repoltrear-se, repotrear-se, refestelar-se: *refocilar-se numa poltrona.*

refogado. [Part. de *refogar*.] *S. m.* **1.** Mistura de vários temperos, como, p. ex., tomate, cebola, alho, cheiro-verde, passados na gordura fervente para dar às comidas um determinado sabor: *o refogado do feijão geralmente só leva alho e cebola.* **2.** *P. ext.* Prato feito com refogado: *um refogado de galinha.* **3.** Molho feito com temperos refogados: "Durante o dia do baile .... não comais alho, nem comais os refogados de cebola que vos alimentam nas vossas estalagens." (Ramalho Ortigão, *As Farpas*, IV, p. 177.) [Cf. *refugado*.]

refogar. [De *re-* + *fogo* + *-ar*^{2}.] *V. t. d.* **1.** Fazer ferver (os temperos) em gordura: *refogar cebola, sal e tomate.* **2.** Cozinhar com refogado; guisar: *refogar a carne.* [Conjug.: v. *largar*. Cf. *refugar*.]

refolego (ê). [Alter. de *repolego*.] *S. m. Bras., N.E.* Certo trabalho de agulha.

refolgar. [De *re-* + *folgar*.] *V. int.* **1.** Folgar ou descansar muito. **2.** Descansar, repousar, resfolegar. [Conjug.: v. *largar*. Pres. ind.: *refolgo*, etc. Cf. *refolgo* (ô).]

refolgo (ô). [De *refolgar*.] *S. m.* Descanso, repouso, alívio, folga. [Pl.: *refolgos* (ô). Cf. *refolgo*, do v. *refolgar*.]

refolhado^{1}. [Part. de *refolhar*^{1}.] *Adj.* Enrolado em folhas.

refolhado^{2}. [Part. de *refolhar*^{2}.] *Adj.* **1.** Que tem refolhos; refolhudo. **2.** *Fig.* Dissimulado, fingido, hipócrita.

refolhamento. [De *refolhar*^{2} + *-mento*.] *S. m.* V. *refolho*.

refolhar^{1}. [De *re-* + *folha* + *-ar*^{2}.] *V. t. d.* **1.** Envolver em folhas: *refolhar a pamonha com folhas de bananeira.* **2.** *Fig.* Disfarçar, cobrir, encobrir, dissimular: *Tentou refolhar a emoção estampada na face. Int.* **3.** Deitar folhas; brotar. *P.* **4.** Esconder-se na vegetação. [Pres. ind.: *refolho*, etc. Cf. refolho (ô).]

refolhar^{2}. [De *refolho* + *-ar*^{2}.] *V. t. d.* Guarnecer de refolhos ou pregas; preguear: *refolhar uma saia.* [Pres. Ind.: *refolho*, etc. Cf. *refolho* (ô).]

refolho (ô). [De *re-* + *folho*^{1}.] *S. m.* **1.** Folho sobre folho; prega, dobra, refolhamento. **2.** *Fig.* Fingimento, dissimulação, hipocrisia, refolhamento: "Viu tudo a cru: / Viu, sem refolhos, / Com os próprios olhos, / Seu corpo nu." (Martins Fontes, *Verão*, p. 223.) [Pl.: *refolhos* (ó). Cf. *refolho*, do v. *refolhar*.] ~ V. *refolhos*.

refolhos. [Pl. de *refolho*.] *S. m. pl.* A parte mais íntima ou secreta da alma; âmago, íntimo, imo. ~ V. *refolho*.

refolhudo^{1}. [De *re-* + *folhudo*.] *Adj.* Denso, ramoso, ramudo.

refolhudo^{2}. [De *refolho* + *-udo*.] *Adj.* Que tem refolho; refolhado.

reforçado. [Part. de *reforçar*.] *Adj.* **1.** Que readquiriu forças; revigorado. **2.** Aumentado ou acrescido de reforço (2 e 3): *O general ordenou guarda reforçada em todas as unidades.* **3.** Que recebeu reforço (4). **4.** Que tem força; robusto, forte: *um cabra reforçado.*

reforçador (ô). *Adj.* **1.** Que reforça. ● *S. m.* **2.** Explosivo que, numa cadeia (5), tem a função de detonar a carga de ruptura. **3.** *Astron.* Foguete que fornece, durante certo espaço de tempo, um impulso inicial ou adicional a um veículo espacial, e que, geralmente, é largado após a queima; impulsor auxiliar, jacto auxiliar de decolagem. **4.** *Fot.* Solução destinada a acentuar os contrastes de um negativo.

reforçar. [De *re-* + *força* + *-ar*^{2}.] *V. t. d.* **1.** Tornar mais forte, mais sólido, mais intenso; dar mais força a: *Estes dados reforçarão o pedido.* **2.** Reanimar, restaurar, revigorar; *A bebida quente reforçou-lhe o corpo cansado. P.* **3.** Tornar-se mais forte, mais robusto; adquirir mais força; fortalecer: *A ciência reforça-se a cada descoberta.* **4.** Adquirir força ou apoio; *Reforçou-se, para manter a asserção, em obras especializadas.* [Conjug.: v. *laçar*. Pres. Ind.: *reforço*, etc. Cf. *reforço* (ô).]

reforçativo. *Adj.* Que serve para reforçar.

reforço (ô). [Dev. de *reforçar*.] *S. m.* **1.** Ato ou efeito de reforçar(-se). **2.** Aumento de força. **3.** Tropa auxiliar. **4.** Material ou peça que se coloca em determinadas partes de uma coisa para aumentar-lhe a resistência: *A mala tem reforço nos cantos.* **5.** *Encad.* Tira de papel ou de talagarça que se coloca ao dorso de um livro para consolidá-lo, antes do empaste. [Pl.: *reforços* (ó). Cf. *reforço*, do v. *reforçar*.] ◆ **Reforço de fole.** *Encad.* Reforço formado por uma tira de papel dobrada, com uma parte colada ao lombo e outra ao falso-dorso. [Sin. (bras., S.): *canudo*.]

reforma. [Dev. de *reformar*.] *S. f.* **1.** Ato ou efeito de reformar; reformação. **2.** Mudança, modificação, reformação. **3.** Forma nova. **4.** *Bras.* Aposentadoria definitiva de militar ao qual faltam condições físicas, mentais ou morais para o serviço militar. [Cf. *reserva remunerada.*] **5.** Substituição dum título ou contrato por outro, de valor igual ou diverso, por ocasião de seu vencimento. **6.** *Jur.* Modificação duma sentença judicial em grau de recurso. **7.** *Rel.* Conjunto de mudanças efetuadas na Igreja com o fim de torná-la mais fiel à forma de suas origens: *reforma dos cistercienses; reforma dos carmelitas.* **8.** *Rel.* Movimento religioso dos começos do séc. XVI, que rompeu com a Igreja Católica Romana, originando numerosas igrejas cristãs dissidentes. **9.** *Restr.* Protestantismo. **10.** *Tec. Quím.* Reformação (2). ♦ **Reforma agrária.** Revisão da estrutura agrária dum país com vista a uma distribuição mais eqüitativa da terra e da renda agrícola.

reformabilidade. *S. f.* Qualidade de reformável.

reformação. [Do lat. *reformatione.*] *S. f.* **1.** Reforma (1 e 2). **2.** *Tec. Quím.* Tratamento térmico ou catalítico a que se submetem certas frações da destilação do petróleo com o objetivo de elevar-lhes a octanagem; reforma.

reformado. [Part. de *reformar.*] *Adj.* **1.** Emendado, corrigido. **2.** Diz-se de militar que se reformou. ● *S. m.* **3.** Militar que se reformou. **4.** *Rel.* Em rigor, membro de algumas igrejas protestantes da Suíça, Alemanha e Holanda ligadas ao espírito do reformador suíço Zwinglio [v. *zwinglianismo*]. **5.** *P. ext.* Calvinistas, ou protestantes em geral.

reformador (ô). [Do lat. *reformatore.*] *Adj.* **1.** Que reforma; reformatório. ● *S. m.* **2.** Aquele que reforma. **3.** Aquele que reformou uma ordem ou uma congregação. **4.** *Restr.* Os principais fautores da Reforma protestante. **5.** *Bras.* V. *carimboto.*

reformar. [Do lat. *reformare.*] *V. t. d.* **1.** Formar de novo; reconstruir: *Reformaram a cidade abalada pelo terremoto.* **2.** Emendar, corrigir, retificar: *A moral pretende reformar os maus costumes.* **3.** Dar melhor forma a; melhorar, aprimorar: *Passou meses reformando o escrito, até que lhe parecesse perfeito.* **4.** Pôr em bom estado; restaurar, consertar, reparar: *Reformou o velho casarão, transformando-o numa bela casa de campo;* "Mandou .... reformar o pequeno templo que se achava em condições precárias" (Vivaldo Coaraci, *Paquetá*, p. 26). **5.** Suprimir, extinguir, extirpar: *reformar arbitrariedades.* **6.** Confirmar, corroborar, ratificar. **7.** Dar ou conceder reforma (4) a: *O Governo reformou o general quando completou 70 anos de idade; O Tenente Gil foi reformado por haver participado da revolta.* **8.** Mudar, modificar, alterar: *reformar a Constituição.* **9.** Fazer a reforma de (um título ou contrato vencido). **10.** Modificar (uma sentença judicial) em virtude de recurso: *O Supremo Tribunal decidiu reformar a sentença. T. d. e i.* **11.** Prover (daquilo que se inutilizou ou consumiu); abastecer: *Os importadores reformarão de trigo a cidade. P.* **12.** Refazer-se, prover-se (daquilo que foi consumido ou estragado): *Os armazéns reformaram-se de gêneros.* **13.** Emendar-se, corrigir-se, regenerar-se: *Após cinco anos de prisão, reformou-se.* **14.** Retornar à forma primitiva. **15.** Cobrar novas forças: *O lutador reformou-se após meses de exercícios.* **16.** Obter a reforma (4): *O militar reformou-se por doença.*

reformativo. [Do lat. *reformatu*, part. pass. de *reformare*, 'reformar', + *-ivo.*] *Adj.* **1.** Respeitante a reforma. **2.** Próprio para reformar.

reformatório. [Do lat. *reformatu*, part. pass. de *reformare*, 'reformar', + *-ório.*] *Adj.* **1.** Reformador. ● *S. m.* **2.** Conjunto de preceitos instrutivos ou morais. **3.** Estabelecimento oficial que abriga, sob regime disciplinar, menores delinqüentes ou degenerados, para tratamento, reajustamento, correção, assim como para lhes dar conhecimentos gerais, educação moral e cívica, habilitá-los em artes e ofícios, e adaptá-los à sociedade.

reformável. *Adj. 2 g.* Que se pode reformar.

reformismo. *S. m.* Teoria dos socialistas que pretendem alcançar o poder mediante reformas sucessivas e graduais, repudiando a violência como forma de ação política.

reformista. *Adj. 2 g.* **1.** Referente a reforma. **2.** Que é partidário das reformas políticas ou do reformismo. ● *S. 2 g.* **2.** Pessoa que o é.

reformulação. *S. f.* Ato ou efeito de reformular.

reformular. [De *re-* + *formular.*] *V. t. d.* Tornar a formular; submeter a nova formulação: *O partido da oposição reformulou seu programa para as próximas eleições.*

refortificar. [De *re-* + *fortificar.*] *V. t. d.* Fortificar novamente. [Conjug.: v. *trancar.*]

refotografar. [De *re-* + *fotografar.*] *V. t. d.* Fotografar de novo.

refração. [Do lat. *refractione.*] *S. f.* **1.** Ato ou efeito de refratar(-se). **2.** *Fís.* Modificação da forma ou da direção de uma onda que, passando através de uma interface que separa dois meios, tem, em cada um deles, diferente velocidade de propagação. ♦ **Refração astronômica.** *Astr.* Desvio dos raios luminosos provenientes dos astros, ao atravessarem a atmosfera terrestre. **Dupla refração.** *Ópt.* Birrefringência.

refrangente. *Adj. 2 g.* Que refrange; refrativo, refringente.

refranger. [Do lat. *refringere*, com infl. simples de *frangere*, 'quebrar'.] *V. t. d. e p.* Refratar(-se): "A educação histórica da escola não só forma; também deforma as nossas perspectivas e refrange os nossos raios visuais." (Fidelino de Figueiredo, *Entre Dois Universos*, p. 142.) [Conjug.: v. *tanger.*]

refrangibilidade. [Do ingl. *refrangibility.*] *S. f.* Qualidade de refrangível.

refrangível. [Do ingl. *refrangible.*] *Adj. 2 g.* Que pode refranger-se.

refranzear. [De *refrão?*] *V. int. P. us.* Dizer gracejos; gracejar. [Conjug.: v. *frear.*]

refranzido. [Part. de *refranzir.*] *Adj.* Que se refranziu.

refranzir. [De *re-* + *franzir.*] *V. t. d. e p.* Franzir(-se) de novo, ou muito: "Ao tirá-lo [um maço de papel] do bolso do jaleco, refranziu jocosamente a cara para Aurélia" (José de Alencar, *Senhora*, p. 221).

refrão. [Do provenç. ant. *refranh*, 'canto de pássaros'.] *S. m.* **1.** Fórmula vocal ou instrumental, que se repete regularmente numa composição: "O artista [Ribeiro Couto] conhece o segredo dos ritornelos, a química dos refrões." (Ronald de Carvalho, *Estudos Brasileiros*, 2ª série, p. 73.) **2.** V. *provérbio* (1): "Rica em fábulas e contos morais, sentenças e refrães, a obra [*Libro de buen amor*, do Arcipreste de Hita] tem um caráter didático e moralizante." (Eduardo Frieiro, *O Alegre Arcipreste*, p. 36); "Daí é que vem o refrão castelhano que diz: cada um é filho de suas obras." (José Lins do Rego, *Gregos e Troianos*, p. 174). **3.** V. *estribilho* (1). [Pl.: *refrãos* e *refrães.*]

refratar. [Do lat. *refractu*, part. pass. de *refringere*, 'quebrar', + *-ar*[2].] *V. t. d.* **1.** Causar refração (2) a. **2.** *P. ext.* Quebrar ou desviar a direção de. *P.* **3.** Sofrer refração (2); refletir-se. [Sin. ger.: *refranger.* Fut. pret.: *refrataria*, etc. Cf. *refratária*, fem. de *refratário.*]

refratário. [Do lat. *refractariu.*] *Adj.* **1.** Que resiste a certas influências químicas ou físicas: *placas refratárias a ácido.* **2.** Que pode permanecer em contato com o fogo, ou que suporta calor elevado, sem se alterar: *O amianto é refratário.* **3.** Que recusa submeter-se; desobediente, insubmisso: *aluno refratário.* **4.** Imune a certa doença: *refratário à gripe.* ~V. *pedra* —*a*, *terra* —*a* e *tijolo* —. ● *S. m.* **5.** Aquele que foge ao cumprimento da lei, especialmente do serviço militar. **6.** Material ou produto refratário (1 e 2). [Fem.: *refratária.* Cf. *refrataria*, do v. *refratar.*]

refratividade. [De *refrativo* + *-i-* + *-dade.*] *S. f. Ópt.* Diferença entre o índice de refração duma substância para um dado comprimento de onda e a unidade.

refrativo. [De *refrato* + *-ivo.*] *Adj.* Que refrange ou faz refratar; refrangente, refringente.

refrato. [Do lat. *refractu.*] *Adj.* Que se refratou.

refratometria. *S. f. Ópt.* Emprego do refratômetro; medida do índice de refração.

refratométrico. *Adj.* Relativo à refratometria, ou ao refratômetro.

refratômetro. [De *refrato* + *-metro.*] *S. m. Ópt.* Instrumento para medir o índice de refração das lentes.

refrator (ô). *Adj.* **1.** Que serve para refratar. ~ V. *telescópio* —. ● *S. m.* **2.** *Astr.* V. *telescópio refrator.*

refreado. [Part. de *refrear.*] *Adj.* Reprimido, moderado, contido.

refreadoiro. [De *refrear* + *-(d)oiro.*] *S. m.* Var. de *refreadouro.*

refreador (ô). *Adj.* **1.** Que refreia. ● *S. m.* **2.** Aquele ou aquilo que refreia.

refreadouro. [De *refrear* + *-(d)ouro*[1].] *S. m. Desus.* **1.** Freio. **2.** *Fig.* Aquilo que refreia ou reprime os maus instintos ou os maus hábitos. [Var.: *refreadoiro.*]

refreamento. *S. m.* Ato ou efeito de refrear(-se).

refrear. [Do lat. *refrenare.*] *V. t. d.* **1.** Conter com freio; frear, enfrear: *O cavaleiro refreou bruscamente o cavalo.* **2.** Reprimir, conter, suster: *Palavras e armas não bastaram para refrear a turba.* **3.** Dominar, sujeitar, subjugar, vencer: *As tropas aliadas conseguiram refrear o ataque inimigo.* **4.** Tornar menor ou menos intenso; moderar, reprimir: *O motorista refreou a velocidade. P.* **5.** Conter-se, comedir-se, reprimir-se: *Não pôde refrear-se, e respondeu às afrontas.* **6.** Abster-se, privar-se: *refrear-se de comer bem.* [Conjug.: v. *frear.*]

refreável. *Adj. 2 g.* Que se pode refrear.

refrega. [Dev. de *refregar.*] *S. f.* **1.** Encontro entre forças ou pessoas inimigas; peleja, briga, luta, recontro. **2.** Trabalho, lida, labuta, faina. **3.** *Bras., N.E.* Vento tempestuoso e rápido, ou que sopra às lufadas. [Var.: *refega.*]

refregar. [Do lat. *refricare*, 'esfregar de novo'.] *V. int.* Lutar, brigar, pelejar: *Os lutadores profissionais ganham para refregar em público.* [Conjug.: v. *regar.*]

refreio. [Dev. de *refrear.*] *S. m.* **1.** Ato de refrear; refreamento. **2.** Aquilo com que se refreia.

refrém. *S. m.* V. *provérbio* (1).

refrescamento. *S. m.* Ato ou efeito de refrescar(-se).

refrescante. *Adj. 2 g.* Que refresca; refrigerante.

refrescar. *V. t. d.* **1.** Tornar mais fresco, ou menos quente; refrigerar: *Depois de um dia de canícula, uma brisa refrescou a tarde;* "A viração do Bacanga refrescava o ar da varanda e dava ao ambiente um tom morno e aprazível." (Aluísio Azevedo, *O Mulato*, p. 13). **2.** Reanimar, restaurar, restabelecer. **3.** Dar novas forças a; socorrer. **4.** Tornar mais leve; aliviar, suavizar, aligeirar: *refrescar um castigo.* **5.** *Ant. Mar.* Arriar vergas e mastaréus, e vistoriar e alcatroar os cabos fixos de (o aparelho do navio). *Int.* **6.** Tornar-se mais fresco; arrefecer: *À tardinha, quando a brisa sopra, a cidade refresca.* **7.** Tornar-se o tempo mais fresco; baixar a temperatura; arrefecer: "Viajando, viajando, vimo-nos dentro da noite, cercados do luar. Refrescava." (Sabóia Ribeiro, *Contos do Cacau*, p. 135.) **8.** Adquirir mais força, aumentar, avivar-se (o vento): "E porque o vento vinha refrescando, / Os traquetes das gáveas tomar manda, / 'Alerta', disse, 'estai, que o vento cresce'" (Luís de Camões, *Os Lusíadas*, VI, 70). *P.* **9.** Diminuir o calor do próprio corpo; refrigerar-se: *Foi à praia refrescar-se;* "Ali, encontravam apenas um senhor meio maduro .... vendendo roupa e refrescando-se com gelados." (Carlos Drummond de Andrade, *A Bolsa & a Vida*, p. 143). **10.** Tornar-se mais ativo, mais intenso; avivar-se: *Com a chegada de novos elementos a luta refrescou-se.* **11.** Tomar novas forças; reanimar-se, restabelecer-se: *Após um bom descanso, refrescou-se.* **12.** Acalmar-se, aquietar-se, tranqüilizar-se. **13.** *Mar. Desus.* Reabastecer-se de mantimentos frescos, perecíveis. [Conjug.: v. *trancar.* Pres. ind.: *refresco*, etc. Cf. *refresco* (ê).]

refresco (ê). [De *re-* + *fresco* (ê).] *S. m.* **1.** Aquilo que refresca. **2.** Suco de frutas ao qual se adiciona água e um adoçante, e que se serve gelado. [Sin., bras., N.: *gelada.* Cf. *refrigerante* (2).] **3.** *Fig.* Alívio, consolo, refrigério. **4.** *Fig.* Ajuda, socorro, auxílio. **5.** *Bras., PE. Gír.* V. *surra* (1). **6.** *Mar. Desus.* Ato ou efeito de refrescar (5 e 13). [Pl.: *refrescos* (ê). Cf. *refresco*, do v. *refrescar.*]

refrigeração. [Do lat. *refrigeratione.*] *S. f.* **1.** Ato ou efeito de refrigerar(-se). **2.** *Eng. Nucl.* Desativação.

refrigerador (ô). *Adj.* **1.** V. *refrigerante* (1). ● *S. m.* **2.** Geladeira (1).

refrigerante. *Adj. 2 g.* **1.** Que refrigera; refrigerador, refrigerativo. ● *S. m.* **2.** Bebida não alcoólica, tomada, em geral, gelada. [Cf. *refresco* (2).] **3.** *Eng. Nucl.* Substância, normalmente fluida, usada para refrigerar qualquer parte de um reator nuclear onde se gera calor. **4.** *Expl.* Aditivo usado em propelentes para baixar a temperatura de explosão da pólvora e diminuir a erosão da boca-de-fogo, aumentando-lhe a vida útil; resfriante.

refrigerar. [Do lat. *refrigerare.*] *V. t. d.* **1.** Tornar frio; esfriar: *A geladeira refrigera os alimentos, conservando-os.* **2.** Tornar fresco; refrescar: *A brisa marítima refrigera o ambiente.* **3.** Proteger contra o calor: *As roupas de verão devem ser leves, para refrigerar o corpo.* **4.** Aliviar, suavizar, consolar: *A bondade dos filhos refrigera-lhe a viuvez. P.* **5.** Refrescar (9). **6.** Sentir-se aliviado, confortado: *Refrigera-se na esperança de melhores dias.*

refrigerativo. [Do lat. *refrigeratu*, part. pass. de *refrigerare*, 'refrigerar', + *-ivo.*] *Adj.* **1.** V. *refrigerante* (1). ● *S. m.* **2.** Aquilo que refrigera.

refrigério. [Do lat. *refrigeriu.*] *S. m.* **1.** Ato ou efeito de refrigerar(-se). **2.** Bem-estar gerado pela frescura. **3.** Consolação, alívio, refresco: "Fazer nos maus cruezas, fero e iroso, / Eram os seus mais certos refrigérios [de D. Pedro, o Cru, rei de Portugal]" (Luís de Camões, *Os Lusíadas*, III, 137).

refringência. *S. f.* Qualidade de refringente.

refringente. [Do lat. *refringente.*] *Adj. 2 g.* V. *refrangente.*

refrisar. [De *re-* + *frisar.*] *V. t. d.* Frisar novamente.

refrulho. [T. onom.] *S. m. Bras.* Rumorejo, sussurro,

murmúrio.

refugado. [Part. de *refugar.*] *Adj.* Posto de lado; desprezado. [Cf. *refogado.*]

refugador (ô). *Adj.* **1.** Que refuga. ● *S. m.* **2.** Indivíduo ou animal que refuga. **3.** *Bras., RS.* Lugar onde se põe o gado para refugá-lo ou apartá-lo.

refugar. [Do lat. *refugare.*] *V. t. d.* **1.** Pôr de lado como inútil ou desinteressante; rejeitar, desprezar: *O merceeiro refugou a maior parte dos comestíveis recebidos.* **2.** *Bras., S.* Separar, apartar (o gado, etc.). **3.** *Bras., S.* Esquivar-se (o animal) a entrar em (a mangueira[3]). *Int.* **4.** *Bras.* Negar-se (o animal) a seguir, priscando ou fugindo para um dos lados: "a moça fustigou o cavalo, que refugou." (José de Alencar, *Sonhos d'Ouro*, p. 113). [Conjug.: v. *largar.* Cf. *refogar.*]

refugiado. [Part. de *refugiar.*] *Adj.* e *s. m.* Diz-se de, ou aquele que se refugiou.

refugiar-se. [De *refúgio* + *-ar*[2] + *se*[1].] *V. p.* **1.** Retirar-se (para um lugar seguro); acolher-se, abrigar-se: *Ao ouvir o alarma, refugiou-se no abrigo antiaéreo.* **2.** Tomar asilo; asilar-se, expatriar-se: *Banido de seu país, refugiou-se na França.* **3.** Procurar abrigo ou proteção; resguardar-se, amparar-se: *Após tantos sofrimentos, refugiou-se na meditação.* **4.** Resguardar-se, proteger-se, abrigar-se: *refugiar-se de um temporal.* [Pres. ind.: *refugio-me*, etc. Cf. *refúgio*, s. m., e *Refúgio*, top.]

refúgio. [Do lat. *refugiu.*] *S. m.* **1.** Local para onde alguém foge a fim de estar em segurança; asilo, abrigo. **2.** Apoio, amparo, proteção; socorro: *A religião é refúgio para muitos sofredores.* [Cf. *refugio-me*, do v. *refugiar-se.*]

refugir. [Do lat. *refugere.*] *V. int.* **1.** Tornar a fugir; fugir novamente: *O marginal tantas vezes foi recapturado quantas refugiu.* **2.** Refluir, retroceder, recuar, retrogradar: *As ondas crescem, aproximam-se da terra, e refogem.* *T. i.* **3.** Escapar, ou fugir novamente; tornar a fugir: *Três vezes o condenado refugiu da penitenciária.* **4.** Furtar-se, eximir-se, esquivar-se: *Um Homem não refoge de suas obrigações.* *T. d.* **5.** Desviar-se de; evitar: *Todo cristão deve refugir os pecados.* [Irreg. Conjug.: v. *fugir.*]

refugo. [Dev. de *refugar.*] *S. m.* **1.** Aquilo que foi refugado; resto; rebotalho. **2.** *Bras., S.* Ato de refugar.

refulgência. [Do lat. *refulgentia.*] *S. f.* Qualidade de refulgente; resplendor, resplendência.

refulgente. [Do lat. *refulgente.*] *Adj. 2 g.* Que refulge ou resplandece; resplandecente, refúlgido: "Onde as montanhas de ouro refulgente, / E os bosques de coral e de safira?" (Ricardo Gonçalves, *Ipês*, p. 82).

refúlgido. [De *re-* + *fúlgido.*] *Adj.* V. *refulgente.* [Cf. *refulgido*, do v. *refulgir.*]

refulgir. [Do lat. *refulgere.*] *V. int.* **1.** Brilhar intensamente; resplandecer; refulgurar: "Refulgia Vésper, como condoída / Lágrima caída sobre o dia morto." (Alberto de Oliveira, *Póstuma*, p. 70); "desmontaram, marchando .... sobre o mulato, em cujo braço robusto refulgia a lâmina de um facão" (Afonso Arinos, *Pelo Sertão*, p. 80). **2.** Destacar-se pela celebridade, pela glória: *O nome de Tiradentes refulge na História brasileira.* [Conjug.: v. *dirigir.* Segundo alguns, só é conjugável nas f. em que ao *g* da raiz se seguir *e* ou *i*, porém no Brasil a tendência é para a conjugação integral. Part.: *refulgido.* Cf. *refúlgido.*]

refulgurar. [De *re-* + *fulgurar.*] *V. int.* V. *refulgir* (1): "O céu, sem uma nuvem — todo ele translúcido de fímbria a fímbria, com o sol em disco enorme e coruscante, refulgurava." (Coelho Neto, *Banzo*, p. 170.)

refundar. [De *re-* + *fundar.*] *V. t. d.* Tornar mais fundo; afundar, profundar, aprofundar: *Os operários refundam mais a escavação.*

refundição. *S. f.* Ato ou efeito de refundir(-se).

refundir. [Do lat. *refundere.*] *V. t. d.* **1.** Fundir ou derreter de novo: *refundir o ouro.* **2.** Passar (líquidos) de um vaso para outro; trasvasar, trasfegar: *refundir o vinho, o leite.* **3.** Emendar, reformar, corrigir: *refundir um escrito.* *Int.* **4.** Reunir-se, concentrar-se, ajuntar-se: *Quando o ódio e a força refundem, muito sangue inocente é derramado.* *P.* **5.** Derreter-se, fundir-se: *Os metais refundem-se a altas temperaturas.* **6.** Desaparecer, sumir-se, perder-se: *o vulto do homem refundiu-se na noite.* **7.** Transformar-se, transfazer-se, converter-se: *Só os bravos se refundem em heróis.*

refusão[1]. *S. f.* Ato ou efeito de refundir.

refusão[2]. *S. f.* Ato de refusar; recusa.

refusar. [Do lat. vulg. **refusare.*] *V. t. d. P. us.* V. *recusar* (1 a 3).

refutação. [Do lat. *refutatione.*] *S. f.* **1.** Ato ou efeito de refutar. **2.** Réplica, contestação; resposta. **3.** Trecho do discurso no qual se refutam ou rebatem os argumentos do adversário.

refutador (ô). [Do lat. *refutatore.*] *Adj.* e *s. m.* Que ou aquele que refuta.

refutar. [Do lat. *refutare.*] *V. t. d.* **1.** Dizer em contrário; desmentir; negar: *A testemunha refutou a declaração do réu*; "Como sabíamos corrigir os poetas e refutar os filósofos!" (Augusto Meyer, *No Tempo da Flor*, p. 11). **2.** Ser contrário a; não aceitar; reprovar, desaprovar: *Refutou severamente a afirmação dúbia.* **3.** Combater com argumentos: contestar, contradizer: *refutar uma tese*: "quando apresentamos provas, riem com ironia porque não podem refutar a verdade dos fatos." (Coelho Neto, *Turbilhão*, p. 167). **4.** Desfazer, ou tentar desfazer, as razões ou objeções de; contestar, contradizer: *Os advogados refutaram o promotor.*

refutatório. [Do lat. *refutatoriu.*] *Adj.* Que serve para refutar; próprio de quem refuta: *Usou de um tom vivamente refutatório.*

refutável. *Adj. 2 g.* Que pode ser refutado.

rega. [Dev. de *regar.*] *S. f.* **1.** Ato ou efeito de regar; regadura, regadio. **2.** *Pop.* Chuva (1). **3.** *Lus.* Irrigação: *obra de rega.*

rega-bofe. [De *regar* + *bofe.*] *S. m.* **1.** Festa com fartura de comida e bebida. **2.** *P. ext.* Folguedo, folia, pândega. [Pl.: *rega-bofes.*]

regaçar. [Talvez do lat. vulg. **recaptiare*, 'recolher' < lat. *Captare*, 'colher'.] *V. t. d.* e *p.* V. *arregaçar*: "Regaça o padre a batina / Sambando à porta da igreja" (Melo Morais Filho, *Cantos do Equador*, p. 59). [Conjug.: v. *laçar.*]

regaço. [Dev. de *regaçar.*] *S. m.* **1.** Cavidade formada por veste comprida entre a cintura e os joelhos de quem está sentado; colo: "Ajoelhou-se no chão, tomou-lhe a cabeça no regaço, e vergou-se toda sobre ele" (Aluísio Azevedo, *Pegadas*, p. 197). **2.** Dobra que o vestido forma levantando-se adiante. **3.** *Fig.* Espaço médio interior. **4.** *Fig.* Lugar de repouso ou abrigo.

regada[1]. [Fem. substantivado de *regado*, part. de *regar.*] *S. f.* Propriedade rústica que é banhada ou regada por um curso de água. [Cf. *reigada.*]

regada[2]. [De *rego* (ê) + *-ada*[1].] *S. f. Bras. Chulo.* Sulco existente entre as nádegas; rego. [Cf. *reigada.*]

regadeira. [De *regar* + *-deira.*] *S. f.* **1.** Regueira (2). **2.** Torrente de águas pluviais, enxurro, enxurrada.

regadio. [De *regar* + *-dio.*] *Adj.* **1.** Que se rega. ● *S. m.* **2.** V. *rega* (1).

regador (ô). *Adj.* **1.** Que rega. ● *S. m.* **2.** Aquele que rega. **3.** Recipiente, em geral cilíndrico, munido de um bico no qual se encaixa uma espécie de ralo, e que serve sobretudo para regar plantas. [Sin., p. us.: *borrifador, irrigador.*] **4.** Irrigador (3).

regadura. [De *regar* + *-(d)ura.*] *S. f.* V. *rega* (1).

regal. *S. m. Mús.* **1.** Nos sécs. XVI a XVIII, pequeno órgão portátil, de um registro só e, em geral, de palheta batente. [Cf. *positivo* (13).] **2.** Registro de órgão.

regalado. [Part. de *regalar.*] *Adj.* **1.** Que se regalou. **2.** Que sente ou que dá regalo. **3.** Farto, abundante, sobejo. ● *Adv.* **4.** Com regalo; com mimo; regaladamente: *Vive regalado.*

regalador (ô). *Adj.* e *s. m.* Que ou aquele que regala.

regalão. [De *regalar* + *-ão*[3].] *Adj.* **1.** Que regala. ● *S. m.* **2.** Aquele que regala ou alegra; folgazão. [Fem.: *regalona.*] **3.** Comilão, glutão. **4.** Ato ou efeito de regalar(-se). **5.** Grande regalo.

regalar. [Do fr. *régaler.*] *V. t. d.* **1.** Causar regalo ou prazer a; recrear, alegrar: *O bucolismo do local regalou meu espírito.* *T. d. e i.* **2.** Mimosear; brindar, presentear: *Regalou o visitante com um bom vinho.* *Int.* **3.** Passar bem; viver bem. *P.* **4.** Tratar-se com regalo: *Regala-se com bons almoços.* **5.** Sentir grande prazer; alegrar-se: *Regalou-se à perspectiva da viagem.*

regalardoar. [De *re-* + *galardoar.*] *V. t. d.* Galardoar de novo. [Conjug.: v. *coroar.*]

regalengo. *Adj.* Realengo [q. v.].

regalia. [Do esp. *regalía.*] *S. f.* **1.** Direito próprio do rei. **2.** Privilégio, vantagem, prerrogativa.

regalismo. [Do lat. *regale*, 'real', + *-ismo.*] *S. m.* Doutrina que defende a ingerência do chefe de Estado em questões religiosas.

regalista. *Adj. 2 g.* **1.** Relativo ao regalismo. **2.** Que goza de regalias e/ou que as defende. ● *S. 2 g.* **3.** Pessoa que goza de regalias e/ou que as defende.

regalo. [Dev. de *regalar.*] *S. m.* **1.** Prazer causado pelo bom tratamento. **2.** Prazer, gosto, contentamento, alegria. **3.** V. *presente* (8). **4.** Vida tranqüila. **5.** Agasalho para as mãos, em geral feito de pele, muito usado nos países frios. **6.** *Pesc.* Certo tipo de rede puxada a braços.

regalona. [Fem. de *regalão.*] *Adj.* (*f.*) **1.** Que regala. ● *S. f.* **2.** Mulher que vive com regalo, com alegria. **3.** Mulher regalona, folgazã. **4.** Variedade de azeitona.

regalório. *S. m.* **1.** Grande regalo (1 e 2). **2.** Pândega, patuscada, farra.

reganhar. [De *re-* + *ganhar.*] *V. t. d.* Ganhar novamente; readquirir, recuperar; recobrar, reaver: *O corredor reganhou o tempo perdido.*

regar. [Do lat. *rigare.*] *V. t. d.* **1.** Umedecer por irrigação ou aspersão; molhar, aguar; irrigar: *O jardineiro rega as flores*; "Dos canteiros do meloal, regados de fresco, ... levantava-se pouco a pouco uma umidade tênue" (Conde de Ficalho, *Uma Eleição Perdida*, p. 228). **2.** Correr (um rio) junto de; banhar: *O Nilo rega o Egito.* **3.** Molhar de leve; umedecer: *As lágrimas regaram suas faces.* **4.** Molhar, inundar: *O sangue dos heróis regou o solo pátrio.* *T. d. e i.* **5.** Acompanhar com bebida (o que se come): *Regou o almoço a vinho.* [Muda o *g* em *gu* antes de *e*, e tem o *e* aberto nas f. rizotônicas. Pres. ind.: *rego*, etc.; pret. perf.: *reguei*, ... *regou*, etc.; pres. subj.: *regue, regues, regue, reguemos, regueis, reguem.* Cf. *rego* (ê), s. m., *Rego* (ê), antr., e *regô*, s. m.]

regata. [Do dialeto veneziano *regata.*] *S. f.* Corrida em que duas ou mais embarcações competem para atingir certa meta, disputando o prêmio de velocidade.

regatagem. *S. f.* Ato de regatar[1].

regatão. [De *regatar*[1] + *-ão*[3].] *Adj.* **1.** Que regata, ou que regateia; regateador. ● *S. m.* **2.** Aquele que regata, ou que regateia; regateador. **3.** Aquele que compra em grosso para vender a retalho. **4.** *Bras., Amaz.* Vendedor que percorre os rios de barco, parando de lugar em lugar: "Os regatões são os traficantes que levam em canoas, por todos os rios, lagoas, furos e lugares, mercadorias estrangeiras ou nacionais, e as vendem a dinheiro, ou as permutam pelos produtos do país." (Tavares Bastos, *O Vale do Amazonas*, p. 351.) **5.** *Ant.* Intermediário na compra de produtos agrícolas.

regatar[1]. [Do lat. vulg. **recaptare*, 'tornar a comprar'.] *V. t. d.* Comprar e vender por miúdo.

regatar[2]. *V. int.* Fazer regatas.

regateador (ô). *Adj.* e *s. m.* Que ou aquele que regata ou regateia; regatão.

regatear. [De *regatar*[1] + *-ear.*] *V. t. d.* **1.** Questionar acerca do preço de, para comprar mais barato; pechinchar: *Costuma regatear o que compra.* **2.** Diminuir, deprimir, depreciar, apoucar: *Tentou por todos os meios regatear o valor dos soldados.* **3.** Dar com parcimônia: *Não costuma regatear favores.* *T. d. e i.* **4.** Regatear (1): *Regateava as compras ao negociante.* **5.** Regatear (3): *O rei regateava mercês à nobreza.* *Int.* **6.** Discutir com modos grosseiros, com teimosia. **7.** Regatear (1) pedindo abatimento; pedinchar, pechinchar: *Nada compra sem regatear*; "Conquanto a quantia exigida não fosse excessiva, regateei um instante, contando-lhe depois na palma da mão trêmula as libras ajustadas" (Bernardo Pinheiro, *Pindela, Azulejos*, p. 9). [Conjug.: v. *frear.*]

regateio. [Dev. de *regatear.*] *S. m.* Ato de regatear.

regateira. [Fem. de *regateiro.*] *S. f.* **1.** Mulher que regateia. **2.** Vendedora ambulante. **3.** Mulher que discute de modo grosseiro e malcriado; quitandeira. **4.** Mulher que vende peixe, fruta, hortaliça, etc., no mercado. **5.** *Bras.* Mulher assanhada, paraleira.

regateiro. [De *regatear* + *-eiro.*] *S. m.* **1.** Homem que regateia; regateador. ● *Adj.* **2.** *Bras.* Presumido, presunçoso, vaidoso, jactancioso.

regateirona. *S. f.* Mulher muito regateira.

regatia. [De *regatear.*] *S. f.* Vida ou modos de regateira.

regatiano. *Bras. Adj.* **1.** Pertencente ou relativo ao C.R.B. (Clube de Regatas Brasil), de AL; alvirrubro. **2.** Que é torcedor ou jogador dessa agremiação; alvirrubro. ● *S. m.* **3.** Membro, torcedor ou jogador dela; alvirrubro, galo-de-campina.

regatista. *S. 2 g. Bras.* Pessoa que pratica ou disputa regatas.

regato. [Do lat. *rigatu*, 'ação de regar'.] *S. m.* Curso de água estreito, pouco volumoso e de pequena extensão; ribeiro, arroio, riacho. [Cf. *córrego* (3), *riacho* e *ribeira.*]

regedor (ô). *Adj.* **1.** Que rege, dirige, ou governa; regente. ● *S. m.* **2.** Aquele que rege, dirige, ou governa. **3.** *Lus. Ant.* Autoridade administrativa, governamental, religiosa, judiciária, etc.

regedoria. *S. f.* **1.** Repartição ou cargo de regedor. **2.** Política de campanário [q. v.], que só se preocupa de interesses locais ou pessoais.

regeira. [De *reger.*] *S. f.* **1.** *Constr. Nav.* Cada uma das fortes escoras que, nalguns casos, se colocam obliquamente ao casco de um navio, na carreira de construção ou de reparos, a fim de não deixá-lo tombar. **2.** *Mar.* Virador ou espia cujo chicote, saindo pela popa de uma embarcação fundeada, ou amarrada, vai prender-se à amarra da âncora com que a embarcação está fundeada, ou ao arganéu da bóia em que está amarrada, ou, ainda, a um ancorote fundeado convenientemente, e por meio do qual se pode fazer a embarcação girar em espaço limitado, quando largar da bóia ou do ancoradouro. **3.** *Bras., S.* Corda de couro presa à orelha dos bois lavradores para se guiarem as juntas.

regelação. [Do lat. *regelatione.*] *S. f. Fís.* O fenômeno da fusão do gêlo por meio de uma compressão, e da sua posterior solidificação quando a compressão desaparece.

regelado. [Part. de *regelar.*] *Adj.* **1.** Convertido em gelo, congelado. **2.** Muito frio: "Conheci-o em Londres, no hotel de Charing-Cross, uma madrugada regelada de dezembro." (Eça de Queirós, *Contos,* p. 45.) **3.** *Fig.* Insensível, frio: "Nesta alma regelada / Surgiu ainda o gozo, / E um sonho lhe sorriu" (Alexandre Herculano, *Poesias,* p. 77).

regelador (ô). [De *regelar* + *-(d)or.*] *Adj.* Regelante.

regelante. [Do lat. *regelante.*] *Adj. 2 g.* Que regela; regelador.

regelar. [Do lat. *regelare.*] *V. t. d.* **1.** Gelar, congelar: *O frio regelou as águas da lagoa;* "O sopro agudo do nordeste / Regela o sangue" (Conde de Monsaraz, *Musa Alentejana,* p. 167). *P.* **2.** Gelar-se, congelar-se: *A água regela-se, solidificando-se.* [Pres. ind.: *regelo,* etc. Cf. *regelo* (ê).]

regélido. [De *re-* + *gélido.*] *Adj.* Muito gélido; frigidíssimo.

regelo (ê). [Dev. de *regelar.*] *S. m.* **1.** Ato ou efeito de regelar. **2.** *Fig.* Frieza, insensibilidade. [Pl.: *regelos* (ê). Cf. *regelo,* do v. *regelar.*]

regência. [Do lat. *regentia.*] *S. f.* **1.** Ato ou efeito de reger(-se). **2.** Governo interino instituído durante a ausência ou o impedimento do chefe de Estado, especialmente do soberano. **3.** Aquele ou aqueles que se acham encarregados do governo provisório de um Estado. **4.** Cargo ou função de regente. **5.** *Gram.* Relação entre as palavras duma oração ou entre as orações dum período. [Cf., nesta acepç., *regime*[1] (9).] **6.** *Mús.* Arte e ciência de reger (7, 8 e 11). **7.** *Bras.* Período da história do Brasil compreendido entre 7 de abril de 1831 e 23 de julho de 1840, e durante o qual o País, em face da menoridade de Pedro II, esteve sob o governo de regentes. **8.** *Bras., PE.* Grupo de indivíduos que se reúnem habitualmente para pândegas ou prática de desordens; súcia, malta.

regencial. *Adj. 2 g.* Da, ou relativo a regência (1 a 4), ou à Regência (7).

regenerabilidade. *S. f.* Qualidade de regenerável.

regeneração. [Do lat. *regeneratione.*] *S. f.* **1.** Ato ou efeito de regenerar(-se). **2.** *Eletrôn.* Num amplificador, processo em que parte da energia do sinal de saída do circuito é injetada na entrada para reforçar o sinal e aumentar a amplificação. **3.** *Fís. Nucl.* Numa reação nuclear em cadeia, a produção, com base em uma substância fértil, de uma substância físsil idêntica à que é consumida na reação. [O fenômeno ocorre, p. ex., nos reatores regeneradores.]

regenerador (ô). *Adj.* **1.** Que regenera; regenerante. ~ V. *reator* —. • *S. m.* **2.** Aquele que regenera.

regenerando. [Do lat. *regenerandu,* gerundivo de *regenerare,* 'regenerar'.] *Adj.* Que está para ser regenerado.

regenerante. [Do lat. *regenerante,* part. pres. de *regenerare,* 'regenerar'.] *Adj. 2 g.* Regenerador (1).

regenerar. [Do lat. *regenerare.*] *V. t. d.* **1.** Tornar a gerar; reproduzir (o que estava destruído): *O organismo humano não regenera os tecidos cerebrais.* **2.** Dar nova vida a; revivificar, regerar. **3.** Reconstituir, restaurar, reorganizar: *Serão punidos os que tentarem regenerar partidos ilegais.* **4.** Emendar, ou corrigir moralmente; recuperar: *As penitenciárias deveriam estar preparadas para regenerar os detentos. P.* **5.** Formar-se de novo; vivificar-se: *Os tecidos do cérebro não se regeneram.* **6.** Emendar-se, corrigir-se, reabilitar-se: *Os presos que se regeneraram serão indultados.*

regenerativo. [Do lat. *regeneratu,* part. pass. de *regenerare,* 'regenerar', + *-ivo.*] *Adj.* Que pode regenerar; que tem a força de regenerar.

regenerável. *Adj. 2 g.* Que pode regenerar-se.

regenerense. *Adj. 2 g.* **1.** De, ou pertencente ou relativo a Regeneração (PI). • *S. 2 g.* **2.** Natural ou habitante de Regeneração.

regentar. [De *regente* + *-ar*[2].] *V. t. d. Desus.* Reger: *regentar uma orquestra.*

regente. [Do lat. *regente.*] *Adj. 2 g.* **1.** Que rege, dirige ou governa; regedor: *Ficando louca D. Maria I, seu filho D. João tornou-se príncipe regente de Portugal.* • *S. 2 g.* **2.** Pessoa que exerce regência (3): *Como regente do Brasil, a Princesa Isabel assinou a Lei Áurea.* **3.** Chefe de orquestra, banda, orfeão, etc.; maestro. • *S. m.* **4.** *Bras.* Indivíduo que, outrora, nas procissões da cidade do Rio de Janeiro, carregava um saco cheio de cotos de vela e ia distribuindo-os às pessoas que acompanhavam o cortejo.

regentense. *Adj. 2 g.* **1.** De, pertencente ou relativo a Regente Feijó (SP). • *S. 2 g.* **2.** Natural ou habitante de Regente Feijó.

reger. [Do lat. *regere.*] *V. t. d.* **1** Governar, administrar, dirigir: *o Papa rege a Igreja Católica Romana.* **2.** Exercer, como rei, o governo de; reinar em: *D. Pedro de Alcântara regeu o Brasil.* **3.** *Restr.* Nas monarquias, exercer regência (3) em: *O Padre Feijó regeu o Brasil.* **4.** Exercer as funções de professor de; ensinar, lecionar: *Capistrano de Abreu regeu a cadeira de História no Colégio Pedro II.* **5.** Ter como dependente; subordinar: *O verbo amar rege objeto direto.* **6.** *Gram.* Determinar a flexão de: *A preposição ad rege, em latim, o acusativo.* **7.** Dirigir (orquestra, banda ou outro conjunto), marcando o andamento, as entradas, etc. **8.** Interpretar, regendo (partitura para diversos instrumentos ou vozes): *Vila-Lobos regeu suas obras em Paris.* **9.** Guiar, dirigir, encaminhar: *Os pais devem reger seus filhos. Int.* **10.** Exercer o mister de rei ou governador; dirigir, governar: *Só aos nobres era dado reger.* **11.** Reger (7 e 8) orquestra, banda ou outro conjunto musical: *Toscanini regeu pela primeira vez no Rio de Janeiro. P.* **12.** Governar-se, dirigir-se, regular-se: *O Universo rege-se a si próprio.* [Muda o *g* em *j* antes de *a* e de *o*: *rejo* (ê) (1ª pess. sing. do pres. ind.), e, portanto, em todo o pres. subj. (*reja* (ê), *rejas* (ê), *reja* (ê), etc.). O *e* do radical é aberto nas f. rizotônicas em que o *g* vem seguido de *e*: *reges, rege, regem.* Imperf.: *regia,* etc. Cf. *régia,* f. de *régio* e s. f.]

regerar. [De *re-* + *gerar.*] *V. t. d.* Tornar a gerar; regenerar.

régia. [Do lat. *regia.*] *S. f.* Palácio real. [Cf. *regia,* do v. *reger.*]

região. [Do lat. *regione.*] *S. f.* **1.** Grande extensão de terreno. **2.** Território que se distingue dos demais por possuir características (clima, produção, etc.) próprias. **3.** Cada uma das partes em que, mediante limites não raro arbitrários, se considera dividido o corpo humano para facilitar o seu estudo. **4.** *Anál. Mat.* Domínio (8). **5.** *Mús.* Cada uma das cinco partes (*subgrave, grave, média, aguda* e *superaguda*) em que se divide a escala geral dos sons musicais audíveis; registro. **6.** *Bras.* Grande Região [q. v.]. [Com maiúscula, nesta acepç.] ♦ **Região abissal.** Área do fundo do mar com profundidades acima de 5.000 metros. **Região cislunar.** *Astr. P. us.* Espaço cislunar. **Região D.** *Geofís.* A região mais baixa da ionosfera, que vai aproximadamente de 40 a 80 km de altitude. **Região de Heavside.** *Geofís.* V. *camada de Heavside.* **Região de informação de vôo.** Região de navegação. **Região de navegação.** Zona de espaço aéreo na qual as aeronaves recebem informações dos serviços terrestres, embora não estejam sujeitas a controle permanente; região de informação de vôo. **Região E.** *Geofís.* V. *camada de Heavside.* **Região F.** *Geofís.* Região da ionosfera que vai aproximadamente de 140 a 350 km de altitude, e que durante o dia se divide em duas: *as regiões F1 e F2.* **Região F1.** V. *região F.* **Região F2.** V. *região F.* **Região fisiográfica.** *Geog.* Região que se distingue de outras segundo critérios geográficos (físicos, humanos e econômicos), formando um conjunto coerente e original. **Região H II.** *Astr.* Região do espaço interstelar na qual o hidrogênio se encontra totalmente ionizado. [Estas regiões ocorrem nas proximidades de estrelas de alta luminosidade e alta temperatura superficial.] **Região hipogástrica.** *Anat.* Região ímpar, inferior e central do abdome; hipogástrio. **Região litorânea.** *Ecol.* Região do fundo do mar, entre os limites da preamar e da baixa-mar. **Região M.** *Astr.* Área da superfície solar possivelmente responsável pelos distúrbios magnéticos na Terra. **Região metropolitana.** *Urb. Bras.* Região densamente urbanizada constituída por municípios que, independentemente de sua vinculação administrativa, fazem parte duma mesma comunidade sócio-econômica, e cuja interdependência gera a necessidade de coordenação e realização de serviços de interesse comum. [Há no Brasil, hoje, nove regiões metropolitanas, estabelecidas por lei mas sem autonomia administrativa, pois prevalece a de cada município.] **Região militar.** *Bras.* Cada uma das áreas em que se divide o Brasil, para fins de preparo e execução do serviço militar, da mobilização, do apoio logístico e do equipamento do território, além dos encargos de instrução dos corpos de tropa e repartições militares que são subordinadas ao seu comandante. **Região natural.** *Geog.* Região que se distingue de outra unicamente segundo critérios geofísicos, tais como clima, relevo, etc. **Região pelágica.** Área do relevo submarino com a profundidade de até 5.000 metros. **Grande Região.** *Geog. Bras.* Cada uma das cinco regiões em que, segundo critérios geográficos, se divide o Brasil, e que, por sua vez, se subdividem em microrregiões homogêneas. [São as seguintes, com as unidades administrativas que compreendem as cinco grandes regiões brasileiras: *Norte,* que abrange totalmente RO, AC, AM, RR, PA e AP, e parcialmente MA, GO e MT; *Nordeste;* que se divide em *Nordeste Ocidental* ou *Meio-Norte* (parte do MA, PI e CE) e *Nordeste Oriental* (parte do PI, CE e BA, e totalmente o RN, PB, PE, AL e SE); *Leste,* que abrange totalmente o ES, RJ, e parcialmente a BA, MG e SP; *Sul,* que compreende parte de SP e totalmente PR, SC e RS; e *Centro-Oeste,* que abrange parcialmente MA, BA, MG, GO e MT, totalmente o DF. Tb. se diz apenas *Região.*]

região-continente. *S. f. Bras.* A Amazônia. [Pl.: *regiões-continentes.*]

regicida. [Do lat. medieval *regicida.*] *S. 2 g.* Pessoa que assassina um rei ou rainha.

regicídio. [Do lat. medieval *regicidiu.*] *S. m.* Assassinato de rei ou rainha.

regicidismo. *S. m.* Doutrina dos que pregam o regicídio.

regime[1]. [Do lat. *regimen.*] *S. m.* **1.** Regimento (1 e 2). **2.** Sistema político pelo qual é regido um país. **3.** Modo de viver, de exercer uma atividade. **4.** Dieta[1] (2). **5.** Administração de certos estabelecimentos públicos ou particulares. **6.** O conjunto das imposições jurídicas e fiscais que regem certos produtos. **7.** O conjunto das variações na forma de escoamento de um líquido, ou no volume deste: *rios de regime e uniforme; regime das chuvas.* **8.** Método de cultivo ou de exploração a que está sujeito um maciço ou mata. **9.** *Gram.* Dependência entre palavras ou entre uma palavra e uma oração, num enunciado. [Cf. *regência* (5).] **10.** *Mec.* Velocidade de rotação de um motor. ♦ **Regime de bens.** *Jur.* Conjunto de preceitos legais ou convencionais, obrigatórios e inalteráveis, que regem, enquanto subsistir a sociedade conjugal, as relações patrimoniais entre os cônjuges, e que abrange o *regime de comunhão de bens* e o *regime de separação de bens.* [Cf. *bens* e *dote* (4).] **Regime de comunhão de bens.** V. *regime de bens.* **Regime de separação de bens.** V. *regime de bens.* **Regime presidencial.** V. *presidencialismo.*

regime[2]. [Do fr. *régime.*] *S. m. Bot. Bras.* Inflorescência do tipo da das palmeiras.

regímen. *S. m.* V. *regime*[1]. [Pl.: *regimens* e, p. us. no Brasil, *regímenes.*]

regimental. *Adj. 2 g.* Relativo a regimento ou regulamento; regulamentar. [F. paral.: *regimentar.*]

regimentar. [De *regimento* + *-ar*[1].] *Adj. 2 g.* Regimental.

regimento. [Do lat. *regimentu.*] *S. m.* **1.** Ato, efeito ou modo de reger, de dirigir; regime. **2.** Normas impostas ou consentidas; disciplina, regime. **3.** Conjunto de normas que regem o funcionamento de uma instituição: *o regimento do Senado Federal; o regimento da Academia Brasileira de Letras.* **4.** Corpo de tropas sob o comando de um coronel. **5.** *Fig.* Grande número de pessoas reunidas para um mesmo fim e/ou sob a dependência de alguém: "À volta de seis enormes mesas, ... servidas por um regimento de criados de gravata branca e calção curto, ... reúnem-se em cada noite centenares de viajantes" (Ramalho Ortigão, *Em Paris,* p. 109). ♦ **Regimento de custas.** Código que tabela as custas judiciais e determina regras para o pagamento delas. **Regimento interno.** Regimento (3) que regula o funcionamento e o serviço interno das câmaras legislativas, dos tribunais, dos órgãos da administração pública e, por vezes, de instituições ou organizações particulares.

régio. [Do lat. *regiu.*] *Adj.* **1.** Relativo ao, ou próprio do rei; real. **2.** Digno do rei; realengo. [Fem.: *régia.* Cf. *regia,* do v. *reger.*] ~ V. *carta* —*a.*

regional. [Do lat. *regionale.*] *Adj. 2 g.* **1.** Relativo a, ou próprio de uma região; local. • *S. m.* **2.** Conjunto musical cujo repertório consta de músicas populares próprias de uma região, e cujos componentes usam, em geral, trajes típicos. **3.** *Bras., Amaz.* A última classe (8) dos barcos que navegam na região, utilizada sobretudo pelas populações locais.

regionalismo. *S. m.* **1.** Doutrina que incrementa os agrupamentos regionais. **2.** Sistema ou partido dos que defendem os interesses regionais. **3.** Locução peculiar a uma região, ou a regiões. **4.** Caráter da literatura que se baseia em costumes e tradições regionais.

regionalista. *Adj. 2 g.* **1.** Respeitante ao, ou que é sequaz do regionalismo. • *S. 2 g.* **2.** Sequaz do regionalismo.

regionalização. *S. f.* Ato ou efeito de regionalizar.

regionalizar. *V. t. d.* Dar caráter ou feição regional a; tornar regional: *Pretende regionalizar o ensino da educação física.*

regirar. [Do lat. *regyrare.*] *V. t. d.* **1.** Fazer mover em roda; fazer girar: *O vento regira os papéis;* "Relumbravam no alvor das faces de Teodora olhos negros, não vivos, antes mórbidos, como se a queda das longas pálpebras, iriadas de veias azuladas, lhes vedasse o raio de luz em cheio que rebrilha, aquece, e regira os blobos visuais." (Camilo Castelo Branco, *Amor de Salvação*, p. 62); "Gira e regira a bengala" (Augusto Meyer, *No Tempo da Flor*, p. 35). *Int.* **2.** Mover-se em giros; redemoinhar; girar: *As rodas da bicicleta regiram incessantemente.*

regiro. [Dev. de *regirar.*] *S. m.* Ato de regirar; rodeio, giro.

registação. [De *registar* + *-ção.*] *S. f. P. us. no Brasil.* Var. de *registração.*

registador (ô). [De *registar* + *-(d)or.*] *Adj.* e *s. m. P. us. no Brasil.* Var. de *registrador.*

registadora (ô). [Fem. substantivado do adj. *registador.*] *S. f. P. us. no Brasil.* Var. de *registradora.*

registar. *V. t. d. P. us. no Brasil.* Var. de *registrar:* "O trabalho do selvagem, na pedra e na louça, registando certo grau de adiantamento, enuncia-lhe do mesmo passo a proveniência alienígena." (Raimundo Morais, *Paris das Pedras Verdes*, p. 145).

registável. [De *registar* + *-ável.*] *Adj. 2 g. P. us. no Brasil.* Var. de *registrável.*

registo. [Dev. de *registar.*] *S. m. P. us. no Brasil.* V. *registro:* "um registo da Conceição colado à parede podia lembrar um mistério" (Machado de Assis, *Esaú e Jacó*, p. 3).

registração. [De *registrar* + *-ção.*] *S. f. Mús.* Arte de combinar os timbres dos diversos registros do órgão ou do cravo na interpretação de uma obra. [Var. p. us. no Brasil: *registação.*]

registrador (ô). *Adj.* **1.** Que registra ou serve para registrar. **2.** Diz-se de indivíduo que se encarrega da escrituração de livros comerciais. ~ V. *caixa —, máquina —a* e *tacômetro —.* • *S. m.* **3.** O que registra ou serve para registrar. **4.** Indivíduo registrador (2). [Var., p. us. no Brasil: *registador.*] **5.** *Proc. Dados.* Componente interno de computador capaz de receber, armazenar e transferir uma determinada quantidade de caracteres ou grupos de *bits.* [Var., p. us. no Brasil: *registador.*] ♦ **Registrador acumulador.** *Proc. Dados.* Aquele que acumula o resultado de uma operação lógica ou aritmética. [Tb. se diz apenas *acumulador.*] **Registrador de endereço.** *Proc. dados.* Aquele que armazena endereço de memória (14). **Registrador de memória.** *Proc. Dados.* Aquele que armazena dados.

registradora (ô). [Fem. substantivado do adj. *registrador.*] *S. f.* V. *máquina registradora:* "Pálido e capengando, procurou ocultar-se detrás da registradora, acovardado." (Reginaldo Guimarães, *Uma Blusa no Cais*, p. 9.) [Var., p. us. no Brasil: *registadora.*]

registrar. [De *registro* + *-ar*[2].] *V. t. d.* **1.** Escrever ou lançar em livro especial: *O escrevente registrou as escrituras.* **2.** Consignar por escrito; inscrever: *O filólogo registrou inúmeros termos regionais.* **3.** Assinalar, consignar: *A história registra dezenas de fatos heróicos.* **4.** Pôr em memória (5); escrever; historiar: *O secretário registrou todos os fatos da reunião.* **5.** Narrar, referir, mencionar. **6.** Reger, governar, regular. **7.** Fazer o registro (10) de: *registrar uma carta.* **8.** V. *lealdar: registrar uma mercadoria importada.* **9.** Marcar (por meio de registro (4) ou de registradora): *A caixa registrou a quantia.* **10.** Reter na memória, ouvindo ou observando: *A criança registra tudo que ocorre a seu redor.* **11.** *Bras., S.* Tomar nota de (gado alheio em mistura com outro rebanho). [Var., p. us. no Brasil: *registar.*]

registrável. *Adj. 2 g.* Que se deve ou pode registrar. [Var. (p. us. no Brasil): *registável.*]

registrense. *Adj. 2 g.* **1.** De, ou pertencente ou relativo a Registro (SP). • *S. 2 g.* **2.** Natural ou habitante de Registro.

registro. [Do lat. medieval *registru*, com possível influência do fr. *régistre.*] *S. m.* **1.** Ato ou efeito de registrar. **2.** Instituição, repartição ou cartório onde se faz a inscrição, ou a transcrição, de atos, fatos, títulos e documentos, para dar-lhes autenticidade e força de prevalecer contra terceiros. **3.** Livro especial onde se registram certas ocorrências públicas ou particulares. **4.** Indicação em gráfico, escala, etc., feita por aparelho apropriado, da marcha de certas máquinas, da graduação de instrumentos de precisão, etc. **5.** Relógio (3). **6.** Chave de torneira, ou outro aparelho que regula a passagem de um fluido. **7.** Peça para adiantar ou atrasar o andamento dos ponteiros de um relógio. **8.** Exame ou verificação alfandegária. **9.** Papel, fita ou imagem usada para marcar uma passagem dum livro. **10.** Caução (2) postal que se obtém mediante o pagamento de uma taxa sobre o preço do porte de carta ou encomenda, a qual garante a remessa contra extravio; seguro. **11.** Imagem de santo ou de objetos de devoção: "passava os olhos pelos quadros da sala de jantar, que eram dois, um S. Pedro e um S. João, registros trazidos de festas e encaixilhados em casa." (Machado de Assis, *Várias Histórias*, p. 44). **12.** *Ling.* Variação na fala de um indivíduo em função da situação em que se encontra; estilo. **13.** *Mús.* Região (5). **14.** *Mús.* No consolo do órgão, o puxador, botão ou tecla que movimenta uma régua perfurada, a qual põe em comunicação o ar contido nos foles com os tubos dispostos sobre o someiro, para fazer ressoar os tubos. **15.** *Mús.* Jogo de tubos do órgão, caracterizado pela sua construção e pelo seu timbre, e que funciona quando ligado pelo respectivo puxador. **16.** *Mús.* Timbre de voz ou de instrumento. **17.** *Mús.* Extensão de uma voz ou de um instrumento, dentro da escala geral dos sons musicais. **18.** *Tip.* Correspondência, tanto quanto possível perfeita, das páginas do retro e do verso de uma folha impressa, de sorte que haja coincidência nos seus lados. **19.** *Tip.* Em trabalhos de duas ou mais cores, o acerto delas a fim de que sejam impressas exatamente no lugar devido: *A impressão ficou fora do registro.* **20.** *Proc. Dados.* Conjunto organizado de um ou mais dados, relacionados entre si, e tratado como uma única unidade. [V. *arquivo.*] **21.** *Proc. Dados.* Qualquer unidade de informação a ser transferida entre a memória principal do computador e um dispositivo periférico, ou vice-versa. **22.** *Bras. Fam.* Certidão de nascimento. **23.** *Bras., S.* Na fronteira, casa de mercadorias em grosso, com sortimento completo. **24.** *Bras., RS.* Exame do gado alheio que aparece em uma invernada, rodeio ou tropa. [Var., p. us. no Brasil: *registo.*] ♦ **Registro civil.** Anotação oficial de todos os dados relativos aos nascimentos, casamentos, óbitos, feita por funcionário civil.

rego (ê). [De um pré-romano **recu*, possivelmente misturado com o céltico *rica*, 'sulco'.] *S. m.* **1.** Sulco natural ou artificial que conduz água; valado, valão, valo. **2.** Sulco deixado pelo arado. **3.** Valeta num campo cultivado. **4.** V. *risca* (4). **5.** *Bras. Chulo.* Regada[2]. **6.** *Bras., Marajó.* Riacho alimentado por águas da chuva, em campo descoberto. [Pl.: *regos* (ê). Cf. *rego*, do v. *regar.*] ♦ **Pisar fora do rego.** *Bras., S.* V. *sair da linha.*

regô. [De provável or. afr.] *S. m. Bras.* Pano enrolado que as negras usam na cabeça como enfeite. [Cf. *regou*, do v. *regar.*]

regoar. [De *rego* + *-ar*[2].] *V. t. d.* Arregoar (1 e 2). [Conjug.: v. *coroar.*]

rego-d'água. [De *rego* + *de* + *água*[1].] *S. m. Bras., N.E.* e *MG.* Canalização das águas de um rio ou de um riacho, feita pelos sertanejos para regar suas plantações: "A casa, o paiolão, o rego-d'água, tudo isso que o senhor está vendo, tudo eu já tinha na cabeça." (Mário Palmério, *Vila dos Confins*, p. 147.) [Pl.: *regos-d'água.*]

regolfar. [De *re-* + *golfo*[1] (ô) + *-ar*[2].] *V. int.* Correr em direção a algum lugar; afluir.

regolfo (ô). [Dev. de *regolfar.*] *S. m.* **1.** *Ant.* Roda hidráulica. **2.** Movimento retrógrado das águas, gerado pela propulsão de um navio. **3.** Contracorrente junto à margem dos rios caudais. **4.** Elevação do nível da água a montante dum obstáculo, sobretudo das pontes, por causa do estreitamento dos leitos provocado pelos pilares e encontros dessas obras. [Pl.: *regolfos* (ô).]

regolito. [Do gr. *rhégos*, 'cobertor' + *-lito.*] *S. m. Geol.* Camada superficial desagregada, proveniente da ação das intempéries, que recobre a rocha fresca e cuja espessura varia entre alguns centímetros e dezenas de metros. [Seria melhor *rególito*, que, no entanto, é f. p. us.]

rególito. *S. m. Geol.* V. *regolito.*

regorjeado. [Part. de *regorjear.*] *Adj.* Em que há regorjeio, ou que a este se assemelha.

regorjear. [De *re-* + *gorjear.*] *V. int.* **1.** Gorjear muito; trinar. *T. d.* **2.** Emitir como gorjeio: *O caçador regorjeava certos sons para atrair as aves.* [Conjug.: v. *frear.*]

regorjeio. [Dev. de *regorjear.*] *S. m.* Ato de regorjear; trinado, trino, gorjeio.

regougante. *Adj. 2 g.* Que regouga.

regougar. [Voc. onom.] *V. int.* **1.** Gritar (a raposa); "Regougavam no cume dos outeiros / Esfaimadas raposas" (Correia Garção, *Obras Poéticas e Oratórias*, p. 28). **2.** *Fig.* Falar com voz áspera como a da raposa, resmungar. **3.** Produzir som áspero: "O vento, a regougar, encapelava as ondas" (Carlos Magalhães de Azeredo, *Casos do Amor e do Instinto*, p. 160). *T. d.* **4.** Pronunciar ou dizer com voz áspera, que lembra a da raposa; resmungar: "Regougou frases incompreensíveis" (Afonso Arinos, *Histórias e Paisagens*, p. 47). [Conjug.: v. *largar.*]

regougo. [Dev. de *regougar.*] *S. m.* **1.** Voz da raposa, ou qualquer outra voz ou som que a imite. **2.** Ronco, roncadura.

regozijador (ô). *Adj.* Que regozija.

regozijar. [Do esp. *regocijar.*] *V. t. d.* **1.** Causar regozijo a; alegrar muito: *Um bom livro regozija o espírito;* "Se *Flor de Jericó* estava ajustada para regozijar meus olhos católicos, era uma desconsideração tê-la cedido ao romeiro couraçado que viera da herege Alemanha..." (Eça de Queirós, *A Relíquia*, p. 144). *P.* **2.** Alegrar-se, contentar-se, congratular-se: *O povo regozijou-se com a vitória;* "maridos ultrajados a regozijarem-se na denúncia de ultrajes semelhantes aos seus" (Antero de Figueiredo, *Jornadas em Portugal*, pp. 65-66).

regozijo. [Do esp. *regocijo.*] *S. m.* Gozo intenso; vivo contentamento ou prazer; grande satisfação.

regra. [Do lat. *regula*, atr. da f. *regla.*] *S. f.* **1.** Aquilo que regula, dirige, rege ou governa. **2.** Fórmula que indica ou prescreve o modo correto de falar, de pensar, raciocinar, agir, num caso determinado: *uma regra de gramática, de matemática; as regras de um jogo.* **3.** Aquilo que está determinado pela razão, pela lei ou pelo costume; preceito, princípio, lei, norma: *as regras do bom senso, da boa educação; transgredir uma regra.* **4.** Estatutos de certas ordens religiosas. **5.** Moderação; método, ordem: *No trabalho ou no lazer, evita sair da regra.* **6.** *P. us.* Régua (1). **7.** Cada uma das linhas do papel pautado. ~ V. *regras.* ♦ **Regra de três.** *Arit.* Regra que permite, dado um conjunto de valores de várias grandezas direta ou inversamente proporcionais a uma delas, determinar o valor desta última, correspondente a um determinado grupo de valores das restantes. **Cagar regras.** *Bras. Chulo.* Dar-se ares de sabichão; pedantear. [Cf. *caga-regras.*] **Em regra.** Em geral; de ordinário; quase sempre; por via de regra: "em regra lê-se mal no Brasil" (Olívio Montenegro, *Retratos e Outros Ensaios*, p. 160).

regra-de-fé. *S. f. Rel.* A formulação de uma doutrina, aceita como exata numa igreja. [Pl.: *regras-de-fé.* Cf. *cânon* (7 e 8) e *símbolo* (15).]

regrado. [Part. de *regrar.*] *Adj.* **1.** Sobre que se traçaram linhas ou regras; pautado. **2.** Sensato, moderado, pautado, metódico. ~ V. *superfície —a.*

regra-inteira. *S. f. Bras., AL.* Na linguagem dos cantadores, a viola[1] (1) de 12 cordas. [Pl.: *regras-inteiras.*]

regrante. *Adj. 2 g.* Que regra. ~ V. *cônego —.*

regrar. [Do lat. **reglare* < *regulare.*] *V. t. d.* **1.** Traçar linhas ou regras sobre; pautar: *regrar uma folha de papel.* **2.** Submeter a certas regras; dirigir: *Os costumes regravam a vida dos romanos.* **3.** Comedir, conter, regular, moderar: *regrar os gastos;* "Que bom vivermos alegres / Como estas aves que eu sigo!... / Peço-te, pois, que comigo / Beijos, carinhos não regres." (B. Lopes, *Val de Lírios*, p. 102). **4.** Pôr em linha reta, alinhar, pautar: *regrar os objetos dispersos.* **5.** Tornar uniforme; uniformizar. *P.* **6.** Guiar-se, regular-se, modelar-se: *Os cristãos regram-se nas normas da Igreja.*

regras. [Pl. de *regra.*] *S. f. pl.* **1.** V. *menstruação* (1). **2.** *Bras., N.E. Pop.* Parolagem, lorota. ~ V. *regra.*

regra-três. *S. m. Bras.* **1.** *Fut.* Cada um dos dois jogadores que, nos jogos oficiais, fica no banco dos reservas [v. *reserva* (14)], pronto para entrar em campo como substituto. **2.** *P. ext. Pop.* Substituto, suplente. [Pl.: *regras-três.*]

regravação. *S. f.* **1.** Ato de regravar. **2.** Nova gravação[1] (2).

regravar. [De *re-* + *gravar*[1].] *V. t. d.* Tornar a gravar[1].

regraxar. *V. t. d.* Pintar a regraxo: *regraxar uma imagem.*

regraxo. [De *re-* + *graxo.*] *S. m.* Sistema de pintura em que se recobre de tinta transparente um objeto dourado ou prateado para deixar ver o ouro ou a prata.

regredir. [Do lat. **regredere.*] *V. int.* Ir em marcha regressiva; retroceder, retrogradar: "meizinhas e chás caseiros não lhe davam alívio, não faziam regredir a moléstia." (Nélson de Faria, *Tiziu e Outras Estórias*, p. 63). [Irreg. Conjug.: v. *agredir.*]

regressão. [Do lat. *regressione.*] *S. f.* **1.** Ato ou efeito de regressar, de voltar; retorno, regresso. **2.** Ato ou efeito de regredir; retrocesso. **3.** *Estat.* Dependência funcional entre duas ou mais variáveis aleatórias. **4.** *Psicol.* Adoção, por um período de tempo curto ou duradouro, de atitudes e comportamentos característicos de nível de idade anterior. **5.** *Ret.* Figura pela qual se repetem palavras ou frases invertendo-lhes a ordem e alterando-lhes o sentido: *Deve-se comer para viver, e não viver para comer.* ♦ **Regressão dos nodos da Lua.** *Astr.* Movimento dos nodos da órbita lunar na direção oeste, com um período aproximado de 18,6 anos, e devido às perturbações do Sol. **Regressão fonética.** *Gram.* Volta de um vocábulo à sua forma etimológica. Ex.: *eivigar*, f. arc., voltou a *edificar* (< lat. *edificare*). **Regressão linear.** *Estat.* Aquela em que a dependência funcional entre as variáveis aleatórias é expressa por uma função linear. **Regressão marinha.** Recuo que faz o mar, afastando-se da linha litorânea.

regressar. [De *regresso* + *-ar*^{2}.] *V. t. c.* **1.** Voltar, retornar (ao lugar donde se partiu); retornar: *O navio regressou ao porto. T. d.* e *c.* **2.** Fazer voltar; mandar de volta: *Acabadas as férias, regressou os filhos ao colégio. Int.* **3.** Voltar, volver, retornar: "Mais belo que partir é regressar." (Onestaldo de Pennafort, *Poesias*, p. 211.)

regressista. [De *regresso* + *-ista.*] *S. m. Bras.* **1.** Membro ou partidário da antiga facção política formada, na maioria, por portugueses, a qual, após a abdicação de D. Pedro I, em 1831, se propunha promover-lhe o regresso para organizar um novo império no N. do Brasil. ● *Adj. 2 g.* **2.** *Bras.* Diz-se do membro ou partidário dessa facção.

regressivo. *Adj.* **1.** Que regressa ou retrograda; retroativo. **2.** *Filol.* Diz-se das formas mais simples que por analogia se deduzem de outras que, sendo primitivas, se supõem derivadas. Ex.: *aço* vem de *aceiro* por analogia com *pinheiro*, derivado de *pinho*. ~ V. *análise —a, contagem —a, direito — de recurso* e *numerador —*.

regresso. [Do lat. *regressu.*] *S. m.* Ato ou efeito de regressar; volta, retorno.

regreta (ê). [De *regra* + *-eta.*] *S. f.* **1.** *Tip.* Lingote de madeira. [V. *guarnição* (10).] **2.** Pequena régua que o tipógrafo usa para medir a composição.

regrista. *Bras., N.E. Pop. Adj. 2 g.* e *s. 2 g.* **1.** Diz-se de, ou pessoa cheia de regras, de lorotas. **2.** Palrador, tagarela. **3.** Intrometido, metediço, enxerido.

régua. [Do lat. *regula*, 'regra'; 'esquadro ou tala de madeira'.] *S. f.* **1.** Peça longa, de madeira, metal, plástico, etc., de faces retangulares, superfície plana e arestas retilíneas, e que serve para traçar linhas retas. [Sin., p. us.: *regra.*] **2.** Régua (1) dividida em unidades de medida linear, e que serve para medir. **3.** Peça reta de madeira, que serve como ornato ou acabamento. **4.** *P. ext.* Qualquer objeto que serve para traçar linhas curvas, letras, etc. **5.** *Astr.* Brilhante estrela dupla, da constelação do Leão. ♦ **Régua de maré.** *Ocean. Fís.* Régua graduada que, montada verticalmente em local abrigado de um porto, permite a leitura da altura da maré a qualquer momento. **Régua paraláctica.** *Astr.* Instrumento astronômico antigo, constituído por um triângulo articulado que tem um dos lados vertical e o outro dirigido para o astro cuja altura se deseja medir. **Régua paralela.** Régua provida de pequenas roldanas por onde passa fio de náilon preso à prancheta (3), e que pode, assim, deslizar sobre esta, mantendo o paralelismo nas linhas e servindo de apoio aos esquadros [v. *esquadro* (1)]. [Cf. *régua-tê.*]

reguada. *S. f.* Pancada com régua.

régua-tê. *S. f.* Régua, em forma de T, que desliza por um dos bordos da prancheta (3), mantendo o paralelismo nas linhas e servindo de apoio aos esquadros [v. *esquadro* (1)]. [Tb. se diz apenas *tê*. Pl.: *réguas-tês* e *réguas-tê*. Cf. *régua paralela.*]

regueira. [De *rego* + *-eira.*] *S. f.* **1.** Rego (1) por onde corre água. **2.** Pequena corrente de água; regadeira. **3.** *Bras.* Depressão lombar correspondente à espinha dorsal; reigada. [F. paral.: *regueiro.*]

regueiro. *S. m.* Regueira.

reguengo. [De *regalengo*, com síncope.] *Adj.* Referente ao rei; real, régio.

reguingar. *V. int., t. d.* e *t. i.* **1.** Replicar, responder, objetar, respingar. *Int.* **2.** *Bras.*, SE. Pechinchar, regatear. [Conjug.: v. *largar.*]

reguingueiro. *Adj.* e *s. m.* Que ou aquele que reguinga; rezingão, rezingueiro.

regulação. [De *regular*^{2} + *-ção.*] *S. f.* Ato ou efeito de regular(-se).

regulado. [Part. de *regular.*] *Adj.* **1.** Que se regulou. **2.** Que anda ou se movimenta com regularidade.

regulador (ô). *Adj.* **1.** Que regula. ~ V. *gene —*. ● *S. m.* **2.** Peça fixada na parte anterior do apo^{2}, e que o eleva mais ou menos. **3.** Peça que se adapta a uma máquina para tornar-lhe uniforme o movimento: *regulador de voltagem.* **4.** *Teat.* V. *bastidor* (3).

regulagem. [De *regular*^{2} + *-agem*^{2}.] *S. f. Bras.* Ação ou efeito de regular^{2}, de ajustar máquinas, motores, etc.

regulamentação. *S. f.* **1.** Ato ou efeito de regulamentar^{2}. **2.** Redação e publicação de regulamentos de associação ou instituto.

regulamentar^{1}. *Adj. 2 g.* Relativo a regulamento; regimental, regulamentário.

regulamentar^{2}. *V. t. d.* Sujeitar a regulamento; regular, regularizar: *O diretor regulamentou a compra de material.* [Fut. pret.: *regulamentaria*, etc. Cf. *regulamentária*, fem. de *regulamentário.*]

regulamentário. *Adj.* V. *regulamentar*^{1}. [Fem.: *regulamentária*. Cf. *regulamentaria*, do v. *regulamentar.*]

regulamento. *S. m.* **1.** Ato ou efeito de regular^{2}. **2.** Ordem superior; determinação. **3.** Prescrição, regra, norma, preceito. **4.** Conjunto de regras ou normas. **5.** Disposição oficial para explicar a execução de uma lei, etc.

regular^{1}. [Do lat. *regula*, 'regra', + *-ar*^{1}.] *Adj. 2 g.* **1.** Relativo a regra. **2.** Que é ou que age conforme as regras, as normas, as leis, as praxes. **3.** Bem-proporcionado, proporcionado, harmônico: *traços fisionômicos regulares.* **4.** Disposto simetricamente; equilibrado: *uma fachada regular.* **5.** Que se repete a intervalos iguais: *O período das chuvas é regular.* **6.** Exato, pontual: *inquilino regular no pagamento.* **7.** Que está no meio-termo; mediano, médio: *estatura regular.* **8.** Nem bom, nem mau; razoável, suficiente: *aproveitamento regular.* **9.** Diz-se de figuras geométricas que têm lados e ângulos iguais entre si. **10.** Pertencente ou relativo aos regulares. **11.** *Rel.* Diz-se de todos os religiosos que professam numa determinada regra especial, numa ordem, congregação ou sociedade. ~ V. *exército —, função analítica —, função —, pirâmide —, poliedro —, polígono —, ponto —, prisma —, quadrilátero —, satélite —* e *verbo —*. ● *S. m.* **12.** Aquilo que é regular. **13.** *Zool.* Espécime dos regulares.

regular^{2}. [Do lat. *regulare.*] *V. t. d.* **1.** Sujeitar a regras; dirigir, regrar: *É necessário regular o comportamento das crianças.* **2.** Encaminhar conforme a lei. **3.** Esclarecer e facilitar por meio de disposições (a execução da lei); regulamentar: *O Presidente baixou decreto regulando a lei votada pelo Congresso.* **4.** Estabelecer regras para; regularizar: *A lei regula a ocupação de terras descobertas.* **5.** Estabelecer ordem, parcimônia, em: *regular os gastos.* **6.** Acertar, ajustar: *Regula o relógio todas as manhãs.* **7.** Conter, moderar, reprimir: *O homem usa da inteligência regulando os impulsos. T. d.* e *i.* **8.** Conformar, aferir, confrontar, comparar: *Cada um deve regular as ambições pelas próprias limitações. Int.* **9.** Estar conforme; trabalhar ou funcionar com acerto, precisão, regularidade: *Sua cabeça não regula; O relógio está regulando muito bem.* **10.** Ter sanidade mental: *Desde que perdeu o filho, o pobre homem não regula.* [Nesta acepç. é m. us. negativamente.] **11.** Servir de regra. *T. i.* **12.** Ser ou valer aproximadamente; orçar: *O preço do apartamento regula pelos 500 mil cruzados.* **13.** Ter aproximadamente a mesma idade, ou altura, ou saber, etc.: "Iria pelos seus sete anos e regulava com meu irmão José." (Pedro Nava, *Balão Cativo*, p. 5.) *P.* **14.** Dirigir-se, guiar-se, orientar-se: *O homem deve regular-se pelo bom senso.* [Pres. ind.: *regulo*, etc. Cf. *régulo*, s. m., e *Régulo*, antr.] ~ V. *regulares.* ♦ **Não regular bem.** Ser amalucado, aluado.

regulares. *S. m. pl. Zool.* Animais metazoários, equinodermos, equinóides, subclasse *Regularia*, com madreporita interambulacrária, ânus central na superfície aboral e lanterna-de-aristóteles presente. ~ V. *regular.*

regularidade. *S. f.* Qualidade de regular^{1}.

regularização. *S. f.* Ato ou efeito de regularizar(-se).

regularizador (ô). *Adj.* **1.** Que regulariza. ● *S. m.* **2.** Aquele ou aquilo que regulariza.

regularizar. *V. t. d.* **1.** Tornar regular; regulamentar: *A lei regulariza as transações; O despachante regularizará os papéis;* "Era necessário imaginar combinações para melhorar o templo, para adquirir o indispensável ao desempenho das cerimônias religiosas e regularizar o serviço." (Inglês de Sousa, *O Missionário*, pp. 103-104). **2.** Tornar razoável, conveniente. **3.** Pôr em ordem; corrigir: *A estrada de ferro espera regularizar os atrasos. P.* **4.** Entrar na forma regular; normalizar-se: *Finalmente a minha vida regularizou-se.*

regulete (ê). [Do lat. *regula*, 'régua', + *-ete.*] *S. m.* Pequena moldura chata e estreita para separar portas, almofadas, etc.

régulo. [Do lat. *regulu*, 'reizinho'.] *S. m.* **1.** Pequeno rei; reizinho, reizete. **2.** Chefe de um Estado bárbaro: "A ilha, aonde foi ao depois Magalhães [Fernão de Magalhães] e seus guerreiros, e que tinha gente de boa condição, é de supor que seria uma das ilhas Filipinas, talvez a de Zebu, com cujo régulo assentou suas pazes e alianças o esforçado capitão-mor." (Latino Coelho, *Fernão de Magalhães*, p. 177.) **3.** *Astr.* Nome tradicional da estrela alfa do Leão. [Cf. *regulo*, do v. *regular.*]

regurgitação. *S. f.* **1.** Ato ou efeito de regurgitar; regurgitamento. **2.** *Med.* Fluxo em direção oposta à normal, em que fração do conteúdo de um órgão passa ou para parte do mesmo órgão (p. ex., de uma cavidade cardíaca para outra com que se comunique), ou para outro órgão (p. ex., do estômago para o esôfago); refluxo.

regurgitamento. *S. m.* Regurgitação.

regurgitar. [De *re-* + lat. *gurgite*, 'abismo', + *-ar*^{2}.] *V. t. d.* **1.** Expelir (o que há em excesso numa cavidade, especialmente no estômago); vomitar, lançar: *Os antigos romanos costumavam regurgitar a comida para prosseguir o banquete. T. c.* **2.** Estar ou ficar muito cheio; trasbordar, transbordar: "Solitárias vereis as vilas, as cidades; / Praças, que tanta vez, em remotas idades, / Com a torre altaneira, e vetustas muralhas, / Regurgitaram de sangue, em centos de batalhas!" (Bulhão Pato, *Livro do Monte*, p. 83); "Os arredores da Câmara estavam coalhados de gente e o edifício regurgitava de espectadores" (Tobias Monteiro, *Pesquisas e Depoimentos para a História*, p. 190). *Int.* **3.** Regurgitar (2): *O lago regurgita.* **4.** Vomitar excesso de alimento: *O bebê regurgitou.*

rei. [Do lat. *rege.*] *S. m.* **1.** Soberano que rege ou governa um Estado monárquico. **2.** Em certos casos, título do marido da rainha. **3.** Indivíduo que se distingue entre outros. **4.** Aquele que detém poder absoluto. [Fem., nestas acepç.: *rainha.*] **5.** Uma das cartas do baralho. **6.** No jogo de xadrez [q. v.], a peça mais importante, a única que não pode ser tomada e que, quando sofre xeque-mate, causa, com a derrota de suas cores, o fim da partida. [Nesta acepç., cf. *rainha* (7). Pl.: *reis*. Cf. *réis.*] ♦ **Rei dos reis.** **1.** Jesus Cristo. **2.** Título que a si mesmos atribuíram o rei dos partos [v. *parto*^{2} (2)], o xá do Irã e o negus da Abissínia. **Rei Momo.** *Bras.* Indivíduo, geralmente escolhido entre os mais gordos, que se fantasia de rei do carnaval. **O rei Sol.** Luís XIV (1643 a 1715) de França. **Sem rei nem roque.** V. *sem lei nem rei:* "Vegetava feliz, sem lei, sem rei nem roque." (Vicente de Carvalho, *Poemas e Canções*, p. 152.) **Ter o rei na barriga.** Dar-se ares de importante; ser presunçoso, orgulhoso, arrogante.

▲-réia. [Do gr. *rheía.*] *El. comp.* = 'corrimento': *verborréia, galactorréia.*

➡Reich (ráich). [Al.] *S. m.* Império, reino; estado (11). ♦ **O Terceiro Reich.** O estado unitário alemão vigente entre 1933 e 1945; a Alemanha nazista.

rei-congo. *S. m. Bras., N.E.* **1.** V. *japuaçu* (1). **2.** V. *joão-congo.* [Pl.: *reis-congos.*]

reicua. *S. f.* Espécie de lima usada por penteeiros para aguçar os bicos dos pentes.

rei-das-formigas. *S. m. Bras.* V. *cobra-de-duas-cabeças.* [Pl.: *reis-das-formigas.*]

reide. [Do ingl. *raid.*] *S. m.* **1.** Rápida incursão de tropas em território inimigo. **2.** Longa excursão a pé, a cavalo, de automóvel, avião, etc.

rei-de-boi. *S. m. Bras. Folcl.* V. *bumba-meu-boi* (1). [Pl.: *reis-de-boi.*]

reídeo. *S. m.* **1.** Espécime dos reídeos. ● *Adj.* **2.** Pertencente ou relativo a eles.

reídeos. *S. m. pl. Zool.* Aves reiformes, da família *Rheidae*, de grande porte, pernaltas e corredoras, de asas e cauda atrofiadas, e apenas três dedos nos pés. Vivem em bandos, alimentam-se de toda sorte de plantas tenras, frutas silvestres e animais de pequeno porte. Os machos é que chocam os filhotes e deles cuidam. São as emas.

rei-dos-tuinins. *S. m. Bras.* V. *tuiuiú.* [Pl.: *reis-dos-tuinins.*]

reidratação (e-i). *S. f.* Ato ou efeito de reidratar.

reidratante (e-i). *Adj. 2 g.* e *s. m.* Que, ou substância que serve para reidratar.

reidratar (e-i). [De *re-* + *hidratar.*] *V. t. d.* e *p.* Tornar a hidratar(-se).

reificação. [Do lat. *res, rei*, 'coisa', + *-ficar-* + *-ção.*] *S.*

f. Filos. No processo de alienação, o momento em que a característica de ser uma "coisa" se torna típica da realidade objetiva. [Cf. *alienação* (5) e *objetificação*.]
reificar. *V. t. d. Filos.* Proceder à reificação. [Conjug.: v. *trancar*.]
reiforme. [Do lat. *Rhea*, nome do gênero do nhandu, + *-i-* + *-forme*.] *S. m.* **1.** Espécime dos reiformes. ● *Adj. 2 g.* **2.** Pertencente ou relativo a eles.
reiformes. *S. m. pl. Zool.* Aves neórnites, paleógnatas, ratitas, da ordem dos *Rheiformes*, terrestres, de grande porte, pés com três dedos, cabeça e pescoço parcialmente emplumados, e penas desprovidas do tufo de penugem na face ventral. São as emas sul-americanas.
reigada. [De *rego*.] *S. f.* **1.** Rego entre as nádegas de certos animais. [Cf. *regada*.] **2.** Regueira (3).
reima. [Var. de *reuma*.] *S. f.* **1.** Reuma. **2.** Almofeira. **3.** *Bras., N.* Mau gênio; rabugem.
reimão. [Do mal. *rimau* ou *harimau*.] *S. m.* Animal errante.
reimoso (ô). *Adj.* **1.** Que tem reima (1). **2.** Que prejudica o sangue. [Sin., bras., nesta acepç.: *carregado*.] **3.** Que causa prurido. **4.** De maus bofes; brigão; genioso.
reimplantação (e-i), *S. f.* Ato ou efeito de reimplantar; reimplante.
reimplantar (e-i). [De *re-* + *implantar*.] *V. t. d.* Implantar outra vez.
reimplante (e-i). [Dev. de *reimplantar*.] *S. m.* Reimplantação.
reimpor (e-i). [De *re-* + *impor*.] *V. t. d.* Renovar a imposição de; tornar a impor: *O governo reimpôs as taxas.* [Irreg. Conjug.: v. *pôr*.]
reimposição (e-i). *S. f.* Ato ou efeito de reimpor.
reimpressão (e-i). *S. f.* **1.** Ato ou efeito de reimprimir. **2.** *Edit.* Nova tiragem de uma obra que não apresenta modificações no conteúdo ou na apresentação, em relação à edição anterior, exceto eventuais correções tipográficas. [Sin. ger.: *reestampa*. Cf. *edição* (4), *reedição* e *tiragem* (4 e 5).]
reimpressor (e-i...ô). *Adj.* e *s. m.* Que ou aquele que reimprime.
reimprimir (e-i). [De *re-* + *imprimir*.] *V. t. d.* Imprimir de novo; fazer nova impressão de; reestampar: "Um dia perguntei a Elisário por que não reimprimia o livro de versos, que ele dizia ter saído com incorreções" (Machado de Assis, *Páginas Recolhidas*, p. 47).
reinação. [De *reinar* (7 e 8) + *-ção*.] *S. f.* **1.** *Pop.* Pândega, patuscada, folgança. **2.** *Bras.* Arte, traquinada, travessura.
reinaço. [De *reinar*.] *S. m. Bras., RS. Pop.* V. *cio* (1).
reinadio. [De *reinar* + *-dio*.] *Adj.* e *s. m. Pop.* Diz-se de, ou indivíduo pândego, folgazão, folgador, folgaz: "Detalhe picante nos reinadios que vão foliar à romaria: são todos corcundas." (Fialho d'Almeida, *Pasquinadas*, p. 96.)
reinado. [De *reinar* + *-ado*[1].] *S. m.* **1.** Tempo de governo de um soberano (rei, imperador, etc.). **2.** *Fig.* Tempo de supremacia de alguém. **3.** Supremacia, domínio, predomínio. **4.** *Bras. Pop.* V. *reino* (1).
reinador (ô). [De *reinar* (7 e 8) + *-(d)or*.] *Adj. Bras.* Que reina ou faz traquinadas: *criança reinadora.*
reinante. [Do lat. *regnante*.] *Adj. 2 g.* **1.** Que reina. **2.** Que tem supremacia; que predomina; dominante. ● *S. 2 g.* **3.** Pessoa que reina; o rei ou a rainha.
reinar. [Do lat. *regnare*.] *V. int.* **1.** Governar um Estado como rei ou soberano: *D. Pedro II reinou de 1840 a 1889.* **2.** Ter poder, influência; preponderar, dominar, predominar: *Durante séculos reinaram os romanos;* "Ele reinava na alma imortal d'Elisa: — que importava que outro se ocupasse do seu corpo mortal?" (Eça de Queirós, *Contos*, p. 297). **3.** Estar em vigor; estar em uso: *A moda parisiense ainda reina.* **4.** Alastrar-se, propagar-se, grassar: *As epidemias reinavam antes do saneamento da cidade.* **5.** Tornar-se notável; destacar-se, sobressair: *Cecília Meireles reinou pela beleza de sua poesia.* **6.** Estabelecer-se, generalizando-se: "Por um instante reinou nervosa expectativa" (Jorge Amado, *Teresa Batista Cansada de Guerra*, p. 61). **7.** *Pop.* Fazer troça, reinação; divertir-se, brincar, patuscar: *Os adolescentes gostam de reinar.* **8.** *Bras.* Fazer travessuras; travessear, traquinar: *As crianças desta idade reinam;* "— Era assim o Juca. Arrumava a malinha. *Quero ir para a chácara.* Reinava, se não atendido." (Dalton Trevisan, *Essas Malditas Mulheres*, p. 21). **9.** *Bras., RS.* V. *alvoroçar* (7). *T. d.* **10.** Levar a cabo; exercer, realizar: *O soberano reinou um bom governo.* **11.** Traçar, planejar, maquinar: *Muito matreiro, reina coisas incríveis. T. i.* **12.** Exercer influência; ter poder: *O cristianismo romano reina em todo o mundo ocidental.*
reincidência (e-i). *S. f.* **1.** Ato ou efeito de reincidir. **2.** Obstinação, pertinácia, teimosia.
reincidente (e-i). *Adj. 2 g.* **1.** Que reincide; recidivo, vezeiro. ● *S. 2 g.* **2.** Pessoa reincidente (em erro ou crime).
reincidir (e-i). [De *re-* + *incidir*.] *V. t. i.* **1.** Tornar a incidir; recair: *reincidir em erro. Int.* **2.** Tornar a praticar um ato da mesma espécie; obstinar-se: *Os que reincidirem serão punidos.* **3.** *Jur.* Perpetrar, depois de condenado, novo crime ou contravenção, da mesma natureza ou não do anterior.
reincitamento (e-i). *S. m.* Ação de reincitar.
reincitar (e-i). [De *re-* + *incitar*.] *V. t. d.* Incitar novamente.
reincorporação (e-i). *S. f.* Ato ou efeito de reincorporar.
reincorporador (e-i...ô). *Adj.* e *s. m.* Que ou aquele que reincorpora.
reincorporar (e-i). [De *re-* + *incorporar*.] *V. t. d.* Incorporar de novo: *O Exército reincorporou os reservistas.*
reinfeção (e-i). *S. f. Med.* Var. de *reinfecção*.
reinfecção (e-i). [De *re-* + *infecção*.] *S. f. Med.* Nova infecção, com os germes causadores de uma infecção anterior. [Var.: *reinfeção*.]
reinflamar (e-i). [De *re-* + *inflamar*.] *V. t. d.* e *p.* Inflamar(-se) novamente: *A briga reinflamou os ânimos; Os ódios reinflamaram-se após a afronta.*
reinfundir (e-i). [De *re-* + *infundir*.] *V. t. d.* e *i.* Tornar a infundir: *As vitórias sucessivas reinfundiram ardor nos combatentes.*
reingressar (e-i). [De *re-* + *ingressar*.] *V. t. c.* Ingressar de novo: *Após acertar a vida, reingressou na Universidade.*
reingresso (e-i). [De *re-* + *ingresso*.] *S. m.* Ato de reingressar.
reiniciar (e-i). [De *re-* + *iniciar*.] *V. t. d.* Iniciar de novo; recomeçar, retomar. [Pres. ind.: *reinicio*, etc. Cf. *reinício*.]
reinício (e-i). [De *re-* + *início*.] *S. m.* Ato ou efeito de reiniciar; recomeço. [Cf. *reinicio*, do v. *reiniciar*.]
reinícola. [De *reino* + *-i-* + *-cola*; o lat. *regnicola* é 'habitante do reino dos Céus'.] *Adj. 2 g.* **1.** Que habita ou é natural do reino (especialmente de Portugal); reinol. ● *S. 2 g.* **2.** Jurisconsulto que se ocupa sobretudo da jurisprudência reinol.
reino. [Do lat. *regnu*.] *S. m.* **1.** Monarquia governada por um rei, regente, rainha, etc. [Sin. (bras., pop.): *reinado*.] **2.** Os súditos do reino: *Todo o reino insurgiu-se contra o invasor.* **3.** *Fig.* Domínio, esfera, âmbito: *Vive no reino da fantasia.* **4.** *Restr.* O reino de Portugal (em relação ao Brasil colonial e a outras colônias). **5.** Cada uma das três grandes divisões em que se agrupam todos os seres da natureza: *o reino animal, o reino vegetal e o reino mineral.* **6.** Conjunto de seres ou de coisas que têm caracteres semelhantes ou comuns: *O conto "O Soldadinho de Chumbo", de Andersen, passa-se no reino dos brinquedos.* **7.** *Bras., N.E.* Mistura ordinária de parati. ♦ **Reino animal.** V. *reino* (5). **Reino mineral.** V. *reino* (5). **Reino vegetal.** V. *reino* (5). **O reino do Céu.** *Teol.* A vida eterna.
reinol. *Adj. 2 g.* **1.** Natural do reino (4); reinícola: *fidalgo reinol.* **2.** Próprio do reino (4), ou dele emanado: *decretos reinóis.* ● *S. m.* **3.** Aquele que nasceu no reino: "que venha a movediça Barca do Inferno a mim se, na cobiça, / Eu separo o reinol de outro mineiro: / Quem no Brasil assiste é brasileiro." (Domingos Carvalho da Silva, *Liberdade embora Tarde*, p. 14). [Pl.: *reinóis*.]
reinquirição (e-i). *S. f.* Ato ou efeito de reinquirir.
reinquirir (e-i). [De *re-* + *inquirir*.] *V. t. d.* e *int.* Tornar a inquirir: "Inquiriu, reinquiriu, mas era dificultoso demais entender aquela gente." (Bernardo Élis, *Veranico de Janeiro*, p. 80.)
reinscrever (e-i). [De *re-* + *inscrever*.] *V. t. d.* e *p.* Tornar a inscrever(-se): *Reinscreveu seu nome, esperando ser premiado; Reinscrevi-me para os novos exames.* [Part. irreg.: *reinscrito*.]
reinscrição (e-i). [De *re-* + *inscrição*.] *S. f.* Ato ou efeito de reinscrever; nova inscrição.
reinserção (e-i). *S. f.* Ato ou efeito de reinserir; nova inserção.
reinserir (e-i). [De *re-* + *inserir*.] *V. t. d.* Inserir novamente; tornar a inserir. [Conjug.: v. *aderir*.]
reinsistir (e-i). [De *re-* + *insistir*.] *V. int.* Insistir de novo, ou repetidas vezes.
reinspeção (e-i). [De *re-* + *inspeção*.] *S. f.* Nova inspeção: "A páginas tantas chegou ao Liceu uma circular para que os professores em idade militar se apresentassem à reinspeção em tal lugar e em tal dia." (Aquilino Ribeiro, *Estrada de Santiago*, p. 123.)
reinstalação (e-i). *S. f.* Ato de reinstalar(-se).
reinstalar (e-i). [De *re-* + *instalar*.] *V. t. d.* e *p.* Tornar a instalar(-se): *O eletricista reinstalou o ar-condicionado; O presidente reinstalou-se no seu cargo.*
reinstituição (re-i...tu-i). *S. f.* Ação ou efeito de reinstituir.
reinstituir (e-i). [De *re-* + *instituir*.] *V. t. d.* Tornar a instituir. *O governo reinstituiu alguns impostos.*
reintegração (e-i). [De *reintegrar* + *-ção*.] *S. f.* **1.** Ato ou efeito de reintegrar(-se); reintegro. **2.** Readmissão em cargo público com ressarcimento de todas as vantagens a ele inerentes, por força de decisão judicial ou administrativa.
reintegrador (e-i...ô). *Adj.* e *s. m.* Que ou aquele que reintegra.
reintegrar (e-i). [Do lat. *redintegrare*.] *V. t. d.* e *i.* **1.** Restabelecer (alguém) na posse de um bem, de um emprego, de que fora despojado: *O novo diretor reintegrou nas cátedras os professores demitidos.* **2.** Repor no mesmo lugar; reconduzir: *O pastor reintegra no rebanho as ovelhas transviadas. P.* **3.** Ser novamente investido; obter reintegração; reempossar-se: *O Ministro reintegrou-se no cargo.* [F. paral., p. us.: *redintegrar*.]
reintegro (e-i). [Dev. de *reintegrar*.] *S. m.* **1.** Reintegração (1). **2.** Prêmio de loteria correspondente ao dinheiro jogado.
reintrodução (e-i). *S. f.* Ato ou efeito de reintroduzir.
reintroduzir. [De *re-* + *introduzir*.] *V. t. d.* Tornar a introduzir; introduzir de novo [Conjug.: v. *aduzir*.]
reinvenção (e-i). *S. f.* Ação ou efeito de reinventar.
reinventar (e-i). [De *re-* + *inventar*.] *V. t. d.* Inventar outra vez.
reinvestimento (e-i). *S. m.* **1.** Ato ou efeito de reinvestir. **2.** Quantia reinvestida.
reinvestir (e-i). [De *re-* + *investir*.] *V. t. d.* Investir de novo. [Irreg. Conjug.: v. *aderir*.]
reio. *El. s. m.* Us. na loc. adv. *a reio.* ♦ **A reio.** A fio; a eito; seguidamente. [Cf. *arreio*.]
reipersecutório. [Do lat. *rei*, gen. de *res*, 'coisa', + *persecutório*, 'que acompanha, que segue'.] *Adj.* ~ V. *ação* —*a*.
reira. [De *rim*, ou de *ré*[2] + *-eira*.] *S. f.* **1.** Dor nos rins. **2.** V. *diarréia.* ~ V. *reiras.*
reiras. [Pl. de *reira*.] *S. f. pl.* Cadeiras, rins. ~ V. *reira.*
reis. *S. m. pl. Rel.* V. *dia de Reis.*
réis. *S. m. pl.* Pl. de *real*[1] (3). [Cf. *reis*, pl. de *rei*, e *Reis*, antr., cronol. e top.]
reisada. [De *reis* + *-ada*[1].] *S. f.* V. *reisado*: "Mas já na rua ficavam esperando do lado de fora reisadas e marujadas, até uma dança do elefante que foi dançada só naquele ano e era meio sem graça." (Odilo Costa, filho, *História de Seu Tomé Meu Pai e Minha Mãe Maria*, p. 24.)
reisado. [De *reis* + *-ado*[1].] *S. m. Bras.* Dança dramática popular com que se festeja a véspera e o dia de Reis; reisada. [Cf. *rancho* (7) e *terno*[1] (3).] ♦ **Reisado cearense.** *Bras. Folcl.* V. *bumba-meu-boi* (1).
reis-de-boi. *S. m. 2 n. Bras.* V. *bumba-meu-boi* (1).
reiteração. [Do lat. *reiteratione*.] *S. f.* Ato ou efeito de reiterar.
reiterado. [Part. de *reiterar*.] *Adj.* Repetido, renovado.
reiterar. [Do lat. *reiterare*.] *V. t. d.* e *t. d.* e *i.* Repetir, renovar; iterar: "Vai noutro peito, / Mistérios não sabidos relatando, / Contar do infausto amor as provas duras, / Os martírios da ausência, as tristes lágrimas / Que chora — ao reiterar protestos novos!" (Gonçalves Dias, *Obras Poéticas*, II, p. 107).
reiterativo. [Do lat. *reiteratu*, part. pass. de *reiterare*, + *-ivo*.] *Adj.* Que reitera ou serve para reiterar.
reiterável. *Adj. 2 g.* Que pode ser reiterado.
reitor (ô). [Do lat. *rectore*.] *S. m.* **1.** Aquele que rege, dirige ou governa. **2.** Dirigente de certos estabelecimentos de ensino, em especial de ensino superior. **3.** *Lus.* Título que recebe o pároco de certas freguesias; prior.
reitorado. *S. m.* **1.** Reitoria (1). **2.** Tempo que dura a reitoria.
reitoria. *S. f.* **1.** Cargo ou dignidade de reitor; reitorado. **2.** Gabinete do reitor. **3.** Prédio onde está situado esse gabinete.
reiúna. [Fem. de *reiúno*.] *Adj. (f.)* **1.** Diz-se de uma espingarda curta e de fuzil, hoje em desuso. ● *S. f.* **2.** Essa espingarda. **3.** *Bras.* Botina com elástico, usada pelos soldados. [Cf. *reúna*, do v. *reunir*.]
reiunada (ei-u). *S. f. Bras., S.* **1.** Os reiúnos em geral. **2.** Manada de cavalos reiúnos.
reiunar (ei-u). [Do esp. plat. *reyunar*.] *V. t. d. Bras., S.*

Cortar a ponta de uma das orelhas de (animal), para indicar que é reiúno.

reiúno. [Do esp. plat. *reyuno*.] *Adj.* **1.** Fornecido pelo Estado, e particularmente pelas forças armadas, para fardamento dos soldados. **2.** De baixa qualidade; inferior, ruim. **3.** De baixa condição; reles, desprezível. ● *S. m.* **4.** *Bras., S.* O gado pertencente ao Estado, ou que não tem dono. **5.** *Bras., S.* Cavalo feio e de má qualidade. [Cf. *reúno*, do v. *reunir*.]

reivindicabilidade. *S. f.* Qualidade de reivindicável.

reivindicação. [Do lat. *rei vindicatione*, 'reclamação da coisa'.] *S. f.* Ato ou efeito de reivindicar; vindícia.

reivindicador (ô). *Adj.* **1.** Que reivindica; reivindicante. ● *S. m.* **2.** Aquele que reivindica.

reivindicante. *Adj. 2 g.* Reivindicador (1).

reivindicar. [De *reivindicação*.] *V. t. d.* **1.** Intentar demanda para reaver (propriedade que está na posse de outrem); vindicar. **2.** Reaver, readquirir, recuperar: *O funcionário* reivindicou *o antigo posto.* **3.** Tentar recuperar: Reivindicou *em vão o lugar perdido.* **4.** Tomar sobre si ou para si; assumir, avocar: *Todos* reivindicaram *os louros da vitória.* **5.** Reclamar, exigir, requerer: *O povo* reivindicou *seus direitos. T. d. e c.* **6.** Reivindicar (5) "Reivindico para estas páginas um mérito apenas: o da absoluta independência." (Alceu Amoroso Lima, *A Realidade Americana*, p. 15). [Conjug.: v. *trancar*.]

reivindicativo. *Adj.* Que envolve reivindicação; reivindicatório.

reivindicatório. *Adj.* Reivindicativo.

reivindicável. *Adj. 2 g.* Que se pode reivindicar.

reixa[1]. [Do esp. *reja*.] *S. f.* **1.** Tábua pequena; tabuinha. **2.** Grade de janela; gelosia: "Olhando-lhe as reixas do confessionário, quase ouvia os cochichos de amor" (Mário de Alencar, *Alguns Escritos*, p. 113). **3.** *Patol.* Tumefação dolorosa dos condutos lacrimais.

reixa[2]. [Do lat. *rixa*.] *S. f. Ant.* e *pop.* **1.** Briga, contenda, rixa. **2.** Ira, raiva, ódio.

reixador (ô). [De *reixar* + *-(d)or*.] *Adj.* e *s. m. Pop.* V. *rixador*.

reixar. [Do lat. *rixare*.] *V. int. Bras.* Disputar, rixar.

reizete (ê). [De *rei* + *-z-* + *-ete*.] *S. m. Deprec.* Rei pouco importante, de meia-tigela; régulo.

rejeição. [Do lat. *rejectione*.] *S. f.* **1.** Ato ou efeito de rejeitar[1]. **2.** *Med.* Fenômeno em conseqüência do qual um organismo elimina um enxerto, dada a incompatibilidade entre os tecidos desse organismo e os do organismo de que provém o enxerto.

rejeitar[1]. [Do lat. *rejectare*.] *V. t. d.* **1.** Lançar fora; largar, depor: *Os vencidos* rejeitaram *as armas.* **2.** Lançar de si; tirar de si; repelir: "arrancou o casaco ....; descalçou os sapatos; tirou as meias e quando se dispunha a rejeitar outras peças mais respeitáveis do vestuário, interrompi-a" (Amadeu de Queirós, *Os Casos do Carimbamba*, p. 113). **3.** Lançar de si; expelir; vomitar, regurgitar: *O doente, mal ingere a comida,* rejeita -a. **4.** Não admitir; recusar: *Orgulhoso,* rejeita *qualquer ajuda.* **5.** Não aprovar; reprovar, desaprovar: *O Congresso* rejeitou *o projeto.* **6.** Ter em pouca ou nenhuma conta; desprezar, desdenhar: Rejeita *as pessoas que o bajulam.* **7.** Defender-se de; repelir: *O injuriado* rejeitou *energicamente as calúnias.* **8.** Opor-se ou negar-se a: *Alguns súditos* rejeitaram *pagar as taxas*; "Não sou .... dos que aceitam ou rejeitam em bloco os Estados Unidos." (Alceu Amoroso Lima, *A Realidade Americana*, p. 256). **9.** Atirar, arremessar, lançar, arrojar: *O índio* rejeitou *a flecha*; *O mar* rejeitou *nas praias os restos do navio. T. d. e i.* **10.** Repelir, afastar, apartar: Rejeitou *de si a tralha inútil*; "Certas visões repentinas. As manchas de luz sobre este rochedo enegrecido. Eu não posso rejeitá -las do meu espírito, onde passaram a viver desde que as vi, ao cair da tarde." (Ascendino Leite, *Passado Indefinido*, p. 75).

rejeitar[2]. [De *jarretar*, com metátese.] *V. t. d. Bras.* Cortar o rejeito[1] ou jarrete a; jarretar.

rejeitável. *Adj. 2 g.* Que pode ou deve ser rejeitado.

rejeito[1]. [Alter. de *jarrete*, com metátese e assimilação.] *S. m. Bras. Pop.* Jarrete.

rejeito[2]. [Dev. de *rejeitar[2]*.] *S. m. Bras., RS.* Ato ou efeito de rejeitar[2].

rejeito[3]. [Dev. de *rejeitar[1]*.] *S. m. Ant.* Arma de arremesso: um pau curto e pesado. ♦ **Rejeito nuclear.** Resíduo de uma combustão nuclear que já não tem utilidade e, por ser radioativo, exige precauções na sua manipulação.

rejubilação. *S. f.* **1.** Ato ou efeito de rejubilar(-se). **2.** Júbilo intenso, rejúbilo.

rejubilar. [De *re-* + *jubilar[2]*.] *V. t. d.* **1.** Causar muito júbilo a: encher de júbilo; alegrar ou contentar ao extremo. *Int.* e *p.* **2.** Ter grande júbilo; alegrar-se muito; folgar: "E por ali fora, alhures, estouravam roqueiras, estrugiam brados, toda a fazenda rejubilava como a uma bênção do céu." (Coelho Neto, *Rei Negro*, p. 103); Rejubilou-se *ao reencontrar o velho amigo.* [Pres. ind.: *rejubilo*, etc. Cf. *rejúbilo*.]

rejúbilo. [Dev. de *rejubilar*.] *S. m.* Rejubilação (2). [Cf. *rejubilo*, do v. *rejubilar*.]

rejuntamento. *S. m. Bras.* **1.** Ato ou efeito de rejuntar. **2.** Camada fina de argamassa especial, própria para tomar as juntas das pedras nas paredes de obras.

rejuntar. [De *re-* + *junta* + *-ar[2]*.] *V. t. d. Bras.* Tomar (as juntas de pedras de) com o rejuntamento (2): *O pedreiro* rejuntou *a parede.*

rejurar. [De *re-* + *jurar*.] *V. t. d.* Jurar de novo, ou repetidas vezes: "O Conde rejurava à fé dos Evangelhos / Que o burgo pagaria o tributo lançado." (Júlio Dantas, *Sonetos*, p. 78).

rejuvenescedor (ô). *Adj.* Que rejuvenesce; rejuvenescente.

rejuvenescente. *Adj. 2 g.* Rejuvenescedor.

rejuvenescer. [De *re-* + *juvenescer*.] *V. t. d.* **1.** Tornar jovem; remoçar: *A medicina busca recursos para* rejuvenescer *os velhos. Int.* e *p.* **2.** Parecer jovem, não o sendo; remoçar: "Primitivamente, na Papuásia, diz a lenda, as criaturas não morriam: mudavam de pele, de quando em quando, como serpentes, e, a cada muda, rejuvenesciam." (Olavo Bilac, *Últimas Conferências e Discursos*, p. 345); Rejuvenesceu-se *com a vida tranqüila que tem levado nos últimos tempos.* [Conjug.: v. *descer*.]

rejuvenescimento. *S. m.* Ato ou efeito de rejuvenescer (-se).

rela[1]. [Do lat. **ranella*, em vez de *ranula*, dim. de *rana*, 'rã'.] *S. f.* V. *perereca* (1).

rela[2]. [De *esparrela*?] *S. f.* Armadilha para apanhar pássaros; arapuca.

rela[3]. *S. f. Bras., MG. Footing.*

relação. [Do lat. *relatione*.] *S. f.* **1.** Ato de relatar; relato. **2.** Descrição, notícia, informação, relato. **3.** V. *lista* (1). **4.** Parecença, semelhança, analogia. **5.** Referência, ligação, vinculação. **6.** Comparação entre duas quantidades mensuráveis. **7.** Antiga denominação comum aos tribunais de justiça de segunda instância. **8.** *Filos.* Uma das categorias fundamentais do pensamento: caráter de dois ou mais objetos de pensamento que são concebidos como sendo ou podendo ser compreendidos num único ato intelectual de natureza determinada, como identidade, coexistência, sucessão, correspondência, etc. [Cf., nesta acepç., *quantidade* (4) e *qualidade* (7).] **9.** *Mat.* Correspondência entre conjuntos, ou a expressão dessa correspondência. **10.** *Mús.* Num encadeamento de acordes, a correspondência entre os intervalos de um e de outro acorde. **11.** *Bras.* Relacionamento (3). ~ V. *relações*. ♦ **Relação de equivalência.** *Mat.* Toda relação reflexiva, simétrica e transitiva entre os elementos de um conjunto. [Tb. se diz apenas *equivalência*.] **Relação não-simétrica.** *Mat.* A que existe entre dois elementos de um conjunto quando o primeiro pode ter ou não com o segundo a mesma relação que o segundo tem com o primeiro. **Relação reflexiva.** *Mat.* Aquela em que é válida a reflexividade. **Relação simétrica.** *Mat.* A correspondência entre *A* e *B*, que é também válida entre *B* e *A*. **Relação transitiva.** *Mat.* A correspondência que é válida entre *A* e *C* se for válida entre *A* e *B* e entre *B* e *C*. **Relações de produção.** *Econ.* Relações entre os homens, determinadas pelas forças produtivas [q. v.], e relativas à maneira como se distribuem entre os membros de uma sociedade os meios de produção [q. v.] e os bem materiais que estes determinam. [Cf. *modo de produção*.]

relacionado. [Part. de *relacionar*.] *Adj.* **1.** De que se fez relação. **2.** Narrado, referido. **3.** Que tem relações, amizades, conhecimentos: *É pessoa muito* relacionada.

relacionamento. *S. m.* **1.** Ato ou efeito de relacionar (-se). **2.** Capacidade, em maior ou menor grau, de relacionar-se, conviver ou comunicar-se com os seus semelhantes: *É pessoa de* relacionamento *difícil.* **3.** *Bras.* Ligação de amizade, afetiva, profissional, etc., condicionada por uma série de atitudes recíprocas; relação.

relacionar. [Do lat. *relatione*, 'relação', + *-ar[2]*.] *V. t. d.* **1.** Referir, narrar, relatar: *O viajante* relacionou *toda a viagem.* **2.** Dar ou fazer relação de; pôr em lista; arrolar, pautar: *Os funcionários* relacionaram *os contribuintes. T. d. e i.* **3.** Fazer adquirir relações, amizades: *O tio incumbiu-se de* relacioná *-lo com os novos colegas.* **4.** Estabelecer relação, analogia (entre coisas diferentes); confrontar: *Costumam os historiadores* relacionar *os fatos políticos com fatos econômicos e sociais*; *É impossível* relacionar *o seu brilhante presente ao seu medíocre passado. P.* **5.** Ter relação ou analogia; ligar-se: *Afirmou que os fatos não* se relacionam *com o que se diz.* **6.** Adquirir relações; travar conhecimento ou amizade: Relacionou-se *com as moças da vizinhança.*

relações. [Pl. de *relação*.] *S. f. pl.* **1.** Conhecimento recíproco e/ou convivência entre pessoas: relações *de amizade*; relações *profissionais*; *cortar* relações. **2.** As pessoas com quem se mantêm relações (1). **3.** As ligações e associações entre grupos ou países no campo dos negócios ou dos assuntos diplomáticos. ~ V. *relação*. ♦ **Relações públicas.** [Do ingl. *public relations*.] **1.** Os métodos e atividades empregados por um indivíduo ou uma organização a fim de promover relacionamento favorável com o público em geral. **2.** Os conhecimentos necessários para exercer tais atividades. [Cf. *relações-públicas*.] **Ter relações com.** Copular.

relações-públicas. *S. 2 g.* e *2 n.* Pessoa que trabalha em relações públicas [q. v.].

relacrar. [De *re-* + *lacrar*.] *V. t. d.* Lacrar de novo.

relamber. [De *re-* + *lamber*.] *V. t. d.* Tornar a lamber.

relambório. *Adj. Bras.* Sem graça; desinteressante, insípido.

relampadear. [De *relâmpado* + *-ear*.] *V. int.* e *t. d. e i.* V. *relampaguear*. [Conjug.: v. *frear*. Defect., us. normalmente só na 3ª pess. sing.]

relampadejante. [De *relampadejar* + *-nte*.] *Adj. 2 g.* V. *relampagueante*.

relampadejar. [De *relâmpado* + *-ejar*.] *V. int.* e *t. d. e i.* V. *relampaguear*: "Venta e relampadeja. A tempestade ruge!" (Martins Fontes, *Verão*, p. 35.) [Conjug.: v. *pelejar*. Defect., us. normalmente só na 3ª pess. sing.]

relâmpado. *S. m. Ant.* Relâmpago.

relâmpago. [De *re-* + o rad. lat. de *lampare*, 'fulgir, brilhar'.] *S. m.* **1.** Luz intensa e rápida produzida pela descarga elétrica entre duas nuvens, e que, geralmente, precede o ruído do trovão. [Cf. *raio* (4).] **2.** *Fig.* Clarão súbito e breve. **3.** *Fig.* Aquilo que é rápido e efêmero. ● *Adj. 2 g.* **4.** Rápido como o relâmpago (1): *uma visita* relâmpago. ~ V. *comício* —. ♦ **Num relâmpago.** Num abrir e fechar de olhos; num átimo.

relampagueante. *Adj. 2 g.* Que relampagueia, relampejante, relampeante, relampadejante.

relampaguear. [De *relâmpago* + *-ear*.] *V. int.* **1.** Produzirem-se relâmpagos [v. *relâmpago* (1)]: Relampagueava *em meio da forte tempestade.* **2.** Brilhar repentinamente; fulgurar, cintilar, faiscar; lampejar: *O diamante* relampagueava *em seu belíssimo colo. T. d. e i.* **3.** Mostrar como num relâmpago: *Os últimos acontecimentos* relampaguearam *a todos a verdadeira história.* **4.** Volver para, dirigir, com a rapidez do relâmpago: Relampagueou *olhares cobiçosos às finas jóias.* [Sin. ger.: *relampadejar, relampadear, relampear, relampejar*. Conjug.: v. *frear*. Defect., us. normalmente só na 3ª pess. sing.]

relampeante. [De *relampear* + *-nte*.] *Adj. 2 g.* V. *relampagueante*.

relampear. [De *relampo* + *-ear*.] *V. int.* e *t. d. e i.* V. *relampaguear*. [Conjug.: v. *frear*. Defect., us. normalmente só na 3ª pess. sing.]

relampejante. [De *relampejar* + *-nte*.] *Adj. 2 g.* V. *relampagueante*.

relampejar. [De *relampo* + *-ejar*.] *V. int.* e *t. d. e i.* V. *relampaguear*. [Conjug.: v. *pelejar*. Defect., us. normalmente só na 3ª pess. sing.]

relampejo (ê). [Dev. de *relampejar*.] *S. m.* Ação de relampejar.

relampo. [De *relâmpago*, com síncope.] *S. m. Pop.* Relâmpago.

relançamento. *S. m. Bras.* Ação ou efeito de relançar (1 e 2).

relançar. [De *re-* + *lançar*.] *V. t. d.* **1.** Lançar de novo. **2.** *Bras.* Tornar a lançar no mercado (um produto, uma mercadoria, especialmente livro). **3.** Relancear (2). *T. d. e i.* **4.** Relancear (1). [Conjug.: v. *laçar*.]

relance[1]. [Dev. de *relançar*.] *S. m.* Ato ou efeito de relancear. ♦ **De relance.** Com rapidez; rapidamente.

relance[2]. [De *re-* + *lance*.] *S. m. Taur.* Segunda sorte que o toureiro executa, não prevista pelos espectadores.

relancear. [De *relance[1]* + *-ear*.] *V. t. d.* e *i.* **1.** Dirigir rapidamente (os olhos, a vista): *O curioso* relanceou *os olhos para a bela dama*; "Esbugalhou grandes olhos, e relanceou -lhe uma mirada, que nunca se soube se era de censura, se era de espanto, se era de dor..." (Cândido Jucá [Filho], *Noite Insone*, p. 120). *T. d.* **2.**

Olhar de relance: *Mal teve tempo de relancear o passante;* "relanceia um olhar indagador e soberano" (Augusto Meyer, *No Tempo da Flor,* p. 14). [F. paral.: *relançar.* Conjug.: v. frear] • *S. m.* **3.** Vista de olhos; *relance.*

relancina. [De *relance*[1] + *-ina*[1].] *S. f. Bras., S.* Us. na loc. adv. *de relancina.* ◆ **De relancina.** De relance; repentinamente: "olhou-o de relancina, acendeu um cigarro, cuspiu para um lado e pagou a despesa." (Cornélio Pires, *Quem Conta um Conto...,* p. 192).

relancinho. [De *relance*[1] + *-inho.*] *S. m. Bras.* **1.** Nos jogos carteados, batida na primeira rodada, com as cartas que se têm na mão e mais a que se comprou. [Cf. *loba*[1] (3). **2.** *Bras., N.E.* Certo jogo carteado.

relapsão. [De *relapso* + *-ão*[3].] *S. f.* **1.** Ato de cair para trás. **2.** Reincindência, obstinação; teimosia.

relapsia. [De *relapso* + *-ia.*] *S. f.* Reincidência no crime ou no erro; contumácia.

relapso. [Do lat. *relapsu,* 'que tornou a cair no vício, no pecado'.] *Adj. e s. m.* **1.** Diz-se de, ou aquele que reincide em erro. **2.** Diz-se de, ou aquele que é impenitente, obstinado, contumaz. **3.** *Bras.* Que ou aquele que falta a seus deveres, a suas obrigações: *Funcionário relapso, nunca é encontrado na repartição.*

relar. *V. t. d.* **1.** V. *ralar* (1 a 4). **2.** *Bras.* Tocar de leve em (alguma coisa); roçar, roçagar: A suave brisa relou seu rosto. *Int.* **3.** *Jogar o ás sobre a carta sete, no jogo de bisca. P.* **4.** V. *ralar* (5 e 6).

relargar. *V. t. d. Tec.* Provocar a precipitação ou a coagulação de (uma substância) pela adição de sal ao líquido em que estava dissolvida ou suspensa. [Conjug.: v. *largar.*]

relasso. *Adj. e s. m.* Alter. de *relaxo.*

relatar. [De *relato* + *-ar*[2].] *V. t. d.* **1.** Mencionar, narrar, referir, expor, descrever: *A vítima relatou minuciosamente o roubo;* "Nisard acusa Juvenal de relatar com indiferença o suplício dos primeiros cristãos." (Fausto Cunha, *Situações da Ficção Brasileira,* p. 100). **2.** Fazer relação, lista ou rol de; relacionar, arrolar: "As ordens já são mandadas, / já se apressam os meirinhos. / Entram por salas e alcovas, / relatam roupas e livros" (Cecília Meireles, *Obra Poética,* p. 776). **3.** Fazer relatório (3) de. **4.** *Jur.* Estudar e apresentar (os fundamentos de causa ou de processo) aos demais membros de um tribunal, para submeter a julgamento: *O desembargador mais antigo relatará esta questão. T. d. e i.* **5.** Referir, narrar, expor: *Os astronautas relataram ao público as suas impressões.* **6.** Incluir, inserir, introduzir: *A História ainda relatará muitos heróis em seus anais.*

relatividade. *S. f.* **1.** Qualidade ou estado de relativo; relativismo. **2.** *Fís.* Teoria física segundo a qual o tempo e o espaço são grandezas inter-relativas, não pondendo, pois, ser consideradas independentemente uma da outra, e cuja idéia fundamental é estabelecer leis que sejam invariantes em relação ao sistema de referência, i. e., que assumam o mesmo aspecto em relação a qualquer referencial.

relativismo. [De *relativo* + *-ismo.*] *S. m.* **1.** Teoria filosófica que se baseia na relatividade do conhecimento. **2.** Relatividade (1).

relativista. *Adj. 2 g.* **1.** Referente ao, ou que é adepto do relativismo. **2.** *Fís.* Relativístico. ~ V. *cosmologia —a.* • *S. 2 g.* **3.** Adepto do relativismo.

relativístico. *Adj. Fís.* Diz-se de qualquer fenômeno em que têm papel importante ou significativo as conseqüências da teoria da relatividade; relativista.

relativo. [Do lat. *relativu.*] *Adj.* **1.** Que indica relação; referente, respeitante, concernente. **2.** Casual, fortuito, acidental. **3.** Julgado por comparação; proporcional. **4.** *Gram.* Diz-se da oração regida por um pronome relativo. **5.** *Mús.* Diz-se de dois tons [v. *tom* (13)] que têm a mesma armadura de clave, estando um no modo maior e outro no modo menor, e suas tônicas a uma distância de terceira menor. ~ V. *densidade —a, distribuição de freqüência —a, erro —, freqüência —a, função de freqüência —a, maioria —a, marçação —a, número —, pronome —, superlativo —, umidade —a, verbo —* e *viscosidade —a.*

relato. [Do lat. *relatu,* part. pass. de *referre,* 'levar consigo'; 'referir, transcrever'.] *S. m.* **1.** Ato ou efeito de relatar; relação. **2.** Descrição, notícia, informação, relação, relatório (de um fato, de um estado de espírito, etc.): "Ouvi pacientemente o relato dos seus males, temperado com pormenores de intimidade conjugal." (Fernando Namora, *Retalhos da Vida de um Médico,* p. 131.)

relator (ô). [Do lat. *relatore.*] *S. m.* **1.** Aquele que relata. **2.** Aquele que escreve um relatório. **3.** Aquele que relata, narra ou conta; narrador. **4.** *Jur.* Membro de um tribunal encarregado de relatar (4).

relatório. [De *relato* + *-ório.*] *S. m.* **1.** Narração ou descrição verbal ou escrita, ordenada e mais ou menos minuciosa, daquilo que se viu, ouviu ou observou: *o relatório de uma testemunha, de um médico.* **2.** Exposição das atividades de uma administração ou duma sociedade. **3.** Exposição e relação dos principais fatos colhidos por comissão ou pessoa encarregada de estudar determinado assunto. **4.** Exposição dos fundamentos de um voto ou de uma opinião. [Cf. *parecer* (12).] **5.** Exposição prévia dos fundamentos de uma lei, decreto, decisão, etc.

➧**relax** (riléςs). [Ingl.] *S. m.* Relaxamento (3).

relaxação. [Do lat. *relaxatione.*] *S. f.* **1.** Ato ou efeito de relaxar(-se); relaxamento, relaxidão, relaxe. **2.** V. *relaxamento* (2). **3.** Diminuição do tono muscular. **4.** Comportamento e/ou hábitos licenciosos; devassidão, libertinagem, licenciosidade. **5.** Diminuição gradual do estado de tensão de um corpo sob deformação constante. **6.** *Fís.* Qualquer dos comportamentos dum sistema que responde lentamente às influências ou modificações externas e tende assintoticamente a um estado de equilíbrio compatível com as influências que sofre.

relaxado. [Part. de *relaxar.*] *Adj.* **1.** Frouxo, bambo, lasso, relaxo, relasso. **2.** *Fig.* Descuidado no cumprimento de suas obrigações. **3.** *Fig.* Desmazelado, desleixado. **4.** *Fig.* Dissoluto, devasso, imoral, desmoralizado. **5.** *Jur.* Deferido ou transmitido a uma autoridade para cobrança ativa, etc.: *dívida relaxada.* **6.** *Bras.* Que se traja sem apuro ou sem cuidado. • *S. m.* **7.** Indivíduo relaxado.

relaxador (ô). [Do lat. *relaxatore.*] *Adj.* **1.** Que relaxa. • *S. m.* **2.** Aquele ou aquilo que relaxa. [Sin. ger.: *relaxante.*]

relaxamento. *S. m.* **1.** V. *relaxação* (1). **2.** Desleixo, desmazelo, relaxação, relaxidão; incúria. **3.** Relaxação (3) acompanhada de diminuição da tensão mental, e que acarreta uma sensação de repouso. [Correspondente em ingl.: *relax.*]

relaxante. *Adj. 2 g. e s. 2 g.* Relaxador.

relaxar. [Do lat. *relaxare.*] *V. t. d.* **1.** Diminuir a força ou a tensão de; tornar frouxo ou lasso; afrouxar: *relaxar os cabos para que não rebentem;* "A fadiga me relaxava os músculos." (Cândido Jucá [filho], *Noite Insone,* p. 47). **2.** Dispensar do cumprimento de (lei ou dever): *A Igreja relaxou a abstinência.* **3.** Remitir culpas ou pecados a; perdoar a; absolver: *Deus relaxa os pecados sinceramente arrependidos.* **4.** Atenuar, moderar, abrandar, suavizar: *O novo código relaxará as penas.* **5.** Corromper, perverter; depravar: *O hedonismo relaxa a moral.* **6.** Tornar fraco ou mais fraco; enfraquecer, debilitar: *relaxar o ânimo. Int.* **7.** Afrouxar, enfraquecer, entibiar: *A vontade não relaxou, apesar das dificuldades.* **8.** Fazer o relaxe (2) de contribuição. *T. i.* **9.** Condescender, transigir, contemporizar: *Não relaxaremos com os corruptos.* **10.** Enfraquecer, afrouxar, entibiar-se: *O bom soldado não relaxa no cumprimento do dever. P.* **11.** Perder a força ou a tensão; afrouxar-se: *Os músculos se relaxam após o banho quente.* **12.** Tornar-se negligente; desleixar-se, desmazelar-se: *Relaxou-se nas suas obrigações.* **13.** Desmoralizar-se, perverter-se, corromper-se: *Muitos políticos relaxam-se no poder.* [Var., p. us.: *releixar.*]

relaxe. [Dev. de *relaxar.*] *S. m.* **1.** V. *relaxação* (1). **2.** Transferência para a Justiça da cobrança coercitiva de contribuições não pagas voluntariamente nos prazos legais.

relaxidão. [De *relaxo* + *-idão.*] *S. f.* **1.** V. *relaxação* (1). **2.** V. *relaxamento* (2).

relaxo. [Dev. de *relaxar.*] *Adj.* **1.** Relaxado (1). [Var.: *relasso* e (bras., N.E., pop.): *releixo*[2].] • *S. m.* **2.** *Bras., N.E* Discurso em verso. **3.** *Bras., N.E* Dito vanglorioso ou burlesco. [Var.: *relasso.*]

relé[1]. [Var. de *ralé.*] *S. f.* V. *ralé* (1): "a vil relé de agarenos" (Alexandre Herculano, *Lendas e Narrativas,* II, p. 20). [Cf. *relê,* do v. *reler.*]

relé[2]. [Do fr. *relais.*] *S. m. Eletr.* Dispositivo por meio do qual um circuito é controlado por variações das condições elétricas nele mesmo, ou noutro circuito. [Cf. *relê,* do v. *reler.*]

➧**release** (reliz'). [Ingl.] *S. m.* Notícia distribuída à imprensa, ao rádio, à TV, etc., para ser divulgada gratuitamente.

relega (ê). *S. f.* Bossagem (2).

relegar. [Do lat. *relegare.*] *V. t. d.* **1.** Fazer sair de um lugar para outro; expatriar, desterrar, banir: *Os portugueses relegaram para a África diversos brasileiros implicados na Conjuração Mineira.* **2.** Afastar com desdém ou desprezo: *O novo monarca relegou da corte parte da aristocracia.* **3.** Pôr em segundo plano; desprezar. *P.* **4.** Internar-se em uma colônia: *Portugueses foragidos relegaram-se no Brasil.* [Conjug.: v. *regar.*]

releixar. *V. t. d., t. i., int.* e *p.* V. *relaxar.*

releixo[1]. [Do esp. *relej* ou *releje.*] *S. m.* **1.** Atalho à beira de um muro ou de um fosso. **2.** Saliência de um muro. **3.** Terreno não cultivado, à beira de um muro. **4.** Fio de instrumento cortante.

releixo[2]. [Var. de *relaxo.*] *Bras., N.E. Pop. Adj.* V. *relaxado* (1 e 4).

relembrança. *S. f.* Ato ou efeito de relembrar; recordação. [Sin., ant.: *remembrança.*]

relembrar. [De *re-* + *lembrar.*] *V. t. d. e t. d. e i.* Lembrar de novo; trazer novamente à memória; recordar: "Quando chegar depois tua velhice / Batida pelos bárbaros invernos, / Relembrarás chorando o que eu te disse, / À sombra dos sicômoros eternos!" (Augusto dos Anjos. *Eu,* p. 107.)

relento. [De *re-* + *lento.*] *S. m.* **1.** Umidade atmosférica da noite; sereno. V. *orvalho* (1). **2.** Frouxidão orgânica devida à umidade da noite. **3.** Cheiro nauseabundo; bafio: "A falta de arejamento mantinha ali um relento de trampa e urina." (Pedro Nava, *Beira-Mar,* p. 33).

reler. [De *re-* + *ler.*] *V. t. d.* Tornar a ler, ou ler muitas vezes: "Eduardo leu esta carta com avidez, e releu-a para compreendê-la melhor" (Machado de Assis, *Histórias Românticas,* p. 17). [Irreg. Conjug.: v. *ler.* Pres. ind.: *releio, relês, relê,* etc. Cf. *relé.*]

reles. [De *relé*[1]?] *Adj. 2 g. e 2 n.* **1.** Muito ordinário; baixo, desprezível, vil: *gente reles; comportamento reles.* **2.** Sem valor; insignificante, pífio.

relevado. [Part. de *relevar.*] *Adj.* **1.** Que forma relevo ou saliência, saliente. **2.** Que sobressai; preclaro, eminente. **3.** Que é superior. **4.** Que foi objeto de perdão ou desculpa.

relevador (ô). *Adj. e s. m.* Que ou aquele que releva.

relevamento. *S. m.* **1.** Ato ou efeito de relevar(-se); relevo. **2.** Perdão, desculpa.

relevância. *S. f.* **1.** Qualidade de relevante. **2.** Saliência, protuberância, proeminência; relevo. **3.** Grande valor, conveniência ou interesse; importância, relevo.

relevante. [Do lat. *relevante.*] *Adj. 2 g.* **1.** Que releva. **2.** Que sobressai ou ressalta; saliente, proeminente, protuberante. **3.** De grande valor, conveniência ou interesse; importante. • *S. m.* **4.** Aquilo que importa ou é necessário.

relevar. [Do lat. *relevare.*] *V. t. d.* **1.** Dar relevo a; tornar saliente; fazer sobressair: *A história da arte relevou muitos artistas obscuros em sua época;* "um gênio fácil e amenìssimo, e gosto literário, qualidades não muito freqüentes nos desterrados para as estrelas, relevam e douram os seus méritos científicos" (Antônio Feliciano de Castilho, *Escavações Poéticas,* p. 210). **2.** Atenuar, aliviar; consolar: *A amizade releva os sofrimentos.* **3.** Desculpar, perdoar, redimir: *Não podemos relevar todos os erros.* **4.** Tornar possível; permitir, consentir. *T. d. e i.* **5.** Absolver, perdoar; desculpar: *A empresa relevou-o dos atrasos;* "releva-nos as maiores fraquezas e os maiores ridículos que lhe confessemos" (Ramalho Ortigão, *Em Paris,* p. 122). *Int.* **6.** Ser conveniente, necessário; importar: "Releva notar que ele não recorreu à inventiva senão depois de experimentar a falsificação" (Machado de Assis, *Memórias Póstumas de Brás Cubas,* p. 8). *P.* **7.** Salientar-se, sobressair, distinguir-se: *Grandes vultos relevam-se na História.* [Como int. e t. i., só é us. nas 3as pess. Pres. ind.: *relevo,* etc. Cf. *relevo* (ê).]

relevável. *Adj. 2 g.* Que se pode relevar ou perdoar.

relevo (ê). [Dev. de *relevar.*] *S. m.* **1.** V. *relevamento* (1). **2.** V. *relevância* (2 e 3). **3.** Aquilo que sobressai por formar saliência sobre qualquer superfície relativamente plana. **4.** Escultura, gravura, etc., trabalhada de modo que forme relevo (3). [Cf., nesta acepç.: *alto-relevo* e *baixo-relevo.*] **5.** *Fig.* Distinção, realce, destaque. **6.** *Geog.* O conjunto das diferenças de nível da superfície terrestre: montanhas, vales, planícies, depressões, etc. [Pl.: *relevos* (ê). Cf. *relevo,* do v. *relevar.*] ◆ **Relevo seco.** *Art. Gráf.* V. *gofragem.* **Relevo tipográfico.** *Tip.* Termografia (1).

relha (ê). [Do lat. *regula,* 'barra de ferro'.] *S. f.* **1.** A parte do arado ou charrua que penetra na terra. **2.** Peça de ferro, na roda dos carros de bois, que segura as cambas e o meão. [Pl.: *relhas* (ê); dim. irreg.: *relhote, relhota,* Cf. *relha* e *relhas,* flex. de *relho,* adj.]

relhaço. [De *relho* (ê) + *-aço.*] *S. m. Bras., S.* Relhada: "Rapazes .... exibiam-se ante as belas raparigas palreiras, ... fazendo saltar e atormentando a relhaços .... os seus ossudos cavalos magros e enlameados" (Virgílio Várzea, *Histórias Rústicas*, pp. 111-112).

relhada. [De *relho* (ê) + *-ada*[1].] *S. f. Bras.* Golpe de relho: "O burro é resignado. Ele vem através da história prestando serviços sem descansar e apanhando relhadas como se fosse obrigação." (João do Rio, *Vida Vertiginosa*, pp. 324-325.) [Sin., S.: *relhaço*.]

relhador (ô). *S. m. Bras., S.* Relho muito longo.

relhar[1]. [De *relha* + *-ar*[2].] *V. t. d.* Atravessar com relha; pôr uma relha, ou relhas, em. [Pres. ind.: *relho* (ê), *relhas* (ê), *relha* (ê), etc. Cf. *relho*, adj., e flex. *relha, relhas*.]

relhar[2]. [De *relho* (ê) + *-ar*[2].] *V. t. d. Bras.* Açoitar com relho: *O cavaleiro relhou o animal para acelerar a marcha.* [Pres. ind.: *relho* (ê), *relhas* (ê), *relha* (ê), etc. Cf. *relho*, adj., e flex. *relha, relhas*.]

relheira. [De *relha* + *-eira*.] *S. f.* Sulco deixado nas estradas pelas rodas do carro; relheiro. [Cf. *rilheira*.]

relheiro. [De *relho* (ê) + *-eiro*.] *S. m.* Relheira. ~ V. relheiros.

relheiros. *S. m. pl. Bras., N.* As águas que se entrechocam ao longo das costas do PA ao MA. ~ V. *relheiro*.

relho. [F. sincopada de *revelho*, us. somente na loc. *velho e relho* (q. v.).] [Flex.: *relha, relhos, relhas*. Cf. *relho* (ê), s. m. *relha* (ê), s. f., pl. *relhas* (ê), e *relho* (ê), *relhas* (ê), *relha* (ê), dos v. *relhar*[1] e *relhar*[2].]

relho (ê). [De *relha*.] *S. m.* Chicote de couro torcido. [Pl.: *relhos* (ê). Cf. *relho*, adj., pl. *relhos*.]

relhota. [De *relha* + *-ota*.] *S. f.* Relhote.

relhote. [De *relha* + *-ote*.] *S. m.* Pequena relha; relhota.

relicário. [De **reliquiário*, com dissimilação.] *S. m.* **1.** Recinto especial, ou urna, cofre, caixa, etc., próprio para guardar as relíquias de um santo; osculatório. **2.** Abditório. **3.** Espécie de bolsinha com relíquia (1) que muitos fiéis trazem ao pescoço. **4.** Coisa preciosa, de grande preço e valor.

relicitação. *S. f.* Ato ou efeito de relicitar.

relicitar. [De *re-* + *licitar*.] *V. t. d.* **1.** Licitar novamente. *Int.* **2.** Cobrir um lanço, em leilão ou hasta pública.

religação. *S. f.* Ação ou efeito de religar.

religar. [Do lat. *religare*.] *V. t. d.* **1.** Tornar a ligar: "só naquela manhã recobrara a presença de espírito, a lucidez necessária para relacionar os fatos com as pessoas, religar a corrente das idéias e dos acontecimentos" (Inglês de Sousa, *O Missionário*, p. 312). **2.** Atar ou ligar bem: *Os marinheiros religaram as amarras.* [Conjug.: v. *largar*.]

religião. [Do lat. *religione*.] *S. f.* **1.** Crença na existência de uma força ou forças sobrenaturais, considerada(s) como criadora(s) do Universo, e que como tal deve(m) ser adorada(s) e obedecida(s). **2.** A manifestação de tal crença por meio de doutrina e ritual próprios, que envolvem, em geral, preceitos éticos. **3.** *Restr.* Virtude do homem que presta a Deus o culto que lhe é devido. **4.** Reverência às coisas sagradas. **5.** Crença fervorosa; devoção, piedade. **6.** Crença numa religião [v. *religião* (1 e 2)] determinada; fé, culto: *Esta moça adotou a religião do marido.* **7.** Vida religiosa: *Abandonou o mundo e abraçou a religião.* **8.** Qualquer filiação a um sistema específico de pensamento ou crença que envolve uma posição filosófica, ética, metafísica, etc. **9.** Modo de pensar ou de agir; princípios: *Falar mal dos outros é contra minha religião.* ◆ **Religião do caboclo.** *Bras.* V. *linha do caboclo*.

religionário. *S. m.* Sectário de uma religião.

religiosa. [Fem. de *religioso*.] *S. f.* Mulher que fez votos monásticos; freira.

religiosamente. [Do fem. de *religioso* + *-mente*.] *Adv.* **1.** No cumprimento, ou como no cumprimento, de preceito religioso. **2.** Com pontualidade própria de religioso: *Paga as suas contas religiosamente.*

religiosidade. [Do lat. *religiositate*.] *S. f.* **1.** Qualidade de religioso. **2.** Disposição ou tendência para a religião ou as coisas sagradas. **3.** Escrúpulos religiosos.

religioso (ô). [Do lat. *religiosu*.] *Adj.* **1.** Relativo ou conforme à religião, ou próprio dela. **2.** Que tem religião (3), ou que cumpre escrupulosamente os seus deveres religiosos. **3.** Referente a uma ordem monástica. ~ V. *casamento — e estado —*. ● *S. m.* **4.** Indivíduo que professa uma religião, ou que fez votos monásticos. **5.** Casamento religioso.

relimar. [De *re-* + *limar*.] *V. t. d.* **1.** Limar novamente; tornar a limar. **2.** Polir, aperfeiçoar, aprimorar, burilar: *relimar um artigo.*

relinchão. [De *relinchar* + *-ão*[3].] *Adj. Bras., S.* Risonho, alegre, contente, folgazão. [Fem.: *relinchona*.]

relinchar. [Do lat. **hinnitulare* < *hinnitare*, freqüentativo de *hinnire*, 'rinchar'.] *V. int.* Rinchar (1): "Os cavalos resfolgam, relincham e escarvam na terra borrifada" (Camilo Castelo Branco, *Perfil do Marquês de Pombal*, p. 34). [Normalmente é defect., us. só nas 3as pess.]

relincho. [Dev. de *relinchar*.] *S. m.* V. *rincho*: "Tudo isto .... era simplesmente natural, como o relincho do cavalo na estrebaria" (Carlos Lacerda, *A Casa do Meu Avô*, p. 91).

relinchona. *Adj. (f.) Bras., S.* V. *relinchão*.

relíquia. [Do lat. *reliquia*.] *S. f.* **1.** Parte do corpo de um santo, ou de qualquer objeto que a ele pertenceu ou, mesmo, que tenha tocado em seu cadáver. **2.** *P. ext.* Coisa preciosa por ter valor material ou por ser objeto de estima e apreço: *relíquia de família.* **3.** *Fig.* Pessoa ou coisa que, no passado, se respeitou ou admirou: *Atualmente é moda reviverem-se relíquias da década de 20.* ◆ **Relíquias humanas.** Objetos pertencentes aos homens primitivos, e que se conservaram no subsolo.

relocação. *S. f.* Ato ou efeito de relocar.

relocar. [De *re-* + *locar*.] *V. t. d.* Locar (1) novamente. [Conjug.: v. *trancar*.]

relógio. [Do gr. *horológion*, pelo lat, *horologiu*, com deglutinação do *o* (*ho*) e dissimilação do *o* seguinte ao *r*.] *S. m.* **1.** Designação comum a diversos tipos de instrumentos ou mecanismos para medir intervalos de tempo: *A ampulheta e a clepsidra são relógios muito antigos; O relógio da igreja está atrasado.* **2.** Relógio (1) mecânico, dotado, em geral, de rodas dentadas movidas por pêndulos, molas, eletricidade, pilhas, etc., e de mostrador e ponteiros, apresentando-se nas mais variadas formas e dimensões: *relógio de algibeira; O Big Ben é o relógio da torre do Parlamento, em Londres.* **3.** *Bras.* Aparelho para registrar o consumo de eletricidade, água, ou gás; registro. **4.** *Bras., PE.* Ave passeriforme, da família dos tiranídeos (*Todirostrum cinereum* (L.)), do Brasil este-setentrional, de dorso cinzento-esverdeado, asas e cauda enegrecidas, marginadas de esbranquiçado, alto da cabeça preto com algumas penas pintadas de branco, e fronte e parte inferior amarelo-vivas. [Sin.: *ferreirinho, tirri*.] **5.** *Bras.* Zanzo. ◆ **Relógio astronômico.** *Astr.* Instrumento astronômico para medir intervalos de tempo. **Relógio atômico.** **1.** *Astr.* Relógio de precisão que utiliza as vibrações naturais dos átomos do césio, do rubídio ou do hidrogênio; relógio de césio, relógio de rubídio, relógio de hidrogênio. **2.** *Fís.* Aquele cujo periodismo é baseado na freqüência duma radiação de ressonância dum átomo ou duma molécula. **Relógio de anel.** *Astr.* Relógio solar aneliforme, no qual um pequeno orifício projeta luz do Sol sobre um ponto da face interna do anel, indicando a hora. **Relógio de césio.** *Astr.* V. *relógio atômico*. **Relógio de hidrogênio.** *Astr.* V. *relógio atômico*. **Relógio de ponto.** Relógio provido de dispositivo onde o funcionário ou empregado introduz o cartão do ponto[1] (12) para nele ficar registrada a sua presença no local do trabalho. **Relógio de pulso.** Pequeno relógio (2) preso a uma pulseira; relógio-pulseira. **Relógio de quartzo.** *Astr.* Relógio de precisão usado pelos observatórios e laboratórios de física, e baseado nas oscilações de um cristal de quartzo. **Relógio de rubídio.** *Astr.* V. *relógio atômico*. **Relógio de sol.** Instrumento constituído por uma haste vertical que, projetando sua sombra num plano, indica a altura do Sol e as horas do dia; meridiana. **Relógio molecular.** *Astr.* Relógio de precisão que utiliza as vibrações naturais de certas moléculas. **Relógio sideral.** *Astr.* Relógio astronômico que marca o tempo sideral. **Relógio solar.** Gnômon. **Acertar os relógios.** **1.** Combinar um plano comum de ação. **2.** Chegar a um acordo, a um entendimento. [Sin. ger.: *acertar os ponteiros*.]

relógio-calendário. *S. m.* Aquele que, além das horas, indica os dias do mês e, às vezes, da semana. [Pl.: *relógios-calendários*.]

relógio-pulseira. *S. m. Bras.* Relógio de pulso: "Maria Camila teve para o céu um olhar dolorido. Voltou a examinar o relógio-pulseira." (Lígia Fagundes Teles, *O Jardim Selvagem*, p. 21.) [Pl.: *relógios-pulseiras* e *relógios-pulseira*.]

relojo. *S. m. Ant.* e *pop.* Relógio.

relojoaria. [De um suposto aum. **relojão* + *-aria*.] *S. f.* **1.** Arte de relojoeiro. **2.** Loja que fabrica ou conserta relógios. **3.** Maquinismo de relógio (2).

relojoeiro. [De um suposto aum. **relojão* + *-eiro*.] *Adj.* **1.** Relativo à relojoaria, ou a relógios: *indústria relojoeira.* ● *S. m.* **2.** Aquele que fabrica ou conserta relógios.

reloteamento. *S. m. Bras.* Ato ou efeito de relotear.

relotear. [De *re-* + *lotear*.] *V. t. d. Bras.* Fazer novo loteamento de; tornar a lotear. [Conjug.: v. *frear*.]

reloucado. [De *re-* + *louco* + *-ado*[1].] *Adj.* Muito louco; desvairado, tresloucado.

relumbrante. [Do esp. *relumbrante*.] *Adj. 2 g.* Que relumbra; reluzente, refulgente, resplandecente: "Cavaleirosa espada relumbrante!" (Guerra Junqueiro, *Pátria*, p. 165.)

relumbrar. [Do esp. *relumbrar*.] *V. int.* Resplandecer, reluzir; refulgir: "e na sombra relumbrava / a água verde dos teus olhos / nos meus cabelos molhados." (Marli de Oliveira, *A Suave Pantera*, p. 115.)

relume. [De *re-* + *lume*.] *S. m.* Brilho muito vivo; clarão, fulgor.

relumear. [De *relume* + *-ar*[2].] *V. int.* Produzir relume; resplandecer, relumbrar: "impecável no linho branco e solitário de brilhante relumeando no dedo" (Autran Dourado, *As Imaginações Pecaminosas*, p. 97). [Conjug.: v. *frear*.]

relutação. *S. f.* Relutância (1).

relutância. *S. f.* **1.** Ato ou efeito de relutar; relutação. **2.** Qualidade de relutante. **3.** Resistência, oposição; aversão. **4.** *Fís.* Num circuito magnético, grandeza que tem papel análogo à resistência num circuito elétrico, e que é igual ao quociente da força magnetomotriz pelo fluxo magnético.

relutante. [Do lat. *reluctante*.] *Adj. 2 g.* Que reluta.

relutar. [Do lat. *reluctare*.] *V. int.* **1.** Lutar novamente. **2.** Oferecer resistência; opor forças; resistir; obstinar-se: *Acedeu ao convite, depois de muito relutar.* *T. i.* **3.** Oferecer resistência; opor força; resistir: *Relutou contra a medida;* "Seu Cardoso relutou em aquiescer ao pedido da mulher." (Gastão Cruls, *De Pai a Filho*, p. 23).

relutividade. [Do ingl. *reluctivity*.] *S. f. Fís.* O inverso da permeabilidade.

reluzente. [Do lat. *relucente*.] *Adj. 2 g.* **1.** Que reluz. **2.** V. *lustroso* (1).

reluzir. [Do lat. *relucere*.] *V. int.* **1.** Luzir muito; resplandecer, brilhar: *O ouro reluz;* "os móveis reluziam de asseio" (Machado de Assis, *Quincas Borba*, p. 252). **2.** Manifestar-se, transparecer, vivamente: *Seu contentamento reluzia, denunciando o êxito.* [Normalmente é unipess.]

relva. [Dev. de *relvar*.] *S. f.* **1.** Erva rala e rasteira. **2.** Vegetação formada de ervas desse tipo, gramíneas quase sempre, que crescem espontaneamente pelos campos e caminhos. **3.** V. *relvado*. **4.** V. *azevém*.

relvado. *S. m.* Terreno coberto de relva ou de grama; gramado, relva, relvedo: "Era uma noite linda de luar e da sombra das árvores parecia ainda mais misteriosa a claridade fosfórea que lavava os relvados perto e as florestas longe" (Domício da Gama, *Histórias Curtas*, p. 268).

relvão. *Adj.* **1.** Diz-se do animal que pasta, que vive de relva. ● *S. m.* **2.** Terreno coberto de relva crescida.

relvar. [Do lat. *relevare*, 'levantar'.] *V. t. d.* **1.** Cobrir de relva: *relvar um terreno.* [Var.: *arrelvar*.] *Int.* **2.** Relvejar.

relvedo (ê). [De *relva* + *-edo*.] *S. m.* V. *relvado*: "As ovelhas e os cordeiros pastam nos relvedos orvalhados." (Eugênio de Castro, *Obras Poéticas*, III, p. 93.)

relvejar. *V. int.* Cobrir-se ou mostrar-se coberto de relva; relvar: *A campina relveja.* [Conjug.: v. *pelejar*. Normalmente é defect.]

relvoso (ô). *Adj.* Em que há relva.

rem. [Do ingl. *rem* < *r(oentgen) e(quivalent in) m(an)*, 'radiação equivalente no homem'.] *S. m. Med. Nucl.* Quantidade de qualquer radiação ionizante que tem a mesma intensidade de ação biológica de 1 rad. de raios X. [1 rem = 1 rad. x eficiência biológica relativa.]

remada. [De *remar* + *-ada*[1].] *S. f.* **1.** Ação ou efeito de remar; voga, remadura. **2.** Golpe com o remo. **3.** *Bras., PE. Pop.* Dose de bebida alcoólica que se toma de um só gole.

remado[1]. [De *remo* + *-ado*.] *Adj.* Provido de remos.

remado[2]. [Part. de *remar*.] *Adj.* Movido a remos.

remador (ô). *Adj.* **1.** Que rema. ● *S. m.* **2.** Aquele que rema; remeiro.

remadura. *S. f.* V. *remada* (1).

remanchador[1] (ô). [De *remanchar*[1] + *-(d)or*.] *S. m.* Ferramenta de funileiro ou latoeiro, usada para remanchar.

remanchador[2] (ô). [De *remanchar*[2] + *-(d)or*.] *Adj.* e *s. m.* Que, ou aquele que remancha ou remancheia.

remanchão. [De *remanchar*[2] + *-ão*[2].] *Adj.* Que remancha; pachorrento. [Fem.: *remanchona*.]

remanchar[1]. [Do esp. *remanchar*.] *V. t. d.* Fazer borda com o maço em fundo de (panela ou outros utensílios) sobre a bigorna.

remanchar[2]. [Possível alter. de *remansear*, 'ficar em remanso'.] *V. int.* **1.** Tardar, demorar-se: *remanchou por alguns minutos na esperança de o ver passar;* "Aquela manhã, Raul saiu um pouco atrasado para o colégio. Remanchara, remanchara, porque não sabia a lição de Geografia" (Lia Correia Dutra, *Navio sem Porto,* p. 127). **2.** Andar devagar: *Remanchou pelo caminho, e atrasou-se. P.* **3.** Ser pachorrento, vagaroso. [F. paral.: *remanchear.*]

remanchear. *V. int.* e *p.* Remanchar²: "Quando saía, remancheava, lavava três ou quatro vezes as mãos, até poder apanhar o diretor na porta." (Lima Barreto, *Triste Fim de Policarpo Quaresma,* p. 75.) [Conjug.: v. *frear.*]

remancho. [Dev. de *remanchar.*] *S. m.* Indolência, lentidão, pachorra.

remanchona. *Adj. (f.)* V. *remanchão.*

remandiola. *S. f. Bras., PE* e *AL.* Acidente inesperado; contratempo, viravolta, reviravolta: "a inteligência do rapaz clareou, que foi aquela beleza. Deu-se, porém, uma remandiola, porque não há nada de bom neste mundo que não tenha o seu porém." (Horácio de Almeida, *in Revista das Academias de Letras,* nº 78, p. 122).

remanejamento. [Do fr. *remaniement.*] *S. f.* Ação ou efeito de remanejar.

remanejar. [Do fr. *remanier.*] *V. t. d.* **1.** Modificar (uma produção intelectual, um grupo de pessoas, um dispositivo militar) aproveitando os elementos primitivos, ou parte deles; recompor, refazer; retocar. **2.** Modificar a composição de (um grupo de pessoas, um conjunto de coisas): *Remanejou o ministério; A nova diretoria remanejou o segundo escalão.* [Conjug.: v. *pelejar.* Cf. *remodelar.*]

remanência. [De *remanente.*] *S. f. Fís.* Num material ferromagnético, indução magnética máxima quando o campo externo é zero; indução remanente; retentividade.

remanente. [Do lat. *remanente.*] *Adj. 2 g.* V. *remanescente.* ~ V. *indução* —.

remanescente. [Do lat. *remanescente.*] *Adj. 2 g.* **1.** Que remanesce; restante, remanente. • *S. m.* **2.** Aquilo que sobeja ou resta.

remanescer. [Do lat. *remanescere, incoativo de *remanere,* 'parar, ficar'.] *V. int.* Sobrar, restar, sobejar: "Aí remanesciam ainda vivos um pé de couve e outro de bogaris nos canteiros nus." (Alberto Rangel, *Inferno Verde,* pp. 51-52); "remanesciam ali muitas imagens de sua infância" (Josué Montelo, *Os Degraus do Paraíso,* p. 126). [Conjug.: v. *crescer.*]

remangar. [De *re-* + *manga*¹ + *-ar*².] V. int. e *p.* Arremangar. [Conjug.: v. *largar.*]

remaniscar. [De *re-* + *-man-* + *-isca-* + *-ar*².] *V. int. Bras.* Fazer movimento rápido e imprevisto. [Conjug.: v. *trancar.*]

remanisco. [Dev. de *remaniscar.*] *S. m. Bras.* **1.** Ato ou efeito de remaniscar. • *Adj.* **2.** *Bras.* Ligeiro, rápido, veloz: *cavalo remanisco.*

remansado. [Part. de *remansar-se.*] *Adj.* **1.** Pacífico, tranqüilo, sossegado, manso, remansoso: *águas remansadas.* **2.** *Fig.* Pachorrento, vagaroso, descansado, remansoso.

remansar-se. [De *remanso* + *-ar*² + *se*¹.] *V. p.* V. *arremansar-se.*

remansear. [De *remanso* + *-ear.*] *V. int.* e *p.* **1.** Tornar-se pachorrento, impassível, fleumático. **2.** Ficar ou estar tranqüilo, sereno, sossegado; remansar-se, arremansar-se: *Estava agitadíssimo, agora remanseou; As águas remansearam-se após a tempestade.* [Conjug.: v. *frear.*]

remansense. *Adj. 2 g.* **1.** De, ou pertencente ou relativo ao Remanso (BA). • *S. 2 g.* **2.** Natural ou habitante de Remanso.

remanso. [Do lat. *remansu,* 'parado'.] *S. m.* **1.** Cessação de movimento; parada, pausa, repouso. **2.** Paz, sossego, tranqüilidade, quietação. **3.** Água estagnada. **4.** *Bras., Amaz.* Contracorrente junto às margens de um rio, causada por pontas de terra, fins de praias, enseadas, onde o ângulo morto produz uma espécie de refluxo fluvial. **5.** *Bras., PA.* Correnteza na margem oposta à do canal do rio. **6.** *Bras., MA.* Trecho em que o rio se alarga, diminuindo o ímpeto da correnteza. **7.** *Bras., S.* Trecho de rio, após as corredeiras, onde as águas se espalham amplamente, anulando quase de todo a correnteza.

remansoso (ô). *Adj.* V. *remansado.*

remanusear. [De *re-* + *manusear.*] *V. t. d.* Manusear de novo. [Conjug.: v. *frear.*]

remar. *V. t. d.* **1.** Impelir com a ajuda dos remos: vogar: *Debilitado, não conseguia remar o bote;* "Pelo martírio das cinco chagas / te ajudarei a remar a barca." (Francisco Carvalho, *Rosa dos Eventos,* p. 94). *Int.* **2.** Mover os remos para dar impulso a um barco; vogar: "De súbito a igarité parou. | — Que é isto, patrícios? perguntou Padre Antônio, descendo da tolda e aproximando-se dos remeiros. Por que deixaram de remar?" (Inglês de Sousa, *O Missionário,* p. 215). **3.** Nadar, boiar, sobrenadar. **4.** Ir pelos ares; voar; adejar: *Os pardais remavam velozmente.* **5.** Lutar, lidar, trabalhar. **6.** *Bras. Turfe.* Conduzir o cavalo de corridas fazendo com os braços movimentos que lembram remadas.

remarcação. *S. f.* **1.** Ato ou efeito de remarcar. **2.** *P. ext.* Lote ou conjunto de coisas remarcadas: *Esses tecidos aí não são da remarcação.*

remarcado. [Part. de *remarcar.*] *Adj.* Em que se fez remarcação.

remarcar. [De *re-* + *marcar.*] *V. t. d.* **1.** Marcar de novo; tornar a marcar: *remarcar um rebanho.* **2.** *Bras.* Dar novo preço a; modificar o preço de: *O comerciante remarcou todo o estoque.* [Conjug.: v. *trancar.*]

rema-rema. [Da 3ª pess. sing. do pres. ind. de *remar,* repetida.] *S. m. 2 n. Bras.* **1.** Brinquedo que consiste num veículo que tem como assento uma tábua e cuja tração é feita por uma alavanca que a criança impele com movimentos semelhantes aos dos remadores. **2.** Espécie de balanço, comuníssimo em parques infantis: uma prancha alongada e suspensa a uma armação por tubos de ferro, na qual os meninos se embalam, fazendo movimentos que lembram remadas.

remascar. [De *re-* + *mascar.*] *V. t. d.* **1.** Mascar novamente; remastigar: *O garoto inapetente remascava a comida, mas não engolia.* **2.** Considerar novamente; ruminar, remoer, reconsiderar: *Passou a noite remascando o problema.* [Conjug.: v. *trancar.*]

remastigação. *S. f.* Ação ou efeito de remastigar.

remastigar. [De *re-* + *mastigar.*] *V. t. d.* **1.** Tornar a mastigar; remascar: *Os ruminantes remastigam a comida.* **2.** Mastigar bem, demoradamente: *Remastigar os alimentos é regra para a boa digestão.* [Conjug.: v. *largar.*]

remataçäo. [De *rematar* + *-ção.*] *S. f.* V. *arrematação.*

rematado. [Part. de *rematar.*] *Adj.* **1.** Concluído, acabado, pronto: *A obra rematada estava imponente.* **2.** Completo, total, perfeito: *É um rematado tratante, merece castigo.*

rematador (ô). *Adj.* e *s. m.* Que ou aquele que remata.

rematar. [De *re-* + *matar.*] *V. t. d.* **1.** Dar remate a; concluir, completar, terminar, acabar, arrematar: *Rematará o trabalho no fim de semana;* "A donzela remata a barra bordada de um corpete, e a agulha voa entre seus dedos delicados." (Rebelo da Silva, *De noite Todos os Gatos são Pardos,* p. 120). **2.** Completar ou fechar com remate (4): *Uma pinha de porcelana remata o telhado.* **3.** Fazer remate de pontos em (costura); arrematar: *O alfaiate rematou as calças. Int.* **4.** Findar, terminar, acabar: *A carta rematava com votos de felicidade. T. i.* **5.** Terminar, acabar, findar: *A festa rematou em confusão. P.* **6.** Ter fim; terminar(-se), acabar(-se), findar(-se): *Sua época de prosperidade rematou-se.*

remate. [Dev. de *rematar.*] *S. m.* **1.** Ato ou efeito de rematar ou concluir; conclusão, término, acabamento, fim. **2.** Aquilo que remata. **3.** Acabamento, perfeição, na feitura de alguma coisa; mate. **4.** Adorno que conclui uma obra de arquitetura. **5.** V. *tornada*¹ (2). **6.** *Fig.* O ponto mais alto; o auge; o apogeu; o cume. **7.** *Tip.* Serifa. **8.** *Tip.* V. *vinheta de remate.*

rematrícula. [De *re-* + *matrícula.*] *S. f.* Nova matrícula; matrícula renovada.

remedar. [Do lat. vulg. *reimitare < *imitare,* 'imitar'.] *V. t. d.* Arremedar: "a poesia perdeu o entono cavaleiroso para remedar a graça cortesã dos trovadores palacianos" (Latino Coelho, *Cervantes,* p. 48). [Pres. ind.: *remedo,* etc. Cf. *remedo* (ê).]

remedeio. [Dev. de *remediar.*] *S. m. Pop.* Aquilo que remedeia ou atenua uma falta ou um mal.

remediado. [Part. de *remediar.*] *Adj.* **1.** Que possui alguns bens. **2.** Que não é nem pobre nem rico, mas tem recursos bastantes para subsistir.

remediador (ô). [Do lat. *remediatore.*] *Adj.* e *s. m.* Que ou aquele que remedeia.

remediar. [Do lat. *remediare.*] *V. t. d.* **1.** Dar remédio a; atenuar com o remédio o mal ou a dor de: *O médico remediou os doentes.* **2.** Reparar, emendar, corrigir: *O novo diretor pretende remediar as injustiças.* **3.** Prover do mais necessário; abastecer, abastar: *Urge remediar a população flagelada.* **4.** Evitar, atalhar, obstar, prevenir: *Medidas preventivas remedeiam os males.* **5.** Minorar, atenuar, diminuir: *Os comprimidos remediarão a dor;* "fora lembrado o meio das subscrições populares, para remediar a carência de recursos no tesouro público." (Inglês de Sousa, *Contos Amazônicos,* p. 100). *T. d.* e *i.* **6.** Prover, fornecer, abastecer: *Remediou de roupas os dois filhos. P.* **7.** Acorrer às próprias despesas; arranjar-se, arrumar-se: *Os pobres remedeiam-se como podem.* **8.** *Bras.* Servir-se de coisa inferior ou estragada, à falta de outra melhor. **9.** *Bras.* Vencer dificuldades, financeiras ou doutra espécie, por meios não de todo próprios ao objetivo visado. [Irreg. Conjug.: v. *odiar.*]

remediável. [Do lat. *remediabile.*] *Adj. 2 g.* Que pode ser remediado.

remedição. *S. f.* Ato ou efeito de remedir.

remédio. [Do lat. *remediu.*] *S. m.* **1.** Aquilo que combate o mal, a dor ou uma doença. **2.** Aquilo que serve para curar ou aliviar dor ou enfermidade. **3.** Recurso, expediente, solução. **4.** Ajuda, auxílio, socorro, proteção. **5.** Correção, retificação, emenda. **6.** *Jur.* Meio adequado e lícito para se alcançar determinado fim de direito. **7.** *Bras., RJ.* V. *cachaça* (1). ♦ **Não ter nem um para remédio.** *Bras., N.E. Fam.* Não ter absolutamente nenhum: *Não tem em casa nem um livro para remédio.*

remedir. [Do lat. *remetire, em vez de *remetiri.*] *V. t. d.* Tornar a medir: *Os fazendeiros deverão remedir suas terras.* [Irreg. Conjug.: v. *medir.* Pres. ind.: *remeço,* etc; pres. sub.: *remeça,* etc. Cf. *remesso,* do v. *remessar; remessa,* do mesmo v. e s. f.; e *remesso* (ê), s. m.]

remedista. [De *remédio* + *-ista.*] *S. 2 g. Bras., MG.* V. *raizeiro.*

remedo (ê). [Dev. de *remedar.*] *S. m.* V. *arremedo.* [Pl.: *remedos* (ê). Cf. *remedo,* do v. *remedar.*]

remeirada. *S. f. Bras.* **1.** Grupo de remeiros [v. *remeiro* (3)]. **2.** Os remeiros.

remeiro. *Adj.* **1.** Que atende com facilidade ao impulso dos remos: *barco remeiro.* **2.** Rápido, ligeiro, veloz. • *S. m.* **3.** Aquele que rema; remador. **4.** *Bras.* V. *piloto* (8).

remela. [De *mel.*] *S. f.* **1.** Secreção amarelada ou esbranquiçada, que se forma nos pontos lacrimais e no bordo das pálpebras. **2.** *Bras., AL. Fam.* A polpa do coco verde, quando muito tenra. [Var.: *ramela.*]

remelado. [Part. de *remelar.*] *Adj.* V. *remeloso.* [Var.: *ramelado.*]

remelão. *Adj.* **1.** V. *remeloso.* [Fem.: *remelona.*] **2.** Diz-se do açúcar mole e requeimado.

remelar. *V. int.* e *p.* **1.** Criar remela; tornar-se remeloso. **2.** Tornar-se remelão (o açúcar). [Var.: *ramelar.*]

remeleiro. *Adj.* V. *remeloso.*

remelento. *Adj.* V. *remeloso.* [Var.: *ramelento.*]

remelexo (ê). [Talvez de um dev. de *remexer,* com o *le* epentético.] *S. m.* **1.** *Bras. Pop.* Rebolado, requebro, bamboleio, saracoteio. **2.** *Pop.* V. *coréia*¹ (3).

remelgado. [De *remela?*] *Adj. Pop.* Que tem o rebordo das pálpebras virado.

remelhor. [De *re-* + *melhor.*] *Adj. 2 g.* Muito melhor.

remelona. *Adj. (f.)* Fem. de *remelão* (1).

remeloso (ô). *Adj.* Que tem ou cria remelas; liposo, remelento, remelado, remelão, remeleiro: "menino magro e opado, de olhos fundos e remelosos" (Cardoso de Oliveira, *Dois Metros e Cinco,* p. 364). [Var.: *rameloso.*]

remembramento. *S. m.* **1.** Ato ou efeito de remembrar². **2.** *Urb.* Reagrupamento de lotes [v. *lote*¹ (8)] contíguos para constituição de unidades maiores.

remembrança. *S. f. Antiq.* Ato ou efeito de remembrar; relembrança, lembrança: "vagamente ciosa das remembranças de amor que, brandas, ressoavam na singelez nostálgica das doces músicas crioulas." (Alcides Maia, *Tapera,* p. 12).

remembrar¹. [Do lat. *rememorare, por *rememorari.*] *V. t. d.* e *t. d.* e *i. Antiq.* V. *relembrar.*

remembrar². [De *re-* + *membro* + *-ar*².] *V. t. d.* **1.** Tornar a reunir (o que estava desmembrado). **2.** *Urb.* Fazer o remembramento (2) de.

rememoração. [Do lat. *rememoratione.*] *S. f.* Ato ou efeito de rememorar.

rememorar. [Do lat. *rememorare, em vez de *rememorari.*] *V. t. d.* **1.** Tornar a lembrar; recordar, relembrar: "Esta é que não esquece a cena, e agora de novo a rememora, enquanto se deixa ficar na cama, com saudades do sono." (Lúcia Miguel Pereira, *Cabra-Cega,* p. 166.) **2.** Dar idéia de; lembrar, recordar: *A paisagem rememorava a floresta africana. Int.* **3.** Lembrar ou recordar o passado, coisas passadas: "Chove. Alta noite. Fumo e rememoro." (Austro-Costa, *Mulheres e Rosas,* p. 55.) [Pres. ind.: *rememoro,* etc. Cf. *remé* *moro.*]

rememorativo. [Do lat. *rememoratu*, part. pass. de *rememorari*, 'rememorar', + *-ivo.*] *Adj.* Que rememora ou serve para rememorar.

rememorável. *Adj. 2 g.* Digno de ser rememorado; célebre, notável, memorável.

remêmoro. [Dev. de *rememorar.*] *Adj. Poét.* Que rememora ou relembra; que se recorda. [Cf. *rememoro*, do v. *rememorar.*]

remendado. [Part. de *remendar.*] *Adj.* **1.** Que tem remendos; que levou remendos: *roupa remendada.* **2.** Cuja roupa apresenta remendos: "Os três irmãos de Medranhos .... eram então, em todo o Reino das Astúrias, os fidalgos mais famintos e os mais remendados." (Eça de Queirós, *Contos*, p. 129.) **3.** Que tem remendo (4); manchado, sarapintado, mosqueado.

remendagem. *S. f.* **1.** Ação ou efeito de remendar. **2.** *Tip.* V. *composição de fantasia.*

remendão. [De *remendar* + *-ão*[2].] *Adj.* **1.** Que faz remendos. ● *S. m.* **2.** Indivíduo que faz remendos. **3.** Homem de pouca habilidade no seu ofício; sarrafaçal. **4.** Sapateiro que apenas conserta o calçado, sem fabricá-lo. [Sin. ger.: *remendeiro.* Fem.: *remendona.*]

remendar. [De *re-* + *emendar.*] *V. t. d.* **1.** Deitar remendos em: "Minha mãe remendando, costurando o que a nossa inquietação descosia" (Mílton Dias, *As Cunhãs*, p. 48); "sentada na sua cadeirinha de palha, ... remenda, na paz do Senhor, desbotado avental de ganga azul" (Antero de Figueiredo, *Toledo*, p. 128). **2.** Retificar, consertar, emendar: *remendar os erros de um escrito.* **3.** Mesclar (a linguagem) de estrangeirismos ou termos impróprios: *Os ignorantes remendam o vocabulário.* [Cf. *reemendar.*]

remendeira. *S. f.* Mulher que faz remendos; remendona.

remendeiro. [De *remendo* + *-eiro.*] *Adj.* **1.** Remendão. ● *S. m.* **2.** Indivíduo remendão. **3.** *Tip.* V. *compositor de bicos.*

remendo. [Dev. de *remendar.*] *S. m.* **1.** Pedaço de pano para consertar uma parte da roupa. **2.** Correção, retificação, emenda. **3.** Peça de metal, couro, etc., para consertar um objeto de substância igual ou parecida. **4.** Mancha no couro dos animais. **5.** *Tip.* V. *obra-de-bico.*

remendona. [Fem. de *remendão.*] *Adj.* (*f.*) **1.** Que faz remendos. *S. f.* **2.** Remendeira. **3.** Mulher desajeitada, sem habilidade.

remenear. [De *re-* + *menear.*] *V. t. d.* Menear novamente, ou repetidas vezes. [Conjug.: V. *frear.*]

remeneio. [Dev. de *remenear.*] *S. m.* Ação ou efeito de remenear.

remenicar. [De *nica* (1)?] *V. int.* e *t. i.* Replicar, retorquir, redargüir: *Ouviu passivo, sem remenicar; Obedeça-lhe às ordens, não lhe remenique.* [Conjug.: v. *trancar.*]

remense. [Do lat. *remense.*] *Adj. 2 g.* **1.** De, ou pertencente ou relativo a Reims (França). ● *S. 2 g.* **2.** Natural ou habitante de Reims.

remerecedor (ô). *Adj.* Que remerece ou merece muito.

remerecer. [De *re-* + *merecer.*] *V. t. d.* Merecer muito; merecer mais do que aquilo que recebeu [Conjug.: v. *aquecer.*]

remergulhar. [De *re-* + *mergulhar.*] *V. t. d.* Mergulhar novamente; tornar a meter debaixo da água: *As enormes vagas remergulharam o barco;* "Tempão lutou o peixe antes de pranchear, entregue. A espaços apontava a cabeça à superfície .... para, em seguida, remergulhar num último desespero." (Mário Palmério, *Vila dos Confins*, p. 39).

remessa[1]. [Do lat. *remissa*, 'coisas remetidas'.] *S. f.* **1.** Ato ou efeito de remeter. **2.** Aquilo que se remeteu. [Cf. *remeça*, do v. *remedir.*]

remessa[2]. [Dev. de *remessar.*] *S. f.* Ato de remessar. [Cf. *remeça*, do v. *remedir.*]

remessar. [De *remesso* + *-ar*[2].] *V. t. d.* e *p.* V. *arremessar.* [Pres. ind.: *remesso, remessas, remessa*, etc. Cf. *remesso* (ê), s. m., e *remeço, remeças, remeça*, do v. *remedir.*]

remesso (ê). [Do lat. *remissu*, part. pass. de *remittere*, 'atirar para trás; remeter'.] *S. m.* **1.** Arremesso. **2.** Arma de arremesso. [Pl.: *remessos* (ê). Cf. *remesso*, do v. *remessar*, e *remeço*, do v. *remedir.*]

remestre. [De *re-* + *mestre.*] *S. m.* Mestre excepcional, extraordinário.

remetente. [Do lat. *remittente.*] *Adj. 2 g.* e *s. 2 g.* Que ou quem remete. [Cf. *remitente.*]

remeter. [Do lat. *remittere.*] *V. t. d.* **1.** Acometer com ímpeto; investir contra; atacar: *O exército remeteu os inimigos.* **2.** Delongar, adiar, espaçar, procrastinar: *remeter uma decisão. T. d.* e *i.* **3.** Mandar, enviar, expedir: *Remeteu as encomendas à família;* "Em segredo, remetera o conto para uma revista do Rio, que mantinha um concurso permanente deles." (Herberto Sales, *Histórias Ordinárias*, p. 108). **4.** Confiar, encomendar, recomendar: *Remeteu a decisão a instância superior.* **5.** Sujeitar, expor, submeter: *Não devemos remeter nossas vidas a riscos desnecessários.* **6.** Entregar, deixar: *A viúva remeteu ao compadre a tarefa de cuidar do orfãozinho. T. i.* **7.** Investir, arrojar-se, atirar-se, arremeter: *A fera remeteu contra os caçadores;* "enquanto .... os cães furiosos remetiam à porta, ele .... repetia milhares e milhares de vezes: ... 'Zé, quando voltares, vem aqui ao vale'." (Conde de Ficalho, *Uma Eleição Perdida*, p. 211). *P.* **8.** Entregar-se, dar-se, aplicar-se: "Esfrangalhado o guião, os do Chico Euletério remeteram-se .... à tarefa de arrancar tochas e insígnias das mãos do acompanhamento." (João da Silva Correia, *Farândola*, p. 29.) **9.** Estar por; entregar-se, confiar-se: *O réu remeteu-se à justiça dos jurados.* **10.** Referir-se, aludir: *Remetome às afirmações de um especialista.*

remetida. [De *remeter* + *-ida.*] *S. f.* V. *arremetida.*

remetimento. [De *remeter* + *-i-* + *-mento.*] *S. m.* V. *arremetida.*

remexer. [Do lat. *remiscere.*] *V. t. d.* **1.** Mexer de novo: *Embora advertida, a criança remexeu os objetos.* **2.** Mexer repetidamente: *O palhaço remexia mãos e pés.* **3.** Agitar, misturar, mexendo: *remexer o café.* **4.** Sacudir, agitar, revolver: *Os banhistas remexem a areia da praia. T. i.* **5.** Bulir, tocar, mexer: *Deixem os papéis como estão: não remexam em nada;* "como sabia que o morador não aparecia àquela hora, começava a bulir nos livros, a remexer nas gavetas abertas" (Aluísio Azevedo, *O Mulato*, p. 129). *P.* **6.** Mover-se, agitar-se: *A multidão remexia-se desordenadamente.* **7.** *Bras.* Rebolar(-se), bambolear(-se), saracotear(-se).

remexido. [Part. de *remexer.*] *Adj.* **1.** Em que se remexeu. **2.** *Fam.* Buliçoso, inquieto, traquina(s).

remeximento. *S. m.* Ação ou efeito de remexer(-se).

remição. [De *remir* + *ção.*] *S. f.* **1.** Ato ou efeito de remir(-se). **2.** Libertação, resgate. **3.** Salvação de pecados ou de crimes por meio da expiação. [Cf. *remissão.*]

remido. [Part. de *remir.*] *Adj.* **1.** Resgatado, libertado; salvo. **2.** Desobrigado de qualquer compromisso; liberado, quitado: *sócio remido.*

remidor (ô). [De *remir* + *-(d)or.*] *Adj.* e *s. m.* Redentor (1 e 2).

remiforme. [De *remo* + *-i-* + *-forme.*] *Adj. 2 g.* Que tem forma de remo.

rêmige. [Do lat. *remige.*] *S. f.* **1.** V. *remígio* (1). ● *Adj. 2 g.* **2.** *Ant.* Que rema. ♦ **Rêmiges primárias.** Penas implantadas na ponta da asa. **Rêmiges secundárias.** Penas implantadas na parte média da asa. **Rêmiges terciárias.** Penas inseridas na axila.

remigense. *Adj. 2 g.* **1.** De, ou pertencente ou relativo a Remígio (PB). ● *S. 2 g.* **2.** Natural ou habitante de Remígio.

remígio. [Do lat. *remigiu.*] *S. m.* **1.** Cada uma das penas mais longas das asas das aves; rêmige, guia: "Quando passamos, levantaram vôo dois corvos ...., cujos remígios silvaram cortando o ar." (Júlio Dantas, *Abelhas Doiradas*, p. 159.) **2.** O bater das asas; o vôo das aves: "Um giganteu condor, em gloriosos remígios, / Revoando em direção do pantanal distante." (Martins Fontes, *Verão*, p. 40.)

remigração. *S. f.* Ato ou efeito de remigrar.

remigrado. [Part. de *remigrar.*] *Adj.* Que remigrou.

remigrar. [Do lat. *remigrare.*] *V. int.* Volver ao ponto donde se emigrou; repatriar-se: *Muitos patriotas remigraram nos últimos 10 anos.*

reminar-se. *V. p. Bras., N.E.* Revoltar-se, rebelar-se, insurgir-se: *Os pernambucanos reminaram-se contra o domínio holandês, no séc. XVII.*

reminhol. [De *remo*[1] + *-inho-* + *-ol*?] *S. m. Bras.* Colher grande de cobre, com que nos engenhos se mexe o açúcar. [Pl.: *reminhóis*; var.: *rominhol* (q. v.).]

reminiscência. [Do lat. *reminiscentia.*] *S. f.* **1.** Aquilo que se conserva na memória; lembrança, memória, recordação. **2.** A faculdade da memória (1). **3.** Lembrança vaga: "Eu não sei evitar numa reminiscência longínqua a saudade violeta de certa criaturinha indecisa que nunca tive" (Mário de Sá-Carneiro, *A Confissão de Lúcio*, p. 134). **4.** *Filos.* Segundo Platão [v. *platonismo*], lembrança do que a alma contemplou em uma vida anterior, quando, ao lado dos deuses, tinha a visão direta das idéias.

remípede. [Do lat. *remipede.*] *Adj. 2 g. Zool.* Que tem os pés em forma de remos.

remir. [Do lat. *redimere*, 'adquirir de novo'.] *V. t. d.* **1.** Adquirir de novo. **2.** Tirar do cativeiro, do poder alheio; resgatar: *Ciro, o Grande, remiu os judeus escravizados por Babilônia; As tropas remiram os territórios ocupados.* **3.** Indenizar, compensar, reparar, ressarcir: *Não se sabe quem remirá os danos da guerra.* **4.** Livrar das penas do Inferno; salvar: *Cristo veio à Terra para remir os homens.* **5.** Fazer esquecer; expiar, pagar: *A penitência remirá teus pecados.* **6.** Libertar (uma propriedade) de um ônus, pagando a importância dela. *T. d.* e *i.* **7.** Livrar, libertar, resgatar: *A fiança remiu-o da prisão;* "faltava indústria que o remisse do clandestino e pesado cativeiro que o oprimia." (Correia Garção, *Obras Poéticas e Oratórias*, p. 576). *P.* **8.** Livrar-se do cativeiro; resgatar-se: *Os prisioneiros remiram-se a si próprios.* **9.** Recuperar-se de uma falta; reabilitar-se: *Os pecadores podem remir-se.* **10.** Livrar-se de uma situação arriscada: *Pretendeu remir-se da guerra alegando doença.* [Var. de *redimir.* Só tem as f. nas quais ao *m* da raiz se segue a vogal *i*; as que faltam são supridas com as do v. *redimir.* Assim, faz no pres. ind.: *redimo, redimes, redime, remimos, remis, redimem*; no imperat.: *redime tu, remi vós*; no pres. subj.: *redima, redimas*, etc. Contudo, encontra-se no Pe Antônio Vieira a f. *rime*, em vez de *redime* (*Sermões*, II, p. 196).]

remirar. [De *re-* + *mirar.*] *V. t. d.* **1.** Tornar a mirar, a contemplar: *Na sua alegria, remirava aquele rosto amado;* "por vezes esquecia-se a remirar embevecida uma jarrinha de Sèvres, uma estatueta primorosa" (Júlio Ribeiro, *A Carne*, p. 69). **2.** Observar, olhar, com atenção: *Remirou-a de alto a baixo;* "Agora, aquietada a imaginação e o ressentimento, mira e remira a alcova solitária" (Machado de Assis, *Quincas Borba*, p. 73). *P.* **3.** Rever-se com atenção: *Remirou-se nas águas do lago.*

remissa. [Fem. substantivado do adj. *remisso.*] *S. f.* **1.** Quantia reposta por um parceiro no jogo do voltarete. **2.** *Fig.* Adiamento, transferência, delonga.

remissão. [Do lat. *remissione.*] *S. f.* **1.** Ação ou efeito de remitir(-se); remitência. **2.** Compensação, paga; satisfação: "Chorava à noite, em segredo, no dormitório; mas colhia as lágrimas numa taça, como fazem os mártires das estampas bentas, e oferecia ao Céu, em remissão dos meus pobres pecados, com as notas más boiando." (Raul Pompéia, *O Ateneu*, pp. 73-74.) **3.** Misericórdia, clemência, indulgência; perdão: *uma falta sem remissão.* **4.** Perdão total ou parcial dos pecados, concedido pela Igreja: "Os sãos de corpo e alma demandavam, pois, os Sagrados Lugares, onde todo o pecado encontrava remissão segundo as bulas dos Papas." (Aquilino Ribeiro, *Por Obra e Graça*, p. 205.) **5.** Perdão de ônus ou dívida. **6.** Falta ou diminuição de rigor, de força, de intensidade: *As medidas visavam à remissão de calamidades.* **7.** Lenitivo, alívio, consolo: "Tinha o ar de sofrer, numa funda saudade, / A dor fina e sem remissão da tua ausência, / Da tua adolescente e clara mocidade." (Manuel Bandeira, *Estrela da Vida Inteira*, p. 42.) **8.** Ação ou efeito de remeter, de mandar a um ponto dado: *As remissões do dicionário esclarecem o leitor.* [Cf. *remição.*]

remissível. [Do lat. *remissibile.*] *Adj. 2 g.* Que pode ser remetido ou remitido.

remissivo. [Do lat. *remissivu.*] *Adj.* **1.** V. *remissório* (1). **2.** Que remete para outro ponto: *índice remissivo.* **3.** Que contém referências; alusivo. ~ V. *índice* —.

remisso. [Do lat. *remissu.*] *Adj.* **1.** Descuidado, negligente, desleixado. **2.** Sem atividade; indolente, frouxo. **3.** Vagaroso, lento, tardo: "A Grécia era geograficamente a passagem mais direta e natural entre o Oriente e o Ocidente, entre os impérios asiáticos, onde a cultura madrugou, e as povoações européias, onde o sol do entendimento foi mais remisso em despontar." (Latino Coelho, *A Oração da Coroa*, p. LIII.) **4.** Pouco intenso: "Deseje poucas cousas, e essas com afeto remisso, e sem empenhar-se, porque das nossas vontades fortes, e depois frustradas, têm princípio as nossas tristezas, e iras." (Pe Manuel Bernardes, *Nova Floresta*, V, p. 418.). ● *S. m.* **5.** Aquele que desvia dinheiro ou valores que lhe foram confiados. [Cf. *omisso.*]

remissor (ô). [De *remisso* + *-or.*] *Adj.* V. *remissório.*

remissório. [De *remisso* + *-ório.*] *Adj.* **1.** Que remite; remissivo, remitente. **2.** Que contém remissão. [Sin. ger.: *remissor.*]

remitarso. [De *remo* + *-i-* + *tarso.*] *Adj. Zool.* Que tem os tarsos em forma de remo.

remitência. [Do lat. *remittentia.*] *S. f.* **1.** Remissão (1). **2.** *Med.* Interrupção ou diminuição dos sintomas de uma doença.

remitente. [Do lat. *remittente.*] *Adj. 2 g.* **1.** V. *remissório* (1). **2.** Que apresenta remitência. [Cf. *remetente.*]

remitir. [Do lat. *remittere.*] *V. t. d.* **1.** Ter como perdoado; perdoar, indultar: *Só o Presidente pode remitir uma pena.* **2.** Dar ou considerar como pago ou satisfeito; desistir de; quitar: *remitir dívidas.* **3.** Diminuir a intensidade de; afrouxar, atenuar, abrandar: *A seca remitiu a impetuosidade das correntes.* **4.** Restituir, ceder, entregar: *O funcionário remitiu o cargo.* *T. d. e i.* **5.** Ter como perdoado; perdoar, indultar: *Remitiram a pena ao condenado à prisão perpétua.* **6.** Ceder; devolver, restituir: *Remitiu os direitos de primogenitura ao irmão que fora dado como morto.* *Int.* **7.** Diminuir de intensidade; afrouxar, abrandar: *O vento remitiu.* **8.** Ter intervalos ou diminuir de intensidade (doença); ceder: *A febre, com o tratamento, remitiu.* *P.* **9.** Tornar-se menos intenso; afrouxar-se, diminuir, mitigar-se: *A dor remitiu-se.*

remível. *Adj. 2 g.* Que se pode remir.

remo¹. [Do lat. *remu.*] *S. m.* **1.** Instrumento de madeira, composto de um cabo roliço terminado por uma parte espalmada, e que serve para impulsionar, manobrar ou fazer parar pequenas embarcações. **2.** O esporte de remar: *Pratica a natação e o remo.* ♦ **Remo de esparrela.** *Marinh.* Remo comprido, usado à popa em forqueta, tolete ou estropo, para governo de embarcação em condições especiais. **Remo de ginga.** *Marinh.* Remo à popa, montado, como o de esparrela, para propulsão e governo. **Enforcar um remo.** *Bras. Marinh.* Deixar que ele fique pressionado contra o costado, preso na chumaceira ou toleteira, por descontrole da remada.

remo². *Bras. S. 2 g.* **1.** Indivíduo dos remos, tribo indígena pano, da bacia do Javari. ● *Adj. 2 g.* **2.** Pertencente ou relativo a essa tribo. [Sin. ger.: *sacuia.*]

remoagem. [De *remo(er)* + *-agem²*; cf. *moagem.*] *S. f.* Ação ou efeito de remoer; nova moagem.

remoalho. [De *remoer.*] *S. m.* Bolo de alimentos que os ruminantes fazem retornar à boca para ser remoído.

remobilização. *S. f.* Ato de remobilizar; nova mobilização.

remobilizar. [De *re-* + *mobilizar.*] *V. t. d.* Mobilizar outra vez.

remoçado. [Part. de *remoçar.*] *Adj.* **1.** Que remoçou, ou rejuvenesceu. **2.** Que adquiriu novo vigor; revigorado.

remoçador (ô). *Adj.* **1.** Que faz remoçar; remoçante, remoçativo. ● *S. m.* **2.** O que faz remoçar.

remoçante. *Adj. 2 g.* V. *remoçador* (1).

remoção. [Do lat. *remotione.*] *S. f.* Ato ou efeito de remover.

remocar. [De *re-* + *moca³* + *-ar².*] *V. t. d. e t. d. e i.* Apreciar com remoque; censurar, exprobar. [Conjug.: v. *trancar.*]

remoçar. [De *re-* + *moço* + *-ar².*] *V. t. d.* **1.** Tornar moço; dar frescor juvenil a; fazer reviver; rejuvenescer, juvenescer: *A tranqüilidade remoça os velhos.* *Int.* **2.** Tornar-se moço; tomar aparência de moço; readquirir vigor; rejuvenescer, juvenescer: "Parecera *remoçar* ultimamente, mais ligeiro nos modos, com uma claridade d'esperança nas lunetas, na fronte erguida." (Eça de Queirós, *Os Maias*, II, p. 48.) *P.* **3.** Readquirir força e vigor; robustecer-se, revigorar-se: *A quarentona remoçou-se após o novo casamento.* [Conjug.: v. *laçar.*]

remoçativo. *Adj.* V. *remoçador* (1).

remodelação. *S. f.* Ato ou efeito de remodelar; remodelamento, remodelagem.

remodelador (ô). *Adj. e s. m.* Que ou aquele que remodela.

remodelagem. *S. f.* V. *remodelação.*

remodelamento. *S. m.* V. *remodelação.*

remodelar. [De *re-* + *modelar.*] *V. t. d.* Tornar a modelar; refazer com modificações profundas: *remodelar um texto original.* [Cf. *remanejar.*]

remoedura. [De *remoer* + *-(d)ura.*] *S. f.* Ato de remoer(-se).

remoela. [De *remoer.*] *S. f.* **1.** Pirraça, acinte, desfeita. **2.** Troça, escárnio, zombaria, surriada.

remoer. [De *re-* + *moer.*] *V. t. d.* **1.** Moer novamente: *remoer o café.* **2.** Tornar a mastigar; remastigar, ruminar: *O boi pastava, remoendo o capim.* **3.** Pensar ou refletir muito em; ruminar: *remoer uma idéia;* "Não habituada, como eu, àquelas irritações súbitas do Roberto, que aliás duram pouco, Gabriela havia ficado magoada e *remoía* o incidente." (Ciro dos Anjos, *Abdias*, p. 104). **4.** Importunar, molestar, ralar: *A tristeza remoeu corações.* *Int.* **5.** Tornar a mastigar a forragem; ruminar: "Os bois, sentados no quinteiro, *remoíam* absortos." (João de Araújo Correia, *Terra Ingrata*, p. 55.) *P.* **6.** Encher-se de raiva; afligir-se, amofinar-se: *Remoí-me com a molecagem daquele tipo.* [Conjug.: v. *moer.*]

remoído. [Part. substantivado de *remoer.*] *S. m. Bras.* Subproduto da moagem do trigo.

remoinhada (o-i). *S. f.* Ato de remoinhar; redomoinhada.

remoinhar (o-i). [De *re-* + *moinho* + *-ar².*] *V. int.* **1.** Andar à roda em círculos ou espirais: *Os ventos remoinharam, destruindo tudo;* "A atmosfera *remoinha* batida em chupo de ciclone." (Alberto Rangel, *Livro de Figuras*, p. 223). **2.** Mover-se circularmente; dar voltas; revolutear: "O rio descia, correndo, suspendia-se ali, *remoinhando*, e passava adiante" (Fernando Namora, *Os Clandestinos*, p. 10); *O avião remoinhou e caiu.* *T. d.* **3.** Fazer girar; rodar: *O vento remoinha as pás do moinho.* [Sin. ger.: *redemoinhar* e *redomoinhar.*]

remoinho. (o-í). [Dev. de *remoinhar.*] *S. m.* **1.** Ato ou efeito de remoinhar. **2.** Movimento em círculo causado pelo cruzamento de ondas ou ventos contrários. **3.** Movimento circular e forte, de pequeno diâmetro, que se processa em espiral, da superfície para o fundo nas águas de um rio ou do mar. [Cf. *turbilhão* (2).] **4.** Rajada de vento, pé-de-vento, tufão, que se movimentam em círculo(s). **5.** Distribuição natural espiralada dos fios do cabelo, rente à raiz. [Var. e f. paral.: *redemoinho, redomoinho, rodomoinho* e (bras.) *rodamento, redemunho* e, p. us., *rodamoinho.*]

remoinhoso (o-i...ô). *Adj.* Que faz remoinhos.

remolada. [Do fr. *rémoulade.*] *S. f.* Molho picante preparado com mostarda, salsa, cebolinha, alho, azeite-doce e limão, e que acompanha carnes frias, peixe, mariscos, etc.

remolar. [Do esp. *remolar.*] *S. m. Ant.* Indivíduo que fabricava ou consertava remos.

remolhar. [De *re-* + *molhar.*] *V. t. d.* **1.** Molhar de novo: *Remolhe o churrasco de 10 em 10 minutos.* **2.** Molhar bem; repassar de líquido: *Remolhe o pão antes de juntá-lo à massa.* [Pres. ind.: *remolho*, etc. Cf. *remolho* (ô).]

remolho (ô). [Dev. de *remolhar.*] *S. m.* **1.** Ato ou efeito de remolhar. **2.** *Fam.* Doença que obriga a estar de cama. [Pl.: *remolhos* (ô). Cf. *remolho*, do v. *remolhar.*]

remondagem. *S. f.* Ato ou efeito de remondar.

remondar. [Do lat. *remundare.*] *V. t. d.* Mondar novamente.

remonta. [Dev. de *remontar.*] *S. f.* **1.** Suprimento de novos cavalos para as tropas de cavalaria; montaria. **2.** Gado cavalar ou muar utilizado nas tropas de cavalaria. **3.** Pessoal incumbido de comprar esse gado. **4.** *Pop.* Conserto, reforma, reparo. **5.** *Bras. Turfe.* Serviço especializado do Exército que trabalha diretamente ligado aos jóqueis-clubes do País e ao Ministério da Agricultura no serviço de aprimoramento da raça eqüina nacional.

remontado. [Part. de *remontar.*] *Adj.* **1.** Que subiu muito. **2.** Muito alto; muito elevado. **3.** Distante, longínquo, remoto. **4.** Em que ocorreu remonta (1): *regimento remontado.* **5.** Que sofreu remonte (2): *sapatos remontados.*

remontar. [Do gr. *remonter.*] *V. t. d.* **1.** Erguer, elevar, levantar muito: *O condor remonta o vôo.* **2.** Substituir o gado muar ou cavalar de (a tropa): *O comandante remontou o regimento.* **3.** Reparar, consertar, remendar: *remontar os sapatos.* **4.** Fazer fugir para os montes: *Os cães remontaram a caça.* **5.** Tornar a montar (peça de teatro). *T. d. e i.* **6.** Cobrir, rematar ou guarnecer na extremidade: *O ferreiro remontou de fisgo o arpão.* *T. i.* **7.** Ir buscar a origem ou a data: *O povo grego remonta aos tempos homéricos.* **8.** Volver, recuar (muito atrás, no passado): "*Remontemos* ao dia 24 de junho de 1841. Se pertenceis ao número dos meus inimigos, ... repetireis a velha chalaça de que foi nesse ano que eu fiz a barba pela primeira vez." (Machado de Assis, *A Semana*, II, p. 124); "A mais antiga lembrança de menino [de Monteiro Lobato] está ligada à natureza e *remonta* aos cinco anos de idade" (Edgard Cavalheiro, *Monteiro Lobato*, I, p. 16). *Int.* **9.** Tornar a montar em cavalgadura, etc.: *O soldado remontou e partiu.* **10.** *Bras.*, *S.* Voltar à nascente; subir de novo. *P.* **11.** Elevar-se muito; subir muito alto: *Os foguetes espaciais remontam-se, atingindo alturas incríveis.* **12.** Fugir, separar-se, apartar-se: *Vocação de místico, sabe remontar-se dos prazeres meramente materiais.* **13.** Aludir, referir-se (em geral a coisas antigas ou pessoas de outra época): *É próprio do historiador remontar-se ao passado.*

remonte. [Dev. de *remontar.*] *S. m.* **1.** Ato ou efeito de remontar(-se). **2.** Reparo ou conserto no calçado. **3.** Cabedal próprio para fazer tal conserto.

remoque. [Dev. de *remocar.*] *S. m.* **1.** Dito picante. **2.** Insinuação indireta e maliciosa. **3.** V. *zombaria:* "Várias vezes, no correr dos tempos, naturais e reinóis se haviam defrontado, e uma guerra contínua de chufas e *remoques* lavrava por todo o território da colônia." (Ronald de Carvalho, *Estudos Brasileiros*, 1ª série, p. 46.)

remoqueador (ô). *Adj. e s. m.* Que ou aquele que remoqueia.

remoquear. *V. t. d.* **1.** Dirigir remoques a; ferir com remoques. *Int.* **2.** Dizer remoques [Conjug.: v. *frear.*]

remora. [Dev. de um possível **remorar.*] *S. f.* **1.** Adiamento, dilação, delonga. **2.** *Fig.* Obstáculo, impedimento, barreira, óbice. [Cf. *rêmora.*]

rêmora. [Do lat. *remora*, 'demora'.] *S. f.* Designação comum ao peixe teleósteo, discocéfalo, da família dos equeneidos (*Remora remora* (L.)), e outras espécies dessa família, que ocorrem no Atlântico. O *Remora remora* é caracterizado por ter sobre a cabeça um disco adesivo elipsoidal, com o qual se prende aos tubarões, para se locomover, nadadeiras dorsal e anal opostas e simétricas. Coloração pardo-purpúrea, com uma linha negra ao longo da região vertebral. Algumas espécies são cosmopolitas e fixam-se também ao fundo de embarcações. [Sin.: *agarrador, pegador, peixe-pegador, peixe--piolho, piolho-de-cação, piolho-de-tubarão, piraquiba.* Cf. *remora*, do v. *remorar* e s. f.]

remorado. [Do lat. *remoratu.*] *Adj. P. us.* Retardado, demorado, delongado, remoroso: "Reflete [o sertanejo] a preguiça invencível, a atonia muscular perene, em tudo: na palavra *remorada*, no gesto contrafeito, no andar desaprumado, na cadência langorosa das modinhas, na tendência constante à imobilidade e à quietude." (Euclides da Cunha, *Os Sertões*, p. 115.)

remorar. [Do lat. **remorare*, em vez de *remorari.*] *V. t. d. P. us.* Retardar, demorar, delongar, protrair. [Pres. ind.: *remoro, remoras, remora*, etc. Cf. *rêmora.*]

remordacíssimo. *Adj.* Superl. abs. sint. de *remordaz.*

remordaz. [De *re-* + *mordaz.*] *Adj. 2 g.* Mordaz em excesso. [Superl. abs. sint.: *remordacíssimo.*]

remorder. [Do lat. *remordere.*] *V. t. d.* **1.** Morder de novo, ou repetidas vezes: "O Cosme sentiu então uma grande vontade de chorar, mas *remordendo* os beiços dominou-a." (Trindade Coelho, *Os Meus Amores*, p. 96.) **2.** Falar em desabono de; difamar, abocanhar, aboquejar: *Vive a remorder autoridades.* **3.** Torturar, afligir, atormentar: *Os pensamentos ruins remorderam-lhe a alma.* **4.** Cismar repetidamente em; parafusar sobre; remoer, ruminar: *Remordeu anos a fio aquela idéia.* *T. i.* **5.** Tornar a morder. **6.** Repisar; insistir: *remorder num assunto.* **7.** Diminuir ou rebaixar o mérito; desfazer: *O presunçoso remorde em todos os grandes homens.* *P.* **8.** Morder-se muito, ou repetidas vezes: *Remordeu-se de medo.* **9.** Irar-se, enraivecer-se, encolerizar-se: *Remordeu-se ao presenciar a injustiça;* "A mulata ficou a *remorder-se* de fúria, abriu a janela e explodiu: — Grosseirona!" (Coelho Neto, *Turbilhão*, p. 343).

remordimento. *S. m.* **1.** Ato ou efeito de remorder(-se). **2.** V. *remorso.*

remoroso (ô). [De *remora* + *-oso.*] *Adj.* V. *remorado.*

remorsal. *Adj. 2 g.* Referente a remorso.

remorso. [Do lat. *remorsu.*] *S. m.* Inquietação da consciência por culpa ou crime cometido; mordimento, remordimento, bicho-da-consciência.

remotifloro. [De *remoto* + *-i-* + *-floro.*] *Adj. Morfol. Veg.* Que tem flores afastadas umas das outras.

remotifólio. [De *remoto* + *-i-* + *-fólio.*] *Adj. Morfol. Veg.* Que tem folhas distantes entre si.

remoto. [Do lat. *remotu*, 'movido para trás, afastado'.] *Adj.* **1.** Que sucedeu há pouco tempo; antigo, longínquo: "A casa era a da Rua de Matacavalos, o mês novembro, o ano é que é um tanto *remoto*, mas eu não hei de trocar as datas à minha vida só para agradar às pessoas que não amam histórias velhas" (Machado de Assis, *Dom Casmurro*, p. 7). **2.** Muito afastado no espaço; distante, distanciado: "Ela foi a primeira que baixou os olhos ao regaço. Depois, levantou-os, a fim de os levar a outra parte, mais *remota*, o muro da chácara" (Id., *Histórias sem Data*, p. 198). ~ V. *controle —.*

removedor (ô). *S. m. Bras.* Preparado, geralmente líquido, para tirar manchas do soalho, de roupas, etc., ou remover verniz, esmalte, tinta, etc.

remover. [Do lat. *removere*, 'mover para trás, de um lugar para outro'.] *V. t. d.* **1.** Mover outra vez. **2.** Mudar de um lugar para outro: *Removeu a poltrona para abrir a porta do armário;* "Foi preciso varrer, escovar, *remover* do gabinete os móveis que o atravancavam." (Aluísio Azevedo, *Casa de Pensão*, p. 93). **3.** Mudar (empregado, funcionário, etc.) de um posto ou de um local para outro; transferir: *O chefe removeu os empregados mais antigos.* **4.** Vender, afastar, superar: *Procuraremos remover os óbices;* "A prática *removeu* a pouco e pouco todos os estorvos que dificultavam a execução da lei" (Ramalho Ortigão, *As Farpas*, I, p. 63). **5.** Pôr distante; afastar: *O tempo removerá seus temores.* **6.** Agitar para um lado e para outro; remexer. **7.** Frustrar, baldar, evitar: *A tropa de reforço removeu a derrocada. T. d. e i.* **8.** Demitir, destituir, exonerar: *O diretor removeu da chefia o antigo funcionário.* **9.** Mover, levar, induzir: *O patriotismo removeu os soldados ao combate aberto.* **10.** Fazer desaparecer; afastar: *O estudo remove a obscuridade à mente.*

removibilidade. *S. f.* Qualidade ou estado de removível.

removimento. *S. m.* Ato ou efeito de remover.

removível. *Adj. 2 g.* Que pode ser removido. ~ V. *descontinuidade* —.

➧**rempli de soi-même** (rampli de suá-méme). [Fr.] Cheio de si; convencido.

remudar. [De *re-* + *mudar.*] *V. t. d. e t. i.* Mudar novamente.

remugir. [Do lat. *remugire.*] *V. int.* **1.** Mugir de novo, ou repetidas vezes. **2.** Estrondear, retumbar, bramir, rugir. **3.** Fazer imprecações; amaldiçoar, praguejar. *T. d.* **4.** Exprimir ou manifestar remugindo: "As narinas [do touro] abertas, a boca hiante a *remugir* fúrias" (Antero de Figueiredo, *Jornadas em Portugal*, p. 25).

remuito (ũ). [De *re-* + *muito.*] *Adv. P. us.* Muitíssimo.

remuneração. [Do lat. *remuneratione.*] *S. f.* **1.** Ato ou efeito de remunerar. **2.** Recompensa, prêmio. **3.** Gratificação em pagamento de serviço prestado. **4.** Salário; honorários, soldada, soldo, ordenado.

remunerado. [Part. de *remunerar.*] *Adj.* Que tem remuneração (2 a 4). ~ V. *reserva —a.*

remunerador (ô). [Do lat. *remuneratore.*] *Adj. e s. m.* Que ou aquele que remunera ou recompensa.

remunerar. [Do lat. *remunerare.*] *V. t. d.* **1.** Dar remuneração ou prêmio a; premiar, recompensar, galardoar, gratificar: *O júri remunerou os melhores trabalhos.* **2.** Pagar salários, honorários, rendas, etc., a; satisfazer, gratificar: *A firma faliu e não remunerou os empregados.*

remunerativo. [Do lat. *remuneratu*, part. pass. de *remunerare*, 'remunerar', + *-ivo.*] *Adj.* V. *remuneratório.*

remuneratório. [Do lat. *remuneratu*, part. pass. de *remunerare*, 'remunerar', + *-ório.*] *Adj.* **1.** Que remunera; remunerador. **2.** Próprio para recompensar. [Sin. ger.: *remunerativo* e *remuneroso.*]

remunerável. *Adj. 2 g.* Que pode ser remunerado.

remuneroso (ô). *Adj.* V. *remuneratório.*

remurmurar. [Do lat. *remurmurare.*] *V. int.* **1.** Murmurar novamente: *Todos os dias despertava remurmurando.* **2.** Murmurar repetidas vezes: "Levando as folhas secas, amarelas, / Garalha a água e chilra e *remurmura*..." (João Ribeiro, *Versos*, p. 232.)

remurmúrio. [De *re-* + *murmúrio.*] *S. m.* Ato ou efeito de remurmurar: "vozes onomatopaicas, imitantes dos *remurmúrios* da floresta." (Martins Fontes, *Terras da Fantasia*, p. 24).

rena. [De or. lapônia ou finlandesa, atr. do sueco *ren* e do fr. *renne.*] *S. f.* V. *rangífer.*

renal. [Do lat. *renale.*] *Adj. 2 g.* **1.** Relativo ou pertencente a rins. **2.** Do rim: *cálculo renal.* ~ V. *cálice —, cilindro —, hipertensão — e pelve —.*

renano. [Do lat. *rhenanu.*] *Adj.* **1.** Relativo ao Reno, rio da Europa. **2.** De, ou pertencente ou relativo à Renânia, região banhada por esse rio. ● *S. m.* **3.** Natural ou habitante da Renânia.

renão. [De *re-* + *não.*] *Adv.* F. reforçada de *não.*

➧**renard** (renar). [Fr.] *S. m.* Raposa (2).

renascença. [Do fr. *renaissance.*] *S. f.* **1.** Ato ou efeito de renascer. **2.** Vida nova. **3.** Movimento artístico e científico dos sécs. XV e XVI, que pretendia ser um retorno à Antiguidade Clássica. [Sin., nas acepç. 1 a 3: *renascimento.*] **4.** *Encad.* O estilo que se caracteriza pelos abundantes ornatos dourados, largo emprego de arcos e florões, etc. ● *Adj. 2 g.* **5.** Pertencente à, ou próprio da época ou do estilo da Renascença (3).

renascente. [Do lat. *renascente.*] *Adj. 2 g.* Que renasce.

renascentista. *Adj. 2 g.* Relativo à, ou próprio da Renascença (3).

renascer. [Do lat. **renascere*, em vez de *renasci.*] *V. int.* **1.** Nascer de novo (na realidade ou na aparência): *A unha extirpada renasceu; Renascem as flores na primavera.* **2.** *Fig.* Nascer de novo [q. v.]. **3.** Crescer ou germinar outra vez; recrescer: *Ao rever o inimigo, seu sentimento de ódio renasceu.* **4.** Adquirir nova atividade, novo impulso; renovar-se, revigorar-se: *A ciência renasceu na Idade Moderna.* **5.** Remoçar, rejuvenescer, juvenescer: *O velho senhor renasceu após uns meses de descanso.* **6.** Tornar a aparecer; ressurgir, reaparecer: *Declarada a nova guerra, a angústia do povo renasceu.* **7.** Continuar existindo; reproduzir-se: *Com o nascimento do filho, sentiu que renascia.* **8.** Lançar rebentos ou brotos; brotar, desabrochar, rebentar, renovar: *As plantas renasceram.* **9.** Corrigir-se, reabilitar-se, recuperar-se: *Alguns condenados renascem.* [Conjug.: v. *aquecer.*]

renascimento. [De *renascer* + *-i-* + *-mento.*] *S. m.* V. *renascença* (1, 2 e 3).

renavegar. [Do lat. *renavigare.*] *V. t. d. e int.* **1.** Navegar novamente. **2.** Navegar para o ponto de partida. [Conjug.: v. *regar.*]

renda[1]. [Dev. de *render.*] *S. f.* **1.** Resultado financeiro de aplicação de capitais ou economias, ou de locação ou arrendamento de bens patrimoniais: *Vive de rendas; A renda da Santa Casa dá para suas despesas.* **2.** Rendimento (3). **3.** Qualquer rendimento (3) sujeito a obrigações tributárias: *Já fez sua declaração de renda?* **4.** V. *receita* (1): *a renda de um leilão, de uma tômbola.* **5.** O total das quantias recebidas, por pessoa ou entidade, em troca de trabalho ou de serviço prestado; receita: *a renda de um advogado, de um dentista; a renda de um colégio, de um clube.* **6.** *Bras., SP. Obsol.* Rendimento de um saco de café em coco, de 40 kg, calculado por amostragem. [De cada remessa de sacos ao comprador tiram-se amostras que, reunidas e pesadas, são, a seguir, beneficiadas; se, p. ex., 40 kg de amostras produzem 22,3 kg de café beneficiado, o saco remetido renderá 22,3 kg.] ♦ **Renda nacional.** *Econ.* Soma de todas as remunerações pagas aos proprietários dos fatores de produção num determinado período. [É igual ao Produto Nacional líquido, menos os impostos indiretos, mais os subsídios.] **Renda *per capita*.** *Econ.* Resultado da divisão da renda nacional pelo número de habitantes de um país, e que é indicador imediato e geral de um processo de desenvolvimento; renda por pessoa. **Renda por pessoa.** Renda *per capita.*

renda[2]. [Do esp. *randa* < al. *Rand*, 'borda'; ou do celta.] *S. f.* **1.** Tecido de malhas abertas e contextura em geral delicada, cujos filos (de linho, algodão, seda, etc.), trabalhados à mão ou à máquina, se entrelaçam formando desenhos, e que é usado para guarnecer ou confeccionar peças de vestuário, alfaias, roupa de cama e mesa, etc. **2.** Qualquer lavor ou motivo ornamental à imitação de renda[2] (1); rendado. ♦ **Fazer renda.** *Bras., N.E. Pop.* Tomar chá de cadeira.

rendado. [Part. de *rendar[2].*] *Adj.* **1.** Adornado com rendas [v. *renda[2]* (1)]. **2.** Que tem o aspecto de renda[2] (1): *grade rendada.* [F. paral.: *arrendado[2].*] ● *S. m.* **3.** O conjunto das rendas [v. *renda[2]* (1)] que guarnecem uma roupa. **4.** Renda[2] (2).

rendão. *S. m.* Tecido de renda[2] grossa, em geral de algodão natural ou sintético, que é fabricado industrialmente e se usa na confecção de cortinas, colchas, vestidos, etc.

rendar[1]. [De *renda[1]* + *-ar[2].*] *V. t. d. e t. d. e i.* **1.** Arrendar[1] [q. v.]. *Int.* **2.** Pagar rendas [v. *renda[1]*]: *Os camponeses rendam anualmente.*

rendar[2]. [De *renda[2]* + *-ar[2].*] *V. t. d.* Adornar com renda[2]; arrendar: *rendar uma anágua.*

rendaria. *S. f.* **1.** Arte, indústria ou comércio de rendas [v. *renda[2]* (1)]. **2.** Grande quantidade de rendas [v. *renda[2]* (1)].

rendedoiro. [De *render* + *-(d)oiro[1].*] *Adj.* Var. de *rendedouro.*

rendedouro. [De *render* + *-(d)ouro*; var.: *rendedoiro.*] *Adj.* **1.** Que rende ou produz. **2.** Que promete renda[1] ou produto.

rendeira[1]. [Do *renda[1]* + *-eira.*] *S. f.* **1.** Mulher que arrenda uma propriedade rústica. **2.** Mulher de rendeiro[1].

rendeira[2]. [De *renda[2]* + *-eira.*] *S. f.* **1.** Mulher que fabrica ou vende rendas [v. *renda[2]* (1)]. **2.** *Bras.* Ave passeriforme, da família dos pipriídeos, sobretudo as espécies dos gêneros *Pipra* L. e *Manacus* Bris., em particular a espécie *M. manacus* (L.), da Amaz., de coloração branca, alto da cabeça, dorso inferior, asas e cauda pretos, uropígio, flancos e crisso cinzentos, e fêmea verde, com o meio do abdome amarelado. [Sin., nesta acepç.: *uirapuru, bilreira, cabeça-de-prata, atangaratinga, rendeiro, maria-rendeira.*] **3.** *Bras.* V. *barbudinho* (1). **4.** *Bras.* V. *uirapuru* (1).

rendeiro[1] [De *renda[1]* + *-eiro.*] *S. m.* **1.** Aquele que arrenda propriedades rústicas; censuário. **2.** Aquele que recebe de outrem imóvel ou dinheiro, obrigando-se a pagar renda periódica. [Cf. *locatário.*]

rendeiro[2]. [De *renda[2]* + *-eiro.*] *S. m.* **1.** Fabricante ou vendedor de rendas [v. *renda[2]* (1)]. **2.** V. *rendeira[2]* (2). **3.** V. *barbudinho* (1).

rendendê. *S. m. Bras.* Redendê.

rendengue[1]. *S. m. Bras., PA* e *MA.* Parte do corpo situada entre a cintura e as virilhas.

rendengue[2] *S. m. Bras., CE.* Pequeno sino; sineta.

render. [Do lat. *reddere*, 'restituir', que, com infl. de *prendere*, 'tomar', passa a **rendere.*] *V. t. d.* **1.** Obrigar a capitular; vencer a resistência de; sujeitar, dominar, vencer. **2.** Ocupar o lugar de; substituir: *Novos soldados chegaram para render a guarda.* **3.** Comover, sensibilizar, enternecer: *O sofrimento rende até os mais duros de coração.* **4.** Deixar como produto ou lucro: *A boiada rendeu dois milhões de cruzeiros.* **5.** Ser causa de; causar, provocar: *A insensatez rende o sofrimento.* **6.** Pôr de lado; depor, largar: *O exército vencido rendeu as armas.* **7.** Enfraquecer, debilitar, diminuir: *A dispersão de forças rendeu nossa capacidade de ataque. T. d. e i.* **8.** Dispensar; prestar; oferecer: "Pois eu também *rendi* minha homenagem / A esse homem de ferro e de coragem" (Domingos Carvalho da Silva, *Liberdade embora Tarde*, p. 20); *Rendamos graças a Deus.* **9.** Produzir, causar (vantagem, resultado): *O decreto rendeu problemas às empresas privadas. Int.* **10.** Ser útil, produtivo; dar vantagem: *No mundo atual nem só a capacidade rende.* **11.** Estalar, rachar, fender: *A madeira rendeu.* **12.** Dar produto ou lucro. **13.** Dar rendimento (5 e 6): *Com esta gasolina, o carro não rende.* **14.** *Pop.* Contrair hérnia. **15.** *Bras.* Demorar muito a acabar; durar: *A conversa rendeu muito. P.* **16.** Dar-se por vencido; entregar-se; submeter-se, capitular: *O inimigo rendeu-se após o cerco;* "Fechemos este livro. / Canudos não se *rendeu*. Exemplo único em toda a história, resistiu até ao esgotamento completo." (Euclides da Cunha, *Os Sertões*, p. 541.) **17.** Abater-se, prostrar-se: *Meu ânimo ainda não se rendeu.*

➧**rendez-vous** (randê-vu). [Fr.] *S. m.* V. *casa de tolerância.*

rendição. *S. f.* Ato ou efeito de render(-se), de capitular, de entregar(-se); capitulação, rendimento.

rendido. [Part. de *render.*] *Adj.* **1.** Fendido, rachado, estalado. **2.** Vencido, subjugado, dominado. **3.** Obediente, dócil, submisso. **4.** *Fig.* Contemplativo, absorto, extático. **5.** *Pop.* Herniado.

rendidura. [De *render* + *-i-* + *-(d)ura.*] *S. f.* **1.** *Ant. Mar.* Rachadura da madeira de um mastro, verga, etc. **2.** *Bras. Pop.* V. *hérnia* (1).

rendilha. [De *renda[2]* + *-ilha.*] *S. f.* **1.** Renda (1) pequena ou delicada [Cf. *espiguilha.*] **2.** *Bras., RS.* Aparelho serrilhado que se põe, preso à cabeceira do freio, sobre o chanfro do animal, para subjugá-lo.

rendilhado. [Part. de *rendilhar.*] *Adj.* **1.** Que tem rendilha(s). **2.** *Fig.* Que tem lavores que lembram rendilhas. **3.** Trabalhado e ornado com delicadeza. [Var.: *arrendilhado.*]

rendilhamento. *S. m.* Ato ou efeito de rendilhar.

rendilhar. *V. t. d.* **1.** Adornar com rendilhas: *rendilhar um vestido.* **2.** Adornar com lavores semelhantes a rendilhas: *rendilhar uma coluna;* "Quero que a estrofe, como um relicário, / Tenha aquele primor extraordinário / De Fray Juan de Segovia, *rendilhando* / O relevo de prata de um sacrário." (Martins Fontes, *Verão*, p. 12). **3.** Entremear de formas variadas, caprichosas e delicadas: *rendilhar uma frase.* **4.** Cortar, recortar, talhar.

rendimento. *S. m.* **1.** Ato ou efeito de render-se. **2.** Ato ou efeito de oferecer, dar, prestar: *rendimento de homenagens.* **3.** O total das importâncias recebidas, por pessoa física ou jurídica, durante certo período, como remuneração de trabalho ou de prestação de serviços, ou como lucro de transações comerciais ou financeiras, de investimentos de capital, etc.; renda. **4.** Lucro; produto; juro. **5.** Eficiência relativa no desempenho de determinada função ou tarefa; produtividade: *O rendimento do time aumentou com a vinda do novo técnico.* **6.** Aproveitamento relativo de força ou energia: *rendimento de um automóvel, de um mecanismo.* **7.** *Fís.* Num sistema capaz de fornecer trabalho, razão entre o trabalho fornecido pelo sistema e a energia fornecida a este. **8.** *Pop.* Deslocamento de osso, ou luxação. ~ V. *rendimentos.*

rendimentos. [Pl. de *rendimento.*] *S. m. pl.* **1.** Cumprimentos respeitosos. **2.** Frutos civis [q. v.]. ~ V. *rendimento.*

rendoso (ô). [De *renda[1]* + *-oso.*] *Adj.* Que rende; lucrativo.

renegação. *S. f.* Ato de renegar; renegamento. [Var.:

arrenegação.]

renegada. [Fem. substantivado do adj. *renegado.*] *S. f.* V. *zanga* (5).

renegado. [Part. de *renegar.*] *Adj.* **1.** Que abandona a sua religião ou o seu partido por outros; apóstata. **2.** Que modifica as suas opiniões. **3.** Odiado, execrado. **4.** Desprezado, rejeitado. ● *S. m.* **5.** Indivíduo renegado (1 e 2). **6.** *Pop.* Indivíduo mau; malvado. [Var.: *arrenegado.*]

renegador (ô). *Adj.* e *s. m.* Que ou aquele que renega.

renegamento. *S. m.* V. *renegação.*

renegar. [Do lat. vulg. **renegare.*] *V. t. d.* **1.** Renunciar solenemente a (religião, crença ou idéia); descrer de; abjurar: *Martinho Lutero renegou o cristianismo romano.* **2.** Abandonar (um partido, uma religião) por outro ou outra: *Renegou o Partido Liberal.* **3.** Execrar, odiar, detestar: *Os cristãos devem renegar o pecado; Renega o destino que tem.* **4.** Trair, atraiçoar: *Judas renegou Cristo.* **5.** Desmentir, contradizer, negar: *O réu no seu depoimento, renegou a acusação.* **6.** Tratar com desprezo; desprezar, rejeitar: *O próprio irmão renega-o.* **7.** Lançar maldição a; amaldiçoar. **8.** Lançar imprecações contra; esconjurar. **9.** Não fazer caso de; prescindir de: *Renegou a ajuda que lhe foi oferecida. T. i.* **10.** Abjurar; descrer: *Os hereges renegaram de Deus.* **11.** Não fazer caso; prescindir: *Nenhum povo pode renegar da cultura.* [Var.: *arrenegar.* Conjug.: v. *regar.*]

renegociação. *S. f.* Ato ou efeito de renegociar.

renegociar. [De *re-* + *negociar.*] *V. t. d.* Negociar outra vez. [Conjug.: v. *negociar.*]

renegociável. *Adj. 2 g.* Que pode ser renegociado.

renembrança. *S. f. Ant.* V. *relembrança.*

renete (ê). [Do fr. *rénette.*] *S. m.* Instrumento com que se apara o casco das bestas; puxavante.

renga. *S. f. Pop.* Var. de *renque.*

rengalho. [De *rengo*[1] + *-alho.*] *S. m. Pop.* Espécie de rede ainda não lavorada e que serve de base para a execução de uma renda[2] (1).

rengo[1]. [De *rengue* < esp. amer. *rengue.*] *S. m.* Tecido transparente para bordados; rengue.

rengo[2]. [Do esp. plat. *rengo.*] *S. m.* **1.** Doença nos quartos traseiros dos cavalos, que, impedindo-os praticamente de andar, os inutiliza para qualquer trabalho. ● *Adj.* **2.** *Bras.* Diz-se de cavalo que manca de uma perna. **3.** V. *coxo* (1).

rengue. *S. m.* Rengo[1].

renguear. [Do esp. plat. *renguear.*] *V. int.* **1.** *Bras., S.* Tornar-se rengo ou coxo; mancar-se: *O animal rengueou depois de velho.* **2.** Claudicar, mancar, coxear. [Conjug.: v. *frear.*]

rengueira. [Do esp. plat. *renguera.*] *S. f. Bras., S.* O defeito de renguear; manqueira.

renhideiro. [Do esp. plat. *reñidero.*] *S. m. Bras.* V. *rinha* (2).

renhido. [Part. de *renhir.*] *Adj.* **1.** Disputado com pertinácia; porfiado, encarniçado: "Dava-me gosto então a peleja *renhida* das duas imagens" (Raul Pompéia, *O Ateneu*, p. 23). **2.** *Fig.* Sangrento, cruento: *batalha renhida.*

renhimento. *S. m.* Ato ou efeito de renhir(-se).

renhir. [Do esp. *reñir.*] *V. t. d.* **1.** Disputar, pleitear: *Os rapazes renhiam o amor da bonita jovem.* **2.** Contender, combater, lutar com: *Usou do chicote para renhir as feras.* **3.** Travar, desencadear: *Os marginais renhiram um cerrado tiroteio. T. i.* **4.** Porfiar, altercar, discutir; combater, contender: *renhir com os adversários. Bit. i.* **5.** Discutir, porfiar, altercar; combater, contender: *Os ministros renhiram com outras autoridades sobre a validade do decreto. Int.* **6.** Travar contenda ou luta; combater furiosamente; pelejar: *Os exércitos renhiram por 10 dias e 10 noites. P.* **7.** Tornar-se renhido: "Enquanto cura a Eurípilo o Menécio, / *Renhia-se* o conflito" (Manuel Odorico Mendes, *Ilíada de Homero*, p. 153). [Defect. Só se conjuga nas f. em que ao *h* se segue a vogal *i.*]

reniforme. [Do lat. *rene*, 'rim', + *-i-* + *forme.*] *Adj. 2 g.* Que tem forma de rim; nefróide. ~ V. *folha* —.

renila. *S. f.* Animal celenterado, antozoário, alcionário, penatuláceo, do gênero *Renila* Lamarck, com pólipos situados nos poros do esqueleto, discóide ou semelhante a um rim ou um amor-perfeito, fortemente colorido; cogumelo-do-mar, orelha-de-macaco.

renina[1]. [Do lat. *rene*, 'rim', + *-ina*[1].] *S. f.* Substância liberada pelos rins em caso de isquemia renal.

renina[2]. [Do ingl. *rennin.*] *S. f. Bioquím.* Diástase ativa na coagulação do leite e presente nas mucosas intestinais; quimosina.

rênio. [Do lat. cient. *Rehnium* < *Rhenu*, 'o rio Reno'.] *S. m. Quím.* Elemento de número atômico 75, metálico, muito denso, com elevado ponto de fusão, usado como catalisador. [Símb.: *Re.*]

renitência. [Do lat. *renitentia.*] *S. f.* Qualidade de renitente; teimosia, obstinação, pertinácia, contumácia.

renitente. [Do lat. *renitente.*] *Adj. 2 g.* Que renite; teimoso, obstinado, pertinaz, contumaz.

renitir. [Do lat. **renitere, por reniti.*] *V. int.* e *t. i.* **1.** Mostrar-se contumaz, teimoso; teimar, insistir, obstinar-se: *Não adianta renitir: a decisão será cumprida a todo custo;* "E atrás, muito atrás, umas vozes e sons de violino, *renitindo* em velhas canções ingênuas dos tempos da vila" (Xavier Marques, *As Voltas da Estrada*, p. 41). **2.** Persistir no desígnio ou execução de algo.

renomado. [De *renome* + *-ado*[1].] *Adj.* V. *renomeado.*

renome. [De *re-* + *nome.*] *S. m.* **1.** Bom nome; boa reputação; crédito. **2.** Fama, nomeada.

renomeado. [De *renome* + *-eado.*] *Adj.* Que tem renome; renomado, famoso, célebre.

renova. [De *renovo.*] *S. f.* Renovo (4).

renovação. [Do lat. *renovatione.*] *S. f.* Ato ou efeito de renovar(-se); renovamento.

renovador (ô). [Do lat. *renovatore.*] *Adj.* e *s. m.* Que ou aquele que renova.

renovamento. *S. m.* Renovação.

renovar. [Do lat. *renovare.*] *V. t. d.* **1.** Tornar novo; dar aspecto ou feição de novo a; mudar ou modificar para melhor: "se não tens força, nem originalidade para *renovar* um assunto gasto, melhor é que te cales e te retires." (Machado de Assis, *Histórias sem Data*, pp. 4-5). **2.** Substituir por novo, por coisa nova: *O comerciante renovou os estoques.* **3.** Recomeçar, reiniciar, restaurar: *Os agressores renovaram a luta.* **4.** Dizer ou fazer de novo; repetir: *O suplicante renovou os apelos.* **5.** Consertar, reformar, corrigir, melhorar em todos os aspectos ou praticamente em todos: *Os sábios renascentistas renovaram a ciência medieval.* **6.** Fazer novamente; refazer: *renovar um contrato, uma promissória.* **7.** Excitar de novo; tornar a excitar. **8.** Consertar, reparar; reformar: *Mandou renovar o motor do carro.* **9.** Pôr novamente em vigor; restaurar, restabelecer: *renovar um regulamento esquecido.* **10.** Dar novo brilho a. **11.** Dar novas forças a: *O sol renova a vegetação.* **12.** Trazer de novo à lembrança; relembrar: *Renovava com saudade os seus tempos de criança. T. d.* e *i.* **13.** Fazer de novo; repetir, reiterar: *Renovarei o pedido às autoridades. Int.* **14.** Deitar novos rebentos ou renovos; brotar: *As plantas renovam na primavera.* **15.** Surgir de novo; vir novamente; reaparecer, restabelecer-se, renovar-se: *Com a falta de providências sanitárias, a epidemia renovou.* **16.** Sobrevir; suceder-se; renovar-se: *Os ataques inimigos renovam dia após dia. P.* **17.** Rejuvenescer, juvenescer, revigorar-se: *Renovou-se com a medicação geriátrica.* **18.** Aparecer de novo; repetir-se: *Observações astronômicas prevêem que a aparição do cometa renovar-se-á em 80 anos.* **19.** Renovar (15). **20.** V. *renovar* (16). [Pres. ind.: *renovo*, etc. Cf. *renovo* (ô).]

renovatório. [Do lat. *renovatu*, part. pass. de *renovare*, 'renovar' + *-ório.*] *Adj. Jur.* Que serve para renovar.

renovável. *Adj. 2 g.* Que pode ser renovado.

renovo (ô). [Dev de *renovar.*] *S. m.* **1.** V. *rebento* (1): "Pelos gravetos secos pulula a seiva fecunda a borbulhar nos *renovos* para amanhã desabrochar em rama frondosa." (José de Alencar, *O Sertanejo*, p. 98.) **2.** Ramo novo que cresce do toco de uma árvore recém-cortada, e do qual se origina uma nova árvore. **3.** V. *broto* (3). **4.** *Fig.* Descendência, renova. ~ V. *renovos.* [Pl.: *renovos* (ó). Cf. *renovo*, do v. *renovar.*]

renovos. [Pl. de *renovo.*] *S. m. pl.* Produtos agrícolas. ~ V. *renovo.*

renque. [Do frâncico *hrings*, 'círculo', atr. do cat. *renc*, 'fila'.] *S. m.* e *f.* Disposição de coisas ou de pessoas na mesma linha; ala, fileira, alinhamento, série: "Pálidos choupos, em *renques* pautados e finos, bordavam canaizinhos muito direitos e claros." (Eça de Queirós, *A Cidade e as Serras*, p. 365); "Ao pé de uma das colunas de pedra, que subindo ao teto se dividiam como os ramos de uma palmeira em artesões de castanho, os quais .... pareciam sustentar a *renque* de lampadários gigantes pendentes da escura profundeza daquelas voltas; — ao pé de uma destas colunas, ... três personagens falavam também havia largo tempo" (Alexandre Herculano, *O Bobo*, p. 41). [P. us. no fem. Var., pop.: *renga.*]

renrém. [T. onom.] *S. m. Bras., N.E. Fam.* Altercação prolongada, incessante.

rentabilidade. [Do ingl. *rentability.*] *S. f.* **1.** O grau de êxito econômico de uma empresa em relação ao capital nela investido. **2.** Possibilidade de rendimento: rendimento, lucro: "A abolição da escravidão afetara profundamente os remanescentes da fazenda. Baixara a *rentabilidade* das terras." (Vivaldo Coaraci, *Paquetá*, p. 45.)

rentar. [De *rente* + *-ar*[2].] *V. t. i.* **1.** Dirigir provocações; alardear valentias. **2.** Dirigir galanteios; galantear, cortejar: *O grupo de jovens rentava à bela moça.* [F. paral.: *rentear.*]

rentável. [Do ingl. *rentable.*] *Adj. 2 g.* Que propicia boa rentabilidade: *imóvel rentável.*

rente. [Do lat. *radente*, 'que raspa'.] *Adj. 2 g.* **1.** Muito curto; cérceo: "moreno cor de jenipapo, cabelo *rente*, à escovinha" (Adolfo Caminha, *Bom-Crioulo*, p. 30). **2.** Muito chegado: próximo, vizinho: *Sua casa era apalacetada, embora casas rentes fossem bem modestas.* **3.** *Fam.* Que chega ou acode a tempo; que não falha; constante, assíduo: *Nas datas da família era figura rente.* ● *Adv.* **4.** Pela raiz ou pelo pé; cerce: *Cortou o cabelo rente.* ◆ **Rente a.** Muito próximo de; ao rés de; rente de; rente com: "Que linda e pobre casa, a sua casa! / *rente ao* caminho, à beira duma fonte" (Antônio Correia d'Oliveira, *A Minha Terra*, VI, p. 33). **Rente com.** V. *rente a.* **Rente de.** V. *rente a:* "*Rente de* mim, lábios indígenas vão modelando em tom cansado árias mouriscas" (João da Silva Correia, *Farândola*, p. 11).

renteador (ô). *Adj.* e *s. m.* Que ou aquele que renteia; galanteador.

rentear. [De *rente* + *-ear.*] *V. t. d.* **1.** Cortar cerce ou rente: *rentear as unhas.* **2.** Passar rente a; roçar: *O carro renteou o muro;* "havia os amorosos, que traziam de olho a Sofia, *renteavam* a janela baixa da Bola-de-Sebo" (Augusto Meyer, *No Tempo da Flor*, p. 58). *T. i.* **3.** Rentar. [Conjug.: v. *frear.*]

rentura. [De *rente* + *-ura.*] *S. f. P. us.* Pontaria certeira.

renuente. [Do lat. *renuente.*] *Adj. 2 g.* **1.** Que renui ou recusa; abnuente. **2.** Que balança a cabeça significando não.

renuído. [Part. substantivado de *renuir.*] *S. m.* Gesto negativo feito com a cabeça; renutação.

renuir. [Do lat. *renuere.*] *V. t. d.* Renunciar, rejeitar, recusar: *Orgulhoso, renui qualquer favor.* [Conjug.: v. *atribuir.*]

renúncia. [Dev. de *renunciar.*] *S. f.* Ato ou efeito de renunciar; renunciação, renunciamento. [Cf. *renuncia*, do v. *renunciar.*]

renunciabilidade. *S. f.* Qualidade de renunciável.

renunciação. [Do lat. *renuntiatione.*] *S. f.* V. *renúncia.*

renunciado. [Part. de *renunciar.*] *Adj.* **1.** Diz-se daquilo que foi objeto de renúncia. **2.** *Jur.* Renunciatário. ● *S. m.* **3.** *Jur.* Renunciatário.

renunciador (ô). [Do lat. *renuntiatore.*] *Adj.* e *s. m.* Que ou aquele que renuncia; renunciante.

renunciamento. *S. m.* V. *renúncia.*

renunciante. *Adj. 2 g.* e *s. 2 g.* Renunciador.

renunciar. [Do lat. *renuntiare.*] *V. t. d.* **1.** Não querer; rejeitar, recusar: *Os eremitas renunciavam os bens materiais.* **2.** Deixar voluntariamente a posse de: desistir de; abdicar: *D. Pedro I renunciou o trono do Brasil.* **3.** Descrer de; abjurar, renegar: *Muitos cristãos renunciam a fé. T. i.* **4.** Recusar, rejeitar: *renunciar a honrarias.* **5.** Não fazer caso de; desprezar, desdenhar: "O homem ideal da Idade Média era o frade que *renunciava* à vida e preferia a pobreza voluntária ao trabalho secular." (Oto Maria Carpeaux, *A Cinza do Purgatório*, p. 302.) **6.** Desistir de; abdicar: *renunciar ao poder.* **7.** Abjurar, renegar: *renunciar a uma crença. Int.* **8.** Resignar cargo ou função; abdicar: *O Presidente renunciou.* **9.** Em certos jogos carteados, deixar de acompanhar o naipe puxado pelo primeiro jogador, apesar de o ter entre suas cartas: *Esta carta de ouros prova que o parceiro renunciou na segunda mão.* [Pres. ind.: *renuncio, renuncias, renuncia*, etc. Cf. *renúncia.*]

renunciatário. [Do lat. *renuntiatu*, part. pass. de *renuntiare*, 'renunciar', + *-ário.*] *Adj.* e *s. m. Jur.* Que ou aquele em favor de quem se opera a renúncia; renunciado.

renunciatório. [Do lat. *renuntiatu*, part. pass. de *renuntiare*, 'renunciar', + *-ório.*] *S. m.* Aquele que adquiriu a posse renunciada por outrem.

renunciável. *Adj. 2 g.* Que se pode renunciar.

renutação. [Do lat. *renutare*, 'recusar'.] *S. f.* Renuído.

renutrir. [Do lat. *renutrire.*] *V. t. d.* **1.** Tornar a nutrir; dar nova nutrição a. *Int.* **2.** Adquirir nova nutrição.

renzilha. [Do esp. ant. *renzilla.*] *S. f. Pop.* Rixa, quizila, rezinga.

▲re(o)-. [Do gr. *rhéos.*] *El. comp.* = 'água corrente'; 'corrente', 'fluxo': *reotropismo; reóstato.*

reóbase. [De *re(o)-* + *-base.*] *S. f. Fisiol.* A menor intensidade de corrente capaz de excitar um tecido, caso seja permitido que esta flua através dele pelo tempo necessário.

reocupação. *S. f.* Ato ou efeito de reocupar.

reocupar. [De *re-* + *ocupar.*] *V. t. d.* Ocupar de novo; retomar, reconquistar: *As tropas reocuparam as posições perdidas.*

reóforo. [De *re(o)-* + *-foro.*] *S. m. Fís.* Condutor elétrico filiforme.

reograma. [De *re(o)-* + *-grama.*] *S. m. Fís.* Qualquer representação gráfica da deformação de um sistema elástico.

reologia. [De *re(o)-* + *-log(o)-* + *-ia.*] *S. f.* Parte da física que investiga as propriedades e o comportamento mecânico dos corpos deformáveis que não são nem sólidos nem líquidos.

reológico. *Adj.* Referente à reologia.

reômetro. [De *re(o)-* + *-metro.*] *S. m. Fís.* Instrumento destinado à medição de correntes elétricas ou fluidas.

reônomo. [De *re(-o)-* + *-nomo.*] *Adj.* ~V. *vínculo —.*

reopexia (cs). [De *re(o)-* + *-pex-* + *-ia.*] *S. f. Fís.* Propriedade apresentada por substâncias em que o coeficiente de viscosidade cresce com a tensão de cisalhamento.

reordenação. *S. f.* Ato ou efeito de reordenar; reordenamento.

reordenamento. *S. f.* Reordenação.

reordenar. [De *re-* + *ordenar.*] *V. t. d.* **1.** Ordenar outra vez; tornar a pôr em ordem. **2.** Conferir novas ordens a: *O bispo reordenou o padre.*

reorganização. *S. f.* Ato ou efeito de reorganizar.

reorganizador (ô). *Adj.* e *s. m.* Que ou aquele que reorganiza.

reorganizar. [De *re-* + *organizar.*] *V. t. d.* **1.** Tornar a organizar: *Reorganizaram o partido extinto:* "Em algum ponto da terra poderiam descer, estabelecer-se, deitar raízes novamente, reorganizar sua pequena comunidade." (Lia Correia Dutra, *Navio sem Porto,* p. 26). **2.** Melhorar, reformar, aprimorar: *Os novos diretores vão reorganizar a empresa.*

reorientação. *S. f.* Ato ou efeito de reorientar.

reorientar. [De *re-* + *orientar.*] *V. t. d.* Dar nova orientação a; orientar de novo.

reostato. [De *re(o)-* + *-stato.*] *S. m. Eletr.* Resistor variável, utilizado, em geral para limitar corrente em circuitos ou dissipar energia. [Var. pros.: *reóstato.*]

reóstato. *S. m.* Reostato.

reótomo. [De *re(o)-* + *-tomo.*] *S. m. Fís. Obsol.* Peça empregada para interromper a passagem de uma corrente elétrica.

reotropismo. [De *re(o)-* + *tropismo.*] *S. m. Bot.* Tropismo induzido pela água corrente.

reouvir. [De *re-* + *ouvir.*] *V. t. d.* e *int.* Ouvir de novo: "O senhor [Afonso Arinos de Melo Franco] chegou a reler ou a reouvir o seu célebre discurso de 1954, tão decisivo para os acontecimentos históricos posteriores?" (Cora Rónai, *Idéias: Um Livro de Entrevistas,* p. 92.) [Conjug.: v. *ouvir.*]

reoxidar (cs). [De *re-* + *oxidar.*] *V. t. d.* Oxidar outra vez.

rep. [Do ingl. *rep* < *r(oentgen) e(quivalent) p(hysical).*] *S. m. Med. Nucl..* Unidade de dose absorvida, igual à dose absorvida em água após uma exposição dum roentgen.

repa (ê). *S. f.* Fiapo ou fio de cabelo: "mostrava .... as repas grisalhas que lhe cobriam o crânio estreito" (Eça de Queirós, *A Capital,* p. 58). [M. us. no pl. Cf. *farripas.*]

repagar. [De *re-* + *pagar.*] *V. t. d.* **1.** Pagar de novo; tornar a pagar. **2.** Pagar bem: *A alta soma repagava o seu trabalho.* [Conjug.: v. *largar,* mas tem dois part.: *repagado* (p. us.) e *repago.*]

repaginação. *S. f. Tip.* Ato ou efeito de repaginar.

repaginar. [De *re-* + *paginar.*] *V. t. d. Tip.* Paginar novamente (composição tipográfica), por motivo de erro ou de alteração do texto ou do formato.

repago. [Part. de *repagar.*] *Adj.* Pago novamente.

repandirrostro. [Do lat. *repandirostru.*] *Adj. Zool.* Que tem o bico muito espalmado.

repando. [Do lat. *repandu,* 'revirado, arrebitado'.] *Adj. Morfol. Veg.* Ondulado: *folíolo repando.* ~V. *folha —a.*

repanhar. [F. aferética de *arrepanhar.*] *V. t. d.* e *p.* V. *arrepanhar.*

reparabilidade. *S. f.* Qualidade de reparável.

reparação. [Do lat. *reparatione.*] *S. f.* **1.** Ato ou efeito de reparar(-se); reparo. **2.** Restauração, reforma, conserto, reparo. **3.** Indenização, ressarcimento. **4.** Satisfação dada à pessoa ofendida ou injuriada. **5.** *Rel.* Ato que pretende desagravar a Deus de ofensas cometidas pelo próprio agente ou por outrem.

reparadeira. *S. f.* Mulher que repara em tudo, que tudo bisbilhota.

reparado. [Part. de *reparar.*] *Adj.* Que sofreu reparo(s); consertado.

reparador (ô). [Do lat. *reparatore.*] *Adj.* e *s. m.* Que ou aquele que repara, que melhora, ou fortifica.

reparar. [Do lat. *reparare.*] *V. t. d.* **1.** Fazer reparo ou conserto em; consertar, restaurar, refazer: *O pedreiro reparou o muro parcialmente destruído.* **2.** Recobrar, restabelecer, recuperar: *Parou um pouco para reparar as forças.* **3.** Retocar, melhorar, aperfeiçoar, aprimorar: *Tomou da pena para reparar o texto.* **4.** Remediar, corrigir, emendar: *Procuraremos reparar os erros anteriores.* **5.** Indenizar, compensar, ressarcir: *O governo reparará os prejuízos.* **6.** Fixar a vista ou a atenção em; observar, ver, notar: "Repara, Marília, / o quanto é mais forte" (Tomás Antônio Gonzaga, *Marília de Dirceu,* p. 122); "Não sei se vossemecê, andando pelo sertão, já se deteve a reparar a alma das casas." (Viriato Correia, *Histórias Ásperas,* p. 173); "Não reparou que D. Severina tinha um xale que lhe cobria os braços" (Machado de Assis, *Várias Histórias,* p. 56). [Em geral só se admite o uso do verbo, nesta acepç., como transitivo indireto; no exemplo de Machado de Assis, é lícito considerar elíptica a prep. *em,* podendo a abonação estar, portanto, entre as da acepç. 8.] **7.** Dar satisfação de: *O ofensor tentou reparar as calúnias. T. i.* **8.** Fixar a vista ou a atenção; atentar, atender: "E só então reparou em como também o seu cabelo era dum castanho bem claro, quase louro." (Lucílio Varejão, *Visitação do Amor,* p. 30); "— Ó Lemos, repara naquela senhora que ali passa" (Artur Azevedo, *Contos Cariocas,* p. 65); "Ninguém reparou no luto de Jana, ninguém quis saber quem lhe morrera" (Xavier Marques, *Jana e Joel,* p. 153). [Cf. *reparar* (6).] **9.** Dar atenção; ligar importância; ligar: *Não repare nos maus modos do rapaz.* [Tb. nesta acepç., como na anterior se observa a tendência para empregar o verbo como transitivo direto.] **10.** Tomar cautela; tomar tento: *Convém reparar nos falsos amigos.* [Aplica-se aqui, tb., a observação feita na acepç. 9.] **11.** Dirigir a vista; olhar: *Repare na pessoa que acabou de chegar.* [Cabe aqui a mesma observação.] *P.* **12.** Abrigar-se, proteger-se, resguardar-se: *reparar-se do mau tempo.* **13.** Recuperar-se, ressarcir-se: *O comerciante reparou-se das perdas.*

reparatório. [Do lat. *reparatu,* part. pass. de *reparare,* 'reparar', + *-ório.*] *Adj.* Que envolve reparação (3 e 4).

reparável. *Adj. 2 g.* Que pode ser reparado.

reparecer. *V. int. P. us.* Reaparecer. [Conjug.: v. *aquecer.*]

reparo. [Dev. de *reparar.*] *S. m.* **1.** V. *reparação* (1 e 2). **2.** Exame atento; análise, observação. **3.** Apreciação minuciosa; crítica. **4.** Comentário em que se aponta, em tom cordial, falha ou defeito; censura leve; advertência: *Seu reparo foi bem recebido pelas crianças, que procuraram ser mais disciplinadas.* **5.** Remédio, ajuda, auxílio, socorro. **6.** Qualquer defesa ou resguardo de praça militar; trincheira. **7.** Suporte de uma boca-de-fogo, com dispositivos que permitem dar-lhe os movimentos necessários à execução da pontaria, limitar-lhe o recuo e, em certos casos, facilitar-lhe o transporte.

reparte. [Dev. de *repartir.*] *S. m. Bras.* **1.** Divisão, partilha. **2.** Quantidade de jornais, revistas, etc., que é mandada para cada banca ou conjunto de bancas.

repartição. *S. f.* **1.** Ato ou efeito de repartir(-se). **2.** Divisão, partilha; distribuição. **3.** Seção, divisão ou serviço de organização ou estabelecimento destinado a atender interesses comunitários: *Esta repartição da empresa telefônica não está apta a dar informações ao público.* **4.** O local onde funciona qualquer destas seções ou destes estabelecimentos ou organizações: *A repartição fiscal tem sede autônoma.* **5.** Repartição pública: *Os colegas da repartição homenagearam o diretor.* **6.** Regulação ou rateio das avarias grossas, mediante avaliação, para fins reparatórios. **7.** Secretaria (1). ◆ **Repartição consular.** Consulado (4). **Repartição pública.** Cada uma das seções em que está dividido um órgão do serviço público (ministério, secretaria, uma diretoria-geral, etc.). [Tb. se diz apenas *repartição.*]

repartideira. *S. f.* **1.** Pequeno recipiente de cobre, usado para repartir o mel apurado nas fôrmas dos engenhos de açúcar; repartidor. **2.** Mulher que reparte.

repartido. [Part. de *repartir.*] *Adj.* **1.** Dividido; distribuído. **2.** *Bras., SP.* Duvidoso, indeciso, incerto, hesitante, titubeante. ● *S. m.* **3.** *Bras.* V. *risca* (4).

repartidor (ô). *Adj.* **1.** Que reparte. **2.** Partidor (1). ● *S. m.* **3.** Aquele que reparte; divisor. **4.** V. *partidor* (3). **5.** Repartideira (1).

repartimento. [De *repartir* + *-mento.*] *S. m.* **1.** Lugar reservado, separado de outros; compartimento. **2.** Compartimento de dormir; quarto. **3.** *Bras., PA.* Vasto lago margeado por igapós, ou antes, confluência de dois ou mais rios num só, no mesmo lugar.

repartir. [De *re-* + *partir.*] *V. t. d.* **1.** Separar em partes; dividir por grupos; distribuir, dividir: *A Natureza repartiu desigualmente as riquezas.* **2.** Dispor em diferentes locais ou por diferentes vezes: *O próprio comandante repartiu as sentinelas. T. d.* e *i.* **3.** Dar em quinhão; distribuir, dividir: *O pai repartiu a herança entre seus filhos.* **4.** Dispor (em diferentes lugares ou por diversas vezes ou para diversos destinos); distribuir: *O Exército repartiu soldados pela cidade.* **5.** Ocupar, aplicar, empregar, utilizar: *Reparte o dia em ocupações diversas.* **6.** Partir, compartir, partilhar, compartilhar: "No correr dos dias, reparte a sua camaradagem com o Antoninho" (Amadeu de Queirós, *Os Casos do Carimbamba,* p. 145). *P.* **7.** Separar-se em duas ou mais partes; dividir-se, ramificar-se: *A estrada reparte-se aqui.* **8.** Ir por diversas partes ao mesmo tempo; dispersar-se, espalhar-se: *As chuvas repartiram-se por todo o território.* **9.** Dividir a atenção por muitos assuntos: *Reparte-se entre a história, a filosofia e as letras.*

repartitivo. [De *repartir* + *-t-* + *-ivo.*] *Adj.* Que serve para repartir.

repartível. *Adj. 2 g.* Que pode ser repartido.

repas (ê). *S. f. pl.* V. *repa.*

repascer. [De *re-* + *pascer.*] *V. t. d.* e *int.* Tornar a pascer. [Conjug.: v. *crescer.*]

repassada. [De *repassar* + *-ada.*] *S. f. Bras., S.* V. *repasse* (2).

repassado. [Part. de *repassar.*] *Adj.* **1.** Cheio, impregnado, embebido. **2.** *Heráld.* Que tem forma de laçada ou de trança.

repassador (ô). *S. m. Bras., S.* Indivíduo que repassa (cavalos).

repassagem. *S. f. Bras., S.* V. *repasse* (2).

repassar. [De *re-* + *passar.*] *V. t. d.* **1.** Passar de novo: *Os contrabandistas passam e repassam livremente a fronteira;* "E ali se deixou cair, com a cabeça enterrada nos braços, sem pensar, sem sentir, vendo o velho lívido passar, repassar diante dele como um longo fantasma" (Eça de Queirós, *Os Maias,* II, p. 492). **2.** Ensopar, embeber, empapar: *A água repassou as vestes.* **3.** Ler, examinar ou estudar novamente: *repassar uma lição, um trecho musical.* **4.** Recordar, relembrar, rememorar: *Precisa repassar algumas regras ortográficas.* **5.** Impregnar, penetrar, invadir: *O amor repassava-lhe a alma.* **6.** Percorrer com os dedos; desfiar: "Fora, no burburinho do povo que não coubera no templo, todos se ajoelharam e as mulheres, sob véus negros, repassavam rosários de prata e de ouro." (Agripa Vasconcelos, *Gongo Soco,* p. 16.) **7.** *Fin.* Transferir total ou parcialmente (cota de crédito orçamentário ou adicional) para uma unidade administrativa subordinada ou vinculada. **8.** *Bras., SP.* Montar outra vez (animal que está sendo amansado). *T. d.* e *i.* **9.** Embeber, impregnar: *A cozinheira repassou o doce na calda de açúcar.* **10.** Tomar, encher: *As paisagens repassam de encantamento os viajantes. Int.* **11.** Verter umidade; ressumar: *O teto da casa repassa quando chove.* **12.** Passar de novo; tornar a passar: *Os transeuntes passam e repassam.* **13.** Deixar-se embeber ou atravessar de qualquer líquido: *Tecidos plastificados não repassam.* **14.** *Bras., S.* Montar um cavalo para ver se é bravo, se corcoveia ou não, etc. *P.* **15.** Embeber-se, ensopar-se, empapar-se: *Minhas roupas repassaram-se de chuva.* **16.** Tomar-se, encher-se: *Repassou-se de alegria ao saber o resultado.*

repasse. [Dev. de *repassar.*] *S. m.* **1.** Ato de repassar (3): *dar um repasse na lição. Bras., S.* **2.** Cada uma das vezes que um cavalo ou potro é montado para se domar; repasso, repassada, repassagem. **3.** A última colheita ou catação de algodão. **4.** Operação de cata aos frutos do cafeeiro na plantação, depois da colheita, como meio de profilaxia, em especial contra a broca-do-café. **5.** *Fin.* Transferência total ou parcial de cota de crédito orçamentário ou adicional para uma unidade administrativa subordinada ou vinculada.

repasso. [Dev. de *repassar.*] *S. m. Bras., S.* V. *repasse* (2).

repastar. [De *re-* + *pastar.*] *V. t. d.* **1.** Apascentar de novo; levar novamente à pastagem. **2.** Alimentar bem; banquetear: *repastar os convidados. Int.* **3.** Comer abundantemente. *P.* **4.** Comer bem; banquetear-se: *Repastei-me ao jantar.* **5.** Comprazer-se, deliciar-se: *Repastou-se na festa.*

repasto. [De *re-* + *pasto.*] *S. m.* **1.** Abundância de pasto, de alimento. **2.** Refeição (2). **3.** V. *banquete* (2): "Pelas salas e varandas, depois de servido abundante repasto, espalharam-se os convidados a espairecer e a conversar calorosamente." (Xavier Marques, *As Voltas da Estrada*, p. 149.)

repatanar-se. *V. p.* V. *repetenar-se.*

repatriação. *S. f.* Ato ou efeito de repatriar(-se).

repatriado. [Part. de *repatriar.*] *Adj.* e *s. m.* Diz-se de, ou aquele que se repatriou, a quem repatriaram.

repatriador (ô). *Adj.* e *s. m.* Que ou aquele que repatria.

repatriar. [Do lat. *repatriare.*] *V. t. d.* **1.** Fazer regressar à pátria: *O governo repatriará os estrangeiros que fizerem declarações políticas. P.* **2.** Regressar à pátria: *Muitos emigrantes repatriam-se após enriquecer.*

repavimentação. *S. f.* Ato ou efeito de repavimentar.

repavimentar. [De *re-* + *pavimentar.*] *V. t. d.* Tornar a pavimentar.

repechar. [Do esp. plat. *repechar.*] *V. t. d. Bras., PR* e *RS.* **1.** Galgar (um cerro, uma ladeira). *Int.* **2.** Ter (o terreno) um repecho; elevar-se. [Conjug.: v. *fechar.*]

repecho (ê). [Do esp. plat. *repecho.*] *Bras., PR* e *RS. S. m.* **1.** Encosta, subida, ladeira, aclive: "Tínhamos vadeado a sanga e subido o repecho oposto." (Vieira Pires, *Querência*, p. 125.) **2.** Terreno cheio de altos e baixos.

repedir. [De *re-* + *pedir.*] *V. t. d.* Pedir de novo, ou com insistência. [Irreg. Conjug.: v. *medir.*]

repelão. [Aum. de *repelo.*] *S. m.* **1.** Empurrão mais ou menos violento; encontrão, empuxão; sacudidura; repelo, repelido, arrepelão. **2.** Assalto, investida, ataque. [Cf. *arrepelão.*] ♦ **De repelão.** Com violência; com impetuosidade: "Isaura levantou-se de repelão, empurrou-me para um canto do quarto onde havia um cabide, ... foi abrir a porta ..." (Ribeiro Couto, *Clube das Esposas Enganadas*, p. 162).

repelar. [De *repelo* + *-ar.*] *V. t. d.* e *p.* Arrepelar(-se) [q. v.]. [Pres. ind.: *repelo*, etc. Cf. *repelo* (ê).]

repelência. [Do lat. *repellentia.*] *S. f.* Qualidade ou caráter de repelente[2]; repugnância.

repelente[1]. [Do ingl. *repellent.*] *S. m.* Qualquer substância usada com o objetivo de afastar insetos.

repelente[2]. [Do lat. *repellente.*] *Adj. 2 g.* **1.** Que repele. **2.** V. *repugnante* (2 e 3).

repelido. [Part. de *repelir.*] *Adj.* **1.** Impelido para longe; rebatido, rechaçado. **2.** Posto fora; expulso. **3.** Não aceito; não admitido; recusado, rejeitado. [Sin., nessas acepç.: *repulso.*] ● *S. m.* **4.** V. *repelão* (1).

repelir. [Do lat. *repellere.*] *V. t. d.* **1.** Fazer regressar: *O intenso frio repeliu a maioria dos turistas.* **2.** Impelir para longe; rebater, rechaçar: *Nossas tropas repeliram o inimigo.* **3.** Impelir para fora; expulsar: *O organismo repele as substâncias prejudiciais.* **4.** Impedir de entrar ou aproximar-se: *A cerca repele os curiosos.* **5.** Não acolher; não admitir; recusar; rejeitar: *O tribunal repeliu o recurso.* **6.** Fugir ao encontro, ao trato, à convivência de; evitar: *O padre aconselhou-o a repelir as más companhias.* **7.** Ter repugnância a; ser incompatível com; não admitir; repudiar: *Seus princípios morais repelem atitudes escusas.* **8.** Defender-se de; desmentir, rebater: *O diplomata repeliu as calúnias. P.* **9.** Ser antagônico; evitar-se: *Em eletricidade os pólos iguais repelem-se.* [Irreg. Conjug.: v. *aderir.*]

repelo (ê). [De *re-* + *pêlo.*] *S. m.* **1.** Violência, força. **2.** V. *repelão* (1). [Pl.: *repelos* (ê). Cf. *repelo*, do v. *repelar.*]

repenicado. [De *repenicar* + *-ado*[1].] *S. m.* Ato de repenicar; repenique: *o repenicado dos sinos.*

repenicar. [De *repicar.*] *V. t. d.* **1.** Fazer dar sons agudos, percutindo substâncias metálicas; repicar: *O sacristão repenicava o sino.* **2.** Percutir ou fazer soar de maneira rápida, leve e repetida (instrumento de percussão, corda, etc.): "Com os braços no ar repenicando castanholas, a mulher estorcia os quadris muito apertados numa saia que lhe descia até aos pés." (José Régio, *História de Mulheres*, p. 46.) *Int.* **3.** Vibrar estridulamente; produzir sons agudos e metálicos: "Ouvimos repenicar a viola e chorar a rabeca." (Tito de Carvalho, *Bulha d'Arroio*, p. 101); "A sineta repenicou ..." (Eça de Queirós, *A Cidade e as Serras*, p. 202). **4.** Repenicar (2) ou soar batendo repetidamente: "A chuva continuava, monótona, repenicando nos telhados vizinhos." (Inglês de Sousa, *O Missionário*, p. 86.) [Conjug.: v. *trancar.*]

repenique. [Dev. de *repenicar.*] *S. m.* Repenicado.

repensar. [De *re-* + *pensar.*] *V. int.* e *t. i.* **1.** Pensar de novo; tornar a pensar: *Pensou, repensou, e não disse nada; Preciso de repensar no assunto.* **2.** Pensar maduramente; reconsiderar: *Absorto na elaboração do seu ensaio, ficava horas a repensar;* "É bom ler Santo Agostinho, repensar nas suas palavras de humildade neste tempo de arrogância." (Lígia Fagundes Teles, *A Disciplina do Amor*, p. 116.)

repente[1]. [Do lat. *repente.*] *S. m.* **1.** Dito ou ato repentino, irrefletido; ímpeto, impulso. **2.** Qualquer improviso, ou qualquer verso improvisado: *É hábil em fazer repentes.* **3.** *Bras. Restr.* V. *sextilha* (2): *Deixou de cantar martelo e passou a cantar repente.* ♦ **De repente.** De súbito; repentinamente.

repente[2]. [Do lat. *repente.*] *Adj. 2 g.* **1.** *Morfol. Veg.* Rastejante: *estolho repente.*

repentinamente. *Adv.* De modo repentino; de súbito; de repente.

repentinidade. *S. f.* Qualidade de repentino.

repentino. [Do lat. *repentinu.*] *Adj.* Súbito, inopinado, imprevisto, inesperado.

repentista. *Adj. 2 g.* e *s. 2 g.* **1.** Que ou quem diz ou faz as coisas de repente. **2.** Que ou quem improvisa, faz repentes [v. *repente*[1] (2)].

repercorrer. [De *re-* + *percorrer.*] *V. t. d.* Tornar a percorrer.

repercussão. [Do lat. *repercussione.*] *S. f.* **1.** Ato ou efeito de repercutir(-se). **2.** *Fig.* Bom êxito que se caracteriza pela influência exercida, pelo prestígio alcançado: *Seu livro teve repercussão aqui e no estrangeiro.*

repercussivo. [Do lat. *repercussu*, part. pass. de *repercutere*, + *-ivo.*] *Adj.* Que serve para fazer repercussão.

repercutente. [Do lat. *repercutente.*] *Adj. 2 g.* Que repercute.

repercutido. [Part. de *repercutir.*] *Adj.* Que repercutiu; refletido, espelhado.

repercutir. [Do lat. *repercutere.*] *V. t. d.* **1.** Reproduzir, refletir (o som): *As montanhas repercutem o som das cornetas.* **2.** Fazer emitir ou ecoar o som de: *Os tambores repercutem as batidas das baquetas.* **3.** Desviar a direção de; refletir: *A trave repercutiu a bola; O espelho repercute a luz. Int.* **4.** Repetir-se, refletir-se (som, luz); repercutir-se: *O estrondo repercutiu em todo o vale;* "Já se ouviam grazinar as maracanãs entre os leques sussurrantes da carnaúba e repercutirem os gritos compassados do cancã, saltando pela relva." (José de Alencar, *O Sertanejo*, p. 99). **5.** Fazer sentir indiretamente a sua ação ou influência: *As providências tomadas não tardaram a repercutir.* **6.** Ecoar (3). *P.* **7.** Repercutir (4). **8.** Fazer sentir indiretamente a sua ação ou influência [*É p. us. como pronominal.*]

repergunta. [Dev. de *reperguntar.*] *S. f.* **1.** Ato de reperguntar. **2.** Novo interrogatório da testemunha feito pelo advogado da parte contrária à que a ofereceu.

reperguntar. [De *re-* + *perguntar.*] *V. t. d.* **1.** Perguntar novamente; fazer novas perguntas acerca de.

repertoriado. [Part. de *repertoriar.*] *Adj.* Que se repertoriou; compilado.

repertoriar. *V. t. d.* Fazer repertório de; reunir, formando repertório; compilar. [Pres. ind.: *repertorio*, etc. Cf. *repertório.*]

repertório. [De lat. *repertoriu*, 'inventário'.] *S. m.* **1.** Matéria metodicamente disposta. **2.** Coleção, compilação, conjunto: "Possui Castro Alves o mais rico e colorido repertório imagístico da nossa poesia romântica" (Antônio de Pádua, *Aspectos Estilísticos da Poesia de Castro Alves*, p. 21). **3.** Calendário, folhinha, almanaque. **4.** Índice (1) dos assuntos de um livro. **5.** O conjunto das peças teatrais ou das composições musicais pertencentes a um autor, uma escola, uma época, etc., ou que se apresentam com forma ou objetivo definidos: *Do repertório clássico francês só conhece o Cid, de Corneille; Vila-Lobos enriqueceu o repertório pianístico brasileiro.* **6.** O conjunto das obras interpretadas por uma companhia teatral, por um ator, por uma orquestra, por um solista, etc. **7.** *Fig.* Pessoa muito versada em certos assuntos. [Cf. *repertorio*, do v. *repertoriar.*]

repes. [Do fr. *reps.*] *S. m. 2 n.* Tecido grosso, de seda, lã ou algodão, próprio para reposteiros, estofos de cadeiras, etc.: "A mobília da sala de visita era estofada de repes azul-claro." (Gastão Cruls, *De Pai a Filho*, p. 24.)

repesador (ô). *Adj.* e *s. m.* Que, ou aquele que repesa.

repesagem. [De *re-* + *pesagem.*] *S. f. Turfe.* **1.** Repetição da pesagem a que estão obrigados os jóqueis depois de cada páreo. **2.** Recinto onde se realiza essa operação; pesagem.

repesar. [De *re-* + *pesar.*] *V. t. d.* **1.** Pesar de novo; tornar a pesar. **2.** Examinar atentamente; considerar com atenção: *Os deputados repesaram o projeto.* [Pres. ind.: *repeso, repesas, repesa*, etc. Cf. *repeso* (ê), s. m. e *repeso* (ê), adj., flex. *repesa* (ê), *repesas* (ê).]

repeso[1] (ê). [Dev. de *repesar.*] *S. m.* Ato de repesar. [Pl.: *repesos* (ê). Cf. *repeso*, do v. *repesar.*]

repeso[2] (ê). [Do lat. *repensu*, 'compensado, indenizado'.] *Adj.* Arrependido: "Malferido da injúria, cortei relações com ele. Estou repeso." (João de Araújo Correia, *Sem Método*, p. 83.) [Flex.: *repesa* (ê), *repesos* (ê), *repesas* (ê). Cf. *repeso, repesas, repesa*, do v. *repesar.*]

repeteco. [De *repetir.*] *S. m. Bras., RJ. Gír.* Repetição (1): *A loteria repetiu o prêmio três vezes: foi um repeteco incrível; Esta rodada só deu repeteco: empate em todos os jogos.*

repetenar-se. [De *repatanar-se* < *pata*[2]?] *V. p. Fam.* Refocilar-se, repoltrear-se, repotrear-se, refestelar-se.

repetência. [Do lat. *repetentia.*] *S. f.* **1.** Repetição (1). **2.** Condição de repetente (2). **3.** Derivação de humores.

repetente. [Do lat. *repetente.*] *Adj. 2 g.* **1.** Repetidor (1). ● *S. 2 g.* **2.** Estudante que repete uma classe que já havia cursado, principalmente por não ter sido aprovado em exame.

repetição. [Do lat. *repetitione.*] *S. f.* **1.** Ato ou efeito de repetir(-se); repetência. **2.** Devolução, restituição. **3.** *Mús.* Reprodução integral de um trecho de música, indicada principalmente: pelos sinais *D.C.* (= do começo) ou *D.S.* (= do sinal '𝄋' ou ⊕), quando a repetição parte de determinado ponto e acaba na palavra *fim;* pelo travessão duplo e pontoado; pelas expressões *primeira vez* e *segunda vez*, quando o trecho que se deve repetir não termina igual na segunda vez em que é executado. **4.** *Ret.* Figura que consiste na repetição de uma palavra ou frase. **5.** *Tip.* Erro tipográfico, que consiste em duplicar palavra(s) ou frase(s): duplicação. ● *S. 2 g.* **6.** *Bras.* Espécie de rifle ou arma de repetição: "Meia légua dali, ... plantaram uma cruz, ... marcando o lugar onde Antoninho caiu, o corpo varado de balas de repetição quarenta e quatro, papo-amarelo." (Nélson de Faria, *Tiziu e Outras Estórias*, p. 37.)

repetidamente. [Do fem. de *repetido* + *-mente.*] *Adv.* De modo repetido, repetidas vezes; com repetição.

repetido. [Part. de *repetir.*] *Adj.* Que se repete ou repetiu. ~ V. *raiz* —*a*.

repetidor (ô). [Do lat. *repetitore*, 'o que reclama'.] *Adj.* **1.** Que repete; repetente. ~ V. *agulha* —*a*. ● *S. m.* **2.** Aquele que repete. **3.** Professor que tem a função de repetir, repassar, explicar as lições dadas em aula de outro.

repetidora (ô). [Fem. substantivado do adj. *repetidor.*] *S. f.* **1.** *Fotograv.* Máquina usada em fotolitografia, particularmente em ofsete e especialmente na reprodução em cores, para repetir, a distâncias rigorosamente iguais, um original que se quer copiar certo número de vezes na mesma placa, fotomultiplicadora. [V. *multinegativo.*] **2.** *Bras. Mar.* Aparelho que repete as indicações de uma agulha, de um radar, de um sonar, etc. **3.** *Bras.* Estação de televisão que repete os programas de outra tevê.

repetir. [Do lat. *repetere.*] *V. t. d.* **1.** Tornar a dizer ou escrever; repisar: *O professor repetiu os mesmos atos e as mesmas palavras.* **2.** Tornar a fazer, a usar, a executar, etc.: *repetir um vestido;* "Não. Não repetir aos cinqüenta anos as loucuras dos vinte. Fazer outras..." (Miguel Torga, *Diário*, IX, p. 160). **3.** Reproduzir (sons); refletir, repercutir: *O desfiladeiro repetia as vozes;* "Vós, ó côncavos vales que pudestes / A voz extrema ouvir da boca fria, / O nome do seu Pedro que lhe ouvistes, / Por muito grande espaço repetistes." (Luís de Camões, *Os Lusíadas*, III, p. 133). **4.** Reproduzir (imagens); refletir, espelhar: *As águas límpidas repetiam a Lua.* **5.** Cursar pela segunda vez: *Este aluno repetiu o segundo ano.* **6.** Devolver (coisa ou dinheiro); restituir. *T. d.* e *i.* **7.** Dizer outra vez; tornar a dizer: *Repetiu aos filhos a história. Int.* **8.** Repetir (9): *O fenômeno repetiu pela terceira vez. P.* **9.** Tornar a dar-se; acontecer de novo; suceder novamente; repetir: *O incidente repetiu-se inúmeras vezes.* **10.** Tornar a dizer, a escrever, a fazer alguma coisa; insistir na mesma declaração ou no mesmo ato: "Varela, está provado, não somente acusa influências de outros poetas; repetiu-se muito" (Melo Nóbrega, *Arredores da Poesia*, p. 22). [Irreg. Conjug.: v. *aderir.*]

repetitivo. *Adj.* **1.** Que repete ou se repete. **2.** Em que há muitas repetições: "O confronto do *Cancioneiro Geral* com os cancioneiros primitivos revela-nos .... que a velha estrutura paralelística e *repetitiva* caíra no esquecimento." (Antônio José Saraiva e Óscar Lopes, *História da Literatura Portuguesa*, p. 157.)

repetitório. [Do lat. *repetitu*, part. pass. de *repetere*, 'repetir', + *-ório*.] *Adj.* Em que há, ou que envolve repetição; que consiste em repetir(-se): *Observa-se no poeta nítida tendência repetitória, incapacidade absoluta de originalidade.*

repetível. *Adj. 2 g.* Que pode ser repetido.

repicador (ô). *Adj. e s. m.* Que, ou aquele que repica.

repicagem. *S. f.* **1.** Ato ou efeito de repicar; repique. **2.** Transplantação (de planta).

repica-ponto. [De *repicar* + *ponto*[1].] *S. m.* Perfeição, primor, excelência: [Pl.: *repica-pontos.*]

repicar. [De *re-* + *picar.*] *V. t. d.* **1.** Tornar a picar; *repicar os legumes.* **2.** Reduzir a fragmentos muito pequenos; picar: *repicar um documento.* **3.** Arrancar (árvore ou planta) de um lugar para plantar em outro; transplantar. **4.** Fazer dar sons agudos e repetidos; repenicar: *O sacristão repicou os sinos.* **5.** *Mar.* Içar um pouco mais (a vela, a carangueja, etc.). *Int.* **6.** Fazer repique (4); soar festivamente: "Domingo. Os sinos *repicam* / Na igreja, constantemente" (Olavo Bilac, *Poesias Infantis*, p. 47). **7.** No pôquer, dobrar a aposta. [Conjug.: v. *trancar.*]

repimpado. [Part. de *repimpar.*] *Adj.* **1.** De barriga cheia; farto, satisfeito, abarrotado, empanturrado, empanzinado. **2.** Muito bem sentado; refestelado, repoltreado.

repimpar. [De *re-* + *pimpar?*] *V. t. d.* **1.** Encher muito (a barriga, o estômago); abarrotar, fartar, empanturrar, empanzinar. *P.* **2.** V. *repoltrear-se*: *Repimpou-se no canapé.* **3.** Encher-se, abarrotar-se, fartar-se, empanturrar-se, empanzinar-se: *Guloso, repimpa-se às refeições.*

repinchar. [De *re-* + *pinchar.*] *V. int.* Espirrar, respingar, esguichar, quando calcado: *A lama repinchou à passagem do carro.*

repintagem. *S. f. Art. Gráf.* Repinte.

repintar. [De *re-* + *pintar.*] *V. t. d.* **1.** Pintar novamente; tornar a pintar: *Repintei a parede suja.* **2.** Copiar, reproduzir, retratar: *O artista repintava imagens bucólicas.* **3.** Tornar mais visível, mais nítido; avivar: *O sol repinta o verde das matas.* **4.** *Art. Gráf.* Borrar ou imprimir duplamente (a letra), por defeito da prensa ou deslizamento do papel. *Int.* **5.** *Art. Gráf.* Marcar a impressão de uma folha no verso de outra, por defeito da tinta, altura demasiada da pilha ou compressão dela, resvalamento na recepção, ou por haver o padrão entrado em contato com a fôrma.

repinte. [Dev. de *repintar.*] *S. m. Art. Gráf.* Ato ou efeito de repintar; repintagem.

repique. [Dev. de *repicar.*] *S. m.* **1.** Repicagem (1). **2.** Entrechoque de bolas no bilhar. **3.** Alarma, rebate: *repique falso.* **4.** Toque festivo de sinos.

repiquetar. [De *re-* + *piquetar.*] *V. t. d.* Verificar ou corrigir a piquetagem de: *repiquetar um terreno.* [Pres. subj.: *repiquete, repiquetes*, etc. Cf. *repiquete* (ê) e o pl. *repiquetes* (ê).]

repiquete (ê). [Dim. de *repique.*] *S. m.* **1.** Ladeira íngreme. **2.** *Mar.* Vento que sopra em direções momentaneamente variáveis. **3.** Repique amiudado de sinos. **4.** *Bras.* Recaída de doenças. **5.** *Bras.* Massa de água que desce das cabeceiras dos rios, por efeito das primeiras chuvas que ali caem, e que engrossa o caudal do rio, sem, no entanto, haver chovido no resto de seu curso. **6.** *Bras. Mar.* Cada uma das bordadas curtas que se faz, navegando, para ganhar barlavento ou para fazer hora (p. ex., para aguardar o raiar do dia, junto à entrada de um porto). **7.** *Bras., N.E.* Seca sem conseqüências calamitosas. **8.** *Bras. Náut.* Oscilação das águas de um grande rio, logo após a vazante. [Pl.: *repiquetes* (ê). Cf. *repiquete* e *repiquetes*, do v. *repiquetar.*]

repisa. [Dev. de *repisar.*] *S. f.* Ato ou efeito de repisar; repisamento.

repisado. [Part. de *repisar.*] *Adj.* **1.** Que se repisou. **2.** Esmagado com os pés; calcado. **3.** Muito repetido.

repisamento. *S. m.* Repisa.

repisar. [De *re-* + *pisar.*] *V. t. d.* **1.** Pisar de novo; recalcar: *Desde a infância não repisava aquelas terras.* **2.** Fazer, dizer, tratar, etc., de novo; insistir em; repetir: *repisar um assunto*; "Surpreendi-me .... a *repisar* as palavras, a repeti-las cortadas de soluços" (Manuel da Fonseca, *Aldeia Nova*, p. 29); "Montaigne é de parecer que não fazemos mais que *repisar* as mesmas cousas e andar no mesmo círculo" (Machado de Assis, *A Semana*, II, p. 29). **3.** Tornar enfadonho com a repetição: *Repisou o argumento, de tanto repeti-lo.* **4.** Pisar com os pés; calcar: *Repisam as uvas para fazer o vinho. T. i.* **5.** Falar com insistência; insistir: *O professor repisou na observação.*

repiscar. [De *re-* + *piscar.*] *V. t. d. e i.* Piscar outra vez, ou repetidas vezes. [Conjug.: v. *trancar.*]

replanejamento. *S. m.* Ato ou efeito de replanejar.

replanejar. [De *re-* + *planejar.*] *V. t. d.* Planejar de novo. [Conjug.: v. *pelejar.*]

replanta. [Dev. de *replantar.*] *S. f.* **1.** Plantação das falhas ou claros duma cultura, sobretudo das falhas de um maciço florestal. **2.** *Bras.* Árvore plantada em substituição de outra.

replantação. *S. f.* Ato ou efeito de replantar; replantio.

replantador (ô). *Adj. e s. m.* Que, ou aquele que replanta.

replantar. [De *re-* + *plantar.*] *V. t. d.* Tornar a plantar: *A lei obriga a replantar as árvores arrancadas.*

replantio. [De *re-* + *plantio.*] *S. m.* Replantação: "Essa devastação pelo machado se fez ao mesmo tempo que a do fogo .... Não se cuidou a sério de *replantio* nem de reflorestamento: só de exploração das matas e da terra." (Gilberto Freire, *Nordeste*, p. 109.)

➧**replay** (riplei). [Ingl.] *S. m.* **1.** *Tel.* Ato ou efeito de reprisar uma tomada, durante uma transmissão ao vivo. **2.** *P. ext. Fam.* Repetição.

repleção. [Do lat. *replectione.*] *S. f.* Estado de repleto.

replementar. [De *replemento* + *-ar*[1].] *Adj. 2 g.* — V. *ângulo* —.

replemento. [De *re-* + lat. *plere*, 'encher', presente nos seus derivados, + *-mento*, que se vê em vocábulos como *implemento, complemento*, etc.] *S. m. Geom.* V. *ângulo conjugado.*

repleno. [De *re-* + *pleno.*] *Adj.* **1.** Muito cheio; repleto, abarrotado. ● *S. m.* **2.** V. *terrapleno.*

repletar. *V. t. d. P. us.* Tornar repleto; encher muito: "A poesia é o teu vôo / *Repletando* a tua alma de alegrias, / Maravilhamentos e espantos." (Manuel Bandeira, *Estrela da Vida Inteira*, p. 261.)

repleto. [Do lat. *repletu.*] *Adj.* **1.** Muito cheio; abarrotado, repleno. **2.** Farto, satisfeito; empanturrado, empanzinado.

réplica. [Dev. de *replicar.*] *S. f.* **1.** Ato ou efeito de replicar; replicação. **2.** O que se replica; contestação, objeção, refutação, replicação. **3.** *Art. Plást.* Cópia de uma escultura, de uma pintura, etc. **4.** *Jur.* Acusação complementar, no júri, uma vez acabada a defesa, e que, por seu turno, se complementa com a tréplica. **5.** *Mús.* Ritornelo (5). **6.** *Mús.* Resposta (10). **7.** *Mús.* Desdobramento à oitava. [Cf. *replica*, do v. *replicar.*]

replicação. [Do lat. *replicatione.*] *S. f.* **1.** V. *réplica* (1 e 2). **2.** *Genét.* Processo de duplicação da molécula de ácido desoxirribonucléico através da cópia de um molde já existente. ◆ **Replicação semiconservativa.** *Genét.* Replicação da molécula de ácido desoxirribonucléico na qual as suas duas cadeias polinucleotídicas se separam e cada uma é utilizada como molde para a polimerização de uma nova cadeia, resultando numa molécula composta da cadeia original e da recém-sintetizada.

replicador (ô). *Adj. e s. m.* Que ou aquele que replica.

replicar. [Do lat. *replicare.*] *V. t. d.* **1.** Combater com argumentos; contestar, refutar, redargüir: *O preso replicou as acusações.* **2.** Dizer como réplica, ou como explicação: *Ao ouvir a censura, José replicou que sempre fora boa pessoa. T. i.* **3.** Responder a objeções ou respostas de outrem; retorquir, redargüir: *Não replicara ao orador. Int.* **4.** Responder aos argumentos de outrem; retorquir, redargüir: *O conferencista falou sem que os presentes replicassem.* **5.** Acusar em réplica (4): *o promotor replicou brilhantemente.* [Conjug.: v. *trancar.* Pres. ind.: *replico, replicas, replica*, etc. Cf. *réplica.*]

repoisar. *V. t. d., int., t. d. e i., t. i. e t. c.* V. *repousar.*

repoiso. *S. m.* V. *repouso.*

repolegar. [Cruz. do lat. *replicare*, 'dobrar para trás', com *pollicare* (subentendendo-se *digitu*), 'dedo polegar'.] *V. t. d.* Dobrar ou ornar com repolego. [Var.: *repolgar.* Conjug.: v. *carregar.* Pres. ind.: *repolego, repolegas, repolega*, etc. Cf. *repolego* (ê), s. m., e as flex. *repolega* (ê), *repolegas* (ê).]

repolego (ê). [Dev. de *repolegar.*] *S. m.* **1.** Filete torcido para adornar certas peças. **2.** Filete de massa que rodeia uma empada. **3.** *Bras.* Chuleado com pontos muito próximos, formando um cordão. [Pl.: *repolegos* (ê). Cf. *repolego*, do v. *repolegar.*] ● *Adj.* **4.** *Bras., CE.* Arrebitado (1): "Soltava uns dois espirros com estardalhaço, ... assoava o narigão *repolego*" (Nélson de Faria, *Tiziu e Outras Estórias*, p. 128). [Flex.: *repolega* (ê), *repolegos* (ê), *repolegas* (ê). Cf. *repolego, repolega, repolegas*, do v. *repolegar.*]

repolgar. *V. t. d.* Var. sincopada de *repolegar.* [Conjug.: v. *largar.*]

repolhal. *Adj. 2 g.* Quantidade mais ou menos considerável de repolhos dispostos proximamente entre si; horta de repolhos.

repolhar. *V. int.* Adquirir feitio semelhante ao do repolho. [Pres. ind.: *repolho*, etc. Cf. *repolho* (ô).]

repolho (ô). [Do esp. *repollo.*] *S. m.* Variedade de couve rasteira, de feitio globular e com as folhas imbricadas (*Brassica oleracea* var. *capitata*). [Pl.: *repolhos* (ó). Cf. *repolho*, do v. *repolhar.*]

repolhudo. *Adj.* **1.** Que tem forma de repolho. **2.** Gordo, roliço, rechonchudo: *criança repolhuda.*

repolimento. *S. m.* Ato ou efeito de repolir.

repolir. [De *re-* + *polir.*] *V. t. d.* Polir de novo ou muito. [Conjug.: v. *polir.*]

repoltrear-se. [De *repoltronear-se*, com síncope.] *V. p.* Sentar-se ou recostar-se de modo confortável; refestelar-se, repimpar-se, repoltronear-se: "Riu com sarcasmo, *repoltreando-se* no sofá, com as pernas muito abertas." (Coelho Neto, *Turbilhão*, p. 198.) [Conjug.: v. *frear.*]

repoltronear-se. [De *re-* + *poltronear-se.*] *V. p.* V. *repoltrear-se.* [Conjug.: v. *frear.*]

reponente. [Do lat. *reponente.*] *S. 2 g.* **1.** Pessoa que repõe. **2.** Herdeiro que faz reposição. ● *Adj. 2 g.* **3.** Diz-se do herdeiro que faz reposição.

reponta. [De *re-* + *ponta.*] *S. f.* **1.** Ponta que ressurge, ou que reaparece periodicamente. **2.** Repetição de golpe com a ponta de espada ou lança. **3.** *Bras.* Início da maré enchente. **4.** *Bras., SP.* Enchente, cheia.

repontão. [De *repontar*[1] + *-ão*[3].] *Adj. e s. m. Fam.* Que, ou aquele que reponta ou reclacitra, quando admoestado. [Fem.: *repontona.*]

repontar[1]. [De *re-* + *ponta* + *-ar*[2].] *V. int.* **1.** Vir surgindo novamente: *Sua ira, que desaparecera, pegou a repontar.* **2.** Começar a surgir; despontar: *O navio repontou no horizonte.* **3.** Amanhecer, despontar, raiar: "Ergue-te, que já vem *repontando* a alvorada." (Carlos Dias Fernandes, *Canção de Vesta*, p. 27.) **4.** Atacar, voltando-se para trás: *Espicaçado, o cão repontou.* **5.** Retorquir com aspereza; reclacitrar, respingar: *Sabendo justa a censura, não se animou a repontar. T. d.* **6.** Replicar com aspereza; recalcitrar: *O menino repontou que não atenderia à ordem.*

repontar[2]. [Do esp. plat. *repuntar.*] *V. t. d.* **1.** Fazer refluir para certo ponto. **2.** *Bras., S.* Enxotar (animais) em determinada direção.

reponte. [Do esp. plat. *repunte.*] *S. m. Bras., S.* Ato de repontar[2] (2).

repontona. *Adj. (f.) e s. f.* Fem. de *repontão.*

repontuar. [De *re-* + *pontuar.*] *V. t. d.* Pontuar de novo.

repopularizar. [De *re-* + *popularizar.*] *V. t. d. e p.* Tornar a popularizar(-se).

repor. [De *re-* + *pôr*, ou do lat. *reponere*, atr. de um **repoer.*] *V. t. d.* **1.** Pôr novamente; tornar a pôr; recolocar: "Faz-me lembrar as diligências do oftalmologistas ao procurar corrigir-nos a vista insuficiente ou anormal; põem e tiram, *repõem* e sobrepõem lentes até encontrar a graduação precisa." (Fidelino de Figueiredo, *Entre Dois Universos*, p. 221). **2.** Devolver, restituir: *Repôs os livros emprestados.* **3.** Restituir ao antigo estado. *T. d. e i.* **4.** Devolver, restituir: *Tem dois meses para repor ao banco o dinheiro emprestado. P.* **5.** Tornar a colocar-se; reconstituir-se: *O império de Napoleão não se repôs jamais.* [Irreg. Conjug.: v. *pôr.*] Par.: *reposto* (ô). Cf. *reposto*, do v. *repostar.*]

reportação. [Do lat. *reportatione.*] *S. f.* Ato ou efeito de reportar(-se); reportamento.

reportado[1]. [Part. de *reportar.*] *Adj.* **1.** Moderado, comedido, prudente, cauteloso. **2.** Reto, justo, direito. **3.** Que se referiu, ou a que se aludiu; referido, citado, precitado.

reportado[2]. [Part. de um **reportar.*] *S. m. Com.* Especulador bolsista que adquire a termo os mesmos títulos que vendera à vista.

reportador (ô). [De um **reportar* (< *reporte* (q. v.) + *-ar*[2]) + *-(d)or.*] *S. m. Com.* Especulador que, na Bolsa de Valores, compra títulos à vista para revendê-los a prazo; reportante.

reportagem. [Do fr. *reportage.*] *S. f.* **1.** Ato de pesquisar determinado assunto, de informar-se a respeito dele para o transmitir pelo noticiário dos jornais, revistas, televisões, etc. **2.** Noticiário sobre determinado assunto. **3.** O conjunto dos repórteres.

reportamento. *S. m.* Reportação.

reportante. [De um **reportar* (< *reporte* (q. v.) + *-ar*[2]) + *-nte.*] *S. 2 g. Com.* Reportador.

reportar. [Do lat. *reportare.*] *V. t. d. e i.* **1.** Voltar para trás; retrair, volver: *A imagem reportou meu pensamento ao passado.* **2.** Dar como causa; atribuir, referir: *O jovem reportou suas falhas à inexperiência. T. d.* **3.** Conter, comedir, moderar: *reportar os instintos. P.* **4.** Moderar-se, comedir-se, conter-se: *Sentiu enorme ira, mas reportou-se.* **5.** Referir-se, aludir: *O advogado de defesa reportou-se às provas*; "No seu interessantíssimo trabalho [*O Esqueleto na Lagoa Verde*], Antônio Calado reporta-se à lenda da Cidade Abandonada" (Brito Broca, *Horas de Leitura*, p. 201). **6.** Referir-se, relacionar-se, prender-se, ligar-se: "Reportam-se a Glória as mais doces recordações de minha vida de menino." (Ciro dos Anjos, *Abdias*, p. 7.)

reporte. [Do fr. *report.*] *S. m. Com.* **1.** Operação de bolsa pela qual o especulador, jogando na alta, readquire a termo os títulos que acaba de vender à vista. **2.** Nas operações de bolsa, diferença entre a cotação à vista e a cotação a termo de certos valores quando esta é superior àquela. [Antôn.: *deporte*[2].]

repórter. [Do ingl. *reporter*, atr. do fr. *reporter.*] *S. 2 g.* **1.** Pessoa que noticia ou informa pelos jornais. ● *S. m.* **2.** *Bras. Obsol.* Programa noticioso em rádio ou televisão; noticiário: *Às 14 horas ouvimos o repórter.* [Pl.: *repórteres.*]

reposição. [Do lat. *repositione.*] *S. f.* Ato ou efeito de repor; torna.

reposicionamento. *S. m.* Ato ou efeito de reposicionar.

reposicionar. [De *re-* + *posicionar.*] *V. t. d.* Posicionar outra vez.

repositório. [Do lat. *repositoriu.*] *Adj.* **1.** Que se usa para guardar remédios. ● *S. m.* **2.** Lugar próprio para guardar alguma coisa; depósito. **3.** Repertório, coleção.

repossuir. [De *re-* + *possuir.*] *V. t. d.* Tornar a possuir. [Conjug.: v. *atribuir.*]

reposta[1]. [Do lat. *reposita* ou *reposta*, part. pass. de *reponere.*] *S. f. Ant.* Resposta.

reposta[2]. [Fem. substantivado de *reposto*, part. de *repor.*] *S. f.* No jogo do voltarete, quantia que se repõe.

repostada. [De *reposta*[1] + *-ada*[1].] *S. f.* Resposta grosseira, incivil, desabrida; respostada.

repostar. [De *reposta*[1] + *-ar*[2].] *V. t. d.* Replicar. [Pres. ind.: *reposto*, etc. Cf. *reposto* (ô), do v. *repor*, e *ripostar.*]

repostaria. [Do esp. *repostería.*] *S. f.* **1.** Dependência, nos palácios e casas nobres, destinada ao preparo de doces e licores. **2.** O pessoal e os objetos da copa. [Cf. *ripostaria*, do v. *ripostar.*]

reposteiro. [Do b.-lat **repositariu.*] *S. m.* **1.** Cortina ou peça de estofo pendente das portas interiores da casa: "Era uma saleta ao lado de uma sala de jantar; ao fundo um reposteiro corrido com ares burocráticos" (Aluísio Azevedo, *Demônios*, p. 161). **2.** Criado da casa real a quem compete cerrar os reposteiros.

repotrear-se. *V. p.* V. *repoltrear-se*: "pelos bancos de pedra .... repotreiam-se galuchos chalaceando namoros" (José Vieira, *Sol de Portugal*, p. 83). [Conjug.: v. *frear.*]

repousar. [Do lat. *repausare.*] *V. t. d.* **1.** Diminuir ou aliviar a fadiga a; pôr em sossego ou em estado de repouso; descansar: *O sono repousa o corpo.* **2.** Proporcionar descanso, alívio, a; tranqüilizar, serenar: *Esta música suave repousa o espírito. Int.* **3.** Estar ou ficar em repouso; descansar: "repousa lá no Céu eternamente, / e viva eu cá na terra sempre triste." (Luís de Camões, *Rimas*, p. 172); *O médico recomendou que o doente repousasse.* **4.** Descansar no sono; dormir: *Esta noite não repousei.* **5.** Não produzir, ficando de pousio: *Esta gleba repousará por um ano. T. d. e i.* **6.** Pôr, colocar, demoradamente: *Os visitantes repousaram os olhos nos quadros. T. i.* **7.** Estar colocado ou estabelecido; assentar-se. **8.** Assentar, basear-se, fundar-se: "As relações sociais repousam quase exclusivamente sobre artifícios, embustes, ardis, manhas, subterfúgios, lábias e ronhas" (Olavo Bilac, *Últimas Conferências e Discursos*, p. 362). *T. c.* **9.** Estar sepultado; jazer: *Os restos do seu avô repousam na Europa.* [Var.: *repoisar.*]

repouso. [Dev. de *repousar.*] *S. m.* **1.** Ato ou efeito de repousar. **2.** Ausência de movimento; imobilidade ou relaxamento parcial ou total. **3.** Pausa no trabalho; descanso: *o repouso dominical.* **4.** Tranqüilidade de espírito: *As visitas perturbam o repouso do doente.* [Var.: *repoiso.*]

➡**repoussé** (repussê). [Fr.] *Adj. e s. m.* Diz-se de, ou trabalho de arte decorativa feita no avesso de substância maleável, dando relevo à parte externa: *couro repoussé; o repoussé de uma placa de latão.* [Fem. (do adj.): *repoussée.*]

repovoar. [De *re-* + *povoar.*] *V. t. d.* **1.** Povoar novamente; tornar a povoar: *Os povos bárbaros repovoaram as regiões por eles assoladas. P.* **2.** Povoar-se de novo: "A paz do trabalho rural .... sufocou o alarido da guerra; os campos repovoaram-se com os seus lavradores" (João Ribeiro, *História do Brasil*, p. 145). [Conjug.: v. *coroar.*]

repreendedor (ô). *Adj. e s. m.* Que, ou aquele que repreende; repreensor.

repreender. [Do lat. *reprehendere*, 'agarrar por detrás', 'repreender', 'censurar'.] *V. t. d.* **1.** Advertir, censurar ou admoestar com energia: *O professor repreendeu os alunos rebeldes. T. d. e i.* **2.** Repreender (1) (a alguém); censurar energicamente: *O pai repreendeu ao filho as más ações.* **3.** Argüir, increpar, acusar: *A Justiça cabe repreender os réus por infração das leis.*

repreensão. [Do lat. *reprehensione.*] *S. f.* **1.** Ato ou efeito de repreender, de censurar com palavras severas e enérgicas; de caráter disciplinar, as quais equivalem, freqüentemente, a um castigo. [Sin. (muitos deles pop. ou fam.): *animadversão, batida, carraspana, censura, chamada, chatada, chega, chegada, chegadela, cheganço, corretivo, desanda, descalçadeira, descalçadela, descascadela, ducha, ensaboadela, ensinadela, escaldadela, escaldadura, escaldão, escalda-rabo, escarmento, escova, escovação, escovadela, esfuga, esfuziote, exprobração, gaitada, lamiré, lembrete, leva-dente, lição, mercurial, moliana, monitória, rabecada, ralho, raspanete, recado, récipe, reprimenda, reproche, reprovação, sabão, sabonete, sarabanda, sermão, surra de língua, talhada, tosa, tosquiadela, trepa, trepada* e (bras.) *arregaço, bolacha, cacholeta, capira, carão, chupada, esbarro, esbregue, esculacho, especial, foguete, galope, gato, lavagem, pito, raspança, raspe, reboldrosa, rebordosa, respe, vareio, varejo.*] **2.** *Jur.* Pena disciplinar que o superior inflige ao inferior hierárquico, e que consiste em admoestação enérgica.

repreensível. [Do lat. *reprehensibile.*] *Adj. 2 g.* Que merece repreensão, censurável, criticável.

repreensivo. [Do lat. *reprehensu*, part. pass. de *reprehendere*, 'agarrar', 'repreender', + *-ivo.*] *Adj.* Que repreende ou envolve repreensão; repreensor.

repreensor (ô). [Do lat. *reprehensore.*] *Adj.* **1.** Repreendedor. **2.** Que envolve repreensão; repreensivo. ● *S. m.* **3.** Repreendedor.

repregar. [De *re-* + *pregar*[1].] *V. t. d.* **1.** pregar novamente; tornar a pregar. **2.** Segurar muito bem com pregos. **3.** Ornar com pregaria. [Conjug.: v. *regar.*]

reprego. [Dev. de *repregar.*] *S. m.* Ato ou efeito de repregar.

represa (ê). [Do lat. *reprensa*, 'detida, retida, presa'.] *S. f.* **1.** V. *represamento.* **2.** Qualquer obra destinada à acumulação de água empresada para diversos fins. **3.** V. *barragem* (2). **4.** *Fig.* Qualquer sentimento acumulado, reprimido, prestes a explodir: *represa de paixões.* **5.** Conserto de uma parede. **6.** Navio recapturado ao inimigo. **7.** *Arquit.* Peça de pedra, mísula ou peanha, que serve para se assentarem arcos, ogivas, etc. [Pl.: *represas* (ê). Cf. *represa* e *represas*, do v. *represar.*]

represado. [Part. de *represar.*] *Adj.* **1.** Detido, retido, represo; suspenso. **2.** Que não corre; estagnado, parado. **3.** *Fig.* Que não se expande; refreado, reprimido: *sentimentos represados.* ● *S. m.* **4.** Pessoa represada.

represador (ô). *Adj.* **1.** Que represa. ● *S. m.* **2.** Aquele ou aquilo que represa.

represadura. *S. f.* Ato de represar; represamento.

represália. [Do it. *ripresaglia.*] *S. f.* Desforra, vingança, despique, desforço, retaliação: "o ímpeto do ataque, a ferocidade das represálias provam que a conquista ainda se não havia consolidado" (Gonçalves Dias, *O Brasil e a Oceânia*, p. 50).

represamento. *S. m.* Ato ou efeito de represar; represa.

represar. [Do lat. *reprehensare.*] *V. t. d.* **1.** Deter o curso de (águas); fazer parar; reter: "Um açude tosco .... represava as águas, desviando-as para um canal aberto na margem." (Eduardo Frieiro, *O Mameluco Boaventura*, p. 38.) **2.** Reprimir, conter, moderar, refrear, sufocar: *represar os ódios.* **3.** Impedir, estorvar, obstruir, atalhar: *Medidas severas nem sempre bastam para represar o crime.* **4.** Pôr em prisão; prender, enclausurar: *Nossas tropas represaram um batalhão inimigo.* **5.** Fazer presa de; apoderar-se de: *Os soldados represaram os bens do inimigo.* [Pres. ind.: *represo, represas, represa*, etc. Cf. *represo* (ê), as flex. *represa* (ê) e *represas* (ê), e *represa* (ê), s. f., pl. *represas* (ê).]

representação. [Do lat. *representatione.*] *S. f.* **1.** Ato ou efeito de representar(-se). **2.** Exposição escrita de motivos, de queixas, etc., a quem de direito. **3.** Coisa que se representa. **4.** Reprodução daquilo que se pensa. **5.** Aparato inerente a um cargo, ao estatus social. **6.** Qualidade indispensável ou recomendável: *Falta-lhe certa representação para o cargo que aspira.* **7.** Posição social elevada: *família de representação.* **8.** O conjunto dos representantes [v. *representante* (2 e 3)] que atuam, em geral, de maneira coordenada; delegação: *a representação do Brasil no Campeonato Mundial de Futebol; a representação do Piauí no Senado.* **9.** *Filos.* Conteúdo concreto apreendido pelos sentidos, pela imaginação, pela memória ou pelo pensamento. **10.** *Jur.* Substituição dum herdeiro falecido por seus respectivos herdeiros, considerados por lei no mesmo grau e com todos os direitos do representado. **11.** *Jur.* Posição jurídica do pai ou do tutor que atua em nome dos filhos ou tutelados absolutamente incapazes. **12.** *Jur.* Delegação de poderes conferidos pelo povo, por meio de votos, a certas pessoas, a fim de que exerçam em nome dele as funções próprias dos órgãos eletivos da administração pública. **13.** *Jur.* Contrato remunerado, firmado entre dois comerciantes ou empresas comerciais, para que uma parte promova a venda de produtos da outra, efetuando negócios em nome dela, ou realize aproximação de fregueses, etc., mediante condições variáveis em cada caso. **14.** *Jur.* Direito que cabe ao cidadão de se dirigir aos poderes públicos para reclamar contra abusos de autoridades e promover a responsabilidade delas. **15.** *Bras. jur.* Pedido que a vítima de certos delitos, ou seus representantes legais, formula à autoridade policial ou judiciária, e bem assim ao órgão do Ministério Público, para que se proceda contra o delinqüente, sem o quê será nula a ação penal que se intentar na espécie. **16.** *Teat.* Ato ou efeito de representar (4); interpretação.

representador (ô). [Do lat. *representatore.*] *Adj. e s. m.* Que ou aquele que representa; representante [q. v.].

representante. [Do lat. *representante.*] *Adj. 2 g.* **1.** Que representa; representador, representativo. ● *S. 2 g.* **2.** Pessoa que representa outra. **3.** Diplomata ou pessoa especialmente designada para representar o governo de um país, ou os interesses deste, junto a outro governo, a uma assembléia, etc.; delegado: *O representante do Brasil teve brilhante desempenho na O.N.U.*

representar. [Do lat. *representare.*] *V. t. d.* **1.** Ser a imagem ou a reprodução de: *Uma das telas de Pedro Américo representa a Batalha do Avaí.* **2.** Tornar presente; patentear, significar: *A vitória representou a bravura de nosso povo.* **3.** Participar de espetáculo teatral, de filme, etc., desempenhando papel (4); interpretar: *Procópio Ferreira representou magistralmente o Harpagão, de Molière.* **4.** Levar à cena; exibir, encenar (em teatro): *A companhia representou* Yerma, *de Federico García Lorca.* **5.** Chefiar missão junto a (governo, organismo internacional, congresso, etc.): *O Chanceler representou o Brasil na O.N.U.* **6.** Estar em lugar de; substituir: *O ajudante-de-ordens representou o governador na cerimônia.* **7.** Ser procurador ou mandatário de: *Os advogados representaram as partes litigantes.* **8.** Figurar, aparentar: *Esta moça representa ter 18 anos. T. d. e i.* **9.** Reproduzir, descrever, pintar: *A Bíblia representa-nos com lindas cores o Paraíso.* **10.** Desempenhar o papel, as atribuições, a função de; figurar como: "Bouterwek, bem ou mal, representou claramente um dos elos da corrente a que os portugueses se filiaram, representados por esses dois grandes prosadores [Almeida Garrett e Alexandre Herculano]." (Guilhermino César, *Bouterwek*, p. 20.) **11.** Expor verbalmente ou por escrito; retratar, pintar: *O emissário representou a todos os episódios da guerra.* **12.** *Jur.* Na sucessão de direitos, substituir por direito de representação. *Int.* **13.** Desempenhar funções de ator. *O célebre ator deixou de representar ainda jovem. T. i.* **14.** Dar ares; fingir-se, fazer-se: *Não é o meu propósito representar de herói.* **15.** Dirigir uma representação (2); expor uma queixa ou censura: *Os pequenos funcionários, sentindo-se injustiçados, representaram ao Presidente.* **16.** Desempenhar um papel: *As meninas representarão de anjo nas festas marianas. P.* **17.** Apresentar-se, oferecer-se ao espírito: *No sonho, representou-se a imagem de Deus.* **18.** Figurar como símbolo: *Os bens de consumo representam-se nas aspirações da burguesia.*

representatividade. *S. f.* Qualidade de representativo.

representativo. *Adj.* **1.** V. *representante* (1). **2.** Apropriado para representar: *amostras representativas.* **3.** Constituído por pessoas ou coisas que representam algo: *delegação representativa de um grupo.* **4.** Que representa politicamente os interesses de um grupo, classe social, povo, etc.: *A democracia pressupõe um congresso verdadeiramente* representativo. ~ V. *amostra —a.*

representável. *Adj. 2 g.* Que pode ser representado.

representear. [De *re-* + *presentear.*] *V. t. d. e t. d. e i.* Presentear em troca de outro presente. [Conjug.: v. *frear.*]

represo (ê). [Do lat. *reprensu.*] *Adj.* **1.** Preso de novo. **2.** Represado (1). [Flex.: *represa* (ê), *represos* (ê), *represas* (ê). Cf. *represo, represas, represa,* do v. *represar.*]

repressão. [Do lat. tardio *repressione.*] *S. f.* **1.** Ato ou efeito de reprimir(-se). **2.** Aquele ou aquilo que reprime: *Os manifestantes reagiram quando a* repressão *chegou.* **3.** *Psicol.* Mecanismo de defesa mediante o qual os sentimentos, as lembranças dolorosas ou os impulsos desacordes com o meio social são mantidos fora do campo da consciência.

repressivo. [Do lat. *repressu,* part. pass. de *reprimire,* 'deter, reter', + *-ivo.*] *Adj.* Apropriado para reprimir.

repressor (ô). [Do lat. *repressore.*] *Adj.* **1.** Que reprime; repressório. ● *S. m.* **2.** O que reprime. **3.** *Genét.* Produto de um gene regulador [q. v.] que inibe a transcrição de outro gene.

repressório. *Adj.* Repressor (1).

reprimenda. [Do fr. *réprimande.*] *S. f.* V. *repreensão* (1): "nenhum efeito lograrão sobre mim as enojadas reprimendas sobre a minha lastimável pecha de me debruçar sobre o umbigo próprio ...?!" (José Régio, *Poemas de Deus e do Diabo,* pp. 40-41).

reprimido. [Part. de *reprimir.*] *Adj.* **1.** Contido, moderado. **2.** Coibido, refreado, represado. **3.** Violentado, oprimido.

reprimir. [Do lat. *reprimere.*] *V. t. d.* **1.** Sustar a ação ou movimento de; conter, reter, moderar, coibir, refrear, represar: "vendo aqueles quadris roliços a um palmo do seu corpo, Deco não pôde reprimir um pensamento safado." (Macedo Miranda, *Pequeno Mundo outrora,* p. 44); *A Coroa portuguesa tentou* reprimir *as manifestações de independência dos brasileiros.* **2.** Não manifestar; ocultar, disfarçar, dissimular: *Mal consegue* reprimir *a expressão de tristeza.* **3.** Violentar, oprimir, vexar, tiranizar: *Os ditadores* reprimem *o povo.* **4.** Impedir pela ameaça ou pelo castigo, proibir: *As leis brasileiras* reprimem *o jogo de azar.* **5.** Castigar, punir: *A justiça* reprime *os infratores das leis. P.* **6.** Conter-se, moderar-se, dominar-se, refrear-se: *Não pude* reprimir-me *em face de tamanho absurdo.*

reprimível. *Adj. 2 g.* Que se pode ou deve reprimir.

reprisar. [Do fr. *repriser.*] *V. t. d.* **1.** Tornar a apresentar (espetáculos, etc.); repetir. **2.** *P. ext.* Repetir determinado ato.

reprise. [Do fr. *reprise.*] *S. f.* Ato ou efeito de reprisar; repetição: *É bom você ir ver o filme hoje: não vai haver* reprise.

repristinação. *S. f.* Ato ou efeito de repristinar.

repristinar. [De *re-* + *prístino* + *-ar*[2].] *V. t. d. Jur.* Restituir ao valor, caráter ou estado primitivo, prístino.

repristinatório. *Adj. Jur.* Que repristina; que serve para repristinar.

réprobo. [Do lat. *reprobu.*] *Adj.* **1.** Condenado, precito, danado. **2.** Mau, perverso, malvado. ● *S. m.* **3.** Indivíduo réprobo.

reprocessamento. *S. m.* **1.** Ato ou operação de reprocessar. **2.** *Tec.* Tratamento a que se submete um material que sofreu um processo industrial, ou que é fruto de um processo industrial, visando a recuperar parte da matéria-prima original ou extrair um subproduto valioso.

reprocessar. [De *re-* + *processar.*] *V. t. d.* **1.** Tornar a processar (especialmente processo [5]). **2.** *Tec.* Efetuar o processamento (2) de.

reprochar. [Do fr. *reprocher.*] *V. t. d.* **1.** Lançar em rosto a; censurar, exprobrar: Reprochou *a ação feia da criança. T. d. e i.* **2.** Lançar em rosto; censurar, exprobrar: Reprochou *aos alunos o péssimo comportamento.*

reproche. [Do fr. *reproche.*] *S. m.* V. *repreensão* (1): "Não ousava fazer-lhe nenhuma queixa ou reproche, porque respeitava nele o seu marido e senhor, mas padecia calada, e definhava a olhos vistos." (Machado de Assis, *Papéis Avulsos,* p. 13.)

reprodução. [De *re-* + *produção.*] *S. f.* **1.** Ato ou efeito de reproduzir(-se). **2.** Quadro, gravura, fotografia, etc., reproduzida; cópia: *Tenho uma boa* reprodução *de Goya.* **3.** Cópia ou imitação de obra literária, quadro ou escultura, cuja divulgação depende de autorização prévia do autor.

reprodutibilidade. *S. f.* Qualidade de reprodutível.

reprodutível. *Adj. 2 g.* Reproduzível.

reprodutivo. *Adj.* Que reproduz ou que se reproduz.

reprodutor (ô). *Adj.* **1.** Que reproduz; reprodutivo. ~ V. *imaginação —a.* ● *S. m.* **2.** Aquele que reproduz. **3.** Animal reservado à reprodução. [Fem. irreg.: *reprodutriz.*]

reprodutriz. [Fem. de *reprodutor.*] *Adj. (f.)* e *s. f.* Diz-se de, ou fêmea que reproduz ou que se destina a agente de reprodução; matriz.

reproduzir. [De *re-* + *produzir.*] *V. t. d.* **1.** Produzir novamente; tornar a produzir: *O pintor* reproduziu *o quadro original.* **2.** Apresentar de novo; tornar a apresentar: *A cidade* reproduz *anualmente a tradicional comemoração.* **3.** Multiplicar (animais ou vegetais); gerar, procriar. **4.** Tornar a fazer; repetir, recomeçar: *Logo após a advertência as crianças* reproduziram *a algazarra.* **5.** Expor ou contar com minudência; descrever: *O emissário* reproduziu *as conversações.* **6.** Imitar fielmente; copiar, repetir; estresir: *Os naturalistas procuravam* reproduzir *a realidade. P.* **7.** Perpetuar-se pela geração; procriar, multiplicar-se: *O gênero humano* reproduziu-se *na Terra.* **8.** Renovar-se, repetir-se: *Os mesmos apelos* reproduziam-se *em bocas distintas.* [Irreg. Conjug.: v. *aduzir.*]

reproduzível. *Adj. 2 g.* Que se pode reproduzir; reprodutível.

reprofundar. [De *re-* + *profundar.*] *V. t. d.* **1.** Profundar de novo ou mais: "E principia, às voltas com a figura disforme: salienta-lhe e afeiçoa-lhe o nariz; reprofunda-lhe as órbitas; esbate-lhe a fronte" (Euclides da Cunha, *À margem da História,* p. 106). *T. i.* **2.** Submergir-se, mergulhar.

reprografia. [De *repro(dução)* + *-graf(o)-* + *-ia.*] *S. f. Docum.* O conjunto dos processos de reprodução que, em vez de recorrerem aos métodos tradicionais de imprimir, recorrem às técnicas de fotocópias, eletrocópia, termocópia, microfilmagem, heliografia, xerografia, etc.

reprográfico. *Adj.* Relativo à reprografia.

reprogramação. *S. f.* Ato ou efeito de reprogramar.

reprogramado. [Part. de *reprogramar.*] *Adj.* Que foi objeto de nova programação.

reprogramar. [De *re-* + *programar.*] *V. t. d.* Tornar a programar; programar de novo.

reprometer. [De *re-* + *prometer.*] *V. t. d. e t. d. e i.* Tornar a prometer: Reprometi *visitá-lo;* Reprometi-lhes *um bom emprego.*

repromissão. *S. f.* **1.** Promessa recíproca. **2.** Ato de reprometer.

repropor. [De *re-* + *propor.*] *V. t. d.* Tornar a propor. [Conjug.: v. *pôr.*]

reprovação. [Do lat. *reprobatione.*] *S. f.* **1.** Ato ou efeito de reprovar. **2.** Condenação, crítica, censura: *um olhar de* reprovação. **3.** V. *repreensão* (1) **4.** Desprezo, desconsideração, desdém.

reprovado. [Part. de *reprovar.*] *Adj.* **1.** Censurado, criticado, condenado. **2.** Rejeitado, não aceito (em concurso, prova, exame, etc.) por incapacidade ou falta de preparo: *candidato* reprovado; *aluno* reprovado. ● *S. m.* **3.** Indivíduo reprovado (2): *Os* reprovados *foram muitos.*

reprovador (ô). [Do lat. *reprovatore.*] *Adj.* **1.** Que reprova. **2.** Em que há reprovação; reprovativo: *Lançou-me um olhar* reprovador. ● *S. m.* **3.** Aquele que reprova.

reprovar[1]. [Do lat. *reprobare.*] *V. t. d.* **1.** Não aprovar; recusar, rejeitar: *A comissão* reprova *os trabalhos apresentados.* **2.** Censurar severamente; criticar, condenar; desaprovar: *Os moralistas* reprovam *muitas inovações sadias.* **3.** Votar contra; não aprovar; rejeitar: *A Câmara* reprovou *o projeto. Int.* **4.** Julgar inabilitado um aluno ou candidato: *Há professores que não* reprovam.

reprovar[2]. [De *re-* + *provar.*] *V. t. d.* Tornar a provar; provar de novo.

reprovativo. *Adj.* Reprovador (2).

reprovável. *Adj. 2 g.* Que é digno de reprovação.

repruir. [De *re-* + *pruir.*] *V. t. d.* **1.** Produzir prurido em. **2.** Excitar, inflamar, arrebatar: *A cena* repruiu *os ânimos. Int.* **3.** Sentir cócegas. **4.** *Fig.* Excitar-se, inflamar-se, arrebatar-se. [F. paral.: *reprurir.* Defect. Conjug.: v. *pruir.*]

reprurir. [De *re-* + *prurir.*] *V. t. d.* e *int.* Repruir.

reptação. [De *reptar*[1] + *-ção.*] *S. f.* V. *repto.*

reptador (ô). [De *reptar*[1] + *-(d)or.*] *Adj.* e *s. m.* Que ou aquele que repta, que desafia; reptante.

reptante[1]. [De *reptar*[1] + *-nte.*] *Adj. 2 g.* e *s. 2 g.* Reptador.

reptante[2]. [De *reptar*[2] + *-nte.*] *Adj. 2 g. P. us.* **1.** Que anda de rastos; reptil. **2.** Que se eleva a pouca altura; rasteiro: "Caem, presos pelos laços corredios dos quipás reptantes" (Euclides da Cunha, *Os Sertões,* p. 241). ● *S. m.* **3.** Reptil (4 e 5).

reptar[1]. [Do lat. *reputare.*] *V. t. d.* **1.** Estar em oposição a; opor-se a: *Os jovens costumam* reptar *os costumes.* **2.** Desafiar, provocar: reptar *o inimigo.* [Pres. subj.: *repte, reptes, repte, reptemos, repteis, reptem.* Cf. *répteis,* pl. de *réptil.*]

reptar[2]. [Do lat. *reptare.*] *V. int. P. us.* Andar de rastos; rojar-se pelo chão; arrastar-se. [Pres. subj.: *repte, reptes, repte, reptemos, repteis, reptem.* Cf. *répteis,* pl. de *réptil.*]

reptil. [Do fr. *reptile.*] *Adj. 2 g.* **1.** Que se arrasta. [Sin., p. us.: *reptante.*] **2.** Pertencente ou relativo aos reptis; escamífero. ● *S. m.* **3.** Espécime dos reptis; escamífero. **4.** Animal que tem pés tão curtos que parece arrastar-se quando anda. **5.** *Fig.* Pessoa desprezível de maus instintos, que se presta a quaisquer atos para atingir seus objetivos. [Var. pros.: *réptil* (q. v.). Pl.: *reptis.*]

réptil. [Do lat. *reptile.*] *Adj. 2 g.* e *s. m.* Reptil. [Pl.: *répteis.* Cf. *repteis,* do v. *reptar.*]

reptiliano. *Adj.* Relativo ou pertencente a reptil.

reptis. [Pl. de *reptil.*] *S. m. pl. Zool.* Animais cordados, craniotas, gnastomados, tetrápodes, da classe *Reptilia,* com a pele seca, coberta de escamas ou escudos ou placas, coração com quatro cavidades (ventrículos imperfeitos), respiração sempre pulmonar, e fecundação interna. São as tartarugas, os lagartos, as cobras e os jacarés. [Sin.: *escamíferos.*]

repto. [Dev. de *reptar.*] *S. m.* **1.** Ato ou efeito de reptar[1]; reptação. **2.** Desafio, provocação, reptação.

república. [Do lat. *republica* < *res publica,* 'coisa pública'.] *S. f.* **1.** Organização política de um Estado com vista a servir à coisa pública, ao interesse comum. **2.** Sistema de governo em que um ou vários indivíduos eleitos pelo povo exercem o poder supremo por tempo determinado. **3.** O país assim governado: *a* república *romana.* **4.** Grupo de estudantes que residem na mesma casa. **5.** Essa casa. **6.** *Fam.* Associação, agremiação, onde impera a desordem. [Dim. irreg.: *repúbliqueta.* Cf. *republica,* do v. *republicar.*] ♦ **República Nova.** O período republicano brasileiro compreendido entre a vitória da revolução de 1930 e a implantação do Estado Novo, em 1937. **República popular.** *Ciênc. Pol.* Designação dada aos Estados constituídos por uma Frente Popular formada por todas as correntes democráticas do país, com a hegemonia do proletariado e de seu Partido Comunista. [Cf. *democracia popular.*] **República Velha.** O período republicano brasileiro compreendido entre a proclamação da República, em 1889, e a revolução de 1930.

republicanismo. *S. m.* **1.** Doutrina política partidária da república (2). **2.** Qualidade de republicano (2).

republicanização. *S. f.* Ato ou efeito de republicanizar(-se).

republicanizar. *V. t. d.* **1.** Tornar republicano; converter em república: *Deodoro* republicanizou *o Brasil. P.* **2.** Converter-se em república; amoldar-se aos princípios republicanos.

republicano. *Adj.* **1.** Referente à república. [Sin. (p. us. no Brasil): *repúblico.*] **2.** Que é partidário da república (2): *Quintino Bocaiúva foi um grande líder* republicano. **3.** Pertencente a um partido republicano, ou que o apóia, e/ou nele vota: *deputados* republicanos. ~ V. *calendário —.* ● *S. m.* **4.** Partidário da república (2) ou de um governo republicano. **5.** Membro ou eleitor de um partido republicano.

republicar. [De *re-* + *publicar.*] *V. t. d.* Publicar de novo; reeditar: *O poeta* republicará *suas obras.* [Conjug.: v. *trancar.* Pres. ind.: *republico, republicas, republica,* etc. Cf. *repúblico* e *república.*]

republicida. [De *república* + *-i-* + *-cida* (em vez de *republicicida*), com haplologia.] *S. 2 g.* **1.** Pessoa que destrói uma república (2) . **2.** Pessoa adversa às instituições republicanas.

republicídio. [De *república* + *-i-* + *-cídio* (em vez de *republicicídio*), com haplologia.] *S. m.* Ato de republicida (1).

repúblico. *Adj. P. us no Brasil.* **1.** Republicano (1). **2.** Relativo aos interesses dos cidadãos. ● *S. m.* **3.** Aquele que se interessa pelo bem comum. **4.** Indivíduo republicano (2). [Cf. *republico,* do v. *republicar.*]

repúbliqueta (ê). *S. f.* **1.** República (3) pequena, insignificante. **2.** República (3) que sofre constantemente violação de suas instituições.

repudiador (ô). [De *repudiar* + *-(d)or.*] *Adj.* e *s. m.* Repudiante.

repudiante. [Do lat. *repudiante.*] *Adj. 2 g.* e *s. 2 g.* Que ou quem repudia; repudiador.

repudiar. [Do lat. *repudiare.*] *V. t. d.* **1.** Rejeitar (a esposa) legalmente; divorciar-se de (a mulher). **2.** Rejeitar, repelir, recusar: Repudiou *com indignação a proposta desonesta*; "esse idealista [José Ingenieros], assim tão ardentemente voltado para o futuro, não repudia o passado." (Oliveira Viana, *O Idealismo da Constituição*, p. 133). **3.** Abandonar, desamparar. [Pres. ind.: *repudio*, etc. Cf. *repúdio*.]

repudiável. *Adj. 2 g.* Que pode ou deve ser repudiado.

repúdio. [Do lat. *repudiu*.] *S. m.* Ato ou efeito de repudiar. [Cf. *repudio*, do v. *repudiar*.]

repugnância. [Do lat. *repugnantia*.] *S. f.* **1.** Qualidade de repugnante. **2.** Hesitação de consciência para levar a cabo certo procedimento; escrúpulo, relutância. **3.** Asco, nojo, aversão, repulsa. **4.** Incompatibilidade, inconciliabilidade.

repugnante. [Do lat. *repugnante*.] *Adj. 2 g.* **1.** Que repugna. **2.** Que, por ser sujo, fétido, deteriorado, etc., causa aversão física, até náusea; nauseabundo, nojento, esqueroso, repelente, repulsivo. **3.** *Fig.* Que suscita indignação moral; que se opõe ao bom senso, aos costumes; asqueroso, repelente, repulsivo. ~ V. *ventos —s.*

repugnar. [Do lat. *repugnare*, 'lutar, opor-se'.] *V. t. d.* **1.** Não aceitar; recusar, refusar: *Inapetente,* repugna *qualquer alimentação.* **2.** Não admitir; não adotar: *A maioria dos velhos* repugna *as novidades. Int.* **3.** Causar aversão, asco; inspirar antipatia: *Sua presença bajuladora* repugnava. *T. i.* **4.** Não aquiescer; opor-se, resistir: *Os conservadores* repugnam *à transformação.* **5.** Causar antipatia ou aversão: *Estes sons* repugnam *a seu ouvido.* **6.** Ser contrário, incompatível: *O absurdo* repugna *à razão*; "Depois o gênio repugnará à carreira já trilhada. O pincel corrigirá a monotonia do original." (Latino Coelho, *Cervantes*, p. 82); "À minha natureza / Repugna essa volúpia enorme da saudade." (Manuel Bandeira, *Estrela da Vida Inteira*, p. 41). **7.** Causar náuseas, asco: *Aquela comida* repugnava *até aos mendigos.*

repular. [De *re-* + *pular*.] *V. int.* Tornar a pular, ou pular repetidas vezes: "atirava as mãos para o chão, dava uma cabriola, repulava sobre os pés" (Eça de Queirós, *A Capital*, p. 507).

repulsa. [Do lat. *repulsa*.] *S. f.* **1.** Ato ou efeito de repulsar ou repelir. **2.** Sentimento ou sensação de aversão, de relutância, de repugnância. **3.** Reação que repele, afasta; oposição, objeção. [Sin. ger.: *repulsão* e (p. us) *repulso*.]

repulsão. [Do lat. *repulsione*.] *S. f.* **1.** V. *repulsa.* **2.** Força com que dois corpos ou duas partículas se repelem mutuamente. ♦ **Repulsão cósmica.** *Astr.* Efeito segundo o qual galáxias situadas a grandes distâncias se afastariam umas das outras.

repulsar. [De *repulsa* + *-ar*²*.*] *V. t. d.* **1.** Impedir de entrar ou de aproximar-se; repelir: Repulsou *o importuno.* **2.** Pôr distante; afastar: *Sua força de vontade* repulsa *o pessimismo.* **3.** Opor-se a; recusar, rejeitar, repugnar: Repulsa *qualquer ajuda: pretende vencer sozinho.* **4.** Repercutir; reenviar, refletir: *Este salão* repulsa *os sons.*

repulsivo. *Adj.* **1.** Que provoca repulsa. **2.** V. *repugnante* (2 e 3).

repulso. [Do lat. *repulsu*.] *Adj.* **1.** Repelido (1 a 3): "Repulso do coração da prima, ... mudou o plano das insídias" (Camilo Castelo Branco, *A Queda dum Anjo*, p. 265); "E a negra plenitude / No ausente espaço urde a surpresa enorme / De um mundo esconso, ermo, repulso, rude..." (Américo Facó, *Poesia Perdida*, p. 52.) • *S. m. P. us.* **2.** V. *repulsa.*

repulsor (ô). *Adj.* Que repulsa.

repululação. *S. f.* Ato ou efeito de repulular.

repulular. [Do lat. *repullulare*.] *V. int.* **1.** Pulular ou rebentar novamente; renascer. **2.** Brotar com abundância; multiplicar-se.

repurgação. [Do lat. *repurgatione*.] *S. f.* Ato de repurgar; nova purgação.

repurgar. [Do lat. *repurgare*.] *V. t. d.* Tornar a purgar ou a limpar; repurificar: repurgar *o açúcar.* [Conjug.: v. *largar*.]

repurificação. *S. f.* Ato ou efeito de repurificar.

repurificar. [De *re-* + *purificar*.] *V. t. d.* **1.** Purificar novamente: *A confissão* repurifica *as almas.* **2.** Purificar em alto grau: repurificar *um metal.* [Conjug.: v. *trancar*.]

reputação. [Do lat. *reputatione*.] *S. f.* **1.** Ato ou efeito de reputar(-se). **2.** Fama, celebridade, renome.

reputar. [Do lat. *reputare*.] *V. transobj.* **1.** Considerar, julgar, achar: "Os maus não nos levam em conta a nossa bondade e indulgência, reputam-na fraqueza" (Marquês de Maricá, *Máximas, Pensamentos e Reflexões*, p. 31); "Reputo absurda e insuportável a fórmula inglesa — *right or wrong my country*, de um patriotismo estreito e inexorável." (Oliveira Lima, *Memórias*, p. 19). *T. d.* **2.** Dar bom crédito a; ilustrar: *Sua honestidade* reputou *o nome da família. T. d. e i.* **3.** Avaliar, estimar, calcular: *A companhia* reputou *em milhões os gastos do próximo ano. P.* **4.** Considerar-se, julgar-se, achar-se: Reputa-se *bom desenhista.*

repuxado. [Part. de *repuxar*.] *Adj.* **1.** Esticado, alisado: *pele* repuxada. **2.** Amendoado (3).

repuxão. [De *repuxar* + *ão*³*.*] *S. m.* **1.** Repuxo (1). **2.** Puxão violento.

repuxar. [De *re-* + *puxar*.] *V. t. d.* **1.** Puxar com violência. **2.** Puxar para trás: *A corrente* repuxava *o nadador, que não conseguia avançar.* **3.** Esticar muito: repuxar *os cabelos.* **4.** Cozinhar com apuro: repuxar *um refogado.* **5.** Reforçar com escoras; escorar: repuxar *um muro. Int.* **6.** Sair em repuxo, borbotar (líquido): *O petróleo* repuxou.

repuxo. [Dev. de *repuxar*.] *S. m.* **1.** Ato ou efeito de repuxar; repuxão. **2.** Chafariz (1) em lago ou fonte, construído de jeito que a água se eleva ou se expande em jactos: *Os* repuxos *do parque não funcionam todos os dias.* **3.** *P. ext.* A água do repuxo (2). **4.** Escora que sustenta o pé de um arco. [Cf. *botaréu*.] **5.** Ferro para embutir tarraxas na madeira. **6.** Obra de suporte. **7.** Recuo, ou movimento de recuo; coice: *o* repuxo *da arma.* **8.** *Marinh.* Larga tira de couro que os marinheiros calçam na mão para coserem lona, e que tem, na parte que fica na palma da mão, uma peça metálica chata (dedal), para empurrar a agulha. ♦ **Agüentar o repuxo.** *Bras. Pop.* V. *agüentar a mão* (1).

requebém. [Alter. de *recavém*.] *S. m. Bras.* A extremidade traseira do carro de bois: "Carros de bois que levavam nas mesas e nos requebéns as moças do engenho às festas da vila" (Mendonça Jr., *Jornal da Província*, p. 30). [Cf. *recavém*.]

requebrado. [Part. de *requebrar*.] *Adj.* **1.** Amoroso, lânguido, langoroso. **2.** *Bot.* Dobrado em cotovelo (pecíolo ou folíolo). • *S. m.* **3.** Requebro do corpo; bamboleio, meneio, rebolado: *Seu* requebrado *é típico do andar das cabrochas.*

requebrador (ô). *Adj.* e *s. m.* **1.** Que ou aquele que (se) requebra. **2.** Namorador, galanteador, reqüestador.

requebrar. [De *re-* + *quebrar*.] *V. t. d.* **1.** Mover com languidez: requebrar *os olhos.* **2.** Saracotear, rebolar, menear: requebrar *os quadris.* **3.** Dar flexão terna ou melodiosa a: Requebrou *a voz ao falar do namorado.* **4.** Galantear, cortejar, namorar, com requebros. *T. d. e i.* **5.** Dizer languidamente; dirigir entre requebros: *Apaixonado,* requebrou *à namorada o pedido de casamento. P.* **6.** Saracotear-se, derrengar-se, rebolar, bambolear-se; bambalear-se. **7.** *P. ext.* Dançar, bailar: "— Ora, não se afobe, compadre, a afilhada já dorme, moída da festança; também, requebrou-se a noite toda com o manhoso do Zeca Menino, agora dorme..." (Hugo de Carvalho Ramos, *Tropas e Boiadas*, p. 9.) [Pres. ind.: *requebro*, etc. Cf. *requebro* (ê).]

requebro (ê). *S. m.* **1.** Ato ou efeito de requebrar(-se). **2.** Inflexão lânguida da voz, dos olhos, ou do corpo: "Tinha quando andava movimentos, ondulações de cobra, requebros que despertavam o despeito das amigas" (Inglês de Sousa, *O Coronel Sangrado*, p. 30). **3.** Gesto ou meneio amoroso: "E depois um sorrir de roceira, / Meigos gestos, requebros de amor" (Fagundes Varela, *Poesias Completas*, II, p. 152). [Pl.: *requebros* (ê). Cf. *requebro*, do v. *requebrar*.]

requeija. [De *re-* + *queijo*.] *S. f. Prov. lus.* Espécie de queijo que se extrai do soro do leite. [Cf. *requeijão*.]

requeijão. [De *requeija* + *-ão*²*.*] *S. m.* Certo queijo de preparação caseira ou industrial, feito com o creme (1) coagulado pela ação do calor. [Cf. *requeija*.]

requeima. [Dev. de *requeimar*.] *S. f.* Ato ou efeito de requeimar(-se); requeimação.

requeimação. *S. f.* Requeima.

requeimado. [Part. de *requeimar*.] *Adj.* **1.** Muito queimado. **2.** Enegrecido pela ação dos raios solares ou do calor; tostado, tisnado. **3.** Magoado, doído; ressentido. **4.** *Bras., RS.* Diz-se do pêlo vermelho (de animal vacum ou cavalar) que deixa transparecer faixas enegrecidas. **5.** *Bras., RS.* Diz-se do animal vacum ou cavalar que tem esse tipo de pêlo.

requeimar. [De *re-* + *queimar*.] *V. t. d.* **1.** Queimar de novo, ou em excesso; recrestar. **2.** Enegrecer pela ação do fogo ou dos raios do Sol; crestar, tisnar, tostar. **3.** Produzir ardor em; picar: *A pimenta malagueta* requeima *a boca. Int.* **4.** Ter sabor acre, picante; arder: *A comida baiana* requeima, *porém é ótima. P.* **5.** Doer-se, ressentir-se, magoar-se, melindrar-se: Requimou-se *com tanta ingratidão.*

requeime. [Dev. de *requeimar*.] *S. m.* V. *queimo.*

requentado. [Part. de *requentar*.] *Adj.* **1.** Aquentado novamente. **2.** Que esteve exposto por longo tempo à ação do calor. **3.** Diz-se de alimento que depois de preparado se tornou a aquecer uma ou mais vezes: *O café* requentado *tem mau sabor.*

requentão. [De *requentar* + *-ão*³, ou de *re-* + *quente* + *-ão*¹] *S. m. Bras.* Mistura de café com cachaça ou conhaque. [Cf. *quentão*.]

requentar. [De *re-* + *quentar*.] *V. t. d.* **1.** Tornar a aquecer. **2.** Submeter demoradamente à ação do calor: requentar *o caldo, para que se apure. P.* **3.** Impregnar-se (uma iguaria) de fumaça, ou adquirir mau sabor.

requeredor (ô). *Adj.* e *s. m. P. us.* Requerente.

requerente. *Adj. 2 g.* e *s. 2 g.* Que ou quem requer. [Sin., p. us.: *requeredor*.]

reque-reque. [Voc. onom.] *S. m.* V. *reco-reco.* [Pl.: *reque-reques*.]

requerer. [Do lat. vulg. **requaerere*.] *V. t. d.* **1.** Pedir, solicitar, por meio de requerimento: requerer *um emprego, uma ajuda.* **2.** Encaminhar (petição) a autoridade ou pessoa em condições de conceder o que se pede. **3.** Pedir em juízo; impetrar ação de: *O casal* requereu *desquite.* **4.** Exigir, demandar, pedir; precisar, necessitar: *A situação* requer *calma.* **5.** Reclamar a presença ou auxílio de: *O general* requereu *mais tropas.* **6.** Ser digno de; merecer: *Tais méritos* requerem *recompensa.* **7.** Reqüestar, galantear, cortejar, namorar. **8.** *Pop.* Consultar (almas do outro mundo): *Os espíritas* requerem *as almas. T. d. e i.* **9.** Pedir, solicitar, instar, rogar: *O doente* requereu *tratamento de saúde ao posto médico.* **10.** Pedir por meio de requerimento: *Os colonos* requereram *sesmarias à Coroa. Int.* **11.** Fazer ou dirigir petições a alguém: *Os interessados terão 10 dias para* requerer. [Irreg. Pres. ind.: *requeiro, requeres, requer, requeremos, requereis, requerem*; pres. subj.: *requeira, requeiras*, etc. Nas outras formas é regular.]

requerimento. *S. m.* **1.** Ato ou efeito de requerer. **2.** Petição redigida dentro das formalidades legais. **3.** Pedido, solicitação.

requerível. *Adj. 2 g.* Que se pode requerer.

requesta. [Dev. de *requestar*.] *S. f.* **1.** Ato de requestar. **2.** Briga, luta, contenda.

requestador (ô). *Adj.* e *s. m.* Que ou aquele que requesta.

requestar. [Do lat. **requaesitare*, freqüentativo de *requirere*, 'procurar por muito tempo'.] *V. t. d.* **1.** Fazer diligência para possuir ou alcançar; buscar: "Hesitei por longo tempo em requestar vossos sufrágios [dos membros da Academia Brasileira]." (Aníbal Freire da Fonseca, *Conferências e Alocuções*, p. 3.) **2.** Pedir com insistência; solicitar, instar, rogar: *O papa* requestou *novamente a paz entre os povos.* **3.** Pretender o amor de (uma mulher); namorar, galantear: "Os homens jogaram, falaram em política e requestaram as moças" (Joaquim Manuel de Macedo, *A Moreninha*, p. 169).

réquiem. [Do lat. *requiem*, acus. sing. de *requies*, 'repouso, descanso'.] *S. m.* **1.** Parte do ofício dos mortos, na liturgia católica, que principia com as palavras latinas *requiem aeternam dona eis*, 'dai-lhes o repouso eterno'. **2.** Música sobre esse ofício: "deixou-nos [Gabriel Fauré] um réquiem de rara sobriedade, estupenda exceção da bombástica música religiosa do século passado." (Walter Benevides, *Compositores Surdos*, p. 52).

➧**requiescat in pace** (requièçcat in paç). [Lat.] Descansa em paz. [Inscrição comum em cemitérios.]

requieto. [Do lat. *requietu*.] *Adj.* Muito quieto; muito sossegado.

requietude. *S. f.* Estado ou qualidade de requieto.

requife. *S. m.* **1.** Ornato ou guarnição estreita. **2.** Fita estreita, para enfeitar ou debruar. **3.** *Encad.* V. *cabeçada* (3).

requifife. [De *requife*, com duplicação silábica.] *S. m. Bras.* **1.** Enfeite, adorno, ornato. **2.** Formalidade, complicação ou cerimônia exagerada: "Cheguei na casa dela ...., todos aqueles requififes de gente ricaça, criado que leva cartão numa salva de prata, etc." (Mário de Andrade, *Contos Novos*, p. 18.) [M. us. no pl.]

requinta. [Dev. de *requintar*. (Este clarinete emite sons que constituem um requinte do clarinete comum).] *S. f.* **1.** Pequeno clarinete, que soa na região aguda, especialmente o em mi bemol. **2.** O instrumento mais agudo de qualquer família de instrumentos. • *S. 2 g.* **3.** Requintista.

requintado. *Adj.* **1.** Elevado ao maior grau. **2.** Que tem ou denota apuro e elegância; esmerado, aprimorado, apurado, fino: pessoa *requintada*, gosto *requintado*. ● *S. m.* **3.** Indivíduo requintado (2).

requintar. [De *re-* + *quintar.*] *V. t. d.* **1.** Levar ao mais alto grau, à quinta-essência; elevar, sublimar, aprimorar: *A leitura dos clássicos é importante para quem deseja* requintar *o estilo.* **2.** Exagerar, tornando esquisito, extravagente, excêntrico. *T. i.* **3.** Haver-se com o maior apuro; apurar-se, esmerar-se: *A moça* requinta *no trajar. Int.* **4.** Aperfeiçoar-se, aprimorar-se, esmerar-se: *O estilo do autor* requinta *nas últimas obras.* **5.** Ter afetação; apurar-se ridiculamente. **6.** *Bras., SP.* Latir (o cão) continuamente, perseguindo a caça. *P.* **7.** Aperfeiçoar-se, aprimorar-se, esmerar-se; exceder-se: "O nosso prazer complicar-se-ia, requintar-se-ia pela própria lembrança das brutalidades anteriores..." (José Régio, *Histórias de Mulheres*, p. 264.) **8.** Mostrar-se afetado; apurar-se ridiculamente.

requinte. [Dev. de *requintar.*] *S. m.* **1.** Ato ou efeito de requintar(-se). **2.** Apuro extremo a que pode ser levado um sentimento, uma qualidade, uma predileção; refinamento. **3.** Excesso calculado a frio.

requintista. *S. 2 g. Bras.* Pessoa que toca requinta; requinta.

requisição. [Do lat. *requisitione.*] *S. f.* Ato ou efeito de requisitar.

requisitado. [Part. de *requisitar.*] *Adj.* **1.** Requerido, exigido. **2.** Muito procurado ou solicitado: *Entre os colecionadores os quadros de Portinari são muito* requisitados.

requisitante. *Adj. 2 g.* e *s. 2 g.* Que ou quem requisita.

requisitar. [Do lat. vulg. * *requaesitare.*] *V. t. d.* e *t. d.* e *i.* Pedir ou exigir legalmente; requerer; exigir: *O funcionário* requisitou *férias; Os professores* requisitaram *ao diretor melhores salários.*

requisito. [Do lat. *requisutu*, part. pass. de *requirere.*] *Adj.* **1.** *P. us.* Que se requisitou ou requereu. ● *S. m.* **2.** Condição necessária para a obtenção de certo objetivo, ou para o preenchimento de certo fim; quesito. **3.** Exigência legal necessária para certos efeitos; quesito.

requisitório. *Adj.* **1.** Que requisita; precatório, rogatório. ● *S. m.* **2.** Exposição de motivos feita pelo representante do Ministério Público para justificar a acusação judicial contra alguém.

rer (ê). *V. t. d. Lus.* Var. de *raer* (2).

rerranger. [De *re-* + *ranger.*] *V. int.* Ranger muito, ou repetidamente: "Rerrange indômita a ramaria." (Alberto de Oliveira, *Poesias*, 4ª série, p. 88.) [Conjug.: v. *reger.*]

rerratificação. [De *re(tificar)* + *ratificação.*] *S. f. Jur.* Ação de retificar em parte uma certidão, contrato, etc., e ratificar os demais termos não alterados.

rerratificado. [Part. de *rerratificar.*] *Adj. Jur.* Que se rerratificou.

rerratificar. [De *re(tificar)* + *ratificar.*] *V. t. d. Jur.* Proceder à rerratificação de (certidão, contrato, etc.). [Conjug.: v. *trancar.*]

rés. [Do fr. ant. *res* (mod. *rez).*] *Adj. 2 g.* **1.** Raso, rente, rasante. ● *Adv.* **2.** Pela raiz; cerce, resvés. [Cf. *rês.*] ♦ **Ao rés de.** Ao nível de; rente a, rente com: "Tremiam as espadanas, ao rés da água" (Garibaldino de Andrade, *O Sol e a Nuvem*, p. 144).

rês. [Do ár. *rāç*, 'cabeça'; 'cabeça de gado'.] *S. f.* Qualquer quadrúpede usado na alimentação humana. [Pl.: *reses* (ê). Cf. *rés*, adj. e adv., e *rezes, do v. rezar.*]

resbalosa. [Do esp. plat. *resbalosa.*] *S. f. Bras., RS. Gír. dos criminosos.* Faca[1] (1).

resbordo. *S. m. Constr. Nav.* **1.** A primeira fiada de chapas (ou de tábuas, nas embarcações de madeira) do forro exterior do casco, de um e de outro lado da quilha. **2.** Cisbordo.

resbuto. *S. m.* e *adj.* V. *rajaputro.*

rescaldado. [Part. de *rescaldar.*] *Adj.* **1.** Muito escaldado. **2.** Experimentado, experiente. **3.** Que perdeu as ilusões; desiludido.

rescaldamento. *S. m.* Ato ou efeito de rescaldar.

rescaldar. [De *re-* + *escaldar.*] *V. t. d.* **1.** Escaldar novamente: Rescaldou *os talheres para evitar contaminação.* **2.** Escaldar muito; esquentar em excesso: *O sol* rescalda *o sertão nordestino.*

rescaldeiro. *S. m.* **1.** Rescaldo (5). **2.** Prato com rescaldo (5). [Cf. *réchaud.*] **3.** Braseiro (2) que serve de rescaldo (5).

rescaldo. [Dev. de *rescaldar.*] *S. m.* **1.** Calor reverberado de um incêndio ou fornalha. **2.** Cinza com brasas. [Cf. *borralho* (3).] **3.** O trabalho para evitar que se inflamem de novo os restos de um incêndio recente. **4.** Cinzas expelidas pelo vulcão. **5.** Aparelho próprio para conservar, fora do fogão, o calor de iguarias, molhos, etc.; rescaldeiro.

rescindência. [De *rescindir* + *-ência.*] *S. f. Desus.* Rescisão. [Cf. *recendência.*]

rescindibilidade. *S. f.* Qualidade de rescindível.

rescindir. [Do lat. *rescindere.*] *V. t. d.* **1.** Quebrar, dissolver, invalidar, anular (contrato): *As partes concordam em* rescindir *a escritura.* [Cf. *resilir* (1).] **2.** Romper, quebrar, desfazer, resilir: rescindir *um casamento;* "eufemiza .... a circunstância de que a primeira editora que se engajara a publicar as obras de Lima Barreto arrepiou caminho, rescindindo o compromisso" (Antônio Houaiss, *Crítica Avulsa*, p. 275).

rescindível. *Adj. 2 g.* Que pode ser rescindido; resilível.

rescisão. [Do lat. *rescissione*, com dissimilação das sibilantes.] *S. f.* **1.** Anulação de um contrato. **2.** Rompimento, corte. [Sin., desus.: *rescindência.*]

rescisório. [Do lat. *rescissoriu*, com dissimilação das sibilantes.] *Adj.* **1.** Que rescinde. **2.** Que comporta rescisão. **3.** Próprio para rescindir.

rescrever. [Do lat. *rescribere.*] *V. t. d.* e *t. d.* e *i.* Escrever de novo; reescrever: Rescreveu *a carta, cuidadoso;* "À mísera Sidônia / Rescreve o herói piedoso; /Fílis, se é viva, alegre-se / que vai chegar o esposo" (Antônio Feliciano de Castilho, *Os Amores de Ovídio*, II, p. 94). [Part., irreg.: *rescrito.*]

rescrição. [Do lat. *rescriptione.*] *S. f.* Autorização escrita para pagamento de uma quantia. [Cf. *cheque.*]

rescrito. [Do lat. *rescriptu.*] *S. m.* **1.** Decisão papal em assuntos teológicos: "Voltou ao quarto o reverendo Garcia de Loaisa a quem Filipe .... deu os emboras pelo rescrito acabado de chegar de Roma que o confirmava bispo de Toledo" (Aquilino Ribeiro, *Aventura Maravilhosa*, p. 295). **2.** Resolução do rei comunicada por escrito.

rés-do-chão. *S. m. 2 n.* Pavimento de uma casa ao nível do solo ou da rua; andar térreo: "Nem mais nem menos do que um pequeno palacete, jardim, rés-do-chão, primeiro andar" (Júlio Dantas, *Espadas e Rosas*, p. 124).

reseda (ê). *S. f. P. us. no Brasil.* V. *resedá*: "Sentada na poltrona da janela de cá uma senhora borda, tendo sobre a mesa a tesoura e uma jarra com um molho de resedas." (Ramalho Ortigão, *A Holanda*, p. 50.)

resedá. [Do fr. *réséda.*] *S. m.* **1.** Erva anual, da família das resedáceas (*Reseda odorata*), originária da África do Norte, de folhas espatuladas e obtusas, flores amarelas, de perfume intenso, com pétalas bífidas e dispostas em racemos espiciformes, e cápsulas angulosas que se abrem pelo ápice: "Um bom cheiro de resedás e laranjeiras entrou-me pelo quarto" (Aluísio Azevedo, *Demônios*, p. 135). **2.** A flor dessa planta. **3.** O perfume que se prepara com essa flor. [A f. rigorosa, *reseda*, quase não tem uso no Brasil.]

resedá-amarelo. *S. m. Bras.* V. *quaró.* [Pl.: *resedás-amarelos.*]

resedácea. *S. f.* Espécime das resedáceas.

resedáceas. *S. f. pl.* Família de plantas floríferas, da ordem das readales, composta de ervas ou arbustos com folhas alternas e flores racemosas, zigomorfas, com estames em número variável, ovário unilocular e fruto capsular. Há umas 60 espécies, quase todas mediterrâneas.

resedáceo. *Adj.* Pertencente ou relativo às resedáceas.

resedal. [De *resedá* (1) (q. v.) ou *reseda*, + *-al.*] *S. m.* Quantidade mais ou menos considerável de resedás dispostos proximamente entre si.

resendense. *Adj. 2 g.* **1.** De, ou pertencente ou relativo a Resende (RJ). ● *S. 2 g.* **2.** Natural ou habitante de Resende.

resenha. [Dev. de *resenhar.*] *S. f.* **1.** Ato ou efeito de resenhar. **2.** Descrição pormenorizada: "Ouvir rezar as duas santas velhas .... equivalia a escutar uma resenha das diferentes calamidades, que perseguem e apoquentam o gênero humano." (Júlio Dinis, *A Morgadinha dos Canaviais*, p. 21). **3.** Contagem, conferência. **4.** Notícia que abarca certo número de nomes ou fatos similares. **5.** Recensão (3).

resenhar. [Do lat. *resignare.*] *V. t. d.* **1.** Fazer resenha de; relatar minuciosamente. **2.** Enumerar por partes: *Os oficiais* resenharam *as baixas;* "Fique entendido .... que não resenho as línguas universais para salientar uma em detrimento das demais." (Paulo Rónai, *Babel & Antibabel*, p. 12).

resenho. [De *re-* + lat. *signu*, 'sinal'.] *S. m.* **1.** Exame dos sinais e características que diferenciam os cavalos. **2.** Marca feita normalmente na perna esquerda do cavalo.

reserpina. *S. f. Bioquím.* Alcalóide extraído da raiz da *Rauwolfia serpentina*, cristalino, usado como poderoso hipotensor e sedativo. [Fórm.: $C_{33}H_{40}N_2O_9$.]

reserva. [De *reservar.*] *S. f.* **1.** Ato ou efeito de reservar (-se); reservação. **2.** Aquilo que se reserva ou guarda para circunstâncias imprevistas. **3.** Os cidadãos que cumpriram os requisitos legais do serviço militar e/ou que dele foram dispensados, mantendo-se, porém, sujeitos a incorporar-se às fileiras, caso o exijam as circunstâncias. **4.** Tropa disponível para servir de reforço durante o combate. **5.** Árvore ainda em crescimento, que não se abate durante o desmatamento. **6.** Parque florestal administrado pelo Estado, e que se destina a assegurar a conservação das espécies animais e vegetais; reserva natural. **7.** A quantidade de minério, de carvão, de petróleo, etc., disponível numa jazida, numa região, num país, etc. **8.** Ato de garantir com antecipação lugar para assistir a um espetáculo, acomodação para viajar em transporte coletivo, quarto para se hospedar em hotel, etc. **9.** *Ant.* Parte do feudo explorada diretamente pelo senhor, em geral por meio de corvéias. **10.** *Fig.* Retraimento, recato, circunspeção. **11.** *Fig.* Exceção, restrição, ressalva. **12.** *Fin.* Parte dos lucros obtidos por uma sociedade não distribuídos como dividendos, nem incorporados ao capital. **13.** *Bras., N.* Lugar cercado, com pastagem e água abundantes para o gado; reservo. ● *S. 2 g.* **14.** *Bras.* No futebol e noutros esportes em que atuam equipes, atleta que substitui o efetivo em caso de necessidade; suplente, banco. [Nesta acepç., cf. *regra-três.*] ~ V. *reservas.* ♦ **Reserva alcalina.** *Med.* Teor de dióxido de carbono plasmático combinado, e que constitui a expressão das disponibilidades do meio extracelular em alcalinos, para enfrentar uma sobrecarga ácida. **Reserva natural.** Reserva (6). **Reserva remunerada.** *Bras.* Situação dos militares (oficiais, suboficiais, subtenentes e sargentos) que são aposentados do serviço ativo, podendo, contudo, ser reconvocados para ele em casos de mobilização militar e outros. [Cf. *reforma* (4).]

reservação. *S. f.* **1.** V. *reserva* (1). **2.** *Jur.* Condição restritiva duma doação ou de seus efeitos.

reservado. [Part. de *reservar.*] *Adj.* **1.** Que tem reserva; em que há reservas. **2.** Que mantém rancor à pessoa que o ofendeu. **3.** Discreto, retraído, recatado, calado. **4.** Prudente, cuidadoso, cauteloso. **5.** V. *fechado* (5). ● *S. m.* **6.** Espécie de camarote ou cubículo existente nalguns bares e restaurantes e destinado aos fregueses que desejem ficar a sós. **7.** *Bras.* V. *latrina* (1).

reservador (ô). *Adj.* e *s. m.* Que ou aquele que reserva.

reservar. [Do lat. *reservare.*] *V. t. d.* **1.** Fazer reserva de; pôr de parte; guardar, poupar, conservar: *Lutador experiente,* reservou *as forças nos primeiros assaltos.* **2.** Guardar para si; fazer segredo de; ocultar: *O historiador parcial* reserva, *não raro, as verdadeiras causas dos fatos.* **3.** Fazer reserva (8) de: reservar *mesa num restaurante. T. d.* e *i.* **4.** Deixar, destinar, guardar: *A lei* reserva *para o Estado a exclusividade na exploração do petróleo; O conferencista* reservou *a última palestra para o debate geral;* "Mas não quero humilhá-la, a vida já lhe reserva tantas adversidades." (Nélida Piñón, *A Força do Destino*, p. 21). **5.** Defender, preservar, livrar: *A educação* reserva *o homem da brutalidade. P.* **6.** Ficar de reserva; guardar-se: *O artilheiro* reservou-se *para o jogo decisivo.* [Pres. ind.: *reservo*, etc. Cf. *reservo* (ê).]

reservas. [Pl. de *reserva.*] *S. f. pl.* **1.** Parte do alimento que, sob diversas formas, ficou acumulada ou retida no organismo após a digestão, e que é capaz de transformar-se em energia: *Acha-se tão desnutrido que, se adoecer, não tem* reservas *que o sustentem.* **2.** Quantidade de energia suficiente para que o atleta chegue ao fim de uma competição em boas condições físicas. **3.** *Cont.* Importâncias que, embora figurem no passivo da empresa, não constituem obrigações para com terceiros. ~ V. *reserva.*

reservatário. [Do lat. *reservatu*, part. pass. de *reservare*, 'reservar', + *-ário.*] *Adj.* ~ V. *herdeiro* —.

reservativo. [Do lat. *reservatu*, part. pass. de *reservare*, 'reservar', + *-ivo.*] *Adj.* Em que há reserva; que inclui reserva.

reservatório. [Do lat. *reservatu*, part. pass. de *reservare*, 'reservar', + *-ório.*] *Adj.* **1.** Apropriado para reservar. ● *S. m.* **2.** Lugar mais ou menos amplo, ou recipiente próprio para acumular ou reservar certas coisas; depósito: reservatório *de gás;* reservatório *de cimento.* **3.** Grande depósito de água: *O* reservatório *de Ribeirão das Lajes.*

reservável. *Adj. 2 g.* Que pode ser reservado.

reservense. *Adj. 2 g.* **1.** De, ou pertencente ou relativo a Reserva (PR). ● *S. 2 g.* **2.** Natural ou habitante de Reserva.

reservista. *S. m.* Cidadão que passou para a reserva (3).

reservo (ê). [Dev. de *reservar*.] *S. m.* **1** *Bras., N.* Reserva (13). **2.** *Bras., AL.* Grande relvado que circunda a casa-grande dos engenhos, geralmente coroado por longo renque de bambus, e que se utiliza como pasto para o gado. [Pl.: *reservos* (ê). Cf. *reservo*, do v. *reservar*.]

resfolegadoiro. [De *resfolegar* + *-(d)oiro*[1].] *S. m.* V. *resfolegadouro.*

resfolegadouro. [De *resfolegar* + *-(d)ouro*; var. de *resfolegadoiro*.] *S. m.* **1.** Lugar por onde penetra o ar necessário à movimentação de certos mecanismos. **2.** V. *respiradouro* (1).

resfolegante. *Adj. 2 g.* Que resfolega; resfolgante.

resfolegar. [De *re-* + *-es-* + *fôlego* + *-ar*[2].] *V. int.* **1.** Tomar fôlego; respirar com esforço e/ou ruído; esfolegar: "Eu as vejo passar .... , conduzindo a enorme canastra transbordante, suadas, *resfolegando*" (José Vieira, *Sol de Portugal*, p. 24). **2.** Ter descanso; repousar. *T. d.* **3.** Golfar, expelir: *O navio resfolegava rolos de fumaça.* [Var.: *resfolgar*. Pres. ind.: *resfólego* ou *resfolgo*, *resfólegas* ou *resfolgas*, *resfólega* ou *resfolga*, *resfolegamos*, *resfolegais*, *resfólegam* ou *resfolgam*. Pres. subj.: *resfólegue* ou *resfolgue*, *resfólegues* ou *resfolgues*, *resfólegue* ou *resfolgue*, *resfoleguemos*, *resfolegueis*, *resfóleguem* ou *resfolguem*. Cf. *resfólego* e *resfolgo* (ô).]

resfôlego. [Dev. de *resfolegar*.] *S. m.* Ato ou efeito de resfolegar: "Ainda sentia na cara os *resfôlegos* precipitados da mulata" (Macedo Miranda, *Pequeno Mundo outrora*, p. 49). [Var.: *resfolgo* (ô). Cf. *resfólego*, do v. *resfolegar*.]

resfolgante. *Adj. 2 g.* Que resfolga; resfolegante.

resfolgar. *V. int.* e *t. d.* Var. sincopada de *resfolegar* [q. v.]: "Os cavalos *resfolgam*, relincham e escarvam na terra borrifada" (Camilo Castelo Branco, *Perfil do Marquês de Pombal*, p. 34); "Exala-se da terra um bafo ardente; o gado, / Sedento, mal *resfolga*" (Conde de Monsaraz, *Musa Alentejana*, p. 207); "Algum sumido apeadeiro, onde o trem se atardava, esfalfado, *resfolgando*" (Eça de Queirós, *A Cidade e as Serras*, p. 191). [Conjug.: v. *largar*. Pres. ind.: *resfolgo*, etc. Cf. *resfolgo* (ô).]

resfolgo (ô). *S. m.* Var. de *resfôlego*. [Pl.: *resfolgos* (ô). Cf. *resfolgo*, do v. *resfolgar*.]

resfriadeira. [De *resfriar* + *-deira*.] *S. f.* **1.** *Bras.* Nos engenhos, lugar próprio para resfriar o açúcar. **2.** *Bras., N. E.* Vaso grande, de barro, onde se põe a água a esfriar.

resfriado. [Part. de *resfriar*.] *Adj.* **1.** Que tem resfriamento (2). **2.** Que tem resfriado (5). ● *S. m.* **3.** Resfriamento (2). **4.** Relvado nos pastos, próximo às cabeceiras, onde existe umidade. **5.** *Bras.* Estado gripal, não raro de natureza virótica, caracterizado pela congestão das mucosas das vias respiratórias superiores, e por defluxo, e resultante de resfriamento (2): gripe, constipação. **6.** *Bras., BA* e *MG.* Camada de terra sobre lajedos.

resfriadoiro. [De *resfriar* + *-(d)oiro*[1].] *S. m.* Resfriadouro [q. v.].

resfriador (ô). *Adj.* **1.** Que resfria. ● *S. m.* **2.** Recipiente com água fria, para resfriar certos objetos.

resfriadouro. [De *resfriar* + *-(d)ouro*[1]; var. de *resfriadoiro*.] *S. m.* **1.** Lugar onde algo se resfria. **2.** Objeto ou mecanismo para resfriar.

resfriamento. *S. m.* **1.** Ato ou efeito de resfriar(-se). **2.** Indisposição provocada por uma queda brusca de temperatura do corpo ocasionada por falta de agasalho, golpe de ar, etc.; resfriado. [Cf. *resfriado* (5).] **3.** Aguamento (de animais).

resfriante. [De *resfriar* + *-nte*.] *S. m. Expl.* Refrigerante (4).

resfriar. [De *re-* + *esfriar*.] *V. t. d.* **1.** Esfriar de novo; tornar a esfriar: *A chuva resfriou o solo abrasado.* **2.** Abaixar a temperatura de; tornar frio; arrefecer; esfriar: *A geladeira resfria os alimentos.* **3.** Desalentar, descoroçoar, desacoroçoar, desanimar: *Os maus resultados da empresa resfriaram os investidores.* **4.** Diminuir o ardor, a atividade, de: *A idade resfria o homem, mas torna-o também mais experiente. Int.* e *p.* **5.** Tornar-se frio; arrefecer(-se), esfriar(-se): *A comida resfriou; O café resfriou-se.* **6.** Desanimar(-se), desalentar(-se), esmorecer, descoroçoar: *As tropas inimigas resfriaram após sucessivas derrotas; Tão metido a bravo, e resfriou-se em face do adversário.* **7.** Apanhar resfriado; constipar-se: *resfriei com a chuva. O menino resfria-se à toa.* **8.** Perder o calor, o entusiasmo.

resgatabilidade. *S. f.* Qualidade de resgatável; possibilidade de ser resgatado.

resgatador (ô). *Adj.* e *s. m.* Que ou aquele que resgata.

resgatar. [Cruz. de um lat. **recaptare*, 'recatar', com um lat. **reexcaptare*, 'resgatar'.] *V. t. d.* **1.** Livrar de cativeiro, de seqüestro, etc., a troco de dinheiro ou de outro valor; remir, liberar: *Platão foi vendido como escravo, porém um amigo o resgatou.* **2.** Efetuar o pagamento de (dívida ou compromisso); pagar. **3.** Obter à custa de sacrifício: *Resgatou a sua tranqüilidade.* **4.** Obter por dinheiro a restituição de: *resgatar uma promissória.* **5.** Remir (pecado, culpa); apagar, expiar: *O tempo resgata os erros.* **6.** Cumprir, executar: *resgatar compromissos.* **7.** Fazer esquecer; apagar: *A felicidade resgata os piores momentos.* **8.** Retomar, recuperar: *O exército resgatou o território ocupado.* **9.** Salvar (2 e 3): "Já resgatei tantos mortos e feridos que perdi a conta — comentou um voluntário da Cruz Vermelha." (*Jornal do Brasil*, 20.9.1985.) *T. d.* e *i.* **10.** Salvar (1). *P.* **11.** Livrar-se do cativeiro a troco de dinheiro, bens ou reféns; remir-se.

resgatável. *Adj. 2 g.* Que pode ser resgatado; remível.

resgate. [Dev. de *resgatar*.] *S. m.* **1.** Ato ou efeito de resgatar(-se). **2.** A quantia necessária ao resgate de escravo, prisioneiro, dívida, etc. **3.** Libertação, livramento. **4.** Salvamento (1): "O Presidente Miguel de la Madrid declarou emergência nacional e assumiu o comando das buscas e *resgates*" (*Jornal do Brasil*, 20.9.1985). ♦ **Resgate convencional.** *Jur.* Retrovenda, retrato. **Resgate de estadia.** *Jur.* Prêmio que o consignatário dum navio fretado recebe pelos dias poupados de estadia.

resguardar. [De *re-* + *-es-* + *guardar*.] *V. t. d.* e *i.* **1.** Guardar cuidadosamente; defender: *A higiene resguarda o homem das enfermidades.* **2.** Servir de anteparo a; abrigar, acobertar: *As muralhas resguardam a cidade de invasões.* **3.** Pôr a salvo; livrar: *A influência dos poderosos não resguarda do castigo os criminosos. T. d.* **4.** Guardar do frio, das inclemências do tempo: *As luvas resguardam as mãos.* **5.** Guardar com cuidado e vigilância, para fugir a danos ou perigos; defender, proteger: *resguardar a pureza, a inocência.* **6.** Estar voltado para; defrontar com: *A cadeia de montanhas resguarda o mar.* **7.** Observar, cumprir, seguir, guardar: *resguardar as normas.* **8.** Observar atentamente; atentar em; vigiar: *A sentinela ficou horas resguardando a entrada. P.* **9.** Defender-se, proteger-se, abrigar-se: *Resguardou-se do forte sol.*

resguardo. [Dev. de *resguardar*.] *S. m.* **1.** Ato ou efeito de resguardar(-se). **2.** Tudo o que serve para defender, resguardar de perigo ou dano; defesa: *O viaduto não tem resguardo; Precisa de uma dieta de resguardo; Usou um resguardo contra o frio.* **3.** Cuidado, precaução; prudência: *Agiu com resguardo.* **4.** Decoro, decência, recato. **5.** Segredo, mistério. **6.** *Encad.* Conjunto das guardas [v. *guarda* (8)] de um livro. **7.** *Bras. Pop.* Período subseqüente ao parto, em que a mulher observa certos cuidados, repouso, etc. ♦ **Resguardo falso.** *Encad.* V. *salvaguarda* (5).

residência. [De *residente*.] *S. f.* **1.** Morada (1) habitual em lugar certo; domicílio. **2.** Casa ou lugar onde se reside ou habita; domicílio. **3.** V. *casa* (1): *Em Brasília há belas residências às margens do lago.* **4.** *Bras.* Trecho de uma ferrovia, ou parte de uma rede rodoviária, em construção ou em tráfego, sob a jurisdição de um engenheiro-residente. **5.** *Bras.* A sede da administração chefiada por esse engenheiro-residente.

residencial. *Adj. 2 g.* **1.** Onde se localizam residências. **2.** Próprio para residência. **3.** Diz-se do bispo de uma circunscrição eclesiástica com existência atual, por oposição ao bispo titular, que recebe uma circunscrição eclesiástica extinta. V. *conjunto* —.

residente[1]. *S. m.* F. red. de *engenheiro-residente.*

residente[2]. [Do lat. *residente*.] *Adj. 2 g.* **1.** Que reside ou mora em algum lugar: *Os estrangeiros residentes devem renovar suas carteiras.* **2.** Diz-se de pessoa que mora no próprio local onde exerce função ou cargo: *médico residente; juiz residente.* ● *S. 2 g.* **3.** Pessoa residente. **4.** *Obsol.* Título de certos funcionários coloniais.

residir. [Do lat. *residere*.] *V. t. c.* **1.** Fixar residência; ter residência fixa; morar, viver: *Reside em São Paulo desde que se formou;* "*Residem* os grandes da terra em majestosos palácios, para se imporem ao culto dos pequenos" (Fialho d' Almeida, *Lisboa Galante*, p. 92); "Seu Joãozinho *residia* com a mãe no sobrado da Rua das Flores" (Mário Palmério, *Chapadão do Bugre*, p. 107). **2.** Ter sede: *A memória reside no cérebro. T. i.* **3.** Ser, estar, achar-se; consistir: *As dificuldades residem na falta de dinheiro;* "a arte do orador *reside*, sobretudo, na voz" (José Osório de Oliveira, *O Romance de Garrett*, p. 97). **4.** Manifestar-se, mostrar-se, patentear-se: *Para o bom observador, a verdade reside nos fatos.*

residual. *Adj. 2 g.* **1.** Referente a resíduo; residuário. **2.** Próprio de resíduo. ~ V. *água* — e *lago* —.

residuário. *Adj.* **1.** Que forma resíduo. **2.** Residual (1).

resíduo. [Do lat. *residuu*.] *Adj.* **1.** V. *remanescente* (1). ● *S. m.* **2.** Aquilo que resta de qualquer substância; resto; "Rubião, calado, recompunha mentalmente o almoço, prato a prato, via com gosto os copos e os seus *resíduos* de vinho, as migalhas esparsas" (Machado de Assis, *Quincas Borba*, p. 49). **3.** O resíduo (2) do que sofreu alteração de qualquer agente exterior, por processos mecânicos, químicos, físicos, etc.: *resíduos de um incêndio; os resíduos da moagem do café.* **4.** *Fig.* O fundo, o âmago, a raiz: *O resíduo sertanejo do homem de salão emergia de sua personalidade requintada.* **5.** *Anál. Mat.* Produto do valor da integral de uma função analítica de variável complexa ao longo de uma curva fechada que envolve um ponto singular do seu domínio, por $1/2\ \pi$ i. **6.** *Estat.* Diferença entre um valor observado numa experiência e o valor mais provável de grandeza sob observação. ~ V. *resíduos.*

resíduos. [Pl. de *resíduo*.] *S. m. pl.* **1.** Restos de crenças antiquadas que sobrevivem na mentalidade moderna. **2.** *Jur.* Remanescentes dos bens legados, restituídos ao beneficiário da disposição testamentária. **3.** *Jur.* Produto da venda de bens de raiz e dos rendimentos dos testadores, encontrados em poder dos testamenteiros. **4.** *Jur.* Vintenas perdidas pelos testamenteiros, ou a importância de multas e indenizações que devem eles pagar. **5.** *Ant.* Bens deixados em herança com o encargo de serem aplicados em obras pias. ~ V. *resíduo.* ♦ **Resíduos ativos.** Receitas provindas de impostos lançados e não arrecadados no exercício próprio. **Resíduos passivos.** *Fin.* Despesas empenhadas e liquidadas, mas que não foram reclamadas no exercício próprio.

resignação. *S. f.* **1.** Ato ou efeito de resignar(-se). **2.** Renúncia espontânea de uma graça ou de um cargo. **3.** Submissão paciente aos sofrimentos da vida.

resignadamente. [Do fem. de *resignado* + *-mente*.] *Adv.* De modo resignado; com resignação.

resignado. [Part. de *resignar*.] *Adj.* Que sofre com resignação; que não lamenta a sua sorte.

resignante. [Do lat. *resignante*.] *Adj. 2 g.* e *s. 2 g.* **1.** Que ou quem resignou, por merecimento ou por força das circunstâncias, aquilo a que tem direito. **2.** Resignatário.

resignar. [Do lat. *resignare*, 'tirar o selo'; 'renunciar, resignar'.] *V. t. d.* **1.** Demitir-se de; renunciar: *Nixon terminou resignando a presidência de seu país. P.* **2.** Ter resignação; conformar-se: *Levou anos para resignar-se com a trágica morte do filho;* "Não julgueis, porém, que me revolto — *resigno-me* e bendigo todos os sofrimentos, que são a expiação de antigas culpas." (Coelho Neto, *Turbilhão*, p. 163).

resignatário. [Do lat. *resignatu*, part. pass. de *resignare*, 'renunciar', + *-ário*.] *Adj.* e *s. m.* Que ou aquele que resigna ou renuncia cargo, função ou dignidade; resignante.

resignável. *Adj. 2 g.* Que se pode resignar: *posto resignável.*

resilição. [De *resilir* + *-ção*.] *S. f. Jur.* Rescisão de contrato efetuada por acordo de todos os contratantes ou em razão de cláusula de antemão estipulada.

resiliência. [Do ingl. *resilience*.] *S. f.* **1.** *Fís.* Propriedade pela qual a energia armazenada em um corpo deformado é devolvida quando cessa a tensão causadora duma deformação elástica. **2.** *Fig.* Resistência ao choque.

resiliente. [Do ingl. *resilient*.] *Adj. 2 g.* **1.** Que tem resiliência. **2.** *P. ext.* Elástico.

resilir. [Do lat. *resilire*, 'saltar para trás', 'retirar-se', 'desdizer-se'.] *V. t. d.* **1.** *Jur.* Romper (um contrato), comumente sucessivo, por acordo e livre deliberação das partes. [Cf. *rescindir* (1).] **2.** Rescindir (2). *T. i.* **3.** Soltar-se, escapar, escapulir: *A arma resiliu das mãos do assaltante.* **4.** Voltar, retornar (ao ponto de partida): *O bumerangue resile sempre contra o atirador.*

resilível. *Adj. 2 g.* Que se pode resilir ou rescindir; rescindível.

resina. [Do gr. *rhetíne*, pelo lat. *resina*.] *S. f.* **1.** Secreção viscosa que exsuda do caule e de outros órgãos de certas plantas, e que contém substâncias odoríferas, antisépticas, etc., as quais cicatrizam rapidamente qualquer ferida em tais órgãos, assumindo aspecto vítreo. **2.** Produto extraído da resina (1). **3.** *P. ext.* Designação comum a certos produtos sintéticos de características análogas às da resina (1). [Cf. *rezina* e *rizina*.] ♦ **Resina acrílica.** *Quím.* Material branco, transparente, obtido pela polimerização de ésteres acrílicos, muito usado na indústria de objetos de plásticos e na fabricação de fibras artificiais. **Resina de uréia-formaldeído.** *Quím.* Polímero resultante da condensação da uréia com o formaldeído, de grande resistência e ampla e variada aplicação. **Resina epóxi.** *Quím.* Polímero com o grupamento epóxi, usado na preparação de tintas e recobrimentos, e na fabricação de adesivos. **Resina fenólica.** *Quím.* Designação genérica de polímeros resultantes da reação de fenóis e aldeídos. **Resina sintética.** *Quím.* Produto obtido pela condensação e polimerização de duas ou mais substâncias, com aspecto resinoso e propriedades mecânicas que possibilitam ampla gama de aplicações.

resinado. [Do lat. *resinatu.*] *Adj.* V. *resinoso* (1).

resinagem. *S. f.* **1.** Ato ou efeito de resinar. **2.** Extração de resina (1).

resinar. *V. t. d.* **1.** Extrair a resina de: *resinar pinheiros.* **2.** Aplicar resina a: *resinar um ambiente a fim de perfumá-lo.* **3.** Misturar com resina; enresinar.

resinento. *Adj.* V. *resinoso* (1 e 2).

▲**resini-.** [Do lat. *resina, ae.*] *El. comp.* = 'resina': *resinífero, resiniforme.*

resinífero. [De *resini-* + *-fero.*] *Adj.* Que produz resina (1); resinoso.

resinificar. [De *resini-* + *-ficar.*] *V. t. d.* **1.** Converter em resina. **2.** Dar aparência de resina a. *P.* **3.** Converter-se em resina. [Conjug.: v. *trancar.*]

resiniforme. [De *resini-* + *-forme.*] *Adj. 2 g.* Que tem aspecto de resina.

resinoso (ô). [Do lat. *resinosu.*] *Adj.* **1.** Que tem resina; resinado, resinento. **2.** Coberto de resina; resinento. **3.** Resinífero.

resipiscência. [Do lat. *resipiscentia,* 'volta à sabedoria'.] *S. f.* **1.** Arrependimento de um pecado, com propósito de correção: "Para o teórico floretino [Maquiavel], o cristianismo, com a sua pregação de humildade, tolerância, *resipiscência*, perdão das injúrias, debilitara as romanas virtudes civis e militares" (Sílvio Lima, *Ensaio sobre a Essência do Ensaio,* p. 36). **2.** Emenda moral.

resistência. [Do lat. *resistentia.*] *S. f.* **1.** Ato ou efeito de resistir. **2.** Força que se opõe a outra, que não cede a outra: *Quis abrir a porta, mas encontrou resistência.* **3.** Força que defende um organismo do desgaste de doença, cansaço, fome, etc.: *A resistência de um atleta aumenta com os treinos.* **4.** Aquilo que se opõe ao deslocamento de um corpo que se move: *Os pássaros, voando, vencem a resistência do ar.* **5.** Luta em defesa; defesa. **6.** *Fís.* Força que se opõe ao movimento de um sistema. **7.** *Eletr.* Propriedade que tem toda substância (exceto os supercondutores) de se opor à passagem de corrente elétrica, e que é medida, em um corpo determinado, pelo quociente da tensão contínua aplicada às suas extremidades pela corrente elétrica que atravessa o corpo; resistência elétrica. **8.** *Eletr. Impr.* V. *resistor.* **9.** *Bras. Mar. Merc.* O pessoal encarregado da movimentação da carga em terra, até o costado da embarcação mercante; capatazia. [Cf. *estiva* (5).] **10.** *Fig.* Oposição ou reação a uma força opressora. **11.** *Fig.* Embaraço, estorvo, obstáculo, empecilho. **12.** *Fig.* Vigor moral; ânimo. **13.** *Bras. Cap.* Movimento defensivo em que o capoeirista se abaixa e protege a cabeça com uma das mãos, enquanto a outra se apóia no chão. **14.** *Teat.* Gradual apagamento ou acendimento da iluminação dos cenários ou platéias de teatros, em casas noturnas, cinemas, etc. ◆ **Resistência dos materiais.** Estudo das tensões e das deformações que se desenvolvem nos sólidos, resultantes de forças exteriores a eles aplicadas. **Resistência elétrica.** *Eletr.* Resistência (7). **Resistência específica.** *Eletr.* Resistividade. **Resistência passiva.** Resistência sem revide, ou provocação: "O João não respondia, macambúzio, metido no quarto, numa *resistência passiva.*" (Conde de Ficalho, *Uma Eleição Perdida,* p. 197.)

resistente. [Do lat. *resistente.*] *Adj. 2 g.* **1.** Que resiste ou reage. **2.** Que por sua rigidez, dureza, etc., opõe resistência a qualquer força: *material resistente.* **3.** Que resiste ao tempo; sólido, durável: *calçado resistente.* **4.** Teimoso, obstinado, contumaz.

resistibilidade. *S. f.* Qualidade ou caráter de resistível.

resistir. [Do lat. *resistere.*] *V. t. i.* **1.** Oferecer resistência; não ceder: *O religioso sabia resistir aos prazeres pecaminosos;* "Era a primeira vez que ele ousava *resistir* à vontade de Leonor Teles." (Alexandre Herculano, *Lendas e Narrativas,* I, p. 195). **2.** Opor-se, fazer face (a um poder superior): *O moribundo resistiu longamente à morte.* **3.** Fazer frente (a um ataque, acusação, etc.); defender-se: *O povo resistiu à invasão; O deputado resistiu às investidas do adversário.* **4.** Recusar-se, negar-se, opor-se: "eu *resisto* a qualquer tentativa de propor a existência humana em termos de alma, pecado, religião, Deus." (Fausto Cunha, *Situações da Ficção Brasileira,* p. 25); *O acusado resistiu a admitir sua culpa.* **5.** Não sucumbir; sobreviver, subsistir. *Int.* **6.** Durar; conservar-se; subsistir: *Tem resistido, apesar das dificuldades.* **7.** Oferecer resistência: *A falta de armas impediu que resistissem. T. d.* **8.** *P. us.* Oferecer resistência a; opor-se a: *O exército resistiu os ataques inimigos.*

resistível. *Adj. 2 g.* A que se pode resistir.

resistividade. [De *resistivo* + *-i-* + *-dade.*] *S. f. Eletr.* Resistência elétrica de um corpo de seção reta uniforme com área unitária, e cujo comprimento é igual à unidade; resistência específica.

resistivo. [Do ingl. *resistive.*] *Adj. Eletr.* Diz-se dum componente que tem resistência elétrica. ~ V. *acoplamento* —.

resistor (ô). [Do ingl. *resistor.*] *S. m. Eletr.* Componente de um circuito elétrico que apresenta resistência. [Sin. (impr.): *resistência.*]

reslumbrância. *S. f.* Qualidade de reslumbrante.

reslumbrante. *Adj. 2 g.* Que reslumbra.

reslumbrar. [Do esp. *reslumbrar,* com infl. de *vislumbrar.*] *V. int.* **1.** Dar passagem à luz: *Esta vidraça reslumbra, clareando o ambiente.* **2.** Transparecer, transpirar, transluzir: *Estas informações não podem reslumbrar.*

resma (ê). [Do ár. *razmâ,* 'pacote, embrulho'.] *S. f.* Vinte mãos ou 500 folhas de papel. [Cf. *resma,* do v. *resmar.*]

resmar. *V. t. d.* Reunir em resmas (o papel em folhas); enresmar. [Pres. ind.: *resmo, resmas, resma,* etc. Cf. *resma* (ê).]

resmelengar. *V. int. Bras., N. Pop.* Mostrar-se resmelengo. [Conjug.: v. *largar.*]

resmelengo. *Adj.* e *s. m. Bras., N. Pop.* **1.** Resmungão, rabugento. **2.** V. *avaro* (1 e 3). [F. paral.: *resmelengue.*]

resmelengue. *Adj. 2 g.* e *s. 2 g. Bras., N. Pop.* Resmelengo.

resmoer. [De *re-* + *esmoer,* com síncope.] *V. t. d.* Esmoer repetidamente; esmoer: "desandou o caminho percorrido, desvanecendo todo o indício de sua passagem até o ponto onde havia deixado o seu cavalo, que o esperava sem nenhuma impaciência, *resmoendo* um abrolho mais novo de mandacaru." (José de Alencar, *O Sertanejo,* p. 64). [Conjug.: v. *moer.*]

resmonear. [Do lat. *vulg.* **remussinare.*] *V. t. d.* e *int.* V. *resmungar:* "Tinha medo às trovoadas; nessas ocasiões, tapava os ouvidos, e *resmoneava* todas as orações do catecismo." (Machado de Assis, *Memórias Póstumas de Brás Cubas,* p. 161); *Vive pelos cantos, de cara feia, a resmonear.* [Conjug.: v. *frear.*]

resmoneio. [Dev. de *resmonear.*] *S. m.* Ação de resmonear; resmungo.

resmuda. [De *re-* + *-es-* + *muda*[1].] *S. f. Pop.* Determinação contrária; mudança, modificação.

resmungado. [Part. substantivado de *resmungar.*] *S. m.* V. *resmungo:* "imitar o ronco dos bagres, ... o *resmungado* das saricangas e das ferreiras" (Valdomiro Silveira, *Nas Serras e nas Furnas,* p. 120).

resmungão. [De *resmungar* + *-ão*[3].] *Adj.* e *s. m.* Que ou aquele que resmunga; rezingão. [Fem.: *resmungona.*]

resmungar. [Do lat. **remussicare,* 'rosnar' < *remussitare,* com troca de sufixo.] *V. t. d.* **1.** Pronunciar por entre dentes e com mau humor: "amuada, ... ia trancar-se no quarto, *resmungando* ameaças" (Coelho Neto, *Turbilhão,* p. 17); "os meninos *resmungavam* queixas" (Bernardo Guimarães, *O Seminarista,* p. 23). *Int.* **2.** Falar baixo e com mau humor; rezingar, resmuninhar: *A contrariedade fazia-o resmungar* [Sin. ger.: *resmonear, resmuninhar.* Conjug.: v. *largar.*]

resmungo. [Dev. de *resmungar.*] *S. m.* Ato de resmungar; resmungado, rezinga.

resmungona. *Adj. (f.)* e *s. f.* Fem. de *resmungão.*

resmuninhar. [De *resmonear.*] *V. t. d.* e *int.* V. *resmungar.*

➧**res nullius** (réç nuliuç). [Lat.] *Jur.* Coisa de ninguém.

reso. [Do lat. cient. *Rhesus,* denominação dada, em 1797, pelo naturalista francês Audebert (1759-1800).] *S. m.* Espécie de macaco de cor parda, utilizado para pesquisas científicas. [Cf. *rezo,* do v. *rezar.*]

resolubilidade. *S. f.* Qualidade de resolúvel.

resolução. [Do lat. *resolutione.*] *S. f.* **1.** Ato ou efeito de resolver(-se). **2.** Decisão, deliberação. **3.** Capacidade de resolver, deliberar, decidir; deliberação, decisão: *Tem visão administrativa e muita resolução.* **4.** Desígnio, intento, tenção, propósito. **5.** Transformação, conversão, mudança. **6.** Firmeza, energia em face do perigo; bravura, coragem. **7.** Extinção (de um contrato ou direito). **8.** Soltura de ventre; fluxo. **9.** *Med.* Cura de lesões tais como inflamação ou tumoração, sem intervenção cirúrgica. **10.** *Mús.* No encadeamento dos acordes, transformação da dissonância em consonância, com a criação de uma impressão de repouso.

resolutivo. [Do lat. *resolutu,* part. pass. de *resolvere,* 'resolver', + *-ivo.*] *Adj.* **1.** Que resolve; resolvente. **2.** Que cura uma inflamação sem dor nem supuração. ● *S. m.* **3.** Medicamento resolutivo (2); resolvente.

resoluto. [Do lat. *resolutu.*] *Adj.* **1.** Que foi resolvido; combinado, acertado. **2.** Que se resolveu; desfeito, dissipado, dissoluto. **3.** *Fig.* Audaz, corajoso, decidido, afoito. **4.** *Fig.* Determinado, desembaraçado, ativo, expedito.

resolutório. [Do lat. *resolutoriu.*] *Adj.* Próprio para resolver.

resolúvel. [Do lat. *resolubile.*] *Adj. 2 g.* Resolvível. ~ V. *ato* —, *contrato* — e *propriedade* —.

resolvente. [Do lat. *resolvente.*] *Adj. 2 g.* **1.** Resolutivo (1). ● *S. m.* **2.** Resolutivo (3). *S. f.* **3.** *Mat.* Equação ou relação que serve para determinar a solução de um problema.

resolver. [Do lat. *resolvere.*] *V. t. d.* **1.** Fazer desaparecer aos poucos; extinguir gradualmente. **2.** Separar os elementos constituintes de (um corpo); decompor. **3.** Achar a solução de; explicar, esclarecer, aclarar: *Foi difícil resolver a questão.* **4.** Decidir depois de exame e discussão; deliberar a respeito de; dar a solução a: *A diretoria ainda não resolveu o problema salarial.* **5.** Deliberar-se ou resolver-se a; decidir, resolver: *Após muita reflexão, resolveu cursar engenharia.* **6.** Desfazer, anular, rescindir, distratar: *As partes decidiram resolver o contrato. T. d.* e *i.* **7.** Reduzir, transformar, converter: *A baixa temperatura resolve a água em gelo;* "Há em Maria Isabel o desejo de *resolver* tudo em canção" (Carlos Drummond de Andrade, *Passeios na Ilha,* p. 208). *Int.* **8.** Desaparecer, desfazer-se, extinguir-se, acabar(-se): *O tumor resolveu.* **9.** Trazer vantagem, proveito, lucro, benefício; adiantar: *Violência não resolve. T. i.* **10.** *Desus.* Tomar a deliberação; assumir a decisão: *Após a reunião ministerial, o Governo resolveu de convocar eleições gerais.* **11.** Emitir resolução ou decisão; decidir: *Quando conhecer melhor a noiva, resolverá sobre a conveniência do casamento. P.* **12.** Dividir-se nos seus elementos; decompor-se, dissolver-se: *Ao contrário do que pensavam os atomistas gregos, os átomos resolvem-se.* **13.** Mostrar-se pronto ou disposto; decidir-se, deliberar-se, determinar-se; resolver: *Resolvi-me a prosseguir viagem, apesar do mau tempo;* "amuado por não poder conciliar o sono, *resolvera-se* a ir ver a manhã, de mais perto." (Machado de Assis, *A Mão e a Luva,* p. 20). **14.** Emitir resolução ou decisão; decidir, resolver: *O tribunal espera as informações para resolver-se quanto à culpa do réu.* **15.** Desfazer-se (tumor, etc.) sem dor nem supuração. **16.** Basear-se, fundar-se, fundamentar-se: *Para Sócrates, a virtude resolve-se na sabedoria.* **17.** Reduzir-se, transformar-se, converter-se: *Na primavera a neve resolve-se em água.*

resolvido. [Part. de *resolver.*] *Adj.* **1.** Combinado, assentado, assente, resoluto: *Assunto resolvido.* **2.** *Pop.* Decidido, determinado, disposto, afoito, resoluto: *É homem resolvido, enfrenta as paradas.*

resolvível. *Adj. 2 g.* Que se pode resolver; resolúvel.

resorcinol. *S. m. Quím.* Difenol derivado do benzeno, cristalino, acicular, incolor, usado na indústria de corantes. [Fórm.: $C_6H_4(OH)_2$. Pl.: *resorcinóis.*]

respaldado. [Part. de *respaldar.*] *Adj.* Que tem respaldo (5).

respaldar[1]. [De *respaldo* + *-ar*[1].] *S. m.* V. *espaldar* (1).

respaldar[2]. [De *re-* + *espalda* + *-ar*[2].] *V. t. d.* **1.** Tornar plano; alisar, aplanar; aplainar: *Os tratores respaldaram o terreno.* **2.** Dar respaldo (5) ou cobertura a; apoiar, amparar: *Que grupos respaldariam aquela política de suicídio nacional?*

respaldo. [Dev. de *respaldar*[2].] *S. m.* **1.** Ato ou efeito de respaldar. **2.** O encosto das cadeiras; espaldar, espalda, respaldar. **3.** Encosto na parte traseira das carruagens. **4.** Banqueta do altar. **5.** Apoio, geralmente de caráter político ou moral. **6.** Defeito do cavalo, causado pelo atrito do arção posterior da sela.

respançadura. *S. f.* Ato ou efeito de respançar; respançamento.

respançamento. *S. m.* Respançadura.

respançar. [De *raspar.*] *V. t. d.* Apagar (as letras do papel) com a raspadeira; raspar. [Conjug.: v. *laçar.*]

respe. [Do lat. *respice,* do imperat. pres. de *respicere,* 'olhar', 'ponderar'.] *S. m. Bras. Fam.* **1.** V. *descompostura* (2). **2.** V. *repreensão* (1).

respectivo. [Do lat. *respectu,* part. pass. de *respicere,* 'olhar para trás', 'concernir', + *-ivo*.] *Adj.* **1.** Que diz respeito a cada um em particular ou em separado. **2.** Competente, devido, próprio, seu. [Var.: *respetivo*.]

respeitabilidade. [Do ingl. *respectability*.] *S. f.* Qualidade de respeitável.

respeitador (ô). *Adj. e s. m.* Que ou aquele que respeita.

respeitante. [Do lat. *respectante*.] *Adj. 2 g.* Que diz respeito; referente, relativo, concernente, atinente.

respeitar. [Do lat. *respectare*, 'olhar muitas vezes para trás'.] *V. t. d.* **1.** Tratar com reverência ou acatamento; venerar, honrar: *Respeitar os mais velhos é de boa educação* **2.** Ter medo de; temer, recear: *Na selva, todos os animais respeitam o leão.* **3.** Tomar em consideração; ter em conta; atender a; considerar: *O bom governante respeita os anseios populares.* **4.** Seguir as determinações de; cumprir, observar, acatar: *respeitar a lei.* **5.** Não causar dano a; poupar: *Os invasores respeitaram as relíquias históricas.* **6.** Fazer justiça a; dar apreço a; reconhecer: *respeitar os méritos do inimigo.* **7.** Suportar, aturar, admitir, tolerar: *Seu feitio orgulhoso não respeita censuras. T i.* **8.** Dizer respeito; referir-se, concernir, tocar: *Estes dados respeitam ao processo.* **9.** Estar na direção; estar voltado; apontar: *A proa do navio respeitava ao sul. P.* **10.** Fazer-se respeitado; impor-se ao respeito de outrem; dar-se ao respeito: *O homem deve respeitar-se.*

respeitável. *Adj. 2 g.* **1.** Digno de respeito; venerável. **2.** *Fig.* Formidável, terrível, extraordinário: *um terremoto respeitável.* **3.** Que tem grande importância; importante.

respeito. [Do lat. *respectu*.] *S. m.* **1.** Ato ou efeito de respeitar(-se). **2.** Reverência, veneração. **3.** Obediência, deferência, submissão, acatamento. **4.** Lado pelo qual se encara uma questão; ponto de vista; aspecto. **5.** Razão, motivo, causa. **6.** Relação, referência. **7.** Consideração, importância. **8.** Medo, temor, receio. ~. V. *respeitos.* ♦ **Respeito a.** V. *a respeito de*: "Respeito a idiomas estranhos, dos vivos conhecia o francês muito pela rama" (Camilo Castelo Branco, *A Queda dum Anjo*, p. 11). **Respeito humano.** Consideração ou respeito à opinião pública. **A respeito de.** Relativamente a; com respeito a; respeito a: *Sabe tudo a respeito de Eça de Queirós.* **Com respeito a.** V. *a respeito de.* **De respeito. 1.** Digno de respeito; respeitável: *homem de respeito.* **2.** Muito forte, muito intenso: " — Tem um febrão de respeito." (Brito Camacho, *Quadros Alentejanos*, p. 256.) **3.** Notável, considerável: *uma casaca de respeito; uma papada de respeito.* **Dizer respeito a.** Ter relação com; referir-se a: *Notou que a conversa não lhe dizia respeito.* **Faltar ao respeito a.** Ser descortês ou inconveniente para com (alguém).

respeitos. [Pl. de *respeito*.] *S. m. pl.* Cumprimentos, saudações: *Apresento-lhe os meus respeitos.* ~ V. *respeito.*

respeitoso (ô). *Adj.* **1.** Relativo a respeito. **2.** Cheio de respeito. **3.** Que guarda respeito a: *respeitoso das formalidades.* **4.** Que manifesta respeito.

respetivo. *Adj.* V. *respectivo.*

respiga. [Dev. de *respigar*.] *S. f.* Ato ou efeito de respigar; respigadura.

respigadeira. *Adj. (f.)* **1.** Que respiga. ● *S. f.* **2.** Mulher que respiga. **3.** Máquina ou ferramenta que os carpinteiros usam para preparar peças de encaixe.

respigador (ô). *Adj. e s. m.* Que ou aquele que respiga.

respigadura. [De *respigar* + *-(d)ura*.] *S. f.* Respiga.

respigão. *S. m.* Espiga (3) que nasce ao pé das unhas.

respigar. [De *re-* + *espiga* + *-ar*[2].] *V. int.* **1.** Apanhar as espigas deixadas no campo depois da ceifa. *T. d.* **2.** Recolher (as espigas que ficaram no campo após a ceifa). **3.** *Fig.* Apanhar aquém e além; coligir, compilar: *Levou a vida a respigar dados históricos;* "Eu respigarei, nessa vasta seara juncada de cadáveres, as atrocidades .... que se acham obrigadas ao desenvolvimento do romance." (Camilo Castelo Branco, *Livro Negro de Padre Dinis*, p. 45). [Conjug.: v. *largar*.]

respingador (ô). [De *respingar*[1] + *-(d)or*.] *Adj. e s. m.* V. *respingão.*

respingão. [De *respingar*[1] + *-ão*[3].] *Adj. e s. m.* Que ou aquele que respinga. V. *respondão* (1 e 2). [Fem.: *respingona*.]

respingar[1]. [De *re-* + *pingo*[1] + *-ar*[2].] *V. int.* **1.** Lançar borrifos ou pingos (o líquido): *O vinho respingou e manchou-lhe a camisa.* **2.** Deitar faíscas (o fogo); crepitar. *T. d.* **3.** Manchar com borrifos, pingos ou salpicos: *O automóvel respingou o terno branco do rapaz. P.* **4.** Sujar-se ou molhar-se com pingos, borrifos ou salpicos. [Conjug.: v. *largar*.]

respingar[2]. [Do esp. *respingar*.] *V. int.* **1.** Responder com maus modos; recalcitrar, rezingar. **2.** Dar coices; escoicear. *T. d.* **3.** Dar coices em; escoicear, escoicinhar: *A mula respingou o cão que a acossava.* [Conjug.: v. *largar*.]

respingo. [Dev. de *respingar*[1].] *S. m.* Ato ou efeito de respingar(-se).

respingona. *Adj. (f.) e s. f.* Fem. de *respingão* [q. v.].

respirabilidade. *S. f.* Qualidade de respirável.

respiração. [Do lat. *respiratione*.] *S. f.* **1.** Ato ou efeito de respirar; respiramento, respiro. **2.** Ato de expirar ou inspirar; fôlego, ar. **3.** *Biol.* Função pela qual os organismos vivos absorvem oxigênio e expelem gás carbônico. **4.** Bafo, hálito.

respiradoiro. [De *respirar* + *-(d)oiro*.] *S. m.* V. *respiradouro.*

respirador (ô). *Adj.* **1.** Que serve para respirar. ● *S. m.* **2.** *Med.* e *Anest.* Aparelho destinado a executar ou auxiliar a respiração do paciente.

respiradouro. [De *respirar* + *-(d)ouro*[1]; var. de *respiradoiro*.] *S. m.* **1.** Qualquer orifício que, em recintos ou aparelhos fechados, serve para a entrada e saída do ar; espiráculo, resfolegadouro. **2.** Respiro (4).

respiramento. [Do lat. *respiramentu*.] *S. m.* V. *respiração* (1).

respirar. [Do lat. *respirare*.] *V. int.* **1.** Absorver (os animais) o oxigênio do ar nos pulmões, nas brânquias, nas traquéias, na pele, e expelir o gás carbônico resultante das queimas orgânicas, depois de se realizarem as trocas necessárias para gerar a energia indispensável à manutenção da vida. **2.** Realizar (o vegetal) processos de oxidação de diversos tipos, com trocas gasosas de várias naturezas, com a mesma finalidade vital. **3.** Ter vida; viver: *O doente ainda respira.* **4.** Dar-se a conhecer; revelar-se, manifestar-se: *Quando ela sorri, respiram a beleza e a simpatia de seu semblante.* **5.** Conseguir alguns momentos de descanso em trabalhos, aflições, dificuldades, etc.; folgar: *O excesso de trabalho não o deixa respirar.* **6.** Agitar-se, produzir-se (o vento); soprar: "Os ventos brandamente respiravam, / Das naus as velas côncavas inchando" (Luís de Camões, *Os Lusíadas*, I, 19). *T. d.* **7.** Respirar (1 e 2): "Quem imaginará que se pegue de um homem dos campos, onde respira o ar livre e puro, para meter-lhe uns calções de corte e fazê-lo dançar o minuete?" (Machado de Assis, *A Semana*, II, p. 21.) **8.** Ter cheiro de; recender a: *Seu corpo respirava rosas.* **9.** Lançar fora; expelir, exalar: *O vapor respirava fumaça.* **10.** Manifestar, exprimir, revelar; denotar; transpirar: *A face do condenado respirava tranqüilidade;* "Tudo respirava asseio." (Rebelo da Silva, *De Noite Todos os Gatos São Pardos*, p. 84); "No alto de uma folha de rosto, ou na sobrecapa das edições alemãs, esse nome respira não sei que elegância, gravidade e sutileza..." (Augusto Meyer, *A Chave e a Máscara*, p. 219). **11.** Mostrar desejos de: *Os injustiçados respiravam vingança.* **12.** Gozar, fruir, desfrutar: *respirar a liberdade.* **13.** *Fig.* Nutrir-se ou alimentar-se com: *Os sábios respiram ciência.*

respiratório. [De *respiratu*, part. pass. do lat. *respirare*, + *-ório*.] *Adj.* **1.** Relativo à respiração. **2.** Que facilita a respiração.

respirável. *Adj. 2 g.* Que se pode respirar.

respiro. [Dev. de *respirar*.] *S. m.* **1.** V. *respiração* (1). **2.** *Fig.* Descanso, repouso, folga. **3.** Tolerância de prazo concedido por um credor. **4.** Abertura nos fornos, nos aparelhos de aquecimento, etc., para dar passagem ao ar e libertar fumaça, gases, etc.; respiradouro.

resplandecência. *S. f.* Ato ou efeito de resplandecer; resplendor.

resplandecente. *Adj. 2 g.* Que resplandece; brilhantíssimo; resplendente, resplendoroso, esplendente, esplendoroso, refulgente.

resplandecer. [Var. de *resplendecer*.] *V. int.* **1.** Brilhar ou luzir muito; rutilar: "Entre as rendas do teu vestido resplandece / Um topázio do Oriente, ó branca irmã dos lírios!" (Luís Guimarães [filho], *Pedras Preciosas*, p. 29). **2.** Manifestar-se com brilhantismo: *A inteligência do menino resplandece.* **3.** Notabilizar-se, relevar-se, sobressair: *A arquitetura egípcia ainda resplandece por sua grandiosidade. T. d.* **4.** *P. us.* Refletir o brilho ou o esplendor de: *O diamante resplandece os raios solares.* [Sin., nas acepç. 1 a 3: *esplender, esplandecer, esplendorar;* sin. ger.: *resplendecer, resplender.* Conjug.: v. *aquecer*.]

resplandor (ô). *S. m.* V. *resplendor*: "ao luar de Sorrento, como uma aurora boreal, o resplandor da noite cor-de-rosa!" (Martins Fontes, *A Dança*, p. 45).

resplendecer. [Do lat. *resplendescere*.] *V. int. e t. d.* V. *resplandecer.* [Conjug.: v. *aquecer*.]

resplendência. *S. f.* Qualidade de resplendente; refulgência.

resplendente. [Do lat. *resplendente*.] *Adj. 2 g.* V. *resplandecente*: "Céu coberto de estrelas resplendentes" (Olavo Bilac, *Poesias*, p. 109).

resplender. [Do lat. *resplendere*.] *V. int. e t. d.* V. *resplandecer*: "Velha aldeia da Beira, a meia encosta, resplendendo alvuras de cal e vermelhão de telhados." (Antônio Correia d'Oliveira, *Líricas*, p. 131).

resplêndido. [De *re-* + *esplêndido*.] *Adj.* Muito esplêndido; esplendidíssimo, esplendíssimo.

resplendor (ô). [Do lat. *resplendore*.] *S. m.* **1.** Resplandecência. **2.** Brilho intenso; fulgor, rutilação, esplendor, refulgência. **3.** V. *auréola* (1): "Desejou apoderar-se dos resplendores das imagens e do bordão de S. José, de ouro, pesado." (Graciliano Ramos, *Insônia*, p. 27.) **4.** *Fig.* Glória, fama, nomeada, celebridade. [Var.: *resplandor*.]

resplendorense. *Adj. 2 g.* **1.** De, ou pertencente ou relativo a Resplendor (MG). ● *S. 2 g.* **2.** Natural ou habitante de Resplendor.

resplendoroso (ô). [De *resplendor* + *-oso*.] *Adj.* V. *resplandecente.*

respondão. [De *responder* + *-ão*[3].] *Adj.* **1.** Que responde muito e com palavras ásperas; respingador, respingão, respondedor. ● *S. m.* **2.** Aquele que responde muito e com palavras ásperas; respingador, respingão, respondedor. **3.** Aquele que desrespeita alguém, respondendo com aspereza. [Fem.: *respondona*.]

respondedor (ô). *Adj.* **1.** Que responde; respondente. **2.** V. *respondão* (1). ● *S. m.* **3.** Aquele que responde. **4.** V. *respondão* (2).

respondência. [De *responder* + *-ência*.] *S. f.* **1.** Relações, trato. **2.** Correspondência (1).

respondente. [Do lat. *respondente*.] *Adj. 2 g.* **1.** Respondedor (1). ● *S. 2 g.* **2.** *Jur.* Pessoa que depõe, sendo inquirida por artigos [v. *artigo* (3)].

responder. [Do lat. *respondere*.] *V. t. d. e t. d. e i.* **1.** Dizer ou escrever em resposta: "Fui respondendo o que podia e cabia" (Machado de Assis, *Casa Velha*, p. 82); *Respondeu que estava com fome; Respondeu-lhe que estivera ausente.* **2.** Dizer ou escrever, replicando; replicar, retorquir, redargüir: *O réu respondeu que não cometera nenhum crime; Respondeu ao juiz que era vítima de uma calúnia. T. i.* **3.** Dizer ou escrever alguma coisa em resposta: "Como é terrível que ninguém responda / às perguntas da vida para a morte, / hirto rochedo mudo aos brados da onda!..." (Martins Napoleão, *Oleiro Cego*, p. 85); "Nos últimos dias, não saía de casa, não respondia a cartas" (Machado de Assis, *Páginas Recolhidas*, p. 96). **4.** Replicar, retorquir, redargüir: *O injuriado responde às calúnias.* **5.** Seguir-se, suceder-se, corresponder: *Ao crime responde o castigo.* **6.** Ser igual; equivaler, corresponder: *A recompensa não responde ao esforço.* **7.** Estar em harmonia; condizer, corresponder: "Ela [a paisagem] responde a uma relação espacial do homem com as distâncias." (Raul Bopp, *Putirum*, p. 199.) **8.** Revidar (a uma agressão física ou moral) com outra igual ou maior; corresponder: *Nossos soldados responderam aos tiros.* **9.** Estar defronte; defrontar: *Um terreno baldio responde ao meu sítio.* **10.** Opor-se, contrapor-se: *Ao erro responde a perfeição.* **11.** Ser ou ficar responsável; responsabilizar-se: *Todo cidadão maior responde pelos seus atos.* **12.** *Mar.* Obedecer; corresponder: *O navio respondeu à manobra das velas; A embarcação respondeu ao lume e guinou. Int.* **13.** Dar resposta: *Ouviu a acusação, e não respondeu;* "Um centro feminino .... da Inglaterra pediu a G. B. Shaw que lhe oferecesse alguma de suas obras, para a biblioteca que estava organizando. Shaw respondeu, em carta, dizendo que um centro que não possuía cinco xelins para comprar um de seus livros não merecia ser uma sociedade." (Eduardo Frieiro, *Os Livros Nossos Amigos*, p. 113). **14.** Reproduzir um som produzido por outro ser, ou um som da natureza: "Uma cigarra zine e outra responde ..." (Olegário Mariano, *Toda uma Vida de Poesia*, I, p. 182); *Gritava, e o eco respondia; O mar bate forte, e o eco responde.* **15.** Ser respondão; respingar: *Não admite empregados que respondam.* **16.** Falar, cantar, etc., em resposta: *O padre rezava a ladainha, e os fiéis respondiam.* **17.** Repetir uma voz ou um som: *Um cachorro latiu e a matilha inteira respondeu. P.* **18.** Estar em correlação; corresponder-se: *O certo e o errado respondem-se, pois da crítica ao erro se origina o acerto.*

respondido. [Part. de *responder*.] *Adj.* Que teve resposta.

respondona. *Adj.* (*f.*) e *s. f.* V. *respondão.*
responsabilidade. *S. f.* **1.** Qualidade ou condição de responsável. **2.** *Jur.* Capacidade de entendimento ético-jurídico e determinação volitiva adequada, que constitui pressuposto penal necessário da punibilidade. ◆ **Responsabilidade moral.** *Filos.* **1.** Situação de um agente consciente com relação aos atos que ele pratica voluntariamente. **2.** Obrigação de reparar o mal que se causou a outros.
responsabilização. *S. f.* Ato ou efeito de responsabilizar(-se).
responsabilizador (ô). *Adj.* e *s. m.* Que ou aquele que responsabiliza.
responsabilizar. *V. t. d.* **1.** Imputar responsabilidade a: *A perícia do acidente responsabilizou o motorista. T. d. e i.* **2.** Tornar ou considerar responsável: *Responsabilizou-o pelo crime. Transobj.* **3.** Considerar, qualificar, reputar, tachar: *O Governo responsabilizou como péssimas as medidas econômicas anteriores. P.* **4.** Tornar-se responsável por seus atos ou pelos de outrem; responder: *O diretor da empresa responsabilizou-se pela falência.*
responsar. *V. t. d.* **1.** Rezar responsos [v. *responso* (1)] por; sufragar com responsos. **2.** *Pop.* Falar mal, murmurar de (alguém); difamar: *Esta mulher vive a responsar os vizinhos. T. d. e i.* **3.** Encomendar, entregar, confiar: *Já quase desfalecendo, responsou sua vida a Deus. T. i.* **4.** Rezar responsos (1).
responsável. [Do fr. *responsable.*] *Adj. 2 g.* **1.** Que responde pelos próprios atos ou pelos de outrem. *Esta é a moça responsável pela disciplina do colégio.* **2.** Que responde legal ou moralmente pela vida, pelo bem-estar, etc., de alguém: *Não se encontrou a pessoa responsável pelas crianças abandonadas na rua.* **3.** Que tem noção exata de responsabilidade; que se responsabiliza pelos seus atos; que não é irresponsável: *É rapaz honesto, responsável.* **4.** Que dá lugar a, que é causa de (algo): *O excesso de velocidade é responsável por muitos acidentes.* ~V. *editor* —. • *S. 2 g.* **5.** Pessoa responsável (por alguma coisa ou por alguém). **6.** Indivíduo faltoso; culpado: *O responsável ainda não se apresentou.*
responsivo. [Do lat. *responsu*, 'resposta', + *-ivo.*] *Adj.* **1.** Que contém resposta. **2.** Que responde.
responso. [Do lat. *responsu*, 'resposta'.] *S. m.* **1.** *Lit.* Versículos rezados ou cantados alternativamente pelos dois coros, ou pelo coro e por um solista, depois das lições ou dos capítulos. **2.** Oração a Santo Antônio para que se achem coisas perdidas ou não aconteça mal que se receia. **3.** *Fam.* V. *descompostura* (2). **4.** Murmuração, maledicência.
responsório. [De *responso* (1) + *-ório.*] *S. m.* Série de responsos.
resposta. [Do lat. *reposta*, em vez de *reposita*, do v. *reponere*, com infl. de *respondere*, 'responder'.] *S. f.* **1.** Ato ou efeito de responder. **2.** Aquilo que se diz ou escreve para responder a uma pergunta. **3.** Refutação, replicação, réplica. **4.** O que decide, ou explica, alguma coisa; solução. **5.** Carta, telegrama, etc., que se manda ao remetente de correspondência recebida, e que versa sobre o mesmo assunto. **6.** Qualquer ato que se segue a um estímulo exterior e a ele está imediatamente ligado. **7.** Golpe de esgrima, em seguida e em troco ao do adversário. **8.** Cada uma das bombas que estouram em um foguete. **9.** *Fís.* A modificação dum instrumento provocada por uma excitação conveniente. **10.** *Mús.* Na fuga[2] [q. v.], reprodução ou imitação do sujeito em outro grau de escala, sobretudo no tom da dominante; réplica. **11.** *Mús.* Na liturgia, a parte que cabe ao coro em seu diálogo com o celebrante. **12.** *Bras., PE. Folcl.* Bacalhau (7). ◆ **Resposta imunológica.** *Med.* e *Patol.* Conjunto de fenômenos com que o organismo reage ao contato com antígenos.
respostada. *S. f.* Resposta grosseira, incivil; repostada, revirete.
respostar. *V. int.* Dar respostada(s).
resquício. [Do esp. *resquicio.*] *S. m.* **1.** Lasca ou pequeno fragmento de madeira ou de outro material. **2.** Resíduo, vestígio: "A pergunta era natural, desde que o perguntador, desperto, se via dentro de um ataúde .... e contemplava, nalguns rostos, furtivos resquícios de lágrimas." (Ledo Ivo, *A Cidade e os Dias*, pp. 202-203.) **3.** Racha, frincha, fisga, fenda: "Entreluzia a manhã pelos resquícios e fendas das janelas do nosso quarto." (Camilo Castelo Branco, *Amor de Salvação*, p. 245).
ressaber. [De *re-* + *saber.*] *V. t. d.* **1.** Saber perfeitamente; saber muito. *T. i.* **2.** Ter sabor muito acentuado. **3.** Ter sabor análogo a outro; saber: *Este sorvete ressabe a morango.* [Irreg. Conjug.: v. *saber.*]
ressabiado. *Adj.* **1.** Que ressabia ou rança; rançoso. **2.** Assustadiço, espantadiço, desconfiado. **3.** Melindrado, ofendido, magoado, ressentido.
ressabiar. [De *ressábio* + *-ar*[2].] *V. int.* e *p.* **1.** Tomar ressaibo ou ressábio; rançar, rancescer: *A manteiga ressabiou; O queijo ressabiou-se.* **2.** Melindrar-se; ressentir-se, ofender-se, magoar-se: *Muito sensível, ressabia sem mais nem menos; O ator ressabiou-se com as declarações a ele atribuídas.* **3.** Mostrar-se ou ficar (o animal) assustadiço, desconfiado: *Ouvindo o assobio, o esquilo ressabiou; Com o leve rumor a caça ressabiou-se.* [Pres. ind.: *ressabio*, etc. Cf. *ressábio.*]
ressabido. [De *re-* + *sabido.*] *Adj.* **1.** Muito sabido em algo; que sabe muito; erudito, douto. **2.** Que tem grande experiência; experiente, experimentado.
ressábio. [Do lat. **resapidu.*] *S. m.* V. *ressaibo*: "Beijo dado, Arlequim, tem amargos ressábios ..." (Menotti del Picchia, *As Máscaras*, p. XXXVIII.) [Cf. *ressabio*, do v. *ressabiar.*]
ressaca. [De *re-* + *saca*[2] (4).] *S. f.* **1.** Refluxo de uma vaga, depois de se espraiar ou de encontrar obstáculo que a impede de avançar livremente. **2.** A vaga que se forma nesse movimento de recuo. [Antôn., nestas acepç.: *saca*[2] (4).] **3.** O encontro dessa vaga com outra (*a saca*), que avança para a praia ou para o obstáculo. **4.** *Bras.* Investida fragorosa, contra o litoral, das vagas do mar muito agitado. **5.** Fluxo e refluxo; inconstância, versatilidade, volubilidade. **6.** *Bras. Fig.* Indisposição de quem bebeu, depois de passar a bebedeira. **7.** *Bras. Fig.* Enfado, cansaço provocado por noite passada em claro.
ressacabilidade. *S. f.* Qualidade de ressacável.
ressacado[1]. [Part. de *ressacar.*] *S. m.* Aquele sobre quem se ressaca, se faz ressaque.
ressacado[2]. [De *ressaca* (6 e 7) + *-ado*[1].] *Bras. Adj.* **1.** Tonto, doído, nauseado, por causa de uma bebedeira. **2.** Fatigado por uma noite passada em claro.
ressacador (ô). *S. m.* Aquele que ressaca, que faz ressaque.
ressacar. *V. t. d.* Fazer ressaque de (letra de câmbio); recambiar. [Conjug.: v. *trancar.*]
ressacar-se. *V. p. Bras.* Ficar ressacado[2]. [Conjug.: v. *trancar.*]
ressacável. *Adj. 2 g.* Diz-se de título ou letra que se pode ressacar.
ressaco. [Do *re-* + *saco.*] *S. m. Bras., MG* e *GO.* **1.** Funda clareira de campo na orla de um capão ou de um mato. **2.** Ilha de campo, ou clareira no meio do campo. [Diz-se, em geral, *ressaco do campo.* Cf. *saco* (16).] ◆ **Ressaco do campo.** *Bras. MG* e *GO.* Ressaco (2).
ressaibar. *V. int.* Tomar ressaibo; ressabiar.
ressaibo. [Dev. de *ressaber*, ou f. metatética de *ressábio.*] *S. m.* **1.** Mau sabor; ranço. **2.** Sabor que resulta da aderência de uma substância à vasilha por onde se come ou bebe. **3.** *Fig.* Indício, sinal, vestígio. **4.** *Fig.* Mágoa, ressentimento, desgosto que fica de ofensa ou prejuízo sofrido. **5.** Manha (de besta). [F. paral.: *ressábio.*]
ressaído. [Part. de *ressair.*] *Adj.* V. *ressaltante.*
ressaio. [De *ressair.*] *S. m.* Terreno junto a uma casa; terreiro, rossio.
ressair. [De *re-* + *sair.*] *V. int.* e *t. i.* **1.** Sair novamente; tornar a sair *T. c.* **2.** Ressaltar, avultar, distinguir-se; sobressair: *Uma ligeira elevação ressai da planície.* [Irreg. Conjug.: v. *sair.*]
ressalgada. *S. f.* **1.** Ação ou efeito de ressalgar. **2.** *Bras., RS.* Monte de charque que se salga outra vez após haver recebido o primeiro sal.
ressalgar. *V. t. d.* Salgar de novo. [Conjug.: v. *largar.*]
ressaliente. [De *re-* + *saliente.*] *Adj. 2 g.* V. *ressaltante.*
ressaltado. [Part. de *ressaltar.*] *Adj.* **1.** V. *ressaltante.* **2.** Diz-se dos olhos esbugalhados.
ressaltante. *Adj. 2 g.* Que ressalta ou ressai; ressaído, ressaliente, ressaltado.
ressaltar. [De *re-* + *saltar.*] *V. t. d.* **1.** Tornar saliente; dar vulto ou relevo a; relevar, destacar: *O orador ressaltou as fontes mais importantes da palestra. Int.* **2.** Dar muitos saltos. **3.** Distinguir-se, relevar-se, sobressair, ressair: *Cedo ou tarde os grandes vultos ressaltam.*
ressalte. [Dev. de *ressaltar.*] *S. m.* V. *ressalto.*
ressaltear. [De *re-* + *saltear.*] *V. t. d.* Saltear novamente; tornar a saltear. [Conjug.: v. *frear.*]
ressaltitar. [De *re-* + *saltitar.*] *V. int.* Saltitar de novo, ou repetidamente.
ressalto. [Dev. de *ressaltar.*] *S. m.* **1.** Ato ou efeito de ressaltar. **2.** Parte em relevo na superfície de um objeto, com função prática ou ornamental. **3.** Relevo, saliência: *O montanhista agarrou-se a um ressalto do rochedo.* **4.** Volta de um corpo elástico ao seu estado natural ou à sua posição anterior: *O tenista esperou o ressalto da bola.* **5.** Salto para trás; recuo. [F. paral.: *ressalte.*]
ressalva. [Dev. de *ressalvar.*] *S. f.* **1.** Certidão que atesta a isenção do serviço militar ou dos deveres eleitorais. **2.** Nota destinada a corrigir erro naquilo que se escreveu ou publicou. [Cf. *errata* (1).] **3.** Documento para garantia de alguém ou de algo. **4.** Exceção, reserva, restrição. **5.** Cláusula restritiva.
ressalvar. [De *re-* + *salvar.*] *V. t. d.* **1.** Dar ressalva a; prevenir com ressalva: *Os contratantes ressalvaram o negócio.* **2.** Fazer ressalva em; excetuar, excluir: *O decreto ressalva, apenas, casos muito especiais.* **3.** Pôr a salvo; livrar de dano ou perigo; proteger, resguardar: *À polícia cabe ressalvar a população.* **4.** Corrigir, emendar: *ressalvar os erros do texto. T. d. e i.* **5.** Eximir, livrar: *A lei ressalva de culpa os dementes. P.* **6.** Escusar-se, desculpar-se, justificar-se: *O motorista infrator ressalvou-se alegando socorro urgente.* **7.** Fazer ressalva ao que disse ou fez.
ressaque. [De *re-* + *saque.*] *S. m.* **1.** Saque duma nova letra de câmbio. **2.** *Bras. Jur.* Ato pelo qual o portador ou tomador de uma letra de câmbio protestada por falta de aceite ou de pagamento se reembolsa do valor dela, e das despesas feitas, sacando nova letra, à vista e direto, contra qualquer dos coobrigados. **3.** *Jur.* Essa nova letra. [Tb. se admite o *ressaque* (2) para reembolso de notas promissórias vencidas e protestadas por falta de pagamento. Cf. *recâmbio* (2) e *retorno* (5).]
ressaquinhense. *Adj. 2 g.* **1.** De, ou pertencente ou relativo a Ressaquinha (MG). • *S. 2 g.* **2.** Natural ou habitante de Ressaquinha.
ressarcimento. *S. m.* Ato ou efeito de ressarcir(-se); indenização, reparação, compensação.
ressarcir. [Do lat. *resarcire.*] *V. t. d.* **1.** Indenizar, compensar, reparar: *Ressarcirá os prejuízos decorrentes do atraso das obras.* **2.** Abastecer, prover: *Os navios ressarciram a cidade. T. d. e i.* **3.** Ressarcir (1): *Ressarci-o dos danos que lhe causei;* "Passou-lhe pela mente que poderia ressarcir com esse dom o conforto perdido." (José Américo de Almeida, *A Bagaceira*, p. 126). **4.** Ressarcir (2): *Ressarciu de alimentos a população faminta. P.* **5.** Compensar-se, pagar-se: "Ardia por se ressarcir do tempo perdido" (Abel Botelho, *Mulheres da Beira*, p. 55). [Defect. Só se conjuga nas f. em que ao *c* do radical se segue a vogal *i*. Alguns aceitam a conjugação integral.]
ressaudação (a-u). *S. f.* Ato ou efeito de ressaudar.
ressaudar (a-u). [De *re-* + *saudar.*] *V. t. d.* **1.** Tornar a saudar. **2.** Responder à saudação de. [Conjug.: v. *saudar.*]
ressecação. *S. f.* Ressecamento.
ressecamento. *S. m.* Ato ou efeito de ressecar(-se); ressecação.
ressecante. *Adj. 2 g.* Que resseca.
resseção. [Var. de *ressecção* < lat. *resectione*, 'poda'. *S. f. Cir.* Excisão de um órgão em extensão variável, até mesmo total. [Cf. *recessão.*]
ressecar. [De *re-* + *secar*[1].] *V. t. d.* **1.** Tornar a secar; secar de novo. **2.** Secar muito; ressequir: "A seca calcina a terra, resseca os matagais, torra as capoeiras decotadas" (Gustavo Barroso, *Terra de Sol*, p. 177). **3.** Sujeitar a evaporação: *O sol inclemente ressecou rios e lagos. P.* **4.** Tornar-se excessivamente seco; ressequir-se. [Conjug.: v. *trancar.* Pres. ind.: *resseco, ressecas, resseca*, etc. Cf. *resseco* (ê), as flex. *resseca* (ê) e *ressecas* (ê), e *ressicar.*]
ressecção. *S. f.* V. *resseção.*
resseco (ê). [De *re-* + *seco.*] *Adj.* Muito seco; seco em excesso. [Flex.: *resseca* (ê), *ressecos* (ê) e *ressecas* (ê). Cf. *resseco, ressecas* e *resseca*, do v. *ressecar.*]
ressegar. [Do lat. *resecare.*] *V. t. d.* Segar novamente; tornar a segar. [Conjug.: v. *regar.*]
ressegurar. [De *re-* + *segurar.*] *V. t. d.* Pôr outra vez no seguro, tornar a segurar (prédio, mercadoria, etc.).
resseguro[1]. [Dev. de *ressegurar.*] *S. m.* Operação pela qual uma companhia seguradora se alivia parcialmente do risco de um seguro já feito, contraindo um novo seguro noutra companhia; contra-seguro. [Cf. *co-seguro.*]
resseguro[2]. [Part. irreg. de *ressegurar.*] *Adj.* Que foi ressegurado.
resseguro[3]. [De *re-* + *seguro.*] *Adj.* Muito seguro; firmíssimo.
resselar. [De *re-* + *selar*[2].] *V. t. d.* Tornar a selar[2] (1): *resselar as cartas.*
ressemeadura. *S. f.* Ato ou efeito de ressemear; nova semeadura.
ressemear. [Do lat. *resemiare.*] *V. t. d.* Tornar a semear.

[Conjug.: v. *frear*.]

ressentido. [Part. de *ressentir*.] *Adj.* **1.** Melindrado, magoado, ofendido, ressabiado. **2.** Que se melindra ou ressente com facilidade. **3.** Que sofreu os efeitos de abalo, dano ou moléstia: *Ressentido, seu corpo mal podia mover-se.* **4.** *Pop.* Diz-se de fruto que principia a apodrecer. ● *S. m.* **5.** Indivíduo ressentido (1 e 2).

ressentimento. *S. m.* Ato ou efeito de ressentir(-se).

ressentir. [De *re-* + *sentir*.] *V. t. d.* **1.** Sentir novamente. **2.** Magoar-se muito com; sentir profundamente: *Ressentiu o rompimento do noivado e não mais pensou em casamento.* *P.* **3.** Mostrar-se ofendido; melindrar-se, magoar-se: *As crianças ressentem-se dos castigos severos.* **4.** Dar fé; reparar, advertir-se: *Só muito mais tarde se ressentiria o general da ineficácia de sua tática.* **5.** Despertar, excitar-se, estimular-se: *A coragem ressente-se nos grandes momentos históricos.* **6.** Sofrer as conseqüências de algo: *A economia ressente-se das crises políticas.* [Irreg. Conjug.: v. *sentir*. Pres. ind.: *ressinto*, etc. Cf. *recinto*.]

ressequido. [Part. de *ressequir*.] *Adj.* **1.** Que se ressequiu; seco. **2.** Desprovido de umidade: *pele ressequida*. **3.** Muito magro; mirrado, seco.

ressequir. [De *resseco* + *ir*.] *V. t. d.* **1.** Secar muito; ressecar; exsicar: *O sol escaldante ressequiu toda a planície.* **2.** Fazer perder o suco ou umidade: *ressequir frutas.* *P.* **3.** Tornar-se muito seco; ressecar-se. [Defect. Só se conjuga nas f. em que após o *qu* do radical vem a vogal *i*.]

resserenar. [De *re-* + *serenar*.] *V. t. d.* **1.** Tornar muito sereno; acalmar completamente. *Int.* **2.** Serenar de novo: resserenar-se: "O tempo resserenou, as estrelas se acenderam." (Xavier Marques, *Jana e Joel*, p. 100.) **3.** Tornar resssereno (1); acalmar: "A chuva chove mansamente ... como um sono / Que tranqüilize, pacifique, resserene ..." (Cecília Meireles, *Nunca mais.... e Poema dos Poemas*, p. 29.) *P.* **4.** Serenar de novo; resserenar.

ressereno. [De *re-* + *sereno*.] *Adj.* **1.** Muito sereno; inteiramente calmo. **2.** Que readquiriu tranqüilidade.

resservir. [De *re-* + *servir*.] *V. t. d.* Servir novamente. [Irreg. Conjug.: v. *aderir*.]

ressicação. [De *re-* + lat. *siccatione*, 'ação de secar'.] *S. f.* Ato ou efeito de ressicar(-se).

ressicar. [De *re-* + lat. *siccare*, 'secar'.] *V. t. d. P. us.* **1.** Tornar resseco; ressequir, ressecar. *P.* **2.** Ressecar-se, ressequir-se. [Conjug.: v. *trancar*. Cf. *ressecar*.]

ressoador (ô). *Adj.* **1.** Que ressoa. ● *S. m.* **2.** Peça destinada a ampliar a sonoridade de certos instrumentos musicais.

ressoante. [Do lat. *resonante*.] *Adj. 2 g.* Que ressoa; ressonante, ressonador.

ressoar. [Do lat. *resonare*.] *V. t. d.* **1.** Fazer soar; entoar; ressonar: *O carrilhão ressoou as 10 badaladas.* **2.** Repetir, reproduzir (sons); repercutir: *As montanhas ressoavam o tropel do cavalo.* **3.** *Fig.* Cantar (1): *ressoar uma melodia.* *Int.* **4.** Soar de novo; repercutir(-se), ecoar: *Vozes longínquas ressoaram aos nossos ouvidos;* "Olhava, ... sem compreender, ... — quando .... outra buzina soou, chamando socorro para outra lama atacada. Mais tumultuosas se precipitaram as orações do ermitão. Mas a buzina ressoava mais aflita!" (Eça de Queirós, *Últimas Páginas*, p. 110). **5.** Soar com força; estrondear, ressonar: *Ressoam as trombetas;* "Ressoa perto o estrupido dos guerreiros" (José de Alencar, *Iracema*, p. 81). [Conjug.: v. *coroar*. Cf. *ressuar*.]

ressobrar. [De *re-* + *sobrar*.] *V. int.* Sobrar, sobejar em excesso: *ressobram complicações.*

ressoca. [De *re-* + *soca*.] *S. f. Bras.* V. *soca* (2).

ressocialização. *S. f.* Ato ou efeito de ressocializar(-se)

ressocializar. [De *re-* + *socializar*.] *V. t. d.* e *p.* Tornar a socializar(-se).

ressolana. [Do esp. plat. *resolana*.] *S. f. Bras., RS.* Soalheira muito forte.

ressoldar. [De *re-* + *soldar*.] *V. t. d.* **1.** Soldar de novo: *Ressoldou a peça partida.* **2.** Soldar bem: *Ressoldei a peça de modo que não se partirá mais.*

ressolhador (ô). *Adj. Bras., RS.* **1.** Que ressolha. **2.** Sonador.

ressolhar. [De esp. plat. *resollar*.] *V. int. Bras., RS.* **1.** Sofrer nos olhos as conseqüências do sol forte. **2.** Respirar (o animal) a custo, produzindo um som característico.

ressolto (ô). [De *re-* + *solto*.] *Adj.* Dissolvido, desfeito.

ressonadela. *S. f.* **1.** Ato de ressonar (2) de leve e/ou por pouco tempo. **2.** Ressono (2).

ressonador (ô). *Adj.* **1.** V. *ressoante*. ● *S. m.* **2.** Aquilo que ressona ou ressoa. [V. *ressoar* (2 e 3).]

ressonância. [Do lat. *resonantia*.] *S. f.* **1.** Qualidade ou propriedade de ressonante. **2.** *Fís.* Vibração enérgica que se provoca num sistema oscilante quando atingido por uma onda mecânica de freqüência igual a uma das suas freqüências próprias; reforço da intensidade de uma onda pela vibração de um sistema que tem uma freqüência própria igual à freqüência da onda. **3.** *Fís.* Transferência de energia de um sistema oscilante para outro quando a freqüência do primeiro coincide com uma das freqüências próprias do segundo. **4.** *Fís. Nucl.* Ressonon. **5.** *Fon.* Modificação que a cavidade pulmonar, a cavidade bucal e as fossas nasais, chamadas *caixas de ressonância*, imprimem às vibrações do ar emitido, reforçando algumas delas e atenuando outras, e da qual resulta o timbre (7).

ressonante. [Do lat. *resonante*.] *Adj. 2 g.* V. *ressoante*.

ressonar. [Do lat. *resonare*.] *V. t. d.* **1.** Fazer soar; entoar, ressoar: *Os sinos da catedral ressonam as horas.* *Int.* **2.** Respirar estrepitosamente, dormindo; roncar. **3.** Respirar com regularidade, dormindo; dormir: *A criança ressonava tranqüila;* "Carmelo Torres podia ressonar tranqüilo, fechadas as portas do consciente, em mundo isolado." (Tito Batini, *Inácio, Pastor de Nuvens*, p. 17). **4.** Soar com força, estrondear, ribombar, ressoar: *Ressonam os clarins;* "Ressona horrendo o pego em sua profundeza." (Alberto de Oliveira, *Poesias*, 4ª série, p. 238). **5.** Repousar no sono; dormir.

ressono. [Dev. de *ressonar*.] *S. m.* **1.** Ato de ressonar ou ressoar. **2.** Ato de ressonar (2 e 3); ressonadela. **3.** Sono prolongado e/ou profundo. **4.** *Fig.* Sossego profundo; quietação absoluta: "Levanta-se no ressono da noite um grito vibrante, que remonta ao céu." (José de Alencar, *Iracema*, p. 76.)

ressonon. *S. m. Fís. Nucl.* Partícula elementar, de vida muito curta, e que, aparentemente, é um sistema transitório que se forma em interações de outras partículas; ressonância.

ressôo. [Dev. de *ressoar*.] *S. m.* Ato ou efeito de ressoar: "Não sente a ondulação, não escuta o ressôo / das vagas" (Hermes-Fontes, *Despertar!*, p. 17).

ressoprar. [De *re-* + *soprar*.] *V. t. d.* Soprar novamente.

ressorção. [Do lat. *resorptione* < *resorptu*, part. pass. de *resorbere*, segundo o modelo de *absorptione*.] *S. f.* **1.** Ato ou efeito de ressorver. **2.** *Fisiol.* e *Patol.* Perda de substância devida a causas fisiológicas ou patológicas.

ressorrir. [De *re-* + *sorrir*.] *V. t. i.* e *int.* Tornar a sorrir; sorrir de novo: "Ressorri-me a estrela peregrina e casta." (Alberto de Oliveira, *Póstuma*, p. 25.) [Conjug.: v. *rir*.]

ressorver. [Do lat. *resorbere*.] *V. t. d.* Tornar a sorver; sorver de novo; reabsorver.

ressuar. [Do lat. *resudare*.] *V. int.* Suar muito; transpirar excessivamente. [Cf. *ressoar*.]

ressudação. *S. f.* Ato ou efeito de ressudar.

ressudar. [Do lat. *resudare*.] *V. int.* **1.** Tornar a suar; transpirar de novo. *T. d.* **2.** V. *ressumar* (1). **3.** Expelir, suando: *Cristo ressudou sangue no Calvário.*

ressulcar. [Do lat. *resulcar*.] *V. t. d.* **1.** Sulcar novamente; tornar a sulcar. **2.** Sulcar seguidas vezes. [Conjug.: v. *trancar*.]

ressumação. *S. f.* Ato ou efeito de ressumar.

ressumar. [De *re-* + *sumo* + *-ar*[2].] *V. t. d.* **1.** Deixar cair gota a gota (um líquido); gotejar, destilar, ressudar. **2.** Deixar transparecer; revelar, patentear, denotar: *Sua face ressuma tristeza.* *Int.* **3.** Dar passagem a um líquido, coando-o; coar, filtrar. **4.** *Fig.* Deixar-se transparecer; mostrar-se, patentear-se. [Talvez var.: *ressumbrar*.]

ressumbrar. *V. t. d.* e *int.* Talvez var. de ressumar: "— Quando uma mulher é correspondida no seu amor, toda ela ressumbra contentamento e felicidade" (Aluísio Azevedo, *O Coruja*, p. 223).

ressumbro. [Dev. de *ressumbrar*.] *S. m.* Ato ou efeito de ressumbrar.

ressunção. [Do lat. *resumptione*.] *S. f.* **1.** Ato ou efeito de reassumir; reintegração. **2.** Nova exibição.

ressupinação. *S. f. Bot.* Ato ou efeito de ressupinar; torção.

ressupinado. [Do lat. *resupinatu*.] *Adj. Morfol. Veg.* Diz-se do órgão ou parte vegetal que está invertida em relação à posição considerada normal: *A folha ressupinada mostra a face inferior voltada para cima.*

ressupinar. [Do lat. *resupinare*.] *V. t. d.* Tornar ressupino ou ressupinado: *ressupinar o corpo.*

ressupino. [Do lat. *resupinu*.] *Adj.* Voltado para cima; deitado de costas: "O cavalo estafado do Beduíno / Sob a vergasta tomba ressupino, / E morre no areal." (Castro Alves, *Obra Completa*, p. 290.)

ressurgência. *S. f.* **1.** V. *ressurgimento*. **2.** *Ocean.* Fenômeno em que a água do mar, fria, fértil em plâncton, situada em grande profundidade, sobe à superfície em forma de correnteza ascensional. **3.** *Ocean.* O local onde ocorre tal fenômeno.

ressurgente. *Adj. 2 g.* Que ressurge.

ressurgido. [Part. de *ressurgir*.] *Adj.* Que ressurgiu; revivido, ressuscitado.

ressurgimento. *S. m.* Ato ou efeito de ressurgir; ressurreição, ressurgência.

ressurgir. [Do lat. *resurgere*.] *V. int.* **1.** Tornar a surgir; reaparecer: *Diariamente ressurge o sol.* **2.** Tornar à vida; reviver, ressuscitar: *Segundo o cristianismo, todos os homens ressurgirão no Juízo Final.* **3.** Manifestar-se novamente; tornar a manifestar-se: *A febre ressurgiu à noitinha.* *T. d.* **4.** Fazer voltar à vida; fazer ressurgir; ressuscitar: "Não podes ressurgir os corpos perecidos / mas podes devolver-me os sonhos já perdidos." (Odilo Costa [filho], *Cantiga Incompleta*, p. 58.) [Conjug.: v. *dirigir*.]

ressurrecto. [Do lat. *resurrectu*.] *Adj.* Que ressurgiu ou ressuscitou; ressurgido. [Var.: *ressurreto*.]

ressurreição. [Do lat. *resurrectione*.] *S. f.* **1.** Ato ou efeito de ressurgir ou ressuscitar; ressurgência. **2.** Festa católica comemorativa da ressurreição de Cristo, ao terceiro dia após a morte: "Meu Deus! A missa terminado tinha! / Perdeste a missa da Ressurreição!" (Raimundo Correia, *Poesias*, p. 53.) **3.** *Fam.* Cura surpreendente e imprevista. **4.** *Fig.* Vida nova; renovação, restabelecimento. **5.** Quadro que representa a ressurreição de Cristo. **6.** *Rel.* Na doutrina cristã, o surgir para uma nova e definitiva vida, distinta e, em certa medida, oposta à existência terrestre, e que, a partir da ressurreição de Cristo, aguarda todos os fiéis cristãos.

ressurreto. *Adj.* V. *ressurrecto*.

ressurtir. [De *re-* + *surtir*.] *V. int.* **1.** Saltar com força para o ar; erguer-se impetuosamente: "Às vezes, ressurtia ao ar uma faísca" (Alcides Maia, *Tapera*, p. 31). **2.** Aparecer, surgir: *As preocupações ressurtem diariamente.*

ressuscitador (ô). [Do lat. *resuscitatore*.] *Adj.* e *s. m.* **1.** Que ou aquele que ressuscita. **2.** Que, ou aquele que renova ou restaura; restaurador, renovador.

ressuscitamento. *S. m.* Ato de ressuscitar; ressurreição.

ressuscitar. [Do lat. *resuscitare*.] *V. t. d.* **1.** Fazer voltar à vida; reviver, ressurgir. **2.** Restaurar, renovar, reproduzir: *A sociedade moderna ressuscitou costumes do passado.* *Int.* **3.** Voltar à vida; tornar a viver; reviver, ressurgir. **4.** Tornar a surgir; reaparecer, ressurgir: *Modas antigas ressuscitam de tempos em tempos.* **5.** Escapar de grande perigo.

restabelecer. [De *re-* + *estabelecer*.] *V. t. d.* **1.** Estabelecer novamente; repor no antigo estado ou condição: *O velho profeta pretendia restabelecer teorias ultrapassadas.* **2.** Restaurar, reparar, recuperar: *O sono restabelece a energia.* **3.** Instituir de novo; reformar: *Monarquistas querem restabelecer o império.* **4.** Restituir à forma exata: *restabelecer um documento adulterado.* *T. d.* e *i.* **5.** Pôr, colocar (no lugar, posição ou situação primitiva); reintegrar, reconduzir: *O presidente restabeleceu no governo o antigo ministério.* *P.* **6.** Voltar ao estado primitivo: *Com a nova orientação restabeleceu-se a tranqüilidade local.* **7.** Recuperar as forças ou a saúde; curar-se, recuperar-se, restaurar-se: *O doente restabeleceu-se inteiramente.* [Conjug.: v. *aquecer*.]

restabelecido. [Part. de *restabelecer*.] *Adj.* Que recobrou as forças ou a saúde.

restabelecimento. *S. m.* **1.** Ato ou efeito de restabelecer(-se). **2.** Recuperação, restauração. **3.** Volta à saúde; cura.

resta-boi. [De *restar* + *boi*.] *S. m.* Erva da família das leguminosas (*Ononis procurrens*), nativa da Europa, de folhas penadas e estipuladas, flores pequenas e racemosas, e legumes dilatados e oligospermos. [Pl.: *resta-bois*.]

restagnação. [Do lat. *restagnatione*.] *S. f.* V. *estagnação*.

restampa. *S. f.* V. *reestampa*.

restampar. *V. t. d.* V. *reestampar*.

restante. [Do lat. *restante*.] *Adj. 2 g.* **1.** V. *remanescente* (1). ● *S. m.* **2.** Resto[1] (1).

restar. [Do lat. *restare*.] *V. int.* **1.** Sobrar, sobejar: "Raquel, nem um só momento desnudaste por inteiro tua alma. / Restou sempre um recanto escondido" (Odilo Costa [filho], *Cantiga Incompleta*, p. 28); *Segundo os cálculos, pouco dinheiro restará.* **2.** Continuar vivendo, sendo, existindo, depois de outra pessoa ou coisa; sobreviver, ficar: *Ninguém restou para contar o* *ocorrido.* **3.** Ficar ou subsistir como resto ou remanescente: *Resta uma só esperança.* **4.** Faltar para fazer, para completar: *Resta apenas o acabamento, para que a obra seja entregue. T. i.* **5.** Ficar, existir, após destruição de uma ou mais partes; sobreviver: *Só estas colunas restam do antigo templo.* **6.** Ficar ou subsistir como resto: *Só me restam as recordações.* **7.** Faltar (para fazer); faltar (para certos fins): *Resta-lhes metade do caminho para percorrer. T. d. e i.* **8.** Dever por saldo: *Resto 500 cruzados ao credor.*

restauração. [Do lat. *restauratione.*] *S. f.* **1.** Ato ou efeito de restaurar(-se); restauro. **2.** Recuperação, restabelecimento, restauro. **3.** Reparo, reparação, conserto, restauro. **4.** Recuperação de forças; reconstituição, renovação, restauro. **5.** Restabelecimento de uma situação histórica vivida anteriormente, quer pela recuperação da independência de uma nação, quer pela volta ao poder de um regime ou de uma dinastia: *A guerra da Restauração ocorreu entre Portugal e Espanha em meados do séc. XVII; Na Inglaterra, a restauração dos Stuarts sucedeu-se ao regime republicano de Cromweel.* **6.** Trabalho de recuperação feito em construção ou obra de arte parcialmente destruídas. **7.** Conjunto de intervenções técnicas e científicas, de caráter intensivo, que visam a garantir, no âmbito de uma metodologia crítico-estética, a perenidade dum patrimônio cultural. **8.** *Arquit.* Conjunto de intervenções que visam ao restabelecimento total ou parcial de uma edificação a uma fase anterior.

restaurador (ô). [Do lat. *restauratore.*] *Adj.* **1.** Que restaura; restaurante, restaurativo. ● *S. m.* **2.** Aquele que restaura. **3.** Aquele que realiza a restauração de um país, ou dela é partidário. **4.** *Bras.* V. *caramuru* (3). **5.** *Bras., RS.* V. *carimboto.*

restaurante[1]. [Do fr. *restaurant*, nome duma casa de pasto aberta em 1767 em Paris.] *S. m.* **1.** Estabelecimento comercial onde se preparam e servem refeições. [Cf. *casa de pasto.*] **2.** Lugar onde se servem refeições avulsas a certo número de pessoas: *o restaurante duma fábrica, dum hospital, dum trem.*

restaurante[2]. [Do lat. *restaurante.*] *Adj. 2 g.* **1.** V. *restaurador* (1). **2.** Restaurativo (2).

restaurar. [Do lat. *restaurare.*] *V. t. d.* **1.** Obter de novo a posse ou domínio de (coisa perdida); recuperar, reconquistar, recobrar, reaver: *As tropas restauraram o território ocupado.* **2.** Pôr (construção ou obra de arte) em bom estado; reparar: *restaurar um palácio, um quadro, uma escultura.* **3.** Consertar, reparar, compor: *restaurar um objeto danificado.* **4.** Pôr de novo em vigor; instituir novamente; restabelecer, restituir: "tinha por certo que havia de restaurar a tranqüilidade e a segurança, privadas, e restabelecer o domínio das leis." (Franklin Távora, *O Cabeleira*, p. 180). **5.** Recuperar, renovar, reconstituir (força, vigor, energia); revigorar: *Preciso descansar para restaurar as forças.* **6.** Começar outra vez; reiniciar, recomeçar: *Os inimigos restauraram as hostilidades.* **7.** Dar novo esplendor a: *O Renascimento restaurou a ciência e as artes.* **8.** Restituir (uma dinastia, um governo derrubado) ao poder: *A Revolução de 1640 restaurou a monarquia portuguesa.* **9.** Satisfazer, pagar, indenizar: *restaurar prejuízos. P.* **10.** Voltar ao estado primitivo; recobrar as forças ou a saúde; recuperar-se, restabelecer-se: *O doente vai restaurar-se em breve.*

restaurativo. *Adj.* **1.** V. *restaurador* (1). **2.** Que pode restaurar; restaurante.

restaurável. *Adj. 2 g.* Que se pode restaurar.

restauro. [Dev. de *restaurar.*] *S. m.* V. *restauração* (1 a 4).

reste[1]. [Do ingl. *rest.*] *S. m.* V. *fancho.* [Var.: *resto.*]

reste[2]. *S. m.* Var. de *riste.*

restelar. *V. t. d.* Var. de *rastelar.* [Pres. ind.: *restelo*, etc. Cf. *restelo* (ê), s. m., *Restelo* (ê), top. e *restilar*, v.]

restelo (ê). *S. m.* Var. de *rastelo.* [Pl.: *restelos* (ê). Cf. *restelo*, do v. *restelar.*]

resteva (ê). [Do lat. vulg. **respita* < *stipa*, 'palha, colmo'.] *S. f.* V. *restolhal.*

réstia. [Do lat. *reste.*] *S. f.* **1.** Corda de palha ou de hastes entrelaçadas: *A cebola é geralmente vendida em réstias;* "mochilas de sal, réstias de alho." (Graciliano Ramos, *Infância*, p. 128). **2.** Feixe de luz.

restiforme. [Do lat. *reste*, 'corda', 'réstia', + *-i-* + *-forme.*] *Adj. 2 g.* Que tem forma de réstia.

restilação. *S. f.* Ato ou efeito de restilar; restilo.

restilada. [Fem. substantivado de *restilado.*] *S. f. Bras.* Resíduo líquido da destilação da aguardente.

restilado. [Part. de *restilar.*] *Adj.* Destilado pela segunda vez.

restilar. [Do lat. *restillare*, 'estar correndo gota a gota'.] *V. t. d.* Destilar pela segunda vez; tornar a destilar. [Cf. *restelar.*]

restilo. [Dev. de *restilar.*] *S. m.* **1.** Restilação. **2.** *Bras., MA, MG, SP* e *MT.* V. cachaça (1): "Como é que se ia brincar, se não tinha vindo ainda a 'arma' do brinquedo? A alma do brinquedo era a aguardente. I — É, sem 'restilo' é que não." (Viriato Correia, *Contos do Sertão*, p. 235.) **3.** V. *vinhoto.*

restinga. *S. f.* **1.** Língua de areia ou de pedra que, partindo do litoral, se prolonga para o mar, quer fique sempre aflorada, quer apenas na baixa-mar. **2.** Terreno litorâneo arenoso e salino, e recoberto de plantas herbáceas e arbustivas típicas desses lugares. **3.** Escolho, recife, arrecife, **4.** *Bras.* Faixa de mato às margens de igarapé ou rio. **5.** *Bras., PA.* Faixa de mato às margens de rio, a qual, por ocasião das grandes marés ou cheias de inverno, aflora, enquanto o terreno permanece submerso. **6.** *Bras., RJ.* Designação comum a depressões rasas, alagadas ou secas, sempre retas, e rigorosamente paralelas à linha da costa. **7.** *Bras., MG.* Rebotalho das terras lavradas, onde minerava a gente pobre. **8.** *Bras., S.* Faixa de terra arenosa entre uma lagoa e o mar. **9.** *Bras., PR.* Mata longa e estreita que divide dois campos de pastagem. **10.** *Bras., RS.* Pequeno arroio ou sanga com as margens recobertas de mato.

restingal. *S. m. Bras., RS.* Região de muitas ou longas restingas.

restingão. [De *restinga* + *-ão*[1].] *S. m. Bras., SC.* Caminho extenso e orlado de matas.

restingueiro. [De *restinga* + *-eiro.*] *S. m. Bras.* V. *caipira* (1).

restinguir. [Do lat. *restinguere.*] *V. t. d.* Extinguir novamente. [Conjug.: v. *extinguir.*]

restionácea. *S. f.* Espécime das restionáceas.

restionáceas. *S. f. pl.* Família de plantas monocotiledôneas, da ordem das farinosas, que compreende ervas graminiformes, dióicas, com flores em espiguilhas solitárias ou paniculadas, e fruto capsular ou indeiscente. Inclui cerca de 300 espécies dos países temperados e subtropicais do hemisfério austral.

restionáceo. *Adj.* Pertencente ou relativo às restionáceas.

restituição (u-i). [Do lat. *restitutione.*] *S. f.* **1.** Ato ou efeito de restituir(-se). **2.** Devolução de coisa emprestada, ou que se possui indebitamente, àquele a quem por direito ela pertence. **3.** Pagamento de dinheiro tomado por empréstimo. **4.** Reivindicação, recuperação, reintegração, reabilitação.

restituidor (u-i...ô). *Adj.* e *s. m.* Que ou aquele que restitui.

restituir. [Do lat. *restituere.*] *V. t. d.* **1.** Entregar (o que se possuía por empréstimo, ou indevidamente); devolver: *Terminada a leitura, restituiu o livro.* **2.** Fazer voltar; retornar: *O mar restituiu o corpo do afogado.* **3.** Restabelecer o estado anterior de; restaurar, consertar, reparar: *O artesão restituiu a boneca quebrada.* **4.** Refazer (uma obra) segundo indicações de seu estado original: *restituir um templo grego.* **5.** Pôr novamente em vigor; restaurar, restabelecer: *A moda sempre restitui antigos usos.* **6.** Satisfazer, pagar, indenizar: *restituir danos. T. d. e i.* **7.** Entregar (o que se possuía por empréstimo ou indevidamente); devolver: *Restituiu o carro a seu dono.* **8.** Fazer voltar; mandar de volta; reenviar: *Restituiu o sobrinho fujão à casa paterna.* **9.** Dar outra vez; fazer voltar; devolver: "A branda tepidez matutina da água acalmou-lhe os nervos, refrescou-lhe a cabeça, e restituiu-lhe o vigor" (Inglês de Sousa, *O Missionário*, p. 356). **10.** Compensar, indenizar, ressarcir: *O governo restituirá os prejudicados de todos os danos sofridos.* **11.** Repor (no mesmo lugar ou posto); reconduzir, reintegrar: *A eleição restituiu ao posto o ex-presidente.* **12.** Fazer voltar ao estado primitivo; fazer recuperar: *O medicamento restituiu-lhe a saúde. P.* **13.** Recuperar o perdido; indenizar-se: *O comerciante restituiu-se dos prejuízos aumentando os preços.* **14.** Reempossar-se, reintegrar-se: *Vencida a rebelião, o rei restituiu-se no seu posto.* **15.** Prover-se, abastecer-se (do que faltava): *restituir-se de gêneros.* **16.** Voltar, retornar: *O marinheiro sempre se restitui aos mares.* [Conjug.: v. *atribuir.*]

restituitório (u-i). [Do lat. *restitutoriu.*] *Adj.* **1.** Que contém restituição. **2.** Referente a restituição.

restituível. *Adj. 2 g.* Que pode ou deve ser restituído.

resto[1]. [Dev. de *restar.*] *S. m.* **1.** O que fica ou resta; o mais; o restante. **2.** Aquilo que sobra; remanescente, saldo. **3.** Numa divisão aritmética, a diferença entre o dividendo e o produto do divisor pelo quociente. **4.** V. *resíduo* (2). ~ V. *restos.* ♦ **De resto.** Quanto ao mais, afinal de contas; aliás. **Tratar de resto.** Não fazer caso de; desprezar, pospor (alguém).

resto[2]. [Var. de *reste*[1].] *S. m.* V. *fancho.* ~ V. *restos.*

restolhada. *S. f.* **1.** Grande quantidade de restolho. **2.** *Fig.* Barulho produzido por quem anda por entre o restolho. **3.** Grande ruído; estrondo.

restolhal. *S. m.* Terreno em que há restolho; resteva, restolho.

restolhar. *V. int.* **1.** Fazer ruído andando sobre o restolho. **2.** Catar ou procurar os restos: *As crianças restolhavam na feira livre.* **3.** Fazer ruído ou bulha: *Os cães de caça iam andando sem restolhar. T. d.* **4.** Catar, procurar, buscar: *O professor corrigia as provas restolhando erros.* [Pres. ind.: *restolho*, etc. Cf. *restolho* (ô).]

restolho (ô). *S. m.* **1.** A parte inferior das gramíneas que fica enraizada após a ceifa. **2.** V. *restolhal.* **3.** *Bras.* Resíduos, restos, sobras. [Pl.: *restolhos* (ó). Cf. *restolho*, do v. *restolhar.*]

restos. [Pl. de *resto.*] *S. m. pl.* **1.** Destroços, ruínas. **2.** Os despojos mortais; o cadáver ou o esqueleto de alguém; restos mortais; despojos. **3.** O que sobrou; sobras: *os restos do jantar.* ~ V. *resto.* ♦ **Restos mortais.** V. *restos* (2).

restribar. [De *re-* + *estribar*, com síncope.] *V. t. i.* **1.** Opor-se com firmeza; fazer finca-pé; não ceder; resistir: *Os inimigos restribaram contra as propostas de paz. P.* **2.** Estar firme nos estribos: *O cavaleiro restribou-se durante toda a carreira.* **3.** Escorar-se, firmar-se, apoiar-se: *O bêbedo restribava-se nas paredes.*

restrição. [Do lat. *restrictione.*] *S. f.* **1.** Ato ou efeito de restringir(-se). **2.** Condicionante (2). ♦ **Restrição mental.** Ato secreto do espírito pelo qual as palavras ditas se restringem a um sentido que não é o normal.

restringência. *S. f.* Qualidade de restringente.

restringente. [Do lat. *restringente.*] *Adj. 2 g.* **1.** V. *restritivo.* **2.** Diz-se do medicamento que restringe partes relaxadas. ● *S. m.* **3.** Medicamento restringente.

restringir. [Do lat. *restringere.*] *V. t. d.* **1.** Tornar mais estreito ou apertado; estreitar, apertar: *As pedras restringiram a passagem do desfiladeiro.* **2.** Tornar menor; diminuir, encurtar, reduzir: *A nova estrada restringiu o percurso.* **3.** Conter dentro de certos limites; limitar, delimitar: *A lei restringe a autoridade dos chefes políticos. T. d. e i.* **4.** Reduzir, limitar, resumir: *Os tolos restringem à riqueza a felicidade. P.* **5.** Limitar-se, reduzir-se, resumir-se: *A atividade econômica restringiu-se à agricultura.* **6.** Coibir-se, abster-se, refrear-se: *O Governo não se restringirá de suas metas.* [Conjug.: v. *dirigir.*]

restringível. *Adj. 2 g.* Que pode ser restringido.

restritiva. [Fem. substantivado de *restritivo.*] *S. f. Gram.* Oração incidente que restringe ou limita o sentido de outra oração ou de uma palavra.

restritivo. [De *restrictu*, part. pass. do lat. *restringere*, 'restringir', + *-ivo.*] *Adj.* Que restringe; limitativo, restringente.

restrito. [Do lat. *restrictu.*] *Adj.* **1.** Que se mantém dentro de certos limites; limitado. **2.** Diminuído na sua extensão; reduzido.

restrugir. [De *re-* + *estrugir.*] *V. int.* **1.** Estrugir de novo. **2.** Vibrar fortemente; ecoar: "pelas janelas do paço restrugia o ruído da música e dos saraus" (Alexandre Herculano, *Lendas e Narrativas*, II, p. 26). *T. d.* **3.** Fazer estrugir; fazer retumbar; atroar: *O vento restrugia as ondas fragorosas.* [Normalmente é defect., só conjugável nas 3as pess.]

restucar. [De *re-* + *estucar.*] *V. t. d.* **1.** Estucar outra vez. **2.** Estucar bem. [Conjug.: v. *trancar.*]

resulta. [Dev. de *resultar.*] *S. f. P. us.* V. *resultado* (2).

resultado. [Part. de *resultar*, substantivado.] *S. m.* **1.** Ato ou efeito de resultar. **2.** Conseqüência, efeito, seguimento. [Sin., p. us., nesta acepç.: *resulta, resultância.*] **3.** Produto de uma operação matemática. **4.** Deliberação, decisão, resolução. **5.** Termo, fim. **6.** Lucro, proveito, ganhos, proventos. ♦ **Resultado aproximado.** *Mat.* Número, ou expressão algébrica, que não é exato, mas é suficientemente correto para os fins a que se destina; aproximação.

resultância. [De *resultar* + *-ância.*] *S. f. P. us.* V. *resultado* (2).

resultante. [Do lat. *resultante.*] *Adj. 2 g.* **1.** Que resulta. ● *S. f.* **2.** *Álg.* Eliminante (2). **3.** *Fís.* Força que é a soma vectorial de todas as que agem sobre um corpo. **4.** *Fís.* Linha reta que representa essa força.

resultar. [Do lat. *resultare*, 'saltar para trás'.] *V. t. i.* **1.** Ser conseqüência ou efeito: *O certo resulta da crítica ao erro.* **2.** Nascer, provir, proceder, dimanar: *São considerados bastardos os filhos que resultam de* concubinato. **3.** Tornar-se, redundar, reverter: *As negociações resultaram em fracasso.* **4.** Converter-se, transformar-se: *A festa resultou em confusão. Bit. i.* **5.** Dar em resultado; originar-se, seguir-se: *A felicidade resultou-lhe do casamento.*

resumido. [Part. de *resumir.*] *Adj.* **1.** Que se resumiu; abreviado, recopilado: *O longo romance reapareceu em edição resumida.* **2.** Curto, breve: *Faz um discurso resumido.*

resumidor (ô). *Adj.* e *s. m.* Que ou aquele que resume.

resumir. [Do lat. *resumere*, 'tornar a tomar'.] *V. t. d.* **1.** Fazer resumo de; fazer sinopse de; abreviar, epilogar, recopilar: *resumir um livro.* **2.** Representar, simbolizar, em ponto pequeno: *A responsabilidade nos pequenos atos resume a capacidade para grandes ações.* **3.** Conter em resumo; sintetizar, reunir: *Este folheto resume a teoria da relatividade. T. d.* e *i.* **4.** Fazer consistir; concentrar: *O sábio resume na ciência o seu mundo.* **5.** Limitar, reduzir, restringir: "Resume Gonçalves de Magalhães a filosofia do seu tempo em quatro grandes sistemas: sensualismo, espiritualismo, ceticismo e misticismo." (Evaristo de Morais Filho, *in A Literatura no Brasil*, VI, pp. 138-139); *Santo Agostinho resume à vontade de Deus as esperanças de salvação.* **6.** Converter, transformar; reduzir: *O terremoto resumiu cidades a ruínas. P.* **7.** Consistir apenas; limitar-se, reduzir-se, restringir-se: "A minha vida se resume, / desconhecida e transitória, / em contornar teu pensamento." (Cecília Meireles, *Obra Poética*, p. 103); "O passadio é 'singelo', como diz o coronel. Resume-se no jabá com farinha duas vezes ao dia." (Permínio Asfora, *Vento Nordeste*, p. 245); "Sua voz resume-se a murmúrios, sua alegria a sorrisos." (Raimundo Morais, *País das Pedras Verdes*, p. 290); "Os músicos resumiam-se a cinco figuras" (Adalberon Cavalcanti Lins, *Curral Novo*, p. 271). **8.** Reduzir-se a menores proporções: *Os seus erros se resumiram.* **9.** Dizer ou escrever algo em poucas palavras: *Tentou resumir-se, para poupar tempo.* **10.** Reportar-se, sintetizando: *Resumiu-se, em poucas palavras, à Grécia antiga. Int.* **11.** *Bras., BA.* Praticar a tarefa que antecede o amontoamento do cascalho (6).

resumo. [Dev. de *resumir.*] *S. m.* **1.** Ato ou efeito de resumir(-se). **2.** Exposição abreviada de uma sucessão de acontecimentos, das características gerais de alguma coisa, etc., tendente a favorecer sua visão global: síntese, sumário, epítome, sinopse: *O repórter fez um bom resumo das últimas ocorrências.* **3.** Apresentação concisa; do conteúdo de um artigo, livro, etc., a qual, precedida de sua referência bibliográfica, visa a esclarecer o leitor sobre a conveniência de consultar o texto integral. Ao contrário da sinopse (1) [q. v.], o resumo aparece em publicação à parte e é redigido por outra pessoa que não o autor do trabalho resumido. **4.** Recapitulação em poucas palavras; sumário: *Esta gramática tem um resumo claro no fim de cada capítulo.* **5.** *Fig.* Compêndio (3).

resvaladeiro. [De *resvalar* + *-deiro.*] *S. m.* V. *resvaladouro* (1, 2, 3 e 5).

resvaladiço. *Adj.* **1.** Por onde se resvala com facilidade; escorregadio. **2.** Muito inclinado; escarpado, íngreme. **3.** *Fig.* Que apresenta perigo; perigoso. • *S. m.* **4.** V. *resvaladouro.* [F. paral.: *resvaladio.*]

resvaladio. *Adj.* **1.** V. *resvaladiço* (1 a 3). • *S. m.* **2.** V. *resvaladouro* (1, 2, 3 e 5).

resvaladoiro. [De *resvalar* + *-(d)oiro*[1].] *S. m.* V. *resvaladouro.*

resvaladouro. [De *resvalar* + *-(d)ouro*[1]; var. de *resvaladoiro.*] *S. m.* **1.** Lugar por onde se resvala facilmente. **2.** Descida, ladeira, declive. **3.** Despenhadeiro, precipício, abismo. **4.** *Tip.* A parte dianteira da linotipo, por onde as matrizes alcançam o componedor; harpa. **5.** *Fig.* O que põe em perigo a reputação, o bom nome de alguém. [Sin., nas acepç. 1, 2, 3 e 5: *resvaladeiro, resvaladiço, resvaladio, deslizadeiro.*]

resvaladura. *S. f.* Ato ou efeito de resvalar; resvalo. **2.** Vestígio no lugar onde se resvalou ou escorregou.

resvalamento. *S. m.* Ato de resvalar; resvaladura.

resvalar. [Do esp. *resbalar.*] *V. t. d.* e *i.* **1.** Fazer escorregar ou cair; fazer incidir; lançar: *O Sol resvala claridade sobre a Terra. Int.* **2.** Cair por um declive: *Levou um tiro e resvalou ladeira abaixo;* "As correntezas da vida / E os restos do meu amor / Resvalam numa descida / Como a da fonte e da flor..." (Vicente de Carvalho, *Poemas e Canções*, p. 264). **3.** Escorregar, deslizar: *A montaria resvalou, e o cavaleiro caiu.* **4.** Passar de leve; correr, deslizando: *Sua sombra resvalava pelos corredores do casarão.* **5.** Passar, decorrer, insensivelmente: *Resvalaram as horas de felicidade.* **6.** Escapar-se, fugir: *As oportunidades vêm e não tardam a resvalar.* **7.** Começar a errar: *O rapaz resvalou ainda em criança. T. i.* **8.** Cair, incorrer: *resvalar em erro.* **9.** Transformar-se, transfazer-se, converter-se: *A água resvalou em vinho.*

resvalo. [Dev. de *resvalar.*] *S. m.* **1.** Resvaladura (1). **2.** Declive, descida.

resvés. [De *rés* + o final do lat. *versus*, com assimilação?] *Adj. 2 g.* **1.** Exato, justo. [Pl.: *resveses.*] • *Adv.* **2.** Rente, cerce. **3.** Na medida exata; na conta; à justa: *A fazenda deu, resvés, para o vestido.*

reta. [Fem. substantivado do adj. *reto.*] *S. f.* **1.** Linha, traço ou risco que segue sempre a mesma direção. **2.** Trecho retilíneo de uma estrada, etc. **3.** *Geom.* Conceito fundamental da geometria, cuja posição se define univocamente por dois pontos; linha reta. ♦ **Reta de altura.** **1.** *Astr.* Segmento de reta, sobre uma carta, o qual traduz o resultado da observação da altura de um astro, permitindo a determinação da posição geográfica de um ponto sobre a superfície terrestre. **2.** *Náut.* Pequeno trecho, assimilado a uma reta, do lugar geométrico dos pontos em que, no instante da observação, o astro seria observado com a mesma altura tomada pelo observador. **Reta de chegada.** *Turfe.* Reta final. **Reta de posição.** *Náut.* Tangente ao círculo de posição no raio orientado em direção oposta ao azimute do astro cuja altura foi tomada pelo observador. **Reta de simetria.** *Geom.* V. *eixo de simetria.* **Reta final.** *Turfe.* Parte da pista em que as corridas terminam, e que fica diante dos espectadores; reta de chegada. **Reta focal.** *Ópt.* V. *focal* (2). **Reta ideal.** *Geom. Proj.* V. *reta imprópria.* **Reta imprópria.** *Geom. Proj.* Reta constituída apenas por pontos impróprios; reta ideal, reta no infinito. **Reta material.** *Fís.* Linha reta à qual se associa uma distribuição uniforme de massa. **Reta no infinito.** *Geom. Proj.* V. *reta imprópria.* **Reta oposta.** *Turfe.* Parte da pista de corridas que se situa no lado oposto em relação à reta final e ao ponto em que se encontram os espectadores. **Reta orientada.** *Geom. Anal.* V. *eixo* (9). **Reta secante.** *Geom.* Secante[2] (1). **Reta tangente.** *Geom.* Tangente (3).

retabular. *Adj. 2 g.* Respeitante a, ou que tem forma de retábulo.

retábulo. [Do esp. *retablo.*] *S. m.* Construção de madeira, de mármore, ou de outro material, com lavores, que fica por trás e/ou acima do altar e que, normalmente, encerra um ou mais painéis pintados ou em baixo-relevo.

retacado. *Adj. Bras., S* e *GO.* V. *retaco.*

retaco. [Do esp. plat. *retaco.*] *Adj. Bras., S.* e *GO.* Diz-se do indivíduo ou animal baixo e reforçado; atarracado; retacado: "Antão era negro retaco, acostumado a bolear fardos de 4 arrobas e tanto" (Bernardo Élis, *Ermos e Gerais*, p. 109).

retado. *Adj. Bras., BA.* V. *arretado* (2).

retaguarda. [Do it. *retroguardia.*] *S. f.* **1.** *Exérc.* O último elemento de tropa de unidade ou subunidade em campanha. **2.** A parte traseira, em relação à frente ou dianteira. [Antôn.: *vanguarda* (1 e 2).] **3.** *Fig.* Posição oposta à de vanguarda [q. v.]. **4.** *Mar. G.* Num dispositivo ou formatura de combate ou de cruzeiro, o grupo de navios mais recuado em relação à direção de deslocamento do dispositivo ou formatura.

retal. *Adj. 2 g. Anat.* Do, ou relativo ou pertencente ao reto[1] (6).

retalgia. [De *ret(o)-* + *-alg(o)-* + *-ia.*] *S. f. Med.* Dor no reto[1] (6).

retalhação. *S. f.* Ato ou efeito de retalhar; retalhadura. [Cf. *retaliação.*]

retalhado. [Part. de *retalhar.*] *Adj.* **1.** Que se retalhou. **2.** Golpeado com instrumento cortante. **3.** Dividido ou separado em partes; fracionado. **4.** Ferido, magoado. **5.** *Bras., S.* Diz-se do garanhão submetido a uma operação que o impossibilita de fecundar as éguas. [Cf. *retaliado.*]

retalhadura. *S. f.* Retalhação.

retalhar. [De *re-* + *talhar.*] *V. t. d.* **1.** Cortar em pedaços; despedaçar: *O açougueiro retalhou a peça de carne.* **2.** Cortar em retalhos: *retalhar uma peça de fazenda.* **3.** Sulcar, lavrar, arar: *O arado retalha os campos.* **4.** Golpear, ferir com instrumento cortante: *O malfeitor retalhou muitos rostos à navalha.* **5.** Rasgar, abrir, separando as partes: *A erosão incessante retalha a terra, deixando sulcos profundos.* **6.** Fracionar, dividir, separar: *A guerra retalhou a Alemanha.* **7.** Causar mal a; magoar, molestar: *As brigas retalham a alma.* **8.** Vender a retalho: *A fábrica não retalha tecidos, vende apenas peças completas.* **9.** *Bras., S.* Tornar estéril (o cavalo), sem castrá-lo. [Cf. *retaliar.*]

retalheiro. *Adj.* e *s. m.* V. *retalhista.*

retalhista. *Adj. 2 g.* **1.** Que vende a retalho. **2.** Referente ao comércio a retalho. • *S. 2 g.* **3.** Vendedor a retalho. [Sin. ger.: *varejista, retalheiro.* Antôn.: *atacadista.*]

retalho. [Dev. de *retalhar.*] *S. m.* **1.** Parte ou pedaço de uma coisa retalhada. **2.** Parte de um todo; fração. **3.** Sobra do tecido de costura, ou de peça nas lojas: *colcha de retalhos.* ♦ **A retalho.** Aos bocados; por miúdo; a varejo. [Cf. *em grosso.*] **Ser retalho da mesma peça.** V. *ser farinha do mesmo saco.*

retaliação. *S. f.* **1.** Ato ou efeito de retaliar. **2.** Represália, vingança, desforra: "Eu é que vou estampar em perpétuos versaletes o nome da aldeia, e acabar de antemão com futuros litígios e retaliações e injuriosas entre os respectivos jornalistas das várias cidades." (Camilo Castelo Branco, *Serões de São Miguel de Cleide*, III, pp. 48-49.) **3.** V. *pena de talião.* [Cf. *retalhação.*]

retaliado. [Part. de *retaliar.*] *Adj.* Que sofreu retaliação. [Cf. *retalhado.*]

retaliar. [Do lat. *retaliare.*] *V. t. d.* **1.** Revidar com dano igual ao dano recebido; impor a pena de talião a: *O código de Hamurábi mandava retaliar os culpados.* **2.** Exercer represália contra; vingar, desagravar: *Os derrotados pretendem retaliar um dia as humilhações. Int.* **3.** Praticar retaliações: *Aquele que odeia é levado a retaliar.* [Cf. *retalhar.*]

retaliativo. *Adj.* Respeitante a, ou que tem caráter de retaliação; retaliatório.

retaliatório. *Adj.* Retaliativo: "Essa força interior, que nos permite vencer em nós os próprios impulsos retaliatórios no sentido da violência, é que distingue o gandhismo do estoicismo" (Tristão de Ataíde, *Folha de São Paulo*, 9.9.1983).

retama. [Do ár. *ratamâ.*] *S. f.* V. *giesta.* [Cf. *retame.*]

retambana. *S. f. Pop.* V. *descompostura* (2).

retame. *Adj.* e *s. m.* Diz-se do, ou o mel ou melaço levado ao ponto de açúcar. [Cf. *retama.*]

retamente. [Do fem. de *reto*[1] + *-mente.*] *Adv.* De maneira reta; com retidão; honradamente, honestamente.

retanchar. [De *re-* + *tanchar.*] *V. t. d.* **1.** Substituir (o bacelo) por outro: *O agricultor costuma retanchar os bacelos.* **2.** Cortar rente (uma vergôntea) para que cresça com mais força.

retanchoa (ô). *S. f.* Ato ou efeito de retanchar.

retangular. *Adj. 2 g.* Que tem a forma ou a semelhança de um retângulo. ~ V. *coordenadas —es, matriz —* e *trapézio —.*

retangularidade. *S. f.* Qualidade de retangular.

retângulo. [Do lat. *rectangulu.*] *Adj.* **1.** Que tem ângulo(s) reto(s) [q. v.]. ~ V. *diedro —, paralelepípedo —* e *triângulo —.* • *S. m.* **2.** *Geom.* Quadrilátero eqüiângulo; quadrilátero cujos ângulos são retos.

retardação. [Do lat. *retardatione.*] *S. f.* Ato ou efeito de retardar; retardamento, retarde.

retardado. [Part. de *retardar.*] *Adj.* **1.** Que se retardou; atrasado. **2.** Que demora; demorado, moroso. **3.** Adiado, delongado, procrastinado. **4.** *Psiq.* Diz-se do indivíduo cujo desenvolvimento mental é inferior ao índice normal para a sua idade. ~ V. *movimento —* e *nêutron —.* • *S. m.* **5.** *Psiq.* Indivíduo mentalmente retardado.

retardador (ô). *Adj.* **1.** Que retarda; retardante, retardativo. • *S. m.* **2.** Aquele ou aquilo que retarda.

retardamento. *S. m.* **1.** V. *retardação.* **2.** *Psiq.* Estado ou condição do indivíduo mentalmente retardado; retardo.

retardante. [De *retardar* + *-nte.*] *Adj. 2 g.* V. *retardador* (1).

retardão. [De *retardar* + *-ão*[3].] *Adj.* e *s. m.* **1.** Diz-se de, ou indivíduo pachorrento, pouco ativo. **2.** Diz-se de, ou cavalo manhoso. [Fem.: *retardona.*]

retardar. [Do lat. *retardare.*] *V. t. d.* **1.** Tornar tardio; atrasar: *A chuva retardou a colheita.* **2.** Causar o atraso de; fazer chegar ou ocorrer mais tarde; atrasar: *O mau tempo retardou o avião.* **3.** Demorar, adiar, protelar, procrastinar: *Os contratantes retardaram o negócio.* **4.** Fazer tardo ou menos rápido; desacelerar: *As crises políticas retardam o progresso. Int.* e *p.* **5.** Chegar mais tarde; atrasar-se. **6.** Andar devagar; demorar(-se): *Nossos perseguidores retardaram; Os caminhantes se retardaram, só chegando à cidade ao anoitecer.*

retardatário. [De *retardatu*, part. pass. do lat. *retardare*, 'retardar', + *-ário.*] *Adj.* e *s. m.* **1.** Que ou aquele que está atrasado. **2.** Que ou aquele que chega tarde.

retardativo. [De *retardatu*, part. pass. do lat. *retardare*, 'retardar', + *-ivo.*] *Adj.* **1.** V. *retardador* (1). **2.** V. *retardio.*

retarde. [Dev. de *retardar.*] *S. m.* **1.** V. *retardação.* **2.** Atraso, demora, tardança.

retardio. [De *retard(ar)* + *-io*[2], ou de *re-* + *tardio.*] *Adj.* **1.** Demorado, serôdio, tardo. **2.** Pouco ativo; lento, pachorrento. [Sin. ger.: *retardativo.*]

retardo. [Dev. de *retardar.*] *S. m.* **1.** *Psiq.* Retardamento (2). **2.** *Mús.* Em harmonia, prolongamento de um dos sons dum acorde no acorde seguinte; suspensão.

retardona. *Adj. (f.)* e *s. f.* Fem. de *retardão.*

retectomia. [De *ret(o)-* + *-ectom-* + *-ia.*] *S. f. Cir.* Proctectomia.

retectômico. *Adj.* Proctectômico.

reteimar. [De *re-* + *teimar.*] *V. int.* Teimar muito.

retelhação. *S. f.* V. *retelhamento.*

retelhadura. *S. f.* V. *retelhamento.*

retelhamento. *S. m.* Ato ou efeito de retelhar; retelhação, retelhadura.

retelhar. [De *re-* + *telhar.*] *V. t. d.* Telhar de novo; tornar a telhar; fazer novo telhado em: *retelhar um prédio.* [Conjug.: v. *aparelhar.*]

retém. [Dev. de *reter.*] *S. m.* **1.** Ato ou efeito de reter; retenção. **2.** Aquele ou aquilo que se retém como reserva. **3.** *Bras. Mar.* Em um mecanismo, peça ou ressalto que prende outra peça. ● *S. 2 g.* **4.** *Mil.* A pessoa que está de reserva para substituir a que possa faltar ou para reforçar quem esteja de serviço. ● *Adj. 2 g.* **5.** Diz-se daquilo que se retém como reserva.

retemperador (ô). *Adj.* Que retempera; retemperante.

retemperante. *Adj. 2 g.* Retemperador.

retemperar. [De *re-* + *temperar.*] *V. t. d.* **1.** Dar nova têmpera a; temperar de novo: *retemperar metais.* **2.** Fortalecer, fortificar, avigorar, apurar: "Uma cachacinha seria bom para retemperar-lhe o ânimo e renovar-lhe as forças." (Guido Vilmar Sassi, *São Miguel*, p. 150.) *P.* **3.** Adquirir novas forças morais ou físicas; revigorar-se.

retenção. [Do lat. *retentione.*] *S. f.* **1.** Ato ou efeito de reter(-se). **2.** Atraso, retardamento, demora. **3.** Retentiva. **4.** Detenção (3). **5.** Cárcere privado. **6.** Acumulação, nas cavidades orgânicas, de substâncias que normalmente devem ser expelidas. **7.** *Jur.* Conservação da posse duma coisa alheia para garantia dum direito próprio (reembolso de gastos, pagamento de consertos, etc.). [Cf. *retensão.*]

retenida. [Do esp. *retenida.*] *S. f. Marinh.* Cabo fino, com uma pinha num dos chicotes (para poder ser lançado mais facilmente a distância), utilizado para agüentar qualquer objeto transitoriamente, ou para passar cabos mais grossos ou espias de um navio para outro, ou de um navio para o cais, quando das atracações.

retensão. [De *re*+ *tensão.*] *S. f.* Tensão muito forte. [Cf. *retenção.*]

retentiva. [Fem. substantivado de *retentivo.*] *S. f.* Faculdade humana pela qual se retêm na memória as impressões recebidas; retenção: "O próprio beijo de reconciliação, ... tão vivo na retentiva de Betânia, na dele se sombreara..." (Mário Sete, *Senhora de Engenho*, p. 40).

retentividade. [De *retentivo* + *-i-* + *-dade.*] *S. f. Fís.* V. *remanência.*

retentivo. [Do lat. *retentu*, part. pass. de *retinere*, 'reter', + *-ivo.*] *Adj.* Retentor (1).

retentor (ô). [Do lat. *retentore.*] *Adj.* **1.** Que retém; retentivo. ● *S. m.* **2.** Aquele ou aquilo que retém.

reter. [Do lat. *retinere.*] *V. t. d.* **1.** Ter ou manter firme; não deixar escapar da mão; segurar com firmeza: *O cavaleiro retinha as rédeas;* "quando as Pascoais saíram, foi-lhes falar muito naturalmente, apertando-lhes a mão, retendo um instantinho a da Margarida na sua." (Conde de Ficalho, *Uma Eleição Perdida*, p. 108). **2.** Guardar em seu poder (o que é de outrem): *O tutor reteve durante anos a fortuna da pupila.* **3.** Guardar, conservar, manter: *Não soube reter o posto que conquistara.* **4.** Fazer parar; deter: *Caminhava apressado, quando alguém o reteve.* **5.** Ter como preso; prender, encarcerar: *A polícia retém todos os suspeitos.* **6.** Conservar na memória; ter de cor: *Lê muito, mas retém pouco.* **7.** Reprimir, refrear, conter: "Um dia, como o visse disfarçar envergonhado o casaquinho surrado pelo uso, não pôde reter as lágrimas." (Machado de Assis, *Páginas Recolhidas*, pp. 137-138.) **8.** Impedir de sair; deter: *Planejava viajar ontem, mas os negócios retiveram-no.* **9.** Amparar para que não caia; segurar, sustentar. *Grossas colunas retêm o teto.* **10.** Lançar mão, valer-se de; utilizar: *Conseguiu ascender retendo amizades importantes.* *Transobj.* **11.** Guardar, conservar, manter: *Poucos políticos, relativamente, retiveram intatas suas reputações. T. d. e i.* **12.** Conservar, manter: *S. M. reteve numerosos privilégios a seus súditos. P.* **13.** Não prosseguir; parar, deter-se: *O navio reteve-se no porto para abastecimento.* **14.** Reprimir-se, refrear-se, conter-se: *Teve ímpetos de ferir o agressor, mas reteve-se.* **15.** Não avançar; parar: *O homem reteve-se à borda do penhasco.* [Irreg. Conjug.: v. *ter.*]

retesado. [Part. de *retesar.*] *Adj.* Que se retesou; tenso; hirto.

retesamento. *S. m.* Ato ou efeito de retesar(-se).

retesar. [De *reteso* + *-ar*[2].] *V. t. d.* **1.** Tornar tenso; esticar, entesar: "O primeiro conduz um arco árabe: retesa a corda com os dedos indicador e médio da mão direita" (Júlio Dantas, *Abelhas Doiradas*, p. 210); "Espreguicei-me, retesando os músculos." (Reginaldo Guimarães, *Manhã Vermelha*, p. 78.) **2.** Tornar teso ou rijo; enrijar: *É nos momentos difíceis que precisamos retesar a vontade. P.* **3.** Tornar-se teso; entesar-se; endireitar-se: "Viu um magro, metido num capote militar e que ao passar por ele se retesou, deu à marcha uma cadência ostensiva" (José Geraldo Vieira, *A Mulher Que Fugiu de Sodoma*, p. 156). **4.** Endurecer(-se), enrijar(-se), enrijecer(-se): *Seus músculos retesaram-se ao receber o golpe.* [Pres. ind.: *reteso, retesas, retesa*, etc. Cf. *reteso* (ê) e as flex. *retesa* (ê) e *retesas* (ê).]

reteso (ê). [Do lat. *retensu.*] *Adj.* Muito teso ou tenso. [Flex.: *retesos* (ê), *retesa* (ê), *retesas* (ê). Cf. *reteso, retesas* e *retesa*, do v. *retesar.*]

▲**reti-**[1]. [Do lat. *rectus, a, um.*] *El. comp.* = 'reto[1]', 'direito': *reticórneo, retificar.*

▲**reti-**[2]. [Do lat. *rete, is.*] *El. comp.* = 'teia, rede': *retiforme*[1], *retinérveo*[1].

retiário. [Do lat. *retiariu.*] *S. m.* V. *reciário*: "Como aqueles atletas, chamados retiários, que, ao lançar a rede, colhiam lutadores dignos e pigmeus, Camilo [Camilo Castelo Branco] junca o chão de batalha de corpos de toda a estatura." (Aquilino Ribeiro, *Camões, Camilo, Eça e Alguns mais*, p. 169.)

reticência. [Do lat. *reticentia*, 'silêncio obstinado'.] *S. f.* **1.** Omissão intencional de uma coisa que se devia ou podia dizer. **2.** *Ret.* Aposiopese. [Cf. *reticencia*, do v. *reticenciar.*] ~ V. *reticências.*

reticenciar. *V. t. d.* **1.** Colocar reticências em: *A censura reticenciou o texto.* **2.** Exprimir de modo reticente, incompleto: *A testemunha reticenciou os fatos.* [Pres. ind.: *reticencio, reticencias, reticencia*, etc. Cf. *reticência* e *reticências.*]

reticências. [Pl. de *reticência.*] *S. f. pl.* Sinal de pontuação: série de três ou mais pontos que, num texto, indicam interrupção do pensamento (por ficar, em regra, facilmente subentendido o que não foi dito), ou omissão intencional de coisa que se devia ou podia dizer, mas apenas se sugere, ou que, em certos casos, indica insinuação, segunda intenção, emoção. Ex.: "Era esta a sala... (Oh! se me lembro! e quanto!) / Em que da luz noturna à claridade, / Minhas irmãs e minha mãe... / O pranto // Jorrou-me em ondas..." (Luís Guimarães Júnior, *Sonetos e Rimas*, p. 11.) [Sin.: *pontos de reticência, pontos de suspensão* e (fam.) *pontinhos, três-pontinhos.* Cf. *reticencias*, do v. *reticenciar.*] ~ V. *reticência.*

reticencioso (ô). *Adj.* **1.** Que demonstra reticência ou reserva; reservado: *Notei-o discreto, prudente, reticencioso.* **2.** Em que há reserva ou reticência: *declaração reticenciosa.* [Sin. ger.: *reticente.*]

reticente. [Do lat. *reticente.*] *Adj. 2 g.* V. *reticencioso.*

rético. [Do lat. *rhaeticu.*] *Adj.* **1.** Da, ou pertencente ou relativo à Récia, dos romanos, ou à região dos Alpes onde esta se situava, aproximadamente entre o Reno e o Danúbio; reto. **2.** *Ling.* Diz-se do conjunto de dialetos românicos falados na região alpina central e oriental (Suíça, Áustria e Itália); ladino, reto-romano, reto-românico. ● *S. m.* **3.** O natural ou habitante da antiga Récia, ou da região rética; reto. **4.** *Ling.* O conjunto dos dialetos réticos; ladino, reto-romano, reto-românico.

reticórneo. [De *reti-*[1] + *córneo.*] *Adj. Zool.* Que tem as antenas retas.

retícula. [Var. de *retículo*[1].] *S. f.* **1.** *Fotograv.* Aparelho formado por dois vidros finamente raiados e cimentados um ao outro, de modo que as raias se cruzem em ângulo reto, e que se usa nos processos de autotipia [q. v.], de ofsete [q. v.] e de heliogravura [q. v.]. **2.** *Fotograv.* O pontilhado produzido por esse aparelho, nos negativos, positivos, clichês e estampas; trama. **3.** *P. ext.* Qualquer matriz de pontos, linhas, círculos, etc., empregada para produzir efeito de meio-tom ou outros efeitos visuais em artes gráficas. **4.** *Zool.* V. *retículo*[1] (2). [Cf. *reticula*, do v. *reticular.*]

reticulação. [De *reticular*[2] + *-ção.*] *S. f. Fotograv.* Reticulagem.

reticulado. [Do lat. *reticulatu.*] *Adj.* **1.** Que tem forma de rede; retiforme. **2.** Que tem linhas e nervuras entrecruzadas como a rede: "Como o calor era intenso, os anuros andavam no fundo da água, por baixo de limos reticulados com a delicadeza de frocos." (Fialho d'Almeida, *Contos*, p. 152.) **3.** *Fotograv.* Obtido por meio de retículo (2); tramado. **4.** *Morfol. Veg.* Recoberto de linhas, quase sem relevo, que se anastomosam formando uma rede de malhas pequeninas: *folha reticulada.* [Sin., nestas acepç.: *reticular.*] **5.** Pertencente ou relativo aos reticulados. ● *S. m.* **6.** *Álg. Mod.* Conjunto parcialmente ordenado em que dois elementos quaisquer têm um supremo e um ínfimo. **7.** Espécime dos reticulados.

reticulados. *S. m. pl. Zool.* Designação comum aos protozoários, rizópodes, de pseudópodes filiformes, anastomosados em forma de rede. São os foraminíferos e os radiolários.

reticulado-venoso. *Adj. Morfol. Veg.* Diz-se de órgãos foliáceos cujas nervuras são reticuladas. [Pl.: *reticulado-venosos.*]

reticulagem. *S. f. Fotograv.* Ato ou efeito de reticular; reticulação.

reticular[1]. [De *retículo*[1] + *-ar*[1].] *Adj. 2 g.* V. *reticulado* (1 a 4).

reticular[2]. [De *retícula* + *-ar*[2].] *V. t. d. Fotograv.* Impressionar com retícula. [Pres. ind.: *reticulo, reticulas, reticula*, etc. Cf. *retículo, s. m., retícula, s. f.*, e *Retículo*, astr.]

retículo[1]. [Do lat. *reticulu.*] *S. m.* **1.** Pequena rede: "a sua pele translúcida, em cuja polpa, fina como uma porcelana cor-de-rosa, se adivinhava um retículo azul de veias" (Júlio Dantas, *Abelhas Doiradas*, p. 176) **2.** A segunda cavidade do estômago dos ruminantes; barrete. [Var., nesta acepç.: *retícula.* Cf. *reticulo*, do v. *reticular.*] ◆ **Retículo cristalino.** *Fís.* Sistema de pontos considerados os centros de gravidade das partículas materiais (átomos e moléculas), dispostos de jeito que constituam uma rede de três dimensões e de malhas paralelepipedais.

retículo[2]. [De *reti-*[1] + *-culo.*] *S. m. Ópt.* Marcação colocada no plano focal da ocular de um instrumento óptico, e que serve como referência para uma visada ou como dispositivo auxiliar de uma medida.

reticuloendotelial. *Adj. 2 g.* ~ V. *sistema* —.

retidão. [Do lat. *rectitudine.*] *S. f.* **1.** Qualidade de reto. **2.** Inteireza de caráter. **3.** Legalidade, legitimidade. **4.** Correção ou lisura no procedimento. [Sin. ger.: *retitude.*]

retido. [Part. de *reter.*] *Adj.* **1.** Que se retém; detido. **2.** Refreado, sofreado, contido. ~ V. *telegrama* —.

retífica. [Do it. *rettifica.*] *S. f. Bras. Pop.* Oficina especializada em retificar motores. [Cf. *retifica*, do v. *retificar.*]

retificação. *S. f.* **1.** Ato ou efeito de retificar(-se). **2.** Redestilação de um líquido para torná-lo mais puro. **3.** Modificação do traçado de uma estrada, para reduzir o número de suas curvas ou aumentar seus raios de curvatura. **4.** *Eletr.* Transformação de corrente alternada em contínua. **5.** *Geom.* Operação com que se determina o comprimento de um arco de curva. [Cf. *ratificação.*]

retificado. [Part. de *retificar.*] *Adj.* **1.** Expurgado de erros ou defeitos; emendado, corrigido. **2.** Destilado de novo; redestilado. [Cf. *ratificado.*] ~ V. *valor* —.

retificador (ô). *Adj.* **1.** Que retifica; retificativo. ~ V. *válvula* —a. ● *S. m.* **2.** Aquele que retifica. **3.** Aparelho usado na retificação de líquidos. **4.** *Eletr.* Circuito ou dispositivo para transformar corrente alternada em contínua.

retificadora (ô). [Fem. substantivado do adj. *retificador.*] *S. f.* Máquina-ferramenta utilizada para retificar motores ou peças de motores.

retificar. [De *reti-*[1] + *-ficar.*] *V. t. d.* **1.** Tornar reto; dispor em linha reta; alinhar. **2.** Corrigir, emendar: *O piloto retificou a direção do avião; Retificou, na segunda edição da obra, alguns leves descuidos.* **3.** Compor, endireitar; arranjar: "Retificou as outras vestes que haviam se desarranjado na luta" (João Alphonsus, *Eis a Noite!*, p. 68). **4.** Purificar, destilando novamente (líquido): *retificar o álcool.* **5.** *Eletr.* Transformar (uma corrente alternada) em contínua. **6.** *Geom.* Determinar o comprimento de (um arco de curva). **7.** *Bras.* Colocar (motor desgastado pelo uso) em condições de pleno funcionamento; recondicionar. *P.* **8.** Corrigir-se, emendar-se: *O homem tem o dom de retificar-se, pois não é mau por natureza.* [Conjug.: v. *trancar.* Pres. ind.: *retifico, retificas, retifica*, etc. Cf. *retífica* e *ratificar.*]

retificativo. *Adj.* Retificador (1).

retificável. *Adj. 2 g.* Que se pode retificar. [Cf. *ratificável*.]

retifloro. [De *reti-*[1] + *-floro*.] *Adj. Morfol. Veg.* Que tem flores direitas.

retiforme[1]. [De *reti-*[2] + *-forme*.] *Adj. 2 g.* Reticulado (1).

retiforme[2]. [De *reti-*[1] + *-forme*.] *Adj. 2 g.* Que tem forma reta, direita.

retígrado. [De *reti-*[1] + *-grado*[1].] *Adj. Zool.* Que se move ou anda em linha reta.

retilíneo. [Do lat. *rectilineu*.] *Adj.* **1.** Que tem forma de linha reta, ou que segue a direção reta: *traço retilíneo; movimento retilíneo.* **2.** Formado por segmento de reta. **3.** Que tem ou denota retidão; austero, honesto, reto: *espírito retilíneo; procedimento retilíneo.*

retina. [Do lat. **retina*, dim. de rete, 'rede'.] *S. f. Anat.* A mais interna das três camadas de cada globo ocular, que tem continuidade, posteriormente, de cada lado, com o nervo óptico.

retináculo. [Do lat. *retinaculu*.] *S. m. Morfol. Veg.* **1.** Parte basal, viscosa, do caudículo da polínia das orquidáceas. **2.** Disco adesivo do translador das asclepiadáceas.

retinérveo[1]. [De *reti-*[2] + *nérveo*.] *Adj.* Que possui nervuras reticulares.

retinérveo[2]. [De *reti-*[1] + *nérveo*.] *Adj. Morfol. Veg.* Que tem nervuras direitas.

retingir. [Do lat. *retingere*.] *V. t. d.* **1.** Tingir novamente; tornar a tingir. **2.** Tingir bem. [Conjug.: v. *dirigir*. Part.: *retingido* e *retinto*.]

retiniano. *Adj.* Relativo ou pertencente à retina; retínico.

retínico. *Adj.* Retiniano.

retininte. *Adj. 2 g.* Que retine.

retinir. [Do lat. *retinnire*.] *V. int.* **1.** Tinir muito ou demoradamente: *Retinem os ferros;* "A sineta do almoço acaba de retinir pela segunda vez." (Artur Azevedo, *Contos Efêmeros*, p. 225). **2.** Produzir grande som; ressoar: "retiniam os clamores das maracanãs, os estrídulos das araponga" (José de Alencar, *O Sertanejo*, p. 206); "A campainha retiniu e subitamente cavou-se um silêncio disciplinado." (Eça de Queirós, *A Capital*, p. 413). **3.** Impressionar vivamente; causar profunda impressão; repercutir, ecoar: *Aquelas palavras injustas retiniam em sua alma. T. d.* **4.** Fazer soar ou ecoar: *A banda retiniu o dobrado.*

retinite. [De *retina* + *-ite*[1].] *S. f. Patol.* Inflamação da retina; dictite.

retintim. [De *re-* + *tintim*.] *S. m.* **1.** Ato ou efeito de retinir (1 e 2). **2.** Som de instrumentos metálicos: "O infernal retintim do embate de armas" (D. J. G. de Magalhães, *Suspiros Poéticos e Saudades*, p. 265).

retintinir. *V. int.* Fazer retintim (2).

retinto. [Do lat. *retinctu*.] *Adj.* **1.** Tinto novamente. **2.** Que tem cor escura e carregada. **3.** Diz-se de touro cujo pêlo é semelhante ao dos cavalos castanhos. ● *S. m.* **4.** Cor escura e carregada.

retípede. [De *reti-*[2] + *-pede*.] *Adj. 2 g. Zool.* Que tem os tarsos revestidos de epiderme reticulada.

retiração. *S. f.* **1.** Retirada (1). **2.** *Tip.* Ato de retirar (13). **3.** *Tip.* Fôrma de retiração. **4.** *Tip.* Lado do papel que se imprime em segundo lugar. [V. *prensa de retiração*. Cf. *branco* (21).]

retirada. [De *retirar* + *-ada*[1].] *S. f.* **1.** Ato ou efeito de retirar(-se); retiração, retiro. **2.** Movimento das tropas que se retiram, recuam ou retrocedem, afastando-se do inimigo ou abandonando terreno que não tiveram condição de garantir: *retirada da Laguna.* **3.** Quantia que o negociante individual ou sócio de uma firma retira regularmente, dentro de um limite determinado, a título de pagamento dos seus serviços. **4.** *Com.* Saque (sobre fundos depositados) por meio de cheque ou de outro documento hábil. **5.** *Bras., N.E.* Migração interna de retirante (1). **6.** *Bras., N.E.* Transporte provisório de gado, de uma região onde a seca exauriu a água e o pasto, para lugares melhores. ♦ **Retirada estratégica.** *Mil.* Retirada (2) que se realiza com o fim de evitar que as próprias forças sejam destruídas ou aprisionadas pelo inimigo, ou para o atrair a local mais propício ao combate. **Bater em retirada.** V. *fugir* (1 e 2).

retirado. [Part. de *retirar*.] *Adj.* **1.** Que vive no isolamento; solitário. **2.** Afastado, isolado, ermo.

retirante. [De *retirar* + *-nte*.] *S. 2 g.* **1.** *Bras.* Sertanejo que, sozinho ou em grupo, emigra para outras regiões nacionais, fugindo à seca, nas regiões áridas do N.E.; curumba. ● *S. f.* **2.** *Bras., L.* e *S.* Erva da família das compostas *(Acanthospermum hispidum)*, ruderal, bastante espalhada, muito ramificada, de folhas pequenas e herbáceas, flores pouco vistosas e frutos que, maduros, ferem facilmente pés e mãos; carrapicho.

retirar. [De *re-* + *tirar*.] *V. t. d.* **1.** Tirar para trás ou para si; retrair: *O assassino cravou o punhal e retirou-o ensangüentado.* **2.** Tirar de onde estava: *Os bombeiros retiraram primeiro as crianças.* **3.** Tirar (o que havia posto); tomar, levantar, recolher: *O jogador retirou a parada.* **4.** Retratar-se ou desdizer-se de: *retirar as ofensas.* **5.** Afastar do lugar onde estava; desviar; tirar: *Retire a mão. T. d. e i.* **6.** Fazer sair; tirar: *Um transeunte retirou a criança do local perigoso; Retire-o de minha presença.* **7.** Privar, cassar: *A população revoltosa retirou do rei o direito de governar.* **8.** Auferir, obter, ganhar, lucrar: *O negociante retirou grossa quantia com as vendas;* "a dívida do Terceiro Mundo anda pela casa dos 750 bilhões de dólares e deverá dobrar nos próximos 5 anos. .... Os bancos já retiraram várias vezes o que investiram em dinheiro real nesses países." (Paulo Francis, *Folha de S. Paulo*, 28.9.1983). **9.** Salvar, livrar, libertar: *Um amigo retirou Platão do cativeiro. T. c.* **10.** Ir-se, partir: *As tropas de Cipião retiraram para a África. Int.* **11.** Afastar-se de algum lugar; ir-se embora, ausentar-se: *Cansado, retirou cedo.* **12.** Marchar em retirada (2); recuar: *Esgotados os recursos, o exército retirou.* **13.** *Tip.* Imprimir o segundo lado do papel. [Cf., nesta acepç., *tirar de branco*.] *P.* **14.** Retirar (11). **15.** Retirar (12). **16.** Partir para algum retiro; ir viver em lugar ermo ou solitário. **17.** Deixar, largar, abandonar (uma profissão, um emprego): *retirar-se da política.* **18.** Partir, viajar, com objetivo de fixar-se: *Muitos judeus se retiraram para Israel.* **19.** Recolher-se, refugiar-se: *Retirou-se para seu quarto.* ♦ **Retirar como doze.** *Tip.* Fazer a retiração (2) voltando a folha de cima para baixo, i. e., trocando de posição os seus lados maiores. **Retirar como oitavo.** *Tip.* Fazer a retiração (2) virando a folha no sentido lateral, i. e., trocando a posição dos seus lados menores.

retirável. *Adj. 2 g.* Que se pode retirar.

retireiro. [De *retiro* (5) + *-eiro*.] *S. m.* **1.** *Bras.* Aquele que, numa fazenda, ordenha o gado. **2.** *Bras., SP.* Indivíduo que, num retiro, guarda certo número de cabeças de gado.

retirense. *Adj. 2 g.* **1.** De, ou pertencente ou relativo a Retiro do Muriaé (RJ). ● *S. 2 g.* **2.** Natural ou habitante de Retiro do Muriaé.

retiro. [Dev. de *retirar*.] *S. m.* **1.** Lugar solitário; deserto; retraimento, ermo, solidão. **2.** Lugar de descanso ou de recolhimento; sossego, tranqüilidade, remanso. **3.** Retirada (1). **4.** Retiro espiritual. **5.** *Bras.* Fazenda onde o gado fica durante certa parte do ano. **6.** *Bras., Marajó.* Barraca em lugar de plantações, que está retirada ou afastada da residência habitual. **7.** *Bras., MA.* Rancho para guarda de gado invernado. **8.** *Bras., MG.* Local um tanto retirado da sede da fazenda pastoril, onde se solta o gado para engorda. **9.** *Bras., MG.* Choça de borracheiro ou mangabeiro. **10.** *Bras., MG* e *MT.* Residência nos fundos de uma fazenda, onde vivem os empregados incumbidos de vigiá-la. **11.** *Bras., RS.* Fundo de campo intransitável. ♦ **Retiro espiritual.** *Rel.* Prática piedosa dos que se afastam das solicitações da vida quotidiana a fim de consagrar algum tempo à meditação, à oração, à reflexão e à conversão de vida. [Tb. se diz apenas *retiro*.]

retirrostro. [De *reti-*[1] + *-rostro*.] *Adj. Zool.* Que tem o bico direito.

retite. [De *ret(o)-* + *-ite*[1].] *S. f. Patol.* Proctite.

retitude. [Do lat. *rectitudine*.] *S. f.* Retidão: "O terreno que se lhes oferecia era plano, duma retitude inquebrantável" (Aquilino Ribeiro, *Os Avós dos Nossos Avós*, p. 160); "O mesmo homem que com invejável retitude esforça-se por satisfazer os seus compromissos .... não vacila em iludir o *peón* miserável que o serve" (Euclides da Cunha, *À margem da História*, p. 77).

reto[1]. [Do lat. *rectu*.] *Adj.* **1.** Que não apresenta curvatura, sinuosidade ou inflexão; que segue sempre a mesma direção; direito: *caminho reto.* **2.** Perpendicular ao plano horizontal; vertical: *poste reto.* **3.** Diz-se da roupa talhada simplesmente, sem feitio acentuado, sem franzidos, pregas, etc.: *vestido reto; saia reta.* **4.** *Fig.* Conforme à justiça; imparcial, justo. **5.** *Fig.* Honesto, direito, íntegro: *homem reto.* ~ V. *ângulo —, ascensão —a, ascensão —a geocêntrica, ascensão —a heliocêntrica, ascensão —a selenocêntrica, ascensão —a topocêntrica, cancha —a, cilindro —, cone —, esfera —a, linha —a, paralelepípedo —, parênteses —s, pirâmide —a, prisma —, pronome —, raia —a,* e *seção —a.* ● *S. m.* **6.** *Anat.* Porção distal do intestino grosso, a qual se segue à alça sigmóide e se estende até o canal anal. **7.** *Edit.* Página ímpar de uma publicação, aquela que fica à direita estando o volume aberto; frente. [Cf., nesta acepç., *verso*[2] (2).] ~ V. *retos.*

reto[2]. [Do lat. *rhaetu* (sing. de *rhaeti*).] *Adj.* e *s. m.* Rético (1 e 3).

▲**ret(o)-.** [De reto.] *El. comp.* = 'reto[1] (6)': *retocele, retopexia.*

retocadoiro. [De *retocar* + *-(d)oiro*[1].] *S. m. Fot.* Retocadouro.

retocador (ô). *Adj.* **1.** Que retoca. ● *S. m.* **2.** Aquele que retoca. **3.** Instrumento próprio para rebarbar o ouro.

retocadouro. [De *retocar* + *-(d)ouro*[1]; var. de *retocadoiro*.] *S. m. Fot.* Quadro de vidro fosco inclinado a 45º a contraluz, para o retoque de chapas.

retocar. [De *re-* + *tocar*[1].] *V. t. d.* **1.** Tocar novamente; tornar a tocar. **2.** Dar retoques [v. *retoque* (2 e 3)] em; acabar, corrigindo e/ou aperfeiçoando: *retocar uma pintura;* "Recolocada a porta, foi a vez do pintor, que retocou a parede" (Fernando Sabino, *Medo em Nova Iorque. A Cidade Vazia*, p. 122); "Os românticos que tiveram a experiência do Naturalismo e do Parnasianismo deixaram-se, na maioria dos casos, arrastar pelos novos cânones estéticos. Alguns repudiaram suas primícias românticas ou as retocariam convenientemente." (Fausto Cunha, *O Romantismo no Brasil*, p. 43). **3.** Rebarbar com o retocador (3). [Conjug.: v. *trancar*. Cf. *retoucar*.]

retocável. *Adj. 2 g.* Que pode ou deve ser retocado.

retocele. [De *ret(o)-* + *-cele*.] *S. f. Med.* Saliência herniária de porção do reto para dentro da vagina; proctocele.

retoiça. *S. f.* V. *retouça.*

retoiçar. *V. int., t. d.* e *p.* Var. de *retouçar*. [Conjug.: v. *laçar*.]

retomada. *S. f.* Ato ou efeito de retomar.

retomar. [De *re-* + *tomar*.] *V. t. d.* Tomar novamente; reaver, recobrar, recuperar: *As tropas retomaram as antigas posições;* "Garrett, sem as obrigações do cargo de ministro, retoma os hábitos de homem novo, apesar de ter cinqüenta e três anos." (José Osório de Oliveira, *O Romance de Garrett*, p. 167.)

retombo. [De *re-* + *tombo*[2].] *S. m.* **1.** *Bras.* Verificação ou reconstituição dos limites de uma propriedade rural. **2.** *Bras.* Arquivamento de documentos, autos e livros acabados, que os escrivães fazem nos seus cartórios. **3.** *Bras., BA.* Restos de comida do dia anterior.

retopexia (cs). [De *ret(o)* + *pex-* + *-ia*.] *S. f. Cir.* Proctopexia.

retoque. [Dev. de *retocar*.] *S. m.* **1.** Ato ou efeito de retocar. **2.** Correções e/ou aperfeiçoamentos finais de uma obra; toque. **3.** Correções feitas em fotografia.

retor (ô). [Do gr. *rhétor*, pelo lat. *rhetore*.] *S. m.* Retórico (4).

retorce. [Dev. de *retorcer*.] *S. m.* **1.** V. *retorsão* (1). **2.** Nas fábricas de fiação, oficina onde se retorce o fio.

retorcedura. [De *retorcer* + *-(d)ura*.] *S. f.* V. *retorsão* (1).

retorcer. [Do lat. **retorcere*, por *retorquere*.] *V. t. d.* **1.** Torcer novamente. **2.** Torcer muitas vezes: *retorcer os fios formando uma meada.* **3.** Revirar, agitar; contorcer: "E como a mocinha se pusesse de pé, ... retorcendo os braços, rilhando os dentes, ... D. Júlia agarrou-se à Felícia, sussurando com medo: I — Vamo-nos embora." (Coelho Neto, *Turbilhão*, p. 176.) *P.* **4.** Torcer-se muito; contorcer-se: *A cobra retorcia-se na terra.* **5.** Usar de evasivas; tergiversar: *Não são poucos os políticos que se retorcem para alcançar o poder.* [Conjug.: v. *torcer*.]

retorcida. [Fem. substantivado de *retorcido*.] *S. f. Bras., RS.* **1.** Volta da estrada; curva. **2.** *Folcl.* Dança sapateada do fandango, nos bailes campestres gaúchos.

retorcido. [Part. de *retorcer*.] *Adj.* **1.** Torcido de novo. **2.** Muito torcido; retorto. **3.** Arrevesado, rebuscado: *frases retorcidas.*

retórica. [Do gr. *rhetoriké* (subentende-se *téchne*), 'a arte da retórica', pelo lat. *rhetorica*.] *S. f.* **1.** Eloqüência (4); oratória. **2.** Conjunto de regras relativas à eloqüência (4). **3.** Tratado que encerra essas regras. **4.** Adornos empolados ou pomposos de um discurso. **5.** Discurso de forma primorosa, porém vazio de conteúdo. [Cf. *retorica*, do v. *retoricar*.]

retoricamente. [Do fem. de *retórico* + *-mente*.] *Adv.* Segundo as normas da retórica; com linguagem enfática.

retoricão. *S. m. Deprec.* Indivíduo que usa frases empoladas com pretensão de retórica.

retoricar. *V. int.* Aplicar as regras da retórica. [Conjug.: v. *trancar*. Pres. ind.: *retorico, retoricas, retorica*, etc. Cf. *retórico* e *retórica*.]

retoricismo. *S. m.* Abuso da retórica, ou grande influência dela; retorismo.

retórico. [Do gr. *rhetorikós*, pelo lat. rhetoricu.] *Adj.* **1.** Respeitante à retórica: *argumento retórico.* **2.** Que tem estilo empolado: *escritor retórico.* **3.** Que fala muito, mas superficialmente. ● *S. m.* **4.** Especialista em retórica (2); retor. **5.** Orador que discursa afetadamente. [Cf. *retorico*, do v. *retoricar*.]

retorismo. *S. m.* Retoricismo.

retornamento. *S. m.* V. *retorno* (1).

retornança. [De *retornar* + *-ança*.] *S. f. Desus.* V. *retorno* (1).

retornar. [De *re-* + *tornar.*] *V. t. i.* **1.** Voltar (para o ponto de onde partiu); regressar: "almoçava e retornava à casinha, a fim de cuidar de sua horta." (Gilvã Lemos, *Jutaí Menino*, p. 181); *O navio retornou ao cais. Int.* **2.** Chegar de volta: *O ônibus só retornará amanhã. T. d. e c.* **3.** Fazer voltar; tornar: *O inverno retornou os viajantes à América.* [Pres. ind.: *retorno*, etc. Cf. *retorno* (ô).]

retorno (ô). [Dev. de *retornar.*] *S. m.* **1.** Ato ou efeito de retornar, de regressar. [Sin.: *regresso, volta* e (p. us.) *retornamento, retornança.*] **2.** Nas rodovias, desvio próprio para retornar. **3.** Troca de mercadorias. **4.** Dádiva em recompensa de favor ou presente. **5.** *Jur.* Conta que acompanha o ressaque (2). [Cf., nesta acepç., *recâmbio* (2).] **6.** *Com.* Resto de mercadoria que ficou por negociar; devolução. **7.** *Marinh.* Mudança de direção de um cabo, obtida com o emprego de uma peça de poleame. [Pl.: *retornos* (ô). Cf. *retorno*, do v. *retornar.*] ♦ **Eterno retorno. 1.** *Filos.* Na Antiguidade, doutrina comum aos órficos, pitagóricos, jônios e estóicos, segundo a qual o mundo, ao fim de um determinado período retorna ao caos inicial, a partir do qual novamente se cumprirá um ciclo idêntico ao anterior, e isto é número infinito de vezes; ciclo do mundo, palingenesia. **2.** *Rel.* Doutrina segundo a qual a alma se reencarna sucessivamente em diferentes corpos realizando uma purificação progressiva até alcançar a perfeição.

reto-românico. [De *reto*[2] + *românico.*] *Adj.* e *s. m.* V. *rético* (2 e 4). [Pl.: *reto-românicos.*]

reto-romano. [De *reto*[2] + *romano.*] *Adj.* e *s. m.* V. *rético* (2 e 4). [Pl.: *reto-romanos.*]

retorquir. [Do lat. *retorquere.*] *V. t. d.* **1.** Replicar, objetar, contrapor: — *Que sabe do crime? perguntou o juiz.* | — *Quase nada, retorquiu o interrogado. T. d. e i.* **2.** Replicar, objetar, contrapor. *T. i. e int.* **3.** Opor argumento a argumento; retrucar, responder: *O réu não retorquiu às acusações; Argüido, não retorquiu.* [Defect. Não se conjuga na 1ª pess. sing. do pres. ind. nem, portanto, no pres. subj. Var. pros. de *retorquir* [q. v.].

retorqüir. *V. t. d., t. d. e i.* e *int.* Retorquir.

retorsão. *S. f.* **1.** Ato ou efeito de retorcer(-se); retorcedura, retorce. **2.** Réplica, feita através dos próprios argumentos do adversário. **3.** Desforço, vingança, desforra.

retorta. [Do lat. *retorta.*] *S. f.* **1.** A curva do báculo pastoral. **2.** Vaso de vidro ou de louça com o gargalo recurvo, voltado para baixo, e apropriado para operações químicas.

retorta-moirisca. *S. f.* Var. de *retorta-mourisca.* [Pl.: *retortas-moiriscas.*]

retorta-mourisca. *S. f.* Dança portuguesa do séc. XV na qual as dançarinas se vestiam à moda mourisca. [Var.: *retorta-moirisca.* Pl.: *retortas-mouriscas.*]

retorto (ô). [Do lat. *retortu.*] *Adj.* **1.** Muito torto. **2.** Retorcido (2). [Flex.: *retorta, retortos* (ó), *retortas.*]

retos. [De *retórica?*] *S. m. pl.* Palavras vãs; conversa fiada; palavrório, palanfrório, parolagem: *Não me venhas com retos.* ~ V. *reto.*

retoscopia. [De *ret(o)-* + *-scop-* + *-ia.*] *S. f. Med.* Inspeção do reto[1] (6) por meio do retoscópio; proctoscopia.

retoscópico. *Adj.* Relativo à retoscopia.

retoscópio. [De *ret(o)-* + *-scop-* + *-io*[2]] *S. m. Med.* Endoscópio mediante o qual se efetua a inspeção interna do reto[1] (6), e que permite, também, a biopsia desse órgão.

retostar. [De *re-* + *tostar.*] *V. t. d.* Tornar a tostar.

retouça. [Dev. de *retouçar.*] *S. f.* Corda, muitas vezes com um assento, suspensa pelas duas extremidades, e em que as pessoas se balançam. [Var.: *retoiça, redouça* e *redoiça.* Sin.: *balanço, balouço* e (bras.) *bambão.*]

retoucar. [De *re-* + *toucar.*] *V. t. d.* **1.** Toucar novamente; tornar a toucar: *retoucar a criança.* **2.** Revestir superiormente: *A neblina retouca as montanhas.* [Conjug.: v. *trancar.*] Cf. *retocar.*]

retouçar. [Do esp. *retozar.*] *V. int.* **1.** Correr, brincando; retouçar-se. **2.** Fazer travessuras; traquinar; retouçar-se. **3.** Espojar-se, espolinhar-se, retouçar-se; "os rebanhos que retouçam, e os pássaros que saltitam" (Capistrano de Abreu, *Ensaios e Estudos*, 1ª série, p. 166). **4.** Brincar na retouça; retouçar-se. **5.** *Bras.* e *prov. lus.* Pastar, pascer; retouçar-se. *T. d.* **6.** *Bras.* e *prov. lus.* Pastar, pascer: "dará com os olhos numa rês acinzentada que retouça as gramíneas tenras" (Gustavo Barroso, *Terra de Sol*, p. 204). *P.* **7.** V. *retouçar* (1 a 5): *Os bezerros retouçam-se no capinzal.* [Var.: *retoiçar.* Conjuga-se como *laçar.*]

retovado. [Part. de *retovar.*] *Adj. Bras., RS.* **1.** Envolto em retovo. **2.** *Fig.* Sonso, fingido, falso, dissimulado.

retovamento. *S. m. Bras., RS.* Ação de retovar.

retovar. [Do esp. plat. *retobar.*] *V. t. d. Bras., RS.* Cobrir ou revestir com retovo (1 e 2). [Pres. ind.: *retovo*, etc. Cf. *retovo* (ô).]

retovo (ô). [Do esp. plat. *retobo.*] *S. m. Bras., RS.* **1.** Forro de couro muito usado em cabos de relho, bengalas, etc. **2.** Couro de bezerro ou de potrinho morto, com que se cobre outro animal para que a mãe do que morreu aceite amamentá-lo. [Pl.: *retovos* (ô). Cf. *retovo*, do v. *retovar.*]

retração. [Do lat. *retractione.*] *S. f.* **1.** Ato ou efeito de retrair(-se); retraimento. **2.** *Constr.* Contração permanente de um concreto ou de uma argamassa, que se verifica durante o seu endurecimento.

retraçar. [De *re-* + *traçar.*] *V. t. d.* **1.** Traçar de novo. **2.** Reduzir a retraço. [Conjug.: v. *laçar.*]

retraço. [Dev. de *retraçar.*] *S. m.* **1.** Fragmento de palha retraçada. **2.** Sobras da palha dada como ração às bestas. **3.** Palha cortada bem miúda. ~ V. *retraços.*

retraços. [Pl.: de *retraço.*] *S. m. pl.* Restos, sobras; vestígios: *A altivez e a arrogância deste senhor são retraços do passado feudal.* ~ V. *retraço.*

retráctil. *Adj.* V. *retrátil.* [Pl.: *retrácteis.*]

retractilidade. *S. f.* V. *retratilidade.*

retradução. *S. f.* **1.** Ação de retraduzir. **2.** Nova tradução.

retradutor (ô). *Adj.* e *s. m.* Que ou aquele que retraduz: "Atualmente nossos retradutores utilizam-se quase sempre do francês como língua intermediária." (Paulo Rónai, *Escola de Tradutores*, p. 35.)

retraduzir. [De *re-* + *traduzir.*] *V. t. d.* **1.** Voltar a traduzir para uma língua (trecho ou obra traduzida dela para outra). **2.** Traduzir para uma língua (trecho ou obra em língua original já traduzida para uma língua intermediária). **3.** Fazer nova tradução de. [Irreg. Conjug.: v. *aduzir.*]

retraente. [Do lat. *retrahente.*] *Adj. 2 g.* e *s. 2 g. Jur.* Que ou quem resgata seus bens que foram objeto de retrovenda.

retraído. [Part. de *retrair.*] *Adj.* **1.** Puxado para trás. **2.** *Fig.* Que procede reservadamente; reservado, discreto. **3.** Sem desembaraço; acanhado, tímido.

retraimento (a-i). [De *retrair* + *-mento.*] *S. m.* **1.** Retração (1). **2.** V. *retiro* (1). **3.** Procedimento reservado; reserva, discrição. **4.** Acanhamento, timidez. **5.** Diminuição de volume, ou contração, de certas substâncias.

retrair. [Do lat. *retrahere.*] *V. t. d.* **1.** Puxar a si; recolher, retirar: *O lutador pisou a face do adversário e só retraiu o pé por interferência do juiz;* "Adeus! — disse-lhe o pequeno afagando-a. | A esta palavra, o pai retraiu os braços e tomando o filho ao colo seguiu." (Trindade Coelho, *Os Meus Amores*, p. 99). **2.** Encolher, contrair: *Os diferentes espelhos alongavam e retraíam as imagens.* **3.** Fazer voltar para trás; retirar, recuar, retrogradar: *O general mandou retrair as tropas;* "o sujeito avançava para o meio da roda, ... empinando e retraindo a barriga" (Herman Lima, *Garimpos*, p. 22). **4.** Ocultar fraudulentamente; sonegar: *Serão punidos os cidadãos que retraírem seus rendimentos.* **5.** Não manifestar; reprimir, conter: *A moça retraía seu imenso desgosto.* **6.** Guardar ou esconder em seu âmago: *O vulcão retraiu, durante séculos, o fogo destruidor.* **7.** Tornar retraído ou reservado: *A responsabilidade retrai os homens, dosando-lhes a expansividade. T. d. e i.* **8.** Impedir, proibir, tolher: *Ninguém conseguiu retraí-lo de dizer o que pensava.* **9.** Fazer escapar; livrar, salvar: *O arrependimento sincero retrai os pecadores ao castigo divino. P.* **10.** Bater em retirada; recuar, retirar-se: *Os inimigos retraíram-se e o território foi recuperado.* **11.** Isolar-se, afastar-se, apartar-se: *Cansado de festas e recepções, retraiu-se da sociedade.* **12.** Tornar-se retraído, reservado: *Expansivo com os íntimos, retrai-se na vida profissional.* **13.** Meditar com profundidade; concentrar-se. **14.** Encolher-se, contrair-se: "Espírito, / ânfora mágica, invisível, / que se dilata em expansão colorida / ou se retrai em síntese / de linguagem complexa" (Iolanda Jordão, *Poesias*, p. 131); "A mão enluvada esbarrou na sua, retraiu-se; deixou-se prender." (Marina Colassanti, *A Morada do Ser*, aptº 107). **15.** Esconder-se, encolher-se, contrair-se: *A pobre criança retraiu-se de medo;* "Ela tinha-se erguido trêmula; e foi-se a pouco e pouco retraindo até cair de joelhos." (José de Alencar, *Lucíola*, p. 120). **16.** Dar o dito por não dito; voltar atrás com uma promessa; desdizer-se. [Irreg. Conjug.: v. *sair.*]

retramar. [De *re-* + *tramar.*] *V. t. d.* Tramar de novo.

retranca. [Do arc. *re(dro)* < lat. *retro* + *tranca.*] *S. f.* **1.** V. *rabicho* (2). **2.** *Constr. Nav.* Verga que trabalha na parte inferior do mastro, para apoio da esteira de vela latina. **3.** *Tip.* Marcação, com letras ou algarismos, dos originais destinados a jornal ou revista, para classificá-los e facilitar a paginação. **4.** *Tip.* A marca assim feita, que se repete na prova respectiva. **5.** *Bras. Fut.* Tática em que se mantém a maioria dos jogadores na defesa, atacando apenas esporadicamente; ferrolho. **6.** *P. ext. Bras. Fam.* Atitude defensiva, reservada, ante uma situação difícil: *Quem ganha pouco tem de viver na retranca.* **7.** *Bras., N.E.* Vara ou viga que se põe atrás das portas; tranca. **8.** *Bras., N.E.* Vara com que se abre a vela da jangada. ● *S. m.* **9.** *Tip.* Gráfico encarregado de despaginar a composição, após a sua estereotipagem. [Nesta acepç., cf. *retranquista.*] ♦ **Fazer a retranca de.** *Tip.* Despaginar.

retrança. [De *re-* + *trança.*] *S. f. Bras.* Copa densa de árvores.

retrancagem. *S. f. Tip.* Ato ou efeito de retrancar.

retrancar. [De *retranca* + *-ar*[2].] *V. t. d. Tip.* Marcar com retranca. [Conjug.: v. *trancar.*]

retranquista. *S. 2 g. Tip.* Gráfico encarregado de retrancar originais ou provas. [Cf. *retranca* (9).]

retranscrever. [De *re-* + *transcrever.*] *V. t. d.* Transcrever outra vez; tornar a transcrever.

retranscrição. *S. f.* Ato ou efeito de retranscrever.

retransir (z). [Do lat. *retransire.*] *V. t. d.* **1.** Penetrar até o íntimo de; trespassar; transir: *O pavor retransiu os presentes. P.* **2.** Ficar repassado, transido, tolhido (de medo, dor, susto, vergonha, etc.).

retransmissão. *S. f.* Ato ou efeito de retransmitir.

retransmissor (ô). *Adj.* e *s. m.* Diz-se de, ou aparelho de telecomunicação que retransmite os sinais recebidos.

retransmissora (ô). [Fem. substantivado de *retransmissor.*] *S. f. Eng. Eletrôn.* Estação que recebe e retransmite ondas radielétricas.

retransmitir. [Do lat. *retransmittere.*] *V. t. d.* Tornar a transmitir; transmitir de novo.

retrasado. [Part. de *retrasar.*] *Adj.* **1.** Diz-se de data imediatamente anterior; passado. **2.** *Bras.* V. *atrasado* (5): *a semana retrasada.*

retrasar. [De *re-* + *trás* + *-ar*[2].] *V. t. d.* Atrasar (1 a 6).

retraso. [Dev. de *retrasar.*] *S. m.* Atraso (1 e 2).

retratabilidade. *S. f.* Qualidade de retratável[2].

retratação. [Do lat. *retractatione.*] *S. f.* **1.** Ato ou efeito de retratar(-se) ou desdizer(-se). **2.** Confissão de erro. **3.** Declaração que retrata ou desdiz outra anteriormente feita. [Sin., nestas acepç., *palinódia* e *volta-face.*] **4.** *Jur.* Retirada ou anulação duma proposta por arrependimento do proponente.

retratado. [Part. de *retratar.*] *Adj.* **1.** Reproduzido pela pintura, pela fotografia, etc. **2.** Espelhado, refletido, repercutido. **3.** Bem descrito.

retratador[1] (ô). [De *retratar*[1] + *-(d)or.*] *Adj.* **1.** Que retrata. ● *S. m.* **2.** Retratista.

retratador[2] (ô). [De *retratar*[2] + *-(d)or.*] *Adj.* e *s. m.* **1.** Que ou aquele que se retrata ou desdiz. **2.** Que ou aquele que retrata ou torna a tratar algum assunto.

retratar[1]. [De *retrato*[1] + *-ar*[2].] *V. t. d.* **1.** Fazer o retrato (1) de: "foi ela [Mlle Teresa Schwartze] ainda quem retratou a família do burgomestre de Amsterdã, quadro exposto em Paris há dois anos" (Ramalho Ortigão, *A Holanda*, p. 246). **2.** Reproduzir a imagem de; espelhar, refletir: *As águas da lagoa retratam a Lua.* **3.** Representar com exatidão; apresentar tal qual: *Este documentário retrata as batalhas da 2ª Grande Guerra.* **4.** Deixar transparecer; revelar, mostrar, manifestar: *A expressão de seu rosto encarquilhado retrata o sofrimento.* **5.** Representar, descrever, reproduzir: *O estudo retrata sucintamente a sociedade grega. P.* **6.** Ser retratado por si mesmo ou por outrem; reproduzir a própria imagem em pintura, ou em fotografia. **7.** Mostrar-se, transparecer, revelar-se, patentear-se: *Sua alegria retratou-se no riso fácil.* **8.** Refletir-se, espelhar-se. [Pres. subj.: *retrate, retrates, retrateis*, etc. Cf. *retráteis*, pl. de *retrátil.*]

retratar[2]. [Do lat. *retractare*, 'puxar para trás'.] *V. t. d.* **1.** Retirar (o que disse); dar como não dito: *A justiça obrigará os caluniadores a retratarem as acusações.* **2.** Tornar a tratar (um assunto): *Não retrataremos propostas estudadas e recusadas. P.* **3.** Retirar o que disse; desdizer-se: *O acusador retratou-se.* **4.** Confessar que errou, que procedeu mal: *O orgulhoso jamais se retrata.* [Pres. subj.: *retrate, retrates, retrate, retratemos, retrateis, retratem.* Cf. *retráteis*, pl. de *retrátil.*]

retratável[1]. *Adj. 2 g.* Que se pode retratar[1].

retratável[2]. *Adj. 2 g.* Suscetível de retratação.

retrátil. [Var. de *retráctil* < lat. *retractu*, part. pass. de *retrahere*, 'retrair', + *-il.*] *Adj. 2 g.* **1.** Que se retrai ou se pode retrair. **2.** Que causa retratação. [Sin. ger.: *retrativo.* Antôn.: *protrátil.* Pl.: *retráteis.* Cf. *retrateis*, do v. *retratar.*]

retratilidade. *S. f.* Qualidade ou estado de retrátil.

retratista. *S. 2 g.* Pessoa que faz retrato[1] (1, 3 e 7).

retrativo. [Do lat. *retractu*, part. pass de *retrahere*, 'retrair', *-ivo*.] *Adj.* Retrátil [q. v.].

retrato[1]. [Do it. *ritratto*.] *S. m.* **1.** Representação da imagem de uma pessoa real, pelo desenho, pintura, gravura, etc., ou pela fotografia. **2.** A obra de arte cujo assunto é o retrato (1). **3.** Figura, imagem, efígie (de alguém). **4.** *Fig.* Pessoa que se parece muito com outra: *O menino é o retrato do avô.* **5.** *Fig.* Representação falada ou escrita de uma pessoa (ou de seu caráter), de uma coisa, etc.; descrição. **6.** *Fig.* Exemplo, modelo. **7.** *Bras.* Fotografia (2): *Tirou retratos dos principais pontos turísticos.* **8.** *Jog. Inf.* Jogo de salão em que um participante se afasta dos demais, permitindo-lhes escolher em segredo a pessoa que lhe caberá descobrir ao voltar, com o auxílio de perguntas aos companheiros, às quais só se responde com *sim* ou *não*. ♦ **Retrato falado.** Reconstituição dos traços fisionômicos ou de outros sinais característicos de uma pessoa desconhecida, por meio das informações de testemunhas, em geral para facilitar sua identificação pela polícia.

retrato[2]. [Do lat. *retractu*.] *S. m. Jur.* Resgate convencional; retrovenda.

retravar. [De *re-* + *travar*.] *V. t. d.* **1.** Travar novamente; tornar a travar. **2.** Começar novamente; recomeçar, reiniciar: *As tropas retravaram as lutas.*

retre. [Do al. *Reiter*, atr. do fr. *reître*.] *S. m.* **1.** Na Idade Média, cavaleiro alemão a serviço do rei de França. **2.** Soldado de cavalaria munido de pistolas dum chefe de guerra.

retrecheiro. [Do esp. plat. *retrechero*.] *Adj. e s. m. Bras., RS.* Preguiçoso, lerdo, moleirão.

retremer. [De *re-* + *tremer*.] *V. t. d.* **1.** Fazer tremer novamente. **2.** Fazer tremer muito. *Int.* **3.** Tornar a tremer. **4.** Tremer seguidamente: "Cheiroso o laranjal nívea grinalda / Borda; o bambual retreme e se espreguiça." (Alberto de Oliveira, *Poesias*, 3ª série, p. 283); "ela igualmente está irada, retreme e gesticula" (Bernardo Élis, *Veranico de Janeiro*, p. 80).

retreta[1] (ê). [Do fr. *retraite*, 'retirada'.] *S. f.* **1.** Formatura de soldados ao fim do dia para se verificar se todos estão presentes. **2.** Criada do serviço particular da rainha. **3.** *Bras.* Concerto popular de uma banda em praça pública.

retreta[2] (ê). [Var. de *retrete*.] *S. f.* V. *latrina* (1).

retrete (ê). [Do cat. *retret*, 'lugar retirado'; var.: *retreta*.] *S. f.* V. *latrina* (1).

retretista. *Adj. 2 g. e s. 2 g. Bras.* Diz-se de, ou músico que toma parte numa retreta[1] (3).

retribuição (u-i). [Do lat. *retributione*.] *S. f.* **1.** Ato ou efeito de retribuir. **2.** Remuneração, pagamento, paga. **3.** Recompensa, compensação, prêmio. **4.** Ato de cortesia ou de reconhecimento, com que se corresponde a atenção ou favor recebido: *a retribuição de um jantar; Merece bem o que lhe fiz, não pense em retribuição.*

retribuidor (u-i...ô). *Adj. e s. m.* Que ou aquele que retribui.

retribuir. [Do lat. *retribuere*.] *V. t. d.* **1.** Dar retribuição ou recompensa a; recompensar, premiar, galardoar: *A própria vida retribui as atitudes virtuosas.* **2.** Compensar (sentimento, gesto, etc.) equivalentemente; corresponder: *A moça não retribuía o seu amor.* **3.** Dar retribuição ou pagamento a; remunerar. **4.** Dar em paga ou recompensa: *Ingrato, recebe carinho e retribui indiferença.* **5.** Fazer retribuição (4) de; pagar: *retribuir visita. T. d. e i.* **6.** Premiar, compensar, recompensar: *A Nação retribuirá aos soldados os atos de bravura.* **7.** Compensar equivalentemente; corresponder. **8.** Retribuir (5): *O Embaixador retribuiu ao Presidente as homenagens recebidas.* [Conjug.: v. *atribuir*.]

retrilhar. [De *re-* + *trilhar*.] *V. t. d.* **1.** Trilhar novamente; tornar a trilhar: "Faltam as forças para voltar atrás, para retrilhar o andado, para recomeçar de novo." (Ramalho Ortigão, *Em Paris*, p. 61.) **2.** Repetir, repisar: *retrilhar as mesmas expressões.*

retrincado. [Part. de *retrincar*.] *Adj.* Astuto, dissimulado, malicioso, caviloso: "Este ato denuncia-lhe do mesmo passo a índole retrincada, a ironia diabólica e a ríspida educação política" (Euclides da Cunha, *Contrastes e Confrontos*, p. 3).

retrincar. [De *re-* + *trincar*.] *V. t. d.* **1.** Trincar de novo, ou repetidamente. **2.** Dar mau sentido a; interpretar com malícia: *Retrincou as palavras ouvidas, e daí a discussão. Int.* **3.** Dar interpretação maliciosa: *Expus minha tese com clareza, e ele retrincou.* **4.** Murmurar, sussurrar. [Conjug.: v. *trancar*.]

retriz. [Do lat. *rectrice*, 'a que dirige'.] *S. f. Zool.* Cada uma das penas da cauda, que orientam o vôo das aves.

retro. [Do lat. *retro*.] *Adv.* Atrás (1 e 3).

▲**retro-.** [Do lat. *retro*.] *Pref.* = 'movimento para trás': *retroagir* (< lat. *retroagere*), *retroversão*.

retroação. [De *retro-* + *ação*.] *S. f.* **1.** Ato de retroagir. **2.** Efeito daquilo que é retroativo.

retroagir. [Do lat. *retroagere*.] *V. int.* **1.** Ter efeito sobre o passado: *A lei só retroage em benefício do réu.* **2.** Modificar o que está feito: *Seguirão a norma em situação futura, mas agora não podem retroagir.* [Conjug.: v. *dirigir*.]

retroalimentação. [De *retro-* + *alimentação*.] *S. f.* **1.** *Eletrôn.* Qualquer procedimento em que parte da energia do sinal de saída de um circuito é transferida para o sinal de entrada com o objetivo de reforçar, diminuir ou controlar a saída do circuito; realimentação. **2.** *Med.* Fluxo de realimentação retrógrada através dos nervos. **3.** Processo pelo qual se produzem modificações em sistema, comportamento ou programa, por efeito de respostas à ação do próprio sistema, comportamento ou programa. [Um exemplo de retroalimentação seriam modificações no enredo de uma novela de televisão como resultado de pesquisas de opinião.] **4.** *P. ext.* Estas respostas em si mesmas. [Corresponde ao inglês *feedback*.]

retroar. [De *re-* + *troar*.] *V. int.* **1.** Tornar a troar; troar de novo. **2.** Troar muito e demoradamente; retumbar: "Sonho escutar a tuba de ouro / Da Liberdade! e ouvir, em coro, / A multidão! / Na orquestra viva do planeta / Retroar a rútila trombeta / Da redenção!" (Martins Fontes, *Vulcão*, p. 111.) [Conjug.: v. *coroar*.]

retroatividade. *S. f.* Qualidade ou caráter de retroativo.

retroativamente. [Do fem. de *retroativo* + *-mente*.] *Adv.* De modo retroativo.

retroativo. [De *retro-* + *ativo*.] *Adj.* **1.** Relativo ao passado. **2.** Que modifica o que está feito. **3.** Que afeta o passado; que retroage.

retroator (ô). [Do lat. *retroatu*, part. pass. de *retroagere*, 'fazer recuar, retroagir', + *-or*.] *S. m.* Aquele ou aquilo que faz retroagir.

retrocarga. [De *retro-* + *carga*.] *S. f.* Ato ou efeito de carregar uma arma de fogo pela culatra.

retrocedente. [Do lat. *retrocedente*.] *Adj. 2 g.* **1.** Que retrocede. ● *S. 2 g.* **2.** Pessoa que faz retroceder. **3.** Pessoa que transfere um bem por retrocessão.

retroceder. [Do lat. *retrocedere*.] *V. int.* **1.** Voltar para trás; recuar, retrogradar: *A bravura daqueles soldados obrigou o exército inimigo a retroceder.* **2.** Ir ou estar em decadência; decair, declinar: *Dia a dia retrocedem certos costumes.* **3.** Tornar atrás; desistir, ceder: *Por mais que lhe hajam demonstrado a insensatez de seus intentos, ele não retrocedeu. T. d. e t. d. e i.* **4.** Fazer retrocessão (2) de: *Retrocedeu a fazenda pouco após adquiri-la; Retrocedi-lhe a casa e os outros bens.*

retrocedimento. *S. m.* V. *retrocesso* (1 a 4).

retrocessão. [De *retro-* + *cessão*.] *S. f.* **1.** V. *retrocesso* (1). **2.** *Jur.* Ato pelo qual o adquirente de um bem transfere de volta a propriedade desse bem àquele de quem o adquirira. **3.** *Patol.* Deslocamento realizado no organismo por um elemento mórbido.

retrocessionário. *S. m. Jur.* Aquele que adquire um bem por retrocessão (2).

retrocessivo. [De *retrocesso* + *-ivo*.] *Adj.* **1.** Que faz retroceder. **2.** Que causa retrocessão.

retrocesso. [Do lat. *retrocessu*.] *S. m.* **1.** Ato ou efeito de retroceder; retrocessão, retrocedimento: "Esse lamentável retrocesso aos velhos tempos da invasão dos bárbaros deixa a gente em assombro." (Graciliano Ramos, *Linhas Tortas*, p. 17.) **2.** Retorno ao primitivo estado; reversão, retrocedimento. **3.** Retrogradação, retrocedimento. **4.** Retardamento, atraso, retrocedimento. **5.** Tecla que, nas máquinas de escrever, retrocede o carro na direção horizontal. **6.** *Astron.* Reversão da seqüência of retrocontagem, a fim de evitar o lançamento de um veículo espacial.

retrocontagem. [De *retro-* + *contagem*.] *S. f.* Contagem regressiva.

retrocruzamento. [De *retro-* + *cruzamento*.] *S. m. Genét.* Cruzamento de um heterozigoto com um homozigoto recessivo, e do qual resultam descendentes com genótipo heterozigótico.

retrodifusão. [De *retro-* + *difusão*.] *S. f. Fís. Nucl.* Num processo de espalhamento de partículas, deflexão destas com ângulos de mais de 90 graus; retroespalhamento.

retroespalhamento. [De *retro-* + *espalhamento*.] *S. m. Fís. Nucl.* Retrodifusão.

retroesternal. [De *retro-* + *esternal*.] *Adj. 2 g. Anat.* Situado por trás do esterno.

retroflexão (cs). [De *retro-* + *flexão*.] *S. f.* Estado de retroflexo.

retroflexo (cs). [Do lat. *retroflexu*.] *Adj.* **1.** Que se curva ou dobra para trás. **2.** *Fon.* Diz-se de fonema cuja articulação implica a flexão para trás, em direção ao palato, da ponta da língua em suspensão.

retrofoguete (ê). [De *retro-* + *foguete*.] *S. m. Astron.* Foguete utilizado na retropropulsão.

retrogradação. [Do lat. *retrogradatione*.] *S. f.* Ato ou efeito de retrogradar; retrocesso.

retrogradar. [Do lat. *retrogradare*.] *V. int.* **1.** Andar para trás; recuar, retroceder: "Aos primeiros sopros trêmulos da gaita, a quadrilha rompeu, abalando o soalho, onde os corpos adiantavam-se e retrogradavam, com mesuras e entrelaçamentos rápidos." (Virgílio Várzea, *Mares e Campos*, p. 61.) **2.** Marchar em oposição ao progresso: "O conselheiro Viale estava inteira, sincera e religiosamente convencido .... de que Portugal retrogradava, pelo completo abandono dos estudos clássicos." (Fialho d'Almeida, *Pasquinadas*, p. 126.) *T. d.* **3.** Fazer retroceder, impelir para trás; recuar. **4.** Fazer marchar em oposição ao progresso: *Os conservadores tentam retrogradar as novas idéias. T. i.* **5.** Voltar atrás em relação ao tempo; recuar: *A descrição, de tão viva, faz os leitores retrogradarem à epoca do Império Romano.* [Pres. ind.: *retrogrado*, etc. Cf. *retrógrado*.]

retrógrado. [Do lat. *retrogradu*.] *Adj.* **1.** Que retrograda. **2.** Que é contrário ao progresso. ~ V. *movimento* — e *pielografia* —a. ● *S. m.* **3.** Indivíduo retrógrado. [Cf. *retrogrado*, do v. *retrogradar*.]

retrô. [Dev. de *retroar*.] *S. m.* Ação ou efeito de retroar.

retroperitoneal. *Adj. 2 g.* ~ V. *espaço* —.

retroperitônio. [De *retro-* + *peritônio*.] *S. m. Anat.* Espaço retroperitoneal.

retroprojetor (ô). [De *retro-* + *projetor*.] *S. m.* Aparelho óptico destinado à projeção de textos, gráficos, desenhos, etc., escritos ou impressos em transparência (5), a qual é colocada num suporte horizontal sob um feixe luminoso, o que permite a reprodução, numa tela ou parede, de sua imagem ampliada.

retropropulsão. [De *retro-* + *propulsão*.] *S. f. Astron.* Freamento de um veículo espacial por um foguete, mediante a ejeção de gases no sentido do movimento do veículo para lhe reduzir a velocidade.

retropulsão. [De *retro-* + lat. *pulsione*, 'impulso'.] *S. f.* Impulso para trás.

retrorso (ô). [Do lat. *retrorsu*.] *Adj. Morfol. Veg.* Voltado para baixo ou para a base: *dente retrorso.* [Opõe-se a *antrorso*.]

retrós. [Do fr. *retors*, 'fio torcido', com metátese.] *S. m.* **1.** Fio ou fios de seda torcidos, ou de algodão mercerizado, para costura. **2.** *P. ext.* Cilindro de plástico, papel, etc., enrolado com retrós (1). **3.** *Bras., RN.* V. *cachaça* (1). [Pl.: *retroses*.]

retrosaria. [De *retrós* + *-aria*.] *S. f.* **1.** Loja de retroseiro. **2.** Grande quantidade de retroses.

retroseiro. *S. m.* Indivíduo que vende retrós, objetos de seda, passamanes, etc.

retrospeção. *S. f.* Var. de *retrospecção*.

retrospecção. [Der. culto do lat. *retrospicere*, 'olhar para trás'.] *S. f.* V. *retrospecto*.

retrospectiva. [Fem. substantivado de *retrospectivo*.] *S. f.* **1.** V. *retrospecto*. **2.** Exposição (2) retrospectiva. [Var.: *retrospetiva*.]

retrospectivamente. [Do fem. de *retrospectivo* + *-mente*.] *Adv.* De maneira retrospectiva; com retrospecção.

retrospectivo. [De *retrospecto* + *-ivo*.] *Adj.* **1.** Que se volta para o passado. **2.** Referente ao passado. [Var.: *retrospetivo*.]

retrospecto. [Do lat. *retrospectu*.] *S. m.* **1.** Observação, ou análise, de tempos ou coisas passadas. **2.** Vista de olhos para o passado. [Var.: *retrospeto*; sin.: *retrospectiva* e *retrospecção*.]

retrospetiva. *S. f.* Var. de *retrospectiva*.

retrospetivo. *Adj.* Var. de *retrospectivo*.

retrospeto. *S. m.* Var. de *retrospecto*.

retrosseguir. [De *retro-* + *seguir*.] *V. int.* Retroceder, retrogradar. [Irreg. Conjug.: v. *seguir*.]

retrosternal. [De *retro-* + *esterno* + *-al*.] *Adj. 2 g. Anat.* Situado posteriormente ao esterno.

retroterra. [De *retro-* + *terra*.] *S. f.* Hinterlândia.

retrotrair. [De *retro-* + lat. *trahere*, 'mover para trás'.] *V. t. d.* **1.** Dar efeito retroativo a: *retrotrair uma lei.* **2.** Fazer voltar atrás; fazer retroceder; retrogradar, retrair. **3.** Levar, aplicar, até a origem ou o começo. *T. d. e i.* **4.** Fazer retroceder ou recuar: *O dispositivo adicional retrotraiu o efeito da lei a um período anterior ao* da sua publicação. *Int.* **5.** Decair, declinar, retroceder. *P.* **6.** Retroceder, recuar, retrogradar: *O exército* retrotraiu-se *até cruzar as fronteiras.* [Irreg. Conjug.: v. *sair.*]

retrovenda. [De *retro-* + *venda.*] *S. f. Jur.* Em contrato de compra e venda de imóvel, cláusula que ao vendedor reserva o direito de o recomprar em certo prazo, sob a condição de restituir o preço, ressarcir os gastos efetuados pelo comprador e reembolsá-lo pelo valor dos melhoramentos acrescentados ao imóvel.

retrovender. [De *retro-* + *vender.*] *V. t. d. e t. d. e i.* Vender (um imóvel) com cláusula de retrovenda: *O proprietário* retrovendeu *seu apartamento;* Retrovendeu *a casa a um amigo.*

retrovendição. *S. f.* Ato de retrovender.

retroversão. [De *retro-* + *versão.*] *S. f.* **1.** *Gram.* Exercício escolar que consiste em retraduzir para a língua original um texto traduzido. **2.** *Med.* Inclinação de um órgão para trás.

retroverso. *Adj.* Retrovertido.

retroverter. [De *retro-* + *verter.*] *V. t. d.* **1.** Fazer voltar para trás; recuar, retrair, retrogradar: *O coronel* retroverteu *o batalhão.* **2.** *Gram.* Fazer retroversão (1) de: retroverter *um texto clássico.*

retrovertido. [Part. de *retroverter.*] *Adj.* Que se retroverteu; inclinado para trás. [F. paral.: *retroverso.*]

retrovisor (ô). [De *retro-* + *visor.*] *Adj. e s. m.* Diz-se de, ou pequeno espelho colocado nos veículos automóveis para dar, a quem guia, visibilidade traseira.

retrucar. [De *re-* + *trucar.*] *V. t. d. e t. d. e i.* **1.** Replicar, redargüir, retorquir. *T. i.* **2.** Em certos jogos, revidar a aposta de (o adversário), propondo outra mais alta: retrucar *ao parceiro.* [Conjug.: v. *trancar.*]

retruque. [Dev. de *retrucar.*] *S. m.* **1.** Ato ou efeito de retrucar. **2.** Volta de uma bola de bilhar, chocando-se com a outra que a impeliu.

retumbância. *S. f.* **1.** Qualidade de retumbante. **2.** Retumbo.

retumbante. *Adj. 2 g.* Que retumba.

retumbão. [De *retumbar.*] *S. m. Bras., PA. Folcl.* Dança preferida da marujada na festa de S. Benedito, em Bragança.

retumbar. [Do arc. *retombar* < *re-* + *tomb,* onom. de *queda,* + *-ar*[2].] *V. int.* **1.** Refletir com estrondo; estrondear, ecoar, ribombar, ressoar: "Bate, arrebenta, assobia, / Retumba, estrondeia o mar." (Raimundo Correia, *Poesias,* p. 273). *T. d.* **2.** Repetir com estrondo; refletir o som de, com estrondo: *O desfiladeiro* retumbava *as descargas dos canhões.*

retumbo. [Dev. de *retumbar.*] *S. m.* Ato ou efeito de retumbar; retumbância.

retundir. [Do lat. *retundere.*] *V. t. d.* Reprimir, moderar, reter, conter: *É incapaz de* retundir *as paixões.*

returno. [De *re-* + *turno.*] *S. m. Bras.* Nos campeonatos esportivos, repetição das provas entre os mesmos concorrentes do primeiro turno; segundo turno.

retuso. [Do lat. *retusu,* 'batido'.] *Adj.* ~ *V. folha — a.*

réu. [Do lat. *reu.*] *S. m.* **1.** Indivíduo contra quem se instaurou ação civil ou penal. [Cf. *acusado* (6), *criminoso* (4) e *querelado.*] **2.** *P. ext.* Indivíduo acusado de ação criminosa ou de ato contra o interesse geral. ● *Adj.* **3.** Que tem culpa(s); culpado, responsável. **4.** Que tem má índole; malevolente. [Fem.: *ré.*]

reuchliniano (ói). *Adj.* Diz-se do sistema de pronúncia do grego antigo, semelhante à do grego moderno, que é recomendada pelo humanista e filólogo alemão Johann Reuchlin (1455-1522). [Opõe-se a *erasmiano* (2).]

reuma. [Do gr. *rheûma,* pelo lat. *rheuma.*] *S. f. Patol.* Fluxo de humor catarral ou aquoso. [Var.: *reima.*]

▲**reuma-.** [Do gr. *rheûma, atos.*] *El. comp.* = 'corrente de um líquido'; 'reumatismo': *reumâmetro.* [Equiv.: *reumat(o)-: reumatômetro, reumatologista, reumatalgia.*]

reumametria. [De *reuma-* + *-metr(o)-*[2] + *-ia.*] *S. f.* V. *reumatometria.*

reumamétrico. *Adj.* V. *reumatométrico.*

reumâmetro. [De *reuma-* + *-metro.*] *S. m. Fís.* Reumatômetro.

reumanizar. [De *re-* + *humanizar.*] *V. t. d. e p.* Tornar a humanizar(-se).

reumatalgia. [De *reumat(o)-* + *-alg(o)-* + *-ia.*] *S. f. Patol.* Dor de natureza reumática.

reumatálgico. *Adj.* Referente à reumatalgia.

reumático. [Do gr. *rheumatikós,* pelo lat. *rheumaticu.*] *Adj.* **1.** Relativo a reuma. **2.** Reumatismal. **3.** Que sofre de reumatismo. ~ *V. febre —a e moléstia —a.* ● *S. m.* **4.** Indivíduo que sofre de reumatismo.

reumatismal. *Adj. 2 g.* Relativo ao, ou da natureza do reumatismo; reumático.

reumatismo. [Do gr. *rheumatismós,* pelo lat. *rheumatismu.*] *S. m. Patol.* Designação imprecisa, comum a várias afecções acompanhadas, entre outras manifestações, de dores nos músculos, nas articulações e nos tendões. [Cf. *artrite.*] ◆ **Reumatismo articular agudo.** *Med.* V. *reumatismo poliarticular agudo.* **Reumatismo poliarticular agudo.** *Med.* Doença generalizada, que compromete o tecido colágeno, constituindo seqüela de estreptococcia, e que acomete o sistema nervoso, o coração, articulações, etc.; reumatismo articular agudo, febre reumática, moléstia reumática.

reumatizar. [De *reumat(o)-* + *-izar.*] *V. t. d.* **1.** Causar reumatismo a. **2.** *Fig.* Paralisar, imobilizar.

▲**reumat(o)-.** Equiv. de *reuma-.*

reumatologia. [De *reumat(o)-* + *-log(o)-* + *-ia.*] *S. f.* Ramo da medicina que se ocupa das doenças não cirúrgicas, ainda que eventualmente possam vir a sê-lo, do aparelho locomotor, e de outras doenças do tecido conjuntivo. [É difícil precisar os limites desta especialidade, que mantém muitas áreas comuns com outras, notadamente a neurologia e a ortopedia.]

reumatológico. *Adj.* Relativo à reumatologia.

reumatologista. *S. 2 g. Med.* Especialista em reumatologia, e no tratamento do reumatismo.

reumatometria. [De *reumat(o)-* + *-metr(o)-*[2] + *-ia.*] *S. f.* Emprego do reumatômetro; reumametria.

reumatométrico. *Adj.* Relativo à reumatometria; reumamétrico.

reumatômetro. [De *reumat(o)-* + *-metro.*] *S. m. Fís.* Instrumento usado para medir a rapidez da corrente de um líquido; reumâmetro.

reumoso (ô). *Adj.* Que tem reuma.

reunião (e-u). *S. f.* **1.** Ato ou efeito de reunir(-se). **2.** Acontecimento que proporciona o encontro de diversas pessoas, num determinado local (residência, clube, etc.); em geral com fim recreativo: reunião *íntima;* reunião *dançante.* **3.** Agrupamento de pessoas para tratar de qualquer assunto; encontro: reunião *ministerial:* reunião *de condôminos.* **4.** Conjunto de coisas quaisquer, em geral da mesma natureza, reunidas, ajuntadas, enfeixadas: *Publicou uma* reunião *de contos; Carlos Drummond de Andrade juntou em um volume* Reunião, *livros de poemas seus.* **5.** *Mat.* V. *união* (13). ◆ **Reunião de cúpula.** Reunião (3) de personalidades cujas decisões e atos são decisivos em determinado setor.

reunidor (e-u...ô). [De *reunir* + *-(d)or.*] *S. m. Tip.* O conjunto das peças da linotipo que conduzem as matrizes ao componedor para formar a linha.

reunificação (e-u). *S. f.* Ação ou efeito de reunificar(-se).

reunificar (e-u). [De *re-* + *unificar.*] *V. t. d. e p.* Tornar(-se) a unificar; unificar(-se) de novo. [Conjug.: v. *trancar.*]

reunir (e-u). [De *re-* + *unir.*] *V. t. d.* **1.** Tornar a unir, unir outra vez (o que estava unido e se separou). **2.** Juntar (o que se achava disperso); agrupar: reunir *o gado;* e "Achille-Cléophas Flaubert, pai de Gustav Flaubert, reunia os filhos todas as noites para contar-lhes histórias" (Lígia Fagundes Teles, *A Disciplina do Amor,* p. 65). **3.** Fazer comunicar (uma coisa com outra): *O canal* reunirá *os dois oceanos.* **4.** Aliar, juntar, combinar: *O bom soldado* reúne *coragem e prudência;* "Este inverno, em Paris, reuniu todas as condições para ser esplendidamente elegante e alegre." (Eça de Queirós, *Cartas Familiares e Bilhetes de Paris,* p. 167.) **5.** Harmonizar, congraçar, conciliar, reconciliar: *A doença do pai* reuniu *a família em desavença.* **6.** Chamar (muitos indivíduos); convocar: *O toque de corneta* reuniu *os combatentes.* **7.** Ter ou possuir como qualidade, juntamente com outras: *A noiva* reúne *graça, beleza e inteligência.* **8.** Unir com pontos de agulha; coser. *T. d. e i.* **9.** Anexar, ligar, unir: *No séc. XVI a Espanha* reuniu *várias colônias a seu império.* **10.** Juntar, aliar, combinar: "A sua beleza era incontestável; reunia a graça brasileira à gravidade britânica" (Machado de Assis, *Histórias Românticas,* p. 338). *Int.* **11.** Realizar reunião (3): *O ministério não* reuniu, *como estava previsto. P.* **12.** Ajuntar-se, unir-se. **13.** Agregar-se, incorporar-se, juntar-se, ajuntar-se: *Os reforços se* reunirão *em breve às tropas.* **14.** Comparecer no mesmo local; congregar-se: *Os bancários se* reunirão *na próxima semana.* [Pres. ind.: *reúno,* etc. Pres. subj.: *reúna,* etc. Cf. *reiúno* e *reiúna.*]

reurbanização (e-ur). *S. f.* Ação ou efeito de reurbanizar.

reurbanizado (e-ur). *Adj.* Que se reurbanizou; em que houve reurbanização.

reurbanizar (e-ur). [De *re-* + *urbanizar.*] *V. t. d.* Tornar a urbanizar.

reutilização (e-u). *S. f.* **1.** Ato ou efeito de reutilizar. **2.** *Tec.* Procedimento em que material que já fora anteriormente processado se insere, após o tratamento conveniente, numa corrente de processo.

reutilizar. [De *re-* + *utilizar.*] *V. t. d.* **1.** Tornar a utilizar. **2.** Dar novo uso a: *O arquiteto fez os planos para* reutilizar *o velho prédio.* **3.** *Tec.* Efetuar reutilização (2) em.

revacinação. *S. f.* Ato ou efeito de revacinar(-se).

revacinar. [De *re-* + *vacinar.*] *V. t. d. e p.* Tornar a vacinar(-se).

revalidação. *S. f.* Ato ou efeito de revalidar.

revalidador (ô). *Adj. e s. m.* Que ou aquele que revalida.

revalidar. [De *re-* + *validar.*] *V. t. d.* Validar de novo: legitimar novamente; dar mais força a; confirmar: *O governo* revalidará *em breve os decretos da administração anterior.*

revalorização. *S. f.* Ação ou efeito de revalorizar.

revalorizador (ô). *Adj. e s. m.* Que ou aquele que revaloriza.

revalorizar. [De *re-* + *valorizar.*] *V. t. d.* Valorizar de novo: *O movimento das exportações* revalorizou *a moeda.*

revanche. [Do fr. *revanche.*] *S. f. Gal.* **1.** Desforra, despique. **2.** O turno ou a vez de quem recobra qualquer posição perdida.

revanchismo. [De *revanche* (q. v.) + *-ismo.*] *S. m. Gal.* Tendência obstinada para a desforra, particularmente de caráter político.

revanchista. *Adj. 2 g. Gal.* **1.** Relativo ao revanchismo. **2.** Que tem, ou que há revanchismo. ● *S. 2 g.* **3.** Pessoa revanchista.

revedor[1] (ô). [De *rever*[1] + *-(d)or.*] *S. m.* Revisor (2).

revedor[2] (ô). [De *rever*[2] + *-(d)or.*] *S. m. Bras., N.* Pequeno poço que verte aos poucos.

➡**reveillon** (reveèiõ). [Fr.] *S. m.* Festa com baile e ceia na véspera do ano-bom.

revel. [Do lat. *rebelle.*] *Adj. 2 g.* **1.** Que se revolta; insurgente, rebelde. **2.** Teimoso, obstinado, contumaz, rebelião. **3.** Que recusa afeto ou carinho; esquivo, esquivoso. **4.** Diz-se do réu que, citado para responder a uma ação civil ou penal, não apresenta defesa no prazo da lei, correndo, então, contra ele todos os demais prazos, independentemente de notificação ou intimação. ● *S. m.* **5.** Réu revel [Pl.: *revéis.*]

revelação. [Do lat. *revelatione.*] *S. f.* **1.** Ato ou efeito de revelar(-se). **2.** Entre os cristãos, ação divina que comunica aos homens os desígnios de Deus e a verdade que estes envolvem, sobretudo através da palavra consignada nos livros sagrados. **3.** A doutrina religiosa revelada, por oposição àquela a que se chega pela razão apenas. **4.** Descoberta reveladora de um fato que produz sensação, ou de uma qualidade ou vocação numa pessoa. **5.** O fato ou a pessoa assim descoberta. **6.** Divulgação de coisa ignorada ou secreta: *O Governo anuncia importantes* revelações. **7.** *Fot.* Processo em que se torna visível a imagem latente de uma chapa fotográfica impressionada.

revelador (ô). [Do lat. *revelatore.*] *Adj. e s. m.* **1.** Que ou aquele que revela. **2.** *Fot.* Diz-se do, ou o banho que faz aparecer a imagem nas matrizes fotográficas.

revelar. [Do lat. *revelare.*] *V. t. d.* **1.** Tirar o véu a; descobrir, desvelar: *A mulher* revelou *o rosto.* **2.** Fazer conhecer; declarar, divulgar: *Os jornais* revelam *os principais acontecimentos.* **3.** Denotar, patentear, mostrar: *Sua fisionomia* revela *preocupação;* "os beiços escarlates, ... os dentes luzidios revelavam uma vida saudável e hábitos castos." (Eça de Queirós, *O Primo Basílio,* p. 60); "Será sempre um erro de perspectiva querer explicar a vida de um poeta pelos seus versos. Ou vice-versa. Os versos revelam o seu eu profundo; e não a sua vida." (Álvaro Lins, *Literatura e Vida Literária,* p. 40). **4.** Delatar, denunciar: *Um traidor* revelou *a conspiração.* **5.** Fazer conhecer sobrenaturalmente: *Deus* revelou *os Dez Mandamentos.* **6.** *Fot.* Fazer a revelação (7) de. *T. d. e i.* **7.** Fazer conhecer; descobrir: *O Presidente* revelou *ao povo a situação do país;* "Obra utilíssima, porque revelou a muitos um pensador da altura dum Danilevsky." (Fidelino de Figueiredo, *Entre Dois Universos,* p. 197). **8.** Fazer conhecer sobrenaturalmente: *Deus* revelou *aos profetas a sua doutrina. P.* **9.** Dar-se a conhecer como; manifestar-se, descobrir-se: *Este médico* revelou-se *excelente pediatra.*

revelável. *Adj. 2 g.* Que pode ser revelado.

revelho (é). [De *re-* + *velho.*] *Adj.* Muito velho: "As nuvens passavam baixas sobre o telhado musgoso e revelho" (João da Silva Correia, *Farândola,* p. 94). [Cf. *relho.*]

revelhusco. [De *revelho* + *-usco.*] *Adj.* Um tanto velho;

durázio.

revelia. [De *revel* + *-ia.*] *S. f.* Estado ou caráter de revel. ♦ **À revelia.** 1. *Jur.* Sem conhecimento ou sem audiência da parte revel, do réu. **2.** Despercebidamente, ignoradamente. **3.** Ao acaso; à toa. **Deixar correr à revelia.** Descuidar, descurar (um negócio, uma situação qualquer).

revelim. [Provavelmente do provenç. *revelin.*] *S. m. Fort.* Construção angular, externa e saliente, para defesa de ponte, cortina, etc.

revelir. [Do lat. *revellere.*] *V. t. d. Med.* **1.** Fazer derivar duma para outra parte (humores do organismo). **2.** Transpirar, ressudar. [Conjug.: v. *aderir.*]

revência. [De *rever*[2] (1).] *S. f. Bras., N.E.* Vale que se situa abaixo da barragem dos açudes e que é refrescado pela infiltração das águas deles.

revenda. [Dev. de *revender.*] *S. f.* Ato ou efeito de revender; revendição.

revendão. *Adj.* e *s. m.* **1.** Que ou aquele que compra para revender. **2.** Vendilhão (1). [Sin. ger.: *revendilhão.* Fem.: *revendona.*]

revendedor (ô). *Adj.* **1.** Que revende. *S. m.* **2.** Aquele que revende. **3.** *Bras.* Estabelecimento comercial que vende automóveis.

revender. [Do lat. *revendere.*] *V. t. d.* e *t. d.* e *i.* Tornar a vender; vender (o que se tinha comprado para negócio): *A agência compra automóveis à vista e os revende aos fregueses, em prestações suaves.*

revendição. [De *revender* + *-i-* + *-ção.*] *S. f.* Revenda.

revendilhão. [De *re-* + *vendilhão.*] *Adj.* e *s. m.* V. *revendão.* [Fem.: *revendilhona.*]

revendilhona. *Adj. (f.)* e *s. f.* Fem. de *revendilhão.*

revendível. *Adj. 2 g.* Que pode ser revendido.

revendona. *Adj. (f.)* e *s. f.* Fem. de *revendão* [q. v.].

revenerar. [De *re-* + *venerar.*] *V. t. d.* Venerar muito; reverenciar: *Os vassalos reveneravam o bom rei.*

revenir. *V. t. d. Metal.* Dar têmpera superficial a uma peça metálica, especialmente de aço.

rever[1]**.** [De *re-* + *ver.*] *V. t. d.* **1.** Tornar a ver; ver pela segunda vez: *Nunca mais reviu os filhos.* **2.** Ver com atenção; examinar cuidadosamente: *As partes deverão rever o contrato antes de assiná-lo.* **3.** Ler (os originais de uma obra) fazendo correções ortográficas e/ou de outra natureza; revisar. **4.** *Tip.* V. *revisar* (5): "Daí a dias, de manhã, revia as provas dos *Esmaltes e Jóias*, quando a porta se abriu discretamente e Meirinho entrou" (Eça de Queirós, *A Capital*, p. 285). *P.* **5.** Tornar a ver-se; ver-se novamente: *Antes de sair, a jovem reviu-se no espelho;* "chamou-me para vê-la; era uma menina. Revia-se nela, encantado." (Machado de Assis, *Páginas Recolhidas*, p. 71). **6.** Mirar-se, espelhar-se, refletir-se: *A Lua revê-se na lagoa.* **7.** Deleitar-se, aprazer-se, comprazer-se: *O sábio revê-se no avanço cultural dos povos.* [Irreg. Conjug.: v. *ver.*]

rever[2]**.** [Do lat. *repere.*] *V. t. d.* **1.** Transudar, verter, ressumar: "Revêem mágoa os olhos do homem." (João de Araújo Correia, *Sem Método*, p. 9); *O corpo do doente revia um suor frio.* **2.** Deixar transpirar; denotar, demonstrar, revelar: *Seu olhar revia indignação.* *Int.* **3.** Transudar, ressumar, ressumbrar. [Var., bras., nesta acepç.: *revir.*] **4.** Tornar-se público; divulgar-se, transpirar: *As verdadeiras intenções do plano não reviram.* [Irreg. Conjug.: v. *ver.*]

reverberação. [Do lat. *reverberatione.*] *S. f.* **1.** Ato ou efeito de reverberar; revérbero. **2.** *Fís.* Persistência de um som num recinto limitado, depois de haver cessado a sua emissão por uma fonte.

reverberante. [Do lat. *reverberante.*] *Adj. 2 g.* Que reverbera; reverberatório.

reverberar. [Do lat. *reverberare.*] *V. t. d.* **1.** Refletir (luz ou calor): *Os vitrais reverberavam os raios de sol;* "Ó espelho limpidíssimo, e tersíssimo, que sois o cristal incriado da divina essência: reverberai em minha alma os resplandores de vossa graça" (P[e] Manuel Bernardes, *Luz e Calor*, p. 428). *Int.* **2.** Brilhar, refletindo-se; resplandecer, verberar: "No casarão do engenho, varrido, asseado, quatro caldeiras e o alambique de cobre vermelho reverberavam polidos, refletindo a luz crua que entrava pelas largas frestas." (Júlio Ribeiro, *A Carne*, pp. 31-32.) [Pres. ind.: *reverbero*, etc. Cf. *revérbero.*]

reverberatório. [Do lat. *reverberatu*, part. pass. de *reverberare*, 'repelir', 'reverberar', + *-ório.*] *Adj.* Reverberante.

reverbério. [De *re-* + *verberar.*] *S. m. Pop.* V. *descompostura* (2).

revérbero. [Dev. de *reverberar.*] *S. m.* **1.** Reverberação (1). **2.** Luz, ou o efeito da luz refletida; reflexo. **3.** Lâmina metálica ou espelho que aumenta a intensidade da luz, concentrando-a em certa área. **4.** Claridade intensa, brilhante; resplendor. **5.** Lampião de rua. [Cf: *reverbero*, do v. *reverberar.*]

reverdecer. [De *re-* + *verdecer.*] *V. t. d.* **1.** Tornar verde; cobrir de verdura: *A chuva reverdece as matas.* **2.** Dar nova força ou vigor a; revigorar: *reverdecer velhas tradições.* **3.** Tornar novo; renovar. **4.** Trazer à memória; relembrar: *Passou o dia a reverdecer fatos antigos.* *Int.* **5.** Tornar-se verde; cobrir-se de verdura; verdecer: "Quando batem as primeiras chuvas as caatingas reverdecem" (José Lins do Rego, *Bota de Sete Léguas*, p. 15). **6.** Tornar-se forte; fortalecer-se, robustecer-se, avigorar-se. **7.** Remoçar, rejuvenescer, renovar-se: *Reverdeceu após os dias de descanso.* **8.** Adquirir novo impulso; renascer: *A paixão reverdeceu.* [Conjug.: v. *aquecer.*]

reverdecimento. *S. m.* Ato ou efeito de reverdecer.

reverdejante. *Adj. 2 g.* Que reverdeja.

reverdejar. [De *re-* + *verdejar.*] *V. int.* Mostrar-se muito verde, verdejar muito. [Conjug.: v. *pelejar.* Normalmente é defect., só conjugável nas 3as pess.]

reverência. [Do lat. *reverentia.*] *S. f.* **1.** Respeito, marcado pelo temor, às coisas sagradas. **2.** *Fig.* Respeito, acatamento; veneração. **3.** Tratamento dado aos eclesiásticos. **4.** Saudação respeitosa com inclinação do busto para a frente (as mulheres também dobram os joelhos); mesura: *A bailarina fez uma reverência e retirou-se para os bastidores.* [Cf. *reverencia*, do v. *reverenciar.*]

reverenciador (ô). *Adj.* e *s. m.* Que ou aquele que reverencia.

reverencial. *Adj. 2 g.* Referente a reverência, ou inspirado por ela.

reverenciar. *V. t. d.* **1.** Tratar com reverência; venerar, honrar, adorar: *Os antigos reverenciavam numerosos deuses.* **2.** Fazer reverência a; saudar ou cumprimentar respeitosamente: *Todos os vassalos reverenciaram o rei;* "Mas já a minha animalidade reverenciava a sua intelectualidade: e fomos beber cerveja." (Eça de Queirós, *A Relíquia*, p. 94). **3.** Obedecer a; acatar, respeitar: *O soldado reverenciou as ordens do comandante.* *Int.* **4.** Fazer gesto(s) de reverência, respeito ou acatamento; demonstrar reverência: "Raramente compreendia as suas sentenças, sonoras e bem cunhadas ....; mas, como diante da porta impenetrável dum santuário, eu reverenciava, por saber que lá dentro, da sombra, refulgia a essência pura da idéia." (Eça de Queirós, *A Relíquia*, p. 95.) [Pres. ind.: *reverencio, reverencias, reverencia*, etc. Cf. *reverência.*]

reverenciosamente. [Do fem. de *reverencioso* + *-mente.*] *Adv.* V. *reverentemente.*

reverencioso (ô). *Adj.* **1.** Que reverencia; reverenciador, reverente. **2.** Em que há reverência; reverente: *atitude reverenciosa.*

reverendas. [Fem. pl. substantivado do adj. *reverendo.*] *S. f. pl. Desus.* Autorização escrita pela qual um bispo concede que um seu diocesano se ordene em outra diocese; dimissórias.

reverendíssima. [Fem. de *reverendíssimo.*] *S. f.* Tratamento dado aos dignitários eclesiásticos, monsenhores ou bispos.

reverendíssimo. [Do lat. *reverendissimu.*] *Adj.* **1.** Muito venerável. **2.** *Fam.* Completo, rematado, extraordinário: *Este rapaz é um reverendíssimo tolo.* ● *S. m.* **3.** Título dado aos dignitários eclesiásticos e aos padres em geral.

reverendo. [Do lat. *reverendu.*] *Adj.* **1.** Que merece reverência. ● *S. m.* **2.** V. *padre* (1).

reverente. [Do lat. *reverente.*] *Adj. 2 g.* V. *reverencioso.*

reverentemente. [De *reverente* + *-mente.*] *Adv.* De maneira reverente; com reverência; reverenciosamente.

reverificação. *S. f.* Ato ou efeito de reverificar.

reverificador (ô). *Adj.* e *s. m.* Que ou aquele que reverifica.

reverificar. [De *re-* + *verificar.*] *V. t. d.* Verificar de novo; conferir, cotejar. [Conjug.: v. *trancar.*]

reversa. *Adj. (f.) Geom.* Diz-se de curva que não está contida num plano.

reversal. [De *reverso* + *-al.*] *Adj. 2 g.* Que garante promessa precedente. ~ V. *carta* —.

reversão. [Do lat. *reversione.*] *S. f.* **1.** Ato ou efeito de reverter. **2.** V. *retrocesso* (2). **3.** Restituição ao primeiro dono; devolução. **4.** *Dir. Adm.* Volta do funcionário público civil aposentado, ou do militar reformado, à atividade, e que pode resultar da anulação dos motivos de aposentadoria do servidor, cuja faculdade de exercer o cargo foi conferida por lei, ou de anulação do ato que reformou o militar.

reversar. [Do lat. *reversare.*] *V. t. d.* e *int.* V. *arrevessar.*

reversibilidade. *S. f.* **1.** Qualidade ou caráter de reversível. **2.** *Fís.* A característica de um processo no qual em todos os estágios o sistema se encontra num estado de quase-equilíbrio.

reversível. [Do lat. *reversu*, 'voltado para trás', + *-ível.*] *Adj. 2 g.* **1.** Que se pode, ou que pode, reverter; revertível. **2.** Que pode retornar, ou retorna, ao primitivo estado; reversivo. **3.** Que pode ser observado ou utilizado pelo anverso ou pelo reverso: *escultura reversível.* **4.** Diz-se do tecido ou da roupa sem avesso, que podem ser utilizados tanto de um lado como do outro. [Sin., fr., nesta acepç.: *double face.*] **5.** Diz-se do aposento arquitetado de modo que, mediante adaptação, possa vir a ser usado para quaisquer dos fins para que foi concebido: *quarto reversível.* **6.** *Jur.* Diz-se dos bens que, em certos casos, devem retornar ao proprietário que deles dispôs, ou duma pensão cujos atrasados passam a outrem por morte do titular. ~ V. *processo* —.

reversivo. [Do lat. *reversu*, 'voltado para trás', + *-ivo.*] *Adj.* Reversível (2).

reverso. [Do lat. *reversu.*] *Adj.* **1.** Revirado (1). **2.** Que está na parte posterior ou contrária àquela que se observa; avesso: *lado reverso.* **3.** Diz-se da madeira que não apresenta fibras direitas. **4.** *Fig.* Que tem má índole. [Var., nestas acepç.: revesso.] ~ V. *cúbica —a, curva —a, prensa —a* e *superfície —a.* ● *S. m.* **5.** Face ou lado contrário ao que se tem como principal; avesso, revesso: *O reverso da lápide traz uma inscrição.* **6.** A parte posterior ou interior de certas coisas, por oposição àquela que está voltada para frente ou para fora. **7.** *Fig.* Aquilo que é contrário; o outro lado; o oposto. [Sin. (nas acepç. 5 a 7): *revés.* Antôn. (nas acepç. 5 e 6): *anverso.*]

revertátur. [Do lat. *revertatur*, de *reverti*, 'voltar', 'virar'.] *S. m. Tip.* Sinal de revisão (5) que indica necessidade de virar letra; vertátur. [Pl.: *revertátures.*]

reverter. [Do lat. *revertere.*] *V. t. i.* **1.** Voltar (ao ponto de partida); regressar, retroceder: *reverter às considerações iniciais para provar uma asserção.* **2.** Voltar (para a posse de alguém): *O imóvel reverterá ao primitivo dono.* **3.** Converter-se, redundar: *A venda reverterá em benefício dos herdeiros.* **4.** Voltar (o funcionário público civil aposentado, ou o militar reformado) à atividade: *Aposentado há mais de um ano, acaba de reverter à ativa.* [Nesta acepç., cf. *reversão* (4).]

revertério. [De *reverter.*] *S. m. Bras. Pop.* Mudança de uma situação favorável, boa, em ruim, desfavorável: *Tudo ia bem, mas de repente deu o revertério.*

revertível. [De *reverter* + *-ível.*] *Adj. 2 g.* Reversível (1).

revés. [Do lat. *reversu*, 'revirado', com apócope.] *S. m.* **1.** Reverso (5, 6 e 7). **2.** Golpe aplicado com as costas da mão. **3.** Pancada oblíqua. **4.** Acidente desfavorável; vicissitude. **5.** *Fig.* Desgraça, infortúnio, insucesso. [Pl.: *reveses.* Cf. *revezes*, do v. *revezar*, e *revezes* (ê), el. s. f. pl.] ♦ **Ao revés.** Às avessas; ao contrário. **De revés.** De lado; de soslaio; de esguelha; obliquamente: "ora lançava os olhos de revés para os senhores da corte e conselho, ... ora os espraiava por aquele mar de cabeças humanas" (Alexandre Herculano, *Lendas e Narrativas*, I, p. 145).

revessa. [Fem. substantivado de *revesso*, com mudança de timbre.] *S. f.* **1.** Corrente (7) de sentido contrário ao da corrente normal; corrente que, junto à margem de um rio, corre em sentido oposto ao da principal. **2.** Corrente marítima que muda de direção. **3.** Interseção de duas vertentes de um telhado, formando ângulo reentrante. [Pl.: *revessas.* Cf. *revessa* (ê) e *revessas* (ê), flex. de *revesso* (ê).]

revessar. [Do lat. *reversare.*] *V. t. d.* e *int.* V. *arrevessar.* [Pres. ind.: *revesso, revessas, revessa*, etc. Cf. *revesso* (ê), as flex. *revessa* (ê), *revessas* (ê), e *reviçar.*]

revesso (vê). [F. assimilada de *reverso.*] *Adj.* **1.** Reverso (1 a 4). **2.** *Fig.* Que não condiz com a verdade ou com a moral; tortuoso, torcido. ● *S. m.* **3.** V. *reverso* (5): "O café demorava, e José de Arimatéia começou a sentir a friagem subir-lhe pelo couro grosso das botas e empapar-lhe o revesso da capa de lã." (Mário Palmério, *Chapadão do Bugre*, p. 7.) [Var.: *arrevesso.* Flex., do adj.: *revessa* (ê), *revessos* (ê), *revessas* (ê). Pl.; do s.: *revessos* (ê). Cf. *revesso, revessas* e *revessa*, do v. *revessar;* e *revessa*, s. f., pl. *revessas.*]

revestimento. *S. m.* **1.** Ato ou efeito de revestir(-se). **2.** Construção de tijolo, pedra, concreto armado, ou outro material, feita para sustentar e consolidar as terras de um fosso, bastião, terraço, etc. **3.** Aquilo que reveste ou cobre uma superfície, especialmente de uma obra, para reforçá-la, protegê-la ou adorná-la; cobertura: *reves-*

timento de azulejo; revestimento de plástico. **4.** Camada superior de um pavimento, em geral de concreto ou de asfalto, que recebe diretamente a ação do rolamento dos veículos. **5.** *Ind. Pap.* Ato ou efeito de recobrir uma ou ambas as faces do papel (dito, então, *papel cuchê* [q. v.]) com uma mistura de substâncias minerais, adesivos e, às vezes, também pigmentos; cobertura.

revestir. [Do lat. *revestire.*] *V. t. d.* **1.** Tornar a vestir. **2.** Vestir (traje de cerimônia). **3.** Estender-se por sobre; cobrir, tapar: *A tinta branca reveste os números, tornando-os ilegíveis.* **4.** Atribuir a si (atributos ou caracteres de outrem); tomar: *Bem analisada, a frase reveste dupla significação.* **5.** Tornar estável, firme, resistente; solidificar. **6.** Enfeitar, adornar, ornamentar. *T. d. e i.* **7.** Fazer revestimento em: *Mandou revestir as paredes de papel.* **8.** Dar a aparência (de alguma coisa) a; colorir: *Os adolescentes revestem de realidade os seus sonhos. P.* **9.** Vestir traje de cerimônia; paramentar-se: *O bispo revestiu-se para a celebração da cerimônia.* **10.** Armar-se, munir-se, prover-se: *Revesti-me de paciência para esperar.* **11.** Aparentar, imitar: *Este quadro reveste-se da temática renascentista.* **12.** Encher-se, cobrir-se: *O rei revestiu-se de autoridade após esmagar a revolta.* [Irreg. Conjug.: v. *aderir.*]

revestrés. *El. s. m.* Us. na loc. adv. *de revestrés.* ♦ **De revestrés.** De revés; ao contrário.

revezador (ô). *Adj.* e *s. m.* Que ou aquele que reveza ou substitui outro por sua vez ou turno.

revezamento. *S. m.* **1.** Ato ou efeito de revezar(-se). **2.** *Atlet.* Prova de revezamento [q. v.].

revezar. [De *re-* + *vez* + *-ar*[2].] *V. t. d.* **1.** Substituir alternadamente: *O capitão mandou revezar os guardas. T. i.* **2.** Trocar de posição: *O reserva revezará com o goleiro titular. Int.* e *p.* **3.** Substituir-se alternadamente; alternar: *Os plantonistas revezaram;* "A caneta que escreve e a que prescreve *revezam-se* harmoniosamente na mesma mão." (Miguel Torga, *Diário,* IX, p. 60). [Pres. ind.: *revezo,* etc.; pres. subj.: *reveze, revezes,* etc. Cf. *revezo* (ê), s. m., *revezes* (ê), el. s. f. pl., e *reveses,* pl. de *revés.*]

revezes (ê). [De *re-* + *vez.*] *S. f. pl.* Us. nas loc. *a revezes* e *às revezes.* [Cf. *revezes,* do v. *revezar,* e *reveses,* pl. de *revés.*] ♦ **A revezes.** Uma vez ou outra; às vezes, por vezes, de vez em quando; alternativamente; às revezes: "Esta doença, no começo da vida, deixa achaque para sempre; é como a bala recebida em pleno peito e lá encerrada: o ferido vive; mas, *a revezes,* a dor lhe está lembrando que a bala pesa sobre o derradeiro fio da vida." (Camilo Castelo Branco, *Anos de Prosa,* p. 22.) **Às revezes.** V. *a revezes.*

revezo (ê). [Dev. de *revezar.*] *S. m.* Pasto para onde se transfere o gado enquanto se espera recrescer o capim no lugar onde ele pastava. [Pl.: *revezos* (ê). Cf. *revezo,* do v. *revezar.*]

reviçamento. *S. m.* Ação ou efeito de reviçar; reviço.

reviçar. [De *re-* + *viçar*[1].] *V. int.* **1.** Viçar de novo: "a casa volveu ao que era dantes; no jardim *reviçaram* as plantas do outro tempo" (Coelho Neto, *Obra Seleta,* I, p. 185). *T. d.* **2.** Fazer vicejar novamente: *A chuva reviçou os campos;* "A cidade refê-lo, *reviçou-lhe* o sangue com os seus filtros vários" (Coelho Neto, *ib.,* p. 266). [Conjug.: v. *laçar.* Cf. *revessar.*]

reviço. [Dev. de *reviçar.*] *S. f.* Reviçamento.

revidar. [De *re-* + *envidar,* com crase e desnasalação.] *V. t. d.* **1.** Responder ou compensar (uma ofensa física ou moral) com outra maior; reenvidar: *O rapaz revidou os socos do agressor.* **2.** Responder, replicar, contestando: *O deputado revidou o discurso que o incriminava. T. d.* e *i., t. i.* e *int.* **3.** Vingar uma ofensa com outra maior: *Revidou a alusão pérfida com as mais violentas injúrias; Revidou ao grosseiro insulto; Não deixa de revidar.* **4.** Responder, corresponder: *Nossas baterias revidaram os tiros com cerrado tiroteio; Revidamos ao ataque; Injuriado, preferiu não revidar.* **5.** Contradizer, objetar: *O cientista não revidou ao colega por uma questão de ética; Não é de seu feitio revidar.*

revide. [Dev. de *revidar.*] *S. m.* **1.** Ato ou efeito de revidar: "Um homem não é para ser chicoteado covardemente, miseravelmente, sem um *revide,* sem um gesto qualquer de vingança!" (Viriato Correia, *Histórias Ásperas,* p. 244.) **2.** Novo envide.

revigoramento. *S. m.* Ação ou efeito de revigorar(-se).

revigorar. [De *re-* + *vigorar.*] *V. t. d.* **1.** Dar novo vigor a; avigorar: *A Igreja esforça-se para revigorar a fé;* "a evocação dos tempos distanciados e dos vultos de ufano submissos *revigorou-lhe* a alma" (Joaquim Paço d'Arcos, *Carnaval e Outros Contos,* p. 67). *Int.* e *p.* **2.** Readquirir vigor; robustecer-se: *O doente revigorou; Com o clima serrano, revigorou-se.*

revimento. *S. m.* Ato ou efeito de rever[2] ou ressumar (um líquido).

revinda. [Fem. substantivado de *revindo,* part. de *revir*[1].] *S. f.* Ato de revir[1]; volta, regresso, retorno.

revindita. [De *re-* + *vindita.*] *S. f.* **1.** Vingança duma vingança. **2.** Desafronta, desforra, desforço.

revingar. [De *re-* + *vingar.*] *V. t. d.* **1.** Vingar novamente; tornar a vingar. **2.** Tirar vingança de (outra vingança ou injúria). [Conjug.: v. *largar.*]

revir[1]. [Do lat. *revenire.*] *V. int.* Vir de novo; voltar, regressar: "Era Pedro Satanás? As perguntas *revinham,* sempre de mais profundo, ora uma, ora as duas." (José Vieira, *Vida e Aventura de Pedro Malasarte,* p. 99.) [Irreg. Conjug.: v. *vir.*]

revir[2]. [Var. de *rever*[2].] *V. int. Bras.* Rever[2] (3). [Irreg. Defect., conjugável só nas 3as pess.]

revira. [Dev. de *revirar.*] *S. m. Bras., N.* Certa dança negra.

revirado. [Part. de *revirar.*] *Adj.* **1.** Em que há, ou que sofreu reviramento, ou que se revirou; reverso. **2.** Torcido, recurvado, curvo; revolto. **3.** Revolto (1). ● *S. m.* **4.** *Bras.* Pamonã.

reviramento. *S. m.* Ato ou efeito de revirar(-se).

revirão. [De *re-* + *vira*[1] + *-ão*[2].] *S. m.* Vira traseira do calçado.

revira-olho. [De *revirar* + *olho.*] *S. m. Bras. Fam.* Namoro caipira. [Pl.: *revira-olhos.*]

revirar. [De *re-* + *virar.*] *V. t. d.* **1.** Tornar a virar; voltar ao avesso. **2.** Torcer; mudar, modificar: *Os viajantes reviraram a rota.* **3.** Virar muitas vezes; retorcer, revolver: *revirar os olhos.* **4.** Virar em todos os sentidos; revolver ou remexer muito: *Revirou a gaveta, e não encontrou o documento.* **5.** Fazer voltar em direção oposta à que se seguira: *Revirou o cavalo para perseguir os fugitivos. T. c.* **6.** Voltar em direção oposta à que se seguia; retornar: *Por causa da tempestade o barco revirou ao porto.* **7.** Voltar-se, tornar: *As desgraças reviraram sobre o povo. P.* **8.** Virar novamente, ou muitas vezes: "Penso, repenso, *reviro-me* na cama" (Geraldo França de Lima, *Branca Bela,* p. 69). **9.** Insurgir-se, revoltar-se, rebelar-se: *As colônias reviraram-se contra Roma.*

reviravolta. [De *revirar* + *volta.*] *S. f.* **1.** Ato ou efeito de revirar (5 e 6). **2.** Giro sobre si mesmo; cambalhota, viravolta. **3.** Mudança de situação para melhor ou para pior; viravolta. **4.** *Bras., SP. Pop.* Curva de rua ou de estrada; volta.

reviravoltear. *V. int.* Andar às reviravoltas. [Conjug.: v. *frear.*]

revirete (ê). [De *revirar.*] *S. m.* **1.** Dito picante; motejo, gracejo. **2.** V. *respostada.*

reviro. [Dev. de *revirar.*] *S. m.* Ação de um devedor mandar seus escravos a outrem que não o credor.

revisão. [Do lat. *revisione.*] *S. f.* **1.** Ato ou efeito de rever[1]. **2.** Novo exame. **3.** Nova leitura. **4.** Análise de uma lei ou decreto com o fim de o reformar, retificar ou anular. **5.** *Tip.* Técnica, ato ou efeito de rever ou revisar. **6.** *Tip.* O conjunto dos revisores. [v. *revisor* (4)]. **7.** *Tip.* Setor da oficina onde se revisam as provas. **8.** *Bras. Jur.* Recurso privativo do réu contra sentença condenatória já transitada em julgado, o qual é admissível em casos taxativamente expressos em lei, e visa a obter a anulação da sentença recorrida, diminuição especial da pena que lhe foi imposta, ou sua absolvição. **9.** Inspeção de uma máquina, em que se lhe desmontam as partes para substituir peças gastas ou defeituosas, ajustar folgas, etc.

revisar. [Do esp. *revisar.*] *V. t. d.* **1.** Visar novamente; tornar a visar: *revisar um alvo.* **2.** Fazer inspeção ou revisão de: *revisar a bagagem.* **3.** Apor visto (5) a: *revisar um passaporte.* **4.** Rever[1] (3). **5.** *Tip.* Ler (prova tipográfica) assinalando os erros; rever, corrigir. [Nesta acepç., cf. *comprovar* (3) e *conferir* (11).]

revisionismo. *S. m.* **1.** Doutrina que propugna a revisão (da constituição de um país, de uma doutrina política, etc.): "O *revisionismo* não teve sorte no Brasil, porque a elite foi sempre dominada pela aversão às novidades." (José Honório Rodrigues, *Vida e História,* p. 17.) **2.** Tendência para a revisão de antigos valores literários ou artísticos.

revisionista. *Adj. 2 g.* **1.** Relativo ao revisionismo. **2.** Que é partidário dele. ● *S. 2 g.* **3.** Partidário do revisionismo.

revisitação. *S. f.* Ação ou efeito de revisar; nova visita.

revisitar. [De *re-* + *visitar.*] *V. t. d.* Visitar de novo: "Carlos convidou o marquês a *revisitar* nessa noite, à volta da casa do Vargas, o seu velho amigo Tchi." (Eça de Queirós, *Os Maias,* II, p. 278).

revisor (ô). [De revisar, ou do ingl. *revisor.*] *Adj.* **1.** Que revê [v. *rever*[1]]. ● *S. m.* **2.** *Jur.* Magistrado, membro de tribunal, incumbido de rever e corrigir o relatório de um processo a ser julgado em grau de recurso. **3.** Empregado de estrada de ferro, empresa de ônibus, etc., encarregado de rever e conferir os bilhetes dos passageiros. **4.** *Tip.* Pessoa que se ocupa na revisão de provas tipográficas; corretor. [Cf. *conferente* (4).]

revisório. *Adj.* Relativo à revisão.

revista[1]. [Dev. de *revistar.*] *S. f.* **1.** Ato ou efeito de revistar. **2.** Inspeção de militares em formatura. **3.** *Teat.* Peça com quadros de música e dança, com anedotas, alegorias, esquetes, etc., na qual se criticam os fatos mais em evidência da época; teatro-revista. **4.** *Bras. Jur.* Recurso judicial para as câmaras cíveis reunidas dos tribunais de justiça, contra decisões divergentes das câmaras ou dos tribunais, entre si, quanto à maneira de interpretar o direito em tese. ♦ **Revista naval.** Desfile de navios de guerra.

revista[2]. [Trad. do ingl. *review.*] *S. f.* Publicação periódica em que se divulgam artigos originais, reportagens, etc., sobre vários temas, ou, ainda, em que se divulgam, condensados, trabalhos sobre assuntos variados já aparecidos em livros e noutras publicações.

revistar. [De *re-* + *vista* + *-ar*[2].] *V. t. d.* **1.** Passar revista[1] (2) a: *O capitão revistou a tropa.* **2.** Ver com atenção; rever, examinar: *O construtor revistou longamente cada detalhe do plano.* **3.** Passar busca a; dar varejo ou revista a; varejar: *A polícia revistou várias residências;* "abria gavetas, lia os manuscritos que encontrava, *revistava* as algibeiras da roupa estendida no cabide, folheava os livros, examinando tudo" (Aluísio Azevedo, *O Mulato,* p. 155).

revisteca. *S. f. Deprec.* Revista[2] sem importância.

revisteiro. [De *revista*[1] (3) + *-eiro.*] *S. m.* Indivíduo que escreve revistas.

revisto. [Part. de *rever*[1].] *Adj.* Que se reviu; corrigido, emendado.

revitalização. *S. f.* **1.** Ato ou efeito de revitalizar. **2.** Conjunto de medidas que visam a criar nova vitalidade, a dar novo grau de eficiência a alguma coisa: *a revitalização de um conjunto urbanístico, de uma região; O acordo vai permitir a revitalização das relações econômicas entre os dois países.*

revitalizar. [De *re-* + *vitalizar.*] *V. t. d.* **1.** Dar nova vida a; revigorar; vitalizar. **2.** Efetuar a revitalização (2) de.

revivente. [Do lat. *revivente.*] *Adj. 2 g.* Revivescente.

reviver. [Do lat. *revivere.*] *V. int.* **1.** Retornar à vida; adquirir vida nova; ressuscitar: *Os mortos não revivem.* **2.** Readquirir vigor, força, viço; renovar-se, revigorar-se. **3.** Tornar a manifestar-se; renovar, reaparecer: *Revivem as ilusões. T. d.* **4.** Trazer à lembrança; recordar, relembrar: *Revivemos longamente os dias passados;* "Não deixava de ser com saudades que D. Pepê *revivia* aquelas lembranças do tempo em que Alberto e a francesa vieram morar em Riachuelo." (Gastão Cruls, *De Pai a Filho,* p. 25). **5.** Pôr de novo em uso; revivificar: *A língua abandona certos termos e revive outros.* [Sin.: *revivescer.*]

revivescência. *S. f.* Revivescimento.

revivescente. [Do lat. *reviviscente.*] *Adj. 2 g.* Que revive; revivente.

revivescer. [Do lat. *reviviscere.*] *V. t. d.* e *int.* V. *reviver:* "Organizara a horta. E, no pomar, *revivescera* tudo, acrescentara outros enxertos." (Vasconcelos Maia, *O Leque de Oxum,* p. 43.) [Conjug.: v. *crescer.*]

revivescimento. *S. m.* Ato ou efeito de revivescer; revivescência.

revivescível. *Adj. 2 g.* Que pode revivescer.

revivificação. *S. f.* Ato ou efeito de revivificar.

revivificar. [Do lat. *revivificare.*] *V. t. d.* **1.** Tornar a vivificar; dar nova vida a; reanimar, ressuscitar: *Segundo as Escrituras, Deus revivificará os mortos no dia do Juízo Final.* **2.** Dar novo vigor a; revigorar, avigorar: *Um bom trago de vinho ajuda a revivificar as forças.* **3.** Reviver (5): *A Renascença revivificou a arte clássica.* [Conjug.: v. *trancar.*]

revivo. [De *re-* + *vivo.*] *Adj.* **1.** Que retornou à vida. **2.** Que tem muita vida; cheio de vida.

revoada. [Fem. substantivado de *revoado,* part. de *revoar.*] *S. f.* **1.** Ato ou efeito de revoar. **2.** Bando de aves que revoam. **3.** Bando ou grupo movimentado, alegre. **4.** *Fig.* Profusão, multidão, bando: "Uma *revoada* de memórias entrou na alma de Sofia." (Machado de Assis, *Quincas Borba,* p. 195.) **5.** *Fig.* Ensejo, oportunidade, ocasião, azo. **6.** *Bras.* Vôo simultâneo de numerosos aviões, em geral com propósito festivo: *Os aeroclubes*

organizaram uma *revoada no dia sete de setembro.*
revoar. [Do lat. *revolare,* 'tornar voando'.] *V. int.* **1.** Voar novamente; tornar a voar. **2.** Voar (a ave) para o ponto de onde partira: *As aves chegam no verão e revoam ao inverno.* **3.** Adejar, voejar, esvoaçar, volitar: "Revoavam-lhe em redor bandos de pombas brancas" (Júlio Dantas, *Sonetos,* p. 79). **4.** Voar alto. **5.** *Fig.* Estar sobranceiro; elevar-se: *Na memória de cada brasileiro revoam as imagens dos homens que morreram em defesa da Pátria.* **6.** *Fig.* Vir à memória; acudir: *Após alguma reflexão, revoou uma boa idéia;* "não dormiu logo. Os pensamentos revoavam-lhe no cérebro" (Aluísio Azevedo, *Casa de Pensão,* p. 150). [Conjug.: v. *coroar.*]
revocação. [Do lat. *revocatione.*] *S. f.* Ato ou efeito de revocar.
revocar. [Do lat. *revocare.*] *V. t. d.* **1.** Chamar para trás; mandar voltar: *A pátria longínqua revocava o emigrante.* **2.** Chamar de novo; tornar a chamar: *Entusiásticos aplausos revocaram o artista.* **3.** Relembrar, evocar: *revocar o passado.* **4.** Tornar nulo; anular, revogar: *O patrão revocou as ordens. T. d. e i.* **5.** Fazer voltar; devolver, restituir: "um beijo ardente, dado nessa mão que tinha estendida, e lágrimas ainda mais ardentes, ... foram como faísca elétrica, revocando-o à razão e à realidade da vida." (Alexandre Herculano, *Lendas e Narrativas,* I, p. 203). **6.** Fazer sair; tirar: *A Igreja afirma que só a religião revoca o homem do pecado.* [Conjug.: v. *trancar.*]
revocatório. [Do lat. *revocatoriu.*] *Adj.* Revogatório.
revocável. [Do lat. *revocabile.*] *Adj. 2 g.* Que se pode revocar.
revoejamento. *S. m.* Revoejo.
revoejar. [De *re-* + *voejar.*] *V. int.* Tornar a voejar; ou voejar repetidamente: "no ar, jovializante, juventilizante, cheio de sons, de cores e faiscâncias .... , revoejavam pássaros, de asas pandas" (Martins Fontes, *A Alegria,* p. 45). [Conjug.: v. *pelejar.*]
revoejo (ê). [Dev. de *revoejar.*] *S. m.* Ato ou efeito de revoejar; revoejamento: "Rui [Barbosa], ... descreveu um caranguejo, que vale o díptero de Holbein. Mas, cem daquelas moscas, em revoejo sobre o quadro, dariam do autor singular prova de mau gosto." (Alcides Maia, *Crônicas e Ensaios,* p. 173.)
revogabilidade. *S. f.* Qualidade de revogável.
revogação. [Do lat. *revocatione.*] *S. f.* **1.** Ato ou efeito de revogar. **2.** Anulação, extinção, invalidação. **3.** Anulação total *(ab-rogação)* ou parcial *(derrogação)* da vigência de uma lei.
revogador (ô). [Do lat. *revocatore.*] *Adj.* **1.** Que revoga; revogante, revogatório. ● *S. m.* **2.** Aquele que revoga.
revogante. [Do lat. *revocante.*] *Adj. 2 g.* V. *revogador* (1).
revogar. [Do lat. *revocare.*] *V. t. d.* Tornar nulo, sem efeito; fazer que deixe de vigorar; anular, invalidar, revocar: *revogar um decreto, uma ordem.* [Conjug.: v. *largar.*]
revogatória. [Fem. substantivado de *revogatório.*] *S. f.* Documento que encerra a revogação.
revogatório. [Do lat. *revocatoriu.*] *Adj.* **1.** V. revogador (1). **2.** Relativo a revogação. **3.** Que contém revogação. [F. paral.: *revocatório.*]
revogável. [Do lat. *revocabile.*] *Adj. 2 g.* Que pode ser revogado.
revolcar. [Do lat. vulg. **revolvicare* < *revolvere,* 'revolver'.] *V. t. d. e i. e p.* Rebolcar [q. v.]. [Conjug.: v. *trancar.*]
revolta. [Fem. substantivado de *revolto.*] *S. f.* **1.** Ato ou efeito de revoltar(-se). **2.** Manifestação (armada ou não), contra a autoridade estabelecida; levantamento, levante, motim, insurreição, rebelião, sedição, sublevação. **3.** V. *revolução* (2). **4.** Grande perturbação moral causada por indignação, aversão, repulsa, etc. **5.** V. *motim* (3). **6.** V. *rebeldia* (1). [Pl.: *revoltas.* Cf. *revolta* (ô) e *revoltas* (ô), flex. de *revolto* (ô).]
revoltado. [Part. de *revoltar.*] *Adj.* **1.** Que se revoltou ou rebelou; insubmisso, rebelde, sublevado, revoltoso. **2.** Que mostra ou sente revolta ou indignação; indignado. **3.** *Bras.* Diz-se de pessoa amarga, inconformada, que se sente alvo de preterição ou de injustiça. ● *S. m.* **4.** Insurreto, rebelde, revoltoso **5.** Indivíduo revoltado (3).
revoltador (ô). *Adj.* e *s. m.* Que ou aquele que revolta.
revoltante. *Adj. 2 g.* Que revolta ou indigna; repugnante, nojento, repulsivo.
revoltantemente. [De *revoltante* + *-mente.*] *Adv.* De maneira revoltante.
revoltão. *S. m.* Movimento desordenado, revolto.
revoltar. [De *revolta* + *-ar*[2].] *V. t. d.* **1.** Incitar à revolta; insubordinar, levantar, sublevar, insurgir, insurrecionar: *O cabo revoltou a guarnição.* **2.** Perturbar moralmente; repugnar, indignar: "A surra humilhante e injusta revoltou-o." (Lauro Palhano, *O Gororoba,* p. 16.) **3.** Voltar do outro lado: revirar. *T. d. e i.* **4.** Indispor, levantar, indignar, sublevar, insurgir: *revoltar o povo contra as autoridades. T. c.* **5.** Voltar de novo; regressar, retornar: *O navio revoltou ao porto. Int.* **6.** Causar indignação: *A injustiça revolta. P.* **7.** Sublevar-se, insurgir-se, rebelar-se, amotinar-se: *Em 1932 São Paulo revoltou-se contra o governo federal.* **8.** Sentir indignação; indignar-se: *Os homens de bem revoltaram-se contra a imoralidade.* [Pres. ind.: *revolto, revoltas, revolta,* etc. Cf. *revolto* (ô) e as flex. *revolta* (ô), *revoltas* (ô).]
revoltear. [De *re-* + *volta* + *-ear.*] *V. t. d.* **1.** Voltear muito; revolver, remexer: *Os trabalhadores usam pás para revoltear a terra.* **2.** Dançar, saracoteando-se: *As moças e rapazes revolteavam o vira. Int.* **3.** Dar muitas voltas; revolver-se. [Conjug.: v. *frear.*]
revolto. (ô). [Do lat. *revoltu.*] *Adj.* **1.** Que se revolveu ou remexeu; movido de baixo para cima; revolvido, revirado. **2.** V. *revirado* (2). **3.** Envolvido, embrulhado, envolto. **4.** Em que são freqüentes os tumultos ou revoltas; tumultuoso, conturbado: *década revolta.* **5.** Muito agitado; tempestuoso, proceloso: *águas revoltas.* **6.** Irritado, irado, furioso, revoltado: *A multidão revolta percorria as ruas.* **7.** Que está em desalinho, fora de ordem; desarrumado: *cama revolta.* **8.** *Bras., S.* Diz-se do cavalo redomão que já obedece um pouco às rédeas. [Flex.: *revolta* (ô), *revoltos* (ô). *revoltas* (ô). Cf. *revolto, revoltas* e *revolta,* do v. *revoltar,* e *revolta, s. f., pl. revoltas.*]
revoltoso (ô). [De *revolta* + *-oso.*] *Adj.* e *s. m.* Rebelde, insurreto, revoltado.
revolução. [Do lat. *revolutione.*] *S. f.* **1.** Ato ou efeito de revolver(-se) ou revolucionar(-se). **2.** Rebelião armada; revolta, conflagração, sublevação. **3.** Transformação radical e, por via de regra, violenta, de uma estrutura política, econômica e social. **4.** *P. ext.* Qualquer transformação violenta da forma de um governo. **5.** Transformação radical dos conceitos artísticos ou científicos dominantes numa determinada época: *revolução literária; revolução tecnológica.* **6.** Volta, rotação, giro. **7.** *Fig.* Perturbação, agitação. **8.** Rotação em torno de um eixo imóvel. **9.** Transformação natural da superfície do globo. **10.** *Astr.* Movimento de um astro em redor de outro. ♦ **Revolução anomalística.** *Astr.* Intervalo de tempo necessário para que um astro descreva a sua órbita, a partir do periastro, e que usualmente se refere à Lua, valendo, neste caso, 27,554 6 dias; período anomalístico, mês anomalístico. **Revolução dos Cravos Vermelhos.** Revolução democrática ocorrida em Portugal, a 25 de abril de 1974, e que deu lugar à deposição de Marcelo Caetano. **Revolução draconítica.** *Astr.* Intervalo de tempo pelo que separa duas passagens consecutivas da Lua pelo mesmo nodo de sua órbita, e vale 27,212 22 dias; mês draconítico, mês nódico, revolução nódica, período draconítico, período nódico. **Revolução industrial.** Mudança ocorrida na indústria, a partir do séc. XIX, quando os meios de produção, até então dispersos, e baseados na cooperação individual, passaram a se concentrar em grandes fábricas ocasionando profundas transformações sociais e econômicas. **Revolução nódica.** *Astr.* V. *revolução draconítica.* **Revolução sinódica.** *Astr.* Intervalo de tempo que separa duas fases idênticas e consecutivas da Lua, e corresponde a 29,530 59 dias; período sinódico, mês sinódico, mês lunar, lunação. **Revolução sinódica dos nodos.** *Astr.* Intervalo de tempo que separa os dois instantes em que o mesmo nodo da órbita lunar tem a mesma longitude celeste.
revolucionado. [Part. de *revolucionar.*] *Adj.* Que se revolucionou
revolucionamento. *S. m.* Ato ou efeito de revolucionar(-se).
revolucionar. *V. t. d.* **1.** Excitar à revolução; instigar à revolta; sublevar, revoltar: *As idéias liberais revolucionaram as colônias americanas.* **2.** Mexer de baixo para cima; revoltear, revolver: *revolucionar a terra.* **3.** Agitar moralmente; perturbar. **4.** Causar notável mudança em; transformar: *O movimento de 1922 revolucionou a literatura brasileira.* **5.** Pôr em rebuliço; agitar: *A descoberta revolucionou os cientistas. P.* **6.** Insurgir-se, sublevar-se, revoltar-se: *As colônias revolucionaram-se contra a metrópole.* [Fut. pret.: *revolucionaria,* etc. Cf. *revolucionária,* fem. de *revolucionário.*]
revolucionário. [Do fr. *révolutionaire.*] *Adj.* **1.** Relativo à, ou próprio de revolução. **2.** Que é adepto da revolução (2 a 5). ~ V. *guerra* —a e *socialismo* —. ● *S. m.* **3.** Aquele que prega ou lidera revoluções. **4.** Indivíduo partidário do progresso; progressista. **5.** Introdutor de novos processos artísticos, científicos, etc.; renovador. **6.** Aquele que é partidário de renovações políticas, morais ou sociais. [Fem.: *revolucionária.* Cf. *revolucionaria,* do v. *revolucionar.*]
revoluteante. *Adj. 2 g.* Que revoluteia.
revolutear. [De *re-* + *volutear.*] *V. int.* **1.** Agitar-se em vários sentidos; revolver-se: "A mata agita-se, revoluteia, contorce-se toda e sacode-se." (Manuel Bandeira, *Estrela da Vida Inteira,* p. 95.) **2.** Adejar, voejar, esvoaçar, volutear: *Revoluteiam as borboletas;* "Insetos brilhantes .... revoluteavam em sussurro, agarravam-se frementes." (Júlio Ribeiro, *A Carne,* p. 42). *T. d.* **3.** Agitar, abalar: "O riso que revoluteia as tormentas dos impérios e abisma tronos" (Camilo Castelo Branco, *A Mulher Fatal,* p. 8). [Conjug.: v. *frear.*]
revoluteio. [Dev. de *revolutear.*] *S. m.* Ato ou efeito de revolutear.
revoluto. [Do lat. *revolutu.*] *Adj.* **1.** V. *revolvido.* **2.** *Morfol. Veg.* Cujas margens se enrolam para a face inferior: *folha revoluta; sépala revoluta.*
revolúvel. [De *re-* + *volúvel.*] *Adj. 2 g.* Muito volúvel; volubilíssimo.
revolvedor (ô). *Adj.* e *s. m.* Que ou aquele que revolve.
revolver. [Do lat. *revolvere.*] *V. t. d.* **1.** Volver muito; remexer, revoltear: *O arado revolve os campos;* "O vento revolvia as cinzas, espalhando .... o odor a madeira e a terra queimadas." (Fernando Namora, *Retalhos da Vida de um Médico,* p. 59.) **2.** Investigar ou examinar cuidadosamente; esquadrinhar: *Revolveu os arquivos à cata de documentos históricos.* **3.** Virar muitas vezes; revirar, retorcer: *A menina dengosa revolvia os olhos.* **4.** Abrir buracos em; cavar: *revolver a terra.* **5.** Passar revista a; examinar demoradamente; ruminar: *revolver dúvidas.* **6.** Indispor, amotinar, revoltar: *A tirania do soberano acabou revolvendo os vassalos. Int.* **7.** Agitar-se, remexer-se: *A mente do saudosista está cheia de um passado que revolve incessante.* **8.** Mover-se em círculo; girar. *P.* **9.** Mover-se desordenadamente; remoinhar, agitar-se. **10.** Voltar-se, revirar-se: *Revolvia-se insone no leito.* [Inf. pess.: *revolver* (ê), *revolveres* (ê), etc. Cf. *revólver* e pl. *revólveres.*]
revólver. [Do ingl. *revolver.*] *S. m.* Arma de fogo, de porte individual, de um só cano, com calibres variados, dotada de tambor ou cilindro giratório, com várias culatras, onde são colocados os cartuchos, e que pode disparar tantos tiros quantas sejam as culatras desse tambor. [Sin. (bras., gír.): *berro, berrante, máquina, pinga-fogo.* Cf. *pistola* (1). Pl.: *revólveres.* Cf. *revolver* e *revolveres,* do v. *revolver.*]
revolvido. [Part. de *revolver.*] *Adj.* Que se revolveu; remexido, mexido, agitado; revolto.
revolvimento. *S. m.* Ato ou efeito de revolver(-se); revolução.
revôo. [De *re-* + *vôo.*] *S. m.* **1.** Ato ou efeito de revoar. **2.** *Bras., S. Gír.* de *galistas.* A primeira luta do galo antes do ato de cruzar.
révora. *S. f. P. us.* Tempo da puberdade: "Não é só no organismo físico que a chegada da révora, o aurorar da adolescência, o rebentar primaveril da puberdade operam uma revolução: é também no organismo moral." (Olavo Bilac, *Conferências Literárias,* p. 47.)
revulsão. [Do lat. *revulsione.*] *S. f.* **1.** *Med.* Efeito dos medicamentos revulsivos. **2.** *Med.* Irritação local provocada para fazer cessar um estado congestivo ou inflamatório existente noutra parte do corpo. [Sin.: *antíspase.*]
revulsar. [De *revuls(o)-* + *-ar*[2].] *V. t. d. Med.* Exercer ação revulsiva em; deslocar com revulsivos.
revulsivo. [De *revuls(o)-* + *-ivo.*] *Adj.* **1.** *Med.* Que faz derivar uma inflamação, ou humores, de um para outro ponto do organismo; revulsório, derivativo, antispástico. ● *S. m.* **2.** *Med.* Medicamento revulsivo; derivativo.
▲**revuls(o)-.** [Do lat. *revulsus, a, um.*] *El. comp.* = 'revulsão': *revulsar, revulsivo.*
revulsor (ô). [De *revuls(o)-* + *-or.*] *S. m.* Instrumento cirúrgico munido de agulhas finas, que era apropriado para provocar revulsão (2) na pele.
revulsório. [De *revuls(o)-* + *-ório.*] *Adj. Med.* V. *revulsivo* (1).
▲**-rexe.** [Do gr. *rhêxis, eos.*] *El. comp.* = 'ruptura', 'destruição': *histerorrexe, onicorrexe.*
rexenxão. *S. m. Bras.* V. *graúna.*
reza. *S. f.* **1.** Ato ou efeito de rezar. **2.** Prece, oração. **3.** Resmungo, resmoneio. **4.** *Bras. Pop.* Palavras que se proferem por crendice ou superstição, para benzer ou afastar o mal. ♦ **Reza da capoeira.** *Bras. Cap.* Chula[1]

cantada na abertura da roda da capoeira; ave-maria da capoeira.

rezado. [Part. de *rezar.*] *Adj.* **1.** Que se rezou. **2.** Contado em segredo. **3.** Muito comentado. **4.** Próprio de reza; que lembra reza: "Saíra Santo Antônio do convento, / A dar o seu passeio costumado / E a decorar, num tom r e z a d o e lento, / Um cândido sermão sobre o pecado." (Augusto Gil, *Luar de Janeiro*, p. 53.) ~ V. *missa —a.*

rezador (ô). *Adj.* **1.** Que reza. ● *S. m.* **2.** Aquele que reza. **3.** *Bras.* Curandeiro, benzedeiro, que faz rezas [v. *reza* (4)].

rezão. *S. m. Ant.* e *pop.* Razão. [Cf. *risão.*]

rezar. [Do lat. *recitare.*] *V. t. d.* **1.** Dizer ou fazer (oração ou súplica religiosa): "recolheu à Torre vagarosamente, no silêncio e doçura da tarde, r e z a n d o as suas ave-marias" (Eça de Queirós, *A Ilustre Casa de Ramires*, p. 547); "r e z a r í a m o s rezas africanas" (Graciliano Ramos, *S. Bernardo*, p. 191). **2.** Ler (livros de orações); *r e z a r a Bíblia.* **3.** Conter escrito; mencionar, dizer, referir: *A lei r e z a que todas as pessoas maiores de 18 anos são responsáveis.* **4.** Prescrever, determinar, preceituar: "ele que não facilitasse muito, porque lá r e z a v a o ditado: 'andar no mar, andar a enterrar'." (Virgílio Várzea, *Nas Ondas*, p. 3). **5.** Celebrar (6): "r e z a r a as missas sozinho, sem acompanhante." (Guido Vilmar Sassi, *São Miguel*, p. 185). **6.** *Fig.* Dizer por entre dentes: resmungar, murmurar: *O menino, irado, r e z o u palavras incompreensíveis. T. i.* **7.** Dirigir súplicas (à divindade): *Os católicos r e z a m aos santos;* "quase todos ajoelharam para r e z a r e m por alma do último Marquês de Marialva." (Rebelo da Silva, *Contos e Lendas*, p. 183). **8.** Discorrer, tratar, falar: "R e z a a história de uns gansos que salvaram por seus grasnos a integridade da cidade eterna." (Machado de Assis, *Crônicas*, I, p. 146); "A história literária portuguesa r e z a de dois autores de nome Diogo de Paiva de Andrada." (Fidelino de Figueiredo, *in* Diogo de Paiva de Andrada, *Casamento Perfeito*, p. V); "Os versos do rapazinho tísico soavam-lhe bem. Supunha que r e z a v a m de uma paixão pura" (João de Araújo Correia, *Terra Ingrata*, p. 122). *T. d.* e *i.* **9.** Dirigir, fazer (preces, orações, etc.): *O beato r e z a preces a todos os santos. Int.* **10.** Fazer oração a Deus ou aos santos; orar: "— Bem, ajoelhou-se e r e z o u . / — R e z o u ." (Machado de Assis, *Várias Histórias*, p. 34): "Deitei-me à hora habitual .... R e z e i, li um pouco, apaguei a luz." (Josué Montelo, *A Noite sobre Alcântara*, p. 158). [Pres. ind.: *rezo*, etc.; pres. subj.: *reze, rezes*, etc. Cf. *reso*, s. m., *Reso*, antr., e *reses* (ê), pl. de *rês.*]

rezaria. [De *reza* + *-aria.*] *S. f. Fam.* Ato de rezar muitas vezes.

rezina. [Alter. de *rezinga.*] *Adj. 2 g.* e *s. 2 g.* **1.** *Bras. Pop.* Diz-se de, ou pessoa teimosa, birrenta, ranzinza. **2.** *Bras., CE.* V. *avaro* (1 e 3). [Cf. *resina* e *rezina.*]

rezinga. [Dev. de *rezingar.*] *S. f.* **1.** Ato ou efeito de rezingar. **2.** Renzilha, rixa; altercação.

rezingão. [De *rezingar* + *-ão*³.] *Adj.* e *s. m.* Que, ou aquele que rezinga; resmungão, rezingueiro, reguingueiro. [Fem.: *rezingona.*]

rezingar. [Voc. onom., talvez com base em *rezar* (6).] *V. t. d.* **1.** Dizer por entre dentes e de mau humor; resmungar: *Indignado com a repreensão, saiu r e z i n g a n d o palavras acres. T. i.* **2.** Fazer crítica; reclamar: *Procurou não r e z i n g a r com ninguém. Int.* **3.** Discutir acaloradamente; altercar, disputar: *Após a derrota, começaram todos a r e z i n g a r.* **4.** Falar baixo e com mau humor; resmungar, resmonear. [Conjug.: v. *largar.*]

rezingona. *Adj. (f.)* e *s. f.* V. *rezingão.*

rezingueiro. *Adj.* e *s. m.* V. *rezingão.*

rezoneamento. *S. m.* Ato ou efeito de rezonear.

rezonear. [De *re-* + *zonear.*] *V. t. d.* Tornar a zonear (1). [Conjug.: v. *frear.*]

rezumbir. [De *re-* + *zumbir.*] *V. int.* **1.** Zumbir outra vez, ou reiteradamente. ● *S. m.* **2.** Ato ou efeito de rezumbir: "Estremecia pelas chãs palustres / O ar cortado de trilos, de queixumes, / De cioso r e z u m b i r e estalos de asas" (Alberto de Oliveira, *Poesias*, 3ª série, p. 137).

■**Rh.** [Do gr. *rhódon*, 'rosa', + *-io*².] *Quím.* Símb. do *ródio.*

■**Rh.** [Do lat. cient. *rhesus*, 'reso', gênero de macacos.] Abrev. de *fator Rh.*

rhea. [Do gr. *rhéo*, 'fluir, correr'.] *S. f. Fís.* Unidade de medida de fluidez no sistema c. g. s., igual ao inverso do poise.

ria. [De *rio.*] *S. f. Lus.* Conjunto de canais de água do mar formados, em certos litorais, por desgastes ou açoreamentos, e nos quais poderão vir a lançar-se pequenos cursos de água-doce: "Ficava [a vila] dentro de uma grande quinta, que se estendia até à beira da r i a, daquela famosa r i a onde se pescavam as *angulas*" (Bulhão Pato, *Memórias*, I, p. 7). ~ V. *rias.*

riachão. *S. m. Bras.* Riacho grande.

riachãoense¹. *Adj. 2 g.* **1.** De, ou pertencente ou relativo a Riachão (MA). ● *S. 2 g.* **2.** Natural ou habitante de Riachão.

riachãoense². *Adj. 2 g.* **1.** De, ou pertencente ou relativo a Riachão do Dantas (SE). ● *S. 2 g.* **2.** Natural ou habitante de Riachão do Dantas.

riachense¹. *Adj. 2 g.* **1.** De, ou pertencente ou relativo a Riacho das Almas (PE). ● *S. 2 g.* **2.** Natural ou habitante de Riacho das Almas.

riachense². *Adj. 2 g.* **1.** De, ou pertencente ou relativo a Riacho de Santana (BA). ● *S. 2. g.* **2.** Natural ou habitante de Riacho de Santana.

riacho. [Do esp. *riacho.*] *S. m.* Rio pequeno, mais volumoso que o regato [q. v.], e menos que a ribeira [q. v.].

riachuelense. *Adj. 2 g.* **1.** De, ou pertencente ou relativo a Riachuelo (SE). ● *S. 2 g.* **2.** Natural ou habitante de Riachuelo.

riacófilo. *Adj.* Referente a cachoeira, corredeiras, cataratas: *fauna r i a c ó f i l a.*

rialmense. *Adj. 2 g.* **1.** De, ou pertencente ou relativo a Rialma (GO). ● *S. 2 g.* **2.** Natural ou habitante de Rialma.

rialtense. *Adj. 2 g.* **1.** De, ou pertencente ou relativo a Rialto (RJ). ● *S. 2 g.* **2.** Natural ou habitante de Rialto.

riamba. [Var. de *liamba.*] *S. f. Bras.* V. *maconha.*

rias. [Pl. de *ria.*] *S. f. pl.* Costas de recortes profundos e onde o mar é raso. ~ V. *ria.*

riba. [Do lat. *ripa.*] *S. f.* **1.** Margem alta do rio; ribanceira; ribeira, arriba. **2.** *Pop.* A parte mais elevada; cima: "Tiravam as colchas de seda de r i b a dos cestos" (Vitorino Nemésio, *O Mistério do Paço do Milhafre*, p. 45). **3.** *Bras.* Espécie de rolo compressor a tração animal, próprio para descascar o café. ◆ **Em riba de.** Em cima de: "O Lucas dava nos paus e não havia quem l h e botasse o olho e m r i b a ." (Cardoso de Oliveira, *Dois Metros e Cinco*, p. 268.)

ribaçã. [Var. de *arribação.*] *S. f. Bras.* V. *avoante.*

ribada. *S. f.* **1.** Riba (1) prolongada. **2.** *Bras., RS.* Modalidade do fandango.

ribaldaria. *S. f.* Dito ou ato de ribaldo; patifaria, velhacaria, tratantada: "Ela foi evidentemente a filha do seu tempo, com a devassidão calculista, ... cheia de elegantes r i b a l d a r i a s, de gaiatices miudinhas, e canalha de atitudes" (Fialho d'Almeida, *Lisboa Galante*, p. 97). **2.** V. *barataria* (5). [Sin. ger.: *ribaldia.*]

ribaldia. [De *ribaldo* + *-ia.*] *S. f.* V. *ribaldaria.*

ribaldo. [Do fr. ant. *ribalt.*] *Adj.* e *s. m.* Patife, tratante, velhaco.

ribalta. [Do it. *ribalta.*] *S. f.* **1.** Série de lâmpadas situadas no ponto extremo do proscênio, e que se destinam a iluminar os primeiros planos do palco; rampa. **2.** O proscênio. **3.** *Fig.* O teatro; a cena; o palco: *Desde criança Liza Minelli sentiu-se atraída pela r i b a l t a.*

ribamar. [Da loc. *riba do mar.*] *S. m.* **1.** Beira-mar. **2.** Terreno à beira do mar.

ribamarense. *Adj. 2 g.* **1.** De, ou pertencente ou relativo a São José de Ribamar (MA). ● *S. 2 g.* **2.** Natural ou habitante de São José de Ribamar.

ribança. [De *riba* + *-ança.*] *S. f. Desus.* Margem de rio muito inclinada.

ribanceira. [Do ant. *ribança* + *-eira.*] *S. f.* **1.** Penedia alta à margem de um rio. **2.** V. *riba* (1). **3.** Margem elevada de um rio ou de um lago. **4.** Despenhadeiro, precipício. **5.** Rampa muito íngreme.

ribatejano. *Adj.* **1.** Do, ou pertencente ou relativo ao Ribatejo (Portugal). ● *S. m.* **2.** Natural ou habitante do Ribatejo.

ribeira. [Do lat. vulg. *riparia.*] *S. f.* **1.** O terreno banhado por um rio. **2.** Lugar baixo à beira de rio. **3.** V. *riba* (1). **4.** Curso de água abundante, menos largo e profundo que um rio. [Cf. *riacho* e *regato.*] **5.** *Bras., N.* e *N.E.* Zona rural de pecuária bovina, que abrange certo número de fazendas.

ribeirada. *S. f.* **1.** Corrente impetuosa de ribeira (4). **2.** Grande porção de líquido.

ribeirão. [Aum. de *ribeiro.*] *S. m. Bras.* **1.** Curso de água menor que um rio e maior que um riacho: "R i b e i r õ e s que na estação das chuvas ofereciam água em abundância, só deixavam, agora, distinguir das terras marginais, o álveo enxuto e calcinado." (Sérgio Buarque de Holanda, *Caminhos e Fronteiras*, p. 38.) **2.** Terreno apropriado para a lavra das minas de diamantes.

ribeirão-bonitense. *Adj. 2 g.* **1.** De, ou pertencente ou relativo a Ribeirão Bonito (SP). ● *S. 2 g.* **2.** Natural ou habitante de Ribeirão Bonito. [Pl.: *ribeirão-bonitenses.*]

ribeirão-branquense. *Adj. 2 g.* **1.** De, ou pertencente ou relativo a Ribeirão Branco (SP). ● *S. 2 g.* **2.** Natural ou habitante de Ribeirão Branco. [Pl.: *ribeirão-branquenses.*]

ribeirão-clarense. *Adj. 2 g.* **1.** De, ou pertencente ou relativo a Ribeirão Claro (PR). ● *S. 2 g.* **2.** Natural ou habitante de Ribeirão Claro. [Pl.: *ribeirão-clarenses.*]

ribeirãoense¹. *Adj. 2 g.* **1.** De, ou pertencente ou relativo a Ribeirão (PE). ● *S. 2 g.* **2.** Natural ou habitante de Ribeirão.

ribeirãoense². *Adj. 2 g.* **1.** De, ou pertencente ou relativo a Ribeirão Vermelho do Sul (SP). ● *S. 2 g.* **2.** Natural ou habitante de Ribeirão Vermelho do Sul.

ribeirão-pretano (ri). *Adj.* **1.** De, ou pertencente ou relativo a Ribeirão Preto (SP). ● *S. m.* **2.** O natural ou habitante de Ribeirão Preto. [Pl.: *ribeirão-pretanos.*]

ribeirar. *Bras., N. V. t. d.* **1.** Marcar a ferro o lado esquerdo de (animais pertencentes a uma ribeira [5]): *r i b e i r a r um boi.* **2.** Margear, rodear, beirar.

ribeirense¹. *Adj. 2 g.* **1.** De, ou pertencente ou relativo a Ribeira (SP). ● *S. 2 g.* **2.** Natural ou habitante de Ribeira.

ribeirense². *Adj. 2 g.* **1.** De, ou pertencente ou relativo a Ribeirão Vermelho (MG). ● *S. 2 g.* **2.** Natural ou habitante de Ribeirão Vermelho.

ribeirense³. *Adj. 2 g.* **1.** De, ou pertencente ou relativo a Ribeiro Gonçalves (PI). ● *S. 2 g.* **2.** Natural ou habitante de Ribeiro Gonçalves.

ribeirinha. [Fem. substantivado do adj. *ribeirinho.*] *S. f.* Ave pernalta que habita as ribeiras [v. *ribeira* (1 e 2)].

ribeirinho. [De *ribeira.*] *Adj.* **1.** Que anda ou vive pelos rios ou ribeiras. **2.** Que se encontra ou vive próximo a rios ou ribeiras; marginal; justafluvial. ● *S. m.* **3.** Indivíduo ribeirinho (2): "um tipo de homem com determinada relação com a natureza, ... que eram não somente os índios mas também os r i b e i r i n h o s, os seringueiros, os posseiros" (Edilson Martins, *Pasquim*, 8.10.1981). **4.** Moço de recados. **5.** Indivíduo que transporta areia e entulho em cavalos ou burros.

ribeiro¹. [Var. de *ribeira* (4).] *S. m.* Rio pequeno; regato, riacho.

ribeiro². [De *riba* + *-eiro.*] *Adj.* Diz-se de certa qualidade de trigo.

ribeiro-pinhalense. *Adj. 2 g.* **1.** De, ou pertencente ou relativo a Ribeirão do Pinhal (PR). ● *S. 2 g.* **2.** Natural ou habitante de Ribeirão do Pinhal. [Pl.: *ribeiro-pinhalenses.*]

ribeiropolense. *Adj. 2 g.* **1.** De, ou pertencente ou relativo a Ribeirópolis (SE). ● *S. 2 g.* **2.** Natural ou habitante de Ribeirópolis.

ribete (ê). [Do ár. *ribāT*, 'laço, atadura'.] *S. m.* Debrum, cairel.

riboflavina. [Do ingl. *riboflavin.*] *S. f. Quím.* Componente da vitamina B, cristalino, amarelo, encontrado no leite, fígado, clara do ovo, e que é um fator de crescimento. [Fórm.: $C_{17}H_{20}O_6N_4$.]

ribombância. [Var. de *rimbombância.*] *S. f.* Ação ou efeito de ribombar; ribombo.

ribombante. [Var. de *rimbombante* (q. v.).] *Adj. 2 g.* Que ribomba.

ribombar. [Var. de *rimbombar* (q. v.).] *V. int.* **1.** Estrondear, estrondar (trovão): "O trovão r i b o m b a v a de instante a instante." (Castro Soromenho, *Rajada e Outras Histórias*, p. 140.) **2.** Soar fortemente; ressoar, retumbar: "Minutos depois as granadas rebentavam lá em cima, r i b o m b a n d o pelo vale escuro." (Rubem Braga, *Com a F.E.B. na Itália*, p. 174.)

ribombo. [Var. de *rimbombo* (q. v.).] *S. m.* **1.** Ribombância. **2.** Estrondo do trovão: "O r i b o m b o de um trovão ecoou dentro do automóvel que o clarão do relâmpago iluminara." (João Martins, *in A Cidade e as Ruas*, p. 130.)

ribonucléico. *Adj. Bioquím.* ~ V. *ácido —, ácido — de transferência, ácido — mensageiro* e *ácido — ribossomal.*

ribose. [Do ingl. *ribose.*] *Quím.* Aldose cristalina presente em alguns nucleotídeos. [Fórm.: $C_5H_{10}O_5$.]

ribossomal. [De *ribossomo* + *-al.*] *Adj. 2 g.* Do, ou relativo ao ribossomo. ~ V. *ácido ribonucléico —.*

ribossomo. [De *ribo(se)* + *-somo.*] *S. m. Genét.* Organela celular composta de ácido ribonucléico e proteínas, onde ocorre a síntese da cadeia polipeptídica.

riça¹. [De *riço.*] *S. f.* Pêlo que se desprende dos chapéus escarduçados.

riça². [Dev. de *riçar.*] *Adj. (f.)* Diz-se da galinha de penas eriçadas.

ricaço. *Adj. e s. m. Pop.* Diz-se de, ou homem muito rico; milionário.

riçado. [Part. de *riçar.*] *Adj.* Eriçado: "uma lanugem em vez de bigode, cabelo castanho riçado" (Xavier Marques, *Jana e Joel*, p. 139).

rica-dona. *S. f.* Mulher, filha ou sucessora de rico-homem. [Pl.: *ricas-donas.*]

ricanho. *Adj. e s. m. Pop.* Diz-se de, ou homem rico e avaro.

riçar. [De *riço* + *-ar*[2], ou f. aferética de *erriçar.*] *V. t. d.* **1.** Tornar (o cabelo) emaranhado como riço (1). **2.** Encaracolar, frisar (o cabelo). **3.** Fazer erguer (o cabelo) passando o pente da ponta para a raiz; eriçar. *Int.* **4.** Arrepiar, eriçar: *Seus cabelos riçaram de medo.* [Conjug.: v. *laçar.*]

ricercar. [Do it. *ricercare.*] *S. m.* Ricercata.

ricercata. [Do it. *ricercata.*] *S. f.* **1.** *Mús.* No séc. XV, improvisação livre, inspirada no motete vocal, e que os alaudistas elaboravam sobre determinadas melodias. **2.** *Mús.* Composição polifônica em estilo de cânone, em geral de caráter tenso e austero, feita sobretudo para órgão, e que é considerada a primeira manifestação da fuga instrumental. [Sin. ger.: *ricercar.*]

richarte. [Do fr. *richard.*] *Adj. e s. m. Pop. e ant.* Diz-se de, ou homem baixo, gordo e forte.

rícino. [Do lat. *ricinu.*] *S. m.* O gênero da mamona ou carrapateira (*Ricinus*).

ricinoléico. [De *rícino* + *óleo(o)* + *-ico*[2].] *Adj.* ~ V. *ácido* —.

ricinúleo. *S. m. e adj.* Podogônio.

ricinúleos. *S. m. pl. Zool.* Podogônios.

rickéttsia. [Do antr. *Ricketts*, de Howard T. Ricketts (1871-1910).] *S. f.* Germe bacteriforme, da família *Rickettsiaceae*, gênero *Rickettsia*, cujas dimensões estão próximas ao limite de visibilidade do microscópio óptico. São, em geral, parasitos intracelulares do tubo intestinal de artrópodes (piolho, pulga, etc.), e certas espécies adaptam-se a parasitar vertebrados, inclusive o homem, causando rickettsioses.

rickettsíase. *S. f. Bacter.* Rickettsiose.

rickettsiose. *S. f. Bacter.* Infecção devida a rickéttsia; rickettsíase.

rico. [Do gót. *reiks*, 'poderoso'.] *Adj.* **1.** Que possui muitos bens ou coisas de valor; que tem riquezas. [Aum.: *ricaço.*] **2.** Que produz em grande quantidade; abundante, fértil. **3.** Provido abundantemente; cheio, farto. **4.** Opulento, pomposo, magnífico: "A presença do Padre, simpático e venerando, nas ricas roupas bordadas a ouro, atraiu por instantes toda a atenção dos fiéis." (Inglês de Sousa, *O Missionário*, p. 113.) **5.** *Fig.* Bonito, belo, lindo: *uma rica pequena.* **6.** Bom; excelente; apetitoso: "Um rico pedaço de toucinho, um bom naco de presunto, o belo chouriço, cheirinhos, arroz da melhor tenda..." (D. João da Câmara, *Contos*, p. 136.) **7.** Muito agradável; delicioso, deleitável: "E os lençóis! rico cheiro a linho!" (Antônio Nobre, *Só*, p. 64.) **8.** *Fig.* Satisfeito, feliz, contente. **9.** *Fig.* Fecundo em idéias, ou em imagens; fértil: *imaginação rica.* ~ V. *rimas* —as. ● *S. m.* **10.** Indivíduo rico(1).

riço. [Do lat. *ericiu*, 'ouriço', com aférese, ou dev. de *riçar.*] *S. m.* **1.** Espécie de chumaço de lã que as mulheres usam como enchimento para altear o penteado. **2.** Tecido de lã com pêlo curto e crespo: "Hóspede, desde manhã, daqueles paços de Vila Real, pesados de baixelas de prata e de guarda-portas de riço verde, tudo me interessava" (Júlio Dantas, *Abelhas Doiradas*, p. 195). ● *Adj.* **3.** Encrespado, encarapinhado [q. v.] (cabelo): *cabeleira riça.*

ricochetar. *V. int.* Ricochetear: "Uma pedra passou zunindo, rente à sua cabeça; outra bateu num poste, ricochetou e caiu na calçada." (Érico Veríssimo, *Noite*, p. 23.) [Pres. subj.: *ricochete, ricochetes*, etc. Cf. *ricochete* (ê) e pl. *ricochetes* (ê).]

ricochete (ê). [Do fr. *ricochet.*] *S. m.* **1.** Salto de qualquer corpo ou projetil após bater no chão ou em outro corpo; rechaço, chapeleta. [Cf. *salto* (2).] **2.** *Fig.* Retrocesso, volta. **3.** *Fig.* Acontecimento originado por outro, a modo de uma pedra de ricochete. **4.** *Fam.* Dito picante; remoque, motejo. [Pl.: *ricochetes* (ê). Cf. *ricochete, ricochetes*, do v. *ricochetar.*]

ricochetear. *V. int.* Fazer ricochete; ricochetar. [Conjug.: v. *frear.*]

rico-homem. *S. m.* Fidalgo de alta linhagem e grandes haveres que, nos começos da monarquia portuguesa, guerreava pelo rei e tinha como insígnias o pendão e a caldeira (símbolos do poder e da senhoria sobre os inúmeros vassalos que sustentava), e que, em geral, exercia elevados cargos ou funções públicas, civis ou militares: "Pelos fins do século XI, ... a filha de um rico-homem, senhor de Murça, enamorou-se de um escudeiro do pai." (Júlio Dantas, *Espadas e Rosas*, p. 148.) [Pl.: *ricos-homens.*]

ricota. [Do it. *ricotta*, 'recozida'.] *S. f.* Queijo que se prepara vertendo-se o soro do leite fervido e coalhado.

ricto. [Do lat. *rictu.*] *S. m.* **1.** Abertura da boca. **2.** Contração labial ou facial: "Não há crispações de cólera, gritos de revolta ou rictos de sarcasmo (tudo isto seria absurdo) na poesia de Antero [Antero de Quental]" (Álvaro J. da Costa Pimpão, *Gente Grada*, p. 65). [Cf. *rito* e *ríton.*]

rictus. [Do lat. *rictus.*] *S. m. 2 n.* V. *ricto.*

ridente. [Do lat. *ridente.*] *Adj. 2 g.* **1.** Que ri; sorridente. **2.** Satisfeito, alegre, contente. **3.** Vicejante, verdejante: "Da vida conservava apenas a fresca impressão visual das paisagens ridentes do Minho" (Manuel Ribeiro, *A Planície Heróica*, p. 50). [Cf. *redente.*]

rídico. [F. sincopada de *ridículo.*] *Adj. Bras., MG. Fam.* V. *avaro* (1). [Cf. *ridículo* (5).]

ridicularia. *S. f.* **1.** Ato ou dito de ridículo. **2.** Coisa de pouco valor; bagatela, ninharia, insignificância.

ridicularizar. [De *ridicularia* + *-izar.*] *V. t. d. e p.* Ridiculizar.

ridicularizável. *Adj. 2 g.* Que pode ou merece ser ridicularizado.

ridiculização. *S. f.* Ação ou efeito de ridiculizar.

ridiculizar. [De *ridículo* + *-izar.*] *V. t. d.* **1.** Pôr em ridículo; escarnecer ou zombar de: *Costuma ridiculizar os menos cultos;* "cinco dias inteiros fui vítima das zombarias de minha terrível irmã, que não cessa de ridicularizar a minha paixão ....!" (Joaquim Manuel de Macedo, *Os Romances da Semana*, p. 23). **2.** Tornar ridículo: *Os enfeites excessivos ridicularizaram a casa, antes bela e sóbria. P.* **3.** Fazer-se digno de escárnio; tornar-se ridículo: *Pessoa velhusca, ridiculiza-se trajando como jovem.* [Var.: *ridicularizar.*]

ridículo. [Do lat. *ridiculu.*] *Adj.* **1.** Que provoca riso ou escárnio; grotesco. **2.** Diz-se de pessoa, atitude ou circunstância que se torna risível por levar ao exagero aquilo que é natural ou apropriado a determinada condição. **3.** Cômico, risível. **4.** De pouco ou nenhum valor; irrisório, insignificante, mesquinho. **5.** V. *avaro* (1). [F. paral (bras., MG) nesta acepç.: *rídico.*]: *Quanto mais rico, mais ridículo.* ● *S. m.* **6.** Pessoa ou coisa ridícula. **7.** Ato ou efeito de ridiculizar. **8.** O que há de ridículo (1 e 3) numa pessoa ou coisa: *Não pensou no ridículo a que se expôs durante a festa.*

rididico. [Voc. onom?] *S. m. Bras.* V. *pica-pau-do-mato-virgem.*

rieira. *S. f. Bras. Pop.* Alter. de *relheira.*

riel. [De *real*[1] (4), atr. do ár. *riyāl.*] *S. m.* Unidade monetária, e moeda, do Camboja. [Pl.: *riéis.* Cf. *rieis*, do v. *rir.*]

riemanniano (ri). [Do antr. *Riemann*, de Georg. F. Bernhard Riemann, matemático alemão (1826-1866).] *Adj.* ~ V. *espaço — e geometria —a.*

rifa. [De um rad. romance *rif.* 'pelejar', 'lutar', provavelmente atr. do esp. *rifa.*] *S. f.* Sorteio de um objeto, geralmente através de bilhetes numerados. [Sin., bras.: *cumbuca.*]

rifada. [De *rifa* + *-ada*[1].] *S. f.* Conjunto de cartas do mesmo naipe.

rifador (ô). *Adj. e s. m.* Que ou aquele que rifa.

rifainense. *Adj. 2 g.* **1.** De, ou pertencente ou relativo a Rifaina (SP). ● *S. 2 g.* **2.** Natural ou habitante de Rifaina.

rifão. [F. dissimilada de *refrão.*] *S. m.* V. *provérbio* (1): "Não sei que sábio antigo disse que a natureza não vai aos saltos: *Natura non facit saltus.* Todas as línguas vivas e mortas que eu conheço têm um rifão que, despida a forma, contém aquele mesmo pensamento." (José de Alencar, *Obra Completa*, IV, p. 655); "nem tudo o que luz é ouro — lá diz o rifão" (Fialho d'Almeida, *Contos*, p. 76). [Pl.: *rifões, rifães.*]

rifar. *V. t. d.* **1.** Fazer rifa de; sortear por meio de rifa: *Rifou um relógio para arranjar dinheiro.* **2.** *Gír.* Descartar-se de, abandonar (pessoa ou coisa que já não interessa): *Político sujo, inescrupuloso, rifa os melhores amigos na hora oportuna.* **3.** *Gír. e ant.* Roubar, surripiar, bifar: *O gatuno rifou uma carteira.*

rifenho. [Do esp. *rifeño.*] *Adj.* **1.** Do, ou pertencente ou relativo ao Rife, região montanhosa do Marrocos (África do Norte. ● *S. m.* **2.** O natural ou habitante do Rife.

rififi. *S. m. Bras. Pop.* V. *rolo*[1] (16).

rifle. [Do ingl. *rifle.*] *S. m.* Espingarda de repetição [v. *arma de repetição.*] [Cf. *refle.*] ♦ **Rifle do papo amarelo.** *Bras., N. E.* Espécie de rifle muito apreciado pelos sertanejos, e que possui uma plaqueta de metal amarelo na parte inferior. [Tb. se diz apenas *papo-amarelo.*]

rígel. [Do ár. *rijil*, 'pé'. Sua posição corresponde à do pé esquerdo da figura, na representação de Órion.] *S. f. Astr.* Nome tradicional da segunda estrela mais brilhante de Órion.

rigidez (ê). *S. f.* **1** Qualidade de rígido; rigor, rijeza: *a rigidez do aço.* **2.** *Fig.* Austeridade, rigor, severidade. **3.** Falta de meiguice, de doçura, de compreensão; rudeza, aspereza. ♦ **Rigidez dielétrica.** *Eletr.* A intensidade máxima de um campo elétrico a que pode ser sujeito um dielétrico sem que através dele passe uma descarga elétrica.

rígido. [Do lat. *rigidu.*] *Adj.* **1.** Teso, hirto, inteiriçado: *A polícia comprovou que o cadáver já estava rígido;* "Rígidos seios de redondas, brancas, / frágeis e frescas inserções macias" (Jorge de Sena, *Versos e Alguma Prosa*, p. 45). **2.** Que não é flexível, que não se verga; rijo, resistente: *o tronco rígido da palmeira.* **3.** *Fig.* Austero, inflexível, implacável, severo; rigoroso, rijo. ~ V. *acoplamento — e pavimento —.*

rigodão. [Do fr. *rigaudon.*] *S. m.* **1.** *Mús.* Dança de origem provençal ou da região do Languedoc (França), popular nos sécs. XVII e XVIII. **2.** Música em andamento vivo e compasso binário, e que acompanha essa dança.

rigor[1] (ô). [Do lat. *rigore.*] *S. m.* **1.** Resistência à tensão; rigidez, rijeza, dureza. **2.** Rigorosidade. **3.** Vigor, fortaleza, força. **4.** *Fig.* Severidade extrema; inflexibilidade: *o rigor da lei.* **5.** Ausência de qualquer desvio; precisão, exatidão: *o rigor de um horário, de um traçado.* **6.** *Fig.* Ato cruel; maldade, crueldade. **7.** *Fig.* Exatidão no cumprimento dos deveres, ou na satisfação das necessidades; pontualidade. **8.** *Fig.* Insensibilidade moral; indiferença. **9.** *Fig.* Precisão, exatidão; clareza: *Exporei com rigor as minhas idéias.* **10.** Regra de procedimentos; preceito: *O rigor manda falar pouco.* **11.** O alto grau de intensidade do frio, do calor, da chuva, etc. ♦ **Conhecer o rigor da mandaçaia.** *Bras., SP. Pop.* Ser severamente punido; sofrer uma dura lição.

rigor[2] (ô). *S. m. Bras., BA.* Rochedos encostados à terra firme e que quebram a continuidade da linha arenosa das praias.

rigorismo. *S. m.* **1.** Qualidade de rigoroso. **2.** Excessivo rigor moral. **3.** Tendência moral a optar pelo julgamento mais rigoroso, mais severo. [Nesta acepç., opõe-se a *laxismo.*]

rigorista. *Adj. 2 g.* **1.** Em que há rigorismo. **2.** Que usa de rigorismo. ● *S. 2 g.* **3.** Pessoa rigorista (2).

rigorosidade *S. f.* Qualidade de rigoroso.

rigoroso (ô). [Do lat. *rigorosu.*] *Adj.* **1.** Que age com rigor, ou denota rigor. **2.** V. *rígido* (3). **3.** Muito severo; cruel, desumano, rijo. **4.** Muito exigente. **5.** Muito cuidadoso; minucioso, escrupuloso.

rijeza (ê). [De *rijo* + *-eza.*] *S. f.* Qualidade de rijo; rigor, rigidez.

rijo. [Do lat. *rigidu.*] *Adj.* **1.** Que não é flexível ou friável; duro, rígido; resistente: *madeira rija.* **2.** V. *rigoroso* (3). **3.** Robusto, vigoroso, forte: "Chegam de toda a parte os grupos de romeiros: / Gente rija do campo, homens fortes, trigueiros" (Conde de Monsaraz, *Musa Alentejana*, p. 61). **4.** *Fig.* Que não esmorece; pertinaz, enérgico: *vontade rija.* **5.** *Fig.* Inflexível, rígido, rigoroso: "A língua é realidade viva, espontânea, nunca rijo catálogo de formas." (Serafim Silva Neto, *Fontes do Latim Vulgar*, p. 33.) **6.** *Fig.* Intenso, forte; áspero: "Em meio da viagem, soprou de súbito rijo nordeste" (Artur Azevedo, *Contos Possíveis*, p. 52). ● *S. m.* **7.** O principal; a maior parte. ● *Adv.* **8.** Com rijeza; fortemente, rijamente: *As tropas atacaram rijo;* "todas as gramíneas .... desprendem-se do solo; varre-as, então, o vento, quando sopra rijo" (Gustavo Barroso, *Terra de Sol*, p. 14). ♦ **De rijo.** Com rijeza, força, energia; rijamente: "Pegou nas câimbas do freio, vergastou de rijo as duas ancas do saino." (Valdomiro Silveira, *Os Caboclos*, p. 26.)

rijume. *S. m. Bras. Pop.* Regime[1].

ril. [Do ingl. *reel.*] *S. m. Bras.* Dança, popular ou de salão, de ritmo vivo, em voga no séc. XIX: "Entretanto ao som da banda de música da fazenda e dos risos folgazões, os pares pulavam na sala entremeando o ril e o miudinho às monótonas quadrilhas francesas." (José de Alencar, *O Tronco do Ipê*, p. 235.)

rilhador (ô). *Adj. e s. m.* Que ou o que rilha.

rilhadura. *S. f.* Ato ou efeito de rilhar.

rilhar. [De um lat. vulg. **ringulare* < *ringi*, 'ranger os dentes'.] *V. t. d.* **1.** Roer (objeto duro): *Os ratos rilharam a madeira:* "A égua rilhava entre os dentes e o freio umas vergônteas tenras de tojo" (Camilo Castelo Branco, *A Brasileira dos Prazins*, p. 292). **2.** Roer ou comer: *Resmungava rilhando um pedaço de* *pão*. **3.** Ranger (os dentes); ringir: "Rilhando os dentes foi-os espremendo, esmagando" (Coelho Neto, *Treva*, p. 159). *Int.* **4.** Ranger (1): "A espaços ouvia o barulho do bondezinho rilhando nas curvas da colina" (Aníbal M. Machado, *Histórias Reunidas*, p. 48).

rilheira. *S. f.* Molde de ferro no qual os ourives vazam metal fundido e fazem chapas. [Cf. *relheira.*]

rim. [Do lat. *renes*, 'rins', atr. de um arc. **rẽes*, < **rẽis* < **rĩins*, < *rins*, e do sing. *rim.*] *S. m.* **1.** *Anat.* Cada um de dois órgãos produtores de urina, situados um de cada lado do segmento lombar da coluna vertebral, estando o direito um pouco mais abaixo do que o esquerdo. **2.** Esta víscera, de certos animais, usada como alimento. **3.** Prato feito com ela. **4.** *Bras.* Utensílio de enfermagem que é uma cuba reniforme. ~ V. *rins.*

rima[1]. [Do gr. *rhythmós*, pelo lat. *rhythmu*, 'ritmo', e pelo ant. provenç. *rima.*] *S. f.* **1.** Repetição de um som no final de dois ou mais versos. **2.** Repetição, no meio dum verso, de som que termina o verso anterior. **3.** Repetição de um som em mais de uma palavra de um mesmo verso. **4.** Identidade de som na terminação de duas ou mais palavras. **5.** Palavra que rima com outra. ~. V. *rimas.* ♦ **Rimas alternadas.** Aquelas em que os versos rimam alternadamente, i. e., o primeiro com o terceiro e os demais ímpares, o segundo com o quarto e os demais pares; rimas cruzadas. **Rimas consoantes.** As que se conformam inteiramente no som desde a vogal ou ditongo do acento tônico até a última letra ou fonema. Ex: *fecundo* e *mundo; amigo* e *contigo; doce* e *fosse; pálido* e *válido; moita* e *afoita.* **Rimas coroadas.** As que ocorrem entre palavras de um mesmo verso. Ex. "Rosa saudosa do gentil jardim" (Castro Alves, *Obras Completas*, p. 409); "O triste existe em sofrimento lento" (Id., *ib.*, p. 409); "Na messe, que enlourece, estremece a quermesse:.. " (Eugênio de Castro, *Obras Poéticas*, I, p. 58). **Rimas cruzadas.** Rimas alternadas. **Rimas emparelhadas.** Aquelas que ocorrem no fim de dois ou mais versos consecutivos. **Rimas encadeadas.** As que se verificam entre uma palavra do final de um verso e outra do início ou, mais ou menos, do meio, do verso seguinte. Ex.: "Já serena desce a tarde, / Já não arde o Sol formoso: / Vem saudoso o brando vento / Doce alento respirar." (Silva Alvarenga, *Glaura*, p. 78.) **Rimas femininas.** Rimas entre palavras paroxítonas. **Rimas interpoladas.** As que ocorrem em dois versos que têm de permeio um ou mais versos de rima diferente. **Rimas masculinas.** Rimas entre palavras oxítonas. **Rimas pobres.** Rimas entre palavras de que se encontra superabundância com a mesma terminação, como *agonia* e *sombria*, ou entre palavras antônimas, como *fiel* e *infiel, simpático* e *antipático*, ou, ainda, segundo critério preferível, entre vocábulos da mesma classe gramatical, como *ventura* e *candura.* **Rimas ricas.** Rimas entre palavras de que só existem poucas, ou raríssimas, com a mesma terminação, como *flauta* e *nauta, túmido*, e *úmido*, ou, segundo critério mais seguro, entre palavras de classes gramaticais distintas como *santo* e *enquanto, minha* e *caminha:* "uma boa composição poética, ... obrigada a rima rica" (Machado de Assis, *A Mão e a Luva*, p. 20). **Rimas toantes.** Aquelas em que só há identidade de sons nas vogais, a começar das vogais ou ditongos que levam o acento tônico, ou, algumas vezes, só nas vogais ou ditongos da sílaba tônica. Ex.: *fuso* e *veludo; cálida* e *lágrima;* "Sem propósito de sonho / nem de alvoradas seguintes, / esquece teus olhos tontos / e teu coração tão triste." (Cecília Meireles, *Obra Poética*, p. 516).

rima[2]. [Do lat. *rima.*] *S. f.* Pequena abertura; fenda, greta. ~ V. *rimas.*

rima[3]. [Do ár. *rizma*, 'pacote'.] *S. f.* **1.** Ato ou efeito de arrimar(-se). **2.** Montão, pilha, ruma: "Os doces empilham-se, em rimas altas" (José Vieira, *Sol de Portugal*, p. 153). ~ V. *rimas.*

rima[4]. *S. f. Bras.* Fruta-pão. ~ V. *rimas.*

rimado. [Part. de *rimar.*] *Adj.* Que apresenta rima[1]; que obedece à rima: *versos rimados; estrofes rimadas.*

rimador (ô). *Adj.* e *s. m.* Que, ou aquele que verseja, rima, faz rimas [v. *rima*[1]]; versejador.

rimalho. [De *rima*[1] + *-alho.*] *S. m.* Rimário (1).

rimance. *S. m. Ant.* Xácara.

rimar. [De *rima*[1] + *-ar*[2].] *V. t. d.* **1.** Pôr em versos rimados: *O poeta rimou uma velha lenda. T. i.* **2.** Formar rima[1]: "Edgar Poe .... repete, no *Corvo*, insistentemente, as palavras *Nunca mais*, rimando com os dois últimos versos de cada estrofe." (João Gaspar Simões, *O Mistério da Poesia*, p. 16.) **3.** Estar em harmonia; concordar, condizer, coadunar-se: *Esta atitude não rima com a moral.* **4.** Ser próprio ou decente; convir: *Ao sábio rima usar para o bem a sua cultura.* **5.** *Int.* Formar rima[1] entre si; consoar[1]: *Estas palavras não rimam.* **6.** Fazer versos; versejar: "Rimou [Amélia Janny] incansavelmente, posto que raro conseguisse elevar-se acima da mediania geral." (Álvaro J. da Costa Pimpão, *Gente Grada*, p. 149.) [Pres. subj.: *rime*, ... *rimeis, rimem.* Cf. *rímeis*, pl. de *rímel.*]

rimário. [De *rima*[1] + *-ário.*] *S. m.* **1.** Conjunto de rimas; rimalho. **2.** Livro de rimas.

rimas. [Pl. de *rima*[1].] *S. f. pl.* Versos: "Quem sabe se depois, eu rico e noutros climas, / Conseguirei reler essas antigas rimas, / Impressas em volume?" (Cesário Verde, *Obra Completa*, p. 77.) ~ V. *rima.*

rimático. [De *rima*[1].] *Adj.* De, ou referente a rimas [v. *rima*[1]]; rímico.

rimbombância. [De *rimbombo* + *-ância.*] *S. f.* Ribombância.

rimbombante. [Do it. *rimbombante.*] *Adj. 2 g.* Ribombante.

rimbombar. [Do it. *rimbombare.*] *V. int.* V. *ribombar.*

rimbombo. [Do it. *rimbombo.*] *S. m.* Ribombo.

rim-de-boi. *S. m. Bras.* Espécie brasileira de algodão (*Gossypium brasiliense*), que apresenta sementes agrupadas, parecendo-se com um rim. [Pl.: *rins-de-boi.*]

rímel. [Do fr. *Rimmel*, nome comercial.] *S. m.* Cosmético para colorir cílios e supercílios, e dar-lhes volume: "E os seus artigos de toucador, o pó, o creme, o rímel..." (Maria Archer, *Fauno Sovina*, p. 235.) [Pl.: *rímeis.* Cf. *rimeis*, do v. *rimar*, e *máscara* (13).]

rímico. [De *rima*[1] + *-ico*[2].] *Adj.* Rimático: "Uma ligeira comparação léxica, rímica, sintática, técnica e temática com as duas primeiras estrofes de *Os Lusíadas* é suficiente para pôr à mostra o espelho em que se mirava Santa Rita Durão." (Gilberto Mendonça Teles, *Camões e a Poesia Brasileira*, p. 118.)

rimoso (ô). [Do lat. *rimosu.*] *Adj.* **1.** Que apresenta rimas ou fendas; gretado. **2.** *Morfol. Veg.* Que se abre por meio de fenda: *antera rimosa.*

rímula. [Do lat. *rimula.*] *S. f. Desus.* Pequena rima[2] ou fenda.

rinalgia. [De *rin(o)-* + *-alg(o)-* + *-ia.*] *S. f. Patol.* Dor no nariz.

rinálgico. *Adj.* Referente a rinalgia.

rinçagem. [Do fr. *rinçage*, 'enxaguadura'.] *S. f.* Tratamento feito nos cabelos logo depois de os lavar, e que consiste em banhá-los com uma solução de água e tinta, ou outro preparado, a fim de alterar-lhes a cor e/ou o brilho.

rincão. [Do esp. *rincón.*] *S. m.* **1.** Lugar retirado ou oculto; recanto. **2.** Lugar indeterminado, em geral distante. **3.** Canto ou ângulo interior formado pelo encontro de duas paredes ou outros planos. **4.** Escavação aberta em trabalhos de cantaria. **5.** Estria na alma das peças de artilharia. **6.** Canal formado por dois panos convergentes de telhado, e por onde corre a água pluvial. **7.** *Bras.* Local bem protegido, rodeado de matas ou rios. **8.** *Bras., RS.* Qualquer porção da campanha gaúcha onde haja regato, capões ou qualquer mata.

rinçar. [Do fr. *rincer*, 'enxaguar'.] *V. t. d.* **1.** Fazer rinçagem em. **2.** Enxaguar, lavar com água ou com uma solução corrente. [Conjug.: v. *laçar.*]

rinchada. [De *rincho* + *-ada*[1].] *S. f. Burl.* Gargalhada estridente.

rinchador (ô). *Adj.* Rinchão[2].

rinchão[1]. *S. m. Bras., Amaz.* Arbusto da família das verbenáceas (*Stachytarpheta caiaennensis*), peculiar a lugares abertos ao sol, de flores pequenas, alvas ou roxas, dispostas em compridas espigas estreitas, e tido popularmente como medicinal, de ação cicatrizante; gervão.

rinchão[2]. [De *rinchar* + *-ão*[2].] *Adj.* Que rincha muito; rinchador. [Fem. *rinchona.*]

rinchar. [F. contrata de *relinchar.*] *V. int.* **1.** Soltar rinchos; relinchar: "Muito de longe um jumento rinchava." (José Lins do Rego, *Meus Verdes Anos*, p. 300.) **2.** Ringir, ranger: "Lentos carros de bois, rinchando, lá iam com famílias apinhadas" (Coelho Neto, *Treva*, p. 130). [Em geral não é us. nas 1as pess.] ● *S. m.* **3.** Rincho, relincho.

rinchavelhada. [De *rinchavelhar* + *-ada*[1].] *S. f. Burl.* Gargalhada descomedida, estridente: "O dito mais tolo provocava uma rinchavelhada estrondosa" (Coelho Neto, *Treva*, pp. 354-355.)

rinchavelhar. [De *rinchar.*] *V. int.* Rir descomedidamente; dar rinchavelhadas. [Conjug.: v. *aparelhar.*]

rincho. [Dev. de *rinchar.*] *S. m.* A voz do cavalo; relincho, rinchar.

rinchona. *Adj. (f.)* Fem. de *rinchão*[2].

▲**rinco-.** [Do gr. *rhýgchos, eos-ous.*] *El. comp.* = 'bico': *rincocéfalo, rincóforo.*

rincobdélido. [De *rinco-* + *-bdel(a)-* + *-ido.*] *S. m.* **1.** Espécime dos rincobdélidos. ● *Adj.* **2.** Pertencente ou relativo a eles.

rincobdélidos. *S. m. pl. Zool.* Animais anelídeos, hirudíneos, da ordem *Rhynchobdellida*, providos ou não de ventosa anterior, probóscida presente, sangue incolor, em geral com três anéis por somito, e desprovidos de maxilas.

rincocéfalo. [De *rinco-* + *-céfalo.*] *S. m.* **1.** Espécime dos rincocéfalos. ● *Adj.* **2.** Que tem a cabeça prolongada em forma de bico. **3.** Pertencente ou relativo aos rincocéfalos.

rincocéfalos. *S. m. pl. Zool.* Animais cordados, reptis, da ordem *Rhyncocephalia*, de corpo com escamas granulosas, uma fila dorsal mediana de espinhos curtos, vértebras anficelas, arcadas temporais superior e inferior distintas, costelas abdominais, sendo os machos desprovidos de órgão copulador. São as tuataras da Nova Zelândia.

rincocélio. *S. m.* e *adj.* Nemertino.

rincocélios. *S. m. pl. Zool.* Nemertinos.

rincóforo. [De *rinco-* + *-foro.*] *Zool. Adj.* **1.** Que tem bico, ou bico grande. **2.** Pertencente ou relativo aos rincóforos. ● *S. m.* **3.** Espécime dos rincóforos.

rincóforos. *S. m. pl. Zool.* Grupo de insetos da família dos curculionídeos, ordem dos coleópteros, cuja cabeça é prolongada anteriormente, mais ou menos em forma de bico.

rinconar. *V. t. d.* **1.** *Bras., RS.* Pôr (os animais) num rincão (8); arrincoar: *O peão foi rinconar o gado. Int.* **2.** Acampar, arrincoar-se.

rinconense. *Adj. 2 g.* **1.** De, ou pertencente ou relativo a Rincão (SP). ● *S. 2 g.* **2.** Natural ou habitante de Rincão.

rinconista. *Bras. S. S. 2 g.* **1.** Morador de rincão. **2.** pessoa que guarda animais que pastam num rincão.

rincopídeo. *S. m.* **1.** Espécime dos rincopídeos. ● *Adj.* **2.** Pertencente ou relativo a eles.

rincopídeos. *S. m. pl. Zool.* Aves caradriiformes, da família *Rhynchopidae*, cujo bico apresenta forma peculiar e típica, muito comprimido lateralmente em lâmina vertical, e mandíbula bem mais comprida que a maxila. São os talha-mares.

rincósporo. [De *rinco-* + *-sporo.*] *Adj. Morfol. Veg.* Que tem esporos rostrados.

rincoto. *Adj.* e *s. m.* **1.** V. *hemíptero* (2 e 3). **2.** Homóptero.

rincotos. *S. m. pl. Zool.* **1.** V. *hemípteros.* **2.** Homópteros.

rinencéfalo. [De *rin (o)-* + *encéfalo.*] *S. m. Anat.* e *Fisiol.* Conjunto de formações encefálicas que se prendem, embora não exclusivamente, ao sentido do olfato.

ringente. [Do lat. **ringente* < **ringere*, 'arreganhar os dentes'.] *Adj. 2 g. Morfol. Veg.* Que tem lábios bem afastados: *corola ringente.*

ringir. [Do lat. **ringere*, em vez de *ringi.*] *V. t. d.* **1.** Ranger (os dentes); rilhar: "Queima-me a febre, rinjo os dentes" (Alberto de Oliveira, *Poesias*, 4ª série, p. 130). **2.** Fazer ranger. *V. int.* **3.** Ranger, rinchar, chiar: "Vinha ringindo monotonamente um carro de bois" (Mário Sete, *Senhora de Engenho*, p. 151). [Conjug.: v. *dirigir.*]

ringue. [Do ingl. *ring.*] *S. m.* Estrado quadrado, alto e cercado de cordas, apropriado para lutas de boxe, jiu-jitsu, luta romana, luta livre e outras.

rinha. [Do esp. plat. *riña* (de galos).] *S. f. Bras.* **1.** Briga de galos. **2.** *Bras* Lugar onde se promovem brigas de galos; renhideiro, rinhadeiro, rinhedeiro. **3.** *Bras., S. P. ext.* Briga, peleja, luta.

rinhadeiro. [De *rinhar* + *-deiro.*] *S. m. Bras.* V. *rinha* (2).

rinhão. [Do esp. *riñon.*] *S. m. Ant.* e *pop.* Rim.

rinhar. [De *rinha* + *-ar*[2].] *V. int. Bras.* **1.** Brigar (galos). **2.** *Bras., S. P. ext.* Brigar; lutar: *Os rapazes rinharam para medir forças.* **3.** Travar (luta): *Rinhou duro combate.*

rinhedeiro. [De *rinhadeiro*, com assimilação.] *S. m. Bras., RS.* V. *rinha* (2).

riniácea. *S. f.* Espécime das riniáceas.

riniáceas. *S. f. pl. Bot.* Família de psilofitinas fósseis, que viveram no período devoniano, caracterizadas pelo caule afilo e por um rizoma com rizóides.

riniáceo. *Adj.* Pertencente ou relativo às riniáceas.

rinite. [De *rin(o)-* + *ite*[1].] *S. f. Patol.* Inflamação da mucosa do nariz. ♦ **Rinite alérgica.** *Med.* Reação de membrana mucosa nasal que se manifesta por edema, prurido e aumento de secreção mucosa, e que é causada por reação alérgica a um antígeno específico. [Quando devida a alergia a pólens é denominada *febre* *de feno* ou *polenose*, e se caracteriza por surtos recidivantes estacionais, durante o período de polinização das plantas causadoras do mal.]

▲rin(o)-. [Do gr. *rhís, rhinós.*] *El. comp.* = 'nariz': *rinite, rinoplastia.* [Equiv.: *-rino: otorrino.*]

▲-rino. Equiv. de *rin(o)-.*

rinobatídeo. *S. m.* **1.** Espécime dos rinobatídeos. ● *Adj.* **2.** Pertencente ou relativo a eles.

rinobatídeos. *S. m. pl. Zool.* Família de peixes elasmobrânquios, da classe dos seláquios, de formas que variam desde a de tubarão comum até à discoidal, e cauda tão robusta que é difícil separá-la do tronco. Nadadeiras caudal e dorsal bem desenvolvidas e que suportam nos bordos raios cornificados.

rinoceronte. [Do gr. *rhinókeros*, pelo lat. *rhinocerote.*] *S. m.* Grande quadrúpede selvagem, da ordem dos ungulados, com um chifre (*Rhinoceros unicornis*) ou dois (*Rhinoceros bicornis*) no focinho.

rinocerôntico. *Adj.* Relativo ou pertencente ao, ou próprio do rinoceronte.

rinocriptídeo. *S. m.* **1.** Espécime dos rinocriptídeos. ● *Adj.* **2.** Pertencente ou relativo a eles.

rinocriptídeos. *S. m. pl. Zool.* Aves passeriformes, da família *Rhinocryptidae*, de narinas parcialmente cobertas por uma membrana, tarsos taxaspidianos. São freqüentadores das matas, alimentando-se de insetos. Apenas quatro espécies foram descritas até agora no Brasil.

rinofaringe. [De *rin(o)-* + *faringe.*] *S. f. Anat.* Parte da faringe situada atrás do nariz; nasofaringe.

rinofaringite. [De *rinofaringe* + *-ite*[1].] *S. f. Patol.* Inflamação da rinofaringe; nasofaringite.

rinofaringítico. *Adj.* Relativo à rinofaringite ou nasofaringite; nasofaringítico.

rinofima. [De *rin(o)-* + *-fima.*] *S. m. Med.* Forma de rosácea[1] (5) em que o nariz se apresenta congestionado e deformado por nódulos.

rinofonia. [De *rin(o)-* + *-fon(o)-* + *-ia.*] *S. f. Med.* Voz fanhosa ou nasal.

rinofônico. *Adj.* Referente à rinofonia.

rinologia. [De *rin(o)-* + *-log(o)-* + *-ia.*] *S. f.* Estudo do nariz, das suas doenças e tratamento delas.

rinológico. *Adj.* Referente à rinologia.

rinoplastia. [De *rin(o)-* + *-plast-* + *-ia.*] *S. f.* Cirurgia restauradora ou plástica do nariz.

rinoplástico. *Adj.* Referente à rinoplastia.

rinopolense. *Adj. 2 g.* **1.** De, ou pertencente ou relativo a Rinópolis (SP). ● *S. 2 g.* **2.** Natural ou habitante de Rinópolis.

rinoptia. [De *rin(o)-* + rad. gr. *opt*, de *optomai*, 'ver', + *-ia.*] *S. f. Med.* Estrabismo convergente.

rinorrafia. [De *rin(o)-* + *-raf-* + *-ia.*] *S. f. Cir.* Sutura das bordas de uma ferida.

rinorráfico. *Adj.* Relativo à rinorrafia.

rinorragia. [De *rin(o)-* + *-ragia.*] *S. f. Patol.* Hemorragia nasal.

rinorrágico. *Adj.* Referente à rinorragia.

rinorréia. [De *rin(o)-* + *-reia.*] *S. f. Med.* Eliminação de matéria fluida pelo nariz.

rinorréico. *Adj.* Relativo à rinorréia.

rinoscleroma. [De *rin(o)-* + *-scler(o)-* + *-oma.*] *S. m. Med.* Doença que compromete nariz e nasofaringe, e caracterizada pela formação de granulomas que dão origem a nódulos duros que tendem a aumentar de tamanho e são dolorosos à pressão.

rinoscopia. [De *rin(o)-* + *-scop-* + *-ia.*] *S. f.* Exame das fossas nasais pela parte anterior ou pela rinofaringe.

rinoscópico. *Adj.* Referente à rinoscopia.

rinossinusite. [De *rin(o)-* + *sinusite.*] *S. f. Patol.* Inflamação do nariz que compromete também os seios paranasais.

rinostegnose. [De *rin(o)-* + gr. *stégnosis*, 'estreitamento'.] *S. f. Med.* Obstrução de fossas nasais.

rinque. [Do ingl. *rink.*] *S. m.* Pista de patinação.

rins. [Pl. de *rim.*] *S. m. pl.* **1.** *Pop.* A parte inferior da região lombar. **2.** *Arquit.* Encontro das abóbadas que repousa na emposta. ~ V. *rim.*

rio. [Do lat. *rivu* (*riu* no lat. vulg.).] *S. m.* **1.** Curso de água natural, de extensão mais ou menos considerável, que se desloca de um nível mais elevado para outro mais baixo, aumentando progressivamente seu volume até desaguar no mar, num lago, ou noutro rio, e cujas características dependem do relevo, do regime de águas, etc. [V. *afluente* (4), *curso* (3), *foz, leito* (5), *margem* (3) e *nascente* (5).] **2.** *Fig.* Aquilo que corre como um rio. **3.** *Fig.* Grande porção de líquido. ~ V. *rios.* ♦ **Rio antecedente.** Rio cuja formação é anterior à do relevo atual, e que mantém seu antigo curso. **Rio obseqüente.** O que corre em direção contrária à da inclinação das camadas do terreno. **Rio pelágico.** V. *corrente marítima.* **Rio tapado.** *Bras., RN* a *AL.* Curso de água cuja foz é totalmente fechada por praias de tempestade [v. *praia de tempestade*]. **Rio temporário.** Aquele que, em certas épocas do ano, tem o leito completamente seco. **Correr rios de tinta.** Escrever em demasia a respeito de um assunto: "Apesar de Herculano ter feito c o r r e r r i o s d e t i n t a, a bibliografia a seu respeito é organicamente pobríssima." (Vitorino Nemésio, *A Mocidade de Herculano*, I, p. XIX.) **O rio da unidade nacional.** O rio São Francisco.

rio-acimense. *Adj. 2 g.* **1.** De, ou pertencente ou relativo a Rio Acima (MG). ● *S. 2 g.* **2.** Natural ou habitante de Rio Acima. [Pl.: *rio-acimenses.*]

rio-bonitense. *Adj. 2 g.* **1.** De, ou pertencente ou relativo a Rio Bonito (RJ). ● *S. 2 g.* **2.** Natural ou habitante de Rio Bonito. [Pl.: *rio-bonitenses.*]

rio-branquense[1]. *Adj. 2 g.* **1.** De, ou pertencente ou relativo a Rio Branco (AC). ● *S. 2 g.* **2.** Natural ou habitante de Rio Branco. [Pl.: *rio-branquenses.*]

rio-branquense[2]. *Adj. 2 g.* **1.** De, ou pertencente ou relativo a Visconde do Rio Branco (MG). ● *S. 2 g.* **2.** Natural ou habitante de Visconde do Rio Branco. [Pl.: *rio-branquenses.*]

rio-branquense[3]. *Adj. 2 g.* **1.** De, ou pertencente ou relativo a Rio Branco do Sul (PR). ● *S. 2 g.* **2.** Natural ou habitante de Rio Branco do Sul. [Pl.: *rio-branquenses.*]

rio-brilhantense. *Adj. 2 g.* **1.** De, ou pertencente ou relativo a Rio Brilhante (MT). ● *S. 2 g.* **2.** Natural ou habitante de Rio Brilhante. [Pl.: *rio-brilhantenses.*]

rio-casquense. *Adj. 2 g.* **1.** De, ou pertencente ou relativo a Rio Casca (MG). ● *S. 2 g.* **2.** Natural ou habitante de Rio Casca. [Pl.: *rio-casquenses.*]

rio-clarense. *Adj. 2 g.* **1.** De, ou pertencente ou relativo a Rio Claro (RJ e SP). ● *S. 2 g.* **2.** Natural ou habitante de Rio Claro. [Pl.: *rio-clarenses.*]

rio-contense. *Adj. 2 g.* **1.** De, ou pertencente ou relativo a Rio de Contas (BA). ● *S. 2 g.* **2.** Natural ou habitante de Rio de Contas. [Pl.: *rio-contenses.*]

rio-esperense. *Adj. 2 g.* **1.** De, ou pertencente ou relativo a Rio Espera (MG). ● *S. 2 g.* **2.** Natural ou habitante de Rio Espera. [Pl.: *rio-esperenses.*]

rio-florense. *Adj. 2 g.* **1.** De, ou pertencente ou relativo a Rio das Flores (RJ). ● *S. 2 g.* **2.** Natural ou habitante de Rio das Flores. [Pl.: *rio-florenses.*]

rio-formosense. *Adj. 2 g.* **1.** De, ou pertencente ou relativo a Rio Formoso (PE). ● *S. 2 g.* **2.** Natural ou habitante de Rio Formoso. [Pl.: *rio-formosenses.*]

rio-grandense-do-norte. *Adj. 2 g.* **1.** Do, ou pertencente ou relativo ao RN. ● *S. 2 g.* **2.** Natural ou habitante desse estado. [Sin. ger.: *norte-rio-grandense e potiguar.* Pl.: *rio-grandenses-do-norte.*]

rio-grandense-do-sul. *Adj. 2 g.* **1.** Do, ou pertencente ou relativo ao RS. ● *S. 2 g.* **2.** Natural ou habitante desse estado. [Sin. ger.: *sul-rio-grandense, gaúcho, guasca.* [Pl.: *rio-grandenses-do-sul.*]

riograndino. *Adj.* **1.** De, ou pertencente ou relativo a Riograndina (RJ). ● *S. m.* **2.** O natural ou habitante de Riograndina. [Cf. *rio-grandino.*]

rio-grandino. *Adj.* **1.** De, ou pertencente ou relativo a Rio Grande (RS). ● *S. m.* **2.** O natural ou habitante de Rio Grande. [Pl.: *rio-grandinos.* Cf. *riograndino.*]

riolandense. *Adj. 2 g.* **1.** De, ou pertencente ou relativo a Riolândia (SP). ● *S. 2 g.* **2.** Natural ou habitante de Riolândia.

rio-larguense. *Adj. 2 g.* **1.** Do, ou pertencente ou relativo ao Rio Largo (AL). ● *S. 2 g.* **2.** Natural ou habitante do Rio Largo. [Pl.: *rio-larguenses.*]

riólito. [Do gr. *rhyax,akos*, 'derrame de lava', + *-lito.*] *S. m. geol.* Rocha magmática efusiva que ocorre sob a forma de diques, de composição química equivalente à dos granitos; liparito.

rio-mar. *S. m. Bras.* O rio Amazonas. [Pl.: *rios-mares.*]

rio-negrense[1]. *Adj. 2 g.* **1.** De, ou pertencente ou relativo a Rio Negro (PR). ● *S. 2 g.* **2.** Natural ou habitante de Rio Negro. [Pl.: *rio-negrenses.*]

rio-negrense[2]. *Adj. 2 g.* **1.** De, ou pertencente ou relativo a Rio Negrinho (SC). ● *S. 2 g.* **2.** Natural ou habitante de Rio Negrinho. [Pl.: *rio-negrenses.*]

rio-novense[1]. *Adj. 2 g.* **1.** De, ou pertencente ou relativo a Rio Novo (MG). ● *S. 2 g.* **2.** Natural ou habitante de Rio Novo. [Pl.: *rio-novenses.*]

rio-novense[2]. *Adj. 2 g.* **1.** De, ou pertencente ou relativo a Rio Novo do Sul (ES). ● *S. 2 g.* **2.** Natural ou habitante de Rio Novo do Sul. [Pl.: *rio-novenses.*]

rio-paranaibano. *Adj.* **1.** De, ou pertencente ou relativo a Rio Paranaíba (MG). ● *S. m.* **2.** O natural ou habitante de Rio Paranaíba. [Pl.: *rio-paranaibanos.*]

rio-pardense[1]. *Adj. 2 g.* **1.** De, ou pertencente ou relativo a Rio Pardo (RS). ● *S. 2 g.* **2.** Natural ou habitante de Rio Pardo. [Pl.: *rio-pardenses.*]

rio-pardense[2]. *Adj. 2 g.* **1.** De, ou pertencente ou relativo a Rio Pardo de Minas (MG). ● *S. 2 g.* **2.** Natural ou habitante de Rio Pardo de Minas. [Pl.: *rio-pardenses.*]

rio-pardense[3]. *Adj. 2 g.* **1.** De, ou pertencente ou relativo a São José do Rio Pardo (SP). ● *S. 2 g.* **2.** Natural ou habitante de São José do Rio Pardo. [Pl.: *rio-pardenses.*]

rio-pardense[4]. *Adj. 2 g.* **1.** De, ou pertencente ou relativo a Ribas do Rio Pardo (MS). ● *S. 2 g.* **2.** Natural ou habitante de Ribas do Rio Pardo. [Pl.: *rio-pardenses.*]

rio-pedrense. *Adj. 2 g.* **1.** De, ou pertencente ou relativo a Rio das Pedras (SP). ● *S. 2 g.* **2.** Natural ou habitante de Rio das Pedras. [Pl.: *rio-pedrenses.*]

rio-platense. *Adj. 2 g.* e *s. 2 g.* V. *platino.* [Pl.: *rio-platenses.*]

rio-pombense. *Adj. 2 g.* **1.** De, ou pertencente ou relativo a Rio Pomba (MG). ● *S. 2 g.* **2.** Natural ou habitante de Rio Pomba. [Pl.: *rio-pombenses.*]

rio-pretano[1]. *Adj.* **1.** De, ou pertencente ou relativo a Rio Preto (MG). ● *S. m.* **2.** O natural ou habitante de Rio Preto. [Pl.: *rio-pretanos.*]

rio-pretano[2]. *Adj.* **1.** De, ou pertencente ou relativo a São José do Rio Preto (SP e RJ). ● *S. m.* **2.** O natural ou habitante de São José do Rio Preto. [Pl.: *rio-pretanos.* Sin., em SP: *rio-pretense.*]

rio-pretense[1]. *Adj. 2 g.* **1.** De, ou pertencente ou relativo a Santa Isabel do Rio Preto (RJ). ● *S. 2 g.* **2.** Natural ou habitante de Santa Isabel do Rio Preto. [Pl.: *rio-pretenses.*]

rio-pretense[2]. *Adj. 2 g.* e *s. 2 g.* Rio-pretano[2]. [Pl.: *rio-pretenses.*]

riopteleácea. *S. f.* Espécime das riopteleáceas.

riopteleáceas. *S. f. pl.* Família de plantas floríferas, da ordem das urticales, constituída somente de *Rhioptelea chiliantha*, arbusto da China.

riopteleáceo. *Adj.* Pertencente ou relativo às riopteleáceas.

rio-realense. *Adj. 2 g.* **1.** De, ou pertencente ou relativo a Rio Real (BA). ● *S. 2 g.* **2.** Natural ou habitante de Rio Real. [Pl.: *rio-realenses.*]

rios. [Pl. de *rio.*] *S. m. pl.* Grande porção de qualquer coisa: *Gasta r i o s de dinheiro.* ~ V. *rio.*

rio-sulense. *Adj. 2 g.* **1.** De, ou pertencente ou relativo a Rio do Sul (SC). ● *S. 2 g.* **2.** Natural ou habitante de Rio do Sul. [Pl.: *rio-sulenses.*]

rio-tintense. *Adj. 2 g.* **1.** De, ou pertencente ou relativo a Rio Tinto (PB). ● *S. 2 g.* **2.** Natural ou habitante de Rio Tinto. [Pl.: *rio-tintenses.*]

rio-verdense[1]. *Adj. 2 g.* **1.** De, ou pertencente ou relativo a Rio Verde (GO). ● *S. 2 g.* **2.** Natural ou habitante de Rio Verde. [Pl.: *rio-verdenses.*]

rio-verdense[2]. *Adj. 2 g.* **1.** De, ou pertencente ou relativo a Rio Verde de Mato Grosso (MS). ● *S. 2 g.* **2.** Natural ou habitante de Rio Verde de Mato Grosso. [Pl.: *rio-verdenses.*]

rio-vermelhense. *Adj. 2 g.* **1.** De, ou pertencente ou relativo a Rio Vermelho (MG). ● *S. 2 g.* **2.** Natural ou habitante de Rio Vermelho. [Pl.: *rio-vermelhenses.*]

ripa[1]. [Dev. de *ripar*[2].] *S. f.* V. *ripadura.*

ripa[2]. [Do gót. * *ribjô*, 'costela', atr. do arc. *ripia.*] *S. f.* **1.** Pedaço de madeira comprido e estreito; fasquia, verga, sarrafo. **2.** *Bras.* V. *buritizinho.* ♦ **Meter a ripa em.** *Bras. Pop.* V. *meter a lenha em.*

ripada. *S. f.* **1.** Golpe com ripa[2]. **2.** *P. ext.* Bordoada, cacetada. **3.** Chicotada. **4.** *Fig.* V. *descompostura* (2). **5.** *Bras.* V. *bicada*[1] (5).

ripado. [Part. substantivado de *ripar.*] *S. m.* **1.** Gradeamento de ripas; bastida. **2.** Pavilhão (de ripas) usado como viveiro de plantas.

ripadura. *S. f.* Ato ou efeito de ripar. [Sin.: *ripagem, ripa* e (bras.) *ripamento.*]

ripagem. *S. f.* V. *ripadura.*

ripal. [De *ripa*[2] (1) + *-al.*] *Adj. 2 g.* Diz-se de certo tipo de pregos apropriados para pregar ripas.

ripamento. *S. m. Bras.* V. *ripadura.*

ripanço[1]. [De *ripa*[2].] *S. m.* **1.** Instrumento empregado para ripar o linho. **2.** Instrumento usado pelos hortelãos para raspar a terra e juntar as pedras. **3.** Espécie de sofá para descansar ou dormir a sesta. **4.** *Fig.* Indolência, preguiça, mandriice. **5.** *Fig.* Pessoa indolente.

ripanço[2]. [Alter. de *responso* (q. v.), com um ç em vez de *s* por infl. de *ripanço*[1].] *S. m. Pop.* Livro que contém os ofícios da semana santa. [A boa grafia seria *ripanso.*]

ripar. [De *ripa*[2] + *-ar*[2].] *V. t. d.* **1.** Pregar ripas em: *r i p a r uma parede.* **2.** Gradear com ripas: *r i p a r um telhado.* **3.** Serrar, formando ripas: *r i p a r a madeira.* **4.**

Separar a baganha de (o linho). **5.** Raspar (a terra). **6.** *Bras., S.* Apanhar (frutos, folhas) arrancando-os dos ramos por meio de um deslizar da mão mais ou menos fechada. **7.** *Bras., BA.* Cortar cerce (as crinas do cavalo). **8.** *Bras.* Meter a ripa em; bater em; espancar: *Ripou os meninos que o provocavam.* **9.** *Bras.* Meter a ripa em; dizer mal de; criticar: *Vive ripando os melhores amigos.* [Fut. pret.: *riparia*, etc. Cf. *ripária*, fem. de *ripário*.]

ripário. [Do lat. *ripariu*.] *Adj.* V. *ripícola*. [Fem.: *ripária*. Cf. *riparia*, do v. *ripar*.]

ripeiro. [De *ripa*^{2} + *-eiro*.] *Adj.* **1.** *Bras.* Que tem boa madeira para fazer ripas [v. *ripa*^{2} (1)]. ● *S. m.* **2.** *Bras., Amaz.* Árvore da família das lecitidáceas (*Eschweilera polyantha*), da floresta pluvial, que tem folhas coriáceas e flores maciças, alvacentas. Os frutos são grandes cápsulas lenhosas, e a madeira, dura e muito resistente, serve para obras externas.

ripiado. *Adj.* Que tem rípios.

ripícola. [Do lat. *ripa*, 'margem', + *-i-* + *-cola*.] *Adj. 2 g.* Que habita a margem de um curso de água; ripário, marginal: *floresta ripícola; ave ripícola.* [Sin. (bras.): *ripário*.]

ripídio. [Do gr. *rhipídion*, 'lequezinho'.] *S. m. Morfol. Veg.* Inflorescência cimosa unípara cujos râmulos ficam todos no mesmo plano.

ripidoglosso. *S. m.* **1.** Espécime dos ripidoglossos. ● *Adj.* **2.** Pertencente ou relativo a eles.

ripidoglossos. *S. m. pl. Zool.* Animais metazoários, moluscos, gastrópodes, estreptoneuros, aspidobrânquios, da subordem *Rhipidoglossa*, de rádula provida de número indefinido de dentes marginais, e cinco dentes laterais.

➧**ripieno.** [It.] *S. m. Mús.* **1.** Nos concertos instrumentais dos séc. XVII e XVIII, o concerto grosso, em oposição ao concertino. **2.** O *tutti* orquestral. **3.** O emprego de todos os registros do órgão. **4.** O coro, na música polifônica.

ripina. *S. m. Bras., Amaz.* Aves falconiformes, da família dos acipitrídeos (*Harpagus diodon* (Tem.) e *H. bidentatus* (Lath.)), distribuídas por todo o País. Têm a parte superior do corpo cinzento-escura e a parte inferior mais clara; na primeira a garganta é branca e na segunda é branca com uma estria preta no meio; nos jovens o abdome é branco com estrias pretas.

rípio. *S. m.* **1.** Cascalho ou pedra miúda com que se enchem os vãos deixados nas paredes pelas grandes pedras: "Em todo o edifício erguido no espaço é sempre o rípio que ajusta os silhares pesados da frontaria." (Goulart de Andrade, *in Discursos Acadêmicos*, I, p. 609.) **2.** *Fig.* Palavra que se insere num verso para completar-lhe a medida.

ripíptero. *S. m.* e *adj.* Estrepsíptero.

ripípteros. *S. m. pl. Zool.* Estrepsípteros.

ripostar. [Do fr. *riposter*.] *V. int.* **1.** No jogo de esgrima, rebater a estocada: *O espadachim ripostou bem.* *T. d.* **2.** Replicar, retrucar, retorquir, redargüir: *Ripostou que tinha pressa.* [Fut. pret.: *ripostaria*, etc. Cf. *repostar* e *repostaria*.]

ripuário. [Do lat. tardio *ripuariu*, 'da margem'.] *S. m.* **1.** Indivíduo dos ripuários, antigas tribos germânicas que habitavam as margens do Reno. ● *Adj.* **2.** Pertencente ou relativo a essas tribos.

riqueza (ê). *S. f.* **1.** Qualidade do que é rico. **2.** *P. ext.* Grande quantidade; abundância, fartura. **3.** Fertilidade, fecundidade, fecúndia. **4.** Coisa rica, de grande valor. **5.** Opulência, aparato, fausto, magnificência. **6.** Fonte de bens morais ou materiais: *A humildade é a maior riqueza de um intelectual; São muitas as riquezas do subsolo.* **7.** A classe dos ricos. **8.** *Econ.* Tudo quanto é capaz de satisfazer as necessidades humanas (bens e serviços).

riquixá. *S. m.* Cadeirinha ou liteira de uso no Extremo Oriente, leve, de duas rodas, puxada por um homem a pé.

rir. [Do lat. *ridere*.] *V. int.* e *p.* **1.** Contrair os músculos da face em conseqüência de impressão alegre ou cômica; manifestar-se pelo riso: *A platéia riu durante todo o espetáculo; Riu-se com a piada.* **2.** Mostrar-se alegre; demonstrar alegria: *Todos riram satisfeitos com os resultados; Riu-se, vitorioso.* **3.** Ter um ar alegre, agradável; causar alegria; sorrir: *Ria toda a natureza em flor; A paisagem, banhada de sol, ria-se.* **4.** Gracejar, zombar, motejar: *Riam as crianças, ignorando a loucura do homem; O auditório riu-se ao ouvir tantas afirmações tolas.* *T. i.* **5.** Tratar algum assunto, sem seriedade, por gracejo; gracejar. **6.** Revelar-se; mostrar-se (sentimento de satisfação, de alegria): "O prazer ria na boca de todos." (Rebelo da Silva, *Contos e Lendas*, p. 172.) **7.** Mostrar agrado ou favor, por meio de riso ou sorriso. **8.** Parecer risonho; ter um ar alegre, agradável; sorrir: *A bela paisagem do vale ria para os viajantes.* **9.** Escarnecer, zombar, troçar: *Todos riram de sua presunção.* *T. d.* **10.** Dar, emitir (riso): "riam doidinhas à socapa os mais tentadores risos que sabiam" (Antônio Feliciano de Castilho, *Amor e Melancolia*, p. 249); "aqueles mesmos homens que o miravam com ruim catadura chegariam até ele rindo risos francos" (Vinícius de Morais, *Para Viver Um Grande Amor*, p. 83); "E o mar põe-se a rir gargalhadas de espuma." (Hermes-Fontes, *Gênese*, p. 63). **11.** Mostrar, deixar ver, ao rir: "No meio da roda, uma negrinha talvez de dez anos, espevitada, ria os dentes muito brancos." (João Alphonsus, *Totônio Pacheco*, p. 16). **12.** *P. us.* Mofar, motejar, escarnecer, zombar de: *Os ignorantes riem dos costumes de outros povos.* [Irreg. Pres. ind.: *rio, ris, ri, rimos, rides, riem;* imperf.: *ria, rias, ria, ríamos, ríeis, riam;* perf.: *ri, riste, riu, rimos, ristes, riram;* imperat.: *ri, ride;* pres. subj.: *ria, rias, ria, riamos, riais, riam.* Cf. *reais*, pl. de *real*, e *riéis*, pl. de *riel*.] ◆ **Rir amarelo.** Rir de modo forçado: "Mario e Oswaldo riram amarelo e Paulo Prado com certo constrangimento disse que estava à minha disposição" (E. di Cavalcanti, *Viagem da Minha Vida*, p. 117).

ri-ri. [Voc. onom.] *S. m. Bras., MA.* e *PB.* V. *fecho ecler*. [Pl.: *ris-ris* e *ri-ris*.]

risada. *S. f.* **1.** Riso (1). **2.** Riso franco e estrepitoso; gargalhada. **3.** Riso conjunto de muitas pessoas.

risadagem. *S. f. Bras.* Muitas risadas; risada geral; risadaria.

risadaria. *S. f.* Risadagem: "Houve uma risadaria, Roque ficou encabulado" (Ulisses Lins de Albuquerque, *O Sertanejo e o Sertão*, p. 32).

risão. [De *riso* + *-ão*^{3}.] *Adj. Bras.* Que ri muito ou por qualquer coisa: *menino risão.* [Fem.: *risona*. Cf. *rezão*.]

risca. [Dev. de *riscar*.] *S. f.* **1.** Ato ou efeito de riscar; riscadura, riscamento, risco. **2.** Risco^1 (2). **3.** V. *listra* (1). **4.** Abertura, feita em geral com o pente, entre as marrafas [v. *marrafa* (2)] do cabelo; repartido, rego, liberdade. **5.** Traço para marcar os pontos em certos jogos. **6.** *Tip.* Ranhura deixada pelo molde de fundição, geralmente na face anterior do tipo, para indicar a posição correta que a letra deve ocupar no componedor e diferenciá-la de caráter igual de outra fonte; crã. ◆ **Risca de dois fios.** *Tip.* A que representa o sinal de igualdade. **Risca de dois quadratins.** *Tip.* Traço que é o duplo da risca de quadratim, usado nas entradas bibliográficas para evitar repetição do nome do autor. **Risca de meio-quadratim.** *Tip.* Traço maior que o hífen, usado para estabelecer relação entre palavras, datas, etc. **Risca de nota.** *Tip.* Pequeno traço que separa do texto as notas de pé de página; fio de nota, linha de nota. **Risca de quadratim.** *Tip.* O traço que se usa como travessão ou sinal de subtração; linha de quadratim. **À risca.** Ao pé da letra; com exatidão; com rigor: "Eugênio cumpriu à risca os jejuns e penitências que lhe foram prescritos durante uma semana" (Bernardo Guimarães, *O Seminarista*, p. 71); "Cumprem à risca a sua tarefa, contentes da confiança nelas depositada." (Lúcia Miguel Pereira, *Cabra-Cega*, p. 163). **Fazer risca.** *Bras., PE.* Fazer resistência a alguma coisa; opor-se a ela.

risca-de-união. *S. f.* V. *hífen*.

riscadinho. *S. m. Bras.* Riscado (4): "E inflamou-se, saiu ao alpendre, ... arregaçando as mangas da camisa de riscadinho." (Coelho Neto, *Banzo*, p. 44.)

riscado. [Part. de *riscar*.] *Adj.* **1.** Que se riscou; que tem riscos. **2.** V. *listrado*. **3.** *Bras., N.E. Pop.* V. *alegre*^{2} (4): "Zé Fogueteiro de Palmares, / um dia, estando riscado, / estourou uma bomba de dinamite na mão!..." (Ascenso Ferreira, *Catimbó e Outros Poemas*, p. 76.) ~ V. *ponto —*. ● *S. m.* **4.** Tecido (4) com listras; riscadinho. **5.** O conjunto dos traços verticais impressos no papel pautado. ◆ **Entender do riscado.** *Bras. Fam.* Conhecer bem uma disciplina, um ramo de atividade, um assunto; ser competente.

riscador (ô). *Adj.* **1.** Que risca. ● *S. m.* **2.** Aquele que risca. **3.** Instrumento próprio para riscar. **4.** *Encad.* Faca de dois gumes, usada para riscar e cortar papelão. **5.** *Bras.* V. *carapicuaçu*.

riscadura. *S. f.* V. *risca* (1).

riscamento. *S. m.* V. *risca* (1).

riscar. [Do lat. *resecare*, 'cortar separando'.] *V. t. d.* **1.** Fazer riscas ou traços em: *Riscou o papel, pautando-o;* "Chispam verdes fuzis riscando o céu sombrio" (Olavo Bilac, *Poesias*, p. 269). **2.** Fazer riscos ou traços por cima de; expungir ou apagar com traços: *Riscou e reescreveu o texto.* **3.** Fazer os traços gerais de; debuxar, bosquejar: *Para esclarecer a comissão, o engenheiro riscou, no quadro, o projeto da obra.* **4.** Fazer o risco^1 (4) de; projetar, planejar: "A casa era aquela em que me encontrava na Moltke Platz .... . Riscara-a o próprio Grüsch, arquiteto de ofício." (Aquilino Ribeiro, *Alemanha Ensangüentada*, p. 188). **5.** Planejar, planear, projetar, traçar: "celebramos as religiões, esboçamos Deuses, riscamos sociedades no ar." (Eça de Queirós, *Prosas Bárbaras*, p. 64). **6.** Marcar, assinalar, indicar: *O marcador do jogo riscará os pontos.* **7.** Apagar, expungir (um trecho escrito): *Tive de riscar as primeiras linhas.* **8.** Acender, deflagrar, friccionando: *riscar um palito de fósforo.* **9.** Eliminar ou expulsar duma agremiação, duma sociedade: *O clube riscará os sócios atrasados no pagamento.* **10.** *Bras.* Fazer risco^1 (7) em: *riscar um lençol.* **11.** *Bras., N.E.* Suprimir, eliminar: "— Os revoltosos de 1817 / riscaram vinho da mesa porque era português!" (Ascenso Ferreira, *Catimbó e Outros Poemas*, p. 76.) **12.** Fazer parar (a cavalgadura) súbita e espaventosamente: "Chegando na porta de minha Maria, / riscava o cavalo, saltava no chão." (Id., *ib.*, p. 101.) *Int.* **13.** Deixar de merecer a amizade, ser excluído das relações de alguém: *Os falsos amigos, para mim, riscaram.* **14.** Entrar em conflito; brigar, lutar: *Se tem coragem, risque!* **15.** Dirigir ou lançar desafios ou provocações; provocar: *O verdadeiro forte não risca: age.* **16.** Manobrar com a navalha antes de golpear: *O malandro riscou e, logo em seguida, cortou o rosto do inimigo.* **17.** *Bras., AM.* Começar a descer ou vazar (a maré, as águas de um rio), deixando vestígio na vegetação das margens. **18.** *Bras., N.E.* Sofrear o cavalo súbita e espaventosamente. **19.** *Bras., N.E.* Chegar ou aparecer inesperadamente: *As visitas riscaram antes da hora.* *P.* **20.** Desvanecer-se; apagar-se, desaparecer: *O acontecimento jamais se riscará da minha lembrança.* **21.** Pedir demissão; demitir-se, sair: *Um dos sócios riscou-se da firma.* [Conjug.: v. *trancar*.]

risco^1. [Dev. de *riscar*.] *S. m.* **1.** V. *risca* (1). **2.** Qualquer traço em cor, ou sulco pouco profundo, na superfície de um objeto; risca: *um risco feito a lápis; A pintura do carro está cheia de riscos.* **3.** Delineamento, debuxo, traçado, esboço. **4.** O projeto, a planta ou o plano de uma construção, ou de parte dela, especialmente o desenho de sua forma característica e visível: *A igreja de Nossa Senhora do Ó, em Sabará, tem um risco simples e elegante.* **5.** Cada um dos traços verticais que formam colunas, nos trabalhos de pautação. [Cf. *tirante* (7) e pauta^1 (2).] **6.** *Gír.* Facada ou navalhada. **7.** *Bras.* Desenho de um motivo decorativo, que se destina a ser bordado. **8.** *Bras., BA.* Linha do horizonte visual ou geográfico.

risco^2. [Do b.-lat. *risicu*, *riscu*, este provavelmente do lat. *resecare*, 'cortar'; ou do esp. *risco*, 'penhasco alto e escarpado'.] *S. m.* **1.** Perigo ou possibilidade de perigo. **2.** *Jur.* Possibilidade de perda ou de responsabilidade pelo dano. [Cf. *álea*^{1}.] ◆ **Risco marítimo.** Fortuna do mar. [Cf. *câmbio marítimo*.]

risibilidade. *S. f.* Qualidade de risível.

risível. [Do lat. *risibile*.] *Adj. 2 g.* **1.** Digno de riso ou escárnio; que provoca riso; burlesco, cômico, ridículo. ● *S. m.* **2.** Aquilo que é ridículo.

riso. [Do lat. *risu*.] *S. m.* **1.** Ato ou efeito de rir; risada. **2.** Alegria, contentamento, satisfação. **3.** Coisa ridícula. [Cf. *rizo*, do v. *rizar*.] ◆ **Riso amarelo.** Riso forçado, contrafeito; sorriso amarelo. **Perdido de riso.** Que não pode conter o riso.

risona. *Adj.* (*f.*) *Bras.* Fem. de *risão*.

risonho. [De *riso*.] *Adj.* **1.** Que ri ou sorri. **2.** Contente, alegre, satisfeito. **3.** Agradável, aprazível, deleitoso. **4.** Cheio de promessas; promissor: *projetos risonhos.*

risório. [Do lat. *risoriu*.] *Adj.* e *s. m. Anat.* V. *músculo —*.

risota. [De *riso* + *-ota*.] *S. f. Pop.* **1.** Risada, riso. **2.** Riso zombeteiro; gargalhada, casquinada. **3.** Mofa, galhofa, zombaria, chacota.

risote. [De *riso* + *-ote*.] *Adj. 2 g.* e *s. 2 g.* Que ou quem zomba de tudo, inclusive de coisas que merecem respeito.

risoto (ô). [Do it. *risotto*.] *S. m.* **1.** Prato de origem italiana, preparado com arroz colorido com açafrão, manteiga e queijo parmesão ralado. **2.** *P. ext.* Iguaria feita com arroz refogado, queijo parmesão ralado e, em geral, ervilhas cozidas, às quais se adiciona um ingrediente básico, como galinha desfiada (risoto de galinha), camarões (risoto de camarões), etc. [Cf. *rizoto*.]

rispidez (ê). *S. f.* Qualidade de ríspido. [F. paral. (p. us.): *rispideza*.]

rispideza (ê). *S. f. P. us.* Rispidez.

ríspido. [Talvez do lat. *hispidu*, 'eriçado, áspero', reforçado com *re-*.] *Adj.* **1.** Rude no trato; intratável, severo, áspero, grosseiro: *É ríspido com os subalternos.* **2.** Próprio de quem é ou se mostra ríspido; áspero, grosseiro, desabrido: "Parecia, falando nesse tom ríspido, zangado, querer menos à filha." (Xavier Marques, *Jana e Joel*, p. 14); "esta franqueza, assim ríspida e quase desabrida, era um dos atributos mais específicos de Feijó." (Oliveira Viana, *Pequenos Estudos de Psicologia Social*, p. 188). **3.** Que tem um som áspero e cortante.

rissole. [Do fr. *rissole.*] *S. m.* Pastel[1] (1) de massa cozida, passada na farinha de rosca e frita.

riste. [Do esp. *ristre*, com dissimilação.] *S. m.* Peça metálica em que os cavaleiros firmavam o conto da lança quando a carregavam na horizontal, no momento da investida. [Var.: *reste.*] ♦ **Em riste.** Em posição erguida: *Dirigiu-se à Assembléia com o dedo em riste.*

▪**rit.** *Mús.* Abrev. de *ritardando.* [Tb. se usa *ritard.*]

▪**ritard.** *Mús.* Rit.

➧**ritardando.** [It.] *Mús. Adv.* **1.** Atrasando pouco a pouco o andamento. ● *S. m.* **2.** Trecho executado dessa maneira. [Abrev.: *rit.* e *ritard.*]

riteira. *S. f. Bras., Amaz.* Arvoreta da família das malpighiáceas (*Burdachia prismatocarpa*), das florestas de igapó, que tem folhas ovadas, revolutas, discolores e lúcidas, flores amarelas, com cálice grosseiramente glanduloso e organizadas em racemos trífidos, e cujo fruto é uma noz piramidal, angulosa e monospérmica.

➧**ritenuto.** [It.] *Adj. Mús.* Diz-se do andamento retido, sustentado.

ritidectomia. [De *ritid(o)-* + *-ectom-* + *-ia.*] *S. f. Cir. Plást.* V. *lifting.*

ritidectômico. *Adj.* Relativo à ritidectomia.

▲**ritid(o)-.** [Do gr. *rhytís, ídos.*] *El. comp.* = 'ruga': *ritidectomia.*

ritidoma. [Do gr. *rhytídoma*, 'rugosidade'.] *S. m. Anat. Veg.* Conjunto dos tecidos situados para fora do felógeno ativo. Compreende o felema e os tecidos por ele isolados; inclui, comumente, porções de tecido cortical ou liberiano; constitui a casca externa, morta das árvores; e pode-se esfoliar, deixando lisa a superfície do tronco, ou permanecer sob a forma de espessa camada fibrosa ou suberosa.

ritidômico. *Adj.* Pertencente ou relativo ao ritidoma: *placa ritidômica.*

ritidoplastia. [De *ritid(o)-* + *-plast-* + *-ia.*] *S. f. Cir. Plást.* V. *lifting.*

ritidoplástico. *Adj.* Relativo à ritidoplastia.

ritidose. [Do gr. *rhytídosis.*] *S. f. Med.* Enrugamento.

ritmado. *Adj.* Que tem ritmo; cadenciado.

ritmar. [De *ritmo* + *-ar*[2].] *V. t. d.* Dar ritmo a; submeter a ritmo; cadenciar: "Um sino plange. A sua voz ritma o murmúrio / Do rio, e isso parece a voz da solidão." (Manuel Bandeira, *Estrela da Vida Inteira*, p. 14.)

rítmica. [Fem. substantivado de *rítmico.*] *S. f.* **1.** Parte da gramática antiga que se ocupava do ritmo dos versos gregos e latinos. **2.** Característica do ritmo (7): *a rítmica sincopada do samba.* **3.** Parte da teoria musical que trata das relações entre a expressão musical e o tempo.

rítmico. [Do gr. *rhythmikós*, pelo lat. *rhythmicu.*] *Adj.* **1.** Referente a ritmo. **2.** Que tem ritmo. ~ V. *ginástica —a, verso —* e *seção —a.*

ritmista. [De *ritmo* + *-ista.*] *S. 2 g. Bras.* **1.** Músico especialista em instrumento(s) de percussão; baterista. **2.** Pessoa que, nas escolas de samba, marca o ritmo da batucada; baterista. **3.** *Cap.* Instrumentista da capoeira.

ritmo. [Do gr. *rhytmós*, 'movimento regrado e medido', pelo lat. *rhytmu.*] *S. m.* **1.** Movimento ou ruído que se repete, no tempo, a intervalos regulares, com acentos fortes e fracos: *o ritmo das ondas, da respiração, da oscilação de um pêndulo, do galope de um cavalo.* **2.** No curso de qualquer processo, variação que ocorre periodicamente de forma regular: *o ritmo das marés, das fases da Lua, do ciclo menstrual.* **3.** Sucessão de movimentos ou situações que, embora não se processem com regularidade absoluta, constituem um conjunto fluente e homogêneo no tempo: *o ritmo de um trabalho.* **4.** Nas artes, na literatura, no cinema, etc., a disposição ou o desenvolvimento harmonioso, no espaço e/ou no tempo, de elementos expressivos e estéticos, com alternância de valores de diferente intensidade: *o ritmo de uma escultura, de uma peça de teatro.* **5.** *Liter.* Num verso ou num poema, a distribuição de sons de modo que estes se repitam a intervalos regulares, ou a espaços sensíveis quanto à duração e à acentuação. **6.** *Mús.* Agrupamento de valores de tempo combinados de maneira que marquem com regularidade uma sucessão de sons fortes e fracos, de maior ou menor duração, conferindo a cada trecho características especiais. **7.** *Mús.* A marcação de tempo própria de cada forma musical: *ritmo de marcha, de valsa, de samba.* **8.** *Mús.* O conjunto de instrumentos de percussão e outros similares que marcam o ritmo (6) na música popular; bateria. **9.** *Bras.* O conjunto de ritmistas [v. *ritmista* (1 e 2)]. ♦ **Ritmo circadiano.** *Fisiol.* Ritmo espontâneo, próprio a cada espécie, animal ou vegetal, a partir de certa fase evolutiva, observado em condições ambientais constantes, influenciável pela intensidade da luz, e que se manifesta por variações periódicas, de acordo com o momento do dia, das funções biológicas (respiração, circulação, digestão, secreções endócrinas, etc.), o que pode ser observado, até mesmo, em nível celular. **Ritmo de galope.** *Med.* V. *ruído* (10). **Em ritmo de Brasília.** *Bras.* Com extraordinária rapidez (por alusão à rapidez com que Brasília foi construída): *As obras estão andando em ritmo de Brasília.*

ritmopéia. [Do gr. *rhythmopoiía*, pelo lat. *rhythmopoeia.*] *S. f.* Parte da arte musical, poética ou oratória, referente às leis do ritmo.

rito. [Do lat. *ritu.*] *S. m.* **1.** As regras e cerimônias que se devem observar na prática de uma religião: *o rito romano da Igreja Católica.* **2.** Culto, seita; religião: "Os sacerdotes do rito armênio, de grandes barbas" (Ramalho Ortigão, *As Farpas*, V, p. 16); *pessoas de raças e ritos diferentes.* **3.** Qualquer cerimônia de caráter sacro ou simbólico que segue preceitos estabelecidos: *ritos mágicos: ritos fúnebres.* **4.** *Sistema de organizações maçônicas.* **5.** As normas do ritual (5): *os ritos da boa educação.* **6.** *Jur.* Conjunto de leis adjetivas reguladoras do exercício duma ação em juízo. [Cf. *ricto* e *ríton.*]

ríton. [Do gr. *rhytón.*] *S. m.* Vaso grego, corniforme ou com o feitio de uma cabeça de animal; "entrei nas olarias / De Glafiro e Menandro, e lá comprei, baratos, / Este ríton, que achei belíssimo, e estes pratos" (Eugênio de Castro, *Obras Poéticas*, VI, p. 54). [Cf. *rito* e *ricto.*]

ritornelo. [Do it. *ritornello.*] *S. m.* **1.** V. *estribilho* (1). **2.** *Mús.* Nos madrigais dos sécs. XIV a XVI, o estribilho que aparecia com a mesma letra e música, após cada estrofe. **3.** *Mús.* A começar do séc. XVII, principalmente, breve episódio instrumental que alterna com a voz, em forma de prelúdio, interlúdio ou poslúdio, e no qual aparecem elementos do tema. **4.** *Mús.* No concerto clássico, a volta de todos os instrumentos da orquestra, após um solo instrumental. [Cf. nesta acepç.: *tutti.*] **5.** *Mús.* Repetição de um trecho musical, assinalada por um travessão duplo e pontoado; réplica. **6.** *Mús.* A repetição da introdução instrumental a uma ária ou canção. **7.** *Mús. P. ext.* A própria introdução, ainda que não repetida.

ritual. [Do lat. *rituale.*] *Adj. 2 g.* **1.** Referente a rito(s). ● *S. m.* **2.** V. *culto*[1] (2). **3.** Liturgia. **4.** Livro que contém os ritos de uma religião: "Vestiu a sobrepeliz, tomou o ritual, e acompanhado do sacristão .... dirigiu-se para o corpo da igreja." (Bernardo Guimarães, *O Seminarista*, p. 256.) **5.** Conjunto de práticas consagradas pelo uso e/ou por normas, e que se deve observar de forma invariável em ocasiões determinadas; cerimonial: *A solenidade de posse, na Academia Brasileira, segue sempre o mesmo ritual.*

ritualismo. [De *ritual* + *-ismo.*] *S. m.* **1.** Conjunto de ritos. **2.** Apego excessivo a cerimônias ou formalidade, sem suficiente atenção ao significado que veiculam.

ritualista. [De *ritual* + *-ista.*] *Adj. 2 g.* e *s. 2 g.* **1.** Que ou quem se ocupa de ritos ou sobre eles escreve. **2.** Que ou quem é muito apegado a cerimônias ou formalidades.

ritualístico. *Adj.* Relativo a, ou próprio de ritual, ritualismo ou ritualista.

rival. [Do lat. *rivale.*] *Adj. 2 g.* **1.** Que rivaliza. **2.** V. *êmulo* (1). **3.** *P. ext.* Que deseja as mesmas posições ou vantagens que outrem. **4.** *Restr.* Pessoa que disputa o amor de outra. **5.** Que equivale a outro em merecimento: *escritores rivais.* ● *S. 2 g.* **6.** Pessoa rival.

rivalidade. [Do lat. *rivalitate.*] *S. f.* **1.** Qualidade de rival, ou de quem rivaliza; competição, emulação. **2.** Oposição, luta, conflito, competência. **3.** Zelos amorosos; ciúmes.

rivalizar. [De *rival* + *-izar.*] *V. t. i.* **1.** Pretender mostrar-se igual ou superior; competir, concorrer: *rivalizar com colegas mais inteligentes.* **2.** Igualar-se ou competir em mérito ou qualidade: *Os vinhos nacionais não rivalizam com os portugueses.* **3.** Disputar ou pleitear acerca de títulos, qualidades, etc.; competir, concorrer: *Os inúmeros candidatos ao posto rivalizavam com o tímido rapaz.* **4.** Sentir ciúmes: *A moça rivaliza com a irmã mais nova. Bit. i.* **5.** Entrar em competência; ser rival: *A irmã mais velha rivaliza com a mais moça em beleza e inteligência. T. d.* **6.** Ser rival de; procurar igualar: *O invejoso rivaliza os superiores.* **7.** Ser igual a; igualar: *Naquela mulher a inteligência rivaliza a graça e a feminilidade. P.* **8.** Competir ou disputar reciprocamente: *1.000 candidatas rivalizam-se pelo título de misse;* "dous chefes de família, que se rivalizam em competência de velhacaria, de má-fé, de sordícias baixas." (Camilo Castelo Branco, *Narcóticos*, I, p. 13).

rivalizável. *Adj. 2 g.* Que pode ter rival; suscetível de confronto.

rivícola. [Do lat. *rivu*, 'arroio, ribeiro', + *-i-* + *-cola.*] *Adj. 2 g. Bot.* Diz-se da planta que tem por *habitat* a margem de um rio ou riacho.

rivulídeo. *S. m.* **1.** Espécime dos rivulídeos. ● *Adj.* **2.** Pertencente ou relativo a eles.

rivulídeos. *S. m. pl. Zool.* Família de peixes teleósteos, ciprinodontes, de pequeno porte, que se alimentam de resíduos vegetais e larvas de mosquitos. São ovovivíparos e na época da reprodução apresentam fêmeas volumosas.

rixa. [Do lat. *rixa.*] *S. f.* **1.** Contenda, briga. **2.** Desordem, motim, revolta. **3.** Discórdia, desavença, disputa: *É antiga a rixa entre as duas famílias.* **4.** V. *rolo*[2] (16). **5.** *Jur.* Luta entre mais de duas pessoas, acompanhada de vias de fato ou violências recíprocas.

rixador (ô). [Do lat. *rixatore.*] *Adj.* e *s. m.* Que ou aquele que rixa; brigador, brigão, desordeiro.

rixar. [Do lat. *rixare.*] *V. int.* Ter rixa com alguém; briga.

rixento. [De *rixa* + *-ento.*] *Adj. Bras.* V. *rixoso.*

rixoso (ô). [Do lat. *rixosu.*] *Adj.* Que rixa. [Sin.: *bulhento, desordeiro, brigador, brigão, rixador* e (bras.) *rixento.*]

riz. [Do escand. *rif*, pelo fr. *rifs* (atualmente *ris*), us. sobretudo no pl.] *S. m. Marinh.* **1.** Cada um dos pedaços de cabo delgado atravessados por ilhoses presos na forra de rizes [q. v.], e que servem para diminuir a superfície da vela exposta ao vento, para o quê se enrola a esteira da vela até os rizes, que são então amarrados em torno dela. **2.** Cada um dos ilhoses atravessados pelos rizes.

▲**-riza.** Equiv. de *riz(o)-.*

rizadura. *S. f.* Ato de rizar.

rizagra. [Do gr. *rhizágra.*] *S. f.* Instrumento com que se extraem raízes de dentes. [Cf. *botição.*]

rizanto. [De *riz(o)-* + *-anto.*] *Adj. Morfol. Veg.* Diz-se das plantas cujas flores ou pedúnculos parecem nascer da raiz.

rizar. *V. t. d. Mar.* Amarrar com rizes parte de (uma vela), depois de enrolada ou dobrada, para diminuir a superfície exposta ao vento; meter nos rizes; enrizar. [Pres. ind.: *rizo*, etc. Cf. *riso.*]

▲**riz(i)-.** V. *oriz(i)-.*

rizicultor (ô). [De *riz(i)-* + *cultor.*] *S. m.* Var. de *orizicultor.*

rizicultura. [De *riz(i)-* + *cultura.*] *S. f.* Var. de *orizicultura.*

rizina. [De *riz(o)-* + *-ina*[1].] *S. f. Morfol. Veg.* Feixe de rizóides conglutinados dos liquens, que serve para fixá-los ao substrato e deste absorver nutrimento. [Cf. *rezina* e *resina.*]

▲**riz(o)-.** [Do gr. *rhíza, es.*] *El. comp.* = 'raiz': *rizófilo, rizotônico; rizanto.* [Equiv.: *-rizo* e *-riza: xantorrizo.*]

▲**-rizo.** V. *riz(o)-.*

rizoblasto. [De *riz(o)-* + *-blasto.*] *S. m. Bot.* Planta com embrião provido de radícula.

rizocárpico. [De *riz(o)-* + *-carp(o)-* + *-ico*[2].] *Adj. Bot.* Diz-se do vegetal cujas partes subterrâneas emitem anualmente brotos aéreos.

rizocéfalo. *S. m.* **1.** Espécime dos rizocéfalos. ● *Adj.* **2.** Pertencente ou relativo a eles.

rizocéfalos. *S. m. pl. Zool.* Animais artrópodes, crustáceos, cirrípedes, ordem *Rhizocephala*, parasitas de decápodes braquiúros, de corpo revestido por um manto, desprovidos de concha, apêndices ou intestino. São saciformes, com raízes destinadas a penetrar no corpo do hospedeiro a fim de se alimentarem.

rizofagia. *S. f.* Qualidade de rizófago.

rizofágico. *Adj.* Relativo à rizofagia.

rizófago. [De *riz(o)-* + *-fago.*] *Adj.* Que se alimenta de raízes.

rizofilo. [De *riz(o)-* + *-filo*[1].] *Adj.* e *s. m. Bot.* Diz-se do, ou o vegetal cujas folhas produzem raízes. [Cf. *rizófilo.*]

rizófilo. [De *riz(o)-* + *filo*[2].] *Adj.* Que vive nas raízes; radicícola. [Cf. *rizofilo.*]

rizófito. [De *riz(o)-* + *-fito.*] *S. m. Bot.* Vegetal provido de raiz. [Opõe-se a *arrizófito.*]

rizoflagelado. *S. m.* **1.** Espécime dos rizoflagelados. ● *Adj.* **2.** Pertencente ou relativo a eles.

rizoflagelados. *S. m. pl. Zool.* Animais protozoários,

flagelados, capazes de se locomoverem também através de pseudópodes.

rizoforácea. *S. f.* Espécime das rizoforáceas.

rizoforáceas. *S. f. pl. Bot.* Família de plantas floríferas, da ordem das mirtales, formada de árvores com raízes-escoras muito desenvolvidas, folhas opostas e estipuladas, flores hermafroditas, diclamídeas, com estames numerosos, ovário ínfero, e fruto capsular ou indeiscente. O embrião cresce no fruto ainda preso à árvore, que é vivípara. Há umas 60 espécies tropicais; no Brasil, é bem conhecido o mangue comum, *Rizophora mangle.*

rizoforáceo. *Adj.* Pertencente ou relativo às rizoforáceas.

rizóforo. [De *riz(o)-* + *-foro.*] *S. m. Morfol. Veg.* Órgão cilíndrico e alongado que, nos ramos foliosos das selagineláceas, produz raízes perto do ápice, e que é considerado de natureza caulinar.

rizografia. [De *riz(o)-* + *-graf(o)-* + *-ia.*] *S. f.* Descrição das raízes.

rizográfico. *Adj.* Referente à rizografia.

rizoidal. *Adj. 2 g. Morfol. Veg.* Relativo ou pertencente ao rizóide (2): *célula rizoidal.*

rizóide. [De *riz(o)-* + *-óide.*] *Adj. 2 g.* **1.** Semelhante a uma raiz. ● *S. m.* **2.** *Morfol. Veg.* Filamento piliforme que, nas plantas não vasculares, exerce a função de raiz e tem aspecto semelhante ao desta, mas difere pela estrutura. Encontra-se nos musgos, algas, liquens, etc.

rizoma. [Do gr. *rhízoma*, 'o que está enraizado'.] *S. m.* **1.** *Morfol. Veg.* Caule radiciforme e armazenador das monocotiledôneas, que é geralmente subterrâneo, mas pode ser aéreo. Caracteriza-se não só pelas reservas, mas também pela presença de escamas e de gemas, sendo a terminal bem desenvolvida: comumente apresenta nós, e na época da floração exibe um escapo florífero. Em pteridófitos tropicais há rizomas aéreos. O gengibre e o bambu têm rizoma. **2.** *Farmac.* Tintura de arnica.

rizomastigino. *S. m.* **1.** Espécime dos rizomastiginos. ● *Adj.* **2.** Pertencente ou relativo a eles.

rizomastiginos. *S. m. pl. Zool.* Animais protozoários zoomastiginos, ordem *Rhizomastigina,* cujo corpo tem um ou mais flagelos, e pseudópodes em número variável. São parasitas do esôfago de rãs e girinos, e causam também doenças em perus e outras aves.

rizomático. *Adj.* Relativo ou pertencente ao rizoma: *escama rizomática.*

rizomatoso (ô). *Adj.* **1.** *Bot.* Semelhante a rizoma. **2.** *Morfol. Veg.* Que tem rizoma: *gramínea rizomatosa.*

rizomélico. [De *riz(o)-* + *-mel(o)-*^{2} + *-ico*^{2}.] *Adj. Med.* Pertencente ou relativo a raiz de membro ou a raiz nervosa.

rizomorfo. [De *riz(o)-* + *-morfo.*] *Adj. Morfol. Veg.* Que tem forma de raiz.

rizópode. [De *riz(o)-* + *-pode.*] *Adj. 2 g. Zool.* **1.** Cujos pés são semelhantes a raízes. **2.** Pertencente ou relativo aos rizópodes; sarcodíneo. ● *S. m.* **3.** Espécime dos rizópodes; sarcodíneo.

rizópodes. *S. m. pl. Zool.* Animais do sub-ramo dos plasmodromos, classe *Sarcodinia,* caracterizados por se locomoverem por pseudópodes. São as amebas e outras formas, em sua maioria de vida livre. [Sin.: *sarcodíneos.*]

rizóstoma. [De *riz(o)-* + *-stoma.*] *S. f.* **1.** Espécime das rizóstomas.

rizóstomas. [Fem. pl. de *rizóstomo.*] *S. f. pl. Zool.* Gênero de acalefos, da família *Rhizostomidae*, com cerca de 20 espécies. São medusas de tamanho médio, desprovidas de boca central, substituída por numerosos pequenos orifícios situados nas extremidades dos tentáculos. Ex.: a *Rhizostoma,* de Aldrovandi, comumente encontrada nos mares tropicais.

rizóstomo. [De *riz(o)-* + *-stoma.*] *Adj. Zool.* Diz-se do animal que tem diversas bocas ou ventosas na extremidade de filamentos semelhantes a raízes.

rizotaxia (cs). [De *riz(o)-* + *-tax(i)(o)-* + *-ia.*] *S. f. Morfol. Veg.* Disposição das radicelas sobre a raiz principal.

rizoto. *S. m.* **1.** Espécime dos rizotos. ● *Adj.* **2.** Pertencente ou relativo a eles. [Cf.: *risoto* (ô).]

rizotomia. [Do gr. *rhizotomía.*] *S. f. Cir.* Seção de raiz de nervo espinhal.

rizotômico. *Adj.* Respeitante à rizotomia.

rizotônico. [De *riz(o)-* + *-ton(o)-* + *-ico*^{2}.] *Adj. Gram.* Diz-se das formas verbais em que o acento tônico recai na raiz: *jogo, vende, sentem.* [Antôn.: *arrizotônico.*]

rizotos. *S. m. pl. Zool.* Animais metazoários, rotíferos, da ordem *Rhizota,* sésseis na fase adulta, de cauda não retrátil.

■**RJ.** Sigla do Estado do Rio de Janeiro.

■**Rn.** *Quím.* Símb. de *radônio.*

■**RN.** Sigla de *referência de nível.*

■**RN.** Sigla do Estado do Rio Grande do Norte.

■**RNA.** [Ingl.; *ribonucleic acid.*] *Genét.* ARN [q. v.].

■**RO.** Sigla do Estado de Rondônia.

■**Rô.** [Do gr. *rho.*] *S. m.* A 17ª letra do alfabeto grego (ϑ, Θ).

roacíssimo. *Adj.* Superl. abs. sint. de *roaz.*

roaz. [Do lat. vulg. **rodace* < lat. *rodere*, 'roer'.] *Adj. 2 g.* **1.** Que rói, roedor: "Dá-lhe [ao fruto] aparência vistosa / Verme que, oculto e roaz, / Lhe enverniza a tez mimosa, / Túrgido o faz." (Alberto de Oliveira, *Poesias,* 3ª série, p. 190.) **2.** Destruidor, voraz, devastador. [Superl. abs. sint.: *roacíssimo.*]

robafo. *S. m. Bras., MT.* V. *traíra* (1).

robalão. [Aum. de *robalo.*] *S. m. Bras.* V. *robalo.*

robalete (ê). [Dim. irreg. de *robalo.*] *S. m.* Peixe teleósteo, percomorfo, da família dos centropomídeos (*Centropomus ensiferus* Poey) da costa atlântica, cujo comprimento nunca ultrapassa os 50 cm. É conhecido do México ao Rio de Janeiro. [Sin.: *camurim-sovela, camuripeba.*]

robalinho. [Dim. de *robalo.*] *S. m.* Peixe da família dos ciprinidas *(Leucicus pyrenaicus);* bordalo, escalo.

robalo. [De um **lobarro,* aum. de *lobo* (ô), com metátese.] *S. m.* Peixe teleósteo, percomorfo, da família dos centropomídeos (*Centropomus undecimalis* (Bloch)), distribuído do S. dos E.U.A. ao S. do Brasil. Tem coloração plúmbea, com a garganta, os flancos e o abdome brancos. Alimenta-se de outros peixes e crustáceos, e sua carne é de primeira qualidade. Comprimento: até 1,20 m; peso: até 15 kg. Vive também na água doce e na salobra, nada aos cardumes, preferindo fundos pedregosos. Sobe os rios à procura de remansos ou lagoas para desovar, geralmente no inverno. [Sin.: *robalão, robalo-bicudo, robalo-flecha, camuri, camurim, camurim-açu.*]

robalo-bicudo. *S. m. Bras.* V. *robalo.* [Pl.: *robalos-bicudos.*]

robalo-de-areia. *S. m. Bras. Pop.* V. *obarana.* [Pl.: *robalos-de-areia.*]

robalo-flecha. *S. m. Bras.* V. *robalo.* [Pl.: *robalos-flechas* e *robalos-flecha.*]

robalo-miraguaia. *S. m. Bras., BA.* V. *roncador* (3). [Pl.: *robalos-miraguaias.*]

robe. [Do fr. *robe (de chambre).*] *S. m. Bras.* **1.** V. *roupão.* **2.** V. *penhoar.* [O fr. *robe* é do gên. fem.]

robissão. *S. m. Bras.* V. *sobrecasaca.*

roble. [Do lat. *robore,* com síncope e dissimilação.] *S. m.* Carvalho.

robledo (ê). *S. m.* Mata de robles; carvalhal. [F. paral.: *roboredo.*]

robô. [Do fr. *robot* < tcheco *robota*, 'trabalho forçado', t. criado por Karel Capek, escritor tchecoslovaco (1890-1938).] *S. m.* **1.** Mecanismo automático, em geral com aspecto semelhante ao de um homem, e que realiza trabalhos e movimentos humanos. **2.** *Fig.* Pessoa que se comporta como robô, i. e., que executa ordens sem pensar.

roboração. *S. f.* Ato ou efeito de roborar.

roborante. [Do lat. *roborante.*] *Adj. 2 g.* Que robora; roborativo.

roborar. [Do lat. *roborare.*] *V. t. d.* **1.** Aumentar as forças de; fortificar, avigorar, revigorar: "Não desmaies, porém: a Divindade / Roborará teu braço: e na memória / Gravará para exemplo os altos feitos / Dos ilustres passados." (José Bonifácio, *Poesias,* p. 164.) **2.** Confirmar, ratificar, corroborar: "A última consideração do meu censor, essa então vem apenas roborar com uma prova mais a minha tese de que leis não podem ser redigidas senão por legistas." (Rui Barbosa, *Réplica,* p. 67.) [Sin. ger.: *roborizar* (q. v.).]

roborativo. [Do lat. *roboratu,* part. pass. de *roborare,* 'fortalecer, roborar', + *-ivo.*] *Adj.* **1.** Próprio para roborar. **2.** Roborante.

roboredo (ê). [Do lat. *roboretu.*] *S. m.* V. *robledo.*

roborizar. *V. t. d.* Roborar. [Cf. *ruborizar.*]

robotização. *S. f.* Ato ou efeito de robotizar.

robotizar. [Do fr. *robot,* 'robô', + *-izar.*] *V. t. d.* e *p.* Transformar(-se) em robô (2).

robustecedor (ô). *Adj.* Que robustece.

robustecer. *V. t. d.* **1.** Tornar robusto ou forte; fortalecer, avigorar, roborar: *O exercício físico robustece o corpo.* **2.** Confirmar, ratificar, corroborar, roborar: *A sentença dos desembargadores robusteceu a decisão do juiz.* **3.** Elevar em dignidade; engrandecer, enaltecer: *Atitudes patrióticas robustecem a ordem moral existente. Int.* e *p.* **4.** Tornar-se robusto; fortalecer-se, avigorar-se: *Frágil em criança, robusteceu quando adulto; Verdadeiros ideais nacionais se robustecem nas aspirações do povo.* **5.** Engrandecer-se, glorificar-se: *Robusteceu no culto das letras; Os bons cristãos robustecíam-se com as perseguições sofridas.* [Sin. ger.: *arrobustar.* Conjug.: v. *aquecer.*]

robustecimento. *S. m.* Ato ou efeito de robustecer.

robustez (ê). *S. f.* Qualidade de robusto; vigor, força, robustidão, robusteza.

robusteza (ê). *S. f.* V. *robustez.*

robustidão. [De *robusto* + *-idão.*] *S. f.* V. *robustez.*

robusto. [Do lat. *robustu.*] *Adj.* **1.** De constituição resistente; que suporta fadigas; forte, vigoroso: *homem robusto; animal robusto.* **2.** Vigoroso, potente; rijo: *mãos robustas.* **3.** Que revela boa saúde; sadio, saudável: *bebê robusto.* **4.** Duro, rijo, sólido: *árvore robusta.* **5.** *Fig.* Firme, enérgico, inabalável, inquebrantável: *vontade robusta.* **6.** *Fig.* Que tem vitalidade, força, autenticidade: *a arte robusta do Renascimento.* **7.** *Fig.* Poderoso, influente: *uma instituição robusta; empresa robusta.*

roca^{1}. [Do ger. comum **rokko.*] *S. f.* **1.** Haste de madeira ou de cana com bojo na extremidade, no qual se enrola a rama do linho, do algodão, da lã, etc., para ser fiada: "ambos bruscamente se afastavam, ... — ele indo bater no pescoço do seu ginete, ... ela dando alguns passos, ao longo do riacho, com a sua roca, e fiando" (Eça de Queirós, *Últimas Páginas,* p. 376). **2.** Conjunto de tiras estreitas, separadas umas das outras, que se colocavam ao comprido das mangas dos vestidos, e que deixavam entrever o tecido sobre o qual assentavam. **3.** Armação de madeira das imagens dos santos de roca [q. v.]. **4.** *Marinh. Ant.* Obra que se faz com madeiras e cabos, em torno de mastros e vergas rendidas, para reforço.

roca^{2}. [Do cat. *roca.*] *S. f.* Rocha.

roça. [Dev. de *roçar.*] *S. f.* **1.** V. *roçadura* (1). **2.** Terreno onde se roça mato. **3.** Sementeira plantada em terreno roçado ou no próprio mato. **4.** *Bras.* Terreno de pequena lavoura (em especial de mandioca, milho, feijão, etc.). [Sin.: *roçado* e, na BA, *cabrocado.*] **5.** *Bras. P. ext.* Mandiocal. **6.** *Bras.* A zona rural; o campo. **7.** *Bras., BA.* Chácara para cultivo de frutas e hortaliças. **8.** *Bras., BA.* Aldeia (3).

rocada. [De *roca*^{1} + *-ada*^{1}.] *S. f.* **1.** Porção de linho ou de lã que se enrola no bojo da roca^{1} (1). **2.** Pancada com a roca^{1} (1).

roçada. [De *roça* + *-ada*^{1}.] *S. f.* **1.** Em terrenos destinados a cultura, corte à foice da vegetação arbustiva, a fim de facilitar o trabalho das derrubadas. [Sin. (no N.E. do Brasil): *roçagem.*] **2.** *Bras.* Terreno desbastado das plantas nativas, pronto a receber sementeira. **3.** *Bras., N.* V. *broca* (15).

roçadeira. *S. f.* V. *roçadoura.*

roçadela. [De *roçar* + *-dela.*] *S. f.* Roçadura (2).

roçadinho. [Dim. de *roçado.*] *S. m. Bras. Chulo.* V. *roçado* (6).

rocado^{1}. [De *roca*^{1} + *-ado*^{1}.] *Adj.* Diz-se da manga de vestido que tinha roca^{1} (2).

rocado^{2}. [De *roca*^{2} + *-ado*^{1}.] *Adj.* **1.** Que tem penedias. ● *S. m.* **2.** Penedia.

roçado. [Part. de *roçar.*] *S. m.* **1.** Terreno onde se roçou ou queimou o mato, e que está preparado para a cultura. **2.** Clareira no meio do mato. **3.** *Bras.* V. *roça* (4). **4.** *Bras., N.E.* Roça (4) de mandioca. **5.** *Bras., CE.* Lavoura de milho, arroz, feijão, mandioca, algodão e outras culturas invernosas. **6.** *Bras. Chulo.* Prática homossexual que consiste em chegar ao orgasmo mediante contato apenas; roçadinho, perfumaria.

roçadoira. [De *roçar* + o fem. de *-(d)oiro*^{2}.] *S. f.* Var. de *roçadoura.*

roçador (ô). *Adj.* e *s.m.* Que ou aquele que roça.

roçadoura. [De *roçar* + o fem. de *-(d)ouro*^{2}.] *S. f.* Foice de cabo alto, própria para roçar mato. [Var.: *roçadoira;* sin.: *roçadeira.*]

roçadura. *S. f.* **1.** Ato ou efeito de roçar(-se); roçamento, roça, **2.** Atrito leve; roçadela.

roçagante. *Adj. 2 g.* Que roçaga: "Trajava de cetim escuro, ... envolta em uma capa alvadia roçagante." (Camilo Castelo Branco, *Perfil do Marquês de Pombal,* p. 16.)

roçagar. [Do esp. *rozagar.*] *V. t. d.* **1.** Fazer roçar ou arrastar-se pelo chão; roçar: *roçagar a saia. Int.* **2.** Roçar pelo chão; arrastar-se. **3.** Fazer ruído como um vestido de seda. **4.** Passar levemente; roçar. [Conjug.: v. *largar.*]

roçagem. [De *roçar* + *-agem*^{2}.] *S. f. Bras., N.E.* Roçada (1).

rocal. [De *roca* + *-al.*] *Adj. 2 g.* **1.** Duro como rocha:

noz *r o c a l*. • *S. m.* **2.** Colar de contas ou pérolas; rocalha: "De clara holanda vestis / Vosso corpo, linda Infanta, / Belo r o c a l de rubis / Vela-me a vossa garganta" (Eugênio de Castro, *Obras Poéticas*, I, p. 147).

rocalha. [De *rocal.*] *S. f.* **1.** Porção de contas para rosário ou colar. **2.** Rocal (2). **3.** Tipo de decoração adotada na França entre 1710 e 1750, que se caracteriza pela fantasia das composições assimétricas evocadoras de concreções minerais, conchas e formações vegetais, e que é própria do estilo rococó. • *Adj. (f.).* **4.** Relativo a, ou próprio de rocalha (3).

rocambole. [Do fr. *Rocambole* (v. *rocambolesco*).] *S. m. Bras.* **1.** Bolo, doce ou salgado, assado em tabuleiro e enrolado com recheio: *r o c a m b o l e de camarão; r o c a m b o l e de goiabada.* **2.** V. *colchão-de-noiva.* **3.** Tipo de fandango, bailado em que há influência coreográfica da valsa.

rocambolesco (ê). *Adj.* **1.** Relativo ou pertencente a Rocambole, personagem de romance em folhetim do francês Ponson du Terrail (1829-1871). **2.** Que lembra essa personagem ou suas aventuras extraordinárias; cheio de peripécias; enredado, complicado, acidentado: *história r o c a m b o l e s c a.*

rocambolismo. [Do fr. *Rocambole.* (v. *rocambolesco*) + *-ismo.*] *S. m.* Aventuras ou processos rocambolescos.

roçamento. *S. m.* V. *roçadura* (1).

rocar. [De *roque* + *-ar*[2].] *V. int.* No jogo do xadrez, colocar a torre na casa vizinha à do rei, deslocando este para a casa que fica do outro lado da torre, o que só é possível fazer quando ainda não se mexeu com nenhuma dessas duas peças e quando o espaço estiver aberto entre elas, e não exposto a xeque. [Sin.: *enrocar.* Conjug.: v. *trancar.*]

roçar. [Do lat. **ruptiare* < *ruptu*, part. pass. de *rumpere*, 'dilacerar, arrancar'.] *V. t. d.* **1.** Pôr abaixo (vegetação); cortar, derrubar: *r o ç a r um capinzal.* [Sin., bras.: *cabrocar.*] **2.** Gastar com o atrito: *A mó vai r o ç a n d o o fio da faca.* **3.** Atritar, esfregar, friccionar: *O pneu r o ç o u o meio-fio.* **4.** Tocar de leve, brandamente: "Quando r o ç o u os lábios contraídos por aquela testa gelada, um engulho lhe subiu da garganta" (Macedo Miranda, *Pequeno Mundo outrora*, p. 43). **5.** Roçagar (1): *O vestido de cauda ia r o ç a n d o o chão.* **6.** Passar junto de; rentear: "Algumas [marrecas selvagens] atravessam o lago voando na superfície, tão rasteiras no seu vôo que os pés vão r o ç a n d o as águas" (Lígia Fagundes Teles, *A Disciplina do Amor*, p. 109). *A estrada r o ç a v a o mar. T. d. e i.* **7.** Esfregar, atritar: Não se deve r o ç a r o taco na mesa de bilhar. T. i. **8.** Tocar de leve; resvalar, esfregar-se: *O gato r o ç o u em suas pernas; A rede de pesca r o ç a v a com a areia;* "Não ouviram mais a música brilhante que soava, não sentiram o doce contacto dos vestidos magníficos que passavam, r o ç a n d o às vezes pelos seus joelhos" (Joaquim Manuel de Macedo, *Os Romances da Semana*, p. 99). *P.* **9.** Tocar de leve; esfregar-se. [Conjug.: v. *laçar.* Pres. ind.: *roço*, etc. Cf. *roço (ô)* e *ruçar.*]

roca-salense. *Adj. 2 g.* **1.** De, ou pertencente ou relativo a Roca Sales (RS). • *S. 2 g.* **2.** Natural ou habitante de Roca Sales. [Pl.: *roca-salenses.*]

rocaz. [De *roca*[2].] *Adj. 2 g.* Que se cria nas rochas; rochaz.

rocedão. [De *roçar.*] *S. m.* Fio com que o sapateiro ata o couro em redor das fôrmas.

rocega. [Dev. de *rocegar.*] *S. f.* **1.** *Marinh.* Ato de rocegar. **2.** *Marinh.* Cabo que em certa extensão do seio é guarnecido de pesos a fim de ser arrastado pelo fundo do mar ou a uma profundidade intermediária entre a superfície e o fundo do mar, rebocado pelos chicotes. **3.** Bras., N.E. Fragmento de vidro afiado, especialmente o que se ata à cauda dos papagaios de papel para cortar, nos ares, o fio dos outros. **4.** *Bras., N.E.* Navalha ruim.

rocegar. [Var. de *roçagar.*] *V. t. d. Marinh.* Arrastar pelo fundo ou a meia água de (determinada área do mar) a rocega, um busca-vida ou uma fateixa, a fim de localizar altos-fundos, pedras isoladas, objetos perdidos, etc., cuja posição não se conhece precisamente. [Cf. *gratear.* Conjug.: v. *regar.*]

roceira. [Fem. substantivado do adj. *roceiro.*] *S. f. Bras.* V. *saúva.*

roceiro. *S. m.* **1.** Homem que roça. **2.** *Bras.* Homem que planta roçados. **3.** *Bras.* Pequeno lavrador. **4.** *Bras.* V. *caipira* (1). • *Adj.* **5.** *Bras.* Diz-se do animal que tem o hábito de penetrar nas roças para nelas pastar. **6.** V. *caipira* (7).

roceiro-planta. [De *roceiro* (5) + *planta.*] *S. m. Bras., MG.* V. *saci* (2). [Pl.: *roceiros-plantas* e *roceiros-planta.*]

rocha. [Do fr. *roche.*] *S. f.* **1.** Massa compacta de pedra muito dura. **2.** Rochedo, penedo, penhasco. **3.** *Geol.* Agregado natural formado de substâncias minerais ou mineralizadas, resultante de um processo geológico determinado, que constitui parte essencial da litosfera. **4.** *Constr.* Material natural, duro e compacto, da crosta terrestre, que geralmente se distingue dos solos por não se desagregar quando agitado dentro da água. **5.** *Fig.* Símbolo da dureza, da firmeza ou da insensibilidade; rochedo: *Nada o comove: é uma r o c h a.* **6.** *Fig.* Coisa firme, sólida, inabalável; rochedo: *Vive numa casa que é uma r o c h a.* [Sin. ger.: *roca.* Cf. *roxa* (ô), fem. de *roxo* e s. f.] ◆ **Rocha abissal.** *Geol.* V. *rocha intrusiva.* **Rocha ácida.** *Geol.* Rocha magmática que contém mais de 65% de sílica, quer livre, quer combinada, sob a forma de silicatos. **Rocha afanítica.** *Geol.* Rocha de granulação finíssima, cujos constituintes individuais não são visíveis a olho desarmado. [Opõe-se a *rocha fanerítica.*] **Rocha alcalina.** *Geol.* Rocha que contém alta percentagem de álcalis (sódio e potássio) em relação à sílica e à alumina. **Rocha básica.** *Geol.* Rocha magmática pobre em sílica, não possuindo dessa substância mais que 50%. **Rocha cataclástica.** *Geol.* A que sofreu cataclase e apresenta uma estrutura que evidencia tal fenômeno. **Rocha clástica.** *Geol.* Rocha mecânica. **Rocha cristalina.** *Geol.* Rocha constituída por minerais cristalizados. **Rocha efusiva.** *Geol.* V. *rocha extrusiva.* **Rocha eólica.** *Geol.* Rocha sedimentar cujos elementos constituintes foram acumulados pela ação do vento. **Rocha eruptiva.** *Geol.* V. *rocha magmática.* **Rocha estratificada.** *Geol.* Rocha sedimentar. **Rocha extrusiva.** *Geol.* Rocha magmática que se formou pela solidificação do material expelido pelas erupções vulcânicas; rocha efusiva, rocha vulcânica. **Rocha fanerítica.** *Geol.* Aquela cujos constituintes mineralógicos são visíveis a olho desarmado. [Opõe-se a *rocha afanítica.*] **Rocha hidrógena.** *Geol.* Rocha formada no seio das águas ou por intervenção da água. **Rocha hipabissal.** *Geol.* Rocha magmática formada em profundidade intermediária entre a profundidade das intrusivas e a superfície, como, p. ex., as rochas dos diques, das chaminés vulcânicas, dos lacolitos, etc. **Rocha holocristalina.** *Geol.* Rocha constituída exclusivamente de minerais cristalizados, sem vidro. **Rocha ígnea.** *Geol.* V. *rocha magmática.* **Rocha intrusiva.** *Geol.* Rocha magmática que se consolidou nas partes profundas da litosfera e só apareceu à superfície depois de removido o material sedimentar ou metamórfico que a recobria; rocha abissal, rocha plutônica. **Rocha magmática.** *Geol.* A que resultou da consolidação devida a resfriamento de magma; rocha ígnea, rocha eruptiva. **Rocha mecânica.** *Geol.* Rocha sedimentar cujos elementos constituintes foram acumulados pela ação lenta e contínua do vento, da água ou do gelo; rocha clástica. **Rocha metamórfica.** *Geol.* Rocha que sofreu o processo do metamorfismo. **Rocha microgranular.** *Geol.* Rocha formada de minúsculos minerais que mal se distinguem a olho nu, com fenocristais ou sem eles. **Rocha neutra.** *Geol.* Aquela cuja percentagem de sílica varia entre 52 e 64 por cento. **Rocha orgânica.** *Geol.* Rocha sedimentar formada pelo acúmulo de detritos vegetais e animais associados a materiais de origem mecânica e química; rocha organogênica. **Rocha organogênica.** *Geol.* Rocha orgânica. **Rocha ortometamórfica.** *Geol.* Rocha metamórfica originada das rochas magmáticas. **Rocha parametamórfica.** *Geol.* Rocha metamórfica proveniente das rochas sedimentares. **Rocha plutônica.** *Geol.* V. *rocha intrusiva.* **Rocha química.** *Geol.* Rocha sedimentar resultante de transformações químicas. **Rocha sedimentar.** *Geol.* Rocha resultante da destruição, desagregação ou decomposição de outras rochas ou de outros materiais preexistentes e da posterior sedimentação, em camadas ou estratos, dos detritos provenientes dessa destruição; rocha estratificada. **Rocha ultrabásica.** *Geol.* Rocha magmática que contém menos de 45% de sílica e se caracteriza pela pobreza ou ausência de feldspato. **Rocha vítrea.** *Geol.* Rocha constituída de minerais cristalizados e componentes amorfos. **Rocha vulcânica.** *Geol.* V. *rocha extrusiva.* **Rocha xistóide.** *Geol.* Rocha que apresenta aspecto xistoso.

rochaz. [De *rocha.*] *Adj. 2 g.* Rocaz.

rochedense. *Adj. 2 g.* **1.** De, ou pertencente ou relativo a Rochedo (MG). • *S. 2 g.* **2.** Natural ou habitante de Rochedo.

rochedo (ê). *S. m.* **1.** Grande rocha, volumosa, elevada; penedo, penhasco. **2.** Rocha escarpada; alcantil, penhasco. **3.** Penhasco batido pelo mar ou à beira-mar; penedo. **4.** *Anat.* A parte mais dura e forte do osso temporal. **5.** *Fig.* Rocha (5 e 6).

rochina. *S. f. Bras.* Espécie de mandioca.

rochoso (ô). *Adj.* **1.** Coberto ou constituído de rochas, de rochedos. **2.** Da natureza da rocha.

rociada. *S. f.* Ato ou efeito de rociar.

rociar. [Do lat. **roscidare*, 'orvalhar-se'.] *V. t. d.* **1.** Orvalhar (1). **2.** Cobrir de umidade; borrifar, esborrifar: *A chuva miúda r o c i o u - l h e as roupas.* **3.** Espalhar em forma de orvalho; difundir sobre: *Dir-se-ia que um poder mágico r o c i a v a sono pela Terra. T. d. e i.* **4.** Cobrir, encher, espalhando: *Aviões inimigos r o c i a r a m de bombas toda a região. Int.* **5.** Orvalhar (4). **6.** Cair em forma de orvalho. [Pres. ind.: *rocio*, etc. Cf. *rócio* e *rossio*, s. m., *Róscio*, antr., e *Rossio*, top.]

rocim. [Do esp. *rocín.*] *S. m.* Cavalo pequeno e/ou fraco ou magro; rocinante: "Iniciado nos mistérios da cocheira, entusiasta por cavalos, amador apaixonado do turfe português, pela convivência assídua com algum magro r o c i m, ... o gaiato virá a ser apontado como um ótimo cavaleiro" (Latino Coelho, *Tipos Nacionais*, p. 33).

rocinal. *Adj. 2 g.* Próprio de rocim.

rocinante. [De *Rocinante*, nome do cavalo de D. Quixote (v. *quixotesco*).] *S. m.* Rocim.

rocinar. [De *rocim* + *-ar*[2].] *V. t. d. Bras., RS.* Tornar (o animal) muito manso e obediente ao freio: *r o c i n a r um potro.* [É uma operação complementar da doma.]

rocinha. *S. f.* **1.** Pequena roça. **2.** *Bras., AM* e *PA.* Pequena chácara; sítio com pomar: "Assinala [o jornalista francês Alfred Marc, que visitou Belém em 1887] que as ruas se prolongam além do centro com o nome de *estradas*, caminhos cheios de chácaras, sítios e r o c i n h a s, casas de campo mais ou menos luxuosas e originais" (Manuel Diegues Júnior, *Regiões Culturais no Brasil*, p. 102).

rocio[1]. [Dev. de *rociar.*] *S. m.* Orvalho (1). [Cf. *rócio* e *rossio*, s. m., *Róscio*, antr., e *Rossio*, top.]

rocio[2]. [De *roça* + *-io*[2].] *S. m. Bras., SP.* Antiga roça, que se aproveita para capinzal. [Cf. *rócio* e *rossio*, s. m., *Róscio*, antr., e *Rossio*, top.]

rócio. *S. m. Bras., N.E. Pop.* Orgulho; vaidade, empáfia, prosápia. [Var.: *roço.* Cf. *rocio* e *rossio*, s. m., *Róscio*, antr., e *Rossio*, top.]

rocioso (ô). *Adj.* Que tem rocio[1]; orvalhoso.

➡**rock.** [Ingl.] *S. m.* F. red. de *rock-and-roll.*

➡**rock-and-roll** (rocan'rol). [Ingl.] *S. m.* Roque[2]. [F. red.: *rock.* Tb. se grafa *rock'n'roll.*]

rocló. [Do fr. *roquelaure.*] *S. m.* Antigo capote com mangas e que se abotoava na frente.

roço. *S. m. Bras., N.E. Pop.* Var. de *rócio.* [Pl.: *roços* (ó). Cf. *roço* (ô) e pl. *roços* (ô).]

roço (ô). [Dev. de *roçar.*] *S. m.* **1.** Corte de pedra, acima do nível do solo. **2.** Sulco que os canteiros fazem nas pedras, para cortá-las. [Pl.: *roços* (ô). Cf. *roço*, do v. *roçar* e s. m., e pl. *roços.*]

rococó. [Do fr. *rococo.*] *Adj. 2 g.* **1.** Diz-se do estilo ornamental surgido na França durante o reinado de Luís XV (1710-1774), e caracterizado pelo excesso de curvas caprichosas e pela profusão de elementos decorativos, como conchas, laços, flores e folhagens, etc., que buscavam uma elegância requintada, uma graça não raro superficial. **2.** Diz-se das artes influenciadas pelo estilo rococó. **3.** Muito enfeitado, mas sem valor estético, sem beleza. **4.** Que é de mau gosto. **5.** Que está fora da moda; antiquado, desusado. • *S. m.* **6.** O estilo rococó. **7.** O período de influência desse estilo: "Uma suavidade dengosa e açucarada invade, desde cedo, todas as esferas da vida colonial. Nos próprios domínios da arte e da literatura ela encontra meios de exprimir-se, principalmente a partir do Setecentos e do R o c o c ó." (Sérgio Buarque de Holanda, *Raízes do Brasil*, p. 31.) **8.** Abundância de adornos de mau gosto. **9.** Objeto antiquado, absoleto, desusado; velharia. **10.** Espécie de rosinha feita de fitilho ou em bordado, em ponto de canutilho, usada como enfeite de roupa infantil, de roupa branca feminina, etc.

rocororé. *S. m. Bras.* V. *corocoxó.*

roda. [Do lat. *rota.*] *S. f.* **1.** Peça ou máquina simples, de formato circular, que se movimenta ao redor de um eixo ou de seu centro, e que serve para inúmeros fins mecânicos: *a r o d a de um torno, de um moinho.* **2.** Qualquer objeto circular; círculo, disco. **3.** Anel, cinto, círculo. **4.** A roda (1) de qualquer veículo, a qual, acionada, permite o rolamento dele. **5.** Rodela (4). **6.** V. *volta* (10). **7.** A extensão da barra ou extremidade inferior de uma peça de vestuário; rodado: *vestido de muita r o d a.* **8.** Globo onde se depositam os números da loteria, os quais vão sendo extraídos um a um, à medida que o globo vai girando. **9.** *P. ext. Fig.* A loteria. **10.** Caixa giratória, instalada na portaria de certos conventos, de asilos, etc., na qual se deposita alguma coisa que se quer remeter para o interior. [V. *roda dos expostos*.] **11.** Rótula do joelho. **12.** Distribuição ou arrecadação de alguma coisa entre pessoas, ou de pessoas reunidas à volta de alguma coisa. **13.** Agrupamento de pessoas em círculo. **14.** *P. ext.* Agrupamento heterogêneo de pessoas; grupo: *uma roda de curiosos.* **15.** O grupo de pessoas com quem se mantêm relações; círculo de amizades. **16.** Grande número; grande quantidade: *Deram-lhe uma roda de bofetões.* **17.** Brinquedo infantil que consiste na formação de uma roda (13) de crianças, uma ao lado da outra, em geral de mãos dadas, cantando e movimentando-se em círculo, em rodas ou cirandas. **18.** *Fig.* Giro feito por uma pessoa ou uma coisa em torno de outra; volta: *fazer a roda do quarteirão.* **19.** *Fig.* O decurso do tempo: *a roda dos anos.* **20.** Suplício que consistia em amarrar alguém numa espécie de cruz em forma de X, quebrar-lhe os membros com uma maça e, em seguida, atar-lhe o corpo a uma roda, que se fazia girar; suplício da roda. **21.** *Encad.* Ferro constituído por um disco de latão que gira num cabo longo, para apoiar no ombro, e o qual tem o bordo gravado, para estampar frisos ou ornatos repetidos. **22.** *Bras. Cap.* Conjunto dos ritmistas e jogadores que formam um semicírculo para as exibições da capoeira em público. [Dim. irreg.: *rodela, rodeta, rodete.* ◆ **Roda de moldes.** *Tip.* Disco de moldes. **Roda do leme.** *Constr. Nav.* Roda ou volante com que se manobra o leme de certas embarcações pequenas e dos navios. [Em sua periferia dispunham-se, até pouco tempo, vários punhos, chamados *malaguetas*, que permitiam ao timoneiro segurá-la com firmeza. Ultimamente se usa um volante pesado, de metal, sem malaguetas, a fim de permitir manobras mais rápidas.] **Roda dos expostos.** Nos asilos e orfanatos, espécie de caixa giratória onde se colocavam as crianças enjeitadas; roda. **Roda hidráulica.** Roda impulsionada à água e destinada a transmitir o movimento a um mecanismo qualquer; roda-d'água. **Andar à roda.** *Bras.* Correr (a loteria [1]). **À roda de.** À volta de; ao redor de. **Brincar de roda.** Cantar, girar, saltar (as crianças), formando uma roda (17). **De roda.** Em volta. **Fazer a roda a.** Requestar, cortejar (alguém). **Meter na roda.** Enjeitar (uma criança). **Ser roda dura.** *Bras., MG.* Ser mau chofer. **Virar em roda.** *Mar.* Mudar (embarcação a vela) o bordo por onde recebe o vento, passando com a popa pela linha-do-vento. [Cf. *virar por d'avante.*]

rodada. [Fem. substantivado de *rodado.*] *S. f.* **1.** O movimento completo de uma roda. **2.** *Bras.* Ato de acolher mal alguém **3.** *Bras.* Cada uma das vezes que se serve bebida às pessoas que bebem juntas, a uma mesa de bar: "Seu Joaquim tinha de voltar ao botequim mas se esquecera disso, bebericando cerveja, de uma *rodada* que oferecera por conta própria" (João Alphonsus, *Eis a Noite!*, p. 101). **4.** *Bras.* Cada um dos grupos de jogos em que se divide um campeonato desportivo, ao final dos quais todos os competidores completam o mesmo número de partidas disputadas: *a primeira rodada do campeonato de futebol.* **5.** *Bras.* Partida (2). **6.** *Bras., S.* Queda do cavalo, quando em trote ou galope, para a frente. **7.** *Bras., S. P. ext.* Queda ou tombo do cavaleiro pela frente do animal. **8.** *Bras., S.* Descida de rio, em pesca de canoa.

roda-d'água. *S. f.* Roda hidráulica. [Pl.: *rodas-d'água.*]

roda-de-pau. *S. f.* V. *surra* (1). [Pl.: *rodas-de-pau.*]

roda-de-proa. *S. f. Constr. Nav.* O conjunto das várias peças, convenientemente presas entre si, que se seguem à quilha e fecham o cavername das embarcações na parte de vante. [Pl.: *rodas-de-proa.*]

rodado. [Part. de *rodar.*] *Adj.* **1.** Que é dotado de roda (1) ou de rodas. **2.** Decorrido, transcorrido, passado. **3.** Diz-se do cavalo que tem pêlo branco e preto, formando esta cor malhas redondas: "Iam no caminho do fio pervagando, os três montados, no baio, no rosilho e no queimado *rodado.*" (José Sarney, *Norte das Águas*, p. 19.) [Esta acepç., muito corrente no N. E. do Brasil, é antiquada em Portugal, e em tal sentido a palavra é pronunciada, talvez no Brasil inteiro, com o o reduzido, ou seja, com o som, muito aproximadamente, de *rudado.*] **4.** Que tem roda (7). **5.** *Bras.* Diz-se da distância percorrida por veículo automóvel: *O carro tem 4.000 km rodados.* ● *S. m.* **6.** Roda (7). **7.** Rodas de um carro; rodagem.

rodador (ô). *Adj. Bras., S.* Diz-se do cavalo que costuma rodar[1] (21).

rodagem. [Do fr. *rodage.*] *S. f.* **1.** Conjunto de rodas de um maquinismo. **2.** Fábrica de rodas. **3.** Ato de rodar (5).

roda-gigante. *S. f. Bras.* Aparelho de parque de diversões: duas grandes rodas paralelas, em posição vertical, que giram em torno de um eixo comum e sustentam bancos oscilantes, sobre os quais se sentam pessoas. [Pl.: *rodas-gigantes.*]

rodamento. [De *rodar* + *-mento.*] *S. m. Bras.* V. *remoinho.*

rodamoinho (o-í). [De *roda* + *moinho.*] *S. m. Bras.* V. *remoinho.*

rodamontada. [Do fr. *rodomontade.*] *S. f.* V. *fanfarrice* (2).

rodante. [Do lat. *rotante.*] *Adj. 2 g.* **1.** Que roda. ~ V. *material* —. ● *S. m.* **2.** Cambão ao qual se junge o boi ou se atrela outro animal, nos engenhos de tirar água.

rodapé. [De *roda* + *pé.*] *S. m.* **1.** Espécie de cortina que cai em volta da cama até ao piso. **2.** Barra de madeira, mármore, etc., que rodeia a parte inferior das paredes internas, rente ao chão, para evitar que os móveis, a varrição ou a lavagem do piso estraguem o revestimento delas; guarda-vassouras, alizar. **3.** Faixa de madeira, ou de outro material, na parte ínfero-interior das grades duma janela de sacada. **4.** A parte inferior de uma página impressa. **5.** Artigo, crônica, folhetim, etc., de jornal ou revista, publicado no rodapé da folha e geralmente separado do resto do texto por um filete horizontal.

roda-pisa. [De *roda* + *pisar.*] *S. f. Ant.* A barra da saia, que encosta no chão. [Pl.: *roda-pisas.*]

rodaque. [De *roda?*] *S. m.* Espécie de casaco para homens, hoje desusado: "apareceu-me o velhote, de *rodaque* branco, chinelos, sem colete" (Aluísio Azevedo, *Demônios*, p. 145).

rodar[1]. [Do lat. *rotare.*] *V. t. d.* **1.** Fazer andar à roda; fazer girar em volta: *O vento roda as pás do moinho.* **2.** Andar, percorrer em volta; contornar, rodear: *Os excursionistas rodearam o lamaçal.* **3.** Viajar por; visitar; percorrer: *Os turistas rodaram toda a Europa.* **4.** Percorrer, navegando, na direção da corrente. **5.** Percorrer (o veículo) determinada distância: *Este carro já rodou 20 000 quilômetros.* **6.** Percorrer, andar: *A esquadra rodou o Atlântico.* **7.** Submeter ao suplício da roda: *Na Idade Média costumavam rodar os prisioneiros.* **8.** Imprimir (2): *Este mimeógrafo roda 10 mil folhas por hora.* **9.** *Bras. Cin.* Filmar (1). *T. c.* **10.** Dirigir-se de carro: *Amanhã rodaremos para São Paulo. Int.* **11.** Andar em roda dum eixo ou centro; girar: *O cata-vento roda sem parar.* **12.** Cair, rolando: *Rodou a neve dos montes, destruindo muitas casas.* **13.** Mover-se sobre rodas. **14.** Fazer movimento de rotação: *A Terra roda.* **15.** Fazer, descrever círculo; girar: *Os planetas rodam em torno do Sol.* **16.** Decorrer, transcorrer, passar (o tempo): *O ano rodou rápido.* **17.** *Pop.* Caminhar, andar: *Vou rodar um pouco para distrair-me.* **18.** *Pop.* Malograr-se em uma pretensão: *Pensava ter passado no concurso, mas rodou.* **19.** *Bras. Fam.* Sair (alguém) de lugar onde se sente indesejável: *O visitante rodou à primeira insinuação.* **20.** *Bras. Fam.* Ser despedido de emprego; perder um cargo, um posto: *Os empregados desleixados rodaram.* **21.** *Bras., S.* e *MT.* Cair para a frente (o cavalo ou o cavaleiro). **22.** *Bras.* Ser reprovado em exame. **23.** Ser impresso: *Milhares de exemplares do livro já rodaram; O jornal rodou tarde.* [Pres. ind.: *rodo, rodas, roda, rodamos, rodais, rodam.* Cf. *rodo* (ô), s. m., e *Ródão*, top.]

rodar[2]. [De *rodo*[1] + *-ar*[2].] *V. t. d.* **1.** Juntar com o rodo (1): *O rapaz roda sal o dia todo. Int.* **2.** Trabalhar com o rodo (1): *O menino apresentou-se na salina, dizendo que sabia rodar.* [Pres. ind.: *rodo, rodas, roda, rodamos, rodais, rodam.* Cf. *rodo* (ô), s. m., e *Ródão*, top.]

roda-viva. *S. f.* **1.** Movimento incessante; azáfama, lufa-lufa, cortado, corrupio. **2.** Barafunda, confusão, atrapalhação. [Pl.: *rodas-vivas.*]

rodeador (ô). *Adj.* **1.** Que rodeia; rodeante. ● *S. m.* **2.** *Bras., N.E.* Nos campos, local onde vaqueiros reúnem, para revista, magotes ou pontas de gado; rodeio.

rodeamento. *S. m.* Ato ou efeito de rodear(-se); rodeio.

rodeante. *Adj. 2 g.* Rodeador (1).

rodear. *V. t. d.* **1.** Andar em roda de; percorrer em volta ou em giro; contornar; rodar, rondar: *Vasco da Gama rodeou a África.* **2.** Girar em volta de: *A Terra rodeia o Sol.* **3.** Cercar, cingir, circundar: "Pequenas cabanas de sopapo, pintadas de várias cores, rodeavam o barracão fechado." (Vasconcelos Maia, *O Leque de Oxum*, p. 56); "cinturas, coxas, rodeando as ancas / Em que se esconde o corredor do dia" (Jorge de Sena, *Versos e Alguma Prosa*, p. 45). **4.** Formar círculo em volta de: *Os presentes rodearam o orador.* **5.** Adornar em círculo; coroar: *Uma auréola rodeava-lhe a fronte.* **6.** Andar, desviando-se de: *Os transeuntes eram obrigados a rodear o obstáculo.* **7.** Fazer companhia a; ter convivência com; cercar: *Uma corja de bajuladores o rodeava.* **8.** Tergiversar acerca de; ladear: *rodear um assunto importante. P.* **9.** Fazer-se acompanhar; cercar-se: *Rodeou-se inadvertidamente de inimigos.* **10.** Chamar a si. [Var.: *arrodear* (q. v.). Conjug.: v. *frear.*] ● *S. m.* **11.** Ato de rodear; rodeio, giro.

rodeense. *Adj. 2 g.* **1.** De, ou pertencente ou relativo a Rodeio (SC). ● *S. 2 g.* **2.** Natural ou habitante de Rodeio.

rodeio. [Dev. de *rodear.*] *S. m.* **1.** Rodeamento. **2.** Volta em redor de alguma coisa; giro. **3.** Exposição, oral ou escrita, na qual se ladeia um assunto sem abordá-lo diretamente; perífrase, circunlóquio. **4.** Meio indireto para se obter um fim. **5.** Desculpa, subterfúgio, evasiva. **6.** *Bras.* Ato de ajuntar o gado para marcá-lo ou para curativos. **7.** *Bras., N.E.* Rodeador (2). ◆ **Parar rodeio.** *Bras., RS.* Ajuntar o gado em determinado lugar do campo.

rodeira. *S. f.* **1.** Mulher que trabalha na roda dos asilos e conventos. **2.** Caminho apropriado ao tráfego de carros. **3.** Sulco produzido pelas rodas de um veículo; relheira, relheiro. **4.** *Bras., AL* e *S.* de *MG.* Roda dos carros.

rodeiro. [De *roda* + *-eiro.*] *S. m.* **1.** Eixo de um carro ou de uma máquina; chaveiro. **2.** Conjunto de duas rodas e o eixo no qual estão elas montadas: "os carros, completamente atulhados, rolavam já pela praia acima, os rodeiros enterrados na areia" (Virgílio Várzea, *Mares e Campos*, p. 45). ● *Adj.* **3.** Diz-se de maço com que se encaixam, ajustam e batem as rodas de carros.

rodela[1]. [Do lat. tardio *rotella.*] *S. f.* **1.** V. *rodeta.* **2.** Escudo redondo. **3.** V. *rótula* (2). **4.** Pedaço mais ou menos circular de uma fruta ou de outro alimento; roda. **5.** *Bras.* V. *mentira* (1). **6.** *Bras.* Jactância, gabo, gabolice, pabulagem. ◆ **Contar rodelas.** *Bras.* **1.** Contar gabolices; gabar-se, vangloriar-se. **2.** Mentir.

rodela[2]. *Bras. S. 2 g.* **1.** Indivíduo dos rodelas, tribo indígena que habitava a jusante do rio São Francisco. ● *Adj. 2 g.* **2.** Pertencente ou relativo a essa tribo.

rodeleiro. *Adj.* **1.** Que tem rodela[1]. ● *S. m.* **2.** Soldado munido de rodela[1] (2). **3.** *Bras.* Aquele que tem rodela[1] (6). [Cf. *redoleiro.*]

rodelinha. [Dim. de *rodela.*] *S. f. Bras.* Bolacha (6): "Abanquei-me a seu lado. Novos chopes, novas *rodelinhas.*" (Ciro dos Anjos, *A Menina do Sobrado*, p. 349.)

rodelo (ê). [De *rodela.*] *S. m.* Remendo no calçado; tomba.

rodesiano. *Adj.* **1.** Da, ou pertencente ou relativo à antiga Rodésia, atual Zimbábue (África). ● *S. m.* **2.** O natural ou habitante da Rodésia. [V. *zimbabuense.*]

rodeta (ê). *S. f.* Roda pequena; rodela, rodete.

rodete[1] (ê). [De *roda* + *-ete.*] *S. m.* **1.** Carrinho de madeira usado para dobrar fio de seda. **2.** V. *rodeta.* **3.** Caititu (2).

rodete[2] (ê). [De *rodo* + *-ete.*] *S. m.* Pequeno rodo.

rodício. [V. *rodízio.*] *S. m.* Roseta que remata as disciplinas [q. v.] para flagelação.

rodilha. [Do esp. *rodilla.*] *S. f.* **1.** Trapo para limpeza de soalhos ou pavimentos. **2.** Pano enrolado como rosca, usado na cabeça, e sobre o qual se assenta a carga; rodouça. **3.** *Fig.* Pessoa desprezível; rodilho. **4.** *Bras., RS.* Voltas feitas pelos laçadores junto à armada do laço, no momento de manejá-lo.

rodilhão. *S. m.* **1.** Rodilha grande. **2.** Pequena roda de zorras e carros de mão. **3.** Peça de atafona.

rodilhar. [De *rodilha* + *-ar*[2].] *V. t. d.* e *p.* V. *enrodilhar.*

rodilho. [De *rodilha.*] *S. m.* **1.** Rodilha (3). **2.** Pedaço de pano velho; trapo.

rodilhudo. [Do esp. *rodilludo.*] *Adj. Bras., S.* Que tem inchações crônicas nos machinhos ou nos joelhos (cavalo).

rodinha. [Dim de *roda.*] *S. f. Bras.* Peça pirotécnica que gira ao acender-se o rastilho de pólvora enrolado a um disco de papelão: "soltava eu foguetes do ar, busca-pés, *rodinhas* e numerosas cartas de bichas" (Virgílio Várzea, *Histórias Rústicas*, p. 97). ◆ **Queimar rodinha.** *Bras., PE. Pop.* Ser pederasta passivo.

ródio[1]. [De *rodo-* + *-io*[2].] *S. m. Quím.* Elemento de número atômico 45, metálico, branco, duro, denso. [Símb.: *Rh.*]

ródio[2]. [Do gr. *rhódios*, pelo lat. *rhodiu.*] *Adj.* **1.** Da, ou pertencente ou relativo à ilha grega de Rodes (Ásia Menor). ● *S. m.* **2.** O natural ou habitante dessa ilha.

rodízio. [Alter. de *rodício* < lat. *roticinu, de *rota*, 'roda'.] *S. m.* **1.** Haste de madeira, grossa e cônica, que movimenta a mó, e que é movida pela água. **2.** Rodinha metálica ou de borracha, afixada aos pés de alguns móveis, para que seja possível deslocá-los com facilidade. **3.** Alternância de pessoas, de fatos, de situações, etc.; rotação, rotatividade. **4.** Revezamento na realização de um trabalho ou função, distribuindo-se sucessivamente os horários, de modo que todos cooperem na mesma tarefa. **5.** Conluio, conchavo, cambalacho. **6.** Ajuste para frustrar uma disposição legal ou regulamentar. **7.** *Fam.* Intriga, enredo, mexerico. **8.** *Bras.* V. *borboleta* (11). **9.** *Bras.* Em certos restaurantes, como churrascarias e pizzarias, sistema de serviço em que as diversas especialidades são oferecidas à vontade e ao gosto do freguês.

▲rodo-. [Do gr. *rhódon, ou.*] *El. comp.* = 'rosa': *rodologia; rodóstomo.*

rodó. [De *Rodo* (ô), nome comercial, com hiperbibasmo e mudança de timbre do segundo ó.] *S. m. Bras., MA.* V. *lança-perfume* (1 e 2).

rodo (ô). [Do lat. *rutru.*] *S. m.* **1.** Utensílio de madeira com que se juntam os cereais nas eiras e o sal nas marinhas. **2.** *P. ext.* Utensílio semelhante ao rodo, porém com uma guarnição de borracha na base, usado para puxar água dos pavimentos molhados. **3.** *P. ext.* Designação comum a vários utensílios que servem para puxar alguma coisa, à semelhança de rodo. **4.** *Litogr.* Peça de madeira revestida de couro lubrificado, atravessada na prensa litográfica, e destinada a exercer pressão sobre a pedra, ao fazer-se a tiragem; ratô. **5.** *Art. Gráf.* Utensílio manejado pelo serígrafo, ou peça da prensa serigráfica, consistente em lâmina de borracha, destinada a premer a tinta através da máscara; puxador. [Pl.: *rodos* (ô). Cf. *rodo*, do v. *rodar*, e *Rodo*, top.] ♦ **A rodo.** Em vultosa quantidade; à beça: "Ganhava dinheiro a rodo, e gastava furiosamente" (Leôncio Correia, *A Boêmia do Meu Tempo*, p. 94); "Comeu-se à farta .... Vinho a rodo." (Coelho Neto, *Treva*, p. 17).

rodocrosita. [De *rodo-* + gr. *chrôsis*, 'colorito', + *-ita*³.] *S. m. Min.* Carbonato de manganês, mineral trigonal avermelhado, que é minério pobre deste metal.

rododentro. [Do gr. *rhodódendron*, 'loureiro-rosa', pelo lat. *rhododendron.*] *S. m.* **1.** Arbusto da família das ericáceas *(Rhododendron indicum)*, originário do Japão, muito cultivado pela excepcional beleza das grandes flores, purpúreas ou alvas. Folhas elíptico-lanceoladas, verde-escuras, com longos pêlos ruivos; flores solitárias, corola infundibuliforme, com uma das pétalas maculada; geralmente, 10 estames, inclusos, com anteras rubras; ovário viloso. Outras espécies podem, ocasionalmente, ser achadas em cultivo nos jardins. **2.** A flor desse arbusto. [Cf. *azálea.*]

rodoferroviário. [De *rodo(viário)* + *ferroviário.*] *Adj.* Diz-se do serviço de transportes efetuado por uma ferrovia em conjugação com caminhões, e em geral explorado pela própria ferrovia.

rodofícea. *S. f.* Espécime das rodofíceas.

rodofíceas. *S. f. pl. Bot.* Divisão de algas em sua grande maioria de coloração entre rosada e violácea, que habitam quase sempre os oceanos.

rodofíceo. *Adj.* Pertencente ou relativo às rodofíceas.

rodogástreo. [De *rodo-* + *-gastr(o)-* + *-eo.*] *Adj. Zool.* Diz-se do inseto de ventre cor-de-rosa; rosigastro.

rodografia. [De *rodo-* + *-graf(o)-* + *-ia.*] *S. f.* Descrição das rosas.

rodográfico. *Adj.* Referente à rodografia.

rodógrafo. *S. m.* Autor de rodografia.

rodoiça. *S. f.* Var. de *rodouça* (q. v.). [Cf. *redoiça.*]

rodolego (ê). [Var. de *rodoleiro* (q. v.).] *S. m. Bras., SE.* V. *carrapato-estrela* (1).

rodoleira. *S. f. Bras., N.E.* Piranha-preta.

rodoleiro. [F. assimilada de *rodeleiro* (q. v.).] *S. m. Bras.* V. *carrapato-estrela* (1).

rodolita. [De *rodo-* + *-lita.*] *S. f. Min.* Variedade de granada rósea, mistura de piropo e almandina, na proporção de duas partes daquele para uma desta.

rodologia. [De *rodo-* + *-log(o)-* + *-ia.*] *S. f.* Parte da botânica que se ocupa das rosas.

rodológico. *Adj.* Referente à rodologia.

rodomel. [Do gr. *rhodoméli*, pelo lat. *rhodomeli.*] *S. m. Farmac.* Mel-rosado. [Pl.: *rodoméis.*]

rodomoça (ô). [De *rodo(viária)* + *moça.*] *S. f. Bras.* Empregada de empresas rodoviárias que atende os passageiros dos ônibus.

rodomoinho (í). *S. m.* V. *remoinho*: "O vento, fora, disparava, às vezes, reboando como uma vara de queixadas em rodomoinho no mato." (Afonso Arinos, *Pelo Sertão*, pp. 21-22.)

rodonita. [De *rodo-* + *-n-* + *-ita*³.] *S. f. Min.* Mineral triclínico, avermelhado ou róseo, silicato de manganês que contém cálcio, e empregado na manufatura de ornamentos.

rodopelo (ê). [De um **redropelo* < *retro-* + *pêlo.*] *S. m.* Redemoinho de pêlos nos animais; rodopio.

rodopiar. [De *corrupio* + *-ar*², com infl. de *roda.*] *V. int.* **1.** Dar numerosas voltas; girar muito; corrupiar: "As folhas secas levantaram-se do chão, rodopiaram um momento no ar." (José Régio, *O Príncipe com Orelhas de Burro*, p. 24.) **2.** Andar ou correr, descrevendo círculos sobre círculos: *Rodopiavam os ventos arrastando tudo.* [Var.: *redopiar.*]

rodopio. [Dev. de *rodopiar.*] *S. m.* **1.** Ato ou efeito de rodopiar. **2.** Rodopelo. [Var.: *redopio.*]

rodopsina. [De *rodo-* + *-ops(e)-* + *-ina*².] *S. f. Fisiol.* Cromoproteína presente nos bastonetes da retina, e que funciona na adaptação da visão a ambiente escuro.

rodóptero. [De *rodo-* + *-ptero.*] *Adj. Zool.* Diz-se do inseto que tem asas rosadas.

rodospermo. [De *rodo-* + *-spermo.*] *Adj. Bot.* Que tem sementes rosadas.

rodóstomo. [De *rodo-* + *-stomo.*] *Adj. Zool.* Que tem boca rosada.

rodouça. [De *roda?*] *S. f.* Rodilha (2). [Var.: *rodoiça*. Cf. *redouça.*]

rodovalho. [Do esp. *rodaballo.*] *S. m.* V. *linguado* (6).

rodovia. [De *rod(agem)* + *-o-* + *via.*] *S. f. Bras.* Via destinada ao tráfego de veículos autônomos que se deslocam sobre rodas; autovia, estrada de rodagem.

rodoviária. [Fem. substantivado do adj. *rodoviário.*] *S. f. Bras.* **1.** Estação de embarque e desembarque de passageiros de linhas de ônibus interurbanos, interestaduais e internacionais; estação rodoviária. **2.** Empresa de transporte rodoviário.

rodoviário. *Bras. Adj.* **1.** De, ou referente a rodovia. **2.** Diz-se de empregado de empresa rodoviária. ~ V. *estação* —*a* e *polícia* —*a*. ● *S. m.* **3.** Empregado rodoviário.

rodriguiano. *Adj.* Pertencente ou relativo a Nélson Rodrigues, teatrólogo brasileiro (1912-1980), ou próprio desse autor: "É inegável que o grande impulso da dramaturgia rodriguiana já foi há muito absorvido pelo nosso teatro" (Yan Michalski, *Jornal do Brasil*, 22.12.1980).

rodura. *S. f.* **1.** Ato ou efeito de rodar². **2.** Aquilo que se ajunta de uma só vez com o rodo (1).

roedeira. [De *roer-* + *-deira.*] *S. f. Bras., N.E.* **1.** Mal-dos-chifres. **2.** *Pop.* Ciúme (1).

roedeiro. [De *roer* + *-deiro.*] *S. m.* Peça com que o caçador levanta o falcão após a comida deste.

roedor (ô). [De *roer* + *-(d)or.*] *Adj.* **1.** Que rói. **2.** Pertencente ou relativo aos roedores. ~ V. *verme*—. ● *S. m.* **3.** Espécime dos roedores. **4.** *Bras., PE. Pop.* V. *ébrio* (8).

roedores (ô). [Pl. de *roedor.*] *S. m. pl. Zool.* Animais mamíferos, da ordem *Rodentia*, terrestres e fossórios, ocasionalmente arborícolas ou semi-aquáticos, de pés ungüiculados e fórmula dentária i 1/1, c 0/0, p 2/1, m 3/3 = 22. O esmalte dos incisivos superiores não alcança a superfície interna, provocando-lhes o crescimento contínuo. São os esquilos, os ratos, os ouriços e as preás.

roedura. *S. f.* **1.** Ato ou efeito de roer. **2.** Escoriação provocada por atrito.

roel. [Do fr. ant. *roelle.*] *S. m. Heráld.* Arruela (2). [Pl.: *roéis*. Cf. *roeis*, do v. *roer.*]

roentgen (rêntguen). [Do antr. *Roentgen*, de Wilhelm Konrad Roentgen (1845-1923), físico alemão.] *S. m. Fís.* Unidade de medida de exposição a uma radiação eletromagnética igual à quantidade de raios X ou raios gama, em que a emissão corpuscular que lhe é associada liberta, em 0,001293 g de ar seco, uma unidade eletrostática de carga elétrica positiva. É equivalente a 2,58 × 10^{-4} C/kg [Símb.: *R.*]

roentgendiagnóstico (rentguen). [De *roentgen* + *diagnóstico.*] *S. m. Med.* Radiodiagnóstico.

roentgenfotografia (rentguen). [De *roentgen* + *fotografia.*] *S. f. Med.* Abreugrafia.

roentgenologia (rentgue). [De *roentgen* + *log(o)-* + *-ia.*] *S. f.* Parte da ciência que estuda os raios X, sobretudo em aplicações diagnósticas e terapêuticas; radiologia.

roentgenológico (rentgue). *Adj.* Respeitante à roentgenologia; radiológico.

roentgenologista (rentgue). *S. 2 g.* Especialista em roentgenologia; radiologista.

roentgenterapia (rentguen). [De *roentgen* + *-terapia.*] *S. f.* Terapêutica pelos raios X.

roentgenterápico (rentguen). *Adj.* Relativo à roentgenterapia.

roer. [Do lat. *rodere.*] *V. t. d.* **1.** Cortar com os dentes: "começa a andar apreensivo, ... a fumar demais, a roer nervosamente as unhas" (Júlio Dantas, *Abelhas Doiradas*, p. 128). **2.** Devorar ou destruir aos bocadinhos, de modo contínuo: "Ao verme que primeiro roeu as frias carnes do meu cadáver dedico como saudosa lembrança estas Memórias Póstumas" (Machado de Assis, *Memórias Póstumas de Brás Cubas*, p. V). **3.** Cortar e triturar com os dentes: *O rato roeu a madeira.* **4.** Consumir pouco a pouco; gastar, carcomer, corroer: *A umidade rói certos metais.* **5.** Enfraquecer, minar, devorar, consumir: *Os longos meses no mar roíam o ânimo dos companheiros de Colombo.* **6.** Pungir, inquietar, atormentar, mortificar; corroer: *A injustiça rói os corações.* **7.** Ulcerar com atrito; magoar: *O sapato apertado roía-lhe os pés.* **8.** Dar cabo de; acabar com; destruir, corroer: *Em 1789 os privilégios da nobreza e do clero roíam a economia francesa.* **9.** Falar mal de; murmurar de: *Rói amigos e inimigos.* *T. i.* **10.** Roer (1 a 9). **11.** Meditar profundamente; ruminar, parafusar: *Passou horas roendo no assunto.* *Int.* **12.** Cortar alguma coisa com os dentes: *Tomou o pão e passou minutos roendo, distraído.* **13.** Devorar ou destruir aos bocadinhos, de modo contínuo: "— Meu senhor, respondeu-me um longo verme gordo, nós não sabemos .... nada dos textos que roemos .... ; nós roemos." (Machado de Assis, *Dom Casmurro*, p. 50.) **14.** Dizer mal, murmurar, de alguém; maldizer: *Intrigante, passa o tempo a roer.* **15.** *Bras., N.E. Pop.* Beber, embriagar-se, embebedar-se. **16.** Estar com ciúme. [Sin. (N.E., pop.): *roer coirana*. Conjug.: v. *doer*. Pres. ind.: *rôo, róis, rói, roemos, roeis, roem*; imperf.: *roía*, etc.; perf.: *roí*, etc.; part.: *roído*. Cf. *ruía*, do v. *ruir*; *roéis*, pl. de *roel*; e *ruído*, s. m.] ♦ **Duro de roer.** *Fam.* Difícil (de executar, de suportar, etc.).

rofego (ê). *S. m. P. us.* V. *refego*.

rofo (ô). [Do lat. *rufu.*] *Adj.* **1.** Que tem rugas; rugoso, engelhado. **2.** Que não é polido; fosco, embaciado: "a pequena ermida com as paredes veladas de uma brancura rofa" (Xavier Marques, *Jana e Joel*, p. 87). ● *S. m.* **3.** Prega, dobra, gelha, ruga: "Passeando de um para outro lado, Guida falava, abatendo com a chibata os largos rofos da saia de montar" (José de Alencar, *Sonhos d'Ouro*, p. 219). **4.** Traço, risco, risca. [Pl.: *rofos* (ô).]

rogação. [Do lat. *rogatione.*] *S. f.* **1.** Na Roma antiga, projeto de lei que se submetia à aprovação popular. **2.** V. *rogo* (1). ~ V. *rogações*.

rogações. [Pl.: de *rogação.*] *S. f. pl.* As ladainhas de todos os santos, recitadas em determinados dias do calendário da Igreja Católica. ~ V. *rogação*.

rogado. [Part. de *rogar.*] *Adj.* Diz-se da autoridade judicial a quem se encaminhou carta rogatória.

rogador (ô). [Do lat. *rogatore.*] *Adj.* **1.** Que roga. **2.** Que intercede; intercessor. ● *S. m.* **3.** Aquele que roga. **4.** Aquele que intercede; intercessor. **5.** Árbitro, mediador, medianeiro.

rogal. [Do lat. *rogale.*] *Adj. 2 g.* Relativo à pira ou fogueira em que se queimam cadáveres.

rogante. [Do lat. *rogante.*] *Adj. 2 g.* **1.** Diz-se da autoridade judicial que expediu carta rogatória. **2.** V. *rogativo*.

rogar. [Do lat. *rogare.*] *V. t. d.* **1.** Pedir com instância; suplicar, instar: *Rogou que o deixassem em liberdade;* "Aflitas, algumas mulheres voltaram-se, de mãos postas, para a capelinha próxima, rogando o socorro da Virgem." (Trindade Coelho, *Os Meus Amores*, p. 82.) *T. d. e i.* **2.** Pedir com instância; suplicar, instar: "roga a Deus, que teus anos encurtou, / que tão cedo de cá me leve a ver-te, / quão cedo de meus olhos te levou." (Luís de Camões, *Rimas*, p. 172.) **3.** Pedir, exortar, instar com rogos: *O Papa rogou às Nações que preservem a paz.* *T. I.* **4.** Fazer súplicas: *Rogou pelos que se arriscavam na missão.* *Bit. i.* **5.** Pedir, suplicar: *Rogou a Deus pela felicidade dos filhos.* *Int.* **6.** Fazer súplicas: *Na igreja os fiéis rogavam cheios de esperança.* [Conjug.: v. *largar*. Pres. ind.: *rogo*, etc. Cf. *rogo* (ô).].

rogativa. [Fem. substantivado de *rogativo.*] *S. f.* V. *rogo* (1): "Disse — e ajoelhou-se, numa rogativa: / 'Não mate a árvore, pai, para que eu viva!' " (Augusto dos Anjos, *Eu*, p. 92.)

rogativo. *Adj.* Que roga; suplicante, rogante.

rogatória. [Fem. substantivado de *rogatório.*] *S. f.* **1.** V. *rogo* (1). **2.** *Jur.* Solicitação feita por um juiz ou tribunal de um país ao de outro, para que determine o cumprimento de certos atos processuais que fogem à jurisdição da autoridade solicitadora *(rogante)* e pertencem à jurisdição da autoridade solicitada *(rogada)*. **3.** Documento que formaliza esse pedido. **4.** Carta rogatória.

rogatório. [Do lat. *rogatu*, part. pass. de *rogare*, 'rogar',

+ *-(t)ório.*] *Adj.* Relativo a rogo ou a súplica. ~ V. *carta —a.*

rogo (ô). [Dev. de *rogar.*] *S. m.* **1.** Ato ou efeito de rogar; rogação, rogativa, rogatória, pedido, petição, súplica. **2.** Oração, prece. **3.** Antigo tributo equivalente à jeira. [Pl.: *rogos* (ó). Cf. *rogo,* do v. *rogar.*]

rói-coiro. *S. m. Bras., PB. Pop.* Rói-couro. [Pl.: *rói-coiros.*]

rói-couro. [De *roer* + *couro;* var. de *rói-coiro.*] *S. m. Bras., PB. Pop.* Rua ou bairro onde se localiza o meretrício; zona. [Pl.: *rói-couros.*]

roído. [Part. de *roer.*] *Adj. Bras., PE. Pop.* V. *embriagado* (1). [Cf. *ruído.*]

roipteleácea. *S. f.* Espécime das roipteleáceas.

roipteleáceas. *S. f. pl. Bot.* Família de plantas floríferas, da ordem das urticales, constituída somente de *Rhoiptelea chiliantha,* arbusto da China.

roipteleáceo. *Adj.* Pertencente ou relativo às roipteleáceas.

rói-rói. [Da 3ª pess. sing. do pres. ind. de *roer,* repetida.] *S. m.* **1.** *Bras.* V. *reco-reco* (3). **2.** *Bras., N.E. Pop.* V. *zunidor* (2). [Pl.: *rói-róis.*]

rojador (ô). *Adj.* e *s. m.* Que ou aquele que (se) roja.

rojão[1]. [De *rojar* + *-ão[3]*.] *S. m.* **1.** Rojo (1). **2.** *Pop.* Toque arrastado ou rasgado, de viola ou guitarra portuguesa: "cantando e dançando pela estrada ao rojão das guitarras." (José Vieira, *Sol de Portugal,* p. 160). **3.** *Bras.* V. *foguete* (1): "o estouro de bombas e rojões e os gritos da multidão anunciavam .... a chegada do candidato." (Almeida Fischer, *10 Contos Escolhidos,* p. 48). **4.** *Bras. Fig.* Ritmo intenso de vida, de modo de viver: diapasão. **5.** *Bras. Fig.* Ritmo intenso de ação, trabalho, combate; diapasão. **6.** *Bras.* Projétil-foguete. **7.** *Bras.* Marcha um tanto forçada. **8.** *Bras.* Trabalho contínuo e exaustivo. **9.** *Bras.* Passo de cavalo ou de outro animal, quando cavalgado. **10.** *Bras.* Agravamento de uma enfermidade. **11.** *Bras. N.E. Mús.* Baião (2) mais rápido, que acompanha os trechos mais fogosos das cantorias e desafios. ♦ **Agüentar o rojão.** *Bras.* Resistir com determinação; aguentar firmemente uma situação difícil; segurar as pontas.

rojão[2]. [Do esp. *rejón.*] *S. m. Taur.* Aguilhada para espicaçar touros.

rojão[3]. [De *rojar* + *-ão[3]*.] *S. m. Bras.* Quari-bravo.

rojão[4]. [De *rijo?*] *S. m. Lus.* V. *torresmo* (1): "apetitosos farnéis de rojões, galinha assada e bolinhos de bacalhau" (João da Silva Correia, *Farândola,* p. 85).

rojar. [De *jorrar,* com metátese.] *V. t. d.* **1.** Trazer ou levar de rastos; arrastar, arrojar: *Os presos rojavam cadeias.* **2.** Lançar, arremessar, atirar, arrojar: *As crianças rojavam pedras. T. d. e i.* **3.** Lançar, arremessar, atirar, arrojar: "Rojem-me pedras!" (Zeferino Brasil, *Na Torre de Marfim,* p. 71.) *T. i.* **4.** Tocar de leve; roçar: *A barra do vestido rojava pelo chão. Int.* e *p.* **5.** Arrastar-se pelo chão: "Eu rojo — tu te levantas, / Tu és livre — escrava eu sou!..." (Castro Alves, *Obra Completa,* p. 273); "No claustro agora viçam as urtigas, / Rojam-se cobras pelas velhas lájeas." (Camilo Pessanha, *Clepsidra e Outros Poemas,* p. 175); "parecia um corpo morto. A cabeça pendente oscilava, as pernas moles e os pés dobrados rojavam." (Manuel da Fonseca, *Aldeia Nova,* p. 70.) **6.** Andar de rastos; rastejar: *O mendigo rojava-se, esmolando; Os soldados rojavam-se na linha de ataque.* **7.** Dar passos pesados e incertos; andar a custo. [Pres. ind.: *rojo,* etc.; pres. subj.: *roje,* etc. Cf. *rojo* (ô), s. m., e *Roge,* top.]

rojo (ô). [Dev. de *rojar.*] *S. m.* **1.** Ato ou efeito de rojar(-se); rojão. **2.** Som produzido por esse ato. [Pl.: *rojos* (ô). Cf. *rojo,* do v. *rojar.*] ♦ **De rojo. 1.** De rastos; arrastando-se no chão. **2.** De repente, de sopetão.

rol. [Do fr. *rôle.*] *S. m.* V. *lista* (1). [Pl.: *róis.*] ♦ **Cair no rol do esquecimento.** V. *cair no esquecimento: Dedicou-se à lavoura, e os estudos caíram no rol do esquecimento.* **Cair no rol dos esquecidos.** V. *cair no esquecimento.*

rola (ô). [T. onom.] Designação comum a várias espécies de aves columbiformes, da família dos columbídeos, gênero *Columbia* Spix, *Columbigallina* Boie, e suas espécies e subespécies. Alimentam-se de sementes de gramíneas e outras plantas herbáceas. O seu estômago, em geral, contém bastante areia, que auxilia a triturar os alimentos. [Sin.: *rolinha, rola-carijó, rola-pequena, turuel.*] **2.** *Bras., N., N.E., MG* e *RJ. Chulo.* O pênis. [Pl.: *rolas* (ô). Cf. *rola* e *rolas,* do v. *rolar.*] ♦ **Rola caldo-de-feijão.** *Bras.* V. *rola-cabocla.* **Rola sangue-de-boi.** *Bras.* V. *rola-cabocla.*

rola-azul. [De *rola* + *azul.*] *S. f. Bras.* Ave columbiforme, da família dos columbídeos (*Claravis pretiosa* (Ferr.-Per.)), distribuída do S. do México até o N. da Argentina, inclusive quase todo o Brasil, de coloração azul-clara tirante a cinza, e asas pintadas de preto. [Sin.: *pomba-pararu, juriti-azul, picuipeba.* Pl.: *rolas-azuis.*]

rola-bosta. [De *rolar[1]* + *bosta.*] *S. m. Bras.* V. *escaravelho* (1).

rola-cabocla. [De *rola* + o fem. de *caboclo.*] *S. f. Bras.* Designação das rolinhas de maior porte, sobretudo a *Columbigallina talpacoti* (Tem.), da porção setentrional e oriental da América do Sul. Têm o corpo vináceo, mais escuro no dorso, asas pintadas de preto, rêmiges e cauda pardo-enegrecidas. [Sin. *rola-grande, rola sangue-de-boi, rola-roxa, rola caldo-de-feijão, caldo-de-feijão, apicuí.* Pl.: *rolas-caboclas.*]

rola-carijó. [De *rola* + *carijó[2]*.] *S. f. Bras.* V. *rola* (1). [Pl.: *rolas-carijós.*]

rola-cascavel. [De *rola* + *cascavel.*] *S. f. Bras.* V. *fogo-pagou.* [Pl.: *rolas-cascavéis* e *rolas-cascavel.*]

rola-de-são-josé. [De *rola* + *de* + o hier. *São José.*] *S. f. Bras., BA.* Rola-pajeú. [Pl.: *rolas-de-são-josé.*]

rolado. [Part. de *rolar[1]*.] *Adj.* Diz-se do mar com grandes ondas ou rolos. ~ V. *pedra —a* e *seixo —.*

rolador[1] (ô). [De *rolar[1]* + *-(d)or.*] *S. m.* Peça de maquinismo de tração elétrica.

rolador[2] (ô). [De *rolar[2]* + *-(d)or.*] *Adj.* Que rola ou arrulha.

rolagem. [De *rolar[1]* + *-agem[2]*.] *S. f.* **1.** Rolamento (1). **2.** Operação que consiste em fazer passar sobre um terreno destinado à lavoura um rolo[1] especial para triturar os torrões e igualar a superfície que vai ser semeada.

rola-gemedeira. [De *rola* + *gemedeira.*] *S. f. Bras., N.E.* Espécie de pomba-da-mata (*Oreopeleia montana*Lin.), semelhante às juritis. [Pl.: *rolas-gemedeiras.*]

rola-grande. [De *rola* + *grande.*] *S. f. Bras.* V. *rola-cabocla.* [Pl.: *rolas-grandes.*]

rolamento. *S. m.* **1.** Ato ou efeito de rolar[1]; rolagem. **2.** Mecanismo que consta de pilhas ou pequenos cilindros de aço dispostos entre anéis, também de aço, e que, postos em funcionamento, diminuem o atrito e facilitam o movimento de rotação de outra peça, em geral um eixo giratório; rolimã. **3.** Fluxo de tráfego.

rolandiana. [Fem. substantivado de *rolandiano* (2).] *S. f.* Edição rolandiana.

rolandiano. *Adj.* **1.** Diz-se do estabelecimento fundado em Lisboa pelo livreiro e impressor francês François Rolland, a Tipografia Rolandiana, a qual existiu até meados do séc. XIX e se fez notável pelas obras que editou. **2.** Diz-se de edição feita nessa tipografia.

rolândico. [Do antr. *Rolando* + *-ico[2]*.] *Adj.* Diz-se de algumas formações anatômicas, ou porque foram descritas por Luigi Rolando (1773-1831), ou em homenagem a esse anatomista e fisiologista italiano.

rolandiense. *Adj. 2 g.* **1.** De, ou pertencente ou relativo a Rolândia (PR). ● *S. 2 g.* **2.** Natural ou habitante de Rolândia.

rolante. *Adj. 2 g.* **1.** Que rola. **2.** V. *roleiro* (2). ~ V. *escada —.*

rolantense. *Adj. 2 g.* **1.** De, ou pertencente ou relativo a Rolante (RS). ● *S. 2 g.* **2.** Natural ou habitante de Rolante.

rolão[1]. [De *rolo[1]* + *-ão[1]*.] *S. m.* **1.** A parte mais grossa da farinha de trigo; rala. **2.** Rolo de madeira que se põe sob grandes pedras ou grandes fardos para rolá-los com mais facilidade. **3.** Grande rolo[1] (7).

rolão[2]. [De *rola* + *-ão[1]*.] *S. m. Bras., N.* e *N.E.* Espécie de rola (1) de penas acinzentadas, cuja carne é muito apreciada.

rola-pajeú. [De *rola* + o top. *Pajeú.*] *S. f. Bras.* Pequena rola campestre do interior (*Columbina picui*Temm.); rola-de-são-josé. [Pl.: *rolas-pajeús* e *rolas-pajeú.*]

rola-pedrês. [De *rola* + *pedrês.*] *S. f. Bras.* V. *pomba-trocal* (1). [Pl.: *rolas-pedreses.*]

rola-pequena. [De *rola* + o fem. de *pequeno.*] *S. f. Bras.* V. *rola* (1). [Pl.: *rolas-pequenas.*]

rolar[1] [Do fr. *rouler.*] *V. t. d.* **1.** Fazer andar em roda; fazer girar; rodar: *O vento rola as pás do moinho.* **2.** Fazer avançar (alguma coisa), obrigando-a a dar voltas sobre si mesma: "e todos os verões correria assim, ... rolando grúmulos vermelhos e resíduos roxos, o rio múrmuro, tão claro de nascente" (Alcides Maia, *Tapera,* p. 59); *Os estivadores rolavam pesados fardos.* **3.** Cortar (uma árvore) em rolos ou toros. **4.** *Bras. Fig.* Fazer rolar (2), ou como que rolar: *rolar a dívida. Int.* **5.** Descair (a embarcação) por efeito do vento, do mar ou da correnteza. **6.** Ressoar, ecoar: "Rola o trovão." (Alberto de Oliveira, *Poesias,* 3ª série, p. 33.) **7.** Cair do alto, girando ou revoluteando: *Rolavam as pedras ladeira abaixo.* **8.** Rebolar-se, saracotear-se, bombolear-se: *As cabrochas rolavam, sambando.* **9.** Movimentar-se (as ondas), avançando: *Rolam vagas agitadas.* **10.** Correr, fluir: *As águas do rio rolavam mansamente.* **11.** Andar sobre rodas; rodar: *Rolavam os carros a grande velocidade.* **12.** Virar-se; revolver-se: *Insone, rolou na cama até o amanhecer.* **13.** *Bras. Gír.* Estender-se, desenrolar-se: *O samba rolou a noite inteira.* **14.** *Bras. Gír.* Ser servido ou consumido em grande quantidade: *O uísque rolava fartamente.* **15.** *Bras. Gír.* Acontecer, ocorrer: *Todos os sábados rola uma festa em sua casa.* [Pres. ind.: *rolo, rolas, rola,* etc. Cf. *rolo* (ô), s. m., e *rola* (ô), s. f. pl. *rolas* (ô).] ♦ **Rolar de rir.** Rir em demasia, geralmente dobrando o corpo.

rolar[2]. [Voc. onom.] *V. int.* e *t. d.* Arrulhar (1 e 4). [Pres. ind.: *rolo, rolas, rola,* etc. Cf. *rolo* (ô), s. m., e *rola* (ô), s. f., pl. *rolas* (ô).]

rola-rola. [Da 3ª pess. sing. do pres. ind. de *rolar,* repetida.] *S. m. Bras.* Peça cilíndrica de madeira sobre a qual alguém desliza, numa tábua, equilibrando-se e fazendo acrobacias. [Pl.: *rolas-rolas* e *rola-rolas.*]

rola-roxa. [De *rola* + o fem. do adj. *roxo.*] *S. f. Bras.* V. *rola-cabocla.* [Pl.: *rolas-roxas.*]

rola-vaqueira. [De *rola* + o fem. de *vaqueiro.*] *S. f. Bras., PA.* Ave da família dos columbídeos (*Uropelis campestris* Spix), dos cerrados do C. O. e do N. E. do Brasil, de dorso pardo, asas pintadas de preto e branco, peito e garganta lavados de vináceo, e meio da barriga branco. [Pl.: *rolas-vaqueiras.*]

rolda. *S. f. Ant.* Ronda (1).

roldana. [Do ant. cat. *rotlana.*] *S. f.* Maquinismo formado por um disco que gira em torno de um eixo central, e cuja borda é canelada, para se passar pela canelura, cabo, corda, correia, etc., cujas extremidades se ligam uma à força e outra à resistência; polia.

roldão. [Var. de *rondão* < fr. ant. *rondon.*] *S. m.* **1.** Confusão, baralhada, barafunda. **2.** Arremessão, precipitação. [F. alter. de *rondão[1]*.] ♦ **De roldão.** Em tropel; atropeladamente; de baldão: "Batalhariam ardidamente, loucamente, numa hora de febre e de paroxismo, e tudo tomariam de roldão!" (Antero de Figueiredo, *Leonor Teles,* p. 142.)

rolé. *El. s. m.* Us. na loc. *dar um rolé.* ♦ **Dar um rolé.** *Bras. Gír.* Dar uma volta; dar um giro.

rolê. [Do fr. *roulé,* 'enrolado'.] *Adj.* **1.** ~ V. *bife —.* ● *S. m.* **2.** V. bife enrolado.

roleira. [De *rolo[1]* + *-eira.*] *S. f.* Palmatória (2) onde se põe o rolo[1] (17) ou pavio de cera.

roleiro. *Adj.* **1.** Que rola (mar). **2.** Que gira; giratório, rolante.

roleta (ê). [Do fr. *roulette.*] *S. f.* **1.** Jogo de azar em que o número sorteado é indicado pela parada de uma bolinha numa das 37 casas numeradas duma roda que gira. **2.** Essa roda. **3.** A mesa da roleta (1). **4.** *Fam.* Boato falso. **5.** Instrumento de gravador (3): pequeno cilindro ou disco de aço, com pontas ou dentes agudos, o qual gira na extremidade de uma haste, à maneira de lápis, e é usado nas técnicas de pontilhado e maneira-negra. **6.** *Geom.* Lugar geométrico plano de um ponto fixo a uma curva móvel que rola, sem deslizar, sobre uma curva fixa. **7.** *Bras.* V. *borboleta* (10).

roleta-paulista. *S. f. Bras.* Prova de ousadia ou fanfarronice em que o motorista, deliberadamente, cruza uma rua à disparada, em risco de colidir com os veículos que, com o sinal aberto para eles, rodem pela transversal. [Pl.: *roletas-paulistas.*]

roletar. *V. t. d.* Cortar em redor de, fazendo rolete. [Pres. subj.: *rolete, roletes,* etc. Cf. *rolete* (ê) e pl. *roletes* (ê).]

roleta-russa. *S. f.* Demonstração de coragem insensata, que consiste em colocar apenas uma bala no tambor de um revólver, girar o tambor e puxar o gatilho contra si próprio, correndo o risco de ser atingido, caso fique diante do cão a única bala da arma. [Pl.: *roletas-russas.*]

rolete (ê). *S. m.* **1.** Pequeno rolo[1]. **2.** Instrumento de chapeleiros para endireitar o fundo dos chapéus. **3.** Entrenó da cana. **4.** *Bras.* Rodela de cana-de-açúcar descascada, para chupar. [Pl.: *roletes* (ê). Cf. *rolete* e *roletes,* do v. *roletar.*]

rolha (ô). [Do lat. *rotula,* 'roda pequena'.] *S. f.* **1.** Peça geralmente cilíndrica, de cortiça, borracha, plástico, etc., usada para tapar gargalo de garrafas e outros frascos; tafulho. **2.** *Constr. Nav.* Batoque (2). **3.** *Bras. Fig.* Repressão da liberdade de falar ou de escrever; imposição de silêncio. **4.** *Bras. Pop. Deprec.* Censura (4). **5.** Pessoa astuta, manhosa. **6.** Homem vil, biltre, patife. [Pl.: *rolhas* (ô). Cf. *rolha* e *rolhas,* do v. *rolhar.*]

rolhador (ô). *S. m.* Aparelho próprio para rolhar garrafas.

rolhadura. *S. f.* Operação de rolhar; rolhagem.

rolhagem. [De *rolhar* + *-agem[2]*.] *S. f.* Rolhadura.

rolhar. [De *rolha* + *-ar[2]*.] *V. t. d.* Arrolhar[1] (1). [Pres.

ind.: *rolho, rolhas, rolha,* etc. Cf. *rolho* (ô), adj., flex. *rolha* (ô), *rolhas* (ô), e *rolha* (ô), s. f., pl. *rolhas* (ô).]

rolheiro¹. [De *rolha* + *-eiro.*] *S. m.* **1.** Aquele que faz rolhas: "Prometo .... escrever a favor do comércio, da indústria, ... dos marceneiros, dos rolheiros, dos sebeiros" (Machado de Assis, *Crônicas*, I, pp. 235-237). **2.** Indivíduo que trabalha em cortiça.

rolheiro². [De *rolo*¹ + *-eiro.*] *S. m.* Molho de trigo ou de centeio amarrado pelo meio.

rolho (ô). [De *rolha.*] *Adj.* Gordo, obeso, nédio, anafado: "Um sujeito pequeno, rolho, já velhusco" (José de Alencar, *Alfarrábios*, p. 31). [Flex.: *rolha* (ô), *rolhos* (ô), *rolhas* (ô). Cf. *rolho, rolhas, rolha,* do v. *rolhar.*]

roliço. [De *rolo*¹ + *-iço.*] *Adj.* **1.** Que tem forma de rolo; cilíndrico, redondo. **2.** Gordo, cheio de carnes; de formas arredondadas.

rolimã. [Do fr. *roulement.*] *S. m. Bras.* **1.** Rolamento (2): "um ranger de dobradiças, de rolimãs sobre eixo não lubrificado." (Osmã Lins, *Nove, Novena*, p. 185). **2.** *P. ext.* Pequeno carro de madeira, que consiste numa tábua montada sobre rolimãs.

rolinha. [Dim. de *rola.*] *S. f.* **1.** *Bras.* V. *rola* (1). **2.** *Bras., PE.* Certa dança popular acompanhada de canto.

rolinha-carijó. *S. f. Bras.* V. *fogo-pagou.* [Pl.: *rolinhas-carijós.*]

rolinha-cascavel. *S. f. Bras.* V. *fogo-pagou.* [Pl: *rolinhas-cascavéis* e *rolinhas-cascavel.*]

rolista. [De *rolo*¹ + *-ista.*] *Adj.* e *s. m. Bras. Gír.* Diz-se de, ou indivíduo que anda constantemente metido em rolos ou desordens; desordeiro, badernista, pândego.

rolo¹ (ô). [Do lat. *rotulu*, 'cilindro'.] *S. m.* **1.** Qualquer coisa de forma cilíndrica um tanto alongada: *o rolo da máquina de escrever; rolo de fumo.* **2.** Máquina dotada de um ou mais cilindros, em geral metálicos, destinada a nivelar o solo, quebrar torrões, etc. **3.** Pequeno cilindro de aço, cheio de pontas, que gira num eixo e tem longo cabo, pelo qual os pedreiros o manobram para tornar ásperos os pisos cimentados. **4.** Pequeno cilindro revestido de lã, com um eixo traspassado no centro e um cabo, próprio para a pintura de superfícies planas. **5.** Almofada (1) cilíndrica usada em camas e divãs. **6.** Embrulho, pacote, volume, fardo, etc., em forma de rolo¹ (1). **7.** Grande onda ou vaga; vagalhão. **8.** Massa gasosa mais ou menos densa, que lembra um cilindro: *rolo de fumaça.* **9.** Aquilo que gira formando rolo ou remoinho. **10.** Cabelo preso em forma de rolo¹ (1). **11.** Cilindro oco e vazado, de material leve, usado para enrolar o cabelo ao fazer a *mise-en-plis.* **12.** Qualquer coisa enrolada como rolo¹ (1): *rolo de papel; rolo de filme; rolo de tapete.* **13.** *Art. Gráf.* Cada um dos cilindros que, compreendendo um eixo *(sabugo)* coberto de substância gelatinosa *(massa para rolos)* ou de matéria plástica, e dispostos em grupos, tomam, distribuem e transmitem a tinta à fôrma, nas máquinas de impressão. **14.** *Bibliol.* Forma característica do manuscrito em papiro. [V. *livro em rolo.*] **15.** *Fig.* Multidão de gente. **16.** *Bras. Pop.* Conflito ou briga em que se envolvem numerosas pessoas. [Sin., nesta acepç., quase todos eles bras. e pop.: *adevão, água-suja, alteração, angu, angu-de-caroço, aperta-chico, aranzel, arranca-rabo, arranca-toco, arregaço, arrelia, arruaça, bababi, baderna, bafa, bafafá, bagaço, balaio-de-gatos, bambá, bambaquerê, banguelê, bangulê, banzé, banzé-de-cuia, banzeiro, bereré, berzabum, bochinche* ou *bochincho, bode, bololô, bruega, chinfrim, cocoré, coisa-feita, confusa, confusão, cu-de-boi, desordem, destranque, embrulhada, esbregue, esparrame* ou *esparramo, esporro, estalada, estrago, estralada, estripulia, estrupício, fandango, fecha, fecha-fecha, forrobodó, frege, frevo, fubá, furdúncio* ou *furdunço, fuzuê, gangolina, grude, pampeiro, pau, pega, pega-pega, perequê, perereco, pipoco, porqueira, quebra-quebra, quebra-pau, quebra-rabicho, quelelê* ou *quilelê, quizumba, rififi, rixa, sarrafascada, salseiro, sanganGu, sarapatel, sarilho, sarrabulhada, sarrabulho, sarrafascada, seribolo, sororó, surumbamba, sururu, sururuzada, tempo-quente, trabuzana* ou *tribuzana, trança, trovoada, turumbamba, turundundum.* **17.** *Bras.* Espécie de vela³ (3) de cera, breu e resina, para iluminação. **18.** *Bras.* Transação comercial em que as partes contratantes entram não apenas com dinheiro, mas também com outros valores de natureza vária, estimados globalmente. [Pl.: *rolos* (ô). Cf. *rolo,* do v. *rolar.*] ◆ **Rolo batedor.** *Art. Gráf.* V. *rolo dador.* **Rolo carregador.** *Art. Gráf.* Rolo de madeira ou de metal, colocado sobre os rolos dadores para melhorar a distribuição da tinta. **Rolo compressor.** Máquina pesada, rebocada ou de autopropulsão, que rola sobre cilindros, utilizada para comprimir revestimento de estradas e compactar solos. [Tb. se diz apenas *compressor.*] **Rolo dador.** *Art. Gráf.* O que apanha a tinta da mesa de distribuição ou do prato, para entintar a fôrma; rolo batedor, rolo entintador, rolo tocador. **Rolo de pastel.** Utensílio de madeira, de forma cilíndrica, usado para estender massa (5). **Rolo de sucção.** *Ind. Pap.* Cilindro oco, com a superfície crivada de furos ou fendas, e no interior do qual funciona uma caixa aspirante, usado em substituição ao manchão, para permitir maior rapidez à máquina de papel; cilindro de sucção. **Rolo distribuidor.** *Art. Gráf.* O que espalha a tinta na mesa de distribuição, onde a apanham os rolos dadores. **Rolo entintador.** *Art. Gráf.* V. *rolo dador.* **Rolo molhador.** *Art. Gráf.* Cada um dos rolos revestidos de pano que umedecem a pedra ou placa metálica, nas prensas litográficas e nas de ofsete; umedecedor. **Rolo pé-de-carneiro.** Máquina destinada à compactação de solos, constituída de um tambor de aço, geralmente cheio de água ou areia, rebocado por trator e munido de saliências que penetram no terreno para submetê-lo a pressões muito elevadas. [Tb. se diz apenas *pé-de-carneiro.*] **Rolo tocador.** *Art. Gráf.* V. *rolo dador.* **Rolo tomador.** *Art. Gráf.* O que apanha a tinta do tinteiro e a leva à mesa de distribuição, ou ao prato.

rolo² (ô). [De *rola.*] *S. m.* O macho da rola (1). [Pl.: *rolos* (ô). Cf. *rolo,* do v. *rolar.*]

rolotê. [Do fr. *roulotté.*] *S. m.* Viés (2) costurado à peça, dobrado sobre si mesmo e preso pela última dobra com uma segunda costura, para servir de adorno ou de acabamento (bainhas, costuras internas, golas, etc.), ou simplesmente dobrado sobre si e costurado, para servir de alça.

■**ROM.** [Do ingl. *R(ead) O(nly) M(emory).*] *Proc. Dados.* Memória principal [q. v.] em que os dados nela armazenados (gravados) o foram pelo fabricante do componente por processos especiais e que não pode ser alterada pelo usuário do equipamento. É uma memória de leitura, do tipo não volátil, onde estão os programas básicos que vão permitir a utilização do computador. [Cf. *RAM.*]

romã. [Do lat. *romana* (subentende-se *mala*), 'maçã romana'.] *S. f.* **1.** O fruto da romãzeira. **2.** *Ant. Constr. Nav.* A parte mais grossa do mastro ou mastaréu, onde assentavam os curvatões do cesto da gávea.

romagem. [Do provenç. *romeatge*, 'peregrinação a Roma'.] *S. f.* Romaria: "Ele se fizera meu guia na romagem penitencial aos sítios ermos" (Fialho d'Almeida, *Pasquinadas*, p. 334).

romaica. [Fem. substantivado do adj. *romaico.*] *S. f.* Dança dos gregos modernos.

romaico. [Do gr. *rhomaikós*, 'romano'.] *Adj.* **1.** Relativo aos gregos modernos ou à sua língua. ● *S. m.* **2.** A língua grega moderna. [Cf. *romeno.*]

romana. *S. f.* Espécie de balança formada por uma alavanca com um braço menor, onde se põe o objeto por pesar, e um braço maior, graduado, onde se faz correr um peso até equilibrar os dois braços.

romança. [Do it. *romanza.*] *S. f.* **1.** Nos sécs. XII e XIII, poema em língua românica, em oposição ao poema em latim, e que narrava feitos históricos ou aventuras galantes, mais ou menos fantasiosas; romance. **2.** Canção sobre aventuras e outros feitos. **3.** *Mús.* Composição, em geral curta, para canto e piano, de cunho sentimental ou patético, típica do séc. XIX. **4.** *Mús.* Composição instrumental de forma não muito bem definida, mas quase sempre de caráter lírico: "E o Luar, alvo, de opala, / As romanças sem palavras / À Vaga, algente, cantava..." (Martins Fontes, *Poesias*, V, p. 260).

romançada. *S. f.* **1.** Grande porção de romances [v. *romance* (3)]. **2.** Os romances. [Sin. ger.: *romançaria.*]

romançaria. *S. f.* Romançada.

romance. [Do adv. do lat. tardio *romanice* < *romanicus*, 'de Roma'.] *S. m.* **1.** A língua vulgar, derivada do latim, falada em certos países europeus após o declínio da dominação de Roma. [Cf. *línguas românicas.*] **2.** Conto medieval, de ordinário em verso, no qual se narram aventuras ou amores de um herói de cavalaria. **3.** *Liter.* Descrição longa das ações e sentimentos de personagens fictícios, numa transposição da vida para um plano artístico. [Cf., nesta acepç., *novela* (1) e *conto*¹ (1).] **4.** *P. ext.* Descrição exagerada ou fantasiosa: *Transformou o incidente num verdadeiro romance.* **5.** Enredo de coisas falsas ou inacreditáveis. **6.** Fato ou episódio real, mas tão complicado que parece inacreditável. **7.** Romança (1). **8.** *Liter. Pop. Bras.* Qualquer composição poética narrativa do romanceiro popular nordestino, quase sempre em sextilhas ou setilhas. **9.** *Liter. Pop. Bras. Restr.* Folheto impresso de mais de 16 páginas, especialmente os de assunto amoroso. **10.** *Bras.* Namoro; caso. [Sin. (nas acepç. 4 a 6): *novela.*] ● *Adj. 2 g.* **11.** ~ V. *línguas* —*s.* ◆ **Romance de capa e espada.** Aquele que trata das aventuras de heróis cavalheirescos e que se batiam à espada. **Romance gótico.** *Liter.* O romance (sobretudo o romance inglês do séc. XVIII), de mistério, crime ou pavor, e que explora o lado mórbido, fantástico ou sobrenatural dos fatos.

romanceado. [Part. de *romancear.*] *Adj.* **1.** Acomodado à língua vernácula ou romance. **2.** Contado ou descrito em forma de romance. **3.** Escrito ao jeito de romance (3): *biografia romanceada; memórias romanceadas.*

romancear. *V. t. d.* **1.** Contar ou descrever em forma de romance (3): *O escritor romanceou fatos biográficos.* **2.** Dar forma atraente, pitoresca, a: *O povo gosta de romancear os fatos.* **3.** Apropriar (termos de outros idiomas) à linguagem vernácula ou romance; romanizar. *Int.* **4.** Inventar histórias; escrever romances: *Bons escritores há que só principiaram a romancear na maturidade.* **5.** Contar fatos inverossímeis: *O fanfarrão adora romancear.* [Conjug.: v. *frear.*]

romanceco. *S. m. Deprec.* Romance (3) de muito pouco ou nenhum valor.

romanceiro. *S. m.* **1.** Coleção de romances filiados a várias escolas literárias. **2.** Coleção de poesias ou canções populares que formam a literatura poética e nacional dum povo; cancioneiro. **3.** Coleção de poesias ou canções escritas por poeta culto, mas de feição ou gosto mais ou menos popular; cancioneiro: *Uma obra-prima da poesia brasileira é o* Romanceiro da Inconfidência, *de Cecília Meireles, inspirado na Conjuração Mineira.* ● *Adj.* **4.** Romântico (1).

romance-rio. [Trad. do fr. *roman-fleuve.*] *S. m. Liter.* Romance (3) muito longo, com numerosos personagens, às vezes das mesmas famílias, em várias gerações. [Pl.: *romances-rios* e *romances-rio.*]

romancete (ê). *S. m.* Pequeno romance (3).

romanche. [Do rético *romonsch, rumonsch, rumansch.*] *Adj.* e *s. m.* Diz-se do, ou o dialeto reto-românico falado no cantão dos Grisões e que em 1938 passou a ser a quarta língua oficial suíça.

romancice. [De *romance* (4) + *-ice.*] *S. f. Fam.* e *deprec.* Devaneio romântico; fantasia.

romancismo. [De *romance* (4) + *-ismo.*] *S. m.* **1.** Caráter romântico; romanesco. **2.** Descrições românticas.

romancista. [De *romance* (3) + *-ista.*] *S. 2 g.* Pessoa que escreve romances. [Cf. *novelista.*]

romanear. *V. t. d.* Pesar (mercadoria) em balança romana, ou, p. ext., em qualquer balança. [Conjug.: v. *frear.*]

romaneio. [Dev. de *romanear.*] *S. m. Com.* Lista especial de qualidade, quantidade e peso de mercadorias vendidas ou embarcadas.

romanesco (ê). [Do fr. *romanesque.*] *Adj.* **1.** Que tem o caráter de romance, ou do que é romântico; romântico: "Estão mortas as mãos daquela Dona, / Brancas e puras como o luar que vela / As noites romanescas de Verona" (Alphonsus de Guimaraens, *Obra Completa*, p. 264). **2.** *P. ext.* Sonhador, devaneador, fantasioso, romântico: *temperamento romanesco.* **3.** Quimérico, fabuloso, utópico. ● *S. m.* **4.** Romancismo (1). **5.** *Liter.* Direção da imaginação literária para o aventuroso, sem levar em conta a verossimilhança e a psicologia.

➧**roman-fleuve.** [Fr.] *S. m.* V. *romance-rio.*

romani. [Do cigano *romani*, 'cigano'.] *S. m.* Língua falada pelos ciganos da Europa Oriental.

România. *S. f. Filos.* Designação dada à área geográfica onde se falam as línguas românicas. [Com maiúscula inicial.]

românico. [Do lat. *romanicu.*] *S. m.* **1.** O conjunto das línguas neolatinas. **2.** *Arquit.* e *Art. Plást.* Estilo românico. ● *Adj.* **3.** Relativo às línguas românicas; romano, romão. **4.** Relativo ao, ou próprio do estilo românico: *portal românico.* ~ V. *estilo* — e *línguas* —*as.*

romanista. *S. 2 g.* **1.** Pessoa que estuda jurisprudência, história, ou outros assuntos relativos aos romanos. **2.** Filólogo especialista em línguas românicas.

romanística. *S. f.* Filologia ou lingüística românica.

romanístico. *Adj.* Concernente à romanística, ou a romanista.

romanização. *S. f.* Ato ou efeito de romanizar(-se): *a romanização do direito; a romanização da Lusitânia.*

romanizado. *Adj.* Que foi objeto de romanização; que se romanizou.

romanizar. *V. t. d.* **1.** Tornar romano (no tocante à Roma antiga); dar feição romana a: *As guerras romanizaram a Península Itálica.* **2.** Adaptar à índole das línguas românicas; romancear: *romanizar um vocábulo.* **3.**

Escrever com caracteres romanos [v. *romano* (4)]. **4.** Influenciar segundo o estilo romano: *A expansão militar romanizou, em parte, a arquitetura da Ásia Menor. P.* **5.** Adotar as instituições, os costumes de Roma: *A Gália romanizou-se após as conquistas de Júlio Cesar.*
romanizável. [De *romanizar* + *-ável.*] *Adj. 2 g.* Adaptável à índole das línguas românicas.
romano. [Do lat. *romanu*, atr. do arc. *romão.*] *Adj.* **1.** De, ou pertencente ou relativo a Roma, cidade da Península Itálica, sede de um dos principais Estados da Antiguidade, ou à atual capital da Itália: *um cidadão romano; Augusto foi o primeiro imperador romano.* **2.** V. *românico* (3). **3.** *Arquit.* e *Art. Plást.* Diz-se do estilo derivado da arte grega e helenística, o qual se caracterizou pela introdução do arco na arquitetura, pelo desenvolvimento das construções militares e civis, e pelo realce dado à escultura (de marcante realismo), influenciando as primeiras manifestações artísticas da Idade Média. **4.** *Tip.* Diz-se das famílias de tipo redondo que se distinguem pela variação na espessura dos traços no desenho da letra e pela existência de remates ou serifas. [Cf. *redondo* (6).] **5.** Relativo ou pertencente à Igreja Católica: *católico romano; rito romano.* ~ V. *algarismo —, calendário —, católico —, cimento —, direito —, luta —a* e *Pontífice —.* ● *S. m.* **6.** O natural ou habitante de Roma. **7.** *Tip.* O tipo romano (4). **8.** *P. ext.* Redondo (8). ◆ **Romano antigo.** *Tip.* Garaldino. **Romano moderno.** *Tip.* V. *didoniano.* **Romano transicional.** *Tip.* V. *real*[2] (3).
romano-bizantino. *Adj.* V. *romão* (2). [Pl.: *romano-bizantinos.*]
romanticismo. [De *romântico* + *-ismo.*] *S. m.* Romantismo.
romântico. [Do ingl. *romantic*, atr. do al. *romantisch* e do fr. *romantique.*] *Adj.* **1.** Relativo a romance; romanceiro. **2.** Sonhador, devaneador, fantasioso, romanesco. **3.** Próprio de cenas amorosas ou romanescas; poético. **4.** Diz-se dos escritores e artistas adeptos do romantismo (1 e 2). **5.** Diz-se das obras literárias e artísticas ligadas ao romantismo (1 e 2). ● *S. m.* **6.** Aquilo que tem caráter romanesco ou romântico. **7.** Escritor ou artista romântico.
romantismo. [Do fr. *romantisme*, ou f. sincopada de *romanticismo.*] *S. m.* **1.** *Liter.* Importante movimento de escritores que, no princípio do séc. XIX, abandonaram as regras de composição e estilo dos autores clássicos, pelo individualismo, pelo lirismo e pelo predomínio da sensibilidade e da imaginação sobre a razão. **2.** *Art. Plást.* Escola estética surgida, paralelamente ao romantismo (1), como reação ao classicismo e ao neoclassicismo, e que se caracterizou pelo subjetivismo, pela liberdade de assuntos, de composição, de colorido, etc., como meios de expressão de sentimentos e estados de alma. **3.** Qualidade e caráter do que é romântico ou romanesco. [F. paral.: *romanticismo.*]
romantizar. *V. t. d.* **1.** Tornar romântico. **2.** Narrar à guisa de romance, como quem escreve romance. **3.** Descrever, contar, de maneira imaginosa; fantasiar: *As crianças muitas vezes romantizam os acontecimentos. Int.* **4.** Idear romances. **5.** Assumir ares de romântico: *Os homens mais severos romantizam quando começam a amar.* **6.** Narrar alguma coisa à guisa de romance: "Para que os meus amigos não digam que estou romantizando, deixo de .... esboçar o estado d'alma de Dona Alice, o seu horrível estado d'alma." (Viriato Correia, *Novelas Doidas*, pp. 21-22). *P.* **7.** Assumir ares românticos.
romão. [De *romano.*] *Adj.* **1.** V. *românico* (3). **2.** *Arquit.* Diz-se do estilo romano, em especial daquele que vigorou na Europa entre o séc. V e o XII; gótico antigo; romano-bizantino. [Flex.: *romã, romãos, romãs.*]
romãozinho. [Dim. do antr. *Romão.*] *S. m. Bras. Pop.* V. *Diabo* (2).
romari. *Bras. S. 2 g.* **1.** Indivíduo dos romaris, tribo indígena que habitava certas regiões de AL. ● *Adj. 2 g.* **2.** Pertencente ou relativo a essa tribo.
romaria. [Do top. *Roma* (Itália), centro de peregrinações cristãs, + *-r-* + *-ia.*] *S. f.* **1.** Peregrinação a algum local religioso. **2.** Reunião de devotos [v. *romeiro* (1)] que participam de uma festa religiosa. **3.** Festa que se realiza em arraial (2). **4.** *Fig.* Aglomeração de pessoas em jornada. **5.** Ajuntamento de pessoas; multidão. [Sin.: *romagem.*]
romãzeira. *S. f.* Arvoreta da família das punicáceas (*Punica granatum*), originária da região mediterrânea, cultivada como ornamental e frutífera. Folhas pequenas e membranáceas; flores vistosas, vermelhas; o fruto é grande baga, com muitas sementes em camadas, as quais se acham envolvidas em arilo polposo; a casca encerra alcalóide medicinal. [Sin.: *romeira.*]
romãzeiral. *S. m.* **1.** Quantidade mais ou menos considerável de romãzeiras dispostas proximamente entre si. **2.** Pomar de romãzeiras. [Sin. ger.: *romeiral.*]
rombencéfalo. [De *romb(o)-* + *encéfalo.*] *S. m. Anat.* **1.** Porção posterior do encéfalo, a qual inclui o bulbo raquiano, a ponte (6) e o cerebelo. **2.** A mais posterior das três vesículas primárias que se formam durante o desenvolvimento embrionário do encéfalo, e que vem a dividir-se em *metencéfalo* e *mielencéfalo.*
▲**rombi-.** [Do gr. *rhómbos* ou *rhymbos, ou.*] *El. comp.* = 'rombo[2]': *rombifoliado.* [Equiv.: *romb(o)-: rômbico, rombospermo.*]
rômbico. [De *romb(o)-* + *-ico*[2].] *Adj.* Que tem forma de rombo[2].
rombifoliado. [De *rombi-* + *-foli-* + *-ado*[1].] *Adj. Morfol. Veg.* Que tem folha rombiforme; rombifólio.
rombifólio. [De *rombi-* + *-folio.*] *S. m. Morfol. Veg.* Rombifoliado.
rombiforme. [De *rombi-* + *-forme.*] *Adj. 2 g.* Que tem forma de rombo[2].
▲**romb(o)-.** Equiv. de *rombi-.*
rombo[1]. *S. m.* **1.** Furo, abertura, buraco de grandes proporções. **2.** Abertura forçada feita por um rompimento violento; arrombamento. **3.** *Fig.* Desfalque (4).
rombo[2]. [Do gr. *rhómbos*, pelo lat. *rhombu.*] *S. m.* **1.** *Geom.* Losango. ● *Adj.* **2.** Que não é aguçado; que não tem ponta aguçada; que não perfura. **3.** *Fig.* Estúpido, obtuso, imbecil; rombudo: *indivíduo rombo.*
romboédrico. *Adj.* **1.** Que tem forma de romboedro. **2.** *Min.* Diz-se do sistema cristalino que pode referir-se a três eixos iguais e oblíquos entre si, e caracterizado por um eixo de simetria ternária; trigonal.
romboedro. [De *romb(o)-* + *-edro.*] *S. m. Geom.* Prisma cujas bases são paralelogramos.
romboidal. *Adj. 2 g.* Que tem a figura de rombóide.
rombóide. [Do gr. *rhomboeidés.*] *S. m.* **1.** *Geom.* Quadrilátero de ângulos não retos, de lados opostos iguais e lados contíguos diferentes; paralelogramo. ● *Adj. 2 g.* **2.** Que tem a forma de rombóide (1).
rombospermo. [De *romb(o)-* + *-spermo.*] *Adj. Morfol. Veg.* Que tem sementes romboidais.
rombudo. [De *rombo*[2] + *-udo.*] *Adj.* **1.** Muito rombo[2]; muito mal aguçado; que penetra dificilmente: *agulha rombuda.* **2.** *Fig.* V. *rombo*[2] (3). **3.** *Bras., CE. Fam.* V. *roxo* (5).
romeira[1]. [Fem. de *romeiro.*] *S. f.* **1.** Mulher que participa de uma romaria. **2.** Espécie de cabeção usado pelos peregrinos que iam a Santiago de Compostela. **3.** Cabeção, normalmente de renda ou de seda, que era de uso feminino.
romeira[2]. *S. f.* Romãzeira.
romeiral. [De *romeira* + *-al.*] *S. m.* Romãzeiral.
romeiro. [Do gr. *rhomaîos*, aplicado no Império do Oriente aos peregrinos que iam à Terra Santa e depois, atr. do b.-lat. *romaeu*, aos que iam a Roma.] *S. m.* **1.** Homem que toma parte em romaria (1); peregrino. **2.** *Fig.* Defensor de grandes idéias. **3.** *Bras.* V. *piloto* (8).
romeliota. *Adj. 2 g.* **1.** Da, ou pertencente ou relativo à Romélia, antiga província do Império Otomano, que incluía a Bulgária e parte da Albânia, da Grécia e da Iugoslávia. ● *S. 2 g.* **2.** Natural ou habitante da Romélia.
romenho. [De *romani?*] *S. m.* O português deturpado falado pelos ciganos de Portugal.
romeno. [Do rom. *român.*] *Adj.* **1.** Da, ou pertencente ou relativo à Romênia (Europa). ● *S. m.* **2.** O natural ou habitante da Romênia. **3.** Língua românica oriental, oficial da Romênia, falada também nalguns lugares circunvizinhos, da Bulgária, Hungria e Iugoslávia. [Cf. *romaico.*]
romeu. [Do antr. *Romeu*, personagem da tragédia *Romeu e Julieta*, de Shakespeare (v. *shakespeariano*).] *S. m.* Namorado apaixonado.
romeu-e-julieta. *S. m. Bras., RJ. Gír.* Goiabada com queijo. [Pl.: *romeus-e-julietas.*]
rominhol. [Var. de *reminhol* (q. v.).] *S. m. Bras.* Lata com um cabo de pau, usada para retirar o melado quente do tacho. [Pl.: *rominhóis.*]
rompante. [Var. de *rompente.*] *Adj. 2 g.* **1.** V. *rompente* (1 e 2). ● *S. m.* **2.** Arrogância, altivez, orgulho. **3.** *Pop.* Reação impetuosa e/ou violenta, ditada especialmente por sentimento de fúria ou de raiva. **4.** A primeira aduela de um arco que se assenta sobre o capitel.
rompão. [De *romper* + *-ão*[3].] *S. m.* Cada um dos dois rebordos das extremidades da ferradura: "transmudando o cavalo em projetil e varando quadrados e levando de rojo o adversário no rompão das ferraduras" (Euclides da Cunha, *Os Sertões*, p. 120).
rompedeira. [De *romper* + *-(d)eira.*] *S. f.* **1.** Cunha encabada que os ferreiros usam para cortar o ferro incandescente; talhadeira. **2.** Punção dos serralheiros para perfurar.
rompedor (ô). *Adj.* e *s. m.* Que ou o que rompe.
rompedura. [De *romper* + *-(d)ura.*] *S. f.* **1.** V. *rompimento.* **2.** Rasgão, rasgadura.
rompe-gibão. [De *romper* + *gibão.*] *S. m. Bras.* Designação comum a várias plantas providas de numerosos espinhos muito resistentes, como a *Bumelia sartorum*, da família das sapotáceas, comum nas caatingas e mais conhecida por *quixabeira.* [Pl.: *rompe-gibões.*]
rompente. [Do lat. *rumpente.*] *Adj.* **1.** Que rompe, investe ou assalta. **2.** Altivo, arrogante, orgulhoso, rompante. **3.** *Heráld.* Em atitude de arremeter: "Foram timbrados pela natureza, / Nos teus escudos, os leões rompentes!" (Bulhão Pato, *Livro do Monte*, p. 226.)
romper. [Do lat. *rumpere.*] *V. t. d.* **1.** Fazer em pedaços; despedaçar, espedaçar, partir, quebrar: *A queda rompeu o precioso vaso.* **2.** Estragar, abrindo um rasgão; rasgar: *A vegetação agreste rompeu as roupas dos excursionistas.* **3.** Rasgar em pedaços; lacerar, dilacerar: *O prego rompeu-lhe as carnes.* **4.** Sulcar (a terra); lavrar, abrir, arar: *A charrua rompe o terreno.* **5.** Abrir à força; arrombar: *Os assírios usavam aríetes para romper muralhas.* **6.** Cortar as águas de; navegar por; sulcar: *Vasos de guerra rompem o Mediterrêno.* **7.** Abrir caminho por; passar pelo interior de; atravessar: *Os bandeirantes rompiam as selvas.* **8.** Dar princípio a; principiar, iniciar: *Um violento ataque de aviação rompeu a guerra.* **9.** Fazer parar por algum tempo; suspender, quebrar, interromper: *A chegada das visitas rompeu a tranqüilidade da casa*; "Estavam os dois abraçados, ... quando .... um ai dolorido rompeu o silêncio da noite enluarada." (Nélson de Faria, *Tiziu e Outras Estórias*, p. 107). **10.** Transgredir, violar, infringir, quebrantar: *Quem rompeu o acordo de paz?* **11.** Pôr em debandada; vencer, derrotar, desbaratar: *As tropas aliadas romperam o exército inimigo.* **12.** Penetrar em; transpassar: *O punhal rompeu-lhe o coração.* **13.** Fazer estremecer com estrondo; atroar: *O tiroteio rompia os ares.* **14.** Afastar, desfazer; dissipar: *Conseguiremos romper todos os empecilhos.* **15.** Revelar (segredos). **16.** Extinguir (testamento, contrato, etc.): *As partes romperam o trato.* **17.** Andar por cima de; pisar: *Pés civilizados jamais haviam rompido a região. T. i.* **18.** Sair com ímpeto; jorrar: *A água rompeu da terra.* **19.** Começar a manifestar, subitamente: *romper em cólera, em choro, em riso.* **20.** Penetrar com violência; atravessar com ímpeto; arremessar-se: *Os soldados romperam pela mata agreste.* **21.** Opor-se, reagir, resistir: *Os modernos cientistas romperam com as teorias antiquadas.* **22.** Desfazer ou acabar ligação amorosa ou de amizade; cortar relação: *Rompeu com velhos amigos.* **23.** Nascer, brotar, surgir: *As lágrimas romperam-lhe. Bit. i.* **24.** Acometer, investir, atacar: *O promotor rompeu contra o réu em graves afirmações. Int.* **25.** Arrojar-se contra alguém; atacar, investir, acometer: *As tropas romperam com ardor.* **26.** Principiar, começar: *À meia-noite rompeu a serenata*; "Correram-se as cortinas da tribuna real. Rompem as músicas. Chegou el-rei" (Rebelo da Silva, *Contos e Lendas*, p. 175). **27.** Começar a surgir; nascer, despontar: "E a madrugada rompia." (Marques Rebelo, *Marafa*, p. 54.) **28.** Manifestar-se, mostrar-se, aparecer, surgir: *Pela manhã romperam os sinais de terra próxima.* **29.** Nascer, brotar, surgir, irromper: *Na primavera rompem as flores.* **30.** Sair ou irromper de repente; prorromper: *As lágrimas rompiam, dando vazão à tristeza.* **31.** Divulgar-se, propagar-se, propalar-se: *A boa-nova rompeu logo.* **32.** Desfazer ou acabar ligação amorosa ou de amizade: *Os noivos romperam sem ressentimentos; Os amigos romperam. P.* **33.** Separar-se com violência; quebrar-se, partir-se, despedaçar-se, espedaçar-se: *O vaso rompeu-se na queda.* **34.** Estragar-se, abrindo um rasgão; rasgar-se: *O sapato rompeu-se.* **35.** Abrir-se, fender-se; gretar-se: *A montanha rompeu-se com as chuvas*; "com o seu largo carão holandês, e o riso derramado pela boca fora, como um vinho generoso de pipa que se rompeu, o grande médico veio em pessoa abrir-lhes a porta." (Machado de Assis, *Histórias sem Data*, pp. 18-19). **36.** Parar por algum tempo; suspender-se, interromper-se: *Rompeu-se a calma com a entrada das crianças.* [Part.: *rompido* e *roto* (ô). Cf. *roto*, do v. *rotar.*] ● *S. m.* **37.** Rompedura, rompimento.
rompe-saias. [De *romper* + *saia.*] *S. f. 2 n.* Planta da família das compostas (*Helminthia echioides*).
rompida. [De *romper* + *-ida.*] *S. f. Bras., S.* Em corridas

de animal, a partida. ♦ **Rompida na cola.** *Bras., S.* Vantagem inicial que, nas corridas, um animal dá a outro, colocando-se na cola ou cauda deste.

rompimento. *S. m.* **1.** Ato ou efeito de romper(-se); rompedura. **2.** Interrupção de relações individuais ou internacionais. **3.** *Teat.* Parte do cenário teatral resultante da junção de dois bastidores e uma bambolina. Geralmente se utiliza em cena mais de um rompimento, que por vezes representam, em perspectiva, elementos ambientais, como árvores, pedreiras, abóbadas sobre colunas, etc.

rompível. *Adj. 2 g.* Que se pode romper.

ronca. [Dev. de *roncar.*] *S. f.* **1.** V. *roncadura* (1). **2.** Espécie de fateixa composta de três ou quatro anzóis, própria para a pesca de peixe grosso. **3.** Bordão de gaita de foles. **4.** *Fig.* V. *ronco* (6). ♦ **Meter a ronca em.** *Bras.* V. *meter o pau em* (2): "O povo é mesmo aleivoso, mete a ronca na coitada como se ela fosse mulherdama." (Ricardo Ramos, *Os Caminhantes de Santa Luzia*, p. 45.)

roncadeira. *Adj.* **1.** Fem. de *roncador.* ● *S. f.* **2.** *Bras.* Instrumento feito duma cabaça ou dum pequeno barril, com uma membrana ou pele de bexiga adaptada ao fundo e atravessada por um cordel encerado, pelo qual se corre a mão com força, produzindo um som rouco e áspero. [Cf. *cuíca* (2).]

roncador (ô). *Adj.* **1.** Que ronca; roncante. ● *S. m.* **2.** O que ronca. **3.** *Bras.* Peixe teleósteo, percomorfo, da família dos cianídeos (*Bairdiella ronchus* (Cuv.)), do Atlântico, comum entre RN e RJ; bororó, canguá, pescado-aratanha, robalo-miraguaia, ticopá. **4.** *Bras.* Peixe teleósteo, percomorfo, da família dos pomadasídeos (*Conodon nobilis* (L.)), do Atlântico, desde o Texas (E.U.A.) até a Argentina. Tem coloração amarelada, com oito faixas azuladas transversais com pontas dirigidas para baixo, nadadeiras peitorais amarelas e as demais negras. Carne de qualidade inferior. Comprimento: até 30 cm. [Sin., nesta acepç.: *terreiro, pargo-branco, coró, coroque.*] **5.** *Bras.* V. *canguá* (1). **6.** *Bras., MA* e *PA.* V. *cuíca* (2). **7.** *Bras., N. Pop.* V. *queda-d'água.* **8.** *Bras., SP* e *RS.* V. *fanfarrão* (2).

roncadura. *S. f.* **1.** Ato ou efeito de roncar; roncaria, ronca, ronco. **2.** Bexiga inflada, que estoura com estrépito.

roncante. *Adj. 2 g.* Roncador (1).

roncar. [Do lat. *rhonchare.*] *V. int.* **1.** Respirar ruidosamente durante o sono; ressonar com ruído: "fazia maquinalmente o meu sinal-da-cruz, e daí a pouco roncava de ventre ao ar, lívido e com um suor frio, como um Tibério exausto." (Eça de Queirós, *O Mandarim*, pp. 55-56). **2.** Produzir estrondo ou fragor; estrondear, restrugir: *Roncam os trovões na tempestade. T. i.* **3.** Blasonar, jactar-se, vangloriar-se: *Este jovem ronca de inteligente. T. d.* **4.** Dizer com arrogância; bravatear: *Valentão, roncava ameaças.* [Conjug.: v. *trancar.* Pret. perf.: *ronquei, ... roncou,* etc. Pres. subj.: *ronque, ... ronquem.* Cf. *roncó, roncor* e *ronquém.*]

roncaria. *S. f.* **1.** V. *roncadura* (1). **2.** *Fig.* V. *fanfarrice* (2).

ronçaria. [Do esp. *roncería.*] *S. f.* Qualidade de ronceiro.

roncear. *V. int.* Andar ronceiramente, com lentidão. [Conjug.: v. *frear.*]

ronceirice. *S. f.* Ronceirismo (1).

ronceirismo. *S. m.* **1.** Qualidade, modos ou hábitos de ronceiro; indolência, ronceirice. **2.** Sistema contrário às idéias do progresso.

ronceiro. [De *roncear* + *-eiro.*] *Adj.* **1.** Que se move com lentidão; vagaroso, lento: "Arrastados pesadamente por morosos mas robustos bois de grandes aspas, avançavam os ronceiros veículos, estalando, gemendo" (Júlio Ribeiro, *A Carne*, p. 32). **2.** Que não tem atividade, energia; indolente, preguiçoso, mole, molenga.

roncha. [Do esp. *rocha*, com nasalização.] *S. f. Bras., N.E.* Mancha arroxeada no corpo, originada, em geral, de hemorragia subcutânea: "A cara deformada de equimoses, o peito todo lanhado, as costas cheias de ronchas" (Homero Homem, *Menino de Asas*, p. 109).

ronchar. [De *roncha* (q. v.) + *-ar^{2}.*] *V. t. d. Bras., N.E.* Fazer ronchas em (alguém): *As pancadas roncharam a menina.*

roncise. *S. f.* Hábito ou propósito de roncear.

ronco. [Do gr. *rhógchos*, pelo lat. *ronchu.*] *S. m.* **1.** O som grave, barulhento, da respiração de quem ronca dormindo. **2.** V. *roncadura* (1). **3.** Ruído contínuo, cavernoso, grave, semelhante ao ronco (1): *o ronco de um motor; o ronco do trovão.* **4.** O grunhir dos porcos. **5.** Ronrom. **6.** *Fig.* Bravata, fanfarrice, gabolice, ronca. **7.** *Med.* A respiração cava e difícil dos apopléticos e agonizantes. **8.** *Med.* Ruído brônquico seco e rude, que se deve à obstrução parcial brônquica.

roncó. *S. m. Bras., BA.* Lugar reservado nos candomblés onde os iniciandos passam meses, recebendo lições de culto e praticando sacrifícios para merecerem a confiança do orixá a que se dedicam. [Cf. *roncou*, do v. *roncar*, e *roncor.*]

roncolho (ô). *Adj.* **1.** Que só possui um testículo; monórquido. **2.** Mal castrado: *boi roncolho.* [Pl.: *roncolhos* (ó).]

roncor (ô). *S. m. Bras., N.E.* V. *ronqueira^{1}* (1): *o roncor do peito do doente.* [Cf. *roncó*, e *roncou*, do v. *roncar.*]

ronda. [Do ant. *rolda*, com infl. do esp. *ronda.*] *S. f.* **1.** Visita a algum posto, ou volta feita para inspecionar ou zelar pela tranqüilidade pública. **2.** Grupo de soldados ou de guardas encarregado de vigilância, que percorre as ruas fazendo ronda. [Cf. *patrulha* (4).] **3.** Inspeção para verificar a boa ordem dalguma coisa. **4.** Diligência realizada com o intuito de descobrir algo. **5.** Dança de roda (17). **6.** *Mar. G.* Grumete auxiliar do oficial de serviço, e que tem por função servir de mensageiro dentro do navio ou estabelecimento naval. **7.** *Bras.* Trabalhador que percorre um trecho da linha duma estrada de ferro para prevenir ou remover qualquer obstáculo à circulação dos trens. **8.** *Bras., S.* Lugar onde pasta, vigiada pelos camaradas, a tropa. **9.** *Bras., S.* Jogo de azar jogado com um baralho e qualquer número de parceiros.

rondante. *Adj. 2 g.* **1.** Que ronda. ● *S. 2 g.* **2.** Pessoa que ronda. *S. m.* **3.** *Bras., PE.* Pequena peça de madeira que aperta, por torcedura, qualquer amarração.

rondão^{1}. *S. m.* Roldão.

rondão^{2}. *S. m. Bras., BA.* V. *barbeiro* (6).

rondar. [De *ronda* + *-ar^{2}.*] *V. t. d.* **1.** Fazer ronda a; andar vigiando: *A patrulha rondou toda a cidade.* **2.** Andar à volta de; rodear: *As tropas rondaram o lamaçal;* "As galinhas rondavam a casa, voavam para os ramos baixo, trepavam aos mais altos, escondiam-se entre as folhas." (Coelho Neto, *Treva*, p. 322). **3.** Manter sob observação ou vigilância; vigiar, espreitar, observar: *Antes do assalto o marginal foi visto rondando a casa da milionária.* **4.** *Marinh.* Esticar ou puxar a parte branda ou folgada de (um cabo). [Antôn., nesta acepç.: *bandear* (3).] *T. i. Mar.* **5.** Mudar (o vento) de direção: *O vento rondou para o sul. Int.* **6.** Fazer ronda: *A patrulha passou a noite rondando.* **7.** Passear, vigiando, observando: *O detective saiu para rondar.* **8.** Andar à volta: *O cão, enraivecido, rondou longo tempo.* **9.** *Mar.* Rondar (5). [F. paral., us. nas acepç. 1 a 3 e 6 a 8: *rondear.* Pres. subj.: *ronde, rondeis*, etc. Cf. *rondéis*, pl. de *rondel.*]

rondear. [De *ronda* + *-ear.*] *V. t. d.* e *int.* V. *rondar* (1 a 3 e 6 a 8). [Conjug.: *frear.*]

rondel. [Do fr. ant. *reondel.*] *S. m.* Composição poética de duas quadras e uma quintilha, com apenas duas rimas, sendo os dois últimos versos da segunda quadra iguais aos dois primeiros da primeira, e o primeiro desta o último da quintilha: "Ingênuo, qual essa criança, / Rimo rondéis, faço canções; / Sou, pelo sonho de esperança, / O eco de vários corações." (Martins Fontes, *Poesias*, V, p. 147.) [Pl.: *rondéis.* Cf. *rondeis*, do v. *rondar*, e *rondó.*]

rondo. [Do fr. *ronde.*] *S. m. Caligr.* e *Tip.* Espécie de letra de traços fortes, acentuadamente arredondados, e talhe vertical, e cuja versão tipográfica pertence à classe dos tipos escriturais. [Cf. *letra inglesa* e *redondo* (8).]

rondó. [Do fr. *rondeau.*] *S. m.* **1.** *Liter.* Composição poética com estribilho constante. **2.** *Liter.* Denominação comum a dois poemas de forma fixa: *o rondó dobrado* e *o rondó simples.* **3.** *Mús.* Dança cantada ou canção dançada, de proveniência francesa (séc. XIII), que mais tarde, sobretudo na Itália e na Alemanha, passou para a música instrumental. **4.** *Mús.* Forma em que há um episódio que volta periodicamente (idêntico ou modificado), alternado com novos episódios. Desenvolveu-se do antigo rondó instrumental e, desde os meados do séc. XVIII, foi freqüentemente admitida como último movimento da sonata, do quarteto, da sinfonia, etc. ♦ **Rondó dobrado.** *Liter.* O que é formado de seis quadras sobre apenas duas rimas. **Rondó simples.** *Liter.* Rondó também apenas com duas rimas, e formado de três estâncias (a primeira de cinco versos, a segunda de três e a terceira de cinco), repetindo-se a primeira ou as primeiras palavras dela com o último verso, sem rima, da segunda e da terceira estâncias, o que dá ao poema um total de 15 versos.

rondoniano. *Adj.* e *s. m.* Diz-se de, ou aquele que reside em Rondônia. [Cf. *rondoniense.*]

rondoniense. *Adj. 2 g.* **1.** De, ou pertencente ou relativo a RO. ● *S. 2 g.* **2.** O natural ou habitante desse estado. [Cf. *rondoniano.*]

rondonopolitano. *Adj.* **1.** De, ou pertencente ou relativo a Rondonópolis (MT). ● *S. m.* **2.** O natural ou habitante de Rondonópolis.

rongó. *S. f. Bras., PE. Pop.* V. *meretriz.*

ronha. [Do lat. vulg. **ronea*, alter. de *aranea.*] *S. f.* **1.** Sarna que ataca ovelhas e cavalos. **2.** *P. ext.* Doença de plantas. **3.** *Pop.* Malícia, manha, astúcia, solércia: "Onde pensavas que existia amabilidade, havia ronha e muita!" (Coelho Neto, *A Conquista*, p. 195.)

ronhento. *Adj.* Que tem ronha; ronhoso.

ronhoso (ô). [De *ronha* + *-oso.*] *Adj.* Ronhento.

ronquear. *V. t. d.* Abrir, limpar e preparar em conserva (o atum). [Conjug.: v. *frear.*]

ronqueira^{1}. [De *ronco* + *-eira.*] *S. f.* **1.** O ruído da respiração produzido pelo catarro ou por outra causa de obstrução nas vias respiratórias; roncor, ronquido, pieira. **2.** Doença no pulmão do gado.

ronqueira^{2}. [Var. nasalada de *roqueira.*] *S. f. Bras.* Cano de ferro cheio de pólvora, preso a uma tora de madeira, e que detona com vivo estrondo: "Ao meio-dia, ... estrondavam as ronqueiras festivas" (Viriato Correia, *Novelas Doidas*, p. 300).

ronquejar. [De *ronco* + *-ejar.*] *V. int.* Dar roncos; roncar. [Conjug.: v. *pelejar.*]

ronquém^{1}. [De *ronquenho.*] *Bras., N. E. Adj. 2 g.* **1.** Var. de *ronquenho.* **2.** Que tem a voz muito grossa. [Cf. ronquem, do v. *roncar.*]

ronquém^{2}. [De *rouquenho* (1), com infl. de *ronquenho.*] *Adj. 2 g. Bras., N. E.* V. *rouquenho* (1). [Cf. *ronquem*, do v. *roncar.*]

ronquenho. [De *ronco* + *-enho.*] *Adj.* Que tem ronqueira. [Var. (bras., N. E.): *ronquém*.]

ronquidão. *S. f.* Ronquido.

ronquido. [Do esp. *ronquido.*] *S. m.* **1.** Ruído provocado pelo estreitamento da traquéia do cavalo quando caminha muito ligeiro; ronquidão. **2.** V. *ronqueira^{1}* (1).

ronrom. [T. onom.] *S. m.* Rumor contínuo provocado pela traquéia do gato, comumente quando descansa: "ouvia-se o ronrom da gata" (Aquilino Ribeiro, *Terras do Demo*, p. 87).

ronronante. *Adj. 2 g.* Que ronrona.

ronronar. *V. int.* Fazer ronrom.

ropálico. [Do gr. *rhopalikós*, 'em forma de clava', pelo lat. *rhopalicu.*] *Adj.* ~ V. *verso* —.

ropalócero. [Do gr. *rhópalon*, 'clava', + *-cero.*] *S. m.* **1.** Espécime dos ropalóceros. ● *Adj.* **2.** Pertencente ou relativo a eles.

ropalóceros. *S. m. pl. Zool.* Insetos da ordem dos lepidópteros, divisão *Rhopalocera*, geralmente de vôo diurno, com antenas dilatadas para a parte apical, asas posteriores sem frênulo, com acoplamento do tipo amplexiforme, conhecidos pelo nome popular de *borboletas.* [Cf. *heteróceros.*]

ropoteiro. *S. m.* e *adj.* V. *sifonáptero.*

ropoteiros. *S. m. pl. Zool.* V. *sifonápteros.*

roque^{1}. [Do ár.-persa *rokh*, 'torre', atr. do fr. *roc.*] *S. m.* **1.** *Ant.* A torre do jogo de xadrez. **2.** Nesse jogo, o ato de rocar para proteger o rei.

roque^{2}. [Do ingl. *rock('n'roll).*] *S. m.* Dança muito movimentada, de origem norte-americana, que surgiu na década de 50, tendo por base a música de *jazz*, em compasso quaternário.

➧**roquefort** (ròkfór). [Fr.] *S. m.* Queijo forte, feito de leite de ovelha curado em condições especiais de temperatura e umidade para que se crie na sua massa um bolor azulado característico.

roqueira. [De *roca^{2}* + *-eira.*] *S. f.* **1.** Antigo canhão de ferro para lançar pedras. **2.** Pedreiro (2). **3.** *Bras.* Ronqueira^{2}: "De repente um tiro de roqueira estourou, depois outro e a fogueira virou tições malucos pelo terreiro afora." (Teotônio Brandão Vilela, *Andanças pela Crônica*, p. 9.) [Cf. *rouqueira.*]

roqueirada. *S. f.* Tiro de roqueira (1).

roqueiro^{1}. [De *roca^{1}* + *-eiro.*] *Adj.* **1.** Relativo a roca^{1}. ● *S. m.* **2.** Aquele que faz rocas. [Fem.: *roqueira.* Cf. *rouqueira.*]

roqueiro^{2}. *Adj.* **1.** Relativo a rocha ou roca^{2}. **2.** Assentado ou fundado sobre rochas: *fortaleza roqueira.* **3.** Que tem a constituição das rochas: "O céu baço e sangrento de rigores, ao fim da tarde, para o lado do Marão roqueiro, foi-se acastelando de nuvens negras" (Pina de Morais, *Vidas e Sombras*, p. 23). [Fem.: *roqueira.* Cf. *rouqueira.*]

roqueiro^{3}. [De *roque^{2}* + *-eiro.*] *S. m.* Instrumentista,

cantor e/ou compositor de roque[2] [q. v.].
roque-roque. [Voc. onom.] *S. m.* **1.** Ato de roer. **2.** *Bras.* Peixe teleósteo, siluriforme, da família dos doradídeos (*Platydoras costatus* (L)), da Amaz., PI, CE e Paraguai, de coloração cinza-escura, corpo com uma linha lateral de placas ósseas fortes, e acúleos das nadadeiras dorsal e peitorais muito desenvolvidos. [Pl.: *roques-roques* e *roque-roques.*]
roquete[1] (ê). [Do provenç. (ou cat.) *roquet.*] *S. m.* Sobrepeliz estreita com mangas, bordados de rendas e pregas miúdas: "Trindade despiu o roquete e a batina, fechou os gavetões da cômoda e dirigiu-se ao recinto da Matriz." (Oto Lara Resende, *Boca do Inferno*, p. 22.)
roquete[2] (ê). *S. m. Heráld.* O triângulo heráldico: a posição de três peças quando dispostas no escudo em forma de aspa, i. e., formando um triângulo, duas embaixo e uma em cima, ou, caso sejam enfeixadas, em disposição análoga.
roquete[3] (ê). [De *roca*[1] + *-ete.*] *S. m.* Aparelho que imprime movimento de rotação a uma broca.
ror (ô). [De *horror*, com aférese.] *S. m. Pop.* **1.** V. *quantidade* (3): "Repetiu-se esta cena um ror de vezes!" (Artur Azevedo, *Contos fora da Moda*, p. 44.) **2.** Ajuntamento de pessoas ou coisas; multidão: "— Os ingleses chegaram! Estão subindo o penhasco, um ror deles..." (Antônio Celso, *A Porta de Jerusalém*, p. 18.)
roraimense. *Adj. 2 g.* **1.** Do, ou pertencente ou relativo ao Território de Roraima. ● *S. 2 g.* **2.** Natural ou habitante desse território.
rorante. [Do lat. *rorante.*] *Adj. 2 g.* **1.** *Poét.* Que orvalha. **2.** Que tem orvalho; orvalhoso, rorífero.
rorar. [Do lat. *rorare.*] *V. t. d.* e *int. Bras. Poét.* V. *rorejar:* "Caio-lhe aos pés, tomo-lhe as pequeninas / Mãos que com a chuva de meus prantos roro" (Alberto de Oliveira, *Poesias*, 2ª série, p. 319).
rorejante. *Adj. 2 g. Poét.* Que roreja.
rorejar. [Do lat. *rore*, 'orvalho', + *-ejar.*] *V. t. d.* **1.** Deitar gota a gota, destilar (orvalho, transpiração, etc.). **2.** Molhar com pequenas gotas, à maneira de orvalho; banhar, regar: *As lágrimas rorejavam -lhe o rosto;* "Iracema saiu do banho: o aljôfar d'água ainda a roreja, como à doce mangaba que corou em manhã de chuva." (José de Alencar, *Iracema*, p. 51). *Int.* **3.** Brotar em gotas (qualquer líquido); borbulhar: *Com o intenso calor o suor rorejava;* "rorejaram as lágrimas em alguns olhos" (Camilo Castelo Branco, *A Filha do Regicida*, p. 155). [Conjug.: v. *pelejar.*]
rórido. [Do lat. *roridu.*] *Adj. Poét.* Róscido, orvalhado: "atravessando regiões estéreis, supliciados pela sede, ... lambiam as folhas róridas" (Coelho Neto, *O Rajá do Pendjab*, p. 13).
roridulácea. *S. f.* Espécime das roriduláceas.
roriduláceas. *S. f. pl. Bot.* Família de plantas superiores, da ordem das rosales, composta de duas espécies do gênero *Roridula*, que são arbustos habitantes das montanhas da África austral.
roriduláceo. *Adj.* Pertencente ou relativo às roriduláceas.
rorífero. [Do lat. *roriferu.*] *Adj. Poét.* Que tem orvalho; orvalhoso, rorante.
rorífluo. [Do lat. *rorifluu.*] *Adj. Poét.* De onde corre orvalho.
ró-ró. [Voc. onom.] *S. m.* Onomatopéia do som do pião rodando. [Pl.: *rós-rós* e *ro-rós.*]
rorocoré. *S. m. Bras.* V. *corocoxó.*
rorqual. *S. f.* Baleia (1).
rorqual-gigante. *S. f.* Baleia-azul. [Pl.: *rorquais-gigantes.*]
rosa. [Do lat. *rosa.*] *S. f.* **1.** A flor da roseira. Sua rorola é dobrada, i. e., consta de muitas pétalas, formadas à custa da transformação dos estames. Tem colorido variado (branco, amarelo, inúmeras tonalidades de vermelho, especialmente o muito claro), aspecto belo e delicado, e aroma agradável. **2.** A flor das rosáceas. **3.** A parte rosada das faces. **4.** Mulher muito bonita. **5.** Peça de latão usada pelos encadernadores para dourar os livros. **6.** Rosácea[1] (1). **7.** *Geom.* Rosácea[1] (3). **8.** *Mús.* Boca circular e ornamentada no tampo dos instrumentos de cordas dedilháveis da família do alaúde, e que também se encontra nos cravos, clavicórdios, e nas espinetas dos sécs. XV e XVI; rosácea, roseta. **9.** *Bras., MG. Chulo.* O ânus. *S. m.* **10.** V. *cor-de-rosa* (3). ● *Adj. 2 g.* e *2 n.* **11.** Que é cor-de-rosa; róseo: *Trazia vestido e sapatos rosa.* **12.** Diz-se da cor-de-rosa: *lã de cor rosa.* ~ V. *rosas.*
rosaça. *S. f.* V. *rosácea*[1]: "Nos vidrais das nuvens, o sol da Itália relumbra como uma rosaça gótica" (Martins Fontes, *A Dança*, p. 44).
rosácea[1]. [Do lat. *rosacea.*] *S. f.* **1.** Ornato arquitetônico em forma de rosa; rosa. **2.** Grande vitral de igreja semelhante a esse adorno. **3.** *Geom.* Epitrocóide que tem uma forma que lembra a de uma flor com várias pétalas; rosa. **4.** *Mús.* V. *rosa* (8). **5.** *Med.* Dermatose crônica, que acomete nariz, testa e bochechas, e se caracteriza por congestão e aparecimento de pápulas e de pústulas semelhantes a acne. [Var.: *rosaça.*]
rosácea[2]. *S. f.* Espécime das rosáceas.
rosáceas. *S. f. pl. Bot.* Família de plantas floríferas, da ordem das rosales, composta de ervas, arbustos e árvores de folhas compostas e estipuladas, flores com cinco pétalas e muitos estames, gineceu tipicamente multicarpelar, dentro de um receptáculo muitas vezes fundo, e fruto variado. Há em todo o mundo perto de 2 000 espécies, muitas delas ornamentais e alimentares, economicamente importantes.
rosáceo. [Do lat. *rosaceu.*] *Adj.* **1.** Referente à rosa; róseo. **2.** Pertencente ou relativo à família das rosáceas.
rosa-cruz. [Trad. do antr. *Rosenkreuz*, de Christian Rosenkreuz, cavaleiro (séc. XV), tido como fundador da *rosa-cruz* (2).] *S. f.* **1.** O sétimo e último grau ou quarta ordem do rito maçônico francês, e que tem por símbolos principais o pelicano, a cruz e a rosa. **2.** Seita de iluminados na Alemanha do séc. XVII. *S. m.* **3.** Maçom que atingiu o grau de rosa-cruz.
rosa-da-índia. *S. f.* V. *cravo-de-defunto* (1). [Pl.: *rosas-da-índia.*]
rosa-da-montanha. *S. f. Bras.* Árvore da família das leguminosas (*Brownea grandiceps*), de flores vistosas, que se desfazem facilmente, folhas penadas, avermelhadas quando novas, e que é cultivada em virtude da beleza das volumosas inflorescências, globosas e vermelhas; braúnea, sol-da-bolívia. [Pl.: *rosas-da-montanha.*]
rosa-de-cão. *S. f.* V. *silvão.* [Pl.: *rosas-de-cão.*]
rosa-de-jericó. *S. f.* Erva anual (15 cm), da família das crucíferas *(Anastatica hierochuntica)*, dos desertos da Arábia até a Argélia. Depois de florescer, as folhas caem, e os ramos, tornados lenhosos, enrolam-se em novelo. O vento desenterra a planta e fá-la rolar a longas distâncias pelo deserto; vindo a chuva, abrem-se os ramos e soltam-se os frutos. É, pois, espécie que seca, parecendo morta, e revive mais tarde. [Sin.: *rediviva.* Pl.: *rosas-de-jericó.*]
rosado. [Do lat. *rosatu.*] *Adj.* **1.** V. *cor-de-rosa* (1): "E, de entre as rendas e o arminho, / Saltam seus seios rosados" (Olavo Bilac, *Poesias*, p. 111). **2.** Diz-se dessa cor: *O bebê tem a pele cor rosada.* **3.** Que contém na sua composição a essência de rosas. ~ V. *vinho* —. ● *S. m.* **4.** V. *cor-de-rosa* (3): "Os dedos são de jaspe modelado; / E as unhas... só podiam as paletas / De um chinês imitar-lhes o rosado." (Gonçalves Crespo, *Obras Completas*, p. 184.)
rosa-do-campo. *S. f.* Arbusto semi-escandente do agreste de Minas Gerais, nictagináceo (*Bougainvillea glabra*), extremamente conspícuo em virtude das inflorescências providas de magnas brácteas fortemente coloridas de róseo-avermelhado, diferindo pouco da sempre-lustrosa. [Pl.: *rosas-do-campo.*]
rosa-dos-rumos. *S. f. Náut. Desus.* Rosa-dos-ventos. [Pl.: *rosas-dos-rumos.*]
rosa-dos-ventos. *S. f. Náut.* Mostrador da agulha de marear, ou da agulha de navegação, constituído de um círculo de papel ou de outro material apropriado, onde aparecem marcados os pontos cardeais e os pontos colaterais, com os setores intermédios subdivididos em quartas, meias-quartas e quartos (ao todo, 128 divisões). [Nas agulhas modernas substituiu-se a rosa-dos-ventos por um círculo subdividido em graus de arco de 0 a 360, a partir do norte, no sentido do movimento dos ponteiros do relógio. Sin.: *rosa-dos-rumos.* Pl.: *rosas-dos-ventos.* V. *vento* (10).]
rosal. [Do lat. *rosale.*] *S. m.* Roseiral: "Ninhos cantando! Em flor a terra toda! O vento / Despencando os rosais, sacudindo o arvoredo..." (Olavo Bilac, *Poesias*, p. 170.)
rosale. *S. f.* Espécime das rosales.
rosalense. *Adj. 2 g.* **1.** De, ou pertencente ou relativo a Rosal (RJ). ● *S. 2 g.* **2.** Natural ou habitante de Rosal.
rosales. *S. f. pl.* Ordem de vegetais dicotiledôneos, arquiclamídeos, que compreende as famílias das rosáceas, leguminosas, saxifragáceas, etc.
rosalgar. [Do ár. *raHj al-gār*, 'pós das cavernas'.] *S. m.* **1.** Nome vulgar do realgar. *S. 2 g.* **2.** *Bras., N.E.* Pessoa loura ou muito ruiva. ● *Adj. 2 g.* **3.** Diz-se de indivíduo rosalgar.
rosália. *S. f. Bras.* V. *amor-agarradinho.*
rosa-louca. *S. f. Bras., L.* Arbusto da família das malváceas (*Hibiscus mutabilis*), caracterizado pelo fato de a coloração de suas grandes flores mudar, no curso do dia, do vermelho para o branco. [Pl.: *rosas-loucas.*]
rosa-maravilha. *Adj. 2 g.* e *2 n.* e *s. m.* Rosa-*shocking.* [Pl. do s. m.: *rosas-maravilhas* e *rosas-maravilha.*]
rosar. [De *rosa* (10) + *-ar*[2].] *V. t. d.* **1.** Fazer corar; ruborizar: "Tão grande escuridão naquela alma encheu-a de piedade: e um escrúpulo rosou-lhe as faces" (Eça de Queirós, *Últimas Páginas*, p. 74). *P.* **2.** Tornar-se cor-de-rosa: "Refazia-se. Mais cheia do corpo. Tinha vindo amarela, cor de flor de algodão. Embranquecia e rosava-se, levemente." (José Américo de Almeida, *A Bagaceira*, p. 18.) **3.** Corar, ruborizar-se, enrubescer (-se). **4.** *Fig.* Ficar envergonhado, envergonhar-se; corar: *Rosou-se quando a surpreenderam na má ação.* [F. paral.: *rosear.*]
rosarense. *Adj. 2 g.* **1.** De, ou pertencente ou relativo a Rosário do Catete (SE). ● *S. 2 g.* **2.** Natural ou habitante de Rosário do Catete. [Cf. *rosariense.*]
rosariense[1]. *Adj. 2 g.* **1.** De, ou pertencente ou relativo a Rosário (MG). ● *S. 2 g.* **2.** Natural ou habitante de Rosário. [Cf. *rosarense.*]
rosariense[2]. *Adj. 2 g.* **1.** De, ou pertencente ou relativo a Rosário do Sul (RS). ● *S. 2 g.* **2.** Natural ou habitante de Rosário do Sul. [Cf. *rosarense.*]
rosariense[3]. *Adj. 2 g.* **1.** De, ou pertencente ou relativo a Rosário Oeste (MT). ● *S. 2 g.* **2.** Natural ou habitante de Rosário Oeste. [Cf. *rosarense.*]
rosariense[4]. *Adj. 2 g.* **1.** De, ou pertencente ou relativo a Rosário (MA). ● *S. 2 g.* **2.** Natural ou habitante de Rosário. [Cf. *rosarense.*]
rosário. [Do lat. *rosariu.*] *S. m.* **1.** Enfiada de 165 contas, correspondentes ao número de 15 dezenas de ave-marias e 15 padre-nossos, para serem rezados como prática religiosa. **2.** O conjunto dessas orações: *recitar um rosário.* **3.** *Fig.* Sucessão, série, enfiada: *um rosário de lamentações. Bras.* V. *biurá.*
rosário-de-ifá. *S. m. Bras., BA.* Espécie de rosário (1) de búzios de que se utilizam os babalaôs para lerem o futuro das pessoas. [Pl.: *rosários-de-ifá.*]
rosa-rubra. *S. f.* Arbusto escandente, da família das rosáceas (*Rosa gallica*), de origem européia e cultivado como ornamental graças às enormes e belas flores vivamente coloridas e perfumadas. Tem pétalas numerosas, em virtude da transformação de estames em pétalas, folhas penadas e serrilhadas, e caule aculeolado.
rosas. [Pl. de *rosa.*] *S. f. pl.* Alegrias, prazeres, venturas: *A vida não é feita de rosas.* ~ V. *rosa.* ♦ **De rosas.** Sereno, tranqüilo (mar, céu, dia, tempo).
rosa-*shocking*. [O el. *shocking* é ingl.: 'que choca, perturba'.] *Adj. 2 g.* e *2 n.* **1.** Que tem a tonalidade de cor-de-rosa muito viva, tirante a maravilha (6): *vestidos rosas-shocking; blusão de cor rosa-shocking.* ● *S. m. 2 n.* **2.** Essa tonalidade. [Sin. ger.: *rosa-maravilha.* Pl.: *rosas-*shocking.]
rosbife. [Do ingl. *roast beef.*] *S. m.* Peça de carne bovina, de forma alongada, cortada, em geral, do filé ou da alcatra, frita ou salteada na panela ou assada ao forno, de modo que a parte externa fique bem tostada e o interior mais ou menos sangrento, e que é servida em fatias. [Cf. *bife* (1).]
rosca (ô). *S. f.* **1.** Espiral do parafuso ou de outro objeto qualquer. **2.** Pão, bolo ou biscoito retorcido ou em forma de argola. **3.** Cada uma das voltas da serpente enroscada. **4.** *Pop.* V. *bebedeira* (1). **5.** *Bras.* Designação comum às lagartas dos insetos lepidópteros, da família dos noctuídeos, especialmente os da subfamília dos agrotíneos. Atacam o coleto das plantas durante a noite, enterrando-se no solo durante o dia. Quando tocadas, enrolam-se rapidamente, permanecendo certo tempo como se estivessem mortas. Atacam o fumo, o algodoeiro, hortaliças, batatinha e plantas de jardim. [Sin., nesta acepç.: *lagarta-rosca.*] **6.** V. *tom* (17). **7.** *Bras. Chulo* V. *ânus.* **8.** *Bras. Gír.* Coisa reles, de má qualidade. ● *S. 2 g.* **9.** Pessoa manhosa, velhaca. [Pl.: *roscas* (ô). Cf. *rosca* e *roscas*, do v. *roscar.*]
roscado. [Part. de *roscar.*] *Adj.* **1.** Em que se fizeram roscas. **2.** Fixado ou apertado com parafuso.
roscar. [De *rosca* + *-ar*[2].] *V. t. d.* **1.** Fazer roscas em: *roscar uma porca, um parafuso.* **2.** Apertar ou fixar com parafuso: *roscar uma tábua.* [Conjug.: v. *trancar.* Pres. ind.: *rosco, roscas, rosca*, etc. Cf. *rosca* (ô) e pl. *roscas* (ô).]
róscido. [Do lat. *roscidu.*] *Adj.* Orvalhado, rórido.
roscofe. [Do antr. *Roskopf*, de G. F. Roskopf (— -1889), relojoeiro suíço que deu nome a uma antiga marca de relógio.] *Adj. 2 g. Bras.* **1.** De má qualidade, ruim: *relógio roscofe; carro roscofe.* ● *S. m.* **2.** Us. na

loc. *dar o roscofe.* ◆ **Dar o roscofe.** *Bras., PE* e *AL. Chulo.* Ser pederasta passivo.

rosear. [De *rosa* (10) + *-ear.*] *V. t. d.* e *p.* V. *rosar:* "banhou-se na onda de púrpura que, descendo-lhe da fronte, derramou-se pelas espáduas, roseando a branca escumilha." (José de Alencar, *Lucíola*, p. 178); "É tudo cor-de-rosa! Tudo quanto se vê, roseia-se e resplandece." (Martins Fontes, *A Dança*, p. 44.) [Conjug.: v. *frear.*]

roseína. *S. f.* Fucsina.

roseira. [Do lat. *rosaria.*] *S. f.* Arbusto ou trepadeira lenhosa, da família das rosáceas, do qual há inúmeras espécies originárias do hemisfério boreal, muitas delas cultivadas pela beleza das flores, a despeito dos acúleos pungentes. Corola ampla, alva ou de várias tonalidades, com muitos estames e ovário ínfero multicarpelar; o fruto é peculiar, carnoso e cinorródio.

roseiral. *S. m.* **1.** Quantidade mais ou menos considerável de roseiras dispostas proximamente entre si. **2.** Terreno onde crescem roseiras: "invadindo o roseiral, colheram todas as rosas ao alcance de suas mãos" (Fernando Sabino, *O Grande Mentecapto*, p. 88). [Sin. ger.: *rosal.*]

roseirista. *S. 2 g.* Pessoa que se dedica ao cultivo de roseiras.

roselha (ê). *S. f.* Arbusto compacto (60 cm) e viloso, da família das cistáceas (*Cistus crispus*), nativo na Europa, de folhas linear-lanceoladas ou oblongas, onduladas e rugosas, flores subsésseis e de um rosa intenso, em número de três a quatro, e cápsulas qüinqüevalves e polispermas.

rosélia. *S. f. Bras,* V. *caruru-azedo.*

roselita. [Do antr. *Rose*, de Gustav Rose (1798-1873), mineralogista alemão, + *-lita.*] *S. f. Min.* Mineral triclínico, arseniato hidratado de cálcio, cobalto e magnésio.

róseo. [Do lat. *roseu.*] *Adj.* **1.** Da, relativo à, ou próprio da rosa. **2.** Perfumado como a rosa. **3.** V. *cor-de-rosa* (1): "amendoeiras e cerejeiras a se desfazerem em chuvas de pétalas róseas" (Rodrigo Otávio, *Minhas Memórias dos Outros*, nova série, p. 81); "uma luz rósea, de um róseo de corpo humano, como nas banhistas de Ingres, difundia-se por todo o ambiente." (Thiers Martins Moreira, *Os Seres*, p. 59). **4.** Diz-se dessa cor: *fita de cor rósea.* ● *S. m.* **5.** V. *cor-de-rosa* (3): "uma luz rósea, de um róseo de corpo humano, ... difundia-se por todo o ambiente." (Thiers Martins Moreira, *Os Seres*, p. 59).

roséola. [Do lat. *roseola*, 'um tanto rósea' (subentende-se *mancha*).] *S. f. Med.* Qualquer das erupções cutâneas de cor rósea, que podem ter várias causas, surgindo, p. ex., na sífilis, na febre tifóide, na rubéola.

róseo-purpúreo. *Adj.* Que é róseo e purpúreo. [Pl.: *róseos-purpúreos.*]

roseta[1] (ê). [De *rosa* + *-eta.*] *S. f.* **1.** Pequena rosa. **2.** Designação comum a diferentes objetos cuja forma lembra a da rosa (1). **3.** Pequena roda dentada da espora: "A roseta das esporas se cravou no vazio" (M. Cavalcanti Proença, *Manuscrito Holandês*, p. 87). **4.** Distintivo de fita enrolada com forma semelhante à da rosa (1), usada na botoeira pelos dignitários de graus honoríficos. **5.** Rodinha de crochê. **6.** *Mús.* V. *rosa* (8). **7.** *Tip.* Peça que, girando à entrada do componedor da linotipo, para este impele as matrizes, à proporção que vão caindo; estrela. **8.** *Tip.* Carreto (3). **9.** *Bras., BA* e *MG. Chulo.* O ânus. [Pl.: *rosetas* (ê). Cf. *roseta, rosetas*, do v. *rosetar.*]

roseta[2] (ê). [Do esp. plat. *roseta.*] *S. f. Bras., S.* **1.** V. *espinho-de-carneiro.* **2.** Talos de capim seco, já muito catado pelos animais. [Pl.: *rosetas* (ê). Cf. *roseta, rosetas*, do v. *rosetar.*]

roseta-de-pernambuco. [De *roseta*[1] + *de* + o top. *Pernambuco.*] *S. f. Bras., N.E.* Planta herbácea, da família das cactáceas (*Rhipsalis sarmentacea*), que vive sobre árvores e tem ramos alongados, verdes sem folhas, sendo as flores e os frutos pequeninos pouco numerosos. [Pl.: *rosetas-de-pernambuco.*]

rosetar. [De *roseta*[1] (3) + *-ar*[2].] *V. t. d.* **1.** *Bras., Centro de MG.* Rosetear. *Int.* **2.** *Bras.* Divertir-se à larga; folgar. **3.** *Bras. Gír.* Divertir-se com pessoa do sexo oposto. [Pres. ind.: *roseto, rosetas, roseta*, etc. Cf. *roseta* (ê), s. f., pl. *rosetas* (ê), e *Roseta* (ê), top.]

rosete (ê). *Adj. 2 g.* De cor um tanto rosada: *vinho rosete.*

rosetear. [De *roseta*[1] (3) + *-ar*[2].] *V. t. d.* **1.** *Bras., MG* e *S.* Esporear (o cavalo) com a roseta; rosetar: "Roseteou a ruana, fê-la encambitar-se levantando poeira no terreiro varrido." (Nélson de Faria, *Tiziu e Outras Estórias*, p. 155.) *Int.* **2.** *Bras. Pop.* Rosetar (2 e 3). [Conjug.: v. *frear.*]

roseteiro. [De *roseta*[2] (1) + *-eiro.*] *Bras., RS. Adj.* **1.** Diz-se de campo ruim, cheio de rosetas. ● *S. m.* **2.** Esse campo. **3.** Dono de chácara cujo pouco pasto existente fica, logo, reduzido a rosetas.

▲**rosi-.** [Do lat. *rosa, ae.*] *El. comp.* = 'rosa': *rosigastro.*

rosicler. [Do fr. *rose* + *clair.*] *Poét. Adj. 2 g.* **1.** De uma tonalidade róseo-pálido que lembra a da aurora. ● *S. m.* **2.** Essa tonalidade: "Vai despontando o rosicler da aurora" (Guerra Junqueiro, *A Morte de D. João*, p. 311).

rosigastro. [De *rosi-* + gr. *gastér, gastrós*, 'ventre'.] *Adj. Zool.* Rodogástreo.

rosilho. [Do esp. *rosillo.*] *Adj.* e *s. m.* Diz-se de, ou eqüídeo de pêlo avermelhado e branco, dando o aspecto de cor rosada: "No rosilho vem montado. / Mas, atrás dele, o inimigo / Cavalga em sombra, calado." (Cecília Meireles, *Obra Poética*, p. 744.) [Cf. *rucilho*]

rosiluminoso (ô). [De *rós(eo)* + *-i-* + *luminoso.*] *Adj.* Róseo e luminoso: "E adorai a floresta cor-de-rosa, / Na qual resplende, roseando a serra, / A viridência rosiluminosa / Da Terra!" (Martins Fontes, *Paulistânia*, p. 98.)

rosita. [De *rosi-* + *-ita*[3].] *S. f. Min.* Silicato de alumínio, com aspecto cor-de-rosa.

rosmaninhal. *S. m.* Quantidade mais ou menos considerável de rosmaninhos dispostos proximamente entre si.

rosmaninho. [Do lat. *rosmarinu*, atr. do arc. *rosmarinho.*] *S. m.* Erva da família das labiadas (*Lavandula stoechas* e outras), nativa na região mediterrânea da Europa, cujas pequenas folhas e flores são aromáticas e de grande importância.

rosnadela. *S. f.* Ato ou efeito de rosnar; rosnadura.

rosnador (ô). *Adj.* Que rosna, ou rosna muito.

rosnadura. *S. f.* Rosnadela: "Alguns cães de fila, ... grandes molossos ossudos e ferozes, afastam-se devagar, em rosnaduras ameaçadoras" (Euclides da Cunha, *Os Sertões*, p. 586).

rosnar. [Voc. onom., talvez.] *V. t. d.* **1.** Dizer por entre dentes em voz baixa; murmurar, resmungar: "O criado rosnou uma resposta breve" (Aquilino Ribeiro, *Estrada de Santiago*, p. 18); "A vida íntima dele é abjecta. Rosnam coisas." (Graciliano Ramos, *Caetés*, p. 234). **2.** Fazer constar em segredo, ou como em segredo; murmurar: *Rosnam por aí que foi decretada a prisão do magnata.* *T. i.* **3.** Fazer constar em segredo, ou como em segredo; murmurar: "Começaram a rosnar dos amores deste advogado com a viúva do brigadeiro, quando eles não tinham passado ainda dos primeiros obséquios." (Machado de Assis, *Histórias sem Data*, p. 201.) *Int.* **4.** Emitir (o cão, o lobo, etc.) som surdo, diferente do latido, geralmente em sinal de ameaça, e arreganhando os dentes: "Arremeteu [o cão] de salto e .... ladrou, rosnou" (Coelho Neto, *Rei Negro*, p. 77). **5.** Resmungar, rezingar, resmonear: "O outro rosnou surdamente e com furor .... : / — Não, mil raios! Guanes é sôfrego..." (Eça de Queirós, *Contos*, p. 133.) ● *S. m.* **6.** Ato de rosnar. **7.** Voz surda do cão, que sem latir ameaça e arreganha os dentes.

rosnento. *Adj. Bras., N.* e *N.E.* Que rosna muito.

rosqueado. [Part. de *rosquear.*] *Adj.* Provido de roscas [v. *rosca* (1)].

rosquear. [De *rosca* (1) + *-ear.*] *V. t. d. Bras.* Prover de roscas (pino, parafuso, etc.). [Conjug.: v. *frear.*]

rosquilha. [De *rosca* (2) + *-ilha.*] *S. f.* **1.** Pequena rosca de pão. **2.** Biscoito torcido. [F. paral.: *rosquilho.*]

rosquilho. [De *rosquilha.*] *S. m.* Rosquilha.

rosquinha. [Dim. de *rosca.*] *S. f.* **1.** Molusco da família dos tróquidas (*Neomphalius viridulus* Gmel.). **2.** *Bras.* Pequena rosca (2) em forma de anel, salgada e amanteigada. **3.** *Bras., SC.* V. *cu-de-galinha.*

rossiniano. *Adj.* Relativo ou semelhante a Gioacchino Antonio Rossini, compositor italiano (1792-1868), ou próprio dele ou de sua música.

rossio. *S. m.* **1.** Praça larga; largo espaçoso. **2.** Terreno que antigamente o povo roçava e usufruía em comum. **3.** Ressaio. [Cf. *rocio*, do v. *rociar* e s. m., *rócio*, s. m., e *Róscio*, antr.]

rostear. [De *rosto* + *-ear.*] *V. t. d. Bras., S.* **1.** Enfrentar, encarar, arrostar: *Forte e valente, rosteia quem quer que o provoque.* **2.** Derrubar (árvore) fazendo-a cair para o lado onde trabalham os derribadores. [Conjug.: v. *frear.*]

rostelo. *S. m.* **1.** *Bot.* Clinândrio. **2.** *Zool.* Pequeno rostro dos anopluros. **3.** *Zool.* Proeminência arredondada, às vezes armada de ganchos, do escólex das tênias. **4.** *Zool.* Apófise da concha dos cefalópodes.

rostir. *V. t. d.* **1.** *Gír.* Maltratar, bater, surrar. **2.** *Gír.* Bater no rosto de; esbofetear. **3.** *Gír.* Triturar com os dentes; mastigar: *rostir a comida.* **4.** *Bras.* Tocar levemente em; roçar: *Seu amplo vestido rostia as paredes do estreito corredor:* "esfregou, rostiu os seios de encontro ao fustão áspero da colcha branca." (Júlio Ribeiro, *A Carne*, p. 85). [Cf. *rustir.*]

rosto (ô). [Do lat. *rostru*, 'bico, focinho', com dissimilação.] *S. m.* **1.** A parte anterior da cabeça; face, cara, semblante. **2.** Conjunto de caracteres do rosto; fisionomia: *homem de rosto cruel.* **3.** A parte dianteira, que se volta para o observador; frente. **4.** O anverso da medalha (1). **5.** *Bibliogr.* V. *página de rosto.* ◆ **Rosto a rosto.** V. *face a face:* "Encontrara-se rosto a rosto com a Marta" (José de Alencar, *Alfarrábios*, p. 101). **Rosto gravado.** *Bibliogr.* V. *portada* (3). **Dar de rosto com.** Dar de cara com. **De rosto.** V. *face a face:* "Enquanto as baralhava [as cartas], rapidamente olhava para ele, não de rosto, mas por baixo dos olhos." (Machado de Assis, *Várias Histórias*, p. 15.) **Fazer rosto a. 1.** Estar defronte de: *A casa faz rosto ao mar* **2.** Resistir a: fazer face a. **Lançar em rosto a.** Exprobrar a (alguém), cara a cara; acusar de; lançar em face a: *Lançou-lhe em rosto a sua covardia.* **Torcer o rosto a. 1.** Voltar as costas, fugir de (o inimigo). **2.** Mostrar-se desdenhoso em relação a: "torceriam o rosto às divagações em torno da linhagem dos Ataídes, que lhes parecerão denunciadores de um gosto secreto pelas coisas da heráldica e da genealogia, a que tanto se apegam os frívolos." (Ciro dos Anjos, *Abdias*, p. 16).

rostolho (ô). [De *rosto.*] *S. m.* Uma das peças no rosto (3) da fechadura. [Pl.: *rostolhos* (ô).]

rostrado. [Do lat. *rostratu.*] *Adj.* **1.** Que tem focinho **2.** Rostriforme. **3.** Que tem esporão ou bico, ou é análogo a um deles.

rostral. [Do lat. *rostrale.*] *Adj. 2 g.* **1.** Diz-se da antena que alguns animais possuem no rostro. **2.** Adornado de rostros. **3.** Que tem a forma de rostro (2). **4.** Relativo ao rosto ou frontispício dos livros.

rostraulídeo. *S. m.* **1.** Espécime dos rostraulídeos. ● *Adj.* **2.** Pertencente ou relativo a eles.

rostraulídeos. *S. m. pl. Zool.* Aves caradriiformes, da família dos *Rostraulidae*, caracterizadas por terem apenas 10 rêmiges primárias, sexos com plumagem diferente, bico médio, com ápice curvado para baixo e caracteristicamente expandido. No Brasil é conhecida apenas uma espécie dessa família.

▲**rostri-.** [Do lat. *rostrum, i.*] *El. comp.* = 'bico': *rostricórneo.* [Equiv.: *-rostro: platirrostro.*]

rostricórneo. [De *rostri-* + *-corn(e)-* + *-eo*] *Adj. Zool.* Que tem a antena sob uma ponta ou espécie de bico, que prolonga a cabeça.

rostriforme. [De *rostri-* + *-forme.*] *Adj. 2 g.* Que tem forma de bico; rostrado.

rostro. [Do lat. *rostru.*] *S. m.* **1.** Bico das aves. **2.** *Ant. Constr. Nav.* Esporão de navio na época da marinha a remos. **3.** Tribuna adornada com proas de navios, onde os oradores romanos discursavam. **4.** Sugadouro dos insetos hemípteros. **5.** Prolongamento pontiagudo de vários órgãos vegetais. **6.** *Ant.* Rosto (1) [q. v.]: "ao chegar com o rostro ao brasido, deitava a língua fora mui comprida, e a passava pelas áscuas" (Pe Manuel Bernardes, *Vários Tratados*, II, p. 476).

▲**-rostro.** Equiv. de *rostri-.*

rosulado. [De *rosa* + *-ula-* + *-ado*[1].] *Adj. Morfol. Veg.* Diz-se da planta cujos entrenós são tão curtos que as folhas ficam demasiado aproximadas, lembrando o aspecto de uma rosa; arrosetado.

■**rot.** *Cálc. Vect.* Símb. de *rotacional.*

rota[1]. [Do lat. *rupta.*] *S. f.* **1.** Combate, luta, peleja. **2.** *Ant.* Derrota[1] (2). **3.** Tribunal pontifício que decide questões acerca de benefícios. **4.** Tribunal pontifício com jurisdição sobretudo em causas matrimoniais. [Pl.: *rotas.* Cf. *rota* (ô) e *rotas* (ô), flex. de *roto* (ô).]

rota[2]. [Do fr. *route.*] *S. f.* **1.** Caminho, direção, rumo. **2.** *Náut.* Derrota[2]. [Pl.: *rotas* Cf. *rota* (ô) e *rotas* (ô), flex. de *roto* (ô).] ◆ **De rota batida.** Sem parar; sem interrupção; depressa, velozmente; em rota batida: "De rota batida: "por montes e andurriais, pôs o fito numa quinta onde era fama morar gente grada e benfazeja." (Aquilino Ribeiro, *Estrada de Santiago*, p. 271.) **Em rota batida.** V. *de rota batida.*

rota[3]. [Do mal. *rótan.*] *S. f.* Junco empregado na fabricação de esteiras, velas de embarcação e assentos de cadeiras. [Pl.: *rotas.* Cf. *rota* (ô) e *rotas* (ô), flex. de *roto* (ô), e *rotim.*]

rota[4]. [Do gaélico *crouth* ou *crwth.*] *S. f.* **1.** *Mús.* Na alta Idade Média, pequena harpa portátil, espécie de lira, originária das ilhas britânicas. **2.** Na Idade Média, a viela de roda [q. v.]. **3.** O cânone circular [q. v.], (por analogia com a roda). [Pl.: *rotas.* Cf. *rota* (ô) e *rotas* (ô), flex. de *roto* (ô).]

▲rot(a)-. [Do lat. *rota, ae.*] *El. comp.* = 'roda': *rotáceo.* [Equiv.: *roti-* e *roto-*: *rotiforme, rotogravura.*]

rotação. [Do lat. *rotatione.*] *S. f.* **1.** Ato ou efeito de rotar; movimento giratório; giro em voltas sucessivas em torno de um eixo. **2.** V. *rodízio* (3). **3.** *Agr.* Afolhamento. **4.** *Fís.* Movimento de um corpo rígido em que todas as partículas, num instante determinado, descrevem arcos de circunferência cujos centros estão sobre uma mesma reta, o eixo instantâneo de rotação. ♦ **Rotação da Terra.** Movimento executado pela Terra, em torno da linha dos pólos de oeste para leste, em 23 horas, 56 minutos e 4 segundos, ou um dia. **Rotação do perièlio.** *Astr.* Avanço do periélio.

rotáceo. [De *rot(a)-* + *-áceo*[1].] *Adj.* Rotiforme. [Fem.: *rotácea.* Cf. *rutáceo* e *rutácea.*]

rotacional. *Adj. 2 g.* **1.** Referente à rotação. ● *S. m.* **2.** *Cálc. Vect.* Vector que resulta do produto vectorial do operador nabla por uma função vectorial. [Símb.: *rot.*]

rotacismo. [Do gr. *rhotakismós.*] *S. m.* **1.** Uso habitual, ou pronúncia viciosa, do erre. **2.** Pronúncia ou escrita do erre em lugar de outra letra.

rotador (ô). [Do lat. *rotatore.*] *Adj.* **1.** V. *rotante.* ● *S. m.* **2.** *Zool.* Infusório com forma semelhante a duas rodas de engrenagem, girando em sentidos opostos; rotatório, rotífero. **3.** *Anat.* Músculo que faz girar sobre o seu eixo as partes a que se acha ligado.

rotâmetro. [Do ingl. *rotameter.*] *S. m. Fís.* Instrumento para medir o fluxo de um fluido num encanamento.

rotante. [Do lat. *rotante.*] *Adj. 2 g.* Que roda ou gira; rotador, rotativo, rotatório: "O Céu puro e sereno, cravejado / De seus cristais rotantes, e banhado / Da diáfana luz, mui fraca e escura / Idéia pode dar desta pintura." (Frei Francisco de S. Carlos, *A Assunção,* p. 268.)

rotar. [Do lat. *rotare.*] *V. int.* Andar à roda; descrever órbita (3); girar, rodar: *Os astros rotam no infinito.* [Pres. ind.: *roto, rotas, rota,* etc.; fut. pret.: *rotaria,* etc. Cf. *roto* (ô), flex. *rota* (ô), *rotas* (ô); *roto* (ô), do v. *romper;* e *rotária,* fem. de *rotário.*]

rotariano. [Do ingl. *rotarian.*] *Adj.* e *s. m.* Diz-se de, ou membro de um *Rotary Club,* clube para homens de diversas profissões e atividades, filiado ao *Rotary International,* organização fundada nos E.U.A. em 1905, com o fim de prestar serviços à comunidade e estabelecer laços de compreensão mundial.

rotário. [Do esp. *rotario.*] *Adj.* Relativo ou pertencente ao *Rotary Club* [v. *rotariano*], ou próprio dessa organização: *convenção rotária; expansão rotária; assuntos rotários.* [Fem.: *rotária.* Cf. *rotaria,* do v. *rotar.*]

rotativa. [Fem. substantivado de *rotativo.*] *S. f.* V. *Prensa rotativa.*

rotatividade. *S. f.* **1.** Qualidade de rotativo. **2.** V. *rodízio* (3): *rotatividade de culturas.*

rotativismo. [De *rotativo* + *-ismo.*] *S. m.* Revezamento dos partidos no poder.

rotativista[1]. *S. 2 g. Art. Gráf.* Impressor que trabalha em rotativa. [Cf. *cilindrista* e *ofsetista.*]

rotativista[2]. *Adj. 2 g.* **1.** Relativo ao, ou que é partidário do rotativismo. ● *S. 2 g.* **2.** Partidário dele.

rotativo. [Do lat. *rotatu,* part. pass. de *rotare,* 'rodar', + *-ivo.*] *Adj.* **1.** Que faz rodar; que transmite rotação. **2.** V. *rotante.* **3.** Que se transmite em rodízio ou revezamento: *cargos rotativos.* **4.** *Tec.* Diz-se de motor ou qualquer outro equipamento em que peças móveis efetuam movimento de rotação. [Cf., nesta acepç., *alternativo* (5).] ~ V. *bomba —a, estereotipia —a, impressão —a, máquina —a* e *prensa —a.*

rotatório. [Do lat. *rotatu,* part. pass. de *rotare,* 'rodar', + *-ório.*] *Adj.* **1.** V. *rotante.* **2.** Relativo a rotação. **3.** V. *rotífero* (2). ~ V. *dispersão —a* e *poder —.* ● *S. m.* **4.** V. *rotífero* (3). **5.** *Zool.* V. *rotador* (2).

rotatórios. [Pl. de *rotatório* (4).] *S. m. pl. Zool.* V. *rotíferos.*

rotear[1]. [De *roto* + *-ear.*] *V. t. d.* V. *arrotear* [Conjug.: v. *frear.*]

rotear[2]. [De *rota*[2] + *-ear.*] *V. t. d.* **1.** Dirigir (uma embarcação) pela rota adequada para chegar ao seu destino; marear. *Int.* **2.** Marear, navegar. [Conjug.: v. *frear.*]

rotearia. *S. f.* Trabalho de rotear[1] ou arrotear.

roteirista. *S. 2 g.* Autor do roteiro(s), especialmente de roteiros cinematográficos.

roteirização. *S. f.* Ato ou efeito de roteirizar.

roteirizar. *V. t. d. Bras.* Escrever o roteiro (6) de: *Roteirizou excelentemente o filme.*

roteiro. [De *rota*[2] + *-eiro.*] *S. m.* **1.** *Náut.* Livro onde se descrevem minuciosamente o litoral, ilhas, baixios, portos, regimes de ventos, de correntes e de chuvas, faróis e outros dados de interesse para a navegação. [Sin., ant.: *derroteiro.*] **2.** Descrição pormenorizada de uma viagem; itinerário. **3.** Indicação metódica e minuciosa da situação e direção de caminhos, etc., duma povoação. **4.** Relação dos principais tópicos que devem ser abordados num trabalho escrito, numa discussão, etc.: *roteiro para discussões.* **5.** *Fig.* Norma, regulamento, regra, preceito. **6.** *Cin.* Texto, baseado no argumento, das cenas, seqüências, diálogos e indicações técnicas de um filme. [Cf., nesta acepç.: *script.*] **7.** Guia (16).

rotenona. [Do ingl. *rotenone.*] *S. f. Quím.* Substância cristalina, com ação inseticida, encontrada em alguns vegetais. [Fórm.: $C_{23}H_{22}O_6$.]

rotfone. *S. m. Mús.* Instrumento de metal, tubo cônico e palheta dupla, semelhante ao sarrussofone quanto ao timbre, e ao saxofone quanto à forma e à escala, mas com o diâmetro menor.

▲roti-. V. *rot(a)-.*

rotífero. [De *roti-* + *-fero.*] *Adj.* **1.** Que tem rodas. **2.** Pertencente ou relativo aos rotíferos; rotatório, troquelminto. ● *S. m.* **3.** Espécime dos rotíferos; rotatório, troquelminto. **4.** *Zool.* V. *rotador* (2).

rotíferos. *S. m. pl. Zool.* Animais asquelmintos, da classe *Rotifera,* cujo corpo é dotado de um disco anterior com cílios para locomoção e alimentação, e tem extremidade posterior afilada, com glândulas adesivas para fixação permanente ou temporária, aparelho digestivo completo, com órgão faringiano mastigador. São de tamanho microscópico, geralmente inferior a 1 mm. [Sin.: *rotatórios, troquelmintos.*]

rotiforme. [De *roti-* + *-forme.*] *Adj. 2 g.* Que tem forma de roda; rotáceo.

rotim. [Do mal. *rótan,* atr. do fr. *rotin.*] *S. m.* Rota[3] empregada para entretecer assentos de cadeiras, etc.

rotina. [Do fr. *routine.*] *S. f.* **1.** Caminho já percorrido e conhecido, em geral trilhado maquinalmente; rotineira. **2.** Seqüência de atos ou procedimentos que se observa pela força do hábito; rotineira. **3.** *Fig.* Uso, prática, norma geral de procedimento; ramerrão, rotineira: "A rotina, numa das suas formas mais estúpidas, é a persistência caturra numa primeira impressão." (Eça de Queirós, *Notas Contemporâneas,* pp. 28-29.) **4.** *Proc. Dados.* Conjunto de instruções elaboradas e reunidas na seqüência correta para um computador desempenhar uma operação ou uma série de operações, um programa pequeno ou uma parte de um programa. **5.** *Mar.* Horário estabelecido para as atividades diárias que se realizam a bordo de um navio. [Cf. *rutina.*]

rotineira. [Fem. substantivado do adj. *rotineiro.*] *S. f.* Rotina (1, 2 e 3).

rotineiro. *Adj.* **1.** Respeitante à rotina. **2.** Que segue a rotina. ● *S. m.* **3.** Indivíduo rotineiro.

rotisseria. [Do fr. *rôtisserie.*] *S. f.* Seção onde, nos supermercados, se vende presunto, queijo e outras viandas.

roto (ô). [Do lat. *ruptu.*] *Adj.* **1.** Que se rompeu. **2.** Esburacado, rasgado; esfarrapado, esfrangalhado: *roupa rota.* **3.** V. *maltrapilho.* ● *S. m.* **4.** V. *maltrapilho* (2). [Flex.: *rota* (ô), *rotos* (ô), *rotas* (ô). Cf. *roto, rotas, rota,* do v. *rotar; rota.* s. f., pl. *rotas;* e *Roto,* antr.] ♦ **Rir(-se) o roto do esfarrapado.** Rir(-se) o sujo do mal lavado.

▲roto-. V. *rot(a)-.*

rotoestereotipia. [De *roto-* + *estereotipia.*] *S. f. Tip.* V. *estereotipia curva* (1).

rotofoto. [De *roto-* + *-foto.*] *S. f. Tip.* Fotocompositora [q. v.] baseada, como a monofoto [q. v.], no mecanismo da monotipo.

rotográfico. [De *roto-* + *-graf(o)-* + *-ico*[2].] *Adj.* Referente a rotogravura.

rotogravador (ô). [De *roto-* + *gravador.*] *S. m. Fotograv.* Fotogravador que se dedica à rotogravura. [Cf. *heliogravador.*]

rotogravar. [De *roto-* + *gravar.*] *V. t. d. Fotograv.* Reproduzir por meio de rotogravura.

rotogravura. [De *roto-* + *gravura.*] *S. f.* **1.** *Fotograv.* Processo de heliogravura destinado a tiragem em prensa rotativa, e no qual a gravação se faz, quer em placas, depois encurvadas para adaptação aos cilindros, quer diretamente nos próprios cilindros, forrados de cobre ou cobertos de camada desse metal, por eletrodeposição. **2.** Estampa obtida por esse processo. ♦ **Rotogravura autotípica.** *Fotograv.* Processo de impressão rotográfica no qual o cilindro de cobre é gravado por meio de pontos de diferentes tamanhos e profundidade uniforme, produzidos por meio de retícula, combinando, assim, os métodos da autotipia e da rotogravura.

rotoimpressão (o-im). [De *roto-* + *impressão.*] *S. f.* Impressão rotativa. [Cf. *planiimpressão.*]

rotoplano. [De *roto-* + *plano.*] *Adj.* ~ V. *máquina —a* e *prensa —a.*

rotor (ô). [Abrev. do lat. *rotator,* 'que roda', pelo ingl. *rotor.*] *S. m.* **1.** Parte giratória de uma máquina ou motor, especialmente elétrico. **2.** Mecanismo rotatório dos helicópteros, com as respectivas pás.

rótula. [Do lat. *rotula,* 'rodinha'.] *S. f.* **1.** Gelosia (1): "Entrava disfaçadamente, fechava as rótulas da janela" (Aluísio Azevedo, *O Mulato,* p. 129). **2.** *Anat.* Cada um dos ossos pares situados adiante da articulação de fêmur com tíbia. [Sin.: *patela* e (pop.) *rodela.*] **3.** *Constr.* Articulação situada entre dois elementos de uma estrutura, e destinada a permitir seus deslocamentos angulares relativos. [Cf. *rotula,* do v. *rotular.*]

rotulação. [De *rotular*[2] + *-ção.*] *S. f.* Rotulagem.

rotulado[1]. [De *rótula* + *-ado*[1].] *Adj.* **1.** Que tem rótula. **2.** Semelhante a uma rótula.

rotulado[2]. [Part. de *rotular*[2].] *Adj.* Que se rotulou; em que se fez rotulagem.

rotulagem. *S. f.* Ação de rotular; rotulação.

rotular[1]. [De *rótula* + *-ar*[1].] *Adj. 2 g. Anat.* Rotuliano.

rotular[2]. [De *rótulo* + *-ar*[2].] *V. t. d.* **1.** Colocar rótulo ou etiqueta em; etiquetar: "enquanto rotulava uma poção ou fechava uma cápsula, o Seabra .... ria, desdentado, criticando o coletor" (Coelho Neto, *Treva,* p. 168). **2.** Servir de rótulo ou etiqueta a: *Tiras de papel afixadas rotulavam os frascos.* **3.** Atribuir, com simplismo, determinada qualidade a: *Rotular pessoas é um péssimo hábito. Transobj.* **4.** Classificar, considerar, qualificar, reputar, em geral superficialmente, com simplismo ou impropriedade: "O Sr. Fernando Magalhães, ainda que devoto de Machado [Machado de Assis], rotulou de romancista da hesitação" (Agripino Grieco, *Amigos e Inimigos do Brasil,* p. 41). [Pres. ind.: *rotulo, rotulas, rotula,* etc. Cf. *rótulo* e *rótula.*]

rotuliano. *Adj. Anat.* Relativo à rótula (2); rotular, patelar. ~ V. *tendão —.*

rótulo. [Do lat. *rotulu,* 'rolo, cilindro'.] *S. m.* **1.** Pequeno impresso que se cola em embalagens e recipientes para indicar-lhes o conteúdo. **2.** *Encad.* Retângulo de pele que se cola na lombada de um livro, e sobre o qual se douram as indicações de autor, título e tomação; tomba. **3.** *Fig.* Qualificação simplista, geralmente feita através de chavões: *O homem consciente não aceita rótulos.* **4.** Ralo ou pequena grade que guarnece as portas, janelas, etc. [Cf. *rotulo,* do v. *rotular.*]

rotunda. [Do lat. *rotunda,* 'redonda'.] *S. f.* **1.** Construção circular, terminada em cúpula. **2.** Praça ou largo circular. **3.** *Caligr.* e *Tip.* Nome dado na Itália à versão nacional, arredondada, da letra gótica. **4.** *Teat.* Pano de fundo, de flanela ou feltro, disposto em semicírculo no palco; pano de fundo.

▲rotundi-. [Do lat. *rotundus, a, um.*] *El. comp.* = 'redondo', 'circular': *rotundicolo, rotundiventre.*

rotundicolo. [De *rotundi-* + *-colo.*] *Adj. Zool.* Que tem o pescoço redondo.

rotundidade. [Do lat. *rotunditate.*] *S. f.* **1.** Qualidade de rotundo ou redondo; redondeza. **2.** Gordura, adiposidade, corpulência, obesidade.

rotundifólio. [Do lat. *rotundifoliu.*] *Adj. Morfol. Veg.* Que tem folhas redondas.

rotundiventre. [De *rotundi-* + *ventre.*] *Adj. 2 g. Zool.* Que tem o ventre arredondado.

rotundo. [Do lat. *rotundu,* 'redondo'.] *Adj.* **1.** V. *redondo* (1 a 5): "Naquelas solidões de monte e penedia os pardais, revoando no telhado, pareciam aves consideráveis. E a massa rotunda e rubicunda do Pimentinha dominava, atulhava a região." (Eça de Queirós, *A Cidade e as Serras,* p. 203.) **2.** Categórico, decisivo, peremptório, redondo: "Admirei-me de negação tão rotunda e Rute proferiu: / — A mana tem razão, Deus não existe." (Aquilino Ribeiro, *Alemanha Ensangüentada,* p. 194.)

rotura. [De *roto* + *-ura.*] *S. f.* V. *ruptura.*

roubado. [Part. de *roubar.*] *Adj.* Em que houve, ou que foi objeto ou vítima de roubo.

roubalheira. *S. f.* **1.** Roubo vultoso e escandaloso. **2.** Roubo de bens do Estado, ou de qualquer empresa ou organização.

roubar. [Do germ. *rauben,* 'arrebatar', 'roubar', atr. dum lat. vulg. *roubare.*] *V. t. d.* **1.** *Jur.* Subtrair (coisa alheia móvel) para si ou para outrem, mediante grave ameaça ou violência à pessoa, ou depois de havê-la, por qualquer meio, reduzido à impossibilidade de resistir. **2.** Furtar, subtrair (coisa alheia): *O gatuno roubou as jóias.* **3.** Despojar de dinheiro ou de valores. **4.** Praticar roubo em: *A quadrilha roubou várias residências.* **5.** Apropriar-se fraudulentamente de;

subtrair: *O advogado desonesto roubou parte do espólio.* **6.** Cometer rapto contra; raptar: *roubar uma donzela.* **7.** Tirar com violência; despojar, saquear: *As tropas roubaram a cidade ocupada.* **8.** Arrebatar, enlevar; extasiar: *Esta música rouba a alma e requinta a sensibilidade.* **9.** Assenhorar-se ou apoderar-se de; conquistar, cativar: *Aquela bonita mulher roubou muitos corações.* **10.** Apresentar indevidamente (trabalho artístico ou científico) como de sua autoria; plagiar: *roubar uma música, uma novela.* **11.** Tomar, consumir, gastar: *A busca do processo vai roubar um bom tempo. T. d. e i.* **12.** Tomar furtivamente, ou por violência; furtar: *Roubaram ao turista elevada soma;* "a brisa doudejava indiscreta arregaçando o lenço à donzela que passava, ou roubando um beijo à rosa perfumada." (Rebelo da Silva, *Contos e Lendas*, pp. 171-172). **13.** Libertar, livrar, salvar: *Um feliz acaso roubou da miséria a pobre família; A morte veio roubá-lo aos piores sofrimentos. Int.* **14.** Praticar roubos; proceder como ladrão: *A lei de Deus, assim como a dos homens, proíbe roubar. T. i.* **15.** Praticar adulteração, falsificação, contrafação: *O açougueiro rouba no peso da carne. P.* **16.** Fugir, esquivar-se, furtar-se a: *Esquisitão, rouba-se às manifestações de apreço dos amigos.*

roubo. [Dev. de *roubar.*] *S. m.* **1.** Ato ou efeito de roubar. **2.** Aquilo que se rouba. **3.** *Fig.* Preço muito alto, que se considera extorsivo.

rouco. [Do lat. *raucu.*] *Adj.* **1.** Que tem a fala áspera e cava, difícil de entender; que tem rouquidão. **2.** Diz-se do som semelhante à fala rouca. ~ V. *pato* —.

roufenhar. *V. int.* Ter voz roufenha.

roufenho. [Voc. onom.] *Adj.* Que tem som anasalado; fanhoso, rouquenho: "Cessou o roufenho lamento do saxofone." (Érico Veríssimo, *México*, p. 12.)

➧**round** (ráund). [Ingl.] *S. m. Esport.* No boxe, um dos tempos de uma competição.

roupa. [Do gót. * *raupa*, 'presa'.] *S. f.* **1.** Peça de pano destinada ao uso doméstico; *roupa de cama.* **2.** Peça de vestuário; indumentária, traje. ◆ **Roupa de baixo.** Roupa lavável, de qualquer cor, geralmente de tecido fino, e que se usa junto ao corpo, sob outra roupa; roupa-branca. [Cf. *lingerie.*] **Roupa de ver a Deus.** *Bras., N.E. Pop.* Roupa nova, domingueira. **Bater roupa.** *Bras., MA. Fut.* Pegar ou soltar (o goleiro) a bola chutada pelo adversário.

roupa-branca. *S. f.* Roupa de baixo. [Pl.: *roupas-brancas.*]

roupa-de-franceses. *S. f.* Coisa em que todos metem a colher ou à qual todos se julgam com direito. [Sin. (bras., chulo): *cu-de-mãe-joana.* Pl.: *roupas-de-franceses.*]

roupagem. *S. f.* **1.** Conjunto de roupas; roupa(s), vestes, fardagem. **2.** Roupаria (1). **3.** *Pintura ou escultura que representa roupas.* **4.** *Fig.* Coisa vistosa, frívola ou insignificante; exterioridade, aparência.

roupão. [Aum. de *roupa.*] *S. m.* Peça caseira de vestuário, longa e confortável, aberta na frente, de mangas compridas e cinto, usada sobre a roupa de dormir ou a roupa de baixo, ou para se ficar à vontade; robe, chambre. ◆ **Roupão de banho.** Roupão de tecido felpudo, próprio para enxugar o corpo.

roupar. [De *roupa* + *-ar*².] *V. t. d. e p.* V. *enroupar.*

rouparia. *S. f.* **1.** Quantidade considerável de roupa; roupagem. **2.** Local onde se guardam ou vendem roupas.

roupa-velha. *S. f.* **1.** *Bras.* Iguaria feita com as sobras, geralmente desfiadas, de charque ou de outra carne duma refeição anterior. **2.** *Bras., RS.* Espécie de paçoca de carne-seca, feijão e farinha. [Pl.: *roupas-velhas.*]

roupa-velheiro. *S. m.* Indivíduo que compra e vende roupa usada, velha. [Pl.: *roupas-velheiros.* Cf. *adeleiro.*]

roupeiro. *S. m.* **1.** Indivíduo que guarda a rouparia de uma casa ou de uma comunidade. **2.** Indivíduo que faz roupas. **3.** *Bras.* Móvel para se guardarem roupas, em geral semelhante à cômoda. **4.** *Bras. Gír.* Gatuno que no momento da ação se posta de modo que encubra o punguista, seu parceiro.

roupeta (ê). [De *roupa.*] *S. f.* **1.** Hábito de sacerdote; batina: "Em terras heréticas trocou [o Pe Antônio Vieira] a roupeta .... por vestuário de fidalgo" (Antônio José Saraiva e Oscar Lopes, *História da Literatura Portuguesa*, p. 514). ● *S. m.* **2.** *Deprec.* Padre, sacerdote.

roupido. *Adj.* Que está vestido ou provido de roupas; enroupado.

roupinha. [Dim. de *roupa.*] *S. f. Lus.* Casaco justo e curto, usado pelas saloias e mulheres do campo.

roupiquinha. *S. f. Bras., SP. Pop.* Roupa modesta, simples.

rouqueira. *S. f.* **1.** V. *rouquidão* (1). **2.** V. *rouquido.* [Cf. *roqueira*, fem. de *roqueiro* e s. f.]

rouquejante. *Adj. 2 g.* Que rouqueja.

rouquejar. *V. int.* **1.** Emitir sons roucos; ter rouquidão. **2.** Bramir, rugir: "O mar rouquejava na praia." (Coelho Neto, *Turbilhão*, p. 309.) **3.** Estrondear, estrondar: "Cantavam ali perto pássaros, bem embora mais longe rouquejassem as metralhadoras." (Aquilino Ribeiro, *Caminhos Errados*, p. 214); "Um som longínquo cavernoso e oco / Rouqueja, e n'amplidão do espaço morre" (Gonçalves Dias, *Obras Poéticas*, II, p. 231). *T. d.* **4.** Emitir, rouquejando: *Exasperado, rouquejou algumas palavras;* "Nenhuma goela entusiasmada rouquejava a *Marselhesa.*" (Eça de Queirós, *Ecos de Paris*, p. 65). [Conjug.: v. *pelejar.*]

rouquenho. [De *rouco* + *-enho.*] *Adj.* **1.** Um pouco rouco. [Var. (bras., N.E.): *ronquém.*] **2.** V. *roufenho*: "Sobre a ponte de pau, lento e rouquenho, / Lá do canavial verde e gemente, / Vem o carro de bois" (Fernando de Mendonça, *13 Decassílabos*, p. 11).

rouquice. [De *rouco* + *-ice.*] *S. f.* V. *rouquidão* (1).

rouquidão. [De *rouco* + *-i-* + *-dão.*] *S. f.* **1.** Embaraço no órgão da voz, que acarreta certa aspereza na fala e dificuldade na pronúncia; rouquice, rouqueira, enrouquecimento. **2.** V. *rouquido.*

rouquido. [De *rouco* + *-ido.*] *S. m.* Som rouco de respiração estertorosa de enfermo ou moribundo; ronco, rouqueira, rouquidão.

rousseauniano (ussô). *Adj.* **1.** Pertencente ou relativo a Jean-Jacques Rousseau (1712-1778), escritor e pensador suíço de língua francesa. ● *S. m.* **2.** Admirador e/ou profundo conhecedor da obra de Rousseau.

rouxinol. [Do lat. vulg. **lusciniolu*, atr. do provenç. ant. *rossinhol.*] *S. m.* **1.** Ave passeriforme, da família dos turdídeos, gêneros *Luscinia* Forter e *L. megarhyncha* Brem., de coloração geral parda com tons ruivos, cabeça mais escura, garganta e peito mais claros, bico quase negro na parte superior e amarelo na inferior. Vive em toda a Europa e numa parte da Ásia central e meridional. **2.** *Bras. Impr.* Designação popular comum a várias aves passeriformes das famílias dos troglodítideos e dos icterídeos. [Cf. *joão-pinto* e *garriça.*] **3.** *Fig.* Pessoa que canta muito bem, que tem linda voz.

rouxinol-do-campo. *S. m. Bras., Amaz.* V. *polícia-inglesa.* [Pl.: *rouxinóis-do-campo.*]

rouxinol-do-rio-negro. *S. m. Bras.* Ave passeriforme, da família dos icterídeos (*Icterus chrysocephalus* (L.)), da região do rio Negro, de coloração preta, tendo amarelos o alto da cabeça, as coberteiras superiores menores da asa e as coxas. [Pl.: *rouxinóis-do-rio-negro.*]

rouxinolear. *V. int.* Cantar como o rouxinol. [Conjug.: v. *frear.*]

roxa (ô). [Fem. do adj. *roxo.*] *S. f.* **1.** Nódoa roxa. **2.** Mulata jovem e clara; roxinha: "as meninas do Manuel do Carmo, Chico Lisboa e Maneta, umas roxas peitudas e bundudas" (Bernardo Élis, *Veranico de Janeiro*, p. 24). [Cf. *rocha.*]

roxeado. [Part. de *roxear.*] *Adj.* V. *arroxeado*¹.

roxear. *V. t. d., int. e p.* Tornar(-se) roxo; purpurear(-se); arroxear(-se), arroxar(-se). [Conjug.: v. *frear.*]

roxicré. *S. m. Ant.* V. *rosicler*: "Num *vecchio* recanto, à porta de um casarão secular, armoriado, pintalgado de roxicré, ... as moças napolitanas e os pescadores de pérolas festejam o dia de *Santa Chiara*" (Martins Fontes, *A Dança*, pp. 40-41).

roxidão. *S. f.* **1.** A cor roxa; roxura. **2.** Qualidade de roxo.

roxinha. [Dim. de *roxa.*] *S. f. Bras.* Roxa (2).

roxo (ô). [Do lat. *russeu*, 'de cor vermelha carregada', atr. do arc. *roixo.*] *Adj.* **1.** Da cor da violeta, da ametista; violeta. **2.** De cor entre o rubro e o violáceo; purpúreo. **3.** Diz-se dessas cores: *paramentos de cor roxa; tecido de cor roxa quase preta.* **4.** *Bras.* Muito intenso; excessivo, desmedido: *paixão roxa.* **5.** *Bras. Fam.* Diz-se de namoro cheio de liberdade [Sin. (nesta acepç., no CE): *rombudo.*] **6.** *Bras. Fam.* Muito desejoso; ansioso: *Está roxo para resolver a situação.* **7.** *Bras. Fam.* Vivamente inclinado ou interessado; apaixonado, louco: *É roxo pela pequena; Anda roxo pela pintura abstrata.* **8.** *Bras. Fam.* Muito difícil; árduo: *trabalho roxo.* **9.** *Bras.* V. *preto* (8). ~ V. *terra* —a. ● *S. m.* **10.** A cor roxa; violeta. [Fem.: *roxa* (ô). Cf. *rocha.*]

roxo-azul. *Adj. 2 g. e s. 2 g.* Diz-se de, ou a cor azul e roxa ao mesmo tempo: "— Ninfas, sereias e naiades do rio roxo-azul da nostalgia." (Da Costa e Silva, *Poesias Completas*, p. 52.) [Pl.: *roxo-azuis.*]

roxo-forte. *S. m. Bras. Pop.* V. *cachaça* (1). [Pl.: *roxos-fortes.*]

roxura. *S. f.* **1.** A cor roxa; roxidão: "Negras roxuras pretensas / Com a noite acaba." (Fernando Pessoa, *Obra Poética*, pp. 149-150). **2.** Desejo, ânsia, excitação.

➧**royal straight flush** (róial streit flech'). [Ingl.] *Loc. s. m.* V. *pôquer* (1).

➧**royalty** (róialti). [Ingl.] *S. m.* Comissão estabelecida em contrato entre proprietário e usuário duma patente industrial ou marca de fantasia, entre o editor e o autor de uma obra literária, etc., para fim de sua comercialização.

▪**rpm** / *rotação por minuto.*

▪**RR.** Sigla do território de Roraima.

▪**RS.** Sigla do Estado do Rio Grande do Sul.

▪**Ru.** *Quím.* Símb. do *rutênio.*

rua. [Do lat. *ruga*, 'ruga', posteriormente 'sulco, caminho'.] *S. f.* **1.** Via pública para circulação urbana, total ou parcialmente ladeada de casas. **2.** *P. ext.* Numa cidade, vila, etc., qualquer logradouro público ou outro lugar que não seja casa de residência, local de trabalho, etc.: *Foi para a rua cedo e ainda não voltou.* **3.** Os habitantes de uma rua (1): *Toda a rua protestou contra o barulho.* **4.** *Fig.* A ralé, a plebe. **5.** *Tip.* Canal (15). **6.** *Bras.* V. *comércio* (5). **7.** *Bras.* Espaço entre as filas de qualquer plantação: "Uma rua de mangueiras levava à entrada da casa" (Coelho Neto, *Treva*, p. 79). **8.** V. *olho da rua.* ● *Interj.* **9.** Exprime despedida ríspida, violenta: *Vá-se, suma-se, fora: — Rua, espertalhão!* ◆ **Rua da amargura.** **1.** O caminho que Jesus Cristo seguiu para o Calvário. **2.** Grande sofrimento; tortura. **Arrastar pela rua da amargura.** Atacar a reputação de; provocar o descrédito de; fazer sofrer muito, humilhando, ferindo na honra; levar à rua da amargura. **Encher a rua de pernas.** *Bras. Fam.* Vadiar, vagabundear: "E demais, que diabo ficava êle fazendo aqui? Enchendo as ruas de pernas e gastando o pouco que tem..." (Aluísio Azevedo, *O Mulato*, p. 31.) **Levar à rua da amargura.** Arrastar pela rua da amargura. **Viver na rua.** Sair muito; permanecer em casa pouquíssimo tempo.

ruaceiro. [F. aferética de *arruaceiro*, com alter. semântica.] *Adj e s. m.* Diz-se do, ou o indivíduo que é dado a viver na rua, passeando, à toa.

ruador (ô). [De *arruador*, com aférese.] *Adj. e s. m. Bras.* V. *rueiro* (1 e 3).

ruamom. *S. m. Bras., Amaz.* Cipó da família das loganiáceas (*Struchnos rouhamon*), da floresta pluvial, cujas folhas têm nervuras compridas bem marcadas e cujas flores são insignificantes, sendo os frutos bagas duras e amargas, de casca tóxica, utilizada pelos índios na preparação do curare [q. v.].

ruandês. *Adj.* **1.** De, ou pertencente ou relativo a Ruanda, república da África Central. ● *S. m.* **2.** O natural ou habitante de Ruanda. [Flex.: *ruandesa* (ê), *ruandeses* (ê), *ruandesas* (ê).]

ruano. [Do esp. *ruano.*] *Adj.* Ruão³ [q. v.].

ruante. [Do fr. *rouant.*] *Adj. 2 g.* Diz-se do pavão que está com a cauda levantada.

ruão¹. [De *rua* + *-ão*².] *S. m.* Homem do povo; plebeu, peão.

ruão². *S. m.* Tecido de linho que se fabricava em Ruão (França).

ruão³. [Do esp. *ruano.*] **1.** Diz-se do cavalo de pêlo branco e pardo, ou de pêlo branco com malhas escuras e arredondadas. **2.** *Bras.* Diz-se do cavalo de pêlo claro e crinas amarelas. [F. paral.: *ruano.*]

rubacão. *S. m. Bras., N.E.* Baião-de-dois.

rubafo. [Var. de *robafo.*] *S. m. Bras.* V. *traíra* (1).

rubago. *S. m. Bras.* Certo peixe de água doce.

➧**rubato.** [It.] *Adj. Mús.* **1.** Diz-se de uma execução caracterizada pelo emprego de certas liberdades rítmicas, num intuito expressivo que depende unicamente do gosto musical do intérprete. ● *S. m.* **2.** O trecho executado dessa maneira.

➧**rubber** (râbâr). [Ingl.] *S. m.* No jogo de bridge, série de três partidas.

rubefação. [Do lat. *rubefacere*, 'tornar vermelho', pelo modelo de palavras de igual terminação.] *S. f.* **1.** Vermelhidão da pele, provocada por inflamação. **2.** *Geol.* Formação de tênue película ferruginosa por efeito da oxidação do ferro contido nos minerais das rochas.

rubefaciente. [Do lat. *rubefaciente.*] *Adj. 2 g.* **1.** Rubificante. ● *S. m.* **2.** Medicamento para produzir rubefação.

rubejar. [De *rúbeo* + *-ejar.*] *V. int.* Mostrar-se em sua cor rubra ou vermelha. [Normalmente é defect., conjugável só nas 3as pess. Conjug.: v. *pelejar.*]

rubelita. [Do lat. *rubella*, 'vermelhinha', + *-ita*³.] *S. f. Min.* Variedade avermelhada de turmalina.

rubenesco (ê). *Adj.* De, ou pertencente ou relativo a Rubens, pintor e diplomata flamengo (1577-1640), ou que o lembra: "Um outro menino .... recebia sobre os seus diminutos pés polpudos, saudáveis, rubenescos, a enfiada de beijos de todas as pequenas bocas inocentes, vermelhas'' (Ramalho Ortigão, *As Farpas*, I, p. 84).

rubente. [Do lat. *rubente.*] *Adj. 2 g.* Que tem cor vermelha ou rubra; rúbido, rubicundo: ''A rubente alvorada mal rompia...'' (Bulhão Pato, *Livro do Monte*, p. 241).

rúbeo. [Do lat. *rubeu.*] *Adj. P. us.* e *Poét.* V. *rubro* (1): ''Sorrindo encantadoramente, com os olhos brejeiros, com a boca rúbea como uma flor de beijo...'' (Martins Fontes, *A Dança*, p. 51).

rubéola. [Do lat. vulg. * *rubeolu*, 'avermelhado'; ou de *rúbeo.*] *S. f. Patol.* Infecção eruptiva por vírus, que ocorre principalmente na infância, embora o aparecimento em adulto não seja raro. Em grávida, pode causar malformações no nascituro. [Sin.: *sarampo alemão.*]

rubescente. [Do lat. *rubescente.*] *Adj. 2 g.* Que rubesce; que se torna vermelho: *râmulo rubescente.*

rubescer. [Do lat. *rubescere.*] *V. t. d., int.* e *p.* V. *enrubescer.* [Conjug.: v. *crescer.*]

rubi. [Do b.-lat. *rubinu*, pelo cat. *robí.*] *S. m.* **1.** Variedade de coríndon, de cor vermelha muito viva. **2.** *Poét.* Cor muito vermelha. ● *Adj. 2 g.* **3.** Diz-se dessa cor. ~ V. *vidro* —. [Var.: *rubim.* Cf. *Rúbi*, top.]

▲**rubi-[1].** [Do lat. *rubeus, a, um.*] *El. comp.* = 'vermelho', 'avermelhado': *rubificar.*

▲**rubi-[2].** [Do lat. *rubus, i.*] *El. comp.* = 'amora': *rubiforme.*

rubiácea. [Do lat. bot. *Rubia*, nome do gênero típico da família, + *-ácea.*] *S. f.* Espécime das rubiáceas. ◆ **A preciosa rubiácea.** O café (1).

rubiáceas. *S. f. pl. Bot.* Família de plantas floríferas, da ordem das rubiales, composta de ervas até árvores de folhas opostas e estipuladas, flores pequenas (raro grandes), com estames isômeros e ovário ínfero, e frutos variados, em geral capsulares. Há cerca de 5.000 espécies, distribuídas pelo orbe todo, muitas das quais de grande importância, como, p. ex., o café (*Coffea arabica*), a ipecacuanha (*Cephaelis ipecacuanha*), a quina (*Cinchona* spp.), etc.

rubiacense. *Adj. 2 g.* **1.** De, ou pertencente ou relativo a Rubiácea (SP). ● *S. 2 g.* **2.** Natural ou habitante de Rubiácea.

rubiáceo. *Adj.* Pertencente ou relativo às rubiáceas.

rubiale. *S. f.* Espécime das rubiales.

rubiales. *S. f. pl. Bot.* Ordem de vegetais dicotiledôneos, metaclamídeos, que inclui as rubiáceas, caprifoliáceas, adoxáceas, valerianáceas, dipsacáceas.

rubiatabense. *Adj. 2 g.* **1.** De, ou pertencente ou relativo a Rubiataba (GO). ● *S. 2 g.* **2.** Natural ou habitante de Rubiataba.

rubicano. [Do esp. *rubicán.*] *Adj.* Diz-se do cavalo negro, baio ou alazão com pêlos entremeados de branco. [Var.: *rubicão.*]

rubicão[1]. [Do top. *Rubicão*, rio do N. da Itália, que a separava da Gália Cisalpina.] *El. s. m.* Us. na expr. *atravessar o Rubicão.* ◆ **Atravessar o Rubicão.** Tomar uma decisão temerária, enfrentando as conseqüências. [Cf. *alea jacta est.*]

rubicão[2]. *Adj.* Var. de *rubicano.*

rubicundo. [Do lat. *rubicundu.*] *Adj.* **1.** V. *rubente:* ''Abre a romã, mostrando a rubicunda / Cor, com que tu, rubi, teu preço perdes'' (Luís de Camões, *Os Lusíadas*, IX, p. 59). **2.** Diz-se de pessoa muito corada.

rubi-da-sibéria. *S. m.* Variedade vermelha de turmalina. [Pl. *rubis-da-sibéria.*]

rubidez (ê). [De *rúbido* + *-ez.*] *S. f.* V. *rubor:* ''Desbotava-se a rubidez das faces incendidas'' (Visconde de Taunay, *Ao Entardecer*, pp. 28-29).

rubídio. [De *rúbido* + *-io.*] *S. m. Quím.* Elemento de número atômico 37, metálico, branco-prateado, muito leve, pertencente ao grupo dos metais alcalinos. [Símb.: *Rb.*]

rúbido. [Do lat. *rubidu.*] *Adj. Poét.* **1.** V. *rubro* (1). ''Do fogo ... saem faúlhas rúbidas'' (Martins Fontes, *A Dança*, p. 87); ''A prumo atira o Sol as frechas rúbidas, / Sobre a vasta campina!'' (Bulhão Pato, *Livro do Monte*, p. 101). **2.** V. *rubente.*

rubi-do-cabo. [De *rubi* + *do* + o top. *Cabo.*] *S. m.* Variedade vermelha de granada. [Pl.: *rubis-do-cabo.*]

rubificação. *S. f.* Ato ou efeito de rubificar(-se).

rubificante. *Adj. 2 g.* Que rubifica; rubefaciente.

rubificar. [De *rubi-*[1] + *-ficar.*] *V. t. d.* **1.** Tornar rubro; avermelhar, enrubescer, ruborizar. *Int.* e *p.* **2.** Tornar-se rubro ou vermelho; avermelhar-se, enrubescer(-se), ruborizar-se. [Conjug.: v. *trancar.*]

rubiforme. [De *rubi-*[2] + *-forme.*] *Adj. 2 g.* Semelhante à amora, ou à framboesa.

rubiginoso (ô). [Do lat. *rubiginosu.*] *Adj.* **1.** Ferrugento. **2.** De cor semelhante à da ferrugem.

rubim. [De *rubi*, por nasalação.] *S. m.* **1.** Rubi. [Dim. irreg.: *rubinete.*] **2.** *Bras.* Erva da família das rubiáceas (*Borreria tenella*), de flores alvas, considerada emética. **3.** Erva da família das labiadas (*Leonorus sibiricus*), ruderal, de flores roxo-claras. **4.** V. *cordão-de-frade.*

rubinete (ê). *S. m.* Pequeno rubim (1).

rubitopázio. [De *rubi* + *topázio.*] *S. m. Bras.* Certo pássaro da Amaz., de penas vermelhas e amarelas.

rubixá. [Do tupi *rubi'xáb*, 'principal'.] *S. m. Bras.* V. *japu.*

rublo. [Do russo *rubl'*, 'bloco de madeira'.] *S. m.* Unidade básica monetária, e moeda, da União das Repúblicas Socialistas Soviéticas, dividida em 100 copeques.

rubo. [Do lat. *rubu.*] *S. m.* V. *silva* (1).

rubor (ô). [Do lat. *rubore.*] *S. m.* **1.** Qualidade de rubro. **2.** Cor vermelha: ''Já estranho rubor inflama o oriente; / Rompe a manhã'' (Raimundo Correia, *Poesias*, p. 17). **3.** Vermelhidão nas faces, provocada por uma reação de indignação, de vergonha, de modéstia, etc.; enrubescimento, ruborização. **4.** *Fig.* Vergonha, pejo, pudor, modéstia. [Sin.: *rubidez.*]

ruborescer. [De *rubor* + *-escer.*] *V. t. d. int.* e *p.* Ruborizar(-se). [Conjug.: v. *crescer.*]

ruborização. *S. f.* **1.** Ato ou efeito de ruborizar(-se). **2.** V. *rubor* (3).

ruborizar. [De *rubor* + *-izar.*] *V. t. d.* **1.** Tornar rubro ou vermelho; avermelhar, rubificar: *O grande incêndio ruborizava a noite.* **2.** Causar rubor (3) a; fazer corar; envergonhar: *As palavras picantes ruborizavam a dama.* *P.* e *int.* **3.** Avermelhar-se, rubificar-se: ''À medida que o acendedor passava, uma sucessão de pontos luminosos pingava a indecisa claridade do último crepúsculo de manchas pálidas, que se ruborizavam pouco a pouco'' (Inglês de Sousa, *O Missionário*, p. 407). **4.** Ter pudor; envergonhar-se, corar: *A moça ruborizou-se ante a cena indecorosa;* ''A Senhora Ulpiana ruborizou fortemente e, se pudesse, escaparia àquele vexame'' (Haroldo Maranhão, *As Peles Frias*, p. 30). [P. us. como int. Sin. ger.: *enrubescer* e *ruborescer.* Cf. *roborizar.*]

▲**rubri-.** [Do lat. *ruber, bra, brum.*] *Pref.* = 'vermelho', 'rubro': *rubrifloro, rubrirrostro.*

rubrica (í). [Do lat. *rubrica*, 'tinta vermelha, rubra'.] *S. f.* **1.** Título dos livros de direito civil ou canônico. **2.** Letra ou linha inicial de capítulo, escrita a vermelho nos antigos manuscritos. **3.** Nota, não raro em letras vermelhas, nos missais, breviários ou outros livros litúrgicos, para indicar o modo de recitar ou celebrar o ofício. [Cf. *miniatura* (2).] **4.** Título ou entrada que constitui indicação geral do assunto, da categoria, de alguma coisa: *Este produto tanto pode ser taxado na rubrica de medicamentos como na de cosméticos.* **5.** Apontamento para fazer lembrar; lembrete, nota. **6.** Firma ou assinatura abreviada, reconhecida como autêntica. **7.** Almagre (1). **8.** Indicação escrita de como deve ser executado um trecho musical, uma mudança de cenário, um movimento cênico, uma fala, um gesto do ator, etc. **9.** *Tip.* Alteração que se faz numa chapa tipográfica, depois de impressa, para imprimir os títulos a vermelho nos livros religiosos e de direito.

rubricador (ô). *Adj.* **1.** Que rubrica. ● *S. m.* **2.** Aquele que rubrica. **3.** Indivíduo que rubricava os antigos manuscritos. **4.** *P. ext.* V. *iluminador* (3).

rubricar. *V. t. d.* **1.** Pôr a rubrica (6) em: *O conferente rubricará todas as folhas.* **2.** Executar rubrica em (manuscrito). [Cf. *miniar.*] **3.** *Tip.* Fazer a rubrica de (chapa tipográfica). [Conjug.: v. *trancar.*]

rubricista. *S. 2 g.* Especialista em rubricas.

rubricolo. [De *rubri-* + *-colo.*] *Adj. Zool.* Diz-se de animal que tem o pescoço vermelho.

rubricórneo. [De *rubri-* + *-corn(e)-* + *-eo.*] *Adj. Zool.* Que tem antenas vermelhas; ruficórneo.

rubrifloro. [De *rubri-* + *-floro.*] *Adj. Bot.* Que tem flores vermelhas.

rubrigástreo. [De *rubri-* + *-gastr(o)-* + *-eo.*] *Adj. Zool.* V. *rufigástreo.*

rubrípede. [De *rubri-* + *-pede.*] *Adj. 2 g. Zool.* Que tem pés vermelhos; eritrópode.

rubriplúmeo. [De *rubri-* + *pluma* + *-eo.*] *Adj.* De plumas rubras.

rubrirrostro. [De *rubri-* + *-rostro.*] *Adj. Zool.* Que tem bico vermelho.

rubro. [Do lat. *rubru.*] *Adj.* **1.** Vermelho (1) muito vivo; da cor de sangue: *lábios rubros; gravata rubra.* [Sin., p. us.: *rubente* e (poét.) *rúbeo, rúbido.*] **2.** Diz-se dessa cor: *toalha de cor rubra;* ''De rubra cor se tinge / Teu rosto desmaiado.'' (Gonçalves Crespo, *Obras Completas*, p. 136). **3.** Corado, incendiado; afogueado: *faces rubras.* **4.** *Fig.* Exagerado, apaixonado nas opiniões e preferências: *É torcedor rubro do Olaria.* ● *S. m.* **5.** A cor rubra: *Na festa, o rubro das vestes era a nota dominante.* **6.** *Bras.* V. *americano*[2].

rubro-negro. *Adj.* e *s. m. Bras.* V. *flamenguista.* [Pl.: *rubro-negros.*]

ruçar. *V. t. d.* **1.** Tornar ruço ou pardacento. **2.** Tornar ruço ou grisalho; encanecer, agrisalhar: *A preocupação constante ruça cabelos jovens.* *Int.* **3.** Tornar-se ruço ou pardacento. *Int.* e *p.* **4.** Começar a encanecer; agrisalhar-se: *Meus cabelos ruçaram da noite para o dia; Sua barba ruçou-se, continuando pretos os cabelos.* **5.** Começar a envelhecer; avelhentar-se. [F. paral.: *arruçar* e *enruçar.* Conjug.: v. *laçar.* Pres. ind.: *ruço, ruças, ruça*, etc. Cf. *russo*, flex. *russos, russa, russas;* o top. *Russas;* e *roçar.*]

➡**ruche.** [Fr.] *S. f.* Rufo[2] (1).

rucilho. [Provável var. de *rosilho* (q. v.), com infl. de *ruço.*] *Adj.* Diz-se do cavalo que tem o pêlo mesclado de branco, vermelho e preto. [Cf. *rosilho.*]

ruço. [Do lat. *roscidu*, 'orvalhado'.] *Adj.* **1.** Tirante a pardo; pardacento, pardaço. **2.** Diz-se do cabelo ou da barba grisalha, arruçada, ou da pessoa que tem cabelos ou barbas dessa cor. **3.** *Bras.* Desbotado pelo uso; surrado: *camisa ruça.* **4.** *Pop.* Que tem cabelo castanho muito claro. **5.** *Bras. Gír.* Difícil, complicado, apertado: ''A coisa tá ficando ruça'' (Da música *Alô, alô, marciano*, de Rita Lee e Roberto de Carvalho.) ● *S. m.* **6.** *Bras. Pop.* Indivíduo ruço (4). **7.** *Bras., RJ.* Névoa densa que alcança a Serra do Mar e se espalha à maneira de massa compacta que impede a visibilidade e umedece ou molha o ambiente. [Flex.: *ruça, ruços, ruças.* Cf. *russo* e flex. *russa, russos, russas.*]

rucuiene. *S. 2 g.* e *adj. 2 g. Bras.* V. *oaiana.*

rude. [Do lat. *rude.*] *Adj. 2 g.* **1.** Que não foi cultivado; inculto: *terra rude.* **2.** Que tem asperezas ou desigualdades de superfície; áspero, escabroso: *A tropa marchava a custo nos terrenos rudes* **3.** Incivil, descortês, grosseiro: *um homem rude; palavras rudes.* **4.** Sem instrução; ignorante, estúpido, boçal: *um pobre moço rude.* **5.** Primitivo, primário: *sociedade rude; povo rude.* **6.** Simples, tosco, rústico: *mobília rude;* ''Homens do mar! Ó rudes marinheiros / Tostados pelo sol dos quatro mundos!'' (Castro Alves, *Poesias Escolhidas*, p. 327.) **7.** Desastrado, desajeitado, desazado; estabanado. **8.** Severo, áspero; rigoroso: *clima rude.* [F. paral., p. us.: *rudo.*]

ruderal. [Do lat. *rudere*, 'escombros', + *-al.*] *Adj. 2 g. Ecol. Veg.* Diz-se da planta que habita as cercanias das construções humanas: ruas, terrenos baldios, ruínas, etc. [Como tal ambiente, em geral, é relativamente rico em proteínas, as plantas ruderais são nitrófilas.]

rudez (ê). *S. f.* V. *rudeza:* ''Quem na infância / Te poliu a rudez pura e singela?'' (Machado de Assis, *Outras Relíquias*, p. 110.)

rudeza (ê). *S. f.* **1.** Qualidade ou caráter de rude. **2.** Maus modos; grosseria, indelicadeza, descortesia. **3.** Ignorância, estupidez, boçalidade. **4.** Severidade, rigidez, inflexibilidade. **5.** Maldade, crueldade, desumanidade. [F. paral.: *rudez.*]

rudimentar. *Adj. 2 g.* **1.** Relativo a rudimento. **2.** Que tem o caráter de rudimento; elementar: *dados rudimentares; estudo rudimentar.* **3.** Que não ultrapassou o estágio de rudimento; que não se desenvolveu ou aperfeiçoou: *cultura rudimentar; os utensílios rudimentares do homem primitivo.*

rudimento. [Do lat. *rudimentu.*] *S. m.* **1.** Elemento inicial; princípio, começo; esboço: ''O major franzia um rudimento de sorriso na cara amarrada'' (M. Cavalcanti Proença, *Manuscrito Holandês*, p. 114). **2.** Primeiras noções; princípios: ''Não existe [nos E.U.A.] o problema do analfabetismo porque há muito que se cuidou de dar, a todos, os rudimentos do saber ou antes os instrumentos básicos para adquiri-lo.'' (Alceu Amoroso Lima, *A Realidade Americana*, p. 63.) **3.** Conhecimento geral, e superficial ou elementar (de uma arte ou ciência). **4.** Órgão que não se desenvolveu com perfeição. [Nas acepç. 2 e 3 é muito us. no pl.]

rudo. [Do lat. vulg. *rudu*, da Península Ibérica.] *Adj. P. us.* V. *rude:* ''Dai-me ũa fúria grande e sonorosa, / E não de agreste avena, ou frauta ruda'' (Luís de Camões, *Os Lusíadas*, I, p. 5); ''vemos .... que a sábia e próvida Natureza encerra o precioso diamante nas entranhas de um rudo penedo'' (D. Francisco Manuel de Melo, *Apólogos Dialogais*, p. 325).

rueiro. [De *rua* + *-eiro.*] *Adj.* **1.** Que gosta de andar pelas ruas; arruador, ruador. **2.** Relativo a rua. ● *S. m.* **3.**

Indivíduo rueiro; ruador.
ruela[1]. *S. f.* Pequena rua; viela: "Sua cidadezinha... As estreitas ruelas / Que estão sempre a evocar, que estão sempre caladas..." (Ribeiro Couto, *Poesias Reunidas*, p. 92.)
ruela[2]. *S. f.* Arruela [q. v.].
rufado. [Part. de *rufar*.] *Adj.* Tocado com acompanhamento de rufo[1] (1).
rufador (ô). [De *rufar*[1] + *-(d)or*.] *Adj.* e *s. m.* Que ou aquele que rufa.
rufar[1]. [De *rufo*[1] + *-ar*[2].] *V. t. d.* **1.** Tocar, dando rufos [v. *rufo*[1] (1)]: *A bateria* rufou *os tambores. Int.* **2.** Produzir rufo[1] (1 ou 2), ou rufos: "pôs-se a rufar com desespero, ... cantando ao ritmo do tambor" (João Lúcio, *Bom-Viver*, p. 97); "ao som .... do tamboril a rufar" (Antero de Figueiredo, *Jornadas em Portugal*, p. 156); "Pingos de chuva rufavam na vidraça" (Humberto Crispim Borges, *Cacho de Tucum*. p. 41). [F. paral.: *arrufar*.]
rufar[2]. [De *rufo*[2] (4) + *-ar*[2].] *V. t. d.* **1.** Fazer rufos, pregas, apanhados, em: rufar *uma saia.* **2.** V. *arrufar*[2] (2).
▲**rufi-.** [Do lat. *rufus*, a, um.] *El. comp.* = 'avermelhado', 'vermelho': *rufipalpo, rufitarso.*
rufianesco (ê). *Adj.* **1.** Próprio de rufião. **2.** Referente à vida de rufião.
rufianismo. [De *rufião* (3) + *-ismo*.] *S. f.* Forma de lenocínio que consiste em viver parasitariamente, à custa de prostitutas.
rufião. [Do fr. *rufian*, pelo ingl. *ruffian*?] *S. m.* **1.** Indivíduo que se mete em brigas por causa de mulheres de má reputação. **2.** Indivíduo brigão. **3.** Indivíduo que vive a expensas de prostituta; alcoviteiro, cáften, rúfio, pincho. **4.** *Bras., S.* V. *garanhão* (1). **5.** *Bras., S.* Namorador, galanteador. [Fem.: *rufiona*; pl.: *rufiães* e *rufiões*.]
rufiar. *V. int.* **1.** Praticar atos ou ter vida de rufião. **2.** *Bras., S.* Procurar (o garanhão ou rufião) as éguas para a cobertura. [Pres. ind.: *rufio*, etc. Cf. *rúfio*.]
ruficarpo. [De *rufi-* + *-carpo*.] *Adj. Bot.* Que tem frutos vermelhos; eritrocarpo.
ruficórneo. [De *rufi-* + *-corn(e)-* + *-eo*.] *Adj. Zool.* Que tem antenas vermelhas; rubricórneo, eritrócero.
rufigástreo. [De *rufi-* + *-gastr(o)-* + *-eo*.] *Adj. Zool.* Que tem ventre vermelho; eritrogástreo, rubrigástreo.
rufinérveo. [De *rufi-* + *nérveo*.] *Adj. Zool.* Que tem nervos vermelhos.
rúfio. *S. m.* V. *rufião* (3). [Cf. *rufio*, do v. *rufiar*.]
rufiona. *S. f.* Fem. de *rufião* [q. v.].
rufipalpo. [De *rufi-* + *palpo*.] *Adj. Zool.* Que tem palpos vermelhos.
rufista. *S. 2 g.* Pessoa que rufa.
rufitarso. [De *rufi-* + *tarso*.] *Adj. Zool.* Que tem tarsos vermelhos.
rufitomentoso (ô). [De *rufi-* + *tomento* + *-oso*.] *Adj. Bot.* Que tem tomentos vermelhos.
ruflar. [Voc. onom.] *V. int.* **1.** Agitar-se com rumor análogo ao da ave que esvoaça: "Salva o castelo, os sinos cantam festa, / E ao vento os pavilhões sobem ruflando." (Manuel de Araújo Porto-Alegre, *Colombo*, p. 702); "Brancura macia de penas, rumor leve / De asas que ruflam devagar" (Vicente de Carvalho, *Poemas e Canções*, p. 271). **2.** Fazer ruge-ruge, produzindo rumor como de saias longas ou tecido engomado que se dobra ou amarfanha; rugir. *T. d.* **3.** Fazer tremular; agitar: *O vento* rufla *as bandeiras.* **4.** Agitar, encrespar (as asas, as penas), para alçar vôo: "Voa ruflando as diamantinas asas" (Manuel de Araújo Porto-Alegre, *Colombo*, p. 568).
ruflo. [Dev. de *ruflar*.] *S. m.* Ato ou efeito de ruflar: "Ruflos de asas, aromas de silvedos" (Luís Delfino, *Íntimas e Aspásias*, p. 11).
rufo[1]. [Voc. onom.] *S. m.* **1.** Toque do tambor com batidas rápidas e sucessivas; redobre: "Ouvia-se ainda o rufo abafado do tambor dos meninos marchando." (José Lins do Rego, *Ficção Completa*, I, p. 284.) **2.** *P. ext.* Som análogo ao do toque do tambor. **3.** Floreio dos dedos sobre um pandeiro; redobre.
rufo[2]. [Do ingl. *ruff*.] *S. m.* **1.** Tira de pano pregueada ou franzida que guarnece vestimentas ou alfaias. [Sin., fr.: *ruche*.] **2.** Cada uma das pregas desse enfeite.
rufo[3]. *S. m.* Espécie de lima com os bordos dentados.
rufo[4]. [Do lat. *rufu*.] *Adj. Poét.* **1.** Ruivo (1). **2.** Vermelho (1).
ruga. [Do lat. *ruga*.] *S. f.* **1.** Prega ou dobra na pele; carquilha, gelha. **2.** Prega ou dobra em qualquer superfície.
rugado. [Part. de *rugar*.] *Adj.* V. *enrugado.*
rugar. [Do lat. *rugare*.] *V. t. d.* e *p.* V. *enrugar*: "Nunca um sorriso ou lágrima furtiva / Viu-se rugar a tez da face sua" (Fontoura Xavier, *Opalas*, p. 85). [Conjug.: v. *largar*.]
rúgbi. [Do ingl. *rugby* < top. *Rugby*.] *S. m.* Esporte inventado em 1823 no Colégio Rugby, na Inglaterra, praticado por duas equipes de 15 jogadores, com uma bola oval, que deve ser levada até o arco adversário (em forma de H), ou passada por cima da barra horizontal, com um chute.
ruge. [Do fr. *rouge*.] *S. m.* Cosmético em pó ou em pasta, de uma tonalidade que varia entre o rosa e o vermelho, usado para colorir as maçãs do rosto.
ruge-ruge. [Voc. onom.] *S. m.* **1.** Ruído produzido por saias que roçam o chão; rugido; frufru: "O ruge-ruge de um vestido branco, / Que ia e vinha" (Alberto de Oliveira, *Poesias*, 3ª série, p. 119). **2.** Rumor produzido por qualquer coisa que range ou roça; rugido. **3.** *Bras.* Confusão, atropelo, desordem, barulho. [Pl.: *ruges-ruges* e *ruge-ruges*.]
▲**rugi-.** [Do lat. *ruga, ae*.] *El. comp.* = 'ruga': *rugífero.*
rugido. [Do lat. *rugitu*.] *S. m.* **1.** O urro dos leões. **2.** *Fig.* Qualquer som cavernoso; bramido, frêmito. **3.** V. *ruge-ruge* (1 e 2): "nenhum rugido na mata" (Afonso Arinos, *Histórias e Paisagens*, p. 179); "Ouço-lhe as formas, num deslumbramento, / A sonata do belo; e nos rugidos / Da cambraia e do linho dos vestidos / Vibram acordes de acompanhamento." (Fontoura Xavier, *Opalas*, p. 117.)
rugidor (ô). *Adj.* **1.** Que ruge; rugiente. ● *S. m.* **2.** O que ruge.
rugiente. [Do lat. *rugiente*.] *Adj. 2 g.* Rugidor (1).
rugífero. [De *rugi-* + *-fero*.] *Adj. Poét.* Rugoso.
rugina. *S. f. Cir.* Instrumento cirúrgico, com que se descola de um osso o periósteo.
rugir. [Do lat. *rugire*.] *V. int.* **1.** Soltar rugidos; emitir a voz (o leão, ou outra fera); bramir, urrar, fremir. **2.** Fazer ruge-ruge; ruflar: Rugiam *os vestidos e saias, no grande salão.* **3.** Produzir sons semelhantes a rugidos. [v. *rugido* (1)]: Ruge *a tormenta; O temporal* rugia; "Rugia o vento no palmar sombrio." (Fagundes Varela, *Poesias Completas*, I, p. 145). **4.** Sussurrar mansamente; rumorejar: *A folhagem* ruge, *agitada pela brisa.* **5.** Ecoar, retumbar, ressoar: Rugem *trovões. T. d.* **6.** Roçar ou arrastar pelo chão com ruído: *As mulheres* rugiam *as longas caudas de suas roupas.* **7.** Bradar ou proferir num rugido: *Irado,* rugiu *impropérios.* ● *S. m.* **8.** Bramido, frêmito, rugido. [Normalmente é defect., só us. nas 3as pess.]
rugitar. [Do lat. *rugitu*, 'ruído', + *-ar*[2].] *V. int. Bras.* Fazer ruído; sussurrar, rugir: "Uma história de amor que me contaram nas lindas várzeas onde nasci, ... quando a lua passeava no céu argenteando os campos, e a brisa rugitava nos palmares." (José de Alencar, *Iracema*, p. 50); "Rugitavam os palmares..." (Castro Alves, *Obra Completa*, p. 339).
rugosidade. [Do lat. *rugositate*.] *S. f.* Qualidade de rugoso.
rugoso (ô). [Do lat. *rugosu*.] *Adj.* Que tem rugas [v. *ruga* (1)]; engelhado; enrugado: "E tinha o velho pai nos ombros dela / A mão crestada e morta e já rugosa" (Gonçalves Dias, *Obras Poéticas*, II, p. 100).
ruiano. *Bras. Adj.* **1.** Relativo ou pertencente a Rui Barbosa, orador, jurista, jornalista e homem público brasileiro (1849-1923), ou próprio dele: "Um estudo isento e sério da imensa mole de escritos ruianos impressiona precisamente pela sinceridade das idéias nos combates" (Américo Jacobina Lacombe, *À sombra de Rui Barbosa*, p. X). ● *S. m.* **2.** Grande admirador de Rui Barbosa e/ou conhecedor profundo de sua obra e/ou vida.
ruibarbo. [Do lat. *rheu barbaru*, com possível infl. do antr. *Rui* na 1ª sílaba.] *S. m.* Erva medicinal, da família das poligonáceas *(Rheum palmatum)*, originária da China, cujo rizoma encerra ácido crisofânico e é empregado como purgativo.
ruibarbo-do-brejo. *S. m.* V. *bariricó*. [Pl.: *ruibarbos-do-brejo*.]
ruibarbo-do-campo. *S. m.* **1.** V. *bariricó*. **2.** *Bras., RS.* V. *batatinha-do-campo* (1). **3.** V. *butuá-de-corvo*. [Pl.: *ruibarbos-do-campo*.]
ruibarbo-dos-charcos. *S. m.* V. *bariricó*. [Pl.: *ruibarbos-dos-charcos*.]
rui-barbosense. *Adj. 2 g.* **1.** De, ou pertencente ou relativo a Rui Barbosa (BA). ● *S. 2 g.* **2.** Natural ou habitante de Rui Barbosa. [Pl.: *rui-barbosenses*.]
ruidar (u-i). *V. int. P. us.* Produzir ruído; sussurrar, rugir: "Grota, sanga, rechã, valo ou várzea florida, / Rampa a estremar a pique, água a ruidar represa." (Artur de Sales, *Poesias*, p. 196); "a chuva ruidava continuamente nas vidraças" (Carlos Malheiro Dias, *Os Teles de Albergaria*, p. 143).
ruído. [Do lat. *rugitu*, que no lat. vulg. tomou o sentido de 'estrondo'.] *S. m.* **1.** Barulho provocado pela queda de um corpo. **2.** Qualquer estrondo; barulho, estrépito, fragor. **3.** Rumor contínuo e prolongado; bulício. **4.** *Fig.* V. *boato*. **5.** *Fig.* Alvoroço, barulho, escândalo, escarcéu. **6.** *Fig.* Aparato, fausto, ostentação, pompa. **7.** *Eletrôn.* Em um circuito, correntes ou tensões indesejáveis, usualmente não muito intensas, resultantes de causas incontroláveis, como, p. ex., movimento aleatório de elétrons num condutor, emissão ao acaso do catodo de uma válvula, etc. **8.** *Teor. Com.* Toda fonte de erro, distúrbio ou deformação de fidelidade na transmissão de uma mensagem visual, escrita, sonora, etc.; sinal indesejável que não pertence à mensagem intencionalmente transmitida. **9.** *Fís.* Som constituído por grande número de vibrações acústicas com relações de amplitude e fase distribuídas ao acaso. **10.** *Med.* Som (2) normal ou patológico percebido pela ausculta: ruído *cardíaco*. [Cf. *roído*, part. de *roer* e adj.] ◆ **Ruído cósmico.** *Astr.* Radiação difusa observada pelos radiotelescópios, e que provém de áreas não específicas do espaço. **Ruído de dáctilo.** *Med.* Ruído (10) que se assemelha ao dáctilo [q. v.] da prosódia grega ou latina. **Ruído de fundo.** *Eletrôn.* Num sistema, ruído independente da presença do sinal. **Ruído de galope.** *Med.* Desdobramento da primeira bulha cardíaca, de maneira que se ouvem três ruídos consecutivos, separados por pausas. **Ruído do reator.** *Eng. Nucl.* Variação da densidade de fluxo de nêutrons, provocada pelas flutuações estatísticas da população de nêutrons quando o reator nuclear funciona com potência média estável. **Ruído térmico.** *Eletrôn.* O que é originado pela agitação térmica dos elétrons condutores de corrente elétrica num componente que apresenta resistência.
ruidoso (u-i...ô). *Adj.* **1.** Que faz ruído; que produz rumor; rumoroso, barulhento. **2.** Acompanhado de ruído. **3.** Que faz sensação; escandaloso; rumoroso. **4.** Pomposo, faustoso, aparatoso.
ruim (u-ím). [Do lat. vulg. da Península Ibérica **ruinu* < *ruína*, 'desmoronamento'.] *Adj. 2 g.* **1.** Que não tem préstimo; inútil: *canhões antigos, obsoletos e* ruins *foram restaurados.* **2.** Que prejudica (física ou moralmente); prejudicial, nocivo, mau. **3.** Que tem má índole; perverso, malvado, mau. **4.** Estragado, deteriorado, podre: *fruta* ruim. **5.** Que apresenta defeito; estragado, defeituoso: *O automóvel está* ruim. **6.** De má qualidade; ordinário: *tecido* ruim. ~ V. *cabelo* —, *doença* —, *ferida* —, *ramo* — e *vasilha* —. ◆ **Comer ruim.** *Bras., N.E. Pop.* V. *comer da banda podre.*
ruína. [Do lat. *ruina*, 'desmoronamento'.] *S. f.* **1.** Ato ou efeito de ruir. **2.** Restos de construções desmoronados; ruinaria. **3.** Aniquilamento, destruição, extermínio: *As populações atingidas pela seca vêem-se ameaçadas de* ruína. **4.** Perda de bens materiais ou morais; decadência material ou moral: *O jogo levou-o à* ruína; *O pecado arrasta as almas à* ruína. **5.** Decadência completa; queda, derrocada: *A questão militar acelerou a* ruína *do Império.* **6.** Causa de perda, de destruição: *A guerra foi sempre a* ruína *de sociedades ambiciosas.*
ruinaria (u-i). *S. f.* **1.** Conjunto de ruínas. **2.** Ruína (2).
ruindade (u-i). *S. f.* **1.** Qualidade de ruim. **2.** Ação de pessoa (ou animal) ruim; maldade.
ruiniforme (u-i). [De *ruína* + *-i-* + *-forme*.] *Adj. 2 g.* Que tem aspecto de ruínas.
ruinoso (u-i...ô). [Do lat. *ruinosu*.] *Adj.* **1.** Que está em ruína. **2.** Que ameaça ruir. **3.** Prejudicial, mau, nocivo, nocente: "A atividade sem juízo é mais ruinosa que a preguiça." (Marquês de Maricá, *Máximas, Pensamentos e Reflexões*, p. 25.)
ruinzeira (u-i). [De *ruim* + *-z-* + *-eira*.] *S. f. Bras., C.O. Pop.* Primeiros sinais de doença; mal-estar.
ruir. [Do lat. *ruere*.] *V. int.* Cair com ímpeto e depressa; desmoronar-se, despenhar-se; desabar: *O edifício condenado* ruiu; "Cai a floresta, majestosa e triste, / Sob as foices do tempo; os monumentos / Ruem do inverno aos pavorosos ventos" (Luís Guimarães, *Sonetos e Rimas*, p. 20). [Defect., não conjugável na 1ª pess. sing. do pres. ind. nem, portanto, no pres. subj. Imperf. ind.: *ruía*, etc. Cf. *roía*, do v. *roer*.]
ruísta. *Adj. 2 g.* e *s. 2 g. Bras.* Admirador fervoroso de Rui Barbosa [v. *ruiano*] e/ou conhecedor profundo de sua vida e obra.
ruiva[1]. [Do lat. *rubia*.] *S. f.* Erva da família das rubiáceas *(Rubia tinctorum)*, nativa no Mediterrâneo, modesta, de folhas lanceoladas e flores minutas, cujas raízes contêm alizarina e outrora serviam para tingir tecidos; garança.
ruiva[2]. [Fem. substantivado do adj. *ruivo*.] *S. f.* **1.**

Mulher de cabelo ruivo. **2.** *Zool.* Espécie de tordo. **3.** *Bras.* Rutílio [q. v.], entre os garimpeiros. **4.** *Bras., SP,* e *prov. lus.* Vermelhidão da aurora, ou do pôr-do-sol; arrebol. [V. *sol-das-almas.*]

ruivacento. *Adj.* Um tanto ruivo; tirante a ruivo.

ruividão. *S. f.* **1.** *Desus.* Qualidade de ruivo. **2.** A cor ruiva.

ruivinha. [Dim. de *ruiva*[1].] *S. f. Bras., L.* Erva rasteira, da família das rubiáceas *(Relbunium hypocarpum),* comum em lugares abertos e com alguma umidade, de ramos muito delgados, folhas e flores alvas e pequeninas, e frutos que são bagas mínimas, de coloração alaranjada.

ruivo. [Do lat. *rubeu,* 'vermelho'?] *Adj.* **1.** Amarelo-avermelhado. **2.** Diz-se do pêlo ou do cabelo louro-avermelhado; fouveiro: *barba ruiva.* ● *S. m.* **3.** Indivíduo de cabelo ruivo. **4.** *Bras.* Planta da família das gramíneas *(Aristida capillacea).*

ruivor (ô). [De *ruivo* + *-or.*] *S. m.* Clarão solar no crepúsculo da tarde.

rular. *V. int.* V. *arrulhar:* "Em torno das castas pombas, não rulam ternos pombinhos?" (Tomás Antônio Gonzaga, *Marília de Dirceu,* p. 19); "menos trépidas rulavam as correntezas" (Alcides Maia, *Ruínas Vivas,* p. 234).

rulê. [Do fr. *roulé,* ou (fem.) *roulée.*] *Adj. 2 g.* ~ V. *gola —.*

rulo. *S. m.* V. *arrulho.*

rum[1]. [Do ingl. *rum.*] *S. m.* Espécie de aguardente obtida pela fermentação e destilação do melaço de cana-de-açúcar.

rum[2]. *S. m. Bras., BA.* Nos candomblés, o atabaque maior. [Cf. *ilu.*]

ruma[1]. [Var. de *rima*[3].] *S. f.* Pilha, montão, rima: *uma ruma de tijolos;* "As rumas de impressos, os maços de manuscritos, a farta documentação indispensável a quem quer escrever história" (Constâncio Alves, *Figuras,* p. 97).

ruma[2]. [F. aferética de *arruma* < v. *arrumar*?] *Interj. Bras.* Voz que os carreiros dirigem aos bois para guiá-los.

rumado. *Adj.* ~ V. *carta —a.*

rumar. [De *rumo* + *-ar*[2].] *V. t. d. e i.* **1.** *Náut.* Fazer (a embarcação) seguir em dada direção: *rumar um navio para terra, para nordeste. T. c.* **2.** *Náut.* Dirigir-se: *O navio rumou para o porto.* **3.** Ir, dirigir-se, encaminhar-se: "Nosso plano era descobrir um abrigo para a chuva, aguardar o amanhecer e rumar diretamente para Santana" (Fernando Sabino, *O Homem Nu,* p. 22). [Sin. ger.: *fazer rumo.*]

rumba. [Do esp. *rumba.*] *S. f.* Dança popular afro-cubana, em compasso binário, ritmo sincopado e muito variado, e cuja melodia se repete incansavelmente.

rumbeador (ô). [Do esp. plat. *rumbeador.*] *Adj. Bras., RS.* Que sabe orientar-se através dos campos.

rumbear. [Do esp. plat. *rumbear.*] *V. t. c. Bras., RS.* Rumar (3). [Conjug.: v. *frear.*]

rumbeiro. *S. m.* Cantor e/ou dançarino de rumbas.

rume[1]. [Do lat. *rumen.*] *S. m.* A primeira cavidade do estômago dos ruminantes; pança.

rume[2]. [Do ár. *rūm,* 'romano do baixo império', 'grego'. (Posteriormente, 'turco'.)] *S. 2 g.* **1.** Indivíduo dos rumes, denominação dada aos turcos europeus nos sécs. XVI a XVIII. ● *Adj. 2 g.* **2.** Pertencente ou relativo aos rumes.

rúmen[1]. *S. m.* V. *rume*[1]. [Pl.: *rumens* e (p. us. no Brasil) *rúmenes.*]

rúmen[2]. [Do lat. *rumen.*] *S. m.* V. *pança* (1). [Pl.: *rumens.*]

ruminação. [Do lat. *ruminatione.*] *S. f.* **1.** Ato ou efeito de ruminar. **2.** *Med.* Mericismo.

ruminado[1]. [Do lat. *rumina,* 'esôfago (dos ruminantes)' ; 'ventre', 'cavidade', + *-ado*[1].] *Adj. Morfol. Veg.* Provido de múltiplas fissuras, como a noz-moscada: *endosperma ruminado.*

ruminado[2]. [Part. de *ruminar.*] *Adj.* Que sofreu ruminação.

ruminadoiro. [De *ruminar* + *-(d)oiro*[1].] *S. m.* Ruminadouro [q. v.].

ruminadouro. [De *ruminar* + *-(d)ouro*[1]; var. de *ruminadoiro.*] *S. m.* Estômago em que os ruminantes armazenam a comida que será depois remastigada.

ruminante. [Do lat. *ruminante.*] *Adj. 2 g.* **1.** Que rumina. **2.** Pertencente ou relativo aos ruminantes. ● *S. m.* **3.** Espécime dos ruminantes.

ruminantes. [Pl. de *ruminante.*] *S. m. pl.* Ordem de mamíferos herbívoros caracterizados pela presença de estômago duplo, com quatro cavidades: *pança, barrete, folhoso* e *coagulador,* ou, nas formas alatinadas, *rúmen, retículo, saltério* e *abomaso.* Digerem em duas fases: na primeira, depositam as ervas na pança e no barrete; na segunda, após algumas horas, fazem voltar o alimento, mediante contrações semelhantes às do vômito, às partes altas do tubo digestivo, para, então, ser novamente deglutido, seguindo para o folhoso e o coagulador. Ex.. o carneiro, o boi, o camelo.

ruminar. [Do lat. *ruminare.*] *V. t. d.* **1.** Entre os ruminantes, remastigar, remoer (os alimentos que voltam do estômago à boca): *O boi, a cabra e a girafa ruminam os alimentos.* **2.** *Fig.* Pensar muito em; refletir, matutar, parafusar em: *Passou um mês ruminando o assunto;* "Alguns ensaiavam queixas e lamentações, outros mais ruminavam blasfêmias e impropérios" (Geir Campos, *O Vestíbulo,* p. 24); "E ali passou a noite ruminando uma idéia maluca." (Eduardo Almeida, Reis, *O Papagaio Cibernético,* p. 7). *Int.* **3.** Entre os ruminantes, remastigar, remoer os alimentos que voltam do estômago à boca: "qualquer coisa como a beatitude refletida nos olhos mansos dos bois, ruminando ao sol" (Conde de Ficalho, *Uma Eleição Perdida,* p. 62). **4.** *Fig.* Cogitar profundamente; pensar, refletir muito: *Ruminou longamente antes de responder.*

rumo. [Do esp. *rumbo.*] *S. m.* **1.** *Náut.* Cada uma das direções marcadas na rosa-dos-ventos. **2.** *Náut.* Direção do movimento da embarcação, quando se está navegando. **3.** *Náut.* Ângulo que a direção para onde aponta a proa da embarcação faz com a direção do norte verdadeiro (*rumo verdadeiro*), ou com a direção do norte magnético (*rumo magnético*), ou, ainda, com a direção do norte da agulha (*rumo da agulha*). **4.** Caminho, direção, vereda. **5.** Modo de proceder; método. ◆ **Rumo a.** Em direção a; em direção de; para o lado de; em rumo de: "Desidéria tem um sonho, que é mais um pesadelo: está caminhando rumo a enormes chamas" (José Godói Garcia, *O Caminho de Trombas,* p. 207). **Rumo da agulha.** *Náut.* V. *rumo* (3). **Rumo magnético.** *Náut.* V. *rumo* (3). **Rumo verdadeiro.** *Náut.* V. *rumo* (3). **Açoitar em rumo de.** Andar apressadamente em direção a. **Cortar no rumo de.** *Bras., SP. Pop.* Dirigir-se, encaminhar-se, rumar para: *Cortou no rumo do Maranhão.* **Em rumo de.** V. *rumo a.* **Fazer rumo.** *Náut.* V. *rumar.*

rumor (ô). [Do lat. *rumore.*] *S. m.* **1.** Ruído de coisas que se deslocam. **2.** Murmúrio de vozes; burburinho. **3.** Informação, notícia, fama. **4.** V. *boato.* [Pl.: *rumores* (ô). Cf. *rumores,* do v. *rumorar.*]

rumorar. [De *rumor* + *-ar*[2].] *V. int.* **1.** V. *rumorejar* (1 e 2). [Pres. subj.: *rumore, rumores,* etc. Cf. *rumores* (ô), pl. de *rumor.*] ● *S. m.* **2.** Ato de rumorar; rumorejo: "Ao pé da minha [chácara], ao rumorar / Das ramagens, melhor aprendi a cantar" (Alberto de Oliveira, *Poesias,* 4ª série, p. 192).

rumorejante. [De *rumorejar* + *-nte.*] *Adj. 2 g.* Que rumoreja.

rumorejar. [De *rumor* + *-ejar.*] *V. int.* **1.** Produzir rumor; sussurrar, rugir, ruidar; rumorar: "Lufadas rijas batiam de vez em quando o navio, rumorejando nos toldos" (Virgílio Várzea, *Nas Ondas,* p. 259). **2.** Sussurrar brandamente; sussurrar, rugir, rumorar: *Rumorejam as árvores agitadas pelo vento.* **3.** Falar em segredo; cochichar: *Os políticos rumorejavam num dos cantos da sala. T. d.* **4.** Fazer sussurrar ou ciciar: *A brisa rumoreja as folhas.* **5.** Fazer espalhar-se à boca pequena: *rumorejar uma notícia falsa.* [Conjug.: v. *pelejar.*]

rumorejo (ê). [Dev. de *rumorejar.*] *S. m.* Ato ou efeito de rumorejar; rumorar, burburinho.

rumoroso (ô). *Adj.* V. *ruidoso* (1 e 3): "Calaram-se na tarde as rumorosas / moitas, cheias de pássaros no dia." (Odilo Costa, filho, *Boca da Noite,* p. 85.)

rumpi. *S. m. Bras., BA.* Nos candomblés, o atabaque médio.

runa[1]. *S. f.* Seiva de pinheiro.

runa[2]. [Do escand. (em sueco, *runa,* 'segredo').] *S. f.* Cada um dos caracteres, em forma de haste com esgalhos, que compunham a escrita alfabética usada pelos povos germânicos desde c. do séc. III até c. do séc. XIV.

runcinado. [Do lat. *runcinatu,* 'aplainado, acepilhado'.] *Adj.* ~ V. *folha —a.*

rundo. *S. m. Luso-afr.* Espécie de batuque.

rúnico. *Adj.* **1.** Referente a runas [v. *runa*[2]]. **2.** Escritos em runas.

runjebe. [Do *ioruba.*] *S. m. Bras., BA.* Conta preta de Omolu, usada em pulseiras e colares.

runologia. [De *runa*[2] + *-o-* + *-log(o)-* + *-ia.*] *S. f.* Estudo dos caracteres rúnicos.

runológico. *Adj.* Respeitante à runologia.

runólogo. *S. m.* Indivíduo versado em runologia.

runrum. [T. onom.] *S. m.* V. *zunzum* (1): "E esse runrum a espaços? / [..........] É fora, no jardim, de calhau em calhau, / O muro a desabar com a chuva..." (Alberto de Oliveira, *Poesias,* 4ª série, p. 166.)

rupequeiro. *S. m. Bras.* V. *ararinha-de-cabeça-encarnada.*

rupestre. [Do fr. *rupestre.*] *Adj. 2 g.* **1.** Litófilo. **2.** Gravado ou traçado na rocha: "A primeira vez que minha atenção foi despertada para as inscrições rupestres do interior do Brasil foi em 1907." (Gustavo Barroso, *Aquém da Atlântida,* p. 197). **3.** Construído em rochedo: "algum cigano, desses que ainda hoje o turista vê com encanto nas casas milenárias, rupestres, furadas nos flancos das encostas que cingem Granada." (Afonso Arinos de Melo Franco, *A Alma do Tempo,* p. 8). ~ V. *arte —, gravura —* e *pintura —.*

▲**rupi-.** [Do lat. *rupes, is.*] *El. comp.* = 'rocha': *rupícola.*

rupia[1]. [Do gr. *rhúpos,* 'substância viscosa'; 'sujeira'.] *S. f. Patol.* Ulceração cuja crosta é mais espessa nas bordas do que no centro. [Cf. *rúpia.*]

rupia[2]. [Do sânscr. *rūpya,* 'prata amoedada', atr. do hind. *rūpīya.*] *S. f.* **1.** Unidade monetária, e moeda, da Índia, Paquistão, Nepal, Indonésia, Butão, Mascate e Omã: "o Reginaldo nomeou-as todas [as moedas]: florins, coroas, rublos, dracmas, piastras, pesos, rupias" (Machado de Assis, *Histórias sem Data,* p. 143). **2.** Unidade monetária, e moeda de Sri Lanka (antigo Ceilão), ilhas Malvinas e Maurício, dividida em 100 cêntimos. [Cf. *rúpia.*]

rúpia. *S. f. Bot.* Gênero de plantas monocotiledôneas, aquáticas, muito semelhantes aos capins. Vivem submersas nas águas salobras das lagoas próximas ao oceano, porém o grupo é cosmopolita. [Cf. *rupia.*]

rupícola. [De *rupi-* + *-cola.*] *Adj. 2 g.* Que vive nas rochas.

▲**rupt(i)-.** [Do lat. *ruptus, a, um.*] *El. comp.* = 'quebrado, roto'.

rúptil. [Do lat. *ruptu,* part. pass. de *rumpere,* 'romper', + *-il.*] *Adj. 2 g.* Que se pode romper; quebradiço; frágil. [Pl.: *rúpteis.*]

ruptilidade. *S. f.* Qualidade de rúptil; fragilidade.

ruptório. [Do lat. *ruptu,* Part. pass. de *rumpere,* 'romper', + *-ório.*] *S. m.* Instrumento cirúrgico para abrir fontanelas.

ruptura. [Do lat. *ruptura.*] *S. f.* **1.** Ato ou efeito de romper(-se); rompimento. **2.** Solução de continuidade em órgão, como, p. ex., o rim, o fígado, etc. **3.** Suspensão, corte, interrupção. **4.** Violação de contrato ou acordo. **5.** Quebra de relações sociais, ou de compromisso: *ruptura de noivado.* [F. paral.: *rotura.*]

rural. [Do lat. *rurale.*] *Adj. 2 g.* **1.** V. *campestre* (1): *paisagem rural.* **2.** *Bras.* Pertencente ou relativo ao, ou próprio do campo (2); agrícola. **3.** *Bras.* Pertencente ou relativo ao campo (4): *as populações rurais; zona rural.* ~ V. *dionisíacas rurais, dionísias rurais, guerrilha —* e *parceria —.* ● *S. f.* **4.** *Bras.* Caminhonete utilitária de marca Willys.

ruralismo. *S. m.* **1.** Predomínio do campo, da agricultura, em relação à cidade, à indústria: *o ruralismo da economia egípcia.* **2.** Doutrina ou ação dos ruralistas. **3.** Emprego de cenas rurais na arte.

ruralista. *Adj. 2 g.* **1.** Relativo ao ruralismo. **2.** Diz-se de pessoa que se interessa pelas coisas ou problemas rurais ou agrícolas. **3.** Diz-se de artista que nos seus trabalhos prefere cenas rurais, campestres. ● *S. 2 g.* **4.** Pessoa que preconiza o ruralismo (1), que por ele se interessa.

ruralizar. *V. t. d.* **1.** Tornar rural: *O governo pretende ruralizar a economia. Int.* e *p.* **2.** Adaptar(-se) à vida rural e agrícola: *Com a crise da indústria, parte da população urbana ruralizou; Citadino inveterado, pouco a pouco se ruralizou.*

▲**ruri-.** [Do lat. *rus, ruris.*] *El. comp.* = 'campo': *rurícola* (< lat. *ruricola*). [Equiv.: *ruro-*: *rurografia.*]

rurícola. [Do lat. *ruricola.*] *Adj. 2 g.* **1.** Que vive no campo; camponês. **2.** Que é agricultor, lavrador. ● *S. 2 g.* **3.** Agricultor, lavrador: "Devo .... ressaltar que essa povoação era São Luís do Quitunde, a sede do Comício Agrícola, grêmio de rurícolas, que foram os pioneiros do movimento associativo dos agricultores." (Carlos de Gusmão, *Boca da Grota,* p. 421.)

rurígena. [Do lat. *rurigena.*] *S. 2. g.* Pessoa nascida no campo.

▲**ruro-.** Equiv. de *ruri-.*

rurografia. [De *ruro-* + *-graf(o)-* + *-ia.*] *S. f.* Tratado sobre os campos ou sua cultura.

rurográfico. *Adj.* Referente a rurografia.

rurógrafo. *S. m.* Indivíduo que escreve sobre rurografia.

rusga. *S. f.* **1.** Barulho; desordem; confusão. **2.** Pequena briga ou desentendimento entre duas ou mais pessoas: "Daí pequenas rusgas, dias de ressentimento mútuo, até as grandes discussões" (Gastão Cruls, *Contos Reunidos*, p. 344). **3.** *Pop.* Caça aos vadios, gatunos ou malfeitores; batida policial: "Numa rusga geral aos freiráticos feita em 1742 pelos carregadores do bairro, são presos oitenta e tantos" (Júlio Dantas, *O Amor em Portugal no Século XVIII*, p. 78.)

rusgar. *V. int.* Fazer rusga; questionar, brigar: *Aquele homem rusga a qualquer pretexto.* [Conjug.: v. *largar.*]

rusguento. *Adj. Bras.* **1.** Que está sempre envolvido em rusgas; barulhento. **2.** Que vive rezingando, sempre insatisfeito; implicante: "sujeitos tontos, rusguentos, praguejando" (Raimundo Morais, *País das Pedras Verdes*, p. 208).

➡**rush** (rax). [Ingl.] *S. m.* **1.** Grande afluência de veículos, tráfego muito intenso, em uma direção determinada: *o rush dos fins de semana; voltar para casa antes da hora do rush.* **2.** Intenso movimento coletivo que visa a alcançar uma finalidade; corrida: *o rush do ouro; rush imobiliário.* **3.** *Esport.* Esforço final e impetuoso com que um concorrente procura ultrapassar os seus competidores.

ruskiniano. *Adj.* Pertencente ou relativo a John Ruskin (1819-1900), escritor e crítico de arte inglês, ou próprio dele.

rusma. [Do gr. *chrisma*, 'óleo', pelo turco *Khirizma* e pelo fr. *rusma.*] *S. f.* Preparação depilatória, composta sobretudo de cal viva, e usada em certas regiões do Oriente Médio.

rusografia. *S. f.* V. *rurografia.*

rusográfico. *Adj.* V. *rurográfico.*

rusógrafo. *S. m.* V. *rurógrafo.*

russalhada. *S. f. Deprec.* **1.** Grande porção de russos. **2.** Os russos.

russano. *Adj.* **1.** De, ou pertencente ou relativo a Russas (CE). ● *S. m.* **2.** O natural ou habitante de Russas.

russianas. [Fem. pl. substantivado de *russiano.*] *S. f. pl. Bras., N.E.* Antigas botas de couro dito da Rússia. [Cf. *russilhonas.*]

russiano. [De *russo* + *-i-* + *-ano.*] *Adj.* **1.** *Desus.* Russo (1). ● *S. m.* **2.** *Desus.* Indivíduo russo. **3.** *Ant.* Indivíduo dos russianos, populações eslavas orientais da Rússia européia, as quais se subdividiam em brancos, grandes e pequenos russianos. [Habitavam, respectivamente, a Bielo-Rússia ou Rússia Branca, a Grande Rússia (a Rússia propriamente dita) e a Pequena Rússia (a Ucrânia e a Rutênia).]

russificação. *S. f.* Ato ou efeito de russificar.

russificar. [De *russo* + *-i-* + *-ficar.*] *V. t. d.* **1.** Tornar russo. **2.** Fazer adotar os usos e costumes russos: *russificar populações.* [Conjug.: v. *trancar.*]

russilhonas. [De *russianas* (q. v.).] *S. f. Bras., S.* Botas de cano alto para montaria.

russo. [Do finês *ruotsen*, 'remador', atr., provavelmente, do fr. *russe.*] *Adj.* **1.** Da ou pertencente ou relativo à Rússia ou aos seus habitantes. [Sin., desus.: *russiano.*] **2.** *P. ext.* Soviético (2): *o povo russo.* ~ V. *formalismo* —, *ponto* — e *salada* —*a.* ● *S. m.* **3.** O natural ou habitante da Rússia. V. *eslavo* (1). **4.** *P. ext.* Soviético (3): *Os russos mandaram uma representação pequena, mas expressiva, ao Festival de Cinema.* **5.** Língua eslava, falada na Rússia e em grande parte da U.R.S.S., e que é escrita em alfabeto cirílico. V. *eslavo* (1). [Flex.: *russa, russos, russas.* Cf. *ruço, ruças, ruça*, do v. *ruçar* e adj. e s.]

russo-americano. *Adj.* Relativo à U.R.S.S. e aos E.U.A., ou que se efetua entre eles: *as relações russo-americanas; acordo russo-americano.* [Pl.: *russo-americanos.*]

russo-branco. *Adj.* e *s. m.* Bielo-russo. [Pl.: *russo-brancos.*]

russofilia. [De *russo* + *-filia.*] *S. f.* Sentimento de russófilo. [Antôn.: *russofobia.*]

russófilo. [De *russo* + *-filo*[2].] *Adj.* e *s. m.* Que ou aquele que é amigo dos russos. [Antôn.: *russófobo.*]

russofobia. [De *russo* + *-fob(o)-* + *-ia.*] *S. f.* Sentimento de russófobo. [Antôn.: *russofilia.*]

russófobo. [De *russo* + *-fobo.*] *Adj.* e *s. m.* Que ou aquele que é inimigo dos russos. [Antôn.: *russófilo.*]

ruste. [Dev. de *rustir.*] *S. m. Bras., Gír.* Ladrão que rouba os companheiros na divisão do furto.

rusticador (ô). [De *rustidor*, com epêntese, talvez.] *S. m. Bras. Gír.* Esconderijo.

rusticamente. [Do fem. de *rústico* + *-mente.*] *Adv.* De modo rústico.

rusticar. [Do lat. **rusticare*, em vez de *rusticari.*] *V. t. d.* **1.** Talhar (a pedra), entre os ornatos em relevo. *Int.* **2.** Viver no campo. **3.** Dedicar-se a trabalhos campesinos. [Conjug.: v. *trancar.* Pres. ind.: *rustico*, etc. Cf. *rústico.*]

rusticaria. [De *rústico* + *-aria.*] *S. f.* V. *rusticidade.*

rusticidade. [Do lat. *rusticitate.*] *S. f.* **1.** Qualidade de rústico. **2.** Indelicadeza, incivilidade, grosseria. [Sin. ger.: *rusticaria, rustiquez, rustiqueza.*]

rústico. [Do lat. *rusticu.*] *Adj.* **1.** V. *campestre* (1). **2.** Rude, grosseiro, tosco, simples: *homem rústico.* **3.** Diz-se da planta, ou, p. ext., do jardim, do pomar, que nascem por si sós, ou que crescem à vontade, sem requerer nenhum cuidado especial. **4.** Diz-se dos móveis, utensílios, etc., simples e toscos, feitos por camponeses. **5.** *P. ext.* Diz-se do que é feito ou fabricado para dar a impressão de rústico, tosco. ~ V. *capital* —a e *prédio* —. ● *S. m.* **6.** Indivíduo que habita o campo; camponês. [Cf. *rustico*, do v. *rusticar.*]

rustidor (ô). [De *rustir* + *-(d)or.*] *S. m. Bras. Gír.* Esconderijo.

rustiquez (ê). [De *rústico* + *-ez.*] *S. f.* V. *rusticidade.*

rustiqueza (ê). [De *rústico* + *-eza.*] *S. f.* V. *rusticidade:* "o vulto garboso e delgado se achamboara na rustiqueza do remo e da lavoura" (Alberto Rangel, *Sombras n'Água*, p. 38).

rustir. [Do fr. *roustir*, 'roubar'?] *V. t. d. Bras. Gír.* Enganar; ocultar, encobrir. [Cf. *enrustir* e *rostir.*]

rusto. [Dev. de *rustir.*] *S. m. Bras. Gír.* **1.** Ato de rustir. **2.** Logro na partilha do furto.

rutabaga. [Do sueco dialetal *rotabagge*, pelo fr. *rutabaga.*] *S. f.* Planta híbrida que tem as qualidades da couve e do nabo.

rutácea. *S. f.* Espécime das rutáceas. [Cf. *rotácea*, f. de *rotáceo.*]

rutáceas. [Do lat. *ruta*, 'arruda', + *-ácea.*] *S. f. pl. Bot.* Família de plantas floríferas, da ordem das geraniales, formada de arbustos e árvores cujas folhas, compostas, conduzem glândulas translúcidas. Flores hermafroditas; androceu diplostêmone; disco bem desenvolvido; gineceu pluricarpelar; frutos variados, os quais de ordinário se separam em mesocarpos na maturidade. Existem perto de 1600 espécies em toda a Terra; o gênero *Citrus* fornece as frutas ditas cítricas.

rutáceo. [Do lat. *ruta*, 'arruda', + *-áceo*[1].] *Adj.* **1.** Pertencente ou relativo às rutáceas. **2.** Referente ou semelhante à arruda. [Cf. *rotáceo.*]

rutelídeo. *S. m.* **1.** Espécime dos rutelídeos. ● *Adj.* **2.** Pertencente ou relativo a eles.

rutelídeos. [Pl. de *rutelídeo.*] *S. m. pl. Zool.* Família de insetos da ordem dos coleópteros, de tamanho médio e cores brilhantes, próprios da América tropical.

rutênio. *S. m. Quím.* Elemento de número atômico 44, pertencente ao grupo da platina, metálico, duro, brilhante, denso. [Símb.: *Ru.*]

ruteno. [De *Ruthenia*, nome da Rússia no lat. medieval.] *S. m.* **1.** Indivíduo dos rutenos, povo eslavo espalhado pela Galícia, Lituânia e Hungria. ● *Adj.* **2.** Pertencente ou relativo a este povo.

rutherford. [Do antr. *Rutherford*, de Lorde Ernest Rutherford of Nelson (1871-1937), físico inglês.] *S. m. Fís. Nucl.* Unidade de atividade igual à atividade de um radionuclídeo em que ocorre um milhão de desintegrações por segundo. É equivalente a 0,027 milicuries, e bem pouco utilizada. [Símb.: *Rd.*]

rutilação. *S. f.* **1.** Ato de rutilar; rutilo. **2.** Brilho intenso; esplendor, resplendor.

rutilância. *S. f.* Qualidade de rutilante.

rutilante. [Do lat. *rutilante.*] *Adj. 2 g.* **1.** Que rutila. **2.** Muito brilhante; resplandecente, esplendoroso. [Sin. ger.: *rútilo.*]

rutilantemente. [De *rutilante* + *-mente.*] *Adv.* De maneira rutilante; com rutilância.

rutilar. [Do lat. *rutilare.*] *V. t. d.* **1.** Tornar rútilo ou muito brilhante; fazer brilhar muito; fazer resplandecer: *O Sol rutila pedrarias.* **2.** Emitir, despedir, lançar: *Seus olhos rutilavam chispas de ódio. Int.* **3.** Brilhar muito; resplandecer, chamejar: *As jóias rutilavam;* "E estrelas mil cravejam-te, fagueiras, / Estrelas falsas, mas que, assim de perto, / Rutilam tanto, como as verdadeiras." (Raimundo Correia, *Poesias*, p. 94). [Pres. ind.: *rutilo, rutilas, rutila*, etc. Cf. *rútilo*, adj., fem. *rútila*, e *Rútilo, Rútila*, antr.]

rutílio. [De *rútilo* + *-io*[2].] *S. m. Min.* Mineral tetragonal, óxido de titânio, minério de titânio. [F. paral.: *rutilo.* Sin. (bras.): *ruiva.*]

rutilo[1]. *S. m.* V. *rutílio.* [Cf. *rútilo.*]

rutilo[2]. [Dev. de *rutilar.*] *S. m. Bras.* Rutilação (1). [Cf. *rútilo.*]

rútilo. [Do lat. *rutilu.*] *Adj.* V. *rutilante:* "Rebenta a trovoada em raios rútilos!" (Bulhão Pato, *Livro do Monte*, p. 102.) [Cf. *rutilo*, do v. *rutilar*, e s. m.]

rutina. [Do lat. *ruta*, 'arruda', + *-ina*[1].] *S. f. Quím.* Glicosídeo que se encontra no tomate, no tabaco, na arruda, de onde é extraído sob a forma de material cristalino, acicular, higroscópico, usado em medicina como hipotensor; rutinosídeo. [Fórm.: $C_{27}H_{30}O_{16}$. Cf. *rotina.*]

rutinosídeo. *S. m. Quím.* Rutina.

rútulo. [Do lat. *rutulu*, sing. de *rutuli.*] *S. m.* **1.** Indivíduo dos rútulos, povo antigo do Lácio. ● *Adj.* **2.** Pertencente ou relativo aos rútulos.

ruvinhoso (ô). [Do lat. *rubiginosu.*] *Adj.* **1.** Quem tem ferrugem; ferrugento, rubiginoso. **2.** Que tem caruncho; carunchoso. **3.** *Fig.* Difícil de contentar; caprichoso; mal-humorado.

ruzagá. *S. 2 g.* e *adj. 2 g. Bras., N.E. Pop.* V. *rosalgar* (2 e 3).

S

s. *S. m.* **1.** A 18ª letra do nosso alfabeto. Representa, quando em início de sílaba ou quando duplicada (ss), a consoante fricativa alveolar surda [s] *(sábado, missa);* em posição intervocálica, o símbolo *s* representa a consoante fricativa alveolar sonora [z] *(asa, vesícula).* [V. *alfabeto fonético internacional.*] **2.** *Fís.* Símb. de *siemens.* **3.** *Quím.* Símb. de *enxofre.* **4.** Símb. de *segundo* (5). **5.** Abrev. de *São*[1], *Santo* ou *Santa.* **6.** Maiúsculo, abrev. de *Sul* (4 e 6). ● *Num.* **7.** O 18º, numa série indicada pelas letras do alfabeto: *casa S* (ou *casa s*). **8.** A 18ª, num grupo de séries: *série S* (ou *série s*). [Cf. *esse.* Com maiúscula, nas acepç. 2, 3, 5 e 6.]

sã. [Do lat. *sana.*] *Adj. (f.).* Fem. de *são*[2]: "Gente rija do campo, homens fortes, trigueiros, / Da raça viva e sã dos velhos lusitanos." (Conde de Monsaraz, *Musa Alentejana*, p. 61.)

saá. *S. m. Bras.* V. *sauá.*

saariano. *Adj.* Relativo ou pertencente ao deserto de Saara (África), ou próprio dele.

sabá. [Do hebr. *shabbath*, atr. do fr. *sabbat.*] *S. m.* **1.** Descanso religioso que, conforme a legislação mosaica, devem os judeus observar no sábado, consagrado a Deus. **2.** Conciliábulo de bruxos e bruxas que, segundo superstição medieval, se reunia no sábado, à meia-noite, sob a presidência do Diabo.

sabacu. [Do tupi *sawa'ku.*] *S. m. Bras.* **1.** V. *taquiri.* **2.** V. *arapapá* (1). **3.** V. *queixada* (3). [Var.: *sabucu.*]

sabacu-de-coroa. *S. m. Bras., BA.* V. *dorminhoco* (3). [Pl.: *sabacus-de-coroa.*]

sabadeador (ô). *Adj.* e *s. m.* Que ou aquele que sabadeia.

sabadear. *V. int.* **1.** Guardar o sábado, à maneira dos judeus; sabatizar. **2.** Não trabalhar no sábado. [Conjug.: v. *frear.*]

sábado. [Do hebr. *shabbath*, atr. do lat. *sabbatu.*] *S. m.* **1.** O sétimo dia da semana, começada no domingo. **2.** Dia de descanso, ou de descanso religioso, entre os judeus. **3.** Conciliábulo noturno de feiticeiros. ◆ **Sábado de aleluia.** O da semana santa; sábado santo. **Sábado gordo.** O que precede o domingo de carnaval. **Sábado magro.** O que precede o sábado gordo. **Sábado santo.** Sábado de aleluia.

sabagante. *S. m. Bras., N.E. Pop.* Indivíduo, pessoa, sujeito. [F. paral.: *sabaquante.*]

sabão[1]. [Do lat. *sapone.*] *S. m.* **1.** *Quím.* Sal metálico de ácido graxo. **2.** *Restr.* Produto detergente constituído de sais de sódio e de potássio, de ácidos graxos, e que serve para limpeza em geral. **3.** *Fam.* V. *descompostura* (2). **4.** *Fam.* V. *repreensão* (1). **5.** *Bras.* Rocha mais ou menos decomposta, que constitui o subsolo de algumas paragens do N.E., sobretudo do PI. **6.** *Bras., SP.* Terra escorregadia. **7.** *Bras., RS.* Modalidade do fandango, a qual no séc. XIX também foi popular em PE. ◆ **Sabão de coco.** *Quím.* O que se obtém com base no óleo de coco. **Sabão de Marselha.** *Quím.* O que é fabricado com óleo de oliva e potassa. **Sabão dos vidreiros.** *Tec.* Na indústria de vidro, o bióxido de manganês que, adicionado ao vidro comum, em fusão, provoca o desaparecimento da coloração verde. **Sabão duro.** *Quím.* Sabão consistente, com aparência jaspeada, obtido pela ação da soda sobre ácidos graxos. **Sabão líquido.** *Quím.* Sabão muito solúvel em água, de consistência líquida, obtido pela ação da potassa sobre óleo de coco e óleo de rícino, com adição de glicerol e açúcar. **Sabão transparente.** *Quím.* Sabão com aspecto transparente, que se obtém pela adição de álcool, glicerina e solução de açúcar à massa antes da cristalização. **Acabar-se como sabão na mão da lavadeira.** *Bras., N.E.* Desfazer-se ou consumir-se rapidamente, a olhos vistos. **Fazer sabão. 1.** *Bras., AL.* V. *bolinar* (4). **2.** *Bras., MA.* Praticarem (mulheres) o ato lésbico.

sabão[2]. *S. m. Burl.* V. *sabichão* (4).

sabão-de-macaco. *S. m. Bras.* V. *saboeiro* (3). [Pl.: *sabões-de-macaco.*]

sabão-de-soldado. *S. m. Bras.* **1.** Melão-de-soldado. **2.** V. *saboeiro* (3). [Pl.: *sabões-de-soldado.*]

sabãozeira. [De *sabão*[1] + *-z-* + o fem. de *eiro.*] *Adj. (f.)* e *s. f. Bras., AL. Chulo.* Diz-se de, ou moça dada à bolinagem, a fazer sabão [q. v.].

sabãozinho. [Dim. de *sabão*[1].] *S. m. Bras.* V. *saboeiro* (3).

sabaquante. *S. m. Bras., N.E. Pop.* V. *sabagante.*

sabarense. *Adj. 2 g.* **1.** De, ou pertencente ou relativo a Sabará (MG). ● *S. 2 g.* **2.** Natural ou habitante de Sabará.

▲**sabat(i)-.** [Do lat. *sabbatum, i.*] *El. comp.* = 'sábado': *sabatina, sabático.*

sabatiano. *Adj.* e *s. m.* Diz-se de, ou membro de uma seita cristã fundada no séc. IV por um certo Sabbathius, ou Sabátio, e que celebrava a Páscoa no mesmo dia que os judeus.

sabático[1]. [De *sabat(i)-* + *-ico*[2].] *Adj.* Relativo ao sábado; sabatino. ~ V. *ano* —.

sabático[2]. [De *sabá* + *-t-* + *-ico*[2].] *Adj.* Relativo ao sabá: *repouso sabático; festim sabático.*

sabatina. [De *sabat(i)-* + *-ina*[1].] *S. f.* **1.** Repetição, no sábado, das lições estudadas durante a semana. **2.** Recapitulação de lições. **3.** Oração do sábado. **4.** Tese que os estudantes de filosofia defendiam ao término de seu primeiro ano de curso. **5.** *Fig.* Discussão, debate, questão. **6.** *Bras. Turfe.* Reunião turfística realizada aos sábados.

sabatinar. [De *sabatina* + *-ar*[2].] *V. t. d.* **1.** Recapitular, recordar. **2.** Fazer resumo de; resumir, condensar. *Int.* **3.** Debater miúda e cavilosamente.

sabatineiro. *Adj.* Relativo a, ou próprio de sabatina.

sabatino. [De *sabat(i)-* + *-ino*[1].] *Adj.* **1.** Concernente a sabatina. **2.** Sabático[1].

sabatismo. [Do gr. *sabbatismós*, atr. do lat. *sabbatismu.*] *S. m.* Celebração dos sábados, entre judeus e em algumas igrejas protestantes.

sabatista. [De *sabat(i)-* + *-ista.*] *S. 2 g.* Partidário da celebração do sábado em vez do domingo.

sabatizar. [Do gr. *sabbatizo*, atr. do lat. *sabbatizare.*] *V. int.* Sabadear.

sabável. [De *sab(er)* (bem) + *-ável.*] *Adj. 2 g. Bras.* Agradável ao paladar; gostoso, saboroso, saborido.

➡**sabbaoth.** [Hebr.] *S. m.* Senhor dos exércitos.

sabedor (ô). *Adj.* e *s. m.* **1.** Que ou aquele que sabe, que tem conhecimento de algo; ciente. **2.** Que ou aquele que tem sabedoria; erudito, sábio.

sabedoria. [De *sabedor* + *-ia.*] *S. f.* **1.** Grande conhecimento; erudição, saber, ciência: *Sua obra bem revela a sua sabedoria.* [Sin. (pop): *sabença.*] **2.** Qualidade de sábio: *A sabedoria de suas palavras convenceu-me.* **3.** Prudência, moderação, temperança, sensatez, reflexão: *Os sofrimentos deram-lhe grande sabedoria.* **4.** Conhecimento justo das coisas; razão: *Minerva, a deusa da sabedoria.* **5.** Ciência (2), segundo a concepção dos antigos: *Os egípcios eram notáveis por sua sabedoria* **6.** *Rel.* Conhecimento inspirado nas coisas divinas e humanas: *Um dos sete dons do Espírito Santo é a sabedoria.* **7.** *Bras. Pop.* Qualidade de sabido (4); esperteza, astúcia, manha. ◆ **Sabedoria das nações.** Moral corrente expressa em provérbios; sabedoria popular. **Sabedoria popular.** Sabedoria das nações.

sabéia. *Adj.* e *s. f.* Fem. de *sabeu.* ~ V. *lágrima* —.

sabeísmo. *S. m.* **1.** Designação comum aos diversos cultos astrolátricos dos sabeus. **2.** Designação comum às seitas sabeístas.

sabeísta. *Adj. 2 g.* e *s. 2 g.* **1.** Relativo ao sabeísmo. **2.** Diz-se de, ou membro de uma seita judaico-cristã da Mesopotâmia, mencionada no Alcorão, de inspiração gnóstica, e eivada de magia e astrolatria. **3.** Diz-se de, ou membro de uma seita pagã, astrolátrica, do S. da Arábia, anterior ao islamismo, e que a ele sobreviveu durante algum tempo. [F. paral.: *sabeíta.*]

sabeíta. *Adj. 2 g.* e *s. 2 g.* Sabeísta.

sabelianismo. [De *sabeliano* + *-ismo.*] *S. m.* Doutrina de Sabélio, heresiarca do séc. III, que negava a Trindade das pessoas em Deus e professava haver uma única pessoa divina, apenas, com nomes diversos, segundo os vários modos de se revelar. [Cf. *monarquianismo* e *modalismo.*]

sabeliano. [Do lat. *sabellianu.*] *S. m.* Sectário do sabelianismo.

sabélico. [Do lat. *sabellicu.*] *Adj.* **1.** Diz-se dos dialetos dos sabelos. **2.** Diz-se do alfabeto dos sabelos, derivado do etrusco. ● *S. m.* **3.** O grupo dos dialetos sabélicos. V. *itálico* (11).

sabélio. *S. m.* Var. de *sabelo* (1).

sabelo. [Do lat. *sabellu.*] *S. m.* **1.** Indivíduo dos sabelos, grupo de populações antigas da Itália central, constituído essencialmente pelos montanheses dos Apeninos, ou seja, os sabinos, picentinos, lucanos e samnitas. [Var.: *sabélio.*] ● *Adj.* **2.** Pertencente ou relativo a esse grupo.

sabença. [De *saber.*] *S. f. Pop.* Sabedoria (1): "A passo e passo, no caminho da sabença não tardou [Álvaro Fróis da Fonseca] a revelar-se o ensaísta e crítico filosófico que, fascinado pela vida espiritual, matutou no existencialismo, investiu contra Sartre" (Clementino Fraga, *Reencontros Imaginários*, p. 229).

sabendas. [De *saber.*] *S. f. pl.* Us. na loc. adv. *a sabendas.* ◆ **A sabendas.** *Ant.* De propósito; de caso pensado; adrede; cientemente.

saber. [Do lat. *sapere*, 'ter gosto'.] *V. t. d.* **1.** Ter conhecimento, ciência, informação ou notícia de; conhecer: "Comiam todos o caldo, calados e recolhidos, quando o menino disse: I — Sei um ninho!" (Miguel Torga, *Bichos*, p. 79); *O general sabia antecipadamente os próximos ataques do inimigo.* **2.** Ter conhecimentos técnicos e especiais relativos a, ou próprios para: *O matemático sabia previamente o resultado da equação.* **3.** Estar convencido de; ter a certeza de:

"Sócrates sabia que nada sabia e com este nada saber foi Sócrates o mais sábio dos homens." (Alberto Ramos, *Prosas de Ariel*, p. 92); "Sabei que não canto somente prazeres, / Sabei que não gemo somente de amores" (Junqueira Freire, *Obras Póstumas*, II, p. 195). **4.** Ser instruído em; conhecer: *saber geografia.* **5.** Ter meios, capacidade, para; conseguir: *Não sei dizer o que sinto.* **6.** Ter capacidade, conhecimento, para: *Sabe explicar o fato, pois presenciou tudo.* **7.** Ter a certeza de coisa futura; prever: *A cartomante sabia o futuro de cada um.* **8.** Poder explicar; compreender: *Não sei o que se passa.* **9.** Reter na memória; decorar: *O aluno sabia a poesia inteira.* **10.** Perguntar, indagar: *Veio saber se o doente já tivera alta.* **11.** Conseguir, alcançar: *Merece a situação que soube obter. Transobj.* **12.** Julgar, considerar; ter como: "Não o sabia poeta. Aquela descoberta a maravilhava." (Pascoal Carlos Magno, *Sol sobre as Palmeiras*, p. 97.) *T. i.* **13.** Ter conhecimento, informação, ciência ou notícia; estar informado: "Eu sei de certos senhores / Que desdenham, sérios, graves, / O doce aroma das flores / E o terno canto das aves." (Ricardo Gonçalves, *Ipês*, p. 49); "Cada um sabe de si, e Deus de todos" (prov.). **14.** Perguntar, indagar: *Veio saber da saúde do irmão.* **15.** Ter sabor ou gosto: "O licor tinha a mais bela cor de topázio, fina e transparente. E sabia gostosamente a frutos e a doce." (Maria Archer, *Fauno Sovina*, p. 98); "Era uma infusão descorada que sabia a malva e a formiga." (Eça de Queirós, *A Cidade e as Serras*, p. 162). *Int.* **16.** Ter conhecimento, erudição ou ciência; ser erudito. **17.** Ter conhecimento, informação ou notícia de alguma coisa; estar informado: *Não ousaram falar-lhe no assunto, porém ele já sabia.* **18.** Ter sabor; ser sápido: "Livros como vinhos: quanto mais velhos mais sabem." (Guilherme Figueiredo, *Despropósitos*, p. 37.) [Irreg. Pres. ind.: *sei, sabes, sabe*, etc.; pret. imperf.: *sabia*, etc.; perf.: *soube, soubeste, soube*, etc.; m.-q.-perf.: *soubera, souberas*, etc.; pres. subj.: *saiba, saibas*, etc.; imperf.: *soubesse, soubesses*, etc.; fut.: *souber, souberes*, etc. Cf. *sábia*, fem. de *sábio*.] ● *S. m.* **19.** Erudição, sabedoria. **20.** Prudência, tino, sensatez. **21.** Experiência, prática. **22.** *Bras., RJ.* O anel de grau das professoras primárias. ♦ **Saber a. 1.** Ter o sabor de: *Este bolo sabe a amêndoas.* **2.** Dar a idéia de; lembrar, recordar: "Mas o caminho não andado / Sabe a caminho percorrido." (Alberto de Serpa, *Fonte*, p. 45.) **Saber bem.** Agradar ao paladar: *Este assado sabe bem.* **Saber entrar e sair.** Ter boas maneiras; ser bem-educado. **Saber mal.** Desagradar, desgostar ao paladar: *Aquele bolo da véspera sabia mal.* **A saber.** Expressão que antecede uma enumeração ordenada: *A sonata clássica compõe-se de 3 movimentos, a saber: alegro, adágio e presto.* **Não saber o que possui. 1.** Ter um bem ou bens afetivos de valor inestimável. **2.** Ser muitíssimo rico. [Sin. ger.: *não saber o que tem.*] **Não saber o que tem.** Não saber o que possui.

saberê. *S. m. Bras., N.E.* V. *querê-querê.*

saberecar. [Var. de *sapecar*, muito alterada.] *V. t. d. Bras.* Tostar, chamuscar, sapecar. [Outras var.: *sabrecar* e *sabererecar*. Conjug.: v. *trancar.*]

saberente. *Adj. 2 g.* e *s. 2 g. Bras., N.E.* Var. nasalada de *saberete* (4 e 5).

sabererecar. *V. t. d. Bras.* V. *saberecar.* [Conjug.: v. *trancar.*]

saberete (ê). [De *saber* + *-ete.*] *S. m. Fam.* **1.** Pouco saber. **2.** Conhecimento imperfeito, superficial. **3.** Sagacidade, manha. ● *S. 2 g.* **4.** *Bras. Pop.* Pessoa metida a saber tudo: "Metido a saberete, quer os pronomes no lugar, ... e emenda o interlocutor nas barbas, como se estivesse em aula." (Antônio Olavo Pereira, *Marcoré*, p. 57.) ● *Adj. 2 g.* **5.** *Bras. Pop.* Que é metido a saber tudo. [Var., nas acepç. 4 e 5: *saberente.*]

sabe-tudo. [Da 3ª pess. sing. do pres. ind. de *saber* + *tudo.*] *S. 2 g.* e *2 n. Fam.* e *irôn.* V. *sabichão* (4).

sabeu. [Do lat. *sabaeu.*] *S. m.* **1.** Indivíduo dos sabeus, povo bíblico astrólatra, que habitava o país de Sabá (S. da Arábia). **2.** *Ling.* Língua semítica conhecida por inscrições encontradas no Iêmen (Ásia). ● *Adj.* **3.** Pertencente ou relativo a Sabá ou aos sabeus. [Fem.: *sabéia* (q. v.).]

sabiá. [Do tupi *haabi'á.*] *S. m.* e *f. Bras.* **1.** Designação comum a várias espécies de aves passeriformes, da família dos turdídeos, gênero *Turdus* L., de colorido simples, cinzento-oliváceo, às vezes avermelhado. São pássaros muito populares, bons cantores, e onívoros. [Cf. *caraxué* (1).] [No N.E. do Brasil também é us. no fem.: "— Quando a sabiá canta é o tempo do amor" (José de Alencar, *Iracema*, p. 117). Ver tb. Adolfo Caminha, *A Normalista*, p. 38; Afrânio Peixoto, *Fruta do Mato*, p. 323. Também se vê esse gênero na canção *Sabiá*, de Antônio Carlos Jobim e Chico Buarque de Holanda, autores nascidos no S. do País: "é ainda lá / que eu hei de ouvir cantar / uma sabiá".] **2.** *Pop.* V. *boqueira.*

sabiá-barranco. *S. m. Bras.* V. *sabiá-branco* (1). [Pl.: *sabiás-barrancos* e *sabiás-barranco.*]

sabiá-branco. *S. m. Bras.* **1.** Ave passeriforme, da família dos turdeídeos (*Turdus leocomelas* Vieil.), distribuída desde o RS até o MA, de dorso cinzento-azeitonado, abdome cinzento, e garganta branca com estrias escuras. Alimenta-se de frutas e insetos, que geralmente apanha no chão, e freqüenta as habitações rurais; é boa cantora. [Sin.: *sabiá-barranco, sabiá-cinzento.*] **2.** Sabiá-pardo. [Pl.: *sabiás-brancos.*]

sabiá-cachorro. *S. m. Bras.* V. *japacanim* (2). [Pl.: *sabiás-cachorros* e *sabiás-cachorro.*]

sabiá-cavalo. *S. m. Bras.* V. *sabiá-laranjeira.* [Pl. *sabiás-cavalos* e *sabiás-cavalo.*]

sabiácea. *S. f.* Espécime das sabiáceas.

sabiáceas. *S. f. pl. Bot.* Família de plantas superiores, da ordem das sapindales, composta de árvores e trepadeiras com folhas alternas e flores minutas. Há só umas 70 espécies tropicais, escassas no Brasil e sem qualquer valor.

sabiáceo. *Adj.* pertencente ou relativo às sabiáceas.

sabiacica (i-à). [Do tupi *haabi'á* + *sïka*, ger. de *sïg*, 'aproximar-se'.] *S. m. Bras.* Ave psitaciforme, da família dos psitacídeos (*Triclaria malachitacea* (Spix)), do S.E. do Brasil, de coloração verde-clara, primeiras rêmiges da mão com margem anterior azul, assim como as retrizes exteriores, e o macho adulto com faixas azul-purpúreas do meio do tórax às coberteiras subcaudais anteriores. Após algum tempo em cativeiro, apresenta manchas amareladas. [Sin.: *araçuaiava.*]

sabiá-cinzento. *S. m. Bras.* V. *sabiá-branco* (1). [Pl.: *sabiás-cinzentos.*]

sabiá-coleira. *S. m. Bras.* Ave passeriforme, da família dos turdídeos (*Turdus albicollis* Vieil.), que ocorre de MG para o S. e se caracteriza pela coloração geral pardo-esverdeada, branca no meio do abdome e castanha nos lados, destacando-se na garganta uma mancha semilunar branca, que lhe valeu o nome. Freqüenta as matas e alimenta-se de frutos e insetos. [Pl.: *sabiás-coleiras* e *sabiás-coleira.*]

sabiá-da-campina. *S. m. Bras.* V. *trinca-ferro.* [Pl.: *sabiás-da-campina.*]

sabiá-da-capoeira. *S. m. Bras.* V. *sabiá-da-mata.* [Pl.: *sabiás-da-capoeira.*]

sabiá-da-lapa. *S. m. Bras.* Ave passeriforme, da família dos turdídeos (*Turdus crotopezus* Lic.), do Brasil médio-oriental, de coloração cinzento-olivácea, muito parecida com a do sabiá-cinzento, e que tem hábitos idênticos aos do sabiá-laranjeira. [Pl.: *sabiás-da-lapa.*]

sabiá-da-mata. *S. m. Bras.*, Ave passeriforme, da família dos turdídeos (*Turdus fumigatus* Licht.), com larga distribuição no Brasil, de coloração geral pardo-avermelhada, um pouco olivácea, garganta esbranquiçada raiada de pardo, parte inferior ferrugínea viva, mais pálida no meio do abdome. [Sin.: *sabiá-da-capoeira, sabiá-verdadeiro, caraxué-da-capoeira, caraxué-da-mata.* Pl.: *sabiás-da-mata.*]

sabiá-da-mata-virgem. *S. m. Bras.* Ave passeriforme, da família dos cotingídeos (*Lipaugus lanioides* (Less.)), que ocorre de MG e ES até SC, de coloração geral cinérea, mais clara do lado abdominal, a garganta com estrias brancas. Freqüenta as matas virgens, nas quais consegue disfarçar-se inteiramente, sendo difícil observá-lo. Alimenta-se de frutas em geral. [Sin.: *sabiá-do-mato-grosso, sabiá-da-serra, viruçu.* Pl.: *sabiás-da-mata-virgem.*]

sabiá-da-praia. *S. m. Bras.* Ave passeriforme da família dos mimídeos (*Mimus gilvus antelius* Ober.), do PA ao RJ, de dorso cinzento-plúmbeo, abdome branco, tendo os jovens o peito manchado. Vivem nas restingas, freqüentando praias e alimentando-se de toda sorte de artrópodes, e também de frutas. Alguns exemplares tornam-se bons cantores quando mantidos em cativeiro. [Sin.: *sabiá-da-restinga, sabiapiri.* Pl.: *sabiás-da-praia.*]

sabiá-da-restinga. *S. m. Bras.* V. *sabiá-da-praia.* [Pl.: *sabiás-da-restinga.*]

sabiá-da-serra. *S. m. Bras., SP.* V. *sabiá-da-mata-virgem.* [Pl.: *sabiás-da-serra.*]

sabiá-de-barriga-vermelha. *S. m. Bras.* V. *sabiá-laranjeira.* [Pl.: *sabiás-de-barriga-vermelha.*]

sabiá-do-banhado. *S. m. Bras., RS.* Perdizinha-do-campo. [Pl.: *sabiás-do-banhado.*]

sabiá-do-brejo. *S. m. Bras.* V. *japacanim* (2). [Pl.: *sabiás-do-brejo.*]

sabiá-do-campo. *S. m. Bras.* Ave passeriforme, da família dos mimídeos (*Mimus saturninus* (Lich.)), distribuída por todo o Brasil, de dorso cinzento-escuro, abdome brancacento, asas plúmbeas, penas da cauda negras com extremidade branca, lado ventral estriado, e uma fita branca sobre os olhos. É ave tida por boa cantora e sobretudo imitadora de outros pássaros; vive de preferência nos cerrados e matas ralas, alimentando-se de insetos e toda sorte de frutas. [Sin.: *sabiá-do-sertão, sabiapoca, arrebita-rabo, calandra, calhandra, galo-do-campo.* Pl.: *sabiás-do-campo.*]

sabiá-do-mato-grosso. *S. m. Bras.* V. *sabiá-da-mata-virgem.* [Pl.: *sabiás-do-mato-grosso.*]

sabiá-do-piri. *S. m. Bras.* V. *japacanim* (2). [Pl.: *sabiás-do-piri.*]

sabiá-do-sertão. *S. m. Bras.* V. *sabiá-do-campo.* [Pl.: *sabiás-do-sertão.*]

sabiá-ferreiro. *S. m. Bras.* Ave passeriforme, da família dos turdídeos (*Turdus subalaris* (Seeb.)), do Brasil meridional, de coloração plúmbea, com o abdome branco e a garganta da mesma cor, raiada de negro. Freqüenta matas. [Pl.: *sabiás-ferreiros.*]

sabiá-gongá. *S. m. Bras., PE.* **1.** Ave passeriforme, da família dos fringilídeos (*Saltator coerulescens mutus* Scl.), da Amaz, de dorso cinzento-escuro, a parte inferior cinzento-clara lavada de ocre na barriga, garganta branca, crisso ocre. Alimenta-se de sementes de modo geral, e freqüenta áreas descampadas. **2.** V. *trinca-ferro.* [Pl.: *sabiás-gongás* e *sabiás-gongá.*]

sabiá-guaçu. *S. m. Bras.* V. *japacanim* (2). [Pl.: *sabiás-guaçus.*]

sabiá-laranja. *S. m. Bras., RS.* V. *sabiá-laranjeira.* [Pl.: *sabiás-laranjas* e *sabiás-laranja.*]

sabiá-laranjeira. *S. m. Bras.* Ave passeriforme, da família dos turdídeos (*Turdus rufiventris* Vieil.), do Brasil central e este-meridional, de coloração geral pardo-acinzentada, escura no dorso, peito e abdome vermelho-ferrugíneo, cor que o diferencia das demais espécies. É ave das mais populares do Brasil, decantada em poesias, pelo seu canto nostálgico e agradável. Freqüenta as fazendas e outras habitações do interior do Brasil, alimentando-se de insetos, vermes e frutas de um modo geral. O gostar de laranjas e nidificar em laranjeiras valeu-lhe o nome popular. [Sin.: *sabiá-cavalo, sabiá-de-barriga-vermelha, sabiá-laranja, sabiá-piranga, sabiá-ponga, piranga, ponga.* Pl.: *sabiás-laranjeiras* e *sabiás-laranjeira.*]

sabiá-pardo. *S. m. Bras.* Ave passeriforme, da família dos turdídeos (*Turdus amaurochalinus* Cab.), do Brasil central e oriental, de dorso cinzento-azeitonado, abdome cinzento-claro, garganta branca estriada de escuro, e coberteiras das asas amarelas. Tem os mesmos hábitos do sabiá-laranjeira, porém seu canto é inferior. [Sin.: *sabiá-branco.* Pl.: *sabiás-pardos.*]

sabiá-pimenta. *S. f. Bras.* V. *trinca-ferro.* [Pl.: *sabiás-pimentas* e *sabiás-pimenta.*]

sabiá-piranga. [De *sabiá* + *piranga.*] *S. m. Bras.* V. *sabiá-laranjeira.* [Pl.: *sabiás-pirangas.*]

sabiapiri (i-à). [De *sabiá* + tupi *pi ri*, 'pequeno, minguado'] *S. m.* V. *sabiá-da-praia.*

sabiapoca (i-à). [De *sabiá* + tupi *poka*, ger. de *pog*, 'estalar, arrebentar'.] *S. m. Bras., SP.* V. *sabiá-do-campo.*

sabiaponga (i-à). [De *sabiá* + tupi *ponga*, ger. de *pong*, 'estalar, arrebentar'.] *S. m. Bras.* V. *sabiá-laranjeira.*

sabiá-preto. *S. m. Bras.* Sabiaúna. [Pl.: *sabiás-pretos.*]

sabiatinga (i-à). [De *sabiá* + *-tinga.*] *S. m. Bras., SP.* V. *pintassilgo-da-mata.*

sabiá-tropeiro. *S. m. Bras.* V. *vivió.* [Pl.: *sabiás-tropeiros.*]

sabiaúna (i-à). [De *sabiá* + *-una.*] *S. m. Bras.* Ave passeriforme, da família dos turdídeos (*Platycichla flavipes* (Vieil.)), do Brasil este-meridional, de coloração geral negra, dorso cinzento-plúmbeo, abdome cinza, esbranquiçado na região posterior. A fêmea é parda. Vive nas matas, migrando, durante o inverno, para os locais abertos, em busca de alimentos. É tido como um dos melhores cantores entre os turdídeos. Alimenta-se de frutas em geral e também de insetos. [Sin.: *sabiá-preto.*]

sabiá-verdadeiro. *S. m. Bras., BA.* V. *sabiá-da-mata.* [Pl.: *sabiás-verdadeiros.*]

sabichã. *Adj.* (*f.*) e *s. f.* Sabichona.

sabichão. *Fam.* e *irôn. Adj.* **1.** Que é grande sábio. **2.** Que alardeia sabedoria. ● *S. m.* **3.** Grande sábio. **4.** Aquele que alardeia sabedoria. [Sin.: *sabe-tudo* (fam. e irôn.), *sabão* (burl.). Fem.: *sabichona, sabichã.*]

sabichar. [De *saber.*] *V. t. d.* Procurar saber; indagar, investigar, esquadrinhar.

sabichona. *Adj. (f.)* e *s. f.* Fem. de *sabichão*; sabichã.

sabichoso (ô). *Adj.* Diz-se daquele que usa mal o seu saber, em geral para a maledicência.

sabidas. [Fem. substantivado de *sabido*.] *El. s. f. pl.* Us. nas loc. *às sabidas* e *às não sabidas*. ♦ **Às não sabidas.** Às ocultas; em segredo; secretamente. **Às sabidas.** Publicamente; às claras.

sabido. [Part. de *saber*.] *Adj.* **1.** Que se sabe; conhecido. **2.** Conhecedor, sabedor, versado, perito: *É muito sabido em artes plásticas.* **3.** *Fig.* Circunspeto, prudente, cauteloso, cauto. **4.** *Fig.* Astuto, finório, velhaco, trapaceiro. ● *S. m.* **5.** Indivíduo sabido (4): "Os *sabidos* passavam a perna nos bobos." (Nélson de Faria, *Tiziu e Outras Estórias*, p. 190.) ~ V. *sabidos*.

sabidos. [Pl. substantivado de *sabido*.] *S. m. pl.* Emolumentos, gratificações. ~ V. *sabido*.

sabin. [Do antr. *Sabine*, de W. C. W. Sabine (1868-1919), físico norte-americano.] *S. m. Fís.* Unidade de medida de absorção de som por uma superfície, igual a um pé quadrado de superfície perfeitamente absorvedora.

sabina. [Do lat. *sabina*, i. e., *herba sabina*, 'erva do país dos sabinos'.] *S. f.* Arbusto difuso, prostrado, e muito espalhado pelo solo, da família das cupressáceas *(Juniperus sabina)*, que é nativo na Europa, Ásia e América. Os ramos têm, quando triturados, odor forte e desagradável; as folhas são aciculares e duras; os frutos, globosos, duros, com 5 mm de diâmetro, levam uma a três sementes.

sabinada. [Do antr. *Sabino*, de Francisco Sabino Álvares da Rocha Vieira (1797-1846).] *S. f.* Revolução separatista ocorrida na BA, durante o período regencial, a qual tinha por objetivo desligar o governo provincial do da Regência.

sabinense. *Adj. 2 g.* **1.** De, ou pertencente ou relativo a Sabino (SP). ● *S. 2 g.* **2.** Natural ou habitante de Sabino.

sabino[1]. [Do lat. *sabinu*.] *S. m.* **1.** Indivíduo dos sabinos, antigo povo montanhês da Itália, o qual, absorvido pelas populações do Lácio, foi um dos povos que constituíram os latinos subseqüentes. V. *sabelo* (1). **2.** Um dos dialetos sabélicos. ● *Adj.* **3.** Pertencente ou relativo aos sabinos.

sabino[2]. [Do esp. plat. *sabino*.] *Adj.* Diz-se de eqüídeo de pêlo branco mesclado de vermelho e preto.

sabinopolense. *Adj. 2 g.* **1.** De, ou pertencente, ou relativo a Sabinópolis (MG). ● *S. 2 g.* **2.** Natural ou habitante de Sabinópolis.

sábio. [Do lat. *sapidu*, 'que tem sabor'; no b.-lat. já significava 'ajuizado, prudente'.] *Adj.* **1.** Que tem muita sabedoria; que sabe muito; erudito. **2.** Que tem profundos conhecimentos numa dada matéria ou especialidade; conhecedor; perito, versado: *É um sábio zoologista.* **3.** Que encerra muita sabedoria, erudição: *Grande erudito, acaba de publicar um livro sábio.* **4.** *Fig.* Judicioso, avisado, sensato, prudente, discreto: *As máximas e provérbios populares são, de modo geral, muito sábios.* **5.** *Fam.* Diz-se de animais altamente amestrados. [Superl. abs. sint.: *sapientíssimo*.] ● *S. m.* **6.** Homem que sabe muito; erudito. **7.** *Fam.* Filósofo (2). **8.** Homem sensato, prudente, avisado. [Fem.: *sábia*; aum. deprec.: *sabichão*. Cf. *sabia*, do v. *saber*.]

sabitu. [Var. de *içabitu*.] *S. m. Bras.* V. *bitu*[1].

sabível. *Adj. 2 g.* Que se pode saber.

sable. [De or. eslava (cf. polonês *sabol*, russo *zobol*), atr. do fr. *sable*.] *S. m. Heráld. Gal.* A cor preta dos brasões.

saboarana. [Parece conter o el. *-rana*.] *S. f. Bras., Amaz.* Árvore da família das leguminosas *(Swartzia laevicarpa)*, da floresta pluvial. Produz linda madeira pardo-avermelhada e com listas violáceas, que pode ser muito semelhante à do jacarandá-da-baía, e é indicada para marcenaria de luxo. [Var.: *saboeirana*.]

saboaria. *S. f.* **1.** Fábrica de sabão. **2.** Loja onde se vende sobretudo sabão. **3.** Depósito de sabão.

saboeira. *S. f.* **1.** Vendedora de sabão. **2.** V. *saboneteira* (1). **3.** *Bot.* V. *faveira-do-mato*.

saboeirana. [Parece conter o el. *-rana*.] *S. f. Bras.* Saboarana.

saboeiro. *S. m.* **1.** Fabricante ou vendedor de sabão. **2.** V. *saboneteira* (1). **3.** *Bras.* Árvore da família das sapindáceas *(Sapindus saponaria)*, de ampla distribuição, com folhas penadas, flores alvas, pequenas, frutos e casca ricos em saponinas e que espumam intensamente em água, e sementes que contêm 20 a 30% de óleo; sabão-de-macaco, sabão-de-soldado, saboneteiro, sabãozinho, salta-martim, jequitiguaçu.

saboga. [Do lat. tardio *samauca*.] *S. f.* Savelha.

saboiano. *Adj.* **1.** Da, ou pertencente ou relativo à Sabóia (França). ● *S. m.* **2.** O natural ou habitante da Sabóia.

saboneira. [De *sabão* + *-eira*.] *S. f.* V. *saboneteira* (1).

saboneiro. *S. m.* V. *saboneteira* (1).

sabonete (ê). *S. m.* **1.** Pedaço de sabão fino e aromatizado, próprio para a limpeza corporal. **2.** *Pop.* V. *repreensão* (1). **3.** *Bras.* Planta da família das sapindáceas *(Paullinia saponaria)*.

saboneteira. *S. f.* **1.** Caixinha ou lugar próprio para o sabonete; saboneira, saboeira, saboeiro, saboneiro. **2.** *Fam.* e *pop.* Cada uma das duas depressões que, em pessoas magras, fazem ressaltar a saliência das clavículas.

saboneteiro. [De *sabonete* + *-eiro*.] *S. m. Bras.* V. *saboeiro* (3).

sabongo. *S. m. Bras., N.E.* V. *sambongo*: "a cocada morena, a rapadura, o *sabongo*, o pão doce, ... o pé-de-moleque" (Mauro Mota, *Votos* e *Ex-Votos*, p. 18).

sabor (ô). [Do lat. *sapore*.] *S. m.* **1.** Impressão que as substâncias sápidas produzem na língua. **2.** Propriedade que têm tais substâncias de impressionar o paladar; paladar, gosto, saibo [q. v.]. **3.** V. *gosto* (1). **4.** Qualidade comparável a qualquer coisa agradável ao paladar: *Compareceu ao passeio pelo sabor da novidade.* **5.** Qualidade, tom, caráter: *estilo de sabor clássico; palavras de sabor amargo.* **6.** Espécie, gênero, natureza: *Agrada-me aquele sabor de poesia.* **7.** Graça, espírito: *Suas histórias, escritas ou contadas, têm sempre muito sabor.* **8.** Capricho, vontade, talante. ♦ **Ao sabor da maré.** Ao acaso; à sorte; à ventura. **Ao sabor de.** Conforme a vontade de; ao gosto de; à vontade de: *Prepotente, vive ao sabor dos seus caprichos; É bom velejar ao sabor do vento.*

saborear. [De *sabor* + *-ear*.] *V. t. d.* **1.** Dar sabor (3) a: *A baunilha saboreou o bolo.* **2.** Causar bom sabor ao paladar de: *O doce saboreou o menino guloso.* **3.** Comer lentamente, com gosto: *O conviva saboreava o assado.* **4.** Comprazer-se ou deleitar-se com, comendo ou bebendo: *Bebia a pequenos goles, saboreando o vinho raro.* **5.** *P. ext.* Comprazer-se, deleitar-se, regozijar-se com: "Começou a vê-la, *saboreou* a confusão da moça, os medos, a alegria, a modéstia, as atitudes quase implorativas, um composto de atos e sentimentos que eram a apoteose do homem amado." (Machado de Assis, *Quincas Borba*, pp. 237-238.) **6.** Apreciar o sabor de: "*saboreou* o último gole de sua xícara de café" (Artur Azevedo, *Contos Cariocas*, p. 66). **7.** Tornar agradável e apetitoso. **8.** Causar prazer a. **9.** Entregar-se com delícia a; comprazer-se ou deleitar-se em; gozar voluptuosamente: *Após trabalhar anos a fio sem descanso, saboreava aquelas férias à beira-mar.* **10.** Regozijar-se, gloriar-se ou ufanar-se de: *Saboreou a vitória do seu time.* **11.** *Irôn.* Sofrer devagar: *Saboreava, amargamente, a derrota. P.* **12.** Deleitar-se comendo ou bebendo. **13.** Ficar gostando de algo, apetecendo-o sempre. **14.** Deliciar-se, deleitar-se, regozijar-se: "Nesta própria hora, já tão remota, me estou eu ainda *saboreando* como presente nos feitiços do meu Lago dos Cedros" (Antônio Feliciano de Castilho, *Amor* e *Melancolia*, p. 312). [Conjug.: v. *frear*.]

saboreável. *Adj. 2 g.* Que pode ou deve ser saboreado.

saborido. [De *sabor* + *-ido*.] *Adj.* V. *saboroso*.

saboroso (ô). [Do lat. *saporosu*.] *Adj.* **1.** Que tem bom sabor ou gosto; gostoso. **2.** *Fig.* Agradável, deleitoso, delicioso. [Sin. ger.: *saborido*.]

saborra (ô). *S. f.* V. *saburra*.

sabotagem. [Do fr. *sabotage*.] *S. f.* **1.** Ato ou efeito de sabotar. **2.** Crime que consiste na invasão ou ocupação de estabelecimento industrial, comercial ou agrícola, para impedir ou dificultar o curso normal do trabalho ou, com esse mesmo fim, danificar o estabelecimento, as coisas que nele existem, ou delas dispor.

sabotar. [Do fr. *saboter*.] *V. t. d.* **1.** Abrir entalhe em (travessa de linha férrea), para o carril ficar um tanto inclinado. **2.** Danificar (instalações industriais; etc.) de caso pensado. **3.** Minar, solapar, prejudicar clandestinamente. **4.** Dificultar ou impedir (qualquer serviço ou atividade) por meio de resistência passiva. **5.** Trabalhar mais ou menos sorrateiramente contra (alguém, ou atividade, empreendimento, etc., dessa pessoa). *Int.* **6.** Cometer o crime de sabotagem.

sabra. [Do hebr. *sabra*.] *S. 2 g.* Israelita nascido em Israel.

sabraço. [De *sabre* + *-aço*.] *S. m. Bras.* Golpe de sabre.

sabre. [Do magiar *száblya*, atr. do al. *Sabel* e do fr. *sable*.] *S. m.* **1.** Arma branca, reta ou curva, que corta apenas de um lado. **2.** Espada curta; terçado.

sabre-baioneta. *S. m.* Pequeno sabre, com um só gume e punho em cruzeta, adaptável à boca de fuzil, mosquetão e armas semelhantes, para usar no combate corpo a corpo. [Pl.: *sabres-baionetas*.]

sabrecar. *V. t. d. Bras.* V. *saberecar*. [Conjug.: v. *trancar*.]

sabucar. *V. t. d.* e *int. Bras., GO.* Alter. (algo violenta) de *sabujar*. [Conjug.: v. *trancar*.]

sabucu. *S. m. Bras.* Var. de *sabacu*.

sabugado. [Part. de *sabugar*.] *Adj. Bras., CE. Pop.* **1.** Surrado, sovado, açoitado. **2.** Alquebrado, enfraquecido, fraco.

sabugal. [De *sabugo* (2) + *-al*.] *S. m.* Quantidade mais ou menos considerável de sabugos [v. *sabugo* (2)] dispostos proximamente entre si.

sabugar. [De *sabugo* + *-ar*[2].] *V. t. d. Bras., CE. Pop.* **1.** Surrar com açoite. **2.** V. *surrar* (2). [Conjug.: v. *largar*.]

sabugo. [Do lat. *sabucu*, 'sabugueiro'.] *S. m.* **1.** Medula do sabugueiro. **2.** Sabugueiro. **3.** Parte interna e pouco resistente dos chifres dos animais. **4.** Parte do dedo a que está aderida a unha. **5.** Parte sólida da cauda dos animais, i. e., a base ou ponto de inserção da cauda. **6.** Espiga de milho sem grãos. **7.** *Art. Gráf.* Eixo dos rolos de impressão. **8.** *Ind. Pap.* Eixo da bobina de papel; estanga, canudo, tarugo. ♦ **Não valer um sabugo.** *Bras., RS.* Não ter nenhum valor.

sabugueirinho. [Dim. de *sabugueiro*.] *S. m. Bras., C.O.* Erva da família das rubiáceas (*Borreria centranthoides*), dispersa pelos campos, de pequeninas flores alvas agregadas em glomérulos axilares, frutos capsulares, usada pelo povo como sucedâneo da ipeca; sabugueirinho-do-campo.

sabugueirinho-do-campo. *S. m. Bras.* Sabugueirinho. [Pl.: *sabugueirinhos-do-campo*.]

sabugueiro. [De *sabugo* + *-eiro*.] *S. m.* Arbusto ornamental, da família das caprifoliáceas (*Sambucus nigra*), originário da Europa e cultivado em jardins, que tem folhas imparipenadas, e cujas flores, alvas e minutas, se reúnem em vastas inflorescências que, dessecadas, constituem droga clássica como sudorífero; sabugo.

sabugueiro-d'água. *S. m.* Novelos. [Pl.: *sabugueiros-d'água*.]

sabujá[1]. *S. m. Bras., MA.* V. *rato-de-espinho*.

sabujá[2]. *Bras. S. 2 g.* **1.** Indivíduo dos sabujás, tribo indígena da BA, parentes lingüísticos dos cairiris. ● *Adj. 2 g.* **2.** Pertencente ou relativo a essa tribo.

sabujar. *V. t. d.* **1.** Mostrar-se sabujo (2) com; bajular, adular: *Sabuja os poderosos. Int.* **2.** Mostrar-se sabujo (2); proceder como sabujo (2): *É dado a sabujar.* [Var., em GO.: *sabucar* (q. v.).]

sabujice. *S. f.* Qualidade, procedimento ou ato de sabujo (2); servilismo.

sabujiense. *Adj. 2 g.* **1.** De, ou pertencente ou relativo a São João do Sabuji (RN). ● *S. 2 g.* **2.** Natural ou habitante de São João do Sabuji.

sabujo. [Do b.-lat. *segusiu*.] *S. m.* **1.** Cão de caça grossa: "Argemiro entrou na boca da cova e, a um aceno, entraram após ele monteiros, moços de besta, alãos, *sabujos* e lebréus, fazendo grande matinada." (Alexandre Herculano, *Lendas e Narrativas*, II, p. 23.) **2.** *Fig.* Homem servil, bajulador; capacho, sevandija. ● *Adj.* **3.** Diz-se de homem servil, bajulador.

sabulícola. [Do lat. *sabulu*, 'areia', + *-cola*.] *Adj. 2 g. Ecol. Veg.* Que habita solos arenosos.

sabuloso (ô). [Do lat. *sabulosu*.] *Adj.* Que tem areia; areento.

saburá. [Do tupi *sabu'rá*.] *S. m. Bras., N.* Resíduo do pólen, substância amarela agridoce existente nos alvéolos das colmeias. [Var.: *samorá, samora, borá*.]

saburra. [Do lat. *saburra*, 'lastro'.] *S. f.* **1.** Matérias mucosas que se acreditava acumularem-se no estômago em conseqüência de más digestões. **2.** Crosta, ordinariamente esbranquiçada, que recobre a face superior da língua, durante certas doenças; sarro. **3.** *P. ext.* Casca, camada, revestimento. **4.** *P. ext.* Areia grossa que serve de lastro nos navios. [Var.: *saborra*.]

saburrar. [Do lat. *saburrare*.] *V. t. d.* Lastrar (o navio) para dar-lhe equilíbrio estável.

saburrento. *Adj.* Saburroso: "tinha o estômago muito sujo, a língua *saburrenta*, o corpo a finar-se de reumatismo e tosse convulsa" (Aluísio Azevedo, *O Mulato*, p. 55).

saburroso (ô). *Adj.* Que tem saburra; saburrento.

saburu. *S. m. Bras.* V. *sagüiru*.

saca[1]. [De *saco*.] *S. f.* **1.** Grande saco (1). **2.** Sacola (4). [Dim. irreg.: *sacola*.] **3.** Conteúdo de uma saca[1] (1), que para certos produtos como o café equivale a 60 kg.

saca[2]. [Dev. de *sacar*.] *S. f.* **1.** Ato ou efeito de sacar. **2.** V. *sacadela*. **3.** Ato de transportar gêneros ou mercadorias de um lugar para outro; exportação, sacada. **4.** A onda que avança para a praia. [Antôn., nesta acepç.: *ressaca* (1 e 2).]

saca[3]. [De provável or. malgaxe.] *S. f.* Gato selvagem de

Madagáscar.

sacá. *S. m. Bras., BA.* Presente que se trocava, em animada festa, ao terminar o grande jejum dos malês.

sacã. *S. f. Bras., SP.* Var. apocopada de *sacanga* [q. v.].

saca-balas. [De *sacar* + o pl. de *bala*.] *S. m. 2 n.* Instrumento com que se extraem balas.

saca-bocado. [De *sacar* + *bocado*.] *S. m.* Vazador (4). [Pl.: *saca-bocados*.]

saca-boi. [De *sacar* + *boi*.] *S. m. Bras., PE.* V. *limpa-trilhos*. [Pl.: *saca-bois*.]

sacabóia. *S. f. Bras., Amaz.* V. *acutimbóia*.

saca-bucha. [De *sacar* + *bucha*.] *S. m.* Saca-trapo. [Pl.: *saca-buchas*. Cf. *sacabuxa*.]

sacabuxa. [Do fr. ant. *saqueboute*.] *S. f. Ant.* **1.** Trombeta reta que no séc. XV tomou a forma recurvada de um Z: "caminhava o cortejo papal e imperial, ao lento som das sacabuxas e dos atambores mouriscos." (Gustavo Barroso, *Livro dos Milagres*, p. 93). **2.** *Mús.* Registro de órgão, de tubos de palheta, e que imitava o som desse instrumento. [Cf. *saca-bucha*.]

sacaca. [Do tupi *saka'ka*.] *S. f. Bras., Amaz.* **1.** V. *bruxaria* (1 e 2). **2.** *Bras., Amaz.* Arvoreta da família das euforbiáceas (*Croton cajucara*), da floresta úmida, de flores inconspícuas, reunidas em cachos, casca aromática, que entra na composição de saquinhos para perfumar roupa guardada, e madeira amarelada e mole.

sacação. *S. f. Bras. Gír.* Ato ou efeito de sacar (5).

sacada[1]. [De *sacar* + *-ada*[1].] *S. f.* **1.** V. *sacadela*. **2.** Sacão (1). **3.** Saca[2] (3). **4.** Construção que avança da fachada de uma parede ou do nível doutra construção: *sacada do telhado*. **5.** Balcão saliente numa fachada, às vezes coberto por um alpendre; balcão, varandim: "As casas chamadas nobres .... tinham um andar superior com forro de cedro em largas tábuas, e sacada de ferro corrida em toda a frente." (Xavier Marques, *As Voltas da Estrada*, p. 13.)

sacada[2]. [De *saco* + *-ada*[1].] *S. f.* **1.** Aquilo que um saco pode conter. **2.** Sacaria (1).

sacadela. *S. f.* Ato ou efeito de sacar (1 e 2) de cada vez; puxão, saca, sacalão, sacada, safanão.

sacado. [Part. de *sacar*.] *S. m.* **1.** *Jur.* e *Com.* Aquele contra quem se emitiu um título de crédito. **2.** *Bras., Amaz.* Tipisca.

sacador (ô). *Adj.* **1.** Que saca. ● *S. m.* **2.** Aquele que saca. **3.** *Jur.* e *Com.* Aquele que emite contra alguém um título de crédito; emitente.

saca-estrepe-da-mata. [De *sacar* + *estrepe* + *da* + *mata*[1].] *S. m. Bras.* Planta herbácea, da família das melastomáceas (*Aciotis sp.*). [Pl.: *saca-estrepes-da-mata*.]

saca-estrepe-da-campina. [De *sacar* + *estrepe* + *da* + *campina*.] *S. m. Bras.* Planta herbácea, da família das compostas (*Echinops sp.*). [Pl.: *saca-estrepes-da-campina*.]

sacaí. [Do tupi *isaka'i*, 'pau seco, para lenha'.] *S. m. Bras., PA.* V. *sacanga*. [Cf. *sacai*, do v. *sacar*.]

sacaibóia (a-i). [Do tupi *isakai'bóiya*, 'cobra sacaí'.] *S. f. Bras.* V. *acutimbóia* (1).

sacal. [De *saco* (12) + *-al*.] *Adj. 2 g. Bras., RJ. Chulo.* Enfadonho, tedioso, aborrecido, chato.

sacalão. [De *sacar* + *-l-* + *-ão*[3].] *S. m.* **1.** V. *sacadela*. **2.** *Bras., RS.* Ato de sofrear de chofre a cavalgadura para fazê-la parar imediatamente: "apenas dobrara o passo [o cavalo] logo, a um sacalão de rédeas, estacou empinado" (Alcides Maia, *Tapera*, p. 7).

sacamecrã. *Bras. S. 2 g.* **1.** Indivíduo dos sacamecrãs, tribo indígena jê do MA, classificada como timbira oriental. ● *Adj. 2 g.* **2.** Pertencente ou relativo a essa tribo.

saca-molas. [Do esp. *sacamuelas*.] *S. m. 2 n.* **1.** Boticão. **2.** *Fig.* e *deprec.* Mau dentista.

sacana. [Do ár. *açaccó* 'aguadeiro'.] *Chulo. Adj. 2 g.* **1.** Que não tem caráter; canalha, patife. **2.** Malandro, sabido, espertalhão. **3.** *Bras., N.* e *N.E.* Diz-se de homossexual passivo. **4.** *Bras., S.* Diz-se de pessoa sem-vergonha, libidinosa, libertina. **5.** *Bras., S.* Diz-se de pessoa trocista, brincalhona, zombeteira. ● *S. 2 g.* **6.** Pessoa sacana (1, 2, 4 e 5). ● *S. m.* **7.** Indivíduo que masturba outro. **8.** *Bras., N.* e *N.E.* Homossexual. ● *S. f.* **9.** Masturbação.

sacanagem. *S. f.* **1.** *Bras.* Ato, procedimento ou dito de sacana; sacanice. **2.** *Bras., S.* Devassidão, bandalheira, libertinagem, sacanice. **3.** *Bras.* Salgadinho feito com salsicha, queijo, pimentão, etc., espetados num palito.

sacanear. *Bras. V. int. Chulo.* **1.** Proceder como sacana. *T. d.* **2.** Irritar, aborrecer, apoquentar, amolar, chatear. [Conjug.: v. *frear*.]

sacanga. [Do tupi *sa'kãga*, 'ramo seco'.] *S. f. Bras.* Galho seco de árvore; graveto, acendalha: "Um dia, quando Zé Minhoca apanhava sacanga de junto de uma tora de pau-d'arco — lavrado de pouco tempo .... — enxergou os dois irmãos, Belinha e Anacleto, abraçados, no chão." (Nélson de Faria, *Tiziu e Outras Estórias*, p. 183.) [Var.: *sacã* (SP); sin.: *sacaí* (PA).]

saçanga. *S. f. Bras. Pop.* Altercação, barulho, assuada, desordem.

sacanice. *S. f. Bras. Chulo.* V. *sacanagem*.

sacão. [De *sacar* + *-ão*[3].] *S. m.* **1.** Salto ou corcovo que uma cavalgadura dá para sacudir o cavaleiro; sacada. **2.** V. *sacadela*. ♦ **Aos sacões.** Aos arrancos; aos arquejos; ansiadamente: "Aos sacões, entre os soluços, atirava-me a história da fuga." (Maria Archer, *Fauno Sovina*, p. 234.)

saca-ponteiros. [De *sacar* + o pl. de *ponteiro*.] *S. m. 2 n.* Instrumento com que os relojoeiros retiram os ponteiros dos relógios.

sacar. [Provavelmente do gót. *sakan*, 'pleitear'.] *V. t. d.* e *t. i.* **1.** Tirar para fora à força; arrancar, tirar a puxões: *Sacou a carta anônima do bolso e jogou-a fora.* **2.** Tirar com violência; puxar por, bruscamente: *Sacou o revólver e atirou*; "Quintanilha, vexado e aborrecido, olhava a tela, até que sacou de um canivete e rasgou-a de alto a baixo." (Machado de Assis, *Relíquias de Casa Velha*, p. 115). **3.** Dar um saque[1] (4). **4.** Emitir (cheque). **5.** *Gír.* Entender, compreender; manjar: *Não sacou uma palavra do que diziam. T. d.* e *i.* **6.** Tirar, colher: *O cronista sacava de fatos triviais o material de sua crônica diária.* **7.** Auferir, colher, obter, tirar: *Sacou grande proveito da transação.* **8.** *Jur.* e *Com.* Emitir (contra alguém) um título de crédito. *T. i.* **9.** Tirar com violência; puxar: *O combatente sacou da espada e golpeou o adversário.* **10.** Fazer um saque[1] (3): *Não dispondo de fundos, sacou sobre o seu devedor; Vou sacar contra um banco. Int.* **11.** Puxar qualquer arma, dirigindo-a contra um objetivo: *É bom no gatilho, saca rápido.* **12.** *Bras. Pop.* Contar mentiras; mentir, petar. **13.** *Bras. Pop.* Emitir opinião infundada; dar palpites. *P.* **14.** Sair-se, escapar-se, livrar-se. [Conjug.: v. *trancar*. Imperat.: *saca, sacai*, etc. Cf. *sacaí*.]

sacarato. [De *sacar(i)-* + *-ato*[2].] *S. m.* Alcoolato constituído pela combinação da sacarose com uma base.

▲**sacar(i)-.** [Do lat. *saccharum* ou *saccharon, i*.] *El. comp.* = 'açúcar': *sacarífero, sacarídeo*. [Equiv.: *sacar(o)-*: *sacarologia*.]

sacaria. [De *saco* ou de *saca* + *-aria*.] *S. f.* **1.** Grande porção de sacos ou sacas; sacada. **2.** Indústria de sacos [v. *saco* (1).]

saçaricar. *V. int. Bras. Pop. P. us.* **1.** Balançar o corpo, dançando ou andando; rebolar(-se), saracotear(-se). **2.** Divertir-se à larga; folgar. [Conjug.: v. *trancar*.]

saçarico. [Dev. de *saçaricar*.] *S. m. Bras. Pop. P. us.* **1.** Ato de saçaricar. **2.** Pessoa em cuja companhia alguém se diverte: "Quem não tem seu saçarico, / Saçarica mesmo só" (da marcha *Saçaricando*, de Luís Antônio, Oldemar Magalhães e Zé Mário).

sacarídeo. [De *sacar(i)-* + *-ídeo*.] *Adj.* **1.** Semelhante ao açúcar. ● *S. m.* **2.** *Quím.* V. *glicídio*.

sacarífero. [De *sacar(i)-* + *-fero*.] *Adj.* Que produz ou contém açúcar.

sacarificação. *S. f.* Ato ou efeito de sacarificar.

sacarificador (ô). *Adj.* Sacarificante.

sacarificante. *Adj. 2 g.* Que sacarifica; sacarificador.

sacarificar. [De *sacar(i)-* + *-ficar*.] *V. t. d.* Transformar industrialmente (o amido) em substâncias açucaradas, pela ação de fermentos ou do ácido sulfúrico. [Conjug.: v. *trancar*.]

sacarificável. *Adj. 2 g.* Que pode ser sacarificado.

sacarimetria. [De *sacar(i)-* + *-metr(o)-*[2] + *-ia*.] *S. f. Quím.* Técnica de medir a concentração de solução de sacarose, mediante a atividade óptica, por meio de polarímetro especial.

sacarimétrico. *Adj.* Referente à sacarimetria.

sacarímetro. [De *sacar(i)-* + *-metro*.] *S. m. Quím.* Polarímetro em que um dispositivo especial permite determinar a concentração de sacarose numa solução.

sacarina. [De *sacar(i)* + *-ina*[1].] *S. f. Quím.* Substância cristalina, branca, muito doce, usada como substituto da sacarose; açúcar dos diabéticos. [Fórm.: $C_7H_5O_3NS$.]

sacarino. [De *sacar(i)-* + *-ino*[1].] *Adj.* **1.** Relativo ao, ou próprio do açúcar. **2.** Que contém açúcar. **3.** Doce como açúcar. **4.** Sacarívoro. ~ V. *diabetes —a*; *diabetes —*.

sacarívoro. [De *sacar(i)-* + *voro*.] *Adj.* Que se alimenta de açúcar; sacarino.

▲**sacar(o)-.** Equiv. de *sacar(i)-*.

sacaróide. [De *sacar(i)-* + *óide*.] *Adj. 2 g. Petr.* Diz-se da textura granular semelhante ao açúcar cristalizado.

sacaróleo. *S. m. Farm.* Forma (18) veiculada por açúcar.

saca-rolha. *S. m.* Saca-rolhas. [Pl.: *saca-rolhas*.]

saca-rolhas. [De *sacar* + *rolha*.] *S. m. 2 n.* **1.** Instrumento com que se sacam rolhas de cortiça das garrafas ou de outros vasos. ● *S. f. 2 n.* **2.** *Bras.* Vuarame. [F. paral.: *saca-rolha*.]

sacarologia. [De *sacar(o)* + *-log(o)-* + *-ia*.] *S. f.* Tratado sobre o açúcar.

sacarológico. *Adj.* Respeitante à sacarologia.

sacarologista. *S. 2 g.* Sacarólogo.

sacarólogo. *S. m.* Especialista em sacarologia; sacarologista.

sacarose. [De *sacar(o)-* + *-ose*.] *S. f. Quím.* Açúcar da cana e da beterraba, cristalino, incolor, doce, de largo emprego na alimentação humana. [Fórm.: $C_{12}H_{22}O_{11}$.]

sacaroso (ô). [De *sacar(o)-* + *-oso*.] *Adj.* Da natureza do açúcar.

sacarrão. *S. m.* Aum. de *saco* (1) [q. v.].

saca-saia. [De *sacar* + *saia*.] *S. f. Bras.* V. *formiga-correição*: "a *hylae* prodigiosa de Humboldt, extraordinária e imprevista, é povoada .... por uma formiga diabólica, justamente receada: a saca-saia." (Raimundo Morais, *Na Planície Amazônica*, p. 150). [Pl.: *saca-saias*.]

sacateira. *S. f. Bras., S.* da *BA*. Certa qualidade de tainha.

saca-trapo. [De *sacar* + *trapo*.] *S. m.* **1.** *Ant.* Haste de ferro com um dos extremos em forma de espiral, com que se retiravam as buchas das armas de fogo de carregar pela boca. **2.** *Fig.* e *pop.* Meio ardiloso para obter alguma coisa; astúcia, manha. [Sin. ger.: *saca-bucha*. Pl.: *saca-trapos*.]

saca-tutano. [De *sacar* + *tutano*.] *S. m.* Espécie de garfo ou gancho com que se tira o tutano dos ossos. [Pl.: *saca-tutanos*.]

sacaveno. *Adj.* **1.** De, ou pertencente ou relativo a Sacavém (Portugal). ● *S. m.* **2.** O natural ou habitante de Sacavém.

▲**saceli-.** [Do lat. *saccelus, i*.] *El. comp.* = 'saquinho': *saceliforme*.

saceliforme. [De *saceli-* + *forme*.] *Adj. 2 g. Bot.* Que tem forma de pequeno saco (1).

sacelo[1]. [Do lat. *saccellu*, dim. de *saccu*, 'saco'.] *S. m. Bot.* Cápsula de deiscência irregular.

sacelo[2]. [Do lat. *sacellu*, dim. de *sacru*, 'templo'.] *S. m. ant.* Pequeno santuário ou templo.

sacerdócio. [Do lat. *sacerdotiu*.] *S. m.* **1.** Ministério ou funções do sacerdote. **2.** Dignidade sacerdotal. **3.** O corpo eclesiástico. **4.** *Fig.* Qualidade de venerável, nobre, superior. **5.** *Fig.* Missão ou profissão honrosa.

sacerdotal. [Do lat. *sacerdotale*.] *Adj. 2 g.* Relativo a sacerdote, ou a sacerdócio.

sacerdotalismo. *S. m.* Supremacia dos sacerdotes; clericalismo, teocracia.

sacerdote. [Do lat. *sacerdote*.] *S. m.* **1.** Entre os antigos, aquele que tratava dos assuntos religiosos e tinha o poder de oferecer vítimas à divindade. **2.** Aquele que distribui os dons sagrados ou divinos; ministro do culto divino, da instrução religiosa e dos sacrifícios; padre. **3.** *Fig.* Aquele que exerce profissão muito honrosa ou cumpre missão elevada. **4.** *Bras.* Feiticeiro que oficia nas sessões de catimbó. [Fem.: *sacerdotisa*.] ♦ **Sumo sacerdote.** O sacerdote (1) principal, supremo.

sacerdotisa. [Do lat. *sacerdotissa*.] *S. f.* Mulher que, entre os pagãos, exercia as funções de sacerdote.

sacha. [Dev. de *sachar*.] *S. f.* Sachadura.

sachador (ô). *Adj.* **1.** Que sacha. ● *S. m.* **2.** Aquele que sacha; capinador. **3.** Sachola.

sachadura. *S. f.* Ato ou efeito de sachar; sacha.

sachar. [Do lat. *sarculare*.] *V. t. d.* **1.** Mondar com o sacho. **2.** Escavar com ele.

saché. *S. m.* V. *sachê*.

sachê. [Do fr. *sachet*.] *S. m.* Saquinho de pano cheio de plantas aromáticas, utilizado para perfumar a roupa. [F. paral.: *saché*; sin.: *cheiro*.]

sacho. [Do lat. *sarculu*, **sarclu*.] *S. m.* Pequena enxada, estreita e longa, em geral com uma orelha (3) pontiaguda ou bifurcada na parte superior, acima do olho: "Ainda pegou no sacho, ainda mexeu na terra, chegou a espontar alguns arbustos" (João de Araújo Correia, *Cinza do Lar*, p. 85).

sachola. [De *sacho* + *-ola*.] *S. f.* Pequena enxada de boca larga; sachador.

sacholada. [De *sachola* + *-ada*[1].] *S. f.* Golpe ou ferimento com a sachola.

sacholar. *V. t. d.* **1.** Cavar com a sachola. **2.** Cavar superficialmente. **3.** Cavar, escavar. **4.** Ferir com sacho ou sachola.

saci. [Do tupi *sa'si*.] *S. m. Bras.* **1.** Uma das mais populares entidades fantásticas do Brasil, negrinho de uma só perna, de cachimbo e com barrete vermelho (fonte, este último, de seus poderes mágicos), e que, consoante a crença popular, persegue os viajantes ou lhes arma ciladas pelo caminho; saci-cererê, saci-pererê, matimpererê. **2.** Ave cuculiforme, da família dos cuculídeos (*Tapera naevia* (L.)), com duas subespécies, uma das quais ocorre ao N. e L., e a outra no S. do Brasil. Tem coloração geral pardo-amarelada, com numerosas manchas escuras nas coberteiras das asas, topete avermelhado, com manchas claras e escuras, garganta, sobrancelha e abdome brancos. Alimenta-se de insetos e costuma pôr ovos em ninhos de joão-tenenén. [Sin.: *martim-pererê, martimpererê, matinta-pereira, matintaperera, matitaperê, peixe-frito, peito-ferido, peitica, piriguá, roceiro-planta, seco-fico, sem-fim, sede-sede, tempo-quente, crispim, fenfém.*]

▲saci-. [Do lat. *saccus, i.*] *El. comp.* = 'saco': *saciforme.*

saciação. *S. f.* Ação ou efeito de saciar(-se).

saciar. [Do lat. *satiare.*] *V. t. d.* **1.** Extinguir, matar (a fome ou a sede), comendo ou bebendo. **2.** Encher, fartar, satisfazer: *Nem todo o dinheiro do mundo saciaria pessoa tão caprichosa. P.* **3.** Comer ou beber até à saciedade; cevar-se, fartar-se: *No albergue, saciou-se o esfomeado andarilho.* **4.** Encher-se, fartar-se, satisfazer-se. [Pres. ind.: *sacio, sacias, sacia, saciamos, saciais, saciam.*]

saciável. [Do lat. *satiabile.*] *Adj. 2 g.* Que pode ser saciado.

saci-cererê. *S. m. Bras.* V. *saci* (1). [Pl.: *sacis-cererês* e *saci-cererês.*]

saciedade. [Do lat. *satietate.*] *S. f.* **1.** Estado de quem se saciou; fartura. **2.** Satisfação plena do apetite; repleção. **3.** Aborrecimento, fastio, tédio. ♦ **À saciedade.** Até mais não poder; até fartar; exuberantemente; até à saciedade. **Até à saciedade.** V. *à saciedade*: *"O Beijo existe na memória, e na garganta do povo, porque o gaiato repetiu até à saciedade as monótonas inflexões daquela música nacional."* (Latino Coelho, *Tipos Nacionais*, p. 30.)

saciforme. [De *saci-* + *-forme.*] *Adj. 2 g.* Que tem forma de saco.

saci-pererê. *S. m.* **1.** *Bras.* V. *saci* (1): "Julieta .... acreditava no Saci-Pererê .... . Mas, se era um molequinho tão pequeno, de uma perna só, e pulando pelos ares, não chegávamos a achá-lo muito perigoso." (Cecília Meireles, *Obra Poética*, p. 1013.) **2.** *Bras., PE. Folcl.* Passo do frevo em que o dançarino, com a perna direita flexionada, o pé apoiado na curva da perna esquerda e os braços abertos, pula com um pé à direita e à esquerda, para a frente e para trás, girando com a perna esquerda e flexionando-a durante os saltos. [Pl.: *sacis-pererês* e *saci-pererês.*]

saco. [Do semita, atr. do gr. *sákkos* e do lat. *saccu.*] *S. m.* **1.** Receptáculo de papel, pano, couro, ou material plástico, oblongo, aberto em cima e fechado no fundo e nos lados. [Aum. irreg.: *sacarrão;* dim. irreg.: *saquete, saquitel.*] **2.** Tecido grosseiro de juta ou de outra fibra similar: serapilheira. **3.** Conteúdo de um saco (1), que para certos produtos como o cimento equivale a 50 kg. **4.** Pequena mala; maleta. **5.** Antiga vestimenta usada em sinal de luto ou de penitência. **6.** Roupa malfeita e muito larga. **7.** V. *papo* (3). **8.** *Anat.* Designação comum a diversas cavidades do organismo: *saco lacrimal.* **9.** Rede cônica dos aparelhos de arrastar a pesca. **10.** *Pop.* Pessoa gorda e mal-amanhada. **11.** *Bras.* Pequena enseada: *No saco de São Francisco, em Niterói, o mar não oferece perigo.* **12.** *Bras. Gír.* Enfado, amolação, caceteação, chatice, chateação: *A festa estava um saco; Que saco ter de esperar duas horas para ser atendido.* **13.** *Bras. Chulo.* Os testículos. **14.** *Bras., PE* e *BA.* Grande corte, em forma circular ou de meia-lua, nos rebordos escarpados das serras. **15.** *Bras., BA.* Provisão semanal de gêneros dos garimpeiros; filipe. **16.** *Bras., MG.* Certa área de campo cercada de matas. **17.** *Bras. GO.* Arco de círculo descrito por um rio. ♦ **Saco de água quente.** Saco de borracha, hermeticamente fechado por uma rolha em espiral, e que se enche de água quente para aliviar certas dores; aquecer contra o frio, etc. **Saco de café.** Pequeno saco de algodão ou de papel utilizado para coar café; coador. **Saco de carvão.** *Astr.* Nuvem de matéria cósmica, escura, situada nas proximidades da constelação do Cruzeiro do Sul, e que se mostra como uma mancha negra no céu. **Saco de dormir.** Espécie de saco, de tecido resistente, em geral acolchoado e dotado de fecho-ecler, usado como cama por excursionistas, escoteiros, etc. **Saco de pancada.** *Bras.* Pessoa que apanha muito. **Saco embrionário.** *Anat. Veg.* Célula muito grande, homóloga do macrósporo, a qual se acha no interior da nucela, e numa de cujas extremidades estão o gameta feminino, ou oosfera, e as células vegetativas, ou sinérgides, havendo na outra extremidade três antípodas e no centro o núcleo secundário da célula. É característica do óvulo das angiospermas. **Saco herniário.** *Med.* Numa hérnia, bolsa que contém formação ou formações anatômica(s) que tenha(m) penetrado através do orifício patológico que possibilitou a formação desta. **Saco sem fundo.** *Fam.* **1.** V. *saco-roto.* **2.** Pessoa que come muito ou é muito gastadora. **3.** Empreendimento muito dispendioso. **Saco vitelino.** *Embr.* Membrana extra-embrionária ligada ao intestino médio. **Dar no saco.** *Bras. Chulo.* Encher o saco de. **De saco cheio.** *Bras. Chulo.* Enfastiado, aborrecido, amolado, chateado: *estar, ficar de saco cheio.* **Despejar o saco.** Dizer tudo o que sabe; desabafar. **Encher o saco.** *Bras. Chulo.* Enfastiar-se, amolar-se, chatear-se; estar ou ficar de saco cheio. **Encher o saco de.** *Bras. Chulo.* Enfadar, aborrecer, amolar (alguém); dar no saco. **Puxar o saco de.** V. *bajular.*

sacoca. [De *saco* + *-oca.*] *S. f. Bras.* Pequena rede de pesca, de feitio semelhante ao de um saco.

sacóforo. [Do gr. *sakkophóros*, 'que traz um saco'.] *Adj.* **1.** *Hist. Nat.* Que tem órgão saculiforme. ● *S. m.* **2.** Penitente que se cobria de saco (5).

sacola. [De *saco* + *-ola.*] *S. f.* **1.** Reunião de dois sacos, ou saco de dois fundos; alforje. **2.** *P. ext.* Algibeira. **3.** Bornal de pedinte: *O sacristão passou a sacola de esmolas por toda a igreja.* **4.** Saco (1), geralmente mais largo que comprido, e de alça, usado para carregar compras; saca: *Chegara da feira com a sacola cheia de frutas.*

sacolejar. [De *sacola* + *-ejar.*] *V. t. d.* **1.** Sacudir ou agitar repetidamente. **2.** Vascolejar, sacudir, agitar. **3.** Rebolar, saracotear: *sacolejar o corpo.* **4.** Comover ou impressionar vivamente. [Conjug.: v. *pelejar.*]

sacolejo (ê). [Dev. de *sacolejar.*] *S. m.* Ato de sacolejar.

sacopari. [Alter. de *bacupari*, decerto.] *S. m. Bras., L.* **1.** Árvore da família das gutíferas (*Rheedia brasiliensis*), da floresta pluvial, que tem folhas coriáceas, com nervuras apertadas, e flores fasciculadas, pouco numerosas. Os frutos, que se comem ocasionalmente, são bagas amarelas, de casca dura e polpa branca, de sabor ácido. **2.** V. *bacupari* (2).

saco-roto. *S. m. Fam.* Pessoa que não guarda segredos, que divulga tudo que ouve; boquirroto; saco sem fundo. [Pl.: sacos-rotos.]

sacra. [Do lat. *sacra*, 'sagradas palavras'.] *S. f. Rel.* Cada um dos três quadros que contêm o texto da parte fixa da missa, e que eram colocados sobre o altar, para ajudar a memória do celebrante; cartela: "Principia a missa. Altar quase nu: sacras, apenas uma — a central." (Antero de Figueiredo, *Toledo*, p. 79.)

sacralgia. [De *sacro* (3) + *-alg(o)-*[2] + *-ia.*] *S. f. Patol.* Dor no sacro.

sacralização. [De *sacralizar* + *-ção.*] *S. f.* **1.** Ato ou efeito de sacralizar. **2.** *Med.* Fusão da quinta vértebra lombar com a primeira vértebra sacra.

sacralizar. [De *sacro* (1) + *-al-* + *-izar.*] *V. t. d.* Atribuir caráter sagrado a.

sacramentado. [Part. de *sacramentar.*] *Adj.* **1.** Que recebeu algum sacramento. **2.** Que já recebeu o viático e o sacramento dos enfermos. **3.** *Bras. Fam.* Diz-se de documento legalmente formalizado. **4.** *Bras. Fam.* Diz-se de compromisso assumido, com empenho de palavra. ● *S. m.* **5.** Aquele que recebeu algum sacramento. **6.** Aquele que já recebeu o viático e o sacramento dos enfermos.

sacramental. *Adj. 2 g.* **1.** Relativo ao sacramento. **2.** *Fig.* Habitual, consuetudinário. **3.** *Fig.* Obrigatório, forçoso. ~ V. *auto —, forma — e loa —.* ● *S. m.* **4.** Rito da Igreja Católica que, sem ter os efeitos dos sete sacramentos, é significativo e ligado à atividade salvadora da Igreja, como as bênçãos de pessoas, objetos e lugares, os funerais, etc.

sacramentano. *Adj.* **1.** De, ou pertencente ou relativo a Sacramento (MG). ● *S. m.* **2.** O natural ou habitante de Sacramento.

sacramentar. *V. t. d.* **1.** Administrar os sacramentos, sobretudo da confissão e comunhão, a. **2.** Dar a extrema-unção a: "o preto que viera à matriz de S. José chamar o vigário para sacramentar dous moribundos." (Machado de Assis, *Relíquias de Casa Velha*, p. 127). **3.** Sagrar, consagrar (a hóstia). **4.** Imprimir caráter sagrado a; tornar sagrado. **5.** *Bras. Fam.* Legalizar ou preencher todos os requisitos de (documento, trato, etc.). *P.* **6.** Receber os sacramentos.

sacramentário. *S. m.* **1.** Antigo livro de cerimônias, litúrgicas, especialmente para a administração dos sacramentos. **2.** Designação que os luteranos davam aos calvinistas e a todos os dissidentes que negavam fé à presença real na eucaristia.

sacramentino. *Adj.* e *s. m.* Diz-se de, ou religioso da Congregação do Santíssimo Sacramento, fundada por S. Julião Eymard em 1856, em Paris.

sacramento. [Do lat. *sacramentu.*] *S. m.* **1.** *Ant.* Juramento. **2.** *Rel.* Sinal sagrado instituído por Jesus Cristo para distribuição da salvação divina àqueles que, recebendo-o, fazem uma profissão de fé. [São sete: o *batismo*, a *confirmação* ou *crisma*, a *eucaristia*, a *penitência* ou *confissão*, a *ordem*, o *matrimônio* e a *extrema-unção*.] **3.** *Rel. Restr.* A eucaristia. **4.** *Rel.* Qualquer sinal sagrado na medida em que significa a salvação oferecida por Cristo. ♦ **Sacramento dos enfermos.** *Rel.* V. *extrema-unção.* **Sacramentos de iniciação.** *Rel.* O batismo, a confirmação ou crisma e a eucaristia. **Últimos sacramentos.** *Rel.* A confissão, a comunhão sob a forma de viático, e a unção dos enfermos, i. e., a extrema-unção: "No outro dia ... recebe [Almeida Garrett] com unção os últimos sacramentos da Igreja." (José Osório de Oliveira, *O Romance de Garrett*, p. 183.)

sacrário. [Do lat. *sacrariu.*] *S. m.* **1.** Lugar onde se guardam coisas sagradas. **2.** Lugar onde se guardam as hóstias consagradas. **3.** *Fig.* Vida íntima, particular; intimidade. **4.** *Fig.* Lugar reservado e respeitável.

sacratíssimo. [Do lat. *sacratissimu.*] *Adj.* Superl. abs. sint. de *sagrado*: "Em que sacratíssimas ruínas, sob que árvores divinizadas por terem dado sombra ao Senhor, passara ela essa tarde nevoenta de Jerusalém?" (Eça de Queirós, *A Relíquia*, p. 140.)

sacrificador (ô). [Do lat. *sacrificatore.*] *Adj.* e *s. m.* Que ou aquele que sacrifica; sacrificante.

sacrifical. [Do lat. *sacrificale.*] *Adj. 2 g.* Respeitante ao sacrifício; sacrificatório.

sacrificante. [Do lat. *sacrificante.*] *Adj. 2 g.* **1.** Sacrificador. ● *S. 2 g.* **2.** Sacrificador. *S. m.* **3.** Aquele que celebra missa; celebrante.

sacrificar. [Do lat. *sacrificare.*] *V. t. d.* **1.** Oferecer em holocausto por meio de cerimônias próprias; imolar como vítima: *Os sacerdotes astecas sacrificavam seres humanos.* **2.** Prejudicar, lesar, danificar: *Sacrificou a árvore para colher os frutos.* **3.** Tornar vítima dum interesse, duma paixão, dum fim que se tem em vista, etc.; vitimar; danificar: *Para alcançar um grande público o escritor sacrificou o estilo.* **4.** Renunciar voluntariamente a; abrir mão de: *Ordenando-se sacerdote, sacrificou os seus bens e sua posição social. T. d.* e *i.* **5.** Oferecer em sacrifício: *O penitente sacrificou a Deus o sábado.* **6.** Oferecer em holocausto; imolar. **7.** Consagrar inteiramente; dedicar com ardor: *O sábio às vezes sacrifica sua vida à ciência.* **8.** Desprezar (uma coisa) para dar mais realce ou importância (a outra): *Há escritores que sacrificam o conteúdo à forma;* "não condena o marido que não soube fazer-se amado, sacrificando a amores fáceis a felicidade do seu lar." (Bernardo Pinheiro Pindela, *Azulejos*, p. 102). *T. i.* e *int.* **9.** Fazer sacrifícios em honra de divindade. *P.* **10.** Oferecer-se em sacrifício. **11.** Votar-se inteiramente a alguém ou alguma coisa; consagrar-se de todo; dedicar-se com ardor. **12.** Tornar-se vítima de algum interesse ou ideal. **13.** Sujeitar-se, submeter-se: *Não posso sacrificá-lo aos meus caprichos.* [Conjug.: v. *trancar.*]

sacrificativo. [Do lat. *sacrificatu*, part. pass. de *sacrificare*, 'sacrificar', + *-ivo.*] *Adj.* Próprio para o sacrifício.

sacrificatório. [Do lat. *sacrificatu*, part. pass. de *sacrificare*, 'sacrificar' + *-ório.*] *Adj.* Sacrifical.

sacrificável. *Adj. 2 g.* Que pode ser sacrificado.

sacrifício. [Do lat. *sacrificiu.*] *S. m.* **1.** Ato ou efeito de sacrificar(-se). **2.** Oferta solene à divindade de produtos da terra e animais. **3.** Oferta pessoal ou coletiva à divindade, simbolizada na destruição de um bem ou na imolação de uma vítima. **4.** A morte de Cristo. **5.** A missa: "— *Introibo ad altare Dei*, anunciou Padre Antônio com a voz comovida e trêmula com que sempre iniciava o sacrifício" (Inglês de Sousa, *O Missionário*, p. 112). **6.** Privação de coisa apreciada. **7.** Renúncia em favor de outrem. **8.** Abnegação, renúncia, desprendimento. ♦ **Santo sacrifício.** O sacrifício da missa: "Aquela gente .... vinha à missa, mas era principalmente atraída pela cerimônia que devia seguir o Santo Sacrifício. Casava-se uma sobrinha do Neves Barriga com o filho dum fazendeiro do Urubus." (Inglês de Sousa, *O Missionário*, p. 101.) **Ir para o sacrifício.** *Bras. Turfe.* Correr de faixa.

sacrifículo. [Do lat. *sacrificulu.*] *S. m.* Acólito (3) que auxiliava ao sacrifício das vítimas.

sacrilégio. [Do lat. *sacrilegiu.*] *S. m.* **1.** Uso profano de pessoa, lugar ou objeto sagrado; profanação. **2.** Ato de impiedade; profanação: "Desejou apoderar-se dos resplendores das imagens e do bordão de S. José, de ouro, pesado. Afastou-se, com medo da tentação. Não cometeria semelhante sacrilégio." (Graciliano Ramos, *Insônia*, p. 27.) **3.** Ultraje feito a pessoa sagrada ou venerável. **4.** *P. ext.* Ação digna de censura ou reparação; ato condenável: *Cometeu um sacrilégio incendiando as matas.*

sacrílego. [Do lat. *sacrilegu.*] *Adj.* **1.** Que cometeu sacrilégio. **2.** Em que há sacrilégio. ~ V. *filho* —.

sacrilíaco. [De *sacro* (3) + *ilíaco.*] *Adj. Anat.* Comum ao sacro e ao osso ilíaco.

sacripanta. [Var. de *Sacripante*, personagem violento e de mau caráter, do poema *Orlando Innamorato*, de Matteo-Maria Boiardo (1434-1494), e do poema *Orlando Furioso*, de Luigi Ariosto (1474-1533).] *Adj. 2. g.* **1.** Diz-se de pessoa desprezível, capaz de quaisquer violências e indignidades. ● *S. 2 g.* Pessoa sacripanta. **3.** Pessoa falsamente beata.

sacripante. *Adj. 2 g.* e *s. 2 g.* Sacripanta [q. v.].

sacrisquiático. [De *sacro* (3) + *isquiático.*] *Adj. Anat.* Sacrociático.

sacrista. [Do b.-lat. *sacrista.*] *S. m. Fam.* e *deprec.* Sacristão.

sacristã. [Fem. de *sacristão.*] *S. f.* **1.** Mulher de sacristão. **2.** Mulher encarregada da limpeza e arrumação da sacristia. **3.** Mulher que ajuda à missa.

sacristania. *S. f.* Cargo de sacristão.

sacristão. [Do lat. **sacristanu.*] *S. m.* **1.** Homem encarregado da arrumação e guarda da sacristia. **2.** Aquele que se emprega habitualmente nos arranjos duma igreja, em ajudar à missa, etc. [Var.; ant. e pop.: *sancristão*. Sin., deprec.: *sacrista* e *escorropichagalhetas*. Fem.: *sacristã*; pl.: *sacristãos* e *sacristães.*]

sacristia. [De *sacrista* + *-ia.*] *S. f.* Casa adjacente à igreja, ou que dela faz parte, e onde se guardam os paramentos e demais objetos do culto. [Var., ant. e pop.: *sancristia.*]

sacro. [Do lat. *sacru.*] *Adj.* **1.** Sagrado (2): *música sacra.* **2.** *Fig.* Venerável, respeitável. **3.** *Anat.* Relativo ao osso sacro. ~ V. *drama* —, *orador* — e *osso* —. ● *S. m.* **4.** *Anat.* O osso sacro.

sacrociático. [De *sacro* (3) + *ciático.*] *Adj. Anat.* Que se estende do sacro ao ísquio; sacrisquiático.

sacrococcígeo. [De *sacro* (3) + *coccígeo.*] *Adj. Anat.* Relativo, ao mesmo tempo, ao sacro e ao cóccix.

sacrossanto. [Do lat. *sacrosanctu.*] *Adj.* **1.** Sagrado e santo. **2.** Inviolável, sagrado. **3.** Reconhecido como sagrado.

sacubaré. [De provável or. tupi.] *S. m. Bras.* Planta da família das orquidáceas (*Cyrtopodium* sp.).

sacudida. [De *sacudir* + *-ida.*] *S. f.* Ato ou efeito de sacudir; sacudidura, sacudimento.

sacudidela. *S. f.* **1.** Sacudida leve. **2.** *Fam.* Pequena surra ou sova.

sacudido. [Part. de *sacudir.*] *Adj.* **1.** Movido em direções contrárias; agitado, sacolejado. **2.** Rude, brusco, desabrido: *Durante a briga, enfrentou o adversário com gestos e modos sacudidos.* **3.** Desembaraçado, ágil, desenvolto: *homem sacudido; movimentos sacudidos.* **4.** *Bras.* Forte, saudável, galhardo, esbelto: *criança sacudida.* **5.** *Bras., S.* V. *valentão* (1).

sacudidor (ô). *Adj.* e *s. m.* Que ou aquele que sacode.

sacudidura. *S. f.* V. *sacudida.*

sacudimento. *S. m.* V. *sacudida.*

sacudir. [Do lat. *succutere*, com dissimilação.] *V. t. d.* **1.** Agitar fortemente e repetidas vezes: *O mar, agitado, sacudia o navio.* **2.** Fazer tremer; abalar, comover: *O furacão sacudiu as paredes da casa;* "Em 1 de novembro de 1755, um terrível tremor de terra sacudiu Lisboa." (José Hermano Saraiva, *História Concisa de Portugal*, p. 243). **3.** Abanar, agitar, mover para um e outro lado: *sacudir a cabeça; Sacudiu o chicote no ar de um modo ameaçador.* **4.** Pôr fora, agitando com movimentos reiterados: *Sacudiu as migalhas que lhe haviam caído no colo.* **5.** Limpar, agitando: *sacudir a toalha de mesa.* **6.** Bater para limpar: *sacudir o tapete.* **7.** Estimular; incentivar, excitar: *As palavras de apoio sacudiram -lhe o ânimo.* **8.** Lançar por terra; arremessar, atirar fora; repelir: *Empinando, a besta sacudiu a carga.* *T. d.* e *i.* **9.** Arremessar ou atirar fora: *Cansado, sacudiu a mochila das costas.* **10.** *Fig.* Despedir, expedir, livrar: *Sacudiu dos ombros o encargo, entregando aos avós a educação da criança.* *P.* **11.** Menear o corpo, em especial os quadris; saracotear-se. **12.** Abalar-se, estremecer, tremer: "A mata agita-se, revoluteia, contorce-se toda e sacode-se!" (Manuel Bandeira, *Estrela da Vida Inteira*, p. 95); "seus ombros sacudiam-se em soluços incontroláveis" (Guilherme Figueiredo, *História para Se Ouvir de noite*, p. 41). [Irreg. Conjug.: v. *acudir.*]

sacuia. *S. 2 g.* e *adj. 2 g. Bras.* Remo[2].

sacular. *Adj. 2 g.* Relativo ou pertencente ao sáculo.

▲**saculi-.** [Do lat. *sacculus, i.*] *El. comp.* = 'saquinho': *saculiforme.*

saculiforme. [De *saculi-* + *-forme.*] *Adj. 2 g.* Que tem forma de sáculo.

sáculo. [Do lat. *sacculu*, 'saquinho'.] *S. m.* **1.** *Anat.* Vesícula (1) existente no labirinto membranoso de cada ouvido interno. **2.** *Bot.* Espécie de saco que envolve a radícula de certos embriões.

sacupema. *S. f. Bras.* Var. de *sapopema* (1).

saçupemba. [Do tupi.] *S. m. Bras.* Certo peixe do mar.

sacurê. *S. m. Bras., SP.* Certa doença que ataca a mandioca.

sacuritá. *S. m. Bras.* **1.** V. *saguaritá.* **2.** V. *paguro.*

sádico. [Do fr. *sadique.*] *Adj.* **1.** Relativo ao, ou em que há sadismo, ou próprio dele: *assuntos sádicos; pendores sádicos; literatura sádica.* **2.** Que é dado à prática do sadismo. **3.** *P. ext.* Que se deleita em fazer sofrer a outrem; mau, cruel, tirano. ● *S. m.* **4.** Indivíduo sádico. [Sin. ger.: *sadista*. Cf. *masoquista.*]

sádico-anal. [De *sádico* + *anal*[1].] *Adj. 2 g. Psican.* Diz-se da segunda fase do desenvolvimento sexual da criança, fase que se estende durante o segundo e o terceiro ano, e caracterizada pela transformação das vias de excreção em zonas erógenas. [Pl.: *sádico-anais.*]

sadio. [Do lat. *sanativu.*] *Adj.* **1.** Que dá saúde; higiênico; saudável. **2.** Que goza de boa saúde; saudável: "Lutero era um homem robusto e sadio. Os retratos deixados por Cranach, seu amigo, mostram-no cheio de carnes." (Vicente Licínio Cardoso, *Pensamentos Brasileiros*, pp. 33-34.)

sadismo. [Do fr. *sadisme.*] *S. m.* **1.** Perversão sexual em que a satisfação erótica advém de atos de violência ou crueldade física ou moral infligidos ao parceiro sexual; algolagnia ativa. **2.** *P. ext.* Prazer com o sofrimento alheio. [Cf. *masoquismo* e *sadomasoquismo.*]

sadista. [Do antr. *Sade*, do Conde de Sade, Donatien-Alphonse-François (1740-1814), escritor francês, mais conhecido como Marquês de Sade.] *Adj. 2 g.* e *s. 2 g.* Sádico. [Cf. *masoquista.*]

sadomasoquismo. [De *sad(ismo)* + *-o-* + *masoquismo.*] *S. m.* Perversão sexual que consiste na conjugação do sadismo e do masoquismo. [Cf. *masoquismo* e *sadismo.*]

sadomasoquista. *Adj. 2 g.* **1.** Relativo ao, ou próprio do sadomasoquismo. **2.** Que é dado à prática do sadomasoquismo. ● *S. 2 g.* **3.** Indivíduo sadomasoquista.

sadrá. [Do persa *sudrah* ou *sadreh.*] *S. f.* Veste sagrada dos persas.

saducéia. *S. f.* Fem. de *saduceu.*

saduceísmo. *S. m.* A seita ou a doutrina dos saduceus.

saduceu. [Do lat. *sadducaeu.*] *S. m.* Cada um dos membros de uma seita ou partido religioso do judaísmo posterior ao séc. III a. C., recrutados entre as famílias sacerdotais, os quais, apresentando viva tendência a assimilar culturas estranhas, como a helênica e, posteriormente, a romana, discordavam dos outros israelitas quanto aos rituais de purificação, à crença na ressurreição dos mortos, nos anjos e na providência divina: "Escrevestes em ambos os Testamentos, e demonstrastes contra os saduceus a futura Ressurreição nossa, e de todos os mortais" (Pe Antônio Vieira, *Sermões*, I, col. 811). [Fem.: *saducéia.*]

safa. [Imperat. de *safar.*] *Interj.* Exprime repugnância, tédio ou admiração: "Safa! Chove a cântaros!..." (Rebelo da Silva, *De noite Todos os Gatos São Pardos*, p. 120); *Safa! que homem cacete!* [Sin., bras.: *livra.*]

safadagem. *S. f.* V. *safadeza* (1).

safadeza (ê). *S. f.* **1.** Qualidade, dito, ato ou procedimento de indivíduo safado; vileza. [Sin.: *safadagem* e (bras.) *safadismo, safadice.*] **2.** Ato ou dito pornográfico; coisa imoral. [Sin., bras.: *safadice.*] **3.** *Bras.* Travessura, traquinagem, safadice.

safadice. *S. f. Bras.* V. *safadeza.*

safadinho. [Dim. de *safado.*] *Adj. Bras., N.E. Fam.* Diz-se de criança inquieta, travessa, traquinas.

safadismo. *S. m. Bras.* V. *safadeza* (1).

safado. [Part. de *safar.*] *Adj.* **1.** Gasto ou deteriorado pelo uso; apagado: *moeda safada.* **2.** *Pop.* Desavergonhado, descarado, cínico, impudente. **3.** *Bras.* Pornográfico, imoral. **4.** *Bras., RJ* e *S. Gír.* Encolerizado, indignado, danado; danado da vida; safado da vida: *Estava safado com o impostor.* **5.** *Bras., RJ* e *S.* Travesso, traquinas, turbulento. ~ V. *terra* —*a*. ● *S. m.* **6.** Indivíduo safado (2 e 3). ♦ **Comer safado.** *Bras. Pop.* V. *comer da banda podre.*

safanão. *S. m.* **1.** Ato de safar com força. **2.** *Pop.* Bofetada, tapa. **3.** Puxão, sacadela: "Dois marinheiros .... arrastaram-se até a mesa de Justino e seguraram os ombros de Maria. Ela deu um safanão violento, indignada" (Reginaldo Guimarães, *Uma Blusa no Cais*, pp. 8-9).

safa-onça. [De *safar* + *onça*[2].] *S. m. Bras. Gír.* Expediente ou recurso de emergência. [Pl.: *safa-onças.*]

safar. *V. t. d.* **1.** Tirar, puxando; extrair: "Durante a leitura, Luís Ribeiro meteu o braço por baixo da mesa para safar uma bota" (Xavier Marques, *As Voltas da Estrada*, p. 118). **2.** Tirar, furtar, surripiar, surrupiar. **3.** Desembaraçar de tudo quanto possa estorvar; desembaraçar: *Safou o caminho, e os passantes tiveram livre trânsito.* **4.** Livrar, salvar: *A sorte imprevista safou-o.* *T. d.* e *i.* **5.** Tirar, roubar, furtar, surrupiar. *P.* **6.** Esquivar-se, escapar; escapulir-se, fugir: "fugindo à nova investida, abaixou-se para safar-se do cerco que os braços do mulato lhe fecharam em volta do corpo." (Xavier Marques, *As Voltas da Estrada*, pp. 332-333). **7.** Gastar-se, deteriorar-se, pelo uso constante. [M.-q.-perf.: *safara*, etc.; inf. pess.: *safar, safares*, etc. Cf. *sáfara*, fem. de *sáfaro* e s. f.; *safáris*, pl. de *safári*; e *Sáfar*, antr.]

sáfara. [Fem. substantivado de *sáfaro.*] *S. f.* **1.** Terreno sáfaro, inculto. **2.** Penha, penhasco. [Cf. *safara*, do v. *safar.*]

safardana. [Do hebr. *Sefardîm.*] *S. m.* Sujeito desavergonhado, abjeto, desprezível; salafrário.

safári. [Do ár. *safariy.*] *S. m.* Expedição de caça, especialmente na selva africana. [Pl.: *safáris*. Cf. *safares*, do v. *safar.*]

safaria. [Do ár. *safarî* < antr. *Sáfar*, nome do introdutor desta romã no Andaluz, no séc. IX.] *Adj. (f.)* Diz-se de uma variedade de romã de bagos grandes e quadrados.

sáfaro. [Do ár., talvez.] *Adj.* **1.** Inculto, agreste, rude: *solo sáfaro.* **2.** V. *estéril* (1): "sem poder, ao menos, murmurar a promessa, fê-la no coração — àquele mesmo deus salvador que ele arrancara da brenha e que sarava os enfermos, dava vista aos cegos, desentorpecia os entrevados, cobria de flores as terras sáfaras" (Coelho Neto, *Treva*, p. 144). **3.** Diz-se de animal bravio, difícil de amansar. **4.** *Fig.* Esquivo, estranho, intratável. **5.** *Fig.* Sáfio (1). **6.** *Fig.* Alheio, distante, apartado. [Fem.: *sáfara*. Cf. *safara*, do v. *safar.*]

safarrascada. [De *safar* + *rascada* (2).] *S. f. Bras., RJ. Gír.* Complicação, problema, dificuldade, encrenca. V. *rolo*[1] (16). [Var.: *sarrafascada.*]

safena. [Do ár. *safin*, atr. do lat. médico medieval *saphena.*] *S. f. Anat.* Cada uma das quatro veias subcutâneas existentes nos membros inferiores, duas em cada um deles.

safenado. [De *safena* + *-ado*[1].] *Adj.* e *s. m.* Diz-se de, ou aquele que se submeteu a uma operação de ponte de safena.

safeno. [V. *safena.*] *Adj. Anat.* **1.** De, ou pertencente ou relativo à safena. ~ V. *nervo* —, *veia grande* —*a*, *veia pequena* —*a*, *veia* —*a externa*, *veia* —*a interna*, *veia* —*a magna* e *veia* —*a parva.* ● *S. m.* **2.** Nervo safeno.

sáfico. [Do gr. *sapphikós*, pelo lat. *sapphicu.*] *Adj.* **1.** Pertencente ou relativo a Safo, poetisa grega (séc. VII a VI a. C.), ou próprio dela. **2.** Referente ao safismo. **3.** Diz-se da estrofe de três versos dactílicos e um adônio (em português, três decassílabos e um pentassílabo). ~ V. *verso* —.

safio. [De *sáfio.*] *S. m.* Pequeno congro. [Cf. *sáfio.*]

sáfio. [Do esp. *zafio*, de or. ár.] *Adj.* **1.** Grosseiro, rude, sáfaro: "E passada a sazão das rosas, / Tudo é vil, tudo é sáfio, árduo." (Manuel Bandeira, *Estrela da Vida Inteira*, p. 257.) **2.** Que não se fia, não confia; desconfiado. [Cf. *safio.*]

safira. [Do hebr. *sappir*, atr. do gr. *sáppheiros*, do lat. *sapphiru* e do ant. *safir.*] *S. f.* **1.** Pedra preciosa, variedade transparente de coríndon, cuja cor varia do azul-celeste ao azul-escuro. **2.** Agulha de eletrola fabricada com esse material. **3.** *P. ext.* A cor azul. ♦ **Tocar safira.** *Bras. PB. Chulo.* Masturbar-se.

safírico. *Adj.* Referente à safira; safirino.

safirino. *Adj.* Safírico.

safismo[1]. [Do antr. *Safo*, poetisa grega (séc. VII-VI a.C.), + *-ismo.*] *S. m.* Lesbianismo.

safismo[2]. *S. m. Bras. Mar. G. Gír.* Qualidade de safo (4).

safista. *S. f.* Mulher que pratica o safismo[1]; lésbica.

safo. [Part. contrato de *safar.*] *Adj.* **1.** Que se safou. **2.** Livre, desembaraçado. **3.** Gasto, usado. **4.** *Bras. Gír.* Diz-se de quem age com desembaraço e revelando iniciativa; esperto, vivo.

safões. *S. m. pl. Lus.* Meias-calças feitas de peles, usadas pelos pastores: "pequena igreja cheia de aldeões a tresandarem a curral com suas samarras e safões ovelhunos." (Antero de Figueiredo, *Toledo*, p. 95).

safra[1]. [Do ár. *sabran.*] *S. f.* **1.** Bigorna de ferreiro, maior do que a normal e com uma só ponta. **2.** *Fig.* Pessoa que se escraviza ao trabalho.

safra[2]. [De possível or. ár.] *S. f.* **1.** Produção agrícola de um ano. [Cf. *colheita* (2).] **2.** *Fig.* Trabalho, produção. **3.** *Bras., N.E.* Época da passagem de um grande cardume de tainhas, agulhas, peixes-voadores, etc. **4.** *Bras., RS.* A época do ano em que normalmente se vende o gado gordo e produtos da indústria pastoril, lã e charque.

safra[3]. [De *açafrão?*] *S. f.* Óxido de cobalto, usado na fabricação do vidro azul.

safranina. [Do fr. *safranine.*] *S. f. Quím.* Corante vermelho, fluorescente, usado na indústria têxtil, nas artes fotográficas e em técnicas de microscopia. [Fórm.: $C_{20}H_{19}N_4C_1$.]

safreiro. *S. m. Bras.* Operário que só trabalha na época da safra[2].

safrejar. [De *safra*[2] + *-ejar.*] *V. int. Bras.* **1.** Explorar um engenho de açúcar ou de aguardente. **2.** Produzir (o engenho de açúcar): *Visitei alguns engenhos quando safrejavam.* [Conjug.: v. *pelejar.*]

safrol. *S. m. Quím.* Líquido incolor, obtido do óleo de cânfora, com odor característico. [Fórm.: $C_{10}H_{10}O_2$. pl.: *safróis.*]

saga[1]. [Duma raiz germ. a que se filiam o al. *sagen* e o ingl. *to say,* dizer', pelo fr. *saga.*] *S. f.* **1.** Designação comum às narrativas em prosa, históricas ou lendárias, nórdicas, redigidas sobretudo na Islândia, nos sécs. XIII e XIV: "Sua imaginação [de Agripino Grieco] diverge, essencialmente, da mística e nebulosa imaginativa nórdica, da que, nas noites imensas das florestas escandinavas, nas brumas do Báltico ...., engendrou as sagas bárbaras e terríveis." (Ronald de Carvalho, *Estudos Brasileiros,* 2ª série, p. 94.) **2.** Canção baseada nalguma dessas narrativas. **3.** *P. ext.* Canção heróica ou lendária. **4.** *P. ext.* História ou narrativa rica de incidentes: "os Moura Alves têm a sua saga, uma história que talvez desse para escrever não um único livro, mas vários" (Maria Alice Barroso, *Um Nome para Matar,* p. 37).

saga[2]. [Do lat. *saga.*] *S. f.* Entre os romanos, bruxa ou feiticeira.

sagacidade. [Do lat. *sagacitate.*] *S. f.* **1.** Qualidade ou procedimento de sagaz. **2.** Agudeza ou sutileza de espírito; perspicácia. **3.** Finura, manha, astúcia, malícia.

sagacíssimo. [Do lat. *sagacissimu.*] *Adj.* Superl. abs. sint. de *sagaz.*

sagaz. [Do lat. *sagace.*] *Adj. 2 g.* **1.** Que tem agudeza de espírito; perspicaz, penetrante, arguto. **2.** Astuto, astucioso, manhoso, malicioso: "Ocorrera-lhe de súbito um expediente sagaz para sair daquela situação difícil." (Alexandre Herculano, *O Monge de Cister,* II, p. 276.) **3.** *Bras., SP.* Diz-se do animal de montaria que anda desembaraçadamente, que é esperto e veloz. [Superl. abs. sint.: *sagacíssimo.*]

sage. *Adj. 2 g. Ant.* Que sabe muito; circunspecto, prudente, experiente.

sagez (ê). *S. f. Ant.* Qualidade ou caráter de sage; sageza, sajaria.

sageza. *S. f.* V. *sagez.*

saginar. [Do lat. *saginare.*] *V. t. d.* Tornar gordo; cevar, engordar.

sagitado. [Do lat. *sagitta,* 'seta', + *-ado*[1].] *Adj.* **1.** V. *sagital* (1). **2.** *Morfol. Veg.* Diz-se do órgão vegetal foliáceo que tem o ápice agudo e a base escavada, formando apêndices divergentes, de modo que o conjunto lembra uma ponta de lança: *folha sagitada.*

sagital. [Do lat. *sagitta,* 'seta', + *-al.*] *Adj. 2 g.* Que tem forma de seta; sagitado. ~ V. *sutura —.*

sagitar. [Do lat. *sagittare.*] *V. t. d.* **1.** Dar forma de seta a. **2.** Expedir ou lançar à maneira de seta. [Fut. pret.: *sagitaria,* etc. Cf. *sagitária,* fem. do adj. *sagitário,* e s. f.]

sagitária. [Do lat. *sagitta,* 'seta', + *-ária.*] *S. f.* Erva da família das alismatáceas (*Sagittaria montevidensis*), muito freqüente nas coleções líquidas rasas do S. do País, de folhas grandes, moles e sagitadas, e flores amareladas, trímeras e dispostas em panículas terminais. [Cf. *sagitaria,* do v. *sagitar.*]

sagitariano. *S. m.* **1.** Indivíduo nascido sob o signo de Sagitário. ● *Adj.* **2.** Diz-se de, ou pertencente ou relativo a sagitariano (1).

sagitário. [Do lat. *sagittariu.*] *Adj.* **1.** Armado de arco e setas. [Fem.: *sagitária.* Cf. *sagitaria,* do v. *sagitar.*] ● *S. m.* **2.** *Astr.* A nona constelação do Zodíaco, situada no hemisfério sul, a 19h de ascensão reta e de 25º de declinação sul. **3.** O nono signo do Zodíaco, relativo aos que nascem entre 22 de novembro e 21 de dezembro. [Com maiúscula, nas acepç. 2 e 3.] **4.** Nas tropas do exército romano, arqueiro[1] (2).

▲**sagiti-.** [Do lat. *sagitta, ae.*] *El. comp.* = 'seta', 'flecha': *sagitifoliado; sagitária.*

sagitífero. [Do lat. *sagittiferu.*] *Adj. Poét.* Que traz setas; armado ou carregado de setas: "Arcos e sagitíferas aljavas" (Luís de Camões, *Os Lusíadas,* I, 67).

sagitifoliado. [De *sagiti-* + *foliado.*] *Adj. Bot.* Que tem folhas sagitais.

sagitiforme. [De *sagiti-* + *-forme.*] *Adj. 2 g.* Em forma de seta.

sagração. [Do lat. *sacratione.*] *S. f.* **1.** Ato ou efeito de sagrar por meio de cerimônias religiosas. **2.** A própria cerimônia: *Embora longa, é bela a sagração de um bispo.* **3.** Ato de dar caráter sagrado a alguma coisa; consagração.

sagrado. [Do lat. *sacratu.*] *Adj.* **1.** Que se sagrou ou que recebeu a consagração. **2.** Concernente às coisas divinas, à religião, aos ritos ou ao culto; sacro, santo. **3.** Inviolável, puríssimo, santo, sacrossanto: *sagrado amor.* **4.** Profundamente respeitável; venerável, santo. **5.** Que não deve ser tocado, infringido, violado: *os sagrados direitos do homem.* **6.** A que não se pode faltar; que não se pode deixar de cumprir: *dever sagrado.* [Superl. abs. sint.: *sacratíssimo.*] ~ V. *—a Escritura, —a Família, —a fórmula, —lenho, —a partícula, —as letras, banquete —, estátua —a, fogo —, ministério —, monstro —, orador —* e *pano —.* ● *S. m.* **7.** Aquilo que é ou foi sagrado.

sagrar. [Do lat. *sacrare,* 'consagrar'.] *V. t. d.* **1.** Dedicar a Deus, aos deuses, ou ao serviço divino; consagrar: *sagrar um templo.* **2.** Benzer, santificar, abençoar; consagrar: *sagrar a hóstia.* **3.** Tornar venerado ou respeitado: *Sua vida de asceta sagrou o seu nome.* **4.** Investir numa dignidade por meio de cerimônia religiosa: *sagrar um bispo, um imperador.* *T d. e i.* **5.** Dedicar, ofertar: *O cavaleiro sagrou a alma a seu deus.* *Transobj.* **6.** Eleger, consagrar: *A Igreja sagrou santa a camponesa Joana d'Arc.*

sagre. *S. m. Ant.* Falcão (3).

sagu. [Do mal. *sagu.*] *S. m.* Substância amilácea que se extrai da parte central dos sagüeiros. [Var.: *sagum.*]

saguá. [Do tupi *sa'wa.*] *S. f. Bras.* V. *caicanha.*

saguão. [Do ár. *saTuan.*] *S. m.* **1.** Pátio estreito, acanhado e descoberto, no interior dum edifício. **2.** Espécie de alpendre à entrada dos conventos. **3.** *Ant., bras.* e *prov. lus.* Nos grandes edifícios, sala de entrada onde se acha a escadaria que conduz aos andares superiores; vestíbulo: "O teatro estava aberto: entrei: no saguão avistei o bilheteiro" (Joaquim Manuel de Macedo, *Os Romances da Semana,* p. 62).

saguaraji. [Alter. de *sobraji.*] *S. m. Bras., S.* e *L.* Árvore da família das ramnáceas (*Colubrina rufa*), das florestas úmidas. Folhas oblongas, com nervuras curvas; flores mínimas, esverdeadas e cimosas; o fruto é cápsula trilocular; a madeira, de tom róseo forte, pesada, dura e compacta, bastante parecida ao pau-brasil, serve sobretudo para obras externas. [Var. e sin.: *sebraju, sobraji, sobraju, sobrasil, guaxumbo.*]

saguaritá. [De provável or. tupi.] *S. m. Bras.* Molusco gastrópode, prosobrânquio, da família dos taisídeos (*Tahis haemastoma* L.), do Atlântico. Concha de superfície lisa ou com duas fileiras de nódulos, principalmente na última espira; coloração castanha, avermelhada internamente, com o lábio externo crenulado; comprimento: 8 cm. Usa-se como alimento e serve para isca. [Var. ou f. paral.: *sacuritá;* sin.: *muçarete.*]

saguaru. *S. m. Bras.* V. *saguiru.*

saguate. [Do hind.-persa *saughāt,* 'raridade', 'dádiva'.] *S. m. Desus.* Presente, dádiva, mimo, donativo: "E restituídas ao régulo as pretas submissas, entregue alguma ao lavadeiro à conta de saguate .... lá recolhia Isidoro à capital da Província". (Joaquim Paço d'Arcos, *Carnaval e Outros Contos,* p. 56.)

sagüeiro. *S. m.* Designação comum a diversas plantas (palmeiras do gênero *Metroxylon* e uma gimnosperma do gênero *Cycas*) da medula de cujo caule se extrai o sagu.

sagüi. [Do tupi *sa'wi.*] *S. m. Bras.* Designação comum às espécies de primatas, da família dos calitriquídeos, com cinco gêneros e várias espécies em território brasileiro, todos os quais possuem o dedo polegar da mão muito curto e não oponível, e as unhas em forma de garras, dentes molares 2/2. São espécies pequenas, de cauda longa. [Var. e sin.: *sagüim, sauim, soim, sonhim, massau, tamari, xauim* e (bras., N., impr.) *mico.*]

sagüi-amarelo. *S. m. Bras., RJ.* V. *mico-leão.* [Pl.: *sagüis-amarelos.*]

sagüi-branco. *S. m. Bras.* Primata da família dos calitriquídeos (*Marikina* (Tamarin) *melanoleuca* (Mir. Rib.)), da região do rio Juruá, de pelagem toda branca, apenas ligeiramente lavada de ocráceo nos lombos, cauda e pés, face nua e os anéis da cauda quase imperceptíveis. Alimenta-se de insetos e frutas. [Pl.: *sagüis-brancos.*]

sagüi-caratinga. *S. m. Bras.* Caratinga (4). [Pl.: *sagüis-caratingas* e *sagüis-caratinga.*]

sagüiguaçu. [Do tupi *sa'wi wa'su,* 'sagüi grande'.] *S. m. Bras.* Pequeno macaco (*Callicebus personatus* (Geoffr.)), semelhante ao sagüi.

sagüi-imperador. *S. m. Bras.* Pequeno macaco, da família dos calitriquídeos (*Marikina* (Tamarin) *imperator* (Goeldi)), da região do rio Purus, no AC, que tem pêlos brancos, muito longos, alguns com 6 cm de comprimento, ou seja, uma quarta parte da extensão do corpo, em redor da boca, formando uma espécie de bigode, característico da espécie. A cabeça é parcialmente preta. [Pl.: *sagüis-imperadores.*]

sagüim. *S. m. Bras.* V. *sagüi.*

sagüipiranga. [De *sagüi* + tupi *pi'rãga,* 'vermelho'.] *S. m. Bras., RJ.* V. *mico-leão.*

sagüi-preto. *S. m. Bras.* Espécie de macaquinho da Amaz. (*Midas ursulus* Humb.). [Pl.: *sagüis-pretos.*]

sagüira. [Do tupi, provavelmente.] *S. f. Bras.* V. *sagüiru.*

sagüiru. *S. m. Bras.* Peixe teleósteo, caraciforme, da família dos caracídeos (*Curimata elegans* Steinf.), com larga distribuição no Brasil, de coloração cinzento-escura, com tons azulados, que passa aos poucos para branco no abdome, com reflexos prateados. Comprimento: até 16 cm. [Sin.: *saguaru, sagüira, saburu, biru, biruba, beiru.*]

sagüiúna. [De *sagüi* + *-una.*] *S. m. Bras., BA.* Sauimuna.

sagum. *S. m.* Var. de *sagu.*

saguntino. *Adj.* **1.** De, ou pertencente ou relativo a Sagunto (Espanha). ● *S. m.* **2.** O natural ou habitante de Sagunto.

saí[1]. [Do ananita sãi.] *S. m.* Bonzo (1) [Cf. *sai,* do v. *sair.*]

saí[2]. [Do tupi *sa'i,* 'olhos pequenos'.] *S. m.* **1.** Espécie de macaco. ● *S. f.* **2.** *Bras.* Designação comum a várias aves passeriformes, da família dos cerebídeos, especialmente do gênero *Tanagra* L., e também as espécies da família dos traupídeos, gênero *Tanagra* Bris, de cores brilhantes, esverdeadas ou azuladas, e que se alimentam de frutos. [Sin., nesta acepç.: *saíra, tem-tem, saí-de-coleira, saixê.* Cf., nesta acepç. *tem-tem-do-espírito-santo, sapitica;* cf. *sai,* do v. *sair.*]

saia. [Do lat. vulg. **sagia* < *sagu,* 'saio'.] *S. f.* **1.** Parte do vestuário feminino que desce da cintura sobre as pernas até uma altura variável, constituindo ou não uma peça independente. [Dim. irreg.: *saiote.*] **2.** *Pop.* Mulher (1): "era jeitoso para lidar com saia, e minha mulher, não digo que facilitou nem deu corda, mas era boba .... e o Zé Faustino aproveitou..." (Amadeu de Queirós, *Os Casos do Carimbamba,* p. 99); *Vive agarrado às saias.* **3.** Pano de mesa que cai dos lados até o chão. **4.** Antiga veste masculina de guerra. **5.** Saio (1). **6.** *Bras.* Chapa metálica posta no pára-lama traseiro como acessório ou para diminuir a resistência do ar nessa parte. **7.** *Bras.* Retângulo de borracha ou de material similar, pendente sobre as rodas, na parte interna dos pára-lamas de automóveis, para evitar que a lama se espalhe pela parte inferior do chassi. **8.** *Bras., N.E.* A cauda das reses. **9.** *Bras., PE.* Parte dos aterros entre as faces laterais do prismóide determinado pela largura da plataforma e pelo talude natural das terras. **10.** *Bras., SP.* Ramos secundários ou inferiores dos cafeeiros. **11.** *Bras., RS.* V. *combinação* (7). [Cf. *saía,* do v. *sair.*] ♦ **Saia da chaminé.** *Constr. Nav.* Chapa suplementar que envolve a base da chaminé, na altura do convés, e se destina a impedir ou diminuir a irradiação do calor. **Saia da vela.** *Marinh. Desus.* Suplemento à esteira das velas latinas, que se usava com tempo favorável. **Saia de baixo.** *Bras.* V. *anágua.* **Saia do cabrestante.** *Constr. Nav.* Parte do cabrestante, por baixo do chapéu, onde se enrola o cabo ou amarra.

saia-balão. *S. f.* Saia enfunada e retesada com arcos ou varas flexíveis, em forma de grande roda; merinaque: "O que eu não quero perder é a sua missa nova; avise-me a tempo para fazer um vestido à moda, saia-balão e babados grandes..." (Machado de Assis, *Dom Casmurro,* p. 137.) [Pl.: *saias-balões* e *saias-balão.*]

saia-calça. [De *saia* + *calça.*] *S. f.* Calça larga, para mulher, cortada de maneira que dê a aparência de uma saia, e cuja entreperna, às vezes, é disfarçada por uma prega funda. [Pl.: *saias-calças.*]

saí-açu. *S. m. Bras.* **1.** V. *sanhaço* (1). **2.** V. *saí-guaçu.* **3.** V. *saí-açu-azul.* [Pl.: *saís-açus.*]

saí-açu-azul. *S. m. Bras.* Ave passeriforme, da família dos traupídeos (*Thraupis episcopus* (L.)), da Amaz., de coloração cinzento-clara, asas e cauda enegrecidas marginadas de azul, sendo brancas lavadas de azulado as coberteiras superiores menores da asa; saí-açu sanhaçu. [Pl.: *saís-açus-azuis.*]

saia-envelope. *S. f. Bras.* Saia aberta em que a frente, ou as costas, quase duplas no sentido da largura, fecham com um pano sobreposto ao outro. [Pl.: *saias-envelopes* e *saias-envelope.*]

saial. [De *saio* + *-al.*] *S. m.* Antiga vestidura grosseira para homem ou mulher.

saí-andorinha. *S. f. Bras.* Ave passeriforme, da família dos tersinídeos (*Tersina viridis* (Ill.)) do Brasil oriental e centro-meridional. Coloração geral, azul-marinho; bico, fronte até parte posterior dos olhos parte externa das retrizes e penas da cauda, negros; meio do abdome, branco, os lados ondulados de negro. A fêmea e os jovens têm coloração esverdeada. Alimenta-se de frutas tendo especial predileção à erva-de-passarinho, da qual é uma das disseminadoras. [Sin.: *saíra-buraqueira, saí-arara, saí-buraqueira, saí-de-coleira.* Pl.: *saís-andorinhas* e *saís-andorinha.*]

saião. *S. m. Bras.* Erva da família das crassuláceas (*Bryophyllum calycinum*), subespontânea no Brasil, muito ramificada, de folhas carnosas, obtusas, crenadas, que têm a propriedade de, quando deixadas em repouso, emitir plantinhas pelas margens, e flores vistosas, tubulosas e esverdeadas; folha-da-fortuna.

saí-arara. *S. f. Bras.* V. *saí-andorinha.* [Pl.: *saís-araras* e *saís-arara.*]

saí-azul. *S. f. Bras.* Ave passeriforme, da família dos cerebídeos (*Docnis cayana* (L.)), da Amaz. O macho é azul, com dorso alto, cauda e garganta pretos, e asas pretas marginadas de azul. A fêmea é verde, com cabeça azulada e garganta cinérea. [Sin.: *saí-bicudo.* Pl.: *saís-azuis.*]

saí-bicudo. *S. m. Bras.* Saí azul. [Pl.: *saís-bicudos.*]

saibo. [Talvez dev. ant. de *saber*, do tempo em que a 1ª pess. sing. do pres. ind. fosse *saibo* (< lat. *sapio*).] *S. m.* Sabor (2), em geral desagradável.

saibramento. *S. m.* Ação de saibrar.

saibrão. [De *saibro* + *-ão*[2].] *S. m.* Terreno argiloso e areento, bom para certas plantações, como a da cana-de-açúcar.

saibrar. *V. t. d.* Cobrir de saibro; balastrar.

saibreira. *S. f.* **1.** Lugar donde se extrai saibro. **2.** Terreno saibroso.

saibrento. *Adj.* Saibroso.

saibro. [Do lat. *sabulu*, 'areia', atr. do arc. *sabro.*] *S. m.* **1.** Mistura de argila e areia grossa, usada no preparo de argamassa. **2.** Produto da decomposição de rochas feldspáticas, principalmente granitos ou gnaisses, no qual ainda se pode ver a textura primitiva da rocha; arena. **3.** Areia grossa de rio.

saibroso (ô). *Adj.* Que tem saibro; saibrento.

saí-buraqueira. *S. f. Bras.* V. *saí-andorinha.* [Pl.: *saís-buraqueiras.*]

saicanga. [De provável or. tupi.] *S. m. Bras.* **1.** Peixe teleósteo, caraciforme, da família dos caracídeos (*Acestrorhamphus jenynsii* (Guent.)), da BA, e dos rios Paraíba e Uruguai. Tem boca muito grande e rasgada, com dentição forte, e coloração geral prateada, com dorso levemente oliváceo e a nadadeira caudal avermelhada. [Var.: *seicanga*; sin.: *bocarra.*] **2.** V. *peixe-cachorro* (2).

saída. [De *sair* + *-ida.*] *S. f.* **1.** Ato ou efeito de sair; saimento. **2.** Venda, comercialização, extração: *Este artigo tem muita saída.* **3.** Exportação. **4.** Lugar por onde se sai. **5.** Momento em que se sai: *Esperou-nos à saída da sessão das quatro.* **6.** Recurso, expediente: *Vai ser multado, não tem saída.* **7.** *Bras.* Peça de vestuário que se veste à saída de certos lugares, tais como praia, piscina, teatro, baile, etc.: "Não tiveram ânimo para enfrentar aquela multidão de banhistas grã-finos, com tantos biquínis desfilando na areia. As moças chegaram a tirar as saídas; mas, logo em seguida, as vestiram de novo" (Herberto Sales, *Histórias Ordinárias*, p. 99). [Cf. *saída-de-baile, saída-de-banho, saída-de-praia.*] **8.** *Bras.*, *S.* Disparate, despautério, despropósito. ◆ **Saída biológica.** *Eng. Nucl.* Buraco biológico. **De saída.** *Bras.* Primeiro, inicialmente; antes de mais nada; para começo de conversa; de cara: *De saída tomamos dois chopes.* **Não dar nem para a saída.** *Bras. Pop.* **1.** Não ter, não apresentar condições de desempenhar cargo, função, tarefa, de ser vitorioso em eleição, competição, etc.: *As três candidatas a secretária não deram nem para a saída.* **2.** Não ser o suficiente para determinado fim.

saída-de-baile. *S. f.* V. *saída* (7). [Pl.: *saídas-de-baile.*]

saída-de-banho. *S. f.* V. *saída* (7): "Fez realmente um dia lindo e às nove horas em ponto, com as saídas-de-banho por cima dos maiôs as moças embarcaram no automóvel. (Herberto Sales. *Histórias Ordinárias.* p. 98). [Pl.: *saídas-de-banho.*]

saída-de-praia. *S. f.* V. *saída* (7). [Pl.: *saídas-de-praia.*]

saí-de-bando. *S. m. Bras. ES.* V. *saí-militar.* [Pl.: *saís-de-bando.*]

saí-de-coleira. *S. m. Bras.* **1.** V. *saí*[2] (2). **2.** V. *saí-andorinha.* [Pl.: *saís-de-coleira.*]

saí-de-fogo. *S. m. Bras.* V. *sanhaço-de-fogo.* [Pl.: *saís-de-fogo.*]

saideira (a-i). [De *sair* + *-deira.*] *S. f. Bras. Gír.* O último (13): "conversavam demais. cuspiam no chão e terminavam por solicitar: — Bote a saideira. seu Tonho." (M. Onofre Júnior, *in* Nei Leandro de Castro, *Contistas Norte-Rio-Grandenses*, p. 65).

saí-de-sete-cores. *S. f. Bras.* Designação comum a duas aves passeriformes, da família dos traupídeos, a *Tangara seledon* (P.L.S. Mül.), do S.E. do Brasil, e a *T. chilensis* (Vig.), da Amaz. Esta última tem coloração verde-clara, brilhante na cabeça, fronte, vértice e lados; occipício, dorso alto, cauda e asas pretos; dorso baixo e uropígio encarnados; garganta. peito, barriga e flancos azuis; meio do abdome, crisso e coxas pretos. [Sin.: *sete-cores, saíra-sete-cores, saíra-de-sete-cores.* Pl.: *saís-de-sete-cores.*]

saído. [Part. de *sair.*] *Adj.* **1.** Que está fora; apartado, ausente. **2.** Editado, publicado. **3.** Saliente (1): *olhos saídos; dentes saídos.* **4.** Diz-se de fêmea que anda com o cio. **5.** *Pop.* Esperto, desenvolto, atirado, desembaraçado. **6.** *Bras. Pop.* Intrometido, metediço, enxerido.

saidoiro (a-i). *S. m. Bras.*, *S.* V. *saidouro.*

saidor[1] (a-i...ô). *Adj.* **1.** Que sai. ● *S. m.* **2.** *Bras.*, *RS.* Cavaleiro que sempre sai em pé quando o cavalo roda e cai.

saidor[2] (a-i...ô). *S. m.* **1.** *Bras.*, *SC.* Saidouro. **2.** *Bras.*, *RS.* Lugar donde saem os cavalos na pista de corridas.

saidouro (a-i). [De *sair* + *-(d)ouro*[1].] *S. m. Bras.*, *S.* Lugar, beira dum rio, que dá saída ao gado que o atravessou a nado; saidor. [Var. de *saidoiro.*]

saieta[1] (ê). [De *saia.*] *S. f.* Tecido de lã apropriado para forros.

saieta[2] (ê). *S. f. Bras.*, *GO* e *MT.* Bebida fermentada preparada com a polpa do coco buriti.

saí-guaçu. [De *saí* + *-guaçu.*] *S. m. Bras.* Ave passeriforme, da família dos traupídeos (*Tangara peruviana* (Desm.)), do S.E. do Brasil. O macho tem dorso castanho com uma mancha negra sobre a espádua, e parte abdominal verde-azulada; a fêmea é verde-azulada, com a coroa da cabeça castanha. [Sin.: *saí-açu, sairaçu, saíra-guaçu, saí-sapucaia.* Pl.: *saís-guaçus.*]

saijé. *S. m. Bras.* V. *dourado* (7).

saimel. *S. m. Arquit.* A primeira pedra dum arco, e que assenta sobre capitel, cimalha ou ombreira. [Pl.: *saiméis.*]

saimento (a-i). [De *sair* + *-mento.*] *S. m.* **1.** Saída (1). **2.** V. *funeral* (2): "poucas pessoas concorreram ao enterro, ... porque na hora do saimento desabou uma chuva torrencial" (Coelho Neto, *Treva*, p. 169). **3.** *Bras.* Qualidade, ação, modos de indivíduo saído, atrevido, intrometido, enxerido; atrevimento, saliência.

saí-militar. *S. m. Bras.* Ave passeriforme, da família dos traupídeos (*Tangara cyanocephala* (P.L.S. Mül.)), da parte litorânea, do CE a SP, de coloração verde-brilhante, vértice e garganta azuis, fronte e dorso pretos, nuca vermelha, uropígio e pernas amarelados. Alimenta-se de frutas. [Sin.: *saí-de-bando, saíra-militar.* Pl.: *saís-militares.*]

sainete (ê). [Do esp. *sainete.*] *S. m.* **1.** Isca que se dava aos falcões para os amansar. **2.** Tudo o que atenua uma impressão desagradável; coisa agradável; atrativo, graça. **3.** Gosto especial; gosto, sabor: "— Esta [a ventura] é como esquisita fruta rara, / Por muito rara, muito apetecida; / Fruta, cujo sainete pouco dura, / Saboreada com vagar, embora" (Raimundo Correia, *Poesias*, p. 173). **4.** Picuinha, remoque, motejo. **5.** *Teat.* Comédia curta, de duas ou três personagens: "Minha tia Custódia, que no Recolhimento de Freixinho desempenhara muitas vezes o papel de pastorinha em sainetes e autos pastoris, seguia a representação com o mais meticuloso e inteligente interesse." (Aquilino Ribeiro, *Uma Luz ao longe*, p. 167.)

saino. *Adj.* e *s. m. Bras.*, *SP. Pop.* Var. de *zaino* [q. v.]: "montara no pingo saino" (Valdomiro Silveira, *Os Caboclos*, p. 25); "Bambeou as rédeas na tábua do pescoço do saino" (Id., *ib.*, p. 27).

saio. [De *saia*, por infl. do gênero de *homem.*] *S. m.* **1.** Antiga veste larga, com abas e fraldão; saia: "trajava um saio negro" (Alexandre Herculano, *O Bobo*, p. 41); "robustíssimos corpos cobertos de saios de malha ferrugenta" (Eça de Queirós, *A Ilustre Casa de Ramires*, p. 418). **2.** Antigo casacão de militares.

saiote. *S. m.* **1.** Dim. de *saia* (1). **2.** Saia curta, de tecido encorpado ou engomado, que as mulheres usam sob outra(s) saia(s): "Vinha depois a bailarina Milka, de saiote dourado, estrela da companhia" (Maria Julieta Drummond de Andrade, *O Valor da Vida*, p. 35). **3.** *Bras.*, *BA.* Tanga usada pelos remadores do São Francisco.

saipé. [De provável or. indígena.] *S. m. Bras.* Peixe teleósteo, caraciforme, da família dos caracídeos (gênero *Salminus Agassiz*), cujo nome comum ainda não está bem correlacionado ao científico. É espécie menor, e mais prateada e esguia, que o dourado (7) [q. v.].

sair. [Do lat. *salire.*] *V. t. c.* **1.** Passar (do interior para o exterior); ir ou passar para fora: *Todos saíram de casa*; "saiu ao terreiro" (Coelho Neto, *Treva*, p. 321). **2.** Afastar-se, partir, largar: *O vapor saiu do Rio pela manhã.* **3.** Afastar-se, ausentar-se, retirar-se: *Saiu do país em definitivo. T. i.* **4.** Fugir; afastar-se, desviar-se: *Não saia do assunto.* **5.** Desembaraçar-se, escapar(-se), livrar-se: *O soldado saiu do perigo com bravura*; "Ocorrera-lhe de súbito um expediente sagaz para sair daquela situação difícil." (Alexandre Herculano, *O Monge de Cister*, II, p. 276). **6.** Cessar de fazer parte; demitir-se: *Saiu do emprego.* **7.** Sobressair: *O bege quase não sai sobre o amarelo.* **8.** Separar-se de um grêmio ou corporação; desligar-se: *Muitos associados saíram do clube.* **9.** Proceder; provir, dimanar: *O calor sai da lareira.* **10.** Caber em sorte: *O primeiro prêmio saiu para São Paulo; Saiu-lhe o maior prêmio da loteria esportiva.* **11.** Mudar de estado ou posição: *A moça mal saiu da adolescência.* **12.** Ser parecido, física, moral e/ou intelectualmente, a um dos ascendentes; parecer-se; puxar: "A filha, que saía ao pai no feitio sisudo, não se lhe dava de acompanhar a mãe nos lanches vindicativos." (João de Araújo Correia, *Terra Ingrata*, pp. 203-204.) *Int.* **13.** Retirar-se, afastar-se, do lugar onde se encontrava: *Ninguém saiu antes do final*; "acabou a sobremesa, tomou o café, saiu" (Artur Azevedo, *Contos Cariocas*, p. 22). **14.** Ir para fora de casa, onde se achava retido por doença. **15.** Partir, ir-se, afastar-se: *O trem saiu há dois minutos.* **16.** Brotar, irromper: *Após muita escavação, a água saiu.* **17.** Nascer, aparecer, surgir: *O Sol saiu; após três dias de chuva.* **18.** Estampar-se, publicar-se: *O artigo saiu hoje.* **19.** Desfazer-se, desaparecer, sumir(-se): *Lava-se a camisa, e a sujeira não sai. Pred.* **20.** Vir a ser; tornar-se: *Maria saiu boa professora.* **21.** Aparecer, surgir. **22.** Transformar-se, transmudar-se. *T. d.* **23.** Passar além de; atravessar, cruzar: "levantou do chão o seu chapéu velho, e, cambaleando como se estivesse bêbedo, saiu a porta." (Conde de Ficalho, *Uma Eleição Perdida*, p. 206). *P.* **24.** Escapar-se, livrar-se: *O rapaz saiu-se das dificuldades.* **25.** Dizer inesperadamente: *Sem mais nem menos, saiu-se com palavras ásperas.* **26.** Desviar-se, afastar-se. **27.** Atrever-se, ousar, afoitar. **28.** Deixar de ser tímido: *Com a vinda para a capital, o rapaz saiu-se: já fala naturalmente com as pessoas, já sabe galantear as moças.* **29.** Conseguir chegar a determinado resultado (favorável ou não): *Saiu-se da incumbência melhor do que se esperava; Saiu-se mal do negócio.* Irreg. Pres. ind.: *saio, sais, sai, saímos, saís, saem*; pret. imperf.: *saía*, etc.; perf.: *saí, saíste, saiu*, etc.; pres. subj.: *saia*, etc. Cf. *saia*, s. f., e *Saí*, top.] ◆ **Sair à francesa.** Sair de fininho. **Sair apagando.** *Bras. RS.* Fugir em disparada. **Sair de atravessado.** *Bras.*, *RS.* **1.** Sair (o cavalo) atravessado em relação ao eixo da cancha. **2.** *Fig.* Receber mal a alguém. **Sair de em pé.** *Bras.*, *RS.* **1.** Desembaraçar-se (o cavaleiro), na rodada do cavalo, ficando em pé. **2.** *Fig.* Sair de reputação limpa em negócio. **Sair de fininho.** Sair procurando não ser notado, sub-repticiamente; sair à francesa.

saíra. [Do tupi *sa'i rã*, com desnasalação.] *S. f. Bras.* **1.** V. *saí*[2] (2). **2.** Tem-tem[2] (1).

saíra-amarela. *S. f. Bras.* V. *Tem-tem*[2] (1). [Pl.: *saíras-amarelas.*]

saíra-buraqueira. *S. f. Bras.* V. *saí-andorinha.* [Pl.: *saíras-buraqueiras.*]

sairaçu (a-i). [De *saíra* + *-açu.*] *S. f. Bras.* V. *saí-guaçu.*

saíra-de-sete-cores. *S. f. Bras.* V. *saí-de-sete-cores* [Pl.:

saíras-de-sete-cores.]

saíra-guaçu. [De *saíra* + *-guaçu.*] *S. f. Bras.* V. *saí-guaçu.* [Pl.: *saíras-guaçus.*]

saíra-militar. *S. f. Bras.* V. *saí-militar.* [Pl.: *saíras-militares.*]

sairara (a-i). *S. m. Bras.* V. *caiarara.*

saíra-sete-cores. *S. f. Bras.* V. *saí-de-sete-cores.* [Pl.: *saíras-sete-cores.*]

saíra-verde. *S. f. Bras.* Saí-verde. [Pl.: *saíras-verdes.*]

saíra-vermelha. *S. f. Bras.* V. *sanhaço-de-fogo.* [Pl.: *saíras-vermelhas.*]

sairé (a-i). [Do tupi *sai'ré.*] *S. m. Bras., AM* e *PA.* **1.** Dança e canto dos tapuios: "Dir-se-ia .... algum pobre tapuio louco que se ensaiasse para o religioso *sairé*, dançando ao som de instrumentos imaginários." (Inglês de Sousa, *O Missionário,* p. 247.) **2.** Espécie de andor que consiste num semicírculo de madeira, sobre o qual se apóiam dois semicírculos menores, encimados por uma cruz. **3.** *P. ext.* Festa popular durante a qual esse instrumento era carregado em procissão só de mulheres.

sairuçu (a-i). *S. m. Bras.* V. *sanhaço-frade.*

sais. [Pl. de *sul.*] *S. m. pl.* Substâncias voláteis dadas a pessoas desfalecidas para aspirarem e voltarem a si. ~ V. *sal.*

saí-sapucaia. *S. f. Bras.* V. *saí-guaçu.* [Pl.: *saís-sapucaias.*]

saitauá. (a-i). [Do tupi *sa'i ta'wá,* 'saí amarelo'.] *S. m. Bras., Amaz.* Caiarara-branco.

saivá (a-i). *S. m. Bras., SP.* Capoeira ou mato ralo; vassoural.

saí-verde. *S. m. Bras.* Ave passeriforme, da família dos traupídeos (*Tangara desmaresti* (Vieil.)), da faixa litorânea do Brasil este-meridional, coloração verde com manchas negras no dorso, fronte e mancha na garganta pretas, pescoço anterior amarelo, lado ventral amarelo-esverdeado. Freqüenta matas e alimenta-se de frutas. [Sin.: *saíra-verde.* Pl.: *saís-verdes.*]

saixê (a-i). [Do tupi.] *S. m. Bras.* V. *sai*[2] (2).

sajaria. *S. f. Ant.* V. *sagez.*

sajene. [Do russo *sazhen,* atr. do fr. *sagène.*] *S. f.* Medida russa de comprimento, equivalente a 2 m e 13 centímetros.

sajica. [Do tupi *sai'ïka.*] *Adj. 2 g. Bras., AM.* **1.** Forte, rijo. **2.** De fibra rija ou robusta.

sal. [Do lat. *sale.*] *S. m.* **1.** *Quím.* Substância que se forma na interação entre um ácido e uma base. **2.** *Quím.* Cloreto de sódio, cristalino, branco, usado na alimentação; sal de cozinha. [Fórm.: NaCl.] **3.** *Fig.* Graça, espírito, vivacidade: *É um rapaz apagado, completamente sem sal.* **4.** Malícia espirituosa; pilhéria, chiste: *Suas histórias fazem rir, têm sempre muito sal.* ~V. *sais.* ◆ **Sal ácido.** *Quím.* Sal que ainda tem um hidrogênio ácido em sua molécula. **Sal amargo.** *Quím.* Sulfato de magnésio heptaidratado, cristalino, incolor; sal de Epsom. [Fórm.: $Mg_2SO_4.7H_2O$.] **Sal amoníaco.** *Quím.* Cloreto de amônio cristalino, branco. [Fórm.: NH_4Cl.] **Sal ático.** Estilo apurado, como o dos atenienses. **Sal básico.** *Quím.* Sal que contém hidroxilas na sua molécula. **Sal cuproso.** Designação comum aos sais em que o cobre figura com a menor valência. **Sal curado. 1.** Sal marinho totalmente desidratado. **2.** Maneira sutil e delicada de pensar e de exprimir-se; graça fina e delicada. **Sal de cozinha.** Sal (2). **Sal de Epsom.** *Quím.* Sal amargo. **Sal de Glauber.** *Quím.* Sulfato de sódio decaidratado, cristalino, incolor. [Fórm.: $Na_2SO_410H_2O$.] **Sal de Mohr.** *Quím.* Sulfato duplo de ferro II e amônio hexaidratado, cristalino, esverdeado. [Fórm.: $(NH_4)_2SO_4.FeSO_4.6H_2O$.] **Sal de Rochelle.** *Quím.* Tartarato duplo de sódio e potássio, cristalino, rômbico, incolor; sal de Seignette. [Fórm.: $C_4H_4O_6Na$ $K.4H_2O$.] **Sal de Seignette.** *Quím.* Sal de Rochelle. **Sal duplo.** *Quím.* Sal que tem pelo menos dois catíons ou dois aníons, mas que não forma íons complexos em solução. **Sal fino.** Sal moído e refinado para melhor utilização doméstica. **Sal grosso.** Sal não refinado, tal como sai das salinas.

sala. [Do ant. alto-al. *sal,* moderno *Saal,* 'espaço principal no burgo', atr. do provenç. *sala.*] *S. f.* **1.** O compartimento principal duma casa, dum apartamento. **2.** O compartimento onde se fazem as refeições ou se recebem as visitas. **3.** Qualquer compartimento, mais ou menos amplo, duma casa, dum apartamento. **4.** Conjunto dos móveis e da decoração de uma sala: *sala colonial.* **5.** Compartimento vasto, num edifício aberto ao público: *sala de conferências; salas de aula; as salas de um museu.* **6.** Recinto apropriado para o exercício de alguma função: *consultório com três salas; sala de audiências.* [Dim. irreg.: *saleta.*] **7.** Local onde um artista, uma orquestra, uma companhia teatral, etc., se apresenta ao público; sala de espetáculo: *Sala Cecília Meireles* (no RJ). **8.** *Bras.* Sala de aula; classe: *Na minha sala há vários estudantes com mais de 30 anos; Essa matéria não foi dada em sala.* **9.** *Bras.* Os alunos que a freqüentam; classe, turma: *Toda a sala se retirou, em sinal de protesto.* **10.** *Bras., N.* O primeiro dos compartimentos de um curral-de-peixe [q. v.]. **11.** *Bras., N.* Parte da caiçara onde permanece o gado. ◆ **Sala de armas. 1.** Sala onde se guardam as armas, num quartel ou estabelecimento militar. **2.** Sala de recepção nos aquartelamentos militares, adornada com armaduras, panóplias, com armas, etc., e onde se realizam atos solenes. **3.** Sala destinada a exercícios de esgrima. **Sala de espera.** Compartimento qualquer onde se faz hora ou se aguarda o momento de ser atendido. **Sala de espetáculo.** Sala (7). **Sala de estar.** Peça da casa onde se reúnem a família e os amigos mais chegados. [Sin., ingl.: *living.*] **Sala de fora.** *Bras., SP.* Sala de visitas que geralmente fica sobre a rua: "Tem [a casa do sitiante remediado] .... sala de fora soalhada e algumas vezes até forrada." (Cornélio Pires, *Quem Conta um Conto...,* p. 137.) **Sala dos milagres.** *Bras.* Dependência de igreja onde se guardam e expõem ex-votos; casa dos milagres. **Fazer sala a. 1.** Receber e entreter (visitas): "precisava ir fazer sala às visitas .... Há quanto tempo estavam ali!" (Machado de Assis, *Quincas Borba,* p. 65). **2.** *Fig.* Fazer corte a; lisonjear.

salá. *S. f. Bras., N.E. Folcl.* Oração dos malês, rezada cinco vezes ao dia.

salabórdia. *S. f. Chulo.* Conversa insípida, acerca de coisas fúteis e sensabores.

salácia. *S. f. P. us.* V. *salacidade.*

salacidade. [Do lat. *salacitate.*] *S. f.* Qualidade de salaz; devassidão, libertinagem. [Sin., p. us.: *salácia.*]

salacíssimo. [Do lat. *salacissimu.*] *Adj.* Superl. abs. sint. de *salaz.*

salada. [Do fr. *salade.*] *S. f.* **1.** Prato que se serve frio, e preparado com verduras e legumes (crus ou cozidos), carne, peixe, ovos cozidos, etc., temperados com molho de azeite e vinagre, ou com outro molho apropriado. [As saladas podem ser simples, feitas com um só legume ou verdura, ou mistas, i. e., compostas de vários ingredientes.] **2.** *Fig.* Estado daquilo que foi moído, pisado, sovado. **3.** *Pop.* Confusão, embrulhada, trapalhada, mixórdia, mistifório, barafunda, salsada, salgalhada. ◆ **Salada de frutas.** Sobremesa feita de frutas cruas cortadas em pedacinhos embebidos em caldo de frutas, podendo ou não ser temperada com licor ou vinho. **Salada russa. 1.** Macedônia (1) de legumes picados e temperados com maionese. **2.** *Fig.* Mistura de coisas heterogêneas.

sala-de-dança. *S. m. Bras., BA. Pej.* Designação dada aos candomblés que não seguem a tradição africana. [Pl.: *salas-de-dança.*]

saladeira. *S. f.* Prato grande e fundo, ou espécie de travessa, onde se põe a salada que se vai servir.

saladeiril. [Do esp. plat. *saladeril.*] *Adj. 2 g. Bras., RS.* **1.** Que se dedica à indústria do charque. **2.** Referente a saladeiro.

saladeirista. [Do esp. plat. *saladerista.*] *S. m. Bras., RS.* Dono de saladeiro ou charqueada.

saladeiro. [Do esp. plat. *saladero.*] *S. m. Bras., RS.* V. *charqueada.*

sala-dois-quartos. *S. m. 2 n. Bras.* Sala-e-dois-quartos.

sala-e-dois-quartos. *S. m. 2 n. Bras.* Apartamento constituído de uma sala e dois quartos, às vezes com dependência para empregado(s); sala-dois-quartos: "procuram um sala-e-dois-quartos pela Zonal Sul, e estão horrorizados com os Cr$ 25,30 mil pedidos habitualmente" (Ana Maria Baiana, *Jornal do Brasil,* "Domingo", ano V, nº 242).

sala-e-quarto. *S. m. Bras.* Apartamento constituído apenas de sala e quarto: "Eu, dona daquilo, passava aquele apartamento nos cobres, comprava outro, menor que fosse, um sala-e-quarto, um quarto só, mas com janelas dando para a amplidão." (Elsie Lessa, *A Dama da Noite,* p. 3.) [Pl.: *salas-e-quartos* e *sala-e-quartos.*]

sala-e-três-quartos. *S. m. 2 n. Bras.* Apartamento constituído de uma sala e três quartos, em geral com dependência para empregado(s); sala-três-quartos.

salafra. *S. 2 g. Pop. Bras.* Der. regress. de *salafrário:* "Tu parece uma cebola, carnuda e sumarenta, boa de morder... Quem tem razão é o salafra do Vivaldo..." (Jorge Amado, *Dona Flor e Seus Dois Maridos,* p. 415).

salafrário. *S. m. Pop.* Homem ordinário, vil, patife, safardana: "A minha pobre filha única é abandonada pelo salafrário do marido" (Telmo Vergara, *Contos da Vida Breve,* p. 172).

salamaleque. [Do ár. *as-salam-'alaik,* 'a paz seja contigo'.] *S. m.* **1.** Saudação, entre os turcos. **2.** *Fig.* e *pop.* Cortesia, mesura ou cumprimento em que há exagero, afetação; rapapé, zumbaia. [Sin. ger.: salame.]

salamandra. [Do gr. *salamándra,* pelo lat. *salamandra.*] *S. f.* **1.** Animal anfíbio, da ordem dos urodelos (*Caudata*), provido de cauda na fase adulta, com um ou dois pares de patas, e que, segundo o ambiente onde vive, pode apresentar brânquias ou não. A única espécie existente no Brasil é a *Bolitoglossa amazonica,* da região amazônica. *S. m.* **2.** Operário que, nas fundições e nas regiões petrolíferas, penetra nas caldeiras quentes a fim de consertá-las ou enfrenta os incêndios dos poços de petróleo para os apagar.

salamandrídeo. [De *salamandra* + *-ídeo.*] *S. m.* **1.** Espécime dos salamandrídeos. ● *Adj.* **2.** Pertencente ou relativo a eles.

salamandrídeos. [Pl. de *salamandrídeo.*] *S. m. pl. Zool.* Família de anfíbios da subordem *Salamandroidea,* ordem *Urodela.* Ex.: salamandras da Europa, Ásia e América do Norte.

salamandrino. *S. m.* **1.** Espécime dos salamandrinos. ● *Adj.* **2.** Pertencente ou relativo a eles. [Sin. ger.: *mutabílio.*]

salamandrinos. *S. m. pl. Zool.* V. *mutabílios.*

salamanquense. *Adj. 2 g.* **1.** De, ou pertencente ou relativo a Salamanca (Espanha). ● *S. 2 g.* **2.** Natural ou habitante de Salamanca. [Sin. ger.: *salamanquino, salamanticense, salamântico, salmanticense, salmantino.*]

salamanquino. *Adj.* e *s. m.* V. *salamanquense.*

salamanta. [Alter. de *salamandra.*] *S. f. Bras.* Reptil ofídio, da família dos boídeos (*Epicrates cenchria* (L.)), de coloração geral castanha, com manchas negras ocelares nos flancos e comprimento de até 2 m. Alimenta-se de aves e doutros pequenos animais. [Sin.: *cobra-de-veado, guaçubóia, limpa-mato, jibóia-vermelha.*]

salamanticense. *Adj. 2 g.* e *s. 2 g.* V. *salamanquense.*

salamântico. *Adj.* e *s. m.* V. *salamanquense.*

salame[1]. [Do it. *salame.*] *S. m.* Enchido (3) de origem italiana feito de carne de porco picada, pequenos cubos de toucinho e pimenta em grãos, e que se come frio.

salame[2]. [Der. regress. de *salamaleque.*] *S. m.* Salamaleque.

salamim. *S. m.* Var. de *celamim:* "meio tostão de azeite, um salamim de arroz" (Visconde de Taunay, *Ao Entardecer,* p. 57).

salaminho. [Dim. de *salame*[1].] *S. m.* Variedade de salame[1] acondicionado em tripa fina e curta.

salão[1]. [De *sala* + *ão*[1], ou do it. *salone,* pelo fr. *salon,* língua esta em que, aliás, significa 'sala pequena'.] *S. m.* **1.** Grande sala. **2.** Exposição periódica ou anual, especialmente de obras de artistas plásticos, ou de novos modelos de diversas indústrias, etc.: *o salão de pintura de 1970; o salão de escultura da Bienal de São Paulo: o salão do automóvel; o salão náutico.* **3.** Certo tipo de estabelecimento comercial aberto ao público: *salão de chá; salão de beleza* [q. v.]. **4.** *Fig.* Reunião de pessoas de sociedade, artistas, intelectuais, etc. **5.** *Bras.* Barbearia (2) ou cabeleireiro (3). ◆ **Salão de beleza.** Estabelecimento comercial freqüentado, geralmente, por mulheres, especializado em tratamentos para aprimorar o aspecto físico, tais como, p. ex., limpeza de pele, massagens, banhos, trato dos cabelos; instituto de beleza. [Cf. *cabelereiro* (3).] **De salão.** Que não transgride determinados padrões ou convenções morais ou sociais; não escandaloso: *anedota de salão.* [Us., em geral, ironicamente.] **Limpar o salão.** *Bras. Fam.* e *pop.* Limpar o nariz com o dedo; minerar.

salão[2]. [Var. assimilada de *solão*[1].] *S. m.* **1.** Terreno arenoso ou barrento; solão. **2.** Fundo arenoso cheio de limo. **3.** *Bras.* Terreno impermeável por causa de uma camada pedregosa. **4.** *Bras., AM* e *AC.* Baixo de argila vermelha e dura, a qual, ruindo de uma escarpa talhada a pique sobre os rios, se deposita no leito destes, ocasionando problemas à navegação; torrão. **5.** *Bras., PE.* Fundo do mar, ou do rio, duro e de areia fina. **6.** *Bras., BA.* Terreno duro e que preserva a umidade por muito tempo. **7.** *Bras., PE.* Terra misturada de argila corada, e fertilíssima.

salariado[1]. [De *salário* + *-ado*[2].] *S. m.* Estado ou condição de salariado[2].

salariado[2]. [De *salário* + *-ado*[2].] *Adj.* e *s. m.* Assalariado.

salarial. *Adj. 2 g. Bras.* Relativo a salário: *regime salarial; política salarial.* ~ V. *piso* —.

salário. [Do lat. *salariu.*] *S. m.* **1.** Remuneração, normalmente em dinheiro, devida pelo empregador, em face do serviço do empregado; pagamento. **2.** *Restr.* Remuneração do trabalho prestado por operários horistas ou diaristas. **3.** Recompensa de serviços. **4.** Salário mínimo. ♦ **Salário mínimo.** Remuneração mínima do trabalhador, fixada por lei. [Cf. *salário-mínimo.* Tb. se diz apenas *salário.*] **Salário profissional.** Remuneração mínima, permitida em lei, para trabalhadores de certas categorias profissionais. **Décimo terceiro salário.** Remuneração extraordinária, equivalente a um salário mensal, que deve ser paga até dezembro.

salário-base. *S. m.* Entre categorias de trabalhadores mais categorizados e especializados, o menor salário. [Pl.: *salários-bases* e *salários-base.*]

salário-família. *S. m.* Remuneração adicional, variável em função do número de dependentes, à qual têm direito os trabalhadores de empresas privadas, públicas ou mistas. [Pl.: *salários-famílias* e *salários-família.*]

salário-hora. *S. m.* Salário que o empregado ganha por hora de trabalho. [Pl.: *salários-horas* e *salários-hora.*]

salário-mínimo. *S. m. Bras.* **1.** Trabalhador que ganha salário mínimo. **2.** *P. ext.* Trabalhador baixamente remunerado. [Pl.: *salários-mínimos.* Cf. *salário mínimo.*]

sala-três-quartos. *S. m. 2 n. Bras.* Sala-e-três-quartos.

salaz. [Do lat. *salace.*] *Adj. 2 g.* Impudico, luxurioso, libertino, devasso: *É um velhinho salaz, imoral;* "Pouco lias, / e só por moda as mais das vezes: / ligeiras ou salazes fantasias, / e vagos folhetins franceses..." (Carlos Magalhães de Azeredo, *Vida e Sonho,* p. 211). [Superl. abs. sint.: *salacíssimo.*]

salazarismo. *S. m.* **1.** Pensamento ou ação política de Antônio de Oliveira Salazar, estadista português (1889-1970). **2.** O regime implantado em Portugal por esse estadista. **3.** Adesão ao salazarismo ou simpatia por ele.

salazarista. *Adj. 2 g.* **1.** Relativo ao, ou próprio do salazarismo. **2.** Que é partidário do salazarismo (1 e 2). ● *S. 2 g.* **3.** Partidário do salazarismo (1 e 2).

salbanda. [Do al. *Sahlband,* 'orla, limite'.] *S. f. Geol.* Região de contato, de espessura variável, entre um veeiro ou dique e a rocha encaixante.

salça-proa. *S. f. Constr. Nav.* Proa em que a roda-de-proa é côncava e cujo pé avança mais do que o bico de proa. [Pl.: *salça-proas.*]

salchicha. *S. f.* Var. assimilada de *salsicha* [q. v.].

salchichão. *S. m.* Var. assimilada de *salsichão.*

salchicharia. *S. f.* Var. assimilada de *salsicharia.*

salchicheiro. *S. m.* Var. assimilada de *salsicheiro.*

saldado. [Part. de *saldar.*] *Adj.* Quitado, quite, pago, liquidado; saldo.

saldador (ô). *Adj.* e *s. m.* Que, ou aquele que salda.

saldar. [Do it. *saldare.*] *V. t. d.* **1.** Pagar o saldo de. **2.** Ajustar, verificar; liquidar; solver (contas): "vendera a casa para saldar dívidas" (Machado de Assis, *Várias Histórias,* p. 70). [Part.: *saldado* e *saldo.*]

saldo[1]. [Do it. *saldo.*] *S. m.* **1.** Diferença entre o débito e o crédito, nas contas de devedores com credores. **2.** Diferença entre o ativo e o passivo dum patrimônio. **3.** Quantia necessária para equilibrar a receita com a despesa. **4.** Quantia que resta pagar ou receber. **5.** Resto[1] (2). **6.** Resto do estoque de certa mercadoria vendida com desconto pelos negociantes. **7.** Resultado, conseqüência: *A brincadeira acabou em conflito, envolvendo todo o mundo, e o saldo foi um morto e dois feridos.* **8.** *Fig.* Desforra, vingança, desforço. ♦ **Saldo médio.** Em contabilidade bancária, a média do(s) saldo(s) em um dado tempo: *Este banco tem o maior saldo médio diário da praça; O saldo médio mensal deste cliente faculta-lhe qualquer tipo de negócio com o banco.*

saldo[2]. [Part. de *saldar.*] *Adj.* V. *saldado.*

saldunes. [Do celta, atr. do lat. *soldurios,* 'amigos fiéis, dedicados'.] *S. m. pl.* Aqueles que, entre os gauleses, prestavam juramento de eterna amizade, marchando para os combates atados por correntes, pois que nem a morte deveria separá-los.

saleiro[1]. *Adj.* **1.** Concernente a sal. **2.** *Bras., RS.* Diz-se do gado habituado a comer sal. ● *S. m.* **3.** Fabricante ou vendedor de sal. **4.** Recipiente para sal. **5.** Local onde se põe sal para o gado. **6.** *Bras., RS.* Terreno em cujo solo abundam princípios salinos.

saleiro[2]. *S. m.* A ponta dos galhos do veado, quando estes surgem.

salema. [Do ár. *hallama.*] *S. f. Bras.* **1.** Peixe teleósteo, percomorfo, da família dos pomadasídeos (*Anisotremus virginicus* (L.)), da costa atlântica, desde a Flórida até SC, de coloração cinéreo-azulada com faixas longitudinais amarelas, cabeça com estrias pretas, nadadeiras amarelas, exceto a parte espinhosa da dorsal, que é escura, e cujo comprimento chega a 30 cm. Sua pesca é feita com redes e arrastões. **2.** V. *canhanha* (2).

salense. *Adj. 2 g.* **1.** De, ou pertencente ou relativo a Sales de Oliveira (SP). ● *S. 2 g.* **2.** Natural ou habitante de Sales de Oliveira.

sal-e-pimenta. *Adj. 2 g.* e *2 n.* Diz-se de tecido tramado com fios pretos, brancos e cinzentos; pólvora-com-farinha. [Cf. *salpimenta.*]

salepo. [Do ár. *sahleb,* atr. do fr. *salep.*] *S. m.* **1.** Designação comum a várias orquídeas da Europa e Ásia, cujos tubérculos, translúcidos e de consistência semelhante à da carne, fornecem, se tratados pela água quente, um líquido turvo e acinzentado, rico em mucilagem, que é usado no tratamento da diarréia; satírio, satirião. **2.** A substância que se extrai dos tubérculos do salepo (1).

salernitano. [Do lat. *salernitanu.*] *Adj.* **1.** De, ou pertencente ou relativo a Salerno (Itália). ● *S. m.* **2.** O natural ou habitante de Salerno.

salesiano. [Do antr. *Sales* + *-i-* + *-ano.*] *Adj.* Pertencente ou relativo à congregação salesiana, também chamada *Sociedade de S. Francisco de Sales,* fundada por S. João Bosco em Turim, em 1859, e que se destina à educação de jovens.

salesopolitano. *Adj.* **1.** De, ou pertencente ou relativo a Salesópolis (SP). ● *S. m.* **2.** O natural ou habitante de Salesópolis.

saleta (ê). *S. f.* Pequena sala.

salga. [Dev. de *salgar.*] *S. f.* **1.** Ato de salgar; salgação, salgadura. **2.** *Bras., RS.* Local onde se faz a salga, na charqueada.

salgação. *S. f.* **1.** V. *salga* (1). **2.** V. *bruxaria* (1 e 2).

salgadeira. *S. f.* **1.** Vasilha ou lugar onde se salga carne, peixe, etc. **2.** *Bot.* Erva da família das quenopodiáceas (*Atriplex halimus*), indígena do Mediterrâneo e da África do Sul, de folhagem acinzentada, flores purpúreas, unissexuais, arrumadas em espigas apertadas, e que se usa como forragem e para cercas vivas.

salgadense. *Adj. 2 g.* **1.** De, ou pertencente ou relativo a Salgado (SE). ● *S. 2 g.* **2.** Natural ou habitante de Salgado.

salgadinhos. *S. m. pl. Bras.* Iguarias miúdas, de paladar mais ou menos salgado, tais como canapés, croquetes, empadinhas, bolinhos de bacalhau, etc., servidas, em geral, como aperitivo ou em reuniões festivas.

salgadio. [De *salgado* + *-io[2].*] *Adj.* e *s. m.* Que ou terreno que tem qualidades salinas.

salgado. [Part. de *salgar.*] *Adj.* **1.** Que tem sal. **2.** Que tem excesso de sal. **3.** Conservado em sal: *carnes salgadas.* **4.** *Fig.* Chistoso, malicioso, picante. **5.** Diz-se de preço elevado, acima do normal: *O preço deste carro está salgado.* ~ *V. banho — e salgados.* ● *S. m.* **6.** Designação comum a certas partes da carne do porco. (como, p. ex., o pernil, o lombo) sujeitas à salga e à defumação. [Cf., nesta acepç., *salsicharia.*]

salgador (ô). *Adj.* e *s. m.* Que ou aquele que salga.

salgados. [Pl. substantivado do adj. *salgado.*] *S. m. pl.* Terrenos quase estéreis à beira-mar. ~ V. *salgado.*

salgadura. *S. f.* V. *salga* (1).

salgalhada. [De *salgar.*] *S. f. Pop.* V. *salada* (3).

salgamento. [De *salgar* + *-mento.*] *S. m. Bras. Mar. G.* Contaminação da água destilada (para uso de caldeiras, etc.) ou da água doce (para beber, para banho, etc.) por água do mar, em conseqüência de vazamentos, mau funcionamento do grupo destilatório, etc.

salgar. [Do lat. vulg. **salicare.*] *V. t. d.* **1.** Temperar com sal. **2.** Conservar em sal: "Seu Quincas salgava os peixes e guardava em salmoura especial as ovas de tainha" (Raul Bopp, *Putirum,* p. 215). **3.** Impregnar de sal; deitar muito sal em: *A cozinheira, distraída, salgou o refogado.* **4.** Fazer feitiço contra (alguém) espalhando sal à porta de sua casa. **5.** *Fig.* Tornar mais intenso, mais veemente: *A distância salgava ainda mais a sua paixão. P.* **6.** Impregnar-se de sal [Conjug.: v. *largar.*]

sal-gema. [De *sal* + *gema.*] *S. m. Min.* Mineral monométrico, cloreto de sódio, empregado em culinária como tempero, e na fabricação do carbonato de sódio; halito. [Pl.: *sais-gemas.*]

salgo. *Adj. Bras., S.* Diz-se do eqüídeo que tem o(s) olho(s) gázeo(s).

salgueiral. *S. m.* Quantidade mais ou menos considerável de salgueiros dispostos proximamente entre si; sinceiral.

salgueirense[1]. *Adj. 2 g.* **1.** De, ou pertencente ou relativo a Salgueiro (PE). ● *S. 2 g.* **2.** Natural ou habitante de Salgueiro.

salgueirense[2]. *Adj. 2 g. Bras., RJ.* **1.** Pertencente ou relativo à Escola de Samba Acadêmicos do Salgueiro. **2.** Que é membro ou grande admirador dessa escola de samba. ● *S. 2 g.* **3.** Membro ou grande admirador dela.

salgueirinha. *S. f.* Erva da família das litráceas (*Lythrum salicaria*), polimorfa, oriunda da Europa, de folhas ovado-lanceoladas e pequenas, flores violáceas, solitárias nas axilas superiores das folhas, e frutos capsulares, com dois lóculos e muitas sementes.

salgueiro[1]. [Do lat. **salicariu.*] *S. m.* Designação comum a várias espécies do gênero *Salix,* da família das salicáceas, de folhas delgadas, longos ramos pendentes, flores inconspícuas, dispostas em espigas cilíndricas, e que são cultivadas por seu valor ornamental; chorão, sinceiro, vime, vimeiro.

salgueiro[2]. [De *salg(ado)* + *-eiro?*] *S. m. Bras. Gír.* Refeição; comida.

salgueiro-chorão. *S. m.* V. *chorão-salgueiro.* [Pl.: *salgueiros-chorões.*]

salgueiro-da-babilônia. *S. m.* V. *chorão-salgueiro.* [Pl.: *salgueiros-da-babilônia.*]

salgueiro-do-rio. *S. m.* Arvoreta de 3 a 6 m, da família das salicáceas (*Salix martiana*), que vive nas margens do rio Amazonas e ilhas fluviais, tem folhas longas, lineares e serradas, flores pequeninas e agrupadas em espigas pendentes, unissexuais, e cujo fruto é uma cápsula mínima com sementes pilosas; avirama, ourana. [Pl.: *salgueiros-do-rio.*]

▲**sali-.** [Do lat. *sal, salis.*] *El. comp.* ='sal': *salicultura, salífero.*

salicácea. *S. f.* Espécime das salicáceas.

salicáceas. *S. f. pl. Bot.* Família de plantas floríferas, da ordem das salicales, composta de arbustos e árvores dióicos, com folhas estipuladas e flores inconspícuas, as quais se ordenam em amentos. Engloba só os gêneros *Populus* e *Salix,* com umas 200 espécies, que vivem nas terras temperadas no hemisfério boreal, e das quais há no Brasil apenas uma.

salicáceo. *Adj.* Pertencente ou relativo às salicáceas.

salicale. *S. f.* Espécime das salicales.

salicales. *S. f. pl. Bot.* Ordem de dicotiledôneas arquiclamídeas, de flores nuas e unissexuais, que compreende unicamente a família das salicáceas.

▲**salic(i)-.** [Do lat. *salix, icis.*] *El. comp.* = 'salgueiro': *salicíneo, salicícola.*

salicícola. [De *salic(i)-* + *-cola.*] *Adj. 2 g.* Que vive nos salgueiros.

salicifoliado. [De *salic(i)-* + *-foli-* + *-ado[1].*] *Adj. Bot.* Que tem folhas semelhantes às do salgueiro.

salicilato. [De *salic(i)-* + *-ato[3].*] *S. m. Quím.* Éster ou sal do ácido salicílico.

salicílico. [De *salic(i)-* + gr. *hyle,* 'madeira', + *-ico[2].*] *Adj.* ~ V. *ácido —.*

salicinácea. *S. f.* Espécime das salicináceas.

salicináceas. *S. f. pl. Bot.* Grupo de plantas da família das salicáceas.

salicináceo. *Adj.* Pertencente ou relativo às salicináceas.

salicíneo. [De *salic(i)-* + *-ino-[1]* + *-eo.*] *Adj.* Referente ou semelhante ao salgueiro.

salicívoro. [De *salic(i)-* + *-voro.*] *Adj.* Diz-se do animal que come flores ou folhas de salgueiro.

sálico[1]. [Do lat. tardio *salicu.*] *Adj.* Sálio[2]. ~ V. *lei —a.*

sálico[2]. [Da 1ª letra de *sílica* e das duas primeiras de *alumina* + *-ico[2].*] *Adj. Geol.* Diz-se dos minerais silicaluminosos da norma (6), i. e., daqueles que figuram na composição mineralógica hipotética das rochas magmáticas. [Cf. *fêmico.*]

salícola. [De *sali-* + *-cola.*] *Adj. 2 g.* **1.** Que trata da cultura das salinas. **2.** Que produz sal.

salicultura. [De *sali-* + *cultura.*] *S. f.* **1.** Cultura ou exploração de salinas. **2.** Produção artificial do sal.

saliência. [Do lat. *salientia.*] *S. f.* **1.** Qualidade de saliente. **2.** Proeminência, ressalto. [Antôn. (com referência a coisas): *reentrância.*] **3.** *Bras. Fam.* Espevitamento, assanhamento, enxerimento.

saliêncio. *S. m.* e *adj.* V. *anuro.*

saliêncios. *S. m. pl. Zool.* V. *anuros.*

salientar. *V. t. d.* **1.** Tornar saliente. **2.** Tornar bem visível ou distinto. **P. 3.** Tornar-se saliente ou notável; evidenciar-se, distinguir-se, sobressair.

saliente. [Do lat. *saliente,* 'que salta, que sobressai'.] *Adj. 2 g.* **1.** Que avança ou sai para fora do plano a que está unido; que sobressai ou ressalta. **2.** *Fig.* Que é objeto de reparo; que dá nas vistas; claro, evidente, notável. **3.** *Fig.* Importante, valioso, fundamental. **4.** *Bras.* Espevitado, assanhado, saído: *Muito saliente, namora todas as moças.* ● *S. m.* **5.** A parte mais avançada de uma obra de fortificação de um entrincheiramento ou linha de entricheiramento. ● *S. 2 g.* **6.** Pessoa saliente (4).

salífero. [De *sali-* + *-fero.*] Que tem ou produz sal.

salificação. [De *salificar* + *-ção.*] *S. f.* Formação de um sal.

salificar. [De *sali-* + *-ficar.*] *V. t. d.* **1.** Tratar (um ácido) por uma base. **2.** Transformar (uma substância) em sal.

[Conjug.: v. *trancar.*]

salificável. *Adj. 2 g.* Que pode ser salificado; salinável.

salimancia (cí). [De *sali-* + *-mancia.*] *S. f.* Adivinhação que consiste em derramar sal sobre uma mesa e interpretar a forma e a direção das figuras formadas pelas parcelas.

salimante. [De *sali-* + *-mante.*] *S. 2 g.* Pessoa que pratica a salimancia.

salimântico. *Adj.* Relativo à salimancia, ou a salimante.

salina. [Do lat. *salina.*] *S. f.* **1.** Praia extensa e plana, ou terreno exposto ao vento, para onde se conduz e represa a água do mar a fim de que se evapore, deixando o sal, que é amontoado, curtido devidamente e ensacado para o comércio; marinha. **2.** *P. ext.* A empresa industrial que explora a salina (1). **3.** Monte de sal. **4.** *Fig.* Coisa muito salgada.

salinação. [De *salinar* + *-ção.*] *S. f.* **1.** Operação consistente em evaporar a água da salina para fazer o sal depositar-se. **2.** Formação natural do sal. [Sin. ger.: *salinagem.*]

salinagem. [De *salinar* + *-agem*[2].] *S. f.* Salinação.

salinar. [De *salina* + *-ar*[2].] *V. t. d.* Fazer a salinação de (a safra do sal).

salinável. *Adj. 2 g.* Salificável.

salineiro. [Do lat. *salinariu.*] *Adj.* **1.** Relativo a sal ou a salina. ● *S. m.* **2.** Aquele que fabrica, empilha ou vende o sal.

salinense. *Adj. 2 g.* **1.** De, ou pertencente ou relativo a Salinas (MG). ● *S. 2 g.* **2.** Natural ou habitante de Salinas.

salinidade. *S. f.* **1.** Qualidade de salino. **2.** Teor de substâncias salinas em um líquido. **3.** Concentração de sais mineiras dissolvidos nas águas marinhas. Exprime-se em partes por mil (%o).]

salinização. *S. f.* Ato ou efeito de salinizar(-se): "A crescente salinização do solo das margens e do delta do Nilo revelou ser uma conseqüência imprevista da construção da represa de Assuã e séria ameaça para a agricultura egípcia." (*Informativo*, setembro/1980, p. 64.)

salinizado. [Part. de *salinizar.*] *Adj.* Em que houve salinização.

salinizar. [De *salino* + *-izar.*] *V. t. d.* e *p.* Tornar(-se) salino.

salino. [Do lat. *salinu.*] *Adj.* **1.** Que contém sal, ou é da natureza do sal, ou próprio dele: "Oh! aquela carne rija, sangrenta, ainda viva, que exala um cheiro tão fresco e salino!" (Eça de Queirós, *Contos*, p. 180.) **2.** Que nasceu à beira-mar. **3.** *Bras., RS.* Diz-se do eqüídeo ou vacum de pêlo salpicado de pintas brancas, pretas ou vermelhas: "ele na frente, montado num tordilho salino, ressoalhador." (Simões Lopes Neto, *Contos Gauchescos e Lendas do Sul*, p. 202). ~ V. *óxido* —.

salinometria. *S. f.* Emprego do salinômetro.

salinométrico. *Adj.* Relativo à salinometria.

salinômetro. [De *salino* + *metro.*] *S. m.* Aerômetro que registra a concentração salina de uma solução.

salinopolitano. *Adj.* **1.** De, ou pertencente ou relativo a Salinópolis (PA). ● *S. m.* **2.** O natural ou habitante de Salinópolis.

sálio[1]. [Do lat. *saliu.*] *S. m.* **1.** Cada um dos doze sacerdotes de Marte encarregados da guarda dos escudos sagrados que protegiam a Roma antiga. ● *Adj.* **2.** Relativo a esses sacerdotes.

sálio[2]. *S. m.* **1.** Indivíduo dos sálios, tribo de francos que vivia primitivamente nas margens do Issel. ● *Adj.* **2.** Pertencente ou relativo a essa tribo; sálico.

salitração. *S. f.* Ato ou efeito de salitrar; salitrização.

salitrado. [Part. de *salitrar.*] *Adj.* Que contém ou foi impregnado de salitre: "Que belo seria poder ficar uma hora à beira-mar, ... sentindo a aragem salitrada ....!" (Coelho Neto, *A Conquista*, p. 48.)

salitral. [De *salitre* + *-al.*] *S. m.* Nitreira.

salitrar. *V. t. d.* **1.** Transformar em salitre. **2.** Misturar ou preparar com salitre. [Sin. ger.: *salitrizar.*]

salitraria. *S. f.* Fábrica de refinação de salitre.

salitre. [Do lat. **salnitru.*] *S. m.* O nitrato de potássio; nitro. ♦ **Salitre do Chile.** O nitrato de sódio extraído das grandes jazidas naturais dos Andes (Chile) e utilizado como adubo nitrogenado mais facilmente assimilável pelas plantas.

salitreira. *S. f.* Jazida de salitre.

salitreiro. *Adj.* e *s. m.* Que ou aquele que extrai o salitre.

salitrização. *S. f.* Ato ou efeito de salitrizar; salitração.

salitrizar. *V. t. d.* Salitrar.

salitroso (ô). *Adj.* Que encerra salitre, ou é da natureza dele.

saliva. [Do lat. *saliva.*] *S. f.* Líquido transparente e insípido segregado pelas glândulas salivares, e que serve para fluidificar os alimentos e facilitar sua ingestão e digestão; cuspo.

salivação. [Do lat. *salivatione.*] *S. f.* Ato ou efeito de salivar[2].

salival. [De *saliva* + *-al.*] *Adj. 2 g.* Salivar[1] (1).

salivante. [Do lat. *salivante.*] *Adj. 2 g.* V. *salivar*[1] *(2).*

salivar[1]. [De *saliva* + *-ar*[1].] *Adj. 2 g.* **1.** Referente à saliva; salival. **2.** Que produz saliva; salivante. ~ V. *glândula* —.

salivar[2]. [Do lat. *salivare.*] *V. int.* **1.** Expelir saliva; cuspir: "mascava o seu tabaco forte, salivando a miúdo." (Inglês de Sousa, *O Missionário*, p. 376). *T. d.* **2.** Expelir à maneira de saliva. **3.** Molhar com saliva: "sacou do bolso um pedaço de fumo de rolo, um canivete, um maço de palhas de milho; escolheu uma das palhas, salivou-a com a língua como a um selo" (João Alphonsus, *Totônio Pacheco*, p. 107).

salivoso (ô). [Do lat. *salivosu.*] *Adj.* **1.** Que contém saliva, ou é cheio dela. **2.** Semelhante à saliva, ou que tem as suas propriedades.

salmanticense. [Do lat. *salmanticense.*] *Adj. 2 g.* e *s. 2 g.* V. *salamanquense.* ~ V. *salmanticenses.*

salmanticenses. [Pl. de *salmanticense.*] *S. m. pl.* Teólogos e filósofos dominicanos da Universidade de Salamanca, famosos comentadores dos escritos de S. Tomás de Aquino. ~ V. *salmanticense.*

salmantino. [Do esp. *salmantino.*] *Adj.* e *s. m.* V. *salamanquense.*

salmão[1]. [Do lat. *salmone.*] *S. m.* **1.** Peixe da família dos salmônidas (*Salmo salar* Lin.), peculiar aos mares europeus, e de carne saborosíssima. **2.** A cor avermelhada do salmão. ● *Adj. 2 g.* e *2 n.* **3.** Que tem essa cor: *saia salmão; vestidos salmão.* **4.** Diz-se dessa cor: *Aprecio a cor salmão.*

salmão[2]. [Var. de *signo-de-salomão.*] *S. m.* V. *estrela-de-davi.*

salmão-pequeno. [De *salmão*[1] + *pequeno.*] *S. m. Bras.* V. *salmonete.* [Pl.: *salmões-pequenos.*]

salmear. [De *salmo* + *-ear.*] *V. t. d.* e *int.* Salmodiar: "um sacerdote templário .... salmeava em voz baixa aquelas palavras do livro da Sabedoria" (Alexandre Herculano, *Lendas e Narrativas*, II, p. 102). [Conjug.: v. *frear.*]

sálmico. [Do gr. *psalmikós.*] *Adj.* Referente ou semelhante a salmo.

salmilhado. [De *sal* + *milho* + *-ado*[1].] *Adj. Bras.* Salpicado de branco e de amarelo; mosqueado, sarapintado, pintalgado. [Var.: *samilhado.*]

salmista. [Do gr. *psalmistés*, pelo lat. *psalmista.*] *S. 2 g.* **1.** Pessoa que compõe salmos. **2.** Designação comum aos autores dos salmos bíblicos, entre os quais, provavelmente, o rei Davi.

salmo. [Do gr. *psalmós*, pelo lat. *psalmu.*] *S. m.* **1.** *Mús.* Entre os antigos hebreus, poema religioso para ser acompanhado por qualquer instrumento, de cordas ou de sopro. **2.** *Rel.* Oração em gênero poético, caracterizada por duplo ritmo, o das palavras e o das idéias, para ser acompanhada pelo saltério. **3.** *Rel.* Cada um dos 150 poemas líricos do Antigo Testamento, primitivamente escritos em hebraico por autores diversos, mas atribuídos, na maioria, ao rei Davi (1015-975 a.C.?), e que eram cantados nos ofícios divinos do templo de Jerusalém, e depois foram aceitos pelas Igrejas cristãs como parte de sua liturgia: "ao reboar o templo com as harmonias dos cânticos e salmos, com as vibrações dos sons do órgão" (Alexandre Herculano, *O Bobo*, p. 29). ~ V. *salmos.*

salmodia. [Do gr. *psalmodía*, pelo lat. *psalmodia.*] *S. f.* **1.** Modo de cantar ou recitar salmos. **2.** *P. ext.* Monotonia no ler, recitar ou declamar. **3.** *Fig.* Estilo literário monótono, sem variedade. [Var. pros.: *salmódia.* Cf. *salmodia*, do v. *salmodiar.*]

salmódia. *S. f.* Salmodia [q. v.]. [Cf. *salmodia*, do v. *salmodiar.* e s. f.]

salmodiar. [De *salmodia* + *-ar*[2].] *V. t. d.* **1.** Cantar em tom uniforme, com pausas iguais e sem inflexão de voz. **2.** Cantar tristemente. *Int.* **3.** Entoar salmos sem inflexão de voz. **4.** Cantar, ler ou recitar monotonamente. **5.** Ter estilo monótono. [Sin. ger.: *salmear.* Pres. ind.: *salmodio, salmodias, salmodia*, etc. Cf. *salmódia.*]

salmoeira. *S. f. P. us. no Brasil.* V. *salmoura.*

salmoeiro. *S. m.* Vasilha para a salmoura.

salmoira. *S. f.* V. *salmoura.*

salmoirão. *S. m.* V. *salmourão.*

salmoirar. *V. t. d.* V. *salmourar.*

salmonado. [De *salmão* + *-ado*[1].] *Adj. Zool.* Cuja carne é avermelhada como a do salmão.

salmonejo (ê). [De *salmão* + *-ejo.*] *Adj.* **1.** Salmonídeo. ● *S. m.* **2.** *Bras.* V. *salmonete.*

salmonela. [Do lat. mod. *salmonella.*] *S. f. Patol.* Gênero de bactérias entéricas do homem e dos animais, o qual conta perto de mil sorotipos relacionados bioquimicamente. [Entre as salmonelas estão os agentes da febre tifóide (*S. typhi*), da febre paratifóide (bacilos paratíficos A, B e C), de gastrenterites, etc., assim como germes causadores de doenças de interesse veterinário, como a diarréia branca dos pintos (*S. pullorum*).]

salmonelíase. [De *salmonela* + *-i-* + *-ase*[1].] *S. f. Patol.* Salmonelose.

salmonelose. [De *salmonela* + *-ose.*] *S. f. Patol.* Infecção por salmonela; salmonelíase.

salmonete (ê). [De *salmão* + *-ete.*] *S. m.* Peixe teleósteo, percomorfo, da família dos mulídeos (*Mullus surmuletus* L.), do Atlântico, de coloração rósea viva, com três estrias longitudinais amarelas, uma barba negra no ápice da nadadeira dorsal, e comprimento de até 20 cm. É peixe de fundo; raro nos mercados [Sin.: *salmão-pequeno, salmonejo, trilha, pirametara.*]

salmônida. *Adj. 2 g.* e *s. m.* V. *salmonídeo* (2 e 3).

salmônidas. *S. m. pl. Zool.* V. *salmonídeos.*

salmonídeo. [De *salmão* + *-ídeo.*] *Adj.* **1.** Relativo ou semelhante ao salmão; salmonejo. **2.** Pertencente ou relativo aos salmonídeos. ● *S. m.* **3.** Espécime dos salmonídeos.

salmonídeos. *S. m. pl. Zool.* Família de peixes actinopterígios, marinhos, que compreendem seis gêneros: *Salmo* (o salmão do Oceano Atlântico e as trutas); *Onchorhyncus* (o salmão do Oceano Pacífico); *Salvelinus, Hucho, Cristi vomer* (as trutas dos Grandes Lagos, na América do Norte); e *Brachymystas* (da Sibéria).

salmoperco. *S. m.* **1.** Espécime dos salmopercos. ● *Adj.* **2.** Pertencente ou relativo a eles.

salmopercos. *S. m. pl. Zool.* Animais da classe dos peixes, neopterígios, da ordem *Salmopercae*, cujas nadadeiras dorsal e anal são precedidas por um ou quatro espinhos. Ocorrem na América do Norte.

salmos. [Pl. de *salmo.*] *S. m. pl.* A coleção das 150 orações poéticas inseridas no cânon bíblico. ~ V. *salmo.*

salmoura. [Var. de *salmoira* < gr. *halmyris*, pelo lat. tardio *salemuria.*] *S. f.* **1.** Porção de água saturada de sal marinho usada para conservação de carnes, peixes, azeitonas, etc.: "Seu Quincas salgava os peixes e guardava em salmoura especial as ovas de tainha e placas de gurujuba" (Raul Bopp, *Putirum*, p. 215). **2.** Recipiente onde se conservam substâncias orgânicas, com a respectiva água salgada. **3.** Líquido que escorre da carne ou do peixe salgados.

salmourado. [Part. de *salmourar.*] *Adj.* Posto ou conservado em salmoura.

salmourão. [Var. de *salmoirão* < *salmoira* + *-ão*[1].] *S. m. Bras.* Solo resultante da decomposição parcial da mica e do feldspato. Este último se deposita junto a outros minerais residuais do solo original ou se acumula conjuntamente num manto de areia grossa e alvacenta. [Var.: *salmoirão.*]

salmourar. [Var. de *salmoirar* < *salmoira* + *-ar*[2]]. *V. t. d.* **1.** Pôr em salmoura: salgar. **2.** Moer, maltratar; pisar.

salobre (ô). *Adj. 2 g.* Var. de *salobro*: "Água de coco verde / Doce e salobre" (Joaquim Cardoso, *Poesias Completas*, p. 53).

salobro (ô). [De *sal.*] *Adj.* **1.** Que sabe um pouco a sal: "O próprio homem, quando a miséria é grande, assa-os [o mandacaru e outras cactáceas] às brasas e devora-lhes o miolo branco, salobro, fofo." (Gustavo Barroso, *Terra de Sol*, p. 13.) **2.** Diz-se da água de salinidade inferior à das águas oceânicas e que contém em dissolução alguns sais ou substâncias que a fazem desagradável: "uma água infamemente salobra, com uns longes de sal de ferro" (Id., *ib.*, p. 27). [F. paral.: *salobre.*]

saloiada. *S. f.* **1.** Multidão de saloios ou saloias. **2.** Saloiice.

saloiice. *S. f.* Ação própria de saloio; saloiada.

saloio. [Do ár. vulg. *çahroi*, 'habitante do deserto'.] *S. m.* **1.** Camponês das cercanias de Lisboa (Portugal). **2.** *Fig.* Indivíduo rústico, grosseiro; aldeão. **3.** Indivíduo finório, ardiloso, velhaco. ● *Adj.* **4.** Que é aldeão; grosseiro, rústico. **5.** Finório, velhaco.

salol. [De *sal(icilato)* + *(fen)ol.*] *S. m. Quím.* Salicilato de fenila, cristalino, incolor, usado em medicina. [Fórm.: $C_{13}H_{10}O_3$. Pl.: *salóis.*]

salomão. [Do antr. *Salomão* (v. *salomônico*).] *S. m.* Indivíduo que se tem por muito criterioso e vive a aconselhar.

salomônico. [Do antr. *Salomão* + *-ico*[2].] *Adj.* **1.** Pertencente ou relativo a Salomão, rei dos hebreus (1032-975 a. C.), considerado um governante sábio e criterioso: *justiça salomônica.* **2.** Das, ou pertencente ou relativo às Ilhas Salomão (arquipélago do Pacífico Sul). ~ V. *coluna —a.* ● *S. m.* **3.** O natural ou habitante das Ilhas Salomão.

saloneiro. [De *salão*[1] + *-eiro.*] *S. m. Bras.* Garçom de navio mercante.

salonicense. *Adj. 2 g.* **1.** De, ou pertencente ou relativo a Salonica (Grécia). ● *S. 2 g.* **2.** Natural ou habitante de Salonica.

salonismo. *S. m.* Prática de futebol de salão [q. v.].

salonista. Bras. *S. 2 g. Bras.* **1.** Jogador de futebol de salão. ● *Adj. 2 g.* **2.** Referente ao salonismo: "Paulo Jorge acredita em triunfo e na conquista do primeiro turno salonista na noite do próximo sábado." (*Jornal de Alagoas*, 20.8.1980.)

saloquinina. [De *sal(icilato)* + *-o-* + *quinina.*] *S. f. Quím.* Fenilsalicilato de quinina.

salossantol. [De *salo(l)* + *san*, de *sândalo*, + *-ol.*] *S. m.* Produto da dissolução do salol em essência de sândalo. [Pl.: *salossantóis.*]

salpa. [Do gr. *sálpe*, pelo lat. *salpa.*] *S. f.* Animal pelágico, de corpo transparente, do grupo dos tunicados; desmomiário.

salpicado. [Part. de *salpicar.*] *Adj.* **1.** Ligeiramente polvilhado de sal. **2.** *Fig.* Manchado com pingos ou salpicos. **3.** Entremeado, entressachado.

salpicador (ô). *Adj. e s. m.* Que ou aquele que salpica.

salpicadura. *S. f.* **1.** Ato ou efeito de salpicar; salpicamento. **2.** Salpico (1).

salpica-lamas. [De *salpicar* + *pl.* de *lama*[1].] *S. m. 2 n. Bras., S. Gír.* Moço de recados de um cartório.

salpicamento. *S. m.* Salpicadura (1).

salpicão. [Do esp. *salpicón.*] *S. m.* **1.** Paio ou chouriço grosso, preparado com lombo de porco ou presunto e temperado com sal, alho e, por vezes, vinho. **2.** *Bras.* Prato frio basicamente preparado com galinha desfiada, presunto, ou lombo cortados bem fino, misturados a um molho abundante feito com cebola, pimentão, cenoura (cortados em tirinhas), cheiro-verde e outros temperos regados com azeite e vinagre, e que se põe a macerar para apurar o sabor.

salpicar. [De *sal* + *picar.*] *V. t. d.* **1.** Salgar, temperar, espalhando gotas salgadas ou pedras de sal; salpresar: *salpicar a carne.* **2.** Manchar com pingos ou salpicos: *O automóvel, ao passar na lama, salpicou -lhe a roupa.* **3.** Fazer pintas variadas em; sarapintar. **4.** Espalhar manchas em; manchar. **5.** Macular, desacreditar, infamar: *O desfalque, embora pequeno, salpicou sua reputação.* **6.** Espalhar, polvilhar. *T. d. e i.* **7.** Dar cores diversas; matizar. **8.** Manchar, sujar: *O caminhão, ao passar, salpicou -o de lama.* **9.** Entremear, intervalar, entressachar: *Salpicou a conferência com citações de autores estrangeiros; Salpica de estrangeirismos os seus escritos.* [Conjug.: v. *trancar.*]

salpico. [Dev. de *salpicar.*] *S. m.* **1.** Pingo de lama que ressalta; salpicadura. **2.** Cada uma das pedras de sal usadas para salgar a carne ou o peixe. ~ V. *salpicos.*

salpicos. [Pl. de *salpico.*] *S. m. pl.* Pontinhos de cores ou de bordado, em diversos tecidos. ~ V. *salpico.*

sálpido. *S. m.* **1.** Espécime dos sálpidos. ● *Adj.* **2.** Pertencente ou relativo a eles.

sálpidos. *S. m. pl. Zool.* Animais cordados, taliáceos, ordem *Salpida*, corpo prismóide ou cilíndrico, bandas musculares incompletas embaixo, convergentes na parte superior, uma única abertura branquial no adulto. São transparentes quando vivos, e não têm larvas.

salpimenta. [De *sal* + *pimenta.*] *S. f.* **1.** Mistura de sal e pimenta.' ● *Adj. 2 g. e 2 n.* **2.** Branco e cinzento; grisalho. [Cf. *sal-e-pimenta.*]

salpimentar. [De *salpimenta* + *-ar*[2].] *V. t. d.* **1.** Temperar com sal e pimenta. **2.** *Fig.* Maltratar com palavras acres.

salpinge. [Do gr. *sálpigx*, 'trompa', pelo lat. *salpinge.*] *S. m.* **1.** *Anat.* V. *trompa de Falópio.* **2.** *Anat.* Trompa de Eustáquio. **3.** Entre os antigos gregos, trombeta cônica utilizada em cerimônias litúrgicas e nos exércitos.

salpingectomia. [De *salping(o)-* + *-ectom-* + *-ia.*] *S. f. Cir.* Ablação de salpinge (1).

salpingectômico. *Adj.* Relativo à salpingectomia.

salpíngico. *Adj. Anat.* Pertencente ou relativo a salpinge (1 e 2).

salpingite. [De *salpinge* + *-ite.*[1]] *S. f. Patol.* Inflamação de salpinge (1 e 2).

▲**salping(o)-.** [Do gr. *sálpigx, iggos.*] *El. comp.* = 'trompa': *salpingociese; salpingectomia.*

salpingociese. [De *salping(o)-* + *-ciese.*] *S. f. Patol.* Gravidez tubária ou em trompa de Falópio.

salpingoscopia. [De *salping(o)-* + *-scop-* + *-ia.*] *S. f. Med.* Inspeção de trompa de Eustáquio.

salpingoscópico. *Adj.* Relativo à salpingoscopia.

salpingoscópio. [De *salping(o)-* + *-scop-* + *-io*[2].] *S. m.* Instrumento utilizado na salpingoscopia.

salpintar. [Cruz. de *sal(picar)* + *(sara)pintar*, decerto.] *V. t. d. Bras.* Fazer pintas variadas em; sarapintar; salpicar.

salpresar. [De *salpreso* + *-ar*[2].] *V. t. d.* Salgar levemente; salpicar. [Pres. ind.: *salpreso, salpresas, salpresa*, etc. Cf. *salpreso* (ê) e as flex. *salpresa* (ê), *salpresas* (ê).]

salpreso (ê). [Do lat. **salpersu*, 'aspergido com sal'.] *Adj.* **1.** Que se salpresou; salgado de leve. **2.** *Bras.* Diz-se da carne, em geral de porco, conservada em sal. [Flex.: *salpresa* (ê), *salpresos* (ê), *salpresas* (ê). Cf. *salpreso, salpresas, salpresa*, do v. *salpresar.*]

salsa. [Do lat. *salsa*, i. e., *herba salsa*, 'erva salgada'.] *S. f.* **1.** Erva da família das umbelíferas (*Petroselinum sativum*), originária da Europa, muito cultivada em hortas, e que tem folhas partidas, herbáceas e aromáticas, e flores pequenas, brancas, organizadas em umbelas compostas. **2.** *Cul.* Essa erva, amplamente usada como tempero de sabor característico e estimulante do apetite, ou como guarnição de certos pratos. **3.** *Geol.* V. *vulcão de lama.* [Cf. *sarça.*]

salsa-americana. *S. f.* V. *salsaparrilha.* [Pl.: *salsas-americanas.*]

salsa-ardente. *S. f. Geol.* V. *vulcão de lama.* [Pl.: *salsas-ardentes.*]

salsa-crespa. *S. f.* Variedade de salsa (*Petroselinum sativum* var. *crispum*). [Pl.: *salsas-crespas.*]

salsada. [De *salsa?*] *S. f.* **1.** V. *salada* (3): "é o livrinho mais peco e mais parvo, que nunca heis visto; uma salsada de sagrado e profano" (Antônio Feliciano de Castilho, *Camões*, I, p. 89). **2.** V. *mixórdia* (1).

salsa-da-praia. *S. f. Bras.* Planta herbácea e rastejante, da família das convolvuláceas (*Ipomoea pes-caprae*), que se estende pelas areias das praias, de folhas arredondadas e reentrantes na ponta, flores vistosas, violáceas, infundibuliformes e numerosas, e frutos que são cápsulas. Tem látex. [Sin.: *pé-de-cabra.* Pl.: *salsas-da-praia.*]

salsa-do-brejo. *S. f. Bot.* V. *cruz-de-malta* (2). [Pl.: *salsas-do-brejo.*]

salsa-do-rio-grande-do-sul. *S. f. Bras., S.* Arbusto escandente, da família das poligonáceas (*Muehlenbeckia saggitifolia*), cujos ramos são volúveis. Tem folhas sagitadas ou lanceoladas, herbáceas e acuminadas, flores pequeninas, apétalas e unissexuais, ordenadas em cachos delicados e solitários, e frutos que são nozes minutas, incluídas no cálice. [Pl.: *salsas-do-rio-grande-do-sul.*]

salsão. *S. m.* V. *aipo.*

salsaparrilha. [Do esp. *zarzaparilla.*] *S. f.* Designação comum a cipós do gênero *Smilaz*, da família das liliáceas, de cuja raiz o povo extrai uma droga considerada como eficiente depurativo. O caule, trepador, é provido de acúleos grossos; as folhas têm nervuras salientes; as flores são pequenas, e os frutos, bagas. [Sin.: *salsa-americana, zarza, japecanga* e (ant.) *jarrilho.*]

salseira. [Do esp. *salsera.*] *S. f.* Recipiente em que se servem molhos à mesa; molheira.

salseirada. [De *salseira* + *-ada*[1].] *S. f.* Salseiro (1).

salseiro. [De *salso?*] *S. m.* **1.** Chuva abundante, de pouca duração, em zona limitada, e menos intensa que o aguaceiro; salseirada. **2.** *Lus.* Vento baixo e violento. **3.** *Bras.* Desordem, confusão; motim. V. *rolo*[1] (16).

salsicha. [Do it. *salsiccia.*] *S. f.* **1.** Enchido (3) feito de carne de porco moída com sal e diversos temperos, de aspecto e sabor característicos, e no qual se utilizam tripas de pequeno diâmetro. [Cf. *salsicharia.*] **2.** Rastilho que se usava para atear fogo às minas. **3.** *Bras. Fam.* Bassê. [Var.: *salchicha.*]

salsichão. [Aum. de *salsicha.*] *S. m.* Salsicha grande e grossa. [Var.: *salchichão.*]

salsicharia. *S. f.* **1.** A arte de utilizar a carne de porco, só ou misturada com outras e com os respectivos temperos, na preparação de afiambrados, enchidos, ensacados ou salgados. [Tb. se diz *charcutaria.*] **2.** Estabelecimento que fabrica ou vende esses tipos de carne. [Var.: *salchicharia.*]

salsicheiro. *S. m.* Fabricante ou vendedor de artigos de salsicharia. [Var.: *salchicheiro.*]

salsífi-negro. *S. m.* Escorcioneira. [Pl.: *salsífis-negros.*]

salsinha. *S. f.* **1.** Dim. de *salsa.* ● *S. m.* **2.** *Pop.* Homem afeminado; maricas.

salso. [Do lat. *salsu.*] *Adj. Poét.* Salgado (1 e 2): "De veterano as faces / O salso pranto rega." (Alexandre Herculano, *Poesias*, p. 107.) [Diz-se particularmente do mar ou de suas águas: "Jaz a soberba Europa, a quem rodeia, / Pela parte do Arcturo e do Ocidente, / Com suas salsas ondas o Oceano, / E pela austral, o Mar Mediterrâneo." (Luís de Camões, *Os Lusíadas*, III, 6); "As salsas ondas do mar / As fundas feridas curam" (Guimarães Passos, *Horas Mortas*, p. 52). ~ V. *—argento* e *— plano.*

salsugem. [Do lat. *salsugine.*] *S. f.* **1.** Lodo que contém substâncias salinas: "A maré atlântica, ... despida já da salsugem marinha e daquelas vidas microscópias, remonta além." (Raimundo Morais, *Na Planície Amazônica*, p. 31.) **2.** Detritos que flutuam próximo das praias, portos, etc. **3.** Qualidade do que é salso. **4.** *Patol.* V. *impetigo.*

salsuginoso (ô). [Do lat. *salsugine*, 'salsugem', + *-oso.*] *Adj.* Que tem salsugem; cheio de salsugem.

salta-atrás. [De *saltar* + *atrás.*] *S. 2 g. e 2 n. Bras., PE.* Designação dada, no séc. XVIII, aos filhos de mameluco com negra.

salta-caminho. [De *saltar* + *caminho.*] *S. m. Bras., CE.* V. *tico-tico-do-mato* (1). [Pl.: *salta-caminhos.*]

salta-caroço (ô). [De *saltar* + *caroço.*] *S. m.* **1.** Variedade de pêssego cujo caroço facilmente se desprende do mesocarpo. **2.** *Bras. Med. Gír.* Parto espontâneo, sem dificuldades. [Pl.: *salta-caroços.*]

saltada. [De *saltar* + *-ada*[1].] *S. f.* **1.** Salto grande. **2.** Arremetida, ataque, investida. **3.** Invasão, incursão. **4.** Entrada ou visita rápida e imprevista. **5.** Furto ou roubo com assalto.

saltado. [Part. de *saltar.*] *Adj.* **1.** Que ressai acima de um nível ou para fora de um plano; saliente. **2.** Diz-se de olhos salientes, esbugalhados: "Os grandes olhos saltados, espantados do que viam, fecharam-se" (Nélson de Faria, *Tiziu e Outras Estórias*, p. 214).

saltadoiro. [De *saltar* + *-(d)oiro*[1].] *S. m.* Saltadouro.

saltador (ô). *Adj.* **1.** Que salta; saltante. **2.** Saltarelo (1). ● *S. m.* **3.** Aquele que salta. **4.** *Mús.* V. *martinete* (3). **5.** *Bras., PE.* V. *tiziu.* **6.** *Bras., SP.* Trecho da costa onde o movimento das águas do mar é vertical.

saltadouro. [De *saltar* + *-(d)ouro*[1].] *S. m.* Rede para pescar tainhas; saltadoiro.

salta-martim. [De *saltar* + antr. *Martim.*] *S. m. Bras.* **1.** V. *pirilampo.* **2.** V. *saboeiro* (3). [Pl.: *salta-martins.*]

saltante. [Do lat. *saltante.*] *Adj. 2 g.* **1.** Que salta; saltador. **2.** *Heráld.* Em atitude de saltar (animal no brasão).

saltão. [De *saltar* + *-ão*[3].] *Adj.* **1.** Que salta muito, ou dá grandes saltos. ● *S. m.* **2.** Homem ou animal que salta muito, ou dá grandes saltos. **3.** *Pop.* Mosquito, antes de completar a sua metamorfose. **4.** *Bras.* Designação comum às formas jovens dos insetos ortópteros, da família dos locustídeos, principalmente os gafanhotos. [O nome provém de se locomoverem aos saltos, por não estarem ainda as asas desenvolvidas.] **5.** *Bras., S.* Larva do tipo vermiforme, de certos dípteros que atacam a carne e o queijo.

saltão-da-praia. *S. m. Bras.* Pulga-do-mar. [Pl.: *saltões-da-praia.*]

salta-pocinhas. [De *saltar* + *pocinha*, dim. de *poça.*] *S. m. 2 n. Pop.* Indivíduo pretensioso, adamado, cheio de afetação no andar; pisa-flores, pisa-verdes.

saltar. [Do lat. *saltare.*] *V. int.* **1.** Dar salto(s). **2.** Descer ou apear-se de um salto: *Saltou e pediu que desarreassem o cavalo; Saltei do trem.* **3.** Palpitar descompassadamente: *Ansioso, sentia o coração saltar.* **4.** Brotar, irromper; espirrar, jorrar, esguichar: *Ao golpe do bisturi, o sangue saltou.* **5.** Mudar repentinamente de direção (o vento). *T. i.* **6.** Acometer, investir, assaltar, com o fim de roubar ou matar. *Bit. i.* **7.** Mudar repentinamente de uma posição: *Saltou de soldado para sargento.* **8.** Passar sem transição (duma coisa para outra). *T. d.* **9.** Galgar, dando salto(s): *saltar o muro.* **10.** Atravessar, pulando: *saltar um rio.* **11.** Passar em claro; omitir: *saltar uma linha.* **12.** Passar por cima de; menosprezar, desprezar. **13.** *Bras.* Cobrir (a égua). **14.** *Tip.* Omitir (palavra, frase ou período) na composição tipográfica. **15.** *Bras. Pop.* Fazer vir: *Salta um chope, ó rapaz!*

salta-regra. [De *saltar* + *regra.*] *S. m.* V. *acuta.* [Pl.: *salta-regras.*]

saltarelar. [De *saltarelo* + *-ar*[2].] *V. int.* V. *saltaricar* (2).

saltarelo. [Do it. *saltarello.*] *Adj.* **1.** Que gosta de saltar; saltador. ● *S. m.* **2.** *Mús.* Dança viva, de origem italiana, em compasso de 3 por 8 ou 6 por 8, executada por pares que lhe imprimem um movimento cada vez mais rápido. **3.** *Mús.* Composição que tem o caráter vivo e movimentado dessa dança: *O último movimento da Sinfonia Italiana, de Mendelssohn, é um saltarelo.*

saltaricar. [De *saltar* + *-icar.*] *V. int.* **1.** Dar saltinhos. **2.** Andar sempre a dar saltinhos; andar aos saltos; saltarilhar, saltarinhar, saltarelar. [Conjug.: v. *trancar.*]

saltarilhar. [De *saltar* + *-ilhar.*] *V. int.* V. *saltaricar* (2).
saltarilho. [Dev. de *saltarilhar.*] *S. m.* Aquele que saltarilha.
saltarinhar. [De *saltar* + *-inhar.*] *V. int.* V. *saltaricar* (2).
salta-toco. [De *saltar* + *toco.*] *S. m. Bras., N.E.* V. *tiziu.* [Pl.: *salta-tocos.*]
saltatório. [De *saltar.*] *S. m.* e *adj.* Ortóptero.
saltatórios. [Pl. de *saltatório.*] *S. m. pl. Zool.* Ortópteros.
saltatriz. [Do lat. *saltatrice.*] *Adj. (f.)* **1.** Que salta. ● *S. f.* **2.** Mulher que salta. **3.** Dançarina, bailarina.
salteada. [De *saltear* + *-ada*[1].] *S. f.* **1.** Ato ou efeito de saltear[1]. **2.** Acometimento, arremetida, assalto. [Sin. ger.: *salteamento.*]
salteado. [Part. de *saltear.*] *Adj.* **1.** Atacado de improviso; sobressalteado. **2.** Assaltado, atacado. **3.** Não sucessivo; entremeado.
salteador (ô). *Adj.* **1.** Que salteia. ● *S. m.* **2.** Aquele que salteia. **3.** Ladrão de estrada.
salteamento. *S. m.* V. *salteada.*
saltear[1]. [De *salto*[1] + *-ear.*] *V. t. d.* **1.** Atacar ou acometer de salto ou de repente, para roubar ou matar: *O ladrão salteou o viajante.* **2.** Tomar de assalto, de improviso; atacar, acometer: *O general salteou de surpresa a praça.* **3.** Roubar, saquear: *O bando salteou o caminhão.* **4.** Acometer ou tomar de improviso: *A tristeza, à noite, costumava salteá-lo.* **5.** Cair de improviso sobre; apanhar de surpresa; surpreender: "Passavam um dia de um lugar para outro: salteou-os uma chuva fria e importuna que os não largou na mor parte da jornada." (Fr. Luís de Sousa, *Vida de D. Fr. Bertolameu dos Mártires*, I, p. 96). *Int.* **6.** Ser salteador; viver de rapina. *P.* **7.** Assustar-se, sobressaltar-se: *Saltearam-se com a estranha nova.* **8.** Apavorar-se com uma notícia má. [Sin. ger.: *assaltar.* Conjug.: v. *frear.*]
saltear[2]. [Do fr. *sauter.*] *V. t. d.* e *t. d.* e *i. Cul.* Cozer (carne, ave, legume, etc.) em fogo forte e com muita gordura; sacudindo a caçarola ou a frigideira para não pegar no fundo: *Salteou o fígado com cebola e pimentão.* [Conjug.: v. *frear.*]
salteio. [Dev. de *saltear*[1].] *S. m.* Ato de saltear[1].
salteira. [De *salto* (10) + *-eira.*] *S. f.* **1.** *Bras.* Pequena sola que serve para altear o calçado. **2.** *Bras., S.* Esporim de militares.
salteiro. [De *salto* (11) + *-eiro.*] *S. m.* Fabricante de saltos.
saltense[1]. *Adj. 2 g.* **1.** De, ou pertencente ou relativo a Salto (SP). ● *S. 2 g.* **2.** Natural ou habitante de Salto.
saltense[2]. *Adj. 2 g.* **1.** De, ou pertencente ou relativo a Salto da Divisa (MG). ● *S. 2 g.* **2.** Natural ou habitante de Salto da Divisa.
saltense[3]. *Adj. 2 g.* **1.** De, ou pertencente ou relativo a Salto de Pirapora (SP). ● *S. 2 g.* **2.** Natural ou habitante de Salto de Pirapora.
saltério. [Do gr. *psaltérion*, pelo lat. *psalteriu.*] *S. m.* **1.** Entre os gregos, designação comum aos instrumentos de cordas que se feriam com os dedos e não com o plectro. **2.** *Mús.* Na Idade Média, instrumento de origem oriental, de forma triangular ou trapezoidal, composto de uma caixa de ressonância com uma ou várias rosáceas, e de um número variável de cordas simples ou duplas, retesadas sobre a caixa por meio de cravelhas, e que eram feridas com os dedos ou com o plectro, ou percutidas com duas baquetas; címbalo: "Daí a pouco, porém, uma toada longínqua de harpas, doçainas e saltérios sussurrou a espaços trazida nas lufadas do vento." (Alexandre Herculano, *O Bobo*, p. 259.) [Uma vez provido de teclado, deu origem, desde o início do séc. XV, ao clavicórdio.] **3.** *Mús.* Instrumento moderno, de forma triangular, com 13 ordens de cordas que se ferem com palheta. **4.** Designação que os Setenta (tradutores do Antigo Testamento em grego) deram ao hinário de Israel, i. e., aos salmos [v. *salmo* (3).] **5.** *Veter.* V. *folhoso* (2).
▲**salti-.** [Do lat. *saltus, us.*] *El. comp.* = 'salto': *saltígrado.*
saltígrado. [De *salti-* + *-grado*[1].] *Adj.* Que caminha aos saltos.
saltimbanco. [Do it. *saltimbanco.*] *S. m.* **1.** Elemento de um elenco de artistas populares itinerantes. **2.** V. *bufo*[3] (1). **3.** Artista popular, histrião, que em geral se exibe nos circos ou nas feiras, ou por conta própria; pelotiqueiro: "O saltimbanco preparou o seu tablado em frente duma casa de boa aparência, rufou numa caixa, alvoroçou a aldeia que se abalou toda para o redor dele, e começou suas arlequinadas" (Camilo Castelo Branco, *A Enjeitada*, p. 121). **4.** *Fig.* Homem sem opiniões seguras, que não merece confiança nem consideração.
saltinho. *S. m.* Dim. de *salto.* ♦ **Dar um saltinho a.** *Bras., N.E.* V. *dar um pulo a.*
saltitante. [Do lat. *saltitante.*] *Adj. 2 g.* Que saltita: "Amélia e Luísa também dançavam, tontas e saltitantes, nos braços de rapazes desconhecidos." (Maria Archer, *Fauno Sovina*, p. 206.)
saltitar. [Do lat. *saltitare.*] *V. int.* **1.** Dar saltinhos freqüentes: "A andorinha, frechando insetos pelos ares; / O melro, a saltitar nos ramos dos pomares" (Bulhão Pato, *Livro do Monte*, p. 53). **2.** Mostrar-se inconstante, volúvel, modável. *Bit. i.* **3.** Divagar de um para outro assunto.
salto[1]. [Do lat. *saltu.*] *S. m.* **1.** Movimento com que um homem ou um animal se eleva do solo ou do lugar onde se encontra, para vencer um espaço ou obstáculo; pulo. **2.** Movimento rápido com elevação, acima de uma superfície por efeito de queda ou reflexão: *saltos da bola.* [Cf. *ricochete* (1).] **3.** V. *queda-d'água.* **4.** Transição rápida; transposição: *Deu um salto de contínuo a chefe de seção.* **5.** Arremetida, investida, assalto. **6.** Trepidação, vibração. **7.** Subida repentina da voz fora do compasso. **8.** Em carteado, parada em que se jogam três cartas contra uma. **9.** Rede para pescar peixes que saltam fora da água. **10.** Parte saliente acrescentada à sola dum calçado, no calcanhar. **11.** *Tip.* Erro tipográfico que consiste em omissão de palavra, frase ou período. **12.** *Bras.* Padreação. ♦ **Salto à adriça.** *Marinh.* Ato ou efeito de afrouxar a adriça para arriar um pouco a verga, a vela, etc., que ela sustém. **Salto de prateleira.** Salto de bota ou de sapato com rebordo saliente: "Um grande chapéu de abas largas e direitas, ... calça justa sobre botas de salto de prateleira" (Afrânio Peixoto, *Viagens na Minha Terra*, p. 201). **Salto de pulga.** *Fam.* Distância muito pequena: *Daqui à casa da Helena é um salto de pulga.* **Salto de vara.** *Atlet.* O que consiste em ultrapassar um obstáculo colocado a certa altura, sem tocá-lo utilizando como impulso uma vara que, apoiada ao solo, projeta o saltador para cima. **Salto em altura.** *Atlet.* Prova em que o atleta, partindo de uma pista em forma de leque, toma impulso para efetuar o salto sobre um obstáculo constante de dois suportes graduados que sustentam uma barra horizontal, não fixa e leve. **Salto em distância.** *Atlet.* Prova em que o atleta, tomando impulso a partir de uma tábua de madeira maciça, arma o salto para cair numa caixa de areia situada imediatamente após a tábua. **Salto magnético.** *Geofís.* Mudança abrupta no campo magnético da Terra, produzida no lado iluminado do planeta como efeito de correntes geradas na alta atmosfera. **Salto ornamental.** Salto de trampolim, geralmente em piscina, durante o qual o atleta realiza acrobacia. **Salto triplo.** *Atlet.* Prova com regras análogas às do salto em distância, e na qual o atleta cumpre três etapas: um salto antes da linha limite, caindo com o mesmo pé do impulso, um segundo salto para cair sobre o outro pé e um terceiro que lhe permite cair com os dois pés na caixa de areia. **Dar um salto a.** *Bras.* V. *dar um pulo a.* **Dar um salto em.** *Marinh.* Arriar ou folgar um pouco (um cabo, uma vela, etc.). **De salto.** **1.** Num pulo; dando um salto. **2.** De repente. **Jogar de salto alto.** *Bras. Gír. Fut.* Afinar (15).
salto[2]. [Do lat. *saltu*, 'bosque, mata cerrada'.] *S. m. Desus.* **1.** Souto. **2.** Lugar elevado; outeiro.
salto-do-palhaço. *S. m. Bras. Cap.* Golpe traumatizante em que o capoeirista apóia uma das mãos no chão e joga os dois pés para cima a fim de atingir o adversário, que está diante ou ao lado dele. [Pl.: *saltos-do-palhaço.*]
salto-grandense. *Adj. 2 g.* **1.** De, ou pertencente ou relativo a Salto Grande (SP). ● *S. 2 g.* **2.** Natural ou habitante de Salto Grande. [Pl.: *salto-grandenses.*]
salto-mortal. *S. m.* **1.** Acrobacia em que o atleta dá uma volta completa no ar, para diante, para trás ou para um lado, sem as mãos tocarem o chão: "Vinha depois a bailarina Milka, ... que executava três saltos-mortais consecutivos, antes de pousar, leve e graciosa, numa perna só, sobre o dorso do cavalo baio" (Maria Julieta Drummond de Andrade, *O Valor da Vida*, p. 35). **2.** *Bras. Cap.* Golpe traumatizante em que o capoeirista, girando o corpo no ar, com apoio nas duas ou em uma das mãos, ou livremente, sem nenhum apoio, procura atingir o adversário com um ou os dois pés. [Pl.: *saltos-mortais.*]
saltos-furtados. *S. m. pl. Bras., PE.* Manhas; negaças; subterfúgios.
sáltria. [Do gr. *psaltría*, pelo lat. *psaltria.*] *S. f.* Tangedora de cítara, entre os antigos.
salu. *S. m. Bras., RS.* Modalidade do fandango.
salubá. [Do ioruba.] *S. m. Bras., BA. Folcl.* Saudação especial de Naná.
salubérrimo. [Do lat. *saluberrimu.*] *Adj.* Superl. abs. sint. de salubre; salubríssimo: "lugares .... florescentes e salubérrimos .... revertiam ao estado virgem e tornavam-se pelo abandono pestíferos e inabitáveis." (Ramalho Ortigão, *As Farpas*, IV, pp. 261-262).
salubre[1]. *S. m.* Aparelho de cardagem, nas fábricas de fiação, para transformar o algodão em mecha.
salubre[2]. [Do lat. *salubre.*] *Adj. 2 g.* **1.** Benéfico à saúde; saudável. **2.** Facilmente curável. [Superl. abs. sint.: *salubérrimo* e *salubríssimo.*]
salubridade. [Do lat. *salubritate.*] *S. f.* **1.** Qualidade de salubre. **2.** Conjunto das condições propícias à saúde pública.
salubrificação. *S. f.* Ação ou efeito de salubrificar.
salubrificar. [De *salubre* + *-i-* + *-ficar.*] *V. t. d.* Tornar salubre; sanear. [Conjug.: v. *trancar.*]
salubríssimo. *Adj.* Salubérrimo.
saluçar. *V. int.* e *t. Ant.* e *pop.* Var. dissimilada de *soluçar*: "Havia chorado .... Inté saluçava." (Nélson de Faria, *Bazé*, p. 51.) [Conjug.: v. *laçar.*]
saluço. *S. m. Ant.* e *pop.* Var. dissimilada de *soluço.*
saludador (ô). [Do lat. *salutatore.*] *S. m.* Curandeiro; benzedor.
saludar. [Do esp. *saludar.*] *V. t. d.* Curar por meio de rezas; benzer para curar.
salurese. [De *sal* + *-urese.*] *S. f. Med.* Eliminação, pela urina, de iontes de cloro ou sódio.
salurético. *Adj.* Respeitante a salurese.
salutar. [Do lat. *salutare.*] *Adj. 2 g.* **1.** Bom para a saúde; salubre. **2.** Fortificante; fortalecedor. **3.** *Fig.* Edificante, moralizador, construtivo: *medidas salutares.* [Pl.: *salutares.* Cf. *Salutáris*, top.]
salutífero. [Do lat. *salutiferu.*] *Adj. Poét.* **1.** Que dá saúde; saudável. **2.** *Fig.* Útil, favorável, propício.
salva[1]. [Dev. de *salvar.*] *S. f.* **1.** Conjunto de tiros dados simultaneamente, ou em rápida sucessão, com diversos canhões, sobre um alvo. **2.** Conjunto de bombas de profundidade ou torpedos lançados em sucessão rápida sobre um alvo. **3.** Saudação oficial manifestada por uma *salva*[1] (1) de artilharia: *Foi recebido com uma salva de 21 tiros.* **4.** *P. ext.* Repetição, ou grande número, de sons, palavras, ditos: *salva de gracejos.* **5.** Reserva, restrição, ressalva. **6.** Rodeio; subterfúgio. **7.** Tipo de bandeja redonda e pequena. [Originariamente era a prova que se fazia da comida e da bebida que iam ser servidas ao rei e grão-senhores para salvá-los de possível envenenamento; o prato em que eram servidas tomou o nome de *salva.*] **8.** *Bras. Fut.* Série consecutiva de chutes a gol. ♦ **Salva de gargalhadas.** Explosão de riso. **Salva de palmas.** Aplausos unânimes; ovação.
salva[2]. [Do lat. *salvia.*] *S. f.* Erva da família das labiadas (*Salvia officinalis*), nativa na região mediterrânea, usada como medicinal, de folhas lanceoladas, e belas flores azuis, agrupadas em racemos alongados; salveta.
salvação. [Do lat. *salvatione.*] *S. f.* **1.** Ato ou efeito de salvar(-se), ou de remir. **2.** Ato ou efeito de saudar; saudação. ♦ **Salvação da lavoura.** *Bras. Gír.* Pessoa, coisa ou ocorrência que chega no momento propício.
salvádego. [Do lat. **salvaticu.*] *S. m. Lus.* Navio convenientemente equipado, destinado a acudir a navios em perigo ou naufragados.
salvador (ô). [Do lat. *salvatore.*] *Adj.* **1.** Que salva. ● *S. m.* **2.** Aquele que salva. **3.** *Restr.* Jesus Cristo. [Nesta acepç. escreve-se, obviamente, com maiúscula.]
salvadorácea. *S. f.* Espécime das salvadoráceas.
salvadoráceas. *S. f. pl. Bot.* Família de vegetais superiores, da ordem das sapindales, formada de espécies lenhosas de folhas compostas e flores paniculadas ou fasciculadas, e cujo fruto é baga ou drupa monospérmica. Ocorrem só 10 espécies na África e Ásia.
salvadoráceo. *Adj.* Pertencente ou relativo às salvadoráceas.
salvadorenho. [Do esp. *salvadoreño.*] *Adj.* **1.** Do, ou pertencente ou relativo ao Salvador (América Central). ● *S. m.* **2.** O natural ou habitante do Salvador. [Sin. ger.: *salvatoriano.*]
salvadorense. *Adj. 2 g.* **1.** De, ou pertencente ou relativo a Salvador, capital da BA. ● *S. 2 g.* **2.** Natural ou habitante de Salvador. [Sin. ger., desus.: *soteropolitano.*]
salvados. [Pl.de *salvado, part. reg. de salvar.*] *S. m. pl.* Restos que escaparam duma catástrofe, especialmente incêndio ou naufrágio: "Entre os destroços fumegantes, a ralé dos piores bairros discorre em cata de salvados para a rapina." (J. Lúcio d'Azevedo, *O Marquês de Pombal e a Sua Época*, p. 142.)
salva-folhas. [De *salvar* + o pl. de *folha.*] *S. m. 2 n. Tip.* Alavanca que o minervista aciona para evitar o contato da fôrma com a folha de papel defeituosamente margeada; desligador da pressão.
salvagem[1]. [De *salvar* + *-agem*[2].] *S. f.* **1.** Direito sobre aquilo que se salvou de um navio naufragado. **2.** *Mar.*

G. Antiga peça de artilharia que atirava projetis de 16 libras. [Var.: *selvagem*.]

salvagem^2. [Do provenç. *salvatge*.] *Adj. 2 g. e s. 2 g. Ant.* e *pop.* Selvagem^1.

salvaguarda. [Do fr. *sauvegarde*.] *S. f.* **1.** Proteção e garantia (de direito, de liberdade, de segurança) concedida por autoridade ou instituição a um indivíduo, uma coletividade, um estatuto. **2.** *Fig.* Salvo-conduto (2). **3.** Resguardo de um perigo; proteção, segurança, seguro, cautela. **4.** Defensor, protetor. **5.** Preservação (2) [q. v.] **6.** *Encad.* Cada uma das folhas de papel que se prendem provisoriamente ao princípio e ao fim do livro, para evitar que se suje até certo estágio do trabalho de encadernação; falsa-guarda, guarda suja, resguardo falso. [Cf. nesta acepç.: *guarda* (8).]

salvaguardar. [Do fr. *sauvegarder*.] *V. t. d.* **1.** Pôr fora de perigo; proteger, defender. **2.** Acautelar, ressalvar.

salva-mão. [De *salvar* + *mão*.] *S. m. Art. Gráf.* Dispositivo de certas minervas e guilhotinas, destinado a evitar que as mãos do operário sejam apanhadas pela platina ou pela faca. [Pl.: *salva-mãos*.]

salvamento. *S. m.* **1.** Ato, operação ou efeito de salvar; resgate: *O salvamento dos náufragos processou-se com bom êxito.* **2.** Segurança, garantia. **3.** Lugar seguro, livre de perigo. **4.** Bom êxito; sucesso.

salvante. [Do lat. *salvante*.] *Adj. 2 g.* **1.** Que salva. • Prep. **2.** Exceto, tirante, salvo: *Saíram todos os alunos, salvante o Sigismundo*; "Não se pensava em empregos públicos, salvante os mais pobres." (Guedes de Miranda, *Eu e o Tempo*, p. 68).

salvar. [Do lat. tardio *salvare*.] *V. t. d. e i.* **1.** Tirar ou livrar (de ruína ou perigo); pôr a salvo: *O médico salvou da morte a criança. T. d.* **2.** Livrar de ruína ou perigo: *O banhista salvou o rapaz.* **3.** Livrar de ruína ou perda total: *Os bombeiros salvaram parte dos móveis.* [Sin., nestas acepç., *resgatar*.] **4.** Conservar; guardar, manter: *Tudo fez para salvar a honra da família.* **5.** Defender, preservar, poupar, salvaguardar: *A medida visa a salvar a sua autoridade.* **6.** Livrar da morte. **7.** Conservar salvo ou intato. **8.** Pôr como condição; acautelar. **9.** Desculpar, justificar: *Procurou salvar o seu engano.* **10.** Passar por cima de, saltando: *salvar um barranco*; "Dentro em pouco os capinhas, salvando a pulos as trincheiras, fugiam à velocidade espantosa do animal" (Rebelo da Silva, *Contos e Lendas*, p. 177). **11.** Dar a salvação a; livrar das penas do Inferno. **12.** Saudar, cumprimentar: *Salvou os presentes ao entrar.* **13.** Fazer cortesia a, saudar, com salvas de artilharia. *Int.* **14.** Dar salva de artilharia: *À passagem do cortejo presidencial, a fortaleza salvou. P.* **15.** Pôr-se a salvo dalgum perigo; livrar-se de um risco iminente. **16.** Abrigar-se, acolher-se, refugiar-se: *Protegeram-se da tempestade salvando-se num casebre ermo.* **17.** Livrar-se, escapar: *Salvou-se da incumbência não comparecendo ao encontro*; "É quase sempre por orgulho que nos salvamos da inveja." (Álvaro Lins, *Literatura e Vida Literária*, p. 218). **19.** Obter a salvação eterna; livrar-se das penas do Inferno. **20.** Saudar-se, cumprimentar-se.

salvatela. [Do lat. dos anatomistas *salvatella*.] *Adj.* (*f.*) e *s. f.* ~ V. *veia* —.

salvatério. [De *salvar*.] *S. m.* **1.** Salvação providencial. **2.** Expediente, escapatória: "Os seus velhos amigos vieram em seu auxílio com alvitres, salvatérios, tranquibérnias" (Camilo Castelo Branco, *História e Sentimentalismo*, p. 214). **3.** Desculpa, escusa.

salvatoriano. *Adj.* e *s. m.* Salvadorenho.

salvável. *Adj. 2 g.* Que se pode salvar.

salva-vidas. [De *salvar* + *vida*.] *S. 2 g.* e *2 n.* **1.** Embarcação, bóia ou aparelho próprio para salvamento de náufragos. **2.** Pessoa em serviço nas praias para socorrer banhistas que se vejam ameaçados de afogar-se; guarda-vidas, banhista, banheiro. • *Adj. 2 g.* e *2 n.* **3.** Diz-se de embarcação, bóia ou aparelho para salvamento de náufragos. ~ V. *baleeira* —, *balsa* — e *bóia* —.

salve. [Do lat. *salve*, da 2ª pess. sing. do imperat. pres. de *salvere*, 'ter saúde, passar bem'.] *Interj.* Exprime saudação: "Salve, lindo pendão da esperança!" (Olavo Bilac, "Hino à Bandeira Nacional", in *Poesias Infantis*, p. 137).

salveira. [De *salva*^{1} + *-eira*.] *S. f. Bras.* Engenho pirotécnico para dar salvas.

salve-rainha. [De *salve* + *rainha*.] *S. f.* **1.** Oração católica dedicada à Virgem Maria, e que principia por essas palavras. **2.** *Liter. Pop. Bras.* Espécie de pé-quebrado em que aparecem, como o quarto verso de cada quadra, trechos sucessivos da oração do mesmo nome. [Pl.: *salve-rainhas*.]

salve-se-quem-puder. *S. m. 2 n.* Situação de pânico ou de grave perigo; corre-corre, debandada.

salveta^1 (ê). [De *salva*^{1} (7) + *-eta*.] *S. f.* Pequena salva (7) ou prato onde assentam os candeeiros de bico.

salveta^2 (ê). [De *salva*^{2}.] *S. f. Bot.* Salva^2.

salvífico. [De *salv(ar)* + *-i-* + *-fico*.] *Adj.* Que traz ou produz salvação.

salvina. [De *salva*^{2} + *-ina*^{1}.] *S. f. Bras., Amaz.* Arbusto da família das labiadas (*Hyptis recurvata*), dos campos da Ilha de Marajó, que tem folhas coriáceas e aromáticas, e flores pequeninas dispostas em glomérulos axilares bastante densos.

salvínia. *S. f.* Planta criptogâmica, aquática, do grupo das pteridófitas.

salviniácea. *S. f.* Espécime das salviniáceas.

salviniáceas. *S. f. pl. Bot.* Família de pteridófitos, da ordem das hidropteridales, composta de pequenas plantas aquáticas que flutuam, e que têm duas ou três fileiras de folhas inteiras ou bilobuladas. Os esporos formam-se dentro dos esporocarpos. Há umas 15 espécies, algumas brasileiras, como a vulgar *Salvinia auriculata*.

salviniáceo. *Adj.* Pertencente ou relativo às salviniáceas.

salvo. [Do lat. *salvu*.] *Adj.* **1.** Livre de perigo, morte, doença, dificuldade, etc. **2.** Remido (1). **3.** Animador, propício, favorável. **4.** Respeitado, resguardado, ressalvado. **5.** Excetuado, omitido, ressalvado. • *Prep.* **6.** Exceto, afora, salvante: "Não havia nada a fazer salvo telegrafar a José" (Francisco José Torres, *Bruxaxá*, p. 18). ◆ **A salvo.** Sem perigo; com segurança: "Deus te leve a salvo, brioso e altivo barco" (José de Alencar, *Iracema*, p. 50). **Em salvo.** Em lugar seguro.

salvo-conduto. [De *salvo* + *conduto*: 'caminho livre'.] *S. m.* **1.** Licença escrita para alguém viajar ou transitar livremente, passaporte: "obtido do Conde de Bolonha o necessário salvo-conduto para sair do reino, escolhido na sua coudelaria cavalo possante e corredor, ... monta-o dum pulo ágil, e .... abala .... de longada para Castela." (Antero de Figueiredo, *Toledo*, p. 93). **2.** *Fig.* Privilégio, prerrogativa, imunidade; salvaguarda. [Pl.: *salvo-condutos* e *salvos-condutos*.]

samádi. [Do sânscr. 'êxtase'.] *S. m. Filos.* Realização da última etapa do sistema ioga, na qual se atinge a suspensão e a compreensão do curso normal da existência, do que resulta a comunhão com a mãe universal.

samambaia. [Do tupi *ham ã'bae*, 'o que se torce em espiral'.] *S. f. Bras.* V. *gleiquênia*. [Var.: *sambambaia*.]

samambaiaçu. [Do tupi *ham ã'bae* + *-açu*.] *S. f. Bras.* Xaxim. [Var.: *sambambaiaçu*.]

samambaia-do-mato-virgem. *S. f. Bras.* V. *gleiquênia*. [Pl.: *samambaias-do-mato-virgem*.]

samambaia-douradinha. *S. f. Bras.* V. *douradinha* (4). [Pl.: *samambaias-douradinhas*.]

samambaial. *S. m. Bras.* Quantidade mais ou menos considerável de samambaias dispostas proximamente entre si. [Var.: *sambambaial*.]

samangar. *V. int. Bras., N.* e *N.E.* Estar ocioso. [Conjug.: v. *largar*.]

samango. [De provável or. afr.] *S. m.* **1.** *Bras., N.* e *N.E.* Preguiçoso, indolente. **2.** V. *maltrapilho* (2). **3.** *Bras. Gír.* Policial, tira.

samanguaiá. [Do tupi *sã'bá*, concha?] *S. m. Bras.* V. *cernambi* (3).

samão. [Var. de *signo-de-salomão*.] *S. m. Bras.* V. *estrela-de-davi*.

sâmara. [Do lat. *samara*, 'semente do olmo'.] *S. f. Morfol. Veg.* Fruto seco, indeiscente e provido de asa, pelo que costuma voar a longas distâncias, conduzido pelo vento. A asa-de-barata é um exemplo vulgar.

samarídeo. [De *sâmara* + *-ídeo*.] *Adj. Bot.* Diz-se do fruto composto de muitas sâmaras ligadas pela base.

samariforme. [De *sâmara* + *-i-* + *-forme*.] *Adj. 2 g. Morfol. Veg.* Semelhante a uma sâmara; samaróide: *fruto samariforme*.

samarinês. *Adj.* **1.** Da, ou pertencente ou relativo à República de São Marino, encravada em território italiano, a leste de Florença. • *S. m.* **2.** O natural ou habitante da República de São Marino. [Flex.: *samarinesa* (ê), *samarineses* (ê), *samarinesas* (ê).]

samário. [Do lat. científico *samarium* *samarsquita*.] *S. m. Quím.* Elemento de número atômico 62, metálico, pertencente aos lantanídeos, cinzento, duro. [Símb.: Sm.]

samaritano. [Do lat. *samaritanu*.] *Adj.* **1.** De, ou pertencente ou relativo a Samaria, antiga cidade da Palestina. **2.** Relativo ou pertencente a um grupo híbrido que se estabeleceu nessa região, e que os israelitas se recusaram a admitir como membro de seu povo. **3.** *Fig.* Caridoso, bom, beneficente (por alusão ao Bom Samaritano, personagem bíblico). • *S. m.* **4.** O natural ou habitante daquela cidade. **5.** Descendente daquele grupo híbrido. **6.** *Fig.* Indivíduo samaritano (3). **7.** A língua dos samaritanos. ◆ **O Bom Samaritano.** Personagem duma parábola de Cristo apresentada como modelo de caridade.

samaróide. [De *sâmara* + *-óide*.] *Adj. 2 g. Morfol. Veg.* Samariforme.

samarra. [Do esp. *zamarra*.] *S. f.* **1.** Vestuário grosseiro e antigo de peles de ovelha. **2.** Pele de ovelha ou carneiro, ainda com a lã. **3.** Batina leve e simples de padre ou sacristão. [Var.: *chamarra* e *chimarra*.] • *S. m.* **4.** *Deprec.* Padre, religioso.

samarsquita. [Do antr. *Samarski*, de um engenheiro russo, + *-ita*^{3}.] *S. f. Min.* Mineral ortorrômbico, escuro, de brilho resinoso, niobato e tantalato de ferro, ou de cálcio, ou de uranilo, como radicais bivalentes, e de cério e de ítrio como trivalentes.

samaúma. [De *sumaúma*, por assimilação.] *S. f. Bras.* V. *sumaumeira*.

samaumeira (a-u). *S. f. Bras.* V. *sumaumeira*.

samauqui. *S. m. Bras.* V. *sambaqui*.

samba^1. [Do quimb. *semba*, 'umbigada'.] *S. m.* **1.** *Bras.* Dança cantada, de origem africana, compasso binário e acompanhamento obrigatoriamente sincopado. **2.** *Bras.* A música que acompanha essa dança. **3.** *Bras.* V. *arrasta-pé* (1). **4.** *Bras., N.* V. *xiba* (1). **5.** *Bras. Pop.* V. *cachaça* (1). ◆ **Samba de breque.** *Bras. Mús. Pop.* Tipo de samba criado na cidade do Rio de Janeiro, no início da década de 1930, e no qual o cantor dá uma ou mais paradas súbitas (*breques*) a fim de encaixar frases faladas, de caráter humorístico. **Samba de enredo.** *Bras., Mús. Pop.* Samba composto especialmente para ser cantado durante os desfiles das escolas de samba por ocasião do carnaval. [A letra desse samba e o enredo do espetáculo em desfile têm um tema em comum, quase sempre de fundo histórico-patriótico. Tb. se diz *samba-enredo*.] **Samba de partido alto.** *Bras. Mús. Pop.* Gênero de samba muito próximo do batuque africano, e cultivado na cidade do Rio de Janeiro desde o fim do séc. XIX por grupos de negros já urbanizados. É dança de umbigada, com ritmo marcado por palmas, prato de cozinha raspado com faca, chocalho e outros instrumentos de percussão, e, às vezes, acompanhada pelo violão e pelo cavaquinho. [Segundo velhos sambistas, a expressão *partido alto* provém da alta dignidade desse samba, cultivado por minorias negras.]

samba^2. *S. f. Bras. Pop.* F. red. de *samba-em-berlim*.

sambá. *S. f. Bras.* V. *concha* (2).

sambacaçote. *S. m. Bras., PE.* V. *girino*.

samba-canção. [De *samba*^{1} + *canção*.] *S. m.* **1.** Samba em que o caráter melódico sobrepuja o sincopado e cuja letra é sempre muito sentimental. **2.** *Bras.* Cueca de tecido, cujas pernas cobrem parte das coxas, em que a abertura da braguilha termina na cintura, onde se fecha por botões ou pressão. [Pl.: *sambas-canções* e *sambas-canção*.]

sambacuim (u-ím). [Do provável or. tupi.] *S. m. Bras.* Árvore da família das moráceas (*Cecropia palmata*), cujo tronco indiviso é alto e elegante. Tem folhas amplas, arredondadas e digitadas, flores mínimas cerradamente reunidas em espigas muito densas, avermelhadas, gomo terminal com enormes estípulas protetoras, e abriga formigas agressivas. [Sin.: *imbaúba, matataúba*.]

samba-de-matuto. *S. m. Bras., AL.* Variante norte-litorânea dos pastoris pernambucanos; baianal, baianas. [Pl.: *sambas-de-matuto*.]

samba-de-roda. [De *samba*^{1} + *de* + *roda*.] *S. m. Bras., BA. Mús. Pop.* Denominação do samba baiano. [Pl.: *sambas-de-roda*.]

sambado. [Part. de *sambar*.] *Adj.* **1.** *Bras. Gír.* Gasto pelo uso: *roupa sambada*. **2.** Desgastado fisicamente; envelhecido: *Quer passar por moça, mas já está bem sambada.*

sambador (ô). *Adj. e s. m. Bras.* V. *sambista* (1 e 3).

samba-em-berlim. [De *samba*^{1} + *em* + o top. *Berlim*.] *S. m. Bras. Pop.* Bebida preparada com cachaça e coca-cola. [Pl.: *sambas-em-berlim*. F. red.: *samba*.]

samba-enredo. [De *samba*^{1} + *enredo*.] *S. m. Bras.* Samba de enredo. [Pl.: *sambas-enredos* e *sambas-enredo*.]

sambaetibano (a-e). *Adj.* **1.** De, ou pertencente ou relativo a Sambaetiba (RJ). • *S. m.* **2.** O natural ou habitante de Sambaetiba.

sambaíba. [Do tupi *sãba'iwa*.] *S. f. Bras.* V. *sambaíba-de-minas-gerais*.

sambaíba-da-baía. *S. f. Bras.* Arbusto da família das tiliáceas (*Trichospermum* sp.); sambaíba-de-sergipe. [Pl.: *sambaíbas-da-baía*.]

sambaíba-de-minas-gerais. *S. f. Bras.* Árvore da família das dileniáceas (*Curatella americana*), dispersa por todos os campos cerrados, que se caracteriza pelas amplas folhas, ásperas como lixa. Flores e frutos pequeninos. A casca serve para curtir couro, as folhas são empregadas para lixar madeira, e a madeira é usada em carpintaria, marcenaria e obras internas. [Tb. se diz apenas *sambaíba*. Sin.: *sambaíba-do-rio-são-francisco, caimbé, lixeira, cajueiro-bravo, cajueiro-bravo-do-campo, cajueiro-do-mato, cambarba, craibeira, penteeira, sobro, marajoara.* Pl.: *sambaíbas-de-minas-gerais.*].

sambaíba-de-sergipe. *S. f. Bras.* Sambaíba-da-baía. [Pl.: *sambaíbas-de-sergipe.*]

sambaíba-do-rio-são-francisco. *S. f. Bras.* V. *sambaíba-de-minas-gerais.* [Pl.: *sambaíbas-do-rio-são-francisco.*]

sambaibense (a-i). *Adj. 2 g.* **1.** De, ou pertencente ou relativo a Sambaíba (MA). ● *S. 2 g.* **2.** Natural ou habitante de Sambaíba.

sambaibinha (a-i). [Dim. de *sambaíba.*] *S. f. Bras.* V. *cipó-caboclo.*

samba-lenço. [De *samba*[1] + *lenço.*] *S. m. Bras., SP.* Modalidade de fandango. [Pl.: *sambas-lenços* e *sambas-lenço.*]

sambamba. *S. f. Bras.* V. *charque.*

sambambaia. *S. f. Bras.* Var. de *samambaia.*

sambambaiaçu. *S. f. Bras.* Var. de *samambaiaçu.*

sambambaial. *S. m. Bras.* Var. de *samambaial.*

sambanga. [De or. afr.?] *Adj. 2 g.* e *s. 2 g. Bras., SP. Pop.* V. *tolo* (1 a 3 e 8).

sambango. [De or. afr.?] *S. m. Bras.* Indivíduo fraco, sem forças.

sambaqui. [Do tupi *tãba'ki.*] *S. m. Bras.* Designação dada a antiqüíssimos depósitos, situados ora na costa, ora em lagoas ou rios do litoral, e formados de montões de conchas, restos de cozinha e de esqueletos amontoados por tribos selvagens que habitaram o litoral americano em época pré-histórica. [Sin.: no PA, *cernambi* (var. *sarnambi*), *mina de cernambi* ou apenas *mina;* na BA, *banco;* em SP e SC, *casqueiro, concheira* ou *ostreira;* noutros pontos do País, *samauqui, berbigueira, caieira* ou *caleira, ilha de casca.* É o que se chama, em dinamarquês, *kjökkenmödding.*] ♦ **Falso sambaqui.** Grande acúmulo de conchas de origem natural, constituído em épocas geologicamente recentes.

sambaquieiro. *S. m. Bras., SP.* Aquele que explora um sambaqui.

sambar. [De *samba*[1] + *-ar*[2].] *V. int. Bras.* **1.** Dançar o samba: "Ria, ria, *s a m b a v a*, suspendendo os braços tilintantes de pulseiras, fazendo o corpo de dobradiça, dando vivas e umbigadas no ar." (Marques Rebelo, *Marafa*, p. 59.) **2.** Dançar (1): "As crioulas baianas *s a m b a v a m* debaixo das mangueiras aromáticas" (Melo Morais Filho, *Festas e Tradições Populares do Brasil*, p. 151). **3.** Dar repetidos saltos. [Sin. ger., p. us.: *sambear.*]

sambarca. *S. f.* **1.** Faixa com que se rodeia o peito das cavalgaduras a fim de que os tirantes não as firam. **2.** Faixa com que as mulheres do povo cingem o peito. **3.** Travessa que se pregava nas portas das casas penhoradas. [Cf. *sambarco.*]

sambarco. [Var. de *sambarca.*] *S. m.* **1.** Sapato ou chinelo. **2.** Moeda de couro. [Cf. *sambarca.*]

sambaré. [Do tupi.] *S. m. Bras.* Espécie de samburá usado nalgumas regiões da Amazônia. [Cf. *samburá.*]

samba-roda. [De *samba*[1] + *roda.*] *S. m. Bras., SP.* Modalidade de fandango. [Pl.: *sambas-rodas* e *sambas-roda.*]

sambear. [De *samba*[1] + *-ear.*] *V. int. P. us.* Sambar. [Conjug.: v. *frear.*]

sambeiro. [De *samba*[1] + *-eiro.*] *Adj.* e *s. m. Bras.* V. *sambista* (1 e 3): "Os *s a m b e i r o s* gritavam desrespeitosamente: | — Pisa, morena!" (Alberto Deodato, *Canaviais*, p. 28)

sambenitar. [De *sambenito* + *-ar*[2]] *V. t. d.* Ensambenitar.

sambenito. [Do esp. *sambenito.*] *S. m.* Hábito de baeta amarela e verde, que os penitentes vestiam pela cabeça à moda de saco e trajavam nos autos-de-fé: "haviam de ir para a fogueira, como os réus da Inquisição, com a diferença que, em vez de *s a m b e n i t o*, levariam uma capa de penas de papagaio..." (Machado de Assis, *Quincas Borba*, p. 51). ♦ **Fazer do sambenito gala.** Vangloriar-se de coisa desonrosa; fazer do baldão glória.

sambetara. *S. f. Bras.* V. *papa-terra* (3).

sambexuga. *S. f. Ant.* e *pop.* V. *sanguessuga.*

sambiquira. [De provável or. tupi.] *S. f. Bras., S.* **1.** V. *uropígio.* **2.** Titela da galinha.

sambista. [De *samba* + *-ista.*] *Bras. S. 2 g.* **1.** Exímio dançarino de samba; sambador, sambeiro. **2.** Compositor de sambas. ● *Adj. 2 g.* **3.** Que é exímio dançarino de samba; sambador, sambeiro.

sambladura. *S. f.* V. *ensambladura.*

samblar. [De *ensamblar*, com aférese.] *V. t. d.* V. *ensamblar.*

sambocar. *V. t. d. Bras., PE. Pop.* Tirar, extrair. [Conjug.: v. *trancar.*]

sambódromo. De *samba* + *-dromo.*] *S. m. Bras.* Pista onde se exibem dançando e cantando escolas de samba, blocos carnavalescos, ranchos, etc.

sambongo. [Do or. afr.] *S. m. Bras., N.E.* Espécie de doce feito de coco ralado, ou mamão verde, e melado. [F. paral.: *sabongo.* Sin., em PE: *currumbá.*]

sambuca. [Do gr. *sambúke*, pelo lat. *sambuca.*] *S. f. Mús. Ant.* **1.** Pequena harpa triangular. **2.** Instrumento de sopro do tipo da museta e da sacabuxa.

sambudo. *Adj. Bras., N.E.* De barriga inchada, crescida.

sambuio. *S. m. Bras., BA.* V. *canhanha* (2).

sambulho. *S. m. Bras., BA.* V. *canhanha* (2).

samburá. [Do tupi.] *S. m. Bras.* Cesto feito de cipó ou de taquara, bojudo e de boca estreita, usado pelos pescadores para recolher peixes, camarões, etc., ou carregar seus petrechos; cofo. [Cf. *sambaré.*] ♦ **Pescar para o seu samburá.** *Bras.* Cuidar dos seus interesses; arrumar-se, arranjar-se.

samear. [De *semear*, por dissimilação.] *V. t. d., t. d. e i.* e *int. Ant.* e *pop.* Semear: "*S a m e o u* Rodrigo, / *S a m e o u* Gonçalo; / Haverão do milho, / Se mondam o prado." (Francisco Rodrigues Lobo, *Églogas*, p. 249). [Conjug.: v. *frear.*]

samessuga. *S. f. Bras.* V. *sanguessuga.*

samexuga. *S. f. Bras. Pop.* V. *sanguessuga.*

samexunga. *S. f. Bras. Pop.* V. *sanguessuga.*

samideano. [Do esperanto.] *S. m.* Adepto da mesma idéia. [Vocábulo com que os esperantistas se designam entre si.]

samilhado. *Adj. Bras.* Var. de *salmilhado.*

sâmio. [Do gr. *sámios*, pelo lat. *samiu.*] *Adj.* **1.** De, ou pertencente ou relativo à ilha de Samos (Grécia). ● *S. m.* **2.** O natural ou habitante dessa ilha. **3.** Vaso frágil feito de terra sâmia.

samisém. [Do jap. *samisen*, atr. do chin. *san hsien*, 'três cordas'.] *S. m. Mús.* Instrumento japonês formado de pequena caixa de ressonância, quadrangular, com as duas superfícies recobertas de pele de gato e sobre cujo braço, longo e fino, se esticam três cordas que vibram por meio de um grande plectro de marfim. Foi adotado inicialmente pelas orquestras do teatro popular cabúqui, e, mais tarde, introduzido no teatro nô.

samnita. [Do lat. *samnita.*] *S. 2 g.* **1.** Indivíduo dos samnitas, povo montanhês da Itália antiga. **2.** Entre os antigos romanos, designação comum a gladiadores que usavam um capacete com pluma e um grande escudo. ● *Adj. 2 g.* **3.** Pertencente ou relativo aos samnitas [v. *samnita* (1).]

samo. *S. m.* V. *entrecasca.*

samoano. *Adj.* **1.** Das, ou pertencente ou relativo às ilhas de Samoa, arquipélago do Oceano Pacífico. ● *S. m.* **2.** O natural ou habitante desse arquipélago.

samoiédico. *Adj.* Pertencente ou relativo aos samoiedos; samoiedo.

samoiedo. [Do russo *samoied.*] *S. m.* **1.** O natural ou habitante do extremo norte da Rússia, que habita as estepes confinantes com o Ártico, desde o mar Branco até o rio Ienissei, pertencente à família uralo-altaica. **2.** O grupo de línguas urálias faladas pelos samoiedos. V. *uralo-altaico* (3). ● *Adj.* **3.** Samoiédico.

samora. *S. f. Bras., RS.* V. *saburá.*

samorá. *S. f. Bras., SP.* V. *saburá.*

samorim. [Do malaiala *tamudri*, 'rei do mar', alter. do sânscr. *samudri.*] *S. m.* Título do antigo rei ou rajá de Calecute (Índia).

samouco. *S. m.* **1.** Crosta que a pedra traz, ao vir da pedreira. **2.** Arvoreta da família das miricáceas (*Myrica faya*), nativa na Ilha da Madeira e nos Açores, que vai a 8 m e tem folhas oblongo-lanceoladas, com pontos resinosos e translúcidos, flores unissexuais, com quatro estames, e que se ordenam em longas espigas cilíndricas, sendo os frutos drupas vermelhas, pequenas, carnosas e comestíveis.

samovar. [Do russo *samovar*, 'que ferve por si mesmo'.] *S. m.* **1.** Espécie de caldeira portátil, de uso na Rússia, provida de um tubo central, onde se põem brasas a fim de ferver e manter quente a água para usos domésticos, especialmente para a feitura do chá. **2.** *Bras.* Espécie de bule de metal nobre montado sobre uma armação provida de fogareiro, e que se usa para ferver e manter quente a água para o chá.

sampana. [Do chin. *sam-pan*, 'três tábuas'.] *S. f.* No Extremo Oriente, pequena embarcação de boca aberta, impelida a vela ou a remo, usada para transportar passageiros e carga em águas abrigadas, ou para pesca. Os três tipos de sampanas — chinesas, japonesas e indianas — diferem muito entre si.

sampar. [Do esp. plat. *zampar.*] *V. t. d.* e *i. Bras., S.* **1.** Arremessar, atirar. **2.** Aplicar, pespegar.

samsara. [Do sânscr., 'passagem por estados sucessivos'.] *S. m. Filos.* **1.** Metempsicose. **2.** No budismo, o curso da vida mundana, a roda dos nascimentos.

samurai. [Do jap. *samurai*, 'servidor do imperador'.] *S. m.* Guerreiro japonês, membro da casta militar, a serviço de um daimio.

saná. [De provável or. tupi.] *S. f. Bras.* Designação comum a diversas espécies de frangos-d'água do gênero *Rallus* Lin.

sanã. *S. f. Bras.* F. red. de *sanã-de-samambaia.*

sanã-de-samambaia. *S. f. Bras.* Ave gruiforme, da família dos ralídeos (*Porzana albicollis* (Vieil.)), do L. do Brasil, dorso pardo-oliváceo raiado de preto, garganta brancacenta, peito cinza, meio do abdome branco, e coberteiras de cauda brancas com listras negras. Alimenta-se de toda sorte de artrópodes, vermes, pequenos peixes, e plantas aquáticas. [F. red.: *sanã.* Pl.: *sanãs-de-samambaia.*]

sanamaicã. [Do tupi] *Bras. S. 2 g.* **1.** Indivíduo dos sanamaicãs, tribo tupi da bacia do rio Pimenta Bueno. ● *Adj. 2 g.* **2.** Pertencente ou relativo a essa tribo.

sananduva. [Do tupi.] *S. f. Bras., S.* V. *corticeira* (2).

sananduvense. *Adj. 2 g.* **1.** De, ou pertencente ou relativo a Sananduva (RS). ● *S. 2 g.* **2.** Natural ou habitante de Sananduva.

sanar. [Do lat. *sanare.*] *V. t. d.* **1.** Tornar são; curar, sarar: *Os medicamentos s a n a r a m o doente.* **2.** Remediar, atalhar, desfazer: "Parecia arrependida de todo o mal causado, prestes a *s a n á - l o*" (Machado de Assis, *Quincas Borba*, p. 238). **3.** Obstar a (um mal ou dificuldade): *A reforma econômica e social tentará s a n a r os problemas de desenvolvimento. P.* **4.** Remediar-se, ajeitar-se.

sanativo. [Do lat. *sanativu.*] *Adj.* **1.** Que sana. **2.** Próprio para sanar.

sanatório. [Do lat. tardio *sanatoriu*, pelo fr. *sanatorium.*] *S. m.* **1.** Estabelecimento para cura ou convalescença de enfermos; clínica. **2.** Sanatório de tuberculosos. ♦ **Sanatório de tuberculosos.** Casa de saúde destinada a receber doentes tuberculosos curáveis. [Tb. se diz apenas *sanatório.*]

sanável. [Do lat. *sanabile.*] *Adj. 2 g.* Que se pode sanar.

sanca. [Do lat. tardio *zanca.*] *S. f.* **1.** Cimalha convexa que une as paredes de uma sala ao teto: "Larga escadaria dava acesso a esse apartamento, ... abrindo numa antecâmara ligada à sala de jantar, de pé-direito muito alto, *s a n c a s* esculpidas e paredes apaineladas" (Melo Nóbrega, *O Soneto de Arvers*, p. 15). **2.** Parte do telhado que assenta sobre a espessura da parede. **3.** *Bras.* Moldura de uma parede que dissimula, de ordinário, as lâmpadas elétricas que iluminam uma sala.

sancadilha. [Do esp. *zancadilla.*] *S. f.* **1.** V. *cambapé* (1 e 2). **2.** Cunha para calçar pontões.

sanção. [Do lat. *sanctione*, 'ato de tornar santo, respeitado'.] *S. f.* **1.** Aprovação dada a uma lei pelo chefe de Estado. **2.** Parte da lei em que se apontam as penas contra os infratores dela. **3.** Pena ou recompensa com que se tenta garantir a execução de uma lei: "— Sinto que não haja *s a n ç ã o* na lei para tais desmandos..." (Xavier Marques, *As Voltas da Estrada*, p. 77.) **4.** Providência estabelecida na cláusula penal dum contrato para o caso de arrependimento ou inexecução. **5.** Aprovação por alguma autoridade: *Recebeu a s a n ç ã o da Academia.* **6.** Aprovação, confirmação; ratificação: *Tal neologismo ainda não recebeu a s a n ç ã o do uso.* **7.** Medida repressiva infligida por uma autoridade: *O corpo docente aplicou severas s a n ç õ e s contra os grevistas.* [Cf. *sansão*, s. m., e *Sansão*, antr.]

sancarrão. *S. m.* **1.** Grande sanco. ● *Adj.* **2.** Desajeitado, desarranjado, feio. **3.** Ignorante, estúpido, lerdo. [Fem. (do adj.): *sancarrona.*]

sancarrona. *Adj. (f.)* Fem. de *sancarrão* (2 e 3).

sancionado. [Part. de *sancionar.*] *Adj.* **1.** Que recebeu sanção (1). **2.** *Fig.* Confirmado, aprovado.

sancionador (ô). *Adj.* e *s. m.* Que ou aquele que sanciona.

sancionar. *V. t. d.* Dar sanção a; confirmar, aprovar, ratificar. [Antôn.: *vetar* (1).]

sanco. [De *sanca.*] *S. m.* **1.** Perna de ave, desde a garra até à junta da coxa. **2.** *Fig.* Perna fina.

sancristão. *S. m. Ant.* e *pop.* V. *sacristão:* "lá se foram os três rumo ao rancho: de pé, na frente, Piano; atrás, na mulinha, o *s a n c r i s t ã o*, e, mais atrás de tudo, o vigário" (Bernardo Élis, *Veranico de Janeiro*, p. 56).

sancristia. *S. f. Ant.* e *pop.* Var. nasalada de *sacristia.*
➧**sanctus.** [Lat., *'santo'.*] *S. m. 2 n.* Parte da missa (1) que se inicia com a repetição tríplice dessa palavra, recitada ou cantada, em aclamação ao Senhor. [V. *liturgia da missa* e *ordinário* (10).]
sandaba. *S. f. Bras.* Peça de uma rede de pesca usada na BA.
sandália. [Do persa mod. *sandal,* pelo gr. *sandálion* e pelo lat. *sandalia,* pl. de *sandaliu.*] *S. f.* **1.** Calçado feito de uma sola presa ao pé por tiras ou cordões. **2.** Chinela antiga; abarca.
sândalo. [Do sânscr. *xandana,* pelo persa *xändäl,* pelo ár. *sandal* e pelo gr. médio *sandalon.*] *S. m.* **1.** Árvore da família das santaláceas (*Santalum album*), originária da Índia e adjacências, que fornece madeira resistente e aromática, da qual se extrai um óleo de uso clássico, em perfumaria, para o fabrico do sândalo (2). **2.** Essência perfumada e balsâmica, extraída do tronco e das raízes do sândalo, e utilizada em preparados farmacêuticos. **3.** Perfume fabricado com esta essência.
sandáraca. [De or. oriental, atr. do gr. *sandarákē* e do lat. *sandaraca.*] *S. f.* **1.** Resina aromática de algumas árvores, especialmente da tuia. **2.** *Min.* Arsênico rubro.
sandejar. [De *sandeu* + *-ejar.*] *V. int.* **1.** Dizer sandices. **2.** Agir como sandeu. [Conjug.: v. *pelejar.*]
sandeu. *Adj.* e *s. m.* Idiota, parvo, tolo, néscio, estúpido. [Fem.: *sandia.*]
sândi. [Do sânscr.] *S. m. Fon.* Mudanças fonéticas que ocorrem em começo e/ou final de morfema, vocábulo ou sintagma.
sandia. *Adj.* (*f.*) e *s. f.* V. *sandeu.*
sandice. *S. f.* Qualidade, condição ou ação de sandeu; necedade, parvoíce, insensatez, tolice.
sandicino. *Adj. Desus.* De cor escarlate ou vermelha: "As folhas perderam a cor viçosa, o verde tenro, ganhando o colorido sandicino — eram como pequenos corações pendurados dos galhos" (Coelho Neto, *Sertão,* p. 140).
sandim. *S. m.* Arvoreta caducifólia, da família das ramnáceas (*Rhamnus alaternus*), nativa na Europa, que tem folhas ovadas ou ovado-lanceoladas, serrilhadas e brilhantes, pequenas flores congregadas em racemos curtos, e frutos drupáceos, preto-azulados.
sandinista. [Do antr. *Sandino,* de *César Augusto Sandino* (1893-1934), general nicaragüense.] *Adj. 2 g.* e *s. 2 g.* Diz-se de, ou partidário da Frente Sandinista de Libertação Nacional, movimento que lutou para a derrubada do regime liderado por Anastasio Somoza (1925-1980) na Nicarágua.
sandio. [Do esp. *sandío.*] *Adj.* Próprio de sandeu; disparatado, insensato, tolo.
sanduíche[1]. [Do ingl. *sandwich* < antr. *Sandwich,* do Conde de Sandwich, nobre inglês (1718-1792).] *S. m.* e (em Portugal) *f.* **1.** Duas ou mais fatias de pão intercaladas com queijo, presunto, carne, ovos, etc. **2.** *Bras. Pop.* Imprensadura de uma (ou mais) pessoa ou coisa por duas (ou mais) outras: *Manuel e João deram um sanduíche no zagueiro do time adversário; O fusca ficou de sanduíche entre o caminhão e o poste.* [Fem. em Portugal.] ♦ **Sanduíche americano.** *Bras.* O que leva um ovo estrelado, além do presunto.
sanduíche[2]. *S. m. Propag.* F. red. de *anúncio-sanduíche.*
sanduicheira (u-i). *S. f.* Aparelho para fazer sanduíche.
sandumonense. *Adj. 2 g.* **1.** De, ou pertencente ou relativo a Santos Dumont (MG). ● *S. 2 g.* **2.** Natural ou habitante de Santos Dumont.
saneado. [Part. de *sanear.*] *Adj.* Em que houve saneamento; que se saneou.
saneador (ô). *Adj.* **1.** Que saneia. ~ V. *despacho* —. ● *S. m.* **2.** Aquele que saneia.
saneamento. *S. m.* Ato ou efeito de sanear.
sanear. [Do lat. *sanu,* 'são', + *-ear.*] *V. t. d.* **1.** Tornar são, habitável ou respirável: *O governo pretende sanear pântanos.* **2.** Curar, sarar, sanar: *sanear enfermos.* **3.** Remediar, reparar: *O jovem governador dispôs-se a sanear os erros da administração anterior.* **4.** Restituir ao estado normal; tranqüilizar: *A medida saneará os ânimos exaltados.* **5.** Pôr ou estabelecer em princípios morais estritos: *sanear uma administração.* **6.** Pôr cobro a; desfazer: *É impossível sanear tanta corrupção sem medidas enérgicas.* **7.** Perdoar, desculpar. *T. d.* e *i.* **8.** *Desus.* Reconciliar(-se), congraçar(-se). *P.* **9.** Reconciliar-se, congraçar-se. [Conjug.: v. *frear.*]
saneável. *Adj. 2 g.* Que pode ser saneado.
sanedrim. [Do gr. *synédrion,* pelo aramaico *sanhedrim.*] *S. m.* V. *sinédrio.*
sanefa. [Do ár. *çanifâ,* 'aba de veste'.] *S. f.* **1.** Faixa de pano, larga, que se atravessa, como ornato, na parte superior dos cortinados, nas vergas das janelas, etc. **2.** Cortina (1): "Leôncio, ... que os espiava através das sanefas entreabertas de uma alcova, não avistava Henrique e Malvina" (Bernardo Guimarães, *A Escrava Isaura,* p. 50). **3.** Tábua atravessada, à qual se prende uma série de outras, a ela perpendiculares. **4.** *Marinh.* Cortina de lona ou de brim que se amarra num vergueiro de toldo para resguardar o convés do sol, vento ou chuva, quando o navio está no porto, ou proteger o interior de embarcação miúda.
sanfenal. *S. m.* Quantidade mais ou menos considerável de sanfenos dispostos proximamente entre si.
sanfeno. [Do fr. *sainfoin.*] *S. m.* **1.** V. *esparzeta.* **2.** Erva da família das leguminosas (*Onobrychis vulgaris*), de origem européia e cultivada como forrageira, considerada valiosa para solos ricos em calcário.
sanfona. [Do gr. *symphonía,* pelo lat. *symphonia,* no lat. vulg. **sumphonia.*] *S. f.* **1.** *Mús. Ant.* Viela[2] (2). **2.** *Mús. Ant.* Viela de roda. **3.** Rabeca (2). **4.** *Bras.* V. *concertina:* "Vaga, gemendo, pelo ar dolente / O som longínquo de uma sanfona, / Que um pastor fere tremulamente." (B. Lopes, *Val de Lírios,* p. 63.) **5.** *Bras. Pop.* V. *acordeão.* **6.** *Bras.* Ponto de tricô em que se sucedem alternadamente, pelo direito e pelo avesso, pontos de meia [v. *ponto de meia*], feitos em colunas verticais, que dão elasticidade ao tecido. **7.** *Bras.* O tecido feito com esse ponto. **8.** *Bras. Gír.* Tiras estreitas de papel, dobradas muitas vezes, que contêm a cola[1] (2) que os estudantes utilizam nas provas escritas.
sanfonado. [De *sanfona* (4) + *-ado*[1].] *Adj. Bras.* Que lembra, pelo feitio, o fole da sanfona (4). ~ V. *porta* —*a.*
sanfoneiro. *S. m.* Tocador de sanfona ou de acordeão: "quadrilha cadenciada, ... ao som da sanfona roufenha de Chico da Salu, sanfoneiro dos bons" (Nélson de Faria, *Bazé,* p. 111). [Sin.: *sanfonina* e (bras.) *sanfonista.*]
sanfonina. [De *sanfona* + *-ina*[2].] *S. f.* **1.** Acordeão pequeno: "Fecho os olhos, a ouvir o murmurinho / De um concerto de violas / Da Beira, / De sanfoninas do Minho, / Cornamusas do Doiro e flautas do Alentejo." (Martins Fontes, *Verão,* p. 60.) **2.** Cantiga desentoada. ● *S. 2 g.* **3.** V. *sanfoneiro.*
sanfoninar. [De *sanfonina* + *-ar*[2].] *V. int.* **1.** Tocar sanfona. **2.** Tocar mal qualquer instrumento de corda. **3.** *Pop.* Falar importunamente. **4.** Importunar, serrazinar. *T. d.* **5.** Repisar, repetir.
sanfonista. [de *sanfona* + *-ista.*] *S. 2 g. Bras.* V. *sanfoneiro.*
sanforizado. [Part. de *sanforizar* (q. v.).] *Adj.* Que se sanforizou.
sanforizar. [Do ingl. *sanforize;* nome comercial registrado.] *V. t. d.* Tratar (tecido) de maneira que não encolha nem se distenda.
sanga. [Do esp. plat. *zanja.*] *S. f. Bras., SC* e *RS.* **1.** Algirão. **2.** Pequeno regato, que seca facilmente. **3.** Escavação profunda no terreno, produzida pelas chuvas ou por correntes de água subterrâneas. **4.** Designação comum a produtos secundários do beneficiamento do arroz; quirera.
sangado. [De *sanga* + *-ado*[1].] *Adj. Bras., SC* e *RS.* **1.** Preso em sanga. **2.** *Fig.* Enfezado, raquítico.
sangalho. [Do topo. *Sangalhos,* concelho de Portugal.] *S. m.* Antiga medida de cinco celamins.
sangangu. [Prende-se, talvez, a *angu* (2 a 4).] *S. m. Bras., N.E. Pop.* **1.** Desordem, conflito. V. *rolo*[1] (16). **2.** Mexerico, intriga, fuxico, trança.
sangão. [Do esp. *zanjón.*] *S. m. Bras., RS.* Sanga funda.
sangavira. *S. f. Mús. Bras., SP.* Tambor de jongo.
sangra. [Dev. de *sangrar.*] *S. f.* Líquido arroxeado que escorre da azeitona comprimida ou empilhada.
sangradeira. [De *sangrar* + *-deira.*] *S. f.* **1.** Certa mutuca. **2.** Espécie de formão com que se sangram árvores produtoras de látex.
sangrado. [Part. de *sangrar.*] *Adj.* **1.** A que se aplicou a sangria. **2.** *P. ext.* Ferido, magoado. **3.** *Fig.* Exausto; alquebrado, debilitado. **4.** *Edit.* Diz-se da mancha impressa, normalmente de fotografia, que é limitada apenas pelas bordas exteriores da página, sem nenhuma margem branca. ● *S. m.* **5.** Edit. Mancha sangrada [v. *sangrado* (4)].
sangradoiro. [De *sangrar* + *-(d)oiro*[1].] *S. m.* V. *sangradouro.*
sangrador[1] (ô). *S. m. Bras.* V. *sangradouro.*
sangrador[2] (ô). [Do esp. *sangrador.*] *Adj.* e *s. m.* Que ou aquele que sangra.
sangradouro. [De *sangrar* + *-(d)ouro*[1]; var. de *sangradoiro.*] *S. m.* **1.** Parte do braço oposta ao cotovelo, onde normalmente se praticava a sangria. **2.** Sulco ou lugar por onde se desvia parte da água dum rio ou duma fonte: "choveu nas cabeceiras e os sangradouros despejaram / lama e peixes, troncos e bichos mortos" (Odilo Costa, filho, *Cantiga Incompleta,* p. 20). **3.** *Bras.* Lugar, no pescoço ou no peito dos animais, onde se golpeia para os matar. **4.** *Bras.* Sarjeta, escoadouro, bueiro. **5.** *Bras., Pl.* Boqueirão, garganta entre serras, que se alaga na época das enchentes. **6.** *Bras., S.* Canal natural que comunica duas lagoas, um rio e uma lagoa, ou dois rios. **7.** *Bras., S.* Assado que se tira do sangradouro (3) da rês. [F. paral., bras.: *sangrador.*]
sangradura. [Do esp. *sangradura.*] *S. f.* Ato ou efeito de sangrar; sangria.
sangrar. [Do esp. *sangrar.*] *V. t. d.* **1.** Tirar sangue a, abrindo uma veia; picar com lanceta, para extrair sangue; aplicar uma sangria a. **2.** Tirar algum líquido a: *sangrar um rio.* **3.** Esvaziar, esgotar: *Grande gastador, e irresponsável, sangrou a bolsa do pai.* **4.** Ferir (um animal) no sangradouro, ou (um ser humano) na região correspondente a esta. **5.** Extorquir bens, dinheiro, valores, a: *Sangrou os amigos um a um.* **6.** Extrair certos produtos naturais de: *sangrar uma mina.* **7.** Atormentar, magoar, ferir: *A contrariedade sangrou-lhe o coração.* **8.** Derramar, verter (sangue). **9.** Tirar a força a; enfraquecer, debilitar. **10.** *Edit.* Utilizar o recurso do sangrado (5). **11.** *Bras., N.E.* Fazer com ferramenta apropriada, sulcos retangulares ou curvos em (a madeira), ao torneá-la. **12.** *Bras., N.E.* Entalhar normalmente (a madeira) para produzir os ressaltos terminais das molduras. **13.** *Bras. Pop.* Pedir dinheiro emprestado a, sem intenção de pagar. *Int.* **14.** Verter sangue: "O animal sangrava, esvaía-se, com o cogote aberto em talho fundo." (Coelho Neto, *Treva,* p. 376); "Chico Monte caiu sangrando e ficou sem mexer, fingindo-se de morto." (Lustosa da Costa, *Sobral do Meu Tempo,* p. 80). **15.** Cair em gotas; gotejar. **16.** *Bras., S.* Aceder a pedido de dinheiro, a uma facada. **17.** Ferir um animal no sangradouro, ou um ser humano na região correspondente a esta: "Cafuz de força e agilidade sem medidas, cruento como Pajeú .... Era desses que lambem a faca depois de sangrar." (João Felício dos Santos, *João Abade,* p. 94.) *P.* **18.** Deixar-se sangrar. **19.** Verter sangue. **20.** Perder forças; enfraquecer-se, debilitar-se. **21.** Perder bens, riquezas.
sangrento. [Do esp. *sangriento.*] *Adj.* **1.** De que sai ou brota sangue: *ferimento sangrento.* **2.** Coberto de sangue; sanguinolento, ensanguentado; sanguíneo, sangrento: *O assassino tentou esconder o punhal sangrento.* **3.** Em que há derramamento de sangue; cruento, sanguinolento: *lutas sangrentas.* **4.** *Bras.* Diz-se da carne mal passada.
sangria. [Do esp. *sangría.*] *S. f.* **1.** Sangradura. **2.** perda de sangue, natural ou provocada. **3.** Ato ou efeito de sangrar, de dar saída artificial a certa quantidade de sangue duma veia. **4.** Extorsão astuciosa ou fraudulenta. **5.** Bebida refrigerante preparada com vinho, água, açúcar, suco de limão, e pedaços de frutas, em especial laranja e maçã. ♦ **Sangria desatada.** Coisa que exige atenção ou providência imediata.
sangue. [Do lat. *sanguen.*] *S. m.* **1.** *Histol.* Líquido que transita pelo coração, artérias, capilares e veias, constituído de plasma e células, e que tem, entre outras funções, a de distribuir, pelas células do organismo, oxigênio e substâncias nutritivas. [Cf. *coração* (1) e *circulação* (5).] **2.** *Fig.* A vida, a existência: *Quanto sangue têm custado as guerras?* **3.** *Fig.* Família, prole, geração; progênie, raça: *São todos do mesmo sangue.* **4.** Suco, sumo. **5.** V. *menstruação* (1). **6.** *Teol.* A natureza, em oposição à graça. ♦ **Sangue arterial.** O que, tendo passado pelos pulmões, cedeu dióxido de carbono e recebeu oxigênio. **Sangue azul.** *Fig.* Nobreza, fidalguia. **Sangue de Cristo.** O vinho. **Sangue frio.** O sangue dos animais (peixes, reptis e invertebrados) cuja temperatura depende da do meio em que eles vivem. [Cf. *sangue-frio.*] **Sangue quente.** O dos animais (mamíferos e pássaros) que têm uma temperatura constante. **Sangue venoso.** O que, depois de ceder oxigênio às células, ainda não transitou pelos pulmões, tendo alto teor de dióxido de carbono. **Suar sangue.** Ter trabalho em excesso; realizar esforço exaustivo. **Subir o sangue à cabeça.** Ficar exasperado, enfurecido, encolerizado. **Ter o sangue quente.** V. *ter sangue nas veias.* **Ter sangue de barata.** Deixar de reagir a uma ofensa. **Ter sangue na guelra.** *Bras. Pop.* V. *ter sangue nas veias.* **Ter sangue nas veias.** Ser genioso, exaltado, esquentado, irritadiço; ter o sangue quente, ter sangue na guelra.
sangue-de-adão. *S. m. Bras.* V. *cardeal* (4). [Pl.: *sangues-de-adão.*]
sangue-de-boi. *S. m. Bras.* Ave passeriforme, da família dos traupídeos (*Ramphocelus brasilius* (L.)), da faixa

costeira do Brasil este-central e este-meridional, de coloração vermelha, asas, cauda e pernas pretas, sendo a fêmea bruna, com o dorso vermelho tirante a pardo. Freqüenta matas e terrenos abertos, preferindo as restingas, e alimenta-se de frutas e insetos. [Sin.: *canário-baeta, tapiranga, tié-fogo, tié-piranga, tié-sangue, tié-vermelho.* Pl.: *sangues-de-boi.*]

sangue-de-dragão. *S. m. Quím.* Resina extraída de cocos de diversas palmeiras, sólida, vermelha, usada na indústria de vernizes. [Pl.: *sangues-de-dragão.*]

sangue-de-drago. *S. m. Bras.* Arvoreta da família das euforbiáceas (*Croton urucurana*), cujo tronco, ferido, deixa escorrer uma excreção viscosa, pegajosa, de forte coloração vermelha. As folhas, largas, são acuminadas e membranáceas, e as pequenas e alvas flores inserem-se em cachos. [Sin.: *urucurana.* Pl.: *sangues-de-drago.*]

sangue-de-tatu. *Adj.* (*f.*) *2 n. Bras., SP.* Diz-se duma espécie de terra de um tom roxo vivo, ótima para os cafezais.

sangue-frio. *S. m.* Calma, fleuma, impassibilidade, frieza ou presença de espírito em face de situação perigosa, angustiante, dolorosa, difícil: *Seu sangue-frio o manteve equilibrado no triste lance da morte do amigo.* [Pl.: *sangues-frios.* Cf. *sangue frio.*]

sangueira. *S. f.* **1.** Grande quantidade de sangue derramado. **2.** Sangue que vertem os animais mortos. [F. paral., bras., pop.: *sangueiro.* Cf. *sanguera.*]

sangueiro[1]. *S. m. Bras. Pop.* Sangueira [q. v.].

sangueiro[2]. *S. m. Bras., PE.* Fabricante de sangas [v. *sanga* (4)].

sangue-novo. *S. m. Bras. Pop.* Designação comum a certas erupções cutâneas. [Pl.: *sangues-novos.*]

sanguento. [Do lat. vulg. *sanguinentu.*] *Adj.* V. *sangrento* (2): "Os varais, conformes à moda bizarra do tempo, terminavam em cabeças de dragões com as fauces abertas e sanguentas." (Afonso Arinos, *Pelo Sertão,* p. 51); "A vida e só a vida! mas a vida tumultuosa, férvida, anelante, às vezes sanguenta — eis o drama." (Álvares de Azevedo, *Obras Completas,* II, p. 5). [Var. pros.: *sangüento.*]

sangüento. V. *sanguento.*

sanguera (ê). [Var. de *sangueira?*] *S. f. Bras., N.* A traquéia e o esôfago da rês abatida para consumo. [Cf. *sangueira.*]

sanguessuga. [Do lat. *sanguisuga.*] *S. f.* **1.** Verme do filo dos anelídeos, da classe dos hirudíneos, que habita as águas doces e tem ventosas com que se liga aos animais a fim de sugar-lhes o sangue. É o de uso medicinal para provocar sangrias desde a época romana. Ex.: *Hirudus medicinalis.* [Sin., bras.: *bicha.*] **2.** Pessoa que explora outra pedindo-lhe constantemente dinheiro; chupa-sangue. [Var. (pop): *samessuga, samexuga, samexunga, sambexuga.*]

▲sangui-. [Do lat. *sanguis, inis.*] *El. comp.* = 'sangue': *sanguífero, sanguificar.*

sanguífero. [De *sangui-* + *-fero.*] *Adj.* Que tem ou produz sangue.

sanguificação. *S. f.* **1.** Ato ou efeito de sanguificar. **2.** Formação de sangue. **3.** Hematose.

sanguificar. [De *sangui-* + *-ficar.*] *V. t. d. Fisiol.* Converter em sangue. [Conjug.: v. *trancar.* Pres. ind.: *sanguifico,* etc. Cf. *sanguífico.*]

sanguificativo. *Adj.* Sanguífico.

sanguífico. [De *sangui-* + *-fico.*] *Adj.* Que sanguifica; sanguificativo. [Cf. *sanguifico,* do v. *sanguificar.*]

sanguina. [Do fr. *sanguine.*] *S. f.* **1.** Lápis feito de ocre vermelho. **2.** Desenho feito com um desses lápis. **3.** Litografia que imita um desenho desse tipo. [F. paral.: *sanguínea* ou *sangüínea.*]

sanguinária. [Fem. substantivado de *sanguinário;* o látex desta planta é cor de sangue.] *S. f.* Erva da família das poligonáceas (*Polygonum aviculare*), muito difundida na Europa e subespontânea no Brasil, que cresce de preferência em lugares úmidos. Tem caule prostrado, sulcado e com folhas no ápice, ócrea alva e curta, folhas ovadas, lanceoladas ou lineares, venosas, e com duas a cinco flores insignificantes na axila; sanguínea, sempre-noiva. [Var. pros.: *sangüinária.*]

sangüinária. *S. f.* Sanguinária [q. v.]

sanguinário. [Do lat. *sanguinariu.*] *Adj.* **1.** Que se compraz em ver derramar sangue; saguinolento, sanguissedento, sanguíneo. **2.** *P. ext.* Feroz, cruel, cruento. [Var. pros.: *sangüinário.*]

sangüinário. *Adj.* V. *sanguinário.*

sanguínea. [Do lat. *sanguinea.*] *S. f.* **1.** V. *sanguina.* **2.** V. *sanguinária.* **3.** Variedade de pêra e de maçã. [Var. pros.: *sangüínea.*]

sangüínea. *S. f.* V. *sanguínea.*

sanguíneo. [Do lat. *sanguineu.*] *Adj.* **1.** Relativo ao sangue; sanguino. **2.** Que tem ou parece ter aumento da massa sanguínea; pletórico: "O pároco era um homem sanguíneo e nutrido, que passava entre o clero diocesano pelo *comilão dos comilões.*" (Eça de Queirós, *O Crime do Padre Amaro,* p. 1.) **3.** Que tem cor de sangue. **4.** V. *sangrento* (2). **5.** V. *sanguinário* (1). ~ V. *capilar —, circulação —a, discrasia —a, glóbulo —, grupo —, plaqueta —a* e *pressão —a.* ● *S. m.* **6.** Indivíduo pletórico, vermelho. **7.** V. *sanguinho* (1). [Var. pros.: *sangüíneo.*]

sangüíneo. *Adj.* e *s. m.* V. *sanguineo.*

sanguinhar. [De *sanga* + *-inhar.*] *V. int. Bras., RS.* Patinar na lama; pisotear.

sanguinheiro. [De *sanguino* + *-eiro,* com palatalização, ou de *sanguinho* + *-eiro.*] *S. m.* Árvore da família das ramnáceas (*Frangula nigra*), nativa na Europa, e cuja casca tem propriedades purgativas.

sanguinho. [De *sanguino,* com palatalização.] *S. m.* **1.** Paninho que o sacerdote usa para enxugar o cálice após beber o vinho consagrado; sanguíneo, purificador. **2.** Arbusto ornamental, da família das cornáceas (*Cornus sanguinea*), originário da Europa, de flores amarelas pequeninas, porém congregadas em densas inflorescências.

sangüinidade. [De *sanguíneo* + *-i-* + *-dade.*] *S. f.* Consangüinidade.

sanguino. [Alter. de *sanguíneo.*] *Adj.* **1.** Sanguíneo (1). **2.** Que causa morte ou efusão de sangue. ● *S. m.* **3.** Cor avermelhada.

sanguinolarídeo. *S. m.* **1.** Espécime dos sanguinolarídeos ● *Adj.* **2.** Pertencente ou relativo a eles. [Sin. ger.: *psamobiídeo.*]

sanguinolarídeos. *S. m. pl. Zool.* Família de moluscos da classe dos pelecípodes, de longos sifões e concha subelíptica pouco elevada, e que habitam os mares quentes, costas das Antilhas, a Califórnia e o Brasil; psamobiídeos.

sanguinolência. *S. f.* Qualidade ou estado de sanguinolento.

sanguinolento. [Do lat. *sanguinolentu.*] *Adj.* **1.** V. *sangrento* (2 e 3): "a mais obstinada e sanguinolenta guerra" (Correia Garção, *Obras Poéticas e Oratórias,* pp. 586-587). **2.** Misturado com, ou tinto de sangue. **3.** V. *sanguinário* (1). [Sin..ger.: *sanguinoso ou sangüinoso.*]

sanguinoso (ô). [Do lat. *sanguinosu.*] *Adj.* V. *sanguinolento.* [Var. pros.: *sangüinoso.*]

sangüinoso (ô). *Adj.* Var. pros. de *sanguinoso* [v. *sanguinolento*]: "Sangüinoso punhal na mão sustenta." (Correia Garção, *Obras Poéticas e Oratórias,* p. 182).

sanguissedento. [De *sangui-* + *sedento.*] *Adj. Poét.* V. *sanguinário* (1).

sanha. [Do lat. *insania,* com aférese e palatalização?] *S. f.* Ira, fúria, rancor, ódio: "um feitor amoroso e forte, ... cortado em pedaços pequeninos, com a fria sanha de muitas pequeninas vinganças ao serviço de uma forte vingança" (Cornélio Pena, *Fronteira,* p. 93).

sanhá. [F. red. de *sanhaçu.*] *S. m. Bras., BA.* Designação comum a diversos pássaros da família dos traupídeos.

sanhaço. [Var. de *sanhaçu* < tupi *sa'i wa'su,* 'saí grande'.] *S. m. Bras.* **1.** Designação comum a várias aves passeriformes, da família dos traupídeos, gênero *Thraupis* Boie, de coloração geralmente verde ou azul-acinzentada e asas com enfeites variados. Alimentam-se sobretudo de frutas, sendo assíduos freqüentadores dos pomares e hortas, onde costumam causar danos de monta. [Var.: *assanhaço, saí-açu;* sin.: *papa-laranja.*] **2.** V. *sanhaço-de-mamoeiro.*

sanhaço-da-serra. *S. m. Bras.* Sanhaçu-de-encontro. [Pl.: *sanhaços-da-serra.*]

sanhaço-de-coqueiro. *S. m. Bras.* Ave passeriforme, da família dos traupídeos (*Thraupis palmarum* (Wied)), distribuída por todo o País, de coloração verde-acinzentada, com vértice verde-claro, uma faixa brancacenta nas asas, dorso e cauda pardo-escuros. O costume de freqüentar palmeiras valeu-lhe o nome popular. Alimenta-se de frutas, insetos e grãos. [Sin.: *sanhaço-pardo, sanhaçu-verde.* Pl.: *sanhaços-de-coqueiro.*]

sanhaço-de-fogo. *S. m. Bras.* Ave passeriforme, da família dos traupídeos (*Piranga flava saira* (Spix)), do *N.* e *C.O.* do País. O macho tem coloração vermelho-cochonilha; a fêmea é verde-azeitonada, com porção ventral amarelada. Alimenta-se, sobretudo, de insetos. [Sin.: *saí-de-fogo, canário-do-mato, saíra-vermelha.* Pl.: *sanhaços-de-fogo.*]

sanhaço-de-mamoeiro. *S. m. Bras.* Ave passeriforme da família dos traupídeos (*Thraupis sayaca* (L.)), do Brasil central e oriental, do MA ao RS. Dorso azul-escuro e ventre azul-esbranquiçado. É uma das espécies mais comuns no Brasil, e freqüenta os arredores de habitações humanas. Alimenta-se de frutas e também de insetos. [Tb. se diz apenas *sanhaço,* e *sanhaçu,* de que *sanhaço* é var. Pl.: *sanhaços-de-mamoeiro.*]

sanhaço-do-campo. *S. m. Bras.* V. *bico-de-veludo.* [Pl.: *sanhaços-do-campo.*]

sanhaço-frade. [Var. de *sanhaçu-frade.*] *S. m. Bras.* Ave passeriforme, da família dos traupídeos (*Stephanophorus diadematus* (Tem.)), da faixa litorânea do Brasil este-meridional. A coloração geral é azul-suja; fronte, garganta, asas e cauda negros; alto da cabeça com manchas avermelhadas. O bico é curvo, grosso e curto. Vive bem em cativeiro, onde costuma reproduzir, e se alimenta de frutos e de insetos. [Sin.: *azulão-da-serra, azulão-de-cabeça-encarnada, azulão-do-campo, cairé, lindo-azul, sairuçu, sanhaçu-frade.* Pl.: *sanhaços-frades* e *sanhaços-frade.*]

sanhaço-pardo. [Var. de *sanhaçu-pardo.*] *S. m.* **1.** *Bras.* V. *bico-de-veludo.* **2.** *Bras., PA.* V. *sanhaço-de-coqueiro.* [Pl.: *sanhaços-pardos.*]

sanhaçotinga. [De *sanhaço* + *-tinga.*] *S. m. Bras., SP.* V. *tietinga.*

sanhaçu. *S. m. Bras.* **1.** V. *sanhaço.* **2.** V. *saí-açu-azul.* **3.** V. *sanhaço-de-mamoeiro.*

sanhaçu-de-encontro. *S. m. Bras.* Ave passeriforme, da família dos traupídeos (*Thraupis ornata* (Spar)), do Brasil este-meridional, de dorso verde, cabeça e peito azuis, e encontro com mancha amarela. Alimenta-se de frutas e insetos. [Sin.: *sanhaço-da-serra.* Pl.: *sanhaçus-de-encontro.*]

sanhaçu-frade. *S. m. Bras.* V. *sanhaço-frade.* [Pl.: *sanhaçus-frades* e *sanhaçus-frade.*]

sanhaçuíra. *S. f. Bras.* Ave passeriforme, da família dos traupídeos (*Tangara cayana flava* (Gmel.)), do Brasil este-setentrional. Coloração geral amarelada brilhante; garganta, peito e fita alongada até o abdome, pretos; asa preta, com margem azul; cauda azul. A fêmea é pardo-cinzenta, com a fronte e cabeça cúpreos. Alimenta-se, sobretudo, de frutos. [Sin.: *frei-vicente, sirico-melado, saíra-amarela.*]

sanhaçu-pardo. *S. m. Bras.* Sanhaço-pardo [q. v.].[Pl.: *sanhaçus-pardos.*]

sanhaçu-verde. *S. m. Bras., N.E.* V. *sanhaço-de-coqueiro.* [Pl.: *sanhaçus-verdes.*]

sanharão. *S. m. Bras.* Abelha melipônida, da família dos meliponídeos (*Trigona silvestriana* Vach.), preta reluzente, de asas muito escuras, e com 9 a 11 mm de comprimento. Nidifica em tronco de árvores, e é agressiva. [Sin.: *abelha-sanharó.*]

sanharó. [Do tupi *saña ró.*] *S. m. Bras.* V. *torce-cabelo.*

sanharoense (ò). *Adj. 2 g.* **1.** De, ou pertencente ou relativo a Sanharó (PE). ● *S. 2 g.* **2.** Natural ou habitante de Sanharó.

sanhoá. [De provável or. tupi.] *S. f. Bras.* V. *caicanha.*

sanhoso (ô). *Adj.* Que tem sanha; irascível; sanhudo.

sanhudo. *Adj.* **1.** V. *sanhoso.* **2.** *Fig.* Que causa medo; temível.

▲san(i)-. [Do lat. *sanus, a, um.*] *El. comp.* = 'são, salubre': *sanear, sanificar.*

sanícula. [Do lat. medieval *sanícula.*] *S. f.* Planta medicinal, da família das umbelíferas (Saniful europaea.)

sanícula-dos-montes. *S. f.* Saxífraga-branca. [Pl.: *sanículas-dos-montes.*]

sanidade. [Do lat. *sanitate.*] *S. f.* **1.** Qualidade ou estado de são. **2.** Salubridade; higiene. **3.** Normalidade física ou psíquica.

sanidina. [Do gr. *sanís, ídos,* 'tábua' (cristais tabulares), + *-ina*[1].] *S. f. Min.* Variedade de ortoclásio de aspecto vítreo, transparente, que ocorre em certas rochas magmáticas efusivas.

sânie. [Do lat. *sanie,* 'sangue corrompido'.] *S. f.* **1.** Pus ou matéria purulenta gerada pelas úlceras e chagas não tratadas. **2.** *P. ext.* Podridão (2).

sanificação. *S. f.* Ato de sanificar.

sanificador (ô). *Adj.* **1.** Que sanifica; sanificante. ● *S. m.* **2.** Aquele que sanifica.

sanificante. *Adj. 2 g.* Sanificador (1).

sanificar. [De *san(i)-* + *-ficar.*] *V. t. d.* Tornar são ou salubre; desinfetar, sanear. [Conjug.: v. *trancar.*]

sanioso (ô). [Do lat. *saniosu.*] *Adj.* Em que há sânie.

saníssimo. [Do lat. *sanissimu.*] *Adj.* Superl. abs. sint. de *são.*

sanitário. [Do fr. *sanitaire.*] *Adj.* **1.** Relativo à saúde ou à higiene. **2.** Relativo a, ou próprio de banheiro (1): *louça sanitária.* ~ V. *água —a, aparelho —, bacia —a, louça —a* e *vaso —.* ● *S. m.* **3.** V. *banheiro* (2).

sanitarista. *S. 2 g.* Especialista em saúde pública, em assuntos sanitários; higienista.
sanitização. [Do ingl. *sanitization.*] *S. f. Tec.* Conjunto de procedimentos usados na indústria de produtos alimentares e que visam à manutenção das condições de higiene indispensáveis à obtenção de materiais de primeira qualidade.
sanja. *S. f.* **1.** Abertura ou dreno para escoar águas. **2.** Valeta; rego.
sanjar. *V. t. d.* **1.** Fazer ou abrir sanjas em: *sanjar um terreno. Int.* **2.** Fazer ou abrir sanjas.
sanquia. [Do sânscr.] *S. m. Filos.* Sistema ortodoxo de filosofia da Índia, surgido no séc. IV a.C., de caráter dualista, em oposição ao vedanta, e que atribui aos espíritos caráter inativo e à natureza caráter dinâmico regido pela lei do carma. [V. *darsana.*]
sanquitar. *V. t. d.* Voltear (a massa da broa) com farinha para ligá-la bem.
sansa. *S. m.* Instrumento de cordas, de origem africana.
sansadurninho. [Alter. do hag. *S. Saturnino.*] *Adj. e s. m. Pop.* Diz-se de, ou indivíduo sonso, dissimulado, astuto, velhaco.
sansão. [Do antr. *Sansão*, personagem bíblico, famoso por sua força física.] *S. m.* **1.** Espécie de guindaste empregado em certas construções. **2.** *Fig.* Indivíduo de extraordinária força física. [Cf. *sanção.*]
sanscrítico. *Adj.* Relativo ao sânscrito; sânscrito.
sanscritismo. *S. m.* **1.** Estudo do sânscrito. **2.** Doutrinas derivadas desse estudo.
sanscritista. *S. 2 g.* Pessoa versada no conhecimento do sânscrito, no sanscritismo.
sânscrito. [Do sânscr. *samskrta*, i. e., *bhasha samskrta*, 'língua perfeita, regular'.] *S. m.* **1.** Uma das mais antigas línguas clássicas da Índia, da família indo-européia [v. *indo-europeu* (3)]. **2.** V. *indo-iraniano* (3). ● *Adj.* **3.** Sanscrítico.
sanscritologia. [De *sânscrito* + *-log(o)-* + *-ia.*] *S. f.* Tratado da língua e literatura sânscritas.
sanscritológico. *Adj.* Referente à sanscritologia.
sanscritologista. *S. 2 g.* Sanscritólogo.
sanscritólogo. *S. m.* Especialista em sanscritologia; sanscritologista.
➡**sans-culotte** (sã-cülót'). [Fr., 'sem calção'.] *S. m. Hist.* Denominação dada pelos aristocratas aos adeptos da Revolução Francesa, que substituíram os calções *(culottes)* por calças compridas.
sansei. [Do jap.] *S. 2 g.* Cidadão americano neto de emigrantes japoneses. [Cf. *issei* e *nisei.*]
sanselimão. [Var. de *signo-de-salomão.*] *S. m.* V. *estrela-de-davi.*
sansimonismo. [Do antr. *Saint-Simon* + *-ismo.*] *S. m.* Sistema político e social de Claude Henri de Rouvroy, Conde de Saint-Simon (1760-1825), filósofo e economista francês, um dos precursores do socialismo.
sansimonista. *Adj. 2 g.* **1.** Relativo ao, ou que é partidário do sansimonismo. ● *S. 2 g.* **2.** Partidário deste sistema.
➡**sans peur et sans reproche** (sã pér e sã repróx'). [Fr.] Sem medo e sem censura, i. e., que não conhece medo e não dá motivo a nenhuma censura.
santa. [Fem. de *santo.*] *S. f.* **1.** Mulher canonizada: *Santa Cecília.* [Abrev.: *S.*] **2.** *Fig.* Mulher virtuosa, bondosa, inocente. **3.** Imagem de santa (1).
santa-adeliense. *Adj. 2 g.* **1.** De, ou pertencente ou relativo a Santa Adélia (SP). ● *S. 2 g.* **2.** Natural ou habitante de Santa Adélia. [Pl.: *santa-adelienses.*]
santa-barbarense¹. *Adj. 2 g.* **1.** De, ou pertencente ou relativo a Santa Bárbara (MG). ● *S. 2 g.* **2.** Natural ou habitante de Santa Bárbara. [Pl.: *santa-barbarenses.*]
santa-barbarense². *Adj. 2 g.* **1.** De, ou pertencente ou relativo a Santa Bárbara d'Oeste (SP). ● *S. 2 g.* **2.** Natural ou habitante de Santa Bárbara d'Oeste. [Pl.: *santa-barbarenses.*]
santa-barbarense³. *Adj. 2 g.* **1.** De, ou pertencente ou relativo a Santa Bárbara do Rio Pardo (SP). ● *S. 2 g.* **2.** Natural ou habitante de Santa Bárbara do Rio Pardo. [Pl.: *santa-barbarenses.*]
santa-branquense. *Adj. 2 g.* **1.** De, ou pertencente ou relativo a Santa Branca (SP). ● *S. 2 g.* **2.** Natural ou habitante de Santa Branca. [Pl.: *santa-branquenses.*]
santa-clarense. *Adj. 2 g.* **1.** De, ou pertencente ou relativo a Santa Clara (RJ). ● *S. 2 g.* **2.** Natural ou habitante de Santa Clara. [Pl.: *santa-clarenses.*]
santa-coca (ô). *S. f. Lus. Folcl.* Escultura dum monstro fantástico, que se exibe na procissão de *Corpus Christi* em Monção. [Pl.: *santas-cocas.*]
santa-cruz. [Do fem. do adj. *santo* + *cruz.*] *S. f. Bras.* Capelinha ou cruz à beira de estrada, erigida, não raro, em memória de alguém que ali foi morto. [Pl.: *santas-cruzes.* Cf. *Santa Cruz*, top. e antr.].
santa-cruzano. *Adj.* **1.** De, ou pertencente ou relativo a Santa Cruz de Goiás (GO). ● *S. m.* **2.** O natural ou habitante de Santa Cruz de Goiás. [Pl.: *santa-cruzanos.*]
santa-cruzense¹. *Adj. 2 g.* **1.** De, ou pertencente ou relativo a Santa Cruz (RN, PB e ES). ● *S. 2 g.* **2.** Natural ou habitante de Santa Cruz. [Pl.: *santa-cruzenses.*]
santa-cruzense². *Adj. 2 g.* **1.** De, ou pertencente ou relativo a Santa Cruz do Capibaribe (PE). ● *S. 2 g.* **2.** Natural ou habitante de Santa Cruz do Capibaribe. [Pl.: *santa-cruzenses.*]
santa-cruzense³. *Adj. 2 g.* **1.** De, ou pertencente ou relativo a Santa Cruz do Escalvado (MG). ● *S. 2 g.* **2.** Natural ou habitante de Santa Cruz do Escalvado. [Pl.: *santa-cruzenses.*]
santa-cruzense⁴. *Adj. 2 g.* **1.** De, ou pertencente ou relativo a Santa Cruz da Conceição (SP). ● *S. 2 g.* **2.** Natural ou habitante de Santa Cruz da Conceição. [Pl.: *santa-cruzenses.*]
santa-cruzense⁵. *Adj. 2 g.* **1.** De, ou pertencente ou relativo a Santa Cruz do Rio Pardo (SP). ● *S. 2 g.* **2.** Natural ou habitante de Santa Cruz do Rio Pardo. [Pl.: *santa-cruzenses.*]
santa-cruzense⁶. *Adj. 2 g.* **1.** De, ou pertencente ou relativo a Santa Cruz do Sul (RS). ● *S. 2 g.* **2.** Natural ou habitante de Santa Cruz do Sul. [Pl.: *santa-cruzenses.*]
santa-fé. *S. f. Bras., L. a S.* Capim da família das gramíneas (*canicum rivulare*), usado para cobrir palhoças, e cujos colmos atingem 1 a 2 m e são eretos. Folhas lanceoladas ou lineares, e acuminadas, alcançando até 120 cm; espículas mínimas verdes ou arroxeadas, congregadas em panículas multifloras e densifloras. [Pl.: *santas-fés* e *santa-fés.*]
santa-feense (fèên). *Adj. 2 g.* **1.** De, ou pertencente ou relativo a Santa Fé (PR). ● *S. 2 g.* **2.** Natural ou habitante de Santa Fé. [Pl.: *santa-feenses.*]
santa-fé-sulense. *Adj. 2 g.* **1.** De, ou pertencente ou relativo a Santa Fé do Sul (SP). ● *S. 2 g.* **2.** Natural ou habitante de Santa Fé do Sul. [Pl.: *santa-fé-sulenses.*]
santafezal (è). [De *santa-fé* + *-z-* + *-al.*] *S. m. Bras.* Quantidade mais ou menos considerável de santa-fés dispostas proximamente entre si.
santa-gertrudense. *Adj. 2 g.* **1.** De, ou pertencente ou relativo a Santa Gertrudes (SP). ● *S. 2 g.* **2.** Natural ou habitante de Santa Gertrudes. [Pl.: *santa-gertrudenses.*]
santa-helenense. *Adj. 2 g.* **1.** De, ou pertencente ou relativo a Santa Helena de Goiás (GO). ● *S. 2 g.* **2.** Natural ou habitante de Santa Helena de Goiás. [Pl.: *santa-helenenses.*]
santa-ineense (êên). *Adj. 2 g.* **1.** De, ou pertencente ou relativo a Santa Inês (BA). ● *S. 2 g.* **2.** Natural ou habitante de Santa Inês. [Pl.: *santa-ineenses.*]
santa-julianense. *Adj. 2 g.* **1.** De, ou pertencente ou relativo a Santa Juliana (MG). ● *S. 2 g.* **2.** Natural ou habitante de Santa Juliana. [Pl.: *santa-julianenses.*]
santalácea. *S. f.* Espécime das santaláceas.
santaláceas. *S. f. pl. Bot.* Família de plantas floríferas, da ordem das santalales, compostas de arbustos e algumas árvores que parasitam raízes. Flores pequeninas, monoclamídeas, de estames epipétalos; fruto drupáceo. Existem perto de 400 espécies dos climas temperados, raras correntes no Brasil. Pertence a esta família o famoso sândalo, de madeira perfumada.
santaláceo. *Adj.* Pertencente ou relativo às santaláceas.
santalale. *S. f.* Espécime das santalales.
santalales. *S. f. pl. Bot.* Ordem de vegetais dicotiledôneos, arquiclamídeos, que inclui, entre outras, as famílias das lorantáceas, santaláceas e olacáceas.
santa-lucense. *Adj. 2 g.* **1.** De, ou pertencente ou relativo à Santa Lúcia, ilha das Índias Ocidentais. ● *S. 2 g.* **2.** Natural ou habitante de Santa Lúcia. [Cf. *santa-luciense.*]
santa-luciense. *Adj. 2 g.* **1.** De, ou pertencente ou relativo a Santa Lúcia (SP). ● *S. 2 g.* **2.** Natural ou habitante de Santa Lúcia. [Pl.: *santa-lucienses.* Cf. *santa-lucense.*]
santa-luzia. [Do hag. *Santa Luzia*, santa protetora dos olhos.] *S. f. Bras.* **1.** V. *mata-olho.* **2.** V. *palmatória* (1). [Pl.: *santas-luzias.*]
santa-luziense¹. *Adj. 2 g.* **1.** De, ou pertencente ou relativo a Santa Luzia (PB e MG). ● *S. 2 g.* **2.** Natural ou habitante de Santa Luzia. [Pl.: *santa-luzienses.*]
santa-luziense². *Adj. 2 g.* **1.** De, ou pertencente ou relativo a Santa Luzia do Itanhi (SE). ● *S. 2 g.* **2.** Natural ou habitante de Santa Luzia do Itanhi. [Pl.: *santa-luzienses.*]
santa-margaridense. *Adj. 2 g.* **1.** De, ou pertencente ou relativo a Santa Margarida (MG). ● *S. 2 g.* **2.** Natural ou habitante de Santa Margarida. [Pl.: *santa-margaridenses.*]
santa-maria. *S. f.* V. *alamanda.* [Pl.: *santas-marias.*]
santa-marianense. *Adj. 2 g.* **1.** De, ou pertencente ou relativo a Santa Maria do Pará (PA). ● *S. 2 g.* **2.** Natural ou habitante de Santa Maria do Pará. [Pl.: *santa-marianenses.*]
santa-mariense¹. *Adj. 2 g.* **1.** De, ou pertencente ou relativo a Santa Maria (RS). ● *S. 2 g.* **2.** Natural ou habitante de Santa Maria. [Pl.: *santa-marienses.*]
santa-mariense². *Adj. 2 g.* **1.** De, ou pertencente ou relativo a Santa Maria da Vitória (BA). ● *S. 2 g.* **2.** Natural ou habitante de Santa Maria da Vitória. [Pl.: *santa-marienses.*]
santa-mariense³. *Adj. 2 g.* **1.** De, ou pertencente ou relativo a Santa Maria de Itabira (MG). ● *S. 2 g.* **2.** Natural ou habitante de Santa Maria de Itabira. [Pl.: *santa-marienses.*]
sant'ana. *S. f. Bras. Pop.* O mês de julho; mês de Sant'Ana.
santanense¹. *Adj. 2 g.* **1.** De, ou pertencente ou relativo a Santana (BA). ● *S. 2 g.* **2.** Natural ou habitante de Santana.
santanense². *Adj. 2 g.* **1.** De, ou pertencente ou relativo a Santana do Cariri (CE). ● *S. 2 g.* **2.** Natural ou habitante de Santana do Cariri.
santanense³. *Adj. 2 g.* **1.** De, ou pertencente ou relativo a Santana do Matos (RN). ● *S. 2 g.* **2.** Natural ou habitante de Santana do Matos.
santanense⁴. *Adj. 2 g.* **1.** De, ou pertencente ou relativo a Santana do Ipanema (AL). ● *S. 2 g.* **2.** Natural ou habitante de Santana do Ipanema.
santanense⁵. *Adj. 2 g.* **1.** De, ou pertencente ou relativo a Santana do Deserto (MG). ● *S. 2 g.* **2.** Natural ou habitante de Santana do Deserto.
santanense⁶. *Adj. 2 g.* **1.** De, ou pertencente ou relativo a Santana do Jacaré (MG). ● *S. 2 g.* **2.** Natural ou habitante de Santana do Jacaré.
santanense⁷. *Adj. 2 g.* **1.** De, ou pertencente ou relativo a Livramento (RS), outrora Santana do Livramento. ● *S. 2 g.* **2.** Natural ou habitante de Livramento. [Sin. ger.: *livramentense.*]
santanesense. *Adj. 2 g.* **1.** De, ou pertencente ou relativo a Santanésia (RJ). ● *S. 2 g.* **2.** Natural ou habitante de Santanésia.
santantoninho. [Do hipocorístico *Santo Antoninho*, dim. do hag. *Santo Antônio.*] *S. m.* Pessoa muito querida, muito mimada; santantoninho-onde-te-porei.
santantoninho-onde-te-porei. [De *santantoninho* + *onde* + *te* + a 1ª pess. sing. do fut. ind. de *pôr.*] *S. m. 2 n.* Santantoninho: "Aqui está este, que veio agora do Norte, ... tratado em toda a parte nas palmas das mãos, — um *santantoninho-onde-te-porei!* — como ele mesmo confessa." (Cardoso de Oliveira, *Dois Metros e Cinco*, p. 53.)
santantônio. [Do hag. *Santo Antônio*, com aglut.] *S. m. Bras.* Cabeçote de sela; santo-antônio.
santão. [Aum. de *santo.*] *Adj. e s. m.* V. *santarrão.*
santareno. *Adj.* **1.** De, ou pertencente ou relativo a Santarém (Portugal e PA). ● *S. m.* **2.** O natural ou habitante de Santarém. [Sin. ger.: com relação a Portugal, *escalabitano;* ao PA, *mocorongo.*]
santa-ritense¹. *Adj. 2 g.* **1.** De, ou pertencente ou relativo a Santa Rita (PB). ● *S. 2 g.* **2.** Natural ou habitante de Santa Rita. [Pl.: *santa-ritenses.*]
santa-ritense². *Adj. 2 g.* **1.** De, ou pertencente ou relativo a Santa Rita de Caldas (MG). ● *S. 2 g.* **2.** Natural ou habitante de Santa Rita de Caldas. [Pl.: *santa-ritenses.*]
santa-ritense³. *Adj. 2 g.* **1.** De, ou pertencente ou relativo a Santa Rita de Jacutinga (MG). ● *S. 2 g.* **2.** Natural ou habitante de Santa Rita de Jacutinga. [Pl.: *santa-ritenses.*]
santa-ritense⁴. *Adj. 2 g.* **1.** De, ou pertencente ou relativo a Santa Rita do Sapucaí (MG). ● *S. 2 g.* **2.** Natural ou habitante de Santa Rita do Sapucaí. [Pl.: *santa-ritenses.* Sing. ger.: *sapucaiense* (a-i).]
santa-ritense⁵. *Adj. 2 g.* **1.** De, ou pertencente ou relativo a Santa Rita do Passa-Quatro (SP). ● *S. 2 g.* **2.** Natural ou habitante de Santa Rita do Passa-Quatro. [Pl.: *santa-ritenses.*]
santa-ritense⁶. *Adj. 2 g.* **1.** De, ou pertencente ou relativo a Santa Rita do Araguaia (GO). ● *S. 2 g.* **2.** Natural ou habitante de Santa Rita do Araguaia. [Pl.: *santa-ritenses.*]
santa-rosense¹. *Adj. 2 g.* **1.** De, ou pertencente ou relativo a Santa Rosa (RS). ● *S. 2 g.* **2.** Natural ou habitante de Santa Rosa. [Pl.: *santa-rosenses.*]
santa-rosense². *Adj. 2 g.* **1.** De, ou pertencente ou relativo a Santa Rosa de Lima (SE). ● *S. 2 g.* **2.** Natural ou

habitante de Santa Rosa de Lima. [Pl.: *santa-rosenses.*]

santa-rosense[3]. *Adj. 2 g.* **1.** De, ou pertencente ou relativo a Santa Rosa de Viterbo (SP). ● *S. 2 g.* **2.** Natural ou habitante de Santa Rosa de Viterbo. [Pl.: *santa-rosenses.*]

santarrão. [De *santo* + *-arra-* + *-ão*[1]; aum. deprec. de *santo.*] *Adj.* e *s. m. Pop.* Que ou aquele que finge santidade; falso devoto; santão, santilão, patamaz. [Fem.: *santarrona, santona, santilona.*]

santarrona. *Adj. (f.)* e *s. f.* V. *santarrão.*

santa-vitória. [De *santa* + *vitória.*] *S. f. Bras., N. E. Fam.* V. *palmatória* (1). [Pl.: *santas-vitórias.*]

santa-vitoriense. *Adj. 2 g.* **1.** De, ou pertencente ou relativo a Santa Vitória (MG). ● *S. 2 g.* **2.** Natural ou habitante de Santa Vitória. [Pl.: *santa-vitorenses.*]

santeiro. *Adj.* **1.** Devoto, beato. ● *S. m.* **2.** Escultor e/ou vendedor de imagens de santos.

santelmo. [De *Santo* + *Elmo (Elmo* por *Ermo,* alter. de *Erasmo,* santo invocado pelos marinheiros do Mediterrâneo quando, por ocasião das tempestades, aparecia esta chama).] *S. m.* Chama azulada que, sobretudo por ocasião de tempestade, surge no topo dos mastros dos navios, produzida pela eletricidade. [Sin.: *fogo-de-santelmo* e (ant.) *elena.*]

santiagueiro. [Do top. *Santiago* (Espanha) + *-eiro.*] *Adj.* e *s. m.* Santiaguês.

santiaguense. *Adj. 2 g.* **1.** De, ou pertencente ou relativo a Santiago (RS). ● *S. 2 g.* **2.** Natural ou habitante de Santiago.

santiaguês. [Do esp. *santiagués.*] *Adj.* **1.** De, ou pertencente ou relativo a Santiago de Compostela (Espanha). ● *S. m.* **2.** O natural ou habitante dessa cidade. [Sin. ger.: *santiagueiro.* Flex.: *santiaguesa* (ê), *santiagueses* (ê), *santiaguesas* (ê).]

santiamém. *S. m. Fam.* Var. de *santiâmen* [q. v.].

santiâmen. [Do lat. *(Spiritus) Sancti, amen,* palavras finais da oração pronunciada quando se faz o sinal-da-cruz (q. v.).] *S. m. Fam.* Momento, instante. [Var.: *santiamém.* Pl.: *santiamens* e (p. us. no Brasil) *santiâmenes.*]

santico. [De *santo* + *-ico*[1].] *S. m. Pop.* Pingente em que se esmaltou a imagem dum santo.

santidade. [Do lat. *sanctitate.*] *S. f.* Qualidade ou estado de santo. ♦ **Vossa Santidade.** Tratamento dado ao Papa.

santificação. [Do lat. *sanctificatione.*] *S. f.* Ato ou efeito de santificar(-se).

santificado. [Part. de *santificar.*] *Adj.* Que se santificou, se tornou santo. ~ V. *dia —.*

santificador (ô). [Do lat. *sanctificatore.*] *Adj.* **1.** Que santifica; santificante. ● *S. m.* **2.** Aquele que santifica.

santificante. [Do lat. *sanctificante.*] *Adj. 2 g.* Santificador (1).

santificar. [Do lat. *sanctificare.*] *V. t. d.* **1.** Tornar santo; sagrar: *As leis divinas santificam as boas ações;* "Este amor não é puro e nada o santifica" (Luís Delfino, *Posse Absoluta,* p. 66). **2.** Inscrever no rol dos santos; canonizar: *A Igreja santificou Joana d'Arc.* **3.** Conduzir pelo caminho da bem-aventurança. **4.** Tornar digno de veneração e respeito; tornar venerado; sublimar, glorificar: *A nobre causa a que servia santificava os seus atos.* **5.** Celebrar conforme os princípios da religião. **6.** Educar religiosamente. **7.** Moralizar por meio da religião: *Os jesuítas santificaram populações indígenas. P.* **8.** Tornar-se santo. **9.** Elevar-se ou moralizar-se pela prática rígida dos princípios religiosos. [Conjug.: v. *trancar.*]

santificável. *Adj. 2 g.* Que pode ou deve ser santificado.

santigar. [Var. de *santiguar* < lat. *sanctificare.*] *V. t. d.* **1.** Deitar bênção a; benzer. P. **2.** Fazer o sinal-da-cruz; persignar-se, benzer-se. [Var.: *santiguar.* Conjug.: v. *largar.*]

santiguar. *V. t. d.* e *p.* Santigar [q. v.]. [Conjug.: v. *averiguar.*]

santilão. [De *santo.*] *S. m. Pop.* V. *santarrão.* [Fem.: *santilona.*]

santilona. *S. f. Pop.* V. *santilão*

santimônia. [Do lat. *sanctimonia.*] *S. f.* **1.** Modo ou aparência de santo. **2.** *Irôn.* Devoções religiosas: "D. Antônio assistia pouco na corte, para esquivar-se às censuras do tio cardeal, às esquisitas santimônias do primo Sebastião" (Camilo Castelo Branco, *D. Luís de Portugal,* p. 166).

santimonial. [Do lat. *sanctimoniale.*] *Adj. 2 g.* **1.** Referente a santimônia. **2.** Devoto, beato.

santinho. [Dim. de *santo.*] *S. m.* **1.** Pequena imagem religiosa: *santinho de primeira-comunhão.* **2.** *Fam.* Pessoa muito ajuizada e/ou virtuosa: *O garoto é um santinho no colégio.* ♦ **Santinho do pau oco.** *Fam.* V. *santo de pau oco* (1 e 2).

santir. *S. m. Mús.* Instrumento oriental, originado do antigo saltério, de forma trapezoidal e cordas percutíveis com baquetas.

santíssimo. [Do lat. *sanctissimu.*] *Adj.* **1.** Superl. abs. sint. de *santo.* ● *S. m.* **2.** O sacramento da Eucaristia. **3.** A hóstia consagrada.

santista[1]. *Adj. 2 g.* **1.** De, ou pertencente ou relativo a Santos (SP). ● *S. 2 g.* **2.** Natural ou habitante de Santos.

santista[2]. *Bras. Adj. 2 g.* **1.** Pertencente ou relativo ao Santos Futebol Clube (SP); praiano. **2.** Que é torcedor ou jogador dessa agremiação; praiano. ● *S. 2 g.* **3.** Membro, torcedor ou jogador dela; santos, peixeiro, praiano.

santo. [Do lat. *sanctu,* 'estabelecido segundo a lei'; 'que se tornou sagrado'.] *Adj.* **1.** V. *sagrado* (2 a 4). **2.** Que vive segundo os preceitos religiosos, a lei divina. **3.** Que obteve o Céu como recompensa de suas virtudes; bem-aventurado. **4.** Diz-se daquele que a Igreja canonizou. **5.** Puro, imaculado, inocente. **6.** Respeitável, venerável, venerando: *um santo varão.* **7.** Que tem bom coração; bondoso em extremo: "Era uma santa criatura o padre Higino" (Viriato Correia, *Contos do Sertão,* p. 7.) **8.** Que é próprio de santo: *Sofreu tudo com santa resignação.* **9.** Que não pode ser violado ou profanado: *a santa intimidade dos lares.* **10.** Respeitante às coisas divinas, à religião, ao culto. **11.** Útil, proveitoso; profícuo; eficaz: *um santo remédio.* ~ V. *—a casa, — Deus, Espírito —, espírito — de orelha, —a Família, — as espécies, — lenho, —as palavras, — horror, — Ofício, o — Padre, — sacrifício, ano —, dia —, dia — de guarda, dia — dispensado, familiar do — Ofício, guerra —a, lenho —, o Padre —, quinta-feira —a, sábado —, semana —a, sexta-feira —a, Terra —a.* ● *S. m.* **12.** Segundo a tradição judaico-cristã, atributo de Deus e um dos seus nomes, sublinhando a transcendência da natureza divina. **13.** Aquele que participa da santidade divina pela observância da lei ou pelos sacramentos. **14.** Indivíduo que foi canonizado. [Nesta acepç., a palavra é us. em sua forma normal antes de nomes que principiam por vogal ou H (*Santo Antônio, Santo Agostinho, Santo Hilário*), usando-se nos outros casos a f. apocopada *São: São Bento, São Carlos.* A única exceção, rigorosamente, é *Santo Tirso,* pois as outras duas exceções geralmente lembradas apresentam oscilações: *Santo Tomás* ou *São Tomás; Santo Borja* ou (muito mais freqüentemente, ao menos no Brasil) *São Borja,* que, aliás, como topônimo, ninguém diz de outro modo. [Abrev., nesta acepç.: *S.*] **15.** Imagem desse indivíduo. **16.** *Fig.* Homem muito austero ou de bondade extraordinária. [Aum. deprec.: *santão, santarrão.*] ~ V. *santos.* ♦ **Santo de pau oco.** *Fam.* **1.** Menino traquinas, porém calmo na aparência. **2.** *Fam.* Indivíduo santarrão, hipócrita, sonso. [Sin. ger.: *santinho do pau oco.*] **3.** *Ant. Bras.* Imagem de santo, feita de madeira, e que era oca por dentro, a fim de por ele se contrabandear ouro e diamantes. **Descobrir um santo para cobrir outro.** *Fam.* Despir um santo para vestir outro. **Despir um santo para vestir outro.** *Fam.* Favorecer alguém em prejuízo de outrem ou de si mesmo; descobrir um santo para cobrir outro. **Não ser santo da devoção de.** **1.** Não ter a mesma maneira de ser, de comportar-se, que. **2.** Não gozar das impatias de. **Ter santo forte.** *Bras. Pop.* **1.** Ser imune a sortilégios ou bruxarias. **2.** V. *ter as costas largas* (1).

santo-aleixano. *Adj.* **1.** De, ou pertencente ou relativo a Santo Aleixo (RJ). ● *S. m.* **2.** O natural ou habitante de Santo Aleixo. [Pl.: *santo-aleixanos.*]

santo-amarense. *Adj. 2 g.* **1.** De, ou pertencente ou relativo a Santo Amaro (BA). ● *S. 2 g.* **2.** Natural ou habitante de Santo Amaro. [Pl.: *santo-amarenses.*]

santo-angelense. *Adj. 2 g.* **1.** De, ou pertencente ou relativo a Santo Ângelo (RS). ● *S. 2 g.* **2.** Natural ou habitante de Santo Ângelo. [Pl.: *santo-angelenses.*]

santo-antoniense[1]. *Adj. 2 g.* **1.** De, ou pertencente ou relativo a Santo Antônio (PR e RS). ● *S. 2 g.* **2.** Natural ou habitante de Santo Antônio. [Pl.: *santo-antonienses.*]

santo-antoniense[2]. *Adj. 2 g.* **1.** De, ou pertencente ou relativo a Santo Antônio de Jesus (BA). ● *S. 2 g.* **2.** Natural ou habitante de Santo Antônio de Jesus. [Pl.: *santo-antonienses.*]

santo-antoniense[3]. *Adj. 2 g.* **1.** De, ou pertencente ou relativo a Santo Antônio do Monte (MG). ● *S. 2 g.* **2.** Natural ou habitante de Santo Antônio do Monte. [Pl.: *santo-antonienses.*]

santo-antoniense[4]. *Adj. 2 g.* **1.** De, ou pertencente ou relativo a Santo Antônio do Leverger (MT). ● *S. 2 g.* **2.** Natural ou habitante de Santo Antônio do Leverger. [Pl.: *santo-antonienses.*]

santo-antônio. *S. m. Bras.* Santantônio: "Solitário em seu *pangaré,* escanchado, apegando-se com freqüência ao santo-antônio do selim, de quando em quando um romeiro atravessava a cena" (Melo Morais Filho, *Festas e Tradições Populares do Brasil,* p. 150). [Pl.: *santo-antônios.*]

santo-cristense. *Adj. 2 g.* **1.** De, ou pertencente ou relativo a Santo Cristo (RS). ● *S. 2 g.* **2.** Natural ou habitante de Santo Cristo. [Pl.: *santo-cristenses.*]

santo-daime. *S. m. Bras.* Designação brasileira da *ayahuasca* [q. v.] nos centros espíritas da Amaz. [Pl.: *santo-daimes.*]

santo-e-senha. *S. m.* **1.** Bilhete para uso militar, em que se anota a senha com o nome dum santo, para reconhecimento de seu portador. **2.** *P. ext.* Sinal previamente combinado, para se conhecer, sem indiscrição, quem é partidário e quem é adversário. [Pl.: *santo-e-senhas.*]

santo-estevense. *Adj. 2 g.* **1.** De, ou pertencente ou relativo a Santo Estêvão (BA). ● *S. 2 g.* **2.** Natural ou habitante de Santo Estêvão. [Pl.: *santo-estevenses.*]

santo-inaciense. *Adj. 2 g.* **1.** De, ou pertencente ou relativo a Santo Inácio (PR). ● *S. 2 g.* **2.** Natural ou habitante de Santo Inácio. [Pl.: *santo-inacienses.*]

santola. *S. f.* Aranha-do-mar.

santolina. *S. f.* Subarbusto da família das compostas *(Santolina chamaecyparissus),* muito ramoso, originário do Mediterrâneo, e cultivado pela beleza da folhagem, que é lobada, tem segmentos ovado-oblongos e amarelos, coloração prateada. Os capítulos são globosos, amarelos, solitários e terminais.

santolinha. [Dim. de *santola.*] *S. f.* Espécie de santola.

santona. [Aum. de *santa.*] *Adj. (f.)* e *s. f.* Fem. de *santão* [v. *santarrão.*]

santonina. [Do lat. medieval *santoninu* < lat. *santonicu,* i. e., *herba santonica,* 'erva dos santões' (povo da Gália).] *S. f.* Erva da família das compostas *(Artemisisa santonica),* cujos botões florais contêm substância vermífuga.

santor (ô). *S. m. Heráld.* Erro tipográfico, por *sautor* [q. v.].

santoral. [Do lat. *sanctorum,* i. e., *flos sanctorum,* 'flos-santório', + *-al.*] *S. m.* **1.** Hagiológio. **2.** Livro litúrgico que encerra os textos de celebração do ofício dos santos com festas fixas. [Cf. *temporal* (9).]

santos. *S. 2 g.* V. *santista*[2] (3). ~ V. *santo.*

santuário. [Do lat. *sanctuariu.*] *S. m.* **1.** Lugar consagrado pela religião; lugar santo. **2.** O lugar mais sagrado do templo judaico de Jerusalém, onde se guardava a Arca da Aliança. **3.** Templo, igreja, basílica, capela. **4.** Sacrário, relicário. **5.** *Fig.* A parte mais íntima (do coração, da alma, etc.). **6.** *Ecol.* Área em que é proibida a caça, em caráter permanente, a fim de se preservarem as espécies raras que nela habitam.

santuense. *Adj. 2 g.* **1.** De, ou pertencente ou relativo a Santo Antônio do Içá (AM). ● *S. 2 g.* **2.** Natural ou habitante de Santo Antônio do Içá.

sanzala. *S. f. Bras.* Senzala [q. v.].

são[1]. *S. m.* F. apocopada de santo (14), us. antes de nomes que principiam por consoante: *São Francisco, São Paulo, São João.* [Abrev. *S.*]

são[2]. [Do lat. *sanu.*] *Adj.* **1.** Que tem saúde; sadio: *homem são;* "Da travessia .... desprendia-se um cheiro animal bom, de corpo humano são, asseado." (Júlio Ribeiro, *A Carne,* p. 85); "era [Ramalho Ortigão] forte, era são, era bom, era alegre" (Eça de Queirós, *Notas Contemporâneas,* p. 29). **2.** Que recobrou o estado de saúde; curado. **3.** Ileso, salvo, incólume: *Escapou são e salvo.* **4.** Diz-se de objeto sem quebra ou defeito. **5.** Diz-se do fruto não apodrecido. **6.** Salubre, higiênico, salutar: *Vive no mais são dos climas.* **7.** Reto, íntegro, justo. **8.** Razoável, moderado. **9.** Puro, impoluto, imaculado. **10.** Franco, verdadeiro, sincero. ● *S. m.* **11.** Indivíduo que tem saúde. **12.** Qualidade do que é são. **13.** A parte sã de um objeto ou organismo. **14.** Estado perfeito. [Flex.: *sã, sãos, sãs;* superl. abs. sint.: *saníssimo.*]

são-beneditense. *Adj. 2 g.* **1.** Pertencente ou relativo a São Benedito do Rio Preto (MA). ● *S. 2 g.* **2.** Natural ou habitante de São Benedito do Rio Preto. [Pl.: *são-beneditenses.*]

são-bentense[1]. *Adj. 2 g.* **1.** De, ou pertencente ou relativo a São Bento do Una (PE). ● *S. 2 g.* **2.** Natural ou habitante de São Bento do Una. [Pl.: *são-bentenses.*]

são-bentense[2]. *Adj. 2 g.* **1.** De, ou pertencente ou relativo a São Bento do Sul (SC). ● *S. 2 g.* **2.** Natural ou habitante de São Bento do Sul. [Pl.: *são-bentenses.*]

são-bentista. *Adj. 2 g.* e *s. 2 g.* Sapucaiense[1] (a-i). [Pl.: *são-bentistas.*]

são-bento-nortense. *Adj. 2 g.* **1.** De, ou pertencente ou relativo

relativo a São Bento do Norte (RN). ● *S. 2 g.* **2.** Natural ou habitante de São Bento do Norte. [Pl.: *são-bento-nortenses.*]
são-bentuense. *Adj. 2 g.* **1.** De, ou pertencente ou relativo a São Bento (MA). ● *S. 2 g.* **2.** Natural ou habitante de São Bento. [Pl.: *são-bentuenses.*]
são-bernardense. *Adj. 2 g.* **1.** De, ou pertencente ou relativo a São Bernardo do Campo (SP). ● *S. 2 g.* **2.** Natural ou habitante de São Bernardo do Campo. [Pl.: *são-bernardenses.*]
são-bernardo. [Do hag. *São Bernardo.*] *S. m.* Cão oriundo dos Alpes Suíços, de grande porte, com altura mínima de 0,70 m, crânio largo, focinho curto, orelhas caídas lateralmente, pescoço forte e pelagem farta, macia e ondulada de cor ruiva com manchas brancas e vice-versa. É conhecido por socorrer as vítimas de tempestades e avalanches. [Pl.: *são-bernardos.*]
são-borjense. *Adj. 2 g.* **1.** De, ou pertencente ou relativo a São Borja (RS). ● *S. 2 g.* **2.** Natural ou habitante de São Borja. [Pl.: *são-borjenses.*]
são-braense. *Adj. 2 g.* **1.** De, ou pertencente ou relativo a São Brás (AL). ● *S. 2 g.* **2.** Natural ou habitante de São Brás. [Pl.: *são-braenses.*]
são-caetanense[1]. *Adj. 2 g.* **1.** De, ou pertencente ou relativo a São Caetano (PE). ● *S. 2 g.* **2.** Natural ou habitante de São Caetano. [Pl.: *são-caetanenses.*]
são-caetanense[2]. *Adj. 2 g.* **1.** De, ou pertencente ou relativo de São Caetano do Sul (SP). ● *S. 2 g.* **2.** Natural ou habitante de São Caetano do Sul. [Pl.: *são-caetanenses.*]
são-caetano. *S. m.* Melão de são-caetano: "uma cacimba afogada em estendais de s ã o - c a e t a n o e fedegoso-bravo" (Hugo de Carvalho Ramos, *Tropas e Boiadas*, p. 69). [Pl.: *são-caetanos.*]
são-carlense[1]. *Adj. 2 g.* **1.** De, ou pertencente ou relativo a São Carlos (SP). ● *S. 2 g.* **2.** Natural ou habitante de São Carlos. [Pl.: *são-carlenses.*]
são-carlense[2]. *Adj. 2 g.* **1.** De, ou pertencente ou relativo a São Carlos do Ivaí (PR). ● *S. 2 g.* **2.** Natural ou habitante de São Carlos do Ivaí. [Pl.: *são-carlenses.*]
são-cristóvão. *S. 2 g.* São-cristovense[2] (3). [Pl.: *são-cristóvãos.*]
são-cristovense[1]. *Adj. 2 g.* **1.** De, ou pertencente ou relativo a São Cristóvão e Neves, federação do mar das Antilhas. ● *S. 2 g.* **2.** Natural ou habitante de São Cristóvão e Neves.
são-cristovense[2]. *Bras. Adj. 2 g.* **1.** Pertencente ou relativo ao São Cristóvão de Futebol e Regatas (RJ); cadete. **2.** Que é torcedor ou jogador dessa agremiação; cadete. ● *S. 2 g.* **3.** Membro, torcedor ou jogador dela; são-cristóvão, cadete. [Pl.: *são-cristovenses.*]
são-dominguense. *Adj. 2 g.* **1.** De, ou pertencente ou relativo a São Domingos do Maranhão (MA). ● *S. 2 g.* **2.** Natural ou habitante de São Domingos do Maranhão. [Pl.: *são-dominguenses.*]
são-felicense. *Adj. 2 g.* **1.** De, ou pertencente ou relativo a São Félix do Piauí (PI). ● *S. 2 g.* **2.** Natural ou habitante de São Félix do Piauí. [Pl.: *são-felicenses.*]
são-felista. *Adj. 2 g.* **1.** De, ou pertencente ou relativo a São Félix (BA). ● *S. 2 g.* **2.** Natural ou habitante de São Félix. [Pl.: *são-felistas.*]
são-franciscano[1]. *Adj.* **1.** *Bras.* Relativo ou pertencente ao rio São Francisco. **2.** *Bras.* Que habita na região banhada por ele: *a população s ã o - f r a n c i s c a n a.* [Pl.: *são-franciscanos.*]
são-franciscano[2]. *Adj.* **1.** De, ou pertencente ou relativo a São Francisco do Maranhão (MA). ● *S. m.* **2.** O natural ou habitante de São Francisco do Maranhão. [Pl.: *são-franciscanos.*]
são-franciscano[3]. *Adj.* **1.** De, ou pertencente ou relativo a Barra de São Francisco (ES). ● *S. m.* **2.** O natural ou habitante de Barra do São Francisco. [Sin. ger.: *são-francisquense.* Pl.: *são-franciscanos.*]
são-francisquense. *Adj. 2 g.* e *s. 2 g.* São-franciscano[3]. [Pl.: *são-francisquenses.*]
são-geraldense. *Adj. 2 g.* **1.** De, ou pertencente ou relativo a São Geraldo (MG). ● *S. 2 g.* **2.** Natural ou habitante de São Geraldo. [Pl.: *são-geraldenses.*]
são-gonçalense[1]. *Adj. 2 g.* **1.** De, ou pertencente ou relativo a São Gonçalo dos Campos (BA). ● *S. 2 g.* **2.** Natural ou habitante de São Gonçalo dos Campos. [Pl.: *são-gonçalenses.*]
são-gonçalense[2]. *Adj. 2 g.* **1.** De, ou pertencente ou relativo a São Gonçalo do Abaeté (MG). ● *S. 2 g.* **2.** Natural ou habitante de São Gonçalo do Abaeté. [Pl.: *são-gonçalenses.*]
são-gonçalense[3]. *Adj. 2 g.* **1.** De, ou pertencente ou relativo a São Gonçalo do Pará (MG). ● *S. 2 g.* **2.** Natural ou habitante de São Gonçalo do Pará. [Pl.: *são-gonçalenses.*]
são-gonçalo. [Do hag: *São Gonçalo.*] *S. m. Bras., SP.* Aquele que faz para outrem um pedido de casamento e, de certo modo, o patrocina. [Pl.: *são-gonçalos.*]
são-gotardense. *Adj. 2 g.* **1.** De, ou pertencente ou relativo a São Gotardo (MG). ● *S. 2 g.* **2.** Natural ou habitante de São Gotardo. [Pl.: *são-gotardenses.*]
são-joanense[1]. [Do hag. *São João* + *-ense.*] *Adj. 2 g.* V. *são-joanino.* [Pl.: *são-joanenses.*]
são-joanense[2]. *Adj. 2 g.* **1.** De, ou pertencente ou relativo a São João do Piauí (PI). ● *S. 2 g.* **2.** Natural ou habitante de São João do Piauí. [Pl.: *são-joanenses.*]
são-joanense[3]. *Adj. 2 g.* **1.** De, ou pertencente ou relativo a São João do Cariri (PB). ● *S. 2 g.* **2.** Natural ou habitante de São João do Cariri. [Pl.: *são-joanenses.*]
são-joanense[4]. *Adj. 2 g.* **1.** De, ou pertencente ou relativo a São João da Barra (RJ). ● *S. 2 g.* **2.** Natural ou habitante de São João da Barra. [Pl.: *são-joanenses.*]
são-joanense[5]. *Adj. 2 g.* **1.** De, ou pertencente ou relativo a São João Nepomuceno (MG). ● *S. 2 g.* **2.** Natural ou habitante de São João Nepomuceno. [Pl.: *são-joanenses.*]
são-joanense[6]. *Adj. 2 g.* **1.** De, ou pertencente ou relativo a São João del-Rei (MG). ● *S. 2 g.* **2.** Natural ou habitante de São João del-Rei. [Pl.: *são-joanenses.*]
são-joanense[7]. *Adj. 2 g.* **1.** De, ou pertencente ou relativo a São João da Boa Vista (SP). ● *S. 2 g.* **2.** Natural ou habitante de São João da Boa Vista. [Pl.: *são-joanenses.*]
são-joanense[8]. *Adj. 2 g.* **1.** De, ou pertencente ou relativo a São João do Caiuá (PR). ● *S. 2 g.* **2.** Natural ou habitante de São João do Caiuá. [Pl.: *são-joanenses.*]
são-joanesco (ê). [Do hag. *São João* + *-esco.*] *Adj. Bras.* V. *são-joanino.* [Pl.: *são-joanescos.*]
são-joanino. *Adj.* Relativo a São João; são-joanesco, são-joanense. [Cf. *joanino*[2].]
são-joão. *S. m.* **1.** O dia de S. João, 24 de junho. **2.** Festa de S. João. [Pl.: *são-joões.*]
são-joaquinense[1]. *Adj. 2 g.* **1.** De, ou pertencente ou relativo a São Joaquim do Monte (PE). ● *S. 2 g.* **2.** Natural ou habitante de São Joaquim do Monte. [Pl.: *são-joaquinenses.*]
são-joaquinense[2]. *Adj. 2 g.* **1.** De, ou pertencente ou relativo a Ribeirão de São Joaquim (RJ). ● *S. 2 g.* **2.** Natural ou habitante de Ribeirão de São Joaquim. [Pl.: *são-joaquinenses.*]
são-joseense (êèn). *Adj. 2 g.* **1.** De, ou pertencente ou relativo a São José dos Campos (SP). ● *S. 2 g.* **2.** Natural ou habitante de São José dos Campos. [Pl.: *são-joseenses.*]
são-lourencense. *Adj. 2 g.* **1.** De, ou pertencente ou relativo a São Lourenço da Mata (PE). ● *S. 2 g.* **2.** Natural ou habitante de São Lourenço da Mata. [Pl.: *são-lourencenses.*]
são-lourenciano. *Adj.* **1.** De, ou pertencente ou relativo a São Lourenço (MG). ● *S. m.* **2.** O natural ou habitante de São Lourenço. [Pl.: *são-lourencianos.*]
são-luisense (u-i). *Adj. 2 g.* **1.** De, ou pertencente ou relativo a São Luís, capital do MA. ● *S. 2 g.* **2.** Natural ou habitante de São Luís. [Sin. ger.: *ludovicense.* Pl.: *são-luisenses.*]
são-luqueno. *Adj.* **1.** De, ou pertencente ou relativo a São Lúcar (Espanha). ● *S. m.* **2.** O natural ou habitante de São Lúcar. [Pl.: *são-luquenos.*]
são-mamedense. *Adj. 2 g.* **1.** De, ou pertencente ou relativo a São Mamede (PB). ● *S. 2 g.* **2.** Natural ou habitante de São Mamede. [Pl.: *são-mamedenses.*]
são-manuelense. *Adj. 2 g.* **1.** De, ou pertencente ou relativo a São Manuel (SP). ● *S. 2 g.* **2.** Natural ou habitante de São Manuel. [Pl.: *são-manuelenses.*]
são-marinense. *Adj. 2 g.* **1.** De, ou pertencente ou relativo a São Marinho (Europa). ● *S. 2 g.* **2.** Natural ou habitante de São Marinho. [Pl.: *são-marinenses.*]
são-mateuense. *Adj. 2 g.* **1.** De, ou pertencente ou relativo a São Mateus do Sul (PR). ● *S. 2 g.* **2.** Natural ou habitante de São Mateus do Sul. [Pl.: *são-mateuenses.*]
são-miguelense[1]. *Adj. 2 g.* **1.** De, ou pertencente ou relativo a São Miguel (RN). ● *S. 2 g.* **2.** Natural ou habitante de São Miguel. [Pl.: *são-miguelenses.*]
são-miguelense[2]. *Adj. 2 g.* **1.** De, ou pertencente ou relativo a São Miguel Arcanjo (SP). ● *S. 2 g.* **2.** Natural ou habitante de São Miguel Arcanjo. [Pl.: *são-miguelenses.*]
são-miguelense[3]. *Adj. 2 g.* **1.** De, ou pertencente ou relativo a São Miguel do Anta (MG). ● *S. 2 g.* **2.** Natural ou habitante de São Miguel do Anta. [Pl.: *são-miguelenses.*]
são-migueleense[4]. *Adj. 2 g.* **1.** De, ou pertencente ou relativo a São Miguel do Tapuio (PI). ● *S. 2 g.* **2.** Natural ou habitante de São Miguel do Tapuio. [Pl.: *são-miguelenses.*]
são-pauleiro. *S. m. Bras., BA.* Designação comum aos sertanejos que chegam a São Paulo para trabalhar nas fazendas de café e na derrubada de matas. [Pl.: *são-pauleiros.*]
são-paulino. *Bras. Adj.* **1.** Pertencente ou relativo ao São Paulo Futebol Clube (SP); tricolor. **2.** Que é torcedor ou jogador dessa agremiação; tricolor. ● *S. m.* **3.** Membro, torcedor ou jogador dela; tricolor, são-paulo. [Pl.: *são-paulinos.*]
são-paulo. *S. 2 g. Bras.* V. *são-paulino* (3). [Pl.: *são-paulos.*]
são-pedrense[1]. *Adj. 2 g.* **1.** De, ou pertencente ou relativo a São Pedro (SP). ● *S. 2 g.* **2.** Natural ou habitante de São Pedro. [Pl.: *são-pedrenses.*]
são-pedrense[2]. *Adj. 2 g.* **1.** De, ou pertencente ou relativo a São Pedro do Piauí (PI). ● *S. 2 g.* **2.** Natural ou habitante de São Pedro do Piauí. [Pl.: *são-pedrenses.*]
são-pedrense[3]. *Adj. 2 g.* **1.** De, ou pertencente ou relativo a São Pedro do Sul (RS). ● *S. 2 g.* **2.** Natural ou habitante de São Pedro do Sul. [Pl.: *são-pedrenses.*]
são-pedro. *S. m.* **1.** O dia de S. Pedro, 29 de junho. **2.** Festa de S. Pedro. [Pl.: *são-pedros.*]
são-pedro-caá. *S. m. Bras., L.* e *S.* Erva rasteira, da família das labiadas *(Peltodon radicans)*, aromática, muito dispersa, de folhas ovadas e crenadas, e flores minutas dispostas em inflorescências globosas, longamente pedunculadas. [Pl.: *são-pedro-caás.*]
são-salavá. [De *são*[1] + *salavá*, alter. de *salvar.*] *S. m. Bras.* Espírito do mato, entidade do folclore ameríndio. [Pl.: *são-salavás.*]
são-tiaguense. *Adj. 2 g.* **1.** De, ou pertencente ou relativo a São Tiago (MG). ● *S. 2 g.* **2.** Natural ou habitante de São Tiago. [Pl.: *são-tiaguenses.*]
são-tomé. *S. f. Bras.* Espécie de banana originária da ilha de São Tomé. [Pl.: *são-tomés.*]
são-tomeense (êèn). *Adj. 2 g.* **1.** De, ou pertencente ou relativo a São Tomé (RN). ● *S. 2 g.* **2.** Natural ou habitante de São Tomé. [Pl.: *são-tomeenses.* Cf. *são-tomense.*]
são-tomense. *Adj. 2 g.* **1.** Da, ou pertencente ou relativo à ilha de São Tomé e Príncipe (África). ● *S. 2 g.* **2.** Natural ou habitante dessa ilha. [Pl.: *são-tomenses.* Cf. *são-tomeense.*]
são-vicentino[1]. *Adj.* **1.** De, ou pertencente ou relativo a São Vicente e Granadinas, federação situada nas Índias Ocidentais. ● *S. m.* **2.** Natural ou habitante de São Vicente e Granadinas. [Pl.: *são-vicentinos.*]
são-vicentino[2]. *Adj.* De, ou pertencente ou relativo a São Vicente (RN). ● *S. m.* **2.** O natural ou habitante de São Vicente. [Pl.: *são-vicentinos.*]
sapa[1]. [Do it. *zappa*, 'enxada'.] *S. f.* **1.** Abertura de fossos, trincheiras e galerias subterrâneas. **2.** Buraco escavado ao pé de um muro, uma obra, etc., para derrubá-lo. **3.** Pá com que se levanta a terra escavada, ou que serve para qualquer obra de sapador.
sapa[2]. [De *sapo.*] *S. f.* A fêmea do sapo (1).
sapá. *S. f. Bras.* V. *garoupa-gato.*
sapador (ô). [De *sapar* + *-(d)or.*] *S. m.* Soldado ou outro indivíduo que executa trabalhos de sapa[1] (1).
sapal. *S. m.* Terra alagadiça, normalmente à beira dos rios.
sapão. *S. m. Bras. Ant.* V. *pau-brasil.*
sapar. *V. int.* **1.** Trabalhar com a sapa[1] (3). **2.** Fazer trabalhos de sapa[1] (1 e 2).
sapará. *Bras. S. 2 g.* **1.** Indivíduo dos saparás, tribo caraíba do rio Uraricuera (alto Rio Branco). ● *Adj. 2 g.* **2.** Pertencente ou relativo a essa tribo.
saparia. *S. f.* **1.** Porção de sapos. **2.** Os sapos. **3.** *Bras., SP, Fam.* Corja, cambada.
saparrão. [De *sapo* + *-arro-* + *-ão*[1]; aum. de *sapo.*] *S. m.* **1.** Sapo grande. **2.** *Fig.* Indivíduo gordo e desajeitado.
sapata. [De *sapato.*] *S. f.* **1.** Sapato largo, raso e grosseiro. **2.** Estribo antigo, de metal, em forma de chinelo. **3.** Peça de madeira sobre um pilar, a qual reforça ou equilibra a trave que assenta nela. **4.** Base de trilho de estrada de ferro. **5.** Peça metálica que, ao receber a ação do freio, se comprime contra os tambores das rodas, ocasionando a frenagem; tamanca. **6.** Parte de um mecanismo destinada a atritar sobre uma superfície a fim de absorver o excesso de potência. **7.** *Constr.* Fundação isolada, geralmente de concreto armado, cuja altura é pequena em relação à base; baseamento. **8.** *Marinh.* Peça de poleame, ovalada, com um furo no meio para passagem do cabo e uma goivadura na quina para recebimento da alça. [Cf. *macarrão* (2).] **9.** *Mús.* Rodela de camurça que se aplica nas chaves dos

instrumentos de sopro para fechar hermeticamente os orifícios desses instrumentos; sapatilha. **10.** *Bras., Amaz.* Massa de borracha que se coagula no solo depois de sangrada a seringueira. **11.** *Bras., RS.* V. *amarelinha*[2]. **12.** *Ant.* Berma (3).

sapatada. *S. f.* **1.** Golpe com sapato ou sapata; sapateado. **2.** *Marinh.* Pancada do punho da escota na vela por efeito do vento. **3.** *Bras., AL.* Cangapé (2).

sapatão. *S. m.* **1.** Sapato grande. **2.** *Bras., PE.* e *AL.* Sapato (1), por oposição a *sandália.* **3.** *Bras.* Cognome dado aos portugueses em SP, na época da Independência. V. *galego* (4). **4.** *Bras. Chulo.* V. *lésbica.*

sapataria. *S. f.* **1.** Ofício de sapateiro (1). **2.** Loja onde se vendem calçados [v. *calçado* (3).]

sapateada. *S. f.* **1.** Ato ou efeito de sapatear; sapateio. **2.** *Bras., RS.* Antiga dança regional.

sapateado. [De *sapatear* + *-ado*[1].] *Adj.* **1.** Que se executa sapateando: *dança sapateada.* ● *S. m.* **2.** Sapatada (1). **3.** Dança espanhola, de ordinário sem acompanhamento musical, caracterizada por um sapateio rítmico. **4.** Dança popular em que se faz muito ruído com os saltos e as solas do sapato [Sin., bras., nesta acepç.: *bate-pé, racha-pé.*] **5.** Dança de origem norte-americana, executada com sapatos especiais dotados de chapa metálica na sola para produzir ruído característico.

sapateador (ô). *Adj.* **1.** Que sapateia. ● *S. m.* **2.** Dançarino de sapateado.

sapatear. *V. int.* **1.** Bater no chão com o salto dos sapatos: "Os caboclos dançam nos sambas, sapateando, o xerém" (Gustavo Barroso, *Terra de Sol,* p. 219). **2.** Executar sapateado (2 a 4): "Cazuza e Sebastião pularam ao meio da sala e puseram-se a sapatear agilmente, com barulho, estalando os dedos e requebrando todo o corpo." (Aluísio Azevedo, *O Mulato,* p. 153.) **3.** Bater com os pés no chão em movimentos rápidos: *O pequeno sapateou de raiva. T. d.* **4.** Executar (uma dança) fazendo muito barulho com o calçado ou com os tacões deste. [Conjug.: v. *frear.*]

sapateio. [Dev. de *sapatear.*[*S. m.* Sapateada (1).

sapateira. *S. f.* **1.** Mulher de sapateiro. **2.** Mulher que fabrica e/ou vende sapatos. **3.** Móvel onde se guardam sapatos. **4.** *Bras.* Designação comum a diversas plantas da família das melastomáceas (*Melastoma longifolium, Melastoma malabathricum, Miconia prasina* e *Tococa Guianensis*). **5.** *Bras.* Espécie de anta do vale do São Francisco.

sapateiro. *S. m.* **1.** Aquele que fabrica, vende ou conserta calçados. **2.** *Bras.* Barbeiro (10). **3.** *Bras.* Pescador que não apanha peixe. **4.** *Bras.* Artista inábil e charlatão.

sapateta (ê). [De *sapato* + *-eta.*] *S. f.* **1.** Chinela. **2.** Barulho produzido pelos saltos do sapato ao andar.

sapatilha. [De *sapato* + *-ilha.*] *S. f.* **1.** Sapato de bailarinos, leve e flexível, com ponta reforçada e, algumas vezes, com fitas que se entrelaçam à volta do tornozelo: "Jazia ele deitado no seu esquife de bronze, com sua bela roupa de ópera, ... a capa caindo em pregas até as sapatilhas com fivelas." (Lígia Fagundes Teles, *A Disciplina do Amor,* p. 123). **2.** Sapato flexível, macio e de sola fina, usado, em geral, dentro de casa. **3.** *Chapel.* Peça de ferro com que os fulistas recalcam os chapéus para dar ao pêlo unidade e consistência. **4.** *Mús.* Sapata (9). **5.** Botão de couro colocado na ponta de uma espada para evitar que ela fira alguém.

sapatilho. [De *sapato* + *-ilho.*] *S. m.* **1.** A primeira folha seca arrancada da cana-de-açúcar, quando se limpa esta. **2.** *Marinh.* Aro metálico, circular ou oval, geralmente de ferro zincado, com a periferia goivada, usado como berço e proteção às mãos [v. *mão* (19)], que se faz em cabos, sobretudo nos cabos de arame.

sapatinha. [Dim. de *sapata.*] *S. f. Bras., BA.* Sapato feminino de salto alto.

sapatinho. [Dim. de *sapato.*] *S. m. Bras.* Erva da família das euforbiáceas (*Pedilanthus retusus*), semelhante ao sapatinho-do-diabo.

sapatinho-de-judeu. *S. m. Bras.* V. *dois-amores.* [Pl.: *sapatinhos-de-judeu.*]

sapatinho-do-diabo. *S. m. Bras.* **1.** V. *dois-amores.* **2.** V. *capuchinha.* [Pl.: *sapatinhos-do-diabo.*]

sapatinho-dos-jardins. *S. m.* V. *dois-amores.* [Pl.: *sapatinhos-dos-jardins.*]

sapato. *S. m.* Calçado (3), em geral de sola dura, que cobre o pé. [Cf.: *sapatorro.*] ◆ **Sapato abotinado.** *Bras.* O que sobe até à altura do maléolo. **Sapato cara-de-gato.** Charlote. **Sapato de defunto.** *Fam.* Promessa ou esperança de realização demorada ou incerta.

sapato-do-diabo. *S. m. Bras.* V. *muxoxo* (3). [Pl.: *sapatos-do-diabo.*]

sapatorra (ô). [De *sapato* + *-orra.*] *S. f.* V. *sapatorro:* "abalavam, porta fora, batendo insolentemente com as sapatorras, de duas solas e viras salientes, nas lajes de seculares mármores" (Antero de Figueiredo, *Toledo,* p. 87).

sapatorro (ô). [De *sapato* + *-orro.*] *S. m.* Sapato grosseiro e malfeito: "O dançarino: — chapéu de pano, bicudo, todo orlado de guizos; sapatorros ferrados; calça apertada no alto, findando em forma de boca de sino" (Martins Fontes, *A Dança,* p. 42). [F. paral.: *sapatorra.* Sin., bras.: *sapatranca* ou *sapatrancas.*]

sapato-tênis. *S. m. Bras.* V. *tênis* (2). [Pl.: *sapatos-tênis.*]

sapatranca. [Aum. de *sapato.*] *S. f. Bras.* V. *sapatorro.*

sapatrancas. [Pl.: de *sapatranca.*] *S. f. pl. Bras.* V. *sapatorro.*

sape. *Interj.* Us. para afugentar gatos.

sapé. [Do tupi *ssa'pé,* 'o que alumia'.] *S. m.* **1.** *Bras.* Capim da família das gramíneas (*Imperata brasiliensis*), muito conhecido por servir para cobrir choças, de folhas duras, e cujo rizoma tem uma ponta perfurante. Coloniza terrenos pobres, esgotados, e é mal aceito pelo gado como forragem. [Var.: *juçapé.*] **2.** *Bras., PE.* Cesto ou balaio para usos vários. **3.** *Bras., PR.* Galho seco de pinheiro. [Var. pros., menos us.: *sapê.*]

sapê. *S. m. Bras.* V. *sapé:* "E as labaredas trêmulas se elevam / Lambendo as beiras de sapê do tecto" (Domingos José Gonçalves de Magalhães, *A Confederação dos Tamoios,* p. 205); "um ranchinho à-toa, de sapê" (Coelho Neto, *Banzo,* p. 34); "É uma pobre cabana, antes uma coberta de sapê sobre muros de grosseiro estuque." (Rodrigo Otávio, *Contos de ontem e de hoje.* p. 211); "um coqueiro velhinho / Com a fronde pobre como um teto de sapê." (Olegário Mariano, *Toda uma Vida de Poesia,* I, p. 337).

sapeação. *S. f. Bras. Pop.* Ação de sapear.

sapé-açuense. *Adj. 2 g.* **1.** De, ou pertencente ou relativo a Sapé-Açu (BA). ● *S. 2 g.* **2.** Natural ou habitante de Sapé-Açu. [Pl.: *sapé-açuenses.*]

sapear. [De *sapo* (3) + *-ear.*] *V. t. d.* **1.** *Bras. Pop.* Ficar olhando de fora, ou às ocultas: *sapear uma cena, um espetáculo.* **2.** Observar, sem tomar parte em: "Eu sempre fico sapeando de longe o jogo dos outros; não chego perto porque ninguém gosta." (Helena Morley, *Minha Vida de Menina,* p. 46.) [Conjug.: v. *frear.*]

sapeca[1]. [Do mal. *sa-peku.*] *S. f.* Moeda chinesa, de cobre, com um orifício no centro.

sapeca[2]. [Dev. de *sapecar*[1].] *S. f. Bras.* **1.** Ato ou efeito de sapecar[1]; sapecação. **2.** Chamuscadura, chamusca. **3.** V. *surra* (1). **4.** Maçada, estopada, caceteação.

sapeca[3]. *Adj. (f.)* e *s. f. Bras.* e *prov. lus.* Diz-se de, ou moça muito saliente, assanhada, namoradeira.

sapecação. [De *sapecar*[1] + *-ção.*] *S. f. Bras.* Sapeca[2] (1).

sapecado. [Part. de *sapecar*[1].] *Adj.* e *s. m. Bras., S.* Diz-se de, ou animal de pêlo vermelho-tostado.

sapecadoiro. [De *sapecar*[1] + *-(d)oiro*[1].] *S. m. Bras.* Sapecadouro [q. v.].

sapecadouro. [De *sapecar*[1] + *-(d)ouro*[1], var. de *sapecadoiro.*] *S. m. Bras.* Lugar onde se procede à sapeca[2] (2) do mate.

sapecar[1]. [Do tupi *ha'peka,* gerúndio de *ha'peg,* 'queimar levemente', + *-ar*[2].] *V. t. d.* **1.** *Bras.* Chamuscar, crestar. **2.** *Bras., S. Pop.* V. *surrar* (3). **3.** *Bras., S. Pop.* Bater de leve. **4.** *Bras. N.E.* Realizar imperfeitamente. *T. d.* e *i.* **5.** *Bras.* Vibrar, meter, atirar: *Sapecou um bofetão no adversário.* [Conjug.: v. *trancar.*]

sapecar[2] [De *sapeca*[3] + *-ar*[2].] *V. int. Bras.* **1.** Namorar muito. **2.** Divertir-se; vadiar. [Conjug.: v. *trancar.*]

sapeense (èèn). *Adj. 2 g.* **1.** De, ou pertencente ou relativo a Sapé (PB). ● *S. 2 g.* **2.** Natural ou habitante de Sapé.

sapejar. [De *sapo* + *-ejar.*] *V. int.* Caminhar agachado, quase de rastos (à maneira do sapo). [Conjug.: v. *pelejar.*]

sapequeiro. [De *sapecar*[1] + *-eiro.*] *S. m. Bras., N.* e *N.E.* Terreno onde recentemente lavrou fogo.

sapequice. [De *sapeca*[3] + *ice.*] *S. f. Bras. Fam.* Sapequismo.

sapequismo. *S. m. Bras. Fam.* Modos ou procedimento de sapeca[3]; sapequice.

saperê. [De provável or. indígena.] *Adj. (f.) Bras., SP.* Diz-se da cana imprestável para a moagem ou para ser replantada, por ter a palha aderente ao colmo.

sapezal (pè). [De *sapé* (1) + *-z-* + *-al.*] *S. m. Bras.* **1.** Quantidade mais ou menos considerável de sapés dispostos proximamente entre si. **2.** Terra estéril. [Sin. ger.: *sapezeiro.*]

sapezeiro (pè). [De *sapé* + *-z-* + *-eiro.*] *S. m. Bras.* Sapezal.

sápia. *S. f.* Variedade de madeira de pinho.

sapicuá. [Do guar. *hapicuá.*] *S. m. Bras.* Saco de matalotagem; picuá (2) [q. v.]: "e um estirão de mais de cem vezes a distância de Nossa Senhora dos Olhos-d'Água à Maria da Fé. Pois ele bateu a pé, moço, bateu a pé com o sapicuá de farinha nas costas." (Rute Guimarães, *Água Funda,* p. 11).

sápido. [Do lat. *sapidu.*] *Adj.* Que tem sabor; saboroso, gostoso: "A sombra é doce, e eu gozo-a com sereno egoísmo, apetecendo pelo cheiro o fruto sápido das mangueiras." (Xavier Marques, *A Cidade Encantada,* p. 192.) [Antôn.: *insípido.*]

sapieira. [Do tupi *sa'pi,* 'queimado, seco por efeito do sol', + *-eira.*] *S. f. Bras., SP. Pop.* Sapé e vegetais secos, nas capoeiras de terra ruim.

sapiência. [Do lat. *sapientia.*] *S. f.* **1.** Qualidade de sapiente. **2.** Sabedoria divina. ◆ **Vossa Sapiência.** Tratamento irônico.

sapiencial. [Do lat. *sapientiale.*] *Adj. 2 g.* Respeitante à sapiência.

sapiente. [Do lat. *sapiente.*] *Adj. 2 g.* **1.** Conhecedor das coisas divinas e humanas. **2.** Sabedor, sábio, erudito.

sapientíssimo. [Do lat. *sapientissimu.*] *Adj.* Superl. abs. sint. de *sapiente* e *sábio:* "sou burríssimo como São Cristóvão, e sapientíssimo como Santo Tomás." (Jorge de Lima, *Obra Poética,* I, p. 426).

sapindácea. *S. f.* Espécime das sapindáceas.

sapindáceas. *S. f. pl. Bot.* Família de plantas superiores, da ordem das sapindales, composta de arbustos, árvores e lianas com folhas compostas e flores pequenas. Muitas têm gavinhas. As flores têm um disco anular entre a corola e o androceu; 10 estames; carpelos uniovulados; fruto variável. Existem cerca de 1.200 espécies basicamente tropicais, numerosas das quais brasileiras.

sapindáceo. *Adj.* Pertencente ou relativo às sapindáceas.

sapindale. *S. f.* Espécime das sapindales.

sapindales. *S. f. pl. Bot.* Ordem de vegetais dicotiledôneos arquiclamídeos, que engloba numerosas famílias, entre as quais as sapindáceas.

sapinhanguá. [De possível or. tupi.] *S. m. Bras., RJ.* V. *cernambi* (3).

sapinho. [Dim. de *sapo.*] *S. m.* Sapinhos [q. v.].

sapinhos. [Pl. de *sapinho.*] *S. m. pl.* **1.** Espécie de aftas, brancas ou amareladas, que aparecem na mucosa bucal, produzidas por um cogumelo, e freqüentes nos estados de acidose, sobretudo nas crianças; farfalho. **2.** Inflamação aos lados do freio da língua, nos cavalos. **3.** Saliência carnosa na língua dos cavalos. [Tb. us. no sing.]

sapipoca. [Do tupi; o final deve ser *poka.* ger. de *pog.* 'rebentar'.] *S. m. Bras.* Espécie de bagre muito comum em nossos rios (*Rhamdia quelen* (Quoy e Gaim.)).

sapiranga. [Do tupi *e'sá,* 'olho', + *pi'rãga,* 'vermelho'.] *S. f. Bras., N.E. Pop.* Blefarite: "as pestanas, as comera a sapiranga que lhe arroxeava as pálpebras." (José de Alencar, *Alfarrábios,* p. 36). [Sin., no S.: *sapiroca.*]

sapiroca. [Do tupi *e'sá,* 'olho', + *pi'roka,* 'esfolado'.] *S. f. Bras., S.* **1.** Sapiranga. ● *Adj.* **2.** Diz-se dos olhos inflamados ou sem pestanas. ● *Adj. 2 g.* **3.** Diz-se do eqüídeo de olhos brancos, inflamados ou depilados.

sapitica. [De provável or. indígena.] *S. f. Bras.* Ave passeriforme, da família dos cerebídeos (*Cyanerpes cyaneus* (L.)), do N. e C. do Brasil, frugívora. Coloração geral azul-brilhante; vértice esverdeado; olhos, dorso alto, asas, cauda, meio da barriga e crisso, pretos. A fêmea tem dorso verde-oliváceo, abdome verde-acinzentado, e meio do peito e do ventre amarelos. [Cf.: *saí*[2] (2).]

sapituca. [De possível or. indígena.] *S. f. Bras., SP. Pop.* **1.** Embriaguez rápida; entontecimento. **2.** Desmaio, desfalecimento, síncope.

sapo. [De or. incerta, talvez pré-romana.] *S. m.* **1.** Designação comum aos anfíbios anuros que, embora o início de sua evolução ocorra na água, têm na fase adulta hábitos terrestres e são peçonhentos. A pele dos sapos é rugosa, com verrugas e pequenos tubérculos. Há cerca de nove espécies, todas do gênero *Bufo* Laur., conhecidas do Brasil. [Aum.: *saparrão.*] **2.** *Bras.* Doença que ataca os cascos dos cavalos. **4.** *Bras.* Fiscal disfarçado. **5.** *Bras., S. Gír.* Indivíduo que assiste a um jogo sem nele tomar parte; mirone, mirão, peru. ◆ **Engolir sapos.** *Bras.* Suportar coisas desagradáveis sem revidar, por impotência ou conveniência.

sapo-aru. *S. m. Bras., Amaz.* V. *pipa* (6). [Pl.: *sapos-arus.*]

sapo-boi. *S. m. Bras.* **1.** V. *intanha.* **2.** Anfíbio anuro, da família dos bufonídeos (*Bufo paracnemis* Lutz.), durante muito tempo confundido com o *sapo-cururu* [q. v.], do qual se diferencia por ser de maior comprimento — até 22 cm — e por duas séries de verrugas sobre a face interna da coxa; sapo-gigante. [Pl.: *sapos-bois.*]

sapo-concho. *S. m.* V. *cágado* (1). [Pl.: *sapos-conchos.*]

sapo-cururu. [De *sapo* + tupi-guar. *cururu*, 'sapo'; é, pois, um composto pleonástico.] *S. m. Bras.* **1.** Anfíbio anuro, da família dos bufonídeos (*Bufo marinus* (L.)), distribuído na América Central e América do Sul, de coloração geral amarelada com tons de verde, abdome amarelo-claro com manchas pardas, e pele com glândulas verrucosas. A fêmea é cinza-amarelada, manchada de negro, com o abdome branco-sujo. Comprimento: até 18 cm. Alimenta-se de insetos e outros artrópodes, sendo considerado útil à agricultura. É a espécie mais comum no Brasil. [Sin.: *sapo-jururu, xué-guaçu, xué-açu.*] **2.** V. *cururu* (2). [Pl.: *sapos-cururus.*]

sapo-da-areia. *S. m. Bras.* Anfíbio anuro, da família dos bufonídeos (*Bufo arenarum* Hensel.) do S. do Brasil e dos países limítrofes, de dorso pardo com duas séries de ocelos mais escuros ao longo da linha mediana, e lado ventral cárneo. [Sin.: *sapo-da-praia*. Pl.: *sapos-da-areia.*]

sapo-da-praia. *S. m. Bras.* Sapo-da-areia. [Pl.: *sapos-da-praia.*]

sapo-de-chifre. *S. m. Bras.* V. *intanha*. [Pl.: *sapos-de-chifre.*]

sapo-do-mar. *S. m. Bras.* Baiacu (1). [Pl.: *sapos-do-mar.*]

sapo-do-surinã. *S. m. Bras.* V. *pipa* (6). [Pl.: *sapos-do-surinã.*]

sapo-ferreiro. *S. m. Bras.* Anfíbio anuro, da família dos hilídeos (*Hyla faber* Wied), do Brasil meridional e oriental, de coloração amarelo-terrosa, com listra escura do extremo do focinho à confluência das coxas, estas e as pernas com faixas transversais, a parte inferior mais clara. Comprimento: até 11 cm. Vive junto aos alagadiços e rios, e tem hábitos arborícolas. O seu coaxar lembra o som do bater de ferro contra ferro, donde o nome popular. [Sin.: *ferreiro, juiponga, tanoeiro*, Pl.: *sapos-ferreiros.*]

sapo-gigante. *S. m. Bras.* Sapo-boi (2). [Pl.: *sapos-gigantes.*]

sapo-intanha. *S. m. Bras.* V. *intanha*. [Pl.: *sapos-intanhas* e *sapos-intanha.*]

sapo-jururu. *S. m. Zool. Bras.* V. *sapo-cururu*. [Pl.: *sapos-jururus.*]

saponáceo. [De *sapon(i)-* + *-áceo*¹.] *Adj.* **1.** Que é da natureza de sabão. **2.** Que se pode usar como sabão.

saponário. [De *sapon(i)-* + *-ário.*] *Adj.* Diz-se de medicamento que tem sabão.

▲**sapon(i)-.** [Do lat. *sapo, onis.*] *El. comp.* = 'sabão': *saponiforme; saponáceo.*

saponificação. *S. f.* **1.** Ato ou efeito de saponificar. **2.** *Quím.* Formação de sais de ácidos graxos pela ação de hidróxidos metálicos sobre ésteres.

saponificar. [De *sapon(i)-* + *-ficar.*] *V. t. d.* **1.** *Quím.* Transformar (um éster) em ácido e álcool, ou em ácido e fenol, sob a ação de ácido, base ou água. **2.** Converter em sabão. [Conjug.: v. *trancar.*]

saponificável. *Adj. 2 g.* Que pode ser saponificado.

saponiforme. [De *sapon(i)-* + *-forme.*] *Adj. 2 g.* Que tem aspecto de sabão.

saponina. [De *sapon(i)-* + *-ina*¹.] *S. f. Quím.* Designação genérica de diversas misturas de glicosídeos que se extraem de certos vegetais do gênero *Saponaria*, mas especialmente do que tem a fórmula $C_{32}H_{54}O_{18}$.

sapopema. [Do tupi *sau'pema*, 'raiz chata'.] *S. f. Bras.* **1.** *Morfol. Veg.* Grande raiz tabular que cerca a base do tronco de muitas árvores da floresta pluvial. [É particularmente comum na mata de terra firme, da Amazônia. Exemplo típico é a sumaúma, *Ceiba pentandra*. Var.: *sapopemba* e *sacupema*. Sin.: *catana.*] **2.** Peixe teleósteo, caraciforme, da família dos caracídeos, gênero *Gasteropelecus* Bloch, da Amaz., de coloração prateada, abdome desenvolvido e arredondado, nadadeiras peitorais muito desenvolvidas, e a dorsal situada muito atrás. Comprimento: 66 mm. [Sin., nesta acepç.: *voador.*]

sapopemba. *S. f. Bras.* V. *sapopema* (1).

sapo-pipa. *S. f.* Espécie de sapo, grande. [Pl.: *sapos-pipas* e *sapos-pipa.*]

saporé. [Do tupi; *sapu* é 'raiz'.] *S. m. Bras., SP.* Bolor branco, abaixo do solo, e que ataca a raiz do café, da mandioca e doutras plantas. [Cf. *saporema.*]

saporema. [Do tupi; *sapu* é 'raiz'.] *S. m. Bras.* Doença das plantas, em especial da mandioqueira, caracterizada por suberização anormal. [Cf. *saporé.*]

▲**sapori-.** [Do lat. *sapor, oris.*] *El. comp.* = 'sabor': *saporífero, saporífico.*

saporífero. [De *sapori-* + *-fero.*] *Adj.* Que tem sabor; saporífico, saboroso. [Cf. *soporífero.*]

saporífico. [De *sapori-* + *-fico.*] *Adj.* Saporífero. [Cf. *soporífico.*]

sapota. [Do náuatle *tzapotl.*] *S. f.* **1.** Árvore da família das sapotáceas (*Achras sapota*), originária da América Central, cujo látex contém 15% de borracha e serve para fabricar o famoso chicle, e cujo fruto (o sapoti), muito apreciado, é uma baga parda, carnosa e muito doce. [Sin.: *sapotizeiro.*] **2.** O fruto da sapota (1).

sapotácea. *S. f.* Espécime das sapotáceas.

sapotáceas. *S. f. pl. Bot.* Família de plantas superiores, da ordem das ebenales, constituída de arbustos e árvores lactescentes, com folhas alternas e flores solitárias ou fasciculadas, hermafroditas, providas de numerosos estaminódios, ovário com cinco carpelos, cada um uniovulado, fruto bacáceo, freqüentemente comestível. Há umas 600 espécies tropicais, particularmente no Brasil, algumas bem conhecidas, como o abieiro e a sapota.

sapotáceo. [De *sapota* + *-áceo.*] *Adj.* Pertencente ou relativo às sapotáceas.

sapota-do-peru. *S. f. Bras., Amaz.* Árvore da família das bombacáceas (*Matisia cordata*), da floresta pluvial, mais comum no Peru que no Brasil. O fruto é elíptico, com uns 10 cm, verde-escuro e coriáceo; as sementes estão envolvidas numa polpa amarelada, doce e de sabor agradável. [Pl.: *sapotas-do-peru.*]

sapotaia. *S. f. Bras.* **1.** Arbusto escandente, da família das caparidáceas (*Capparis cynophalophora*), mais vulgar na restinga, e cujas folhas são coriáceas, arredondadas e pouco nervosas, sendo os frutos longas vagens quase cilíndricas, rosadas. **2.** V. *feijão-de-boi* (1 e 2).

sapoti. [Do náuatle *tzapotl*, atr. do esp. *zapote.*] *S. m. Bras.* O fruto da sapota [q. v.].

sapotizeiro. [De *sapoti* + *-z-* + *-eiro.*] *S. m.* Sapota (1).

saprema. [De *alçaprema*, com aférese.] *S. f. Bras.* Calço que serve de apoio a uma alavanca, quando com ela se levantam pesos. [Cf. *alçaprema.*]

sapremar. [De *saprema* + *-ar*².] *V. t. d. Bras.* Levantar (peso) com auxílio de saprema.

sapremia. [De *sapr(o)-* + *-(h)em(o)-* + *-ia.*] *S. f. Patol.* Intoxicação causada pela presença no sangue de substâncias originárias de bactérias saprófitas e não patogênicas.

▲**sapr(o)-.** [Do gr. *saprós, á, ón.*] *El. comp.* = 'podre', 'em decomposição': *saprófito; sapremia.*

sapróbio. [De *sapr(o)-* + *-bio.*] *Adj.* **1.** *Ecol. Veg.* Diz-se do organismo que se desenvolve sobre matéria orgânica em decomposição. ● *S. m.* **2.** Saprófito.

saprobiose. [De *sapróbio* + *-ose.*] *S. f. Ecol.* Vida dependente de matéria orgânica em decomposição.

saprobiótico. *Adj. Ecol.* **1.** Relativo à saprobiose. **2.** Que apresenta o fenômeno da saprobiose: *orquídea saprobiótica.*

saprófago. [De *sapr(o)-* + *-fago.*] *Adj.* e *s. m. Ecol.* Que ou aquele que se nutre de restos orgânicos em putrefação.

saprófilo. [Do gr. *sapróphilos.*] *Adj.* Amigo da podridão.

saprofítico. *Adj. Ecol.* Relativo ao; ou próprio do saprófito: *nutrição saprofítica.*

saprofitismo. *S. m. Ecol.* O modo de nutrição dos saprófitos.

saprófito. [De *sapr(o)-* + *-fito.*] *S. m. Ecol.* Vegetal, inferior ou superior, desprovido de clorofila, que se nutre de animais e plantas em decomposição; sapróbio. Ex.: as burmaniáceas e certas orquidáceas.

saprogênese. [De *sapr(o)-* + *-gênese.*] *S. f.* Produção da putrefação na matéria orgânica.

sapropel. [De *sapr(o)-* + *-pel.*] *S. m. Geol.* Sedimento constituído essencialmente de restos orgânicos animais ou vegetais que não sofreram decomposição total. [Pl.: *sapropéis.*]

sapropelito. [De *sapropel* + *-lito.*] *S. m. Geol.* Rocha sedimentar rica em sapropel.

sapu. *S. m. Bras.* V. *japu.*

sapuá. [De provável or. tupi.] *S. m. Bras., SP.* Pequena porção de terreno cultivado.

sapucaia. [Do tupi *ïasapuka'i*, 'fruto que faz saltar o olho'.] *S. f.* **1.** *Bras., N.E.* a *L.* Árvore da família das lecitidáceas (*Lecythes pisonis*), da floresta atlântica, de folhas oblongas e acuminadas, flores grandes, carnosas, violáceo-pálidas, e com muitos estames fundidos, sendo os frutos enormes cápsulas lenhosas e cilíndricas, com grandes sementes oleaginosas, muito apreciadas como alimento saboroso, e a madeira ótima para obras externas. [Sin.: *sapucaieira, cumbuca-de-macaco, quatetê.*] **2.** *Bras., RJ. Pop.* Lixeira; monturo.

sapucaia-branca. *S. f. Bras., L.* V. *sapucaia-mirim*. [Pl.: *sapucaias-brancas.*]

sapucaia-mirim. *S. f. Bras., L.* Árvore da família das lecitidáceas (*Lecythes lanceolate*), que difere da sapucaia pelas folhas menores e mais estreitas; sapucaia-branca, sapucaieira-mirim. [Pl.: *sapucaias-mirins.*]

sapucaieira. *S. f. Bras. N.E.* a *L.* V. *sapucaia* (1).

sapucaieira-mirim. *S. f. Bras., L.* V. *sapucaia-mirim*. [Pl.: *sapucaieiras-mirins.*]

sapucaiense. *Adj. 2 g.* **1.** De, ou pertencente ou relativo a Sapucaia (RJ). ● *S. 2 g.* **2.** Natural ou habitante de Sapucaia. [Cf. *sapucaíense* (a-i).]

sapucaiense¹ (a-i). *Adj. 2 g.* **1.** De, ou pertencente ou relativo a São Bento do Sapucaí (SP). ● *S. 2 g.* **2.** Natural ou habitante de São Bento do Sapucaí. [Sin. ger.: *são-bentista*. Cf. *sapucaiense.*]

sapucaiense² (a-i). *Adj. 2 g.* e *s. 2 g.* Santa-ritense⁴. [Cf. *sapucaiense.*]

sapucaiense³ (a-i). *Adj. 2 g.* **1.** De, ou pertencente ou relativo a São Gonçalo do Sapucaí (MG). ● *S. 2 g.* **2.** Natural ou habitante de São Gonçalo do Sapucaí. [Cf. *sapucaiense.*]

sapucaiense⁴ (a-i). *Adj. 2 g.* **1.** De, ou pertencente ou relativo a Sapucaí-Mirim (MG). ● *S. 2 g.* **2.** Natural ou habitante de Sapucaí-Mirim. [Cf. *sapucaiense.*]

sapucainha (a-i). [Dim. de *sapucaia.*] *S. f. Bras.* V. *quinquió.*

sapucaio. [De *sapucaia*, certamente.] *S. m. Bras., CE. Pop.* V. *diabo* (2).

sapucairana. [Do tupi *sapukai'rana*, 'semelhante à sapucaia'.] *S. f. Bras., Amaz.* Árvore da família das lecitidáceas (*Lecythes elliptica*), que se distingue da sapucaia pela forma dos frutos e pelas folhas elípticas.

sapudo. [De *sapo* + *-udo.*] *Adj.* **1.** Grosso e baixo; atarracado: *um velhinho sapudo.* **2.** Gordo e grosseiro: *mão sapuda.*

sapupira. [Do tupi *sapu'pira.*] *S. f. Bras., Amaz.* V. *sapupira-da-mata*. [Var.: *sebipira* e *sibipira.*]

sapupira-da-mata. *S. f. Bras., Amaz.* Designação comum a três árvores da família das leguminosas (*Bowdichia nitida, B. racemosa* e *B. brasiliensis*), da floresta densa e úmida, e que se caracterizam pela madeira castanho-escura, de fibras amarelas, muito dura e pesada, utilizada em construção e marcenaria; sucupira, sapupira, sebipira, sibipira. [Pl.: *sapupiras-da-mata.*]

sapupira-da-várzea. *S. f. Bras., Amaz.* Árvore da família das leguminosas (*Diplotropis martiusii*), que habita as várzeas inundáveis dos rios e cuja madeira é semelhante à da sapupira-da-mata. [Pl.: *sapupiras-da-várzea.*]

sapupira-do-campo. *S. f. Bras.* Sucupira-do-cerrado. [Pl.: *sapupiras-do-campo.*]

sapurana. [Var. de *sapuruna.*] *S. f. Bras.* V. *garganta-de-ferro.*

sapuruna. [Do tupi. Na composição talvez entre *-una*, 'preto'; var.: *sapurana.*] *S. f.* **1.** *Bras., N.* V. *corcoroca* (1 e 2). **2.** *Bras., PE.* V. *garganta-de-ferro.*

saputá. [Do tupi *sapu'ta.*] *S. m. Bras.* **1.** V. *boca-de-velha.* **2.** V. *bacupari-cipó.* **3.** Bacupari-de-capoeira (1). **4.** V. *bacupari-do-campo.*

sapuva. [Do tupi.] *S. f. Bras., SP.* Certa árvore da família das leguminosas.

sapuvão. [Aum. de *sapuva*?] *S. m. Bras., SP.* V. *catinga-de-porco* (2).

saquarema. *S. m.* **1.** *Bras.* Epíteto dado aos conservadores no tempo do Império, e que se origina do fato de a fazenda de Monte Alegre, pertencente ao Visconde de Itaboraí, grande prócer do partido, achar-se localizada no município de Saquarema (RJ): "Viu-se conservador em política, porque o pai o era, ... e ele começou na escola a execrar os liberais. E depois não era propriamente conservador, mas *saquarema*, como os liberais eram *luzias*." (Machado de Assis, *Esaú e Jacó*, p. 143.) [Cf. *luzia* e *ximango* (2).] **2.** *Bras., RJ.* V. *caipira* (1). **3.** *Bras., RJ. Gír. Deprec.* Suburbano (4). **4.** *Bras., GO.* Certo tipo de chumbo de caça.

saquaremense. *Adj. 2 g.* **1.** De, ou pertencente ou relativo a Saquarema (RJ). ● *S. 2 g.* **2.** Natural ou habitante de Saquarema.

saque¹. [Dev. de *sacar.*] *S. m.* **1.** Ato ou efeito de sacar. **2.** Título de crédito (letra de câmbio, duplicata, etc.) emitido contra alguém. **3.** Ordem de pagamento que alguém emite contra outrem em poder de quem dispõe de fundos. **4.** Em certos jogos, como o tênis, o vôlei, o pingue-pongue, etc., jogada inicial, que consiste no lançamento da bola por cima da rede para o campo adversário; serviço. **5.** *Bras.* Mentira, lorota, peta. **6.** *Bras.* V. *palpite* (4).

saque². [Alter. do ant. *saco* < it. *sacco*, i. e., *mettere a sacco*, 'saquear'.] *S. m.* Ato ou efeito de saquear; saqueio.

saqué. *S. m.* Var. pros. de *saquê* [q. v.].

saquê. [Do jap. *sake.*] *S. m.* Bebida japonesa usual, obtida pela fermentação artificial do arroz, e servida em geral quente, durante as refeições. [Var. pros.: *saqué.*]

saqueador (ô). *Adj.* e *s. m.* Que ou aquele que saqueia.

saquear. [De *saque*[2] + *-ear.*] *V. t. d.* **1.** Despojar violentamente: *As tropas s a q u e a r a m o território inimigo;* "ele s a q u e a v a povoações e matava gente" (Franklin Távora, *O Cabeleira,* p. 110). **2.** Tirar, roubar, furtar: *O fraudulento advogado s a q u e o u -lhe a herança.* **3.** Assolar; devastar, talar: *O furacão s a q u e o u a ilha. Int.* **4.** Roubar ou despojar pessoa, cidade, etc.: "Matam, queimam, s a q u e i a m, furtam moças." (Álvares de Azevedo, *Obras Completas,* I, p. 177.)

saqueio. [Dev. de *saquear.*] *S. m.* Saque[2].

saquete (ê). *S. m.* Dim. de *saco* [q. v.].

saquilhão. *S. m.* Ramo que se ata às aivecas do arado e torna mais largo o rego onde se vai plantar bacelo.

saquim. [De provável or. hebr.] *S. m.* Cutelo muito afiado, usado pelos judeus para as grandes reses.

saquinho. [Dim. de *saco.*] *S. m.* Cartucho de pólvora com que se carregam as peças de artilharia.

saquitel. *S. m.* Dim. irreg. de *saco* [q. v.]: "S a q u i t é i s de pano, sujos e empoeirados, pendentes de pregos, enfeitavam as paredes" (Guido Vilmar Sassi, *São Miguel,* p. 19). [Pl.: *saquitéis.*]

sará[1]. *Bras. S. 2 g.* **1.** Indivíduo dos sarás, tribo indígena do N. do Brasil. ● *Adj. 2 g.* **2.** Pertencente ou relativo a essa tribo.

sará[2]. *S. m. Bras., BA.* Missa solene dos malês, rezada em cerimônia pública.

sarã. [Do tupi *sa'rã.*[1]] *S. m. Bras.* Sarandi[1] (1).

sarabanda. *S. f.* **1.** *Mús.* Dança popular que apareceu na Espanha no séc. XII, mas cujo desenvolvimento importante se deu no séc. XVI. Era em compasso ternário, andamento vivo e caráter lascivo, que se modificou com o tempo, tornando-se grave e majestoso. No séc. XVII passou a fazer parte da suíte instrumental, como tempo lento, antes da jiga final. **2.** *Fig.* V. *repreensão* (1). **3.** Grande agitação, azáfama, tumulto, roda-vida: "Esta cidade [Lisboa], ... de permeio com dias ventosos e poeirentos, em que papéis, folhas e roupa andam numa s a r a b a n d a pelo ar, oferece-nos tardes e manhãs, mas sobretudo tardes, de uma serenidade luminosa, magnífica." (Irene Lisboa, *O Pouco e o Muito,* p. 157.)

sarabandear. *V. int.* **1.** Dançar a sarabanda. *T. d.* **2.** Dançar (1). [Conjug.: v. *frear.*]

sarabatana. [Do persa, atr. do ár. vulg. *Zarba Tānā.*] *S. f.* **1.** Espécie de buzina ou porta-voz. **2.** *Bras.* Zarabatana: "Então Mitavaí meteu flecha na s a r a b a t a n a e soprou." (M. Cavalcanti Proença, *Manuscrito Holandês,* p. 216.) [Cf. *esgaravatana.*]

sarabatucu. [De provável or. tupi.] *S. m. Bras., Amaz.* Designação comum a duas trepadeiras lenhosas da família das malpighiáceas (*Heteropteris suberosa* e *H. helicina*), habitantes da mata úmida, que o povo considera eficazes contra a disenteria, e de flores amarelas, vistosas, dispostas em compridos cachos, e frutos alados.

sarabiana. [Do tupi *sarawi'ana.*] *S. f. Bras.* V. *tucunaré* (2).

sarabulhento. *Adj.* Que tem sarabulhos; sarabulhoso.

sarabulho. *S. m.* **1.** Aspereza na superfície da louça. **2.** *Fig.* Bostela, pústula. [Cf. *sarrabulho.*]

sarabulhoso (ô). *Adj.* Sarabulhento.

saracá. [De possível or. indígena.] *S. f. Bras.* Espécie de formiga.

saraça. [Do mal. *sarásah.*] *S. 2 g.* Certo tecido fino de algodão.

saracote. *S. m.* V. *saracoteio.*

saracoteador (ô). *Adj.* e *s. m.* Que ou aquele que saracoteia.

saracoteamento. *S. m.* V. *saracoteio.*

saracotear. [De *saracote* + *-ear.*] *V. t. d.* **1.** Menear (o corpo, os quadris, etc.) com desenvoltura e graça; rebolar, bambolear, bambalear. *Int.* **2.** Vaguear por um lugar e por outro: *S a r a c o t e o u toda a tarde, procurando, em vão, encontrar a encomenda.* **3.** Estar num bulício continuado. *P.* **4.** Menear-se graciosa e desenvoltamente: "Era de maneiras feminis, uma falinha melíflua, cantante, viva, muito desempenado quando andava, s a r a c o t e a n d o - s e todo, em biquinhos de pés como se fosse levantar vôo." (Trindade Coelho, *Os Meus Amores,* p. 128). [Conjug.: v. *frear.*]

saracoteio. [Dev. de *saracotear.*] *S. m.* Ato ou efeito de saracotear(-se); saracoteamento, saracote, rebolado, bamboleio, bambaleio, molejo.

saracuíra. *S. f. Bras.* V. *inhambuanhanga.*

saracura. [Do tupi *sara'kura.*] *S. f.* **1.** *Bras.* Planta da família das bignoniáceas (*Bignonia hirta* Vell.). **2.** Designação comum às aves gruiformes, da família dos ralídeos, representada no Brasil por 13 gêneros e várias espécies. São aves desconfiadas, que passam o dia escondidas na vegetação, saindo, em geral, à tarde, para se alimentarem de insetos, crustáceos e peixes de pequeno porte. ◆ **Saracura três-potes.** *Bras.* V. *saracura-do-mangue.* **Pintar a saracura.** *Bras. Fam.* V. *pintar o sete.*

saracuraçu. [De *saracura* + *-açu.*] *S. f. Bras.* Ave gruiforme, da família dos ralídeos (*Aramides ypecaha* (Vieil.)), comum no Brasil, Argentina, Uruguai e Paraguai, de ventre vermelho-ferrugíneo, garganta branca, pescoço e base do peito cinzas, bico verde, tarsos e pés avermelhados. É a maior das saracuras brasileiras. Freqüenta os brejos, nutrindo-se de toda espécie de detritos, animais, e também de vegetais. [Var.: *saracuruçu.*]

saracura-da-canarana. *S. f. Bras.* V. *frango-d'água* (1). [Pl.: *saracuras-da-canarana.*]

saracura-da-praia. *S. f. Bras.* V. *saracura-do-mangue.* [Pl.: *saracuras-da-praia.*]

saracura-do-banhado. *S. f. Bras., RS.* V. *saracura-sanã.* [Pl.: *saracuras-do-banhado.*]

saracura-do-brejo. *S. f. Bras.* Ave gruiforme, da família dos ralídeos (*Aramides cajanea* (Mül.)), largamente distribuída desde Costa Rica até o N. da Argentina, de dorso superior oliváceo-esverdeado, dorso inferior e cauda enegrecidos, peito inferior e abdome vermelhos; três-potes, sericóia, sericora. [Pl.: *saracuras-do-brejo.*]

saracura-do-mangue. *S. f. Bras.* Ave gruiforme, da família dos ralídeos (*Aramides mangle* (Spix)), dos mangues da costa marítima do N. e L. do Brasil, de coloração vermelho-ferruginosa da cabeça ao abdome, cinzento-azulada na nuca, negra no abdome, retrizes com faixas pretas e brancas. Freqüenta os manguezais, onde nidifica, e se alimenta de toda sorte de pequenos animais, e também de vegetais. [Sin.: *saracura-da-praia, saracura três-potes.* Pl.: *saracuras-do-mangue.*]

saracura-sanã. *S. f. Bras.* **1.** Ave gruiforme, da família dos ralídeos (*Ortygonax sanguinolentus* (Sw.)), do S. da América do Sul, de coloração geral cinza-plúmbea, bico verde com base vermelha, pernas vermelho-escuras e cauda pardo-olivácea. **2.** Ave gruiforme, da família dos ralídeos (*O. nigricans* (Vieil.)), largamente distribuída pelo Brasil. Muito próxima da primeira, porém o bico é totalmente verde e a coloração bem mais escura. [Sin. ger.: *saracura-do-banhado, inhaçanã, inhaçanhã.* Pl.: *saracuras-sanãs.*]

saracuruçu. *S. f. Bras.* Var. de *saracuraçu.*

saracutinga. [Do tupi, alter. de *taraku'tig, 'tracutinga'.*] *S. f. Bras., S.* V. *tocandira* (1).

sarado. [Part. de *sarar.*] *Adj.* **1.** Que sarou. **2.** *Bras. Gír.* V. *valentão* (1). **3.** *Bras. Gír.* Forte, rijo, resistente: "Seu Maneco, cabra s a r a d o, duro que nem aroeira, curtia uma vontade doida de saborear uma fumacinha de fumo de rolo." (Nélson de Faria, *Tiziu e Outras Estórias,* p. 13.) **4.** *Bras. Gír.* Guloso, comilão, glutão. **5.** *Bras. Gír.* Esperto, sabido, velhaco, finório.

saragoça (ô). [Do top. *Saragoça* (Espanha), de onde se importava para Portugal o tecido.] *S. f.* **1.** Certo tecido de lã escura: "com a casaqueta de *saragoça presa por um só botão junto ao pescoço*" (Fialho d'Almeida, *Os Gatos,* IV, p. 233). **2.** Roupa feita com esse tecido: "Na sala d'espera da terceira classe .... dormem aos montes, rabuzanos ...., os pés descalços, e um cheiro a lobo que se evola das suas s a r a g o ç a s montanhesas." (Fialho d'Almeida, *O País das Uvas,* p. 86.)

saragoçano. *Adj.* **1.** De, ou pertencente ou relativo a Saragoça (Espanha). ● *S. m.* **2.** O natural ou habitante de Saragoça.

saragoço (ô). *Adj. Bras., SP.* Diz-se do perdigueiro de pêlo branco com pintinhas escuras.

saragui. *S. m. Bras.* Peixe teleósteo, caraciforme, da família dos caracídeos (*Chalceus macrolepidotus* Cuv.), da Amaz.

saraíba. [Alter. de *siriúba.*] *S. f. Bras.* V. *sereíba.*

saraiú. *S. m. Bras., AM.* Escorpião-grande.

saraiva. *S. f.* **1.** V. *granizo* (1). **2.** Saraivada.

saraivada. *S. f.* **1.** Bátega de saraiva ou granizo. **2.** *Fig.* Grande porção de coisas que sobrevêm como saraiva ou descarga (4), ou se sucedem com rapidez: *Saiu do recinto sob uma s a r a i v a d a de protestos; Levou uma s a r a i v a d a de tiros.* **3.** Grande quantidade de coisas que se arremessam, se atiram de golpe ou repentinamente: "'Belisário, você hoje trouxe flor?' Belisário retruca com uma s a r a i v a d a de flores." (Raquel de Queirós, *100 Crônicas Escolhidas,* p. 31.) [Sin. ger.: *saraiva* e *granizada.*]

saraivar. *V. int.* **1.** Cair saraivada (1). **2.** Precipitar-se em saraivada (2): *As balas s a r a i v a v a m por entre a multidão assustada. T. d.* **3.** Bater ou açoitar com saraivada (3).

saraizal (a-i). *S. m. Bras.* Designação comum a árvores que vicejam em praia.

saramago. [Do ár. *sarmaq.* 'espécie de armolão', talvez pelo esp. *jaramago.*] *S. m.* Erva da família das crucíferas (*Raphanus raphabustrym),* cuja raiz axial é napiforme. Alcança uns 60 cm e é pilosiúscula. As folhas são partidas em segmentos ovados, de cinco a 11, denteados sendo os superiores lanceolados; as flores, alvas, amarelas ou avermelhadas, ordenam-se em cachos compridos; os frutos são síliquas cilíndricas, estriadas e pequenas.

saramátulo. *S. m.* Cada um dos chifres do veado, quando ainda tenros.

saramba. [Dev. regr. de *sarambeque.*] *S. f. Bras.* Espécie de fandango batido; sarambeque: "— Isto é o tatu, isto é a s a r a m b a, isto é o quimbete, isto é a tirana, ... isto é .... o corta-jaca, o fandango, o sarrabalho?" (Martins Fontes, *A Dança,* p. 90.)

sarambé. *S. m.* **1.** *Bras.* V. *sarambu.* **2.** *Bras., S. Pop.* V. *tolo* (8).

sarambelada. *S. f. Bras.* Ação ou dito próprio de sarambé (2); tolice, asneira, bobagem.

sarambeque. [Do esp. *zarambeque.*] *S. m.* **1.** *Lus.* Nos meados do séc. XVII, dança lasciva e desenvolta, considerada de origem negra, mas que no séc. XVIII foi dançada até nas casas nobres: "Os feitores cumprindo ordens do alto, permitiram-lhe [à escravaria] os s a r a m b e q u e s e batuques nos terreiros" (Xavier Marques, *As Voltas da Estrada,* p. 15). **2.** *Bras.* Saramba. **3.** *Bras., MG.* Modalidade do batuque. **4.** *Bras., BA.* V. *sarambu.*

sarambu. [De provável or. afr.] *S. m. Bras.* Dança de negros, originária da África; sarambé, sarambeque, sorongo [q. v.].

saramoco (ô). *S. m. Bras., RS.* Produção má, ou escassa, duma lavoura.

sarampão. [Do lat. vulg. hispânico *sirimpione.*] *S. m. Pop.* Forma grave de sarampo.

sarampelo (ê). [Dim. de *sarampo.*] *S. m. Patol.* Sarampo benigno.

sarampento. *Adj.* e *s. m. Bras.* Diz-se de, ou indivíduo acometido de sarampo.

sarampiforme. [De *sarampo* + *-i-* + *-forme.*] *Adj. 2 g.* Que tem aspecto de sarampo.

sarampo. [Der. regress. de *sarampão.*] *S. m.* **1.** *Patol.* Doença infecciosa causada por vírus de elevado poder de contágio, e que apresenta exantema e pode complicar-se, entre outras condições mórbidas, com bronquite e broncopneumonia devidas à infecção bacteriana secundária. **2.** *Bras., AL. Gír.* Relógio ordinário. ◆ **Sarampo alemão.** *Patol.* Rubéola.

saranda. [De *ciranda?*] *Adj.* e *s. m. Bras.* Vadio, vagabundo, vagamundo.

sarandagem. [De *saranda* + *-agem*[2].] *S. f. Bras.* Vadiação, vagabundagem.

sarandalhas. *S. f. pl.* **1.** Restos, aparas, limpaduras; maravalhas. **2.** *Fig.* V. *ralé* (1). [F. paral.: *sarandalhos.*]

sarandalhos. *S. m. pl.* Sarandalhas [q. v.].

sarandear. [De *cirandar?*] *V. int. Bras., S.* **1.** Sarabandear (1). **2.** Saracotear-se, bambolear(-se), bambalear(-se). **3.** Corcovear (o eqüídeo). [Conjug.: v. *frear.*]

sarandi[1]. [Do tupi *sarã'dïb,* 'longarina sobre a qual deslizam madeiras'.] *S. m.* **1.** *Bras.* Arbusto da família das euforbiáceas (*Phyllanthus sellowianus*) que atinge até 2,5 m, de folhas oblongo-lineares; flores pequenas, unissexuais, organizadas em longos racemos, e frutos que são cápsulas mínimas e globosas; sarã. **2.** *Bras., PR.* Ilhota pedregosa. **3.** *Bras., S.* Terra estéril, maninha.

sarandi[2]. [De *cirandinha?*] *S. m. Bras., GO.* V. *ciranda* (3).

sarandi-amarelo. *S. m. Bras.* Amarilho (2). [Pl.: *sarandis-amarelos.*]

sarandiense. *Adj. 2 g.* **1.** De, ou pertencente ou relativo a Sarandi (RS). ● *S. 2 g.* **2.** Natural ou habitante de Sarandi.

sarandizal. [De *sarandi*[1] (1) + *-z-* + *-al.*] *S. m. Bras., RS.* Quantidade mais ou menos considerável de sarandis dispostos proximamente entre si. [Var.: *saranzal.*]

saranga. *Adj. 2 g.* e *s. 2 g. Bras., SP* e *GO. Pop.* V. *tolo* (1 a 3 e 8). [F. paral.: *sarango.*]

sarango. [F. paral. de *saranga.*] *Adj.* e *s. m. Bras., SP* e *GO.* V. *tolo* (1 a 3 e 8).

sarangravaia. *S. f. Bras., C.* Mato carrasquento, espinhento.

saranha. [De or. indígena, talvez.] *S. m. Bras.* V. *peixe-*

cachorro (2).

saranzal. *S. m. Bras.* F. sincopada de *sarandizal*.

sarapanel. *S. m. Arquit.* Arco abatido. [Pl.: *sarapanéis*.]

sarapantão. [Alter. de um **sarapintão* sarapintar + -ão[2]?] *Adj. Pop.* V. *sarapintado*. [Fem.: *sarapantona*.]

sarapantar. [De *espantar*, talvez.] *V. t. d.* e *p.* **1.** Espantar(-se), pasmar(-se); assustar(-se). **2.** Confundir (-se); aturdir(-se), atordoar(-se). *Int.* **3.** Causar espanto, pasmo, admiração: "Já na meninice fez [Macunaíma] coisas de sarapantar. De primeiro passou mais de seis anos não falando." (Mário de Andrade, *Macunaíma*, p. 9.) [Var.: *assarapantar*.]

sarapantona. *Adj. (f.)* Fem. de *sarapantão* [q. v.].

sarapatel. *S. m.* **1.** Iguaria preparada com sangue, fígado, rim, bofe, tripas e coração de certos animais, especialmente porco e carneiro, com abundância de molho, e bem condimentada; sarrabulho. **2.** *Bras.* e *prov. lus. Pop.* Balbúrdia, confusão, algazarra. V. *rolo*[1] (16). [Pl.: *sarapatéis*.]

sarapieira. *S. f.* **1.** *Bras., SP.* V. *manta* (6). **2.** *Bras., GO.* Asneira, tolice, bobagem.

sarapilheira. *S. f.* Var. de *serapilheira*.

sarapintado. [Part. de *sarapintar*.] *Adj.* Que tem pintas variadas; pintalgado, mosqueado, sarapantão.

sarapintar. [De *pintar*?] *V. t. d.* **1.** Fazer pintas variadas em; salpicar. **2.** Pintar de várias cores; mosquear, matizar, variegar.

sarapó. [Do tupi *sara'pó*, 'desprende mão', i. e., 'desliza da mão'.] *S. m. Bras., N.* **1.** Beiju de coco. [V. *beiju*.] **2.** V. *carapó*.

sarapó-tuvira. *S. m. Bras.* V. *carapó*. [Pl.: *sarapós-tuviras* e *sarapós-tuvira*.]

sarapueira. *S. f. Bras., SP.* V. *manta* (6).

sarapuiano (u-i). *Adj.* **1.** De, ou pertecente ou relativo a Sarapuí (SP). ● *S. m.* 2. O natural ou habitante de Sarapuí.

saraquá. [De possível or. tupi.] *S. m. Bras., S.* Cavadeira de pau usada na semeadura do milho. ♦ **Cada qual com seu saraquá.** *Bras., S.* **1.** Cada um em seu lugar, em sua ocupação; cada macaco no seu galho. **2.** Cada qual com o seu destino.

sarar. [Do arc. *sarei*, 1ª pess. do fut. Ind. do arc. *sar* < *saar* < *sãar* < lat. *sanare*.] *V. t. d.* **1.** Dar ou restituir a saúde a (quem está doente); curar: "Quando lhe traziam doentes para que ele os sarasse, ... Onofre .... gritava: 'Mas eu não sei! não posso; .... Pedi a Deus, orai a Deus." (Eça de Queirós, *Últimas Páginas*, p. 323.) **2.** Debelar, curar: "Esse ar puro do mar lhe sarava todas as feridas" (Xavier Marques, *Jana e Joel*, p. 173); "As [folhas] de jurubeba saram as chagas" (Frei Vicente do Salvador, *História do Brasil*, p. 35). **3.** Corrigir, emendar, sanar: "Chorava pelas fomes que não podia fartar, por todos os males que não podia sarar." (Eça de Queirós, *Últimas Páginas*, p. 295). **4.** Purificar, sanear. *T. i.* **5.** Curar-se, recuperar-se: *Com a medicação recomendada, sarou da gripe. Int.* e *p.* **6.** Recobrar a saúde; retornar ao estado normal: *O doente sarou; "Por enquanto está o Sr. Prudente de Morais a sarar da cicatriz da sua operação."* (Eduardo Prado, *Coletâneas*, II, p. 395); *Adoeceu e sarou-se rápido.* [Pres. subj.: *sare*, etc. Cf. *sári*.]

sarará. [Do tupi *sara-rá*, 'que tem pêlos ruivos'.] *Bras. Adj. 2 g.* **1.** V. *albino* (1). **2.** *P. ext.* Diz-se da cor alourada ou arruivada do cabelo muito cresco característico de certos mulatos. **3.** Diz-se do cabelo crespo e dessa cor: "Apareceu um garoto amarelo, cabelo sarará, olhinhos ruins." (Homero Homem, *Menino de Asas*, p. 64.) **4.** *P. ext.* Diz-se de mestiço com cabelo sarará; sarassará: *mulata sarará*; "dentro d'água estava a mãe de Dunga, alta, magra, com seus cabelos amarelos de mulata sarará" (Lia Correia Dutra, *Navio sem Porto*, pp. 163-164). **5.** Falador, tagarela, palrador. ● *S. 2 g.* **6.** V. *albino* (2). **7.** *P. ext.* Mulato sarará (4); sarassará. **8.** Apelido que os caboclos da Amazônia dão ao cearense. ● *S. m.* **9.** Pequeno crustáceo decápode, da água salobra. ● *S. f.* **10.** V. *sarassará* (6).

sararaca. [Do *caraíba*.] *S. f. Bras. Amaz.* Flecha que os índios usam para matar o pirarucu, a tartaruga, o peixe-boi, etc.

sararau. [De *sarará* + tupi *u*, 'negro'.] *S. f. Bras*. V. *sarassará* (6).

sarassará. [De *sarará*, repetido, com haplologia dupla.] *Adj. 2 g.* **1.** *Bras., MA* e *GO.* V. *albino* (1). **2.** *Bras., MA* e *GO.* Sarará (4). ● *S. 2 g.* **3.** *Bras., MA* e *GO.* V. *albino* (2). **4.** *Bras., MA* e *GO.* Sarará (7). *S. m.* **5.** *Bras.* V. *bagre-bandeira*. *S. f. Bras.* **6.** Inseto himenóptero, da família dos formicídeos (*Camponutus (m.) rufipes* (Fabr.)), de coloração geral castanho-escura, com as pernas ruivo-avermelhadas. Protege o ninho com pedaços de pau e folhas amontoadas e, quando ele é ameaçado, carrega-o para local seguro. Tem fêmeas férteis, de asas ruivo-amareladas, transparentes, e é o inimigo dos colmeais. [Sin. (nesta acepç.): *sarará, sararau*.]

sarau. [Do gal. *serao*.] *S. m.* **1.** Festa noturna, em casa particular, clube ou teatro. **2.** Concerto musical noturno. **3.** Festa literária noturna, especialmente em casas particulares. [Sin. ger.: *serão*.]

saravá. [Alter. de *salvar*.] *Interj.* Salve! [Us. nos cultos afro-brasileiros.]

▲-sarca. V. *sarc(o)-*.

sarça. [De provável or. pré-romana.] *S. f.* **1.** V. *silva* (1). **2.** Silvedo, silvado, matagal. [Cf. *salsa*.]

sarçal. [De *sarça* + *-al*.] *S. m.* Silvado (1).

sarcasmo. [Do gr. *sarkasmós*, pelo lat. *sarcasmu*.] *S. m.* V. *zombaria*: "O seu estilo tinha umas vezes o sarcasmo ferino da conversação ordinária" (Inglês de Sousa, *O Missionário*, p. 81).

sarcasta. *S. 2 g.* Pessoa sarcástica.

sarcástico. [Do gr. *sarkastikós*.] *Adj.* Que tem ou denota sarcasmo; escarnecedor, escarninho: *Zomba de tudo, é muito sarcástico; Tem um ar, um riso, uns modos sarcásticos.*

sarc(o)-. [Do gr. *sárx, sarkos*.] *El. comp.* = 'carne': *sarcolema; sarcóstomo.* [Equiv.: *-sarco* e *-sarca*: *anasarco; anasarca*.]

▲-sarco. V. *sarc(o)-*.

sarcocárpio. *S. m. Morfol. Veg.* V. *sarcocarpo*.

sarcocarpo. [De *sarc(o)-* + *carpo*.] *S. m. Morfol. Veg.* A parte do pericarpo, mais ou menos carnuda, entre a epiderme dos frutos e a membrana que se acha em contacto com a semente; carne. [Var.: *sarcocárpio*.]

sarcocele. [Do gr. *sarkokéle*.] *S. f.* Tumor escrotal sólido. [Cf. *hidrocele*.]

sarcocistídeo. *S. m.* e *adj.* Sarcosporídeo.

sarcocistídeos. *S. m. pl. Zool.* Sarcosporídeos.

sarcocola. [Do gr. *sarkokolla*, pelo lat. *sarcocolla*.] *S. f.* Resina de sarcocoleira.

sarcocoleira. *S. f.* Pequena árvore *(Penaea squamosa)* da família das penáceas, que dá uma resina, a sarcocola.

sarcode. [Do gr. *sarkóde*, 'carnudo'.] *S. m.* Protoplasma de célula animal.

sarcoderma. [De *sarc(o)-* + *-derma*.] *S. m. Bot.* Tegumento externo da semente, quando carnoso ou suculento.

sarcódico. *Adj.* Referente ao sarcode, ou da natureza dele.

sarcodíneo. *Adj.* e *s. m.* Rizópode (2 e 3).

sarcodíneos. *S. m. pl. Zool.* Rizópodes.

sarcódio. *S. m.* V. *sarcode*.

sarcofagídeo. [De *sarcófago* (1) + *-ídeo*.] *S. m.* **1.** Espécime dos sarcofagídeos. ● *Adj.* **2.** Pertencente ou relativo a eles.

sarcofagídeos. *S. m. pl. Zool.* Família de insetos da ordem dos dípteros, subordem dos braquíceros, grandes moscas que depositam suas larvas na carne. Ex.: a mosca-varejeira.

sarcófago. [Do gr. *sarkophágos*, 'que come carne', pelo lat. *sarcophagu*.] *Adj.* **1.** Que corrói ou devora as carnes. ● *S. m.* **2.** Túmulo calcário onde os antigos punham os cadáveres que não desejavam queimar: "Em dous admiráveis sarcófagos, erguidos sobre esfinges e leões, jazem aí os despojos mortais de Pedro, o Cru, e Inês de Castro." (Afonso Arinos, *Histórias e Paisagens*, p. 208). **3.** *P. ext.* Parte de um monumento fúnebre que representa o ataúde, conquanto não encerre o corpo do defunto. **4.** *P. ext.* Ataúde, ou a representação de um ataúde, numa grande cerimônia fúnebre.

sarcofilo. [De *sarc(o)-* + *-filo*[1].] *S. m. Bot.* A folha suculenta.

sarcóide. [Do gr. *sarkoeidés*.] *Adj. 2 g.* **1.** Que se assemelha a tecido muscular; sarcóideo. ● *S. m.* **2.** *Patol.* Tumor semelhante a sarcoma.

sarcóideo. *Adj.* Sarcóide (1).

sarcoidose (o-i). [De *sarcóide* + *-ose*.] *S. f. Patol.* Afecção de causa desconhecida e instalação lenta, que acomete o sistema linfático, pulmões, fígado e pele, etc., sendo encontrada no adulto na faixa dos 20 aos 50 anos de idade. Assemelha-se, histologicamente, à tuberculose, e sua sintomatologia não é característica. [Sin.: *doença de Boeck-Schaumann*.]

sarcolema. [De *sarc(o)-* + *-lema*[1].] *S. m. Histol.* Bainha que reveste cada fibra muscular estriada; miolema.

sarcolemático. *Adj.* Referente a sarcolema.

sarcólito. [De *sarc(o)-* + *-lito*.] *S. m.* Pedra transparente, da cor de carne.

sarcologia. [De *sarc(o)-* + *-log(o)-* + *-ia*.] *S. f.* Tratado acerca do tecido muscular ou das partes carnudas do corpo.

sarcológico. *Adj.* Relativo à sarcologia.

sarcoma. [Do gr. *sárkoma*, pelo lat. *sarcoma*.] *S. m. Patol.* Tumor maligno que se origina de qualquer tecido mesodérmico não epitelial (músculo, osso, cartilagem, etc.).

sarcomatoso (ô). *Adj.* **1.** Respeitante a, ou que tem sarcoma. ● *S. m.* **2.** Aquele que tem sarcoma.

sarconfalocele. [De *sarc(o)-* + *-onfal(o)-* + *-cele*.] *S. m. Patol.* Tumor sólido do umbigo.

sarcopióide. [De *sarc(o)-* + *-pi(o)-* + *-óide*.] *Adj. 2 g.* Que tem o aspecto de carne e pus.

sarcoptiforme. *S. m.* **1.** *Zool.* Espécime dos sarcoptiformes. ● *Adj.* **2.** Pertencente ou relativo a eles.

sarcoptiformes. *S. m. pl. Zool.* Artrópodes aracnídeos, dos sarcoptídeos, semelhante aos acarinos, causadores da sarna.

sarçoso (ô). *Adj.* **1.** Que tem sarças ou espinhos; espinhoso. **2.** Que produz sarças.

sarcospermo. [De *sarc(o)-* + *-spermo*.] *S. m. Bot.* A semente, quando carnuda.

sarcosporídio. *S. m.* **1.** Espécime dos sarcosporídios. ● *Adj.* **2.** Pertencente ou relativo a eles. [Sin. ger.: *sarcocistídeo*.]

sarcosporídios. *S. m. pl. Zool.* Animais protozoários, acnidosporídios, da ordem *Sarcosporidia*, providos de esporos numerosos, dentro de um cisto grande (até 50 mm de diâmetro). São parasitos de músculos de aves e mamíferos. [Sin.: *sarcocistídeos*.]

sarcosteose. [De *sarc(o)-* + *osteose*.] *S. f. Patol.* Ossificação de tecido muscular.

sarcóstomo. [De *sarc(o)-* + *-stomo*.] *Adj. Zool.* Cuja boca é carnuda.

sarcótico. [Do gr. *sarkotikós*.] *Adj.* Que acelera a regeneração das carnes.

sarda[1]. [Do gr. *sárda*, pelo lat. *sarda*.] *S. f. Bras., ES.* **1.** V. *sororoca* (2). **2.** V. *serra* (7).

sarda[2]. *S. f.* Cada uma das pequenas manchas pigmentadas, castanho-escuras, que surgem no rosto e no corpo de certas pessoas, sobretudo as de pele muito clara, e devidas ao aumento da deposição de melanina. [Sin.: *efélide, lentigo, lentigem, ovo-de-peru* e (bras.) *titinga*. M. us. no pl.]

sardana. [Do cat. *sardana*, pelo esp.] *S. f.* Dança de roda, tradicional da Catalunha, em andamento vivo, compasso de 6 por 8, e na qual os próprios participantes acompanham seus passos com a flauta e o tamboril.

sardanapalesco (ê). [Do antr. *Sardanapalo* < lat. *Sardanapalus* < gr. *Sardanápalos*, + *-esco*.] *Adj.* **1.** Que vive na devassidão e no fausto, como Sardanapalo, personagem lendária (séc. IX a.C.) que, segundo a tradição clássica, teria sido rei da Assíria. **2.** Semelhante aos costumes de Sardanapalo; que os lembra.

sardanisca. [De *sardão* + *-isca*.] *S. f. Bras.* **1.** V. *lagartixa* (1). **2.** *Fam.* Mulher delambida, presumida, afetada; sardanita.

sardanita. [De *sardão* + *-ita*.[1]] *S. f. Bras.* **1.** V. *lagartixa* (1). **2.** *Fam.* Sardanisca (2).

sardão. *S. m.* Espécie de lagarto escuro (*Lacerta viridis*).

sardento. *Adj.* Que tem sardas; sardoso, sardo, lentiginoso.

sardinha. [Do lat. *sardina*.] *S. f.* **1.** Designação comum a várias espécies de peixes, teleósteos, isospôndilos, da. família dos clupeídeos. Vivem aos cardumes e são utilizadas largamente, frescas ou industrializadas, na alimentação humana. Também se usam em óleos, farinhas e adubos. No rio Amazonas existem sete espécies de sardinhas verdadeiras. [Sin., lus.: *manjua*.] **2.** *Bras.* Brincadeira que consiste em pôr alguém uma das mãos sobre uma superfície e tentar retirá-la antes que outra pessoa consiga bater-lhe. **3.** *Bras. Gír.* Navalha (1). ♦ **Como sardinha em lata.** Extremamente apertado, espremido com outros, sem poder mexer-se ou virar-se: *As pessoas viajam nos trens da Central como sardinha em lata.* **Tirar a sardinha.** *Bras.* Bater fortemente com o indicador e o médio, por brincadeira, nas nádegas de alguém. **Tirar a sardinha com a mão do gato.** Tentar obter um proveito sorrateiramente, valendo-se de outrem e/ou até pondo-o em risco. **Tirar sardinha.** *Jog. Inf.* Brincadeira em que algumas crianças estendem uma ou as duas mãos com as palmas para cima, enquanto outras nelas apóiam as próprias palmas, devendo as primeiras retirar de súbito suas mãos e bater nas costas das mãos do oponente.

sardinha-amazônica. *S. f. Bras.* Peixe teleósteo, caraciforme, da família dos caracídeos (*Triportheus angulatus* (Spix)), da Amaz. e Paraguai, de coloração clara, uniforme, com leves manchas escuras na junção das escamas acima da linha lateral. Tem escamas grandes, ventre arredondado na frente, e o raio mediano da nadadeira caudal é mais longo que os demais. Comprimento: até 18cm. [Pl.: *sardinhas-amazônicas.*]

sardinha-bandeira. *S. f. Bras.* V. *sardinha-laje.* [Pl.: *sardinhas-bandeiras* e *sardinhas-bandeira.*]

sardinha-branca. *S. f. Bras., Amaz.* Peixe teleósteo, clúpeo, da família dos clupeídeos (*Neosteus castalneanus* (Val.)), da Amaz., especialmente do baixo Amazonas, de coloração amarelada e comprimento de até 45cm. [Pl.: *sardinhas-brancas.* Cf. *apapá* (1).]

sardinha-cascuda. *S. f. Bras.* Peixe teleósteo, isospôndilo, da família dos clupeídeos (*Herengula clupeola* (Cuv.)), das costa brasileiras, da BA até SP. Coloração branca, brilhante, com as escamas marginadas de amarelo e os dois últimos raios da nadadeira anal mais longos que os anteriores. [Pl.: *sardinhas-cascudas.*]

sardinha-da-água-doce. *S. f. Bras.* Peixe teleósteo, clúpeo, da família dos clupeídeos (*Rhinosardinia amazonica* (Steind.)), da Amaz., de coloração prateada, tendente ao amarelo, nadadeira caudal grande, fortemente entalhada, e comprimento de até 80 mm. [Pl.: *sardinhas-da-água-doce.* Cf. *apapá* (1).]

sardinha-de-galha. *S. f. Bras.* V. *sardinha-laje.* [Pl.: *sardinhas-de-galha.*]

sardinha-de-gato. *S. f. Bras.* Peixe teleósteo, caraciforme, da família dos caracídeos (*Piabucus dentatus* (Koelr.)), da Amaz., de coloração prateada, levemente escurecida na região do pedúnculo. [Pl.: *sardinhas-de-gato.*]

sardinha-dourada. *S. f. Bras.* Peixe teleósteo, clúpeo, da família dos clupeídeos (*Neosteus altamazonicus* (Cope)), do terço superior do rio Amazonas, de coloração dourada, e pouco utilizado na alimentação por causa dos inúmeros espinhos bifurcados que tem. [Pl.: *sardinhas-douradas.* Cf. *apapá* (1).]

sardinha-facão. *S. f. Bras.* V. *sardinha-laje.* [Pl.: *sardinhas-facões* e *sardinhas-facão.*]

sardinha-gato. *S. f. Bras.* V. *sardinha-laje.* [Pl.: *sardinhas-gatos* e *sardinhas-gato.*]

sardinha-laje. *S. f. Bras.* Peixe teleósteo, isospôndilo, da família dos clupeídeos (*Opisthonema oglinum* (Le Sueur)), das costas da América, que tem o último raio da nadadeira dorsal longo e fino, as peitorais e ventrais pouco desenvolvidas, a caudal distintamente bifurcada, e os lóbulos muito longos. Atinge 29 cm de comprimento, e usa-se, na indústria de óleos e enlatados. [Sin.: *sardinha-bandeira, sardinha-de-galha, sardinha-facão, sardinha-gato, sardinha-larga, sargo, caiçara.* Pl.: *sardinhas-lajes* e *sardinhas-laje.*]

sardinha-larga. *S. f. Bras.* V. *sardinha-laje.* [Pl.: *sardinhas-largas.*]

sardinha-prata. *S. f. Bras.* Peixe teleósteo, da família dos engraulídeos (*Lycengraulis grossidens* (Agass.)), comum das Guianas ao Prata. Coloração amarela, com dorso mais escuro, às vezes com uma lista prateada longitudinal. Atinge 30 cm de comprimento, e freqüenta o alto-mar. [Pl.: *sardinhas-pratas* e *sardinhas-prata.*]

sardinha-verdadeira. *S. f. Bras.* Peixe teleósteo, isospôndilo, da família dos clupeídeos (*Sardinella aurita* Val.), das costas do ES e RJ, de dorso azulado, flancos prateados, com pequena mancha na abertura das brânquias. O comprimento médio dos adultos é de 18 a 20 cm. Sua pesca é feita em traineiras. Freqüenta da costa ao alto-mar, realizando migrações periódicas. [Sin.: *maromba.* Pl.: *sardinhas-verdadeiras.*]

sardinheira. *S. f.* **1.** Vendedora de sardinhas. **2.** Rede para pesca de sardinhas. **3.** Pesca de sardinha. **4.** *Bras.* Arvoreta da família das rubiáceas (*Bothriospora corymbosa*) da floresta pluvial, semelhante ao pau-mulato, dos pequenos; tem flores pequenas, alvas, racemosas e perfumadas.

sardinheiro. *Adj.* **1.** Referente a sardinha. ● *S. m.* **2.** Pescador ou vendedor de sardinha. **3.** Pedra preciosa, cor de carne, sem brilho.

sárdio. [Do lat. *sardiu*, i. e., *lapis sardiu*, 'pedra de Sardes'.] *S. m.* Variedade castanha de calcedônia: "a pedra s á r d i o, o topázio e a esmeralda" (Luís Guimarães [filho], *Pedras Preciosas*, p. 16).

sardo¹. [Do lat. *sardu.*] *Adj.* **1.** Da, ou pertencente ou relativo à Sardenha (Itália). ● *S. m.* **2.** O natural ou habitante da Sardenha. **3.** Cada um dos dialetos de um grupo de dialetos românicos da Sardenha.

sardo². *Adj.* V. *sardento.*

sardônia. [Do lat. *sardonia*, i. e., *herba sardonia*, 'erva da Sardenha'.] *S. f.* **1.** Pataluco. **2.** Sardônica.

sardônica. [Do gr. *sardónyx*, pelo lat. *sardonycha.*] *S. f.* Variedade de calcedônia, escuro-alaranjada ou vermelho-pardacenta; sardônia.

sardônico¹. [Do gr. *sardonikós.*] *Adj.* Diz-se do riso forçado e sarcástico, que podia, a crer nos antigos, ser produzido pela sardônia (1).

sardônico². *Adj.* Relativo à sardônica.

sardoso (ô). *Adj.* V. *sardento.*

sargaça. *S. f. Bras.* Pequena erva, da família das cistáceas (*Helianthemun brasiliense*), que habita os campos do S., de flores amarelas, pentâmeras e dispostas em cachos, e fruto capsular.

sargaço. *S. m.* **1.** Qualquer alga feofícea, de grandes dimensões, do gênero *Sargassum* e outros afins. Por vezes ocupa grandes superfícies, em alguns mares ou costas. **2.** *Bras. Chulo.* Cheiro característico das partes genitais da mulher.

sargentão. [Aum. de *sargento.*] *S. m. Bras. Deprec.* Oficial sem curso, ou que, tendo-o, possui cultura reduzida.

sargenteante. *Adj. 2 g.* **1.** Que exerce as funções de sargento; que sargenteia. ● *S. m.* **2.** *Bras.* Praça (em regra o primeiro-sargento mais antigo, ou um subtenente) que, numa subunidade (companhia, bateria, esquadrão, etc.) se encarrega de organizar os serviços gerais.

sargentear. *V. int.* **1.** Exercer a função de sargento ou de sargenteante. **2.** Lidar afanosamente; afadigar-se. **3.** Andar de um lugar para outro; saracotear. [Conjug.: v. *frear.*]

sargento¹. [Do fr. ant. *sergent*, 'servidor'.] *S. m.* **1.** *Mil.* Graduação hierárquica acima de cabo e abaixo de suboficial ou subtenente. **2.** *Bras.* Denominação comum a *primeiro-sargento, segundo-sargento* e *terceiro-sargento.* **3.** *Bras.* V. *bagre-bandeira.* **4.** *Bras.* V. *galhudo* (4). **5.** *Bras., RJ.* Modalidade de jogo de bilhar.

sargento². [Do fr. *serre-joint.*] *S. m.* Ferramenta de carpinteiro com a qual se prendem as tábuas ao banco.

sargento-mor. [De *sargento*¹ + *mor.*] *S. m.* **1.** V. *hierarquia militar.* **2.** Oficial que detinha o posto de sargento-mor. [Pl.: *sargentos-mores.*]

sargo¹. [Do gr. *sárgos*, pelo lat. *sargu.*] *S. m.* **1.** V. *sardinha-laje.* **2.** V. *canhanha* (2).

sargo². *S. m. Bras.* F. red. de *sargo-de-beiço* [q. v.].

sargo-de-beiço. *S. m. Bras.* Peixe teleósteo, percomorfo, da família dos pomadasídeos (*Anisotremus surinamensis* (Bloch)), do Atlântico e Pacífico, de até 50 cm de comprimento e 10 kg de peso. Tem nadadeiras e escamas escuras, com as margens livres prateadas. [F. red.: *sargo;* sin.: *pirambu.* Pl.: *sargos-de-beiço.*]

sari. *S. m.* V. *sári.*

sári. [Do hindi *sārī.*] *S. m.* A mais importante vestimenta típica da mulher indiana: longa peça de tecido enrolada em volta do corpo, com uma das pontas formando a saia, e a outra ponta, drapeada, em torno do seio, de um ombro e, por vezes, da cabeça: "S á r i s amarelos e azuis, / homens envoltos em velhos panos amarelados" (Cecília Meireles, *Poemas Escritos na Índia*, p. 19); "Os s á r i s de seda reluzem como curvos pavões altivos." (Id., *ib.*, p. 89). [Cf. *sare*, do v. *sarar.*]

sariema. [Do tupi *sari'ama*, 'crista em pé'.] *S. f. Bras.* V. *seriema.*

sarigüê. [Do tupi *sari'wê.*] *S. m. Bras.* V. *gambá* (1). [Var.: *sarigüéia.*]

sarigüéia. *S. f. Bras.* V. *sarigüê.*

sarilhar. [De *sarilho* + *-ar*².] *V. t. d.* **1.** Ensarilhar. **2.** Traquinar, trasguear.

sarilho. [Do lat. vulg. **sericulu*, dim. de *sera*, 'tranca'.] *S. m.* **1.** Espécie de dobadoura. **2.** Cilindro disposto horizontalmente, e no qual se enrola corda, cabo ou corrente de um aparelho de levantar pesos. **3.** Cilindro em que se enrolam linhas, cabos elétricos, espias de bordo, etc., quando não estão em uso, para não se estragarem. **4.** Movimento rotativo. **5.** Movimento acelerado em redor de um trapézio de ginásio. **6.** Peça do maquinismo dos moinhos. **7.** Encosto ou descanso de armas, em grupos de três, nos acampamentos, formado, em geral, pelo entrelaçamento de varetas, hastes ou ramos. **8.** *Pop.* Barafunda, confusão, tumulto, roda-viva. **9.** *Pop.* V. *rolo*¹ (16). **10.** *Bras.* Roda dentada, de reduzido diâmetro, fixa ao eixo da roda d'água nos engenhos movidos a água, e que transmite o movimento desta aos rodetes. **11.** *Bras., AL.* Pau em torno do qual se enrola o fumo de rolo.

saripoca. *S. m. Bras.* Var. aferética de *araçaripoca.*

sarja¹. *S. f.* Incisão superficial na pele para retirar sangue ou num tumor para drenar o pus; escarificação.

sarja². [Do fr. ant. *sarge*, atual *serge.*] *S. f.* Tecido entrançado, de seda, lã, ou algodão: "Trajava a donzela um roupão de s a r j a" (José de Alencar, *O Sertanejo*, p. 100). [Dim. irreg.: *sarjeta* (v. *sarjeta*²).]

sarjação. *S. f.* Sarjadura.

sarjadeira. *S. f. Bras.* Sarjador (3).

sarjador (ô). *Adj.* **1.** Que sarja. ● *S. m.* **2.** Aquele que sarja. **3.** Variedade de lanceta parasarjar; sarjadeira.

sarjadura. *S. f.* Ato ou efeito de sarjar; sarjação.

sarjão. [De *sarja*² + *-ão*¹.] *S. m. Bras.* Sarjel.

sarjar. [De *sarja*¹ + *-ar*².] *V. t. d.* Fazer sarjas ou incisões em; escarificar: "O meu avô tinha uma lanceta para s a r j a r tumores" (José Lins do Rego, *Meus Verdes Anos*, p. 66). [Pres. subj.: *sarje, sarjes, sarje, sarjemos, sarjeis, sarjem.* Cf. *sarjéis*, pl. de *sarjel.*]

sarjel. [De *sarja*².] *S. m.* Tecido grosso de lã; sarjão. [Pl.: *sarjéis.* Cf. *sarjeis*, do v. *sarjar.*]

sarjeta¹ (ê). [De *sarja*¹ + *-eta.*] *S. f.* **1.** Escoadouro de águas; vala, valeta. **2.** *Restr.* Escoadouro, nas ruas e praças públicas, para as águas da chuva. **3.** *Bras. Fig.* Lodo (2): *O hábito de beber levou-o à s a r j e t a.*

sarjeta² (ê). [De *sarja*² + *-eta.*] *S. f.* Sarja² estreita ou delgada.

sarmentáceo. *Adj. Morfol. Veg.* Semelhante ao sarmento: *ramo s a r m e n t á c e o.*

sarmentício. [Do lat. *sarmenticiu.*] *Adj.* Sarmentoso.

sarmentífero. [De *sarmento* + *-i-* + *-fero.*] *Adj.* Que tem ou produz sarmentos.

sarmento. [Do lat. *sarmentu.*] *S. m. Morfol. Veg.* **1.** Originariamente, ramo da videira. **2.** *P. ext.* Qualquer ramo semelhante: muito longo, delgado, lenhoso e flexível. [Tem, de ordinário, os nós bem marcados. Os ramos do marmeleiro, p. ex., são sarmentos.]

sarmentoso (ô). [Do lat. *sarmentosu.*] *Adj.* **1.** Relativo ao, ou da natureza do sarmento. **2.** Que tem sarmento: *liana s a r m e n t o s a.* [Sin. ger.: *sarmentício.*]

sarna. [Do pré-romano, atr. do lat. tardio *sarna.*] *S. f.* **1.** Afecção cutânea contagiosa, parasitária, provocada no homem pelo *Sarcoptes scabiei* e nos animais por ácaros que variam com a espécie. [Sin: *escabiose* e (bras., pop.) *coruba* ou *curuba, já-começa, jareré, jereba, jereré, pereba, pira.*] **2.** Doença das oliveiras, que se manifesta por tubérculos irregulares nos ramos novos. **3.** Acaríase. ● *S. 2 g.* **4.** *Pop.* Pessoa maçante, importuna, rabugenta. **5.** *Pop.* Pessoa comilona, glutona. ◆ **Sarna para se coçar.** *Pop.* O que causa ou pode causar aborrecimento, preocupação, cansaço, trabalho ou sofrimento: *Metido com essa gente, você está procurando s a r n a p a r a s e c o ç a r; Se aceitou a incumbência, fique certo de que arranjou s a r n a p a r a s e c o ç a r.* **Ser uma sarna.** *Bras.* **1.** Ser glutão; guloso. **2.** Ser maçante, importuno, cacete.

sarnambi. [Var. de *cernambi.*] *S. m. Bras.* V. *sambaqui.*

sarnão. [Aum. de *sarna.*] *S. m.* Sarna (1) de certos animais.

sarnento. *Adj.* **1.** Que tem sarna (1): "Um cachorro s a r n e n t o que todas as noites corta a frente da locomotiva" (Carlos Lacerda, *Xanã*, p. 15). **2.** Meio apodrecido; rançoso, râncido: *peixe s a r n e n t o.* **3.** *Fig.* Abatido, combalido, acanaveado. [Sin. ger.: *sarnoso.*] ● *S. m.* **4.** Indivíduo sarnento. **5.** *Bras. Pop.* V. *diabo* (2).

sarnoso (ô). *Adj.* Sarnento (1 a 3).

saroba. [Var. aferética de *picuçaroba.*] *S. f. Bras.* V. *pomba-legítima.*

sarobá. [Do tupi.] *S. m. Bras., GO.* Capoeira² (2) baixa ou rasa.

sarongue. [Do mal.] *S. m.* Pedaço de tecido, ordinariamente de cores vivas, usado sobretudo pelas mulheres dalgumas regiões da Oceânia para cobrir o tronco e a parte superior das coxas.

sarópode. [Do gr. *sáros*, 'vassoura', + *-pode.*] *Adj. 2 g. Zool.* Que tem patas peludas.

saros. [Do assírio-babilônico *sharu*, atr. do gr. *sáros.*] *S. m. Astr.* Intervalo de tempo em que os eclipses se repetem aproximadamente na mesma seqüência (embora a sua visibilidade seja deslocada em cerca de 120º para oeste) na superfície terrestre, e que compreende 6.585,32 dias, ou 18 anos, 11 dias e 8 horas. [Esse período já era conhecido pelos caldeus e assírios, que por intermédio dele previam os eclipses. Sin.: *ciclo dos caldeus, ciclo dos saros.*]

sarova. *S. f. Bras.* V. *pomba-legítima.*

sarpar. *V. t. d. Desus.* Var. de *zarpar*: "As galés de Castela, havia meses ancoradas no Tejo, s a r p a r a m, tenderam velas e demandaram a barra" (Antero de Figueiredo, *Leonor Teles*, p. 229).

sarrabalho. *S. m. Bras., S.* Modalidade de fandango (6): "isto é a revira, a chica, ... o bochinche, o cortajaca, o fandango, o s a r r a b a l h o ?" (Martins Fontes, *A Dança*, p. 90). [Cf. *serrabaia.*]

sarrabulhada. *S. f.* **1.** Grande quantidade de sarrabulho. **2.** *Fig.* Confusão, desordem, trapalhada, mistifório. V. *rolo*¹ (16).

sarrabulho. *S. m.* **1.** O sangue coagulado do porco. **2.** Iguaria portuguesa feita com sarrabulho (1), carne, fígado e banha de porco, pão de trigo e temperos, especialmente cominho. **3.** *Pop.* V. *rolo*[1] (16). **4.** *Bras.* Sarapatel (1). **5.** *Bras., PE.* Iguaria preparada com sangue e miúdos de carneiro. **6.** *Bras., S.* Bate-boca, altercação. [Var.: *serrabulho.* Cf. *sarabulho.*]

sarraceniácea. *S. f.* Espécime da família das sarraceniáceas.

sarraceniáceas. *S. f. pl. Bot.* Família de plantas floríferas, da ordem das sarraceniales, composta de ervas insetívoras cujas folhas são utriculares. As flores, hermafroditas, têm cálice e corola, e estames numerosos; o fruto é capsular. Existem apenas umas 12 espécies, que vivem nos pântanos norte-americanos.

sarraceniáceo. *Adj.* Pertencente ou relativo às sarraceniáceas.

sarraceniale. *S. f.* Espécime das sarraceniales.

sarraceniales. *S. f. pl. Bot.* Ordem de vegetais dicotiledôneos, arquiclamídeos, que compreende apenas as seguintes famílias de plantas carnívoras: *sarraceniáceas, nepentáceas* e *droseráceas,* a última das quais é a única sul-americana.

sarraceno. [Do ár. *xarqiin,* pl. de *xarqii,* 'oriental', atr. do gr. bizantino *sarakenoí* e do lat. *sarracenu.*] *S. m.* **1.** Indivíduo dos sarracenos, povo nômade pré-islâmico, habitante dos desertos entre a Síria e a Arábia. **2.** Designação comum, na Idade Média, às populações muçulmanas do Oriente, da África e da Espanha. **3.** *P. ext.* Árabe, mouro. ● *Adj.* **4.** Pertencente ou relativo aos sarracenos.

sarrafaçal. *S. m.* Borra-tintas (2).

sarrafaçar. *V. int.* **1.** Cortar alguma coisa com instrumento mal afiado. **2.** Fazer barulho, cortando ou aguçando. **3.** Trabalhar sem apuro ou grosseiramente. *T. d.* **4.** *Desus.* Sarjar. [Sin., nas acepç. 1 a 3: *sarrafar.* Conjug.: v. *laçar.*]

sarrafada. *S. f.* **1.** *Bras.* Golpe com sarrafo; paulada, cacetada. **2.** *Bras. Gír. Fut.* Pontapé desferido no adversário; sarrafo. ◆ **Dar sarrafadas em.** *Bras. Gír. Fut.* V. *sarrafear* (2).

sarrafão. [Aum. de *sarrafo.*] *S. m.* V. *vigota.*

sarrafar. *V. int.* Alter. de *sarrafaçar* (1 a 3).

sarrafascada. [De *safarrascada,* por metátese.] *S. f. Bras., N. Pop.* V. *rolo*[1] (16).

sarrafear. *V. t. d.* **1.** Cortar em sarrafos [v. *sarrafo* (1)]. **2.** *Bras. Gír. Fut.* Jogar cometendo falta(s) violenta(s) contra (jogador ou clube adversário); baixar o sarrafo (2) em; dar sarrafadas em. [Conjug.: v. *frear.*]

sarrafo. [Dev. de *sarrafar.*] *S. m.* **1.** Tira comprida e estreita de madeira; ripa. **2.** *Bras.* Pedaço de pau; cacete. **3.** *Bras. Gír. Fut.* Sarrafada (2). ◆ **Baixar o sarrafo em. 1.** *Bras. Pop.* V. *meter a lenha em.* **2.** *Bras. Gír. Fut.* Sarrafear. [Sin. ger.: *baixar o pau em.*]

sarrafusca. [De *sarrafascada.*] *S. f. Pop.* Motim, desordem, barulho, balbúrdia.

sarrão. [Var. assimilada de *surrão.*] *S. m.* **1.** Saco ou taleigo de couro onde se conduzem os cereais para o moinho. **2.** Surrão (1).

sarrar[1]**.** [De *sarro* (9) + *-ar*[2].] *V. t. d.* e *int. Bras. Chulo.* V. *bolinar* (2 e 4).

sarrar[2]**.** *V. t. d.* e *int.* Var. assimilada de *serrar.*

sarrapilheira. *S. f.* Var. de *serapilheira.*

sarrento. *Adj.* Que tem sarro; que está coberto de sarro.

sarreta (ê). [Do ant. *sarrar*[2].] *S. f. Constr. Nav.* Cada uma das tábuas estreitas colocadas no sentido de popa à proa, no fundo de uma embarcação, para proteger o tabuado do fundo. [F. paral.: *serreta.*]

sarrido. *S. m. Med.* Cirro[1] (2): "Temia as sombras, o mesmo s a r r i d o da sua respiração angusta fazia-lhe medo." (Coelho Neto, *Sertão,* pp. 43-44.)

sarrinho. [Dim. de *sarro.*] *S. m. Bras.* Peixe teleósteo, siluriforme, da família dos calictídeos (*Corydoras barbatus* (Quoy & Gain.)), do RJ e SP, de coloração cinza com máculas e pintas escuras, sobretudo nas nadadeiras dorsal e caudal. Comprimento: 6 cm. Costuma roubar iscas nos anzóis. [Sin.: *maria-da-serra.*]

sarro. [De provável or. pré-romana.] *S. m.* **1.** Borra (1), principalmente depois de seca, que o vinho e outros líquidos deixam aderente ao fundo das vasilhas. **2.** Saburra (2). **3.** Resíduo de nicotina que fica no tubo de cachimbos e de piteiras. **4.** Crosta formada sobre os dentes que não se limpam; garro. **5.** Fuligem deixada nas armas pela pólvora. **6.** *Med. Pop.* Hipóstase. **7.** Designação comum a diversos peixes. **8.** *Bras.* V. *coridora.* **9.** *Bras. Gír.* Pessoa ou coisa divertida, engraçada, gozada. **10.** *Bras. Chulo.* V. *bolinagem.* ◆ **Tirar um sarro.** *Bras. Chulo.* V. *bolinar* (2).

sarro-de-pito. [De *sarro* + *de* + *pito*[1].] *S. m. Bras., SP.* Berbigão (3). [Pl.: *sarros-de-pito.*]

sarronca. *S. f. Lus. Folcl.* Farronca.

sarrussofone. [Do antr. *Sarrus,* músico francês do séc. XIX, + *-o-* + *-fone.*] *S. m. Mús.* Instrumento de sopro, metálico, de tubo cônico e palheta dupla, e que pela forma e timbre se aproxima do fagote.

sarsório. [Do lat. *sarsoriu.*] *S. m.* Antigo mosaico feito de mármores variegados.

sarta. [Do lat. vulg. *sarta.*] *S. f.* Enfiada (1): *s a r t a de pérolas.*

sartar. [De *sarta* + *-ar*[2].] *V. t. d.* V. *ensartar:* "cuida dos seus três filhos, do meneio da casa, e, entre camareiras, e aias, fia, borda e s a r t a pérolas e aljôfares." (Antero de Figueiredo, *Toledo,* pp. 155-156).

sartorial. *Adj. 2 g.* Relativo ao músculo sartório.

sartório. [Do lat. *sartore,* 'que conserta', + *-io*[2].] *Adj.* e *s. m.* ~ V. *músculo —.*

sartriano. [Do antr. *Sartre,* + *-i-* + *-ano.*] *Adj.* **1.** Pertencente ou relativo a Jean-Paul Sartre, escritor e filósofo francês (1905-1980), ou próprio dele. ● *S. m.* **2.** Grande admirador e/ou profundo conhecedor da obra de Sartre.

saru. [Do tupi *sa'ru.*] *Adj. 2 g. Bras., AM.* **1.** Diz-se de pessoa doida, inapta, ou coisa inutilizada, perdida, por efeito maléfico. **2.** Diz-se do lago que está sereno, silencioso, sem agitação de peixes, sendo nele, assim, infrutífera a pescaria.

saruê. [Do tupi *sari'vê.*] *S. m.* **1.** *Bras., N.E.* V. *gambá* (1). **2.** *Bras., N.E.* Espiga de milho com poucos grãos. **3.** *Bras., C.O.* Dança em que se misturam figuras da quadrilha francesa e passos de danças sertanejas, e na qual a marcação é feita num misto de francês estropiado e de português. ● *Adj. 2 g.* **4.** *Bras.* V. *albino* (1).

saruma. *Bras. S. 2 g.* **1.** Indivíduo dos sarumas, tribo indígena das cabeceiras do rio Jamari, afluente do Madeira. ● *Adj. 2 g.* **2.** Pertencente ou relativo a essa tribo. [Var.: *sarumo.*]

sarumo. *S. m.* e *adj. Bras.* Var. de *saruma.*

sassafrás. [Do esp. *sasafrás.*] *S. m.* **1.** V. *casca-preciosa* (1). **2.** V. *canela-sassafrás.* [Pl.: *sassafrases.*]

sassânida. [Do lat. medieval *sassanida,* do antr. persa *Sassan.*] *S. 2 g.* **1.** Membro de uma dinastia persa que construiu em volta do planalto do Irã um império do mesmo nome, entre cerca de 224 e 652. ● *Adj. 2 g.* **2.** Pertencente ou relativo a essa dinastia, ou a esse império. ~ V. *sassânidas.*

sassânidas. [Pl. de *sassânida.*] *S. m. pl.* A dinastia sassânida. ~ V. *sassânida.*

satã. [Do b.-lat. *Satan* < hebr. *satan,* 'o adversário', 'o acusador', 'o demônio'.] *S. m.* Na tradição judaica mais primitiva, um dos anjos de Jeová, advogado ou representante dos homens junto a este, e que posteriormente, sob a influência do problema do mal e das soluções de tipo dualista dadas a esse problema, passou a significar o mau, o acusador, o tentador, o demônio. V. *diabo* (2).

satanás. [Do lat. *satans,* 'o que arma ciladas, inimigo'.] *S. m.* V. *Diabo* (2). [Pl.: *satanases.*]

satânico. *Adj.* **1.** Relativo a Satã. **2.** *Fig.* Infernal, diabólico, atroz. ● *S. m.* **3.** *Bras. Pop.* V. *diabo* (2).

satanismo. [De *Satã* + *-ismo.*] *S. m.* **1.** Qualidade de satânico. **2.** Adoração de Satanás.

satanista. *Adj. 2 g.* **1.** Referente ao, ou que é adepto do satanismo (2). ● *S. 2 g.* **2.** Adepto do satanismo (2).

satanizar. *V. t. d.* Dar feição satânica a.

satélite. [Do lat. *satellite.*] *S. m.* **1.** *Astr.* Corpo celeste que gravita em torno de outro, o qual é denominado principal; secundário. **2.** *P. ext.* País ou nação sem autonomia política e/ou econômica. **3.** *Fig.* Pessoa que vive sob a dependência e a proteção de outra. **4.** *Fig.* Companheiro inseparável. **5.** V. *capanga* (3). **6.** Guarda-costas (2). **7.** *Bras.* O mineral que normalmente ocorre junto ao diamante nos depósitos secundários aluvionários, associação resultante da densidade elevada não só dos satélites, mas do próprio diamante. [Entre as denominações vulgares dadas pelos garimpeiros a esse mineral temos *agulha, bagageira, fava, feijão-preto, ferragem, fundinho, lacre, ogó, vidraço.*] ● *Adj. 2 g.* **8.** Diz-se de nação ou país satélite. **9.** *Anat.* Diz-se dos nervos ou veias que acompanham quase paralelamente as artérias. ◆ **Satélite artificial.** *Astron.* Veículo colocado em órbita à volta do Sol, de um planeta ou de um satélite; lua artificial, esputinique. **Satélite ativo.** *Astron.* Satélite de comunicações provido de equipamento capaz de modificar as ondas eletromagnéticas que recebe e em seguida retransmiti-las. **Satélite bélico.** *Astron.* Satélite artificial para fins bélicos; satélite estratégico. **Satélite biológico.** *Astron.* Biossatélite. **Satélite de comunicações.** *Astron.* Satélite artificial para comunicações por ondas eletromagnéticas entre vários pontos da Terra. **Satélite de reconhecimento.** *Astron.* Satélite artificial da Terra, destinado a obter informações pela utilização de fotografias ou de televisões. **Satélite de 24 horas.** *Astron.* Satélite artificial cujo período orbital é de 24 horas. [Se um destes satélites tem uma órbita circular equatorial, mantém-se estacionário sobre a Terra. Cf. *satélite estacionário.*] **Satélite equatorial.** *Astron.* Satélite artificial cujo plano da órbita coincide com o plano do equador terrestre. **Satélite estacionário.** *Astron.* Satélite artificial da Terra, o qual possui uma órbita equatorial, que é descrita no sentido da rotação terrestre, completando uma revolução de 24 horas. **Satélite estratégico.** *Astron.* Satélite bélico. **Satélite galileano.** *Astr.* Cada um dos quatro satélites naturais do planeta Júpiter, descobertos pelo físico e astrônomo italiano Galileu Galilei (1564-1642). **Satélite geofísico.** *Astron.* Satélite artificial destinado à pesquisa geofísica. **Satélite meteorológico.** *Astron.* Satélite artificial da Terra, destinado a obter informações meteorológicas. **Satélite natural.** *Astr.* Satélite não criado pelo homem. **Satélite nuclear.** *Astron.* Satélite bélico que encerra em sua ogiva uma carga explosiva nuclear. **Satélite passivo.** *Astron.* Satélite de comunicações que serve simplesmente de refletor de ondas eletromagnéticas. **Satélite polar.** *Astron.* Satélite artificial cujo plano da órbita contém o eixo de rotação terrestre. **Satélite regular.** *Astr.* Satélite natural que tem massa da ordem de 1/100 da massa do principal. **Satélite superficial circular.** *Astron.* Satélite artificial hipotético, que teria uma órbita circular com o semi-eixo maior igual ao raio equatorial da Terra. **Satélite translunar.** *Astron.* Satélite artificial da Terra, colocado em uma órbita que passa além da Lua.

satelitismo. *S. m.* **1.** Condição de satélite. **2.** *Biol.* Influência que certas bactérias exercem no desenvolvimento de outras no mesmo meio. **3.** *Fig.* Submissão a determinado ditame ou política.

satelitização. *S. f. Astron.* Ato de colocar em órbita um artefato especialmente construído com esse objetivo: "o Instituto de Pesquisas Espaciais lançou, depois de três tentativas fracassadas, um balão estratosférico de 74 mil m^3, que levou uma carga de 500 quilos de equipamentos científicos na missão Peroba, considerada o passo inicial para o programa de s a t e l i t i z a ç ã o brasileira." (*Jornal do Brasil,* 20.11.1980.)

sateré-maué. *Bras. S. f.* Língua indígena falada no AM pelas populações indígenas dos rios Andirá, Marau, Miriti, Maué-Açu, Mamuru, Urupadi, Ariã, Uaicurupá, Mariaquã, Gurumatuba e do baixo rio Madeira. [Pl.: *saterés-maués.*]

satilha. *S. f.* Planta da família das solanáceas (*Withania somnifera*).

sátira. [Do lat. *satira,* 'oferenda de vários frutos a Ceres'; 'mistura de prosa e verso'.] *S. f.* **1.** Na literatura latina, obra de caráter livre (no gênero, na forma, na métrica), e que censurava os costumes, as instituições e as idéias contemporâneas em estilo irônico ou mordaz. **2.** Composição poética que visa a censurar ou ridicularizar defeitos ou vícios. **3.** Qualquer escrito ou discurso picante ou maldizente, crítico. **4.** Troça, zombaria, ironia. **5.** Censura jocosa. ◆ **Sátira menipéia.** Gênero de sátira (1) sério-cômica, criada por Menipo [v. *menipeu*] e introduzida em Roma por Varrão (116-27 a.C.); é geralmente em prosa, e caracteriza-se pela variedade de temas e pelo interesse na exposição de idéias: *O Satíricom, de Petrônio,* Gargântua e Pantagruel, *de Rabelais,* e As Viagens de Gulliver, *de Swift, são exemplos de s á t i r a m e n i p é i a.*

satirião. [Do gr. *satyrion,* pelo lat. *satyrione.*] *S. m.* V. *salepo* (1).

satiríase. [Do gr. *satyríasis,* 'excitação mórbida, própria de sátiros', pelo lat. *satyriase.*] *S. f. Med.* Excitação sexual masculina mórbida. [Cf. *afrodisia, hipersexualismo* e *ninfomania.*]

satírico. [Do lat. *satiricu.*] *Adj.* **1.** Relativo a sátira. **2.** Que satiriza ou envolve sátira. **3.** *P. ext.* Picante, mordaz, sarcástico. ~ V. *drama —.* ● *S. m.* **4.** Satirista.

satirídeo. *S. m.* **1.** Espécime dos satirídeos. ● *Adj.* **2.** Pertencente ou relativo a eles.

satirídeos. *S. m. pl. Zool.* Família (*Satyridae*) de insetos da ordem dos lepidópteros, subordem dos ropalóceros. São borboletas diurnas, de tamanho médio, antenas finas. Gênero comum: *Mycalesis.*

satírio. [Do gr. *satyrion,* pelo lat. *satyrion* (nom.).] *S. m.* V. *salepo* (1).

satirista. *S. 2 g.* **1.** Autor de sátiras. **2.** Pessoa maledicente, mordaz, sarcástica. [Sin. ger.: *satírico.*]

satirizar. *V. t. d.* **1.** Fazer sátira contra: "Gritaram que Raimundo atacava a moralidade pública e s a t i r i z a v a as pessoas mais respeitáveis da província." (Aluísio Azevedo, *O mulato,* p. 141.) **2.** Criticar com sátira: "Alguns deles [os humoristas] atacam e s a t i r i z a m, de preferência, os defeitos e as desgraças que são os seus próprios defeitos e as suas próprias desgraças." (Olavo Bilac, *Conferências Literárias*, p. 87.) **3.** Dirigir motejos picantes a. *Int.* **4.** Escrever sátiras.

sátiro. [Do gr. *Sátyros*, pelo lat. *satyru.*] *S. m.* **1.** Semideus lúbrico habitante das florestas, e que, segundo os pagãos, tinha chifres curtos e pés e pernas de bode; egipã. **2.** *Fig.* Homem devasso, luxurioso, libidinoso.

satisdar. [Do lat. *satisdare.*] *V. int.* Dar fiança; prestar caução. [Irreg. Conjug.: v. *dar.*]

satisfa. *S. f. Bras. Gír.* Der. regress. de *satisfação.*

satisfação. [Do lat. *satisfactione.*] *S. f.* **1.** Ato ou efeito de satisfazer(-se); contentamento. **2.** Contentamento, alegria, deleite, aprazimento. **3.** Pagamento, recompensa, retribuição: *Fez-lhe favores em* satisfação *de outros recebidos.* **4.** Indenização, reparação, expiação. **5.** Explicação, justificativa, justificação: *Tem de dar* satisfação *ao pai pela ausência tão longa.* **6.** Conta que se presta a outrem de uma incumbência.

satisfatório. [Do lat. *satisfactu*, part. pass. do lat. *satisfacere*, 'satisfazer' + *-ório.*] *Adj.* **1.** Que satisfaz. **2.** Sofrível, aceitável, regular, suficiente.

satisfazer. [Do lat. *satisfacere.*] *V. t. d.* **1.** Realizar, desempenhar, cumprir: *O chefe* satisfez *o desejo dos empregados.* **2.** Pagar (uma dívida, um encargo); saldar, liquidar: *Cumpre* satisfazer *a dívida feita.* **3.** Saciar, mitigar, matar: satisfazer *a fome.* **4.** Agradar, contentar: *A nomeação para o cargo o* satisfez. **5.** Atender, contentar: "A criação da Universidade [que viria a chamar-se Universidade de Coimbra] por D. Dinis, em 1290, ... satisfaz a curiosidade intelectual de certas esferas eclesiásticas." (Feliciano Ramos, *História da Literatura Portuguesa*, p. 87); "O Sr. Érico Veríssimo se tornou escritor para satisfazer a necessidade de uma vocação" (Moisés Velinho, *Letras da Província*, p. 93). **6.** Corresponder ao desejo e à esperança de: *A sua atuação não* satisfez *o público exigente.* **7.** Reparar, indenizar: satisfazer *danos de guerra.* **8.** Convencer; persuadir: *A explicação não* satisfez *o aluno.* **9.** *Mat.* Tornar verdadeira (uma igualdade, uma equação ou uma relação): *A raiz 2* satisfaz *a equação x t 2. T. d. e i.* **10.** Reparar, indenizar: Satisfez *a família das ofensas. T. i.* **11.** Contentar; corresponder; bastar: *Os aposentos não* satisfizeram *às suas exigências.* **12.** Dar execução; obedecer, corresponder. **13.** Cumprir; executar: *Não* satisfez *com a sua obrigação.* **14.** Ser conveniente; convir: *A proposta não lhe* satisfez. *Int.* **15.** Corresponder ao que se deseja: "São muitas as definições de 'romance', mas poucas satisfazem." (Euclides Marques Andrade, *Relendo Charles Morgan*, p. 106.) **16.** Ser bastante ou suficiente; bastar; chegar a certa medida ou limite. *P.* **17.** Saciar-se, fartar-se: *O viajante almoçou até* satisfazer-se. **18.** Pagar-se, indenizar-se. **19.** Vingar-se, desforrar-se, desforçar-se: *O filho* satisfez-se *do agressor do pai.* **20.** Dar-se por satisfeito; contentar-se: Satisfez-se *com uma explicação.* [Irreg. Conjug.: v. *fazer.* Part., irreg.: *satisfeito.*]

satisfazível. [De *satisfazer* + *-ível.*] *Adj. 2 g.* Que pode ser satisfeito.

satisfeito. [Do lat. *satisfactu.*] *Adj.* **1.** Que se satisfez. **2.** Saciado, repleto, farto. **3.** Alegre, prazenteiro, contente. **4.** Executado, realizado, feito.

sativo. [Do lat. *sativu.*] *Adj.* Que se semeia ou cultiva.

sátrapa. [Do ant. persa *xatrapavan*, 'protetor do império', pelo gr. *satrápes* e pelo lat. *satrapa.*] *S. m.* **1.** Governador de província, na Pérsia antiga. **2.** *Fig.* Homem poderoso, dominador; déspota. **3.** Homem voluptuoso, indolente; sibarita.

satrapear. [De *sátrapa* + *-ear.*] *V. int.* **1.** Blasonar de grande senhor. **2.** Governar com despotismo. Conjug.: v. *frear.*]

satrapia. [Do gr. *satrapeía*, pelo lat. *satrapia.*] *S. f.* **1.** Cargo ou governo de um sátrapa. **2.** Cada uma das províncias em que estava dividido o antigo império persa.

saturabilidade. *S. f.* Qualidade de saturável.

saturação. [Do lat. *saturatione.*] *S. f.* **1.** Ato ou efeito de saturar(-se). **2.** *Fís.* Estado de um vapor em equilíbrio com o seu líquido. **3.** *Fís.* Estado de um material ferromagnético em que a indução magnética tem o valor máximo. **4.** *Fís.-Quím.* Estado de uma solução em que a concentração do soluto é a máxima compatível com as condições de temperatura e pressão da solução. **5.** *Ópt.* Qualidade de uma cor (2) que caracteriza a sua pureza, distinguindo-a de outra do mesmo matiz (4).

saturado. [Part. de *saturar.*] *Adj.* **1.** Impregnado, embebido, no mais alto grau. **2.** Farto, cheio, repleto: Saturado, *levantou-se da mesa.* **3.** Farto, cheio, enfastiado, aborrecido: *Já me fez muitas desatenções, estou* saturado. **4.** *Quím.* Diz-se de solução que encerra, à temperatura e pressão da experiência, o peso máximo do soluto. **5.** *Quím.* Diz-se de composto orgânico cuja estrutura molecular apresenta apenas ligações simples. ~ V. *hidrocarboneto — e vapor —.*

saturador (ô). [Do lat. *saturatore.*] *Adj.* **1.** Que satura; saturante. ● *S. m.* **2.** Instrumento que satura.

saturante. [Do lat. *saturante.*] *Adj. 2 g.* Saturador (1).

saturar. [Do lat. *saturare.*] *V. t. d.* **1.** Fartar, encher, saciar: *Não há comida que* sature *o esfomeado.* **2.** Impregnar, penetrar, repassar: *O mau cheiro* saturava *o ar.* **3.** Levar à saturação. **4.** Ocupar todas as valências de (um átomo). **5.** Neutralizar (um ácido) por uma base. *T. d. e i.* **6.** Encher inteiramente; impregnar, repassar: *Os fumantes* saturaram *de fumaça o ambiente.* **7.** Fazer experimentar intensamente; encher, fartar: "esta idéia .... causava-lhe uma emoção desagradável, que ele procurava explicar pela insistência com que o Felisberto lhe espicaçava o fígado, saturando-o de aborrecimento." (Inglês de Sousa, *O Missionário*, p. 246). *P.* **8.** Experimentar intensamente; encher-se, fartar-se: "Assistiu [Luís de Camões] a tempestades, tomou parte em combates, sofreu perseguições e saturou-se de desgostos." (Capistrano de Abreu, *Ensaios e Estudos*, 1ª. série, p. 155.)

saturável. [Do lat. *saturabile.*] *Adj. 2 g.* Que se pode saturar.

saturnais. [Pl. de *saturnal.*] *S. f. pl.* Antigas festas em honra de Saturno. ~ V. *saturnal.*

saturnal. [Do lat. *saturnale.*] *Adj. 2 g.* **1.** Relativo ao deus Saturno ou às festas em sua honra, ou próprio dele ou delas; saturnino, saturno. **2.** *P. us.* Orgíaco, saturno. ● *S. f.* **3.** Festim de libertinagem; orgia. ~ V. *saturnais.*

saturnicêntrico. [De *Saturno* + *-i-* + *-centr(o)-* + *-ico*[2].] *Adj. Astr.* Relativo ao, ou situado no centro do planeta Saturno.

saturnídeo. *S. m.* **1.** Espécime dos saturnídeos. ● *Adj.* **2.** Pertencente ou relativo a eles.

saturnídeos. *S. m. pl. Zool.* Família de insetos da ordem dos lepidópteros. São mariposas de grande tamanho. Ex.: o espelho.

saturnigráfico. [De *Saturno* + *-i-* + *-graf(o)-* + *-ico*[2].] *Adj. Astr.* Relativo ao disco aparente do planeta Saturno.

saturnino. [Do lat. *saturninu.*] *Adj.* **1.** V. *saturnal* (1). **2.** Em astrologia, diz-se daqueles que nascem sob a influência de Saturno e daqueles que são de temperamento sombrio e melancólico. **3.** Referente ao chumbo e seus compostos [v. *saturno* (2)]. **4.** Diz-se de doença produzida pelo chumbo. ● *S. m.* **5.** Em astrologia, indivíduo saturnino (2).

saturnismo. [De *saturno* (2) + *-ismo.*] *S. m.* Envenenamento agudo ou crônico produzido pelo chumbo ou por algum de seus compostos.

saturno. [Do mit. lat. *Saturnu.*] *S. m.* **1.** *Astr.* O segundo planeta, em volume, do sistema solar, com diâmetro nove vezes maior que o da Terra e densidade oito vezes menor, e cuja constituição física se assemelha à dos outros grandes planetas exteriores: Júpiter, Urano e Netuno. Distingue-se dos demais membros do sistema solar por possuir um sistema de anéis; tem 10 satélites. **2.** *Desus.* Entre os antigos alquimistas, o chumbo. **3.** *Desus.* O tempo (1), que era personificado pelo deus Saturno, na mitologia grega. **4.** *Pop.* Calor intenso, sem brisa. ● *Adj.* V. *saturnal* (1 e 2). [Com maiúscula, nas acepç. 1 e 3.]

sauá. [Do tupi *sa'wá.*] *S. m. Bras.* Designação comum aos mamíferos primatas, da família dos cebídeos, gênero *Callicebus* Thom., com cerca de 23 subespécies conhecidas no Brasil. Vivem em bandos e fazem grande alarido nas matas; alimentam-se sobretudo de frutos e folhas tenras dos vegetais, e dificilmente suportam o cativeiro. [Var.: *saá*; sin.: *uapuçá, iapuçá, japuçá, guigó, guicó, zogó, zogue-zogue, bizogue, boca-d'água.*]

sauaçu. [Do tupi *sa'u wa'su.*] *S. m. Bras.* Espécie de macaco.

saúba. [Cf. *saúva.*] *S. f. Bras., ES.* V. *rabo-aberto.*

saubal (a-u). [De *saúba* + *-al.*] *S. m. Bras.* V. *sauval.*

saúco. [Do esp. *saúco.*] *S. m.* A parte do casco das cavalgaduras situada entre a tapa e a palma.

saudação (a-u). [Do lat. *salutatione.*] *S. f.* **1.** Ato ou efeito de saudar. **2.** Cumprimento (2). **3.** Homenagens de respeito e/ou admiração. ◆ **Saudação ao berimbau.** *Bras.* Gesto executado quase obrigatoriamente pelos capoeiristas ao pé do berimbau, i. e., agachados em frente de um dos tocadores de berimbau, antes de iniciarem o jogo e depois de o terminarem. [A forma do gesto varia: ou é o sinal-da-cruz ou um simples toque no chão com uma das mãos, ou ambas à maneira do candomblé, podendo incluir leve toque no próprio berimbau, etc.]

saudade. [Do lat. *solitate*, 'soledade, solidão', atr. do arc. *'soydade, suydade*, com infl. de *saúde.*] *S. f.* **1.** Lembrança nostálgica e, ao mesmo tempo, suave, de pessoas ou coisas distantes ou extintas, acompanhada do desejo de tornar a vê-las ou possuí-las; nostalgia: "Saudade! és a ressonância / De uma cantiga sentida, / Que, embalando a nossa infância, / Nos segue por toda a vida!" (Da Costa e Silva, *Pandora*, p. 83); "E uma saudade de casa começou a me agoniar." (José Lins do Rego, *Doidinho*, p. 171). **2.** Pesar pela ausência de alguém que nos é querido. **3.** Designação comum a diversas plantas da família das dipsacáceas, principalmente da espécie *Scabiosa maritima*, e às suas flores; escabiosa, suspiro: "E ela deu-lhe do seio uma saudade / Murcha, e no entanto bela" (Gonçalves Dias, *Obras Poéticas*, II, p. 98). **4.** Planta da família das asclepiadáceas (*Asclepias umbellata*). **5.** *Bras.* V. *assobiador* (4). **6.** *Bras.* Cantiga da terra, entoada pelos marujos no alto-mar. ~ V. *saudades.* ◆ **Rebenqueado das saudades.** *Bras., RS.* Que curte a dor das saudades, da separação.

saudade-da-campina. *S. f.* V. *cega-olho* (1). [Pl.: *saudades-da-campina.*]

saudades. [Pl. de *saudade.*] *S. f. pl.* Cumprimentos, lembranças afetuosas a pessoas ausentes. ~ V. *saudade.*

saudador (a-u...ô). [Do lat. *salutatore.*] *Adj.* **1.** Que saúda; saudante. ● *S. 2 g.* **2.** Aquele que saúda.

saudante (a-u). [Do lat. *salutante.*] *Adj. 2 g.* Saudador (1).

saudar (a-u). [Do lat. *salutare.*] *V. t. d.* **1.** Cumprimentar, salvar, cortejar: "segue rua abaixo, dando as boas-tardes a todas as mulheres que, sentadas às portas, ... a saúdam à passagem." (Natércia Freire, *A Alma da Velha Casa*, p. 82); *Todos* saudaram *os noivos.* **2.** Dar testemunho exterior de respeito ou adesão a: aclamar. *O povo* saudou *o novo governo.* **3.** Alegrar-se, jubilar-se, à vista de; louvar. P. **4.** Dirigir reciprocamente cumprimentos ou saudações: *Os presentes* saudaram-se. [Pres. ind.: *saúdo, saúdas, saúda, saudamos* (a-u), *saudais* (a-u), *saúdam*; pres. subj.: *saúde, saúdes*, etc.] ● *S. m.* **5.** Cumprimento, saudação.

saudável (au). *Adj. 2 g.* **1.** Conveniente à saúde; salutar, higiênico: *clima* saudável. **2.** Que tem saúde física; robusto, forte: *criança* saudável. **3.** *P. ext.* Útil, benéfico, proveitoso, vantajoso. **4.** Que tem ou revela saúde de espírito, mentalidade limpa e bem-formada: *Uma pessoa* saudável *valoriza as belas coisas da vida; Tem um riso* saudável; *Sua presença é* saudável. **5.** *P. ext.* Que proporciona ao espírito vantagem ou bem-estar; proveitoso, profícuo, benéfico, benfazejo, salutar: *conselho* saudável; *leitura* saudável.

saúde. [Do lat. *salute*, 'salvação', 'conservação da vida'.] *S. f.* **1.** Estado do indivíduo cujas funções orgânicas, físicas e mentais se acham em situação normal; estado do que é sadio ou são. **2.** Força, robustez, vigor: *Esta criança está vendendo* saúde. **3.** Disposição do organismo: *É homem de boa* saúde. **4.** Disposição moral ou mental: saúde de espírito. **5.** Voto ou saudação que se faz bebendo à saúde de alguém; brinde: *Fizeram-se várias* saúdes *aos noivos.* ● *Interj.* **6.** Emprega-se quando alguém espirra. ◆ **Sangrar em saúde.** Desviar antecipadamente a responsabilidade dum ato. **Ter saúde para.** *Bras. Pop.* Ser capaz de suportar, agüentar; ter paciência para: *Ninguém tem* saúde para *ler o que ele escreve.* **Vender saúde.** Ter saúde excelente: "Papai está bom? .... A você não se pergunta; essa cara é mesmo de quem vende saúde." (Machado de Assis, *Dom Casmurro*, p. 117.)

saudense (a-u). *Adj. 2 g.* **1.** De, ou pertencente ou relativo a Saúde (BA). ● *S. 2 g.* **2.** Natural ou habitante de Saúde.

saudi-arábico. *Adj.* e *s. m.* V. *árabe-saudita.* [Pl.: *saudi-arábicos.*]

saudita. [Do antr. *Ibn Saud*, de certo rei da Arábia, + *-ita*[2].] *Adj. 2 g.* e *s. 2 g.* V. *árabe-saudita.*

saudosismo. [De *saudoso* + *-ismo.*] *S. m.* **1.** Gosto ou tendência para superestimar o passado. **2.** Movimento literário português, essencialmente poético, da primeira metade do séc. XX, que enunciava uma doutrina filosófica muito vaga, baseada nos afetos característicos de uma pretensa "alma portuguesa", e cujo expoente foi o poeta Teixeira de Pascoais (1878-1952).

saudosista. *Adj. 2 g.* **1.** Relativo ao, ou próprio do saudosismo, ou que envolve saudosismo. **2.** Que é partidário dele. ● *S. 2 g.* **3.** Partidário dele.

saudoso (ô). [De um *saudadoso, por haplologia.] *Adj.* **1.** Que causa saudades: *Muito lhe doeu a morte do saudoso amigo;* "Vai buscar a flauta, Rufino. Ouçam o Queirós. Não imaginam como ele é saudoso na flauta!" (Machado de Assis, *Várias Histórias*, p. 179.) **2.** Que sente saudades: *É muito saudoso do passado;* "E, ao vir do Sol, saudoso e em pranto, / Inda as procuro [às estrelas] pelo céu deserto." (Olavo Bilac, *Poesias*, p. 51). **3.** Que denota saudades: "Pois, se os olhos seco / E não choro mais, / Inda se ouve um eco / De saudosos ais." (José Albano, *Rimas*, p. 111); *Lançou à terra natal, ao partir, um olhar saudoso.*

sauí. *S. m.* **1.** *Bras.* V. *sagüi.* *S. f.* **2.** *Bras.* Lagarta-aranha.

sauiá (au-i). [Do tupi *sawi'yá.*] *S. m. Bras., Amaz.* Roedor da família dos equimídeos (*Echimys armatus* (I. Geof.)), distribuído das Guianas até o CE, no Brasil. Coloração geral escura, fortemente pontilhada de amarelo-ferrugíneo ou amarelo-claro; ventre amarelo-sujo; pêlos aristiformes lombares com 24 mm de comprimento, e os setiformes da mesma área com 23 mm. Arborícola, noctívago, prefere para morada as matas ribeirinhas, e emite periodicamente um som característico, que lhe valeu o nome popular de *toró* [q. v.] ou *coró* [q. v.]. [Cf. *rato-de-espinho, rato-toró.*]

sauim (au-ím). [Var. de *sauí.*] *S. m. Bras.* V. *sagüi.*

sauimpiranga. [De *sauim* + tupi *piranga,* 'vermelho'.] *S. m. Bras.* V. *mico-leão.*

sauim-una. [De *sauim* + tupi *una,* 'preto'.] *S. m. Bras.* Mamífero da ordem dos primatas, da família dos calitriquídeos (*Leontocebus chrysomelas* (Kuhl)), restrito ao S. da BA. A coloração do corpo, cara e braços é negra; membros posteriores vermelho-escuros; juba amarelo-ouro, antebraço, mãos e pés amarelo-escuros. Alimenta-se de frutos e insetos. [Sin.: *sangüiúna.*]

sauna. [Do finl.] *S. f.* **1.** Banho a vapor, de origem finlandesa, à temperatura de 60 a 80ºC; banho finlandês. **2.** Equipamento apropriado para esse banho: *Comprou uma sauna.* **3.** *Fig.* Recinto quente; suadouro: *O cinema estava uma sauna.* **4.** *Bras. Gír.* Recinto fechado onde várias pessoas fumam maconha. [Cf. *saúna.*]

saúna. [Do tupi *sa'una,* de *e'sá,* 'olho', + *-una.*] *S. f. Bras.* Designação comum a dois peixes teleósteos da família dos mugilídeos (*Querimana curvidens* (Val.), *Q. brevirostris* Mir. Rib.), da costa brasileira. Diferem da tainha por terem as nadadeiras dorsal e anal cobertas de escamas e por não terem estrias escuras ao longo do corpo. [Cf. *sauna.*]

sauni. *S. m. Bras., Amaz.* **1.** V. *bico-de-brasa.* **2.** Tanguruparä-de-asa-branca.

saurá. [Alter. de *araciuirá.*] *S. m. Bras., Amaz.* Ave passeriforme, da família dos cotingídeos (*Phenicircus carnifex* (L.)), da Amaz., de coloração encarnada viva, com as asas, garganta e ponta da cauda pardas, e o dorso pardo-enegrecido. A fêmea é olivácea, lavada de encarnado no alto da cabeça e na cauda, com peito e abdome encarnados. Vive na mata virgem, e alimenta-se de frutas. [Sin.: *anambé, aracuirá, papa-açaí* e *uiratatá.*]

sáurio. [De *saur(o)-* + *-io*[2].] *S. m.* **1.** Espécime dos sáurios. ● *Adj.* **2.** Pertencente ou relativo a eles. [Sin. ger.: *lacertílio.*]

sáurios. *S. m. pl. Zool.* Animais metazoários, cordados, reptis, escamados, da subordem *Sauria,* com pele revestida de escamas epidérmicas, osso quadrado móvel, vértebras geralmente procelas, órgão copulador duplo e reversível, e fenda cloacal transversal. São os lagartos em geral. [Sin.: *lacertílios.*]

▲**saur(o)-.** [Do gr. *saûros, ou.*] *El. comp.* = 'lagarto', 'sáurio': *saurógrafo, saurologia.* [Equiv.: *-sauro: megalossauro.*]

▲**-sauro.** Equiv. de *saur(o)-.*

saurófago. [De *sauro-* + *-fago.*] *Adj. Zool.* Diz-se do animal que come sáurios ou lagartos.

saurofídio. *S. m.* e *adj.* Escamado (3 e 4).

saurofídios. *S. m. pl. Zool.* Escamados.

saurografia. [De *sauro-* + *-graf(o)-* + *-ia.*] *S. f.* Descrição ou tratado acerca de reptis sáurios.

saurográfico. *Adj.* Referente à saurografia.

saurógrafo. *S. m.* Especialista em saurografia.

saurologia. [De *sauro-* + *-log(o)-* + *-ia.*] *S. f.* Parte da zoologia que trata dos reptis sáurios.

saurológico. *Adj.* Relativo à saurologia.

saurólogo. *S. m.* Especialista em saurologia.

saururácea. *S. f.* Espécime das saururáceas.

saururáceas. *S. f. pl. Bot.* Família de plantas superiores, da ordem das piperales, formada de ervas com folhas alternadas e estipuladas, flores hermafroditas com seis a oito estames e ovário unilocular, e sementes com endosperma e perisperma. Só há duas espécies, nenhuma das quais ocorre no Brasil.

saururáceo. *Adj.* Pertencente ou relativo às saururáceas.

saussurita. [Do antr. *Saussure,* de Horace Bénédict de Saussure, cientista suíço (1740-1799), + *-ita*[3]] *S. f.* Mineral esverdeado, resultante da alteração de certos feldspatos, tais como a albita.

saussuriano (sô). *Adj.* **1.** De, ou pertencente ou relativo a Ferdinand de Saussure (1857-1913), lingüista suíço, ou próprio dele. ● *S. m.* **2.** Profundo conhecedor da obra de Ferdinand de Saussure ou adepto de suas teorias lingüísticas.

sautor (ô). [Do fr. *sautoir.*] *S. m. Heráld.* V. *aspa* (3).

saúva. [Var. de *saúba* < tupi *ïsa'ub.*] *S. f. Bras.* Designação comum aos insetos himenópteros, da família dos formicídeos, gênero *Atta* Fabr., distribuído por todo o Brasil. As saúvas são cortadeiras e carregadeiras, utilizando as folhas cortadas e outras substâncias para cultivarem o fungo com que se alimentam. São consideradas a mais importante das pragas agrícolas do Brasil, a ponto de o naturalista A. Saint-Hilaire (1779-1853) declarar: "Ou o Brasil acaba com a saúva, ou a saúva acaba com o Brasil." São sociais, e vivem em formigueiros subterrâneos, formados de várias panelas, canais e olheiros. [Sin.: *formiga-cortadeira, formiga-carregadeira, formiga-de-mandioca, formiga-cabeçuda, formiga-de-roça, roceira, cabeçuda, caçapó, maniuara.*]

sauval (a-u). [Var. de *saubal.*] *S. m. Bras.* **1.** Toca ou buraco de saúva. **2.** *P. ext.* Formigueiro (1). [Sin. ger.: *sauveiro.*]

sauveiro (a-u). [De *saúva* + *-eiro.*] *S. m. Bras.* Sauval.

savacu. [Do tupi *sawa'ku.*] *S. m. Bras.* V. *taquiri.*

savacu-de-coroa. *S. m. Bras.* V. *taquiri.* [Pl.: *savacus-de-coroa.*]

savana. [Do caraíba, atr. do esp. *sabana.*] *S. f.* **1.** Planície das regiões tropicais de longa estação seca, com vegetação característica [v. *savana* (2)] e geralmente freqüentada por diversos animais. **2.** *Fitogeogr.* Tipo de vegetação caracterizado por dois estratos: um estrato baixo, dominado por gramíneas com subarbustos de folhas grandes e duras, e outro formado de árvores baixas, retorcidas e afastadas entre si, de cascas grossas e fendidas. [Cf. *cerrado* (10 e 11).]

savânico. *Adj. Fitogeog.* Referente à, ou da natureza da savana: *mata savânica.*

savanícola. [De *savana* + *-i-* + *-cola.*] *Adj. 2 g. Fitogeog.* Que vive na savana; *árvore savanícola.*

savart. [Do antr. Savart, de Félix Savart, físico francês (1791-1841).] *S. m. Fís.* Unidade de intervalo logarítmico de freqüência.

savata. *S. f.* Savate [q. v.].

savate. [Do fr. *savate.*] *S. f.* Certa luta francesa, a pontapés. [F. paral.: *savata.*]

saveirista. *S. m. Bras.* Tripulante e/ou dono de saveiro (3).

saveiro. [Do ant. *savaleiro,* 'barco para a pesca do sável (sávalo)'.] *S. m.* **1.** *Lus.* Embarcação de fundo chato, de forma semelhante à meia-lua (1) [q. v.], de proa mais elevada que a popa, e usada especialmente para conduzir as redes que se lançam em frente à praia. **2.** *Lus.* Homem que tripula esse barco. **3.** *Bras., BA.* Embarcação de um ou dois mastros, armando vela bastarda triangular, usada para transporte de passageiros no tráfego do porto, prara transporte de carga, ou para pesca, e cujo tamanho varia entre os pequenos e os de 20 a 25 toneladas de deslocamento: "Ao largo vogavam barcos e saveiros" (Xavier Marques, *Jana e Joel,* p. 163). **4.** *Bras. RJ. Ant.* Alvarenga.

sável. [De provável or. pré-romana; céltica, talvez.] *S. m.* Peixe marinho da família dos clupeídeos *(Clupea alosa),* maior que o arenque, e que só se reproduz nas águas doces.

savelha (ê). [De *sável.*] *S. f. Bras.* Peixe teleósteo, isospôndilo, da família dos clupeídeos (*Brevoortia tyrannus aurea* (Agass.)), comum nas costas brasileiras, de coloração prateada, levemente mais escura no dorso. Atinge 30 cm de comprimento, e é utilizado mais para óleos, farinha e adubo. [Sin.: *saboga.*]

savica. *S. f.* Peça da carruagem, que se enfia nas extremidades dos eixos, para pegar na chaveta das rodas.

savitu. [Var. de *içabitu.*] *S. m. Bras.* V. *bitu*[1].

➧**savoir-faire** (savuar-fér'). [Fr.] *S. m.* Habilidade, esperteza.

➧**savoir-vivre** (savuar-vivr'). [Fr.] *S. m.* Conhecimento das normas da vida social, do uso da educação, do tato no convívio social.

sax (cs). *S. m.* **1.** *F.* red. de *saxofone.* **2.** V. *sax-tenorista.* [Pl.: *saxes.*]

saxão (cs). [Do lat. *saxone.*] *S. m.* **1.** Indivíduo dos saxões, antigo povo germânico que habitava a Saxônia, região da Alemanha entre o rio Reno e o mar Báltico. **2.** *P. ext.* Inglês (por haver sido a Inglaterra invadida por diversas tribos saxônias). **3.** Designação comum a diversos dialetos germânicos. ● *Adj.* **4.** Pertencente ou relativo aos saxões ou saxônios. [Sin.: *saxônio.* Pl.: *saxões.*]

saxátil (cs). [Do lat. *saxatile.*] *Adj. 2 g.* **1.** Que habita entre pedras. **2.** Aderente aos rochedos. [Sin. ger.: *saxícola.* Pl.: *saxáteis.*]

sáxeo (cs). [Do lat. *saxeu.*] *Adj.* Pétreo: "O calçamento / Sáxeo, de asfalto rijo, atro e vidrento, / Copiava a polidez de um crânio calvo." (Augusto dos Anjos, *Eu,* p. 22).

saxícola (cs). [Do lat. *saxicola.*] *Adj. 2 g.* **1.** Saxátil. ● *S. 2 g.* **2.** Pessoa que adora pedras.

saxífraga (cs). [Do lat. *saxifraga.*] *S. f.* V. *arrebenta-pedra.*

saxífraga-branca. *S. f.* Erva robusta, da família das saxifragáceas (*Saxifraga granulata),* cultivada como ornamental pela beleza das florações maciças. As flores, alvas e vistosas, ordenam-se em panículas. [Sin.: *sanícula-dos-montes.* Pl.: *saxífragas-brancas.*]

saxifragácea (cs). *S. f.* Espécime das saxifragáceas.

saxifragáceas (cs). *S. f. pl. Bot.* Família de plantas floríferas, da ordem das rosales, constituída de ervas e arbustos cujas flores se congregam em inflorescências amplas e compactas. Cálice e corola pentâmeros; estames em dois verticilos; gineceu variado, multiovulado. Existem perto de 1.100 espécies, de terras temperadas; destas, poucas alcançam as montanhas brasileiras, sendo uma delas, a hortênsia (*Hidrangea hortensia*), muito cultivada entre nós nas zonas serranas.

saxifragáceo (cs). *Adj.* Pertencente ou relativo às saxifragáceas.

saxífrago (cs). [Do lat. *saxifragu.*] *Adj.* Que quebra ou dissolve pedras.

saxofone (cs). [Do fr. *saxophone.*] *S. m.* **1.** Instrumento de sopro, de metal, com tubo cônico, provido de um sistema de chaves semelhante ao do oboé, e de embocadura de palheta simples como o clarinete. [A família dos saxofones compreende, do agudo para o grave: *sopranino* em mi bemol; *soprano* em si bemol; *alto* em mi bemol; *tenor* em si bemol; *barítono* em mi bemol; *baixo* em si bemol.] **2.** Tocador de saxofone em uma orquestra; saxofonista. [F. paral., p. us.: *saxofono.*]

saxofonista (cs). *S. 2 g.* Saxofone (2).

saxofono (cs). *S. m. P. us.* V. *saxofone.*

saxônio (cs). [Do lat. *saxone,* 'saxão', + *-io*[2].] *Adj.* e *s. m.* Saxão.

saxorne (cs). [Do antr. *Sax.* de Adolphe Sax, belga (séc. XIX), fabricante de instrumentos, + al. *Horn,* 'trompa'.] *S. m.* Instrumento de sopro, de metal, com tubo alongado e cônico, e embocadura de bocal, e dotado de pistões. [A família dos saxornes compreende, do agudo ao grave: o saxorne *sopranino,* pequeno bugle, em mi bemol; o *soprano* ou *bugle,* em si bemol; o *alto,* em mi bemol ou em fá; o *barítono* ou *tenor,* em si bemol; o *baixo, bombardino* ou *tuba,* em dó ou em si bemol; o *contrabaixo* ou *tuba,* em mi bemol, dó e si bemol.]

saxoso (csô). [Do lat. *saxosu.*] *Adj.* Pedregoso, pedrento.

saxotrompa (cs). [De *saxo(fone)* + *trompa.*] *S. f.* Instrumento de sopro, de metal, com três, quatro ou cinco pistões, e cujo tubo é mais cilíndrico e estreito que o dos saxornes.

sax-tenorista. *S. 2 g.* Tocador de saxofone tenor. [Tb. se diz apenas *sax* e *tenorista.* Pl.: *sax-tenoristas.*]

sazão. [Do lat. *satione,* 'sementeira'.] *S. f.* **1.** V. *estação* (7): "Na véspera à noite, ao recolher, encontrara .... um rubescente ramo de camélias. Seriam as últimas da sazão" (Aquilino Ribeiro, *O Homem Que Matou o Diabo,* p. 151). **2.** Tempo próprio para a colheita dos frutos. **3.** *Fig.* Ocasião própria; oportunidade, ensejo, azo. [Cf. *sezão.*]

sazonado. [Part. de *sazonar.*] *Adj.* **1.** Pronto para se colher (fruto); maduro, amadurecido: "Em vez do fruto / Sazonado e maduro, que eu podia / Como em jardim colher, mordi no fruto / Pútrido e amargo" (Gonçalves Dias, *Obras Poéticas,* I, p. 78). **2.** *Fig.* Refletido, ponderado, experimentado.

sazonal. *Adj. 2 g.* **1.** Relativo a sazão ou estação. **2.** Próprio de, ou que se verifica em uma sazão ou estação. [Sin. ger.: *estacional.*]

sazonamento. *S. m.* **1.** Ato ou efeito de sazonar(-se). **2.** Tratamento que se dá ao concreto durante alguns dias depois de lançado, com o fim de evitar a evaporação da água de amassamento; cura.

sazonar. [De *sazão* + *-ar*[2].] *V. t. d.* **1.** Amadurecer, amadurar: *O sol ajuda a sazonar os frutos;* "É a umidade que nas leiras, / De mansinho, / Faz abrolhar as sementeiras, / Sazona, purpura a uva" (Martins Fontes, *Verão*, p. 50). **2.** Dar bom sabor a; temperar: *sazonar uma carne.* **3.** Tornar agradável, interessante. **4.** Tornar experimentado. *Int.* e *p.* **5.** Tornar-se maduro: *As maçãs sazonaram-se.* **6.** Tornar-se perfeito; aperfeiçoar-se.

sazonável. *Adj. 2 g.* **1.** Que está em condições de sazonar ou amadurecer. **2.** Apropriado para a produção; produtivo: *terras sazonáveis.*

■**Sb. 1.** *Fotom.* Símb. de *stilb.* **2.** *Quím.* Símb. de *antimônio.*

■**Sc.** *Quím.* Símb. de *escândio.*

■**SC.** Sigla do Estado de Santa Catarina.

▲**-scafo.** Equiv. de *escaf(o)-.*

scheelita. [Do antr. *Scheele*, de Karl Scheele, químico sueco (? — 1876), + *-ita*³.] *S. f. Min.* Mineral tetragonal, tungstato de cálcio, minério de tungstênio.

➧**scherzando** (skerstsando). [It.] *Adv. Mús.* Executando um trecho musical com rapidez, espírito, graça e leveza.

➧**scherzo** (skértso). [It.] *S. m. Mús.* **1.** No séc. XVII, tipo de canção profana a várias vozes. **2.** Tipo de composição musical de caráter vivo e alegre, que Beethoven [v. *beethoveniano*] inseriu definitivamente nas grandes formas da sonata, da sinfonia e do quarteto, em substituição ao minueto. **3.** No séc. XIX, composição independente, de caráter dramático: *o scherzo nº 1 de Chopin.*

scheuchzeriácea (xói). *S. f.* Espécime das scheuchzeriáceas.

scheuchzeriáceas (xói). *S. f. pl. Bot.* Família de vegetais monocotiledôneos, da ordem das helobiales, composta de ervas providas de inflorescências racemosas terminais, e da qual só há uma espécie no hemisfério boreal.

scheuchzeriáceo (xói). [Do antr. *Scheuchzer*, de dois botânicos suíços do séc. XVIII, + *-i-* + *-áceo*².] *Adj.* Pertencente ou relativo às scheuchzeriáceas.

➧**scholar** (scólâr). [Ingl.] *S. m.* Homem culto, estudioso, de formação humanística.

➧**Schottisch** (xótix). [Al., 'escocês'.] *S. m. Mús.* V. *xote.*

➧**schwa.** [Hebr., 'nada'.] *S. m. Ling.* Xuá¹.

➧**Schwabacher** (xvabaher). [Al.] *S. m. Tip.* Tipo gótico alemão, surgido no séc. XV, semelhante ao cursivo e de traços simples e vigorosos, com letras aneladas e caudatas, e usado às vezes como realce.

➧**scilicet** (cílicet). [Lat.: de *scire*, 'saber', e *licet*, 'é permitido'.] Isto é.

▲**-sclero.** Equiv. de *escler(o)-.*

▲**-scop-.** [Do gr. *skpoéo-ô.*] *El. comp.* = 'ato de ver'; 'examinar': *microscopia, telescópio.*

➧**scordatura.** [It.] *S. f. Mús.* Afinação anormal de uma ou várias cordas de certos instrumentos, ou para aumentar-lhes a extensão ou por motivos técnicos.

scotismo. [Do antr. *Scot* + *-ismo.*] *S. m. Filos.* Doutrina de Duns Scot, teólogo escocês (1266-1308), adversário do aristotelismo e de Tomás de Aquino, intérprete da escolástica e do realismo¹ (4).

➧**scraper** (scrêiper). [Ingl.] *S. m.* Máquina de terraplenagem, a motor ou rebocada, que se usa para escavar, transportar e depositar terras.

➧**scratchman** (scrétxmen). [Ingl.] *S. m.* Membro de escrete.

➧**script.** [Ingl.] *S. m.* Texto dos diálogos e das indicações cênicas de um filme ou de peça teatral, novela de rádio ou televisão. [Cf. *roteiro* (7).]

■ **SDIA.** Sigla de *síndrome de deficiência imunológica adquirida* [q. v.].

se¹. [Do lat. *se*, acus. do pron. da 3ª pess.] *Pron. pess.* **1.** Usa-se como objeto direto: "Tranqüilize-se, que eu, pela minha parte, estou tranqüilo." (Alexandre Herculano, *Cartas*, I, p. 107); "Evaristo recusa-se a colaborar conosco." (Vergílio Ferreira, *Aparição*, p. 32). **2.** É us. em verbos pronominais. Tem, por vezes, conservando a condição de objeto direto, caráter reflexivo, ou recíproco: *Feriu-se de leve;* "Vê-se no espelho; e vê, pela janela, / A dolorosa angústia vespertina: / Pálido, morre o sol..." (Olavo Bilac, *Tarde*, p. 54); *Desavieram-se; Trocaram tiros, e mataram-se.* **3.** Indica, freqüentemente, a voz passiva, sendo chamado *partícula apassivadora*: "Já se diz há muito ano que honra e proveito não cabem num saco" (Almeida Garrett, *Viagens na Minha Terra*, p. 29); "Leonardo da Vinci, como se sabe, escreveu muitas regras e conselhos acerca da arte da pintura." (Thiers Martins Moreira, *Visão em Vários Tempos*, p. 18). **4.** Emprega-se, ainda, como índice da indeterminação do sujeito: *Vive-se, trabalha-se, passeia-se;* "Todas as palavras são inúteis, / desde que se olha para o céu." (Cecília Meireles, *Obra Poética*, p. 441), "Jantou-se, cantou-se, conversou-se até meia-noite" (Machado de Assis, *Contos sem Data*, p. 16). [Cf. *si, sé, me, te, lhe, nos, vos.*]

se². [Do lat. *si.*] *Conj.* **1.** Condicional: no caso de; dada a circunstância de que: "Rosas te brotarão da boca, se cantares!" (Olavo Bilac, *Poesias*, p. 173); "Há criaturas que, se a gente as fita, / Sente menos que amor, mais que amizade" (Guimarães Passos, *Versos de um Simples*, p. 58). [Às vezes prevalece à de condição a idéia de causa: *Se és tão rico, como todos sabem, por que não amparas alguns necessitados?* O *se* poderia, perdendo a frase o tom interrogativo, ser substituído por *visto que, dado que, desde que*, etc., mantendo-se perfeitamente o sentido. Observe-se o mesmo fato nestes versos de Olavo Bilac (*Poesias*, 221): "Se por vinte anos, nesta furna escura, / Deixei viver a minha maldição, / Hoje, velha e cansada de tortura, / Minh'alma se abrirá como um vulcão." Outras vezes o *se* traz uma positiva conotação temporal: "Domina [o homem forte], se vive; / Se morre, descansa / Dos seus na lembrança, / Na voz do porvir." (Gonçalves Dias, *Obras Poéticas*, II, p. 43.) Note-se bem: o primeiro *se* = 'enquanto', como também nestes versos de Luís de Camões (*Os Lusíadas*, IV, 100): "Não segue ele do Arábio a lei maldita, / Se tu pola de Cristo só pelejas?"; o segundo *se* = 'quando'. Pode, ainda, seguido de alguns verbos e da prep. *de*, equivaler a 'em vez de, em lugar de': "À tarde a irmã, ao ver como ele dormia, se havia de o chamar para jantar, tapou-o melhor e deixou-o." (Armindo Rodrigues, *A Vida Perto de Nós*, p. 55.)] **2.** Integrante: se porventura; se por acaso; se acaso: "vou expor-te um plano, um grande plano; quero saber se o aprovas." (Artur Azevedo, *Contos Fora da Moda*, p. 131); "nem sabia mesmo se eles chegariam a entendê-lo." (Machado de Assis, *Histórias sem Data*, p. 16). [Cf. *si.*]

■**Se.** *Quím.* Simb. de *selênio.*

■**SE.** Sigla do Estado de Sergipe.

■**S.E.** Abrev. de *sueste.*

■**s. e.** *Bibliogr.* e *Bibliot.* Sigla de *sem* [nome de] *editor.*

sé. [Do lat. *sede.*] *S. f.* **1.** Igreja episcopal, arquiepiscopal e patriarcal. **2.** Jurisdição episcopal. [Cf. *catedral* (3) e *sê*, do v. *ser.*] ♦ **Sé patriarcal.** Patriarcal (5). **A Santa Sé.** A Igreja Romana; o poder pontifício. **Velho como a sé de Braga.** Muitíssimo velho.

seabrense. *Adj. 2 g.* **1.** De, ou pertencente ou relativo a Seabra (BA). ● *S. 2 g.* **2.** Natural ou habitante de Seabra.

seara. [De um lat. vulg. *senara.*] *S. f.* **1.** Campo de cereais. **2.** Extensão de terra semeada, cultivada. **3.** *Fig.* Agremiação, associação, partido.

seareiro. *S. m.* **1.** Cultivador de seara. **2.** Pequeno lavrador.

sebaça. *S. f. Bras., BA* e *GO.* **1.** Tomada de objetos alheios à mão armada. **2.** Assalto a propriedade, acompanhado de roubo.

sebáceo. [Do lat. *sebaceu.*] *Adj.* **1.** Que é da natureza do sebo; sebento, seboso: "não havia que duvidar-lhes da pátria: indicava-a o cheiro dos seus vestidos, suavemente impregnados do fartum sebáceo de carneiro" (Alexandre Herculano, *Lendas e Narrativas*, II, p. 299). **2.** Que contém ou produz sebo: *glândula sebácea.* **3.** V. *sebento* (2). **4.** Gorduroso, gordurento. ~ V. *glândula —a* e *quisto —.*

sebastianense. *Adj. 2 g.* **1.** De, ou pertencente ou relativo a São Sebastião (SP) ● *S. 2 g.* **2.** Natural ou habitante de São Sebastião.

sebastianismo. *S. m.* O partido, as crenças ou as convicções dos sebastianistas.

sebastianista. [Do antr. *Sebastião* + *-ista.*] *S. 2 g.* **1.** Designação dada aos que outrora acreditavam (e ainda hoje acreditam, por superstição) na volta de D. Sebastião (1554-1578), rei de Portugal que desapareceu na África. **2.** *Restr.* Caturra, retrógrado, reacionário. **3.** *Bras.* Designação pejorativa dos que continuaram monarquistas após a proclamação da República. **4.** *Bras.* Pessoa que, partidária ardorosa de uma situação política, espera vê-la retornar, quando isto, ao menos aparentemente, é impossível.

sebastião. [Do antr. *Sebastião.*] *S. m. Bras.* **1.** Peixe elasmobrânquio, pleurotremado, da família dos galeorinídeos (*Mustelus canis* (Mitch.)), do Atlântico e Mediterrâneo, de dorso cinza-claro e abdome branco. Costuma freqüentar as praias, tem carne razoavelmente boa, apreciada no ES para a moqueca. [Sin.: *cação-fiúso, cação-de-bico-doce, cação-torrador, cação-angolista, bodinho, tolo, joão-dias.*] **2.** V. *corucão.* **3.** V. *tolo* (8).

sebasto. *S. m.* Tira de pano, de cor diferente, em vestidos, paramentos, etc.

sebe. [Do lat. *sepe.*] *S. f.* Cerca de arbustos, ramos, estacas ou ripas entrelaçadas, para vedar terrenos: "Nas sebes orvalhadas, / Entre folhas luzentes como espadas, / Cantavam rouxinóis." (Guerra Junqueiro, *A Velhice do Padre Eterno*, p. 168.) ♦ **Sebe viva.** Cerca feita com plantas; cerca viva.

sebeiro. *S. m.* **1.** Pedaço de madeira que os calafates usam para colocar sebo nas brocas, verrumões, etc. **2.** Aquele que prepara e/ou vende sebo: "Prometo .... escrever a favor do comércio, da indústria, ... dos rolheiros, dos sebeiros, dos vinagreiros, dos foleiros" (Machado de Assis, *Crônicas*, I, pp. 235-237) **3.** *Bras., RS.* Apelido dado pelos rio-grandinos [v. *rio-grandino*] aos pelotenses.

sebenta. [Fem. substantivado do adj. *sebento* (2).] *S. f. Lus.* V. *apostila* (5): "atravessando lentamente com as minhas sebentas, na algibeira o Largo da Feira, avistei sobre a escadaria da Sé Nova, ... um homem, de pé, que improvisava." (Eça de Queirós, *Notas Contemporâneas*, p. 367).

sebenteiro. *Adj.* e *s. m. Lus.* Que ou aquele que escreve sebentas, que as litografa.

sebentice. *S. f.* **1.** Qualidade de sebento (2). **2.** Sujo na roupa.

sebento. [De *sebo.*] *Adj.* **1.** V. *sebáceo* (1). **2.** Sujo, imundo, ensebado; sebáceo, seboso. ● *S. m.* **3.** V. *seboso* (5).

sebereba. [De provável or. tupi.] *S. f. Bras., N.E.* V. *jacuba* (1).

sebinho. [De *sebo* + *-inho.*] *S. m. Bras.* **1.** Ave passeriforme, da família dos cerebídeos (*Coereba flaveola chloropyga* (Cab.)), distribuída por todo o Brasil, de dorso acinzentado, uma estria branca sobre os olhos, peito e abdome amarelos, penas da cauda com ponta branca. Alimenta-se de frutas, insetos e néctar de flores, e freqüenta pomares e habitações rurais no interior do Brasil. [Sin.: *sebite* ou *sebito, amarelinho, tem-tem-coroado, guaratã, cambacica.*] **2.** Ave passeriforme, da família dos tiranídeos (*Euscarthmornis nidipendulus* (Wied)), que ocorre da BA até SP, de dorso verde, parte inferior cinzenta, e abdome branco. Alimenta-se de frutas e insetos, tendo especial predileção pela erva-de-passarinho. **3.** V. *caga-sebo* (1).

sebipira. *S. f. Bras.* V. *sapupira.*

sebipira-falsa. *S. f. Bras.* **1.** Árvore da família das leguminosas *(Sweetia fruticosa)*, mais conhecida como *Ferreirea spectabilis*, cujas flores são pequeninas, alvas, odoríferas e racemosas, cujo fruto é uma sâmara obovada, e cuja madeira é pardo-avermelhada, pesada, dura e durável, de sabor amargo, e usada para substituir a peroba. Ocorre na floresta atlântica. [Sin.: *sucupira-amarela.* Pl.: *sebipiras-falsas.*]

sebista. *S. 2 g. Bras.* Proprietário de sebo (3). [Sin., lus.: *alfarrabista.*]

sebite. [De *sebo.*] *Adj. 2 g. Bras., N.E. Pop.* **1.** Atrevido, intrometido, adiantado. **2.** Irrequieto, assanhado. **3.** V. *metido a sebo.* ● *S. 2 g.* **4.** *Bras., N.E. Pop.* Indivíduo sebite; sebo. ● *S. m.* **5.** *Bras.,* N. V. *sebinho* (1).

sebito. *S. m. Bras., PE. Pop.* V. *sebinho* (1).

sebo (ê). [Do lat. *sebu.*] *S. m.* **1.** Substância graxa e consistente, que se encontra nas vísceras abdominais dalguns quadrúpedes. **2.** Produto de secreção das glândulas sebáceas, constituído essencialmente de restos celulares, lipídios, etc., e que desempenha o papel de protetor da pele. **3.** *Bras.* Livraria onde se vendem livros usados; caga-sebo. **4.** *Bras. Chulo.* V. *namoro* (1). **5.** *Bras.* Sebite (4). ● *Interj.* **6.** *Gír.* Exprime impaciência, desapontamento, irritação; ora sebo. [Cf. *cebo.*] ♦ **Metido a sebo.** *Bras. Pop.* Diz-se de indivíduo pedante, vaidoso, metido a importante; seboso, sebite: "todo metido a sebo falando difícil, teimoso .... , mas um bocó." (Antônio de Alcântara Machado, *Novelas Paulistanas*, p. 242). **Ora sebo.** *Gír.* Sebo (5). **Passar sebo nas canelas.** *Bras. Pop.* V. *fugir* (1 e 2). **Pôr sebo nas canelas.** *Bras. Pop.* V. *fugir* (1 e 2).

sebo-de-vênus. *S. m. Bras., GO.* Esmegma: "Em suas *Lendas do Celeste Império*, Lin Mai conta que a Imperatriz Xulin conservava a juventude de seu rosto graças a um sabonete especial, feito de sebo-de-vênus, que fiéis súditos e súditas enviavam de todas as partes do vasto império." (Adovaldo Fernandes Sampaio, *Pouco antes da Guerra com os Koguis*, p. 93.) [Pl.: *sebos-de-vênus.*]

seborréia. [De *sebo* + *-réia.*] *S. f.* Hipersecreção das glândulas sebáceas; esteatorréia.

seborréico. *Adj.* **1.** Referente à seborréia. **2.** Em que há seborréia.

seborreide. *S. f. Med.* Erupção seborréica.

seboso (ô). [Do lat. *sebosu.*] *Adj.* **1.** V. *sebáceo* (1). **2.**

Coberto ou sujo de sebo. **3.** *Bras.* V. *sebento* (2). **4.** *Bras. Pop.* Metido a sebo [q. v.]. ● *S. m.* **5.** *Bras.* Indivíduo sujo, porcalhão, seboso; sebento.

sebraju. [Var. de *sobraju.*] *S. m. Bras.* V. *saguaraji.*

sebruno. [Do esp. plat. *cebruno.*] *Adj.* e *s. m. Bras.* Diz-se de, ou eqüídeo de pêlo plúmbeo: "Montou num sebruno gordo, eu no meu rosilho, e tocamos." (Darci Azambuja, *Coxilhas*, p. 55.)

■ **sec.** *Mat.* Símb. de *secante*[2].

■ **sec**[-1]. *Mat.* Símb. impr. de *arco secante* [q. v.].

seca. [Dev. de *secar.*] *S. f.* **1.** Ato de pôr a secar; enxugo. **2.** *Pop.* Maçada, estopada, caceteação, chateação: "— Oh, estas penas elétricas!... Que seca!" (Eça de Queirós, *A Cidade e as Serras*, p. 34.) **3.** *Pop.* Conversa longa. **4.** *Bras. Pop.* Má sorte; azar. **5.** *Bras., RS. Pop.* Conversa, prosa, cavaco, bate-papo. **6.** *Bras., MG* e *GO. Pop.* Cerimônia; luxo: *pessoa de muita seca. S. 2 g.* **7.** *Bras. Pop.* Pessoa maçante, importuna, cacete. [Pl.: *secas.* Cf. *seca* (ê) e pl. *secas* (ê); *Seca* (ê), top.; e *ceca*, el. s. f.]

seca (ê). [De *secar.*] *S. f.* **1.** Falta de chuvas; estiagem. **2.** Período em que a ausência ou carência de chuvas acarreta graves problemas sociais e econômicos: *Durante a seca de 1877, só no Ceará e vizinhanças morreram umas 500.000 pessoas de sede, inanição e epidemias.* **3.** *Bras., N.E. Pop.* V. *tuberculose.* [Pl.: *secas* (ê). Cf. *seca* e *secas*, do v. *secar* e s. f. e *ceca*, el. s. f.] ◆ **À seca.** A seco (2).

secação. *S. f.* Secagem.

seca-d'água (sê). *S. f. Bras., CE. Pop.* Inverno longo e rigoroso. [Pl.: *secas-d'água.*]

secadoiro. [De *secar* + *-(d)oiro.*] *S. m.* V. *secadouro.*

secador (ô). *Adj.* **1.** Que seca [v. *secar* (1).] **2.** Que causa seca (2); maçador, enfadonho, importuno. **3.** *Bras. Pop.* Que dá seca (4); que azara; azarento. ~ V. *cilindro* —. ● *S. m.* **4.** Aparelho ou dispositivo destinado a secar (1): *secador de cabelos; secador de roupa.* **5.** *Máquina para secar os grãos do café.* **6.** *Bras., BA.* Estufa para secar amêndoas de cacau. **7.** Aparelho para dessecar o fumo em folhas ou picado. **8.** Fio ou corda sobre a qual se estende roupa para secar. **9.** *Ind. Pap.* Cilindro secador. **10.** Indivíduo secador (2). **11.** *Bras. Pop.* Indivíduo secador (3). ◆ **Secador monolúcido.** *Ind. Pap.* Grande cilindro secador, de superfície polida, destinado a lustrar a superfície de papel, que contra ele é comprimida por uma prensa cilíndrica de pequeno diâmetro, e o qual, não sendo utilizada essa prensa, pode funcionar como secador comum; cilindro lustrador. [V. *papel monolúcido.*]

secadouro. [De *secar* + *-(d)ouro*[1]; var. de *secadoiro.*] *S. m.* Lugar onde se põe a secar alguma coisa; enxugadouro.

seca-gás. [De *secar* + *gás.*] *S. m. Bras., N.E. Pop.* V. *chupa-gás.* [Pl.: *secas-gases.*]

secagem. *S. f.* Ato ou efeito de secar ou enxugar; secação.

secante[1]. [Do lat. *siccante*, 'que seca'.] *Adj. 2 g.* **1.** Que seca. **2.** Que seca, importuna, chateia. ● *S. 2 g.* **3.** Pessoa secante[1] (2). *S. m.* **4.** Substância empregada pelos pintores para fazer secar com facilidade as tintas.

secante[2]. [Do lat. *secante*, part. pres. de *secare*, 'que corta'.] *Adj.* **1.** Que corta. ~ V. *reta* —. ● *S. f.* **2.** *Geom.* Reta que intercepta uma curva. **3.** *Trig.* Função que é o inverso do co-seno. [Símb.: *sec.*] ◆ **Secante hiperbólica.** *Mat.* Função definida como o inverso do co-seno hiperbólico. [Símb.: *sech.*] **Secante hiperbólica inversa.** *Mat.* Arco secante hiperbólica. **Secante inversa.** *Mat.* Arco secante.

secantóide. [De *secante* + *-óide.*] *S. f. Geom. Anal.* Curva plana cujas coordenadas cartesianas satisfazem a equação $y = sec\ x$.

seção. [Var. de *secção* < lat. *sectione.*] *S. f.* **1.** Ato ou efeito de secionar(-se). **2.** Parte de um todo; segmento. **3.** Linha ou superfície divisória. **4.** Divisão ou subdivisão de obra, tratado, estudo: *capítulo dividido em três seções.* **5.** Em história natural, divisão de um gênero. **6.** Numa publicação, local reservado a determinada matéria ou assunto: *seção de esportes; seção literária.* **7.** Divisão que abrange certo número de matérias, em um curso: *seção de letras; seção de história.* **8.** Cada uma das divisões ou subdivisões de uma repartição pública ou de um estabelecimento qualquer, correspondente a serviço ou assunto determinado; setor: *seção eleitoral; seção médica: seção de pessoal; seção de arte.* **9.** Cada um dos trechos em que se divide o percurso de uma linha de transporte coletivo, e a partir do qual se renova o preço da passagem: *Daqui até onde eu moro são três seções de ônibus.* **10.** O conjunto dos balcões duma loja comercial que vendem um mesmo tipo de mercadoria: *seção de roupas; seção de bijuteria.* **11.** *Bot.* Subdivisão do gênero ou do subgênero. Ex.: gênero *Phthirusa*, *seção Passowia.* [Cf. *sessão* e *cessão.*] ◆ **Seção cônica.** *Geom.* V. *cônica.* **Seção de choque.** *Fís. Nucl.* Medida de probabilidade de ocorrência duma interação das partículas de um feixe com as de um meio, igual ao quociente do número de interações por unidade de tempo e por partícula, pela densidade de fluxo; seção eficaz. **Seção eficaz.** *Fís. Nucl.* Seção de choque. **Seção normal.** *Geom.* Seção reta. **Seção plana.** *Geom.* A que um plano determina em um sólido. **Seção reta.** *Geom.* A seção plana normal a um eixo do sólido; seção normal. **Seção rítmica.** *Mús.* Na orquestra de *jazz*, o grupo de instrumentos (piano, contrabaixo, guitarra e bateria) cuja função principal é expressar a pulsação de base, característica desse tipo de música.

secar. [Do lat. *siccare.*] *V. t. d.* **1.** Tirar a umidade a; enxugar: *secar a roupa.* **2.** Esgotar, estancar: *O alto consumo de água secou os mananciais.* **3.** Tornar murcho; emurchecer, murchecer, ressequir: *O tempo seca as flores mais viçosas.* **4.** Fazer cessar; interromper: *É impossível secar uma vontade firme.* **5.** Dar seca (2) a; importunar, maçar, cacetear, paulificar. **6.** *Bras. Gír.* Dar azar a; azarar. *Int.* **7.** Deixar de ser úmido: *A camisa já secou.* **8.** Deixar de correr: *O rio secou.* **9.** Murchar, emurchecer, murchecer: *As frutas secaram.* **10.** Sumir(-se); evaporar-se: *A água secou.* **11.** Estancar-se, cessar. **12.** Mirrar(-se), definhar(-se), acabar(-se); secar-se: *A velha senhora secou depois da morte do marido.* **13.** *Bras. Gír.* Dar azar; trazer má sorte. *P.* **14.** Murchar, emurchecer: "Secou-se a rosa... Era rosa" (Laurindo Rabelo, *Obras Poéticas*, p. 162). **15.** Sumir(-se), evaporar: *O álcool secou-se.* **16.** V. secar (12): *De tanto sofrer, secou-se.* **17.** Estancar(-se); cessar. **18.** Secar (8): "Murcha-se o ramo, seca-se a corrente" (Alberto de Oliveira, *Poesias, 1ª. série, p. 226).* [Conjug.: v. *trancar.* Pres. ind.: *seco, secas, seca*, etc. Cf. *ceco*, s. m.: *ceca*, el. s. f.; *seca* (ê), s. f.: *seco* (ê), adj. e s. m., e flex. *seca* (ê), *secas* (ê); e *Seco* (ê), antr. e top.]

secaria. [De *secar* + *-ia.*] *S. f. Ind. Pap.* Parte da máquina de papel onde ficam os cilindros secadores.

secarrão. [Aum. de *seco.*] *Adj.* **1.** Muito seco. ● *S. m.* **2.** Indivíduo muito seco (12): "Até o secarrão do velho se emocionava" (Autran Dourado, *O Risco do Bordado*, p. 120). [Fem.: *secarrona.*]

secarrona. *Adj.* (*f.*) e *s. f.* Fem. de *secarrão.*

secativo. [Do lat. *siccativu.*] *Adj.* e *s. m.* **1.** Diz-se de preparação farmacêutica de ação adstringente nos tecidos vivos. ~ V. *óleo* —. ● *S. m.* **2.** Essa preparação. [Cf. *sicativo.*]

secção. *S. f.* Seção.

seccional. *Adj. 2 g.* Secional.

seccionar. *V. t. d.* e *p.* V. *secionar.*

seccionável. *Adj. 2 g.* Secionável [q. v.].

secessão. [Do lat. *secessione.*] *S. f.* Ação de se desligar ou separar daquele ou daquilo a que se estava unido; separação: *guerra de secessão:* "Vocês no Brasil, por míngua de desenvolvimento econômico, a qual por sua vez decorre da falta de ferro, estão ameaçados duma tal intensificação do regionalismo que não me admirarei se desfechar em secessão." (Monteiro Lobato, *América*, p. 32).

secesso. [Do lat. *secessu.*] *S. m. Desus.* Lugar afastado; retiro, esconso.

■ **sech.** *Mat.* Símb. de *secante hiperbólica.*

■ **sech**[-1]. *Mat.* Símb. impr. de arco secante hiperbólica [q. v.].

sécia. [Fem. substantivado do adj. *sécio.*] *S. f.* **1.** Mulher elegante, mas afetada, presumida. **2.** Espécie de roupão para senhora ou para menina. **3.** Veneta, capricho, mania. **4.** Predicado, prenda, atributo. **5.** Erva anual híspida, da família das compostas *(Callistephus chinensis)*, nativa na China, de folhas ovadas e profundamente denteadas, e capítulos terminais, vistosos, cujas cores variam do branco ao violáceo.

sécio. *Adj.* e *s. m.* **1.** Que ou aquele que se veste com afetação; presumido, casquilho, janota. **2.** Que ou aquele que se saracoteia muito.

secional. [Var. de *seccional* < lat. *sectione*, 'seção', + *-al.*] *Adj. 2 g.* Referente a seção.

secionar. [Var. de *seccionar* < lat. *sectione*, 'seção', + *-ar*[2].] *V. t. d.* **1.** Dividir em seções [v. *seção* (2)]; cortar. *P.* **2.** Dividir-se, cortar-se.

secionável. [Var. de *seccionável* < *seccionar* + *-ável.*] *Adj. 2 g.* Que se pode ou deve secionar.

seco (ê). [Do lat. *siccu.*] *Adj.* **1.** Desprovido de umidade, ou de líquido; enxuto: *o leito seco de um rio: palha seca.* **2.** Sem umidade atmosférica, ou sem chuva: *clima seco; vento seco; trovoada seca.* **3.** Sem vegetação; árido: *terra seca.* **4.** Diz-se da planta, ou de parte dela, que está ressequida ou murcha: *galho seco.* **5.** Privado da umidade ou do líquido que lhe é natural: *garganta seca.* **6.** Diz-se dos alimentos aos quais, mediante determinados processos, se extraiu a umidade, para melhor conservação: *carne seca; frutas secas.* **7.** Diz-se do pão ou de outro alimento que se come sem manteiga nem outro conduto. **8.** Magro, descarnado. **9.** *Fig.* Diz-se de ruído sem ressonância: *uma pancada seca.* **10.** *Fig.* De poucas palavras; sério, austero, severo: *Seu feitio seco impunha respeito geral.* **11.** *Fig.* Ríspido, rude, áspero: "No fim de contas, aquela recusa grosseira, seca, o ofendia!..." (Aluísio Azevedo, *O Mulato*, p. 222.) **12.** *Fig.* Que não manifesta carinho ou ternura; que não se deixa enternecer: *É uma pessoa seca, mas compreensiva.* **13.** *Fig.* Sem ornatos; severo, despojado: *estilo seco.* **14.** *Fig.* Sem rodeios; direto, objetivo: *informação seca e precisa.* **15.** *Pop.* Esgotado; vazio. **16.** *Bras. Fam.* Desejoso, sequioso: *Está seco por sair.* ~ V. *alvenaria de pedra —a, avalancha —a, dique —, dobra —a, estufa —a, farinha —a, fio —, friso —, gangrena —a, lei —a, matriz —a, missa —a, névoa —a, ofsete —, pane —a, pedra —a, pilha —a, pólvora —a, recitativo —, relevo —, tirão —, tosse —a, verga —a e vinho —.* ● *S. m.* **17.** Lugar ou terreno seco, enxuto. **18.** *Bras., N.* Baixio de areia deixado a descoberto pela vazante. [Flex.: *seca* (ê), *secos* (ê), *secas* (ê). Cf. *seco, seca, secas*, do v. *secar; seca*, S. f., pl. *secas; ceco*, s. m., e *ceca*, el. s. f.] ~ V. *secos.* ◆ **A seco.** **1.** Sem qualquer provento. **2.** Apenas com o ordenado, sem comida; à seca. **3.** *Mús.* Diz-se do canto sem acompanhamento instrumental. **Em seco.** *Mar.* Diz-se da embarcação que se encontra inteiramente fora da água. **Estampar a seco.** V. *gofrar* (3). **Mariscar no seco.** *Bras.* Bicar na terra à busca de insetos, grãos, etc. (a ave).

seco-fico (sê). [T. onom.] *S. m. 2 n. Bras.* V. *saci* (2).

seco-na-paçoca (sê). *Adj. Bras., BA.* V. *valentão* (1). [Pl.: *secos-na-paçoca.*]

secos (ê). [Pl. de *seco.*] *S. m. pl.* Mantimentos sólidos ou secos, por oposição a *molhados* [q. v.]: *armazém de secos e molhados.* ~ V. *seco.*

secreção. [Do lat. *secretione*, 'separação'.] *S. f.* **1.** *Fisiol.* Produto específico elaborado por glândula. **2.** *Fisiol.* Qualquer substância oriunda de secreção (1). **3.** *Geol.* Enchimento, parcial ou total, de cavidade existente na rocha, por infiltração de substâncias minerais. **4.** *P. ext.* Excreção. ◆ **Secreção interna.** *Fisiol.* Secreção, por certas glândulas do corpo, de hormônios que entram na circulação sanguínea.

secreta. [Fem. substantivado do adj. *secreto.*] *S. f.* **1.** Em algumas universidades, tese defendida apenas em presença dos lentes. **2.** Oração que o celebrante da missa dizia em voz baixa, antes do prefácio (2). **3.** *Pop.* V. *latrina* (1). *S. m.* **4.** Agente da polícia secreta.

secretar. [Do lat. *secretu*, 'separado', + *-ar*[2].] *V. t. d.* Segregar (2).

secretaria. [De *secretário* + *-ia.*] *S. f.* **1.** Local ou repartição onde se faz o expediente relativo a qualquer administração e se guardam ou arquivam os documentos importantes. **2.** Ministério: *a Secretaria da Justiça.* [Cf. *secretária.*]

secretária. [Fem. de *secretário.*] *S. f.* **1.** Mulher que exerce as funções de secretário (1 a 4). **2.** Mesa onde se escreve e onde se guardam documentos importantes; secretário: "Braga Lopes apontou para uma carta aberta sobre a secretária de pau-rosa." (Artur Azevedo, *Contos fora da Moda*, p. 33). **3.** *P. us.* Mulher que é confidente (2) de outrem. [Cf. *secretaria*, do v. *secretariar* e s. f.] ◆ **Secretária eletrônica.** Aparelho eletrônico acoplado ao telefone (2), e que se destina a gravar e transmitir mensagens quando o destinatário do telefone está ausente ou impedido de atender.

secretariado. *S. m.* **1.** Cargo ou função de secretário. **2.** O tempo que dura tal função. **3.** Local onde o secretário exerce as suas funções. **4.** O conjunto dos secretários de Estado. **5.** Setor administrativo sob a direção do secretário-geral: *o secretariado das Nações Unidas.*

secretariar. *V. t. d.* **1.** Exercer as funções de secretário (1 a 4) junto de; ser secretário de: *Durante mais de um ano secretariou o Presidente. Int.* **2.** Exercer as funções de secretário. [Pres. ind.: *secretario, secretarias, secretaria*, etc. Cf. *secretário* e *secretária.*]

secretário. [Do lat. tardio *secretariu.*] *S. m.* **1.** Aquele que transcreve as atas das sessões duma assembléia. **2.** Aquele que se desincumbe de determinadas redações, que se ocupa da organização e do funcionamento de uma assembléia, de uma sociedade, de um serviço administrativo: *secretário de um partido político: secretário da Prefeitura*. **3.** Pessoa que no serviço público ou privado tem por função classificar, estenografar, dactilografar e redigir correspondência (2), classificar documentos, etc. **4.** Aquele que, trabalhando sob as ordens de alguém, se desincumbe de seus afazeres pessoais: *O seu secretário particular providenciou tudo para o bom êxito da comemoração*. **5.** *Bras.* Aquele que no governo de um estado (9 a 11), exerce funções equivalentes à de ministro (3). **6.** Em certos países, ministro (3). **7.** Aquele que guarda os segredos de outrem. **8.** Livro que contém modelos de cartas. **9.** V. *carreira diplomática*. **10.** Secretária (2). **11.** *Bras.* Indivíduo que o cocheiro trazia à boléia, e encarregado de oferecer o coche aos transeuntes. [Cf. *secretario*, do v. *secretariar*.] ♦ **Secretário de Estado.** Título do ministro das Relações Exteriores dos E.U.A., e do cardeal que exerce essas funções no Vaticano.

secretário-geral. *S. m.* **1.** Título daquele que, num organismo público ou privado, se encarrega dos assuntos de ordem administrativa e organiza efetivamente o trabalho. **2.** Título do funcionário que ocupa o mais alto cargo administrativo em certas organizações: *o secretário-geral das Nações Unidas*. [Pl.: *secretários-gerais*.]

secreto. [Do lat. *secretu*, 'separado'.] *Adj.* **1.** Que não se pode, ou só a custo se pode descobrir, encontrar ou localizar; escondido, ignorado, oculto: *tesouro secreto: porta secreta*. **2.** Que deve ser conhecido apenas de um número limitado de pessoas: confidencial: *documentos secretos: informações secretas*. **3.** Restrito a um domínio reservado: impenetrável em virtude do mistério que o cerca: *ritos secretos; linguagem secreta*. **4.** Íntimo, interior, particular: *ambição secreta*; "Ninguém te viu o sentimento inquieto, / Magoado, oculto e aterrador, secreto, / Que o coração te apunhalou no mundo." (Cruz e Sousa, *Últimos Sonetos*, p. 18). [Sin. ger., p. us.: *segredo*.] ~ V. *partes —as, serviço — e testamento —*. ● *S. m.* **5.** *Ant.* Segredo.

secretor (ô). [Do lat. *secretu*, 'separado' + *-(t)or*.] *Adj.* e *s. m.* Que ou aquilo que segrega.

secretório. [Do lat. *secretu*, 'separado' + *-ório*.] *Adj.* **1.** Que segrega; secretor. **2.** Em que se dão secreções [v. *secreção* (1)].

sectário. [Do lat. *secta*, 'seita', + *-ário*.] *Adj.* **1.** Relativo ou pertencente a seita. **2.** *Fig.* Intolerante, intransigente: *indivíduo sectário; atitude sectária*. ● *S. m.* **3.** Membro de uma seita. **4.** *Fig.* Partidário ferrenho: prosélito: "Assim como o órgão foi feito para reboar pelas arcarias profundas de uma catedral gótica. .... do mesmo modo o sino foi perfilhado pelo cristianismo para convocar os seus humildes sectários ocupados nos trabalhos campestres." (Alexandre Herculano, *Lendas e Narrativas*, II, p. 130.) **5.** Indivíduo sectário.

sectarismo. [De *sectário* + *-ismo*.] *S. m.* **1.** Estreito espírito de seita. **2.** Espírito ou atitude sectária: intolerância.

séctil. [Do lat. *sectile*.] *Adj. 2 g.* Que se pode cortar. [Pl.: *sécteis*.]

secto. *Adj.* ~ V. *folha —a*.

sector (ô). *S. m.* Setor: "Desdobrava [Ladislau Neto] a sua operosidade em vários sectores." (Abelardo Duarte, *Ladislau Neto*, p. 117.)

sectura. [Do lat. *sectura*.] *S. f.* Retalhação de substâncias medicinais com instrumentos cortantes.

secular. [Do lat. *seculare*.] *Adj. 2 g.* **1.** Que se faz de século a século. **2** Referente a século. **3.** Que data de um século; centenário: *casa três vezes secular*. **4.** Que existe há séculos: "Recresce o fogo em mares .... / E após .... tombam as selvas seculares ...." (Castro Alves, *Poesias Escolhidas*, p. 259). **5.** Muito antigo; antiqüíssimo: *ruínas seculares*. **6.** Pertencente ao século (9); profano, leigo, temporal: *autoridade secular*. **7.** Diz-se de eclesiástico(s) que participa(m) do século (10), da vida civil (em oposição àquele(s) pertencente(s) a uma ordem religiosa): *padre secular; clero secular*. ~ V. *ano —, instituto — paralaxe — e termo —*.

secularidade. *S. f.* **1.** Qualidade de secular. **2.** Ato ou dito próprio de leigos ou pessoas seculares. **3.** Estado do clero secular.

secularização. *S. f.* **1.** Ato ou efeito de secularizar(-se). **2.** Fenômeno histórico dos últimos séculos, pelo qual as crenças e instituições religiosas se converteram em doutrinas filosóficas e instituições leigas. **3.** Transferência de um bem clerical a uma pessoa jurídica de direito público. **4.** Tomada de terras e bens da Igreja pelos nobres, ocorrida durante a Reforma Protestante.

secularizando. *S. m.* Aquele que vai ser secularizado.

secularizar. *V. t. d.* **1.** Tornar secular ou leigo (o que era eclesiástico). **2.** Sujeitar à lei civil: *secularizar instituições religiosas*. **3.** Dispensar dos votos monásticos. [Nesta acepç., cf. *desfradar*.] **4.** Tomar (terras ou bens da Igreja): *Muitos nobres viram na Reforma uma possibilidade de secularizar terras da Igreja*. *P.* **5.** Deixar de pertencer a uma ordem, ou à vida religiosa: "Agora o padre .... se quiser secularizar-se, e entrar outra vez no mundo .... não é fácil" (Rebelo da Silva, *De noite Todos os Gatos São Pardos*, p. 89).

século. [Do lat. *seculu*.] *S. m.* **1.** Período de 100 anos, cujo início ou fim é determinado em relação a um momento arbitrariamente definido: centúria, centenário: *Fez-se no Museu de Arte Moderna uma exposição de um século de pintura americana*. **2.** Período de 100 anos, numerados de 1 a 100, de 101 a 200, de 201 a 300, etc., e contados a partir de um ponto inicial cronológico em especial a partir da data do nascimento de Cristo: *século II d.C.; os pintores do século XVII*. **3.** Período de 100 anos: *Minha bisavó viveu exatamente um século*. **4.** Período de mais ou menos 100 anos, considerado como uma realidade histórica em virtude de certas características: *um século de progresso: um século de misticismo*. **5.** Tempo ou época notabilizada por algum fato extraordinário: *o século de Platão; o século da máquina a vapor; o século das Cruzadas*. **6.** Espaço de tempo muito longo: *Demorou um século para entregar o trabalho; Há séculos não é visto*. [Nesta acepç. é m. us. no pl.] **7.** Época, era: *mentalidade de outro século*. **8.** O tempo atual. **9.** O mundo, a vida no mundo considerado sob seus aspectos materiais, profanos, utilitários. **10.** *P. ext.* Vida secular (em oposição à vida religiosa). [Cf. *Céculo*, mit.] ♦ **Do século.** Diz-se do que, num setor artístico, científico ou administrativo, se considera como a grande realização de uma época: *a obra do século; o filme do século*. **Por séculos dos séculos.** V. *por todos os séculos de séculos*. **Por todos os séculos de séculos.** Eternamente; para sempre; por séculos dos séculos: "preceito sagrado de tradição, portanto, que era preciso guardar, agora e sempre, por todos os séculos de séculos" (João da Silva Correia, *Farândola*, p. 21).

secundar. [Do lat. *secundare*.] *V. t. d.* **1.** Auxiliar, ajudar (em funções); coadjuvar: *O estudo da geografia secunda o da história*. **2.** Fazer ou tentar fazer pela segunda vez. **3.** *Bras.* Responder, replicar. **4.** *Bras.* Tornar a fazer ou a dizer; repetir, reforçar: *Secundou o pedido do irmão, demonstrando grande empenho*. [F. paral.: *segundar*. Fut. pret.: *secundaria*, etc. Cf. *secundária*, fem. de *secundário*.]

secundário. [Do lat. *secundariu*.] *Adj.* **1.** Segundo[1] (1): *curso secundário*. **2.** Que é de menor importância em relação a outrem ou a outra coisa: *Desempenha na peça um papel secundário*. **3.** De pouco valor; insignificante, inferior: *Sua influência na literatura é secundária; É questão de interesse secundário*. **4.** *Bras.* Dizia-se, antes da atual reforma, do ensino ou instrução de grau intermediário entre o primário e o superior, e do curso ou do estabelecimento em que se ministrava essa instrução. **5.** Que lecionava no curso secundário. **6.** Que se destinava ao curso secundário: *gramática secundária*. ~ V. *bateria —a, carbono —, cor —a, cratera —a, enrolamento —, era —a, foco —, fogo —, memória —a, mineral —, qualidades —as e rêmiges —as*. ● *S. m.* **7.** O curso secundário [V. *secundário* (4)]. **8.** *Astr.* Satélite (1). **9.** *Eletr.* Num transformador, indutância através da qual passa o fluxo magnético variável gerado pela corrente elétrica que é fornecida ao aparelho, e de onde se retira a tensão ou a corrente transformada; enrolamento secundário. **10.** *Geol. Obsol.* Era mesozóica.

secundarista. *S. 2 g. Bras.* Estudante do curso secundário.

▲**secundi-.** Equiv. de *secund(o)-*.

secundifloro. [De *secundi-* + *-floro*.] *Adj. Morfol. Veg.* Que tem as flores inseridas de um lado só do eixo florífero: *espiga secundiflora*.

secundina. [De *secundi-* + *-ina*[1].] *S. f.* **1.** *Morfol. Veg.* Tegumento interno do óvulo. **2.** Pelico (2). ~ V. *secundinas*.

secundinas. [Pl. de *secundina*.] *S. f. pl. Obst. P. us.* Placenta e membranas expulsas após o nascimento. [Sin., (tb. p. us.) *páreas* e (bras., pop.) *companheiras, derradeiras*.]

secundípara. [De *secundi-* + *-para*.] *Adj. (f.)* e *s. f. Med.* Duípara.

▲**secund(o)-.** [Do lat. *secundus, a um*.] *El. comp.* = 'segundo'; 'segunda vez'; 'segundo lugar': *secundogênito*. [Equiv.: *secundi-*: *secundípara, secundina*.]

secundogênito. [De *secund(o)-* + *-gênito*.] *Adj.* **1.** Que foi gerado em segundo lugar. ● *S. m.* **2.** Aquele que foi gerado em segundo lugar; filho segundo. [Var.: *segundogênito*.]

secura. *S. f.* **1.** Qualidade de seco; sequidão. **2.** Ausência de umidade. **3.** Sede (ê) (1). **4.** Frieza, dureza, aspereza; sequidão. **5.** *Bras., N.E. Pop.* Desejo ardente, sobretudo de natureza sexual.

secure. *S. f.* V. *segure*.

▲**securi-.** [Do lat. *securis, is*.] *El. comp.* = 'machadinha': *securiforme, securipalpo*.

securiforme. [De *securi-* + *-forme*.] *Adj. 2 g.* Cuja forma é de machadinha ou secure.

securígero. [Do lat. *securigeru*.] *Adj. Hist. Nat.* Que tem órgão ou apêndice securiforme.

securipalpo. [De *securi-* + *palpo*.] *Adj. Zool.* Que tem palpos securiformes.

securitário. [Do lat. *securit(ate)*, 'segurança', + *-ário*.] *Adj.* **1.** Concernente a seguros. ● *S. m.* **2.** *Bras.* Funcionário de companhia de seguros.

seda (ê). [Do lat. *seta*, 'cerdas', que na Idade Média deve ter-se aplicado ao fio da seda.] *S. f.* **1.** Filamento que constitui o casulo da larva de um inseto vulgarmente denominado *bicho-da-seda* [q. v.], ou o fio feito com tal substância. **2.** Tecido fabricado com esse fio. **3.** Qualquer tecido fabricado com fibra vegetal ou sintética cuja consistência lembra a da seda (2); seda artificial. **4.** *Bras.* Pessoa delicada, amável. **5.** *Irôn.* Pessoa melindrosa, demasiado sensível; não-me-toques. **6.** *Bras. Gír.* Papel fino para enrolar cigarro de maconha. [Pl.: *sedas* (ê). Cf. *seda* e *sedas*, do v. *sedar*, e *ceda* (ê), *cedas* (ê), do v. *ceder*.] ~ V. *sedas*. ♦ **Seda artificial.** Seda (3). **Seda bruta.** Seda crua. **Seda crua.** Seda em rama, ou seda apenas fiada ou torcida, em fase de preparação para tecer; seda bruta. **Seda selvagem.** A que é extraída do casulo de lagartas que não o bicho-da-seda. **Rasgar seda.** *Bras.* Desmanchar-se (duas pessoas) em amabilidades mútuas.

sedã. [Do ingl. *sedan-chair*.] *S. m.* Carro de passeio destinado, em geral, a quatro ou cinco pessoas: "surge um sedã azul e quase esmaga um outro menino, caído nas rodas traseiras." (Clarival do Prado Valadares, *Riscadores de Milagres*, p. 30). [Cf. *cupê*.]

seda-azul. *S. f. Bras.* Telão-de-seda-azul. [Pl.: *sedas-azuis*.]

sedação. [Do lat. *sedatione*.] *S. f.* Ato ou efeito de sedar[1].

sedaceiro. *S. m.* Indivíduo que trabalha em sedaços [v. *sedaço* (1)].

sedaço. [Do lat. vulg. *setaceu*, i. e., *cribru setaceu*, 'crivo feito de cerdas'.] *S. m.* **1.** Seda rala para peneira. **2.** Peneira de seda. **3.** Instrumento próprio para coar leite.

sedal[1]. [Do lat. *sedes*, 'assento', + *-al*.] *Adj. 2 g. Anat.* Respeitante ao ânus; anal.

sedal[2]. [De *seda*?] *S. m. P. us.* Meada (1) introduzida num trajeto subcutâneo visando a manter supuração, com objetivo terapêutico; sedenho.

sedalha. [De *seda* + *-alha*.] *S. f.* Sedela.

sedalina. [De *seda* + *-lina*, term. de *tricolina, popelina* e outros nomes de tecidos.] *S. f.* Certo tecido que lembra a seda (2).

➧**sedan.** [Ingl.] *S. m.* V. *sedã*.

seda-palha. [De *seda* + *palha*.] *S. f. Bras.* Palha-de-seda: "Ela trocara o vestido cor-de-rosa pelo outro, o de seda-palha, que só tinha usado uma vez." (Mário Palmério, *Chapadão do Bugre*, p. 27.) [Pl.: *sedas-palhas* e *sedas-palha*.]

sedar[1]. [Do lat. *sedare*.] *V. t. d.* **1.** Acalmar, serenar (aquele ou aquilo que estava excitado). **2.** Moderar a ação excessiva de (um órgão ou um sistema). [Pres. ind.: *sedo, sedas, seda*, etc.; pres. subj.: *sede, sedes, ... sedem*. Cf. *cedo* (ê), adv.; *seda* (ê), s. f., pl. *sedas* (ê); *sede* (ê), s. f., pl. *sedes* (ê); *sedém*, s. m.; o pres. ind. e pres. subj. do v. *ceder*; e *Cédar*, top. e antr.]

sedar[2]. [De *seda* + *-ar*[2].] *V. t. d.* Assedar. [Pres. ind.: *sedo, sedas, seda*, etc.; pres. subj.: *sede, sedes, ... sedem*. Cf. *cedo* (ê), adv.; *seda* (ê), s. f., pl. *sedas* (ê); *sede* (ê), s. f., pl. *sedes* (ê); *sedém*, s. m.; o pres. ind. e pres. subj. do v. *ceder*; e *Cédar*, top. e antr.]

sedas (ê). [Pl. de *seda*.] *S. f. pl.* **1.** Pêlos ásperos e longos dalguns animais: "as sedas da juba de um leão irritado." (Rebelo da Silva, *Contos e Lendas*, p. 180). **2.** *Pop.* Trajes de seda. **3.** *Mús.* Crinas de cavalo, impregnadas de resina, estendidas entre as duas extremidades do arco de certos instrumentos de corda, e que servem para friccionar-lhes as cordas. ~ V. *seda*.

sedativo. [Do lat. *sedatu*, 'acalmado', + *-ivo*.] *Adj.* **1.**

Que seda ou acalma; calmante: *medicamento sedativo; O remédio tem ação sedativa, vai tirar-lhe a excitação;* "o sussurro do rio, as vozezinhas dos pequenos insetos ainda tornavam mais sedativa e profunda a inquebrantável imobilidade das coisas." (Graça Aranha, *Canaã*, p. 2). ● *S. m.* **2.** Medicamento ou qualquer substância sedativa. [Cf. *tranqüilizante* (3).]

seda-vegetal. *S. f.* V. *cipó-de-sapo*. [Pl.: *sedas-vegetais*.]

sede. [Do lat. *sede*, 'assento'.] *S. f.* **1.** Lugar onde alguém pode sentar-se. **2.** Assento de pedra fixado na parede, junto à janela. **3.** Centro de governo duma diocese ou paróquia. **4.** A casa principal de uma ordem religiosa. **5.** Lugar onde se fixa um tribunal, um governo, uma administração, ou onde uma empresa comercial tem o seu principal estabelecimento. **6.** Ponto em que se concentram certos fatos ou fenômenos: *O cérebro é a sede do pensamento; Para muitos o Cristo é a sede do amor.* **7.** Lugar onde sucede um acontecimento: *Os Estados Unidos da América são uma das principais sedes das pesquisas espaciais.* **8.** *Tec.* Parte do corpo de uma válvula contra a qual se aperta ou se justapõe o tampão. [Pl.: *sedes*. Cf. *sede* (ê), s. f., pl. *sedes* (ê), e *cede, cedes*, do v. *ceder*.] ♦ **Sede gestatória.** A cadeira do Papa.

sede (ê). [Do lat. *site*.] *S. f.* **1.** Sensação produzida pela necessidade de beber; secura. "Dar de comer a quem tem fome, / Dar de beber a quem tem sede ...." (Antônio Nobre, *Só*, p. 43). **2.** *Fig.* Desejo veemente; cobiça, avidez: *sede de ouro; sede de sangue.* **3.** *Pop.* Desejo de vingança. **4.** *Fig.* Impaciência, ânsia, aflição. **5.** Falta de umidade; secura. [Pl.: *sedes* (ê). Cf. *sede* e *sedes*, do v. *sedar* e s. f., e *cede, cedes*, do v. *ceder*.] ♦ **Sede de água.** *Pop.* Porção de água suficiente para saciar a sede. **Ir com muita sede ao pote.** Mostrar-se muito sôfrego, pouco ponderado, imprudente.

sedear. *V. t. d.* Escovar (objetos de ourivesaria) com sedas. [Conj.: v. *frear*. Part.: *sedeado*. Cf. *sediado*.]

sedeca. [De *sede* (1)]. *S. f. Bras., N.E. Pop.* V. *diarréia*.

sedeiro. [De *seda* + *-eiro*.] *S. m.* Instrumento próprio para assedar; rastelo.

sedela. [De *seda* + *-ela*.] *S. f.* Cordel de sedas que sustenta o anzol, na pesca à linha; sedalha.

sedém. [Var. apocopada de *sedenho*.] *S. m. Bras., N.E.* e *MG. Pop.* V. *sedenho* (4 e 5). [Cf. *sedem*, do v. *sedar*, e *cedem*, do v. *ceder*.]

sedenho. [De *seda* + *-enho*, ou do esp. *sedeño*.] *S. m.* **1.** *P. us.* Sedal[2]. **2.** *Ant.* Cilício de sedas ásperas e mortificadoras. **3.** *Bras.* Crina cortada de que se fazem cordas. **4.** *Bras.* A cauda das reses e o respectivo cabelo; sedém [q. v.]. **5.** *Bras., N.E.* e *MG. Pop.* Assento, nádegas, traseiro; sedém [q. v.].

sedentariedade. *S. f.* **1.** Qualidade de sedentário. **2.** Vida sedentária.

sedentário. [Do lat. *sedentariu*.] *Adj.* **1.** Que está comumente sentado; que anda ou se exercita pouco; inativo. **2.** Próprio de sedentário (1): *Leva uma vida sedentária.* **3.** Que tem habitação fixa. **4.** Pertencente ou relativo aos sedentários; criptocéfalo. ● S. m. **5.** Aquele que tem vida sedentária. **6.** Espécime dos sedentários; criptocéfalo.

sedentários. *S. m. pl. Zool.* Animais anelídeos, poliquetas, da ordem *Sedentaria*, cujo corpo apresenta duas ou mais regiões, com somitos e parápodes diferentes. Vivem em tubos ou galerias, alimentando-se de detritos ou plânctons. [Sin.: *criptocéfalos*.]

sedentarismo. *S. m.* Hábitos sedentários; vida sedentária.

sedente. [De *sede* (ê) + *-nte*.] *Adj. 2 g. Poét.* Sedento. [Cf. *cedente*.]

sedento. [De *sede* (ê) + *-ento*.] *Adj.* **1.** Que tem sede; sequioso. **2.** *Fig.* Muito desejoso ou ávido: *sedento de prazer.*

sederento. *Adj. Desus.* Sedento: "E em cristal brilhante mão encantadora, / Mão de claros dedos água me servia; / Sederento bebo" (Alberto de Oliveira, *Poesias*, 2ª série, p. 234).

sede-sede (sêde-sêde). [Voc. onom.] *S. m. Bras.* V. *saci* (2).

sedestre. [Da raiz do lat. *sedere*, 'assentar'. + a term. de palavras como *eqüestre* e *pedestre*.] *Adj. 2 g.* ~ V. *estátua* —.

sedeúdo. [De *seda*.] *Adj.* V. *sedoso* (3).

sediado. [De *sede* + *-i-* + *-ado*[1].] *Adj.* Que tem sede (3 a 5): *estabelecimento sediado no Recife.* [Cf. *sedeado*, part. de *sedear*.]

sedição. [Do lat. *seditione*.] *S. f.* Perturbação da ordem pública; agitação, sublevação, revolta, motim: "Os outros comentavam os acontecimentos da cidade: assassinatos bárbaros, roubos, catástrofes, às vezes sedições." (Coelho Neto, *Treva*, p. 331.)

sedicioso (ô). [Do lat. *seditiosu*.] *Adj.* **1.** Que tem o caráter de sedição. **2.** Que incita à sedição ou dela participa. **3.** Indócil, indisciplinado. ● *S. m.* **4.** Indivíduo sedicioso.

sedígero. [De *seda* + *-i-* + *-gero*.] *Adj.* Que produz seda.

sedimentação. *S. f.* **1.** Formação de sedimentos. **2.** *Geol.* Processo pelo qual substâncias minerais ou rochosas, ou substâncias de origem orgânica, se depositam em ambiente aquoso ou aéreo.

sedimentado. [Part. de *sedimentar*[2].] *Adj.* **1.** Que sedimentou. **2.** *Fig.* Que está assentado, firme, bem fundado: *cultura sedimentada.*

sedimentador (ô). *Adj.* Que sedimenta. ● *S. m.* **2.** *Tec.* Tanque de sedimentação de onde se recolhe a lama sedimentada, que se quer obter isenta do líquido da suspensão original. [Cf. *clarificador* (3).]

sedimentar[1]. [De *sedimento* + *-ar*[1].] *Adj. 2 g.* Resultante de processo de sedimentação; sedimentário, sedimentoso. ~ V. *bacia* — e *rocha* —.

sedimentar[2]. [De *sedimento* + *-ar*[2].] *V. int.* Formar sedimentos. [Fut. pret.: *sedimentaria*, etc. Cf. *sedimentária*, fem. de *sedimentário*.]

sedimentário. *Adj.* V. *sedimentar*[1]. [Fem.: *sedimentária*. Cf. *sedimentaria*, do v. *sedimentar*.]

sedimento. [Do lat. *sedimentu*.] *S. m.* **1.** Substância depositada, pela ação da gravidade, na água ou ao ar. **2.** Camada que as águas, ao retirarem-se, deixam depositada. **3.** V. *borra* (ô) (1). [Cf. *cedimento*.] ♦ **Sedimento terrígeno.** *Geol.* Depósito oriundo de processos erosivos na superfície da terra firme, e sedimentado tanto no continente quanto no fundo dos oceanos. **Sedimento urinário.** *Med.* Matéria sólida existente na urina, e que, quando esta é posta em frasco, em repouso, na posição vertical, se deposita no fundo dele, ao cabo de certo tempo.

sedimentoscopia. [De *sedimento* + *-scop-* + *-ia*.] *S. f. Med.* Exame laboratorial de sedimento urinário.

sedimentoscópico. *Adj.* Relativo a, ou realizado mediante sedimentoscopia.

sedimentoso (ô). *Adj.* **1.** Que tem muitos sedimentos. **2.** V. *sedimentar*[1].

sedimentometria. *S. f. Tec.* Método de análise granulométrica mediante a sedimentação das partículas num fluido, sob a ação da força da gravidade.

sedimentométrico. *Adj.* Relativo à sedimentometria.

sedinha. [Dim. de *seda*.] *S. f.* **1.** *Bras., S.* Planta da família das ciperáceas, existente às margens de lagos e banhados, e cujas flores, dispostas em blocos brancos, têm cheiro adocicado. [Sin.: *cambraia*.] **2.** Tecido fino de algodão ou de seda: "O quarto respirava o frescor e aroma de jardim por duas vastas janelas, providas magnificamente .... dum toldo rolando na cimalha, dum estore de sedinha frouxa" (Eça de Queirós, *Contos*, pp. 96-97).

sedonho. [De *sedas* (1) + *-onho*.] *S. m.* Doença dos suínos que faz nascerem-lhes pêlos nas goelas.

sedosidade. *S. f.* Qualidade de sedoso.

sedoso (ô). [Do lat. *setosu*.] *Adj.* **1.** Que tem seda [v. *seda* (1)]. **2.** Semelhante à seda: "Cabelos negros, finos, anelados, / Sedosos como retrós" (Austro-Costa, *Mulheres e Rosas*, p. 39.) **3.** Que tem pêlos; peludo, piloso; sedeúdo.

sedução. [Do lat. *seductione*.] *S. f.* **1.** Ato ou efeito de seduzir ou ser seduzido. [Sin. (p. us.): *seduzimento*.] **2.** Qualidade de sedutor. **3.** Atração, encanto, fascínio. **4.** *Bras. Jur.* Crime consistente em iludir mulher virgem, maior de 14 e menor de 18 anos, valendo-se da sua inexperiência ou justificável confiança para manter com ela conjunção carnal.

sédulo. [Do lat. *sedulu*.] *Adj.* Ativo, cuidadoso, diligente. [Fem.: *sédula*. Cf. *cédula*.]

sedutor (ô). [Do lat. *seductore*.] *Adj.* **1.** Que seduz, atrai ou encanta. ● *S. m.* **2.** Aquele que seduz. **3.** Indivíduo que se aproveita de uma mulher por sedução (4).

seduzimento. [De *seduzir* + *-mento*.] *S. m. P. us.* Sedução (1).

seduzir. [Do lat. *seducere*, 'levar para o lado'.] *V. t. d.* **1.** Inclinar artificiosamente para o mal ou para o erro; desencaminhar: *Os prazeres seduzem muitos homens.* **2.** Enganar ardilosamente. **3.** Desonrar, recorrendo a promessas, encantos ou amavios: *Seduziu a menor.* **4.** Atrair, encantar, fascinar, deslumbrar: *Bela e culta, seduz quantos a conhecem;* "Ele [Charles Dickens] adorava o teatro e nada o seduzia mais do que a idéia de se tornar um profissional da ribalta." (Eugênio Gomes, *Espelho contra Espelho*, p. 202). **5.** Levar à rebelião; revoltar, sublevar. **6.** Subornar para fins sediciosos. [Irreg. Conj.: v. *aduzir*.]

seduzível. *Adj. 2 g.* Que pode ser seduzido.

sefardim. [Do hebr. tardio *sepharadhim*, naturais de *Sephãrad*, provável região da Ásia Menor que posteriormente os emigrantes asiáticos identificaram com a Península Ibérica.] *Adj. 2 g.* e *s. 2 g.* Diz-se de, ou judeu descendente dos primeiros israelitas de Portugal e da Espanha, expulsos, respectivamente, em 1496 e 1492; sefardita.

sefardita. *Adj. 2 g.* **1.** Sefardim. **2.** Dos, pertencente ou relativo aos, ou próprio dos sefardins: *Há grande número de famílias sefarditas no N. do Brasil.* ● *S. 2 g.* **3.** Sefardim.

sega. [Dev. de *segar*.] *S. f.* **1.** Ato ou efeito de segar; ceifa, segada, segadura. **2.** O tempo que dura a ceifa; segada, segadura. [Pl.: *segas*. Cf. *sega* (ê), s. f., pl. *segas* (ê), e *cega, cegas*, do v. *cegar* e flex. de *cego*.]

sega (ê). [Do ár. *secca*.] *S. f.* Ferro que se adapta ao timão do arado, adiante da relha, a fim de facilitar a lavra e cortar as raízes. [Pl.: *segas* (ê). Cf. *sega* e *segas*, do v. *segar* e s. f., e *cega, cegas*, do v. *cegar* e flex. de *cego*.]

segada. [Fem. substantivado de *segado*, part. de *segar*.] *S. f.* V. *sega*. [Cf. *cegada*, part. de *cegar*.]

segadeira. [De *segar* + *-(d)eira*.] *S. f.* Ceifeira (2).

segadoiro. [De *segar* + *-(d)oiro*[2].] *Adj.* Var. de *segadouro*.

segador (ô). *Adj.* Que ou aquele que sega; ceifeiro.

segadouro. [De *segar* + *-(d)ouro*[2].] *Adj.* **1.** Que serve para segar. **2.** Que está em condições de ser segado ou ceifado. [Var.: *segadoiro*.]

segadura. [De *segar* + *-(d)ura*.] *S. f.* V. *sega*.

segão. [De *sega* + *-ão*[1].] *S. m.* Sega do arado.

segar. [Do lat. *secare*, 'cortar'.] *V. t. d.* **1.** Ceifar, cortar: "as moças que segavam erva de pernas roxas à mostra" (Aquilino Ribeiro, *Quando ao Gavião Cai a Pena*, p. 235). **2.** Pôr fim a; acabar com. *Int.* **3.** Ceifar: "Ó ceifeiro que segas cantando, / Ó moleiro das estradas, / Carros de bois, chiando..." (Antônio Nobre, *Só*, p. 27). [Conj.: v. *regar*. Pres. ind.: *sego, segas, sega*, etc. Cf. *cego*, adj. e s. m., flex. *cega, cegas; cego, cegas, cega*, do v. *cegar;* este verbo; e *sega* (ê), s. f., pl. *segas* (ê).]

sege. [Do fr. *siège*, 'assento'.] *S. f.* **1.** Coche fora de uso, com duas rodas e um só assento, fechado com cortinas na parte dianteira: "No momento em que minha avó saía do adro pra ir à cadeirinha, ... aconteceu espantar-se uma das bestas de uma sege" (Machado de Assis, *Quincas Borba*, p. 9). **2.** *P. ext.* Qualquer carruagem: "as vastas seges douradas atroando os ares com o fragor das suas rodas altas" (Olavo Bilac, *Ironia e Piedade*, p. 149).

segeiro. *S. m.* **1.** Fabricante de seges. **2.** *P. ext.* Fabricante de carruagens.

segetal. [Do lat. *segetale*.] *Adj. 2 g.* **1.** Referente a searas. **2.** Que cresce nas searas.

segmentação. *S. f.* Ato ou efeito de segmentar[2].

segmentado. [Part. de *segmentar*[2].] *Adj.* **1.** Dividido em segmentos. **2.** A que se tirou segmento(s). **3.** Formado de segmentos; segmentar, segmentário.

segmentar[1]. [De *segmento* + *-ar*[1].] *Adj. 2 g.* **1.** Relativo a segmento: *linha segmentar.* **2.** Formado de segmentos; segmentado. [Sin. ger.: *segmentário*.]

segmentar[2]. [De *segmento* + *-ar*[2].] *V. t. d.* **1.** Dividir em segmentos. **2.** Tirar segmento a. [Fut. pret.: *segmentaria*, etc. Cf. *segmentária*, fem. de *segmentário*.]

segmentário. [De *segmento* + *-ário*.] *Adj.* Segmentar[1]. [Fem.: *segmentária*. Cf. *segmentaria*, do v. *segmentar*.]

segmento. [Do lat. *segmentu*.] *S. m.* **1.** Porção de um todo; seção. **2.** Porção bem delimitada, destacada de um conjunto. **3.** *Geom.* Porção do círculo compreendida entre a corda e o arco respectivo. **4.** *Geom.* Porção limitada de uma reta. **5.** *Morfol. Veg.* Porção em que se subdividem as folhas partidas, fendidas e sectas. [Cf. *seguimento*.] ♦ **Segmento circular.** *Geom.* Qualquer das duas superfícies planas limitadas por uma circunferência e uma secante. **Segmento esférico.** *Geom.* Sólido limitado por uma zona e pelos planos de suas bases.

segnícia. [Do lat. *segnitia*.] *S. f.* Indolência, apatia, preguiça, lentidão. [F. paral.: *segnície*.]

segnície. [Do lat. *segnitie*.] *S. f.* V. *segnícia*.

segredamento. *S. m. P. us.* Ato de segredar.

segredar. [De *segredo* + *-ar*[2].] *V. t. d. e t. d. e i.* **1.** Dizer em voz baixa, em segredo; cochichar: "inclinou-se para a companheira, com o leque à boca, risonha, segredando uma confidência." (Coelho Neto, *Turbilhão*, p. 251); "Pendurou-se no pescoço do Vulcão e segredou-lhe: / Vovô, os dois vão chegar amanhã, nesta mesma hora!" (Antônio Celso, *O Girassol de Ouro*, p.

75); "um guarda embuçado entregou-me um embrulho, segredando-me qualquer aviso" (Geir Campos, *O Vestíbulo*, p. 15). *Int.* **2.** Dizer segredos; cochichar: "Ora, uma vez alguém que ali passava: / — 'Tão lindas mãos lavando!' exclama. Achega-se / E segreda." (Alberto de Oliveira, *Poesias*, 3ª série, p. 77) [Pres. ind.: *segredo*, etc. Cf. *Segredo* (ê).]

segredeiro. *Adj.* Que segreda, diz segredos.

segredista. *S. 2 g.* **1.** Pessoa que fala em segredo, que gosta de cochichar. **2.** Pessoa que guarda segredos.

segredo (ê). [Do lat. *secretu*, 'separado, afastado'.] *S. m.* **1.** Aquilo que não pode ser revelado; sigilo: "Calemos esta paz como um segredo / de amor feliz." (Odilo Costa, filho, *Boca da Noite*, p. 82.); *É segredo profissional.* **2.** Aquilo que se oculta à vista, ao conhecimento; aquilo que não se divulga; sigilo: "O segredo é a alma do negócio" (prov.). **3.** Assunto, problema, negócio, conhecido apenas de uns poucos; sigilo: *segredo de Estado* [q. v.]; *Segredos e Revelações da História do Brasil* (título de um livro de Gustavo Barroso). **4.** Aquilo que se diz ao ouvido de alguém. **5.** Silêncio, discrição, sigilo: *Peço-lhe todo o segredo em relação a este assunto;* "É que, à noite, lírio branco, / Os astros guardam segredo / Dos beijos dados a medo..." (Gonçalves Crespo, *Obras Poéticas*, p. 316). "Pediu-lhe que guardasse segredo sobre o que lhe contara" (Machado de Assis, *Histórias sem Data*, p. 88). **6.** Confidência, confissão. **7.** Aquilo que há de mais recôndito na pessoa humana: *Numa noite de confidências contou-me os seus segredos.* **8.** Mistério, enigma: *os segredos da natureza.* **9.** Razão misteriosa; causa secreta: *O segredo da sua beleza, poucos o sabiam.* **10.** Sentido ou significação oculta, secreta: *Champollion decifrou o segredo dos hieróglifos.* **11.** O que há de mais difícil numa arte, ou numa ciência: *os segredos da arte de cozinhar; Einstein conhecia todos os segredos da alta matemática.* **12.** Meio ou processo particular e eficaz para atingir um fim: *segredo de fabricação; o segredo de agradar.* **13.** Lugar oculto; esconderijo, recesso, esconso. **14.** V. *solitária* (3). **15.** Dispositivo oculto ou disfarçado que é preciso manobrar de certa maneira para que o objeto de que faz parte possa funcionar: *fechadura de segredo.* **16.** Sucessão de movimentos que, executados neste dispositivo, o fazem funcionar. ● *Adj.* **17.** *P. us.* Secreto (1 a 4). [Pl.: *segredo* (ê). Cf. *segredo*, do v. *segredar.*] ~ V. *segredos.* ♦ **Segredo de abelha.** *Bras., PE.* Coisa misteriosa, impenetrável. **Segredo de Estado.** **1.** Informação cuja divulgação é prejudicial aos interesses do Estado, sendo, assim, punida com sanções. **2.** Coisa que alguém evita divulgar, dela fazendo grande mistério. **Segredo de polichinelo.** Aquele que se tornou conhecido de todos. **Segredo profissional.** Sigilo profissional. **Em segredo.** Confidencialmente, secretamente.

segredos (ê). [Pl. de *segredo.*] *S. m. pl.* Certo jogo popular. ~ V. *segredo.*

segredoso (ô). [De *segredo* + *-oso.*] *Adj.* Em que há segredos; cheio de segredos: "A ciência segredosa / Muitos fados descobre em ti diversos!" (Bernardo Guimarães, *Poesias Completas*, p. 416.)

segregação. [Do lat. *segregatione.*] *S. f.* **1.** Ato ou efeito de segregar(-se). **2.** *Genét.* Separação dos cromossomos homólogos durante a meiose. ♦ **Segregação mineral.** *Geol.* Pequena porção de magma que se diferençou do restante por ocasião do resfriamento, e que se caracteriza pela acumulação irregular de certos elementos da rocha. **Segregação racial.** Política que objetiva separar e/ou isolar no seio de uma sociedade as minorias raciais e, p. ext., as sociais, religiosas, etc.: discriminação racial. [Cf. *integração racial.*]

segregacionismo. *S. m.* Política ou atitude política de segregação racial. [Cf. *racismo.*]

segregacionista. *Adj. 2 g.* **1.** Relativo à, ou que é partidário da segregação racial. ● *S. 2 g.* **2.** Partidário dela.

segregante. *Adj. 2 g.* Que se segrega ou secreta.

segregar. [Do lat. *segregare.*] *V. t. d.* **1.** Pôr de lado; pôr à margem; separar, marginalizar: *Os racistas são acusados de segregar os negros.* **2.** Produzir (secreção); expelir: "um bicho pequeno, ... segregando mau cheiro como o percevejo" (Ramalho Ortigão, *A Holanda*, p. 39). [Sin., nesta acepç.: *secretar.*] *T. d. e i.* **3.** Desligar, afastar, isolar: *É preciso segregá-lo das más companhias.* *P.* **4.** Afastar-se, isolar-se. [Conjug.: v. *regar.*]

segregatício. [Do lat. *segregatu*, 'segregado', + *-ício.*] *Adj.* **1.** Referente a segregação. **2.** Próprio para segregar.

segregativo. [Do lat. *segregativu.*] *Adj.* **1.** Que segrega. **2.** *Gram.* Partitivo (2).

seguida. *S. f.* Seguimento (1). ♦ **Em seguida.** Logo depois; seguidamente.

seguidilha. [Do esp. *seguidilla.*] *S. f.* **1.** Dança popular espanhola, com música em compasso de 3 por 4 ou 3 por 8, geralmente em tom menor, e executada ao violão, com acompanhamento de castanholas: "os gitanos entoando a seguidilha" (Ramalho Ortigão, *As Farpas*, I, p. 83). [Há três tipos de seguidilha: *manchega*, de caráter muito vivo; *bolera*, mais comedida; e *gitana*, muito lenta e sentimental.] **2.** No jogo do pôquer, designação dada às seqüências (máxima e mínima).

seguidilheiro. *S. m.* Dançador e/ou cantor de seguidilhas.

seguidinho. [De *seguido* + *-inho.*] *Adv. Bras., S. Pop.* Com muita freqüência; seguidamente. [*Seguidinho* é adjetivo com função adverbial, e o diminutivo, aí, vale por aumentativo.]

seguido. [Part. de *seguir.*] *Adj.* **1.** Imediato, contínuo, seguinte. **2.** Contínuo, ininterrupto: *Esperei-o horas seguidas.* **3.** Adotado, usado: *O livro seguido é excelente.* ~ V. *composição —a.* ● *Adv.* **4.** Seguidamente; sem descontinuar; ininterruptamente: "Não fitava de rosto, nem falava claro nem seguido" (Machado de Assis, *Dom Casmurro*, p. 169).

seguidor (ô). *Adj.* e *s. m.* **1.** Que, ou aquele que segue. **2.** Perseguidor, acossador. **3.** Continuador, prosseguidor. **4.** Partidário, prosélito, sequaz. **5.** *Tec. Mec.* V. *came.* ♦ **Seguidor catódico.** *Eletrôn.* Circuito em que o sinal de entrada é aplicado à grade de controle de uma válvula e o sinal de saída é retirado de uma impedância colocada no circuito do catodo da válvula.

seguilhote. [De *seguir.*] *S. m. Bras.* Filhote de baleia que está mamando. Alimenta-se debaixo da água, e sai à superfície, como o faz a mãe, apenas para respirar. [Sin.: *baleato.*]

seguimento. *S. m.* **1.** Ato ou efeito de seguir; seguida. **2.** Conseqüência; resultado. **3.** *Bras., RS.* Cilada, insídia, traição. [Cf. *segmento.*]

seguinte. *Adj. 2 g.* **1.** Que (se) segue; que vem ou ocorre depois; imediato, subseqüente: *o dia seguinte; os fatos seguintes.* **2.** Que (se) segue; que se diz ou cita depois: *Dei-lhe a seguinte resposta: — Só irei se você for.* ● *S. m.* **3.** Aquilo que (se) segue, que se diz ou cita depois: *Disse-lhe o seguinte: — Gosto de você.* ~ V. *seguintes.*

seguintes. [Pl. de *seguinte.*] *S. m. pl.* **1.** Ângulos de alvenaria. **2.** Peças laterais das gelosias. ~ V. *seguinte.*

seguir. [Do lat. vulg. **sequire*, pelo clláss. *sequi.*] *V. t. d.* **1.** Ir atrás de; marchar ou caminhar a pé; acompanhar: *Meu automóvel seguiu o caminhão durante o longo trajeto.* **2.** Correr no encalço de; perseguir: *O cão seguiu a caça até apanhá-la.* **3.** Acompanhar com a vista; observar, espiar: *A platéia seguiu atentamente o desfile.* **4.** Andar em; percorrer: "Ao clarão de um belo sol, ... levado pelo entusiasmo público, Paranhos [o Visconde do Rio Branco] seguia as mesmas ruas que, anos antes, voltando do Sul, pisara sozinho e condenado." (Machado de Assis, *Páginas Recolhidas*, p. 176.) **5.** Ir tão depressa como: *O corredor não pôde seguir o velocíssimo adversário.* **6.** Ir ao longo de: *Siga o rio, e chegará ao mar.* **7.** Observar a evolução, a marcha de: *O sociólogo segue atento os fatos sociais.* **8.** Vir depois de; suceder a: *O castigo segue o crime.* **9.** Abandonar-se, entregar-se, submeter-se a: *Evitemos seguir cegamente os impulsos.* **10.** Tomar o partido de; aderir a: *Muitos pagãos acabaram seguindo o cristianismo.* **11.** Ser dirigido por: *O batalhão seguiu seu comandante.* **12.** Tomar em consideração; atender, atender a: *Sempre segue o conselho dos mais experientes.* **13.** Continuar, prosseguir: *O estudante seguiu a leitura com atenção.* **14.** Acompanhar atentamente: *O aluno seguia a aula.* **15.** Ser sectário de; aderir a: *O povo francês seguiu os revolucionários de 1789.* **16.** Proceder ou viver em harmonia com: *seguir os costumes da época.* **17.** Exercer, professar: *seguir o exemplo dos mais velhos.* **18.** Vir depois de; suceder-se a: *Mais de 20 vagões seguiam a locomotiva.* *T. c.* **19.** Tomar certa direção: *Seguiu pela esquerda.* *Int.* **20.** Continuar, prosseguir: *Depois de rápida interrupção, seguiu.* **21.** Partir; ir(-se): *O chefe da família seguiu meses antes.* *P.* **22.** Vir depois; suceder(-se): *Ao jantar seguiu-se uma agradável reunião.* **23.** Achar-se posto ou situado em continuação: *À assinatura seguia-se um pós-escrito.* **24.** Decorrer, resultar, provir: *Da irresponsabilidade seguiu-se a desgraça.* [Irreg. Muda o e em *i* na 1ª pess. sing. do pres. ind. e, pois, em todo o pres. subj., como *aderir*, e perde o *u* quando o *g* vem seguido de *o* ou *a*. Pres. ind.: *sigo, segues, segue, seguimos, seguis, seguem*, pres. subj.: *siga, sigas, siga, sigamos, sigais, sigam*. Cf. *cegue, cegues, ceguem*, do v. *cegar.*]

segunda[1]. [Fem. substantivado de *segundo*[1].] *S. f.* **1.** Segunda classe: *Comprou uma passagem de segunda.* **2.** *Mús.* Intervalo entre dois graus consecutivos na escala diatônica. **3.** *Mús.* Corda de instrumentos imediatamente superior à prima. **4.** *Autom.* A segunda marcha de velocidade de um veículo automóvel; segunda marcha. **5.** *Tip.* V. *segunda prova.*

segunda[2]. *S. f.* F. red. de *segunda-feira:* "Tudo ficou pronto num sábado à noitinha; o caminhão vinha na segunda cedo, retirar a tralha e os móveis." (Maria Julieta Drummond de Andrade, *Um Buquê de Alcachofras*, p. 50.)

segunda-feira. [Do fem. de *segundo*[1] + *feira.*] *S. f.* Segundo dia da semana principiada no domingo. [F. red.: *segunda*. Pl.: *segundas-feiras.*]

segundanista. [De *segundo*[1] + *ano*[1] + *-ista.*] *S. 2 g.* Estudante que freqüenta o segundo ano de um curso ou faculdade.

segundar. [Do lat. *secundare.*] *V. t. d.* Secundar: "Fica ela na caverna, pois que temiam que o demônio segundasse a entrada daquele castelo." (Alphonsus de Guimaraens, *Obra Completa*, p. 418.)

segundeiro. [De *segundo*[1] + *-deiro.*] *Adj.* **1.** *P. us.* Secundário (1). **2.** Diz-se do moinho que mói apenas cereais de segunda ordem, milho miúdo e painço.

segundo[1]. [Do lat. *secundu.*] *Num.* **1.** O ordinal correspondente a dois: *o segundo dos Pedros.* [Sin., p. us.: *secundário.*] ● *Adj.* **2.** Mediato; indireto; secundário: *Além da causa imediata, bem conhecida, de sua resolução, há várias segundas causas.* **3.** Outro; novo: *Os combatentes gregos fizeram uma segunda maratona.* ~ V. *—a capa, — clichê, —a edição, —a fôrma, —a frente, — grau, —a infância, —a intenção, —a prova, —a quadratura, — quarto, — sentido, — turno, descontinuidade de —a espécie, eclipse do — gênero, ensino de — grau, erro de —a espécie e ser um — volume.* ● *S. m.* **4.** Aquele ou aquilo que ocupa o segundo lugar. **5.** Unidade de medida de tempo no sistema Internacional, igual à fração 1/31 556 925, 974 7 do ano trópico de 1900. [Símb., nesta acepç.: *s.*] **6.** Unidade de medida de ângulo, ou de arco, igual a 1/360 do grau. [Símb.: ″.] **7.** *P. ext.* Espaço de tempo curtíssimo: *Vou e volto num segundo.* **8.** *Fig.* Rival, competidor: *Não há primeiro nem segundo.* **9.** Auxiliar ou assistente do boxeador. **10.** *Bras., S.* Aquele que é auxiliar ou companheiro de confiança de alguém, a sua segunda pessoa. ♦ **Segundo de tempo das efemérides.** *Astr.* Intervalo de tempo correspondente à fração 1/31 556 925,975 do ano trópico de 1900, janeiro zero, às 12 horas de tempo das efemérides.

segundo[2]. [Da prep. lat. *secundum.*] *Prep.* **1.** De acordo com; consoante, conforme: *agir segundo as leis; Evangelho segundo São Mateus;* "gostava, como todos os nobres barões de Espanha, principalmente de três cousas boas segundo a carnalidade: da guerra, do vinho e das damas" (Alexandre Herculano, *Lendas e Narrativas*, II, p. 20). ● *Conj.* **2.** Conforme, consoante: *Dança segundo tocam.* **3.** À medida que, ao passo que: *la explicando o filme segundo se apresentavam as cenas; Atende os clientes segundo vão chegando.*

segundo[3]. [Do adv. lat. *secundo.*] *Adv.* Em segundo lugar.

segundo-cadete. [De *segundo*[1] + *cadete.*] *S. m.* **1.** V. *hierarquia militar.* **2.** Militar que detinha a posição hierárquica de segundo-cadete. [Pl.: *segundos-cadetes.*]

segundo-elevador. [De *segundo*[1] + *elevador.*] *S. m. Tip.* V. *elevador* (4). [Pl.: *segundos-elevadores.*]

segundogênito. *Adj.* e *s. m.* Var. de *secundogênito.*

segundo-sargento. [De *segundo*[1] + *sargento.*] *S. m.* **1.** V. *hierarquia militar.* **2.** Militar que detém a posição hierárquica de segundo-sargento. [Tb. se diz, no Brasil, apenas sargento (v. *sargento*[1] [2]). Pl.: *segundos-sargentos.*]

segundo-tenente. [De *segundo*[1] + *tenente.*] *S. m.* **1.** V. *hierarquia militar.* **2.** Oficial que detém o posto de segundo-tenente. **3.** V. *tenente* (3). [Tb. se diz, no Brasil, apenas *tenente* (v. *tenente* [5]). Pl.: *segundos-tenentes.*]

segura. [Var. de *segure* (q. v.).] *S. f.* Espécie de enxó de tanoeiro. [Cf. *segure.*]

seguração. *S. f.* **1.** *P. us.* Segurança (1). **2.** Seguro (17) mercantil.

segurado. [Part. de *segurar.*] *Adj.* **1.** Que está no seguro (17); que tem seguro: *Só dirige carro segurado.* ● *S. m.* **2.** Pessoa que paga o prêmio de um seguro (17) e que, conseqüentemente, está garantida por este.

segurador (ô). *Adj.* e *s. m.* **1.** Que, ou aquele que segura. **2.** Que, ou aquele que, num seguro (17), se obriga, mediante cobrança de prêmio, pagável ao segurado ou ao beneficiário designado, a uma indenização, no caso de ocorrer um prejuízo determinado.

seguradora (ô). [Fem. substantivado do adj. *segurador.*] *S. f. Bras.* Companhia de seguros [v. *seguro* (17)]; seguro.

segurança. *S. f.* **1.** Ato ou efeito de segurar: *Mal entrou no avião, foi apertando o cinto de segurança.* [sin., p. us.: *seguração.*] **2.** Estado, qualidade ou condição de seguro. **3.** Condição daquele ou daquilo em que se pode confiar: *Compre estas ações: apresentam muita segurança.* **4.** Certeza, firmeza, convicção: *Respondeu às perguntas do mestre com muita segurança.* **5.** Confiança em si mesmo; autoconfiança: *Vive atrás da opinião alheia, não tem segurança.* **6.** Caução, garantia; seguro: *Dou-lhe a segurança da minha amizade.* **7.** Protesto, afirmação. [Sin., p. us., nessas acepç.: *segureza, seguridade.*] **8.** Prenhez das fêmeas dos quadrúpedes. **9.** *Bras.* V. *alfinete de segurança.* ● *S. 2 g.* **10.** *Bras.* Pessoa encarregada da segurança pessoal de alguém, ou de empresa, etc. [Cf. *guarda-costa* (2).]

segurar. *V. t. d.* **1.** Tornar seguro; firmar, fixar: *Dois pregos bastarão para segurar a tábua.* **2.** Amparar, impedindo que caia ou se arruíne: *As estacas seguram o prédio.* **3.** Agarrar, conter, prender: *Segurou o menino pelo braço.* **4.** Garantir, afirmar, assegurar. **5.** Pôr no seguro (17); firmar contrato de seguro de: *Segurou o automóvel.* **6.** Tranqüilizar, serenar, sossegar: *A aceitação de seu álibi segurou o réu.* **7.** Não se desfazer de; guardar ou conservar, ao menos por algum tempo: *O editor lançou 10.000 exemplares do romance, e segurou a composição.* **8.** Não revelar, não passar adiante, evitando que se expanda ou propale: *segurar um boato, uma notícia. T. d. e i.* **9.** Afirmar, afiançar, garantir: *Seguro-lhe que o moço partira;* "Inda que aos da vossa raça / nem deslustre nem desonre / o Fado, com seus contrastes, / quero segurar-vos, Conde, / que em mim tendes um amigo, / entre vossos servidores." (Cecília Meireles, *Obra Poética,* p. 686.) **10.** *Bras. S. Chulo.* Conceber, emprenhar (o animal). *P.* **11.** Agarrar-se, apoiar-se. **12.** Prevenir-se, precaver-se, precatar-se. **13.** Fazer seguro (17) da própria vida.

segurável. *Adj. 2 g.* Que pode ser segurado.

segure. [Var. de *secure* < lat. *secure.*] *S. f.* **1.** Machadinha que os lictores romanos traziam consigo para fazerem as execuções. **2.** Machado grande: "Entrara a selva um dia um homem. Sopesava / Tersa afiada segure." (Alberto de Oliveira, *Poesias,* 1ª série, p. 200.) [Cf. *segura.*]

segurelha¹ (ê). [Do lat. tardio *securicla.*] *S. f.* **1.** Peça de metal em que penetra o ferro que segura a mó inferior das atafonas. **2.** Peça de madeira metida no espigão da mó inferior, para uniformizar o movimento da mó superior.

segurelha² (ê). [Do lat. *satureia,* muito alterado foneticamente.] *S. f.* Erva aromática empregada como tempero; alfavaca-do-campo.

segureza (ê). [De *seguro* + *-eza.*] *S. f. P. us.* V. *segurança* (1 a 7).

seguridade¹. [Do lat *securitate.*] *S. f. P. us* V. *segurança* (1 a 7).

seguridade². [Do fr. *sécurité* ou do ingl. *security.*] *S. f.* Conjunto de medidas, providências, normas e leis que visam a proporcionar ao corpo social e a cada indivíduo o maior grau possível de garantia, sob os aspectos econômico, social, cultural, moral e recreativo.

seguro. [Do lat. *securu.*] *Adj.* **1.** Livre de perigo: *Está em lugar seguro.* **2.** Livre de risco; protegido, acautelado, garantido: "É a guerra aquela calamidade composta de todas as calamidades, em que não há mal algum, que ou se não padeça, ou se não tema; nem bem, que seja próprio, e seguro. O pai não tem seguro o filho, o rico não tem segura a fazenda" (P.ᵉ Antônio Vieira, *Sermões,* XIV, p. 9). **3.** Isento de receios; corajoso, afoito. **4.** Que não hesita, ou não vacila; firme: *É homem seguro em suas atitudes.* **5.** Certo, convencido, convicto: *Está seguro de suas razões.* **6.** Prudente, ponderado, comedido, cauteloso: *É muito seguro nos seus empreendimentos.* **7.** Que tem autoconfiança: *Seguro de si, compareceu perante o juiz.* **8.** Em quem se pode confiar; constante, leal: *amigo seguro.* **9.** Certo, indubitável, incontestável: "A impunidade é segura, quando a cumplicidade é geral." (Marquês de Maricá, *Máximas, Pensamentos e Reflexões,* p. 28); *São seguros os dados fornecidos pelo computador.* **10.** Eficaz, eficiente: *A empresa só progredirá com uma programação segura; É um remédio seguro.* **11.** Preso, fixo, firme: *A prateleira está bem segura.* **12.** Preso, encarcerado, custodiado. **13.** Robusto, rijo; firme: *É senhora já idosa, mas ainda segura.* **14.** V. *avaro* (1). **15.** Diz-se do tempo bom, estável, sem probabilidade de chuva: *Há três semanas o tempo está seguro.* **16.** *Bras., S.* Diz-se do animal prenhe: *vaca segura.* ● *S. m.* **17.** Contrato aleatório, pelo qual uma das partes se obriga, mediante cobrança de prêmio, a indenizar outra de um perigo ou prejuízo eventual. **18.** V. *salvaguarda* (2). **19.** Registro (10). **20.** Segurança (6). **21.** Seguradora: *O seguro pagou a batida do carro.* ● *Adv.* **22.** Com segurança; seguramente: *Joga seguro;* Aquele cirurgião opera rápido e seguro.

seiada. [De *seio* + *-ada¹.*] *S. f. Bras.* Série de recôncavos na montanha.

seibo. *S. m. Bras.* Árvore da família das leguminosas (*Erythrina falcata*), de folhas trifolioladas, frutos que são vagens alongadas, madeira sem préstimo, e cultivada graças à beleza de suas flores sanguíneas e exóticas.

seicanga. *S. f. Bras.* V. *saicanga* (1).

seichelense. *Adj. 2 g.* **1.** Da, ou pertencente ou relativo à República de Seicheles (arquipélago do Oceano Índico). ● *S. 2 g.* **2.** Natural ou habitante da República de Seicheles.

seio. [Do lat. *sinu.*] *S. m.* **1.** Curvatura, volta, sinuosidade. **2.** Enseada, golfo. **3.** Parte do corpo humano onde se situam as glândulas mamárias; peito: "arrancou uma flor que trazia no seio, atirou-lha e saiu de estrada fora" (Jaime d'Altavila, *Lógica de um Burro,* p. 143). **4.** Cada uma das glândulas mamárias femininas, e a camada de gordura e a pele que as recobre; mama, peito, poma: "No seio da mulher há tanto aroma... / Nos seus beijos de fogo há tanta vida..." (Castro Alves, *Obra Completa,* p. 88.) **5.** A parte do colo feminino que fica a descoberto. **6.** Parte íntima; coração, alma, âmago. **7.** Centro, interior, âmago: *Os mortos voltam ao seio da terra;* "Um silêncio de morte entrou no seio às selvas." (Machado de Assis, *Poesias Completas,* p. 41). **8.** Ventre, útero: *O feto morreu no seio materno.* **9.** Meio, ambiente: *A discórdia não alcançou o seio familiar.* **10.** Intimidade, familiaridade: *Traíra-o o amigo de seu seio.* **11.** *Anat.* Designação genérica de cavidade de conteúdo aéreo, encontrada em certos ossos do crânio e da face. **12.** *Anat.* Designação genérica de canal dilatado em que deságuam numerosas veias, como, p. ex., o que se encontra no crânio. **13.** *Marinh.* A parte mediana de um cabo, corrente, etc., que fica entre os seus chicotes. **14.** *Marinh.* A parte bamba ou frouxa de um cabo, corrente, etc., que não está rondado. [Cf. *ceio,* do v. *cear.*] ♦ **Seio paranasal.** *Anat.* O que está situado em osso adjacente ao nariz; seio perinasal. **Seio perinasal.** *Anat.* Seio paranasal. **Seio vivo.** *Marinh.* A parte de um cabo, corrente, etc., que está sujeita a um esforço de tração. **Colher o seio de.** *Marinh.* Tirar o seio de. **Formar seio.** *Marinh.* Formar catenária (um cabo, corrente, etc.) por estar frouxo ou em virtude do seu comprimento. **Tirar o seio de.** *Marinh.* Rondar, tesar (um cabo, corrente, etc.); colher o seio de.

seira. *S. f.* Espécie de saco, cesto ou cabaz feito de esparto, vime ou junco: "Uma seirinha com figos / e um copo de limonada." (Eugênio de Castro, *Obra Poética,* IX, p. 45). [Cf. *cera* (ê), s. f., e *cera,* do v. *cerar.*]

seis. [Do lat. *sex.*] *Num.* **1.** Cardinal dos conjuntos equivalentes a um conjunto de seis membros (em algarismos arábicos, *6;* em algarismos romanos, *VI*). **2.** Sexto. ● *S. m.* **3.** Algarismo representativo do número seis. **4.** Carta de jogar, face do dado ou peça do dominó que tem seis pontos. **5.** A nota seis, em exame ou concurso: *Precisa de um seis em matemática.* **6.** Aquele ou aquilo que ocupa o último lugar numa série de seis.

seiscentismo. [De *seiscentos* + *-ismo.*] *S. m.* Estilo, gosto ou escola literária ou artística do séc. XVII, ou século de Seiscentos.

seiscentista. *Adj. 2 g.* **1.** Pertencente ou relativo ao seiscentismo ou ao séc. XVII: *xilógrafo seiscentista; os costumes seiscentistas.* **2.** Diz-se do escritor ou artista desse século. ● *S. 2 g.* **3.** Escritor ou artista do séc. XVII.

seiscentos. [Do lat. *sexcentos.*] *Num.* **1.** Cardinal dos conjuntos equivalentes a um conjunto de seis centenas de membros. **2.** Sexcentésimo. ● *S. m.* **3.** O séc. XVII, ou século que vai do ano de 1600 ao de 1699 d. C; o período seiscentista. [Nesta acepç., usa-se com inicial maiúscula.] ♦ **Como seiscentos.** *Bras. Pop.* Em altíssimo grau; muitíssimo; como todos os diabos, como seiscentos diabos: "O capitão .... ainda não sabia o que era ágape, mas vivo como seiscentos, atinou logo que só podia ser qualquer coisa relacionada com comida" (Wilson Lins, *Responso das Almas,* p. 121). **Dos seiscentos.** *Bras.* V. *do diabo:* "Quando se mete a querer explicar qualquer coisa, é um barulho dos seiscentos, uma gritaria dos meus pecados" (Visconde de Taunay, *Inocência,* p. 65).

seisdobro (ô). [De *seis* + *dobro.*] *Num.* e *s. m.* Sêxtuplo.

▲-seísmo. V. *sismo-.*

seis-por-nove. *S. m. 2 n. Liter. Pop. Bras.* V. *nove-palavras-por-seis.*

seita. [Do lat. *secta.*] *S. f.* **1.** Doutrina ou sistema que diverge da opinião geral e é seguido por muitos. **2.** Conjunto de indivíduos que professam a mesma doutrina. **3.** Comunidade fechada, de cunho radical. **4.** Teoria de um mestre seguida por numerosos prosélitos. **5.** *Pop.* Facção, partido. [Cf. *ceita,* s. f., e *Ceita,* f. ant. do top. *Ceuta.*]

seiúda. *Adj.* (*f.*). *Bras.* Diz-se de mulher de seios grandes; peituda, mamuda.

seiva. [Do fr. *sève,* com infl. do arc. *salva* < *saliva.*] *S. f.* **1.** *Fisiol. Veg.* Líquido complexo que circula no organismo vegetal. [A *seiva ascendente* ou *mineral* corre pelos vasos lenhosos e é formada da solução extraída do solo pelas raízes; a *seiva descendente* ou *orgânica* circula pelos vasos do líber e forma-se da anterior acrescida dos produtos da fotossíntese.] **2.** *P. ext.* Elementos vitais; sangue. **3.** Vigor, força, energia. **4.** Entusiasmo, alento, coragem. ♦ **Seiva ascendente.** *Fisiol. Veg.* V. *seiva* (1). **Seiva descendente.** *Fisiol. Veg.* V. *seiva* (1). **Seiva mineral.** *Fisiol. Veg.* V. *seiva* (1). **Seiva orgânica.** *Fisiol. Veg.* V. *seiva* (1).

seival. [Por *seibal,* de *seibo* + *-al.*] *S. m.* **1.** Quantidade mais ou menos considerável de seibos dispostos proximamente entre si. **2.** Terreno onde medram seibos. **3.** Banhado (1) muito extenso. **4.** Lugar úmido e alagadiço.

seivo. *S. m. Bras., RS. Ant.* Campo aberto sem tapume.

seivoso (ô). [De *seiva* + *-oso.*] *Adj.* **1.** Que tem seiva. **2.** Que ajuda a circulação da seiva.

seixa. *S. f. Encad.* Cada uma das margens das pastas que ultrapassam o corte do livro.

seixada. *S. f.* Pedrada ou golpe com seixo.

seixal. *S. m.* Lugar onde abundam seixos.

seixeiro. *S. m. Bras., N.E. Pop.* **1.** Aquele que passa seixo (2).

seixo. [Do lat. *saxu.*] *S. m.* **1.** Fragmento de rocha dura; pedra solta; calhau. **2.** *Bras., N.E. Pop.* Calote passado em prostituta. **3.** *Bras., N.E. Desus.* Calote, logro. ♦ **Seixo rolado.** Seixo (1) sem arestas, porque arredondado pelo desgaste, e que se encontra à beira-mar e em margens e leitos de rios caudalosos; pedra rolada, brugalhau.

seixoso (ô). [Do lat. *saxosu.*] *Adj.* Abundante em seixos.

seja (ê). [Da 3ª pess. sing. do pres. subj. do v. *ser.*] *Conj.* **1.** Usada repetidamente, como alternativa, equivale a *ou, quer.* ● *Interj.* **2.** Exprime consentimento ou resignação, equivalendo a *vá, vá lá, de acordo, faça-se:* "Seja! acabe-se tudo... e que a alegria / Doure essa grácil cabecinha loura." (Eugênio de Castro, *Obras Poéticas,* V, p. 146.) ♦ **Ou seja.** Ou melhor; isto é.

sela. [Do lat. *sella,* 'cadeira'.] *S. f.* Arreio de cavalgadura, o qual constitui assento sobre que monta o cavaleiro. [Cf. *cela,* s. f., pl. *celas,* e *Cela; Celas,* top.] ♦ **Sela turca.** *Anat.* Sela túrcica. **Sela túrcica.** *Anat.* Cavidade ou fossa situada no osso esfenóide, e onde está localizada a glândula pituitária; sela turca. **Correr com a sela.** *Bras., CE.* Abandonar o jogo, tendo ganho. **De sela na barriga.** *Pop.* Na miséria, na penúria; em petição de miséria: *Estróina, terminou deixando a família de sela na barriga.*

selada. [Fem. substantivado do adj. *selado¹.*] *S. f.* **1.** Depressão na lombada de uma elevação. **2.** Cavidade oblonga em uma montanha. [Cf. *celada.*]

selado¹. [Part. de *selar¹.*] *Adj.* **1.** Que tem sela, ou em que se pôs a sela: *cavalo selado.* **2.** *Fig.* Que faz vão ou curvatura; arqueado. **3.** *Bras.* e *prov. lus.* Que tem o dorso curvado, arqueado: "Dez anos raquíticos escarranchados sobre égua velha, lerda, manca, estropiada, zarolha, selada, lazarenta" (Guido Vilmar Sassi, *Piá,* p. 7). [Fem.: *selada.* Cf. *celada.*] ● *S. m.* **4.** Arqueamento das ilhargas. **5.** Curvatura da parte lateral do pé. **6.** *Bras., MG.* Estirão de planalto, em forma de sela de animal, entre montanhas escarpadas, e por onde é mais fácil o trânsito.

selado². [Part. de *selar².*] *Adj.* Que tem selo. [Fem.: *selada.* Cf. *celada.*]

seladoiro. [De *selar¹* + *-(d)oiro².*] *S. m.* V. *seladouro.*

selador¹ (ô). [De *selar¹* + *-(d)or.*] *Adj.* e *s. m.* Que ou aquele que sela [v. *selar¹* (1)].

selador² (ô). [De *selar²* + *-(d)or.*] *Adj.* e *s. m.* Que ou aquele que sela [v. *selar²* (1 e 2)] alguma coisa.

seladora (ô). [Fem. de *selador*[2].] *Adj. (f.)* e *s. f. Bras.* Diz-se de, ou máquina própria para selar[2] (6), especialmente sacos plásticos para congelados.

seladouro. [De *selar*[1] + *-(d)ouro*[2]; var. de *seladoiro.*] *S. m.* **1.** Parte do corpo do animal onde se põe a sela; seladura. **2.** *Fig.* Talhe das roupas correspondente às ilhargas.

seladura. [De *selar*[1] + *-(d)ura.*] *S. f.* **1.** Ato ou efeito de selar[1]. **2.** V. *seladouro* (1).

selagão. [De *sela* + *-g-* + *-ão*[1].] *S. m.* Sela com pequeno arção anterior e sem arção posterior.

selagem[1]. [De *selar*[1] + *-agem*[2].] *S. f.* Ato ou efeito de selar[1]. [Cf. *celagem* e *silagem.*]

selagem[2]. [De *selar*[2] + *-agem*[2].] *S. f.* Ato ou efeito de selar[2]. [Cf. *celagem* e *silagem.*]

selaginelácea. *S. f.* Espécime das selagineláceas.

selagineláceas. *S. f. pl. Bot.* Família de pteridófitos, da ordem das selaginelales, composta de ervas higrófilas do gênero *Selaginella*, o qual encerra umas 700 espécies intertropicais. Prótalo rudimentar, incluído nos esporos; folhas dicotomicamente ramificadas e providas de rizóforo; esporângios na base das folhas, e que produz esporos masculinos e femininos, os primeiros maiores que os segundos.

selagineláceo. *Adj.* Pertencente ou relativo às selagineláceas.

selaginelale. *S. f.* Espécime das selaginelales.

selaginelales. *S. f. pl. Bot.* Ordem de pteridófitos da classe das licopodiinas, caracterizada pelos prótalos reduzidos e esporângios heterosporados, e que engloba a família das selagineláceas.

selagote. [De *sela* + *-g-* + *-ote.*] *S. m. Bras.* Sela rústica, muito usada no interior. [Cf. *serigote.*]

seláquio. [Do gr. *sélachos*, 'peixe de pele cartilaginosa', + *-io*[2].] *Adj.* **1.** V. *cartilaginoso* (1 e 2). **2.** Pertencente ou relativo aos seláquios. ● *S. m.* **3.** Espécime dos seláquios.

seláquios. *S. m. pl. Zool.* Animais cordados, elasmobrânquios, da ordem *Selachii*, na maioria marinhos, com brânquias situadas em fendas isoladas ao lado da faringe, um espiráculo abrindo-se atrás de cada olho, e cloaca presente. São os tubarões e raias.

selar[1]. [De *sela* + *-ar*[2].] *V. t. d.* **1.** Pôr sela em: "mandou José selar os cavalos." (Bariani Ortêncio, *Vão dos Angicos*, p. 101). *Int.* **2.** *Bras.* e *prov. lus.* Ceder, arquear, com peso; flambar: *De tão cheia de livros, a prateleira da estante selou.* [Pres. ind.: *selo*, etc. Cf. *selo* (ê).]

selar[2]. [De *selo* + *-ar*[2].] *V. t. d.* **1.** Pôr selo (3 e 4) em; estampilhar: *selar a carta.* **2.** Aplicar sinete ou chancela em; chancelar: *selar o documento.* **3.** Cerrar, fechar: *Era impossível selar -lhes as bocas.* **4.** Pôr fim a; concluir: *O escritor selou magistralmente a tragédia.* **5.** Tornar válido; confirmar, corroborar, ratificar: *Muitos selaram o pacto;* "Com o primeiro romance, *Os Buddenbrooks*, conseguiu [Thomas Mann] a admiração duradoura dos alemães; o prêmio Nobel selou a admiração universal ao escritor" (Oto Maria Carpeaux, *A Cinza do Purgatório*, p. 332). **6.** Fechar hermeticamente: *A polícia selou a caixa de documentos. P.* **7.** Manchar-se, sujar-se. **8.** Sujeitar-se, submeter-se. [Pres. ind.: *selo*, etc. Cf. *selo* (ê).]

selaria. [De *sela* + *-aria.*] *S. f.* **1.** Arte ou ofício de seleiro. **2.** Estabelecimento de seleiro. **3.** Porção de selas e doutros arreios. **4.** Local onde guardam selas e arreios.

seleção. [Do lat. *selectione.*] *S. f.* **1.** Ato ou efeito de selecionar; escolha fundamentada. **2.** Coleção de trechos ou peças literárias selecionadas. V. *antologia* (2). **3.** *Sociol.* Processo biossocial pelo qual os indivíduos ou grupos são favorecidos em reprodução. [Cf. *peneiramento* (2).] **4.** Equipe constituída pelos melhores atletas, que num torneio ou competição desportiva representa uma cidade, um estado, um país, etc.; selecionado, combinado, escrete. ◆ **Seleção canarinho.** *Bras.* A seleção brasileira de futebol, em virtude da cor amarelo-ouro, que lembra a do canário-da-terra, da camisa dos seus jogadores. **Seleção de cores.** *Tip.* Operação essencial à reprodução gráfica de originais em cores, que consiste na separação das três cores básicas (magenta, ciano e amarelo) e mais o preto (cor auxiliar), componentes da cor original. **Seleção natural.** *Biol.* Sobrevivência das variedades animais e vegetais mais adaptáveis, com o sacrifício das menos aptas, que terminam desaparecendo.

selecionado. [Part. de *selecionar.*] *Adj.* **1.** Escolhido, joeirado. **2.** *P. ext.* Apurado, distinto, especial, seleto: *provar um vinho selecionado.* ~ V. *área* —*a.* ● *S. m.* **3.** *Bras.* V. *seleção* (4): "Justamente na hora do primeiro jogo de nosso selecionado na Europa, realizava-se uma reunião da Diretoria do Banco, a que ele não poderia deixar de comparecer." (Fernando Sabino, *O Homem Nu*, p. 139.)

selecionador (ô). *Adj.* e *s. m.* Que ou aquele que seleciona.

selecionamento. *S. m.* Ato de selecionar; seleção.

selecionar. [Do lat. *selectione*, 'seleção', + *-ar*[2].] *V. t. d.* Fazer seleção de; escolher: *selecionar os melhores contos dum autor.* [Sin., p. us.: *seletar.*]

seleiro. *S. m.* **1.** Fabricante ou vendedor de selas: "Prometo .... escrever a favor do comércio, da indústria, ... dos asfaltistas, dos queroseneiros, dos seleiros, das lavadeiras e engomadeiras" (Machado de Assis, *Crônicas*, I, pp. 235-237). ● *Adj.* **2.** Que é bom cavaleiro ou se firma bem na sela. **3.** Diz-se do cavalo que já experimentou sela. [Cf. *celeiro.*]

selenato. [De *selen(o)-* + *-ato*[2].] *S. m. Quím.* Qualquer sal com o aníon divalente SeO_4^{-2}.

seleneto (ê). [De *selen(o)-* + *-eto*[2].] *S. m. Quím.* Composto metálico de selênio e um metal.

seleniado. [De *selen(o)-* + *-i-* + *-ado*[1].] *Adj.* Que tem selênio.

selênico. [De *selen(o)* + *-ico*[2].] *Adj.* **1.** Relativo ou pertencente à Lua; lunar. **2.** Relativo ao selênio.

selenífero. [De *selen(o)-* + *-i-* + *-fero.*] *Adj.* Que contém selênio.

selênio. [De *selen(o)-* + *-io*[2].] *S. m. Quím.* Elemento de número atômico 34, não-metálico, com três formas alotrópicas, utilizado em células fotossensíveis. [Símb.: *Se.*]

selenita. [Do gr. *selenítes*, 'da Lua'.] *S. m.* **1.** Suposto habitante da Lua; lunícola. ● *S. f.* **2.** A gipsita hialina.

selenito. [De *selen(o)-* + *-ito*[2].] *S. m. Quím.* Qualquer sal com o aníon divalente SeO_3^{-2}.

selenitoso (ô). *Adj.* Que contém selenita.

▲**selen(o)-.** [Do gr. *seléne*, es.] *El. comp.* = 'Lua'; 'selênio': *selenotopografia; selenose, selênico.*

selenocêntrico. [De *selen(o)-* + *-centr(o)-* + *-ico*[2].] *Adj. Astr.* Relativo ou pertencente ao centro da Lua. ~ V. *ascensão reta* —*a, coordenadas* —*as, latitude* —*a* e *longitude* —*a.*

selenodonte. [De *selen(o)-* + *-odonte.*] *Adj. 2 g.* Que apresenta dentes alongados, com as extremidades transversais em forma de meia-lua.

selenofotografia. [De *selen(o)-* + *fotografia.*] *S. f. Fot.* Fotografia lunar, obtida por meio do telescópio.

selenografia. [De *selen(o)-* + *graf(o)-* + *-ia.*] *S. f. Astr.* Parte da astronomia que estuda a Lua, especialmente os seus aspectos físicos.

selenográfico. *Adj.* **1.** Referente à selenografia. **2.** *Astr.* Relativo ao disco aparente da Lua. ~ V. *coordenadas* —*as, latitude* —*a* e *longitude* —*a.*

selenógrafo. *S. m.* Especialista em selenografia.

selenomancia (cí). [De *selen(o)-* + *-mancia.*] *S. f.* Adivinhação da idade pela Lua, por ocasião do nascimento ou no dia dum acidente ou duma doença.

selenomante. [De *selen(o)-* + *-mante.*] *S. 2 g.* Pessoa que pratica a selenomancia.

selenomântico. *Adj.* Relativo à selenomancia, ou a selenomante.

selenose. [De *selen(o)-* + *-ose.*] *S. f. Med.* **1.** V. *leuconíquia.* **2.** Intoxicação causada pelo selênio ou seus sais.

selenóstato. [De *selen(o)-* + *-stato.*] *S. m.* Instrumento fixo próprio para observação dos movimentos da Lua.

selenotopografia. [De *selen(o)-* + *topografia.*] *S. f.* Descrição da superfície da Lua.

selenotopográfico. *Adj.* Respeitante à selenotopografia.

seleta. [Do lat. *selecta.*] *S. f.* **1.** Coleção de trechos literários escolhidos das obras de vários autores; florilégio. V. *antologia* (2). **2.** Variedade de pêra suculenta e aromática, e de laranja.

seletar. [De *seleto* + *-ar*[2].] *V. t. d. P. us.* V. *selecionar.*

seletividade. *S. f.* **1.** Qualidade de seletivo. **2.** *Eletrôn.* Capacidade, que tem um circuito destinado a receber sinais de determinada freqüência, de discriminar os sinais desejáveis dos indesejáveis ou espúrios.

seletivo. [De *seleto* + *-ivo.*] *Adj.* **1.** Relativo a seleção. **2.** Próprio para selecionar: *textos seletivos.* ~ V. *crédito* —. ● *S. m.* **3.** Aparelho que, nas ferrovias, estabelece as comunicações do centro de controle de tráfego com as estações, e destas entre si, para controlar a circulação dos trens.

seleto. [Do lat. *selectu.*] *Adj.* **1.** Escolhido, selecionado: *obras seletas.* **2.** *P. ext.* Especial, excelente, distinto.

seletor[1] (ô). [Do lat. *selectore.*] *Adj.* Que seleciona. ~ V. *barra da caixa* —*a, caixa* —*a* e *prisma da caixa* —*a.*

seletor[2] (ô). [Do ingl. *selector.*] *S. m.* **1.** *Eletrôn.* Dispositivo com que, num circuito, se fixa o valor de um parâmetro. **2.** Dispositivo que efetua uma operação de seleção.

seleucense. [Do lat. *seleucense.*] *Adj. 2 g.* **1.** De, ou pertencente ou relativo a Selêucia, antiga cidade da Babilônia. ● *S. 2 g.* **2.** Natural ou habitante de Selêucia. [Sin. ger.: *selêucida.*]

selêucida. [Do antr. *Seleuco*, general de Alexandre Magno (c. 350 a 280 a. C.).] *Adj. 2 g.* e *s. 2 g.* **1.** Seleucense. **2.** Diz-se de ou membro de uma dinastia helenística que reinou na Ásia de cerca de 305 a 64 a. C. ~ V. *selêucidas.*

selêucidas. [Pl. de *selêucida.*] *S. m. pl.* A dinastia selêucida. ~ V. *selêucida.*

self-indução. [Do ingl. *self*, 'próprio', + *indução.*] *S. f. Fís.* Auto-indução. [Pl.: *self-induções.*]

➡**self-made man** (self meid' men). [Ingl.] *S. m.* Pessoa que se fez por si mesma, i. e., que alcançou uma situação social superior graças ao próprio esforço. [Pl.: *self-made men.*]

selha (ê). [Do lat. *situla.*] *S. f.* **1.** Vaso redondo, feito de madeira e com bordas baixas: "A botica tinha laboratório: uma selha onde se lavavam os frascos" (João de Araújo Correia, *Terra Ingrata*, p. 61). **2.** *Mar. Desus.* Tina de madeira, de forma troncônica, e que tinha a bordo várias aplicações. [Cf. *celha.*]

selim. *S. m.* **1.** Pequena sela rasa; selote: "era tarde, porque o senhor de Clavières, impaciente, tinha-se atirado de um salto acima do selim." (Ramalho Ortigão, *Em Paris*, p. 58). **2.** Pequeno assento de couro provido de molas, em que se senta o ciclista ou motociclista.

selo (ê). [Do lat. *sigillu.*] *S. m.* **1.** Peça, geralmente metálica, na qual se gravaram armas, divisa ou assinatura, e que se usa para imprimir sobre certos papéis, com o fim de validá-los ou autenticá-los. **2.** Carimbo, sinete, chancela. **3.** Marca estampada por carimbo, sinete, chancela ou máquina de franquear; estampilha. **4.** Estampilha adesiva, de valor convencional, comumente quadrada ou retangular, destinada a franquear o porte de correspondência e objetos expedidos pelo correio; selo postal. **5.** Estampilha do tesouro. **6.** Casa ou repartição onde se selam documentos para os tornar válidos e circulantes. **7.** Tudo o que sela ou fecha; fecho. **8.** *Fig.* Sinal, cunho, distintivo, marca: *O Dom Quixote de la Mancha é obra com o selo da genialidade.* **9.** Marca de fábrica, em certos artigos. **10.** Imposto que incide sobre certos papéis, documentos ou autos. [Pl.: *selos* (ê). Cf. *selo*, do v. *selar.*] ◆ **Selo estampado.** *Bras.* O que é feito em máquina de franquear. **Selo por verba.** Imposto do selo que se paga diretamente à repartição arrecadadora, contra comprovante do recolhimento, em vez de fazê-lo por meio da colagem de estampilhas. **Selo postal.** Selo (4).

selo-de-salomão. *S. m.* Erva da família das liliáceas (*Polygonatum vulgare*), procedente da Europa, de folhas subsésseis, largas, com nervuras longitudinais, de rizoma horizontal, com cicatrizes dos ramos anteriores, de flores tubulosas e pêndulas nas axilas foliares, e frutos que são bagas quase negras. [Pl.: *selos-de-salomão.*]

selote. [De *sela* + *-ote.*] *S. m.* Selim (1): "teve cuidado de se pôr a salvo, abalando naquela mesma noite, com uma escolta de criados, ... armados de pistolas nos arções dos selotes, a caminho de Lisboa." (Júlio Dantas, *Abelhas Doiradas*, p. 91).

selva. [Do lat. *silva.*] *S. f.* **1.** Lugar naturalmente arborizado; bosque, matagal, floresta. [F. paral. (ant.): *silva.*] **2.** *Fig.* Lugar onde se luta duramente, máxime pela sobrevivência: *A cidade grande é uma selva.* **3.** *Fig.* Grande porção de coisas, sobretudo emaranhadas.

selvagem[1]. [Do ant., e hoje pop., *salvagem*, com dissimilação.] *Adj. 2 g.* **1.** Das selvas, ou próprio delas; selvático, silvático, silvestre: *insetos selvagens.* **2.** Habitante das selvas; silvícola, selvícola. **3.** V. *silvestre* (2): *frutos selvagens.* **4.** Inculto, sáfaro, agreste: *terra selvagem.* **5.** Desabitado, deserto, ermo: *região selvagem.* **6.** Bravo, bravio, feroz: *O tigre é extremamente selvagem.* **7.** Que ainda não foi domado, amansado, domesticado, ou que é difícil de o ser: *potro selvagem; gato selvagem.* **8.** Sem civilização; primitivo, bárbaro: *povos selvagens.* **9.** *Fig.* Grosseiro, rude, bruto; selvático, silvático: *maneiras selvagens.* **10.** *Fig.* Arisco, intratável, inconversável; selvático, silvático: *temperamento selvagem.* ~ V. *águas selvagens e seda* —. ● *S. 2 g.* **11.** V. *silvícola* (2). **12.** *Fig.* Pessoa selvagem (8 a 10). [Cf. *salvagem.*]

selvagem[2]. *S. f.* Var. de *salvagem*[1].

selvageria. *S. f.* **1.** Qualidade de selvagem[1]. **2.** Ato, dito, modos ou procedimento de selvagem[1]. **3.** Rusticidade, incivilidade, grosseria. [F. paral.: *selvajaria.* Sin.: *selva-*

gismo.]

selvagíneo. [De *selvagem*[1] + *-íneo.*] *Adj:* **1.** Que nasce ou se cria nas selvas; selvático, silvático, silvícola, selvícola. **2.** Relativo aos, ou próprio dos animais selvagens: "uma rapariga nova e pálida, vestida de branco, ... o ar selvagíneo" (Xavier Marques, *Jana e Joel*, p. 47). [F. paral.: *selvagino.*]

selvagino. [De *selvagem*[1] + *-ino*[1]] *Adj.* V. *selvagíneo.*

selvagismo. [De *selvagem*[1] + *-ismo.*] *S. m.* V. *selvageria.*

selvajaria. [De *selvagem*[1] + *-aria.*] *S. f.* Selvageria [q. v.].

selvático. [Var. de *silvático.*] *Adj.* **1.** V. *selvagem* (1, 9 e 10): "O Guadamelato é uma ribeira que, descendo das solidões mais agras da Serra Morena, vem, através de um território montanhoso e selvático, desaguar no Guadalquivir" (Alexandre Herculano, *Lendas e Narrativas*, I, p. 3). **2.** V. *selvagíneo* (1).

selvatiqueza (ê). [De *selvático* + *-eza.*] *S. f. Desus.* Selvageria.

selvícola. [De *selva* + *-i-* + *-cola*, ou alter. de *silvícola.*] *Adj. 2 g.* e *s. 2 g.* V. *silvícola*: "Firmara-se desde muito o princípio de combater o índio com o próprio índio, de sorte que cada aldeamento de catecúmenos era um reduto ante as incursões dos selvícolas soltos e indomáveis." (Euclides da Cunha, *Os Sertões*, p. 103.)

selvoso (ô). [De *selva* + *-oso* ou alter. de *silvoso.*] *Adj.* Em que há selvas [v. *selva* (1)]; silvoso.

sem. [Do lat. *sine.*] *Prep.* Indica falta, privação, exclusão, ausência, condição, exceção: "Morrer sem uma lágrima, que a vida / Não vale a pena e a dor de ser vivida." (Manuel Bandeira, *Estrela da Vida Inteira*, p. 162); "Agonizas sem luz, sem amor, sem amigo, / sem ter quem te conceda a extrema-unção de um beijo!" (Olavo Bilac, *Poesias*, p. 168); *Levou a mercadoria sem compromisso; Não virei sem ele vir; Vieram todos os livros encomendados, sem dois ou três, aliás menos importantes.* [Antôn.: *com.* Cf. *cem.*] ♦ **Sem quê nem para quê.** Sem nenhum motivo; sem mais nem menos; à toa: "o artigo famoso, no qual, sem quê nem para quê, lhe levantam falsos testemunhos" (Antônio Feliciano de Castilho, *O Presbitério da Montanha*, I, p. 106). [Sin., bras., S.: *sem mais quê nem para quê.*] **Sem mais quê nem para quê.** *Bras., S.* Sem quê nem para quê.

sema. [Do gr. *sêma, atos.*] *S. m. Ling.* Traço semântico mínimo não passível de ocorrência independente.

▲ **sem(a)-.** [Do gr. *sêma, atos.*] *El. comp.* = 'sinal': *semáforo.* [Equiv.: *semato-: sematologia.*]

semáfora. [Fem. de *semáforo.*] *S. f. Bras. Mar. G.* Sistema de sinais para comunicações a pequenas distâncias, que consiste em empunhar duas bandeirolas próprias e ir colocando os braços em sucessivas posições, cada uma característica de uma letra ou de um algarismo.

semafórico. *Adj.* Relativo a semáforo ou a semáfora.

semáforo. [De *sem(a)-* + *-foro.*] *S. m.* **1.** *Ant.* Mastro instalado nas costas marítimas para trocar sinais por meio de bandeiras ou de luzes com os navios à vista. **2.** Poste de sinalização ferroviária ou rodoviária que orienta o tráfego por meio de mudança de cor das luzes.

sem-amor. *S. 2 g.* e *2 n.* Pessoa a quem ninguém ama: "Ó alva de oiro e rosa! Ó luz dos Céus! / Ó lindo Amor dum sem-amor! Maria..." (Antônio Correia d'Oliveira, *Líricas*, I, p. 39.)

semana. [Do lat. *septimana.*] *S. f.* **1.** Espaço de sete dias, contados do domingo ao sábado, inclusive. **2.** Espaço de sete dias consecutivos. **3.** Os seis dias imediatos ao domingo, usualmente consagrados ao trabalho. **4.** Espaço de tempo, correspondente ou não a uma semana, em que ocorre determinado fato: *a Semana de Arte Moderna.* **5.** Trabalho que dura uma semana. **6.** Semanada (2). ♦ **Semana donzela.** Semana solteira. **Semana furada.** Aquela em que há um ou mais dias feriados. **Semana inglesa.** Organização do trabalho como se faz na Inglaterra, onde ao repouso dominical se acrescenta meio dia de sábado. **semana santa.** A última semana da quaresma (1), contada desde o domingo de Ramos até o de Páscoa. [V. *ano litúrgico.*] **Semana solteira.** A que não tem dia santo de guarda; semana donzela.

semanada. *S. f.* **1.** Quantia que se paga ou se dá semanalmente. **2.** O que se faz durante uma semana; semana.

semanal. *Adj. 2 g.* **1.** Da semana, ou relativo a ela: *descanso semanal.* **2.** Que se faz, sucede ou aparece de semana a semana: *revista semanal.* [Sin. ger.: *semanário* e *hebdomadário.*]

semanário. *Adj.* **1.** V. *semanal.* ● *S. m.* **2.** Camarista que ficava de serviço no paço por uma semana. **3.** Publicação semanal; hebdomadário.

semancol. [De *se*[1] + *manc(ar)* + *-ol.*] *S. m. Bras. Burl.* Capacidade de perceber quando se é importuno, maçante, cacete; desconfiômetro, mancômetro, semancômetro. [Pl.: *semancóis.*]

semancômetro. [De *se*[1] + *manc(ar)* + *-o-* + *-metro.*] *S. m. Bras. Burl.* V. *semancol.*

semantema. [Do gr. *semant*, rad. de *semaíno*, 'significar', + a term. de *fonema.*] *S. m. Ling.* Elemento (10) que encerra o significado da palavra; lexema. Ex.: *danç-*, em relação a *dançar, dançante, dançarino*, etc.

semântica. [Do gr. *semantiké*, i. e., *téchne semantiké*, 'a arte da significação'.] *S. f.* **1.** *Filol.* Estudo das mudanças ou translações sofridas, no tempo e no espaço, pela significação das palavras; semasiologia, sematologia, semiótica. **2.** *Ling.* e *Semiót.* O estudo da relação de significação nos signos [v. *signo* (4 e 5)] e da representação do sentido dos enunciados.**3.** *P. us.* V. *semasiologia* (1).

semanticista. *S. 2 g.* Especialista em semântica.

semântico. [Do gr. *semantikós*, 'que assinala, que indica'.] *Adj.* **1.** Relativo à significação; significativo. **2.** Relativo à, ou próprio da semântica (2).

semasiologia. [Do gr. *semasía*, 'ação de dar sinal'; 'sinal', + *-log(o)-* + *-ia.*] *S. f.* **1.** O estudo das relações entre sinais e símbolos, e daquilo que eles representam. [Sin.: *semântica, sematologia, semiótica.*] **2.** *Esp.* Linguagem dos sinais ou da comunicação dos espíritos por meio dos movimentos dos corpos inertes. **3.** *Filol.* V. *semântica* (1). **4.** *Ling.* O estudo do sentido das palavras, o qual parte do significante (2), para estudar o significado (3), em oposição à onomasiologia [q. v.].

semasiológico. *Adj.* Referente à semasiologia.

▲**semato-.** Equiv. de *sem(a)-.*

sematologia. [De *semato-* + *-log(o)-* + *-ia.*] *S. f.* **1.** V. *semasiologia* (1). **2.** V. *semântica* (1).

sematológico. *Adj.* Referente à sematologia.

semba. *S. f.* Mulher pertencente à hierarquia sacerdotal, na macumba.

semblante. [Do cat. *semblant*, 'rosto'.] *S. m.* **1.** Rosto, face, cara: "Felisberto Caldeira atravessou a sala com um semblante sereno" (Afonso Arinos, *Pelo Sertão*, p. 154). **2.** *Fig.* Aparência, fisionomia, aspecto: *Os fatos mudaram de semblante.*

sem-cerimônia. *S. f.* **1.** Falta de cerimônia; descerimônia. **2.** Desdém às convenções sociais. **3.** Naturalidade, informalidade. **4.** Falta de polidez; grosseria. [Pl.: *sem-cerimônias.*]

sem-cerimonioso (ô). *Adj.* Que tem ou revela sem-cerimônia. [Pl.: *sem-cerimoniosos.*]

sem-dinheiro. *S. 2 g.* e *2 n.* Aquele que não tem dinheiro, que é muito pobre: "A moléstia é como a fome: só alcança os pobres, os sem-dinheiro." (Lima Barreto, *Feiras e Mafuás*, p. 58.)

sêmea. [Do lat. *semea.*] *S. f.* **1.** A flor da farinha de trigo. **2.** A parte da farinha de trigo que sobra depois de ser peneirada e separada do rolão. **3.** Farelo miúdo.

semeação. [Do lat. *seminatione.*] *S. f.* Semeadura (1).

semeada. [Fem. substantivado de *semeado.*] *S. f.* Terreno semeado; sementeira, semeadura.

semeado. [Part. de *semear.*] *Adj.* Que se semeou; em que se lançaram sementes: *terra semeada.*

semeadoiro. [De *semear* + *-doiro*[2].] *S. m.* Semeadouro.

semeador (ô). *Adj.* **1.** Que semeia; sementeiro. ● *S. m.* **2.** Aquele que semeia; sementeiro. **3.** Máquina para semear cereais.

semeadouro. [De *semear* + *-douro*[2]; var. de *semeadoiro.*] *Adj.* e *s. m.* Diz-se do, ou o terreno preparado para receber a semente.

semeadura. *S. f.* **1.** Ato ou efeito de semear; semeação. **2.** V. *semeada.* **3.** Porção de cereais suficientes para semear-se um terreno.

semear. [Do lat. *seminare.*] *V. t. d.* **1.** Deitar ou espalhar sementes de, para que germinem: *O agricultor semeou trigo no campo.* [Sin., bras.: *ensementar.*] **2.** Espalhar ou deitar sementes em: *O camponês semeia a terra.* [Sin., p. us., nestas acepç.: *sementar.*] **3.** *Fig.* Espalhar, propalar, publicar: *Os jesuítas semearam o cristianismo.* **4.** Produzir, causar, ocasionar: *Seus atos impensados semearam indignação.* **5.** Estimular, promover, fomentar: *semear inquietações.* **6.** Colocar aqui e ali, sem ordem. *T. d.* e *i.* **7.** Encher, alastrar, juncar: *A violência da batalha semeou o campo de cadáveres;* "Deus semeou d'almas o universo todo." (Guerra Junqueiro, *A Velhice do Padre Eterno*, p. 176). *Int.* **8.** Deitar ou espalhar sementes para que germinem: *É tempo de semear.* [Conjug.: v. *frear.*]

semeável. *Adj. 2 g.* Que pode ser semeado.

se-me-dão. [De *se*[2] + *me* + a 3ª pess. pl. do pres. ind. de *dar.*] *El. s. m.* Us. na expr. *fumar se-me-dão.* ♦ **Fumar se-me-dão.** *Bras. Joc.* Fumar à custa alheia; ser filante de cigarros.

semelhança. *S. f.* **1.** Qualidade de semelhante. **2.** Relação entre seres, coisas ou idéias que apresentam entre si elementos conformes, além daqueles comuns à espécie; parecença, analogia. **3.** Aspecto, aparência. **4.** Confronto, comparação, paralelo. [Sin. ger.: *similitude.*]

semelhante. [De *semelhar* + *-nte.*] *Adj. 2 g.* **1.** Análogo, parecido, conforme, convizinho: *homens semelhantes; pontos de vista semelhantes* **2.** Similar (1). — V. *figuras* —*s.* ● *Pron.* **3.** Tal, este, aquele: *Jamais cometi semelhante asneira;* "Para o romano, o mundo dos prodígios ficava a Ocidente. Semelhante tradição vinha de longe, através dos escritores gregos, sobretudo de Platão" (Aquilino Ribeiro, *Os Avós dos Nossos Avós*, p. 39). ● *S. m.* **4.** Pessoa ou coisa da mesma natureza de outra, ou parecida com ela. **5.** Próximo (8): *Respeitar o seu semelhante.* ♦ **De semelhante.** *P. us.* Desta maneira; destarte; assim.

semelhar. [Do lat. *similiare < lat. tardio *similare.*] *V. pred.* **1.** Ser semelhante a; parecer-se com; ter a aparência de; lembrar: *O filho semelha o pai;* "os troncos retorcidos, com ramos que rompem esgalhando-se, semelham hidras" (Gustavo Barroso, *Terra de Sol*, p. 19). *T. i.* **2.** Ter ares ou parecença (de alguém ou algo); parecer, assemelhar-se: *Sua fisionomia semelha à do avô paterno. P.* **3.** Ser semelhante; parecer-se, semelhar, assemelhar: "Semelham-se a gaiolas, com viveiros, / As edificações somente emadeiradas" (Cesário Verde, *Obra Completa*, p. 103). [Conjug.: v. *aparelhar.*]

semelhável. *Adj. 2 g.* Que se pode semelhar.

semema. [De *sema* + a term. de *fonema.*] *S. m. Ling.* Conjunto ou feixe de semas [v. *sema*].

sêmen. [Do lat. *semen*, 'semente'.] *S. m.* **1.** V. *esperma.* **2.** *Fig.* Semente (3). [Pl.: *semens* e (p. us. no Brasil) *sêmenes.*]

sêmen-contra. [Do lat. *semen contra*, 'semente contra (vermes intestinais)'.] *S. f.* Planta medicinal, da família das compostas (*Artemisia sina*), medicamento clássico contra verminoses. [A droga é feita dos botões florais dessecados, os quais contêm, como princípios ativos, essência (8) e santonina. Pl.: *semens-contra.*]

semenduara. *S. f. Bras., ES.* V. *pampo*[1] (1).

sementado. [Part. de *sementar.*] *Adj. P. us.* Semeado. [Cf. *cementado* e *cimentado.*]

semental. *Adj. 2 g.* **1.** Relativo a semente ou a semeadura. **2.** Que é bom reprodutor: *Cavalo semental.* ● *S. m.* **3.** Animal semental (2).

sementão. [De *semente* + *-ão*[2].] *S. m.* V. *porta-sementes* (2).

sementar. [De *semente* + *-ar*[2].] *V. t. d. P. us.* **1.** Semear (1 e 2). **2.** *Bras.* Fornecer sementes a. **3.** Fornecer canas-de-açúcar a, para plantações. [Pres. ind.: *semento*, etc. Cf. *cimento*, s. m., e os v. *cimentar* e *cementar.*]

semente. [Do lat. *semente.*] *S. f.* **1.** *Morfol. Veg.* Estrutura dos fanerógamos que conduz o embrião. Provém do óvulo fecundado e está incluída no fruto. Quase sempre é envolvida por um tegumento, a *testa;* pode sê-lo, ainda, por um segundo tegumento, o *tegme*, ou ser nua, o que é raro. Por dentro dos tegumentos há só o embrião, ou este se acompanha de endosperma. [Não raro, a semente possui apêndices muito variados, tais como: pêlos, asas, glândulas, arilo, etc. Quando germina, o embrião cresce e forma nova planta.] **2.** V. *esperma.* **3.** *Fig.* Germe, causa, origem; sementeira, sêmen: *Lançou entre os amigos a semente da desconfiança.* **4.** *Pop.* Fruto do girassol (1). ♦ **Semente perispermada.** Semente provida de esperma. **Ficar para semente.** Viver muito além da média. [Cf. *cemente*, do v. *cementar*, e *cimente*, do v. *cimentar.*]

sementeira. [De *semente* + *-eira.*] *S. f.* **1.** V. *semeada.* **2.** V. *viveiro* (3). **3.** Mulher que semeia. **4.** *Fig.* Derramamento, derrame, proliferação. **5.** *Fig.* V. *semente* (3).

sementeiro. [De *semente* + *-eiro.*] *Adj.* **1.** Semeador (1). **2.** Diz-se do saco onde o semeador traz as sementes. ● *S. m.* **3.** Semeador (2).

semeostoma. *S. f.* **1.** Espécime das semeostomas. ● *Adj.* **2.** Pertencente ou relativo a elas.

semeostomas. *S. f. pl. Zool.* Animais metazoários, celenterados, cifozoários, da ordem das discomedusas, subordem *Semaeostomae*, que se caracterizam pela boca central, com os cantos prolongados em lóbulos e tentáculos presentes.

semestral. *Adj. 2 g.* **1.** Relativo ou correspondente a semestre: *Estou pagando o carro em prestações* semestrais. **2.** Que se realiza ou aparece de seis em seis meses: *pagamento* semestral; *revista* semestral. [Sin. ger.: *semestre* e *semi-anual.*]

semestralidade. [De *semestral* + *-dade.*] *S. f.* **1.** Quantia correspondente a um semestre; semestre. **2.** Qualidade de semestral.

semestralmente. [De *semestral* + *-mente.*] *Adv.* De seis em seis meses; por semestre.

semestre. [Do lat. *semestre.*] *S. m.* **1.** Espaço de seis meses seguidos. **2.** Semestralidade: *Pagou ao sindicato o primeiro* semestre. ● *Adj. 2 g.* **3.** V. *semestral.*

sem-família. *S. 2 g.* e *2 n.* Pessoa que não tem família.

sem-fim[1]. [De *sem* + *fim.*] *S. m.* **1.** Quantidade ou número indeterminado: "recortes de jornais e revistas e um sem-fim de papéis" (Maria Julieta Drummond de Andrade, *O Valor da Vida*, p. 50); *Viajou um* sem-fim *de vezes a Portugal.* **2.** Espaço indefinido, ilimitado; vastidão: *Vivia nos* sem-fins *das chapadas;* "E onde ninguém com o pensamento / Sequer chegou, me foi levando aquela / Nuvem, já por debaixo de uma estrela, / Já por cima, aos sem-fins do firmamento." (Alberto de Oliveira, *Poesias*, 2ª série, p. 58). [Sin. ger.: *sem-termo.* Pl.: *sem-fins.* Cf. *sem fim*, loc. adj.]

sem-fim[2]. [T. onom.] *S. m. Bras.* V. *saci* (2): "compassada, mas constante, chegava, intercadente, a mágoa de um sem-fim: — Peito ferido!... Peito ferido!..." (Afrânio Peixoto, *Bugrinha*, p. 6) [Pl.: *sem-fins.* Cf. *sem fim*, loc. adj.]

▲**semi-.** [Do lat. *semi.*] *El. comp.* = 'metade', 'meio': *semicilíndrico, semi-anular; semiprecioso, semi-selvagem.*

semi-aberto. [De *semi-* + *aberto.*] *Adj.* Entreaberto: "O mistério que o ligeiro franzido das pálpebras, quando semi-abertas, escondia." (Solange Lajes, *Passagem*, p. 42.) [Pl.: *semi-abertos.*]

semi-abertura. [De *semi-* + *abertura.*] *S. f.* Abertura incompleta; meia abertura. [Pl.: *semi-aberturas.*]

semi-alma. [De *semi-* + *alma.*] *S. f.* Espírito imperfeito; espírito boçal. [Pl.: *semi-almas.*]

semi-amplexicaule (cs). [De *semi-* + *amplexicaule.*] *Adj. 2 g. Morfol. Veg.* Diz-se da folha cuja base ou bainha abraça parcialmente o caule. [Pl.: *semi-amplexicaules.*]

semi-amplitude. [De *semi-* + *amplitude.*] *S. f.* **1.** *Estat.* Amplitude semitotal. **2.** *Fís.* Num movimento vibratório, metade da amplitude da vibração. [Pl.: *semi-amplitudes.*]

semi-analfabeto. [De *semi-* + *analfabeto.*] *Adj.* e *s. m.* Que ou aquele que é meio analfabeto, mal alfabetizado. [Pl.: *semi-analfabetos.*]

semi-ângulo. [De *semi-* + *ângulo.*] *S. m.* A metade dum ângulo. [Pl.: *semi-ângulos.*]

semi-ânime. [Do lat. *semianime.*] *Adj. 2 g.* V. *semimorto* (1): "E, a tiritar e a arder, em cruel agonia, / semi-ânime, senti tudo o que sentiria, / Minha esponja de fel, se te visse morrer!" (Eugênio de Castro, *Obras Poéticas*, X, p. 66). [Pl.: *semi-ânimes.*]

semi-anual. [De *semi-* + *anual.*] *Adj. 2 g.* V. *semestral.* [Pl.: *semi-anuais.*]

semi-anular. [De *semi-* + *anular[1].*] *Adj. 2 g.* Que tem feitio de meio anel. [Pl.: *semi-anulares.*]

semi-apagado. [De *semi-* + *apagado.*] *Adj.* Meio apagado; quase apagado: "Fita nos olhos teus, sorrindo, Alice / Os grandes olhos negros requebrados, / Mas os teus vê do albugo da velhice / Semi-apagados." (Alberto de Oliveira, *Poesias*, 4ª série, p. 49.) [Pl.: *semi-apagados.*]

semi-aquático. [De *semi-* + *aquático.*] *Adj.* Diz-se do animal que possui, simultaneamente, hábitat terrestre e hábitat aquático. [Pl.: *semi-aquáticos.*]

semi-árido. [De *semi-* + *árido.*] *Adj.* Um tanto árido; meio árido: "O sol destas terras semi-áridas é paradoxal e caprichoso" (Vitorino Nemésio, *Caatinga e Terra Caída*, p. 89). [Pl.: *semi-áridos.*]

semi-ativo. [De *semi-* + *ativo.*] *Adj.* Não inteiramente ativo. [Pl.: *semi-ativos.*] ~ V. *guiamento de atração* —.

semi-automático. [De *semi-* + *automático.*] *Adj.* **1.** Que não é inteiramente automático. **2.** Diz-se de arma de fogo cujo mecanismo realiza automaticamente as operações de extração, ejeção e realimentação após o disparo, mas que necessita seja acionado o gatilho para realizar o disparo seguinte: *fuzil* semi-automático. [Pl.: *semi-automáticos.*] ~ V. *balança* —*a.*

semibárbaro. [Do lat. *semibarbaru.*] *Adj.* Meio bárbaro; quase selvagem: "Os ritos semibárbaros dos Piagas" (Gonçalves Dias, *Obras Poéticas*, II, p. 247).

semibranco. [De *semi-* + *branco.*] *S. m.* **1.** Aquele que é mais ou menos branco; que é um tanto branco: "À proporção que as mesclas se vão operando, que os novos descendentes se vão afastando dos tipos primitivos, surgem mestiços que são então julgados semibrancos e curibocas e, por fim, o chamado branco nacional" (A. Austregésilo, *Obras Completas*, X, p. 156). ● *Adj.* **2.** Um tanto branco.

semibreve. [De *semi-* + *breve.*] *S. f. Mús.* Figura que tem o valor de duas mínimas ou de metade da breve.

semibruto. [De *semi-* + *bruto.*] *Adj.* Meio bruto; um tanto bruto: "Nascera de oito meses, coisa rara. O fórceps teve de ser aplicado pela mão semibruta do Dr. Rufino" (Gustavo Barroso, *Mississipi*, p. 16).

semicapro. [Do lat. *semicapru.*] *Adj.* e *s. m.* Diz-se de, ou ser mitológico cujo corpo é metade homem e metade bode.

semicarbonizado. [De *semi-* + *carbonizado.*] *Adj.* Não de todo carbonizado.

semicerrado. [Part. de *semicerrar.*] *Adj.* Não inteiramente cerrado; entreaberto: "Era como se olhasse para dentro de mim mesmo, pálpebras semicerradas" (Gilberto Amado, *Depois da Política*, p. 198).

semicerrar. [De *semi-* + *cerrar.*] *V. t. d.* Não fechar de todo; deixar entreaberto.

semichas. *S. f. pl. Pop.* Aquilo que sobeja ou se entorna ao medirem-se líquidos ou cereais.

semicilíndrico. [De *semi-* + *cilíndrico.*] *Adj.* Que tem o feitio de meio cilindro.

semicircular. [De *semi-* + *circular.*] *Adj. 2 g.* **1.** Que tem forma de semicírculo; semicírculo. **2.** Relativo ao semicírculo; hemicíclico, semicírculo. ~ V. *canais*—*es.*

semicírculo. [Do lat. *semicirculu.*] *S. m.* **1.** Metade de um círculo. **2.** *Geom.* Cada uma das regiões de um círculo em que um diâmetro o divide ● *Adj.* **3.** V. *semicircular.*

semicircunferência. [De *semi-* + *circunferência.*] *S. f.* **1.** Metade duma circunferência. **2.** *Geom.* Arco de circunferência com 180º.

semiclausura. [De *semi-* + *clausura.*] *S. f.* Clausura ou encerro com o gozo de alguma liberdade.

semicolcheia. [De *semi-* + *colcheia.*] *S. f. Mús.* Figura do valor de metade da colcheia.

semicômico. [De *semi-* + *cômico.*] *Adj.* Meio cômico; quase cômico.

semicondutor (ô). [De *semi-* + *condutor.*] *S. m. Fís.* Condutor elétrico, cuja resistividade decresce com a temperatura, e em que a condução de carga pode efetuar-se por elétrons ou por íons ou por buracos.

semiconsciência. [De *semi-* + *consciência.*] *S. f.* Estado intermediário entre a consciência e a inconsciência.

semiconsciente. [De *semi-* + *consciente.*] *Adj. 2 g.* **1.** Que se acha em estado de semiconsciência: *A arteriosclerose o deixa apenas* semiconsciente *do que ocorre à sua volta.* **2.** Em que há semiconsciência: *Quando bêbado, dá respostas* semiconscientes.

semiconservativo. [De *semi-* + *conservativo.*] *Adj. Genét.* ~ V. *replicação* —*a.*

semiconsoante. [De *semi-* + *consoante.*] *S. f. Gram.* Vogal com função consonântica.

semicristalino. [De *semi-* + *cristalino.*] *Adj.* Que não é inteiramente cristalino: *mineral* semicristalino.

semicúpio. [Do lat. tardio *semicupiu*, 'meia cuba'.] *S. m.* **1.** Banho de imersão da parte inferior do tronco; banho de asseio, banho de assento: "Qualquer vertigem, qualquer espirro, ... qualquer reumatismo, ... é logo rebatido com o escalda-pé, com o suadouro, com a fricção, com o semicúpio." (Raimundo Morais, *O País das Pedras Verdes*, p. 238.) **2.** Banheira ou bacia própria para esse banho.

semicúpula. [De *semi-* + *cúpula.*] *S. f. Arquit.* Abóbada esferoidal de volta inteira.

semidéia. [Do lat. *semidea.*] *S. f.* Semideusa.

semideiro. [Do lat. *semitariu.*] *S. m.* Caminho estreito; atalho.

semidesértico. [De *semi-* + *desértico.*] *Adj.* Meio desértico; não totalmente desértico.

semidestruído. [De *semi-* + *destruído.*] *Adj.* Parcialmente destruído.

semideus. [Do lat. *semideus.*] *S. m.* **1.** *Mitol.* Ser imortal que, segundo os antigos, participava da divindade, como os faunos, as ninfas, etc. **2.** *Mitol.* O filho de um deus e de uma mortal, ou de uma deusa e um mortal; herói. **3.** *P. ext.* Designação dada aos mortais deificados, tais como fundadores de cidades, antepassados das grandes tribos, guerreiros, benfeitores, etc. **4.** *Fig.* Homem excepcional pelo seu talento e pelas honras que lhe são concedidas. [Fem.: *semideusa* e *semidéia.* Pl.: *semideuses.*]

semideusa. [De *semi-* + *deusa.*] *S. f.* Fem. de *semideus*; semidéia.

semidiáfano. [De *semi-* + *diáfano.*] *Adj.* Um tanto diáfano.

semidiâmetro. [Do lat. *semidiametru.*] *S. m.* **1.** *Geom.* A metade do diâmetro de uma circunferência ou superfície esférica; raio. **2.** *Astr.* Distância angular medida entre o centro de um astro de disco aparente e o seu bordo.

semidisco. [De *semi-* + *disco.*] *S. m.* A metade de um disco.

semiditongo. [De *semi-* + *ditongo.*] *S. m. Gram.* V. *ditongo crescente.*

semidítono. [De *semi-* + *dítono.*] *S. m. Mús.* Intervalo musical formado de um tom e um semitom. [Pode ser uma terceira menor, ou uma segunda aumentada.]

semidiurno (i-ur). *Adj.* ~ V. *arco* —.

semidivindade. [De *semi-* + *divindade.*] *S. f.* **1.** Qualidade ou caráter de semideus. **2.** Semideus ou semideusa.

semidivino. [Do lat. *semidivinu.*] *Adj.* Quase divino: "Eu sonhava... O meu sonho era semidivino: / Duas almas num grande abraço estreito e longo" (Hermes-Fontes, *Microcosmo*, p. 35).

semidobrado. [De *semi-* + *dobrado.*] *Adj.* Meio dobrado.

semidouto. [Do lat. *semidoctu.*] *Adj.* e *s. m.* Diz-se de, ou indivíduo meio douto ou de mediana cultura.

semidúplex (cs). [Do lat. *semiduplex.*] *Adj. 2 g. Rel.* Diz-se das festas ou celebrações em que o ofício divino era festivo só em parte. [Pl.: *semidúplices.*]

semi-eixo. [De *semi-* + *eixo.*] *S. m.* **1.** Cada um dos eixos que, num veículo automóvel, comunicam movimento às rodas motrizes. **2.** *Geom.* Semi-reta a que se atribui um sentido. [Pl.: *semi-eixos.*] ♦ **Semi-eixo maior.** *Astr.* Elemento da órbita de um astro, que caracteriza as dimensões da elipse orbital; distância média. **Semi-eixo menor.** *Astr.* A metade do eixo menor da elipse orbital de um astro.

semi-encantado. [De *semi-* + *encantado.*] *Adj.* Meio encantado; quase encantado: "um castelo de lenda, semi-encantado" (Eça de Queirós, *Notas Contemporâneas*, p. 525). [Pl.: *semi-encantados.*]

semi-erguer. [De *semi-* + *erguer.*] *V. t. d.* e *p.* Erguer(-se) ou levantar(-se) a meio, não de todo; semilevantar(-se); "À chegada do trem, semierguendo a cortina, / Ela espia por trás da vidraça que a encobre." (Ribeiro Couto, *Poesias Reunidas*, p. 37); "semi-erguendo-se para se pôr sobre ela, ... o doutor lhe parecia um guarda-chuva branco e eixo enorme a resguardar sua vergonha de mulher" (Jorge Amado, *Dona Flor e Seus Dois Maridos*, p. 348).

semi-escandente. [De *semi-* + *escandente.*] *Adj. 2 g. Morfol. Veg.* Diz-se do vegetal cujo caule se apóia e ascende sobre outro pelas pontas dos ramos, assim formando um tronco mais ou menos ereto na porção inferior; subescandente. [Pl.: *semi-escandentes.*]

semi-escravidão. [De *semi-* + *escravidão.*] *S. f.* Escravidão quase completa; meia escravidão. [Pl.: *semi-escravidões.*]

semi-escuro. [De *semi-* + *escuro.*] *Adj.* Um tanto escuro; quase escuro; "Vinha a sós cismando pela semi-escura / Pedregosa rampa" (Alberto de Oliveira, *Póstuma*, p. 25). [Pl.: *semi-escuros.*]

semi-esfera. [De *semi-* + *esfera.*] *S. f.* Metade de uma esfera; hemisfério. [Pl.: *semi-esferas.*]

semi-esférico. [De *semi-* + *esférico.*] *Adj.* Que tem forma de semi-esfera; hemisférico. [Pl.: *semi-esféricos.*]

semi-especializado. [De *semi-* + *especializado.*] *Adj.* Meio especializado. [Pl.: *semi-especializados.*]

semifavor (ô). [De *semi-* + *favor.*] *S. m.* Pequeno favor ou obséquio.

semifendido. [De *semi-* + *fendido.*] *Adj.* **1.** Meio fendido. **2.** Dividido em dois segmentos.

semifinal. [De *semi-* + *final.*] *Adj. 2 g.* e *s. f. Bras.* Em competições esportivas e quaisquer outras, diz-se da, ou a prova que antecede imediatamente a final.

semifinalista. [De *semifinal* + *-ista.*] *Adj. 2 g.* e *s. 2 g. Bras.* Em competições esportivas e quaisquer outras, diz-se de, ou pessoa ou equipe que se classificou para disputar a prova que indicará os finalistas [v. *finalista* (5)], na decisão de um título, troféu, etc.

semifletido. [De *semi-* + *fletido*, part. de *fletir.*] *Adj.* Que não está completamente fletido; meio fletido.

semiflósculo. [De *semi-* + *flósculo.*] *S. m. Bot.* Cada uma das flores liguladas do capítulo das compostas. [Cf. *flósculo.*]

semifluido (úi). [De *semi-* + *fluido.*] *Adj.* Que não é completamente fluido.

semifundido. [De *semi-* + *fundido.*] *Adj.* Meio fundido; um tanto fundido.

semifusa. [De *semi-* + *fusa*.] *S. f. Mús.* Figura do valor de metade da fusa.

semiglobuloso (ô). [De *semi-* + *globuloso*.] *Adj. Bot.* Que tem forma semi-esférica ou de meio globo.

semi-infantil. [De *semi-* + *infantil*.] *Adj. 2 g.* Quase infantil; um tanto infantil: "A alma semi-infantil toda a céu rescendia" (Alberto de Oliveira, *Póstuma*, p. 46). [Pl.: *semi-infantis*.]

semi-ínfero. [De *semi-* + *ínfero*.] *Adj. Morfol. Veg.* Diz-se do ovário concrescente ao receptáculo, mas que conserva livre a porção superior. [Pl.: *semi-ínferos*.]

semi-internato. [De *semi-* + *internato*.] *S. m.* **1.** Estado ou condição de semi-interno. **2.** Escola cujos alunos são semi-internos. [Pl.: *semi-internatos*. Cf. *internato* e *externato*.]

semi-integral. [De *semi-* + *integral*.] *Adj. 2 g.* Diz-se do alimento parcialmente industrializado. [Pl.: *semi-integrais*.]

semi-interno. [De *semi-* + *interno*.] *Adj.* e *s. m.* Diz-se de, ou aluno que, embora não resida no colégio, ali permanece todo o dia e, em geral, almoça e lancha. [Pl.: *semi-internos*.]

semilevantar. [De *semi-* + *levantar*.] *V. t. d.* e *p.* Semi-erguer: "— Pois aqui estou, meu bem, cheguei ind'agorinha... — semilevantando-se lhe tomou da mão." (Jorge Amado, *Dona Flor e Seus Dois Maridos*, p. 415.)

semilíquido. [De *semi-* + *líquido*.] *Adj.* Que não é nem líquido nem sólido; pastoso: "A terra nua dos caminhos, limosa, esverdeada nos taludes e nas rampas, empapada, semilíquida no leito plano, ... ora alteava-se em almofadas de lama, ora cavava-se em poças de água barrenta" (Júlio Ribeiro, *A Carne*, p. 53).

semilitúrgico. [De *semi-* + *litúrgico*.] *Adj.* ~ V. *drama* —.

semi-log. *Adj.* ~ V. *papel* —.

semilúcido. [De *semi-* + *lúcido*.] *Adj.* Um tanto lúcido; quase lúcido: "esforços que são semipenosos porque são já semilúcidos" (Eça de Queirós, *Contos*, p. 169).

semilunar. [De *semi-* + *lunar*.] *Adj. 2 g.* **1.** V. *luniforme*. • *S. m.* **2.** *Anat.* Um dos ossos do carpo.

semilunático. [Do lat. *semilunaticu*.] *Adj.* Meio lunático; um tanto aluado; amalucado.

semilúnio. [De *semi-* + lat. *luna*, 'lua', + *-io*[2].] *S. m.* Metade de uma revolução da Lua.

semimanufaturado. [De *semi-* + *manufaturado*.] *Adj.* Meio manufaturado.

semimarinho. [De *semi-* + *marinho*.] *Adj.* Que é meio marinho.

semimensal. [De *semi-* + *mensal*.] *Adj. 2 g.* Que ocorre ou aparece duas vezes por mês; bimensal.

semimetal. [De *semi-* + *metal*.] *S. m.* Designação comum às substâncias de aspecto metálico, friáveis e não dúcteis.

semimilionário. [De *semi-* + *milionário*.] *S. m.* Aquele que é quase milionário: "Guimarães Airosa é assim, amanhece pobre e adormece semimilionário." (Jaime d'Altavila, *Lógica de um Burro*, p. 92.)

semimorto (ô). [Do lat. *semimortu*.] *Adj.* **1.** Meio morto; exânime, semi-ânime, semivivo. **2.** *Fig.* Enfraquecido, amortecido, mortiço. **3.** Esgotado, fatigado, extenuado, esfalfado.

seminação. [Do lat. *seminatione*.] *S. f.* **1.** *Bot.* Dispersão natural das sementes de uma planta; disseminação. **2.** V. *inseminação*.

seminal. [Do lat. *seminale*.] *Adj. 2 g.* **1.** Relativo ou pertencente a semente ou a sêmen. **2.** *Fig.* Produtivo, fértil. ~ V. *vesículas seminais*.

seminarcose. [De *semi-* + *narcose*.] *S. f.* Narcose incompleta.

seminário. [Do lat. *seminariu*.] *S. m.* **1.** Viveiro de plantas onde se fazem as sementeiras. **2.** *Fig.* Centro de criação ou de produção: "O Lácio todo é um seminário de crendices e superstições, tiradas da terra e devolvidas à terra." (Aquilino Ribeiro, *Os Avós dos Nossos Avós*, p. 64.) **3.** Estabelecimento escolar onde se formam os eclesiásticos. **4.** O conjunto dos educadores, pessoal e alunos de um seminário (3). **5.** Congresso científico ou cultural. **6.** Grupo de estudos em que se debate a matéria exposta por cada um dos participantes. • *Adj.* **7.** *Desus.* Seminal.

seminarista. *S. m.* Aquele que estuda como interno em um seminário (3), com o fim de se ordenar.

seminarístico. *Adj.* Referente a, ou próprio de seminarista ou de seminário.

▲semin(i)-. [Do lat. *semen, inis*.] *El. comp.* = 'semente': *seminífero; semínula*.

seminífero. [De *semin(i)-* + *-fero*.] *Adj.* **1.** Que tem ou produz sementes ou sêmen. **2.** *Anat.* Diz-se de cada um dos túbulos em que os espermatozóides se formam e de onde são propelidos no sentido de deixar cada testículo.

semínima. [De *semi-* + *mínima*, com haplologia.] *S. f. Mús.* Figura que vale a metade da mínima.

semino. *S. m.* Cada uma das bóias que sustêm certas redes de pesca.

seminu. [Do lat. *seminudu*.] *Adj.* **1.** Meio nu. **2.** Maltrapilho, andrajoso, esfarrapado. [Fem.: *seminua*.]

seminudez (ê). [Do lat. *seminudu*, 'seminu', + *-ez*.] *S. f.* Estado de seminu; meia nudez.

semínula. [Do lat. *semine*, 'semente', + *-ula*.] *S. f.* **1.** Pequena semente. **2.** Esporo (1). [Var.: *semínulo*.]

seminulífero. [De *semínula* + *-i-* + *-fero*.] *Adj.* Que tem semínulas.

semínulo. *S. m.* Var. de *semínula*.

▲semio-. [Do gr. *semeion, ou*.] *El. comp.* = 'sinal': *semiografia, semiologia*.

semi-obscuridade. [De *semi-* + *obscuridade*.] *S. f.* Meia escuridão; meia-luz: "Rasgou o bilhete, sentindo em cima de si os olhos da mulher, que na semi-obscuridade do quarto pareciam lançar chispas." (Wellington de Araújo Leão, in *Contos Alagoanos de hoje*, p. 75.) [Pl.: *semi-obscuridades*.]

semi-oculto. [De *semi-* + *oculto*.] *Adj.* Meio oculto; quase oculto: "Filas de portas e janelas, metros de sacadas semelhantes, semi-ocultas pelas faixas de sombras projetadas no calçamento" (Antônio Celso, *A Porta de Jerusalém*, p. 26). [Pl.: *semi-ocultos*.]

semi-oficial. [De *semi-* + *oficial*.] *Adj. 2 g.* Quase oficial; meio oficial. [Pl.: *semi-oficiais*.]

semiografia. [De *semio-* + *-graf(o)-* + *-ia*.] *S. f.* Representação por meio de sinais; notação.

semiográfico. *Adj.* Referente à semiografia.

semiologia. [De *semi(o)-* + *-log(o)-* + *-ia*.] *S. f.* **1.** Ciência geral dos signos, segundo Ferdinand de Saussure [v. *saussuriano*], que estuda todos os fenômenos culturais como se fossem sistemas de signos, i. e., sistemas de significação. Em oposição à lingüística, que se restringe ao estudo dos signos lingüísticos, ou seja, da linguagem, a semiologia tem por objeto qualquer sistema de signos (imagens, gestos, vestuários, ritos, etc.); semiótica [q. v.]. **2.** Semiótica (4).

semiológico. *Adj.* Referente à semiologia.

semi-opaco. [De *semi-* + *opaco*.] *Adj.* Meio opaco; quase opaco. [Pl.: *semi-opacos*.]

semiótica. [Do gr. *semeiotiké*, i. e., *téchne semeiotiké*, 'a arte dos sinais'.] *S. f.* **1.** Denominação utilizada, principalmente pelos autores norte-americanos, para a ciência geral do signo; semiologia. **2.** V. *semasiologia* (1). **3.** *Desus.* Arte de comandar manobras militares por meio de sinais, e não da voz. **4.** Estudo e descrição dos sinais de uma doença; semiologia. [Nesta acepç., cf. *sintomatologia*.] **5.** V. *semântica* (1).

semi-ovóide. [De *semi-* + *ovóide*.] *Adj. 2 g.* De forma próxima à da ovóide. [Pl.: *semi-ovóides*.]

semiparente. [De *semi-* + *parente*.] *Adj. 2 g.* e *s. 2 g.* Que ou quem tem algum parentesco com outrem.

semipasta. [De *semi-* + *pasta*.] *S. f. Ind. Pap.* A pasta alvejada e livre das principais impurezas, antes de ser refinada.

semipedal. [Do lat. *semipedale*.] *Adj. 2 g.* Que tem meio pé de comprimento.

semipenoso (ô). [De *semi-* + *penoso*.] *Adj.* Um tanto penoso; meio penoso; quase penoso: "esforços são semipenosos porque são já semilúcidos" (Eça de Queirós, *Contos*, p. 169).

semiperímetro. [De *semi-* + *perímetro*.] *S. m.* A metade dum perímetro.

semipermeável. [De *semi-* + *permeável*.] *Adj. 2 g. Fís.* Diz-se da membrana ou parede através da qual pode ocorrer osmose, mas que impede a mistura livre dos fluidos entre os quais se acha interposta.

semiplano. [De *semi-* + *plano*.] *S. m. Geom.* Parte de um plano limitado por uma reta.

semipleno. [Do lat. *semiplenu*.] *Adj.* **1.** Cheio até ao meio. **2.** *Jur.* Diz-se de prova incompleta.

semiportátil. [De *semi-* + *portátil*.] *Adj. 2 g.* Quase portátil. [Pl.: *semiportáteis*.]

semiprecioso (ô). [De *semi-* + *precioso*.] *Adj.* Que não é completamente precioso; meio precioso. ~ V. *pedra* —*a*.

semiprova. [De *semi-* + *prova*.] *S. f.* Prova semiplena.

semipútrido. [De *semi-* + *pútrido*.] *Adj.* Que começa a corromper-se; meio podre.

semiquímico. [De *semi-* + *químico*.] *Adj.* ~V. *pasta*—*a*.

semi-racional. [De *semi-* + *racional*.] *Adj. 2 g.* Muito pouco inteligente; pouco racional. [Pl.: *semi-racionais*.]

semi-real. [De *semi-* + *real*.] *Adj. 2 g.* Que não é inteiramente real; meio irreal. [Pl.: *semi-reais*.]

semi-reboque. [De *semi-* + *reboque*.] *S. m.* Reboque sem eixo dianteiro, parcialmente apoiado pelo veículo trator. [Pl.: *semi-reboques*.]

semi-religioso. [De *semi-* + *religioso*.] *Adj.* **1.** Um tanto religioso: *um jovem semi-religioso*. **2.** Que não é inteiramente religioso: *educação semi-religiosa*. [Pl.: *semi-religiosos*.]

semi-reta. [De *semi-* + *reta*.] *S. f. Geom.* Parte de uma reta limitada por um ponto. [Pl.: *semi-retas*.]

semi-rígido. [De *semi-* + *rígido*.] *Adj.* Meio rígido; quase rígido. [Pl.: *semi-rígidos*.]

semi-risonho. [De *semi-* + *risonho*.] *Adj.* Meio risonho; um tanto risonho: "O príncipe encantado era esperado por um rostinho de auricalco semi-risonho e pudibundo" (Francisco Ribeiro Sampaio, *Renembranças*, p. 13). [Pl.: *semi-risonhos*.]

semi-roto. [De *semi-* + *roto*.] *Adj.* **1.** Meio roto. **2.** Meio quebrado. [Pl.: *semi-rotos*.]

semi-sábio. [De *semi-* + *sábio*.] *Adj.* **1.** Que tem ciência incompleta. **2.** Que fala de tudo, mas sabe pouco. [Pl.: *semi-sábios*.]

semi-selvagem. [De *semi-* + *selvagem*.] *Adj. 2 g.* **1.** Quase selvagem: "As estranhas usanças, os costumes / Semi-selvagens desse povo inculto" (Bernardo Guimarães, *Poesias Completas*, p. 195). **2.** Pouco civilizado; rude, grosseiro. [Pl.: *semi-selvagens*.]

semi-sistematização. [De *semi-* + *sistematização*.] *S. f.* Sistematização incompleta ou imperfeita. [Pl.: *semi-sistematizações*.]

semi-sólido. [De *semi-* + *sólido*.] *Adj.* Que não é nem sólido nem líquido; pastoso. [Pl.: *semi-sólidos*.]

semi-soma. [De *semi-* + *soma*.] *S. f. Arit.* A metade de uma soma. [Pl.: *semi-somas*.]

semi-sono. [De *semi-* + *sono*.] *S. m.* Sono incompleto, imperfeito; sonolência: "pálpebras rosadas, quase sempre oclusas, em constante semi-sono" (João Guimarães Rosa, *Sagarana*, p. 3). [Pl.: *semi-sonos*.]

semita. [Do antr. *Sem*, de uma personagem bíblica, + *-ita*[2].] *S. 2 g.* **1.** Indivíduo dos semitas, família etnográfica e lingüística, originária da Ásia ocidental, e que compreende os hebreus, os assírios, os aramaicos, os fenícios, os árabes. V. *semítico* (3). **2.** *Restr.* O judeu. • *Adj.* **3.** Pertencente ou relativo aos semitas. [Cf. *sêmita*.]

sêmita. [Do lat. *semita*.] *S. f. Senda.* [Cf. *sêmita*.]

semítico. *Adj.* **1.** Pertencente ou relativo aos semitas e ao semítico. **2.** Restr. Pertencente ou relativo aos judeus. • *S. m.* **3.** *Ling.* Grupo de línguas da família camito-semítica, que compreende dois subgrupos: o oriental, representado pelo assírio, e o ocidental, com um tronco setentrional, ao qual pertencem o cananeu e o aramaico, e um tronco meridional, do qual fazem parte o árabe, o sabeu e o etiópico.

semitismo. [De *semita* + *-ismo*.] *S. m.* **1.** Caráter do que é semítico. **2.** *Restr.* Caráter do que é judeu. **3.** A civilização semítica, ou a sua influência. **4.** Idiotismo peculiar às línguas semíticas.

semitofobia. [De *semita* + *-o-* + *-fobia*.] *S. f.* Ódio aos semitas, particularmente aos judeus. [Cf. *anti-semitismo*.]

semitofóbico. *Adj.* Relativo à, ou que tem semitofobia.

semitófobo. [De *semita* + *-o-* + *-fobo*.] *Adj.* e *s. m.* Que ou aquele que tem semitofobia. [Cf. *anti-semita*.]

semitom. [De *semi-* + *tom*.] *S. m. Mús.* V. *meio-tom*.

semitonar. [De *semitom* + *-ar*[2].] *V. t. d.* Cantar ou entoar em semitom.

semitonto. [De *semi-* + *tonto*.] *Adj.* Meio tonto; quase tonto: "esgueirava-se ao longo dos casebres, arrastando pela mão a filharada, semitonta de sono e entanguida de frio" (Hugo de Carvalho Ramos, *Tropas e Boiadas*, pp. 67-68).

semitotal. [De *semi-* + *total*.] *Adj. 2 g.* Quase total.

semitransparente. [De *semi-* + *transparente*.] *Adj. 2 g.* Um tanto transparente.

semitropical. [De *semi-* + *tropical*.] *Adj. 2 g.* Meio tropical; quase tropical.

semi-úmido. [De *semi-* + *úmido*.] *Adj.* Meio úmido; quase úmido. [Pl.: *semi-úmidos*.]

semi-uncial (i-un). [De *semi-* + *uncial*.] *Adj. (f.)* e *s. f. Paleogr.* Diz-se da, ou a forma de transição da uncial latina para a minúscula, usada do séc. VI ao XII, e caracterizada pelo número maior de letras ascendentes e descendentes. [Pl.: *semi-unciais*. V. *uncial*.]

semiústo. [Do lat. *semiustu*.] *Adj. Poét.* Um tanto queimado.

semiviro. [Do lat. *semiviru*.] *S. m.* Homem imperfeito; eunuco.

semiviver. [De *semi-* + *viver*.] *V. int.* Viver incompletamente.

semivivo. [Do lat. *semivivu.*] *Adj.* V. *semimorto.*

semivogal. [De *semi-* + *vogal.*] *S. f. Fon.* Cada uma das vogais *i* e *u* quando, juntas a outra vogal, com ela formam uma sílaba. P. ex.: O *i* das palavras *herói (herói)* e *Mário (Má-rio),* e o *u* das palavras *troféu (tro-féu)* e *quadro (qua-dro).*

sem-justiça. *S. f.* Ato injusto; injustiça, iniqüidade. [Pl.: *sem-justiças.*]

sem-lar. *S. 2 g.* e *2 n.* Pessoa que não tem lar (4): "Que aos s e m - l a r e sem-pão, — homem ou ave, / Qualquer migalha vil lhes mata a fome, / Qualquer fiapo de lã basta a aquecê-los." (Alberto de Oliveira, *Poesias,* 4ª série, p. 236.)

sem-luz. *S. 2 g.* e *2 n.* Pessoa que, física e/ou espiritualmente, vive nas trevas: "Choravam os s e m - l u z , / E os rijos peitos bravos." (Gomes Leal, *História de Jesus,* p. 108.)

sem-nome. *Adj. 2 g.* e *2 n.* Diz-se de ato indecente ou revoltante: *uma barbaridade s e m - n o m e .*

sem-número. *S. m.* Número indeterminado; grande número: *Visitei-o um s e m - n ú m e r o de vezes;* "é um s e m - n ú m e r o de soldados de uniformes exóticos" (Xavier Marques, *A Cidade Encantada,* p. 36).

semodagem. [De *sem* + *modo* + *-agem*[2].] *S. f. Bras., CE. Pop.* **1.** Falta de bons modos. **2.** Travessura, traquinada: "Só lhe resta um recurso. Deus. Sim. Por que não? Era uma s e m o d a g e m implorar isso aos céus: que não levasse tunda." (Manuel Lobato, *Garrucha 44,* p. 85.)

sêmola. [Do it. *semola.*] *S. f.* **1.** Farinha granulada resultante da moagem do grão do trigo ou de outros cereais e utilizada no preparo de massas, sopas, etc. **2.** Semolina.

semolina. [Do it. *semolino,* com adapt. ao gênero de *sêmola.*] *S. f.* Fécula de farinha de arroz; sêmola.

semostração. [De *se*[1] + *mostrar* + *-ção.*] *S. f. Bras., SP.* **1.** Defeito de querer mostrar-se, de ostentar inteligência, conhecimento, dinheiro, luxo, etc. **2.** Vaidade, ostentação.

semostradeira. [Fem. de *semostrador.*] *Adj. (f.)* e *s. f. Bras., MG* e *SP.* Diz-se de, ou mulher que gosta de aparecer, de chamar a atenção, de se mostrar: "Outras [quengas], velhas e sabidas, s e m o s t r a d e i r a s , pediam e ganhavam vidrinhos de cheiro, potes de brilhantinas rançosas." (Nélson de Faria, *Tiziu e Outras Estórias,* p. 37.)

semostrador (ô). [De *se*[1] + *mostrar* + *-(d)or.*] *Adj.* e *s. m. Bras., SP.* Diz-se de, ou aquele que tem o defeito da semostração. [Fem.: *semostradeira.*]

semoto. [Do lat. *semotu.*] *Adj.* Afastado, distante, remoto.

semovente. [Do lat. *semovente,* cujo sentido, aliás, é 'que se afasta'.] *Adj. 2 g.* **1.** Que se move por si próprio. — V. *bens —s.* ● *S. m.* **2.** Ser que anda ou se move por si mesmo.

sem-pão. *S. 2 g.* e *2 n.* Pessoa faminta, que não tem pão (5): "Que aos sem-luz e s e m - p ã o , — homem ou ave, / Qualquer migalha vil lhes mata a fome, / Qualquer fiapo de lã basta a aquecê-los." (Alberto de Oliveira, *Poesias,* 4ª série, p. 236.)

sem-par. [De *sem* + *par.*] *Adj. 2 g.* e *2 n.* Que é único; sem igual: "Em teu seio formoso retratas / Este céu de puríssimo azul, / A verdura s e m - p a r destas matas, / E o esplendor do Cruzeiro do Sul...". (Olavo Bilac, "Hino à Bandeira Nacional", *in Poesias Infantis,* p. 137.) [Cf. *sem par.*]

sempiterno. [Do lat. *sempiternu.*] *Adj.* **1.** Que não teve princípio nem há de ter fim; eterno. **2.** Que dura sempre; perpétuo, contínuo. **3.** Antiqüíssimo.

sempre. [Do lat. *semper.*] *Adv.* **1.** Em todo o tempo; em qualquer ocasião: *S e m p r e atendem aos pedidos de pessoas influentes.* **2.** Sem cessar; continuamente, constantemente: *Desde criança esteve s e m p r e a estudar.* **3.** Em todo (o) caso; de qualquer modo: *Dormi apenas três horas, mas s e m p r e deu para descansar.* **4.** Afinal, enfim, finalmente: *Puxa vida! s e m p r e saiu o emprego de que ele tanto necessitava.* **5.** Na verdade; realmente: *Sim senhor! s e m p r e és um patife!;* "— Este Lúcio s e m p r e tem cada esquisitice..." (Mário de Sá-Carneiro, *A Confissão de Lúcio,* p. 105). ● *Conj.* **6.** Entretanto, contudo, todavia: *Afirma que é honesto; s e m p r e tenho as minhas dúvidas.* ● *S. m.* **7.** Todo o tempo passado ou futuro. ◆ **Até sempre. 1.** Até à vista; até mais ver; até logo. **2.** Sempre à disposição ou às ordens de alguém. **Para o sempre.** V. *para sempre:* "Oh! luz das pupilas p a r a o s e m p r e extinta" (Coelho Neto, *Sertão,* p. 141). **Para sempre.** Indefinidamente, eternamente, perpetuamente; para o sempre, para todo o sempre: "Se te encontrar pode ser que eu consiga / ser p a r a s e m p r e a Amada Amiga." (Cecília Meireles, *Obra Poética,* p. 853.) **Para todo o sempre.** V. *para sempre: P a r a t o d o o s e m p r e estarei a seu lado.*

sempre-lustrosa. *S. f. Bras.* Trepadeira lenhosa, da família das nictagináceas *(Bougainvillea spectabilis),* de flores insignificantes, mas incluídas em magnas brácteas membranáceas, inseridas três a três, e de cores fortes: alvas, róseas, vermelhas ou roxas. Não produz fruto. [Sin.: *bungavília, cansarina, primavera, três-marias.* Pl.: *sempre-lustrosas.*]

sempre-noiva. *S. f.* V. *sanguinária.* [Pl.: *sempre-noivas.*]

sempre-viva. *S. f.* Erva da família das compostas *(Helichrysum bracteatum),* cujas inflorescências secas são vendidas como adorno, por não murcharem nem perderem a cor, e cujos capítulos são pequenos, solitários, de coloração muito variada. [Pl.: *sempre-vivas.*]

sem-pudor. *S. m. 2 n.* Falta de pudor; despudor, impudor, impudência.

sem-pulo. *S. m. 2 n. Bras. Fut.* Chute desferido no momento em que tanto o jogador como a bola estão no ar.

sem-razão. *S. f.* **1.** Falta de razão; desrazão. **2.** Ato ou conceito sem fundamento, desarrazoado. **3.** Injustiça, injúria. [Pl.: *sem-razões.*]

sem-sal. *Adj. 2 g.* e *2 n.* **1.** Insulso, insosso. **2.** *Fig.* Sensaborão.

sem-segundo. *Adj.* Único, sem-par. [Pl.: *sem-segundos.*]

sem-termo. *S. m.* V. *sem-fim*[1]. [Pl.: *sem-termos.* Cf. *m termo,* loc. adj.]

sem-trabalho. *S. 2 g.* e *2 n. Bras.* Pessoa que não encontra em que ganhar a vida, conquanto o procure.

sem-ventura. *S. f. 2 n.* Falta de ventura; desventura, infelicidade.

sem-vergonha. *Adj. 2 g.* e *2 n.* **1.** *Bras.* Diz-se de pessoa que não tem vergonha, pudor, brio. **2.** *Bras., SP.* Diz-se da planta que pega com facilidade. ● *S. 2 g.* e *2 n.* **3.** *Bras.* Pessoa sem-vergonha.

sem-vergonhez (ê). [De *sem-vergonha* + *-ez.*] *S. f. Bras.* V. *sem-vergonhice.* [Pl.: *sem-vergonhezes.*]

sem-vergonheza (ê). [De *sem-vergonha* + *-eza.*] *S. f. Bras.* V. *sem-vergonhice.* [Pl.: *sem-vergonhezas.*]

sem-vergonhice. [De *sem-vergonha* + *-ice.*] *S. f.* **1.** *Bras.* Qualidade, ato, dito ou procedimento de sem-vergonha. **2.** Falta de vergonha. [Sin. ger.: *sem-vergonhismo, sem-vergonheza* e *sem-vergonhez.* Pl.: *sem-vergonhices.*]

sem-vergonhismo. [De *sem-vergonha* + *-ismo.*] *S. m. Bras.* V. *sem-vergonhice.* [Pl.: *sem-vergonhismos.*]

■ **sen.** *Mat.* Símb. de *seno.*

■ **sen**[-1]**.** *Mat. Símb.* impr. de *arco seno* [q. v.].

sena[1]**.** [Do lat. *sena,* 'de seis em seis'.] *S. f.* Carta de jogar, dado, ou peça de dominó com seis pintas ou pontos. [Pl.: *senas.* Cf. *cena,* s. f., pl. *cenas,* e *Cenas,* top.] ~ V. *senas.*

sena[2]**.** *S. f.* Var. de *sene.* [Pl.: *senas.* Cf. *cena,* pl. *cenas,* e *Cenas,* top.] ~ V. *senas.*

senáculo. [Do lat. *senaculu.*] *S. m.* Lugar ou praça onde o Senado romano realizava as suas sessões. [Cf. *cenáculo.*]

senado. [Do lat. *senatu.*] *S. m.* **1.** Na Roma antiga, assembléia de patrícios que, sob a república, constituía a magistratura suprema, e que foi mantida sob o império, mas com poderes bem diminuídos. **2.** Local onde se realizava tal assembléia. **3.** Designação comum a certas assembléias políticas das repúblicas da Antiguidade, da Idade Média, ou dos tempos modernos: *o S e n a d o de Esparta.* **4.** Câmara alta, nos países onde existem duas assembléias legislativas. **5.** *P. ext.* Local onde esta câmara se reúne. **6.** *Ant.* Câmara municipal; senado da câmara. ◆ **Senado da Câmara.** *Ant.* Senado (6).

senador (ô). [Do lat. *senatore.*] *S. m.* **1.** Membro do Senado. [Fem.: *senadora* e *senatriz.*] **2.** *Bras., RS. Fig.* Cavalo muito idoso.

senadorense. *Adj. 2 g.* **1.** De, ou pertencente ou relativo a Senador Pompeu (CE). ● *S. 2 g.* **2.** Natural ou habitante de Senador Pompeu.

senadoria. *S. f.* V. *senatoria.*

senal. *Adj. 2 g.* Diz-se do diamente bruto e pequeníssimo. [Cf. *sinal.*]

senão. [De *se*[2] + *não.*] *Conj.* **1.** De outro modo; do contrário; aliás: *Lute, s e n ã o está perdido;* "O melhor é ires de vontade, s e n ã o vais a mal." (Domingos Monteiro, *Histórias das Horas Vagas,* p. 149). **2.** Mas sim; e sim; mas, porém: "por desgraça dele a primeira moeda grande que achara, não era ouro nem prata, s e n ã o ferro, duro ferro" (Machado de Assis, *Páginas Recolhidas,* p. 61); "Escritor: não somente certa maneira especial de ver as coisas, s e n ã o também impossibilidade de vê-las de outra, qualquer maneira." (Carlos Drummond de Andrade, *Passeios na Ilha,* p. 120). ● *Prep.* **3.** Exceto, salvo; a não ser: *Ninguém s e n ã o os irmãos Correias compareceu à cerimônia;* "não falava s e n ã o no seu priminho" (Camilo Castelo Branco, *Vulcões de Lama,* p. 20); "Bofé — disse D. João I, rindo — que não ando a meu talante s e n ã o com o arnês às costas!" (Alexandre Herculano, *Lendas e Narrativas,* I, p. 297): "um sapo não é feio s e n ã o porque a nossa concepção de beleza é muito diferente da que podem ter os sapos." (Patrícia Joyce, *Anúncio de Casamento,* p. 141). [Cf. *se não,* em frases onde há alternativa, incerteza, imprecisão, equivalendo o *se não, portanto,* a *ou: Comprarei duas estantes, s e n ã o três* (ou três); *É rico, s e n ã o riquíssimo* (ou riquíssimo); *Compareceu a maioria dos convidados, s e n ã o todos* (ou todos). Note-se que fica subentendida, em casos assim, a repetição do verbo: *Comprarei duas estantes, s e n ã o (comprar) três;* etc. Quanto à acepção 1, parece-nos que, em lugar de *senão,* se usará *s e n ã o ,* virgulando-o, se houver pausa enfática: *Lute; s e n ã o , está perdido.*] ● *S. m.* **4.** Defeito, mancha, mácula: "Nem um s e n ã o no todo dela existe. / É bela" (Alberto de Oliveira, *Poesias,* 4ª série, p. 120.) [Cf. *sinão,* aum. de *sino; Sinão,* antr.; e *Cenão,* top.] ◆ **Senão quando.** De súbito; de repente; eis que; quando não: "chorava o seu desastre, ... sentada no chão. S e n ã o q u a n d o , indo a passar um homem ébrio, viu o incêndio, viu a mulher, perguntou-lhe se a casa era dela." (Machado de Assis, *Quincas Borba,* p. 222.) **Senão que.** Mas antes; mas sim; senão: *Recebeu a homenagem não contrafeito, s e n ã o q u e muito à vontade.*

senário. [Do lat. *senariu.*] *Adj.* **1.** Que contém seis unidades. **2.** Que tem a base de seis: *sistema s e n á r i o .* **3.** Diz-se do verso latino composto de seis pés jâmbicos. [Cf. *cenário.*]

senas. [Pl. de *sena*[1].] *S. f. pl.* **1.** Peça do dominó que apresenta duas senas [v. *sena*[1]]. **2.** Lance de dados em que todos caem com a sena para cima. [Cf. *cenas,* pl. de *cena.*] ~ V. *sena.*

senatoria. [Do lat. *senatore* + *-ia.*] *S. f. Bras.* Mandato de senador; senadoria. [A pronúncia corrente é *senatória* (q. v.). Cf. *senatória,* fem. de *senatório,* e *cenatória,* fem. de *cenatório.*]

senatória. [Fem. de *senatório,* i. e, 'cadeira senatória'.] *S. f.* V. *senatoria.*

senatorial. *Adj. 2 g.* Referente ao senado; senatório.

senatório. [Do lat. *senatoriu.*] *Adj.* Senatorial. [Fem.: *senatória.* Cf. *cenatório,* adj., fem. *cenatória,* e *senatoria,* s. f.]

senatriz. [Do lat. *senatrice.*] *S. f.* V. *senador.*

senatus-consulto (ná). [Do lat. *senatusconsultu.*] *S. m.* No antigo Senado romano, decreto com força de lei. [Pl.: *senatus-consultos.*]

senciente. [Do lat. *sentiente.*] *Adj. 2 g.* **1.** Que sente. **2.** Que tem sensações.

sencilha. [Do esp. plat. *sencilla,* 'simples, ingênua'.] *S. f. Bras., RS.* Dinheiro que, no jogo de cartas, é emprestado aos jogadores por um que não joga, mas que lucra uma percentagem sobre o dinheiro emprestado e sobre o ganho dos jogadores que receberam o empréstimo.

sencilheiro. [Do esp. plat. *sencillero,* 'prestamista'.] *S. m. Bras., RS.* Indivíduo que dá sencilha e vive desse expediente.

senda. [Do lat. *semita,* 'atalho'.] *S. f.* **1.** Caminho estreito; vereda: "Aprazível cousa era o ver, descendo dos outeiros para o vale por s e n d a s torcidas, aquelas multidões" (Alexandre Herculano, *Lendas e Narrativas,* I, p. 231). **2.** *Fig.* Praxe, usança, hábito, rotina.

sendeiro. [Do lat. *semitariu,* 'que anda por atalhos'.] *Adj.* e *s. m.* **1.** Diz-se de, ou cavalar ou muar velho e ruim. **2.** *Pop.* Diz-se de, ou indivíduo desprezível por seu servilismo; sevandija. **3.** *Bras.* Diz-se de, ou o cavalo de carga, robusto, mas de corpulência escassa: "o velho casarão do governo fechava a vasta praça verdejante, em que os s e n d e i r o s da polícia montada pastavam sossegados" (Inglês de Sousa, *O Missionário,* p. 406). ● *Adj.* **4.** *Bras., N.E. Pop.* De dimensões extensas; grande.

sendos. *Pron. distr. m. pl. Ant.* V. *senhos.*

sene. [Do ár. *sana.*] *S. m.* **1.** Designação comum a várias espécies do gênero *Cassia,* da família das leguminosas, que têm origem africana, e de cujas pequenas folhas se extrai um purgativo empregado na medicina clássica. **2.** V. *favela-branca.* [Var.: *sena.* Cf. *Cene,* top.]

senecionídeo. *Adj.* Relativo ou semelhante à tasnei-

rinha.
senectude. [Do lat. *senectute.*] *S. f.* Decrepitude, senilidade, velhice; senescência: "vestindo o cabeção e terçando da bengala de carrasco, duma bela cor de vinho velho, a que arrimava a trêmula *senectude*, meteu terreiro fora para a igreja." (Aquilino Ribeiro, *Estrada de Santiago*, p. 226).
sene-do-campo. *S. f. Bras., MG.* Uma das espécies do gênero *Cassia.* V. *sene* (1). [Pl.: *senes-do-campo.*]
senegalês. *Adj.* **1.** Do, ou pertencente ou relativo ao, ou próprio do Senegal (África); senegalesco. ● *S. m.* **2.** O natural ou habitante do Senegal. [Flex.: *senegalesa* (ê), *senegaleses* (ê), *senegalesas* (ê).]
senegalesco (ê). *Adj.* Senegalês (1): "E sucederam-se trinta dias de um calor *senegalesco* contrastados com trinta noites frigidíssimas" (Antônio Versiani, *Viola de Queluz*, p. 103).
senembi. [Var. de *sinimbu.*] *S. m. Bras.* V. *camaleão*[1] (1 e 2).
senembu. [Var. de *sinimbu.*] *S. m. Bras.* V. *camaleão*[1] (1 e 2).
senescal. [Do germ. *siniskalk.*] *S. m.* **1.** Antigo mordomo-mor ou vedor, em certas casas reais. **2.** Magistrado judicial ou governador-geral, em certos Estados: "o lenhador sentia abrir-se no seu coração .... uma ternura doce e melhor por aquela que, em tantos anos, tornara a sua pobre cabana lugar mais apetecível que a casa rica dum *senescal*" (Eça de Queirós, *Últimas Páginas*, p. 14).
senescalia. *S. f.* Cargo ou função de senescal.
senescência. [Do lat. *senescentia.*] *S. f.* Qualidade ou estado de senescente.
senescente. [Do lat. *senescente.*] *Adj. 2 g.* Que está envelhecendo.
senga. [Dev. de *sengar.*] *S. f. Bras., S.* **1.** Restos, sobras, migalhas. **2.** Cascas de ostras e mariscos.
sengar. [Do quimb. *kusenga*, 'repudiar'.] *V. t. d. Bras.* **1.** Separar por meio da peneira. **2.** Separar (o café) da casca, sacudindo a peneira. [Conjug.: v. *largar.*]
sengos. *Pron. distributivo m. pl. Ant.* V. *senhos.*
sengeano (gè). *Adj.* **1.** De, ou pertencente ou relativo a Sengés (PR). ● *S. m.* **2.** O natural ou habitante de Sengés.
■ **senh.** *Mat.* Símb. de *seno hiperbólico.*
■ **senh**$^{-1}$. *Mat.* Símb. impr. de *arco seno hiperbólico* [q. v.].
senha[1]. [Do lat. *signa*, 'sinais', pl. de *signu.*] *S. f.* **1.** Aceno, gesto, sinal. **2.** Gesto ou sinal combinado entre pessoas, a fim de se entenderem. **3.** Fórmula convencionada que serve para indicar que se está ciente do segredo de certa ação. **4.** Conjunto de duas palavras ou fórmulas convencionadas, utilizadas como sinal de reconhecimento, e que devem ser trocadas entre uma sentinela e quem se aproxima de seu posto. **5.** Recibo, quitação, cautela. **6.** Papel ou bilhete que autoriza readmissão numa assembléia ou num espetáculo. **7.** Documento que atesta o pagamento das respectivas taxas exigidas para certos exames ou atos.
senha[2]. *S. f. Bras.* V. *seu*[1].
senhor (ô). [Do lat. *seniore.*] *S. m.* **1.** Proprietário feudal. **2.** Dono de propriedade. **3.** Amo, patrão, dono. **4.** O que exerce influência, poder, dominação; dominador, soberano: *Portugal outrora foi o senhor dos mares.* **5.** O que tem domínio ou autoridade sobre si mesmo, sobre certas pessoas ou sobre certas coisas: *estar senhor de si; Fale diretamente com ele, que é senhor do assunto; Durante o motim o exército esteve sempre senhor da situação.* **6.** Título nobiliárquico: *D. Pedro, além de rei de Portugal e dos Algarves, era senhor da Guiné.* **7.** Indivíduo importante, distinto, nobre. **8.** Homem idoso. **9.** Tratamento cerimonioso ou respeitoso dispensado aos homens. **10.** Deus (1). **11.** Senhorio (3). ● *Adj.* **12.** Imponente, grandioso, senhoril: "Quando apareciam as barbas e o par de bigodes longos, ... bengala de unicórnio, e um andar firme e *senhor*, dizia-se logo que era Rubião, — um ricaço de Minas." (Machado de Assis, *Quincas Borba*, p. 254.) **13.** *Bras.* Empregado antes de um nome comum, dá a idéia de coisa importante, grandiosa, excelente, excepcional: *um senhor barco; um senhor cais; uma senhora residência;* "Aí então é que era pegar e sangrar tatu!... Foi uma *senhora* matança!" (Simões Lopes Neto, *Casos do Romualdo*, p. 44). ♦ **Senhor de baraço e cutelo.** Aquele que dispunha da vida dos seus vassalos: "Pela força da necessidade .... o fidalgo se havia constituído *senhor de baraço e cutelo*, de alta e baixa justiça dentro de seus domínios" (José de Alencar, *O Guarani*, I, p. 89). **Senhor de engenho.** *Bras.* Proprietário de engenho de açúcar. [Cf. *senhor-de-engenho.*] **Adormecer no Senhor.** V. *morrer* (1): "Ele [D. Pedro II], o criador do Brasil moderno, *adormeceu no Senhor* e paira muito acima dos juízos dos homens" (Carlos de Laet, *Obras Seletas*, I, p. 61). **Estar senhor da situação.** Ter perfeito conhecimento e controle de uma situação difícil, perigosa: *Pairava a ameaça de golpe, mas o presidente estava senhor da situação.* **Estar senhor de si.** **1.** Estar mentalmente sadio. **2.** Manter-se tranqüilo, seguro, confiante. **Nosso Senhor.** Jesus Cristo. **O senhor.** F. de tratamento dado à segunda pessoa: "— Ah! o *senhor* é que é o Pestana? perguntou Sinhazinha Mota, fazendo um largo gesto admirativo." (Machado de Assis, *Várias Histórias*, p. 61.) **Ser senhor do seu nariz.** Não ter de dar satisfações a ninguém; proceder como bem lhe parece. **Sim senhor.** Indica espanto, em geral irônico, ante algo que se vê ou ouve, ou de que se teve notícia.
senhora (ó ou ô). [Fem. de *senhor.*] *S. f.* **1.** Fem. de *senhor* (1, 2, 3 e 7). **2.** Dona de casa. **3.** Esposa, mulher. **4.** Tratamento cerimonioso ou respeitoso dispensado às mulheres casadas ou àquelas que já não são muito jovens. [V. outras acepç. em *senhor.*] ♦ **Nossa Senhora.** **1.** A Virgem Maria; Nossa Mãe. **2.** Designa admiração ou espanto; minha Nossa Senhora; Nossa Mãe, Santo Deus. [Tb. se diz apenas, nesta acepç., *Nossa* (q. v.).] **Minha Nossa Senhora.** V. *Nossa Senhora* (2).
senhoraça. [De *senhora* + *-aça.*] *S. f. Fam.* Mulher do povo que tentava parecer senhora (1), vestindo-se com luxo ou garridice: "As próprias escravas se vestem como *senhoraças*: usam cambraias e holandas nos vestidos e adornam-se com arrecadas" (Eduardo Frieiro, *O Mameluco Boaventura*, p. 12).
senhoraço. [De *senhor* + *-aço.*] *S. m.* **1.** Homem de baixa condição social que se insinua como pertencente a categoria superior. **2.** Homem importante; figurão.
senhora-das-águas. *S. f. Bras.* V. *boiúna* (1). [Pl.: *senhoras-das-águas.*]
senhor-de-engenho. *S. m. Bras.* Mero[1] (2). [Pl.: *senhores-de-engenho.* Cf. *senhor de engenho.*]
senhoreador (ô). *Adj.* e *s. m.* **1.** Que, ou aquele que senhoreia. **2.** Que, ou aquele que domina, que infunde respeito; dominador.
senhorear. [De *senhor* + *-ear.*] *V. t. d.* **1.** Tomar posse de; assenhorear-se de; conquistar: *Os soldados romanos senhorearam grande império.* **2.** Ter império ou influência moral sobre; cativar, conquistar, dominar: *Senhoreia-lhe a vontade;* "a perversidade que *senhoreia* toda a Terra, vai cometer também o Céu" (Antônio Feliciano de Castilho, *As Metamorfoses de Ovídio*, p. 5). **3.** Captar o ânimo de. **4.** Atrair, granjear. **5.** Refrear, reprimir, conter. *T. i.* **6.** Exercer mando, domínio: *Grande chefe eleitoral, senhoreia sobre as populações do interior. Int.* **7.** Exercer domínio; fazer-se de senhor. *P.* **8.** Assenhorear-se: "Os castelhanos que se *senhorearam* de Portugal, se distinguiram, mais que nenhuma outra nação da Europa, na arte de Aristófanes e de Menandro" (Camilo Castelo Branco, *Noites de Insônia*, IX, p. 52). [Conjug.: v. *frear.*]
senhoria. *S. f.* **1.** Qualidade ou condição de senhor ou senhora. **2.** Domínio de um Estado ou potentado sobre uma terra: *a senhoria de Florença.* **3.** Essa própria terra. **4.** Proprietária de um prédio alugado ou arrendado. ♦ **Vossa Senhoria.** Tratamento cerimonioso empregado principalmente em linguagem comercial.
senhoriagem. *S. f.* **1.** Tributo que era pago como reconhecimento de um senhorio. **2.** Direito que se pagava ao rei pela cunhagem da moeda. **3.** Diferença entre o valor real e o valor nominal da moeda.
senhorial. *Adj. 2 g.* Pertencente ou relativo a senhor, ou a senhorio: *terras senhoriais.*
senhoril. *Adj. 2 g.* **1.** Próprio de senhor ou senhora. **2.** P. ext. Distinto, elegante, majestoso, nobre: *Tem um ar senhoril.*
senhorilidade. *S. f.* Qualidade de senhoril.
senhorinha. [Dim. de *senhora.*] *S. f. Bras.* Senhorita (2 e 3).
senhorio. *S. m.* **1.** Direito de senhor sobre alguma coisa; domínio, autoridade. **2.** Posse, domínio, propriedade: *Ao cabo de uns anos voltaram eles ao senhorio da casa e da chácara.* **3.** Proprietário de um prédio alugado ou arrendado; senhor. ♦ **Senhorio direto.** A entidade que recebe o foro de um prazo (3). **Senhorio útil.** A entidade que tem a posse de prédio enfitêutico e paga o respectivo foro.
senhorita. [Dim. de *senhora.*] *S. f.* **1.** Mulher de baixa estatura. **2.** *Bras.* Moça solteira; senhorita. **3.** Tratamento cerimonioso e respeitoso dispensado a moça solteira; senhorinha.
senhor-velho. *S. m. Bras.* O antigo dono do escravo. [Pl.: senhores-velhos.]B
senhos. [Do lat. *singulos*, 'um por um', 'um em cada um'.] *Pron. distributivo pl. Ant.* Aplicava-se a dois ou mais objetos de igual natureza pertencentes ou referentes a duas ou mais pessoas, conduzindo ou tendo cada uma delas o seu; sengos, sendos: "E por piedade vós outros .... dizei *senhas* orações" (Gomes Eanes de Azurara, *Crônica do Descobrimento e Conquista de Guiné*, p. 416); "que fossem em terra e levassem aqueles dous homens e os deixassem ir com seu arco e seetas, aos quais mandou dar *senhas* camisas novas .... e *senhos* cascavéis." (Pêro Vaz de Caminha, *ap.* Leonardo Arroio, *A Carta de Pêro Vaz de Caminha*, p. 76).
sênica. *S. f.* Alter. pop. de *arsênico.* [Cf. *cênica*, fem. de *cênico.*]
senil. [Do lat. *senile.*] *Adj. 2 g.* **1.** Da velhice, ou relativo a ela ou aos velhos: *idade senil.* **2.** Próprio da velhice, da senilidade: *delírio senil;* "O pai com o seu egoísmo de velho achacado e raiva *senil* às sensuais brejeirices do filho, chegava-se pouco ao catre onde o febricitante esperneava" (Camilo Castelo Branco, *Sentimentalismo e História*, p. 177). **3.** Muito velho; decrépito: *aspecto senil.*
senilidade. *S. f.* **1.** Qualidade ou estado de senil; decrepitude. **2.** Idade senil. **3.** Fraqueza intelectual resultante da velhice.
senilização. *S. f.* Ato ou efeito de senilizar.
senilizar. *V. t. d.* **1.** Tornar senil; envelhecer: *A moléstia e os desgostos senilizaram-no bem cedo.* **2.** Tornar velho artificialmente (madeiras, pinturas, etc.) para fins comerciais ou artísticos.
sênior. [Do lat. *senior*, 'mais antigo, mais velho', comp. de *senex.*] *Adj. 2 g.* **1.** O mais velho (de dois). [Junta-se, por via de regra, ao nome da mais velha de duas pessoas da mesma família que têm nome idêntico.] ● *S. m.* **2.** Desportista que já conquistou primeiro prêmio. [Pl.: *seniores* (ô). Antôn.: *júnior.*]
seno. [Do lat. *sinu*, 'curvatura'.] *S. m. Trig.* Função de um ângulo orientado definida pelo quociente entre a ordenada da extremidade do arco de circunferência subtendido pelo ângulo e o raio da circunferência. [Símb.: *sen.* Cf. *ceno*, s. m., e *Ceno*, top.] ♦ **Seno hiperbólico.** *Mat.* Função que é igual à metade da diferença entre duas exponenciais cujos expoentes são x e -x. [Símb.: *senh.*] **Seno hiperbólico inverso.** *Mat.* Arco seno hiperbólico. **Seno inverso.** *Mat.* Arco seno. **Seno verso.** *Mat.* A diferença entre a unidade e a função coseno. [Símb.: *senv* e *vers.*]
senografia. *S. f. Radiol.* V. *mamografia.* [Cf. *cenografia.*]
senográfico. *Adj.* Relativo à senografia. [Cf. *cenográfico.*]
senoidal. [De *senóide* + *-al.*] *Adj. 2 g.* Relativo ao seno e/ou à senóide. — V. *curva* —.
senóide. [De *seno* + *-óide.*] *S. f. Geom. Anal.* Curva que, num sistema cartesiano, representa a função seno; sinusóide, curval senoidal, curva sinusoidal.
senoniano. *Adj.* **1.** De, ou pertencente ou relativo à cidade de Sens (França). ● *S. m.* **2.** O natural ou habitante de Sens.
sensabor (ô). [De *sem* + *sabor.*] *Adj. 2 g.* **1.** Que não tem sabor; insípido. **2.** Desenxabido, desengraçado, sem-sal, insípido. ● *S. 2 g.* **3.** Pessoa sensabor.
sensaborão. *Adj.* e *s. m.* Diz-se de, ou indivíduo muito sensabor; sem-sal. [Fem.: *sensaborona.*]
sensaboria. *S. f.* **1.** Qualidade de sensabor (1); insipidez. **2.** Qualidade do que é sensabor (2); insipidez. **3.** *Fam.* Ato ou sucesso desagradável, ou que causa ou pode causar desgostos; contratempo.
sensaborona. *Adj. (f.)* e *s. f.* Fem. de *sensaborão.*
sensação. [Do b.-lat. *sensatione.*] *S. f.* **1.** *Fisiol.* Impressão causada numa formação receptora por um estímulo, e que, por via aferente, é conduzida ao sistema nervoso central. **2.** *Psicol.* Processo sensorial consciente correlacionado com um processo fisiológico, e que proporciona ao homem e aos animais superiores o conhecimento do mundo externo. **3.** Impressão física em geral: *sensação de dor; sensação de mal-estar.* **4.** Surpresa ou grande impressão devida a um acontecimento raro, incomum: *Sua chegada causou sensação.* **5.** Comoção moral; emoção: *A vitória das tropas causou viva sensação.*
sensacional. *Adj. 2 g.* **1.** Que produz sensação intensa. **2.** Referente a sensação. **3.** Que desperta viva admiração ou entusiasmo; espetacular, formidável: *um filme sensacional.*
sensacionalismo. *S. m.* **1.** Divulgação e exploração, em tom espalhafatoso, de matéria capaz de emocionar ou escandalizar. **2.** Uso de escândalos, atitudes chocantes,

hábitos exóticos, etc., com o mesmo fim. **3.** Exploração do que é sensacional (3), na literatura, na arte, etc.
sensacionalista. *Adj. 2 g.* Em que há, ou que usa de sensacionalismo: *notícia sensacionalista; jornal sensacionalista.*
sensacionismo. *S. m.* **1.** Hábito de produzir sensações. **2.** *Filos.* Doutrina segundo a qual todo conhecimento provém, e só provém, das sensações; sensualismo.
sensatez (ê). *S. f.* **1.** Qualidade de sensato; bom senso. **2.** Cautela, previdência, prudência. **3.** Discrição, reserva, circunspecção.
sensato. [Do lat. tardio *sensatu.*] *Adj.* **1.** Que tem bom senso; judicioso. **2.** Prudente, previdente, cauteloso. **3.** Discreto, reservado, circunspecto.
sensibilidade. [Do lat. *sensibilitate.*] *S. f.* **1.** Qualidade de sensível. **2.** Faculdade de sentir; sentimento: *sensibilidade literária.* **3.** Propriedade do organismo vivo de perceber as modificações do meio externo ou interno e de reagir a elas de maneira adequada; excitabilidade: *sensibilidade ao calor; sensibilidade da pele; sensibilidade estomacal.* **4.** Faculdade do ser humano sensível (2); impressionabilidade. **5.** Faculdade de experimentar sentimentos de humanidade, ternura, simpatia, compaixão. **6.** Faculdade que tem o artista de ser especialmente sensível aos elementos que, transmitidos à sua obra, são capazes de despertar emoções. **7.** Disposição para ofender-se ou melindrar-se; suscetibilidade. **8.** Emoção, sentimento, afetividade: *O "Pequenino Morto", de Vicente de Carvalho, é um poema cheio de sensibilidade.* **9.** *Fís.* Medição da capacidade de resposta de um instrumento de medida, usualmente expressa pelo quociente da intensidade do sinal de saída pela intensidade do sinal de entrada. **10.** *Automat.* O mínimo sinal de entrada capaz de causar, num sistema, um sinal de saída com características determinadas. **11.** *Estat.* A propriedade dum julgamento de uma hipótese no qual é muito grande a probabilidade de rejeição da hipótese quando ela é falsa. **12.** *Fot.* Numa emulsão fotográfica, medida de capacidade de registrar imagens luminosas, usualmente expressa numa escala arbitrária: velocidade de emulsão; rapidez.
sensibilização. *S. f.* Ato ou efeito de sensibilizar(-se).
sensibilizado. [Part. de *sensibilizar.*] *Adj.* **1.** Abalado; comovido. **2.** Vivamente impressionado. **3.** Que se tornou sensível à ação da luz ou de outro agente qualquer. **4.** *Patol.* Diz-se do organismo em que se provocou sensibilização. ~ V. *papel* —.
sensibilizador (ô). *Adj.* **1.** Sensibilizante. **2.** Que torna sensível à ação da luz ou de outro agente qualquer.
sensibilizante. *Adj. 2 g.* Que sensibiliza; sensibilizador.
sensibilizar. [Do lat. *sensibile,* 'sensível' + *-izar.*] *V. t. d.* **1.** Tornar sensível; causar abalo a; comover: *A tragédia sensibilizou a cidade;* "Sensibilizou-me até às lágrimas a notícia da sua prisão" (Camilo Castelo Branco, *Noites de Insônia,* I, p. 9). **2.** Abrandar o coração de: *As súplicas não sensibilizam os maus.* **3.** Impressionar vivamente, a fundo: *Apesar de sua intensa campanha, não consegue sensibilizar as massas:* "entre 1933 e 1935, fez [Austro-Costa], em sonetos decassilábicos, o comentário quotidiano dos fatos e incidentes que sensibilizavam a opinião pública ou lhe mereciam interesse especial." (Valdemar Lopes, *Austro-Costa, Poeta da Província,* p. 21). **4.** Tornar sensível à ação da luz ou de outro agente qualquer. *P.* **5.** Comover-se, compadecer-se, condoer-se, doer-se, apiedar-se.
sensificar. [Do lat. *sensificare.*] *V. t. d.* **1.** Tornar sensível; sensibilizar. **2.** Restabelecer a sensibilidade em [Conjug.: v. *trancar.*]
sensitiva. [Fem. substantivado do adj. *sensitivo.*] *S. f.* V. *dormideira* (2).
sensitiva-mansa. *S. f.* V. *carrapicho* (3). [Pl.: *sensitivas-mansas.*]
sensitividade. *S. f.* Qualidade de sensitivo.
sensitivo. [Do lat. **sensitu,* por *sensu,* 'sentido', + *-ivo.*] *Adj.* **1.** Relativo ou pertencente aos sentidos. **2.** Que tem a faculdade de sentir: *órgão sensitivo.* **3.** Que se faz sentir; que produz impressão. **4.** *Fig.* V. *sensível* (8). ~ V. *nervo* —. ● *S. m.* **5.** *Fig.* Indivíduo sensitivo (4).
sensitivo-motor (ô). [De *sensitivo* + *motor.*] *Adj.* ~ V. *nervo* —. *[Pl.: sensitivos-motores.]*
sensitometria. [De *sensit(ivo)* + *-o-* + *-metr(o)-*[2] + *-ia.*] *S. f. Fot.* Medida da sensibilidade de emulsões fotográficas.
sensitométrico. *Adj.* Relativo à sensitometria.
sensível. [Do lat. *sensibile.*] *Adj. 2 g.* **1.** Que sente; dotado de sensibilidade: *seres sensíveis; pele sensível.* **2.** Que recebe facilmente as sensações externas: *Tem um ouvido sensível para a música.* **3.** Que pode ser percebido pelos sentidos: *Cobriu-lhe as faces um leve rubor, apenas sensível.* **4.** Que, ao menor contato, se torna dolorido ou faz sofrer: *Com aquele golpe o braço lhe ficou demasiado sensível.* **5.** Capaz de sentimento em grau incomum: dotado de uma vida afetiva intensa; apto a sentir em profundidade as impressões, fazendo que delas participe toda a sua pessoa; emotivo. **6.** Capaz de experimentar sentimentos humanitários; humano, compassivo, sentimental. **7.** Que se deixa impressionar, tocar, comover: *É sensível à boa literatura; Ninguém mais sensível que ele aos encantos femininos.* **8.** Que se ofende ou melindra com facilidade; suscetível, sensitivo, sentido. **9.** De certa importância; apreciável, considerável: *Houve uma alta sensível de preços no mercado automobilístico.* **10.** Claro, evidente, manifesto. [Sin., p. us., nessas acepç.: *sensivo.*] **11.** Diz-se de instrumento que indica a menor diferença ou alteração. **12.** *Mús.* Diz-se do sétimo grau da escala diatônica, quando ele se acha separado do oitavo por um semitom diatônico. [Cf. *subtônica.*] ~ V. *calor* —, *corda* —, *horizonte* — e *papel* —. ● *S. f.* **13.** *Mús.* O grau sensível (12). [Cf. *subtônica.*]
sensivo. [De *senso* + *-ivo.*] *Adj. P. us.* V. *sensível* (1 a 10).
senso. [Do lat. *sensu.*] *S. m.* **1.** Faculdade de apreciar, de julgar, entendimento: "O capitão-mor, que tinha aliás o senso claro e reto, para não dar-se ao trabalho de meditar, incumbia o seu ajudante dessa ocupação secundária" (José de Alencar, *O Sertanejo,* p. 119). **2.** Juízo, tino, siso, discrição, circunspeção: "Desconfio que estou ficando louco... / Tanta coisa me passa na cabeça, / Que se senso me resta, é já bem pouco." (Marcelo Gama, *Via-Sacra e Outros Poemas,* p. 44.) **3.** Faculdade de sentir ou apreciar; sentido: *Tem senso artístico; Tem o senso da medida.* **4.** *P. us.* Sentido (15). **5.** *Filos.* V. *sentido* (16). [Cf. *censo.*] ♦ **Senso comum.** *Filos.* Conjunto de opiniões tão geralmente aceitas em época determinada que as opiniões contrárias aparecem como aberrações individuais. [Cf. *bom senso.*] **Senso moral.** *Filos.* Faculdade de reconhecer intuitiva e infalivelmente o bem o e o mal, sobretudo nos fatos concretos. **Bom senso.** *Filos.* **1.** Faculdade de discernir entre o verdadeiro e o falso. [Cf. *senso comum.*] **2.** Aplicação correta da razão para julgar ou raciocinar em cada caso particular da vida.
sensor (ô). *S. m.* Designação comum aos dispositivos tais como os radares, os sonares, os ecobatímetros, etc., por meio dos quais se pressentem ou localizam alvos inimigos, acidentes geográficos, etc., ou se sondam mares, oceanos, etc. [Cf. *censor.*]
sensorial. [Do fr. *sensoriel.*] *Adj. 2 g.* **1.** Referente a sensório (3 a 5). **2.** Pertencente ou relativo à sensação: *órgãos sensoriais.* ~ V. *nervo* —.
sensoriamento. *S. m.* Análise das condições geológicas e climáticas da Terra mediante a utilização de satélites sensores, destinados à detecção dessas condições, para levantamento de solos, mapeamento, controle de acidentes geológicos, etc.
sensório. [Do lat. filosófico *sensorium,* pelo fr. *sensorium.*] *Adj.* **1.** Respeitante à sensibilidade. **2.** Próprio para transmitir sensações. ● *S. m.* **3.** *Anat.* Qualquer centro nervoso sensitivo. **4.** *Anat.* Sede de sensação, de localização encefálica. **5.** *Med.* Estado de um indivíduo relativamente à sua consciência ou clareza mental. [Cf. *censório.*]
sensório-motor. *Adj.* Relativo ao mesmo tempo aos fenômenos sensoriais e à atividade motora. [Pl.: *sensórios-motores.*]
sensual. [Do lat. *sensuale.*] *Adj. 2 g.* **1.** Respeitante aos sentidos. **2.** Que denota sensualidade: *boca sensual;* "pelas tuas olheiras de veludo, / roxas, histéricas, sensuais ..." (Austro-Costa, *Mulheres e Rosas,* p. 54); "Os véus tinham-lhe ciúme. Outras, tinham-lhe inveja. / E ao fitá-la os varões tinham pasmos sensuais." (Manuel Bandeira, *Estrela da Vida Inteira,* p. 12). **3.** Lúbrico, voluptuoso, lascivo: "Nua a deusa, nadando, a onda dos seios túmidos / Leva diante de si, amorosa e sensual" (Olavo Bilac, *Poesias,* p. 120). ● *S. 2 g.* **4.** Pessoa sensual (3). [Cf. *censual.*]
sensualidade. [Do lat. *sensualitate.*] *S. f.* **1.** Qualidade de sensual. **2.** Lubricidade, volúpia, lascívia, luxúria; sensualismo. **3.** Amor aos prazeres materiais.
sensualismo. [De *sensual* + *-ismo.*] *S. m.* **1.** *Filos.* Sensacionismo (2). **2.** V. *sensualidade* (2).
sensualista. *Adj. 2 g.* **1.** Referente ao, ou que é partidário do sensualismo. ● *S. 2 g.* **2.** Partidário do sensualismo. [Cf. *censualista.*]
sensualização. *S. f.* Ação ou efeito de sensualizar(-se).
sensualizar. *V. t. d.* **1.** Excitar aos prazeres dos sentidos; tornar sensual. *P.* **2.** Tornar-se sensual.
sensualmente. [De *sensual* + *-mente.*] *Adv.* De modo sensual; com sensualidade; lascivamente: "E, vagarosa, / Dos ombros solta, a camisa / Pelo seu corpo, amorosa / E sensualmente, desliza." (Olavo Bilac, *Poesias,* p. 112.)
sentada. [De *sentar* + *-ada*[1].] *S. f.* **1.** Ato de sentar-se por pouco tempo. **2.** *Bras., RS.* V. *assentado* (6). **3.** *Bras., RS.* Parada repentina do cavalo que galopa. **4.** *Tip.* Remuneração mínima que se garante ao linotipista tarefeiro.
sentado. [Part. de *sentar.*] *Adj.* **1.** Que se sentou. **2.** *Bras.* Diz-se do café onde se bebe e come sentado. **3.** *Bras.* Diz-se de refeição em que os convidados se servem ou são servidos sentados: *jantar sentado.*
sentador (ô). *Adj.* **1.** Que senta ou se senta. **2.** *Bras., RS.* Diz-se do cavalo habituado a sentar no cabresto. Aplica-se tb., figuradamente, às pessoas.]
sentar. [Do lat. **sedentare* < *sedente,* part. pres. de *sedere,* 'sentar-se'.] *V. t. d.* **1.** Assentar (1). **2.** *Bras., S.* Parar (o cavalo) de repente, num galope. *Int.* **3.** Tomar assento; sentar-se, assentar-se: "Sentamos os três em redor do bolo." (Lígia Fagundes Teles, *Seminário dos Ratos,* p. 67); "Sentar aqui, olhando / o rio a passar, lento, / faz o pesar mais brando." (Alberto de Serpa, *Rua,* p. 60). *P.* **4.** Tomar assento; sentar; assentar-se: "Sentou-se ao pé de mim, falou da lua e dos ministros" (Machado de Assis, *Dom Casmurro,* p. 1); "Sentou-se à mesa do almoço .... com a retidão costumeira" (Luís Fernando Veríssimo, *Jornal do Brasil,* "Domingo", 16.11.1980). **5.** Estabelecer-se, fixar-se.
sentença. [Do lat. *sententia.*] *S. f.* **1.** Expressão que encerra um sentido geral ou um princípio ou verdade moral máxima. **2.** Rifão, anexim, provérbio [q. v.]. **3.** Julgamento proferido por juiz, tribunal ou árbitro(s); veredicto. **4.** *P. ext.* Qualquer despacho ou decisão. **5.** Palavra ou frase que encerra uma decisão irrevogável. **6.** Julgamento divino. **7.** *Obsol. Gram.* Oração (4).
sentenciação. *S. f.* Método de ensinar a ler sentença por sentença.
sentenciado. [Part. de *sentenciar.*] *Adj.* e *s. m.* Diz-se de, ou indivíduo que foi objeto de sentença (3).
sentenciador (ô). *Adj.* e *s. m.* Que ou aquele que sentencia.
sentenciar. *V. t. d.* e *t. d.* e *i.* **1.** Julgar por sentença, decidir (causa). **2.** Condenar por meio de sentença: *O tribunal sentenciará os culpados; O juiz sentenciou o assassino à pena máxima.* **3.** Julgar, decidir, resolver acerca do mérito ou do demérito de. *Int.* e *t. i.* **4.** Proferir ou pronunciar sentença: *O tribunal tardou a sentenciar.* **5.** Dar ou manifestar o seu voto; emitir a sua opinião: *O jurado sentenciou com a pena máxima.* [Pres. ind.: *sentencio, sentencias, sentencia,* etc.]
sentencioso (ô). [Do lat. *sententiosu.*] *Adj.* **1.** Que tem forma de sentença. **2.** Que encerra sentença; conceituoso. **3.** Que se expressa com gravidade e laconismo, formulando decisões. **4.** Grave como um juiz.
sentido. [Part. de *sentir.*] *Adj.* **1.** V. *sensível* (8). **2.** Pesaroso, triste, plangente: *choro sentido;* "Saudade! és a ressonância / De uma cantiga sentida, / Que, embalando a nossa infância, / Nos segue por toda a vida!" (Da Costa e Silva; *Pandora,* p. 83). **3.** Melindrado, magoado, ressentido: *Sentido com o que lhe fizeram, não os procurou mais.* **4.** Em princípio de putrefação; moído, passado: *carne sentida.* ● *S. m.* **5.** Cada uma das formas de receber sensações, segundo os órgãos destas. [São cinco os sentidos: *visão, audição, olfato, gosto* e *tato.*] **6.** Senso (3). **7.** Bom senso; juízo, tino: *Sua decisão apressada não revela muito sentido.* **8.** Intento, propósito; objetivo: *Ninguém compreendeu o sentido de tua atitude.* **9.** V. *acepção* (1): *palavra de duplo sentido.* **10.** Lado, aspecto, face: *Estudou a matéria em todos os sentidos.* **11.** Razão de ser; cabimento, lógica: *Que sentido tem isso?; Sua decisão radical não tem sentido.* **12.** Atenção; pensamento: *A criança está com o sentido na brincadeira.* **13.** Cuidado, cautela. **14.** Consciência[1] (1): *No acidente perdeu os sentidos.* **15.** Orientação, direção, rumo: *O caminho bifurca-se em dois sentidos.* [Sin. (p. us.), nesta acepç.: *senso.*] **16.** *Filos.* Faculdade de conhecer de um modo imediato e intuitivo, a qual se manifesta nas sensações propriamente ditas; senso. ● *Interj.* **17.** Exprime busca, advertência, recomendação ou cautela. **18.** *Mil.* Voz de comando com que se ordena atenção para as ordens de manobras que virão em seguida. ~ V. *sentidos.* ♦ **Sentido anti-horário.** *Geom. Anal.* V. *sentido trigonométrico.* **Sentido antitrigonométrico.** *Geom. Anal.* Sentido oposto ao trigono-

métrico; sentido inverso, sentido horário, sentido negativo. [Opõe-se a *sentido trigonométrico*.] **Sentido direto.** *Geom. Anal.* V. *sentido trigonométrico*. **Sentido figurado.** Sentido metafórico de uma palavra, frase, parágrafo, etc. Ex.: *Em um formigueiro de gente, a palavra formigueiro está em sentido figurado.* **Sentido horário.** *Geom. Anal.* V. *sentido antitrigonométrico*. [Assim chamado por ser o sentido em que caminham os ponteiros dos relógios.] **Sentido inverso.** *Geom. Anal.* V. *sentido antitrigonométrico*. **Sentido negativo.** *Geom. Anal.* **1.** Sentido oposto ao positivo. [Tb. se diz, impr., *direção negativa*.] **2.** *Restr.* V. *sentido antitrigonométrico*. **Sentido positivo.** *Geom. Anal.* **1.** Sentido ao qual se atribui o sinal positivo quando se percorre uma curva. [Tb. se diz, impr., *direção positiva*.] **2.** *Restr.* V. *sentido trigonométrico*. **Sentido trigonométrico.** *Geom. Anal.* Numa curva plana e fechada, o sentido de rotação que se convencionou positivo, e que é contrário ao do movimento dos ponteiros de um relógio; sentido direto, sentido positivo, sentido anti-horário. [Opõe-se a *sentido antitrigonométrico*.] **Fazer sentido.** Ser compreensível; ser lógico. **Segundo sentido.** Subsentido. **Sexto sentido.** Sentido ideal, supostamente capaz de perceber o que aos outros escapa; intuição: "O sexto sentido do romancista é o invento da surpresa." (Camilo Castelo Branco, *O Que Fazem Mulheres*, p. 146.) **Ter sentido.** Ser concebível; ser aceitável.

sentidos. [Pl. de *sentido*.] *S. m. pl.* **1.** O conjunto das funções orgânicas que buscam o prazer sensual, a sensualidade. **2.** Faculdades intelectuais. ~ V. *sentido*.]

sentimental. [Do ingl. *sentimental*, pelo fr. *sentimental*.] *Adj. 2 g.* **1.** Relativo ao sentimento. **2.** V. *sensível* (6). **3.** Que se deixa comover com facilidade; sensível ao extremo. **4.** Que tem ou mostra sentimento, sincero ou simulado. **5.** Que afeta uma sensibilidade romanesca. ~ V. *drama* —. ● *S. 2 g.* **6.** Pessoa sentimental.

sentimentalão. *Adj.* e *s. m.* Que ou aquele que é muito sentimental. [M. us. como *s. m.* Fem.: *sentimentalona*.]

sentimentalidade. *S. f.* Qualidade de sentimental; sentimentalismo.

sentimentalismo. *S. m.* **1.** Sentimentalidade. **2.** Afetação de sentimento. **3.** Gênero literário ou artístico em que predomina o excesso de sentimento.

sentimentalista. *Adj. 2 g.* **1.** Referente ao sentimentalismo. **2.** Diz-se de pessoa dada ao sentimentalismo: "Mas nunca percas, nunca mais, de vista / aquele moço sentimentalista / que te quis muito e a quem quiseste um pouco!" (Guilherme de Almeida, *Toda a Poesia*, II, p. 42.) ● *S. 2 g.* **3.** Pessoa sentimentalista.

sentimentalizar. *V. t. d.* Tornar sentimental (2 e 3).

sentimentalona. *Adj.* (*f.*) e *s. f.* Fem. de *sentimentalão*.

sentimento. [De *sentir* + *-mento*.] *S. m.* **1.** Ato ou efeito de sentir(-se). **2.** Capacidade para sentir; sensibilidade: sentimento artístico. **3.** Faculdade de conhecer, perceber, apreciar; percepção, noção, senso: *sentimento do dever, das conveniências; Tem o sentimento de sua fraqueza.* **4.** Disposição afetiva em relação a coisas de ordem moral ou intelectual: *sentimento religioso; sentimento patriótico; sentimento de admiração.* **5.** Afeto, afeição, amor: *Grande é o seu sentimento pelo tio.* **6.** Entusiasmo, emoção; alma: *cantar com sentimento.* **7.** Pesar, tristeza, desgosto, mágoa. **8.** Palpite, pressentimento. ~ V. *sentimentos*.

sentimentos. [Pl. de *sentimento*.] *S. m. pl.* **1.** Conjunto das qualidades morais do indivíduo. **2.** V. *pêsames*. ~V. *sentimento*.

sentina. [Do lat. *sentina*.] *S. f.* **1.** *Ant. Mar.* O porão das galés. **2.** V. *latrina* (1). **3.** *Fig.* Lugar muito sujo, imundo. **4.** *Fig.* Pessoa viciosa.

sentinela. [Do it. *sentinella*.] *S. f.* **1.** Soldado armado que se coloca próximo de um posto para o guardar, para prevenir da aproximação de inimigo, etc. **2.** V. *guarda* (11). [Tb. us. no masc., nessas acepç.] **3.** Qualquer coisa elevada em lugar deserto. **4.** Ato de guardar, vigiar ou espiar; guarda: *estar de sentinela.* **5.** V. *vigia* (6): *O cão era a sentinela da casa.* **6.** *Bras.* Capim baixo, até 30 cm, da família das gramíneas (*Paspalum parviflorum*), cujas espículas se reúnem em espigas compactas, achatadas e inseridas duas a duas na ponta do escapo. É considerado boa forragem para animais. **7.** *Bras., N.E.* V. *velório*[2]: "À tarde, meu pai enviou para a casa do morto várias garrafas de aguardente, bolachas, café, para a sentinela." (A. S. de Mendonça Júnior, *O Anel de Brilhantes e Outras Estórias*, p. 57.) ♦ **Sentinela, alerta!** Grito trocado entre sentinelas para conservarem-se em vigília e certificarem-se de que se mantêm nos postos. **Sentinela perdida.** A que fica em posto avançado e perigoso. **Render sentinela.** Substituí-la, trocá-la.

sentir. [Do lat. *sentire*.] *V. t. d.* **1.** Perceber por meio de qualquer órgão dos sentidos: "Quando entrei no elevador, senti um perfume delicioso: âmbar." (Lígia Fagundes Teles, *A Disciplina do Amor*, p. 101); *sentir o ardor da pimenta; sentir o zumbido das abelhas.* **2.** Experimentar (sensação física ou moral); ser afetado por: *A moça sentiu tristeza; Sentia dores.* **3.** Ser sensível a: *As pessoas fúteis não sentem a verdadeira beleza.* **4.** Ouvir indistintamente; entreouvir: "Chego por ver-te / E ante os teus muros paro / Sinto um rumor de lendas pelo ar" (Raul Bopp, *Putirum*, p. 155). **5.** Pressentir (1): *Sentiu que algo estranho estava por acontecer.* **6.** Compreender, entender, perceber: *É difícil sentir de pronto a importância da grande obra.* **7.** *Adivinhar, pressentir, pressagiar.* **8.** Melindrar-se, ofender-se, ressentir-se com: *Senti as injúrias cometidas.* **9.** Sofrer a ação de; experimentar: *Muitos povos sentiram a opressão de ditadores.* **10.** Conhecer por certos indícios: *O cão sentia a presença do estranho.* **11.** Supor, conjeturar: *Sentiu que a sua presença era útil, e ficou.* **12.** Ter consciência de; dar fé ou notícia de; perceber: *Sentia o perigo da situação.* **13.** Reconhecer, verificar, observar: *Procurava, com perguntas capciosas, sentir a opinião do recém-chegado.* **14.** Levar a mal; estranhar; ressentir-se de: *Viu que o amigo sentira as suas palavras, julgando-as ofensivas.* **15.** Experimentar mudança física ou moral por causa de; ressentir-se de: *O animal sentiu a mudança de clima.* **16.** Estar convecido, possuído ou persuadido de; ter a consciência de. *Transobj.* **17.** Julgar, reputar, considerar: *Não o sinto saudável. Int.* **18.** Ter sensibilidade física ou moral. **19.** Ter pesar; sofrer: *Nos momentos de desgraça coletiva todos sentem. P.* **20.** Ter consciência do próprio estado; reconhecer-se: "A calma era absoluta. Não sei por quê, porém, sentia-me inquieto, quase ansioso" (Otávio de Faria, *Novelas da Masmorra*, p. 29); "Sentia-me um homem. Um homem devia fumar,.... jogar bilhar, viver à sua custa. Sentia-me também artista. O drama do artista misturou-se com o drama do homem." (E. di Cavalcanti, *Viagem da Minha Vida*, p. 73); "Sentia-se cada vez pior." (Miguel Torga, *Bichos*, p. 9). **21.** Imaginar-se, julgar-se: "Katherine Mansfield teria dito que, ao escrever sobre um cisne, sentia-se um cisne." (Hélio Pólvora, *A Força da Ficção*, p. 25). **22.** Magoar-se, melindrar-se, ressentir-se: *O rapaz sentiu-se das ofensas recebidas.* [Irreg. Conjug.: V. *aderir*. Pres. ind.: *sinto, sentes*, etc.; pres. subj.: *sinta*, etc. Cf. *cinto*, s. m., *cinta*. s. f., e o pres. ind. do v. *cintar*.] ● *S. m.* **23.** Modo de ver; opinião, parecer, entender, sentimento.

sento-seense (sèên). *Adj. 2 g.* **1.** De, ou pertencente ou relativo a Sento Sé (BA). ● *S. 2 g.* **2.** Natural ou habitante de Sento Sé. [Pl.: *sento-seenses*.]

■ **senv.** *Mat.* Símb. de *seno verso*.

■ **senv**[-1]. *Mat.* Símb. impr. de *arco seno verso* [q. v.].

senzala. [Do quimb. *sanzala*, com dissimilação.] *S. f. Bras.* Conjunto de casas ou alojamentos que se destinavam aos escravos de uma fazenda ou de uma casa senhorial.

sépala. [Do fr. *sépale* < *sépa(rer)* + *(péta)le*.] *S. f. Morfol. Veg.* Peça do cálice. [Quando se soldam entre si as sépalas parecem meros dentículos, livres apenas no ápice.]

sepalino. *Adj. Morfol. Veg.* Relativo ou pertencente à sépala: *glândulas sepalinas.*

▲**-sépalo.** *Suf. nom.* = 'sépala': *monossépalo*.

sepalóide. [De *sépala* + *-óide*.] *Adj. 2 g. Bot.* Que tem feitio de sépala.

separação. [Do lat. *separatione*.] *S. f.* **1.** Ato ou efeito de separar(-se). **2.** Afastamento, apartamento, distância. **3.** Rompimento da união matrimonial. ♦ **Separação de corpos.** *Jur.* Medida preliminar das ações de nulidade ou anulação de casamento, e da ação de desquite, pela qual um dos cônjuges deixa o domicílio conjugal. **Separação do dote.** *Jur.* Ação de retirar da administração do marido os bens dotais, quando a desordem nos negócios dele faça recear que estes fiquem sem segurança.

separado. [Part. de *separar*.] *Adj.* **1.** Desligado, desunido. **2.** Afastado, apartado. **3.** Posto de lado; isolado. **4.** Que rompeu a união matrimonial. ♦ **Em separado.** À parte; separadamente.

separador (ô). [Do lat. *separatore*.] *Adj.* **1.** Que separa. ~ V. *poder* —. ● *S. m.* **2.** Aquele ou aquilo que separa. **3.** Espécie de desnatadeira em que se emprega a força centrífuga para separar, numa mistura, líquidos de diferentes densidades.

separadora (ô). [Fem. substantivado do adj. *separador*.] *S. f. Estat.* Classificadora.

separa-o-visgo. [De *separar* + *o*[2] + *visgo*.] *S. m. Bras., BA. Folcl.* O segundo dos passos tradicionais do *samba-de-roda*: o dançarino suspende e abaixa um dos pés, fazendo em seguida um movimento lateral, como o de quem separa alguma coisa. [Cf. *corrido* (9).]

separar. [Do lat. *separare*.] *V. t. d.* **1.** Fazer a disjunção de (o que estava junto ou ligado); desunir, apartar, isolar: *Separou os melhores bocados para dar ao filho.* **2.** Apartar, afastar um ou uns do(s) outro(s): *Foi necessário separar os candidatos durante o exame.* **3.** Fazer cessar; interromper: *separar uma briga.* **4.** Formar obstáculo a; obstar à união de: *As divergências político-ideológicas separam o mundo moderno.* **5.** Estabelecer discórdia entre: *A herança acabou separando os irmãos.* **6.** Provocar a quebra da vida conjugal entre: *O desquite separa o casal.* **7.** Repartir (um espaço, etc.) por meio de divisória posta de permeio; dividir, isolar: *separar uma sala. T. d. e i.* **8.** Estar colocado entre: Os Alpes separam a Itália da França. **9.** Desunir, apartar, dividir: *É bom separar o joio do trigo*; "Toma-a nas mãos, arranca-lhe a vida que nela palpita, / desfaze o barro vil, separa o que é meu do que não me pertence" (Abgar Renault, *A Outra Face da Lua*, p. 33). **10.** Considerar à parte: *As primitivas instituições atenienses separavam os cidadãos dos metecos. Int.* **11.** Desunir, apartar, isolar: "A vida separa muito mais do que a morte." (Murilo Mendes, *O Discípulo de Emaús*, p. 26.) *P.* **12.** Desagregar-se; desunir-se, apartar-se: *O ouro separa-se das impurezas.* **13.** Dividir-se, partir-se: *A estrada separava-se em três ramais.* **14.** Afastar-se, apartar-se, distanciar-se um ou uns de outro(s): "Na encruzilhada silenciosa do Destino, / As duas Sombras comovidas se abraçaram / E de então, nunca mais se separaram." (Olegário Mariano, *Toda uma Vida de Poesia*, I, p. 119); "A viúva e a filha .... desavieram-se por motivos de partilhas e separaram-se como inimigas mortais." (Júlio Dantas, *Abelhas Doiradas*, p. 165). **15.** Deixar (um casal) de viver em comum, divorciando-se ou desquitando-se: "Os dous esposos desavieram-se e logo se separaram judicialmente." (Artur Azevedo, *Contos Efêmeros*, p. 19).

separata. [Do lat. *separata*.] *S. f.* Publicação, em volume ou opúsculo, de artigo ou de outro trabalho saído em jornal ou em revista, empregando-se a mesma composição tipográfica.

separatismo. [Do lat. *separatu*, part. de *separare*, 'separar' + *-ismo*.] *S. m.* Tendência de certa parte do território de um Estado para separar-se deste e constituir-se em Estado independente.

separatista. *Adj. 2 g.* **1.** Respeitante à separação de um Estado, província, indivíduo, etc. **2.** Que tende a tornar-se independente. ● *S. 2 g.* **3.** Pessoa de idéias separatistas, favorável ao separatismo.

separativo. [Do lat. *separativu*.] *Adj.* Que pode separar; separatório.

separatório. [Do lat. *separatu*, part. de *separare*, 'separar' + *-ório*.] *Adj.* **1.** Separativo. ● *S. m.* **2.** Vaso empregado para se fazer a separação de substâncias líquidas.

separatriz. [Fem. de *separador*.] *S. f. Estat.* Qualquer do valores de uma variável aleatória para os quais a respectiva função de distribuição assume valores múltiplos inteiros de uma fração dada.

separável. [Do lat. *separabile*.] *Adj. 2 g.* Que se pode separar.

seperu. *S. f. Bras.* V. *beberu*.

▲**sepi-.** [Do lat. *sepes, is*.] *El. comp.* = 'sebe': *sepícola*.

sépia. [Do gr. *sepía*, pelo lat. *sepia*.] *S. f. Bras.* **1.** Siba (1). **2.** Denominação comercial da tinta, de coloração escura, que se extrai do animal do mesmo nome, muito usada em pintura. **3.** *P. ext.* Desenho feito com essa tinta. **4.** A cor dessa substância. ● *Adj. 2 g.* e *2 n.* **5.** Que tem essa cor: "entramos num quarto pequeno, muito asseado, com as paredes enfeitadas de quadros e retratos meio sépia da umidade." (Reginaldo Guimarães, *Uma Blusa no Cais*, p. 54). **6.** Diz-se dessa cor

sepiádeo. *S. m.* **1.** Espécime dos sepiádeos. ● *Adj.* **2.** Pertencente ou relativo a eles.

sepiádeos. *S. m. pl. Zool.* Família de moluscos cefalópodes, que compreende as sibas, lulas e sépias (*chocos*). Vivem nas águas pouco profundas e arenosas, subindo através de um mecanismo controlado pela concha interna, que consiste em câmaras muito delgadas situadas uma ao lado da outra pelo crescimento do animal. As câmaras mais antigas contêm gás.

sepícola. [De *sepi-* + *-cola*.] *Adj. 2 g.* Que vive nas sebes.

sepiolita. [De *sépia* + *-o-* + *ta*.] *S. f. Min.* Silicato ácido de magnésio, mineral semelhante à argila, branco ou cinzento, macio, extraordinariamente leve e resistente ao calor.

sepse. [Do gr. *sêpsis*, 'putrefação'.] *S. f. Med.* Intoxicação devida a produtos de putrefação; sepsia.

sepsia. [De *sepse* + *-ia*.] *S. f. Med.* Sepse.

sepsiquimia. [De *sepse* + *-i-* + gr. *chymós*, 'suco', + *-ia*.] *S. f. Med.* Tendência dos humores à putrefação.

septado. *Adj. Morfol. Veg.* Que tem septo; *septoso, septífero: filamento septado.*

▲sept(e)(n)-. [Do lat. *septem*.] *El. comp.* = 'sete': *septeto.* [Equiv.: *septi-, seten-* e *seti-*[2]: *septíssono; setênviro* (< lat. *septemviru*); *setissílabo*.]

septeto (ê). [De *sept(e)(n)-* + *-eto*[3].] *S. m. Mús.* **1.** Trecho para ser executado a sete vozes ou sete instrumentos. **2.** Conjunto vocal ou instrumental formado de sete executantes. [Sin. ger.: *séptuor* e *setimino*.]

▲septi-. V. *sept(e)(n)-*.

septibrânquio. *S. m.* **1.** Espécime dos septibrânquios. ● *Adj.* **2.** Pertencente ou relativo aos septibrânquios.

septibrânquios. *S. m. pl. Zool.* Animais moluscos, pelecípodes, ordem *Septibranchia*, que têm as brânquias transformadas em um septo muscular, horizontal, que é contínuo com o pé e separa uma câmara respiratória dorsal da cavidade do manto.

septicemia. [De *septic(o)-* + *(h)em(o)-* + *-ia*.] *S. f. Patol.* Processo infeccioso generalizado em que germes são veiculados pelo sangue e neste se multiplicam. [Cf. *bacteremia*.]

septicêmico. *Adj.* Referente à, ou da natureza da septicemia.

septícida. [De *septo* + *-i-* + *-cida*.] *Adj. 2 g. Morfol. Veg.* Diz-se da deiscência que se processa ao longo dos septos.

septicidade. [De *septic(o)-* + *-i-* + *-dade*.] *S. f.* Qualidade de séptico.

▲septic(o)-. [Do gr. *septikós, é, ón*.] *El. comp.* = 'séptico': *septicemia*.

séptico. [Do gr. *septikós*, 'que causa putrefação'.] *Adj.* **1.** Que provoca infecção. **2.** Que contém germes patogênicos. [Cf. *céptico*.] ~ V. *fossa —a.*

septífero. [De *septo* + *-i-* + *-fero*.] *Adj. Morfol. Veg.* V. *septado*. [Cf. *setífero*.]

septifoliolado. [De *septi-* + *foliolado*.] *Adj. Bot.* Que tem sete folíolos.

septiforme[1]. [De *septo* + *-i-* + *-forme*.] *Adj. 2 g.* Que apresenta a forma de septo. [Cf. *setiforme*.]

septiforme[2]. [Do lat. *septiforme*.] *Adj. 2 g.* Que tem sete formas. [Cf. *setiforme*.]

septífrago. [De *septo* + *-i-* + *-frago*.] *Adj. Morfol. Veg.* Diz-se da deiscência que se processa mediante a ruptura dos septos.

septíssono. [De *septi-* + *-sono*.] *Adj. Poét.* Setíssono.

septo. [Do lat. *septu*.] *S. m.* **1.** *Anat.* Formação anatômica, divisória de tecidos, cavidades ou órgãos: *septo nasal.* **2.** *Morfol. Veg.* Parede divisória de um órgão cavitário em lojas ou lóculos: *O ovário bilocular tem um septo mediano.*

septometria. *S. f.* Emprego do septômetro.

septométrico. *Adj.* Relativo à septometria.

septômetro. [Do gr. *septós*, 'pútrido', + *-metro*.] *S. m.* Instrumento destinado a recolher matérias orgânicas que contaminam o ar e a determinar quantidades delas.

septoso (ô). *Adj. Morfol. Veg.* V. *septado*.

septuagésima (zi). [Do lat. *septuagesima dies*, 'septuagésimo dia' (antes da Páscoa).] *S. f. Lit.* **1.** O primeiro dos três domingos antes da Quaresma[1] (1). **2.** A quarta divisão do ano litúrgico [q. v.].

septuagésimo (zi). [Do lat. *septuagesimu*.] *Num.* e *s. m.* Setuagésimo.

séptuor. [Do lat. *septen*, 'sete', por infl. de *quátuor*.] *S. m.* V. *septeto*. [Pl.: *septúores*.]

sepulcral. [Do lat. *sepulcrale*.] *Adj. 2 g.* **1.** Pertencente ou relativo a sepulcro: *pedras sepulcrais.* **2.** Que encerra sepulcros: *capela sepulcral.* **3.** *Fig.* Sombrio, lúgubre, fúnebre. **4.** *Fig.* Rouco, cavernoso, cavo: *voz sepulcral.*

sepulcrário. [De *sepulcro* + *-ário*.] *S. m.* V. *cemitério* (1).

sepulcro. [Do lat. *sepulcru*.] *S. m.* **1.** V. *sepultura* (1). **2.** Cavidade no centro do altar, ou da simples pedra de ara, onde se encerram as relíquias de santos, especialmente de mártires. **3.** *Fig.* Lugar onde morre muita gente; sepultura. **4.** Aquilo que oculta ou esconde como um túmulo. ♦ **Sepulcros caiados.** Na linguagem bíblica, os hipócritas, os fariseus. **O Santo Sepulcro.** Aquele em que Jesus foi inumado.

sepultador (ô). *Adj.* e *s. m.* Que ou o que sepulta.

sepultamento. *S. m.* **1.** Ato de sepultar(-se). **2.** *Restr.* Enterro, inumação.

sepultante. [Do lat. *sepultante*.] *Adj. 2 g.* Que sepulta.

sepultar. [Do lat. *sepultare*.] *V. t. d.* **1.** Enterrar, inumar: *sepultar um cadáver.* **2.** Guardar, esconder: *Discreta, sabe sepultar segredos.* **3.** Soterrar, subterrar: "desmoronados os altos edifícios, tremem, caem, espantam, ferem, matam e sepultam os desgraçados habitantes!" (Correia Garção, *Obras Poéticas e Oratórias*, p. 585). **4.** Submergir, afundar. *T. d.* e *i.* **5.** Meter, introduzir, mergulhar: *Para defender-se do frio, sepultou as mãos no bolso do sobretudo. P.* **6.** Dar sepultura a si mesmo; enterrar ou inumar a si próprio: "Entrou por entre os socavões da Terra, / No solo entrou. / No coração de sua própria terra / Se sepultou." (Martins Fontes, *Vulcão*, p. 126.) **7.** Afastar-se do mundo; recolher-se, isolar-se.

sepulto. [Do lat. *sepultu*.] *Adj.* Sepultado, enterrado, inumado.

sepultura. [Do lat. *sepultura*.] *S. f.* **1.** Cova onde se sepultam os cadáveres. [Sin.: *campa, carneiro, catacumba, cafofo, cova, jazigo, sepulcro, tumba, túmulo, última morada*.] **2.** Ato de sepultar. **3.** *Fig.* Morte, falecimento. **4.** *Fig.* Sepulcro (3). **5.** *Bras., PE* e *AL.* Escotilha por onde as barcacinhas e as canoas de embono recebem a carga.

sepultureiro. [De *sepultura* + *-eiro*.] *S. m.* V. *coveiro*: "Ninguém vi, senão num banco, a enxada ao lado, / O sepultureiro" (Alberto de Oliveira, *Póstuma*, p. 24).

séquano. [Do lat. *sequanu*.] *S. m.* **1.** Indivíduo dos séquanos, povo da Gália céltica, que vivia à margem esquerda do Saona e cuja capital ficava onde é hoje Besançon. ● *Adj.* **2.** Pertencente ou relativo a esse povo.

sequaz. [Do lat. *sequace*.] *Adj. 2 g.* **1.** Que segue ou acompanha com assiduidade. ● *S. 2 g.* **2.** Pessoa que segue ou acompanha com assiduidade. **3.** Partidário, prosélito, seguidor. **4.** Pessoa integrante de um banco ou partido.

sequeiro. [De *seco* + *-eiro*.] *Adj.* **1.** Falto de água, não regadio; seco. ● *S. m.* **2.** Terreno ou lugar não regadio; lugar seco. **3.** Lugar onde se estende roupa ou peças de cerâmica para secar. **4.** *Bras., BA.* Trecho de rio de pouca profundidade e abundante em pedras.

seqüela. [Do lat. *sequela*.] *S. f.* **1.** Ato de seguir. **2.** Seguimento, seqüência, continuação. **3.** Resultado, conseqüência. **4.** Súcia, matula, bando. **5.** Série de coisas: "E principiava a seqüela de autos inquisitoriais" (Marques Rebelo, *A Mudança*, p. 329). **6.** *Jur.* Direito de seguir a coisa e subtraí-la do poder de quem quer que a detenha ou possua. **7.** *Med.* Qualquer lesão anatômica ou funcional que permaneça depois de encerrada a evolução clínica de uma doença, inclusive de um traumatismo.

seqüência. [Do lat. *sequentia*.] *S. f.* **1.** Ato ou efeito de seguir. **2.** Seguimento, continuação. **3.** Série, sucessão. **4.** Parte do escrito iniciado noutro livro ou lugar. **5.** Em certos jogos carteados, série de cartas com valores consecutivos, com variação de naipes, ou sem ela, como no pôquer ou no pife-pafe. **6.** *Anál. Mat.* Função de uma variável inteira positiva; sucessão. **7.** *Anál. Mat.* Seqüência infinita. **8.** *Cin.* e *Telev.* O conjunto de cenas ou de planos de um filme, que se passam num só ambiente, ou que se caracterizam por uma certa unidade de ação. **9.** *Mús.* Em harmonia, a reprodução de um motivo melódico, rítmico ou harmônico, curto ou longo, em diferentes graus da escala, e que se faz, em geral, com segundas ascendentes ou descendentes. **10.** *Mús.* Na partitura de um filme, fragmento musical que geralmente corresponde a uma divisão do cenário ou da montagem. **11.** *Lit.* Hino que, na missa, é cantado como continuação do Gradual e da Aleluia; prosa. [V. *próprio* (12).] ♦ **Seqüência alternada.** *Anál. Mat.* Aquela em que os termos são alternadamente positivos e negativos. **Seqüência convergente.** *Anál. Mat.* Seqüência infinita que tem um limite. **Seqüência de controle.** *Proc. Dados.* Num sistema de computação, ordem na qual as instruções são executadas. **Seqüência divergente.** *Anál. Mat.* Seqüência infinita em que os termos, em módulo, tendem para infinito. **Seqüência finita.** *Mat.* A que tem um número finito de termo. **Seqüência infinita.** *Anál. Mat.* Função duma variável inteira positiva cujo domínio não é limitado à direita. [Tb. se diz apenas *seqüência*.] **Seqüência limitada.** *Mat.* A que tem um supremo e um ínfimo. **Seqüência máxima.** No pôquer, a maior seqüência, i. e., que vai de 10 a ás. **Seqüência mínima.** No pôquer, a que principia pela menor carta em jogo. **Seqüência polar norte.** *Astr.* Conjunto de estrelas boreais, de distâncias polares não muito grandes, e que têm as suas magnitudes bem definidas, servindo, assim, de elementos de comparação para as magnitudes de outras estrelas.

seqüencial. *Adj. 2 g.* Em que há uma seqüência. ~ V. *análise —.*

seqüente. [Do lat. *sequente*.] *Adj. 2 g.* **1.** Que (se) segue; seguinte. **2.** *Álg. Mod.* Sucessor (6).

sequer. [De *se*[2] + a 3ª pess. sing. do pres. ind. do v. *querer*.] *Adv.* Ao menos; pelo menos: *Tudo se arranjaria se ambos tivessem sequer um pouco de boa vontade;* "em todo o teu corpo não há sequer uma cicatriz" (José Paulo Moreira da Fonseca, *Tua Morada É a Viagem*, p. 27). ♦ **Nem sequer.** Nem ao menos: *Grosseiro, nem sequer agradeceu o presente.*

seqüestração. [Do lat. *sequestratione*.] *S. f.* Ato ou efeito de seqüestrar; seqüestro.

seqüestrado. [Part. de *seqüestrar*.] *Adj.* e *s. m.* Que ou aquele que sofreu seqüestro.

seqüestrador (ô). [Do lat. *sequestratore*.] *Adj.* e *s. m.* Que ou aquele que seqüestra.

seqüestrante. *Adj. 2 g.* **1.** Que seqüestra. **2.** *Quím.* Diz-se de reagente que, adicionado a uma solução, forma complexo ou quelato estável com um certo íon metálico, retirando-o da solução. ● *S. 2 g.* **3.** Pessoa que seqüestra. ● *S. m.* **4.** *Quím.* Reagente seqüestrante (2).

seqüestrar. [Do lat. *sequestrare*.] *V. t. d.* **1.** Fazer seqüestro (1 e 2) de: "Duas ou três prestações insatisfeitas, o publicano ia, seqüestrava os bens do insolvente e passava-lhe os anjinhos nos pulsos." (Aquilino Ribeiro, *Os Avós dos Nossos Avós*, p. 69); *Os malfeitores seqüestraram a criança.* **2.** Pôr de parte; isolar, insular. **3.** Tomar com violência: *Os ladrões seqüestraram o carregamento de ouro.* **4.** Desviar de sua rota, mediante violência: *seqüestrar um avião, um navio. T. i.* **5.** Afastar de lugares ou coisas perniciosas: *Pretendia seqüestrá-la das más companhias.*

seqüestrável. *Adj. 2 g.* Que pode ser seqüestrado.

seqüestro. [Do lat. *sequestru*.] *S. m.* **1.** *Jur.* Apreensão judicial de bem litigioso, destinada a assegurar-lhe a entrega, oportunamente, à pessoa a quem se reconheça que ele deve tocar. [Cf. *arresto*.] **2.** *Jur.* Crime que consiste em reter ilegalmente alguém, privando-o de sua liberdade. **3.** *Jur.* Objeto seqüestrado, depositado. **4.** Seqüestração. **5.** *Patol.* Porção de tecido morto, principalmente de tecido ósseo, que, no decurso de necrose, foi afastado do tecido são.

sequiar. [Por **sequear*, de *seca* (3) + *-ear*.] *V. int. Bras., RS.* **1.** Conversar, prosear; cavaquear. **2.** Discutir, debater.

sequidão. [De *seco* + *-idão*.] *S. f.* **1.** Secura (1 e 4): "E o mel de seus lábios, passado em meus lábios, / trazendo ao sequioso maior sequidão!" (Ascenso Ferreira, *Catimbó e Outros Poemas*, p. 118.) **2.** Desapego, desinteresse; frieza.

sequilho. [De *seco* + *-ilho*.] *S. m.* Bolinho seco e farináceo, feito, em geral, de polvilho de araruta: "Depois do café, pão com manteiga, sequilhos, bolos, ... descemos ao porão" (Pedro Nava, *Beira-Mar*, p. 46).

sequioso (ô). [De *seco* + *-i-* + *-oso*.] *Adj.* **1.** Falto de água; muito seco. **2.** Que tem sede ou intenso desejo de beber; sedento. **3.** *Fig.* Extremamente desejoso; cobiçoso, ávido. ● *S. m.* **4.** Indivíduo sequioso (1 e 3).

sequista. [De *seca* (2) + *-ista*.] *Adj. 2 g.* e *s. 2 g. Bras.* V. *maçante* (1 e 2).

séquito. *S. m.* V. *séqüito*.

séqüito. [Do lat. *sequitu*.] *S. m.* **1.** Conjunto de pessoas que acompanham outra(s) por obrigação ou cortesia; comitiva, acompanhamento, cortejo. **2.** *Ant.* Seguimento (1). [Var. pros.: *séquito*.]

sequóia. [Do antr. *Sikwâyi*, de um índio.] *S. f.* Gênero de coníferas, da região da Califórnia, antiqüíssimas e de grande porte.

ser. [Do lat. *sedere*, 'sentar-se', fundido com f. de *esse*.] *V. pred.* **1.** Liga o atributo ao sujeito: "A vida é combate" (Gonçalves Dias, *Obras Poéticas*, II, p. 43). **2.** Auxilia os demais verbos na voz passiva: "Serás lido, Uraguai." (Basílio da Gama, *O Uraguai*, V. p. 101.) **3.** Empregado sem sujeito, indica o ponto ou o momento do tempo, a estação, a época: "Era alta noite" (Fagundes Varela, *Poesias Completas*, I, p. 145); *É verão.* **4.** Imprime, às vezes, energia à frase: *Ele é que não pode saber; Era que eu queria sair.* **5.** Estar, ficar; tornar-se: "Sonhamos. Quando, um dia, eu for velhinho, / hei de encontrar-te, velha, no caminho." (Guilherme de Almeida, *Toda a Poesia*, II, p. 13.) **6.** Causar, produzir: *Será uma alegria revê-lo.* **7.** Consistir em: "Que sempre o mal pior é ter nascido!" (Antero de Quental, *Sonetos*, p. 172). **8.** Depender ou resultar de; consistir em: *Aprender é paciência; Educação é convi-*

vência. **9.** Ser muito parecido com; ser a cara de: "Minha mãe entre lágrimas: / — Mano Cosme, é a cara do pai, não é? / — Sim, tem alguma cousa, os olhos, a disposição do rosto. É o pai, um pouco mais moderno" (Machado de Assis, *Dom Casmurro*, p. 281). **10.** Ter o sentido de; querer dizer: *Não sabe que glauco é 'verde-mar'.* **11.** Custar (1): *Quanto é o livro? Int.* **12.** Ter existência real; existir, haver: "E, em troca deste amor, viver do teu carinho, / Que eu não vivia, não, Mulher, se tu não fosses!" (José Duro, *Fel*, p. 63); "É melhor ficar / Calmo, sem procela, / No quieto mar / Que é nos olhos dela." (Alberto de Serpa, *Fonte*, p. 33). **13.** Acontecer, suceder, haver: *Se agora acontecem dessas coisas, que será no futuro? T. c.* **14.** Achar-se, encontrar-se, em um dado momento; estar: "Seja eu longe da pátria infindas léguas, / ...... / Enquanto além divago, preso fica / Meu coração contigo." (Gonçalves Dias, *Obras Poéticas*, II, p. 142); "eu sou sob o poente de oiro / Que incendeia o Castelo." (Afonso Duarte, *Obra Poética*, p. 159); "Deus seja com a sua alma!" (Alexandre Herculano, *Lendas e Narrativas*, II, p. 21). **15.** Originar-se; provir; ser natural de: *Disse que era de São Paulo.* **16.** Ter por dono; pertencer: *O livro é do menino.* **17.** Ter inclinação ou capacidade: *Este rapaz não é para estudo.* **18.** Ser próprio, digno; convir: *Este procedimento é de homem sério. T. i.* **19.** Mostrar-se favorável ou simpático; ser partidário: "As devotas e os fidalgos puritanos eram pelo espanhol" (Rebelo da Silva, *Contos e Lendas*, p. 172). [Irreg. Pres. ind.: *sou, és, é, somos, sois, são;* imperf.: *era, eras, era, éramos, éreis, eram;* perf.: *fui, foste* (ô), *foi, fomos, fostes* (ô), *foram;* m-q.-perf.: *fora* (ô), *foras* (ô), etc.; fut. pret.: *seria, serias, seria, seríamos, seríeis, seriam;* imperat.: *sê, sede* (ê); pres. subj.: *seja, sejas,* etc.; imperf.: *fosse* (ô), *fosses* (ô), *fosse* (ô), *fôssemos, fôsseis, fossem* (ô); fut: *for* (ô), *fores* (ô), *for* (ô), *formos* (ô), *fordes* (ô), *forem* (ô); inf. pess.: *ser* (ê), *seres* (ê), etc.; ger.: *senão;* part.: *sido.* Cf. *soes* (ô) do v. *soar; sóis,* do v. *soer* e pl. de *sol; hera,* s. f., e pl. *heras; Hera,* mit.; *foste,* s. m., e pl. *fostes; fora,* adv., interj. e s. m.; *foras,* pl. do s. m. *fora; séria, sérias,* flex. de *sério; seriamos* e *serieis,* do v. *seriar; eramos* e *ereis,* do v. *erar; se,* s. f.; *sede,* do v. *sedar* e s. f.; o pres. subj. do v. *fossar; fósseis,* pl. de *fóssil; for,* s. m.; *seres,* pl. de *sere;* e *Ceres,* mit., astr. e top.] ● *S. m.* **20.** O que existe ou que supomos existir; ente: *Deus, o ser supremo; Há muito ser imaginário.* **21.** Todo ente vivo e animado: *os seres e as coisas.* **22.** Homem, indivíduo, pessoa, criatura: *Só lhe interessa no mundo um ser; seu filho.* **23.** A natureza íntima de uma pessoa; sua essência: *A ofensa abalou-o até o mais íntimo do seu ser.* **24.** Aquilo que é real: *O ser excede o parecer.* **25.** *Filos.* Posição de uma coisa ou de qualidades em si mesmas. [Cf. nesta acepç.: *existência* (5 a 8).] **26.** *Filos.* O que se põe como existente. [Cf., nesta acepç., *ente* (4).] **27.** *Lóg.* Sinal de relação entre o sujeito e o predicado. ~ V. *seres.* ◆ **Ser ali.** Ser encontrado em seu mais alto grau num indivíduo, num objeto, num lugar, etc.: *Mas que mulher! beleza é ali; Comprou uma antiguidade preciosa: requinte é ali.* **Ser assim.** Serem pessoas muito ligadas, íntimas. [Ao empregar-se esta expr., friccionam-se, mimicamente, os dedos indicadores distendidos.] **Ser bem.** Ser aceitável; ser justo; ser louvável. **Ser bom de.** *Bras.* Ser eficiente, brilhante, possante, hábil, em: *É bom de trabalho; É bom de murro.* **Ser com.** Dizer respeito a; concernir a: *Esta advertência não é com ele.* **Ser daqui.** Ser muito bom, muito bonito, muito gostoso, etc.; *os caramelos são daqui.* [Ao empregar-se esta expressão, aperta-se, em geral, o lobo da orelha esquerda. Cf. *da pontinha.*] **Ser de.** Ter propensão ou inclinação para; ser dado a: *O rapaz é de briga.* **Ser de crer.** Merecer fé; ser crível: *É de crer que, vendo a família em dificuldades, comece a trabalhar.* **Ser maior e vacinado.** *Bras.* Não ter satisfações que dar dos próprios atos; ser independente. **Ser morto e vivo em.** *Fam.* Ir com excepcional freqüência a (um lugar): *Antônio Joaquim é morto e vivo na casa da viúva;* "D. Constança era morta e viva na escola primária." (João de Araújo Correia, *Terra Ingrata*, p. 182). **Ser ruim de.** *Bras.* Não ser eficiente, brilhante, possante, hábil, em: *É ruim de briga; São ruins de estudo.* **Ser servido.** Haver por bem; dignar-se: *Chefe de Estado foi servido comparecer à cerimônia.* **Em ser. 1.** Que ainda não foi vendido; que está disponível. **2.** Na própria substância ou espécie. **3.** Que foi produzido ou verificado: *ganhos em ser.* **Isto é. 1.** Expr. com que se introduz uma explicação ou desenvolvimento do que foi dito, ou uma enumeração; ou seja; a saber: *Camões cultivou todos os gêneros poéticos, isto é, o épico, o lírico e o dramático.* **2.** Serve também para introduzir uma retificação; ou seja; quer dizer; digo: *Pedro, isto é, Paulo, saiu tarde.* **Já era.** *Bras. Pop.* Perdeu o valor ou a importância, o interesse, a atualidade; já não é usado; está superado. **Não ser de nada.** *Bras. Pop.* Expr. que traduz numerosas idéias depreciativas, como incapacidade, inaptidão, impotência, covardia, imprestabilidade, etc.: *Grita muito, mas não é de nada; A mulher diz que ele não é de nada; O carro custou caro, mas não é de nada.* **Não ser lá para que digamos.** *Fam.* Não ser tão bom, tão extraordinário assim; não ser lá grande coisa; não ser lá para que se diga. **Não ser lá para que se diga.** *Fam.* Não ser lá para que digamos. **Não ser mole.** *Bras. Gír.* Não ser fácil; ser difícil ou perigoso, arriscado, complicado: "Suportar um purista da língua não é mole" (Décio Pignatari, *Signagem da Televisão*, p. 37). **Não ser ouvido nem cheirado.** Não ser consultado; não ser chamado a opinar. **Não ser para menos.** *Fam.* Ser natural ou normal; ser esperado ou compreensível. **Ou seja.** V. *isto é.* **Qual é?** *Bras.* Indica estranheza. **Que é bom.** *Bras. Fam.* e *pop. Irôn.* Que seria uma boa solução, que seria recomendável: "os inconformados tomam tranqüilizantes, deixam crescer a barba e se abrigam na arte. Suicídio, mesmo, que é bom, ninguém pensa a sério nele." (Carlos Heitor Cony, *Posto 6*, p. 156); *Ir à praia, todos vão, mas estudar, que é bom, ninguém estuda.* **Salvo seja.** Deus não permita (que do mal de que se fala seja vítima aquele que fala ou o que ouve).

sera. *Bras. S. 2 g.* **1.** Indivíduo dos seras, tribo tucano que vive na região situada entre os rios Tiquié e Piraparaná (N.O. do AM). ● *Adj. 2 g.* **2.** Pertencente ou relativo a essa tribo. [Cf. *cera,* do v. *cerar,* e *cera* (ê), *seira,* s. f.]

seráfico. [Do b.-lat. *seraphicu.*] *Adj.* **1.** Relativo ou pertencente aos serafins. **2.** Que evoca os serafins. **3.** *Fig.* Beatífico, místico: "Agregou-se ao préstito religioso um grupo angélico com cítaras e harpas sagradas, derramando no ar de incenso sonoridades diáfanas, músicas subtis e seráficas." (João Ribeiro, *Cartas Devolvidas*, p. 16.) **4.** *Fig.* Etéreo, sublime, elevado, excelso. ~ V. *ordem —a.*

serafim. [Do hebr. *seraphim,* pl. de *seraph,* 'aquilo que queima, e que se purifica com o fogo', pelo lat. *seraphim.*] *S. m.* **1.** Anjo da primeira hierarquia: "os serafins, a um sinal divino, encheram o céu com as harmonias de seus cânticos." (Machado de Assis, *Histórias sem Data*, p. 5). **2.** Pessoa de beleza rara.

serafina. *S. f.* **1.** Tecido de lã usado para forros e entretelas. **2.** Espécie de baeta encorpada, geralmente com desenhos ou debuxos. **3.** Um dos predecessores do harmônio. **4.** *Bras., BA.* Pequeno órgão com tubos só de oito pés. **5.** *Bras., N.E. P. ext.* Qualquer órgão de igreja: "Do coro as vozes das filhas de Maria e os sons da serafina inundavam suavemente a nave." (Pelópidas Soares, *Cordão dos Bichos*, p. 10.)

seral. *Adj. 2 g. Ecol. Veg.* Diz-se de qualquer comunicação vegetal em evolução.

serão. [Do lat. *seranu < *serum,* 'tarde', ou *sera,* 'noitinha'.] *S. m.* **1.** Trabalho noturno, após o expediente normal; seroada. **2.** Duração ou remuneração desse trabalho. **3.** Tempo que decorre de logo após o jantar até a hora de dormir. **4.** Sarau.

serapieira. *S. f. Bras.* Sarapieira (1).

serapilheira. [De um lat. *sirpiculariu < *scirpiculu* ou *sirpiculu,* 'referente ao junco'.] *S. f.* **1.** Aniagem. **2.** *Bras.* Camada de folhas, galhos, etc., de mistura com terra, que cobre o solo da mata. **3.** *Bras.* Designação comum às pequenas raízes que surgem à flor da terra. [Var.: *sarapilheira, sarrapilheira, serrapilheira.*]

sere. *S. 2 g.* **1.** Indivíduo dos seres, antigo povo habitante da Ásia Oriental, hoje China, muito conhecido pela confecção de estofos de seda. ● *Adj. 2 g.* **2.** Pertencente ou relativo aos seres. [Pl.: *seres.* Cf. *seres* (ê), do v. *ser* e pl. do s. m. *ser,* e *Ceres,* mit., astr. e top.]

sereia. [Do gr. *seirén,* atr. do lat. *sirena.*] *S. f.* **1.** Ser mitológico, metade mulher, metade peixe, que pela maviosidade do seu canto atraía os navegantes para os baixios do mar. [Sin. (poét.): *sirena.*] **2.** *Fig.* Mulher de canto suavíssimo. **3.** *Fig.* Mulher sedutora, que atrai fisicamente. **4.** V. *sirena.* **5.** Reptil semelhante à salamandra. **6.** *Fís.* Instrumento usado para determinar a freqüência de um som.

sereíba. [Alter. de *siriúba.*] *S. f. Bras.* Designação comum a duas árvores características da vegetação de mangue, da família das verbenáceas (*Avicennia nitida* e *A. tomentosa*). São delgadas, têm madeira dura, flores pequenas, inseridas em racemos, e seu fruto é uma drupa mole e achatada. [Var.: *saraíba, siriúva, siriuba;* sin.: *mangue-branco.*]

sereibuna (e-i). [De *sereíba* + *-una.*] *S. f. Bras.* Espécie de mangue-bronco.

serelepe. *S. m. Bras., RJ* e *SP.* **1.** V. *caxinguelê.* **2.** V. *quatipuru.* **3.** *Fig.* Pessoa esperta, viva, astuciosa. ● *Adj. 2 g.* **4.** Vivo; esperto, ardiloso. **5.** Buliçoso, irrequieto. **6.** Faceiro, gracioso, provocante.

ser-em-situação. *S. m. Filos.* No existencialismo, condição em que o ser humano já se encontra, sempre, determinado por um conjunto de circunstâncias concretas e irremovíveis que hão de constituir-se em tema obrigatório da reflexão filosófica.

serena. [Fem. substantivado do adj. *sereno* (v. *sereno*^{2}).] *S. f.* Espécie de batedeira, de movimento sereno.

serenada. [De *sereno*^{2} + *-ada*^{1}.] *S. f.* **1.** *P. us.* V. *serenata* (1): "Há pouco ainda a branda serenada / Nos bandolins chorava palpitantes" (Gonçalves Crespo, *Obras Completas*, p. 163). **2.** *Bras.* Garoa rápida. **3.** *Bras., S.* Relento, sereno: "Caiu a serenada silenciosa e molhou os pastos, as asas dos pássaros e a casca das frutas." (Simões Lopes Neto, *Contos Gauchescos e Lendas do Sul*, p. 334.)

serenagem. *S. f.* Ato de expor ao sereno, de serenar (4).

serenar. [Do lat. *serenare.*] *V. t. d.* **1.** Tornar sereno^{2}; acalmar: *A palavra do líder serenou a multidão.* **2.** Abrandar, aplacar: *O remédio serenou a dor.* **3.** Pacificar, apaziguar: *Cumpre serenar os ânimos.* **4.** Expor ao sereno. **5.** *Bras., N.* e N.E. Apreciar (festa, etc.) do lado de fora. [Cf., nesta acepç., *ficar no sereno.*] *Int.* **6.** *Bras.* Dançar com lentidão e languidez; requebrar-se. **7.** *Bras., N.E.* Ficar (algo) exposto ao sereno. **8.** *Bras., N.E.* Apreciar do lado de fora uma festa ou dança. **9.** *Bras., N.E.* Chuviscar, borriçar. **10.** *Bras., MG.* Passear à noite. *P.* **11.** Tornar-se sereno, calmo; tranqüilizar-se. [Var.: *asserenar.*]

serenata. [Do it. *serenata.*] *S. f.* **1.** Música de conjunto instrumental, geralmente cantada, melodiosa e simples, algo semelhante às trovas dos cantores ambulantes, executada ao ar livre, não raro sob a janela de alguém: seresta. [F. paral., p. us.: *serenada.*] **2.** Peça artística composta nos moldes da serenata (1).

serenatista. [De *serenata* + *-ista.*] *S. 2 g. Bras.* V. *seresteiro* (2).

sereneiro. [De *sereno*^{2} + *-eiro.*] *S. m. Pop. Bras.* V. *seresteiro* (3).

serenidade. [Do lat. *serenitate.*] *S. f.* **1.** Qualidade ou estado de sereno^{2}. **2.** Suavidade; paz, tranqüilidade.

sereníssimo. [Do lat. *serenissimu.*] *Adj.* **1.** Superl. abs. sint. de *sereno.* **2.** Título dado, outrora, a algumas altas personalidades. **3.** Nos sécs. XV a XVIII, título dado à República de Veneza. **4.** Antigo título de honra de monarcas e infantes portugueses. **5.** Título de honra da casa de Bragança, em Portugal.

sereno^{1}. [Do esp. *sereno.*] *S. m.* **1.** Espécie de guarda-noturno, na Espanha. **2.** *Bras., RS.* Guarda-noturno; vigia.

sereno^{2}. [Do lat. *serenu.*] *Adj.* **1.** Calmo, tranqüilo, manso, sossegado: *É sereno, até no sofrimento; Vive em ambiente sereno.* **2.** Que denota serenidade, paz, tranqüilidade de espírito: *olhar sereno.* **3.** Limpo de nuvens; claro, límpido: *noite serena;* "Depois de procelosa tempestade, / Noturna chuva, e sibilante vento, / Traz a manhã serena claridade, / Esperança de porto e salvamento" (Luís de Camões, *Os Lusíadas*, IV, 1). [Como observa Epifânio Dias, refere-se a "manhã" e não a "claridade".] ● *S. m.* **4.** Tênue vapor atmosférico, noturno; relento. **5.** *Bras.* Chuva fina e pouco duradoura. **6.** *Bras. Fam.* O ar livre, a rua, à noite. **7.** *Bras.* Agrupamento de gente do lado de fora de casa onde haja festa. **8.** *Bras. Gír.* Vida noturna: "Esmeralda de Barros volta ao sereno carioca." (*Correio da Manhã, 18.6.1970.*) **9.** *Bras., RJ.* Bacurau (5). ◆ **Ficar no sereno.** *Bras., MG.* Apreciar festa, etc., do lado de fora. [Cf. *serenar* (5).]

serenterite. [De *ser(o)-*^{2} + *enterite.*] *S. f. Patol. P. us.* Inflamação da camada serosa do intestino.

seres (ê). [Pl. de *ser.*] *S. m. pl.* Tudo quanto existe, tudo que foi criado; todas as criaturas. [Cf. *seres,* pl. *sere,* e *Ceres,* mit., astr. e top.] ~ V. *ser.*

seresma (ê). *S. f.* **1.** Mulher mole ou indolente e inútil. **2.** V. *bruxa* (2). **3.** Qualquer coisa asquerosa, nojenta. ● *S. m.* **4.** Paspalhão, parvalhão, parvajola, toleirão.

seresta. [Das duas primeiras sílabas de *serenata,* provavelmente.] *S. f. Bras.* **1.** Serenata (1). **2.** *Bras.* Peça artística, de cunho profundamente nacional, composta nos moldes da seresta (1).

seresteiro. *S. m.* **1.** Aquele que compõe serestas. **2.** Indivíduo que participa de serestas ou serenatas; serenatista, sereneiro. ● *Adj.* **3.** Relativo a seresta: "Impressões

s e r e s t e i r a s", de *Villa-Lobos.*
sergestídeo. *S. m.* **1.** Espécime dos sergestídeos. ● *Adj.* **2.** Pertencente ou relativo a eles.
sergestídeos. *S. m. pl. Zool.* Família de crustáceos decápodes, malacostráceos, macruros, cujo tipo é o gênero *Sergeste.*
sergipano. *Adj.* **1.** Do, ou pertencente ou relativo a SE. ● *S. m.* **2.** O natural ou habitante desse estado. [Sin. (p. us.): *sergipense.*]
sergipense. *Adj. 2 g.* e *s. 2 g. P. us.* Sergipano.
serguilha. [Do esp. *jerguilla.*] *S. f.* Tecido grosso de lã, sem pêlo: "A natureza tomou uma vestidura penitencial, s e r g u i l h a rota polvilhada de cinzas." (Aquilino Ribeiro, *Aldeia*, p. 185.) [Var.: *seriguilha* e *sirguilha.*]
seriação. *S. f.* Ato ou efeito de seriar.
seriado. [Part. de *seriar.*] *Adj.* **1.** Disposto em série; serial: *números s e r i a d o s.* **2.** Que se faz ou realiza em séries: *curso s e r i a d o .* **3.** Diz-se de filme cinematográfico que se exibe por partes, formando uma série. ~ V. *publicação* —. ● *S. m.* **4.** Filme cinematográfico seriado (3). **5.** Publicação seriada [q. v.].
serial. *Adj. 2 g.* **1.** Referente a série; seriário. **2.** Seriado (1). **3.** *Mús.* Relativo ao dodecafonismo. ~ V. *impressor* — e *música* —.
seriar. *V. t. d.* **1.** Dispor em série (1 a 3). **2.** Fazer a classificação de; ordenar. [Pres. ind.: *serio, serias, seria, seriamos, seriais, seriam;* fut. pret.: *seriaria*, etc.; pres. subj.: *serie, series, serie, seriemos, serieis, seriem.* Cf. *sério*, flex. *séria, sérias, sério*, top.; *cério.* s. m.; *seriária*, fem. de *seriário; série*, s. f.; e *seríamos, seríeis*, do v. *ser.*]
seriário. [De *série* + *ário.*] *Adj.* **1.** Serial (1). **2.** Que se faz por séries. [Fem: *seriária.* Cf. *seriaria*, do v. *seriar.*]
seribeiro. *S. m. Bras., AL.* V. *pescador* (3).
seribolo (ô). *S. m. Bras., N. Pop.* Desordem, confusão, barafunda, barulho. V. *rolo*[1] (16).
seríceo. [Do lat. *sericeu.*] *Adj.* **1.** *Poét.* Referente a seda (1). **2.** *Poét.* De seda (1); sérico. **3.** *Poét.* Semelhante a seda (1); sedoso. **4.** *Morfol. Veg.* Diz-se de qualquer indumento cujos pêlos mostrem brilho que lembre a seda: *vilosidade s e r í c e a ; folha s e r í c e a .*
▲**seri(c)(i)-.** [Do lat. *sericum, i.*] *El. comp.* = 'seda': *sericicultura, sericita, sericultura.*
sericícola. [De *seri(c)(i)-* + *-cola.*] *Adj. 2 g.* **1.** Respeitante à produção da seda. ● *S. 2 g.* **2.** V. *sericicultor* (1).
sericicultor (ô). [De *seri(c)(i)-* + *cultor.*] *S. m.* **1.** Aquele que se ocupa da sericicultura; sericícola. **2.** Aquele que promove a indústria da seda (1). [Var.: *sericultor.*]
sericicultura. [De *seri(c)(i)-* + *cultura.*] *S. f.* **1.** Criação do bicho-da-seda. **2.** Preparo e fabricação da seda (1). [Var.: *sericultura.*]
sericígeno. [De *seri(c)(i)-* + *-geno.*] *Adj.* Que produz seda (1).
sericita. [De *seri(c)(i)-* + *-ita*[3].] *S. f. Min.* Variedade de moscovita, finamente cristalizada, que se forma, em geral, no filito, e de brilho sedoso, dado por esse mineral.
sérico[1]. [Do lat. *sericu.*] *Adj.* Seríceo (2). [Fem. *sérica.* Cf. *cérica.*]
sérico[2]. [De *ser(o)-*[1] + *-ico*[2].] *Adj.* Relativo a soro (2).
sericóia. [De provável or. tupi.] *S. f. Bras.* V. *saracura-do-brejo.* [Var.: *sericora.*]
sericora. [Var. de *sericóia.*] *S. f. Bras.* V. *saracura-do-brejo.*
sericori. [De *sericora* + *-i.*] *S. f. Bras.* Pequena sericóia.
sericultor (ô). *S. m.* V. *sericultor.*
sericultura. *S. f.* Var. sincopada de *sericicultura.*
seridó. [Do top. *Seridó.*] *S. m. Bras.* **1.** A região nordestina entre o campo e a caatinga, que compreende terras do RN e da PB, e onde se realizam largas culturas de um algodão de fibra longa. **2.** Esse algodão.
seridoense[1] (òên). *Adj. 2. g.* **1.** De, ou pertencente ou relativo a São Vicente do Seridó (PB). ● *S. 2 g.* **2.** Natural ou habitante de São Vicente do Seridó.
seridoense[2] (òên). *Adj. 2 g.* **1.** Da, ou pertencente ou relativo à região de Seridó. ● *S. 2 g.* **2.** Natural ou habitante dessa região.
série. [Do lat. *serie.*] *S. f.* **1.** Ordem de fatos ou de coisas ligadas por uma relação, ou que apresentam analogia; sucessão, seqüência. **2.** Seqüência ininterrupta. **3.** Sucessão determinada e limitada de objetos homogêneos que formam um conjunto: *Possui a s é r i e de selos comemorativa do centenário da Independência.* **4.** Cada uma das divisões ou subdivisões de uma classificação; classe, categoria: *Pertence à s é r i e dos esquizóides.* **5.** Quantidade considerável: *Uma s é r i e de pessoas ilustres estava presente à reunião; Sabe uma s é r i e de anedotas picantes.* **6.** *Obsol. Bras.* Nos estabelecimentos de ensino escolar no Brasil, ano, classe: *Cursa a quarta s é r i e ginasial.* **7.** *Bibliogr.* Conjunto de obras independentes, de vários autores, com ou sem limitação de assunto, que um editor publica sob um título comum *(título de série)* e com os volumes em geral numerados; coleção. [Cf. (nesta acepç.) *publicação seriada.*] **8.** *Bot.* Categoria taxionômica intercalável entre a seção e a espécie, e que é formada de um grupo de espécies semelhantes, que difere de outros grupos específicos. **9.** *Fís.* No espectro de emissão dum elemento, conjunto de raias emitidas em transições eletrônicas com o mesmo estado final; série espectral. **10.** *Anál. Mat.* Série infinita. **11.** *Mús.* No dodecafonismo [q. v.], a seqüência de 12 sons diferentes, tirados dos sons cromáticos da oitava, e que, ordenada segundo o gosto do compositor, substitui a escala diatônica e serve de base à obra musical, podendo ser usada na posição inicial, ou em suas diversas transposições. [Cf. *música atonal, música serial* e *serie*, do v. *seriar.*] ◆ **Série alternada.** *Anál. Mat.* Série infinita cujos termos são alternadamente positivos e negativos. **Série binomial.** *Anál. Mat.* O desenvolvimento em série de potências de uma potência real do binômio 1 + x. **Série colateral.** *Fís. Nucl.* Seqüência de desintegrações que principia pela de um nuclídeo radioativo artificial e, num estádio determinado, se identifica com uma das famílias radioativas naturais; cadeia colateral. **Série complexa.** *Anál. Mat.* Série infinita cujos termos são complexos. **Série convergente.** *Anál. Mat.* Aquela em que o limite da seqüência formada pelas somas parciais é finito. **Série de Balmer.** *Fís.* Série espectral do átomo de hidrogênio, na região visível do espectro. **Série de co-senos.** *Anál. Mat.* Série de Fourier de uma função par, e que, por isso, só contém os termos com as funções co-seno. **Série de Fourier.** *Mat.* A que se obtém desenvolvendo uma função periódica em uma série de senos e de co-senos de múltiplos inteiros da variável. **Série de Gauss.** *Anál. Mat.* Série hipergeométrica. **Série de Mac-Laurin.** *Anál. Mat.* Série de Taylor em que o valor de x_0 é igual a zero. **Série de potências.** *Anál. Mat.* Série em que o termo de ordem *n* é da forma $a_n x^n$. **Série de senos.** *Anál. Mat.* Série de Fourier de uma função ímpar, e que, por isso, só contém as funções seno. **Série de Taylor.** *Anál. Mat.* Desenvolvimento de uma função em série de potências. **Série divergente.** *Anál. Mat.* Série infinita que não tem limite. **Série do actínio.** *Quím. Nucl.* Família radioativa natural descendente do urânio 235, e cujos membros têm o número de massa 4n + 3. **Série do netúnio.** *Quím. Nucl.* Família radioativa natural descendente do netúnio 237, e cujos membros têm o número de massa 4n + 1. **Série do tório.** *Quím. Nucl.* Família radioativa natural descendente do tório 232, e cujos membros têm o número de massa da forma 4n. **Série do urânio.** *Quím. Nucl.* Família radioativa natural descendente do urânio 238, e cujos membros têm o número de massa da forma 4n + 2. **Série espectral.** *Fís.* Série (9). **Série estacionária.** *Estat.* Aquela em que a tendência secular é uma função constante da variável tempo. **Série exponencial.** *Anál. Mat.* A série de Taylor da função exponencial. **Série harmônica.** **1.** *Anál. Mat.* Série cujo termo geral é da forma 1/n. **2.** *Mús.* O número indeterminado de sons que acompanham um som gerador ou som fundamental. **Série hipergeométrica.** *Anál. Mat.* O desenvolvimento em série de potências da função hipergeométrica; série de Gauss. **Série infinita.** *Anál. Mat.* Seqüência infinita em que o enésimo elemento é igual à soma dos *n* primeiros elementos de outra seqüência infinita. [Tb. se diz apenas *série.*] **Série inteira.** *Anál. Mat.* Série funcional que é convergente para qualquer valor da variável. **Série oscilante.** *Anál. Mat.* **1.** Série divergente que não tem limite infinito. **2.** Série convergente que se aproxima do limite por valores alternadamente maiores e menores que ele. **Série radioativa.** *Quím. Nucl.* Seqüência de nuclídeos radioativos em que cada um é formado pela desintegração espontânea do que o precede; família radioativa. **Em série.** Em grande escala e segundo um mesmo padrão: *automóveis fabricados e m s é r i e ; confecção e m s é r i e .* **Fora de série.** **1.** Em escala restrita e segundo padrões próprios. **2.** *Fig.* Fora do comum; incomum, excepcional, singular: *Aquela mulher, sem ser propriamente bela, é fascinante: é um tipo f o r a d e s é r i e .*
seriedade. [Do lat. *serietate.*] *S. f.* **1.** Qualidade de sério. **2.** Modo, ar, gestos ou porte próprios de pessoa séria; gravidade. **3.** Inteireza de caráter; retidão.
seriema. [Var. de *sariema* < tupi *sari'ama*, 'crista em pé'.] *S. f. Bras.* Ave gruiforme, da família dos cariamídeos (*Cariama cristata* (L.)), do N. da Argentina, Paraguai, Brasil central e oriental, de coloração cinzento-suja, com riscas escuras muito finas por todo o corpo, o abdome mais claro, penas da base do bico em forma de pincel, bico e pernas vermelhos. Durante o dia, vive nos descampados, alimentando-se de insetos, reptis e pequenos roedores; à noite, dorme empoleirada em árvores, onde também nidifica, usando gravetos de todos os tamanhos para construir o ninho. É tida como ave útil porque destrói permanentemente cobras e gafanhotos. Seu canto é muito característico, bem conhecido nos cerrados e caatingas.
serifa. [Do ingl. *serif.*] *S. f. Tip.* Pequeno traço, ou, às vezes, simples espessamento, que remata, de um ou de ambos os lados, os terminais das letras não lineais de caixa-alta e caixa-baixa, e que pode ter a forma de filete, barra, etc.; remate.
serifado. [De *serifa* + *-ado*[1].] *Adj. Tip.* Diz-se da letra que tem serifa.
serigaria. [De *serigueiro.*] *S. f.* Fábrica ou estabelecimento de sedas; sirgaria.
serigola. *S. f.* **1.** *Bras., Amaz.* Argola de couro ou de ferro que se passa como freio, através das ventas do boi de montaria. **2.** *Bras., PE.* Correia delgada que se passa sob a garganta das cavalgaduras a fim de prender a cabeçada.
serigote. [Do al. *sehr gut*, 'muito bom'.] *S. m. Bras., S.* Espécie de lombilho. [Cf. *selagote.*]
serigrafar. [De *seri(c)(i)-* + *grafar.*] *V. t. d. Art. Gráf.* Imprimir ou reproduzir por meio de serigrafia. [Pres. ind.: *serigrafo*, etc. Cf. *serígrafo.*]
serigrafia. [De *seri(c)(i)-* + *-graf(o)-* + *-ia.*] *S. f. Art. Gráf.* **1.** Processo de reprodução de imagens e letreiros sobre superfícies planas ou curvas, de papel, pano, vidro, metal, etc., com o emprego de um caixilho com tela de seda, náilon, aço inoxidável, etc., formando uma espécie de estêncil (*máscara*) no qual as partes impermeabilizadas representam os claros do desenho ou as áreas reservadas a outras cores, e a tinta passa através das partes permeáveis premida pelo rodo ou puxador. [A tiragem faz-se manualmente, ou em prensas de que há modelos inteiramente automáticos, nos quais o rodo é fixo, e móvel o caixilho.] **2.** Estampa obtida por esse processo. [Sin. ger., ingl.: *silks-screen.*]
serigráfico. *Adj.* Relativo a serigrafia.
serígrafo. [De *seri(c)(i)-* + *-grafo.*] *S. m.* **1.** Artista que faz serigrafias. **2.** Gráfico que trabalha em serigrafia. [Cf. *serigrafo*, do v. *serigrafar.*]
serigueiro. [Do lat. **sericariu.*] *S. m.* Indivíduo que faz obras de seda. [Var.: *sirgueiro.*]
seriguilha. *S. f.* Var. *serguilha* [q. v.].
seriíssimo. *Adj.* Superl. abs. sint. de *sério.*
seringa. [Do gr. *syrigx*, pelo lat. *syringa*, 'caniço', 'canudo'.] *S. f.* **1.** Bomba portátil, de vidro ou de plástico, para aplicação de injeções ou para retirar líquidos do organismo. **2.** Bomba portátil, de borracha ou de plástico, para introduzir um líquido em cavidade do corpo. **3.** Bisnaga (2). **4.** *Fig.* e *pop.* Pessoa importuna ou esquisita. **5.** *Bras., Amaz.* Designação da goma-elástica extraída de várias espécies de *Hevea* [v. *borracha* (2), *caucho, cernambi* (5), etc.] **6.** *Bras., MT.* Curral afunilado com a parte larga voltada para a porta grande e a estreita para o corredor, nas charqueadas.
seringação. *S. f.* **1.** Ato ou efeito de seringar; seringada, seringadela. **2.** *Fig.* e *pop.* Maçada, estopada, chateação.
seringada. [De *seringar* + *-ada*[1].] *S. f.* **1.** Expulsão do líquido da seringa. **2.** V. *seringação* (1).
seringadela. [De *seringar* + *-dela.*] *S. f.* V. *seringação* (1).
seringador (ô). [De *seringar* + *-(d)or.*] *Adj.* e *s. m. Bras. Pop.* V. *maçante* (1 e 2).
seringal. [De *seringa* (5) + *-al.*] *S. m.* **1.** Quantidade mais ou menos considerável de seringueiras dispostas proximamente entre si. **2.** *Bras., Amaz.* Propriedade, fazenda, geralmente à margem de rios.
seringalista. *S. 2 g. Bras., Amaz.* Dono de seringal; seringueiro. [Sin. (m. us.): *patrão.*]
seringar. *V. t. d.* **1.** Injetar o líquido de uma seringa em. **2.** Molhar ou borrifar com o líquido da seringa. **3.** *Pop.* Importunar, maçar, enfadar, apoquentar. [Conjug.: v. *largar.*]
seringarana. [De *seringa* (5) + *-rana.*] *S. f. Bras., Amaz.* Árvore da família das euforbiáceas (*Sapium marmieri*), cujo copioso látex fornece borracha tida como de boa qualidade, e que tem folhas lanceoladas e coriáceas, e flores pequeninas, inaparentes.
seringatório. *Adj.* **1.** Relativo à seringa. ● *S. m.* **2.** Medicamento injetado com seringa.
seringueira. [De *seringa* + *-eira.*] *S. f. Bras., Amaz.* Árvore da família das euforbiáceas (*Hevea brasiliensis*),

de folhas compostas, flores pequeninas, reunidas em amplas panículas, fruto que é uma grande cápsula com sementes ricas em óleo, e madeira branca e leve, de cujo látex se fabrica a borracha; árvore-da-borracha.

seringueira-barriguda. *S. f. Bras., Amaz.* Árvore da família das euforbiáceas (*Hevea spruceana*), que se caracteriza pelo tronco dilatado no meio, e cujas folhas têm pêlos na face inferior. O látex é resinoso e não fornece borracha. [Pl.: *seringueiras-barrigudas.*]

seringueira-branca. *S. f. Bras., Amaz.* Variedade da seringueira de casca alvacenta e folhas largas, que medra nas margens dos rios. [Pl.: *seringueiras-brancas.*]

seringueira-chicote. *S. f. Bras., Amaz.* Árvore da família das euforbiáceas (*Hevea benthamiana*), de folhas providas de pêlos ruivos na face inferior, e que fornece borracha de boa qualidade. [Pl.: *seringueiras-chicotes* e *seringueiras-chicote.*]

seringueira-itaúba. *S. f. Bras., Amaz.* Árvore da família das euforbiáceas (*Hevea lutea*), caracterizada pelas folhas de face inferior violácea, e que produz borracha inferior. [Pl.: *seringueiras-itaúbas* e *seringueiras-itaúba.*]

seringueira-vermelha. *S. f. Bras., Amaz.* Árvore da família das euforbiáceas (*Hevea guianensis*), de folhas coriáceas, verde-escuras, erguidas para cima quando novas, e cujo látex, amarelo, gera borracha ordinária, amarelada. [Pl.: *seringueiras-vermelhas.*]

seringueiro. *S. m.* **1.** *Bras., Amaz.* Indivíduo que se dedica à extração do látex da seringueira e com ele prepara a borracha; apanhador, machadinho. **2.** V. *seringalista.* **3.** *Bras.* V. *vivió.*

sério. [Do lat. *seriu.*] *Adj.* **1.** Que merece atenção, cuidado, consideração; importante: *Não interromperam a reunião, pois tratavam de assunto* s é r i o. **2.** Que tem valor, mérito, importância: *obra* s é r i a; *literatura* s é r i a. **3.** Feito com cuidado, desvelo, diligência: *trabalho* s é r i o. **4.** Positivo, real; verdadeiro, sincero: *É* s é r i a *a sua promessa de não mais beber.* **5.** Que denota gravidade, sobriedade; sóbrio, austero: *Costuma trajar roupas* s é r i a s; *É homem de modos* s é r i o s. **6.** Que constitui perigo, ameaça; perigoso, inquietante, grave: *acidente* s é r i o; *Os permanentes atritos tornavam a situação familiar cada vez mais* s é r i a. **7.** Grave, sisudo, severo, circunspecto: *É homem* s é r i o; *Tem fisionomia* s é r i a. **8.** Que cuida de suas funções ou obrigações com pontualidade, método e correção: *aluno* s é r i o, *aplicado: rapaz novo e já tão* s é r i o. **9.** Que age com honradez; honrado, honesto: *Confie nele, é homem* s é r i o; *Só compre em casa* s é r i a. **10.** Que não transgride as regras da moral sexual: *moça* s é r i a. **11.** *Fam.* Que não ri. [Superl. abs. sint.: *seriíssimo.* Flex.: *séria, sérios, sérias,* Cf. *serio,* do v. *seriar: seria* e *serias,* deste v. e do v. *ser; cério,* s. m.; e *céreo,* adj.] ● *S. m.* **12.** Gravidade, sisudez. ● *Adv.* **13.** Realmente, deveras: S é r i o, *já jantou?* **14.** A sério [q. v.]. **15.** *Pop.* Jogo infantil que consiste em duas pessoas se fitarem reciprocamente por algum tempo, perdendo a que primeiramente rir; sisudo. ♦ **A sério.** Com seriedade, gravidade; seriamente, sério: *Interpelou o filho a* s é r i o; *Não leva nada a* s é r i o; "Aos doze anos, lê-se o *Dom Quixote* a contrapelo, muito a s é r i o, tomando as suas aventuras como as dum autêntico herói, perseguido pela má sorte e vítima das maquinações de gente proterva e malvada." (Eduardo Frieiro, *Os Livros, Nossos Amigos,* p. 17.) **Levar a sério.** V. *tomar a sério.* **Sair do sério. 1.** Tornar-se menos, ou nada, grave; rir, folgar, divertir-se. **2.** *P. ext.* Praticar uma ação inabitual ou extraordinária. **Tomar a sério. 1.** Ligar importância a; dedicar-se a: *Sempre* t o m o u a s é r i o *o trabalho.* **2.** Melindrar-se, magoar-se com (ato ou palavras de outrem): T o m o u a s é r i o *as minhas brincadeiras e rompeu relações.* [Sin. ger.: *levar a sério.*]

sério-cômico. *Adj.* Meio sério, meio cômico; joco-sério. [Pl.: *sério-cômicos.*]

sermão. [Do lat. *sermone,* 'conversação'.] *S. m.* **1.** Discurso religioso geralmente pregado no púlpito; prédica, predicação, pregação. **2.** Arrazoado longo e enfadonho com que se procura convencer alguém. **3.** Admoestação com o objetivo de moralizar. **4.** *Fig.* V. *repreensão* (1). ♦ **Sermão encomendado.** *Fam.* Procedimento, atitude ou palavras insinuadas por outrem.

sermoa (ô). *S. f. Fam.* Sermão de pouco mérito.

sermonário. *S. m.* **1.** Coleção de sermões. **2.** Autor de sermões.

ser-no-mundo. *S. m. 2 n. Filos.* Segundo Heidegger [v. *heideggeriano*], caráter fundamental do *Dasein* [q. v.], pelo qual ele se encontra situado na abertura do ser: "Em Tartufo, a súmula dos hipócritas, ou melhor, de certa forma de ser hipócrita, o caráter criado, longe de ser um esquema rígido e desprovido de interesse psicológico, é, ao contrário, pela sua qualidade intrínseca, um símbolo que retrata uma nova maneira de s e r - n o - m u n d o: o tartufismo." (José Leme Lopes, *A Psiquiatria de Machado de Assis,* pp. 12-13.)

▲**ser(o)-**[1]. [Do lat. *serum, i.*] *El. comp.* = 'soro': *serosa, serologia.*

▲**ser(o)-**[2]. [De *serosidade.*] *El. comp.* = 'seroso': *serenterite.*

seroada. [De *serão* + *-ada*[1].] *S. f.* **1.** Serão (1). **2.** Grande serão (1, 3 e 4); serão prolongado: "Todas estas miúdas aldeias .... estão impregnadas de lendas antigas, ... de velhos casos, contados e recontados nas s e r o a d a s do outono" (Antero de Figueiredo, *Jornadas em Portugal,* pp. 143-144).

seroante. *Adj. 2 g.* e *s. 2 g.* Que ou quem seroa.

seroar. *V. int.* Trabalhar de noite; fazer serão: "todas as *ouvreuses* .... trabalhavam .... com a aplicação e a presteza de quem estivesse s e r o a n d o com tarefa posta." (Ramalho Ortigão, *Em Paris,* p. 163). [Conjug.: v. *coroar.*]

serocolite. [De *ser(o)-*[2] + *colite.*] *S. f. Patol. P. us.* Inflamação da superfície serosa do intestino grosso ou cólon.

serodiagnóstico. [De *ser(o)-*[1] + *diagnóstico.*] *S. m. Patol.* Sorodiagnóstico.

serôdio. [Do lat. *serotinu.*] *Adj.* **1.** Que vem tarde, fora do tempo; tardio: "Havia muito tempo, desconfiava o Eduardo que a sua locandeira sentia por ele uma dessas paixões s e r ô d i a s e abjetas" (Artur Azevedo, *Contos Possíveis,* p. 83); "no novo mundo socialista, filho da rebeldia contra um feudalismo s e r ô d i o, a liberdade tem sentido revolucionário." (Fidelino de Figueiredo, *O Medo da História,* p. 108). **2.** Diz-se de fruto ou flor que aparece no fim da estação própria; extemporâneo, serotino, serôtino: *floração* s e r ô d i a. **3.** Antiquado, ultrapassado: *idéias* s e r ô d i a s.

seroenterite. *S. f. Patol.* V. *serenterite.*

serologia. [De *ser(o)-*[1] + *-log(o)-* + *-ia.*] *S. f. Med.* Estudo dos soros, de suas propriedades e aplicações diagnósticas e terapêuticas, em especial no tocante a reações imunológicas.

serológico. *Adj.* Relativo ao soro ou à serologia.

serologista. *S. 2 g.* Especialista em serologia.

serosa. [Fem. substantivado de *seroso.*] *S. f. Anat.* Membrana cuja forma lembra um saco, e que segrega serosidade em sua face interna, facilitando o deslizamento de órgãos contidos em seu interior. [São exemplos de serosas o peritônio e as pleuras. Cf. *cerosa,* fem. de *ceroso.*]

serosidade. *S. f. Med.* **1.** Qualidade de seroso. **2.** Líquido segregado e contido nas cavidades serosas. **3.** Líquido semelhante ao soro sanguíneo.

seroso[1] (ô). [De *ser(o)-*[1] + *-oso.*] *Adj.* **1.** Relativo a soro (1). **2.** Que contém soro: *sangue* s e r o s o. [Cf. *ceroso.*]

seroso[2] (ô). [De *ser(o)-*[2] + *-oso.*] *Adj.* Abundante em serosidade. [Cf. *ceroso.*]

serossanguíneo. [De *ser(o)-*[2] + *sanguíneo.*] *Adj.* Serossanguinolento. [Var. pros.: *serossangüíneo.*]

serossangüíneo. [De *ser(o)-*[2] + *sangüíneo.*] *Adj.* Var. pros. de *serossanguíneo.*

serossanguinolento. *Adj.* Constituído por serosidade e sangue; serossanguíneo.

seroterapia. [De *ser(o)-*[2] + *terapia.*] *S. f. Terap.* Soroterapia.

seroterápico. *Adj.* Soroterápico.

serotino. *Adj.* V. *serôdio* (2).

serôtino. [Do lat. *serotinu.*] *Adj.* V. *serôdio* (2).

serpão. [De *serpol* < **serpom.*] *S. m.* Designação comum a espécies do gênero *Thymus,* da família das labiadas, nativas da Europa, que são ervas que contêm timol como principal componente de sua essência (8), e cuja ação anti-séptica é bem conhecida; serpilho.

ser-para-a-morte. *S. m. 2 n. Filos.* Segundo Heidegger [v. *heideggeriano*], condição pela qual o homem existe de modo próprio e em totalidade: a morte, tomada como fim inerente ao ser do homem, clareia e define a totalidade possível, o *Dasein* [q. v.].

serpe. [Do lat. *serpe,* de um nom. **serpes,* por *serpes.*] *S. f.* **1.** *Poét.* Serpente (1): "Depois da queimada, toda a zona onde o fogo lavrou é um imenso coivaral .... : .... os galhos mortos se estiram, como grandes s e r p e s negras, carbonizadas" (Gustavo Barroso, *Terra de Sol,* pp. 19-20). **2.** Antiga peça de artilharia, semelhante à colubrina. **3.** *Fig.* e *pop.* V. *bruxa* (2). **4.** *Arquit.* Linha de ornato em forma de serpente. ♦ **Velho como a serpe.** Muito velho; muito idoso.

serpeante. *Adj. 2 g.* Que serpeia; serpejante, serpentante, serpenteante.

serpear. [De *serpe* + *-ear.*] *V. int.* **1.** Arrastar-se pelo chão em ziguezagues, ou mover-se sinuosamente, como a serpente; ondular, cobrejar, colear. **2.** Ser ou mostrar-se tortuoso ou sinuoso; colear: "Mole e lascivo no tapiz da selva / S e r p e i a o arroio" (Fagundes Varela, *Poesias Completas,* I, p. 269); "O caminho s e r p e a v a entre o capim alto." (Ricardo L. Hoffmann, *A Superfície,* p. 188). [Sin. ger.: *serpejar, serpentear, serpentar.* Conjug.: v. *frear.*]

serpejante. [De *serpejar* + *-nte.*] *Adj. 2 g.* V. *serpeante.*

serpejar. [De *serpe* + *-ejar.*] *V. int.* V. *serpear:* "Assim é conhecido o caminho que s e r p e j a pelas encostas da serra da Tijuca" (José de Alencar, *Sonhos d'Ouro,* p. 191). [Conjug.: v. *pelejar.*]

serpentante. [De *serpentar* + *-nte.*] *Adj. 2 g.* V. *serpeante.*

serpentão. [De *serpente* + *-ão*[2].] *S. m. Mús.* Instrumento de sopro, de bocal, e cujo tubo, de madeira, recoberto de couro, é recurvado em forma de S, simples ou duplo, a fim de permitir ao executante atingir os seus nove orifícios foi substituído pelo oficlide e pela tuba.

serpentar. [De *serpente* + *-ar*[2].] *V. int.* V. *serpear.* [Fut. pret.: *serpentaria,* etc. Cf. *serpentária.*]

serpentária. [Do lat. *serpentaria.*] *S. f.* Designação comum a ervas volúveis da família das aristoloquiáceas, que, na América do Norte, são tidas como eficazes contra mordeduras de cobras. Têm flores enormes, de formas extravagantes e colorido intenso, e malcheirosas; o fruto é uma grande cápsula. [Sin.: *dragontéia, serpentina* e (bras.) *cachimbo-de-turco, cipó milhomens* e *papo-de-peru.* Cf. *serpentaria,* do v. *serpentar.*]

serpentário. [De *serpente* + *-ário.*] *S. m.* **1.** Ave de rapina, que se nutre sobretudo de serpentes. **2.** *Bras.* Lugar onde se criam cobras para estudos, nos institutos científicos.

serpente. [Do lat. *serpente.*] *S. f. Bras.* **1.** Designação geral dos ofídios, sobretudo das espécies peçonhentas. V. *cobra*[1] (1). **2.** Espécime das serpentes; ofídio. **3.** *Fig.* Na tradição bíblica, o mal insinuante e ardiloso, ou o caos. **4.** *Pop.* Pessoa má ou traiçoeira. **5.** *Pop.* V. *bruxa* (2). **6.** Coisa nociva. ~ V. *serpentes.* ♦ **Serpente Infernal.** V. *diabo* (2). **Serpente Maldita.** V. *diabo* (2).

serpenteante. [De *serpentear* + *-nte.*] *Adj. 2 g.* V. *serpeante.*

serpentear. [De *serpente* + *-ear.*] *V. int.* **1.** V. *serpear:* "Montanhas verdes de papel crepom, um rio fino, s e r p e n t e a n d o, de celofane, uma vilazinha no canto" (Lia Correia Dutra, *Navio sem Porto,* p. 90). *T. d.* e *i.* **2.** Enrolar, envolver. [Conjug.: v. *frear.*]

serpentes. [Pl. de *serpente.*] *S. f. pl. Zool.* Ofídios. ~ V. *serpente.*

serpentífero. [Do lat. *serpentiferu.*] *Adj. Poét.* Em que há, ou que produz serpentes.

serpentiforme. [De *serpente* + *-i-* + *-forme.*] *Adj. 2 g.* Que tem forma de serpente; serpentino, angüiforme, ofiomorfo, ofiomórfico.

serpentina. [Fem. substantivado de *serpentino.*] *S. f.* **1.** Castiçal de três braços e três luzes que é costume acender no sábado de Aleluia. **2.** Castiçal de dois ou mais braços tortuosos, não raro ornado de pingentes de cristal, em cujas extremidades se põem velas: "Os molhos de velas de duas s e r p e n t i n a s .... embebiam o ar tépido, onde errava um perfume, numa refulgência ardente de sacrário" (Eça de Queirós, *Os Maias,* II, p. 177). **3.** Conduto metálico que dá numerosas dobras sobre si mesmo, e dentro do qual circula um fluido que opera trocas de calor com o meio ambiente. [A serpentina (3) é utilizada para vários tipos de aquecimento ou resfriamento.] **4.** Antiga peça de artilharia, semelhante à colubrina. **5.** V. *serpentária.* **6.** *Min.* Mineral monoclínico, silicato ácido de magnésio, podendo este ser em parte substituído por ferro. **7.** *Bras.* Palanquim com cortinados, cujo leito é de rede. **8.** Fita estreita, de papel colorido, com muitos metros de comprimento, enrolada sobre si mesma e que se desenrola quando arremessada, e que se usa, especialmente, nas festas de carnaval. **9.** *Bras.* Certa trepadeira do Amazonas.

serpentino. [Do lat. *serpentinu.*] *Adj.* **1.** Relativo ou pertencente a, ou próprio de serpente: "torcia a cara ...., botando para fora uma língua de palmo, fina, comprida, s e r p e n t i n a." (Visconde de Taunay, *Ao Entardecer,* p. 33). **2.** V. *serpentiforme.* **3.** Diz-se de certos mármores que têm veios de serpentina.

serpete (ê). [Do fr. *serpette.*] *S. m.* Instrumento de jardinagem, de lâmina curva, e cujo cabo termina em saliência, para podar, cortar, etc.

serpiginoso (ô). [Do fr. *serpigineux.*] *Adj.* **1.** Semelhante a serpe; sinuoso. **2.** Diz-se de doenças cutâneas que dão à pele contornos tortuosos.

serpilho. [Do lat. *serpyllu*, var. de *serpullu*.] *S. m.* Serpão.

serra. [Do lat. *serra*.] *S. f.* **1.** Instrumento cortante, que tem como peça principal uma lâmina ou um disco dentado de aço. **2.** A própria lâmina ou disco cortante do dito instrumento ou ferramenta. **3.** *Fig.* Cadeia de montanhas com muitos picos e quebradas. **4.** *P. ext.* Monte (1). **5.** *Fig.* Elevação semelhante a uma serra (4): *O velho pescador, acostumado às serras de águas mansas ou violentas, saía com qualquer tempo.* **6.** Pilha, meda, montão. ● *S. m.* **7.** *Bras.* Peixe teleósteo, percomorfo, da família dos tunídeos (*Sarda sarda* (Bloch)), do Atlântico, de dorso azul, abdome branco, comprimento de até 60 cm, e peso entre 600 e 800 g. A espécie é pelágica, e se caracteriza por ter seis a oito faixas oblíquas, azul-escuras, paralelas, e pínulas negras, dando aspecto de serra. [Sin.: *serra-de-escama, sarda*.] **8.** V. *bonito-cachorro*. **9.** *Bras., RS.* Mato estreito que segue as duas margens dos rios ou arroios. [Dim. irreg.: *serreta*. Cf. *cerra*, do v. *cerrar*.] ◆ **Serra braçal.** Serra movida, a braço, por dois homens. **Serra de água.** A que é acionada por engenho hidráulico. **Serra tico-tico.** Pequena serra mecânica que se desloca em movimento de vaivém. **Ir à serra.** *Fam.* Dar o cavaco; melindrar-se, irritar-se; subir à serra. **Subir à serra.** *Bras. Fam.* V. *ir à serra*. **Velho como a serra.** Muito velho; muito idoso.

serrã. *S. f.* Fem. de *serrão* [q. v.].

serra-abaixo. *S. f.* **1.** *Bras.* Designação da parte meridional do RJ. **2.** *Bras., S.* Região litorânea, compreendida entre o oceano e a Serra do Mar. [Antôn.: *serra-acima*.]

serra-acima. *S. f. Bras.* A parte setentrional do RJ. [Antôn.: *serra-abaixo*.]

serra-azulense. *Adj. 2 g.* **1.** De, ou pertencente ou relativo a Serra Azul (SP). ● *S. 2 g.* **2.** Natural ou habitante de Serra Azul. [Pl.: *serra-azulenses*.]

serrabaia. *S. f. Bras., RJ.* Dança tradicional dos ciganos, com rodopios, sapateados e cantigas. [Cf. *sarrabalho*.]

serra-boca. [De *serrar* + *boca* (ô).] *S. m. Bras., BA.* Certo cabo de reboque. [Pl.: *serra-bocas*.]

serra-branquense. *Adj. 2 g.* **1.** De, ou pertencente ou relativo a Serra Branca (PB). ● *S. 2 g.* **2.** Natural ou habitante de Serra Branca. [Pl.: *serra-branquenses*.]

serrabulho. *S. m.* Var. de *sarrabulho*.

serra-caiadense. *Adj. 2 g.* **1.** De, ou pertencente ou relativo a Serra Caiada (RN). ● *S. 2 g.* **2.** Natural ou habitante de Serra Caiada. [Pl.: *serra-caiadenses*.]

serração. [Do lat. tardio *serratione*.] *S. f.* Ato ou efeito de serrar; serradura, serramento, serradela, serragem. [Cf. *cerração*.] ◆ **Serração da velha.** **1.** *Pop.* O meio da quaresma. **2.** *Bras. Pop.* Brincadeira que se realizava em um dos dias da semana santa, especialmente no sábado de aleluia, e na qual um grupo de foliões serrava uma tábua como se esta fosse uma velha, entre gritos e lamúrias. [Fora da quaresma tb. se observava esse costume, à porta de pessoas que gozavam de pouca popularidade e/ou eram facilmente ridicularizáveis.]

serra-de-escama. *S. f. Bras.* V. *serra* (7). [Pl.: *serras-de-escama*.]

serradela[1]. [De *serrar* + *-dela*.] *S. f.* **1.** V. *serração*. **2.** Corte dado com a serra (1 e 2).

serradela[2]. [Do lat. **serratella*, por *serratula*.] *S. f.* Certa planta leguminosa.

serradiço. [De *serrar* + *-(d)iço*.] *Adj.* Diz-se da madeira que foi serrada e aparada.

serrado. [Part. de *serrar*.] *Adj.* **1.** Que se serrou: *madeira serrada.* **2.** Que tem o aspecto dentado da serra. **3.** *Morfol. Veg.* Que tem dentes voltados para o ápice; serreado: *folha serrada; pétala serrada.* [Cf. *cerrado*.]

serrador (ô). *Adj.* **1.** Que serra. ● *S. m.* **2.** Aquele que serra. **3.** Serrote grande e recurvado, para a palha. **4.** *Bras.* V. *serra-pau*. **5.** *Bras.* V. *tiziu*. **6.** *Bras.* V. *tietê*. **7.** *Bras.* Jangada pequena, tripulada por um homem e conduzida pela jangada principal. **8.** *Bras.* Indivíduo que a tripula.

serradura. [Do lat. tardio *serratura*.] *S. f.* **1.** V. *serração*. (1). **2.** Pó de finas partículas que sai da madeira ao ser esta serrada; serragem, serrinho. [Cf. *cerradura*.]

serra-garoupa. [De *serrar* + *garoupa*.] *S. m. Bras.* V. *cação-garoupa*. [Pl.: *serra-garoupas*.]

serragem. [De *serrar* + *-agem*[1].] *S. f.* **1.** V. *serração*. **2.** *Bras.* V. *serradura* (2). **3.** *Bras.* Operação para libertar o diamante da ganga.

serra-grandense. *Adj. 2 g.* **1.** De, ou pertencente ou relativo a Serra Grande (PB) ● *S. 2 g.* **2.** Natural ou habitante de Serra Grande. [Pl.: *serra-grandenses*.]

serra-leonês. *Adj.* **1.** Da, ou pertencente ou relativo à República de Serra Leoa (África Ocidental). ● *S. m.* **2.** O natural ou habitante da República de Serra Leoa. [Flex.: *serra-leonesa* (ê), *serra-leoneses* (ê), *serra-leonesas* (ê).]

serralha. [Do lat. *sarralia*.] *S. f.* Erva humilde da família das compostas (*Sochus oleraceus*), de origem européia, e subespontânea no Brasil, onde é planta ruderal. Tem folhas muito recortadas e serruladas, e os capítulos são solitários e amarelos. É cultivada como hortaliça.

serralhar. [De *serralheiro*.] *V. t. d.* **1.** Lavrar ou limar à maneira de serralheiro. *Int.* **2.** Trabalhar de serralheiro. **3.** Fazer barulho como os serralheiros.

serralharia. [De um der. do lat. vulg. *serraculu*, 'fechadura', der. de *serrare*, 'serrar', + *-aria*.] *S. f.* **1.** Arte de trabalhar o ferro, de fabricar ou consertar objetos de ferro. **2.** Fábrica ou oficina para trabalhos em ferro batido ou forjado.

serralheiro. [De um der. do lat. vulg. *serraculu*, 'fechadura', der. de *serrare*, 'serrar', + *-eiro*.] *S. m.* Artífice que fabrica ou conserta objetos de ferro.

serralhinha. [Dim. de *serralha*.] *S. f.* Variedade de serralha [q. v.].

serralho. [Do persa, pelo turco e pelo it. *serraglio*.] *S. m.* **1.** Palácio do sultão, dos príncipes ou dos dignitários do Estado turco maometano. **2.** Parte desse palácio habitada pelas mulheres dessas personagens; harém. **3.** Mulheres que habitam o harém. **4.** *Fig.* V. *prostíbulo*.

serralitrense. *Adj. 2 g.* **1.** De, ou pertencente ou relativo à Serra do Salitre (MG). ● *S. 2 g.* **2.** Natural ou habitante da Serra do Salitre.

serramento. *S. m.* V. *serração*. [Cf. *cerramento*.]

serrana. [Fem. de *serrano*[1].] *S. f.* **1.** Mulher que habita as serras. **2.** *P. ext.* Mulher rústica; camponesa. **3.** *Lus.* Serranilha. **4.** *Bras., RS.* Modalidade do fandango.

serra-negrense[1]. *Adj. 2 g.* **1.** De, ou pertencente ou relativo a Serra Negra (SP). ● *S. 2 g.* **2.** Natural ou habitante de Serra Negra. [Pl.: *serra-negrenses*.]

serra-negrense[2]. *Adj. 2 g.* **1.** De, ou pertencente ou relativo a Serra Negra do Norte (RN). ● *S. 2 g.* **2.** Natural ou habitante de Serra Negra do Norte. [Pl.: *serra-negrenses*.]

serranense[1]. *Adj. 2 g.* **1.** De, ou pertencente ou relativo a Serrana (SP). ● *S. 2 g.* **2.** Natural ou habitante de Serrana.

serranense[2]. *Adj. 2 g.* **1.** De, ou pertencente ou relativo a Serranos (MG). ● *S. 2 g.* **2.** Natural ou habitante de Serranos.

serrania. [De *serra* + *-ana-*[2] + *-ia*.] *S. f.* **1.** Aglomeração de serras ou montanhas; cordilheira: "Em devaneio plácido / Velava, enquanto via / Ao longe — os altos píncaros / Da negra serrania" (Gonçalves Dias, *Obras Poéticas*, I, p. 312). [Sin., p. us.: *serraria*.] **2.** *Fig.* Ondas ou vagas encapeladas.

serranice. *S. f.* Maneiras ou costumes de serrano[1] (4 e 5).

serranídeo. *S. m.* **1.** Espécime dos serranídeos. ● *Adj.* **2.** Pertencente ou relativo a eles.

serranídeos. *S. m. pl. Zool.* Família de peixes actinoptérígios, da ordem dos percomorfos. Ex.: o badejo.

serraniense. *Adj. 2 g.* **1.** De, ou pertencente ou relativo a Serrania (MG). ● *S. 2 g.* **2.** Natural ou habitante de Serrania.

serranilha. [Do esp. *serranilla*.] *S. f.* Canção pastoril dos antigos trovadores portugueses; serrana.

serrano[1]. *Adj.* **1.** Relativo a serras: *zona serrana.* **2.** Que vive nas serras; montanhês. **3.** Diz-se de uma variedade de linho. ● *S. m.* **4.** Habitante das serras; serrão. **5.** *P. ext.* Homem rústico; camponês. **6.** *Bras., RS.* Natural ou habitante da região serrana, do município de Santa Maria para o norte. **7.** *Bras., RS.* Natural ou habitante da serra do Tapes.

serrano[2]. *Adj.* **1.** De, ou pertencente ou relativo a Serra (ES). ● *S. m.* **2.** O natural ou habitante de Serra.

serrano[3]. *Adj.* **1.** De, ou pertencente ou relativo a Serro (MG). ● *S. m.* **2.** O natural ou habitante de Serro.

serrano[4]. *Adj.* e *s. m.* Passo-fundense.

serrano[5]. *Adj.* e *s. m.* Paulense[2].

serrão. [De *serra* + *-ão*[2].] *S. m.* Serrano[1] (4). [Fem.: *serrã*.]

serra-osso. [De *serrar* + *osso*.] *S. m. Bras., AM. Pop.* V. *arrasta-pé* (1). [Pl.: *serra-ossos*.]

serra-pau. [De *serrar* + *pau*.] *S. m. Bras.* Designação comum aos insetos coleópteros, da família dos cerambicídeos, de antenas muito alongadas, mandíbulas fortes e, em algumas espécies, providas de dentes córneos. São fitófilos, e alimentam-se de pólen ou da polpa de frutos maduros. As larvas são brocas, e vivem em galerias que elas mesmas abrem. [Pl.: *serra-paus*. Sin.: *serrador, tange-viola, toca-viola, visita*.]

serrapilheira. *S. f.* V. *serapilheira*.

serrapinima. *S. f. Bras.* V. *sororoca* (2).

serra-pretense. *Adj. 2 g.* **1.** De, ou pertencente ou relativo a Serra Preta (BA). ● *S. 2 g.* **2.** Natural ou habitante de Serra Preta. [Pl.: *serra-pretenses*.]

serrar. [Do lat. *serrare*.] *V. t. d.* **1.** Cortar, separar, dividir, com serra ou serrote: *serrar uma árvore.* **2.** *Bras. Gír.* Obter gratuitamente, por meios hábeis; filar: *serrar um cigarro.* *Int.* **3.** Trabalhar com serra ou serrote. **4.** Produzir som estrídulo como o do serrote em ação. [Pres. ind.: *serro*, etc. Cf. *serro* (ê), s. m.; *Serro* (ê), top.; e *cerro* (ê), s. m., *cerro*, do v. *cerrar*, e este v.] ◆ **Serrar de cima.** Estar em situação vantajosa; dominar.

serra-redondense. *Adj. 2 g.* **1.** De, ou pertencente ou relativo a Serra Redonda (PB). ● *S. 2 g.* **2.** Natural ou habitante de Serra Redonda. [Pl.: *serra-redondenses*.]

serraria[1]. [De *serrar* + *-ia*.] *S. f.* **1.** Armação de madeira sobre a qual se apóia o toro que se quer serrar. **2.** Estabelecimento industrial onde se cortam madeiras. [Cf. *cerraria*, do v. *cerrar*.]

serraria[2] [De *serra* + *-aria*.] *S. f. P. us.* Serrania (1) [q. v.]. [Cf. *cerraria*, do v. *cerrar*.]

serrariense. *Adj. 2 g.* **1.** De, ou pertencente ou relativo a Serraria (PB e RJ). ● *S. 2 g.* **2.** Natural ou habitante de Serraria.

serra-serra. [Da 3ª pess. sing. do pres. ind. de *serrar*, repetida.] *S. m. Bras.* **1.** Chico-preto (1). **2.** V. *tiziu*. [Pl.: *serras-serras* e *serra-serras*.]

serra-talhadense. *Adj. 2 g.* **1.** De, ou pertencente ou relativo a Serra Talhada (PE). ● *S. 2 g.* **2.** Natural ou habitante de Serra Talhada. [Pl.: *serra-talhadenses*.]

serrátil. *Adj. 2 g.* **1.** Que tem o feitio dentado da serra; serreado, serrino, sérreo. **2.** *Geom.* Diz-se de um prisma triangular oblíquo. [Pl.: *serráteis*.] ~ V. *pulso* —.

serrazina. [Do esp. *sarracina*.] *S. f.* **1.** Ato de serrazinar. ● *S. 2 g.* **2.** Pessoa que serrazina. ● *Adj. 2 g.* **3.** Que serrazina; maçante, enfadonho, cacete, chato.

serrazinar. [De *serrazina* + *-ar*[2].] *V. int.* e *t. i.* Ser importuno, maçador, cacete, persistindo no mesmo assunto ou pedido.

serreado. [Part. de *serrear*.] *Adj.* **1.** V. *serrátil* (1): "acendeu o cigarro num isqueiro de latão com tampo serreado" (Cornélio Pires, *Quem Conta um Conto...*, p. 79). **2.** *Morfol. Veg.* Serrado (3).

serrear. *V. t. d.* **1.** Dar a forma de serra a. **2.** Recortar ou dentear em forma de serra. [Conjug.: v. *frear*.]

sérreo. *Adj.* **1.** V. *serrátil* (1). **2.** Relativo a serra (3 e 4); serril.

serreta[1] (ê). [De *serra* + *-eta*.] *S. f.* Serra pequena.

serreta[2] (ê). *S. f. Constr. Nav.* F. paral. de *sarreta*.

serridênteo. [De *serra* + *-i-* + *dente* + *-eo*.] *Adj. Zool.* Que tem dentes serráteis.

serril. [De *serra* + *-il*.] *Adj. 2 g.* **1.** Sérreo (2). **2.** Agreste, rústico, montanhês.

serrilha. [De *serra* + *-ilha*.] *S. f.* **1.** Lavor denteado e que serve para adornos. **2.** Lavor denteado na periferia das moedas. **3.** Bordo denteado de qualquer objeto. **4.** Peça dos arreios, guarnecida de pontas de ferro, para sofrear ou domar cavalgadura cuja barbada guarnece. **5.** Moeda espanhola, de prata. [Cf. *cerrilha*.]

serrilhado. [Part. de *serrilhar*.] *Adj.* Que tem serrilha.

serrilhador (ô). *S. m.* Máquina para serrilhar moeda.

serrilhar. *V. t. d.* **1.** Fazer serrilha em. *Int.* **2.** Puxar em sentido contrário as duas rédeas do cavalo, quando este toma o freio nos dentes.

serrilho. [De *serrilha*.] *S. m.* Nos engenhos de açúcar, grande eixo ao qual está presa a roda gigante.

serrim. [Do esp. *serrín*.] *S. m.* Espécie de forragem.

serrinhense. *Adj. 2 g.* **1.** De, ou pertencente ou relativo a Serrinha (BA). ● *S. 2 g.* **2.** Natural ou habitante de Serrinha.

serrinho. *S. m. Bras., RS.* V. *serradura* (2).

serrino. [De *serra* + *-ino*[1].] *Adj.* V. *serrátil* (1).

serrípede. [De *serra* + *-i-* + *-pede*.] *Adj. 2 g. Zool.* Que tem pés serreados.

serrirrostro. [De *serra* + *-i-* + *-rostro*.] *Adj. Zool.* Cujo bico é em forma de serra.

serritense. *Adj. 2 g.* **1.** De, pertencente ou relativo a Serrita (PE). ● *S. 2 g.* **2.** Natural ou habitante de Serrita.

serro (ê). [De *cerro*, com *s* por infl. de *serra* (4).] *S. m.* Espinhaço (3). [Pl.: *serros* (ê). Cf. *serro*, do v. *serrar*; *cerro*, do v. *cerrar*; e *cerro* (ê), s. m.]

serrota. [De *serra* + *-ota*.] *S. f. Bras.* Serrote (2): "O gado demora nos felizes rincões, onde ainda existem uns restos de secas pastagens acamadas nas abas das serrotas" (Gustavo Barroso, *Terra de Sol*, p. 21).

serrotado. [Part. de *serrotar*.] *Adj.* **1.** Cortado com serrote. **2.** Serrado imperfeitamente. **3.** *Bras.* Rendilhado à maneira dos dentes do serrote.

serrotagem. *S. f.* **1.** Ação ou efeito de serrotar. **2.** *Encad.* Cada um dos sulcos transversais abertos a serrote no dorso dos livros para receber as cordas da costura.

serrotar. *V. t. d.* **1.** Cortar com serrote. **2.** Serrar mal, ou irregularmente. **3.** *Encad.* Abrir sulcos transversais no dorso de (livro), com um serrote apropriado, a fim de proceder à costura dos cadernos.

serrote. *S. m.* **1.** Lâmina dentada, como a da serra, mas sem outra armação senão um cabo, por onde se empunha. **2.** *Bras.* Pequeno monte ou serra; serrota. **3.** *Bras., RN.* Dança popular, espécie de xote, executada por dois ou três pares, ao som da viola. **4.** Instrumento musical que é o próprio serrote (1), cuja lâmina vibra quando friccionada por um arco ou percutida por uma baqueta.

serrulado. [De *serra* + *-ula-* + *-ado*[1].] *Adj. Morfol. Veg.* Que tem diminutos dentes dirigidos para a ponta.

sertã. [Do lat. *sartagine*, com dissimilação.] *S. f.* Frigideira larga e rasa. [Cf. *certã*, fem. de *certão*.]

sertaneja (ê). [Fem. substantivado do adj. *sertanejo*.] *S. f. Bras.* Canção ou cantiga do sertão.

sertanejar. [De *sertanejo* + *-ejar*.] *V. int.* **1.** Percorrer os sertões; andar pelos sertões. **2.** Viver nos sertões. [Conjug.: v. *pelejar*.]

sertanejense. *Adj. 2 g.* **1.** De, ou pertencente ou relativo a Sertaneja (PR). ● *S. 2 g.* **2.** Natural ou habitante de Sertaneja.

sertanejo (ê). *Adj.* **1.** Do sertão. **2.** Que habita o sertão. **3.** Rústico, agreste, rude. **4.** V. *caipira* (3 e 4). ● *S. m.* **5.** Indivíduo sertanejo. **6.** V. *caipira* (1).

sertania. *S. f. Bras.* Os sertões. [Cf. *Sertânia*, top.]

sertaniense. *Adj. 2 g.* **1.** De, ou pertencente ou relativo a Sertânia (PE). ● *S. 2 g.* **2.** Natural ou habitante de Sertânia.

sertanista. *S. m. Bras.* **1.** Pessoa que se embrenhava nos sertões à cata de riquezas; bandeirante. ● *S. 2 g.* **2.** *P. ext.* Grande conhecedor do sertão e dos hábitos sertanejos; especialista em assuntos do sertão. **3.** *P. us.* Sertanejo (5).

sertanizar. *V. int. Bras. Ant.* Percorrer os sertões, penetrá-los.

sertanopolense. *Adj. 2 g.* **1.** De, ou pertencente ou relativo a Sertanópolis (PR). ● *S. 2 g.* **2.** Natural ou habitante de Sertanópolis.

sertão. *S. m.* **1.** Região agreste, distante das povoações ou das terras cultivadas. **2.** Terreno coberto de mato, longe do litoral. **3.** Interior pouco povoado. **4.** *Bras.* Zona pouco povoada do interior do País, em especial do interior semi-árido da parte norte-ocidental, mais seca do que a caatinga, onde a criação de gado prevalece sobre a agricultura, e onde perduram tradições e costumes antigos. ♦ **Sertão bruto.** *Bras.* Sertão sem moradores, completamente desabitado. **Sertão de gravatá.** *Bras., BA.* Designação que dão os matutos a uma extensão de terra coberta de gravatás. **Sertão de pedra.** *Bras., RN.* A zona além do vale do Ceará-Mirim, assim chamada por ser, daí em diante, muito pedregoso o solo. [Cf. *certão*.]

seruaia. [De provável or. indígena.] *S. f. Bras., AM* e *BA.* Arvoreta da família das leguminosas (*Cassia leiandra*), da mata úmida, com 16 a 30 folíolos, oblongos, obtusos e pubescentes na parte inferior, flores vistosas, amarelas e ordenadas em racemos axilares solitários. O legume é pêndulo, subcilíndrico, e mede de 60 a 75 cm; as sementes são transversais.

serubuna. [De possível or. tupi observe-se o final.] *S. f. Bras.* Serutinga.

sérum. [Do lat. *serum*.] *S. m. Med.* V. *soro* (ô) (1 e 2).

serutinta. [De possível or. tupi; observe-se o final, *-tinga*.] *S. f. Bras.* Variedade de mangue (*Avicennia nitida*); serubuna.

serva. [Do lat. *serva*.] *S. f.* **1.** Criada, empregada. **2.** Mulher absolutamente sujeita a outrem; escrava. [Cf. *cerva*.] ♦ **Serva de Deus.** Freira (1).

servente. [Do lat. **serviente*, 'cortesão'.] *Adj. 2 g.* **1.** Que serve; servidor. ● *S. 2 g.* **2.** Pessoa que serve, que ajuda outra em qualquer trabalho. **3.** Criado ou criada; serviçal. ● *S. m.* **4.** Operário que auxilia o oficial, especialmente ao pedreiro. [Cf. *sirvente*.]

serventia. [De *servente* + *-ia*.] *S. f.* **1.** Qualidade do que serve; utilidade, préstimo, proveito. **2.** Uso, serviço, emprego, aplicação. **3.** Servidão (1). **4.** Serviço (14). **5.** Serviço provisório ou feito em nome de outrem. **6.** Trabalho do serventuário. **7.** Trabalho do servente.

serventuário. [De *servente* + *-u-* + *-ário*.] *S. m.* **1.** Aquele que serve num ofício; ministrante. **2.** Funcionário auxiliar da justiça, que ocupa cargo criado em lei, com denominação própria, pago pelos cofres públicos ou remunerado mediante o pagamento de custas ou emolumentos (tabeliães, escrivães, oficiais de registros públicos, etc.).

serviçal. *Adj. 2 g.* **1.** Que gosta de prestar serviços; obsequiador, prestadio, servidor. **2.** Zeloso, diligente. **3.** Concernente a criados ou servos. ● *S. 2 g.* **4.** Criado ou criada; servente. **5.** Trabalhador ou trabalhadora assalariada.

serviçalismo. *S. m.* Qualidade de serviçal.

serviço. [Do lat. *servitiu*, 'a escravidão', 'os escravos'.] *S. m.* **1.** Ato ou efeito de servir. **2.** Exercício de cargos ou funções obrigatórias. **3.** Duração desse exercício. **4.** Desempenho de qualquer trabalho, emprego ou comissão. **5.** Duração desse desempenho. **6.** Celebração de atos religiosos. **7.** Estado de quem serve por salário. **8.** Serventia (2). **9.** Obséquio, favor. **10.** Percentagem de uma conta de hotel, de restaurante, destinada à gratificação ao pessoal. **11.** Modo de servir: *Este restaurante tem um* serviço *rápido.* **12.** Conjunto de peças de louça, prata ou outro material, que servem para um jantar, um chá, etc.; aparelho: "Tomava-se .... chá com torradas. .... Vinha num serviço de prata, com aquela correção dos aparelhos finos" (Herberto Sales, *Dados Biográficos do Finado Marcelino*, p. 81). [Cf., nesta acepç., *baixela* (1).] **13.** As iguarias que se servem numa recepção ou reunião. **14.** Passagem, passadiço; serventia: *escada para* serviço *dos empregados.* **15.** O último parceiro no jogo da péla. **16.** Em certos jogos, tais como tênis, pingue-pongue, etc., o saque[1] (4). **17.** Na fabricação de rendas, denominação que se dá ao lavor. **18.** Vaso para excrementos. **19.** *Econ.* Produto da atividade humana que, sem assumir a forma de um bem material, satisfaz uma necessidade. Ex.: *o transporte, uma aula, um corte de cabelo.* **20.** *Fin.* Conjunto de pagamentos efetuados a título de juros e amortização de dívidas. **21.** *Bras.* Feitiçaria por encomenda. **22.** *Bras., BA* e *MG.* Lugar onde se exploram jazidas de ouro ou diamantes. ♦ **Serviço ativo.** O prestado pelo militar, ainda que licenciado, dispensado, agregado ou em férias, antes de passar para a reserva ou ter sido reformado. **Serviço de carregação.** *Bras.* Serviço feito às pressas, descuidadamente. **Serviço de gancho.** *Bras., N.E. Fam.* Serviço ou qualquer coisa de execução muito difícil. **Serviço de informações.** *Bras. Mil.* **1.** Obtenção e prestação de informação (8), especialmente de natureza sigilosa. **2.** O pessoal ou a entidade dedicados a essa atividade. [Sin. ger.: *serviço secreto, inteligência*.] **Serviço militar.** Conjunto de obrigações que a lei impõe aos cidadãos para a defesa da pátria: *Olavo Bilac foi ardoroso defensor do* serviço militar *obrigatório.* **Serviço secreto.** *Desus.* V. *serviço de informações.* **Serviço social.** Serviço público ou privado de previdência ou assistência, destinado a proporcionar melhoria de condições sociais a seus beneficiários. **Dar o serviço.** *Bras. Gír.* Ceder, num interrogatório, confessando crime ou denunciando alguém; delatar, abrir. **De serviço. 1.** Nos edifícios e residências, diz-se de via de acesso, ou dependência, que deve ser usada pelos empregados e/ou fornecedores: *elevador de* serviço; *entrada de* serviço; *banheiro de* serviço. [Opõe-se, nesta acepç., a *social*.] **2.** Diz-se de quem foi escalado para plantão. **Fazer um serviço.** *Bras., N.E. Pop.* Assassinar alguém por empreitada[2] (1). **Não brincar em serviço.** *Bras.* **1.** Cumprir uma obrigação com rapidez e eficiência; não perder tempo. **2.** Não desperdiçar oportunidade(s); não perder tempo. **Ser serviço.** *Bras. Fam.* Ser difícil, complicado, penoso, desagradável: *Conviver com gente maluca é* serviço.

servidão. [Do lat. *servitudine*.] *S. f.* **1.** Condição de servo ou escravo; escravidão; serventia. **2.** Sujeição, dependência. **3.** *Jur.* Encargo imposto num prédio, em proveito de outro, de proprietário diferente. **4.** *Jur.* Passagem, para uso do público, por um terreno que é propriedade particular. **5.** *Sociol.* Relação de dependência entre uma camada social e outra, sobreposta (uma aristocracia), e que se prende à obrigação de prestar serviços e tributos.

servidiço. *Adj.* V. *servido* (1).

servido. [Part. de *servir*.] *Adj.* **1.** Que já serviu muitas vezes; usado, gasto, servidiço. **2.** Provido, fornecido, abastecido: *mesa* servida.

servidor (ô). [Do lat. *servitore*.] *Adj.* **1.** Servente (1). **2.** Obsequiador, prestadio, serviçal. **3.** Que cumpre com correção os serviços e obrigações; pontual. ● *S. m.* **4.** Indivíduo que serve. **5.** Criado, doméstico. **6.** Funcionário, empregado. ♦ **Servidor público.** *Jur.* Aquele que, pertencendo ou não ao quadro do funcionalismo, exerce oficialmente cargo ou função pública.

serviente. [Do lat. **serviente*.] *Adj. 2 g. Jur.* Sujeito à servidão (3).

servil. [Do lat. *servile*.] *Adj. 2 g.* **1.** Relativo a, ou próprio de servo. **2.** Que segue com excessivo rigor um modelo ou original: *tradução* servil. **3.** *Teol.* Dizia-se das obras e trabalhos proibidos aos domingos e dias santos. **4.** *Fig.* Vil, torpe, ignóbil. **5.** *Fig.* Adulador, bajulador, subserviente.

servilão. [De *servil* + *-ão*[1].] *S. m.* Homem demasiado servil.

servilha[1]. [Do lat. *servilia*, i. e., *servilia calceamenta*, 'sapatos de escravos'.] *S. f.* **1.** *Ant.* Sapato de couro. **2.** *Bras.* Sapato de ourelo: "Raparigas de cor, arrastando servilhas de marroquim vermelho ou verde, ofereciam aos olhos dos homens o busto moreno meio nu" (Inglês de Sousa, *O Missionário*, p. 407).

servilha[2]. *S. f.* Barco sardinheiro.

servilheiro. [De *servilha*[2] + *-eiro*.] *S. m.* Tripulante de servilha[2]; sardinheiro.

servilheta (ê). [De *servil*.] *S. f.* Criada, serva.

servilismo. *S. m.* Qualidade, ação, dito ou modos de quem é servil.

servilizar. *V. t. d.* e *p.* Tornar(-se) servil.

sérvio. *Adj.* **1.** Da, ou pertencente ou relativo à Sérvia, uma das repúblicas constituintes da Iugoslávia (Europa). ● *S. m.* **2.** O natural ou habitante da Sérvia. [Fem.: *sérvia*. Cf. *servia*, do v. *servir*.]

servir. [Do lat. *servire*.] *V. int.* **1.** Viver ou trabalhar como servo. **2.** Exercer as funções de criado. **3.** Pôr na mesa ou oferecer individualmente comida e/ou bebida: *Às oito horas a criada* serviu, *e começamos a jantar.* **4.** Ajudar, auxiliar: *Alma abnegada, seu único desejo é* servir. *T. i.* **5.** Prestar serviços: "Ministro é vocábulo de significado dúbio: é o que serve e o que governa." (Carlos de Laet, *Obras Seletas*, I, p. 34). **6.** Prestar serviço militar: *Serviu na Aeronáutica.* **7.** Prestar serviços: *Serviu ao rei sempre com lealdade.* **8.** Ser útil, vantajoso, prestadio; convir: *Esse negócio lhe* serve. **9.** Ser oportuno; vir a propósito: *Noto que minhas sugestões não lhe* servem. **10.** Ser favorável; favorecer: *O navio partirá assim que o tempo* sirva *aos navegantes.* **11.** Ser causa: *Tua volta* serviu *de alegria.* **12.** Ter serventia (2): "Porta larga, uma janela de frente, outra de lado, sala grande para as aulas inúteis; o corredor servia de cozinha." (Osmã Lins, *Nove, Novena*, p. 103.) **13.** Prestar serviços como criado: *Há muitos anos que* serve *a esta família.* **14.** Prestar serviços de qualquer natureza: *Aquele advogado* serve *a esta firma desde a fundação. T. d.* **15.** Prestar serviços a: "Sua Majestade pode tudo .... menos desonrar os cabelos brancos do criado que o serve há tantos anos." (Rebelo da Silva, *Contos e Lendas*, p. 181.) **16.** Ser prestável, útil, a; ajudar, auxiliar: *Gosta de* servir *os pobres.* **17.** Pôr na mesa ou oferecer individualmente (comida e/ou bebida): *O garçom* serviu *o jantar;* "Uma populaça de lacaios de librés de seda negra servia .... as vitualhas raras, vinhos do preço de jóias" (Eça de Queirós, *O Mandarim*, p. 55). **18.** Desempenhar, ocupar, exercer: "serviu .... o cargo de promotor público" (Capistrano de Abreu, *Ensaios e Estudos*, 1ª série, p. 221). **19.** Prestar serviço a; atender: "Ao jantar, num dos restaurantes mais afamados, reúnem-se ordinariamente com ele dois ou três homens e outras tantas mulheres, ... que se acham muitas vezes estreitamente aparentadas com o criado que o serve à mesa" (Ramalho Ortigão, *Em Paris*, pp. 236-237). *T. d.* e *i.* **20.** Servir (16): *A empregada* serviu-*lhe o almoço;* "serviram-lhe um bom jantar" (Artur Azevedo, *Contos fora da Moda*, p. 128). **21.** Abastecer, prover, munir; encher: Serviram-*no de feijoada. P.* **22.** Fazer uso; utilizar-se, usar, empregar: *O assassino* serviu-se *de uma faca;* "Servi-me de todas as armas da intriga para sobressair e ganhar popularidade" (Aluísio Azevedo, *Demônios*, p. 105). **23.** Tomar para si uma porção (de comida e/ou de bebida): Sirva-se, *meu caro;* "Serviu-se muito, com gula" (Eça de Queirós, *O Primo Basílio*, p. 230). **24.** Aproveitar o préstimo (de alguém). **25.** Haver por bem; dignar-se: Sirva se *o meu velho amigo de satisfazer-me esta pretensão; Espero que se* sirva *prestar-me este favor.* [Irreg. Conjug.: v. *aderir*. Imperf. ind.: *servia*, etc. Cf. *sérvia*, fem. de *sérvio*, e *Sérvia*, top.]

servita. *S. 2 g.* Religioso da ordem dos Servos de Maria, fundada em Florença em 1233.

servível. *Adj. 2 g.* Que serve; que tem utilidade ou presta serviço; útil: "Veste-lhe .... umas calças e uma camisa de algodão, ainda servíveis" (Euclides da Cunha, *À margem da História*, p. 89).

servo[1] (é). [Do lat. *servu*.] *S. m.* **1.** Aquele que não tem direitos, ou não dispõe de sua pessoa e bens. **2.** Na época feudal, indivíduo cujo serviço estava adstrito à gleba e se transferia com ela, embora não fosse escravo. **3.** Criado, servidor, servente; serviçal. **4.** Escravo (6): *servo do dever.* ● *Adj.* **5.** Que não é livre. **6.** Que presta serviços; serviçal. **7.** Que tem a condição de criado ou escravo. [Cf. *cervo*.]

servo[2] (é). *S. m. Autom.* F. abrev. de *servomecanismo.* [Cf. *cervo.*]

▲**servo-.** *El. comp.* = 'sérvio': *servo-croata.*

servo-croata. [De *servo-* + *croata.*] *Adj. 2 g.* **1.** Pertencente ou relativo ao grupo étnico eslavo da família iugoslava constituída pelos sérvios e pelos croatas. ● *S. 2 g.* **2.** Pessoa pertencente a esse grupo étnico. V. *eslavo* (1). **3.** A principal língua eslava do Sul, falada na Iugoslávia, escrita em alfabeto latino da Croácia, e em alfabeto cirílico na Sérvia. V. *eslavo* (1). [Pl.: *servo-croatas.*]

servomecanismo. [Do ingl. *servomechanism.*] *S. m. Autom.* Mecanismo de controle automático. [Tb. se diz apenas *servo.*]

servomotor (ô). *S. m. Constr. Nav.* Máquina especial que carrega para um e outro bordo o leme do navio, obedecendo ao comando da roda do leme.

servossistema. [Do ingl. *servo system.*] *S. m. Automat.* Sistema de controle automático [q. v.].

sésamo. [Do gr. *sésamon*, pelo lat. *sesamu.*] *S. m.* V. *gergelim* (1).

sesamóideo. [Do gr. *sesamoeidés.*] *Adj.* Parecido com a semente do sésamo. ~ V. *osso* —.

sesgo (ê). [Do esp. *sesgo.*] *Adj.* Oblíquo, torcido.

sesma (ê). [Por *sêsima (do lat. *sex*, 'seis').] *S. f. Ant.* **1.** Sesmo (4). **2.** Antiga medida, equivalente à terça parte do côvado. [Pl.: *sesmas* (ê). Cf. *sesma* e *sesmas*, do v. *sesmar.*]

sesmar. [De *sesma* + *-ar*[2].] *V. t. d. Ant.* Dividir em sesmarias. [Pres. ind.: *sesmo, sesmas, sesma*, etc. Cf. *sesmo* (ê), s. m., *sesma* (ê), s. f., e pl. *sesmas* (ê).]

sesmaria. [De *sesma* + *-aria.*] *S. f.* **1.** Terra inculta ou abandonada. **2.** Lote de terreno inculto ou abandonado, que os reis de Portugal cediam a sesmeiros que se dispusessem a cultivá-lo: "De dono em dono, vieram as terras que haviam de formar o sítio Casa Verde, parte de velhas sesmarias doadas a velhos paulistas, parar nas mãos nobres de Agostinho Delgado e Arouche" (Aureliano Leite, *Pequena História da Casa Verde*, p. 20). **3.** *Bras.* Antiga medida agrária, ainda hoje usada no RS, para áreas de campo de criação. [Havia a sesmaria do campo (que perdura) e a sesmaria do mato. A légua de sesmaria tem 3.000 braças, ou 6.600 metros.]

sesmeiro. [De *sesma* + *-eiro.*] *S. m.* **1.** Aquele que dividia e distribuía as sesmarias [v. *sesmaria* (2)]. **2.** Aquele a quem se concedia uma sesmaria (2) para cultivar.

sesmo (ê). [De *sesma.*] *S. m.* **1.** Terreno dividido em sesmarias. **2.** Lugar onde há sesmarias. **3.** *Ant.* Quinhão, partilha. **4.** *Ant.* A sexta parte de alguma coisa; sesma. [Pl.: *sesmos* (ê). Cf. *sesmo*, do v. *sesmar.*]

▲**sesqui-.** [Do lat. *sesqui.*] *El. comp.* = 'um e meio': *sesquicentenário, sesquipedal* (< lat. *sesquipedale).*

sesquiáltera. [Do lat. *sesquialtera*, que, aliás, significa 'que contém outro tanto, e outro mais'.] *S. f.* **1.** *Mús.* Grupo de seis figuras, que se executam no mesmo tempo que quatro da mesma espécie, e no mesmo andamento. [Cf. *quiáltera.*] **2.** *Mat.* Cada uma de duas quantidades das quais uma contém a outra uma vez e meia.

sesquicentenário. [De *sesqui-* + *centenário.*] *S. m. Bras.* **1.** Transcurso do centésimo qüinquagésimo aniversário: *Em 1972 o Brasil comemorou o sesquicentenário de sua independência.* **2.** Comemoração desse fato. [Sin., nessas acepç: *tricinqüentenário.*] ● *Adj.* **3.** Que tem, ou com que se comemoram 150 anos: "O sesquicentenário e rudimentar aparelho, afirmam os historiadores que ainda existe." (Arnoldo Jambo, *Diário de Pernambuco*, p. 84.)

sesquióxido (cs). [De *sesqui-* + *óxido.*] *S. m. Quím.* Óxido em que a proporção de átomos de oxigênio para o outro elemento é de três para dois.

sesquipedal. [Do lat. *sesquipedale.*] *Adj. 2 g.* **1.** Que mede pé e meio de comprimento. **2.** *Burl.* Diz-se de certos versos ou palavras muito grandes e, p. ext., de outras coisas, como, p. ex., uma tolice: "O terror angustioso dos caminhos de ferro, ora pela trepidação, ora pela velocidade, recebeu o batismo de *siderodromofobia* e este nome sesquipedal é mais próprio ao medo dos maquinistas, condutores e *chauffeurs.*" (A. Austregésilo, *Obras Completas*, III, p. 55); "consola-me o dito de Quincey de que é preciso ter algum talento para dizer uma asneira grande. E aquela é sesquipedal e honra-me um pouco." (João Ribeiro, *Cartas Devolvidas* p. 195).

sesquiterpeno. *S. m. Quím.* Hidrocarboneto terpênico de fórmula $C_{15}H_{24}$.

sesquiterpênico. *Adj. Quím.* Relativo aos sesquiterpenos.

sessação. *S. f. Bras.* V. *sessamento.* [Cf. *cessação*].

sessamento. *S. m. Bras.* Ação de sessar; sessação. [Cf. *cessamento.*]

sessão. [Do lat. *sessione*, 'ato de assentar-se'.] *S. f.* **1.** Espaço de tempo que dura a reunião de um corpo deliberativo, consultivo, etc. **2.** Espaço de tempo durante o qual funciona um congresso, uma junta, etc. **3.** Espaço de tempo durante o qual se realiza um trabalho ou parte dele: *Levou três sessões para pintar o retrato.* **4.** Assentada (2). **5.** *Bras.* Nos teatros e cinemas em que se leva o programa diversas vezes ao dia, cada um desses espetáculos. [Cf. *seção* e *cessão.*]

sessar. [Do quimb. *kusesa.*] *V. t. d. Bras.* Joeirar pela urupema; peneirar. [Pres. ind.: *sesso*, etc.; pres. subj.: *sesse, sesses, sesse, sessemos, sesseis, sessem.* Cf. *sesso* (ê), s. m.; o pres. subj. do v. *cessar; sésseis*, pl. de *séssil; cecém.* s. f.; *Séssis*, top.; e o v. *cessar.*]

sessenta. [Do lat. *sexaginta*, atr. do arc. *sessaenta, sesseenta.*] *Num.* **1.** Cardinal dos conjuntos equivalentes a um conjunto de seis dezenas de membros. **2.** Sexagésimo. ● *S. m.* **3.** Algarismo representativo do número sessenta. **4.** Aquele ou aquilo que ocupa o último lugar numa série de sessenta.

sessenta-e-nove. *S. m. 2 n. Bras. Chulo.* Prática, simultânea e recíproca, da felação entre um casal.

sessenta-e-um. *S. m. 2 n. Bras., MG.* Certo jogo carteado.

sessenta-feridas. *S. f. pl.* V. *espinho-de-judeu.*

sessentão. [De *sessenta* + *-ão*[1].] *Adj.* e *s. m.* Sexagenário: "Homem sessentão, cheio de rabugens, pigarros e mais macacoas da velhice" (Monteiro Lobato, *Urupês, Outros Contos e Coisas*, p. 184). [Fem.: *sessentona.*]

sessentona. *Adj. (f.)* e *s. f.* Fem. de *sessentão.*

séssil. [Do lat. *sessile.*] *Adj. 2 g.* **1.** Que não tem suporte. **2.** *Biol.* Diz-se do órgão fixado diretamente à parte principal de um ser vivo. **3.** *Morfol. Veg.* Diretamente inserido, sem pedículo ou haste de sustentação: *folha séssil; flor séssil.* [Opõe-se, nesta acepç., a *pedicelado.* Pl.: *sésseis.* Cf. *sesseis*, do v. *sessar*, e *cesseis*, do v. *cessar.*]

sessilifloro. [De *séssil* + *-i-* + *-floro.*] *Adj.* Que tem flores sésseis.

sessilifoliado. [De *séssil* + *-i-* + *foliado.*] *Adj.* Que tem folhas sésseis.

sessiliventre. *S. m.* e *adj. 2 g.* V. *calastrogastro.*

sessiliventres. *S. m. pl. Zool.* V. *calastrogastros.*

sesso (ê). [Do lat. *sessu*, 'assento'.] *S. m. Pop.* Nádegas. [Pl.: *sessos* (ê). Cf. *sesso*, do v. *sessar*, e *cesso*, do v. *cessar* e *s. m.*]

sesta. [Do lat. *sexta*, i. e., *sexta hora.*] *S. f.* **1.** Hora em que se descansa ou dorme após o almoço. **2.** O sono ou descanso nesta hora; codorno, tora: "E, logo que o pecado / da gula se contenta, / cai o corpo estirado / em sesta longa e lenta." (Alberto de Serpa, *Almanaque de Lembranças Luso-Brasileiro*, p. 51.) **3.** A hora de calor mais intenso; meridiana. [Cf. *cesta* e *sexta.*]

sesteada. [De *sestear* + *-ada*[1].] *S. f. Bras., RS.* **1.** Ato de sestear. **2.** Lugar, no campo, onde viajantes, tropeiros ou carreteiros almoçam e tiram a sesta.

sestear. [De *sesta* + *-ear.*] *V. t. d.* **1.** Resguardar do calor (o gado). *Int.* **2.** Dormir a sesta: "Um dia, na hora do mormaço, todo o povo estava nas sombras sesteando" (Simões Lopes Neto, *Contos Gauchescos e Lendas do Sul*, p. 295). [Conjug.: v. *frear.*]

sesteiro. *S. m.* Medida de três ou quatro alqueires. [Cf. *cesteiro.*]

sestércio. [Do lat. *sestertiu.*] *S. m.* Antiga pequena moeda de cobre dos romanos. [Dim. irreg.: *sestercíolo.*]

sestercíolo. [Do lat. *sestertiolu.*] *S. m.* Pequeno sestércio.

sestra. [Do lat. *sinistra*, i. e., *sinistra manus*, 'a mão esquerda'.] *S. f. P. us.* A mão esquerda; sinistra. [Cf. *destra.*]

sestrar. [De *sestro* + *-ar*[2].] *V. int. Bras. Gír.* Executar passos de capoeiragem (1).

sestro (é). [Do lat. *sinistru*, atr. do arc. *seestro.*] *Adj.* **1.** Esquerdo, canhoto. **2.** *Fig.* Agourento: sinistro: "Salta a rajada ao norte, e franca e límpida, / Varre os sestros bulcões!..." (Bulhão Pato, *Livro do Monte*, p. 102.) ● *S. m.* **3.** Destino, sorte, fado, sina. **4.** Vício, hábito, mania, balda, cacoete: "Foi por esse tempo que ele adquiriu o sestro de mortificar o buço, puxando-o muito de um e outro lado." (Machado de Assis, *Histórias sem Data*, pp. 195-196); "Plácido agradeceu sorrindo. Não era novo o elogio, ao contrário; mas ele estava tão acostumado a ouvi-lo que o sorriso era já agora um sestro." (Id., *Esaú e Jacó*, p. 51). **5.** Maranha, ronha: *o sestro da mula.* [Pl.: *sestros.* Cf. *cestro*, pl. *cestros*, e *sestro* (ê), pl. *sestros* (ê).]

sestro (ê). *S. m.* Var. de *sistro:* "Um mulato tocava sestros e um rapazola moreno, da terra, ... cantava a viola" (Afonso Arinos, *Pelo Sertão*, p. 146). [No texto se lê *séstros.*]

sestroso (ô). [De *sestro* (é) + *-oso.*] *Adj.* **1.** Que tem sestro; manhoso, ronhoso. **2.** Esperto, vivo, sagaz, serelepe. **3.** *Bras. Gír.* Dado à capoeiragem.

➧**set** (sét). [Ingl.] *S. m.* Conjunto de três partidas de tênis.

seta[1]. [Do lat. *saggitta*, pelo arc. *saeta, seeta.*] *S. f.* **1.** Haste de madeira, guarnecida de uma ponta de ferro, e que se arremessa por meio de arco ou besta; flecha. **2.** Sinal em forma de seta (1) indicativo de direção. **3.** Ponteiro de relógio. **4.** *Fig.* Palavra ou dito que fere a suscetibilidade ou a honra de outrem: *as setas da calúnia.* **5.** *Fig.* Dito sarcástico: *Seguro de si, respondeu com uma seta à provocação dos presentes.* **8.** *Fig.* Aquilo que tem efeito penetrante: *Irado, seus olhos eram duas setas.* **7.** *Astr.* Constelação boreal de pequena área, ao S. da Raposa e ao N. do Delfim e da Águia; Flecha. **8.** *Bras.* V. *atiradeira.*

seta[2]. [Do lat. *seta.*] *S. f. Morfol. Veg.* **1.** Pêlo longo e teso; cerda. [Cf. *sedas.*] **2.** Haste que sustenta a cápsula dos musgos.

setáceo. [Do lat. *setaceu.*] *Adj.* **1.** Da natureza das sedas ou pêlos do porco. **2.** Provido de cerdas; cerdoso. **3.** *Morfol. Veg.* Semelhante a uma seta: *pêlo setáceo.* [Cf. *cetáceo.*]

setada. [De *seta*[1] + *-ada*[1].] *S. f.* Golpe ou ferimento com seta; flechada.

seta-de-amor. [De *seta*[1] + *de* + *amor.*] *S. f.* Agulha de rutílio dentro do quartzo hialino. [Pl.: *setas-de-amor.*]

sete. [Do lat. *septe.*] *Num.* **1.** Cardinal dos conjuntos equivalentes a um conjunto de sete membros (em algarismos arábicos, 7; em algarismos romanos, VII). **2.** Sétimo. ● *S. m.* **3.** Algarismo representativo do número sete. **4.** Carta de jogar que tem sete sinais. **5.** A nota sete, em exame ou concurso: *O examinador deu-lhe um sete.* **6.** Aquele ou aquilo que ocupa o último lugar numa série de sete. ◆ **Pintar o sete. 1.** Praticar travessuras, diabruras, ou desatinos, desregramento; deitar e rolar: "Pois não andavam falando muito de Maria? Contavam que pintava o sete, ficara célebre com as extravagâncias e aventuras." (Mário de Andrade, *Contos Novos*, p. 17.) **2.** Divertir-se à grande: *Voltaram contentes da viagem, pintaram o sete o tempo todo.* **3.** Fazer coisas extraordinárias, fora do comum: *Toca muito bem, pinta o sete com o violão.* **4.** Judiar, maltratar: *Dá pena ver como pinta o sete com o pobre do bicho.* [Sin. ger.: *pintar e bordar, pintar a manta, pintar a saracura, pintar o caneco, pintar o faneco, pintar o diabo, pintar o simão, pintar o simão de carapuça*, e, simplesmente, *pintar.*]

setear. [De *seta*[1] + *-ear.*] *V. t. d.* V. *assetear.* [Conjug.: v. *frear.*]

sete-barbas. [De *sete* + *barba.*] *S. m. 2 n. Bras.* **1.** Certo peixe de couro. **2.** Espécie de camarão.

sete-belo. *S. m.* Em diversos jogos carteados, o sete de ouros. [Pl.: *setes-belos.*]

sete-cabrinhas. [De *sete* + o pl. de *cabrinha.*] *S. f. pl. Astr. Pop.* V. *Plêiades.*

sete-casacas. [De *sete* + o pl. de *casaca.*] *S. f. Bras., MG a SP.* Arvoreta da família das mirtáceas *(Brittoa sellowiana)*, que tem folhas oblongas e agudas, flores vistosas, alvas e solitárias nas axilas, e cujo fruto é uma baga que vai até 1 cm de diâmetro e possui 8 a 12 lojas.

sete-cascos. [De *sete* + o pl. de *casco.*] *S. m. 2 n. Bras.* V. *chibatã.*

setecentismo. [De *setecentos* + *-ismo.*] *S. m.* O estilo, gosto ou escola dos setecentistas.

setecentista. *Adj. 2 g.* **1.** Pertencente ou relativo ao setecentismo ou ao séc. XVIII: *poemas setecentistas.* **2.** Diz-se de escritor ou artista desse século. ● *S. 2 g.* **3.** Escritor ou artista do séc. XVIII.

setecentos. [De *sete* + *cento.*] *Num.* **1.** Cardinal dos conjuntos equivalentes a um conjunto de sete centenas de membros. **2.** Setingentésimo. ● *S. m.* **3.** O séc. XVIII ou século que vai do ano de 1700 ao ano de 1799; o período setecentista: "Uma suavidade dengosa e açucarada invade, desde cedo, todas as esferas da vida colonial. Nos próprios domínios da arte e da literatura ela encontra meios de exprimir-se principalmente a partir do Setecentos e do Rococó." (Sérgio Buarque de Holanda, *Raízes do Brasil*, p. 31.) [Nesta acepç., usa-se com inicial maiúscula.] **4.** Algarismo representativo do número setecentos. **5.** Aquele ou aquilo que numa série de setecentos ocupa o último lugar.

sete-chagas. *S. f. 2 n.* V. *capuchinha.*

sete-coiros. [De *sete* + *coiro.*] *S. m. 2 n. Bras., N.E.*

Sete-couros.

sete-cores. [De *sete* + o pl. de *cor.*] *S. f. 2 n. Bras.* V. *saí-de-sete-cores.*

sete-couros. [De *sete* + o pl. de *couro.*] *S. m. 2 n. Bras., N.E.* Espécie de tumor que aparece sob o couro do calcanhar, na planta do pé.

sete-e-meio. *S. m.* Jogo de cartas que se joga com o baralho sem os oitos, noves e dez, e com as figuras valendo meio ponto, e no qual, dada uma carta a cada um dos parceiros, estes pedem as que julgam necessárias para se aproximar de sete pontos e meio, sem ultrapassar esse número: "o baralho esperava pela sua mestria: | — Quero desbastar sua riqueza no sete-e-meio, seu compadre." (José Cândido de Carvalho, *O Coronel e o Lobisomem*, p. 154). [Pl.: *sete-e-meios.*]

séte-em-porta. *S. m. 2 n. Bras., RS.* Jogo carteado, com 21 ou mais baralhos, numa caixa donde o banqueiro tira duas cartas, nas quais se fazem as apostas, sem reservar nenhuma para si, consistindo a vantagem dele em pagar 50% quando a carta sai em porta, i. e., quando é a primeira que se tira, e, ademais, em ganhar, neste caso, o total apostado na outra carta: "de noite facilitava umas mesas de primeira, de truco ou de sete-em-porta para tirar o cafife." (Simões Lopes Neto, *Contos Gauchescos e Lendas do Sul*, p. 212).

sete-em-rama. *S. m. 2 n.* Planta da família das rosáceas (*Potentilla erecta*).

sete-estrelo. [De *sete* + *estrelo*, por *estrela.*] *S. m. Astr. Pop.* V. *Plêiades.*

sete-flamas. [De *sete* + o pl. de *flama.*] *S. f. pl.* A Ursa Maior [v. *ursa* (2)].

seteira. [De *seta*[1] + *-eira.*] *S. f.* **1.** Abertura longa e estreita feita numa muralha, por onde se atiram setas contra os sitiantes; abocadura flecheira, frecheira. **2.** Fresta nas paredes dum edifício para iluminar o interior: "O quarto, sem janelas, ilumina-se com a claridade que vem de duas seteiras abertas para outro." (Thiers Martins Moreira, *Os Seres*, p. 21.)

seteirado. *Adj.* Que tem seteiras, ou aberturas a elas semelhantes.

seteiro. [De *seta*[1] + *-eiro.*] *Adj.* e *s. m.* Diz-se de, ou aquele que atira setas.

sete-lagoano. *Adj.* **1.** De, ou pertencente ou relativo a Sete Lagoas (MG). ● *S. m.* **2.** O natural ou habitante de Sete Lagoas. [Pl.: *sete-lagoanos.*]

setembrada. *S. f. Bras.* Setembrizada.

setembrino. *Adj.* Relativo a, ou próprio de setembro: *tardes setembrinas.*

setembrismo. *S. m.* A doutrina ou o partido setembrista.

setembrista. *Adj. 2 g.* **1.** Relativo à revolução de setembro de 1836 em Portugal, que se opôs à Carta constitucional. **2.** Que é partidário dessa revolução. ● *S. 2 g.* **3.** Partidário dela.

setembrizada. *S. f. Bras.* Insurreição militar ocorrida em PE durante 14, 15 e 16 de setembro de 1831, no período de tensões políticas subseqüente à abdicação de D. Pedro I; setembrada.

setembro. [Do lat. *Septembre.*] *S. m. Cronol.* O nono mês dos calendários juliano e gregoriano, com 30 dias.

setemês. [De *sete* + *mês.*] *Adj. 2 g.* e *s. 2 g. Bras.* Setemesinho. [Pl.: *setemeses* (ê).]

setemesinho. [De *sete* + *mês* + *-inho.*] *Adj.* e *s. m.* Diz-se de, ou criança nascida de sete meses: "É uma criança pequena, / pálida e setemesinha." (João Cabral de Melo Neto, *Duas Águas*, p. 218.) [Sin., bras.: *setemês.*]

setempartido. [Do lat. *septem*, 'sete', + *partido.*] *Adj.* Dividido em sete partes.

setêmplice. [Do lat. *septemplice.*] *Adj. 2 g. Poét.* **1.** Dobrado em sete. **2.** Que tem sete lâminas.

▲seten-. V. *sept(e)(n)-.*

setena. [Do lat. *septenae*, 'de sete em sete', no sing.] *Adj. (f.).* **1.** ~ V. *febre* —. ● *S. f.* **2.** Setilha. **3.** Febre setena.

setenado. *S. m.* Setenato.

setenal. [Do lat. *septenne*, 'de sete anos', + *-al.*] *Adj. 2 g.* Que ocorre de sete em sete anos.

setenário. [Do lat. *septenariu.*] *Adj.* **1.** Que vale ou contém sete. ~ V. *compasso* —. ● *S. m.* **2.** Espaço de sete dias ou de sete anos. **3.** Festa religiosa que dura sete dias.

setenato. [De *seten-* + *-ato*[1].] *S. m.* Poder político que dura um setênio; setenado.

setênfluo. [De *seten-* + *-fluo.*] *Adj. Poét.* Que deriva ou corre de sete fontes.

setenial. [De *setênio* + *-al.*] *Adj. 2 g.* Que dura um setênio.

setênio. [Do lat. *septenniu.*] *S. m.* Período de sete anos.

seteno. [Do lat. *septenos*, 'de sete em sete'.] *S. m.* **1.** *P. us.* Período de sete dias. **2.** O sétimo dia, em que algumas doenças fazem crise.

setenta. [Do lat. *septuaginta* < **setaginta*, atr. do arc. *setaenta.*] **1.** *Num.* Cardinal dos conjuntos equivalentes a um conjunto de sete dezenas de membros. **2.** *Num.* Setuagésimo. ● *S. m.* **3.** Algarismo representativo do número setenta. **4.** Aquele ou aquilo que ocupa o último lugar numa série de setenta.

setentão. [De *setenta* + *-ão*[1].] *Adj.* e *s. m.* Setuagenário. [Fem.: *setentona.*]

setentona. *Adj. (f.)* e *s. f.* Fem. de *setentão.*

setentrião. [Do lat. *septentrione* 'as sete estrelas da Ursa Menor'.] *S. m.* **1.** O pólo Norte. **2.** As regiões do Norte. **3.** Entre os antigos, o vento norte. [Antôn., nesta acepç.: *austro.*]

setentrional. [Do lat. *septentrionale.*] *Adj. 2 g.* **1.** Do, ou relativo ao setentrião. **2.** Situado ao norte; hiperbóreo: *Europa setentrional.* **3.** Próprio do norte: *costumes setentrionais.* **4.** Que é natural ou habitante do norte: *povos setentrionais.* [Sin. ger.: *boreal.* Antôn., nessas acepç.: *austral, meridional.*] ● *S. 2 g.* **5.** Natural ou habitante do norte.

setenvirado. [Var. de *setenvirato.*] *S. m.* **1.** Cargo ou dignidade de setênviro. **2.** Tribunal ou assembléia dos setênviros.

setenviral. [Do lat. *septenvirale.*] *Adj. 2 g.* Relativo ou pertencente aos setênviros.

setenvirato. [Do lat. *septemviratu.*] *S. m.* Setenvirado.

setênviro. [Do lat. *septemviru.*] *S. m.* Cada um dos sete magistrados e sacerdotes romanos incumbidos de fiscalizar banquetes em honra dos deuses e os que se realizavam depois dos jogos públicos.

sete-pontense. *Adj. 2 g.* **1.** De, ou pertencente ou relativo a Sete Pontes (RJ). ● *S. 2 g.* **2.** Natural ou habitante de Sete Pontes. [Pl.: *sete-pontenses.*]

sete-portas. [De *sete* + o pl. de *porta.*] *S. f. 2 n. Bras.* V. *jataí* (3).

sete-roncós. *S. m. 2 n. Bras., BA.* Aquirijebó.

sete-sangrias. [De *sete* + o pl. de *sangria.*] *S. f. 2 n. Bras.* Pau-de-cangalha.

sete-virtudes. [De *sete* + o pl. de *virtude.*] *S. f. 2 n. Bras. Pop.* V. *cachaça* (1).

▲set(i)-[1]. [Do lat. *seta, ae.*] *El. comp.* = 'seda'; 'seta' [v. *seta*[2]], 'cerda': *setífero, seticórneo, setoso.*

▲set(i)-[2]. V. *sept(e)(n)-.*

setia. *S. f.* Cano de madeira, em geral com uma abertura na parte superior, e que conduz a água que faz mover os engenhos hidráulicos. [Cf. *sitia*, do v. *sitiar.*]

setial. [Do lat. *sede*. 'assento, banco', ou do esp. *sitial.*] *S. m.* **1.** Banco ou assento adornado, nas igrejas. **2.** Escano, escabelo. **3.** Elevação de terra em que é possível sentar-se como em banco. [Pl.: *setiais.* Cf. *sitiais*, do v. *sitiar.*]

seticlávio. [De *set(i)-*[2] + *clave* + *-io*[2].] *S. m. Mús.* O conjunto das sete claves musicais.

seticole. [Do lat. *septicolle.*] *Adj. 2 g. Poét.* Que tem sete colinas ou montes: *a seticole Roma.*

seticolor (ô). [De *set(i)-*[2] + *-color.*] *Adj. 2 g.* Que tem sete cores.

seticorde. [De *set(i)-*[2] + *-corde.*] *Adj. 2 g.* Que tem sete cordas.

seticórneo. [De *set(i)-*[1] + *córneo.*] *Adj. Zool.* Que tem antenas que lembram sedas [q. v.].

setífero. [De *set(i)-*[1] + *-fero.*] *Adj.* **1.** Referente a seda. **2.** Que produz seda; setígero. [Cf. *septífero.*]

setiforme. [De *set(i)-*[1] + *-forme.*] *Adj. 2 g.* Que tem o aspecto de seda ou seta[2] [q. v.]. [Cf. *septiforme.*]

setígero. [Do lat. *setigeru.*] *Adj.* Setífero (2).

setilha. [De *set(i)-*[2] + *-ilha.*] *S. f.* Estrofe (rara) de sete versos; setena: *A "Última Canção do Beco", de Manuel Bandeira, é toda em setilhas.*

setilhão. [De *set(i)-*[2] + *(mi)lhão.*] *Num.* **1.** A quadragésima segunda potência de dez. **2.** A vigésima quarta potência de dez. [A acepç. nº 2 não é cientificamente recomendável, sendo preferível *quatrilhão.* Var.: *setilião.*]

setilião. *Num.* V. *setilhão.*

sétima. [Fem. substantivado do num. *sétimo.*] *S. f.* Intervalo de sete graus consecutivos na escala diatônica.

setimestre. [Do lat. *septemmestre.*] *Adj. 2 g.* **1.** Que tem sete meses. ● *S. m.* **2.** Espaço de sete meses seguidos.

setimino. [Do it. *settimino.*] *S. m.* V. *septeto.*

sétimo. [Do lat. *septimu.*] *Num.* **1.** Ordinal e fracionário correspondentes a sete. ● *S. m.* **2.** A sétima parte. **3.** Aquele ou aquilo que ocupa o sétimo lugar.

setingentésimo (zi). [Do lat. *septingentesimu.*] *Num.* **1.** Ordinal e fracionário correspondente a setecentos. ● *S. m.* **2.** A setingentésima parte. **3.** Aquele ou aquilo que ocupa o setingentésimo lugar.

setissecular. [De *set(i)-*[2] + *secular.*] *Adj. 2 g.* Que tem sete séculos.

setissílabo. [De *set(i)-*[2] + *sílabo.*] *Adj.* **1.** Que tem sete sílabas. ● *S. m.* **2.** Verso ou palavra de sete sílabas. [Sin. ger.: *heptassílabo.*]

setíssono. [De *set(i)-*[2] + *-sono.*] *Adj.* Que tem sete sons. [Var.: *septíssono.*]

setívoco. [De *set(i)-*[2] + lat. *voce.*] *Adj. Poét.* Que tem sete vozes.

setoira. *S. f.* Setoura: "Já o trigo aloirava pela seara e as ceifeiras buíam na pedra as suas setoiras recurvas, quando, uma tarde, ... se notou que ele partira." (José Vieira, *Sol de Portugal*, p. 40.)

setor (ô). [Var. de *sector* < lat. *sectore.*] *S. m.* **1.** Subdivisão de uma região, zona, distrito, seção, etc.: *Trabalha no setor norte da cidade.* **2.** Seção (8): *setor médico.* **3.** Esfera ou ramo de atividade; campo de ação; âmbito: *setor financeiro.* **4.** *Mil.* Zona de ação no combate defensivo, ou circunscrição territorial confiada a uma unidade militar. **5.** *Mil.* Parte de um local fortificado posta sob o comando de um oficial. **6.** Instrumento de astronomia composto de um arco de 20º a 30º e de um óculo. **7.** *Fitogeog.* Território florístico que se caracteriza pela presença de notáveis espécies endêmicas, dentro de uma província (8). **8.** *Geom.* Setor circular. ♦ **Setor circular.** *Geom.* Superfície plana compreendida entre uma circunferência e dois de seus raios. [Tb. se diz apenas *setor.*] **Setor esférico.** *Geom.* Sólido gerado pela rotação de um setor circular em torno de um diâmetro que pode ser externo ao setor ou suportar um dos seus raios; sólido limitado por uma zona esférica e pelos planos que a determinam. **Setor poligonal.** *Geom.* Superfície plana limitada por uma linha poligonal e dois segmentos de reta que unem os extremos desta linha a um mesmo ponto.

setorial. *Adj. 2 g.* Relativo ou pertencente a setor.

setorizar. *V. t. d.* Dividir em setores.

setoso (ô). [De *set(i)-*[1] + *-oso.*] *Adj. Morfol. Veg.* Que tem setas [v. *seta*[2]]: *flor setosa; folha setosa.*

setoura. [Var. de *setoira* < lat. *sectu*, part. pass. de *secare*, 'cortar, ceifar', + *-óra*, fem. de *-ório?*] *S. f.* Foice para ceifar trigo ou feno.

setra. [Alter. de *seta.*] *S. m. Bras., SC. Pop.* V. *atiradeira.*

setrossos. *S. m. pl.* Cavilhas nas carretas das peças de artilharia.

setuagenário. [Do lat. *septuagenariu.*] *Adj* e *s. m.* Que ou aquele que está na casa dos setenta anos de idade; setentão.

setuagésima (zi). [Do lat. *septuagesima.*] *S. f.* No calendário litúrgico da Igreja Católica usado até o Concílio Vaticano II, o terceiro domingo antes do primeiro da quaresma, ou setuagésimo dia, aproximadamente, antes da Páscoa.

setuagésimo (zi). [Do lat. *septuagesimu.*] *Num.* **1.** Ordinal e fracionário correspondentes a setenta. ● *S. m.* **2.** A setuagésima parte. **3.** Aquele ou aquilo que ocupa o setuagésimo lugar.

setubalão. *Adj.* e *s. m.* Setubalense.

setubalense. *Adj. 2 g.* **1.** De, ou pertencente ou relativo a Setúbal (Portugal). ● *S. 2 g.* **2.** Natural ou habitante de Setúbal. [Sin. ger.: *setubalão.*]

sétula. [De *set(i)-*[1] + *-ula.*] *S. f. Morfol. Veg.* Seta[2] muito fina.

setuloso (ô). [De *sétula* + *-oso.*] *Adj. Morfol. Veg.* Provido de sétula: *cálice setuloso.*

setuplicar. [De um lat. **septuplice*, moldado em *septuplu*, 'sétuplo', + *-ar.*] *V. t. d., int.* e *p.* Tornar(-se) sete vezes maior; multiplicar(-se) por sete. [Conjug.: v. *trancar.*]

sétuplo. [Do lat. *septuplu.*] *Num.* **1.** Que é sete vezes maior que outro. ● *S. m.* **2.** Quantidade sete vezes maior que outra.

seu[1]. [De *senhor.*] *S. m.* **1.** Equivale ao axiônimo *senhor* (*Sr.*), vindo claro o nome da pessoa, ou a outro axiônimo, ou palavra designativa de profissão, etc.: "Seu Acrísio, jogador e quase cego, ... tenteava degraus e portas com o cajado." (Graciliano Ramos, *Infância*, p. 51); "— A que horas chega [o trem] a Caruaru? | — Oito e meia. | — Pontual, tem chegado? | Eu sei, seu doutor..." (José Carlos Cavalcanti Borges, *Contos Vários*, p. 27); *seu sargento; seu moço.* **2.** Com a mesma equivalência, (podendo envolver desdém, desprezo, ou, ao contrário, simpatia, camaradagem, ou, ainda, malícia), usa-se seguido de algum substantivo, ou em fim de frase ou período, tendo, neste último caso, um matiz interjetivo: "Ele sorriu maliciosamente, e disse-me: — Seu maganão! Recordações do passado, hem? (Machado de Assis, *Memórias Póstumas de Brás Cubas*, p. 326); "Dormiu bem, seu preguiçoso?" (Lúcia Benedetti, *Maria Isabel*, p. 205); "— Mas parece que o moço tinha razão de matar a moça. | Qual tinha razão nada, seu! Bandido!" (Antônio de Alcântara Machado, *Novelas Paulistanas*, p. 75). [F. paral.: *só* (q. v.), comum em Portugal na 1ª acepç., e no Brasil us. só, talvez, na segunda. O fem. de *seu*, na 1ª acepç., é, no Brasil, *sinhá, sinha, siá, sia, senha.* A heroína do romance *Vidas Secas*, de Graciliano Ramos, é Sinha Vitória [v. *sinha*]. Na 2ª acepç. só há em nosso país, parece, os fem. *sua* (v. *sua*[1]), *senha*[2] e *sinha*.]

seu[2]. [Do lat. *seu*, por analogia com *meu*, em vez de *suu*.] *Pron.* **1.** Pertencente à(s), ou próprio da(s), ou sentido pela(s) pessoa(s) de quem se fala; dele(s), dela(s): "Conta-lhe que eu morri murmurando o seu nome / No soluço final!" (Vicente de Carvalho, *Poemas e Canções*, p. 281); "Ele possuía mãos longas / e seus olhos eram meigos." (Jorge de Lima, *Obra Completa*, I, p. 174); "Iñigo Guerra e Dona Sol, enlevo ambos de seu pai" (Alexandre Herculano, *Lendas e Narrativas*, II, p. 11). **2.** Pertencente à(s) pessoa(s) com quem se fala e não tratada(s) por *tu* ou *vós*, mas por formas da 3ª pessoa: *você(s), o(s) senhor(es), a(s) senhora(s), V. Sª(s)*, etc.; de você(s), do(s) senhor(es), etc.: "— E você, amada rapariga velha, como é seu nome?" (Moacir C. Lopes, *Cais, Saudade em Pedra*, p. 81); "Você não deve ter vergonha, / Pode tirar o seu chapéu" (da marcha *Nós, os Carecas*, de Arlindo Marques Júnior e Roberto Roberti). **3.** Que ele(s), ela(s) ou o(s) senhor(es), etc., goza(m) ou desfruta(m) como se lhe(s) pertencesse, se se fosse propriedade sua: *Ele ganhou o seu domingo cuidando da horta; Não deixe que nenhum chato estrague o seu feriado.* **4.** Que lhe(s) serve, lhe(s) convém, lhe(s) interessa: "Fui levá-lo ao Galeão, onde esperamos três horas o seu quadrimotor." (Carlos Drummond de Andrade, *Cadeira de Balanço*, p. 71); "Já estava na hora do seu bonde. Se corresse, ainda poderia apanhá-lo." (Lia Correia Dutra, *Navio sem Porto*, p. 128); *Então você percorreu várias lojas e não achou o seu sapato?* **5.** Que lhe(s) é devido; que lhe(s) cabe ou lhe(s) toca: *Ele conhece o seu lugar; Vocês não desanimem: terão sua recompensa.* **6.** Preferido por ele(s) ou ela(s), ou por você(s), o(s) senhor(es), etc.; da sua predileção: *Sabemos que o seu poeta é Fernando Pessoa; Esta é a sua música.* **7.** Passado ou vivido por ele(s), ela(s), ou por você(s), o(s) senhor(es), etc.: *Ele sofre as suas dificuldades; Você terá os seus dias de glória.* **8.** Dedicado ou reservado a ele(s), a ela(s), ao(s), senhor(es), etc.: *O dia de folga é seu, unicamente seu.* **9.** Onde ele(s), ela(s), o(s) senhor(es), etc., trabalha(m), exerce(m) atividade(s): *o seu escritório; o seu ministério.* **10.** Esse, aquele, o tal (falando de pessoa a quem já se fizera referência ou que se ia ou vai referir): *O seu pobre nunca mais apareceu?; Que é feito do seu homem?* [É de rigor, aqui, o uso do artigo.] **11.** Da sua amizade; do seu afeto; que lhe(s) é caro: *Aquele filho querido, o seu Antônio, não lhe causaria tal desgosto; F. é muito seu.* **12.** Algum, certo: *Nesta época, ali faz seu frio; Cheguei ao Rio em 1920: já faz seu tempo;* "Há sua notável diferença nestes dois modos de acudir ao pensamento." (Almeida Garrett, *Viagens na Minha Terra*, p. 209). **13.** Dele(s), dela(s), do(s) senhor(es), de você(s), etc., i. e., inspirado ou provocado por ele(s), ela(s), o(s) senhor(es), etc.: "Vários são os motivos desta, dos quais o primeiro é dizer-lhe que saudades suas são mato" (José Veríssimo, *ap.* Fernando Néri, *Correspondência de Machado de Assis*, p. 102); *Tenho piedade, não tanto sua, mas de seus filhos.* **14.** Usa-se às vezes, pleonasticamente, para clareza ou realce, ou por ênfase, acompanhado de *dele(s), dela(s)*: "entraram no coche, carruagem sua especial dele." (Camilo Castelo Branco, *O Judeu*, I, p. 34); "Faz-me infinita compaixão o seu desamparo dela!" (Id., *ib.*, p. 190); "levando o seu príncipe deles" (João Ribeiro, *O Folclore*, p. 27); "A vida continua. É seu ofício dela." (Antônio Carlos Vilaça, *O Anel*, p. 99). [Flex.: *sua, seus, suas.* Havendo no período referência de caráter possessivo a mais de uma pessoa, animal ou coisa, emprega-se *seu(s), sua(s)*, com relação à que exerce a função de sujeito, e *dele(s), dela(s)*, em relação à outra: "E sobre a rósea face [da filha], ora amarela, / A aurora sempre bela radiava. / E o pai, ancião, que a dor rasgava, / Cingia ao corpo seu o corpo dela." (Gonçalves Dias, *Obras Poéticas*, II, p. 104); "Georgina ajoelhou aos pés do frade, tomou as mãos dele nas suas" (Almeida Garrett, *Viagens na Minha Terra*, p. 313). [Flex.: *sua, seus, suas.* Cf. *meu, teu, nosso, vosso, si*[2] e *consigo*.] ● *S. m.* **15.** Aquilo que pertence à pessoa de quem se fala, ou a você(s), ao(s) senhor(es), etc.: *Não gosta de juntar o seu com o alheio.* ~ V. *seus.* ◆ **Em seu.** V. *in.* **Ter de seu. 1.** Ter bens de fortuna; não ser pobre: *É um homem que tem de seu.* **2.** Ser proprietário, dono de (algo): *Tem de seu, apenas, a casa onde mora.* **3.** Dispor de: *Trabalha demais, não tem de seu um minuto.*

seus. [Pl. de *seu*[2].] *Pron. indef.* **1.** Cerca de; mais ou menos; aproximadamente: "Dedicou-lhe Bandeira [Manuel Bandeira], menino de seus onze anos, uma série de quadras, em que caricaturava a nova figura do companheiro." (Sousa da Silveira, *in Homenagem a Manuel Bandeira*, p. 220.) **2.** Alguns, certos: *O caso não é simples: apresenta seus problemas; A questão tem seus poréns.* **3.** *El. s. m. pl.* Us. na loc. *os seus.* ~ V. *seu.* ◆ **Os seus. 1.** A sua família (da pessoa a quem se fala, ou da de quem se fala): *Como vão os seus, meu caro?; Sente-se bem, porque os seus estão bem;* "A pobre rapariga sacrificou-se à felicidade dos seus." (Artur Azevedo, *Contos fora da Moda*, pp. 24-25). **2.** Os seus amigos íntimos, ou patrícios, ou aliados.

seu-vizinho. [De *seu*[2] + *vizinho*.] *S. m. Fam.* V. *dedo anular.* [Pl.: *seus-vizinhos.*]

seva[1]. [Dev. de *sevar.*] *S. f. Bras.* Ato de sevar a mandioca. [Cf. *ceva*, do v. *cevar* e s. f., e *Ceva*, antr.]

seva[2]. *S. f. Bras.* Cipó ou corda horizontal onde se penduram, para secar, as folhas verdes do fumo. [Cf. *ceva*, do v. *cevar* e s. f., e Ceva, antr.]

sevadeira. [De *sevar* + *-deira*.] *S. f. Bras.* **1.** A roda usada para sevar a mandioca. **2.** Aparelho com que se rala a mandioca para preparo de farinha; sevador. **3.** Mulher que seva mandioca. [Cf. *cevadeira*.]

sevador (ô). [De *sevar* + *-(d)or*.] *S. m. Bras.* Sevadeira (2). [Cf. *cevador*.]

sevandija. [Provavelmente de um voc. hispânico pré-romano **sevandilia*, der. do nome basco da lagartixa.] *S. f.* **1.** Designação comum aos parasitos e vermes imundos. ● *S. 2 g.* **2.** Pessoa que vive à custa dos outros; parasito. **3.** Pessoa vergonhosamente servil.

sevandijar-se. [De *sevandija* + *-ar-*[2] + *se*[1].] *V. p.* Tornar-se sevandija; rebaixar-se vergonhosamente; aviltar-se, envilicer-se.

sevar. [Alter. de *sovar.*] *V. t. d. Bras.* Meter as raízes de (a mandioca) no caititu, para reduzi-las à massa de que se prepara a farinha. [Pres. ind.: *sevo, sevas, seva*, etc.; part.: *sevado*, f. *sevada*. Cf. *cevo, cevas, ceva*, do v. *cevar*, e este v.; *ceva*, s. f.; *cevo* (ê), s. m.; *cevada*, do v. *cevar* e s. f.; *cevado*, adj. e s. m.]

severidade. [Do lat. *severitate.*] *S. f.* **1.** Qualidade de severo. **2.** Ato severo, rigoroso. **3.** Inflexibilidade de caráter. **4.** Qualidade de estilo severo; sobriedade. **5.** Aspereza, rigor (falando-se de climas).

severinense. *Adj. 2 g.* **1.** De, ou pertencente ou relativo a Severínia. (SP). ● *S. 2 g.* **2.** Natural ou habitante de Severínia.

severizar. *V. t. d.* e *p.* Tornar(-se) severo.

severo. [Do lat. *severu.*] *Adj.* **1.** Rígido, rigoroso: *regulamento severo.* **2.** Rígido de caráter; austero: *homem severo.* **3.** Grave, circunspecto, sério: *Tinha a face severa.* **4.** Que demanda circunspecção; importante: *assuntos severos.* **5.** Duro, áspero, ríspido: *Disse-lhe palavras severas.* **6.** Inflexível, implacável: "Vivia com severa parcimônia dos seus 800 réis havidos da Santa Casa" (Camilo Castelo Branco, *A Brasileira de Prazins*, p. 148). **7.** Que executa suas obrigações com pontualidade e exatidão; sério: *empregado severo.* **8.** Diz-se do estilo sóbrio, correto e elegante. **9.** Harmonioso e sóbrio; nobre: *Sentia-se bem em seus aposentos severos.* **10.** *Fig.* Bem definido; acentuado.

sevícia. [Do lat. *saevitia.*] *S. f.* Sevícias. [Cf. *sevicia*, do v. *seviciar.*]

seviciador (ô). *Adj.* e *s. m.* Que ou aquele que sevicia.

seviciar. *V. t. d.* Praticar sevícias em; maltratar fisicamente. [Pres. ind.: *sevicio, sevicias, sevicia*, etc. Cf. *sevícias* e *sevícia*.]

sevícias. [Pl. de *sevícia.*] *S. f. pl.* **1.** Maus-tratos; ofensas físicas: "Fatigando-se das inovações, recorria às sevícias habituais: murros e açoites." (Graciliano Ramos, *Infância*, p. 238.) **2.** Atos de crueldade; desumanidade. [Us. tb. no sing. Cf. *sevicias*, do v. *seviciar.*]

sevilhana. [Fem. substantivado do adj. *sevilhano.*] *S. f.* **1.** Grande navalha de lâmina estreita e curva. **2.** Variedade de azeitona grande, para consumo; redondil. **3.** Canto popular de Sevilha (Espanha).

sevilhano. *Adj.* **1.** De, ou pertencente ou relativo a Sevilha (Espanha). ● *S. m.* **2.** O natural ou habitante de Sevilha. [Sin. ger.: *hispalense*.]

sevirado. *S. m.* Var. de *sevirato.*

sevirato. [Do lat. *seviratu.*] *S. m.* Cargo ou funções de séviro; sevirado.

séviro. [Do lat. *seviru.*] *S. m.* **1.** Na Roma antiga, membro de um colégio de seis pessoas. **2.** Cada um dos seis chefes das decúrias de cavaleiros.

sevo. [Do lat. *saevu.*] *Adj.* Desumano, cruel, sanguinário: "Bem puderas, ó Sol, da vista destes / Teus raios apartar aquele dia, / Como da seva mesa de Tiestes / Quando os filhos por mão de Atreu comia!" (Luís de Camões, *Os Lusíadas*, III, 133). [Cf. *cevo*, do v. *cevar*, e *cevo* (ê), s. m.]

▲**sex-.** [Do lat. *sex.*] *El. comp.* = 'seis': *sexcelular, sexdigital.*

sexagenário (cs). [Do lat. *sexagenariu.*] *Adj.* e *s. m.* Que ou aquele que está na casa dos sessenta anos de idade; sessentão.

sexagésima (cs...zi). [Fem. substantivado do num. *sexagésimo.*] *S. f.* **1.** Um sessenta avos de um todo. **2.** No calendário litúrgico da Igreja Católica em uso até o Concílio Vaticano II, o segundo domingo antes do primeiro da quaresma, ou 60 dias, aproximadamente, antes da Páscoa.

sexagesimal (cs...zi). [De *sexagésimo* + *-al.*] *Adj. 2 g.* **1.** Relativo a sessenta. **2.** Que tem por base o número sessenta. **3.** Diz-se da divisão do grau ou da hora em sessenta minutos, e do minuto em sessenta segundos. ~ V. *número — e sistema —.*

sexagésimo (cs...zi). [Do lat. *sexagesimu.*] *Num.* **1.** Ordinal e fracionário correspondente a sessenta. ● *S. m.* **2.** A sexagésima parte. **3.** Aquele ou aquilo que ocupa o sexagésimo lugar.

sexangulado (cs). [Do lat. *sexangulatu.*] *Adj.* V. *sexangular.*

sexangular (cs). [De *sex-* + *angular*[1].] *Adj. 2 g. Geom.* Que tem seis ângulos; sexangulado, sexângulo.

sexângulo (cs). [Do lat. *sexangulu.*] *Adj. Geom.* V. *sexangular.*

➡**sex-appeal** (seksapíl). [Ingl.] *S. m.* Encanto físico que provoca o desejo sexual.

sexcelular (cs). [De *sex-* + *celular.*] *Adj. 2 g.* Que tem seis células.

sexcentésimo (cs...zi). [Do lat. *sexcentesimu.*] *Num.* **1.** Ordinal e fracionário correspondente a seiscentos; seiscentos. ● *S. m.* **2.** A sexcentésima parte. **3.** Aquele ou aquilo que ocupa o sexcentésimo lugar.

sexdigital (cs). [De *sex-* + *digital.*] *Adj. 2 g.* Diz-se da mão ou do pé que tem seis dedos.

sexdigitário (cs). [De *sex-* + *-digit(i)-* + *-ario.*] *Adj.* e *s. m.* Que ou aquele cujo pé ou mão tem seis dedos.

sexenal (cs). [Do lat. *sexenne*, 'que tem seis anos', + *-al.*] *Adj. 2 g.* **1.** Relativo a sexênio. **2.** Que ocorre de sexênio em sexênio.

sexênio (cs). [Do lat. *sexenniu.*] *S. m.* Período de seis anos.

▲**sexi-.** [Do lat. *sexus, us.*] *El. comp.* = 'sexo': *sexífero.* [Equiv.: *sexo-* e *-sexo*: *sexologia; assexo.*]

sexífero (cs). [De *sexi-* + *-fero.*] *Adj.* Que tem sexo.

sexo (cs). [Do lat. *sexu.*] *S. m.* **1.** Conformação particular que distingue o macho da fêmea, nos animais e nos vegetais, atribuindo-lhes um papel determinado na geração e conferindo-lhes certas características distintivas. **2.** O conjunto das pessoas que possuem o mesmo sexo. **3.** Sensualidade, volúpia, lubricidade; sexualidade: *A pequena é fogosa, é toda sexo.* **4.** *Bras.* Os órgãos genitais externos. ◆ **Sexo grupal.** Suíngue. **Fazer sexo.** Ter relações sexuais; fazer amor; copular. **O belo sexo.** As mulheres; o sexo amável; o sexo fraco, o sexo frágil. **O sexo amável.** V. *o belo sexo*: "Eu porém via em V. Exª. uma bela exceção a essa regra pouco lisonjeira para o sexo amável." (Joaquim Manuel de Macedo, *Os Romances da Semana*, p. 238). **O sexo forte.** Os homens. **O sexo devoto.** As beatas. **O sexo fraco.** V. *o belo sexo.* **O sexo frágil.** V. *o belo sexo.* **O terceiro sexo.** *Irôn.* Os homossexuais.

▲**sexo-.** V. *sexi-.*

▲**-sexo.** V. *sexi-.*

sexodução. [Do ingl. *sexoduction.*] *S. f. Genét.* Transferência de material genético de uma bactéria para outra através de um epissoma denominado fator F.

sexologia (cs). [De *sexo-* + *-log(o)-* + *-ia.*] *S. f.* Ciência que estuda os problemas concernentes à sexualidade: "Só se fala em sexologia ....! que os sexólogos resolvem qualquer problema" (Lígia Fagundes Teles, *A Disciplina do Amor*, p. 116.)

sexológico (cs). *Adj.* Referente à sexologia.

sexologista (cs). *S. 2 g.* Especialista em sexologia; sexólogo.

sexólogo (cs). *S. m.* Sexologista: "Mas eis que já vem por aí, como uma cachoeira cobrindo tudo, a moda dos sexólogos." (Lígia Fagundes Teles, *A Disciplina do Amor*, p. 116.)

sexta[1] (ês). [Fem. substantivado do num. *sexto.*] *S. f.* Intervalo de seis graus consecutivos na escala diatônica.

[Cf. *cesta* e *sesta*, s. f., e o top. *Sesta*.] ♦ **Sexta napolitana.** *Mús.* Em harmonia, a sexta menor da subdominante.

sexta² (ês). [Do lat. *sexta*, i. e., *hora sexta*, 'o meio-dia'.] *S. f.* **1.** Entre os antigos romanos, a terceira das quatro partes do dia. **2.** Na liturgia católica, hora canônica [v. *horas canônicas* (1)] subseqüente à terça¹ (4) e correspondente às 12 horas do dia. [Cf. *cesta* (ê) e *sexta*, s. f., e *Sesta*, top.]

sexta³ (ês). *S. f.* F. red. de *sexta-feira* (1). Cf. *cesta* e *sesta*, s. f., e *Sesta*, top.]

sexta-feira. [De *sexta* + *feira*.] *S. f.* **1.** O sexto dia da semana principiada no domingo. [F. red.: *sexta*.] **2.** *Bras. Pop.* e *fam.* V. *concubina* (1): "As reuniões da Maçonaria são às sextas, mas em vez de irem às Lojas, os homens vão é às casas de suas teúdas e manteúdas. Daí a gente chamar essas mulheres de s e x t a - f e i r a." (Mário da Silva Brito, *Conversa Vai Conversa Vem*, p. 3.) ♦ **Sexta-feira da Paixão.** A sexta-feira da semana santa, dia em que se comemora a morte de Cristo; sexta-feira maior, sexta-feira santa. **Sexta-feira maior.** V. *sexta-feira da Paixão*. **Sexta-feira santa.** V. *sexta-feira da Paixão*.

sextanista (ês). *S. 2 g.* Estudante que freqüenta o sexto ano de um curso.

sextante (ês). [Do lat. *sextante*.] *S. m.* **1.** A sexta parte de uma circunferência ou arco de 60°. **2.** *Náut.* Instrumento ótico constituído de dois espelhos e uma luneta astronômica presos a um setor circular de 60° (1/6 do círculo) destinado a medir a altura de um astro acima do horizonte. [Cf. *quadrante, quintante* e *oitante*.] **3.** *Astr.* Constelação equatorial, ao S. do Leão ao N. e a E. da Hidra, a O. do Leão e da Taça. [Cf. *quintante*.] ♦ **Sextante de bolha.** Sextante, comumente usado na navegação aérea, no qual a visada ao horizonte é substituída por um nível de bolha tomado como referência.

sextavado (ês). [Part. de *sextavar*.] *Adj.* Que tem seis faces; hexagonal: *porca s e x t a v a d a*.

sextavar (ês). [De *sexto*, com a term. de *oitavar*.] *V. t. d.* **1.** Talhar em forma sexangular. **2.** Dar seis faces a.

sexteto (êstê). [Do it. *sestetto*.] *S. m.* **1.** Composição musical para seis vozes ou instrumentos; sêxtuor. **2.** Conjunto dos músicos ou cantores que executam ou cantam essa composição; sêxtuor. **3.** *Fís.* Termo espectral em que o número quântico do spin do átomo é igual a 5/2, e que tem, portanto, multiplicidade igual a seis.

sextil (ês). [De *sexto* + *-il*.] *Adj. 2 g.* **1.** *Astr.* Diz-se da configuração (2) de dois astros quando a distância angular entre eles é de 60°. **2.** *Estat.* Qualquer separatriz que divide a área de uma distribuição de freqüência em domínios cujas áreas são múltiplos inteiros de um sexto da área original.

sextilha (ês). [De *sext(o)-* + *-i-* + *-ilha*.] *S. f.* **1.** Estrofe ou estância de seis versos: *Os poemas* "O Caçador de Esmeraldas", *de Olavo Bilac, e* "Vozes d'África", *de Castro Alves, são totalmente em s e x t i l h a s.* **2.** *Liter. Pop. Bras.* Estrofe de seis versos de sete sílabas, com o segundo, o quarto e o sexto rimados; verso de seis pés, colcheia, repente. [Cf. *sextina*.]

sextilhão (ês). [De *sext(o)-* + *-i-* + o final de *milhão*.] *S. m.* **1.** *Num.* A trigésima sexta potência de dez. **2.** *Num. Mat.* A vigésima primeira potência de dez. [Esta acepç. não é recomendável cientificamente. Var.: *sextilião*.]

sextilião (ês). *Num.* Var. de *sextilhão* [q. v.].

sextina (ês). [De *sext(o)-* + *-ina²*.] *S. f.* Poema de forma fixa, por via de regra em versos decassílabos, composto de seis sextilhas e, quase invariavelmente, um terceto (denominado *tornada, envio* ou *remate*), e no qual cada uma das últimas palavras dos versos da 1ª sextilha (não rimados, bem como os demais) se repete no fim dos versos das estrofes seguintes, mudando, porém, de posição, dentro de um mesmo processo: a 1ª, 2ª, 3ª, 4ª, 5ª e 6ª palavras finais, da 2ª estrofe em diante, devem corresponder à 6ª, 1ª, 5ª, 2ª, 4ª e 3ª da estrofe anterior; no terceto, as seis palavras repetem-se, duas em cada verso, na ordem em que se acham na 1ª sextilha. [Cf. *cistina* e *sextilha*.]

sextissecular (ês). [De *sext(o)-* + *-i-* + *secular*.] *Adj. 2 g.* Que tem seis séculos.

sexto (ês). [Do lat. *sextu*.] *Num.* **1.** Ordinal e fracionário correspondente a seis — V. — *sentido*. ● *S. m.* **2.** A sexta parte. **3.** Aquele ou aquilo que ocupa o sexto lugar. [Cf. *cesto*, s. m., pl. *cestos*; *cesto* (ê), s. m., pl. *cestos* (ê), e *Sesto*, top. e antr.]

▲sext(o)-. [De *sexto*.] *El. comp.* = 'sexto'; 'seis': *sextanista; sextavar.*

sêxtulo (ês). [Do lat. *sextula*, com mudança de gênero.] *S. m.* **1.** Peso de quatro escrópulos. **2.** A sexta parte da onça.

sêxtuor (ês). [De *sexto* + o final do lat. *quattuor*, 'quatro'.] *S. m. Mús.* Sexteto (1 e 2). [Pl.: *sextúores*.]

sêxtuplo (ês). [Do lat. *sextuplu*.] *Num.* **1.** Que é seis vezes maior que outro. ● *S. m.* **2.** Quantidade seis vezes maior que outra. [Sin.: *seisdobro*.] — V. *sêxtuplos*.

sêxtuplos (ê). [Pl. de *sêxtuplo*.] *S. m. pl.* Seis crianças nascidas do mesmo parto: "S ê x t u p l o s de Denver sobrevivem" (*Jornal do Brasil*, 18.9.1973.) — V. *sêxtuplo*.

sexuado (cs). [De *sexo* + *-ado¹*.] *Adj.* Que tem sexo.

sexual (cs). *Adj. 2 g.* **1.** Pertencente ou relativo ao sexo. **2.** Referente à cópula (1): *ato s e x u a l.* **3.** Que possui sexo. **4.** Que caracteriza o sexo: *partes sexuais.* — V. *dimorfismo* —, *perversão* — e *sistema* —.

sexualidade (cs). [De *sexual* + *-i-* + *-dade*.] *S. f.* **1.** Qualidade de sexual. **2.** O conjunto dos fenômenos da vida sexual. **3.** Sexo (3).

sexualismo (cs). [De *sexual* + *-ismo*.] *S. m.* **1.** Estado ou condição do que tem sexo. **2.** A vida sexual; as funções sexuais.

sexualista (cs). *Adj. 2 g.* Referente ao sexualismo.

sêxviro (cs). [Do lat. *sexviru*.] *S. m.* V. *séviro*.

➧sexy (sécsi). [Ingl.] *Adj. 2 g.* Que tem *sex-appeal*.

sezão. [Talvez do lat. *accessione*, 'acesso de febre intermitente', e de um cruz. com *sazão*, 'estação'.] *S. f.* **1.** Febre intermitente ou periódica: "Pipiu há uma semana curtia uma s e z ã o das boas: batendo queixo, pernas e coração." (José Sarney, *Norte das Águas*, p. 19.) **2.** V. *malária*. [Pl.: *sezões*, f. talvez mais us. Cf. *sazão*.]

sezeno. [Do fr. *seizain*.] *S. m.* Espécie de pano que tinha 1.600 fios de urdidura.

sezonático. *Adj.* **1.** Que causa sezões. **2.** Que sofre sezões. **3.** Diz-se de região em que costuma haver sezões.

sezonismo. [De *sezão* + *-ismo*.] *S. m.* V. *malária*.

■sf. *Mús.* Abrev. de *sforzando*.

▲-sfera. Equiv. de *esfer(o)-*.

➧sforzando. [It.] *Adv. Mús.* Passando rapidamente do piano ao forte. [Abrev.: *SF*.]

shakespeariano (xeiquispi). *Adj.* **1.** Pertencente ou relativo a William Shakespeare (1564-1616), dramaturgo e poeta inglês, ou próprio dele. ● *S. m.* **2.** Grande admirador e/ou profundo conhecedor da obra de Shakespeare.

➧sheik. [Ingl.] V. *xeque²*.

➧shekel. [Hebr.] *S. m.* V. *siclo* (3).

➧shimmy (xí). [Ingl.] *S. m.* **1.** Antiga dança norte-americana. **2.** *P. ext. Autom.* Oscilação ou vibração anormal das rodas dianteiras do automóvel, resultante de alinhamento incorreto ou defeituoso delas, ou de pressão desigual nos pneus dianteiros.

shonkinito (xon). *S. m. Pet.* Rocha magmática intrusiva, constituída essencialmente de ortoclásio, nefelita, e um ou mais minerais fêmicos.

➧shopping center (xópin cêntăr). [Ingl.] *S. m.* Reunião de lojas comerciais, serviços de utilidade pública, casas de espetáculo, etc., em um só conjunto arquitetônico.

➧short (xórt). [Ingl.] *S. m.* **1.** Calça curta para esporte, de senhora ou de homem. **2.** Filme breve, geralmente de atualidade ou de caráter documentário.

➧show (xou). [Ingl.] *S. m.* Espetáculo de teatro, rádio, televisão, etc., geralmente de grande montagem, que se destina à diversão, e com a atuação de vários artistas de larga popularidade, ou às vezes de um só: *um s h o w de dança e música popular brasileira; o s h o w do Chico Anísio.* ♦ **Um *show*.** *Bras. Pop.* Um espetáculo. **Dar um *show*,** *Bras. Fig.* **1.** Ter uma atuação brilhante; fazer um brilhareto; dar um baile: *O conferencista d e u u m s h o w de erudição.* **2.** Dar escândalo; fazer cena: *O turista d e u u m s h o w quando lhe roubaram a carteira.*

➧shunt (xant). [Ingl.] *S. m. Fís.* Resistência que se introduz em circuito elétrico a fim de reduzir a intensidade da corrente, sobretudo nos galvanômetros sensíveis.

si¹. [Das duas 1ªs letras das palavras *Sancte Ioannes*, que constituem o último verso do hino a S. João Batista. V. *ut*.] *S. m. Mús.* **1.** Desde o séc. XVII, o nome da nota correspondente ao sétimo grau da escala diatônica ou natural de dó. [Esta designação foi adotada em fins do séc. XVI para substituir o sistema de hexacordes empregado por Guido d'Arezzo.] [V. *solmização*.] [Cf. *B* (2 e 3).] **2.** O sinal que representa essa nota na pauta. [Cf. *se*.]

si². [Do lat. *sibi*.] *Pron.* Forma que assumem os pron. *ele(s), ela(s)*, quando antecedidos de preposição, e que se refere ao sujeito da oração: "Que mato todo de flores, / Que cheiro exalam de s i!" (Junqueira Freire, *Obras Póstumas*, II, p. 129); "Mariana olha-a com reservas, com aquele instinto infalível e feroz da boa matrona que quer conservar o seu homem para s i." (Ciro dos Anjos, *O Amanuense Belmiro*, p. 17); "Se Deus tem determinado levar-me pera s i, deixai-me ora ir com ele." (Fr. Luís de Sousa, *Vida de D. Fr. Bertolameu dos Mártires*, II, p. 150); "Não sei se disse que isto se passava em casa de uma baronesa, que tinha a modista ao pé de s i, para não andar atrás dela." (Machado de Assis, *Várias Histórias*, p. 230). No ex. de Fr. Luís de Sousa note-se a diferença entre "pera si", referente ao sujeito da 1ª oração *(Deus)*, e "com ele", adjunto adverbial de *ir*, da segunda, cujo sujeito é *me*; e no exemplo de Machado é de notar a diferença entre "de si", referente a *baronesa* (sujeito), e "dela" (relativo ao objeto direto da segunda oração, *modista*). É, portanto, irregular o emprego de *si* neste passo de Castro Alves: "Pede [o Gênio] um beijo de amor — e as outras almas / Fogem pasmas de s i." *(Obra Completa*, p. 87.) *As outras almas*, sujeito da 2ª oração, não fogem *de si* mesmas, e sim do *Gênio*, sujeito da oração anterior; assim, deveria estar *dele* e não "de si". Apesar da condenação de muitos, o *si* — Como também consigo (q. v.) — é usadíssimo em Portugal (e, embora muito menos, no Brasil), na 2ª pess.: "juro por Deus, minha mãe, juro por s i, que ainda a hei de fazer muito feliz..." (Antônio Patrício, *Serão Inquieto*, p. 178); "Esta carta .... não lhe leva a minha amizade por s i porque v. já há muito aí a tem." (Fernando Pessoa, *Páginas de Doutrina Estética*, p. 87); "Você é um bom doente. Gosto de s i!" (José Rodrigues Miguéis, *Um Homem Sorri à Morte — com Meia Cara*, p. 35); "Sei que V. Exª .... há de ver levantar-se em roda de s i muitos inimigos" (Machado de Assis, *Poesia e Prosa*, p. 115). [Cf. *ele (ê), se, mim, ti, nos, vos, contigo, comigo, consigo, conosco* e *convosco*.] ♦ **Cheio de si.** Pretensioso, presunçoso. **De per si.** Considerado em si mesmo, sem relação com outros; isoladamente; em si. [V. *cada um de per si*.] **De si consigo.** V. *consigo* (5): "O alfeloeiro, quando o velho o despediu à entrada da Rua dos Anjos, d e s i c o n s i g o ajuizou que o homem não ia escorreito" (Camilo Castelo Branco, *A Filha do Regicida*, p. 95). **De si para consigo.** V. *consigo* (5). **De si para si.** V. *consigo* (5): "— E para onde teriam fugido as mulheres? inquiriu d e s i p a r a s i o matuto." (Franklin Távora, *O Matuto*, p. 201.) **Em si. 1.** De per si; *O estilo é mau, porém o romance, e m s i, é excelente.* **2.** Desacompanhado de quaisquer circunstâncias; num plano absoluto; absolutamente; abstratamente: *Considerando o caso e m s i, concluiu ser menos importante do que parece.* **3.** *Filos.* Independentemente do conhecimento. **4.** *Filos.* Independentemente de modo absoluto quanto à realidade. [Nesta acepç., tb. é us. o lat. *in se*.] **5.** *Filos.* Segundo Sartre [V. *sartriano*], modo de ser das coisas concretas, as quais são irrefletidas e sem possibilidade de construir um mundo interior, e que se opõe expressamente ao modo de ser do homem. [Nesta acepç., cf. *para si*.] **Entre si. 1.** Um ou uns com outro(s); um ou uns para com outro(s): *Acertaram e n t r e s i um encontro para o dia seguinte.* **2.** V. *consigo* (5): "Como e n t r e s i falando, / As águas vão passando, / Cantando, se é cantar o seu chorar a rir" (José Régio, *Mas Deus É Grande*, p. 26); "Cristina, depois de errar um olhar, do rosto de um para o outro, como a lhes perceber a emoção, dizia e n t r e s i, com a malícia própria do sexo: — Disfarçados!" (Afrânio Peixoto, *Bugrinha*, p. 83). **Fora de si.** Exaltado, desnorteado, desvairado. **Para si.** *Filos.* Caráter próprio do conhecimento que o ser consciente tem de si. [Cf. *em si* (5) e *por si* (3).] **Por si. 1.** Sem auxílio ou influência externa; espontaneamente; de si. **2.** *Filos.* Dependentemente da natureza ou da essência de um ser, e não dos acidentes dele ou das circunstâncias que o cercam. [Tb. se usa o equiv. lat., *per se*. Nesta acepç., opõe-se a *por acidente*.] **3.** *Filos.* Independentemente de outro sob algum aspecto do ser. [Nesta acepç., opõe-se a *por outro*. Cf. *para si*. V. *perseidade*.] **4.** *Filos.* Independentemente de qualquer outro sob todos os aspectos do ser e, particularmente, quanto à procedência. [Condição atribuída a Deus. Tb. se usa o lat. a *se*. Nesta acepç., opõe-se a *por outro* V. *asseidade*.]

si³. *Adv. Ant.* Sim (1): "— .... Veloso amigo, aquele outeiro / É melhor de descer que de subir. / — S i, é" (Luís de Camões, *Os Lusíadas*, V, p. 35). [Cf. *se*.]

si⁴. *S. m. Bras. Obsol.* Esse (1). [Ainda se ouve em alguns estados, como, p. ex., Alagoas. Cf. *se*.]

■Si. *Quím.* Símb. de *silício*.

sia. *S. f. Bras.* Alter. de *sinhá* [v. *seu¹*].

siá. *S. f. Bras.* Alter. de *sinhá* [v. *seu¹*].

siagantrite. [De *siag(o)(n)-* + *antro* + *-ite¹*] *S. f. Patol.* Inflamação de mucosa do antro maxilar.

▲siag(o)(n)-. [Do gr. *siagón, ónos*.] *El. comp.* = 'maxila':

siagonagra; siagantrite.

siagonagra. [De *siag(o)(n)-* + *-agra*.] *S. f. Patol.* Dor gotosa em maxilar.

sial. [De *si(lício)* + *al(umínio)*.] *S. m. Geol.* Camada superior da crosta terrestre, de 50 a 100 km de espessura, formada sobretudo de rochas de natureza granítica ricas em silício (Si) e alumínio (Al).

sialadenite. [De *sial(o)-* + *adenite*.] *S. f. Patol.* Inflamação de glândulas salivares.

sialagogo (ô). [De *sial(o)-* + *-agogo*.] *Adj.* e *s. m.* Diz-se de, ou medicamento que provoca ou excita a salivação; ptialagogo.

siálica. [De *sial* + *-ica*[2].] *Adj. (f.) Geol.* Diz-se das rochas silicaluminosas que caracterizam o sial.

siálida. *S. m.* e *adj. 2 g.* V. *sialídeo*.

siálidas. *S. m. pl. Zool.* V. *sialídeos*.

sialídeo. *S. m.* **1.** Espécime dos sialídeos. ● *Adj.* **2.** Pertencente ou relativo a eles.

sialídeos. *S. m. pl. Zool.* Família de insetos neurópteros, com menos de 25 mm de comprimento, de cores sombrias e larvas aquáticas e predadores. Vivem em rios de correnteza fraca ou em lagoas. Conhecem-se poucas espécies da região neotrópica.

sialidiforme. *S. m.* e *adj. 2 g.* V. *megalóptero*.

sialidiformes. *S. m. pl. Zool.* V. *megalópteros*.

sialismo. [De *sial(o)-* + *-ismo*.] *S. m. Med.* Abundância de salivação.

▲**sial(o)-.** [Do gr. *síalon, ou*.] *El. comp.* = 'saliva': *sialofagia; sialismo.*

sialofagia. [De *sial(o)-* + *-fag(o)-* + *-ia*.] *S. f. Med.* Deglutição da saliva.

sialóideo. *S. m.* e *adj.* V. *megalóptero*.

sialóideos. *S. m. pl. Zool.* V. *megalópteros*.

sialorréia. [De *sial(o)-* + *-réia*.] *S. f. Patol. Med.* V. *ptialismo*.

sialorréico. *Adj.* Relativo à sialorréia.

siamês. *Adj.* **1.** Do, ou pertencente ou relativo ao Sião (atual Tailândia). **2.** Diz-se de uma raça de gatos de pêlo curto e olhos azuis, importada do Sião para a Europa em fins do séc. XIX. ~ V. *irmãos —es*. ● *S. m.* **3.** O natural ou habitante do Sião. **4.** Tailandês (3). [Flex.: *siamesa* (ê), *siameses* (ê), *siamesas* (ê).]

sianinha. *S. f.* Ziguezague (5), em geral de algodão; sinhaninha.

siar. *V. t. d.* Fechar (as asas), para descer mais depressa. [Cf. *ciar* e *cear*.]

siba. [Do gr. *sepía*, pelo lat. *sepia*, com metafonia do e e absorção da semiconsoante.] *S. f. Bras.* **1.** Animal molusco, cefalópode, dibranquiado, decápode (*Sepia officinalis* L.), do Atlântico, provido de uma bolsa de tinta, a *sépia*, com a qual escurece a água para fugir dos inimigos. [Sin.: *sépia*.] **2.** Nome dado no comércio à concha calcária interna dos moluscos decápodes.

sibarismo. *S. m.* **1.** Caráter de sibarita. **2.** Desejo excessivo de luxos e prazeres; sibaritismo.

sibarita. [Do gr. *sybarítes*, pelo lat. *sybarita*.] *Adj. 2 g.* **1.** Da, ou pertencente ou relativo à antiga cidade grega de Síbaris (Itália). **2.** Diz-se de pessoa dada à indolência ou à vida de prazeres, por alusão aos antigos habitantes de Síbaris, famosos por sua riqueza e voluptuosidade. ● *S. m.* **3.** Natural ou habitante dessa cidade. **4.** Pessoa sibarita (2): "D. Manuel era um ser medíocre, para quem o mandar não passava de uma satisfação e de um gozo tão mesquinho e pouco nobre, como as delícias de sibarita opulento cuja vida, sem ser uma orgia, era apenas um deleite, e o reinar, em vez de ofício espinhoso, um mole abandono aos gostos delicados" (Oliveira Martins, *História de Portugal*, II, p. 19).

sibarítico. *Adj.* Referente a, ou próprio de sibarita.

sibaritismo. *S. m.* **1.** Vida de sibarita. **2.** Sibarismo (2).

siberiano. *Adj.* **1.** Da, ou pertencente ou relativo à Sibéria (Rússia). ● *S. m.* **2.** O natural ou habitante da Sibéria.

sibila (bí). [Do gr. *síbylla*, pelo lat. *sibylla*.] *S. f.* **1.** Entre os antigos, profetisa: "A poesia! .... a sibila reveladora das palavras misteriosas, cujas glosas foram as primeiras crenças, as primeiras religiões, as primeiras sociedades!" (Antero de Quental, *Prosas*, II, p. 8.) **2.** *Fam.* Bruxa, feiticeira.

sibilação. *S. f.* **1.** Ato ou efeito de sibilar; silvo, sibilo. **2.** *Med.* Ruído, semelhante a silvo, nos órgãos respiratórios.

sibilância. *S. f.* Qualidade de sibilante.

sibilante. [Do lat. *sibilante*.] *Adj. 2 g.* **1.** Que sibila. **2.** *Gram.* Diz-se das consoantes fricativas alveolares surdas (como em *sala, massa, cidade, caçula, próximo*) e das fricativas alveolares sonoras (como em *zebra, casa, exato*), pelo efeito acústico de sibilo em sua emissão. [V. *consoante* (4).] ● *S. f.* **3.** *Gram.* Consoante sibilante.

sibilantemente. [De *sibilante* + *-mente*.] *Adv.* De maneira sibilante; com sibilação.

sibilar. [Do lat. *sibilare*.] *V. int.* **1.** Assobiar, assoviar, silvar: "Rijo sibila o vento nas enxárcias" (D. J. G. de Magalhães, *Suspiros Poéticos e Saudades*, p. 319); "uma frecha despedida dos bosques sibilou no ar" (Alexandre Herculano, *Lendas e Narrativas*, II, p. 88). **2.** Produzir som agudo e prolongado, assoprando. **3.** Assobiar como as cobras. **4.** V. *zumbir* (2). *T. d.* **5.** Absorver sibilando.

sibilino. [Do gr. *sybillinos*, pelo lat. *sybillinu*.] *Adj.* **1.** Relativo a sibila. **2.** *Fig.* De compreensão difícil; enigmático: "Fizera uma referência sibilina a outra questão correlata, que ela chamou 'a doença da mulher' e sobre a qual se recusou a fornecer esclarecimentos mais complexos." (Rodrigo M. F. de Andrade, *Velórios*, p. 94.)

sibilo. [Do lat. *sibilu*.] *S. m.* **1.** Sibilação, silvo, zumbido, assobio: "O sibilo das balas que gemiam, / O horror, a confusão, gritos, suspiros, / Eram como uma orquestra a seus ouvidos [de Napoleão]!" (D. J. G. de Magalhães, *Suspiros Poéticos e Saudades*, p. 265). **2.** *Med.* Sibilação ou silvo perceptível pela ausculta pulmonar.

sibipira. *S. f. Bras.* Var. de *sapupira*. [V. *sapupira-da-mata*.]

sibipiruna. [De *sibipira* + *-una*.] *S. f. Bras.* Árvore da família das leguminosas (*Caesalpinia peltophoroides*), da floresta atlântica, cujos múltiplos folíolos são minutos e lembram a avenca. Flores amarelas, vistosas e dispostas em panículas. Apesar de escura e forte, a madeira é preferida como ornamental.

➧**siblings** (síb'lins). [Ingl.] *S. pl. 2 g. Etnol.* Irmãos e irmãs que têm a mesma mãe e o mesmo pai.

➧**sic.** [Lat., 'assim'.] *Adv.* Palavra que se pospõe a uma citação, ou que nesta se intercala, entre parênteses ou entre colchetes, para indicar que o texto original é bem assim, por errado ou estranho que pareça.

sica. [Do lat. *sica*.] *S. f.* Punhal dos antigos romanos. [Cf. *cica*.]

sicambro. [Do lat. *Sicambru*.] *S. m.* **1.** Indivíduo dos sicambros, antigo povo germano. ● *Adj.* **2.** Pertencente ou relativo a esse povo.

sicário. [Do lat. *sicariu*.] *S. m.* Assassino pago para cometer toda a sorte de crimes: "Eleva sicários executores de homicídios infames à altura dos patriarcas da Independência" (Rui Barbosa, *Ensaios Literários*, p. 90).

sicatividade. *S. f.* Qualidade de sicativo.

sicativo. [Do lat. *siccativu*.] *Adj.* **1.** Que seca; secante. ● *S. m.* **2.** Medicamento que seca ou cicatriza feridas. [Cf. *secativo*.]

siciliana. [Fem. substantivado do adj. *siciliano*.] *S. f. Mús.* **1.** Originariamente, pequena composição poética, de caráter sentimental, destinada à música. **2.** Nos sécs. XVII e XVIII, dança de origem italiana e caráter pastoril, em andamento moderado e compasso cadenciado de 6 por 8 ou 12 por 8. Figurou em óperas, suítes, sonatas, concertos italianos, franceses e alemães, como um movimento expressivo e moderado, inserido entre dois movimentos mais vivos.

siciliano. *Adj.* **1.** Da, ou pertencente ou relativo à Sicília (Itália). ● *S. m.* **2.** O natural ou habitante da ilha da Sicília. [Sin. ger.: *sículo*. Cf. *Ceciliano*, antr.]

sicite. [Do gr. *sykítes*, i. e., *oínos sykítes*, 'vinho de figo', pelo lat. *sycites*.] *S. f.* Vinho de figos bebido pelos antigos.

siclo. [Do hebr. *shekel*, pelo gr. *síklos* e pelo lat. *siclu*.] *S. m.* **1.** Unidade de peso utilizada no Oriente antigo: "— Toma perfumes, o peso de quinhentos siclos da melhor mirra, a metade menos de .... cana aromática." (João do Rio, *Sésamo*, p. 28.) **2.** Moeda dos hebreus, de prata pura, e que pesava seis gramas. **3.** Unidade monetária, e moeda, de Israel, dividida em 100 agoras. [Cf. *ciclo*.]

sico. *S. m. Bras.* V. *bicho-do-pé*.

sicófago. [De *sico(n)-* + *-fago*.] *Adj.* e *s. m.* Que ou aquele que se nutre de figos.

sicofanta. [Do gr. *sykophántes*, pelo lat. *sycophanta*.] *S. 2 g.* **1.** Denunciante de quem roubasse figos, entre os antigos gregos. **2.** Pessoa mentirosa, difamadora, delatora, velhaca: "O meu amigo reitor continuava no seu posto, eu é que fora rasurado como dispensável. O sicofanta literário, que se emboscara no ministério por trás dum rufador de caixa, assim o decretara." (Aquilino Ribeiro, *Estrada de Santiago*, p. 207.)

sicofantismo. *S. m.* Caráter ou procedimento de sicofanta.

sicoma. [Do gr. *sykoma*.] *S. m. Med.* Verruga, condiloma.

sicomancia (ci). [De *sico(n)-* + *-mancia*.] *S. f.* Adivinhação dos antigos, por meio de folhas de figueira, onde escreviam as perguntas de que se desejavam respostas.

sicomante. [De *sico(n)+ -mante*.] *S. 2 g.* Pessoa que praticava a sicomancia.

sicomântico. *Adj.* Referente à sicomancia, ou a sicomante.

sicômoro. [Do gr. *sykómoros*, pelo lat. *sycomoru*.] *S. m.* Falso-plátano.

▲**sico(n)-.** [Do gr. *sýkon, ou*.] *El. comp.* = 'figo': *sicônio, sicomancia.*

sícone. *S. m. Morfol. Veg.* Sicônio.

sicônio. [De *sico(n)-* + *-io*[2].] *S. m. Morfol. Veg.* Fruto múltiplo, do gênero *Ficus*, do qual o figo comum é exemplo típico. Consta de um amplo receptáculo fechado, salvo na porção superior, dentro do qual estão os legítimos frutos: minúsculos aquênios duros. A inflorescência que antecede a frutificação chama-se também *sicônio*.

sicorda. *S. f. Constr. Nav.* Viga disposta no sentido longitudinal da embarcação, ligando os extremos de vaus interrompidos pela abertura de uma escotilha. [Cf. *corda* (9).]

sicose. [Do gr. *sykosis*, pelo lat. *sycose*.] *S. f. Med.* Dermatose de natureza inflamatória que compromete folículos pilosos, sobretudo de barba, dando origem a pápulas ou a pústulas, e que ocorre com freqüência em organismos debilitados.

sicótico. [Do gr. *sýkotós*, que, aliás, significa 'temperado com figo', + *-ico*[2].] *Adj.* Relativo à sicose.

sicrano. *S. m.* A segunda de duas ou três pessoas mencionadas indeterminadamente, cabendo à primeira o nome de *fulano*, e à terceira, se houver, o de *beltrano*: "cartas para fulano e sicrano, convites pra reuniões" (Xavier Marques, *As Voltas da Estrada*, p. 116); "o aldeão macróbio evocava antigas pessoas que conhecera. Ali morava fulano, além beltrano, mais adiante sicrano" (Manuel Ribeiro, *A Planície Heróica*, p. 133). [Conforme se vê do último exemplo, há quem use *beltrano* como a segunda pessoa, e *sicrano* como a terceira.]

sicuíra. [De provável or. tupi.] *S. f. Bras.* V. *enxuí*.

sículo. [Do lat. *siculu*.] *Adj.* e *s. m.* Siciliano.

sicupira. *S. f. Bras.* Var. dissimilada de *sucupira*.

sicupira-amarela. *S. f. Bras.* Var. de *sucupira-amarela*. [Pl.: *sicupiras-amarelas*.]

sicupira-branca. *S. f. Bras.* Var. de *sucupira-branca*. [Pl.: *sicupiras-brancas*.]

sicupira-do-cerrado. *S. f. Bras.* Var. de *sucupira-do-cerrado*. [Pl.: *sicupiras-do-cerrado*.]

sicuri. *S. m. Bras., N.* Var. de *sucuri* (2). [V. *cação-sicuri* e *sicuri-de-galha-preta*.]

sicuri-de-galha-preta. *S. m. Bras.* V. *cação-garoupa*. [Pl.: *sicuris-de-galha-preta*.]

■**SIDA.** V. *síndrome de deficiência imunológica adquirida*.

sidagã. [Do ioruba.] *S. f. Bras. Folcl.* Dagã (1).

➧**side-car** (sáid'-car). [Ingl.] *S. m.* **1.** Carrinho que se prende ao lado de uma motocicleta. **2.** *P. ext.* O conjunto da motocicleta com o *side-car* (1).

sideração. [De *siderar* + *-ção*.] *S. f.* **1.** Suposta influência de um astro na vida ou saúde de alguém. **2.** Ato ou efeito de siderar; fulminação. **3.** *Med.* Estado de abatimento súbito das forças vitais, que se pode manifestar por parada respiratória e aspecto de morte aparente, e que pode ocorrer em certas situações como, p. ex., narcose brusca pelo clorofórmio.

sideral. [Do lat. *siderale*.] *Adj. 2 g.* **1.** Relativo aos astros, ou próprio deles: "Viu .... formas fluidas que se cruzavam com cintilações siderais, anjos, talvez." (Coelho Neto, *Treva*, p. 45.) **2.** Referente ao, ou próprio do céu; celeste. [Sin. ger.: *astral, sidérico* e *sidéreo*.] ~ V. *ano —, hora —, pêndula —, relógio —* e *tempo —*.

sideralidade. [De *sideral* + *-i-* + *-dade*.] *S. f. Espir.* Estado do corpo astral após a morte.

siderar. [Do lat. *siderare, por *siderari*.] *V. t. d.* **1.** Fulminar, aniquilar. **2.** *Fig.* Pôr perplexo, atordoado, atônito; atordoar, aturdir: *O medo siderou-o*; "Tanta pompa acabou de me siderar de todo e eu fechei os olhos assombrados." (Aquilino Ribeiro, *Cinco Réis de Gente*, p. 45).

sidéreo. [Do lat. *sidereu*.] *Adj. Poét.* V. *sideral*.

▲**sider(i)-.** [Do lat. *sidus, eris*.] *El. comp.* = 'astro': *sidérico; sideróstato.*

sidérico[1]. [De *sider(i)-* + *-ico*[2].] *Adj.* V. *sideral*.

sidérico[2]. [De *sider(o)-* + *-ico*[2].] *Adj.* Relativo ao, ou próprio do ferro; férreo.

siderismo. [De *sider(i)-* + *-ismo.*] *S. m.* Adoração dos astros; sabeísmo.
siderita. [De *sider(o)-* + *-ita*³.] *S. f. Min.* Mineral trigonal, carbonato de ferro, minério pobre de ferro.
siderito. [De *sider(o)-* + *-ito*².] *S. m. Min.* Aerólito que tem mais de 90% de minério de ferro.
▲**sider(o)-.** [Do gr. *síderos, ou.*] *El. comp.* = 'ferro', 'aço': *siderotecnia; siderito.*
siderogáster. [De *sider(o)-* + gr. *gastér,* 'estômago'.] *Adj. 2 g. Zool.* Cujo ventre é ferruginoso ou da cor da ferrugem. [Pl.: *siderogásteres.*]
siderografia. [De *sider(o)-* + *-graf(o)-* + *-ia.*] *S. f.* Arte de gravar em aço.
siderográfico. *Adj.* Referente à siderografia.
siderógrafo. [De *sider(o)-* + *-grafo.*] *S. m.* Aquele que pratica a siderografia; gravador em aço.
siderolítico. *Adj.* Relativo a siderólito.
siderólito. [De *sider(o)-* + *-lito.*] *S. m. Min.* Aerólito com grande proporção de minérios de ferro e de níquel, afora outros corpos não metálicos.
sideromancia (cí). [De *sider(o)-* + *-mancia.*] *S. f.* Adivinhação por meio duma barra de ferro candente, sobre a qual se atiravam pedaços de palha para se observar como ardiam e que direção tomava a fumaça.
sideromante. [De *sider(o)-* + *-mante.*] *S. 2 g.* Pessoa que praticava a sideromancia.
sideromântico. *Adj.* Relativo à sideromancia, ou a sideromante.
sideroscópio. [De *sider(o)-* + *-scop-* + *-io*².] *S. m.* Instrumento com que se estuda a influência dos ímãs nos corpos.
siderose. [De *sider(o)-* + *-ose.*] *S. f. Med.* **1.** Pneumoconiose causada pela inalação de partículas de ferro ou de outros metais. **2.** Depósito de ferro num órgão.
sideróstato. [De *sider(i)-* + *-o-* + *-stato.*] *S. m.* Aparelho próprio para se estudar a luz dos astros.
siderotecnia. [De *sider(o)-* + *-tecn(o)-* + *-ia.*] *S. f.* Siderurgia.
siderotécnico. *Adj.* Relativo à siderotecnia; siderúrgico.
siderurgia. [Do gr. *siderourgía,* 'trabalho (*érgon*) feito sobre o ferro' (*síderos*).] *S. f.* **1.** Metalurgia do ferro e do aço. **2.** Arte de ferrador. [Sin.: *siderotecnia.*]
siderúrgica. [Fem. substantivado do adj. *siderúrgico.*] *S. f. Bras.* Estabelecimento ou empresa siderúrgica.
siderúrgico. *Adj.* Respeitante à siderurgia; siderotécnico.
sidônio. [Do gr. *sidónios,* pelo lat. *sidoniu.*] *Adj.* **1.** De, ou pertencente ou relativo a Sídon, cidade da Fenícia. ● *S. m.* **2.** O natural ou habitante de Sídon. [Fem.: *sidônia.* Cf. *Cidônia,* top.]
sidra. [Do hebr. *shechar,* pelo lat. *sicera* e pelo esp. *sidra.*] *S. f.* Bebida que se prepara com o suco fermentado da maçã. [Cf. *cidra.*]
sidrolandense. *Adj. 2 g.* **1.** De, ou pertencente ou relativo a Sidrolândia (MS). ● *S. 2 g.* **2.** Natural ou habitante de Sidrolândia.
siemens. [Do antr. *Siemens,* de Werner von Siemens, engenheiro alemão (1816-1892).] *S. m. Eletr.* Unidade de medida de condutância, igual ao inverso de ohm; mho. [Símb.: *S.*]
sienítico. *Adj.* Referente ao sienito.
sienito. [Do top. *Siene* (atual Assuã, no Egito) + *-ito*².] *S. m. Pet.* Rocha magmática, granular, de profundidade, caracterizada pela presença de feldspato alcalino, mica, piroxênio e anfibólios.
sifão. [Do gr. *síphon,* 'tubo para aspirar água', pelo lat. *siphone.*] *S. m.* **1.** Tubo recurvado, em forma de *S,* de ramos desiguais, normalmente utilizado para transvasar líquidos sem inclinar os vasos que os contém. **2.** Garrafa em que se introduz água gasosa sob pressão, e que contém um dispositivo que faz jorrar o líquido. **3.** Tubo de curvatura dupla em cujo interior fica certa porção de água, e que se adapta a pias, esgotos, latrinas, etc., para impedir a exalação do mau cheiro. **4.** *Med. Obsol.* Aparelho empregado para lavagem de certas cavidades do organismo, tais como a pleural, a estomacal, a nasal, etc. **5.** *Zool.* Órgão alongado de certos moluscos, por meio do qual se estabelece comunicação entre a cavidade respiratória e o exterior. **6.** *Zool.* Goteira que prolonga a concha.
▲**sifili-.** [De *sífilis.*] *El. comp.* = 'sífilis': *sifilicômio.* [Equiv.: *sífilo-: sifilografia.*]
sifilicômio. [De *sifili-* + *-cômio.*] *S. m.* Hospital especializado no tratamento da sífilis.
sifílide. [Do fr. *syphilide,* t. criado pelo dermatologista francês Jean Louis Alibert (1768-1837).] *S. f. Patol.* Manifestação cutânea da sífilis.
sifiligrafia. [De *sifili-* + *-graf(o)-* + *-ia.*] *S. f.* V. *sifilografia.*
sifiligráfico. *Adj.* V. *sifilográfico.*
sifilígrafo. *S. m.* V. *sifilógrafo.*
sífilis. [Do antr. *Syphilus,* protagonista do poema *Syphilis sive morbus gallicus,* de Girolamo Fracastoro (1478?-1553), médico e poeta veronês; incorrendo na ira dos deuses, é o personagem castigado com uma moléstia repugnante, e o autor traça a propósito uma descrição da sífilis e de sua terapêutica antiga, baseada no mercúrio e no guáiaco.] *S. f. 2 n. Patol.* Doença infecciosa e contagiosa, transmitida sobretudo por contato sexual, transmissível à descendência, e cuja causa é um espiroqueta (gênero *Treponema,* espécie *T. pallidum*). [Sin.: *avariose, lues* e (pop.) *mal-americano, mal-canadense, mal-céltico, mal-da-baía-de-são-paulo, mal-de-coito, mal-de-fiúme, mal-de-franga* ou *mal-de-frenga, mal-de-nápoles, mal-de-santa-eufêmia, mal-de-são-jó, mal-de-são-névio, mal-de-são-semento, mal-dos-cristãos, males, mal-escocês. mal-francês, mal-gálico, mal-germânico, mal-ilírico, mal-napolitano, mal-polaco, mal-turco, gálico, venéreo.*]
sifilítico. [De *sífili-* + *-t-* + *-ico*².] *Adj.* **1.** Respeitante à, ou próprio da sífilis. **2.** Que é doente de sífilis. [Sin., pop., nesta acepç.: *malinado.*] ● *S. m.* **3.** Indivíduo doente de sífilis.
sifilização. *S. f.* Ato ou efeito de sifilizar(-se).
sifilizar. *V. t. d.* **1.** Transmitir sífilis a. *P.* **2.** Contrair sífilis.
▲**sifilo-.** Equiv. de *sifili-.*
sifilografia. [De *sifilo-* + *-graf(o)-* + *-ia.*] *S. f.* Parte da medicina que trata da sífilis.
sifilográfico. *Adj.* Concernente à sifilografia.
sifilógrafo. *S. m.* Especialista em sifilografia.
sifiloma. [De *sifilo-* + *-oma.*] *S. m. Patol.* Tumor de natureza sifilítica. [Cf. *goma* (3).] ♦ **Sifiloma primário.** *Patol.* O cancro sifilítico.
sifonado. [De *sifão* + *-ado*¹.] *Adj.* Provido de sifão.
sifonáptero. [De *sifon(o)-* + *áptero.*] *S. m.* **1.** Espécime dos sifonápteros; afaníptero, ropoteiro, suctório. ● *Adj.* **2.** Pertencente ou relativo aos sifonápteros.
sifonápteros. *S. m. pl. Zool.* Animais artrópodes, da classe dos insetos, ordem *Siphonaptera,* holometabólicos, ápteros, de aparelho bucal pungitivo, corpo comprimido, pernas longas, adaptadas para o salto. As larvas, vermiformes, e as pupas, abrigadas em casulos. Os adultos parasitam aves e mamíferos, e algumas espécies penetram no corpo do hospedeiro. São as pulgas e os bichos-do-pé. [Sin.: *afanípteros, ropoteiros, suctórios.*]
▲**sifon(o)-.** [Do gr. *síphon, onos.*] *El. comp.* = 'sifão'; 'tubo': *sifonóforo; sifonáptero.*
sifonóforo. [De *sifon(o)-* + *-foro.*] *S. m.* Espécime dos sifonóforos.
sifonóforos. *S. m. pl. Zool.* Animais celenterados, hidrozoários, da ordem *Siphonophora,* que vivem em colônias livres, em geral flutuantes, com vários tipos de pólipos, a parte superior da colônia com uma vesícula oca, nematocistos numerosos, desenvolvidos e de ação muito forte, e medusas incompletas, raramente livres. São marinhos ou pelágicos, comuns nos mares quentes.
sifonogamia. [De *sifon(o)-* + *-gam(o)-* + *-ia.*] *S. f. Bot.* Fecundação das fanerógamas, em que os espermatozóides chegam ao óvulo dentro do tubo polínico. [Opõe-se a *assifonogamia.*]
sifonóglifo. [De *sifon(o)-* + *-glifo.*] *S. m.* Sulco longitudinal do tubo esofagiano das actínias.
sifonóide. [De *sifon(o)-* + *-óide.*] *Adj. 2 g.* Que tem forma de sifão.
sifonostelia. [De *sifonostelo* + *-ia.*] *S. f. Anat. Veg.* A existência de um sifonostelo [q. v.].
sifonostélico. *Adj. Anat. Veg.* Relativo ao sifonostelo.
sifonostelo. [De *sifon(o)-* + *(e)stelo.*] *S. m. Anat. Veg.* Estelo com um cilindro central de parênquima, dito *medula.*
sifonóstomo. [De *sifon(o)-* + *-stomo.*] *Adj. Zool.* **1.** Cuja boca se prolonga em forma de sifão. **2.** Pertencente ou relativo aos sifonóstomos. ● *S. m.* **3.** Espécime dos sifonóstomos.
sifonóstomos. *S. m. pl. Zool.* Família de peixes acantopterígios.
sifunculado. *S. m.* e *adj.* V. *anopluro.*
sifunculados. *S. m. pl. Zool.* V. *anopluros.*
sigilação. *S. f.* Ato ou efeito de sigilar.
sigilado. [Part. de *sigilar*².] *Adj.* **1.** Sigiloso. **2.** Que foi objeto de sigilação. **3.** Diz-se de um tipo de cerâmica, galo-romana, decorada ou assinada por meio de marcas de buril ou de sinete.
sigilar¹. [De *sigilo* + *-ar*¹.] *Adj. 2 g.* Relativo a sigilo.
sigilar². [Do lat. **sigillare.*] *V. t. d.* Pôr selo em; selar.
sigilariácea. *S. f.* Espécime das sigilariáceas.
sigilariáceas. *S. f. pl. Paleont.* Família de pteridófitos fósseis, de proporções avantajadas e com folhas compridas e estreitas, que viveram no carbonífero e no permiano.
sigilariáceo. *Adj.* Pertencente ou relativo às sigilariáceas.
sigilismo. [De *sigilo* + *-ismo.*] *S. m.* Cisma religioso ocorrido em Coimbra na metade do séc. XVIII, que advogava a quebra do sigilo da confissão.
sigilista. *Adj. 2 g.* **1.** Referente ao, ou que é sectário do sigilismo. ● *S. 2 g.* **2.** Sectário do sigilismo.
sigilo. [Do lat. *sigillu,* 'selo'.] *S. m.* **1.** Segredo (1 a 3 e 5): "Datava dessa época sua ligação política com o Manuelzinho, a quem ia ver freqüentemente, tendo com ele infindáveis conciliábulos, conservados em s i g i l o hermético." (Godofredo Rangel, *Os Humildes,* p. 111); "essa atividade discreta, misteriosa, invisível, passada toda ela no s i g i l o dos conclaves partidários". (Oliveira Viana, *Pequenos Estudos de Psicologia Social,* p. 69). **2.** *Ant.* Sinete de selo; marca, carimbo, selo: "Ele era belo; na espaçosa fronte / O dedo do Senhor gravado havia / O s i g i l o do gênio" (Fagundes Varela, *Poesias Completas,* I, p. 128). ♦ **Sigilo confessional.** Dever a que está obrigado o sacerdote de não revelar o que ouve em confissão (4). **Sigilo profissional.** Dever ético que impede a revelação de assuntos confidenciais ligados à profissão; segredo profissional.
sigilografia. [De *sigilo* + *-graf(o)-* + *-ia.*] *S. f.* Ramo da arqueologia e da diplomática que estuda os selos.
sigilográfico. *Adj.* Referente à sigilografia.
sigiloso (ô). *Adj.* Que contém ou envolve sigilo; secreto, sigilado.
sigla. [De lat. *sigla,* 'abreviatura'.] *S. f.* **1.** *Paleogr.* Letra inicial, simples ou repetida, usada como abreviatura em monumentos, medalhas e manuscritos antigos. **2.** Acrograma. **3.** Sinal convencional; rubrica. **4.** Reunião das letras iniciais dos vocábulos fundamentais de uma denominação ou título, sem articulação prosódica, constituindo meras abreviaturas. Ex.: E.F.C.B. = Estrada de Ferro Central do Brasil; "Chamam-se assim [ferros] os sinais de todos os feitios, ou letras, ou desenhos caprichosos com s i g l a s, impressos, por tatuagem a fogo, nas ancas do animal, completados pelos cortes, em pequenos ângulos, nas orelhas." (Euclides da Cunha, *Os Sertões,* pp. 122-123.) [Cf., nesta acepç.: *bigla, trigla* e *monograma.*]
siglação. *S. f.* **1.** Ação ou efeito de siglar. **2.** Conjunto de fenômenos que se produzem ao siglar.
siglado. [Part. de *siglar.*] *Adj.* Que se siglou, ou compôs em formas siglares.
siglador (ô). [De *siglar*² + *-(d)or.*] *Adj.* e *s. m.* Que ou aquele que compõe formas siglares.
siglar¹. [De *sigla* + *-ar*¹.] *Adj. 2 g.* Pertencente ou relativo a siglas.
siglar². [De *sigla* + *-ar*².] *V. t. d.* Compor (formas siglares); siglizar.
siglatura. [De *siglar*² + *-(t)ura.*] *S. f.* **1.** Mecanismo compositivo das formas siglares, particularmente das siglas. **2.** Conjunto de princípios a que se acomoda a composição das siglas.
siglema. [De *sigla* + a termin. de *fonema, morfema,* etc.] *S. m.* Sigla que adota a forma própria do idioma em que se produz, utilizando apenas as partes fundamentais da denominação dada. Ex.: Cemu = Campanha de Emergência de Melhoramentos Urbanos.
siglista. *S. 2 g.* Pessoa que coleciona formas siglares.
siglística. [De *sigl(a)* + *(lingü)ística.*] *S. f.* Ordem de idéias e estudos que compreendem os fenômenos lingüísticos originados pelas formas siglares.
siglístico. [De *siglística.*] *Adj.* Pertencente ou relativo à siglística.
siglizante. *Adj. 2 g.* Que sigliza.
siglizar. [De *sigla* + *-izar.*] *V. t. d.* Siglar.
siglógrafo. [De *sigla* + *-o-* + *-grafo.*] *S. m.* Aquele que registra, expõe e descreve formas siglares.
siglóide. [De *sigla* + *-óide.*] *S. m.* Siglema aparente, no qual ou se utilizam termos secundários, omitindo-se termos fundamentais, ou não se respeita o princípio de tomar dos vocábulos só a letra inicial. Ex.: Cepal = Comissão Econômica para a América Latina.
siglologia. [De *sigla* + *-o-* + *-log(o)-* + *-ia.*] *S. f.* Estudo das formas siglares.
siglológico. *Adj.* Relativo à siglologia.
siglólogo. [De *sigla* + *-o-* + *-logo.*] *S. m.* Aquele que estuda as formas siglares.
siglomania. [De *sigla* + *-o-* + *mania.*] *S. f.* Exageração e deformação no emprego de formas siglares.
siglonimização. *S. f.* Ação ou efeito de siglonimizar.
siglonimizar. [De *siglônimo* + *-izar.*] *V. t. d.* Formar

siglônimos.
siglônimo. [De *sigla* + *-ônimo.*] *S. m.* Formação léxica resultante da justaposição do nome das iniciais de uma forma siglada própria . Ex.: *Becegê* = Bacilos Calmette Guèrin.
siglonomia. [De *sigla* + *-ono(m)(a)-* + *-ia.*] *S. f.* Enunciação, como elementos de uma palavra, do nome das siglas.
siglonômico. *Adj.* Pertencente à siglonomia.
sigma. [Do gr. *sígma*, pelo lat. *sigma.*] *S. m.* A 18ª letra do alfabeto grego (Σ, σ, ς), correspondente ao nosso esse.
sigma-mais. *S. m. Fís. Nucl.* Bárion que no estado fundamental tem massa igual a 1,281 unidades de massa atômica, spin um meio, paridade positiva, e carga positiva igual à do próton. [Pl.: *sigmas-mais.*]
sigma-menos. *S. m. Fís. Nucl.* Bárion que no estado fundamental tem massa igual a 1,281 unidades de massa atômica, spin igual a um meio, paridade positiva e carga negativa igual à do elétron. [Pl.: *sigmas-menos.*]
sigmático. *Adj.* Em que existe a letra *s.*
sigmatismo. [Do gr. *sigmatismós.*] *S. m.* Repetição viciosa do esse ou de outras sibilantes [v. *sibilante* (3).]
sigma-zero. *S. m. Fís. Nucl.* Bárion que no estado fundamental tem massa igual a 1,281 unidades de massa atômica, spin igual a um meio, paridade positiva, e carga nula. [Pl.: *sigmas-zeros.*]
sigmóide. [Do gr. *sigmoeidés.*] *Adj. 2 g. Anat.* Diz-se de certas válvulas e cavidades, e de porção do intestino grosso no corpo humano, que têm forma de sigma. ~ V. *alça* — e *curva* —.
sigmoidite. [De sigmóide + *-ite*[1].] *S. f. Patol.* Inflamação da alça sigmóide.
signa. [Do lat. *signa*, 'sinais'.] *S. f.* Bandeira, estandarte, insígnia, pendão, sina.
signatário. [Do lat. *signatu*, 'assinado', + *-ário.*] *Adj.* e *s. m.* Que ou aquele que assina ou subescreve um documento.
significação. [Do lat. *significatione.*] *S. f.* **1.** O que as coisas querem dizer. **2.** V. *acepção* (1). **3.** Aquilo que alguma coisa significa.
significado. [Do lat. *significatu.*] *S. m.* **1.** V. *acepção* (1). **2.** Palavra equivalente no mesmo ou em outro idioma. **3.** *Ling.* A representação, na linguagem, do significante [q. v.]. [Corresponde ao conceito ou à noção, ao passo que o significante corresponde à forma.] ♦ **Significado gramatical.** Aquele que se estabelece dentro de um sistema lingüístico determinado e que dele depende. **Significado lexical.** Aquele que se estabelece em relação ao mundo biossocial.
significador (ô). *Adj.* e *s. m.* Que ou o que significa.
significância. [Do lat. *significantia.*] *S. m.* Valor (12).
significante. [Do lat. *significante.*] *Adj.* **1.** V. *significativo.* ● *S. m.* **2.** *Ling.* A parte fônica, ou imagem acústica, de um fonema (ou seqüência de fonemas) provido de significação.
significar. [Do lat. *significare.*] *V. t. d.* **1.** Ter o sentido de; querer dizer; dizer: "Em latim, *litteratura* significava instrução, saber relativo à arte de escrever e ler, ou ainda gramática, alfabeto, erudição, etc." (Vítor Manuel de Aguiar e Silva, *Teoria da Literatura*, p. 20.) **2.** Querer dizer; expressar, exprimir: *Um aceno de cabeça* significou *sua aprovação.* **3.** Ser sinal de; denotar: *A última derrota* significou *o deficiente preparo das tropas;* "a solidão deste povo [o norte-americano] significa a morte da alegria." (Fernando Sabino, *Medo em Nova Iorque. A Cidade Vazia*, p. 222). **4.** Dar a entender; mostrar: *A vacilação do presidente da companhia* significa *a ausência de diretrizes seguras.* **5.** Ser, constituir: *Os impostos* significam *a fonte de receita do Estado.* **6.** Traduzir-se por : *"to be or not to be"* significa *'ser ou não ser'.* **7.** Ser o símbolo ou a representação de: *Luís XIV* significa *o absolutismo real.* **8.** *P. us.* Fazer conhecer; informar, participar. *T. d.* e *i.* **9.** *P. us.* Significar (8): *Chamei-o à parte e* significar-*quei-lhe a minha decepção.* [Conjug.: v. *trancar.*]
significativo. [Do lat. *significativu.*] *Adj.* **1.** Que significa. **2.** Que expressa com clareza. **3.** Que contém revelação interessante; expressivo. [Sin. ger.: *significante.* ~ V. *algarismo* —.
signo. [Do lat. *signu.*] *S. m.* **1.** Sinal, símbolo. **2.** Cada uma das 12 constelações que se localizam na faixa do Zodíaco [q. v.], a saber: Áries, Touro, Gêmeos, Câncer, Leão, Virgem, Libra, Escorpião, Sagitário, Capricórnio, Aquário, Peixes. **3.** *Astrol.* Cada uma dessas constelações, as quais, acredita-se, influenciam o destino e o caráter daqueles que nascem em cada período do ano correspondente a um signo (2): "O mar seria o meu elemento natural, se ao menos eu soubesse nadar. Além desse inconveniente há umas raízes que me prendem à terra, o que dá sempre assunto de conversa, pois o meu signo é Touro." (Carlos Lacerda, *A Casa do Meu Avô*, p. 178.) **4.** *Ling.* Entidade constituída pela combinação de um *conceito*, denominado *significado*, e uma *imagem acústica*, denominada *significante.* [A imagem acústica de um signo lingüístico não é a palavra falada (ou seja, o som material) mas a impressão psíquica deste som, segundo Saussure (v. *saussuriano);* no uso corrente, contudo, o termo *signo* designa freqüentemente a palavra.] **5.** *Semiol.* Todo objeto, forma ou fenômeno que representa algo distinto de si mesmo: a cruz significando 'cristianismo'; a cor vermelha significando 'pare' (código de trânsito); uma pegada indicando a 'passagem' de alguém; as palavras designando 'coisas (ou classe de coisas)' do mundo real; etc. ♦ **Signo arbitrário.** *Semiol.* V. *símbolo* (16). **Signo do zodíaco.** *Astr.* Região do zodíaco [q. v.] que compreende 1/12 desta faixa da esfera celeste, tendo, assim, 30º de extensão. **Signo imotivado.** *Semiol.* V. *símbolo* (16). **Signo lingüístico.** *Ling.* Signo da linguagem falada; palavra. **Signo motivado.** *Semiol.* Aquele em que a razão pela qual um significante corresponde a um determinado significado é evidente, natural ou causal, a exemplo do que ocorre nos ícones e nos índices. **Sob o signo de.** Sob a influência de: *A Revolução Francesa implantou-se* sob o signo da *liberdade, da igualdade e da fraternidade.*
signo-de-salomão. *S. m.* V. *estrela-de-davi.* [Var.: *signo-salomão, signo-salmão, signo-saimão, sino-salomão, sino-salmão, sino-saimão, sanselimão, samão.* Pl.: *signos-de-salomão.*]
signo-saimão. *S. m.* V. *estrela-de-davi.* [Pl.: *signos-saimões* e *signos-saimão.*]
signo-salmão. *S. m.* V. *estrela-de-davi.* [Pl.: *signos-salmões* e *signos-salmão.*]
signo-salomão. [Var. de *signo-de-salomão.*] *S. m.* V. *estrela-de-davi.* [Pl.: *signos-salomões* e *signos-salomão.*]
sílaba. [Do gr. *syllabé*, pelo lat. *syllaba.*] *S. f.* **1.** Som produzido por uma única emissão de voz assinalada por um ápice de abrimento articulatório e tensão muscular, que corresponde, em português, a uma vogal. **2.** Vogal ou reunião de fonemas que se pronunciam numa só emissão de voz. **3.** *Fig.* e *fam.* Som articulado. [Cf. *silaba,* do v. *silabar.*] ♦ **Sílaba ancípite.** Na métrica quantitativa clássica, sílaba de quantidade indiferente (longa ou breve). **Sílaba átona.** *Fon.* V. *intensidade* (3). **Sílaba breve.** Aquela em que a voz é quase instantânea, e que equivale a um único tempo. **Sílaba longa.** Aquela em que a voz se prolonga por certo espaço de tempo, e que equivale a duas sílabas breves. **Sílaba postônica.** *Fon.* V. *intensidade* (3). **Sílaba pretônica.** *Fon.* V. *intensidade* (3). **Sílaba tônica.** *Fon.* V. *intensidade* (3).
silabação. *S. f.* **1.** Ato ou efeito de silabar. **2.** Aprendizado de leitura que consiste em ler logo sílabas.
silabada. [De *sílaba* + *-ada*[1].] *S. f.* Erro de pronúncia, especialmente o que consiste em deslocar o acento tônico da palavra. [Ex.: *pégada*, por *pegada; ináudito*, por *inaudito; cocainomano*, por *cocainômano.*]
silabar. *V. int.* Ler ou pronunciar por sílabas. [Pres. ind. *silabo, silabas, silaba*, etc. Cf. *sílabo* e *sílaba.*]
silabário. [De *sílaba* + *-ário.*] *S. m. Paleogr.* O conjunto dos sinais componentes de uma escrita silábica.
silábico. [Do gr. *syllabikós.*] *Adj.* **1.** Relativo às sílabas. **2.** Em sílabas. ~ V. *escrita* —a e *verso* —.
silabismo. [De *sílaba* + *-ismo.*] *S. m.* **1.** O princípio formador das escritas silábicas. [V. *fonetismo.*] **2.** Sistema de escrita em que se representa cada sílaba por um sinal próprio.
sílabo. [Do gr. *syllabós*, 'índice', pelo lat. *syllabu.*] *S. m.* **1.** Lista de erros que o Papa condenou. **2.** *Restr.* O sílabo promulgado por Pio IX em 1861. [Cf. *silabo*, do v. *silabar.*]
silabograma. [De *sílabo* + *-o-* + *-grama.*] *S. m. Paleogr.* Sinal de notação das escritas silábicas.
silagem. [De *silo* + *-agem*[2].] *S. f.* **1.** Ensilagem. **2.** Forragem tirada dos silos para alimentar os animais. [Cf. *selagem* e *celagem.*]
silano. [Do ingl. *silane.*] *S. m. Quím.* Grupo de compostos de hidrogênio e silício, análogos aos hidrocarbonetos.
silenciador (ô). *Adj.* **1.** Que silencia. ● *S. m.* **2.** Peça adaptável ao cano da arma de fogo, para silenciar o disparo. **3.** *Autom.* Silencioso (6).
silencial. [De *silêncio* + *-al.*] *Adj. 2 g. Poét.* Silencioso: "Ali, ao luar, são todos bons amigos, / E as horas correm silenciais e calmas..." (Alphonsus de Guimaraens, *Obra Completa*, p. 201.)
silenciar. [De *silêncio* + *-ar*[2].] *V. t. d.* **1.** Guardar silêncio, calar-se, a respeito de: *Prometeu* silenciar o assunto. **2.** Impor silêncio a; calar: *A resposta* silenciou *os descontentes.* **3.** Omitir (1): *Em seu depoimento, o réu* silenciou *um detalhe importante;* "Procurei ser objetivo e não silenciar nem o bem que ali [nos E.U.A.] encontrei nem os erros e os perigos que a sua civilização, a meu ver, contém." (Alceu Amoroso Lima, *A Realidade Americana*, p. 245). **4.** Matar; assassinar: *O bando* silenciou *a testemunha. T. i.* **5.** Guardar silêncio; calar(-se): *É preciso* silenciar *sobre o fato. Int.* **6.** Guardar silêncio; calar(-se): "Nunca explicar. Silenciar." (Iolanda Jordão, *Poesias*, p. 135.) [Pres. ind.: *silencio*, etc. Cf. *silêncio.*]
silenciário. [Do lat. *silentiariu.*] *S. m.* **1.** Dignitário da corte bizantina. **2.** Designação comum a alguns religiosos que guardam grande silêncio.
silêncio. [Do lat. *silentiu.*] *S. m.* **1.** Estado de quem se cala. **2.** Privação de falar. **3.** Interrupção de correspondência epistolar: "Passou um ano. Uma manhã, depois dum grande silêncio de Basílio, recebeu da Bahia uma longa carta" (Eça de Queirós, *O Primo Basílio*, p. 19). **4.** Taciturnidade (1). **5.** Interrupção de ruído; calada. **6.** Sossego, calma, paz: "Um dorido silêncio vem da Lua / Sobre o parque dos plátanos sombrios." (Afonso Duarte, *Obra Poética*, p. 121); "O silêncio do fundo dos mares deve ser o mesmo do ventre materno." (Raquel Jardim, *Inventário das Cinzas*, p. 11). **7.** Sigilo, segredo. ● *Interj.* **8.** Para mandar calar ou impor sossego. [Cf. *silencio*, do v. *silenciar.*]
silencioso (ô). [Do lat. *silentiosu.*] *Adj.* **1.** Que está em silêncio. **2.** Que se abstém de falar; calado. **3.** Em que não há ruídos: "Vinha tombando a noite silenciosa" (Guerra Junqueiro, *A Velhice do Padre Eterno*, p. 161). **4.** Que não faz barulho. [Sin., poét., nessas acepç.: *silente.*] ● *S. m.* **5.** Indivíduo taciturno ou silencioso. **6.** Autopeça cilindriforme que se destina a reduzir o ruído provocado pela descarga dos gases dos motores a explosão; silenciador.
silente. [Do lat. *silente.*] *Adj. 2 g. Poét.* Silencioso (1 a 4): "A noite cai silente e queda..." (Da Costa e Silva, *Sangue*, p. 73.)
silepse. [Do gr. *syllepsis*, 'ação de compreender', pelo lat. *syllepse.*] *S. f.* **1.** *Gram.* Figura pela qual a concordância das palavras se faz de acordo com o sentido e não segundo as regras da sintaxe. [A silepse pode ser: **a)** *de gênero;* ex.: "Admitindo a idéia de que eu fosse capaz de semelhante vilania, S. M. foi cruelmente injusto para comigo." (Alexandre Herculano, *Cartas*, II. p. 9); **b)** *de número;* ex.: "— O resto do exército realista evacua neste momento Santarém; vão em fuga para o Alentejo." (Almeida Garrett, *Viagens na Minha Terra*, p. 311); "Muita gente anda no mundo sem saber pra quê: vivem porque vêem os outros viverem." (J. Simões Lopes Neto, *Contos Gauchescos e Lendas do Sul*, p. 235); **c)** *de gênero e número* (rara); ex.: "Eis que começa a gente do mar a queixar-se e dar culpas a quem os fizera navegar." (Fr. Luís de Sousa, *História de S. Domingos*, I, p. 207); **d)** *de pessoa;* ex.: "Quanto à pátria da Origem, todos os homens somos do Céu" (Pe. Manuel Bernardes, *Nova Floresta*, I, p. 261); "Ambos recusamos praticar este ato" (Alexandre Herculano, *Opúsculos*, I, p. 183); "Os republicanos temos cumprido o nosso dever avisando ao povo." (Antônio da Silva Jardim, *Propaganda Republicana*, p. 247); "Quando Cristina acabou, todos a quisemos beijar." (Vergílio Ferreira, *Aparição*, p. 30.) **2.** *Ret.* Emprego de uma palavra no sentido próprio e no figurado, a um só tempo.
siléptico. [Do gr. *sylleptikós*, 'que pode compreender'.] *Adj.* Relativo à, ou em que há silepse.
silesiano. *Adj.* **1.** Da, pertencente, ou relativo à Silésia (Alemanha). ● *S. m.* **2.** O natural ou habitante da Silésia.
sílex (cs). [Do lat. *silex*, 'pederneira'.] *S. m.* Mistura irregular de calcedônia com certa proporção de sílica hidratada (opala); pederneira: "O seu único alívio era petiscar lume com um fuzil de sílex" (Camilo Castelo Branco, *Sentimentalismo e História*, p. 176). [F. paral.: *sílice.* Pl.: *sílices.*]
sílfide. [Do fr. *sylphide.*] *S. f.* **1.** Fem. de *silfo:* "Como em arejados pátios claros de castelos renanos por que desfilassem visões germânicas, ... sílfides serenas e encantadoras, ao luar das baladas, de cada estrela frígida, branca, desfila, vai desfilando nas rutilantes esferas uma Ilusão e um Sonho" (Cruz e Sousa, *Missal*, p. 139). **2.** *Fig.* e *poét.* Mulher franzina e delicada. **3.** Imagem vaporosa.
silfídico. *Adj.* Referente a, ou que lembra uma sílfide.
silfo. [Do lat. *sylphu.*] *S. m.* Na mitologia céltica e

germânica da Idade Média, o gênio do ar: "Silfos correm nas campinas, / Brincam no ar as ondinas, / Dançam fadas peregrinas / No topo das serranias." (Fagundes Varela, *Poesias Completas*, I, p. 225). [Fem.: *sílfide*.]

silha. [Do esp. *silla*, 'cadeira'.] *S. f.* **1.** Pedra em que se assenta o cortiço das abelhas; silhar. **2.** Série de cortiço de abelhas. **3.** *Desus.* Cadeira (1). [Cf. *cilha*.]

silhal. [De *silha* (1 e 2) + *-al*.] *S. m.* **1.** Grande número de silhas. **2.** Lugar em que há silhas de abelhas.

silhão. [De *silha* + *-ão*^{2}.] *S. m.* **1.** Construção no meio de um fosso, ou em volta de uma praça fortificada. **2.** Sela grande, com estribo apenas em um dos lados e um arção semicircular apropriado para senhoras cavalgarem de saia. **3.** Silha forte e larga. [Cf. *cilhão*.]

silhar. [De *silha* + *-ar*^{1}.] *S. m.* **1.** Pedra lavrada em quadrado, própria para revestimento de paredes. **2.** Pedra que se estende de uma face até ao meio da parede. **3.** Silha (1). [Cf. *cilhar*.]

silharia. *S. f.* Obra em que se empregam silhares.

silhueta (ê). [Do fr. *silhouette* < antr. *Silhouette*, de Estêvão de Silhouette (1709-1767), ministro das Finanças da França em 1759.] *S. f.* **1.** Desenho representativo do perfil de uma pessoa ou objeto, segundo os contornos que a sua sombra projeta. **2.** Desenho uniforme feito pela sombra de alguma pessoa ou coisa: "Luz — e uma sombra: na parede branca e nua do quarto desenhava-se a silhueta duma cabeça inclinada, em que reconheci o perfil do Diretor." (José Rodrigues Miguéis, *Léah e Outras Histórias*, p. 188.) [Pl.: *silhuetas* (ê). Cf. *silhueta* e *silhuetas*, do v. *silhuetar*.]

silhuetagem. [De *silhueta* + *-agem*^{2}.] *S. f. Fot.* Processo que consiste em atenuar ou mesmo apagar o fundo de uma fotografia, para destacar uma figura.

silhuetamento. *S. m.* Ato ou efeito de silhuetar.

silhuetar. *V. t. d.* **1.** Fazer a silhueta de. *P.* **2.** Aparecer em silhueta. [Pres. ind.: *silhueto, silhuetas, silhueta*, etc. Cf. *silhueta* (ê) e *pl. silhuetas* (ê).]

sílica. [Do lat. *silice*, 'pederneira, seixo'.] *S. f. Quím.* Dióxido de silício, cristalino, abundantíssimo na crosta terrestre. [Fórm.: SiO_2. Cf. *silíqua*.]

silicaluminoso (ô). [De *sílica* + *alúmen* + *-oso*.] *Adj.* Composto de sílica e alume.

silicato. [De *sílica* + *-ato*^{2}.] *S. m. Quím.* Numeroso grupo de substâncias minerais constituídas pela combinação da sílica com um ou mais óxidos metálicos e água, e que constituem fração importante das rochas da crosta terrestre.

sílice. [Do lat. *silice*.] *S. m.* Sílex.

▲silic(i)-. [Do lat. *silex, icis*.] *El. comp.* = 'pedra': *silicícola; silicose*.

silícico. *Adj.* Que é da natureza do silício, ou que o contém.

silicícola. [De *silic(i)-* + *-cola*.] *Adj. 2 g.* Diz-se das plantas que crescem preferentemente nos terrenos siliciosos.

silicificação. [De *silic(i)-* + *ficar* + *-ção*.] *S. f.* **1.** *Min.* Processo de substituição dos constituintes orgânicos por sílica. **2.** Processo de decomposição das rochas que dá lugar à formação de sílica livre. **3.** *Bot.* Incrustação das paredes celulares por sílica.

silicificado. [Part de *silicificar*.] *Adj.* Que sofreu silicificação.

silicificar. *V. t. d.* Sofrer silicificação. [Conjug.: v. *ficar*.]

silício. [De *silic(i)-* + *-io*^{2}.] *S. m. Quím.* Elemento de número atômico 14, não metálico, cinzento, leve, duro, muito abundante na crosta terrestre, semicondutor largamente utilizado em eletrônica de estado sólido. [Símb.: *Si*. Cf. *cilício*, s. m. e *cilicio*, do v. *ciliciar*.]

silicioso (ô). [De *silic(i)-* + *-oso*.] *Adj.* **1.** Que contém sílica. **2.** Que é da mesma natureza do sílex.

silicone. *S. m. Quím.* Designação genérica de polímeros que contêm átomos de silício e oxigênio alternando-se com radicais orgânicos, resistentes à oxidação, bons isolantes da eletricidade, repelentes da água, com largo espectro de utilização industrial.

silicose. [De *silic(i)-* + *-ose*.] *S. f. Patol.* Calicose.

silicoso (ô). *Adj.* Que tem sílica, ou é da natureza dela.

siligristido. *Adj. Bras., MG. Pop.* Saliente (4).

sililuia. *S. f. Bras.* Alter. de *aleluia*^{2} [q. v.].

silimanita. [Do antr. *Silliman*, de Benjamim Silliman, químico norte-americano (1816-1865), + *-ita*^{3}.] *S. f. Min.* Mineral ortorrômbico, silicato de alumínio; fibrolita.

silindra. *S. f.* Arbusto da família das saxifragáceas (*Philadelphus coronarius*). [Cf. *cilindra*, do v. *cilindrar*.]

síliqua. [Do lat. *siliqua*, 'vagem'.] *S. f. Morfol. Veg.* Fruto capsular que se abre em duas valvas, deixando no centro uma lâmina, e que é peculiar, p. ex., às crucíferas e às bignoniáceas. [Cf. *sílica*.]

siliqüiforme. [De *síliqua* + *-i-* + *-forme*.] *Adj. 2 g. Bot.* Que tem forma de síliqua.

siliquoso (ô). *Adj.* Que tem síliqua, ou é da natureza dela.

➧silk-screen (silcscrin). [Ingl.] *S. m.* V. *serigrafia*.

silo. [De provável or. pré-romana, atr. do esp. *silo*.] *S. m.* **1.** *Desus.* Tulha subterrânea. **2.** Nos estabelecimentos agrícolas, construção impermeável para conservar cereais ou forragem verde. **3.** Depósito para o armazenamento de cereais, em geral dotado de aparelhamento para carga e descarga. **4.** *Mil.* Fosso revestido de concreto e aço, e com aparelhagem complexa, no qual se mantêm, prontos para serem lançados, alguns tipos de mísseis balísticos intercontinentais.

silogeu. [Do gr. *sýn*, 'reunião', + *-log(o)-* + *-eu*.] *S. m. Bras.* Casa onde se reúnem associações literárias e/ou científicas.

silogismo. [Do gr. *syllogismós*, 'argumento', pelo lat. *syllogismu*.] *S. m. Lóg.* Dedução formal tal que, postas duas proposições, chamadas *premissas*, delas se tira uma terceira, nelas logicamente implicada, chamada *conclusão*. ◆ **Silogismo apodíctico.** *Lóg.* Aquele cujas premissas são verdadeiras; silogismo demonstrativo. **Silogismo categórico.** *Lóg.* Silogismo composto de três juízos categóricos. **Silogismo crítico.** *Filos.* Sofisma. **Silogismo demonstrativo.** *Lóg.* Silogismo apodíctico. **Silogismo dialético.** *Lóg.* Segundo Aristóteles [v. *aristotelismo*], aquele cujas premissas são prováveis (*epiquerema*). **Silogismo disjuntivo.** *Lóg.* O que tem como premissa maior uma proposição disjuntiva. **Silogismo erístico.** *Lóg.* Sofisma. **Silogismo hipotético.** *Lóg.* Silogismo que tem ao menos uma premissa hipotética.

silogístico. [Do gr. *syllogistikós*.] *Adj.* Relativo a, ou que encerra silogismo.

silogizar. [Do gr. *syllogízomai*, pelo lat. *syllogizare*.] *V. int.* **1.** Concluir por meio de silogismo(s). **2.** Empregar silogismos.

silte. [Do ingl. *silt*.] *S. m.* Material sedimentar: pequenas partículas de minerais diversos, de tamanho compreendido entre a areia e a greda (entre 0,05 mm e 0,005 mm de diâmetro), que normalmente constituem mantos situados no solo.

siltoso (ô). *Adj. Constr.* **1.** Relativo ao, ou da natureza do silte. **2.** Que contém grande quantidade de silte.

siluriano. [De *siluro* (q. v.) + *-i-* + *-ano*. (As rochas típicas do período siluriano encontram-se ao sul do País de Gales.)] *Adj.* e *s. m.* ~ V. *período* —.

silúrida. *S. m.* e *adj. 2 g.* V. *silurídeo*.

silúridas. *S. m. pl. Zool.* V. *silurídeos*.

silurídeo. *Adj.* **1.** Pertencente ou relativo aos silurídeos. ● *S. m.* **2.** Espécime dos silurídeos.

silurídeos. *S. m. pl. Zool.* Família de peixes actinopterígios, desprovidos de escamas e de tecido adiposo, com uma grande nadadeira anal, não havendo espinhas nas nadadeiras ímpares.

siluriforme. *S. m.* **1.** Espécime dos siluriformes. ● *Adj. 2 g.* **2.** Pertencente ou relativo a eles. [Sin.: ger.: *siluróideo*.]

siluriformes. *S. m. pl. Zool.* Subordem de peixes actinopterígios, da ordem dos cipriniformes, entre os quais estão algumas das principais famílias de peixes, tais como, entre outros, os doradídeos, os pigídeos e os ageneiosídeos. Neste grupo se encontram algumas das principais famílias de peixes marinhos, de corpo nu ou recoberto de placas ósseas, boca com dentes e, em geral, com barbilhões sensoriais. [Sin.: *siluróideos*.]

siluro. [Do lat. *silure*.] *S. m.* **1.** Indivíduo dos siluros, povo antigo da Grã-Bretanha (do atual País de Gales). ● *Adj.* **2.** Pertencente ou relativo aos siluros.

siluróideo. *S. m.* e *adj.* Siluriforme.

siluróideos. *S. m. pl. Zool.* Siluriformes.

silva. [Do lat. *silva*, 'floresta'.] *S. f.* **1.** Designação comum a diversas plantas medicinais da família das rosáceas (gênero *Rubus*); silveira, sarça. **2.** *Ant.* Selva (1). **3.** Composição poética onde versos de 10 sílabas alternam com versos de seis. **4.** Miscelânea literária ou científica. **5.** Cilício de arame. **6.** Ornato da gola, do peito ou do canhão das fardas, inspirado na forma das folhas e das flores. **7.** Mancha de forma alongada ao lado das ventas do cavalo. ◆ **Da Silva.** *Bras. Fam. Loc.* (precedida, em geral, de um adjetivo no diminutivo) com a qual se procura dar ênfase ao que se afirma: *O homem está rico, riquinho da Silva*; "É que o sujeito está doido pra ser governo. Doidinho da Silva." (João Alphonsus, *Totônio Pacheco*, p. 226).

silvado. *S. m.* **1.** Moita de silvas ou de outras plantas congêneres; sarçal: "as amoras frescas dos silvados" (Trindade Coelho, *Os Meus Amores*, p. 50). **2.** Tapume de silvas. [Sin. ger.: *silvedo, silveira*.]

silva-jardinense. *Adj. 2 g.* **1.** De, ou pertencente ou relativo a Silva Jardim (RJ). ● *S. 2 g.* **2.** Natural ou habitante de Silva Jardim. [Pl.: *silva-jardinenses*.]

silva-macha. [De *silva* (1) + *macha*, fem. de *macho*.] *S. f.* V. *silvão*. [Pl.: *silvas-machas*.]

silvaniense. *Adj. 2 g.* **1.** De, ou pertencente ou relativo a Silvânia (GO). ● *S. 2 g.* **2.** Natural ou habitante de Silvânia.

silvano. [Do lat. *silvanu*.] *S. m.* **1.** Na mitologia romana, cada uma das diversas divindades dos bosques e dos campos: "Rodeado [Baco] de milhões de capros e silvanos, / Faunos cornutos, sátiros maganos" (Martins Fontes, *Verão*, p. 49). **2.** Habitante dos bosques. **3.** *Desus.* Homem rústico; lapuz.

silvão. [De *silva* + *-ão*^{2}.] *S. m.* Espécie de silva (1) (*Rubus canina*); silva-macha, rosa-de-cão.

silvar. [Do lat. *sibilare*, atr. de uma f. metatética *silbare*.] *V. int.* **1.** Produzir com a boca, ou com instrumento, assoprando, som agudo e prolongado. **2.** Assobiar, sibilar: *O vento silvava, anunciando furacão*; "A locomotiva silva" (José Vieira, *Sol de Portugal*, p. 144): "Todos os bicos de gás silvavam." (João do Rio, *As Religiões no Rio*, p. 127). *T. d.* **3.** Aspirar, produzindo silvo ou som parecido. **4.** Produzir com a boca, ou com instrumento, assoprando (som agudo e prolongado). **5.** Emitir, lançar, soltar, à maneira de silvo ou assobio: "Voavam no meu céu asas de corvos, / — Negras serpentes de ar, silvando agoiros." (Campos de Figueiredo, *Imagem do Dia*, p. 32.)

silvático. [Do lat. *silvaticu*.] *Adj.* V. *selvagem* (1, 9 e 10).

silvedo (ê). [De *silva* (1) + *-edo*.] *S. m.* V. *silvado*.

silveira. [De *silva* + *-eira*.] *S. f.* **1.** V. *silva* (1). **2.** V. *silvado*. **3.** *Bras.* Prato feito com carne picada, ou camarão, peixe, etc., misturados com ovos mexidos.

silveirense. *Adj. 2 g.* **1.** De, ou pertencente ou relativo a Silveiras (SP). ● *S. 2 g.* **2.** Natural ou habitante de Silveiras.

silvense. *Adj. 2 g.* **1.** De, ou pertencente ou relativo a Silves (AM). ● *S. 2 g.* **2.** Natural ou habitante de Silves.

silvestre. [Do lat. *silvestre*.] *Adj. 2 g.* **1.** Próprio das selvas; selvagem, selvático: *vegetação silvestre*. **2.** Que vegeta e se reproduz sem necessidade de cultura; selvagem, espontâneo: "tinha ímpetos .... de internar-se .... no mato até perder-se no vasto sertão, onde passaria a vida a comer frutos silvestres" (Inglês de Sousa, *O Missionário*, p. 205). **3.** Agreste, bravio, sáfaro. ~ V. *mel* —.

▲silvi-. [Do lat. *silva, ae*.] *El. comp.* = 'selva', 'floresta': *silvícola, silvicultor*.

silvianopolense. *Adj. 2 g.* **1.** De, ou pertencente ou relativo a Silvianópolis (MG). ● *S. 2 g.* **2.** Natural ou habitante de Silvianópolis.

silvícola. [Do lat. *silvicola*.] *Adj. 2 g.* **1.** Que nasce ou vive nas selvas; selvagem, selvático. ● *S. 2 g.* **2.** Aquele que nasce ou vive na selvas; selvagem. [F. paral.: *selvícola* (q. v.).]

silvicultor (ô). [De *silvi-* + *cultor*.] *S. m.* Indivíduo que se dedica à silvicultura.

silvicultura. [De *silvi-* + *cultura*.] *S. f.* **1.** Ciência que tem por finalidade o estudo e a exploração das florestas. **2.** Cultura de árvores florestais.

silviídeo. *S. m.* **1.** Espécime dos silviídeos. ● *Adj.* **2.** Pertencente ou relativo a eles.

silviídeos. *S. m. pl. Zool.* Aves passeriformes, da família *Sylviidae* de pequeno porte, bico largo, cônico, quase reto, asas curtas, cauda longa e regime alimentar insetívoro. No Brasil são representadas apenas por um gênero e quatro espécies.

silvita. [De *sylvii*, do lat. cient. *sal digestivus sylvii*, 'cloreto de potássio', + *-ita*^{3}.] *S. f. Min.* Mineral monométrico, cloreto de potássio, empregado na extração do potássio para fins de adubação.

silvo. [Dev. de *silvar*.] *S. m.* **1.** Qualquer som agudo e relativamente prolongado produzido pela passagem do ar comprimido entre membranas que vibram; apito: *O guarda deu dois silvos breves, e o carro parou*; "com outro dilacerante silvo o comboio mergulhou na noite..." (Eça de Queirós, *Os Maias*, II, p. 35). **2.** Sibilação, sibilo: *o silvo da ventania*. **3.** O assobio das serpentes.

silvoso (ô). [Do lat. *silvosu*.] *Adj.* **1.** Em que há silva ou selva; selvoso. **2.** Vedado com silvas.

▲sim-. Equiv. de *sin-*.

sim. [Do lat. *sic*, 'assim', atr. do arc. *si*.] *Adv.* **1.** Exprime afirmação, acordo ou permissão: "uma criança .... a correr atrás das borboletas do vale .... uma criança que sim o amava ternamente" (Almeida Garrett, *Viagens na Minha Terra*, p. 202); "Mas era uma criança! ... era a imagem duma criança. | E certo s i m" (Id., *ib.*, p. 203); — *Posso sair?* | — Pode, s i m. **2.** Usa-se para retomar ou pedir que se retome o fio de um assunto, após interrupção mais ou menos longa, equivalendo aproximadamente a *ora*, ou *bem*: *S i m, eu ia dizendo que...; S i m, o rapaz de quem você fala meteu-se numa trapalhada — e daí?* ● *S. m.* **3.** Ato de consentir, expresso pela palavra *sim*: *dar o s i m; d i z e r o s i m;* "Afinal deu o s i m, cobriu o rosto, e acesa em pejo desapareceu" (Rebelo da Silva, *Contos e Lendas*, p. 137). ♦ **Pelo sim, pelo não.** Na alternativa; por via das dúvidas. **Pois sim. 1.** Indica assentimento ou concordância; vá, vá lá, seja; pois não. **2.** *Irôn.* Indica descrédito ou dúvida daquilo que se ouviu.

sima. [De *si(lício) + ma(gnésio).*] *S. m. Geol.* Camada hipotética subjacente ao sial, rica em silício e magnésio. [Cf. *cima.*]

simanguaiá. [Do tupi; v. *simongoiá.*] *S. f. Bras.* V. *cernambi* (3).

simão[1]. [De *símio*, com possível infl. do antr. *Simão.*] *S. m. Pop.* Qualquer macaco. ♦ **Pintar o simão.** *Bras. N.E. Pop.* V. *pintar o sete.* **Pintar o simão de carapuça.** *Bras., N.E. Pop.* V. *pintar o sete*: "F a z i a [a meninada] uma zoada que nem é bom lembrar .... Na cozinha a molecoreba também p i n t a v a o s i m ã o d e c a r a p u ç a." (Mário Brandão, *Almas do Outro Mundo*, p. 11.)

simão[2]. *S. m. Bras., AL.* Entre os pescadores, o vento sul, que sopra nas costas daquele estado.

simão-diense. *Adj. 2 g.* **1.** De, ou pertencente ou relativo a Simão Dias. (SE). ● *S. 2 g.* **2.** Natural ou habitante de Simão Dias. [Pl.: *simão-dienses.*]

simaruba. [Do caraíba ou do aruaque.] *S. f. Bot.* Gênero de plantas da família das simarubáceas, cujas raízes e cascas, amargas, têm uso medicinal.

simarubácea. *S. f.* Espécime das simarubáceas.

simarubáceas. *S. f. pl. Bot.* Família de plantas floríferas, da ordem das geraniales, composta de arbustos e árvores com folhas penadas e flores actinomorfas insignificantes, com disco bem desenvolvido, e por via de regra unissexuais. Compreendem umas 250 espécies tropicais, muitas nativas no Brasil, entre as quais o marupá.

simarubáceo. *Adj.* Pertencente ou relativo às simarubáceas.

simbionte. [Do gr. *symbíon, ontos*, 'que vive junto com outro(s)'.] *Adj. 2 g.* e *s. m. Biol.* Diz-se do, ou o organismo que toma parte numa simbiose: *Os liquens, a alga e o fungo são s i m b i o n t e s.*

simbiôntico. [De *simbionte + -ico[2].*] *Adj. Biol.* Relativo à, ou em que ocorre simbiose: *célula s i m b i ô n t i c a.*

simbiose. [Do gr. *symbíosis*, 'vida em comum com outro(s)'.] *S. f.* **1.** *Biol.* Associação de duas plantas ou de uma planta e um animal, na qual ambos os organismos recebem benefícios, ainda que em proporções diversas. É o caso dos liquens. **2.** *P. ext.* Associação entre dois seres vivos que vivem em comum. **3.** *Fig.* Associação e entendimento íntimo entre duas pessoas.

simbléfaro. [De *sim- + -bléfaro.*] *S. m. Anat.* Aderência, mais ou menos completa, da pálpebra com o globo ocular.

simbólica. [Fem. substantivado de *simbólico.*] *S. f.* **1.** Conjunto de símbolos duma religião, duma época, dum povo, dum autor, etc.: "Há uma continuidade animista, pela qual o homem considera sempre os animais dotados de alma. A própria religião não refugiu a isso, através da s i m b ó l i c a zoológica, encarnando em figuras de animais, o peixe, o cordeiro, a pomba, idéias divinas, ou o diabo na serpente." (Renato Almeida, *Inteligência do Folclore*, p. 79); *A s i m b ó l i c a de James Joyce é elemento essencial em sua obra.* **2.** Ciência que procura explicar os símbolos.

simbólico. [Do gr. *symbolikós*, pelo lat. *symbolicu.*] *Adj.* **1.** Referente a, ou que tem caráter de símbolo. **2.** Alegórico; metafórico. **3.** Referente aos formulários da fé. ~ V. *linguagem* —*a* e *lógica* —*a*.

simbolismo. [De *símbolo + -ismo.*] *S. m.* **1.** Expressão ou interpretação por meio de símbolos. **2.** Escola literária do fim do séc. XIX, que se originou na França, surgida como reação contra o parnasianismo, e que, caracterizando-se por uma visão subjetiva, simbólica e espiritual do mundo, adotou novas formas de expressão, traduzindo as impressões por meio de uma linguagem onde dominava a preocupação estética. **3.** Escola de tendências análogas, nas artes plásticas e na música.

simbolista. *Adj. 2 g.* **1.** Relativo ao, ou que é sectário do simbolismo. ● *S. 2 g.* **2.** Sectário dele.

simbolístico. *Adj.* Relativo aos simbolistas.

simbolização. *S. f.* Ato ou efeito de simbolizar.

simbolizador (ô). *Adj.* e *s. m.* Que, ou aquele que simboliza.

simbolizar. *V. t. d.* **1.** Representar por meio de símbolo(s); exprimir ou representar simbolicamente; emblemar. **2.** Ser símbolo de; exprimir: *A espada s i m b o l i z a a força. Int.* **3.** Falar ou escrever simbolicamente.

símbolo. [Do gr. *symbolon*, pelo lat. *symbolu.*] *S. m.* **1.** Aquilo que, por um princípio de analogia, representa ou substitui outra coisa: *A balança é o s í m b o l o da justiça;* "Salve, lindo pendão da esperança! / Salve, s í m b o l o augusto da paz!" (Olavo Bilac, "Hino à Bandeira Nacional", *Poesias Infantis*, p. 137). **2.** Aquilo que, por sua forma ou sua natureza evoca, representa ou substitui, num determinado contexto, algo abstrato ou ausente: *O Sol é o s í m b o l o da vida; A água é o s í m b o l o da purificação.* **3.** Aquilo que tem valor evocativo, mágico ou místico: *A cruz é o s í m b o l o do cristianismo.* **4.** Objeto material que, por convenção arbitrária, representa ou designa uma realidade complexa: *A lei dos s í m b o l o s nacionais é explícita quanto à utilização da bandeira.* **5.** Elemento descritivo ou narrativo suscetível de dupla interpretação, associada quer ao plano das idéias, quer ao plano real: *Certos escritores, entre eles James Joyce, usam os s í m b o l o s como elementos básicos da expressão.* **6.** Elemento gráfico ou objeto que representa e/ou indica de forma convencional um elemento importante para o esclarecimento ou a realização de alguma coisa; sinal, signo: *s í m b o l o s matemáticos; s í m b o l o s biológicos; s í m b o l o s de meteorologia; s í m b o l o s de perigo.* **7.** Sinal que substitui o nome de uma coisa ou de uma ação: *O crescente, s í m b o l o do islamismo, era considerado ameaça ao mundo cristão.* **8.** Figura convencional elaborada expressamente para representar uma coisa; emblema, insígnia: *os s í m b o l o s de um clube; os s í m b o l o s militares.* **9.** Pessoa ou personagem que representa determinado comportamento ou atividade: *Otelo é o s í m b o l o do ciúme; Pelé é o s í m b o l o do futebol.* **10.** Alegoria, comparação; metáfora: *Usou de s í m b o l o s para suavizar o rigor de sua opinião.* **11.** *Ling.* Termo empregado por certos autores para designar *signo*. [O *símbolo lingüístico* corresponde a *símbolo* (1), ao passo que no signo a representação é arbitrária.] **12.** *Psicol.* Idéia consciente que representa e encerra a significação de outra inconsciente. **13.** *Numism.* Sinais ou figuras que indicam, nas moedas antigas, o local onde foram cunhadas. **14.** *Quím.* Letra(s) que representa(m) um elemento químico: *Au é o s í m b o l o do ouro.* **15.** *Rel.* Enunciado dos artigos de fé nas Igrejas cristãs, para uso da comunidade. [Cf. *regra-de-fé.*] **16.** *Semiol.* Signo que, em oposição simultânea ao ícone e ao índice, fundamenta-se numa convenção social (o signo lingüístico, p. ex.) e mantém uma relação instituída, convencional, com o referente; signo arbitrário, signo imotivado. ♦ **Símbolo astronômico.** *Astr.* Sinal gráfico que representa um objeto ou grandeza astronômica.

simbologia. [Var. haplológica de *simbolologia* < *símbolo + -log(o)- + -ia.*] *S. f.* Estudo dos símbolos.

simbológico. [Var. de *simbiológico*, com haplologia.] *Adj.* Concernente à simbologia.

simbolologia. *S. f.* Simbologia [q. v.]

simbolológico. *Adj.* Simbológico [q. v.]

símbolo-marca. *S. m. Prop.* Símbolo gráfico, geométrico ou figurativo, utilizado como marca (22); marca-símbolo. [Pl.: *símbolos-marca.*]

simbrânquio. *S. m.* **1.** Espécime dos simbrânquios. *Adj.* **2.** Pertencente ou relativo a eles.

simbrânquios. *S. m. pl. Zool.* Animais, da classe dos peixes, neopterígios, da ordem *Symbranchii*, de corpo anguiliforme, com câmaras branquiais que se abrem para o exterior por uma fenda jugular mediana, e desprovidos de escamas e nadadeiras. Ocorrem na água doce em vários continentes.

simetria. [Do gr. *symmetría*, 'justa proporção', pelo lat. *symmetria.*] *S. f.* **1.** Correspondência, em grandeza, forma e posição relativa, de partes situadas em lados opostos de uma linha ou plano médio, ou, ainda que se acham distribuídas em volta de um centro ou eixo. **2.** Harmonia resultante de certas combinações e proporções regulares. **3.** *Anál. Mat.* Propriedade duma função que não se altera numa determinada transformação de suas variáveis. **4.** *Geom.* Propriedade duma configuração que é invariante sob transformações que não alteram as relações métricas, mas alteram a posição dos seus elementos constitutivos. ♦ **Simetria axial.** *Geom.* Simetria em relação a rotações em torno de um eixo, ou a reflexões neste eixo; simetria cilíndrica. **Simetria bilateral.** A simetria do corpo dos animais. **Simetria central.** *Geom.* Simetria em relação à reflexão em um ponto; simetria polar. **Simetria cíclica.** *Anál. Mat.* Simetria de uma função sob permutação cíclica. **Simetria cilíndrica.** *Geom.* Simetrial axial. **Simetria circular.** *Geom.* Simetria axial de uma configuração plana. **Simetria esférica.** *Geom.* Simetria sob as rotações em torno de um ponto. **Simetria especular.** *Geom.* Simetria sob reflexão num plano. **Simetria polar.** *Geom.* Simetria central.

simétrico. [Do gr. *symmetros*, 'proporcionado', + *-ico[2].*] *Adj.* **1.** Que tem simetria. **2.** Referente a simetria. ~ V. *determinante* —, *função* —*a*, *matriz* —*a* e *relação* —*a*. *S. m.* **3.** *Mat.* Inverso aditivo.

simetrizar. *V. t. d.* **1.** Ordenar com simetria; tornar simétrico. *T. i.* e *int.* **2.** Apresentar simetria em relação a outra coisa. **3.** Apresentar (duas ou mais coisas) simetria entre si.

simianismo. [De *simiano + -ismo.*] *S. m.* **1.** Doutrina pela qual o homem é originário do macaco. **2.** Imitação simiana; macaqueação.

simiano. *Adj.* V. simiesco: "começou .... a estudar a linguagem dos macacos, anotando as várias expressões dos seus guinchos, e lançando os fundamentos da gramática s i m i a n a." (Olavo Bilac, *Crítica e Fantasia*, p. 270).

simiesco (ê). *Adj.* Relativo, pertencente ou semelhante ao, ou próprio do símio (1); macacal, macaqueiro, macaco, simiano, símio. ~ V. *mão* —*a*.

símil. [Do lat. *símile.*] *Adj. 2 g. Poét.* Semelhante. [Pl.: *símeis*; superl. abs. sint.: *simílimo.*]

similar. [De *símil + -ar[1].*] *Adj. 2 g.* **1.** Que tem a mesma natureza, a mesma função, o mesmo efeito, ou a mesma aparência: *o macarrão e produtos s i m i l a r e s* ● *S. m.* **2.** Objeto, artigo, produto similar.

similaridade. *S. f.* Qualidade ou caráter de similar.

símile. [Do lat. *simile.*] *S. m.* **1.** Qualidade do que é semelhante. **2.** Comparação de coisas semelhantes: "para empregar um s í m i l e musical, não será [o verso alexandrino] tão melódico, como outros mais genuinamente nossos, mas é harmonioso como poucos." (Machado de Assis, *Crítica*, p. 111). ● *Adj. 2 g.* **3.** Análogo, semelhante.

➡**similia similibus curantur** (simília simílibuç curântur). [Lat.] Os semelhantes curam-se pelos semelhantes. [Lema da homeopatia, que se opõe ao lema da alopatia: *contraria contrariis curantur*, 'os opostos curam-se pelos opostos'. V. *similitude* (2).]

similifloro. [De *símile + -i- + -floro.*] *Adj. Bot.* Cujas flores são todas semelhantes.

simílimo. [Do lat. *simillimu.*] *Adj.* Superl. abs. sint. de *símil*.

similitude. [Do lat. *similitudine.*] *S. f.* **1.** V. *semelhança*: "Fundo, silencioso, contrastando com as chapadas e as elevações onde o dia fulgura e a vida rumoreja, não nos impõe [o vale] a sua s i m i l i t u d e com as almas recolhidas e pensativas, mas boas e fecundas?" (Amadeu Amaral, *O Elogio da Mediocridade*, p. 80.) **2.** Princípio básico da homeopatia (1) que se apóia no preceito de que toda substância capaz de determinar certas manifestações no homem são suscetíveis de fazer desaparecer manifestações análogas no homem doente. [v. *similia similibus curantur*].

similitudinário. [Do lat. *similitudine*, 'similitude', + *-ário.*] *Adj.* Em que há similitude; semelhante.

símio. [Do lat. *simiu.*] *S. m.* **1.** Espécime dos símios. **2.** *P. ext. Pop.* V. *macaco* (1). ● *Adj.* **3.** Pertencente ou relativo aos símios. **4.** V. *simiesco*.

símios. [Pl. de *símio.*] *S. m. pl. Zool.* Designação geral dos primatas que têm a cavidade orbitária fechada, em oposição aos prossímios, que a têm aberta. São os catarríneos e os platirrínios.

simira. *S. f. Bras.* Planta da família das rubiáceas (*Psychotria parviflora*).

simonense. *Adj. 2 g.* **1.** De, ou pertencente ou relativo a Simões (PI). ● *S. 2 g.* **2.** Natural ou habitante de Simões.

simongoiá. [Do tupi; *goiá* é var. de *guaiá*, 'caranguejo'.] *S. f. Bras.* V. *cernambi* (3).

simonia. [Do b -lat. *simonia*, 'ato de Simão', i. e., Simão, o Mago, que pretendeu comprar a S. Pedro o dom de conferir o Espírito Santo.] *S. f.* **1.** Tráfico de coisas sagradas ou espirituais, tais como sacramentos, dignidades, benefícios eclesiásticos, etc.: "repugnava-me, como uma certa s i m o n i a, o arriscar-me a por alguns cruzados malbaratar uma delícia do santuário de meu ânimo." (Antônio Feliciano de Castilho, *A Primavera*, p. 7). **2.** Venda ilícita de coisas sagradas.

simoníaco. *Adj.* **1.** Referente à simonia. ● *S. m.* **2.** Aquele que praticou simonia.

simonte. *Adj.* **1.** Diz-se do fumo da primeira folha usado para cheirar. ● *S. m.* **2.** Esse fumo: "Um tanto trôpego, com o lenço de alcobaça na mão, tomando veneravelmente o simonte de antanho, foi cheio de respeito que o vi chegar." (Lima Barreto, *Clara dos Anjos*, p. 240.) **3.** *Bras.*, *BA.* Rapé.

simpatia. [Do gr. *sympátheia*, 'conformidade de gênios', pelo lat. *sympathia*.] *S. f.* **1.** Tendência ou inclinação que reúne duas ou mais pessoas: *Entre os membros do Congresso reinava grande simpatia.* **2.** As relações que há entre pessoas que instintivamente se sentem atraídas entre si: *Era notória a simpatia entre o professor e os alunos.* **3.** Sentimento caloroso e espontâneo que alguém experimenta em relação a outrem: *ter simpatia; despertar simpatia.* **4.** Primeiros sentimentos de amor: *A simpatia entre Romeu e Julieta foi obra de um momento.* **5.** Faculdade de compartir as alegrias ou tristezas de outrem: *expressões de simpatia.* **6.** Atração que uma coisa ou uma idéia exerce sobre alguém: *Sempre teve simpatia pela pintura;* "Com a estada dos políticos liberais na Inglaterra, e em conseqüência da simpatia crescente da Marquesa de Alorna pela literatura alemã, aumenta em Portugal o gosto pela cultura anglo-germânica" (Feliciano Ramos, *História da Literatura Portuguesa*, p. 437). **7.** *Bras.* Interesse em atender às pretensões de alguém: *O funcionário olhou o caso com simpatia.* **8.** Pessoa muito simpática: *É feia, mas é uma simpatia.* **9.** *Bras.* Tratamento intencionalmente amistoso dado a alguém: *Conseguiu fazer andar o meu processo, simpatia?* **10.** *Bras.* Ritual posto em prática, ou objeto supersticiosamente usado, para prevenir ou curar uma enfermidade ou mal-estar. **11.** *Ant.* Tendência que se julgava existir entre as qualidades de certos corpos. [Antôn., nas acepç. 1 a 4 e 6: *antipatia*.]

simpático. *Adj.* **1.** Que inspira simpatia. **2.** Que provém da simpatia. **3.** Respeitante à simpatia. **4.** Agradável, aprazível: *um recanto simpático.* [Antôn, nas acepç. 1 e 2: *antipático*.] ~ V. *cordas —as, magia —a* e *tinta —a.* ● *S. m.* **5.** *Anat.* V. *sistema nervoso autônomo.* [Cf. *simpátrico*.]

simpatista. [De *simpatia* + *-ista*.] *S. 2 g.* Pessoa que sustenta serem os sentimentos que experimentamos em relação a outrem causados por emanações desse alguém.

simpatizante. *Adj. 2 g.* e *s. 2 g.* **1.** Que ou quem simpatiza com alguém ou com algo. **2.** Que ou quem, sem pertencer a um partido, adota suas tendências ou aprova sua política.

simpatizar. *V. t. i.* **1.** Ter simpatia; sentir inclinação, afeição ou tendência: "Paulo simpatizou com a casa, vendo-a em tão sossegado recanto, com poucos vizinhos" (Coelho Neto, *Turbilhão*, p. 95); "— Mas eu não detesto o Bastos; simpatizo até com ele" (Machado de Assis, *A Semana*, II, p. 165). *P.* **2.** Experimentar simpatia mútua: "Quando meninos, encontraram-se uma vez no Canela, e simpatizando-se de chofre, logo vieram a conversar." (O. G. Rego de Carvalho, *Somos Todos Inocentes*, p. 9.)

simpatria. [De *sim-* + gr. *pátra*, 'terra natal', 'pátria', + *-ia*, ou do ingl. *sympatry*.] *S. f. Genét.* Existência de duas ou mais populações [v. *população* (4)] numa mesma região geográfica.

simpátrico. [De *sim-* + gr. *pátra*, 'terra natal', 'pátria', + *-ico*[2].] *Adj.* ~ V. *espécie —a.* [Cf. *simpático*.]

simpétala. [De *sim-* + *pétala*.] *S. f. Bot.* Metaclamídea.

simpétalas. [Pl. de *simpétala*.] *S. f. pl. Bot.* Metaclamídeas.

simpetálico. [De *simpétala* + *-ico*[2].] *Adj. Morfol. Veg.* V. *gamopétalo.*

simpétalo. [De *sim-* + *pétalo*.] *Adj. Morfol. Veg.* **1.** V. *gamopétalo.* **2.** Metaclamídeo.

simplacheirão. *Adj.* e *s. m.* Diz-se de, ou indivíduo muito simples ou simplório: "E ali fiquei eu, não sei que tempos, como um simplacheirão, de queixos caídos e mãos a abanar" (D. João da Câmara, *Contos*, p. 146). [Fem.: *simplacheirona*.]

simplacheirona. *Adj. (f.)* e *s. f.* Fem. de *simplacheirão.*

simplão. [De *simples* + *-ão*[2].] *S. m. Bras. Gír. Desus.* Simplesmente (2).

simpléctico. [Do gr. *symplektikós*, 'que serve para ligar'.] *Adj.* **1.** *Hist. Nat.* Que está entrelaçado com outro corpo. ● *S. m.* **2.** *Zool.* Uma das peças ósseas da cabeça dos peixes. [Var.: *simplético*.]

simples[1]. [Do lat. *simplice*.] *Adj. 2 g.* e *2 n.* **1.** Que não é duplo, múltiplo, ou desdobrado em partes: *A forma verbal amara pertence ao mais-que-perfeito simples de amar; Tomei um chope simples.* **2.** Que não é constituído de partes ou substâncias diferentes; singelo: *um objeto simples; medicamento simples.* **3.** Que não tem ornatos ou elementos acrescentados; singelo: *estilo simples; forma simples; prato simples.* **4.** Formado de poucos elementos, e, portanto, de fácil utilização ou compreensão; que não apresenta complexidade ou dificuldade; singelo: *mecanismo simples; problema simples.* **5.** Que se refere exclusivamente à acepção dada; que não encerra conotações; puro, mero: *uma simples formalidade; uma simples alusão;* "— E foi um sonho! um simples sonho!" (Machado de Assis, *Várias Histórias*, p. 57). [Usa-se, nesta acepç., anteposto ao substantivo.] **6.** Não acompanhado ou não ajudado por outro(s); só, único: *Um simples funcionário não pode dar atenção a tantas pessoas.* [Nesta acepç. usa-se anteposto ao substantivo.] **7.** Normal, vulgar, comum, ordinário: *Nos dias simples os alunos vestem uniforme de zuarte.* **8.** Sem luxo, aparato ou ostentação; modesto, singelo: *cerimônia simples e íntima; refeição simples.* **9.** Que se encontra no grau mais baixo de uma escala ou hierarquia: *um simples marinheiro; um simples som.* [Tb. nesta acepç. se usa anteposto ao substantivo.] **10.** Que se deixa facilmente enganar; sem malícia; ingênuo, papalvo, tolo, crédulo, simplório, singelo; simplacheirão: *uma criatura simples.* **11.** Sem instrução; ignorante: *Certos imigrantes, embora simples, souberam fazer fortuna.* **12.** Modesto, humilde, pobre: *gente simples.* **13.** Natural, espontâneo: *Suas reações são simples e diretas.* [Superl. abs. sint. nessas acepç.: *simplicíssimo* e (menos us.) *simplíssimo*.] **14.** *Bot.* Diz-se da flor cuja corola só tem uma série (ou ciclo) de pétalas; singelo. ~ V. *amostragem —, balcão —, bomba de ação —, charada —, concreto —, dízima periódica —, fólio —, freqüência —, função harmônica —, herpes —, hipertrofia —, juro —, ligação —, máquina —, microscópio —, movimento harmônico —, olho —, pêndulo —, período —, poliedro —, ponto —, pontoação —, raiz —, razão —, rondó —, sujeito —, tempo —* e *voto —.* ● *S. 2 g.* e *2 n.* **15.** Pessoa simples, ignorante, humilde. [Tb. se emprega o pl. *símplices* (q. v.).] ● *Adv.* **16.** De modo simples; com simplicidade: *Escreve e fala simples;* "Vestia simples." (Machado de Assis, *Dom Casmurro*, p. 208).

simples[2]. [De *cimbres*.] *S. m. 2 n.* V. *cimbre*: "via-se .... tal máquina de prumos, traveses, andaimes, cabrestantes, escadas, que bem se pudera comparar a composição daqueles simples à fábrica do mais delicado relógio." (Alexandre Herculano, *Lendas e Narrativas*, I, p. 300). [Tb. se emprega o pl. *símplices*.]

simplesmente. *Adv.* **1.** De maneira simples; com simplicidade. ● *S. m.* **2.** *Obsol.* O grau mais baixo de aprovação em exames ou concursos, compreendido a princípio entre 1 e 5 e depois entre 4 e 5 (em escala de 1 a 10). [Sin., bras., gír.: *simplão*.]

simplético. *Adj.* e *s. m. Hist. Nat.* Var. de *simpléctico* [q. v.].

simplex (cs). *Adj. 2 g.* ~ V. *operação —.*

simplez (ê). [De *simples* + *-ez*.] *S. f. P. us.* V. *simplicidade*: "a simplez e tendência para a credulidade próprias dos orientais" (Aquilino Ribeiro, *Constantino de Bragança*, p. 379).

simpleza (ê). [Fem. de *simplez*.] *S. f. P. us.* V. *simplicidade*: "na simpleza inocente da sua índole e da sua paixão, a Margarida usara da maior arma de uma mulher, diante de certos homens — a dependência." (Conde de Ficalho, *Uma Eleição Perdida*, p. 143).

símplice. [Do lat. *simplice*.] *Adj. 2 g. P. us.* Simples[1]: "enlevado pela doce beleza setentrional dessa mocinha e pelos seus modos símplices e meigos, ... quedouse a olhá-la" (Virgílio Várzea, *Nas Ondas*, p. 26). ~ V. *símplices*.

símplices. [Do lat. *simplices*, 'simples' (subentende-se *medicamentos*).] *S. m. pl.* **1.** Ingredientes que figuram na composição dos medicamentos: "Raro é .... o médico brasileiro que se dedique a essas pesquisas e tenha tirado vantagens dos remédios que proporcionam os símplices desta terra." (Visconde de Taunay, *Visões do Sertão*, p. 43.) **2.** Ingredientes empregados nas tintas. **3.** Elementos figurantes na composição dos corpos. ~ V. *símplice* e *simples*.

simplicidade. [Do lat. *simplicitate*.] *S. f.* **1.** Qualidade do que é simples, do que não apresenta dificuldade ou obstáculo. **2.** Naturalidade, espontaneidade, elegância. **3.** Caráter próprio, não modificado por elementos estranhos. **4.** Forma simples e natural de dizer ou escrever; elegância. **5.** Ingenuidade, desafetação. **6.** Sinceridade, franqueza. [Sin. ger.: *simpleza* (p. us.), *simplez* (p. us.), *singeleza*.]

simplício-mendense. *Adj. 2 g.* **1.** De, ou pertencente ou relativo a Simplício Mendes (PI). ● *S. 2 g.* **2.** Natural ou habitante de Simplício Mendes. [Pl.: *simplício-mendenses*.]

simplicíssimo. [Do lat. *simplicissimu*.] *Adj.* Superl. abs. sint., de simples[1]; simplíssimo.

simplicista. *S. 2 g.* **1.** Pessoa que curava por meio de símplices (1). **2.** Pessoa que escrevia acerca dos símplices (1).

simplificação. *S. f.* Ato ou efeito de simplificar.

simplificador (ô). *Adj.* e *s. m.* Que ou aquele que simplifica.

simplificar. [De *simpl(es)* + *-i-* + *-ficar*.] *V. t. d.* **1.** Tornar simples ou mais simples: *simplificar as operações.* **2.** Tornar fácil ou claro: *simplificar o estilo.* **3.** Reduzir (fração) a termos menores ou mais precisos. **4.** *Bras. Obsol. Atribuir a nota simplesmente a* (um examinando). [Conjug.: v. *trancar*.]

simplificativo. *Adj.* Que serve para simplificar.

simplificável. *Adj. 2 g.* Que pode ser simplificado.

simplismo. *S. m.* **1.** Vício de raciocínio que consiste em desprezar elementos necessários da solução. **2.** Uso de meios ou processos demasiado simples.

simplíssimo. *Adj.* Simplicíssimo: "A este quadro simplíssimo não ajustam grandes palavras" (Camilo Castelo Branco, *Doze Casamentos Felizes*, p. 144); "simples desocupados, simplíssimos maldizentes" (Machado de Assis, *A Semana*, III, p. 319).

simplista. *Adj. 2 g.* **1.** Que procede ou raciocina com simplismo, ou que o revela: *indivíduo simplista; solução simplista.* ● *S. 2 g.* **2.** Pessoa que procede ou raciocina com simplismo.

simplocácea. *S. f.* Espécime das simplocáceas.

simplocáceas. *S. f. pl. Bot.* Família de plantas floríferas, da ordem das ebenales, composta de arbustos e árvores do gênero *Symplocus*, a qual contém umas 300 espécies nos trópicos americanos e asiáticos. A *Symplocus lanceolata*, dos cerrados e campos do Brasil Central, possui cortiça muito espessa e aproveitável.

simplocáceo. *Adj.* Pertencente ou relativo às simplocáceas.

simploce. [Do gr. *symploké*, 'entrelaçamento', pelo lat. *symploce*.] *S. f. Ret.* Figura que consiste em principiar e/ou terminar frases pelas mesmas palavras. Ex.: "Eu vi a morta, Senhor! / Vi a morta — minha filha, noiva e irmã! / Vi o sorriso da morta, / Vi o repouso e a beleza da morta!" (Augusto Frederico Schmidt, *Poesias Completas*, p. 151.)

simploriedade. *S. f.* Qualidade, maneiras ou procedimento de simplório.

simplório. [De *simpl(es)* + *-(t)ório*.] *Adj.* e *s. m.* Diz-se de, ou indivíduo ingênuo, tolo, papalvo, simples.

simpodial. *Adj. 2 g. Morfol. Veg.* Relativo ao, próprio do, ou da natureza do simpódio; simpódico. ~ V. *ramificação —.*

simpódico. *Adj. Morfol. Veg.* Simpodial.

simpódio. [De *sim-* + *-pod(o)-* + *-io*[1].] *S. m. Morfol. Veg.* Tipo de ramificação que consiste numa série de gemas concrescentes que se unem num só corpo axial, e cujo crescimento apical cessa em pouco tempo, passando o desenvolvimento do eixo caulinar a ser efetuado por uma nova gema, próxima.

simposiarca. [Do gr. *symposíarchos*.] *S. m.* Aquele que presidia um simpósio (1), na Grécia antiga.

simpósio. [Do gr. *sympósion*, pelo lat. *symposiu*.] *S. m.* **1.** Na Grécia antiga, a segunda parte dum banquete ou festim, durante a qual os convidados bebiam, entregando-se a diversos jogos. **2.** Banquete, festim. **3.** Reunião de cientistas, técnicos, escritores, artistas, para discutir determinado(s) tema(s).

simptose. [Do gr. *symptosis*.] *S. f. Patol. Obsol.* Enfraquecimento orgânico.

sim-senhor. *S. m. Bras.* V. *vivió.* [Pl.: *sim-senhores.* Cf. *sim senhor*.]

simulação. [Do lat. *simulatione*.] *S. f.* **1.** Ato ou efeito de simular. **2.** Disfarce, fingimento; simulacro: *Essa história é uma simulação para arrancar dinheiro aos incautos.* **3.** Hipocrisia, fingimento, impostura: *A simulação de Silvério dos Reis pôs a perder a Conjuração Mineira.* **4.** Experiência ou ensaio realizado com o auxílio de modelos. **5.** *Jur.* Declaração enganosa da vontade, com o objetivo de produzir efeito diferente daquele que nela se indica. **6.** *Psicol.* Imitação de uma perturbação somática ou psíquica, com fins utilitários.

♦ **Simulação analógica.** Experiência ou ensaio em que os modelos se comportam de maneira análoga à realidade. **Simulação digital.** Experiência ou ensaio que consiste numa série de cálculos numéricos e decisões de escolha limitada, realizado segundo um conjunto de regras predeterminadas, e apropriado ao emprego de computadores digitais.

simulacro (lá). [Do lat. *simulacru*.] *S. m. Ant.* **1.** Imagem de divindade ou personalidade pagã; ídolo, efígie. **2.** Ação simulada para exercício ou experiência: *um simulacro de vestibular.* **3.** Falsificação, imitação: *Não passa de um simulacro de herói.* **4.** Fingimento, disfarce, simulação. **5.** Cópia ou reprodução imperfeita ou grosseira; arremedo: *O cenário de* O Guarani *era apenas um simulacro de floresta brasileira;* "Se, abastados e engrandecidos, viemos de humildes e pobres, pretendemos muitas vezes fazer esquecer ao mundo o nosso berço; mas no abrigo familiar, deixada tão viciosa vergonha, abrimos o larário doméstico e tiramos dele os desuses da meninice, grosseiros simulacros das imagens paternas" (Alexandre Herculano, *Opúsculos,* V, pp. 34-35). **6.** V. *fantasma* (3).

simulado. [Part. de *simular.*] *Adj.* Fingido, suposto: *desmaio simulado; bombardeio simulado.*

simulador (ô). [Do lat. *simulatore.*] *Adj.* **1.** Que simula. ● *S. m.* **2.** Aquele que simula. ♦ **Simulador espacial.** *Astron.* Instrumento que simula as condições existentes no espaço e é usado para experimentar equipamento astronáutico ou para o treinamento de astronautas.

simular. [Do lat. *simulare.*] *V. t. d.* **1.** Fingir (o que não é): *A criança simulava ser filha do homem que a acompanhava.* **2.** Representar com semelhança; aparentar: "Vejo, / Como nos contos da mitologia, / Que a água verde do mar simula um prado imenso." (Martins Fontes, *Verão,* p. 48.) **3.** Disfarçar, dissimular: *Simulou bem a sua preocupação.* **4.** Fazer o simulacro de: *O falso escritor simulou a autoria de vários romances. Int.* **4.** Proceder com simulação (2): "Simular é fingir o que não é; dissimular é encobrir o que é." (P[e] Manuel Bernardes, *Nova Floresta,* IV, p. 5.)

simulatório. [Do lat. *simulatoriu.*] *Adj.* Em que há simulação.

simulcadência. [Do lat. *simul,* 'juntamente, ao mesmo tempo', + *cadência.*] *S. f. Ret.* Terminação de frases ou períodos por palavras iguais.

simulcadente. *Adj. 2 g.* Em que se observa simulcadência.

simulídeo. *S. m.* **1.** Espécime dos simulídeos. ● *Adj.* **2.** Pertencente ou relativo a eles.

simulídeos. *S. m. pl. Zool.* Família de insetos da ordem dos dípteros, subordem dos nematóceros, com o gênero *Simulie.* São os mosquitos vulgarmente chamados *borrachudos.*

simultaneidade. *S. f.* **1.** Caráter ou qualidade de simultâneo: *É mister a simultaneidade de ação técnica e administrativa.* **2.** Acontecimento ou ação que envolve duas ou mais coisas ou pessoas. [Sin. ger.: *concomitância, coincidência, tautocronia, tautocronismo.* Cf. *sincronia* (2).]

simultâneo. [Do b.-lat. *simultaneu.*] *Adj.* Que ocorre ou é feito ao mesmo tempo ou quase ao mesmo tempo que outra coisa; concomitante; tautócrono: *disparos simultâneos; catástrofe simultânea.* ~ V. *avales* —s e *tradução* —a. [Cf. *sincrônico* (1 e 2).]

simum. [Do ár. *simum,* pelo fr. *simoun.*] *S. m.* Vento abrasador que sopra do centro da África para o norte.

▲**sin-.** [Do gr. *sýn.*] *Pref.* = 'reunião', 'ação conjunta': *sinestesia.* [Equiv.: *sim-: simbléfaro.*]

sina. [Do lat. *signa,* 'os signos'.] *S. f.* **1.** Signa. **2.** *Fam.* Sorte, destino, fado, fadário. [Cf. *Cina,* antr. e top.]

sinafia. [Do gr. *synápheia,* pelo lat. *synaphia.*] *S. f.* Caso extremo de *enjambement* [q. v.], ocorrente quando dois versos se interpenetram de maneira que a última palavra de um se completa no outro: "É como a água eterna- / mente matutina." (Cassiano Ricardo, *Poesias Completas,* p. 436); "Vê com ardor / Teu belo cor- / po escultural!" (Antônio Feijó, *Poesias Completas,* p. 81).

sinagelástico. [Do gr. *synagelastik.*] *Adj. Zool.* Que vive em grupos ou bandos.

sinagoga. [Do gr. *synagogé,* 'reunião', pelo lat. *synagoga.*] *S. f.* **1.** A partir do exílio babilônico (séc. VI a.C.), local de reunião dos israelitas, para a leitura da Bíblia e a prece. **2.** Assembléia de fiéis, entre os israelitas. **3.** Templo israelita. [Sin., nessas acepç.: *esnoga.*] **4.** *Bras. Pop.* Barulho, desordem, confusão. **5.** *Bras. Pop.* Reunião tumultuosa. **6.** *Bras. Pop.* Pândega, pagode. **7.** *Bras. Gír.* V. *cabeça* (1). **8.** *Bras.* Multidão que fica em volta do edifício da Bolsa de Valores durante o pregão.

sinagogal. *Adj. 2 g.* **1.** Relativo ou pertencente a sinagoga. **2.** Referente à celebração da liturgia israelita.

sinais. [Pl. de *sinal.*] *S. m. pl.* **1.** Feições do corpo humano. **2.** Dobre de finados. ~ V. *sinal.*

sinal. [Do lat. vulg. *signale.*] *S. m.* **1.** Aquilo que serve de advertência, ou que possibilita conhecer, reconhecer ou prever alguma coisa: *sinal de perigo; sinais exteriores de riqueza; sinais de mau tempo.* **2.** Expediente convencionado para se transmitirem a distância, por meios visíveis ou auditivos, ordens, notícias, avisos, etc.: *sinal de alarma; sinais ferroviários.* **3.** *P. ext.* Ruído característico produzido por aparelhos de telecomunicação, e que indica ser possível usá-los: *O telefone não dá sinal.* **4.** Demonstração exterior dum pensamento ou duma intenção; aceno, gesto: *A enfermeira atendeu de pronto ao sinal do médico.* **5.** V. *símbolo* (6): *sinais zoológicos ou botânicos; sinais de trânsito.* **6.** Representação gráfica com sentido convencional: *sinais de pontuação; sinais taquigráficos; sinais matemáticos.* **7.** Indício, rasto, rastro: *O criminoso deixou sinais de sua passagem.* **8.** Marca, traço, vestígio: *Na radiografia viam-se os sinais de uma lesão anterior.* **9.** *Med.* Evidência objetiva de estado mórbido, designada, com freqüência, por nome de médico *(sinal de Babinski, sinal de Stellwag)* ou de paciente *(sinal de Musset).* [Cf., nesta acepç., *sintoma* (1).] **10.** Pequena mancha da pele, arredondada. **11.** Pinta[1] (2). [Nesta acepç., cf. *mosca* (4).] **12.** Marca, rótulo, letreiro. **13.** Prenúncio, presságio: "A perfeição é o sinal do começo da decadência e da morte." (Graça Aranha, *A Estética da Vida,* p. 186.) **14.** Aviso, advertência: *O árbitro deu o sinal para começar a partida.* **15.** Dinheiro ou objeto que o comprador dá ao vendedor para garantir a mercadoria ou contrato feito; arras, garantia, penhor. **16.** Firma de tabelião ou de signatário. **17.** *Fig.* Manifestação, prova: *Ofereceu-lhe um jantar em sinal de gratidão.* **18.** *Mat.* Símbolo de uma operação. **19.** *Eletr.* Impulso elétrico introduzido em um circuito ou fornecido por um circuito. **20.** *Ling.* Processo pelo qual o significado (3) é representado pelo significante (2). **21.** *Radiotéc.* Numa onda modulada, a oscilação que modula a outra. **22.** *Teor. Inf.* Suporte físico ou energético da mensagem: qualquer unidade que, em conformidade com as regras de um código, entra na composição da mensagem como, por ex., os fonemas, na linguagem, e os impulsos elétricos, na telegrafia. [Cf. *sistema de comunicação.*] **23.** *Bras.* V. *sinaleira.* **23.** *Bras.* Ponto de parada de coletivos. **24.** *Bras., S.* Marca que se faz na orelha do animal cortando-a de várias formas. [Cf. *senal.*] ~ V. *sinais.* ♦ **Sinal aberto.** Ordem de prosseguir, que o sinal luminoso indica nas vias de tráfego, acendendo uma lâmpada verde; sinal verde. V. *sinaleira.* **Sinal aditivo.** *Arit.* Sinal da operação de soma. **Sinal de multiplicação.** *Arit.* Sinal multiplicativo. **Sinal de pontuação.** Na linguagem escrita, cada um dos sinais com que se visa a reconstituir os recursos rítmicos e melódicos da língua falada, e que se podem distinguir, fundamentalmente, em três grupos. **a)** os que se destinam a marcar as pausas (a *vírgula* [,], o *ponto* [.] e o *ponto-e-vírgula* [;]); **b)** os que se destinam a marcar a melodia, a entoação (os *dois-pontos* [:], o *ponto de interrogação* [?], o *ponto de exclamação* ou *ponto de admiração* [!] e as *reticências* [...]); **c)** outros sinais, com fins diversos: as *aspas* [q. v.], os *parênteses* [q. v.], os *colchetes* [q. v.], o *travessão* [q. v.]. **Sinal de revisão.** *Tip.* Sinal convencional com que os revisores indicam, à margem das provas, geralmente repetindo a chamada [V. *chamada* (9)], a natureza da emenda que deve ser feita. **Sinal de supressão.** *Tip. Deleatur.* **Sinal de tráfego.** V. *sinaleira.* **Sinal diacrítico.** *Fon.* Sinal gráfico que confere à letra ou grupos de letras um valor fonológico especial. [São, em português: o *acento agudo,* o *acento grave,* o *acento circunflexo,* o *trema,* o *til,* o *apóstrofo* e o *hífen.* Tb. se diz apenas *diacrítico.*] **Sinal dos tempos.** Acontecimento infausto ou ato repreensível como se indicasse a tristeza ou decadência da época, ou talvez como a lembrar, pelo seu excesso e dureza, que os tempos anunciados se aproximam, que não tarda o fim do mundo. **Sinal fechado.** Ordem de parar, que o sinal luminoso indica, nas vias de tráfego, acendendo uma lâmpada vermelha; sinal vermelho. [V. *sinaleira.*] **Sinal luminoso.** V. *sinaleira.* **Sinal multiplicativo.** *Arit.* Sinal da operação de multiplicação; sinal de multiplicação. **Sinal negativo.** *Mat.* O que indica um número ou grandeza negativa. **Sinal positivo.** *Mat.* O que indica um número ou grandeza positiva. **Sinal taquigráfico.** Representação gráfica, simplificada, das letras, das sílabas e dos fonemas, respectivamente nos sistemas taquigráficos de base literal, silábica e fonética. **Sinal verde.** **1.** Sinal aberto; luz verde. **2.** *Fig.* Licença, permissão, consentimento. **Sinal vermelho.** Sinal fechado. **Avançar o sinal.** *Bras.* **1.** Não atender ao sinal fechado. **2.** *Fig.* Atribuir a si mesmo atitudes ou tomar providências que não sejam da alçada de sua competência e atribuições. **3.** *Pop.* Ter relações sexuais antes do casamento. Dar sinal de si. Fazer ato de presença, ou dar notícias de sua pessoa; manifestar-se, aparecer, dar sinal de vida. **Dar sinal de vida.** Dar sinal de si. **Por sinal.** A propósito; por falar nisso; aliás.

sinalagmático. [Do gr. *synallagmatikós.*] *Adj.* ~V. *contrato* —.

sinalar. [De *sinal* + *-ar*[2].] *V. t. d. P. us.* Assinalar.

sinal-da-cruz. *S. m.* O gesto da liturgia cristã de fazer com a mão direita aberta uma cruz, pronunciando as palavras latinas *In nomine Patris, et Fili et Spiritus Sancti* (ou as palavras portuguesas *Em nome do Pai, do Filho e do Espírito Santo*). [Sin., fam.: *nome-do-padre.* Pl.: *sinais-da-cruz.*]

sinalefa. [Do gr. *synaloiphé,* 'mistura, fusão', pelo lat. *synaloepha.*] *S. f.* **1.** *Gram.* Figura pela qual se reúnem duas sílabas em uma só, por elisão, crase ou sinérese. **2.** *Encad.* Filete (8).

sinaleira. [De *sinal* + *-eira.*] *S. f. Bras.* Aparelho instalado nas ruas ou cruzamentos para dar, manual ou automaticamente, sinais luminosos reguladores do trânsito. [Sin.: *sinaleiro, sinal, semáforo, sinal luminoso, sinal de tráfego* e (em SP) *farol.*]

sinaleiro. [De *sinal* + *-eiro.*] *S. m.* **1.** Indivíduo incumbido de dar sinais a bordo. **2.** Aquele que nas estações de estrada de ferro faz sinal aos trens para avisar de que a linha se acha desimpedida. **3.** *Bras.* V. *sinaleira.*

sinalética. [De *sinal.*] *S. f.* **1.** Processo de registrar os sinais exteriores, marcas, cicatrizes, etc., que permitem identificar os criminosos. **2.** *Cont.* Sistema de fichário que permite reunir durante vários anos em uma só ficha as indicações duma conta.

sinalização. *S. f.* **1.** Ato ou efeito de sinalizar. **2.** Sistema de sinais de tráfego usado nas cidades, nas estradas de ferro e de rodagem, etc. **3.** Indicação ou advertência destinada a orientar motoristas: *A sinalização daquela estrada é muito deficiente.* **4.** O conjunto dos sinais de trânsito de uma cidade, estrada, bairro, etc.

sinalizar. [De *sinal* + *-izar.*] *V. int.* **1.** Exercer as funções de sinaleiro. *T. d.* **2.** Marcar com sinais. **3.** Pôr sinalização (2 e 3) em.

sinandria. [De *sin-* + *-andr(o)-* + *-ia.*] *S. f. Morfol. Veg.* Concrescência dos estames, que formam uma peça única.

sinandro. [De *sin-* + *-andro.*] *S. m.* **1.** *Morfol. Veg.* Androceu concrescente, como se vê nas lecitidáceas e campanuláceas. ● *Adj.* **2.** Que apresenta sinandria: *flor sinandra.*

sinantas. *S. f. pl.* Ordem de vegetais monocotiledôneos de flores aclamídeas, unissexuadas e com muitos estames, e de ovário unilocular. Compreende-se unicamente a família das ciclantáceas.

sinantéreo. [De *sin-* + *-anter(o)-* + *-eo.*] *Adj. Morfol. Veg.* V. *sinantero.*

sinanteria. [De *sin-* + *-anter(o)-* + *-ia.*] *S. f. Morfol. Veg.* Soldadura dos estames pelas anteras, ficando livres os filetes.

sinantérico. [De *sin-* + *-anter(o)-* + *-ico*[2].] *Adj. Morfol. Veg.* V. *sinantero.*

sinantero. [De *sin-* + *-antero.*] *Adj. Morfol. Veg.* Que apresenta sinanteria; sinantérico, sinantéreo: *androceu sinantero.*

sinantia. [De *sin-* + *-ant(o)-* + *-ia.*] *S. f. Morfol. Veg.* Anormalidade consistente na soldadura anômala de duas flores vizinhas, pelos invólucros ou pelos pecíolos.

sinantocarpado. [De *sin-* + *-ant(o)-* + *-carp(o)-* + *-ado*[1].] *Adj. Morfol. Veg.* Diz-se da infrutescência produzida pela fusão dos frutos formados pelos ovários de flores vizinhas.

sinantocarpia. [De *sin-* + *-ant(o)-* + *-carpia.*] *S. f. Morfol. Veg.* Concrescência de vários frutos contíguos em desenvolvimento, dando uma infrutescência, como na jaca, no abacaxi, etc.

sinantocárpio. *Adj. Morfol. Veg.* Relativo ao sinantocarpo.

sinantocarpo. [De *sin-* + *-ant(o)-* + *-carpo.*] *S. m. Morfol. Veg.* Fruto composto resultante de sinantocarpia; sincarpo.

sinão. *S. m.* Sino grande. [Cf. *senão.*]

sinápico. [Do gr. *sinapi,* 'mostarda', + *-ico*[2].] *Adj.* Referente à mostarda.

sinapismo. [Do gr. *sinapismós,* pelo lat. *sinapismu.*] *S. m.* Cataplasma de mostarda, que se aplica, por via de regra, como revulsivo: "apliquei injeções, coloquei emplastos, sinapismos, toalhas embebidas em água fria" (Marques Rebelo, *O Trapicheiro,* p. 256). [Cf. *sinaspismo.*]

sinapização. *S. f.* Ação de sinapizar.

sinapizar. [Do gr. *sinapízo,* pelo lat. *sinapizare.*] *V. t. d.* Temperar ou polvilhar (medicamento) com mostarda.

sinapse. [Do gr. *synapsis,* 'ação de juntar'.] *S. f. Histol.*

Conexão entre dois neurônios vizinhos, da qual há mais de um tipo, segundo as formações que fazem o contato entre essas células para que se propague o impulso nervoso de uma para outra.
sináptico. *Adj.* Da sinapse, ou relativo a ela.
sinartrose. [De *sin-* + *-artr(o)-* + *-ose.*] *S. f. Anat.* Articulação imóvel, de que há três tipos: *sutura, harmonia, gonfose.*
sina-sina. *S. f. Bras.* Arbusto ou arvoreta da família das leguminosas *(Parkinsonia aculeata),* de ampla dispersão na América tropical, África e Ásia, usado para compor sebes. Tem folíolos oblongos, coriáceos, minutos e numerosos, espinhos estipulares, flores amarelas, pequenas e reunidas em cachos; o legume, linear e moniliforme, atinge 25 cm. [Pl.: *sinas-sinas* e *sina-sinas.*]
sinaspismo. [Do gr. *synaspismós.*] *S. m.* Na Grécia antiga, formatura defensiva da falange, com os escudos unidos um ao outro. [Cf. *sinapismo.*]
sincanto. [De *sin-* + gr. *kanthos,* 'canto do olho'.] *S. m. Anat.* Aderência do globo ocular à órbita.
sincarídeo. *S. m.* **1.** Espécime dos sincarídeos. ● *Adj.* **2.** Pertencente ou relativo a eles.
sincarídeos. *S. m. pl. Zool.* Família de insetos da ordem dos lepidópteros, subordem dos heteróceros, que compreende cerca de nove espécies, todas da América. Ex.: *Sincaria eumeniformis,* do PA.
sincarpado. [De *sincarpo* + *-ado*[1].] *Adj. Bot.* Sincárpico.
sincarpia. [De *sin-* + *-carpia.*] *S. f. Morfol. Veg.* Concrescência de carpelos em maior ou menor grau, formando um ovário.
sincárpico. *Adj. Morfol. Veg.* Que apresenta sincarpia. [Opõe-se a *apocárpico.*]
sincarpo. [De *sin-* + *-carpo.*] *S. m. Morfol. Veg.* Sinantocarpo.
sincategoremático. [De *sin-* + *categoremático.*] *Adj.* Diz-se de vocábulo que não tem significado por si mesmo, que só tem significado quando acompanhado de outros. Ex.: as preposições, os advérbios. [Opõe-se a *categoremático.*]
sinceiral. [De *sinceiro* + *-al.*] *S. m.* Salgueiral: "os rouxinóis dos nossos *sinceirais*" (Camilo Castelo Branco, *Doze Casamentos Felizes,* p. 11).
sinceiro. [Do lat. *salice,* 'salgueiro', + *-eiro.*] *S. m.* V. *salgueiro*[1]: "Entre os *sinceiros* da margem / Murmura o claro Mondego" (Gonçalves Crespo, *Obras Completas,* p. 315). [Cf. *cinceiro.*]
sincelo (ê). [Do gr. tardio *sygkellos,* 'funcionário que dormia na cela do patriarca para vigiar-lhe o procedimento', pelo lat. *syncellu.*] *S. m. Lus.* Caramelos [v. *caramelo* (1)] pendentes das árvores, ou dos beirais dos telhados, e que se originam da congelação da chuva; códão: "Chuva, geada, *sincelo* em cima." (Miguel Torga, *Bichos,* p. 9.)
sinceridade. [Do lat. *sinceritate.*] *S. f.* **1.** Qualidade de sincero. **2.** Franqueza, lealdade, lhaneza, lisura. **3.** Boa fé.
sincero. [Do lat. *sinceru,* 'sem mistura; sem malícia; puro'.] *Adj.* **1.** Que se expressa sem artifício, sem intenção de enganar; franco, leal. **2.** Que se mostra disposto a reconhecer a verdade; franco, leal: *O candidato revelou-se discreto e sincero.* **3.** Dito ou feito sem dissimulação: *confissão sincera; depoimento sincero.* **4.** Verdadeiro, autêntico, puro: *amizade sincera; arrependimento sincero.* **5.** Cordial, afetuoso: *Dê-lhe o meu sincero abraço.* **6.** Sem afetação ou disfarce: *acolhimento sincero.* **7.** De boa fé; sem impostura ou malícia: *As negociações se processaram de modo sincero.*
sincicial. *Adj. 2 g. Cit.* Relativo ou pertencente ao sincício.
sincício. [De *sin-* + gr. *kytós,* 'célula', + *-io*[1].] *S. m. Biol.* Massa de protoplasma com muitos núcleos e sem divisão em células.
sincinesia. [Do gr. *sygkínesis,* 'agitação, reviramento', + *-ia.*] *S. f. Patol.* Associação de um movimento involuntário a um voluntário, da qual resulta, p. ex., levantar o paciente os dois braços quando se lhe ordenou levantasse apenas um.
sincipital. [Do lat. *sincipite,* 'metade da cabeça', + *-al.*] *Adj. 2 g. Anat.* Relativo ou pertencente ao sincipúcio.
sincipúcio. [Do lat. **sinciputium,* calcado em *sinciput.*] *S. m. Anat.* Porção anterior e superior da cabeça.
sinciput. [Do lat.] *S. m. Anat.* Sincipúcio.
síncito. [De *sin-* + *-cito.*] *S. m. Citol.* Unidade celular gerada pela fusão de duas ou mais células mediante o desaparecimento das paredes das células contíguas.
sinclinal. [De *sin-* + *-clin(o)-*[2] + *-al.*] *Adj. 2 g. Geol.* Diz-se da dobra cuja concavidade é voltada para cima.
sínclise. [Do gr. *sygklisis,* 'inclinação mútua'.] *S. f.* Uso de pronome synclítico. [Cf. *cínclise* (1) e *síncrise, ênclise* (1) e *próclise.*]
sinclítica. [Fem. substantivado de *sinclítico.*] *S. f. Gram.* Palavra que se intercala em outra, perdendo, assim, o acento próprio.
sinclítico. [Do gr. *sygklitós* < *sygklíno,* 'inclinar-se um para o outro', + *-ico*[2].] *Adj.* Diz-se do pronome que se intercala em uma palavra. [Cf. *enclítico* e *proclítico.*]
sinclitismo. [Do gr. *sygklitós* < *sygklíno,* 'inclinar-se um para o outro', + *-ismo.*] *S. m. Gram.* Conjunto de normas acerca da colocação dos pronomes oblíquos na frase.
sincondrose. [De *sin-* + *-condr(o)-* + *-ose.*] *S. f. Anat.* Tipo de articulação em que a cartilagem interveniente, antes que o indivíduo chegue à fase adulta, em geral se transforma em osso.
sincondrotomia. [De *sin-* + *condr(o)-* + *-tom(o)-* + *-ia.*] *Cir.* Seção ou incisão numa sincondrose.
sincondrotômico. *Adj.* Relativo à sincondrotomia.
síncopa. [Do lat. *syncopa.*] *S. f.* V. *síncope.* [Cf. *sincopa,* do v. *sincopar.*]
sincopado. [Part. de *sincopar.*] *Adj.* **1.** *Gram.* Diz-se de vocábulo em que houve síncope (2). **2.** *Mús.* Em que se fez síncope (3); unido por síncope. ~ V. *charada* —*a.*
sincopal. *Adj. 2 g.* **1.** Referente à síncope. **2.** Que é do mesmo caráter da síncope.
sincopar. *V. t. d.* **1.** *Gram.* Suprimir (letra ou sílaba) por síncope (2); sincopizar. *Int.* **2.** *Mús.* Fazer síncope (3); estar unido por síncope. [Pres. ind.: *sincopo, sincopas, sincopa,* etc.; pres. subj.: *sincope,* etc. Cf. *síncopa* e *síncope.*]
síncope. [Do gr. *sygkopé,* 'ação de cortar', pelo lat. *syncope.*] *S. f.* **1.** *Med.* Perda temporária de consciência devida a má perfusão sanguínea cerebral, alteração na composição do sangue que irriga o encéfalo, ou a alterações no padrão de atividade do sistema nervoso central, devidas a estímulos que chegam a esse sistema. [Sin.: *lipotimia, delíquio, desmaio,* (pop.) *fanico, chilique, passamento,* (bras., pop.) *biloura, cangolé, piloura, turica.*] **2.** *Gram.* Supressão de fonema(s), no interior da palavra. Ex.: *mor* em vez de *maior.* [Cf. *haplologia.*] **3.** *Mús.* Som articulado sobre um tempo fraco ou parte fraca de um tempo, prolongado ou prolongada sobre o tempo forte ou a parte forte do tempo seguinte. [Cf. *contratempo* (5). Cf. *sincope,* do v. *sincopar.*]
sincópico. *Adj.* Respeitante à síncope.
sincopizar. *V. t. d.* **1.** *Gram.* Sincopar (1). *Int.* e *p.* **2.** *Med.* Ter síncope (1).
sincorologia. [De *sin-* + *-cor(o)-* + *-log(o)-* + *-ia.*] *S. f.* Parte da ecologia que trata da distribuição das comunidades no espaço e no tempo.
sincorológico. *Adj.* Respeitante à sincorologia.
sincotilédone. [De *sin-* + *cotilédone.*] *Adj. 2 g. Morfol. Veg.* V. *sincótilo.*
sincotiledôneo. [De *sin-* + *cotiledôneo.*] *Adj. Morfol. Veg.* V. *sincótilo.*
sincotilia. [De *sin-* + *cotil(édone)* + *-ia.*] *S. f. Morfol. Veg.* Concrescência, parcial ou total, dos dois cotilédones de uma plântula.
sincótilo. *Adj. Morfol. Veg.* Que apresenta sincotilia; sincotilédone, sincotiledôneo.
sincraniano. [De *sin-* + *crânio* + *-ano.*] *Adj. Anat.* Diz-se da maxila superior, por se achar ligada ao crânio.
sincrético. *Adj.* **1.** Relativo ao, ou em que há sincretismo; sincretista: *doutrina sincrética.*
sincretismo. [Do gr. *sygkretismós,* 'reunião de vários Estados da ilha de Creta contra o adversário comum', atr. do fr. *syncrètisme.*] *S. m.* **1.** *Filos.* Reunião artificial de idéias ou de teses de origens disparatadas. **2.** *Filos.* Visão de conjunto, confusa, de uma totalidade complexa. [Cf., nessas acepç., *ecletismo* (1).] **3.** Amálgama de doutrinas ou concepções heterogêneas: "As inteligências que mais ou menos diretamente nos governam estão com relação à administração ultramarina num estado de *sincretismo* bramânico, em que nada se compreende, em que nada se resolve" (Ramalho Ortigão, *As Farpas,* IV, p. 270). **4.** Fusão de elementos culturais diferentes, ou até antagônicos, em um só elemento, continuando perceptíveis alguns sinais originários. **5.** *Psicol.* Percepção global e indistinta, da qual surgem, depois, objetos distintamente percebidos. [Cf. *ecletismo.*]
sincretista. [Do fr. *syncrétiste.*] *Adj. 2 g.* **1.** Sincrético. ● *S. 2 g.* **2.** Partidário do sincretismo.
sincretizar. [De *sincret(ismo)* + *-izar.*] *V. t. d.* Produzir sincretismo em.
síncrise. [Do gr. *sygkrisis,* 'reunião, comparação', pelo lat. *syncrise.*] *S. f.* **1.** Oposição, antítese, contradição. **2.** Reunião de duas vogais em um ditongo. [Cf. *sínclise* e *cínclise.*]
sincrítico. [Do gr. *sygkritikós,* 'próprio para reunir, para estabelecer comparações'.] *Adj.* Referente à síncrise.
sincrociclótron. [Do ingl. *synchrocyclotron.*] *S. m. Fís Nucl.* Tipo de acelerador de partículas pesadas, com trajetórias fechadas, e em que um campo elétrico de freqüência variável é o campo acelerador.
sincronia. [De *síncrono* + *-ia.*] *S. f.* **1.** *Ling.* Caráter dos fenômenos lingüísticos em um dado estágio, independentemente de sua evolução no tempo. [Cf. *diacronia.*] **2.** Ato ou efeito de sincronizar (3).
sincrônico. [De *síncrono* + *-ico*[2].] *Adj.* **1.** Que ocorre ao mesmo tempo. **2.** Relativo aos fatos concomitantes ou contemporâneos. **3.** Relativo a, ou em que há sincronia: *lingüística sincrônica.* [Sin., nas acepç. 1 e 2: *síncrono.* Cf. *simultâneo.*]
sincronismo. [Do gr. *sygchronismós.*] *S. m.* **1.** Relação entre fatos sincrônicos: "Toda a gente sabe que os tecidos se extinguem sem *sincronismo* com a extinção da consciência" (Fidelino de Figueiredo, *Entre Dois Universos,* p. 229). **2.** Fato sincrônico.
sincronista. [De *síncrono* + *-ista.*] *Adj. 2 g.* e *s. 2 g.* Que, ou quem usa, na exposição dos fatos, o método sincrônico (3).
sincronístico. *Adj.* Relativo ou pertencente ao sincronismo; sincrônico.
sincronização. *S. f.* **1.** Ato ou efeito de sincronizar. **2.** *Eletrôn.* Ato ou efeito de manter uma operação em conjugação ou entrosamento com outra.
sincronizado. [Part. de *sincronizar.*] *Adj.* Que se sincronizou.
sincronizar. [De *síncrono* + *-izar.*] *V. t. d.* **1.** Narrar, expor, descrever sincronicamente. **2.** Agir, atuar, trabalhar com sincronismo. **3.** Combinar (ações ou exercícios) para o mesmo tempo. **4.** *Cin.* Tornar (diálogo, música, ou efeitos de som) exatamente simultâneos com a ação exibida na tela.
síncrono. [Do gr. *sygkronos,* 'contemporâneo', pelo lat. *synchronu.*] *Adj.* V. *sincrônico* (1 e 2). ~ V. *motor* — e *transmissão* —*a.*
sincrotron. *S. m. Fís.* Acelerador de partículas carregadas (elétrons, prótons, p. ex.) que são aceleradas em órbitas que se mantêm circulares em virtude da ação de campos magnéticos variáveis.
sindáctilo. [De *sin-* + *dá(c)tilo.*] *Adj. Zool.* Que tem os dedos soldados entre si. [Var.: *sindátilo.*]
sindátilo. *Adj. Zool.* Var. de *sindáctilo.*
sindectomia. [Do gr. *synd,* raiz de *syndéo,* 'ligar', + *-ectom-* + *-ia.*] *S. f. Cir.* Excisão da conjuntiva.
sindectômico. *Adj.* Referente à sindectomia.
sindérese. [Do fr. *syndérèse.*] *S. f.* **1.** Faculdade natural de julgar com retidão. **2.** Bom senso, discrição, ponderação, circunspeção. **3.** *Rel.* Posse natural dos princípios básicos da moralidade, inerente a toda ação humana consciente.
sinderético. *Adj.* Respeitante à sindérese.
síndese. [Do gr. *sýndesis,* 'ligação'.] *S. f. Gram.* Síndeto.
sindesmite. [De *sindesm(o)-* + *-ite*[1].] *S. f. Patol.* Inflamação de um ligamento (3).
▲**sindesm(o)-.** [Do gr. *syndesmos, ou.*] *El. comp.* = 'ligamento': *sindesmologia; sindesmose.*
sindesmografia. [De *sindesm(o)-* + *-graf(o)-* + *-ia.*] *S. f. Anat.* Descrição dos ligamentos.
sindesmográfico. *Adj.* Referente à sindesmografia.
sindesmologia. [De *sindesm(o)-* + *-log(o)-* + *-ia.*] *S. f. Anat.* O estudo dos ligamentos [v. *ligamento* (3)].
sindesmológico. *Adj.* Relativo à sindesmologia.
sindesmose. [De *sindesm(o)-* + *-ose.*] *S. f. Anat.* Tipo de articulação em que há a interveniência de tecido conjuntivo fibroso que constitui membrana ou ligamento (3) interósseo.
sindesmotomia. [De *sindesm(o)-* + *-tom(o)-* + *-ia.*] *S. f. Anat.* e *Cir.* Dissecção ou incisão de ligamento (3).
sindesmotômico. *Adj.* Respeitante à sindesmotomia.
sindético. [De *síndet(o)* + *-ico*[2].] *Adj. Gram.* Diz-se da oração que se liga a outra por conjunção coordenativa. Ex.: *Estudou e ensinou; Trabalhou muito, mas continuou pobre.* [Cf. *assindético* e *polissindético.*] ~ v. *coordenação* —*a.*
síndeto. [Do gr. *sýndetos, on.*] *S. m. Gram.* Presença de conjunção aditiva entre os termos de uma construção coordenada: síndese. [F. paral.: *síndeton.* Cf. *assíndeto* e *polissíndeto.*]
síndeton. *S. m.* V. *síndeto.*
sindi. [Do ár. *sindi,* 'de Sind' (região do Paquistão).] *S. m.* **1.** Língua híndi moderna, do vale do rio Indo. **2.** Certa raça zebu [q. v.]. ● *Adj. 2 g.* **3.** Diz-se dessa raça.

sindicação. *S. f.* Ato ou efeito de sindicar; sindicância.
sindicato. [Part. de *sindicar*.] *Adj.* e *s. m.* Diz-se de, ou indivíduo contra quem se instaura sindicância.
sindical. [De *síndico* (4) + *-al*.] *Adj. 2 g.* Pertencente ou relativo a sindicato; sindicatário. ~ V. *câmara* —.
sindicalismo. [De *sindical* + *-ismo*.] *S. m.* **1.** Conjunto de doutrinas acerca dos sindicatos. **2.** Movimento que preconiza a sindicalização dos profissionais para a defesa dos interesses comuns. **3.** Movimento que defende a existência e ação política dos sindicatos. **4.** Ação reivindicatória e/ou política dos sindicatos. **5.** Conjunto de sindicatos.
sindicalista. *Adj. 2 g.* **1.** Relativo ao, ou que é partidário do sindicalismo (1). ● *S. 2 g.* **2.** Partidário dele.
sindicalização. *S. f.* Ação de sindicalizar(-se).
sindicalizado. [Part. de *sindicalizar*.] *Adj.* Que se sindicalizou; que é membro de um sindicato.
sindicalizar. [De *sindical* + *-izar*.] *V. t. d.* **1.** Reunir em sindicato. *P.* **2.** Reunir-se em sindicato; sindicar-se. **3.** Passar a pertencer a um sindicato, a ser membro dele; sindicar-se.
sindicalizável. *Adj. 2 g.* Que pode ou deve sindicalizar-se.
sindicância. [De *sindicar* + *-ância*.] *S. f.* **1.** Inquérito; sindicação. **2.** *Bras.* A função do síndico; sindicato. **3.** *Bras.* O exercício dessa função; sindicato.
sindicante. *Adj. 2 g.* **1.** Que sindica. ● *S. 2 g.* **2.** Pessoa que sindica; síndico.
sindicar. [De *síndico* + *-ar*[2].] *V. t. d.* **1.** Fazer sindicância em; inquirir. **2.** Colher informações a respeito de (algo), por ordem superior. **3.** Organizar em sindicato; sindicalizar. *Int.* e *t. i.* **4.** Realizar sindicâncias; tomar informações. *P.* **5.** Sindicalizar-se. [Pres. ind.: *sindico*, etc. Cf. *síndico*. Conjug.: v. *trancar*.]
sindicatado. [De *sindicato* + *-ado*[2].] *S. m.* Operário pertencente a um sindicato.
sindicatário. [De *sindicato* + *-ário*.] *Adj.* **1.** Sindical. ● *S. m.* **2.** Membro de um sindicato.
sindicato. [De *sindicar* + *-ato*[1].] *S. m.* **1.** Companhia ou associação de capitalistas que têm interesses na mesma empresa e põem em comum os seus títulos a fim de que na venda destes o preço não se altere. **2.** *Deprec.* Especulação financeira ilícita. **3.** *Bras. Jur.* Associação para fins de estudos, defesa e coordenação de interesses econômicos e profissionais, de todos aqueles que, como empregadores, empregados, agentes ou trabalhadores autônomos, ou como profissionais liberais, exerçam, respectivamente, atividades ou profissões idênticas, similares ou conexas. **4.** *Bras.* Sindicância (2). **5.** *Bras.* Sindicância (3).
sindicatório. *Adj.* **1.** Relativo a sindicato. ● *S. m.* **2.** Membro de um sindicato (1).
síndico. [Do gr. *syndikós*, 'advogado, defensor', pelo lat. *syndicu*.] *S. m.* **1.** Antigo procurador de uma comunidade, de cortes, etc. **2.** Advogado de corporação administrativa. **3.** Sindicante (2). **4.** Indivíduo escolhido para zelar ou defender os interesses duma associação, duma classe, etc. **5.** *Bras.* Nos edifícios em que há condomínio, pessoa escolhida pelos condôminos para tratar dos interesses e da administração do imóvel. **6.** *Bras. Dir.* Administrador duma falência, sob a imediata direção e superintendência do juiz, que o escolhe pela sua idoneidade moral e financeira entre os maiores credores do falido, podendo a escolha recair em pessoa estranha idônea e de boa reputação, se três credores renunciarem seguidamente à nomeação. [Cf., nesta acepç., *liquidante* (3). Cf. *sindico*, do v. *sindicar*.]
sindiotáctico. *Adj. Quím.* ~ V. *polímero* —.
síndroma. *S. f.* Var. de *síndrome*.
síndrome. [Do gr. *syndromé*, 'concurso'.] *S. f.* **1.** *Med.* Estado mórbido caracterizado por um conjunto de sinais e sintomas, e que pode ser produzido por mais de uma causa. Ex.: síndrome de obstrução intestinal, síndrome de insuficiência respiratória. [Var.: *síndroma*.] **2.** *Fig.* Conjunto de características ou de sinais associados a uma condição crítica, suscetíveis de despertar reações de temor e insegurança: *a síndrome de guerra nuclear; a síndrome da inflação galopante.* ♦ **Síndrome de Adams-Stokes.** *Med.* A que se caracteriza por perturbações neurológicas (p. ex., *síncope*) conseqüentes a baixa súbita de perfusão sangüínea cerebral, devida a bloqueio auriculoventricular permanente ou paroxístico. **Síndrome de Cushing.** *Med.* A que se caracteriza por secreção excessiva e sem freio de cortisol, causada por lesões corticossupra-renais, hipofisárias ou localizadas em órgãos outros, como em certos tumores brônquicos, tímicos, etc. Verifica-se uma distribuição anormal do tecido adiposo, com sobrecarga gordurosa na face e no tronco, alterações cutâneas, musculares e ósseas, etc. **Síndrome de deficiência imunológica adquirida.** [Do ingl. *acquired immunological deficiency syndrome, 'AIDS'*.] *Med.* Designação imprópria de doença de origem viral, de elevada incidência em homossexuais do sexo masculino, em receptores de transfusões de sangue e em toxicômanos, na qual há importante baixa da capacidade de reação imunológica, e que se manifesta pelo aparecimento de tumores malignos de rara ocorrência na população em geral e pela instalação de infecções graves e altamente letais; síndrome de imunodeficiência adquirida. [Abrev.: *SDIA*. Cf. *síndrome* (1) e *doença* (1).] **Síndrome de Estocolmo.** Sentimento de simpatia em relação a(os) seqüestrador(es), por parte de indivíduo seqüestrado por motivos políticos: "*A síndrome de Estocolmo* se revelou pela primeira vez em Estocolmo, Suécia, quando um diplomata alemão ocidental seqüestrado e devolvido declarou simpatia pelo grupo terrorista Baader-Meinhoff." (*Jornal do Brasil*, 5.11.1985.) **Síndrome de imunodeficiência adquirida.** *Med.* Síndrome de deficiência imunológica adquirida. [Abrev.: *SIDA*.] **Síndrome de Meunière.** *Med.* A que se caracteriza por acessos paroxísticos de vertigem, zumbido, e por surdez de evolução lenta. São acompanhantes freqüentes, na fase aguda, palidez, náusea e vômito. **Síndrome geral de adaptação.** *Med.* Conjunto de reações generalizadas, inespecíficas, do organismo — p. ex., nervosas ou endócrinas —, produzidas em conseqüência de influências hostis ao corpo.
sinecologia. [De *sin-* + *ecologia*.] *S. f.* **1.** Ramo da ecologia que trata das relações entre comunidades animais ou vegetais e o meio ambiente. **2.** Fitossociologia.
sinecológico. *Adj.* Relativo à sinecologia.
sinecura. [Do lat. *sine cura*, 'sem cuidado'.] *S. f.* Emprego ou função que não obriga ou quase não obriga a trabalho; prebenda, veniaga.
sinecurismo. *S. m.* Sistema governamental apoiado nas sinecuras que promove.
sinecurista. *S. 2 g.* Pessoa que tem sinecura(s) e/ou que gosta dela(s).
➡**sine die.** [Lat., 'sem dia'.] Us. na expr. *adiar sine die*, i. e., sem se fixar data para o adiamento.
sinédoque. [Do gr. *synedoché*, 'comparação de várias coisas simultaneamente', pelo lat. *synedoche*.] *S. f. Ret.* Tropo que se funda na relação de compreensão e consiste no uso do todo pela parte, do plural pelo singular, do gênero pela espécie, etc., ou vice-versa. Ex.: *o horizonte do leste; os Píndaros, os Virgílios, os Joões de Barros, os Machados, os Nabucos*; "Os Santos mais ilustres, os Agostinhos, os Ambrósios, os Jerônimos, permaneciam fora, pelos pátios divinos" (Eça de Queirós, *Notas Contemporâneas*, p. 368); *os mortais*, em lugar de *os homens*; "A vila fechada, de poucos fogos [= casas, lares], é .... defendida por fossos, barbacãs, cárcovas" (Antero de Figueiredo, *Jornadas em Portugal*, p. 76); "É verdade que há muita cousa boa" (Simões Lopes Neto, *Contos Gauchescos e Lendas do Sul*, p. 167); "Pois faz tanto ano!..." (Id., *ib.*, p. 224); *cidade de 500.000 almas* [por 500.000 habitantes]; etc. [Cf. *metonímia*.]
sinedrim. [Var. de *sinédrio*, com infl. de *sanedrim*.] *S. m.* V. *sinédrio*.
sinédrio. [Do gr. *synédrion*, 'assembléia reunida em sessão', pelo lat. *synedria*.] *S. m.* Entre os antigos judeus, tribunal, em Jerusalém, formado por sacerdotes, anciãos e escribas, o qual julgava as questões criminais ou administrativas referentes a uma tribo ou a uma cidade, os crimes políticos importantes, etc. [Var.: *sinedrim*; sin.: *sanedrim*.]
sineira. [De *sino*[1] + *-eira*.] *S. f.* Abertura, nas torres, onde estão os sinos: "avistávamos, para oeste, numa garganta de montes, as *sineiras* brancas de Estombar." (Júlio Dantas, *Abelhas Doiradas*, p. 158).
➡**sine ira et studio** (sine ira èt stúdio). [Lat., 'sem cólera nem parcialidade'.] O modo pelo qual, segundo Tácito, a história deve ser escrita.
sineiro. [De *sino*[1] + *-eiro*.] *S. m.* **1.** Aquele que tem por função tocar os sinos. **2.** Fabricante de sinos. ● *Adj.* **3.** Que tem sinos: *torre sineira; campanário sineiro.*
sinema. [De *sin-* + *-nema*.] *S. f. Morfol. Veg. P. us.* **1.** A parte da coluna das orquídeas que representa os filetes estaminais concrescidos. **2.** Nas flores monadelfas, o conjunto dos filetes estaminais concrescidos. [Cf. *cinema*.]
sinemático. [De *sinema* + *-t-* + *-ico*[2].] *Adj. Morfol. Veg.* **1.** Referente aos estames. **2.** Que os forma ou concorre para formá-los. [Fem.: *sinemática*. Cf. *cinemático* e *cinemática*.]
sinentógnato. *S. m* **1.** Espécime dos sinentógnatos. ● *Adj.* **2.** Pertencente ou relativo a eles.
sinentógnatos. *S. m. pl. Zool.* Animais, da classe dos peixes, neopterígios, ordem *Synentognathi*. O corpo tem linha lateral distinta; nadadeiras medianas muito remotas, a dorsal situada sobre a anal, as peitorais na parte superior, atrás da abertura opercular; maxilares geralmente rostriformes. São marinhos, e no grupo se incluem os peixes voadores.
➡**sine qua non.** [Lat., 'sem a qual não'.] Expressão que indica uma cláusula ou condição sem a qual não se fará certa coisa.
sinequia. [Do gr. *synécheia*, 'aderência'.] *S. f. Med.* Aderência entre partes vizinhas, especialmente a da íris com a córnea ou o cristalino.
sinérese. [Do gr. *synaíresis*, 'contração', pelo lat. *synaerese*.] *S. f.* **1.** *Gram.* Contração de duas sílabas em uma só, mas sem alteração de letras nem de sons, como, por ex., em *reu-nir, pie-da-de*, em vez de *re-u-nir, pi-e-da-de*. [Cf. *diérese* (1).] **2.** *Quím.* Exsudação espontânea da água de um gel que está em repouso.
sinergia. [Do gr. *synergía*, 'cooperação'.] *S. f.* **1.** *Fisiol.* Ato ou esforço coordenado de vários órgãos na realização de uma função. **2.** Associação simultânea de vários fatores que contribuem para uma ação coordenada. **3.** Ação simultânea, em comum: "ao fundir-se em nós .... o *pré-espírito* das almas idas, como que se opera uma simbiose fecunda, se tal termo pode aplicar-se à *sinergia* de vida e morte." (Ricardo Jorge, *Sermões dum Leigo*, p. 6).
sinérgico. *Adj.* Relativo à sinergia.
sinérgide. [Do gr. *synergós*, 'ajudante', + o final *ide*, por *-ídeo*.] *S. f. Citol.* Célula que acompanha a oosfera no saco embrionário das plantas floríferas, e que desempenha papel auxiliar na fecundação.
sinergismo. [Do gr. *synergós*, 'ajudante, colaborador', + *-ismo*.] *S. m. Teol.* Doutrina protestante pela qual a salvação do homem se alcança mediante a colaboração da graça divina com a vontade humana.
sínese. [Do gr. *sinesis*, 'união, inteligência', pelo lat. *sinese*.] *S. f. Gram.* Construção sintática na qual se leva mais em conta o sentido que o rigor da forma.
sinestesia. [De *sin-* + gr. *aísthesis*, 'sensação', + *-ia*.] *S. f. Psicol.* Relação subjetiva que se estabelece espontaneamente entre uma percepção e outra que pertença ao domínio de um sentido diferente (p. ex., um perfume que evoca uma cor, um som que evoca uma imagem, etc.). Ex.: "Avista-se o grito das araras." (João Guimarães Rosa, *Ave, Palavra*, p. 91); "Tem cheiro a luz, a manhã nasce... / Oh sonora audição colorida do aroma!" (Alphonsus de Guimaraens, *Obra Completa*, p. 100). [Cf. *cenestesia* e *cinestesia*.]
sinestésico. *Adj.* Relativo à sinestesia.
sineta. [Do gr. *synetós*, 'inteligente', 'prudente'.] *S. f.* Gênero de insetos coleópteros. [Pl.: *sinetas*. Cf. *sineta* (ê) e pl. *sinetas* (ê).]
sineta (ê). [De *sino*[1] + *-eta*.] *S. f.* Sino pequeno. [Pl.: *sinetas* (ê). Cf. *sineta* e *sinetas*, do v. *sinetar* e s. f.]
sinetar. *V. t. d. Bras.* Marcar com sinete. [Pres. ind.: *sineto, sinetas, sineta*, etc.; pres. subj.: *sinete, sinetes*, etc. Cf. *sineta* (ê), pl. *sinetas* (ê), e *sinete* (ê), pl. *sinetes* (ê).]
sinete (ê). [Do fr. *signete*, ant. *sinet*, + *-ete*.] *S. m.* **1.** Utensílio gravado em alto ou baixo-relevo, utilizado para imprimir no papel, no lacre, etc., assinatura, monograma, brasão, etc., de uma instituição ou pessoa. **2.** A própria gravação de tal marca; chancela. **3.** V. *carimbo* (1). **4.** *Fig.* Marca, sinal. **5.** *Tip.* Timbre (14). [Pl.: *sinetes* (ê). Cf. *sinete* e *sinetes*, do v. *sinetar*.]
sínfilo. *S. m.* **1.** Espécime dos sínfilos. ● *Adj.* **2.** Pertencente ou relativo a eles.
sínfilos. *S. m. pl. Zool.* Animais miriápodes, progoniados, da subclasse *Symphyla*. São pequenos (até 6 mm de comprimento), os adultos com 12 pares de patas nos primeiros segmentos, antenas simples, de muitos artículos, e orifício genital entre o quarto par de patas.
sinfipleono. *S. m.* **1.** Espécime dos sinfipleonos. ● *Adj.* **2.** Pertencente ou relativo a eles.
sinfipleonos. *S. m. pl. Zool.* Insetos da ordem dos colêmbolos, subordem *Symphypleona*, de corpo piriforme, abdome subglobuloso, e a segmentação do tórax e dos quatro primeiros segmentos abdominais atrofiada.
sínfise. [Do gr. *symphisis*, 'reunião, coesão'.] *S. f.* **1.** *Anat.* Tipo de articulação em que as superfícies ósseas estão unidas com firmeza por fibrocartilagem. Ex.: sínfise pubiana. **2.** *Med.* Aderência de dois folhetos duma serosa.
sinfisiano. *Adj.* Respeitante à sínfise; sinfisiário, sinfísio.
sinfisiário. *Adj.* V. *sinfisiano*.
sinfísio. *Adj.* V. *sinfisiano*.
sinfisiotomia. [De *sinfísio* + *-tom(o)-* + *-ia*.] *S. f. Obst.* Seção de fibrocartilagem da sínfise pubiana, com o fim

de aumentar o diâmetro da pelve, para facilitar um parto.
sinfisiotômico. *Adj.* Referente à sinfisiotomia.
sínfito. *S. m.* e *adj.* V. *calastrogastro.*
sínfitos. *S. m. pl. Zool.* V. *calastrogastros.*
sinfonia. [Do gr. *symphonia,* 'reunião de vozes, de sons', pelo lat. *symphonia.*] *S. f.* **1.** *Mús.* Entre os gregos, a consonância perfeita, i. e., os intervalos de oitava, quarta e quinta justas. **2.** *Mús.* Peça exclusivamente instrumental, que servia de prelúdio às grandes obras vocais: ópera, oratório, cantata, etc. **3.** *Mús.* Na Idade Média, a viola de roda [q. v.]. **4.** *Mús.* Realização orquestral da sonata[1] (5), caracterizada pela multiplicidade dos executantes para cada instrumento e pela diversidade dos timbres. **5.** *Mús.* Conjunto de sinfonistas. **6.** *Mús.* Peça em que o emprego da melodia acompanhada era baseado numa escrita acordal. **7.** *Fig.* Conjunto variado e harmônico: *uma* s i n f o n i a *de cores.* ♦ **Sinfonia concertante.** *Mús.* Composição que participa da natureza do concerto grosso e da sinfonia (4), e comporta vários solistas. **Sinfonia de abertura.** *Mús. P. us.* V. *abertura* (11). **Sinfonia de câmara.** *Mús.* A que é escrita para pequenos conjuntos instrumentais virtuosísticos.
sinfônica. [Fem. substantivado de *sinfônico.*] *S. f.* Orquestra sinfônica.
sinfônico. *Adj.* **1.** Relativo a sinfonia. **2.** Destinado a sinfonias, i. e., a peças para diversos instrumentos: *orquestra* s i n f ô n i c a. **3.** Respeitante a orquestra: *concerto* s i n f ô n i c o. **4.** Destinado a orquestra: *A obra* s i n f ô n i c a *de Beethoven.* ~ V. *poema* — e *orquestra* —*a.*
sinfonista. *Adj. 2 g.* e *s. 2 g.* **1.** Que ou quem compõe sinfonias. **2.** Diz-se de, ou instrumentista de sinfonias.
singamia. [De *sin-* + *-gam(o)-* + *-ia.*] *S. f. Biol. Ger.* Anfimixia.
singâmico. *Adj.* Concernente à singamia.
singamídeo. *S. m.* **1.** Espécime dos singamídeos. ● *Adj.* **2.** Pertencente ou relativo a eles.
singamídeos. *S. m. pl. Zool.* Designação freqüentemente dada aos vermes da família dos estronquilídeos, parasitos de algumas aves. Ex.: *Syngamus traquealis,* parasito da traquéia da galinha.
singeleira. [De *singelo* + *-eira.*] *S. f.* Certa rede para a pesca de peixe miúdo. [Cf. *cingeleira,* fem. de *cingeleiro.*]
singelez (ê). [De *singelo* + *-ez.*] *S. f.* V. *singeleza:* "vagamente ciosa das remembranças de amor que, brandas, ressoavam na s i n g e l e z nostálgica das doces músicas crioulas." (Alcides Maia, *Tapera,* p. 12).
singeleza (ê). [De *singelo* + *-eza.*] *S. f.* **1.** Qualidade de singelo. **2.** V. *simplicidade* [Var.: *singelez.*]
singelo. [Do lat. vulg. **singellu,* por **singulu,* sing. de *singuli,* 'um a um'.] *Adj.* **1.** Simples (2 a 4, 8 e 10). **2.** *Bot.* Simples (14): "Há rosas dobradas / E há-as s i n g e l a s" (Guerra Junqueiro, *A Musa em Férias,* p. 110). ~ V. *talha* —*a* e *volta* —*a.*
singênese. [Do gr. *syggénesis,* 'criação simultânea'.] *S. f.* Hipótese daqueles que admitem haverem sido criados simultaneamente todos os seres vivos.
singenesista. *Adj. 2 g.* e *s. 2 g.* Diz-se de, ou partidário da singênese.
singleto (ê). [Do ingl. *singlet.*] *S. m. Fís.* Termo espectral em que o número quântico do spin do átomo é igual a zero, e que tem, pois, multiplicidade igual a um.
singnatídeo. *S. m.* **1.** Espécime dos singnatídeos. ● *Adj.* **2.** Pertencente ou relativo a eles.
singnatídeos. *S. m. pl. Zool.* Família de peixes actinopterígios, da ordem dos soleníctios, que apresentam as mandíbulas unidas, formando com a boca um tubo na extremidade. Compreende, entre outros, os gêneros *Hippocampus* (cavalo-marinho) e *Syngnatus* (peixe-cachimbo ou agulha-do-mar).
síngnato. *S. m.* e *adj.* Quilópode.
síngnatos. *S. m. pl. Zool.* Quilópodes.
singradura. *S. f. Náut.* **1.** Ato ou efeito de singrar. **2.** Navegação diária feita entre dois meios-dias consecutivos. **3.** Navegação feita num mesmo rumo: "Os pilotos atentos às s i n g r a d u r a s, aos ventos e ao mar, tornavam-se responsáveis .... pelo que mandava o regimento que traziam" (Eugênio de Castro [o brasileiro], *Terra à vista,* pp. 92-93).
singráfico. *Adj.* Relativo a síngrafo.
síngrafo. [Do gr. *syggraphos,* 'contrato escrito', pelo lat. *syngraphu.*] *S. m.* Documento de dívida assinado pelo credor e pelo devedor.
singrante. *Adj. 2 g. Ant. Náut.* Dizia-se da embarcação preparada para singrar.
singrar. [Do ant. *singlar* < ant. escand. *sigla,* 'navegar', atr. do fr. ant. *sigler,* atual *cingler.*] *V. int. Náut.* **1.** Navegar à vela; velejar; navegar: "S i n g r a o navio. Sob a água clara / Vê-se o fundo do mar, de areia fina..." (Camilo Pessanha, *Clepsidra e Outros Poemas,* p. 197); "Ao lado s i n g r a v a um barco vermelho todo iluminado, especial para enfrentar incêndios no mar." (Fernando Sabino, *O Gato Sou Eu,* p. 13). *T. d.* **2.** Percorrer navegando: "Voga o navio. S i n g r a um caminho florido / de rosas e já não o mar" (Eduardo Guimaraens, *A Divina Quimera,* p. 198); "Importante frota mercante s i n g r a v a aquelas águas claras" (Artur César Ferreira Reis, *O Seringal e o Seringueiro,* p. 33).
singular. [Do lat. *singulare.*] *Adj. 2 g.* **1.** Pertencente ou relativo a um; único, particular, individual. **2.** Que não é vulgar; especial, raro, extraordinário: *uma personalidade* s i n g u l a r; "No coração da floresta reina uma s i n g u l a r mistura de silêncio e de rumores" (Oliveira Martins, *O Brasil e as Colônias Portuguesas,* p. 137). **3.** Diferente, distinto, notável. **4.** Excêntrico, extravagante, esquisito, bizarro. **5.** *Gram.* Diz-se do número que indica uma só coisa ou pessoa. **6.** *Lóg.* Que se aplica a um só sujeito. ~ V. *integral* —, *matriz* —, *ponto* — e *solução* —. ● *S. m.* **7.** *Gram.* O número singular dos nomes e dos verbos. [Cf. *cingular.*]
singularidade. [Do lat. *singularitate.*] *S. f.* **1.** Qualidade do que é singular. **2.** Ato ou dito singular. **3.** Extravagância, excentricidade. **4.** *Anál. Mat.* Ponto singular. **5.** *Cosm.* Região do espaço-tempo onde as conhecidas leis da física sucumbem e a curvatura do espaço se torna infinita. ♦ **Singularidade essencial.** *Anál. Mat.* Ponto singular que não é um pólo. **Singularidade isolada.** *Anál. Mat.* Ponto singular que tem pelo menos uma vizinhança que o envolve, e na qual não existem outros pontos singulares.
singularizar. *V. t. d.* **1.** Tornar singular, particular, específico ou peculiar; particularizar, especificar: *Não quis* s i n g u l a r i z a r *a sua pretensão.* **2.** Distinguir dos outros; privilegiar: *A inteligência* s i n g u l a r i z a *esta criança.* **3.** Explicar minuciosamente; particularizar. **4.** Fazer exceção de; excetuar. *P.* **5.** Tornar-se singular; distinguir-se, salientar-se: *A cantora* s i n g u l a r i z o u - s e *pela bela voz e desempenho.*
singulto. [Do lat. *singultu.*] *S. m. Poét.* Soluço (2).
singultoso (ô). *Adj. Poét.* Que tem singultos ou é entrecortado de singultos.
sinha. *S. f. Bras., N.E. Pop.* V. *seu*[1]: "S i n h a Vitória punha sal na comida." (Graciliano Ramos, *Vidas Secas,* p. 40); "— Danada! S i n h a danada!" (Moreira Campos, *Os Doze Parafusos,* p. 62).
sinhá. [De *sinhô.*] *S. f. Bras. Pop.* Tratamento dado pelos escravos a sua senhora; siá: "Conheceram [as negras] muito dono: / Embalaram tanto sono / De tanta s i n h á gentil!" (Gonçalves Crespo, *Obras Completas,* p. 352); *Conversei com* S i n h á *Maria.*
sinhá-moça. *Bras. Pop. S. f.* Tratamento que davam os escravos às filhas dos senhores ou às donzelas; sinhazinha: "as mucamas, [carregando] leves cestos de junco e embrulhos com objetos pertencentes às s i n h á s - m o ç a s" (Melo Morais Filho, *Festas e Tradições Populares do Brasil,* p. 105). [Pl.: *sinhás-moças.*]
sinhaninha. [De *sinhá* + antr. *Aninha,* dim. de *Ana.*] *S. f.* **1.** *Bras.* Sianinha. **2.** *Bras., N.E. Pop.* V. *cachaça* (1).
sinhara. [Cruz. de *senhora* com *sinhá.*] *S. f. Bras. Pop.* V. *sinhá.*
sinhá-velha. *S. f. Bras. Pop.* Tratamento que os escravos davam às senhoras idosas. [Pl.: *sinhás-velhas.*]
sinhazinha (nhà). [Dim. de *sinhá.*] *S. f.* **1.** *Bras. Pop.* Sinhá-moça. **2.** *Bras. Pop.* V. *cachaça* (1): "Essa paixão pela 's i n h a z i n h a', como chamava ela, com ternura, começou na mesma noite em que perdeu Neco Bequé." (Francisco Julião, *Cachaça,* p. 52.)
sinhô. [Alter. de *senhor.*] *S. m. Bras. Pop.* Tratamento que os escravos davam ao senhor; siô: "Essa negrinha Fulô / ficou logo pra mucama, / pra vigiar a Sinhá / pra engomar pro S i n h ô!" (Jorge de Lima, *Obra Completa,* I, p. 291.) [Fem.: *sinhá.*]
sinhô-moço. *S. m. Bras. Pop.* Tratamento que davam os escravos ao filho do sinhô; sinhozinho. [Pl.: *sinhôs-moços.*]
sinhozinho (nhô). [Dim. de *sinhô.*] *S. m. Bras. Pop.* Sinhô-moço.
sinhô-velho. *S. m. Bras. Pop.* Tratamento que os escravos davam aos senhores idosos. [Pl.: *sinhôs-velhos.*]
sini. *S. m. Bras.* V. *aningaúba.*
sínico. [Do lat. mod. *Sina,* 'China', + *-ico*[2].] *Adj.* **1.** Da, ou pertencente ou relativo à China (Ásia). **2.** Referente aos chineses, nos antigos territórios portugueses. [Cf. *cínico.*]
sinimbu. [Do tupi *sinī'bu.*] *S. m. Bras.* **1.** V. *camaleão*[1] (1 e 2). **2.** Iguana.
sinistra. [Do lat. *sinistra* (subentende-se *manus,* 'mão').] *S. f.* A mão esquerda: "ao lado, o Imperador, ... segurando com a s i n i s t r a as rédeas chapeadas do negro cavalo, de guerra, erguendo na destra o cetro de oiro maciço." (Gustavo Barroso, *Livro dos Milagres,* p. 93). [Var. (p. us.): *sestra.* Cf. *destra.*]
sinistrado. [Part. de *sinistrar.*] *Adj.* Que sofreu sinistro.
sinistrar. *V. int.* Sofrer sinistro (7).
sinistrismo. [De *sinistra* + *-ismo.*] *S. m.* V. *mancinismo.*
sinistro. [Do lat. *sinistru.*] *Adj.* **1.** Esquerdo (1). **2.** Que é de mau agouro; fúnebre, funesto: "Eis a estrada poeirenta e s i n i s t r a da morte!" (Marcelo Gama, *Via-Sacra,* p. 136.) **3.** De má índole; mau. **4.** Que infunde receio; ameaçador, temível. ● *S. m.* **5.** Desastre, ruína. **6.** Grande prejuízo material; dano. **7.** Ocorrência de prejuízo ou dano (incêndio, acidente, naufrágio, etc.) em algum bem sobre o qual se fez seguro (17).
sinistrogiro. [De *sinistro* + *giro.*] *Adj.* **1.** Diz-se do que gira para a esquerda. **2.** Diz-se, em grafologia, da letra que é inclinada para a esquerda. [Antôn.: *dextrogiro.*] ~ V. *curva* —*a.*
sinistrógrado. [De *sinistro* + *-grado*[1].] *Adj. Paleogr.* Diz-se da escrita orientada da direita para a esquerda. [Cf. *destrógrado.*]
sinistrorso. [Do lat. *sinistrorsu,* 'à esquerda'.] *Adj. Morfol. Veg.* Diz-se do caule volúvel que gira para a esquerda. [Cf. *dextrorso.*]
▲**sino-.** [Do lat. *sinae.*] *El. comp.* = 'da China', 'chinês': *sinologia.*
sino[1]. [Do lat. *signu,* 'sinal'.] *S. m.* **1.** Instrumento, em geral de bronze, obcônico, que tem uma sonoridade rica, mais ou menos aguda, de acordo com o tamanho e a espessura, e pode ser percutido na superfície interna por um badalo, ou na externa por um martelo; bronze. [Desde épocas remotas, os sinos são, em geral, instalados em torres e campanários.] **2.** Cabina, com o feitio de pirâmide truncada, para uso de mergulhadores. **3.** *Mús.* Conjunto de tubos metálicos de número e diâmetro variáveis, usados, nas orquestras, para produzir sons semelhantes ao do sino (1). [Aum.: *sinão.* Cf. *senão.*] ♦ **Sino de bordo.** *Mar.* Sino instalado a bordo dos navios para bater as horas e as meias horas dos quartos de serviço. **Sino de correr.** O que dava o toque de recolher.
sino[2]. [Do lat. *sinu,* 'curvatura, sinuosidade'; 'seio'.] *S. m. Ant.* Golfo (1).
sínoca. [Do gr. *synochos,* i. e., *synochos pyretós,* 'febre contínua'.] *Adj. (f.) Patol.* Dizia-se de certas febres contínuas.
sinodal. [Do lat. *synodale.*] *Adj. 2 g.* Pertencente ou relativo a sínodo; sinódico.
sinodático. *Adj.* Que se efetua num só sínodo.
sinódico. [Do gr. *synodikós,* pelo lat. *synodicu.*] *Adj.* **1.** Sinodal. **2.** *Astr.* Referente à revolução dos planetas. ~ V. *mês* —, *período* —, *revolução* — e *revolução* —*a dos nodos.* ● *S. m.* **3.** Coleção de resoluções sinodais.
sínodo. [Do gr. *synodus,* 'reunião, concílio', pelo lat. *synodu.*] *S. m. Rel.* **1.** Assembléia regular de párocos e outros padres, convocada pelo bispo local: "No quarto século do cristianismo, aquela era tempestuosa de heresias e de cruentas disputas dos mistérios da religião nos s í n o d o s, nos concílios entre bispos e arquimandritas facciosos, cresceu no coração dos homens de verdadeira fé o desejo de apartar-se do mundo" (João Ribeiro, *Floresta de Exemplos,* p. 33). **2.** Assembléia de bispos do mundo inteiro, que se reúne periodicamente desde 1967 para, sob a presidência do papa, tratar de problemas da Igreja universal. **3.** Órgão colegiado e permanente do governo eclesiástico das Igrejas do Oriente.
sinologia. [De *sino-* + *-log(o)-* + *-ia.*] *S. f.* Estudo do que se relaciona com a China. [Cf. *cinologia* e *cenologia.*]
sinológico. *Adj.* Relativo à sinologia. [Cf. *cinológico* e *cenológico.*]
sinólogo. [De *sino-* + *-logo.*] *Adj.* e *s. m.* Que, ou aquele que é especialista em sinologia.
sinonímia. [Do gr. *synonymía,* pelo lat. *synonymia.*] *S. f.* **1.** Qualidade ou caráter de sinônimo. **2.** Relação entre palavras sinônimas. **3.** Fato lingüístico que se caracteriza pela existência de palavras sinônimas. **4.** Uso de sinônimos. [Antôn., nas acepç. 1 e 4: *antonímia.*]
sinonímica. [Fem. substantivado de *sinonímico.*] *S. f.* A arte ou o estudo dos sinônimos e de sua distinção.
sinonímico. *Adj.* Relativo à sinonímia, ou a sinônimos.
sinonimista. *Adj. 2 g.* e *s. 2 g.* Que ou quem se ocupa de sinônimos, de sinonímia.
sinonimizar. *V. t. d.* **1.** Tornar sinônimo. **2.** Dar a sinonímia de. *T. d.* e *i.* **3.** Tornar sinônimo: s i n o n i m i

z a r *uma palavra com outra. T. i.* **4.** Formar sinonímia: *O vocábulo* brando *s i n o n i m i z a* com suave. *Int.* **5.** Formar sinonímia: *As palavras* sereno e plácido *s i n o n i m i z a m.*

sinônimo. [Do gr. *synonymon,* pelo lat. *synonymon.*] *Adj.* **1.** Diz-se de palavra ou locução que tem a mesma ou quase a mesma significação que outra. ● *S. m.* **2.** Palavra ou expressão sinônima de outra: *dicionário de s i n ô n i m o s.* [Antôn.: *antônimo.* Cf. *parônimo* e *homônimo.*] **3.** *Bot.* Nome aplicado a uma espécie vegetal posteriormente ao nome válido, que é o primeiro, se este foi dado de acordo com as regras aceitas.

sinopla. *S. f.* Var. de *sinople* [q. v.]: "Vês bazares, quiosques e mesquitas? / Torres piramidais que o muçulmano / Sol, de áureas cores tinge e de s i n o p l a ?" (Raimundo Correia, *Poesias,* p. 73.)

sinople. [Do gr. *sinopís,* 'terra verde de Sinope' (antigo porto do mar Negro), pelo lat. *sinope.*] *S. f.* **1.** *Heráld.* A cor verde dos escudos, representada em traços diagonais que, partindo do ângulo inferior direito, vão até o ângulo superior esquerdo: "Goles, s i n o p l e, blau, toda a cor da armaria / Sob a fulguração brunida dos metais." (Júlio Dantas, *Sonetos,* p. 73). **2.** *P. ext.* Cor mais ou menos igual a essa. **3.** Variedade de quartzo. [Var.: *sinopla.*]

sinopse. [Do gr. *synopsis,* 'vista de conjunto', pelo lat. *synopse.*] *S. f.* **1.** Golpe de vista lançado sobre uma ciência, um objeto de estudo ou de pesquisa. **2.** Narração breve; resumo, sumário, síntese, epítome: *s i n o p s e de um filme, de uma ópera.* "Peguei um pequeno volume, a *Retórica,* De Aristóteles. .... Enquanto lia, tomava notas, organizando quadros e s i n o p s e s." (Valdomiro Autran Dourado, *Nove Histórias em Grupo de Três,* p. 106.) **3.** Apresentação concisa do conteúdo de um artigo, comunicado científico, etc., redigida pelo autor, ou por um redator da revista onde sai o trabalho, e que, usualmente posta entre o título e o texto, permite ao leitor decidir se convém ou não a leitura integral. [Cf. *resumo* (3).]

sinóptico. [Do gr. *synoptikós,* 'que de um só golpe de vista abrange várias coisas'.] *Adj.* **1.** Relativo a sinopse. **2.** Que tem forma de sinopse; resumido. [Var.: *sinótico.*] ~ V. *índice* — e *sinópticos.*

sinópticos. [Pl. de *sinóptico.*] *S. m. pl.* Os Evangelhos de S. Mateus, S. Marcos e S. Lucas, assim chamados porque permitem uma vista de conjunto, dada a semelhança de suas versões. [Var.: *sinóticos.*] ~ V. *sinóptico.*

sinorrizo. [De *sin-* + *-o-* + *-rizo.*] *Adj. Morfol. Veg.* Diz-se do embrião cuja radícula está em parte soldada ao tecido nutritivo. [Var.: *sinrizo.*]

sino-russo. [De *sino-* + *russo.*] *Adj.* Respeitante à China e à Rússia, a chineses e russos. [Pl.: *sino-russos.*]

sino-saimão. [Var. de *signo-de-salomão.*] *S. m.* V. *estrela-de-davi.* [Pl.: *sinos-saimões* e *sinos-saimão.*]

sino-salmão. [Var. de *signo-de-salomão.*] *S. m.* V. *estrela-de-davi.* [Pl.: *sinos-salmões* e *sinos-salmão.*]

sino-salomão. [Var. de *signo-de-salomão.*] *S. m.* V. *estrela-de-davi.* [Pl.: *sinos-salomões* e *sinos-salomão.*]

sinosteografia. [De *sin-* + *-oste(o)-* + *-graf(o)-* + *-ia.*] *S. f.* Parte da anatomia que descreve as articulações.

sinosteográfico. *Adj.* Relativo à sinosteografia.

sinosteologia. [De. *sin-* + *-oste(o)-* + *-log(o)-* + *-ia.*] *S. f. Anat.* O estudo das articulações [v. *articulação* (3)].

sinosteológico. *Adj.* Respeitante à sinosteologia.

sinosteose. [De *sin-* + *-oste(o)-* + *-ose.*] *S. f. Anat.* **1.** A soldadura de ossos adjacentes, ou parte de um mesmo osso, por material como cartilagem ou tecido fibroso ossificados. **2.** A soldadura de dois ossos normalmente separados.

sinosteotomia. [De *sin-* + *-oste(o)-* + *-tom(o)-* + *-ia.*] *S. f. Cir.* Dissecção das articulações.

sinosteotômico. *Adj.* Referente à sinosteotomia.

sino-tibetano. [De *sino-* + *tibetano.*] *Adj.* **1.** Da, ou pertencente ou relativo à China e ao Tibete. ● *S. m.* **2.** *Ling.* Família de línguas faladas na China, na Birmânia, em grande parte da Tailândia e do Vietnã, e ao N. do Ienissei. [Divide-se em dois subgrupos: **a)** o *tibetano-birmanês,* cujo nome provém das duas línguas principais, o tibetano e o birmanês; **b)** o *taichinês,* cuja língua mais importante é o chinês, fragmentada numa multidão de dialetos muito diferenciados. Pl.: *sino-tibetanos.*]

sinótico. *Adj.* Var. de *sinóptico* [q. v.]. ~ *V. sinóticos.*

sinóticos. [Pl. de *sinótico.*] *S. m. pl.* Var. de *sinópticos* [q. v.] ~ V. *sinótico.*

sinóvia. [Do lat. medieval *synovia* < *sin-* + lat. *ovu,* 'ovo'.] *S. f.* Humor viscoso das articulações [v. *articulação* (3)], que lhes facilita os deslocamentos e que é secretado pela membrana sinovial.

sinovial. *Adj. 2 g.* Relativo à sinóvia. ~ V. *membrana* —.

sinovite. [De *sinóvia* + *-ite*[1].] *S. f. Patol.* Inflamação de membranas sinoviais.

sínquise. [Do gr. *sygchysis,* 'confusão', pelo lat. *synchysis.*] *S. f. Gram.* Inversão da ordem natural das palavras, de que resulta tornar-se obscura a frase; hipérbato exagerado. Ex.: "A grita se alevanta ao Céu, da gente" (Luís de Camões, *Os Lusíadas,* II, p. 91), por *A grita da gente se alevanta ao Céu;* "entre vinhedo e sebe / Corre uma linfa, e ele no seu de faia / De ao pé do Alfeu tarro escultado bebe." (Alberto de Oliveira, *Poesias,* 2ª série, p. 111), em que, a começar da segunda oração, se entende: *e ele bebe no seu tarro escultado, de faia de ao pé do Alfeu* (i. e., da margem do rio Alfeu). [Cf. *hipérbato* e *anástrofe.*]

sinrizo. [De *sin-* + *-rizo.*] *Adj. Morfol. Veg.* Var. de *sinorrizo* [q. v.].

sinsépalo. [De *sin-* + *-sépalo.*] *Adj. Morfol. Veg.* Gamossépalo.

sintagma. [Do gr. *syntágma,* pelo lat. tardio *syntagma.*] *S. m.* **1.** Na Macedônia antiga, divisão da falange constituída por 256 soldados. **2.** Tratado cujo assunto está metodicamente dividido em classes, números, etc. **3.** *Ling.* Na terminologia de Ferdinand de Saussure (1857-1913), a fusão de elementos [v. *elemento* (10)] mínimos (determinante e determinado) numa unidade lingüística superior. [Ex.: *mestra* (*mestr-a*), em que a desinência do fem. (-a) é determinante do tema *mestr-.*] **4.** *Ling.* A fusão, reunião ou combinação de dois ou mais elementos [v. *elemento* (10)], em que o determinante estabelece um elo de subordinação com o determinado, formando ou uma unidade léxica (*vanglória,* em que *vã* é determinante de *glória*), ou locucional (*dona de casa,* em que *de casa* é determinante de *dona*), ou de um termo da oração (*As crianças pequenas choram,* em que os adjuntos adnominais *as* e *pequenas* são determinantes de *crianças*), ou oracional (*O aluno aprendeu a lição,* em que o predicado (*aprendeu a lição*) é determinante do sujeito (*o aluno*), etc.

sintagmarca. *S. m.* Chefe de um sintagma (1).

sintagmático. *Adj.* Relativo a sintagma: *relações s i n t a g m á t i c a s.*

sintática. *S. f. Semiol.* Parte da Semiologia que se interessa especificamente pelas relações entre os signos [v. *signo* (5)].

sintático. [Do gr. *syntaktikós,* 'que põe em ordem'.] *Adj.* **1.** Relativo ou pertencente à sintaxe. **2.** Que está de acordo com as regras da sintaxe. ~ V. *análise —a, contaminação —a, cruzamento —* e *haplologia —a.*

sintaxe (cs ou ss). [Do gr. *syntaxis,* 'ordem, disposição', pelo lat. *syntaxe.*] *S. f.* **1.** Parte da gramática que estuda a disposição das palavras na frase e a das frases no discurso, bem como a relação lógica das frases entre si e a correta construção gramatical; construção gramatical: "Aqui misturam-se com os artigos pífios, cuja s i n t a x e temos de arranjar, raspando-lhes os solecismos" (Coelho Neto, *Turbilhão,* p. 11). **2.** Livro que expõe esta parte da gramática. **3.** Conjunto de aspectos da sintaxe de uma época ou de um autor: *a s i n t a x e quinhentista; a s i n t a x e de Eça de Queirós.*

sintáxico (cs ou ss). [De *sintaxe* + *-ico*[2].] *Adj.* V. *sintático.*

sintaxiologia (cs ou ss). *S. f.* Tratado sobre a sintaxe.

sintaxiológico (cs ou ss). *Adj.* Referente à sintaxiologia.

sintecar. *V. t. d. Bras.* Aplicar sinteco em: *Mandou s i n t e c a r o soalho.* [Conjug.: v. *trancar.*]

sinteco. [De um nome comercial.] *S. m.* Verniz transparente, durável, para revestimento de assoalhos.

sintema. *S. m.* Na nomenclatura do lingüista francês André Martinet (1908 —), combinação de monemas que forma compostos ou derivados.

sintépalo. *Adj. Morfol. Veg.* Gamopétalo.

sinterização. [De um **sinterizar* + *-ção.*] *S. f. Quím.* Processo em que duas ou mais partículas sólidas se aglutinam pelo efeito do aquecimento a uma temperatura inferior à de fusão, mas suficientemente alta para possibilitar a difusão dos átomos das duas redes cristalinas.

sinterizar. *V. t. d. Quím.* Provocar a sinterização de.

síntese. [Do gr. *synthesis,* 'composição', pelo lat. *synthese.*] *S. f.* **1.** Operação mental que procede do simples para o complexo. **2.** *P. ext.* V. *resumo* (2). **3.** Reunião de elementos concretos ou abstratos em um todo; fusão, composição. **4.** *Biol.* Operação química por meio da qual as células vivas fabricam as várias substâncias de que necessita o organismo a que pertencem. **5.** *Cir.* Reunião das bordas de uma ferida. **6.** *Cir.* Recomposição de ossos fraturados. **7.** *Farmac.* Arte de compor medicamentos. **8.** *Lóg.* Determinação de proposições compostas com base em proposições mais simples. **9.** *Lóg.* Determinação de proposições que são conseqüência de proposições consideradas como certas. **10.** *Filos.* Fusão de uma tese e de uma antítese numa noção ou numa proposição nova que retém o que elas têm de legítimo e as combina mediante a introdução de um ponto de vista superior. [Cf., nesta acepç.: *dialética* (3).] **11.** *Gram.* Figura que consiste em reunir numa só duas palavras originalmente separadas. **12.** *Mat.* Demonstração das proposições pela simples dedução das que já estão provadas. **13.** *Quím.* Preparação de composto a partir das substâncias elementares que o constituem, ou de substâncias compostas mais simples.

sintético. [Do gr. *synthetikós,* 'que compõe ou reúne'; 'hábil em compor'.] *Adj.* **1.** Relativo a síntese. **2.** Posto em síntese; resumido: *explicação s i n t é t i c a.* **3.** Elaborado ou produzido artificialmente, por síntese química: *borracha s i n t é t i c a; fibra s i n t é t i c a.* ~ V. *charada —a, juízo —, método* — e *resina —a.*

sintetismo. [Do gr. *synthetós,* do v. *syntíthemi,* 'compor', + *-ismo.*] *S. m. Cir.* O conjunto dos processos necessários para a síntese cirúrgica, i. e., para a redução duma fratura, e para mantê-la reduzida.

sintetizado. [Part. de *sintetizar.*] *Adj.* **1.** De que se fez a síntese; tornado sintético. **2.** Compendiado, resumido, substanciado.

sintetizador (ô). [De *sintetizar* + *-(d)or.*] *S. m. Mús.* Instrumento eletrônico acionado por teclado, capaz de produzir, através de ondas sonoras, diferentes sons, ruídos e timbres, e de imitar outros instrumentos.

sintetizar. [Do gr. *synthetós,* do v. *syntíthemi,* 'compor', + *-izar.*] *V. t. d.* **1.** Fazer a síntese de; tornar sintético. **2.** Compendiar, resumir, substanciar: "é natural que as obras mais notáveis sejam as que s i n t e t i z e m, no ponto de vista literário, o sentimento coletivo." (Afonso Arinos, *Histórias e Paisagens,* p. 237).

sintipo. [De *sin-* + *tipo.*] *S. m. Biol. Ger.* Tipo que, numa série taxionômica, figura como holótipo, quando este não foi explicitamente designado.

sintoma. [Do gr. *symptoma,* 'coincidência, acidente', 'acontecimento', pelo lat. *symptoma.*] *S. m.* **1.** *Med.* Qualquer fenômeno ou mudança provocada no organismo por uma doença, e que, descritos pelo paciente, auxiliam, em grau maior ou menor, a estabelecer um diagnóstico. [Cf., nesta acepç., *sinal* (9).] **2.** *Fig.* Sinal, indício. **3.** Presságio, pressentimento, agouro. **4.** *Bras., SP. Pop.* Aparência, semelhança: "daí a nada voltaram os dois curiangos, desses que têm o porte e o s i n t o m a da andorinha, e relaram novamente os ombros do Pedro." (Valdomiro Silveira, *Os Caboclos,* p. 158).

sintomático. [Do gr. *symptomatikós,* 'fortuito, acidental'.] *Adj.* Relativo a, ou que constitui sintoma.

sintomatismo. [De *sintomat(o)-* + *-ismo.*] *S. m.* Sistema medicinal consistente em atacar os sintomas duma doença e não a própria doença.

sintomatista. *Adj. 2 g.* **1.** Referente ao sintomatismo. **2.** Que o segue. ● *S. m.* **3.** Aquele que o segue.

▲sintomat(o)-. [Do gr. *symptoma, atos.*] *El. comp.* = 'sintoma': *sintomatologia, sintomatismo.*

sintomatologia. [De *sintomat(o)-* + *-log(o)-* + *-ia.*] *S. f. Med.* Conhecimento e estudo dos sintomas que indicam estados patológicos. [Cf. *semiótica* (4).]

sintomatológico. *Adj.* Relativo à sintomatologia.

sintomatologista. *Adj. 2 g.* e *s. 2 g.* Diz-se de, ou especialista em sintomatologia.

sintomia. [Do gr. *syntomia,* 'concisão'.] *S. f. Ret.* Exposição abreviada; bosquejo, esboço, resumo.

sintonia. [De *sin-* + *-ton(o)-* + *-ia.*] *S. f.* **1.** *Eletr.* Condição de um circuito cuja freqüência de oscilação é igual à de um outro circuito ou à de um campo oscilante externo. **2.** *Fig.* Acordo mútuo; harmonia, reciprocidade. **3.** *Psicol.* Estado de quem se encontra em correspondência ou harmonia com o meio.

sintônico. *Adj.* Que está em sintonia.

sintonina. [Do gr. *syntonos,* 'tenso', + *-ina*[1].] *S. f.* Substância orgânica, acidalbumina existente no tecido muscular.

sintonização. *S. f.* **1.** Ato ou efeito de sintonizar. **2.** *Eletrôn.* Operação em que um circuito oscilante é ajustado para que a sua freqüência de ressonância seja a de um determinado sinal.

sintonizador (ô). [De *sintonizar* + *-(d)or.*] *S. m. Eletrôn.* Componente ou conjunto de componentes que num circuito oscilante podem ser ajustados para que o circuito entre em sintonia com um sinal.

sintonizar. [De *sin-* + *-ton(o)-* + *-izar.*] *V. t. d.* **1.** Ajustar (um aparelho de rádio) ao comprimento da onda transmitida pela estação emissora: "— Ora vá! reticenciou o botequineiro rindo ainda, enquanto s i n t o n i z a v a o rádio para a B.B.C. de Londres." (João Alphonsus, *Eis a Noite!*, p. 109.) **2.** *Eletrôn.* Ajustar a freqüência de ressonância de (um circuito oscilante). *T. i.* **3.** *Bras.* Harmonizar-se; afinar(-se): *Não sintonizou com os colegas de trabalho: Suas opiniões sintonizam com as minhas. Int.* **4.** Ajustar o aparelho de rádio ao comprimento da onda desejada. **5.** *Bras.* Harmonizar-se afinar-se, entrosar(-se).

sintrã. *Adj.* (*f.*) e *s. f.* V. *sintrão.*

sintrão. *Adj.* **1.** De, ou pertencente ou relativo a Sintra (Portugal). ● *S. m.* **2.** O natural ou habitante de Sintra. [Sin. ger.: *sintrense.* Flex.: *sintrã, sintrãos, sintrãs.*]

sintratriz. [De *sin-* + *tratriz.*] *S. f. Geom.* Lugar geométrico plano gerado por um ponto fixo sobre uma tangente móvel de uma tratriz.

sintrense. *Adj. 2 g.* e *s. 2 g.* Sintrão [q. v.].

sintrofia. [De *sin-* + *-trof(o)-* + *-ia.*] *S. f. Bot.* Alelositismo.

síntrofo. [De *sin-* + *-trofo.*] *Adj. Bot.* Diz-se do líquen que vive parasitariamente sobre outro líquen.

sinuado. [Do lat. *sinuatu,* 'arqueado'.] *Adj.* ~ V. *folha —a.*

sinuca. [Do ingl. *snooker.*] *Bras. S. f.* **1.** Variedade de bilhar (1), jogado normalmente com oito bolas, sobre uma mesa de seis caçapas: impelindo a jogadeira [q. v.], o jogador tenta encaçapar as outras sete bolas (pela ordem de valor, de um a sete: vermelha, amarela ou branca, verde, marrom, azul, cor-de-rosa e preta). [Sin.: *bilhar inglês.*] **2.** *P. ext.* Mesa, ou estabelecimento, onde se joga sinuca. **3.** Posição em que uma bola qualquer pára, interpondo-se entre a jogadeira e a bola da vez [q. v.] **4.** *Fig. Gír.* Situação difícil ou embaraçosa; sinuca de bico. ♦ **Sinuca de bico.** *Bras. Gír.* **1.** Posição em que a jogadeira pára à beira da caçapa, encostada ao ângulo que esta forma com a tabela, ficando interrompida a reta que une a bola da vez à jogadeira. **2.** Sinuca (4).

sinueleiro. *Adj. Bras., S.* Diz-se do vacum manso, que faz parte do sinuelo.

sinuelo (ê). [Do esp. plat. *siñuelo.*] *S. m. Bras., S.* **1.** Cincerro [q. v.]. **2.** *P. ext.* O gado manso habituado ao curral, e que se emprega nos trabalhos rurais como guia de animais xucros.

sinumbu. [Var. de *sinimbu.*] *S. m. Bras.* V. *camaleão*[1] (1 e 2).

sinuosidade. *S. f.* **1.** Qualidade ou estado de sinuoso; flexuosidade, ondulação, tortuosidade. **2.** *Fig.* Rodeio, tergiversação.

sinuoso (ô). [Do lat. *sinuosu.*] *Adj.* **1.** Que apresenta curvas irregulares, em sentidos diferentes; ondulante, tortuoso, flexuoso: *linha sinuosa: rua sinuosa:* "E os vastos horizontes, familiares, mas duma tão perpétua novidade, abrangendo no mar faiscante o recorte sinuoso da costa." (M. Teixeira-Gomes, *Gente Singular*, p. 15). **2.** *Fig.* Que não se manifesta com franqueza ou retidão; tortuoso: *espírito sinuoso.* **3.** Manhoso, astucioso, ardiloso: "Esse fato era a decomposição da sociedade, lentamente, surdamente, progressivamente contaminada pela mansa e sinuosa corrupção política." (Ramalho Ortigão, *Últimas Farpas*, p. 312.)

sinupaliado. *S. m.* **1.** Espécime dos sinupaliados. ● *Adj.* **2.** Pertencente ou relativo a eles.

sinupaliados. *S. m. pl. Zool.* Animais metazoários, moluscos, pelecípodes, eulamelibrânquios, da ordem *Sinupalliata.* Têm a borda do manto com concavidade notável.

▲**sinus-.** [Do lat. *sinus, us.*] *El. comp.* = 'seio'; 'curvatura': *sinusite, sinusóide.*

sinúsia. [Do gr. *synousia,* 'convívio social'; 'sociedade, companhia'.] *S. f. Fitogeog.* Comunidade estruturalmente definida mediante a consideração das formas de vida das espécies nela incluídas. Ex.: um andar arbóreo de uma mata, o estrato baixo do cerrado, os epífitos do mesmo tipo, etc. Substitui, na faixa tropical, o conceito florístico de *associação,* peculiar à faixa temperada.

sinusial. *Adj. 2 g. Fitogeog.* Relativo à, ou próprio da sinúsia: *estrutura sinusial.*

sinusite. [De *sinus-* + *-ite*[1].] *S. f. Med.* Inflamação de seio paranasal.

sinusoidal. *Adj. 2 g. Mat.* V. *senoidal* ~ V. *curva—.*

sinusóide. [De *sinus,* 'seio (seno)', + *-óide.*] *S. f. Geom. Anal.* V. *senóide.*

siô. *S. m. Bras. Pop.* Var. desnasalada de *sinhô* [q. v.].

sionismo. [Do top. *Sion,* denominação judaica de Jerusalém, onde há um monte com esse nome, + *-ismo.*] *S. m.* **1.** Estudo das coisas referentes a Jerusalém. **2.** Movimento político e religioso judaico iniciado no séc. XIX, que visava ao restabelecimento, na Palestina, de um Estado judaico, e que se tornou vitorioso em maio de 1948, quando foi proclamado o Estado de Israel.

sionista. *Adj. 2 g.* **1.** Sionístico. **2.** Que é partidário do sionismo. ● *S. 2 g.* **3.** Partidário do sionismo.

sionístico. *Adj.* Relativo ao sionismo; sionista.

sipai. *S. m.* Sipaio [q. v.].

sipaio. [Do persa *sipahi,* 'pertencente à cavalaria'] *S. m.* Soldado hindu exercitado por métodos europeus a princípio engajado a serviço da Companhia das Índias e depois, especialmente, o que se punha a serviço do exército indo-britânico; sipai.

siparuna. [De provável or. tupi] *S. f. Bras.* Arvoreta ou arbusto da família das monimiáceas (*Siparuna guiamensis),* do interior da floresta pluvial, que tem folhas grandes e membranáceas, flores inconspícuas, pouco aparentes, e frutos bacáceos com forte aroma de limão, sendo, por isso, usados em infusões.

sipaúba. [De provável or. tupi.] *S. f. Bras.* Arbusto da família das combretáceas (*Combretum acedens).*

sipe. *S. f. Etnol.* Clã sem soberania política.

sipeira. *S. f. Bras.* V. *beberu.*

sipia. *S. f. Bras., SE. Pop.* V. *cachaça* (1).

sipilho. *S. m. Marinh.* Extremidade dum cabo que, por estar mal torcida, não pode ser aproveitada. [Cf. *cepilho.*]

sipinauá. *Bras. S. 2 g.* e *adj. 2 g.* Xipinauá.

sipipira. [Var. de *sapupira.*] *S. f. Bras.* Sucupira.

sipiri. *S. m. Bras.* V. *beberu.*

sipoúba. *S. f. Bras., Amaz.* Árvore da família das leguminosas (*Parkia discolor),* que vive nas praias e igapós arenosos, cujas flores são pequenas e reunidas em grandes glomérulos purpúreos, e cujos frutos são vagens compridas, servindo a madeira, branca, para construção civil.

sipunculídeo. *S. m.* **1.** Espécime dos sipunculídeos. ● *Adj.* **2.** Pertencente ou relativo a eles.

sipunculídeos. *S. m. pl. Zool.* Animais enterozoários de simetria bilateral, ramo *Sipunculoidea,* corpo vermiforme, globuloso, sem segmentação e cerdas, dividido numa porção posterior mais dilatada e outra anterior, retrátil, tentáculos ocos em volta da boca, e ânus na base da parte anterior. São marinhos, de sexos separados, e vivem enterrados na areia ou na lama.

sipunculóide. *S. m.* **1.** Espécime dos sipunculóides. ● *Adj. 2 g.* **2.** Pertencente ou relativo a eles.

sipunculóides. *S. m. pl. Zool.* Superfamília de vermes gefirianos.

siqueirense. *Adj. 2 g.* **1.** De, ou pertencente ou relativo a Siqueira Campos (PR). ● *S. 2 g.* **2.** Natural ou habitante de Siqueira Campos.

➧**sir** (sâr). [Ingl.] *S. m.* Tratamento dado a baronetes e cavaleiros (sempre seguido de prenome ou do nome completo).

siracosferácea. *S. f.* Espécime das siracosferáceas.

siracosferáceas. *S. f. pl. Bot.* Família de cocolitoforales que se caracteriza pelos discólitos em forma de grão, disco ou cúpula, dispostos regularmente na periferia do protoplasto.

siracosferáceo. *Adj.* Pertencente ou relativo às siracosferáceas.

siracusano. [Do lat. *syracusanu.*] *Adj.* **1.** De, ou pertencente ou relativo a Siracusa (Itália). ● *S. m.* **2.** O natural ou habitante de Siracusa.

sirage. [Do ár. *sirege.*] *S. m.* Óleo de gergelim.

sire. [Do fr. *sire.*] *S. m. Gal.* Tratamento dado outrora aos senhores feudais, e que se dá hoje a imperadores e reis, ao falar-lhes ou escrever-lhes.

sirena. [Do gr. *seirén,* pelo lat. tardio *sirena.*] *S. f. Poét.* **1.** Sereia (1). **2.** Instrumento que produz sons mais ou menos estridentes, usado para dar alarma, para avisar da aproximação de navios, para assinalar o começo e o término de expedientes em fábricas, etc.; sereia, sirene: "A fábrica dos Peixotos apitava .... , com a potente sirena a três vozes" (João da Silva Correia, *Farândola,* p. 150); "Ouviu-se a sirena duma ambulância que chegava." (Érico Veríssimo, *Noite,* p. 128).

sirene. *S. f.* V. *sirena* (2): "Fumos das fábricas, gritos das sirenes, velocidades, qual a vossa entoação espiritual, o vosso etéreo significado?" (Teixeira de Pascoais, *Obras Completas,* VII, p. 2); "Um barulho de sirene veio crescendo e o pessoal que estava na direção da Rua Uruguaiana se afastou, dando passagem para cinco motocicletas." (Osvaldo França Júnior, *Um Dia no Rio,* p. 149).

sirênico. [De *sirena* + *-ico*[2].] *Adj.* **1.** *Poét.* Relativo às sirenas ou sereias. **2.** Da natureza das sereias; enganoso, ilusório: "o mar aterroriza e fascina, amedronta e aniquila; sorri à superfície, sirênico, falacioso" (Martins Fontes, *O Mar,* p. 10).

sirenídeo. [De *sirena* + *-ídeo.*] *S. m.* e *adj.* Sirênio.

sirenídeos. [Pl.: de *sirenídeo.*] *S. m. pl. Zool.* Sirênios.

sirênio. [Do lat. cient. *sireniu* < lat. *sirena,* 'sereia'.] *S. m.* **1.** Espécime dos sirênios. ● *Adj.* **2.** Pertencente ou relativo a eles. [Sin. ger.: *sirenídeo.*]

sirênios. *S. m. pl. Zool.* Mamíferos aquáticos, da ordem *Sirenis,* que têm os membros anteriores transformados em nadadeiras, cauda horizontal em forma de remo, não fendida no meio, focinho muito grande, com alguns pêlos, boca pequena, e são desprovidos de membros posteriores e de orelhas externas. Alimentam-se de gramíneas. São os peixes-bois e os manatis. [Sin.: *sirenídeos.*]

sirfídeo. *S. m.* **1.** Espécime dos sirfídeos. ● *Adj.* **2.** Pertencente ou relativo a eles.

sirfídeos. *S. m. pl. Zool.* Família de insetos da ordem dos dípteros, subordem dos braquíceros, que apresentam o terceiro artículo das antenas simples, e tromba curta e membranosa, com lábios grossos.

sirga. [De *sirgo* (3)?] *S. f.* **1.** Ato ou efeito de sirgar; sirgagem. **2.** Corda com que se puxa uma embarcação ao longo da margem.

sirgagem. [De *sirgar* + *-agem*[2].] *S. f.* Sirga (1).

sirgar. *V. t. d.* **1.** Puxar ou conduzir (uma embarcação) por meio de sirga. **2.** Atar com sirgas; prover de sirgas. [Conjug.: v. *largar.*]

sirgaria[1]. [De *sirga* + *-aria.*] *S. f.* Estabelecimento onde se fabricam ou vendem sirgas.

sirgaria[2]. [De *sirgo* (3) + *-aria.*] *S. f.* Serigaria.

sirgo. [Do lat. *sericu,* 'de seda'.] *S. m.* **1.** Bicho-da-seda. **2.** Seriguilha grossa. **3.** *Ant.* Seda (1).

sirgueiro. *S. m.* Var. de *serigueiro.*

sirguilha. *S. f.* Var. de *serguilha* [q. v.]: "Os aventais estreitinhos e curtos, encabeçados em funéus de linho bordado a cores, são de sirguilha com soberbos bordados em ponto de tapete" (Ramalho Ortigão, *As Farpas,* I, pp. 31-32).

siri. [Do tupi *si'ri,* 'correr, deslizar; andar para trás'.] *S. m. Bras.* Designação comum a todas as espécies de crustáceos decápodes, braquiúros, da família dos portunídeos, caracterizados por terem nadadeiras no último par de pernas. Vivem na água mas podem sair para as praias, onde se enterram. Alimentam-se de detritos em geral. A carne é muito saborosa.

siríaco. [Do gr. *syriakós,* pelo lat. *syriacu.*] *Adj.* **1.** Relativo aos sírios. ● *S. m.* **2.** O idioma aramaico.

siriaçu. [De *siri* + *-açu.*] *S. m. Bras.* **1.** Espécie de crustáceo decápode, braquiúro, da família dos portunídeos (*Callinectes exasperatus* (Gerst.)), com hábitos semelhantes aos dos caranguejos. É o maior representante da família. [Sin.: *siri-do-mangue.*] **2.** V. *siri-chita.*

siri-azul. *S. m. Bras.* V. *siripuã.* [Pl.: *siris-azuis.*]

siri-baú. *S. m. Bras.* Baú (2). [Pl.: *siris-baús* e *siris-baú.*]

siri-branco. *S. m. Bras.* Sirimirim. [Pl.: *siris-brancos.*]

siricaia. [Do mal. *srikáya.*] *S. f. Bras.* Creme preparado com leite, açúcar e ovos, e aromatizado com canela: "Com tantas filhas, para casá-las, que há de fazer? Tem a senhora uma fórmula de siricaia, de tal feitiço, que tocada, comida, infalivelmente está o sujeito preso, e é genro, na certa..." (Afrânio Peixoto, *Bugrinha,* p. 34).

siri-candeia. [De *siri* + tupi *kãde'a,* 'formoso'.] *S. m. Bras.* Espécie de crustáceo decápode, da família dos portunídeos (*Portunus spinimanus* Latreille), de coloração avermelhada e pinças muito longas. Ocorre da Carolina do Sul até o RJ, e tb. no Chile. [Pl.: *siris-candeias* e *siris-candeia.*]

siri-chita. *S. m. Bras.* Espécie de crustáceo decápode, braquiúro, da família dos portunídeos (*Arenaeus cribarius* (Lamarck)), facilmente reconhecível pela carapaça vermelho-escura com pingos brancos arredondados. [Sin.: *siri-da-areia, siriaçu.* Pl.: *siris-chitas* e *siris-chita.*]

sirico-melado. *S. m. Bras., BA.* V. *sanhaçuíra.* [Pl.: *siricos-melados.*]

siri-corredor. *S. m. Bras.* V. *siripuã.* [Pl.: *siris-corredores.*]

siri-da-areia. *S. m. Bras.* V. *siri-chita.* [Pl.: *siris-da-areia.*]

siri-de-coral. *S. m. Bras., AL.* Certo crustáceo da família dos portunídeos. [Pl.: *siris-de-coral.*]

siri-do-mangue. *S. m. Bras.* Siriaçu (1). [Pl.: *siris-do-mangue.*]

sirigaita. *S. f.* **1.** *Gír.* Mulher pretensiosa e muito saracoteadora: "Eu vi as sirigaitas de saias arregaçadas a correr" (Raul Pompéia, *Contos,* p. 22). **2.** Mulher espevitada, ladina, que tem resposta para tudo. [Tb. us. (pouco) como adj.]

sirigaitar. *V. int. Fam.* Viver ou agir como sirigaita.

sirigóia. [De *siri* + tupi *góia,* var. de *guaiá,* 'caranguejo'.] *S. m. Bras.* Espécie de crustáceo decápode, braquiúro, da família dos portunídeos (*Cronius ruber* (Lamarck)), distribuído desde a Flórida até SP. Tem coloração avermelhada, com manchas claras, e pinças não muito longas.

sirimirim. *S. m. Bras.* Espécie de crustáceo decápode, braquiúro, da família dos portunídeos (*Callinectes danae* Smith), distribuído na costa brasileira desde PE até SC. Tem coloração vistosa, em tom variando do castanho-escuro ao verde-oliva, com áreas do amarelo-claro ao dourado e lado ventral azul-claro. Vive em fundos arenosos e limpos. [Sin.: *siri-branco*.]

siri-mole. *S. m. Bras.* Designação popular para as espécies de crustáceos decápodes, braquiúros, no período de mudança de carapaça. Nessa época, os siris procuram se esconder e, em geral, não são utilizados para a alimentação, mas somente para isca.

siringe. [Do gr. *syrigx, ggos*, 'flauta de cana', pelo lat. *syringe*.] *S. f.* **1.** V. *flauta de pã*. **2.** *Zool.* Laringe inferior das aves, muito complexa nos pássaros canoros.

▲**siringo-.** [Do gr. *syrigx, ggos*.] *El. comp.* = 'fístula', 'canal': siringotomia, siringomielia.

siringodendro. [De *siringo-* + *dendro*.] *S. m.* Planta fóssil dos terrenos anteriores ao cretáceo.

siringomielia. [De *siringo-* + *-miel(o)-* + *-ia*.] *S. f. Med.* Afecção caracterizada, anatomicamente, pela formação de cavidades na medula espinhal, e clinicamente, por distúrbios sensitivos, tróficos, motores e reflexos.

siringotomia. [De *siringo-* + *-tom(o)-* + *-ia*.] *S. f. Cir.* Incisão de uma fístula.

siringotômico. *Adj.* Referente à siringotomia.

sirinhaense. *Adj. 2 g.* **1.** De, ou pertencente ou relativo a Sirinhaém (PE). ● *S. 2 g.* **2.** Natural ou habitante de Sirinhaém.

Sírio[1]. [Do gr. *Seírios*, pelo lat. *Siriu*.] *S. m.* Grande estrela da constelação do Cão Maior. [Sin.: *Canícula* (vulg.) e *Siro* (p. us.). Cf. *círio*.]

sírio[2]. *S. m. Bras.* Saco para transportar farinha de mandioca. [Cf. *círio*.]

sírio[3]. [Do gr. *syrios*, pelo lat. *syriu*.] *Adj.* **1.** Da, ou pertencente ou relativo à Síria (Ásia). ● *S. m.* **2.** O natural ou habitante da Síria. [Sin. pop. (no AM): *judeu*.] **3.** *Ling.* O dialeto árabe falado na Síria. [F. paral. (p. us.): *siro*. Fem.: *síria*. Cf. *círio*.]

sírio-libanês. *Adj.* Pertencente ou relativo à Síria e ao Líbano. [Flex.: *sírio-libanesa* (ê), *sírio-libaneses* (ê), *sírio-libanesas* (ê).]

siriômetro. [De *Sírio*[1] + *-metro*.] *S. m.* Unidade astronômica equivalente a um milhão de vezes a distância da Terra ao Sol, i. e., 149,5 trilhões de quilômetros.

siri-patola. *S. m. Bras.* V. *chama-maré*. [Pl.: *siris-patolas* e *siris-patola*.]

siripuã. [De *siri* + *puã*.] *S. m. Bras.* Espécie de crustáceo decápode, braquiúro, da família dos portunídeos (*Callinectes sapidus* Rathbun.), distribuído desde os E.U.A. até o Uruguai, e um dos mais comuns no mercado do RJ. A coloração varia do cinzento ao verde-azulado, com tinta avermelhada nos espinhos e dedos. [Sin.: *siri-azul, siri-corredor, caxangá, puã*.]

siriri[1]. [Var. de *suiriri*.] *S. m. Bras.* **1.** Suiriri. **2.** Ave passeriforme, da família dos tiranídeos, gênero *Tyrannus Lac.*, particularmente as espécies *T. albogularis* Brum. e *T. melancholicus* Vieil., largamente distribuídas no Brasil, de coloração geral cinzento-esverdeada, cabeça cinzenta, meio do vértice escarlate. A primeira tem a garganta branca e o peito amarelo-esverdeado. Costuma freqüentar os colmeais, onde se alimenta preferencialmente de zangões. [Sin.: *tiriri, suiriguaçu*.]

siriri[2]. *S. m. Bras.* V. *sururu* (1).

siriri[3]. *S. m. Bras.* Pantufo[2] (1).

siriri[4]. *S. m. Bras., N.E. Folcl.* **1.** Dança de roda infantil. **2.** Dança popular acompanhada de música e cantoria.

siririca[1]. [Do tupi *siri'rika*, 'a ondulação leve da superfície das águas'.] *S. f.* **1.** *Bras.* Espécie de anzol. **2.** *Bras., RJ.* Nome dado à fêmea do bem-te-vi (1) [q. v.].

siririca[2]. *Adj. 2 g.* **1.** *Bras., SP. Pop.* Sem modos; doidivanas, piririca. ● *S. f.* **2.** *Bras. Chulo.* Masturbação no órgão sexual feminino. ♦ **Tocar siririca.** *Bras. Chulo.* Masturbar-se (a mulher) com o dedo.

siriricar. *V. int. Bras.* Pescar com siririca[1] (1). [Conjug.: v. *trancar*.]

siririense. *Adj. 2 g.* **1.** De, ou pertencente ou relativo a Siriri (SE). ● *S. 2 g.* **2.** Natural ou habitante de Siriri.

siriritinga. [De *siriri*[1] + tupi *tĩga*, 'branco'.] *S. m. Bras.* Ave passeriforme, da família dos tiranídeos (*Myodynastes solitarius* (Vieil)), que ocorre em quase todo o País. A coloração geral é pardo-escura, indistintamente pintada de esverdeado, cauda parda, marginada de vermelho, asas marginadas de esbranquiçado e avermelhado, com mancha amarela no vértice, e parte inferior branca, com largas estrias escuras. [Sin.: *bem-te-vi-preto, bem-te-vi-do-mato, bem-te-vi-riscado*.]

siriruia. [De provável or. tupi.] *S. f. Bras.* V. *aleluia*[2].

sirito. *S. m. Bras., N.* Recortes debruados nas barras das camisas e roupas brancas de mulher.

siriú. [Var. apocopada de *siriúba*.] *S. f. Bras.* V. *juruva*.

siriúba. [Do tupi *siri'uba*, 'árvore do siri'.] *S. f. Bras.* V. *sereíba*. [Var.: *siriúva*.]

siriubal (i-u). *S. m. Bras.* Quantidade mais ou menos considerável de siriúbas dispostas proximamente entre si.

siriúva. [Var. de *siriúba*.] *S. f. Bras.* **1.** V. *juruva*. **2.** V. *sereíba*.

sirizada. [De *siri* + *-z-* + *-ada*[1].] *S. f. Bras.* Iguaria preparada com siris.

siro[1]. *S. m. P. us.* V. *sírio*[1].

siro[2]. *Adj.* e *s. m. P. us.* V. *sírio*[3]. [Cf. *Ciro*, antr.]

siroco (ô). [Do ár. *xaluq*. 'vento sueste', atr. do it. *scirocco* e do fr. *siroco*.] *S. m.* **1.** Vento quente do sueste, sobre o Mediterrâneo: "Os vapores quentes do s i r o c o vão derreter a neve das alturas." (José Lins do Rego, *Gregos e Troianos*, p. 27.) [F. paral., p. us. no Brasil: *xaroco*.] **2.** Ventilador portátil, conectado a um conduto tubular de lona, usado para levar ar fresco aos compartimentos internos do navio nos quais se fazem reparos ou executam obras.

siroposo (ô). [Do it. *sciropposo*.] *Adj. P. us.* Xaroposo.

sirrum. *S. m. Bras., BA. Folcl.* Rito funerário dos candomblés de Angola.

sirte. [Do gr. *syrtis*, pelo lat. *syrte*, 'areal'.] *S. f.* e *m.* **1.** Recife ou banco movediço de areia: "Por ela, a entesourar fortunas e fortunas, / Escondes [ó mar] nos parcéis, nas s i r t e s e nas dunas, / Teu fausto nupcial!" (Martins Fontes, *Verão*, p. 158.) **2.** *Fig.* Risco, perigo: "Valei-me, Virgem Maria. // Por entre escolhos, por entre s i r t e s, / Sêde guia aos meus passos tristes." (Alphonsus de Guimaraens, *Obra Completa*, p. 168.)

sirvente. [Do provenç. *Sirventes*.] *S. f.* Poesia crítica e satírica, em que se louvava e engrandecia um senhor feudal, e considerada em segundo plano pelos trovadores; sirventesca. [Cf. *servente*.]

sirventesca (ê). [De *sirvente* + o fem. de *-esco*.] *S. f.* Sirvente.

sisa. [Do fr. ant. *assise*.] *S. f.* **1.** Designação antiga do hoje chamado *imposto de transmissão*: "A s i s a — imposto sobre o valor das vendas de imóveis urbanos — é taxada em 10%" (Delso Renault, *O Rio Antigo nos Anúncios dos Jornais*, p. 30). **2.** *Fig.* Dedução (1) fraudulenta.

sisal. [Do hisp.-amer. *sisal*.] *S. m.* **1.** V. *agave* (1). **2.** A fibra têxtil extraída do agave. **3.** Tecido feito com essa fibra.

sisar. *V. t. d.* **1.** Impor sisa (1) a; tributar com sisa. *T. i.* **2.** Roubar nas compras, apresentando conta superior às despesas. *T. d. e i.* **3.** Tirar, arrebatar, arrancar. **4.** Subtrair fraudulentamente, furtar, surripiar. *Int.* **5.** Pagar sisa ou contribuição de registro por título oneroso. [Pres. subj.: *sise, sises, sise, sisemos, siseis, sisem*. Cf. *cizéis*. pl. de *cizel*.]

sisifismo. [Do antr. *Sísifo* (v. *trabalho de Sísifo*) + *-ismo*.] *S. m.* O eterno recomeço de alguma coisa.

sismal. *Adj.* (*f.*) Diz-se da linha que mostra a direção de um sismo.

sismicidade. *S. f. Geofís.* Grandeza que mede a atividade sísmica de uma região.

sísmico. *Adj.* **1.** Relativo a, ou produzido por sismos ou terremotos: *abalo* s í s m i c o; "São essas rechãs .... que fazem o aro da planura [a planície amazônica]. Uniram-se primeiro com a solda vomitada pelos vulcões do espinhaço americano, e, depois, com a massa fundida nos cataclismos s í s m i c o s (Raimundo Morais, *País das Pedras Verdes*, p. 36.) **2.** Próprio de terremoto, ou que o lembra: "foi a resposta de repique e em sotaque tão de sisudo, a resvalar ao faceto, que o homem rompeu às gargalhadas, papeira e ventre possuídos de s í s m i c a s tremuras." (Aquilino Ribeiro, *As Três Mulheres de Sansão*, p. 82). ~ V. *abalo* —, *ondas* —*as* e *vaga* —*a*.

sismo. [Do gr. *seismós*, 'abalo'.] *S. m. Geofís.* Movimento do interior da Terra, o qual, conforme a localização de sua origem, pode produzir ondas mais ou menos intensas, e capazes de se propagar pelo globo; terremoto, tremor de terra, abalo sísmico. [Cf. *cismo*, do v. *cismar*.]

▲**sismo-.** [Do gr. *seismós, oû*.] *El. comp.* = 'sismo', 'terremoto': *sismógrafo, sismograma*. [Equiv.: *-sismo* e *-seísmo*: *bradisseísmo*.]

▲**-sismo.** V. *sismo-*.

sismografia. [De *sismo-* + *-graf(o)-* + *-ia*.] *S. f.* Aplicação do sismógrafo.

sismográfico. *Adj.* Referente à sismografia.

sismógrafo. [De *sismo-* + *-grafo*.] *S. m. Geofís.* Instrumento que registra os sismos; sismômetro: "Aos s i s m ó g r a f o s, armados em toda a parte, não escapa o mínimo tremor, a mais célere crispadura da Terra." (Euclides da Cunha, *Contrastes e Confrontos*, pp. 256-257.) ♦ **Sismógrafo de torção.** *Geofís.* Sismógrafo que utiliza como elemento de reposição do pêndulo sísmico o momento de torção de um fio. **Sismógrafo horizontal.** *Geofís.* O que registra as componentes horizontais do movimento do solo. **Sismógrafo vertical.** *Geofís.* O que registra as componentes verticais do movimento do solo.

sismograma. [De *sismo-* + *-grama*.] *S. m. Geofís.* Registro dos movimentos do solo, obtido por um sismógrafo.

sismologia. [De *sismo-* + *-log(o)-* + *-ia*.] *S. f.* O estudo dos tremores de terra ocorridos na superfície do globo terrestre.

sismológico. *Adj.* Referente à sismologia.

sismometria. [De *sismo-* + *-metr(o)-*[2] + *-ia*.] *S. f. Geofís.* Parte da sismologia que trata da medida dos sismos.

sismométrico. *Adj.* Relativo ao sismômetro, ou à sismometria.

sismômetro. [De *sismo-* + *-metro*.] *S. m. Geofís.* Sismógrafo.

sismonastia. [De *sismo-* + *nastia*.] *S. f. Fisiol. Veg.* Nastia provocada pela ação de um golpe ou sacudidela, como se observa na dormideira (2), cujas folhas se fecham imediatamente após uma batida.

sismonástico. Adj. Referente à sismonastia.

siso. [Do lat. *sensu*, 'sentido', atr. do arc. *seso*.] *S. m.* **1.** Bom senso; juízo, tino, prudência, circunspeção: "Muito riso, pouco s i s o" (prov.). **2.** V. *dente de siso*. ♦ **De siso.** Sensatamente.

sissarcose. [Do gr. *syssárkosis*, 'reunião por meio de carnes'.] *S. f.* União de ossos mediante músculos, como ocorre, p. ex., entre o osso hióide e a mandíbula.

sissomia. [Do gr. *syssomos*, 'corpos unidos', + *-ia*.] *S. f. Ter.* Monstruosidade em que estão unidos dois corpos e há duas cabeças.

sissômico. *Adj.* Relativo à sissomia.

sistáltico. [Do gr. *systaltikós*, 'referente à sístole', pelo lat. *systalticu*.] *Adj. Med.* V. *sistolar*.

sistema. [Do gr. *systema*, 'reunião, grupo', pelo lat. *systema*.] *S. m.* **1.** Conjunto de elementos, materiais ou ideais, entre os quais se possa encontrar ou definir alguma relação (5). **2.** Disposição das partes ou dos elementos de um todo, coordenados entre si, e que funcionam como estrutura organizada: s i s t e m a *penitenciário*; s i s t e m a *de refrigeração*. **3.** Reunião de elementos naturais da mesma espécie, que constituem um conjunto intimamente relacionado: s i s t e m a *fluvial*; s i s t e m a *cristalino*. **4.** O conjunto das instituições políticas e/ou sociais, e dos métodos por elas adotados, encarados quer do ponto de vista teórico, quer do de sua aplicação prática: s i s t e m a *parlamentar*; s i s t e m a *de ensino*. **5.** Reunião coordenada e lógica de princípios ou idéias relacionadas de modo que abranjam um campo do conhecimento: *o* s i s t e m a *de Kant*; *o* s i s t e m a *de Ptolomeu*. **6.** Conjunto ordenado de meios de ação ou de idéias, tendente a um resultado; plano, método: s i s t e m a *de vida*; s i s t e m a *de trabalho*; s i s t e m a *de defesa*. **7.** Técnica ou método empregado para um fim precípuo: s i s t e m a *Taylor* (de Frederick W. Taylor — 1856-1915); s i s t e m a *Braille* (de Louis Braille — 1809-1852). **8.** Modo, maneira, forma, jeito: *Adotou um novo* s i s t e m a *de pentear os cabelos*. **9.** Complexo de regras ou normas: *um* s i s t e m a *de futebol*; *um* s i s t e m a *de corte e costura*. **10.** Qualquer método ou plano especialmente destinado a marcar, medir ou classificar alguma coisa: s i s t e m a *métrico*; s i s t e m a *decimal*. **11.** Hábito particular; costume, uso: *A cozinheira tinha o* s i s t e m a *de preparar as refeições com antecedência*. **12.** *Anat.* Conjunto de órgãos compostos dos mesmos tecidos e que desempenham funções similares. Ex.: o sistema nervoso. [Cf. *aparelho* (6).] **13.** *Biol.* Coordenação hierarquizada dos seres vivos em um esquema lógico e metódico, segundo o princípio de subordinação dos caracteres. [É um produto da inteligência humana derivado da necessidade de compreender a natureza o mais próximo possível da realidade.] **14.** *Comun.* Conjunto particular de instrumentos e convenções adotados com o fim de dar uma informação: s i s t e m a *radiotelegráfico*; s i s t e m a *de computadores*; s i s t e m a *audiovisual*. **15.** *Fís.* Parte limitada do Universo, sujeita à observação imediata ou mediata, e que, em geral, pode caracterizar-se por um conjunto finito de variáveis associadas a grandezas físicas que a identificam univocamente. **16.** *Geol.* Conjunto de terrenos que corresponde a um período geológico. **17.** *Ling.* Conjunto de elementos lingüísticos solidários entre si: *sistema fonológico*; *sistema sincrônico*. **18.** *Ling*. A própria língua quando encarada sob o aspecto estrutural. [As duas últimas acepç. vêm sendo adotadas a partir de Ferdinand de Saussure (v. *saussuriano*).] **19.** *Mús*. Qualquer série determinada de sons consecutivos. ♦ **Sistema aberto.** *Fís*. O que pode trocar energia e massa com o exterior. **Sistema afocal.** *Ópt*. Sistema óptico que forma no infinito a imagem dum objeto no infinito. **Sistema anglo-norte-americano.** *Tip*. Sistema tipométrico baseado no ponto 0,351 mm e usado nos países de língua inglesa. [V. *altura inglesa*.] **Sistema aplanético.** *Ópt*. Sistema óptico em que a aberração de esfericidade e a coma foram corrigidos. **Sistema artificial.** *Bot*. Sistema baseado num órgão arbitrariamente escolhido pelo botânico. [Cf. *sistema sexual*.] **Sistema astigmático.** *Ópt*. Sistema óptico em que a imagem de um ponto é um segmento de reta, não sendo a imagem de uma reta, em geral, uma reta, mas sim uma linha curva. **Sistema autocolimador.** *Ópt*. Sistema óptico que pode ser focalizado (em geral para o infinito) por um dispositivo de autocolimação. **Sistema binário.** *Mat*. Importante sistema de numeração, utilizado na tecnologia dos computadores, no qual a base é dois, e que só tem dois algarismos: o zero e o um. **Sistema Braille.** Sistema de escrita para cegos, universalmente adotado, inventado por Louis Braille, pedagogista francês (1809-1852), que consta de pontos em relevo para leitura com auxílio dos dedos. **Sistema cartesiano.** *Geom. Anal*. Sistema de coordenadas, em que estas são cartesianas. **Sistema c. g. s.** *Fís*. Sistema de unidades de medida baseado em três unidades fundamentais: o centímetro, unidade de comprimento; o grama, unidade de massa; e o segundo, unidade de tempo. **Sistema c. g. s. eletromagnético.** *Fís*. Sistema de unidades de medida em que três unidades fundamentais são as do sistema c. g. s. (centímetro, grama e segundo) e a permeabilidade do vácuo é tomada como a quarta unidade fundamental. **Sistema c. g. s. eletrostático.** *Fís*. Sistema de unidades de medida em que três unidades fundamentais (centímetro, grama e segundo) são as do sistema c. g. s., e a permissividade do vácuo é a quarta unidade fundamental. **Sistema cilíndrico.** *Geom. Anal*. Sistema de coordenadas em que estas são cilíndricas. **Sistema compatível.** *Álg*. Sistema de equações que admite pelo menos uma solução bem determinada. **Sistema conservativo.** *Fís*. Aquele em que não há dissipação de energia sob forma térmica. **Sistema copernicano.** *Astr*. Sitema cosmológico heliocêntrico criado por Nicolau Copérnico [v. *copernicano*], e segundo o qual os planetas giravam em torno do Sol em movimentos circulares. **Sistema cristalino.** *Min*. Conjunto de eixos cristalográficos cujas posições referentes no espaço e cujos valores dimensionais definem e classificam os cristais em sete categorias: sistema monométrico ou isométrico, tetragonal ou quadrático, hexagonal, trigonal, ortorrômbico, monoclínico e triclínico. **Sistema cromático.** *Mús*. Sistema baseada na divisão da oitava em 12 partes iguais. **Sistema cúbico.** *Min*. V. *sistema isométrico*. **Sistema de barracão.** *Bras*. Sistema vigente em certos locais do interior brasileiro, e no qual o fazendeiro paga aos empregados com vales, aceitos apenas no barracão da fazenda, onde se vendem artigos de primeira necessidade a preços mais elevados que o normal. **Sistema decimal.** *Mat*. Sistema de números em que uma unidade de ordem vale 10 vezes a unidade de ordem imediatamente anterior. **Sistema de computador.** *Proc. Dados*. V. *sistema de processamento de dados*. **Sistema de comunicação.** *Comum*. Sistema de circulação de mensagens entre dois pólos distintos no espaço ou no tempo. Compõe-se basicamente de: *fonte*, que produz a mensagem original; *emissor*, que codifica a mensagem em uma seqüência de sinais, transmitindo-os através de um determinado canal; *canal*, meio utilizado para enviar os sinais; *receptor*, que exerce operação reversa à do emissor; *destinatário*, a quem se deseja alcançar com a mensagem. **Sistema de controle automático.** *Automat*. Qualquer combinação operável de um ou mais controladores automáticos ligados em malha fechada, com um ou mais processos; servossistema. **Sistema de coordenadas.** *Geom. Anal*. Conjunto de *n* números que determinam univocamente a posição de um ponto num espaço n-dimensional. **Sistema de equações.** *Mat*. Conjunto de equações que devem ter pelo menos uma solução que as satisfaça simultaneamente. **Sistema de logaritmos.** *Mat*. O conjunto dos logaritmos dos números numa base. **Sistema de numeração.** *Mat*. O conjunto de regras para representação dos números. **Sistema de processamento.** *Proc. Dados*. V. *sistema de processamento de dados*. **Sistema de processamento de dados.** *Proc. Dados*. Conjunto complexo e organizado de processamento e equipamentos, geralmente baseados em circuitos eletrônicos, capaz de manipular e transformar dados segundo um plano determinado, produzindo resultados a partir da informação representada por estes dados. [V. *processamento de dados*.] **Sistema de referência.** *Fís*. Referencial (1). **Sistema Didot.** *Tip*. Sistema tipométrico baseado no ponto de 0,3759 mm. [Estabelecido pelo impressor francês François Ambroise Didot (1730-1804), segundo a medida criada por Fournier. Cf. *altura francesa* e *sistema Fournier*.] **Sistema dissipativo.** *Fís*. Aquele em que ocorre dissipação de energia sob forma térmica. **Sistema duodecimal.** *Mat*. Sistema de numeração em que a base é doze. **Sistema especialista.** *Proc. Dados*. Novo sistema de computação que retém uma fração significativa do conhecimento de um especialista em uma determinada área, e que pode utilizar este conhecimento para sugerir conclusões às quais o especialista chegaria, se ambos fossem confrontados com os mesmos problemas. **Sistema executivo.** *Proc. Dados*. V. *sistema operacional*. **Sistema extragaláctico.** *Astr*. V. *galáxia* (2). **Sistema fechado.** *Fís*. Aquele que pode trocar energia com o exterior, mas cujas paredes ou fronteiras não permitem a passagem de substâncias materiais. **Sistema filogenético.** *Bot*. Sistema de classificação dos vegetais baseado na teoria da evolução. [É o único que se usa hoje em dia, e que classifica, também, as plantas fósseis.] **Sistema Fournier.** *Tip*. Sistema tipométrico (hoje usado somente na Bélgica) baseado no ponto original de 0,3487 mm. [É criação do tipógrafo francês Pierre Simon Fournier (1712-1768).] **Sistema gaussiano.** *Fís*. Sistema de unidades de medidas elétricas e magnéticas em que todas as quantidades elétricas são medidas no sistema c.g.s. eletrostático e as magnéticas no sistema c.g.s. eletromagnético. **Sistema geocêntrico.** *Astr*. Sistema cosmológico que admitia ser a Terra o centro do Universo, em torno da qual giravam todos os astros. [Cf. *sistema ptolomaico*.] **Sistema Giorgi.** *Fís*. Sistema de unidades de medidas que coincide, praticamente, com o sistema métrico, e no qual as unidades fundamentais são o metro, o quilograma e o segundo, e a permeabilidade do vácuo é igual a 10^{-7}. **Sistema heliocêntrico.** *Astr*. Sistema cosmológico que admite ser o Sol o centro do Universo, girando em torno dele os astros do sistema solar. [Cf. *sistema copernicano* e *sistema kepleriano*.] **Sistema heterogêneo.** *Fís-Quím*. O que é constituído por mais de uma fase e, portanto, tem propriedades que podem diferir de um ponto para outro. **Sistema hexagonal.** *Min*. O sistema cristalino caracterizado por um eixo de simetria senário. **Sistema homogêneo.** *Fís-Quím*. O que é constituído por uma só fase, i. e., aquele que em qualquer ponto tem as mesmas propriedades. **Sistema indeterminado.** *Álg*. Sistema de equações que admite uma infinidade de soluções. **Sistema internacional de unidades.** Sistema de unidades de medida baseado em seis unidades fundamentais: o metro, unidade de comprimento; o quilograma, unidade de massa; o segundo, unidade de tempo; o ampère, unidade de corrente elétrica; o kelvin, unidade de temperatura termodinâmica; e a candela, unidade de intensidade luminosa. **Sistema isolado.** *Fís*. O que não pode trocar nem energia nem massa com o exterior. **Sistema isométrico.** *Min*. Sistema cristalino que se caracteriza essencialmente por três eixos cristalográficos iguais e retangulares, tendo os cristais deste sistema quatro eixos de simetria ternários, sistema monométrico, sistema cúbico. **Sistema kepleriano.** *Astr*. Sistema cosmológico heliocêntrico, criado pelo astrônomo alemão Johann Kepler (1571-1630), e segundo o qual os planetas giram em torno do Sol seguindo órbitas elípticas. **Sistema linear.** *Mat*. O constituído por equações lineares. **Sistema métrico decimal.** Sistema de unidades de medida baseado no metro, e que usa múltiplos e submúltiplos decimais. **Sistema MKS.** *Fís*. Sistema de unidades de medida baseado em três unidades fundamentais: o metro, unidade de comprimento; o quilograma, unidade de massa; e o segundo, unidade de tempo. **Sistema monitor.** *Proc. Dados*. V. *sistema operacional*. **Sistema monoclínico.** *Min*. Sistema cristalino que se caracteriza essencialmente por três eixos cristalográficos desiguais, dois deles perpendiculares entre si, e o terceiro perpendicular ao eixo horizontal, porém oblíquo em relação ao vertical. **Sistema monométrico.** *Min*. V. *sistema isométrico*. **Sistema MTS.** *Fís*. Sistema de unidades de medida baseado em três unidades fundamentais: o metro, unidade de comprimento; a tonelada, unidade de massa; e o segundo, unidade de tempo. **Sistema não-linear.** *Mat*. O que envolve pelo menos uma equação não linear. **Sistema natural.** *Bot*. Sistema de classificação no qual os caracteres empregados levam em conta as afinidades naturais das plantas, merecendo consideração, assim, todos os órgãos, conquanto se dê preferência à morfologia floral. **Sistema nervoso autônomo.** *Anat*. Porção do sistema nervoso, tanto aferente quanto eferente, que inerva musculatura cardíaca e lisa, e controla secreções glandulares diversas. Não se encontra sob o controle da vontade, e divide-se em dois grandes setores: o simpático e o parassimpático. [Sin.: *sistema nervoso vegetativo* e *sistema nervoso da vida vegetativa*.] **Sistema nervoso central.** *Anat*. Porção do sistema nervoso composta de encéfalo, medula espinhal e meninges que os recobrem. **Sistema nervoso da vida vegetativa.** *Anat*. V. *sistema nervoso autônomo*. **Sistema nervoso vegetativo.** *Anat*. V. *sistema nervoso autônomo*. **Sistema octal.** *Mat*. Sistema de numeração em que a base é oito, adotado na tecnologia de computadores. **Sistema on-line.** *Proc. Dados*. Sistema de caráter interativo, com a capacidade de aceitar dados diretamente no computador a partir do lugar aonde são criados e enviar os resultados do processamento diretamente para a área aonde são necessários, efetuando o transporte de dados através de canais ou linhas de comunicação, são evitados estágios intermediários, tais como gravações de dados em fita, ou disco magnético, ou impressão fora de linha. **Sistema operacional.** *Proc. Dados*. Conjunto integrado de programas básicos, projetado para supervisionar e controlar a execução de programas de aplicação em um computador; sistema monitor, sistema executivo. [Abrev.: *OS*.] **Sistema ortorrômbico.** *Min*. Sistema cristalino que pode referir-se a três eixos cristalográficos desiguais dispostos em ângulo reto, e caracterizado, no essencial, por um eixo de simetria dupla, que é a interseção de dois planos de simetria, ou, então, perpendicular a dois eixos de simetria. **Sistema planetário.** O conjunto dos planetas que giram em redor do Sol. [Cf. *sistema solar*.] **Sistema presidencial.** V. *presidencialismo*. **Sistema polar.** *Geom. Anal*. Sistema de coordenadas em que estas são polares. **Sistema ptolomaico.** *Astr*. Sistema cosmológico geocêntrico, criado pelo astrônomo grego Cláudio Ptolomeu, no séc. II d. C., e segundo o qual todos os astros giravam em torno da Terra em movimentos circulares ou combinação de movimentos circulares. [Cf. *sistema geocêntrico*.] **Sistema quadrático.** *Min*. Sistema cristalino que pode referir-se a três eixos retangulares, dois deles iguais, e caracterizado por um eixo de simetria quádrupla; sistema tetragonal. **Sistema racionalizado.** *Fís*. Sistema de unidades de medidas elétricas e magnéticas, derivado do sistema métrico ou do c.g.s., e no qual as unidades destes aparecem multiplicadas por potências apropriadas de 4π com o objetivo de tornar mais simples ou mais simétricas algumas expressões teóricas. **Sistema reticuloendotelial.** *Histol*. O constituído por células que, situadas em diferentes locais do organismo, têm características reticulares e endoteliais e dispõem de capacidade fagocitária, intervêm na formação de células sanguíneas, no metabolismo do ferro, desempenham funções de defesa contra infecções, etc. **Sistemas analógicos.** *Fís*. Sistemas de natureza diferente cujo comportamento se descreve por equações idênticas. **Sistema sexagesimal.** *Mat*. Sistema de numeração em que a base é sessenta. **Sistema sexual.** *Bot*. Sistema artificial, criado por Lineu [v. *lineano*], em que as plantas são classificadas segundo os caracteres tomados aos órgãos reprodutivos. [Cf. *sistema artificial*.] **Sistema solar.** *Astr*. Conjunto de planetas [v. *planeta* (1)], asteróides, satélites, cometas, meteoritos e poeira cósmica que gravitam em redor do Sol. [Cf. *sistema planetário*.] **Sistema Taylor.** Taylorismo. **Sistema telescópico.** *Ópt*. Sistema afocal imerso em ar. **Sistema temperado.** *Mús*. Sistema que consiste em dividir a oitava em 12 semitons exatamente iguais, e que é usado na afinação de certos instrumentos de sons fixos (piano, órgão, etc.), de modo que uma tecla pode servir para produzir mais de uma nota, de nomes diferentes, mas de som igual, como, p. ex., dó, si sustenido e ré dobrado bemol, o que era impossível no temperamento desigual [q. v.]. [Sin.: *temperamento igual*.] **Sistema tetragonal.** *Min*. Sistema quadrático. **Sistema triclínico.** *Min*. Sistema cristalino que pode referir-se a três eixos desiguais oblíquos. **Sistema trigonal.** *Min*. Sistema cristalino caracterizado por um único eixo de simetria ternária e três eixos cristalográficos iguais, dispostos simetricamente em torno do eixo ternário, e fazendo com este um ângulo diferente de 90 graus. **Por sistema.** Por idéia ou juízo preconcebido.

sistemata. *S. 2 g.* Especialista em sistemática.

sistemática. [Fem. substantivado do adj. *sistemático*.] *S. f.* **1.** *Biol. Ger.* Ciência que se ocupa das classificações dos seres vivos; taxionomia. **2.** *Tip.* Medida tipográfica baseada no cícero. **3.** Sistematização.

sistemático. [Do gr. *systematikós*, pelo lat. *systematicu*.] *Adj.* **1.** Referente ou conforme a um sistema: *Todo organograma deve ser sistemático.* **2.** Que segue um sistema: *plano sistemático.* **3.** Ordenado, metódico. **4.** Coerente com determinada linha de pensamento e/ou de ação: *É sistemático em suas atitudes; Tem um procedimento sistemático, é fiel aos seus princípios.* **5.** Relativo à sistemática (1). [Sin., nessas acepç.: *sistêmico*.] **6.** *Bras.* Diz-se do indivíduo que, por ser metódico ao extremo, torna-se ranheta, ranzinza. ~ V. *bloco —, botânica —a, erro —* e *índice —.* ● *S. m.* **7.** *Tip.* O material tipográfico (quadrados, fios, vinhetas, etc.) cuja medida se baseia no cícero.

sistematização. *S. f.* Ato ou efeito de sistematizar; sistemática.

sistematizador (ô). *Adj.* **1.** Que sistematiza; sistematizante. ● *S. m.* **2.** Aquele que sistematiza.

sistematizante. [De *sistematizar* + *-nte*.] *Adj. 2 g.* Sistematizador (1).

sistematizar. [De *sistemat(o)-* + *-izar*.] *V. t. d.* **1.** Reduzir diversos elementos a sistema: *O novo gerente sistematizou a organização da firma.* **2.** Agrupar em um corpo de doutrina: *O apóstolo S. Paulo sistematizou o cristianismo.* **3.** Tornar sistemático (3 e 4).

▲sistemat(o)-. [Do gr. *sýstema, atos*.] *El. comp.* = 'sistema': *sistematologia; sistematizar.*

sistematologia. [De *sistemat(o)-* + *-log(o)-* + *-ia*.] *S. f.* O estudo dos sistemas.

sistematológico. *Adj.* Relativo à sistematologia.

sistêmico[1]. [De *sistema* + *-ico*[2].] *Adj.* **1.** Sistemático (1 a 5). **2.** Referente à visão orgânica, lógica de um sistema: *um enfoque sistêmico; um objetivo sistêmico.*

sistêmico[2]. [Do ingl. *systemic*.] *Adj. Med.* Que afeta todo o corpo; generalizado. ~ V. *circulação —a.* [Seria preferível a f. *sistemático*, que, no entanto, não é us. nesta acepç.]

sistente. [Do lat. *sistente*, part. pres. de *sistere*, 'suster', 'manter'.] *Adj. 2 g.* ~ V. *articulação —.*

sistilo. [Do gr. *systylos*, 'de colunas aproximadas', pelo lat. *systylos*.] *Adj.* e *s. m. Arquit.* Diz-se da, ou a construção na qual os intercolúnios têm dois diâmetros de coluna ou quatro módulos.

sistino. [Do antr. *Sisto* + *-ino*[1].] *Adj.* Relativo ao Papa Sisto IV (1521-1590). ~ V. *capela —a.*

sistolar. *Adj. 2 g. Med.* Relativo à, ou próprio da sístole; sistólico, sistáltico.

sístole. [Do gr. *systolé*, 'contração', pelo lat. *systole*.] *S. f.* **1.** *Med.* Estado de contração das fibras musculares do coração. [Cf. *diástole*.] **2.** *Gram.* V. *hiperbibasmo.*

sistólico. [De *sístole* + *-ico*[2].] *Adj. Med.* V. *sistolar.*

sistro. [Do gr. *seístron*, pelo lat. *sistru*.] *S. m. Mús.* **1.** Antigo instrumento egípcio de percussão, que consistia num pequeno arco metálico atravessado horizontalmente por pequenas hastes também de metal, as quais, agitadas por meio de um cabo, produziam som agudo e prolongado: "Crótalos, búzios, tímpanos, badalos, / *Sistros* ressoam!" (Martins Fontes, *Verão*, p. 21.) **2.** Espécie de marimba com lâminas metálicas. [Var.: *sestro*.]

sisudez (ê). [De *sisudo* + *-ez*.] *S. f.* **1.** Qualidade de sisudo. **2.** Seriedade, gravidade, circunspeção. **3.** Juízo, bom senso. **4.** Gravidade de porte. [F. paral.: *sisudeza*.]

sisudeza (ê). [De *sisudo* + *-eza*.] *S. f.* V. *sisudez*: "A *sisudeza* do semblante argüía o incômodo da consciência." (Camilo Castelo Branco, *A Queda dum Anjo*, p. 158.)

sisudo. [Do lat. **sensutu*, 'ajuizado', atr. do arc. *sesudo*.] *Adj.* **1.** Que tem siso. **2.** Sério, grave, circunspeto. **3.** Prudente, sensato, moderado. ● *S. m.* **4.** Indivíduo sisudo. **5.** *Pop.* Sério (15).

sitar. [Do hindi sitār.] *S. m. Mús.* Instrumento hindu, de braço longo, montado com três ou quatro cordas dedilháveis. [Cf. *citar*.]

sitarrão. [De *sítio*[1].] *S. m. Bras., N.* Sítio[1] (6 e 7) grande.

sitiado. [Part. de *sitiar*.] *Adj.* **1.** Cercado por tropas militares; assediado. ● *S. m.* **2.** Aquele que está sitiado.

sitiador (ô). [De *sitiar* + *-(d)or*.] *Adj.* e *s. m.* Sitiante[1].

sitiano. [De *sítio*[1] + -ano.] *S. m. Bras., PA. V. caipira* (1).

sitiante[1]. [De *sitiar* + *-nte*.] *Adj. 2 g.* e *s. 2 g.* Que ou quem sitia; sitiador.

sitiante[2]. [De um **sitiar*, de *sítio*[1], + *-nte*.] *S. 2 g. Bras., S.* Proprietário ou morador de sítio[1] (6 e 7). [Sin.: *sitieiro* (SP), *situante (ES)*.]

sitiar. [Adapt. do b.-lat. *situare*.] *V. t. d.* **1.** Pôr sítio[2] a; cercar, assediar: *As tropas sitiaram a cidade por 10 dias.* **2.** *P.* ext. Cercar, rodear, assediar: *Jornalistas sitiaram o presidente eleito.* [Pres. ind.: *sitio, sitias, sitia, sitiamos, sitiais, sitiam.* Cf. *sítio. s. m., Sítio*, antr. e top., *Cítia*, top., *setia*, s. f., e *setiais*, pl. de *setial*.]

sitibundo. [Do lat. tardio *sitibundu*.] *Adj. Poét.* **1.** Sedento, sequioso. ● *S. m.* **2.** Indivíduo sequioso, sedento: "Sonhei-a—: fonte de corrente fria, / Límpida como o *sitibundo* pede" (Alberto de Oliveira, *Poesias*, 2ª série, p. 334).

sitieiro. [De *sítio*[1] + *-eiro*.] *S. m. Bras., SP.* V. *sitiante*[2].

sitiense. *Adj. 2 g.* **1.** De, ou pertencente ou relativo a Sítio da Abadia (GO). ● *S. 2 g.* **2.** Natural ou habitante de Sítio da Abadia.

sítio[1]. [Do lat. *situs, us*, 'situação, posição'?] *S. m.* **1.** Lugar que um objeto ocupa. **2.** Chão descoberto; espaço de terra: terreno. **3.** Lugar, local, ponto. **4.** Lugar assinalado por acontecimento notável. **5.** Localidade, povoação. **6.** *Bras.* Estabelecimento agrícola de pequena lavoura. **7.** *Bras.* Fazendola. **8.** *Bras.* Moradia rural, ou chácara nas imediações da cidade. **9.** *Bras.* Trato[2] (1) que se arrendou ou cedeu a moradores ou lavradores dum engenho de açúcar, mediante prestação de serviços ou partilha dos frutos. **10.** O campo, a roça (em oposição à cidade). **11.** Qualquer local do interior. [Diz-se que é *do sítio* quem quer que more na roça.] [Cf. *sitio*, do v. *sitiar*.] ♦ **Sítio arqueológico.** Local em que se processa uma pesquisa e coleta de material arqueológico; jazida arqueológica. **Sítio paleontológico.** Local onde se processa uma pesquisa e coleta de material paleontológico; jazida paleontológica. **Sítio urbano.** Área duma cidade em que se construíram as suas ruas e habitações.

sítio[2]. *S. m.* Ato ou efeito de sitiar. [Cf. *sitio*, do v. *sitiar*.]

▲sitio-. [Do gr. *sîtos, ou*.] *El. comp.* = 'alimento', 'alimentação': *sitiofobia, sitiologia.* [Equiv.: *-sito: onfalosito*.]

sitioca. [De *sítio*[1] + *-oca*.] *S. f. Bras.* Pequeno sítio[1], ou fazendola.

sitiofobia. [De *sitio-* + *-fob(o)-* + *-ia*.] *S. f.* Recusa completa de alimento.

sitiofóbico. *Adj.* Relativo à sitiofobia.

sitiófobo. *S. m.* Aquele que tem sitiofobia.

sitiologia. [De *sitio-* + *-log(o)-* + *-ia*.] *S. f.* O estudo dos alimentos ou da alimentação.

sitiológico. *Adj.* Relativo a sitiologia.

sítio-novense. *Adj. 2 g.* **1.** De, ou pertencente ou relativo a Sítio Novo (MA). ● *S. 2 g.* **2.** Natural ou habitante de Sítio Novo.

sito[1]. [Do lat. *situ*. 'deterioração'; 'sujeira'; 'mofo'.] *S. m.* Bolor, bafio, mofo. [Cf. *cito*, do v. *citar*.]

sito[2]. [Do lat. *situ*, part. pass. de *sinere*, 'consentir, permitir'.] *Adj.* Situado. [Cf. *cito*, do v. *citar*. Fem.: *sita*. Cf. *cita*.]

▲-sito. Equiv. de *sitio-*.

sitofagia. *S. f.* A alimentação do sitófago.

sitófago. [Do gr. *sitophágos*.] *Adj.* e *s. m.* Que ou aquele que se alimenta de trigo.

situação. *S. f.* **1.** Ato ou efeito de situar(-se). **2.** O modo como alguma coisa ou pessoa está situada em relação a determinado ambiente; posição, localização: *É boa a situação da casa quanto à exposição ao sol; O detetive observou a situação da vítima no momento do crime.* **3.** Colocação ou arranjo das diversas partes de um grupo de pessoas ou de coisas em relação recíproca; distribuição: *A situação dos convidados à mesa obedecia às normas do cerimonial.* **4.** *Fig.* Condição social ou econômica, ou afetiva, emocional, em que alguém se acha: *A família está em ótima situação; A situação do casal é demasiado tensa.* **5.** *Fig.* Encontro de acontecimentos; conjunto de circunstâncias; lance, conjuntura: *Nesta situação, só me resta aceitar; Está em situação desesperadora.* **6.** *Fig.* Estado especial de qualquer empresa, empreendimento ou negócio: *situação de um banco, de uma viagem.* **7.** *Fig.* Posição especial de um indivíduo quanto à sua profissão, ao seu ramo de atividade: *Tem boa situação na firma; Goza de ótima situação na classe média.* **8.** *Fig.* Cada um dos momentos de uma ação real ou fictícia que provocam interesse ou emoção, ou concorrem para um determinado desenlace; lance, passagem, passo: *As situações dramáticas, no filme, foram habilmente alternadas com momentos de humor.* **9.** *Fig.* Determinada fase de uma atividade ou experiência, que apresenta certas condições típicas: *Não raro em situações idênticas as crianças reagem de modo diferente.* **10.** *Bras.* O conjunto de forças ou outros elementos de caráter político ou social que se encontram no poder: *O prefeito está com a situação.* [Antôn., nesta acepç., *oposição* (2).]

situacionismo. *S. m. Bras.* **1.** Partido político dos que se encontram no poder. **2.** Permanência de uma situação política.

situacionista. *Adj. 2 g.* **1.** Referente ou pertencente ao situacionismo. ● *S. 2 g.* **2.** Pessoa pertencente ao situacionismo.

situante. [Do b.-lat. *situante*.] *S. m. Bras., ES.* V. *sitiante*[2].

situar. [Do b.-lat. *situare*.] *V. t. d.* e *i.* **1.** Pôr, colocar, estabelecer: *O historiador situou a importância do fato em suas devidas proporções.* **2.** Edificar em lugar próprio ou escolhido: *Situou a capela no outeiro.* **3.** Determinar ou assinalar (lugar a): *Situou o lugar de honra ao chefe da representação estrangeira.* **4.** Dispor geograficamente: "São as lembranças de Pernambuco .... que sugerem a Garrett a idéia de *situar* no Brasil a primeira parte do seu novo romance, *Helena*." (José Osório de Oliveira, *O Romance de Garrett*, p. 171.) *P.* **5.** Colocar-se, pôr-se; estar ou ficar situado: *O visitante situou-se à esquerda do dono da casa;* "Antero [Antero de Quental] *situa-se*, com Camões, entre os mais pensantes ou pensadores dos nossos muitos poetas." (Agostinho de Campos, *Estudos sobre o Soneto*, p. 27). [Part.: *situado*, e *sito*, fem. *sita*. Cf. *cito*, do v. *citar* e s. m., e *cita*, do mesmo v. e s. f., s. 2 g., s. m. e adj. 2 g.]

situável. *Adj. 2 g.* Que se pode situar.

sítula. [Do lat. *situla*.] *S. f.* Vaso de madeira, de forma arredondada. [Cf. *cítola*.]

siúba. *S. f. Bras., PB. Pop.* V. *cachaça* (1).

siusi (i-u). *Bras. S. 2 g.* **1.** Invidíduo dos siusis, tribo indígena aruaque do rio Aiari. ● *Adj. 2 g.* **2.** Pertencente ou relativo aos siusis. [Sin.: *oaliperi-dáquenei* (como a si mesmos se chamam), *siusitapuia*.]

siusitapuia (i-u). [De *siusi* + *tapuia*.] *S. 2 g.* e *adj. 2 g. Bras.* V. *siusi.*

sivã. [Do hebr. *Sīxān*.] *S. m. Cronol.* O nono mês do calendário israelita, com 30 dias.

sizetese. [Do gr. *syzétesis*, 'discussão'.] *S. f. Ret.* Figura pela qual se principia ou se estabelece uma discussão.

sizígia. [Do gr. *syzygía*, 'conjunção', pelo lat. *syzygia*.] *S. f. Astr.* Conjunção ou oposição de um planeta, especialmente a Lua, com o Sol (o que se observa no plenilúnio e no novilúnio). [Var.: *sizígio*. Cf. *maré de sizígia*.]

sizígio. *S. m. Astr.* Var. de *sizígia*. [q. v.].

➧sketch (skétx). [Ingl.] *S. m.* V. *esquete.*

➧slack. [Ingl., 'frouxo' < *slacks*, 'calças compridas avulsas, para usar sem casaco'.] *S. m.* Conjunto de calças compridas e camisa ou blusa do mesmo tecido, usado especialmente pelas mulheres.

➧slang (slãng). [Ingl.] *S. m.* Gíria, calão.

➧slide (slaide). [Ingl.] *S. m.* V. *eslaide.*

➧slogan (slógân). [Ingl.] *S. m.* Palavra ou frase usada com freqüência, em geral associada a propaganda comercial, política, etc.

■ Sm. *Quím.* Símb. do *samário.*

smithsonita. [Do antr. *Smithson*, de James Smithson, químico inglês (1765-1829), + *-ito*[3].] *S. f. Min.* Mineral trigonal, carbonato de zinco, minério de zinco.

➧smoking (smôkin'). [Ingl., por *smoking jacket*.] *S. m.* Roupa masculina com paletó geralmente preto, de lapelas de cetim, usada como traje de cerimônia à noite. [Sin. (ingl.): *black-tie*. Em ingl. a palavra não existe com tal acepç.; o termo correspondente é *tuxedo*.]

➧smorzando (smortsando). [It.] *Mús.* Indica que a sonoridade se deve ir extinguindo gradualmente.

■ Sn. *Quím.* Símb. de *estanho.*

➧snapshot (çnepxót). [Ingl.] *S. m.* instantâneo (3).

■ S.O. Abrev. de *sudoeste.*

▲so-. Equiv. de *sub-.*

só. [Do lat. *solu, sola*.] *Adj. 2 g.* **1.** Desacompanhado, solitário: "Piedade! esse impudor ofende o olhar gelado / Das que viveram *sós*, das que morreram puras!" (Olavo Bilac, *Poesias*, p. 158). **2.** Que é só um; único: "Eu era o seu guia / Na noite sombria, / A *só* alegria / Que Deus lhe deixou" (Gonçalves Dias, *Obras Poéticas*, II, p. 24). **3.** Afastado da convivência; isolado: *É um homem só;* "So, abre os braços e nenhum apoio encontra..." (Belmiro Braga, *Cantos e Contos*, p. 49). **4.** Ermo, deserto: *Habita lugares sós, para além das montanhas.* **5.** Desamparado; solitário, desajudado: *Os órfãos ficaram sós no mundo.* ● *Adv.* **6.** Apenas, somente; unicamente: *Não escolha profissão só pelas vantagens monetárias.* [Cf. *sô*.] ● *S. m.* **7.** Aquele que vive sem companhia: "Volúpia dos abandonados... / Dos *sós* ... ouvir a água escorrer, / Lavando o tédio dos telhados / Que se sentem envelhecer..." (Manuel Bandeira, *Estrela da Vida Inteira*, p. 36.) **8.** No voltarete, parceiro que joga somente as cartas que teve e não compra nenhuma. **A sós.** Sem mais companhia; consigo: *Gosta de estar a sós*; "ela se achava a sós comigo" (Alberto de Oliveira, *Poesias*, 2ª série, p. 298). **Que só.** Como: *É esperto que só o irmão*.

sô. [Alter. de *senhor*.] *S. m. Pop.* Senhor (9); seu: " 'Entre, sô doutor!' " (Alexandre Herculano, *Lendas e Narrativas*, II, p. 251); "No eu sair, sô moço já tinha o cavalo pronto, escondido." (Afonso Arinos, *Pelo Sertão*, p. 170); "Gente, onde estará sô Manuel?" (Id., *ib.*, p. 35); *Que é que houve, sô?* [Cf. *só*.]

soabrir. [De *so-* + *abrir*.] *V. t. d.* e *p.* Abrir(-se) um pouco, de manso; entreabrir(-se): "O velho soabriu as pesadas pálpebras, e passou do neto ao estrangeiro um olhar baço." (José de Alencar, *Iracema*, p. 108); "O peristilo arcual da tua boca se move: / Soabre-se: a fulva luz que a ilumina contemplo..." (Alphonsus de Guimaraens, *Obra Completa*, p. 105). [Irreg. Conjug.: v. *abrir*.]

soada. [De *soar* + *-ada*[1].] *S. f.* **1.** Ato ou efeito de soar. **2.** Toada de cantiga. **3.** Rumor, ruído. **4.** Boato, fama, notícia. **5.** Rumor indistinto. [Cf. *suada*, fem. de *suado*.]

soadeiro. [De *soado* + *-eiro*.] *Adj.* Afamado, famoso, notável.

soado. [Part. de *soar*.] *Adj.* **1.** Que soou. **2.** Celebrado, célebre, afamado. [Cf. *suado*, part. de *suar* e adj.]

soagem. [Do lat. *solagine*.] *S. f.* Planta arbustiva, da família das boragináceas (*Echium murale*), de pequenas flores congregadas em espigas escorpióides, que por sua vez se congregam em panículas, e brácteas foliáceas. O fruto é núcula tuberculosa ou rugosa.

soalha. [Do lat. vulg. **sonacula*, 'coisinhas soantes'.] *S. f.* **1.** Cada uma das chapas metálicas do pandeiro: "E, em vez de deixar o pandeiro, levantou-o bem alto, ... sacudiu-o convulsivamente no ar, as soalhas vibrando em chorrilho." (Helberto Sales, *Histórias Ordinárias*, p. 176.) **2.** *Ant. Náut.* Espécie de régua que, na balestilha (1), podia deslizar ao longo do virote (3).

soalhado. [Part. de *soalhar*[2].] *Adj.* **1.** Assoalhado[1]. ● *S. m.* **2.** V. *soalho*[1]. **3.** Madeiramento para soalhar[2].

soalhar[1]**.** [De *soalha* (1) + *-ar*[2].] *V. t. d.* **1.** Agitar as soalhas de (um pandeiro). *Int.* **2.** Agitarem-se (as soalhas de um pandeiro): *O pandeiro soalhou demoradamente.*

soalhar[2]**.** [De *soalho*[1] + *-ar*[2].] *V. t. d.* V. *assoalhar*[1].

soalhar[3]**.** [Do lat. **soliculare*, **soliclare* < *soliculo*, *soliclu*, dim. afetivo de *sol*, atr. das f. **solelhar*, **soelhar*.] *V. t. d.* Assoalhar[2] (1).

soalheira. [De *soalho*[2] + *-eira*.] *S. f.* **1.** A luz e o calor mais intensos do Sol: "Embaixo das árvores copadas, nos batedouros, os animais se abrigavam da soalheira." (Francisco Marins, *... e a Porteira Bateu!*, p. 164.) **2.** A hora do maior brilho e calor do Sol: *Esperou passar a soalheira para sair.* **3.** Exposição aos raios solares. **4.** Torreira (3). [F. paral., bras.: *soleira*.]

soalheiro. [De *soalho*[2] + *-eiro*.] *Adj.* **1.** Exposto à ação dos raios solares: *terraço soalheiro*. **2.** Bem banhado de sol; que tem pouca sombra: *jardim soalheiro*. ● *S. m.* **3.** Lugar exposto aos raios solares; soalho. **4.** Agrupamento de sujeitos ociosos e maledicentes, que se reúnem, geralmente, ao sol. **5.** *Bras., S.* Terreno na aba das serras, exposto ao nascente. [Cf., nesta acepç., *noruega* (1).]

soalho[1]**.** [Do lat. **solaculu* < *solu*, 'solo'.] *S. m.* Pavimento (1) de madeira; soalhado, sobrado. [Var.: *assoalho*.] ♦ **Soalho caveirado.** *Arquit.* Aquele cujas tábuas têm direções diferentes, formando desenhos geométricos.

soalho[2]**.** [Dev. de *soalhar*[3].] *S. m.* Soalheiro (3).

soante. [Do lat. *sonante*.] *Adj. 2 g.* Que soa; sonante.

soão. [Do lat. vulg. *solanu*, i. e., *ventu solanu*, 'vento que sopra da direção onde nasce o Sol'.] *S. m. Lus. Náut.* Vento quente que na latitude de Portugal sopra entre leste e sueste. [Cf. *suão*.]

➧**soap opera** (soup ópera). [Ingl.] Nos E.U.A., novela radiofônica de caráter sentimental, em capítulos, e destinada à propaganda de algum produto (originariamente, o sabonete).

soar. [Do lat. *sonare*.] *V. int.* **1.** Emitir ou produzir som; retumbar, ecoar: *O sino soou chamando os fiéis para a missa.* **2.** Ser indicado ou anunciado por um som: *As seis horas soaram*; "Soaram doze horas nas igrejas daqueles vales." (Camilo Castelo Branco, *A Queda dum Anjo*, p. 103); "Vai alta a lua! na mansão da morte / Já meia-noite com vagar soou" (Soares de Passos, *Poesias*, p. 12). **3.** Fazer-se ouvir; ser pronunciado: *O h não soa na palavra* hora. **4.** Divulgar-se, espalhar-se, propalar-se: "De repente soou na vila uma notícia extraordinária: o caixeiro ia casar com a sobrinha ou afilhada .... que o velho e rico prior de Santo Antônio tinha em casa." (Conde de Ficalho, *Uma Eleição Perdida*, pp. 193-194.) **5.** Emitir canto; cantar: *Soa o canário na gaiola.* **6.** Ter repercussão; repercutir, ecoar: *Na hora do perigo as advertências do pai lhe soaram na alma. T. i.* **7.** Agradar, convir, interessar: *Esta compra não lhe soa. T. d.* **8.** Tanger, tocar: *O músico soou o violão*; "Quando o sino da igreja soa as trindades, a aldeia anima-se de uma vida que parece ter dormido todo o santo dia." (Natércia Freire, *A Alma da Velha Casa*, p. 107.) **9.** Emitir, produzir (som). **10.** Mostrar por meio de sons ou ruídos; indicar: *Os efusivos cumprimentos soavam alegria.* **11.** Dar, bater (horas): *O carrilhão soava 10 horas.* **12.** Celebrar, exaltar: *O hino soava os grandes feitos militares.* [Normalmente só conjugável nas 3as pess. Conjug.: v. *coroar*. Pres. ind.: *sôo*, *soas* (ô), *soa* (ô), etc.; pres. subj.: *soe* (ô), *soes* (ô), *soe* (ô), *soemos*, *soeis*, *soem* (ô). Cf. *sói*, *sóis*, *soem*, do v. *soer*; *sóis*, pl. de *sol*; *sois*, do v. *ser*; e *suar*, v.] ♦ **Soar bem.** Cair bem. **Soar mal.** Cair mal.

soassar. [De *so-* + *assar*.] *V. t. d.* Assar levemente.

sob (ô). [Do lat. *sub*.] *Prep.* De maneira geral, dá idéia da posição de uma coisa em relação a outra que lhe fica por cima, e tem, entre outros, mais ou menos, os seguintes empregos: **1.** Debaixo de; por baixo de: "Sob a névoa de azuis, que envolve todo o espaço, / A paisagem parece uma gravura de aço." (Ronald de Carvalho, *Poemas e Sonetos*, p. 13); "Singra o navio. Sob a água clara / Vê-se o fundo do mar, de areia fina..." (Camilo Pessanha, *Clepsidra e Outros Poemas*, p. 197). **2.** À sombra de: "Deu com os olhos no automóvel parado sob a mangueira" (Moreira Campos, *Portas Fechadas*, p. 29). **3.** Ao abrigo de; com o amparo ou proteção de: *É triste viver sob o teto alheio.* **4.** Debaixo de autoridade, comando, vontade, orientação de: *Portugal esteve 60 anos, de 1580 a 1640, sob o domínio espanhol*; "Em companhia de Tomé de Sousa vieram seis jesuítas, sob a direção do Padre Manuel da Nóbrega." (João Ribeiro, *História do Brasil*, p. 87). **5.** No tempo de; no governo de; no reinado de: *A Biblioteca Nacional foi criada sob D. João VI, em 1808.* **6.** Com afirmação ou força de: *Garanto, sob minha palavra, que só lhe farei o bem.* [Cf. *sobre*.]

▲**sob-.** V. *sub-*.

soba. [Do quimb. *soba*.] *S. m.* Chefe ou régulo de tribo africana: "Quando o povo de Tchipinda levantou uma paliçada à volta da senzala...., o soba fez a sua entrada solene no terreiro" (Castro Soromenho, *Rajada e Outras Histórias*, p. 66). [Var.: *sova*.]

sobaco. *S. m.* Sovaco [q. v.].

sobado. *S. m.* Território governado por um soba.

sobalçar. [De *sob* + *alçar*.] *V. t. d.* **1.** Alçar muito, bem alto. **2.** Exaltar, aclamar, enaltecer. [Conjug.: v. *laçar*.]

sobarba. [De *so-* + *barba*.] *S. f. Ant.* Parte ou acessório de qualquer cobertura da cabeça, destinada a atar-se sob a barba, i. e., embaixo do queixo.

sobarbada. [De *sobarba* + *-ada*[1].] *S. f.* **1.** Barbela (3) de corda. **2.** Golpe por baixo da barba.

sobeira. [De *so-* + *beira*.] *S. f.* Ordem de telhas dispostas debaixo da beira do telhado para sustentar e reforçar as do beiral; beira-sobeira, beira-seveira.

sobejamente. [Do fem. de *sobejo* + *-mente*.] *Adv.* De sobejo.

sobejar. [De *sobejo* + *-ar*[2].] *V. int.* e *t. i.* **1.** Ser por demais; sobrar, superabundar: "Afirmam que a vida é breve, / Engano, — a vida é comprida: / Cabe nela amor eterno / E ainda sobeja vida." (Antônio Boto, *As Canções*, p. 81.) *P.* **2.** Ter de sobejo; suprir-se fartamente. [Conjug.: v. *pelejar*.]

sobejidão. *S. f.* **1.** Qualidade do que é sobejo. **2.** Grande abundância, excesso, demasia. **3.** Grande número; imensidade. **4.** Viço, pujança.

sobejo (ê). [Do esp. *sobejo*.] *Adj.* **1.** Que sobeja; demasiado, excessivo. **2.** Enorme, inumerável, imenso. ● *S. m.* **3.** Sobra, resto: "tomou no pote da varanda seu caneco d'água, pinchou o sobejo na parede" (Bernardo Élis, *Veranico de Janeiro*, p. 87). [Tb. us. no pl.] ● *Adv.* **4.** De sobejo. ~ V. *sobejos*. ♦ **De sobejo.** De sobra; sobejamente, sobejo: "Sabia-se de sobejo que a fonte da Corredoura era eterna" (Miguel Torga, *Contos da Montanha*, p. 11).

sobejos (ê). [Pl. de *sobejo*.] *S. m. pl.* Sobras, restos. ~ V. *sobejo*.

sôbelo. *Ant.* Sôbolo: "O Gaudêncio ficou diante do almocreve, ... muito direito, que era homem bem-parecido sôbelo alto." (Aquilino Ribeiro, *Terras do Demo*, p. 24.) [Flex.: *sôbela*, *sôbelos*, *sôbelas*.]

soberana. [Fem. de *soberano*.] *S. f.* **1.** Mulher que exerce o poder soberano sum Estado. **2.** Rainha (1). **3.** Imperatriz. **4.** *Fig.* Mulher que, entre outras, ocupa o primeiro lugar.

soberania. *S. f.* **1.** Qualidade de soberano: *Teve por muito tempo a Grã-Bretanha a soberania dos mares.* **2.** Poder ou autoridade suprema de soberano (7): *A soberania dos Braganças exerceu-se em Portugal e no Brasil.* **3.** Autoridade moral, tida como suprema; poder supremo: *a soberania da racionalidade.* **4.** Propriedade que tem um Estado de ser uma ordem suprema que não deve a sua validade a nenhuma outra ordem superior. **5.** O complexo dos poderes que formam uma nação politicamente organizada.

soberanizar. *V. t. d.* **1.** Elevar à soberania; tornar soberano. **2.** Exaltar, engrandecer, sublimar.

soberano. [Do lat. vulg. *superanu*, 'que está de cima'.] *Adj.* **1.** Que detém poder ou autoridade suprema, sem restrição nem neutralização: *Neste caso a justiça é soberana.* **2.** Dominador, poderoso: *a classe soberana.* **3.** *Fig.* Supremo, absoluto: *vaidade soberana*; *desprezo soberano.* **4.** *Fig.* Excelente, magnífico: "A bordo vinha uma águia. Era um presente / Que um potentado, — um certo rei do Oriente, / Mandava a outro: um mimo soberano." (Luís Guimarães, *Sonetos e Rimas*, p. 13.) **5.** *Fig.* Altivo, arrogante: *olhar soberano.* **6.** *Fig.* Eficiente, eficaz; poderoso: *um medicamento soberano.* ● *S. m.* **7.** Chefe de estado monárquico; monarca. **8.** Indivíduo ou ser moral que exerce o poder soberano; imperante. **9.** *Fig.* Aquele que influi poderosamente. **10.** A libra esterlina [q. v.].

soberba (ê). [Fem. substantivado do adj. *soberbo*.] *S. f.* **1.** Elevação ou altura de uma coisa em relação a outra. **2.** Orgulho excessivo; altivez, arrogância, presunção, sobranceria, sobranceria.

soberbaço. [De *soberbo* + *-aço*.] *Adj.* e *s. m.* **1.** Que ou aquele que se apresenta com muita soberba (2). **2.** Diz-se de, ou indivíduo ridiculamente vaidoso.

soberbão. *Adj.* e *s. m.* **1.** Muito soberbo. **2.** Arrogante em demasia. [Fem.: *soberbona*.]

soberbete (ê). [De *soberbo* + *-ete*.] *Adj.* e *s. m.* Que ou aquele que tem uns ares de soberba.

soberbia. *S. f.* **1.** Qualidade de soberbo. **2.** Soberba exagerada.

soberbíssimo. *Adj.* Superbíssimo.

soberbo (ê). [Do lat. *superbu*.] *Adj.* **1.** Que é mais alto ou está mais elevado que outro: "Canta, filho do sol da zona ardente, / Destes cerros soberbos, altanados!" (Castro Alves, *Poesias Escolhidas*, p. 312.) **2.** Orgulhoso ao extremo; arrogante, altivo, presunçoso, sobranceiro. [Sin., pop., nesta acepç.: *soberboso*.] **3.** Grandioso, sublime, magnífico: "Há .... nos Maias duas cenas soberbas, duas cenas cheias de veemência e grande fôlego" (Fialho d'Almeida, *Pasquinadas*, p. 280). **4.** Luxuoso, superfino, esplêndido, magnífico: "as espadas em bainhas lavradas pendem de soberbos talins." (Rebelo da Silva, *Contos e Lendas*, p. 175). [Superl. abs. sint.: *soberbíssimo*, *superbíssimo*.] ● *S. m.* **5.** Indivíduo soberbo (2). [Aum.: *soberbão*, *soberbaço*. Dim.: *soberbete*.]

soberbona. *Adj.* (*f.*) Fem. de *soberbão*.

soberboso (ô). [De *soberbo* + *-oso*.] *Adj. Pop.* Soberbo (2).

sobernal. [Do lat. * *supernale* < *super*, 'por cima'.] *S. m.* **1.** Excesso de trabalho físico ou intelectual. **2.** Estado resultante deste excesso; esgotamento, ergastenia. [Corresponde ao fr. *surmenage*.]

sobestar. [Do lat. *substare*.] *V. t. d.* Estar abaixo; ser inferior. [Irreg. Conjug.: v. *estar*.]

sobgrave. [De *sob-* + *grave*.] *Adj. 2 g. Mús.* Inferior ao grave.

sobiador (ô). *S. m. Bras.* Var. aferética de *assobiador* (4) [q. v.].

sobiar. *V. int.* e *t. d. P. us.* Var. aferética de *assobiar* [q. v.]: "Vento sul sobiou na cumbuca" (Bernardo Guimarães, *Poesias Completas*, p. 144).

sobnegar. [De *sob-* + *negar*.] *V. t. d.* e *t. d.* e *i. P. us.* Sonegar. [Conjug.: v. *largar*.]

soboadã. *S. f. Bras., BA.; Folcl.* Divindade que representa o culto jeje à serpente.

sóbole. [Do lat. *sobole*.] *S. m.* **1.** *Morfol. Veg.* Ramo que se origina de uma gema subterrânea, e que forma uma nova planta quando se desenvolve e se liberta da planta de origem. [Os sóboles podem constituir um intricado sistema subterrâneo radiciforme, mas de origem e estrutura caulinar, como em *Andira humilis*, do cerrado.] **2.** *Fig.* Geração; prole.

sobolífero. [De *sóbole* + *-i-* + *-fero*.] *Adj. Morfol. Veg.* Provido de sóboles: *subarbusto sobolífero*.

sôbolo. *Ant.* Equivalente da prep. *sobre* e *lo* (sobre o); sôbelo: "Sôbolos rios que vão / por Babilônia, me achei" (Luís de Camões, *Rimas*, p. 120). [Flex.: *sôbola, sôbolos, sôbolas*.]

soboró. *Adj. 2 g. Bras.*, C.O. Seco, chocho: *espiga com grãos s o b o r ó s.*

soborralhadoiro. [De *soborralhar* + -*(d)oiro*[1].] *S. m.* Soborralhadouro.

soborralhadouro. [De *soborralhar* + -*(d)ouro*[1]; var. de *soborralhadoiro*.] *S. m.* Vassoura ou varredouro de forno.

soborralhar. [De *soborralho* + -*ar*[2].] *V. t. d.* Meter no borralho.

soborralho. [De *so-* + *borralho*.] *S. m.* **1.** Calor alimentado pelo borralho. **2.** Brasa ou outra coisa que está sob o borralho.

sobosque. [De *so-* + *bosque*.] *S. m. Bot.* Conjunto de plantas rasteiras sob árvores.

sobpé. [De *sob-* + *pé*.] *S. m.* V. *sopé*.

sobpor. [De *sob-* + *pôr*.] *V. t. d. e i.* **1.** Pôr debaixo ou por baixo; sotopor. **2.** Ter em menos conta; menosprezar, desdenhar. [Antôn.: *sobrepor*. Irreg. [Conjug.: v. *pôr*.]

sobra. [Dev. de *sobrar*.] *S. f.* **1.** Ato ou efeito de sobrar. **2.** Sobejo (3). ~ V. *sobras*. ♦ **De sobra.** Demasiadamente, demasiado; sobejamente; de sobejo; sobejo.

sobraçar. [De *so-* + *braço* + -*ar*[2].] *V. t. d.* **1.** Meter debaixo do braço, mantendo seguro ou preso: "Terminadas as tarefas, saíram os dois, o engenheiro s o b r a - ç a n d o um rolo de desenhos." (Nélson de Faria, *Cabeça-Torta*, p. 119). **2.** Firmar nos braços ao caminhar; sustentar, apoiar, amparar: *S o b r a ç a v a , atencioso, a velha senhora*. **3.** *P. ext.* Servir de apoio moral a; sustentar, amparar: *s o b r a ç a r as almas abatidas*. *P.* **4.** Andar de braço dado com alguém. **5.** Abraçar-se. [Conjug.: v. *laçar*.]

sobradar. *V. t. d.* **1.** Construir sobrado[1] em. **2.** Assoalhar[1].

sobrado[1]**.** [Do lat. *superatu*, 'que está por cima'.] *S. m.* **1.** V. *soalho*[1]. **2.** Andar de um edifício acima do térreo. **3.** *Bras.* Casa de dois ou mais pavimentos: *Dos velhos s o b r a d o s da cidade velha de Salvador muitos já foram demolidos*. **4.** *Bras., BA.* Casa-grande (2).

sobrado[2]**.** [Part. de *sobrar*.] *Adj.* **1.** Que sobrou, ou que sobra; demasiado, excessivo. **2.** *Fig.* Rico, farto, abastado: *s o b r a d o de méritos*.

sobraji. *S. m. Bras.* V. *saguaraji*.

sobraju. *S. m. Bras.* V. *saguaraji*.

sobral. [De *sobro* + -*al*.] *S. m.* Quantidade mais ou menos considerável de sobros ou sobreiros dispostos proximamente entre si; sobreiral, soveral.

sobralense. *Adj. 2 g.* **1.** De, ou pertencente ou relativo a Sobral (CE). ● *S. 2 g.* **2.** Natural ou habitante de Sobral.

sobrançaria. *S. f.* **1.** Qualidade de sobranceiro. **2.** V. *soberba* (2). [F. paral.: *sobranceria*.]

sobrancear. *V. t. d.* **1.** Estar ou ficar sobranceiro a. **2.** Dominar pela altura; dominar: "No alto de um outeiro, s o b r a n c e á v a m o s o horizonte." (Godofredo Rangel, *Andorinhas*, p. 144.) **3.** Pôr em cima; sobrepor. [Conjug.: v. *frear*.]

sobranceiro. [Do arc. **sobrança* < lat. tardio *superantia* < *superans*, part. pres. de *superare*, 'passar por cima', 'superar', + -*eiro*.] *Adj.* **1.** Que está superior, acima de; que domina; proeminente: "Lá da Estrada da Beira, / duma casa pequena / aos campos s o b r a n c e i r a , / qualquer coisa de novo nos acena." (Alberto de Serpa, *Almanaque de Lembranças Luso-Brasileiro*, p. 54.) **2.** *Fig.* Que vê ou olha do alto. **3.** Orgulhoso, arrogante [v. *soberbo* (2)]: "Fixou-o [Oliveira Lima, a Alexandre de Gusmão] .... por uma de suas faces encantadoras: a adorável complacência de uma alma s o b r a n c e i r a às ruínas de um amor não correspondido" (Euclides da Cunha, *Contrastes e Confrontos*, p. 71). **4.** Animoso, corajoso, ousado. **5.** Que sobressai, ressalta, se distingue: *Com seu estilo s o b r a n c e i r o , dominou a escola romântica*. ● *Adv.* **6.** Com sobrançaria; desdenhosamente. **7.** Em lugar elevado; em situação proeminente.

sobrancelha (ê). [Do lat. *superciliu*, atr. do arc. *sobrencelha*.] *S. f.* V. *sobrancelhas*.

sobrancelhas (ê). *S. f. pl. Anat.* Pêlos dispostos em forma de semicírculo na pele da margem superior de cada órbita; supercílios, sobrolho. [Tb. us., menos, no sing.]

sobrancelhudo. *Adj.* **1.** Que tem sobrancelhas espessas: "Uma, robustona, homaça, quase de bigode, narigão, s o b r a n c e l h u d a , e que eu chamava Cloto, mantinha a roca em movimento" (Gilberto Amado, *Depois da Política*, p. 41). **2.** Carrancudo, sombrio; severo, austero. [Sin. ger.: *supercilioso* (q. v.).]

sobranceria. *S. f.* V. *sobrançaria*.

sobrar. [Do lat. *superare*.] *V. t. i.* **1.** Haver em excesso; ser demasiado; sobejar: *O dinheiro s o b r a v a - l h e*. **2.** Ficar, restar: *Está esgotado, poucas forças lhe s o b r a m*. *T. c.* **3.** Estar superior ou sobranceiro; sobrancear: *As águas da enchente s o b r a v a m por sobre os telhados*. **4.** Ser mais que suficiente; chegar ou bastar bem: *Esta comida s o b r a para matar-me a fome*. *Int.* **5.** Ficar, restar: *Almoçou-se largamente, e pouca comida s o - b r o u*. **6.** Ser demasiado; sobejar: *S o b r a v a m razões para que o jovem se rebelasse*. **7.** Ser relegado, esquecido; ficar sobrando: *Todos da casa foram convidados, apenas ele s o b r o u*. **8.** Não ser procurado ou atendido; não ser alvo de atenção: *O diretor atendeu a várias pessoas, e ele, que esperava desde cedo, s o b r o u ; Foi à reunião, e ficou s o b r a n d o*. [Pres. ind.: *sobro, sobras, sobra*, etc; pres. subj.: *sobre, sobres*, etc. Cf. *sobro* (ô), s. m., e *sobre* (ô), prep. e s. m., pl. *sobres* (ô).]

sobras. [Pl. de *sobra*.] *S. f. pl.* **1.** Restos, sobejos, **2.** *Encad.* Folhas ou cadernos excedentes depois de feita a alçagem dos volumes de uma edição. ~ V. *sobra*.

sobrasar. [De *so-* + *brasa* + -*ar*[2].] *V. t. d.* Pôr brasas debaixo de.

sobrasil. *S. m. Bras.* **1.** Árvore da família das rubiáceas (*Rustia formosa*), do interior da floresta atlântica, de folhas oblongo-lanceoladas, amplas e herbáceas, flores pequenas, alvas e cimosas, e cujos frutos são pequenas cápsulas. **2.** V. *saguaraji*.

sobre[1] (ô). *S. m. Marinh.* F. red. de *sobrejoanete*. [Pl.: *sobres* (ô). Cf. *sobre* e *sobres*, do v. *sobrar*.]

sobre[2] (ô). [F. red., eufêmica, de *sobrecu*.] *S. m. Bras. Pop.* V. *uropígio* (1). [Pl.: *sobres* (ô). Cf. *sobre* e *sobres*, do v. *sobrar*.]

sobre[3] (ô). [Do lat. *super*.] *Prep.* Palavra usada largamente — nos casos seguintes, além de outros: **a)** Para estabelecer a ligação entre verbo, adjetivo ou substantivo que antecede o complemento terminativo, que lhe determina a significação, e esse complemento: "Desce por fim s o b r e o meu coração / O olvido" (Camilo Pessanha, *Clepsidra e Outros Poemas*, p. 171); **b)** Como elemento formador de adjuntos adverbiais que exprimem a idéia de: **1.** Na parte superior de; em cima de, por cima ou acima de: "O jornal dobrado / S o b r e a mesa simples" (João Cabral de Melo Neto, *Duas Águas*, p. 121); ''S o b r e os campos a bruma ondeia, devagar. (Ronald de Carvalho, *Poemas e Sonetos*, p. 12); ''S o - b r e as ondas oscila o batel docemente ... (Olavo Bilac, *Poesias*, p. 79); "Navego em naves de sonho / s o b r e os caminhos do mar." (Tiago de Melo, *Vento Geral*, p. 106). **2.** Em posição superior e distante: "E ora da vida ao fim, // Em vindo o último sono, é meu desejo / Tê-lo [ao céu fluminense] sereno assim, todo estrelado, / Ou todo sol, aberto s o b r e mim." (Alberto de Oliveira, *Poesias*, 4ª. série, p. 42.) **3.** Acima de; em lugar superior; em situação dominante ou de influência; com alçada em relação a: *Pedro II reinou s o b r e o nosso país durante meio século*. **4.** Acima de; mais que ou mais do que: ''S o b r e todos, Bassenge, absolutamente terrorista, agita três espectros do futuro" (Euclides da Cunha, *Contrastes e Confrontos*, p. 35). **5.** No encalço de; no rasto de; atrás de: *O policial correu s o b r e o assassino*. **6.** Ao encontro de, agressivamente; contra: *A fera cresceu s o b r e o caçador*. **7.** Próximo de; cerca de; por volta de: *S o b r e o anoitecer principiou a chuva*. **8.** Pela superfície de; ao longo de; *Viam-se, s o b r e o mar, brilhar as ardentias*. **9.** Do lado ou para o lado de; para: *O escritório do advogado deita s o b r e a rua*. **10.** De preferência a; acima de: "Amar a Deus s o b r e todas as coisas" (o primeiro dos 10 mandamentos da Lei de Deus). **11.** À conta de; à responsabilidade ou ao cargo de: "Em Lisboa, quando recebia as rendas em letras s o b r e Anjos e Cª, ou s o b r e Mayer e Filhos, tinha apenas a impressão vaga de ser rico" (Conde de Ficalho, *Uma Eleição Perdida*, p. 14). **12.** Em seguida a, depois de; após: "Às tardes, s o b r e o jantar, ... ia ali fumar um charuto." (Machado de Assis, *Relíquias de Casa Velha*, p. 61); "Ao fim da undécima garrafa o inglês, obrigado pelas leis do combate a beber consecutivamente copo s o b r e copo, estava debaixo da mesa." (Ramalho Ortigão, *Em Paris*, p. 103); ''S o b r e um beijo outro beijo, e s o b r e um ano outro ano..." (Júlio Dantas, *A Ceia dos Cardeais*, p. 13); *S o b r e a chuva veio o frio*; "Escrevi cartas s o b r e cartas" (Machado de Assis, *Várias Histórias*, p. 89). **13.** Em contato com; rente ou junto de: *Tinha o paletó s o b r e a pele*. **14.** Além de; a mais de. "O rei de Tule era velho, e s o b r e velho, enfermo." (Fialho d'Almeida, *O País das Uvas*, p. 97); ''S o b r e serem feias e ineptas, eram pobres" (Camilo Castelo Branco, *Doze Casamentos Felizes*, p. 38). **15.** Num total de; em; *Lucrou 100.000 s o b r e 800.000 cruzados empregados; O menino ganhou dois livros s o b r e cada dúzia que vendeu*. **16.** Em comparação de; para: *três metros de comprimento s o b r e dois de largura* **17.** Usando como assunto, matéria, base: *Escreveu uma peça s o b r e O Primo Basílio, de Eça de Queirós; Carlos Gomes compôs a ópera O Guarani s o b r e o romance homônimo, de José de Alencar*. **18.** Acerca de; relativamente a; em relação a; a respeito de: ''S o b r e histórias de amor o interrogar-me / É vão, é inútil, é improfícuo, em suma" (Augusto dos Anjos, *Eu*, p. 116). **19.** Por causa de; em razão de; por: *Suspirava e chorava s o b r e seu destino triste*. **20.** Com fundamento ou base em; segundo; por: *É perigoso julgar alguém s o b r e informações suspeitas ou impressão superficial*. **21.** À vista de; de acordo com; segundo, conforme: *Fez uma pintura s o b r e o modelo que lhe dei*. **22.** Em nome de: em testemunho de; por: *Jurou s o b r e a felicidade dos seus que era inocente*. **23.** Com a caução ou garantia de; a troco de; mediante: *Emprestou o dinheiro s o b r e hipoteca; Conseguiu o empréstimo s o b r e penhor*. **24.** Como prêmio de, ou imposto aplicado a: *Pagou ao corretor comissão altíssima s o b r e a venda do sítio; O governo criou novas taxas s o b r e várias mercadorias*. **c)** Junto de adjetivo ou substantivo, equivale a 'além de, ademais': *Sua ocupação é estéril s o b r e cansativa; S o b r e rico, é inteligente; S o b r e excelente poeta, é grande prosador*. **d)** Junto de adjetivo (em geral substantivado), equivale a 'quase, tirante ou tendente a, um tanto, próximo de': "O rosto magro, ligeiramente s o b r e o comprido, dava-lhe um ar grave de mais velha." (José Régio, *Histórias de Mulheres*, pp. 15-16.) **e)** Entra na formação de alguns advérbios: *sobremodo, sobremaneira, sobretudo*, etc. **f)** O *sobre* associa-se a outra preposição, que, por sua vez, rege a idéia geral do adjunto adverbial regido por ele: *descer de s o b r e a árvore; O passarinho voou da casa alta p a r a s o b r e uma baixinha*. [Cf. *sobre*, do v. *sobrar* e s. m., e *sob*.]

▲sobr(e)-. V. *super-*.

sobreabundância. [De *sobr(e)*+ *abundância*.] *S. f.* V. *superabundância*.

sobreabundante. [De *sobr(e)-* + *abundante*.] *Adj. 2 g.* Superabundante.

sobreabundar. [De *sobr(e)-* + *abundar*.] *V. int.* Superabundar.

sobreafligir. [De *sobr(e)-* + *afligir*.] *V. t. d.* Afligir sobremaneira. [Conjug.: v. *dirigir*.]

sobreaguado. [De *sobr(e)-* + *aguado*.] *Adj.* Coberto de água; alagado, inundado.

sobreagudo. [De *sobr(e)-* + *agudo*.] *Adj.* Muito agudo; superagudo.

sobrealcunha. [De *sobr(e)-* + *alcunha*.] *S. f.* Alcunha em seguida a outra; segunda alcunha.

sobreanca. [De *sobr(e)-* + *anca*.] *S. f.* V. *xairel*.

sobreano. [De *sobr(e)-* + *ano*[1].] *S. m. Bras., RS* e *MT*. Rês de cria com mais de um ano.

sobreapelido. [De *sobr(e)-* + *apelido*.] *S. m.* Segundo apelido ou sobrenome.

sobreaquecer. [De *sobr(e)-* + *aquecer*.] *V. t. d.* Superaquecer. [Conjug.: v. *aquecer*.]

sobreaquecimento. [De *sobre(e)-* + *aquecimento*.] *S. m.* Superaquecimento (1).

sobreárbitro. [De *sobr(e)-* + *árbitro*.] *S. m.* Terceiro árbitro, que dirime as divergências de deliberação entre dois outros; juiz que desempata; desempatador, superárbitro.

sobrearco. [De *sobr(e)-* + *arco*.] *S. m.* **1.** Enxalço construído sobre a verga das portas ou das janelas. **2.** V. *verga* (4).

sobreaviso. [De *sobr(e)-* + *aviso*.] *S. m.* **1.** Precaução, prevenção, cautela. ● *Adj.* **2.** Acautelado, prevenido, cuidadoso. ♦ **De sobreaviso.** De atalaia; à espera; alerta: *Estava de s o b r e a v i s o , e acorreu ao primeiro chamado*.

sobreaxilar (cs). [De *sobr(e)-* + *axilar*.] *Adj. 2 g. Morfol. Veg.* Situado por cima da axila de uma folha; supra-axilar.

sobreazedar-se. [De *sobr(e)-* + *azedar* + *se*[1].] *V. p.* Azedar mais, ou em demasia: "Este mau humor s o - b r e a z e d o u - s e num lanço de ciúme" (Camilo Castelo Branco, *O Santo da Montanha*, p. 162).

sobrebailéu. [De *sobr(e)-* + *bailéu*.] *S. m. Constr. Nav.* Bailéu posto sobre outro.

sobrebico. [De *sobr(e)-* + *bico*[1].] *S. m. Zool.* A parte superior do bico das aves.

sobrecabado. [De *sobr(e)-* + *cabo*[1] (5) + -*ado*[1].] *Adj. P. us.* Situado em lugar alto; eminente, proeminente, elevado.

sobrecabeceado. [Part. de *sobrecabecear*.] *S. m. Encad.* V. *cabeçada* (3).

sobrecabecear. [De *sobr(e)-* + *cabecear*.] *V. t. d. Encad.*

V. *cabecear* (8). [Conjug.: v. *frear*.]
sobrecama. [De *sobr(e)-* + *cama*.] *S. f. P. us.* Colcha.
sobrecana. [De *sobr(e)-* + *cana*.] *S. f. Veter.* V. *esparavão*.
sobrecanja. *S. f. Bras., RJ. Gír. Desus.* Sobrecasaca.
sobrecapa. [De *sobr(e)-* + *capa*[1].] *S. f.* **1.** Cobertura móvel de papel, impressa, geralmente decorada ou ilustrada, que protege a capa de um livro, serve como elemento publicitário, e contém quase sempre material informativo, em geral impresso nas orelhas; jaqueta. **2.** *Bras., BA.* Envoltório interno que cobre a torcida de um charuto.
sobrecarga. [De *sobr(e)-* + *carga*.] *S. f.* **1.** Carga excessiva. **2.** Aquilo que se acresce à carga. **3.** Aquilo que transtorna o equilíbrio da carga. **4.** Espécie de cilha para apertar a carga das bestas. **5.** Marca que se sobrepõe oficialmente a certos selos da correspondência, quer para lhes alterar o valor, quer para mudar-lhes a especificação. ● *S. m.* **6.** *Ant. Mar.* Aquele que, como representante do armador, dirigia o carregamento de um navio.
sobrecarregar. [De *sobr(e)-* + *carregar*.] *V. t. d.* **1.** Carregar (1) em demasia: *S o b r e c a r r e g o u a carroça, fazendo arriar o animal.* **2.** Aumentar excessivamente. **3.** Vexar, oprimir, humilhar: *Na Idade Média os senhores feudais s o b r e c a r r e g a v a m o povo.* **4.** Aumentar encargos a. **5.** Imprimir sobrecarga (5) em. [Conjug.: v. *regar*.]
sobrecarta. [De *sobr(e)-* + *carta*.] *S. f.* **1.** Carta seguida a outra com que tem relação. **2.** V. *envelope* (1).
sobrecasaca. [De *sobr(e)-* + *casaca*.] *S. f.* Casaco masculino, atualmente em desuso, que atingia a altura dos joelhos e, convencionalmente, imprimia certa dignidade a quem o trazia: "Estava de pé, s o b r e c a s a c a abotoada, a mão esquerda no dorso de uma cadeira" (Machado de Assis, *Dom Casmurro*, p. 338). [Sin.: *redingote, robissão* (bras.), *sobrecanja* (bras., RJ), *sutambaque* (bras.), *balandrau* (bras., N.E.).]
sobreceleste. [De *sobr(e)-* + *celeste*.] *Adj. 2 g.* Mais do que celeste; divino; sobrecelestial: "na sala espiritualizada pela atmosfera astral, pela fluidez de um éter azul, s o b r e c e l e s t e." (Martins Fontes, *A Dança*, p. 66).
sobrecelestial. [De *sobr(e)-* + *celestial*.] *Adj. 2 g.* V. *sobreceleste*.
sobrecenho. [Do esp. *sobreceño*, talvez.] *S. m.* Semblante severo, carrancudo; má catadura.
sobrecéu. [De *sobr(e)-* + *céu*.] *S. m.* Cobertura levantada por cima dum leito ou pavilhão; dossel: "O monumento Brenzoni em S. Fermo de Verona, obra suposta de Nanni di Bartolo (142?), tem por pano de fundo uma enorme cortina pendente do s o b r e c é u, pesadona e desengraçada" (Ricardo Jorge, *Passadas de Erradio*, p. 41).
sobrechegar. [De *sobr(e)-* + *chegar*.] *V. int.* e *t. i.* Sobrevir. [Conjug.: v. *chegar*.]
sobrecheio. [De *sobr(e)-* + *cheio*.] *Adj.* **1.** Cheio em demasia; acogulado. **2.** Empanturrado, farto, enfartado.
sobrecincha. [Do esp. plat. *sobrecincha*.] *S. f. Bras., S.* Tira de couro, própria para apertar os arreios por cima do coxinilho ou da badana.
sobreclaustra. *S. f.* Var. de *sobreclaustro*.
sobreclaustro. [De *sobr(e)-* + *claustro*.] *S. m.* Claustro superior. [Var.: *sobreclaustra*.]
sobrecoberta. [De *sobr(e)-* + *coberta*.] *S. f.* Coberta construída acima de outra.
sobrecomum. [De *sobr(e)-* + *comum*.] *Adj. 2 g. Gram.* V. *comum-de-dois*.
sobrecopa. [De *sobr(e)-* + *copa*.] *S. f.* Tampa convexa, que completa certas copas e cálices antigos: "Devo observar que, na descrição dos cálices destinados ao sacramento da Eucaristia, distinguem-se a copa, isto é, a parte superior em que se deita o vinho, e o pé. S o b r e c o p a ou tampa é a parte complementar em cálices de mais luxo." (M. Said Ali, *Meios de Expressão e Alterações Semânticas*, p. 183.)
sobrecoser. [De *sobr(e)-* + *coser*.] *V. t. d.* Fazer sobrecostura em.
sobrecostilhar. [Do esp. plat. *sobrecostillar*.] *S. m. Bras.* A manta de carne que se tira de cima da costela da rês.
sobrecostura. [De *sobr(e)-* + *costura*.] *S. f.* Costura sobre duas peças já cosidas uma à outra.
sobrecoxa (ô). [De *sobr(e)-* + *coxa*.] *S. f. Bras. Pop.* Denominação do que é, nas aves, anatomicamente, a verdadeira coxa.
sobrecu. [De *sobr(e)-* + *cu*.] *S. m. Pop.* V. *uropígio* (1).
sobrecurva. [De *sobr(e)-* + *curva*.] *S. f.* Tumor duro, na curva do jarrete da cavalgadura.
sobredáctilo. [De *sobr(e)-* + *dáctilo*.] *Adj. Gram.* V. *bisesdrúxulo*. [Var.: *sobredátilo*.]
sobredátilo. [Var. de *sobredáctilo*.] *Adj. Gram.* V. *bisesdrúxulo*.
sobredental. [De *sobr(e)-* + *dente* + *-al*.] *Adj. 2 g.* Situado por cima dos dentes, ou acima deles.
sobredente. [De *sobr(e)-* + *dente*.] *S. m.* Dente acavalado em outro.
sobredistender. [De *sobr(e)-* + *distender*.] *V. t. d.* Distender excessivamente.
sobredistensão. *S. f.* Ação ou efeito de sobredistender; distensão excessiva.
sobredito. [De *sobr(e)-* + o part. pass. de *dizer*.] *Adj.* V. *supracitado*.
sobredivino. [De *sobr(e)-* + *divino*.] *Adj.* Mais que divino; superdivino, supradivino.
sobredoirado. [Part. de *sobredoirar*.] *Adj.* Var. de *sobredourado*.
sobredoirar. *V. t. d. e p.* Var. de *sobredourar*.
sobredominância. [De *sobr(e)-* + *dominância*.] *S. f. Genét.* Situação genética na qual um caráter (11) é mais fortemente expresso no heterozigoto do que em qualquer dos homozigotos; superdominância.
sobredominante. [De *sobr(e)-* + *dominante*.] *S. f. Mús.* Superdominante.
sobredourado. [De *sobr(e)-* + *dourado*.] *Adj.* **1.** Que tem dourados por cima. ● *S. m.* **2.** Ornato dourado. [Var.: *sobredoirado*.]
sobredourar. [De *sobr(e)-* + *dourar*.] *V. t. d.* **1.** Dourar por cima. **2.** *Fig.* Exornar, adornar, ornamentar. **3.** Exaltar, nobilitar, engrandecer: *Sua nova vitória veio s o b r e d o u r a r as anteriores.* **4.** Enfeitar, adornar, disfarçar, com artifícios mais ou menos cavilosos, para induzir em erro; dourar: *S o b r e d o u r o u as vantagens do negócio para angariar clientes.* **5.** Iluminar as partes mais elevadas ou os cimos de: *O Sol s o b r e d o u r a v a os montes. P.* **6.** Ganhar em realce, em esplendor. [Var.: *sobredoirar*.]
sobreeminência. *S. f.* **1.** Qualidade de sobreeminente. **2.** Elevação extraordinária; preeminência. [Sin. ger.: *supereminência*.]
sobreeminente. [De *sobr(e)-* + *eminente*.] *Adj. 2 g.* Muito elevado; magnífico; supereminente.
sobreemissão. [De *sobr(e)-* + *emissão*.] *S. f. Fin.* Emissão excessiva de papel-moeda, títulos, etc.
sobreerguer. [De *sobr(e)-* + *erguer*.] *V. t. d. e i.* Erguer mais alto (que outra coisa): *S o b r e e r g u e a cabeça aos que o rodeiam.* [Conjug.: v. *erguer*.]
sobreestadia. [De *sobr(e)-* + *estadia*.] *S. f. Jur. Mar. Merc.* Tempo de permanência de navio mercante num porto, excedente ao estabelecido para a sua carga e/ou descarga; contra-estadia.
sobreestar. *V. int., t. i. e t. d.* V. *sobrestar*: "Em vista desta informação, s o b r e e s t e v e o egresso na diligência de descobrir ama" (Camilo Castelo Branco, *Vulcões de Lama*, p. 146). [Irreg. Conjug.: v. *estar*.]
sobreestimar. [De *sobr(e)-* + *estimar*.] *V. t. d.* V. *superestimar*.
sobreexaltado (z). [Part. de *sobreexaltar*.] *Adj.* Exaltado em excesso; superexaltado.
sobreexaltar (z). [De *sobr(e)-* + *exaltar*.] *V. t. d.* Exaltar em excesso; superexaltar.
sobreexcedente. *Adj. 2 g.* Que sobreexcede.
sobreexceder. [De *sobr(e)-* + *exceder*.] *V. t. d.* **1.** Exceder muito; ultrapassar: "no amplo tombadilho .... espalhava-se uma multidão de passageiros, que fora enorme e s o b r e e x c e d e r a mesmo a lotação dos camarotes à partida do Rio" (Virgílio Várzea, *Nas Ondas*, p. 254). *T. d. e i.* **2.** Avantajar-se; ser superior; superar: "Em seu gracioso andar s o b r e e x c e d i a / Da pantera a felina gentileza" (Gonçalves Crespo, *Obras Completas*, p. 154). *T. i.* **2.** Ir muito além. **3.** Levar vantagem; avantajar-se, sobrelevar: "E, então, julguei ouvir, bem distinto no ouvido, / Uma, que a todas mais s o b r e e x c e d i a em graça, / Murmurejar: 'Silêncio! é nossa irmã que passa!'" (Teófilo Dias, *Fanfarras*, p. 12).
sobreexcelência. *S. f.* Qualidade de sobreexcelente.
sobreexcelente. [De *sobr(e)-* + *excelente*.] *Adj. 2 g.* Mais que excelente; sublime; excelso.
sobreexcitação. *S. f.* **1.** Ato ou efeito de sobreexcitar. **2.** Excitação nervosa acima da normal; superexcitação, supra-excitação.
sobreexcitante. *Adj. 2 g.* Que sobreexcita; superexcitante, supra-excitante.
sobreexcitar. [De *sobr(e)-* + *excitar*.] *V. t. d.* **1.** Excitar vivamente. **2.** Agitar ou impressionar intensamente o ânimo de. *T. d. e i.* **3.** Estimular; induzir, excitar: "Uns repentes impensados sacodem a alma de sua modorra, e a s o b r e e x c i t a m a desejos vagos." (Camilo Castelo Branco, *Amor de Salvação*, p. 214). [Sin.: *superexcitar* e *supra-excitar*.]
sobreface. [De *sobr(e)-* + *face*.] *S. f.* Espaço que separa do ângulo externo de um baluarte o flanco prolongado.
sobrefaturamento. [De *sobr(e)-* + *faturamento*.] *S. m.* Burla fiscal semelhante ao subfaturamento, caracterizada, porém, pela diferença a mais entre o preço de fatura e o preço de mercado.
sobrefaturar. [De *sobr(e)-* + *faturar*.] *V. t. d.* Efetuar o sobrefaturamento de.
sobrefoliáceo. [De *sobr(e)-* + *-foli-* + *-áceo*[1].] *Adj. Morfol. Veg.* Que está sobre a folha, aderente a ela, por cima dela.
sobregata. [De *sobr(e)-* + *gata*.] *S. f. Marinh.* O joanete do mastro da gata.
sobregatinha. [De *sobregata* + *-inha*.] *S. f. Marinh.* Vela redonda que se larga acima da sobregata.
sobregávea. [De *sobr(e)-* + *gávea*.] *S. f. Marinh.* Gávea alta, nos navios que têm gáveas dobradas.
sobregoverno (ê). [De *sobr(e)-* + *governo*.] *S. m.* Governo supremo; autoridade superior.
sobre-horrendo. [De *sobr(e)-* + *horrendo*.] *Adj.* Muitíssimo horrendo. [Pl.: *sobre-horrendos*.]
sobre-humanismo. *S. m.* Qualidade ou caráter de sobre-humano; supra-humanismo. [Pl.: *sobre-humanismos*.]
sobre-humanizar. *V. t. d. e p.* Tornar(-se) sobre-humano; sublimar(-se).
sobre-humano. [De *sobr(e)-* + *humano*.] *Adj.* **1.** Que supera as forças humanas ou a natureza do homem. **2.** *Fig.* Sublime, excelso. **3.** Sobrenatural (3). [Sin. ger.: *extra-humano, super-humano, supra-humano* e *ultra-humano*. Pl.: *sobre-humanos*.]
sobreinteligível (e-i). [De *sobr(e)-* + *inteligível*.] *Adj. 2 g.* Superior à inteligência humana.
sobreintendente (e-i). [De *sobr(e)-* + *intendente*.] *S. m.* V. *superintendente*.
sobreintender (e-i). [De *sobr(e)-* + *intender*.] *V. t. d.* v. *superintender*.
sobreira. [De *sobreiro*.] *S. f.* Variedade de sobreiro.
sobreiral. [De *sobreiro* + *-al*.] *S. m.* V. *sobral*.
sobreiro. [Do adj. lat. **suberariu* < lat. *suber*, 'sobreiro'.] *S. m.* Árvore da família das fagáceas *(Quercus suber)*, natural da região mediterrânea e aí muito cultivada para a extração de cortiça. Tem folhas lobadas, flores pequenas em amento, casca grossa e mole, retirada cada 9 ou 10 anos para, depois de seca, ser enviada às fábricas. [F. paral.: *sovereiro*; Sin.: *carvalho-corticeiro*.]
sobreirritar (e-i). [De *sobr(e)-* + *irritar*.] *V. t. d.* Irritar ao máximo.
sobrejacente. [De *sobr(e)-* + *jacente*.] *Adj. 2 g.* Que está ou jaz por cima: "Comprou as sentinelas que limaram as grades de uma janela s o b r e j a c e n t e ao mar" (Camilo Castelo Branco, *D. Luís de Portugal*, p. 16). [Antôn.: *subjacente*.]
sobrejeção. [De *sobr(e)-* + *ejeção*.] *S. f. Mat.* Correspondência de um conjunto sobre outro; função sobrejetora.
sobrejetor (ô). [De *sobr(e)-* + *ejetor*.] *Adj.* ~ V. *função —a.*
sobrejoanete (ê). [De *sobr(e)-* + *joanete*.] *S. m. Marinh.* **1.** Cada uma das vergas que se cruzam nos mastaréus de joanete. [Nos navios de três mastros a contar de vante, denominam-se *vergas de sobre de proa, de sobre grande e da sobregatinha*.] **2.** Cada uma das velas que envergam nas vergas de sobrejoanete, e se chamam *sobre de proa, sobre grande* e *sobregatinha*. [F. red.: *sobre*.]
sobrejoanetinho. [De *sobrejoanete* + *-inho*.] *S. m. Marinh.* Cada uma das vergas que cruzam por cima das vergas de sobrejoanete, e denominadas *sobrejoanetinho de proa* (no mastro do traquete) e *sobrejoanetinho grande* (no mastro grande). ♦ **Sobrejoanetinho de proa.** *Marinh.* V. *sobrejoanetinho*. **Sobrejoanetinho grande.** *Marinh.* V. *sobrejoanetinho*.
sobrejuiz. [De *sobre(e)-* + *juiz*.] *S. m. Ant.* O juiz para quem se recorria. [Pl.: *sobrejuízes*.]
sobrelanço. [De *sobr(e)-* + *lanço*.] *S. m.* **1.** Lanço superior a outro(s). **2.** Lanço que se segue a outro.
sobrelátego. [Do esp. plat. *sobrelátigo*.] *S. m. Bras., RS.* Tira de guasca que faz parte dos arreios da cavalgadura, atando, do lado direito, a barrigueira ou cincha ao travessão dos arreios.
sobreleito. [De *sobr(e)-* + *leito*.] *S. m. Constr.* Superfície inferior de cada uma das camadas que constituem a parede.
sobrelevação. *S. f.* Ato ou efeito de sobrelevar.
sobrelevante. *Adj. 2 g.* Que sobreleva.
sobrelevar. [De *sobr(e)-* + *elevar*.] *V. t. d.* **1.** Ser mais alto que; exceder em altura; sobrepujar. **2.** Tornar mais alto; elevar; levantar, erguer: *s o b r e l e v a r um muro.* **3.** Levantar do chão; erguer. **4.** Dominar; vencer,

sobrepujar: *Seu heroísmo s o b r e l e v a v a qualquer temor.* **5.** Exceder, ultrapassar, sobrepujar: "Minha alma vive da alma dela e não conhece .... uma força que seja capaz de s o b r e l e v a r a força do seu espírito." (Rocha Pombo, *No Hospício,* p. 106.) **6.** Agüentar, suportar: *S o b r e l e v o u conformado a árdua tarefa. T. i.* **7.** Distinguir-se; destacar-se: *S o b r e l e v a dentre os demais alunos.* **8.** Levar vantagem; sobreexceder: "O perfume artificial das violetas de Parma com que se perfuma a renda das mantilhas s o b r e l e v a ao acre aroma selvagem dos rosmaninhos." (Ramalho Ortigão, *Banhos de Caldas e Águas Minerais,* p. 189); " — Tirem as carapuças. Rezemos um padre-nosso e uma ave-maria por alma do nosso irmão! — tornou o cabecilha em voz que, de compungida, mal s o b r e l e v a v a ao sussurro da torrente." (Aquilino Ribeiro, *Caminhos Errados,* p. 282.) *P.* **9.** Distinguir-se, destacar-se, sobressair.

sobreliminar. [De *sobr(e)-* + *liminar.*] *S. m.* Viga atravessada sobre os esteios de uma ponte levadiça.

sobreloja. [De *sobr(e)-* + *loja.*] *S. f.* **1.** Nos prédios de vários andares, especialmente naqueles onde existem lojas ou outros estabelecimentos comerciais, pavimento situado entre o rés-do-chão e o primeiro andar e caracterizado pelo pé-direito reduzido. [Sin.: *entressolho* e (bras.) *jirau.*] **2.** Cada uma das lojas situadas nesse pavimento. [sin., bras., *jirau.*]

sobrelotação. [De *sobr(e)-* + *lotação.*] *S. f.* **1.** Superlotação. **2.** O excedente da lotação normal de um navio.

sobrelotado. [Part. de *sobrelotar.*] *Adj. Bras.* Superlotado.

sobrelotar. [De *sobr(e)-* + *lotar.*] *V. t. d. Bras.* Superlotar.

sobremachinho. [De *sobr(e)-* + *machinho.*] *S. m.* Protuberância causada pela inflamação dos tendões de cavalgadura.

sobremaneira. [De *sobr(e)-* + *maneira.*] *Adv.* Muito, excessivamente, extraordinariamente; sobremodo: "já ele .... estava no meio dos dois, s o b r e m a n e i r a inquieto" (Júlio Dinis, *Serões da Província,* I, p. 39).

sobremanhã. [De *sobr(e)-* + *manhã.*] *S. f.* **1.** O fim da manhã; o começo do dia. ● *Adv.* **2.** Ao raiar o dia; ao amanhecer: "S o b r e m a n h ã parti." (Alberto de Oliveira, *Poesias,* 1ª. série, p. 210.)

sobremão. [De *sobr(e)-* + *mão*[1]] *S. m.* Tumor em qualquer dos membros anteriores da cavalgadura. [Pl.: *sobremãos.*] ♦ **De sobremão. 1.** Com empenho; com esmero. **2.** Com fartura. **3.** Com todo o descanso.

sobremaravilhar. [De *sobr(e)-* + *maravilhar.*] *V. t. d. e i.* **1.** Maravilhar em excesso. **2.** Espantar; assombrar, maravilhar. *Int.* **3.** Provocar grande admiração, assombro, pasmo; maravilhar ao extremo: "A canoa costeia sempre, turvando a calma dos reflexos. A água s o b r e m a r a v i l h a, é um veludo escuro, estampado com imagens que dançam..." (Alberto Rangel, *Sombras n'Água,* p. 40). *P.* **4.** Admirar-se assombrar-se, maravilhar-se.

sobremesa (ê). [De *sobr(e)-* + *mesa* (3).] *S. f.* Fruta, doce ou outra iguaria leve ou delicada que se come, normalmente ao fim de uma refeição; pospasto, sobrepasto, postres ou postre.

sobremodo. [De *sobr(e)-* + *modo.*] *Adv.* V. *sobremaneira:* "os parlamentares temiam s o b r e m o d o os defensores humildes do honrado General Bentes." (Lima Barreto, *Numa e a Ninfa,* p. 258).

sobremunhoneiras. [De *sobr(e)-* + *munhoneira.*] *S. f. pl.* Cintas de ferro para apertar e segurar os munhões das peças de artilharia.

sobrenadante. *Adj. 2 g.* **1.** Que sobrenada. ● *S. 2 g.* **2.** Aquele ou aquilo que sobrenada.

sobrenadar. [De *sobr(e)-* + *nadar.*] *V. int.* **1.** Nadar à superfície. **2.** Andar ou mover-se à tona da água; boiar, flutuar: "O balde bate n'água, s o b r e n a d a um pouco, enche-se, vai ao fundo." (Guido Vilmar Sassi, *Piá,* p. 11.)

sobrenatural. [De *sobr(e)-* + *natural.*] *Adj. 2 g.* **1.** Que ultrapassa o natural; que não é atribuído à natureza. **2.** Relacionado com fenômenos extraterrenos: "Tu [João de Deus] representas toda essa Lisboa / De glórias quase s o b r e n a t u r a i s" (Augusto dos Anjos, *Eu,* p. 72). **3.** Que está acima da natureza humana; sobre-humano: *É de uma bondade s o b r e n a t u r a l.* **4.** Fantástico, extraordinário; excessivo. **5.** *Rel.* Diz-se de tudo que é ligado à ação da graça divina, por estar acima da essência e do agir da criatura. [Sin., nestas acepç.: *supranatural, supernatural* e *preternatural.*] ● *S. m.* **6.** Aquilo que é superior à natureza. **7.** O que é sobrenatural (2 e 5). **8.** Aquilo que é extraordinário ou maravilhoso.

sobrenaturalidade. *S. f.* Qualidade de sobrenatural; sobrenaturalismo, supranaturalismo.

sobrenaturalismo. *S. m.* **1.** V. *sobrenaturalidade.* **2.** Doutrina baseada na crença do sobrenatural. **3.** *Rel. Deprec.* Tendência a tudo explicar pela ação da graça divina, em detrimento da causalidade própria da criatura. [Sin. ger.: *supranaturalismo.*]

sobrenaturalista. [De *sobrenatural* + *-ista.*] *Adj. 2 g.* Supranaturalista (1).

sobrenaturalizar. *V. t. d.* e *p.* Tornar(-se) sobrenatural.

sobrenervo (ê). [De *sobr(e)-* + *nervo.*] *S. m.* Tumor que se forma sobre um nervo.

sobrenome. [De *sobr(e)-* + *nome.*] *S. m.* **1.** Nome que vem após o primeiro do batismo, ou prenome. **2.** Nome que é usado posposto ao nome de família; nome, apelido: *A mulher adota, geralmente, o s o b r e n o m e do marido.* [Cf. *patronímico.*]

sobrenomear. *V. transobj.* **1.** Dar sobrenome a; pôr sobrenome em. **2.** Apelidar, alcunhar, apodar. [Conjug.: v. *frear.*]

sobrenumerável. [De *sobr(e)-* + *numerável.*] *Adj. 2 g.* Sem conta; inúmero; inumerável.

sobreolhar. [De *sobr(e)-* + *olhar.*] *V. t. d.* Olhar sobranceiramente, com desprezo ou desdém; olhar por cima do ombro.

sobreosso (ô). [De *sobre*[2] + *osso.*] *S. m. Veter.* Doença causada por golpe ou ferida sobre o osso ou cana dos pés das cavalgaduras, e caracterizada pelo engrossamento deste osso.

sobrepaga. [De *sobre*[3] + *paga.*] *S. f.* Aquilo que se paga além do combinado; gratificação, gorjeta.

sobrepairar. [De *sobre*[3] + *pairar.*] *V. t. i.* e *int.* Pairar mais alto: "Era como um espírito s o b r e p a i r a n d o a tantas miseriazinhas" (João Alphonsus, *Eis a Noite!,* p. 81); "A figura do gordo Chesterton, ... o mais sensato dos malabaristas do *humour,* s o b r e p a i r a v a e segredava aos meus ouvidos advertências contra o perigo da sedução do gigantismo." (Alceu Amoroso Lima, *A Realidade Americana,* p. 21).

sobrepartilha. [De *sobr(e)-* + *partilha.*] *S. f. Jur.* Nova partilha feita nos autos de um inventário, a qual compreende bens remotos da sede do juízo, bens litigiosos ou de liquidação difícil, e bem assim os sonegados e aqueles que se descobrirem após a partilha.

sobrepartilhar. *V. t. d.* Realizar ou promover a sobrepartilha de.

sobreparto. [De *sobr(e)-* + *parto.*] *S. m.* **1.** Conjunto de fenômenos que ocorrem no organismo após o parto e o delivramento, até a volta à normalidade. **2.** Período em que esses fenômenos se operam. ● *Adv.* **3.** Depois do parto: *Convém evitar complicações s o b r e p a r t o.*

sobrepasso. [De *sobr(e)-* + *passo.*] *S. m. Bras.* **1.** *Fut.* Infração (punida com tiro livre indireto) cometida pelo goleiro que, dentro de sua grande área, dá o quarto passo consecutivo com a bola nas mãos, ou quicando-a no campo. [Sin., ingl.: *carrying.*] **2.** *Basq.* Infração cometida pelo jogador que, de posse da bola e sem quicá-la na quadra, muda o pé de apoio.

sobrepasto. [De *sobr(e)-* + *pasto.*] *S. m.* V. *sobremesa.*

sobrepé. [De *sobr(e)-* + *pé.*] *S. m.* Sobreosso na coroa posterior do pé das bestas.

sobrepeliz. [De um lat. **superpellicia,* i. e., *vestis superpellicia,* 'veste de peliça para sobrepor'.] *S. f.* Veste branca, com rendas ou sem elas, usada pelos clérigos sobre a batina: "de estolas rutilantes e franjadas pendidas no braço ou com as s o b r e p e l i z e s alvas e rendadas destacando forte na batina preta, curvam-se [os sacerdotes] genuflexos diante do Altar-Mor" (Cruz e Souza, *Obra Completa,* p. 432).

sobrepensado. [Part. de *sobrepensar.*] *Adj.* **1.** Muito pensado. ● *Adv.* **2.** De caso pensado; de propósito; propositadamente.

sobrepensar. [De *sobr(e)-* + *pensar.*] *V. t. d.* e *t. i.* **1.** Pensar maduramente. **2.** Refletir ou pensar muito a respeito de; meditar; sobrepesar.

sobrepesar. [De *sobr(e)-* + *pesar.*] *V. t. d.* e *t. i.* **1.** Sobrepensar (2). **2.** Pôr sobrecarga em; sobrecarregar. *Int.* **3.** Ser muito incômodo ou molesto. **4.** Provocar intensa tristeza. [Pres. ind.: *sobrepeso,* etc. Cf. *sobrepeso* (ê).]

sobrepeso (ê). [De *sobr(e)-* + *peso.*] *S. m.* Sobrecarga, contrapeso. [Pl.: *sobrepesos* (ê). Cf. *sobrepeso,* do v. *sobrepesar.*]

sobrepor. [De *sobr(e)-* + *pôr.*] *V. t. d.* e i. **1.** Pôr em cima ou por cima: *O carregador s o b r e p ô s saco a saco, formando uma pilha.* **2.** V. *apor* (4). **3.** Pôr em cima; colocar sobre (em geral, para ocultar). **4.** Acrescentar, juntar, adicionar: *S o b r e p ô s um crime a tantos já cometidos.* **5.** Dobrar sobre a face superior. **6.** Considerar com preferência; ter em mais alta conta; antepor: *S o b r e p ô s seus interesses particulares aos da nação. P.* **7.** Pôr-se ou colocar-se sobre: *As águas barrentas das chuvas s o b r e p u n h a m - s e às da corrente límpida.* **8.** Suceder, seguir-se, sobrevir. [Sin. ger.: *superpor.* Antôn.: *subpor, sobpor, sotopor.* Irreg. Conjug.: v. *pôr.*]

sobreporta. [De *sobr(e)-* + *porta.*] *S. f.* A parte superior da porta; bandeira.

sobreposição. [De *sobr(e)-* + *posição.*] *S. f.* **1.** Ato ou efeito de sobrepor(-se). **2.** Colocação ou posição de uma coisa sobre outra; aposição. **3.** Acrescentamento, acréscimo, junção. [Sin. ger.: *superposição.*]

sobreposse. [De *sobr(e)-* + *posse.*] *Adv.* Por demais; demasiadamente; em excesso: "Era talvez s o b r e p o s s e a variedade dos adornos" (Machado de Assis, *Papéis Avulsos,* p. 110). ♦ **À sobreposse.** Sem espontaneidade; contra vontade.

sobreposta. *S. f. Tec.* Numa junta, peça metálica, ou de plástico, que se superpõe à gaxeta, contra a qual é comprimida, a fim de constituir vedamento estanque.

sobreposto (ô). [Part. de *sobrepor.*] *Adj.* **1.** Posto em cima; superposto. ● *S. m.* **2.** Adorno que se põe sobre vestidos, jaezes, etc. [Tb. us. no pl.]

sobrepostos (ó). [Pl. de *sobreposto.*] *S. m. pl.* Sobreposto (2).

sobrepovoar. [De *sobr(e)-* + *povoar.*] *V. t. d.* Desenvolver a população de. [Conjug.: v. *coroar.*]

sobrepratear. [De *sobr(e)-* + *pratear.*] *V. t. d.* **1.** Pratear por cima. **2.** Cobrir com lâminas de prata. [Conjug.: v. *frear.*]

sobreprova. [De *sobr(e)-* + *prova.*] *S. f. Jur.* Prova adicional; confirmação.

sobrepujamento. *S. m.* Ato ou efeito de sobrepujar; sobrepujança.

sobrepujança. *S. f.* Sobrepujamento.

sobrepujante. *Adj. 2 g.* **1.** Que sobrepuja. **2.** V. *superabundante.*

sobrepujar. [De *sobr(e)-* + *pujar.*] *V. t. d.* **1.** Exceder sem altura; sobrelevar: *Este gigante s o b r e p u j a qualquer homem.* **2.** Ultrapassar, exceder, superar: *Nosso poderio s o b r e p u j a o das tropas inimigas.* **3.** Passar por cima de; tornar-se superior a; vencer, dominar: *Sua coragem s o b r e p u j a todos os perigos.* **4.** Exceder física ou moralmente; mostrar-se superior a; avantajar-se a: "Ainda hoje, entre os selvagens, os deuses do mal s o b r e p u j a m os deuses do bem" (Graça Aranha, *A Estética da Vida,* p. 127). **5.** Vencer, dominar, subjugar; sobrelevar: *O lutador s o b r e p u j o u facilmente o adversário. Int.* e *t. i.* **7.** Sobressair, destacar-se. **8.** Levar vantagem; exceder.

sobrepujável. *Adj. 2 g.* Que pode ser sobrepujado.

sobrequilha. [De *sobr(e)-* + *quilha.*] *S. f. Constr. Nav.* Peça ou conjunto de peças presas à quilha para reforçar a ligação das cavernas com esta: "tamboretes e cavilhas, o leme, a barra do leme, fragmentos da s o b r e q u i l h a" (Xavier Marques, *Jana e Joel,* p. 24).

sobre-restar. [De *sobr(e)-* + *restar.*] *V. t. d.* e *int.* Restar ou ficar depois de outro; sobreviver, restar.

sobre-rodela. [De *sobr(e)-* + *rodela.*] *S. f.* Tumor sobre o joelho das cavalgaduras. [Pl.: *sobre-rodelas.*]

sobre-rolda. [De *sobr(e)-* + *rolda.*] *S. m.* e *f. Ant.* Sobre-ronda: "Aqui veríeis os esculcas a aninharem-se nas guaritas das torres; os roldas e s o b r e - r o l d a s a fugirem pelos adarves" (Alexandre Herculano, *Lendas* e *Narrativas,* II, p. 44). [Pl.: *sobre-roldas.*]

sobre-roldar. *V. t. d. Ant.* Sobre-rondar.

sobre-ronda. [De *sobr(e)-* + *ronda;* var. de *sobre-rolda.*] *S. f.* **1.** Vigia das rondas. *S. m.* e *f.* **2.** Pessoa que vigia o serviço das rondas. [Pl.: *sobre-rondas.*]

sobre-rondar. [De *sobr(e)-* + *ronda* + *-ar*[2]; var. de *sobre-roldar.*] *V. t. d.* **1.** Vigiar como sobre-ronda. **2.** Olhar, examinar, investigar. *Int.* **3.** Fazer sobre-ronda.

sobre-rosado. [De *sobr(e)-* + *rosado.*] *Adj.* **1.** Tirante a rosado. **2.** De um tom rosado mais forte. [Pl.: *sobre-rosados.*]

sobre-saia. [De *sobr(e)-* + *saia.*] *S. f.* Segunda saia, para ser usada sobre a outra; "em grossas pregas arqueadas caía-lhe dos quadris a s o b r e - s a i a de chamalote claro" (Afonso Arinos, *Pelo Sertão,* p. 143). [Pl.: *sobre-saias.* Cf. *sobressaia* e *sobressaias,* do v. *sobressair.*]

sobre-saturação. *S. f.* **1.** Ato ou efeito de sobre-saturar; supersaturação. **2.** *Fís.* Supersaturação (2). **3.** *Fís-Quím.* Supersaturação (3). [Pl.: *sobre-saturações.*]

sobre-saturar. [De *sobr(e)-* + *saturar.*] *V. t. d.* **1.** Levar à sobre-saturação. *P.* **2.** Saturar-se em excesso. [Sin. ger.: *supersaturar.*]

sobrescrever. [De *sobr(e)-* + *escrever.*] *V. t. d.* **1.** Escrever sobre. **2.** Sobrescritar (1). [Irreg. Part. (irreg.):

sobrescrito.]

sobrescritar. *V. t. d.* **1.** Pôr sobrescrito (2) em; sobrescrever; endereçar: "meteu a folha de papel em um envelope e sobrescritou-a." (Aluísio Azevedo, *O Coruja*, p. 239). *T. d. e i.* **2.** Destinar ou dirigir correspondência: *Sobrescritou uma carta a seu pai.* [Part. irreg.: *sobrescrito.*]

sobrescrito. [De *sobr(e)-* + *escrito*, part. (irreg.) de *escrever.*] *S. m.* **1.** V. *envelope* (1). **2.** Aquilo que se escreve no envelope, para remessa, e que é, em geral, o nome e endereço do destinatário; endereço. **3.** *Fig. P. ext.* Destinatário: *A ironia trazia sobrescrito certo.*

sobresdrúxulo. [De *sobr(e)-* + *esdrúxulo.*] *Adj. Gram.* V. *bisesdrúxulo.*

sobre-semear. [De *sobr(e)-* + *semear.*] *V. t. d.* **1.** Semear sobre o semeado. **2.** Semear superficialmente. [Conjug.: v. *frear.*]

sobre-sentença. [De *sobr(e)-* + *sentença.*] *S. f. Jur.* Sentença confirmada em segunda instância. [Pl.: *sobre-sentenças.*]

sobre-sinal. [De *sobr(e)-* + *sinal.*] *S. m.* Sinal ou insígnia sobre as vestes. [Pl.: *sobre-sinais.*]

sobre-solar. [De *sobr(e)-* + *solar*[5].] *V. t. d.* Pôr novas solas em (calçado gasto ou usado).

sobre-soleira. [De *sobr(e)-* + *soleira.*] *S. f.* Peça que assenta sobre a soleira. [Pl.: *sobre-soleiras.*]

sobresperar. [De *sobr(e)-* + *esperar.*] *V. t. d. e int.* Esperar muito, ou por muito tempo: *Sobresperou, em vão, o emprego prometido; Está farto de sobresperar.*

sobressair. [De *sobr(e)-* + *sair.*] *V. int.* **1.** Ser ou estar saliente; realçar; ressair: *A sacada do palacete sobressai muito.* **2.** Ressaltar, distinguir-se, salientar-se: *O estilo sobressai pela elegância.* **3.** Dar na vista; atrair a atenção: *A beleza da moça sobressaía no baile;* "Na gola da capa e no corpete sobressaíam as finas rendas da gravata e dos punhos." (Rebelo da Silva, *Contos e Lendas*, p. 176). **4.** Ser ou tornar-se visível; distinguir-se: *O vestido negro fazia sobressair o seu talhe esbelto. T. i.* **5.** Sobrelevar, sobrepujar, avultar: "As figuras fundamentais da avó e da mãe sobressaem às dos homens." (Graça Aranha, *A Estética da Vida*, p. 220); *Na escola, sobressai a todos os colegas.* **6.** Ser ou tornar-se visível; distinguir-se. **7.** Ver-se ou ouvir-se distintamente entre outras coisas ou sons: *Sua voz sobressai a todas as outras.* [Irreg. Conjug.: v. *sair*. Pres. subj.: *sobressaia, sobressaias*, etc. Cf. *sobre-saia*, s. f., pl. *sobre-saias.*]

sobressalente. [Do esp. *sobresaliente.*] *Adj. 2 g.* **1.** Diz-se de peça ou acessório de reserva destinado a substituir o que se gasta ou avaria pelo uso. ● *S. m.* **2.** Peça ou acessório que tem esse fim; peça de reposição: "agulhas de marear, barômetros, ... cronômetros, bandeiras, sinais, faróis e mais uma infinidade de sobressalentes náuticos." (Virgílio Várzea, *Histórias Rústicas*, p. 93). **3.** *Bras. Restr.* Pneu sobressalente; estepe. [Var.: *sobresselente.*]

sobressaltar. [De *sobr(e)-* + *saltar* (na ant. acepç. de *assustar*) + *-ar*[2].] *V. t. d.* **1.** Tomar de assalto ou de improviso; surpreender, assaltar: *O resultado inesperado sobressaltou-o.* **2.** Assustar, amedrontar, atemorizar; sobressaltear: *Os bombardeios sobressaltam a população civil.* **3.** Passar além de; transpor: *sobressaltar obstáculos.* **4.** *P. us.* Passar em claro; omitir; saltar. *P.* **5.** Ter sobressaltos; ficar apreensivo; inquietar-se, impressionar-se. **6.** Assustar-se, amedrontar-se, atemorizar-se; sobressaltear-se.

sobressaltear. *V. t. d.* **1.** Atacar inopinadamente ou à traição; saltear, saltar. **2.** Sobressaltar (2): "todas essas coisas anômalas que, há dez anos, sobressalteiam a Europa — têm o beneplácito dos mais frios pensadores da Germânia." (Euclides da Cunha, *Contrastes e Confrontos*, p. 34). *P.* **3.** Sobressaltar-se (6). [Conjug.: v. *frear.*]

sobressalto. [Dev. de *sobressaltar.*] *S. m.* **1.** Ato ou efeito de sobressaltar (2 e 6). **2.** Movimento brusco, provocado por emoção repentina e violenta: *Embora tão sereno habitualmente, teve um sobressalto com a notícia.* **3.** Tremor ou estremecimento súbito e involuntário. **4.** Inquietação, medo, temor: *Vive em sobressalto.* **5.** Acontecimento inesperado, imprevisto; surpresa. **6.** Desordem, confusão. **7.** *Fig.* Perturbação intensa; reação: *um sobressalto de indignação.*

sobressano. *S. m. Constr. Nav.* Ripa ou barrote preso por baixo da quilha, para protegê-la em caso de encalhe; falsa-quilha.

sobressarar. [De *sobr(e)-* + *sarar.*] *V. int.* **1.** Obter melhoras passageiras. *T. d.* **2.** Curar superficialmente; aliviar, paliar.

sobresselente. [Var. de *sobressalente* (q. v.).] *Adj. 2 g.* **1.** Que sobressai; saliente. **2.** Que excede; excedente, demasiado. **3.** Que é acrescentado como reserva. ● *S. m.* **4.** Aquilo que sobressai. **5.** Tudo o que sobeja e é próprio para suprir faltas.

sobrestamento. *S. m.* Ato ou efeito de sobrestar.

sobrestante. [Do lat. *superstante.*] *Adj. 2 g.* **1.** Que sobrestá; sobranceiro. **2.** V. *superintendente.* ● *S. m.* **3.** Guarda, vigia. **4.** V. *superintendente.*

sobrestar. [Do lat. *superstare.*] *V. int.* **1.** Não prosseguir; parar, deter-se: "Florinda era prudente. Tanto que se viu desarmada, sobresteve, dominou a sua justa indignação" (Franklin Távora, *O Cabeleira*, p. 102). **2.** Não tentar; abster-se. **3.** Estar sobranceiro ou iminente; ameaçar. *T. d.* **4.** Suspender, sustar: *Sobresteve os trabalhos até segunda ordem.* **5.** Ir no encalço de; perseguir. **6.** Demorar, retardar. [F. paral.: *sobreestar.* Irreg. Conjug.: v. *estar.*]

sobrestimar. *V. t. d.* Sobreestimar.

sobre-substancial. [De *sobr(e)-* + *substancial.*] *Adj. 2 g.* Muito substancial; supersubstancial. [Pl.: *sobresubstanciais.*]

sobretarde. [De *sobr(e)-* + *tarde.*] *S. f.* **1.** O fim da tarde; lusco-fusco. ● *Adv.* **2.** À noitinha, ao entardecer: "Sobretarde descíamos à praia ou íamos ao Passeio Público" (Machado de Assis, *Dom Casmurro*, p. 306).

sobretaxa. [De *sobr(e)-* + *taxa.*] *S. f.* **1.** Taxa suplementar ou adicional. **2.** *Fin.* Tributo adicional lançado sobre uma mercadoria já onerada por outro.

sobretaxar. [De *sobr(e)-* + *taxar.*] *V. t. d.* Impor sobretaxa a.

sobretecer. [De *sobr(e)-* + *tecer.*] *V. t. d. e i.* Tecer sobre tecido; entretecer. [Conjug.: v. *aquecer.*]

sobreteima. [De *sobr(e)-* + *teima.*] *S. f.* **1.** Grande teimosia. ● *Adv.* **2.** Com pertinácia; teimosamente.

sobretensão. [De *sobr(e)-* + *tensão.*] *S. f. Fís.-Quím.* Diferença entre o potencial elétrico de um eletrodo quando através dele passa uma corrente apreciável e o potencial do eletrodo quando ele funciona em condições de reversibilidade termodinâmica.

sobreterrestre. [De *sobr(e)-* + *terrestre.*] *Adj. 2 g.* Supraterrâneo.

sobretítulo. *S. m.* **1.** *Edit.* O primeiro título (*título principal*) quando há um título alternativo [q. v.]: *Moby Dick* ou *a Baleia* (em que *Moby Dick* é o sobretítulo e a *Baleia* é o título alternativo). **2.** *Jorn.* Título secundário que, colocado antes do título principal da matéria, serve para introduzi-lo ou complementá-lo.

sobretoalha. [Da *sobr(e)-* + *toalha.*] *S. f.* Toalha que se põe por cima de outra, para protegê-la.

sobretudo. [De *sobr(e)-* + *tudo.*] *S. m.* **1.** Casacão usado pelos homens sobre a roupa, como proteção contra o frio e a chuva; sobreveste; balandrau. ● *Adv.* **2.** Principalmente, especialmente.

sobrevento[1]. [De *sobr(e)-* + *vento.*] *S. m.* Rajada de vento súbita e forte.

sobrevento[2]. [Do lat. *superventu.*] *S. m.* Acontecimento imprevisto e que origina transtorno.

sobreverga. *S. f. Arquit.* Trabalho ornamental que acompanha a verga (4) de porta, janela, etc.

sobreveste. [De *sobr(e)-* + *veste.*] *S. f.* **1.** Peça de vestuário que se usa sobre outra: "Era um formidável homem d'armas, de barba ruiva, findando em bico, ... e largo, robusto peito cingido numa sobreveste negra." (Eça de Queirós, *Últimas Páginas*, p. 424.) **2.** V. *sobretudo* (1).

sobrevestir. [De *sobr(e)-* + *vestir.*] *V. t. d.* **1.** Vestir sobre outras vestes. **2.** Sobrepor; revestir. [Irreg. Conjug.: v. *vestir.*]

sobrevida. [De *sobr(e)-* + *vida.*] *S. f.* **1.** Estado do que sobrevive a outro. **2.** Prolongamento da vida além de determinado prazo: *O médico deu-lhe uns meses de sobrevida.* **3.** Tempo de vida que ultrapassa determinado limite: *Após a comprovação do mal, teve uma sobrevida de dois anos.*

sobrevigiar. [De *sobr(e)-* + *vigiar.*] *V. t. d.* Vigiar como chefe.

sobrevindo. [Part. de *sobrevir.*] *Adj.* **1.** Que sobreveio. ● *S. m.* **2.** Aquele que sobreveio ou chegou inesperadamente.

sobrevir. [De *sobr(e)-* + *vir.*] *V. int.* **1.** Vir sobre ou depois de alguma coisa; vir ou ocorrer em seguida ou depois: "Começava orando, a ansiedade recrescia, a fé desamparava-me, e então sobrevinha o desprezo de Deus, a negação da Providência" (Camilo Castelo Branco, *Amor de Perdição*, p. 205); *Quando a crise parecia contornada, sobrevieram novas agitações.* **2.** Chegar ou suceder inopinadamente: *A tarde corria tranqüila, quando sobreveio o temporal. T. i.* **3.** Acontecer, ocorrer, depois de outra coisa. *A pneumonia sobreveio à forte gripe.* [Sin. ger.: *sobrechegar*. Irreg. Conjug.: v. *vir.*]

sobrevirtude. [De *sobr(e)-* + *virtude.*] *S. f.* Véu que as freiras usam sobre a touca.

sobrevivência. *S. f.* **1.** Qualidade ou estado de sobrevivente; supervivência. **2.** Duração contínua no espaço e no tempo: *a sobrevivência do cristianismo.* **3.** O que permanece de uma situação antiga ou de um antigo sentimento: *a sobrevivência dos passados laços de amizade.*

sobrevivente. *Adj. 2 g.* e *s. 2 g.* Que ou quem sobrevive; supervivente, sobrevivo, supérstite. [Us. geralmente em relação àqueles que escaparam a uma catástrofe.]

sobreviver. [Do lat. *supervivere.*] *V. int.* **1.** Continuar a viver, a ser, a existir, depois de outras pessoas ou de outras coisas: *Morreram todos na catástrofe, só ele sobreviveu.* **2.** Continuar a viver, a ser, a existir: "Se eu morrer antes [do cão], como presumo, sobreviverei no nome do meu bom cachorro." (Machado de Assis, *Quincas Borba*, p. 7.) *T. i.* **3.** Continuar a viver, a ser, a existir, depois (de alguém, ou de verificar-se alguma coisa): *Sobreviveu aos pais e irmãos;* "Ultrajada por Sexto Tarqüínio, Lucrécia resolve não sobreviver à desonra" (Machado de Assis, *A Semana*, II, p. 152). **4.** Escapar, resistir: *Poucos sobreviveram à terrível guerra.*

sobrevivo. [De *sobr(e)-* + *vivo.*] *Adj.* e *s. m. Desus.* V. *sobrevivente.*

sobrevoar. [De *sobr(e)+ voar.*] *V. int.* **1.** Voar por cima: *Olhou para o bando de aves que sobrevoava com alarido. T. d.* **2.** Voar por cima de: "Vários helicópteros sobrevoaram o navio." (Fernando Sabino, *O Gato Sou Eu*, p. 13); "Só algumas moscas brilhantes haviam penetrado na sala de jantar e sobrevoavam o açucareiro." (Clarice Lispector, *Laços de Família*, p. 125). [Conjug.: v. *coroar.*]

sobrevôo. [Dev. de *sobrevoar.*] *S. m.* Ação de sobrevoar; vôo por cima.

sobriedade. [Do lat. *sobrietate.*] *S. f.* **1.** Qualidade de sóbrio; temperança. **2.** *Fig.* Moderação, comedimento.

sobrinho. [Do lat. *sobrinu*, 'primo'; 'sobrinho'.] *S. m.* Filho de irmão ou irmã, ou de cunhado ou cunhada.

sobrinho-neto. *S. m.* Filho do sobrinho ou da sobrinha. [Pl.: *sobrinhos-netos.*]

sóbrio. [Do lat. *sobriu.*] *Adj.* **1.** Moderado no comer e/ou no beber: "Meu pai, que a bordo fora sempre sóbrio, bebia agora imenso, embebedava-se." (Antônio Patrício, *Serão Inquieto*, p. 111.) **2.** Que não está sob o efeito de bebidas alcoólicas. **3.** Parco, frugal, simples.

sobro (ô). [Do lat. **suberu*, por *suber*, 'sobreiro'.] *S. m.* **1.** Árvore da família das proteáceas (*Roupala gardneri*), comum no Brasil Central, que tem folhas espessas e rígidas, flores minutas formando racemos, e madeira durável e de bonito aspecto, por ser mosqueada, mas sem qualquer importância. **2.** V. *peroba-rosa.* **3.** V. *sambaíba-de-minas-gerais.* [Pl.: *sobros* (ô). Cf. *sobro*, do v. *sobrar.*]

sob-roda. *S. f.* Saliência, pedregulho ou qualquer acidente semelhante em uma estrada ou rua, e capaz de estorvar o andamento dum veículo. [Pl.: *sob-rodas.*]

sobrolho (ô). [De *sobr(e)-* + *olho*, com síncope.] *S. m.* V. *sobrancelhas:* "Arqueou os sobrolhos, de pena no ar, e repetiu, como naquela idade, talvez: 'Coitada!'" (Irene Lisboa, *Voltar atrás para quê?*, p. 142.) [Pl.: *sobrolhos.* (ó).]

sobrosso (ô). [De *sobreosso*, com síncope.] *S. m. Bras., N.E. Pop.* e *ant.* Temor, medo, receio: "Pelo menos me lembro nitidamente do sobrosso que me causava a cantiga da menina enterrada viva no conto 'A madrasta'" (Manuel Bandeira, *Poesia e Prosa*, II, p. 11.) [V. *sobreosso*, f. originária de *sobrosso*, e hoje sem uso no sentido figurado. Tal como se vê, persiste uma das acepç. translatas de *sobrosso*, já antiquada em Portugal, fato não raro em nossa fala popular. Pl.: *sobrossos* (ó).]

soca. [Do tupi *soka*, 'renovo, pimpolho'.] *S. f.* **1.** Vulgarmente, o rizoma ou caule subterrâneo. **2.** *Bras.* A segunda produção da cana depois de cortada a primeira. [A primeira é *planta;* a segunda, *soca;* a terceira, *ressoca;* a quarta, *contra-soca.*] **3.** *Bras.* Touceira de capim. **4.** *Bras., N.E.* A segunda colheita do fumo. **5.** *Bras., ES.* A segunda colheita do arroz. **6.** *Bras., RS.* Entre os ervateiros, a árvore de mate quando podada. **7.** *Bras., S. de MG.* Fumo de qualidade inferior. ◆ **Ir na soca.** *Bras., RJ.* Levar uma soca. **Levar uma soca.** Ser colhido e agitado (o banhista) por uma grande onda; ir na soca.

socado. [Part. de *socar.*] *Adj.* **1.** Que levou socos; soqueado. **2.** Amassado, pisado, achatado. **3.** *Bras.*

Metido, escondido; oculto. **4.** Gordo e baixo; atarracado. **5.** *Bras.* Pilado (1). ● *S. m.* **6.** *Bras., S.* Lombilho curto, usado sobretudo pelos domadores.

socador (ô). *Adj.* **1.** Que soca. **2.** *Bras.* V. *trotão* (1). ● *S. m.* **3.** Aquele que soca. **4.** *Bras.* Utensílio com que se soca, tritura, amassa: *socador de alho; socador de feijão.* **5.** *Bras., PA* e *Ma.* V. *cuíca* (2). **6.** *Bras., MA.* Tambor pequeno, de origem africana, usado para acompanhar a punga[2].

socadura. *S. f.* Ato de socar.

socairo[1]. [Do cat. *socaire.*] *S. m.* **1.** *Marinh.* A parte de um cabo que, depois de dar volta a um cabrestante, guincho, cabeço, etc., é agüentada à mão, para ir sendo colhida ou largada segundo as necessidades da manobra. **2.** *Marinh.* A parte de um cabo que está com volta em um cabeço ou noutra peça fixa. **3.** Correia ou corda com que se sustêm carros nas descidas.

socairo[2]. *S. m.* **1.** Abrigo natural. **2.** Gruta ou recôncavo que serve de abrigo no sopé de um monte.**3.** Base ou sopé de um monte.

soçaite. [Do ingl. *society.*] *S. m. Bras. Gír.* A elite econômica da sociedade, que se distingue por suas atividades mundanas; a alta sociedade; a alta-roda; a grã-finagem.

socalcar. [De *so-* + *calcar.*] *V. t. d.* **1.** Calcar bem; pisar, amassar, achatar. **2.** Fazer socalcos em. [Conjug.: v. *trancar.*]

socalco. [Dev. de *socalcar.*] *S. m.* **1.** Porção de terreno mais ou menos plana. **2.** Espécie de degrau, numa encosta, sustentado por muro ou botaréu.

socancra. *Adj. 2 g.* e *s. 2 g.* **1.** Diz-se de, ou pessoa sonsa. **2.** V. *avaro* (1 e 3). ◆ **À socancra.** Com dissimulação; pela sonsa; pelas caladas, à socapa.

socapa. [De *so-* + *capa*[1].] *S. f.* **1.** Disfarce; fantasia. **2.** Manha, astúcia. ◆ **À socapa.** Com disfarce; à sorrelfa; furtivamente: "Nessas ocasiões, a sogra fazia uma careta, e as escravas riam à *socapa.*" (Machado de Assis, *Páginas Recolhidas,* p. 78); "Apontavam-se influentes mandões locais, cujas velhas relações com o Conselheiro sugeriam, veemente, a presunção de que o estivessem auxiliando à *socapa,* fornecendo-lhe recursos e instruindo-o dos menores movimentos da investida." (Euclides da Cunha, *Os Sertões,* pp. 260-261).

socar[1]. [De *soco* (ô) + *-ar*[2].] *V. t. d.* **1.** Dar socos [v. *soco*[1] (ô) (1)] em; esmurrar, soquear: "E a médium *socava* a mesa violentamente." (Mário Donato, *A Parábola das 4 Cruzes,* p. 79); *O lutador socou o adversário.* **2.** Dar sova ou surra em; sovar, surrar, espancar. **3.** Contundir, pisar. **4.** Espalmar a massa de (pão) com os punhos cerrados. **5.** Calcar no gral ou pilão; esmigalhar, moer: *socar café.* **6.** Apertar ou calcar (a pólvora) no canhão ou na espingarda pela boca. **7.** Calcar com o soquete. **8.** *Marinh.* Apertar fortemente, com o macete, uma volta ou nó dados em (um cabo náutico). *P.* **9.** *Bras.* Esmurrar-se mutuamente; trocar socos. **10.** Esconder-se; meter-se: *Onde se socou esse menino?* **11.** Refugiar-se; recolher-se. [Conjug.: v. *trancar.*]

socar[2]. [De *soca* (2) + *-ar*[2].] *V. int. Bras.* Brotar, renascer (a cana-de-açúcar). [Normalmente é defect., conjugável só nas 3as pess. Conjug.: v. *trancar.*]

socarrão. [Do esp. *socarrón.*] *Adj.* e *s. m.* Diz-se de, ou indivíduo velhaco, manhoso, astuto. [Fem.: *socarrona.*]

socarrona. *Adj. (f.)* e *s. f.* Fem. de *socarrão.*

socava. [De *so-* + *cava.*] *S. f.* Cova subterrânea.

socavado. [Part.de *socavar.*] *Adj.* **1.** Escavado por baixo. ● *S. m.* **2.** Matérias retiradas das escavações. **3.** Desentulho (2).

socavão. *S. m. Bras., BA, S.* e C.O. **1.** Grande socava: "Num esconso *socavão* da escarpa, estreita passagem sem dúvida aberta pela erosão, enfurnou-se o esperto." (Wilson Lins, *Responso das Almas,* p. 40.) **2.** Esconderijo, abrigo. **3.** Lapa, gruta. **4.** Lugar retirado: "E, lá de longe, nos *socavões* daquelas matas, eu não tirava o juízo daquela filha" (Viriato Correia, *Novelas Doidas,* p. 127). [Pl.: *socavãos* e *socavões.*]

socavar. [De *so-* + *cavar.*] *V. t. d.* **1.** Escavar por baixo. *Int.* **2.** Fazer escavação.

➧**soccer** (sóquer). [Ingl.] *S. m.* Futebol (2).

sochantrado. *S. m.* Cargo de sochante; sochantria.

sochantre. [De *so-* + *chantre.*] *S. m.* Substituto de chantre.

sochantrear. *V. Int.* Exercer o cargo de sochantre. [Conjug.: v. *frear.*]

sochantria. *S. f.* Sochantrado.

sociabilidade. [Do lat. *sociabile,* 'que pode ser unido', + *-i-* + *-dade.*] *S. f.* **1.** Qualidade de sociável: "Estradas são laços que a *sociabilidade* humana espalha pela superfície da Terra." (E. Roquete-Pinto, *Seixos Rolados,* p. 243.) **2.** Tendência para a vida em sociedade; socialidade. **3.** Maneiras de quem vive em sociedade.

sociabilização. *S. f.* Ação ou ato de sociabilizar(-se).

sociabilizar. *V. t. d.* **1.** Tornar sociável; socializar. **2.** Reunir em sociedade. *P.* **3.** Tornar-se sociável; socializar-se.

sociais. [Fem. pl., substantivado, do adj. *social.*] *S. f. pl.* O setor de um hipódromo reservado aos sócios. ~ V. *social.*

social. [Do lat. *sociale.*] *Adj. 2 g.* **1.** Da sociedade (2, 3 e 4), ou relativo a ela: *fenômeno social; mudança social.* **2.** Sociável (2 e 3). **3.** Que interessa à sociedade. **4.** Próprio dos sócios de uma sociedade, comunidade ou agremiação: *quadro social.* **5.** *Bras.* Nos edifícios e residências, diz-se de via de acesso, ou dependência, vedada aos empregados e/ou fornecedores: *entrada social; elevador social; banheiro social.* [Nesta acepç., opõe-se a *de serviço.*] V. *sociais, antropologia —, assistência —, barreira —, camisa —, capital —, ciências sociais, comunicação —, convenção —, crise —, distância —, encargos sociais, escória —, estrutura —, evolução —, grupo —, mobilidade —, morfologia —, ordem —, previdência —, psicologia —, quisto —, razão — e serviço —.* ● *S. f.* **6.** O setor de um estádio, de um hipódromo, etc., reservado aos sócios.

socialidade. [De *social* + *-i-* + *-dade.*] *S. f.* Sociabilidade (2).

socialismo. [Do fr. *socialisme.*] *S. m.* **1.** Conjunto de doutrinas que se propõem promover o bem comum pela transformação de sociedade e das relações entre as classes sociais, mediante a alteração do regime de propriedade. **2.** Sistema político que adota essas doutrinas. ◆ **Socialismo científico.** O que se baseia na doutrina do materialismo histórico [q. v.] e propõe a estatização dos meios de produção, o que implica a distribuição mais justa e eqüitativa da renda nacional e a eliminação do caráter antagônico das contradições entre as classes sociais, e, num estágio superior, a eliminação das próprias classes sociais; socialismo marxista, socialismo revolucionário. **Socialismo marxista.** V. *socialismo científico.* **Socialismo revolucionário.** V. *socialismo científico.* **Socialismo utópico.** O socialismo não científico, e que previa a transformação da sociedade com base na iniciativa privada, sem a estatização dos meios de produção, e pela modificação da consciência individual dos homens antes de transformar as relações de produção entre eles; reformismo.

socialista. [Do fr. *socialiste.*] *Adj. 2 g.* **1.** Referente ao, ou que é partidário do socialismo. ● *S. 2 g.* **2.** Partidário do socialismo.

➧**socialite** (côxalait). [Ingl. amer.] *S. m.* Pessoa de destaque na sociedade.

socialização. [De *socializar* + *-ção.*] *S. f.* **1.** Ato de pôr em sociedade. **2.** Extensão de vantagens particulares, por meio de leis e decretos, à sociedade inteira. **3.** *Sociol.* Desenvolvimento do sentimento coletivo, da solidariedade social e do espírito de cooperação nos indivíduos associados. **4.** *Sociol.* Processo de integração mais intensa dos indivíduos no grupo.

socializar. [De *social* + *-izar.*] *V. t. d.* **1.** Tornar social; sociabilizar. **2.** Reunir em sociedade; pôr sob o regime de associação. **3.** Tornar socialista: *socializar um país.* *P.* **4.** Sociabilizar-se.

socializável. *Adj. 2 g.* Que é passível de socialização.

sociável. [Do lat. *sociabile.*] *Adj. 2 g.* **1.** Que se pode associar. **2.** Que gosta de viver em sociedade; que é dado à vida social; social: "Sendo extremamente *sociável,* Edmundo [Edmundo da Luz Pinto] não faltava a reuniões grandes ou pequenas, particulares ou oficiais." (Carolina Nabuco, *Oito Décadas,* p. 133.) **3.** Tendente à vida em sociedade; social. **4.** *Fig.* Civilizado, urbano. ● *S. f.* **5.** *Bras.* Espécie de sege colonial.

sociedade. [Do lat. *societate.*] *S. f.* **1.** Agrupamento de seres que vivem em estado gregário: *sociedade humana; sociedade de abelhas.* **2.** Conjunto de pessoas que vivem em certa faixa de tempo e de espaço, seguindo normas comuns, e que são unidas pelo sentimento de consciência do grupo; corpo social: *a sociedade medieval; a sociedade moderna.* **3.** Grupo de indivíduos que vivem por vontade própria sob normas comuns; comunidade: *sociedade cristã; sociedade de hippies.* **4.** Meio humano em que o indivíduo se encontra integrado: *A sociedade constitui-se de classes de diferentes níveis.* **5.** Relação entre pessoas; vida em grupo; participação, convivência, comunicação: *O homem precisa da sociedade dos seus semelhantes.* **6.** Reunião de indivíduos que mantêm relações sociais e mundanas: *os prazeres da sociedade; homem de sociedade.* **7.** Grupo de pessoas que se submetem a um regulamento a fim de exercer uma atividade comum ou defender interesses comuns; agremiação, centro, grêmio, associação: *Sociedade Brasileira de Autores Teatrais; Sociedade Protetora dos Animais; sociedade esportiva; sociedade secreta.* **8.** A sede de tais sociedades; clube, grêmio: *Reunimo-nos aos sábados na sociedade.* **9.** Companhia de pessoas que se agrupam em instituições ou ordens religiosas; companhia. **10.** Parceria, associação. **11.** *Jur.* Contrato consensual pelo qual duas ou mais pessoas se obrigam a reunir esforços ou recursos para a consecução dum fim comum. **12.** *Sociol.* Corpo orgânico estruturado em todos os níveis da vida social, com base na reunião de indivíduos que vivem sob determinado sistema econômico de produção, distribuição e consumo, sob um dado regime político, e obedientes a normas, leis e instituições necessárias à reprodução da sociedade como um todo; coletividade. ◆ **Sociedade anônima.** *Jur.* e *Com.* Aquela em que o capital é dividido em ações do mesmo valor nominal, e que é sempre mercantil, seja qual for o seu objeto, limitando-se a responsabilidade dos sócios (*acionistas*) ao valor das ações subscritas ou adquiridas, e gira sob um título designativo de seus fins, acrescido de "sociedade anônima" ou "companhia", por extenso ou abreviadamente; companhia. **Sociedade civil.** Associação que não tem por objeto atos de comércio. **Sociedade comercial.** Contrato em que duas ou mais pessoas estipulam pôr em comum os seus bens, total ou parcialmente, ou ainda, a sua indústria, para praticar habitualmente atos de comércio e dividir os lucros e perdas que houver. **Sociedade de capital e indústria.** *Jur.* e *Com.* A que se constitui de duas espécies de sócios: uma que entra com os fundos necessários (para comerciar em caráter permanente ou para alguma operação mercantil em particular) e outra com prestação de serviços (*indústria*) em geral de caráter técnico especializado. **Sociedade de classificação.** *Mar. Merc.* Sociedade de natureza privada, destinada a classificar, registrar e certificar que foram observadas as normas de segurança e conforto estabelecidas para a construção dos navios mercantes. [Os navios são classificados para fins de seguro, pagamentos de taxas, e para informações de interesses dos armadores, fretadores, compradores e comerciantes em geral.] **Sociedade de consumo.** Regime econômico em que a produção tende crescentemente a uma elaboração cada vez mais diversificada e exigente de bens de consumo. **Sociedade de fato.** *Jur.* e *Com.* A ilegalmente constituída, sem personalidade jurídica, com firma social ou sem ela, responsabilizando-se os sócios perante terceiros, solidária e ilimitadamente, por todas as obrigações sociais. **Sociedade em conta de participação.** *Jur.* e *Com.* Sociedade de natureza comercial, em que pelo menos um dos sócios é comerciante, girando sua firma com o objetivo de realizar uma ou mais operações determinadas, e os sócios (ou apenas alguns deles) trabalham em seu nome individual para o fim social. **Sociedade em nome coletivo.** A de natureza mercantil que gira sob uma firma social, e por cujas obrigações os sócios respondem solidária e ilimitadamente, com a garantia subsidiária dos seus bens particulares. **Sociedade por cotas.** *Jur.* e *Com.* A de natureza mercantil ou civil em que o capital se divide em partes alíquotas, às quais se restringe a responsabilidade dos sócios, devendo seguir-se à denominação social a palavra *limitada,* por extenso ou abreviadamente. **Sociedades primitivas.** *Etnol.* V. *povos naturais.*

societariado. *S. m.* **1.** Qualidade de societário. **2.** Grupo de societários.

societário. [Do fr. *sociétaire.*] *Adj.* **1.** Que faz parte de uma sociedade; associado, sócio. **2.** Diz-se do animal que vive em sociedade. ● *S. m.* **3.** Membro de uma sociedade; sócio.

➧**societas sceleris** (socíetaç célериç). [Lat., 'associação criminosa'.] *Jur.* Quadrilha ou bando criminoso.

sócio. [Do lat. *sociu,* 'companheiro'.] *S. m.* **1.** Membro de uma sociedade; societário. **2.** Aquele que se associa com outro numa empresa, da qual espera auferir lucros. **3.** Membro de uma associação ou clube. **4.** V. *cúmplice* (2). [Sin., nessas acepç.: *associado.*] **5.** Companheiro, parceiro. ● *Adj.* **6.** Associado, societário. ◆ **Sócio correspondente.** Sócio não efetivo. **Sócio de indústria.** O que não entra com capital, mas tão-só com o seu trabalho, conhecimentos, experiência, etc.

▲**socio-.** *El. comp.* = 'social'; 'sociedade': *sociolingüística; sociologia.*

sociocracia. [De *socio-* + *-cracia.*] *S. f.* Forma de governo teórica, em que o poder cabe à sociedade como um todo.

sociocrático. *Adj.* Referente à sociocracia.

sociocultural. [De *socio-* + *cultural.*] *Adj. 2 g.* Simultaneamente relativo a um grupo social (família, classe, etc.), e à cultura que se prende a esse grupo.

sócioeconômico. [De *socio-* + *econômico.*] *Adj.* Relativo à sociedade (12) e à economia (3).

sociogenia. *S. f.* **1.** Estudo sobre a formação da sociedade. **2.** Tratado ou compêndio de sociogenia. **3.** Exemplar de um desses tratados ou compêndios.

sociogênico. *Adj.* Relativo à sociogenia.

sócio-gerente. [De *sócio* + *gerente.*] *S. m. Com.* Sócio incumbido, temporária ou definitivamente, da administração de uma sociedade, por determinação contratual ou por escolha dos demais sócios. [Pl.: *sócios-gerentes.*]

sociolingüística (sò). [De *socio-* + *lingüística.*] *S. f. Ling.* Parte da lingüística cujo domínio se inter-relaciona com os de outros ramos de estudos da linguagem, sobretudo com os da etnolingüística [q. v.], e que visa ao estudo do caráter sistemático das relações entre estruturas sociais e lingüísticas.

sociolingüístico (sò). *Adj.* Referente à sociolingüística.

sociologuês. *S. m. Irôn.* O linguajar excessivamente tecnicista de certos sociólogos.

sociologia. [De *socio-* + *-log(o)-* + *-ia.*] *S. f.* **1.** Estudo objetivo das relações que se estabelecem, consciente ou inconscientemente, entre pessoas que vivem numa comunidade ou num grupo social, ou entre grupos sociais diferentes que vivem no seio de uma sociedade mais ampla. **2.** Estudo objetivo das relações que surgem e se reproduzem especificamente com base na coexistência de diferentes pessoas ou grupos em uma sociedade mais ampla, bem como das instituições, normas, leis e valores conscientes ou inconscientes que essas relações tendem a gerar no seio do grupo. **3.** Estudo objetivo das relações sociais, i. e., das relações que só se estabelecem com fundamento na coexistência social, as quais se concretizam em normas, leis, valores e instituições consciente ou inconscientemente incorporados pelos indivíduos que constituem a sociedade. **4.** Tratado ou compêndio de sociologia. **5.** Exemplar de um desses tratados ou compêndios. ◆ **Sociologia do conhecimento.** Análise das condições sociais em que se produzem os conhecimentos. **Sociologia econômica.** Estudo das leis, instituições e sistemas econômicos enquanto produtos das relações entre indivíduos que vivem socialmente. **Sociologia vegetal.** Fitossociologia.

sociológico. *Adj.* Referente à sociologia.

sociólogo. *S. m.* Indivíduo dedicado ao estudo da sociologia.

sóciopolítico. [De *sócio-* + *político.*] *Adj.* Referente à sociedade e à política. [Pl.: *sócio-políticos.*]

soclo. [Do fr. *socle.*] *S. m. Arquit.* V. *soco* (4).

soco. [De or. oriental, atr. do gr. *sykchos* e do lat. *soccu.*] *S. m.* **1.** *Teat.* Calçado com base de madeira, usado pelos gregos que representavam comédias ou farsas. **2.** *P. ext.* Comédia, assunto de pouca importância. **3.** V. *tamanco* (1): "A regateira de Lisboa bate violentamente as palmas, a do Porto descalça o soco e põe-no ante si com a sola virada para o ar." (Alexandre Herculano, *O Monge de Cister,* II, p. 26.) **4.** *Arquit.* Base quadrangular de um pedestal; plinto, soclo: "No soco da estátua lia-se em grandes letras a palavra — felicidade" (Bernardo Pinheiro, Pindela, *Azulejos,* p. 7). **5.** *P. ext.* Supedâneo, peanha, pedestal. **6.** *Arquit.* Base aparente das paredes dos edifícios. **7.** *Mús.* Parte inferior da harpa, sobre a qual assenta a caixa de ressonância e onde funciona o seu sistema de pedais. [Pl.: *socos.* Cf. *soco* (ô), s. m. e interj., e pl. *socos* (ô).]

soco^1 (ô). *S. m.* **1.** Golpe com a mão fechada; murro. **2.** Cavidade que, ao ser lançado, um pião (1) faz em outro. [Pl.: *socos* (ô). Cf. *soco,* do v. *socar* e s. m., e pl. *socos.*]

soco^2 (ô). *Interj. Bras., PA.* Indica reprovação ou espanto. [Cf. *soco,* do v. *socar* e s. m.]

socó. [Do tupi *só'kó.*] *S. m. Bras.* Designação comum a várias espécies de aves da família dos ardeídeos, especialmente as dos gêneros *Tigrisoma* Sw., *Butorides* Blyth e *Zebrilus* Bon. Alimentam-se de peixes e vivem geralmente isolados ou aos pares, perto de rios, lagoas e terrenos alagadiços.

socó-boi. *S. m. Bras.* Designação comum às aves ciconiformes, da família dos ardeídeos, gênero *Tigrisoma* Sw., especialmente a *T. lineatum* (Bod.), que tem a parte superior do corpo preta, finamente listrada de amarelo, pescoço preto, listrado de vermelho, parte inferior cinzento-azulada, listrada de amarelo no peito e de preto e branco nos flancos. Os jovens são pretos, pintados de amarelo-avermelhado. Ocorre da América Central até a Argentina. [Pl.: *socós-bois* e *socós-boi.*]

soçobra. [Dev. de *soçobrar.*] *S. f.* V. *soçobro* (ô).

soçobrar. [Do cat. *sotsobrar,* atr. do esp. *sozobrar.*] *V. t. d.* **1.** Revolver de baixo para cima e vice-versa; subverter. **2.** Fazer naufragar; afundar. **3.** Agitar, perturbar, desvairar: *Por pouco a notícia desastrosa não o soçobrou.* **4.** Pôr em perigo; perder. *Int.* **5.** Afundar-se, naufragar; subverter-se, submergir(-se): "Mulheres e homens se seguravam às cordas, agarravam-se às bordas do saveiro, o vento zunia, a pequena embarcação ameaçava soçobrar a cada momento." (Jorge Amado, *Os Velhos Marinheiros,* p. 67.) **6.** Reduzir-se a nada; aniquilar-se; perder-se: *As manobras do mau governante fizeram que a nação soçobrasse;* "O Sol vem subindo no céu esbraseado, e inversamente vai soçobrando a pouco e pouco na Terra a vida animal." (Ramalho Ortigão, *A Holanda,* p. 290). *P.* **7.** Perturbar-se, agitar-se. **8.** Desanimar(-se), esmorecer. [Pres. ind.: *soçobro,* etc. Cf. *soçobro* (ô).]

soçobro (ô). [Dev. de *soçobrar.*] *S. m.* **1.** Ato ou efeito de soçobrar. **2.** Naufrágio (2). **3.** Desastre, sinistro. **4.** *Fig.* Desânimo, desalento. [F. paral: *soçobra.* Pl.: *soçobros* (ô). Cf. *soçobro,* do v. *soçobrar.*]

soçoca. [Do tupi *so'soka,* ger. de *so'sog,* 'partir-se em pedaços'.] *S. f. Bras., AM.* Modo de pescar arpoando a água a esmo.

soçocar. *V. int. Bras., AM.* Praticar a soçoca. [Conjug.: v. *trancar.*]

socoró. *S. m. Bras., Amaz.* **1.** Árvore da família das melastomatáceas (*Mouriria ulei*), cujos frutos vermelhos são comestíveis e cuja madeira é muito dura. **2.** Árvore da família das rutáceas (*Sohnreyia excelsa*), ornamental e semelhante a uma palmeira; só floresce uma vez, morrendo depois da frutificação. [Sin. ger.: *socoró.*]

socó-criminoso. *S. m.* **1.** *Bras.* V. *socozinho.* **2.** *Bras., SP.* V. *dorminhoco* (3). [Pl.: *socós-criminosos.*]

socó-de-bico-largo. *S. m. Bras.* V. *arapapá* (1). [Pl.: *socós-de-bico-largo.*]

socó-estudante. *S. m. Bras.* V. *socozinho.* [Pl.: *socós estudantes.*]

socó-grande. *S. m. Bras.* V. *maguari.* [Pl. *socós-grandes.*]

socoí (cò). [Do tupi *soko'i,* 'socó pequeno'.] *S. m. Bras.* **1.** Ave ciconiforme, da família dos ardeídeos (*Zebrilus undulatus* (Gmel.)), do N.O. do Brasil, de dorso negro, listrado de vermelho, alto da cabeça e cauda negros, fronte, lados da cabeça e pescoço ferrugíneos, e pintas pretas no peito e nos flancos. Alimenta-se de peixes e crustáceos. **2.** Ave ciconiforme, da família dos ardeídeos (*Ixobrychus involucris* (Vieil.)), do S. do Brasil. **3.** V. *socozinho.*

soco-inglês. *S. m.* Peça metálica, inteiriça, constituída por quatro anéis ligados, pelos quais se metem os dedos da mão, menos o polegar, e que serve para aplicar godemes, podendo ferir gravemente o adversário. [Pl.: *socos-ingleses.*]

socolor (ô). [De *so-* + *color.*] *El. prep.* Us. na loc. prep. *socolor de.* ◆ **Socolor de.** V. *sob color de:* "deuses novos e tristes, / E maus, duros e maus, socolor de humildade." (Alberto de Oliveira, *Poesias,* 3ª série, p. 81).

socó-mirim. [De *socó* + *-mirim.*] *S. m. Bras.* V. *socozinho.* [Pl.: *socós-mirins.*]

socoró. [Do tupi *soko'ró.*] *S. m. Bras.* V. *socoró.*

socorrense^1. *Adj. 2 g.* **1.** De, ou pertencente ou relativo a Socorro (SP). ● *S. 2 g.* **2.** Natural ou habitante de Socorro.

socorrense^2. *Adj. 2 g.* **1.** De, ou pertencente ou relativo a Nossa Senhora do Socorro (SE). ● *S. 2 g.* **2.** Natural ou habitante de Nossa Senhora do Socorro.

socorrer. [Do lat. *succurrere.*] *V. t. d.* **1.** Defender, proteger, auxiliar, ajudar: *cumpre socorrer os fracos.* **2.** Prover de remédio; remediar: "a que salvava os desvalidos, / a que socorria os doentes" (Cecília Meireles, *Obra Poética,* p. 852). **3.** Dar esmola a; esmolar: *Socorrer os pobres é dever cristão.* **4.** Prestar socorro, auxílio, a: *O barco socorreu os náufragos.* **5.** *Bras., BA.* Abastecer do necessário a embarcação de (outrem), para a pesca da baleia. *P.* **6.** Pedir socorro; buscar: "O poeta [Cervantes] voltava de novo, para viver, a socorrer-se às suas antigas funções de exator público em diferentes sítios das Espanhas." (Latino Coelho, *Cervantes,* p. 103). **7.** Lançar mão; valer-se: *Para saldar o débito socorreu-se das economias.*

socorrimento. *S. m. P. us.* Socorro (1 e 2).

socorrista. *S. 2 g. Bras.* **1.** Pessoa profissionalmente habilitada a prestar socorros ou atendimento em casos de acidentes, de mal súbito, etc.: *curso de socorrista.* **2.** Membro de organização criada para este fim: *Esta moça foi socorrista voluntária em 1942.*

socorro (ô). [Dev. de *socorrer.*] *S. m.* **1.** Ato ou efeito de socorrer. **2.** Ajuda ou assistência vinda do exterior a alguém que se encontra em situação difícil (perigo, necessidade, desamparo, etc.): *prestar socorro; pedir socorro.* [Sin., p. us., nessas acepç.: *socorrimento.*] **3.** Os meios usados para tal fim: *Os helicópteros levaram os socorros necessários aos expedicionários perdidos na selva.* **4.** Ajuda material ou financeira: *O socorro aos flagelados não foi suficiente.* **5.** Reforço de tropas ou munições: *Chegou ao forte um socorro que permitiu enfrentar o inimigo.* **6.** Amparo, apoio, assistência: *Nos momentos de aflição uns pedem socorro ao padre, outros ao analista.* **7.** Atendimento que se dá a uma pessoa acidentada ou acometida de mal súbito: *primeiros socorros; socorros urgentes.* **8.** V. *reboque^2* (4). **9.** Auxílio da religião: *É devota de Nossa Senhora do Perpétuo Socorro.* ● *Interj.* **10.** Para pedir auxílio ou defesa. [Pl.: *socorros* (ó).] **Primeiros socorros.** Socorro (7) de emergência que pode ser prestado por médicos, enfermeiros, ou leigos.

socovão. [Var. de *socavão.*] *S. m.* Subterrâneo por baixo de uma casa.

socó-vermelho. *S. m. Bras.* Ave da família dos ardeídeos (*Ardea eruthromela*); garça-vermelha. [Pl.: *socós-vermelhos.*]

socozinho (cò). [Dim. de *socó.*] *S. m. Bras.* Ave ciconiforme, da família dos ardeídeos (*Butorides striatus* (L.)), do litoral marítimo e margens de rios e lagos da América do Sul tropical e subtropical. Coloração dorsal de um verde metálico, com parte das penas marginadas de amarelo; cabeça preto-esverdeada; garganta branca, pintada de vermelho. [Sin.: *socó-criminoso, socó-estudante, socoí, socó-mirim, ana-velha, maria-mole.*]

socrático. [Do gr. *sokratikós,* pelo lat. *socraticu.*] *Adj.* **1.** Relativo ou pertencente a Sócrates, ou ao socratismo [q. v.], ou próprio daquele ou deste; maiêutico. **2.** Que é partidário do socratismo. ~ V. *escolas —as, ironia —a* e *paradoxo —.* ● *S. m.* **3.** Partidário do socratismo.

socratismo. *S. m. Filos.* **1.** Atitude e qualquer das doutrinas atribuídas a Sócrates, filósofo grego (c. 470-399 a. C.), caracterizadas sobretudo pela consideração de problemas morais e humanos e pelo abandono expresso dos temas ligados à natureza, e que visa, mediante o diálogo, à definição do bem. [São concepções marcantes do socratismo a chamada *ironia socrática,* a *agnosia* e o *paradoxo socrático.*] **2.** Cada uma das doutrinas das chamadas escolas socráticas, que compreendem a escola cínica, a escola cirenaica e a escola de Mégara, cujas relações com Sócrates são difíceis de precisar, mas que tomavam esse filósofo como exemplo ideal do sábio.

soda^1. [Do ár. *sauda,* 'de cor preta', atr. do it. *soda.*] *S. f.* **1.** Hidróxido de sódio; soda cáustica. **2.** Carbonato de sódio do comércio. **3.** Água artificialmente gaseificada tomada como acompanhamento de bebidas alcoólicas ou como refrigerante, quando se lhe adiciona algum xarope. **Soda cáustica.** V. *soda^1* (1). **Pedir soda.** *Bras. Gír.* Render-se, entregar-se.

soda^2. *S. f.* Erva da família das quenopodiáceas (*Salsola kali*), originária da Eurásia e bastante difundida como planta daninha, muito ramificada, e que forma tufos espessos. Folhas escamiformes, pequeninas, pontudas e suculentas; flores insignificantes, sésseis nas axilas; o fruto é um utrículo achatado. Quando nova, serve como forrageira.

sodade. *S. f. Bras. Pop.* Saudade (1).

sodado. [Part. de *sodar.*] *Adj.* Misturado com soda^1. ~ V. *cal —a.*

sodalício. [Do lat. *sodalitiu.*] *S. m.* Sociedade de pessoas que vivem juntas ou em comum.

sodalita. [De *sod(a^1)* + *al(umínio)* + *-ita^3.*] *S. f. Min.* Mineral monométrico, silicato de alumínio e sódio, com cloreto de sódio na proporção de três moléculas do primeiro para um agrupamento cloro-sódio.

sodar. [De *soda^1* + *-ar^2.*] *V. t. d.* Misturar com soda.

sódico. [De *soda^1* + *-ico^2.*] *Adj.* **1.** Respeitante à soda^1. **2.** Relativo ao sódio.

sódio. [De *soda^1* + *-io^2.*] *S. m. Quím.* Elemento de número atômico 11, metálico, branco-prateado, mole, muito leve e reativo, pertencente aos metais alcalinos. [Simb.: *Na.*]

sodomia. [Do top. *Sodoma* (antiga cidade da Ásia) + *-ia.*] *S. f.* Conjunção sexual anal, entre homem e mulher, ou entre homossexuais masculinos.

sodômico. *Adj.* Relativo à sodomia; sodomítico.

sodomita. [Do lat. *sodomita.*] *S. 2. g.* Quem pratica a sodomia.

sodomítico. [Do lat. *sodomiticu.*] *Adj.* **1.** Sodômico. **2.** Referente a, ou próprio de sodomitas.

sodomizar. *V. t. d.* Praticar a sodomia com.

sodra. *S. f.* Sulco que alguns cavalos apresentam nas coxas.

sodrelandino. *Adj.* **1.** De, ou pertencente ou relativo a Sodrelândia (RJ). ● *S. m.* **2.** O natural ou habitante de Sodrelândia.

soeiras. [De *soer.*] *S. f. pl. Ant.* Usos, usanças, costumeiras. [Cf. *sueiras*, pl. de *sueira.*]

soer. [Do lat. *solere.*] *V. int.* **1.** Ser comum, freqüente, vulgar; ocorrer ou acontecer geralmente; costumar: *Em Belém sói chover quase todas as tardes; Como sói acontecer .... T. d.* **2.** Ter por costume ou hábito; fazer ou praticar com freqüência: "Rompe o silêncio o jovem Jagoanharo, / Que entre eles soem falar primeiro os moços" (Domingos José Golçalves de Magalhães, *A Confederação dos Tamoios*, p. 40); "Todos os povos soem ser ingratos para com seus homens públicos" (Oliveira Lima, *Memórias*, p. 151). **3.** Apresentar como realidade ou como tendência habitual, costumeira: "Quando feita .... por tradutores idôneos, a tradução literal sói ser fiel e reversível" (Benedito Silva, *Informativo*, ano 4, dezembro 1972, p. 8). [Defect. Não conjugável na 1ª pess. sing. de pres. ind. nem, pois, no pres. subj.; quanto ao mais, segue o v. *moer*. Pres. ind.: *sóis, sói, soemos, soeis, soem*; perf.: *soí, soeste* (ê), *soeu*, etc. Cf. *sois*, do v. *ser; soe* (ô), *soes* (ô), do v. *soar;* e *sueste.*]

soerguer. [Do *so-* + *erguer.*] *V. t. d.* **1.** Erguer um pouco; solevar, solevantar: "fincou os cotovelos na cama, conseguindo apenas soerguer a cabeça, que logo descaiu, pesada." (Coelho Neto, *Turbilhão*, p. 116). *P.* **2.** Levantar-se por um pouco: "Desperta num sobressalto, soergue-se, olha em torno, atordoado, procurando orientar-se" (Érico Veríssimo, *Noite*, p. 167.) **3.** Erguer-se a custo. [Conjug.: v. *erguer.*]

soerguimento. *S. m.* Ato ou efeito de soerguer(-se).

soez (ê). *Adj. 2 g.* **1.** Vil, torpe, reles: "Iam Jesus e S. Pedro, certo dia, por um distante caminho, quando avistaram ao longe um bandido soez e barbudo que apertava aos peitos uma inocente e formosa donzela." (João Ribeiro, *Cartas Devolvidas*, p. 38); "um magnífico panorama, capaz de fazer poeta o mais soez espírito do mundo." (Machado de Assis, *Contos Avulsos*, p. 221). **2.** De pouco valor, ordinário, vulgar; ignorante: "Na família as semelhanças são naturais; e isso que fazia pasmar ao bom Montaigne não traz o menor espanto ao mais soez dos homens" (Id., *Outras Relíquias*, p. 3). [Cf. *Suez* (ê), top.]

sofá. [Do ár. *çuffa*, 'coxim que se coloca sobre a sela', 'estrado', pelo lat. *sofa.*] *S. m.* Móvel, estofado ou não, ordinariamente com braços e encosto, onde podem sentar-se duas ou mais pessoas.

sofá-bicama. *S. m. Bras.* Bicama [q. v.]. [Pl.: *sofás-bicamas.*]

sofá-cama. *S. m. Bras.* Sofá dobradiço que serve de sofá e de cama: "alojei-o no meu quarto, indo dormir no sofá-cama da sala." (Valdomiro Autran Dourado, *Nove Histórias em Grupos de Três*, p. 166). [Pl.: *sofás-camas.*]

sofá-de-arrasto. *S. m. Bras., N.E. Pop.* V. *esteira*² (1). [Pl.: *sofás-de-arrasto.*]

sofá-rasteiro. *S. m. Bras., N.E. Pop.* V. *esteira*² (1). [Pl.: *sofás-rasteiros.*]

sofisma. [Do gr. *sóphisma*, 'sutileza de sofista', pelo lat. *sophisma.*] *S. m.* **1.** *Filos.* Argumento aparentemente válido, mas, na realidade, não conclusivo, e que supõe má fé por parte de quem o apresenta; silogismo crítico. [Cf. *paralogismo.*] **2.** *Filos.* Argumento que parte de premissas verdadeiras, ou tidas como verdadeiras, e chega a uma conclusão inadmissível, que não pode enganar ninguém, mas que se apresenta como resultante das regras formais do raciocínio, não podendo ser refutado. **3.** *P. ext.* Argumento falso formulado de propósito para induzir outrem a erro: "Mas isso ainda não é o melhor do caso. Onde está o seu sal, é numa dessas circunstâncias, com que o acaso de vez em quando confunde os que se desviam do caminho reto, para o dos estratagemas e sofismas." (Rui Barbosa, *Réplica*, p. 100.) **4.** *Bras. Pop.* Engano, logro, burla, tapeação.

sofismar. *V. t. d.* **1.** Deturpar com sofismas; sofisticar: *Importa não sofismar os fatos.* **2.** Burlar sofismando. **3.** *Fig.* Enganar ou lograr com sofismas. *Int.* **4.** Empregar sofisma; sofisticar. **5.** Raciocinar sofismando. [Pres. ind.: *sofismo*, etc. Cf. *sufismo.*]

sofismável. *Adj. 2 g.* Que pode ser sofismado.

sofista. [Do gr. *sophistés*, 'sábio', posteriormente 'impostor', pelo lat. *sophista.*] *S. 2 g.* **1.** *Filos.* Cada um dos filósofos gregos contemporâneos de Sócrates que chamavam a si a profissão de ensinar a sabedoria e a habilidade, e entre os quais se destacam Protágoras (480-410 a. C.), que afirmava ser o homem a medida de todas as coisas, e Górgias (485-380 a. C.), que atribuía grande importância à linguagem. Os sofistas desenvolveram especialmente a retórica, a eloqüência e a gramática. [Cf. *sofisma* (1 e 2).] ● *Adj. 2 g.* **2.** Que argumenta com sofismas, ou é dado a empregá-los. [Cf. *sufista.*]

sofistaria. [De *sofista* + *-aria.*] *S. f.* **1.** Discurso sofístico. **2.** Conjunto de sofismas.

sofística. [Fem. substantivado de *sofístico.*] *S. f.* **1.** O conjunto das doutrinas dos sofistas gregos. **2.** Tendência intelectual que lhes é comum. **3.** Arte de sofismar.

sofisticação. *S. f.* **1.** Ato ou efeito de sofisticar; sofisticaria. **2.** *Bras.* Qualidade de sofisticado (2 a 4).

sofisticado. [Part. de *sofisticar.*] *Adj.* **1.** Falsificado, contrafeito, adulterado. **2.** *Bras.* Que não é natural: artificial, afetado. **3.** *Bras.* Falsamente refinado ou intelectual: *vocabulário sofisticado.* **4.** *Bras.* Requintado ao extremo; aprimorado: *decoração sofisticada.*

sofisticador (ô). *Adj.* **1.** Que sofistica; sofisticante. ● *S. m.* **2.** Aquele que sofistica.

sofisticante. [De *sofisticar* + *-nte.*] *Adj. 2 g.* Sofisticador (1).

sofisticar. [De *sofístico* + *-ar*².] *V. t. d.* **1.** Sofismar (1). **2.** Falsificar, contrafazer, adulterar. **3.** Tratar com sutileza. **4.** *Bras.* Tornar sofisticado (3 e 4). *Int.* **5.** Sofismar (4). [Conjug.: v. *trancar*. Pres. ind.: *sofistico*, etc. Cf. *sofístico.*]

sofisticaria. [De *sofístico* + *-aria.*] *S. f.* Sofisticação (1).

sofístico. [Do gr. *sophistikós*, pelo lat. *sophisticu.*] *Adj.* **1.** Relativo a sofisma. **2.** Em que há sofisma. **3.** Que emprega sofismas. [Cf. *sofistico*, do v. *sofisticar.*]

sofito. [Do it. *soffito*, 'águas furtadas'.] *S. m. Arquit.* Face com ornatos, por sob uma arquitrave.

soflagrante. [De *so-* + *flagrante.*] *El. s. m. Bras., Pop.* Us. na loc. adv. *no soflagrante.* ♦ **No soflagrante.** *Bras. Pop.* No momento mesmo; imediatamente, logo.

▲**sof(o)-.** [Do gr. *sophós, é, ón.*] *El. comp.* = 'sábio': *sofomania, sofomaníaco.* [Equiv.: *-sofo: logósofo.*]

▲**-sofo.** Equiv. de sof(o)-.

sofocliano. *Adj.* **1.** Relativo ou pertencente ao grego Sófocles (c. 496-406 a. C.), poeta dramático, ou próprio dele. ● *S. m.* **2.** Grande admirador e/ou profundo conhecedor de sua obra.

sofomania. [De *sof(o)-* + *-mania.*] *S. f.* Mania de passar por sábio.

sofomaníaco. *Adj.* e *s. m.* Sofômano.

sofômano. [De *sof(o)-* + *-mano.*] *Adj.* e *s. m.* Que ou aquele que tem sofomania; sofomaníaco.

sofralda. [De *so-* + *fralda.*] *S. f. Bras., SP.* Aba ou sopé de montanha ou de serra: "A geada grande .... estendeu-se ao longo das lombadas e sofraldas" (Valdomiro Silveira, *Os Caboclos*, p. 130).

sofraldar. [De *so-* + *fralda* + *-ar*².] *V. t. d.* **1.** Erguer a fralda de. **2.** *Fig.* Soerguer, solevar (qualquer coisa), para descobrir o que há debaixo dela. **3.** Suspender, levantar, erguer, *sofraldar um cortinado*; "Mas — que cruel! — ao dar um passo adiante, / Enquanto a barra do roupão sofralda, / Pisa um cravo gentil de láctea alvura!" (Francisca Júlia, *Esfinges*, p. 114). *P.* **4.** Erguer ou levantar o próprio vestuário.

sofrê. [Voc. onom.] *S. m. Bras., BA.* V. *corrupião*: "E ouço rolinhas, bem-te-vis e sofrês chilrearem nas mangueiras copadas." (Ciro dos Anjos, *Montanha*, p. 355.) [F. paral.: *sofreu.*]

sofreada. [De *sofrear* + *-ada*¹.] *S. f.* V. *sofreamento.*

sofreadura. *S. f.* V. *sofreamento.*

sofreamento. *S. m.* Ato ou efeito de sofrear(-se); sofreada, sofreadura.

sofrear. [Do lat. *suffrenare.*] *V. t. d.* **1.** Sustar ou modificar a andadura de (a cavalgadura), puxando ou retesando as rédeas: "Na sombra de um ingazeiro o capitão sofreou o cavalo." (José Cândido de Carvalho, *O Coronel e o Lobisomem*, p. 59.) **2.** Reprimir, conter, refrear: *Nem todos sabem sofrear as paixões;* "Entra afouta o caminho da amargura, / A custo sofreando internas mágoas / Da amarga vida, breve flor como ela" (Machado de Assis, *Poesias Completas*, p. 242). **3.** Emendar, corrigir. *P.* **4.** Reprimir-se, conter-se, moderar-se. [Conjug.: v. *frear.*]

sofreável. *Adj. 2 g.* Que pode ser sofreado.

sofredor (ô). *Adj.* e *s. m.* Que ou aquele que sofre.

sôfrego. [De *sofrer.*] *Adj.* **1.** Apressado no comer e/ou no beber. **2.** Ávido, sequioso, ambicioso. **3.** Impaciente, insofrido, malsofrido.

sofreguidão. *S. f.* **1.** Ato, modo ou qualidade de sôfrego. **2.** Impaciência, pressa. **3.** Desejo, ambição, cobiça, avidez.

sofrenaço. [Do esp. plat. *sofrenazo.*] *S. m. Bras., RS.* Puxão forte nas rédeas para que o animal pare ou recue; sofrenada, sofrenão.

sofrenada. [Do esp. plat. *sofrenada.*] *S. f. Bras., RS.* V. *sofrenaço.*

sofrenão. [De *sofrenar* + *-ão*³.] *S. m. Bras., RS.* V. *sofrenaço.*

sofrenar. [Do esp. plat. *sofrenar.*] *V. t. d. Bras., RS.* Sofrear (o cavalo) para fazê-lo parar ou recuar.

sofrente. *Adj. 2 g.* Que sofre ou padece; sofredor: "é que bem no fundo do meu ser sofrente, / por ouvir o sino soar alegremente, / da saudade o sino solta o triste dobre." (Gilca da Costa Melo Machado, *Poesias*, p. 92).

sofrer. [Do lat. **sufferere*, por *sufferre.*] *V. t. d.* **1.** Ser atormentado, afligido por; padecer: *O canceroso sofre dores terríveis;* "Oh meu Senhor, ensina o teu servo, que sofre o tormento da incerteza!" (Eça de Queirós, *Últimas Páginas*, p. 282). **2.** Tolerar, suportar, agüentar: *Sofre, com humildade, o desdém dos parentes ricos.* **3.** Admitir, permitir, tolerar, consentir: *Fez ver ao filho que não sofreria insubordinação;* "Nos domínios rurais, a autoridade do proprietário de terras não sofria réplica. Tudo se fazia consoante sua vontade, muitas vezes caprichosa e despótica." (Sérgio Buarque de Holanda, *Raízes do Brasil*, p. 48). **4.** Ser vítima de, passar por, experimentar (coisa desagradável ou danosa): "A concentração de capitais nas mãos da plutocracia sofreu um abalo que parecia mortal." (Alceu Amoroso Lima, *A Realidade Americana*, p. 103.) **5.** *P. ext.* Passar por; experimentar: *Os gêneros alimentícios sofreram um aumento considerável no último ano. Int.* **6.** Sentir dor física ou moral: "Cabecinha boa de menino triste, / de menino triste que sofre sozinho, / que sozinho sofre, — e resiste." (Cecília Meireles, *Obra Poética*, p. 29.) **7.** Experimentar prejuízos; decair, declinar; *Os países europeus muito sofreram com a guerra.* **8.** Padecer com paciência. *T. i.* **9.** Ser acometido (de alguma doença), ou sujeito a ela; padecer: "o coronel Barbosa .... sofria de reumatismo" (Júlio Ribeiro, *A Carne*, p. 9). *P.* **10.** Conter-se, reprimir-se, sofrear-se.

sofreu. [Var. de *sofrê.*] *S. m. Bras., N.E.* V. *sofrê.*

sofrido. [Part. de *sofrer.*] *Adj.* **1.** Que sofre com paciência; paciente. **2.** Que já sofreu, ou que sofre muito. **3.** Sofredor: "Vulcão guardara a imagem de uma população sofrida, analfabeta, doente e desamparada." (Antônio Celso, *Girassol de Ouro*, p. 87.) **8.** Que revela sofrimento: *Escreveu páginas sofridas.*

sofrimento. *S. m.* **1.** Ato ou efeito de sofrer. **2.** Dor física. **3.** Angústia, aflição, amargura. **4.** Paciência, resignação. **5.** Infortúnio; desastre.

sofrível. *Adj. 2 g.* **1.** Que se pode sofrer; suportável. **2.** Quase suficiente; moderado: *Tem obtido resultados sofríveis com o tratamento.* **3.** Acima de medíocre; razoável: *Ofereceu-lhe uma jóia de sofrível valor.* **4.** Que está entre o bom e o mau: *Seu comportamento tem sido sofrível, de algum tempo para cá.* ● *S. m.* **5.** *Obsol.* Nota escolar sofrível (4).

➧**software** (softuér). [Ingl.] *S. m.* O conjunto de procedimentos, métodos de programação e programas afins, que otimiza a performance de um computador. [V. *hardware.*]

soga. [Do lat. tardio *soca*, *soga.*] *S. f.* **1.** Corda de esparto. **2.** Corda grossa. **3.** *Bras., RS.* Guasca usada para prender animais ao poste. ♦ **Andar à soga.** *Bras., RS.* Estar enamorado. **Levar à soga.** *Bras., RS.* Prender (alguém) por afeto: dominar; trazer à soga. **Trazer à soga.** *Bras., RS.* V. *levar à soga.*

sogabano. [De provável or. afr.] *S. m. Bras.* Sacerdote do culto malê.

sogaço. [Do esp. plat. *sogazo.*] *S. m. Bras., RS.* **1.** Golpe com a soga. **2.** Soga muito bonita e/ou muito boa.

sogar. *V. t. d.* Prender com soga. [Conjug.: v. *largar*. Cf. *sugar.*]

sogra. [Do lat. vulg. *socra, ae* por *socrus, us.*] *S. f.* Mãe do marido, em relação à mulher, ou mãe da mulher, em relação ao marido.

sograr. *V. int. Bras. Gír.* Ser sustentado pelo sogro. [Pres. ind.: *sogro*, etc. Cf. *sogro* (ô).]

sogro (ô). [Do lat. **socru* < *soceru*, com síncope.] *S. m.* Pai do marido, em relação à mulher, ou da mulher, em relação ao marido. [Fem.: *sogra* (ó); pl. *sogros* (ó). Cf. *sogro*, do v. *sograr.*]

soguá. [De *soguaguá*, com síncope.] *S. m. Bras.* V. *curimbatá-da-lagoa.*

soguagra. *S. m. Bras.* V. *curimbatá-da-lagoa.*

soguaguá. *S. m. Bras.* V. *curimbatá-da-lagoa.*
sogueiro. [Do esp. plat. *soguero.*] *S. m. Bras., RS.* Encerra (2) gramada, bem menor do que o potreiro, onde ficam presos os animais que devem ser usados a qualquer momento.
soidade. *S. f. Ant.* e *pop.* Saudade (1).
soidão (o-i). *S. f. Ant.* Solidão: "Deixa a s o i d ã o dos montes escalvados" (Guerra Junqueiro, *A velhice do Padre Eterno,* p. 56); "Uma quase s o i d ã o , saudades, desenganos..." (Alberto de Oliveira, *Poesias,* 3ª série, p. 171). [F. ainda hoje us. na poesia.]
➧**soi-disant** (suá-dizã). [Fr.] *Adj.* **1.** Que pretende ser; pretenso. ● *Adv.* **2.** Segundo se pretende.
soído. [De *sonido* (q. v.), por desnasalação.] *S. m.* Rumos, ruído, som, sonido: "Com que fim foram inventados os brincos?... As damas, tanto as antigas como as modernas, lera em Plínio, costumam trazer arrecadas pelo prazer de ouvir o s o í d o leve de suas pérolas junto do ouvido." (Alberto de Oliveira, *ap.* Graciliano Ramos, *Contos e Novelas,* II, p. 42.)
soldoso (ô). *Adj. Ant.* e *pop.* Saudoso.
soim (ím). *S. m. Bras.* V. *sagüi.*
➧**soirée** (suarrê). [Fr.] *S. f.* Reunião social, ou de outro tipo, que ocorre à noite. [Cf. *matinê.*]
soiteira. *S. f. Bras., S.* V. *açoiteira.*
soito. *S. m.* Var. de *souto* [q. v.].
soja. [Do jap. *shoyu.*] *S. f.* V. *feijão-soja.*
sojigar. [Alter. de *subjugar.*] *V. t. d. Bras., N.E.* e *MG,* e *açor. Pop.* Dominar, conter, agüentar, subjugar; sujigar: "Montando a cavalo que nem homem, ... s o j i g a v a bichos meios xucros, vaquejava com os camaradas." (Nélson de Faria, *Tiziu* e *Outras Estórias,* p. 47.) [Normalmente é us. no sentido físico. Conjug.: v. *largar.* Cf. *sojugar.*]
sojoada. *S. f.* Iguaria semelhante à feijoada, mas que leva feijão-soja em vez de outro feijão.
sojugar. *V. t. d. Ant.* Subjugar. [Conjug.: v. *largar.*]
sol[1]. [Do lat. *sole.*] *S. m.* **1.** *Astr.* Estrela em torno da qual giram a Terra e os outros planetas do sistema solar, e que, comparada a outras, é relativamente pequena e de brilho fraco, parecendo maior e mais brilhante por se encontrar mais perto. [Sua luz leva oito minutos e meio para atingir a Terra, ao passo que o da segunda estrela mais próxima do nosso planeta *(Próxima do Centauro)* o faz em três anos e quatro meses. Nesta acepç., a rigor deve-se escrever com inicial maiúscula]: "Viva e trabalhe plena luz: depois, / Seja-me dado ainda ver, morrendo, / O claro S o l , amigo dos heróis!" (Antero de Quental, *Sonetos,* p. 117.) **2.** A luz e o calor desse astro. **3.** Lugar iluminado pelo Sol[1] (1) [em oposição a *sombra* (5)]: *Nos estádios, o lado do s o l é menos procurado pelos freqüentadores.* **4.** A imagem tradicional do Sol (1), que consta de um círculo do qual partem raios em todas as direções: *A criança desenhou um s o l com olhos, nariz e boca.* **5.** Na mitologia tupi-guarani, Coaraci. **6.** *Fig.* Brilho, esplendor, luz: "E o sol da liberdade em raios fúlgidos / Brilhou no céu da Pátria neste instante." (Osório Duque-Estrada, *Hino Nacional Brasileiro).* **7.** *Fig.* Alegria, felicidade: *A filha é um s o l em sua vida.* **8.** *Fig.* Dia (4), ou dia de existência: "Três s ó i s havia que Martim e Iracema estavam nas terras dos pitiguaras" (José de Alencar, *Iracema,* p. 99); "E inúbias soam, convocando os chefes, / Que em círculo se formam, começando / Desde Coaquira, que mais s ó i s contava, / 'Té o mais moço descendo em anos." (Domingos José Gonçalves de Magalhães, *A Confederação dos Tamoios,* p. 40). **9.** *Fig.* Grande talento; gênio. **10.** Peixe plectógnato *(Mola mola* (Gmel.)). **11.** *Heráld.* Círculo de 12 raios com esmalte de ouro. [Pl.: *sóis.* Cf. *sois,* do v. *ser,* e *soes* (ô), do v. *soar.*] ♦ **Sol médio.** *Astr.* Astro fictício [q. v.], que parte junto com o Sol verdadeiro do ponto vernal e percorre o equador em um ano, com movimento uniforme, enquanto o Sol verdadeiro percorre a eclíptica com o movimento variado, durante o mesmo tempo. **De sol a sol.** Desde o nascer até o pôr do Sol: "Pelos descampados .... rechinavam de s o l a s o l carros de bois tirados por seis cangas" (Xavier Marques, *As Voltas da Estrada,* p. 11). **Partir o sol.** Dividir o campo dos duelistas de jeito que o sol não dê de rosto nos combatentes. **Tapar o sol com peneira.** Fugir à evidência; negar ou dissimular o que é evidente: *Quer t a p a r o s o l c o m p e n e i r a , mas é impossível: o escândalo é público e notório.* **Ver o sol quadrado.** *Bras. Gír.* Estar encarcerado.
sol[2]. [V. *ut.*] *S. m.* **1.** O nome correspondente à quinta nota da escala diatônica ou natural, de dó[2]. [Cf. *G* (3) e *ut.*] **2.** O sinal que representa essa nota na pauta. [Pl.: *sóis.* Cf. *sois,* do v. *ser,* e *soes* (ô), do v. *soar.*]
sol[3]. [Do esp. *sol.*] *S. m.* Antiga unidade monetária, e moeda, do Peru, que se dividia em 100 centavos, e que a 1 de janeiro de 1986 foi substituído pelo inti [q. v.]; solar. [Pl.: *soles.*]
sol[4]. [F. red. de *hidrossol.*] *S. m. Fís.-Quím.* Colóide em que a fase dispersora é um líquido, e a fase dispersa um sólido. [Pl.: *sóis* e *soles.*] ♦ **Sol aquoso.** *Fís.-Quím.* Hidrossol.
sola. [Do lat. vulg. **sola,* pelo clàss. *solea.*] *S. f.* **1.** Couro curtido de boi, para calçado, bolsas, etc. **2.** Parte inferior do calçado, que assenta no chão. **3.** Cabeçalho para puxar a grade ou a charrua. **4.** *Fig.* A planta do pé. **5.** *Bras. Fut.* Falta cometida pelo jogador que entra de sola [q. v.] **6.** *Bras, Gír.* Arma cortante ou perfurante. **7.** *Bras., RJ.* Espécie de beiju. ♦ **De sola e vira.** *Bras., SP. Pop.* Diz-se de pessoa bem preparada para alguma coisa; de virar e romper. **Entrar de sola.** *Bras.* **1.** *Fut.* Disputar faltosamente a bola, atingindo, ou em risco de atingir, o adversário com a sola da chuteira. **2.** *Fig.* Agir, logo de começo, grosseira ou agressivamente; entrar de borzeguins.
solado[1]. [Part. de *solar*[5].] *Adj.* **1.** Em que se pôs sola (calçado). **2.** *Bras.* Diz-se de bolo ou de outra massa que, sob a ação do calor do forno, não cozinhou ou assou por igual, ficando, por isso, endurecida, pesada e borrachenta. ● *S. m.* **3.** *Bras.* A sola do calçado.
solado[2]. [De *solo*[1] + *-ado*[1].] *Adj.* Imóvel e preso ao solo; alapardado. [Diz-se do coelho depois que é batido na caça.]
solador (ô). [De *solar*[5] + *-(d)or.*] *S. m. Bras.* Aquele que sola calçados.
solagem. *S. f.* Ato ou efeito de solar[5] (1).
solais. *S. m. 2 n. Bras., S.* Parte da pedra que, no alto de morro ou de serra, principia a inclinar-se para o declive: "ninguém lhe queria, a não ser a Sabiá: aquela era um rochedo de tapiocanga, no s o l a i s das vertentes: quebrar, podia quebrar, mas não vergava nem um dedo..." (Valdomiro Silveira, *Os Caboclos,* p. 60).
solama. *S. m. Bras.* V. *solão*[2]: "A s o l a m a batia no verniz movediço do mar e reverberava intensamente." (Gustavo Barroso, *Mississípi,* p. 97.)
solanácea. *S. f.* Espécime das solanáceas.
solanáceas. *S. f. pl.* Família de plantas superiores, da ordem das tubifloras, composta de ervas, arbustos e trepadeiras, sendo poucas as árvores. Folhas alternas; flores solitárias ou cimosas, pentâmeras e actinomorfas; fruto: baga ou cápsula. Conhecem-se umas 2.000 espécies em todo o planeta muitas das quais brasileiras. O tomateiro, o tabaco, o pimentão, várias pimentas, a beladona, a batateira, etc., são solanáceas úteis (não falando das ornamentais).
solanáceo. *Adj.* Pertencente ou relativo às solanáceas.
solancar. [De um **solanco,* f. sincopada de *solavanco,* + *-ar*[2].] *V. int. Bras. Pop.* Trabalhar com afinco em serviço pesado. [Conjug.: v. *trancar.*]
solandre. [Do gr. *solandre.*] *S. m. Veter.* **1.** Fenda na dobra do curvilhão das cavalgaduras. **2.** V. *esparavão.*
solanense. *Adj. 2 g.* **1.** De, ou pertencente ou relativo a Solânea (PB). ● *S. 2 g.* **2.** Natural ou habitante de Solânea.
solante. *S. 2 g. Bras.* Parceiro do jogo do solo.
solão[1]. *S. m.* Salão[2] (1).
solão[2]. [De *sol*[1] + *-ão*[1].] *S. m. Bras.* **1.** Sol abrasador, que esquenta em excesso. **2.** Grande calor do Sol. [Sin. ger.: *solama, solina.* Cf. *sulão.*]
solapa. [De *so-* + *lapa.*] *S. f.* **1.** Cova encoberta ou tapada de modo que não se veja. **2.** *Pop.* Ardil, manha, astúcia, ronha. **3.** Orelha de livro. ♦ **À solapa.** Às escondidas; à socapa.
solapado. [Part. de *solapar.*] *Adj.* **1.** Escavado, minado. **2.** Oculto, recôndito. **3.** Dissimulado, disfarçado.
solapador (ô). *Adj.* e *s. m.* Que ou aquele que solapa. [F. paral.: *assolapador.*]
solapamento. *S. m.* Ato ou efeito de solapar(-se).
solapão. [De *solapa* + *-ão*[1].] *S. m. Bras.* Cavidade nas ribanceiras dos rios, produzida por erosão.
solapar. [De *solapa* + *-ar*[2].] *V. t. d.* **1.** Formar lapa ou cava em; escavar, minar: *A água das chuvas s o l a p o u os alicerces;* "as matérias que se haviam de purgar [na confissão], se encruam, e ficam dentro s o l a p a n d o e encancerando a consciência." (Pe. Manuel Bernardes, *Vários Tratados,* II, p. 348). **2.** Aluir. abalar: *O terremoto s o l a p o u a cidade;* "E, apesar dessa borda ser a mais elevada e a mais resistente, a erosão, marinha e eólia, desgasta-a, corrói-a, s o l a p a - a, desbarrancando-a e esfrangalhando-a." (Raimundo Morais, *País das Pedras Verdes,* p. 243). **3.** Arruinar, destruir, demolir: *A evolução das sociedades pouco a pouco s o l a p o u as bases da escravidão.* **4.** Ocultar, esconder, encobrir. *P.* **5.** Encobrir-se, ocultar-se. [F. paral.: *assolapar.*]
solapo. [De *solapa.*] *S. m. Bras., AM.* Cavidade nos barrancos dos rios ou dos igarapés, sob as raízes das árvores, e onde se abrigam os peixes nas horas de calor.
solar[1]. [De *solo*[1] + *-ar*[1].] *S. m.* **1.** Antiga morada de família; mansão. **2.** Morada de família nobre; palácio.
solar[2]. *S. m.* Sol[3].
solar[3]. [Do lat. *solare.*] *Adj. 2 g.* **1.** Do Sol[1] (1), ou a ele relativo. **2.** Que tem a forma aproximada do sol[1] (4): *ornato s o l a r ; plexo s o l a r .* **3.** Claro, límpido; vibrante: "xexéus assobiando / gargalhadas finas, / galos-de-campina / de canto s o l a r" (Odilo Costa, filho, *Cantiga Incompleta,* p. 14). — V. *ano —, calendário —, ciclo —, constante —, coroa —, dia —, dia — médio, dia — verdadeiro, disco —, eclipse —, espectro —, física —, grânulo —, mês —, nutação —, plexo — poro —, proeminência —, propulsão —, protuberância —, quadrante —, relógio —, sistema —, tempo — médio, tempo — verdadeiro* e *vento —.*
solar[4]. [De *sola* + *-ar*[1].] *Adj. 2 g.* Referente a sola.
solar[5]. [De *sola* + *-ar*[2].] *V. t. d.* **1.** Pôr solas em (calçado): *O sapateiro s o l a 10 pares de sapato por dia.* **2.** *Bras.* Tornar (bolo, etc.) endurecido, murcho, ao assar ou cozer: *A cozinheira inexperiente s o l o u o bolo. Int.* **3.** *Bras.* Ficar (o bolo, etc.), ao cozer, endurecido e sem crescimento.
solar[6]. [De *solo*[2] + *-ar*[2].] *V. int.* Tocar um solo[2] (1).
solar[7]. [De *solo*[3] + *-ar*[2].] *V. int.* Ganhar no jogo do solo.
solarengo. [De *solar*[1] + *-engo.*] *Adj.* **1.** Relativo ou pertencente a, ou próprio de solar[1]. **2.** Que tem aspecto ou feitio de solar[1]: "Por entre graves e senhoriais ciprestes, vê-se uma casa s o l a r e n g a , quase em ruínas, com suas torres e ameias" (Antônio Correia d'Oliveira, *Líricas,* p. 131). ● *S. m.* **3.** Dono de solar[1].
solário. [Do lat. *solariu.*] *S. m.* **1.** Terraço que cobria as casas antigas. **2.** Lugar de um estabelecimento hospitalar exposto à luz solar e destinado à helioterapia. **3.** *P. ext.* Terraço ou outro local onde se tomam banhos de sol[1] (2). **4.** Entre os antigos romanos, relógio de sol.
solarização. [Do ingl. *solarization.*] *S. f. Fot.* Fenômeno que consiste na transformação de um negativo em positivo, e que pode ocorrer quando há uma superexposição muito grande; efeito Sabatier.
solau[1]. [Do cat. *solau?*] *S. m.* Antigo romance em verso, geralmente acompanhado de música: "E Telmo que te não conte mais histórias, que te não ensine mais trovas e s o l a u s . Poetas e trovadores padecem todos da cabeça..." (Almeida Garrett, *Frei Luís de Sousa,* p. 93.)
solau[2]. *S. m. Bras.* Ladeira lamacenta e de acesso difícil.
solavancar. [De *solavanco* + *-ar*[2].] *V. int.* Dar solavancos: "a carriola s o l a v a n c a n d o num rolo leve de poeira" (Eça de Queirós, *A Ilustre Casa de Ramires,* p. 103); "então o carro subia lento, rangendo, s o l a v a n c a n d o" (Coelho Neto, *Treva,* p. 31). [Conjug.: v. *trancar.*]
solavanco. [De *solevar?*] *S. m.* **1.** Balanço inesperado e/ou violento de um veículo, ou das pessoas que ele carrega. **2.** *P. ext.* Abalamento ou sacudidela brusca. [Sin. ger.: *tranco.*]
solaz. [Do lat. *solatiu.*] *S. m.* **1.** Distração, recreio. **2.** Conforto, consolação. ● *Adj. 2 g.* **3.** Consolador, consolativo.
solcris. [De *Sol*[1] + *cris*[3].] *S. m. Ant.* Eclipse do Sol[1] (1). [Pl.: *solcrises.*]
solda[1]. [Dev. de *soldar.*] *S. f.* Substância metálica e fusível usada para ligar peças também metálicas. ♦ **Solda autógena.** Solda de dois metais por fusão parcial deles, conseguida por meio do maçarico. **Solda de bismuto.** A que se efetua com liga de bismuto, chumbo e estanho, de ponto de fusão muito baixo, usada na selagem dos extintores automáticos de incêndio. **Solda de chumbo.** A que se efetua mediante liga de chumbo e estanho, de baixo ponto de fusão, relativamente mole, e pouco resistente. **Solda de prata.** A que se efetua mediante liga de prata, zinco e cobre, e é muito dura e resistente. **Solda elétrica.** A que se efetua pela ação de um arco elétrico.
solda[2]. [Var. aferética de *consolda.*] *S. f.* Erva da família das rubiáceas *(Galium mollugo),* de caule quadrangular e que forma tufos, folhas uninérveas com a ponta muito prolongada, flores minutas e congregadas em panículas amplas, fruto indeiscente e bilocular. É daninha em vários lugares. [Sin.: *molugem.*]
sol-da-bolívia. *S. m.* V. *rosa-da-montanha.* [Pl.: *sóis-da-bolívia.*]
soldada. [De *soldo* + *-ada*[1].] *S. f.* **1.** Quantia com que se paga o trabalho de criados, operários, etc.; salário. **2.** Salário de tripulante de embarcação mercante: "Destacava-se .... no grupo dos marujos desembarcados que ali andavam à gandaia e ao léu, gozando boemiamente

as soldadas de três ou quatro meses de mar, o Mateus Sabrosa" (Virgílio Várzea, *Nas Ondas*, p. 3). **3.** *Fig.* Recompensa, prêmio.

soldadeiro. *Adj.* e *s. m.* Que ou aquele que recebe a soldada.

soldadesca (ê). [Do it. *soldadesca.*] *S. f. Deprec:* **1.** A classe militar; a gente de guerra; a tropa. **2.** Bando de soldados indisciplinados.

soldadesco (ê). *Adj.* Relativo a soldados. ou próprio deles.

soldadinho. [Dim. de *soldado.*] *S. m. Bras.* **1.** Ave passeriforme da família dos traupídeos (*Tangara cyanocephala cearensis* Cory), do N.E. do Brasil., de coloração geral verde, fronte e dorso alto pretos, cabeça e garganta azuis, asas e cauda negras, as coberteiras superiores da cauda com pontas azul-claras formando faixa fina. **2.** Recruta recém-incorporado, ou que está prestando o serviço militar. ~ V. *soldadinhos.*

soldadinhos. *S. m. pl. Bras., PE.* Duas filas de castanhas, uma em frente da outra, que dois brincantes, um de cada lado, tentam derrubar, lançando uma castanha comum. ~ V. *soldadinho.*

soldado. [Do it. *soldato.*] *Adj.* **1.** Que foi unido com solda. **2.** Ligado, preso, colado. ~ V. *cal —a. S. m.* **3.** Indivíduo alistado nas fileiras do exército, ou nas forças policiais estaduais. [Sin. poét., nesta acepç.: *mílite.*] **4.** V. *hierarquia militar.* **5.** Militar que detém a posição hierárquica de soldado. **6.** Qualquer militar. **7.** *Fig.* Aquele que luta por uma causa; partidário, sectário, defensor, paladino: *os Soldados de Cristo; os soldados da democracia.* **8.** *Bras.* Peixe teleósteo, percomorfo, da família dos caetodontídeos (*Holocanthus tricolor* (Bloch)), do Atlântico, comum no N.E. do Brasil. Tem cabeça, parte anterior do corpo, região torácica, abdominal e nadadeiras amarelo-cromo, a dorsal marginada de vermelho, lábios pretos e o resto do corpo negro-azulado. Comprimento de 35 cm. [Sin., nesta acepç.: *paru-soldado, tambuatá, tamuatá, vigário.*] **9.** Ave passeriforme, da família dos icterídeos (*Archiplanus albirostris* (Vieil)), distribuída desde a BA até a Argentina e Paraguai, de coloração preta, com uropígio e encontro amarelos. Alimenta-se de frutas e insetos. É ave ornamental, apreciada em gaiolas. [Sin., nesta acepç.: *nhapim, melro.*] **10.** *Bras.* Capitão. (13). **11.** *Bras.* V. *encontro*². ♦ **Soldado desconhecido.** Soldado morto em combate e não identificado, cujo túmulo em alguns países é lugar de reverência cívica nacional à memória de todos os soldados mortos pela pátria. [A iniciativa partiu da França, após a I Guerra Mundial.] **Soldado do fogo.** Bombeiro² (1). **Soldado gregal.** Soldado raso. **Soldado raso.** Militar sem graduação; soldado gregal. **Soldado recruta.** Recruta (1).

soldado-do-bico-preto. *S. m. Bras.* V. *encontro*². [Pl.: *soldados-do-bico-preto.*]

soldado-pago. *S. m. Bras.* V. *encontro*². [Pl.: *soldados-pagos.*]

soldador (ô). *Adj.* e *s. m.* Que ou aquele que solda.

soldadura. *S. f.* **1.** Ato ou efeito de soldar; soldagem. **2.** A parte por onde se soldou. **3.** Tumor subcutâneo nas costelas das cavalgaduras.

soldagem. *S. f.* Soldadura (1).

soldanela. [Do fr. *soldanelle.*] *S. f.* Planta rastejante, da família das convolvuláceas (*Calystegia soldanella*), de folhas grossas, reniformes, com as aurículas arredondadas, e corola grande, rosada ou vermelha; couve-marinha.

soldanela-d'água. *S. f. Bras.* Erva modesta. da família das gencianáceas (*Limnanthemun humboldtianum*), que vive em alagadiços e poças, cujas folhas são arredondadas e herbáceas, ficando na superfície do líquido, e as flores são alvas e reunidas em pequenas inflorescências. [Pl.: *soldanelas-d'água.*]

soldão. *S. m. Ant.* Alter. de *sultão.* [Pl.: *soldões* e *soldãos.*]

soldar. [Do lat. *solidare.*] *V. t. d.* **1.** Unir ou pegar com solda¹: *soldar uma peça de metal. T. d.* e *i.* **2.** Ligar, unir, prender: *soldar um cabo a outro maior. Int.* e *p.* **4.** Unir-se, pegar-se, colar-se. **5.** Cicatrizar-se, fechar (a ferida). [Pres. ind.: *soldo,* etc. Cf. *soldo* (ô).]

sol-das-almas. *S. m. Bras., N.E., S.* e *GO.* Arrebol da manhã ou da tarde [v. *ruiva*² (4).]: "Deitadas molengas em folhas macias! / Na sombra rajada das bananeiras lentas / Iluminadas por um sol-das-almas." (Ascenso Ferreira, *Catimbó e Outros Poemas*, p. 106); "Uma faixa de luz da serra à fronte / — Sol-das-almas lhe chamam — aparece, / Mas logo esmaia, e é trevas o horizonte." (Alberto de Oliveira, *Poesias*, 1ª série, p. 226). [Pl.: *sóis-das-almas.*]

soldável. *Adj. 2 g.* Que se pode soldar.

soldo (ô). [Do lat. *solidu*, 'firme, consistente', i. e., *nummu solidu*, 'moeda inteira, não fracionada'.] *S. m.* **1.** *Ant.* Quantia paga mensalmente pelo governo às praças de pré, ou praças de primeira linha. **2.** *Bras. Mil.* Quantia básica, de referência, para pagamento de militar, à qual se acrescentam percentuais que variam com a categoria hierárquica, especialidade, tempo de serviço, etc. **3.** *Desus.* Moeda francesa correspondente a um vigésimo do franco, i. e., a cinco cêntimos. [Pl.: *soldos* (ô). Cf. *soldo*, do v. *soldar.*]

soldra. *S. f.* Nas cavalgaduras, saliência sobre a articulação da coxa com a perna.

solé. *S. m. Bras.* V. *parati*².

solear. [Do lat. científico *soleus* < lat. *solea*, 'sandália, alparcata', + *-ar*¹.] *Adj.* ~ V. *músculo —.*

solecar. *V. t. d. Marinh.* Deixar recorrer pouco a pouco (um cabo que está sob tensão ou que porta um peso). [Cf. *brandear.* Conjug.: v. *trancar.*]

solecismo. [Do gr. *soloikismós*, pelo lat. *soloecismu.*] *S. m.* **1.** Erro de sintaxe. **2.** *P. ext.* Erro, culpa, falha.

solecista. *Adj. 2 g.* e *s. 2 g.* Que ou quem comete solecismos.

solecizar. [De *solec(ismo)* + *-izar.*] *V. int.* Incorrer em solecismo(s).

soledade. [Do lat. *solitate*, atr. do arc. *soidade*, refeito.] *S. f.* **1.** Lugar ermo, deserto; solidão: "— Eu sou filha dos ermos, / Das soledades azuis!" (Alberto de Oliveira, *Poesias*, 1ª série, p. 35.) **2.** Tristeza característica de quem se acha só ou abandonado: "as suas horas de soledade, lá nessa descampada Castela, quantas saudades do filho amado, quanto rancor contra o rei, ... contra a corte —,.... contra todos!" (Antero de Figueiredo, *Leonor Teles*, p. 68).

soledadense¹. *Adj. 2 g.* **1.** De, ou pertencente ou relativo a Soledade (PB e RS). ● *S. 2 g.* **2.** Natural ou habitante de Soledade.

soledadense². *Adj. 2 g.* **1.** De, ou pertencente ou relativo a Soledade de Minas (MG). ● *S. 2 g.* **2.** Natural ou habitante de Soledade de Minas.

sol-e-dó. [De *sol* + *e* + *dó.*] *S. m. Pop.* **1.** Música simples, corriqueira, sem modulações e outros acordes a não ser os da dominante (sol) e o da tônica (dó): "Juntaram-se os dois na esquina / E tocaram concertina / E dançaram o sol-e-dó" (do cancioneiro popular português). **2.** Concerto de guitarra, cavaquinho, flauta e outros instrumentos populares. **3.** *P. ext.* Conjunto de instrumentos populares que executa música trivial. **4.** *Pej.* Gênero de música muito banal. [Pl.: *sol-e-dós.*]

soleídeo. *S. m.* **1.** Espécime dos soleídeos. ● *Adj.* **2.** Pertencente ou relativo a eles.

soleídeos. *S. m. pl. Zool.* Família de peixes marinhos, da ordem *Heterossomata*, classe dos actinopterígios, de corpo achatadíssimo, e que no estado adulto apresentam os dois olhos de um mesmo lado. São vulgarmente conhecidos pelos nomes de *linguado, solha, tapa, língua-de-mulata*, etc.

soleira¹. [De *solo*¹ + *-eira.*] *S. f.* **1.** Peça de madeira ou de pedra que forma a parte inferior do vão da porta e está ao nível do piso: "E os dois vultos chegaram à porta da choça, fechada, em que se via, sobre a soleira, a luz que vinha de dentro." (Cornélio Pires, *Quem Conta um Conto...*, p. 227.) **2.** Estribo de carruagem. **3.** Ferro por baixo das tesouras do coche. **4.** A correia da espora que passa por sob o calçado. **5.** *Metal.* O piso de tijolos refratários de certos tipos de fornos.

soleira². [De *soalheira.*] *S. f. Bras.* V. *soalheira.*

solene. [Do lat. *solemne*, 'que retorna todos os anos', 'anualmente festejado', 'festejado'.] *Adj. 2 g.* **1.** Que se celebra com pompa e magnificência em cerimônias públicas: *Os oitenta anos do grande escritor representaram acontecimento solene.* **2.** Que se efetua com aparato e pompa: *missa solene; sessão solene.* **3.** Acompanhado de formalidades e fórmulas ditadas por leis ou costumes capazes de imprimir um caráter de importância e estabilidade: *juramento solene; contrato solene.* **4.** Que infunde respeito; imponente, majestoso: *magistrado solene; tom solene.* **5.** *Fam.* Que tem um tom pomposo, enfático, afetado, sentencioso: *O discurso foi tão solene quanto vazio.* ~ V. *ato —, contrato —* e *voto —.*

solenicte. *S. m.* **1.** Espécime dos solenictes. ● *Adj. 2 g.* **2.** Pertencente ou relativo a eles.

solenictes. *S. m. pl. Zool.* Animais da classe dos peixes, neopterígios, da ordem *Solenichthyes*, cuja boca está situada na extremidade de longo focinho tubuloso, de tipo suctorial. São os cavalos-marinhos.

solenidade. [Do lat. *solemnitate.*] *S. f.* **1.** Festividade solene (1). **2.** Qualidade ou caráter de solene: *Bela foi a solenidade da distribuição dos prêmios.* **3.** Formalidades que acompanham certos atos, para os autenticar ou validar. **4.** *Fam.* Ênfase, arrogância, ostentação.

solenização. *S. f.* Ato ou efeito de solenizar.

solenizador (ô). *Adj.* e *s. m.* Que ou aquele que soleniza.

solenizar. *V. t. d.* **1.** Celebrar com solenidade: *Solenizaram a Independência.* **2.** Tornar solene; dar aspecto solene a.

▲**soleno-.** [Do gr. *solén, ênos.*] *El. comp.* = 'canal': *solenoglifa.*

solenogastro. *S. m.* e *adj.* Aplacóforo.

solenogastros. *S. m. pl. Zool.* Aplacóforos.

solenóglifa. [Fem. substantivado de *solenóglifo.*] *S. f. Zool.* V. *solenóglifo.*

solenóglifo. [Do gr. *solén*, 'tubo, canal', + *-glifo.*] *Adj.* e *s. m. Zool.* Diz-se do, ou animal cujos dentes apresentam um canal interno, o que se observa num grupo de serpentes (*solenoglifas*), as quais têm glândulas peçonhentas ligadas ao canal dentário. Ex. de ofídios solenóglifos: jararaca, cascavel, etc.

solenoidal. *Adj. 2 g.* Que tem forma de solenóide. ~ V. *campo —* e *vector —.*

solenóide. [Do gr. *solenoeidés*, 'em forma de tubo'.] *S. m. Fís.* Indutor constituído por um conjunto de espiras circulares paralelas e muito próximas, com o mesmo eixo retilíneo.

solenostélio. [De *solenostelo* + *-io*².] *Adj. Anat. Veg.* Relativo ou pertencente ao solenostelo.

solenostelo. [De *soleno-* + *estelo.*] *S. m. Anat. Veg.* Sifonostelo em que o xilema se mostra perfurado pelas lacunas foliares, as quais, em conjunto. têm superfície idêntica à da parte sólida.

solércia. [Do lat. *solertia.*] *S. f.* Qualidade de solerte; ardil, astúcia, manha.

solerte. [Do lat. *solerte.*] *Adj. 2 g.* Diz-se de pessoa sagaz, manhosa ou velhaca: "o político tortuoso e solerte que .... faz da política um meio de existência e supre com a esperteza criminosa a superioridade de pensar" (Euclides da Cunha *Contrastes e Confrontos*, p. 176).

soles. *S. m. 2 n.* Cambão a que se prendem duas ou mais juntas de bois.

soleta (ê). [De *sola* + *-eta.*] *S. f.* **1.** Sola fina para calçado. **2.** V. *palmilha* (1).

soletração. *S. f.* **1.** Ato ou efeito de soletrar. **2.** Método de aprender a ler no qual se toma a letra como unidade de leitura. **3.** Leitura muito vagarosa, soletrada.

soletrador (ô). *Adj.* e *s. m.* Que ou aquele que soletra.

soletrar. [De *só* + *letra* + *-ar*².] *V. t. d.* **1.** Ler pronunciando separadamente as letras e juntando-as em sílabas: "quis aprender a ler ....; mas a natureza opôs-se-lhe, logo que ele, após um ano de canseira, entrou a soletrar palavras de três sílabas." (Camilo Castelo Branco, *Amor de Salvação*, p. 59). **2.** Ler pausadamente e com atenção. **3.** Ler devagar ou por partes. **4.** Ler por alto; ler mal. **5.** Decifrar, deslindar. **6.** Perceber, entender. **7.** *Bras., S. Pop.* Contar, narrar, expor. *Int.* **8.** Separar as letras de cada palavra, aglutinando-as em sílabas, para fazer a leitura desta.

solevamento. *S. m.* Ato de solevar(-se).

solevantar. [De *so-* + *levantar.*] *V. t. d.* **1.** Levantar um pouco; soerguer, solevar. **2.** Levantar a pouca distância. **3.** Erguer com dificuldade, a custo ou gradualmente. *P.* **4.** Erguer-se um pouco, a custo ou gradualmente.

solevar. [De *so-* + *levar*, 'levantar'.] *V. t. d:* **1.** Solevantar, soerguer: "solevando e abaixando o lençol fino com o arfar cadenciado do seio, ela tinha uma expresão de tranqüilidade que me pareceu insolente" (José Régio, *Histórias de Mulheres*, p. 266). *P.* **2.** Erguer-se, leantar-se.

solfa. [Do it. *solfa.*] *S. f.* **1.** Solfejo (3). **2.** Música escrita. **3.** Música vocal. **4.** Qualquer música. **5.** *Liter. Pop. Bras.* Romance cantado; cantiga: a *a solfa do Boi Surubim.* **6.** *Liter. Pop. Bras. Restr. A parte musical do verso cantado.* ● *Adj. 2 g.* e *2 n.* **7.** ~ V. *fomato —.*

Solfado. [Part. de *solfar*².] *Adj.* Diz-se do papel pautado à largura da folha.

Solfar¹. [De *solfa* + *-ar*².] *V. t. d.* e *int.* Solfejar.

solfar². [Do it. *sodo fare, "tornar sólido, firme".*] *V. t. d. Encad.* **1.** consertar a margem de (folha de livro). [V. *espelhar* (3).] **2. Aumentar a margem de (folha de livro), colocando-lhe tira de papel.**

solfatara. [Do it. *solfatara.*] *S. f.* Cratera de vulcão em estágio senil, que expele gás sulfídrico ou vapores de enxofre. enxofreira, sulfureira: "As goelas dos vulcões, as brechas das solfataras, os dentes e as agulhas das erosões milenárias igualam-se na crespidão da serrania" (Alberto Rangel, *Livro de Figuras*, pp. 223-224). [Cf. *sulfatara*, do v. *sulfatar.*]

solfejar. [Do it. *solfeggiare.*] *V. t. d.* **1.** Ler ou entoar (um trecho musical), vocalizando-o, ou pronunciando o nome das notas, e dando a cada nota o seu valor e a sua acentuação, de acordo com as indicações do compasso e do ritmo. *Int.* **2.** Ler ou entoar os nomes das notas de uma peça musical. [Sin. ger.: *solfar.* Conjug.: v. *pelejar.*]

solfejo (ê). [Do it. *solfeggio.*] *S. m.* **1.** Exercício musical para aprender a solfejar. **2.** Ato ou efeito de solfejar. **3.** Arte de solfejar; solfa. **4.** Compêndio ou caderno de exercícios musiciais, para se aprender a solfejar.

solferino. [Do top. *Solferino* (Itália).] *S. m. Bras.* A cor escarlate, ou entre o encarnado e o roxo, que é usada nas vestes episcopais.

solfista. [De *solfa* + *-ista.*] *S. 2 g.* **1.** Pessoa que solfeja. **2.** *Pop.* Músico (1).

sol-fora. [De *sol* + *fora.*] *S. m.* O nascer do Sol, o amanhecer: "Desde o sol-fora que andam naquela / Faina constante pelos trigais" (Conde de Monsaraz, *Musa Alentejana,* p. 16). [Pl.: *sóis-fora.*]

solha (ô). [Do lat. *solea,* 'sandália, alpercata', e tb. 'linguado'.] *S. f. Bras.* **1.** V. *linguado* (5). **2.** No Brasil, o nome é m. us. para designar a espécie *Solea brasiliensis* Agass., da costa atlântica. [Pl.: *solhas* (ô). Cf. *solha* e *solhas,* do v. *solhar.*]

solhar[1]. *Adj. Anat.* V. *solear.*

solhar[2]. [De *soalhar,* com contração das vogais iniciais.] *V. t. d.* Assoalhar, soalhar. [Pres. ind.: *solho, solhas, solha,* etc. Cf. *solho* (ô), *solha* (ô) e pl. *solhas* (ô).]

solheira. *S. f. Lus.* Aparelho de pesca fluvial, de instalação fixa, com redes presas a varas cravadas no fundo do rio ou ria.

solho (ô). *S. m.* F. contrata de *soalho*[1]: "Mas a janela treme, o solho geme, e a chuva / Contra as vidraças bate os negros véus de viúva" (Jose Régio, *Mas Deus É Grande,* p. 59). [Em Afonso Arinos (*Pelo Sertão,* p. 35) o vocábulo aparece com acento agudo no *ó,* indicativo de abertura da vogal tônica. Pl.: *solhos* (ô). Cf. *solho,* do v. *solhar.*]

▲**sol(i)-.** [Do lat. *solus, a, um.*] *El. comp.* = 'só', 'único': *solípede, solipsismo.*

▲**soli-**[1]. [Do lat. *solum, i.*] *El. comp.* = 'solo': *solifluxão.*

▲**soli-**[2]. [Do lat. *sol, solis.*] *El. comp.* = 'sol': *solífugo.*

solia. *S. f.* **1.** Antigo tecido de lã. **2.** Vestuário feito com esse tecido.

solicitação. [Do lat. *sollicitatione.*] *S. f.* **1.** Ato ou efeito de solicitar; pedido. **2.** Pedido insistente; rogo, súplica. **3.** Tentação capaz de atrair; convite, apelo: *as solicitações da sociedade de consumo.* **4.** *Estrut.* Causa exterior (força, variação de temperatura) capaz de alterar o estado de tensão de um corpo ou de nele provocar uma deformação.

solicitador (ô). [Do lat. *sollicitatore.*] *Adj.* **1.** Que solicita; solicitante. ● *S. m.* **2.** Aquele que solicita; solicitante. **3.** Auxiliar de advogado, habilitado por lei para requerer em juízo ou promover o andamento das ações, com diversas restrições legais. ◆ **Solicitador acadêmico.** *Bras.* Estudante de direito, matriculado no penúltimo ou no último ano das faculdades, legalmente habilitado para procurar em juízo, com diversas restrições expressas em lei.

solicitante. [Do lat. *sollicitante.*] *Adj. 2 g.* e *s. 2 g.* Solicitador (1 e 2).

solicitar. [Do lat. *sollicitare.*] *V. t. d.* **1.** Procurar, buscar, requestar: *Solicitava, de preferência, a amizade de pessoas influentes.* **2.** Pedir ou rogar com instância: *Solicitava, ansioso, a remuneração a que fizera jus.* **3.** Requerer (1): *Solicitava o despacho de um processo;* "Nenhum homem de estudo desgasta, como em Portugal, as escadas das secretarias a inquirir notícias ou a solicitar despachos" (Ramalho Ortigão, *Em Paris,* p. 253). **4.** Promover como solicitador. *T. d.* e *i.* **5.** Induzir, arrastar, incitar, atrair, impelir: *O passado de glória solicitava o ex-guerreiro a novas batalhas.* **6.** Pedir com instância; rogar com vivo empenho: *Mais uma vez solicitou providências às autoridades.* **7.** Convocar, convidar: *O magistrado solicitou os réus a se pronunciarem.* **8.** Induzir, incitar, arrastar: *As más companhias solicitaram-no a um comportamento duvidoso.* *Int.* **9.** Fazer requerimentos perante os tribunais e promover negócios forenses na qualidade de solicitador. *P.* **10.** Ter cuidados; inquietar-se. [Pres. ind.: *solicito,* etc. Cf. *solícito.*]

solicitável. *Adj. 2 g.* Que se pode solicitar.

solícito. [Do lat. *sollicitu.*] *Adj.* **1.** Cuidadoso, diligente, zeloso: *enfermeira solícita.* **2.** Inquieto, apreensivo, receoso: *A mãe solícita não desviava os olhos do menino que andava.* **3.** Prestimoso, prestativo, prestadio. [Cf. *solicito,* do v. *solicitar.*]

solicitude. [Do lat. *sollicitudine.*] *S. f.* **1.** Qualidade de solícito. **2.** Afã ou empenho em atingir um objetivo: *Graças à solicitude da equipe da NASA, as viagens espaciais têm-se realizado com segurança e bom êxito.* **3.** Desejo de atender a alguma solicitação da melhor forma possível; boa vontade: *A solicitude do funcionário o ajudou a localizar o processo perdido;* "Sob condição .... de o servirem com pressurosa solicitude, Chico tolerava-as." (José Régio, *Histórias de Mulheres,* p. 102). **4.** Zelo em prestar qualquer espécie de assistência; desvelo, dedicação: *a solicitude de um médico, de um professor.* **5.** Atenção inquieta; cuidado constante: *O menino tratou com solicitude do cãozinho atropelado.* **6.** Atenção, delicadeza, consideração: *O moço humilde foi recebido com solicitude pela família do padrinho.*

solidão. [Do lat. *solitudine.*] *S. f.* **1.** Estado do que se encontra ou vive só; isolamento: "Como tenho pensado em ti na solidão das noites úmidas, / De névoa úmida, / Na areia úmida!" (Manuel Bandeira, *Estrela da Vida Inteira,* pp. 81-82.) [Sin., poét.: *solitude.*] **2.** Lugar ermo e despovoado: *Brasília foi construída na solidão dos cerrados do centro do País.* **3.** Situação ou sensação de quem vive isolado numa comunidade: *No internato o menino sentia mais que nunca a sua solidão.* ◆ **Solidão a dois.** Estado de casados ou amantes que, embora vivam juntos, dir-se-ia viverem sós, por não haver entre eles nenhum entendimento.

solidar. [Do lat. *solidare.*] *V. t.* **1.** Solidificar (1). **2.** Confirmar, corroborar. [Pres. ind.: *solido,* etc.; fut. do pret.: *solidaria,* etc. Cf. *sólido,* adj. e s. m., e *solidária,* fem. de *solidário.*]

solidariedade. *S. f.* **1.** Qualidade de solidário. **2.** Laço ou vínculo recíproco de pessoas ou coisas independentes. **3.** Adesão ou apoio à causa, empresa, princípio, etc., de outrem. **4.** Sentido moral que vincula o indivíduo à vida, aos interesses e às responsabilidades dum grupo social, duma nação, ou da própria humanidade. **5.** Relação de responsabilidade entre pessoas unidas por interesses comuns, de maneira que cada elemento do grupo se sinta na obrigação moral de apoiar o(s) outro(s): *solidariedade de classe.* **6.** Sentimento de quem é solidário (6): *A catástrofe despertou a solidariedade de todos.* **7.** Dependência recíproca: *É visível na obra desse artista a solidariedade entre a razão e a intuição.* **8.** *Jur.* Vínculo jurídico entre os credores (ou entre os devedores) duma mesma obrigação, cada um deles com direito (ou compromisso) ao total da dívida, de sorte que cada credor pode exigir (ou cada devedor é obrigado a pagar) integralmente a prestação objeto daquela obrigação.

solidário. [De *sólido* + *-ário.*] *Adj.* **1.** Que responsabiliza cada um de muitos devedores pelo pagamento total de uma dívida. **2.** Que concede a cada um de vários credores o direito de receber a totalidade da dívida. **3.** *P. ext.* Que se encontra ligado por um ato solidário (1 e 2): *credor solidário.* **4.** Que tem responsabilidade ou interesse recíproco. **5.** Aderido à causa, empresa, opinião, etc., de outro(s): *O jornal ficou solidário ao governo.* **6.** Que partilha o sofrimento alheio, ou se propõe mitigá-lo: *Foi solidário com o amigo quando este perdeu a mulher.* [Fem.: *solidária.* Cf. *solidaria,* do v. *solidar.*] ~ V. *dívida —a.*

solidarismo. [De *solidário* + *-ismo.*] *S. m.* Doutrina moral e social baseada na solidariedade (4 e 5).

solidarização. *S. f.* Ato ou efeito de solidarizar(-se).

solidarizar. *V. t. d., t. d. e i.* e *p.* Tornar(-se) solidário.

solidéu. [Do lat. *soli Deo,* 'somente a Deus'.] *S. m.* **1.** Pequeno barrete, em forma de calota, com que bispos e alguns padres cobrem o alto da cabeça: "um solidéu vermelho surgiu topetando uma cabeça empoada e frisada de príncipe da Igreja Patriarcal." (Júlio Dantas, *O Amor em Portugal no Século XVIII,* p. 124). **2.** Barrete semelhante ao solidéu (1), ou de outra forma, usado sobretudo por pessoas calvas, e pelos judeus, em determinadas ocasiões: "tinha [Anatole France] na cabeça aquele solidéu de veludo vermelho, incendiário, que lhe dava .... ares de Mefistófeles ameno ou de benfazejo cardeal-diabo" (Aquilino Ribeiro, *Por Obra e Graça,* p. 132).

solidez (ê). *S. f.* **1.** Qualidade ou estado de sólido. **2.** Resistência, durabilidade. **3.** *Fig.* Segurança, firmeza, estabilidade: *a solidez de uma instituição.* **4.** *Fig.* Qualidade do que é real, efetivo; fundamento, base: *a solidez de um argumento.* **5.** *Fig.* Segurança, certeza, garantia: *a solidez da palavra empenhada.*

solidificação. *S. f.* **1.** Ato ou efeito de solidificar(-se). **2.** Passagem direta do estado líquido ao estado sólido.

solidificado. [Part. de *solidificar.*] *Adj.* Que se solidificou; em que houve solidificação.

solidificador (ô). *Adj.* e *s. m.* Que ou o que solidifica.

solidificar. [De *sólido* + *-i-* + *-ficar.*] *V. t. d.* **1.** Tornar sólido; solidar. **2.** Fortalecer, robustecer: *A leitura da Bíblia solidificou a sua fé.* **3.** Tornar estável, firme, resistente: *O seu comportamento íntegro solidificou a confiança que nele depositavam.* **4.** Congelar: *O frio solidificou a água.* *P.* **5.** Tornar-se sólido, firme ou estável. **6.** Congelar-se. [Conjug.: v. *trancar.*]

sólido. [Do lat. *solidu.*] *Adj.* **1.** Que não é vazio ou oco; maciço: *O escultor feriu com o cinzel a pedra sólida.* **2.** Que tem consistência, podendo ser mais ou menos espesso; encorpado: *alimento sólido.* [Opõe-se, nesta acepç., a *líquido* (1).] **3.** Que dificilmente se deixa destruir por uma força externa (atrito, pressão, tempo, etc.); que se mantém coeso e rígido; resistente: *casa sólida, sapato sólido.* **4.** Forte, robusto: *velho sólido.* **5.** Que tem fundamento real; seguro: *fortuna sólida.* **6.** *Fig.* Digno de confiança; incontestável: *razões sólidas; conhecimentos sólidos.* **7.** *Fig.* Firme, seguro, sério; duradouro: *casamento sólido; amizade sólida.* **8.** *Fig.* Que não se altera ou afeta com facilidade: *saúde sólida; nervos sólidos.* **9.** *Fam.* Bem aplicado; adequado; enérgico: *um sólido bofetão.* ~ V. *ângulo —, descarga —a, estado —, física do estado —, geometria —a* e *maré —a.* ● *S. m.* **10.** Qualquer corpo sólido (1 a 3). **11.** *Fís.* Substância caracterizada por um arranjo regular de suas partículas constitutivas, que formam uma rede espacial definida e característica. **12.** Solidez (2). **13.** *Geom.* Corpo que tem três dimensões e é limitado por superfícies fechadas. [Cf. *solido,* do v. *solidar.*] ◆ **Sólido de revolução.** *Geom.* Sólido (13) gerado pela rotação de uma superfície plana em torno de um eixo.

solidônia. *S. f. Bras.* Erva humilde, da família das nictagináceas (*Boerhavia paniculata*), de folhas arredondadas e suculentas, pequeninas flores rosadas, que se congregam em panícula frouxa, e frutos viscosos, que agarram na roupa e no pêlo dos animais.

solifluxão (cs). [De *soli-*[1] + *fluxão.*] *S. f. Geol.* Deslocamento de terra ou de blocos rochosos das montanhas, provocado pelo encharcamento.

solífugo. [De *soli-*[2] + *-fugo*[1].] *Adj. Poét.* **1.** Que foge da luz do Sol[1] (1). **2.** *Poét.* Amigo das trevas; noturno. **3.** Solpúgido. ● *S. m.* **4.** Solpúgido.

solífugos. *S. m. pl.* Solpúgidos.

soliloquiar. [De *solilóquio* + *-ar*[2].] *V. int.* Falar sozinho, em solilóquio; monologar. [Pres. ind.: *soliloquio,* etc. Cf. *solilóquio.*]

solilóquio. [Do lat. *soliloquiu.*] *S. m.* **1.** Fala de alguém consigo mesmo; monólogo: "continuava em seu pungente solilóquio: eu é que sou o medíocre, eu é que sou o espesso" (Jorge de Lima, *Guerra dentro do Beco,* P. 111). **2.** Forma dramática ou literária do discurso em que a personagem extravasa de maneira ordenada e lógica os seus pensamentos e emoções em monólogos, sem dirigir-se especificamente a qualquer ouvinte. [Cf. *soliloquio,* do v. *soliloquiar.*]

soliloquista. *S. 2 g.* Pessoa que gosta de soliloquiar, dada a solilóquios.

solimão. [Do ár. *sulaimani,* 'de Salomão'.] *S. m. Pop.* **1.** Sublimado corrosivo. **2.** Qualquer poção venenosa.

solina. [De *soli-*[2] + *-ina*[1].] *S. f. Bras.* e *prov. lus.* V. *solão*[2]. [Cf. *sulina,* fem. de *sulino.*]

solinhadeira. [De *solinha* + *-deira.*] *S. f.* Martelo de cavouqueiro.

solinhar. [De *so-* + *linha* + *-ar*[2].] *V. t. d.* e *int.* **1.** Lavrar pedra ou madeira, seguindo direção marcada; desbastar. **2.** Abalar, destruir, arruinar.

solinho. [Dev. de *solinhar.*] *S. m.* Ato ou efeito de solinhar.

sólio. [Do lat. *soliu.*] *S. m.* **1.** Assento real; trono. **2.** Cadeira pontifícia. **3.** *Fig.* O poder real ou papal.

solípede. [De *sol(i)-* + *-pede.*] *Adj. 2 g.* e *s. 2 g.* Diz-se de, ou animal que só tem um casco em cada pé.

solipsismo. [De *sol(i)-* + lat. *ipse,* 'mesmo', + *-ismo.*] *S. m.* **1.** *Filos.* Doutrina segundo a qual a única realidade no mundo é o eu: "o equivalente concreto do que os filósofos chamam de solipsismo, isto é, da atitude que consiste em sustentar que o eu individual de que se tem consciência, com as suas modificações subjetivas, é que forma toda a realidade" (Temístocles Linhares, *Introdução ao Mundo do Romance,* p. 463). [Cf. *idealismo subjetivo* e *subjetivismo.*] **2.** *P. ext.* Vida ou costume de quem vive na solidão.

solista. [De *solo*[2] + *-ista.*] *S. 2 g.* **1.** Pessoa que executa um solo vocal ou instrumental. **2.** Artista que se distingue pelo virtuosismo musical, principalmente nos

solos. • *Adj. 2 g.* **3.** Que executa solo[2] (1): *músico solista; instrumento solista.* [Cf. *sulista.*]
solitária. [Fem. substantivado do adj. *solitário.*] *S. f.* **1.** *Bras.* Animal trematódeo, cestóide, especialmente os tenióideos, cujo corpo em forma de fita é dividido em anéis ou proglotes, com cabeça ou escólex provido de ventosas ou ganchos. São parasitos do intestino dos vertebrados, com ciclo evolutivo através de um ou mais hospedeiros intermediários [cf. *cisticerco*], nos tecidos em que ocorrem as formas larvárias. As solitárias mais notadas pelo povo são as grandes espécies do gênero *Taenia Linnaeus*, sobretudo *T. solium* L., tendo o porco como hospedeiro intermediário, e *T. saginata* (Goeze), cujo ciclo é feito através do boi, sendo ambas parasitas do homem. [Sin.: *tênia* e *verme solitário.*] **2.** Colar ou gargantilha cujos anéis se assemelham aos da tênia. **3.** *Bras.* Cela de presídio na qual se isola o sentenciado turbulento ou perigoso; segredo, surda. **4.** *Bras.* A pena cumprida nesta cela.
solitário. [Do lat. *solitariu.*] *Adj.* **1.** Desacompanhado, isolado: *viajante solitário; árvore solitária.* **2.** Que decorre em solidão: *vida solitária.* **3.** Que gosta de estar só; que se sente impelido à solidão: *sábio solitário; monge solitário.* **4.** Que não se adapta à sociedade; misantrópico: *temperamento solitário.* **5.** Que não convive com seus semelhantes: *animal solitário.* **6.** Situado em lugar ermo, despovoado: *casa solitária.* **7.** Abandonado de todos; reduzido à solidão. **8.** *Morfol. Veg.* Que nasce isolado e assim permanece: *flor solitária.* ~ V. *verme* — e *vício* —. • *S. m.* **9.** Monge que vive isolado do mundo; anacoreta, eremita, ermitão. **10.** Aquele que vive na solidão: "É doce ao solitário a voz de um anjo / Na sua solidão" (Gonçalves Dias, *Obras Poéticas*, II, p. 101). **11.** Jóia em que se engastou uma só pedra preciosa, especialmente o diamante: "Rubião chamou-lhe de bonita, e ofereceu-lhe o solitário que tinha no dedo" (Machado de Assis, *Quincas Borba*, p. 287). **12.** A pedra assim engastada. **13.** Pequeno vaso, alto e estreito, para se porem flores sobre a mesa.
solito. [Do esp. platino *solito.*] *Adj. Bras., MG* e *S.* Sozinho. [Cf. *sólito.*]
sólito. [Do lat. *solitu.*] *Adj.* Habitual, usual, freqüente. [Cf. *solito.*]
solitude. [Do lat. *solitudine.*] *S. f. Poét.* Solidão (1): "Ah, quem mo reduzira [o tempo] ao minuto que passa, / — Fosse ele de paixão inerte e merencória, / Na solitude, no silêncio e na desgraça!" (Manuel Bandeira, *Estrela da Vida Inteira*, p. 41.)
solmização. [De *sol* e *mi*, notas musicais, como se existisse um verbo *solmizar.*] *S. f. Mús.* Modo de designar os graus da escala por determinadas sílabas que os representam e que, com o uso, se identificam com eles. Foi aplicado pelos gregos, mas a sua sistematização deve-se a Guido d'Arezzo (séc. XI), que organizou os hexacordos [v. *hexacordo* (2)] e designou cada uma de suas notas pela 1ª sílaba de cada um dos versos do hino a S. João Batista: *ut* [q. v.], *ré, mi, fá, sol* e *lá*, depois de observar que estas sílabas subiam um grau da escala a cada verso consecutivo. [V. *si*[1].]
solo[1]. [Do lat. *solu.*] *S. m.* **1.** Porção da superfície terrestre onde se anda, se constrói, etc.; terra; chão: *o solo pátrio.* **2.** O solo (1) considerado quanto a suas qualidades geográficas e produtivas. **3.** Parte superficial, não consolidada, do manto do intemperismo, a qual encerra matéria orgânica e vida bacteriana, e possibilita o desenvolvimento das plantas. **4.** Material da crosta terrestre, não consolidado, que ordinariamente se distingue das rochas, de cuja decomposição em geral provém, por serem suas partículas desagregáveis pela simples agitação dentro da água. ♦ **Solo alóctone.** Solo formado de elementos exógenos, por efeito do transporte de material de outras regiões. **Solo aluvial.** *Geol.* O resultante do transporte de materiais desagregados pelas águas correntes e pelos ventos. **Solo concrecionado.** *Constr.* Solo cujas partículas se apresentam ligadas entre si por um cimento qualquer. **Solo eluvial.** *Geol.* O formado pela desagregação e decomposição de rochas existentes no próprio lugar. **Solo estabilizado.** *Constr.* Solo cujas características de resistência foram melhoradas por meio de um tratamento especial. **Solo oceânico.** Parte da crosta terrestre ou do sima sobre a qual assentam os depósitos marinhos. **Solo orgânico.** Solo proveniente da decomposição de organismos vegetais.
solo[2]. [Do it. *solo.*] *S. m.* **1.** *Mús.* Trecho musical executado por uma só voz ou um só instrumento, com acompanhamento ou sem ele, num conjunto coral ou orquestral: *solo de soprano; solo de oboé.* **2.** *Mús.* *Bailado executado por uma só pessoa.* **3.** *Bras.* O primeiro vôo que faz sozinho o aluno de pilotagem aérea. • *Adj. 2 g.* **4.** *Mús.* Diz-se da voz ou do instrumento que executa um trecho musical que lhe é especificamente destinado: *barítono solo; violoncelo solo.* ♦ **Solo inglês.** *Bras.* Espécie de quadrilha (3) muito popular durante a Maioridade e o Segundo Reinado.
solo[3]. [Talvez do esp. *solo*, 'só'.] *S. m.* Jogo de cartas de andamento semelhante ao do voltarete e, quanto ao valor das cartas, à manilha.
solo-asfalto. [De *solo*[1] + *asfalto.*] *S. m. Constr.* Mistura, em proporções adequadas e sob condições especificadas, de solo e asfalto, para estabilização do primeiro. [Pl.: *solos-asfaltos.*]
solo-cimento. [De *solo*[1] + *cimento.*] *S. m. Constr.* Mistura, em proporções adequadas e sob condições especificadas, de solo e cimento, para estabilização do primeiro. [Pl.: *solos-cimentos.*]
solovox (cs). [De *sol(i)-* + *-o-* + lat. *vox*, 'voz', 'som'.] *S. m.* Instrumento eletrônico provido de pequeno teclado, com registros ou sem eles, usado na execução de certo tipo de música popular, e que, aplicado ao piano, produz uma linha melódica insistente de som que imita o timbre de alguns instrumentos.
sol-pôr. [De *Sol*[1] + *pôr.*] *S. m.* O pôr do Sol; poente, ocaso, sol-posto: "Sol-pôr, entre pinhais..." (Antônio Nobre, *Só*, p. 24). [Pl.: *sol-pores.*]
sol-posto. [De *Sol*[1] + *posto* (2).] *S. m.* V. *sol-pôr.* [Pl.: *sóis-postos.*]
solpúgido. *S. m.* **1.** Espécime dos solpúgidos. • *Adj.* **2.** Pertencente ou relativo a eles. [Sin. ger.: *solífugo.*]
solpúgidos. *S. m. pl. Zool.* Artrópodes aracnídeos, da ordem *Solpugida*, que têm o corpo com os dois últimos segmentos torácicos livres, quelíceras muito grandes, duplamente segmentadas, abdome articulado, e respiração traqueal. Vivem em lugares secos. [Sin.: *solífugos.*]
sol-quadrado. [De *sol*[1] + *quadrado.*] *S. m. Bras. Gír.* Prisão, xadrez, xilindró. [Pl.: *sóis-quadrados.*]
solsticial. [Do lat. *solstitiale.*] *Adj. 2 g.* Respeitante ao solstício. ~ V. *coluro* — e *ponto* —.
solstício. [Do lat. *solstitiu.*] *S. m. Astr.* Época em que o Sol passa pela sua maior declinação boreal ou austral, e durante a qual cessa de afastar-se do equador. [Os solstícios situam-se, respectivamente, nos dias 22 ou 23 de junho para a maior declinação boreal, e nos dias 22 ou 23 de dezembro para a maior declinação austral do Sol. No hemisfério sul, a primeira data se denomina *solstício de inverno* e a segunda *solstício de verão;* e, como as estações são opostas nos dois hemisférios, essas denominações invertem-se no hemisfério norte.] ♦ **Solstício de inverno.** V. *solstício.* **Solstício de verão.** V. *solstício.*
solta (ô). [Dev. de *soltar.*] *S. f.* **1.** Ato ou efeito de soltar(-se). **2.** Peia para cavalgadura. **3.** *Bras.* Pastagem onde o gado se recupera. **4.** *Bras.* Mantença do gado na engorda. [Pl.: *soltas* (ô). Cf. *solta* e *soltas*, do v. *soltar.*] ~ V. *soltas.* ♦ **À solta.** Sem peias; livremente; às soltas: "José Maria ria à solta, ria de um modo estridente e diabólico." (Machado de Assis, *Histórias sem Data*, p. 165); "A face sobre a mão, e os seios lindos / Batendo à solta na macia tela / Da roupa de dormir que os modelava..." (Álvares de Azevedo, *Obras Completas*, I, p. 173). **De solta.** *Bras.* Diz-se do pássaro habituado a retornar à gaiola depois de voar livremente.
soltada. [De *soltar* + *-ada*[1].] *S. f. Bras.* Ato de soltar a matilha, na caça.
soltador (ô). *Adj.* e *s. m.* Que ou aquele que solta.
soltamento. *S. m.* Soltura (1).
soltar. [De *solto* + *-ar*[2].] *V. t. d.* **1.** Desatar, desprender, desligar: *soltar um nó.* **2.** Tornar livre; dar liberdade a; restituir à liberdade: *O menino abriu a gaiola e soltou os passarinhos;* "Diogo do Rego, potentado caprichoso, ... vai à cadeia, ameaça o guarda, solta o preso." (Oliveira Viana, *Populações Meridionais do Brasil*, p. 238). **3.** Deixar frouxo; afrouxar: *Soltou as rédeas do animal.* **4.** Deixar escapar dos lábios, do bico, etc.; deixar ouvir; emitir, despedir: "De repente o velho soltou um grito sufocado" (Rebelo da Silva, *Contos e Lendas*, p. 180); "Da selva o vate inspirado, / O sabiá namorado, / Na laranjeira pousado / Soltava ternos gorjeios." (Casimiro de Abreu, *Obras*, p. 62); "Solta um pássaro o canto." (Olavo Bilac, *Poesias*, p. 136); "Soltou palavrões" (Murilo Rubião, *O Ex-Mágico*, p. 30). **5.** Desfazer, resolver, solver, dirimir: *Aclarou o assunto soltando as dúvidas ainda existentes.* **6.** Exalar, emitir, desprender: *Estas flores soltam um perfume agradável.* **7.** Desobrigar de compromisso; quitar. **8.** Dizer, pronunciar, proferir: *Só abre a boca para soltar tolices.* **9.** Lançar, atirar, disparar, arremessar: *O combatente soltou o tiro sem titubear.* **10.** Largar da mão; deixar cair: *A criada soltou o prato, quebrando-o.* **11.** *Mar.* Desfraldar (velas). *T. d.* e *i.* **12.** Dar, aplicar: *O lutador soltou vários murros no adversário.* *P.* **13.** Pôr-se a caminho; sair. **14.** Desatar-se, desligar-se, desprender-se: *O cabo soltou-se, livrando a embarcação.* **15.** Pôr-se em liberdade; escapar: *O preso soltou-se.* **16.** Correr livremente. **17.** Desinibir-se (2): *Estava, a princípio, muito reservado, mas bebeu um pouco e soltou-se.* **18.** *Pop.* Peidar-se. [Pres. ind.: *solto, soltas, solta*, etc. Cf. *solto* (ô), adj., e flex. *soltas* (ô); e *solta* (ô), s. f., pl. *soltas* (ô).]
soltas (ô). *El. s. f. pl.* Us. na loc. *às soltas.* ~ V. *solta.* ♦ **Às soltas.** À solta: "Vão às soltas pelo orbe as guerras, os flagícios." (Antônio Feliciano de Castilho, *As Geórgicas de Virgílio*, p. 65.)
solteira. [Fem de *solteiro.*] *Adj. (f.)* **1.** Diz-se da mulher que ainda não se casou. **2.** *Bras., N.* Diz-se das fêmeas (animais) que não têm filhos. • *S. f.* **3.** Mulher que ainda não se casou. **4.** *Bras., N.E. Pop.* e *ant.* V. *meretriz.* **5.** *Bras.* Peixe caracídeo, anastomatíneo (*Leoporellus vittatus* (Val.)), da região cisandina, com uma faixa escura nos lados do corpo, dividida pela linha lateral, pintas negras na cabeça, e faixas nas nadadeiras caudal e dorsal. Alimenta-se de lodo. **6.** *Bras.* V. *guaivira.* **7.** *Bras., BA.* V. *xarelete.*
solteirão. [De *solteiro* + *-ão*[1].] *Adj.* e *s. m.* Que, ou o homem maduro ou velho que ainda não se casou. [Fem.: *solteirona.*]
solteirismo. *S. m. Bras.* Estado ou condição de solteiro; celibato.
solteiro. [Do lat. *solitariu.*] *Adj.* **1.** Que ainda não casou. **2.** *Fig.* Carente, carecente, falto: "Que faz quem vive / Órfão de mimos, viúvo de esperanças, / Solteiro de venturas, que não tive?" (Antônio Nobre, *Despedidas*, p. 16.) **3.** *Marinh.* Diz-se de qualquer cabo que não está sendo usado, mas disponível para uso. **4.** *Bras. Fam.* Diz-se da pessoa casada cujo cônjuge está ausente. **5.** *Bras. Fam.* Que já não está casado; desquitado, separado. ~ V. *cabo* — e *semana* —a. • *S. m.* **6.** Homem que ainda não se casou: "A vida de casado é boa, / mas a vida de solteiro é melhor" (Do samba *Solteiro É Melhor*, de Rubens Soares e Felisberto Silva).
solteirona. *Adj. (f.)* e *s. f.* Fem. de *solteirão.*
solto (ô). [Do lat. **soltu* < **sovitu*, por *solutu.*] *Adj.* **1.** Cujas partes não são aderentes; desagregado: *Sabe fazer um arroz solto.* **2.** Que está livre; desatado, desprendido: *Gosta de usar os cabelos soltos.* **3.** Largo, folgado: *roupas soltas.* **4.** Posto em liberdade: *O réu pode-se defender solto.* **5.** *Fig.* Livre, dissoluto, licencioso: *vida solta.* **6.** *Fig.* Sem peias: *Parece que o Diabo anda solto.* **7.** *Fig.* Entrecortado, interrompido: *lamentos soltos.* **8.** *Fig.* Desobrigado, desagravado, quite. **9.** *Bras.* Sozinho, abandonado: *A criança ficou solta no mundo.* [Flex.: *solta* (ô), *soltos* (ô), *soltas* (ô). Cf. *solto, soltas, solta*, do v. *soltar.*] ~ V. *urina* —a e *versos* —s.
soltura. *S. f.* **1.** Ato ou efeito de soltar(-se); soltamento. **2.** Liberdade concedida a quem estava preso ou encarcerado. **3.** *Fig.* Atrevimento, arrojo, ousadia. **4.** *Fig.* Licenciosidade, libertinagem, desvergonha, pouca-vergonha. **5.** *Fig.* Solução, interpretação, explicação: *a soltura do problema.* **6.** V. *diarréia.* ♦ **Soltura do ventre.** V. *diarréia.*
solubilidade. [Do lat. *solubile*, 'solúvel', + *-i-* + *-dade.*] *S. f.* **1.** Qualidade de solúvel. **2.** Propriedade de substância que forma solução com outra. **3.** *Quím.* Medida da capacidade que tem uma substância de se dissolver em outra, expressa pela concentração da solução saturada da primeira na segunda.
solubilização. *S. f.* Ato ou efeito de solubilizar.
solubilizar. [Do lat. *solubile*, 'solúvel', + *-izar.*] *V. t. d.* Tornar (uma substância) solúvel.
soluçado. [Part de *soluçar.*] *Adj.* Entrecortado por soluços.
soluçante. [De *soluçar* + *-nte.*] *Adj. 2 g.* Que soluça.
soluçantemente. [De *soluçante* + *-mente.*] *Adv.* De modo soluçante; com soluço; soluçando: "E este Anseio, este Sonho, este Desejo / Enche as Esferas soluçantemente." (Cruz e Sousa, *Últimos Sonetos*, p. 164.)
solução. [Do lat. *solutione.*] *S. f.* **1.** Ato ou efeito de solver; solvência. **2.** Meio de superar ou resolver uma dificuldade, um problema: *Depois de meses de tratamento, a solução foi a cirurgia.* **3.** Operação mental que por meio da dedução ou da ilação consegue reduzir diversos elementos analisáveis a um resultado lógico: *Excelente a solução que ele deu ao problema do menor abandonado.* **4.** Aquilo com que se dá por encerrado um assunto; conclusão, desfecho, termo: *A*

solução da crise surgiu após algumas concessões das partes interessadas. **5.** Pagamento definitivo: *solução de uma dívida.* **6.** Separação das partes de um todo; divisão, interrupção, dissolução; solução de continuidade. **7.** Palavra, locução ou frase que representa a decifração de uma charada ou de um enigma. **8.** *Mat.* Resultado de um problema ou de uma equação. **9.** *Fís.-Quím.* Sistema homogêneo com mais de um componente. **10.** *Fam.* Líquido que contém outra substância dissolvida: *Este remédio pode ser tomado em solução de água açucarada.* ♦ **Solução de continuidade.** V. *solução* (6). **Solução geral.** *Anál. Mat.* Numa equação diferencial, solução que envolve o maior número possível de constantes ou de funções arbitrárias essenciais. Quando a equação diferencial é ordinária, é a solução que envolve um número de constantes arbitrárias essenciais igual à ordem da equação diferencial. [Sin.: *integral geral.*] **Solução ideal.** *Fís.-Quím.* A que é formada sem variação de volume e sem absorção ou desprendimento de calor. [Quando os componentes são líquidos, ela obedece à lei de Raoult.] **Solução inteira.** *Álg.* Solução de uma equação que consiste em número inteiro. **Solução particular.** *Anál. Mat.* Numa equação diferencial, solução obtida da solução geral quando se atribuem valores particulares às constantes ou se fixam as funções arbitrárias; integral particular. **Solução singular.** *Anál. Mat.* Numa equação diferencial, solução que não é geral, porque não contém constantes ou funções arbitrárias, nem é particular, porque não pode ser obtida a partir da geral; integral singular.

soluçar. [Do lat. *suggluttiare* < lat. cláss. *singultare*, alterado por infl. de *gluttire*, 'deglutir', por etimologia popular.] *V. int.* **1.** Dar soluços [v. *soluço* (1):"Tertuliano, abraçado ao cadáver, *soluçava* convulsivamente." (Artur Azevedo, *Contos fora da Moda*, p. 12.) **2.** Chorar (2). **3.** *Fig.* Sussurrar (o mar); bramir, rugir. **4.** Agitar-se, inquietar-se. **5.** Arfar, ofegar. *T. d.* **6.** Exprimir por entre soluços: *Soluçou demoradamente as suas mágoas;* "Um deixava naquela saudosa praia a mãe doente e entrevada, arrastada até ali para *soluçar* a última despedida ao filho que partia para a guerra." (Inglês de Sousa, *Contos Amazônicos*, p. 27). **7.** Fazer ou deixar ouvir ou soar tristemente, à maneira de soluço: "um fiozinho de voz, cheio de unção religiosa, ergueu-se, cantou, gorjeou, trilou, *soluçou* um motete de Scarlatti" (Júlio Dantas, *Espadas e Rosas*, p. 114); "Saudade! Amor da minha terra... O rio / Cantigas de águas claras *soluçando*." (Da Costa e Silva, Sangue, p. 41); "Um harmônio / *Soluça* uma valsa / Monótona, desigual" (Antônio Boto, *As Canções*, p. 251). [Conjug.: v. *laçar.*] ● *S. m.* **8.** Soluço.

solucionar. *V. t. d.* Dar solução a; resolver, decidir: *solucionar uma questão.*

soluço. [Do lat. *suggluttiu* < lat. cláss. *singultu*, alterado por infl. de *gluttire*, 'deglutir', por etimologia popular.] *S. m.* **1.** *Med.* Fenômeno reflexo que consiste numa contração diafragmática involuntária, espasmódica, que produz o início de movimento inspiratório, o qual subitamente é detido pelo fechamento da glote, com a produção de ruído característico. **2.** Pranto entrecortado por inspiração ruidosa: "A Perfeição é a alma estar sonhando / Em *soluços, soluços*" (Cruz e Sousa, *Últimos Sonetos*, p. 24); *Entre soluços confessou que era culpado.* [Sin., poét., nesta acepç.: *singulto.*] **3.** Suspiro ruidoso. **4.** *Ant. Mar.* O arfar do navio. **5.** *P. ext.* O arfar das ondas. **6.** *Fig.* Qualquer ruído semelhante ao soluço (2): *os soluços do vento.* **7.** *Fig.* Ruído forte; fragor: *os soluços da tempestade.*

soluçoso (ô). *Adj.* **1.** Que soluça. **2.** Que se manifesta por ou entre soluços [v. *soluço* (2)], ou como que dessa maneira: *despedida soluçosa;* "Sou como um vale, numa tarde fria, / Quando as almas dos sinos, de uma em uma, / No *soluçoso* adeus da ave-maria / Expiram longamente pela bruma." (Olavo Bilac, *Tarde*, p. 36).

solutivo. [De *soluto* + *-ivo.*] *Adj.* **1.** Que pode solver ou dissolver. **2.** Que laxa; laxante.

soluto. [Do lat. *soluto*, 'dissolvido'.] *Adj.* **1.** Solto, dissolvido. ● *S. m.* **2.** *Fís.-Quím.* Numa solução, componente cuja fração molar é muito pequena, ou muito menor que a de um outro componente, denominado *solvente.* **3.** *Fís.-Quím.* Numa solução, componente cuja concentração não pode crescer muito sem provocar o aparecimento de uma fase nova no sistema. **4.** *Fam.* Substância dissolvida.

solúvel. [Do lat. *solubile.*] *Adj. 2 g.* Que se pode solver, dissolver ou resolver. ~ v. *vidro* —.

solvabilidade. [Do fr. *solvabilité.*] *S. f.* V. solvibilidade.

solvatação. *S. f. Fís.-Quím.* O fenômeno de fixação de moléculas do solvente por um íon ou por uma partícula em solução.

solvável. [Do fr. *solvable.*] *Adj. 2 g.* Solvível.

solvência. *S. f.* **1.** Qualidade ou condição de solvente. **2.** Solução (1). **3.** V. *solvibilidade.*

solvente. [Do lat. *solvente.*] *Adj. 2 g.* **1.** Que solve ou pode solver. **2.** Que paga ou pode pagar suas dívidas. **3.** Diz-se do devedor cujo ativo é superior ao passivo. **4.** *Fís.-Quím.* Numa solução, componente cuja fração molar é próxima da unidade, ou é muito maior que a dos outros, e que, nas mesmas condições de temperatura e pressão, se encontra no mesmo estado físico da solução. **5.** *Fís.-Quím.* Numa solução, componente cuja concentração pode crescer indefinidamente sem que apareça uma fase nova no sistema. [Não são raros os casos em que nenhum dos componentes satisfaz integralmente essa condição.] **6.** *Fam.* Líquido em que uma substância é dissolvida. ♦ **Solvente anfiprótico.** *Fís.-Quím.* O que é capaz de receber ou de ceder prótons, e que pode, portanto, funcionar como ácido ou como uma base. **Solvente aprótico.** *Fís.-Quím.* O que não é nem protofílico nem protogênico. **Solvente protofílico.** *Fís-Quím.* O que tem caráter básico e, pois, tendência a receber ou fixar íons hidrogênio. **Solvente protogênico.** *Fís.-Quím.* O que tem caráter ácido e, pois, tendência a ceder íons hidrogênio.

solver. [Do lat. *solvere.*] *V. t. d.* **1.** Explicar, resolver: "Ele poderia escavar documentos, demonstrar-lhes a autenticidade, *solver* enigmas, desvendar mistérios" (J. Capistrano de Abreu, *Ensaios e Estudos*, 1ª. série, p. 139). **2.** Pagar, quitar. **3.** Separar, desligar, desatar. **4.** Dissolver (1). [Cf. *sorver.*]

solvibilidade. *S. f.* Qualidade de solvível; solvabilidade, solvência.

solvível. [Do lat. **solvibile* < *solvere*, 'pagar'.] *Adj. 2 g.* Que se pode solver ou pagar. [Sin.: *solvável.*]

solvólise. [Do ingl. *solvolysis.*] *S. f. Fís.-Quím.* Liólise.

som. [Do lat. *sonu.*] *S. m.* **1.** *Fís.* Fenômeno acústico que consiste na propagação de ondas sonoras produzidas por um corpo que vibra em meio material elástico (especialmente o ar): *Por meio da técnica o homem já conseguiu ultrapassar a velocidade do som; Nem todos os sons são captados pelo ouvido humano.* **2.** Sensação auditiva criada por esse fenômeno; ruído: *O clarão do relâmpago, em geral, antecede de alguns segundos o som do trovão.* **3.** Som musical: *um som de violoncelo, de flauta; O som é a matéria-prima da música.* **4.** A linguagem falada; a palavra: *Não emitiu um som sequer durante toda a noite.* **5.** Emissão de voz: *som aberto; som nasal; som velar.* **6.** Ar; aparência; caráter; tom: *Há nas suas maneiras um som falso.* **7.** *Fam.* A música, o ritmo: *Dançamos ao som de uma orquestra regional.* **8.** *Fam.* O acompanhamento (7): *cantar ao som do piano.* **9.** *Bras. Neol.* Música, especialmente popular, apresentada em circunstâncias especiais (espetáculos, festas, discos, orquestras ou conjuntos de boates, etc.): *um novo som, na noite carioca; O som da festa foi um fracasso.* **10.** *Bras.* Equipamento sonoro (vitrola, gravador, microfone, etc.). **11.** *Bras. Gír.* Estilo característico de cantor, instrumentista ou conjunto de música popular: *O som dos Beatles é inconfundível.* ♦ **Som diferencial.** *Mús.* Terceiro som produzido pela execução de dois sons simultâneos de elevação diferente. **Som entretido.** *Mús. Concr.* Aquele em que a forma e a matéria permanecem constantes em seu desenrolar temporal. **Som formado.** *Mús. Concr.* Aquele em que a forma e/ou a matéria variam em seu desenrolar temporal. **Som fundamental.** *Fís.* Numa seqüência de sons harmônicos, o mais grave e cuja freqüência é um divisor da freqüência de todos os outros. [Tb. se diz apenas *fundamental.*] **Som musical.** *Mús.* O que provém de uma vibração periódica, e se caracteriza pela altura, pela intensidade e pelo timbre. **Som natural.** *Mús.* O que não é alterado por acidente (12). **Som óptico.** *Cin.* Método de gravação de som em filmes cinematográficos que utiliza pista sonora de base fotográfica. **Alto e bom som.** Em voz alta, bem claro, sem temer conseqüências; em alto e bom som: "Regozijos cortesãos, tedéus, festas solenes, ... proclamavam *alto e bom som* que voltara Balduíno Braço de Ferro." (Aquilino Ribeiro, *Portugueses das Sete Partidas*, p. 208); *dizer, declarar, afirmar alto e bom som.* **Ao som do mar.** *Lus. Mar.* À matroca (2). **Em alto e bom som.** V. *alto e bom som:* "Todos o conheciam, todos o repetiam *em alto e bom som* para que ele o não ignorasse, mas *ela* amava-o" (Maria Amália Vaz de Carvalho, *Contos e Fantasias*, p. 25).

soma[1]. [Do lat. *summa.*] *S. f.* **1.** *Mat.* Operação de adição. **2.** *Mat.* O resultado de uma adição. **3.** *Mat.* V. *união* (13). **4.** *Fig.* Grande porção; abundância; cópia: *Possui considerável soma de bens materiais.* **5.** *Fig.* Totalidade, conjunto, somatório: *soma de informações.* **6.** Porção de dinheiro; quantia: "incumbia-o de receber grandes *somas* ou levá-las ao Banco" (Artur Azevedo, *Contos Cariocas*, p. 204). ♦ **Soma algébrica.** *Álg.* Soma de grandezas positivas e negativas. **Soma aritmética.** *Arit.* Soma de grandezas positivas. **Soma linear.** *Álg. Mod.* Subespaço constituído por todas as somas dos elementos de dois subespaços de um mesmo espaço vectorial.

soma[2]. [Do sânscr. *soma.*] *S. m.* Preparação alcoólica que os hindus védicos derramavam sobre o fogo dos sacrifícios.

soma[3]. [Do gr. *sôma*, 'corpo'.] *S. m.* **1.** Conjunto de tecidos do corpo vivo que mantém e transmite o germe, elemento de perpetuação da espécie. **2.** O organismo considerado como expressão material, em oposição às funções psíquicas.

soma[4]. [De or. afr.] *S. m.* Chefe de tribo, no S. de Angola.

▲som(a)-. [Do gr. *sôma, atos.*] *El. comp.* = 'corpo, matéria', 'corpo humano', 'soma[3]': *somito.* [Equiv.: *somat(o)-, -soma* e *-somo: somatologia, somatópago; epissoma; cromossomo.*]

▲-soma. V. *som(a)-.*

somação[1]. [Do *somar* + *-ção[3]*.] *S. f. Mat.* Somatório (1).

somação[2]. [De um **somar* (de *soma[3]*) + *-ar[2]* + *ção[3]*.] *S. f. Genét.* V. *flutuação* (10).

somali. *Adj. 2 g.* **1.** Da, ou pertencente ou relativo à Somália (África Oriental). **2.** Pertencente ou relativo aos somalis, povo dessa região. ● *S. 2 g.* **3.** Natural ou habitante da Somália. **4.** Indivíduo dos somalis. ● *S. m.* **5.** *Ling.* Língua camítica do grupo cuxita, falada pelos somalis. [Sin. ger.: *somaliano.*]

somaliano. *Adj.* e *s. m.* Somali.

somana. *S. f. Ant.* e *Bras., pop.* Semana: "passado um dia e noute, correu assi os outros per toda a *somana*" (Jorge Ferreira de Vasconcelos, *Memorial das Proezas da Segunda Távola Redonda*, p. 112); "Deus deu à terra um dia na *somana* para descansar" (Pe Antônio Vieira, *Sermões*, XII, p. 219); "— ... E o pagamento que recebeu tresantonte? / — Separei um pouco pra passar a *somana*" (Amadeu de Queirós, *João*, p. 93).

somar. [De *soma[1]* + *-ar[2]*.] *V. t. d.* **1.** Fazer a soma de; adicionar (quantidade) a fim de achar a soma: *Somando as parcelas, obteremos o total.* **2.** Ter ou apresentar como soma; importar em; ser equivalente a: *As despesas somam 200 cruzados.* **3.** Sintetizar, resumir: *Somou as mágoas, as frustrações, as doenças, e concluiu que a vida não lhe fora feliz.* *T. d. e i.* **4.** Juntar (quantidade) para achar a soma; adicionar: *É impossível somar libras com dólares; Somou os lucros recentes aos do ano anterior, e viu que a empresa lhe rendera uma fortuna.* *Int.* **5.** Realizar a operação de soma: *Sabe somar e multiplicar.* **6.** Reunir, concentrar esforços com vista a uma causa de interesse comum: *A hora é de somar, não de dividir.* *P.* **7.** Juntar-se, reunir-se, agregar-se, formando um conjunto: *Os esforços não se dispersam: somam-se.* **8.** Acrescentar-se, reunir-se, juntar-se: "E então percebeu que as batidas de roupa sobre a tábua da tina não se ouviam mais e que aos gritos de Jessé *somaram-se* outros" (Leonardo Arroio, *Absalão e o Rei*, p. 53). **9.** Resumir-se, reduzir-se; cifrar-se.

somático. [Do gr. *somatikós.*] *Adj.* Referente ao corpo. [V. *soma[3]*. Opõe-se a *alotípico.*] ~ V. *modificação* —*a.*

somativo. *Adj.* V. *avaliação* —*a.*

▲somat(o)-. V. *som(a)-.*

somatologia. [De *somat(o)-* + *-log(o)-* + *-ia.*] *S. f. Med.* Ciência que trata do corpo humano em seu aspecto somático.

somatológico. *Adj.* Referente à somatologia.

somatópago. [De *somat(o)-* + *-pago.*] *S. m. Ter.* Monstro duplo em que há maior ou menor fusão dos troncos.

somatopleura. [De *somat(o)-* + *-pleura.*] *Embr.* Parede do corpo de embrião constituída por mesoderma e ectoderma.

somatório. [De *somar* + *-(t)ório.*] *S. m.* **1.** *Mat.* Soma dos termos de uma seqüência qualquer; somação. **2.** *Fig.* Soma[1] (5). **3.** *Estat.* Soma de soma dos resultados. ● *Adj.* **4.** Que indica uma soma.

somatoscopia. [De *somat(o)-* + *-scop-* + *-ia.*] *Med.* Exame do corpo humano.

somatoscópico. *Adj.* Referente à somatoscopia.

sombra. [Do lat. *umbra*, atr. de um lat. vulg. *sulumbra* (= *sub illa umbra*) e de um arc. *soombra.*] *S. f.* **1.** Espaço sem luz, ou escurecido pela interposição de um corpo opaco: *a sombra de uma árvore.* **2.** Zona privada de luz em virtude da presença de corpo dessa natureza: "Essa pessoa estava na sombra formada pelo telhado baixo e inclinado em declive, do sótão." (Ariano Suassuna, *A Pedra do Reino*, p. 516). **3.** Parte de um corpo que não recebe luz direta: *a sombra das órbitas; as sombras de uma escultura.* **4.** Reprodução, numa superfície mais clara, do contorno de uma figura que se interpõe entre esta e o foco luminoso: ' Lembro-me bem. A ponte era comprida, / E a minha sombra enorme enchia a ponte" (Augusto dos Anjos, *Eu*, p. 22). **5.** Lugar abrigado dos raios solares: *Meu apartamento está no lado da sombra.* **6.** Ausência de luz solar; noite. **7.** Escuridão, treva(s); sombras: *Repentinamente a sombra nos envolveu.* **8.** Região não iluminada; obscuridade, escuridão, escuro: *Escondeu-se na sombra.* **9.** Parte escura, mancha: *Na radiografia nota-se uma sombra.* **10.** V. *abajur* (1). **11.** V. *fantasma* (3). **12.** V. *capanga* (3). **13.** *Fig.* Mácula, nódoa, defeito, senão: *A deslealdade era uma sombra em seu caráter.* **14.** *Fig.* Vestígio, traço, sinal, indício: *Não há sombra de dúvida a esse respeito;* "Sofia deu-lhe a mão gentilmente, sem sombra de rancor." (Machado de Assis, *Quincas Borba*, p. 117). **15.** *Fig.* Coisa impalpável, imaterial: *a sombra dos entes que se foram.* **16.** *Fig.* Aspecto, semblante, ar: *Recebeu-me de boa sombra.* [V. as loc. *de boa sombra* e *de má sombra.*] **17.** Disfarce, aparência, simulação: *A sombra da alegria não lhe ocultava a preocupação.* **18.** *Fig.* Aquilo que entristece a alma: *Sentiu invadi-lo a sombra da saudade.* **19.** *Fig.* O que impede a comunicação, o relacionamento entre pessoas: *Surgiu entre eles uma sombra.* **20.** *Fig.* Mistério, enigma: *Paira uma sombra em sua vida.* **21.** *Fig.* Isolamento, solidão: *Velho, vive retirado na sombra.* **22.** *Fig.* Pessoa que, pela magreza e/ou pelas atitudes misteriosas, lembra um fantasma. **23.** *Fig.* Pessoa que acompanha ou persegue outra constantemente. **24.** *Fig.* Pessoa que imita outra. **25.** *Art. Plást.* A parte menos iluminada de uma pintura, um desenho, uma gravura. **26.** *Art. Plást.* O conjunto das tonalidades mais escuras usadas por um artista para obter efeitos de sombra (1 a 3). ~ V. *sombras.* ♦ **Sombra e água fresca.** Vida ociosa ou despreocupada; ócio, ociosidade, despreocupação: *O que ele quer é sombra e água fresca.* **À sombra.** *Irôn.* Na cadeia. **À sombra de.** *Fig.* Sob a proteção de; ao abrigo de: *A embarcação colocou-se à sombra do promontório, para escapar à borrasca.* **De boa sombra. 1.** Bem-encarado, de bom aspecto: *um rapaz de boa sombra.* **2.** De bom grado; com prazer: "Recebeu-me de boa sombra, largando o esfregão para fazer as honras da casa." (Monteiro Lobato, *Urupês, Outros Contos e Coisas*, p. 8.) **De má sombra. 1.** Mal-encarado: *É um tipo de má sombra.* **2.** De má vontade, a contragosto: "Se via a mulher triste interrogava-a de má sombra" (Coelho Neto, *Treva*, p. 165). **Fazer sombra a.** Escurecer as boas qualidades de (alguém), com o próprio merecimento. **Nem por sombra.** Nem por sombras: "Artifícios de pintura, nem por sombra. As elegantes da época, em qualquer situação, devem ser idealizadas — .... — não queimadas de sol ou tintas de carmim, mas com as faces 'cor de leite' " (Miécio Tati, *O Mundo de Machado de Assis*, p. 109). **Nem por sombras.** De modo nenhum; absolutamente não; absolutamente; nem por sombra. **Ser uma sombra do que foi.** Ter perdido qualidades ou dons que lhe eram característicos, como a vivacidade, a agilidade mental, o poder de sátira, a beleza, o viço, a graça, o encanto; estar em decadência: *Quem a vê e ouve, hoje, não a conhece; é uma sombra do que foi.*

sombração. *S. f. Bras. Pop.* V. *assombração.*

sombra-de-azevim. *S. m.* azevinho. [Pl.: *sombras-de-azevim.*]

sombra-de-toiro. *S. m.* Var. de *sombra-de-touro.* [Pl.: *sombras-de-toiro.*]

sombra-de-touro. *S. f.* **1.** V. *azevinho.* [Var.: *sombra-de-toiro.* Pl.: *sombras-de-touro.*]

sombral. [De *sombra* + *-al.*] *S. m.* Lugar resguardado do sol por arvoredo ou latadas.

sombrar. *V. t. d. Desus.* F. aferética de *assombrar* [q. v.].

sombras. [Pl. de *sombra.*] *S. f. pl.* **1.** Escuridão, trevas. **2.** As almas dos mortos. ~ V. *sombra.*

sombreação. *S. f.* V. *sombreamento.*

sombreado. [Part. de *sombrear.*] *Adj.* **1.** Em que há sombra. ● *S. m.* **2.** Num quadro ou desenho, gradação do escuro.

sobreamento. *S. m.* Ação ou efeito de sombrear; assombreamento, sombreação.

sombrear. *V. t. d.* **1.** Dar sombra a; cobrir de sombras; sombrejar, assombrear: "Ela então costumava sentar-se à sombra duma laranjeira que, perto do poço, sombreava, num úmido conforto, a vereda mais larga da quinta." (Natércia Freire, *A Alma da Velha Casa*, p. 12); "dous seculares e formosos plátanos que sombreavam o portal do presbitério." (Alexandre Herculano, *Lendas e Narrativas*, II, p. 122.) **2.** Tornar, à maneira de sombra, menos claro ou menos branco, escuro ou mais escuro; escurecer: "Sombreavam -lhe o rosto oval fino bigode e pêra." (José de Alencar, *Guerra dos Mascates*, p. 59). **3.** Macular, manchar, infamar, desdourar: "depois, num crescendo de cólera e de angústia, se referiu à mácula que para sempre lhe sombrearia o nome." (Euclides da Cunha, *Os Sertões*, p. 347). **4.** Desgostar; entristecer, contristar. [F. paral, us. nessas acepç.: *assombrear.*] *Int.* **5.** Dar sombreado a uma tela, desenho, etc. *P.* **6.** Cobrir-se de sombras; assombrar-se, sombrejar-se. [Conjug.: v. *frear.*]

sombreireiro. *S. m.* Fabricante ou vendedor de sombreiros; chapeleiro.

sombreiro. *S. m.* **1.** Aquilo que dá sombra. **2.** Chapéu de aba larga.

sombrejar. *V. t. d.* e *int.* Cobrir(-se) de sombras; sombrear(-se). [Conjug.: v. *pelejar.*]

sombrela. [De *sombra* + *-ela.*] *S. f.* Campânula ou vaso para proteger das intempéries as plantações delicadas.

sombrinha. [Dim. de *sombra.*] *S. f.* **1.** Pequeno guarda-chuva de tecido bordado ou colorido, que era usado pelas senhoras. **2.** *Fot.* Tipo de refletor, empregado basicamente em estúdio, utilizado para produzir luz difusa. **3.** *Bras.* V. *guarda-chuva.* ~ V. *sombrinhas.*

sombrinhas. [Pl. de *sombrinha,* 'pequena sombra'.] *S. f. pl.* Cenas ou paisagens projetadas sobre uma tela por meio de lanterna mágica [q. v.]. ~ V. *sombrinha.*

sombrio. [De *sombra* + *-io*[2].] *Adj.* **1.** V. *sombroso* (1). **2.** Que não está exposto ao sol. **3.** Triste, melancólico, fúnebre, sombroso: "Desde então para cá fiquei sombrio! / Um penetrante e corrosivo frio / Anestesiou-me a sensibilidade / E a grandes golpes arrancou as raízes / Que prendiam meus dias infelizes / A um sonho antigo de felicidade!" (Augusto dos Anjos, *Eu*, p. 105.) **4.** Carrancudo, torvo, trombudo. **5.** Áspero, ríspido, severo. **6.** Despótico, tirânico. ● *S. m.* **7.** Lugar sombrio. **8.** V. *caminheiro* (5).

sombroso (ô). *Adj.* **1.** Em que há, ou que produz sombra; sombrio, umbroso: "Pela estrada que vai de Elêusis a Atenas, caminham, em direção ao templo de Eros, no bosque sombroso, três raparigas no viçor da idade." (Martins Fontes, *A Dança*, p. 11.) **2.** V. *sombrio* (3): "O coro religioso, derramando-se pela floresta, impregnava-se dos ruídos e murmúrios da ramagem aflada pela brisa, o que lhe dava um timbre grave e sombroso." (José de Alencar, *O Sertanejo*, p. 67.)

som-direto. *Cin. S. m.* Técnica de filmagem em que a gravação do som é feita simultaneamente com a imagem.

someiro. [Do esp. *somera.*] *S. m.* **1.** No órgão (5), cada uma das grandes caixas de madeira para as quais o ar é enviado sob pressão e cuja tábua superior é perfurada a distâncias regulares para nela se fixarem os pés dos tubos. **2.** Pequena trave que serve de verga a uma porta ou janela. **3.** Designação comum a duas peças, nos antigos prelos. **4.** Pedra que sustém outra, em que se apóia uma platibanda. **5.** Pedra assentada sobre coluna ou pé-direito, e que recebe a primeira aduela.

somenos. [De *so-* + *menos.*] *Adj. 2 g.* e *2 n.* **1.** De menor valor que outro; inferior: "e para todos os lados luzinhas bruxuleiam, pelas artérias somenos da cidade." (Fialho d'Almeida, *Lisboa Galante*, p. 166). **2.** Ordinário, reles, vil. [Tb. se diz *de somenos.*]

somente (ò). *Adv.* **1.** Unicamente, exclusivamente, só: *Trabalharão naquela obra somente 10 pessoas, nem mais uma sequer.* **2.** Apenas, só: "D. Isabel viera à sala, pálida, angulosa, quebrada de feições, apesar de ter somente trinta e sete anos" (Mário Sete, *Senhora de Engenho*, p. 12).

som-guia. [De *som* + *guia.*] *S. m.* Trilha sonora provisória, que serve para orientar a definitiva posteriormente gravada no estúdio de som. [Pl.: *sons-guias.*]

somiê. [Do fr. *sommier.*] *S. m.* **1.** Estrado provido de molas e recoberto de tecido, sobre o qual se assenta o colchão. **2.** *Bras.* Sofá sem braços e sem encosto.

somiticar. [De *somítico* + *-ar*[2].] *V. int. Bras. Fam.* Proceder com somiticaria; mostrar-se somítico. [Conjug.: v. *trancar.* Pres. ind.: *somitico*, etc. Cf. *somítico.*]

somiticaria. *S. f.* Qualidade ou ação de somítico. [Sin.: *avareza, sovinice, mesquinhez* e (bras.) *somitiquice.*]

somítico. [Alter. de *semítico*?] *Adj.* e *s. m.* V. *avaro* (1 e 3). [Cf. *somitico*, do v. *somiticar.*]

somitiquice. [De *somítico* + *-ice.*] *S. f. Bras.* V. *somiticaria.*

somito. [De *som(a)-* + *-ito*[1].] *S. m. Biol.* **1.** Segmento no embrião, resultante da divisão primitiva da corda-dorsal e dos tecidos envolventes. **2.** Segmento do corpo do animal articulado.

➡**sommier.** [Fr.] *S. m.* V. *somiê.*

▲**-somo.** V. *som(a)-.*

sonador (ô). [Do esp. plat. *sonador.*] *Adj. Bras., RS.* Diz-se do cavalo que emite, galopando, um ruído semelhante ao do ressonar.

sonambular. *V. int.* Andar ou agir como sonâmbulo. [Pres. ind.: *sonambulo*, etc. Cf. *sonâmbulo.*]

sonambúlico. [Do fr. *somnambulique.*] *Adj.* De, ou próprio de sonâmbulo.

sonambulismo. [Do fr. *somnambulisme.*] *S. m.* O estado ou doença do sonâmbulo.

sonâmbulo. [Do fr. *somnambule.*] *Adj.* **1.** Diz-se de pessoa que anda, fala e se levanta durante o sono; noctâmbulo. **2.** Diz-se de pessoa que age automaticamente, de maneira desconexa. **3.** Que não tem nexo; disparatado. ● *S. m.* **4.** Indivíduo sonâmbulo. [Cf. *sonambulo*, do v. *sonambular.*]

sonância. [Do lat. *sonantia.*] *S. f.* **1.** Qualidade de sonante. **2.** Música, melodia: "Eu toco em minha viola / Sonâncias de meu país" (Junqueira Freire, *Obras Póstumas*, II, p. 115).

sonante. [Do lat. *sonante.*] *Adj. 2 g.* Soante. ~ V. *moeda —.*

sonar. [Do ingl. *sonar*, de *so(und) n(avigating) a(nd) r(anging).*] *S. m.* **1.** Técnica e equipamento para detectar objetos imersos em água e determinar-lhes a posição e a velocidade, utilizando a emissão de pulsos de ultra-sons e a recepção e identificação do eco. ● *Adj. 2 g.* **2.** Relativo a essa técnica e equipamento.

sonata[1]. [Do it. *sonata.*] *S. f. Mús.* **1.** No séc. XVI, qualquer peça de polifonia vocal quando executada por instrumentos, em oposição à cantata (3) e à tocata[2] (1). **2.** No séc. XVI, composição do tipo da canção polifônica, mas escrita para conjunto de instrumentos de arco ou para órgão, e sem forma obrigada: *A sonata nasceu na Itália e difundiu-se por outros países da Europa.* **3.** Durante o séc. XVII, peça instrumental semelhante à suíte (2). **4.** No último quartel do séc. XVII, peça instrumental monotemática, de construção ternária [q. v.], e que consta de três movimentos, alternadamente rápidos e lentos, como na antiga suíte, mas que, em vez de serem designados pelos nomes de danças, o são pelos respectivos andamentos (alegro, adágio, presto): *a sonata op. 5 de Corelli.* [Cf. *sonata bitemática* e *construção ternária.*] **5.** Sonata clássica: *Beethoven introduziu importantes inovações na sonata.* **6.** Sonata cíclica. **7.** Modernamente, peça instrumental em que a estrutura clássica se transforma pela adoção da escrita linear e da politonalidade, pelo emprego de quartos de tom, etc. [Dim. irreg.: *sonatina.*] ♦ **Sonata bitemática.** A que resultou da reorganização da sonata (4) e cujo movimento inicial segue geralmente o esquema da construção ternária [q. v.]: exposição com o primeiro tema na tonalidade principal, ponte modulante, segundo tema numa tonalidade vizinha; desenvolvimento dos dois temas que se opõem e modulam para o tom principal; reexposição dos dois temas no tom principal, e coda [q. v.]. **Sonata cíclica.** No séc. XIX, modalidade de sonata (5) em que os temas dos diversos movimentos se baseiam num mesmo motivo cíclico, a fim de reforçar a estrutura melódica da obra e afirmar-lhe a unidade. [Tb. se diz apenas *sonata.*] **Sonata clássica.** A começar do séc. XVIII, peça instrumental, de ordinário em três movimentos de caráter e andamentos diversos, condicionados entre si pela tonalização modulatória: o primeiro em andamento vivo, com o mesmo esquema da sonata bitemática; o segundo, lento e de ordinário em forma da canção estrófica e variada; o terceiro, rápido e de concepção mais livre, sendo comum intercalar, entre ele e o andante que o precede, um minueto com trio[1] (2) ou um *scherzo.* [A estrutura da sonata clássica serviu de base a várias formas musicais, como o trio[1] (1), o quarteto, o quinteto, na música de câmara, a sinfonia e o concerto, na orquestra, e as peças musicais de forma livre. Tb. se diz apenas *sonata.*] **Sonata monotemática.** A que se baseia num só tema, o qual evolve dentro de uma construção ternária [q. v.].

sonata[2]. [De *sono* + *-ata* (suf. arbitrário, no caso).] *S. f.* V. *soneca* (2): "Nada, toca a dormir uma sonata boa!" (Guerra Junqueiro, *A Velhice do Padre Eterno*, p. 242.)

sonatina. [Do it. *sonatina.*] *S. f. Mús.* Pequena sonata[1] de caráter leve ou fácil: "atacava com brio, com decidida alacridade, os acordes de uma sonatina que ainda hoje deve errar no espaço" (Augusto Meyer, *No Tempo da Flor*, p. 30).

sonda. [Do escand., atr. do fr. *sonde*.] *S. f.* **1.** *Náut.* Instrumento destinado a medir a profundidade das águas, ou a reconhecer-lhes a natureza do fundo, e que consta, em princípio, de uma peça de chumbo presa a uma linha: *Com o auxílio da sonda as caravelas ancoraram em Porto Seguro.* **2.** *P.* ext. Profundidade das águas; fundura, fundo. **3.** *P. ext.* Os algarismos que, nas cartas marítimas, indicam a profundidade da água. **4.** *Náut.* Qualquer instrumento com que se fazem sondagens. **5.** O efeito da sondagem. **6.** Aparelho de perfuração que atinge grandes e médias profundidades para conhecimento do subsolo. **7.** Sonda (6) empregada nos poços petrolíferos. **8.** Instrumento que se eleva a grandes altitudes, com equipamento destinado a explorar a atmosfera: *sonda meteorológica.* **9.** Haste de ferro empregada pelos aduaneiros para examinar certas mercadorias. **10.** *Fig.* Meio de investigação. **11.** Sonda espacial. **12.** *Med.* Tubo, flexível ou rígido, que se introduz em canal, natural ou não, do organismo, com o fim de reconhecer-lhe o estado ou de extrair ou introduzir algum tipo de matéria: *alimentar por sonda; sonda uretral; sonda vesical.* ♦ **Sonda espacial.** *Astron.* Engenho utilizado nos vôos espaciais exploratórios para a coleta de informações sobre o espaco exterior. [Tb. se diz apenas *sonda*.] **Sonda lunar.** *Astr.* Sonda espacial destinada a colher informações acerca da Lua e do espaço lunar.

sondá. [De *sondar* (da loc. *linha de sondar*).] *S. f. Bras.* Linha comprida e grossa, para pescaria com anzol.

sondador (ô). *Adj.* e *s. m.* Que ou aquele que sonda.

sondagem. *S. f.* **1.** Ato ou efeito de sondar. **2.** Exploração local e metódica de um meio (ar, água, solo, etc.) por meio de aparelhos e processos técnicos especiais: *sondagem submarina; sondagem atmosférica.* **3.** Perfuração no terreno para verificação de sua natureza geológica, de lençóis de água, de jazidas, etc. **4.** observação cautelosa; investigação, pesquisa. **5.** *Med.* Introdução de sonda (12) no organismo. **6.** *Estat.* Método de pesquisa que consiste em recolher dados parciais que permitam um resultado representativo do assunto em apreço: *sondagem de opinião; sondagem do mercado.* ♦**Sondagem aerológica.** *Met.* Conjunto de observações e cálculos feitos por meio de um teodolito e de balões de borracha repletos de oxigênio, para se conhecer a circulação dos ventos nas altas camadas da atmosfera, e de grande utilidade para a aviação e para a artilharia.

sondaia. *S. f. Bras.* Alter. de *suindara* [q. v.].

sondar. *V. t. d.* **1.** Examinar com sonda. **2.** *Náut.* Determinar a profundidade de (uma porção de mar, oceano, rio, etc.). **3.** Determinar a altura do líquido contido em um tanque, porão, etc. **4.** Avaliar, calcular, estimar. **5.** Procurar, conhecer. **6.** Investigar, explorar, perscrutar, latear. **7.** Inquirir com cautela. *Int.* **8.** *Gír.* Morrer, falecer.

sondareza (ê). [Do esp. *sondaresa, sondaleza*, por um cruz. de *sonda*, 'sonda', com *guindaleza*, 'certo tipo de cabo[2] (6)'.] *S. f. Marinh.* **1.** Cabo calabroteado, de linho, cuja bitola varia entre 25 e 50 mm. **2.** Qualquer cabo usado em aparelho de sondar.

sondável. *Adj. 2 g.* Que se pode sondar.

sone. [Do ingl. *sone*.] *S. m. Fís.* Unidade de medida de intensidade de um som (julgada essa intensidade pela sensação que ele provoca em um observador), e que é a intensidade de um som de 1.000 Hz que está 40 db acima do limiar de audibilidade do observador.

soneca. [De *sono* + *-eca*.] *S. f.* **1.** Sonolência (2). **2.** Breve espaço de tempo que se passa dormindo; sonata.

sonega. [Dev. de *sonegar*.] *S. f.* V. *sonegação*.

sonegação. *S. f.* Ato ou efeito de sonegar(-se); sonegamento, sonega.

sonegado. [Part. de *sonegar*.] *Adj.* Que foi objeto de sonegação. ~ V. *sonegados*.

sonegador (ô). *Adj.* e *s. m.* Diz-se de, ou aquele que sonega.

sonegados. [Pl.: substantivado de *sonegado*.] *S. m. pl.* Objetos de que houve sonegação. ~ V. *sonegado*.

sonegamento. *S. m.* V. *sonegação*.

sonegar. [Do lat. *subnegare*.] *V. t. d.* e *t. d. e i.* **1.** Ocultar, deixando de descrever ou de mencionar nos casos em que a lei exige a descrição ou a menção. **2.** Ocultar com fraude. **3.** *P.* ext. Ocultar, encobrir; esconder; escapar. *T. d. e i.* **4.** Tirar às ocultas; furtar, surrupiar: *Sonegou-lhe um anel.* **5.** Deixar de pagar. **6.** Ocultar com fraude, astúcia ou habilidade; dissimular, ocultar, esconder: "A necessidade mórbida de sonegar ao mundo a origem que o humilhava inspirou a Machado de Assis .... a adoção de um figurino convencional para o trato com os homens." (Moisés Velinho, *Letras da Província*, p. 186.) *P.* **7.** Eximir-se ao cumprimento de uma ordem. [Conjug.: v. *carregar*.]

soneira. [De *sono* + *-eira*.] *S. f.* V. *sonolência* (2 e 4).

sonetar. *V. int.* e *t. d.* Sonetear. [Pres. ind.: *soneto, sonetas, soneta*, etc. Cf. *soneto* (ê).]

sonetaria. *S. f. Deprec.* Grande quantidade de sonetos.

sonetear. *V. int.* **1.** Fazer sonetos. *T. d.* **2.** Celebrar em sonetos. **3.** Dar forma de soneto a. [F. paral.: *sonetar*. Conjug.: v. *frear*.]

sonetilho. [De *soneto* + *-ilho*.] *S. m.* Soneto composto de versos de medida curta: "B. Lopes .... não tardou a desencantar-se: louvava-se e admirava-se não o homem e, sim, o poeta. Se a este exaltavam, lendo e aplaudindo-lhe os sonetilhos, ... àquele se erguiam as 'barreiras', contra as quais em vão se debatera Cruz e Sousa." (Melo Nóbrega, *Evocação de B. Lopes*, p. 64.)

sonetista. *Adj. 2 g.* e *s. 2 g.* Que ou quem faz sonetos.

soneto (ê). [Do it. *sonetto*.] *S. m.* Composição poética de 14 versos, dispostos ou em dois quartetos e dois tercetos *(soneto italiano*, o mais cultivado) ou em três quartetos e um dístico *(soneto inglês)*. [Alguns poetas (Luís Delfino, p. ex., no Brasil) apresentam sonetos em que os tercetos vêm em primeiro lugar. Pl.: *sonetos* (ê). Cf. *soneto*, do v. *sonetar*.] ♦ **Soneto estrambótico.** Soneto a que se acrescentou um estrambote [q. v.]. **Soneto inglês.** V. *soneto*. **Soneto italiano.** V. *soneto*.

songamonga. [Do esp. amer. *songa*, 'burla', e de um *monga* criado pela rima.] *S. 2 g. Fam.* Pessoa sonsa, dissimulada: " — Não se faça de tola, songamonga ..." (Amando Fontes, *Os Corumbas*, p. 117.)

sonhador (ô). *Adj.* **1.** Que sonha; devaneador: *Nunca vi homem mais sonhador do que ele.* **2.** Próprio de, ou que sugere sonho: *Estava reclinada, com um ar vago, numa atitude sonhadora.* ● *S. m.* **3.** Aquele que sonha; devaneador. [Sin. ger.: *sonhoso*.]

sonhar. [Do lat. *somniare*.] *V. int.* **1.** Ter sonho(s): "Eu sonhava. O meu sonho era semidivino" (Hermes-Fontes, *Microcosmo*, p. 35). **2.** Entregar-se a fantasias e devaneios: "Sonhou muito [Graciliano Ramos], mas sempre protestou que não tinha vocação para o sonho." (Valdemar de Sousa Lima, *Graciliano Ramos em Palmeira dos Índios*, p. 31); *Vive a sonhar, sem ver a realidade. T. i.* **3.** Pensar com insistência; ter a idéia fixa: "que jovem não sonhou algum dia em escrever poemas, romances, aventuras?" (Maria Julieta Drummond de Andrade, *Um Buquê de Alcachofras*, p. 52); *Vive sonhando em viajar; Sonha com a glória.* **4.** Ver em sonhos: "Sonhara de noite com ele; pode ser que ele estivesse sonhando com ela." (Machado de Assis, *Várias Histórias*, p. 53.) *T. d.* **5.** Ver em sonhos. **6.** Imaginar em sonhos: *Sonhei que era médico.* **7.** Supor, imaginar, prever: *Mal poderia sonhar tal calamidade.* **8.** Ter (sonho): "E reconto o passado, / No vago misticismo de quem sonha / Um sonho abandonado." (Martins Fontes, *Verão*, p. 205.) P. **9.** Imaginar-se, julgar-se, considerar-se, em sonho: "Sonho-me às vezes rei, nalguma ilha, / Muito longe, nos mares do Oriente" (Antero de Quental, *Sonetos*, p. 81).

sonhável. *Adj. 2 g.* Que pode ser sonhado; a que se pode aspirar.

sonhim. *S. m. Bras.*, *N.E.* e *MG. Pop.* V. *sagüi*.

sonho. [Do lat. *somniu*.] *S. m.* **1.** Seqüência de fenômenos psíquicos (imagens, representações, atos, idéias, etc.) que involuntariamente ocorrem durante o sono: *um sonho agradável; um sonho aflitivo;* "o sonho coincidiu com a realidade, e as mesmas bocas uniram-se na imaginação e fora dela." (Machado de Assis, *Várias Histórias*, p. 55). **2.** O objeto do sonho (1); aquilo com que se sonha: *O meu sonho desta noite foi uma viagem à Lua.* **3.** Seqüência de pensamentos, de idéias vagas, mais ou menos agradáveis, mais ou menos incoerentes, às quais o espírito se entrega em estado de vigília, geralmente para fugir à realidade; devaneio, fantasia: *Esta criança vive num mundo de sonhos.* **4.** Desejo veemente; aspiração: *O seu sonho era ser aviador.* **5.** Aquilo que enleva, transporta, pela extraordinária beleza natural ou estética: *A interpretação do quarteto foi um sonho; Aquele trecho de natureza é um sonho.* **6.** Coisa ou pessoa muito bonita; visão: *Greta Garbo foi um sonho que empolgou uma geração inteira.* **7.** Idéia dominante perseguida com interesse e paixão: *sonho de paz; sonho de liberdade.* **8.** O que é produto da imaginação; fantasia, ilusão; quimera: *Seus planos não passam de sonhos.* **9.** *Cul.* Doce muito fofo, preparado com farinha de trigo cozida, leite e ovos, frito em gordura quente, e passado em açúcar e canela, ou servido com calda rala, podendo também ser recheado. ♦ **Sonho dourado.** **1.** Sonho (7) ou aspiração dominante. **2.** Esperança de felicidade: "O mundo — um sonho dourado, / A vida — um hino d'amor!" (Casimiro de Abreu, *Obras*, p. 93). **Um sonho.** V. *um amor* (1).

sonhoso (ô). [De *sonho* + *-oso*.] *Adj.* e *s. m.* Sonhador: "A cabeleira, os olhos vagos e sonhosos." (Autran Dourado, *As Imaginações Pecaminosas*, p. 94); "o timbre da fala grave e distinta, os olhos parados nas nuvens, um jeito de sonhoso." (Id., *ib.*, p. 96).

▲soni-. [Do lat. *somnus, i*.] *El. comp.* = 'sono': *sonfloquo, sonífero* (< lat. *somniferu*).

sonial. [Do lat. *somniale*.] *Adj. 2 g.* Referente aos, ou próprio dos sonhos.

sônico. [De *son(o)-* + *-ico*[2].] *Adj.* **1.** Relativo ao som. **2.** Relativo à velocidade do som. ~ V. *onda —a* e *ortografia —a*.

sonido. [Do esp. *sonido*.] *S. m.* **1.** Qualquer som; rumor, ruído: "Nem já a rama dos pinhais rumorejava aquele seu saudoso sonido" (Camilo Castelo Branco, *Amor de Salvação*, pp. 11-12). **2.** Estrondo, estrépito.

sonífero. [Do lat. *somniferu*.] *Adj.* **1.** Que dá ou provoca sono. **2.** Diz-se de substância ou medicamento que provoca o sono, como, p. ex., os alcalóides do ópio e seus derivados, os barbitúricos e o hidrato de coral. ● *S. m.* **3.** Medicamento ou substância sonífera. [Sin. ger.: *hipnótico*.]

sonfloquo (co). [De *soni-* + *-loquo*.] *Adj.* e *s. m.* Que ou aquele que fala durante o sono.

sonípede. [Do lat. *sonipede*.] *Adj. 2 g.* e *s. 2 g. Poét.* Que ou quem faz rumor com os pés ao andar.

sonneratiácea. *S. f.* Espécime das sonneratiáceas.

sonneratiáceas. *S. f. pl. Bot.* Família de plantas superiores, da ordem das mirtales, constituída de apenas oito espécies de árvores dos trópicos do Velho Mundo, de folhas, opostas magnas, flores grandes, e que não têm nenhuma importância.

sonneratiáceo. *Adj.* Pertencente ou relativo às sonneratiáceas.

sono. [Do lat. *somnu*.] *S. m.* **1.** *Fisiol.* Estado de repouso normal e periódico, que no homem e nos animais superiores se caracteriza especialmente pela supressão da atividade perceptiva e motora voluntária, e que é variável em seu grau de profundidade, encontrando-se a vontade e a consciência em estado parcial ou total de suspensão temporária: "Ó sono! Unge-me as pálpebras... / Entorna o esquecimento / Na luz do pensamento, / Que abrasa o crânio meu." (Castro Alves, *Poesias Escolhidas*, p. 89.) **2.** Estado de quem dorme: *Pelo sono o organismo repara as suas forças.* **3.** Um período de sono: *Teve um sono agitado.* **4.** Desejo provocado pela necessidade de dormir: *Sentiu sono e foi-se deitar.* **5.** *Fig.* Inércia, inatividade: *o sono da natureza.* **6.** *Fig.* Moleza, indolência, preguiça. **7.** *Fig.* O repouso eterno; a morte. ♦ **Sono artificial.** Sono que é induzido por algum sonífero. **Sono de chumbo.** V. *sono de pedra*. **Sono de pedra.** Sono muito profundo, do qual não se desperta com facilidade; sono de chumbo, sono pesado. **Sono dos justos.** Bem-aventurança. **Sono hibernal.** Hibernação. **Sono leve.** Sono do qual se desperta com facilidade: "— Mamãe .... tem o sono muito leve; se acordasse agora, coitada, tão cedo não pegava no sono." (Machado de Assis, *Páginas Recolhidas*, p. 83). **Sono pesado.** V. *sono de pedra*. **Dormir a sono solto.** Dormir profundamente: "Caía [Lima Barreto] nas sarjetas e assim se deixava ficar, dormindo a sono solto, como qualquer pobre-diabo das ruas." (Francisco de Assis Barbosa, *A Vida de Lima Barreto*, p. 216.) **Ferrar no sono.** Adormecer profundamente; bater a cama nas costas; garrar no sono: "entrou de noite sem ser pressentido e esperou que ele ferrasse bem no sono." (Gondin da Fonseca, *Histórias de João Mindinho*, p. 13). **Garrar no sono.** *Bras.*, *N.E. Pop.* V. *ferrar no sono*. **O sono eterno.** O último sono. **O último sono.** A morte; o sono eterno: "ainda usamos de metáforas, dizemos que os defuntos dormem, chamamos à morte o último sono." (Raquel de Queirós, *100 Crônicas Escolhidas*, p. 34). **Passar pelo sono.** Dormir um pouco, ligeiramente: "Às onze horas passou pelo sono." (Machado de Assis, *Várias Histórias*, p. 155); "Mas não dormiu — passou apenas pelo sono" (Josué Montelo, *Janelas Fechadas*, p. 225). **Pegar no sono.** Começar a dormir; adormecer: "E voltava-se de um para outro lado da cama, sem conseguir pegar no sono." (Aluísio Azevedo, *Casa de Pensão*, p. 164).

▲son(o)-. [Do lat. *sonus, i*.] *El. comp.* = 'som', 'ruído': *sonômetro, sonoplastia, sônico*. [Equiv.: *-sono: unfssono*.]

▲-sono. Equiv. de *son(o)-*.

sonoite. [De *so-* + *noite.*] *S. f. Desus.* O anoitecer; lusco-fusco. [F. paral.: *sonoute.*]

sonolência. [Do lat. *somnolentia.*] *S. f.* **1.** Sono imperfeito. **2.** Disposição para dormir; sopor, soneca, sono. **3.** Transição entre o sono e a vigília; meio-sono, modorra. **4.** *Fig.* Entorpecimento, inércia, inatividade. [Sin., nas acepç. 2 e 4: *lombeira, soneira.*]

sonolento. [Do lat. *somnolentu.*] *Adj.* **1.** Que tem sonolência; assonorentado. **2.** Que provoca sono. **3.** Relativo à sonolência. **4.** *Fig.* Inerte, imóvel, inativo. **5.** *Fig.* Mole, vagaroso. **6.** *Fig.* Que corre ou parece correr devagar: "O córrego *sonolento* / Murmura o acompanhamento / Com trinclidos de cristal." (Ricardo Gonçalves, *Ipês,* p. 42).

sonometria. [De *son(o)-* + *-metr(o)-*^{2} + *-ia.*] *S. f.* Medição das vibrações sonoras.

sonométrico. *Adj.* Respeitante à sonometria.

sonômetro. [De *son(o)-* + *-metro.*] *S. m. Fís.* **1.** Instrumento que se constitui de uma ou mais cordas estendidas sobre uma caixa de ressonância, e usado na realização de experiências acústicas, particularmente na determinação de freqüência de sons. **2.** Qualquer instrumento destinado a medir o nível de intensidade de sons e ruídos: "A principal medida [no combate à poluição sonora] consiste na utilização do aparelho denominado *sonômetro*, destinado a medir os sons e ruídos emitidos pelos veículos." (*Jornal do Brasil,* 8.5.1974.)

sonoplasta. *S. 2 g.* Pessoa que trabalha em sonoplastia, ou se dedica ao estudo dela; sonotécnico.

sonoplastia. [De *son(o)-* + *-plast-* + *-ia.*] *S. f.* Arte e técnica de compor e fazer funcionar os ruídos e efeitos acústicos e musicais que constituem o elemento sonoro dos espetáculos teatrais, filmes, programas de rádio e televisão, etc.; sonotécnica.

sonora. [Fem. substantivado de *sonora.*] *S. f.* **1.** *Fon.* Consoante sonora. **2.** *Bras., AL.* Tom ou toada em que os cantadores populares cantam.

sonoridade. [Do lat. *sonoritate.*] *S. f.* **1.** Qualidade de sonoro. **2.** Qualidade (timbre, altura, intensidade) do som musical: *a sonoridade do violoncelo.* **3.** Efeito sonoro harmonioso: *Tem cada intérprete uma sonoridade diferente.* **4.** Propriedade que possuem certos corpos de tornar os sons mais intensos [v. *ressonância*]: *a sonoridade da caixa de um violino.* **5.** Qualidade que têm certos corpos ou certos ambientes de reforçar os sons emitidos por um corpo sonoro [v. *ressonância*]: *a sonoridade de uma sala.* **6.** *Cin.* Gravação de sons em filmes cinematográficos.

sonorização. [De *sonorizar* + *-ção.*] *S. f. Fon.* Assimilação [q. v.] que consiste na passagem de uma consoante surda a sonora, por influência de um fonema sonoro. [Na passagem do latim ao português, as consoantes surdas intervocálicas sonorizam-se por influência das vogais, que são fonemas essencialmente sonoros. Assim, p. ext., lat. *caritate* > port. *caridade;* lat. *acetu* > port. *azedo.*]

sonorizar. *V. t. d.* **1.** Tornar sonoro: "E o cincerro da madrinha, badalando compassadamente aos movimentos do animal, *sonorizava* aquela grande extensão erma." (Afonso Arinos, *Pelo Sertão,* p. 12.) *Int.* **2.** Produzir som; soar.

sonoro. [Do lat. *sonoru.*] *Adj.* **1.** Que produz ou reforça o som. **2.** Que emite som intenso; sonoroso: "E lhe veio *sonora* gargalhada que assustou o silêncio da rua" (Tito Batini, *Inácio, Pastor de Nuvens,* p. 167). **3.** *Fig.* Harmonioso, suave, melodioso: *A liberdade não é uma expressão sonora, mas um poder que se exerce.* ~ V. *agregado —, bóia — a, consoante —a, intensidade —a, onda —a, e trilha —a.*

sonoroso (ô). [Do lat. *sonorosu.*] *Adj.* **1.** Sonoro (2): "*Sonorosas* trombetas incitavam / Os ânimos alegres ressoando" (Luís de Camões, *Os Lusíadas,* II, 100). **2.** Que tem som alto e agradável; melodioso, sonoro: "Com toucas na cabeça, e navegando, / Anafis *sonorosos* vão tocando." (Id., *ib.,* I, 47.)

sonoteca. [De *son(o)-* + *-teca.*] *S. f. Neol.* Arquivo de gravações de vários tipos de ruídos e efeitos sonoros.

sonotécnica. [De *son(o)-* + *técnica.*] *S. f.* Sonoplastia.

sonotécnico. *Adj.* **1.** Pertencente ou relativo à sonotécnica. ● *S. m.* **2.** Sonoplasta.

sonoterapia. [De *sono* + *terapia.*] *S. f. Psiq.* Método de tratamento empregado em certas doenças mentais, que consiste em produzir e manter sono artificial em um paciente, mediante o uso de drogas e sob rígido controle, por período que se pode estender de poucos dias a três semanas; narcoterapia.

sonoterápico. *Adj.* Relativo à sonoterapia.

sonoute. *S. f. Desus.* V. *sonoite.*

sonsa. [Fem. substantivado de *sonso.*] *S. f.* V. *sonsice* (2). ◆ **Pela sonsa.** Com disfarce; pela sonsice; à socancra, a sorrelfa.

sonsice. *S. f.* **1.** Qualidade de sonso. **2.** Sagacidade dissimulada; sorrelfa. sonsa. ◆ **Pela sonsice.** Pela sonsa.

sonsinho. [Dim. de *sonso.*] *Adj.* V. *sonso.*

sonso. *Adj.* Dissimulado, manhoso, astuto, velhaco, solerte; sonsinho.

sonsonete (ê). [Do esp. *sonsonete.*] *S. m.* Inflexão especial com que se profere uma ironia.

sonurno. [Do lat. *somnurnu.*] *Adj.* **1.** Referente ao sono. **2.** Que é visto em sonhos; sonhado.

sopa (ô). [Do germ. *suppa,* 'pedaço de pão embebido em um líquido', atr. do b.-lat.] *S. f.* **1.** Caldo com carne, legumes, massas ou outra substância sólida, servido, normalmente, como o primeiro prato do jantar. **2.** Pedaço de pão molhado num líquido; coisa muito molhada. **3.** *Fam.* Coisa que se pode fazer, resolver ou vencer com facilidade: *Este trabalho é uma sopa.* **4.** *Bras.* Cascalho consolidado em rocha na mineração. **5.** *Bras., N. E.* V. *ônibus:* "A '*sopa*' de Recife saía a uma hora, e todos os passageiros já estavam a postos" (José Lins do Rego. *Bota de Sete Léguas,* p. 138). ◆ **Sopa paraguaia.** *Bras., MS.* Bolo feito de farinha de milho, queijo, cebola, manteiga, leite, ovos e sal. **Cair a sopa no mel.** Vir uma coisa muito a propósito. **Dar sopa. 1.** Oferecer facilidade de ser roubado. ou de ser enganado, ou passado para trás, etc.: *Jorge deu sopa e ficou sem a carteira; Ele deu sopa e o colega tomou-lhe o lugar.* **2.** Mostrar-se (a mulher) fácil de ser conquistada; dar confiança: *Mulher honesta não deve dar sopa.* **3.** Existir em abundância, podendo-se adquirir ou alcançar com facilidade: *A banana está dando sopa.* **4.** *Bras. Gír. mil.* Ficar à vista e sob o fogo do inimigo: *Quem der sopa pode levar um tiro.* **Dar uma sopa.** Cantar de graça, fora de programa; dar uma canja. **Ser sopa.** *Bras. Pop.* V. *ser pinto.* **Tomar sopa com.** *Bras., BA* e *MG.* Tomar liberdade, confiança, com (alguém).

sopapar. *V. t. d.* Sopapear.

sopapear. *V. t. d.* Dar sopapos em; sopapar: "O cabo da guarda *sopapeou* o Quirino, ... fazendo-o cambetear para dentro da salinha." (Cornélio Pires, *Quem Conta um Conto...,* p. 111.) [Conjug.: v. *frear.*]

sopapo. [De *so-* + *papo.*] *S. m.* **1.** Murro, soco. **2.** Bofetão, tapa, tapona. ◆ **A sopapo.** *Bras.* De sopapo (2). **De sopapo. 1.** De repente; de estalo; subitamente: *Chegou de sopapo, sem ninguém esperar.* **2.** *Bras.* Diz-se de habitação entaipada com barro que se atira com a mão; a sopapo: *Morava numa casa de sopapo.*

sopé. [De *so-* + *pé.*] *S. m.* **1.** Base (de montanha); falda: "Palmilhando as covoadas da serra do Cajueiro. em cujo *sopé* ficava a fazenda, José Brilhante .... achou um ninho e uma fortaleza." (Gustavo Barroso, *Heróis e Bandidos,* p. 164.) **2.** A parte inferior de encosta, muro, etc. [F. paral.: *sobpé.*]

sopeador (ô). *Adj.* e *s. m.* Que ou aquele que sopeia.

sopeamento. *S. m.* Ato ou efeito de sopear.

sopear. [De *so-* + *pé* + *-ar*^{2}.] *V. t. d.* **1.** Pôr debaixo dos pés; calcar. **2.** Estorvar o movimento de. **3.** Conter, reprimir, refrear: *Cheguei a tempo de sopear-lhe a ira;* "Percebe-se na contextura do livro o esforço do erudito a *sopear* a imaginação e a encarreirar o enredo pelos torcidos e complicados meandros da mais rigorosa exação." (Ramalho Ortigão, *Primeiras Prosas,* p. 187). [Conjug.: v. *frear.*]

sopeira. *S. f.* Terrina para sopa (1).

sopeiro. *Adj.* **1.** Referente a sopa (1). **2.** Que é próprio para conter sopa (1). **3.** Que gosta de sopa (1). ● *S. m.* **4.** Aquele que gosta de sopa (1); sopista. **5.** Aquele que se alimenta à custa de outro.

sopesar. [De *so-* + *pesar.*] *V. t. d.* **1.** Tomar com a mão o peso de. **2.** Levantar com a mão. **3.** Agüentar o peso de: "Na destra mão *sopesa* o iverapeme" (Gonçalves Dias, *Obras Poéticas,* II, p. 21). **4.** Contrapesar; contrabalançar. **5.** Repartir metódica ou parcimoniosamente. *P.* **6.** Manter-se em equilíbrio; equilibrar-se. [Pres. ind.: *sopeso,* etc. Cf. *sopeso* (ê).]

sopesável. *Adj. 2 g.* Que pode ser sopesado.

sopeso (ê). [Dev. de *sopesar.*] *S. m.* Ato ou efeito de sopesar. [Pl.: *sopesos* (ê). Cf. *sopeso,* do v. *sopesar.*]

sopetarra. *S. f. Fam.* Sopa (1) grande.

sopetear. [De *sopa* + *-eta-* + *-ear.*] *V. t. d.* **1.** Embeber muitas vezes (o pão) em um líquido. **2.** Saborear. gozar, desfrutar. [Conjug.: v. *frear.*]

sopista. *S. 2 g.* Sopeiro (4).

sopitado. [Part. de *sopitar.*] *Adj.* **1.** Caído em sonolência; adormecido. **2.** Acalmado, abrandado, serenado. **3.** Adamado, amaricado, efeminado. [Sin. ger.: *sopito.*]

sopitamento. *S. m.* Ato ou efeito de sopitar.

sopitar. [Do lat. _*sopitare_, calcado em _sopitu_, part. pass. de _sopire_, 'adormecer'.] *V. t. d.* **1.** Fazer dormir; adormecer. **2.** Tirar a energia a; adormentar; entorpecer: "O torpor que lhe invadira o corpo *sopitou*-o completamente, e nem lhe deu tempo de escolher o lugar onde acomodar-se." (José de Alencar, *O Sertanejo,* p. 276.) **3.** Acalmar, abrandar, serenar: *sopitar os ânimos.* **4.** Alquebrar. enfraquecer, debilitar. **5.** Tornar semelhante a uma mulher; efeminar. **6.** Fazer nascer, ou alimentar, esperanças em. **7.** Conter, dominar, vencer, sopear: "E, incapazes de negar a beleza e de *sopitar* a inveja, assaltaram a ave de Juno, magoaram-na, ofenderam-na" (João Ribeiro, *Floresta de Exemplos,* p. 200). [Sin. ger.: *soporizar.*]

sopitável. *Adj. 2 g.* Que pode ser sopitado.

sopito. [Do lat. *sopitu.*] *Adj.* V. *sopitado:* "Que o teu lábio sorria / Enquanto a dor *sopita* não desperta" (Raimundo Correia, *Poesias,* p. 174).

sopontadura. *S. f.* Ato ou efeito de sopontar.

sopontar. [De *so-* + *ponto*^{1} + *-ar*^{2}.] *V. t. d.* Marcar (palavras) com pontos por baixo, para indicar serem elas escusadas.

supor (ô). [Do lat. *sopore.*] *S. m.* **1.** Prostração mórbida; modorra. **2.** Sonolência (2). **3.** Estado comatoso: "Era esta, então, que experimentava os efeitos do tóxico e entrava a ter náuseas, tonturas, estado de *sopor*, e até perturbações mais graves" (Gastão Cruls, *4 Romances,* pp. 286-287). [Cf. *supor.*]

soporado. *Adj.* Que tem ou causa sopor. [Cf. *supurado.*]

soporativo. [Do lat. *soporatu,* 'impregnado de substância soporífera', + *-ivo.*] *Adj.* e *s. m.* V. *soporífero.* [Cf. *supurativo.*]

soporífero. [Do lat. *soporiferu.*] *Adj.* **1.** Que produz sono ou sopor. **2.** *Fig.* Enfadonho, fastidioso, tedioso, maçante, cacete. ● *S. m.* **3.** Substância que sopita ou faz dormir: "Pela madrugada, à custa de *soporíferos*, consigo ser dominado por uma doce sonolência." (Ascendino Leite, *Passado Indefinido,* p. 121.) **4.** *Fig.* Coisa fastidiosa, maçante, enfadonha. [Sin. ger.: *soporativo* e *soporífico.* Cf. *saporífero.*]

soporífico. [De *sopor* + *-i-* + *-fico.*] *Adj.* e *s. m.* V. *soporífero.* [Cf. *saporífico.*]

soporizar. *V. t. d.* Sopitar.

soporoso (ô). *Adj.* **1.** Relativo a, ou próprio de sopor. **2.** Que tem ou está em sopor; sonolento.

soportal. [De *so-* + *portal.*] *S. m.* Parte inferior do portal; soleira.

soprador (ô). *S. m. Art. Gráf.* Cada uma das aberturas ligadas aos tubos que. no margeador automático. sopram ar entre as folhas de papel, para separá-las. [Cf. *sugador* (3).] ◆ **Soprador de apito.** *Bras. Irôn.* Mau árbitro (3).

sopranino. [Do it. *sopranino.*] *Adj. 2 g.* e *s. 2 g. Mús.* Diz-se de, ou o instrumento mais agudo da família dos saxornes, saxofones, sarrussofones, etc.

sopranista. *S. m.* Homem que, por efeito de propositada intervenção cirúrgica, ou por especial disposição dos órgãos da fonação, canta com voz de soprano.

soprano. [Do it. *soprano.*] *S. 2 g. Mús.* **1.** A voz mais aguda de mulher ou de menino. [Sin.: *tiple.*] **2.** Cantor ou cantora com voz de soprano. ● *Adj.* **3.** Diz-se de, ou o instrumento agudo, dentro de um grupo de instrumentos da mesma família: *saxorne soprano.*

soprar. [Do lat. vulg. _*suplare_, pelo cláss. _sufflare_.] *V. t. d.* **1.** Dirigir o sopro sobre ou para: *Soprou o pó do livro.* **2.** Dirigir o sopro sobre (o fogo), para o avivar ou para o apagar. **3.** Agitar com sopro: "O vento *sopra* as macieiras e levanta do caminho o palhiço seco do centeio." (José Vieira, *Sol de Portugal,* p. 59.) **4.** Encher de ar por meio de sopro: *O menino soprou o balão.* **5.** Favorecer. bafejar, favonear: *A sorte sopra, muitas vezes, os que menos precisam.* **6.** Estimular ocultamente; sugerir: *Seus escritos sopram oposição ao regime.* **7.** Dizer (lição, resposta de prova, etc.) em voz baixa, para prevenir ou remediar ignorância ou falta de memória de outrem: *O colega soprou a resposta da segunda questão.* **8.** Retirar ou separar (peças) no jogo de damas. *T. d.* e *i.* **9.** Insinuar. inspirar: *A boa situação que conquistara soprava-lhe o gosto de viver.* **10.** Cochichar, segredar: *Aproximou-se dela e soprou-lhe palavras de amor.* *Int.* **11.** Emitir sopro. **12.** Agitar-se, produzir-se (vento): "Só o vento continuava ainda a *soprar*, arrancando das árvores um rumor prolongado e sombrio." (Lúcio Cardoso, *O Desconhecido,* p. 11); "O vento *sopra* com mais intensidade." (Viana Moog, *Um Rio Imita o Reno,* p. 95). [F. paral.: *assoprar.* Pres. ind.: *sopro, sopras,* etc. Cf. *sopro* (ô).]

sopresa (ê). [Dev. de *sopresar.*] *S. f.* Ação de sopresar. [Cf. *sopresa,* do v. *sopresar.*]

sopresar. [De *so-* + *presa*[1] + *-ar*[2].] *V. t. d.* **1.** Tomar de assalto; apresar. **2.** Embair, enganar, com falsas aparências. [Pres. ind.: *sopreso, sopresas, sopresa,* etc. Cf. *sopresa* (ê).]

soprilho. [De *soprar.*] *S. m.* Variedade de seda muito rala ou transparente.

sopro (ô). [Dev. de *soprar.*] *S. m.* **1.** Ato ou efeito de soprar. **2.** Ato de expelir com alguma força o ar aspirado. **3.** Movimento de ar impelido pela boca. **4.** O ar expirado; bafo, hálito. **5.** Agitação do ar; brisa, viração, aragem: "não se ouvia o menor sussurro e as folhas do arvoredo apenas aflavam com o brando sopro da viração." (José de Alencar, *O Sertanejo,* p. 112). **6.** Miasma, exalação. **7.** Som, ruído: *Não se ouvia o sopro da tuba.* **8.** Ruído ritmado que lembra a respiração: *o sopro de um fole.* **9.** Gases em ignição, onda de choque e onda de calor que saem da boca de uma arma de fogo na ocasião do tiro. **10.** *Fig.* Influxo, influência, força: *sopro do entusiasmo; o sopro da fé.* **11.** *Med.* Ruído anormal que se verifica pela auscultação e pode localizar-se em diversos órgãos: *sopro cardíaco; sopro respiratório.* [Sin., nas acepç. 1 a 3: *assopradura, assopramento, assopro.* Pl.: *sopros* (ô). Cf. *sopro,* do v. *soprar.*] — V. *sopros.* ♦ **Sopro anfórico.** *Med.* O sopro ouvido ao nível de certas cavernas do pulmão e noutros estados mórbidos desse órgão, semelhante ao que se obtém quando se sopra dentro de uma garrafa.

sopros (ô). [Pl. de *sopro.*] *S. m. pl. Mús.* O conjunto dos instrumentos de sopro. — V. *sopro.*

soque. [Dev. de *socar*[1].] *S. m. Bras.* Ato de socar ou pilar.

soqueado. [Part. de *soquear.*] *Adj.* Socado (1).

soquear. [De *soco*[1] + *-ear.*] *V. t. d.* Dar socos em; socar: "Agarrou-se aos cabelos do irmão, soqueando-lhe o rosto." (Guido Wilmar Sassi, *Piá,* p. 25.) [Conjug.: v. *frear.*]

soqueira[1]. [De *soca* + *-eira.*] *S. f.* **1.** O raizame das canas, e doutras plantas, após o corte. **2.** *Bras., PE.* Engenho que produz muita soca (2).

soqueira[2]. [De *soco*[1] + *-eira.*] *S. f. Bras., SP* e *RS.* Boxe (2).

soqueixar. [De *soqueixo* + *-ar*[2].] *V. t. d.* Ligar ou prender por baixo do queixo.

soqueixo. [De *so-* + *queixo.*] *S. m.* **1.** Ligadura por sob o queixo. **2.** Lenço ou pano amarrado por baixo do queixo.

soquete. [Do fr. *socquette.*] *S. f. Bras.* Meia curtíssima, que chega apenas à altura do tornozelo. [Cf. *soquete* (ê).]

soquete[1] (ê). [De *soco*[2] (ô) + *-ete.*] *S. m.* **1.** Soco aplicado com pouca força. **2.** Utensílio para socar a pólvora e a bala dentro do canhão. **3.** Ferramenta apropriada para socar ou comprimir terra à volta de postes, mourões, etc., ou para firmar a pedra nos calçamentos. **4.** *Bras.* Socador (4). [Cf. *soquete.*]

soquete[2] (ê). [Do ingl. *socket.*] *S. m.* Ferramenta para colocar ou extrair porcas em cavidades profundas. [Cf. *soquete.*]

soquete[3] (ê). [Do esp. plat. *zoquete.*] *S. m. Bras., S.* **1.** Carne cozida ou fervida. **2.** Cozido (3) acompanhado de pirão. **3.** Comida de má qualidade. [Cf. *soquete.*]

soquetear. [De *soquete*[1] (3) + *-ear.*] *V. t. d.* Comprimir com o soquete; socar. [Conjug.: v. *frear.*]

soqueteiro. [Do esp. plat. *zoquetero.*] *Adj.* e *s. m. Bras., S.* Diz-se de, ou indivíduo vadio, que anda pelas estâncias a prestar algum serviço em troca do soquete[3] diário; gaudério.

sor[1] (ô). [De *senhor,* por síncope.] *S. m.* F. red. de *senhor:* "— Mas venha cá, sor Coelho." (Virgílio Várzea, *Nas Ondas,* p. 12.)

sor[2] (ô). [De *soror,* com síncope do *r* e contração das vogais.] *S. f.* Soror. [Só em posição proclítica: *Sor Teresa.*]

▲-(s)or. V. *-(d)or.*

soral. [De *soro* (com o tônico aberto) + *-al.*] *Adj. 2 g. Morfol. Veg.* **1.** Relativo ao soro. **2.** Diz-se da zona do talo liquênico onde se formam os sorédios, quando são circunscritos.

sorar. [De *soro* (ô) + *-ar*[2].] *V. t. d.* Converter em soro (ô); dessorar. [Pres. ind.: *soro,* etc. Cf. *soro* (ô).]

sorbônico. *Adj.* Pertencente ou relativo à Sorbona, sede dos cursos públicos das faculdades da Universidade de Paris.

sorbonista. *S. 2 g.* **1.** Estudante da Sorbona. **2.** Doutor da Sorbona.

sorção. [Do ingl. *sorption.*] *S. f. Fís.-Quím.* Fenômeno simultâneo de adsorção e absorção.

sorda (ô). [De *açorda?*] *S. f. Bras., RS.* Caldo de carne engrossado com farinha de mandioca, e ao qual se acrescentam ovos.

sordícia. [Var. de *sordície.*] *S. f.* V. *sordidez:* "O casamento do filho mais novo de el-rei D. Manuel com D. Isabel, filha de D. Jaime, ... é um quadro da vida particular de dous chefes de família, que se rivalizam em competência de velhacaria, de má-fé, de sordícias baixas." (Camilo Castelo Branco, *Narcóticos,* I, p. 13.)

sordície. [Do lat. *sorditie.*] *S. f.* V. *sordidez.* [Var.: *sordícia.*]

sordidez (ê). [De *sórdido* + *-ez.*] *S. f.* **1.** Estado de imundície, de repelente abandono, caracterizado por miséria extrema: *Muitos escravos morriam na viagem, tal era a sordidez dos navios negreiros.* **2.** Coisa ou pessoa suja, emporcalhada, nojenta, repugnante. **3.** *Fig.* Baixeza, infâmia, vileza, indignidade, torpeza. **4.** *P. ext.* Avareza sórdida; mesquinhez. [Sin. ger.: *sordícia* ou *sordície* e *sordideza.*]

sordideza (ê). [De *sórdido* + *-eza.*] *S. f.* V. *sordidez.*

sórdido. [Do lat. *sordidu.*] *Adj.* **1.** Que tem ou denota sordidez (1); imundo, abjeto, repugnante: *mocambo sórdido; estalagem sórdida:* "Divago como os cães danados / A horas mortas, por becos sórdidos.!" (Manuel Bandeira, *Estrela da Vida Inteira,* p. 251). **2.** Que é ou se apresenta sujo, emporcalhado, nojento: *mendigo sórdido; roupas sórdidas.* **3.** *Fig.* Que denota o emprego de meios degradantes e baixos para alcançar um fim; ignóbil, vil, torpe: *vitória sórdida; procedimento sórdido.* **4.** *Fig.* Corrompido pelo mal ou pelo vício; indigno, infame, corruto: *chantagista sórdido; prostituta sórdida.* **5.** *Fig.* Indecoroso, indecente, obsceno: *espetáculo sórdido.* **6.** *Fig.* Miserável, mesquinho [v. *avaro* (1)]: *O homem sórdido ama o dinheiro, mas não ama a vida.* **7.** *Fig.* Próprio de quem é sórdido (6); miserável, desgraçado, mesquinho: "A vida que leva é sórdida; come para não morrer, pouco e ruim." (Machado de Assis, *Várias Histórias,* p. 31.)

soredial. *Adj. 2 g. Morfol. Veg.* Relativo ao, ou da natureza do sorédio: *corpúsculo soredial.*

sorediífero. [De *sorédio* + *-i-* + *-fero.*] *Adj. Morfol. Veg.* Que tem sorédios: *zona sorediífera.*

sorédio. [Do lat. cient. *soredium* < gr. *sorós* (v. *soro*).] *S. m. Morfol. Veg.* Corpúsculo formado no talo de muitos liquens, constante de hifas e algas, e que, separado do talo, começa a crescer e reproduz o líquen, caso venha a cair em local favorável.

sorete (ê). [Do esp. plat. *sorete.*] *S. m. Bras., RS.* As fezes, quando expelidas em pedaços secos e duros.

sorgo (ô). [Do lat. *syricu,* atr. de uma f. vulg. *suricu* e do it. *sorgo.*] *S. m.* Planta da família das gramíneas (*Sorghum vulgare*); milho-zaburro. [Pl.: *sorgos* (ô).]

sorgo-de-alepo. *S. m.* V. *maçambará.* [Pl.: *sorgos-de-alepo.*]

soriano. [Do esp. *soriano.*] *Adj.* **1.** De, ou pertencente ou relativo a Sória (Espanha). ● *S. m.* **2.** O natural ou habitante de Sória.

soricídeo. *S. m.* **1.** Espécime dos soricídeos. ● *Adj.* **2.** Pertencente ou relativo a eles.

soricídeos. *S. m. pl. Zool.* Mamíferos insetívoros, da família *Soricidae,* de tamanho muito pequeno, focinho afilado, orelhas escondidas sob a pelagem, dentes incisivos superiores centrais grandes e com duas pontas, uma anterior, em forma de gancho, e outra posterior. Apenas um gênero é conhecido na América do Sul, ao norte, na região andina.

sorífero. [De *soro* + *-i-* + *-fero.*] *Adj. Morfol. Veg.* Que tem soros: *fronde sorífera.*

sorites. [Do gr. *sorítes,* 'silogismo amontoado', pelo lat. *sorites.*] *S. m. 2 n. Lóg.* Polissilogismo da forma *A é B, B é C, C é D,* então *A é D;* ou da forma *C é D, B é C, A é B,* então *A é D.*

sorna (ó). [Do nat. provenç. *sorn,* 'escuro', atr. do esp. (gír.) *sorna,* 'noite'.] *S. f.* **1.** Indolência, moleza, preguiça. **2.** Sono, soneira, soneca. *S. 2 g.* **3.** Pessoa indolente, preguiçosa, inerte. **4.** V. *maçante* (1 e 2). ● *Adj. 2 g.* **5.** Diz-se de sorna (3 e 4). [Pl.: *sornas* (ó). Cf. *sorna* e *sornas,* do v. *sornar.*]

sornar. [De *sorna* (1) + *-ar*[2].] *V. int.* Fazer as coisas com indolência; ser pachorrento; proceder com sorna. [Pres. ind.: *sorno, sornas, sorna,* etc. Cf. *sorna* (ó) e pl. *sornas* (ó).]

sorneiro. *Adj.* e *s. m.* Diz-se de, ou aquele que sorna.

soro. [Do gr. *sorós,* 'montão'.] *S. m. Bot.* **1.** Grupo de esporângios de criptógamos vasculares. **2.** Grupo de gametângios ou de esporângios das algas. [Pl.: *soros.* Cf. *soro* (ô) e pl. *soros* (ô).]

soro (ô). [Do lat. hispânico *soru,* var. do lat. cláss. *seru.*] *S. m.* **1.** *Med.* A porção fluida do sangue obtida após a coagulação dele. **2.** *Med.* Soro sanguíneo de animais em que se inocularam bactérias ou toxinas, e que é utilizado com fins profiláticos ou terapêuticos: *soro antitetânico; soro antidiftérico.* **3.** *Med.* Solução de substância mineral ou orgânica usada para hidratação ou alimentação de pacientes, ou para veiculação de medicamentos: *soro fisiológico* (que contém cloreto de sódio); *soro glicosado* (que contém glicose). **5.** Líquido transparente, amarelo-pálido, que aparece no leite coalhado e é subproduto da fabricação de queijos. [Pl.: *soros* (ô). Cf. *soro,* do v. *sorar* e *s. m.,* e *pl. soros.*] ♦ **Soro da verdade.** Entorpecente que, em alguns países, se emprega para obter o relaxamento do autodomínio de alguém que se recusa a confessar, ou a depor em processo criminal. [Cf. *narcoanálise.*]

soró. *S. m. Bras.,* N. V. *baseado*[1].

soroalbumina. *S. f. Quím.* Albumina encontrada no soro sanguíneo com massa molecular da ordem de 45.000.

soroca. [Do tupi *so'roka,* ger. de *so'rog,* 'rasgar-se'.] *S. f.* **1.** *Bras.* Árvore lactescente, da família das moráceas (*Sorocea ilicifolia*), da floresta atlântica, de folhas rígidas, oblongas, acuminadas e serreadas, flores mínimas e agregadas em compacto receptáculo, e cujo fruto é uma sorose vermelha e carnosa, de paladar agradável; bainha-de-espada. **2.** *Bras.* Toca de onça. **3.** *Bras., SP.* Rasgão ou desmoronamento de terras arrastadas em conseqüência da infiltração da água no subsolo, com desagregação das camadas inferiores e queda das superiores. [V. *sorocabuçu.*]

sorocabano. *Adj.* **1.** De, ou pertencente ou relativo a Sorocaba (SP) ou à zona servida pela Estrada de Ferro Sorocabana. ● *S. m.* **2.** O natural ou habitante de Sorocaba ou desta zona.

sorocabuçu. [Do tupi *soro'kab,* 'lugar de romper-se', + *-açu.*] *S. m. Bras., SP.* Soroca (3) de grande vulto.

sorodiagnóstico. [De *soro* (ô) + *diagnóstico.*] *S. m. Patol.* Diagnóstico das doenças, particularmente das infecciosas, pelas alterações verificadas no soro sanguíneo; serodiagnóstico.

sorogrupo. *S. m. Bacter.* Conjunto de sorotipos assim agrupados por possuírem antígenos comuns.

sorologia. [De *soro* (ô) + *-log(o)-* + *-ia.*] *S. f. Patol.* Serologia.

sorológico. *Adj.* Serológico.

sorologista. *S. 2 g.* Serologista.

soronga. *Adj. 2 g.* e *s. 2 g.* V. *sorongo*[2].

sorongo[1]. [De provável or. afr.] *S. m.* **1.** Dança de origem africana, que pertencia ao tipo do fandango ou do bolero. **2.** *Bras., PE* a *BA.* No séc. XIX, dança de salão, de características coreográficas nitidamente espanholas. **3.** *Bras., MG.* Dança negra, de origem africana, do tipo batuque ou samba. **4.** V. *arrasta-pé* (1). [Cf. *surungo* e *sarambu.*]

sorongo[2]. *Bras. Adj.* **1.** V. *tolo* (1 a 3). **2.** Perturbado, atônito, tonto. ● *S. m.* **3.** V. *tolo* (8). [Var.: *soronga.* Cf. *surungo.*]

soror (ô). [Do lat. *sorore.*] *S. f.* Tratamento dado às freiras: "Todo o mosteiro encheu-se de tristeza, / E ninguém soube de que dor escrava / morrera a divinal soror Teresa..." (Maranhão Sobrinho, *Papéis Velhos,* p. 24.) [É o fem. de *frei.* A pronúncia mais corrente, e não incorreta, é *sóror.* Pl.: *sorores* (ô).]

sóror. [Do lat. *soror* (nom.), 'irmã'.] *S. f.* V. *soror.* [Pl.: *sórores.*]

sororal. [Do lat. *sorore,* 'irmã', + *-al.*] *Adj. 2 g.* Pertencente ou relativo a soror. [Sin. (p. us.): *sorório.*]

sororato. [Do lat. *sorore,* 'irmã', + *-ato*[1].] *S. m.* Instituição matrimonial muito comum entre as sociedades primitivas, e pela qual uma irmã participa da vida conjugal da outra.

sororicida. [Do lat. *sororicida.*] *S. 2 g.* Pessoa que praticou sororicídio.

sororicídio. [Do lat. *sororicidiu.*] *S. m.* Assassinato de irmã ou de freira.

sorório. [Do lat. *sororiu.*] *Adj. P. us.* Sororal.

sororó. *S. m. Bras., RJ. Gír.* **1.** Briga, distúrbio. **2.** V. *rolo*[1] (16).

sororoca. [Do tupi *soro'roka,* ger. de *soro'rog,* 'desfazer-se'; voc. onom.] *S. f. Bras.* **1.** Ruído produzido pelos estertores de um moribundo: "as vozes do responso pareciam a sororoca da morte, o arquejo do moribundo" (Amadeu de Queirós, *Os Casos do Carimbamba,* p. 79). **2.** Peixe teleósteo, percomorfo, da família dos tunídeos (*Scomberomorus maculatus* (Mitc.)), do Atlântico, de dorso azulado, abdome prateado, e três séries de manchas longitudinais douradas sobre os flancos. Nada em pequenos cardumes, e é pescado com rede, espinhel e corrico; alimenta-se de peixes. [Sin.: *cavala-pintada, serrapinima, escalda-mar, sarda.*] **3.** Peixe teleósteo, percomorfo, da família dos tunídeos (*Scomber colias* Mir.-Rib.), do Atlântico.

sororocar. [De *sororoca* (1) + *-ar*^{2}.] *V. int. Bras.* Estertorar em agonia. [Conjug.: v. *trancar*. Cf. *sururucar*.]

sorose. [De *soro* + *-ose.*] *S. f. Morfol. Veg.* Infrutescência constituída pela fusão de bagas, como o abacaxi e a jaca.

soroso (ô). [De *soro* (ô) + *-oso.*] *Adj.* V. *seroso*^{1}.

soroterapia. [De *soro* (ô) + *-terapia.*] *S. f. Terap.* Tratamento mediante administração de soro obtido de organismo imunizado, principalmente de animais; seroterapia.

soroterápico. [De *soroterapia* + *-ico*^{2}.] *Adj.* Relativo a soroterapia; seroterápico.

sorotipo. *S. m. Bacter.* Cada um dos diferentes tipos antigênicos de uma mesma espécie microbiana.

sorrabar. [De *so-* + *rabo* + *-ar*^{2}.] *V. t. d.* **1.** Andar atrás ou no encalço de. **2.** *Fig.* Adular, bajular, sabujar.

sorrate. [Der. regress. de *sorrateiro.*] *El. s. m.* Us. na loc. adv. *de sorrate.* ♦ **De sorrate.** V. *à sorrelfa.*

sorrateiro. [Talvez do lat. *subreptu*, 'tomado por astúcia', com infl. de *rato*, + *-eiro.*] *Adj.* **1.** Que faz as coisas manhosamente, pela calada, de sorrate: "A instantes um vulto esgueirava-se sorrateiro, lançava ao fogo ramos secos, folhas." (Coelho Neto, *Rei Negro*, p. 290.) **2.** Matreiro, manhoso, astuto.

sorrelfa. *S. f.* **1.** V. *sonsice* (2). **2.** Disfarce para enganar; fantasia, socapa. ● *S. 2 g.* **3.** Pessoa manhosa ou astuta: "E Soledad seguia-lhes, sorrelfa, os olhares febris, que se apunhalavam, ansiosos, diante dela, impudicamente." (Urbano Tavares Rodrigues, *A Noite Roxa*, p. 84). **4.** V. *avaro* (3). ● *Adj. 2 g.* **5.** V. *avaro* (1). ♦ **À sorrelfa.** À socapa; de sorrate; sorrateiramente.

sorrelfo. [De *sorrelfa.*] *Adj. Desus.* Dissimulado, sonso.

sorridente. [Do lat. *subridente.*] *Adj. 2 g.* Que sorri. **2.** Risonho, alegre, prazenteiro: *rosto sorridente*; "olhos miúdos e sorridentes." (Pedro Nava, *Beira-Mar*, p. 35). **3.** Acolhedor, afável: *rapaz sorridente; expressão sorridente.* **4.** Esperançoso, propício, promissor: *futuro sorridente.*

sorrir. [Do lat. *subridere.*] *V. int.* e *p.* **1.** Rir sem ruído; rir de leve, apenas com uma ligeira contração dos músculos faciais: ["O caboclo não ri, sorri apenas" (Inglês de Sousa, *Contos Amazônicos*, p. 7); "As damas ... sorriam-se para os gentis campeadores, e seus olhos cheios de luz e de promessas estimulavam até os tímidos." (Rebelo da Silva, *Contos e Lendas*, p. 175). **2.** Mostrar-se alegre; alegrar-se: *Sorriu consigo mesmo ao relembrar os fatos. T. i.* **3.** Prazer, aprazer, agradar: "Pedro seria médico, Paulo advogado; tal foi a primeira escolha das profissões. .... A marinha sorria à mãe, pela distinção particular da escola." (Machado de Assis, *Esaú e Jacó*, p. 29); *Sorria-lhe a beleza sadia do campo.* **4.** Dar esperanças; mostrar-se prometedor: *A idéia sorriu-lhe, pois parecia exeqüível.* **5.** Ser favorável; favorecer: *A sorte sorriu a meu amigo.* **6.** Ser objeto de desejo; ser cobiçado, apetecido: *Sorri-lhe o cargo de ministro.* **7.** Troçar, zombar, mofar: *Sorriu da ingenuidade do rapaz. T. d.* e *i.* **8.** Significar de modo risonho; exprimir agradavelmente: *Sorriu ao companheiro o encantamento de que estava possuído.* **9.** Dar, esboçar (sorrisos): *Sorriu ao namorado o mais belo de seus sorrisos. T. d.* **10.** Dar, esboçar (sorriso): *Sorri um sorriso de satisfação:* "Minervino ficou sorrindo um sorriso triste" (Nélson de Faria, *Tiziu e Outras Estórias*, p. 144). [Irreg. Conjug.: v. *rir.*] ♦ **Sorrir amarelo.** Sorrir de modo forçado, contrafeito: "Camilo estremeceu, tinha medo: depois sorriu amarelo, ... e foi andando." (Machado de Assis, *Várias Histórias*, p. 11).

sorriso. [Do lat. *subrisu*, part. pass. de *subridere*, 'sorrir'.] *S. m.* **1.** Ato ou efeito de sorrir(-se). **2.** Movimento e expressão de um rosto que sorri: *O sorriso, na criança e no adulto, exterioriza uma gama numerosa de sentimentos.* ♦ **Sorriso amarelo.** Sorriso forçado, contrafeito; riso amarelo.

sorro (ô). [Var. de *zorro.*] *Bras., RS. Adj.* **1.** Zorro^1 (4). *S. m.* **2.** Zorro (6). ♦ **Sorro manso.** *Bras., RS. Fig.* Indivíduo falso, dissimulado.

sorte. [Do lat. *sorte.*] *S. f.* **1.** Força que determina ou regula tudo quanto ocorre, e cuja causa se atribui ao acaso das circunstâncias ou a uma suposta predestinação: *São imprevisíveis os caprichos da sorte.* **2.** Destino, fado, sina: *Nascer e morrer é a sorte de todos os viventes.* **3.** Destino, termo, fim: *Passou a vida a fazer o mal, mas teve uma triste sorte.* **4.** Modo de viver; condição social ou material: *Fez-se um plano para melhorar a sorte dos flagelados.* **5.** Acidente da fortuna; casualidade, acaso: *Enfrentou a sorte, e venceu.* **6.** Felicidade, fortuna, dita, ventura; boa estrela, boa sorte: *Teve a sorte de ver os filhos bem encaminhados; É homem de sorte.* **7.** Adversidade, fatalidade; má sorte: *os golpes da sorte; a ironia da sorte.* **8.** Acontecimento fortuito; casualidade, acaso: *Esse jogo só depende de sorte.* **9.** Modo de resolver alguma coisa ao acaso; sorteio: *Recorreram à sorte para ver quem pagaria a conta.* **10.** Bilhete ou outra coisa premiada em loteria ou sorteio: *A sorte saiu para quem mais precisava.* **11.** Quinhão ou porção que cabe a alguém numa partilha: *Não lhe coube por sorte a velha mansão de seus avós.* **12.** Arte ou manobra por meio da qual se pretende influir de modo nefasto ou benfazejo no destino de alguém; sortilégio: *A velha sabia fazer sortes para afastar o mau-olhado.* **13.** Gênero, classe, espécie: "Sabem todos o que foi que determinou o desapreço da coroa portuguesa pelas terras achadas por Pedro Álvares Cabral: foi a ausência de riquezas de qualquer sorte, metais ou pedras preciosas, especiarias, etc." (Rodolfo Garcia, *História Política e Administrativa do Brasil*, p. 41). **14.** Modo, maneira, forma, jeito: *Olhou-o de tal sorte que o outro logo desistiu do intento.* **15.** *Taurom.* Manobra para farpear o touro. **16.** *Tip.* Cada uma das letras ou sinais que, em quantidades determinadas, compõem uma fonte de tipos. [Cf., nesta acepç., *polícia* (7).] **17.** *Bras., CE.* Cada rês que toca ao vaqueiro por pagamento. ♦ **Sorte cotó.** *Bras. Pop.* Pouca sorte (6); má sorte. **Sorte de campo.** *Bras., RS.* Medida agrária de 2.700 quadras. **Sorte grande.** Bilhete sorteado com o maior prêmio na loteria: "— Estou pedindo a Deus que nos faça tirar a sorte grande. / — A sorte grande!... Mas como, se nós não compramos bilhetes de loteria, mamãe?" (Vivaldo Coaraci, *91 Crônicas Escolhidas*, p. 50.) **À sorte.** Ao acaso; aleatoriamente: *Tirou um número à sorte e foi premiado.* **Dar sorte.** *Bras.* Ter bom êxito num empreendimento, numa atividade, em qualquer coisa; ter sorte: *Fiz umas transações, e dei sorte: fiquei independente; Não dei sorte com esse carro: vive na oficina.* **De sorte que.** De maneira que; de modo que. **Deitar a sorte.** V. *ler a sorte de.* **Desta sorte.** Assim; assim sendo; deste modo; destarte. **Jogar a sorte.** V. *lançar a sorte.* **Lançar a sorte.** Tentar obter ou resolver algo valendo-se do acaso; jogar a sorte; lançar os dados. **Ler a sorte de.** Dizer a sina, o futuro de uma pessoa pelas linhas da mão, pelas cartas do baralho, pela bola de cristal, etc.; ler a buena-dicha de; deitar a sorte. **Rebenqueado da sorte.** *Bras., RS.* Desenganado, desiludido. **Tirar a sorte.** Ganhar em loteria ou sorteio. [Cf. *tirar à sorte.*] **Tirar à sorte.** Decidir o destino por meio de sorteio. [Cf. *tirar a sorte.*] **Tirar a sorte grande. 1.** Ganhar o prêmio máximo em loteria, sorteio, etc. **2.** *Fig.* Enriquecer de modo repentino ou imprevisível. **3.** *Fig.* Ser muito afortunado em determinadas circunstâncias: *Tirou a sorte grande, com o marido que tem!*

sorteado. [Part. de *sortear.*] *Adj.* **1.** Escolhido por sorte. **2.** Variado, sortido. [Diz-se de cores, fazendas e drogas.] **3.** Em que recaiu o prêmio, num sorteio: *bilhete sorteado.* **4.** Diz-se do cidadão obrigado a prestar o serviço militar por haver sido o seu nome sorteado. ● *S. m.* **5.** *Bras.* Cidadão sorteado (4).

sorteador (ô). *Adj.* e *s. m.* Que ou aquele que sorteia.

sorteamento. [De *sortear* + *-mento.*] *S. m. P. us.* Sorteio.

sortear. *V. t. d.* **1.** Determinar ou escolher por sorte: *Os alunos sortearam o representante da turma.* **2.** Distribuir por sorte; rifar: *Sorteamos as entradas para o baile.* **3.** Variar, sortir. [Conjug.: v. *frear.*]

sorteio. [Dev. de *sortear.*] *S. m.* Ato ou efeito de sortear. [Sin., p. us.: *sorteamento.*] ♦ **Sorteio militar.** *Mil.* Aquele a que se submete, anualmente, a classe (21) de indivíduos convocáveis para prestarem serviço militar, a fim de completar os quadros do pessoal subalterno não qualificado.

sortido. [Part. de *sortir.*] *Adj.* **1.** Abastecido, provido. **2.** Que tem sortimento grande: *supermercado sortido;* "Depois as prateleiras que, durante o ano, passavam vazias, contendo apenas .... alguns foguetes e bombas, se apresentavam sortidas" (Guiomar Alcides de Castro, *São Miguel dos Campos*, p. 157). **3.** Variado (em cor, tipo, espécie, etc.): *camisas sortidas; balas sortidas.* ● *S. m.* **4.** Sortimento (2). [Cf. *surtido*, part. de *surtir.*]

sortilégio. [Do lat. medieval *sortilegiu*, 'escolha de sortes', ou seja, de objetos destinados a predizer o futuro.] *S. m.* **1.** V. *bruxaria* (1 e 2): "rezas e orações, maus-olhados e pressságios, sortilégios de rezadores e pais-de-santos, pajé e xamãs" (Renato Almeida, *Inteligência do Folclore*, p. 144). **2.** Sedução ou fascinação exercida por dotes naturais ou por artifícios: "Joaninha .... ocupa-me todo o tempo, ... como se fora um logogrifo impossível de decifração. Instintivamente penso que ela deve ser o sortilégio de tudo quanto a cerca" (Afrânio Peixoto, *Fruta do Mato*, p. 77). **3.** Maquinação, trama.

sortílego. [Do lat. *sortilegu.*] *Adj.* e *s. m.* Que ou aquele que faz sortilégios.

sortilha. [De um b.-lat. *sorticula* < *sors, sortis*, 'sorte'.] *S. f. Ant.* Anel empregado sobretudo em sortilégios e na magia.

sortimento. *S. m.* **1.** Ato ou efeito de sortir(-se). **2.** Provisão de mercadorias de várias espécies; sortido. **3.** O conjunto de mercadorias que constituem o acervo de uma casa comercial. **4.** Grande número de coisas diversas.

sortir. [Do lat. *sortire*, 'obter por sorte', 'obter'.] *V. t. d.* **1.** Abastecer, prover: *Abriu uma casa comercial e tratou de sorti-la.* **2.** Variar, combinar, misturar: *sortir as cores da pintura. T. d.* e *i.* **3.** Abastecer, prover: *Os navios sortiram a cidade de trigo estrangeiro. Int.* **4.** Caber em sorte. *P.* **5.** Abastecer-se, prover-se. [Irreg. Pres. ind.: *surto, surtes, surte, sortimos, sortis, surtem*; imperat.: *surte, sorti*, etc.; pres. subj.: *surta, surtas*, etc. Cf. *surtir.*]

sortista. [De *sorte* + *-ista.*] *S. 2 g.* **1.** *Bras., S.* Cartomante. **2.** *Bras., PR* e *RS.* Pessoa que faz bruxaria; bruxo, macumbeiro: "eu fui naquela sortista que faz trabalho e falei sobre teu caso, deixei o nome da fulana, ela me disse que é para fazer defumação no quarto e na roupa" (Dalton Trevisan, *Desastres do Amor*, p. 170).

sortudo. *Adj. Bras. Gír.* **1.** Diz-se daquele que tem muita sorte, que obtém boas coisas com facilidade; lanzudo, peludo: "vai te dar um cargo de diretor da Companhia Anilinas São Pedro. Coisa de importância, com secretária bonita e telefone às ordens. Vai ser sortudo assim na China!" (José Cândido de Carvalho, *Por que Lulu Bergantim não Atravessou o Rubicon*, p. 9). ● *S. m.* **2.** Indivíduo sortudo.

soruma. *S. f. África oriental.* V. *maconha.*

sorumbático. [De um **soombrático*, calcado no ant. *soombra*, 'sombra', com metátese.] *Adj.* Sombrio, triste, tristonho, macambúzio: "sorumbático como uma cegonha, ilhava-se na penumbra de sua barbearia desfreqüentada, a remoer cogitações tristes." (Godofredo Rangel, *Os Humildes*, p. 195).

sorumbatismo. *S. m. Bras.* Qualidade ou estado de sorumbático.

sorva (ô). [Do lat. *sorba.*] *S. f. Bras.* **1.** Fruto da sorveira. **2.** Árvore da família das apocináceas (*Couma guianensis*), da floresta úmida, que se caracteriza pelos frutos bacáceos, comestíveis, de pequeno tamanho, e cujo látex é amargo, não servindo para beber. [Sin., (nesta acepç.): *sorva-do-peru.*] **3.** Balata preparada com o látex da sorva-pequena. [Pl.: *sorvas* (ô). Cf. *sorva* e *sorvas*, do v. *sorvar.*]

sorvado. [Part. de *sorvar.*] *Adj.* **1.** Meio podre (fruto). **2.** *Fig.* Alquebrado, abatido, combalido.

sorva-do-peru. *S. f. Bras., Amaz.* Sorva (2). [Pl.: *sorvas-do-peru.*]

sorva-grande. *S. f. Bras., Amaz.* Árvore da família das apocináceas (*Couma macrocarpa*), da floresta pluvial, caracterizada pelas bagas comestíveis, que são pegajosas, mas cuja polpa é de sabor agradável e do tamanho de limões. O látex é abundante, adocicado e potável, sendo bebido com água ou com café. [Pl.: *sorvas-grandes.*]

sorvalhada. [De *sorva*?] *S. f.* Grande porção de frutas esparramadas pelo chão.

sorva-pequena. *S. f. Bras., Amaz.* Árvore da família das apocináceas (*Couma utilis*), da floresta densa, caracterizada pelas bagas do tamanho de uma cereja, de cor castanha quando maduras, e comestíveis, a despeito do suco pegajoso. O látex é doce e pode ser bebido, servindo para preparar uma espécie de balata, chamada *sorva.* [Pl.: *sorvas-pequenas.*]

sorvar. [De *sorva* + *-ar*^{2}.] *V. int.* e *p.* **1.** Principiar a apodrecer (fruta). **2.** Amolecer (a fruta) por princípio de fermentação. **3.** Estar combalido, abatido, alquebrado. *T. d.* **4.** Fazer amolecer (a fruta) e ter começo de fermentação. [Pres. ind.: *sorvo, sorvas, sorva*, etc. Cf. *sorvo* (ô), do v. *sorver* e s. m., e *sorva* (ô), *sorvas* (ô), do v. *sorver* e s. f.]

sorvedoiro. [De *sorver* + *-(d)oiro*^{1}.] *S. m.* V. *sorvedouro.*

sorvedouro. [De *sorver* + *-(d)ouro*^{1}; var. de *sorvedoi-*

ro.] *S. m.* **1.** Redemoinho de água no mar ou nos rios; voragem. V. *turbilhão* (2). **2.** V. *abismo* (1). **3.** *Fig.* O que origina gastos ou sacrifícios exagerados: *A fazenda é um sorvedouro de dinheiro.* **4.** *Tip.* Parte do distribuidor da linotipo onde deslizam as matrizes em sua volta ao magazine; coletor radiado.

sorvedura. [De *sorver* + *-(d)ura.*] *S. f.* Sorvo (1).

sorveira. [De *sorva* + *-eira.*] *S. f. Bras.* Designação comum à sorva (2), à sorva-grande e à sorva-pequena.

sorver. [Do lat. *sorbere.*] *V. t. d.* **1.** Haurir ou beber, aspirando: *sorver um líquido;* "moqueando e comendo cuatá, sorvendo mel de abelha brava, bebendo água dos cipós" (Raimundo Morais, *País das Pedras Verdes,* p. 189); "as pontas dos nossos dedos .... transformaram-se numa espécie de ventosa do polvo, numas bocas de sanguessuga, que se dilatavam e contraíam incessantemente, sorvendo gulosas o ar e a umidade." (Aluísio Azevedo, *Pegadas,* p. 152); "Sorvo o perfume que tua alma exala" (Gonçalves Dias, *Obras Poéticas,* II, p. 154). **2.** Beber aos sorvos ou aos poucos: "E, calmamente, sorvemos longos goles de cerveja, até espertar o corpo." (Lima Barreto, *Vida e Morte de M. J. Gonzaga de Sá,* p. 159.) **3.** Embeber-se ou impregnar-se de; chupar, sugar; absorver: *A flanela sorveu toda a água.* **4.** Atrair para baixo; tragar: *O mar bravio sorveu a nau.* **5.** Submergir, afundar, subverter. **6.** *Fig.* Abrigar, recolher: *A casa, embora pequena, sorveu mais de 20 pessoas.* **7.** Destruir, aniquilar; devastar: *A peste sorveu milhares de habitantes.* [Pres. ind.: *sorvo* (ô), *sorves, sorve,* etc.; pres. subj.: *sorva* (ô), *sorvas* (ô), etc. Cf. *sorvo, sorvas, sorva,* do v. *sorvar,* e *solver.*]

sorvetaria. *S. f. Bras. P. us.* Sorveteria [q. v.].

sorvete (ê). [Do ár. vulg. *xurba,* 'bebidas', atr. do turco *xorbet* e do fr. *sorbet,* com possível infl. de *sorver.*] *S. m.* Designação comum a várias iguarias doces, feitas de suco de frutas ou de leite (com ovos, chocolate, etc.) e congeladas até adquirirem consistência semelhante à da neve. [Os sorvetes podem ser preparados industrialmente ou congelados nos refrigeradores domésticos. Sin., p. us.: *gelado.*] ♦ **Virar sorvete.** Sumir(-se), desaparecer. V. *fugir* (1 e 2).

sorveteira. *S. f.* Máquina de fazer sorvetes.

sorveteiro. *S. m. Bras.* Vendedor ambulante de sorvetes.

sorveteria. *S. f. Bras.* **1.** Estabelecimento onde se fabricam ou vendem sorvetes. **2.** Local onde se vendem sorvetes e outras iguarias, para consumo imediato, que são servidas em mesinhas ou em balcões. [F. paral. (p. us.): *sorvetaria.*]

sorvo (ô). [Dev. de *sorver.*] *S. m.* **1.** Ato ou efeito de sorver; sorvedura. **2.** Trago, gole, golo: "E pondo o gargalo à boca, bebeu em sorvos lentos, que lhe faziam ondular o pescoço peludo." (Eça de Queirós, *Contos,* p. 138.) [Pl.: *sorvos* (ô). Cf. *sorvo,* do v. *sorvar.*]

■ **S.O.S.** [Abrev. do ingl. *Save our souls.*] Pedido de socorro integrante do código internacional de sinais.

sósia. [Do antr. *Sósia* < lat. *sosia,* de um personagem da comédia *Anfitrião,* de Plauto (v. *plautino*). — O deus Mercúrio toma as feições do escravo Sósia para mais facilmente cumprir uma missão.] *S. 2 g.* Pessoa muito parecida com outra; menecma.

soslaio. [Do ant. provenç. *d'eslais,* 'impetuosamente', atr. do esp. *soslayo.*] *S. m.* Obliqüidade, través, esguelha. ♦ **De soslaio.** De esguelha; de esconso; de través; de lado; obliquamente: "quando .... a olhava, a furto, de soslaio, lá encontrava o seu olhar ardente e polido" (Afrânio Peixoto, *Fruta do Mato,* p. 80).

sossega. [Dev. de *sossegar.*] *S. f.* **1.** Ato de sossegar(-se). **2.** Repouso, descanso. **3.** *Fam.* Sono (1). ● *S. m.* **4.** Biscoito semelhante ao sonho (9), feito com farinha de trigo e ovos.

sossegado. [Part. de *sossegar.*] *Adj.* **1.** Quieto, tranqüilo, calmo: *recanto sossegado; criança sossegada.* **2.** Pacífico, pacato: *Embora muito moço, é sossegado.* **3.** Livre de preocupações; descansado: *Fique sossegado: tudo correrá bem.*

sossegador (ô). *Adj.* Que sossega ou tranqüiliza.

sossega-leão. [De *sossegar* + *leão.*] *S. m.* **1.** *Bras., CE.* Gradil quadrado onde se põe a criança de idade tenra com o objetivo de assegurar-lhe proteção: "magnífico pedaço de homem, com vinte e oito anos apenas, e três de casado, o primeiro filho em casa dos pais de Judite, e ainda no sossega-leão, de cueiros e urinado, esforçando-se, agarrado às grades, por ficar em pé" (Moreira Campos, *Portas Fechadas,* p. 70). **2.** *Bras. BA.* Bonde fechado. [Pl.: *sossega-leões.*]

sossegar. [Do lat. vulg. *sessicare, calcado em *sessu,* 'assento', atr. do arc. *sessegar.*] *V. t. d.* **1.** Pôr em sossego; aquietar: *Foi à cocheira sossegar os animais agitados com a tempestade.* **2.** Dar descanso a; pôr em descanso; fazer que descanse: "Maior amor nem mais estranho existe / Que o meu, que não sossega a coisa amada / E quando a sente alegre, fica triste, / E se a vê descontente, dá risada." (Vinícius de Morais, *Antologia Poética,* p. 146); *Depois de anos e anos de trabalho, quer agora sossegar o corpo.* **3.** Tranqüilizar, acalmar: *Procurou sossegar a mãe aflita. Int.* e *p.* **4.** Estar ou ficar quieto; aquietar-se: *As crianças, cansadas, sossegaram; Por fim os inquietos sossegaram-se.* **5.** Acalmar-se, tranqüilizar-se, serenar(-se): *O mar, tão agitado, sossegou; Os ventos desabridos sossegaram-se.* **6.** Adormecer, dormir. [Var.: *assossegar.* Conjug.: v. *regar.* Pres. ind.: *sossego,* etc. Cf. *sossego* (ê).]

sossego (ê). [Dev. de *sossegar.*] *S. m.* **1.** Ato ou efeito de sossegar. **2.** Ausência de agitação; tranqüilidade; calma, quietude, paz: *o sossego do campo.* **3.** Ausência de preocupações; tranqüilidade, paz: *sossego do espírito.* **4.** Aquilo ou aquele que proporciona sossego, descanso: *Esta babá é um sossego para a família.* **5.** Estado de repouso; descanso, parada: *O doente não tinha sossego na cama.* [Pl.: *sossegos* (ê). Cf. *sossego,* do v. *sossegar.* Var.: *assossego* (ê).]

sosseguense. *Adj. 2 g.* **1.** De, ou pertencente ou relativo a Sossego (RJ). ● *S. 2 g.* **2.** Natural ou habitante de Sossego.

sosso (ô). [De *insosso,* com aférese.] *Adj.* ~ V. *pedra —a.*

sota. [Do cat. *sota.* atr. do esp. *sota.*] *S. f.* **1.** Dama, nas cartas de baralho. **2.** Folga, descanso. **3.** *Mar.* V. *aberta* (9). ● *S. m.* **4.** O que monta o cavalo da sela. **5.** Cocheiro, boleeiro. **6.** Subordinado, subalterno. ~ V. *sotas.* ♦ **Dar sota e ás a.** Ser mais esperto que (outrem): "Sim, senhores, o frade dava sota e ás ao mais espertalhão dos doutores." (Aquilino Ribeiro, *O Malhadinhas,* p. 143.) **Orelhar a sota.** Jogar as cartas.

▲**sota-.** Equiv. de *soto-.*

sotaã. *Bras. S. 2 g.* **1.** Indivíduo dos sotaãs, tribo indígena do Juruá. ● *Adj. 2 g.* **2.** Pertencente ou relativo a essa tribo.

sota-capitão. [De *sota-* + *capitão.*] *S. m. Ant.* Soto-capitão. [Pl.: *sota-capitães.*]

sotádico. [Do gr. *sotadikós,* pelo lat. *sotadicu.*] *Adj.* **1.** De Sótades (séc. III a. C.), poeta grego, que escreveu obras licenciosas. **2.** Obsceno, erótico. ~ V. *verso —.*

sotaina. [Do it. *sottana.*] *S. f.* **1.** Batina de padre. ● *S. m.* **2.** Padre, sacerdote.

sótão. [Do lat. vulg. **subtulu* < *subtus,* 'debaixo'.] *S. m.* **1.** Pavimento situado imediatamente abaixo da cobertura de um edifício, e caracterizado pelo pé-direito reduzido ou pela disposição especial que permite adaptá-lo ao desvão do telhado: "A casa tinha um andar térreo e um pequeno sótão." (Domingos Monteiro, *O Primeiro Crime de Simão Bolandas,* p. 31.) **2.** Espaço vazio na armadura do telhado, que normalmente serve de depósito. [Pl.: *sótãos.*]

sota-piloto. [De *sota-* + *piloto.*] *S. m. Ant. Mar.* Substituto do piloto. [Pl.: *sota-pilotos.*]

sota-proa. [De *sota-* + *proa.*] *S. m. Mar. Bras.* O remador da segunda bancada a contar da proa. [Pl.: *sota-proas.*]

sotaque. *S. m.* **1.** Dito picante ou repreensivo; remoque, motejo, picuinha. **2.** Pronúncia característica de um indivíduo, de uma região, etc.; acento.

sotaquear. [De *sotaque* + *-ear.*] *V. t. d.* Jogar remoque a; motejar de (alguém). [Conjug.: v. *frear.*]

sotas. [Pl. de *sota.*] *S. f. pl.* Num carro puxado por mais de uma parelha, a que vai na frente. ~ V. *sota.*

sotaventear. [De *sotavento* + *-ear.*] *V. t. d.* **1.** Levar (o navio) para sotavento. *Int.* **2.** *Mar.* Perder barlavento; cair ou navegar para sotavento. [Sin., ant.: *sulaventear.*] *P.* **3.** Ir de barlavento para sotavento. [Conjug.: v. *frear.* Antôn.: *barlaventear.*]

sotavento. [De *sota-* + *vento.*] *S. m. Marinh.* O lado para onde vai o vento; bordo contrário àquele de onde sopra o vento. [Sin., ant.: *julavento, sulavento.* Antôn.: *barlavento.*] ♦ **A sotavento de.** *Marinh.* Após (determinado objeto), em relação ao ponto de onde sopra o vento. **Cair para sotavento.** *Mar.* Andar (a embarcação) lateralmente para sotavento, por efeito do vento e/ou do mar, conservando-se entretanto aproada ao mesmo rumo.

sota-voga. [De *sota-* + *voga.*] *S. m. Mar.* O remador da segunda bancada a contar da popa. [Pl.: *sota-vogas.*]

sotéia. *S. f.* Var. de *açotéia.*

soteriologia. [Do gr. *sotérion,* 'salvação', + *-log(o)-* + *-ia.*] *S. f.* Parte da teologia que trata da salvação do homem.

soteriológico. *Adj.* Relativo à soteriologia.

soteropolitano. [De *Soterópolis* (< gr. *sotérion,* 'salvação', + *-polis*), helenização do nome da Cidade do Salvador, + *-t-* + *-ano.*] *Adj.* e *s. m. Desus.* Salvadorense.

soterração. *S. f.* Soterramento.

soterrado. [Part. de *soterrar.*] *Adj.* **1.** Coberto de terra. **2.** Metido debaixo da terra.

soterramento. *S. m.* Ato ou efeito de soterrar(-se); soterração.

soterrâneo. *Adj.* e *s. m. P. us.* V. *subterrâneo.*

soterrar. [De *so-* + *terra* + *-ar*[2].] *V. t. d.* **1.** Cobrir de terra; enterrar, soverter; subterrar: *O desabamento soterrou 10 pessoas.* **2.** *P. us.* Causar grande terror a; assustar; aterrorizar. *P.* **3.** Meter-se por baixo da terra. [Antôn.: *dessoterrar.*]

▲**soto-.** [Do lat. *subtus.*] *El. comp.* = 'debaixo', 'posição inferior'; 'sentido contrário': *sotopor, soto-mestre.* [Equiv.: *sota-: sota-piloto, sotavento.*]

sotoar. [Do fr. *sautoir.*] *S. m. Heráld.* V. aspa (3).

soto-capitão. [De *soto-* + *capitão.*] *S. m. Ant. Mar.* Substituto do capitão a bordo; imediato; sota-capitão. [Pl.: *soto-capitães.*]

soto-mestre. [De *soto-* + *mestre.*] *S. m. Mar. Ant.* Substituto do mestre a bordo. [Hoje se usa *contramestre.* Pl.: *soto-mestres.*]

soto-ministro. [De *soto-* + *ministro.*] *S. m.* Entre os jesuítas, aquele que superintende os confrades incumbidos dos serviços de cozinha, despensa, etc. [Pl.: *soto-ministros.*]

sotopor. [De *soto-* + *pôr.*] *V. t. d. e i.* Pôr por baixo; subpor: *Sotoponha os livros aos cadernos.* **2.** Omitir, postergar, preterir, pospor: "Malsinando os políticos traidores de seus ideais e que tudo sotopõem aos seus baixos interesses, a imagem de que se socorre é ainda de poeta amoroso" (José Veríssimo, *História da Literatura Brasileira,* p. 297); "Como os homens são loucos quando intentam / As nações sotopor aos seus caprichos!" (Domingos José Gonçalves de Magalhês, *A Confederação dos Tamoios,* p. 170). [Sin. ger.: *sobpor.* Antôn.: *sobrepor.* Irreg. Conjug.: v. *pôr.*]

sotoposto (ô). [Part. de *sotopor.*] *Adj.* Posto por baixo.

soto-soberania. [De *soto-* + *soberania.*] *S. f.* Soberania subordinada a outra. [Pl.: *soto-soberanias.*]

sotrancão. [De *so-* + *tranca* + *-ão*[2].] *Adj.* Dissimulado, sonso, sorna.

sotrancar. [De *so-* + *trancar.*] *V. t. d.* Cingir com os braços; abarcar. [Conjug.: v. *trancar.*]

sotreta (ê). [Do esp. plat. *sotreta.*] *Adj. 2 g.* e *s. 2 g. Bras., S.* **1.** Diz-se de, ou pessoa torpe, vil. **2.** Diz-se de, ou coisa imprestável. **3.** Diz-se de, ou animal cavalar ruim, sendeiro.

soturnez (ê). *S. f. Bras.* Soturnidade.

soturnidade. *S. f.* Qualidade ou estado de soturno. [Sin., (bras.): *soturnez.*]

soturno. [Do astr. *Saturno;* segundo os astrólogos, as pessoas nascidas sob o influxo desse planeta eram de caráter melancólico.] *Adj.* **1.** Triste, sombrio, lúgubre: *as batidas soturnas do tambor;* "E sons soturnos, suspiradas mágoas, / Mágoas amargas e melancolias, / No sussurro monótono das águas, / Noturnamente, entre ramagens frias." (Cruz e Sousa, *Faróis,* p. 59). **2.** Silencioso, taciturno: *Figuras soturnas velavam o morto.* **3.** Que infunde pavor; medonho, lúgubre, funesto: *À noite, o parque era soturno e cheio de mistério.* **4.** Diz-se da atmosfera sombria, carregada ou brumosa: *tempo soturno; dia soturno.* ● *S. m.* **5.** Escuridão, treva.

souá. [Var. de *sauiá.*] *S. m. Bras.* Espécie de rato-do-espinho. [Cf. *sauiá.*]

➧**soubrette** (subrét). [Fr.] *S. f.* Atriz que desempenha papel de criada de quarto.

sourense. *Adj. 2 g.* **1.** De, pertencente ou relativo a Soure (PA). ● *S. 2 g.* **2.** Natural ou habitante de Soure.

sousafone. [Do antr. *Sousa,* de John Philip Sousa, maestro e compositor popular americano (— -1932), + *-fone.*] *S. m. Mús.* Hélicon cujo pavilhão é dirigido para cima.

sousense. *Adj. 2 g.* **1.** De, ou pertencente ou relativo a Sousa (PB). ● *S. 2 g.* **2.** Natural ou habitante de Sousa.

➧**sous la coupole** (su la cupól'). [Fr.] Sob a cúpula (da Academia). Ex.: *ser recebido* sous la coupole, *i. e., ser eleito membro da Academia.*

souto. [Do lat. *saltu.*] *S. m.* Bosque espesso; salto: "aqui a terra seca; além o lameiro; acolá a bouça, o chão de pinhal ou o souto de castanheiros." (Ramalho Ortigão, *As Farpas,* I, pp. 56-57). [Var.: *soito.*]

➧**souvenir** (su). [Fr.] *S. m.* Suvenir [q. v.].

sova¹. [Dev. de *sovar*.] *S. f.* **1.** Ato ou efeito de sovar. **2.** V. *surra* (1). **3.** *Bras.* Uso diário. **4.** *Bras. Fam.* Surra (3).

sova². *S. m. P. us.* Var. de *soba*.

sovacada. [De *sovaco* + *-ada*¹.] *S. f. Bras.* V. *arrasta-pé* (1).

sovaco. *S. m.* V. *axila* (1). [F. paral.: *sobaco*.] ♦ **Sofrer que só sovaco de aleijado.** *Bras., N.E. Pop.* Sofrer muito; sofrer que só pé de cego.

sovado. [Part. de *sovar*.] *Adj.* **1.** Que levou sova¹ (1); surrado, batido, espancado: *animal sovado*. **2.** Amassado, pisado. **3.** Diz-se da massa (5) que, depois de trabalhada, é batida com força sobre a mesa. **4.** *Bras.* Moído de cansaço; fatigado. **5.** *Bras.* Muito usado; surrado: *roupa sovada*.

sovador (ô). [De *sovar* + *-(d)or*.] *S. m. Bras., RS.* Mordaça (4).

sovaqueira. [De *sovaco* + *-eira*.] *S. f. Bras.* **1.** V. *axila* (1): "suor frio porejava-lhe a raiz dos bigodes, escorria-lhe do canto da boca murcha, do cangote, descia-lhe pela suã, molhava-lhe a *sovaqueira*." (Nélson de Faria, *Bazé*, p. 108). **2.** O suor do sovaco. **3.** O cheiro desse suor; sovaquinho. **4.** *Bras., S.* Ferida feita pela cincha no sovaco do cavalo.

sovaquete (ê). [De *sovar*.] *S. m.* Ato de tirar a péla da casa, no jogo da péla.

sovaquinho. [De *sovaco* + *-inho*.] *S. m.* **1.** Sovaqueira (3). ● *Adj.* **2.** Diz-se do cheiro dos sovacos suados.

sovar. *V. t. d.* **1.** Bater a massa de; amassar. **2.** Pisar (uvas). **3.** Pisar com pancadas; moer. **4.** V. *surrar* (2). **5.** *Fig.* Usar muito. **6.** *Bras., S.* Tornar flexível; amaciar. [Aplica-se especialmente em relação ao couro cru, no preparo de arreios ou cordas empregadas em serviços rurais.] **7.** Montar (um cavalo) durante vários dias a fio.

sovela. [Do lat. **subella*, por *subula*.] *S. f.* **1.** Instrumento de ferro ou de aço, em forma de haste cortante e pontuda, que os sapateiros e correeiros usam para furar o couro a fim de coser. **2.** V. *mosquito* (1). ♦ **À sovela.** Empinado, arrepiado. **Em cima da sovela.** V. *na bucha*.

sovelada. [De *sovelar* + *-ada*¹.] *S. f.* **1.** Ato ou efeito de sovelar. **2.** Furo ou golpe com a sovela (1).

sovelão. *S. m.* Sovela grande.

sovelar. *V. t. d.* **1.** Furar com sovela. **2.** *Fig.* Furar, perfurar. **3.** *Bras., N.E.* V. *apoquentar*. *P.* **4.** *Bras., N.E.* V. *apoquentar*.

soveleiro. *S. m.* Aquele que fabrica ou vende sovelas.

soveral. [Do lat. **suberale*.] *S. m.* V. *sobral*: "No *soveral* havia todo o gênero de caça" (Alexandre Herculano, *Lendas e Narrativas*, II, p. 20).

sovereiro. [Do lat. **suberariu* (subentende-se *arbore*).] *S. m.* V. *sobreiro*.

soverter. [Var. de *subverter*.] *V. t. d.* **1.** *Ant.* Subverter. **2.** *Bras.* Fazer desaparecer; fazer sumir-se; sumir: *Dizem que, depois de matar o adversário, o soverteu*. **3.** *Bras.* Soterrar (1). *P.* **4.** *Ant.* Subverter-se. **5.** *Bras.* Desaparecer, sumir(-se); levar fim: "Ficou a fama nas redondezas que ele era o diabo mesmo e se *soverteu* pro fundo do rio (José de Morais Rocha, "O Major Fausto" *ap. Revista do Brasil*, 3ª fase, julho de 1940, p. 52).

sovéu. [Do esp. plat. *sobeo*.] *S. m. Bras., S.* Laço grosseiro e forte, para pegar touros.

sovi. [De provável or. indígena; voc. talvez onom.] *S. m. Bras.* **1.** V. *gavião-pomba* (3). **2.** Sururina (1).

soviete. [Do russo *sovet*, 'conselho celebrado por diversas pessoas', pelo fr., e pronunciado alfabeticamente, pois o russo soa *saviet*.] *S. m.* Designação comum a conselhos integrados por delegados operários, camponeses e soldados, aparecidos na Rússia pela primeira vez na Revolução de 1905, e que, com a Revolução de Outubro de 1917, passaram a ser um órgão deliberativo daquele país. ♦ **Soviete Supremo.** O órgão deliberativo da U.R.S.S.

soviético. *Adj.* **1.** Relativo ou pertencente aos sovietes; sovietista. **2.** *P. ext.* Relativo ou pertencente à União das Repúblicas Socialistas Soviéticas (U.R.S.S.), estado nascido da Revolução de 1917, e constituído por 15 repúblicas soviéticas socialistas, uma das quais federativa. ● *S. m.* **3.** *P. ext.* O natural ou habitante da União das Repúblicas Socialistas Soviéticas (U.R.S.S.). [Sin., impr.: *russo*.]

sovietismo. *S. m.* **1.** Sistema político dos sovietes. **2.** *P. ext.* Comunismo.

sovietista. *Adj. 2 g.* **1.** Soviético (1). ● *S. 2 g.* **2.** Partidário do sovietismo. **3.** *P. ext.* Comunista (3).

sovietização. *S. f.* Ato ou efeito de sovietizar.

sovietizar. *V. t. d.* **1.** Tornar soviético ou russo; russificar. **2.** Implantar o sovietismo ou bolchevismo em; bolchevizar. **3.** *P. ext.* Implantar o socialismo em; socializar, bolchevizar.

sovina. [Do esp. *sobina*.] *S. f.* **1.** Torno de madeira. **2.** Instrumento perfurante em forma de lima¹. *S. 2 g.* **3.** V. *avaro* (3). ● *Adj. 2 g.* **4.** V. *avaro* (1).

sovinada. [De *sovina* (2) + *-ada*¹.] *S. f.* **1.** Picada ou golpe com sovina ou com outro instrumento perfurante. **2.** *Fig.* Dito picante; motejo, remoque.

sovinar. [De *sovina* (2) + *-ar*².] *V. t. d.* **1.** Furar com sovina ou com qualquer instrumento semelhante. **2.** *Fig.* Magoar, molestar; afligir.

sovinaria. *S. f.* V. *sovinice*.

sovinice. *S. f.* Qualidade de sovina (4); avareza, mesquinharia, somiticaria, sovinaria.

sozinho (sò). [De *só* + *-z-* + *-inho*.] *Adj.* **1.** Completamente só. **2.** Abandonado, largado, desamparado. **3.** Que é só um; único, isolado: *uma palmeira sozinha na planície*. **4.** Desacompanhado, solitário, só: *É um homem sozinho desde que perdeu a mulher*. **5.** Diz-se de quem, embora precise de uma companhia, se encontra só: *A criança perdeu-se e ficou sozinha na praia*. **6.** Que não tem nenhuma ajuda ou assistência: *Ela é sozinha para fazer todo o trabalho*. **7.** Sem ação exterior voluntária; sem intervenção de ninguém; por si mesmo: *A árvore caiu sozinha*. [A rigor, neste sentido, a palavra será antes um advérbio, e flexiona-se por atração.]

■ **SP.** Sigla do Estado de São Paulo.

➧**spaghetti western** (çpaguéte uéstern). [Ingl.] Filme de bangue-bangue produzido na Itália.

➧**sparing** (çpérin). [Ingl.] *S. m.* Parceiro de boxeador para treinar.

➧**speaker** (spícâr). [Ingl.] *S. m. Rád.* Locutor.

▲**-spect-.** [Do lat. *spectare*.] *El. comp.* = 'olhar': *intusspectivo*.

➧**speech** (spítx). [Ingl.] *S. m.* **1.** Pequeno discurso de circunstância. **2.** Breve exposição verbal sobre determinado assunto.

▲**-sperma.** V. *espermato-*.

▲**-spermat(o)-.** V. *espermato-*.

▲**-spermo.** V. *espermato-*.

▲**-sperm(o)-.** V. *espermato-*.

➧**spiccato.** [It] *S. m. Mús.* Tipo especial de destacado, usado nos instrumentos de arco, de preferência em passagens rápidas de valores idênticos.

spin. [Do ingl. *spin*.] *S. m. Fís.* Número quântico associado a uma partícula, e que lhe mede o momento angular intrínseco. ♦ **Spin isobárico.** *Fís. Nucl.* Número quântico associado a um núcleon, ou a um núcleo, e que mede o momento angular total próprio da partícula em unidades iguais à constante de Planck reduzida; spin isotópico. **Spin isotópico.** *Fís. Nucl.* Spin isobárico.

spinozismo. *S. m.* V. *espinosismo*.

spinozista. *Adj. 2 g. e s. 2 g.* V. *espinosista*.

➧**spiritual** (çpíritual). [Ingl.] *S. m. Mús. Negro spiritual* [q. v.].

▲**splen-.** V. *esplen(o)-*.

▲**-spor(o)-.** V. *espor(o)-*.

▲**-sporo.** V. *espor(o)-*.

➧**spot.** [Ingl., f. red. de *spot-light*.] *S. m.* Refletor que projeta a luz num determinado ponto.

➧**spray** (sprei). [Ingl.] *S. m.* **1.** Jacto gasoso de aerossol (1) ou de líquido, que se espalha como névoa, ou que é aplicado sobre uma superfície. **2.** O aerossol ou o líquido usado desta maneira (inseticida, desodorante, perfume, tinta, fixador de cabelo, etc.) **3.** Recipiente fechado provido de dispositivo capaz de emitir *spray* (1). [Nesta acepç., cf. *atomizador, nebulizador* e *vaporizador*.]

➧**spread** (çpréd). [Ingl.] *S. m. Econ.* **1.** A diferença entre o preço pago ao produtor por um produto e o preço que o consumidor paga por ele. **2.** A diferença, num dado período, entre o preço mais alto e o mais baixo de um produto. **3.** Taxa que incide sobre um empréstimo, variável de acordo com o país que o solicita.

➧**sprinkler** (ín). [Ingl.] *S. m. Constr.* Peça dotada de dispositivo sensível à elevação de temperatura e destinado a espargir água sobre incêndio; chuveiro automático.

➧**sprinter** (sprintâr). [Ingl.] *S. m. Turfe.* Cavalo cuja especialidade é correr distâncias pequenas.

■ **sq. in.** Abrev. de *polegada quadrada*. [Em ingl., *square inch*.]

■ **Sr.** *Quím.* Símb. de *estrôncio*.

■ **Sr.** Abrev. de *senhor*.

▲**-(s)são.** V. *-ão*³.

■ **S.S.E.** Abrev. de *su-sueste*.

■ **S.S.O.** Abrev. de *su-sudoeste*.

■ **S.S.W.** Abrev. de *su-sudoeste*.

■ **St.** *Fís.* Símb. de *stokes*.

➧**staccato.** [It.] *S. m. Mús.* V. *destacado*².

➧**staff** (stáf). [Ingl.] *S. m.* **1.** Pessoal (5) cujas atividades supõem grau mínimo de aptidão ou competência: *Um staff jovem e dinâmico duplicou a produtividade da empresa*. **2.** Grupo qualificado de pessoas que assistem a um chefe, a um dirigente, em organizações governamentais ou privadas: *Com o novo governo, houve um remanejamento do staff presidencial*. [Sin. ger.: *estafe*².]

stalinismo. [Do antr. *Stalin* + *-ismo*.] *S. m.* **1.** Desenvolvimento teórico e prático do marxismo-leninismo [q. v.], realizado pelo estadista soviético Iosif Vissarionovitch Djugatcvilli, dito Stalin (1897-1953), e que se baseia na tese do "socialismo em um só país", a U.R.S.S. **2.** O conjunto dos métodos de condução política, econômicos e sociais aplicados por Stalin, no período em que predominou politicamente na U.R.S.S. (1924-1953). **3.** Adesão ao stalinismo, ou simpatia por ele. [Cf. *comunismo* (2 a 5).]

stalinista. *Adj. 2 g.* **1.** Relativo ao, ou próprio do stalinismo (1 e 2). **2.** Que é partidário do stalinismo (1) e/ou pratica. ● *S. 2 g.* **3.** Indivíduo stalinista.

▲**-stamine-.** Equiv. de *estamin(i)-*.

➧**stand** (stând). [Ingl.] *S. m.* V. *estande*.

➧**standard** (stândard). [Ingl.] *S. m.* **1.** Modelo, padrão. ● *Adj. 2 g. e 2 n.* **2.** Sem nenhuma característica especial; comum: *um carro standard*.

➧**star.** [Ingl.] *S. 2 g.* Estrela de cinema ou de teatro.

➧**starter** (stártâr). [Ingl.] *S. m. Turfe.* Indivíduo encarregado, nos hipódromos, de dar a partida em cada páreo, movimentando o *starting gate*.

➧**starting gate** (stártin geite). [Ingl.] *Turfe.* Aparelho usado na largada dos páreos, e do qual há dois modelos: o que levanta as cintas, na partida, e o que alinha os cavalos antes da largada.

▲**stat.** *Eletr.* Prefixo que, anteposto ao nome de uma unidade elétrica prática, forma o nome da unidade correspondente no sistema c.g.s. eletrostático.

➧**States** (stêits). [Ingl.] *S. m. pl.* F. red. de *United States of America* (Estados Unidos da América).

▲**-stato.** [Do gr. *státos*.] *El. comp.* = 'estacionário'; 'parado': *aeróstato*. [Equiv.: *-stat(o)-*: *hidrostático*.]

▲**-stat(o)-.** Equiv. de *-stato*.

➧**statu quo.** [Lat.] V. *status quo*.

➧**status** (státuç). [Lat.] *S. m. Etnol.* Conjunto de direitos e deveres que caracterizam a posição de uma pessoa em suas relações com outras. [Numa sociedade determinada, o *status* social de um indivíduo é a soma dos *status* parciais que desfruta em cada grupo de que participa (família, igreja, partido político, clube, etc.).]

➧**status quo** (státuç quó). [Lat.] Significa o estado em que se achava anteriormente certa questão. [F. preferível a *statu quo*.]

➧**steeple-chase** (stipl'-txêiz). [Ingl.] *Turfe.* Corrida de obstáculos.

▲**-stegnose.** [Do gr. *stégnosis, eos*.] *El. comp.* = 'fechamento, estreitamento': *rinostegnose*.

▲**-steg(o)-.** [Do gr. *stégos*, 'teto', 'cobertura'.] *El. comp.* = 'cobertura', 'revestimento': *eletrostegia, galvanostegia*.

▲**-stemone.** [Do gr. *stémon, onos*.] *El. comp.* = 'filete', 'estame': *tetrastêmone*.

▲**-sten-.** [Do gr. *sthénos, eous-ous*.] *El. comp.* = 'força': *hipostenia*.

stendhaliano (stan). *Adj.* **1.** Relativo ou pertencente ao escritor francês Henry Beyle Stendhal (1783-1842), ou próprio dele. **2.** Que é seu admirador e/ou conhecedor profundo de sua obra. ● *S. m.* **3.** Admirador e/ou conhecedor profundo da obra desse escritor.

➧**steward** (stíuard). [Ingl.] *S. m.* **1.** Mordomo. **2.** Garçom, ou comissário de bordo.

▲**-stico.** [Do gr. *stíchos, ou*.] *El. comp.* = 'linha': *macróstico*.

▲**-stigma.** V. *estigmat(o)-*.

stilb. [Do ingl. *stilb* < gr. *stílbo*, 'brilhar'.] *S. m. Fotom.* Unidade de medida de luminância, igual a uma candela por centímetro quadrado. [Símb.: *sb*. Pl.: *stilbs*.]

➧**still.** [Ingl.] *S. m.* V. *fotografia de cena*.

▲**-stilo.** Equiv. de *estil(o)-*².

stokes. [Do antr. *Stokes*, de *George G. Stokes*, matemático e físico inglês (1819-1903).] *S. m. 2 n. Fís.* Unidade c. g. s. de medida de viscosidade cinemática igual à de um líquido cuja viscosidade é um poise e cuja massa volumétrica é um grama por centímetro cúbico. Vale 10^4 unidades MKS de viscosidade cinemática. [Símb.: *St*.]

▲**-stom(a)-.** V. *estomat(o)-*.

▲**-stomo.** V. *estomat(o)-*.

➧**stop** (çtap). [Ingl.] Palavra usada em sinalização de trânsito: *Pare!*

➧**straight flush** (streit flash). [Ingl.] *Loc. s. m.* V. *pôquer* (1).

➧strapontin (çtraponten). [Fr.] *S. m.* Assento móvel, suplementar, em teatro; coxia.
strasburgeriácea. *S. f.* Espécime das strasburgeriáceas.
strasburgeriáceas. *S. f. pl. Bot.* Família da ordem das parietales, constituída apenas do gênero *Strasburgeria,* que contém uma espécie de árvore de folhas estipuladas e flores solitárias encontrada na Nova Caledônia.
strasburgeriáceo. *Adj.* Pertencente ou relativo às strasburgeriáceas.
▲-strato. V. *estrati-.*
➧stress. [Ingl.] *S. m. Med.* V. *estresse.*
➧stretto. [It., 'estreito'.] *S. m. Mús.* Na fuga musical, o instante em que se estreitam os intervalos do aparecimento do tema nas diversas vozes.
➧stricto sensu (stricto sênsu). [Lat.] Em sentido restrito. [Antôn.: *lato sensu.*]
strindberguiano. *Adj.* **1.** Relativo ou pertencente ao escritor sueco August Strindberg (1849-1912), ou próprio dele: "Da noção do pecado original decorre a cosmologia strindberguiana, mesmo na sua primeira fase naturalista, quando se proclamava ateu" (Sábato Magaldi, *Aspectos da Dramaturgia Moderna,* p. 7). **2.** Que é seu admirador e/ou conhecedor profundo de sua obra. ● *S. m.* **3.** Admirador e/ou conhecedor profundo da obra de August Strindberg.
➧strip-tease (strip-tise). [Ingl.] *S. m.* Ato de se despir lentamente em público, em espetáculo, ao som de música e com dança e/ou movimentos eróticos.
➧strip-teaser (strip-tísar). [Ingl.] *S. 2 g.* Pessoa que faz *strip-tease.*
➧stud (stâd). [Ingl.] *S. m. Turfe.* O conjunto dos cavalos de corrida pertencentes a uma pessoa ou a um grupo.
su. [F. red. de *sucesso.*] *S. m. Bras. Gír.* Sucesso; grande êxito.
▲su-. V. *sub-.*
sua[1]. *S. f.* V. *seu*[1] (2): "Que tal minha cara? Você nem disse nada, sua bruxa!" (Lígia Fagundes Teles, *O Jardim Selvagem,* p. 86.)
sua[2]. [Do lat. *sua.*] *Pron.* **1.** Flex. de *seu*[2]. ● *S. f.* **2.** *Bras. Gír.* Sua intenção, seu objetivo: *Qual é a sua?* ◆ **A sua. 1.** Seu parecer; sua opinião: *Ele, lá na sua, não concorda com o advogado; Na sua, o rapaz não tem razão.* [M. us. em Portugal que no Brasil.] **2.** *Bras. Gír.* Modo de viver, sentir, pensar, proceder, muito pessoal, que varia de acordo com o temperamento ou a situação de cada um: *estar, ficar na sua; Fiquei na minha; Ele e nós estamos na nossa;* "Os filhos saltaram, muito na deles, e entraram na patota." (Marisa Raja Gabaglia, *Milho pra Galinha, Mariquinha,* p. 12). **Em sua.** *V. in.* **Fazer das suas.** Proceder mal, como de costume. **Levar a sua avante.** Alcançar os seus desígnios: "Eles levaram a sua avante .... porque eu estava desarmado." (Franklin Távora, *O Matuto,* p. 44.)
suã. [Do guar. *uã,* 'espinha dorsal'.] *S. f. Bras.* **1.** Carne da parte inferior do lombo do porco. **2.** Espinha ou vértebra desse animal abatido: *arroz de suã.* [Em SP: *assuã.*]
suaçu. [Do tupi *suasu.*] *S. m. Bras.* Veado[1] (1).
suaçuapara. [Do tupi *suasua'para,* 'veado curvo', i. e., de chifres tortos.] *S. m. Bras.* V. *cariacu.* [Var.: *açuçuapara* e *suçuapara.*]
suaçuetê. *S. m. Bras.* V. *cervo* (1).
suaçuiense[1] (u-i). *Adj. 2 g.* **1.** De, ou pertencente ou relativo a Santa Maria do Suaçuí (MG). ● *S. 2 g.* **2.** Natural ou habitante de Santa Maria do Suaçuí.
suaçuiense[2] (u-i). *Adj. 2 g.* **1.** De, ou pertencente ou relativo a São Brás do Suaçuí (MG). ● *S. 2 g.* **2.** Natural ou habitante de São Brás do Suaçuí.
suaçupita. [Do tupi *suasu'pita,* 'veado vermelho'.] *S. m. Bras.* V. *veado-mateiro.*
suaçupucu. [Do tupi *suasupu'ku,* 'veado comprido'.] *S. m. Bras.* V. *cervo* (1).
suaçutinga. [Do tupi *suasu'tinga,* 'veado branco'.] *S. m. Bras.* V. *veado-campeiro.*
suadeira. [De *suar* + *-deira.*] *S. f. Bras., RS.* V. *bastos* (1).
suadir. [Do lat. *suadere.*] *V. t. d., t. d. e i., int. e p. P. us.* Persuadir [q. v.].
suado. [Part. de *suar.*] *Adj.* **1.** Que está com a pele coberta de suor. **2.** Em que há suor ou vestígios de suor: *Mandou para o tintureiro a roupa suada.* **3.** *Fig.* Que custou muito trabalho ou esforço: *Economiza muito o seu dinheiro suado.* **4.** *Bras.* Que está com a superfície coberta de vapor de água condensado: *copo suado; A garrafa de cerveja está suada.* **5.** Que se faz ou realiza suando, à custa de suor: "Tu [Espinosa] trabalhas, tu pensas, e executas, / Sóbrio, tranqüilo, desvelado e terno, / A lei comum, e morres, e transmutas / O suado labor no prêmio eterno." (Machado de Assis, *Poesias Completas,* p. 318). [Fem.: *suada.* Cf. *soado* e *soada.*]
suadoiro. [De *suar* + *-(d)oiro*[1].] *S. m.* V. *suadouro.*
suador (ô). *Adj.* **1.** Que sua. **2.** V. *sudorífero* (1). ● *S. m.* **3.** Aquele que sua. **4.** Agasalho, bebida, remédio que faz suar [v. *sudorífero* (2)]: *Tomou um suador e melhorou da gripe.*
suadouro. [De *suar* + *-(d)ouro*[1]; var. de *suadoiro.*] *S. m.* **1.** Ato ou efeito de suar. **2.** V. *sudorífero* (2). **3.** Lugar muito quente; sauna. **4.** Lavagem de vasilhas com água quente, sal, etc. **5.** Parte do lombo da cavalgadura onde se assenta a sela; peitudo. **6.** Xairel de lã. **7.** *Bras., RJ. Gír.* Modalidade de conto-do-vigário que consiste em uma meretriz levar o cliente a determinado lugar, para ali roubá-lo, sozinha ou com ajuda de sequazes.
suaíle. [Do ingl. *swahili* < ár. *sawahil.*] *S. m.* **1.** Indivíduo dos suaíles, povo banto que habita o Zanzibar [v. *zanzibarita*] e costas adjacentes. **2.** A língua banto falada pelos suaíles, largamente usada como língua franca (2) em países da África oriental e central. É ainda a língua oficial do Quênia e da Tanzânia, a língua nacional do Zaire e segunda língua corrente em Burundi, Ruanda e Uganda. ● *Adj. 2 g.* **3.** Pertencente ou relativo aos suaíles ou à sua língua.
suão. [De *sulano.*] *Adj.* **1.** Do sul: "— Simão — disse-lhe ele — não cortes o vento suão com os teus passos." (Domingos Monteiro, *O Primeiro Crime de Simão Bolandas,* p. 61.) ● *S. m.* **2.** O que é do sul. **3.** Vento quente do sul: "O suão aquecido nas cinzas das queimadas soprava abrasador." (D. João da Câmara, *Contos,* p. 1.) [Cf. *soão.*]
suar. [Do lat. *sudare.*] *V. int.* **1.** Deitar suor pelos poros; transpirar: *O forte calor fazia-me suar.* **2.** Verter umidade; ressumar: "Cerveja ficou no ponto, garrafas suando." (José Carlos Cavalcanti Borges, *O Assassino,* p. 27.) **3.** Cair em gotas; gotejar, destilar. *T. c.* **4.** Verter, brotar, manar: *Com a seca, não sua do riacho uma gota de água.* **5.** Matar-se com trabalho; afadigar-se: *O operário sua pelo pão. T. d.* **6.** Verter pelos poros; transpirar: *O doente suava uma água amarelada; Suou toda a cerveja que bebeu.* **7.** Deixar cair gota a gota; gotejar, destilar. **8.** Ensopar de suor: *O atleta suou todo o uniforme.* **9.** Obter à custa de grande trabalho: *O concorrente suou o primeiro prêmio.* [Pres. ind.: *suo, suas, sua,* etc.; pres. subj.: *sue, sues, sue, suemos, sueis, suem;* fut. subj.: *suar, suares,* etc. Cf. *suis,* pl. de *sul; soemos, soeis,* dos v. *soer* e *soar;* este verbo; *Soar,* top.; e *Soares,* antr. e top.]
suarabácti. [Do sânscr. *svarabhakti,* 'separação por meio de vogal'.] *S. m. Gram.* Modalidade de epêntese [q. v.] que consiste em desfazer um grupo de consoantes pela intercalação de uma vogal, como, p. ex., em *barata,* primitivamente *brata* (< lat. *blatta*), e *porão,* anteriormente *prão* (< lat. *planu*); anaptixe.
suarabáctico. *Adj.* Referente à suarabácti.
suarda. [De *suar?*] *S. f.* **1.** Substância gordurosa existente na lã de ovelhas. **2.** Sedimento gorduroso que os panos deixam no pisão. **3.** Nódoa na lã por cardar. **4.** *Bras. Pop.* Sujidade na gola do vestuário.
suarento. [De *suar* + *-ento.*] *Adj.* **1.** Que tem suor. **2.** Úmido e pegajoso de suor: "Viu-a a vir pelo braço de um sujeito gordo, muito gordo, suarento" (Artur Azevedo, *Contos Possíveis,* p. 82).
suas. *Pron. indef.* Fem. de *seus:* "Chegou o dia de batizar-se o rapaz: foi madrinha a parteira; sobre o padrinho houve suas dúvidas" (Manuel Antônio de Almeida, *Memórias de um Sargento de Milícias,* p. 110).
suasivo. *Adj.* V. *persuasivo.*
suasório. [Do lat. *suasoriu.*] *Adj.* V. *persuasivo:* "a necessidade é tão suasória conselheira de tolerância e docilidade que nem os evangelistas e santos doutores lhe ganham." (Camilo Castelo Branco, *Noites de Lamego,* p. 109); *palavras suasórias.*
suástica. [Do sânscr. *sva sti ka,* 'boa sorte'.] *S. f.* **1.** Símbolo cruciforme, com as hastes recurvas formando quatro ângulos retos, como o gama[1] (1) maiúsculo, que representava a felicidade, a saudação e a salvação, entre brâmanes e budistas. **2.** Esta cruz, com os braços voltados para a direita, e que veio a ser adotada pelo hitlerismo como emblema oficial do partido nazista e do Terceiro Reich [q. v.]. [Sin. ger.: *cruz gamada.*]
suave. [Do lat. *suave.*] *Adj. 2 g.* **1.** Que revela, ou em que há suavidade (1): "Eu nunca vi rosa / em suaves molhos, / que para meus olhos / fosse mais fermosa." (Luís de Camões, *Rimas,* p. 102.) **2.** Agradável aos sentidos; delicado: "Porque ningném, como ela, tem no mundo / Este esquisito, este suave cheiro." (Luís Delfino, *Íntimas e Aspásias,* p. 11); *carícia suave; voz suave; acordes suaves.* **3.** Ameno, aprazível, deleitoso, brando: *clima suave; brisa suave.* **4.** Afetuoso, delicado, terno, meigo, doce: *pessoa suave; olhar suave.* **5.** Pouco intenso; brando: *dor suave; brilho suave; cor suave.* **6.** Benévolo, benigno, complacente: *advertência suave; palavras suaves.* **7.** Não exagerado; moderado, módico: *prestações suaves; doses suaves.* **8.** Que decorre ou se faz sem esforço: *vida suave; trabalho suave.* ~ V. *vinho* —.
suavidade. [Do lat. *suavitate.*] *S. f.* **1.** Qualidade daquilo que proporciona aos sentidos um prazer brando e delicado, ou que revela moderação e equilíbrio: *A suavidade é sempre repousante; Tem suavidade no falar;* "E tanta suavidade / Havia, de fazer chorar nesse sol-posto." (Manuel Bandeira, *Estrela da Vida Inteira,* p. 43). **2.** Maciez, macieza, brandura: *a suavidade do veludo; a suavidade dos cabelos.* **3.** Graça, elegância, delicadeza: *suavidade de formas.* **4.** Doçura ou delicadeza de sentimentos ou atitudes: *A suavidade da amiga traz-lhe sempre grande bem-estar.* **5.** Alegria ou prazer espiritual: *a suavidade da graça.*
suaviloqüência. [Do lat. *suaviloquentia.*] *S. f.* Suavidade ou doçura nas palavras, na linguagem.
suaviloqüente. [Do lat. *suaviloquente.*] *Adj. 2 g.* Que tem suaviloqüência; suavíloquo.
suaviloqüentíssimo. *Adj.* Superl. abs. sint. de *suavíloquo.*
suavíloquo. [Do lat. *suaviloquu.*] *Adj.* Suaviloqüente. [Superl. abs. sint.: *suaviloqüentíssimo.*]
suavização. *S. f.* Ato ou efeito de suavizar(-se).
suavizador (ô). *Adj.* Que suaviza.
suavizar. *V. t. d.* e *p.* Tornar(-se) suave, brando: "No campo de Viana a verdura da vegetação suaviza a luz" (Ramalho Ortigão, *As Farpas,* I, p. 39). **2.** *Fig.* Mitigar(-se), abrandar(-se), amenizar(-se): *Este comprimido suavizará tua dor; O sofrimento, aos poucos, suavizou-se.*
suazi. *Adj. 2 g.* **1.** Do, ou pertencente ou relativo ao Reino da Suazilândia (sul da África). ● *S. 2 g.* **2.** Natural ou habitante do Reino da Suazilândia.
sub. F. red. de designação ou posto de autoridade imediatamente abaixo daquele que comanda ou chefia: *O sub tem toda a obediência ao comandante; O chefe deu ordens severas ao sub.* [É muitas vezes us. em sentido irônico.]
▲sub-. [Do lat. *sub.*] *Pref.* = 'posição inferior, inferioridade'; 'movimento de baixo para cima'; 'de novo'; 'quase, um tanto', etc.: *subaquático, subestrutura, subnutrição; sublevar* (< lat. *sublevare*); *sublocar; subglabro.* [Equiv.: *su-, sus-, so-, sob-: sufixo* (< lat. *suffixu*); *suplantar* (< lat. *supplantare*); *suceder* (< lat. *succedere*); *suspender* (< lat. *suspendere*); *sobraçar; soerguer; sobgrave, sob-roda; sobpor.*]
suba. [Dev. de *subir.*] *S. f. Bras., RS. Pop.* Alta de preços.
subacada. [Por *sobacada* < *sobaco* + *-ada*[1].] *S. f. Bras., Pop.* V. *arrasta-pé* (1).
subacaule. [De *sub-* + *acaule.*] *Adj. 2 g. Morfol. Veg.* Que tem caule muito curto.
subaéreo. [De *sub-* + *aéreo.*] *Adj.* Localizado por baixo da camada inferior da atmosfera.
subafluente. [De *sub-* + *afluente.*] *S. m.* Afluente de afluente.
subagência. [De *sub-* + *agência.*] *S. f.* Agência (3 e 4) que recebe ordens de outra, que não tem autonomia.
subagente. [De *sub-* + *agente.*] *Adj. 2 g.* Indivíduo encarregado de uma subagência.
subagudo. [De *sub-* + *agudo.*] *Adj. Med.* Diz-se da doença entre aguda e crônica. ~ V. *linfogranulomatose inguinal* —*a.*
subaiense. *Adj. 2 g.* **1.** De, ou pertencente ou relativo a Subaio (RJ). ● *S. 2 g.* **2.** Natural ou habitante de Subaio.
subalado. [De *sub-* + *alado.*] *Adj. Hist. Nat.* Que tem apêndices parecidos com asas.
subalar. [Do lat. *subalare.*] *Adj. 2 g.* Que fica ou existe sob asas.
subalimentação. [De *sub-* + *alimentação.*] *S. f.* **1.** Estado de pessoa insuficientemente alimentada, o qual, prolongando-se, pode comprometer a saúde ou provocar a morte; fome. **2.** Alimentação deficiente em calorias, i. e., sob o aspecto energético. [Sin. ger.: *subnutrição.*]
subalimentado. [De *sub-* + *alimentado,* part. de *alimentar.*] *Adj.* e *s. m.* Diz-se de, ou aquele que se encontra em estado de subalimentação; subnutrido.
subalpino. [De *sub-* + *alpino.*] *Adj. Fitogeog.* Situado nas faldas dos Alpes (Europa), ou junto à cadeia de montanhas principal.
subalternação. *S. f.* **1.** Ato ou efeito de subalternar(-se). **2.** Subalternidade (1).

subalternado. [Part. de *subalternar.*] *Adj. P. us.* Subalterno.

subalternar. [De *sub-* + *alternar.*] *V. t. d.* **1.** Tornar subalterno; pôr em lugar ou ordem subalterna; subalternizar *T. d. e i.* **2.** Tornar subalterno. **3.** Submeter, dominar, subjugar. *Int.* e *p.* **4.** Revezar-se, alternar-se.

subalternas. [De *sub-* + *alternas.*] *S. f. pl. Lóg.* Proposições que estão em oposição e só diferem pela quantidade, tendo as formas gerais: *todo S é P, algum S é P;* ou: *nenhum S não é P* e *algum S não é P.*

subalternidade. *S. f.* **1.** Situação de subalterno; subalternação. **2.** Dependência, sujeição.

subalternização. *S. f.* Ação ou efeito de subalternizar(-se).

subalternizar. [De *subalterno* + *-izar.*] *V. t. d.* **1.** Tornar subalterno; dar categoria inferior a; subalternar. *P.* **2.** Tornar-se subalterno: "Mesmo que amar é *subalternizar-se*. Quem ama, curva-se. Quem ama, meu caro amigo, transige." (Albino Forjaz de Sampaio, *Crônicas Imorais,* p. 100.) **3.** Rebaixar-se, aviltar-se, envilecer-se, humilhar-se.

subalterno. [Do lat. *subalternu.*] *Adj.* **1.** Diz-se daquele que está sob as ordens de outro; inferior, subordinado. ~ V. *oficial* — e *pessoal* —. • *S. m.* **2.** Indivíduo subalterno.

subalugar. [De *sub-* + *alugar.*] *V. t. d.* e *t. d. e i.* Sublocar: *Subalugou um quarto de sua residência; Vai subalugar a sala a um senhor idoso.* [Conjug.: v. *largar* Pres. subj.: *subalugue, subalugues, subalugue, subaluguemos, subalugueis, subaluguem.* Cf. *subaluguéis,* pl. de *subaluguel.*]

subaluguel. [De *sub-* + *aluguel.*] *S. m.* Sublocação, subaluguer. [Var.: *subaluguer.* Pl.: *subaluguéis.* Cf. *subalugueis,* do v. *subalugar.*]

subaluguer. [De *sub-* + *aluguer.*] *S. m.* V. *subaluguel.*

subanel. [De *sub-* + *anel.*] *S. m. Álg. Mod.* Subconjunto de um anel que, em relação às operações deste, é também um anel. [Pl.: *subanéis.*]

subapical. *Adj. 2 g. Biol.* Diz-se do que está situado pouco abaixo do ápice: *soros subapicais.*

subaponeurótico. *Adj. Anat.* Subjacente à aponeurose.

subáptero. [De *sub-* + *áptero.*] *Adj. Zool.* Que tem certa semelhança com os insetos ápteros.

subaquático. [De *sub-* + *aquático.*] *Adj.* Que está debaixo de água. [Sin., p. us.: *subáqüeo.*]

subáqueo. *Adj. P. us.* V. *subáqüeo.*

subáqüeo. [Var. de *subáqueo* < *sub-* + *áqüeo.*] *Adj. P. us.* V. *subaquático.*

subaracnóideo. [De *sub-* + *aracnóide* + *-eo.*] *Adj. Anat.* Situado sob a aracnóide.

subarbústeo [De *subarbusto* + *-eo.*] *Adj. Bot.* Subarbustivo 1

subarbustivo. [De *subarbusto* + *-ivo.*] *Adj.* **1.** *Bot.* Diz-se do tronco cujos ramos secam anualmente; subarbústeo. **2.** *Morfol. Veg.* Relativo a, ou próprio de subarbusto; sufruticoso: *porte subarbustivo.*

subarbusto. [De *sub-* + *arbusto.*] *S. m. Morfol. Veg.* Planta baixa, cuja parte aérea é anual, embora lignificada, e cuja parte subterrânea, em geral mais possante, é perene, e refaz a aérea na época favorável ao crescimento. É característica da vegetação campestre, submetida anualmente a uma estação seca.

subarqueado. [De *sub-* + *arqueado.*] *Adj.* Pouco arqueado.

subarrendamento. *S. m.* Ato ou efeito de subarrendar, [Cf. *sublocação.*]

subarrendar. [De *sub-* + *arrendar.*] *V. t. d.* **1.** Transferir a um terceiro os direitos de (coisa arrendada), com as obrigações assumidas: *Subarrendou sua fazenda. T. d. e i.* **2.** Transferir a um terceiro os direitos de coisa arrendada, com as obrigações assumidas: *Subarrendei o sítio a um japonês.* [Cf. *sublocar.*]

subarrendatário. [De *sub-* + *arrendatário.*] *Adj.* e *s. m.* Diz-se de, ou aquele que subarrendou um prédio, uma propriedade. [Cf. *sublocatário.*]

subártico. [De *sub-* + *ártico.*] *Adj.* Que está situado em, ou é relativo ou pertencente às regiões localizadas imediatamente ao sul do Ártico.

subasta. [Do esp. *subasta.*] *S. f.* Subastação.

subastação. *S. f.* Ato ou efeito de subastar; subasta.

subastar. [Do lat. *subhastare.*] *V. t. d.* Vender em hasta ou leilão por mandado judicial.

subatômico. [De *sub-* + *atômico.*] *Adj. Fís.* Referente a, ou próprio de fenômenos que se passam em escala menor que as dimensões de um átomo. ~ V. *partícula —a.*

subaxilar (cs). [De *sub-* + *axilar.*] *Adj. 2 g. Bot.* Que está ou parece estar situado abaixo da axila.

sub-bailio. [De *sub-* + *bailio.*] *S. m. P. us.* Substituto do bailio. [Var.: *sub-balio.* Pl.: *sub-bailios.*]

sub-balio. *S. m.* Var. de *sub-bailio.* [Pl.: *sub-balios.*]

sub-base. [De *sub-* + *base.*] *S. f. Constr.* Camada que se põe sob a base de um pavimento, quando não é aconselhável construir aquela diretamente sobre o subleito. [Pl.: *sub-bases.*]

sub-bibliotecário. *S. m. Obsol.* Imediato ou substituto do bibliotecário. [Pl.: *sub-bibliotecários.*]

sub-bilabiado. *Adj. Morfol. Veg.* Quase bilabiado. [Pl.: *sub-bilabiados.*]

sub-bosque. *S. m. Bot.* A vegetação herbácea ou lenhosa que cresce sob as árvores de um bosque ou mata. [Pl.: *sub-bosques.*]

sub-braquicéfalo. [De *sub-* + *braquicéfalo.*] *Adj.* e *s. m.* Diz-se de, ou aquele que é um tanto braquicéfalo. [Pl.: *sub-braquicéfalos.*]

subcampanulado. [De *sub-* + *campanulado.*] *Adj. Bot.* Cuja forma lembra a de uma campânula; aproximadamente campanulado.

subcapilar. [De *sub-* + *capilar.*] *Adj. 2 g.* Que é quase tão tênue como um cabelo.

subcategoria. [De *sub-* + *categoria.*] *S. f.* Categoria inferior.

subcaudal. [De *sub-* + *caudal*[2].] *Adj. 2 g. Zool.* Situado por baixo da cauda.

subchefe. [De *sub-* + *chefe.*] *S. 2 g.* Funcionário imediatamente abaixo do chefe, ou que o substitui.

subchefia. *S. f.* **1.** Funções de subchefe. **2.** Local onde este as exerce.

subcilíndrico. [De *sub-* + *cilíndrico.*] *Adj.* Que se aproxima da forma cilíndrica.

subcinerício. [Do lat. *subcineritiu.*] *Adj.* **1.** Relativo a cinza. **2.** Que está sob a cinza. **3.** Cozido debaixo do borralho.

subcircular. [De *sub-* + *circular.*] *Adj. 2 g.* Que não é propriamente circular; quase circular.

subclasse. [De *sub-* + *classe.*] *S. f.* **1.** Divisão de uma classe: "Para as senhoras seria necessário estabelecer uma infinidade de classes e *subclasses*, tendo às vezes entre si diferenças insensíveis à percepção de um pobre homem como eu." (Graciliano Ramos, *Linhas Tortas,* p. 57.) **2.** *Mat.* Subconjunto (2). **3.** Categoria taxionômica entre a classe e a ordem.

subclassificação. [De *sub-* + *classificação.*] *S. f.* Divisão de uma classificação.

subclavicular. [De *sub-* + *clavicular.*] *Adj. 2 g. Anat.* Localizado debaixo de clavículas; subclávio.

subclaviforme. [De *sub-* + *claviforme.*] *Adj. 2 g.* Que tem aproximadamente a forma de uma clava ou maça.

subclávio. [De *sub-* + lat. *clavis* (por *clavícula*) + *-io*[2].] *Adj. Anat.* Subclavicular.

subcobertura. [De *sub-* + *cobertura.*] *S. f. Mat.* Subconjunto da cobertura de um conjunto, que é também cobertura desse conjunto.

subcomissário. [De *sub-* + *comissário.*] *S. m.* Aquele que ocupa cargo imediatamente abaixo do de comissário, ou que é substituto dele; vice-comissário.

subcomissão. [De *sub-* + *comissão.*] *S. f.* Comissão secundária formada por uma parte dos membros de uma comissão para se ocupar de determinados assuntos: *uma subcomissão parlamentar.*

subconjuntival. [De *sub-* + *conjuntival.*] *Adj. 2 g. Anat.* Situado debaixo de conjuntiva.

subconjunto. [De *sub-* + *conjunto.*] *S. m.* **1.** Divisão dum conjunto. **2.** *Mat.* Conjunto cujos elementos são também elementos de outro conjunto; conjunto contido em outro; subclasse.

subconsciência. [De *sub-* + *consciência.*] *S. f.* Consciência obscura, ou semiconsciência.

subconsciente. [De *sub-* + *consciente.*] *Adj. 2 g.* **1.** Pertencente ou relativo ao subconsciente ou à subconsciência. • *S. m.* **2.** *Psicol.* O conjunto dos processos e fatos psíquicos que estão latentes no indivíduo, mas lhe influenciam a conduta e podem facilmente aflorar à consciência: *As tendências, os hábitos, as lembranças, os conhecimentos pertencem ao domínio do subconsciente.* [Cf., nesta acepç., *consciente* (8) e *inconsciente* (9).]

subconsumo. [De *sub-* + *consumo.*] *S. m. Econ.* Incapacidade do mercado consumidor de absorver a produção total por falta de poder de compra. Decorre de ser a moeda, por uma de suas funções, reserva de valor.

subcontíguo. [Do *sub-* + *contíguo.*] *Adj.* Quase contíguo.

subcontinental. [De *sub-* + *continental.*] *Adj. 2 g.* De, ou relativo a subcontinente.

subcontinente. [De *sub-* + *continente* (4).] *S. m.* Grande extensão de um continente que, tendo em vista uma particularidade geográfica, encontra-se como que independente dele, tal como a Índia ou o sul da África.

subcontrárias. [De *sub-* + o fem. pl., substantivado, do adj. *contrário.*] *S. f. pl. Lóg.* Proposições que estão em oposição e só diferem pela qualidade, tendo a forma geral: *'algum S é P, algum S não é P'.*

subcordiforme. [De *sub-* + *cordiforme.*] *Adj. 2 g. Morfol. Veg.* Que se aproxima da forma do coração; quase cordiforme.

subcoriáceo. [De *sub-* + *coriáceo.*] *Adj.* De consistência quase coriácea; que é entre membranoso e coriáceo.

subcorpo (ô). [De *sub-* + *corpo.*] *S. m. Álg. Mod.* Subconjunto de um corpo que, em relação às operações deste, é também um corpo. [Pl.: *subcorpos* (ó).]

subcorrente. [De *sub-* + *corrente.*] *S. f. Ocean. Fís.* Corrente que existe sob a corrente superficial, o mais das vezes em direção oposta a ela.

subcostal. [De *sub-* + *costal.*] *Adj. 2 g. Anat.* Situado debaixo de costelas.

subcrítico. [De *sub-* + *crítico.*] *Adj.* ~ V. *reator* —.

subcutâneo. [Do lat. *subcutaneu.*] *Adj.* **1.** Situado por baixo da cútis ou da pele; intercutâneo: *tecido subcutâneo.* **2.** Que se dá ou aplica na parte superficial da pele: *injeção subcutânea.*

subdécuplo. [De *sub-* + *décuplo.*] *Adj.* Que de 10 partes contém uma.

subdelegação. [De *sub-* + *delegação.*] *S. f.* **1.** Ato ou efeito de subdelegar. **2.** Funções ou repartição de subdelegado. **3.** Sucursal de estabelecimento.

subdelegado. [De *sub-* + *delegado.*] *S. m.* O imediato ou substituto do delegado.

subdelegante. *Adj. 2 g.* Que subdelega.

subdelegar. [De *sub-* + *delegar.*] *V. t. d. e i.* **1.** Transmitir (um encargo) a quem o assumiu como delegado. **2.** Transmitir por delegação. [Conjug.: v. *regar.*]

subdelírio. [De *sub-* + *delírio.*] *S. m. Patol.* Delírio incompleto.

subdesenvolvido. [De *sub-* + *desenvolvido.*] *Adj.* **1.** Diz-se de indivíduo, povo, sociedade, economia, etc., em estado de subdesenvolvimento. • *S. m.* **2.** Indivíduo ou país subdesenvolvido. **3.** *Bras. Deprec.* Indivíduo sem educação, que se porta mal: *Um grupo de subdesenvolvidos rasgou o estofo das poltronas do cinema.* [Cf. *desenvolvido.*]

subdesenvolvimento. [De *sub-* + *desenvolvimento.*] *S. m.* **1.** Desenvolvimento abaixo do normal. **2.** Estado de um país ou de uma região cuja estrutura social, política e econômica reflete uma utilização deficiente dos fatores de produção, i. e., os recursos naturais, o capital e o trabalho, e uma deficiente articulação entre eles. [O subdesenvolvimento se manifesta sob diversos estágios, como, entre outros, o grau de dependência econômica externa, o baixo padrão de vida, a baixa eficiência dos serviços, a mão-de-obra farta mas desqualificada. Cf., nesta acepç., *desenvolvimento* (3).] **3.** *Bras. Pop.* Miséria; fome.

subdiaconato. *S. m.* Dignidade, ordens ou estado de subdiácono.

subdiaconisa. [Do lat. *subdiaconissa.*] *S. f.* Mulher de subdiácono, nos tempos antigos da Igreja.

subdiácono. [Do lat. *subdiaconu.*] *S. m.* Clérigo que recebeu a primeira ordem sacra, a imediatamente inferior à de diácono: "Celebrante, diácono e *subdiácono* ajoelhavam orando em silêncio" (Vitorino Nemésio, *O Retrato do Semeador,* p. 127). [Cf. *subdiaconisa.*]

subdialeto. [De *sub-* + *dialeto.*] *S. m.* Diferenciação regional de um dialeto.

subdireção. [De *sub-* + *direção.*] *S. f.* **1.** Cargo de subdiretor. **2.** Repartição da competência deste.

subdiretor (ô). [De *sub-* + *diretor.*] *S. m.* O imediato ou substituto do diretor.

subdiretoria. [De *sub-* + *diretoria.*] *S. f.* **1.** Cargo ou função exercida por subdiretor. **2.** Repartição onde é exercido esse cargo.

súbdito. *Adj.* e *s. m.* V. *súdito.*

subdividido. [Part. de *subdividir.*] *Adj.* Dividido, após uma divisão anterior.

subdividir. [Do lat. *subdividere.*] *V. t. d.* **1.** Dividir novamente. **2.** Fazer subdivisões em: *subdividir um terreno. P.* **3.** Separar-se em várias divisões: *O exército subdividiu-se para combater o inimigo.* **4.** Dividir-se novamente: *O partido subdividiu-se a fim de atender ao apelo dos candidatos.*

subdivisão. [Do lat. *subdivisione.*] *S. f.* Nova divisão daquilo que já estava dividido.

subdivisionário. *Adj.* Relativo a subdivisão.

subdivisível. *Adj. 2 g.* Que pode ser subdividido.

subdominante. [De *sub-* + *dominante.*] *S. f. Mús.* O quarto grau da escala diatônica de qualquer tonalidade, imediatamente abaixo da dominante.

subdomínio. [De *sub-* + *domínio.*] *S. m. Álg. Mod.* Subconjunto de um domínio que, em relação às operações deste, é também um domínio.

subeditor (ô). [De *sub-* + *editor* (5).] *S. m.* Auxiliar imediato do editor.

subeditoria. [De *sub-* + *editoria* (5).] *S. f.* Cargo ou função de subeditor.

subelíptico. [De *sub-* + *elíptico.*] *Adj.* Que se aproxima da forma da elipse; quase elíptico.

subemenda. [De *sub-* + *emenda.*] *S. f.* Emenda (a um projeto de lei) proposta com base em outra, feita precedentemente.

subemisférico. [De *sub-* + *hemisférico.*] *Adj.* Quase hemisférico.

subemprazamento. [De *subemprazar* + *-mento.*] *S. m. Jur.* Subenfiteuse.

subemprazar. [De *sub-* + *emprazar.*] *V. t. d.* Subenfiteuticar.

subempregado. [De *sub-* + *empregado.*] *S. m.* **1.** Aquele que exerce subemprego (1 e 2). • *Adj.* **2.** Que exerce subemprego (1 e 2). **3.** Que sofreu subemprego (3).

subemprego (ê). [De *sub-* + *emprego.*] *S. m.* **1.** Emprego não qualificado, de baixíssima remuneração. **2.** Emprego abaixo da qualificação do empregado. **3.** Aplicação de valores de baixo rendimento e sem garantias.

subendocárdico. [De *sub-* + *endocárdico.*] *Adj. Anat.* Situado abaixo do endocárdio.

subenfiteuse. [De *sub-* + *enfiteuse.*] *S. f. Jur.* Contrato em que o foreiro sub-roga a outrem os seus direitos e obrigações decorrentes da enfiteuse, mantendo-se, no entanto, responsável perante o senhorio; subemprazamento.

subenfiteuta. [De *sub-* + *enfiteuta.*] *S. 2 g. Jur.* Pessoa que adquiriu um prédio por subenfiteuse.

subenfiteuticar. [De *subenfitêutico* + *-içar.*] *V. t. d.* Transmitir por subenfiteuse; subemprazar. [Conjug.: v. *trancar.* Pres. ind.: *subenfiteutico,* etc. Cf. *subenfitêutico.*]

subenfitêutico. [De *sub-* + *enfitêutico.*] *Adj.* Respeitante a subenfiteuse. [Cf. *subenfiteutico,* do v. *subenfiteuticar.*]

subentender. [De *sub-* + *entender.*] *V. t. d.* Entender ou perceber (o que não estava exposto ou bem explicado); admitir mentalmente; supor. [Cf. *subtender.*]

subentendido. [Part. de *subentender.*] *Adj.* **1.** Que se subentende ou subentendeu. • *S. m.* **2.** Aquilo que está na mente, mas não foi expresso: *O colunista escreveu um artigo cheio de reticências e* s u b e n t e n d i d o s; "De contínuo surgiam entre nós pequeninas questões, ridículos desacordos, a propósito dos quais nos fulminávamos com olhares secos e palavras de ferozes s u b e n t e n d i d o s." (José Régio, *Histórias de Mulheres,* p. 240.)

subepático. [De *sub-* + *hepático.*] *Adj. Anat.* Situado abaixo ou debaixo do fígado.

subepiderme. [De *sub-* + *epiderme.*] *Adj. 2 g. Impr.* Situado ou ocorrente sob a epiderme.

subepígrafe. [De *sub-* + *epígrafe.*] *S. f.* Epígrafe inferior a outra.

subequatorial. [De *sub-* + *equatorial.*] *Adj. 2 g.* Limítrofe do equador; quase equatorial.

súber. [Do lat. *suber,* 'sobreiro'.] *S. m. Anat. Veg.* Tecido formado por células mortas, devidas à impregnação de suas membranas celulóticas com suberina, que é impermeável; felema. [É o tecido que constitui a cortiça, e reveste sobretudo raízes e caules velhos. Pl.: *súberes.*]

suberina. [De *súber* + *-ina*¹.] *S. f. Anat. Veg.* Substância inerte e resistente à ação da água e de outros líquidos, constituída por uma mistura complexa de ácidos graxos e sais e ésteres destes ácidos, presente na parede celular de vegetais superiores.

suberização. [De *suberizar* + *ção.*] *S. f. Anat. Veg.* Formação de súber ou de cortiça.

suberizado. [Part. de *suberizar.*] *Adj. Anat. Veg.* Em que ocorreu suberização.

suberizar. [De *súber* + *-izar.*] *V. t. d. Anat. Veg.* **1.** Transformar em cortiça. *T. i.* **2.** Adquirir o aspecto de cortiça.

suberoso (ô). *Adj. Anat. Veg.* Que é da natureza do súber, ou próprio dele: *célula* s u b e r o s a.

subescandente. [De *sub-* + *escandente.*] *Adj. 2 g. Morfol. Veg.* Semi-escandente.

subescapular. [De *sub-* + *escapular.*] *Adj. 2 g. Anat.* Situado abaixo de espáduas.

subespaço. [De *sub-* + *espaço.*] *S. m. Álg. Mod.* Subconjunto de um espaço vectorial que é também um espaço vectorial.

subespécie. [De *sub-* + *espécie.*] *S. f.* **1.** Divisão duma espécie. **2.** *Biol.* Categoria taxionômica em que se divide a espécie quando esta comporta mais de um tipo bem definido. [Abrev.: *subsp.*]

subespontâneo. [De *sub-* + *espontâneo.*] *Adj. Fitog.* Diz-se da planta ou espécie que, introduzida num país ou região, se dá tão bem que se espalha espontaneamente. Ex.: a *Thunbergia alata,* pequena trepadeira de origem africana, de flores alvas ou amarelas, chamada no Brasil *cu-de-mulata.*

subestação. [De *sub-* + *estação.*] *S. f.* Numa rede elétrica, estação secundária que transforma a corrente de uma central, distribuindo-a pelas linhas acessórias dela dependentes.

subestima. [Dev. de *subestimar.*] *S. f. Bras.* Ato ou efeito de subestimar; subestimação.

subestimação. [De *subestimar* + *-ção.*] *S. f.* Subestima.

subestimar. [De *sub-* + *estimar.*] *V. t. d. Bras.* Não dar a devida estima, apreço, valor, a; não ter em grande conta; desdenhar: *Grave erro é* s u b e s t i m a r *as forças do inimigo;* "Não s u b e s t i m a v a Alberto Torres a dificuldade desse problema interno." (Barbosa Lima Sobrinho, *Presença de Alberto Torres,* p. 279). [Antôn.: *superestimar.*]

subestrutura. [De *sub-* + *estrutura.*] *S. f.* Parte inferior duma estrutura.

subexposição. [De *sub-* + *exposição.*] *S. f. Fot.* Impressionamento insuficiente de uma chapa fotográfica por haver sido exposta durante um tempo muito limitado.

subface. [De *sub-* + *face.*] *S. f. Zool.* A parte inferior da cabeça de um inseto.

subfamília. [De *sub-* + *família.*] *S. f.* Categoria taxionômica situada entre a família e o gênero.

subfaturamento. [De *sub-* + *faturamento.*] *S. m.* Burla fiscal que se caracteriza pela diferença entre o preço ajustado e o preço cobrado a menos na fatura, sendo a compensação feita por pagamento à parte e fora da escrita comercial de ambos os parceiros da transação. [O mesmo pode ocorrer no plano internacional, visando a transferência ilegal de fundo de um país para outro, neste caso mediante um subfaturamento ou um sobrefaturamento (q. v.).]

subfaturar. [De *sub-* + *faturar.*] *V. t. d.* Efetuar o subfaturamento de.

subfebril. [De *sub-* + *febril.*] *Adj. 2 g.* Relativo a um fraco estado febril.

subfilo. [De *sub-* + *-filo.*] *S. m.* **1.** *Zool.* Gradação da sistemática zoológica, situada entre o filo (*phylum*) e a classe. **2.** *Bot.* Sub-ramo.

subfoliáceo. [De *sub-* + *foliáceo.*] *Adj. Bot.* Semelhante a uma folha.

subfretar. [De *sub-* + *fretar.*] *V. t. d. e t. d. e i.* Fretar outra vez (embarcação já fretada): s u b f r e t a r *um navio;* s u b f r e t a r *barcos a terceiros.*

subgenérico. *Adj.* Respeitante a subgênero.

subgênero. [De *sub-* + *gênero.*] *S. m.* Divisão particular que se estabelece em um gênero.

subgerente. [De *sub-* + *gerente.*] *S. 2 g.* Funcionário imediatamente abaixo do gerente, ou que o substitui.

subglabro. [De *sub-* + *glabro.*] *Adj. Bot.* Quase glabro.

subgloboso (ô). [De *sub-* + *globoso.*] *Adj. Bot.* Quase globoso.

subglobuloso (ô). [De *sub-* + *globuloso.*] *Adj. Bot.* Quase globuloso.

subgrave. [De *sub-* + *grave.*] *Adj. 2 g. Mús.* Na escala geral dos sons, diz-se da região gravíssima que se estende do dó-2 (dó menos 2) ao dó1.

subgrupado. [Part. de *subgrupar.*] *Adj.* Que forma subgrupo; reunido em subgrupo.

subgrupar. [De *subgrupo* + *-ar*².] *V. t. d.* Reunir ou dispor em subgrupos.

subgrupo. [De *sub-* + *grupo.*] *S. m.* **1.** Cada uma das divisões de um grupo. **2.** *Álg. Mod.* Subconjunto de um grupo que, em relação à operação deste, é também um grupo.

subida. [De *subir* + *-ida.*] *S. f.* **1.** Ato de subir: *a* s u b i d a *ao morro; a* s u b i d a *ao trono.* [Sin., p. us.: *subimento.*] **2.** Acréscimo, aumento: s u b i d a *de preços.* **3.** Terreno inclinado, ladeira, quando se sobe; aclive. [Antôn.: *descida.*]

subideira. [De *subir* + *-deira.*] *S. f. Bras.* V. *arapaçu-grande.*

subido. [Part. de *subir.*] *Adj.* **1.** Que está em posição mais elevada; alto, elevado, erguido, levantado: *cabelos* s u b i d o s *na nuca; decote* s u b i d o. **2.** Alto, elevado: "Esse afinco ao trabalho consciencioso e profundo é virtude que o Sr. Arnaldo Gama possui no mais s u b i d o grau." (Ramalho Ortigão, *Primeiras Prosas,* p. 187); "Mandou-lhe, por eles, entregar a legítima de sua mãe, que era uma quinta a meia légua distante, e alguns valores em baixela de prata e jóias de s u b i d o preço" (Camilo Castelo Branco, *Doze Casamentos Felizes,* p. 205). **3.** *Fig.* Que excede os outros; elevado, celso, excelso: s u b i d a *honra;* s u b i d o s *méritos.* **4.** *Fig.* Nobre, ilustre: *os* s u b i d o s *heróis da epopéia lusitana.* **5.** *Fig.* Pomposo, aparatoso (estilo, linguagem). • *S. m.* **6.** *Tip.* Elevado (5).

subimento. *S. m. P. us.* Subida (1).

subinspetor (ô). [De *sub-* + *inspetor.*] *S. m.* Funcionário ou empregado que está imediatamente abaixo do inspetor.

subinspetoria. *S. f.* **1.** Funções de subinspetor. **2.** Lugar onde ele as exerce.

subinte. [De *subir* + *-nte.*] *Adj. 2 g.* Que sobe; ascendente.

subintendência. [De *sub-* + *intendência.*] *S. f.* Repartição ou cargo de subintendente.

subintendente. [De *sub-* + *intendente.*] *S. m.* O imediato ou substituto do intendente.

subintervalo. [De *sub-* + *intervalo.*] *S. m. Mat.* Subconjunto de um intervalo; intervalo cujos extremos pertencem a outro.

subintrante. [Do lat. *subintrante.*] *Adj. 2 g. Med.* Diz-se da crise mórbida que se manifesta antes de totalmente extinta a crise anterior.

subir. [Do lat. *subire,* 'ir de baixo para cima'.] *V. int.* **1.** Transportar-se ou elevar-se a lugar mais alto; ir para cima: *O elevador* s u b i u. **2.** Elevar-se no ar; erguer-se para a atmosfera; alar-se: *O balão* s u b i a *lentamente.* **3.** Crescer em altura: *A árvore já principia a* s u b i r. **4.** Atingir preço mais elevado; encarecer: *Os gêneros alimentícios* s u b i r a m *no mês passado.* **5.** Elevar-se a uma situação social superior: *Não são muitos os pobres que conseguem* s u b i r. **6.** Passar (a voz) do grave ao agudo. **7.** Começar a surgir; nascer, despontar: "os dois amigos romperam a correr desesperadamente pela rampa de Santos e pelo Aterro, sob a primeira claridade do luar que s u b i a." (Eça de Queirós, *Os Maias,* II, p. 566). **8.** Aproximar-se do zênite: *O Sol já* s o b e. **9.** Montar, cavalgar: *Mal o peão* s u b i u, *a cavalgadura disparou.* **10.** Ir a uma localidade serrana: *Todo fim de semana o casal* s o b e. *T. c.* **11.** Transportar-se (a um lugar mais alto); elevar-se, ascender, atingir: *Os alpinistas* s u b i r a m *ao cume da montanha;* " — Desejo de s u b i r a inatingíveis cimos" (Hermes Fontes, *Gênese,* p. 69). **12.** Entrar em veículo, embarcação, etc.: S u b i u *para o trem;* S u b i u *ao navio.* **13.** Estender-se ou alastrar-se para cima: *A doença de pele* s u b i u *pelo corpo.* **14.** Trepar (4): S u b i u *na escada e caiu.* **15.** Pôr-se (em algum lugar elevado): *O orador* s u b i u *ao palanque. T. i.* **16.** Ascender, alçar-se; chegar; atingir: "Esposas carinhosas e submissas, filhas meigas e tímidas, no interior da casa e no seio da família, quando era preciso davam exemplo de uma bravura e arrojo que s u b i a m ao heroísmo." (José de Alencar, *O Sertanejo,* p. 198.) **17.** Seguir os devidos trâmites para chegar a autoridade ou repartição superior: *O processo já* s u b i u *à Presidência da República.* **18.** Elevar-se a um cargo ou posição social superior: *O balconista* s u b i u *a gerente.* **19.** Elevar-se, chegar, montar: "Sua correspondência s o b e a milhares de cartas por semana." (Alceu Amoroso Lima, *A Realidade Americana,* pp. 219-220.) *T. d.* **20.** Percorrer, andando para cima: S u b i u *a ladeira;* "Subiu os seis degraus de pedra, e mal teve tempo de bater, a porta abriu-se, e apareceu-lhe Vilela." (Machado de Assis, *Várias Histórias,* p. 19). **21.** Trepar por; galgar: s u b i r *um muro.* **22.** Exaltar, exalçar, enaltecer, engrandecer: *Os chefes militares* s o b e m *a coragem dos comandados.* **23.** Tornar mais agudo; elevar: *A cantora* s u b i u *a voz.* **24.** Puxar, transportar, para um lugar mais elevado; fazer subir: *O guindaste* s u b i u *a carga. T. d. e i.* **25.** Promover, elevar: *Os merecimentos* s u b i r a m *o cabo a sargento. P.* **26.** Transportar-se (a lugar alto, ou mais alto); levantar-se; elevar-se, subir: "Para chamar a Ventura / s u b i - m e a um alto rochedo!" (Antônio Correia de Oliveira, *A Minha Terra,* III, p. 29); "S o b e - s e do peito um clarão de sonho — / E as lágrimas rolam quentes no meu rosto." (Antônio Boto, *As Canções,* p. 242). [Irreg. Conjug.: v. *acudir.*]

subitaneidade. *S. f.* Qualidade ou caráter de subitâneo: *A* s u b i t a n e i d a d e *da manobra do governo aturdiu o meio financeiro.*

subitâneo. [Do lat. *subitaneu.*] *Adj.* Súbito (1).

súbitas. [De *súbita,* fem. de súbito.] *El. s. f. pl.* Us. na loc. adv. *a súbitas*. ♦ **A súbitas.** De repente; de súbito; subitamente, súbito: "Entrei na sala a passo mesurado, e quase a súbitas." (Camilo Castelo Branco, *Amor de Salvação*, p. 197.)

súbito. [Do lat. *subitu*.] *Adj.* **1.** Que ocorre ou surge sem ser previsto; repentino, inesperado, subitâneo: *mal súbito; paixão súbita*. ~ V. *exantema* — e *morte* — a. ● *S. m.* **2.** Acontecimento repentino. ● *Adv.* **3.** Repentinamente, subitamente: "Súbito outra visão negra me espanta!" (Augusto dos Anjos, *Eu*, p. 110.) ♦ **De súbito.** A súbitas; subitamente, súbito: "Na hora suave do morrer do dia / As mãos presas, de súbito, gelaram." (Ribeiro Couto, *Poesias Reunidas*, p. 28.)

subjacência. *S. f.* Estado ou condição de subjacente.

subjacente. [Do lat. *subjacente*.] *Adj. 2 g.* **1.** Que jaz ou está por baixo: *camadas subjacentes*. **2.** *Fig.* Que não se manifesta, mas está oculto ou subentendido: *propósitos subjacentes*. [Antôn.: *sobrejacente*.]

subjazer. [Do lat. *subjacere*.] *V. int.* Estar ou ficar subjacente. [Conjug.: v. *jazer*.]

subjeção. [Do lat. *subjectione*.] *S. f. Ret.* Figura pela qual o orador interroga o adversário e, supondo a resposta ou prevendo o que responderia, dá logo a réplica.

subjetivação. *S. f.* Ato ou efeito de subjetivar.

subjetivar. [De *subjetivo* + *-ar*[2].] *V. t. d.* Tornar ou considerar subjetivo: "eu tinha subjetivado os agentes da sensação e dado maior valor à minha sombra que à luz exterior." (Domício da Gama, *Histórias Curtas*, p. X).

subjetividade. *S. f.* Qualidade ou caráter de subjetivo.

subjetivismo. [De *subjetivo* + *-ismo*.] *S. m.* **1.** *Filos.* Tendência para reduzir toda a existência ao sujeito. **2.** *Filos.* Tendência a reduzir toda a existência à existência do pensamento em geral. [Cf., nessas acepç., *idealismo subjetivo* e *solipsismo*.] **3.** *Lóg.* Teoria que nega valor objetivo à distinção entre verdadeiro e falso. **4.** *Lóg.* Teoria que reduz a certeza ao assentimento individual. **5.** *Ét.* Doutrina segundo a qual a distinção do bem e do mal tem como raiz quer o bem-estar ou o sofrimento individual, quer as emoções pessoais de aprovação ou desaprovação. **6.** *Estét.* Teoria segundo a qual os julgamentos estéticos exprimem apenas gostos individuais.

subjetivo. [Do lat. *subjectivu*.] *Adj.* **1.** Relativo a sujeito. **2.** Existente no sujeito. **3.** Individual, pessoal; particular: *É muito subjetiva a sua visão do assunto*. **4.** Passado unicamente no espírito de uma pessoa. **5.** *Filos.* Válido para um só sujeito. **6.** *Filos.* Que pertence unicamente ao pensamento humano, em oposição ao mundo físico, i. e., à natureza empírica dos objetos a que se refere. ~ V. *direito* —, *idealismo* —, *material* —, *novação* —a e *pronome* —. ● *S. m.* **7.** Aquilo que é subjetivo.

➧**sub judice** (sub' júdice). [Lat., 'em juízo'.] *Jur.* Sob apreciação judicial.

subjugação. *S. f.* Ato ou efeito de subjugar(-se).

subjugador (ô). [Do lat. *subjugatore*.] *Adj.* **1.** Que subjuga; subjugante. ● *S. m.* **2.** Aquele que subjuga.

subjugante. [Do lat. *subjugante*.] *Adj. 2 g.* Subjugador (1).

subjugar. [Do lat. *subjugare*.] *V. t. d.* **1.** Submeter pela força das armas: *Roma subjugou o Mediterrâneo*. **2.** Dominar moralmente: *A personalidade forte subjuga as fracas*. **3.** Influir profundamente em; impressionar ao extremo: *A Suma Teológica, de Santo Tomás de Aquino, subjugou as demais fontes do pensamento cristão da Idade Média*. **4.** Dominar, vencer: *Facilmente o lutador subjugou o adversário*. **5.** Conter, reprimir, refrear: *O homem forte subjuga as emoções*. **6.** Meter (bois) ao jugo; jungir. **7.** Amansar, domesticar: *O peão subjuga o potro bravio*. *P.* **8.** Conter-se; dominar-se. [Conjug.: v. *largar*.]

subjugável. *Adj. 2 g.* Que pode ou deve ser subjugado.

subjunção. [De *sub-* + *junção*.] *S. f.* Junção imediata.

subjuntiva. [Fem. substantivado do adj. *subjuntivo*.] *S. f. Gram.* A semivogal de um ditongo decrescente; pospositiva.

subjuntivo. [Do lat. *subjunctivu*.] *Adj.* **1.** Subordinado, dependente. ~ V. *modo* —. ● *S. m.* **2.** *Gram.* O modo subjuntivo.

sublacustre (sub-la). [De *sub-* + *lacustre*.] *Adj. 2 g.* Que fica por baixo das águas de um lago.

sublegenda (sub-le). [De *sub-* + *legenda*.] *S. f. Jur.* Praxe que tem origem no direito uruguaio, e pela qual um eleitor pode votar, em sufrágio proporcional, numa fração do partido não integrada na maioria, contando-se o voto, no entanto, para a legenda.

subleito. [De *sub-* + *leito*.] *S. m. Constr.* Terreno de fundação de um pavimento.

sublenhoso (sub-le...ô). [De *sub-* + *lenhoso*.] *Adj. Morfol. Veg.* Diz-se das plantas cujos caules não se acham de todo lignificados.

sublevação (sub-le). *S. f.* Ato ou efeito de sublevar(-se); rebelião, revolta; levante: "vê-se o Santo à testa de uma revolução autêntica, a comandar os pobres na sublevação contra os ricos" (Antônio Sérgio, *Ensaios*, VI, p. 150); "Foi o que se viu a 15 de novembro de 1889: uma parada repentina e uma sublevação; um movimento refreado de golpe e transformando-se, por um princípio universal, em força; e o desfecho feliz de uma revolta." (Euclides da Cunha, *À margem da História*, p. 309).

sublevador (sub-le...ô). *Adj.* e *s. m.* Que ou aquele que subleva.

sublevar (sub-le). [Do lat. *sublevare*.] *V. t. d.* **1.** Levantar de baixo para cima: "viram num golpe a última tigela de pinga, sublevam o fardo e partem para a vila a passo acelerado." (Amadeu de Queirós, *Os Casos do Carimbamba*, p. 95); "A moça tragou o soluço que lhe sublevava o seio" (José de Alencar, *Senhora*, p. 235). **2.** Incitar à revolta; revoltar, amotinar: *Os líderes sublevaram os escravos*. *P.* **3.** Revoltar-se, rebelar-se, amotinar-se: *Os prisioneiros sublevaram-se*.

sublimação. *S. f.* **1.** Ato ou efeito de sublimar(-se). **2.** *Fís.* Transição da fase sólida para o vapor. **3.** *Psican.* Processo inconsciente que consiste em desviar a energia da libido [q. v.] para novos objetos, de caráter útil.

sublimado. [Part. de *sublimar*.] *Adj.* **1.** Elevado à maior altura, ou a uma grande altura; engrandecido. **2.** Volatilizado quimicamente. ● *S. m.* **3.** Substância sublimada. ♦ **Sublimado corrosivo.** *Quím.* O cloreto mercúrico, cristalino, branco, venenoso. [Fórm.: Hg_2Cl_2.]

sublimar. [Do lat. *sublimare*.] *V. t. d.* **1.** Tornar sublime. **2.** Erguer à maior altura, ou a uma grande altura: "Canções, direi melhor, que a alma extasiam, / E do corpo mortal arrebatando-a, / Ao vago espaço a sobem, e a sublimam / Às puras regiões de excelsos gozos." (Domingos José Gonçalves de Magalhães, *A Confederação dos Tamoios*, p. 101.) **3.** Exaltar, exalçar, engrandecer: *As grandes navegações sublimaram a nação portuguesa no século XV*; "Direi como venceram oceanos / E conquistaram glórias que os sublima" (José Albano, *Rimas*, p. 82); "Quando o homem sublima as coisas, nascem os deuses pagãos; quando sublima o semelhante, nasce Cristo" (Miguel Torga, *Diário*, IX, p. 45). **4.** Elevar à maior perfeição; purificar. **5.** Fazer passar (um corpo) diretamente do estado sólido ao gasoso; meteorizar. **6.** Purificar por sublimação. **7.** Fazer a sublimação de. *T. d.* e *i.* **8.** Elevar (a honras, dignidades): *O povo sublimou o líder à chefia do governo*. *P.* **9.** Tornar-se sublime. **10.** Exaltar-se, exalçar-se, engrandecer-se: "Quando o homem sublima as coisas, nascem os deuses pagãos; quando sublima o semelhante, nasce Cristo; quando se sublima a si próprio, nasce o tirano." (Miguel Torga, *Diário*, IX, p. 45.) **11.** Distinguir-se, sobressair, salientar-se, relevar-se.

sublimatório. [De *sublimar* + *-(t)ório*.] *Adj.* **1.** Respeitante à sublimação. ● *S. m.* **2.** Vaso onde se recolhem os produtos das sublimações químicas.

sublimável. *Adj. 2 g.* Que se pode sublimar.

sublime. [Do lat. *sublime*.] *Adj. 2 g.* **1.** Que atingiu um grau muito elevado na escala dos valores morais, intelectuais ou estéticos; quase perfeito: *gesto sublime; devotamento sublime; argumentação sublime; poesia sublime; escultura sublime*. **2.** Cujos méritos transcendem o normal; inexcedível; muito admirável: *Tiradentes foi sublime em seu martírio*. **3.** Diz-se de quem está em posição superior à de outros, ou distinta da de outros; insígne, celso, excelso, preexcelso, preexcelente: *Era amado e respeitado o sublime imperador; O sublime patriarca distribuía justiça*. **4.** Esplêndido, esplendente, magnífico: *O astro sublime brilhava no céu*. **5.** Grandioso, augusto, magnífico, esplêndido, soberbo: "Meu Deus! Como é sublime um canto ardente / Pelas vagas sem fim boiando à toa!" (Castro Alves, *Obra Completa*, p. 278.) **6.** Encantador; maravilhoso; divino: *música sublime; sublime enlevo*. **7.** Muito bonito; formosíssimo, gentil, lindo: *uma sublime figura de mulher*. **8.** Nobre, pomposo, elevado, erguido: *estilo sublime; eloqüência sublime*. ~ V. — *Porta*. ● *S. m.* **9.** Aquilo que é sublime: *Comoveu-se ante o sublime daquela cena*. **10.** O mais elevado grau da perfeição.

sublimidade. [Do lat. *sublimitate*.] *S. f.* **1.** Qualidade de sublime. **2.** Grande altura ou elevação. **3.** Perfeição, primor, excelência. **4.** A maior grandeza.

subliminal (sub-li). [De *sub-* + lat. *limine*, 'soleira', + *-al*.] *Adj. 2 g.* Subliminar.

subliminar (sub-li). [De *sub-* + lat. *limine*, 'soleira', + *-ar*[1].] *Adj. 2 g.* **1.** Que é inferior, ou que não ultrapassa o limiar. **2.** *Psicol.* Diz-se de um estímulo que não é suficientemente intenso para que o indivíduo tome consciência dele, mas que, quando repetido, atua no sentido de alcançar um efeito desejado: *propaganda subliminar*. [F. paral.: *subliminal*.]

sublinear (sub-li). [De *sub-* + *linear*.] *Adj. 2 g.* Que se escreve por baixo de linhas; interlinear.

sublingual (sub-li). [De *sub-* + *lingual*.] *Adj. 2 g. Anat.* Que está debaixo da língua.

sublinha (sub-li). [De *sub-* + *linha*.] *S. f.* Linha traçada por baixo de palavra: "Um livro que foi de seu uso [de Zacarias de Góis e Vasconcelos] ...., marcado em partes, a lápis encarnado, tem uma sublinha nas seguintes palavras .... atribuídas ao Conde de Oxford, em resposta ao Duque de Buckingham, 'que não buscava a sua amizade nem temia o seu ódio'" (Machado de Assis, *Páginas Recolhidas*, pp. 169-170).

sublinhador (sub-li...ô). *Adj.* e *s. m.* Que ou aquele que sublinha.

sublinhar (sub-li). [De *sublinha* + *-ar*[2].] *V. t. d.* **1.** Traçar uma sublinha em: *Sublinhou a palavra para emprestar-lhe maior realce*. **2.** Tornar sensível. **3.** Acentuar bem: *Pronunciou a frase sublinhando os adjetivos*. **4.** Pôr em relevo; destacar, salientar: *Os jornais sublinharam os detalhes do terrível crime*.

subliterato (sub-li). [De *sub-* + *literato*.] *S. m.* Indivíduo que faz subliteratura; literato inferior, medíocre.

subliteratura (sub-li). [De *sub-* + *literatura*.] *S. f.* Literatura medíocre, de qualidade inferior.

sublobulado (sub-lo). [De *sub-* + *lobulado*.] *Adj.* Dividido em lóbulos.

sublocação (sub-lo). *S. f.* Ato ou efeito de sublocar; subaluguel, subaluguer. [Cf. *subarrendamento*.]

sublocador (sub-lo...ô). *S. m.* Aquele que subloca.

sublocar (sub-lo). [De *sub-* + *locar*.] *V. t. d.* **1.** Dar a terceiro em nova locação, no todo ou em parte (o imóvel de que se é locatário): *Sublocou um quarto de seu apartamento*. *T. d.* e *i.* **2.** Dar a terceiro em nova locação, no todo ou em parte, o imóvel de que se é locatário: *Sublocou a casa que alugara em Petrópolis a um velho amigo*. [Sin. ger.: *subalugar*. Cf. *subarrendar*. Conjug.: v. *trancar*.]

sublocatário (sub-lo). *S. m.* Aquele que recebe por sublocação. [Cf. *subarrendatário*.]

sublunar (sub-lu). [De *sub-* + *lunar*.] *Adj. 2 g.* Situado abaixo da Lua, ou entre a Terra e a Lua.

submamário. [De *sub-* + *mamário*.] *Adj. Anat.* Localizado por baixo de mama.

submandatário. [De *sub-* + *mandatário*.] *S. m.* Substabelecido (2).

submandibular. [De *sub-* + *mandibular*.] *Adj. 2 g. Anat.* Situado debaixo da mandíbula.

submarinho. [De *sub-* + *marinho*.] *Adj.* e *s. m. P. us.* V. *submarino* (1): "os olhos da minha imaginação enxergavam através da água os rochedos de sorvedouros submarinhos" (Alexandre Herculano, *Lendas e Narrativas*, II, p. 331).

submarinista. *S. 2 g.* Tripulante dum submarino.

submarino. [De *sub-* + *marino*.] *Adj.* **1.** Que está debaixo das águas do mar; submarinho: *flora submarina*. ~ V. *bacia* —a, *bomba* —a, *cabo* —, *caça* —a, *litologia* —a, *pesca* —a, *plataforma* —a e *telégrafo* —. ● *S. m.* **2.** *Mar. G.* Navio de guerra destinado a operar submerso, sendo suas principais missões afundar navios inimigos por meio de torpedos e bombardear instalações inimigas por meio de mísseis. ♦ **Submarino atômico.** Aquele para cuja propulsão se usa energia atômica; submarino nuclear. [Cf. *submarino convencional*.] **Submarino convencional.** Aquele cuja propulsão à superfície se faz por meio de motores diesel, e em imersão se faz por meio de motores elétricos acionados pela energia elétrica armazenada em baterias de acumuladores; submersível. [Cf. *submarino atômico*.] **Submarino nuclear.** Submarino atômico [q. v.].

submata. [De *sub-* + *mata*.] *S. f. Fitogeog.* O conjunto da vegetação que se encontra por baixo das árvores da floresta, e é constituído de arvoretas, arbustos, ervas e plantas novas das árvores.

submaxilar (cs). [De *sub-* + *maxilar*.] *Adj. 2 g. Anat.* Situado debaixo de maxilar.

submental. [De *sub-* + *mento* + *-al*.] *Adj. 2 g. Anat.* Situado sob o mento ou o queixo.

submergido. [Part. de *submergir*.] *Adj.* Submerso.

submergir. [Do lat. *submergere*.] *V. t. d.* **1.** Cobrir de água; inundar, alagar: "Além aparecia ao longe um mar doce. Era o Quixeramobim, que pejado com as chuvas do inverno, transbordara do leito submergindo toda a zona adjacente." (José de Alencar, *O Sertanejo*, p. 213.) **2.** Fazer sumir totalmente na água; afundar: "no Recife, os naturais, por falta de defesa, obstruíram a enseada do porto, submergindo velhos navios." (João Ribeiro, *História do Brasil*, p. 149); *O mar encapelado submergiu o bote.* **3.** Levar com ímpeto; arrastar. **4.** Fazer desaparecer; destruir. **5.** Fazer desaparecer, fazer sumir; ocultar, encobrir. **6.** Absorver, abismar: *Tristes pensamentos o submergiam. Int. e p.* **7.** Ficar inteiramente mergulhado na água. **8.** Ir ao fundo; afundar. **9.** Embrenhar-se; internar-se, adentrar-se; desaparecer: "De longe e especialmente do lugar onde estava o capitão-mor, o que se viu foi o cavalo submergir-se na folhagem" (José de Alencar, *O Sertanejo*, p. 238). [Part.: *submergido* e *submerso*.]

submergível. *Adj. 2 g.* Que pode submergir-se; submersível.

submersão. [Do lat. *submersione*.] *S. f.* **1.** Ato ou efeito de submergir(-se). **2.** Abatimento do casco de uma cavalgadura, devido a pancada.

submersível. [De *submerso* + *-ível*.] *Adj. 2 g.* **1.** Submergível. **2.** *Bot.* Diz-se da planta que, após a florescência, submerge na água. **3.** *Mar.* Diz-se do aparelho, equipamento, etc., construído para funcionar submerso, sob determinadas condições: *Para esgoto de compartimentos alagados usa-se muitas vezes um tipo de bomba submersível.* ~ V. *bomba* —. ● *S. m.* **4.** *Desus.* Submarino convencional [q. v.].

submerso. [Do lat. *submersu*.] *Adj.* Part. irreg. de *submergir*; submergido: *Retiraram da piscina o corpo submerso; Estava absorto em cismas, submerso; Procura trazer à tona as lembranças submersas do passado.*

submeter. [Do lat. *submittere*, atr. do arc. *someter*.] *V. t. d.* **1.** Reduzir à obediência, à dependência; sujeitar, subjugar: *Alexandre da Macedônia submeteu todos os povos por ele conquistados.* **2.** Dominar, vencer: *O forte pugilista submeteu o adversário. T. d. e i.* **3.** Tornar objeto de; subordinar: *Submeti-o à minha orientação.* **4.** Oferecer a exame ou apreciação: *O Presidente submeteu o projeto à Câmara*; "E mesmo o Galvão e o padre Soares, entalando-o a um canto, chegaram a submeter-lhe o plano de um discurso, uma interpelação ao governo" (Conde de Ficalho, *Uma Eleição Perdida*, p. 135). **5.** Fazer passar por: "Sua tortura da forma levava-a [a Virgínia Woolf] a submeter os seus escritos a oito e até nove revisões, mesmo quando se tratava de um simples artigo ocasional." (Eugênio Gomes, *Espelho contra Espelho*, p. 248.) *P.* **6.** Sujeitar-se, entregar-se, render-se. **7.** Obedecer às ordens e vontade de outrem.

submetralhadora (ô). [De *sub-* + *metralhadora*.] *S. f.* Metralhadora de pequeno calibre e reduzido tamanho, destinada especificamente a operações policiais.

subministração. [Do lat *subministratione*.] *S. f.* Ato ou efeito de subministrar.

subministrador (ô). [Do lat. *subministratore*.] *Adj. e s., m.* Que, ou aquele que subministra.

subministrar. [Do lat. *subministrare*.] *V. t. d. e i.* Prover do necessário; fornecer, ministrar: *Subministrar alimentos; subministrar avultada quantia aos necessitados.*

subministro. [De *sub-* + *ministro*.] *S. m.* Auxiliar imediato ou substituto de um ministro.

submissão. [Do lat. tardio *submissione*.] *S. f.* **1.** Ato ou efeito de submeter(-se) (a uma autoridade, a uma lei, a uma força); obediência, sujeição, subordinação: *Submissão à vontade divina, ao poder econômico, às regras do jogo; a submissão dos vencidos.* **2.** Disposição para aceitar um estado de dependência; docilidade: *a submissão de um animal a seu dono.* **3.** Estado de rebaixamento servil; humildade afetada; subserviência: *a submissão abjeta dos alcoviteiros.*

submisso. [Do lat. *submissu*.] *Adj.* **1.** Que se submeteu ou se submete, se sujeitou ou se sujeita: *Pessoa submissa.* **2.** Em que há, ou que envolve submissão: *Tom submisso; comportamento submisso.* **3.** Obediente, dócil: *criança submissa.* **4.** Humilde, respeitoso: *Sua atitude submissa escondia um temperamento altivo.* **5.** Resignado, conformado: *A mulher, submissa, ouvia calada.*

submucoso (ô). [De *sub-* + *mucoso*.] *Adj.* Situado sob membrana mucosa.

submúltiplo. [De *sub-* + *múltiplo*.] *S. m. Mat.* Número inteiro que é divisor de outro inteiro.

submundo. [De *sub-* + *mundo*.] *S. m.* O conjunto dos marginais ou delinqüentes vistos como grupo social organizado.

subnormal. [De *sub-* + *normal*.] *S. f. Geom. Anal.* Projeção, sobre o eixo dos X, do segmento da normal a uma curva compreendido entre o ponto da curva e a interseção da normal com aquele eixo.

subnutrição. [De *sub-* + *nutrição*.] *S. f.* V. *subalimentação*.

subnutrido. [Part. de *subnutrir*.] *Adj. e s. m.* Que ou aquele que se acha em estado de subnutrição; subalimentado: "Meninas de doze, treze anos, prostitutas, subnutridas, doentes" (João Clímaco Bezerra, *A Vinha dos Esquecidos*, p. 39.)

subnutrir. [De *sub-* + *nutrir*.] *V. t. d.* Nutrir insuficientemente.

suboccipital. [De *sub-* + *occipital*.] *Adj. 2 g. Anat.* Localizado abaixo do occipício.

subocular. [Do lat. *suboculare*.] *Adj. 2 g. Anat.* Situado abaixo de olho (1).

suboficial. [De *sub-* + *oficial*.] *S. m.* **1.** V. *hierarquia militar*. **2.** Praça que detém a graduação de suboficial.

subondulado. [De *sub-* + *ondulado*.] *Adj.* Que tem pequenas ondulações.

suborbitário. [De *sub-* + *orbitário*.] *Adj. Anat.* Situado sob a órbita (2); infra-orbitário.

subordem. [De *sub-* + *ordem*.] *S. f.* Nas classificações vegetais e animais, divisão de uma ordem.

subordinação. [Do lat. *subordinatione*.] *S. f.* **1.** Ato ou efeito de subordinar(-se). **2.** Estado de dependência ou obediência em relação a uma hierarquia (de posição ou de valores); submissão: *A subordinação do clero à autoridade papal; a subordinação do Ocidente à moral cristã.* **3.** *Gram.* Modalidade de construção de períodos na qual uma ou mais orações, ditas *subordinadas*, dependem de outra(s) ou da principal: *Sei que ele sairá; Sei que ele é meu amigo e que não me trairá.*

subordinada. [Fem. substantivado de *subordinado*.] *S. f. Gram.* V. *oração* (4).

subordinado. [Part. de *subordinar*.] *Adj.* **1.** Dependente, inferior, subalterno: *homem subordinado; classe subordinada; posição subordinada.* **2.** Que, em conexão com outra coisa, ocupa lugar inferior; secundário: *Silenciou nos aspectos subordinados da questão.* **3.** *Gram.* Que não se apresenta sob forma independente. ~ V. *oração* —*a*. ● *S. m.* **4.** Aquele que está sob as ordens de outro; subalterno.

subordinador (ô). *Adj.* **1.** Que subordina; subordinante. ● *S. m.* **2.** Aquele que subordina.

subordinante. *Adj. 2 g.* Subordinador (1).

subordinar. [Do lat. medieval *subordinare*.] *V. t. d.* **1.** Estabelecer em ordem de dependência do inferior ao superior, ou do que é dominado ao que domina; fazer dependente; dominar, subjugar, sujeitar: *O império romano subordinou vários povos.* **2.** Ligar a um princípio ou coisa superior. **3.** Ligar por conjunção subordinativa: *O pronome relativo que subordina esta oração à anterior. T. d. e i.* **3.** Pôr sob a dependência; sujeitar, submeter: *A portaria subordinou os funcionários à presidência*; "O serviço de trânsito subordinava o pedestre a regras difíceis." (Graciliano Ramos, *Viagem*, p. 48.) *P.* **4.** Submeter-se, sujeitar-se, render-se: *Os cidadãos subordinam-se às leis.*

subordinativa. [Fem. substantivado de *subordinativo*.] *S. f. Gram.* Conjunção subordinativa.

subordinativo. [Do lat. *subordinatu*, part. pass. de *subordinare*, 'subordinar', + *-ivo*.] *Adj.* Que denota ou estabelece subordinação. ~ V. *conjunção* —*a*.

subordinável. *Adj. 2 g.* Que se pode subordinar.

subornação. [Do lat. *subornatione*.] *S. f. P. us.* V. *suborno*.

subornador (ô). *Adj. e s. m.* Que ou aquele que suborna.

subornamento. [De *subornar* + *-mento*.] *S. m. P. us.* V. *suborno*.

subornar. [Do lat. *subornare*.] *V. t. d.* **1.** Dar dinheiro ou outros valores a, para conseguir coisa oposta à justiça, ao dever ou à moral; peitar: *O vigarista quis subornar o policial.* **2.** Atrair com engano; aliciar para mau fim. [Pres. ind.: *suborno*, etc. Cf. *suborno* (ô).]

subornável. *Adj. 2 g.* Que pode ser subornado; comprável.

suborno (ô). [Dev. de *subornar*.] *S. m.* **1.** Ato ou efeito de subornar (1). [Sin.: *peita, corrução* e (p. us.) *subornação, subornamento*.] **2.** Aliciamento para atos culpáveis. [Sin.: *corrução, corrompimento* e (p. us) *subornação, subornamento*.] [Pl.: *subornos* (ô). Cf. *suborno*, do v. *subornar*.]

subósseo. [De *sub-* + *ósseo*.] *Adj. Anat.* Subjacente a osso.

subpapilar. [De *sub-* + *papilar*.] *Adj. 2 g. Anat.* Que se encontra sob papila(s).

subparágrafo. [De *sub-* + *parágrafo*.] *S. m.* Divisão de parágrafo.

subpericárdico. [De *sub-* + *pericárdico*.] *Adj. Anat.* Situado debaixo do pericárdio.

subpolar. [De *sub-* + *polar*.] *Adj. 2 g.* Que se acha debaixo do pólo.

subpor (ô). [De *sub-* + *-pôr*.] *V. t. d. e i.* **1.** Pôr debaixo; sotopor: *Subpus ao seu o meu nome.* **2.** Pôr abaixo de, em plano secundário ou inferior: "As delícias de carne e pensamento / Com que o instinto da espécie nos engana / Subpor ao generoso sentimento / De uma afeição mais simplesmente humana." (Manuel Bandeira, *Estrela da Vida Inteira*, p. 162.) [Antôn.: *sobrepor*. Irreg. Conjug.: v. *pôr*.]

subprefeito. [De *sub-* + *prefeito*.] *S. m.* O imediato ou substituto do prefeito.

subprefeitura. *S. f.* Cargo ou dignidade de subprefeito.

subprocurador (ô). [Do lat. *subprocuratore*.] *S. m. Bras.* Membro de procuradoria subordinado hierarquicamente ao procurador. ♦ **Subprocurador de justiça.** *Bras.* Procurador da justiça, nalguns estados.

subproduto. [De *sub-* + *produto*.] *S. m.* **1.** Produto que se retira do que resta de uma substância da qual se extraiu o produto principal: *os subprodutos do petróleo.* **2.** Tudo que resulta secundariamente de outra coisa; *os subprodutos da imaginação; Seus contos são subprodutos dos de Guimarães Rosa.*

sub-raça. [De *sub-* + *raça*.] *S. f.* Raça considerada (não cientificamente) inferior quer do ponto de vista étnico, quer do ponto de vista econômico ou social. [Pl.: *sub-raças*.]

subraji. *S. f. Bras.* Planta da família das ramnáceas (*Ceanothus* sp.)

sub-ramo. *S. m.* Categoria taxionômica entre o ramo e a classe; subfilo. [Pl.: *sub-ramos*.]

sub-região. [De *sub-* + *região*.] *S. f.* Divisão de uma região. [Pl.: *sub-regiões*.]

sub-regional. *Adj. 2 g.* Relativo ou pertencente a sub-região. [Pl.: *sub-regionais*.]

sub-reitor. [De *sub-* + *reitor*.] *S. m.* Auxiliar imediato ou substituto do reitor. [Pl.: *sub-reitores*.]

sub-reitoria. *S. f.* **1.** Cargo ou funções de sub-reitor. **2.** Lugar onde as exerce. [Pl.: *sub-reitorias*.]

sub-remunerado. [De *sub-* + *remunerado*.] *Adj.* Remunerado abaixo de seu merecimento e valor: *O novo emprego, depois dos quarenta anos, o deixou, injustamente, sub-remunerado.* [Pl.: *sub-remunerados*.]

sub-repassar. [Dev. de *sub-* + *repassar*.] *V. t. d. Fin.* Transferir total ou parcialmente (cota de crédito orçamentário ou adicional, recebida mediante repasse) para uma unidade administrativa subordinada ou vinculada.

sub-repasse. [De *sub-* + *repasse*.] *S. m. Fin.* Transferência total ou parcial de cota de crédito orçamentário ou adicional, recebida mediante repasse, para uma unidade de administrativa subordinada ou vinculada. [Pl.: *sub-repasses*.]

sub-repção. [Do lat. *subreptione*.] *S. f.* **1.** Omissão ou alteração fraudulenta de fatos que iriam influir em determinadas medidas de ordem moral, legal, disciplinar, etc.: *A sub-repção leva a conclusões enganosas.* **2.** Ato de alcançar uma graça ou benefício por meios sub-reptícios. **3.** Roubo, furto, subtração. [Pl.: *sub-repções*.]

sub-reptício. [Do lat. *subrepticiu*.] *Adj.* **1.** Obtido por meio de sub-repção, ilicitamente; fraudulento: *depoimento sub-reptício.* **2.** Feito às ocultas; furtivo: *tráfico sub-reptício de drogas.* [Pl.: *sub-reptícios*.]

sub-rogação. [Do lat. *subrogatione*.] *S. f.* **1.** Ato ou efeito de sub-rogar. **2.** Substituição duma pessoa por outra, na mesma relação jurídica. **3.** Transferência das qualidades jurídicas de uma coisa para outra que pertence ao mesmo patrimônio. [Pl.: *sub-rogações*.]

sub-rogado. [Part. de *sub-rogar*.] *Adj.* **1.** Investido na qualidade e direitos de outrem. **2.** Transmitido por sucessão. [Pl.: *sub-rogados*.]

sub-rogador (ô). *Adj.* **1.** V. *sub-rogante*. ● *S. m.* **2.** Aquele que sub-roga. [Pl.: *sub-rogadores*.]

sub-rogante. *Adj. 2 g.* Que sub-roga; sub-rogador, sub-rogatório. [Pl.: *sub-rogantes*.]

sub-rogar. [Do lat. *subrogare*.] *V. t. d. e i.* **1.** Pôr em lugar de alguém; substituir. **2.** Transferir direito ou encargo a *P.* **3.** Assumir, tomar o lugar de outrem. [Conjug.: v. *largar*.]

sub-rogatório. [De *sub-rogar* + *-(t)ório*.] *Adj.* V. *sub-rogante*. [Pl.: *sub-rogatórios*.]

sub-rogável. *Adj. 2 g.* Que pode ser sub-rogado. [Pl.: *sub-rogáveis*.]

sub-rostrado. [De *sub-* + *rostrado*.] *Adj. Hist. Nat.* Que tem a aparência de um pequeno bico. [Pl.: *sub-rostrados*.]

sub-rotina. [De *sub-* + *rotina*.] *S. f. Proc. Dados.* O conjunto de instruções necessárias para dirigir o computador na resolução de operações ou de funções matemáticas definidas. [Pl.: *sub-rotinas*.]

sub-rotundo. [De *sub-* + *rotundo*.] *Adj. Morfol. Veg.* Quase redondo; arredondado, globoso: *folha subrotunda; semente sub-rotunda.* [Pl.: *sub-rotundos*.]

subsalário. [De *sub-* + *salário*.] *S. m.* Salário abaixo da qualificação, merecimento ou valor do indivíduo: *O desemprego prolongado o obrigou a aceitar um subsalário, apesar de seus títulos universitários.*

subscrever. [Do lat. *subscribere*.] *V. t. d.* **1.** Escrever por baixo: *Subscreveram seus nomes.* **2.** Assinar, firmar: *subscrever um documento.* **3.** Aceitar ou aprovar escrito, julgamento, opinião: *Subscreveria com honra qualquer coisa por ele redigida; Subscrevo, sem pestanejar, o seu parecer. T. i.* **4.** Anuir; aquiescer, conformar-se: *Subscrevo ao regimento que o mestre elaborou.* **5.** Obrigar-se a certa cota ou contribuição: *Subscreveu para a estátua a Machado de Assis.* **6.** Tomar parte em subscrição. *P.* **7.** Assinar-se, firmar-se [Part., irreg.: *subscrito*.]

subscrição. [Do lat. *subscriptione*.] *S. f.* **1.** Ato ou efeito de subscrever(-se) **2.** Compromisso de contribuição com certa quantia para empresa, obra meritória, homenagem, etc.: *Encerrou-se ontem a subscrição de ações da companhia; O busto de Catulo Cearense foi erigido por subscrição pública.* **3.** A própria quantia subscrita: *A subscrição ultrapassou 1500 cruzados.* **4.** Assinatura (3). **5.** Lista feita com vista a angariar recursos para determinado fim: *Ia de porta em porta com uma subscrição para ajudar os pobres da paróquia.* **6.** V. *colofão.*

subscritar. [De *subscrito* + *-ar*[2].] *V. t. d.* Pôr a assinatura embaixo de; assinar, subscrever.

subscrito. [Do lat. *subscriptu*, part. pass. de *subscribere*, 'subscrever'.] *Adj.* e *s. m.* Que ou aquilo que está escrito por baixo.

subscritor (ô). [Do lat. *subscriptore*.] *Adj.* **1.** Que subscreve. ● *S. m.* **2.** Aquele que subscreve; assinante.

subseção. [Var. de *subsecção* < *sub-* + *secção*.] *S. f.* Divisão de seção.

subsecção. *S. f.* Subseção [q. v.].

subsecivo. [Do lat. *subsecivu*.] *Adj.* **1.** Que sobeja ou excede, e, por isso, se corta ou se despreza; sobejo. **2.** Que ultrapassa o necessário; demasiado, excessivo, supérfluo. **3.** Acessório, secundário, sobressalente, sobresselente. **4.** Que resta ou sobra sem aproveitamento: *As horas subsecivas do dia escolar eram dedicadas à recreação.*

subsecretariado. *S. m.* **1.** Posto ou funções de subsecretário. **2.** Repartição onde ele exerce estas funções. **3.** Subdivisão dum secretariado (2).

subsecretariar. *V. t. d.* **1.** Ser o subsecretário de. *Int.* **2.** Exercer as funções de subsecretário. [Pres.: ind.: *subsecretário*, etc. Cf. *subsecretário*.]

subsecretário. [De *sub-* + *secretário*.] *S. m.* Alto funcionário de uma instituição, ou de um governo, que está abaixo do secretário ou do ministro: *subsecretário para assuntos latino-americanos.* [Cf. *subsecretario*, do v. *subsecretariar*.]

subsecutivo. [Do lat. *subsecutu*, part. pass. de *subsequi*, 'seguir de perto', + *-ivo*.] *Adj.* Que subsegue imediatamente; consecutivo.

subseguir. [De *sub-* + *seguir*.] *V. t. d.* **1.** Seguir-se a; estar ou vir depois de. *P.* e *int.* **2.** Seguir-se imediatamente: "Desde o alvorecer do século XIII, o comércio com a Flandres já se mostrava ponderável .... . No século que subsegue, ... descobrem e pesquisam os navegantes mais de mil quilômetros de costas africanas." (Paulo Mercadante, *A Consciência Conservadora no Brasil*, p. 18.) [Irreg. Conjug.: v. *seguir*.]

subsentido. [De *sub-* + *sentido*.] *S. m.* Intenção ou idéia oculta, reservada; segundo sentido.

subseqüência. [Do lat. *subsequentia*.] *S. f.* **1.** Qualidade de subseqüente. **2.** Continuação, seguimento; seqüência.

subseqüente. [Do lat. *subsequente*.] *Adj. 2 g.* Que subsegue no tempo ou no lugar; imediato, ulterior, seguinte: "O desfecho dos amores palacianos de Camões e de D. Catarina de Ataíde é o objeto da comédia [*Tu só, Tu, Puro Amor* ..., De Machado de Assis], desfecho que deu lugar à subseqüente aventura de África" (Machado de Assis, *Páginas Recolhidas*, p. 180).

subserviência. [Do lat. *subservientia*.] *S. f.* **1.** Qualidade, modos ou procedimento de subserviente; servilismo, submissão. **2.** Adulação, bajulação, servilismo.

subserviente. [Do lat. *subserviente*.] *Adj. 2 g.* **1.** Que serve às ordens de outrem; amouco, servil. **2.** Condescendente em demasia.

subséssil. [De *sub-* + *séssil*.] *Adj. 2 g. Bot.* Quase séssil. [Pl.: *subsésseis*.]

subsidência. [Do ingl. *subsidence*.] *S. f. Met.* Descida lenta, sobre uma região extensa, de uma massa de ar que, acompanhada geralmente de divergência horizontal nas camadas inferiores, se aquece por compressão.

subsidiado (si). [Part. de *subsidiar*.] *Adj.* **1.** Que tem ou recebe subsídio; subvencionado: *hospital subsidiado; bolsista subsidiado.* **2.** Que vive ou se sustenta de subsídio: *As instituições beneficentes subsidiadas dependem da generosidade do público e do governo.* ● *S. m.* **3.** Aquele que percebe subsídio do Estado ou de alguém.

subsidiar (si). *V. t. d.* **1.** Dar subsídio a: *O Governo Federal subsidiou o Estado do Rio.* **2.** Contribuir com subsídio para; auxiliar, ajudar. [Pres. ind.: *subsidio*, etc.; fut. pret.: *subsidiaria*, etc. Cf. *subsídio*, s. m., e *subsidiária*, fem. de *subsidiário* e s. f.]

subsidiária (si). [Fem. substantivado de *subsidiário*.] *S. f.* Empresa controlada por outra, a qual detém o total ou a maioria de suas ações. [Cf. *subsidiaria*, do v. *subsidiar*.]

subsidiário (si). [Do lat. *subsidiariu*.] *Adj.* **1.** Relativo a, ou que tem o caráter de subsídio: *meios subsidiários; verba subsidiária.* **2.** Que concede subsídio; que ajuda: *instituições subsidiárias da comunidade.* **3.** Diz-se de um elemento secundário que reforça outro de maior importância ou para este converge: *os rios subsidiários do Amazonas; As estradas subsidiárias são indispensáveis ao transporte de mercadorias.* **4.** *P. ext.* De importância menor; secundário, acessório: *Desprezou os pontos básicos para tratar de assuntos subsidiários.* **5.** Que faz parte de, ou é controlado por sistema ou empresa mais poderosa e hierarquicamente superior: *os hospitais e laboratórios subsidiários da Faculdade de Medicina; Os orfanatos são subsidiários da Santa Casa da Misericórdia.* **6.** Que vem em reforço ou apoio do que se alegou ou se estudou: *prova subsidiária; dado subsidiário.* [Fem.: *subsidiária*. Cf. *subsidiaria*, do v. *subsidiar*.]

subsídio (sí). [Do lat. *subsidiu*.] *S. m.* **1.** Contribuição pecuniária ou de outra ordem que se dá a qualquer empresa ou a particular; auxílio, ajuda: *pedir subsídio; cortar subsídios.* **2.** Quantia que o Estado arbitra ou subscreve para obras de interesse público; subvenção: *Foram aumentados este ano os subsídios destinados ao cinema nacional.* **3.** Quantia ou auxílio que um Estado concede a outro em virtude de acordos ou convenções. **4.** *Bras.* Vencimentos dos membros do poder legislativo federal, estadual ou municipal. [Cf. *subsidio*, do v. *subsidiar*.] ~ V. *subsídios.*

subsídios (sí). [Pl.: de *subsídio*.] *S. m. pl.* Dados, informações, elementos; contribuição: *subsídios para a elaboração dum relatório, dum ensaio.* ~ V. *subsídio.*

subsimilar. [De *sub-* + *similar*.] *Adj. 2 g.* Aproximadamente similar; mais ou menos similar.

subsíndico. [De *sub-* + *síndico*.] *S. m.* Auxiliar ou substituto do síndico.

subsinuoso (ô). [De *sub-* + *sinuoso*.] *Adj.* Um tanto sinuoso.

subsistema. [De *sub-* + *sistema*.] *S. m.* Conjunto de partes inter-relacionadas integrante de um sistema mais amplo.

subsistência (sis). [Do lat. *subsistentia*.] *S. f.* **1.** Estado ou qualidade de pessoas ou coisas que subsistem: *a subsistência de um hábito.* **2.** Conservação das coisas; permanência, estabilidade: *a subsistência de uma lei.* **3.** Conjunto do que é necessário para sustentar a vida; sustento: *meios de subsistência.*

subsistente (sis). [Do lat. *subsistente*.] *Adj. 2 g.* **1.** Que subsiste. **2.** Que continua a existir.

subsistir (sis). [Do lat. *subsistere*.] *V. int.* **1.** Ser, existir. **2.** Existir na sua substância; existir individualmente. **3.** Ter ou estar com vida; viver. **4.** Estar em vigor; viger; manter-se: *A Declaração dos Direitos do Homem e do Cidadão subsiste ainda, em essência, em várias legislações.* **5.** Conservar a sua força ou ação: "pode a sorte separar-nos, ou a morte de um ou de outro; mas o amor subsiste, longe ou perto, na morte ou na vida" (Machado de Assis, *Páginas Recolhidas*, p. 203).

subsolador (ô). [De *subsolar*[2] + *-(d)or*.] *Adj.* **1.** Diz-se do arado ou da charrua própria para subsolar[2]. ● *S. m.* **2.** O arado ou a charrua própria para esse fim; subsoladora.

subsoladora (ô). *S. f.* Fem. de *subsolador* (2).

subsolagem. *S. f.* Ato, operação ou efeito de subsolar[2].

subsolar[1]. [De *sub-* + *solar*.] *Adj. 2 g.* Que está debaixo do Sol.

subsolar[2]. [De *sub-* + *solar*[3].] *V. t. d.* Arrotear até o subsolo; arrotear com o subsolador.

subsolo. [De *sub-* + *solo*.] *S. m.* **1.** Camada do solo imediatamente por baixo da camada visível ou arável. **2.** Parte de uma construção localizada abaixo do rés-do-chão: *A adega está no subsolo.*

subsônico. [De *sub-* + *sônico*.] *Adj. Fís.* **1.** Diz-se de, ou relativo a velocidade menor que a do som. **2.** Que tem essa velocidade. [Opõe-se a *supersônico*.] ~ V. *onda* —a.

■ **subsp.** Abrev. de *subespécie.*

substabelecer. [De *sub-* + *estabelecer*.] *V. t. d.* **1.** Pôr em vez de outrem ou de outra coisa; nomear como substituto. *T. d.* e *i.* **2.** Transferir para outrem (encargo ou procuração recebida); sub-rogar: *A empresa em falência substabeleceu a outra firma o trabalho contratado; Substabeleci-lhe a procuração. Int.* **3.** Transferir para outrem encargo ou procuração recebida: *Concedeu a seu advogado poderes para substabelecer.* [Conjug.: v. *aquecer*.]

substabelecido. [Part. de *substabelecer*.] *Adj.* **1.** Diz-se daquele a quem se substabeleceu, se transferiu encargo ou mandato anteriormente recebido. ● *S. m.* **2.** Aquele a quem se substabeleceu; submandatário.

substabelecimento. *S. m.* Ato ou efeito de substabelecer.

substância. [Do lat. *substantia*.] *S. f.* **1.** A parte real, ou essencial, de alguma coisa: *substância orgânica; substância mineral; a substância do espírito.* **2.** A natureza dum corpo; aquilo que lhe define as qualidades materiais; matéria: *A substância do gelo e da neve é a mesma, porém sob formas diferentes.* **3.** O que é necessário à permanência material de alguma coisa; o que tem propriedades de força, vigor, resistência: *As pirâmides do Egito são obras cuja substância atravessa os séculos.* [Var., nesta acepç.: *sustância*.] **4.** O que é necessário à vida; o que alimenta: *Uma dieta rica em substância.* [Var. (nesta acepç.): *sustância* e (pop.) *sustança*.] **5.** Qualquer matéria caracterizada por suas propriedades específicas: *Aplicada a substância na ferida, logo o doente sentiu alívio.* **6.** O que não é aparente ou superficial; o que realmente importa ao espírito; fundo, conteúdo: *O romance é bem escrito, mas falta-lhe substância.* **7.** O que constitui a base, o ponto fundamental de uma questão, de um assunto; o essencial; o substancial: *Concordo em substância, mas temos uns pormenores para discutir.* **8.** O assunto, o objeto de um pensamento, um texto, uma alocução: *a substância de uma mensagem.* **9.** *Filos.* Na tradição aristotélico-tomista, o que há de permanente nas coisas que mudam, e que é o suporte sempre idêntico das sucessivas qualidades resultantes das transformações; hipóstase. [Nesta acepç., cf. *acidente* (8), *essência* (5) e *substrato* (4).] **10.** *Filos.* O que existe por si mesmo, sem supor outro ser de que seja atributo. [Cf. *substancia*, do v. *substanciar*.] ♦ **Substância ativa.** *Quím. Nucl.* Substância radioativa. **Substância radioativa.** *Quím. Nucl.* A que contém um nuclídio radioativo; substância ativa. **Em substância.** Excluindo minúcias; substancialmente; em resumo; em suma. **Puxado à substância.** Puxado à sustância.

substanciado. [Part. de *substanciar*.] *Adj.* De que se extraiu a substância; resumido, sintetizado.

substancial. *Adj. 2 g.* **1.** Que tem substância; substancioso. **2.** Nutritivo, alimentício, substancioso: *sopa substancial;* "posto que a cozinha de Homero seja mais substancial que delicada, gostava de ver matar um boi, passá-lo pelo fogo e comê-lo com essa mistura de mel, cebola, vinho e farinha, que devia ser mui grata ao paladar antigo." (Machado de Assis, *A Semana*, II, pp. 59-60). **3.** Essencial, fundamental, básico: *contribuição substancial; argumento substancial.* **4.** Importante, sensível, considerável, vultoso: *Teve um aumento substancial nos seus vencimentos.* **5.** Que encerra muitos ensinamentos. ~ V. *forma* —. ● *S. m.* **6.** O que alimenta; o que tem substância. **7.** O fundamental; o essencial.

substancialidade. *S. f.* Qualidade de substancial.

substancializar. [De *substancial* + *-izar*.] *V. t. d.* **1.** Transformar em substância. **2.** Considerar como substância.

substanciar. [De *substância* + *-ar*[2].] *V. t. d.* **1.** Dar comida de substância a; nutrir, reforçar. **2.** Fortalecer, robustecer, avigorar. **3.** Expor sumariamente; resumir, sintetizar, compendiar. [Pres. ind.: *substancio*, *substancias*, *substancia*, etc. Cf. *substância*.]

substancioso (ô). *Adj.* **1.** V. *substancial* (1 e 2). **2.** Que dá força, energia.

substantificação. *S. f.* Ação ou efeito de substantificar.

substantificar. [Do lat. *substante*, part. pres. de *substare*, 'existir', + *-i-* + *-ficar*.] *V. t. d.* Dar forma concreta a. [Conjug.: v. *trancar*.]

substantivação. *S. f. Gram.* Ato ou efeito de substantivar.

substantivado. [Part. de *substantivar*.] *Adj.* **1.** Tornado substantivo (4). **2.** Empregado como substantivo (4).

substantival. *Adj. 2 g.* Referente ao, ou da natureza do substantivo (4).

substantivar. *V. t. d.* **1.** Dar o caráter de substantivo (4) a; tornar substantivo. **2.** Empregar como substantivo (4): *Substantivar verbos no infinitivo é recurso muito usado.* [Var.: *assubstantivar*.]

substantivo. [Do lat. *substantivu*.] *Adj.* **1.** Que, por si só, designa a própria substância de um ser real ou metafísico: *Aquela jovem era a expressão substantiva da beleza; A imagem substantiva do absoluto decorre de tendências puramente individuais.* **2.** Que define, caracteriza ou acentua alguma coisa: *A menor incidência de mortalidade infantil é a conseqüência substantiva de acertadas medidas de profilaxia.* **3.** *Gram.* Equivalente a um substantivo (4), ou que o traz implícito: *oração substantiva.* ~ V. *corante —, direito —, lei —a, pronome —* e *verbo —.* ● *S. m.* **4.** *Gram.* Palavra com que se nomeia um ser ou um objeto (*substantivo concreto*), uma ação, qualidade, estado (*substantivo abstrato*), considerados separados dos seres ou objetos a que pertencem. ♦ **Substantivo abstrato.** *Gram.* V. *substantivo* (4). **Substantivo comum.** *Gram.* O que denota os seres de uma espécie em sua totalidade. **Substantivo concreto.** *Gram.* V. *substantivo* (4). **Substantivo próprio.** *Gram.* O que denota um ser específico entre todos os de uma espécie.

substatório. [Do lat. *substatu*, part. pass. de *substare*, 'estar debaixo', + *-ório*, com alter. semântica.] *Adj.* **1.** Que faz sobrestar em alguma coisa. **2.** Que encerra preceito para que se sobresteja.

substituição (u-i). [Do lat. *substitutione*.] *S. f.* **1.** Ato ou efeito de substituir(-se). **2.** Colocação de pessoa ou de coisa no lugar de outra; troca, permutação. ♦ **Substituição fideicomissória.** V. *fideicomissória*.

substituído. [Part. de *substituir*.] *Adj.* e *s. m.* Que ou aquele que se substituiu.

substituinte (u-ín). *Adj. 2 g.* e *s. 2 g.* Que ou quem substitui.

substituir. [Do lat. *substituere*.] *V. t. d.* **1.** Colocar (pessoa ou coisa) em lugar de; trocar: *A diretoria substituiu o gerente incapaz.* **2.** Ser, existir ou fazer-se em vez de: *O trabalho deve substituir o ócio.* **3.** Fazer o serviço ou as vezes de: *O reserva substituiu o jogador titular.* **4.** Tomar o lugar de; ir para o lugar de: *Em 1789 a burguesia francesa substituiu a nobreza no poder.* *T. d. e i.* **5.** Pôr, estabelecer, dar ou fornecer (em lugar de outro): *Instruiu os auxiliares para que à antiga inquietação do povo substituíssem confiança nos novos dirigentes;* "O esteta *substitui* a idéia de beleza à idéia de verdade e à idéia de bem" (Fernando Pessoa, *Páginas de Doutrina Estética*, p. 69). **6.** Tirar, mudar ou deslocar (para pôr outro): *Substituíram a antiga sede por uma nova.* *P.* **7.** Pôr-se ou ser posto em lugar de outra pessoa: *O professor recém-formado substituiu-se ao mestre aposentado.* [Conjug.: v. *atribuir*.]

substituível. *Adj. 2 g.* Que pode ser substituído.

substitutivo. [Do lat. tardio *substitutivu*.] *Adj.* **1.** *Med.* Diz-se do medicamento irritante que altera o modo da inflamação, tornando-a mais facilmente curável. ● *S. m.* **2.** Emenda, substituição.

substituto. [Do lat. *substitutu*.] *Adj.* **1.** Que substitui. ● *S. m.* Indivíduo que substitui outro ou lhe faz as vezes.

substrato. [Do lat. *substratu*.] *S. m.* **1.** O que constitui a parte essencial do ser; a essência. **2.** *P. ext.* Base, fundamento; essência: "No Brasil, no fundo de toda a poesia, mesmo liberta, jaz aquela porção de tristeza, aquela nostalgia irremediável, que é o *substrato* do nosso lirismo." (Graça Aranha, *Espírito Moderno*, p. 18.) **3.** *P. ext.* Resíduo, resto: *o substrato de uma solução alcoólica.* **4.** *Filos.* O que serve de suporte a outra existência, considerada esta outra como modo ou acidente. [Cf., nesta acepç., *substância* (9).]

substrução. [Do lat. *substructione*.] *S. f.* Fundamentos de um edifício; alicerce.

subsultar. [Do lat. *subsultare*.] *V. t. d. Poét.* Saltar repetidamente; saltitar.

subsumir. [De *sub-* + lat. *sumere*, 'tomar, acolher, aceitar'.] *V. t. d. Filos.* **1.** Conceber (um indivíduo) como compreendido numa espécie **2.** Conceber (uma espécie) como compreendida em um gênero. **3.** Considerar (um fato) como aplicação de uma lei.

subsunção. [De *sub-* + lat. *sumptione*, 'ação de tomar', 'aquilo que se toma'.] *S. f. Filos.* Operação de subsumir.

subtangente. [De *sub-* + *tangente*.] *S. f. Geom. Anal.* Comprimento da projeção, sobre o eixo dos X, do seguimento de uma tangente a uma curva, compreendido pelo ponto de tangência e pela interseção da tangente com aquele eixo.

subtender. [Do lat. *subtendere*.] *V. t. d.* Estender por baixo. [Cf. *subentender*.]

subtenente. [De *sub-* + *tenente*.] *S. m.* **1.** V. *hierarquia militar.* **2.** Militar que detém a posição hierárquica de subtenente.

subtensa. [Do lat. *subtensa*.] *S. f. Mat.* Corda (de um arco).

subterfúgio. [Do lat. *subterfugiu*.] *S. m.* Ardil empregado para se esquivar a dificuldades; pretexto, evasiva.

subterfugir. [Do lat. *subterfugere*.] *V. t. i.* **1.** Usar de subterfúgios; escapar ardilosamente; esquivar-se com subterfúgio. *T. d.* **2.** Fugir a; não tratar diretamente; tergiversar a respeito de; ladear. [Irreg. Conjug.: v. *fugir*.]

subterminal. [De *sub-* + *terminal*.] *Adj. 2 g.* Que está quase na extremidade; quase terminal.

subterrâneo. [Do lat. *subterraneu*.] *Adj.* **1.** Que fica debaixo da terra, ou naturalmente ou por haver sido construído lá; subtérreo: *curso de água subterrâneo; rede de esgotos subterrânea; garagem subterrânea.* **2.** Que ocorre debaixo da terra: *a vida subterrânea das formigas.* **3.** *Fig.* Feito clandestinamente; secreto, ilegal: *O movimento subterrâneo de resistência à ocupação nazista começou em 1940.* **4.** *Fig.* Feito às ocultas com o fim de solapar, comprometer ou destruir alguém ou algo: *Fez contra mim uma campanha subterrânea.* **5.** *Fig.* Obscuro; misterioso: *Sentia um subterrâneo desejo de aproximar-se daquela criatura.* ~ V. *drenagem —a, lençol —* e *lençol de água —a.* ● *S. m.* **6.** Lugar subterrâneo, natural ou artificial; furna: *A maioria das pinturas pré-históricas encontram-se em subterrâneos.* **7.** Passagem, galeria ou compartimento construído no subsolo de uma edificação: *O subterrâneo ficou inundado com a enchente.* [Sin. ger., p. us.: *soterrâneo*.] ~ V. *subterrâneos.*

subterrâneos. [Pl. de *subterrâneo*.] *S. m. pl.* A vida, o movimento, a atividade, as manobras secretas, ocultas, de uma instituição, organização, etc.: *os subterrâneos da política; os subterrâneos da indústria cinematográfica;* "Esses fatos mostram .... como funcionavam os *subterrâneos* do Café Nice, as lutas imensas que ali se travavam contra a péssima espécie de gente que infestava o meio musical." (Nestor de Holanda, *Memórias do Café Nice*, p. 92).

subterrar. [De *sub-* + *terra* + *-ar*[2].] *V. t. d.* V. *soterrar* (1).

subtérreo. [Do lat. *subterreu*.] *Adj.* Subterrâneo (1): "Eis que um soluço amigo / *Subtérreo* ao meu responde — cousa estranha! / Pulsava em ânsias, a chorar comigo, / O coração de pedra da montanha." (Alberto de Oliveira, *Poesias*, 2ª série, p. 332.)

subtil. [Do lat. *subtile*, 'delgado, tênue'.] *Adj. 2 g.* V. *sutil.*

subtileza (ê). *S. f.* V. *sutileza.*

subtilidade. *S. f. P. us.* V. *sutilidade.*

subtilização. *S. f.* Sutilização.

subtilizador (ô). *Adj.* e *s. m.* Sutilizador.

subtilizar. *V. t. d., t. d. e i., int.* e *p.* V. *sutilizar.*

subtipo. [De *sub-* + *tipo*.] *S. m. Hist. Nat.* Tipo secundário, subordinado a um tipo primário.

subtítulo. [De *sub-* + *título*.] *S. m. Edit.* e *Jorn.* Expressão ou palavra que se segue ao título principal, complementando-o; título subordinado a outro: *Museus, sua importância na educação dos povos; Cinema Brasileiro Anos 80: política, poética e pobreza* (onde *sua importância na educação dos povos* e *política, poética e pobreza* são subtítulos).

subtônica. [De *sub-* + *tônica*.] *Adj. (f.)* e *s. f. Mús.* Diz-se de, ou o sétimo grau da escala diatônica, quando se acha separado do oitavo grau pelo intervalo de um tom. [Cf. *sensível* (12 e 13).]

subtotal. [De *sub-* + *total*.] *S. m.* Total (2) parcial.

subtração. [Do lat. *subtractione*.] *S. f.* **1.** Ato ou efeito de subtrair(-se). **2.** Roubo, furto. **3.** *Arit.* Operação inversa à da adição; diminuição.

subtraendo. [Do lat. *subtrahendu*, gerundivo de *subtrahere*, 'subtrair'.] *S. m. Arit.* Número que se tira do outro numa subtração.

subtrair. [Do lat. *subtrahere*.] *V. t. d.* **1.** Tirar às escondidas, ou fraudulentamente; furtar, roubar, surripiar. **2.** Fazer desaparecer; retirar. **3.** Tirar (número, parcela, quantia, etc.) de outro número, parcela, quantia, etc.; diminuir, deduzir. *T. d. e i.* **4.** Tirar, deduzir: *Subtrai o tempo de estudo às suas horas de descanso.* **5.** Fazer escapar; livrar; afastar: "Ele compreendia a necessidade de *subtrair* o amigo à constante preocupação que lhe consumia parte da vida." (José de Alencar, *Encarnação*, p. 335.); *Subtraiu os netos à tutela do genro desonesto.* **6.** Tirar (número, parcela, quantia, etc.) de outro número, parcela, quantia, etc.; diminuir, deduzir. *P.* **7.** Esquivar-se, fugir, escapar. [Irreg. Conjug.: v. *sair*.]

subtrativo. [Do lat. *subtractu*, part. pass. de *subtrahere*, + *-ivo*.] *Adj.* **1.** Relativo à subtração. ● *S. m.* **2.** O termo da diferença; diminuidor.

subtriangular. [De *sub-* + *triangular*[1].] *Adj. 2 g.* Quase triangular; aproximadamente triangular.

subtribo. [De *sub-* + *tribo*.] *S. f.* Tribo secundária, subalterna a outra primária.

subtrigonal. [De *sub-* + *trígono* + *-al*.] *Adj. 2 g. Anat.* Situado sob o trígono vesical.

subtropical. [De *sub-* + *tropical*.] *Adj. 2 g.* ~ V. *clima —.*

subulado. [Do lat. *subula*, 'sovela', + *-ado*[1].] *Adj. Morfol. Veg.* Que tem forma de, ou é semelhante a sovela, i. e., que se estreita para o ápice e termina em ponta fina: *bráctea subulada; folha subulada.*

subumanidade. [De *sub-* + *humanidade*.] *S. f.* **1.** Qualidade ou procedimento de subumano. **2.** Desumanidade; inumanidade.

subumano. [De *sub-* + *humano*.] *Adj.* **1.** Que está abaixo do nível humano: "A força do seu observar é capaz até mesmo de fazê-lo sair da sua condição social para constatar a miséria *subumana* dos índios e escravos" (José Guilherme Merquior, *De Anchieta a Euclides*, p. 4). **2.** Desumano, inumano.

subungulado. [De *sub-* + *ungulado*.] *S. m.* **1.** Espécime dos subungulados. ● *Adj.* **2.** Pertencente ou relativo a eles.

subungulados. [Pl. de *subungulado*.] *S. m. pl. Zool.* Designação antiga dos animais cordados, mamíferos, ungulados, plantígrados, com os cinco dedos de cada pé funcionais. No grupo eram incluídos os hiracóides e proboscídeos.

subunidade. [De *sub-* + *unidade*.] *S. f.* Subdivisão de uma unidade (particularmente no sentido militar).

suburbano. [Do lat. *suburbanu*.] *Adj.* **1.** Pertencente ou relativo a subúrbio. **2.** Que mora em subúrbio. **3.** *Bras., Deprec.* Que tem ou revela mau gosto. ● *S. m.* **4.** Aquele que mora em subúrbio. **5.** *Bras. Deprec.* Indivíduo suburbano (3). [Sin., bras., RJ, nesta acepç.: *saquarema*.]

subúrbio. [Do lat. *suburbiu*.] *S. m.* Cercanias de cidade ou de outra povoação. [Cf. *suburgo*.]

suburgo. [De *sub-* + *burgo*, ou cruz., de *subúrbio* com *burgo*.] *S. m. Bras. Pop.* Aldeola sem movimento, sem vida. [Cf. *subúrbio*.]

subvenção. [Do lat. tardio *subventione*.] *S. f.* Auxílio pecuniário, por via de regra concedido pelos poderes públicos.

subvencionado. [Part. de *subvencionar*.] *Adj.* Que recebe subvenção.

subvencionador (ô). *Adj.* e *s. m.* Que ou aquele que subvenciona.

subvencional. *Adj. 2 g.* Relativo a, ou que constitui subvenção.

subvencionar. *V. t. d.* Conceder subvenção a.

subvencionável. *Adj. 2 g.* Que se pode ou deve subvencionar.

subverbete (ê). [De *sub-* + *verbete*.] *S. m.* Verbete secundário, no qual se esclarecem as divisões, espécies, modalidades, etc., que o verbete principal apresenta. Ex.: *Verso agudo, verso alexandrino, versos brancos são subverbetes de verso.*

subversão. [Do lat. *subversione*.] *S. f.* **1.** Ato ou efeito de subverter(-se). **2.** Insubordinação às leis ou às autoridades constituídas; revolta contra elas. **3.** Destruição, transformação da ordem política, social e econômica estabelecida; revolução.

subversivo. [Do lat. *subversu*, part. pass. de *subvertere*, 'subverter' + *-ivo*.] *Adj.* e *s. m.* **1.** V. *subversor.* **2.** Que ou aquele que pretende destruir ou transformar a ordem política, social e econômica estabelecida; revolucionário.

subversor (ô). [Do lat. *subversore*.] *Adj.* e *s. m.* Que ou aquele que subverte ou pode subverter; subvertedor, subversivo.

subvertedor (ô). [De *subverter* + *-(d)or*.] *Adj.* e *s. m.* V. *subversor.*

subverter. [Do lat. *subvertere*.] *V. t. d.* **1.** Voltar de baixo para cima; revolver. **2.** Destruir, aniquilar (o que está assente); arruinar, derrubar: *A grande enchente* s u b v e r t e u *a vila; Procurou* s u b v e r t e r *a ordem;* "A lei de Rio Branco vem s u b v e r t e r os princípios estabelecidos pelos grandes jurisconsultos, quando sentenciavam que o escravo não gera senão para a escravidão." (Xavier Marques, *As Voltas da Estrada*, pp. 125-126). **3.** Perturbar completamente; transtornar, desordenar: *O inverno russo* s u b v e r t e u *os planos de Napoleão e de Hitler;* "Debalde tentou destacar uma idéia desse caos e refletir sobre o acontecimento, que lhe s u b v e r t e r a a existência." (José de Alencar, *O Sertanejo*, p. 154). **4.** Perverter, corromper: s u b v e r t e r *os costumes.* **5.** Agitar, sublevar, revolucionar. **6.** Fazer soçobrar; submergir, afundar: *A tempestade* s u b v e r t e u *a embarcação. P.* **7.** Afundar-se nas águas; submergir-se. **8.** Sofrer destruição; arruinar-se, aniquilar-se.

subvéspero. [Do lat. *subvesperu.*] *Adj. 2 g.* Diz-se do vento que sopra do poente; subvespertino.

subvespertino. [Do lat. *subvespertinu.*] *Adj.* Subvéspero.

subzona. [De *sub-* + *zona.*] *S. f.* Divisão de uma zona.

sução. *S. f.* Var. de *sucção* [q. v.].

sucará. [De possível or. indígena.] *S. m. Bras.* V. *espinho-de-santo-antônio* (1).

sucata. [Do ár. *suqaTa.*] *S. f.* **1.** Estrutura, objeto ou peça metálica inutilizada pelo uso ou pela oxidação, e que pode ser refundida para utilização posterior. **2.** Qualquer obra metálica inutilizada; ferro velho. **3.** Depósito de ferro velho.

sucatagem. *S. f.* Ato de sucatar (1).

sucatar. [De *sucata* + *-ar*[2].] *V. t. d.* **1.** Transformar em sucata. **2.** Vender como sucata.

sucateiro. *S. m.* **1.** Indivíduo que negocia com sucata (1). **2.** *Fig.* Indivíduo que trabalha mal; matão, lambão.

sucção. [Do lat. tardio *suctione.*] *S. f.* Ato ou efeito de sugar. [Var.: *sução.*]

succinato. *S. m. Quím.* Qualquer sal ou éster do ácido succínico.

succínico. *Adj.* — V. *ácido* —.

sucedâneo. [Do lat. *succedaneu.*] *Adj.* **1.** Diz-se do medicamento que pode substituir outro, por ter mais ou menos as mesmas propriedades. ● *S. m.* **2.** Esse medicamento. **3.** *P. ext.* Substância que pode substituir outra. **4.** Qualquer coisa capaz de substituir outra: "Daí resultou o drama de Baudelaire, Verlaine, Rimbaud, Pessanha, almas atormentadas pela angústia metafísica, pela idealização da beleza como s u c e d â n e o da perfeição moral" (Henriqueta Lisboa, *Vigília Poética*, p. 125).

suceder. [Do lat. *succedere*, 'vir depois'.] *V. int.* **1.** Dar-se (algum fato); acontecer, realizar-se, ocorrer: "S u c e d e u por esse tempo um desastre" (Machado de Assis, *Memórias Póstumas de Brás Cubas*, p. 233); "Lembrei-me do que s u c e d e r a; repassei uma a uma as circunstâncias do dia anterior" (José de Alencar, *Lucíola*, p. 118). *T. i.* **2.** Vir ou acontecer depois; seguir-se: "D. José morreu em 1777 e s u c e d e u - lhe no trono a filha, D. Maria I" (José Hermano Saraiva, *História Concisa de Portugal*, p. 255); "O terror desfazia as linhas, a coragem as recompunha, e os combates s u c e d i a m aos combates." (Machado de Assis, *A Semana*, II, p. 60). **3.** Surtir efeito; ter bom resultado: *Muito lhe* s u c e d e u *o conselho.* **4.** Acontecer, realizar-se, ocorrer: "Os miseráveis causam ao mundo um grande mal-estar. Juro que me sinto culpado de tudo o que lhes s u c e d e." (Joraci Camargo, *Anastácio*, p. 31.) **5.** Substituir num emprego, numa dignidade; ser substituto: *O filho* s u c e d e u *ao pai aposentado.* **6.** Entrar (na vaga de outrem) por direito de sucessão, por eleição ou por nomeação: *Paulo VI* s u c e d e u *a João XXIII.* **7.** Tomar o lugar de outrem ou de outra coisa: *Roma* s u c e d e u *à Grécia, mas aproveitou-lhe a cultura. Bit. i.* **8.** Ocupar o lugar de outrem por vaga ou sucessão; substituir: *Com o advento da República, Deodoro* s u c e d e u *a D. Pedro II no mando do País.* **9.** Ser chamado por lei ou testamento, em uma herança. *T. d.* **10.** *Desus.* Herdar por sucessão. *P. e t. i.* **11.** Vir depois, decorrer ou acontecer sucessivamente: *Esteve à morte,* s u c e d e r a m - s e *dias de boa saúde, e de repente piorou;* "Os castelos no ar, o vento os leva, / E sempre ao riso se s u c e d e o pranto." (João Penha, *Ecos do Passado*, p. 121); "— O senhor quer talvez lembrar-me que os autocratas têm o costume de tiranizar os povos e vexá-los de imposições; razão por que os povos, quando os expulsam, se tornam excessivamente exigentes para com os truões que lhes s u c e d e m." (José de Alencar, *Lucíola*, p. 107); "Vamos subindo até ao ponto mais alto. E ao calor abrasador de Atenas s u c e d e uma deliciosa temperatura que nos envolve o corpo como num banho de piscina." (José Lins do Rego, *Gregos e Troianos*, p. 130). [Nas acepç. 1 a 4, e 11, é defect., conjugável somente nas 3as pess.]

sucedido. [Part. de *suceder.*] *Adj. e s. m.* Que ou aquilo que sucedeu.

sucedimento. *S. m.* **1.** Sucessão (1). **2.** V. *sucesso* (1).

sucessão. [Do lat. *successione.*] *S. f.* **1.** Ato ou efeito de suceder(-se); sucedimento. **2.** Série de fenômenos ou fatos que se sucedem e são normalmente ligados por uma relação causal. **3.** Seqüência de pessoas ou de coisas que se sucedem e/ou se substituem ininterruptamente ou com pequenos intervalos. **4.** Transmissão de direitos e/ou encargos segundo certas normas: *A* s u c e s s ã o *do trono de Portugal sofreu grave crise em 1580.* **5.** Transmissão do patrimônio de um finado a seus herdeiros e legatários. [Cf., nesta acepç., *testamento* (1), *legado*[2] (1) e *herança* (3).] **6.** *Fig.* Descendência, prole. **7.** *Ecol. Veg.* Processo evolutivo lento, mediante o qual umas espécies vegetais substituem outras num dado lugar. **8.** *Mat.* Seqüência (6). ♦ **Sucessão legítima. 1.** A que provém de disposição da lei. **2.** Conjunto de normas de direito civil que devem ser observadas no deferimento da herança aos herdeiros. **Sucessão testamentária. 1.** A que se origina de disposição de última vontade, por meio de testamento. **2.** Complexo de normas de direito civil disciplinadoras desse tipo de sucessão.

sucessível. *Adj. 2 g. Jur.* Que pode suceder, na qualidade de herdeiro ou a qualquer outro título.

sucessivo. [Do lat. *successivu.*] *Adj.* Que vem depois, ou em seguida; contínuo, consecutivo. ~ V. *aval* — e *contrato* —.

sucesso. [Do lat. *successu.*] *S. m.* **1.** Aquilo que sucede; acontecimento, sucedimento: "Durante estes quatro meses os s u c e s s o s políticos tinham trazido D. João I a Santarém" (Alexandre Herculano, *Lendas e Narrativas*, I, p. 293). **2.** Resultado, conclusão. **3.** Parto[1] (2): *ter bom* s u c e s s o (ter parto feliz); *A mulher do Pedro morreu de* s u c e s s o. **4.** Bom êxito; resultado feliz: "a psiquiatria, sim, essa também se usa pra criança. Embora sem muito s u c e s s o, porque a cura da criança sempre depende da cura dos adultos que convivem com ela." (João Uchoa Cavalcanti Neto, *O Menino*, p. 24). **5.** Livro, espetáculo, filme, etc., que alcança grande êxito; cartaz: "a marcha [*O Teu Cabelo não Nega*, de Lamartine Babo] foi o mais espetácular s u c e s s o de todos os tempos, na folia carioca." (Nestor de Holanda, *Memórias do Café Nice*, p. 147). **6.** Autor, artista, etc., de grande prestígio e/ou popularidade; cartaz: *Jorge Amado é o maior* s u c e s s o *entre os nossos romancistas;* "Lorna Luft, irmã de Liza Minelli, o novo s u c e s s o da noite de Nova Iorque." (*Jornal do Brasil*, 11.12.1972). **7.** *Bras., N.E. Pop.* Desastre, acidente, sinistro: *Perdeu a mão num* s u c e s s o; "Não deu parte à polícia. Também não adiantava: o subdelegado já havia registrado o caso como s u c e s s o." (Adalberon Cavalcanti Lins, *Curral Novo*, p. 63). ♦ **Mau sucesso.** *Bras. Pop.* V. *aborto* (1).

sucessor (ô). [Do lat. *successore.*] *Adj.* **1.** Que sucede a outrem. ● *S. m.* **2.** Aquele que sucede a outrem. **3.** Aquele que substitui outrem num cargo ou função. **4.** Aquele que tem as mesmas qualidades de outrem morto ou afastado da atividade a que pertencem ambos. **5.** Aquele que herda; herdeiro. **6.** *Álg. Mod.* Natural que segue imediatamente a outro; seqüente.

sucessorial. *Adj. 2 g. Bras.* **1.** Sucessório. **2.** Referente a sucessor.

sucessório. [Do lat. *successoriu.*] *Adj.* Relativo a sucessão; sucessorial.

súcia. [Der. regress. de *suciadade*, pronúncia inculta de *sociedade.*] *S. f.* Agrupamento de pessoas de má índole e/ou mal-afamadas; matula, mamparra, malta, manada, corja, caterva: "Viu-o atirar o insulto duríssimo, quase com repugnância — era uma s ú c i a de poltrões." (Marques Rebelo, *Marafa*, p. 33.) [Cf. *sucia*, do v. *suciar.*]

suciar. *V. int.* **1.** Fazer parte de uma súcia. **2.** Vadiar, vagabundar. [Pres. ind.: *sucio, sucias, sucia*, etc. Cf. *súcio* e *súcia.*]

suciata. [De *súcia.*] *S. f.* **1.** Reunião de pessoas de má fama: "Enganar-me a mim para sair de casa e ir-se meter em s u c i a t a s .... no meio de uma corja de peraltas e vadios! nunca tal esperei!..." (Bernardo Guimarães, *O Seminarista*, p. 141.) **2.** Patuscada, pândega, folgança.

sucino. [Do lat. *succinu*, 'âmbar-amarelo'.] *S. m.* V. *âmbar* (2).

sucinto. [Do lat. *succintu.*] *Adj.* Que consta de poucas palavras; breve, resumido, condensado, conciso: *estilo* s u c i n t o; *exposição* s u c i n t a; "Emílio Levasseur descreve a situação e a superfície do país, as suas fronteiras, com o exame s u c i n t o das questões concernentes a elas" (Rui Barbosa, *Ensaios Literários*, p. 180).

súcio. [Do esp. *sucio*, 'sujo'.] *S. m.* Aquele que integra uma súcia; vagabundo, biltre. [Cf. *sucio*, do v. *suciar.*]

➡**sucker** (sâcar). [Ingl.] *S. m. Morfol. Veg.* Ramo aéreo procedente de uma raiz gemífera, o qual, separado da planta-mãe, pode formar nova planta. [Não são raros os vegetais lenhosos que assim se reproduzem. No cerrado do Brasil Central há muitos exemplos; devastado o cerrado, numerosas raízes tornam-se gemíferas e emitem s u c k e r s, que, à primeira vista, parecem jovens plantas oriundas de sementes, mas estão ligados subterraneamente a outra planta, adulta.]

suco. [Do lat. *succu.*] *S. m.* **1.** Líquido com propriedades nutritivas contido nas substâncias animais ou vegetais; sumo: s u c o *de carne;* s u c o *de laranja.* **2.** Qualquer líquido orgânico segregado por glândula ou mucosa: s u c o *pancreático;* s u c o *gástrico.* **3.** *Fig.* Essência, substância. **4.** *Bras. Fam.* Coisa excelente, deliciosa, bonita, bem-posta ou bem-feita.

sucoso (ô). [Do lat. *succosu.*] *Adj.* V. *suculento* (1 a 3).

sucre. [Do antr. *Sucre*, de Antonio José de Sucre, general venezuelano (1795-1830), libertador de larga parte da América Espanhola.] *S. m.* Unidade monetária, e moeda, do Equador, dividida em 100 centavos.

▲**sucro-.** [Do fr. *sucre.*] *El. comp.* = 'açúcar': *sucroquímica.*

sucroquímica. [De *sucro-* + *química.*] *S. f.* Ramo da química que se ocupa do açúcar.

sucroquímico. *Adj.* Referente à sucroquímica.

suctorial. [De *suctório* + *-al.*] *Adj. 2 g. Zool.* Diz-se do órgão que realiza a sucção. [Estruturas adequadas à sucção encontram-se em muitos animais, como os protozoários tentaculíferos, por isso também chamados *suctórios*, e em peixes, como p. ex., as lampreias e os polvos.]

suctório. *S. m.* **1.** Espécime dos suctórios, **2.** V. *sifonápteros.* ● *Adj.* **3.** Pertencente ou relativo a eles. [Sin., nas acepç. 1 e 3: *tentaculífero.*]

suctórios. *S. m. pl. Zool.* **1.** Animais do sub-ramo dos cilióforos, da classe *Suctoria*, caracterizados por terem cílios quando jovens. Os adultos possuem pedúnculos, que os fixam ao meio onde se encontram, e tentáculos com discos adesivos na superfície oposta. [Sin.: *tentaculíferos.*] **2.** V. *sifonápteros.*

sucuabo. [Talvez de or. indígena.] *S. m. Bras.* Linha de pescar, protegida contra os dentes do peixe.

suçuaia. [Do tupi *susu'aia.*] *S. f. Bras.* Erva da família das compostas (*Elephantopus scaber*), ruderal, comum em terrenos baldios nas cidades, e que serve de pasto às cabras. É baixa e com algumas folhas basais, ásperas e grossas; tem capítulos pequenos, reunidos num escapo central. [Sin.: *língua-de-vaca, tapirapecu.*]

suçuapara. *S. m. Bras.* V. *suaçuapara.*

suçuapita. [De provável or. tupi.] *S. m. Bras.* V. *veado-mateiro.*

suçuarana. [Do tupi *susua'rana*, semelhante ao veado (na cor do pêlo).] *S. f. Bras.* **1.** Mamífero carnívoro, da família dos felídeos (*Felis (Puma) concolor* L.), comum em toda a América nos tempos coloniais. A coloração é amarelo-avermelhada queimada, mais escura no dorso, amarelo-claro na parte ventral, e os filhotes nascem pintados com manchas escuras no corpo. Mede 1,20 m de corpo e 65 cm de cauda. Alimenta-se de pequenos mamíferos, e tb. de aves e, até, de reptis. [Sin.: *jaguaruna, puma, onça-parda, onça-vermelha.*] **2.** *Fig.* Mulher de mau gênio.

sucúbico. *Adj.* Referente a, ou próprio de súcubo.

súcubo. [Do lat. *succubu*, 'o que se deita por debaixo de outro'.] *Adj.* **1.** Que se coloca por baixo. **2.** *Morfol. Veg.* Diz-se das folhas das hepáticas quando a margem anterior (ou superior) é recoberta pela margem posterior (ou inferior) da folha subseqüente. ● *S. m.* **3.** Demônio feminino que, segundo velha crença popular, vem pela noite copular com um homem, perturbando-lhe o sono e causando-lhe pesadelos. **4.** Indivíduo sem força de vontade, que se deixa sugestionar por outro de personalidade mais forte (*íncubo*), a tal ponto que sua volição se anula de todo, passando ele a ser dirigido pelo último de maneira absoluta. [Antôn.: *íncubo.*]

suculência. *S. f.* **1.** Qualidade de suculento. **2.** Abundância de suco.

suculento. [Do lat. *succulentu.*] *Adj.* **1.** Que tem suco ou sumo; sumarento. **2.** Que tem chorume; gordo. **3.** Substancial, nutritivo, alimentício. [Sin., nessas acepç.: *sucoso.*] **4.** *Morfol. Veg.* Diz-se da planta ou das partes dela que se mostram carnosas e espessas em virtude da presença de abundantes parênquimas de reserva, nos quais quase sempre há água armazenada: *folha* s u c u l e n t a.

sucumbência. [Do lat. tardio *succumbentia, ou do ingl. *succumbence.*] *S. f.* Ato ou processo de sucumbir.

sucumbido. [Part. de *sucumbir.*] *Adj.* Desanimado, desalentado, descoroçoado, descorçoado.

sucumbir. [Do lat. *succumbere,* 'estar deitado embaixo', 'cair debaixo'.] *V. t. i.* **1.** Cair sob o peso de; abater-se, vergar, dobrar-se: *Os fracos s u c u m b e m às adversidades.* **2.** Não resistir; ceder: "Retraído, a princípio, sem querer aceitar a maravilhosa oferta, acabei s u c u m b i n d o ao desejo de tocar aquele prodígio, de o possuir para mim e só para mim." (Macedo Miranda, *Pequeno Mundo outrora,* p. 13.) **3.** Ceder aos esforços de outrem: *A escravidão s u c u m b i u à consciência abolicionista. Int.* **4.** Perder o ânimo; mostrar-se abatido em extremo; desalentar(-se), desanimar(-se), esmorecer. **5.** Morrer, perecer, falecer: *O doente não reagiu ao medicamento e s u c u m b i u .* **6.** Ser vencido; ser derrotado. **7.** Cessar de existir; acabar(-se): *A revista s u c u m b i u pouco depois de lançada.* **8.** Ser suprimido ou abolido.

sucupira. [Do tupi *suku'pira.*] *S. f. Bras.* **1.** Designação comum a espécies do gênero *Ormosia,* da família das leguminosas, caracterizadas pelas sementes muito duras e de coloração vermelho-sanguínea, com uma mancha negra. São árvores providas de frutos do tipo vagem. **2.** V. *sapupira-da-mata.* [Var.: *sicupira.*]

sucupira-amarela. *S. f. Bras.* Sebipira-falsa. [Pl.: *sucupiras-amarelas.* Var.: *sicupira-amarela.*]

sucupira-branca. *S. f. Bras.* V. *faveiro* (2). [Pl.: *sucupiras-brancas.* Var.: *sicupira-branca.*]

sucupira-do-cerrado. *S. f. Bras., N.E.* a *L.* Árvore da família das leguminosas (*Bowdichia virgiliodes*), muito dispersa pelos cerrados e matas secas, que tem pequeno porte e perde as folhas penadas durante a floração, quando se cobre de flores violáceas. O fruto é um legume pequeno e coriáceo, com sementes vermelhas, e a madeira é de excelente qualidade, igual à da sapupira-da-mata. [Var.: *sicupira-do-cerrado;* sin.: *sapupira-do-campo.* Pl.: *sucupiras-do-cerrado.*]

sucuri. [Do tupi *suku'ri.*] *S. f.* **1.** *Bras.* Reptil da família dos boídeos (*Eunectes murinos* (L.)), das regiões de grandes rios e pântanos do Brasil, de coloração cinzento-esverdeada, tendente ao oliva, com manchas arredondadas escuras dispostas aos pares, ventre amarelado, cabeça com escamas, e desprovido de peçonha. Chega a 10 m de comprimento. Vive na água, em rios e lagoas, alimentando-se de peixes, aves e mamíferos, que engole após triturar-lhes os ossos por compressão muscular. [Sin.: *sucuriú, sucuriju, sucuruju, sucurijuba, sucurujuba, boiaçu, boiguaçu, boiuçu, boioçu, boiçu, boiúna, boitiapóia, arigbóia, anaconda, viborão.*] ● *S. m.* **2.** *Bras., N.* Var. de *sicuri.* [V. *cação-sicuri* e *sicuri-de-galha-preta.*]

sucuriju. *S. f. Bras.* V. *sucuri* (1).

sucurijuba. [Do tupi *sucuri'yuba,* 'sucuri amarela'; var.: *sucurujuba.*] *S. f. Bras.* V. *sucuri* (1).

sucuriju-tapuia. *Bras. S. 2 g.* e *adj. 2 g.* Morivene. [Pl.: *sucurijus-tapuias.*]

sucuriú. *S. f. Bras.* V. *sucuri* (1).

sucursal. [Do fr. *succursale.*] *Adj. 2 g.* **1.** Diz-se de estabelecimento que depende de uma casa matriz. ● *S. f.* **2.** Estabelecimento sucursal; filial. **3.** *Jur.* e *Com.* Estabelecimento comercial acessório e distinto de outro, que é o principal, de cujos negócios trata e a cuja administração se liga, sem, no entanto, constituir filial ou agência desse outro.

sucuru. [De or. indígena, onom. talvez.] *S. m. Bras.* V. *joão-bobo.*

sucuruju. [F. apocopada de *sucurujuba.*] *S. f. Bras.* V. *sucuri* (1).

sucurujuba. [Var. de *sucurijuba.*] *S. f. Bras.* V. *sucuri* (1).

sucussão. [Do lat. *sucussione.*] *S. f.* Ação de sacudir; abalo.

sucutuba. [De *suculento* + *cutuba?*] *Adj. 2 g. Bras.* **1.** Suculento, nutritivo, alimentício. **2.** Gostoso, saboroso.

sucuuba. [Do tupi *suku'uba.*] *S. f. Bras.* Designação comum a árvores do gênero *Himatanthus* (antigo *Plumeria*), da família das apocináceas, que se caracterizam pelas folhas grandes, flores amplas e alvas, e látex branco, tido por venenoso.

sucuubarana. [De *sucuuba* + *-rana.*] *S. f. Bras.* Árvore da família das malpighiáceas (*Pterandra* sp.).

sudação. [Do lat. *sudatione.*] *S. f. Med.* Ação ou efeito de suar.

sudâmina. [De um lat. **sudamine,* der. de sudare, 'suar'.] *S. f. Patol.* Erupção de pequenas vesículas transparentes, que sobrevêm a suores abundantes.

sudanês. *Adj.* **1.** Do, ou pertencente ou relativo ao Sudão (África). ● *S. m.* **2.** O natural ou habitante do Sudão. [Flex.: *sudanesa* (ê), *sudaneses* (ê), *sudanesas* (ê).] **3.** A língua da Guiné.

sudário. [Do lat. *sudariu.*] *S. m.* **1.** Pano com que outrora se limpava o suor. **2.** Véu com que, na Antiguidade, se cobria a cabeça dos mortos. **3.** Espécie de lençol para envolver cadáveres; mortalha. **4.** Tela que representa o rosto ensangüentado de Cristo. **5.** *Fig.* Exposição (tratando-se de coisas censuráveis): *o s u d á r i o das barbaridades cometidas.* ◆ **O Santo Sudário.** Mortalha de Cristo. V *verônica* (1).

sudatório. [Do lat. *sudatoriu.*] *Adj.* V. *sudorífero* (1).

sudeste. [Do anglo-saxônio *south east,* atr. do fr. *sud est.*] *S. m.* e *adj. 2 g.* Sueste.

sudistas. *S. 2 g. pl.* V. *sulistas.*

súdito. [Var. de *súbdito* < lat. *subditu.*] *Adj.* **1.** Que está submetido à vontade de outrem; sujeito. ● *S. m.* **2.** Aquele que está submetido à vontade de outrem; vassalo.

sudoestada. *S. f.* Vento forte que sopra do sudoeste.

sudoeste. [Do anglo-saxônio *south west,* atr. do fr. *sud ouest.*] *S. m.* **1.** *Astr.* Ponto do horizonte situado a 45º do S. e do O. [Abrev.: *S.O.* ou *S.W.*] **2.** Vento que sopra dessa direção. ● *Adj. 2 g.* **3.** Relativo ao sudoeste (1), ou dele procedente: *vento s u d o e s t e .* **4.** Situado a sudoeste (1): *região s u d o e s t e .*

sudoração. [De *sudor(i)-* + *-a-* + *-ção.*] *S. f.* Transpiração excessiva.

sudoral. [De *sudor(i)-* + *-al.*] *Adj. 2 g.* Referente a suor.

sudorese. [Do lat. *sudore,* 'suor'.] *S. f. Fisiol.* Secreção de suor; transpiração: "Acho, achei sempre abominável a s u d o r e s e axilar." (Haroldo Maranhão, *As Peles Frias,* p. 47.) [Antôn.: *adiaforese.*]

▲**sudor(i)-.** [Do lat. *sudor, oris.*] *El. comp.* = 'suor': *sudorífico; sudoral.*

sudorífero. [Do lat. *sudoriferu.*] *Adj.* **1.** Que faz suar; sudatório, sudorífico, hidrótico, diaforético, suador. ~ V. *poro* —. ● *S. m.* **2.** Aquilo que faz suar; sudorífico, suadouro ou suadoiro, suador.

sudorífico. [De *sudor(i)-* + *-fico.*] *Adj.* e *s. m.* V. *sudorífero.*

sudoríparo. [De *sudor(i)-* + *-paro.*] *Adj.* **1.** Que produz suor: *glândula s u d o r í p a r a .* **2.** Relativo a suor.

sudra. [Do sânscr. *çudar.*] *S. m.* e *f.* Pária (1).

sudro. *S. m.* V. *sudra.*

sueca. [Fem. substantivado do adj. *sueco.*] *S. f.* **1.** Espécie de bisca, na qual joga com dez cartas cada parceiro. **2.** *Mús.* Espécie de quadrilha de andamento rápido.

sueco. [Alter. do ant. *suécio* < top. *Suécia.*] *Adj.* **1.** Da, ou pertencente ou relativo à Suécia (Europa). ● *S. m.* **2.** O natural ou habitante da Suécia. **3.** *Ling.* V. *germânico* (3). ~ V. *ginástica —a.*

suede. [Do fr. *suède.*] *S. m.* Couro fino e acamurçado, destinado ao fabrico de artigos indumentários: *luvas de s u e d e .*

suedine. [Do fr. *suédine.*] *S. f.* Tecido de algodão, cuja textura imita o suede.

sueira[1]. [De *suar.*] *S. f. Bras.* Trabalheira, cansaço, estafa. [Pl.: *sueiras.* Cf. *soeiras.*]

sueira[2]. *S. f.* Certa pedra preciosa antiga: "Leva anéis de cobre com aventurinas, / Brincos de s u e i r a s , manto de agnelinas." (Eugênio de Castro, *Obras Poéticas,* I, p. 107.) [Pl.: *sueiras.* Cf. *soeiras.*]

sueltista. *S. 2 g. Bras.* Autor de sueltos; topiquista.

suelto (ê). [Do esp. *suelto,* 'solto (ô)'.] *S. m.* V. *tópico* (9).

suestada. [De *sueste* + *-ada*[1].] *S. f.* Vento forte que sopra do sueste: "no inverno, varrem-no [ao mar, nas costas do S. do Brasil] procelas desfeitas, s u e s t a d a s , lestadas irresistíveis e até mesmo ciclones que são causa de constantes naufrágios" (Virgílio Várzea, *Nas Ondas,* p. 197).

sueste. [Var. de *sudeste.*] **1.** *Astr.* Ponto do horizonte situado a 45º do S. e do E. [Abrev.: *S.E.*] **2.** O vento que sopra dessa direção. **3.** *Mar.* Chapéu ou capa de oleado, próprio de marinheiros: "Trazia o s u e s t e acachapado sobre a nuca e longo casaco de pano amarelo oleado" (Virgílio Várzea, *Nas Ondas,* p. 25). ● *Adj. 2 g.* **4.** Relativo ao sueste (1), ou dele procedente: *vento s u e s t e .* **5.** Situado a sueste (1): *região s u e s t e .* [Cf. *soeste* (ê), do v. *soer.*]

suéter. [Do ingl. *sweater.*] *S. m.* e *f. Bras.* Agasalho fechado, feito de malha de lã: "já dava formas fantasiosas aos seus planos de enriquecimento mais rápido, quando notou uma garota apertada num s u é t e r vermelho, que caminhava em sua direção" (Otávio Issa. *Os Inquietos,* p. 9); "Então tricotou uma s u é t e r para o inverno." (Clarice Lispector. *A Via-Crúcis do Corpo.* p. 18). [Sin., lus.: *camisola.*] [Pl.: *suéteres.*]

sueto (ê). [Do lat. *sueto,* 'costumado'.] *S. m.* **1.** Feriado escolar. **2.** Descanso, folga; ócio: "Quem se não lembra daqueles bons dias santos dos doze anos, em que o sol era mais formoso que nos dias de trabalho, sem excetuar a folgada quinta-feira do s u e t o escolástico?" (Alexandre Herculano, *Lendas e Narrativas,* II, p. 284.) **3.** *Desus.* Costumeira, usança.

suevo. *S. m.* **1.** Indivíduo dos suevos, povo germânico que se fixou na Suábia (Europa). ● *Adj.* **2.** Pertencente ou relativo aos suevos.

sufeta. *S. m.* Var. de *sufete:* "O mesmo sucede com as moedas, onde a par dum exergo sibilino ou quase monossilábico, o buril descreveu uma cabeça vigorosa, de Astarte ou de s u f e t a" (Aquilino Ribeiro, *Os Avós de Nossos Avós,* p. 57).

sufete. [Do lat. *sufete.*] *S. m.* Cada um dos magistrados supremos da antiga Cartago. [Var.: *sufeta.*]

sufi. [Do ár. *çufii.*] *S. m.* **1.** *Desus.* Designação dada no Ocidente ao rei da Pérsia. **2.** Adepto do sufismo; sufista.

suficiência. *S. f.* **1.** Qualidade ou classificação de suficiente. **2.** Aptidão bastante; habilidade, capacidade. **3.** *Estat.* A propriedade dum estimador eficiente.

suficiente. [Do lat. *sufficiente.*] *Adj. 2 g.* **1.** Que satisfaz; bastante. **2.** Que está entre o bom e o sofrível. **3.** Assaz numeroso ou considerável: *Havia um público s u f i c i e n t e na sala de conferências.* **4.** Capaz, apto, hábil. ~ V. *condição* —. ● *S. m.* **5.** Aquilo que basta; o bastante: *Tem o s u f i c i e n t e para viver.* **6.** Nota (10) suficiente (2).

sufismo. [De *sufi* + *-ismo.*] *S. m.* Misticismo arábico-persa, que sustenta ser o espírito humano uma emanação do divino, no qual se esforça para reintegrar-se. [Cf. *sofismo,* do v. *sofismar.*]

sufista. *Adj. 2 g.* **1.** Relativo ao sufismo. ● *S. 2 g.* **2.** Sufi (2). [Cf. *sofista.*]

sufixação (cs). *S. f.* Ato ou efeito de sufixar.

sufixal (cs). *Adj. 2 g.* Referente a sufixo(s).

sufixar (cs). *V. t. d.* **1.** Juntar sufixo(s) a. *Int.* **2.** Juntar sufixo(s).

sufixo (cs). [Do lat. *suffixu.*] *S. f. Gram.* Afixo que, posposto ao radical dos vocábulos, gera, com base nestes, formas flexionadas ou derivadas. ◆ **Sufixo flexional.** *Gram.* Desinência (2).

suflê. [Do fr. *soufflé.*] *S. m. Cul.* Iguaria de origem francesa, preparada com farinha de trigo, a que se adicionam outros ingredientes (queijo, camarão, legumes, frutas, etc.) reduzidos a purê, tudo ligado com gema de ovo e claras batidas em neve, e levado ao forno: "você botou em seu prato quase metade do s u f l ê de camarão" (Jorge Amado, *Dona Flor e Seus Dois Maridos,* p. 274).

sufocação. [Do lat. *suffocatione.*] *S. f.* **1.** Ato ou efeito de sufocar(-se). **2.** Falta de ar; abafação, abafamento. **3.** Dificuldade séria de respirar. **4.** Suspensão da respiração; asfixia. **5.** *Med.* Morte por asfixia. [Sin. ger.: *sufocamento.*]

sufocador (ô). [De *sufocar* + *-(d)or.*] *Adj.* **1.** V. *sufocante* (1). ● *S. m.* **2.** Aquele que sufoca. **3.** Vaso de ferro onde é lançado o carvão, depois de sair dos carbonizadores, para que não se inflame.

sufocamento. *S. m.* V. *sufocação.*

sufocante. [Do lat. *suffocante.*] *Adj. 2 g.* **1.** Que sufoca; sufocador, sufocativo. **2.** V. *abafante* (1): "Fome e sede, calores s u f o c a n t e s" (Ricardo Gonçalves, *Ipês,* p. 81).

sufocar. [Do lat. *suffocare.*] *V. t. d.* **1.** Causar sufocação a; impedir ou reprimir a respiração de: *A asma s u f o c a v a o doente.* **2.** Dificultar a respiração de; abafar: *O calor s u f o c a v a a platéia.* **3.** Matar por asfixia. **4.** Impedir de manifestar-se ou de continuar; extinguir, debelar, reprimir: *As autoridades s u f o c a r a m a revolta.* **5.** Reprimir, abafar, atalhar: *Os soluços s u f o c a v a m -lhe a voz; A objeção da família s u f o c o u -lhe a vocação.* **6.** *P. ext.* Abalar profundamente; impressionar, comover: *A boa nova s u f o c a r a -o a ponto de não o deixar expressar-se. Int.* **7.** Perder a respiração; sufocar-se. **8.** Fazer perder a respiração; asfixiar, abafar: "Modorra estúpida. O calor s u f o c a ." (Martins Fontes, *Volúpia,* p. 79); "Na pequena sala, nublada de fumo, tresandando a cera, o calor s u f o c a v a . Mamede ousou propor abrir uma janela." (Coelho Neto, *Turbilhão,* p. 336). **9.** Sentir os efeitos da sufocação. *P.* **10.** Perder a respiração; sufocar. **11.** Respirar a custo. **12.** Ficar preso; reprimir-se: *Com o susto, pareceu-lhe que a respiração s e s u f o c a r a .* **13.** Conter-se, refrear-se, reprimir-se. [Conjug.: v. *trancar.*]

sufocativo. [Do lat. *suffocatu,* part. pass. de *suffocare,* 'sufocar', + *-ivo.*] *Adj.* **1.** V. *sufocante* (1). **2.** Próprio para repressões.

sufoco (ô). [Dev. de *sufocar*.] *S. m. Bras. Fam.* **1.** Grande urgência; pressa; azáfama, afã. **2.** Grande inquietação; medo, ansiedade, angústia. **3.** Aperto, apertura, dificuldade.

sufragâneo. [Do b.-lat. *suffraganeu.*] *Adj.* e *s. m.* Diz-se de, ou bispo ou bispado dependente de um metropolitano.

sufragar. [Do lat. *suffragare.*] *V. t. d.* **1.** Apoiar, aprovar, favorecer, com sufrágio ou voto: *O povo* sufragou *um bom candidato ao Senado.* **2.** Rezar em intenção de (a alma de alguém), ou de (alguém): sufragar *os mortos;* Sufragou *a alma do grande amigo.* **3.** Aplicar esmolas, obras pias, ofícios divinos, etc., em benefício de (a alma de alguém): Sufraga *sempre a alma de seu tio e benfeitor.* **4.** Pedir, suplicar, com sufrágios ou orações. [Conjug.: v. *largar.*]

sufrágio. [Do lat. *suffragiu.*] *S. m.* **1.** Voto, votação: *Homens e mulheres têm direito ao* sufrágio. **2.** Apoio, adesão: *As medidas propostas obtiveram o* sufrágio *de todos.* **3.** Ato pio ou oração pelos mortos. ♦ **Sufrágio proporcional.** Processo de votação em que os mandatos parlamentares são conquistados não pela maioria simples de votos, mas por quocientes eleitorais representativos das correntes de opinião organizadas. O quociente eleitoral é o que resulta da divisão do número de votantes pelo de cadeiras por preencher na circunscrição, e o partido obtém tantos mandatos quantos sejam os quocientes que couberem na votação da sua legenda. **Sufrágio universal.** Direito de voto a todos os cidadãos.

sufragista. *Adj. 2 g.* **1.** Respeitante ao sufrágio. **2.** Que é partidário do sufrágio universal. ● *S. 2 g.* **3.** Partidário dele. *S. f.* **4.** *Restr.* Mulher que reivindica para o seu sexo o direito de voto em assembléias políticas.

sufruticoso (ô). *Adj. Morfol. Veg.* Subarbustivo (2).

sufumigação. [Do lat. *suffumigatione.*] *S. f.* **1.** Fumigação dada por baixo de algo. **2.** Combustão de substâncias aromáticas para purificar a atmosfera. **3.** *Med.* Aplicação do vapor medicinal a qualquer parte do corpo. [Sin. ger.: *sufumígio.*]

sufumigar. [Do lat. *suffumigare.*] *V. t. d.* Aplicar a sufumigação a. [Conjug.: v. *largar.*]

sufumígio. *S. m.* Sufumigação.

sufusão. [Do lat. *suffusione.*] *S. f. Med.* Extravasamento (especialmente sangüíneo).

sugação. *S. f.* Ato ou efeito de sugar.

sugadoiro. [De *sugar* + *-(d)oiro*[1]; var.: *sugadouro.*] *S. m.* V. *sugadouro.*

sugador (ô). *Adj.* **1.** Que suga. ● *S. m.* **2.** Sugadouro. **3.** *Art. Gráf.* Cada um dos tipos do margeador de sucção dotados de ventosas de borrachas [chupetas] que apanham as folhas. [Cf., nesta acepç., *soprador.*]

sugadouro. [De *sugar* + *-(d)ouro*[1]; var. de *sugadoiro.*] *S. m.* Órgão de certos insetos que serve para chupar ou sugar; sugador.

sugar. [Do lat. *sugere*, com mudança de conjugação.] *V. t. d.* **1.** Chupar, sorver, chuchar. **2.** Sorver por sucção o líquido de: "Os vegetais felizes / Mergulhavam as sôfregas raízes / A procurar na terra as seivas boas, / Com a avidez e as raivas tenebrosas / Das pequeninas feras vigorosas / Sugando à noite os peitos das leoas." (Guerra Junqueiro, *A Velhice do Padre Eterno*, p. 168.) **3.** Tirar, extrair. **4.** *P. ext.* Subtrair com fraude; extorquir: Sugou *uma fortuna da família. T. d. e i.* **5.** Tirar à força ou por ardil; extorquir: *O vigarista* sugava *dinheiro aos incautos.* [Conjug.: v. *largar.* Cf. *sogar.*]

sugerir. [Do lat. *suggerere.*] *V. t. d. e t. d. e i.* **1.** Fazer que se apresente ao espírito (uma noção) por menção ou associação de idéias: *A casa abandonada* sugeria *desconsolo; O descuido do guarda* sugeriu *ao preso a idéia da fuga;* "A música sugere a ilusão de outra vida" (Martins Fontes, *Vulcão*, p. 46); "Eternidade sugere transcendentalismo." (Geraldo França de Lima, *Branca Bela*, p. 69); *Ali, tudo lhe* sugere *tranqüilidade.* **2.** Lembrar, propor, aventar: *Um dos diretores da empresa* sugeriu *a alteração dos estatutos; Sugeriu ao reitor medidas de grande alcance para o ensino.* **3.** Dizer a meia voz ou em segredo. **4.** Proporcionar, fornecer, ocasionar: *Nem sempre o desenvolvimento* sugere *progresso.* [Irreg. Conjug.: v. *aderir.*]

sugesta. *S. f. Bras. Gír.* Der. regress. de *sugestão* (7).

sugestão. [Do lat. *suggestione.*] *S. f.* **1.** Ato ou efeito de sugerir. **2.** Aquilo que se sugere. **3.** Estímulo, instigação: *Só viajou por* sugestão *dos pais.* **4.** Coisa que se dá a entender; insinuação. **5.** Proposta, parecer, alvitre: *Suas* sugestões *foram aprovadas pela diretoria.* **6.** *Psicol.* Processo pelo qual se controla o poder de decisão de um ou mais indivíduos. **7.** *Bras. Gír.* Ameaça ou intimidação com o objetivo de conseguir alguma coisa; sugesta. ♦ **Sugestão hipnótica.** Vontade, sentimento ou idéia provocada em quem se acha em estado de hipnose.

sugestionabilidade. *S. f.* **1.** Qualidade de sugestionável. **2.** *Psicol.* Aptidão para receber sugestões, i. e., para reagir a um sinal (ordem ou objeto) maquinalmente, sem participação ativa da vontade.

sugestionar. *V. t. d.* **1.** Produzir sugestão em; inspirar, estimular, sugerir. **2.** Fazer que se apresente ao espírito; insinuar, sugerir: "Aqui e além, recantos e arvoredos / Sugestionavam trágicos segredos" (Conde de Monsaraz, *Musa Alentejana*, p. 231). *P.* **3.** Experimentar o efeito de sugestão.

sugestionável. *Adj. 2 g.* Que pode ser sugestionado.

sugestivo. [Do lat. *suggestu*, part. pass. de *suggerere*, 'sugerir'.] *Adj.* **1.** Que sugere; próprio para sugerir. **2.** Insinuante, atraente.

sugesto. [Do lat. *suggestu.*] *S. m.* Tribuna da qual os oradores romanos discursavam ao povo.

sugilação. [Do lat. *suggillatione.*] *S. f.* **1.** Ato ou efeito de sugilar. **2.** *Med.* Leve equimose cutânea. **3.** Lividez cadavérica.

sugilar. [Do lat. *suggillare.*] *V. t. d.* **1.** Produzir equimose(s) em; contundir. **2.** *Fig.* Infamar, difamar, vituperar; manchar.

suia. [De provável or. indígena.] *S. f. Bras., BA.* Maitaca (1 e 2).

suiá. *Bras. S. 2 g.* **1.** Indivíduo dos suiás, tribo indígena jê do alto Xingu. ● *Adj. 2 g.* **2.** Pertencente ou relativo a essa tribo.

suíça. *S. f.* Suíças [q. v.]: "A suíça, a sua grande vaidade, desce em flocos de neve tufada, abundante, ... indo morrer em ondulações caprichosas nas lapelas da sobrecasaca." (Gonçalves Crespo, *Obras Completas*, p. 434.)

suíças. [Fem. pl. substantivado do adj. *suíço.*] *S. f. pl.* Barba que se deixa crescer nos lados da face. [Tb. é us. (menos) no sing.]

suicida (u-i). [Do lat. *sui*, 'de si', + *-cida.*] *S. 2 g.* **1.** Pessoa que se matou a si própria, que se suicidou. ● *Adj. 2 g.* **2.** Que serviu de instrumento de suicídio: *arma* suicida. **3.** De que se participa com a certeza de morrer, ou como que com essa certeza: *luta* suicida; *ação* suicida. **4.** Que envolve dano ou ruína certa: *A oposição do Ministro à decisão presidencial foi atitude* suicida.

suicidar-se (u-i). [De *suicídio* + *-ar*[2] + *se*[1].] *V. p.* **1.** Dar a morte a si próprio: "Quando há anos morreu a bailarina russa .... , lembro-me eu de que se suicidou um entusiasta da arte rítmica" (João da Silva Correia, *Farândola*, p. 15). **2.** Arruinar-se por culpa de si mesmo; perder-se.

suicídio (u-i). [Do lat. *sui*, 'de si', + *-cídio.*] *S. m.* **1.** Ato ou efeito de suicidar-se. **2.** *Fig.* Desgraça ou ruína procurada de livre vontade ou por falta de discernimento. [Sin. ger., p. us.: *autocídio.*]

suicidomania (u-i). [De *suicídio* + *mania.*] *S. f.* Obsessão do suicídio.

suicidomaníaco (u-i). [De *suicídio* + *maníaco.*] *Adj.* **1.** Respeitante à suicidomania. **2.** Que tem suicidomania. ● *S. 2 g.* **3.** Aquele que a tem.

suíço. [Do top. *Suíça.*] *Adj.* **1.** Da, ou pertencente ou relativo à Suíça (Europa); helvécio. ● *S. m.* **2.** O natural ou habitante da Suíça. **3.** Helvécio (2).

suídas (ú-i). *S. m. pl.* V. *suídeo.*

suídeo. [Do lat. *sus, suis*, 'porco', + *-ídeo.*] *S. m.* Espécime dos súidas, família de mamíferos cujo tipo é o porco.

♦**sui generis** (sui gêneriç). [Lat., 'de seu próprio gênero'.] Que não apresenta analogia com nenhuma outra (pessoa ou coisa); peculiar.

suiná (u-i). [F. apocopada de *suinara.*] *S. f. Bras.* V. *suindara.*

suinã (u-i). [De provável or. *indígena.*] *S. f. Bras.* **1.** V. *flor-de-coral* (2). **2.** V. *açacurana.*

suinara (u-i). *S. f. Bras.* V. *suindara.*

suinaria (u-i). [De *suíno* + *-aria.*] *S. f. Bras.* Grande porção de suínos; porcaria.

suindá (u-in). [F. apocopada de *suindara.*] *S. f. Bras.* V. *suindara.*

suindara (u-in). [Do tupi *suĩ'dara.*] *S. f. Bras.* Ave estrigiforme, da família dos titonídeos *(Tyto alba tuidara* (Gray)), comum em todo o Brasil, exceto na Amaz. Coloração pardo-amarelada, bastante clara, finamente pintada de preto e coberta de manchas brancas em forma de gota, parte inferior pintada de pardo, e a cauda listrada de escuro. [Var.: *suinara, suindá, suiná, sondaia, tuidará, tuindá;* sin.: *coruja-branca, coruja-católica, coruja-das-torres, coruja-de-igreja, corujão-de-igreja, rasga-mortalha.*]

suingue (u-í). [Do ingl. *swing.*] *S. m.* **1.** Elemento rítmico do *jazz*, de pulsação sincopada, e que caracteriza esse tipo de música. **2.** Estilo de *jazz* surgido na década de 30, de andamento moderado, ritmo insistente e vivaz, e que era geralmente apresentado por grandes conjuntos instrumentais. **3.** Dança ao som de suingue (2). **4.** *Bras. Chulo.* Relações sexuais entre dois ou mais casais. [Sin., nas acepçs. 1 a 3: *swing.*]

suíno. [Do lat. *suinu.*] *Adj.* **1.** Pertencente ou relativo ao porco, ou próprio dele; porcino, porqueiro. **2.** Bunodonte. ● *S. m.* **3.** O porco (1). **4.** Bunodonte.

suínos. *S. m. pl. Zool.* Bunodontes.

suinocultor (u-i ... ô). [De *suíno* + *cultor.*] *S. m.* Aquele que se dedica à suinocultura; criador de porcos.

suinocultura (u-i), [De *suíno* + *cultura.*] *S. f.* Criação de porcos.

suiriguaçu (u-i). *S. m. Bras.* V. *siriri.*

suiriri. [Do tupi *suiri'ri.*] *S. m. Bras.* Ave passeriforme, da família dos tiranídeos (*Satrapa icterophrys* (Vieil.)), do Brasil oriental e central, de dorso verde-azeitonado, asas e cauda negras, sobrancelhas e lado inferior amarelos. Alimenta-se de insetos. [Var.: *siriri.*]

suiriri-do-campo. *S. m. Bras., RS.* V. *bem-te-vi-do-gado.* [Pl.: *suiriris-do-campo.*]

suiruá (u-i). [De provável or. tupi.] *S. m. Bras.* V. *crejuá.*

suíte[1]. [Do fr. *suite.*] *S. f.* **1.** *Mús.* Originariamente, qualquer seqüência de danças destinadas a um coro ou à interpretação instrumental. **2.** *Mús.* Nos sécs. XVII e XVIII, série de composições instrumentais em forma de danças estilizadas, de estrutura binária e monotemática, e que se sucedem, alternando os movimentos rápidos com os lentos, e ligadas entre si por estreito parentesco tonal (tonalidade única ou alternância do modo maior com o menor sobre a tônica escolhida.) [Cf. *partita* (2) e *sonata* (3).] **3.** *Mús.* Atualmente, qualquer conjunto de peças cuja ligação se justifica pelo contraste de andamentos: *a* suíte *Campestre, de F. Mignone.* **4.** *Bras.* Acomodação em hotel, hospital, etc. constituída de quarto, banheiro e sala ou saleta. **5.** *Bras.* Quarto de residência que tem anexo um banheiro exclusivo. **6.** *Bras.* Desenvolvimento de matéria iniciada em edição anterior de jornal.

suíte[2]. *El. s. m.* Us. na expr. *dar o suíte.* ♦ **Dar o suíte.** *Bras. Gír.* Ir-se embora.

suja. *S. f. Bras. Gír.* Der. regress. de *sujeira* (2): *Fez uma* suja *com o velho amigo.*

sujar. *V. t. d.* **1.** Tornar sujo; emporcalhar: *O menino* sujou *a camisa.* [Sin. (no N. do Brasil, no sentido material): *brear, labrear.*] **2.** Tornar impuro; manchar, macular, conspurcar: *Aquele crime* sujou *a honra da família.* **3.** Perverter, corromper, depravar: *As más companhias* sujaram *o jovem.* **4.** *Bras. Gír.* Desmentir; contradizer. *Int.* **5.** Fazer dejeções; defecar: "Chove chuva! / Pra nascer capim! / Pro boi comer! / Pro boi sujar! / Pro sabiá ciscar!" (Ascenso Ferreira, *Catimbó e Outros Poemas*, p. 115.) *P.* **6.** Praticar atos infamantes. **7.** Tornar-se sujo; emporcalhar-se. **8.** Macular a própria honra. **9.** Evacuar involuntariamente.

sujeição. [Do lat. *subjectione.*] *S. m.* **1.** Ato ou efeito de sujeitar(-se). **2.** Dependência; submissão, obediência: *a* sujeição *dos vencidos;* sujeição *à moda.* **3.** Servidão, escravidão. **4.** Constrangimento, acanhamento.

sujeira. [De *sujo* + *-eira.*] *S. f.* **1.** Imundície, porcaria. **2.** Ação incorreta ou indecente; bandalheira, tratantada.

sujeita. [Fem. de *sujeito* (7).] *S. f.* Mulher indeterminada, ou cujo nome se quer omitir: "saiu de casa, andou pela capital como marceneiro e depois voltou com uma sujeita ruiva que usava uns vestidos escandalosamente decotados." (Viriato Correia, *Novelas Doidas*, p. 115).

sujeitador (ô). *Adj.* e *s. m.* Que ou aquele que sujeita.

sujeitar. [Do lat. *subjectare.*] *V. t. d.* **1.** Reduzir à sujeição, tornar sujeito (o que era livre); dominar, subjugar: *Muitos personagens históricos tentaram* sujeitar *a humanidade.* **2.** Constranger a um domínio moral; tornar obediente; ou dependente: *Com sua inteligência* sujeita *os menos cultos.* **3.** Dominar, reprimir, sofrear, sufocar: *Não conseguiu* sujeitar *o acesso de cólera.* **4.** Fixar (uma coisa) para torná-la estável; imobilizar. *T. d. e i.* **5.** Submeter, subordinar: *O imperador* sujeitou *o reino inteiro a seu domínio;* "sujeitou a mulata a tão rudes trabalhos e tão cruel tratamento, que a levara a precipitou no túmulo" (Bernardo Guimarães, *A Escrava Isaura*, p. 35). **6.** Constranger, obrigar, coagir: *A miséria extrema* sujeita *muitos ao crime. P.* **7.** Render-se à lei; submeter-se, adstringir-se. **8.** Conformar-se, obedecendo. **9.** Conformar-se com a sorte. [Part.: *sujeitado* e *sujeito.*]

sujeitável. *Adj. 2 g.* Que se pode sujeitar.
sujeito. [Do lat. *subjectu*, 'posto debaixo'.] *Adj.* **1.** Súdito (1). **2.** Escravizado, cativo. **3.** Obrigado, constrangido, adstrito. **4.** Que se sujeita à vontade dos outros; obediente, dócil. **5.** Dependente, submetido: "Tudo à morte anda s u j e i t o" (José Albano, *Rimas*, p. 28). **6.** Exposto, passível: *Esta decisão é s u j e i t a a futura reformulação.* ● *S. m.* **7.** Indivíduo indeterminado, ou cujo nome se quer omitir: "Deixara sua casa e filho único sob a vigilância de um irmão clérigo, s u j e i t o de clara fama e varão doutíssimo." (Camilo Castelo Branco, *O Bem e o Mal*, p. 39); "Dinheiro corria como água da serra; qualquer s u j e i t o tinha contos de réis." (Afrânio Peixoto, *Bugrinha*, p. 173). **8.** Súdito, vassalo. **9.** Assunto, tema. **10.** *Gram.* Termo da oração a respeito do qual se enuncia alguma coisa. **11.** *Filos.* O ser individual, real, que se considera como tendo qualidades ou praticado ações. [Nesta acepç., cf. *objeto* (10).] **12.** *Jur.* Titular de um direito. **13.** *Jur.* Cada uma das pessoas vinculadas a uma relação jurídica. **14.** *Lóg.* Numa proposição, aquilo de que se fala, em oposição àquilo que se afirma ou nega. **15.** *Mús.* O tema em que se baseia a fuga. **16.** *Bras.* Designação que davam os sertanejos aos escravos. **17.** *Bras. Pej.* Indivíduo reles, imprestável, mau: *É um s u j e i t o sem moral.* ♦ **Sujeito composto.** *Gram.* O que tem mais de um núcleo. **Sujeito determinado.** *Gram.* O que pode ser identificado na oração, quer se apresente de forma explícita, quer implícita. **Sujeito indeterminado.** *Gram.* O que não está expresso na oração, ou por não se desejar que ele seja conhecido, ou pela impossibilidade de sua explicitação. **Sujeito oculto.** *Gram.* O que se acha subentendido na oração, mas é passível de ser identificado. **Sujeito simples.** *Gram.* O que só tem um núcleo, i. e., aquele em que o verbo se refere a um único elemento. **Sujeito zero.** *Gram.* Em análise sintática, sujeito (10) inexistente: *A oração* Choveu muito *tem s u j e i t o z e r o.*
sujidade. *S. f.* **1.** Qualidade ou estado de sujo. **2.** Cisco, pó, poeira. **3.** Excremento, fezes.
sujigar. *V. t. d. Ant., bras., N.E.,* e açor. *Pop.* V. *sogigar*: "S u j i g o u o bruto, amarrou-lhe as mãos e peou-o." (Bernardo Élis, *Ermos e Gerais*, p. 7). [Conjug.: v. *largar*.]
sujigola. [F. haplológica do arc. *sujiga-gola*, de *sujigar*, 'subjugar', + *gola*, (q. v.).] *S. f.* Correia da cabeçada, que passa por sob o queixo do animal.
sujo. [Do lat. *sucidu*, 'úmido'. atr. das f. * *sucio*, * *susiu*.] *Adj.* **1.** Falto de limpeza; cheio de sujidade(s); emporcalhado, porco, imundo, sórdido: *vestido s u j o ; mãos s u j a s* **2.** Manchado, conspurcado, maculado: *indivíduo venal, s u j o.* **3.** Infeccionado, contagiado. **4.** Em que há muitas incorreções ou emendas: *prova tipográfica s u j a* **5.** *Fís.* Diz-se do horizonte brumoso, mal definido. **6.** *Fig.* Diz-se do mar pouco profundo e onde existem recifes, baixos e outros perigos à navegação. **7.** *Fig.* Que encerra elementos, dados, informações inconvenientes ou prejudiciais a alguém: *Tem ficha s u j a na polícia.* **8.** *Fig.* Indecente, indecoroso, imoral, obsceno: *É um tipo s u j o, incapaz de respeitar as senhoras.* **9.** *Fig.* Indigno, desonesto, sórdido, torpe, canalha. **10.** *Bras.* Em quem não se pode confiar. **11.** *Bras.* Que perdeu o crédito; desmoralizado. ~ V: *compor —, guarda —a, língua —a,* e *minuano —.* ● *S. m.* **12.** *Pop.* Sujeira, imundície, imundícia, porcaria. **13.** Indivíduo sujo. **14.** *Bras.* Folião que sai à rua pobremente fantasiado, ou com um tipo de fantasia improvisada ou conseguida, a bem dizer, sem despesas. **15.** *Bras. Pop.* V. *diabo* (2): "Soldado para ela tinha parte com o S u j o." (Bernardo Élis, *Veranico de Janeiro*, p. 73.) **16.** *Bras., MG.* Vegetação superveniente à derrubada de uma floresta primária ou secundária. ♦ **Rir-se o sujo do mal lavado.** *Bras.* Zombar de outrem por defeito ou defeitos que também lhe são próprios; rir-se o roto do esfarrapado.
sul. [Do anglo-saxônico *suth*, atr. do fr. *sud*; o *l* vem de f. obsoletas em que o artigo se aglutinou, como *suleste* e *suloeste*.] *S. m.* **1.** Astr. Ponto da esfera celeste que é a interseção do plano meridiano com o horizonte real, e situado, para os observadores que estão no hemisfério austral, do lado do pólo elevado. **2.** *Geog.* Ponto cardeal que se opõe diretamente ao Norte (2) e fica à direita do observador voltado para o este. **3.** O Pólo sul. **4.** Região ou regiões situadas ao sul. **5.** O vento que sopra do sul. **6.** *Geog. Bras.* V. *grande região.* ● *Adj. 2 g.* e *2 n.* **7.** Relativo ao sul (1 e 2), ou dele procedente: *vento s u l.* **8.** Situado ao sul (1 e 2): *região s u l ; zona s u l* ~V. *latitude — e pólo —.* [Abrev., nas acepç. 4 e 6: *S.* Pl.: *suis.* Cf. *sues.* do v. *suar.*]
sula¹. [Do lat. tardio *sulla.*] *S. f.* Erva ornamental, da família das leguminosas (*Hedysarum coronarium*), oriunda da Europa, alta e ramosa, de folhas penadas, com 6 a 14 folíolos elípticos ou arredondados, pubescentes, flores pequenas, de um vermelho forte, perfumadas e arrumadas em densos racemos, e fruto leguminoso.
sula². *S. f. Bras., N.* Var. aferética de *caçula¹* (1).
sul-africano. *Adj.* **1.** Da, ou pertencente ou relativo à África do Sul. ● *S. m.* **2.** O natural ou habitante da África do Sul. [Flex.: *sul-africana, sul-africanos, sul-africanas.*]
sul-americano. *Adj.* **1.** Da, ou pertencente ou relativo à América do Sul ~ V. *tripanossomíase —a.* ● *S. m.* **2.** O natural ou habitante da América do Sul. [Flex.: *sul-americana, sul-americanos, sul-americanas.*]
sulano. [De *sul* + *-ano.*] *S. m.* V. *suivento.*
sulão. [De *sul* + *-ão²*.] *S. m. Bras., N.E.* V. *sulvento.* [Cf. *solão.*]
sulapeba. *S. f. Bras., BA.* V. *garoupa-gato.*
sulaque. *S. m. Bras.* Gaveta das máquinas do vapor.
sul-asiático. *Adj.* **1.** Da, ou pertencente ou relativo à Ásia do Sul. ● *S. m.* **2.** O natural ou habitante da Ásia do Sul. [Pl.: *sul-asiáticos.*]
sulaventear. [De *sulavento* + *-ear.*] *V. int. Ant.* Sotaventear (2). [Conjug.: v. *frear.*]
sulavento. [Do fr. *sous-le-vent.*] *S. m. Ant.* V. *sotavento.*
sulcagem. *S. f.* Ato ou operação de sulcar.
sulcar. [Do lat. *sulcare.*] *V. t. d.* **1.** Fazer sulcos em: *O arado s u l c a v a a terra.* **2.** Cortar as águas de; navegar por: *A lancha s u l c a os mares com rapidez*; "Pintam [os sonhos] que os mares s u l c o da Bahia, / onde passei a flor da minha idade" (Tomás Antônio Gonzaga, *Marília de Dirceu*, p. 145). **3.** Cavar rugas, pregas ou fendas em; enrugar: *As preocupações s u l c a m sua testa; A idade s u l c o u aquele belo rosto.* **4.** Atravessar, cortar: *A estrada Belém-Brasília s u l c a o sertão brasileiro*; "Parti! sulqueí as vagas do oceano" (Gonçalves Dias, *Obras Poéticas*, II, p. 239). [Conjug.: v. *trancar.*]
sulcável. *Adj. 2 g.* Que pode ser sulcado.
sulco. [Do lat. *sulcu.*] *S. m.* **1.** Rego aberto pelo arado ou pela charrua. **2.** Ruga, prega, carquilha. ♦ **Sulco fechado.** *Mús. Concr.* Técnica utilizada por Pierre Schaeffer (1910-), que consiste em gravar uma célula musical em sulco circular a fim de possibilitar ao compositor a indefinida repetição do objeto sonoro.
sul-coreano. *Adj.* **1.** Da, ou pertencente ou relativo à Coréia do Sul. ● *S. m.* **2.** O natural ou habitante da Coréia do Sul. [Flex.: *sul-coreana, sul-coreanos, sul-coreanas.*]
suleiro. [De *sul* + *-eiro.*] *Adj.* e *s. m. Bras.* V. *sulista* (2 e 4).
sul-européia. *Adj. (f.)* e *s. f.* Fem. de *sul-europeu* [q. v.].
sul-europeu. *Adj.* **1.** Da, ou pertencente ou relativo ao S. da Europa. ● *S. m.* **2.** O natural ou habitante do S. da Europa. [Flex.: *sul-européia, sul-europeus, sul-européias.*]
sulfa. *S. f.* F. red. de *sulfanilamida.*
sulfanilamida. [De *sulf(úrico)* + *anil(ina)* + *amida.*] *S. f. Quím.* Substância branca cristalina, amarga, produto sintético empregado no tratamento de certas infecções estreptocócicas. [F. red.: *sulfa.*]
sulfarsenieto (ê). [De *sulf(o)-* + *arsenieto.*] *S. m. Quím.* Combinação de um sulfeto com um arsenieto. Sal que tem os aníons enxofre $2^-(S^{2-})$ e arsênio $3^-(As^{3-})$.
sulfatagem. *S. f.* Ato de sulfatar.
sulfatar. [De *sulfato* + *-ar²*.] *V. t. d.* **1.** Embeber de sulfato de cobre ou de ferro. **2.** Aspergir (videiras, etc.) com uma solução de sulfato, contra certas doenças: "A Moça — mulher de cinqüenta anos — é que salvava a vinha. .... Ela própria .... é que s u l f a t a v a e enxofrava os campos." (João de Araújo Correia, *Cinza do Lar*, p. 121.) [M.-q.-perf.: *sulfatara*, etc. Cf. *solfatara.*]
sulfatização. *S. f.* Ato ou efeito de sulfatizar.
sulfatizar. *V. t. d.* Transformar em sulfato.
sulfato. [De *sulf(o)-* + *-ato²*.] *S. m. Quím.* Qualquer sal do ácido sulfúrico.
sulfetação. *S. f.* Ato ou efeito de sulfetar; sulfuretação.
sulfetado. [Part. de *sulfetar.*] *Adj.* A que se juntou sulfeto.
sulfetar. [De *sulfeto* + *-ar²*.] *V. t. d.* Juntar com sulfeto; sulfuretar. [Pres. ind.: *sulfeto*, etc. Cf. *sulfeto* (ê).]
sulfeto (ê). [De *sulf(o)-* + *-eto²*.] *S. m. Quím.* Composto binário de enxofre e um elemento ou grupamento positivo; sulfureto. [Pl.: *sulfetos* (ê). Cf. *sulfeto* do v. *sulfetar.*]
sulfidrato. *S. m. Quím.* Antiga designação dos sulfetos ácidos.
sulfídrico. [De *sulf(o)-* + *-idro-* + *-ico²*.] *Adj.* ~V. *gás —.*
sulfite. [Do *sulfito.*] *Adj.* ~ V. *papel —.*
sulfito. [De *sulf(o)-* + *-ito³*.] *S. m. Quím.* Designação comum aos sais e ésteres do ácido sulfuroso.
▲**sulf(o)-.** [Do lat. *sulfur, uris.*] *El. comp.* = 'enxofre': *sulfocianato; sulfeto.* [Equiv.: *sulfur-: sulfúrico.*]
sulfoantimoneto (ê). *S. m. Quím.* Composto com o radical SbS_4 trivalente.
sulfoarsenieto (ê). *S. m. Quím.* V. *sulfarsenieto.*
sulfocianato. [De *sulf(o)-* + *cianato.*] *S. m. Quím.* Sal em que o grupamento eletronegativo é o aníon monovalente SCN —; tiocianato, tiocianeto.
sulfoictiolato. *S. m. Quím.* Sal do ácido sulfoictiólico.
sulfoictiólico. *Adj.* ~V. *ácido —.*
sulfona. [Do al. *Sulfon.*] *S. f. Quím.* Composto orgânico com o grupo SO_2, no qual o enxofre atua como hexavalente, e que, graças à sua grande atividade antibacteriana, tem sido usado no tratamento da lepra.
sulfonação. *S. f. Quím.* Operação química em que se introduz um grupamento sulfônico em um composto.
sulfonado. *Adj. Quím.* Diz-se de qualquer óleo ou material graxo que foi submetido à ação do ácido sulfúrico.
sulfônico. [Do al. *Sulfon* + *-ico²*.] *Adj.* ~V. *ácido —.*
sulfonitro. [De *sulf(o)-* + *-nitro.*] *S. m. Expl.* Mistura de enxofre e de nitrato de potássio, usada como combustível em pirotécnica.
sulfoxilato (cs). *S. m. Quím.* Designação genérica dos sais de fórmula M_2SO_2.
▲**sulfur-.** Equiv. de *sulf(o)-.*
súlfur. [Do lat. *sulfur.*] *S. m.* Enxofre: "Entre o espesso betume e a lava e o s ú l f u r que arde, / Entre a deflagração de corpos mil que troam, / Ele, o átomo se viu." (Alberto de Oliveira, *Poesias*, 2ª série, p. 34.) [Pl.: *súlfures.* Cf. *sulfures*, do v. *sulfurar.*]
sulfuração. *S. f.* Ato ou efeito de sulfurar.
sulfurado. [Part. de *sulfurar.*] *Adj.* Que foi tratado ou combinado com enxofre.
sulfurar. [De *sulfur-* + *-ar²*.] *V. t. d.* **1.** Misturar ou combinar com enxofre. **2.** Preparar com enxofre; enxofrar. [Pres. ind.: *sulfure*, sulfures, etc. Cf. *súlfures*, pl. de *súlfur.*]
sulfureira. *S. f.* V. *solfatara.*
sulfúreo. [Do lat. *sulfureu.*] *Adj.* **1.** Da natureza do enxofre. **2.** Em cuja composição entra o enxofre; sulfuroso: "Belial empinava-se na montanha de escórias fumegantes e s u l f ú r e a s, bem ao centro do reino de gritos e estertores, onde Éris, a Discórdia, dominava os infernos" (Alberto Rangel, *Livro de Figuras*, p. 181).
sulfuretação. *S. f.* Ato ou efeito de sulfuretar; sulfetação.
sulfuretar. *V. t. d.* Sulfetar. [Pres. ind. *sulfureto*, etc. Cf. *sulfureto* (ê).]
sulfureto (ê). [De *sulfur-* + *-eto²*.] *S. m.* Sulfeto. [Pl.: *sulfuretos* (ê). Cf. *sulfureto*, do v. *sulfuretar.*]
sulfúrico. [De *sulfur-* + *-ico²*.] *Adj.* Relativo ou pertencente ao enxofre. ~ V. *ácido — e éter —.*
sulfurização. *S. f. Quím.* Operação química em que se introduz um grupamento sulfeto num composto.
sulfurizar. *V. t. d. Quím.* Efetuar sulfurização de.
sulfurino. [De *sulfur-* + *-ino¹*.] *Adj.* Que tem a cor do enxofre.
sulfuroso (ô). [Do lat. *sulfurosu.*] *Adj.* Sulfúreo (2). ~ V. *ácido — e gás —.*
sulídeo. *S. m.* **1.** Espécime dos sulídeos. ● *Adj.* **2.** Pertencente ou relativo a eles.
sulídeos. *S. m. pl. Zool.* Aves pelicaniformes, da família *Sulidae*, de bico afilado, com margens serrilhadas, pescoço mais curto que a cauda, e narinas obliteradas no adulto. Nidificam em rochedos da costa ou em ilhas oceânicas. São os atobás.
sul-iemenita. *Adj. 2 g.* **1.** De, ou pertencente ou relativo à República Democrática e Popular do Iêmen (Ásia). ● *S. 2 g.* **2.** Natural ou habitante da República Democrática Popular do Iêmen. [Cf. *iemenita.* Pl.: *sul-iemenitas.*]
sulimão. *S. m. Bras., SP. Pop.* Solimão.
sulino. *Adj.* e *s. m. Bras.* V. *sulista* (2 e 4): "Há todo um capítulo por escrever ainda, na história da literatura s u l i n a, sobre a influência do campo na formação dos nossos escritores." (Augusto Meyer, *Prosa dos Pagos*, p. 148.) [Fem.: *sulina.* Cf. *Solino, Solina*, antr., e *solina.*]
suliota. [Do gr. mod., atr. do fr. *souliote.*] *Adj. 2 g.* **1.** Do, pertencente ou relativo ao Suli, no Epiro (Grécia antiga). ● *S. 2 g.* **2.** Natural ou habitante do Suli.
sulipa. [Do ingl. *sleeper*, 'dormente'.] *S. f.* **1.** *Bras., N.E.* V. *dormente* (12). **2.** *Bras., PE.* V. *tamanco* (1).
sulista. *Adj. 2 g.* **1.** Do, ou pertencente ou relativo ao sul de uma região ou país. **2.** *Bras.* Do, ou pertencente ou relativo ao sul brasileiro; sulino, suleiro. V. *grande região.* ● *S. 2 g.* **3.** Natural ou habitante do S. de uma região ou país. **4.** *Bras.* Natural ou habitante do S. do Brasil; sulino, suleiro. [Cf. *solista.*] ~ V. *sulistas.*

sulistas. [Pl. de *sulista.*] *S. 2 g. pl.* Os partidários dos estados do Sul, nos E.U.A., durante a Guerra de Secessão (1861-1865). [Cf. *federais.*] ~ V. *sulista.*

sul-mato-grossense. *Adj. 2 g.* **1.** De, ou pertencente ou relativo ao Mato Grosso do Sul. ● *S. 2 g.* **2.** Natural ou habitante do Mato Grosso do Sul. [Pl.: *sul-mato-grossenses.*]

sul-mineiro. *Adj.* Do, ou pertencente ou relativo ao S. de MG. [Pl.: *sul-mineiros.*]

sul-rio-grandense. *Adj. 2 g.* e *s. 2 g.* V. *rio-grandense-do-sul.* [Pl.: *sul-rio-grandenses.*]

sultana. [Fem. de *sultão.*] *S. f.* **1.** Cada uma das mulheres do sultão, em especial a favorita. **2.** Na Turquia, título que se dava às filhas do sultão. **3.** *Bras.* V. *centáurea.*

sultanado. [De *sultão* + *-ado*[2].] *S. m.* Sultanato.

sultanato. [De *sultão* + *-ato*[1].] *S. m.* **1.** Dignidade ou posto de sultão. **2.** País governado por um sultão. [F. paral.: *sultanado.*]

sultanear. [De *sultão* + *-ear.*] *V. int.* Viver como sultão. [Conjug.: v. *frear.*]

sultanesco (ê). *Adj.* Referente a, ou próprio de sultão; sultânico.

sultânico. [De *sultão* + *-ico*[2].] *Adj.* Sultanesco.

sultão. [Do ár. *sultan,* 'imperador, soberano, dominador'.] *S. m.* **1.** Antigo título do imperador da Turquia. **2.** Título dado a alguns príncipes maometanos e tártaros. **3.** *Fig.* Senhor absoluto. **4.** Príncipe de grande poder. **5.** Homem que possui muitas amantes; paxá. [Fem.: *sultana.*]

sultão-dos-matos. *S. m. Bras.* Espírito do mato, entidade folclórica de origem ameríndia. [Pl.: *sultões-dos-matos.*]

sulvento. [De *sul* + *vento.*] *S. m.* Vento do sul: "Farfalhavam os penachos das inajás, jauaris e tucumãs, riçadas pelo *sulvento*" (Alberto Rangel, *Sombras n'Água*, p. 72). [Sin.: *sulano* ou *sulão.*]

sul-vietnamita. *Adj. 2 g.* **1.** De, ou pertencente ou relativo ao antigo Vietnã do Sul (Ásia). ● *S. 2 g.* **2.** Natural ou habitante do Vietnã do Sul. [Pl.: *sul-vietnamitas.* Cf. *norte-vietnamita* e *vietnamita.*]

suma[1]**.** [Do lat. *summa,* 'soma, total'.] *S. f.* **1.** Soma[1]. **2.** Epítome, resumo, súmula. **3.** *Rel.* Designação comum a alguns tratados teológicos medievais, que continham um resumo de toda a teologia. ◆ **Em suma.** Em resumo; em substância; resumidamente.

suma[2]**.** [F. red. de *cipó-suma.*] *S. f. Bras.* V. *piriguara*[2].

sumaca[1]**.** [Do hol. *schmake.*] *S. f. Bras.* Antigo navio à vela, muito usado na costa do Brasil, semelhante ao patacho, porém menor, de mastreação constituída de gurupés e dois mastros inteiriços: o de vante, que cruza duas vergas, e o de ré, que enverga vela latina: "as barcaças pesadonas, as *sumacas*, os brigues e palhabotes audazes em bordejo" (Alberto Rangel, *Sombras n'Água*, p. 68).

sumaca[2]**.** *S. f. Bras., MA.* V. *charque.*

sumagral. [De *sumagre* (1) + *-al.*] *S. m.* Grande quantidade de sumagres dispostos proximamente entre si.

sumagrar. [De *sumagre* + *-ar*[2].] *V. t. d.* Tingir ou curtir com sumagre.

sumagre. [Do ár. *summaq.*] *S. m.* **1.** Arbusto da família das anacardiáceas *(Rhus coriaria),* de origem asiática, que atinge até 6 m, de folhas com 9 a 15 folíolos ovados ou oblongos, denteados e pubescentes na face inferior, flores inconspícuas esverdeadas e reunidas em panículas terminais frouxas, drupas rubras e densamente pubescentes, e cuja casca e folhas fornecem tanino. **2.** Pó um tanto grosseiro, resultante da trituração dessa planta, usado em medicina, na tinturaria e em curtumes. [Var.: *açumagre.*]

sumagreiro. *S. m.* Preparador de sumagre para tinturaria.

sumanta. [Do esp. plat. *sumanta.*] *S. f. Bras., S.* V. *surra* (1): "livrai-nos da *sumanta* e dai-nos pão" (Manuel Lobato, *Garrucha 44*, p. 85).

sumaré. [Do tupi *suma'ré.*] *S. m. Bras.* Espécime da família das orquidáceas *(Cyrtopodium punctatum),* de folhas longas e lineares, flores amarelas, dispostas em amplas e ornamentais inflorescências frouxas, e cujo odor lembra o tabaco, sendo o fruto uma cápsula com sementes mínimas. É orquídea terrestre. [Sin.: *rabo-de-tatu, bisturi-do-mato.*]

sumaré-de-pedras. *S. m. Bras.* Espécie da família das orquidáceas *(Cyrtopodium andersoni),* que pouco difere do sumaré. [Pl.: *sumarés-de-pedras.*]

sumareense (èèn). *Adj. 2 g.* **1.** De, ou pertencente ou relativo a Sumaré (SP). ● *S. 2 g.* **2.** Natural ou habitante de Sumaré.

sumarento. *Adj.* Que tem sumo ou muito sumo [v. *sumo*[1]]; sucoso, sumoso.

sumariante. *Adj. 2 g.* **1.** Que sumaria. ● *S. 2 g.* **2.** *Bras.* Juiz que preside ao sumário de culpa.

sumariar. *V. t. d.* Tornar sumário; sintetizar, resumir, compendiar: *O trabalho consiste em sumariar uma obra.* [Pres. ind.: *sumario,* etc. Cf. *sumário.*]

sumário. [Do lat. *summariu.*] *Adj.* **1.** Resumido, breve, conciso, sintético: *estudo sumário.* **2.** Realizado sem formalidades; simples. ● *S. m.* **3.** V. *resumo* (2): "O *sumário* da vida humana são enganos e desenganos." (Marquês de Maricá, *Máximas, Pensamentos e Reflexões*, p. 61.) **4.** Linhas que, no começo de um capítulo, indicam o assunto nele tratado. **5.** *Bibliol.* Enumeração das principais divisões (capítulo, seções, artigos, etc.) de um documento, na mesma ordem em que a matéria nele se sucede; visa a facilitar visão do conjunto da obra e a localização de suas partes, e, para tanto, deve aparecer no início da publicação e indicar, para cada parte, a paginação (conforme *Normas Brasileiras);* índice de matéria, tábua da matéria. [Cf., nesta acepç., *índice* (1).] [Cf. *sumario,* do v. *sumariar.*] ◆ **Sumário de culpa.** *Jur.* V. *formação de culpa.*

sumarização. [De *sumari(ar)* + *-z-* + *-ção.*] *S. f. Liter.* Recurso literário que consiste na redução do tempo da narrativa.

sumaúma. [Do tupi *suma'uma.*] *S. f. Bras., Amaz.* Árvore gigantesca, da família das bombacáceas *(Ceiba pentandra),* das florestas inundáveis, de tronco imenso e com raízes tubulares, folhas com cinco a sete folíolos oblongos, e flores alvas, vistosas e fasciculadas. As cápsulas estão cheias de paina, que serve para fazer salva-vidas. Com a madeira, branca e leve, fabricam-se caixotes, brinquedos e jangadas. [Var.: *samaúma;* sin.: *sumaúma-da-várzea, sumaumeira.*]

sumaúma-da-várzea. *S. f. Bras., Amaz.* V. *sumaúma.* [Pl.: *sumaúmas-da-várzea.*]

sumaúma-do-igapó. *S. f. Bras.* V.*butuá-de-corvo.* [Pl.: *sumaúmas-do-igapó.*]

sumaumeira (a-u). *S. f. Bras., Amaz.* V. *sumaúma.* [Var.: *samaumeira.*]

sumbaré. *S. m. Bras., S. Pop.* V. *namoro* (1).

sumé. [De or. indígena.] *S. m. Bras.* Personagem lendária, que os índios acreditam haver aparecido misteriosamente entre eles, haver-lhes ensinado a agricultura, e afinal, desgostosa dos homens, desaparecido, com o mesmo mistério. [Foi identificada pelos jesuítas como S. Tomé.]

sumeense (mèè). *Adj. 2 g.* **1.** De, ou pertencente ou relativo a Sumé (PB). ● *S. 2 g.* **2.** Natural ou habitante de Sumé.

sumério. *Adj.* **1.** Da, ou pertencente ou relativo à Suméria, antiga região da baixa Mesopotâmia (Ásia). ● *S. m.* **2.** O natural ou habitante da Suméria. **3.** *Ling.* Língua de filiação difícil, falada na Mesopotâmia antes da invasão semítica.

sumetume. *S. m. Bras., N.* **1.** O respiradouro por onde a paca se evade, ao ser acuada pelos cachorros. **2.** Saída de galeria subterrânea.

sumição. [De *sumir* + *-ção.*] *S. f.* V. *sumiço.*

sumiço. [De *sumir* + *-iço.*] *S. m.* Desaparecimento, extravio, descaminho; sumição, sumidura.

sumidade. [do lat. *summitate.*] *S. f.* **1.** Qualidade de alto, eminente. **2.** O ponto mais alto; cumeeira, cimo, cume. **3.** *Fig.* Pessoa que sobressai às outras por seus talentos ou saber.

sumidiço. [De *sumido* + *-iço.*] *Adj.* Que some ou desaparece facilmente.

sumido. [Part. de *sumir.*] *Adj.* **1.** Que quase não se vê. **2.** Desaparecido, oculto. **3.** Fundo, encovado: *olhos sumidos.* **4.** Apagado, desaparecido, desfigurado: *letras sumidas.* **5.** Que mal se ouve; fraco, longínquo, distante: "A voz era tão *sumida* que Sofia mal podia escutá-la" (Machado de Assis, *Quincas Borba*, p. 285). **6.** Magro, descarnado, chupado.

sumidoiro. [De *sumir* + *-(d)oiro.*] *S. m.* V. *sumidouro.*

sumidourense. *Adj. 2 g.* **1.** Do, ou pertencente ou relativo ao Sumidouro (RJ). ● *S. 2 g.* **2.** Natural ou habitante do Sumidouro.

sumidouro. [De *sumir* + *-(d)ouro*[1]; var. de *sumidoiro.*] *S. m.* **1.** Abertura por onde um líquido se escoa, podendo tratar-se de um rio que desapareça terra adentro ressurgindo em outros sítios mais baixos; escoadouro. **2.** Lugar onde somem muitas coisas. **3.** Sarjeta, valeta. **4.** V. *mijadouro.* **5.** Coisa em que se desperdiça muito dinheiro. **6.** *Astr.* Região de onde a energia é dissipada, por um processo físico qualquer. **7.** *Bras., BA, MG* e *GO.* Itararé. **8.** *Bras., BA, MG* e *GO.* V. *grunado.*

sumidura. [De *sumir* + *-(d)ura.*] *S. f.* V. *sumiço.*

sumilher. [Do fr. *sommelier,* talvez pelo esp. *sumiller.*] *S. m.* Reposteiro (2) do paço.

sumir. [Do lat. *sumere,* 'tomar'.] *V. t. d.* **1.** Fazer desaparecer: *O verão tropical some as nuvens do céu;* "O mancebo estendeu cordialmente a mão ao companheiro, que a *sumiu* em sua manopla" (José de Alencar, *O Sertanejo*, p. 93); "Sim! era preciso acabar com ela! despachá-la! *Sumi*-la por uma vez!" (Aluísio Azevedo, *O Cortiço*, p. 323). **2.** Esquecer em lugar de que não se tem lembrança; perder: *Sumiu o dinheiro durante a viagem.* **3.** Pôr a pique; submergir, afundar. **4.** Esconder, ocultar, encobrir: *Usa peruca para sumir a calvície.* **5.** Gastar, consumir: *O jogo sumiu-lhe a fortuna.* **6.** Apagar, eliminar, expungir: *O tempo sumiu a memória de grandes homens.* **7.** Reduzir ao nada; destruir, arrasar, aniquilar. *T. d.* e *i.* **8.** Introduzir, meter: *Interrogado, sumiu o rosto entre as mãos. P.* e (no Brasil) *int.* **9.** Afundar-se, submergir(-se): *O navio sumiu-se nas águas; Vários botes sumiram.* **10.** Esconder-se, ocultar-se, desaparecer: "*Some-se* devagar o sol e já aparece uma lua partida" (José Lins do Rego, *Gregos e Troianos*, p. 122); "um deles [os esteiros], muito sinuoso, afunda-se visível por espaço longo, fraldeia a colina .... , *some*, reaparece muito longe .... tornar a *sumir*." (Júlio Ribeiro, *A Carne*, p. 124); "Apertou-lhe as mãos; *sumiu* na direção do rio" (Caci Cordovil, *Ronda do Fogo*, p. 108); "Minha mãe apontou para o fim da rua onde *sumia* o corpo daquela criatura simples: — Corre, meu filho, lá vai Cristiana." (E. di Cavalcanti, *Viagem da Minha Vida*, I, p. 28); "Maria nascia com a noite, *sumia* no dia." (Elias José, *Inquieta Viagem no Fundo do Poço*, p. 23); "*Mandar para os quintos* — Mandar para o diabo, para um lugar longe, mandar que se retire, que *suma*, que se vá embora." (Antenor Nascentes, *Tesouro da Fraseologia Brasileira*, p. 253). **11.** Extinguir-se, apagar-se: *Com a lavagem a mancha sumiu-se; Esta nódoa não some.* **12.** Perder-se, desaparecer: *O avião sumiu-se na costa da Europa; Diversos livros meus sumiram.* **13.** Fugir, abalar. **14.** Ausentar-se, retirar-se: *Cansado, sumiu-se para os seus aposentos; Sumiu, foi viver no campo.* **15.** Deixar de existir; desaparecer: "O meu interesse *sumiu-se* como a água que a areia absorve." (Eça de Queirós, *Contos*, p. 53.) [Us. quase em todo o Brasil como intransitivo, e esse uso, inteiramente razoável, observa-se em numerosos dos nossos bons escritores. Irreg. Muda o *u* da raiz em *o* na 2ª e 3ª pess. sing. e 3ª pl. do pres. ind., e na 2ª sing. do imperat.: *somes, some, somem; some.*]

sumista. *S. 2 g.* Pessoa que elabora sumas, sínteses e compêndios.

sumo[1]**.** [Do gr. *zomós,* 'suco', com infl. do lat. *succu,* 'suco extraído de plantas'.] *S. m.* Suco (1).

sumo[2]**.** [Do lat. *summu.*] *Adj.* **1.** Que se acha no lugar mais elevado. **2.** Máximo, extremado, supremo: "o certo é que não chegamos a falar, e, no entanto, o assunto é de *suma* importância para ambos nós..." (Aluísio Azevedo, *O Mulato*, p. 212.) **3.** Excelente, excelso, poderoso. **4.** Grande, extraordinário. **5.** Que advém de poder superior e sobrenatural. [Superl. abs. sint. de *alto*[2]. Antôn.: *ínfimo.*] ~ V. — *pontífice* e — *sacerdote.* ● *S. m.* **6.** Cume, cimo. **7.** *Fig.* O auge, o ápice, o requinte.

sumô. [Do jap. *sumo.*] *S. m.* Espécie de luta japonesa, corpo a corpo, na qual perde o lutador que é expulso do ringue ou que deixa alguma parte do seu corpo que não os pés tocar o chão: "Tentou um rabicho igual ao dos lutadores japoneses de *sumô*." (Herberto Sales, *Armado Cavaleiro, o Audaz Motoqueiro*, p. 12.) [Os competidores são, em geral, homens corpulentos, e usam uma tanga muito reduzida.]

sumo-da-cana. [De *sumo*[1] + *da* + *cana.*] *S. m. Bras., SP. Pop.* V. *cachaça* (1). [Pl.: *sumos-da-cana.*]

sumoso (ô). *Adj.* V. *sumarento.*

sumpção. [Do lat. *sumptione.*] *S. f.* Ato ou efeito de engolir. [Var.: *sunção.*]

sumpes. *S. m. 2 n. Bras., PR.* V. *arrasta-pé* (1).

sumpto. [Do lat. *sumptu.*] *S. m.* Total das despesas; gasto. [Var.: *sunto.*]

sumptuário. *Adj.* V. *suntuário.*

sumptuosidade. *S. f.* V. *suntuosidade.*

sumptuoso (ô). *Adj.* V. *suntuoso.*

súmula. [Do lat. *summula.*] *S. f.* Pequena suma; breve resumo; epítome, sinopse: "No que se refere à autenticidade da poesia, seria difícil tentar uma *súmula* do que se tem entendido, através dos tempos, por poesia genuína." (Péricles Eugênio da Silva Ramos, *O Amador de Poemas*, p. 24.) [Cf. *sumula,* do v. *sumular.*]

sumular. *V. t. d. P. us.* Fazer a súmula de; resumir. [Pres. ind.: *sumulo, sumulas, sumula,* etc. Cf. *súmula.*]

sumulista. *S. 2 g.* Autor de súmula (s).

suna. [Do ár. *sunnâ*, 'palavra, ato e aprovação do Profeta'.] *S. f.* **1.** Coletânea de preceitos de obrigação extraída das práticas do Profeta e dos quatro califas ortodoxos, entre os muçulmanos. **2.** *P. ext.* A ortodoxia muçulmana.

sunção. *S. f.* Var. de *sumpção.*

➧**sundae** (sândei). [Ingl.] *S. m.* Porção (2) de sorvete que leva calda de chocolate, de frutas, etc., além de creme *chantilly*, noz picada ou outra cobertura.

sundo. [Do quimb. *sundu*, 'vulva'.] *S. m. Bras.* **1.** O ânus. **2.** As partes pudendas da mulher.

suné. *S. m. Bras., RN. Gír.* Pederasta passivo.

sunfa. *S. f. Bras., RS. Pop.* V. *surra* (1).

sunga. [Dev. de *sungar.*] *S. f. Bras.* **1.** Espécie de calção para crianças. **2.** Calção curto próprio para banho de mar. [É do g. m. em alguns estados, entre os quais o CE.]

sungar. [Do quimb. *kussunga*, 'puxar'.] *V. t. d.* **1.** *Bras.* Suspender os cós de (calça ou saia); assungar: "Com um gesto maquinal, sungou as calças muito altas sobre a cintura" (Gustavo Barroso, *Mississípi*, p. 15). **2.** Puxar para cima; erguer, levantar; assungar. **3.** Reter com esforço (o muco do nariz), deixando de assoar-se. [Conjug.: v. *largar.*]

sunita. [De *suna* + *-ita*[2].] *S. 2 g.* **1.** No islamismo, designação comum aos muçulmanos ortodoxos, os quais reconhecem a autoridade dos quatro primeiros califas, por oposição aos xiitas. ● *Adj. 2 g.* **2.** Pertencente ou relativo aos sunitas: *comunidade sunita.*

sunto. *S. m.* Var. de *sumpto* [q.v.].

suntuário. [Var. de *sumptuário* < lat. *sumptuariu.*] *Adj.* **1.** Referente a despesas ou a luxo. **2.** Suntuoso (2). ~ V. *lei —a.*

suntuosidade. [Var. de *sumptuosidade* < lat. *sumptuositate.*] *S. f.* **1.** Qualidade de suntuoso. **2.** Grande luxo; magnificência, aparato, pompa.

suntuoso (ô). [Var. de *sumptuoso* < lat. *sumptuosu.*] *Adj.* **1.** Com que se fez grande despesa. **2.** Em que há grande luxo; pomposo, magnificente, aparatoso, suntuário.

sununga. [Do tupi *su'nũga*, ger. de *su'nũ*, 'rumorejar', 'ribombar'.] *S. f. Bras.* Plantação de mandioca no verão.

suor (ó). [Do lat. *sudore.*] *S. m.* **1.** Humor aquoso incolor, de odor particular, segregado pelas glândulas sudoríparas e eliminado através dos poros da pele. **2.** Ação de suar; saída ou emissão de suor; transpiração: *Pouco depois de ingerido o medicamento, era incessante o suor.* **3.** *Fig.* Trabalho árduo; trabalheira. **4.** Fruto de grandes fadigas.

suor-de-alambique. *S. m. Bras., PB. Pop.* V. *cachaça* (1). [Pl.: *suores-de-alambique.*]

supedâneo. [Do lat. *suppedaneu.*] *S. m.* **1.** Banco para descanso dos pés; escabelo. **2.** Estrado de madeira onde o padre põe os pés enquanto diz a missa; estrado. **3.** *Fig.* Base, pedestal, peanha.

supeditar. [Do lat. *suppeditare*, 'servir de estribeiro'.] *V. t. d. e i.* Fornecer, ministrar, administrar: *Supeditei-lhe argumentos para a sua defesa*; "autoridades mais altas nos supeditarão, contrariamente, exemplos do mais puro vernaculismo em abono da próclise" (Rui Barbosa, *Réplica*, p. 329).

▲**super-.** [Do lat. *super.*] Pref. = 'excesso'; 'aumento'; 'posição acima, em cima ou por cima'; 'superioridade'; 'em seguida': *superdotado; superpor* (< lat. *superponere*); *super-homem; supervenção.* [Equiv.: *supra-* e *sobr(e)-*: *supra-sensível; supra-renal; supramundano; sobrecarga; sobre-saia, sobretudo*[1]; *sobrenatural; sobrenome, sobre-restar.* Alternam-se, às vezes, entre si: *superexaltar, sobreexaltar; supra-realismo, super-realismo.*]

superabundância. [Do lat. *superabundantia.*] *S. f.* Qualidade de superabundante; grande abundância; fartura, exuberância; exabundância, sobreabundância.

superabundante. [Do lat. *superabundante.*] *Adj. 2 g.* Que superabunda; demasiado, sobejo, exuberante, exabundante, sobreabundante, sobrepujante.

superabundar. [Do lat. *superabundare.*] *V. int.* **1.** Existir ou manifestar-se em abundância ou em excesso; sobejar, exuberar, sobreabundar: *Este ano o café superabundou.* *T. i.* **2.** Ser mais do que necessário; exceder. **3.** Estar cheio; estar repleto; transbordar, sobreabundar: *A cidade superabundou de malfeitores.*

superação. *S. f.* Ato ou efeito de superar.

superado. [Part. de *superar.*] *Adj.* **1.** Vencido, subjugado. **2.** Afastado, removido. **3.** Ultrapassado, obsoleto: *conceitos superados.*

superagudo. [De *super-* + *agudo.*] *Adj.* **1.** Sobreagudo. **2.** *Mús.* Diz-se, na escala geral dos sons, da região agudíssima que se estende do dó5 ao dó7.

superalimentação. [De *super-* + *alimentação.*] *S. f.* **1.** Ato ou efeito de superalimentar(-se). **2.** Método terapêutico que consiste em aumentar a quantidade de alimento ingerida por um indivíduo além das exigências do apetite.

superalimentar. [De *super-* + *alimentar.*] *V. t. d. e p.* Alimentar(-se) em excesso.

superante. [Do lat. *superante.*] *Adj. 2 g.* Que supera, excede, se avantaja.

superaquecer. [De *super-* + *aquecer.*] *V. t. d.* Submeter (sólido ou fluido) a temperaturas elevadas; sobreaquecer. [Conjug.: v. *aquecer.*]

superaquecido. [Part. de *superaquecer.*] *Adj.* Que sofreu superaquecimento. ~ V. *vapor —.*

superaquecimento. *S. m.* **1.** Ato ou efeito de superaquecer; sobreaquecimento. **2.** *Fís.* Aquecimento de um líquido a uma temperatura superior à de ebulição na pressão a que estiver submetido, sem que haja vaporização.

superar. [Do lat. *superare.*] *V. t. d.* **1.** Vencer, subjugar, dominar: *Os exércitos de Alexandre superaram muitos povos.* **2.** Destruir, devastar, arrasar, aniquilar. **3.** Livrar-se de; afastar, remover: "O meu estado é de gravidade, — sei — mas até o momento não tinha dúvida de que superaria a crise." (Benedito Salomon da Costa e Silva, *Seis Contos*, p. 9.) **4.** Passar além de; exceder, ultrapassar: *Os resultados superaram as expectativas.* **5.** Passar por cima de; passar além de; sobrelevar. **6.** Levar vantagem a; sobrepujar: *Teixeira de Pascoais é grande poeta, mas Fernando Pessoa supera-o.* [Pres. ind.: *supero*, etc. Cf. *súpero.*]

superárbitro. [De *super-* + *árbitro.*] *S. m.* V. *sobreárbitro.*

superativado. [Part. de *superativar.*] *Adj.* A que se deu atividade maior, ou excessiva.

superativar. [De *super-* + *ativar.*] *V. t. d.* Dar atividade maior, ou excessiva, a.

superável. [Do lat. *superabile.*] *Adj. 2 g.* Que pode ser superado.

superávit. [Do lat. *superavit*, 'sobrou', 3ª. pess. sing. perf. ind. de *superare*, 'superar, exceder'; 'sobrar'.] *S. m.* A diferença a mais entre receita e despesa. [Antôn.: *déficit.*]

superavitário. *Adj.* Que apresenta superávit. [Antôn.: *deficitário.*]

superbíssimo. [Do lat. *superbissimu.*] *Adj.* Super. abs. sint. de *soberbo*; soberbíssimo: "Vede-lo em feias guerras ocupado / .... / Não contra o superbíssimo otomano, / Mas por sair do jugo soberano." (Luís de Camões, *Os Lusíadas*, VII, 4).

supercalandra. [De *super-* + *calandra.*] *S. f. Ind. Pap.* Calandra que, separada da máquina contínua, comporta de cinco a cerca de 18 cilindros de ferro fundido aquecidos internamente a vapor, alternados com outros de papel ou de algodão comprimido, entre os quais se faz passar a folha de papel sem fim, para lhe dar acetinagem mais acentuada que a comum. [V. *calandra*[1] (1).]

supercalandrado. [Part. de *supercalandrar.*] *Adj.* ~ V. *papel —.*

supercalandrar. *V. t. d. Ind. Pap.* Lustrar na supercalandra.

supercampeã. *S. f.* Fem. de *supercampeão* [q. v.].

supercampeão. [De *super-* + *campeão.*] *S. m. Bras.* Indivíduo, equipe ou grêmio esportivo que conquistou o supercampeonato. [Fem.: *supercampeã.*]

supercampeonato. [De *super-* + *campeonato.*] *S. m. Bras.* Campeonato supremo.

superciliar[1]. [De *supercílio* + *-ar*[1].] *Adj. 2 g.* De, ou relativo a supercílio.

superciliar[2]. [De *supercílio* + *-ar*[2].] *V. int.* Franzir o supercílio: "— Boa vida! .... disse a mulata superciliando: Pois sim...!" (Coelho Neto, *Rei Negro*, p. 82.) [Pres. ind.: *supercilio*, etc. Cf. *supercílio.*]

supercílio. [Do lat. *supercilium.*] *S. m.* V. *sobrancelhas.* [Cf. *supercilio*, do v. *superciliar.*]

supercilioso (ô). [Do lat. *superciliosu.*] *Adj.* V. *sobrancelhudo.*

supercimento. [De *super-* + *cimento.*] *S. m.* Cimento de grande resistência e pega rápida, que se obtém de matérias-primas de alta qualidade, por processos especiais de fabricação.

supercivilização. [De *super-* + *civilização.*] *S. f.* Civilização superior, altamente requintada: "Decerto o empecia a preguiça, e talvez ainda o pudico recato de transpor toda a imensa distância que se alargava desde a sua complicada supercivilização até à rude simplicidade daquelas almas naturais" (Eça de Queirós, *A Cidade e as Serras*, p. 281).

supercivilizado. [De *super-* + *civilizado.*] *Adj.* Civilizado em extremo.

superclasse. [De *super-* + *classe.*] *S. f. Zool.* Grau taxionômico pouco usado, que encerra duas ou mais classes afins do mesmo filo.

supercondutividade. [De *super-* + *condutividade.*] *S. f. Fís.* Propriedade que apresentam alguns metais, ligas e combinações, e caracterizada pelo quase total desaparecimento da resistividade elétrica abaixo de uma determinada temperatura; supracondutividade.

supercondutor (ô). [De *super-* + *condutor.*] *Adj.* e *s. m. Fís.* Diz-se de, ou metal que apresenta supercondutividade; supracondutor.

superconjunção. [De *super-* + *conjunção.*] *S. f. Astr.* Conjunção simultânea de quase todos os planetas do sistema solar; alinhamento: "Todos os nove planetas do sistema solar estarão reunidos, hoje, no mesmo lado do Sol, em ângulo de 95 graus, às 20h32min (hora de Brasília). O fenômeno, raro, chama-se superconjunção" (*Jornal do Brasil*, 10.3.1982).

supercrítico. [De *super-* + *crítico.*] *Adj.* **1.** *Fís. Nucl.* Diz-se de um sistema em que a quantidade de material físsil é maior do que a massa crítica, sob condições determinadas. **2.** *Fís.-Quím.* Diz-se de um fluido que está em condições de temperatura e de pressão superiores às do respectivo ponto crítico.

supercromático. [De *super-* + *cromático.*] *Adj.* ~V. *lente —a.*

superdivino. [De *super-* + *divino.*] *Adj.* V. *sobredivino.*

superdominância. [De *super-* + *dominância.*] *S. f. Genét.* Sobredominância.

superdominante. [De *super-* + *dominante.*] *S. f. Mús.* O sexto grau da escala diatônica, e/ou a segunda nota modal [q. v.]; sobredominante.

superdose. [De *super-* + *dose.*] *S. f. Bras.* Dose excessiva, em geral de tóxico. [Corresponde ao ingl. *overdose.*]

superdotado. [De *super-* + *dotado.*] *Adj.* e *s. m. Bras.* Diz-se de, ou indivíduo dotado de inteligência invulgar.

superego. [De *super* + *ego.*] *S. m.* **1.** *Psic.* Instância (7) da personalidade formadora de ideais, e que age inconscientemente sobre o ego (3) contra as pulsões suscetíveis de provocar sentimento de culpa. **2.** *Fam.* Exemplo, modelo de alguém.

superelevação. [De *super-* + *elevação.*] *S. f. Constr.* Inclinação transversal das pistas das rodovias, ou diferença de nível entre os trilhos das vias férreas, estabelecidas nos trechos em curva para compensar certos efeitos de força centrífuga.

supereminência. [Do lat. *supereminentia.*] *S. f.* V. *sobreeminência.*

supereminente. [Do lat. *supereminente.*] *Adj. 2 g.* V. *sobreeminente.*

superestima. [Dev. de *superestimar.*] *S. f.* Ação ou efeito de superestimar; superestimação.

superestimação. [De *superestimar* + *-ção.*] *S. f.* Superestima. [Antôn.: *subestimação.*]

superestimar. [De *super-* + *estimar.*] *V. t. d.* **1.** Estimar muito ou em excesso. **2.** *Bras.* Dar apreço ou valor exagerado a; ter em altíssima conta: *É erro superestimar a influência individual na história*; "Superestimando erroneamente a influência da hereditariedade, achavam eles [os naturalistas] inútil qualquer resistência às inclinações que nos marcam desde o berço." (Brito Broca, *Horas de Leitura*, pp. 132-133); "Como bom filho do século 19, superestimava [Ramalho Ortigão] as possibilidades da Ciência." (Id., *ib.*, p. 27). [Sin. ger.: *sobreestimar.* Antôn.: *subestimar.*]

superestrutura. [De *super-* + *estrutura.*] *S. f.* **1.** O complexo das ideologias religiosas, filosóficas, jurídicas e políticas de determinada classe social, dominante numa sociedade. **2.** *Constr. Nav.* Construção feita sobre o convés principal duma embarcação, podendo estender-se ou não de um bordo ao outro, e cuja cobertura é, em geral, outro convés.

superestrutural. *Adj. 2 g.* Relativo à superestrutura.

superexaltado (z). [Part. de *superexaltar.*] *Adj.* Sobreexaltado.

superexaltar (z). [Do lat. *superexaltare.*] *V. t. d.* Sobreexaltar.

superexcitação. [De *super-* + *excitação.*] *S. f.* V. *sobreexcitação.*

superexcitante. [De *super-* + *excitante.*] *Adj. 2 g.* V. *sobreexcitante.*

superexcitar. [De *super-* + *excitar.*] *V. t. d.* V. *sobreexcitar.*

superexigente (z). *Adj. 2 g.* Exigente em extremo.

superexposição. [De *super-* + *exposição.*] *S. f. Fot.* Impressionamento excessivo de uma chapa fotográfica por haver sido exposta durante muito tempo.

superfamília. [De *super-* + *família.*] *S. f. Zool.* Categoria taxionômica que compreende duas ou mais famílias

afins.
superfetação. [Do lat. medieval *superfetatione.*] *S. f.* **1.** *Med.* Concepção de um feto quando já outro se acha em gestação. **2.** *Fig.* Coisa que se acrescenta inutilmente a outra; excrescência, redundância.
superficial. [Do lat. *superficiale.*] *Adj. 2 g.* **1.** Referente à superfície. **2.** *Fig.* Pouco profundo: *talho superficial.* **3.** Desprovido de profundidade; pouco sólido: *argumento superficial.* **4.** Sem seriedade; leviano. ~ V. *escoamento —, filme —, lençol —, satélite — circular* e *tensão —.*
superficialidade. *S. f.* Qualidade de superficial; superficialismo.
superficialismo. *S. m.* Superficialidade.
superfície. [Do lat. *superficie.*] *S. f.* **1.** Extensão de uma área limitada: *A superfície do Brasil é de 8 milhões 511.965 km².* **2.** A parte externa dos corpos; face. **3.** *Fig.* Aparência, aspecto. **4.** *Geom.* Configuração geométrica com duas dimensões. ♦ **Superfície canal.** *Geom. Anal.* Envoltória de uma família monoparamétrica de esferas de raio constante com centro ao longo de uma curva espacial. Ex.: a superfície toroidal. **Superfície catacáustica.** *Geom.* Superfície cáustica formada pela reflexão de raios luminosos numa outra superfície. **Superfície cáustica.** *Geom.* Envoltória dos raios luminosos provenientes de uma fonte punctiforme refletidos por um espelho ou refratados por um dióptrico. **Superfície cilíndrica.** *Geom.* Superfície regrada em que a geratriz se mantém paralela a uma direção. [Tb. se diz, impr., *cilindro.*] **Superfície cônica.** *Geom.* Superfície regrada cuja geratriz passa sempre por um ponto fixo. [Tb. se diz, impr., *cone.*] **Superfície convexa.** *Geom.* A que fica sempre de um mesmo lado de qualquer dos seus planos tangentes. **Superfície coordenada.** *Geom. Anal.* Qualquer das superfícies pertencentes às três famílias que formam um sistema de coordenadas espaciais. Ex.: uma superfície cilíndrica circular nas coordenadas cilíndricas. **Superfície de revolução.** *Geom.* Superfície gerada pela rotação de uma curva em torno de um eixo; superfície cuja equação em coordenadas cilíndricas pode ser escrita independentemente do ângulo. [Sin.: *superfície de rotação.*] **Superfície de rotação.** *Geom.* Superfície de revolução. **Superfície desenvolvível.** *Geom. Anal.* A que se pode obter de um plano por meio de uma deformação que lhe conserva as propriedades métricas; a que tem curvatura total identicamente nula. [Tb. se diz apenas *desenvolvível.*] **Superfície de translação.** *Geom.* Superfície gerada pela translação de uma curva; superfície cujas equações paramétricas podem ser escritas como de duas funções, uma de cada parâmetro. **Superfície diacáustica.** *Geom.* Superfície cáustica formada pela refração de raios luminosos. **Superfície eqüipotencial.** *Fís.* Lugar geométrico dos pontos do espaço que têm o mesmo potencial. **Superfície esférica.** *Geom.* Lugar geométrico dos pontos do espaço eqüidistantes de um ponto fixo: esfera. **Superfície focal. 1.** *Geom. Anal.* Qualquer das duas superfícies que constituem o lugar geométrico dos centros de curvatura principal de uma superfície. **2.** *Ópt.* Lugar geométrico dos pontos focais de uma lente. **Superfície frontal.** *Met.* Superfície de separação entre duas massas de ar; frente. **Superfície helicoidal.** *Geom.* A que é gerada pelo movimento helicoidal de uma curva. **Superfície material.** *Fís.* Superfície geométrica a que se atribui uma distribuição uniforme de massa. **Superfície mínima.** *Geom. Anal.* Superfície cuja curvatura média é identicamente nula. [Não é necessariamente a superfície de área mínima que passa por uma curva reversa fechada.] **Superfície nodal.** *Geom. Anal.* Superfície formada pelos pontos nodais das curvas de uma família. **Superfície poliédrica.** *Geom.* Superfície constituída por segmentos de planos que se interceptam. **Superfície regrada.** *Geom.* Superfície gerada por uma reta que se move. **Superfície reversa.** *Geom.* Aquela cujos pontos não podem estar em um mesmo plano. **Superfície toroidal.** *Geom.* Superfície gerada pela rotação de uma circunferência de círculo em torno de um eixo que lhe é coplanar e externo.
superfinidade. *S. f.* Qualidade de superfino.
superfino. [Do fr. *superfin.*] *Adj.* **1.** Muito fino; de qualidade superior: "Cem mulheres em flor, cem nairas *superfinas*, / Aos pés dele, no liso chão, / Espreguiçam sorrindo as suas graças finas" (Machado de Assis, *Poesias Completas*, p. 315). **2.** Da melhor qualidade; excelente.
superfluidade (u-i). [Do lat. *superfluitate.*] *S. f.* **1.** Qualidade de supérfluo. **2.** Coisa supérflua: *Casta dinheiro em superfluidades.*
superfluidez (u-i ... ê). [De *super-* + *fluidez.*] *S. f. Fís.* Propriedade que o hélio líquido apresenta de, em temperaturas muito baixas, sua viscosidade tornar-se praticamente nula.
supérfluo. [Do lat. *superfluu.*] *Adj.* **1.** Que é demais; inútil por excesso; desnecessário: "esta misantropia o defendeu do amor como dum sentido *supérfluo*, adormecendo-lhe o sexo, como se ele fora um bicho para que não houvesse na natureza ser complementar." (Fialho d'Almeida, *O País das Uvas*, p. 51). ● *S. m.* **2.** Aquilo que é supérfluo: "O rico não distingue o *supérfluo* do essencial: é essencial o que lhe garante os lucros." (Murilo Mendes, *O Discípulo de Emaús*, p. 87.)
superfosfato. [De *super-* + *fosfato.*] *S. m. Quím.* Adubo inorgânico que se obtém tratando fosfato de cálcio pelo ácido sulfúrico concentrado, e que é uma mistura de fosfatos e sulfato de cálcio.
supergaláctico. *Adj.* ~ V. *plano —.*
super-heteródino. [De *super-* + *heteródino.*] *S. m. Radiotéc.* Princípio de funcionamento dos receptores de radiodifusão e de televisão baseado na transposição da freqüência recebida para uma faixa de freqüência intermediária. [Pl.: *super-heteródinos.*]
super-hidratação. [De *super-* + *hidratação.*] *S. f.* Hidratação acima da normal. [Pl.: *super-hidratações.*]
super-homem. [De *super-* + *homem.*] *S. m.* **1.** Indivíduo que se julga acima do estalão humano pelo poder de seu pensamento, pela força de sua vontade, etc. **2.** Homem de força física ou faculdades extraordinárias. [Pl.: *super-homens.*]
super-humano. [De *super-* + *humano.*] *Adj.* V. *sobre-humano.* [Pl.: *super-humanos.*]
superintendência. *S. f.* **1.** Ato de superintender. **2.** Cargo ou funções de superintendente. **3.** Lugar onde o superintendente exerce as suas funções.
superintendente. [Do lat. *superintendente.*] *Adj. 2 g.* e *s. 2 g.* Que ou quem superintende; sobreintendente, sobrestante.
superintender. [Do lat. *superintendere.*] *V. t. d.* **1.** Dirigir (repartição, empresa, comissão, obras, etc.) na qualidade de chefe. **2.** Inspecionar, supervisionar. [Sin.: *sobreintender.*]
superior (ô). [Do lat. *superiore.*] *Adj. 2 g.* **1.** Que está mais acima que; mais elevado; súpero: *Este monte é superior àquele.* **2.** Que atingiu um grau muito elevado, supremo, sumo: *É homem de cultura superior.* **3.** De qualidade excelente: *produto superior.* **4.** Que emana de autoridade mais elevada: *ordens superiores.* **5.** Que dirige um convento: *madre superiora.* [Note-se que o adj., geralmente invariável, nesta acepç. se flexiona. Cf. *superiora.*] **6.** Diz-se da instrução ou do ensino de nível universitário, e do curso em que se ministra essa instrução. **7.** Relativo ao ensino superior: *o estatuto do magistério superior.* ~ V. *agricultura —, alheta —, animal —, conjunção —, convés —, corte —, curso —, ensino —, espaço —, extremo —, letra —, manto —, músculo oblíquo —, oficial —, membros —es, passagem —, passagem meridiana —, pente —, planeta —* e *veia cava —.* ● *S. m.* **8.** Aquele que dirige um convento; abade. [Fem.: *superiora.*] *S. 2 g.* **9.** Pessoa que exerce autoridade sobre outrem.
superiora (ô). [Fem. de *superior* (8).] *S. f.* Freira que dirige um convento; abadessa.
superiorato. *S. m.* Cargo ou dignidade de superior ou superiora.
superioridade. *S. f.* **1.** Qualidade do que é superior. **2.** Vantagem, primazia.
superiorização. *S. f.* Ato ou efeito de superiorizar(-se).
superiorizar. *V. t. d.* e *p.* Tornar(-se) superior.
superlargura. [De *super-* + *largura.*] *Constr.* Acréscimo à largura das pistas das rodovias, ou da bitola das vias férreas, nos trechos em curva, para compensar certos efeitos da força centrífuga.
superlativador (ô). *Adj.* e *s. m.* Diz-se de, ou aquele que abusa dos superlativos.
superlativar. [De *superlativo* + *-ar².*] *V. t. d.* Tornar superlativo; dar forma de superlativo a.
superlativo. [Do lat. *superlativu.*] *Adj.* **1.** Que exprime uma qualidade em grau muito alto, ou no mais alto grau. ● *S. m.* **2.** *Gram.* O adjetivo com a significação elevada ao mais alto grau. ♦ **Superlativo absoluto.** *Gram.* O que, sem estabelecer comparação, denota que um ser apresenta em elevado grau determinada qualidade, ou numa só palavra (adjetivo + sufixo = *superlativo absoluto sintético.* Ex.: *Pedro é inteligentíssimo*), ou com ajuda de outra palavra (geralmente um advérbio que indica excesso = *superlativo absoluto analítico.* Ex.: *Pedro é muito inteligente, Pedro é imensamente inteligente*). **Superlativo relativo.** *Gram.* O que denota que, em comparação à totalidade dos seres que apresentam a mesma qualidade, um sobressai por possuí-la em grau maior (*superlativo relativo de superioridade.* Ex.: *Pedro é o aluno* mais inteligente *do colégio*), ou menor (*superlativo relativo de inferioridade: Pedro é o aluno* menos inteligente *do colégio*). [Os advérbios podem também aparecer no superlativo: *Mora* pertíssimo; *Falou* muitíssimo; e, na linguagem clássica, a forma do superlativo absoluto pode equivaler à do superlativo relativo: a belíssima *das mulheres* (= a mais bela das mulheres).]
superlotação. *S. f. Bras.* Ação ou efeito de superlotar; lotação excessiva; sobrelotação.
superlotado. [Part. de *superlotar.*] *Adj. Bras.* Cuja lotação foi excedida; cheio em demasia; sobrelotado: *cinema superlotado; trem superlotado.*
superlotar. [De *super-* + *lotar.*] *V. t. d. Bras.* Exceder a lotação de; sobrelotar: *O povo superlotou o Maracanã.*
supermãe. [De *super-* + *mãe.*] *S. f.* **1.** Mãe cujas boas qualidades excedem as das mães comuns. **2.** Mãe protetora em excesso, que restringe a liberdade, as ações, o desenvolvimento emocional normal do filho.
supermercado. [Do ingl. *supermarket.*] *S. m. Mercad.* Loja de auto-serviço (1), onde em ampla área se expõe à venda grande variedade de mercadorias, particularmente gêneros alimentícios, bebidas, artigos de limpeza doméstica e perfumaria popular: "Nas cidades há escolas, hospital moderno, *supermercado*, clube, piscina e cinema." (Raquel de Queirós, *O Caçador de Tatu*, p. 107.)
supermilionário. [De *super-* + *milionário.*] *Adj.* e *s. m.* V. *multimilionário:* "Ainda outro dia fui cuidar de um príncipe árabe, *supermilionário* do petróleo." (Maria Julieta Drummond de Andrade, *O Valor da Vida*, p. 141.)
supernal. [De *superno* + *-al.*] *Adj. 2 g.* V. *superno.*
supernatural. [De *super-* + *natural.*] *Adj. 2 g.* V. *sobrenatural* (1 a 5).
superno. [Do lat. *supernu.*] *Adj.* **1.** Muito elevado; superior: "Se acaso és a visão excelsa e grave, / Que antevejo num lúcido e *superno* / Sonho, bem-vindo sejas neste instante!" (Leopoldo Brígido, *Poemas do Tempo*, p. 70.) **2.** *Fig.* Muito bom; ótimo, excelente. [Sin. ger.: *supernal.*]
supernovo (ô). [De *super-* + *novo.*] *Adj.* Excessivamente novo.
súpero. [Do lat. *superu.*] *Adj.* **1.** Superior (1). **2.** Supremo (1). **3.** *Morfol. Veg.* Diz-se do ovário livre unido ao receptáculo apenas pela base. [Superl. abs. sint.: *supérrimo.* Antôn.: *ínfero.* Cf. *supero*, do v. *superar.*]
▲**súper(o)-.** [Do lat. *superu.*] *El. comp.* = 'que está em cima, superior': *súpero-anterior; superovariado.*
súpero-anterior. [De *súper(o)-* + *anterior.*] *Adj. 2 g.* Situado na parte superior e anterior. [Pl.: *súpero-anteriores.*]
superocupado. [De *super-* + *ocupado.*] *Adj.* Ocupado em excesso; ocupadíssimo.
súpero-lateral. [De *súper(o)-* + *lateral.*] *Adj. 2 g.* Situado na parte superior, ao lado. [Pl.: *súpero-laterais.*]
superosculação. [De *super-* + *osculação.*] *S. f. Geom.* Propriedade de duas figuras geométricas de terem contato de ordem mais alta que a segunda ordem.
superovariado. [De *súper(o)-* + *ovariado.*] *Adj. Morfol. Veg.* Que tem ovário súpero.
superoxidação (cs). *S. f.* Ação ou efeito de superoxidar.
superoxidar (cs). [De *super-* + *oxidar.*] *V. t. d.* Levar (uma substância já oxidada) a uma valência superior.
superpopulação. [De *super-* + *população.*] *S. f.* Excesso de população; superpovoamento.
superpor. [Do lat. *superponere.*] *V. t. d.* e *i.* e *p.* V. *sobrepor.* [Irreg. Conjug.: v. *pôr.*]
superposição. [Do lat. *superpositione.*] *S. f.* **1.** Sobreposição. **2.** *Estat.* Relação entre dois conjuntos de valores de uma variável aleatória em que o conjunto interseção não é nulo; transvariação.
superposto (ô). [De *super-* + *posto².*] *Adj.* Sobreposto (1).
superpotência. [De *super-* + *potência;* trad. do ingl. *superpower.*] *S. f. Jur.* Potência (5) que se destaca, pelo poder militar, das outras nações também militarmente poderosas. [No uso comum da terminologia de política internacional, superpotências são apenas os E.U.A. e a U.R.S.S., a despeito de haver outras potências que dispõem de força nuclear.]
superpovoado. [Part. de *superpovoar.*] *Adj.* Em que há

superpovoamento: "Quando as Ilhas dos Açores ficaram *superpovoadas*, além de empobrecidas por erupções vulcânicas e prolongadas estiagens, muitos de seus habitantes emigraram para o nosso país." (Hélio Viana, *História do Brasil*, I, p. 25.)

superpovoamento. [De *super-* + *povoamento*.] *S. m.* **1.** Superpopulação. **2.** Estado de uma região cujos recursos já não são suficientes para satisfazer as necessidades da população.

superpovoar. [De *super-* + *povoar*.] *V. t. d.* Tornar superpovoado. [Conjug.: v. *coroar*.]

superprodução. [De *super-* + *produção*.] *S. f.* **1.** *Econ.* Produção de mercadoria(s) em excesso, i. e., em quantidade superior às necessidades de absorção do mercado consumidor: *A superprodução do café gerou aviltamento dos preços.* **2.** Produção (5), em geral de alto custo, que envolve inúmeros atores, cenários ricos ou grandiosos, efeitos especiais, etc.

superproteção. [De *super-* + *proteção*.] *S. f.* Ato ou efeito de superproteger; proteção exagerada.

superproteger. [De *super-* + *proteger*.] *V. t. d.* Proteger em demasia. [Conjug.: v. *reger*.]

superprotegido. [Part. de *superproteger*.] *Adj.* e *s. m.* Diz-se de, ou aquele que goza de superproteção.

superpurgação. [De *super-* + *purgação*.] *S. f. Med.* Purgação excessiva.

superquadra. [De *super-* + *quadra*.] *S. f. Bras., DF.* Área residencial de 200 m X 200 m, disposta numa seqüência contínua ao longo do eixo rodoviário, emoldurada por larga cinta densamente arborizada, na qual se dispõem blocos de apartamentos, escolas, zonas ajardinadas e *play-grounds*, e que obedece a dois princípios gerais: gabarito máximo de seis pavimentos sobre pilotis, nas habitações, e tráfego de veículos separado do trânsito de pedestres.

super-realidade. [De *super-* + *realidade*.] *S. f.* Realidade imaginária que os sentidos não apreendem; uma como que realidade acima da realidade: "Existe na *super-realidade* poética da Imaginação uma verdade muito mais viva do que a da realidade positiva." (Álvaro Lins, *O Relógio e o Quadrante*, p. 132.) [Pl.: *super-realidades*.]

super-realismo. [De *super-* + *realismo*.] *S. m.* V. *surrealismo*. [Pl.: *super-realismos*.]

super-realista. [De *super-* + *realista*.] *Adj. 2 g.* e *s. 2 g.* V. *surrealista*. [Pl.: *super-realistas*.]

super-requintado. [De *super-* + *requintado*.] *Adj.* Requintado em extremo. [Pl.: *super-requintados*.]

super-resfriado. [De *super-* + *resfriado*.] *Adj.* ~ V. *vapor* —. [Pl.: *super-resfriados*.]

supérrimo. [Do lat. *superrimu*.] *Adj.* Superl. abs. sint. de *súpero* e de *alto*[2] [q. v.].

supersafra. [De *super-* + *safra*.] *S. f.* Safra (1) muito acima da normal.

supersaturação. [De *super-* + *saturação*.] *S. f.* **1.** Sobre-saturação (1). **2.** *Fís.* Estado metaestável dum vapor submetido a uma pressão superior à de equilíbrio com o respectivo líquido na mesma temperatura; sobre-saturação. **3.** *Fís.-Quím.* Estado metaestável duma solução na qual a concentração do soluto é maior que a concentração da solução saturada na mesma temperatura; sobre-saturação.

supersaturar. [De *super-* + *saturar*.] *V. t. d.* e *p.* Sobre-saturar.

supersecreção. [De *super-* + *secreção*.] *S. f. Med.* Secreção abundante.

supersecreto. [De *super-* + *secreto*.] *Adj.* Secreto ao máximo grau; ultra-secreto.

supersensível. [De *super-* + *sensível*.] *Adj. 2 g.* **1.** Superior à ação dos sentidos; supra-sensível. **2.** Hipersensível.

supersimples. [De *super-* + *simples*.] *Adj. 2 g.* e *2 n.* Simples em extremo grau.

supersom. [De *super-* + *som*.] *S. m. Fís.* Vibração acústica acima de 20 000 ciclos por segundo.

supersônico. [De *super-* + *sônico*.] *Adj. Fís.* **1.** Diz-se de, ou relativo a velocidade maior que a do som. **2.** Que tem essa velocidade. [Opõe-se a *subsônico*.] ~ V. *avião* — e *velocidade* —*a*. ● *S. m.* **3.** Avião supersônico.

superstição. [Do lat. *superstitione*.] *S. f.* **1.** Sentimento religioso baseado no temor ou na ignorância, e que induz ao conhecimento de falsos deveres, ao receio de coisas fantásticas e à confiança em coisas ineficazes; crendice. **2.** Crença em presságios tirados de fatos puramente fortuitos. **3.** Apego exagerado e/ou infundado a qualquer coisa: *A moça tem a superstição do número treze.*

supersticiosidade. *S. f.* **1.** Qualidade de supersticioso. **2.** Tendência para a superstição.

supersticioso (ô). [Do lat. *superstitiosu*.] *Adj.* **1.** Que tem superstição: *Nossos índios eram muito supersticiosos.* **2.** Em que há, ou que envolve ou é fruto de superstição: *crença supersticiosa*. ● *S. m.* **3.** Indivíduo supersticioso.

supérstite. [Do lat. *superstite*.] *Adj. 2 g.* V. *sobrevivente*: *cônjuge supérstite*.

superstrato. [De *super-* + lat. *stratu*, part. de *sternere*, 'estender'.] *S. m. Ling.* Língua dum povo conquistador, posteriormente abandonada, e que exerce influência no idioma dos vencidos, idioma esse adotado pelos conquistadores.

supersubstancial. [De *super-* + *substancial*.] *Adj. 2 g.* Sobre-substancial.

supertônica. [De *super-* + *tônica*.] *S. f. Mús.* O segundo grau da escala diatônica.

superumeral. [De *super-* + *umeral*.] *Adj. 2 g.* **1.** Situado sobre os ombros. **2.** Que se coloca sobre os ombros.

supervacâneo. [Do lat. *supervacaneu*.] *Adj.* V. *supervácuo*.

supervácuo. [De *super-* + *vácuo*.] *Adj.* Supérfluo, vão, inútil, baldado; supervacâneo.

supervaidade. [De *super-* + *vaidade*.] *S. f.* Vaidade excessiva.

supervaidoso (ô). [De *super-* + *vaidoso*.] *Adj.* Vaidoso em extremo; excessivamente vaidoso.

supervenção. [Do lat. *superventione*.] *S. f.* Ato ou efeito de sobrevir; superveniência.

superveniência. *S. f.* **1.** Qualidade de superveniente. **2.** Supervenção.

superveniente. [Do lat. *superveniente*.] *Adj. 2 g.* **1.** Que sobrevém. **2.** Que aparece ou vem depois.

superviolento. [De *super-* + *violento*.] *Adj.* Violento em demasia.

supervisão. [Do ingl. *supervision*.] *S. f.* **1.** Ação ou efeito de supervisar ou supervisionar. **2.** Função de supervisor.

supervisar. [Do ingl. *supervise*.] *V. t. d.* Dirigir, orientar ou inspecionar em plano superior. [Sin., bras.: *supervisionar*.]

supervisionar. [De *super-* + *visionar*.] *V. t. d. Bras.* Supervisar.

supervisor (ô). [Do ingl. *supervisor*.] *S. m.* Aquele que supervisa ou supervisiona.

supervivência. [Do lat. *superviventia*.]. *S. f.* Sobrevivência.

supervivente. [Do lat. *supervivente*.] *Adj. 2 g.* e *s. 2 g.* Sobrevivente.

supetão. [Aum. de um *súpeto, f. pop. de *súbito*.] *El. s. m.* Us. na loc. adv. *de supetão*. ♦ **De supetão.** De súbito; de repente; repentinamente, imprevistamente: "deu uma volta com ela [a mula] pelas ruas e assim *de supetão* encontrou quem lhe desse até cinco contos de réis" (Bernardo Élis, *Veranico de Janeiro*, p. 108).

supimpa. *Adj. 2 g. Bras. Fam.* Muito bom; ótimo, excelente, superior: "ocê não achou, também, bom o tempero dela? — É *supimpa*, 'tá se vendo." (Antônio Versiani, *Viola de Queluz*, p. 21).

supinação. [Do lat. *supinatione*.] *S. f.* **1.** *Anat.* Movimento que resulta em posição em quê cada mão tem a palma voltada para a frente ou para cima. **2.** *Anat.* Movimento que resulta em posição em que a borda medial de cada pé se encontra em elevação. **3.** *Med.* A posição de supinação (1). **4.** *Med.* A posição de supinação (2). **5.** *Med.* A posição do paciente deitado sobre o dorso, estando a face e as palmas das mãos voltadas para cima.

supinador (ô). [Do lat. *supinator*, comp. de super. de *supinatus*.] *Adj.* e *s. m.* ~ V. *músculo* —.

supino. [Do lat. *supinu*.] *Adj.* **1.** Alto, elevado, superior. **2.** Em estado de supinação (1): *mãos supinas*. **3.** Deitado de costas: "uma sinistra cena, dentro da Igreja, onde no chão, coberto pela sua esfarrapada batina, o corpo semiputrefato de Antônio Conselheiro jazia *supino*" (Menotti del Picchia, *A Longa Viagem*, I, p. 37). **4.** *Fig.* Em alto grau; demasiado, excessivo: *ignorância supina*. ● *S. m.* **5.** *Gram.* Forma nominal do verbo latino.

suplantação. [Do lat. *supplantatione*.] *S. f.* Ato ou efeito de suplantar.

suplantador (ô). [Do lat. *supplantatore*.] *Adj.* e *s. m.* Que, ou o que suplanta.

suplantar. [Do lat. *supplantare*.] *V. t. d.* **1.** Pôr debaixo dos pés, calcar, pisar. **2.** Abater, prostrar, derribar, derrubar. **3.** Humilhar, vexar, rebaixar. **4.** Levar vantagem a. **5.** Ser superior a; exceder, sobrepujar: *A safra deste ano suplantou a do ano passado*; "Subitamente um formidável brado *suplantou* o barulho das ondas." (Xavier Marques, *Jana e Joel*, p. 59).

suplementação. *S. f.* Ato ou efeito de suplementar[2].

suplementar[1]. [De *suplemento* + *-ar*[1].] *Adj. 2 g.* **1.** Relativo a, ou que serve de suplemento. **2.** Que amplia; adicional. [Sin.: *suplementário*.] ~ V. *ângulo* — e *linha*—.

suplementar[2]. [De *suplemento* + *-ar*[2].] *V. t. d.* **1.** Fornecer suplemento para; acrescer alguma coisa a: *suplementar uma verba.* **2.** Servir de suplemento ou aditamento a: *É ótimo o glossário que suplementa aquele volume de contos regionais.* **3.** Suprir ou compensar a deficiência de: *Tomei um copo de leite para suplementar o almoço.* [Fut. pret.: *suplementaria*, etc. Cf. *suplementária*, fem. de *suplementário*.]

suplementário. [De *suplementar*[1] + *-io*[2].] *Adj.* V. *suplementar*[1]. [Fem.: *suplementária*. Cf. *suplementaria*, do v. *suplementar*.]

suplemento. [Do lat. *supplementu*.] *S. m.* **1.** O que serve para suprir; suprimento. **2.** O que se dá a mais: *suplemento salarial.* **3.** Parte que se adiciona a um todo para ampliá-lo, esclarecê-lo e aperfeiçoá-lo. **4.** Páginas com matéria especial, geralmente ilustrada, que se ajuntam à matéria ordinária, em certos números de um jornal. **5.** Aditamento, acréscimo. **6.** *Geom.* Ângulo suplementar.

suplência. [Do lat. *supplentia*, de *supplere*, 'suprir'.] *S. f.* **1.** Ato de suprir. **2.** Cargo de suplente. **3.** Tempo de exercício desse cargo: *Durante a minha suplência tudo correu bem.*

suplente. [Do lat. *supplente*.] *Adj. 2 g.* **1.** Que supre; substituto. ● *S. 2 g.* **2.** Pessoa que supre; substituto. **3.** Pessoa que pode ser chamada a exercer certas funções, na falta daquela a quem elas cabiam efetivamente. ● *S. m.* **4.** *Fut.* V. *reserva* (14).

supletivo. [Do lat. *suppletivu*.] *Adj.* **1.** Que supre ou se destina a suprir; supletório. ~ V. *ensino* —. ● *S. m.* **2.** Ensino supletivo.

supletório. [Do lat. *suppletu*, part. pass. de *supplere*, 'suprir', + *-ório*.] *Adj.* Supletivo (1).

súplica. [Dev. de *suplicar*.] *S. f.* **1.** Ato ou efeito de suplicar; suplicação. **2.** Pedido ou oração instante e humilde; prece. [Cf. *suplica*, do v. *suplicar*.]

suplicação. [Do lat. *supplicatione*.] *S. f.* Súplica (1).

suplicado. [Part. de *suplicar*.] *Adj.* **1.** Pedido com instância e humildade; rogado, implorado. ● *S. m.* **2.** *Jur.* Aquele contra quem um suplicante requer em juízo.

suplicante. [Do lat. *supplicante*.] *Adj. 2 g.* **1.** Que suplica; súplice. ● *S. 2 g.* **2.** Pessoa que suplica. **3.** Requerente, impetrante. ● *S. m.* **4.** *Bras. Pop.* Qualquer indivíduo, indeterminadamente: *Que quer de mim aquele suplicante?*

suplicar. [Do lat. *supplicare*.] *V. t. d.*, *t. d. e i.* e int. Pedir com instância e humildade; rogar, implorar, pedir: *O mendigo suplicava esmolas*; "A que chorava pelas culpas / de seus mortos impenitentes, / e *suplicava* a Deus piedade, para seus ilustres parentes!..." (Cecília Meireles, *Obra Poética*, p. 852); "Sua prece deseja, sábia e lenta, / Agradecer em vez de *suplicar*" (Odilo Costa, filho, *Cantiga Incompleta*, p. 16). [Conjug.: v. *trancar*.] [Pres. ind.: *suplico*, *suplicas*, *suplica*, etc. Cf. *súplica*.]

suplicatório. [De *suplicar* + *(t)ório*.] *Adj.* Que contém súplica.

súplice. [Do lat. *supplice*.] *Adj. 2 g.* **1.** Que suplica; suplicante: "Prometeu sacudiu os braços manietados / E *súplice* pediu a eterna compaixão" (Machado de Assis, *Poesias Completas*, p. 291). **2.** Que se prostra, pedindo.

supliciado. [Part. de *supliciar*.] *Adj.* **1.** Que sofreu suplício; justiçado. ● *S. m.* **2.** Aquele que sofreu suplício ou foi justiçado.

supliciar. *V. t. d.* **1.** Infligir suplício a: *Os senhores supliciavam negros escravos.* **2.** Aplicar a pena de morte a; executar. **3.** Torturar, afligir, molestar, magoar. [Pres. ind.: *suplicio*, etc. Cf. *suplício*.]

suplício. [Do lat. *suppliciu*.] *S. m.* **1.** Dura punição corporal, imposta por sentença. **2.** Pena capital. **3.** Execução dessa pena. **4.** *Fig.* Pessoa ou coisa que aflige muito; tortura. [Cf. *suplicio*, do v. *supliciar*.] ~ V. *suplícios*. ♦ **Suplício da roda.** V. Roda (20). **Suplício de Tântalo.** O sofrimento de quem, desejando ardentemente alguma coisa, sempre a vê escapar-se quando prestes a ser alcançada, ou, desejando algo que está à vista, ou à mão, não o pode desfrutar. [V. *tantálico*.]

suplícios. [Pl.: de *suplício*.] *S. m. pl.* Disciplinas ou correias para açoitar por penitência ou castigo. ~ V. *suplício*.

supor. [Do lat. *supponere*, atr. de um *supoer.] *V. t. d.* **1.** Estabelecer ou alegar por hipótese: *Suponhamos que este ângulo tem 90 graus.* **2.** Conjeturar, presumir, imaginar: *Suponho que o trem não tarda*; "figurou na cabeça a passagem de Carlota .... . Supôs até que lhe ouvia a voz" (Machado de Assis, *Outras Relíquias*, p. 59). **3.** Trazer à idéia. *T. d. e i.* **4.** *P. us.* Imputar (1): *Supôs o crime a um pobre inocente. Transobj.* **5.** Conjeturar, presumir, imaginar: "Alguns vizinhos supunham-no doido" (Machado de Assis, *Contos sem Data*, p. 84); "Supunha o meu coração morto para o amor" (Artur Azevedo, *Contos Possíveis*, p. 6); "Chega-me o pranto, foge-me a calma / Quando suponho teu termo breve" (B. Lopes, *Val de Lírios*, p. 3). [Irreg. Conjug.: v. *pôr*. Cf. *sopor*.]

suportabilidade. *S. f.* Qualidade de suportável.

suportar. [Do lat. *supportare*.] *V. t. d.* **1.** Ter sobre si; sustentar: *Aquele móvel suporta muito peso.* **2.** Estar debaixo de. **3.** Sofrer, tolerar, admitir: *Anos a fio suportou calúnias dos opositores.* **4.** Resistir a; agüentar: *A base não suportará tamanho peso;* "Ele era da raça dos que suportam / Todo o peso da vida" (Augusto Frederico Schmidt, *Poesias Completas*, p. 521). **5.** Transigir com; condescender ou contemporizar com: *Não suporta bajuladores nem desonestos.* **6.** Estar à prova de.

suportável. *Adj. 2 g.* Que se pode suportar.

suporte. [Dev. de *suportar*.] *S. m.* **1.** Aquilo que suporta ou sustenta alguma coisa. **2.** Aquilo em que algo se firma ou assenta. **3.** Material que serve de base para a aplicação de tinta, esmalte, verniz, etc. **4.** *Álg. Mod.* Conjunto de elementos entre os quais se estabelecem relações e operações que lhes dão as características de grupo, ou de anel, ou de domínio, etc. **5.** *Art. Gráf.* Suporte de impressão. ♦ **Suporte atlético.** Cinto dotado de saco para segurar e proteger os testículos, usado por doentes de hérnia ou de varicocele, ou por atletas; colhoneira, colhoneiro. **Suporte de impressão.** *Art. Gráf.* Qualquer material (papel, cartão, etc.) que recebe a impressão das fôrmas nas máquinas de imprimir. [Tb. se diz apenas *suporte*. Cf. *material subjetivo*.]

suposição. [Do lat. *suppositione*.] *S. f.* **1.** Ato ou efeito de supor. **2.** Hipótese, conjetura.

supositício. [Do lat. *suppositiciu*.] *Adj.* **1.** Atribuído falsamente a alguém; suposto. **2.** Fingido, falso. [Sin. ger.: *supositivo*.]

supositivo. [Do lat. *suppositivu*.] *Adj.* **1.** V. *supositício*. **2.** Que apresenta os caracteres de suposição.

supositório. [Do lat. *suppositoriu*.] *S. m. Farm.* Forma farmacêutica sólida, cônica ou cilíndrica, que se introduz pelo ânus e que, ao derreter-se, libera medicamento(s) a ser(em) absorvido(s) pelo reto.

supostamente. [Do fem. de *suposto* + *-mente*.] *Adv.* De maneira suposta; com suposição.

suposto (ô). [Do lat. *suppostu*.] *Adj.* **1.** Hipotético, fictício. **2.** Supositício (1). **3.** *Bras., N.E.* Diz-se do dente postiço: "enquanto chorava o abandono, o riso morto na boca de dentes supostos, os olhos constantemente vermelhos, ... os cabelos sem pente permaneciam numa rebeldia feroz" (Mílton Dias, *As Cunhãs*, pp. 54-55). • *S. m.* **4.** Aquilo que subsiste por si; substância. **5.** Coisa suposta. • *Adv.* **6.** Ainda que; embora; suposto que: "a dureza de certo o não vira, suposto voltasse para ele muitas vezes, ... a face" (*Livro Negro de Padre Dinis*, p. 215). ♦ **Suposto que.** **1.** Na suposição ou hipótese de que; dado o caso que; dado que; admitido que. **2.** Suposto (6).

➧**supra.** [Lat.] Citado ou mencionado acima ou anteriormente. [Antôn.: *infra*.]

▲**supra-.** V. *super-*.

supra-axilar. [De *supra-* + *axilar*.] *Adj. 2 g. Morfol. Veg.* Sobreaxilar. [Pl.: *supra-axilares*.]

supracitado. [De *supra-* + *citado*.] *Adj.* Citado, mencionado ou dito acima ou antes; já referido; sobredito, supradito.

supracondutividade. [De *supra-* + *condutividade*.] *S. f. Fís.* Supercondutividade.

supracondutor (ô). [De *supra-* + *condutor*.] *Adj. e s. m.* Supercondutor.

supradito. [Do lat. *supradictu*.] *Adj.* V. *supracitado*.

supradivino. [De *supra-* + *divino*.] *Adj.* V. *sobredivino*: "Eterna e bela, belamente eterna, como este mundo divino e supradivino." (Machado de Assis, *Quincas Borba*, p. 13.)

supra-esofágico. [De *supra-* + *esofágico*.] *Adj. Anat.* Situado acima do esôfago. [Pl.: *supra-esofágicos*.]

supra-esternal. [De *supra-* + *esternal*.] *Adj. 2 g. Anat.* Situado acima do esterno. [Pl.: *supra-esternais*.]

supra-excitação. [De *supra-* + *excitação*.] *S. f.* V. *sobreexcitação*. [Pl.: *supra-excitações*.]

supra-excitante. [De *supra-* + *excitante*.] *Adj. 2 g.* V. *sobreexcitante*. [Pl.: *supra-excitantes*.]

supra-excitar. [De *supra-* + *excitar*.] *V. t. d.* V. *sobreexcitar*.

supra-hepático. [De *supra-* + *hepático*.] *Adj. Anat.* Situado acima do fígado. [Pl.: *supra-hepáticos*.]

supra-homem. [De *supra-* + *homem*.] *S. m.* Super-homem. [Pl.: *supra-homens*.]

supra-humanismo. [De *supra-* + *humanismo*.] *S. m.* Sobre-humanismo. [Pl.: *supra-humanismos*.]

supra-humano. [De *supra-* + *humano*.] *Adj.* V. *sobre-humano*. [Pl.: *supra-humanos*.]

suprajacente. [De *supra-* + *jacente*.] *Adj. 2 g.* Que jaz ou está por cima.

supralaríngeo. [De *supra-* + *laríngeo*.] *Adj. Anat.* Situado acima da laringe.

supramundano. [De *supra-* + *mundano*.] *Adj.* Que é superior ao mundo.

supranacional. [De *supra-* + *nacional*.] *Adj. 2 g.* Diz-se daquilo que transcende o conceito de nação, do que é nacional.

supranatural. [De *supra-* + *natural*.] *Adj. 2 g.* V. *sobrenatural* (1 a 5).

supranaturalismo. [De *supra-* + *naturalismo*.] *S. m.* Sobrenaturalismo.

supranaturalista. [De *supra-* + *naturalista*.] *Adj. 2 g.* **1.** Relativo ao supranaturalismo; sobrenaturalista. **2.** Que é partidário do supranaturalismo. • *S. 2 g.* **3.** Partidário do supranaturalismo.

supranormal. [De *supra-* + *normal*.] *Adj. 2 g.* Que ultrapassa o nível normal.

supranumerado. [De *supra-* + *numerado*.] *Adj.* Numerado acima, antes ou atrás.

supranumerário. [De *supra-* + *numerário*.] *Adj.* **1.** Que excede o número fixado. • *S. m.* **2.** O que está acima do número estabelecido.

supra-orbitário. *Adj. Anat.* Situado acima da órbita (2). [Pl.: *supra-orbitários*.]

suprapartidário. [De *supra-* + *partidário*.] *Adj.* Que está acima dos partidos [v. *partido* (4)].

suprapartidarismo. *S. m.* Sistema, convicção ou pendor suprapartidário.

supra-realismo. [De *supra-* + *realismo*.] *S. m.* V. *surrealismo*. [Pl.: *supra-realismos*.]

supra-realista. [De *supra-* + *realista*.] *Adj. 2 g. e s. 2 g.* V. *surrealista*. [Pl.: *supra-realistas*.]

supra-renal. [De *supra-* + *renal*.] *Adj. 2 g. Anat.* ~ V. *cápsulas supra-renais, glândula — e medula —.* • *S. f.* **2.** Glândula supra-renal. [Pl.: *supra-renais*.]

supra-segmental. *Adj. 2 g. Fon.* Diz-se de qualquer elemento que se sobrepõe aos segmentos fônicos, tais como acento, ritmo e entoação. [Pl.: *supra-segmentais*.]

supra-sensível. [De *supra-* + *sensível*.] *Adj. 2 g.* Supersensível (1). [Pl.: *supra-sensíveis*.]

supra-sumo. [Do lat. *supra summu*, 'acima do mais alto'.] *S. m.* O ponto mais alto; o mais alto grau; auge; requinte: "O homem pensa e produz pensamentos belos e podemos dizer que o supra-sumo da beleza está nos pensamentos belos." (José Oiticica, *Curso de Literatura*, p. 45.) [Pl.: *supra-sumos*.]

supraterrâneo. [De *supra-* + *terra* + *-âneo*.] *Adj.* **1.** Que ocorre sobre a Terra. **2.** Relativo à superfície da Terra. [Sin. ger.: *sobreterrestre*.]

supratorácico. [De *supra-* + *torácico*.] *Adj. Anat.* Localizado acima do tórax.

supraversão. [De *supra-* + *versão*.] *S. f. Anat.* Projeção de um dente além do plano de oclusão.

supremacia. [Do ingl. *supremacy*, atr. do fr. *suprématie*.] *S. f.* **1.** Superioridade, preeminência, hegemonia. **2.** Poder supremo.

suprematismo. [Do fr. *suprématisme*.] *S. m. Art. Plást.* Movimento iniciado pelo pintor abstracionista russo Kasimir Malevitch (1878-1935), e caracterizado por arranjos pictóricos de austeras formas geométricas. [Cf. *construtivismo* (3).]

suprematista. *Adj. 2 g.* **1.** Relativo ao, ou que é partidário do suprematismo. • *S. 2 g.* **2.** Partidário dele.

supremo. [Do lat. *supremu*.] *Adj.* **1.** Que está acima de tudo; súpero. **2.** Referente a Deus. **3.** Derradeiro, último, extremo. **4.** Superior, sumo: "És suprema! Os meus átomos se ufanam / De pertencer-te, oh! Dor" (Augusto dos Anjos, *Eu*, 30ª ed., p. 199). [Superl. abs. sint. de *alto*[2]. Antôn.: *ínfimo*.] ~ V. *ente —, expiação —a, honras —as* e — *Tribunal Federal*. • *S. m.* **5.** *Mat.* O menor dos limites superiores de um conjunto de números reais; extremo superior. **6.** Supremo Tribunal Federal: *É ministro do Supremo.*

supressão. [Do lat. *suppressione*.] *S. f.* **1.** Ato ou efeito de suprimir. **2.** *Tip.* Alteração [q. v.] consistente no corte de palavras, frases ou períodos, feita pelo autor em provas tipográficas.

supressivo. [Do lat. *suppressivu*.] *Adj.* Que suprime; supressor, supressório.

supresso. [Do lat. *suppressu*.] *Adj.* Suprimido.

supressor (ô). [Do lat. *suppressore*.] *Adj.* **1.** V. *supressivo*. • *S. m.* **2.** *Genét.* Gene que sofreu uma mutação (3), resultando numa característica que anula o efeito de outra mutação, e revertendo ao fenótipo original.

supressório. [De *supressor* + *-io*[2].] *Adj.* V. *supressivo*.

supridor (ô). *Adj. e s. m.* Que, ou aquele que supre.

suprimento. *S. m.* **1.** Ato ou efeito de suprir. **2.** Auxílio, ajuda, socorro. **3.** Suplemento (1). **4.** Empréstimo (2). **5.** *Bras.* Fornecimento; provisão.

suprimido. [Part. de *suprir*.] *Adj.* Que se suprimiu; que foi objeto de supressão; supresso.

suprimir. [Do lat. *suprimere*.] *V. t. d.* **1.** Impedir que apareça; impedir a publicação, a vulgarização a divulgação de: *A censura suprimiu o editorial.* **2.** Cortar, eliminar: *Transcreveu o artigo suprimindo alguns trechos.* **3.** Fazer que desapareça, que se extinga; extinguir: *Sonhava suprimir a miséria do mundo.* **4.** Cassar, anular, abolir: *O Governo suprimirá as garantias individuais.* **5.** Passar em silêncio; não dizer ou mencionar; omitir: *Pensando melhor, resolveu suprimir sua opinião.* [Part.: *suprimido* e *supresso*.]

suprimível. *Adj. 2 g.* Que se pode suprimir.

suprir. [Do lat. *supplere*, 'completar'.] *V. t. d.* **1.** Completar, inteirar, preencher: *O exército tentou suprir a força que lhe faltou.* **2.** Fazer as vezes de; substituir: *A força bruta não supre a inteligência.* **3.** Remediar, diminuir, minorar: *Sua presença animadora supriu as dificuldades da reunião.* **4.** Preencher a falta de; prevenir. *T. d. e i.* **5.** Prover, abastecer: *Os armazéns não chegam para suprir a população de alimentos;* "Isto me faz pensar na heróica luta que os nossos romancistas são chamados a empreender em silêncio para suprir com substância própria o que vulgarmente não encontram em volta de si." (Moisés Velinho, *Letras da Província*, p. 110.) **6.** Trocar, substituir: *Supriu o leite por água. T. i.* **7.** Servir de auxílio; acudir, remediar: *Vendeu as jóias para suprir às despesas.* **8.** Dar o necessário para a subsistência: *Supre a toda a família.*

suprível. *Adj. 2 g.* Que pode ser suprido.

supupara. *S. f. Bras. N. E. Pop.* V. *cachaça* (1).

supuração. [Do lat. *suppuratione*.] *S. f.* Ato ou efeito de supurar.

supurado. [Part. de *supurar*.] *Adj.* Que está em supuração: *apêndice supurado*. [Cf. *soporado*.]

supurante. [Do lat. *suppurante*.] *Adj. 2 g.* Que supura.

supurar. [Do lat. *suppurare*.] *V. int. Med.* **1.** Formar pus; converter-se em pus. **2.** Eliminar pus. *T. d.* **3.** Lançar, expelir (matéria purulenta). [Part.: *supurado*. Cf. *soporado*.]

supurativo. [Do lat. *suppuratu*, part. pass. de *suppurare*, 'supurar', + *-ivo*.] *Adj.* **1.** Que produz supuração, ou a facilita; supuratório. • *S. m.* **2.** Medicamento que facilita a supuração. [Cf. *soporativo*.]

supuratório. [Do lat. *suppuratoriu*.] *Adj.* Supurativo (1).

suputação. [Do lat. *supputatione*.] *S. f.* Ato ou efeito de suputar.

suputar. [Do lat. *supputare*.] *V. t. d.* Calcular, computar.

suputável. *Adj. 2 g.* Que pode ser suputado.

sura[1]. [Do lat. *sura*.] *S. f.* Panturrilha (1).

sura[2]. [Do concani *sur*.] *S. f.* **1.** Suco do cacho da palmeira. **2.** A seiva da palmeira.

sura[3]. [Fem. de *suro*.] *Adj.* **1.** *Bras.* Fem. de suru (1). • *S. f.* **2.** *Bras. MA.* Suru (2).

▲**-(s)ura.** V. *-(d)ura*.

sural. *Adj. 2 g.* Relativo ou pertencente à sura[1].

surcar. [De *sulcar*, com assimilação.] *V. t. d. P. us.* Sulcar [q. v.]: "Surco de bravo golfo dilatado / As desertas campinas procelosas." (Domingos dos Reis Quita, *Obras*, II, p. 88). [Conjug.: v. *trancar*.]

surculoso (ô). [Do lat. *surculosu*.] *Adj. Morfol. Veg.* Que tem brotos ou renovos.

surda. [Fem. do adj. *surdo*.] *S. f.* **1.** *Fon.* Consoante surda. **2.** *Bras. Pop.* V. *solitária* (3). ~ V. *surdas*.

surdas. *El. s. f. pl.* Us. na loc. adv. *às surdas*. ~ V. *surda*. ♦ **Às surdas.** Sem rumor; sem ser pressentido; em surdina: "caminhando às surdas pelo corredor, abriu o armário subtilmente, depôs a carta e desapareceu." (Camilo Castelo Branco, *Mistérios de Fafe*, p. 20).

surdear. [De *surdo* + *-ear*.] *V. int.* Fingir surdez. [Conjug.: v. *frear*.]

surdez (ê). *S. f.* Qualidade ou afecção de surdo; ensurdecência, ensurdecimento.

surdimutismo. [De *surdo* + *-i-* + *mutismo*.] *S. m. P. us.* Surdo-mudez.

surdina. [Do it. *sordina*.] *S. f.* **1.** Pequena peça móvel que se aplica a diversos instrumentos musicais a fim de abafar-lhes a sonoridade e alterar-lhes o timbre. **2.** O pedal esquerdo do piano. ♦ **À surdina.** Pelas caladas; em surdina; à socapa: "As seculares eram abeatadas, umas pobretonas, falavam muito baixinho, à surdina" (Camilo Castelo Branco, *História e Sentimentalismo*, p. 226). **Em surdina.** V. *à surdina*.

surdinar. [De *surdina* + *-ar*².] *V. int.* **1.** Produzir murmúrio brando; rumorejar, suavemente. *T. d.* **2.** Cantar ou dizer em surdina: "Felicidade ... Sombra que só vejo, / Longe do Pensamento e do Desejo, / Surdinando harmonias e sorrindo" (Raul de Leoni, *Luz Mediterrânea*, p. 57).

surdir. [Do fr. ant. *sourdre*.] *V. int.* **1.** Sair da terra; brotar (água). **2.** Emergir, irromper. **3.** Aparecer, surgir: "no céu, ainda claro, a lua, em crescente, surdia, luminosa e doce." (Pedro Rabelo, *A Alma Alheia*, p. 194). **4.** *Mar.* Ir adiante, navegando. *T. i.* **5.** Emergir; sair. **6.** Resultar, provir, advir: *Nenhum proveito surdiu de seus esforços*; "Nenhuma dessas sensações [a olfativa, a gustativa e a tátil] .... desperta sentimento de beleza. Este surde unicamente das sensações visuais e das sensações auditivas." (José Oiticica, *Curso de Literatura*, p. 45).

surdista. [De *surdir*?] *S. 2 g.* Tripulante de salva-vidas a quem incumbe socorrer náufragos.

surdo. [Do lat. *surdu*.] *Adj.* **1.** Que não ouve, ou quase não ouve; mouco. **2.** Pouco sonoro; pouco audível: *um baque surdo*. **3.** Feito em silêncio ou sem ruído. **4.** Oculto, secreto, esconso: "Um surdo anseio, uma secreta curiosidade aflita perseguia-me a vida inteira: — tornar a encontrar algum dia .... a namoradinha da Floresta" (Lúcio de Mendonça, *Horas do Bom Tempo*, p. 206). **5.** Feito, tramado, maquinado às ocultas, em surdina: "passei a sofrer uma das campanhas mais surdas e mais infamantes de que ouvi falar. Volantes mimeografados. Telefonemas. Telegramas .... Cartas anônimas para meus amigos, parentes" (Nestor de Holanda, *Memórias do Café Nice*, p. 85). **6.** Diz-se da marcha feita sem ruído. **7.** *Fig.* Insensível, impassível, indiferente: "O governo permanece completamente surdo e indiferente a todas essas sugestões." (Ramalho Ortigão, *As Farpas*, IV, p. 264.) **8.** De pouco brilho (pintura). **9.** *Mar.* Que não obedece: *O navio está surdo ao leme*. **10.** *Mar.* Que não faz ruído. ~ V. *caixa —a, consoante —a, dor —a, poleame —, tambor —, vinho —* e *voga —a*. ● *S. m.* **11.** Aquele que não ouve, ou que ouve muito mal. **12.** *Bras.* V. *tambor surdo*.

surdo-mudez (ê). *S. f.* Qualidade de surdo-mudo. [Sin., p. us.: *surdimutismo*. Pl.: *surdo-mudezes*.]

surdo-mudo. *Adj.* e *s. m.* Diz-se de, ou aquele que é, a um tempo, surdo e mudo. [Pl.: *surdos-mudos*.]

➧**surf** (sârf). [Ingl.] *S. m.* V. *surfe*.

surfar. *V. int. Bras.* Praticar o surfe.

surfatante. [Do ingl. *surfactant* < *surf(ace) act(ive) a(ge)nt*.] *Adj. 2 g.* e *s. m. Tec.* Diz-se de, ou substância que altera as propriedades da superfície de um líquido ou da interface de um líquido e um sólido.

surfe. [Do ingl. *surf*.] *S. m. Bras.* Esporte em que a pessoa, de pé numa prancha, desliza na crista da onda.

surfista. *S. 2 g. Bras.* Pessoa que pratica o surfe.

surgida. [De *surgir* + *-ida*.] *S. f. Bras., BA.* Reaparecimento da baleia após o mergulho.

surgidoiro. [De *surgir* + *-(d)oiro*¹.] *S. m.* Surgidouro [q. v.].

surgidouro. [De *surgir* + *-(d)ouro*¹; var. de *surgidouro*.] *S. m.* Lugar onde surgem e ancoram embarcações.

surgimento. *S. m.* Ato ou efeito de surgir.

surgir. [Do lat. *surgere*.] *V. int.* **1.** Chegar por via marítima; aportar, ancorar: "Surge diante a frota lusitana, / Pega no fundo a âncora pesada." (Luís de Camões, *Os Lusíadas*, II, p. 174); *A embarcação surgiu na hora certa*. **2.** Vir do fundo para a superfície; emergir: *Após alguns dias do naufrágio os restos do navio surgiram*. **3.** Erguer-se, elevar-se, levantar-se. **4.** Raiar, despontar, nascer: *O Sol acaba de surgir*. **5.** Aparecer de repente; sobrevir: *Já não o esperávamos, quando surgiu; sorridente*. **6.** Manifestar-se; aparecer: *Após os primeiros debates surgiram novos problemas*. **7.** Vir, chegar: *Surgirá o tempo em que os homens viverão sem guerras?* **8.** Decorrer, passar, transcorrer: *Dez anos surgiram antes que pudesse rever-te*. *T. i.* **9.** Ocorrer, acudir, vir: *Grandes idéias surgiram à mente daquele sábio*. **10.** Acordar, despertar: *Por fim, surgiu do sono*. *T. c.* **11.** Sair, proceder, provir: *De onde surgiu você?* [Var., p. us.: *assurgir*. Conjug.: v. *dirigir*, mas tem dois part.: *surgido* e *surto*.]

suri. *Adj. 2 g. Bras., SP.* **1.** V. *suru* (1). **2.** Sem mangas (camisa).

surinamês. [De *Suriname* + *-ês*.] *Adj.* **1.** Do, ou pertencente ou relativo ao, ou próprio do Suriname (antiga Guiana Holandesa, América do Sul). ● *S. m.* **2.** O natural ou habitante do Suriname. [Flex.: *surinamesa* (ê), *surinameses* (ê), *surinamesas* (ê).]

suriņéia. *S. f. Bras.* V. *canela-inhaíba*.

➧**surmenage.** [Fr.] *S. f.* Estafa (3).

suro. *Adj. Bras.* V. *suru* (1).

surote. *Adj. 2 g. Bras., MG.* V. *suru* (1).

surpreendedor (ô). *Adj.* V. *surpreendente*: "toda esta aparência de cansaço ilude. Nada mais surpreendedor do que vê-la desaparecer de improviso." (Euclides da Cunha, *Os Sertões*, p. 115).

surpreendente. *Adj. 2 g.* **1.** Que surpreende. **2.** Magnífico, maravilhoso, admirável. [Sin. ger.: *surpreendedor*.]

surpreender. [Do fr. *surprendre*.] *V. t. d.* **1.** Apanhar de improviso; saltear: *Tentaremos surpreender os inimigos*. **2.** Induzir em erro. **3.** Aparecer inesperadamente diante de: *O pai surpreendeu-o quando saía às ocultas*. **4.** Causar surpresa a; espantar, admirar: *A beleza da jovem surpreendeu os rapazes*. **5.** Maravilhar, espantar, assombrar: *A visão do impossível surpreendeu os incréus*. **6.** Obter furtivamente. *T. d. e i.* **7.** Conseguir com astúcia; obter por fraude: *O fraudulento advogado surpreendeu muito dinheiro ao ingênuo cliente*. *Int.* **8.** Causar surpresa: "Não surpreende .... que tenha [Gilberto Amado] feito de um famoso ganhador de causas no foro uma das figuras centrais do romance [*Inocentes e Culpados*]" (Homero Sena, *Gilberto Amado e o Brasil*, p. 163). *P.* **9.** Espantar-se, admirar-se: *Surpreendeu-se de vê-lo presente*. [Sin. ger. p. us.: *surpresar*. Part.: *surpreendido* e *surpreso*.]

surpreendido. [Part. de *surpreender*.] *Adj.* Perplexo, admirado, surpreso [q. v.].

surpresa (ê). [Do fr. *surprise*.] *S. f.* **1.** Ato ou efeito de surpreender(-se). **2.** Aquilo que surpreende. **3.** Acontecimento imprevisto; sobressalto. **4.** Prazer inesperado. [Pl.: *surpresas* (ê). Cf. *surpresa* e *surpresas*, do v. *surpresar*.]

surpresar. [De *surpresa* + *-ar*².] *V. t. d., t. d. e i. e p. P. us.* Surpreender: "Queriam surpresá-lo em erro, como o do Custódio. Mas cadê jeito de pegá-lo no soflagrante?" (Manuel Lobato, *Garrucha 44*, p. 92.) [Pres. ind.: *surpreso, surpresas, surpresa*, etc. Cf. *surpresa* (ê), pl. *surpresas* (ê), e *surpreso* (ê).]

surpreso (ê). [Part. irreg. de *surpreender*.] *Adj.* Perplexo, admirado, surpreendido. [Flex.: *surpresos* (ê), *surpresa* (ê) e *surpresas* (ê). Cf. *surpreso, surpresas, surpresa*, do v. *surpresar*.]

surra. [Dev. de *surrar*.] *S. f.* **1.** Ação ou efeito de surrar, de espancar. [Sin., na maioria pop. ou fam.: *carga, chegadela, coça, esfrega, esmola, malha, moedela, pancadaria, pisa, póla, roda-de-pau, sova, tareia, tosa, tosquiadela, trepa, tunda, zurzidela* e (bras.) *bababi, bate-bate, biaba, bordoeira, buduna, camaçada, chá-de-casca-de-vaca, fubeca, fubecada, mela, muxinga, piau, refresco, sapeca, sumanta, sunfa, tasca, tuzina, vareio*.] **2.** *Bras. Fam.* Maçada, caceteação, esfrega, seca: *Meu primo deu-me uma surra: falou duas horas sem parar*. **3.** *Bras. Fam.* Derrota expressiva infligida ao adversário; banho: *Depois da surra que levou, o clube campeão foi desclassificado*. **4.** *Bras. Fam.* Esforço demasiado que produz cansaço; sova: *Na época de festas o trabalho de balconista é uma surra; Este ano o vestibular foi uma surra*. ♦ **Surra de língua,** *Bras. Fam.* **1.** V. *descompostura* (2). **2.** V. *repreensão* (1).

surrado¹. [Part. de *surrar*.] *Adj.* **1.** Curtido, pisado, batido. **2.** Espancado, sovado. **3.** Gasto pelo uso: *vestido surrado*.

surrado². [De *surro* + *-ado*¹.] *Adj.* Coberto de surro; sujo.

surrador (ô). [De *surrar* + *-(d)or*.] *Adj.* e *s. m.* Que ou aquele que surra.

surragem. *S. f.* Surramento.

surramento. *S. m.* Ato ou efeito de surrar; surragem.

surrão. [Do ár. *súrra*, ou do vasconço *zorro*?] *S. m.* **1.** Bolsa ou saco de couro usado sobretudo para farnel de pastores; sarrão. **2.** Indivíduo muito sujo; porco. **3.** Roupa suja e gasta: "Estendido ao lado, nas ervas úmidas, dormia .... um homem, que decerto por ali guardava porcos, porque vestia um grosso surrão de coiro e trazia, pendurada da cinta, uma buzina de porqueiro." (Eça de Queirós, *Contos*, p. 143.) ♦ **Arrastar surrão.** *Bras., SP. Pop.* Alardear ou roncar valentias; fazer bazófias; bazofiar.

surrar. *V. t. d.* **1.** Curtir, pisar ou machucar (peles). **2.** Dar surra (1) em; bater em; maltratar com pancadas [Sin., nesta acepc., na maioria pop. e fam.: *coçar, desasar, espancar, malhar, moer, sovar, tarear, tosar, tundar, zupar* e (bras.) *brochar, fubecar, muxurundar, sabugar, sapecar*.] *P.* **3.** Gastar-se (peça de vestuário) por efeito do uso.

surrealismo. [Do fr. *surréalisme*.] *S. m. Gal.* Moderna escola de literatura e arte iniciada em 1924 por André Breton, escritor francês (1896-1966), caracterizada pelo desprezo das construções refletidas ou dos encadeamentos lógicos e pela ativação sistemática do inconsciente e do irracional, do sonho e dos estados mórbidos, valendo-se freqüentemente da psicanálise. Visava, em última instância, à renovação total dos valores artísticos, morais, políticos e filosóficos. [São preferíveis, porém p. us., as formas *super-realismo* e *supra-realismo*. Cf. *automatismo*.]

surrealista. [Do fr. *surréaliste*.] *Adj. 2 g. Gal.* **1.** Relativo ao surrealismo. **2.** Diz-se do artista ou da obra que segue o surrealismo: *São notáveis os quadros surrealistas de Salvador Dali*. ● *S. 2 g.* **3.** Artista que adota o surrealismo. [Preferíveis, mas p. us., as f. *super-realista* e *supra-realista*.]

surriada. [De um **surriar*, de fundo onom.] *S. f.* **1.** Descarga de artilharia ou de espingardaria: "todos queriam .... assistir .... às descargas da artilharia, às surriadas da mosquetaria" (Oliveira Martins, *História de Portugal*, II, p. 64). **2.** Borrifos das ondas que rebentam. **3.** Troça, zombaria, apupo, escárnio: "— Sou cinza (dizia a velha) mas um dia fui fogo! — sob a surriada e a zombaria dos que a ouviam." (João Ribeiro, *Floresta de Exemplos*, p. 114.)

surriba. [Dev. de *surribar*.] *S. f.* Ato ou efeito de surribar.

surribar. [De *sub-* + *riba* + *-ar*²?] *V. t. d.* **1.** Escavar (a terra), para afofar. **2.** Fazer escavação em redor de (árvore transplantada), a fim de que se desenvolva melhor.

surriola. *S. f. Constr. Nav.* Pau de surriola.

surripiar. [Do lat. *surripere*, 'furtar'.] *V. t. d. e t. d. e i. Pop.* Subtrair às escondidas; furtar, roubar. *Surripiou a bolsa da velha*. [Var., bras., pop.: *surrupiar*.]

surro. *S. m.* **1.** Sujeira no rosto, nas mãos e nos pés, sobretudo a proveniente do suor. **2.** Porcaria, cisco, pó.

surrobeco. *S. m. Lus.* Pano grosseiro e durável, semelhante ao burel, porém um pouco mais largo, fabricado na Covilhã e no Alentejo: "as jaquetas de pano de Saragoça com remendos de surrobeco pardo nos cotovelos surrados" (Antero de Figueiredo, *Toledo*, p. 141).

surrupeia. *S. f. Bras., CE.* Espécie de peia para cavalo e boi.

surrupeio. *S. m. Bras., N.E.* V. *embuá*.

surrupiar. *V. t. d. e t. d. e i. Bras. Pop.* Var. de *surripiar*: "Os devotos deixavam as moedas, em oferenda ao santo, mas os moleques e os malandros surrupiavam-nas." (Guido Vilmar Sassi, *São Miguel*, p. 69.)

➧**sursis** (sursí). [Fr.] *S. m. Jur.* Suspensão condicional da pena.

➧**sursum corda** (súrsum corda). [Lat.] Elevai os corações. [Frase que o sacerdote pronuncia ao celebrar a missa, no começo do prefácio. Cita-se como exortação a sentimentos elevados.]

surtida. [Do it. *sortita*.] *S. f.* **1.** Investida de sitiados contra sitiantes. **2.** Lugar apropriado, por onde se sai contra o inimigo. **3.** Investida, ataque, arremetida: "Agora se limitava a acompanhar o piloto nas suas surtidas sobre as hostes inimigas, quando o teco-teco se fazia em bombardeiro e despejava bombas em cima da cabeça da gente." (Fernando Sabino, *O Homem Nu*, p. 27.)

surtir. [De *sortir*?] *V. t. d.* **1.** Ter como conseqüência, produzir, alcançar (efeito): "O seu plano surtira bom efeito." (Inglês de Sousa, *O Missionário*, p. 216); *As negociações não surtiram os resultados esperados*. *T. i.* **2.** Ter conseqüência, boa ou má: *Seus esforços surtiram-lhe bem*. **3.** Produzir resultado; produzir efeito: *Abandonou ambos os planos, pois nenhum lhe surtiu* [Defect., conjugável só nas 3ªs pess. Part.: *surtido*. Cf. *sortido* e *sortir*.]

surto. [Do lat. **surctu*. por *surrectu*, part. pass. de *surgere*, 'surgir'.] *Adj.* **1.** Diz-se da embarcação ancorada, amarrada à bóia ou ao cais. ● *S. m.* **2.** Vôo alto. **3.** Desejo intenso; ambição, cobiça. **4.** Arranco, arrancada, impulso. **5.** Aparecimento repentino; irrupção: *surto de malária*.

surtum. [Do fr. *surtout*, 'sobretudo'.] *S. m. Bras., SP.* Espécie de jaleco de baeta, usadíssimo outrora.

suru. [Var. de *suro*.] *Adj. 2 g.* **1.** *Bras.* Diz-se de animal sem cauda ou que só tem o coto da cauda; suri, suro, surote, bicó, cotó, nabuco, nambi, pitoco, rabi, rabicó, torado. [Fem.: *sura*.] ● *S. m.* **2.** *Bras., BA.* Papagaio (5) sem cauda, com pequenas barbatanas de papel de seda. [Sin. nesta acepç., no MA: *sura.*]

suruanã. [Provavelmente de or. tupi.] *S. f. Bras.* Reptil quelônio, da família dos quelonídeos (*Chelone mydas* L.), dos mares tropicais, com pés providos de duas unhas, e carapaça com até 1 m de comprimento. A coloração da parte superior varia do pardacento ao pardo-escuro com tons esverdeados com manchas amarelas, e a parte inferior é amarelada.

suruba. [Do tupi *suru'bá.*] *Adj. 2 g.* **1.** *Bras.* Bom, excelente, forte, supimpa. ● *S. f.* **2.** *Bras.* Grande cacete; bengalão. **3.** *Bras., S. Chulo.* Namoro escandaloso. V. *namoro* (1). **4.** *Bras. Chulo.* Orgia sexual em que participam mais de duas pessoas; surubada, bacanal.

surubada. *S. f.* **1.** *Bras.* Pancada com suruba (2). **2.** *Bras., RJ.* V. *suruba* (4).

surubi. *S. m. Bras.* V. *surubim.*

surubim. [Var. de *surubi* tupi *suru'bi.*] *S. m. Bras.* Designação comum aos peixes teleósteos, siluriformes, da família dos pimelodídeos, gêneros *Platystomatichthys* Bleek., *Pseudoplatystoma* Bleek. e *Sorubim* Bleek., de porte avantajado, corpo geralmente amarelado, com pintas ou faixas escuras, cabeça muito grande, achatada. Algumas espécies podem atingir até 3 m. [Sin.: *loando, loango.* Var.: *surubi, surumi, surumbi.*]

surubim-caparari. *S. m. Bras.* V. *surubim-pintado.* [Pl.: *surubins-capararis.*]

surubim-mena. *S. m. Bras.* Peixe teleósteo, siluriforme, da família dos pimelodídeos (*Platystomatichthys sturio* (Kner)), da Amaz., de coloração geral pardo- avermelhada, abdome prateado, flancos com manchas negras. Tem cabeça grande, maxila terminada em rostro, barbilhão maxilar mais longo que o corpo, nadadeira caudal com pontas longas e afiladas. [Sin.: *peixe-lenha, pirapeua, pirapeuaua, pirajupeva.* Pl.: *surubins-menas.*]

surubim-pintado. *S. m. Bras.* Peixe teleósteo, siluriforme, da família dos pimelodídeos (*Pseudoplatystoma corruscans* (Agas.)), com larga distribuição no País, de coloração pardo-clara com manchas escuras transversais, algumas marginadas de branco, máculas redondas, escuras, entremeando as raias transversais, e abdome branco-nacarado. Corpo com 66 cm; cabeça com 22 cm. [Tb. se diz apenas *pintado.* Sin.: *surubim-caparari, brutelo, caparari, piracajara.* Pl.: *surubins-pintados.*]

surubim-rajado. *S. m. Bras.* Peixe teleósteo, siluriforme, da família dos pimelodídeos (*Pseudoplatystoma fasciatum* (L.)), distribuído por todo o País. Tem manchas no corpo, em forma de faixas alongadas, freqüentemente unidas umas às outras, e nadadeiras com numerosas pintas. [Sin.: *pirambucu, piracambucu, cambucu, bagre-rajado.*]

surubinense. *Adj. 2 g.* **1.** De, ou pertencente ou relativo a Surubim (PE). ● *S. 2 g.* **2.** Natural ou habitante de Surubim.

surucar. *V. int. Bras.* Desabar, ruir; afundar. [Conjug.: v. *trancar.*]

surucuá. [Do tupi *suruku'á.*] *S. m. Bras.* Designação comum a várias espécies de aves trogoniformes, da família dos trogonídeos, especialmente as dos gêneros *Trogon* Briss. e *Trogonurus* Bon., de cores muito brilhantes e pele extremamente fina, insetívoras e freqüentadoras das matas virgens.

surucuá-de-barriga-amarela. *S. m. Bras.* Ave trogonídea (*Trogon stricilatus* L.), muito difundida pelo País, de dorso verde lustroso, nuca e vértice de um tom de cobre tirante a azul, face e garganta negras, peito azul, e barriga amarela. A fêmea é cinza-escuro, com barriga amarela. Alimenta-se de insetos e vive em matas virgens. [Sin.: *pata-choca, perua-choca, peru-de-sol, pavãozinho-do-mato, capitão-do-mato.* Pl.: *surucuás-de-barriga-amarela.*]

surucuá-de-barriga-vermelha. *S. m. Bras.* Designação comum a duas espécies de trogonídeos: *Curucujus melanurus* (Sw.), do N.O. do País, AM, PA, MA, e N. e O. de MT, e *Trogonurus surrucura* (Vieil.), do *S. E.* do Brasil. O primeiro é verde-azulado brilhante, com cabeça, garganta e peito azul-esverdeados, e peito separado do abdome vermelho por uma fita branca. [Sin.: *surucuá-tatá.* Pl.: *surucuás-de-barriga-vermelha.*]

surucuá-pequeno. *S. m. Bras.* Pequeno surucuá da Amaz. (*Trogon violaceus ramonianus* (Deville e Des Murs)). [Pl.: *surucuás-pequenos.*]

surucuá-tatá. [De *surucuá* + tupi *ta'tá,* 'fogo', pela coloração vermelha do baixo-ventre.] *S. m. Bras.* Surucuá-de-barriga-vermelha. [Pl.: *surucuás-tatás* e *surucuás-tatá.*]

surucucu. [Do tupi *suruku'ku.*] *S. f. Bras.* **1.** V. *jararacuçu.* **2.** V. *surucutinga.* **3.** *Fig. Fam.* Mulher de mau gênio. ◆ **Surucucu pico-de-jaca.** *Bras., BA.* V. *surucutinga.* **Surucucu pinta-de-ouro.** *Bras.* V. *jararaca-verde.*

surucucu-de-fogo. *S. f. Bras., N.E.* V. *surucutinga.* [Pl.: *surucucus-de-fogo.*]

surucucu-de-patioba. *S. f. Bras., BA.* V. *jararaca-verde.* [Pl.: *surucucus-de-patioba.*]

surucucu-de-pindoba. *S. f. Bras.* V. *jararaca-verde.* [Pl.: *surucurus-de-pindoba.*]

surucucu-do-pantanal. *S. f. Bras., MT.* Boipevaçu. [Pl.: *surucucus-do-pantanal.*]

surucucu-dourada. *S. f. Bras.* V. *jararacuçu.* [Pl.: *surucucus-douradas.*]

surucucu-pindoba. *S. f. Bras.* V. *jararaca-verde.* [Pl.: *surucucus-pindobas* e *surucucus-pindoba.*]

surucucurana. [De *surucucu* + *-rana.*] *S. f. Bras. N.* V. *cobra-d'água* (1). [Var.: *surucurana.*]

surucucu-tapete. *S. f. Bras.* V. *jararacuçu.* [Pl.: *surucucus-tapetes* e *surucucus-tapete.*]

surucucutinga. *S. f. Bras.* V. *surucutinga.*

surucura. [Var. de *saracura.*] *S. f. Bras.* Arbusto da família das bignoniáceas (*Bignonia hirtella*).

surucurana. *S. f. Bras.* V. *surucucurana.*

surucutinga. [Var. de *surucucutinga* < *surucucu* + *-tinga.*] *S. f. Bras.* Reptil ofídio, da família dos crotalídeos (*Lachesis muta* (L.)), das matas tropicais brasileiras, que pode atingir 3,60 m de comprimento e é a maior cobra venenosa do Brasil. Tem na cabeça escamas tuberculiformes; a cauda termina em acúleo córneo; a coloração geral é rósea, e sobre ela se destacam, na região dorsal, figuras romboédricas escuras. Vive nas matas virgens e capoeirões bastante desenvolvidos, e alimenta-se de roedores e outros pequenos animais. Ao contrário das jararacas, é muito arisca, afastando-se mal entra em contato com o homem. [Var.: *surucucutinga.* Sin.: *surucucu, surucucu-de-fogo, surucucu-pico-de-jaca, cobra-topete.*]

suruiá. *S. m. Bras., SP:* Pequena rede de lanço fixa em duas hastes de pau dispostas em ângulo.

suruje. *S. m. Bras., MG.* Montículo de terra feito pelos cupins.

surulina[1]. *S. f. Bras.* Brinquedo de crianças que dançam em roda cantando.

surulina[2]. *S. f. Bras., MA.* Var. de *sururina.* (1).

surumbamba. [Var. de *turumbamba.*] *S. m. Bras.* V. *rolo*[1] (16): "Os que entraram de fora por curiosidade não puderam sair e viam-se metidos no surumbamba." (Aluísio Azevedo, *O Cortiço,* p. 184.)

surumbi. *S. m. Bras., Amaz.* V. *surubim.*

surumi. *S. m. Bras., Amaz.* V. *surubim.*

surunganga. *Adj.* e *s. m. Bras., MG.* **1.** Valente, corajoso. **2.** V. *valentão* (1 e 3): "Uns dizem que os jurados ficaram com medo de condenar o facínora. .... Outros alegam que lhe reconheceram .... a inocência nas garatujas dúbias que o perigoso surunganga escrevera a cada um de todos os jurados, dias antes do julgamento." (Manuel Lobato, *Garrucha 44,* p. 23.)

surungo. [Var. de *sorongo.*] *S. m. Bras., RS.* V. *arrasta-pé* (1).

surupango. *S. m. Bras.* Certa dança infantil, de roda.

sururina. [Voc. onom., provavelmente.] *S. f. Bras., Amaz.* **1.** Designação comum às aves tinamiformes da família dos tinamídeos (*Crypturellus soui* (Herm.)), com dorso e alto da cabeça pardo-oliváceos e abdome avermelhado. [Var., no MA: *surulina;* sin.: *tururim, tururi, turiri, sovi.*] **2.** V. *inhambuxororó.*

sururu. [Do tupi *suru'ru.*] *S. m.* **1.** *Bras.* Molusco bivalve, da família dos mitilídeos, variação de *Mytella falcata* (Orbig.), das lagoas Manguaba e Mundaú (AL), onde desempenha papel econômico de importância na alimentação humana. A concha tem uma camada nacarada, verde e violácea, externamente parda na frente e escura em sua maior parte. [Var.: *siriri;* sin.: *sururu-de-alagoas, alastrim.*] **2.** *Bras.* Designação vulgar do mexilhão, ou mexilhão das pedras (*Mytilus perna*), molusco bivalve da família *Mytilidae.* **3.** *Bras.* Planta da família das tiliáceas (*Mallia lepidota*). **4.** *Bras.* V. *rolo*[1] (16). **5.** *Bras., MA.* Festa de estudantes. **6.** *Bras., S.* Revolta, motim. ◆ **Sururu de capote.** *Bras., AL.* O sururu (1) que se vende ainda preso à valva: "Um litro de sururu 'de capote' custa no máximo 200 réis" (Raul Lima, *Presença de Alagoas,* p. 84).

sururuca. [Do tupi *suru'ruka.*] *S. f. Bras.* **1.** Espécie de peneira grossa. **2.** V. *urupema* (1). **3.** *Bras., RJ.* Trepadeira da família das passifloráceas (*Passiflora setacea*), provida de gavinhas. Folhas cordadas, trilobadas, lobos oblongos, agudos e serrulados, estípulas setáceas; pecíolo glanduloso. As flores são especiosas, pêndulas, solitárias, e as sépalas prolongam-se em longo filamento terminal; a baga é do tamanho de um ovo de galinha.

sururucar. [De *sururuca* + *-ar*[2].] *Bras. V. t. d.* **1.** Fazer passar pela sururuca (1) ou peneira; peneirar. *Int.* **2.** Fazer com o corpo movimentos peneirados; saracotear. **3.** *Bras.* Entre os índios urubu-caapor [Tribo localizada no vale do Mearim, no MA], copular (2).[Conjug.: v. *trancar.* Cf. *sororocar.*]

sururucujá. [Do tupi *sururuku'yá.*] *S. f. Bras.* Planta da família das passifloráceas *(Passiflora mucronata.)*

sururu-de-alagoas. *S. m. Bras.* V. *sururu* (1). [Pl.: *sururus-de-alagoas.*]

sururuzada. [De *sururu* (4) + *-z-* + *-ada*[1].] *S. f. Bras. Pop.* V. *rolo*[1] (16).

sus. [Do lat. *sus,* 'para cima'.] *Interj.* Eia; coragem; ânimo: "Assoma a estrela-d'alva, e quer nascer o dia! / Sus! para o campo fresco!" (Antônio Feliciano de Castilho, *As Geórgicas de Virgílio,* p. 185.) [Cf. *Suz,* top.]

▲**sus-.** V. *sub-.*

susanense. *Adj. 2 g.* **1.** De, ou pertencente ou relativo a Susano (SP). ● *S. 2 g.* **2.** Natural ou habitante de Susano.

susceptância. [Do ingl. *susceptance.*] *S. f. Eletr.* Num circuito de corrente alternada, o quociente do componente da corrente que está em quadratura com a tensão pela tensão aplicada; quociente da reatância do circuito pelo quadrado do módulo da impedância.

susceptibilidade. *S. f.* V. *suscetibilidade.*

susceptibilizar. *V. t. d.* e *p.* V. *suscetibilizar.*

susceptível. *Adj. 2 g.* V. *suscetível:* "Ele era muito susceptível e por essa razão temia muito ferir susceptibilidades alheias." (Nestor Vítor, *Obra Crítica,* I, p. 41.)

suscetibilidade. [Var. de *susceptibilidade.*] *S. f.* **1.** Qualidade de suscetível. **2.** Tendência para sentir influências ou contrair enfermidades; idiossincrasia. **3.** Disposição para se ressentir com facilidade; melindre. **4.** *Fís.* Quociente entre o módulo da magnetização de um material sujeito a um campo elétrico e o módulo da indução magnética provocada pelo mesmo campo no vácuo.

suscetibilizar. [Var. de *susceptibilizar* < lat. *susceptibile,* 'susceptível ou suscetível', + *-izar.*] *V. t. d.* **1.** Ofender de leve; melindrar. *P.* **2.** Considerar-se ofendido, ressentir-se, melindrar-se.

suscetível. [Var. de *susceptível* < lat. *susceptibile.*] *Adj. 2 g.* **1.** Passível de receber impressões, modificações ou adquirir qualidades; capaz: *A conjuntura é sempre suscetível de transformações.* **2.** Que se ofende com facilidade; melindroso. ● *S. 2 g.* **3.** Pessoa suscetível ou melindrosa.

suscitação. [Do lat. *suscitatione.*] *S. f.* **1.** Ato ou efeito de suscitar. **2.** Sugestão, instigação.

suscitado. [Part. de *suscitar.*] *Adj.* e *s. m.* Diz-se de, ou aquele contra quem se suscitou impedimento ou se argüiu incompetência.

suscitador (ô). [Do lat. *suscitatore.*] *Adj.* e *s. m.* Que ou aquele que suscita; suscitante.

suscitante. [Do lat. *suscitante.*] *Adj. 2 g.* e *s. 2 g.* Suscitador.

suscitar. [Do lat. *suscitare.*] *V. t.* **1.** Fazer nascer; fazer aparecer: *O acasalamento suscita as novas gerações.* **2.** Provocar, promover, causar: *A tola intervenção suscitou risos.* **3.** Lembrar, sugerir: *A presença do governante suscitou a figura dos vaidosos reis do passado.* **4.** Provocar ou produzir a aparição de: *As injustiças suscitaram descontentes.* **5.** Levantar ou apresentar como impedimento; opor como dificuldade. *T. d. e i.* **6.** Fazer aparecer; causar: *Além de não auxiliar o pobre pai, suscita-lhe profundos desgostos.*

suscitável. *Adj. 2 g.* Que pode ser suscitado.

suserania. *S. f.* **1.** Qualidade ou poder de suserano: "Neste período, a história dos reis de França, de Alemanha, de Itália, de Castela, de Leão, de Navarra e de Aragão, como a das suseranias das várias províncias, principados e condados que viviam na rancorosa inimizade dos seus orgulhos e ambições, é a história da traição" (Antero de Figueiredo, *D. Pedro e D. Inês,* p. 160). **2.** Território dominado por um suserano.

suserano. [Do fr. *suzerain.*] *Adj.* **1.** Que possui um feudo, do qual outros dependem: "Estes barões sertanejos só nominalmente rendiam preito e homenagem ao rei de Portugal, seu senhor suserano" (José de Alencar, *O Sertanejo,* p. 249). **2.** Referente aos soberanos que têm vassalagem de Estados aparentemente autônomos. ● *S. m.* **3.** Senhor feudal.

suspeição. [Do lat. *suspectione.*] *S. f.* **1.** Desconfiança, dúvida, suspeita. **2.** *Jur.* Situação, expressa em lei, que impede os juízes, representantes do Ministério Público, advogados, serventuários ou qualquer outro auxiliar da Justiça de, em certos casos, funcionarem no processo em que ela ocorra, em face da dúvida de que não possam exercer suas funções com a imparcialidade ou independência que lhes competem. [Cf. exceção (7).]

suspeita. *S. f.* [Fem. substantivado de *suspeito.*] Opinião, geralmente desfavorável, acerca de alguém ou de algo, desconfiança, suposição.

suspeitador (ô). *Adj.* e *s. m.* Que ou aquele que suspeita.

suspeitar. [Do lat. *suspectare.*] *V. t. d.* **1.** Ter suspeita de; julgar com certa base; supor com dados mais ou menos seguros; conjeturar: *Suspeito que obtive boa nota nos exames.* **2.** Desconfiar de; recear: *O capitão suspeita a aproximação da borrasca.* **3.** Levantar suspeitas contra. **4.** Pressentir; prever: *O moribundo suspeitava a morte. Transobj.* **5.** Considerar ou tachar por suspeitas: *Suspeita-o de tolo. T. i.* **6.** Ter desconfianças ou suspeitas; supor ou considerar mal; desconfiar: *Suspeita dos mais fiéis seguidores.* **7.** Desconfiar, recear: "Sem *suspeitarem* de que alguém os visse, / Trocaram beijos ao luar tranqüilo." (Augusto Gil, *Luar de Janeiro*, p. 75.)

suspeitável. *Adj. 2 g.* De que se pode suspeitar.

suspeito. [Do lat. *suspectu.*] *Adj.* **1.** Que infunde suspeitas; duvidoso, suspeitoso: *procedimento suspeito.* **2.** Que inspira cuidados: *um mal suspeito.* **3.** De cuja existência ou verdade não se tem certeza. **4.** Que aparenta ter defeitos. **5.** Que inspira desconfiança. ~ V. *testemunha* —*a.* ● *S. m.* **6.** Indivíduo suspeito (5).

suspeitoso (ô). *Adj.* **1.** Que tem suspeitas ou receios. **2.** V. *suspeito* (1).

suspender. [Do lat. *suspendere.*] *V. t. d.* **1.** Fixar, suster, pendurar, no ar; deixar pendente: *O pai suspendeu a criança.* **2.** Trazer ou conservar pendente ou pendurado: *A jovem senhora suspende riquíssimo colar;* "Ao lobo de cada orelha / *Suspendia* uma esmeralda, / Menos brilhante que os olhos, / Que eram brilhantes sem jaça." (Alberto de Oliveira, *Poesias*, 3ª série, p. 112). **3.** Interromper temporariamente: *O maquinista suspendeu a marcha da locomotiva.* **4.** Privar provisoriamente de um cargo ou dos respectivos proventos: *O chefe suspendeu o funcionário por um mês.* **5.** Impedir por algum tempo a publicação de: *A censura suspendeu o jornal.* **6.** Fazer cessar; impedir; deter; conter: *As medidas governamentais suspenderam o prosseguimento da agitação.* **7.** Interromper a ação de; sustar: *As medidas científicas suspenderam a radiação prejudicial.* **8.** Demorar, retardar, adiar: *Foi obrigado a suspender a viagem.* **9.** Enlevar, arrebatar: *O espetáculo suspendeu a assistência;* "Pela aberta da folhagem, / Que inda não doura o sol, uma figura / Deliciosa, um busto sobre as ondas / *Suspende* o caçador." (Machado de Assis, *Poesias Completas*, p. 270.) **10.** Pôr de lado; sustar ou fazer sustar a realização de um pedido, encomenda, etc., de (algo): — *Garçom, suspenda o filé e traga risoto. T. d.* e *i.* **11.** Privar, despojar: *O novo ministro suspendeu-o das funções que exercia.* **12.** Carregar, portar: "Negras mulheres *suspendendo* às tetas / Magras crianças" (Castro Alves, *Poesias Escolhidas*, p. 330). *P.* **13.** Estar em lugar muito alto. **14.** Ficar suspenso; pendurar-se. **15.** Parar, interromper-se. *Int.* **16.** *Mar.* Levantar âncora. [Part.: *suspendido* e *suspenso.*]

suspensão. [Do lat. *suspensione.*] *S. f.* **1.** Ato ou efeito de suspender(-se). **2.** *Fís.-Quím.* Sistema bifásico constituído por uma fase sólida de partículas grosseiras imersa numa fase líquida. **3.** Gancho ou objeto apropriado para suspender. **4.** Espécie de miragem na qual os objetos parecem suspensos, sem refletir a imagem. **5.** Pena disciplinar infligida ao funcionário público, ou ao empregado, em caso de falta grave ou de reincidência, e que consiste em afastá-lo temporariamente do cargo, com perda dos vencimentos. **6.** *Gram.* Reticência (1). **7.** *Mús.* Fermata sobre uma pausa. **8.** *Mús.* Retardo (2). **9.** *Fís.-Quím.* Sistema constituído por uma fase líquida ou gasosa na qual está dispersa uma fase sólida com partículas de dimensões superiores às de um colóide, e que sedimentam, com maior ou menor rapidez, sob a ação da gravidade. **10.** *Paleogr.* Processo de abreviatura por supressão de uma ou mais letras finais. [Nesta acepç., cf. *contração* (6).] ♦ **Suspensão Cardan.** Dispositivo mecânico que possibilita, graças às articulações que possui, a rotação de uma peça em torno de três eixos ortogonais. **Suspensão condicional da pena.** *Jur.* Adiamento da execução de certas penas graves impostas a criminosos ou contraventores primários, por medida de política criminal, desde que em determinado período de tempo não pratiquem nova infração, e ao cabo da qual se dá por extinta a sua punibilidade. **Suspensão da instância.** *Jur.* Interrupção do curso de um processo por motivo de força maior, por convenção das partes, ou pela morte de um dos litigantes ou do procurador de qualquer deles. **Suspensão de ordens.** *Rel.* Pena que consiste em privar do exercício de suas ordens, temporária ou definitivamente, um sacerdote da Igreja Católica.

suspense. [Do ingl. *suspense.*] *S. m. Angl.* Momento de tensão forte no enredo de um filme, uma peça de teatro, um romance, etc.: "A fim de criar o *suspense* dramático, Ésquilo inicia a tragédia [*Os Persas*] com o coro dos anciãos persas inquietos com a ausência de notícias do exército de Xerxes." (Sábato Magaldi, *Temas da História do Teatro*, p. 9.)

suspensivo. [Do lat. *suspensu*, 'suspenso', + *-ivo.*] *Adj.* **1.** Que pode suspender. **2.** Que provoca ou determina suspensão: *medida de efeito suspensivo.* **3.** *Gram.* Que suspende o sentido de uma oração.

suspenso. [Do lat. *suspensu.*] *Adj.* **1.** Pendurado, pendente. **2.** Cessado temporariamente; interrompido. **3.** Parado, sustado. **4.** Perplexo, irresoluto, indeciso. **5.** *Gram.* Que faz sentido incompleto. ~ V. *bloco* —, *ponte* —*a* e *vale* —.

suspensóide. *S. m. Fís.-Quím.* Designação antiga de um sol[4].

suspensor (ô). *S. m. Morfol. Veg.* Fileira de células superpostas que sustenta no ápice o embrião em desenvolvimento e o desloca na direção do endosperma.

suspensório. [Do lat. *suspensu*, 'suspenso', + *-ório.*] *Adj.* **1.** Apropriado para fazer suspender. **2.** Que suspende. ● *S. m.* **3.** *Cir.* Ligadura com que se sustém o escroto. **4.** *Bras.*, *N.* Dispositivo das máquinas de vapor que permite a inversão da marcha e variação da expansão. ~ V. *suspensórios.* ♦ **Pôr suspensório em cobra.** *Bras. Fam.* Realizar empreendimento difícil e/ou perigoso.

suspensórios. [Pl. de *suspensório.*] *S. m. pl.* Tiras, muitas vezes elásticas, que, passando por cima dos ombros, seguram as calças pelos cós; alças. [Tb. us. no sing.]

suspicácia. *S. f.* Qualidade de suspicaz.

suspicacíssimo. [Do lat. *suspicacissimu.*] *Adj.* Superl. abs. sint. de *suspicaz.*

suspicaz. [Do lat. *suspicace.*] *Adj. 2 g.* **1.** Que provoca suspeita; suspeito. **2.** Que tem suspeitas; desconfiado: "Como matreiro e *suspicaz* que era, Filipe Augusto exigiu, para que retirasse as tropas, que lhe fossem dados reféns." (Aquilino Ribeiro, *Portugueses das Sete Partidas*, p. 189.) [Superl. abs. sint.: *suspicacíssimo.*]

suspirado. [Part. de *suspirar.*] *Adj.* **1.** Acompanhado de suspiros; suspiroso. **2.** Muito apetecido; ardentemente desejado; anelado.

suspirador (ô). *Adj.* e *s. m.* Que ou aquele que suspira.

suspirar. [Do lat. *suspirare.*] *V. t. d.* **1.** Significar por meio de suspiros: *suspirar amores.* **2.** Ter saudades de: *Os velhos vivem a suspirar os bons tempos.* **3.** Desejar veementemente; ambicionar. **4.** Exprimir com tristeza; narrar com melancolia. *T. i.* **5.** Desejar ardentemente; ambicionar, almejar, anelar: *Suspira pela viagem;* "Minha alma, ó Deus, a outros céus aspira: / Se um momento a prendeu mortal beleza, / É pela eterna pátria que *suspira*..." (Antero de Quental, Sonetos, p. 188). **6.** Estar enamorado: *Faz anos que suspira por ela. Int.* **7.** Dar suspiros [v. *suspiro* (1)]: "Ai! Canta a cavatina do delírio, / Ri, *suspira*, soluça, anseia e chora..." (Castro Alves, *Obra Completa*, p. 123.) **8.** Soprar brandamente; bafejar: "Pelas corolas túmidas de orvalho / Suspirava um favônio, carinhoso" (Raimundo Correia, *Poesias*, p. 50). **9.** Rumorejar, sussurrar, murmurar.

suspiro. [Do lat. *suspiriu.*] *S. m.* **1.** Respiração entrecortada e mais ou menos demorada, produzida por desgosto ou por incômodo físico. **2.** Desejo ardente; ânsia, cobiça. **3.** Som doce e melancólico: *Saíram do violão suspiros de saudade.* **4.** Gemido, lamento, ai. **5.** Gemido amoroso. **6.** Murmúrio, sussurro. **7.** Orificiozinho próprio para extrair um líquido em pequena quantidade. **8.** Acessório que se instala em uma canalização, compartimento, recipiente, tanque, etc., para permitir o escapamento de ar em excesso ou de gases indesejáveis. **9.** Pasta de claras de ovo batidas com açúcar, utilizada, em geral, para coberturas e recheios de tortas; merengue. **10.** Doce feito com essa pasta levada ao forno; merengue. **11.** *Bras.* Perpétua-roxa. **12.** V. *saudade* (3).

suspiroso (ô). *Adj.* **1.** Que suspira; lamentoso. **2.** Suspirado (1). **3.** Referente a suspiro.

sussurrante. [Do lat. *susurrante.*] *Adj. 2 g.* Que sussurra; rumorejante: "Por toda a parte a água *sussurrante*, a água abundante..." (Eça de Queirós, *A Cidade e as Serras*, p. 205).

sussurrar. [Do lat. *susurrare.*] *V. int.* **1.** Causar sussurro ou murmúrio; produzir ruído: "*sussurrava* e luzia um fio d'água." (Eça de Queirós, *Contos*, p. 143); "*Sussurrava*, brilhando, o azul, florido de aves." (Teófilo Dias, *Fanfarras*, p. 11). **2.** V. *zumbir* (2). *T. d.* e *t. d.* e *i.* **3.** Dizer em voz baixa; segredar: "O dono do botequim juntara-se aos jogadores e ficaram todos *sussurrando* comentários e rindo." (Gustavo Barroso, *Mississípi*, p. 116); *Aproximando-se da pequena sussurrou-lhe um galanteio.*

sussurro. [Do lat. *susurru.*] *S. m.* **1.** Som confuso; murmúrio. **2.** Ato de falar em voz baixa. **3.** Zumbido de alguns insetos.

sustação. *S. f.* Ato ou efeito de sustar.

sustança. *S. f.* **1.** *Pop.* Substância (4). **2.** *Bras. Pop.* V. *sustância* (2).

sustância. [Do lat. *substantia.*] *S. f.* **1.** Substância (3 e 4). **2.** *Pop.* Vigor, força, robustez, sustança: "Cobrei *sustância* / com mocotó!" (Jorge de Lima, *Obra Completa*, I, p. 295.) ♦ **Puxado à sustância.** **1.** Vigoroso, forte, substancioso: *discurso puxado à sustância.* **2.** Substancioso, suculento: *almoço puxado à sustância.* **3.** Magnífico, pomposo, faustoso: *um casamento puxado à sustância.* **4.** *Pop.* Correto, perfeito; elegante: "vi lá uma rapariga das Taipas, a coisa mais fresca, mais *puxada à sustância*, mais bem-feita que meus olhos lobrigaram." (Camilo Castelo Branco, *Quatro Horas Inocentes*, p. 24). [Tb. se diz *puxado à substância.*]

sustar. [Do lat. *substare*, 'estar debaixo'.] *V. t. d.* **1.** Fazer parar; interromper, suspender: *A direção do teatro sustou a venda de ingressos;* "*sustou* a marcha, esperando reconhecer um vulto de homem que parecia mover-se à porta da botica." (Xavier Marques, *O Sargento Pedro*, p. 84); "levava a mão aos olhos, *sustando* as lágrimas que vinham escorrendo pelo cavado do rosto." (Josué Montelo, *Janelas Fechadas*, p. 232). *Int.* e *p.* **2.** Parar, suspender-se, interromper-se, sobrestar.

sustatório. [Do lat. *substatu*, part. pass. de *substare*, 'estar debaixo'.] *Adj.* Que é próprio para sustar; que faz sobrestar.

sustável. *Adj. 2 g.* Que se pode sustar.

sustenido. [Do esp. *sostenido.*] *S. m. Mús.* Sinal ( ) que eleva de um semitom o som da nota que está à sua direita. [Cf. *bemol* e *bequadro.*]

sustenizar. [De *susteni(do)* + *-izar.*] *V. t. d. Mús.* Subir (a nota) de um semitom.

sustentabilidade. *S. f.* Qualidade de sustentável.

sustentação. *S. f.* **1.** Ato ou efeito de sustentar(-se). **2.** Sustentáculo (2). **3.** Alimento, sustento. **4.** Manutenção, conservação. **5.** Confirmação, ratificação.

sustentáculo. [Do lat. *sustentaculu.*] *S. m.* **1.** Aquilo que sustenta ou sustém. **2.** Base, suporte, amparo, apoio, sustentação. [Sin. ger. e fig.: *propugnáculo.*]

sustentador (ô). *Adj.* **1.** Que sustenta; sustentante. ● *S. m.* **2.** Aquele que sustenta. **3.** *Astron.* Motor utilizado para fornecer impulso prolongado a um veículo espacial.

sustentante. [Do lat. *sustentante.*] *Adj. 2 g.* Sustentador (1).

sustentar. [Do lat. *sustentare.*] *V. t. d.* **1.** Segurar por baixo; servir de escora a; impedir que caia; suportar, apoiar: *As colunas sustentarão o edifício.* **2.** Afirmar categoricamente: *Sustentou que presenciara o assassinato.* **3.** Ratificar, reafirmar, confirmar: *Sustentarei minhas acusações quantas vezes for preciso.* **4.** Fazer face a; resistir a; sustar: *Sustentou muitas investidas.* **5.** Conservar, manter: *Não conseguiu sustentar o bom conceito a que fizera jus.* **6.** Alimentar física ou moralmente: "eu tenho dois filhos, que podem ser nossos. Se eu os *sustentei*, você os educou." (Joraci Camargo, *Anastácio*, p. 29). **7.** Prover de víveres ou munições: *sustentar uma tropa.* **8.** Impedir a ruína ou a queda de; amparar. **9.** Dar ânimo a; animar. **10.** Proteger, favorecer, auxiliar. **11.** Sofrer com resignação, com firmeza; agüentar: *Não sustentando as violências, fugiu.* **12.** Defender com argumentos, com razões: *sustentar uma tese.* **13.** Estimular, incitar, instigar. **14.** Pelejar a favor de. **15.** Ser contrário, opor-se, a. *P.* **16.** Conservar a mesma posição; suster-se, equilibrar-se. **17.** Alimentar-se, nutrir-se: "Como os profetas *sustentei-me* de raízes" (Eugênio de Castro, *Obras Poéticas*, IV, p. 121).

sustenta-seios. [De *sustentar* + o pl. de *seio.*] *S. m. 2 n. Bras.* V. *sutiã.*

sustentável. *Adj. 2 g.* Que se pode sustentar.

sustento. [Dev. de *sustentar.*] *S. m.* **1.** Ato ou efeito de sustentar(-se). **2.** O que serve de alimentação; alimento, sustentação.

suster. [Do lat. *sustinere.*] *V. t. d.* **1.** Segurar para que não caia; sustentar: *Susteve a criança que ia caindo da escada.* **2.** Fazer face a; opor-se a; resistir a; sustentar: *A tropa susteve as arremetidas.* **3.** Reprimir, conter, refrear, sofrear: "Caetaninha não pôde suster o riso, quando o padrinho, expondo a matéria, perguntou-lhes se eles sabiam que existiam e por quê." (Machado de Assis, *Histórias sem Data*, p. 196.) **4.** Fazer parar; deter: *O cavaleiro susteve a marcha em que vinha.* **5.** Restringir, moderar. **6.** Fazer que não se perca ou acabe; conservar, manter: *A firmeza de seu caráter susteve a confiança do povo em sua administração.* **7.** Nutrir, alimentar, sustentar. *P.* **8.** Manter-se, conservar-se. **9.** Ter-se em pé; firmar-se, equilibrar-se. **10.** Conter-se, comedir-se: *Colérico, não conseguiu suster-se e disse tudo que lhe veio à mente.* [Irreg. Conjug.: v. *ter.*]

sustimento. *S. m.* Ato ou efeito de suster(-se).

sustinente. [Do lat. *sustinente.*] *Adj. 2 g.* Que sustém.

susto. *S. m.* **1.** Medo repentino; sobressalto. **2.** Temor provocado por notícias ou fatos imprevistos. **3.** *P. ext.* Medo, receio.

su-sudeste. [De *su(l)* + *sudeste.*] *S. m.* Su-sueste.

su-sudoeste. [De *su(l)* + *sudoeste.*] *S. m.* **1.** *Astr.* Ponto do horizonte a meia distância angular do S. e do S.O. [Abrev.: *S.S.O.* ou *S.S.W.*] **2.** Vento que sopra desse ponto.

su-sueste. [Var. de *su-sudeste* < de *su(l)* + *sudeste.*] *S. m.* **1.** *Astr.* Ponto do horizonte a meia distância angular do S. e do S.E. [Abrev.: *S.S.E.*] **2.** Vento que sopra desse ponto.

suta. *S. f.* **1.** Instrumento com que se marcam ângulos no terreno. **2.** Espécie de esquadro, de peças móveis, para traçar ângulos. [Cf., nesta acepç., *acuta.*] **3.** *Bras., GO.* Espécie de mutirão [q. v.] em que pessoas amigas vão alta noite, de surpresa, à casa dum fazendeiro necessitado de qualquer serviço urgente, e cantando se dirigem ao trabalho, donde retornam à noitinha, a cantar, entoando, após o jantar, uma reza seguida de danças e cantigas. [Cf., nesta acepç., *traição* (5) e *estalada* (5).]

sutache. [Do húngaro *sujtás*, atr. do fr. *soutache.*] *S. f.* Trancinha de seda, lã ou algodão, usada como enfeite de peças de vestuário: "veludos e crinolinas, sutaches e aljofres eram encontradiços nas vendas" (Nélson de Faria, *Cabeça-Torta*, p. 8).

sutambaque. *S. m. Bras.* V. *sobrecasaca.*

sutamento. *S. m.* Ato ou efeito de sutar.

sutar. *V. t. d.* Ajustar (uma peça) a outra peça servindo-se da suta (2). [Pres. subj.: *sute, sutes, sute, sutemos, suteis, sutem.* Cf. *súteis*, pl. de *sútil.*]

sutiã. [Do fr. *soutien-gorge.*] *S. m.* Roupa íntima feminina destinada a sustentar ou modelar os seios: "Depois de anunciar que se livraria do sutiã, a modelo prometeu que tiraria o resto" (*Jornal do Brasil*, 5.9.1981). [Sin.: *corpete, corpinho, porta-seios, sustenta-seios* e (bras., RN e BA) *califom.*]

sutil. [Var. de *subtil* < lat. *subtile.*] *Adj. 2 g.* **1.** Tênue, fino, delgado, grácil: *fios sutis.* **2.** Agudo, penetrante, fino: *audição sutil; observação sutil.* **3.** Muito miúdo; quase impalpável. **4.** Feito com delicadeza. **5.** Que anda sem fazer rumor. **6.** *Fig.* Perspicaz, hábil, engenhoso, talentoso: *um pesquisador atento e sutil.* ● *S. m.* **7.** Sutileza: *Admirei-lhe o sutil do comentário.* [Pl.: *sutis;* superl. abs. sint.: *sutilíssimo* e *sutílimo.* Cf. *sútil.*]

sútil. [Do lat. *sutile.*] *Adj. 2 g.* Composto de pedaços cosidos; cosido. [Pl.: *súteis.* Cf. *sutil*, adj., *suteis*, do v. *sutar*, e *consútil.*]

sutileza (ê). [Var. de *subtileza.*] *S. f.* **1.** Qualidade de sutil. **2.** Delicadeza, finura, tenuidade. **3.** Penetração de espírito; talento. **4.** Dito ou argumento de alguém com o fim de embaraçar outrem, ou que o embaraça. [Sin., p. us.: *sutilidade.*]

sutilidade. [Var. de *subtilidade* < lat. *subtilitate.*] *S. f. P. us.* V. *sutileza.*

sutílimo. [Do lat. *subtilimu.*] *Adj.* Superl. abs. sint. de *sutil;* sutilíssimo.

sutilíssimo. *Adj.* Superl. abs. sint. de *sutil.*

sutilização. [Var. de *subtilização.*] *S. f.* Ação ou efeito de sutilizar(-se).

sutilizador (ô). [Var. de *subtilizador.*] *Adj.* e *s. m.* Que ou aquele que sutiliza.

sutilizar. [De *sutil* + *-izar;* var. de *subtilizar.*] *V. t. d.* **1.** Tornar sutil; volatilizar, vaporizar. **2.** Aprimorar, apurar; aperfeiçoar: "Estou lutando desde o princípio destas explicações sobre a desagregação da nossa amizade, contra uma razão que me pareceu inventada enquanto escrevia, para sutilizar psicologicamente o conto." (Mário de Andrade, *Contos Novos*, p. 114.) **3.** Inventar com delicadeza. *T. d. e i.* **4.** Roubar, furtar, com sutileza. *Int.* **5.** Raciocinar ou discorrer com sutileza. **6.** Disputar de modo sutil, hábil, engenhoso. *P.* **7.** Tornar-se sutil; volatilizar-se, vaporizar-se. **8.** Tornar-se sutil, hábil, engenhoso, talentoso.

sutinga. [Do tupi *su'tĩga*, 'vela branca de embarcação'.] *S. f. Bras.* Variedade de mandioca.

sutra. [Do sânscr. *sūtra*, 'linha, fio'; 'regra, aforismo'.] *S. m.* Na literatura da Índia, tratado onde se reúnem, sob a forma de breves aforismos, as regras do rito, da moral, da vida cotidiana.

sutura. [Do lat. *sutura.*] *S. f.* **1.** *Cir.* Operação que consiste em coser os lábios de uma ferida para, geralmente, juntá-los; juntura, costura. **2.** *Anat.* União ou articulação de dois ossos que engranzam um no outro, por meio de recorte dentado. **3.** *Morfol. Veg.* Linha, mais ou menos engrossada, que ocorre nos bordos dos carpelos concrescentes. [No ovário monocarpelar a sutura está em oposição à nervura central.] ◆ **Sutura lambdóide.** A que une o osso occipital aos dois ossos parietais, e cuja forma lembra o lambda (1). [Tb. se diz apenas *lambdóide.*] **Sutura sagital.** A que une os dois ossos parietais.

suturação. *S. f.* Ação de suturar; sutura.

sutural. *Adj. 2 g.* Da, ou relativo à sutura.

suturar. *V. t. d.* Fazer a sutura (1 e 2) de.

suumba. [Do tupi *su'ũba.*] *S. f. Bras., AM.* O peso de madeira ligado à flecha denominada *sararaca.*

suvenir. [Do fr. *souvenir.*] *S. m.* Objeto característico de um lugar, vendido como lembrança a viajantes, especialmente a turistas. [Pl.: *suvenires.*]

suxar. *V. t. d.* Tornar frouxo, suxo; soltar, alargar: *suxar um nó.*

suxo. *Adj.* Que se suxou; frouxo, lasso, bambo.

svedberg. [Do antr. Svedberg, de *Theodor Svedberg* (1884-1971), químico sueco.] *S. m. Fís.-Quím.* Unidade de medida de constante de sedimentação igual a 10^{-13} s.

■**S.W.** Abrev. de *sudoeste.*

➧**swap** (suóp). [Ingl.] *S. m. Econ.* Compra de câmbio a vista vinculada à venda futura.

➧**swarmers** (suórmârs). [Ingl.; pl. de *swarmer.*] *S. m. pl. Bot.* Elementos de reprodução, móveis por flagelos, zoósporos ou gametas.

➧**sweepstake** (su-ipçtêik). [Ingl.] *S. m.* Sistema de loteria combinada com uma corrida de cavalos.

➧**swing** (suíng). [Ingl.] *S. m.* V. *suíngue* (1 a 3).

T

t. *S. m.* **1.** A 19ª letra do nosso alfabeto. [V. *alfabeto fonético internacional.*] **2.** A forma dessa letra: *uma sala em T.* **3.** *Fís.* Símb. de *tesla.* **4.** *Fís.* Símb. de *tera-* [q. v.]. **5.** *Fís.* Símb. de *tonelada* (2). **6.** *Fís. Nucl.* Símb. de *tríton.* ● *Num.* **7.** O décimo nono, em uma série indicada pelas letras do alfabeto: *fila T* (ou *fila t*). **8.** A décima nona, num grupo de séries: *série T* (ou *série t*). [Cf. *tê*[1]. Com maiúscula, nas acepç. 2 a 4.]
▲**-t-.** Consoante de ligação: *cafeteira* (de *café* + *-t-* + *-eira.*]
ta. Contr. de pron. *te* e *a*: *Se queres comprar a casa, eu ta vendo barato.* [Cf. *tá.*]
■ **Ta.** *Quím.* Simb. de tântalo.
tá[1]**.** *Interj.* Alto lá; basta; chega: "tá, tá, tá, V. M[cê] é o relógio de Belas? Grandes cousas tenho ouvido de seu bom gosto." (D. Francisco Manuel de Melo, *Apólogos Dialogais*, p. 3); *Tá! não preciso de nada mais.* [Cf. ta.]
tá[2]**.** [Var. aferética de *está,* 3ª pess. sing. do pres. ind. de *estar.*] *Bras. Pop.* **1.** Está bem; está combinado; aceito, concordo, topo: *Tá, faremos o negócio amanhã.* **2.** Está bem; estou ouvindo ou entendendo: — *Alô! está falando aqui o Carlos.* — *Tá, que há de novo?* [Cf. ta.]
taã. *S. f. Bras.* V. *tachã.*
taba[1]**.** [Do tupi *tawa,* 'aldeia'.] *S. f. Bras.* Aldeia de ameríndios.
taba[2]**.** *S. f. Bras., RS.* Tava.
tabaca[1]**.** [De *tabaco* (4).] *S. f. Bras., N. E. Chulo.* A vulva.
tabaca[2]**.** [De *babaca*[2].] *Adj. 2 g.* e *s. 2 g. Bras. Gír.* V. *tolo* (1 a 3 e 8).
tabacada. [De *tabaco* (v. a expr. *apanhar para o seu tabaco*) + *-ada*[1].] *S. f. Bras. Pop.* Bofetada, tapa, tabefe.
tabacal. *S. m.* **1.** Quantidade mais ou menos considerável de pés de tabaco dispostos proximamente entre si. ● *Adj. 2 g.* **2.** Tabaqueiro (1).
tabacarana. [De *tabaco* + *-a-* + *-rana.*] *S. f. Bras. Amaz.* **1.** V. *quitoco.* **2.** Fumo-bravo-do-amazonas.
tabacaria. *S. f.* Estabelecimento onde se vendem cigarros, charutos, tabaco, objetos de fumantes. [Sin.: *charutaria* (bras.), *cigarraria* (bras., RS), *estanco* (lus.).]
tabaco. [Do taino *tabaco,* que designava o instrumento em forma de Y com que os índios fumavam.] *S. m.* **1.** Grande erva, molemente tomentosa, da família das solanáceas *(Nicotiana tabacum),* de origem sul-americana, de folhas amplas, oblongas, acuminadas e macias, flores vistosas, tubulosas e róseas, e que possui nicotina, razão por que a infusão das folhas serve para matar parasitos. Dessecadas, as folhas constituem o fumo ou tabaco. [Sin, bras.: *fumo.*] **2.** V. *fumo* (6). **3.** *Bras., N. E.* V. *rapé.* **4.** *Bras., N. E. Chulo.* A vulva: "Francelino tinha passado nos peitos a menina de Zé Gonçalo. Ela dera o tabaco." (José Lins do Rego, *Bangüê*, p. 92.) ◆ **Apanhar para o seu tabaco.** Ser castigado por imprudência ou falta cometida; levar para o seu tabaco. **Levar para o seu tabaco.** Apanhar para o seu tabaco.
tabaco-bom. *S. m. Bras.* V. *corucão.* [Pl.: *tabacos-bons.*]
tabaco-de-caco. *S. m.* Caco (5). [Pl.: *tabacos-de-caco.*]
tabacudo. [De *tabaca*[2] + *-udo.*] *Adj. Bras., BA. Pop.* Ignorante, bronco, obtuso.
tabagismo. [Do fr. *tabagisme.*] *S. m.* **1.** Abuso do tabaco. **2.** Intoxicação provocada por esse abuso. [A f. *tabaquismo,* preconizada pelos puristas, é muito p. us.]
tabagista. *S. 2 g.* Pessoa dada ao tabagismo [q. v.]; tabaquista.
tabagístico. *Adj.* Relativo ao, ou próprio do tabagismo.
tabaiacu. [Do tupi *i'tá,* 'pedra', + tupi *baia'ku,* 'baiacu', com aférese.] *S. m. Bras., PE.* Designação comum a diversos recifes submersos, alongados e poucos sinuosos; taci.
tabajara. *Bras. S. 2 g.* **1.** Indivíduo dos tabajaras, tribo indígena da serra de Ibiapaba, no CE, considerada tupi. ● *Adj. 2 g.* **2.** Pertencente ou relativo aos tabajaras. [Var.: *tobajara.*]
tabanagira. *S. f. Bras.* V. *maconha.*
tabânida. *S. m.* e *adj. 2 g.* V. *tabanídeo.*
tabânidas. *S. m. pl. Zool.* V. *tabanídeos.*
tabanídeo. *S. m.* **1.** Espécime dos tabanídeos. ● *Adj.* **2.** Pertencente ou relativo a eles.
tabanídeos. *S. m. pl. Zool.* Família de insetos dípteros, braquíceros, conhecidos por *mutucas.* Tamanho médio ou grande, sendo as fêmeas hematófagas. As larvas, cilíndricas, desenvolvem-se nos pântanos, lamas e solos úmidos. A maioria das espécies é nociva, por sugerem o sangue do homem e dos animais domésticos, e, na África ocidental, algumas formas do gênero *Chrysops* podem transmitir filaríase.
tabapuanense. *Adj. 2 g.* **1.** De, ou pertencente ou relativo a Tabapuã (SP). ● *S. 2 g.* **2.** Natural ou habitante de Tabapuã.
tabaque. *S. m. Bras.* F. aferética de *atabaque* (2).
tabaqueação. *S. f.* Ato de tabaquear.
tabaquear. *V. t. d.* **1.** Tomar pitadas de (tabaco ou rapé): *Cultiva hábitos do passado: ainda tabaqueia o bom rapé.* **2.** Sorver o fumo ou tabaco de (cigarro, charuto, cachimbo, etc.); fumar: *tabaquear um bom charuto. Int.* **3.** Tomar pitadas de tabaco ou rapé. **4.** Sorver tabaco ou fumo; fumar. [Conjug.: v. *frear.*]
tabaqueira. *S. f.* Bolsa ou caixa para tabaco ou rapé: "O cônego assistia a tudo isto, calado, rufando sobre a sua tabaqueira de oiro as unhas brunidas a cinza de charuto" (Aluísio Azevedo, *O Mulato*, p. 40). ~ V. *tabaqueiras.* ◆ **Tabaqueira anatômica.** Depressão no dorso da mão, na base do polegar, situada entre os tendões dos músculos longo extensor do polegar e do curto extensor do polegar.
tabaqueiras. [Pl. de *tabaqueira.*] *S. f. pl.* Ventas (1). ~ V. *tabaqueira.* ◆ **Ir às tabaqueiras de.** Esbofetear; esmurrar; ir às fuças de.
tabaqueiro. *Adj.* **1.** Referente a tabaco; tabacal. **2.** Diz-se daquele que usa tabaco. ● *S. m.* **3.** Aquele que usa tabaco. **4.** *Pop.* Nariz de ventas largas. **5.** *Bras.* V. *cornimboque.*
tabaquismo. [De *tabaco* + *-ismo.*] *S. m.* V. *tabagismo.*
tabaquista. [De *tabaco* + *-ista.*] *S. 2 g.* **1.** Tabagista. **2.** Rapezista.
tabarana. [De possível or. tupi.] *S. f. Bras.* **1.** V. *tubarana.* **2.** Facão chato.
tabardilão. [De *tabardilho?*] *S. m. Bras.* Epizootia dos eqüídeos.
tabardilha. [De *tabardo* + *-ilha.*] *S. f.* Tabardo pequeno. [Cf. *tabardilho.*]
tabardilho. [Do esp. *tabardillo.*] *S. m.* Febre acompanhada de exantemas. [Cf. *tabardilha.*]
tabardo. [Do fr. *tabard.*] *S. m.* Antigo capote, de mangas e capuz: "Tabardo novo de brístol fino, com forro de seda" (Antônio Feliciano de Castilho, *Camões,* I, p. 59). [Dim. irreg.: *tabardilha.*]
tabaréu. [Do tupi *taba'ré,* 'propenso à aldeia'.] *S. m.* **1.** Soldado bisonho. **2.** *Fig.* Indivíduo que pouco sabe do seu ofício. **3.** *Bras.* V. *caipira* (1): "Os tabaréus estavam voltando para as suas roças" (Jorge Medauar, *Água Preta,* p. 178). [Fem.: *tabaroa.*]
tabaroa (ô). [Fem. de *tabaréu.*] *S. f.* Mulher do campo; caipira, matuta: "Ah! tabaroas morenas de olhos negros, ... bocas que recendem mais que bogaris..." (Coelho Neto, *A Conquista,* p. 9).
tabasco. [Nome comercial, registrado.] *S. m.* Molho (1) muito condimentado, feito de certa pimenta-malagueta.
tabatinga. [Do tupi *tawa'tĩga,* 'barro branco'.] *S. f.* **1.** *Bras.* Argila sedimentar, mole, untuosa, e com certo teor de matéria orgânica. **2.** *Bras., GO.* Terra argilosa de variegadas cores. [Var.: *tauatinga, tobatinga.*]
tabatingal. *S. m. Bras., S.* Terreno onde há tabatinga em abundância.
tabatinguense. *Adj. 2 g.* **1.** De, ou pertencente ou relativo a Tabatinga (SP). ● *S. 2 g.* **2.** Natural ou habitante de Tabatinga.
tabe. [Do lat. *tabe.*] *S. f. Med.* Doença degenerativa crônica da medula espinhal, conseqüente da infecção do sistema nervoso pelo *Treponema pallidum*; ataxia locomotora progressiva. [F. paral.: *tabes;* equiv. lat.: *tabes dorsalis.*]
tabebuia. [Do tupi *tabebui.*] *S. f. Bras.* V. *caxeta.*
tabebuia-do-brejo. *S. f. Bras.* V. *caxeta.* [Pl.: *tabebuias-do-brejo.*]
tabefe. [Do ár. *Tabikh,* 'cozido'.] *S. m.* **1.** Espécie de gemada preparada com leite, ovos e açúcar fervidos. **2.** Soro de leite coalhado. **3.** *Pop.* Tapa, soco, sopapo.
tabela. [Do lat. *tabella.*] *S. f.* **1.** Pequena tábua, quadro ou papel, onde se registram nomes de pessoas ou de coisas. **2.** Escala de serviço. **3.** Relação, rol, lista, mapa, catálogo; tábua. **4.** Relação de preços máximos de mercadorias, sujeita a controle oficial. **5.** Registro ordenado de cálculos antecipadamente feitos, e que indica os respectivos resultados; índice. **6.** Bordo interno da mesa de bilhar; tablilha. **7.** Caixilho afixado à parede, em que se atravessam horizontalmente hastes, com bolinhas enfiadas, e que serve para marcar os pontos ganhos no jogo de bilhar. **8.** *Tip.* Quadro com cabeçalho e casas formadas por filetes que contêm linhas e colunas de palavras e algarismos. **9.** *Fut. Bras.* Jogada na qual dois ou mais jogadores, na corrida, trocam passes entre si. **10.** *Basq.* Suporte retangular da cesta, feito de acrílico, ou madeira, ou cimento, etc. ◆ **Tabela mestra.** *Bras. Mar.* Distribuição de todo o pessoal da tripulação de um navio pelos vários encargos de bordo e pelos postos que deve ocupar nas fainas gerais (incêndio, colisão, abandono, combate, etc.); detalhe. **Cair pelas tabelas. 1.** Sentir-se mal, e/ou fatigado, ou adoentado, etc.: *Depois do enfarte meu tio vive caindo pelas tabelas.* **2.** Atravessar uma situação difícil, desagradável ou penosa: *A nova legislação fiscal fez*

muita gente cair pelas tabelas. **3.** Não achar-se em bom estado (coisa, situação, etc.). **Por tabela.** *Fam.* Indiretamente: *Censurou-o* por tabela.

tabelado. [Part. de *tabelar*[2].] *Adj.* Que foi submetido a tabelamento (2): *produto* tabelado; *preços* tabelados.

tabelamento. *S. m.* **1.** Ação ou efeito de tabelar[2]. **2.** Controle oficial de preços por meio de tabelas.

tabelar[1]. [De *tabela* + *-ar*[1].] *Adj. 2 g.* **1.** Relativo a tabela. **2.** Que tem forma de tabela (1).

tabelar[2]. [De *tabela* + *-ar*[2].] *V. t. d.* **1.** Fazer tabela de: Tabelar *dados é função de estatístico.* **2.** Sujeitar a uma tabela os preços de: *O governo* tabelou *o arroz. T. i.* **3.** *Bras. Fut.* Fazer tabela (9): "Afonsinho tabelou com Rogério e centrou da linha de fundo." (*Jornal do Brasil*, 29.10.73.)

tabeliã. [Fem. de *tabelião.*] *S. f. Bras.* Tabelioa (4).

tabeliado. *S. m.* **1.** V. *tabelionato.* **2.** Antigo imposto pago pelos tabeliães.

tabelião. [Do lat. *tabellione.*] *S. m.* Notário público, que reconhece assinaturas e faz ou registra escrituras e outros documentos; notário. [Fem.: *tabelioa* (q. v.) e (bras.) *tabeliã*; pl.: *tabeliães, tabeliãs.* Como adj. só se usa no fem.]

tabeliar. *V. int.* Exercer o cargo de tabelião ou notário.

tabelinha. [Dim. de *tabela.*] *S. f. Bras. Fut.* Jogada semelhante à tabela (9), porém a curta distância e a grande velocidade.

tabelioa (ô). [Fem. de *tabelião.*] *Adj. (f.)* **1.** Diz-se de certas palavras ou expressões que constituem forma usual: "Após meia dúzia de palavras tabelioas de um exórdio conciso, leu o libelo" (José Veríssimo, *Cenas da Vida Amazônica*, p. 143). **2.** Diz-se das fórmulas usadas nos instrumentos lavrados por tabeliães. ~ V. *letra* —. ● *S. f.* **3.** *Pop.* Mulher de tabelião. [Sin., bras., nesta acepç.: *tabeliã.*]

tabelionado. *S. m.* V. *tabelionato.*

tabelional. *Adj. 2 g.* **1.** Relativo a tabelião. **2.** Tabelionesco.

tabelionático. *Adj.* Relativo a tabelionato.

tabelionato. *S. m.* **1.** Ofício de tabelião. **2.** Escritório de tabelião. [Sin. ger.: *tabelionado, tabeliado.*]

tabelionesco (ê). *Adj. Deprec.* Próprio de tabelião; tabelional.

taberna. [Do lat. *taberna.*] *S. f.* **1.** Casa onde se vende vinho a varejo; baiúca, bodega, locanda, tasca, tasco. **2.** Casa de pasto ordinária; locanda, tasca, tasco. [Var.: *taverna.*]

tabernáculo. [Do lat. *tabernaculu.*] *S. m.* **1.** Tenda portátil, que foi o santuário do deus dos hebreus, durante a peregrinação destes pelo deserto, símbolo da convivência ou encontro entre Deus e o homem. **2.** *Rel.* A parte do templo de Jerusalém onde ficava a arca-da-aliança. **3.** Tabulão. **4.** *Pop.* Residência, habitação.

tabernal. *Adj. 2 g.* **1.** Próprio de taberna; tabernário. **2.** Sujo, imundo. [Var.: *taverna1.*]

tabernário. [Do lat. *tabernariu.*] *Adj.* Tabernal (1). ~ V. *comédia* —*a* e *fábula* —*a.* [Var.: *tavernário.*]

tabernear. [De *taberna* + *-ear.*] *V. int.* Fazer vida de taberneiro: "há um taberneiro que fabrica em cada ano duas pipas de vinho. Com essas duas pipas taberneia, baldroca e aquartilha seis" (Ramalho Ortigão, *As Farpas*, I, p. 54). [Conjug.: v. *frear.*]

taberneiro. [Do lat. *tabernariu.*] *S. m.* **1.** Proprietário de taberna; baiuqueiro. **2.** Vendedor de vinho em taberna. **3.** V. *vendeiro.* **4.** *Fig.* Indivíduo pouco asseado; porco. [Var.: *taverneiro.*]

tabes. [Do lat. *tabes* (nom.), 'putrefação'.] *S. f. 2 n. Patol.* V. *tabe.*

tabescente. [Do lat. *tabescente.*] *Adj. 2 g.* **1.** Que está sofrendo de tabe. **2.** Que está ficando tábido.

➧**tabes dorsalis.** (tabes dorsális). [Lat.] *S. f. Patol.* V. *tabe.*

tabético. *Adj.* Tábido (2).

tabi. [Do ár. *'attabi.*] *S. m. Desus.* Certo tafetá grosso e ondeado.

tabica. [Do ár. *taTbīqā.*] *S. f.* **1.** Cunha que se encrava no topo de um madeiro que se está serrando, a fim de facilitar a serragem. **2.** *Constr. Nav.* Sarrafo preso no topo das balizas, de proa a popa, rematando a borda de embarcação miúda aberta. **3.** *Bras.* Certo vegetal de hastes delgadas e flexíveis. **4.** *Bras.* Chibata feita com a haste desse vegetal ou, algumas vezes, de outro. **5.** *Bras, Fig.* Pessoa magríssima.

tabicada. *S. f. Bras.* Pancada com tabica (4).

tabicar[1]. [De *tabica* (1) + *-ar*[2].] *V. t. d.* Pôr tabica (1) em. [Conjug.: v. *trancar.*]

tabicar[2]. [De *tabique* + *-ar*[2].] *V. t. d.* Pôr tabique (1) em. [Conjug.: v. *trancar.*]

tabidez (ê). *S. f.* Estado ou qualidade de tábido.

tábido. [Do lat. *tabidu.*] *Adj.* **1.** Podre, corrupto: "Deus verte a flama sidérea / Na escura e tábida vasa" (Raimundo Correia, *Poesias*, p. 289). **2.** *Patol.* Que sofre de tabe; tabético.

tabífico. [Do lat. *tabificu.*] *Adj.* **1.** Que corrompe ou apodrece. **2.** *Patol.* Que produz tabe.

tabijara. *S. m. Bras., PR.* Valente. V. *valentão* (3).

tabique. [Do ár. *taxbīk.*] *S. m.* **1.** Espécie de parede pouco espessa, geralmente de tábuas, e que serve para dividir os quartos nas casas; tapume: "os nossos leitos estavam apenas separados pelo fino, frágil tabique coberto de ramarias azuis!" (Eça de Queirós, *A Relíquia*, p. 131). **2.** V. *taipa* (1). **3.** *Anat.* Membrana que divide uma cavidade; septo.

tabirense. *Adj. 2 g.* **1.** De, ou pertencente ou relativo a Tabira (PE). ● *S. 2 g.* **2.** Natural ou habitante de Tabira.

tabizar. [De *tabi* + *-izar.*] *V. t. d.* Tornar ondulado como o tabi.

tabla[1]. [Do lat. *tabula*, 'tábua'.] *S. f.* **1.** Lâmina; chapa. ● *Adj.* **2.** Diz-se do diamante chato e lapidado.

tabla[2]. *S. m.* Tambor bengalês, de origem árabe, cuja principal característica está no esticamento da membrana por meio de pequenos cilindros colocados entre a cordagem e o fuste, e que se toca com a mão direita, enquanto a esquerda percute um segundo tambor.

tablada. [Do esp. plat. *tablada.*] *S. f. Bras., RS.* **1.** Espécie de feira de gado. **2.** V. *charqueada.*

tablado. [Do lat. *tabulatu.*] *S. m.* **1.** Parte do teatro onde os atores representam; palco: "E quando algum dos seus heróis voltar a aparecer durante algumas noites, no tablado de um teatro de Paris..." (Eça de Queirós, *Cartas Familiares e Bilhetes de Paris*, pp. 185-186). **2.** Palanque (1). **3.** Estrado de madeira. **4.** *Bras., RS.* Assoalho de pontes.

tablatura. [Do fr. *tablature.*] *S. f. Mús.* Na Idade Média e no Renascimento, sistema de notação musical, em forma de partitura, usado para a grafia das polifonias instrumentais, ou instrumentais e vocais, e no qual apenas a voz recebia notação normal, enquanto as outras partes se apresentavam em notação alfabética ou cifrada. Usavam-se, para os instrumentos de sopro, sistemas especiais, que mostravam os respectivos orifícios, ora tapados pelos dedos, ora descobertos, para darem as diversas notas e, ainda, sinais suplementares para a dinâmica e a rítmica. [Tb. se diz *tavolatura* (q. v.).] ◆ **Tablatura de alaúde.** *Mús.* Sistema de notação usado para esse instrumento, e que utilizava letras, números e outros sinais, não para representarem os sons, mas para indicarem ao executante as diversas posições dos dedos da mão esquerda sobre o braço do instrumento. [Sistema equivalente é hoje empregado no ensino do violão como instrumento acompanhador.]

➧**tableau** (tablô). [Fr., 'quadro'.] *S. m.* Us. como interjeição após o relato de um incidente, no sentido de: *'Imagine(m) a cena!'*

tablete. [Do fr. *tablette.*] *S. m. Bras.* Produto alimentar ou medicamento solidificado, que se apresenta sob a forma de placa, geralmente retangular: *um* tablete *de chocolate e outro de manteiga-de-cacau.*

tablilha. [Do esp. *tablilla.*] *S. f.* **1.** Tabela (6). **2.** *Fig.* Meio indireto.

tablóide. [Do ingl. *tabloid.*] *Adj. 2 g. Bras.* **1.** Que tem forma de pastilha. ● *S. m.* **2.** Publicação em formato de meio jornal.

tabo. *S. m.* Embarcação asiática e africana, de um mastro e vela latina.

taboa (ô). *S. f. Bras., SP.* Var. de *tabua.*

taboca[1]. [Do tupi *ta'boka.*] *S. f.* **1.** *Bras.* Bambu (1), taquara. **2.** *Bras., N.E.* Gomo de bambu[1] que se enche de pólvora no fabrico de foguetes, pistolões, etc. **3.** Espécie de formiga *(Camponotus abdominalis).* **4.** *Bras., BA.* Pequena casa de negócio; vendinha. **5.** *Bras., BA.* Obreia de açúcar em forma de cone.

taboca[2]. [De *tábua* (8).] *S. f. Bras. Gír.* **1.** Logro, burla, decepção. **2.** Negativa, recusa. ◆ **Passar taboca.** *Bras. Gír.* Romper noivado para casar com outrem.

taboca-gigante. [De *taboca*[1] + *gigante.*] *S. f. Bras., Amaz.* Bambu da família das gramíneas *(Gadua superba)*, da floresta pluvial, cujos colmos medem de 6 a 20 m de altura e de 15 a 20 cm de diâmetro. As sementes são feculentas e alimentares; com as hastes se fazem esteios de casas, escadas e canos. [Sin.: *taquaruçu.* Pl.: *tabocas-gigantes.*]

tabocal. *S. m. Bras.* Quantidade mais ou menos considerável de tabocas [v. *taboca*[1] (1)] dispostas proximamente entre si; taquaral, bambual.

taboeira. [De *tamboeira*, com desnasalação.] *S. f. Bras.* Qualquer planta que cresce ou se desenvolve mal. [Cf. *tamboeira.*]

taboqueador (ô). *Adj. e s. m. Bras.* Que ou aquele que taboqueia.

taboquear. [De *taboca*[2] + *-ear.*] *V. t. d. Bras.* **1.** Passar a taboca[2] em; lograr; desiludir. **2.** Faltar à palavra dada a: *Prometeu colocar o amigo, e o* taboqueou. [Conjug.: v. *frear.*]

taboqueiro. [De *taboca*[2] + *-eiro.*] *Adj.* **1.** *Bras.* Que vende caro; careiro. **2.** *Bras.* Caloteiro, taboqueador. ● *S. m.* **3.** *Bras., BA.* Proprietário de taboca[1] (4).

taboquinha. [Dim. de *taboca*[1].] *S. f. Bras., AM* a *RJ.* Capim semi-escandente que alcança 3 m, da família das gramíneas *(Panicum latifolium)*, da mata ou descampado. Folhas ovado-lanceoladas, acuminadas, estriadas e de margem áspera; as espiguetas medem 3 mm, e agregam-se em espigas dispostas em panículas.

tabu[1]. [Do polinésio *tabu*, 'sagrado', 'invulnerável', atr. do ingl. *taboo.*] *S. m.* **1.** Nas sociedades primitivas, proibição aos profanos de se relacionarem com pessoas, objetos ou lugares determinados, ou deles se aproximarem, em virtude do caráter supostamente sagrado dessas pessoas, objetos ou lugares, e cuja violação acarreta ao culpado ou a seu grupo o castigo divino. **2.** Proibição convencional imposta por tradição ou costume a certos atos, modos de vestir, temas, palavras, etc., tidos como impuros, e que não pode ser violada, sob pena de reprovação e perseguição social: tabus *sexuais.* **3.** Aquilo que é objeto de uma dessas proibições: *Para muitos, sexo é* tabu. **4.** *P.* ext. Aquilo cujo uso é proibido. **5.** *P.* ext. Escrúpulo sem justificativa ou fundamento positivo: *É uma pessoa cheia de* tabus. ● *Adj. 2 g.* **6.** Que tem caráter sagrado, sendo interdito a qualquer contato: *armas* tabus. **7.** Que é proibido, perigoso, por ser considerado impuro, impudico. **8.** *P.* ext. Proibido, interdito: *assuntos* tabus.

tabu[2]. *S. m. Bras.* Açúcar que, por se haver queimado ao apurar, ou não ser bem limpo, não coalha bem na fôrma, nem entesta para se lhe pôr barro e purgá-lo.

tabu[3]. *S. m. Bras., BA.* Var. de *tabua.*

tabua. *S. f. Bras.* Grande erva (até 3 m) da família das tifáceas *(Typha domingensis)*, que vive em águas paradas e rasas, pois radica-se no fundo lamacento por meio de um rizoma, que é comestível. Tem folhas ensiformes, pontudas e resistentes, flores unissexuais e inconspícuas arrumadas em espigas grossas e compactas, de sexos separados, e espigas frutíferas com pêlos que parecem paina. As folhas servem para tecer esteiras e cestos, e podem dar celulose para papel. [Sin.. *partasana* e (lus.) *bunho.* Var.: *taboa* e *tabu.* Cf. *tábua*, s. f., e *Tábua*, top.]

tábua. [Do lat. *tabula.*] *S. f.* **1.** Peça plana, de madeira. **2.** Quadro, tela. **3.** Tabela (3). **4.** Mesa de jogo ou de refeições. **5.** Cada um dos lados do pescoço do cavalo e doutros animais: "Caminhou para o cavalo e pousou a mão na tábua do pescoço." (M. Cavalcanti Proença, *Manuscrito Holandês*, p. 86.) **6.** *Mat.* Quadro de números metodicamente ordenados que permite obter, com pouca demora, o valor numérico de um resultado que se deseja. [Ex.: tábua de multiplicar (Pitágoras); tábua de quadrados; tábua de logaritmos.] **7.** *Bras.* Recusa a pedido de casamento: "Foi pedir em casamento a terrível Ciganinha e levou formidável tábua" (Visconde de Taunay, *Ao Entardecer*, p. 72). **8.** *Bras.* Engano propositado; logro: *Mau-caráter, acabou dando uma* tábua *no amigo.* **9.** *Bras.* V. *guaivira.* [Cf. *tabua.*] ◆ **Tábua corrida.** *Arquit.* Piso de tábuas, em geral, largas e contínuas. **Tábua de bater roupa.** *Bras., N.E. Pop. Fig.* Mulher cujo busto quase não tem relevo. **Tábua de logaritmos.** *Mat.* Tabela dos logaritmos dos números numa base. **Tábua de matéria.** V. *sumário* (5). **Tábua de salvação.** Último expediente ou recurso para situação aflitiva. **Tábua rasa. 1.** Superfície plana preparada para receber uma inscrição, porém onde nada ainda se gravou. **2.** Quadro ou tela antes de receber as tintas. **Tábuas de Bacon.** Coleções de exemplos típicos que registram a presença, a ausência, ou o grau de intensidade de uma qualidade ou fenômeno, e que foram preconizadas por Francis Bacon [v. *baconiano*] como uma ordenação preliminar daqueles fenômenos ou qualidades a partir da qual se desenvolveria a indução. **Tábuas de comutação.** Em atuária, tábuas utilizadas para facilitar os cálculos sobre seguros. **Fazer tábua rasa de. 1.** Suprimir inteiramente (o que existe), para substituí-lo por coisas novas. **2.** Não fazer caso de; não levar em conta, em consideração; desprezar, ignorar: "O sexo, insubmisso, urgente, fez tábua rasa dos pudores da epiderme e de outras relutâncias inconfessadas" (Miguel Torga, *Traço de União*, p. 115). [Sin. ger.: *fazer tábula rasa de.*] **Levar tábua.** *Bras.* Ser logrado, desenganado. **Na tábua da venta.** Cara a cara; na presença; nas bochechas: *Recebeu insultos na tábua da venta, e não revidou.*

tabuada. [De *tábua* + *-ada*[1].] *S. f.* **1.** *Arit.* Tabela das operações elementares com números de um ou dois algarismos, usada no aprendizado das quatro operações e de outras noções elementares. **2.** Livrinho que contém essa tabela. **3.** Índice de livro. **4.** *Fig. Fam.* Repertório, compilação.

tabuadense. *Adj. 2 g.* e *s. 2 g.* Aparecidense[2].

tabuado. [Do lat. *tabulatu.*] *S. m.* Conjunto de peças de madeira, unidas entre si ou colocadas lado a lado, que constituem forro de assoalho, o próprio assoalho, revestimento de parede, a própria parede, etc.: *O tabuado do assoalho está empenado; A parede era revestida de um tabuado de jacarandá.*

tabual. *S. m.* Quantidade mais ou menos considerável de tabuas dispostas proximamente entre si.

tabuame. [De *tábua* + *-ame.*] *S. m.* Porção de tábuas: "o vocabulário de marinharia me fascinou sempre como uma língua de peregrinos; então fui um desenvolto grumete a correr sobre o tabuame de peroba, cheirando a serragem e a novo." (Carlos Lacerda, *A Casa do Meu Avô*, pp. 179-180).

tabuão. *S. m. Bras., RS.* **1.** Tábua grande; prancha. **2.** Estiva ou ponte de madeira bruta para se atravessarem pequenos cursos de água ou terrenos encharcados.

tabuiaiá. [Do tupi *tabuya'yá.*] *S. m. Bras.* V. *cauanã.* [Var.: *tabujajá.*]

tabuinha (u-í). *S. f.* **1.** Tábua pequena e delgada. **2.** Conjunto de fasquias ou ripas usadas nos vãos das portas ou janelas para evitar o sol e/ou os olhares de estranhos.

tabujajá. [Var. de *tabuiaiá.*] *S. m. Bras.* V. *cauanã.*

tábula. [Do lat. *tabula.*] *S. f.* **1.** Pequena peça redonda, geralmente de osso ou de marfim, usada em vários jogos. **2.** Pequena placa de madeira, marfim ou metal, escavada para conter camada de cera, na qual os romanos escreviam com um estilo; códex, pugilar. [Usava-se freqüentemente em grupos de duas, três, cinco ou mais unidades (*díptico, tríptico, pentáptico, políptico*), ligadas por charneiras, formando conjunto, igualmente chamado *códex*, que se fechava como um livro e podia receber atacas, as quais se lacravam quando continham mensagens sigilosas. Var.: *távola.*] [Cf. *tabula*, do v. *tabular.*] ♦ **Tábula rasa.** *Filos.* No empirismo mais radical, estado de indeterminação completa, de vazio total, que caracteriza a mente antes de qualquer experiência. **Fazer tábula rasa de.** Fazer tábua rasa de.

tabulado. [Do lat. *tabulatu.*] *S. m.* **1.** Tabuado. **2.** Palco improvisado.

tabulador (ô). [Trad. do ingl. *tabulator.*] *S. m.* Dispositivo das máquinas de escrever que permite, mediante a simples pressão de uma tecla, alinhar o carro em posições previamente fixadas.

tabulão. [De *tábula* + *-ão*[1].] *S. m.* Mesa de ourives; tabernáculo.

tabular[1]**.** [Do lat. *tabulare.*] *Adj. 2 g.* **1.** Relativo a tábuas, quadros, mapas, etc., ou ao emprego deles. **2.** Que tem forma de tábua ou tabela. **3.** *Bibliol.* Diz-se do livro xilografado [q. v.], em razão das pequenas tábuas (pranchas) gravadas com que era impresso; tabulário. — V. *composição —, livro —* e *raiz —.*

tabular[2]**.** [Trad. do ingl. *to tabulate.*] *V. t. d.* Marcar em (a máquina de escrever) o(s) ponto(s) em que deve parar o carro quando comprimido o tabulador. [Pres. ind.: *tabulo, tabulas, tabula*, etc.; fut. pret. *tabularia*, etc. Cf. *tábula*, s. f., pl. *tábulas*, e *tabulária*, fem. de *tabulário.*]

tabulário. [De *tabular*[1] + *-io*[2].] *Adj. Bibliol.* Tabular[1] (3). [Fem.: *tabulária.* Cf. *tabularia*, do v. *tabular.*] ~ V. *livro —*

tabuleirense. *Adj. 2 g.* **1.** De, ou pertencente ou relativo a Tabuleiro do Castro (BA). ● *S. 2 g.* **2.** Natural ou habitante de Tabuleiro do Castro.

tabuleiro. [De *tábula* + *-eiro.*] *S. m.* **1.** Peça de madeira, de metal ou de outro material, com fundo chato e rebordos, destinada a conter e/ou transportar diversos objetos; bandeja. **2.** Quadro de madeira ou de outra matéria, subdividido em 64 quadrados alternadamente pretos e brancos, onde se joga o xadrez, as damas, etc. **3.** Patamar[1] (1). **4.** Parte plana duma ponte ou viaduto, que se apóia, nas colunas ou nos arcos e recebe a superestrutura das estradas. **5.** V. *talhão*[1] (1). **6.** V. *leira* (2). **7.** Talho (9). **8.** Parte onde assenta o teclado do piano. **9.** *Bras.* Planalto pouco elevado, em geral arenoso e de vegetação rasteira. **10.** *Bras.* Banco de areia que se forma no meio da corrente e aparece na vazante. **11.** *Bras., AM.* Ninho de tartarugas. **12.** *Bras., N.E.* Faixa de terra de poucas árvores e quase sem nenhum arbusto. **13.** *Bras., MG.* Designação comum a planaltos cuja superfície não tem nível perfeito, e separados por escarpas abruptas. **14.** *Bras., S.* V. *assadeira* (2).

tabuleta (ê). [De *tábula* + *-eta.*] *S. f.* **1.** Tábua de madeira, metal, plástico, etc., com letreiro, que se usa colocar à porta de certos estabelecimentos e em edifícios públicos. **2.** Letreiro, anúncio. **3.** Sinal, aviso. **4.** *Bras., RS.* Tábua que se ata por meio de um arame ao focinho dos bezerros para os impedir de mamar; destetadeira.

tabuliforme. [Do lat. *tabula*, 'tábua', + *-i-* + *-forme.*] *Adj. 2 g.* Que tem forma de tábua, ou de tabuleiro.

tabulista. [Do lat. *tabula*, 'tábua', 'tabela', + *-ista.*] *S. 2 g.* Pessoa que faz tábuas ou tabelas astronômicas ou geométricas, etc.

taburno. *S. m.* **1.** Estrado, tablado. **2.** Peça de madeira, em forma de telha, usada para transportar torrões para as paredes das marinhas. **3.** Tampa das sepulturas, nas igrejas.

taca[1]**.** [F. aferética de *ataca*?] *S. f. Bras.* **1.** Pancada, bordoada. **2.** Relho, mangual: "o rapazola .... estalou a taca. A Faísca amiudou o passo puxando a tropa." (Coelho Neto, *Banzo*, p. 83). ♦ **Meter a taca em.** *Bras. Fam.* Meter o pau em (2).

taca[2]**.** *S. f.* Erva da família das tacáceas (*Tacca pinnatifida*), de folhas irregularmente recortadas, e que só difere das amarilidáceas pelo ovário unilocular, tendo um bolbo rico em amido, que é extraído e vendido no comércio, em Taiti.

taça. [Do ár. vulg. *Tasâ.*] *S. f.* **1.** Vaso largo, de pouca profundidade, geralmente provido de pé, para beber. **2.** Troféu com o feitio desse vaso. **3.** Copo (1). **4.** O conteúdo de uma taça; taçada: *Tomou duas taças de champanha.*

tacaca. [De *maritacaca*, com aférese.] *S. f. Bras. Pop.* **1.** Suor humano fétido; bodum. **2.** Mau cheiro. **3.** *N.E.* V. *gambá* (1).

tacacá. [Do caribe *taka'ká.*] *S. m. Bras., AM* e *PA.* Mingau quase líquido de goma de tapioca temperado com tucupi, jambu, camarão e pimenta.

tacacazeiro (cà). [Adapt. do tupi *takaka'ïwa.*] *S. m.* **1.** *Bras., Amaz.* Designação de várias espécies do gênero *Sterculia*, da família das esterculiáceas, que habitam as florestas úmidas. São árvores grandes, de madeira avermelhada, frutos, magnos, lenhosos, que se abrem por uma fenda, e sementes que fornecem óleo ordinário. **2.** Boceta-de-mula.

tacácea. *S. f.* Espécime das tacáceas.

tacáceas. *S. f. pl. Bot.* Família de plantas floríferas, monocotiledôneas, da ordem das liliíforas, composta de ervas providas de tubérculos amiláceos e grandes folhas comumente lobadas, e que possui apenas o gênero *Tacca*, com cerca de 30 espécies intertropicais, sem nenhuma importância.

tacáceo. *Adj.* Pertencente ou relativo às tacáceas.

tacada. *S. f.* **1.** Pancada com taco[1] (1 e 2). **2.** Lucro de soma vultosa. **3.** Golpe imprevisto. **4.** *Bras., N.E.* Grande porção; bolada. **5.** *Bras., N.E.* Ato de pedir dinheiro emprestado ou dado; facada. ♦ **Tacada de cego.** *Bras., N.E.* Grande pancada. **De uma tacada.** *Bras.* De uma vez; duma assentada.

taçada. [De *taça* + *-ada*[1].] *S. f.* Taça (4).

tacana. [Do tupi *ta'kana.*] *S. f. Bras.* Entre os indígenas tapirapés, casa destinada a danças e outras reuniões do sexo masculino. [Cf. *casa-dos-homens.*]

tacanharia. *S. f.* V. *tacanhice.*

tacanhear *V. int.* Proceder com tacanhice. [Conjug.: v. *frear.*]

tacanhez (ê). *S. f.* V. *tacanhice.*

tacanheza (ê). *S. f.* V. *tacanhice.*

tacanhice. *S. f.* Qualidade, ato ou proceder de quem é tacanho; tacanharia, tacanhez, tacanheza.

tacanho. *Adj.* **1.** De pequena estatura; baixo. **2.** Pequeno, curto. **3.** V. *avaro* (1): "Os pródigos e dissipadores do seu e alheio censuram de tacanhos, insociáveis e apoucados os prudentes, econômicos e poupados." (Marquês de Maricá, *Máximas, Pensamentos e Reflexões*, p. 309); "muito menos caberá à multidão pretender cercear o poder criador do gênio, sob o pretexto de tacanhas conveniências." (Adelino Magalhães, *Obras Completas*, II, p. 228). **4.** Manhoso, astucioso, sagaz. **5.** Que não revela visão, largueza de vistas, nas idéias; estúpido, inhenho: "Semelhante escola é produtora de monstros, ou só deve engendrar espíritos estupendamente tacanhos." (Raimundo Correia, *Poesia Completa e Prosa*, p. 587.)

tacanhoba. *S. f. Bras., MA.* Tanga usada por canoeiros e jangadeiros.

tacanhuna. *Bras. S. 2 g.* **1.** Indivíduo dos tacanhunas, tribo indígena do rio Tacanhuna, afluente do Tocantins. ● *Adj. 2 g.* **2.** Pertencente ou relativo a essa tribo.

tacaniça. *S. f.* **1.** Lanço de telhado que resguarda os lados do edifício. **2.** Viga que vai da cumeeira ao ângulo formado pelo encontro da parede da fachada com a lateral, nas casas de telhado de quatro águas: "via-se .... uma casa de tacaniça, de aspecto quase claustral, que convidava ao repouso." (Franklin Távora, *Lourenço*, p. 142.)

tacão. [Do it. *taccone.*] *S. m.* **1.** O salto do calçado: "As lajes do claustro, calcadas pelo tacão de nossas botinas de visitantes apressados, estão cobertas .... de inscrições" (Afonso Arinos, *Histórias e Paisagens*, p. 213). **2.** Pedaço de sola, de pau, de cortiça, empregado na sua fabricação. **3.** *Fig.* Pateada em teatro.

tacapaço. [De *tacape* + *-aço.*] *S. m. Bras.* **1.** Grande tacape. **2.** Golpe de tacape.

tacape. [Do tupi *taka'pé.*] *S. m.* Arma ofensiva, espécie de maça que era usada por índios americanos; tangapema, ivirapema ou ivirapeme. [Aum.: irreg.: *tacapaço.* Cf. *clava.*]

tacar. [De *atacar*, com aférese.] *V. t. d. Bras.* **1.** Dar tacada em (bola de bilhar, de golfe, etc.). **2.** Dar taca[1] (1) em; bater, surrar. *T. d. e i.* **3.** *Pop.* Atacar (10 a 13). [Conjug.: v. *trancar.*]

tacaratuense. *Adj. 2 g.* **1.** De, ou pertencente ou relativo a Tacaratu (PE). ● *S. 2 g.* **2.** Natural ou habitante de Tacaratu.

tacaré. [Do tupi *taka'ré*, 'haste curva'.] *S. m. Bras.* Espécie de mandioca.

tacauá. *S. f. Bras., Amaz.* V. *tacuá.*

taceira. *S. f.* Mostrador onde os ourives expõem taças e outros vasos.

tacelo (ê). *S. m. Escult.* V. *tasselo.*

tacha[1]**.** [Do ant. provenç. *tacha*, atr. do esp. *tacha.*] *S. f.* Pequeno prego de cabeça larga e chata; brocha: "Corcéis de ricos, com arreios de prata e selas com tachas de ouro" (Agripa Vasconcelos, *Gongo Soco*, p. 15). [Cf. *taxa*, do v. *taxar* e s. f.]

tacha[2]**.** [Do fr. *tache.*] *S. f.* **1.** Mancha, nódoa; mácula. **2.** *P. ext.* Defeito moral; mácula. [Cf. *taxa*, do v. *taxar* e s. f.]

tacha[3]**.** [De *tacho.*] *S. f. Bras.* Tacho grande, usado nos engenhos de açúcar: "Nas tachas, o mel fervia, engrossava" (Mário Sete, *Senhora de Engenho*, p. 122). [Cf. *taxa*, do v. *taxar* e s. f.]

tachá. [Voc. onom.] *S. m. Bras.* V. *guarandi.*

tachã. [Voc. onom.] *S. f. Bras.* Ave anseriforme, da família dos anhimídeos (*Chaua torquata* (Oken)), que ocorre da Argentina ao Paraguai, e no C.O. e S. do Brasil. Tem coloração geral cinzenta, e zona nua, vermelha, no meio do pescoço, nas pernas e em volta dos olhos. A garganta e parte do pescoço, acima da zona nua, brancas; encontro da asa com forte esporão córneo, e cabeça desprovida de espinho. Vive nos alagadiços, alimentando-se de vegetais tenros. [Sin.: *anhumapoca, inhumapoca, anhupoca, chajá, taã, xaiá, xajá.*]

tachada. [De *tacho* + *-ada*[1].] *S. f.* **1.** O que um tacho (1) pode conter. **2.** Tacho (1) cheio: "No armazém, ferve uma tachada de leite coalhado" (Adalberon Cavalcanti Lins, *Curral Novo*, p. 318). **3.** *Gír.* V. *bebedeira* (1). [Cf. *taxada*, part. fem. de *taxar.*]

tachador (ô). *Adj.* e *s. m.* Que ou aquele que tacha. [Cf. *taxador.*]

tachão[1]**.** [De *tacha*[1] + *-ão*[1].] *S. m.* **1.** Tacha[1] grande. **2.** *Encad.* Cada um dos pregos que outrora se punham no centro e nos cantos das pastas de certas encadernações, como ornato e proteção.

tachão[2]**.** [De *tacho* + *-ão*[1].] *S. m.* Tacho (1) grande.

tachar. [De *tacha*[2] + *-ar*[2].] *V. transobj.* **1.** Pôr tacha ou defeito em; acusar, censurar, notar: *Às primeiras respostas, o professor tachou-o de ignorante;* "Se Francisco de Sá de Miranda tachou indiretamente de *pasquinadas* as farsas do seu coevo [Gil Vicente], não lhe faltaria direito a mais sensível desforra" (Camilo Castelo Branco, *História e Sentimentalismo*, p. 35); "Não me tachem de espírito vil." (Machado de Assis, *A Semana*, II, p. 421). [Pres. ind.: *tacho, tachas, tacha*, etc.; pres. subj.: *tache*, etc. Cf. *taxo, taxas, taxa, taxe*, do v. *taxar; taxa*, s. f., pl. *taxas; taxe* (cs), s. f.; e *táxi* (cs), s. m. e s. f. "Sobre a grande confusão que reina quanto ao significado dos verbos *tachar* e *taxar*, leia-se a erudita observação do professor Aires da Mata Machado Filho (*Escrever certo*, 2ª *série*, pp. 32-35), de onde se transcreve o seguinte: .... Vejamos agora a lição que é possível colher da consulta ao dicionário. Parece-me que a dúvida caberá, quanto à grafia do verbo, em frases como: F. *taxou* de exemplar o seu procedimento; F. *tachou* de imprestável o seu trabalho. O nó da questão está na etimologia e na semântica dos vocábulos em apreço. *Taxar* (com *x*) é regular o preço de, donde *avaliar, julgar*, em sentido translato. (L. de Vasconcelos, *Lições de Português*, p. 185). (O título exato dessa obra de Leite de Vasconcelos não é *Lições de Português*, e sim *Lições de Filologia Portuguesa*.) Assim, examinando o procedimento de alguém, posso *taxá-lo* de exemplar ou de incorreto. Entretanto não ficaria bem dizer que F. *tachou* (com *ch*) de exemplar o seu procedimento. *Tachar* vem de *tacha*, que quer dizer mancha, defeito. Pôr *tacha*, *tachar* é pôr defeito, encontrar senão. Explica-se pois a mistura de águas, nas vertentes semânticas desses dois vocábulos. É erro dizer *tachar* de bom um trabalho, e tanto se pode dizer *taxar* de bom como *taxar* de mau pelas razões ainda agora expostas. Ambos os verbos significam, ao cabo de contas, o resultado de um julgamento." (Francisco Fernandes, *Dicionário de Verbos e Regimes*, s. v. *taxar*).]

tachar-se. [De *tacho* (3) + *-ar*[2] + *se*[1], provavelmente.] *V. p. Gír.* Embriagar-se, embebedar-se.

tachear. [De *tacha*[1] + *-ear*.] *V. t. d. Bras.* **1.** Pregar tachas em. **2.** Adornar com tachas. [Sin. ger.: *tachonar*. [Conjug.: v. *frear*.]

tacheiro. *S. m. Bras., N.E.* Nos engenhos de açúcar, ajudante que se encarrega dos tachos.

tachim. *S. f.* Capa de couro, ou caixa, com que se protege livro ou álbum de encadernação de luxo.

tachismo. [Do fr. *tachisme*.] *S. m. Art. Plást.* Na pintura abstrata, maneira de usar a cor por meio de pequenas manchas imprecisas.

tacho. *S. m.* **1.** Vaso de metal ou de barro, largo e de pouca fundura, em geral com asas. **2.** *Fam.* Cozinheira (1). **3.** Antiga medida portuguesa equivalente a 25 litros. **4.** *Bras. Pop.* Piano ruim, velho, ou desafinado: "— Pois, se em vez de piano, lhe haviam dado um t a c h o, um verdadeiro t a c h o, para executar um noturno de Chopin! dificílimo." (Aluísio Azevedo, *Casa de Pensão*, p. 121.) **5.** *Bras., N.E.* Relógio ruim. **6.** *Gír.* V. *dinheiro* (3). [Cf. *taxo*, do v. *taxar*.] ♦ **Tacho areado.** *Bras., CE. Pop.* Indivíduo vermelho e ruivo.

tachonado. [Part. de *tachonar*.] *Adj.* Cravado de tachões [v. *tachão*[1]].

tachonar. [De *tachão*[1] + *-ar*[2].] *V. t. d.* **1.** V. *tachear*. *T. d. e i.* **2.** Esmaltar, mesclar, matizar.

taci. [Do tupi *itaa'si*, 'pedra cortada, separada'.] *S. m. Bras., PE.* Tabaiacu.

taciba. [Do tupi *tasi'wa*.] *S. f. Bras.* Espécie de formiga.

tacibense. *Adj. 2 g.* **1.** De, ou pertencente ou relativo a Taciba (SP). ● *S. 2 g.* **2.** Natural ou habitante de Taciba.

tacibura. [Do tupi *tasi'bura*.] *S. f. Bras., Amaz.* V. *formiga lava-pé*.

tacipitanga. [Do tupi *tasipi'tãga*, 'formiga vermelha'.] *S. f. Bras., Amaz.* V. *formiga lava-pé*.

tacitífluo. [De *tácito* + *-i-* + *-fluo*.] *Adj.* Que corre ou escorre sem ruído.

tácito. [Do lat. *tacitu*.] *Adj.* **1.** Silencioso, calado. **2.** Em que não há rumor; silencioso: *ambiente tácito, ideal para a meditação*. **3.** Que não se exprime por palavras; subentendido, implícito: *aprovação t á c i t a*; *Distantes embora, a identidade dos ideais criou entre eles uma t á c i t a aliança*; "Escuta a queixa t á c i t a e celeste / Que este silêncio fala a ti, tão triste..." (Francisca Júlia, *Esfinges*, p. 122.) **4.** Que, por não ser expresso, de algum modo se deduz. **5.** Oculto, secreto.

taciturnidade. [Do lat. *taciturnitate*.] *S. f.* **1.** Qualidade de taciturno. **2.** Solidão, soledade. **3.** Tristeza, melancolia; misantropia.

taciturno. [Do lat. *taciturnu*.] *Adj.* **1.** Que fala pouco; silencioso, calado. **2.** Triste, tristonho: "O funcionário americano era louro, magro e jovial. O mexicano gordo, cabeludo e t a c i t u r n o" (Érico Veríssimo, *México*, p. 15).

taco[1]. *S. m.* **1.** Pau roliço, comprido, com que se impulsionam as bolas no jogo de bilhar. **2.** Pau com que se toca a bola, nos esportes do golfe, do pólo, do hóquei, etc. **3.** Peça de atafona. **4.** Bucha de espingarda caçadeira ou de peça de artilharia. **5.** Pedaço de madeira que se embute na parede para receber pregos ou parafusos de fixação; bucha, tarugo. **6.** Pedaço de madeira de soalho usado para revestir pisos em lajes de concreto armado. **7.** *Grav.* V. *prancha* (4). **8.** *Bras., S. Gír.* Indivíduo jeitoso, capaz, hábil: *O rapaz é t a c o para esportes*. **9.** *Bras., S. Gír.* Indivíduo valente, corajoso, temível como parceiro. ♦ **Taco a taco.** Pau a pau.

taco[2]. *S. m. Bras., N.E.* Bocado, pedaço, tico.

▲**taco-.** [Do gr. *táchos, eos-ous*.] *El. comp.* = 'velocidade': *tacômetro*.

tacógrafo. [De *taco-* + *-grafo*.] *S. m.* Aparelho que registra velocidades; tacômetro registrador.

tacomaré. *S. m. Bras.* Variedade de cana-de-açúcar.

tacômetro. [De *taco-* + *-metro*.] *S. m.* Instrumento para medir velocidades, especialmente as de rotação de um motor ou de um eixo; taquímetro, conta-giros, conta-voltas. ♦ **Tacômetro registrador.** Tacógrafo.

taconhapé. *S. 2 g. Bras.* **1.** Indivíduo dos taconhapés, tribo indígena tupi do rio Iriri, afluente do Xingu.● *Adj. 2 g.* **2.** Pertencente ou relativo a essa tribo. [Sin. ger.: *tacunapéua, péua*.]

táctico. *Adj. Quím.* V. *polímero* —.

tacticografia. [Do gr. *taktikós*, 'tático[1]', + *-graf(o)-* + *-ia*.] *S. f.* Taticografia.

tacticográfico. *Adj.* Taticográfico.

tacticógrafo. *S. m.* Taticógrafo.

táctil. *Adj. 2 g.* Tátil. [Pl.: *tácteis*.]

tactilidade. *S. f.* Tatilidade.

tactismo. *S. m.* Tatismo.

tacto. *S. m.* Tato[1]: "Difícil identificar imediatamente as formas que ali se acumulavam. O t a c t o descobriu uma coisa redonda e lisa, a curva de uma cantoneira." (Carlos Drummond de Andrade, *Contos de Aprendiz*, p. 42.)

tactossol. [Do ingl. *tactosol*.] *S. m. Quím.* Solução coloidal com partículas anesféricas e propriedades peculiares de escoamento.

tactura. *S. f.* Tatura.

tacuá. *S. f. Bras., Amaz.* Designação comum aos insetos himenópteros, da família dos formicídeos, gênero *Camponotus* Mayr, que vivem em formigueiros construídos nas árvores e, quando lhes tocam, fazem um barulho característico, que lembra um sopro forte e prolongado; taracuá, tracuá, tacauá, traguá.

taçuíra. [Do tupi *ta'siwa*, 'formiga'.] *S. f. Bras., Amaz.* V. *formiga lava-pé*.

tacuité (u-i). [De provável or. indígena.] *S. m. Bras., MA.* V. *queixada* (3).

tacuná. *Bras. S. 2 g.* **1.** Indivíduo dos tacunás, tribo indígena que vivia nas margens dos rios Javari e Jutaí (AM). ● *Adj. 2 g.* **2.** Pertencente ou relativo a essa tribo.

tacunapéua. *S. 2 g. e adj. 2 g. Bras.* V. *taconhapé*.

taçura. [De provável or. indígena.] *S. f. Bras.* V. *bicho-do-pé*.

tacuri. [Var. de *tacuru*.] *S. m. Bras., RS.* V. *cupim* (2).

tacuru[1]. [Do tupi.] *S. m. Bras., S.* e *MT.* V. *cupim* (2).

tacuru[2]. *S. m. Bras.* F. apocopada de *tacuruba*: "Tabuleiros de negras velhas, ao lado de fogões improvisados com t a c u r u s de pedra de ferro, se estendiam em frente ao circo" (Cornélio Pires, *Quem Conta um Conto ...*, p. 100).

taçuru. [De or. indígena.] *S. m. Bras., S.* V. *bicho-do-pé*.

tacurua. *S. f. Bras.* Var. sincopada de *tacuruba* [q. v.].

tacuruba. [Do tupi *itaku'ruba*, 'pedaços de pedra'.] *S. f. Bras.* Trempe feita de três pedras, na qual se assenta panela. [Var.: *itacurua, tacurua, tacuru*.]

tacuruzal. [Do esp. plat. *tacuruzal*.] *S. m. Bras., S.* Extensão de terreno coberta de tacurus [v. *tacuru*[1].]

tadjique. *Adj. 2 g.* **1.** De, ou pertencente ou relativo à República Socialista Soviética do Tadjiquistão. ● *S. 2 g.* **2.** Natural ou habitante do Tadjiquistão. **3.** Indivíduo dos tadjiques, população iraniana do E. do Irã, do N. do Afeganistão, do Usbesquistão e da maior parte do Tadjiquistão. *S. m.* **4.** A língua falada por essa população.

♦**taedium vitae** (tédium vite). [Lat.] Desgosto da vida.

tael. [Do mal. *tahil*.] *S. m.* Unidade monetária tradicional chinesa cujo valor varia nas diversas regiões. [Pl.: *taéis*.]

tafetá. [Do persa *taftã*, part. pass. de *taftan*, 'tecer', atr. do fr. *taffetas*.] *S. m.* Tecido lustroso e armado, de seda, de trama finíssima: "tirou do bolso um pequeno embrulho de t a f e t á, atado com um torçal de prata." (José de Alencar, *O Sertanejo*, p. 102); "vestido de t a f e t á preto de gola alta" (Lígia Fagundes Teles, *A Disciplina do Amor*, p. 89).

tafiá. [Do crioulo antilhano, atr. do fr. *tafia*.] *S. m.* V. *cachaça* (1).

▲**tafo-.** [Do gr. *táphos, ou*.] *El. comp.* = 'sepultura': *tafofobia*.

tafofobia. [De *tafo-* + *-fob(o)-* + *-ia*.] *S. f.* Medo doentio de ser sepultado vivo.

tafofóbico. *Adj.* Relativo à tafofobia.

tafófobo. [De *tafo-* + *-fobo*.] *S. m.* Aquele que tem tafofobia.

tafona. *S. f. Bras., RS.* Var. aferética de *atafona*.

tafoneiro. [De *tafona* + *-eiro*.] *Adj. Bras., RS.* **1.** Diz-se do cavalo mal domado, que se acostumou a só se deixar governar para um lado. **2.** Diz-se do boi que trabalha na atafona. ● *S. m.* **3.** Atafoneiro.

taful. *Adj. 2 g.* **1.** Casquilho, loução, garrido: *traje t a f u l*; "Mocinha t a f u l, muito galante, que não tinha menos de uns trinta namorados!..." (Veiga Miranda, *Pássaros Que Fogem...*, p. 65); "E como andava garrida, sempre com figuinhas sob as rendas do vestido t a f u l, para conjurar os olhares vesgos da inveja" (Coelho Neto, *Turbilhão*, p. 118). **2.** Alegre, festivo: "Hoje, quando ele aí vai, de áloe [aloés] e cardamomo / Na cabeça, com ar t a f u l, / Dizem que ensandeceu" (Machado de Assis, *Poesias Completas*, p. 316). [Var., nessas acepç.: *tafulo*.] ● *S. m.* **3.** Janota, peralta, casquilho. **4.** Jogador profissional. [Pl.: *tafuis*.]

tafulão. [De *taful* + *-ão*.[1]] *S. m. Bras.* Sedutor de mulheres; conquistador.

tafular. *V. int.* **1.** Ter vida de taful. **2.** Trajar-se com excessivo apuro; janotar.

tafularia. *S. f.* **1.** Ação de taful. **2.** Grupo de tafuis. [Sin. ger.: *tafulice*.]

tafuleira. *S. f. Bras., RS.* Moça tafula, garrida; tafulona.

tafulhar. *V. t. d.* e *p.* V. *atafulhar*.

tafulho[1]. [Dev. de *tafulhar*.] *S. m.* Ato ou efeito de tafulhar(-se).

tafulho[2]. [Var. de *tapulho*.] *S. m.* **1.** Bucha ou peça com que se tapa um orifício. **2.** Rolha (1).

tafulice. [De *taful* + *-ice*.] *S. f.* Tafularia.

tafulo. [Var. de *taful*.] *Adj.* **1.** Taful (1 e 2). ● *S. m.* **2.** *Bras., S. Pop.* Namorado; amante.

tafulona. [De *taful* + *-ona*.] *S. f. Bras., RS.* Tafuleira.

tagal. [Do mal.] *Adj. 2 g.* Filipino[1] (1).

tagalo. [Do mal.] *S. m.* **1.** Filipino[1] (2). **2.** A língua falada nas ilhas Filipinas. V. *malaio-polinésio* (3).

tagano. [Do top. lat. *Tagu*, 'Tejo', + *-ano*.] *Adj.* Tejano.

tagantaço. [De *tagante* + *-aço*.] *S. m. Bras.* Tagantada.

tagantada. *S. f.* Golpe com tagante. [Sin., bras.: *tagantaço*.]

tagantar. *V. t. d.* Bater ou açoitar com tagante; tagantear.

tagante. [Do esp. *tajante*, 'talhante', atr. do galego.] *S. m.* Azorrague antigo: "tomando [D. Pedro, o Cru] do t a g a n t e de pontas de ferro, que sempre trazia à cinta, azorragou com ele, de alto a baixo, a cara do Coelho" (Antero de Figueiredo, *D. Pedro e D. Inês*, pp. 171-172).

taganteador (ô). *Adj.* e *s. m.* Que ou aquele que taganteia.

tagantear. *V. t. d.* Tagantar. [Conjug.: v. *frear*.]

tagarela. *Adj. 2 g.* **1.** Que fala muito e à toa; galrão. ● *S. 2 g.* **2.** Pessoa tagarela; tramela, taramela, tarelo, galrão. *S. f.* **3.** Gritaria, barulho, motim. **4.** *Bras.* Peça dos moinhos de fubá, que regula a velocidade das mós.

tagarelar. [De *tagarela* + *-ar*[2].] *V. int.* **1.** Falar muito; parolar, palrar: "O bando de moças, as gentis roceiras, t a g a r e l a v a m, riam de qualquer coisa, fazendo contraste com as que não se levantavam das cadeiras, conservando-se mudas, apalermadas." (Melo Morais Filho, *Festas e Tradições Populares do Brasil*, p. 297.) [Sin.: *taramelar, tarelar, matraquear* (bras.); *pautear* (bras., S.); *mapiar* (bras., MT).] **2.** Ser indiscreto; divulgar segredos.

tagarelice. *S. f.* **1.** Costume de tagarelar. **2.** Modos de tagarela. **3.** Dito indiscreto; indiscrição.

tagarote. [De provável or. *berbere*.] *S. m. Fig.* Homem pobre que vive à custa alheia.

tagaté. *S. m.* **1.** Afago com a mão; carícia, cafuné. **2.** Lisonja, adulação, bajulação: "O Doutor Godinho .... fazia t a g a t é s ao governo civil e ao clero diocesano" (Eça de Queirós, *O Crime do Padre Amaro*, pp. 277-278).

tagetes. [Do lat. cient. *tagetes*, calcado no lat. *tragantes*.] *S. m. 2 n.* Erva da família das compostas (*Tagetes patula*), originária do México, de folhas subdivididas em vários segmentos, capítulos grandes e maciços, de cor amarela intensa, e odor forte e desagradável; cravo-de-defunto.

tágico. [Do top. lat. *Tagu*, 'Tejo', + *-ico*[2].] *Adj. Poét.* De, ou relativo ao Tejo, rio de Portugal.

tágide. [Do top. lat. *Tagu*, 'Tejo'.] *S. f.* Ninfa do Tejo, rio de Portugal. [Criação poética de André de Resende, humanista e arqueólogo português (— - 1573), adotada por Camões (v. *camoniano*) e fixada na literatura portuguesa.]

tagídeo. [De *Tágide* + *-eo*.] *Adj.* Relativo às Tágides.

tagnani. *S. 2 g.* **1.** Indivíduo dos tagnanis, tribo indígena nambiquara da região do rio Roosevelt. ● *Adj. 2 g.* **2.** Pertencente ou relativo a essa tribo.

taguá. *S. m.* e *adj. 2 g. Bras.* Var. de *tauá*.

taguara. [Do tupi *tagua'rá*.] *S. f. Bras.* V. *xarelete*.

taguari. *Bras. S. 2 g.* **1.** Indivíduo dos taguaris, tribo indígena da região dos rios Jamundá e Trombetas

(Amaz.). ● *Adj. 2 g.* **2.** Pertencente ou relativo a essa tribo.

taguicati. [De or. indígena.] *S. m. Bras.* V. *queixada* (3).

tai. *S. 2 g.* **1.** Indivíduo dos tais, povo com afinidades mongóis, que habita ao S.E. da Ásia (Laos, Tailândia, Vietnã e a China meridional). *S. m.* **2.** Grupo de línguas sino-tibetanas falada pelos tais. V. *sino-tibetano* (2). ● *Adj. 2 g.* **3.** Pertencente ou relativo aos tais ou às suas línguas.

taiá. [Do tupi *ta'yá*.] *S. m. Bras.* V. *taioba* (1).

taiabucu. *S. m. Bras.* V. *peixe-cachorro* (2).

taiaçu. [Do tupi *tai v:a'su* 'dente grande'.] *S. m.* **1.** *Bras.* V. *queixada* (3). **2.** *Bras., AM.* V. *taquiri*.

taiaçu-carapiá. [De *taiaçu* + *carapiá*.] *S. m.* V. *babosa-branca*. [Pl.: *taiaçus-carapiás* e *taiaçus-carapiá*.]

taiaçuense. *Adj. 2 g.* **1.** De, ou pertencente ou relativo a Taiaçu (SP). ● *S. 2 g.* **2.** Natural ou habitante de Taiaçu.

taiaçuídeo. *S. m.* **1.** Espécime dos taiaçuídeos. ● *Adj.* **2.** Pertencente ou relativo a eles.

taiaçuídeos. *S. m. pl. Zool.* Família de mamíferos anuros, da ordem dos artiodáctilos, com quatro dedos nos membros anteriores e três nos posteriores, e que têm no dorso uma glândula que produz forte cheiro almiscarado. São vulgarmente conhecidos pelos nomes de *porco-do-mato, caititu* e *queixada*.

taiaçuíra. [Do tupi *taiasuwi'ra*, 'ave porco-do-mato'.] *S. m. Bras.* Ave cuculiforme, da família dos cuculídeos (*Neomorphus geoffroyi* (Tem.)), com duas subespécies brasileiras: *N. g. geoffroyi*, da Amaz. até GO, e *N. g. dulcis* Sneth., da Serra do Mar, do S. da BA, do ES e de MG. Têm dorso verde-metálico, alto da cabeça azul-escuro, rêmiges verde-escuras metálicas, cauda pardo-purpúrea, garganta e peito amarelados pintados de preto, e abdome pardo-avermelhado. [Var.: *tajaçuíra*; sin.: *acanati, acanatique, acunati, aracuão, jacu-molambo, jacu-porco, mãe-de-porco*.]

taiá-jararaca. [De *taiá* + *jararaca*.] *S. m. Bot. Bras., Amaz.* Grande planta herbácea, da família das aráceas (*Dracontium asperum*), que vive em lugares úmidos de folhas grandes e herbáceas, e cujas hastes chegam até 2 m de altura e a 2 a 4 cm de diâmetro, tendo manchas escuras e claras. O nome vulgar provém de ser o suco empregado contra mordeduras de cobras. [Pl.: *taiás-jararacas* e *taiás-jararaca*.]

taibu. *S. m. Bras.* V. *gambá* (1).

tai-chinês. *Adj.* **1.** Pertencente ou relativo aos tais e aos chineses. [Pl.: *tai-chineses*.] ● *S. m.* **2.** *Ling.* V. *sino-tibetano* (2).

taieira. *S. f. Bras., SE.* Festa de mulatos no dia de Reis.

taifa. [Do ár. *Tāifâ*, 'grupo'; 'grupo de criados de bordo'.] *S. f. Mar. G.* **1.** *Ant.* Conjunto de soldados e marinheiros que guarneciam, durante o combate, a tolda e o castelo da proa. **2.** *Bras.* Designação comum ao pessoal subalterno das especialidades de cozinheiro, barbeiro, padeiro e arrumador (copeiro, camaroteiro, etc.)

taifeiro. *S. m.* **1.** *Mar. G.* Qualquer homem que faz parte da taifa (1). **2.** *Mar. Merc.* Criado de bordo. **3.** *Mar. G.* Tripulante encarregado dos serviços de câmara: servir a mesa, limpar e arrumar camarotes e salões, etc.

taiga. [Do russo.] *S. f. Fitog.* Floresta boreal de coníferas, na qual domina o gênero *Pinus*.

tailandês. *Adj.* **1.** Da, ou pertencente ou relativo à Tailândia (antigo Sião, Ásia). ● *S. m.* **2.** O natural ou habitante da Tailândia. **3.** Língua oficial da Tailândia, dialeto do tai-chinês [q. v.]; siamês. [Flex.: *tailandesa* (ê), *tailandeses* (ê), *tailandesas* (ê).]

➧**tailleur** (taiér). [Fr.] *S. m.* Traje feminino composto de casaco e saia; costume.

taimado. [Do esp. *taimado*.] *Adj.* e *s. m.* Diz-se, ou indivíduo malicioso; velhaco, matreiro.

taimbé (a-im). *S. m. Bras.* Var. aferética de *itaimbé* [q. v.]

taine. [Do ár.] *S. m.* Massa de gergelim utilizada na cozinha árabe, na vegetariana e noutras.

tainha (a-í). [Do gr. *tagenías*, 'bom para frigir', atr. do lat. *tagenia*.] *S. f.* **1.** Designação comum a várias espécies de peixes teleósteos, percomorfos, da família dos mugilídeos, gênero *Mugil* L. do Atlântico. Têm as nadadeiras dorsal e anal desprovidas de escamas e o corpo com listras longitudinais escuras. [Sin.: *curimã, curumã, tapiara, targana, cambira*.] **2.** *Tip.* Barra de metal-tipo que, suspensa pelo alimentador, serve para restabelecer o crisol da linotipo. [Nesta acepç., cf. *pão-de-chumbo*.]

tainha-de-corso. *S. f.* V. *tainha-verdadeira*. [Pl.: *tainhas-de-corso*.]

tainha-seca. [De *tainha* (1) + o fem. do adj. *seco*.] *S. f.* V. *tainha-verdadeira*. [Pl.: *tainhas-secas*.]

tainha-verdadeira. *S. f. Bras.* Peixe teleósteo, percomorfo, da família dos mugilídeos (*Mugil brasiliensis* Agass.), da costa brasileira, de dorso oliváceo-denegrido, tendente ao azulado, flancos prateados, abdome branco, listras longitudinais plúmbeas formadas pelas máculas das escamas, e comprimento de até 1 m. A espécie realiza migrações periódicas do S. para o N., penetrando nos rios e lagos para desovar. Os alevinos retornam de novo ao mar, afastando-se da costa. A carne e a ova da tainha-verdadeira são industrializadas em larga escala. [Sin.: *tainha-de-corso, tainha-seca*. Pl.: *tainhas-verdadeiras*.]

tainheira (a-i). *S. f. Bras.* **1.** Rede usada na pesca da tainha. **2.** Canoa provida de uma rede, e destinada ao mesmo fim.

tainheiro (a-i). *S. m.* **1.** Pescador de tainhas. **2.** Barco para a pesca de tainhas.

tainhota (a-i). [De *tainha* (1) + *-ota*.] *S. f. Bras.* V. *curimã* (1).

tainhota-voadeira (a-i). [De *tainhota* + o fem. do adj. *voador*.] *S. f. Bras.* **1.** Designação comum aos peixes teleósteos, sinentógnatos, da família dos exocetídeos. **2.** Peixe teleósteo, sinentógnato, da família dos exocetídeos (*Cypsilurus speculiger* (Val.)), do Atlântico, de dorso negro-purpúreo, abdome brancacento, e comprimento de até 35 cm. Tem o aspecto da tainha, com as nadadeiras peitorais quase do comprimento do corpo, permitindo-lhe realizar vôos de mais de 100 m de extensão numa altura até 12 m acima do nível do mar. [F. red.: *voadeira*. Pl.: *tainhotas-voadeiras*.]

taino. [Do taino *taíno*, 'homem'.] *Adj.* **1.** De, ou pertencente ou relativo aos tainos ou à sua língua. ● *S. m.* **2.** Indígena das Antilhas, de um povo já extinto. **3.** A língua falada por esse povo, e que deu origem ao crioulo haitiano.

taioba. [Do tupi *taya'oba*, 'folha de taiá'.] *S. f.* **1.** *Bras.* Erva da família das aráceas (*Xanthosoma violaceum*), originária da América tropical e muito cultivada como alimento, de folhas longamente pecioladas e sagitadas, de tonalidade azulada, e que, picadas e cozidas, servem como couve. Tb. o rizoma, amiláceo e mucilaginoso, é comestível depois de cozido. [Var.: *taiova*; sin.: *arão, aro, jarro, pé-de-bezerro, taiá, talo, tarro*.] **2.** *Bras.* V. *inhame-branco*. **3.** *Bras., N.E. Chulo.* As nádegas. **4.** *Bras., N.* Prisão, cadeia, xadrez. ● *S. m.* **5.** *Bras., RJ. Desus.* Bonde fechado, de segunda classe, que transportava passageiros e bagagem.

taiobal. *S. m. Bras.* Quantidade mais ou menos considerável de pés de taioba dispostos proximamente entre si.

taiobeirense. *Adj. 2 g.* **1.** De, ou pertencente ou relativo a Taiobeiras (MG). ● *S. 2 g.* **2.** Natural ou habitante de Taiobeiras.

taioca. [Do tupi *ta'yoka*, 'formiga pardo-avermelhada'.] *S. f. Bras.* **1.** V. *tauoca*. ● *S. 2 g.* **2.** Cafuzo, mestiço.

taioense (ò). *Adj. 2 g.* **1.** De, ou pertencente ou relativo a Taió (SC). ● *S. 2 g.* **2.** Natural ou habitante de Taió.

taiova. *S. f. Bras.* V. *taioba* (1).

taipa. *S. f.* **1.** Parede feita de barro ou de cal e areia com enxaiméis e fasquias de madeira; tabique, estuque, taipal, pau-a-pique: "através das paredes de t a i p a caiada, ouvia-se o ressonar tranqüilo do João Pimenta e do Felisberto" (Inglês de Sousa, *O Missionário*, p. 338). **2.** Tapa[1] (2). ♦ **Taipa de mão.** Taipa de barro atirado com a mão. **Taipa de pilão.** Taipa de cascalho e saibro socados.

taipais. [Pl. de *taipal*.] *S. m. pl.* **1.** Portas ou anteparos que resguardam as vidraças: "O comércio fechava meias portas e não tirava os t a i p a i s." (Antero de Figueiredo, *Jornadas em Portugal*, p. 60.) **2.** Tábuas que alteiam as bordas de um carro de bois, de uma carroceria, etc.; anteparos. **3.** Caixa ou armação de madeiras usada como molde para a construção em concreto-armado. ∼ V. *taipal*.

taipal. [De *taipa* + *-al*.] *S. m.* **1.** V. *taipa* (1). **2.** Cada uma das tábuas entre as quais se calca o barro, na construção das taipas. [Sin. ger.: *taipão*.] ∼ V. *taipais*.

taipamento. *S. m.* Ato de taipar.

taipão. [De *taipa* + *-ão*[1].] *S. m.* Taipal.

taipar. *V. t. d.* **1.** Construir com taipas. **2.** Calcar (o barro ou a cal) na taipa. **3.** Limitar ou dividir com taipa.

taipeiro. *Adj.* **1.** Que faz taipas. ● *S. m.* **2.** Aquele que as faz. **3.** *Bras., N.E.* Prato muito cheio de várias comidas.

taipuense. *Adj. 2 g.* **1.** De, ou pertencente ou relativo a Taipu (RN). ● *S. m.* **2.** O natural ou habitante de Taipu.

tairetano. *Adj.* **1.** De, ou pertencente ou relativo a Tairetá (RJ). ● *S. 2 g.* Natural ou habitante de Tairetá.

taita. [Do esp. plat. *taita*, 'papai'?] *Adj.* e *s. m. Bras., RS.* V. *valentão* (1 e 3).

taitiano (a-i). *Adj.* **1.** De, ou pertencente ou relativo a Taiti (Oceânia). ● *S. m.* **2.** O natural ou habitante de Taiti. **3.** A língua falada em Taiti.

taititu. *S. m. Bras.* Var. de *caititu* (1).

taiuiá (ai-ui). [Do tupi *taiu'yá*.] *S. m. Bras.* **1.** Grande trepadeira herbácea, da família das cucurbitáceas (*Cayaponia tayuya*), de folhas partidas em vários segmentos e associadas a gavinhas, flores pequenas e amarelas, e cujos frutos são bagas de efeito purgativo acentuado. [Sin.: *caiapó, purga-de-gentio*.] **2.** V. *abobrinha-do-mato* (2). [Var.: *tajujá*.]

taiuiá-grande. *S. m. Bras.* V. *abóbora-d'anta*. [Pl.: *taiuiás-grandes*.]

taiuiá-miúdo. *S. m. Bras.* V. *abóbora-do-mato*. [Pl.: *taiuiás-miúdos*.]

taiuvense (ai-u). *Adj. 2 g.* **1.** De, ou pertencente ou relativo a Taiúva (SP). ● *S. 2 g.* **2.** Natural ou habitante de Taiúva.

tajá. [Do tupi *ta'ya*.] *S. m. Bras., Amaz.* V. *tinhorão*.

tajã. *S. m.* Sabre mourisco, de folha curta e larga.

tajabemba. [Do tupi *taia'mbeba*, 'tajá de raiz grande'.] *S. f. Bras.* Erva medicinal da região amazônica.

tajabucu. [Do tupi *ta'ya* + *bu'ku*, 'longo'.] *S. m. Bras.* V. *peixe-cachorro* (2).

tajacica. [Do tupi *taia'sika*.] *S. f. Bras.* V. *amboré*.

tajaçu. *S. f. Bras.* **1.** V. *queixada* (3). **2.** V. *taquiri*.

tajaçu-carapiá. *S. f. Bras.* V. *babosa-branca*. [Pl.: *tajaçus-carapiás* e *tajaçus-carapiá*.]

tajaçuíra. *S. f. Bras.* V. *taiaçuíra*.

tajujá. *S. m. Bras.* V. *taiuiá*.

tajupá. *S. m. Bras.* V. *tijupá* (1 a 4).

tajupar. *S. m. Bras.* V. *tijupá* (1 a 4).

tajurá. [Do tupi *taiu'rá*.] *S. m. Bras.* V. *tinhorão*.

taka. *S. m.* Unidade monetária, e moeda, de Bangladesh, divida em 100 paisas.

tal. [Do lat. *tale*, 'semelhante'.] *Pron.* **1.** Semelhante, análogo, tão bom, tão grande, etc.: *T a l amor não se encontra facilmente.* **2.** Este, aquele; um certo: *Ofendeu-se por lhe terem mencionado t a l defeito.* **3.** Isso, aquilo: "— Falei-lhe e não me respondeu; não me incomodei com isso, nem por t a l esfriou a minha paixão" (Joaquim Manuel de Macedo, *Os Romances da Semana*, p. 12). **4.** Us. depois de um substantivo, pode substituir um nome que se quer ou se finge ocultar: "Todos sabem que o senhor foi contratado pela loja t a l da rua t a l para recomendar os seus produtos." (Carlos Drummond de Andrade, *Jornal do Brasil*, 11.12.1980.) **5.** *Lus.* Designa quantidade que excede em número redondo; tanto(s): *Tem sessenta e t a l anos de idade; Aquela igreja tem um século e t a l.* ● *S. 2 g.* **6.** *Bras. Gír.* Pessoa que tem ou se julga ter valor excepcional em qualquer coisa; o notável, o batuta, o bamba, o ás: *Este camarada é o t a l.* ♦ **Tal e qual.** V. *tal qual*. **Tal qual.** **1.** Exatamente o mesmo, sem nenhuma diferença: *Copiou o vestido da amiga t a l q u a l.* **2.** Do mesmo modo que, assim como, como, qual: "Eu quisera viver / t a l q u a l os passarinhos" (Gilca da Costa Melo Machado, *Poesias*, p. 125). [Sin. ger.: *tal e qual*.] **De tal.** Expr. us. quando não se sabe, ou não interessa dizer, o sobrenome de alguém: *Maria d e t a l.* **E tal.** **1.** Expr. com que se encerra uma enumeração, citação, etc.: *Honesto, aplicado e t a l, mas não é inteligente; Disse-lhe coisas agradáveis, elogiou-a, e t a l, mas não resolveu o caso.* **2.** *Lus.* E tantos. **Que tal.** Quejando. **Um tal de.** Expressão denotativa de desdém, empregada antes de um nome próprio: *um t a l de Pedro.*

tala[1]. [Dev. de *talar*[2].] *S. f.* Ato de talar[2]. ∼ V. *talas*.

tala[2]. *S. f.* **1.** Peça de madeira, etc., usada por sapateiros e seleiros para segurar os cabedais, quando os cosem. **2.** *Med.* Pedaço de madeira, de papelão ou doutra substância, impregnado de goma e gesso, e empregado em aparelhos destinados ao tratamento de fratura. **3.** Peça de sabugueiro, em duplicado, usada na castração de solípedes. **4.** *Bras.* Chicote feito de uma só tira de couro. **5.** *Bras., SP.* A parte chata desse chicote. **6.** *Bras., S.* Nervura da folha do jerivá e de outras palmeiras. **7.** *Bras., S.* Galho de jerivá. **8.** *Bras., S.* Chibata improvisada com uma haste dessa palmeira ou com uma vara flexível. ∼ V. *talas*. ♦ **Tala de junção.** *Bras., N.E.* Fixa (4). **Ganhar na tala.** *Bras., S.* Ganhar (o cavalo) com muito esforço.

talabardão. *S. m. Const. Nav.* **1.** Alcatrate (1). **2.** *Bras.* Ponte que corre junto à borda de alguns navios.

talabartaria. [De *talabarte* + *-aria*.] *S. f. Bras., RS.* **1.** Loja ou oficina de talabarteiro. **2.** Ofício de talabarteiro. [F. paral.: *talabarteria*.]

talabarte. [Do provenç. ant. *talabart*, talvez atr. do esp. *talabarte*.] *S. m.* V. *boldrié* (1).

talabarteiro. [De *talabarte* + *-eiro*.] *S. m. Bras., RS.* Seleiro, correeiro.

talabarteria. [De *talabarte* + *-eria*.] *S. f. Bras., RS.* Talabartaria.

talaço. [De *tala* + *-aço*.] *S. m. Bras., S.* Golpe ou surra com a tala (8).

talado^{1}. *S. m.* Arco da broca dos ourives.

talado^{2}. [Part. de *talar*^{2}.] *Adj.* Devastado, arrasado, assolado: "E os campos t a l a d o s , / E os arcos quebrados, / E os piagas coitados / Já sem maracás" (Gonçalves Dias, *Obras Poéticas*, II, p. 23).

talador (ô). [De *talar*^{2} + *-(d)or*.] *Adj.* e *s. m.* Que ou aquele que tala ou devasta.

talagada. [Alter. pop. de *taleigada* (q. v.).] *S. f. Bras. Pop.* Porção de bebida alcoólica que se toma duma só vez: "Todos se acercam, quando ele se senta na mesa e pede uma t a l a g a d a de cachaça." (Fernando Sabino, *O Homem Nu*, p. 97.)

talagarça. [Var. de *telagarça* < *tela* + *garça*^{2} (q. v.).] *S. f.* Tecido de fios ralos, onde se borda: "E dir-se-ia que a aranha / silenciosa e esquecida / também revive o primitivo afã, / e, fiandeira do sonho de outra vida, / borda na t a l a g a r ç a , / que se esgarça, / o nome da saudosa Castelã..." (Hermes Fontes, *A Fonte da Mata...*, p. 133.)

talalgia. [Do lat. *talu*, 'calcanhar', + *-alg(o)-* + *-ia*.] *S. f. Patol.* Dor no calcanhar.

találgico. *Adj.* Relativo à talalgia.

talambor (ô). *S. m.* Fechadura de segredo.

talamencéfalo. [De *tálamo* (4) + *encéfalo*.] *S. m. Anat.* Porção do diencéfalo que compreende tálamo, metatálamo e epitálamo.

talamento. *S. m.* Ato ou efeito de talar^{2}.

talâmico. *Adj. Anat.* **1.** Relativo ou pertencente ao tálamo (4). **2.** *Morfol. Veg.* Relativo ao tálamo (3).

tálamo. [Do gr. *thálamos*, pelo lat. *thalamu*.] *S. m.* **1.** Leito conjugal: "Uma lenda mal-intencionada e inverossímil refere que a piedosa rainha Branca lhe franqueara o t á l a m o de viúva a título de arras à valentia." (Aquilino Ribeiro, *Portugueses das Sete Partidas*, pp. 220-221.) **2.** *Fig.* Casamento, núpcias, bodas. **3.** *Morfol. Veg.* Receptáculo (4). **4.** *Anat.* Porção do talamencéfalo que constitui a parte média e maior do diencéfalo e se localiza entre o epitálamo e o hipotálamo. [Pl.: *tálamos*. Cf. *talamos*, do v. *talar*.]

talamocelo. [De *tálamo* (4) + *-celo*.] *S. m. Anat.* O terceiro ventrículo do cérebro.

talante. [Do fr. ant. *talant*, 'desejo, vontade'.] *S. m.* **1.** Vontade, desejo, arbítrio: *Procede a seu* t a l a n t e. **2.** Empenho, diligência.

talão^{1}. [Do lat. vulg. *talone* < *talu*, 'calcanhar', atr. do fr. *talon*.] *S. m.* **1.** A parte posterior do pé. **2.** A parte traseira do calçado. **3.** Vide baixa que se deixa na poda para dar uvas no ano seguinte. **4.** Parte não destacável de certa espécie de bloco de cheques, recibos; etc.; canhoto, toco. **5.** *P. ext.* O conjunto formado pelas duas partes dessa espécie de bloco: *t a l ã o de cheques; t a l ã o de recibos.* **6.** *Mús.* Parte inferior do arco dos instrumentos de cordas friccionáveis, na qual penetra o parafuso que regula o esticamento das crinas. **7.** Aro maciço da parte interna dos pneumáticos dos automóveis. **8.** *Arquit.* Gola (2). ♦ **Talão de justificação.** *Tip.* Rebordo da extremidade do componedor; bloco de justificação.

talão^{2}. *S. m.* Var. de *telão*.

talar^{1}. [Do lat. *talare*.] *Adj. 2 g.* **1.** Relativo ou pertencente ao talão^{1}. **2.** Que desce até o calcanhar: "Trajava roupas t a l a r e s" (Casimiro de Abreu, *Obras*, p. 408). ● *S. m.* **3.** Vestido, bata ou batina que desce até os calcanhares. ~ V. *talares*.

talar^{2}. [Do germ. **talon*, atr. do esp. *talar*.] *V. t. d.* **1.** Abrir valas em, a fim de escoar os campos; sulcar. **2.** Destruir, assolar, devastar: "Os holandeses t a l a r a m os nossos campos, bateram e assolaram o nosso território." (Mons. Cícero de Vasconcelos, *Sobre a História da Catedral de Maceió*, p. 10.) [Pres. ind.: *talo, talas, tala, talamos, talais, talam*. Cf. *tálamos*, pl. de *tálamo*.]

talares. [Pl. substantivado de *talar*^{1}.] *S. m. pl. Mitol.* Asas que Mercúrio tinha nos calcanhares. ~ V. *talar*^{1}.

talas. [Pl. de *tala*^{2}.] *S. f. pl. Fig.* Dificuldades, apuros: *De repente se viu em* t a l a s *para pagar suas dívidas.* ~V. *tala*.

talassa. [Do gr. *thálassa*, 'mar'.] Exclamação de Xenofonte, historiador, filósofo e general ateniense (c. 430 a. C.-c. 355 a.C.), em sua obra *Anábase*, e que encimou uma mensagem enviada do Brasil ao Cons^{o} João Franco (1855-1929), então presidente do Conselho de Ministros de Portugal. *S. 2 g.* Monarquista português.

talassemia. [De *talass(o)-* + *-(h)em(o)-* + *-ia*.] *S. f. Med.* Grupo heterogêneo de anemias hemolíticas hereditárias que têm como característica comum uma baixa na taxa de síntese de uma ou mais cadeias polipeptídicas hemoglobínicas.

talassêmico. *Adj.* **1.** Relativo à talassemia. ● *S. m.* **2.** Aquele que sofre de talassemia.

talassia. [De *talass(o)-* + *-ia*.] *S. f.* Enjôo de mar.

talássico. [De *talass(o)-* + *-ico*^{2}.] *Adj.* Relativo ao mar.

talassiófito. [De *talass(o)-* + *-io-*^{2} + *-fito*.] *S. m. Obsol.* Designação comum aos vegetais que crescem no fundo do mar ou nas rochas marítimas que acompanham o mar.

▲**talass(o)-.** [Do gr. *thálassa* ou *tálatta*, es.] *El. comp.* = 'mar': *talassófobo; talassoterapia; talássico.*

talassocracia. [De *talass(o)-* + *-cracia*.] *S. f.* Domínio de potência marítima; império ou domínio dos mares.

talassocrata. [De *talass(o)-* + *-crata*.] *Adj. 2 g.* e *s. 2 g.* Que ou quem domina os mares.

talassocrático. [De *talassocrata* + *-ico*^{2}.] *Adj.* Referente à talassocracia, ou a talassocrata.

talassofobia. [De *talass(o)-* + *-fob(o)-* + *-ia*.] *S. f.* Medo doentio do mar.

talassofóbico. *Adj.* Relativo à talassofobia.

talassófobo. [De *talass(o)-* + *-fobo*.] *S. m.* Aquele que tem talassofobia.

talassografia. [De *talass(o)-* + *-graf(o)-* + *-ia*.] *S. m.* No antigo conceito de geografia, o estudo dos mares. [Cf. *oceanografia*.]

talassográfico. *Adj.* Referente à talassografia.

talassometria. [De *talass(o)-* + *-metr(o)-*^{2} + *-ia*.] *S. f.* Medida das profundidades marítimas; emprego do talassômetro.

talassométrico. *Adj.* Relativo à talassometria, ou ao talassômetro.

talassômetro. [De *talass(o)-* + *-metro*.] *S. m.* Sonda marítima.

talassosfera. [De *talass(o)-* + *-sfera*.] *S. f.* V. *hidrosfera*.

talassosférico. *Adj.* Relativo à talassosfera; hidrosférico.

talassoterapia. [De *talass(o)-* + *-terapia*.] *S. f. Terap.* Tratamento de doenças por banhos de mar, viagens marítimas, climas marítimos.

talassoterápico. *Adj.* Relativo à talassoterapia.

talaveira. [Talvez do top. *Talavera* (Espanha).] *S. m.* **1.** *Bras. Ant.* e *burl.* Qualquer criado do paço. **2.** *Bras., RS.* V. *galego* (4). **3.** *Bras., RS.* Indivíduo que não sabe montar a cavalo.

talaveirada. [De *talaveira* + *-ada*^{1}.] *S. f. Bras., RS.* **1.** Serviço de montaria malfeito. **2.** Pexotada de pessoas que não sabem montar a cavalo. **3.** Porção de talaveiras ou portugueses; galegada.

talavera. *S. f. Bras., MA. Folcl.* A terceira parte do lelê^{3}, caracterizada por passos que os brincantes sempre dançam de braços dados.

tálcico. [De *talco* + *-ico*^{2}.] *Adj.* Composto de talco.

talco. [Do ár. *Talq*. 'gesso'.] *S. m. Min.* **1.** Mineral ortorrômbico ou monoclínico, silicato ácido de magnésio, que se mostra em agregados lamelares. **2.** Produto feito desse mineral pulverizado, e que se usa medicinal ou higienicamente sobre a pele. **3.** *Fig.* Falso brilho; ouropel.

talcoso (ô). *Adj.* Da natureza do talco.

taleiga. [Do ár. *ta'lîqâ*, 'saco, bolsa, surrão'.] *S. f.* **1.** Saco pequeno e largo: "Era o pequeno Vasco o almocreve que todas as manhãs ia, tangendo um burro carregado de t a l e i g a s , entregar o trigo aos fregueses do pai." (José Vieira, *Sol de Portugal*, p. 73.) **2.** Antiga medida para sólidos e líquidos.

taleigada. *S. f.* Porção contida numa taleiga ou num taleigo. [Cf. *talagada*.]

taleigo. [De *taleiga*.] *S. m.* Saco pequeno e longo.

talentaço. *S. m.* **1.** *Fam.* Grande talento. **2.** Pessoa de talento excepcional; talentão: " o negociante entregara a questão a uns velhotes do seu arruamento, enquanto o professor ia eleger padrinhos entre os t a l e n t a ç o s da escola em que prelecionava." (Fialho d'Almeida, *Pasquinadas*, pp. 43-44).

talentão. *S. m.* Talentaço (2).

talento. [Do gr. *tálanton*, 'soma de sessenta minas', atr. do lat. *talentu*.] *S. m.* **1.** Peso e moeda da Antiguidade grega e romana: "Tinha-o presenteado [a Anacreonte] o soberano com uma bolsa de cinco t a l e n t o s (cerca de doze mil cruzados)." (Antônio Feliciano de Castilho, *A Lírica de Anacreonte*, p. 13.) **2.** *Fig.* Aptidão natural, ou habilidade adquirida. **3.** Inteligência excepcional; engenho. **4.** *P. ext.* Pessoa talentosa: *Guimarães Rosa é um dos* t a l e n t o s *de nossa literatura.* **5.** *Bras.* e *prov. lus. Pop.* Força física; pulso, vigor, alento: "Sabem os possíveis e complacentes leitores que cousa seja *t a l e n t o*, em todo o sertão deste nosso Brasil? Força física, nada mais." (Visconde de Taunay, *Ao Entardecer*, p. 60.)

talentoso (ô). *Adj.* Que tem talento (3); muito inteligente.

táler. [Do al. *Taler*.] *S. m.* Antiga moeda alemã, de prata. [Pl.: *táleres*.]

talético. [Do antr. gr. *Thalês, etos*, 'Tales', + *-ico*^{2}.] *Adj.* **1.** Pertencente ou relativo a Tales de Mileto, filósofo grego (séc. VI a. C.), ou próprio dele. **2.** Que é partidário da doutrina desse filósofo. ● *S. m.* **3.** Partidário dela.

talha^{1}. [Dev. de *talhar*.] *S. f.* **1.** Ato ou efeito de talhar ou entalhar; talhadura, talhamento, talho, entalhadura. **2.** *Grav.* Talho (10). **3.** *Grav.* Filete de metal levantado pelo buril do ourives ou do gravador. **4.** Nas marinhas, certo número de alqueires de sal. **5.** Antigo tributo ou derrama. **6.** Aparelho que serve para levantar objetos pesados. **7.** Certo número de achas ou feixes de lenha. **8.** No jogo de banca ou monte, uma parada (8). **9.** *Marinh.* Aparelho de laborar constituído de um cadernal de dois gornes e um moitão (*talha singela*), ou de dois cadernais de dois gornes (*talha dobrada*), ligado por um cabo de fibra (*beta*). **10.** *Cir.* Cistotomia. *Bras.* Obra de talha: *O interior da igreja de São Francisco da Bahia é revestido de* t a l h a *dourada.* ♦ **Talha dobrada.** *Marinh.* V. *talha* (9). **Talha patente.** *Marinh.* Aparelho de laborar usado para içar e arriar grandes pesos, e constituído de caixas, roldanas e engrenagens de ferro ligadas por meio de correntes. **Talha singela.** *Marinh.* V. *talha* (9).

talha^{2}. [Do lat. vulg. **ginacula*, der. de *tina*.] *S. f.* **1.** Vaso de barro de grande bojo: "Água fresca deve estar nos potes, moringas e t a l h a s ." (Regina Lacerda, *Papa-Ceia*, p. 99.) **2.** Vaso de lata ou de zinco, para azeite; pote.

talhada. [Fem. substantivado do adj. *talhado*.] *S. f.* **1.** Porção que se corta de certos corpos; fatia, naco, lasca. **2.** *Fam.* V. *repreensão* (1). **3.** Punição, castigo. **4.** *Bras., S.* Doce feito de rapadura e farinha de mandioca.

talhadão. [De *talhada* + *-ão*^{1}.] *S. m. Bras.* **1.** Racha do solo. **2.** Entrada de gruta. **3.** Talhado (5).

talhadeira. *S. f.* Instrumento de aço para talhar.

talha-dente. [De *talhar* + *dente*.] *S. m.* Planta da família das gramíneas (*Oryzopsis milliacea*). [Pl.: *talha-dentes*.]

talhadia. [De *talhado* + *-ia*.] *S. m.* **1.** O corte da madeira das árvores. **2.** V. *talho* (2). **3.** *Bras.* Processo de silvicultura baseado na reprodução por meio de brotos ou renovos.

talhadiço. [De *talhar* + *-(d)iço*.] *Adj. Bras.* Diz-se de mato que se pode cortar ou roçar.

talhado. [Part. de *talhar*.] *Adj.* **1.** Cortado, retalhado, dividido, golpeado. **2.** Apropriado, próprio, adequado: *Quer-se um bom chefe, e ele é o homem* t a l h a d o. **3.** Ajustado, convencionado: *Pagarei o preço* t a l h a d o. **4.** Coagulado, coalhado: *leite* t a l h a d o. ● *S. m.* **5.** *Bras.* Trecho de um rio, apertado entre ribanceiras íngremes, por vezes a pique; talhadão. **6.** *Bras., N.* e *C.O.* Aba pedregosa das serras; precipício, despenhadeiro. **7.** *Bras., MA.* Barrancas de rio quando mais ou menos altas, constituindo um pequeno *cânon* [q. v.].

talhador (ô). *Adj.* **1.** Que talha. ● *S. m.* **2.** Aquele que talha. **3.** Aquele que corta a carne nos açougues; cortador. **4.** Cutelo de cortar carne. **5.** Prato onde se trincha carne.

talhadura. [De *talhar* + *-(d)ura*.] *S. f.* V. *talha*^{1} (1).

talha-frio. [De *talhar* + *frio*.] *S. m.* Instrumento com que os marceneiros lavram madeira. [Pl.: *talha-frios*.]

talha-mar. [De *talhar* + *mar*.] *S. m.* **1.** V. *quebra-mar*. **2.** *Constr. Nav.* A parte vertical ou quase vertical do patilhão. **3.** *Constr. Nav.* A aresta externa da proa da embarcação. **4.** *Bras.* Ave caradriiforme, da família dos rincopídeos (*Rhynchops nigra* L.), dos grande rios do N. e de toda a costa atlântica do Brasil. Tem coloração escura, tendente ao preto no dorso, abdome e fronte brancos, bico amarelo-alaranjado na base e preto na ponta, e a mandíbula mais longa que a maxila. Costuma voar junto da água, alimentando-se de peixes. [Sin.: *corta-mar, corta-água, bico-rasteiro*. Pl.: *talha-mares*.]

talhamento. [De *talhar* + *-mento*.] *S. m.* V. *talha*^{1} (1).

talhante. *Adj. 2 g.* Que talha; cortante.

talhão^{1}. [De *talhar* + *-ão*^{2}.] *S. m.* **1.** Terreno para cultura; tabuleiro, talho. **2.** *Bras., BA.* Posta de baleia esquartejada.

talhão^{2}. *S. m. Bras.* Peixe teleósteo, bericomorfo, da família dos holocentrídeos (*Corniger spinosus* Agass.), do Atlântico, de coloração geral amarelo-cromo, com tonalidades violáceas sob luz incidente. Tem espinhos no pré-opérculo e no subopérculo, e escamas fortemente pectinadas na margem livre.

talhar. [Do lat. vulg. *taleare*, 'cortar'.] *V. t. d.* **1.** Dar ou fazer talho em; golpear; cortar: *T a l h o u o dedo com a lâmina.* **2.** Gravar, esculpir, entalhar: *T a l h a n d o o* *mármore, os gregos legaram-nos belas imagens.* **3.** Cortar à feição do corpo; cortar (o pano) para fazer roupas. **4.** Aquinhoar, partilhar. **5.** Sulcar, fender, abrir, cortar: *Os remos talhavam as águas tranqüilas.* **6.** Preparar, dispor: *Não talhou bem os itens da reunião.* **7.** Causar, originar: *O terremoto talhou grandes prejuízos.* **8.** *Fig.* Determinar com antecipação; traçar: *Todo homem, em grau maior ou menor, talha o próprio destino. T. d. e i.* **9.** Fazer à imitação; ajustar, moldar, adaptar: *Talha o seu comportamento pelo dos amigos.* **10.** Predestinar, preparar, predispor: "Tobias possuía um conjunto de qualidades que o talhavam para liderar movimentos." (Hermes Lima, *Tobias Barreto,* p. 237.) *Int.* **11.** Coagular-se (o leite) quando é fervido. **12.** Decompor-se, corromper-se, estragar-se. **13.** Cortar o pano (o alfaiate, a modista) para roupa. **14.** Ser banqueiro (no jogo de banca ou monte); jogar contra todos, em jogos de parada. *P.* **15.** Abrir-se, rachar-se. **16.** Corromper-se, estragar-se. **17.** Coagular-se, coalhar-se.

talharia. *S. f.* Grande porção de talhos ou talhas.

talharim. [Do it. *taglierini*, com infl. de *talhar.*] *S. m.* **1.** Massa alimentícia em forma de tiras. **2.** Iguaria feita com talharim cozido em água e sal, servido com molho, geralmente de carne e tomates, e polvilhado com queijo parmesão ralado.

talharola. [Do fr. *taillerole.*] *S. f.* Instrumento de tecelão, utilizado para cortar os fios que ficam fora da trama na fabricação do veludo.

talhe. [Do fr. *taille.*] *S. m.* **1.** Feitio ou feição do corpo ou de qualquer objeto; talho: "Era ela, não havia dúvida: a mesma boca, o mesmo talhe de rosto, a mesma expressão nos olhos" (José Gomes Ferreira, *O Mundo dos Outros*, p. 20). **2.** Modo de talhar ou cortar um traje. **3.** Feição particular dada à caligrafia (3). **4.** V. *tronco*^{1} (3): "Lúcia deixou pender a cabeça sobre o seio, cruzou as mãos nos joelhos dobrando o talhe, como a estatueta da Safo de Pradier" (José de Alencar, *Lucíola*, p. 147).

talher. [Do fr. *tailhoir* (na antiga pronúncia, *talhoer*), cuja significação, aliás, era 'prato onde se corta a carne'.] *S. m.* **1.** O conjunto de garfo, faca e colher. **2.** *Fig.* O lugar de cada pessoa à mesa. ♦ **Talher de galhetas.** Galheteiro. **Ter o seu talher na sociedade.** Ter situação social definida; ser pessoa de posição social.

talhinha. [Dim. de *talha*^{1}.] *S. f. Marinh. Ant.* Aparelho para levantar pequenos pesos.

talho. [Dev. de *talhar.*] *S. m.* **1.** V. *talha*^{1} (1). **2.** Desbaste dos ramos das árvores; poda, talhadia. **3.** Corte de carne, no açougue. **4.** Cepo sobre o qual se corta a carne. **5.** V. *açougue* (1). **6.** Banco pequeno e tosco. **7.** Talhe (1). **8.** V. *talhão*^{1} (1). **9.** Compartimento nas salinas; tabuleiro. **10.** *Grav.* Corte ou sulco praticado na madeira ou no metal; talha. **11.** *Bras. Chulo.* Os grandes lábios do órgão sexual feminino. ♦ **A talho.** V. *a talho de foice:* "Vem a talho observar que o Rio Grande intelectual acolhera os acenos de rebeldia literária [do modernismo] sem maiores comoções." (Moisés Velinho, *Letras da Província*, p. 40.) **A talho de foice.** A propósito; a jeito; à feição; a lanço; a talho.

talho-doce. *S. m.* Gravura a talho-doce. [Pl.: *talhos-doces.*]

tália. *S. f.* Planta da família das marantáceas, da América tropical. [Cf. *Talia*, mit.]

taliáceo. *S. m.* **1.** Espécime dos taliáceos. ● *Adj.* **2.** Pertencente ou relativo a eles.

taliáceos. *S. m. pl. Zool.* Animais cordados, tunicados, cujos adultos têm vida livre, e são desprovidos de cauda e de notocórdio; túnica permanente. São as salpas.

talião. [Do lat. *talione.*] *S. m.* V. *pena de talião.*

talictro. [Do gr. *tháliktron*, atr. do lat. *thalictru.*] *S. m.* Planta ranunculácea cuja haste semelha a da papoula. [Var.: *talitro*. Cf. *tálitro.*]

talim. [Do ár. *taH lil.*] *S. m.* **1.** V. *boldrié* (1): "as espadas em bainhas lavradas pendem de soberbos talins." (Rebelo da Silva, *Contos e Lendas*, p. 175). **2.** *Mar. G.* Cinto de couro ou de pano bordado com fio dourado, donde pendem duas tiras com gato de escape na ponta, destinadas a agüentar a espada usada pelos oficiais, suboficiais ou primeiros-sargentos.

talingadura. *S. f. Marinh.* Ato ou efeito de talingar.

talingar. [Do esp. *estalingar*, por aférese.] *V. t. d. e i. Marinh.* Ligar (a amarra) ao (anete da âncora ou da bóia) ou a (a paixão^{2}). [Conjug.: v. *largar.*]

talino. *Adj. Morfol. Veg.* Relativo ou pertencente ao talo (1): *bordo talino.*

tálio. [Do gr. *thallós*, 'ramo verde', + *-io*^{2}.] *S. m. Quím.* Elemento de número atômico 81, metálico, branco-azulado, mole. [Símb.: *Tl.*]

talionar. [Do lat. *talione*, 'talião', + *-ar*^{2}.] *V. t. d.* Aplicar a pena de talião a.

talionato. [Do lat. *talione*, 'talião', + *-ato*^{1}.] *S. m.* V. *pena de talião.*

talipe. [Do lat. *talipes* (nom.).] *S. m. Med.* Pé torto devido à má formação congênita.

talisca. [De *talhar*?] *S. f.* **1.** Fenda na rocha: "Dentre as taliscas de uma pedra brota / E salta, onde espinhoso o cardo medra, / E, vivíssima prata, gota a gota, / Escorre, como a lágrima da pedra." (Alberto de Oliveira, *Poesias*, 2ª série, p. 39.) **2.** Pequena lasca; estilha. **3.** *Bras.* Peça fina de madeira, que se embebe nos encaixes feitos longitudinalmente nas tábuas duma porta, duma janela, etc. **4.** *P. ext.* Sarrafo pouco espesso.

talismã. [Do gr. *telesma*, 'cerimônia religiosa', atr. do persa *tilismat*, pl. de *tilism*, e do fr. *talisman.*] *S. m.* **1.** Objeto de formas e dimensões variadas, ao qual se atribuem poderes extraordinários de magia ativa, possibilitando a realização de aspirações ou desejos. [Cf. *amuleto* e *fetiche* (1).] **2.** *Fig.* Encantamento, encanto.

talismânico. *Adj.* **1.** Referente a talismã. **2.** Que tem suas supostas virtudes.

tálitre. *S. m.* Var. de *tálitro* [q. v.].

talitro. *S. m.* Var. de *talictro.* [Cf. *tálitro.*]

tálitro. [Do lat. *talitru*, 'piparote no nariz'.] *S. m.* **1.** Nó na articulação dos dedos. **2.** Piparote. [Var.: *tálitre*. Cf. *talitro.*]

talmude. [Do hebr. *talmud*, 'estudo, ensino'.] *S. m.* Doutrina e jurisprudência da lei mosaica com explicações dos textos jurídicos do Pentateuco e a Michna, i. e., a jurisprudência elaborada pelos comentadores entre o III e o VI século. [Escreve-se com inicial maiúscula.]

talmúdico. *Adj.* Relativo ou pertencente ao Talmude.

talmudista. *S. 2 g.* Seguidor do Talmude.

talo. [Do gr. *tahllós*, 'ramo verde', pelo lat. *thallu.*] *S. m.* **1.** *Morfol. Veg.* Corpo vegetativo das plantas inferiores, filamentoso ou laminar, e constituído de células pouco diferenciadas. Às vezes apresenta aspecto bastante complexo, como se fosse uma planta superior; mas é só aparência: não há nem caule, nem raiz, nem folhas legítimas. As algas, fungos e liquens têm talo. [Cf. *caule.*] **2.** *Arquit.* Fuste ou tronco de coluna à qual falta base e capitel. **3.** *Bras.* V. *taioba* (1). [Pl.: *talos*. Cf. *tálus.*]

talocha. [Do fr. *taloche.*] *S. f.* V. *desempenadeira* (1).

talofítico. *Adj. Bot.* Relativo ou pertencente ao talófito: *organização talofítica.*

talófito. [Do gr. *thallós*, 'ramo verde', 'talo', + *-fito.*] *S. m. Bot.* **1.** Vegetal provido de talo. [Opõe-se a *cormófito.*] **2.** Espécime dos talófitos.

talófitos. [Pl. de *talófito.*] *S. m. pl. Bot.* Grupo de vegetais talosos, que inclui as algas, fungos e liquens.

talóide. *Adj. 2 g. Bot.* Semelhante ao talo (1): *hepática talóide.*

talol. [Do sueco *tall*, 'abeto', + *-öl*, 'óleo'.] *S. m. Quím.* Substância negra, líquida, oleosa, obtida do licor negro da indústria de papel e usada na fabricação de graxas, resinas e vernizes. [Pl.: *talóis.*]

talonado. [De *talão*^{1} + *-ado*^{1}.] *Adj.* **1.** Que tem talão^{1} (4). **2.** Talonário.

talonagem. *S. f. Art. Gráf.* Ato ou efeito de talonar.

talonar. [De *talão*^{1} + *-ar*^{2}.] *V. int. Art. Gráf.* Fazer talões [v. *talão*^{1} (5)]. [Cf. *blocar.*]

talonário. [De *talão*^{1} + *-ário.*] *Adj.* **1.** Diz-se de bloco ou livro cujas folhas constituem um talão^{1} (5); talonado. ● *S. m.* **2.** Bloco ou livro cujas folhas constituem um talão^{1} (5).

talonear. [Do esp. plat. *talonear.*] *V. t. d.* e *int. Bras., RS.* Dar com a tala ou chicote; chicotear: *Taloneia o animal desnecessariamente; Tem gosto em talonear.* [Conjug.: v. *frear.*]

taloneiro. [De *talão*^{1} + *-eiro.*] *S. m. Art. Gráf.* Bloquista.

taloso (ô). *Adj.* **1.** Que tem talo. **2.** Relativo a talo.

talpa. *S. f.* Mamífero da família *Talpidae*, de hábitos cavernícolas, vulgarmente chamado *toupeira*. A toupeira européia comum é a *Talpa europaea*, e a toupeira cega, cujos olhos são cobertos por uma pele, é a *Talpa caeca.*

taludamento. *S. m. Bras.* Ação de taludar.

taludão. *S. m.* Indivíduo muito taludo (2), muito desenvolvido fisicamente. [Fem: *taludona.*]

taludar. *V. t. d. Bras.* Fazer talude em: "Deixei, afinal, aquele tristonho morro da Saúde, que há dois meses retalho, e mino, e terrapleno, rasgando-lhe em degraus as encostas, taludando-o e artilhando-o" (Euclides da Cunha, *Contrastes e Confrontos*, p. 189).

talude. [Do fr. *talus*, atr. do esp. *talud.*] *S. m.* **1.** Terreno inclinado, escarpa, rampa. **2.** Superfície inclinada de uma escavação, de um aterro; escarpa, escarpadura, escarpamento: "A terra nua dos caminhos, limosa, esverdeada nos taludes e nas rampas, empapada, semilíquida no leito plano, ... ora alteava-se em almofadas de lama, ora cavava-se em poças de água barrenta" (Júlio Ribeiro, *A Carne*, p. 53). **3.** Inclinação dessa superfície, expressa por uma fração. **4.** *Tip.* Escarpa formada pelo relevo que constitui o olho do tipo; corte. ♦ **Talude continental.** *Ocean. Geol.* A parede, de declividade acentuada, que mergulha da extremidade da plataforma para os abismos oceânicos.

taludo. [De *talo* + *-udo.*] *Adj.* **1.** Que tem talo resistente. **2.** Grande, corpulento, desenvolvido.

taludona. *S. f.* Fem. de *taludão.*

tálus. [Do fr. *talus.*] *S. m. 2 n. Geol.* Depósito de sopé de escarpas, resultante da ação da gravidade sobre fragmentos rochosos soltos, ordinariamente misturados com terra. [Cf. *talos*, pl. de *talo.*]

talvegue. [Do al. *Talweg*, 'caminho do vale'.] *S. m.* **1.** Linha sinuosa, no fundo de um vale, pela qual as águas correm, e que divide os planos de duas encostas. **2.** O canal mais profundo do leito de um curso de água.

talvez (ê). [De *tal* + *vez*. Antes de ter a acepção dubitativa, significou 'alguma vez'; vejam-se adiante, exemplos.] *Adv.* **1.** Indica possibilidade ou dúvida; acaso, porventura, quiçá: *Talvez chova hoje;* "Talvez um dia meu amor se extinga" (Machado de Assis, *Poesias Completas*, p. 44); "O oficial era moço, talvez não tinha trinta anos" (Almeida Garrett, *Viagens na Minha Terra*, p. 185); "Olhos cerrados, boca entrecerrada, / Parecia dormir. Talvez dormia." (Alberto de Oliveira, *Poesias*, 2ª série, p.318). [Note-se: nos dois primeiros exemplos o *talvez*, anteposto ao verbo, levao, como de praxe, ao modo subjuntivo *(chova , extinga)*, enquanto nos dois últimos o verbo vai para o modo indicativo *(tinha, dormia)*, fato que se observa bem menos freqüentemente, mas não demasiado raro, quando o *talvez* sugere uma dúvida fraca, vizinha da certeza. Nas acepç. seguintes (q. v.) só se pode usar o indicativo.] **2.** *P. us.* Às vezes; por vezes: "Talvez o lenhador quando acomete / O tronco d'alto cedro corpulento, / Vem-lhe tingido o fio da segure / De puro mel, que abelhas fabricaram" (Gonçalves Dias, *Obras Poéticas*, II, pp. 248-249). **3.** Numa ou noutra ocasião; alguma vez: "A nave, que não toca / No porto a salvamento, / Talvez os rotos mastros / Atira à beira-mar." (Id., *ib.*, II, p. 147); "Talvez a rica of'renda aplaca os Deuses, / E saudável conselho a noite inspira!" (Id., *ib.*, II, p. 299). ♦ **Talvez... talvez.** *P. us.* Ora... ora; umas vezes... outras vezes: "Sussurro profundo! Marulho gigante! / Talvez um — silêncio!... talvez uma — orquestra..." (Castro Alves, *Obra Completa*, p. 357.)

tamacarica. [Do tupi *tamaka'rika.*] *S. f. Bras.* Toldo de embarcação. [Cf. *panacarica.*]

tamaindé (a-in). *S. 2 g. Bras.* **1.** Indivíduo dos tamaindés, tribo indígena nambiquara do rio Papagaio (MT). ● *Adj. 2 g.* **2.** Pertencente ou relativo a essa tribo.

tamanca. [De *tamanco.*] *S. f.* **1.** Tamanco (1). **2.** *Bras.* Sapata (5). **3.** *Marinh.* Peça de ferro ou de madeira, com uma ou mais roldanas de eixo vertical, onde gorne um cabo que tenha de fazer retorno. ♦ **Pisar nas tamancas.** *Bras. Gír.* V. *crescer nos cascos.* **Subir nas tamancas.** *Bras. Gír.* V. *crescer nos cascos.* **Trepar-se nas tamancas.** *Bras., RJ. Gír.* V. *crescer nos cascos.*

tamancada. *S. f.* Pancada com tamanco.

tamancão. [De *tamanco* + *-ão*^{1}.] *S. m. Bras., N.E.* a *S.* V. *caxeta.*

tamancar. [De *tamanco* + *-ar*^{2}] *V. t. d. Bras.* Fazer (qualquer obra) mal e precipitadamente; alinhavar, atamancar. [Conjug.: v. *trancar.*]

tamancaria. *S. f.* Lugar onde se fabricam e/ou vendem tamancos.

tamanco. *S. m.* **1.** Calçado grosseiro, cuja base é de madeira e não de sola; soco, tamanca. [Sin., bras., PE.: *sulipa* e (bras., MA) *chamató.*] **2.** *Bras.* Cepo (8). **3.** *Bras., N.E.* Tábua dos bordos da jangada onde se fincam os pés do banco do mastro. **4.** *Bras., N.E.* Peça do carro de bois sobre a qual giram os eixos. ♦ **Trepar-se nos tamancos.** *Bras., RJ.* V. *crescer nos cascos.*

tamancudo. [De *tamanco* + *-udo.*] *Adj. Bras.* Rústico, grosseiro, baixo.

tamanduá. [Do tupi *tamădu'á.*] *S. m.* **1.** *Bras.* Mamífero desdentado, da família dos mimercofagídeos, cujo alimento básico são os cupins. Ao contrário do que se propala, o tamanduá não se alimenta de saúvas. [Sin.: *papa-formigas.*] **2.** *Bras., S.* V. *avaro* (3). **3.** Questão moral difícil de resolver. **4.** Grande mentira; maranhão, carapetão.

tamanduá-açu. [De *tamanduá* + *-açu.*] *S. m. Bras.* Tamanduá-bandeira. [Pl.: *tamanduás-açus.*]

tamanduá-bandeira. *S. m. Bras.* Mamífero desdentado, da família dos mirmecofagídeos (*Myrmecophaga tridactyla* L.), das regiões tropicais e subtropicais da América do Sul. Mede cerca de 1,10 m de comprimento e quase outro tanto de causa, a qual é provida de pelagem densa e longa. Coloração cinza-escura, com uma mancha negra, orlada por estreita listra branca, estendendo-se do pescoço e do peito, obliquamente, para as costas; mãos providas de quatro dedos, porém com apenas três unhas visíveis. Tem hábitos terrestres, alimenta-se de cupins e, ao contrário do que se propala, é animal muito dócil. [Sin.: *tamanduá-açu, tamanduá-cavalo, iurumi, jurumim.* Pl.: *tamanduás-bandeiras* e *tamanduás-bandeira.*]

tamanduá-cavalo. *S. m. Bras.* V. *tamanduá-bandeira.* [Pl.: *tamanduás-cavalos* e *tamanduás-cavalo.*]

tamanduá-colete. *S. m. Bras.* Mamífero desdentado, da família dos mirmecofagídeos (*Myrmecophaga tetradactyla* (L.)), com quatro subespécies no Brasil. Tem coloração amarelada, com uma banda escura em forma de colete, cauda preênsil, quatro dedos nas mãos e cinco nos pés. Arborícola, mede 60 cm de corpo e 35 cm de cauda. [Sin.: *tamanduá-mirim, jaleco, melete, mixila.* Pl.: *tamanduás-coletes* e *tamanduás-colete.*]

tamanduaense. *Adj. 2 g.* **1.** De, ou pertencente ou relativo a Tamanduá (SE). ● *S. 2 g.* **2.** Natural ou habitante de Tamanduá.

tamanduaí. [De *tamanduá* + *-í.*] *S. m. Bras.* Mamífero desdentado, da família dos mirmecofagídeos (*Cyclopes didactylus* (L.)), característico da Amaz., porém que ocorre até AL. Tem coloração amarelo-ruiva, pelagem densa e muito macia, cauda preênsil, dois dedos na mão e quatro nos pés, e mede cerca de 25 cm de corpo e outro tanto de cauda. Vive nas matas e é essencialmente arborícola.

tamanduá-mirim. [De *tamanduá* + *-mirim.*] *S. m. Bras.* V. *tamanduá-colete.* [Pl.: *tamanduás-mirins.*]

tamanhão. [Aum. de *tamanho.*] *Adj.* **1.** Muito grande. ● *S. m.* **2.** Indivíduo alto, robusto e encorpado. [Fem.: *tamanhona.*]

tamanhinho. [Dim. de *tamanho.*] *Adj.* Muito pequeno; pequenino.

tamanho. [Do lat. *tam magnu*, 'tão grande'.] *Adj.* **1.** Tão grande: "Oh! que saudades tamanhas / Das montanhas, / Daqueles campos natais!" (Casimiro de Abreu, *Obras*, p. 57). **2.** Tão distinto; tão notável; tão valente: *Tamanho combatente não poderia sair-se mal na luta.* ● *S. m.* **3.** Grandeza, corpo, dimensão, volume. ◆ **Do tamanho de um bonde.** *Bras. Pop.* Muito grande, muito alto ou volumoso (pessoa ou coisa).

tamanho-família. *Adj. 2 g.* e *2 n. Bras. Fam.* **1.** Diz-se de embalagem (garrafa, caixa, etc.) cujo conteúdo corresponde ao de cerca de duas ou três embalagens comuns. **2.** *Fig.* Muito grande; fora dos padrões normais.

tamanhona. *Adj. (f.)* e *s. f.* Fem. de *tamanhão.*

tamanquear. [De *tamanco* + *-ear.*] *V. int.* **1.** Andar de tamancos. **2.** Fazer bulha, andando com tamancos. [Conjug.: v. *frear.*]

tamanqueira. *S. f. Bras.* **1.** Árvore da família das rutáceas (*Fagara rhoifolia*), que vive nas matas e penetra no cerrado, de folhas penadas, aculeadas, glandulosas e serreadas, flores pequenas e cheirosas, frutos cor de sangue quando maduros, pequeninos, foliculares e monospérmicos, e cujo tronco é revestido de acúleos, sendo a madeira, pardacenta e sedosa, utilizada para móveis, cabos de ferramenta e tamancos; maminha-de-porca, tembetaru. **2.** V. *caxeta.*

tamanqueira-de-leite. *S. f. Bras., Amaz.* Árvore lactescente, da família das apocináceas (*Malouetia duckei*), da floresta pluvial, de folhas ovadas, curtamente pecioladas, flores alvas, vistosas e ordenadas em inflorescências umbeliformes, e cujo fruto é um folículo muito comprido, cilíndrico, delgado, com sementes pilosas. [Pl.: *tamanqueiras-de-leite.*]

tamanqueiro. *S. m.* **1.** Fabricante e / ou vendedor de tamanco (1). **2.** *Bras., L.* a *S.* Arvoreta da família das verbenáceas (*Aegiphila sellowiana*), da floresta pluvial, de folhas grandes, oblongas, agudas e membranáceas, flores e frutos inaparentes, e cuja madeira, branca, leve e macia, serve para tamancos, caixas, brinquedos, lápis, violões, etc.; cambarazinho.

tamaquaré. [Do tupi *tamakwa'ré.*] *S. m.* **1.** *Bras., Amaz.* Designação de várias espécies do gênero *Caraipa*, da família das gutíferas, de flores vistosas, alvas e perfumadas, e cujas madeiras, fortes e duráveis, são utilizáveis em carpintaria. O tronco, ferido, cede um látex espesso e vermelho-escuro, e as sementes contêm uma gordura escura e de cheiro pouco agradável. **2.** Óleo medicinal fabricado com a seiva dessa árvore. **3.** Designação comum aos iguanídeos de quilha serrilhada no dorso e que vivem, geralmente, em troncos de árvores. **4.** Reptil lacertílio, da família dos iguanídeos (*Plica plica* (L.)), da Amaz. , que se alimenta de artrópodes. **5.** *Astr.* Cassiopéia: "este sauriozinho [o tamaquaré], tão admirado pelos homens, figura também em uma constelação boreal, a Cassiopéia, que os índios chamam Tamaquaré." (Eurico Santos, *Histórias, Lendas e Folclore de Nossos Bichos*, p. 393). [Var., na Amaz.: *taquaré* (q. v.).]

tamaquaré-miúdo. *S. m. Bras., Amaz.* Espécie de tamaquaré (*Caraipa minor*), de pequeno tamanho. [Pl.: *tamaquarés-miúdos.*]

tâmara. [Do ár. *tamrâ.*] *S. f.* Fruto da tamareira; datil.

tamaral. [De *tâmara* + *-al.*] *S. m.* Quantidade mais ou menos considerável de tamareiras dispostas proximamente entre si.

tamarana. [Do tupi *tama'rana.*] *S. f. Bras.* Cuidaru.

tamararé. *Bras. S. 2 g.* e *adj. 2 g.* Tamaré.

tamaratana. *S. f. Bras.* V. *curimã.*

tamaré. *Bras. S. 2 g.* **1.** Indivíduo dos tamarés, tribo indígena da bacia do Guaporé (MT). ● *Adj. 2 g.* **2.** Pertencente ou relativo a essa tribo. [F. paral.: *tamararé.*]

tamareira. *S. f.* Palmeira (*Phoenix dactylifera*) ornamental, característica dos oásis dos desertos africanos, cultivada pelos árabes graças ao fruto, a tâmara, importante como matéria alimentar, que exportam depois de fervidos e açucarados; datileira.

tamarga. [Do lat. **tamarica*, por *tamarice.*] *S. f.* Arbusto ou arvoreta da família das tamaricáceas (*Tamarix africana*), nativo na África, de folhas ovadas, acuminadas, semi-amplexicaules e decíduas, flores pequenas, congregadas em curtos racemos (2 a 3 cm), e cujas cápsulas contêm numerosas sementes minutas, com um tufo de pêlos no ápice. [Var.: *tramaga*; sin.: *tamargueira*, var. *tramagueira.*]

tamargal. *S. m.* Quantidade mais ou menos considerável de tamargas dispostas proximamente entre si. [Var.: *tramagal.*]

tamargueira. [De *tamarga* + *-eira.*] *S. f.* V. *tamarga.*

tamari. [Provavelmente do tupi.] *S. m. Bras.* V. *sagüi.*

tamaricácea. *S. f.* Espécime das tamaricáceas.

tamaricáceas. *S. f. pl. Bot.* Família de plantas superiores, da ordem das parietales, composta de arbustos e árvores de folhas minutas, escamiformes ou aciculares, e flores racemosas. Há umas 100 espécies, das terras temperadas, por via de regra halófilas.

tamaricáceo. *Adj.* Pertencente ou relativo às tamaricáceas.

tamarina. *S. f. Bras., PB.* V. *tamarindo* (1 e 2).

tamarindal. *S. m.* Quantidade mais ou menos considerável de tamarindos dipostos proximamente entre si.

tamarindeiro. *S. m.* V. *tamarindo* (1).

tamarindo. [Do ár. *tamr al-Hindi*, 'tâmara da Índia'.] *S. f.* **1.** Árvore da família das leguminosas (*Tamarindus indica*), originária da África tropical, de folhas penadas, com pequenos folíolos, flores amarelas e pouco visíveis, e cujos frutos, edules, são legumes indeiscentes em cujo interior há uma polpa ácida e comestível, apreciada para refrescos. [Sin.: *tamarindeiro, tamarineira, tamarineiro, tamarinheiro* e (bras.) *tamarina, jubaí.*] **2.** O fruto dessa árvore; tamarina.

tamarineira. *S. f.* V. *tamarindo* (1).

tamarineiro. *S. m.* V. *tamarindo* (1).

tamarinheiro. *S. m.* V. *tamarindo* (1).

tamaru. *S. m. Bras.* F. apocopada de *tamarutaca.*

tamarutaca. [Do tupi. (O final, *taka*, é o ger. de *tag*, 'fazer barulho, soar'.)] *S. f. Bras.* V. *tamburutaca.*

tamatá. *S. m. Bras.* V. *tambuatá* (1 e 2).

tamatarana. *S. f. Bras.* V. *curimã* (1).

tamati. [Talvez do tupi *tã'bá*, 'ostra, concha', + *ti*, por *tĩ* 'branco'.] *S. f. Bras.* V. *mija-mija.*

tamatiá. [Do tupi *tamati'á (wira).*] *S. m.* **1.** *Bras.* V. *arapapá* (1). **2.** *Bras., AM. Pop.* Clitóris.

tamatião. [Do tupi *timati'ãi*, 'o que tem bico de gancho'.] *S. m. Bras.* V. *dorminhoco* (3).

tamba. [Do tupi *tãba.*] *S. f. Bras.* Bebida de uso entre os indígenas, feita de beiju grande cozido e diluído em água.

tambá. [Do tupi *tã'bá*, 'ostra'.] *S. m. Bras.* V. *concha* (2).

tambaca. [Do sânscr. *tammraka*, atr. do mal. *tambága.*] *S. f.* **1.** Liga de cobre e zinco. **2.** Mistura fundida de ouro e prata. [Var.: *tambaque^{2}* (q. v.).]

tambaco. [Do tupi *tã'bá*, 'ostra', talvez.] *S. m. Bras* Molusco marinho (*Barnea costata*).

tambafóli. [Talvez o 1º el. seja o tupi *tã'bá*, 'ostra'.] *S. m. Bras.* Molusco marinho (*Pholas costata* Lin.), que causa estragos às construções navais.

tambaíba. [Do tupi *tãba'ĩwa*, 'árvore das conchas'.] *S. f. Bras.* Árvore silvestre cuja madeira, listrada de amarelo e preto, se usa em marcenaria.

tambaque^{1}. [Var. de *tabaque.*] *S. m.* **1.** *Bras., SP.* Batuque dos negros, por ocasião das festas de Nossa Senhora do Rosário. **2.** V. *atabaque* (2).

tambaque^{2}. [Var. de *tambaca.*] *S. m. Bras., N.* Metal inferior; ouro falso; ouropel, pechisbeque.

tambaqui. [Do tupi *tãba'ki.*] *S. m. Bras.* Designação comum aos peixes teleósteos, caraciformes, da família dos caracídeos, do gênero *Colossoma* Eig & Ken., muito comuns na Amaz. A espécie mais conhecida com esse nome é o *C. Bidens* (Spix), da bacia amazônica e do Paraguai, de coloração geral cinza, com laivos dourados no dorso, e abdome amarelado. Alimenta-se de frutos, que são utilizados na pesca com linha. É dos peixes melhores e mais comuns do mercado de Manaus. [Sin.: *curupeté.*]

tambarutaca. [Var. de *tamarutaca.*] *S. f. Bras.* V. *tamburutaca.*

tambatajá. [Do tupi *tãbata'yá.*] *S. f. Bras., AM* e *RJ.* Erva lactescente e escandente, da família das aráceas (*Syngonium auritum*), das matas úmidas, de folhas sagitadas, trissectas, com segmentos oblongo-acuminados, e flores unissexuais, minutas, e organizadas em espigas compactas protegidas por grandes brácteas amarelo- + esverdeadas.

tambauense (a-u). *Adj. 2 g.* **1.** De, ou pertencente ou relativo a Tambaú (SP). ● *S. 2 g.* **2.** Natural ou habitante de Tambaú.

tambeense (eên). *Adj. 2 g.* **1.** De, ou pertencente ou relativo a També (PE). ● *S. 2 g.* **2.** Natural ou habitante de També.

tambeira. [Fem. de *tambeiro.*] *S. f. Bras., S.* Novilha mansa.

tambeirada. [De *tambeiro* + *-ada^{1}.*] *S. f. Bras., S.* Porção de gado manso e de pequeno porte.

tambeiro. [Do esp. platino *tambero.*] *S. m.* **1.** *Bras., S.* e *MT.* Touro ou boi habituado ao tambo^{2} (3). **2.** *Bras., S.* Filho de vaca que foi ordenhada por algum tempo; bezerro. **3.** *Bras., S.* Gado manso. [Nesta acepç., cf. *tombeiro.*] **4.** *Bras., S.* Poldro filho da madrinha ou guia das tropas de animais.

também. [De *tam* (tão) + *bem.*] *Adv.* **1.** Da mesma forma; igualmente: "A mão pálida tremia, / Contando o seu grande bem. / Mas, como o dele, batia / Dela o coração também." (Manuel Bandeira, *Estrela da Vida Inteira*, p. 18.) **2.** Outrossim; além disso; ainda: "Pois polos doze pares dar-vos quero / Os doze de Inglaterra, e o seu Magriço. / Dou-vos também aquele ilustre Gama, / Que para si de Enéias toma a fama." (Luís de Camões, *Os Lusíadas*, I, 12). **3.** Por outro lado: "Há o que em Oxford se ensina e há também o que em Oxford se aprende." (Luís Forjaz Trigueiros, *Ventos e Marés*, p. 143.) **4.** Em compensação; em todo caso: "Na vasta escala da ornitologia / Se águia não é, também não é graúna." (Emílio de Meneses, *Mortalhas*, p. 68). **5.** Mas diga-se; mas, porém: "Na aula de catecismo, não contava nada a Dona Ediná. Também, não tinha coragem de levantar os olhos para os santos..." (Macedo Miranda, *As Três Chaves*, p. 29); "Não deu parte à polícia. Também não adiantava" (Adalberon Cavalcanti Lins, *Curral Novo*, p. 63). **6.** Diga-se de passagem; aliás: *Ganhou a eleição — também não era para menos. Interj.* **7.** Exprime estranheza, descontentamento, desgosto: *Você diz que não tem amigos. Também! com esse temperamento difícil!*

tambetá. [Do tupi, decerto.] *S. m. Bras.* Vaso de cerâmica indígena.

tambetara. [Do tupi, decerto.] *S. f. Bras.* V. *papaterra* (3).

tambetaru. [Do tupi, certamente.] *S. m. Bras.* Quebra-machado [q. v.].

tâmbi. [Do quimb. *tambi*, 'funeral'.] *S. m.* **1.** Solenidade fúnebre, entre os indígenas de Angola. **2.** *Bras.* V. *piquira* (6).

tambica. *S. f.* Chumbo de rede.

tambicu. [De provável or. tupi.] *S. m. Bras.* V. *peixe-cachorro* (2).

tambiú. [De *tambi* + tupi *u*, 'negro'.] *S. m. Bras.* Peixe teleósteo, caraciforme, da família dos caracídeos (*Astyanax bimaculatus lacustria* (Rein.)), do rio São Francisco, de cabeça e dorso escuros, reflexos azulados nos flancos, abdome prateado, mancha escura na região umeral, e outra, alongada, na base da cauda. [Sin.: *piaba-rodoleira, piaba-da-lagoa, piau-da-lagoa.*]

tambo^{1}. [De *tálamo* (q. v.), atr. da f. *taãbo.*] *S. m.* **1.** Bodas; tálamo. **2.** Mesa baixa, no refeitório em que, por castigo, os frades comiam.

tambo[2]. [Do quíchua *tampu*, 'pouso, albergue', atr. do esp. plat. e do peruano.] *S. m. Bras.* **1.** Casa de campo. **2.** *Bras., AM.* Espécie de palhota ou barracão. **3.** *Bras., RS.* Estábulo onde se ordenham vacas, para venda de leite.

tamboarense. *Adj. 2 g.* **1.** De, ou pertencente ou relativo a Tamboara (PR). ● *S. 2 g.* **2.** Natural ou habitante de Tamboara.

tamboeira. [Do tupi *tãbo'era*, 'espiga extinta, sabugo de milho, carolo'.] *S. f.* **1.** *Bras., N.E.* Raiz mirrada da mandioca ou da macaxeira, não aproveitada na colheita; pororom. **2.** *Bras., N.E.* A cana que cresceu pouco. **3.** *Bras., N.E.* V. *batuera*. **4.** *Bras., AL.* Aguaceiro com trovão e relâmpago, que cai, de ordinário, em outubro. [Cf. *taboeira*.]

tamboera (ê). [Do tupi *tãbo'era*, 'espiga extinta, sabugo de milho, carolo'.] *S. f. Bras.* V. *batuera*.

tambona. *S. f. Bras., S.* Espécie de cafeteira.

tambor (ô). [Do ár. *Tanbur.*] *S. m.* **1.** Qualquer dos instrumentos de percussão, com uma ou duas membranas esticadas, as quais, percutidas, produzem sons indeterminados. **2.** Designação comum aos instrumentos de percussão que constam de uma caixa cilíndrica de madeira ou de metal, cujas bases são revestidas de pele tensa e percutidas com baquetas ou macetas, e cuja sonoridade varia de acordo com as diferentes dimensões do instrumento: *O bombo é o mais grave dos* tambores. **3.** Tambor (2) de tipo médio (tambor surdo, caixa clara, tarol), dotado ou não de cordas sobre o timbre, percutido com baquetas e tocado com as peles em posição horizontal ou inclinada. [Cf., nessas acepç., *tamboril*[1], (1) e *tamborim*. Var., us. nessas acepç.: *atambor*.] **4.** Pessoa que toca tambor: "Para se fazer militar começou por tambor na célebre companhia dos jovens boiardos." (Ramalho Ortigão, *As Farpas*, II, p. 57.) **5.** Peça do revólver, cilíndrica, na qual se acomodam as balas, e que, girando em torno de um eixo, após cada disparo, coloca outra bala em posição de ser deflagrada. **6.** Grande vasilha metálica, cilíndrica, usada para transportar combustíveis líquidos: tambor *de gasolina;* tambor *de óleo*. [V. *barril*.] **7.** Tímpano (2). **8.** O cilindro em que, nos guindastes e outros aparelhos de força, se enrola o cabo. **9.** O cilindro das fechaduras. **10.** Designação comum a diversos objetos cilíndricos. **11.** *Autom.* O cubo da roda. **12.** *Tip.* Cilindro de grande diâmetro que caracteriza a prensa de rotação simples; bombo. **13.** *Bras., RS. Gír.* Bacia do rinhadeiro. ♦ **Tambor basco.** Pandeiro (1). **Tambor de guerra.** V. *caixa clara*. **Tambor de Mina.** *Bras., MA.* Ritual e cerimônia afro-brasileira, com dança marcada por tambores e cantos, dos negros minas, originários da antiga Costa do Ouro. **Tambor magnético.** *Proc. Dados.* Cilindro com superfície magnética, onde se armazenam dados. **Tambor militar.** V. *caixa de rufo*. **Tambor surdo.** Tambor (3) de fuste alto, sem cordas sobre a membrana inferior, e que tem, por isso, uma sonoridade abafada; caixa surda. [Tb. se diz apenas *surdo*. Cf. *tambor militar*.]

tambor-de-crioula. *S. m. Bras., MA.* V. *punga*[2]. [Pl.: *tambores-de-crioula*.]

tamborete (ê). [Do fr. *tabouret*, com infl. de *tambor*.] *S. m.* **1.** Cadeira de braços sem espaldar. **2.** Assento para uma pessoa, sem encosto, de madeira ou de outro material, tampo redondo ou quadrado. **3.** *Tip.* Bloco de madeira, de face lisa, que se coloca sobre a fôrma e se golpeia com o maço, para nivelar os tipos; aplanador, assentador. **4.** *Bras., N.E.* Indivíduo de estatura baixa. ♦ **Tamborete de provas.** *Tip.* Tamborete com a face revestida de flanela, usado para tirar provas; assentador de provas.

tamborete-de-brega. *S. 2 g. Bras., BA. Pop.* Pessoa de estatura muito baixa. [Sin., bras., PB: *tamborete-de-forró*. Pl.: *tamboretes-de-brega*.]

tamborete-de-forró. *S. 2 g. Bras., PB.* Tamborete-de-brega. [Pl.: *tamboretes-de-forró*.]

tamboréu. *S. m. Bras.* Espécie de jogo em que se utiliza pandeiro e peteca.

tamboril[1]. [De *tamborim* (q. v.), por dissimilação.] *S. m.* **1.** Instrumento de percussão, espécie de cítara com seis cordas percutíveis com uma baqueta, e que serve para acompanhar as danças regionais das Vascongadas (Espanha) e do Béarn (França). O executante percute as cordas com a baqueta na mão direita, e com a esquerda toca o galubé. [Cf. *tambor* (1 a 3).] **2.** *P. ext.* Dança provençal ritmada pelo tamboril, em compasso binário e andamento vivo. **3.** Tamborim (1): "ao som ... do tamboril a rufar e do bombo a troar, o *Fandango* salta animado, em dança de roda" (Antero de Figueiredo, *Jornadas em Portugal*, p. 156). [Dim. irreg.: *tamborilete*.]

tamboril[2]. [Var. de *tamburi* (q. v.), por infl. de *tamboril*[1].] *S. m. Bras., Amaz.* Árvore da família das leguminosas (*Enterolobium maximum*), da mata úmida, de tronco e copa muito amplos, folhas penadas, flores pequeninas, e cujo fruto apresenta a forma de alça intestinal achatada e contém polpa branca e adocicada, sendo a madeira castanha, grosseira e sem valor.

tamborilada. [De *tamborilar* + *-ada*[1].] *S. f.* Toque de tambor ou de tamboril.

tamborilante. *Adj. 2 g.* Que tamborila.

tamborilar. [De *tamboril* + *-ar*[2].] *V. int.* **1.** Tocar com os dedos ou com um objeto em qualquer superfície, imitando o rufar do tambor: "tamborilava com os dedos no balcão" (Antero Figueiredo, *Jornadas em Portugal*, p. 290). **2.** Produzir som análogo ao do tambor: "quero morrer tranqüilamente, metodicamente, ouvindo os soluços das damas, as falas baixas dos homens, a chuva que tamborila nas folhas de tinhorão da chácara" (Machado de Assis, *Memórias Póstumas de Brás Cubas*, p. 3). **3.** Importunar com ditos ou sons inarmônicos.

tamboril-bravo. *S. m. Bras.* Árvore da família das leguminosas (*Peltophorum vogelianum*), muito cultivada para arborização de ruas, de folhagem finamente subdividida, flores amarelas que se espalham por sobre a copa, e cujos frutos são pequenas sâmaras coriáceas. [Pl.: *tamboris-bravos*.]

tamborileiro. *Adj. e s. m.* Diz-se de, ou aquele que toca tambor ou tamboril.

tamborilete (ê). *S. m.* Pequeno tamboril[1] (1).

tamborim. *S. m.* **1.** Tambor pequeno. [Var.: *tamboril*[1] (q. v.).] **2.** Tambor provençal, de fuste cilíndrico e alongado, com pele nas duas extremidades, percutido com uma só baqueta, e que é tocado simultaneamente com o pífaro ou o galubé pelo mesmo executante. [Cf. *tambor* (1 a 3).]

tamborino. *S. m.* V. *tamborim*: "Gira em volteios colubrinos, / Lentos, elásticos, felinos, / Ao retumbar dos tamborinos." (Martins Fontes, *Fantástica*, p. 120.)

tambor-mor. *S. m.* Chefe dos tambores, em um regimento. [Pl.: *tambores-mores*.]

tambor-onça. *S. m. Bras., MA.* V. *cuíca* (2). [Pl.: *tambores-onças* e *tambores-onça*.]

tambozeiro. *S. m. Bras., MA. Folcl.* Coureiro (3).

tambu[1]. [De *tambor*.] *S. m. Bras., SP.* Grande atabaque usado no jongo e no batuque.

tambu[2]. [Do guar., atr. do esp. plat. *tambú*.] *S. m.* Bicho de pau podre.

tambuatá. [Var. de *tamuatá* < tupi *tamua'tá*.] *S. m. Bras.* **1.** Designação comum a várias espécies do gênero *Corydoras* Lac. e de outros afins, cujo corpo é revestido de placas ósseas do mesmo tipo. Algumas delas não ultrapassam 4 a 5 cm e são muito apreciadas para aquários. **2.** Peixe teleósteo, siluriforme, da família dos calictídeos (*Calichthys callichthys* (L.)), largamente distribuído pelo Brasil. O corpo é revestido por duas séries de placas ósseas verticais, imbricadas, 27 dorsais e 25 ventrais; coloração pardo-escura tendente ao cinza-escuro; comprimento: 20 cm. [Sin. ger., nessas acepç.: *tamatá, peixe-do-mato, peixe-de-enxurrada, camboatá*.] **3.** V. *soldado* (8).

tamburi. [Do tupi *ta mbo ri*, 'tronco que exsuda humores'.] *S. m. Bras., L. a S.* Árvore da família das leguminosas (*Enterrolobium contortisiliquum*), da mata atlântica, que tem o tronco muito grosso e a copa imensa, esgalhada. A madeira é pardo-avermelhada, macia, excelente para a fabricação de canoas de tronco inteiro; o legume contém saponina hemolítica. [Sin.: *timboúva, orelha-de-negro*.]

tamburipará. [Var. de *tamburupará*.] *S. m. Bras.* V. *bico-de-brasa*.

tamburupará. [Do tupi *tãburupa'rá*.] *S. m. Bras.* V. *bico-de-brasa*. [Var.: *tamburipará*.]

tamburutaca. [Var. de *tambarutaca* < *tamarutaca*.] *S. f. Bras.* Designação comum às espécies de crustáceos estomatópodes, de porte avantajado, que medem até 34 cm de comprimento, embora muitas espécies não ultrapassem 4 cm. Com aspecto de louva-a-deus ou de lagosta, diferem desta última por serem desprovidas de antena longa e terem três segmentos do cefalotórax livres, bem como pelas patas anteriores preênseis. Vivem no fundo do mar, ocultando-se na lama ou areia, e são carnívoras. [Sin.: *mãe-do-camarão, lagosta-gafanhoto*.]

tamearama. [Do tupi *tamea'rana*.] *S. f. Bras., AM* a *MG.* Trepadeira polimorfa, da família das euforbiáceas (*Dalechampia scandens*), de folhas tripartidas e mesmo inteiras, membranáceas e pilosas, estípulas lanceoladas, flores unissexuais, no interior de um invólucro foliáceo trífido, e cujos frutos são pequenas cápsulas tricocas; urtiga-tamearama, caajacara.

tametara. [Do tupi *itameta'ra*, 'pedra do beiço'.] *S. f. Bras.* Metara.

tamiça. [Do gr. *thômix*, atr. do lat. *thomice*.] *S. f.* Cordel de esparto, delgado.

tamiceiro. *Adj. e s. m.* Que ou aquele que fabrica e/ou vende tamiça.

tâmil. [Do tâmil *tamil*, 'melodiosidade'.] *S. m.* **1.** Indivíduo dos tâmeis, povo que fala a mais culta das línguas dravídicas, no S. da Índia e no N. e O. de Sri Lanka. **2.** Essa língua. [Var.: *tâmul*.]

tamina. [F. aferética do quimb. *ritamina*, 'tigela'.] *S. f. Bras.* **1.** Vaso com que se media a ração diária dos escravos. **2.** Essa ração. **3.** Porção de água que era permitido a cada pessoa tirar das fontes públicas nos tempos de seca. ♦ **Por tamina.** À ração, aos poucos.

tamis. [Do fr. *tamis*.] *S. m.* **1.** Peneira de seda usada em farmácia ou laboratório. **2.** Tecido inglês de lã: "a luz desmaiava em penumbra passando pelos tamises das cortinas e dos reposteiros." (Coelho Neto, *Obra Seleta*, I, p. 269). **3.** *Fig.* Peneira, filtro, crivo: "o comum dos homens, quando percebe uma coisa, percebe-a de modo fragmentado, como que fazendo-a passar através do tamis de sua própria existência e de sua própria experiência." (Mário Faustino, *Poesia — Experiência*, pp. 50-51). [Pl.: *tamises*.]

tamisação. [Do fr. *tamisation*.] *S. f.* Ato ou efeito de tamisar.

tamisar. [Do fr. *tamiser*.] *V. t. d.* **1.** Passar pelo tamis; peneirar. **2.** *Fig.* Depurar, joeirar. [Pres. ind.: *tamiso, tamisas, tamisa*, etc. Cf. *Tâmisa*, top.]

tamo. [Do lat. *tamnu*.] *S. m.* Erva da família das dioscoreáceas (*Tamus communis*), oriunda da Europa, Ásia e África, de folhas cordadas, ovadas, inteiras ou trilobadas, flores pequenas, unissexuais, arrumadas em racemos compridos e laxos, cujo fruto é uma baga subglobosa e carnosa, e cujos ramos, volúveis, partem de um grosso tubérculo subterrâneo.

tamoeiro. [De *tamão* + *-eiro*.] *S. m.* **1.** Peça central do carro de bois. **2.** Peça de couro que segura o carro à canga.

tamoio. *Bras. S. m.* **1.** Indivíduo dos tamoios, tribo indígena tupi que habitava o território do atual RJ e se aliou aos franceses na luta contra os portugueses. ● *Adj.* **2.** Pertencente ou relativo a essa tribo.

tamóio. *S. m. e adj. Bras.* V. *tamoio*.

tampa. [Do gót. **tappa*, 'batoque' (em al. mod., *Zapfen*).] *S. f.* **1.** Peça movediça para tapar vaso ou caixa; tapador, tapadouro, tapadura. **2.** V. *tampo*[1] (2). **3.** Prensa de penteeiro. **4.** *Bras. Gír.* Chapéu (1). ♦ **Roer tampa de penico.** *Bras. Gír.* Estar em má situação; passar privação, dificuldade; estar na pior: "— Queria dormir com você, querida... Mas, é claro... Muitos hão de querer, estão por aí roendo tampa de penico." (Jorge Amado, *Dona Flor e Seus Dois Maridos*, p. 289.)

tampado. [Part. de *tampar*.] *Adj. Bras.* **1.** Encoberto, tapado. **2.** Denso, cerrado. ♦ **Comer tampado.** *Bras., N.E. Pop.* V. *comer da banda podre*.

tampão. [Do fr. *tampon*.] *S. m.* **1.** Tampa (1) grande. **2.** V. *tampo*[1] (2). **3.** Peça que serve para tampar a saída do esgoto de tanques, pias, etc. **4.** Grande rolha. **5.** Bucha (2). **6.** Chumaço (4). **7.** *Grav.* Chumaço de algodão coberto de pano ou couro, usado para entintar a placa de metal ou a pedra litográfica. [Cf., nesta acepç., *boneca* (3).] ♦ **Tampão vaginal.** Aquele que se usa por ocasião de menstruação, ou após certas intervenções cirúrgicas ginecológicas.

tampar. *V. t. d.* Pôr tampa ou tampo[1] em.

tampinha. [Dim. de *tampa*.] *S. f. Bras.* **1.** Certo jogo popular. ● *S. 2 g.* **2.** *Pop.* Pessoa de estatura muito baixa.

tampo[1]. [Var. de *tampa*.] *S. m.* **1.** Peça circular onde se entalham as aduelas das cubas, tinas, cascos, etc. **2.** Peça de madeira, de plástico, etc., que cobre a bacia dos aparelhos sanitários; tampa, tampão. **3.** A parte superior da caixa de ressonância dos instrumentos de cordas. ~ V. *tampos*.

tampo[2]. *S. m. Bras., N.E.* A pele da rês morta por doença. ~ V. *tampos*.

tamponamento. [Do fr. *tamponnement*.] *S. m.* Ato ou efeito de tamponar.

tamponar. *V. t. d.* Obstruir com tampão; tapar.

tampos. [Pl.: de *tampo*.] *S. m. pl. Bras. Chulo.* O hímen. ~ V. *tampo*. ♦ **Tirar os tampos a.** *Bras. Chulo.* Deflorar, desflorar, descabaçar.

tampouco. [De *tam* (= *tão*) + *pouco*.] *Adv.* Também não: "Não dormi, tampouco estive acordado." (Benedito Salomon da Costa e Silva, *Seis Contos*, p. 15); "Não posso explicar Deus. Ele tampouco." (Guilherme Figueiredo, *Despropósitos*, p. 98). [Cf. *tão pouco*, em frases como: *Tenho tão pouco entusiasmo por este livro!*]

tamuana. *Bras. S. 2 g.* **1.** Indivíduo dos tamuanas, tribo indígena da margem direita do Amazonas. ● *Adj. 2 g.* **2.** Pertencente ou relativo a essa tribo.

tamuatá. [Do tupi *tamua'tá.*] *S. m. Bras.* **1.** V. *tambuatá* (1 e 2). **2.** V. *soldado* (8).

tamucu. [De provável or. indígena.] *S. m. Bras.* V. *peixe-cachorro* (2).

tâmul. *S. m.* Var. de *tâmil.*

tamuria. [Do rad. gr. de *thameiós*, 'freqüente', + *-ur (o)-*[2] + *-ia.*] *S. f. Med.* Micção freqüente.

tamuripará. *S. m. Bras.* V. *bico-de-brasa.*

tamuz. [Do hebr. *tammuz.*] *S. m. Cronol.* O 10º mês do calendário israelita, com 29 dias.

■**tan-**[1]. *Mat.* Símb. impr. de *arco tangente* [q. v.].

tana. *S. 2 g.* e *adj. 2 g. Bras.* V. *tariana.*

tanabiense. *Adj. 2 g.* **1.** De, ou pertencente ou relativo a Tanabi (SP). ● *S. 2 g.* **2.** Natural ou habitante de Tanabi.

tanaceto (ê). [Do lat. tardio tanacetu.] *S. m.* Erva da família das compostas (*Tanacetum vulgare*), subespontânea, procedente da Europa, cujas folhas, herbáceas, amargas, têm odor desagradável e propriedades insetífugas; tasneira, tanásia.

tanado. [Do fr. *tanné.*] *Adj.* Que tem cor de castanha, semelhante à do couro curtido com tanino; trigueiro: "Toda a vida me há de lembrar da sua figurinha impassível e tanada" (Fialho d'Almeida, *Pasquinadas*, p. 329).

tânagra. [Do top. *Tânagra.*] *S. f.* **1.** Estatueta de terracota, muito elegante, trabalhada com extrema perfeição, e da qual se encontrou grande quantidade na necrópole de Tânagra, cidade grega antiga. **2.** *Fig. ext.* Mulher perfeita de corpo, esbelta, elegante, como essas estatuetas.

tanagrídeo. *S. m.* e *adj.* Traupídeo.

tanagrídeos. [Pl. de *tanagrídeo.*] *S. m. pl. Zool.* Traupídeos.

tanaidáceo. *S. m.* **1.** Espécime dos tanaidáceos. ● *Adj.* **2.** Pertencente ou relativo a eles.

tanaidáceos. *S. m. pl. Zool.* Animais artrópodes, crustáceos, malacostráceos, peracarídios, ordem *Tanaidacea.* São marinhos, de corpo minúsculo, provido de pequena carapaça, e telso não articulado.

tanajuba. *S. f. Bras.* V. *guaruba.*

tanajura. [Do tupi *tanayu'rá.*] *S. f. Bras.* **1.** Designação comum às fêmeas ou rainhas dos insetos himenópteros, da família dos formicídeos, especialmente as do gênero *Atta* Fabr., que perdem as asas após o vôo nupcial, indo formar novos formigueiros. Elas levam consigo pequena parcela de cogumelo a fim de darem início à nova cultura. [Sin.: *içá*] **2.** *Bras. Pop.* Pessoa de nádegas muito desenvolvidas.

tananá. [Do tupi *tananá*; voc. onom.] *S. m. Bras., Amaz.* Inseto ortóptero, da família dos pseudofilídeos (*Chlorocoelus tanana* Bates), da Amaz., de coloração verde-pálida, e com até 6 cm de comprimento. Essa espécie emite uma estridulação característica.

tanante. *Adj. 2 g. Bot.* Que serve para curtir couro por encerrar tanino: *casca tanante.*

tanásia. [Do lat. medieval *tanasia.*] *S. f.* V. *tanaceto.*

tanatau. [Var. de *tauató* < tupi *tawa'tó.*] *S. m. Bras.* Ave falconiforme, da família dos falconídeos (*Micrastur mirandollei* (Schl.)), do Brasil setentrional e oriental. A coloração da parte superior do corpo é pardo-acinzentada, sendo a parte inferior branca, com algumas estrias pretas; cauda preta, listrada de pardo. [Var: *tanató.*]

▲**tanato-.** [Do gr. *thánatos, ou.*] *El. comp.* = 'morte': *tanatognose, tanatoscopia.*

tanató. *S. m. Bras.* V. *tanatau.*

tanatofobia. [De *tanato-* + *-fob(o)-* + *-ia.*] *S. f.* Terror excessivo da morte.

tanatofóbico. *Adj.* Relativo à tanatofobia.

tanatófobo. [De *tanato-* + *-fobo.*] *S. m.* Aquele que sofre da tanatofobia.

tanatogênese. [De *tanato-* + *-gênese.*] *S. f.* Investigação da origem e causas da morte.

tanatogenético. *Adj.* Relativo à tanatogênese.

tanatognose. [De *tanato-* + *-gnose.*] *S. f. Med. Leg.* Diagnóstico da morte.

tanatologia. [De *tanato-* + *-log(o)-* + *-ia.*] *S. f.* **1.** Tratado sobre a morte. **2.** Teoria da morte. **3.** Parte da medicina legal que se ocupa da morte e dos problemas médico-legais com ela relacionados.

tanatológico. *Adj.* Relativo à tanatologia.

tanatologista. *S. 2 g.* Especialista em tanatologia; tanatólogo.

tanatólogo. [De *tanato-* + *-logo.*] *S. m.* Tanatalogista.

tanatos. [Do gr. *Thánatos*, 'morte', nome do deus da morte, filho da Noite e de Hipnos.] *S. m.* Impulso de morte, de destruição. [Com inicial maiúscula. Cf. *Eros.*]

tanatoscopia. [De *tanato-* + *-scop-* + *-ia.*] *S. f.* Exame de cadáver.

tanatoscópico. *Adj.* Relativo à tanatoscopia.

tancagem. [Do ingl. *tankage.*] *S. f.* **1.** Armazenagem de líquidos em tanques. **2.** A capacidade desses tanques.

tancar. *S. m.* Embarcação miúda, de fundo chato, com uma cobertura semicircular feita de varas de bambu e esteiras, movida com dois remos (um à popa, como esparrela, e outro em um dos bordos), usada nos portos chineses para transporte de passageiros.

tanchagem. [F. metatética do ant. *chantagem* < lat. *plantagine.*] *S. f. Bras.* Erva rosulada, da família das plantagináceas (*Plantago major*), de origem européia, e amplamente divulgada como ruderal, de folhas espatuladas e moles, inseridas pela base, e flores mínimas e paleáceas, que se inserem em espigas delgadas e cilíndricas, muito alongadas.

tanchão. [F. metatética do ant. *chantão* < lat. **plantone.*] *S. m.* **1.** Chantão [q. v.]. **2.** Esteio de videira.

tanchar. [F. metatética de *chantar* < lat. *plantare*, 'plantar'.] *V. t. d.* Plantar ou cravar (estacas) na terra.

tanchim. *S. f. Bras.* V. *canivete* (3).

tanchina. *S. f. Bras.* V. *canivete* (3).

tanchoeira. [De *tanchão* + *-eira.*] *S. f.* V. *chantão.*

tandem[1]. [Do lat. *tandem*, 'finalmente', atr. do ingl. *tandem*, 'um depois ou atrás do outro'.] *S. m.* Conjunto de unidades alinhadas, uma atrás da outra.

tandem[2]. [Do ingl. *tandem bicycle.*] *S. m.* Bicicleta de dois assentos, um atrás do outro.

tanduju. [De provável or. tupi.] *S. m. Bras.* Peixe teleósteo, percomorfo, da família dos uranoscopídeos (*Astrocopus sexspinosus* (Steind.)), do Atlântico, distribuído do RJ à Argentina. Tem dorso cinza, abdome brancacento, focinho truncado, boca verticalmente fendida, olhos implantados em cima da cabeça e 45 cm de comprimento. Vive no fundo, escondido na areia. [Sin.: *mira-céu.*]

tanga[1]. [Do quimb. *tanga*, 'pano, capa'.] *S. f.* **1.** Espécie de avental usado por certos povos naturais para cobrir o corpo desde o ventre até as coxas; encacho, encache, tangueiro. **2.** *Bras.* Biquíni (1) formado por dois triângulos de tecido ou de outro material, presos por uma tirinha, e que deixa o lado do corpo, e às vezes as nádegas, quase completamente nus. **3.** *Bras. N.* Varanda (6). ◆ **De tanga.** *Gír.* Em má situação financeira; mal de vida; sem nada de seu: *Perdeu o modesto emprego, e está de tanga*; "— Olha, menino, a Régua. .... Se não fosse o Porto, vocês andavam lá de tanga..." (João de Araújo Correia, *Sem Método*, p. 85). **De tanga, pote e esteira.** *Bras., AL. Gír.* Em miséria extrema.

tanga[2]. [Do sânscr. *tanka*, atr. de um idioma neo-árico.] *S. f.* Certa moeda asiática.

tangão. [Do fr. *tangon.*] *S. m. Teat.* Refletor portátil constituído de um suporte metálico vertical, cuja extremidade superior sustenta uma caixa onde estão dispostas lâmpadas para iluminação difusa, e que é colocado ao lado de outros, lateralmente ao palco, por trás dos bastidores: "Estão acesos tangões, gambiarras e ribaltas para lhe esmaltar a pele [da atriz] e afagar as linhas do corpo." (Antero de Figueiredo, *Cômicos*, p. 131.)

tangapema. [Do tupi *itangapema.*] *S. f. Bras.* V. *tacape*: "Durava esta festa pelo menos dois dias e de ordinário três. No primeiro atam ao pescoço do prisioneiro a *maçarana*, que é feita de algodão ou de embira, e pintam a *maça*, *tangapema*, como escrevem alguns, ou *iverapeme* como escrevem outros, com a qual deverá ser sacrificado." (Gonçalves Dias, *O Brasil e a Oceânia*, p. 131.)

tangar[1]. [De *tanga*[1] + *-ar*[2].] *V. t. d.* Cobrir com tanga[1] (1). [Conjug.: v. *largar.*]

tangar[2]. [De *tango* + *-ar*[2].] *V. int.* Dançar o tango (2 e 3): "Concentrados, os oficiais do tango tangavam." (Tristão da Cunha, *Histórias do Bem e do Mal*, p. 131.) [Conjug.: v. *largar.*]

tangará. [Do tupi *tãga'rá.*] *S. m. Bras.* Designação comum às seguintes aves passeriformes, da família dos piprídeos: Atangará, fandangueiro, dançador, dançarino, uirapuru (1), uirapuru-de-cabeça-branca, uirapuru-de-cabeça-encarnada, uirapuru-de-costa-azul.

tangará-açu. *S. m. Bras.* Arbusto da família das poligonáceas (*Coccoloba crescentiaefolia*). [Pl.: *tangarás-açus.*]

tangaracá. [Do tupi *tãga'rá ka'á*, 'erva dos tangarás'.] *S. f. Bras.* Pequena erva da família das compostas (*Eclipta erecta*), higrófila, cujas folhas moles e capítulos brancos são de pequenas dimensões.

tangará-de-cabeça-branca. *S. m. Bras.* V. *uirapuru-de-cabeça-branca.* [Pl.: *tangarás-de-cabeça-branca.*]

tangaraense. *Adj. 2 g.* **1.** De, ou pertencente ou relativo a Tangará (SC). ● *S. 2 g.* **2.** Natural ou habitante de Tangará.

tangarazinho (garà). [Dim. de *tangará.*] *S. m. Bras.* Ave passeriforme, da família dos piprídeos (*Ilicura militaris* (Shaw & Nod.)), de coloração negra no dorso alto, vermelho-clara brilhante no dorso posterior, metade inferior das asas vermelho-clara, garganta e pescoço pardacentos, e lado inferior branco. Alimenta-se de frutas e insetos.

tangedoira. [De *tanger* + *-(d)oira*[1].] *S. f.* V. *tangedoura.*

tangedoiro. [De *tanger* + *-(d)oiro*[1].] *S. m.* V. *tangedoura.*

tangedor (ô). [De *tanger* + *-(d)or.*] *Adj.* e *s. m.* Que ou aquele que tange. [Fem. pl.: *tangedoras*. Cf. *tangedouras.*]

tangedoura. [De *tanger* + *-(d)oura*[1].] *S. f.* Cada um dos prumos que sustentam os foles das forjas de ferreiro, e por onde o fole é tocado. [F. paral.: *tangedouro*; var.: *tangedoiro* e *tangedoira*. Cf. *tangedoras*, fem. pl. de *tangedor.*]

tangedouro. [De *tanger* + *-(d)ouro*[1].] *S. m.* V. *tangedoura.*

tange-fole. [De *tanger* + *fole.*] *S. m.* **1.** Indivíduo que tange os foles, nas forjas. **2.** *Fig.* Aquele que faz falar um tagarela. [Pl.: *tange-foles.*]

tangência. [Do lat. *tangentia.*] *S. f.* Qualidade de tangente. [Cf. *tangencia*, do v. *tangenciar.*]

tangencial. *Adj. 2 g.* **1.** Relativo à tangência, ou à tangente. **2.** *Anat. Veg.* Diz-se da seção longitudinal paralela ao eixo, sem passar por ele. ~ V. *aceleração* —, *coordenada* —, *curvatura* — e *tensão* —.

tangenciar. [De *tangência* + *-ar*[2].] *V. t. d.* **1.** Seguir a tangente de. **2.** Passar ou estar muito próximo de; tocar, roçar: *Fez a curva quase tangenciando a cerca.* **3.** Relacionar-se, ligar-se, com: "Estruturalmente, pois, o romance nada tem que ver com o cinema. Assenta em bases diversas. Quando muito, parafraseando Thibaudet, empenhado em estabelecer as diferenças entre o conto e o romance, se poderia dizer que o cinema tangencia a parte divina do romance." (Temístocles Linhares, *Introdução ao Mundo do Romance*, p. 119.) [Pres. ind.: *tangencio, tangencias, tangencia*, etc. Cf. *tangência.*]

tangente. [Do lat. *tangente*, 'que toca'.] *Adj. 2 g.* **1.** Que tange ou que tangencia. ~ V. *plano* —, *reta* — e *vector* —. ● *S. f.* **2.** *Trig.* Função de um ângulo orientado, definida pelo quociente entre a ordenada e a abscissa da extremidade de um arco de circunferência subtendido pelo ângulo; quociente entre o seno e o co-seno de um arco. [Símb.: *tg* e tan^{-1}.] **3.** *Geom.* Num ponto de uma curva ou de uma superfície, limite da secante que passa por esse ponto e por outro, quando este tende para aquele. [Símb.: *tg* e tan^{-1}.] **4.** *Bras.* Trecho retilíneo de uma estrada, assim chamado porque nas extremidades tangencia curvas. ◆ **Tangente hiperbólica.** *Mat.* Função definida pelo quociente entre o seno hiperbólico e o co-seno hiperbólico. [Símb.: *tanh* e *tgh.*] **Tangente hiperbólica inversa.** *Mat.* Arco tangente hiperbólica. **Tangente inversa.** *Mat.* Arco tangente. **Pela tangente.** A custo; dificilmente, apertadamente: *Escapou pela tangente; Passou nos exames pela tangente.*

tangentóide. [De *tangente* + *-óide.*] *Adj. 2 g.* **1.** Semelhante à tangente. ● *S. f.* **2.** *Geom. Anal.* Curva que, num sistema cartesiano de coordenadas, representa a função tangente.

tanger. [Do lat. *tangere.*] *V. t. d.* **1.** Tocar (instrumentos): "Tangeu nervosa e apaixonadamente, / No dourado salão, a harpa dourada." (Alberto de Oliveira, *Poesias*, 2ª série, p. 138); "Sagramor .... tange com inocência a sua flauta." (Eugênio de Castro, *Obras Poéticas*, III, p. 93). **2.** Tocar (alimárias) para as estimular na marcha: "Lá vem o vaqueiro, pelos atalhos, / tangendo as reses para os currais..." (Ascenso Ferreira, *Catimbó e Outros Poemas*, p. 39.) **3.** Tocar (fole de ferreiro). **4.** Pôr em fuga com energia ou violência. *Int.* **5.** Soar, ressoar, ecoar: "Tange longe um sino, numa igreja em festa" (Gilca da Costa Melo Machado, *Poesias*, p. 90). **6.** Tocar qualquer instrumento. *T. i.* **7.** Dizer respeito; referir-se, concernir, tocar: *Interessa-se por tudo o que tange à condição humana dos cidadãos.* [Muda o *g* em *j* antes de *o* e *a*: *tanjo, tanja*, etc. Cf. *Tânger*, top.]

tangerina. [De (laranja) *tangerina* (v. *tangerino*[2]).] *S. f.* O fruto da tangerineira. [Sin., em regiões diversas do

Brasil: *bergamota* ou *vergamota, laranja-cravo, laranja-mimosa, mandarina, mexerica* e *mimosa*.]

tangerineira. *S. f.* Árvore de até 3 m de altura, da família das rutáceas *(Citrus nobilis)*, originária da China, de ramos espinhosos, folhas com glândulas, e cujos frutos têm forma globosa, cor amarela forte, polpa acídula e aromática, e casca rica em óleo essencial [q. v.]. [Sin., em regiões diversas do Brasil; *bergamoteira* ou *vergamoteira, laranja-cravo, laranja-mimosa, mexeriqueira*.]

tangerino[1]. [De *tanger* + *-ino*[1].] *S. m. Bras., N.E.* Tangedor pedestre, ou, às vezes, a cavalo, de gado vacum: "fizera os duzentos quilômetros do sertão ao litoral, parte de trem, outra parte a pé, acompanhando uns tangerinos que traziam gado para Fortaleza." (Raquel de Queirós, *100 Crônicas Escolhidas*, p. 3). [Sin., bras., MG: *tocador*.]

tangerino[2]. [Do top. *Tânger* + *-ino*[1].] *Adj.* **1.** De, ou pertencente ou relativo a Tânger, zona franca e porto do Marrocos [v. *marroquino*], no estreito de Gibraltar. ● *S. m.* **2.** O natural ou habitante de Tânger. [Sin. ger.: *tingitano*.]

tange-tange. [Da 3ª pess. sing. do pres. ind. de *tanger*, repetida.] *S. m. Bras.* Arbusto da família das leguminosas, subfamília papilionácea *(Lupinus uncinatus)*. [Pl.: *tanges-tanges* e *tange-tanges*.]

tange-viola. [De *tanger* + *viola*.] *S. m. Bras.* V. *serrapau*. [Pl.: *tange-violas*.]

tangibilidade. *S. f.* Qualidade de tangível.

tangimento. *S. m.* Ato ou efeito de tanger.

tangível. [Do lat. *tangibile*.] *Adj. 2 g.* Que pode ser tangido, tocado ou apalpado; palpável, sensível.

tanglomanglo. *S. m. Bras.* **1.** Doença atribuída a feitiçaria; malefício, bruxedo, sortilégio. **2.** *Pop.* Doença, mal. **3.** V. *caiporismo*. [F. paral.: *tangolomango*.]

tango. [De or. afr., atr. do esp. plat. *tango*.] *S. m.* **1.** Espécie de pequeno tambor africano. **2.** A dança executada ao som desse instrumento. **3.** Canto e dança sul-americana, originada nos subúrbios de Buenos Aires, em fins do séc. XIX, criada sob a influência da habanera, da milonga e de certas melodias populares européias, e que adquiriu configuração especial por efeito de seus contatos com o candombe. É geralmente escrito no modo menor, em compasso binário, andamento moderado e ritmo sincopado e langoroso. [Tb. se diz *tango argentino*.] ◆ **Tango argentino.** Tango (3).

tangófilo. [De *tango* + *-filo*[2].] *Adj.* e *s. m.* Diz-se de, ou aquele que muito gosta de dançar o tango.

tangolomango. *S. m. Bras.* Tanglomanglo.

tangomania. [De *tango* + *-mania*.] *S. f.* Gosto excessivo, doentio, de dançar o tango.

tanguari. [Do tupi *tu'gui gua'rï*, 'veia torta, retorcida'.] *S. m. Bras., RS.* A aorta do boi, depois de cozida.

tangueiro. *Adj.* **1.** Relativo a tanga[1] (1). ● *S. m.* **2.** V. *tanga*[1] (1).

tanguista. *S. 2 g.* Dançador de tango.

tangurupará. [Do tupi *tãguripa'rá*.] *S. m. Bras., Amaz.* V. *bico-de-brasa*.

tangurupará-de-asa-branca. *S. m. Bras.* Ave piciforme, da família dos buconídeos (*Monasa atra* (Bod.)), que ocorre no extremo N. do Brasil até a margem setentrional do rio Amazonas. Tem coloração preta, encontro da asa branco, parte inferior cinzenta, e bico encarnado. [Sin.: *sauni*. Pl.: *tanguruparás-de-asa-branca*.]

■**tanh.** *Mat.* V. *tangente hiperbólica*.

■**tanh[-1].** *Mat. Impr.* Símb. de *arco tangente hiperbólica* [q. v.].

tanhaçu. *S. m. Bras.* V. *queixada* (3).

tanhocati. *S. m. Bras.* V. *queixada* (3).

tani. [Do tupi *ta'ni*.] *S. m. Bras.* Espécime de cipó com que se enrolam as folhas de fumo depois de secas.

tanibuca. [Do tupi *tanï'buka*.] *S. f. Bras., Amaz.* Árvore da família das combretáceas *(Terminalia tanibouca)*, das várzeas do Amazonas, de folhas grandes e acumuladas na ponta dos ramos, flores pequeninas e agregadas em cachos espiciformes, e cujos frutos são sâmaras drupáceas, secas e duras. Madeira cinza-escura, de boa qualidade; a casca é tanífera.

taniça. [Do tupi *ta'nisa*.] *S. f. Bras., MA.* **1.** Fumo de rolo. **2.** Tala de madeira que protege o fumo de rolo.

tânico. [Do ingl. *tannic*.] *Adj.* ~ V. *ácido* —.

tanífero. [F. haplológica de *taninífero* < *tanino* + *-i-* + *-fero*.] *Adj.* Que produz ou contém tanino.

tanino. [Do fr. *tanin*.] *S. m. Quím.* Classe de substâncias adstringentes encontradas em certos vegetais, que dão coloração azul com sais de ferro, usadas no curtimento de couros e também como mordentes.

taninoso (ô). *Adj.* Que contém tanino.

tanjão. [De *tanger* + *-ão*[3].] *Adj.* e *s. m.* Que ou aquele que só se movimenta quando o tocam; preguiçoso. [Fem.: *tanjona*.]

tanjona. *Adj. (f.)* e *s. f.* Fem. de *tanjão*.

tanoa (ô). [F. dissimilada de *tonoa* céltico *tunna*, 'pele, odre, cuba', atr. do lat. tardio *tunna* e do fr. *tonne*.] *S. f.* Ofício de tanoeiro; tanoaria, tonelaria.

tanoar. [De *tanoa* + *-ar*[2].] *V. int.* Exercer o ofício de tanoeiro. [Conjug.: v. *coroar*.]

tanoaria. [De *tanoa* + *-aria*.] *S. f.* **1.** Oficina, arruamento ou obra de tanoeiro; tonelaria. **2.** V. *tanoa*.

tanoca. *S. f.* **1.** *Bras., Amaz.* V. *formiga-correição*. **2.** *Bras.* V. *tauoca*.

tanoeiro. [De *tanoa* + *-eiro*.] *S. m.* **1.** Aquele que faz e/ou conserta pipas, cubas, barris, dornas, tinas, etc. **2.** *Bras.* V. *perereca* (1). **3.** *Bras.* V. *sapo-ferreiro*. **4.** *Bras. Gír.* Cão, cachorro.

tanque[1]. [De um dev. de *estancar* (v. *estanque*), com aférese.] *S. m.* **1.** Reservatório de pedra ou de metal, para conter água. **2.** *P. ext.* Reservatório para qualquer outro líquido: *tanque de gasolina; tanque de azeite*. **3.** Pequeno reservatório de alvenaria, de pouca profundidade, usado sobretudo para lavar roupa. **4.** Pequeno açude ou lagoa artificial. **5.** *Bras., N.E.* Açude (1). **6.** *Constr. Nav.* Compartimento estanque destinado a armazenar líquidos (água, óleo combustível, etc.). ◆ **Tanque de aguada.** *Bras. Constr. Nav.* Tanque (6) destinado a armazenar a água potável consumida a bordo. **Tanque de prova.** *Bras. Constr. Nav.* Piscina longa e dotada de numerosos acessórios, na qual se realizam provas hidrodinâmicas em madeira de casco de protótipos de embarcações. **Tanque misturador.** *Ind. Pap.* Cuba de cimento revestida de azulejos (ou de aço, protegida por esmalte sintético), equipada com hélice ou com outro dispositivo para conservar a homogeneidade da massa de papel nela depositada. [Tb. se diz apenas *misturador*.]

tanque[2]. [Do ingl. *tank*, que é, curiosamente, o port. *tanque* de torna-viagem. Na I Guerra Mundial, ao construírem-se os primeiros desses carros, disseram aos operários que eram grandes reservatórios de água para o Egito.] *S. m.* Carro de guerra, blindado, apropriado a percorrer terrenos acidentados; carro-de-combate.

tanseira. [Do lat. *extensu?*] *S. f.* A parte do cano da bota onde se liga a presilha.

tanso. *Adj.* e *s. m.* **1.** Parvo, tolo, palerma. **2.** Vagaroso, lento, mole.

tantã[1]. [Do concani *tam'tam'*, ou do bengali *tantan*, pelo fr. *tam-tam*, 'gongo', 'tambor de bronze'.] *S. m.* **1.** Gongo[1] (1) chinês. **2.** Na África central, o tambor (1).

tantã[2]. [De *tonto?*] *Adj. 2 g. Bras. Fam.* Amalucado, maluco, desequilibrado, tonto: "Andava bruburu, banzando pelos cantos, meio tantã." (M. Cavalcanti Proença, *Manuscrito Holandês*, p. 83.)

tantalato. [De *tântalo* + *-ato*[2].] *S. m. Quím.* Qualquer sal derivado dos ácidos tantálicos.

tantálico[1]. [De *Tântalo*, mit., + *-ico*[2].] *Adj.* Relativo a, ou próprio de tântalo, figura lendária, cujo suplício, por haver roubado os manjares dos deuses para dá-los a conhecer aos homens, era estar perto de água, que se afastava quando tentava bebê-la, e sob árvores que encolhiam os ramos quando lhes tentava colher os frutos.

tantálico[2]. [De *tântalo* + *-ico*[2].] *Adj. Quím.* Diz-se de qualquer dos ácidos fracos provenientes da hidratação do pentóxido de tântalo.

tantalita. [De *tântalo* + *-ita*[3].] *S. f. Min.* Mineral ortorrômbico, tantalato e niobato de ferro e manganês, minério de tântalo.

tantalização. *S. f.* Ato ou efeito de tantalizar.

tantalizante. *Adj. 2 g.* Que tantaliza.

tantalizar. [Do mit. *Tântalo* (v. *tantálico*[1]) + *-izar*.] *V. t. d.* **1.** Espicaçar ou atormentar com alguma coisa que, apresentada à vista, excite o desejo de possuí-la, frustrando-se este desejo continuamente por se manter o objeto dele fora de alcance, à maneira do suplício de Tântalo [v. *tantálico*[1]]. **2.** *P. ext.* Provocar desejos irrealizáveis em.

tântalo. [Do mit. *Tântalo* (v. *tantálico*[1]).] *S. m. Quím.* Elemento de número atômico 73, metálico, branco-acinzentado, denso, muito duro, usado em ligas especiais. [Símb.: *Ta*.]

tantanguê. *S. m. Bras.* Entre crianças, brinquedo de esconder. [Var.: *tontonguê*.]

tantas. *El. s. f. pl.* Us. na loc. *as tantas*. ◆ **As tantas.** Hora indeterminada, imprecisa: "lá para as tantas, eu estava tocando a campainha da tal casa." (Rubem Fonseca, *A Coleira do Cão*, p. 169); *Só trabalha das tantas em diante; Saiu de casa às tantas da manhã, e ainda não voltou.*

tantas folhas. [Do fem. pl. do pron. indef. *tanto* + o pl. de *folha*.] *S. f. pl. Bras.* V. *folhoso* (2).

tanto. [Do lat. *tantu*, 'tão grande', us. com o sentido de 'tão numeroso', já no lat. vulg.] *Pron. indef.* **1.** Tão grande; tamanho: *Nunca vi tanta dedicação.* **2.** Tão numeroso: *Tantas lágrimas abonam o teu arrependimento!* ● *S. m.* **3.** Porção ou quantia indeterminada. **4.** Volume, tamanho, extensão (iguais aos de outro): *Este móvel tem dois tantos do outro: não caberá no mesmo lugar.* **5.** Igual quantidade. **6.** O dobro. ● *Adv.* **7.** Tantas vezes; com tanta freqüência: "Água mole em pedra dura tanto bate até que fura" (prov.). **8.** Em tão alto grau. **9.** Em tal quantidade. **10.** De tal maneira. **11.** Com tal força. ~ V. *tantos*. ◆ **E tanto.** Expr. com que se encarece ou elogia uma pessoa ou coisa mencionada imediatamente antes: "A galega era um pedaço e tanto" (José Lins do Rego, *Usina*, p. 167); "Coitada. Vai sentir muita falta dele, era um marido e tanto, compreensivo, trabalhador." (Luís Vilela, *Tremor de Terra*, p. 81); "Era uma bunda e tanto, das de tanajura." (Jorge Amado, *Dona Flor e Seus Dois Maridos*, p. 391). **Se tanto.** Quando muito.

tantos. [Pl. de *tanto*.] *Pron. indef.* Tal (que não se quer, não se pode ou não importa mencionar): "Não hesitou em .... dizer-lhe que tinha uma casa às suas ordens, na Praia de Botafogo, número tantos." (Machado de Assis, *Quincas Borba*, pp. 69-70); "Sucedia, por exemplo, que recebessem convite para um baile no dia tantos." (Policarpo Feitosa, *Gisinha*, p. 15). ~ V. *tanto*. ◆ **E tantos.** Designa quantidade excedente a um número redondo: *Possui mil e tantos livros; Tem cento e tantos anos;* "Uma senhora de engenho, na Bahia, pelos anos de mil setecentos e tantos, tendo algumas pessoas íntimas à mesa, anunciou .... um certo doce particular." (Machado de Assis, *Várias Histórias*, p. 137). [Sin., lus.: *e tal*.]

tantra. [Do sânscr. *tantra*, 'uso, trama'.] *S. m.* Livros de doutrina religiosa elaborados na Índia a partir do séc. VII, que reúnem especulações, crenças, símbolos, rituais, e práticas mágicas diversas, e que do séc. XV em diante contribuíram para a formação do tantrismo.

tantrismo. [Do sânscr.] *S. m. Filos.* Religião sincrética, derivada do hinduísmo, do budismo e de cultos populares, e que se cristalizou por volta do séc. XV, caracterizada pela magia e ocultismo, associado a complexo simbolismo, à iconolatria e à prática iogue. [Cf. *mandala, mantra* e *tantra*.]

tanuria. *S. f. Med.* Polaciuria.

tanzaniano. *Adj.* **1.** Da, ou pertencente ou relativo à Tanzânia (África Oriental — república resultante da união, em 1964, de Tanganica e de Zanzibar). ● *S. m.* **2.** O natural ou habitante da Tanzânia.

tão. [F. apocopada do lat. *tantu*.] *Adv.* Tanto. [Modifica só adjetivos e advérbios.] ◆ **Tão logo.** Logo que; apenas, mal: "Em 1808, tão logo aportou à Bahia, D. João VI .... expediu uma Carta Régia, criando o primeiro curso médico-cirúrgico." (Clementino Fraga Filho e Alice Reis Rosa, *Temas de Educação Médica*, p. 13.)

taoca. [Do tupi *ta'oka*.] *S. f.* **1.** *Bras., Amaz.* V. *formiga-correição*. **2.** V. *tauoca*.

taoísmo. [Do chin. *tao*, 'caminho', + *-ismo*.] *S. m. Filos.* Ensinamento filosófico-religioso desenvolvido sobretudo por Lao-tse (séc. VI a.C.) e Tchuang-tseu (séc. IV a.C.), filósofos chineses, cuja noção fundamental é o *Tao* — o *Caminho* — que nomeia o grande princípio de ordem universal, sintetizador e harmonizador do *Yin* [q. v.] e do *Yang* [q. v.], e ao qual se tem acesso por meio da meditação e da prática de exercícios físicos e respiratórios.

tão-só. *Adv.* Tão-somente: "vós sois meu, tão-só meu, tao-somente meu." (Machado de Assis, *Páginas Recolhidas*, p. 202).

tão-somente. *Adv.* F. reforçada de *somente*; tão-só: "Outro amigo meu, que não gostava de romances, costumava excetuar tão-somente os de Júlio Verne, dizendo que neles a gente aprendia." (Machado de Assis, *A Semana*, II, p. 205.)

tapa[1]. [Do gót. **tappa*, 'tampa'.] *S. f.* **1.** Ação ou efeito de tapar. **2.** A parte exterior do casco das bestas; taipa. **3.** Peça adaptável à boca do tubo-alma de uma boca-de-fogo, para protegê-la do tempo quando não está em uso. **4.** *Bras.* Pano com que se vendam os olhos do burro pouco manso, para que se deixe arrear. **5.** *Bras.* Peixe teleósteo, da família dos soleídeos (*Achirus achirus* (L.)), do Atlântico, desde as Antilhas até o Uruguai, de morfologia idêntica à do linguado [q. v.]. Vive pousado no fundo, em areia, lama ou laje, saindo para alimentar-se, de sardinhas e outros peixes; penetra também na água doce. É comum no rio Amazonas.

tapa^{2}. [F. red. de *tapa-boca.*] *S. f.* e *m.* **1.** Pancada com a mão, forte ou leve, em qualquer parte do corpo: "Uma tapa forte no rostinho: abria os olhos num esforço." (Sineide Medeiros Leandro, *ap.* Nei Leandro de Castro, *Contistas Norte-Rio-Grandenses*, p. 102); "o baiano riu alto, deu-lhe um tapa amigável no ombro." (José Geraldo Vieira, *A Mulher Que Fugiu de Sodoma*, p. 157). **2.** V. *bofetada* (1). **3.** Argumento irrespondível, que não tem réplica. **4.** *Bras.* Tragada em cigarro de maconha; barrufo, barrufada, pega, brasa.

tapa-boca. [De *tapar* + *boca* (ô).] *S. m.* **1.** Bofetada na boca, para fazer calar. **2.** Espécie de manta de lã para agasalhar a boca. [Pl.: *tapa-bocas.*]

tapa-buraco. [De *tapar* + *buraco.*] *S. 2 g.* e *2 n.* Pessoa que substitui outra numa emergência.

tapa-buracos. [De *tapar* + o pl. de *buraco.*] *S. m. 2 n. Bras., BA. Pop.* Pedreiro (3).

tapação. *S. f.* V. *tapamento* (1).

tapaciriba. *S. f. Bras.* V. *esporão-de-galo.*

tapacoá. *Bras. S. 2 g.* **1.** Indivíduo dos tapacoás, tribo indígena do N. de GO. ● *Adj. 2 g.* **2.** Pertencente ou relativo a essa tribo.

tapacu. [De *tapar* + *cu.*] *S. m. Bras., N.E.* Espécie de periquito.

tapada. [Fem. substantivado do adj. *tapado.*] *S. f.* **1.** Terreno murado; cerca. **2.** Área rodeada de muros, com bosques, campos e água corrente, e destinada à criação e preservação da caça para gozo de particulares; parque.

tapado. [Part. de *tapar.*] *Adj.* **1.** Encoberto, tampado. **2.** *Fig.* Estúpido, tolo, bronco, obtuso, ignorante. **3.** *Bras. Pop.* Fechado, cerrado; firme. **4.** *Bras., SP.* Muito seguido; sem interrupções: *conversa tapada.* **5.** *Bras., RS.* Diz-se do animal de pelame escuro, sem mancha branca nenhuma. ~ V. *pêlo — e rio —.* ● *S. m.* **6.** *Bras., RS.* Casacão de inverno para senhoras.

tapadoiro. [De *tapar* + *-(d)oiro*^{1}.] *S. m.* Tapadouro [q. v.].

tapador (ô). [De *tapar* + *-(d)or.*] *S. m.* **1.** O que tapa. **2.** V. *tampa* (1).

tapadouro. [De *tapar* + *-(d)ouro*^{1}; var. de *tapadoiro.*] *S. m.* **1.** V. *tampa* (1). **2.** Extremidade do eixo que sai para fora da roda, nos coches.

tapadura. *S. f.* **1.** V. *tapamento* (1). **2.** V. *tampa* (1). **3.** V. *tapume* (1). **4.** A porção de fio que tapa a trama; tecedura.

tapagem. *S. f.* **1.** V. *tapamento* (1). **2.** V. *tapume* (1). **3.** Tapume de varas, no rio, para apanhar peixe. **4.** Excremento, fezes. **5.** *Bras.* Barragem de terra para represar rios, riachos, igarapés, a fim de reter o peixe ou fazer reservatório de água. **6.** *Bras., MA.* Barragem de pindoba, construída nos rios e destinada à pesca.

tapaiúna. [De provável or. tupi; o final parece *-una* (q. v.).] *S. m.* **1.** *Bras.* V. *tapanhaúna. S. f.* **2.** *Bras., Amaz.* Árvore da família das leguminosas *(Dicorynia ingens)*, de grande porte e própria da mata úmida. A madeira escura é pardo-avermelhada com tons violáceos e serve para construção civil, para estacas e dormentes, e, especialmente, para fabricar tonéis.

tapaiúno. *S. m. Bras.* V. *tapanhaúna.*

tapajó. *Bras. S. 2 g.* **1.** Indivíduo dos tapajós, tribo indígena das margens do rio do mesmo nome. ● *Adj. 2 g* **2.** Pertencente ou relativo a essa tribo.

tapajônia. [Do top. *Tapajós* (Amaz.), com a term. de palavras como *Amazônia.*] *S. f. Bras.* A região banhada pelo rio Tapajós e seus afluentes.

tapajônica. [Fem. de *tapajônico.*] *Adj. (f.)* e *s. f. Bras., PA. Arqueol.* Diz-se da, ou cerâmica dos indígenas que habitavam a área entre o rio Tapajós e o Xingu, e que apresenta grande variedade de formas, mas obedece ao mesmo estilo decorativo, com sobrecarga de figuras e animais, sobressaindo dois tipos: o de gargalo e o de cariátide.

tapajônico. *Adj.* Pertencente ou relativo à Tapajônia: *cerâmica tapajônica.*

tapa-luz. [De *tapar* + *luz.*] *S. m.* V. *abajur* (1). [Pl.: *tapa-luzes.*]

tapamento. *S. m.* **1.** Ato ou efeito de tapar; tapadura, tapação, tapagem. **2.** V. *tapume* (1).

tapa-missa. [De *tapar* + *missa.*] *S. m. Bras.* **1.** Véu que as mulheres usavam na cabeça para irem à igreja. **2.** Trepa-moleque (2). **3.** *Pop.* Indivíduo de estatura muito elevada. [Pl.: *tapa-missas.*]

tapanhaúna. [De provável or. tupi; o final parece *-una* (q. v.).] *S. 2 g. Bras.* Designação comum aos negros africanos aqui residentes. [F. paral.: *tapanhuna, tapanhuno, tapaiúna* e *tapaiúno.*]

tapanhoacanga. [Var. de *tapunhunacanga* < tupi *ta'pui una a'kãga*, 'cabeça de negro'.] *S. f. Bras., MG.* V. *canga*^{3}. [Var.: *tapiocanga.*]

tapanhuna. *Bras. S. m.* **1.** V. *tapanhaúna. S. 2 g.* **2.** Indivíduo dos tapanhunas, tribo indígena de MT. ● *Adj. 2 g.* **3.** Pertencente ou relativo a essa tribo.

tapanhuno. *S. m. Bras.* V. tapanhaúna.

tapa-nuca. [De *tapar* + *nuca.*] *S. f. Bras.* Capa que se adapta ao boné para resguardar do sol o pescoço. [Pl.: *tapa-nucas.*]

tapa-olho (ô). [De *tapar* + *olho.*] *S. m. Bras. Pop.* **1.** Bofetão, tapa. **2.** Tapa-olhos. [Pl.: *tapa-olhos.*]

tapa-olhos. [De *tapar* + o pl. de *olho.*] *S. m. 2 n.* Bofetada nos olhos. [F. paral.: *tapa-olho.*]

tapar. [De *tapa*^{1} + *-ar*^{2}.] *V. t. d.* **1.** Cobrir com tampa ou testo; tampar: *A cozinheira tapou a panela.* **2.** Fechar, arrolhar, rolhar: *tapar a garrafa.* **3.** Fechar, cerrar: *Tapou a boca para não dizer a verdade; Tapou os ouvidos.* **4.** Encher de qualquer coisa, entupir, para fazer desaparecer (orifício). **5.** Encobrir, esconder: *As cortinas tapam as cenas que decerto ocorrem na casa fronteira.* **6.** Cobrir, abrigar: *Pudicamente, tapou o corpo; No inverno usa cachecol para tapar o pescoço.* **7.** Tapar com venda^{2}; vendar: *tapar os olhos.* **8.** Ocultar, esconder: *As vestes tapavam -lhe o colo.* **9.** Fazer tapagem em; pôr tapume em. *P.* **10.** Cobrir-se, abafar-se.

taparubense. *Adj. 2 g.* **1.** De, ou pertencente ou relativo a Taparuba (MG). ● *S. 2 g.* **2.** Natural ou habitante de Taparuba.

tapa-sexo. [De *tapar* + *sexo.*] *S. m.* Peça, de tecido ou outro material, para tapar o púbis. [Pl.: *tapa-sexos.*]

tapaxana. *Bras. S. 2 g.* **1.** Indivíduo dos tapaxanas, tribo indígena da parte do Solimões situada entre o Jutaí e o Javari. ● *Adj. 2 g.* **2.** Pertencente ou relativo a essa tribo.

tape. *Bras. S. 2 g.* **1.** Indivíduo dos tapes, antiga tribo indígena guarani do RS. ● *Adj. 2 g.* **2.** Pertencente ou relativo a essa tribo.

tapeação. *S. f. Bras.* Ato ou efeito de tapear^{2}.

tapeacuaçu. [Do tupi.] *S. m. Bras.* Árvore da família das tiliáceas *(Luehea speciosa)*, de ampla dispersão desde as Antilhas à Amaz., e que ocorre na mata e no cerrado. Folhas grandes, finas, serreadas e com três nervuras longitudinais; flores alvas e racemosas; os frutos são cápsulas lenhosas com sementes aladas. Da madeira branca, não muito pesada, nem dura, se fazem peças encurvadas, como hélices de avião e coronhas. [Sin.: *açoita-cavalo, ivitinga, papeá-guaçu.*]

tapeador (ô). [De *tapear*^{3} + *-(d)or.*] *Adj.* e *s. m. Bras. Pop.* Que ou aquele que tapeia, logra, ilude.

tapear^{1}. [De *tapa*^{2} (1) + *-ear.*] *V. t. d. Bras., RS.* Conduzir (o cavalo) quando montado, sem freio, por meio de tapas. [Conjug.: v. *frear.* M.-q.-perf.: *tapeara,* etc. Cf. *tapiara.*]

tapear^{2}. [De *tapa*^{2} + *-ear.*] *V. t. d. Bras.* Dar tapa^{2} em. [Conjug.: v. *frear.* M.-q.-perf.: *tapeara,* etc. Cf. *tapiara.*]

tapear^{3}. *V. t. d. Bras. Pop.* Enganar, iludir, burlar, lograr, embaçar. [Conjug.: v. *frear.* M.-q.-perf.: *tapeara,* etc. Cf. *tapiara.*]

tapeçar. [Do esp. *tapizar.*] *V. t. d.* V. *atapetar:* "O chão fora tapeçado com uma grande alcatifa mourisca" (José de Alencar, *O Sertanejo*, p. 257). [Conjug.: v. *laçar.*]

tapeçaria. [Do esp. *tapicería.*] *S. f.* **1.** Estofo tecido, lavrado ou bordado, para paredes, móveis ou soalhos; alcatifa; tapete: "desejara então viver num daqueles castelos escoceses, ... mobilados com arcas góticas e troféus d'armas, forrados de largas tapeçarias" (Eça de Queirós, *O Primo Basílio*, p. 15). **2.** *Fig.* Terreno com verdura. **3.** A relva e as flores que cobrem um terreno. **4.** *Bras.* Loja onde se vendem tapetes.

tapeceiro. [Do esp. *tapicero.*] *S. m.* Fabricante e/ou vendedor de tapetes.

tapecuim (u-ím). *S. m. Bras.* V. *cupim* (2). [Cf. *tapicuim.*]

➧**tape deck** (têip dék). [Ingl.] V. *Toca-fitas.*

tapejara. [Do tupi *tape'yara*, 'aquele que toma o caminho'.] *S. m. Bras.* **1.** Prático, conhecedor de caminhos ou de uma região: "Naquela escuridão fechada nenhum tapejara seria capaz de cruzar pelos trilhos do campo" (Simões Lopes Neto, *Contos Gauchescos* e *Lendas do Sul*, p. 281). [Sin.: *vaqueano* (no S., C.O. e MG) e *baqueano* (no N. e N.E.).] **2.** *Bras., RS.* Aquele que conduz embarcação com segurança, firme ao leme. **3.** Pessoa hábil e entendida. ● *Adj.* **4.** *Bras., RS.* V. *valentão* (1). [Var.: *tapijara.*]

tapejarense. *Adj. 2 g.* **1.** De, ou pertencente ou relativo a Tapejara (RS). ● *S. 2 g.* **2.** Natural ou habitante de Tapejara.

tapema. [Do tupi *ta'pema.*] *S. m. Bras.* V. *gavião-tesoura.*

tapense. *Adj. 2 g.* **1.** De, ou pertencente ou relativo a Tapes (RS). ● *S. 2 g.* **2.** Natural ou habitante de Tapes.

tapera. [Do tupi *ta'pera*, 'aldeia extinta'.] *S. f. Bras.* **1.** Habitação ou aldeia abandonada. **2.** Casa arruinada. **3.** Fazenda inteiramente abandonada e em ruínas. ● *Adj. 2 g.* **4.** Diz-se de pessoa a quem falta um olho ou os dois. **5.** *Bras., SP.* Amalucado, maluco, tonto.

taperá. [Do tupi *tape'rá*, 'saído da tapera'.] *S. f.* Ave da ordem dos passeriformes, da família dos hirundinídeos *(Phaeoprogne tapera fusca* (Vieil.)), que ocorre em toda a América do Sul cisandina. A coloração é pardo-acinzentada, mais clara na parte inferior, com o meio do peito e o abdome brancos. [Sin.: *andorinha-do-campo, major, chabó.*]

taperebá. [Var. de *tapiriba.*] *S. m. Bras.* **1.** V. *cajá* (1). **2.** V. *cajazeira.*

taperebá-açu. *S. m. Bras., Amaz.* **1.** Árvore da família das anacardiáceas *(Poupartia amazonica)*, peculiar às florestas pluviais de solo argiloso, cujo tronco é parecido com o do cedro, embora a madeira não tenha valor, e cujo fruto é pentagonal, achatado, de sabor ácido, e se usa para fazer refrescos; taberabá-cedro. **2.** Cajá-açu. [Pl.: *taperebás-açus.*]

taperebá-cedro. *S. m. Bras.* Taperebá-açu (1). [Pl.: *taperebás-cedros* e *taperebás-cedro.*]

taperebá-do-sertão. *S. m. Bras.* V. *cajá-manga.* [Pl.: *taperebás-do-sertão.*]

taperebazinho (bà). [Dim. de *taperebá.*] *S. m. Bras., Amaz.* Arbusto da família das euforbiáceas *(Codiaeum variegatum)*, muito cultivado em jardins pelo alto valor ornamental da folhagem. Folhas elípticas, recortadas ou inteiras, verdes ou rubras e sempre maculadas, e pequenas flores alvas, reunidas em cachos frouxos e longos.

➧**tape recorder** (têip ricórdâr). [Ingl.] Gravador de fita magnética.

taperense. *Adj. 2 g.* **1.** De, ou pertencente ou relativo a Tapera (RS). ● *S. 2 g.* **2.** Natural ou habitante de Tapera.

taperoense. *Adj. 2 g.* **1.** De, ou pertencente ou relativo a Taperoá (PB e BA). ● *S. 2 g.* **2.** Natural ou habitante de Taperoá.

taperu. [Do tupi *tape'ru.*] *S. m. Bras., N.* e *N.E.* Var. de *tapuru* (1).

taperuçu. [De *taperá* + *uçu.*] *S. m. Bras.* V. *andorinhão.*

tapetar. [De *tapete* + *-ar*^{2}.] *V. t. d.* e *p.* V. *atapetar:* "Havemos de mandar tapetar esse soalho, pôr outras cortinas mais confortáveis nas janelas..." (Carlos Malheiro Dias, *Os Teles de Albergaria*, p. 193.) [Pres. subj.: *tapete, tapetes,* etc. Cf. *tapete* (ê) e pl. *tapetes* (ê).]

tapete (ê). [De provável or. iraniana, atr. do gr. *tápes, etos,* e do lat. *tapete.*] *S. m.* **1.** Peça confeccionada com fibras têxteis e destinada a cobrir, total ou parcialmente, soalhos, escadas, móveis, etc. [Cf. *alcatifa* e *alfombra.*] **2.** *P. ext.* Peça feita com outros materiais e que se destina ao mesmo fim: *um tapete de linóleo.* **3.** Tapete (1) de diferentes dimensões usado para decorar pisos, abafar ruído, etc. **4.** Aquilo que, à semelhança de tapete (1), cobre determinada superfície: *tapete de relva; tapete de neve.* **5.** *Bras. Gír.* Tapete verde. [Sin. ger.: *tapiz.* Pl.: *tapetes* (ê). Cf. *tapete* e *tapetes*, do v. *tapetar.*] ◆ **Tapete oriental.** Designação comum aos tapetes [v. *tapete* (1)] feitos à mão em diversas regiões da Ásia (Pérsia, Turquia, Cáucaso, China, etc.). **Tapete verde.** *Bras. Gír.* Campo de futebol. [Tb. se diz apenas *tapete.*]

tapiá. [Do tupi *tapi'á.*] *S. f. Bras.* Arvoreta da família das caparidáceas *(Crataeva tapia)*, muito disseminada na restinga, de folhas com três folíolos ovado-lanceolados, acuminados e membranáceos, flores alvas, longamente pediceladas, com estames muito compridos, ordenadas em racemos na ponta dos ramos, e cujo fruto é uma baga esférica, alaranjada, de uns 4 cm de diâmetro.

tapiaçu. [De *tapiçuá*, com metátese?] *S. m. Bras.* Tapiçuá.

tapiá-guaçu. [Do tupi *tapi'iá* + *-guaçu.*] *S. m.* **1.** *Bras., L.* a *S.* Árvore da família das euforbiáceas (*Alchornea iricurana*), da floresta atlântica, de folhas obovadas ou elípticas, subcoriáceas, serreadas e triplinérveas, flores unissexuais, minutas, reunidas em espigas delgadas e com dois estigmas muito alongados, e cujo fruto é uma cápsula dicoca de 6 a 7 mm. **2.** V. *acalifa.* [Pl.: *tapiás-guaçus.*]

tapiaí. [Do tupi *tapia'i.*] *S. f. Bras., Amaz.* V. *tapicuim.*

tapiara^{1}. [De possível or. tupi.] *S. f. Bras.* V. *tainha* (1). [Cf. *tapeara,* do v. *tapear.*]

tapiara^{2}. [Possível alter. de *tapejara.*] *Adj. 2 g.* e *s. 2 g. Bras., SP. Pop.* Estradeiro, velhaco, espertalhão, trapaceiro. [Cf. *tapeara,* do v. *tapear.*]

tapichi. [Da língua dos charruas (v. *charrua*^{2}) ou da dos minuanos, atr. do esp. plat. *tapichí.*] *S. m. Bras., S.* V.

nonato (4).

tapiçuá. [Do tupi *tapiçu'á.*] *S. f. Bras.* Abelha da família dos meliponídeos (*Trigona*); tapiaçu.

tapicuém. [Do tupi *tapico'em*, 'cova de formigas'.] *S. m. Bras., GO.* Ninho de formigas, cônico, que atinge 1 m ou pouco mais de altura.

tapicuim (u-ím). [Do tupi *tapicu'im.*] *S. f. Bras., Amaz.* Inseto himenóptero, da família dos formicídeos (*Dinoponera grandis* Guèrin), de coloração preta, e que pode atingir 30 mm de comprimento. Diferencia-se da tocandira por não ter tubérculo no protórax e no pedúnculo do primeiro segmento abdominal. É de índole pacata. Constrói ninhos de terra com cerca de 1 m de diâmetro e 30 cm de altura. [Sin.: *formigão*[1], *tapiaí, tapií.* Cf. *tapecuim.*]

tapicuri. [Do tupi.] *S. m. Bras.* **1.** Vinho feito de mandioca. **2.** V. *bacupari-cipó.* **3.** V. *bacupari-do-campo.*

tapicuru[1]. [Do tupi *tapiku'ru.*] *S. m. Bras.* Denominação comum a duas aves ciconiformes, da família dos tresquiornitídeos (*Mesembrinibis cayaennensis* (Gmel.) e também *Plegadis falcinellus guarauna* (L.)), das zonas temperadas e tropicias das Américas setentrional e meridional. A primeira é escura, com lustro verde-metálico, garganta e região nua em volta dos olhos, bico e pernas verdes; a segunda é castanha, com cauda e asas verde-douradas. Têm bico largo e curvo. Alimentam-se de pequenos crustáceos e insetos que vivem na água ou na lama, e detritos de maneira geral. [Sin.: *curicaca-parda, maçarico-preto, guaraúna, caraúna.*]

tapicuru[2]. *S. m. Bras., AL.* V. *bicheira* (2).

tapieira. [Do tupi *tapi'i eir*, 'mel de tapir'.] *S. f. Bras.* Abelha meliponídea (*Trigona flavipennis*).

tapigo. [De *tapar.*] *S. m.* **1.** V. *tapume* (1). **2.** Barricada.

tapii. [Do tupi.] *S. f. Bras., Amaz.* V. *tapicuim.*

tapiira. [Do tupi *tapi'ira*, 'semelhante ao tapii'.] *S. f. Bras.* V. *anta*[2] (1).

tapijara. *S. m.* Var. de *tapejara.*

tapinambaba. [Do tupi.] *S. f. Bras., CE.* Massame de linhas com anzóis das jangadas.

tapinha[1]. [Dim. de *tapa*[1].] *S. f. Bras. Pop.* Fralda de criança.

tapinha[2]. [Dim. de *tapa*[2]?] *S. m. Bras., RJ. Gír.* Tragada em cigarro de maconha.

tapinhoã. [Do tupi *tapiño'ã.*] *S. m. Bras., L.* Árvore da família das lauráceas (*Mezilaurus navalium*), da floresta pluvial, de folhas oblongas e coriáceas, flores inconspícuas e racemosas, e cujo fruto é uma baga elipsóide e sem cúpula. A madeira, amarelo-pardacenta, pesada, dura, é muito resistente, serve para construções pesadas e embarcações, e sua casca encerra tanino. [Sin.: *canela-tapinhoã.*]

tapioca. [Do tupi *tipi'og*, 'sedimento, coágulo'.] *S. f.* **1.** *Bras.* Beiju [q. v.] que tem no interior uma camada de coco ralado. **2.** *Bras., AM* e *S.* Fécula alimentícia que se extrai da mandioca; goma. **3.** *Bras., MA.* Certo peixe marítimo parecido à sardinha. **4.** *Bras. N.E.* V. *papagaio* (5).

tapiocaba. [Do tupi.] *S. m. Bras.* Espécie de vespídeo.

tapioca-de-purga. *S. f. Bras.* **1.** Fécula da raiz da jalapa. **2.** V. *fava-de-santo-inácio-falsa.* [Pl.: *tapiocas-de-purga.*]

tapiocanga. [Alter. de *tapanhoacanga.*] *S. f. Bras., MG.* V. *canga*[3].

tapiocano. [De *tapioca* + *-ano.*] *S. m. Bras.* V. *caipira* (1): "O t a p i o c a n o é desinfeliz, caipira sem tirar nem pôr." (Manuel Lobato, *Garrucha 44*, p. 47.)

tapiocuí. [Do tupi *tipi'og ku'i*, 'farinha de tapioca'.] *S. m. Bras., AM.* Entre os índios, farinha de tapioca.

tapir. [Var. apocopada de *tapira.*] *S. m. Bras.* V. *anta*[2] (1).

tapira. [Do tupi *tapi'ira*, 'semelhante à anta'; 'anta', com síncope; var.: *tapir.*] *S. f. Bras.* V. *anta*[2] (1).

tapirá-caiena. [De *tapira* + tupi *kwai'iña*, 'semelhante ao pênis da tapira'.] *S. m. Bras.* Canafístula (1). [Pl.: *tapirás-caienas* e *tapirás-caiena.*]

tapiragem. *S. f. Etnol.* Processo de mudar artificialmente a cor das penas de aves vivas, empregado por diversas tribos indígenas brasileiras.

tapiraiense (a-i). *Adj. 2 g.* **1.** De, ou pertencente ou relativo a Tapiraí (MG). ● *S. 2 g.* **2.** Natural ou habitante de Tapiraí.

tapirana. *Bras. S. 2 g.* **1.** Indivíduo dos tapiranas, tribo indígena das margens do Tocantins. ● *Adj. 2 g.* **2.** Pertencente ou relativo a essa tribo.

tapiranga. [Do tupi *tapi'rãga*, 'plumagem vermelha'.] *S. f. Bras.* **1.** V. *olho-de-boi* (4). **2.** *Bras., BA.* V. *sangue-de-boi.*

tapirapé. *Bras. S. 2 g.* **1.** Indivíduo dos tapirapés, tribo indígena tupi do rio homônimo, afluente esquerdo do Araguaia. ● *Adj. 2 g.* **2.** Pertencente ou relativo a essa tribo.

tapirapecu. [Do tupi *tapirape'ku*, 'língua de tapira'.] *S. m. Bras.* Suçuaia.

tapireçá. *S. m. Bras.* V. *olho-de-boi* (4).

tapiretê. [Do tupi *tapire'tê*, 'tapir verdadeiro'.] *S. m. Bras.* V. *anta*[2] (1).

tapiri. [Do tupi *tapi'ri.*] *S. m. Bras., AM.* **1.** V. *cabana.* **2.** Espécie de barranca. [Var.: *itapiri.* Cf. *papiri.*]

tapiriba. [Do tupi *taperei'iwa*; var.: *taperebá.*] *S. f. Bras.* V. *cajá* (1).

tapirídeo. *S. m.* **1.** Espécime dos tapirídeos. ● *Adj.* **2.** Pertencente ou relativo a eles.

tapirídeos. *S. m. pl. Zool.* Mamíferos perissodáctilos, da família *Tapiradae*, ungulados, de grande porte, pernas relativamente curtas, com quatro dedos na mão e três no pé. Têm pequena tromba, com a qual respiram e que usam como ferramenta auxiliar para pastar. Hábitos anfíbios, noturnos e vegetarianos. São as antas.

tapirotério. [De *tapir* + *-o-* + gr. *thérion*, 'fera'.] *S. m.* Mamífero fóssil semelhante ao tapir.

tapiti[1]. [Do tupi *tapii'ti.*] *S. m. Bras.* Mamífero lagomorfo, da família dos leporídeos (*Sylvilagus brasiliensis* (L.)), com quatro subespécies distribuídas por todo o Brasil, de coloração amarela, pardacenta, com pequenas manchas pretas. Mede cerca de 35 cm de comprimento e assemelha-se à lebre. Por não cavar buracos, prefere viver escondido na vegetação. Alimenta-se de plantas tenras. [Sin.: *candimba, coelho-do-mato, lebre.*]

tapiti[2]. *S. m. Bras.* V. *tipiti* (1).

tapiúba. [Do tupi, decerto.] *S. f. Bras.* Espécie de formiga.

tapiucaba (i-u). [Do tupi *tapi'u kawa*, 'caba tapiú'.] *S. m. Bras.* O vespídeo *Polybia dimidiata* Oliv.

tapixingui. *S. m. Bras.* Capixingui [q. v.].

tapiz. [Do gr. bizantino *tapétion*, pelo fr. ant. *tapiz.*] *S. m.* Tapete: "Mole e lascivo no t a p i z da selva / Serpeia o arroio" (Fagundes Varela, *Poesias Completas*, I, p. 269).

tapizar. [De *tapiz* + *-ar*[2].] *V. t. d.* e *p.* V. *atapetar: t a p i z a r uma sala;* "E a relva que o t a p i z a [o terreno] é densa e aveludada" (Gonçalves Dias, *Meditação*, p. 5); *Os campos t a p i z a m - s e de florezinhas amarelas.*

tapona. *S. f.* **1.** *Gír.* Pancada, bofetada, tapa. **2.** *Bras. Cap.* Golpe traumatizante, aplicado com a mão, o que é excepcional na capoeira, e em que o capoeirista, após fingir que vai fugindo, roda todo o corpo com braço estendido e a mão aberta, visando a atingir o rosto do adversário.

tápsia. [Do gr. *thápsia*, pelo lat. *thapsia.*] *S. f.* Planta medicinal da família das umbelíferas (*Thapsia garganica*).

tapua. [De provável or. indígena.] *S. m. Bras.* Espécie de macaco.

tapucaiá. [De or. indígena.] *S. f. Bras.* V. *cauanã.*

tapucaja. [De or. indígena.] *S. f. Bras.* V. *jaburu* (1).

tapuia. *S. 2 g. Bras.* Tapuio.

tapuio. [Var. de *tapuia* < do tupi *ta'pii.*] *S. m.* **1.** *Bras.* Antigamente, designação dada pelos tupis aos gentios inimigos. **2.** *Bras.* Índio bravio. **3.** *Bras.* Mestiço de índio. **4.** *Bras., AM.* Índio manso. **5.** *Bras., BA.* Qualquer mestiço trigueiro e de cabelos lisos e negros. V. *caboclo*[1] (3).

tapuirana. [Do tupi; o final deve ser *-rana* (q. v.).] *S. f. Bras.* Certo tecido com que se fazem redes.

tapuísa. [De provável or. tupi.] *S. m. Bras., PA* e *MA.* Rancho ou choça improvisada por caçadores ou exploradores.

tapuji. *S. m. Bras.* V. *curimã* (1).

tapulhar. *V. t. d.* **1.** Vedar com tapulhos; tapar. **2.** Entupir, atulhar.

tapulho. *S. m.* Aquilo que serve para tapar.

tapume. [De *tapar.*] *S. m.* **1.** Vedação de um terreno feita com madeiras ou silvas; sebe, cerca, tapagem, tapamento, tapadura, tapigo, vedação, vedo. **2.** Vedação provisória, feita de tábuas: "O rapaz tombara dentro da área da construção, e a portinhola do t a p u m e estava cerrada." (Carlos Drummond de Andrade, *Fala, Amendoeira*, p. 281.) **3.** Tabique (1).

tapunhunacanga. [V. *tapanhoacanga.*] *S. f. Bras.* V. *canga*[3].

tapuoca. *S. f. Bras.* V. *agoniada.*

tapuru. [Do tupi *tapu'ru.*] *S. m.* **1.** *Bras.* V. *bicheira* (2). [Var., no N. e N.E.: *taperu.*] **2.** *Bras., N.E.* O bicho de fruta.

tapururuca. [Do tupi *i'tá puru'ruka*, 'pedra friável'.] *S. f. Bras.* V. *piçarra* (2).

taquara. [Do tupi *ta'kwar.*] *S. f. Bras.* **1.** Bambu (1), taboca. **2.** V. *juruva.*

taquaral. [De *taquara* + *al.*] *S. m. Bras.* V. *tabocal.*

taquara-trepadora. *S. f. Bras.* V. *criciúma.* [Pl.: *taquaras-trepadoras.*]

taquaré. [Var. de *tamaquaré.*] *S. m.* **1.** *Bras.* O castanheiro do Maranhão. **2.** *Bras., Amaz.* V. *tamaquaré.*

taquarense. *Adj. 2 g.* **1.** De, ou pertencente ou relativo a Taquara (RS). ● *S. 2 g.* **2.** Natural ou habitante de Taquara.

taquari. [Do tupi *takwa'ri*, 'taquara pequena'.] *S. m.* **1.** *Bras.* V. *criciúma.* **2.** *Bras., Amaz.* Arvoreta da família das euforbiáceas (*Mabea angustifolia*), das capoeiras secas, de flores apétalas, inconspícuas e unissexuais, madeira mole e leve, sementes oleaginosas, e cujos ramos novos são fistulosos e servem para fazer canudos de cachimbo, contendo o seu látex alguma borracha. **3.** *Bras.* V. *taquiri.* **4.** Canudo de cachimbo. **5.** Certo cachimbo feito de bambu. ● *Adj. (f.)* **6.** *Bras.* Diz-se da espingarda de pequeno calibre.

taquariço. [De *taquari* + *-iço.*] *Adj.* Que lembra o taquari; magro, delgado.

taquari-de-cavalo. *S. m. Bras.* Taquari-do-mato. [Pl.: *taquaris-de-cavalo.*]

taquari-do-mato. *S. m. Bras., AM* a *RJ.* Gramínea (*Oplismenus compositus*) cujos colmos são decumbentes, reptantes, finos, frágeis e de pontas ascendentes, e cujas folhas são ovado-lanceoladas, acuminadas, mais ou menos violáceas. As espiguetas medem 4 a 5 mm, e organizam-se em espigas finas, que se ordenam em panículas. [Sin.: *taquari-de-cavalo.* Pl.: *taquaris-do-mato.*]

taquariense. *Adj. 2 g.* **1.** De, ou pertencente ou relativo a Taquari (RS). ● *S. 2 g.* **2.** Natural ou habitante de Taquari.

taquarinha. [Dim. de *taquara.*] *S. f. Bras.* **1.** V. *criciúma.* **2.** V. *bicho-pau* (1).

taquaritinguense[1]. *Adj. 2 g.* **1.** De, ou pertencente ou relativo a Taquaritinga (SP). ● *S. 2 g.* **2.** Natural ou habitante de Taquaritinga.

taquaritinguense[2]. *Adj. 2 g.* **1.** De, ou pertencente ou relativo a Taquaritinga do Norte (PE). ● *S. 2 g.* **2.** Natural ou habitante de Taquaratinga do Norte.

taquaritubense. *Adj. 2 g.* **1.** De, ou pertencente ou relativo a Taquarituba (SP). ● *S. 2 g.* **2.** Natural ou habitante de Taquarituba.

taquaruçu. [Do tupi *takwaru'su*, 'taquara grande'.] *S. m. Bras.* Taboca-gigante.

taquaruva. [Do tupi *ta'kwar' īwa*, 'árvore da taquara'.] *S. f. Bras.* Espécie de taquara (1).

taqueador. (ô). *S. m. Bras.* Operário que taqueia.

taqueamento. *S. m. Bras.* Ação ou efeito de taquear.

taquear. [De *taco*[1] (6) + *-ear.*] *V. t. d. Bras.* Revestir (o piso) de tacos. [Conjug.: v. *frear.*]

taqueira[1]. [De *taco*[1] + *-eira.*] *S. f.* Utensílio em que se guardam os tacos do bilhar.

taqueira[2]. *S. f. Bras.* Espécie de abóbora pequena e chata.

taqueiro. [De *taco*[1] + *-eiro.*] *S. m. Bras.* Operário especializado no assentamento de soalhos de tacos. [V. *taco*[1] (6).]

▲taqueo-. [Do gr. *tachús, eîa, ý.*] *El. comp.* = 'rápido', 'breve': *taqueometria.* [Equiv.: *taqui-*: *taquicardia, taquigrafia.*]

taqueografia. [De *taqueo-* + *-graf(o)-* + *-ia.*] *S. f.* Emprego do taqueógrafo.

taqueográfico. *Adj.* Relativo à taqueografia, ou ao taqueógrafo.

taqueógrafo. [De *taqueo-* + *-grafo.*] *S. m.* Aparelho usado na elaboração de cartas geográficas.

taqueometria. [De *taqueo-* + *-metr(o)-*[2] + *-ia.*] *S. f.* O conjunto dos processos para levantar plantas topográficas com o taqueômetro.

taqueométrico. *Adj.* Relativo à taqueometria.

taqueômetro. [De *taqueo-* + *-metro.*] *S. m.* Teodolito [q. v.] dotado de dispositivo ótico para a medição indireta de distâncias e que, por isso, proporciona maior rapidez nos levantamentos topográficos.

taquera. *S. f.* V. *cabaceiro-amargoso.*

▲taqui-. Equiv. de *taqueo-.*

taquiantese. [De *taqui-* + *antese.*] *S. f. Bot.* Adiantamento no fenômeno da floração nas plantas adaptadas a climas mais ou menos diversos do hábitat dessas plantas.

taquicardia. [De *taqui-* + *-cardia.*] *S. f. Med.* Aumento do número de batimentos cardíacos por minuto. [Há vários tipos de taquicardia, como a auricular, a ventricular, etc.]

taquicárdico. *Adj.* **1.** Relativo a, ou que tem taquicardia. ● *S. m.* **2.** Aquele que a tem.

taquifagia. [De *taqui-* + *-fag(o)-* + *-ia.*] *S. f. Med.* O

comer às pressas, sem mastigar e ensalivar bem os alimentos.
taquifágico. *Adj.* Relativo à taquifagia.
taquigrafar. [De *taqui-* + *grafar.*] *V. t. d.* e *int.* Estenografar: "Sou eleitor, voto, desejo saber o que fazem e dizem os meus representantes. Não podendo ir às câmaras, aprovo este meio de fazer da própria casa do eleitor uma galeria, t a q u i g r a f a n d o e publicando os discursos." (Machado de Assis, *A Semana*, II. p. 362.) [Pres. ind.: *taquigrafo*, etc. Cf. *taquígrafo*.]
taquigrafia. [De *taqui-* + *-graf(o)-* + *-ia*.] *S. f.* V. *estenografia*.
taquigráfico. *Adj.* Referente à taquigrafia; estenográfico. ~ V. *sinal* —.
taquígrafo. [De *taqui-* + *-grafo.*] *S. m.* V. *estenógrafo*. [Cf. *taquigrafo*, do v. *taquigrafar*.]
taquigrama. [De *taqui-* + *-grama*.] *S. m. Taquigr.* **1.** Sinal ou sinais taquigráficos que formam uma ou mais palavras. **2.** Todo e qualquer escrito taquigráfico. [Sin. ger.: *estenograma*.]
taquimetria. *S. f.* Medida de velocidade por meio de taquímetro.
taquimétrico. *Adj.* Referente à taquimetria.
taquímetro. [De *taqui-* + *-metro*.] *S. m.* V. *tacômetro*.
taquipnéia. [De *taqui-* + *-pnéia*.] *S. f. Patol.* Respiração superficial e acelerada.
taquipnéico. *Adj.* **1.** Relativo à, ou que sofre de taquipnéia. ● *S. m.* **2.** Aquele que sofre de taquipnéia.
taquirá. [De provável or. indígena.] *S. f. Bras.* Planta da família das amarilidáceas.
taquiri. [Do tupi *taki'ri*.] *S. m. Bras.* Ave ciconiforme, da família dos ardeídeos (*Nycticorax nycticorax hoactli* (Gmel.)), comum desde o S. dos E.U.A. até o N. da Argentina, de dorso superior preto-esverdeado, dorso inferior, cauda e asas pardo-claros, e alto da cabeça preto, com algumas penas mais compridas no occipício. Os indivíduos jovens são pretos pintados de amarelado. [Var.: *taquari*. Sin.: *dorminhoco, garça-cinzenta, arapapá-de-bico-comprido, guacuru, sabacu, savacu, savacu-de-coroa, taiaçu, tajacu*.]
taquisfigmia. [De *taqui-* + *-esfigm(o)-* + *-ia*.] *S. f. Med.* Aumento do número de pulsações por minuto.
taquisurídeo. *S. m.* **1.** Espécime dos taquisurídeos. ● *Adj.* **2.** Pertencente ou relativo a eles.
taquisurídeos. *S. m. pl. Zool.* Família de peixes teleósteos, neopterígios, siluriformes, formada por bagres marinhos ou semimarinhos que na época da desova sobem os rios periodicamente. Ex.: *o bagre-bandeira, o guarijuba*.
tara¹. [Do ár. *Tarah*, 'o que se rejeita (das mercadorias)'.] *S. f.* **1.** Abatimento no peso de mercadorias, atendendo-se ao vaso ou envoltório em que estão acondicionados. **2.** Recipiente que contém ou pode conter certo gênero. **3.** Substância em pequenos fragmentos usada em duplas pesagens. **4.** Peso de um veículo sem a carga. **5.** Falha, quebra. **6.** Defeito físico ou moral. **7.** Degeneração, depravação.
tara². [Do sânscr. *tara*, 'estrela', atr. do dravídico *tara*.] *S. f.* **1.** Antiga moeda de prata, da Índia meridional. **2.** Peso de prata, na Tailândia, antigo Sião.
tarã. [Do tupi *ta'rá*.] *S. f. Bras.* Ave ciconiforme, da família dos tresquiornitídeos (*Cercibis oxycera* (Spix)), do N.O. do País, de coloração escura, com brilho azul metálico, e cauda alongada e pontuda; trombeteiro.
taracaiá. *S. m. Bras.* V. *tracajá*.
taraceio. *S. m. Cir.* Operação destinada a eliminar a opacidade da córnea ou alterar-lhe a cor.
taracena. *S. f.* V. *teracena*.
taracuá. *S. f. Bras., Amaz.* V. *tacuá*.
tarado. [De *tara¹* + *-ado¹*.] *Adj.* **1.** Que tem marcado o peso da tara¹ (1). **2.** *Fig.* Que tem falha ou defeito. **3.** Desequilibrado (em sentido moral). **4.** *Bras.* Que é sexualmente degenerado. **5.** *Bras. Gír.* Atraído em alto grau; fascinado; gamado: *Ele é* t a r a d o *pela pequena; Anda* t a r a d o *com o carro que ganhou*. ● *S. m.* **6.** Indivíduo tarado (3 e 4); anormal.
taraguira. [Do tupi *tara'wira*.] *S. f. Bras.* Reptil lacertílio, da família dos iguanídeos (*Tropidurus torquatus* (Wied)), do Brasil este-meridional. Cabeça, face dorsal e face externa das patas pardo-acinzentadas; dorso com duas faixas escuras longitudinais e pequenas manchas, também escuras; parte anterior das espáduas com mancha negra e vermelho-tijolo desde as coxas até o fim da cauda. Vive nas baixadas quentes, lugares arenosos e encostas de pedreiras, onde se oculta nas fendas e nidifica. [Var.: *tarauíra*; sin.: *camaleão-de-pedreira*.]
taraguirapeva. [De *taraguira* + *peva*.] *S. f. Bras.* V. *cuviara*.
taraíra. *S. f. Bras.* V. *traíra*.
taralhão. [Do lat. *hortulanu?*] *S. m.* **1.** Animal molusco, bivalve, da família dos foladídeos (*Pholas dactylus* L.), do Atlântico, Mediterrâneo e Adriático, de coloração branca e até 3 cm de comprimento. Vive em cavidades abertas nas rochas calcárias. **2.** *Pop.* Homem intrometido. metediço. **3.** *Gír.* Rapaz já crescido.
taralhar. *V. int. Bras.* Pipiar, pipilar.
taramá. [De provável or. indígena.] *S. m. Bras.* Planta verbenácea, medicinal.
tarambola. *S. f.* V. *maçarico* (4).
tarambote. *S. m. Pop.* **1.** Concerto vocal e instrumental: "mal olhava para os lados, indiferente às casas que fulguravam .... ; às músicas, que ressoavam em t a r a m b o t e s" (Coelho Neto, *Turbilhão*, p. 156). **2.** Canção popular antiga.
taramela. [F. epentética de *tramela*.] *S. f.* **1.** Tramela (1 a 3). **2.** V. *tagarela* (2).
taramelagem. *S. f. Bras.* Ação de taramelar; tagarelice; falatório.
taramelar. *V. int.* **1.** Dar à taramela; falar de mais; tagarelar; matraquear; palrar. *T. d.* **2.** Pronunciar; dizer. [F. paral.: *taramelear*.]
taramelear. [De *taramela* + *-ear*.] *V. int.* e *t. d.* V. *taramelar*. [Conjug.: v. *frear*.]
taramembé. *Bras. S. 2 g.* **1.** Indivíduo dos taramembés, tribo indígena do MA. ● *Adj. 2 g.* **2.** Pertencente ou relativo a essa tribo. [Cf. *tramembé*.]
tarampabo. *S. m.* Espécie de palmeira.
tarampantão *S. m.* Onomatopéia do som do tambor.
tarangalho. *S. m. Bras.* Designação comum ao peixe teleosteo sinentógnato, da família dos hemirranfídeos (*Hyporhamphus unifasciatus* (Ranz.)), e a outras espécies do gênero, que ocorrem na costa atlântica do Brasil. Têm nadadeiras dorsal e anal muito posteriores, quase junto à caudal, e mandíbula mais longa que a maxila. [F. paral.: *tarnagalho*.]
tarantela. [Do it. *tarantella*.] *S. f.* **1.** Dança popular napolitana, de andamento muito vivo, em compasso de 3/8 ou 6/8, acompanhada pelo pandeiro e pelas castanholas, e que primitivamente era cantada. **2.** Música para essa dança: "As danças modernas conservam quase todas o cunho característico dos países de que procedem: a valsa, da Alemanha, a t a r a n t e l a, da Itália, ... a mazurca, da Polônia." (Ramalho Ortigão, *Contos e Páginas Dispersas*, p. 23.) **3.** Composição instrumental e erudita com as características dessa música.
tarantismo. [Do it. *tarantismo*.] *S. m. Med.* Variedade de mania de dança. [O tarantismo atingia, outrora, massas populares consideráveis, e supunha-se que era produzido por picadura de tarântula, inseto comum na Apúlia (Itália), onde se originou o termo. Tratava-se, possivelmente, de uma forma de histeria coletiva.]
tarântula. [Do it. *tarantola*.] *S. f.* **1.** Espécie de aranha européia da família dos licosídeos (*Lycosa tarentula* (Lin.)), cuja picada causa febre, delírio e, segundo a crença popular, singulares sintomas que levariam o doente a cantar e dançar. **2.** Medicamento feito com o suco desse animal. [Var.: *tarêntula*.]
tarapé. [Do tupi.] *S. f. Bras., Amaz.* Designação vulgar das formigas da tribo *Cephalotini*, cuja cabeça achatada os índios do Japurá usavam em suas flechas, a fim de não errarem o alvo. A correlação do nome comum com o científico ainda não está bem acertada. [Sin.: *curupé*.]
tarapitinga. [Do tupi.] *S. f. Bras.* V. *pirapitinga* (1).
tarar. *V. t. d.* **1.** Pesar, para descontar a tara¹ (1) **2.** Marcar (vasilhas, sacos, etc.) com o peso da tara¹ (1) [Sin., nessas acepç.: *tarear*.] *T. i.* **3.** *Bras. Gír.* Apaixonar-se, enamorar-se loucamente; gamar: *Ao primeiro contato* t a r o u *pela moça e pediu-lhe a mão*. *Int.* **4.** *Bras. Gír.* Proceder como tarado (3 e 4). **5.** *Bras. Gír.* Apaixonar-se, enamorar-se loucamente; gamar: *Ao ver tão rara beleza,* t a r o u.
tarara. [Do fr. *tarare*.] *S. f.* Aparelho com que se limpa o grão de trigo.
tarará. *S. m. Bras.* Onomatopéia do som da trombeta.
tararaca. [De provável or. indígena.] *S. f.* **1.** *Bras., S.* Espécie de rato silvestre. ● *Adj. 2 g.* **2.** *Bras., RS.* Desajeitado, desastrado. **3.** Que anda às apalpadelas; tonto.
tararira. *S. f. Bras.* V. *traíra*.
tararucu. [Do tupi *tararu'ku*.] *S. m. Bras.* V. *fedegoso* (1).
tarasca. [Do fr. *tarasque* ou do provenç. *tarasco*.] *S. f.* **1.** Boneco que representa um animal monstruoso, e que era exibido no Pentecostes em Tarascon e noutras cidades do S. da França. **2.** Monstro (1). **3.** Mulher feia e de mau gênio. **4.** Espada velha e enferrujada; chanfalho. **5.** *Bras., RJ.* V. *arapaçu-grande*.
tarasco. [De *tarasca*.] *Adj.* e *s. m.* Arisco, áspero, desabrido.
taratufo. [Alter. do al. *Kartoffel*, 'batata'.] *S. m. Bras.* Certo tubérculo comestível.
tarauacaense. *Adj. 2 g.* **1.** De, ou pertencente ou relativo a Tarauacá (AC). ● *S. 2 g.* **2.** Natural ou habitante de Tarauacá.
tarauaxi. [De provável or. indígena.] *S. m. Bras.* V. *paracaxi*.
tarauíra. *S. f. Bras.* V. *taraguira*.
taraxaco. [Do lat. bot. *taraxacon* < gr. *táraxis*, 'turvação', + gr. *akéomai*, 'curar'.] *S. m.* Dente-de-leão.
tarazede. *S. f. Astr.* Nome tradicional da estrela gama da Águia.
tarca. [Do esp. plat. *tarja*.] *S. f. Bras., S.* Pedaço de pau ou de couro em que se anota, com pequenos cortes, o número de reses marcadas durante o dia, ou o de quaisquer animais, ou objetos, que estão sendo contados.
tardada. [De *tardar* + *-ada¹*.] *S. f. V. tardança*.
tardador (ô). *Adj.* e *s. m.* Que ou aquele que tarda, que é vagaroso.
tardamento. *S. m.* V. *tardança*.
tardança. *S. f.* Ato ou efeito de tardar; demora, delonga, tardada, tardamento.
tardão. [Aum. de *tarde*.] *Adv. Bras. Fam.* Muito tarde.
tardar. [Do lat. *tardare*.] *V. t. d.* **1.** Adiar, demorar, diferir, espaçar, retardar: *Já não podemos* t a r d a r *a solução de tão graves problemas*. *T. i.* **2.** Proceder com tardança; não se apressar: *Não* t a r d e *em responder, ou perderá o negócio*; "Estou velho, meu menino; não t a r d o em pedir reforma e ir morrer em algum buraco." (Machado de Assis, *Páginas Recolhidas*, p. 38). **3.** Ficar ou demorar-se em algum lugar ou posição; permanecer por um tempo mais ou menos longo: *T a r d o u a levantar-se para atender ao chamado*. *Int.* **4.** Ir ou vir tarde; demorar a ir ou vir; demorar(-se): *T a r d a r a m, e perderam a festa*; "Não t a r d a meio-dia." (José de Alencar, *O Tronco do Ipê*, p. 171); "O sono não podia t a r d a r. Não t a r d o u. Um minuto depois dormia." (Medeiros e Albuquerque, *Surpresas...*, pp. 134-135).
tarde. [Do lat. *tarde*.] *Adv.* **1.** Depois do tempo próprio, conveniente ou ajustado. **2.** Perto da noite. ● *S. f.* **3.** Tempo entre o meio-dia e a noite. ◆ **Tarde e a más horas.** Demasiadamente tarde; tarde e às más horas. **Tarde e às más horas.** Tarde e a más horas: "Ainda lhes soavam aos ouvidos .... aquelas terríveis palavras com que a mãe os intimidara, um dia, que lhe apareceram em casa t a r d e e à s m á s h o r a s." (Trindade Coelho, *Os Meus Amores*, p. 181.)
tardeza (ê). *S. f.* Qualidade de tardo.
tardezinha. [Dim. de *tarde*.] *S. f.* Us. na loc. de tardezinha. ◆ **De tardezinha.** De tardinha.
tardígrado. [Do lat. *tardigradu*.] *Adj.* **1.** *Poét.* Lentígrado. [Antôn.: *citígrado*.] **2.** Pertencente ou relativo aos tardígrados. ● *S. m.* **3.** Espécime dos tardígrados.
tardígrados. [Pl. de *tardígrado*.] *S. m. pl. Zool.* Animais artrópodes, do sub-ramo ou classe *Tardigrada*, de corpo cilíndrico, não segmentado, comprimento de até 1 mm, com quatro pares de patas não articuladas, curtas e grossas, cada uma com duas ou quatro unhas no ápice. Vivem em musgo umedecido ou em água doce
tardinha. [Dim. de *tarde*.] *S. f.* O fim da tarde. ◆ **De tardinha.** No fim da tarde; de tardezinha.
tardinheiro. *Adj.* e *s. m.* Que ou aquele que é tardo, tardio, preguiçoso, vagaroso, por hábito.
tardio. [Do b.-lat. *tardivu*.] *Adj.* **1.** Que vem fora de tempo; serôdio. **2.** V. *tardo* (1).
tardívago. [De *tardo* + *-i-* + *-vago*.] *Adj.* Que vagueia lentamente, com tardeza.
tardo. [Do lat. *tardu*.] *Adj.* **1.** Que anda vagarosamente; preguiçoso, tardio, tardinheiro, tardonho: "os carreiros seguiam à frente dos t a r d o s bois" (Melo Morais Filho, *Festas e Tradições Populares do Brasil*, p. 293). **2.** Próprio de pessoa ou de animal que é tardo (1); vagaroso, lento: "uma rês horrivelmente magra arrasta o passo t a r d o, vagaroso" (Gustavo Barroso, *Terra de Sol*, p. 14).
tardonho. [De *tardo* + *-onho*.] *Adj.* **1.** V. *tardo* (1). **2.** Lento, demorado, vagaroso: "esperar o longo amanhecer e o t a r d o n h o crepúsculo do Sol" (Amadeu Amaral *João*, p. 33).
tardoz. *S. f.* **1.** Face tosca da cantaria que fica para o interior da parede. **2.** *P. ext.* A face posterior de mármore, de porta, etc.: "no t a r d o z da porta uma cruz de S. Lázaro, pregada com massa." (Alexandre Herculano, *Lendas e Narrativas*, II, p. 238).
tarear¹. [De *tara¹* + *-ear*.] *V. t. d.* **1.** Tarar (1 e 2). **2.** *Bras.* Equilibrar (a carga) no lombo do animal. [Conjug.: v.

frear.]

tarear[2]. [De *tareia* + *-ar*[2].] *V. t. d. Lus.* V. *surrar* (2). [Conjug.: v. *frear*.]

tarecada. *S. f.* **1.** Ação de tareco (1); traquinada. **2.** Grande porção de tarecos [v. *tareco* (2 e 3)]. [Sin., bras., S., nesta acepç.: *tarecagem, tarecama*.]

tarecagem. *S. f. Bras., S.* V. *tarecada* (2).

tarecaí. *S. m. Bras.* V. *tracajá.*

tarecama. *S. f. Bras., S.* V. *tarecada* (2).

tarecena. *S. f.* V. *teracena.*

tareco. [Do ár. *taraik*, 'coisas abandonadas'.] *S. m.* **1.** Indivíduo irrequieto, buliçoso. **2.** Utensílio de escasso valor. **3.** Objeto velho; tralha, cacareco. **4.** *Bras., PE* e *AL.* Biscoitinho arredondado feito de massa de pão-de-ló. **5.** *Bras., GO.* Bolo (2) frito. **6.** *Bras., MG.* Caminho ruim.

tarefa. [Do ár. ocidental *Taĩahâ.*] *S. f.* **1.** Trabalho que se deve concluir em determinado prazo e, algumas vezes, por castigo. **2.** Modalidade de contrato de trabalho em que se calcula o salário pelo serviço executado; empreitada. **3.** Talha para onde corre o azeite, nos lagares. **4.** *Bras.* Medida agrária constituída por terras destinadas à cana-de-açúcar, e que no CE equivale a 3.630 m^2; em AL; e SE; a 3.052 m^2; e na BA a 4.356m^2: "Trabalhava inutilmente num pedaço de terra de meia dúzia de t a r e f a s que lhe deixara o pai" (Ranulfo Prata, *Navios Iluminados*, p. 24).

tarefeiro. *S. m.* **1.** Aquele que se incumbe de tarefas; empreiteiro. **2.** Trabalhador que deve fazer uma coisa em determinado tempo. **3.** Aquele que recebe por tarefa ou por unidade produzida.

tarega. [Do malaiala *taragan*.] *S. m.* Indivíduo que compra e vende tarecos [v. tareco (2 e 3), e *adeleiro*.]

taregicagem. *S. f.* Profissão de tarega.

tareia. [Do ár. *Tarĩhâ*, 'tarefa', atr. do esp. *tarea*.] *S. f. Lus.* V. *surra* (1).

tarelar. [De *tagarelar*, com síncope.] *V. int.* Tagarelar, taramelar, matraquear, palrar.

tarelo. [F. sincopada de *tagarelo*.] *S. m.* V. *tagarela* (2).

tarentino. *Adj.* **1.** De, ou pertencente ou relativo à região ou à cidade de Tarento (Itália). ● *S. m.* **2.** O natural ou habitante de Tarento.

tarêntula. *S. f.* Var. de *tarântula.*

tareroqui. [Do tupi *tarere'ki*.] *S. m. Bras.* V. *mata-pasto* (1).

targana. *S. f.* V. *tainha* (1).

targum. [Do hebr.] *S. m.* Conjunto de traduções e comentários de textos bíblicos que datam do séc. VI a.C.

tari. [De possível or. indiana.] *S. m.* Licor alcoólico, feito com suco fermentado de várias palmeiras.

taria. *S. 2 g.* e *adj. 2 g. Bras.* V. *tariana.*

tariana. *Bras. S. 2 g.* **1.** Indivíduo dos tarianas, tribo indígena aruaque do rio Caiari. ● *Adj. 2 g.* **2.** Pertencente ou relativo a essa tribo. [Var.: *taria; sin.: tana*.]

tarifa. [Do ár. *ta'rif*, 'definição, explicação', atr. do cat. e do esp.] *S. f.* **1.** Pauta de direitos alfandegários. **2.** Registro de valor especial de um gênero. **3.** Custo fixado para o transporte de passageiro ou de carga, para determinada distância. [Cf. *frete* (1).] **4.** Tabela de fretes. **5.** Lista de preços.

tarifação. *S. f.* Ato de tarifar.

tarifar. *V. t. d.* Aplicar a tarifa a; fixar por tarifa os preços ou direitos de. [Fut. pret.: *tarifaria*, etc. Cf. *tarifária*, fem. de *tarifário*.]

tarifário. *Adj.* Relativo a tarifa. [Fem.: *tarifária*. Cf. *tarifaria*, do v. *tarifar*.]

tarima. [Do ár. *Tarimâ*, 'estrado'.] *S. f.* **1.** Estrado atapetado debaixo de um dossel. **2.** Tarimba (1). [Var.: *tarimba*.]

tarimba. [Var. de *tarima*.] *S. f.* **1.** Estrado de madeira onde dormem os soldados, nos quartéis e postos de guarda; tarima. **2.** Cama rude, dura, desconfortável. **3.** *Fig.* Vida de caserna; vida de soldado. **4.** *Bras.* Larga experiência; grande prática: *A t a r i m b a do médico indica-o para a delicada cirurgia.*

tarimbado. [De *tarimba* + *-ado*[1]] *Adj. Bras.* Que tem tarimba (4); muito experiente: *médico t a r i m b a d o.*

tarimbar. [De *tarimba* + *-ar*[2].] *V. int.* Servir no exército; ser soldado.

tarimbeiro. *Adj.* **1.** Que dorme em tarimba (1). **2.** Diz-se do oficial que passou pelos postos de soldado, cabo e sargento, sem haver cursado estudos superiores. **3.** *Fig.* Grosseiro, incivil. ● *S. m.* **4.** Aquele que dorme em tarimba (1). **5.** Oficial tarimbeiro (2).

tarioba. [Do tupi *tari'obra*, 'concha em forma de folha'.] *S. m. Bras.* Molusco bivalve, da família dos donacídeos (*Iphigenia brasiliana* (Lam.)), distribuído desde as Antilhas até o S. do Brasil. É comestível, e pode conservar-se vários dias fora da água mercê do perfeito ajustamento das valvas. Vendem-se no mercado quando atingem tamanho superior a 5 cm.

tariota. [Alter. de *tralhoto* (q. v.).] *S. f. Bras., MA.* V. *tralhoto.*

tarira. *S. f. Bras.* V. *traíra.*

tariríqui. [Do tupi *tariri'ki*.] *S. m. Bras.* Certa planta medicinal.

taritubano. *Adj.* **1.** De, pertencente ou relativo a Tarituba (RJ). ● *S. m.* **2.** O natural ou habitante de Tarituba.

tarja. [Do frâncico *targa*, 'escudo', pelo fr. *targe*.] *S. f.* **1.** Ornato de pintura, desenho ou escultura na orla ou no contorno dalgum objeto. **2.** Orla, guarnição. **3.** *Tip.* Lista preta posta em papéis, envelopes, objetos, etc., para indicar luto. **4.** Escudo antigo.

tarjado. [Part. de *tarjar*.] *Adj.* Orlado ou guarnecido com tarja; orlado: *papel t a r j a d o* (usado em cartas e cartões de pêsames); "Isidro recebeu uma carta t a r j a d a. Abriu-a a tremer: era a notícia desoladora da morte do pai." (Coelho Neto, *Treva*, p. 18).

tarjar. *V. t. d.* Cercar, orlar, guarnecer de tarja.

tarjeta (ê). *S. f.* **1.** Pequena tarja. **2.** Pequeno ferrolho de ferro.

tarlatana. [De língua indiana, pelo fr. *tarlatane*.] *S. f.* Certo tecido transparente e encorpado usado para forros de vestuários, aparelhos de fraturas, etc.: bocaxim.

tarnagalho. *S. m. Bras.* Tarangalho.

taró[1]. *S. m.* Var. pros. de *tarô.*

taró[2]. *S. m. Bras., N. E.* V. *tarol.*

tarô. [Do fr. *tarot*.] *S. m.* Coleção de cartas, em maior número e maiores que as do baralho (1), de desenho diverso, usadas sobretudo por cartomantes; baralho: "— Bom dia, calim / mulher do calom. / Lês sorte nas cartas: / que diz o t a r ô ?" (Stella Leonardos, *Romanceiro do Bequimão*, p. 101.) [Var. pros.: *taró*.]

tarol. *S. m.* Tambor (3) intermediário entre a caixa clara [q. v.] soprano e a contralto, de diâmetro maior e dois bordões, caracterizado pelo som claro e vibrante; tarola. caixa chata: "Às horas de formatura dois t a r ó i s rufavam durante cinco minutos" (Moacir C. Lopes, *Maria de Cada Porto*, p. 79). [Var. ou f. paral.: *tarola* e (bras., N.E.) *taró*. Cf. *caixa clara*.]

tarola. *S. f.* V. *tarol.*

tarolo (ô). [De *toro?*] *S. m.* Pequeno toro ou acha de lenha.

taroque. *S. m. Bras.* V. *cornimboque.*

tarouco. *Adj.* **1.** Idiota, atoleimado, apatetado. **2.** Desmemoriado por efeito da velhice; caduco. ● *S. m.* **3.** *Ant. Mar.* V. *toco* (7).

tarouquice. [De *tarouco* + *-ice*.] *S. f.* Idiotice, estupidez, parvoíce.

tarozeiro (ô). [De *taró* + *-z-* + *-eiro*.] *S. m. Bras., N.E. Folcl.* Indivíduo que toca o tarol ou taró numa zabumba (2).

tarrabufado. *Adj. Bras.* **1.** Diz-se do modo apressado de tocar sanfona, imprimindo movimentos rápidos ao fole. **2.** Diz-se da correspondente maneira de dançar. ● *S. m. Bras., CE.* **3.** Palavreado enfático.

tarraçada. [De *tarraço* + *-ada*[1].] *S. f.* Grande porção de bebida: "t a r r a ç a d a s de vinho" (Olavo Bilac, *Crítica e Fantasia*, p. 137).

tarraco. [Der. regress. de *atarracar*, com aférese?] *Adj.* e *s. m.* Diz-se de, ou homem baixo e gordo, atarracado.

tarraço. *S. m.* Tarro (1) grande.

tarraconense. [Do lat. *tarraconense*.] *Adj. 2 g.* **1.** De, ou pertencente ou relativo a Tarragona (Espanha). ● *S. 2 g.* **2.** Natural ou habitante de Tarragona.

tarrada. [De *tarro* + *-ada*[1].] *S. f.* **1.** Quantidade de líquido que um tarro pode conter. **2.** Tarro (1) cheio.

tarrafa. [Do ár. hispânico *Tarrāhâ*.] *S. f.* **1.** Pequena rede de pesca, circular, com chumbo nas bordas e uma corda ao centro, pela qual o pescador a retira fechada da água, depois de havê-la arremessado aberta. [Cf. *chumbeira* (1).] **2.** Capa ou capote roto. **3.** *Bras., N.* Espécie de renda.

tarrafar. *V. int.* e *t. d.* Pescar com tarrafa; tarrafear: *Vive de t a r r a f a r ; T a r r a f o u boa porção de peixes.*

tarrafear. *V. int.* e *t. d.* **1.** Tarrafar: *T a r r a f e i a sempre aos domingos*; "Furar a terra .... não era a mesma coisa que matar cavala no alto, t a r r a f e a r carapeba, limpar os currais." (José Lins do Rego, *Riacho Doce*, p. 104). **2.** *Bras., N.* Pegar na cauda do boi, para derrubá-lo. [Conjug. v. *frear*.]

tárraga. [Do esp. *tárraga*.] *S. f.* Dança espanhola do séc. XVII.

tarraxa. *S. f.* **1.** Rosca (1); tarraxo. **2.** Cunha, cavilha, tarraxo. **3.** Utensílio de serralheiro com que se fazem as roscas dos parafusos. **4.** *Bras.* Pistolão, cunha.

tarraxar. [De *tarraxa* + *-ar*[2].] *V. t. d.* V. *atarraxar.*

tarraxo. *S. m.* V. *tarraxa* (1 e 2).

tarrenego. [De *te*[1] + *arrenegar*.] *Interj.* Designa esconjuro, repulsa ou censura; some-te, deixa-me, abrenúncio; tesconjuro.

tarro. [Do gr. *tarrós*, 'cesto de vime em que se espreme o queijo'.] *S. m.* **1.** Vaso para onde se ordenha o leite: "Trazem as cabras, rebentando, os úberes! / Começam-se a ordenhar. Dá, qual mais mansa, / Um t a r r o , a trasbordar, de leite espúmeo!" (Bulhão Pato, *Livro do Monte*, p. 117.) [Aum. irreg. *tarraço*.] **2.** *P. ext.* Vaso, vasilha: "um t a r r o com mel ou uma pequena infusa com leite" (Brito Camacho, *Quadros Alentejanos*, p. 23). **3.** *Bras., RS.* V. *taioba* (1).

tarsal. *Adj. 2 g.* V. *tarsiano.*

tarsalgia. [De *tars(o)-* + *-alg(o)-* + *-ia*.] *S. f. Med.* Dor em tarso.

tarsálgico. *Adj.* Relativo à tarsalgia.

tarsectomia. [De *tars(o)-* + *-ectom-* + *-ia*.] *S. f. Cir.* Resseção do tarso ou de algum dos seus ossos.

tarsectômico. *Adj.* Relativo à tarsectomia.

tarsiano. *Adj. Anat.* Relativo ao tarso, társico, tarsal.

társico. *Adj.* V. *tarsiano.*

társio. [De *tars(o)-* + *-io*[2].] *S. m. Anat.* Cada uma de quatro formações constituídas de tecido conjuntivo, firme, que dá configuração às pálpebras inferior e superior, e em que se implantam cílios; cartilagem palpebral, cartilagem ciliar.

tarsióide. *S. m.* **1.** Espécime dos tarsióides. ● *Adj. 2 g.* **2.** Pertencente ou relativo a eles.

tarsióideo. *S. m.* **1.** Espécime dos tarsióideos. ● *Adj.* **2.** Pertencente ou relativo a eles.

tarsióideos. *S. m. pl. Zool.* Subordem de primatas do grupo dos lemuróides. Apresentam evolução acentuada; têm face achatada, crânio redondo, olhos e órbitas separadas da fossa temporal. O mais conhecido é o *Tarsius spectrum.*

tarsióides. *S. m. pl. Zool.* Animais metazoários, cordados, mamíferos, eutérios, primatas da ordem dos prossímios.

tarsite. [De *tars(o)-* + *-ite*[1].] *S. f. Med.* V. *blefarite.*

▲**tars(o)-.** [Do gr. *tarsós* ou *tarrós, oû*.] *El. comp.* = 'tarso'; 'fileira de cílios': *tarsalgia, társio*. [Equiv.: *-tarso: metatarso, longitarso*.]

▲**-tarso.** Equiv. de *tars(o)-*.

tarso. [Do gr. *tarsós*.] *S. m. Anat.* **1.** Porção posterior do esqueleto de cada pé, constituída por sete ossos dispostos em forma de grade; tondinho. **2.** O terceiro segmento do pé das aves. **3.** A sexta peça do pé simples dos crustáceos. **4.** A última parte do pé dos insetos. ◆ **Tarso picnaspídio.** *Zool.* Tarso das aves passeriformes cujos escudos da face anterior se alongam por toda a extensão dele, deixando a descoberto uma parte da face interna. [Tb. se diz apenas *picnaspídio*.]

tartago. *S. m.* Planta da família das euforbiáceas (*Euphorbia lathyris*).

tartamelar. [Cruz. de *tartamudear* com *taramelar*.] *V. int.* e *t. d.* V. *tartamudear.*

tartamelear. [Cruz. de *tartamudear* com *taramelear*.] *V. int.* e *t. d.* V. *tartamudear.* [Conjug.: v. *frear*.]

tartamelo. [Cruz. de *tartamudo* com um **taramelo* < *taramelar*.] *Adj.* e *s. m.* V. *tartamudo.*

tartamudear. [De *tartamudo* + *-ear*.] *V. int.* **1.** Gaguejar, entaramelar-se, tartarear, tartamelar, tartamelear: "Vê-la crescer .... florir! Viço e perfume. / Já sorri. Quer falar. T a r t a m u d e i a . / Diz mamãe" (Marcelo Gama, *Via-Sacra e Outros Poemas*, p. 135). **2.** Falar com tremura na voz, por susto, medo ou surpresa; tartamelar, tartamelear. *T. d.* **3.** Dizer ou proferir gaguejando; tartamelar, tartamelear: "adiantava-se pela sala, quase roçando o tapete com os cabelos brancos, t a r t a m u d e a n d o adulações" (Eça de Queirós, *O Mandarim*, p. 56). [Conjug.: v. *frear*.]

tartamudez (ê). *S. f.* **1.** Estado de tartamudo. **2.** Dificuldade de falar; gaguez, gagueira.

tartamudo. [De uma base onom. *tártaro*[3], *tátaro* + *mudo*.] *Adj.* e *s. m.* **1.** Que ou aquele que tartamudeia [v. *gago*]: "*Regina, surpresa, afogueada, a sondar-me o olhar, foi-me explicando, t a r t a m u d a , a visita do seu antigo amante: — um pedido de dinheiro.*" (Antero de Figueiredo, *Cômicos*, p. 151.) **2.** Que ou aquele que pronuncia as palavras a custo; entaramelado. [Sin. ger.: *tartamelo*.]

tartana. [Do provenç. *tartano*.] *S. f. Lus.* Embarcação de formas esguias e coberta corrida, de um só mastro, com vela latina e velas de proa, usada no Mediterrâneo para transporte e pesca.

tartaranha. [Possivelmente de *tartana*.] *S. f.* Rede de pesca, em forma de saco, que se arrasta pelo fundo.

tartarato. [De *tártato* + *-ato*[2].] *S. m. Quím.* Qualquer sal ou éster do ácido tartárico.

tartarear. [De *tártaro*[3] + *-ear.*] *V. int.* **1.** V. *tartamudear* (1). **2.** Chalrar, chilrear (a criança). **3.** Tagarelar, parolar. [Conjug.: v. *frear.*]

tartáreo. [Do lat. *tartareu.*] *Adj. Poét.* Relativo ao Tártaro[1] ou Inferno; tartárico.

tartárico[1]**.** [De *tártaro*[1] + *-ico*[2].] *Adj. Poét.* Tartáreo.

tartárico[2]**.** [De *tártaro*[2] + *-ico*[2].] *Adj.* Relativo ao tártaro[2]; tartaroso. ~ V. *ácido* —.

tartarizar. *V. t. d.* Misturar com tártaro[2] (1).

tártaro[1]**.** [Do lat. *Tartaru,* 'o lugar mais profundo do Inferno'.] *S. m. Poét.* Inferno (1).

tártaro[2]**.** [Do lat. tardio (dos alquimistas) *tartaru.*] *S. m.* **1.** Depósito salino, rico em tartarato, que o vinho deixa nas paredes dos tonéis. **2.** Depósito que se forma no interior das caldeiras. **3.** Odontólite. ♦ **Tártaro emético.** *Quím.* Sal duplo cristalino e incolor, usado como emético. [Fórm.: $K(SbO)C_4H_4O_6$.]

tártaro[3]**.** *Adj.* e *s. m.* V. *tátaro.*

tártaro[4]**.** *Adj.* **1.** Da, ou pertencente ou relativo à República Autônoma da Tartária (U.R.S.S.). ● *S. m.* **2.** O natural ou habitante da Tartária.

tartaroso (ô). *Adj.* **1.** Que tem tártaro[2]. **2.** Tartárico[2].

tartaruga. [Do it. *tartaruga.*] *S. f.* **1.** Designação comum aos reptis quelônios aquáticos, que vêm a terra apenas para a desova. Na maioria das espécies, os membros locomotores são adaptados para natação. **2.** *Bras., Amaz.* V. *tartaruga-de-pente.* **3.** A carapaça da tartaruga (1): *brincos de* t a r t a r u g a. **4.** *Bras.* Tartarugada. **5.** *Bras.* resistência, capeada de metal ou de plástico, usada para esquentar água. *S. 2 g.* **6.** Pessoa velha e feia.

tartarugada. *S. f. Bras., AM.* Iguaria feita com tartaruga (1); tartaruga.

tartaruga-da-amazônia. *S. f. Bras.* V. *tracajá.* [Pl.: *tartarugas-da-amazônia.*]

tartaruga-de-couro. *S. f. Bras.* Reptil da ordem dos quelônios, subordem *Atheca* [v. *atecos*], da família dos dermoquelídeos (*Dermochelys coriacea* L.), dos mares tropicais e subtropicais. É a maior das espécies existentes, tendo de comprimento até 2,30 m e de peso até 800 kg.Coloração pardo-escura; carapaça coriácea com sete arestas longitudinais. [Sin: *tartaruga-lira.* Pl.: *tartarugas-de-couro.*]

tartaruga-de-pente. *S. f. Bras.* Reptil da ordem dos quelônios, da família dos quelonídeos (*Chelonia imbricata* L.), dos mares tropicais e subtropicais. Tem carapaça castanha tirante ao pardo-escuro, escudos com manchas amarelas, plastrão amarelado, escudos da cabeça e das pernas pardos com margens amarelas. Comprimento: até 1 m. Sua característica principal é serem fortemente imbricados os escudos da carapaça, da qual se extrai o material conhecido no mercado como *tartaruga,* com o qual se fazem bolsas, pentes e aros para óculos. [Sin: *tartaruga, tartaruga-verdadeira.* Pl.: *tartarugas-de-pente.*]

tartaruga-do-amazonas. *S. f. Bras.* Reptil da ordem dos quelônios, da família dos pleomedusídeos (*Podocnemis expansa* Schw.), da Amaz. e do Orinoco. Coloração pardo-olivácea manchada de escuro; plastrão amarelado, com manchas pardas; bordo superior do olho, mancha atrás deste e outra mancha dobrada no escudo interparietal, amarelas. Comprimento: até 90 cm. A carne e os ovos desta espécie, atualmente protegida por lei, são muito apreciados pelos habitantes da região. Aos machos se dá o nome de *capitari* [q. v.], e as fêmeas recebem os nomes de *iurará, jurará* ou *jururá.* [Pl.: *tartarugas-do-amazonas.*]

tartaruga-do-mar. *S. f.* Designação comum a várias espécies de reptis marinhos, da ordem dos quelônios, superfamília dos queloniôideos, com plastrão de 13 escudos ou com a carapaça sem escudos, dedos imóveis, inteiramente soldados por membranas. Os exemplares adultos são de grande porte. [Pl.: *tartarugas-do-mar.*]

tartaruga-lira. *S. f. Bras.* Tartaruga-de-couro. [Pl.: *tartarugas-liras* e *tartarugas-lira.*]

tartaruga-verdadeira. *S. f. Bras.* V. *tartaruga-de-pente.* [Pl.: *tartarugas-verdadeiras.*]

tartaruga-verde. *S. f. Bras.* Grande tartaruga, comum em águas do Atlântico (*Chelonia mydas* Lin.). [Pl.: *tartarugas-verdes.*]

tartaruguinha. [Dim. de *tartaruga.*] *S. f. Bras.* Certo inseto coleóptero.

tartufaria. *S. f.* V. *tartufice.*

tartuficar. [De *tartufo* + *-ficar.*] *V. t. d.* Enganar, embair, com tartufices. [Conjug.: v. *trancar.*]

tartufice. *S. f.* Ato ou dito de tartufo; tartufismo, tartufaria.

tartufismo. *S. m.* V. *tartufice.*

tartufo. [De *Tartufo,* personagem da comédia homônima (no original, *Le Tartuffe*), de Molière, escritor francês (1622-1673).] *S. m.* **1.** Homem hipócrita: "A bajulação é estratégia vergonhosa de que se socorrem os t a r t u f o s." (Nestor Vitor, *Folhas Que Ficam,* p. 120.) **2.** Devoto falso.

tarubá. [Do tupi *taru'bá.*] *S. m. Bras., AM.* Bebida fermentada feita de beijuaçu dissolvido em água.

taruca. [Do esp. plat. *taruca,* var. de *taruga.*] *S. f.* V. *vicunha.*

taruga. [Var. de *taruca* < quíchua *taruka,* atr. do esp. plat.] *S. f.* V. *vicunha.*

tarugar. [De *tarugo* + *-ar*[2].] *V. t. d.* Prender ou pregar com tarugo. [Conjug.: v. *largar.*]

tarugo. *S. m.* **1.** Espécie de torno usado para ligar duas peças de madeira ou de outra substância. **2.** V. *taco*[1] (5). **3.** *Ind. Pap.* V. *sabugo* (8). **4.** *Bras. Pop.* Homem baixo e atarracado.

tarumá. *Bras. S. 2 g.* **1.** Indivíduo dos tarumás, tribo indígena que no séc. XVII vivia na região do baixo rio Negro e nos sécs. XIX e XX na Guiana Inglesa, e cuja língua foi classificada como isolada, por Loukotka. ● *Adj. 2 g.* **2.** Pertencente ou relativo a essa tribo.

tarumã. [Do tupi *taru'mã.*] *S. m. Bras., Amaz.* Árvore da família das verbenáceas *(Vitex orinocensis),* que habita as florestas das margens dos rios, semelhante ao pimenteiro [q. v.], e cuja madeira, pardo-escura, serve para obras em lugares úmidos: esteios, mourões, dormentes, etc.

tarumã-da-várzea. *S. m. Bras., Amaz.* Árvore da família das verbenáceas (*Vitex cymosa*), das florestas inundáveis, idêntica ao *tarumã* [q. v.], mas que floresce logo após a queda da folhagem, e cujos frutos agridoces parecem azeitonas. [Pl.: *tarumãs-da-várzea.*]

tarumã-de-espinhos. *S. m. Bras., S.* Árvore da família das verbenáceas (*Citharexylon barbinerve*), da floresta atlântica, de folhas lanceoladas, com dois nectários engrossados no pecíolo, e cuja madeira é muito boa e dura. [Pl.: *tarumãs-de-espinhos.*]

tarumã-do-campo. *S. m. Bras., Amaz.* Árvore da família das verbenáceas (*Vitex flavens*), peculiar aos campos de terra firme, semelhante ao *tarumã* [q. v.], inclusive pela madeira e utilidade; tarumãtuíra. [Pl.: *tarumãs-do-campo.*]

tarumaí. [De *tarumã* + *-i.*] *S. m. Bras., MT.* Arbusto ou arvoreta da família das ramnáceas (*Rhamnidium elaeocarpum*), de folhas oblongas, mais ou menos obtusas, membranáceas, flores pequeninas, alvas e congregadas em cimeiras axilares dicótomas, e cujo fruto é uma baga elipsóide rostrada, de cerca de 1 cm, sendo a semente oleaginosa.

tarumã-mirim. [De *tarumã* + *-mirim.*] *S. m. Bras.* Árvore da família das verbenáceas (*Vitex sellowiana*), da floresta atlântica, idêntica ao *tarumã* (q. v.) [Pl.: *tarumãs-mirins.*]

tarumãtuíra. [De *tarumã* + tupi *tu'ira,* 'roxo'.] *S. m. Bras.* Tarumã-do-campo.

tarumirinhense. *Adj.* **1.** De, ou pertencente ou relativo a Tarumirim (MG). ● *S. 2 g.* **2.** Natural ou habitante de Tarumirim.

tasca[1]**.** [Dev. de *tascar.*] *S. f.* **1.** Ato ou efeito de tascar. **2.** *Bras., RJ. Pop.* V. *surra* (1).

tasca[2]**.** *S. f.* V. *taberna.*

tascadeira. [De *tascar* + *-deira.*] *S. f.* Espadeladeira.

tascante[1]**.** [De *tasca*[2] + *-ante.*] *S. m. Pop.* Tasqueiro.

tascante[2]**.** [De *tascar* + *-nte.*] *Adj. 2 g.* Que tasca.

tascar. *V. t. d.* **1.** V. *estomentar.* **2.** Morder (o freio). **3.** Morder, roer. **4.** *Bras.* Dar um pedaço de (coisa que se está comendo ou desfrutando). **5.** *Bras.* Rasgar (balão de S. João ou papagaio de papel, quando vêm caindo). **6.** *Bras., RJ. Pop.* Bater, surrar, tacar. [Conjug.: v. *trancar.*]

tasco[1]**.** [Var. de *tasca*[2].] *S. m.* V. *taberna.*

tasco[2]**.** [Dev. de *tascar.*] *S. m.* **1.** Casca de linho; tomento, boiceira. **2.** *Bras. Fam.* Pedaço, bocado: *Dê-me um* t a s c o *desse bolo.*

tasmânia. [Do antr. *Tasman,* navegador holandês, + *-ia.*] *S. f.* Planta da família das fagáceas (*Fagus cunninghami*).

tasmaniano. *Adj.* **1.** Da, ou pertencente ou relativo à Tasmânia (Oceânia). ● *S. m.* **2.** O natural ou habitante da Tasmânia.

tasneira. *S. m.* V. *tanaceto.*

tasneirinha. [Dim. de *tasneira.*] *S. f. Bras.* Erva grande, da família das compostas (*Senecio brasiliensis*), muito difundida pelo território nacional, de folhas recortadas e herbáceas, e cujos capítulos, numerosos, são amarelos. Contém alcalóides que envenenam o gado.

tasqueiro. *S. m.* Dono de tasca[2] ou tasco[1]; taberneiro, tascante.

tasquinha. [De *tasca*[1] + *-inha.*] *S. f.* **1.** Espadela (1). **2.** *Bras. Fam.* Dim. de *tasco*[2] (2).

tasquinhar. [De *tascar* + *-inhar.*] *V. t. d.* **1.** V. *estomentar.* **2.** *Fam.* Comer (1). *Int.* e *t. i.* **3.** Separar o tasco do linho. **4.** Comer com pouco apetite; debicar. **5.** Falar mal da vida alheia.

tassalho. *S. m.* Fatia grande; grande naco.

tasselo (ê). [Do it. *tassello.*] *S. m. Arquit. Escult.* Cada uma das peças, geralmente de gesso, de um modelo, estátua, etc.

tata. *S. m. Bras., BA.* Pai-de-santo, nos candomblés do Congo e de Angola; tata-de-inquice.

tatá[1]**.** [Do lat. *tata,* 'papai'.] *S. m.* Papá (1).

tatá[2]**.** [De provável or. afr.] *S. m. Bras.* Espírito protetor da cabala e, às vezes, da macumba.

tata-de-inquice. *S. m. Bras., BA.* Tata. [Pl.: *tatas-de-inquice.*]

tataíra. [Do tupi *tata'ira,* 'abelha de fogo'.] *S. f. Bras.* Abelha melipônida, da família dos meliponídeos (*Trigona cagafogo*), de cabeça e abdome ferrugíneos, e preto o resto do corpo. Nidifica em troncos ocos. É agressiva e, quando pica, segrega um líquido fortemente cáustico. [Sin.: *caga-fogo, barra-fogo, abelha-de-fogo.*]

tatajiba. *S. f. Bras.* V. *tatajuba* (1).

tatajuba. [Var. de *tatajiba* < tupi *tata'iwa,* 'árvore de fogo'.] *S. f.* **1.** *Bras., Amaz.* Árvore da família das moráceas *(Bagassa guianensis),* da floresta pluvial, de folhas cordiformes, inteiras ou lobadas, frutos comestíveis, do tamanho de uma laranja, e madeira amarela, dura, que serve para construção de canoas. [Var.: *tataúba;* var. de *tatajiba;* sin.: *tatarema, tuijuva, jataíba, bagaceira.*] **2.** V. *limãorana.*

tatalar. [Voc. onom.] *V. int. Bras.* **1.** Produzir som seco semelhante ao entrechocar de ossos. **2.** Produzir rumor; rumorejar, rumorar. *T. d.* **3.** *Bras.* Agitar produzindo um ruído seco: "— Ave que as asas múltiplas t a t a l a ..." (Gilca da Costa Melo Machado, *Poesias,* p. 61). ● *S. m.* **4.** Ruído semelhante ao do ar vibrado por asas.

tatamba. *S. 2 g. Bras.* **1.** V. *tátaro* (1). **2.** Toleirão, pateta.

tatame. [Do jap. *tatami.*] *S. m.* **1.** Esteira retangular, feita de palha de arroz, usada, nas casas japonesas, para cobrir o chão. **2.** *P. ext.* Esteira sobre a qual se pratica o judô.

tatapora. [Do tupi *tata'por,* 'fogo que salta'.] *S. f. Bras.* V. *varicela.* [Tb. se usa no pl.]

tatarana. [Do tupi *tata'rana,* 'semelhante a fogo'.] *S. f. Bras.* Designação comum às lagartas urticantes dos insetos lepidópteros, especialmente da família dos megalopigídeos, capazes de provocar reações que variam de um eritema ligeiro, idêntico a uma queimadura leve, a lesões mais extensas, com formação de vesículas e fenômenos gerais (náuseas, reação ganglionar, febre). [Cf. *mandorová.* Var.: *taturana;* sin.: *ambira, bicho-cabeludo, lagarta-cabeluda, lagarta-de-fogo.*]

tataraneto. *S. m.* Var. de *tetraneto.*

tataranha. [De *tátaro.*] *Adj. 2 g.* e *s. 2 g.* Diz-se de, ou pessoa tímida, acanhada, atada.

tataranhar. [De *tataranha* + *-ar*[2].] *V. int.* **1.** Tartamudear, gaguejar. **2.** Parecer que faz alguma coisa, mas não a fazer, por acanhamento ou por malícia. **3.** Embaraçar-se, acanhar-se.

tataranho. [Der. regress. de *tataranhar.*] *Adj.* e *s. m.* Diz-se de, ou aquele que tataranha.

tataravô. *S. m.* Var. de *tetravô:* "o senhor de Clavières mandava trocar o cavalo em que ia montar por um outro do mais fino sangue, cuja família se conhecia até o t a t a r a v ô" (Ramalho Ortigão, *Em Paris,* p. 57).

tataravó. *S. f.* Fem. de *tataravô.* [Var.: *tetravó.*]

tatarema. [Do tupi *tata'rem,* 'fogo fedorento'.] *S. f. Bras.* V. *tatajuba* (1).

tátaro. *Adj.* e *s. m.* **1.** Que ou quem fala trocando o *c* por *t;* tatibitate, tatamba. **2.** V. *gago.* [Var.: *tártaro;* sin.: *tato.*]

tataúba. *S. f. Bras.* V. *tatajuba* (1).

tate. *Interj.* **1.** Cautela; veja lá. ● *Adv.* **2.** E assim foi; assim aconteceu.

tateabilidade. *S. f.* Qualidade tateável; tatilidade.

tateante. *Adj. 2 g.* Que tateia.

tatear. [De *tato* (1) + *-ear.*] *V. t. d.* **1.** Aplicar o tato a; apalpar: "Ele t a t e i a o chão com os pés à procura dos chinelos" (José J. Veiga, *A Máquina Extraviada,* p. 67). **2.** Pesquisar, investigar. **3.** Sondar, examinar, procedendo com cautela. *Int.* **4.** Tocar nas coisas (com as mãos, com os pés, ou com bengala, cajado, etc.), para guiar-se: "Cego de amor, em vão t a t e i o a vida inteira" (Da Costa e Silva, *Sangue,* p. 23); "bebeu um gole de água do copo que, t a t e a n d o, pôde encontrar" (Maria Julieta Drummond de Andrade, *Um Buquê de Alcacho-

fras, p. 17). [Conjug.: v. *frear*.]

tateável. [De *tatear* + *-vel*.] *Adj. 2 g.* Táti[1] (2).

tatera. [Do tupi *ta'tera*.] *S. f. Bras.* Miolinho.

tateto (ê). [Var. de *cateto* (ê) (2).] *S. m.* **1.** *Bras., RS.* V. *caititu* (1). **2.** *Bras., SP.* Espécie de formiga.

tatibitate. *Adj. 2 g.* e *s. 2 g.* **1.** Que ou quem fala trocando certas consoantes. [Cf. *tátaro*.] **2.** *P. ext.* Gago ou tartamudo. **3.** Diz-se de, ou pessoa muito acanhada, ou apatetada, inhenha.

tatibitatear. *V. int.* **1.** Falar como tatibitate (1): *Faz certa aflição vê-lo* t a t i b i t a t e a r. *T. d.* **2.** Dizer, pronunciar, como tatibitate: T a t i b i t a t e o u *umas frases, e foi-se embora.* [Conjug.: v. *frear*.]

tática. [Do gr. *taktiké* (subentende-se *techné*), i. e., 'arte de manobrar tropas'; fem. substantivado do adj. *tático*[1].] *S. f.* **1.** Parte da arte da guerra que trata da disposição e da manobra das forças durante o combate ou na iminência dele. **2.** Parte da arte da guerra que trata de como travar um combate ou uma batalha. [Cf., nesta acepç., *estratégia* (2).] **3.** *Fig.* Processo empregado para sair-se bem num empreendimento. **4.** *Fig.* Meios postos em prática para sair-se bem de qualquer coisa.

tático[1]. [Do gr. *taktikós*, 'capaz de pôr em ordem'.] *Adj.* **1.** Relativo a tática. ● *S. m.* **2.** Indivíduo perito em tática.

tático[2]. [De *tato*[1] + *-ico*[2].] *Adj. Fisiol. Veg.* Relativo ao, ou próprio do tatismo: *movimento* t á t i c o.

taticografia. [Var. de *tacticografia* < *tático* + *-graf(o)-* + *-ia*.] *S. f.* **1.** Delineamento de manobras militares. **2.** Representação gráfica de evoluções guerreiras.

taticográfico. [Var. de *tacticográfico*.] *Adj.* Relativo à taticografia.

taticógrafo. [Var. de *tacticógrafo*.] *S. m.* Especialista em taticografia.

taticumã. [Do tupi *tatiku'mã*, 'fuligem'.] *S. m. Bras.* V. *picumã*.

tátil. [Var. de *táctil* < lat. *tactile*.] *Adj. 2 g.* **1.** Relativo ao tato. **2.** Suscetível de ser tateado: tateável. [Pl.: *táteis*.]

tatilidade. [Var. de *tactilidade* < lat. *tactile*, 'tátil', + *-i-* + *-dade*.] *S. f.* **1.** Qualidade de tátil. **2.** Capacidade de sentir ou de ser sentido pelo tato: tateabilidade.

tatismo. [Var. de *tactismo* < lat. *tactu*, 'tato' + *-ismo*.] *S. m.* **1.** Reação de pequenos organismos que, livres em um dado meio, se orientam de acordo com a direção de um estímulo externo. Ex.: *fototatismo*, quando a orientação é dada pela luz presente em certa direção: as plantas colocadas no escuro voltam-se para o ponto onde a luz aparece, tal as algas verdes num campo unilateralmente iluminado.

tato[1]. [Var. de *tacto* < lat. *tactu*, 'ação de tocar, toque'.] *S. m.* **1.** *Med.* O sentido através do qual se percebem as sensações mecânicas, dolorosas, térmicas, de contato. **2.** O ato de apalpar, de tatear. **3.** Cautela, prudência, tino: *São problemas delicados, é preciso* t a t o *para resolvê-los.* **4.** Habilidade, capacidade, vocação.

tato[2]. *Adj.* e *s. m. Bras.* e *prov. lus.* F. sincopada de *tátaro* [q. v.].

tatu. [Do tupi *ta'tu*.] *S. m.* **1.** *Bras.* Designação comum aos mamíferos desdentados da família dos dasipodídeos, com seis gêneros no Brasil e aproximadamente 11 espécies. Noctívagos, alimentam-se de raízes, frutos, insetos, e até de carniça. Os tatus reproduzem-se por poliembrionia, e todos os indivíduos de um mesmo parto têm o mesmo sexo. **2.** *Bras.* Iguaria feita com a carne do tatu. **3.** *Bras.* Variedade de porco doméstico. **4.** *Bras.* Arvoreta da família das opiliáceas (*Agonandra brasiliensis*), muito comum nos cerrados e matas secas, de casca suberosa, grossa e sulcada, folhas ovadas, acuminadas e moles, flores inconspícuas, e cujo frutos são bagas esféricas e verde-azuladas, cheirosas, mas não edules. A madeira, amarelada, compacta e dura, é de boa qualidade, e a semente encerra um 50% de óleo amarelo. [Sin.: *pau-marfim*.] **5.** *Bras., AM.* Coberta feita de folhas e palmas que serve de abrigo contra a chuva. **6.** *Bras., RS.* V. *lagarto* (4). **7.** *Bras., RS.* Modalidade de fandango (6). **8.** *Bras., RS.* Parte do barbaquá onde se deposita a erva-mate para secagem. **9.** *Bras., GO.* Dança de roda em que, no centro, o dançarino cantador narra uma caçada de tatu, e a cada verso seu a roda responde em coro: "Redondo, sinhá." ~ V. *tatus*. ♦ **Levar um tatu.** *Bras. Pop.* Cair.

tatuaçu. [Do tupi *tatua'su*, 'tatu grande'.] *S. m. Bras.* Tatu-canastra.

tatuador (ô). *S. m.* Indivíduo que exerce a tatuagem, que tatua.

tatuagem. [De *tatuar* + *-agem*[2].] *S. f.* **1.** Processo de introduzir sob a epiderme substâncias corantes a fim de apresentar na pele desenhos e pinturas. **2.** O desenho ou pintura feitos por esse processo. **3.** Marca, sinal, estigma.

tatuaíva. [Do tupi *tatua'iva*, 'tatu ruim'.] *S. m.* V. *tatu-de-rabo-mole*.

tatuapara. [Do tupi *tatua'para*, 'tatu vergado'.] *S. m. Bras.* V. *tatu-bola*.

tatuar. [Do taitiano *tatu*, 'sinal', 'pintura', atr. do ingl. *to tatoo* e do fr. *tatouer*.] *V. t. d.* **1.** Fazer tatuagem em; imprimir ou gravar desenho sobre o corpo de. **2.** *P. ext.* Marcar, assinalar. *P.* **3.** Fazer tatuagem em si mesmo, ou deixar que a façam.

tatu-bola. *S. m. Bras.* **1.** Designação comum dos mamíferos desdentados da família dos dasipodídeos, gênero *Tolypeutes* Ill. **2.** *Bras., N.E.* e *GO.* Mamífero da família dos dasipodídeos (*Tolypeutes tricintus* (L.)), que tem apenas três cintas de placas móveis que lhe permitem enrolar-se em forma de bola. **3.** *Bras., MT.* Mamífero da família dos dasipodídeos (*Tolypeutes matacos* Desm.), de MT e dos países vizinhos, dotado de apenas quatro unhas anteriores e provido de um dente a mais na série molar, o que o diferencia do *T. tricintus* (L); mataco. [Sin. ger.: *tatuapara, apara, apar*. Pl.: *tatus-bolas* e *tatus-bola*.]

tatucaba. [De *cabatatu*, com inversão dos elementos, ou de *tatu* + *caba*.] *S. m. Bras., Amaz.* V. *marimbondo-tatu*.

tatu-canastra. *S. m. Bras.* Mamífero desdentado, da família dos dasipodídeos (*Priodontes giganteus* (E. Geof)), da região cisandina. É a maior das espécies existentes; mede cerca de 85 cm de corpo e 45 cm de cauda. Tem 11 a 13 cintas de placas móveis, 24 a 26 dentes em cada ramo maxilar, e a unha média da mão chega a 15 cm. Não se adapta ao cativeiro. [Sin.: *tatuaçu*. Pl.: *tatus-canastras* e *tatus-canastra*.]

tatu-cascudo. *S. m. Bras.* V. *tatupeba*. [Pl.: *tatus-cascudos*.]

tatucaua. [De *tatu* + tupi *kawa*, 'cabeça'.] *S. m. Bras., Amaz.* V. *marimbondo-tatu*.

tatu-de-folha. *S. m. Bras.* V. *tatu-galinha*. [Pl.: *tatus-de-folha*.]

tatu-de-mão-amarela. *S. m. Bras.* V. *tatupeba*. [Pl.: *tatus-de-mão-amarela*.]

tatu-de-rabo-mole. *S. m. Bras.* Designação comum às espécies de tatus da família dos dasipodídeos, gênero *Cabassous* Mac Murt., caracterizados por terem a cauda com placas pequenas, não cobrindo inteiramente a pele, unhas muito grandes, e corpo com até 45 cm de comprimento. Ao todo, quatro espécies são conhecidas do Brasil. [Sin.: *tatuaíva, tatuxima, cabaçu, cabuçu*. Pl.: *tatus-de-rabo-mole*.]

tatuetê. [Do tupi *tatue'té*, 'tatu verdadeiro'.] *S. m. Bras.* V. *tatu-galinha*.

tatu-galinha. *S. m. Bras.* Mamífero desdentado, da família dos dasipodídeos (*Dasypus novemcinctus* L.) distribuído da Venezuela até a Argentina pela porção cisandina. Tem o corpo com nove cintas de placas móveis, e apenas quatro dedos nas mãos. A carne é muito saborosa, comparável à da galinha. [Sin.: *tatu-verdadeiro, tatu-de-folha, tatu-veado tatuetê*. Pl.: *tatus-galinhas*.]

tatuí. [Do tupi *tatu'i*, 'tatu pequeno'.] *S. m. Bras.* Designação comum aos crustáceos decápodes, anomuros, da família dos hipídeos, especialmente *Emerita brasiliensis* Schmitt, de coloração branca com cerca de 3 cm de comprimento. Sua semelhança com os tatus valeu-lhe o nome comum. Vive enterrado na areia, a pouca profundidade. [Sin: *tatuíra*.]

tatuiano (u-i). *Adj.* e *s. m.* Tatuiense.

tatuiense (u-i). *Adj. 2 g.* **1.** De, ou pertencente ou relativo a Tatuí (SP). ● *S. 2 g.* **2.** Natural ou habitante de Tatuí. [Sin. ger.: *tatuiano*.]

tatuíra. *S. m. Bras.* Tatuí.

tatupeba. [Do tupi *tatu'pewa*, 'tatu chato'.] *S. m. Bras.* Mamífero desdentado, da família dos dasipodídeos (*Euphractus sexcinctus* (L.)), comum em todo o Brasil, com três subespécies. Corpo com seis cintas de placas móveis e pelagem densa, porém de pêlos curtos. As placas da carapaça são grossas, grandes e com contornos bem definidos. [F. red.: *peba*. Sin.: *papa-defunto, tatupoiú, tatu-de-mão-amarela, tatu-cascudo, tatu-peludo, peludo*.]

tatu-peludo. *S. m. Bras.* V. *tatupeba*. [Pl.: *tatus-peludos*.]

tatupoiú. *S. m. Bras.* V. *tatupeba*.

tatuquira. [Do tupi *tatu'kïra*.] *S. m. Bras.* V. *flebótomo* (1).

tatura. [Var. de *tactura* < lat. *tactu*, 'tato', + *-ura*.] *S. f.* Ato ou efeito de tatear.

taturana. [Var. de *tatarana* < tupi *tata'rana*, 'semelhante a fogo'.] *S. f. Bras.* **1.** V. *tatarana* **2.** Espécime de vespídeo. **3.** V. *albino* (2).

tatus. [Pl. de *tatu*.] *Adj. pl. 2 g. Bras.* Diz-se dos irmãos que não têm irmã ou das irmãs que não têm irmão, por alusão ao fato de o tatu só ter, em cada ninhada, filhotes do mesmo sexo. ~ V. *tatu*.

tatu-tapuia. *Bras. S. 2 g.* e *adj. 2 g.* V. *adzâmeni*. [Pl.: *tatus-tapuias*.]

tatu-veado. *S. m. Bras.* V. *tatu-galinha*. [Pl.: *tatus-veados*.]

tatu-verdadeiro. *S. m. Bras.* V. *tatu-galinha*. [Pl.: *tatus-verdadeiros*.]

tatuxima. *S. m. Bras.* V. *tatu-de-rabo-mole*.

tatuzinho. [Dim. de *tatu*.] *S. m. Bras.* **1.** Animal artrópode, crustáceo, isópode, da família dos armadilídeos (*Armadillidium vulgare* (Latreille)) e outras espécies. O seu aspecto e maneira de enrolar o corpo, como se fosse um tatu-bola, valeu-lhe o nome popular. Quando em grande número, podem os tatuzinhos causar danos às plantas. [Sin.: *bicho-de-conta, papa-breu*.] **2.** Baratinha (1).

tau[1]. [Do gr. *tau*, pelo lat. *tau*.] *S. m.* **1.** A 19ª letra do alfabeto grego (Τ, τ). **2.** Figura heráldica em forma de *T*, que os cônegos de Santo Antão usavam em seus hábitos.

tau[2]. *Interj.* Voz imitativa de tiro ou pancada.

tauá. [Do tupi *ta'wa*, 'argila amarela'.] *S. m. Bras.* **1.** Argila aluvional colorida por óxido de ferro. **2.** Tinta amarela extraída dessa argila. **3.** V. *papa-cacau*. ● *Adj. 2 g.* **4.** Amarelo (1). [Var.: *taguá*.]

tauaçu. [Do tupi *itawa'su*, 'pedra grande'.] *S. m. Bras., N.E.* Pedra que serve de âncora às jangadas.

tauaense. *Adj. 2 g.* **1.** De, ou pertencente ou relativo a Tauá (CE). ● *S. 2 g.* **2.** Natural ou habitante de Tauá.

tauari. [Do tupi *tawa'ri*.] *S. m.* **1.** *Bras., Amaz.* Designação comum a espécies de lecitidáceas pertencentes a vários gêneros, grandes árvores da floresta de madeira de boa qualidade e frutos pixídios. **2.** Fibra têxtil usada como mortalha de cigarro: "Os moços fumam o perfumado tabaco do Rio Preto em seus longos cigarros de t a u a r i" (José Veríssimo, *Cenas de Vida Amazônica*, p. 330). **3.** Pequena palhoça, nas roças, seringais e feitorias.

tauatinga. *S. f. Bras.* V. *tabatinga*.

tauató. *S. m. Bras.* V. *tanatau*.

tauató-pintado. *S. m. Bras.* Ave falconiforme da família dos acipitrídeos (*Accipiter pectoralis* (Bon.)), da América Meridional, de dorso preto com penas estreitamente marginadas de branco, rêmiges e cauda listradas, fita nucal, lados da cabeça, do pescoço e do peito vermelhos, garganta branca com estria mediana preta, meio do peito pintado de vermelho, e abdome branco pintado de preto. [Pl: *tauatós-pintados*.]

taubateano (è). *Adj.* **1.** De, ou pertencente ou relativo a Taubaté (SP). ● *S. m.* **2.** O natural ou habitante de Taubaté.

tauiri (au-i). [Do tupi.] *S. m. Bras.* Labirinto entre ilhas e pedrais, formado pelos vários canais que se divide nalguns trechos o rio Tocantins.

tauísmo. *S. m.* V. *taoísmo*.

tauísta. *Adj. 2 g.* e *s. 2 g.* Taoísta.

tauité (au-i). *Bras. S. 2 g.* **1.** Indivíduo dos tauités, tribo indígena nambiquara de MT. ● *Adj. 2 g.* **2.** Pertencente ou relativo a essa tribo.

taulipangue. *Bras. S. 2 g.* **1.** Indivíduo dos taulipangues, tribo indígena caraíba que vive na região situada entre o monte Roraima e o rio Uraricuera (alto Rio Branco). ● *Adj. 2 g.* **2.** Pertencente ou relativo a essa tribo.

taumaturgia. [Do gr. *thaumatourgía*.] *S. f.* Obra de taumaturgo.

taumatúrgico. *Adj.* Relativo à, ou próprio da taumaturgia.

taumaturgo. [Do gr. *thaumatourgós*.] *Adj.* e *s. m.* Que ou aquele que faz milagres: "Ao lado era o altar de Santo Antônio, o t a u m a t u r g o, no seu hábito de franciscano pobre" (Júlio Brandão, *Contos Escolhidos*, p. 125).

tauoca. [De provável or. tupi.] *S. m. Bras. Amaz.* Ave passeriforme, da família dos formicarídeos (*Formicarius analis* (Lafr. & D'Orb.)), da Amaz., de dorso pardo-oliváceo, garganta preta, peito e barriga cinzentos, crisso vermelho. Vive na mata e alimenta-se de insetos. [Var.: *taoca, taioca, tanoca*; sin.: *pinto-do-mato*.]

taura. [Do esp. plat. *tauro*, 'jogador astuto'.] *Adj.* e *s. m. Bras., RS.* V. *valentão* (1 e 3).

táureo. [Do lat. *taureu*.] *Adj. Poét.* Taurino.

▲tauri-. [Do lat. *taurus, i*.] *El. comp.* = 'touro': *tauricéfalo*. [Equiv.: *tauro-*: *tauromaquia* (< gr. *tauromachía*).]

tauricéfalo. [De *tauri-* + *-céfalo.*] *Adj.* V. *taurocéfalo.*
tauricida. [Do lat. *tauricida.*] *Adj. 2 g.* e *s. 2 g.* Que ou quem mata touros.
tauricídio. [De *tauri-* + *-cídio.*] *S. m.* Ação de matar touro(s).
tauricórneo. [Do lat. *tauricorne* + *-eo.*] *Adj.* Que tem cornos de touro.
taurífero. [Do lat. *tauriferu.*] *Adj.* Em que se criam, onde pastam touros.
tauriforme. [Do lat. *tauriforme.*] *Adj. 2 g.* Que tem forma de ou é semelhante ao touro.
taurino. [Do lat. *taurinu.*] *S. m.* **1.** Indivíduo nascido sob o signo de Tauro ou Touro. ● *Adj.* **2.** Diz-se de, ou pertencente ou relativo a taurino (1). **3.** Pertencente ou relativo a, ou próprio de touro: *pescoço t a u r i n o*; "Inunda-lhe o suor oleoso a testa bronca, / O cachaço *t a u r i n o* e as papeiras" (Guerra Junqueiro, *A Velhice do Padre Eterno*, p. 227). [Sin., poét.: *táureo.*]
tauro. [Do lat. *tauru.*] *S. m. Astrol.* Touro (5).
▲**tauro-.** Equiv. de *tauri-*.
taurocéfalo. *Adj.* Que tem a cabeça de touro.
tauromaquia. [Do gr. *tauromachía.*] *S. f.* A arte de tourear.
tauromáquico. *Adj.* Relativo à tauromaquia.
▲**tauto-.** [Do gr. *tautó.*] *Pref.* = 'mesmo': *tautomeria, tautossilábico.*
tautócrona. [Fem. substantivado de *tautócrono.*] *S. f. Geom. Anal.* Trajetória de uma partícula que, sujeita à ação de uma força, chega a um ponto em um mesmo intervalo de tempo, qualquer que tenha sido o ponto de partida.
tautocronia. *S. f.* V. *simultaneidade.*
tautocronismo. *S. m.* V. *simultaneidade.*
tautócrono. [De *tauto-* + gr. *chrónos*, 'tempo'.] *Adj.* V. *simultâneo.*
tautofonia. [Do gr. *tautophonía.*] *S. f.* Repetição excessiva do mesmo som.
tautofônico. *Adj.* Relativo a, ou em que há tautofonia.
tautograma. [De *tauto-* + *-grama.*] *S. m.* Composição poética em que todas as palavras começam pela mesma letra.
tautogramático. *Adj.* Relativo da, ou de natureza do tautograma: *versos t a u t o g r a m á t i c o s.*
tautologia. [Do gr. *tautología.*] *S. f.* **1.** Vício de linguagem que consiste em dizer, por formas diversas, sempre a mesma coisa: "A gramática usual é uma série de círculos viciosos, uma *t a u t o l o g i a* infinita." (João Ribeiro, *Cartas Devolvidas*, p. 45.) **2.** *Filos.* Proposição que tem por sujeito e predicado um mesmo conceito, expresso ou não pelo mesmo termo. **3.** *Filos.* Erro lógico que consiste em aparentemente demonstrar uma tese repetindo-a com palavras diferentes. [Cf., nesta acepç., *truísmo.*]
tautológico. *Adj.* Relativo à, ou que tem o caráter de tautologia.
tautomeria. [De *tauto-* + *-mer(o)-*[1] + *-ia.*] *S. f. Quím.* Isomeria em que as substâncias têm fórmulas estruturais distintas e comportamentos químicos diferentes, mantendo-se, sempre, em equilíbrio.
tautomérico. *Adj.* Relativo à, ou em que há tautomeria.
tautomerismo. [De *tauto-* + *-mer(o)-*[1] + *-ismo.*] *S. m. Quím.* O equilíbrio dinâmico existente entre duas formas isômeras de uma substância.
tautômero. [De *tauto-* + *-mero.*] *S. m. Quím.* Qualquer composto que tenha tautomeria.
tautometria. [De *tauto-* + *-metr(o)-*[2] + *-ia.*] *S. f.* Simetria excessiva, que degenera em vício; monotonia.
tautométrico. *Adj.* Relativo à tautometria.
tautossilábico. *Adj.* Em que há tautossilabismo.
tautossilabismo. [De *tauto-* + *sílaba* + *-ismo.*] *S. m.* Repetição de sílabas idênticas, da qual se originam termos de caráter familiar. Ex.: *Didi, Lalá, Lili, Zezé.*
tauxia. [Dev. de *tauxiar.*] *S. f.* **1.** Obra de embutidos de ouro, prata, etc., em aço ou em ferro; damasquinagem, damasquinaria: "assiste, com a corte, ... a justas e torneios entre grandes senhores que entram na liça vestidos de arneses com *t a u x i a* de oiro" (Antero Figueiredo, *Toledo*, p. 156). **2.** Obra incrustada, marchetada: *t a u x i a de marfim e ébano.*
tauxiar. [Do ár. *tauxiâ*, 'bordar', + *-ar*[2].] *V. t. d.* **1.** Ornamentar ou lavrar com tauxia; damasquinar. **2.** Embutir, embeber, marchetar. **3.** *Fig.* Corar, ruborizar: *O sangue afluía-lhe às faces, t a u x i a n d o o rosto.* [F. paral.: *atauxiar.*]
tava. [Var. de *taba*, do esp. plat. *taba.*] *S. f. Bras., RS.* **1.** O osso do jarrete da rês vacum. **2.** Jogo gaúcho, que consiste em se atirar ao ar o tava (1) com um lado chato e outro redondo, vencendo aquele que fizer tombar a parte chata (sorte) para baixo; jogo do osso.

tavanês. [De *tavão* + *-ês.*] *Adj.* **1.** Estouvado, desajeitado, estavanado. **2.** Ativo, expedito, diligente. [Flex.: *tavanesa* (ê), *tavaneses* (ê), *tavanesas* (ê).]
tavão. [Do lat. *tabanu.*] *S. m.* V. *mosca-da-madeira*: "Mordido do *t a v ã o*, partindo desvairado, / Busca embalde uma sombra, onde se acoite, o gado!" (Bulhão Pato, *Livro do Monte*, p. 44.)
taverna. *S. f.* V. *taberna.*
tavernal. *Adj. 2 g.* V. *tabernal.*
tavernário. *Adj.* V. *tabernário.*
taverneiro. *S. m.* V. *taberneiro.*
tavoca. [Var. de *taboca*[1].] *S. f. Bras.* Restinga em mata de carrascal.
távola. *S. f.* V. *tábula.*
tavolagem. [De um **tavolar* (< *távola* + *-ar*[2]) + *-agem*[2].] *S. f.* **1.** Casa de jogo. **2.** Vício de jogar; jogo: *casa de t a v o l a g e m.*
tavolatura. [Do it. *tavolatura.*] *S. f.* Tablatura [q. v.].
tavorense. *Adj. 2 g.* **1.** De, ou pertencente ou relativo a Joaquim Távora (PR). ● *S. 2 g.* **2.** Natural ou habitante de Joaquim Távora.
tavuá. [De or. indígena, talvez.] *S. f. Bras. Amaz.* V. *papa-cacau.*
taxa. [Dev. de *taxar.*] *S. f.* **1.** Imposto, tributo. **2.** Regulamento que determina o preço de gêneros ou mercadorias. **3.** Preço, conforme esses regulamentos. **4.** Razão do juro. **5.** Multa paga em selos pelo destinatário de carta postada com selo insuficiente ou sem ele. **6.** *Jur.* Contribuição para um serviço público especificado, feito em favor de um determinado indivíduo, a qual só é exigível depois de efetivamente prestado o serviço, no que difere do imposto [cf. *imposto* (3).] **7.** *Mat.* Razão entre as variações de duas grandezas das quais a primeira é dependente da segunda. [Cf. *tacha*, do v. *tachar* e s. f.] ◆ **Taxa de câmbio.** *Econ.* Relação de troca entre a moeda nacional e a estrangeira.
taxação. [Do lat. *taxatione.*] *S. f.* **1.** Ato ou efeito de taxar. **2.** Tributo que outrora se pagava aos administradores da fazenda nacional.
taxácea (cs). *S. f.* Espécime das taxáceas.
taxáceas (cs). *S. f. pl. Bot.* Família de gimnospermas, da classe das coníferas, cujos estames são peltados, e cujo pólen é destituído de vesículas aeríferas, tendo a flor feminina um só carpelo, o qual conduz um óvulo terminal. A família contém poucas espécies, das zonas frias.
taxáceo (cs). *Adj.* Pertencente ou relativo às taxáceas.
taxador (ô). [Do lat. *taxatore.*] *Adj.* e *s. m.* Que ou aquele que taxa. [Cf. *tachador.*]
taxar. [Do lat. *taxare.*] *V. t. d.* **1.** Estabelecer ou regular a taxa do preço de. **2.** Fixar (o preço) para algum fim. **3.** Regrar, moderar, limitar: *t a x a r os gastos.* **4.** Tributar (1): "O país vivia de expedientes, isto é, de cinqüenta em cinqüenta anos, descobria-se nele um produto que ficava sendo a sua riqueza. Os governos *t a x a v a m*-no a mais não poder" (Lima Barreto, *Os Bruzundangas*, p. 47). **5.** *Bras.* Cobrar taxa(s) sobre (carta). *T. d.* e *i.* **6.** Dar, fazer, conceder, regularmente. **7.** Fixar (certa porção ou quantia). [Pres. ind.: *taxo, taxas, taxa*, etc.; pres. subj.: *taxe*, etc.; part.: *taxado*, fem. *taxada.* Cf. *tacho, tachas, tacha, tache*, do v. *tachar*; *tacho*, s. m.; *tacha*, s. f., pl. *tachas*; *tachada*, s. f.; *taxe* (cs), s. f.; *táxi*, s. m.; *taxi*, s. m. e s. f.; e *tachar.*]
taxaspidiano (cs). *Adj. Zool.* Diz-se do tarso das aves quando os escudos anteriores abrangem, de cada lado, a metade de ambas as faces laterais do tarso, mas sem passar para o lado posterior, que é coberto por outros escudos pequenos.
taxativo. [Do lat. *taxatu*, part. pass. de *taxare*, 'taxar', + *-ivo.*] *Adj.* **1.** Que taxa; limitativo, restritivo. **2.** Que não admite réplica ou contestação: *opinião t a x a t i v a*; *É homem t a x a t i v o.*
taxe (cs). [Do gr. *táxis*, 'ordem, arranjo'.] *S. f. Med.* Pressão que se faz sobre uma hérnia para reduzi-la. [Cf. *taxe*, do v. *taxar*; *táxi* (cs), s. m.; *taxi*, s. m. e s. f.; e *tache*, do v. *tachar.*]
▲**-taxe.** V. *tax(i)(o)-*.
taxi[1]. [Do tupi *ta'xi*, 'cavado'.] *S. f. Bras., Amaz.* V. *formiga lava-pé.* [Cf. *táxi* (cs), s. m.; *taxe*, do v. *taxar*; *taxe* (cs), s. f., e *tache*, do v. *tachar.*]
taxi[2]. [Do tupi *taxi'iwa*, 'árvore das taxis' (v. *taxi*[1]).] *S. m. Bras.* **1.** Designação comum a uma planta da família das gencianáceas (*Tachia guianensis*), outra da família das leguminosas, subfamília cesalpiniáceas (*Sclerolobium goeldianum*), e outra, ainda, da família das poligonáceas (*Triplaris schomburgkiana*). **2.** Taxizeiro. [Cf. *táxi* (cs), s. m.; *taxe*, do v. *taxar*; *taxe* (cs), s. f., e *tache*, do v. *tachar.*]
▲**taxi-.** [Do lat. *taxus, i.*] *El. comp.* = 'teixo': *taxícola,*

taxiforme.
táxi (cs). [F. red. de *taxímetro.*] *S. m.* Automóvel destinado ao transporte de passageiros, e provido de taxímetro [q. v.]; carro de praça: "Entro para um *t á x i* na Bremer Str. e dou o endereço: — Biblioteca Imperial..." (Aquilino Ribeiro, *Alemanha Ensangüentada*, p. 47.) [Cf. *taxi*, s. m. e s. f.: *taxe* (cs), s. f.; *taxe*, do v. *taxar*; e *tache*, do v. *tachar.*] ◆ **Táxi aéreo.** *Bras.* Avião de aluguel, pequeno, em geral monomotor. **Fazer táxi.** *Bras.* Taxiar.
taxiar (cs). [Do ingl. *to taxi.*] *V. int. Bras.* Rodar (o avião) em terra, preparando-se para decolar ou depois de pousar; fazer táxi.
taxi-branco. [De *taxi*[2] + *branco.*] *S. m. Bras.* Planta da família das leguminosas, subfamília cesalpiniácea (*Tachigalia alba*). [Pl.: *taxis-brancos.*]
taxícola (cs). [De *taxi-* + *-cola.*] *Adj. 2 g.* Que vive nos teixos como parasito.
taxidermia (cs). [De *tax(i)(o)-* + *-derm(a)-* + *-ia.*] *S. f.* Arte de empalhar animais.
taxidérmico (cs). *Adj.* Relativo à taxidermia.
taxidermista (cs). *S. 2 g.* Especialista em taxidermia.
taxiforme (cs). [De *taxi-* + *-forme.*] *Adj. Bot.* Diz-se das plantas cujas folhas têm disposição quase igual à do teixo.
➧**taxi-girl** (taksi-gârl). [Ingl.] *S. f.* Moça empregada em boates ou noutros lugares de diversões para dançar com os fregueses a tanto por dança.
taxímetro (cs). [Do fr. *taximètre.*] *S. m.* Aparelho que, em carros de aluguel, mede e registra o preço que se deve pagar pelo percurso efetuado. [Cf. *hodômetro, velocímetro* e *táxi.*]
taxíneo (cs). [De *taxi-* + *-ino-*[1] + *-eo.*] *Adj.* Relativo ou semelhante ao teixo.
taxinomia (cs). *S. f.* V. *taxionomia.*
taxinômico (cs). *Adj.* e *s. m.* V. *taxionômico.*
▲**tax(i)(o)-.** [Do gr. *táxis, eos.*] *El. comp.* = 'arranjo', 'ordenação', 'classificação': *taxiologia, taxionomia, taxidermia, fototaxia, quimiotaxia.* [Equiv.: *taxo-* e *-taxe*: *taxologia*; *parataxe.*]
taxiologia (cs). [De *tax(i)(o)-* + *-log(o)-* + *-ia.*] *S. f.* Ciência das classificações.
taxiológico (cs). *Adj.* Relativo à taxiologia.
taxiólogo (cs). [De *tax(i)(o)-* + *-logo.*] *S. m.* Autor de uma classificação ou de um tratado de classificação.
taxionomia (cs). [De *tax(i)(o)-* + *-nom(o)-* + *-ia.*] *S. f.* **1.** Ciência da classificação. **2.** *Biol. Ger.* Sistemática (1). **3.** *Gram.* Classificação das palavras.
taxionômico (cs). *Adj.* **1.** Relativo à taxionomia. ● *S. m.* **2.** Especialista em taxionomia.
taxi-preto. [De *taxi*[1] + *preto.*] *S. m. Bras.* Pajeú (1). [Pl.: *taxis-pretos.*]
taxira. [Do tupi *ta'xira*, 'cavadeira'.] *S. f. Bras.* Espécie de formiga.
taxirana. [Do tupi *taxi'rana*, 'semelhante à taxi[2]'.] *S. f. Bras., Amaz.* Árvore da família das leguminosas (*Sclerolobium chrysophyllum*), da floresta pluvial, de folhas penadas com folíolos subcoriáceos e acuminados, flores pequenas, amarelas, dispostas em longos racemos, e cujos frutos são legumes indeiscentes e coriáceos, sendo a madeira branca e sem valor, salvo para carvão.
taxista (cs). [De *táxi* + *-ista.*] *S. 2 g.* Motorista de táxi.
taxizal. *S. m. Bras.* Quantidade mais ou menos considerável de taxizeiros dispostos proximamente entre si.
taxizeiro. [De *taxi-*[2] + *-z-* + *-eiro.*] *S. m. Bras.* Designação comum a diversas árvores leguminosas e poligonáceas da Amaz.; taxi.
▲**taxo-.** V. *tax(i)(o)-*.
taxodiácea (cs). *S. f.* Espécime das taxodiáceas.
taxodiáceas (cs). *S. f. pl. Bot.* Família de gimnospermas, da classe das coníferas, caracterizadas pelos estames com dois a nove sacos polínicos e igual número de óvulos; pólen sem câmara aerífera. Inclui as grandes árvores do gênero *Sequoia*, da América do Norte.
taxodiáceo (cs). *Adj.* Pertencente ou relativo às taxodiáceas.
taxologia (cs). *S. f.* V. *taxiologia.*
taxológico (cs). *Adj.* V. *taxiológico.*
taxólogo (cs). *S. m.* V. *taxiólogo.*
táxon (cs). [F. abrev. de *taxonomia.*] *S. m.* Qualquer unidade taxionômica, sem especificação da categoria. Pode ser gênero, espécie, etc. [Pl.: *taxa.*]
taxonomia (cs). *S. f.* V. *taxionomia.*
taxonômico (cs). *Adj.* e *s. m.* V. *taxionômico.*
taxuri. [Do tupi *taxu'ri.*] *S. m. Bras.* Fruxu.
taylorismo (tei). *S. m.* Sistema de exploração industrial devido a Frederich W. Taylor, engenheiro e economista norte-americano (1856-1915), baseado nos princípios da psicotécnica e de organização racional do trabalho,

e com o qual se procura alcançar o máximo de rendimento com o mínimo de tempo e de atividade.
taylorista (tei). *Adj. 2 g.* **1.** Relativo ao, ou que é adepto do taylorismo. ● *S. 2 g.* **2.** Adepto desse sistema.
■ **Tb.** *Quím.* Símb. de *térbio.*
■ **Tc.** *Quím.* Símb. de *tecnécio.*
tchã. [Voc. onom.] *S. m. Bras. Fam.* **1.** Toque especial; apuro, requinte: *O cabeleireiro deu um* tchã *ao seu penteado.* **2.** Charme, encanto pessoal: *Ela tem muito* tchã.
tchau. [Do it. *ciao.*] *Interj.* Até a vista; até logo.
tcheco. *Adj.* **1.** De, ou pertencente ou relativo à região da Tchecoslováquia (Europa), constituída pela Boêmia e pela Morávia. **2.** *P. ext.* V. *tchecoslovaco.* ● *S. m.* **3.** Natural ou habitante dessa região. **4.** *P. ext.* V. *tchecoslovaco.* [F. paral.: *tcheque.*]
tcheco-eslovaco. *Adj.* e *s. m.* V. *tchecoslovaco.* [Pl.: *tcheco-eslovacos.*]
tchecoslovaco. *Adj.* **1.** Da, ou pertencente ou relativo à Tchecoslováquia (Europa Central). ● *S. m.* **2.** O natural ou habitante desse país. **3.** A língua da Tchecoslováquia. V. *eslavo* (1). [Sin. ger.: *tcheco.*]
tcheque. *Adj. 2 g.* e *s. 2 g.* V. *tcheco.*
➧**tchernoziom.** [Russo.] *S. m.* Terra vegetal negra, fértil e humosa do S. da Rússia, própria para cereais.
tchi. *S. m.* V. *mina[2]* (1).
tchicaridjana. *S. 2 g.* e *adj. 2 g. Bras.* Ingarune.
te[1]. [Do lat. *te*, acus. do pron. *tu.*] *Pron. pess.* Designa a 2ª pess. sing. dos dois gêneros, tomada como objeto direto e equivalente a *a ti:* "E, abrindo as asas para o eterno abrigo, / Divino Amor, escuta que eu te chamo, / Divino Amor, espera que eu te sigo." (José Albano, *Rimas*, p. 238); "E te amo como se ama um passarinho morto." (Manuel Bandeira, *Estrela da Vida Inteira*, p. 36); "Por mim quantas vezes / Quase tu mataste, / Quase te mataste, / Quase te mataram." (Id., *ib.*, p. 244). [Note-se, no último exemplo, o emprego do primeiro te na voz reflexa.] [Cf. *ti, té, tê*, e *me, lhe, se nos, vos.*]
te[2]. [Dativo do pron. *tu*; da f. sintética *ti* (< lat. *tibi*, **tihi*), tornada átona e confundida com o acusativo.] *Pron. pess.* **1.** Designa a 2ª pess. sing. dos dois gêneros tomada como objeto indireto, e equivalente a *a ti: Obedeço-te;* "Pode a teus pés curvar-se o mundo inteiro; / Podem render-te os homens vassalagem" (José de Alencar, *Obra Completa*, IV, p. 623); "Falo-te daqui, da montanha, ouvindo os cepos a estalar na chaminé, ouvindo as vagas do vento." (Virgílio Ferreira, *Aparição*, p. 21); "Se passo uma hora sem ver-te, / Dizer- te que acho medonho / O mundo é nada dizer-te." (Guimarães Passos, *Versos de um Simples*, p. 21). — Equivale tb. a: **2.** Em ti: *Alguém te insultou, te bateu?* **3.** Para ti: *Vou adquirir- te um exemplar daquele romance; Compraram- te umas lembranças de aniversário.* **4.** De ti: "Estás longe? eu te estou perto." (João Ribeiro, *Versos*, p. 30.) **5.** Diante de ti; a teus olhos: *Quando te surgiu a visão, deste um berro, não foi?* **6.** Com certos verbos, indica a voz passiva: *Sei que te batizaste e te crismaste na Candelária.* **7.** Pode exercer a função de dativo ético: *Disseram-me que pediste ao Jorge, com toda a franqueza, que não te andasse com fofocas.* **8.** Às vezes substitui o possessivo, elegantemente: "Uivaria de amor a fera bruta / Que pelas grenhas te sentisse a mão" (João de Deus, *Campo de Flores*, I, p. 113); "Abriram- te o ventre no hospital." (Antônio Patrício, *Serão Inquieto*, p. 150). [Cf. *ti, té, tê*, e *me, lhe, se, nos, vos.*]
■**Te.** *Quím.* Símb. de *telúrio.*
té. *Prep.* F. aferética de *até:* "Traz um bigodão colado no beiço, o qual se despenha em catarata, té lhe ocultar o queixo e o colarinho." (Fialho d'Almeida, *Pasquinadas*, p. 10.) [Cf. *tê* e *te.*]
tê[1]. *S. m.* Nome da letra *t.* [Pl.: *tês* ou *tt.* Cf. *t, tez* (ê), *té* e *te.*]
tê[2]. *S. m.* F. red. de *régua-tê.* [Pl.: *tês.* Cf. *tez* (ê), *té* e *te.*]
teácea. [Fem. de *teáceo.*] *S. f.* Espécime das teáceas.
teáceas. [Pl. de *teácea.*] *S. f. Pl. Bot.* Família de plantas floríferas, da ordem das parietales, composta de arbustos e árvores de folhas alternas e coriáceas, e belas flores, muito vistosas. Cálice e corola com número de peças superior ao usual; estames de cinco a muitos; fruto capsular ou bacáceo. Compreende cerca de 400 espécies tropicais e subtropicais, poucas brasileiras, e entre estas a camélia e o chá-da-índia.
teáceo. [Do chin. *t'e*, 'chá', atr. do lat. cient. *Thea*, + *-áceo*, ou do fr. *théacé.*] *Adj.* **1.** Relativo ao chá. **2.** Pertencente ou relativo às teáceas.
teada. [De *teia[1]* + *-ada[1].*] *S. f.* Teia de pano; lençaria.
teagem. [De *teia[1]* + *-agem[2].*] *S. f.* **1.** Teia, tela. **2.** *Anat.* Membrana celular ou reticular.
teândrico. [De *te(o)+ -andr(o)- + -ico[2].*] *Adj.* **1.** Divino-humano. **2.** *Rel.* Diz-se das ações de Jesus Cristo, em que a divindade transparecia através da humanidade.
teantropia. [Do gr. *theantropía.*] *S. f.* Tratado acerca de Deus feito homem.
teantrópico. *Adj.* Relativo à teantropia.
teantropista. [De *teantropia* + *-ista.*] *S. 2 g.* Pessoa que atribui a Deus qualidades ou paixões humanas.
teantropo (ô). [Do gr. *theántropos.*] *S. m.* Cristo, considerado como Deus e como homem.
tear. [De *teia[1]* + *-ar[1].*] *S. m.* **1.** Aparelho ou máquina destinada a produzir tecidos [v. *tecido* (4)], tapeçarias, tapetes, etc.: *tear manual; tear mecânico.* **2.** *Ind. Pap.* Rede metálica, em geral de latão, que constitui o fundo da fôrma usada na fabricação manual do papel. [Cf. *tela* (9).] **3.** *Encad.* V. *costurador* (2). **4.** O conjunto das rodas de um relógio. **5.** *Bras.* Aparelho para serrar mármore em blocos.
teatinada. [De *teatino* (2 e 3) + *-ada[1].*] *S. f. Bras., RS.* Porção de teatinos.
teatinar. [De *teatino* + *-ar[2].*] *V. int. Bras., RS.* Levar vida de vagabundo; andar de estância a estância como soqueteiro ou gaudério.
teatino. [Do it. *teatino.*] *S. m.* **1.** Religioso da congregação fundada em Roma por S. Caetano de Tiene (1480-1547) e Gian Pietro Caraffa (1476-1559), futuro Papa Paulo IV. **2.** *Bras., S.* O cavalo ou boi e, p. ext., a coisa que não se sabe a quem pertence. **3.** *Bras., S.* Forasteiro, estrangeiro. ● *Adj.* **4.** *Bras., S.* Diz-se do cavalo ou boi ou, p. ext., da coisa que não se sabe a quem pertence. **5.** *Bras., S.* Forasteiro, forâneo.
teatrada. [De *teatro* + *-ada[1].*] *S. f. Fam.* Função teatral.
teatral. [Do lat. *theatrale.*] *Adj. 2 g.* **1.** Relativo ao, ou próprio do teatro, da arte teatral. **2.** Que busca produzir efeito no espectador. **3.** *Fig.* Ostentoso, espetaculoso. ~ V. *carpintaria —, convenção —* e *golpe —.*
teatralidade. *S. f.* **1.** Qualidade de teatral. **2.** Tom teatral.
teatralismo. *S. m. Bras.* Conjunto de efeitos teatrais.
teatralização. *S. f.* Ato ou efeito de teatralizar.
teatralizado. [Part. de *teatralizar.*] *Adj.* Que se teatralizou.
teatralizar. [De *teatral* + *-izar.*] *V. t. d.* **1.** Adaptar (um texto) à cena, ao teatro; tornar representável no teatro: *Vão teatralizar o romance* Fogo Morto, *de José Lins do Rego.* **2.** Dar feição teatral a; tornar teatral: "trazia [Shakespeare] os ombros cansados e o coração dorido de teatralizar a Loucura, a Perversidade, o Amor dos Príncipes e dos Senhores..." (Alberto Rangel, *Livro de Figuras*, p. 177). **3.** *Fig.* Tornar comovente, dramático, buscando angariar simpatia: *Para conseguir o que pretendia, teatralizou a sua situação.*
teatrelho (ê). *S. m. Desus.* Teatro ordinário.
teatrista. *Adj. 2 g.* e *s. 2 g.* Que ou quem freqüenta regularmente o teatro.
teatro. [Do gr. *théatron*, 'lugar aonde se vai para ver', pelo lat. *theatru.*] *S. m.* **1.** Edifício onde se representam obras dramáticas, óperas, etc. **2.** A arte de representar; o palco. **3.** Coleção das obras dramáticas de um autor, época ou nação. **4.** Lugar onde se passa algum acontecimento memorável; palco: *A planície de Maratona foi teatro de uma grande batalha entre gregos e persas.* ◆ **Teatro cabúqui.** *Teat.* V. *cabúqui.* **Teatro de arena.** *Bras.* Casa de espetáculos cujo palco fica ao centro e ao nível da platéia circundante. **Teatro de bolso.** Teatro de pequenas dimensões. **Teatro de bulevar. 1.** O vaudeville (2) do *théâtre de boulevard* parisiense. **2.** *P. ext.* Repertório de comédias ligeiras, mundanas, caracterizadas por qüiproquós e situações imprevistas. **Teatro de fantoches. 1.** Aquele em que se fazem representar as diversas espécies de fantoches. **2.** Teatro de marionetes. **Teatro de marionetes.** Aquele em que se fazem representar as diversas espécies de fantoches, especialmente marionetes; teatro de fantoches. **Teatro de operações.** *Mil.* Área geográfica sujeita a um comandante superior único, responsável por todas as operações bélicas que nela se devam realizar. [A amplitude de cada teatro de operações depende de grande número de fatores, variáveis com as circunstâncias. Cf. *campo de batalha.*] **Teatro de rebolado.** *Bras.* V. *teatro rebolado:* "os grupos que se ajuntam às portas dos teatros de rebolado, os pequenos engraxates ambulantes" (Ledo Ivo, *A Morte do Brasil*, p. 10). **Teatro épico.** Gênero de teatro didático que se caracteriza sobretudo pela fabulação e pelo efeito de distanciamento [q. v.], e cujas peças são estruturadas de forma que despertem a atividade crítica do espectador, em termos éticos e sociais, e evitem a empatia da catarse [q. v.] aristotélica. [Largamente utilizado pelo antigo teatro religioso e catequético, sua conceituação teórica só veio à luz em 1927, na obra de Bertold Brecht (v. *brechtiano*).] **Teatro nô.** *Teat.* Nô. **Teatro rebolado** *Bras.* Teatro-revista cujas características principais são os ditos e canções picantes ou maliciosas, e os trajes sumários das vedetes. [Sin.: *teatro de rebolado.* Tb. se diz apenas *rebolado.*] **Fazer teatro.** Imprimir dramaticidade às próprias palavras e/ou atitudes, para suscitar comoção ou interesse.
teatrólogo. [De *teatro* + *-logo.*] *S. m.* Autor de peças teatrais; comediógrafo, dramaturgo.
teatro-revista. *S. m. Bras.* Revista (3). [Pl.: *teatros-revistas* e *teatros-revista.*]
teba. *Adj.* e *s. m. Bras.* Var. apocopada de *tebas* [q. v.].
tebaico. [Do gr. *thebaikós*, pelo lat. *thebaico.*] *Adj.* **1.** V. *tebano* (1). **2.** Relativo ao ópio. ~ V. *extrato —.* ● *S. m.* **3.** V. *tebano* (3).
tebaida. [Do top. *Tebaida* (Egito).] *S. f. Fig.* Retiro, solidão, ermo.
tebaína. *S. f. Quím.* Alcalóide cristalino, incolor, venenoso, encontrado no ópio. [Fórm.: $C_{19}H_{21}O_3N$.]
tebaísmo. [Do fr. *thébaïsme.*] *S. m.* Intoxicação pelo ópio.
tebano. [Do lat. *thebanu.*] *Adj.* **1.** De, ou pertencente ou relativo a Tebas, cidade da Grécia antiga e do antigo Egito; tebaico. **2.** De, ou pertencente ou relativo a Tebas (MG). ● *S. m.* **3.** O natural ou habitante das antigas cidades de Tebas; tebaico. **4.** O natural ou habitante de Tebas (MG).
tebas. [Do antr. *Tebas* (séc. XVIII), arquiteto improvisado da antiga Sé de São Paulo.] *Adj.* e *s. m. 2 n. Bras., S. Gír.* **1.** Diz-se de, ou indivíduo graúdo, importante. **2.** V. *valentão* (1 e 3). **3.** Diz-se de, ou indivíduo hábil, adestrado. [Var.: *teba.*]
tébete. [Do hebr. *Tebhet.*] *S. m. Cronol.* O quarto mês do calendário israelita, com 29 dias.
tebexê. [Do ioruba.] *S. m. Bras.* Auxiliar da mãe-de-santo, que puxa as cantigas nas sessões do candomblé.
teca[1]. [Do sânscr., atr. do malaiala-tâmul *tekku.*] *S. f.* Árvore de grande porte, da família das verbenáceas (*Tectona grandis*), nativa na Ásia e de grande importância em quase todo o mundo pela excelente madeira, clara e durável, de folhas amplas, arredondadas e membranáceas, e flores pequenas, ordenadas em grandes panículas frouxas.
teca[2]. [Do gr. *théke*, 'cofre, estojo', pelo lat. *theca.*] *S. f.* Qualquer estrutura que forma um invólucro protetor.
teca[3]. *S. f. Pop.* V. *dinheiro* (3).
▲**-teca.** Equiv. de *teco-.*
tecar. [De *teco[1]* + *-ar[2].*] *V. int. Bras.* **1.** No gude, dar um peteleco em uma bola, fazendo-a acertar (outra bola). *T. d.* **2.** No gude, fazer uma bola acertar em (outra), com peteleco. **3.** Na sinuca, fazer uma bola acertar em (outra) com uma tacada: *Tecou a bola sete.* **4.** *Bras. Pop.* Acertar pedra ou outro objeto em: *tecar o passarinho.* **5.** *Bras. Gír.* Dar teco ou tiro em; balear: *Tecou o inimigo, e quase o matou.* [Conjug.: v. *trancar.*]
tecebá. *S. m. Bras., BA. Folcl.* Rosário dos malês, constituído por três séries de 33 contas cada uma.
tecedeira. [De *tecer* + *-deira.*] *Adj. (f.)* e *s. f.* Fem. de *tecedor.*
tecedor (ô). *Adj.* **1.** Que tece pano. **2.** Intrigante, mexeriqueiro. ● *S. m.* **3.** Tecelão [q. v.] **4.** *Fig.* Indivíduo intrigante, mexeriqueiro. [Fem.: *tecedeira.*]
tecedura. *S. f.* **1.** Ato de tecer; tecelagem: "não lhe receava Rosa a competência na tecedura do algodão e do tucum" (Inglês de Sousa, *Contos Amazônicos*, p. 4). **2.** Tapadura (4). **3.** Conjunto de fios que se cruzam com a urdidura. **4.** *Fig.* Intriga, enredo, mexerico.
tecelã. *S. f.* Teceloa.
tecelagem. [De *tecer* + *-l-* + *-agem[2].*] *S. f.* **1.** Trabalho ou indústria de tecelão. **2.** Tecedura (1).
tecelão. [De *tecer* + *-l-* + *-ão[2].*] *S. m.* Aquele que tece pano ou trabalha em teares; tecedor. [Fem: *tecelã* e, irreg., *teceloa.*]
teceloa (ô). *S. f.* Fem. de *tecelão;* tecelã.
tecer. [Do lat. *texere.*] *V. t. d.* **1.** Entrelaçar regularmente os fios de: *Já os antigos egípcios teciam o linho.* **2.** Fazer (teia ou tecido) com fios; urdir, tramar, travar: *Mãos habilidosas teciam lindos panos.* **3.** Compor, entrelaçando; trançar: *Na mata virgem os cipós tecem barreiras quase intransponíveis.* **4.** Preparar, engendrar, armar, urdir: *tecer intrigas.* **5.** Fazer aparecer; produzir, gerar, engendrar, formar: "A luz das velas, frouxa e vacilante, tecia sombras enormes, esbatidas e inquietas." (Umberto Peregrino, *Três Mulheres*, p. 85.) **6.** *Fig.*

Coordenar, compor (obra que exige trabalho e cuidado): *Teceu um belo ensaio literário*; "Teço versos como quem refaz / a vida." (Odilo Costa, filho, *Boca da Noite*, p. 91). **7.** Levantar, promover, provocar: *tecer disputas*. *T. d.* e *i.* **8.** Mesclar, entrecortar: *A morte da filha teceu de tristeza e saudade o resto de seus dias.* **9.** *Fig.* Ornar, ornamentar: *As flores tecem a mata de um belíssimo colorido.* *Int.* **10.** Exercer o ofício de tecelão. **11.** Fazer teias. **12.** Fazer mexericos, intrigas, tramas. **13.** Perpassar, cruzando-se. **14.** Mexer (as crianças com braços e pernas; os bois, quando não estão quietos no carro). *P.* **15.** Entrelaçar-se, enredar-se, entreter-se. **16.** Formar-se, organizar-se, preparar-se. [M.-q.-perf.: *tecera* (ê), etc. Cf. *téssera*.]

tecido. [Part. de *tecer*.] *Adj.* **1.** Que se teceu. **2.** *Fig.* Urdido, preparado. ● *S. m.* **3.** V. *tela* (1). **4.** Produto artesanal ou industrial que resulta da tecelagem regular de fios de lã, seda, algodão, ou outra fibra natural, artificial ou sintética, e que é usado na confecção e peças de vestuário, de certos artigos domésticos ou decorativos, de embalagens, etc.; pano, fazenda, tela. **5.** *Biol.* Conjunto de células de origem comum igualmente diferenciadas para o desempenho de certas funções, num organismo vivo. ◆ **Tecido adiposo.** *Histol.* O formado por células que contêm gorduras, numa trama de tecido areolar. **Tecido areolar.** *Histol.* Tecido conjuntivo constituído, em grande parte, por fibras que se entrelaçam. **Tecido conectivo.** *Histol.* Tecido conjuntivo. **Tecido conjuntivo.** *Histol.* O que liga os órgãos entre si e serve de sustentação das diversas estruturas do corpo, compreendendo numerosas variedades, como o colágeno, o elástico, o ósseo, etc.; tecido conectivo. **Tecido de granulação.** *Patol.* Tecido de neoformação, vascularizado, e que é, de hábito, observado durante o processo cicatricial, formando finalmente a cicatriz. É composto de pequenas granulações vermelhas, translúcidas, nodulares. **Tecido de Penélope.** V. *teia de Penélope*.

tecidual. *Adj. 2 g. Anat.* Relativo a tecido (5). ∼ V. *hormônio* —.

tecla. *S. f.* **1.** Cada uma das alavancas de madeira que, postas em movimento pelos dedos do executante, acionam o mecanismo que faz soar o piano, o cravo, o órgão e instrumentos congêneres. **2.** *P. ext.* A parte da tecla (1) que é premida pelos dedos do executante: *as teclas pretas do piano.* **3.** *P. ext.* As chaves ou botões de certos instrumentos musicais. **4.** *P. ext.* Nas máquinas de escrever, de calcular, etc., peça que aciona, mediante pressão dos dedos, o mecanismo impressor relativo à letra, número ou sinal nela indicado. **5.** *P. ext.* Botão (9) de certos aparelhos, como o rádio, o gravador, etc. **6.** *Tip.* Peça que, nas máquinas compositoras e fotocompositoras, determina, quando premida. a colocação da matriz na posição de compor ou a correspondente perfuração da bobina de papel. ◆ **Bater na mesma tecla.** Insistir no mesmo assunto; tocar na mesma tecla: insistir na mesma tecla. **Insistir na mesma tecla.** V. *bater na mesma tecla*. **Tocar na mesma tecla.** V. *bater na mesma tecla*.

tecladista. *S. 2 g.* **1.** *Mús.* Instrumentista que toca teclados. **2.** *Tip.* Operador do teclado (2). [Cf., nesta acepç., *monotipista*.]

teclado. [De *tecla* (1, 2 e 4) + *-ado*[1].] *S. m.* **1.** Conjunto de teclas dum instrumento musical ou de certas máquinas. **2.** Unidade compositora da máquina monotipo. ◆ **Teclado transpositor.** *Mús.* Teclado dos harmônios, que tem mobilidade cromática ascendente e descendente, a qual permite ao executante realizar mecanicamente um transporte imediato para qualquer tom.

teclar. *V. int.* Bater nas teclas; teclear: "Compunha [música] só, teclando ou escrevendo" (Machado de Assis. *Várias Histórias*, p. 68).

tecleador (ô). [De *teclear* + *-(d)or*.] *S. m.* Operador de máquinas dotadas de teclado, como as compositoras tipográficas, a máquina de escrever, etc.

teclear. [De *tecla* + *-ear*.] *V. int.* **1.** Realizar a tarefa de tecleador. **2.** Teclar. [Conjug.: v. *frear*.]

tecnécio. [Do lat. cient. *technetium* < gr. *technétos*, 'artificial', + suf. lat. *ium*.] *S. m. Quím.* Elemento de número 43, artificial, radioativo, metálico, branco-prateado, denso. [Símb.: *Tc*.]

técnica. [Fem. substantivado do adj. *técnico*.] *S. f.* **1.** A parte material ou o conjunto de processos de uma arte: *técnica cirúrgica; técnica jurídica.* **2.** Maneira, jeito ou habilidade especial de executar ou fazer algo: *Este aluno tem uma técnica muito sua de estudar.* **3.** Prática (4). [Cf. *tecnologia*.] ◆ **Técnica das exposições múltiplas.** *Astr.* Exposições múltiplas.

tecnicalidade. *S. f.* V. *tecnicidade*.

tecnicidade. [De *técnico* + *-i-* + *-dade*.] *S. f.* Qualidade ou caráter do que é técnico; tecnicismo, tecnicalidade.

tecnicismo. [De *técnico* + *-ismo*.] *S. m.* **1.** Tecnicidade. **2.** Abuso da tecnicidade.

tecnicista. *Adj. 2 g.* Relativo ao, ou próprio do tecnicismo.

técnico. [Do gr. *technikós*, 'relativo à arte', pelo lat. *technicu*.] *Adj.* **1.** Peculiar a uma determinada arte, ofício, profissão ou ciência: *termo técnico*. ∼ V. *análise —a, canal —, escala —a, falta —a, nocaute —e norma —a.* ● *S. m.* **2.** Indivíduo que aplica determinada técnica (1): especialista, perito, experto: *técnico de administração; técnico em educação.* [Cf. *tecnologista*.]

tecnicolor (ô). [Do ingl. *technicolor*, nome comercial.] *Adj. 2 g.* **1.** Diz-se de certo processo de cinema em cores ou, p. ext., de qualquer filme colorido. ● *S. m.* **2.** Esse processo, ou um desses filmes. ◆ **Em tecnicolor.** Muito colorido, com muitas cores: *sonhar em tecnicolor*.

tecnicolorido. [De *tecnicolor* + *-ido*.] *Adj.* Colorido pelo processo tecnicolor.

▲**tecno-.** [Do gr. *téchne, es*.] *El. comp.* = 'arte', 'ofício', 'indústria': *tecnografia, tecnologia, tecnocracia.*

tecnocracia. [De *tecno-* + *-cracia*.] *S. f.* Sistema de organização política e social baseado na predominância dos técnicos.

tecnocrata. *S. 2 g.* **1.** Partidário da tecnocracia. **2.** Político, administrador ou funcionário que procura soluções meramente técnicas e/ou racionais, desprezando os aspectos humanos e sociais dos problemas.

tecnocrático. *Adj.* Relativo à, ou próprio da tecnocracia, dos tecnocratas.

tecnografia. [De *tecno-* + *-graf(o)-* + *-ia*.] *S. f.* Descrição das artes e dos seus processos.

tecnográfico. *Adj.* Relativo à tecnografia.

tecnologia. [De *tecn(o)-* + *-log(o)-* + *-ia*.] *S. f.* **1.** Conjunto de conhecimentos, especialmente princípios científicos, que se aplicam a um determinado ramo de atividade: *tecnologia mecânica.* **2.** A totalidade desses conhecimentos: *Vivemos a era da tecnologia.* **3.** *Desus.* Terminologia técnica. [Cf. *técnica*.]

tecnológico. *Adj.* Relativo à tecnologia.

tecnologista. *S. 2 g.* Pessoa versada em tecnologia; tecnólogo. [Cf. *técnico* (2).]

tecnólogo. [De *tecn(o)-* + *-logo*.] *S. m.* Tecnologista [q. v.].

teco[1]. [Voc. onom.] *S. m. Bras.* **1.** Choque que se produz com uma bola em outra, no gude. **2.** *Bras. Pop.* Pancada com pedra ou com outro objeto arremessado: *Recebeu um teco que lhe abriu a cabeça.* **3.** *Bras. Gír.* V. *peteleco*. **4.** *Bras. Gír.* V. *tiro*[1] (3): *Levou dois tecos sem saber de onde partiram.* ◆ **Dar o teco.** *Bras. Pop.* Ficar zangado; estrilar.

teco[2]. *S. m.* e *adj. Bras.* Emerenhom.

▲**teco-.** [Do gr. *théke, es*.] *El. comp.* = 'receptáculo', 'armário', 'armazém': *tecodonte*. [Equiv.: *-teca: discoteca, cinemateca*.]

tecó. [Do tupi *te'kô*, 'costume'.] *S. m. Bras., N.* **1.** Cacoete, sestro. **2.** Estado habitual do indivíduo; hábito. ● *Adv.* **3.** Assim-assim; na forma do costume.

tecodonte. [De *teco-* + *-ondonte*.] *S. m.* Animal cujos dentes são implantados em alvéolos.

tecóforo. [De *teco-* + *-foro*.] *S. m.* **1.** Espécime dos tecóforos. ● *Adj.* **2.** Pertencente ou relativo a eles.

tecóforos. [Pl. *tecóforo*.] *S. m. pl. Zool.* Animais cordados, reptis quelônios, subordem *Thecophora*, de corpo revestido por uma carapaça e plastrão, com vértebras torácicas e costelas soldadas à carapaça. São a maioria das tartarugas, cágados e jabutis.

teco-teco. [Voc. onom.] *S. m. Bras.* Avião pequeno, de um só motor de explosão, de reduzida potência, para trajetos curtos: "Partira há cinco anos, de teco-teco, em viagem de recreio." (Humberto Crispim Borges. *Cacho de Tucum*, p. 162.) [Pl.: *teco-tecos*.]

tectibranquiado. *S. m.* e *adj.* Tectibrânquio.

tectibranquiados. *S. m. pl. Zool.* Tectibrânquios.

tectibrânquio. *S. m.* **1.** Espécime dos tectibrânquios. ● *Adj.* **2.** Pertencente ou relativo a eles. [Sin. ger.: *tectibranquiado*.]

tectibrânquios. *S. m. pl. Zool.* Animais moluscos, gastrópodes, opistobrânquios, da ordem *Tectibranchia*, de cabeça grande, geralmente em concha, e providos de manto e ctnídio. A concha, quando presente, é fina, incluída nas dobras do manto e do pé. [Sin.: *tectibranquiados*.]

tecto. *S. m.* Teto[1] [q. v.].

tectônica. [Do gr. *tektoniké* (subentende-se *téchne*), 'arte de construir'.] *S. f.* **1.** Arte de construir edifícios. **2.** Parte da geologia que trata das deformações da crosta terrestre devidas às forças internas que sobre ela se exerceram; geotectônica. geodinâmica. [Var.: *tetônica*.]

tectônico. [Do gr. *tektonikós*, pelo lat. *tectonicu*.] *Adj.* Relativo à tectônica. [Var.: *tetônico*.] ∼ V. *bacia —a* e *lago —*.

tectonismo. [De *tectônico* + *-ismo*.] *S. m.* O processo de deformação da crosta terrestre pela formação dos continentes, baías oceânicas, platôs, montanhas, dobras [v. *dobra*[1] (3)] e demais forças internas.

tectonito. [De *tecton*, f. abrev. de *tectônico*, + *-ito*[2].] *S. m. Geol.* Rocha que evidencia movimentações tectônicas suficientes para alterar sua textura original.

tectriz. [Do lat. **tectrice*, fem. de **tector* < tegere, 'cobrir'.] *Adj. (f.)* e *s. f.* **1.** *Zool.* Diz-se de, ou cada uma das penas que recobrem a cauda e as asas das aves. **2.** *Anat.* Diz-se de, ou cada uma das lâminas que constituem a parte posterior do osso frontal. [Var.: *tetriz*.]

tecum. *S. m. Bras.* V. *tucum*.

tecuna. *Bras. S. 2 g.* e *adj. 2 g.* V. *tucuna*.

tedesco (ê). [Do it. *tedesco*.] *Adj.* e *s. m.* Tudesco.

tedéu. *S. m.* V. *te-déum*: "Regozijos cortesãos, tedéus, festas solenes, ... proclamavam alto e bom som que voltara Balduíno Braço de Ferreo." (Aquilino Ribeiro, *Portugueses das Sete Partidas*, p. 208).

➧**te deum** (té déum). [Lat.] V. *te-déum*.

te-déum. [Do lat. *te*, 'te, a ti', + *Deum*, 'Deus'; Subentende-se *laudamus*, 'louvamos'.] *S. m.* **1.** Cântico da Igreja, em ação de graças, que principia por essas palavras latinas; hino ambrosiano. **2.** Cerimônia que acompanha esse cântico. [Pl.: *te-déuns*.]

tedífero. [Do lat. *taediferu*.] *Adj. Poét.* Que traz ou leva teia[2].

tédio. [Do lat. *taediu*.] *S. m.* Aborrecimento, fastio, nojo, desgosto: "Cantando, ao luar, errei nas ruas da Alemanha, / Armei na França minha tenda da campanha... / E tédio, tédio, tédio e nada mais!" (Antônio Nobre, *Só*, p. 92).

tedioso (ô). [Do lat. *taediosu*.] *Adj.* **1.** Que inspira ou causa tédio: *pessoa tediosa; romance tedioso.* **2.** *P. us.* Cheio de tédio; entediado, maçado.

➧**teen-ager** (tineidjar). [Ingl.] *S. 2 g.* Jovem adolescente de 13 a 19 anos.

tefeense (èên). *Adj. 2 g.* **1.** De, ou pertencente ou relativo a Tefé (AM). ● *S. 2 g.* **2.** Natural ou habitante de Tefé.

tefe-tefe. [Voc. onom.] *S. m.* **1.** O arfar do peito; o pulsar do coração. **2.** *Fig.* Paixão amorosa. **3.** *Bras., SP. Gír.* Automóvel. [Pl.: *tefe-tefes*.] ● *Adv.* **4.** Aos saltinhos.

▲**tefro-.** [Do gr. *téphra, as*.] *El. comp.* = 'cinza': *tefromancia*.

tefromancia (cí). [De *tefro-* + *-mancia*.] *S. f.* Adivinhação em que se usava a cinza dos sacrifícios.

tefromante. *S. 2 g.* Pessoa que praticava a tefromancia.

tefromântico. *Adj.* Relativo à tefromancia, ou a tefromante.

tegão. *S. m.* V. *canoura*. [Pl.: *tegãos*.]

tegme. [Do lat. *tegmen*, 'envoltório, cobertura'.] *S. m. Morfol. Veg.* Tegumento interno das sementes que têm tegumento duplo. [Cf. *testa* (6).]

tegmegmino. *S. 2 g.* e *adj. 2 g. Bras.* Var. de *temiminó*.

tégmen. *S. m. Morfol. Veg.* V. *tegme*. [Cf. *testa* (6). Pl.: *tegmens* e (p. us. no Brasil) *tégmenes*.]

tégmina. [Do lat. *tegmina*, pl. de *tegmen*, 'envoltório, cobertura'.] *S. f. Zool.* A asa anterior, mais ou menos coriácea, dos ortópteros.

tegui. [De provável or. indígena.] *S. m. Bras.* V. *tovaca*.

tégula. [Do lat. *tegula*, 'telha'.] *S. f. Zool.* Escama que cobre a base da asa dos insetos de várias ordens, como dípteros, himenópteros e lepidópteros.

tegular. [Do lat. *tegula*, 'telha', + *-ar*[1].] *Adj. 2 g.* Diz-se do mineral divisível em lâminas delgadas e longas, como, p. ex., a ardósia.

tegumentar. *Adj. 2 g.* Relativo a tegumento, ou da natureza dele; tegumentário.

tegumentário. *Adj.* Tegumentar.

tegumento. [Do lat. *tegumentu*.] *S. m.* O que cobre o corpo do homem e dos animais (pele, pêlos, penas, escamas): "David Ouguet era um irlandês, homem mediano em quase tudo. .... salvo na barriga, cujos tegumentos tinham sofrido grande distensão" (Alexandre Herculano, *Lendas e Narrativas*, I, p. 251).

teia[1]. [Do lat. *tela*.] *S. f.* **1.** V. *tela* (1). **2.** *Fig.* Estrutura, organização: *teia de espionagem.* **3.** *Fig.* Enredo, intriga: *teia dos acontecimentos.* **4.** Teia de aranha. **5.** Aquilo que prende, que enreda, que emaranha; trama: *Vive numa teia de infortúnios.* **6.** Gradeamento existente em algumas igrejas, tribunais e salas de sessão pública para a separação dos assistentes. **7.** *Ant.* Obra de tábuas unidas que em certas igrejas, separam os homens das mulheres. [Cf. *Téia*, antr.] ♦ **Teia de aranha.** Tela (1) de fios finíssimos que formam uma espécie de rede elástica e que é produzida pelas aranhas a fim de captar os insetos de que necessitam para sua alimentação. [Tb. se diz apenas *teia*. Cf. *teias de aranha*.] **Teia de Penélope.** Trabalho que recomeça indefinidamente; tela de Penélope, bordado de Penélope, obra de Penélope, tecido de Penélope. [Segundo a lenda grega, Penélope, mulher de Ulisses, permaneceu-lhe fiel a sua longa ausência, alegando aos pretendentes que não se casaria enquanto não terminasse a feitura de uma grande tela, que tecia durante o dia e desmanchava à noite.] **Teias de aranha.** *Fig.* Crendices ou fantasias que se metem na cabeça de certas pessoas. [Cf. *teia de aranha*.] **Cortar a teia da vida de.** Tirar a vida a; matar.

teia². [Do lat. *taeda*.] *S. f. Poét.* Tocha, facho, archote. [Cf. *Téia*, antr.]

teiforme. [Adapt. do fr. *théiforme*.] *Adj. 2 g.* **1.** Semelhante a chá. **2.** *Farmac.* Diz-se de infusão preparada ao modo do chá.

teiga. [De *taleiga*.] *S. f.* **1.** Espécie de cesto. **2.** Antiga medida para cereais.

teiídeo. *S. m.* **1.** Espécime dos teiídeos. ● *Adj.* **2.** Pertencente ou relativo a eles.

teiídeos. *S. m. pl. Zool.* Família de reptis da ordem *Squamata*, subordem *Lacertilia*, da América do Sul. Ex.: teju, calango.

teima. [Do gr. *théma*, 'assunto de um discurso', 'proposição', atr. do lat. *thema*.] *S. f.* Insistência em fazer alguma coisa, ainda que enfrentando dificuldades ou obstáculos; teimosia; obstinação.

teimar. [De *teima* + *-ar*².] *V. t. i.* **1.** Insistir, obstinar-se: "— Mas o peior [*sic*] é que ela t e i m a em não dar-se a conhecer" (Joaquim Manuel de Macedo, *Os Romances da Semana*, p. 25); "A febre abrandava. A dor na nuca e por cima das sobrancelhas é que ainda t e i m a v a em ficar." (Mário Palmério, *Vila dos Confins*, p. 144). *T. d.* **2.** Pretender com insistência; insistir em: *T e i m a que já está curado e quer ter alta. Int.* **3.** Ser teimoso; insistir em alguma coisa: *Não adianta t e i m a r : a ordem já foi dada.* [Var.: *ateimar*.]

teimosa. [Fem. substantivado do adj. *teimoso*.] *S. f. Bras., CE. Pop.* V. *cachaça* (1): "Despontam o dia com uns largos tragos de aguardente, a *t e i m o s a*." (Euclides da Cunha, *Os Sertões*, p. 130.)

teimosia. *S. f.* **1.** Qualidade, ação ou procedimento de teimoso. **2.** V. *teima*. **3.** Pertinácia exagerada. [Sin. ger.: *teimosice*.]

teimosice. [De *teimoso* + *-ice*.] *S. f.* V. *teimosia*.

teimoso (ô). *Adj.* **1.** Que teima: *criança t e i m o s a ; ruído t e i m o s o .* **2.** Obstinado, pertinaz. **3.** *Fig.* Insistente, prolongado: *chuva t e i m o s a .* ● *S. m.* **4.** Aquele que teima. **5.** *Bras.* V. *joão-teimoso*.

teína. [Do lat. cient. *Thega*, 'designação genérica da árvore do chá', + *-ina*¹.] *S. f.* Princípio ativo do chá.

teipe. *S. m.* F. red. de *videoteipe*.

teiró. [F. correspondente ao galego *teiroa* (< **te* (1) *eiro* (1) *a*, dim. de *tieira* < esp. *telera* < lat. *tela*, pl. de *telum*, 'dardo').] *S. f. e m.* **1.** Peça do arado, que tem mão no dente e corta a terra. [Var.: *ateiró*.] **2.** Parte da fecharia de certas armas de fogo. **3.** *Fig.* Teima, implicância, birra. **4.** Discussão, contenda, rixa: "Inimigo acérrimo de D. Luís Antônio, com quem vivia de t e i r ó , era ele que a ouvir elogios ao governo do Morgado não perdia a ocasião de chacotear, enristando a espátula dos ungüentos: Como D. Tareja, tem muito que mostrar e pouco que se veja." (Alberto Rangel, *Fura-Mundo*, p. 65.) **5.** *Bras., RS.* Dúvida, desconfiança.

teiru. [De or. indígena.] *S. m. Bras., MT.* **1.** Flauta dos índios parecis. **2.** Cantiga com que esses índios celebram a morte do cacique de Uauazareoiteco.

teísmo¹. [De *te(o)-* + *-ismo*.] *S. m. Filos.* Doutrina que admite a existência de um deus pessoal, causa do mundo. [Cf. *ateísmo, deísmo* e *panteísmo*.]

teísmo². [Do fr. *théisme*.] *S. m. Med.* O conjunto dos acidentes produzidos pelo abuso do chá.

teísta. *Adj. 2 g. e s. 2 g.* Diz-se de, ou pessoa sectária do teísmo¹.

teité. [Do tupi *tai'té*, 'coitado'.] *Interj. Bras., PA.* Exprime compaixão.

teitei. [Do tupi *tei'tei*.] *S. m. Bras.* V. *gaturamo*.

teiú. [Do tupi *te'yu*, 'comida de gentalha'.] *S. m. Bras.* **1.** Designação indígena do lagarto (1) [q. v.]. **2.** Reptil lacertílio, da família dos teídeos (*Tupinambis teguixim* L.), amplamente distribuído no Brasil. É o maior dos lagartos brasileiros, medindo até quase 2 m de comprimento. Coloração geral preto-azulada, com fitas transversais malhadas de amarelo-escuro, pernas com manchas e salpicos. Vive em buracos no solo, alimenta-se de toda sorte de pequenos animais e de frutas. Sua carne é comestível, e a pele, muito cotada no mercado. [Var : *tiú*; sin.: *teiuaçu, tejuguaçu, teju, tejo*.] **3.** Planta da família das euforbiáceas (*Jatropha opifera*).

teiuaçu. [Do tupi *teyua'su*, 'lagarto grande'.] *S. m. Bras.* V. *teiú* (2).

teixe. [Var. de *dixe*.] *S. m.* Berloque antigo, de ouro.

teixeira-soarense. *Adj. 2 g.* **1.** De, ou pertencente ou relativo a Teixeira Soares (PR). ● *S. 2 g.* **2.** Natural ou habitante de Teixeira Soares. [Pl.: *teixeira-soarenses*.]

teixeirense¹. *Adj. 2 g.* **1.** De, ou pertencente ou relativo a Teixeira (PB). ● *S. 2 g.* **2.** Natural ou habitante de Teixeira.

teixeirense². *Adj. 2 g.* **1.** De, ou pertencente ou relativo a Teixeiras (MG). ● *S. 2 g.* **2.** Natural ou habitante de Teixeiras.

teixo. [Do lat. *taxu*.] *S. m.* Árvore ou arbusto da família das taxáceas (*Taxus baccata*), espontânea na Europa, América do Norte, região mediterrânea, Japão, Coréia e Manchúria, muito cultivada como planta ornamental.

tejadilho. [Do esp. *tejadillo*.] *S. m.* Teto de veículos: "Dous carros com t e j a d i l h o s forrados de tela escura .... levam o primogênito e as três filhas de Bastos Leite" (Xavier Marques, *As Voltas da Estrada*, p. 191).

tejano. [De *Tejo* (rio da Espanha e de Portugal), + *-ano*.] *Adj.* Referente ao rio Tejo; tagano.

tejo¹. [Do esp. plat. *tejo*.] *S. m. Bras., S.* Jogo que consiste em arremessar moedas sobre um facão cravado no solo.

tejo². *S. m. Bras., N.E.* V. *teiú* (2): "*o tejuaçu* (um grande lagarto que o sertanejo chama de t e j o ou *teiú* e *tiú*" (Ulisses Lins de Albuquerque, *O Sertanejo e o Sertão*, p. 235).

tejoila. *S. f.* Um dos ossos do casco do cavalo. [F. paral.: *tejoula*.]

tejoula. *S. f.* Tejoila.

teju. [Var. de *teiú*.] *S. m. Bras.* **1.** V. *teiú* (2). **2.** V. *gafanhoto* (4). [Cf. *tiju*.]

tejuaçu. [Var. de *teiuaçu*.] *S. m. Bras.* V. *teiú* (2): "um grosso t e j u a ç u aquecia-se ainda sonolento aos raios do sol matutino" (José de Alencar, *O Sertanejo*, p. 238).

tejuguaçu. [Var. de *tejuaçu*.] *S. m. Bras.* V. *teiú* (2).

tejutiú. *S. m. Bras.* V. *gafanhoto* (4).

tela. [Do lat. *tela*.] *S. f.* **1.** Aquilo que foi tecido; o conjunto formado pelo entrelaçamento de fios; tecido, teia, trama. **2.** Tecido (4) especial, esticado num chassi, e sobre o qual se pintam os quadros. **3.** Quadro (4) pintado sobre tela. **4.** *P. ext.* Objeto de discussão. **5.** Momento em que se discute. **6.** Painel sobre o qual se projetam os filmes cinematográficos. **7.** *P. ext.* O cinema, a arte cinematográfica; a sétima arte. **8.** *Bras.* Tecido de arame para cercados. **9.** *Ind. Pap.* Tira sem fim de malha metálica fina e delicada, feita de fios de bronze, bronze fosforoso ou liga semelhante, e que, estendida entre dois eixos e movendo-se horizontalmente, constitui a parte essencial da mesa de fabricação da máquina de papel. [Cf. *tear* (2).] **10.** Superfície de armazenamento eletrostático de um tubo de raios catódicos mediante a qual a informação é visualmente apresentada. Constitui o dispositivo utilizado para exibição de dados num terminal-vídeo [q. v.]. ♦ **Tela coróide.** *Anat.* Prega dupla de pia-máter que contribui para formar o teto do terceiro ventrículo; tela coróidea. **Tela coróidea.** *Anat.* Tela coróide.

telado. [Part. de *telar*.] *Adj.* **1.** Diz-se de papel, estampa, etc., reforçado no avesso com tela fina. **2.** Diz-se de porta ou janela guarnecida de telas de arame para impedir que entrem insetos. ~ V. *papel* —. [Cf. *tilado*.]

telagarça. *S. f. P. us.* Talagarça.

telalgia. [De *tel(e)-*³ + *-alg(o)-*² + *-ia*.] *S. f. Med.* **1.** Dor percebida à distância de uma lesão. **2.** Dor em mamilo (1).

telálgico. *Adj.* Relativo à telalgia.

telamão. [Do lat. *telamones*, f. do pl.] *S. m. Arquit.* Estátua em figura de homem, usada para suster entablamentos, cornijas, brasões, etc.; atlante. [Pl.: *telamões*. Cf. *cariátide*.]

telâmon. *S. m.* V. *telamão*.

telangiectasia. [De *tel(e)-*¹ + *-angi(o)-* + *-ectas-* + *-ia*.] *S. f. Med.* Lesão constituída pela dilatação de grupo(s) de pequenos vasos sanguíneos ou de vasos linfáticos.

telangiectásico. *Adj.* Relativo à telangiectasia.

telão. [Do esp. *telón*.] *S. m. Teat.* Pano com anúncios que pende adiante do pano de boca: "E os teatros ali estavam, com as gambiarras iluminadas, o t e l ã o a abrir-se às pancadas do sinal de Molière, a multidão, a fortuna, a glória..." (Melo Nóbrega, *O Soneto de Arvers*, p. 26.) [Var.: *talão*.]

telão-de-seda-azul. *S. f. Bras.* Inseto lepidóptero, da família dos morfídeos (*Morpho aega* Hübn.), do S. do País, de coloração azul-clara com as bordas das asas internamente tendendo ao marrom, e faixa mediana mais escura. [F. red.: *seda-azul*. Pl.: *telões-de-seda-azul*.]

telar. [De *tela* + *-ar*².] *V. t. d.* **1.** Reforçar (estampas, mapas, etc.) colando-os sobre tecido fino; entelar. [Cf. *laminar*² (2).] **2.** *Bras.* Guarnecer (portas e janelas) de telas de arame, para impedir a entrada de insetos. [Cf. *tilar*.]

telaro. [Do it. *telaro*.] *S. m. Teat.* No teatro renascentista italiano, cada um dos prismas triangulares giratórios, similares aos periactos [v. *periacto*] do antigo teatro grego.

tele. *S. f.* F. red. de *teleobjetiva*.

▲**tel(e)-¹**. [Do gr. *têle*.] *El. comp.* = 'longe', 'ao longe': *telescópio, telefone; telangioma*.

▲**tel(e)-²**.[De *televisão*.] *El. comp.* = 'televisão': *teleteatro, telenovela; telespectador*.

▲**tel(e)-³**. [Do gr. *thelé, ês*.] *El. comp.* = 'mamilo': *teleplastia; telalgia*.

teleator (ô). [De *tel(e)-*² + *ator*.] *S. m. Bras.* Ator de telenovela ou teleteatro. [Fem.: *teleatriz*.]

teleatriz. [De *tel(e)-*² + *atriz*.] *S. f. Bras.* Fem. de *teleator* [q. v.].

telecine. *S. m. Telev.* Aparelho que permite a transmissão por TV de filmes cinematográficos e de eslaides.

telecinesia. *S. f.* Var. pros. de *telecinésia*.

telecinésia. [De *tel(e)-*¹ + *cinese-* + *-ia*.] *S. f.* Em parapsicologia e no espiritismo, movimentação aparente de um objeto, produzida por um médium, sem ação mecânica.

telecinético. *Adj.* Pertencente ou relativo à telecinésia.

telecomandar. [De *tel(e)-*¹ + *comandar*.] *V. t. d.* Comandar a distância (projetis, aeronaves, navios, maquinismos, etc., e até pessoas).

telecomando. [De *tel(e)-*¹ + *comando*.] *S. m.* Comando de projetis, aeronaves, navios, maquinismo, etc., realizado a distância, por fios ou por ondas hertzianas.

telecomunicação. [De *tel(e)-*¹ + *comunicação*.] *S. f.* Processo de comunicação a longa distância que utiliza como meio de transmissão linhas telegráficas, telefônicas, satélites ou microondas. [V. *teleprocessamento*.] ~ V. *telecomunicações*.

telecomunicações. [Pl. de *telecomunicações*.] *S. f. pl.* Comunicações (2). ~ V. *telecomunicação*.

telecurso. [De *tel(e)-*² + *curso*.] *S. m.* Curso (8) projetado para teleducação.

teledifusão. [De *tel(e)*² + *difusão*.] *S. f.* Emissão e transmissão de notícias, programas, etc., por meio da televisão.

teledinâmico. [De *tel(e)-*¹ + *dinâmico*.] *Adj.* Que transmite ao longe a força, a potência.

teledrama. [De *tel(e)-*² + *drama*.] *S. m.* Adaptação de peça teatral, romance, conto, etc., à televisão.

teleducação. [De *tel(e)-*² + *educação*.] *S. f.* Processo educacional que, empregando meios instrucionais como a televisão, o rádio, a correspondência postal, etc., se caracteriza pela não-contigüidade do professor; ensino a distância.

teleducando. *S. m.* Aluno de telecurso.

teleférico. [Do fr. *téléphérique*.] *Adj.* **1.** Que transporta ao longe. ● *S. m.* **2.** Cabo que, movendo-se, transporta ao longe uma carga. **3.** Espécie de ascensor suspenso por cabos, que transporta passageiros ou mercadorias de um monte a outro, ou de um monte a um ponto baixo: *o t e l e f é r i c o do Pão de Açúcar.* [Cf. *funicular* (5).]

teleferismo. *S. m.* Transporte por meios teleféricos.

telefonada. [De *telefonar* + *-ada*¹.] *S. f.* V. *telefonema* (1).

telefonar. *V. int.* **1.** Fazer uso de telefone: *Não costuma t e l e f o n a r sem necessidade*: "esperei-a com impaciência: a hora chegou, passou, ela não apareceu. Meia hora depois t e l e f o n e i : não estava no escritório." (José Rodrigues Miguéis, *Gente da Terceira Classe*, p. 140.) [Sin. (bras., gír.): *bater um fio*.] *T. i.* **2.** Fazer comunicações pelo telefone; tocar, ligar: *Não gosta que lhe t e l e f o n e m antes das 12 horas*; "Pensei em t e l e f o n a r para os amigos mas hoje os amigos estão ocupados." (Lígia Fagundes Teles, *A Disciplina do Amor*, p. 113); "Uma tarde me t e l e f o n o u da sua repartição .... dizendo emocionado achar-se no céu, entre as nuvens." (Fernando Sabino, *Medo em Nova Iorque. A Cidade Vazia*, p. 82.) [Sin., bras., gír.: *bater um fio*.] *T. d. e i.* **3.** Comunicar pelo telefone; tocar, ligar, dizendo: *T e l e f o n a r a m -lhe que sua sogra estava mal. T. d.* **4.** Comunicar pelo telefone: *T e l e f o n o u imediatamente a notícia da catástrofe; T e l e f o n o u* *que voltará no sábado*

telefone. [Do fr. *téléphone.*] *S. m.* **1.** Aparelho para transmitir a distância a palavra falada. [F. red.: *fone*[2]. Var., p. us.: *telefono.*] **2.** *Restr.* Telefone (1) de uso corrente, que consta de um mecanismo elétrico capaz de efetuar a ligação entre duas linhas, e de peça(s) destinada(s) a emitir e receber mensagens faladas. [Sin., bras.: *aparelho.*] **3.** Os números e/ou letras por meio dos quais se efetua a ligação telefônica. [F. red.: *fone.*] **4.** *Bras. Gír.* Tapa que se aplica, simultaneamente, com as mãos em concha, nos dois ouvidos do agredido: telefonema.

telefonema. [De *telefone.*] *S. m.* **1.** Comunicação telefônica; telefonada, ligada. **2.** *Bras. Gír.* Telefone (4).

telefone-sem-fio. *S. m. Jog. Inf.* Telegrama-sem-fio. [Pl.: *telefones-sem-fio.*]

telefonia. [De *tel(e)-*[1] + *-fon(o)-* + *-ia.*] *S. f.* **1.** Processo de transmissão da palavra falada ou de sons a distância através de cabos ou fios, ou de ondas hertzianas. **2.** *Lus.* Rádio[3] (4): "enquanto espera o jantar, entretém-se a ouvir *telefonia*" (Luís Forjaz Trigueiros, *Ainda Há Estrelas no Céu,* p. 149). ◆ **Telefonia sem fio.** V. *radiotelefonia.*

telefônico. *Adj.* Relativo à telefonia, ou a telefone.

telefonista. [De *telefone* + *-ista.*] *S. 2 g.* **1.** Pessoa que tem por ofício dar, receber e retransmitir telefonemas. **2.** Pessoa que tem por ofício, em companhias ou postos telefônicos, atender o público informando, completando ligações, etc.

telefono. *S. m.* Var., p. us., de *telefone.*

telefoto. [De *tel(e)-*[1] + *-foto.*] *S. f.* Fotografia transmitida e reproduzida por ondas radioelétricas.

telefotografar. *V. t. d.* Tirar telefotografia(s) de.

telefotografia. [De *tel(e)-*[1] + *fotografia.*] *S. f.* Arte de fotografar a grandes distâncias.

telefotográfico. *Adj.* Relativo à telefotografia.

telega. [Do turco, atr. do russo *telega* e do fr.] *S. f.* Carroça de quatro rodas usada na Rússia para transportar mercadorias.

telegonia. [De *tel(e)-*[1] + *-gon(o)-* + *-ia.*] *S. f. Biol.* Influência de um genitor na descendência posteriormente gerada por outros machos na mesma fêmea.

telegônico. *Adj.* Relativo à telegonia.

telegrafar. *V. t. d.* **1.** Enviar notícia de, comunicar, pelo telégrafo: *Telegrafou sua chegada próxima. T. d. e i.* **2.** Comunicar pelo telégrafo: *Telegrafou o fato ao seu jornal;* "*Etelegrafou* ao Silvério que desatulhasse o vale" (Eça de Queirós, *A Cidade e as Serras,* p. 101). *T. i.* **3.** Comunicar-se com alguém pelo telégrafo: *Telegrafou ao noivo. Int.* **4.** Mandar telegrama: *Urge telegrafar.* [Pres. ind.: *telegrafo,* etc. Cf. *telégrafo.*]

telegrafia. [De *telégrafo* + *-ia.*] *S. f.* Processo de transmissão de mensagens a distância, por meio de um código de sinais e através de fios. ◆ **Telegrafia sem fio.** V. Radiotelegrafia.

telegráfico. *Adj.* **1.** Relativo a telégrafo. **2.** Expedido pelo telégrafo: *notícia telegráfica; carta telegráfica.* **3.** *Fig.* Muito resumido; lacônico.

telegrafista. *S. 2 g.* Pessoa que, nas estações telegráficas, transmite ou recebe telegramas.

telégrafo. [De *tel(e)-*[1] + *-grafo,* porém atr. do fr. *télégraphe,* criado em 1792 por Miot.] *S. m.* **1.** Qualquer sistema de transmissão de mensagens entre pontos distantes por meio de sinais. **2.** Casa ou lugar onde ele funciona. [Cf. *telegrafo,* do v. *telegrafar.*] ◆ **Telégrafo Morse.** Sistema telegráfico, invenção do norte-americano S.B. Morse (1791-1872), que emprega, na transmissão de mensagens, um código formado por pontos e traços(.—). **Telégrafo sem fio.** Aquele em que a transmissão de sinais é feita por ondas hertzianas. [Cf. *rádio*[3].] **Telégrafo submarino.** Aquele em que as mensagens são transmitidas por meio de cabos imersos no fundo do mar.

telegrama. [De *tel(e)-*[1] + *-grama.*] *S. m.* **1.** Comunicação telegráfica. **2.** Mensagem escrita, transmitida por telegrafia, para ser entregue ao destinatário. **3.** *Bras.* Pedaço de papel, com um orifício, que se faz subir, pelo fio, até o papagaio (5) suspenso no ar. **4.** *Bras. Gír. de ladrões.* Tira de papel que se cola no fecho de uma porta a fim de verificar se esta foi aberta, ou não, depois de assim selada. ◆ **Telegrama fonado.** Telegrama recebido da, ou ditado à agência telegráfica, pelo telefone; fonograma. **Telegrama pré-datado.** O que se passa de antemão e que o Correio só entregará ao destinatário na data determinada. **Telegrama retido.** *Bras., MA. Fig. Pop.* Coisa já sabida e que se conta como novidade. **Passar telegrama.** *Bras.* **1.** Em certos jogos carteados, dar a entender ao seu parceiro, por uma jogada legítima, as cartas que se têm na mão. **2.** *Pop.* V. *defecar* (5).

telegrama-sem-fio. *S. m. Jog. Inf.* Jogo de salão, em que cada participante segreda ao vizinho o que acabou de lhe ser cochichado pelo companheiro anterior, devendo o último da fileira dizer alto a frase (ou palavra) que entendeu, para confrontá-la com a mensagem inicial, só então anunciada pelo primeiro da fila; telefone-sem-fio. [Pl.: *telegramas-sem-fio.*]

teleguiado. [Part. de *teleguiar.*] *Adj.* **1.** Diz-se dos engenhos guiados a distância por meio das ondas hertzianas, e, especialmente, dos mísseis balísticos intercontinentais. **2.** *Bras. P. ext.* Orientado, dirigido, industriado por outrem. **3.** *Bras. P. ext.* Que não tem orientação própria; que nada delibera por si; que só age a mando ou por influência de outra pessoa. ● *S. m.* **4.** Engenho teleguiado, principalmente de caráter bélico.

teleguiar. [De *tel(e)-*[1] + *guiar.*] *V. t. d.* Guiar (engenhos, foguetes, aviões, etc.) a distância, por meio das ondas hertzianas.

teleimpressor (e-i...ô). [De *tel(e)-*[1] + *impressor.*] *S. m.* **1.** Teletipo. **2.** Teletipista.

telejornal. [De *tel(e)-*[2] + *jornal.*] *S. m. Bras.* Noticiário apresentado pela televisão.

telejornalismo. *S. m. Bras.* Atividade jornalística exercida em telejornal.

telejornalístico. *Adj. Bras.* Relativo a telejornalismo.

telemática. [De *tele(comunicação)* + *(infor)mática.*] *S. f.* Ciência que trata da manipulação e utilização da informação através do uso combinado de computador e meios de telecomunicação.

telemetria. [De *tel(e)-*[1] + *-metr(o)-*[2] + *-ia.*] *S. f.* Técnica da obtenção, processamento e transmissão de dados a distância.

telemétrico. *Adj.* Relativo à telemetria.

telemetrista. *S. 2 g.* Pessoa que trabalha com o telêmetro.

telêmetro. [De *tel(e)-*[1] + *-metro*[2].] *S. m.* Instrumento óptico para medir a distância existente entre um observador e um ponto inacessível; distanciômetro.

telemicroscópio. [De *tel(e)-*[1] + *microscópio.*] *S. m. Ópt.* Luneta destinada a observações a curta distância, e que tem um aumento relativamente grande.

telencéfalo. [De *tel(e)-*[1] + *encéfalo.*] *S. m. Embr.* Porção anterior do prosencéfalo, a qual dá origem aos hemisférios cerebrais.

telenovela. [De *tel(e)-*[2] + *novela.*] *S. f. Bras.* Novela (3) teatralizada, apresentada em televisão: "*A telenovela* de maior sucesso de Dias Gomes foi *O Bem-Amado,* de 1973." (Samina Campedelli, *Dias Gomes,* p. 9.) [Cf. *teleteatro.*]

teleobjetiva. [De *tel(e)-*[1] + *objetiva.*] *S. f. Ópt.* Objetiva em que os planos principais estão na frente da lente frontal, com distância focal bastante grande e plano focal próximo à última lente do sistema, e utilizada para fotografar objetos distantes. [F. red.: *tele.*]

teleologia. [Do gr. *telefos,* 'no fim', 'final (causa)', + *-log(o)-* + *-ia.*] *S. f. Filos.* **1.** Estudo da finalidade. **2.** Doutrina que considera o mundo como um sistema de relações entre meios e fins. **3.** Estudo dos fins humanos.

teleológico. *Adj.* **1.** Relativo à teleologia. **2.** *Filos.* Diz-se de argumento, conhecimento ou explicação que relaciona um fato com sua causa final.

teleósteo. [Do gr. *téleios,* 'acabado', 'realizado': 'perfeito', + *-ósteo.*] *S. m.* e *adj.* V. *actinopterígio.*

teleósteos. *S. m. pl. Zool.* V. *actinopterígios.*

telepatia. [De *tel(e)-*[1] + *-pat-* + *-ia.*] *S. f.* Transmissão ou comunicação extra-sensorial de pensamentos e sensações, a distância, entre duas ou mais pessoas. [Cf. *transmissão de pensamento.*]

telepático. *Adj.* Relativo à, ou próprio da telepatia.

teleplastia. [De *tel(e)-*[1] + *plast-* + *-ia.*] *S. f. Espirit.* Manifestação material de uma pessoa num lugar donde está ausente.

teleplástico. *Adj.* Relativo à teleplastia.

teleprocessamento. [De *tel(e)-*[1] + *processamento.*] *S. m.* Modalidade de tratamento da informação por um sistema de processamento de dados, que utiliza meios de telecomunicação. Este tipo de tratamento implica na transmissão de dados do ponto em que são gerados até o computador central para processamento e retransmissão dos resultados ao ponto de origem. [V. *telecomunicação.*]

telerradiografia. [De *tel(e)-*[1] + *radiografia.*] *S. f.* Radiografia em que a distância entre a fonte emissora dos raios e o objeto que vai ser radiografado permite se consiga uma imagem de tamanho natural.

telerradiográfico. *Adj.* Relativo à telerradiografia.

telescopia. [De *tel(e)-*[1] + *-scop-* + *-ia.*] *S. f.* Aplicação do telescópio.

telescópico. *Adj.* **1.** Relativo a telescópio. **2.** Realizado com auxílio de telescópio. **3.** Capaz de discernir objetos distantes. **4.** Diz-se de tubo, cilindro ou cone constituído de partes que se acomodam umas dentro das outras, permitindo variar seu comprimento (como o tripé telescópico de certas máquinas fotográficas). ~ V. *cometa —, planeta —* e *sistema —.*

telescópio. [De *tel(e)-*[1] + *-scop-* + *-io*[2].] *S. m. Ópt.* **1.** Instrumento óptico destinado à observação de objetos longínquos, constituído por uma objetiva e uma ocular. **2.** *Astr.* Telescópio astronômico. **3.** *Astr.* V. *telescópio refletor.* **4.** *Astr.* Constelação austral, ao S. do Sagitário e da Coroa Austral, a O. do Índio, a E. do Altar e ao N. do Pavão. **5.** *Bras.* Designação comum aos peixes teleósteos, cipriniformes, da família dos ciprinídeos (*Carassius auratus* (L.)), de olhos muito grandes, salientes, exoftálmicos, situados bem na frente da cabeça. [Cf. *peixe-vermelho.*] ◆ **Telescópio astronômico.** *Astr.* Qualquer dos instrumentos de óptica próprios para a observação astronômica. [Tb. se diz apenas *telescópio.*] **Telescópio equatorial.** *Astr.* V. *equatorial* (3). **Telescópio refletor.** *Astr.* Tipo de telescópio astronômico, cuja objetiva é constituída por um espelho côncavo. [Tb. se diz apenas *refletor* ou *telescópio.*] **Telescópio refrator.** *Astr.* Tipo de telescópio astronômico, cuja objetiva é constituída por uma lente ou um sistema de lentes; luneta astronômica. [Tb. se diz apenas *refrator.*]

telésia. [Do gr. *telésios,* 'que acaba'.] *S. f. Min. Obsol.* Coríndon.

telespectador (ô). [De *tel(e)-*[2] + *espectador.*] *Bras. Adj.* **1.** Que é espectador de televisão: *o público telespectador.* ● *S. m.* **2.** Espectador de televisão; tevente.

telesporídio. *S. m.* **1.** Espécime dos telesporídeos. ● *Adj.* **2.** Pertencente ou relativo a eles.

telesporídios. *S. m. pl. Zool.* Esporozoários cujos esporos se formam no fim do período vegetativo.

telestáceo. *S. m.* **1.** Espécime dos telestáceos. ● *Adj.* **2.** Pertencente ou relativo a eles.

telestáceos. *S. m. pl. Zool.* Animais celenterados, alcionários, da ordem *Telestacea,* cujas colônias são formadas de ramificações, cada qual com um pólipo axial e outros laterais, com base delgada.

teleteatro. [De *tel(e)-*[2] + *teatro.*] *S. m. Bras.* Peça teatral televisionada. [Cf. *telenovela.*]

teletipista. *S. 2 g.* Pessoa que opera o teletipo; teleimpressor.

teletipo. [Do ingl. *teletype* < *teletypewriter.*] *S. m.* Aparelho telegráfico, empregado sobretudo em grandes jornais, centrais de polícia, etc., cujo transmissor é semelhante a uma máquina de escrever comum, e cujo receptor imprime diretamente, sem auxílio do código morse, as mensagens escritas, prontas para leitura imediata; teleimpressor. [Cf. *telex.*]

teleutósporo. [Do gr. *teleuté,* 'realização', + *-o-* + *-sporo.*] *S. m. Micol.* Teliósporo.

telever. [De *tel(e)-*[2] + *ver.*] *Bras. V. t. d.* **1.** Ver (um espetáculo) pela televisão. *Int.* **2.** Ver um espetáculo pela televisão. [Irreg. Conjug.: v. *ver.*]

televisamento. [De *televisar* + *-mento.*] *S. m.* Televisionamento.

televisão. [De *tel(e)-*[1] + *visão.*] *S. f.* **1.** *Eletrôn.* Transmissão e recepção de imagens visuais mediante os sinais eletromagnéticos das ondas hertzianas. **2.** Televisor (2): "acendeu a luz e abriu a janela, ligou a *televisão.*" (Ricardo Ramos, *Os Inventores Estão Vivos,* p. 29). **3.** Meio de comunicação que utiliza a televisão (1) para difundir informações, espetáculos, etc. **4.** Televisora. [Abrev.: *TV* e *tevê.*]

televisar. [De *tel(e)-*[1] + *visar.*] *V. t. d.* Televisionar.

televisionado. [Part. de *televisionar.*] *Adj.* Transmitido por televisão. ~ V. *imprensa —a.*

televisionamento. *S. m.* Ato ou efeito de televisionar; televisamento.

televisionar. *V. t. d.* Transmitir por televisão; televisar.

televisivo. *Adj.* V. *televisual.*

televisor (ô). [De *tel(e)-*[1] + *visor.*] *Adj.* **1.** Em que se faz televisão (1): *estação televisora.* ● *S. m.* **2.** Aparelho que recebe imagens televisionadas; televisão.

televisora (ô). [Fem. do adj. *televisor.*] *S. f.* Estação de televisão; televisão.

televisual. [De *tel(e)-*[2] + *visual.*] *Adj. 2 g.* Relativo ou pertencente à televisão: "É assim que me perguntam, vez por outra, porque emprego o adjetivo *televisual* quando todo mundo utiliza 'televisivo'." (Décio Pignatari, *Signagem da Televisão,* p. 37.)

televizinho. [De *tel(e)-*[2] + *vizinho.*] *S. m. Bras. Irôn.* Telespectador (2) que, não possuindo televisor próprio, assiste a programas transmitidos pelo aparelho do vizinho.

telex (cs). [Do fr. *télex*.] *S. m.* **1.** *Telecom.* Modalidade de serviço telegráfico que permite comunicação bilateral, realizado por meio de máquinas teleimpressoras, e no qual a ligação entre correspondentes passa por uma ou mais estações comutadoras. [Cf., nesta acepç., *teletipo*.] **2.** *P. ext.* Mensagem recebida por telex (1).

telexar (cs). *V. t. d.* Transmitir por telex.

telexograma (cs). [De *telex* + *-o-* + *-grama*.] *S. m. Telecom.* Mensagem (1) transmitida e recebida por meio de telex [q. v.].

telha (ê). [Do lat. *tegula*.] *S. f.* **1.** Peça, em geral de barro cozido, usada na cobertura de edifícios. **2.** *Tip.* V. *estereotipia curva* (2). **3.** *Mar.* Aba de ferro na base da abita e onde se prende a primeira volta da amarra. **4.** *Mar.* Fasquia de madeira que guarnece a parte de ré da verga, e pela qual se encosta ao mastro. **5.** *Lus. Constr. Nav.* Pestana (9). **6.** *Tip.* Peça do tinteiro da prensa, que regula o fluxo da tinta; faca. **7.** *Fam.* Mania, veneta, tineta; telhice. **8.** *Bras. Fam.* Cabeça; mente: *Não está bom da telha.* ♦ **Telha colonial.** V. *telha-canal*. **Telha francesa.** Telha plana retangular, com uma pequena saliência que a fixa à ripa; telha marselhesa. **Telha marselhesa.** Telha francesa. **Dar na telha.** Dar na veneta. **Ter uma telha a mais.** V. *ter um parafuso de menos*. **Ter uma telha de menos.** V. *ter um parafuso de menos*.

telha-canal. *S. f.* Telha curva, cujo formato se assemelha a um meio tronco-cone oco; telha colonial; canal. [Pl.: *telhas-canais* e *telhas-canal*.]

telhado. [Part. de *telhar*.] *S. m.* **1.** Parte exterior da cobertura de um edifício, em geral constituída por telhas. **2.** O conjunto das telhas que cobrem uma construção. **3.** Cobertura de um edifício. **4.** Prego de arame. **5.** *Fam.* Grande mania ou telha (7). [Cf. *tilhado*.] ♦ **Telhado de vidro.** Má reputação; passado não muito honroso.

telhador (ô). [De *telhar* + *-(d)or*.] *S. m.* **1.** Aquele que telha. **2.** Tampa duma vasilha de barro.

telhadura. *S. f.* **1.** Ato ou efeito de telhar. **2.** Lugar onde se fabricam telhas.

telhal. *S. m.* Forno onde se cozem telhas.

telhão. *S. m.* **1.** Telha grande. **2.** Telha prensada.

telhar. [De *telha* + *-ar*[2].] *V. t. d.* Cobrir com telhas; atelhar. [Conjug.: v. *aparelhar*.]

telha-vã. [De *telha* + *vã* (i. e., 'sem forro'), fem. de *vão*.] *S. f.* **1.** Telhado sem forro: "Mantinha-os [os olhos] nos caibros cheios de fuligem da telha-vã, sem que os percebesse." (Moreira Campos, *As Vozes do Morto*, pp. 75-76.) **2.** Telha que não leva argamassa. [Pl.: *telhas-vãs*.]

telheira. [De *telha* + *-eira*.] *S. f.* Fábrica de telhas; olaria.

telheiro. [De *telha* + *-eiro*.] *S. m.* **1.** Fabricante de telhas. **2.** Construção constituída por uma cobertura suportada por pilares, e aberta em todas as suas faces ou só parcialmente fechada. **3.** Alpendre (1).

telhice. [De *telha* + *-ice*.] *S. f. Fam.* V. *telha* (7).

telho (ê). [Do lat. *tegulu*, 'telhado'.] *S. m.* **1.** Tampa de barro. **2.** Pedaço de barro que serve de tampa. **3.** Pedaço de telha; caco.

telhudo. *Adj.* Que tem telha (7) ou mania(s); maníaco: "Não falava à toa, pelo prazer de intrigar, não. Sabiamno telhudo, mas não fuxiqueiro." (Nélson de Faria, *Tiziu e Outras Estórias*, p. 183.)

teligonácea. *S. f.* Espécime das teligonáceas.

teligonáceas. *S. f. pl. Bot.* Família de plantas floríferas, da ordem das mirtales, constituída de três espécies do gênero *Thelygonum*, o qual engloba ervas de folhas opostas e estipuladas, cuja consistência é membranácea. Habitam das ilhas Canárias até a Ásia oriental.

teligonáceo. *Adj.* Pertencente ou relativo às teligonáceas.

telilha. [Do esp. *telilla*.] *S. f.* Tela fina.

teliospórico. *Adj. Micol.* Relativo ao teliósporo.

teliósporo. [Do gr. *télos*, 'fim', 'realização', + *-sporo*.] *S. m. Micol.* Esporo formado tardiamente, que não germina logo, permanecendo em repouso um período mais ou menos longo, e que, ao germinar, origina um promicélio de quatro células, cada uma das quais gera um esporo, que tem a significação de um basídio. Ocorre nas uredinales; teleutósporo.

teliostádio. [De *telio*, f. abrev. de *teliósporo*, + *-estádio*.] *S. m. Micol.* A fase final do desenvolvimento dos uredinales, durante a qual se formam os teliósporos.

telista. [De *tela* + *-ista*.] *S. m. Ind. Pap.* Prensista (2).

telite. [De *tel(e)-*[3] + *-ite*[1].] *S. f. Med.* Inflamação de mamilo (1).

telitoquia. [Do gr. *thelytokía*.] *S. f.* Partenogênese com produção apenas de fêmeas, como no carrapato das cobras.

teliz. [Do lat. *trilix*, 'tecido com três fios', atr. do ár. *tillis*.] *S. f.* Pano com que se cobre a sela do eqüídeo: "A seguir, ... iam cavalos ajaezados com ricos telizes de damasquino branco" (Antero de Figueiredo, *D. Pedro e D. Inês*, p. 218).

telófase. [Do gr. *télos*, 'fim', + *fase*.] *S. f. Biol.* Parte da cariocinese que se segue à divisão dos cromossomos.

telônio. *S. m. Rel.* Agência onde se fazia o câmbio de moedas entre os judeus, no tempo de Cristo.

telosporídeo. [Do gr. *télos*, 'fim', 'realização', + *-spor(o)-* + *-ídeo*.] *S. m.* **1.** Espécime dos telosporídeos. ● *Adj.* **2.** Pertencente ou relativo a eles.

telosporídeos. [Pl. de *telosporídeo*.] *S. m. pl. Zool.* Esporozoários cujos esporos se formam no fim do período vegetativo.

telso. [Do gr. *télson*, 'limite'.] *S. m. Zool.* O último anel do abdome dos crustáceos.

▲**telur(i)-.** [Do lat. *tellus, uris*.] *El. comp.* = 'terra', 'solo': *telúrico, telurismo*.

telúrico. [De *telur(i)-* + *-ico*[2].] *Adj.* **1.** Relativo à Terra. **2.** Relativo ao solo. **3.** Relativo ao telúrio. ~ V. *raia* —*a*.

telurífero. [De *telúrio* + *-fero*.] *Adj.* Que contém telúrio.

telúrio. [De *telur(i)-* + *-io*[2].] *S. m. Quím.* Elemento de número atômico 52, não metálico, pulverulento, pretoacinzentado. [Simb.: *Te*.]

telurismo. [De *telur(i)-* + *-ismo*.] *S. m.* **1.** Influência do solo de uma região nos costumes, caráter etc., dos habitantes. **2.** *Med.* Suposta produção de doenças por emanações provenientes do solo.

tema. [Do gr. *théma*, 'proposição', pelo lat. *thema*.] *S. m.* **1.** Proposição que vai ser tratada ou demonstrada; assunto: *O tema da palestra é a arte grega*. **2.** Exercício escolar para retroversão ou análise; "Eugênio se ocupava em escrever algumas cousas, que não eram os seus temas de latim" (Bernardo Guimarães, *O Seminarista*, p. 55). **3.** Texto em que se baseia um sermão. **4.** *Gram.* Em certas línguas, radical ou elemento primitivo de uma palavra, ao qual se acresce uma desinência ou sufixo. **5.** *Mús.* Motivo (5) que é o germe do qual procede e no qual se desenvolve a composição.

temapara. [Do tupi?] *S. m. Bras.* Reptil sáurio (*Polychrus marmoratus*).

temário. *S. m. Bras.* Conjunto de temas ou assuntos que se devem tratar num congresso literário, científico, artístico, ou de outra natureza.

temática. [Fem. substantivado de *temático*.] *S. f.* Conjunto de temas caracterizadores de uma obra artística ou literária: "Para a poesia tradicional, cultivada desde o Renascimento, a fonte da inspiração seriam os grandes autores clássicos, já admitidos como modelos de excelência, e que forneciam a temática e o sistema imagístico para ser imitados pelos novos escritores" (Afrânio Coutinho, *A Tradição Afortunada*, p. 67).

temático. [Do gr. *thematikós*.] *Adj.* Pertencente ou relativo ao tema (4). V. *vogal* —*a*.

tematologia. [Do gr. *théma, atos*, 'tema', + *-log(o)-* + *-ia*.] *S. f. Gram.* Parte da morfologia em que se estuda a constituição das formas específicas ou temas de cada uma das classes gramaticais que entram no discurso e foram classificadas na lexicologia.

tematológico. *Adj.* Relativo à tematologia.

temba. [De provável or. afr.] *S. m. Bras., MG. Pop.* V. *diabo* (2).

tembé[1]. [Var. de *tembê* < tupi *tẽ'bé*, 'beira, margem'.] *S. m. Bras.* Margem ou beira de abismo; despenhadeiro; tembezeira (bè) ou tembezeira (bê).

tembé[2]. *Bras. S. 2 g.* **1.** Indivíduo dos tembés, tribo indígena tupi dos rios Gurupi, Capim e Guama. ● *Adj.* **2.** Pertencente ou relativo a essa tribo.

tembê. *S. m. Bras.* Tembé[1].

tembequara. *Adj. 2 g. e s. 2 g. Bras.* Dizia-se de, ou índio que furava os beiços. [Cf. *tembetá*.]

tembetá. [Do tupi *tẽbe'tá*, 'pedra do lábio'.] *S. m. Bras.* Designação de qualquer objeto duro e inflexível que os índios introduzem no furo artificial do beiço inferior, exceto o botoque [q. v.]. [Cf. *tembequara*.]

tembetaru. [Do tupi *tẽbeta'ru*.] *S. m. Bras.* V. *tamanqueira*.

tembetaru-de-espinho. *S. m. Bras.* V. *espinho-de-vintém*. [Pl.: *tembetarus-de-espinho*.]

tembezeira (bè). [De *tembé* (q. v.) + *-z-* + *-eira*.] *S. f. Bras.* Tembé[1]. [Var. pros.: *tembezeira* (bê).]

tembezeira (bê). [De *tembê* (q. v.) + *-z-* + *-eira*.] *S. f. Bras.* Var. pros. de *tembezeira* (bè).

temblar. [Do esp. *templar*, 'moderar, temperar', confundido com *temblar*, 'tremer'.] *V. t. d. Bras.* Afinar (instrumentos) uns pelos outros.

tembleque. [Do esp. plat. *tembleque*.] *S. m. Bras.* **1.** Enfermidade do gado, produzida pela ingestão de cogumelos tóxicos. ● *Adj.* **2.** *Bras., RS.* Trêmulo, bambo, fraco, enclenque.

temembu. *Bras. S. 2 g.* **1.** Indivíduo dos temembus, tribo indígena macamecrã, do vale do Tocantins. ● *Adj. 2 g.* **2.** Pertencente ou relativo a essa tribo.

temente. *Adj. 2 g.* Que teme: *Tarcísio é homem temente a Deus.*

temer. [Do lat. *timere*.] *V. t. d.* **1.** Ter medo, temor ou receio de; recear: *Não tema as feras: estamos bem armados.* **2.** Tributar grande reverência ou respeito a: *temer os pais.* *T. i.* **3.** Ter medo, temor ou receio; recear: "O homem que é forte / Não teme da morte" (Gonçalves Dias, *Obras Poéticas*, II, p. 42); "Temo de regressar... / E mata-me a saudade..." (Camilo Pessanha, *Clepsidra e Outros Poemas*, p. 233). **4.** Ter medo, receio, temor; ter cuidados; preocupar-se, inquietar-se: "Outro erro de Verbena .... foi que, temendo pela morte do seu gafanhoto de estimação, entrouxara-o de vitaminas." (Macedo Miranda, *As Três Chaves*, p. 59). *Int.* **5.** Sentir susto, receio ou temor: "Todos andavam no Convento assombrados; ele só não temia, antes estava alegre." (Fr. Luís de Sousa, *Vida de D. Fr. Bertolameu dos Mártires*, I, p. 65.) *P.* **6.** Ter medo, receio: *Bravos, de nada se temem.* [Pres. ind.: *temo, temes, teme*, etc. Cf. *Têmis*, antr. e mit.]

temerário. [Do lat. *temerariu*.] *Adj.* **1.** Arriscado, imprudente, perigoso. **2.** Arrojado, audacioso, atrevido; precipitado. **3.** Que indica ou implica temeridade: *golpe temerário.* **4.** Sem fundamento, sem base; infundado: *juízo temerário.*

temeridade. [Do lat. *temeritate*.] *S. f.* Qualidade ou ação de temerário; imprudência, ou arrojo, ousadia.

temero (ê ou é). [De *temer*.] *Bras., N.* e *N. E. Pop. Adj.* **1.** Temível. **2.** Temerário (2): "Pois sou vaqueiro de fama, / Com minha vara na mão, / Como ninguém sou temero / Na frente do boiadão." (Juvenal Galeno, *Lendas e Canções Populares*, p. 121.) ● *S. m.* **3.** Indivíduo temerário (2): "Daí provém talvez o supersticioso terror que inspira a fosforescência desses olhos [os da onça] ao mais valente sertanejo, ao temero que jamais pestanejou em face da morte" (José de Alencar, *O Sertanejo*, p. 69).

temeroso (ô). [De *temoroso*, com dissimilação; cf. *valeroso*.] *Adj.* **1.** Que infunde temor; terrível: "E o incêndio temeroso, doudejante, ensangüentado, galopa, voa e vai queimando, queimando..." (Gustavo Barroso, *Terra de Sol*, p. 17). **2.** Que experimenta temor; que tem medo; medroso, tímido: "Temerosa de si mesma, olhou em redor." (João da Silva Correia, *Farândola*, p. 54); "As crianças se retraem, temerosas, envergonhadas." (Guido Vilmar Sassi, *Piá*, p. 31).

temibilidade. [Do it. *temibilità*.] *S. f.* Qualidade de temível. [Cf. *periculosidade*.]

temibilíssimo. *Adj.* Superl. abs. sint. de *temível*.

temido. [Part. de *temer*.] *Adj.* **1.** Que causa medo; assustador. **2.** Destemido, valente. **3.** Que tem medo; medroso, tímido.

temiminó. *Bras. S. 2 g.* **1.** Indígena dos temiminós, tribo indígena do ES. ● *Adj. 2 g.* **2.** Pertencente ou relativo a essa tribo. [Var.: *timiminó, tomomino, tegmegmino*.]

temível. *Adj. 2 g.* Que se deve ou pode temer; que infunde temor. [Superl. abs. sint.: *temibilíssimo*.]

temor (ô). [Do lat. *timore*.] *S. m.* **1.** Ato ou efeito de temer; medo; susto: "Que nos perigos grandes o temor / É maior vinte vezes que o perigo" (Luís de Camões, *Os Lusíadas*, IV, 29). **2.** Sentimento de reverência ou de respeito: *temor a Deus.* **3.** *Fig.* Pessoa ou coisa que causa medo. **4.** Pontualidade, zelo, escrúpulo. [Cf. *timor*, s. 2 g., e o top. *Timor*.]

temoroso (ô). *Adj. Ant.* Temeroso [q. v.].

tempão. [Aum. de *tempo*.] *S. m. Bras.* Grande espaço de tempo: "— Sou um artista, compreende? Faz um tempão que estou observando você, estudando os seus traços, tentando desenhar o seu retrato." (Érico Veríssimo, *Noite*, p. 29.)

têmpera. [Do it. *tempera*.] *S. f.* **1.** Ato ou efeito de temperar; temperamento. **2.** Consistência que se dá aos metais, especialmente ao aço, introduzindo-os candentes em água fria. **3.** O banho em que se temperam os metais. **4.** Temperatura (1). **5.** V. *pintura a têmpera* (1 e 2). **6.** Cunha (1) em diversos aparelhos. **7.** *Fig.* Índole, feitio; temperamento. **8.** Inteireza de caráter; austeridade. **9.** Preparação que se dava aos falcões e outras aves na véspera do dia em que haviam de ser empregados na caça. [Cf. *tempera*, do v. *temperar*.]

temperado. [Part. de *temperar*.] *Adj.* **1.** Em que se deitou tempero; adubado. **2.** Moderado, suave, agradável, delicado. **3.** Próprio da zona temperada [q. v.]: *clima temperado*. **4.** *Mús.* Diz-se do intervalo, escala, etc., ou instrumento, que se apresenta segundo o sistema temperado [q. v.]. ~ V. *aço —, aço — ao ar, clima —, sistema — e zona —a.*

temperador (ô). [Do lat. *temperatore.*] *Adj.* e *s. m.* Que ou aquele que tempera; moderador.

temperamental. *Adj. 2 g.* **1.** Relativo a temperamento. **2.** De caráter instável, emotivo. **3.** Diz-se de quem reage seguindo tão-só os impulsos de seu temperamento. • *S. 2 g.* **4.** Pessoa temperamental.

temperamento. [Do lat. *temperamentu.*] *S. m.* **1.** Estado fisiológico ou constituição particular do corpo; compleição. **2.** O conjunto dos traços psicofisiológicos de uma pessoa, e que lhe determinam as reações emocionais, os estados de humor, o caráter: *um temperamento agressivo.* **3.** Índole, feitio, caráter, têmpera. **4.** Sensualidade, lubricidade. **5.** Têmpera (1). **6.** Mistura proporcional de coisas; mescla, combinação. **7.** Temperança (2). **8.** *Mús.* V. *sistema temperado.* ♦ **Temperamento desigual.** *Mús.* Sistema usado para a afinação dos instrumentos, em que a oitava é dividida em intervalos de quintas naturais. [Opõe-se a *temperamento igual*. Cf. *sistema temperado.*] **Temperamento igual.** *Mús.* V. *sistema temperado.*

temperança. [Do lat. *temperantia.*] *S. f.* **1.** Qualidade ou virtude de quem é moderado, ou de quem modera apetites e paixões; sobriedade. **2.** Moderação, comedimento, temperamento. **3.** Economia, parcimônia.

temperante. [Do lat. *temperante.*] *Adj. 2 g.* **1.** Que tem têmpera. **2.** Que tem temperança. **3.** Calmante, lenitivo.

temperar. [Do lat. *temperare.*] *V. t. d.* **1.** Deitar tempero em: *temperar a carne.* [Sin., desus.: *adubar.*] **2.** Tornar mais fraco ou brando; suavizar, amenizar: "Cortinas escuras *temperavam* a luz, quebrando a violência do sol" (Coelho Neto, *Turbilhão*, p. 264). **3.** Misturar proporcionalmente: *temperar cimento, água e areia para obter boa massa.* **4.** Reprimir o excesso de; moderar, conter: *O homem maduro deve temperar as paixões.* **5.** Conciliar, reconciliar, harmonizar, congraçar: *temperar os desavindos.* **6.** Moderar o gosto de: *temperar o vinho com água.* **7.** Dar consistência, rijeza, a (metais): *temperar o aço.* **8.** *Fig.* Fortalecer, avigorar: *As situações difíceis temperam os ânimos.* **9.** Dispor, organizar. **10.** *Mús.* Afinar (instrumentos musicais de sons fixos), dando-lhes o temperamento igual [v. *sistema temperado*]: "Passava os dias dormindo, jogando cartas, *temperando* o violão" (Marques Rebelo, *Marafa*, p. 30). *T. d.* e *i.* **11.** Conciliar, harmonizar: *Na educação dos filhos, tempera brandura com energia.* **12.** Ajuntar, juntar, acrescentar: *Tempere à sua cultura um pouco de humanismo;* "O companheiro encarregado de saudá-lo *temperou* em sua oração biografia com humor" (Érico Veríssimo, *O Senhor Embaixador*, p. 3). *T. i.* **13.** Concordar; harmonizar-se: *Não tempero com tuas opiniões radicais.* **14.** *Bras. Fam.* Procurar adaptar-se às condições da vida; dar-se. *P.* **15.** Moderar-se, conter-se. **16.** Fortalecer-se, avigorar-se: *O moral da tropa temperou-se em árduas batalhas.* [Pres. ind.: *tempero, temperas, tempera,* etc. Cf. *tempero* (ê) e *têmpera.*]

temperatura. [Do lat. *temperatura.*] *S. f.* **1.** Quantidade de calor que existe no ambiente, resultante da ação dos raios solares. [Sin., desus.: *tempérie.*] **2.** Quantidade de calor existente num corpo: *a temperatura humana.* **3.** Temperatura alta; estado febril: *O doente está sem temperatura.* **4.** *Fig.* Situação ou estado moral. **5.** *Fig.* Atividade, ação. **6.** *Fís.* Grandeza termodinâmica intensiva comum a todos os corpos que estão em equilíbrio térmico. ♦ **Temperatura absoluta.** *Fís.* A que não depende de medida nem da substância ou propriedade utilizada para medi-la, e que usualmente é medida na escala Kelvin. **Temperatura Celsius.** *Fís.* V. *temperatura centígrada.* **Temperatura centesimal.** *Fís.* V. *temperatura centígrada.* **Temperatura centígrada.** *Fís.* A que é medida na escala centígrada; temperatura Celsius, temperatura centesimal. **Temperatura crítica.** *Fís.* Temperatura acima da qual um gás real não pode ser liquefeito por compressão isotérmica. **Temperatura Curie.** *Fís.* Temperatura acima da qual uma substância ferromagnética perde o ferromagnetismo e passa a paramagnética. **Temperatura de cor.** *Fís.* Temperatura que se determina pela comparação entre a energia irradiada por um corpo num certo comprimento de onda (ou numa faixa de comprimentos de onda) e a energia irradiada por um corpo negro no mesmo comprimento de onda (ou na mesma faixa de comprimentos de onda). **Temperatura efetiva.** *Astr.* Temperatura igual à de um corpo negro que emitiu para o conjunto de todos os comprimentos de onda um fluxo total igual ao do corpo considerado. **Temperatura internacional.** *Fís.* A que é medida na escala internacional de temperatura. **Temperatura Kelvin.** *Fís.* Temperatura absoluta medida na escala Kelvin. **Temperatura reduzida.** *Fís.* O quociente da temperatura absoluta de um gás pela sua temperatura crítica. **Temperatura termodinâmica.** *Fís.* Num sistema isolado, a derivada parcial da energia interna pela entropia.

temperatural. *Adj. 2 g.* Relativo a temperatura.

tempera-viola. [De *temperar* + *viola.*] *S. m. Bras., ES.* V. *trinca-ferro.* [Pl.: *tempera-violas.*]

tempereiro. [De *temperar* + *-eiro.*] *S. m.* **1.** Utensílio que as tecedeiras usam para esticar o pano no tear. **2.** Cada um dos paus da nora[2].

tempérie. [Do lat. *temperie.*] *S. f. Desus.* Temperatura (1).

temperilha. [De *temperar.*] *S. f.* **1.** Coisa que tempera. **2.** *Fig.* Meio de moderar a má disposição de alguém.

temperilho. [De *temperar.*] *S. m.* **1.** Governo das rédeas. **2.** Modo de governá-las com destreza. **3.** Tempero (1) ordinário. **4.** *Vet.* Mistura proporcionada de alimentos apetitosos com medicamentos, para ser propinada a animais doentes.

tempero (ê). [Dev. de *temperar.*] *S. m.* **1.** Designação comum aos ingredientes que se adicionam a qualquer iguaria e servem para realçar-lhe o sabor. [Sin.: *condimento* e, p. us., *adubo.*] **2.** Estado da comida temperada. **3.** Meio de dirigir ou efetuar uma negociação. **4.** Paliativo; remédio. [Pl.: *temperos* (ê). Cf. *tempero*, do v. *temperar.*] ♦ **Virado no tempero.** *Bras., PB. Pop.* **1.** Zangado, irritado. **2.** Travesso, traquinas.

tempestade. [Do lat. *tempestate.*] *S. f.* **1.** Agitação violenta da atmosfera, às vezes acompanhada de chuvas, ventos, granizo ou trovões; procela, temporal. **2.** Grande estrondo. **3.** *Fig.* Agitação moral: 'Nas *tempestades* da vida, / Das rajadas no furor, / Foi-se a noite, tem auroras / O Gondoleiro do amor." (Castro Alves, *Poesias Completas*, p. 44.) **4.** *Fig.* Grande perturbação; agitação, desordem. ♦ **Tempestade em copo de água.** Espalhafato, grande agitação, por motivo frívolo. **Tempestade magnética.** *Geofís.* Perturbação súbita e intensa no campo magnético terrestre, provocada, geralmente, pela atividade solar.

tempestear. [De *tempest(ade)* + *-ear.*] *V. t. d.* **1.** Agitar, maltratar, perseguir. *Int.* **2.** V. *tempestuar* (1). [Conjug.: v. *frear.*]

tempestividade. *S. f.* Qualidade de tempestivo; oportunidade.

tempestivo. [Do lat. *tempestivu.*] *Adj.* Que vem ou sucede no tempo devido; oportuno.

tempestuar. [De *tempestu(oso)* + *-ar*[2].] *V. int.* **1.** Fazer estrondo como a tempestade; estrondear, tempestear. **2.** Agitar-se violentamente: "na alma ingênua e arrebatada de D. João *tempestuaram* .... duas paixões agitadíssimas" (Antero de Figueiredo, *Leonor Teles*, p. 167). **3.** Enfurecer-se, enraivecer-se, irar-se.

tempestuosidade. *S. f.* Qualidade de tempestuoso.

tempestuoso (ô). [Do lat. *tempestuosu.*] *Adj.* **1.** Que traz tempestade; proceloso. **2.** Sujeito a tempestade. **3.** *Fig.* Muito agitado; violento: "Essas fases de mudança de regime costumam ser *tempestuosas*, contraditórias, desconcertantes, comumente autofágicas." (Barbosa Lima Sobrinho, *Presença de Alberto Torres*, p. 89.)

templário. *S. m.* Cavaleiro do Templo (5): "Como um *templário* deslumbrado, a cruz a santificar a cervilheira altiva, levei o meu balção de cavaleiro aos prélios do mistério, e de lá voltei desolado, porque não se colhem estrelas como se fossem rosas." (Alphonsus de Guimaraens, *Obra Completa*, pp. 430-431.)

templo. [Do lat. *templu.*] *S. m.* **1.** Edifício público destinado ao culto religioso. **2.** Templo cristão; igreja. **3.** Lugar descoberto e elevado que em Roma era consagrado pelos áugures. **4.** Sala onde se realizam as sessões da Maçonaria. **5.** Ordem militar e religiosa fundada em Jerusalém, em 1123, por Hugo de Payns, com o fim de proteger os peregrinos, e supressa pelo Papa em 1312. **6.** *Fig.* Lugar misterioso e respeitável. **7.** Recordação eterna das ações memoráveis.

tempo. [Do lat. *tempus*, atr. da f. *tempos*, que foi sentida como um pl. port. de que se tiraria um singular.] *S. m.* **1.** A sucessão dos anos, dos dias, das horas, etc., que envolve, para o homem, a noção de presente, passado e futuro: *o curso do tempo; O tempo é um meio contínuo e indefinido no qual os acontecimentos parecem suceder-se em momentos irreversíveis;* "O *tempo* .... Horas de horror e tédio da memória..." (Manuel Bandeira, *Estrela da Vida Inteira*, p. 41). **2.** Momento ou ocasião apropriada (ou disponível) para que uma coisa se realize: *Não tive tempo para ler os jornais; Ainda é tempo de reconsiderar sua decisão.* **3.** Época (3): "O que se usava nesse *tempo*, como tratamento de respeito mais comum, ainda mesmo entre namorados de menor intimidade, era *senhor* e *senhora*." (Miécio Tati, *O Mundo de Machado de Assis*, p. 134.) **4.** As condições meteorológicas: *O tempo está bom.* **5.** Estação, quadra: *o tempo da colheita; o tempo da estiagem.* **6.** Certo período, visto do ângulo daquele que fala, com quem se fala, ou de quem se fala; época: *No meu tempo o colégio tinha poucos alunos; Isso não é de teu tempo; No tempo dele as coisas eram outras.* **7.** O período em que se vive; época, século: *É homem de seu tempo.* **8.** *Fís.* Coordenada que, juntamente com as coordenadas espaciais, é necessária para localizar univocamente uma ocorrência física. **9.** *Gram.* Flexão indicativa do momento a que se refere o estado ou a ação verbal. **10.** *Mús.* Cada uma das partes, em andamentos diferentes, em que se dividem certas peças musicais, como a sonata, a suíte, o quarteto, etc.; movimento. **11.** *Mús.* Andamento (4). **12.** *Mús.* Duração de cada uma das unidades do compasso: *compasso de dois tempos; compasso de três tempos.* **13.** *Esport.* Cada um dos períodos em que se dividem certas partidas: *Os jogos de futebol compreendem, em regra, dois tempos.* **14.** *Bras., BA.* Entidade dos candomblés do caboclo. ♦ **Tempo astronômico.** *Astr.* Intervalo de tempo medido segundo as convenções da astronomia. **Tempo civil.** *Astr.* Tempo cuja origem é deslocada de 12 horas em relação ao tempo solar médio. **Tempo composto.** *Gram.* O que se conjuga com um verbo auxiliar: *tenho dito.* **Tempo da janambura.** *Bras.* V. *tempo do Onça.* **Tempo da salga.** *Bras., AM.* Época em que se pesca e salga o pescado. **Tempo das efemérides.** *Astr.* Tempo cuja medida se baseia na duração do ano trópico de 1900, e que é independente da rotação terrestre. **Tempo das vacas gordas.** Período de prosperidade, abastança, riqueza. **Tempo das vacas magras.** Período de escassez, pobreza, penúria. **Tempo de acesso.** *Proc. Dados.* Intervalo de tempo entre o instante em que se pede um tipo de manipulação com dados (leitura ou gravação de dados) em um dispositivo de armazenamento, até o instante em que o resultado desta manipulação é fornecido (disponibilidade ou gravação de dados); tempo de entrada. **Tempo de D. João Charuto.** *Bras.* V. *tempo do Onça.* **Tempo de entrada.** *Proc. Dados.* Tempo de acesso. **Tempo de Friedmann.** *Cosm.* Lapso de tempo decorrido desde o bigue-bangue. [O tempo de Friedmann dever ser corrigido do parâmetro de desaceleração (q. v.), ao contrário do tempo de Hubble, que considera apenas a constante de Hubble.] **Tempo de geração.** *Fís. Nucl.* Num reator nuclear, tempo médio necessário para que os nêutrons produzidos numa fissão provoquem novas fissões. **Tempo de Hubble.** *Cosm.* Idade estimada do Universo com base no bigue-bangue. [Para um valor da constante de Hubble H_0 = 55 km por segundo por megaparsec, o tempo de Hubble é de H_0^{-1} = 17,7 x 10^9 anos.] **Tempo de projeção.** *Cin.* Tempo decorrido na projeção de um filme; duração [Cf. *metragem* (3).] **Tempo de relaxação.** *Fís.* Intervalo de tempo necessário para que um sistema afastado de sua posição de equilíbrio retorne a essa posição sem a ação de agentes externos. **Tempo de residência.** *Eng. Ind.* Intervalo de tempo em que um material permanece no interior de um componente determinado de um equipamento. **Tempo de resolução.** *Fís.* Num dispositivo contador de impulsos, intervalo de tempo mínimo que deve separar dois impulsos consecutivos para que o dispositivo os registre como dois acontecimentos distintos. **Tempo de resposta.** *Proc. Dados.* Tempo transcorrido desde o instante em que uma mensagem é gerada num terminal [q. v.], até o instante em que é recebida a correspondente mensagem de resposta. É o tempo que um sistema precisa para reagir a uma determinada entrada. **Tempo do Onça.** *Bras.* Tempo muito antigo, muito afastado; tempo da janambura, tempo de D. João Charuto, tempo do rei velho, tempo do ronca, tempo dos Afonsinhos, tempo dos Afonsinos. **Tempo do rei velho.** V. *tempo do Onça.* **Tempo do ronca.** *Bras.* V. *tempo do Onça.* **Tempo dos Afonsinhos.** V. *tempo do Onça.* **Tempo dos Afonsinos.** V. *tempo do Onça.* **Tempo em que se amarrava cachorro com lingüiça.** *Pop. Joc.* Tempo antigo (em geral, com relação ao baixo preço das coisas): *Quer comprar tudo como se vivesse no tempo em que se amarrava cachorro com lingüiça.* **Tempo integral.** Expediente completo, com o número de horas regulamentado pela lei (em repartição, escritório, casa comercial, etc.). [Sin., ingl.: *full time.*] **Tempo local.**

Cronol. Tempo relativo a um ponto da superfície da Terra. **Tempo morto.** *Automat.* **1.** Intervalo de tempo entre o início de um sinal de entrada e o início do sinal de saída que lhe corresponde num transdutor. **2.** Intervalo de tempo decorrido entre o instante em que se toma uma decisão e aquele em que a decisão surte efeito. **Tempo próprio.** *Fís.* O tempo medido num referencial solidário com uma partícula. **Tempos fabulosos.** Tempos muito recuados, dos quais a mitologia pagã representa a vaga tradição. **Tempo sideral.** *Astr.* Tempo cuja medida se baseia na rotação terrestre, tomando-se para origem a passagem do ponto vernal pelo meridiano superior local, e que é medido pelo ângulo horário desse ponto. **Tempo simples.** *Gram.* O que se conjuga sem um verbo auxiliar. **Tempo solar médio.** *Astr.* Tempo baseado na rotação diurna de um astro fictício, o sol médio, em torno da Terra. **Tempo solar verdadeiro.** *Astr.* Tempo baseado na rotação diurna aparente do Sol em torno da Terra. **Tempo universal.** *Astr.* Tempo referido a um meridiano origem, que, por convenção, é o meridiano de Greenwich. **A tempo. 1.** No momento próprio; em boa hora; oportunamente. **2.** Ainda em tempo (2); ainda a horas: *chegar a tempo.* **A tempo e a hora.** Em ocasião oportuna, apropriada; no momento adequado; a tempo e a horas: "cuidava de tudo a tempo e a hora" (Machado de Assis, *Quincas Borba*, p. 282). **A tempo e a horas.** A tempo e a hora: "recomendou-lhe que não abandonasse o enfermo durante a noite, pois era preciso medicá-lo a tempo e a horas." (Artur Azevedo, *Contos Cariocas*, p. 44). **A um só tempo.** A um tempo só. **A um tempo só.** Ao mesmo tempo; a um só tempo: "Essa fina Senhora, requestada / Por todos os valentes cavaleiros, / A um tempo só amantes e guerreiros / Todos, por causa de uma só amada" (Guimarães Passos, *Versos de um Simples*, p. 251). **Dar tempo ao tempo.** Esperar com paciência e confiança por uma solução, um resultado, etc., que virá com o passar do tempo. **Desabar o tempo.** *Bras. Pop.* Chover forte. **De tempo a tempo.** De quando em quando; de vez em quando; de vez em vez; de tempo em tempo; de tempos a tempos. **De tempo em tempo.** V. *de tempo a tempo.* **De tempos a tempos.** V. *de tempo a tempo:* "Sucede que de tempos a tempos passa um camião." (José Cardoso Pires, *Jogos de Azar*, p. 180.) **Em dois tempos.** Muito rapidamente; num abrir e fechar de olhos. **Em tempo de.** Em risco de; a ponto de; a pique de: "Começou a dançar sozinha diante do mar, em tempo de ser engolida pelas ondas." (Aníbal M. Machado, *Histórias Reunidas*, p. 189.) **Em tempo recorde.** *Bras.* O mais depressa possível; acima de qualquer prognóstico de tempo: *Faz tudo em tempo recorde; Teve a aposentadoria em tempo recorde.* **Fechar o tempo.** *Bras.* Fechar-se o tempo. **Fechar-se o tempo.** *Bras.* **1.** Escurecer, ameaçando chuva. **2.** *Fig.* Ter início um motim, uma desordem, uma briga. [Tb. se diz *fechar o tempo.*] **Ganhar tempo.** Adiar ou delongar a solução de um caso, a tomada de uma providência, etc., à espera de melhor oportunidade: *Não podendo vencer a batalha, ganhou tempo até que chegassem reforços.* **Matar o tempo.** Empregá-lo em ocupações que servem tão-só para evitar o tédio e a inação; distrair-se; recrear-se. **Não ter tempo nem para se coçar.** Não dispor de tempo para coisa alguma; andar atarefadíssimo. **Nesse meio tempo.** Nesse ínterim; entrementes. **Perder o tempo e o latim.** Aconselhar, pedir, argumentar ou explicar-se em vão. **Pisar no tempo.** *Bras. Pop.* V. *fugir* (1 e 2). **Primeiro tempo.** *Mec.* V. *admissão* (4).

tempo-quente. *S. m. Bras.* **1.** Desordem, barulho. **2.** Discussão ou repreensão acalorada. **3.** V. *rolo*^{1} (16). **4.** *Bras., RJ.* V. *saci* (2). [Pl.: *tempos-quentes.*]

têmpora. *S. f. Anat.* Cada uma das duas porções laterais da cabeça, situadas acima do zigoma (3). ~ V. *têmporas.*

temporã. *Adj. (f.)* e *s. f.* Fem. de *temporão:* "Oh, essa primeira flor temporã, que pica .... o cimo das folhagens verdes!" (Fialho d'Almeida, *Pasquinadas*, p. 185.)

temporada. *S. f.* **1.** Grande espaço de tempo. **2.** Certo espaço de tempo. **3.** V. *estação* (7). **4.** Período do ano adequado ou fixado para a realização de certas atividades artísticas, esportivas, sociais, etc.: *temporada lírica; temporada de turfe.*

temporal. [Do lat. *temporale.*] *Adj. 2 g.* **1.** Relativo a tempo; temporário, temporâneo. **2.** Profano, mundano. [Nesta acepç., opõe-se a *espiritual* (1).] **3.** Leigo, secular. **4.** *Anat.* Relativo às fontes da cabeça, ou têmporas. ~ V. *canal —, conjunção —, poder —.* ● *S. m.* **5.** O poder temporal. **6.** V. *tempestade* (1). **7.** Vendaval (1). **8.** *Anat.* Cada um de dois ossos da cabeça, de forma irregular e situação ínfero-lateral, que contém os órgãos da audição. **9.** *Rel.* A parte dos livros litúrgicos do Ofício Divino onde se encontram as festas móveis. [Nesta acepç., cf. *santoral* (2).] *S. f.* **10.** *Gram.* Conjunção temporal.

temporalidade. [Do lat. *temporalitate.*] *S. f.* Qualidade de temporal ou provisório; interinidade. ~ V. *temporalidades.*

temporalidades. [Pl. de *temporalidade.*] *S. f. pl.* **1.** Bens temporais; coisas mundanas. **2.** Rendimentos eclesiásticos; prebendas, benesses. ~ V. *temporalidade.*

temporalizar. *V. t. d.* Tornar temporal; secularizar.

temporaneidade. *S. f.* Qualidade de temporâneo; temporariedade.

temporâneo. [Do lat. *temporaneu.*] *Adj.* **1.** V. *temporário* (1 e 2). **2.** V. *temporal* (1).

temporão. [Do lat. vulg. *temporanu*, 'que vem ou se faz a tempo'.] *Adj.* **1.** Que vem ou acontece fora ou antes do tempo próprio; extemporâneo: "A luta precoce pela vida, o casamento temporão dos noivos, ... predispõem à esterilização" (A. Austregésilo, *Obras Completas*, IV, p. 431). **2.** Diz-se da flor que aparece ou do fruto que amadurece antes ou depois do tempo próprio; extemporâneo: "não obsta que ainda hoje ao romper da primavera .... se cubram [as campinas] de milhares de variedades de tulipas singelas, dobradas, serôdias e temporãs" (Ramalho Ortigão, *A Holanda*, pp. 203-204); *"Estrada de Santiago* é fruto temporão do meu quintal, quando ainda lhe dardejava o sol bravo do meio-dia." (Aquilino Ribeiro, *Estrada de Santiago*, p. 7.) **3.** Diz-se do filho que nasce muito depois do irmão que o precede imediatamente, ou muito depois do casamento dos pais. ● *S. m.* **4.** Filho temporão. [Flex.: *temporã, temporãos, temporãs.*]

temporariedade. *S. f.* Qualidade de temporário; temporaneidade.

temporário. [Do lat. *temporariu.*] *Adj.* **1.** Que dura algum tempo; transitório, temporâneo. **2.** Provisório, interino, temporâneo: *cargo temporário.* **3.** V. *temporal* (1). ~ V. *estrela —a* e *rio —.*

têmporas. [Do lat. *tempora*, 'tempos'.] *S. f. pl.* **1.** *Anat.* V. *têmpora:* "Usava os cabelos, negros e densos, em graciosos bandós sobre as têmporas. (Virgílio Várzea, *Nas Ondas*, p. 20.) **2.** *Lit.* Dias de preces especiais e jejuns, numa semana de cada estação do ano, segundo o rito católico.

temporização. *S. f.* Ato ou efeito de temporizar; temporizamento.

temporizador (ô). *Adj.* **1.** Que temporiza. ● *S. m.* **2.** Aquele que temporiza. **3.** *Eletrôn.* Circuito que tem a função de ligar ou desligar outro circuito num instante de tempo prefixado.

temporizamento. *S. m.* Temporização.

temporizar. [Do lat. *temporis*, gen. de *tempus*, 'tempo', + *-izar.*] *V. t. d.* **1.** Adiar, retardar, demorar, delongar: *temporizar um acordo. T. i.* **2.** Transigir; condescender; contemporizar: *Temporizou habilmente com o opositor.* **3.** Haver-se com delongas. *Int.* **4.** Esperar outra ocasião.

tempo-será. [De *tempo* + a 3ª pess. sing. do fut. ind. de *ser.*] *S. m. 2 n. Bras.* V. *esconde-esconde.*

tem-tem^{1}. [Da expr. *tem(-te, não caias).*] *S. m.* Equilíbrio das criancinhas que dão os primeiros passos. [Pl.: *tem-tens.*]

tem-tem^{2}. [Do tupi *te'te*, de valor onomatopéico.] *S. m. Bras.* **1.** Ave falconiforme, da família dos falconídeos (*Micrastur semitorquatus* (Vieil.)), com larga distribuição no País, de dorso escuro, face, coleira e lado ventral brancos, uma faixa escura do lado da cabeça ao ouvido, e asas curtas. [Sin.: *saíra.*] **2.** V. *gaturamo.* **3.** V. *sal*^{2} (2). [Pl.: *tem-tens.*]

tem-tem-coroado. [De *tem-tem*^{2} + *coroado*^{1}.] *S. m. Bras., PA.* V. *sebinho* (1). [Pl.: *tem-tens-coroados.*]

tem-tem-de-estrela. [De *tem-tem*^{2} + *de* + *estrela.*] *S. m. Bras.* V. *tem-tem-verdadeiro.* [Pl.: *tem-tens-de-estrela.*]

tem-tem-do-espírito-santo. [De *tem-tem*^{2} + *do* + *Espírito Santo*, hier.] *S. m. Bras.* **1.** Ave passeriforme, da família dos cerebídeos (*Cyanerpes caeruleus* (L.)), da Amaz., de coloração geral azul, com garganta, asas, cauda e meio da barriga pretos. A fêmea é verde, com a fronte, lados da cabeça e garganta ocre-claro, peito e flancos verdes, pintados de esbranquiçado e azul, e meio de abdome e crisso amarelo-esverdeados. [Cf. *sal*^{2} (2).] **2.** V. *polícia inglesa.* [Pl.: *tem-tens-do-espírito-santo.*]

tem-tem-verdadeiro. [De *tem-tem*^{2} + *verdadeiro.*] *S. m. Bras.* Ave passeriforme, da família dos traupídeos (*Tanagra violacea* (L.)), distribuída em todo o País, de coloração geral preto-azulada brilhante, e fronte e parte inferior amarelas. A fêmea é verde-olivácea, com a parte inferior oliváceo-amarelada. [Sin.: *tem-tem-de-estrela, vem-vem.* Pl.: *tem-tens-verdadeiros.*]

tem-tenzinho. [Dim. de *tem-tem*^{2}.] *S. m. Bras.* Ave falconiforme, da família dos falconiformes (*Falco albigularis* Daud.), que ocorre desde o México e em quase todo o Brasil. Colorido denegrido, com manchinhas e traços brancos; cabeça preta, com larga coleira branca logo abaixo; parte do abdome, e pernas, vermelho-ferrugíneos. Persegue aves com grande habilidade, conseguindo capturar pombas e andorinhas para sua alimentação. [Sin.: *coleirinha* e *cauré.* Pl.: *tem-tenzinhos.*]

temulência. [Do lat. *temulentia.*] *S. f.* **1.** Qualidade ou estado de temulento. **2.** *Med.* Estado mórbido semelhante à embriaguez.

temulento. [Do lat. *temulentu.*] *Adj.* **1.** V. *ébrio* (2). **2.** Em que há orgias ou cenas de embriaguez.

ten. *Mús.* Abrev. de *tenuta* (2).

tenacidade. [Do lat. *tenacitate.*] *S. f.* **1.** Qualidade de tenaz. **2.** *Fig.* Constância, afinco, contumácia. **3.** *Fig.* Apego, aferro. **4.** Avareza, sovinice.

tenacíssimo. [Do lat. *tenacissimu.*] *Adj.* Superl. abs. sint. de *tenaz.*

tenalgia. [De *ten(o)-* + *-alg(o)-*^{2} + *-ia.*] *S. f. Patol.* Dor em tendão.

tenálgico. *Adj.* Relativo à tenalgia.

tenalha. [Do lat. vulg. *tenacula*, atr. do provenç. *tenalha.*] *S. f.* Pequena obra de fortificação com duas faces e um ângulo reentrante para o lado do campo.

tênar. [Do gr. *thénar*, 'palma da mão'.] *S. m. Anat.* Saliência formada, em cada mão, pelos músculos curto abdutor, oponente e flexor do polegar. [Pl.: *tênares.* Cf. *antitênar.*]

tenaz. [Do lat. *tenace.*] *Adj. 2 g.* **1.** Muito aderente. **2.** Que tem grande coesão. **3.** Viscoso, pegajoso. **4.** Que segura com firmeza. **5.** Pertinaz, aferrado, obstinado: *Tenaz, tudo consegue.* **6.** Constante, firme: *afeição tenaz.* **7.** *Fig.* V. *avaro* (1). [Superl. abs. sint.: *tenacíssimo.*] ● *S. f.* **8.** Instrumento de ferreiro ou de serralheiro, parecido a uma tesoura, provido de longos cabos, e usado para tirar ou pôr peças nas forjas ou para segurar ferro em brasa e malhar na bigorna; ferros. **9.** Espécie de pinça de hastes resistentes, para prender e manter corpos.

tença. [Do lat. *tenentia*, 'coisas que se têm, bens, haveres'.] *S. f.* **1.** *Jur.* Pensão periódica, ordinariamente em dinheiro, que alguém recebe do Estado, ou de particular, para seu sustento: *D. Sebastião concedeu a Camões, pela publicação de* Os Lusíadas, *a tença anual de quinze mil-réis.* **2.** Ato de ter **3.** *Mar.* Qualidade do fundo do mar, para efeitos de segurar âncora: *fundo de boa tença.* [Cf. *tensa*, fem. de *tenso.*]

tenção. [Do lat. *tentione.*] *S. f.* **1.** Resolução, plano, intento, intenção: *Se a sua tenção é ir rápido, tome um avião;* "— Esta bolsa, mamãe Justa, é que eu trouxe do Recife para Arnaldo. Tinha feito tenção de não lha dar mais, por causa da desobediência que ele praticou" (José de Alencar, *O Sertanejo*, p. 191). **2.** Devoção, veneração. **3.** Assunto, tema: *a tenção do livro.* **4.** Briga, contenda. **5.** *Heráld.* Divisa de brasão relativa a feitos gloriosos. **6.** *Jur.* Voto escrito e fundamentado que, nos julgamentos de segunda instância, os juízes divergentes dão em separado. [Nesta acepç., cf. *voto vencido.* Cf. ger.: *tensão.*] ♦ **Tenções dobradas.** V. *trocadilho* (1).

tencionar. *V. t. d.* **1.** Fazer tenção de; projetar, planejar, intencionar: *Tenciono conhecer todo o Brasil. Int.* **2.** *Jur.* Escrever tenção (7) em processo judicial. [Fut. pret.: *tencionaria*, etc. Cf. *tencionária*, fem. de *tencionário.*

tencionário. [De *tença.*] *S. m.* Aquele que recebe tença (1). [Fem.: *tencionária.* Cf. *tencionaria*, do v. *tencionar.*]

tenda. [Do lat. *tenta.*] *S. f.* **1.** Barraca de campanha, de excursionistas, etc. **2.** Barraca de feira: "Noutras ruas, sob tendas de lona, havia cozinhas, grandes barricas de cerveja ou de vinho." (Eça de Queirós, *Últimas Páginas*, p. 201.) **3.** Pequena mercearia; locanda, quitanda. **4.** A mercadoria que o tendeiro ambulante traz à venda. **5.** A caixa em que ele carrega as suas quinquilharias. **6.** Pequena oficina de ferreiro, marceneiro, sapateiro, etc. **7.** A parte dos engenhos de açúcar na qual ficam os tachos. **8.** *Bras.* Conjunto de copos de folha usados pelos mangabeiros na extração do látex da mangabeira. **9.** *Bras.* Local de reuniões de espíritas e umbandistas. [Dim. irreg.: *tendilha;* deprec.: *tendola.*] ♦ **Tenda árabe de trabalho.** *Joc.* Gabinete de estudo. **Tenda de oxigênio.** *Med.* Dispositivo de vidro ou de matéria plástica, para se realizar a oxigenioterapia.

tendal^{1}. [De *tenda* + *-al.*] *S. m.* **1.** Lugar em que se tosquiam ovelhas. **2.** Lugar onde se assentam as fôrmas, nos engenhos de açúcar. **3.** *Ant.* Toldo armado na parte de ré das galés e de outras embarcações movidas a remo.

tendal². [De *estendal*, decerto, com aférese.] *S. m.* **1.** Varal onde se estende o charque ou o peixe. **2.** Entreposto onde se expõe a carne das reses abatidas no matadouro, para ser vendida aos açougueiros. **3.** Armação onde se expõe a roupa lavada para enxugar; varal, estendal, estendedouro. **4.** Grande porção de animais mortos.

tendão. [Do lat. médico **tendo*, *onis*, que por infl. de *tendere*, 'estender', substituiu o lat. *tenon*, *ontis*.] *S. m. Anat.* Cordão de tecido conjuntivo fibroso, redondo ou achatado, no qual termina um músculo, e que serve para inserir esse músculo num osso ou noutra formação anatômica. ♦ **Tendão de Aquiles.** *Anat.* O mais forte tendão do corpo humano, situado póstero-inferiormente em cada perna, estendendo-se ao osso calcâneo. **Tendão rotuliano.** *Anat.* Tendão que, em cada perna, se estende da rótula à tíbia.

tendedeira. [De *tender* + *-deira*.] *S. f.* Tábua sobre a qual se tende o pão que se vai cozer.

tendeiro. *S. m.* **1.** Homem que vende em tenda. **2.** Proprietário de tenda. **3.** *Pop.* V. *diabo* (2).

tendência. [Do lat. *tendentia*, nom. e acusativo pl. de *tendens*, *tis*, 'tendente'.] *S. f.* **1.** Inclinação, propensão: *A* t e n d ê n c i a *dos fatos deixa-nos entrever o futuro.* **2.** Vocação, pendor: *Nota-se a* t e n d ê n c i a *do menino para militar.* **3.** Força que determina o movimento de um corpo. **4.** Intenção, disposição.

tendenciosidade. *S. f.* Qualidade ou comportamento de tendencioso.

tendencioso (ô). [De *tendência* + *-oso*.] *Adj.* Que revela ou envolve alguma intenção secreta: *juiz* t e n d e n c i o s o; *obra* t e n d e n c i o s a; *declaração* t e n d e n c i o s a.

tendente. [Do lat. *tendente*.] *Adj. 2 g.* **1.** Que tende: "Os mais extravagantes critérios eram adotados, as mais estranhas normas se exigiam, todas t e n d e n t e s a dificultar o aparecimento de novos escritores." (Guilherme Figueiredo, *Cobras & Lagartos*, p. 45); "O instinto sexual, normalmente t e n d e n t e para o sexo oposto, é o mais rudimentar dos instintos morais." (Fernando Pessoa, *Páginas de Doutrina Estética*, p. 72). **2.** Que se inclina. **3.** Que tem vocação.

tendepá. *S. m. Bras. Pop.* Rixa, briga; contenda: "pra banda de baixo armou-se um t e n d e p á .... Assovios, gritos, empurrões, ... arreda, gente!" (Bernardo Élis, *Veranico de Janeiro*, p. 78).

tender. [Do lat. *tendere*.] *V. t. d.* **1.** Estirar; estender: t e n d e r *a mão.* **2.** Encher, enfunar: "As galés de Castela, havia meses ancoradas no Tejo, sarparam, t e n d e r a m velas e demandaram a barra." (Antero de Figueiredo, *Leonor Teles*, p. 229.) **3.** Desfraldar, hastear: t e n d e r *a bandeira.* **4.** Bater e arredondar na masseira, etc. (o pão que se vai cozer). *T. i.* **5.** Ter vocação; inclinar-se; propender: *Desde criança* t e n d e *para a advocacia.* **6.** Dirigir-se, encaminhar-se; propender: *Vai mal de negócios,* t e n d e *para a falência.* **7.** Visar, ter em vista ou por fim; dispor-se, destinar-se: *As conversações* t e n d i a m *a apaziguar os ânimos.* **8.** Apresentar tendência, inclinação ou disposição para algo: "Toda contemplação t e n d e a formar em nós um composto de representações característico, afim com a coisa contemplada." (Rosário Fusco, *Introdução à Experiência Estética*, p. 37); "Já no tempo de Plauto .... t e n d i a o dativo a expressar-se pelo acusativo com *ad*." (Rocha Lima, *Uma Preposição Portuguesa*, p. 15); "T e n d e m para a poesia, segundo creio, todos os gêneros literários." (Henriqueta Lisboa, *Vigília Poética*, p. 33). **9.** Aproximar-se, acercar-se: *O resultado do problema* t e n d e *a zero.* **10.** Aspirar, pretender: *O bom artista* t e n d e *para o domínio técnico de sua arte. P.* **11.** Alargar-se, estender-se. [Inf. pess.: *tender*, *tenderes*, etc. Cf. *tênder* e pl. *tênderes*.]

tênder¹. [Do ingl. *tender*.] *S. m.* Vagão do carvão e da água engatado à locomotiva. [Pl.: tênderes. Cf. *tender* e *tenderes* (ê), do v. *tender*.]

tênder². *S. m. Bras. Mar. G. F.* red. de *navio-tênder*. [Pl.: *tênderes*. Cf. *tender* e *tenderes* (ê), do v. *tender*.]

tendilha. *S. f.* Pequena tenda.

tendilhão. [De *tendilha* + *-ão²*.] *S. m.* Tenda de campanha.

tendinha. [Dim. de *tenda*.] *S. f. Bras., RJ.* **1.** Botequim de baixa classe. **2.** Pequena mercearia de favela ou de lugar muito pobre; birosca [q. v.].

tendinite. *S. f. Med.* Inflamação de tendão.

tendinoso (ô). [Do fr. *tendineux*.] *Adj.* Pertencente ou relativo a tendão.

tendola. [De *tenda* + *-ola*.] *S. f.* Tenda ordinária, reles.

têmbra. [Do lat. *tenebra*.] *S. f.* Treva.

tenebrário. [Do lat. *tenebrariu*, 'obscuro'.] *S. m. Lit.* Candelabro cujas velas vão sendo apagadas progressivamente, durante o Ofício de Trevas, na Semana Santa.

tenebricosidade. [Do lat. *tenebricositate*.] *S. f. Desus.* Qualidade de tenebricoso.

tenebricoso (ô). [Do lat. *tenebricosu*.] *Adj.* Acompanhado de escuridão ou perturbação da vista e do entendimento.

tenebrionídeo. *S. m.* **1.** Espécime dos tenebrionídeos. ● *Adj.* **2.** Pertencente ou relativo a eles.

tenebrionídeos. *S. m. pl. Zool.* Família de insetos da ordem dos coleópteros, besourinhos castanho-escuros ou negros, cosmopolitas, destruidores da farinha e do trigo nos silos.

tenebrosidade. [Do lat. *tenebrositate*.] *S. f.* Qualidade de tenebroso.

tenebroso (ô). [Do lat. *tenebrosu*.] *Adj.* **1.** Cheio ou coberto de trevas; caliginoso, escuro: *cavernas* t e n e b r o s a s; "aqui, ali, no vasto céu t e n e b r o s o, estrelas faiscavam." (Coelho Neto, *Turbilhão*, p. 181). **2.** *Fig.* Horrível, terrível, medonho: *cenas* t e n e b r o s a s. **3.** Indigno, vil, desprezível. **4.** Criminoso, perverso: *desígnios* t e n e b r o s o s. **5.** Aflitivo, pungente.

tenedura. *S. f. Bras., S.* Excremento de animais selvagens.

tenência. [Do lat. *tenentia*.] *S. f.* **1.** *Ant.* Cargo de tenente. **2.** *Ant.* Habitação de tenente. **3.** Antiga repartição do tenente-general de artilharia. **4.** *Bras. Pop.* Vigor, firmeza. **5.** *Bras. Pop.* Precaução, prudência. **6.** *Bras., S.* Jeito, costume, hábito. ♦ **Tomar tenência de.** *Bras. Pop.* Observar ou examinar prudentemente; tomar tento de; assuntar.

tenente. [Do lat. *tenente*, 'que segura, ocupa (um lugar)'; f. red. de *lugar-tenente* (*q. v.*).] *S. m.* **1.** *Ant.* Substituto de um chefe na ausência deste. **2.** V. *hierarquia militar.* **3.** Na Marinha de Guerra, qualquer oficial dos postos de segundo-tenente a capitão-tenente. **4.** Militar que detém a posição hierárquica de tenente. **5.** *Bras.* Denominação comum a *primeiro-tenente* e *segundo-tenente.*

tenente-brigadeiro. *S. m.* **1.** V. *hierarquia militar.* **2.** Oficial que detém o posto de tenente-brigadeiro. [Tb. se diz, no Brasil, apenas *brigadeiro* (v. *brigadeiro* [3]).]

tenente-coronel. *S. m.* **1.** V. *hierarquia militar.* **2.** Oficial que detém o posto de tenente-coronel. [É muito us. *tenente-coronel*, abreviadamente, para designar *tenente-coronel-aviador*. V. *coronel*¹ (3). Pl.: *tenentes-coronéis*.]

tenente-coronel-aviador. *S. m.* **1.** V. *hierarquia militar.* **2.** Oficial que detém o posto de tenente-coronel-aviador. [V. *tenente-coronel*. Pl.: *tenentes-coronéis-aviadores*.]

tenente-do-mar. *S. m.* **1.** V. *hierarquia militar.* **2.** *Ant.* Oficial que detinha o posto de tenente-do-mar. [Pl.: *tenentes-do-mar*.]

tenente-general. *S. m.* **1.** V. *hierarquia militar.* **2.** *Ant.* Oficial que detinha o posto de tenente-general. [Pl.: *tenentes-generais*.]

tenentismo. [De *tenente* + *-ismo*.] *S. m. Hist. Bras.* **1.** Os movimentos militares liderados por tenentes das forças armadas, e que culminaram na Revolução de 1930, que pôs fim à Primeira República. **2.** A ideologia deles.

tenesmo (ê). [Do gr. *teinesmós*, pelo lat. *tenesmu*.] *S. m. Med.* Desejo de defecar ou de urinar acompanhado de sensação dolorosa no reto ou na bexiga, respectivamente, e de impossibilidade de defecar ou urinar.

tenesmódico. *Adj.* Acompanhado de tenesmo.

teneteara. *S. 2 g. e adj. 2 g. Bras.* Guajajara.

tengo-tengo. *Adv. Bras., N.E. Pop.* Sem grande esforço; devagarinho.

tênia. [De *teni(o)-* + *-ia*.] *S. f. Bras.* V. *solitária* (1). [Cf. *Tênea*, top.]

teníase. [De *teni(o)-* + *-ase*¹.] *S. f. Med.* Infecção causada por qualquer verme do gênero *Taenia*.

tenífugo. [De *teni(o)-* + *-fugo*².] *Adj.* Diz-se de medicamento que expulsa do organismo vermes do gênero *Taenia*.

▲**teni(o)-.** [Do gr. *tainía*, *as*.] *El. comp.* = 'fita'; 'raia'; 'tênia': *teniossomo*; *teniope*, *tenífugo*.

teniobrânquio. [De *teni(o)-* + *-brânquio*.] *Adj. Zool.* Que tem as brânquias em forma de fita.

tenióide. [De *teni(o)-* + *-óide*.] *Adj. 2 g.* **1.** Semelhante à tênia. **2.** V. *eucestóideo* (2). ● *S. m.* **3.** V. *eucestóideo* (1).

tenióides. [Pl. de *tenióide*.] *S. m. pl. Zool.* V. *eucestóideos*.

tenióideo. *S. m.* **1.** Espécime dos tenióideos. ● *Adj.* **2.** Pertencente ou relativo a eles.

tenióideos. *S. m. pl. Zool.* Animais platelmintos, cestóides, ordem *Taenioidea*, que tem escólex, com quatro ventosas bem formadas, geralmente provido de ganchos no ápice, aberturas genitais laterais, proglotes livres ou unidos ao amadurecer. O grupo inclui a maioria dos cestóides dos vertebrados e do homem.

teniope. [De *teni(o)-* + *-ope*.] *Adj. 2 g. Zool.* Que apresenta nos olhos listras de cor.

tenióptero. [De *teni(o)-* + *-ptero*.] *Adj. Zool.* Que tem nas asas ou nas barbatanas listras de cor.

teniossomo. [De *teni(o)-* + *-somo*.] *Adj. Zool.* Que tem o corpo em forma de fita.

tenioto. [De *teni(o)-* + *-oto*.] *Adj. Zool.* Que tem orelhas compridas e estreitas.

tênis. [Do ingl. *tennis*.] *S. m. 2 n.* **1.** Jogo de origem inglesa, com raquetes e bola, em campo adrede preparado, dividido em duas partes por uma rede de malhas por cima da qual a bola deve passar. **2.** Sapato de lona, amarrado, com sola de borracha, usado na prática do tênis e de outros esportes; sapato-tênis, basquete. [Cf. *Tenes*, antr.] ♦ **Tênis de mesa.** Pingue-pongue.

tenista. *S. 2 g.* Jogador de tênis (1).

tenístico. *Adj.* Relativo a, ou próprio do tênis.

▲**ten(o)-.** [Do gr. *ténon*.] *El. comp.* = 'tendão': *tenalgia*, *tenorrafia*.

tenoísmo. [Do jap. *teno*, 'imperador que é encarnação da divindade', + *-ismo*.] *S. m.* Obediência formal dos japoneses ao seu imperador.

tenor¹ (ô). [Do it. *tenore*.] *S. m.* **1.** A mais aguda das vozes masculinas. **2.** Homem dotado dessa voz. **3.** *Mús.* Na polifonia medieval, designação da voz mais baixa, a que entoava o tema, i. e., a melodia tirada do canto gregoriano. ● *Adj. 2 g.* e *2 n.* **4.** Diz-se dos instrumentos de sopro cuja tessitura corresponde à da voz de tenor: *saxofone* t e n o r; *trompa* t e n o r. ♦ **Tenor de banheiro.** *Joc.* Mau cantor; cantor de banheiro.

tenor² (ô). *S. m. Prov. port.* Vaso de barro onde se guarda a banha ou manteiga de porco, azeitonas, açúcar, etc.: "Esses tipos principais [de vasilhas] são a talha, o pote, o cântaro, o caneco, o t e n o r, a tarefa, a púcara, o gomil, a escudela" (Ramalho Ortigão, *O Culto da Arte em Portugal*, p. 148).

tenorino. [Do it. *tenorino*.] *S. m.* Tenor ligeiro, que canta em falsete.

tenorista. *S. 2 g.* V. *sax-tenorista*.

tenorrafia. [De *ten(o)-* + *-raf(i)-* + *-ia*.] *S. f. Cir.* Sutura de tendões.

tenorráfico. *Adj.* Relativo à tenorrafia.

tenossinovite. [De *ten(o)-* + *-sinovite*.] *S. f. Med.* Inflamação de bainha de tendão.

tenotomia. [De *ten(o)-* + *-tom(o)-* + *ia*.] *S. f. Cir.* Seção de um tendão.

tenotômico. *Adj.* Relativo à tenotomia.

tenreiro. [De *tenro* + *-eiro*.] *Adj. P. us.* Tenro.

tenro. [Do lat. *teneru*. Cf. *terno*².] *Adj.* **1.** Mole, brando; macio: *carne* t e n r a. **2.** Delicado, mimoso: *bela e* t e n r a *mulher.* **3.** Frescor, viçoso. **4.** Que tem pouco tempo; recente, novo: *amizade* t e n r a; "Um bando de girafas rodeia uma mimosa a que vai trincando, delicadamente, nos trêmulos cimos, as folhinhas mais t e n r a s." (Eça de Queirós, *Contos*, p. 167). **5.** Pouco crescido.

tenrura. *S. f.* Qualidade ou estado de tenro: "Que requinte de temperos! que t e n r u r a de carnes! que rebuscado de formas! Comia-se com a boca, com os olhos, com o nariz." (Machado de Assis, *Memórias Póstumas de Brás Cubas*, p. 294.)

tensão. [Do lat. *tensione*.] *S. f.* **1.** Qualidade ou estado do que é tenso. **2.** *Fisiol.*, *Med.* e *Psiq.* Estado em que há sensação ou de retesamento (de músculos estriados esqueléticos, p. ex.), ou em que se é levado além de um limite normal de emoção. **3.** Grande aplicação ou concentração física ou mental. **4.** *Eletr.* Diferença de potencial elétrico entre dois pontos de um circuito; tensão elétrica; voltagem. **5.** *Mec.* Quociente da intensidade de uma força pela área da superfície sobre a qual ela atua. **6.** *Fon.* V. *articulação* (5). **7.** Tense. [Cf. *tenção*.] ♦ **Tensão de cisalhamento.** *Fís.* Num corpo sujeito a uma força cortante, força por unidade de área da seção transversal do corpo. **Tensão de compressão.** *Fís.* Num corpo sujeito a uma compressão, força de compressão por unidade de área da seção reta do corpo perpendicular à compressão. **Tensão de corte.** *Eletrôn.* Numa válvula, a menor tensão negativa que, aplicada à grade de controle, reduz a zero a corrente de placa. **Tensão de pico inverso.** *Eletrôn.* Numa válvula, o valor máximo da tensão de placa que pode ser aplicada à placa num sentido contrário ao do funcionamento normal da válvula. **Tensão de placa.** *Eletrôn.* Numa válvula eletrônica, tensão aplicada à placa. **Tensão de polarização.** *Eletrôn.* Tensão contínua mantida entre dois elementos de uma válvula a vácuo, ou entre a base e outros elementos de um transistor. **Tensão de ruptura.** *Eletr.* Potencial de ruptura. **Tensão de tração.** *Fís.* Num corpo sujeito a uma tração, força de tração por unidade de seção reta do corpo perpendicular à tração. **Tensão de vapor.** *Fís.* Pressão de vapor. **Tensão direta.** *Eletrôn.* Tensão aplicada aos terminais de um retificador no sentido que corresponde à passagem da maior corrente para essa tensão. **Tensão elétrica.** *Eletr.* V. *tensão* (5). **Tensão emocional.** Sensação de apreensão, de incerteza. **Tensão interfacial.** *Fís.* Energia por unidade de área de uma interface. **Tensão inversa.** *Eletrôn.* Tensão aplicada aos bornes de um retificador no sentido que corresponde à passagem da menor corrente para essa tensão. **Tensão nervosa.** *Med.* Sensação de apreensão, incerteza, medo. **Tensão normal.** *Estrut.* Aquela em que a força atua perpendicularmente à superfície. **Tensão pré-menstrual.** *Med.* Síndrome que pode ocorrer em dias que precedem a menstruação e que se caracteriza por fenômenos mentais (irritabilidade, insônia, instabilidade emocional), cefaléia, mastalgia, distensão abdominal, constipação, polaciuria, adinamia. **Tensão superficial.** *Fís.* Tensão interfacial de um sistema constituído por um líquido em equilíbrio com um gás ou com o seu próprio vapor. **Tensão tangencial.** *Estrut.* Aquela em que a força atua num plano tangente à superfície.

tense. *S. f.* Gênero poético dos trovadores provençais; diálogo ou controvérsia entre dois trovadores, em que cada um sustentava um tema, conservando obrigatoriamente as rimas propostas pelo rival; tensão.

tensioativo. *Adj. Quím.* Diz-se de composto que abaixa a tensão superficial de um líquido em que esteja dissolvido. [Var.: *tensoativo.*]

tensiolítico. [De *tens(ão)* + *-o-* + gr. *lytikós*, 'capaz de dissolver, de liberar'.] *Adj.* e *s. m.* V. *tranqüilizante* (2 e 3).

tensiômetro. [Do lat. *tensio* (nom.), 'tensão', + *-metro.*] *S. m.* **1.** Instrumento para determinar o grau de esticamento de um arame. **2.** *Desus.* Aparelho com que se mede a pressão arterial.

tensivo. [Do lat. *tensivu.*] *Adj.* Que produz tensão.

tenso. [Do lat. *tensu.*] *Adj.* **1.** Estendido com força; esticado; retesado: *linha tensa*; "Embala-me, pendente da mangueira, / Na tensa corda, meu balanço amigo!" (Alberto de Oliveira, *Poesias*, 2ª série, p. 305). **2.** Em que há, ou que implica tensão (3): "conservava ainda não sei que frescor de primavera nas formas dos seus músculos de trabalho, distendidos num esforço tenso de animal de tiro." (José Gomes Ferreira, *O Mundo dos Outros*, p. 129). **3.** Em estado de tensão (4): "Quem vive excitado, tenso, odiando, aborrecido e submetido a choques psíquicos, é vítima certa de fadiga, mesmo sem fazer trabalho algum." (Mário Filizzola, *Como Emplacar 100 anos*, pp. 158-159.) **4.** *Fig.* Muito aplicado. [Fem.: *tensa*. Cf. *tença*.]

tensoativo. *Adj. Quím.* Var. de *tensioativo*.

tensor (ô). [De *tenso* + *-or.*] *Adj.* **1.** Que estende. ● *S. m.* **2.** *Anat.* Músculo que serve para fazer a extensão de qualquer órgão ou membro. **3.** *Cálc. Vect.* Conjunto de n^2 grandezas que se transformam, quando se passa de um sistema de coordenadas para outro, em outras tantas grandezas, mediante expressões que envolvem o somatório dos produtos das derivadas parciais das coordenadas novas em relação às antigas; entidade matemática que generaliza um vector e representa diversas grandezas físicas. ♦ **Tensor das deformações.** *Fís.* Tensor que representa as deformações de um corpo. **Tensor das tensões.** *Fís.* O tensor que indica as tensões em um corpo. **Tensor de inércia.** *Fís.* Tensor de segunda ordem cujos componentes são os momentos de inércia e os produtos de inércia de um corpo rígido; tensor dos momentos. **Tensor dos momentos.** *Fís.* Tensor de inércia.

tensorial. [De *tensor* + *-i-* + *-al.*] *Adj. 2 g.* ~ V. *cálculo* — e *campo* —.

tenta. [Dev. de *tentar.*] *S. f.* **1.** Instrumento cirúrgico para sondar feridas ou dilatar aberturas. **2.** Corrida de novilhos, logo depois da ferra e da enchocalhação, ou por divertimento ou a fim de experimentar-lhes a disposição para as lides tauromáquicas.

tentação. *S. f.* **1.** Ato ou efeito de tentar. [Sin.: *tentativa* e (p. us.) *tentamento.*] **2.** Disposição de ânimo para a prática de coisas diferentes ou censuráveis. **3.** Efeito de tentar-se; desejo veemente: *Sentiu a tentação de beijá-la.* **4.** Pessoa ou coisa que tenta: perdição. ● *S. m.* **5.** *Bras. Pop.* V. *diabo* (2).

tentaculado. *Adj. Zool.* Que tem tentáculos: tentaculífero.

tentacular. *Adj. 2 g.* **1.** Relativo a tentáculo. **2.** Provido de tentáculos. **3.** Que se desenvolve em todas as direções: *cidade tentacular*.

tentaculífero. [De *tentácul(o)* + *-i-* + *-fero.*] *Adj. Zool.* **1.** Tentaculado. **2.** Suctório (3). ● *S. m.* **3.** Suctório (1).

tentaculíferos. [Pl. de *tentaculífero.*] *S. m. pl. Zool.* Suctórios.

tentaculiforme. [De *tentácul(o)* + *-i-* + *-forme.*] *Adj. 2 g.* Que tem forma de tentáculo (1).

tentáculo. [Do lat. cient. *tentaculu* < lat. *tentare*, 'experimentar', 'apalpar'.] *S. m.* **1.** *Zool.* Apêndice móvel, não articulado, na cabeça ou na parte anterior dos animais, e que lhes serve de órgão do tato ou de preensão. **2.** *Fig.* Cada um dos meios de que a ambição e/ou a astúcia se valem para alcançar ou apreender aquilo que as tenta.

tentado. [Part. de *tentar.*] *Adj.* **1.** Seduzido, atraído. **2.** *Jur.* Diz-se do crime cuja execução teve começo, mas que, por circunstâncias alheias à vontade do criminoso, não chegou a consumar-se.

tentador (ô). [Do lat. *tentatore.*] *Adj.* **1.** Que tenta; tentante, tentativo. ● *S. m.* **2.** Aquele que tenta. **3.** *Fig.* V. *diabo* (2).

tentame. [Do lat. *tentamen.*] *S. m.* Ensaio, tentativa: *tentame literário*; "o rasgo da mentalidade caracteristicamente helênica é o tentame de unificar as multiplicidades sentidas, de dissipar ilogismos, de buscar a harmonia e a organização inteligível" (Antônio Sérgio, *Ensaios*, VI, pp. 53-54).

tentâmen. *S. m.* V. *tentame.* [Pl.: *tentamens* e, p. us. no Brasil, *tentâmenes.*]

tentamento. *S. m. P. us.* V. *tentação* (1).

tentante. [Do lat. *tentante.*] *Adj. 2 g.* V. *tentador* (1).

tentar. [Do lat. *tentare.*] *V. t. d.* **1.** Empregar meios para obter (o que se deseja ou empreende); diligenciar, intentar: *Tentou inutilmente eleger-se a deputado.* **2.** Tratar de conseguir; buscar, procurar: *Tentou, com uma aliança, evitar a derrota*; "Aos 13 anos, diante da desolação materna [provocada pela viuvez], tenta [Benjamin Constant] o suicídio." (Vicente Licínio Cardoso, *Pensamentos Brasileiros*, p. 275). **3.** Pôr em prática; empreender: *Com o que amealhara tentou a montagem da loja.* **4.** Experimentar, exercitar: "E, assim, as suas pupilas negras / Parecem duas toutinegras / Tentando as asas para voar!" (Antônio Nobre, *Só*, p. 139). **5.** Arriscar-se ou aventurar-se a: "Vistes aquela insana fantasia / De tentarem o mar com vela e remo" (Luís de Camões, *Os Lusíadas*, VI, 29). **6.** Pôr à prova; experimentar: *Tentou quatro roscas no parafuso, mas nenhuma serviu.* **7.** Sondar, tentear. **8.** Instigar para o mal, para o pecado: *O Diabo tenta as boas almas.* **9.** Causar desejo a; despertar vontade em, ou provocar, tendo em vista determinado fim ou objetivo: *As facilidades oferecidas não tentaram o rapaz.* **10.** Experimentar a fé ou paciência de. **11.** Procurar seduzir: *O demônio tentou Santo Antônio.* **12.** Instaurar (demanda): *Tentarei uma ação de despejo.* **13.** Proceder à tenta de (novilhos). *P.* **14.** Deixar-se seduzir. **15.** Apetecer vivamente alguma coisa. **16.** Arriscar-se, aventurar-se.

tentativa. [Fem. substantivado de *tentativo.*] *S. f.* **1.** V. *tentação* (1). **2.** Experiência, ensaio, tentame. **3.** Crime tentado.

tentativo. [Do lat. *tentatu*, part. pass. de *tentare*, 'tentar', + *-ivo.*] *Adj.* **1.** V. *tentador* (1). **2.** Que pode ser tentado ou experimentado; tentável.

tentável. [De *tentar* + *-ável.*] *Adj. 2 g.* Tentativo (2).

tenteador (ô). [De *tentear*[1] + *-(d)or.*] *Adj.* e *s. m.* Que ou aquele que tenteia.

tentear[1]. [De *tenta* + *-ear.*] *V. t. d.* **1.** Sondar ou investigar com tenta (1). **2.** Apalpar, palpar, tatear: *Tenteava as paredes, procurando localizar-se na escuridão*; "Seu Acrísio, jogador e quase cego, ziguezagueava, batia nas paredes, tenteava degraus e portas com o cajado." (Graciliano Ramos, *Infância*, p. 51). **3.** Sondar, examinar: *Tenteou a proposta, disposto a aceitá-la.* **4.** Experimentar, ensaiar. [Conjug.: v. *frear.*]

tentear[2] [De *tento*[1] + *-ear.*] *V. t. d.* **1.** Dar tento[1], atenção, sentido ou cuidado a. **2.** Dirigir com tento[1]; pesar: *tentear as próprias ações.* **3.** *P. ext.* Calcular; dirigir: *Tenteava o jogo do amigo.* **4.** Examinar ou observar com cuidado, com precaução. **5.** Distribuir ou empregar com tento[1] ou parcimônia: *tentear os gastos.* **6.** Paliar, entreter. **7.** Economizar para que dure. [Conjug.: V. *frear.*]

tentear[3]. [De *tento*[2] + *-ear.*] *V. t. d.* Marcar com tento[2]. [Conjug.: v. *frear.*]

tenteio[1]. [Dev. de *tentear*[1].] *S. m.* Ato ou efeito de tentear[1].

tenteio[2]. [Dev. de *tentear*[2].] *S. m.* **1.** Ato ou efeito de tentear[2]. **2.** *Bras., RS.* Governo das rédeas do cavalo.

tenteiro. *S. m. Bras.* Acapurana-da-terra-firme.

tenterê. [De provável or. indígena.] *S. f. Bras., MA.* Espécie de jacaré.

tentilhão. [De *tim-tim*, voc. onom.] *S. m.* Pássaro de pequeno porte, da família dos fringilídeos (*Fringilla coelebs*), da Europa, de coloração bastante viva e de canto mavioso.

tento[1]. [Do lat. *tentu*, part. pass. de *tentare*, 'segurar'.] *S. m.* **1.** Atenção, cuidado, sentido: tino; juízo. **2.** Cálculo, cômputo. **3.** Pauzinho em que se apóia a mão para pintar com firmeza. **4.** *Mús.* Forma de música instrumental, especialmente para órgãos, baseada na imitação canônica, e usada pelos portugueses e espanhóis dos sécs. XVI e XVII. **5.** *Gír.* Tapa, bofetada. ♦ **A tento.** Com cautela. **Tomar tento.** Prestar toda a atenção; tomar sentido.

tento[2]. [Do lat. *talentu*, 'moeda, penhor'.] *S. m.* **1.** Peça de metal, ou de outro material qualquer, com a qual se marcam pontos no jogo: "Não jogavam a dinheiro; mas o Falcão tinha tal sede ao lucro, que contemplava os próprios tentos, sem valor, e contava-os de dez em dez minutos, para ver se ganhava ou perdia." (Machado de Assis, *História sem Data*, p. 135.) **2.** Ponto marcado no jogo. ♦ **Lavrar um tento.** Fazer o que deve ou convém; sair-se bem numa empresa; acertar; marcar um tento. **Marcar um tento.** V. *lavrar um tento.*

tento[3]. [Do esp. plat. *tiento.*] *S. m. Bras., S.* **1.** Tirinha de couro, na parte posterior dos arreios, à qual se prende qualquer coisa que se deseje trazer à garupa. **2.** Tira de couro usada em diversos misteres da vida pastoril.

tento-da-carolina. *S. m. Bras.* Árvore da família das leguminosas (*Adenanthera pavonina*), de origem asiática, e cultivada como ornamental, caracterização pelas sementes globoso-discóides e de cor sangüínea intensa, usadas, por serem muito duras, para fazer colares. [Pl.: *tentos-da-carolina.*]

tento-grande. *S. m. Bras., L.* Arvoreta da família das leguminosas (*Ormosia arborea*), muito disseminada nas restingas arenosas do litoral, caracterizadas pelas sementes de pouco mais de 1 cm de diâmetro, de intensa coloração vermelha com uma pequena mancha negra em um dos lados, e com as quais se fazem colares vistosos. [Pl.: *tentos-grandes.*]

tentório. [Do lat. *tentoriu.*] *S. m.* Barraca de campanha.

tênue. [Do lat. *tenue.*] *Adj. 2 g.* **1.** Delgado, fino, sutil: *arame tênue*; "Sai do telhado / Tênue fumo e se enovela" (Alberto de Oliveira, *Poesias*, 2ª série, p. 254). **2.** Débil, frágil, grácil: *o tênue corpo da menina*; "Viram-no subir a ladeira ao tênue luar que dava à lagoa e à pequena localidade .... uma flutuação irreal de cidadezinha de sonho." (João Alphonsus, *Eis a Noite!*, p. 115). **3.** Pequeníssimo. **4.** Pouco importante ou ponderável; de substância escassa: *argumentos tênues.*

➧**tenue de ville.** [Fr.] Traje de passeio [q. v.].

▲**tenui-.** [Do lat. *tenuis*, *e.*] *El. comp.* = 'tênue', 'delicado': *tenuifloro, tenuicórneo.*

tenuicórneo (u-i). [De *tenui-* + *-corne-* + *-eo.*] *Adj. Zool.* Que tem antenas ou cornos delgados.

tenuidade (u-i). [Do lat. *tenuitate.*] *S. f.* Qualidade de tênue.

tenuifloro (u-i). [De *tenui-* + *-floro.*] *Adj. Bot.* Que tem flores pequenas.

tenuifoliado (u-i). [De *tenui-* + *foliado.*] *Adj. Bot.* Que tem folhas pequenas.

tenuípede. [De *tenui-* + *-pede.*] *Adj. 2 g. Zool.* Que tem pés pequenos.

tenuipene (u-i). [De *tenui-* + *-pene.*] *Adj. 2 g. Zool.* Que tem penas pequenas.

tenuirrostro (u-i). [De *tenui-* + *-rostro.*] *Adj.* **1.** *Zool.* Que tem bico delgado e comprido. **2.** Pertencente ou relativo aos tenuirrostros. ● *S. m.* **3.** Espécime dos tenuirrostros.

tenuirrostros (u-i). [Pl. de *tenuirrostro.*] *S. m. pl. Zool.* Animais metazoários, cordados, vertebrados, aves passeriformes, de bico longo e delgado, geralmente insetívoros.

tenuta. [Do it. *tenuta.*] *S. f.* **1.** *Mús.* Prolongamento de um som ou de um acorde por tempo mais ou menos indeterminado, e que se obtém pela ligação de notas semelhantes. **2.** *Mús.* Notação expressa por um pequeno traço horizontal ou pela abreviatura *ten*, que, posta sobre ou sob uma ou mais notas musicais, indica que esta ou estas devem ser sustentadas durante todo o tempo dos seus valores. [Abrev., nesta acepç.: *ten.*]

tenuto. [Do it. *tenuto*, 'sustentado'.] *Adj. Mús.* Diz-se do andamento não apressado, sustentado.

▲te(o)-. [Do gr. *teós, oû.*] *El. comp.* = 'Deus', 'divindade': *teomaníaco, teofania* (< gr. *theophánia*); *teísmo*[1].

teobromina. [Do lat. bot. *Theobroma* < *te(o)-* + gr. *brôma*, 'manjar dos deuses', + *-ina*[1].] *S. f. Quím.* Alcalóide cristalino, incolor, venenoso, encontrado no cacau. [Fórm.: $C_7H_8N_4O_2$.]

teocracia. [Do gr. *theokratía.*] *S. f.* **1.** Forma de governo em que a autoridade, emanada dos deuses ou de Deus, é exercida por seus representantes na Terra. **2.** O Estado com essa forma de governo.

teocrata. [De *te(o)-* + *-crata.*] *S. 2 g.* **1.** Pessoa que exerce poder teocrático. **2.** Sectário da teocracia.

teocrático. *Adj.* Relativo à teocracia.

teocratizar. *V. t. d.* Submeter a um poder teocrático.

teodicéia. [Do al. *Theodicee*, < *te(o)-* + gr. *díke*, 'justiça'.] *S. f. Filos.* **1.** Conjunto de doutrinas que procuram justificar a bondade divina, contra os argumentos tirados da existência do mal no mundo, refutando as doutrinas atéias ou dualistas que se apóiam nesses argumentos. **2.** *P. ext.* Parte da filosofia que trata da demonstração racional da existência e natureza de Deus.

teodolito. [Do ingl. *theodolite.*] *S. m.* Instrumento óptico para medir com precisão ângulos horizontais e ângulos verticais, muito usado em trabalhos topográficos e geodésicos. [Cf. *trânsito* (9) e *taqueômetro.*]

teofania. [Do gr. *theophánia.*] *S. f.* Manifestação de Deus em algum lugar, acontecimento ou pessoa: "Quando a ex-mestra tornar-se monja, verá a figura de Samuel em forma de teofania." (Manuel Lobato, *Os Outros São Diferentes*, p. 99.)

teofânico. *Adj.* Relativo à teofania.

teofilina. [Do fr. *théophylline.*] *S. f. Quím.* Alcalóide encontrado no chá, cristalino, incolor, venenoso. [Fórm.: $C_7H_8ON_4$.]

teófilo-otonense. *Adj. 2 g.* **1.** De, ou pertencente ou relativo a Teófilo Otoni (MG). ● *S. 2 g.* **2.** Natural ou habitante de Teófilo Otoni. [Pl.: *teófilo-otonenses.*]

teofobia. [De *te(o)-* + *-fobia.*] *S. f.* Horror a Deus, às coisas divinas.

teofóbico. *Adj.* Referente à teofobia.

teófobo. *S. m.* Aquele que tem teofobia.

teofrastácea. *S. f.* Espécime das teofrastáceas.

teofrastáceas. *S. f. pl. Bot.* Família de plantas superiores, da ordem das primulales, composta de arbustos e árvores de folhas alternas que se agrupam comumente na ponta dos ramos. Flores hermafroditas ou unissexuais; fruto drupáceo ou seco. Existem apenas umas 50 espécies, intertropicais, sem qualquer valor.

teofrastáceo. *Adj.* Pertencente ou relativo às teofrastáceas.

teogonia. [Do gr. *theogonía*, pelo lat. *theogonia.*] *S. f.* **1.** *Filos.* Doutrina mística relativa ao nascimento dos deuses, e que freqüentemente se relaciona com a formação do mundo. **2.** Conjunto de divindades cujo culto forma o sistema religioso dum povo politeísta.

teogônico. *Adj.* Relativo à teogonia.

teogonista. *S. 2 g.* Pessoa versada em teogonia.

teologal. [De *teólogo* + *-al.*] *Adj. 2 g.* Pertencente ou relativo à teologia.

teologastro. *S. m. Deprec.* Teólogo medíocre, de meia-tigela.

teologia. [Do gr. *theología*, 'ciência dos deuses', pelo lat. *theologia.*] *S. f.* **1.** Estudo das questões referentes ao conhecimento da divindade, de seus atributos e relações com o mundo e com os homens, e à verdade religiosa. **2.** *Restr.* O estudo racional dos textos sagrados, dos dogmas e das tradições do cristianismo. **3.** Tratado ou compêndio de teologia (1 e 2). **4.** O conjunto de conhecimentos relativos à teologia (1 e 2), ou que têm implicações com ela, ministrados em cursos ou nas respectivas faculdades. **5.** Os teólogos.

teológico. [Do gr. *theologikós*, pelo lat. *theologicu.*] *Adj.* Relativo à teologia.

teologismo. [De *teologia* + *-ismo.*] *S. m.* Abuso dos princípios teológicos.

teologizar. *V. int.* Discorrer acerca de teologia.

teólogo. [Do gr. *theólogos*, pelo lat. *theologu.*] *S. m.* **1.** Especialista em teologia. **2.** Aquele que estuda teologia ou sobre ela escreve.

teologúmeno. [Do fr. *théologoumène.*] *S. m.* Princípio teológico.

teomancia (cí). [Do gr. *theomanthéia.*] *S. f.* Adivinhação por suposta inspiração divina.

teomania. [Do gr. *theomanía*, 'loucura enviada pelos deuses'.] *S. f.* Espécie de loucura na qual o doente se considera Deus ou inspirado por Deus: "O pai lusitano [de Antero de Quental], Fernando Quental, bravo e inteligente, foi um dos heróis de Mindelo; a mãe escandinava, sentimental e mística até à teomania." (Clementino Fraga, *Reencontros Imaginários*, p. 99.)

teomaníaco. *Adj.* e *s. m.* Que ou aquele que sofre de teomania.

teomante. [Do gr. *theomántis.*] *S. 2 g.* Pessoa que pratica a teomancia.

teomântico. *Adj.* Relativo à teomancia, ou a teomante.

teônimo. [De *te(o)-* + *-ônimo.*] *S. m.* Nome de um deus.

teopsia. [De *te(o)-* + *-op(s)(e)-* + *-ia.*] *S. f.* Aparição súbita de uma divindade.

teor (ô). [Do lat. *tenore*, 'andamento contínuo'.] *S. m.* **1.** Texto ou conteúdo de uma escrita: "Quando terminou a leitura da carta, cujo teor não me era desconhecido, puxou do seio um pequeno lenço bordado e com ele enxugou o canto dos olhos" (Herberto Sales, *Dados Biográficos do Finado Marcelino*, pp. 39-40). **2.** *Fig.* Norma, sistema, regra: *Teremos um novo teor de trabalho.* **3.** *Fig.* Modo, maneira, gênero, qualidade. **4.** Proporção, em um todo, de uma substância determinada.

teorema. [Do gr. *theórema*, 'objeto de atenção, assunto de estudo', pelo lat. *theorema.*] *S. m.* Proposição que, para ser admitida ou se tornar evidente, necessita de demonstração.

teorético. [Do gr. *theoretikós*, pelo lat. *theoreticu.*] *Adj.* Teórico.

teoria. [Do gr. *theoría*, 'ação de contemplar, examinar'; 'estudo'; 'deputação solene que as cidades gregas mandavam às festas dos deuses'; 'festa solene, pompa, procissão', pelo lat. *theoria.*] *S. f.* **1.** Conhecimento especulativo, meramente racional. **2.** Conjunto de princípios fundamentais duma arte ou duma ciência. **3.** Doutrina ou sistema fundado nesses princípios. **4.** Opiniões sistematizadas. **5.** Noções gerais; generalidades: *a teoria do cinema.* **6.** Suposição, hipótese. **7.** Utopia; quimera. **8.** Na Grécia antiga, embaixada sagrada que um Estado enviava para o representar nos grandes jogos esportivos, consultar um oráculo, levar oferendas, etc. **9.** Conjunto de pessoas que marcham processionalmente: "Cântaro alentejano ao ombro, vão teorias de raparigas robustas, caminho da fonte" (Afrânio Peixoto, *Viagens na Minha Terra*, p. 200). **10.** Série, seqüência: "No Amazonas, o poeta [Gonçalves Dias] se reencontra com a poesia. Há de ter influído nesse reencontro a teoria de emoções vividas no seu regresso ao Maranhão." (Josué Montelo, *Estante Giratória*, p. 82.) **11.** *Filos.* Conjunto de conhecimentos não ingênuos que apresentam graus diversos de sistematização e credibilidade, e que se propõem explicar, elucidar, interpretar ou unificar um dado domínio de fenômenos ou de acontecimentos que se oferecem à atividade prática. ♦ **Teoria da ciência.** *Filos.* Epistemologia. **Teoria da comunicação.** Teoria que estabelece os fundamentos científicos da comunicação; possui caráter interdisciplinar e apresenta-se, deste prisma, como a imbricação de diversas áreas de conhecimento (semiologia, teoria da informação, lingüística, sociologia, etc.). **Teoria da forma.** *Filos.* Gestaltismo. **Teoria da informação.** Teoria científica voltada essencialmente para a análise matemática dos problemas relativos à transmissão de sinais [v. *sinal* (22)] no processo de comunicação. **Teoria da literatura.** Conhecimento sistematicamente organizado aplicado à obra literária; análise ou explicação da natureza dela. **Teoria da relatividade.** *Fís.* Teoria muito geral que afirma serem invariantes as leis físicas expressas em referenciais inerciais e não inerciais. **Teoria das idéias.** *Filos.* Doutrina fundamental do platonismo, que consiste em conceber entidades eternas e imutáveis que seriam objeto de conhecimento verdadeiro e de que as coisas do mundo sensível constituíam pálidos reflexos. **Teoria das partículas compostas.** *Cosm.* Teoria segundo a qual ocorre, numa classe de partículas elementares, um aumento do número dessas partículas de massas cada vez maiores. **Teoria de acumulação.** *Cosm.* Teoria segundo a qual os planetesimais supostamente colidem entre si, unem-se e, eventualmente, arrebatam matéria suficiente para formarem os planetas. **Teoria do bigue-bangue.** *Cosm.* Teoria segundo a qual o Universo, em seu estado inicial, se apresentava sob forma bastante condensada e que sofreu violenta explosão. É a teoria atualmente mais aceita para explicar a formação do Universo. [Sin.: *bigue-bangue, grande explosão* e (em ingl.) *big-bang.*] **Teoria do conhecimento.** *Filos.* Estudo do valor e dos limites do conhecimento, e especialmente da relação entre sujeito e objeto; gnosiologia. [Cf. *metodologia* (2) e *epistemologia.*] **Teoria dos quanta.** *Fís.* Teoria que supõe serem descontínuas e discretas as variações de várias grandezas pertinentes aos fenômenos naturais. **Teoria do vórtex.** *Cosm.* Teoria cosmogônica do sistema solar, imaginada por Descartes [v. *cartesianismo*] em 1644, e que supõe que os planetas e o Sol foram formados pela acumulação da matéria que se movia em vórtices. **Teoria econômica.** *Econ.* V. *economia* (3).

teórica. [Fem. substantivado do adj. *teórico.*] *S. f. Ant.* Teoria.

teórico. [Do gr. *theorikós*, pelo lat. *theoricu.*] *Adj.* **1.** Relativo a teoria; teorético. ~ V. *física —a* e *vão —*. ● *S. m.* **2.** Aquele que reconhece cientificamente os princípios, a teoria de uma arte. **3.** *Fam.* Utopista.

teorismo. *S. m.* Gosto ou paixão das teorias.

teorista. [De *teoria* + *-ista.*] *S. 2 g.* Pessoa que, embora conheça os princípios de uma ciência, não a pratica ou não sabe praticá-la.

teorização. *S. f.* Ação ou efeito de teorizar.

teorizador (ô). *Adj.* e *s. m.* Que ou aquele que teoriza.

teorizar. *V. t. d.* **1.** Expor ou explicar por teoria(s); fundamentar com teoria(s). **2.** Reduzir a teorias. **3.** Metodizar, ordenar. *Int.* **4.** Expor teorias. **5.** Tratar um assunto teoricamente.

teose. [Do gr. *théosis.*] *S. f.* Deificação, divinização.

teosebia. [Do gr. *theosébeia.*] *S. f.* Culto consagrado a Deus.

teosinto. [Do náuatle *teoxintli.*] *S. m.* Planta herbácea, da família das gramíneas *(Euchlaena mexicana)*, nativa no México, onde é utilizada como forrageira sob o nome de *teosinte*, e que os cientistas consideram como a forma primitiva do milho, que teria dela provindo mediante longo processo de cultivo e seleção.

teosofia. [Do gr. *theosophía.*] *S. f.* **1.** *Filos.* Conjunto de doutrinas religioso-filosóficas que têm por objeto a união do homem com a divindade, mediante a elevação progressiva do espírito até à iluminação. **2.** *Rel.* Doutrina espiritualista iniciada por Helena Petrovna Blavatsky, mística norte-americana (1831-1891), ligada ao budismo e ao lamaísmo. [Sin., nesta acepç.: *teosofismo.*]

teosófico. *Adj.* Respeitante à teosofia.

teosofismo. [De *teosofia* + *-ismo.*] *S. m.* **1.** Caráter das especulações teosóficas. **2.** Teosofia (2).

teosofista. [De *teosofia* + *-ista.*] *S. 2 g.* Pessoa que segue ou ensina as teorias teosóficas; teósofo.

teósofo. [Do gr. *theósophos.*] *S. m.* Teosofista.

tepacuema. [Do tupi *tipaku'ema.*] *S. f. Bras., AM.* Fenômeno lunar de que provém a parada do fluxo e refluxo das marés, descobrindo trechos do rio por vezes nunca vistos. [Cf. *tipacoema.*]

tépala. [Voc. formado por analogia com *sépala* e *pétala.*] *S. f. Morfol. Veg.* Cada uma das folhas que compõem o perigônio de uma flor em que não há diferenciação em cálice e corola.

tepalino. *Adj. Morfol. Veg.* Relativo ou pertencente à tépala.

tepe. [Do pré-romano **tippe.*] *S. m.* Torrão cuneiforme usado na construção de muralhas.

tepente. [Do lat. *tepente.*] *Adj. 2 g. P. us.* V. *tépido.*

tepidez (ê). *S. f.* **1.** Estado de tépido; tepor. **2.** *Fig.* Tibieza; fraqueza, frouxidão, tepor.

tépido. [Do lat. *tepidu.*] *Adj.* **1.** Que tem pouco calor; morno, tíbio. **2.** *Fig.* Frouxo, fraco. [Sin. ger., p. us.: *tepente.*]

tepor (ô). [Do lat. *tepore.*] *S. m.* V. *tepidez.*

teque. [Do ingl. *tackle.*] *S. m. Marinh.* Aparelho de laborar constituído de dois moitões ligados por um cabo de fibra, a *beta* (ê).

teque-teque. [Voc. onom.] *S. m.* **1.** *Bras., AM* e *PA:* Vendedor ambulante de fazendas e objetos de armarinho; mascate. **2.** *Bras. RJ.* V. *caga-sebo* (1). [Pl.: *teque-teques.*]

tequila. [Do top. *Tequila*, distrito do Estado de Jalisco, México.] *S. f.* Espécie de aguardente mexicana feita da destilação de uma planta da América Central, o *Agave tequilana:* "No lugar da sala de jantar, o bar, um grande balcão alastrado de copos e alguns pares morenos bebericando a sua tequila" (Viana Moog, *Tóia*, p. 49).

ter. [Do lat. *tenere*, 'segurar'.] *V. t. d.* **1.** Ter a posse de; possuir, haver: *Tem muito dinheiro.* **2.** Poder dispor de; poder gozar: *Tem ainda 20 dias de férias.* **3.** Segurar nas mãos ou entre elas. **4.** Trazer consigo; carregar: *Não posso ajudá-lo, porque tenho o bebê no colo.* **5.** Conservar preso ou seguro; não largar; suster; prender; segurar: *Não conseguiu ter por muito tempo a avezinha capturada.* **6.** Manter; conservar; ocupar: *Teve por longos anos um cargo importante.* **7.** Entrar na posse de; receber: *Com a morte do pai* teve *uma grande herança*. **8.** Conseguir, alcançar, obter: *A muito custo chegou a* ter *o lugar de chefe*. **9.** Adquirir, conquistar, atrair, granjear: *Educadíssimo,* teve *de pronto a simpatia geral*. **10.** Encerrar, conter: *O barril* tinha *30 litros de chope*. **11.** Compreender, abranger. **12.** Sofrer ou padecer de: *Esta criança* tem *asma*. **13.** Sentir, sofrer, experimentar (impressão, sensação ou sentimento). **14.** Dirigir, administrar. **15.** Dar à luz; parir: Teve *Márcia um belo filho*. **16.** Dar existência a; gerar, procriar: "Que se casem, tenham numerosos filhos, e Jeová lhes abençoe a prole." (Ciro dos Anjos, *O Amanuense Belmiro*, p. 124.) **17.** Ser composto ou formado de; constar de: *O livro* tem *500 páginas*. **18.** Ser dotado de; possuir: *Esta menina* tem *boa índole*. **19.** Estar na posse de; gozar, desfrutar, fruir: *A criança* tem *boa saúde*. **20.** Acolher, abrigar, hospedar: Tive *-o em casa após a morte dos pais*. **21.** Valer, importar. **22.** Vestir, trajar, trazer: Tinha*, na cerimônia da posse, uma bela toalete*. **23.** Dar provas de; revelar: Teve *perspicácia ao responder à questão*. **24.** Ocupar, exercer: Tenho *o cargo de professor*. **25.** Fazer parar; deter; conter: *Não conseguindo* ter *a cavalgadura, saltou*. **26.** Reprimir, conter, refrear, suster, atalhar: *O médico pediu-lhe que* tivesse *a respiração por segundos*. **27.** Passar por; viver: Teve *maus momentos durante a viagem*. **28.** Ser possuído, dominado ou dirigido por. **29.** Ser freqüentado, visitado por: *A sessão de teatro* tinha *muitos espectadores*. **30.** Seguir, adotar: Tenho *a mesma opinião que você*. **31.** Proceder com; haver-se ou avir-se com: *Pedi-lhe que* tivesse *cautela*. **32.** Seguir; adotar; professar: *Nunca* tivemos *opiniões divergentes*. **33.** Receber (castigo, prêmio, remuneração, etc.): *Trabalhou, e* teve *a recompensa do seu esforço*. **34.** Emitir; pronunciar; dar: *Interrogado,* teve *resposta negativa*. **35.** Mostrar, fazer: Teve *um gesto de recusa*. **36.** Dar por assentado ou certo; admitir, concordar; julgar, supor: Tenho *que a sua prova foi a melhor*; "Léon Séché .... tem que os homens de grande imaginação, como Hugo, Lamartine, Vigny, procedem antes das mães, e os que se assinalam pelo espírito crítico, de análise e raciocínio, ... dependem antes do sangue paterno." (Xavier Marques, *Vida de Castro Alves*, p. 12). *T. d.* e *i.* **37.** Estar interessado ou relacionado; interessar-se: *Que* tem *ele com a tua vida?* **38.** Trazer consigo ou em si: Tinha *a criança ao peito*. **39.** Dedicar, consagrar: "O egípcio não era apenas um embevecido da beleza delicada de sua mulher. Tinha -lhe amor, dava-lhe liberdade, acreditava na sua inteligência" (Carlos Cavalcanti, *História das Artes*, I, p. 39). *Transobj.* **40.** Possuir, haver: "e, na vida que levamos, / só temos certo o perigo." (Cecília Meireles, *Obra Poética*, p. 685). **41.** Deixar ver; apresentar, mostrar: *Horas depois do susto, ainda* tinha *o rosto lívido*. **42.** Reputar, considerar, julgar: "Homero tem por suave a estrídula voz da cigarra, e lhe compara os bons discursos." (Manuel Odorico Mendes, *Ilíada de Homero*, p. 47); *Sempre o* tive *como pessoa de bem*. *Int.* **43.** Ser possuidor de bens, recursos financeiros, etc.: *Diz que é pobre, mas* tem*, ora se* tem*!* **44.** Contar de existência; contar: *A criança* tem *cinco anos*. **45.** Ter certas dimensões: *O salão* tem *50 metros quadrados*. *P.* **46.** Segurar-se, agüentar-se, manter-se: "Estavam de joelhos ambos, o frade e a dama; ele mal se tinha, ela amparava em seus braços .... o amortecido corpo do velho." (Almeida Garrett, *Viagens na Minha Terra*, p. 313); "Luísa mal se podia ter sobre o cavalo" (Franklin Távora, *O Cabeleira*, p. 219). **47.** Considerar-se, reputar-se: Tem-se *por grande homem*. **48.** Conter-se, dominar-se, refrear-se, reprimir-se: *Não conseguindo* ter-se*, agrediu o vizinho*. **49.** Apegar-se, ater-se: Tem-se *muito à família*. **50.** Seguido da prep. *de*, indica necessidade, interesse, obrigação ou dever: Tenho *de ir a São Paulo; Por que* tem *você de sair?* [Tb. se usa seguido de *que*, construção essa considerada, em geral, menos recomendável.] ~ V. *teres*. [Irreg. Pres. ind.: *tenho, tens, tem, temos, tendes, têm*; imperf.: *tinha, tinhas*, etc.; perf.: *tive, tiveste, teve, tivemos, tivestes, tiveram*; m.-q.-perf.: *tivera, tiveras*, etc.; fut. pres.: *terei, terás*, etc.; fut. do pret.: *teria, terias*, etc.; imperat.: *tem, tende*, etc.; pres. subj.: *tenha, tenhas*, etc.; imperf.: *tivesse, tivesses*, etc.; fut.: *tiver, tiveres*, etc.; inf. pess.: *ter, teres* (ê), *ter, termos* (ê), *terdes* (ê), *terem* (ê). Cf. *termos*, pl. do s. m. *termo*; *Termos*, pl. do antr. *Termo*; e *terém*, s. m.] ◆ **Ter com quê.** *Bras. Pop.* Ter dinheiro; ser abastado. **Ter de.** V. *ter* (50). **Ter para si.** Estar convencido de: "Tenho para mim que a poesia de Junqueira Freire não tem em nossa história literária o lugar que merece." (José Lins do Rego, *in Discursos de Posse e Recepção na Academia Brasileira de Letras*, p. 26.) **Ter por onde. 1.** Ter recursos, meios, possibilidades, para (alguma coisa): *Pode gastar à vontade;* tem por onde *pagar*. **2.** Ter motivo ou razão para: Tem por onde *ser orgulhoso*. **Não ter nada a ver.** *Bras.* Não ter valor; não corresponder à realidade: *Os seus argumentos* não têm nada a ver. **Não ter onde cair morto.** Estar em sérias dificuldades financeiras; estar na miséria, não ter um vintém. **Não ter que ver.** *Bras., N.E. Fam.* Ser muitíssimo parecido com: *O pequeno* não tem que ver *o pai*.

▲tera-. Pref. que, anteposto ao nome duma unidade de medida, forma o nome duma unidade derivada 10^{12} vezes maior que a primeira. [Símb.: *T*.]

teracena. *S. f. Ant. Constr. Nav.* Local onde se construíam embarcações e onde havia armazéns para guardar os aprestos a elas destinadas. [F. paral.: *taracena, tarecena, terçana* e *tercena*.]

terafosídeo. *S. m.* **1.** Espécime dos terafosídeos. ● *Adj.* **2.** Pertencente ou relativo a eles.

terafosídeos. *S. m. pl. Zool.* Família de artrópodes, aracnídeos, da ordem dos araneídeos, que compreende aranhas de grande porte, comumente as dos gêneros *Grammostola* e *Acanthoscurria*. Escuras e de pêlos longos, são errantes, vivendo algumas espécies em galerias subterrâneas. Vulgarmente conhecidas como *aranhas-caranguejeiras*.

terafosomorfa. *S. f.* e *adj. Bras.* V. *migalomorfa*.

terafosomorfas. *S. f. pl. Zool. Bras.* V. *migalomorfas*.

teraíra. [Var. de *taraguira*.] *S. m. Bras., MA.* Certo lagarto pequeno.

teralito. [Do gr. *theráo*, 'caçar, procurar com ardor', + *-lito*.] *S. m. Pet.* Rocha intrusiva, caracterizada pela associação de plagioclásio e nefelita, e que tem, ainda, piroxênio como constituinte fêmico.

terapeuta. [Do gr. *therapeutés*.] *S. 2 g.* Aquele que exerce alguma forma de terapêutica e/ou conhece bem as indicações dela.

terapêutica. [Do gr. *therapeutiké*, pelo lat. *therapeutica*.] *S. f.* Parte da medicina que estuda e põe em prática os meios adequados para aliviar ou curar os doentes; terapia. ◆ **Terapêutica ocupacional.** *Psiq.* V. *terapia ocupacional*.

terapêutico. [Do gr. *therapeutikós*.] *Adj.* **1.** Relativo à terapêutica: *método* terapêutico. **2.** Curativo, medicinal: *substância* terapêutica. ~ V. *pneumotórax—, prova —a* e *vacina —a*.

terapia. [Do gr. *therapeía*.] *S. f.* Terapêutica: "A psicologia freudiana foi reduzida a uma terapia de luxo para angústias individuais." (Luís Fernando Veríssimo, *O Popular*, p. 19.) ◆ **Terapia ocupacional.** *Psiq.* Aquela em que se procura desenvolver e aproveitar o interesse do paciente por um determinado trabalho ou ocupação; terapêutica ocupacional, laborterapia, ergoterapia. [Nesta acepç., cf. *praxiterapia*.]

▲-terapia. [Do gr. *therapeía, as*.] *El. comp.* = 'tratamento', 'terapia': *helioterapia, psicoterapia*.

terapista. [Do ingl. *therapist*.] *S. 2 g. Angl.* Terapeuta.

teratia. [De *terat(o)-* + *-ia*.] *S. f.* Monstruosidade, anomalia; teratismo.

teratismo. [De *terat(o)-* + *-ismo*.] *S. m.* V. *teratia*.

▲terat(o)-. [Do gr. *téras, as*.] *El. comp.* = 'monstro', 'monstruosidade': *teratóide, teratogenia*.

teratogenia. [De *terat(o)-* + *-gen(o)-* + *-ia*.] *S. f.* **1.** Produção de monstruosidade. **2.** *Genét.* Produção de malformação congênita.

teratogênico. *Adj.* **1.** Relativo à teratogenia. ● *S. m.* **2.** *Genét.* Agente físico ou químico capaz de provocar a teratogenia.

teratóide. [De *terat(o)-* + *-óide*.] *Adj. 2 g.* Semelhante a monstro.

teratologia. [Do gr. *teratología*, 'narração de coisas maravilhosas'.] *S. f. Patol.* Estudo das monstruosidades.

teratológico. *Adj.* Relativo à teratologia.

teratologista. *S. 2 g.* Especialista em teratologia; teratólogo.

teratólogo. [Do gr. *teratólogos*, 'aquele que narra prodígios'.] *S. m.* Teratologista.

teratoma. [De *terat(o)-* + *-oma*.] *S. m. Patol.* Tumor constituído de tecidos diferentes, nenhum dos quais se origina na área em que ele ocorre.

teratopagia. *S. f.* Qualidade ou estado de teratópago. [Cf. *xifopagia*.]

teratopágico. *Adj.* Relativo à teratopagia.

teratópago. [De *terat(o)-* + *-pago*.] *Adj.* e *s. m. Ter.* Diz-se de, ou monstro duplo. [Cf. *xifópago*.]

teratoscopia. [Do gr. *teratoskopía*, 'observação dos presságios'.] *S. f.* **1.** Adivinhação antiga, fundada na observação dos fenômenos que se julgavam prodigiosos. **2.** Adivinhação por meio das monstruosidades físicas humanas ou animais.

teratoscópico. *Adj.* Relativo à teratoscopia.

térbio. [Do top. *Ytterby*, Suécia, + *-io*[2], com aférese.] *S. m. Quím.* Elemento de número atômico 65, metálico, pertencente ao grupo dos lantanídeos. [Símb.: *Tb*.]

terça[1] (ê). [Fem. de *terço*.] *Num. (f.)* **1.** V. *terço* (1 e 2). ● *S. f.* **2.** A terça parte de um todo; terceira. **3.** *Bras.* Parceria agrícola [q. v.] em que o parceiro proprietário das terras custeia o cultivo e recebe dois terços da colheita, cabendo ao parceiro trabalhador a terça parte dela. **4.** Na liturgia católica, hora canônica [v. *horas canônicas* (1)] subseqüente à prima[2] (1) e correspondente às 9 da manhã; tércia. **5.** Peça de madeira que se sobpõe aos caibros a fim de que não se verguem: "Se mestre Reginaldo, o carapina, não estivesse pelas fazendas, ... assentando terças e cumeeiras... a ele tocaria fazer aquela obra de arte." (Nélson de Faria, *Tiziu e Outras Estórias*, p. 137.) **6.** *Mús.* Terceira (6). **7.** *Tip.* Prova que, nas oficinas de jornais, se tira antes de mandar uma página para a calandra ou a máquina, para verificação final das emendas. **8.** *Bras., CE.* Certa medida de líquidos. [Pl: *terças* (ê). Cf. *terça* e *terças*, do v. *terçar*, e *tersa, tersas*, flex. de *terso*.]

terça[2] (ê). *S. f.* F. red. de *terça-feira*. [Pl.: *terças* (ê). Cf. *terça* e *terças*, do v. *terçar*, e *tersa, tersas*, flex. de *terso*.]

terçã. [Do lat. *tertiana*.] *Adj. (f.)* e *s. f.* ~ V. *febre —*.

terçado. [Substantivação de *terçado*, part. de *terçar*.] *S. m.* **1.** Espada de folha curta; sabre: "os terçados dos sargentos dos voluntários da Carta e do batalhão do Algarve ficaram na bainha." (Bulhão Pato, *Memórias*, I, p. 99). **2.** *Bras.* Facão grande: "vinham armados de espingardas, terçados, chuços e espadas." (Inglês de Sousa, *Contos Amazônicos*, p. 232). ● *Adj.* **3.** Que se terçou. ~ V. *cal —a*.

terçador (ô). *Adj.* e *s. m.* Que ou aquele que terça, pugna em favor de alguém.

terça-feira. [De *terça*[1] + *feira*.] *S. f.* O terceiro dia da semana que principia no domingo. [F. red.: *terça*[2]. Pl.: *terças-feiras*.] ◆ **Terça-feira gorda.** O último dia do carnaval.

terçana. *S. f.* V. *teracena*.

terção. *S. m.* Rebento da cepa que não se cortou na ocasião da poda.

terçar. [De *terço* + *-ar*[2].] *V. t. d.* **1.** Misturar (três coisas): terçar *farinha, leite e ovos*. **2.** Dividir em três partes: terçar *os bens*. **4.** Pôr em diagonal, de través (a lança ou a espada). **5.** Amassar (a cal) com água e areia. *T. i.* **6.** Intervir a favor de alguém; interceder: Terçou *pelo amigo preso*. **7.** Lutar a favor; pugnar em defesa: Terçou *com veemência pela doutrina do mestre*. [Conjug.: v. *laçar*. Pres. ind.: *terço, terças, terça*, etc. Cf. *terço* (ê), num. e s. m.; *terça* (ê), fem. do num. *terço* (ê) e s. f., pl. *terças* (ê); *terso*, adj., e flex. *tersa, tersas*.]

terceira. [Fem. substantivado do num. *terceiro*.] *Num. (f.)* **1.** Fem. de *terceiro* (1). ● *S. f.* **2.** Terça[1] (2). **3.** Mulher que intercede; medianeira, intercessora, alcoviteira. **4.** A terceira classe em navios, trens, etc.: *passageiros da* terceira. **5.** *Autom.* Terceira marcha [q. v.]. **6.** *Mús.* Intervalo de três graus conjuntos na escala diatônica; terça. ◆ **Terceira proporcional.** *Arit.* Numa proporção com os meios iguais, a terceira grandeza.

terceiranista. [De *terceiro* + *ano*[1] + *-ista*.] *S. 2 g.* Estudante do terceiro ano de um curso ou de qualquer faculdade.

terceiro. [Do lat. *tertiariu*.] *Num.* **1.** Ordinal equivalente a três. [Sin. (p. us.): *terço*.] ~ V. *ordem —a, —a dentição, —a força, —a infância, —a marcha, — estado, — mundo, — Reich* e *— sexo*. ● *S. m.* **2.** Aquele ou aquilo que ocupa o terceiro lugar. **3.** Intercessor, alcoviteiro. **4.** *Bras.* Parceiro trabalhador, na parceria agrícola à terça. **5.** *Jur.* Pessoa estranha a uma relação ou ordenação jurídica. **6.** *Jur.* Pessoa que, sem ser autor nem réu, intervém legitimamente em demanda alheia. ~ V. *terceiros*.

terceiro-mundista. *Adj. 2 g.* **1.** De, ou pertencente ou relativo ao Terceiro Mundo [q. v.] ● *S. 2 g.* **2.** Natural ou habitante do Terceiro Mundo. [Pl.: *terceiro-mundistas*.]

terceiros. [Pl. de *terceiro*.] *S. m. pl.* **1.** Os outros: *Mantém-se vigilante na presença de* terceiros. **2.** *Rel.* Membros da confraria de uma ordem terceira [q. v.]. ~ V. *terceiro*.

terceiro-sargento. *S. m.* **1.** V. *hierarquia militar*. **2.** Praça que detém a graduação de terceiro-sargento. [Tb. se diz, no Brasil, apenas *sargento* (v. *sargento*[1] [2]). Pl.: *terceiros-sargentos*.]

tercena. *S. f.* V. *teracena*.

tercenário. [De *terça*[1].] *S. m.* **1.** Aquele que recebe a terça parte de uma herança. **2.** Beneficiado eclesiástico que tinha a terça parte da prebenda de um cônego: "diversos arcediagos, ... um arcipreste, muitos cônegos e vários tercenários" (Antero de Figueiredo, *Jornadas em Portugal*, p. 188).

tercetar. *V. int. P. us.* Fazer tercetos. [Pres. ind.: *terceto*, etc. Cf. *terceto* (ê).]

terceto (ê). [Do it. *terzetto.*] *S. m.* **1.** Estrofe de três versos. **2.** *Mús.* Composição para três vozes. [Nesta acepç., cf. *trio*[1] (1).] **3.** *Mús.* Conjunto de três vozes. [Pl.: *tercetos* (ê). Cf. *terceto*, do v. *tercetar.*]

tércia. [Do lat. *tertia*, i. e., *hora tertia*, 'a terceira hora'.] *S. f.* Terça[1] (4).

terciado. [Do lat. *tertia*, i. e., *pars tertia*, 'a terça parte', + *-ado*[2].] *Adj. Heráld.* Dividido em três seções (escudo).

terciarão. [Do fr. *tierceron.*] *S. m. Arquit.* Arcos cujas extremidades partem dos ângulos de uma abóbada ogival.

terciário. [Do lat. *tertiariu.*] *Adj.* Que está ou vem em terceiro lugar ou ordem. **2.** *Med.* Diz-se dos efeitos posteriores que se seguem imediatamente a certas afecções orgânicas. ~ V. *carbono —, era —a, período —* e *rêmiges —as.* ● *S. m.* **3.** Membro de uma ordem terceira. **4.** *Geol.* Período terciário. **5.** *Geol. Obsol.* Era cenozóica.

tercil. [De *terço* + *-il.*] *S. m. Estat.* Qualquer das separatrizes que dividem a área de uma distribuição de freqüência em domínios de áreas iguais a múltiplos inteiros de um terço da área total.

tércio. [Do lat. *tertiu.*] *Ant. Num.* Terceiro (1).

tércio-décimo. [De *tércio* + *décimo.*] *Num.* Trezeno. [Pl.: *tércio-décimos.*]

tercionário. *Adj. e s. m.* Que ou aquele que tem terças.

terciopelo (ê). [Do esp. *terciopelo.*] *S. m.* Veludo de pêlos muito juntos: "O caixão .... vai posto sobre duas azêmolas a par, ... cobertas com gualdrapas de terciopelo vermelho." (Antero de Figueiredo, *Toledo*, p. 167.)

terciopeludo. [De *terciopelo* + *-udo.*] *Adj.* Que tem muito pêlo.

terço (ê). [Do lat. *tertiu.*] *Num.* **1.** *P. us.* Terceiro (1). [No fem. é empregado em *terça-feira.*] **2.** Fracionário correspondente a três: *a terça parte.* *S. m.* **3.** A terça parte de qualquer coisa. **4.** A terça parte do rosário (1). **5.** A terça parte de um fuste (3). **6.** Antigo corpo de tropas; regimento. **7.** *Marinh.* Parte da verga eqüidistante dos extremos. **8.** *Bras., RS.* Surrão de couro. [Pl.: *terços* (ê). Cf. *terço*, do v. *terçar*, e *terso*, adj., pl. *tersos.*]

terçó. [Do lat. *tertiolu*, dim. de *tertiu*, 'terceiro'.] *S. m. Bras., RS.* O filho mais novo.

terçol. *S. m. Med.* Pequeno abscesso na borda das pálpebras; hordéolo. [Pl.: *terçóis.* Cf. *tersol.*]

terebintáceo. *Adj.* Referente ou semelhante ao terebinto.

terebinteno. [De *terebinto* + *-eno.*] *S. m.* Substância orgânica que é a parte mais importante da essência da terebintina.

terebintina. [De *terebint(o)* + *-ina*[1].] *S. f.* **1.** Designação comum às resinas extraídas de coníferas e de plantas da ordem *Terebinthales.* **2.** *Bras. Pop.* V. *cachaça* (1).

terebintina-de-veneza. *S. f.* Terebintina produzida por algumas espécies de lariço. [Pl.: *terebintinas-de-veneza.*]

terebintinado. [Part. de *terebintinar.*] *Adj.* Preparado ou misturado com terebintina.

terebintinar. *V. t. d.* Preparar ou misturar com terebintina.

terebinto. [Do gr. *terébinthos*, pelo lat. *terebinthu.*] *S. m.* Arvoreta da família das anacardiáceas *(Pistacia terebinthus)*, nativa da região mediterrânea, de folhas decíduas, com nove a 13 folíolos mucronados, flores pequenas, unissexuais e apétalas, arrumadas em panículas, e cujo fruto é uma drupa minuta, orbicular-achatada, negro-purpúrea e engelhada. Exsuda, mediante incisão, uma goma transparente e aromática.

térebra. [Do lat. *terebra*, 'verruma'.] *S. f.* **1.** Máquina de guerra com que os antigos romanos perfuravam muralhas. **2.** Ovipositor em forma de sabre. [Cf. *terebra*, do v. *terebrar.*]

terebrante. [Do lat. *terebrante.*] *Adj. 2 g.* **1.** Que terebra. **2.** Pertencente ou relativo aos terebrantes. ~ V. *dor —* ● *S. m.* **3.** Espécime dos terebrantes.

terebrantes. *S. m. pl. Zool.* **1.** Insetos da ordem dos himenópteros, de abdome séssil e ovipositor com valvífero. **2.** Designação dos tisanópteros da subordem *Terebrantia*, cujas fêmeas têm um ovopositor saciforme para depositar seus ovos na epiderme das plantas.

terebrar. [Do lat. *terebrare.*] *V. t. d.* **1.** Furar com verruma. **2.** *P. ext.* Furar, perfurar. [Pres. ind.: *terebro, terebras, terebra*, etc. Cf. *térebra.*]

terecai. [Do caraíba *tore'kai.*] *S. f. Bras.* V. *tracajá.*

teredinídeo. *S. m.* **1.** Espécime dos teredinídeos. ● *Adj.* **2.** Pertencente ou relativo a eles.

teredinídeos. *S. m. pl. Zool.* Família de moluscos da classe dos lamelibrânquios, de concha reduzida, mas de bordos muito cortantes. Destroem a madeira, nutrindo-se da celulose.

teredo. [Do gr. *teredóu*, pelo lat. *teredo.*] *S. m. Bras.* Molusco bivalve, da família dos teredinídeos, gênero *Teredo* L., do qual se conhecem três espécies em nosso país. Têm aspecto vermiforme, e numa das extremidades duas pequenas valvas com sulcos providos de dentes. Com eles, em movimento rotatório, cava galerias em madeira submersa, com a qual se alimenta, causando prejuízos de monta às embarcações de madeira, embarcadouros e cais. [Sin.: *gusano, busano, turu, ubiraçoca.*]

terém. [De *trem*, com suarabácti.] *S. m. Bras. Gír.* V. *treco.* [Cf. *terem* (ê), do v. *ter.*] ~ V. *teréns.*

teremembé. *Bras. S. 2 g.* **1.** Indivíduo dos teremembés, tribo indígena cariri do litoral do N. ● *Adj. 2 g.* **2.** Pertencente ou relativo a essa tribo. [Cf. *tremembé.*]

teremim. *S. m.* Instrumento musical eletromagnético, de natureza monofônica, inventado recentemente pelo russo Leon Theremin (1896-—), e cujos sons, em portamento constante, são obtidos por movimentos da mão, que se aproxima ou se afasta do instrumento. Ao aproximar-se a mão, os sons se tornam mais agudos; ao afastar-se, mais graves. O teremim, cujo âmbito abrange mais ou menos seis oitavas, emite os mais variados timbres, desde a voz humana até diversos instrumentos comuns, e traduz todas as intensidades e todas as gradações sonoras que existem dentro do intervalo de semitom.

terém-terém. [Do tupi *te'rẽ te'rẽ*, voc. onom.] *S. m. Bras.* V. *quero-quero.* [Pl.: *terém-teréns.*]

terena. *S. 2 g. e adj. 2 g. Bras.* Tereno[2].

terenense. *Adj. 2 g. e s. 2 g.* Tereno[3].

tereno[1]. *S. m. Bras.* Gaturamo-rei.

tereno[2]. *S. m. Bras.* Indivíduo dos terenos, tribo indígena aruaque do S. de MT. ● *Adj.* Pertencente ou relativo a essa tribo. [F. paral.: *terena.*]

tereno[3]. *Adj.* **1.** De, ou pertencente ou relativo a Terenos (MS). ● *S. m.* **2.** O natural ou habitante de Terenos. [Sin. ger.: *terenense.*]

teréns. [De *trens*, pl. de *trem*, com suarabácti.] *S. m. pl. Bras., N.E.* Objetos de uso doméstico; trastes, móveis, trens: "vendeu o que tinha, comprou uma égua para ajudar o jumentinho a transportar os teréns com umas criações que iria comendo pelo caminho com a família." (Francisco Julião, *Cachaça*, pp. 46-47). ~ V. *terém.*

tereré. [De or. guarani?] *S. m.* **1.** *Bras. S.* e *MT.* Refresco de mate, sorvido com bombilha, e que se distingue do chimarrão por ter água fria em vez de água quente. **2.** *Bras. Pop.* Conversa, papo, que se tem durante a merenda, entre os dois turnos de serviço.

terereca. [Do tupi *tere'reka*, supino de *tere'reg*, 'bater os dentes'; voc. onom.] *Adj. 2 g. Bras.* **1.** Falador, palrador, tagarela. **2.** Buliçoso, inquieto. **3.** Que se agita muito e pouco faz. **4.** Inconstante, volúvel. **5.** *Bras., SP.* Diz-se do pião que, tendo a ponta rombuda, gira saltando. ● *S. 2 g.* **6.** *Bras.* Pessoa terereca.

teres (ê). [De *ter.*] *S. m. pl.* Posses, bens, haveres: "Era D. Grácia uma dama nobre em tudo, poderosa de teres e com dotes de inteligência e de coração" (Aquilino Ribeiro, *Portugueses das Sete Partidas*, p. 238). ~ V. *ter.*

teresense. *Adj. 2 g.* **1.** De, ou pertencente ou relativo a Santa Teresa (ES). ● *S. 2 g.* **2.** Natural ou habitante de Santa Teresa.

teresinense. *Adj. 2 g.* **1.** De, ou pertencente ou relativo a Teresina, capital do PI. ● *S. 2 g.* **2.** Natural ou habitante de Teresina.

teresopolitano. *Adj.* **1.** De, ou pertencente ou relativo a Teresópolis (RJ). ● *S. m.* **2.** O natural ou habitante de Teresópolis.

teretere. [Do tupi *te'rẽ*, 'revirado'.] *S. m. Bras., N.* e *MG.* Terra lodosa e fofa; solo pantanoso; atoleiro: "evitam — porque as conheciam de outras jornadas — nascentes das fraldas dos morros, que são teretere traiçoeiro." (Nélson de Faria, *Tiziu e Outras Estórias*, p. 207).

▲**tereti-.** [Do lat. *teres, etis.*] *El. comp.* = 'cilíndrico', 'redondo'; 'delicado', 'delgado': *tereticaule, teretifoliado, teretirrostro.*

tereticaude. [De *tereti-* + *-caude.*] *Adj. 2 g. Zool.* Que tem cauda cilíndrica e delgada.

tereticaule. [De *tereti-* + *caule.*] *Adj. 2 g. Bot.* Que tem caule cilíndrico e delgado.

tereticolo. [De *tereti-* + *-colo.*] *Adj. Zool.* Que tem pescoço delgado.

teretifoliado. [De *tereti-* + *foliado.*] *Adj. Bot.* Que tem folhas de seção circular.

teretiforme. [De *tereti-* + *-forme.*] *Adj. 2 g.* V. *cilíndrico.*

teretirrostro. [De *tereti-* + *-rostro.*] *Adj. Zool.* Que tem bico delgado.

teréu-teréu. [Voc. onom.] *S. m. Bras.* V. *quero-quero.* [Pl.: *teréu-teréus.*]

tergal[1]. [Do fr. *tergal*, marca registrada.] *S. m.* Certo tecido (4) de fibra sintética.

tergal[2]. [Do lat. *tergu*, 'costas', + *-al.*] *Adj. 2 g. Anat.* Relativo à região dorsal.

tergeminado. [De *tergêmino* + *-ado*[1].] *Adj. Morfol. Veg.* Triplicado (falando-se das folhas).

tergêmino. [Do lat. *tergeminu.*] *Adj.* **1.** Tríplice, triplo. **2.** Trigêmeo (3).

tergito. [Do lat. *tergu*, 'costas, dorso', + *-ito*[2], por analogia.] *S. m. Zool.* Placa dorsal dos segmentos do corpo dos artrópodes.

tergiversação. [Do lat. *tergiversatione.*] *S. f.* **1.** Ato ou efeito de tergiversar. **2.** Rodeio, subterfúgio, evasiva.

tergiversador (ô). [Do lat. *tergiversatore.*] *Adj.* **1.** Que tergiversa; tergiversante. ● *S. m.* **2.** Aquele que tergiversa.

tergiversante. [Do lat. *tergiversante.*] *Adj. 2 g.* Tergiversador (1).

tergiversar. [Do lat. **tergiversare*, por *tergiversari*, 'virar as costas'.] *V. int.* **1.** Voltar as costas: "A ema, ... uma vez surpreendida no caminho, não tergiversa; galopa à frente, com velocidade superior à do automóvel." (Xavier Marques, *Terras Mortas*, p. 177.) **2.** Procurar rodeios, evasivas; usar de subterfúgios: "Apertado, tergiversou e acabou escusando-se com a razão de não poder por si só deliberar em matéria tão importante." (Id., *As Voltas da Estrada*, p. 186.)

tergiversável. *Adj. 2 g.* Capaz de tergiversar.

tergo. [Do lat. *tergu.*] *S. m.* O dorso; as costas.

teriacal. *Adj. 2 g.* **1.** Relativo à teriaga. **2.** Que tem a virtude da teriaga.

teriaga. [Do gr. *theriaké*, atr. do lat. *theriaca.*] *S. f.* **1.** Medicamento de composição complicada, que os antigos empregavam contra a mordida de qualquer animal venenoso. **2.** Remédio caseiro. **3.** Coisa de sabor amargo. [Var.: *triaga.*]

terídídeo. *S. m.* **1.** Espécime dos terídídeos. ● *Adj.* **2.** Pertencente ou relativo a eles.

terídídeos. *S. m. pl. Zool.* Grupo de peixes da família dos ofidídeos, ordem dos percomorfos, que habitam os oceanos, em profundidade média.

teringoá. [Do tupi *terĩgo'a.*] *S. f. Bras.* Espécie de abelha silvestre.

tério. *S. m.* **1.** Espécime dos térios. ● *Adj.* **2.** Pertencente ou relativo a eles.

▲**tério-.** Equiv. de *-tério*[1].

▲**-tério**[1]. [Do gr. *theríon, ou.*] *El. comp.* = 'animal', 'animal selvagem': *prototério.* [Equiv.: *tério-: teriomórfico.*]

▲**-tério**[2]. [Do gr. *térion.*] *El. comp.* = 'lugar onde': *necrotério.*

teriomórfico. [De *tério-* + *-morf(o)-* + *-ico*[2].] *Adj.* Que tem forma de animal.

térios. *S. m. pl. Zool.* Mamíferos da subclasse *Theria*, ou placentários ou não, mas vivíparos. São os marsupiais e demais mamíferos, à exceção dos prototérios.

terma. [Do lat. *therma.*] *S. f. P. us.* Termas [q. v.].

termal. [De *term(o)-* + *-al.*] *Adj. 2 g.* **1.** *P. us.* Quente, ou relativo ao calor. **2.** Relativo a termas (2 e 3): *estação termal.* [Sin. ger.: *térmico.*] ~ V. *água —.*

termalidade. *S. f.* Qualidade ou natureza das águas termais.

termalização. [De um **termalizar* (de *termal* + *-izar*), + *-ção.*] *S. f. Fís. Nucl.* Redução da energia de nêutrons, por meio de um moderador apropriado, para que fiquem em equilíbrio térmico com o meio onde se encontram.

termântico. [Do gr. *thermantikós*, pelo lat. *thermanticu.*] *Adj.* **1.** Que produz calor. **2.** Excitador, excitante.

termas. [Do gr. *thérmai*, pelo lat. *thermas.*] *S. f. pl.* **1.** Na Roma antiga, estabelecimento público de banhos. **2.** Estabelecimento para uso terapêutico de águas medicinais, especialmente termais. **3.** V. *balneário* (3). [Sin. ger.: *terma.*]

termelétrica. [Fem. de *termelétrico.*] *Adj. (f.)* **1.** Diz-se de usina ou planta geradora de energia elétrica em que a fonte primária de energia é uma fonte térmica. ● *S. f.* **2.**

Usina termelétrica.
termeletricidade. [De *term(o)-* + *eletricidade*.] *S. f.* **1.** *Fís.* Designação comum aos fenômenos em que estão associadas diferenças de temperatura e diferenças de potenciais elétricos. **2.** Eletricidade gerada por máquinas térmicas.
termelétrico. [De *term(o)-* + *elétrico*.] *Adj.* Relativo à termeletricidade. ~ V. *usina —a*.
termeletromotriz. [De *term(o)-* + *-ele(c)tr(o)-* + *motriz*.] *Adj. (f.)* Relativo à termeletricidade. ~ V. *força —*.
termelétron. [De *term(o)-* + *elétron*.] *S. m. Fís.* Elétron emitido por um corpo aquecido.
termestável. [De *term(o)-* + *estável*.] *Adj. 2 g. Quím.* Diz-se de macropolímeros que não amolecem pela ação do calor; termorrígido.
termestesia. [De *term(o)-* + *-estes(i)-* + *-ia*.] *S. f. Med.* Capacidade que tem o corpo de reconhecer variações de temperatura.
termia. [De *term(o)-* + *-ia*.] *S. f. Fís.* Unidade de medida de calor, igual à quantidade de calor necessária para aquecer de 14,5ºC a 15,5ºC uma tonelada de água, e que vale 4,1855 x 10^6J. [Símb.: *th*.]
termiatria. [De *term(o)-* + *-iatria*.] *S. f.* Parte da terapêutica que trata das águas termais.
termiátrico. *Adj.* Relativo à termiatria.
térmico. [De *term(o)-* + *-ico*[2].] *Adj.* **1.** Relativo ao calor; termal. **2.** Que conserva o calor: *garrafa térmica*. **3.** V. *termal*. ~ V. *amplitude —a, análise —a, condutividade —a, energia —a, equilíbrio —, fonte —a, garrafa —a, máquina —a, morte —a, motor —, nêutron —, radioemissão —a, reator —* e *ruído —*.
termidor (ô). [Do fr. *thermidor*.] *S. m. Cronol.* V. *calendário republicano*.
termidoriano. [Do fr. *thermidorien*.] *Adj.* **1.** Relativo aos fatos de 9 do termidor do ano II da Revolução Francesa. • *S. m.* **2.** Cada um dos instigadores e autores do golpe político de 9 do termidor.
terminação. [Do lat. *terminatione*.] *S. f.* **1.** Ato ou efeito de terminar(-se); fim, conclusão, remate. **2.** Limite, extremidade. **3.** Parte final de uma palavra. ♦ **Terminação falsa.** V. *enjambement*.
terminadoiro. [De *terminar* + *-(d)oiro*[1].] *S. m. Astr.* Terminadouro.
terminadouro. [De *terminar* + *-(d)ouro*[1], var. de *terminadoiro*.] *S. m. Astr.* Círculo máximo que, num planeta ou num satélite, separa o hemisfério iluminado do hemisfério escuro, e cujo plano é perpendicular à reta que liga o centro do Sol ao centro do astro considerado; círculo de iluminação.
terminal. [Do lat. *terminale*.] *Adj. 2 g.* **1.** Relativo ao termo ou remate. **2.** Referente à demarcação dos campos. **3.** Diz-se da parte de algo que ou termina ou remata: *inflorescência terminal*. ~ V. *bacia —, doença —, doente —* e *fase —*. • *S. m.* **4.** A parte que termina; extremidade; fim: *o terminal de estrada de ferro*. **5.** *Eletr.* Dispositivo com que se pode conectar fácil e rapidamente um circuito a outro, ou um componente a um circuito. **6.** Dispositivo conectado a um sistema de computador através de um canal de comunicação e que transmite e/ou recebe informações. **7.** Ponto de uma rede [q. v.] de teleprocessamento [q. v.] por onde dados podem entrar e/ou sair. • *S. m.* e *f.* **8.** Ponto onde terminam ou para onde convergem os ramais ou linhas de uma rede (8): *terminal ferroviário; terminal rodoviário*. ♦ **Terminal marítimo.** *Mar. Merc.* Instalação própria para atracação e descarregamento ou carregamento de grandes navios petroleiros ou graneleiros.
terminália. [Do lat. *terminale*, 'terminal', + *-ia*.] *S. f.* **1.** V. *amendoeira-da-praia*. **2.** *Zool.* Conjunto de segmentos posteriores do abdome dos insetos, modificados para formar os segmentos genitais.
terminal-impressor. *S. m.* Terminal (5) [q. v.] que exibe a informação sob forma de caracteres impressos, podendo ou não ter teclado. É utilizado como dispositivo de entrada e/ou saída de informação. [Pl.: *terminais-impressores*.]
terminal-remoto. *S. m.* Terminal (5) [q. v.] conectado a um sistema de computador, o qual está em uma instalação distante do mesmo, acarretando a utilização de canais de telecomunicação. [Pl.: *terminais-remotos*.]
terminal-vídeo. *S. m.* Terminal (5) [q. v] com dispositivo de tela [q. v.] para exibição da informação e geralmente com teclado. É utilizado como dispositivo de entrada e/ou saída de informação. [Pl.: *terminais-vídeos*.]
terminante. [Do lat. *terminante*.] *Adj. 2 g.* **1.** Que termina; terminativo. **2.** Categórico, decisivo: "Tomou-se de coragem, e concluiu com voz avolumada, cortando-o ar com gesto *terminante*: — A isto vimos nós cá." (Antero de Figueiredo, *Leonor Teles*, p. 86.)
terminar. [Do lat. *terminare*.] *V. t. d.* **1.** Pôr termo a; acabar, findar, concluir: *O professor terminou a aula indicando a bibliografia*. **2.** Demarcar, delimitar, delinear; determinar: *terminar um terreno*. **3.** Ocupar a extremidade de: *A praça termina a avenida*. *T. i.* **4.** Ter certa desinência (o vocábulo): *Os verbos que terminam em er pertencem à segunda conjugação*. *Int.* **5.** Chegar ao seu termo; findar, acabar; terminar-se: *O ano terminou*. *P.* **6.** Terminar (5): *O passeio terminou-se*. **7.** Encontrar a demarcação em alguma coisa: *Aquele estado termina-se, ao S., do mar*. [Pres. ind.: *termino*, etc. Cf. *término*.] ♦ **Terminar com.** Ter (alguma coisa) por limite.
terminativo. *Adj.* **1.** Que faz terminar. **2.** Terminante (1). ~ V. *complemento —*.
terminismo. [Do lat. *terminu*, 'termo', + *-ismo*.] *S. f. Filos.* **1.** Nominalismo. **2.** No occamismo [q. v.], doutrina segundo a qual a ciência concerne aos seres singulares, uma vez que os termos [v. *termo* (14 e 15)] representam os próprios indivíduos.
término. [Do lat. *terminu*.] *S. m.* **1.** Fim, termo. **2.** Baliza, limite. [Cf. *termino*, do v. *terminar*.]
terminologia. [Do lat. *terminu*, 'termo', + *-log(o)-* + *-ia*.] *S. f.* **1.** Conjunto dos termos [v. *termo* (5)] próprios duma arte ou duma ciência; nomenclatura. **2.** Tratado acerca desses termos. **3.** Emprego de palavras peculiares a um escritor, a uma região, etc. **4.** Estudo da identificação e delimitação de conceitos peculiares a qualquer ciência, profissão, arte, ofício, etc., e da designação de cada um deles por um certo termo.
terminológico. *Adj.* Relativo à terminologia.
termíon. [De *term(o)-* + *íon*.] *S. m. Fís.* Íon emitido por um corpo aquecido.
termistor (ô). [De *term(o)-* + o final de *resistor*.] *S. m. Fís.* Resistor cuja resistência decresce fortemente com a elevação de temperatura, e que é, em regra, constituído por um semicondutor.
termita. [De *term(o)-* + *-ita*[3].] *S. f. Quím.* Agente incendiário constituído pela mistura íntima de magnésio (ou alumínio) e óxido de ferro finamente pulverizados. [Pl.: *termitas*. Cf. *térmita* e *térmitas*.]
térmita. [Var. de *térmite*.] *S. f. Bras.* **1.** V. *cupim* (1). • *S. m.* **2.** Isóptero • *Adj.* **3.** Isóptero. [Cf. *termita*.]
térmitas. *S. m. pl. Zool.* Isópteros. [Cf. *termitas*, pl. de *termita*.]
térmite. [Do lat. tardio *termite* < lat. *tarmite*, 'verme'.] *S. f.* V. *cupim* (1).
termo. [Do gr. *thérme*, 'calor'.] *S. m.* Garrafa térmica. [Pl.: *termos*. Cf. *termo* (ê), s. m., e *termos* (ê), do v. *ter* e pl. de *termo* (ê).]
▲**term(o)-.** [Do gr. *thérme*, es.] *El. comp.* = 'calor'; 'temperatura': *termogenia, termômetro; térmico, termeletricidade*. [Equiv.: *-termo*: *megatermo*.]
▲**-termo.** Equiv. de *term(o)-*.
termo (ê). [Do lat. *terminu*, atr. do arc. *termio*.] *S. m.* **1.** Limite, em relação ao tempo e ao espaço; fim: "Deixava atrás o poço, e seguia até uma das hortas do vale, *termo* habitual dos meus passeios." (Conde de Ficalho, *Uma Eleição Perdida*, p. 227); "Pensam que a morte hão de encontrar bem antes / Do *termo* deste itinerário infindo..." (Vicente de Carvalho, *Poemas e Canções*, p. 59). **2.** Marco, baliza. **3.** Tempo determinado; prazo. **4.** Extensão, espaço. **5.** V. *vocábulo*: *Não empregue termos chulos*. **6.** Declaração exarada em processo. **7.** Maneira, forma, teor. **8.** Adjacência, circunvizinhança. **9.** Fronteiras, raias, confins. **10.** *Jur.* Peça em que se formaliza determinado ato processual. **11.** *Jur.* Limite do prazo. **12.** *Jur.* Dia em que principia ou em que se extingue a eficácia de um negócio jurídico. **13.** *Jur.* Nalguns estados brasileiros, subdivisão da comarca, sob a jurisdição dum juiz ou dum pretor. **14.** *Filos.* Expressão verbal de um conceito. **15.** *Filos.* Um dos elementos simples (ou assim considerado), entre os quais se estabelece uma relação lógica, como, p. ex., no silogismo, o *termo maior*, o *termo médio* e o *termo menor*. **16.** *Fís.* Símbolo do nível de energia ou do estado, de um átomo ou molécula. **17.** *Gram.* Elemento de oração. **18.** *Mat.* Qualquer elemento constitutivo de uma expressão. **19.** Vocábulo ou locução que denomina conceito, prévia e rigorosamente definido, peculiar a uma ciência, arte, profissão, ofício. [Pl.: *termos* (ê). Cf. *termo*, pl. *termos*, e *Termo*, antr.] ~ V. *termos* (ê). ♦ **Termo de impressão.** Designação comum às referências habitualmente constantes do colofão [q. v.] para abranger os casos em que são postas no princípio do livro (em geral no verso da folha de rosto). **Termo espectral.** *Fís.* Numa série espectral, cada uma das parcelas que definem as respectivas raias. **Termo maior.** *Lóg.* No silogismo categórico, o termo que serve de predicado à conclusão. **Termo médio.** *Lóg.* Num silogismo, o termo que é comum à premissa maior e à premissa menor, e que é eliminado na conclusão. **Termo menor.** *Lóg.* No silogismo categórico, o termo que serve de sujeito à conclusão secular. **Termo secular.** *Astr.* Perturbação proporcional ao tempo, e correspondente, em geral, a termos de período extremamente longo. **A termo que.** De maneira que; de modo que; de sorte que. **Em termos. 1.** Guardadas as devidas proporções; relativamente: — *F. é muito culto*. — *Bom, em termos*. **2.** Em linguagem adequada, apropriada.
termoanálise. [De *term(o)-* + *análise*.] *S. f. Fís.-Quím.* Análise térmica.
termobarometria. *S. f.* Emprego do termobarômetro.
termobarométrico. *Adj.* Relativo ao termobarômetro.
termobarômetro. [De *termo(metro)* + *barômetro*.] *S. m. Fís.* Instrumento que reúne as propriedades do termômetro e do barômetro.
termocautério. [De *term(o)-* + *cautério*.] *S. m. Cir.* Instrumento que cauteriza ou seciona tecido(s) mediante lâmina aquecida.
termocópia. [De *term(o)-* + *cópia*.] *S. f.* Cópia obtida em termocopiadora.
termocopiadora (ô). [De *term(o)-* + o fem. de *copiador*.] *S. f.* Aparelho com que se obtêm cópias de documentos, por contato, em papel especial com emulsão sensível, na qual a absorção dos raios infravermelhos se traduz pela libertação de calor.
termodifusão. [De *term(o)-* + *difusão*.] *S. f. Fís.* O fenômeno simultâneo de transporte de massa e de energia térmica que ocorre num fluido em que existem gradientes de temperatura.
termodinâmica. [De *term(o)-* + *dinâmica*.] *S. f.* Parte da física que investiga os processos de transformação de energia e o comportamento dos sistemas nestes processos.
termodinâmico. *Adj.* Relativo à termodinâmica. ~ V. *equilíbrio —, função —a, probabilidade —a, temperatura —a* e *variável —a*.
termoelemento. [De *term(o)-* + *elemento*.] *S. m. Fís.* Termopar.
termoelétrica. *S. f.* V. *termelétrica*.
termoeletricidade. *S. f. Fís.* V. *termeletricidade*.
termoelétrico. *Adj.* V. *termelétrico*.
termoeletromotriz. *Adj. (f.)* V. *termeletromotriz*.
termoelétron. *Fís.* V. *termelétron*.
termoestável. *Adj. 2 g. Quím.* V. *termestável*.
termoestesia. *S. f.* V. *termestesia*.
termofilia. [De *term(o)-* + *-filia*.] *S. f. Fisiol. Veg.* **1.** Preferência por ambientes quentes. **2.** Benefício oriundo da ação de temperaturas altas.
termófilo. [De *term(o)-* + *-filo*[2].] *Adj. Fisiol. Veg.* Que apresenta termofilia: *erva termófila* (a que vive em local quente, como na Amaz.); *semente termófila* (a que germina melhor depois de haver sido aquecida).
termóforo. [De *term(o)-* + *-foro*.] *S. m. Fís.* Instrumento antigo com que se pode atribuir a um sistema uma quantidade conhecida de calor.
termogênese. [De *term(o)-* + *-gênese*.] *S. f.* Produção do calor nos seres vivos.
termogenia. [De *term(o)-* + *-genia*.] *S. f.* Produção do calor.
termogênico. [De *termogenia* + *-ico*[2].] *Adj.* **1.** Que produz calor. **2.** Diz-se dos aparelhos destinados a produzir mecanicamente o calor.
termografia. [De *term(o)-* + *-graf(o)-* + *-ia*.] *S. f.* **1.** Sistema de imprimir pequenas chapas, pelo qual a impressão tipográfica normal adquire relevo mediante pulverização com resina, que adere à tinta fresca e intumesce por aquecimento na estufa a que são levadas as folhas em esteira de velocidade regulável; relevo tipográfico. **2.** *Med.* Método de diagnóstico de certas doenças, como tumores de seio, mediante utilização de registro fotográfico, feito por câmara de infravermelho, das temperaturas da superfície do corpo, com base na irradiação infravermelha dele emanada.
termográfico. *Adj.* Relativo à termografia.
termógrafo. [De *term(o)-* + *-grafo*.] *S. m. Fís.* Instrumento que mede a temperatura e registra a medição.
termoiônico (o-i). [De *term(o)-* + *íon* + *-ico*[2].] *Adj.* ~ V. *válvula —a*.
termolábil. [De *term(o)-* + *lábil*.] *Adj. 2 g. Quím.* Diz-se de substância que se decompõe no aquecimento.
termologia. [De *term(o)-* + *-log(o)-* + *-ia*.] *S. f.* Parte da física referente ao calor.
termológico. *Adj.* Relativo à termologia.
termoluminescência. [De *term(o)-* + *luminescência*.] *S. f. Fís.* Luminescência provocada em algumas substân-

cias pelo aquecimento.
termomagnético. [De *term(o)-* + *magnético.*] *Adj.* Relativo ao, ou próprio do termomagnetismo.
termomagnetismo. [De *term(o)-* + *magnetismo.*] *S. m. Fís.* Magnetização provocada pelo calor.
termomanômetro. [De *term(o)-* + *manômetro.*] *S. m.* Espécie de termômetro que mede temperaturas altas por variações de pressão.
termometria. [De *term(o)-* + *-metr(o)-*^{2} + *-ia.*] *S. f.* Conjunto de regras e processos para a medição de temperatura dos sistemas.
termométrico. *Adj.* Relativo à termometria, ou ao termômetro. ~ V. *gradiente — vertical.*
termômetro. [De *term(o)-* + *-metro.*] *S. m.* **1.** *Fís.* Instrumento de medição de temperatura, cujo funcionamento se baseia no estabelecimento de equilíbrio térmico entre ele e o sistema cuja temperatura se quer determinar: "com o termômetro de axila em axila, a tomar a temperatura de corpos queimados pela febre" (Coelho Neto, *Turbilhão*, p. 76). **2.** *Fig.* Indicação dum estado ou de certas condições físicas ou morais.
termonuclear. [De *term(o)-* + *nuclear.*] *Adj. 2 g.* **1.** Diz-se de fenômeno ou sistema em que ocorre grande desprendimento de energia graças à fusão de núcleos leves para formar núcleos pesados. **2.** *Eng. Nucl.* Diz-se de usina ou planta geradora de energia em que a fonte térmica é um reator nuclear. ~ V. *bomba —. reação — e usina —.* • *S. f.* **3.** Usina termonuclear.
termopar. [De *term(o)-* + *par.*] *S. m. Fís.* Sistema constituído por um par de soldas de dois metais diferentes, e no qual se estabelece uma força eletromotriz quando as duas soldas estão em temperaturas diferentes; termoelemento.
termopenetração. [De *term(o)-* + *penetração.*] *S. f. Med.* Diatermia médica [q. v.]
termopilha. [De *term(o)-* + *pilha.*] *S. f. Fís.* Conjunto de termopares dispostos em série, e que é capaz de fornecer correntes relativamente grandes.
termoplástico. [De *term(o)-* + *plástico.*] *Adj. Quím.* **1.** Diz-se de macropolímero que amolece ao ser aquecido e endurece ao ser resfriado. ~ V. *clichê —.* • *S. m.* **2.** Macropolímero termoplástico.
termoplegia. [De *term(o)-* + *-pleg-* + *-ia.*] *S. f. Patol.* V. *intermação.*
termoplégico. *Adj.* Relativo à termoplegia.
termoquímica. [De *termo(dinâmica)* + *química.*] *S. f.* Parte da termodinâmica que trata das quantidades de calor postas em jogo nas reações químicas.
termoquímico. *Adj.* Relativo à termoquímica. ~ V. *caloria —a.*
termorrígido. *Adj. Quím.* Termestável.
termos (ê). [Pl. de *termo* (ê).] *S. m. pl.* **1.** Modos; procedimentos; ações. **2.** Relações. **3.** Arquejos de agonia; estertores, vascas. [Cf. *termos*, pl. do s. m. *termo*, e *Termos*, pl. do antr. *Termo.*] ~ V. *termo* (ê).
termosfera. [De *term(o)-* + *-sfera.*] *S. f. Geofís.* Camada atmosférica situada entre 80 e 400 km de altitude.
termosférico. *Adj.* Relativo à termosfera.
termossifão. [De *term(o)-* + *sifão.*] *S. m.* Aparelho de aquecimento por circulação de água quente.
termostato. [De *term(o)-* + *-stato.*] *S. m. Fís.* Dispositivo destinado a manter constante a temperatura dum sistema. [Var. pros., p. us.: *termóstato.*]
termóstato. *S. m. Fís. P. us.* Termostato.
termostável. *Adj. 2 g. Quím.* V. *termestável.*
ternado. [De *terno*^{1} + *-ado*^{1}.] *Adj. Morfol. Veg.* Composto de três partes: *folha ternada.*
ternário. [Do lat. *ternariu.*] *Adj.* Constituído de três. ~ V. *compasso —, construção — a, forma — a e operação —a.*
terneirada. [Do esp. amer. *ternerada*] *S. f. Bras., S.* Bando de terneiros ou bezerros; terneiragem.
terneiragem. [Do esp. plat. *terneraje*] *S. f. Bras. S.* Terneirada.
terneiro. [De *terno*^{2} + *-eiro*, ou f. metatética de *tenreiro.*] *S. m.* **1.** *Bras. PE.* Feto do gado vacum. **2.** *Bras., RS.* A cria da vaca até um ano de idade; bezerro.
terneirona. [Aum. de *terneira*, fem de *terneiro.*] *S. f. Bras.* Terneira gorda e taluda.
terninho. [Dim. de *terno*^{1}.] *S. m. Bras.* Terno^1 (5): "Atravessei a rua e encontrei você lá, de terninho bege" (Maria Julieta Drummond de Andrade, *Um Buquê de Alcachofras*, p. 25).
terno^1. [Do lat. *terni*, 'de três em três', numa f. do sing.] *S. m.* **1.** Grupo de três coisas ou pessoas; trio, trindade. **2.** Dado ou carta de jogar com três marcas. **3.** Rancho (1) constituído de pessoas burguesas, que só cantavam às portas das casas conhecidas, onde eram recebidas pelos amigos. [Nesta acepç., cf. *rancho* (7) e *reisado.*] **4.** *Bras.* Vestuário masculino, composto de paletó, calças e, às vezes, colete, da mesma fazenda e cor. [Sin., N.E.,: *uniforme* e (pop). *liforme.*] **5.** *Bras. P. ext.* Traje esporte feminino, composto de calça e casaco, em geral da mesma fazenda e cor; terninho. **6.** *Bras.* Grupo de três aves domésticas — um macho e duas fêmeas. **7.** Terno de grupo. **8.** *Bras.* V. *loto*^{2} (9). **9.** *Bras., S.* O conjunto das parelhas dos bois de uma carreta. **10.** *Bras., S.* Grupo de três peões que, nos rodeios ou mangueiras, faz o serviço de marcação. **11.** *Bras., MG.* Grupo de pessoas. ◆ **Terno de grupo.** *Bras.* No jogo do bicho, aposta em três grupos [v. *grupo* (8)] diferentes, os quais devem constar na relação dos sete prêmios sorteados. [Tb. se diz apenas terno.] **Terno de música.** V. *Terno de zabumba.* **Terno de zabumba.** *Bras. N.E. Folcl.* Conjunto instrumental de percussão e de sopro (dois pífaros, uma caixa e um zabumba) que anima os bailes populares e acompanha as danças dramáticas. [Sin.: *banda cabaçal* ou apenas *cabaçal* (N.E.), *banda-de-couro* (N.E.), *terno de música e esquenta-mulher* (AL).]
terno^2. [Do lat. *teneru*, 'tenro, mole'.] *Adj.* **1.** Meigo, afetuoso. **2.** Brando, suave: "Uns como que suspiros / De amor, uns ternos ais" (Machado de Assis, *Poesias Completas*, p. 49); "Ó caro ruído embalador, / Terno como a canção das amas! / Canta as baladas que mais amas, / Para embalar a minha dor!" (Manuel Bandeira, *Estrela da Vida Inteira*, p. 37). **3.** Que inspira dó, compaixão: *ternas queixas.*
ternura. *S. f.* **1.** Qualidade de terno^2. **2.** Meiguice, carinho. **3.** Afeto brando ou sem grandes transportes: "Fascinado estava o Miguel, mas não pela imagem que lhe descrevia Inhá, senão pelo original que tinha diante de si, e o embebia na meiguice de seu olhar, e na ternura de seu carinho." (José de Alencar, *Til*, p. 29.)
terófito. [Do gr. *théros*, 'verão', 'colheita', + *-fito.*] *S. m. Ecol. Veg.* Designação comum às plantas anuais, no sistema de Raunkiaer referente às formas de vida.
terósporo. [Do gr. *théros*, 'verão', 'colheita', + *-sporo.*] *S. m. Micol.* Esporo que germina imediatamente e, se isto não se der, tem vida curta.
tero-tero. [Do tupi *tero'tero*; voc. onom.] *S. m. Bras.* V. *quero-quero.* [Pl.: *tero-teros.*]
terpênico. *Adj. Quím.* Relativo a terpeno.
terpeno. [Do al. *Terpentin*, 'terebintina', pelo fr. *terpène.*] *S. m. Quím.* Classe de hidrocarbonetos não saturados encontrada nas resinas e óleos essenciais. [Fórm.: $C_{10}H_{16}$.]
terpina. [Do al. *Terp(entin)*, 'terebintina', + *-ina*^{1}.] *S. f.* Substância orgânica, de fórmula $C_{10}H_{20}O_2$, existente em duas formas isômeras: *cis* e *trans.*
terra. [Do lat. *terra.*] *S. f.* **1.** *Astr.* O terceiro planeta do sistema solar, pela ordem de afastamento do Sol, com um diâmetro equatorial de 12.756,8 quilômetros e um diâmetro polar de 12.713,8 quilômetros, e cujo movimento de rotação se efetua em 23 horas, 56 minutos e 4 segundos, enquanto o movimento de translação, em torno do Sol, se realiza em 365,3 dias. Apresenta-se envolto numa massa gasosa — a atmosfera. **2.** Solo sobre o qual se anda. **3.** A parte branda do solo. **4.** A parte sólida da superfície do globo. **5.** Poeira, pó: *Entrou-me terra nos olhos.* **6.** Lugar de origem; pátria, torrão, gleba; terra natal: "Vi terras da minha terra." (Manoel Bandeira, *Estrela da Vida Inteira*, p. 173); *Somos da mesma terra.* **7.** Localidade; lugar; povoação: *Anda de terra em terra por esse Brasil afora;* "Vi terras da minha terra." (Id., *ib.*, p. 173). **8.** Lugar, local: *Pelos seus hábitos se vê que não é da terra.* **9.** Habitantes de determinado lugar: *A terra em peso foi saudar o herói.* **10.** Propriedade rústica, em geral de tamanho considerável: *Sua terra confina com a minha; Só emprega dinheiro em terra.* [Us. tb. no pl.] **11.** Espaço não construído de uma propriedade; terreno: *A casa é boa, mas tem pouca terra.* **12.** Região, território. **13.** Argila própria para escultura. **14.** Vida temporal, profana. **15.** *Constr.* Solo ou mistura de solos que às vezes contém fragmentos de rochas. **16.** *Eletr.* O fio neutro de uma instalação elétrica. **17.** Qualquer dispositivo que funcione como esse fio. ◆ **Terra apurada.** *Bras., SP.* Designação comum a certas terras roxas muito férteis; apurada. **Terra a terra. 1.** Junto da costa; costeando. **2.** *Fig.* Sem elevação ou grandeza; rasteiramente. *O orador falou terra a terra.* [F. paral.: *terra terra.* Cf. *terra-a-terra.*] **Terra batida.** *Constr.* Piso rústico feito de terra socada. **Terra caída.** *Bras.* Desmoronamento dos barrancos de terras marginais do rio Amazonas, produzido pelas enchentes. [Antôn.: *terra crescida.*] **Terra crescida.** *Bras.* Terra acrescida pela formação de bancos e praias, que, dilatando-se, originam ilhas e restingas. [Antôn: *terra caída.*] **Terra da Promissão.** A terra de Canaã, prometida por Deus a Abraão e à sua descendência. **Terra de infusórios.** *Geol.* V. *trípole.* **Terra de ninguém. 1.** Espaço entre duas trincheiras inimigas, não dominado por nenhuma delas. **2.** *Fig.* Situação ou assunto em que todos se intrometem ou sobre que todos opinam. **Terra de planta.** *Bras.* Terreno próprio para a agricultura, e a ela destinado. **Terra de Siena.** Argila que contém óxido e hidróxido de ferro em quantidade, e que pode apresentar todos os matizes entre o amarelo e o vermelho. **Terra dos Marechais.** *Bras.* Epíteto do Estado de Alagoas. [Sin., joc.: *terra do sururu.*] **Terra do sururu.** *Bras. Joc.* O Estado de Alagoas; Terra dos Marechais: "Maceió daquele tempo ainda não possuía edifícios altos, o 'Bela Vista' era um grande e belo prédio a encher de orgulho a província como o mais bonito.... da terra do sururu." (Carlos de Gusmão, *Boca da Grota*, p. 392.) **Terra favada.** *Bras., Pl.* Terra fofa, frouxa. **Terra firme. 1.** A parte sólida do globo. **2.** *Bras. Amaz.* Porção alta do terreno, aonde não chegam as inundações. **Terra fresca.** *Bras., N.E.* Terreno molhado, úmido, comumente situado à margem dos rios e dos açudes. **Terra natal.** V. *terra* (6). **Terra preta.** *Bras.* **1.** Terreno onde se acham fragmentos de cerâmica indígena, e onde deve ter existido um aldeamento silvícola. **2.** V. *terra vegetal.* **Terra refratária.** Argila que resiste ao fogo e só funde a temperaturas elevadíssimas. **Terra roxa.** *Bras., SP e outros estados.* Terreno vermelho-escuro, originado pela decomposição de lençóis de rochas efusivas basálticas e famoso por sua fertilidade. **Terra safada.** *Bras., S.* Terreno improdutivo, esgotado. **Terra Santa.** A Palestina. **Terras devolutas.** *Jur.* Aquelas, que, não sendo próprias nem aplicadas ao uso público, não se incorporaram no domínio privado. **Terra terra.** V. *terra a terra.* **Terra vegetal.** *Bras.* A que possui grande quantidade de matéria orgânica vegetal decomposta; terra preta, humo, terriço. **Cheio de terra.** V. *cheio de luxo.* **Deitar por terra.** Arrasar, destruir; deitar abaixo. **Descer à terra.** V. *morrer* (1). **Largar terra para favas.** *Pop* V. *fugir* (1 e 2).
▲**terr(a)-.** [Do lat. *terra, ae.*] *El. comp.* = 'Terra', 'terra': *terráqueo; terrenho.* [Equiv.: *terri-: terrívomo.*]
terra-a-terra. [De *terra* + *a*^{3} + *terra.*] *Adj. 2 g. e 2 n.* Sem elevação nem largueza de idéias; trivial, rasteiro: *vocabulário terra-a-terra.* [Cf. *terra a terra.*]
terraço. [Do fr. *terrasse.*] *S. m.* **1.** Balcão descoberto e amplo; varanda. **2.** Cobertura plana dum edifício, feita de pedra, de argamassa ou de outro material. [Sin., bras., p. us.: *eirado, terreiro, terrado.*] **3.** Espaço descoberto sobre um edifício ou ao nível de um andar dele. [Sin. bras., p. us.: *eirado.*] **4.** Plataforma ou superfície de terra com nível elevado e lados inclinados. **5.** Patamar construído em terreno inclinado para proteger o solo da ação das águas pluviais ou aumentar-lhe a capacidade de absorção. **6.** *Geol.* Superfície plana ou levemente inclinada, em geral com frente escarpada, que margeia um rio, um lago ou o mar, e atesta, por meio de testemunhos geológicos e geomorfológicos, as variações do nível das águas fluviais, lacustres e marítimas através dos tempos. **7.** *Ocean. Geol.* Trecho plano, normalmente imerso, da praia, entre a arrebentação e zona seca.
terracota. [Do it. *terracotta.*] *S. f.* **1.** Argila modelada e cozida em forno. **2.** Objeto assim obtido: "Os anjos-músicos das terracotas de Andrea della Robbia empunham instrumentos cujos nomes lembram flores: violas, violetas..." (Agripino Grieco, *São Francisco de Assis e a Poesia Cristã*, p. 9.)
terrado. [De *terra* + *-ado*^{1}.] *S. m. P. us.* V. *terraço* (2).
terral. [Do lat. *terrale.*] *Adj. 2 g.* **1.** Relativo à terra; terrestre. **2.** Diz-se do vento que sopra da terra para o mar. • *S. m.* **3.** Vento que sopra da terra para o mar. [Sin., bras., SP, nesta acepç.: *terralão.* Cf. *viração.*]
terralão. [De *terral* + *-ão*^{2}.] *S. m. Bras., SP.* Terral (3).
terramoto. *S. m.* Var. de *terremoto:* "Ao terceiro dobre o castelo tremeu e vacilou nos alicerces, como se um terramoto o abalasse." (Rebelo da Silva, *Contos e Lendas*, pp. 41-42.)
terra-nova. *S. m.* Cão originário da ilha Terra Nova (Canadá), de grande porte, pêlo comprido e sedoso, e pés espalmados, o que lhe permite nadar muito facilmente, [Pl. *terras-novas* e *terra-novas.*]
terrantês. [De um **terrante (terra* + *-nte)* + *-ês.*] *Adj.* **1.** Natural de uma terra ou povoação. [Flex.: *terrantesa* (ê), *terranteses* (ê), *terrantesas* (ê).] • *S. m.* **2.** Espécie de uva branca. [Pl.: *terranteses* (ê).]
terrão. *S. m. Ant.* Torrão [q. v.].
terraplanagem. *S. f.* Terraplenagem.
terraplenagem. [De *terraplenar* + *-agem*^{2}.] *S. m.* Con-

junto de operações de escavação, transporte, depósito e compactação de terras, necessárias à realização de uma obra; movimento de terra ♦ **Terraplenagem compensada.** Terraplenagem na qual os volumes de corte e de aterro se equivalem, tornando mínimos os volumes de bota-fora e de empréstimo. **Terraplenagem manual.** A que é executada com ferramentas comuns (pás, enxadas, picaretas) e veículos de tração animal. **Terraplenagem mecanizada.** A que é executada com máquinas e veículos especializados.

terraplenar. [De *terrapleno* + *-ar*[2].] *V. t. d.* Executar a terraplenagem de; aterraplanar.

terrapleno. [Do it. *terrapieno.*] *S. m.* **1.** Terreno resultante da terraplenagem; repleno, aterrado. **2.** Terreno aplainado; repleno.

terráqueo. [De *terra(a)-* + *-aqu(i)-* + *-eo.*] *Adj.* **1.** V. *terrestre* (1). ~ V. *orbe* —a. ● *S. m.* **2.** O habitante da Terra (por oposição aos supostos habitantes de outros planetas). [Cf. *terrícola.*]

terra-riquense. *Adj. 2 g.* **1.** De, ou pertencente ou relativo a Terra Rica (PR). ● *S. 2 g.* **2.** Natural ou habitante de Terra Rica. [Pl.: *terra-riquenses.*]

terra-roxense. *Adj. 2 g.* **1.** De, ou pertencente ou relativo a Terra Roxa (SP e PR). ● *S. 2 g.* **2.** Natural ou habitante de Terra Roxa. [Pl.: *terra-roxenses.*]

terras-raras. *S. f. pl. Quím.* V. *lantanídeos.*

terratenente. [De *terr(a)-* + lat. *tenente*, 'que tem, segura, ocupa'.] *S. 2 g.* **1.** Proprietário de terra. **2.** *P. ext.* Pessoa que manda, que tem prestígio, influência, numa localidade.

terreal. *Adj. 2 g.* **1.** V. *terrestre* (1). **2.** V. *mundano* (1): *prazeres t e r r e a i s .*

terreiro. [Do lat. *terrariu*, ou de *terra* + *-eiro.*] *Adj.* **1.** V. *terrestre* (1). **2.** Térreo (2): "Larga e baixa, a casa t e r r e i r a acaçapava-se entre o arvoredo do quintal que a beirava de um e outro lado" (José de Alencar, *Guerra dos Mascates*, p. 38). ● *S. m.* **3.** Espaço de terra plano e largo. **4.** Largo, praça. **5.** V. *terraço (2).* **6.** Largo ao ar livre onde há folguedos e cantos ao desafio. **7.** *Bras.* Local onde se realizam celebrações do culto fetichista afro-brasileiro: macumbas, candomblés, etc. ♦ **Chamar a terreiro.** Desafiar.

terremoto. [Do lat. *terrae motu*, 'movimento da terra', pelo it. *terremoto.*] *S. m. Geofís.* V. *sismo.* [Var.: *terramoto.*]

terrenal. [De *terreno* + *-al.*] *Adj. 2 g.* V. *terrestre* (1).

terrenho. *Adj.* **1.** V. *terrestre* (1). **2.** V. *mundano* (1).

terreno. [Do lat. *terrenu.*] *Adj.* **1.** V. *terrestre* (1). **2.** Semelhante à, ou da cor da terra (2); terroso: "Os olhos encovados, e a postura / Medonha e má, e a cor t e r r e n a e pálida" (Luís de Camões, *Os Lusíadas*, V, 39). **3.** Diz-se dessa cor. **4.** V. *mundano* (1). ● *S. m.* **5.** Terra (11). **6.** Porção de terra cultivável; campo. **7.** Ramo de atividade; setor: *Matemática é o seu t e r r e n o .* **8.** Tema, assunto. ♦ **Terreno aluviano.** Terreno formado por aluvião. **Terreno concertado.** *Bras., MG.* Terreno levemente ondulado ou pouco acidentado. **Terreno de marinha.** *Bras. Jur.* O que está situado na costa marítima, continental ou insular, e nas margens dos rios e lagoas, até uma distância de 33 m para a parte da terra, medidos horizontalmente desde a posição da linha da preamar média no ano de 1831, nos locais onde se faça sentir a influência das marés. **Terreno geológico.** Porção da crosta terrestre que, sob o aspecto cronológico, pertence a uma determinada idade, época, período e era, e, do ponto de vista estratigráfico, faz parte dum determinado andar, série, sistema e grupo. **Terreno marginal.** *Bras. Jur.* O que é banhado pelas correntes navegáveis, fora do alcance das marés, e vai até à distância de 15 m para a parte da terra, medidos horizontalmente a começar da linha média das enchentes ordinárias. **Terreno mastozoótico.** Terreno que contém restos fósseis de mamíferos. **Terreno permeável.** O que se deixa facilmente atravessar pela água. **Terreno undante.** *Bras., S.* Terra acidentada, cheia de altos e baixos, ondeante. **Despachar terreno.** *Bras., RS. Pop.* Andar (o cavalo) com muita velocidade. **Ganhar terreno.** **1.** Conquistar vantagens numa empresa, negócio, etc. **2.** Propagar-se, espalhar-se, difundir-se: *Dia a dia suas idéias g a n h a m t e r r e n o .* **Perder terreno.** **1.** Ver reduzirem-se as vantagens, os privilégios, num empreendimento, negócio, etc. **2.** Diminuir em influência ou prestígio. **Sondar o terreno.** V. *apalpar* (4).

terrento. *Adj.* V. *terroso* (2).

térreo. [Do lat. *terreu.*] *Adj.* **1.** V. *terrestre* (1). **2.** Que fica ao rés-do-chão; terreiro: "Nesse tempo moravam no Caminho Grande, numa casinha t é r r e a" (Aluísio Azevedo, *O Mulato*, p. 14); "Desci ao andar t é r r e o da casa" (Id., *Pegadas*, p. 128). ~ V. *pavimento* —. ● *S. m.* **3.** O pavimento térreo (2); rés-do-chão: *Mora no t é r r e o .*

terrestre. [Do lat. *terrestre.*] *Adj. 2 g.* **1.** Pertencente ou relativo à, ou próprio da Terra; terreno, terrenal, terrenho, terreal, terreiro, térreo, terráqueo. **2.** Proveniente da terra, ou que nasce nela. **3.** Pertencente ou relativo à terra (4). **4.** V. *mundano* (1). ~ V. *brisa* —, *campo magnético* —, *crosta* —, *elipsóide* —, *esfera* —, *física* —, *guiamento de referência* —, *indutor* —, *latitude* —, *longitude* —, *luz* —, *magnetismo* —, *maré* —, *órbita* — e *pólo magnético* —.

terréu. [De *terra.*] *S. m.* Baldio (3).

▲**terri-.** Equiv. de *terr(a)-.*

terribilidade. *S. f.* Qualidade de terrível.

terribilíssimo. [Do lat. *terribilissimu.*] *Adj.* Superl. abs. sint. de *terrível*: "Em negras nuanças lúgubres e aziagas, / Vejo t e r r i b i l í s s i m a s adagas / Atravessando os ares bruscamente." (Augusto dos Anjos, *Eu*, p. 103.)

terriço. [De *terr(a)-* + *-iço.*] *S. m.* **1.** Adubo formado de substâncias animais ou vegetais em decomposição e misturadas com a terra sobre a qual se decompusera. **2.** V. *terra vegetal.*

terrícola. [Do lat. *terricola.*] *Adj. 2 g.* e *s. 2 g.* Que, ou pessoa ou animal que habita na Terra. [Cf. *terráqueo* (2).]

terrier. [Ingl.] *S. m.* Designação comum aos cães de várias espécies, destinados originalmente a perseguir e expulsar das tocas a caça miúda, e que se caracterizam pelo focinho quadrado e por ter ou pelagem basta e longa, ou lisa. [Cf. *fox-terrier.*]

terrificante. [Do lat. *terrificante.*] *Adj. 2 g.* Que terrifica; terrífico, terrível.

terrificar. [Do lat. *terrificare.*] *V. t. d.* Causar terror a; assustar; apavorar, aterrorizar, terrorizar, terrorar. [Conjug.: v. *trancar.* Pres. ind.: *terrífoco*, etc. Cf. *terrífico.*]

terrífico. [Do lat. *terrificu.*] *Adj.* V. *terrificante.* [Cf. *terrífico*, do v. *terrificar.*]

terrígeno. [Do lat. *terrigenu.*] *Adj.* Produzido ou gerado na terra. ~ V. *depósito* — e *sedimento* —.

terrina. [Do fr. *terrine.*] *S. f.* **1.** Vaso de louça, metal, etc., ordinariamente com tampa, no qual se leva à mesa a sopa ou o caldo. **2.** *Cul.* Espécie de patê, em geral de fabricação caseira e altamente apurada, em cuja textura aparecem pedacinhos dos ingredientes usados em sua preparação; patê.

terrinha. [Dim. de *terra.*] *El. s. f.* us. na loc. *a santa terrinha.* ♦ **A santa terrinha.** *Joc.* Expressão com que se referem a Portugal os portugueses, e também os brasileiros.

terriola. [De *terri-* + *-ola.*] *S. f.* Pequena povoação; lugarejo, aldeola.

terríssono. [Do lat. *terrisonu.*] *Adj.* Que aterroriza pelo som ou pelo estrondo.

territorial. [Do lat. *territoriale.*] *Adj. 2 g.* Relativo a território. ~ V. *águas territoriais*, *atmosfera* — e *mar* —.

territorialidade. [De *territorial* + *-i-* + *-dade.*] *S. f.* **1.** Condição do que faz parte do território de um Estado. **2.** Limitação da força imperativa das leis ao território do Estado que as promulga.

território. [Do lat. *territoriu.*] *S. m.* **1.** Extensão considerável de terra; torrão. **2.** A área de um país, ou estado, ou província, ou cidade, etc. **3.** No Brasil e nos E.U.A., região que não constitui Estado e é administrada pela União. **4.** *Jur.* Base geográfica do Estado, sobre a qual exerce ele a sua soberania, e que abrange o solo, rios, lagos, mares interiores, águas adjacentes, golfos, baías e portos. **5.** *Jur.* A parte juridicamente atribuída a cada Estado sobre os rios, lagos e mares contíguos, e bem assim o espaço aéreo que corresponde ao território, até a altura determinada pelas necessidades da polícia e segurança do país, devendo-se, ainda, considerar como parte do território os navios de guerra, onde quer que se encontrem, e os navios mercantes em alto-mar ou em águas nacionais.

terrível. [Do lat. *terrible.*] *Adj. 2 g.* **1.** Que infunde ou causa terror; terrificante, terrífico: *monstro t e r r í v e l .* **2.** Que produz resultados funestos. **3.** Extraordinário, estranho. **4.** Muito grande; enorme: *t e r r í v e l mágoa.* **5.** Muito ruim; péssimo. [Superl. abs. sint.: *terribilíssimo.*] ● *S. m.* **6.** Um dos cargos de loja maçônica.

terrívomo. [De *terri-* + *-vomo.*] *Adj.* Que expele ou lança terra.

terroada. [De *terrão* + *-ada*[1]] *S. f. Bras.* Var. de *torroada.*

terror (ô). [Do lat. *terrore.*] *S. m.* **1.** Qualidade de terrível. **2.** Estado de grande pavor ou apreensão. **3.** Grande medo ou susto; pavor. **4.** Época da Revolução Francesa, da queda dos girondinos (31 de maio de 1793) até à queda de Robespierre (27 de julho de 1794). [Nesta acepç., com inicial maiúscula.] **5.** Pessoa ou coisa que espanta, amedronta, aterroriza: *Aquele delegado é um t e r r o r ; O latim é o t e r r o r de muitos estudantes.* [Pl.: *terrores* (ô). Cf. *terrores*, do v. *terrorar.*] ♦ **Terror branco.** Os excessos perpetrados pelos realistas no S. da França durante os primeiros anos da Restauração.

terrorar. [De *terror* + *-ar*[2].] *V. t. d.* V. *terrificar.* [Pres. subj.: *terrore, terrores*, etc. Cf. *terrores* (ô), pl. de *terror.*]

terrorismo. *S. m.* **1.** Modo de coagir, ameaçar ou influenciar outras pessoas, ou de impor-lhes a vontade pelo uso sistemático do terror. **2.** Forma de ação política que combate o poder estabelecido mediante o emprego da violência.

terrorista. *Adj. 2 g.* **1.** Relativo ao, ou que tem o caráter de terrorismo: *métodos t e r r o r i s t a s .* **2.** Que é partidário do terrorismo. ● *S. 2 g.* **3.** Partidário dele. **4.** *P. ext.* Pessimista (3).

terrorizar. [De *terror* + *-izar.*] *V. t. d.* V. *aterrorizar.*

terroso (ô). [Do lat. *terrosu.*] *Adj.* **1.** Que tem cor, aparência, natureza ou mistura de terra; terrulento, terreno. **2.** Embaciado, baço, terrento: "A pele t e r r o s a , baça, seca, esticada sobre os ossos." (Leo Vítor, *Círculo de Giz*, p. 152.)

terrulento. [Do lat. *terrulentu.*] *Adj.* **1.** V. *terroso* (1). **2.** Baixo, vil.

tersinídeo. *S. m.* **1.** Espécime dos tersinídeos. ● *Adj.* **2.** Pertencente ou relativo a eles.

tersinídeos. *S. m. pl. Zool.* Aves passeriformes, da família *Tersinidae*, caracterizadas por terem o bico muito largo, triangular e pontiagudo. Vivem nas matas e são frugívoros.

terso. [Do lat. *tersu.*] *Adj.* **1.** Puro, limpo: "Dormimos separados, em quartos contíguos, sorvendo inclusive com a boca um reconfortante odor de panos t e r s o s ." (Osmã Lins, *Nove, Novena*, p. 123.) **2.** Lustroso, polido: "vimos um dos muitos palácios de Montezuma, todo de jaspe e mármores t e r s o s" (Gastão Cruls, *4 Romances*, p. 86). **3.** *Fig.* Correto, vernáculo: "O mais, de seu o tinha ele [Bocage]; e com que abundância. Estilo t e r s o , e nobre; linguagem pura, e clara; dicção concisa, e ornada; versificação deliciosa, como nenhuma, nem antes, nem depois dele, ainda entre nós apareceu" (Antônio Feliciano de Castilho, *As Metamorfoses*, I, p. XXX). [Flex.: *tersa, tersos, tersas.* Cf. *terço, terças, terça*, do v. *terçar*, e *terço* (ê), *num.* e *s. m.*, *pl. terços* (ê).]

tersol. [De *terso* + *-ol?*] *S. m. Ant.* V. *manutérgio.* [Pl.: *tersóis.* Cf. *terçol.*]

➡**tertius** (térciuç). [Lat.] *S. m.* **1.** O terceiro (candidato). **2.** *Turfe.* Terceira força (2).

tertúlia. [Do esp. *tertulia.*] *S. f.* **1.** Reunião familiar. **2.** Agrupamento de amgios. **3.** Assembléia literária: "de regresso, as reuniões de quinta-feira no habitáculo desarrumado dos ficcionistas.... . Naturalmente, nessas t e r t ú l i a s , ... os censores à Pontmartin e Planche eram desancados" (Agripino Grieco, *Estrangeiros*, p. 158).

tesão. [Do lat. *tensione*, 'tensão'.] *S. m.* **1.** Tesura (1). **2.** Força, intensidade. **3.** Manifestação de força; violência: "Meu bom Critilo, / Não se isentar o Cristo desse imposto / Foi um grande t e s ã o , mas necessário, / Por não se abrir a porta a maus exemplos." (Tomás Antônio Gonzaga, *Obras Completas*, p. 262.) ● *S. m.* e *f.* **4.** *Chulo.* Estado do pênis em ereção. **5.** *Chulo.* Potência sexual: "Nem o chá de folhas, / nem o chá de raízes amargas / lhe trazia a t e s ã o , a firmeza dos pés, a firmeza das mãos" (H. Dobal, *A Serra das Confusões*, "O Velho".) **6.** *Chulo.* Desejo carnal; excitação. **7.** *Bras. Chulo.* Indivíduo que inspira desejos carnais; tesudo.

tesar. [De *teso*[2] (ê) + *-ar*[2].] *V. t. d.* **1.** *Marinh.* V. *entesar* (1 a 3): "A bordo do *Lima I* .... ia uma faina de mil demônios, sob a lupa dos marinheiros e o tling-tling sonoro e alegre do bolinete, virando e t e s a n d o as amarras" (Virgílio Várzea, *Nas Ondas*, p. 2). **2.** *Mar. G. Bras.* Exigir de (um subordinado), com rigor, o cumprimento das suas obrigações. [Pres. ind.: *teso, tesas, tesa*, etc. Cf. *teso* (ê), s. m. e adj., e as flex. *tesa* (ê), *tesas* (ê).]

tesauro. *S. m. Docum.* Vocabulário controlado e dinâmico de descritores [q. v.] relacionados semântica e genericamente, que cobre de forma extensiva um ramo específico de conhecimento; *Thesaurus.*

tesconjuro. [De *te*[1] + *esconjuro*, 1ª pess. do sing. do pres. ind. de *esconjurar.*] *Interj.* V. *tarrenego*: "Cruz! T e s c o n j u r o ! bradou o moço." (Visconde de Taunay, *Inocência*, p. 220).

tese. [Do gr. *thésis*, 'ato de pôr', 'proposição', pelo lat. *these.*] *S. f.* **1.** Proposição que se expõe para, em caso de impugnação, ser defendida. **2.** Proposição formulada nos estabelecimentos de ensino superior e médio para ser defendida em público. **3.** *P. ext.* Discussão da própria tese. **4.** A publicação que contém uma tese. **5.** *Filos.* O primeiro momento do processo dialético. [Cf. *dialética* (3).] ♦ **Em tese.** De acordo com o que se supõe; em princípio; em teoria.

▲-tes(e). [Do gr. *thésis, eos.*] *El. comp.* = 'posição', 'colocação': *epêntese* (< gr. *epénthesis*), *metátese* (< gr. *metáthesis*); *homotesia.*

tesla. [Do antr. *Tesla*, de Nikola Tesla, físico e inventor iugoslavo, naturalizado norte-americano (1857-1943).] *S. m. Fís.* Unidade de medida de indução magnética no Sistema Internacional, e que é igual à indução magnética dum campo magnético uniforme e invariável que exerce uma força igual a um newton por metro de um condutor retilíneo imerso no campo, em direção normal a este, e conduzindo uma corrente elétrica invariável de um ampère. [Símb.: *T.*]

teso[1] (ê). [Da loc. *monte teso.*] *S. m.* **1.** Monte alcantilado ou íngreme. **2.** Cimo de monte. **3.** Morro quase a pique. **4.** *Bras., Amaz.* Parte alta do terreno que em uma superfície inundada fica acima do nível das águas. **5.** *Bras., RS.* Terreno mais alto que fica junto à barranca dos rios. **6.** *Bras., PA.* Aterro superficial feito pelos marajoaras em terrenos alagadiços, para habitação ou cemitério, sendo o mais conhecido o de Pacoval, no lago Arari. [Pl.: *tesos* (*ê*). Cf. *teso*, do v. *tesar.*]

teso[2] (ê). [Do lat. *tensu.*] *Adj.* **1.** Esticado, retesado; tenso: *O cabo estava teso.* **2.** Hirto, ereto, inteiriçado: "Vovó estava deitada, tesa, imóvel, de mãos juntas." (Lia Correia Dutra, *Navios sem Porto*, p. 57.) **3.** Imóvel, fixo. **4.** Seguro, firme. **5.** Corajoso, audaz: *homem teso, dado à luta.* **6.** Forte, rijo: *Está idoso, porém teso.* **7.** Impetuoso, arrebatado. **8.** Íngreme, alcantilado. **9.** Áspero, ríspido. **10.** *Bras. Pop.* V. *pronto* (10). ● *S. m.* **11.** V. *pronto* (12). [Flex.: *tesa* (*ê*), *tesas* (*ê*), *tesos* (*ê*). Cf. *teso, tesas* e *tesas*, do v. *tesar.*]

tesoira. *S. f.* Tesoura [q. v.].

tesoirada. [De *tesoira* + *-ada*[1].] *S. f.* V. *tesourada.*

tesoira-de-costas. *S. f. Bras.* V. *tesoura-de-costas.* [Pl.: *tesoiras-de-costas.*]

tesoira-de-frente. *S. f. Bras.* V. *tesoura-de-frente.* [Pl.: *tesoiras-de-frente.*]

tesoira-do-brejo. *S. f. Bras.* V. *tesoura-de-frente.* [Pl.: *tesoiras-do-brejo.*]

tesoirão. [De *tesoira* + *-ão*[1].] *S. m.* V. *tesourão.*

tesoirar. [De *tesoira* + *-ar*[2].] *V. t. d.* V. *tesourar.*

tesoiraria. [De *tesoiro* + *-aria.*] *S. f.* Var. de *tesouraria.*

tesoiras. [Pl. de *tesoira.*] *S. f. pl.* V. *tesouras.*

tesoireiro. [De *tesoiro* + *-eiro.*] *S. m.* Var. de *tesoureiro.*

tesoirinha. [Dim. de *tesoira.*] *S. f.* V. *tesourinha.*

tesoiro. *S. m.* Var. de *tesouro* [q. v.].

tesoura. [Var. de *tesoira* < lat. *tonsoria* (subentende-se *ferramenta*), 'ferramentas de cortar'.] *S. f.* **1.** Instrumento cortante, constituído por duas lâminas reunidas por um eixo, sobre o qual se movem, abrindo em cruz. **2.** Peça longitudinal, de madeira ou de ferro, nos jogos dianteiros dos carros de quatro rodas. **3.** Cruzamento das rédeas com que os cocheiros dirigem uma parelha de tiro. **4.** *Constr. Nav.* Cada um dos barrotes de madeira presos obliquamente aos jazentes, para os segurarem na carreira de construção. **5.** *Fig.* Pessoa maledicente. **6.** *Bras.* Conjunto de peças de madeira ou de ferro, que sustenta a cobertura de um edifício; asna: "Vêem-se os trapiches de acesso aos barracões, madeira de lei, esteios de acariquara, tesouras de itaúba, soalho de acapu" (Raimundo Morais, *Na Planície Amazônica*, p. 57). **7.** *Bras.* Ave passeriforme, da família dos tiranídeos (*Muscivora tyrannus* (L.)), de coloração geral cinzento-clara, alto da cabeça preto, meio do vértice amarelo, asas e uropígio pardo-escuros, cauda preta, e retrizes exteriores marginadas de branco na parte basal; piranha. **8.** *Bras.* V. *lacrainha.* **9.** *Bras. Cap.* Golpe desequilibrador em que o capoeirista, apoiado com as mãos no chão, procura prender com as pernas o pescoço do adversário para derrubá-lo violentamente; navalha. ● *S. m.* **10.** *Bras.* V. *chama-maré.* **11.** *Bras.* Espécie de crustáceo decápode, braquiúro, da família dos ocipodídeos (*Ucamaracoani* Letreille)), que ocorre das Antilhas até SP, e cuja carapaça tem cerca de 2 cm de comprimento. Vive nos mangues. ~ V. *tesouras.*

tesourada. [Var. de *tesoirada.*] *S. f.* **1.** Golpe com tesoura. **2.** Ato de tesourar.

tesoura-de-costas. [Var. de *tesoira-de-costas.*] *S. f. Bras. Cap.* Tesoura (9) executada a partir de um arpão (3). [Pl.: *tesouras-de-costas.*]

tesoura-de-frente. [Var. de *tesoira-de-frente.*] *S. f. Bras. Cap.* Tesoura (9) executada a partir de uma queda-de-quatro [q. v.]. [Pl.: *tesouras-de-frente.*]

tesoura-do-brejo. [Var. de *tesoira-do-brejo.*] *S. f. Bras.* Ave passeriforme, da família dos tiranídeos (*Gubernetes yetapa* (Vieil.)), do Brasil central e este-meridional de coloração geral cinzenta, asas e cauda pretas, garganta branca com orla castanha, e penas externas da cauda muito longas. Vive em lugares descampados, perto de terrenos alagadiços, e alimenta-se de insetos. [Pl.: *tesouras-do-brejo.*]

tesoura-do-campo. [Var. de *tesoira-do-campo.*] *S. f. Bras., RS.* Ave passeriforme, da família dos tiranídeos (*Yetapa risivora* (Vieil.)), de MT e RS, e dos países limítrofes. Tem cauda longa, bifurcada, penas flexíveis, retrizes externas com 20 cm de comprimento, coloração geral cinzenta, asas e cauda pretas, garganta branca orlada de castanho. Alimenta-se de insetos. [Sin.: *galito.* Pl.: *tesouras-do-campo.*]

tesourão. [Var. de *tesoirão.*] *S. m.* **1.** *Encad.* Aparelho para cortar papelão; mesa de ferro com esquadro, calçador e lâmina (faca) presa a um dos lados, com cabo que se empunha para fazer o corte. [Sin.: *facão, cisalha* e (lus.) *cesária.*] **2.** *Tip.* Aparelho que, nas máquinas de fundir material branco, corta os fios e entrelinhas nas medidas desejadas. **3.** *Bras., RJ.* V. *alcatraz*[1]. **4.** *Bras., RJ.* V. *gavião-tesoura.*

tesourar. [Var. de *tesoirar.*] *V. t. d.* **1.** Cortar com a tesoura. **2.** Destruir, dilacerar, cortando. **3.** *Fam.* Falar mal de. [Sin.: *malhar* e (bras.) *pichar.*]

tesouraria. [De *tesouro* + *-aria.*] *S. f.* **1.** Cargo ou repartição do tesoureiro. **2.** Casa ou lugar onde se guarda e administra o tesouro público. **3.** Escritório de companhia ou de banco, onde se efetuam transações monetárias. [Var.: *tesoiraria.*]

tesouras. [Var. de *tesoiras.*] *S. f. pl. Cineg.* Penas da ponta da asa, menores que as voadeiras. ~ V. *tesoura.*

tesoureiro. [Do lat. tardio *thesaurariu.*] *S. m.* **1.** Guarda de tesouro. **2.** Empregado superior da administração do tesouro público. **3.** Encarregado da tesouraria de um banco, associação, companhia, etc. [Var.: *tesoireiro.*]

tesourense. *Adj. 2 g.* **1.** De, ou pertencente ou relativo a Tesouro (MT). ● *S. 2 g.* **2.** Natural ou habitante de Tesouro.

tesourinha. [Var. de *tesoirinha.*] *S. f.* **1.** Pequena tesoura para unhas. **2.** Gavinha, gavião. **3.** *Bras.* Ave passeriforme, da família dos cotingídeos (*Phibalura flavirostris* Vieil.), do S.E. do Brasil, de cauda longa e bifurcada, com 12 cm de comprimento, coloração geral amarelo-negra, dorso amarelo-oliváceo com penas marginadas de negro, nuca cinzento-clara, vértice com penas vermelhas, garganta amarelo-vivo, peito branco com estrias negras, cauda e asas negras, retrizes marginadas de verde, rêmiges secundárias esbranquiçadas. Freqüenta as matas, emigrando para os campos em certo período do ano. **4.** *Bras.* V. *lacrainha.*

tesouro. [Do gr. *thesaurós*, atr. do lat. *thesauru.*] *S. m.* **1.** Grande porção de dinheiro ou de objetos preciosos. **2.** Lugar onde são arrecadadas ou guardadas as riquezas. **3.** V. *fazenda* (5). **4.** V. *fisco.* **5.** Coleção de objetos úteis, belos ou preciosos, ou de coisas de grande estimação. **6.** Coleção de palavras e/ou peculiaridades de uma língua, ou de determinado ramo do conhecimento, etc.: *Grande Dicionário Português ou Tesouro da Língua Portuguesa*, de Frei Domingos Vieira; *Tesouro da Fraseologia Brasileira*, de Antenor Nascentes. **7.** Dicionário analógico. **8.** Repositório de obras que constituem um patrimônio: *A arquitetura barroca mineira destaca-se em nosso tesouro cultural.* **9.** Coisa ou pessoa de muita valia. **10.** *Jur.* Depósito antigo de moeda ou de coisas preciosas, enterrado ou oculto, e de cujo possuidor não há memórias. [Var.: *tesoiro.*]

tessálico. [Do gr. *thessalikós*, pelo lat. *thessalicu.*] *Adj.* V. *tessálio* (1).

tessálio. [Do gr. *thessálios*, pelo lat. *thessaliu.*] *Adj.* **1.** Da, ou pertencente ou relativo à Tessália (Grécia); tessálico, téssalo. ● *S. m.* **2.** O natural ou habitante da Tessália; téssalo.

téssalo. [Do gr. *thessalós*, pelo lat. *thessalu.*] *Adj.* e *s. m.* V. *tessálio.*

tessalonicense. [Do lat. *thessalonicense.*] *Adj. 2 g.* **1.** De, ou pertencente ou relativo a Tessalonica (Grécia antiga). ● *S. 2 g.* **2.** Natural ou habitante de Tessalonica.

tessar. [Nome comercial.] *S. f. Fot.* Tipo de objetiva que usa um sistema óptico assimétrico e anastigmático de alta correção.

tessela. [Do lat. *tessella.*] *S. f.* **1.** Pedra quadrada com que se lajeiam compartimentos de edifício. **2.** Cubo ou peça de mosaico.

tesselário. [Do lat. *tesselariu.*] *S. m.* **1.** Operário que prepara pedras ou tijolos para pavimentos; mosaísta. **2.** Fabricante de dados.

téssera. [Do lat. *tessera.*] *S. f.* **1.** Designação comum aos objetos que serviam de senha, entre os primitivos cristãos. **2.** Cubo ou dado marcado nas seis faces. **3.** Tabuleta quadrada na qual os chefes militares traçavam suas ordens, para um subalterno, o tesserário, transmiti-las às tropas. [Cf. *tecera* (ê), do v. *tecer.*]

tesserário. [Do lat. *tesserariu.*] *S. m.* Entre os antigos, aquele que transmitia aos soldados, por meio de téssera, as ordens recebidas dos chefes.

tessitura. [Do it. *tessitura.*] *S. f.* **1.** *Mús.* Conjunto dos sons que abrangem uma parte da escala geral e convêm melhor a uma determinada voz ou a um determinado instrumento. **2.** *P. ext.* O conjunto das notas mais freqüentes numa peça musical, constituindo a extensão média em que está ela escrita. **3.** *Fig.* Organização; contextura.

testa. [Do lat. *testa.*] *S. f.* **1.** Parte do rosto entre os olhos e raiz dos cabelos anteriores da cabeça; fronte. [Aum. irreg.: *testaça.*] **2.** *Fig.* Frente, dianteira: "A figura proeminente .... era um cavaleiro de grande porte e alta estatura, que então ocupava o centro na testa do primeiro grupo." (José de Alencar, *Guerra dos Mascates*, p. 52.) **3.** *Marinh.* Cada um dos lados verticais ou quase verticais duma vela redonda. **4.** *Marinh.* O lado de uma vela latina quadrangular, ou o de uma vela latina triangular de embarcação moderna de recreio ou de regata, que encosta no mastro. [Cf., nesta acepç., *esteira*[2] (2), *gurutil* (2) e *valuma.*] **5.** *Marinh.* Nas redes de pesca, cada um dos lados perpendiculares às tralhas. **6.** *Morfol. Veg.* O tegumento externo das sementes, que pode ser duro ou macio, liso ou dotado de variadas ornamentações. [Cf., nesta acepç., *tegme.*] ♦ **Testa coroada.** Monarca, soberano. **Comer com a testa.** *Bras., N.E.* Ver (o que se deseja) sem o poder possuir; ver. **Enfeitar a testa de.** *Bras. Gír.* Ser infiel a, trair (a pessoa a quem se está ligado por amor carnal); cornear. **Fazer testa a.** Resistir, opor-se, a; fazer face a.

testaça. [De *testa* + *-aça.*] *S. f.* Testa (1) grande.

testáceo. [Do lat. *testaceu.*] *Adj.* **1.** Que tem concha. **2.** Vermelho da cor do tijolo. **3.** Pertencente ou relativo aos testáceos. ● *S. m.* **4.** Espécime dos testáceos.

testáceos. *S. m. pl. Zool.* Animais protozoários, rizópodes, da ordem *Testacea*, cujo corpo está situado dentro de uma carapaça de sílica ou carbonato de cálcio, possuindo uma só câmara. São na maioria de água doce.

testaçudo. [De *testaça* + *-udo.*] *Adj.* e *s. m.* Testudo.

testada. [De *testa* + *-ada*[1].] *S. f.* **1.** Parte da rua ou da estrada que fica à frente de um prédio; testeira: "Sozinho, na testada da casa fechada, experimentou a princípio certa revolta." (Xavier Marques, *As Voltas da Estrada*, p. 300.) **2.** Pancada com a testa. **3.** *Bras.* Tolice, asneira. **4.** *Bras.* Linha que separa de logradouro público uma propriedade particular. ♦ **Varrer a testada.** Desviar de si certa responsabilidade.

testa-de-ferro. *S. m.* Indivíduo que se apresenta como responsável por empreendimento ou atos de outrem; homem-de-palha, títere. [Pl.: *testas-de-ferro.*]

testado. [Part. de *testar*[2].] *Adj.* **1.** Que foi submetido a teste[1]. **2.** Dado como bom; verificado, examinado.

testador (ô). [De *testar*[1] + *-(d)or.*] *Adj.* e *s. m.* Que ou aquele que testa ou faz testamento; testante.

testamental. *Adj. 2 g.* Relativo a, ou que tem a natureza do testamento. [Sin. ger.: *testamentário.*]

testamentaria. [De *testamento* + *-aria.*] *S. f.* Cargo ou função de testamenteiro. [Cf. *testamentária*, fem. de *testamentário.*]

testamentário. [Do lat. *testamentariu.*] *Adj.* V. *testamental.* ~ V. *carta —a, cédula —a, herdeiro — e sucessão —a.* [Fem.: *testamentária.* Cf. *testamentaria.*]

testamenteiro. [Do lat. *testamentariu*, que, aliás, quer dizer 'aquele que redige um testamento'.] *S. m.* **1.** Aquele que cumpre ou faz cumprir um testamento. **2.** Indivíduo a quem o testador encarrega expressamente de cumprir as disposições de sua última vontade. ● *Adj.* **3.** Que anda sempre a fazer testamentos.

testamento. [Do lat. *testamentu.*] *S. m.* **1.** *Jur.* Ato personalíssimo, unilateral, gratuito, solene e revogável, pelo qual alguém, com observância da lei, dispõe de seu patrimônio, total ou parcialmente, para depois de sua morte, podendo, ainda, nomear tutores para seus filhos menores, reconhecer filhos naturais e fazer outras declarações de última vontade. **2.** *Rel.* Aliança de Deus com os homens, quer feita através de Moisés — o Antigo Testamento —, quer através de Jesus Cristo — o Novo Testamento. [Os livros sagrados que se prendem a uma ou outra dessas alianças dividem em duas grandes partes a Bíblia cristã.] **3.** *Bras.* Nomeações, concessões, favores, feitos nos últimos dias de um governo. ♦ **Testamento aberto.** V. *testamento privado.* **Testamento**

autêntico. Testamento público. **Testamento cerrado.** V *testamento secreto.* **Testamento conjuntivo.** Pacto sucessório entre duas pessoas, em geral marido e mulher, no qual fazem declarações de última vontade em benefício recíproco, ou de terceiro, e que é expressamente proibido pelo direito brasileiro; testamento de mão comum. **Testamento de mão comum.** V. *testamento conjuntivo.* **Testamento hológrafo.** V. *testamento privado.* **Testamento marítimo.** *Bras. Jur.* O que, em viagens de alto-mar, nos navios nacionais, de guerra ou mercantes, é lavrado pelo comandante ou pelo escrivão de bordo, em obediência às declarações do testador, ou sob seu ditado, perante duas testemunhas idôneas, que o assinarão após o testador. **Testamento militar.** *Bras. Jur.* O que é feito por militar ou pessoa a serviço do exército em campanha, dentro ou fora do país, ou que se acha em praça sitiada, ou de comunicações cortadas, em presença de duas testemunhas, ou de três se o testador não souber ou não puder assinar, caso este em que assinará por ele a terceira. **Testamento místico.** V. *testamento secreto.* **Testamento nuncupativo.** *Jur.* Testamento feito de viva voz, proibido no direito brasileiro atual, salvo no caso dos militares e pessoas a serviço do país em guerra, durante as operações de campanha, ou quando feridas. **Testamento particular.** V. *testamento privado.* **Testamento privado.** *Jur. Bras.* O que é escrito e assinado pelo testador, e lido perante cinco testemunhas, que o assinam imediatamente depois; testamento aberto, testamento hológrafo, testamento particular. **Testamento público.** *Bras. Jur.* O que é escrito por oficial público em seu livro de notas, por ditado ou declaração do testador, perante este e cinco testemunhas idôneas; testamento autêntico. **Testamento secreto.** *Bras. Jur.* O que é escrito em carta sigilada, pelo punho do testador ou de alguém a seu rogo, e complementado pelo instrumento de aprovação feito por oficial público, perante cinco testemunhas idôneas; testamento cerrado, testamento místico. **Mandar em testamento.** Legar (2). **Novo Testamento.** Parte da Bíblia que reúne os textos cristãos escritos em grego durante os sécs. I e II de nossa era, e constitui, com o Velho Testamento [q.v.], o livro sagrado do cristianismo. **Velho Testamento.** Parte da Bíblia que reúne os textos escritos em hebraico e aramaico pelos hebreus, e constitui, até hoje, o livro sagrado dos israelitas, sendo também, com o Novo Testamento [q. v.], o livro sagrado dos cristãos.

testamento-de-judas. *S. m. Liter. Pop. Bras.* Composição poética, quase sempre do tipo pé-quebrado, e de caráter satírico, com a qual, na semana da Paixão, o cantador ou poeta popular, falando por Judas, faz a partilha dos defeitos do apóstolo traidor entre as pessoas mais conhecidas na sua comunidade. [Pl.: *testamentos-de-judas.*]

testante. [Do lat. *testante.*] *Adj. 2 g.* e *s. 2 g.* Testador.

testar[1]. [Do lat. *testare.*] *V. t. d.* e *i.* **1.** Deixar em testamento; legar: *T e s t o u à mulher todos os seus bens. T. d.* **2.** Deixar por morte; deixar em disposição testamentária. **3.** Deixar como em testamento; transmitir, passar, legar: "Nenhum século, depois de rijo lidar, se foi envolver no sudário do passado, sem t e s t a r à história mais um nome, um feito, um laurel, uma glória" (Antero de Quental, *Prosas*, I, p. 45). *Int.* **4.** Fazer o seu testamento: *Morreu sem t e s t a r ;* "Enquanto durou o inventário, e principalmente a denúncia dada por alguém contra o testamento, alegando que o Quincas Borba, por manifesta demência, não podia t e s t a r , o nosso Rubião distraiu-se" (Machado de Assis, *Quincas Borba*, p. 39). *T. i.* **4.** Dispor (de alguma coisa) em testamento: T e s t o u *de todos os seus bens.* **5.** Dar testemunho; testemunhar. [Pres. ind.: *testo*, etc.; pres. subj.: *teste, testes, teste, testemos, testeis, testem.* Cf. testo (ê), texto e teste, s. m., e têxteis, pl. de *têxtil.*]

testar[2]. [De *teste* + *-ar*[2].] *V. t. d.* **1.** Submeter a teste[1]; aplicar testes a: T e s t a r a m rigorosamente os candidatos; *Precisamos t e s t a r a a resistência dos atletas.* **2.** Submeter a teste ou experiência (máquina, instrumento, material, etc.); fazer funcionar experimentalmente; provar, experimentar. [Pres. ind.: *testo*, etc.; pres. subj.: *teste, testes, teste, testemos, testeis, testem.* Cf. *testo* (ê), *texto* e *teste*, s. m., e *têxteis*, pl. de *têxtil.*]

testavilhar. *V. t. d. Bras., RS.* **1.** Tropeçar; escorregar: "no mover-se enredou as esporas no timãozinho que caíra, e t e s t a v i l h o u maneado..." (Simões Lopes Neto, *Contos Gauchescos e Lendas do Sul*, p. 144). **2.** Vacilar, titubear. **3.** Descuidar-se; distrair-se.

teste[1]. [Do ingl. *test.*] *S. m.* **1.** Exame, verificação ou prova para determinar a qualidade, a natureza ou o comportamento de alguma coisa, ou de um sistema sob certas condições. **2.** Método, processo, procedimento ou meios utilizados para tal exame, verificação ou prova. **3.** *Psicol.* Medida ou cálculo de determinadas características afetivas, intelectuais (nível mental, aptidões, conhecimentos), sensoriais ou motoras de um indivíduo, que permite situá-lo objetivamente em relação a outros membros do grupo social a que ele pertence. **4.** *Bras. P. ext.* Prova, exame, verificação.

teste[2]. [Do lat. *teste.*] *S. f. Desus.* Testemunha.

testectomia. [De *test(i)-* + *-ectom-* + *-ia.*] *S. f. Cir.* Orquiectomia.

testectômico. *Adj.* Relativo à testectomia.

teste-diagnóstico. *S. m. Proc. Dados.* Rotina específica projetada para localizar o mau funcionamento do computador; diagnóstico. [Pl.: *testes-diagnósticos* e *testes-diagnóstico.*]

testeira. [De *testa* + *-eira.*] *S. f.* **1.** Testada (1). **2.** Parte dianteira; frente. **3.** Lenço ou tira de pano que se coloca na testa dos recém-nascidos. **4.** Pedaço de pano branco que assenta na testa das religiosas. **5.** A parte da cabeçada que cinge a cabeça da cavalgadura; topeteira: "No centro da t e s t e i r a [da égua madrinha] enlaçarotada de fitas multicoloridas, um espelho pequenino e oval firmava-se às correias, preso por anéis de fio de prata." (Nélson de Faria, *Cabeça-Torta*, p. 7.) **6.** Cabeceira de caixão ou de mesa. **7.** V. *testico.* **8.** *Tip.* Êmbolo que lança o chumbo em fusão no molde da linotipo.

testemunha. [Dev. de *testemunhar.*] *S. f.* **1.** Pessoa chamada a assistir a certos atos autênticos ou solenes. **2.** Pessoa que viu ou ouviu alguma coisa, ou que é chamada a depor sobre aquilo que viu ou ouviu. **3.** Coisa que atesta a verdade de algum fato; prova, testemunho. **4.** *Bibliogr.* Folha ou parte de folha que, geralmente em exemplar de edição de luxo, se evita aparar, dobrando-a para dentro, a fim de constituir prova do formato do papel. **5.** *Grav.* V. *bisel* (4). ~ V. *testemunhas.* ♦ **Testemunha auricular.** A que ouviu contar o fato; testemunha de ouvido. **Testemunha de ouvido.** Testemunha auricular. **Testemunha de vista.** A que presenciou um fato; testemunha ocular. **Testemunha de viveiro.** *Bras. Gír. for.* A que é industriada para prestar depoimento falso. **Testemunha informante.** A que é autorizada por lei a depor no juízo criminal sem prestar compromisso de dizer a verdade. **Testemunha instrumentária.** Aquela que assiste aos atos formalizados num instrumento (6), cuja validade depende da presença dela. **Testemunha numerária.** A que se compromete, no juízo criminal, sob palavra de honra, a dizer a verdade do que souber e lhe for perguntado. **Testemunha ocular.** Testemunha de vista. **Testemunha suspeita.** Aquela que, por ser parenta, amiga ou inimiga duma das partes, não merece fé em juízo.

testemunha-de-jeová. *S. 2 g.* Pessoa que segue a seita Testemunhas de Jeová [q. v.]. [Pl.: *testemunhas-de-jeová.*]

testemunhador (ô). *Adj.* e *s. m.* Que ou aquele que testemunha.

testemunhal. *Adj. 2 g.* **1.** Relativo a testemunha. **2.** Fornecido ou apresentado por testemunha: *prova t e s t e m u n h a l .* ● *S. m.* **3.** Documento com que um superior eclesiástico recomenda um súdito para que possa ser ordenado por outrem.

testemunhar. [Do lat. **testimoniare.*] *V. t. d.* **1.** Dar testemunho acerca de; declarar ter visto, ouvido ou conhecido; testificar; testar: *Foi a juízo t e s t e m u n h a r o crime.* **2.** Confirmar, comprovar, demonstrar: *A excelência da obra t e s t e m u n h a o talento do autor.* **3.** Ver, presenciar: *T e s t e m u n h e i a vitória e posso afirmar que foi honesta.* **4.** Manifestar, expressar, revelar: *t e s t e m u n h a r alegria; t e s t e m u n h a r pesar. T. d. e i.* **5.** Confirmar, comprovar, demonstrar. **6.** Manifestar, expressar, revelar: "São Patrício foi um grande santo.... F todos os grandes, como todos os pequenos, sempre lhe t e s t e m u n h a r a m a maior veneração." (Gustavo Barroso, *Livro dos Milagres*, p. 19.) *T. i.* **7.** Dar testemunho; servir de testemunha: *t e s t e m u n h a r contra um réu. Int.* **8.** Dar testemunho acerca de algo; confirmá-lo: "Anunciaram que você morreu. / Meus olhos, meus ouvidos t e s t e m u n h a m . / A alma profunda, não." (Manuel Bandeira, *Estrela da Vida Inteira*, p. 191.)

testemunhas. [Pl. de *testemunha.*] *S. f. pl.* **1.** Pedras que se põem ao lado de um marco. **2.** Árvores que se acham ao pé de outra que serve de baliza. [Cf. *testemunho* (4).] ~V. *testemunha.* ♦ **Testemunhas de Jeová.** Seita religiosa hostil ao catolicismo romano e ao protestantismo, e que surgiu nos E.U.A., em 1872, organizada por Charles Taze Russel (1852-1916). [Cf. *testemunha-de-jeová.*]

testemunhável. *Adj. 2 g.* **1.** Que pode ser testemunhado. **2.** Que confirma, comprova. **3.** Que merece crédito. **4.** *Jur.* Diz-se da cópia das peças dum processo feita a pedido de quem agrava de um despacho, não consentindo o juiz que o agravo se escreva. ~ V. *carta* —.

testemunho. [Do lat. *testimoniu.*] *S. m.* **1.** A declaração ou alegação duma testemunha em juízo; depoimento: "no século seguinte [o XVIII] já nenhuns vestígios dele [o castelo de Faria] restavam, segundo o t e s t e m u n h o de um historiador nosso." (Alexandre Herculano, *Lendas e Narrativas*, I, p. 218). **2.** Prova, testemunha. **3.** Indício, vestígio. **4.** *Geol.* Qualquer das elevações isoladas que restaram da destruição erosiva de uma região. [Cf. *testemunhas.*]

▲test(i)-. [De *testículo.*] *El. comp.* = 'testículo': *testicondo; testectomia.* [Equiv.: *testo-: testosterona.*]

testicárdine. *Adj. 2 g.* e *s. m.* Articulado (3 e 5).

testicárdines. *S. m. pl. Zool.* Articulados (1).

testico. [De *testa* + *-ico*[2].] *S. m.* Cada uma das cabeceiras da serra; testeira, testo (ê).

testicondo. [De *testi*, f. abrev. de *testículo*, + lat. *conditu*, 'guardado, escondido'.] *Adj.* Diz-se do cavalo cujos testículos são recolhidos no ventre.

testicular. *Adj. 2 g.* Relativo ou pertencente a testículo; testiculoso.

testículo. [Do lat. *testiculu.*] *S. m. Anat.* Cada um de dois órgãos ovóides situados na bolsa escrotal, que produzem espermatozóides e, em células especializadas, hormônios esteróides. [Sin., gír.: *bago.* Tb. us. no pl.]

testículo-de-cão. *S. m.* Variedade de orquídea *(Orchis mascula).* [Pl.: *testículos-de-cão.*]

testículos. [Pl. de *testículo.*] *S. m. pl.* V. *testículo.*

testiculoso (ô). *Adj.* **1.** Testicular. **2.** *Bot.* Diz-se dos órgãos vegetais bilobados.

testificação. [Do lat. *testificatione.*] *S. f.* Ato ou efeito de testificar.

testificador (ô). [Do lat. *testificatore.*] *Adj.* e *s. m.* Que ou aquele que testifica; testificante.

testificante. [Do lat. *testificante.*] *Adj. 2 g.* e *s. 2 g.* Testificador.

testificar. [Do lat. **testificare, por testificari.*] *V. t. d.* **1.** Testemunhar (1). **2.** Afirmar, assegurar. **3.** Comprovar, atestar: "A eleição de Feijó para regente único ainda t e s t i f i c a a vitória dos moderados." (Paulo Mercadante, *A Consciência Conservadora no Brasil*, p. 121.) **4.** Afirmar, declarar, assegurar. [Conjug.: v. *trancar.*]

testilha. [De *testa* + *-ilha.*] *S. f.* **1.** Briga, luta. **2.** Debate, disputa, discussão: "Não lhe impediu .... a incursão pelos domínios da doutrina que no ano imediato volvesse às t e s t i l h a s e bulhas do Porto." (Costa Rego, *Águas Passadas*, p. 143.)

testilhar. [De *testilha* + *-ar*[2].] *V. int.* e *t. i.* **1.** Brigar, lutar. **2.** Discutir, debater, altercar.

testilho. [De *testa* + *-ilho.*] *S. m.* **1.** Testeira de caixão. **2.** Cada uma das duas faces laterais e internas da chaminé, da verga para cima.

testo[1]. [De *testa.*] *Adj. Fam.* **1.** Enérgico, firme, resoluto. **2.** Que não admite brincadeiras; sério. [Pl.: *testos.* Cf. *testo* (ê), s. m., pl. *testos* (ê), e *texto*, s. m., pl. *textos.*]

testo[2]. [De *testo* (ê).] *S. m. Bras., CE. Pop.* Murro, soco. [Pl.: *testos.* Cf. *testo* (ê), s. m., pl. *testos* (ê), e *texto*, s. m., pl. *textos.*]

▲testo-. Equiv. de *test(i)-.*

testo (ê). [Do lat. *testu.*] *S. m.* **1.** Tampa de barro ou de ferro, para vasilhas: "como a panela levantasse fervura, a Rita ergueu-se maquinalmente, foi arredar o t e s t o , espumou a panela e voltou para a cadeira." (Conde de Ficalho, *Uma Eleição Perdida*, p. 250). **2.** V. *testico.* **3.** A testa do boi. **4.** *Bras.* Camada de fuligem, endurecida, do fundo das panelas. **5.** Camada de barro destinada a filtrar a água dos pães de açúcar. ~ V. *testos* (ê). [Pl.: *testos* (ê). Cf. *testo*, do v. *testar* e s. m., pl. *testos*, e *texto*, s. m., pl. *textos.*]

testos (ê). [Pl. de *testo.*] *S. m. pl.* **1.** Os lados horizontais da serra braçal. **2.** *Pop.* Cabeça mioleira. ~ V. *testo* (ê).

testosterona. [Do ingl. *testosterone.*] *S. f. Quím.* Hormônio masculino, cristalino, acicular. [Fórm.: $C_{19}H_{28}O_2$.]

testudíneo. [Do lat. *testudine*, 'tartaruga', + *-eo.*] *S. m.* e *adj.* Quelônio.

testudíneos. [Pl. de *testudíneo.*] *S. m. pl. Zool.* Quelônios.

testudo. *Adj.* **1.** Que tem grande testa ou cabeça; testaçudo. **2.** Fig. Teimoso, obstinado, cabeçudo, testaçudo. ● *S. m.* **3.** Indivíduo testudo; testaçudo. **4.** *Bras.* V. *peixe-galo.*

tesudo. *Bras. Chulo. Adj.* **1.** Que tem ou sente muita tesão. ● *S. m.* **2.** Aquele que tem ou sente muita tesão. **3.** *Tesão* (7).

tesura. *S. f.* **1.** Qualidade ou estado de teso. **2.** Vaidade, orgulho.

teta. [Do gr. *thêta*, pelo lat. *theta.*] *S. m.* Nome da 8ª letra do alfabeto grego (Θ , θ). [Pl.: *tetas.* Cf. *teta* (ê), s.

f., pl. *tetas* (ê), e *tetas* (ê), s. m. 2 n.]

teta (ê). *S. f.* **1.** Glândula mamária; poma, mama, peito, seio: "as peixeiras, quase todas negras, ... rebolando os grossos quadris trêmulos e as *t e t a s* opulentas." (Aluísio Azevedo, *O Mulato*, p. 10). **2.** Úbere, ubre: "Ele mesmo ordenhava as vacas de uma a uma. E o contato daquelas *t e t a s* pejadas dava-lhe uma alegria tão grande que mais parecia um pecado." (João Clímaco Bezerra, *O Semeador de Ausências*, p. 121.) **3.** *Fig.* Manancial, fonte. [Pl.: *tetas* (ê). Cf. *teta*, s. m., pl. *tetas*.]

tetania. [De *tétano* + *-ia*.] *S. f. Med.* Síndrome que se caracteriza por manifestações neuromusculares bruscas, como parestesias das extremidades, dispnéia, dores torácicas ou abdominais, contraturas, em geral, dos membros superiores, embora os inferiores possam também ser comprometidos. Em certos casos, chega a haver perda de consciência.

tetânico. [Do gr. *tetanikós*, pelo lat. *tetanicu*.] *Adj.* Da natureza do tétano. [Cf. *titânico*.]

tetaniforme. [De *tétano* + *-i-* + *-forme*.] *Adj. 2 g.* Semelhante ao tétano.

tetanização. *S. f.* Ato ou efeito de tetanizar.

tetanizante. *Adj. 2 g.* Que tetaniza.

tetanizar. *V. t. d.* Tornar tetânico.

tétano. [Do gr. *tetanós*, 'rigidez espasmódica dos membros, tétano', pelo lat. *tetanu*.] *S. m.* **1.** *Med.* Doença infecciosa causada pelo *Clostridium tetani* e que incide principalmente no homem e no cavalo. Caracteriza-se por trismo, espasmos musculares generalizados, opistótono, espasmo de glote, etc. [Sin., pop.: *mal-do-veado*.] **2.** *Fisiol.* Contração muscular tônica contínua; tonismo. ◆ **Tétano do recém-nascido.** *Patol.* Tétano resultante de infecção da ferida umbilical; mal-de-sete-dias.

tetas (ê). [Pl.: de *teta* (ê).] *S. m. 2 n. Chulo.* Maricas, maricão. [Cf. *tetas*, pl. de *teta*.]

➧**tête-à-tête** (tètatét'). [Fr.] *S. m.* Palestra particular entre duas pessoas.

tetéia. *S. f.* **1.** Dixe de criança. **2.** Enfeite, berloque: "um anel com pedra, um broche de libra e talvez outras miudezas, *t e t é i a s* e argolas." (Raquel de Queirós, *A Donzela e a Moura-Torta*, p. 47). **3.** *Bras.* Pessoa ou coisa muito graciosa. **4.** *Bras., AL.* Vara para colher frutas. [Cf. nesta acepç., *corrupixel*.]

teteqüera. [Do tupi *tete'kwera*, 'o que foi corpo; cadáver; solidificado, endurecido'.] *S. f. Bras., SP.* Designação comum a certas depressões que foram leito do rio Paraíba do Sul e ora se encontram cobertas de vegetação.

tetérrimo. [Do lat. *teterrimu*.] *Adj.* Superl. abs. sint. de *tetro*. [q. v.].

teteté. [Voc. onom.] *Adj. 2 g.* **1.** *Bras.* Reincidente. ● *Adv.* **2.** *Bras.* A miúdo, amiúde, freqüentemente.

tetéu. [Voc. onom.] *S. m. Bras.* V. *quero-quero*.

tetéu-de-savana. *S. m. Bras., AM.* Téu-teu-da-savana. [Pl.: *tetéus-de-savana*.]

tético. [Do gr. *thetikós*, 'próprio para colocar'; 'próprio para estabelecer, criar'; 'positivo'.] *Adj. Mús.* Diz-se do ritmo musical que tem início no começo do compasso, i. e., no tempo forte.

▲**-tético.** [Do gr. *thetikós, é, ón*.] *El. comp.* = 'próprio para colocar': *homotético, protético* (< gr. *prothetikós*).

tetigonióideo. *S. m.* **1.** Espécime dos tetigonióideos. ● *Adj.* **2.** Pertencente ou relativo a eles. [Sin. ger.: *locustódeo, ensífero, fasgonuróide*.]

tetigonióideos. *S. m. pl. Zool.* Insetos da ordem dos ortópteros, subordem *Tettigoniodea*, com antenas geralmente mais longas que o corpo, multissegmentadas. Têm, em geral, 12 segmentos, e, quando têm menos, as pernas anteriores são do tipo fossorial. O ovopositor é mais ou menos conspícuo, em forma de sabre reto, ou encurvado, ou estiliforme. São as esperanças e as paquinhas. [Sin.: *ensíferos, fasgonuróides, locustódeos*.]

tetim. *S. m.* Espécie de betume feito de pó de tijolo, cal e azeite.

tetipoteira. *S. f. Bras.* Planta da família das vitáceas (*Vitis arbustiva*).

teto[1]. [Var. de *tecto* do lat. *tectu*.] *S. m.* **1.** A face superior interna duma casa ou dum aposento. **2.** *P. ext.* Telhado (1): *A cabana tinha o t e t o de palha.* **3.** *P. ext.* Habitação, abrigo: "Ele viu, ele viu, num sonho lacrimante, / A sua infância, o lar, o *t e t o* de seus pais" (Gonçalves Crespo, *Obras Completas*, p. 339). **4.** A altura máxima em que um avião pode voar com segurança, observadas as condições meteorológicas, de visibilidade, etc. **5.** *Fig.* O limite máximo; o máximo: *Qual o seu t e t o para o preço do apartamento?; O banco empresta até o t e t o de Cz$ 100 milhões.* [Pl.: *tetos*. Cf. *teto* (ê), s. m., e pl. *tetos* (ê).]

teto[2]. *S. m.* Uma das línguas faladas em Timor. [Cf. *teto* (ê), s. m.]

teto (ê). [De *teta* (ê).] *S. m. Bras., S., e prov. lus.* O bico da teta da vaca e doutros animais. [Pl.: *tetos* (ê). Cf. *teto*, s. m., e pl. *tetos*.]

tetônica. *S. f.* Var. de *tectônica*.

tetônico. *Adj.* Var. de *tectônico*.

tetra[1]. [Do gr. *tetra*.] *S. m. F.* red. de *tetracampeão*.

tetra[2]. [Do gr. *tetra*.] *S. m. F.* red. de *tetracampeonato*.

▲**tetr(a)-.** [Do gr. *tetra*.] *El. comp.* = 'quatro': *tetracampeão; tetravô*.

tetrabrânquio [De *tetr(a)-* + *-brânquio*.] *S. m.* **1.** Espécime dos tetrabrânquios. ● *Adj.* **2.** Pertencente ou relativo a eles.

tetrabrânquios. *S. m. pl. Zool.* Animais moluscos, cefalópodes, da ordem *Tetrabranchia*, de concha externa, multilocular e sifunculada, dois pares de brânquias e nefrídios, sem bolsa de tinta, tentáculos numerosos, desprovidos de ventosas. São os náutilos.

tetracampeã. *S. f. e adj. (f.)* Fem. de *tetracampeão* [q. v.].

tetracampeão. [De *tetr(a)-* + *campeão*.] *S. m.* Indivíduo, clube, etc., que é quatro vezes campeão. [Tb. us. como adj. F. red.: *tetra*. Fem.: *tetracampeã*.]

tetracampeonato. [De *tetr(a)-* + *campeonato*.] *S. m.* Campeonato alcançado pela quarta vez. [F. red.: *tetra*.]

tetracárpico. [De *tetr(a)-* + *-carp(o)-* + *-ico*[2].] *Adj. Bot.* Que tem quatro frutos.

tetrácero. [Do gr. *tetrákeros*.] *Adj. Zool.* Que tem quatro antenas ou tentáculos.

tetracético. *Adj.* — V. *ácido etilonodiamino* —.

tetracíclico. [De *tetra-* + *-cicl(o)-* + *-ico*[2].] *Adj. Bot.* Diz-se das flores que têm quatro verticilos.

tetracolo. [De *tetracólon* < gr. *tetrákolos, os, on*, 'que tem quatro membros'.] *S. m. Gram.* Período de quatro membros.

tetracólon. *S. m. Gram.* V. *tetracolo*.

tetracontaedro. *S. m. Geom.* Poliedro de 40 faces.

tetracontágono. *S. m. Geom.* Polígono de 40 faces.

tetracorde. *S. m. Mús.* V. *tetracórdio*.

tetracórdio. [De *tetracordo* < gr. *tetráchordon*, pelo lat. *tetrachordon*.] *S. m. Mús.* **1.** Série de quatro sons ou quatro notas por graus conjuntos, dividida em dois tons e um semitom. **2.** *Ant.* Lira com quatro cordas. **3.** Sistema de quatro sons, cujos extremos estavam a um intervalo de quarta justa, e que constituía a unidade fundamental da música grega. Os dois sons extremos eram fixos; os dois outros, móveis; e a união de dois tetracórdios formava a escala de oitava. [Var.: *tetracorde, tetracordo*.]

tetracordo. *S. m. Mús.* V. *tetracórdio*.

tetracosaedro. *S. m. Geom.* Poliedro de 24 faces.

tetracoságono. *S. m. Geom.* Polígono de 24 lados.

tetracromia. [De *tetra-* + *-crom(o)-* + *-ia*.] *S. f. Fotograv.* Quadricromia (1).

tetractinélido. *S. m.* **1.** Espécime dos tetractinélidos. ● *Adj.* **2.** Pertencente ou relativo a eles.

tetractinélidos. *S. m. pl. Zool.* Animais poríferos, demospôngios, da ordem *Tetractinellida*, de espículas grandes, com quatro raios que se unem em ângulos iguais ou desprovidos de espículas e espongina, corpo geralmente arredondado ou achatado, sem ramificações. Vivem na maioria em águas rasas.

tetracúspide. [De *tetra-* + *cúspide*.] *S. f. Geom.* V. *astróide*.

tétrada. [De *tetra-* + *-ada*[1].] *S. f. Cálc. Vect.* Operador formado pela justaposição de quatro vectores. [Cf. *díada, políada* e *tríada*.]

tetradáctilo. [Do gr. *tetradáktylos*.] *Adj. Zool.* Que tem quatro dedos. [Var.: *tetradátilo*.]

tetradátilo. *Adj.* Var. de *tetradáctilo*.

tétrade. [Do gr. *tetrás*, 'número quatro', pelo lat. *tetrade*.] *S. f. Morfol. Veg.* Conjunto de quatro células produzidas por duas divisões sucessivas da célula-mãe, que não se separam, formando pois, uma unidade, como se dá com o pólen das ericáceas.

tetradecaedro. [De *tetr(a)-* + *decaedro*.] *S. m. Geom.* Poliedro de 14 faces.

tetradecágono. [De *tetr(a)-* + *decágono*.] *S. m. Geom.* Polígono de 14 lados.

tetradelfo. [De *tetr(a)-* + *-adelfo*.] *Adj. Bot.* Diz-se do androceu cujos estames estão reunidos em quatro feixes.

tetrádico. [De *tétrada* + *-ico*[2].] *S. m. Cálc. Vect.* Soma de duas ou mais tétradas.

tetradimensional. [De *tetr(a)-* + o lat. *dimensione*; 'dimensão', + *-al*.] *Adj. 2 g.* Relativo a, ou que tem quatro dimensões.

tetradinamia. [De *tetradínamo* + *-ia*.] *S. f. Morfol. Veg.* Existência de seis estames, quatro maiores e dois mais curtos, como, p. ex., nas crucíferas.

tetradínamo. [De *tetra-* + *dínamo*.] *Adj. Morfol. Veg.* Que apresenta tetradinamia: *androceu t e t r a d í n a m o.*

tetraedral. *Adj. 2 g. Geom.* Tetraédrico (1). — V. *orbital* —.

tetraédrico. *Adj.* **1.** *Geom.* Referente a, ou próprio de um tetraedro; tetraedral. **2.** Que tem forma de tetraedro.

tetraedrita. [De *tetraedro* + *-ita*[3].] *S. f. Min.* Panabásio.

tetraedro. [De *tetr(a)-* + *-edro*.] *S. m. Geom.* Poliedro de quatro faces; hemioctaedro.

tetraexaédrico (cs). *Adj. Geom.* Relativo ao tetraexaedro.

tetraexaedro (cs). [De *tetr(a)-* + *hexaedro*.] *S. m. Geom.* Poliedro limitado por 24 triângulos isósceles iguais, formando, quatro a quatro, ângulos tetraédricos iguais.

tetráfido. [De *tetra-* + *-fido*.] *Adj. Bot.* Diz-se dos órgãos vegetais divididos em quatro lóbulos.

tetrafilídio. *S. m.* **1.** Espécime dos tetrafilídios. ● *Adj.* **2.** Pertencente ou relativo a eles.

tetrafilídios. *S. m. pl. Zool.* Animais platelmintos, cestóideos, da ordem *Tetraphyllidea*, com escólex provido de quatro ventosas alongadas, geralmente com ganchos, e que são parasitos de elasmobrânquios.

tetrafilo. [De *tetra-* + *-filo*[1].] *Adj. Bot.* Que tem quatro folhas.

tetrafoliado. [De *tetra-* + *foliado*.] *Adj. Bot.* Cujas folhas estão dispostas de quatro em quatro.

tetrágino. [De *tetra-* + *-gino*.] *Adj. Bot.* Que tem quatro pistilos.

tetragonal. *Adj. 2 g.* Que tem forma de tetrágono; tetrágono. — V. *sistema* —.

tetragônico. [De *tetrágono* + *-ico*[2].] *Adj. Geom.* Que tem quatro lados ou quatro ângulos.

tetrágono. [Do gr. *tetrágonos*, pelo lat. *tetragonu*.] *S. m. Geom.* **1.** Quadrângulo, quadrilátero. ● *Adj.* **2.** Tetragonal.

tetragonocéfalo. [De *tetrágono* + *-céfalo*.] *Adj. Zool.* Que tem cabeça quadrangular.

tetragonopterídeo. [De *tetr(a)-* + *-gon(o)-* + *-pter(o)-* + *-ídeo*.] *S. m.* **1.** Espécime dos tetragonopterídeos. ● *Adj.* **2.** Pertencente ou relativo a eles.

tetragonopterídeos. *S. m. pl. Zool.* Gênero de peixes fisóstomos, da família dos caracídeos, que dá nome ao grupo, e cuja nadadeira dorsal é curta e adiposa. Ocorre na África e na América do Sul.

tetragonopteríneo. *S. m.* **1.** Espécime dos tetragonopteríneos. ● *Adj.* **2.** Pertencente ou relativo a eles.

tetragonopteríneos. *S. m. pl. Zool.* Subfamília (*Tetragonopterinae*) da família dos antríbidos, de olhos laterais salientes e antenas longas, que alcança 3/4 do corpo.

tetragonóptero. [De *tetrágono* + *-ptero*.] *Adj. Zool.* Diz-se dos peixes cujas barbatanas são quadradas.

tetragrama. [De *tetr(a)-* + *-grama*.] *Adj. 2 g.* **1.** Que tem quatro letras. ● *S. m.* **2.** Conjunto de quatro letras que forma palavra, firma ou sinal. **3.** Pauta musical de quatro linhas, empregada no cantochão.

tetraidropirrol. *S. m. Quím.* Líquido fumegante inflamável, obtido pela redução do pirrol. [Fórm.: C_4H_9N.]

tetralépide. [De *tetr(a)-* + *-lépide*.] *Adj. 2 g. Bot.* Que tem quatro escamas.

tetralogia. [Do gr. *tetralogía*.] *S. f.* **1.** *Teat.* Conjunto de quatro peças teatrais — três tragédias e um drama satírico — que os antigos poetas gregos apresentavam em concurso. **2.** *Mús.* Conjunto de quatro óperas. [Usa-se principalmente com relação a *O Anel do Nibelungo*, ciclo dramático de Richard Wagner (1813-1883) que compreende as óperas *O Ouro do Reno, As Valquírias, Siegfried* e *O Crepúsculo dos Deuses*, todas baseadas no tema da maldição ligada à posse do ouro.]

tetralógico. *Adj.* Relativo a tetralogia.

tetrâmero. [Do gr. *tetramerés*.] *Adj. Zool.* **1.** Dividido em quatro partes. **2.** Pertencente ou relativo aos tetrâmeros. ● *S. m.* **3.** Espécime dos tetrâmeros.

tetrâmeros. [Pl. de *tetrâmero*.] *S. m. pl. Zool.* Indivíduo dos tetrâmeros, seção da ordem dos insetos coleópteros à qual pertencem os que têm quatro artículos nos tarsos.

tetrâmetro. [Do gr. *tetrámetros*, pelo lat. *tetrametru*.] *S. m.* Verso grego ou latino de quatro pés.

tetramitídeo. *S. m.* **1.** Espécime dos tetramitídeos. ● *Adj.* **2.** Pertencente ou relativo a eles.

tetramitídeos. *S. m. pl. Zool.* Família de protozoários da classe dos mastigóforos. São flagelados habitantes de águas doces e salgadas.

tetrandria. [De *tetr(a)-* + *-andria*.] *S. f. Morfol. Veg.* Ocorrência de quatro estames iguais. [Cf. *tetrândria*.]

tetrândria. [De *tetrandro* + *-ia*.] *S. f. Bot.* O conjunto

dos vegetais tetrandros. [Cf. *tetrandria.*]
tetrandro. [De *tetr(a)-* + *-andro.*] *Adj. Morfol. Veg.* Que apresenta tetrandria: *flor* t e t r a n d r a .
tetranemo. [De *tetr(a)-* + *-nemo.*] *Adj.* Que tem quatro filamentos ou tentáculos.
tetraneto. [De *tetr(a)-* + *neto.*] *S. m.* Filho do trineto ou da trineta: "sou pagão, t e t r a n e t o dum daqueles romanos, enviados a Hispânia, e que repartiam os ócios do cargo entre a mulher, a mesa e a caça." (Aquilino Ribeiro, *Maria Benigna,* p. 277). [Var.: *tataraneto.*]
tetraniquídeo. *S. m.* Espécime dos tetraniquídeos. ● *Adj.* **2.** Pertencente ou relativo a eles.
tetraniquídeos. *S. m. pl. Zool.* Família de artrópodes da classe dos aracnídeos, da ordem dos acarinos, da qual há espécies atuais e fósseis.
tetraodontídeo. *S. m.* e *adj.* V. *tetrodontídeo.*
tetraodontídeos. *S. m. pl. Zool.* V. *tetrodontídeos.*
tetrapétalo. [De *tetr(a)-* + *-pétalo.*] *Adj. Bot.* Que tem quatro pétalas.
tetraplegia. [De *tetr(a)-* + *-pleg-* + *-ia.*] *S. f. Med.* V. *quadriplegia.*
tetraplégico. *Adj.* **1.** Relativo à, ou que tem tetraplegia. ● *S. m.* **2.** Aquele que a tem.
tetrapnêumone. [De *tetr(a)-* + gr. *pnéumon, onos,* 'pulmão'.] *S. f.* e *adj. 2 g. Bras.* V. *migalomorfa.*
tetrapnêumones. [Pl. de *tetrapnêumone.*] *S. f. pl. Bras.* V. *migalomorfas.*
tetrápode. [Do gr. *tetrápous, odos.*] *Zool. Adj. 2 g.* **1.** Que tem quatro pés; quadrúpede. **2.** Pertencente ou relativo aos tetrápodes. ● *S. m.* **3.** Espécime dos tetrápodes.
tetrápodes. *S. m. pl. Zool.* Animais cordados, gnastomados, com dois pares de membros com cinco dedos, que geralmente são modificados, reduzidos ou ausentes, esqueleto ósseo, aberturas nasais ligadas à boca, e coração com duas aurículas. Abrangem desde os anfíbios aos mamíferos.
tetrapodologia. [De *tetrápode* + *-o-* + *-log(o)-* + *-ia.*] *S. f.* Tratado acerca dos quadrúpedes.
tetrapodológico. *Adj.* Relativo à tetrapodologia.
tetráptero. [De *tetr(a)-* + *-ptero.*] *Adj.* **1.** *Zool.* Que tem quatro asas. **2.** *Bot.* Que tem quatro apêndices aliformes.
tetraquênio. [De *tetr(a)-* + *aquênio.*] *S. m. Morfol. Veg.* Fruto esquizocárpio constituído de quatro aquênios, como, por ex., as boragináceas.
tetrarca. [Do gr. *tetrarches,* pelo lat. *tetrarcha.*] *S. m.* **1.** Governador duma tetrarquia. **2.** Cada um dos quatro reis de uma tetrarquia.
tetrarcado. *S. m.* Cargo ou dignidade de tetrarca.
tetrarquia. [Do gr. *tetrarchía,* pelo lat. *tetrarchia.*] *S. f.* **1.** Cada uma das quatro partes, províncias ou governos em que se dividiam alguns Estados. **2.** Governo de quatro reis. **3.** Subdivisão da falange grega. **4.** As funções de um tetrarca.
tetrarritmo. [De *tetr(a)-* + *ritmo.*] *Adj.* Que tem quatro ritmos. ~ V. *verso* —.
tetráscele. [Do gr. *tetraskelés.*] *S. m.* A suástica de quatro pernas.
tetraspermo. [De *tetr(a)-* + *-spermo.*] *Adj. Bot.* Que encerra quatro grãos.
tetrasporângio. [De *tetr(a)-* + *esporângio.*] *S. m. Morfol. Veg.* Esporângio no qual, mediante duas divisões sucessivas, se formam quatro tetrásporos haplóides, e que é comum em talos diplóides de muitas rodofíceas e feofíceas.
tetrásporo. [De *tetr(a)-* + *-sporo.*] *S. m. Morfol. Veg.* Aplonósporo que se forma, em número de quatro, no interior de um tetrasporângio, como ocorre em algas rodofíceas e feofíceas.
tetrassépalo. [De *tetr(a)-* + *-sépalo.*] *Adj. Bot.* Que tem quatro sépalas.
tetrassilábico. [De *tetrassílabo* + *-ico*[2].] *Adj.* Tetrassílabo (1).
tetrassílabo. [Do gr. *tetrasyllabos,* pelo lat. *tetrasyllabu.*] *Adj.* **1.** Que tem quatro sílabas; tetrassilábico. ● *S. m.* **2.** Palavra ou verso de quatro sílabas.
tetrastêmone. [De *tetr(a)-* + *-stêmone.*] *Adj. 2 g. Bot.* Que tem quatro estames.
tetrástico. [Do gr. *tetrastichon,* pelo lat. *tetrastichu.*] *Adj.* **1.** Que tem quatro fileiras ou séries. **2.** Constituído de quatro versos. ● *S. m.* **3.** Estrofe de quatro versos; quarteto, quadra.
tetrastilo. [Do gr. *tetrástylon,* pelo lat. *tetrastylu.*] *S. m.* Edifício com quatro ordens de colunas.
tetrástomo. [De *tetr(a)-* + *-stomo.*] *Adj. Zool.* Que tem quatro bocas sugadoras.
tetravalente. [De *tetr(a)-* + *valente* (5).] *Adj. 2 g. Quím.* Que tem quatro valências.
tetravó. *S. f.* Fem. de tetravô.
tetravô. [De *tetr(a)-* + *avô.*] *S. m.* Pai do trisavô ou da trisavó. [Var.: *tataravô.* Fem.: *tetravó.*]
tetricidade. [Do lat. *tetricitate.*] *S. f.* Qualidade de tétrico: "Recolheram .... os despojos da soberana no tríplice caixão ao convento da Ajuda, com as pompas da procissão .... escoada entre alas de religiosos formiguejando nas ruas, na t e t r i c i d a d e dos sinos e das salvas." (Alberto Rangel, *Dom Pedro I e a Marquesa de Santos,* p. 168.)
tétrico. [Do lat. *tetricu.*] *Adj.* **1.** Muito triste; fúnebre, lúgubre: *sons* t é t r i c o s ; "Era uma cena dolorosa, t é t r i c a , que cortava o coração." (Júlio Ribeiro, *Padre Belchior de Pontes,* p. 255). **2.** Horrível, hórrido, medonho, tetro. **3.** Rígido, severo.
tetril. [Do ingl. *tetryl.*] *S. m. Expl.* Explosivo reforçador, cristalino-amarelado ou pardo, utilizado em espoletas. [Fórm.: $C_6H_2(NO_2)_3(NCH_3NO_2)$.]
tetriz. *Adj.* e *s. f.* Var. de *tectriz.*
tetro. [Do lat. *tetru.*] *Adj.* **1.** Negro, escuro, sombrio. **2.** Horrível, medonho, tétrico: "Até ousou descer do Tênaro as gargantas, / fundo ingresso a Plutão; pôr temerário as plantas / no luco horrendo e negro, atravessar o t e t r o / bando dos manes" (Antônio Feliciano de Castilho, *As Geórgicas de Virgílio,* p. 283). [Superl. abs. sint.: *tetérrimo.*]
tetrodo (ô). [Do ingl. *tetrode.*] *S. m. Eletrôn.* Válvula eletrônica com quatro eletrodos: um catodo, uma placa, uma grade de controle e uma grade adicional.
tetrodontídeo. [De *tetr(a)-* + *-odont(o)-* + *-ídeo.*] *S. m.* **1.** Espécime dos tetrodontídeos. ● *Adj.* **2.** Pertencente ou relativo a eles.
tetrodontídeos. *S. m. pl. Zool.* Família de peixes teleósteos, da ordem dos plectógnatos, cujos maxilares são guarnecidos por placas e divididos ao meio. Ex.: o baiacu-mirim.
tetroftalmo. [Do gr. *tetróphthalmos.*] *Adj. Zool.* Que tem quatro olhos.
tetrose. [Do ingl. *tetrose.*] *S. f. Quím.* Glucídio com quatro átomos de carbono.
tetróxido (cs). [De *tetr(a)-* + *-óxido.*] *S. m. Quím.* Qualquer óxido que contenha na sua molécula 4 átomos de oxigênio.
tetudo. *Adj.* Que tem mamas ou tetas grandes; mamudo.
teu. [Do lat. *tuu,* atr. da f. *tou,* influenciada por *meu.*] *Pron. poss.* **1.** Pertencente à, ou próprio da, ou experimentado ou inspirado pela pessoa a quem se fala, por ti: t e u *livro; o* t e u *apartamento;* "Pode a t e u s pés curvar-se o mundo inteiro" (José de Alencar, *Obra Completa,* IV, p. 623); "que torvo crime / Eu cometi jamais que assim me oprime / T e u gládio vingador?!..." (Castro Alves, *Obra Completa,* p. 292); "Minh'alma é uma andorinha... / Abre-lhe o seio t e u." (Id., *ib.,* p. 134); "— Deixa lá os t e u s escrúpulos" (Artur Azevedo, *Contos Cariocas,* p. 19): "T e u puro amor o coração me acalma; / Provo a doçura do t e u bem-querer." (Martins Fontes, *Vulcão,* p. 17); "Por t e u amor, desci às pávidas geenas / Dos não ouvidos ais, das não ouvidas penas." (Gomes Leal, *A Mulher de Luto,* p. 182); *Grandes são as* t u a s *saudades, porém ele não tem saudades* t u a s . **2.** Pertencente ao povo e/ou à terra a que nos dirigimos usando a 2ª pess. sing.: "Do que a terra mais garrida / T e u s risonhos, lindos campos têm mais flores" (Osório Duque-Estrada, *Hino Nacional Brasileiro*). **3.** Que gozas ou desfrutas como se te pertencesse, se fosse propriedade tua: *Não perdeste o* t e u *domingo trabalhando: ganhaste-o.* **4.** Que te serve, te convém, te interessa: O t e u ônibus já passou; Encontraste na feira o t e u azeite-de-dendê? **5.** Que te é devido; que te cabe ou te toca: *Um dia terás o* t e u *lugar ao sol.* **6.** Preferido por ti; da tua predileção: *Sem sombra de dúvida, Camões é o* t e u *poeta.* [Obrigatório, aqui, o emprego do artigo.] **7.** Passado ou vivido por ti: *Felizmente já se foram* t e u s *anos de miséria;* "Vivo, choro em teu pranto; e, em t e u s dias felizes, / No alto, como uma flor, em ti pompeio e exulto!" (Olavo Bilac, *Tarde,* p. 15). **8.** Dedicado ou reservado a ti: *Não aceitarei nenhum outro convite: o próximo domingo é* t e u . **9.** Onde tu trabalhas, exerces atividade: *a* t u a *repartição; o* t e u *colégio.* **10.** Esse, aquele, o tal (com relação a pessoa a quem dantes já te havias referido ou a quem te vais referir, a respeito de quem ias ou vais falar): *— Então, como se chamava o* t e u *vagabundo?; — Anda, descreve-me o* t e u *herói.* [É de rigor, neste caso, o uso do artigo.] **11.** Da tua amizade; do teu afeto; que te é ou a quem és caro: *Sei que ele é de tua absoluta confiança, é muito* t e u ; "Adeus! Estimo tanto que continue bem o que começou sob tão bons auspícios / Saudade do t e u / Capistrano" (Capistrano de Abreu, *Correspondência,* I, p. 53). [Flex.: *tua, teus, tuas.*] ● *S. m.* **12.** Aquilo que pertence à pessoa a quem se fala, a ti: *Contenta-te do* t e u , *não cobices o alheio.* [Cf. *meu, seu, nosso, vosso,* e *téu, s. m.*] ~ V. *teus.*
téu. [Do tupi *teu.*] *S. m. Bras.* V. *tovaca.* [Cf. *teu.*]
teúba. [Do tupi *te'uba.*] *S. f. Bras.* Pequena abelha amarelada. [Cf. *tiúba.*]
têucrio. [Do gr. *teukrion,* pelo lat. *teucriu.*] *S. m.* Carvalhinha.
teucro. [Do lat. *teucru.*] *Adj.* e *s. m.* V. *troiano:* "Ali as cruéis Parcas lhe mostraram / As iliácas roupas, que pendentes / Do tálamo dourado descobriam / O lustroso pavês, a t e u c r a espada." (Correia Garção, *Obras Poéticas e Oratórias,* p. 383.)
teúdo. [Do lat. **tenutu,* por *tentu,* part. pass. de *tenere,* 'segurar'.] *Adj.* Que se teve ou se tem conservado: *concubina* t e ú d a *e manteúda.*
teurgia (e-ur). [Do gr. *theourgía,* pelo lat. *theurgia.*] *S. f.* **1.** Espécie de magia baseada em relações com os espíritos celestes. **2.** Arte de fazer milagres. **3.** *Filos.* No neoplatonismo, arte de fazer descer Deus à alma para criar um estado de êxtase.
teúrgico. [Do gr. *theourgikós,* pelo lat. *theurgicu.*] *Adj.* Relativo à teurgia.
teurgista (e-ur). *S. 2 g.* Pessoa que pratica a teurgia, ou que dela se ocupa; teurgo.
teurgo (e-úr). [Do gr. *theourgós,* pelo lat. *theurgu.*] *S. m.* Teurgista.
teus. [Pl. de *teu.*] *S. m. pl.* Us. na loc. s. *os teus.* ~ V. *teu.*
◆ **Os teus. 1.** A tua família; os teus parentes: *Como vão* o s t e u s ? **2.** Os teus amigos, aliados, sequazes, correligionários. [Cf. *meus, seus, nossos, vossos.*]
teutão. [Do lat. *teutone.*] *S. m.* **1.** Indivíduo dos teutões, povo antigo da Germânia que habitava nas margens do Báltico. ● *Adj. 2 g.* **2.** Pertencente ou relativo a esse povo.
téu-téu. [Do tupi *téu-téu;* voc. onom.] *S. m. Bras.* V. *quero-quero.* [Pl.: *téu-téus.*]
téu-téu-da-savana. *S. m. Bras.* Ave caradriiforme (*Burhinus bistriatus vocifer* (*L'Herm.*) de RR e das regiões limítrofes. Assemelha-se ao téu-téu, porém é maior (45 cm de comprimento), tem só três dedos nos pés, coloração amarelo-parda uniforme, e é desprovido de topete. Freqüenta as savanas do norte, sendo ativo durante a noite. [Var.: *teteu-de-savana.* Pl.: *téu-téus-da-savana.*]
teutídeo. *S. m.* **1.** Espécime dos teutídeos. ● *Adj.* **2.** Pertencente ou relativo a eles.
teutídeos. *S. m. pl. Zool.* Família de peixes teleósteos, percomorfos, marinhos, cujo animal tipo é o barbeiro (7) [q. v.].
teuto. *Adj.* V. *teutônico.*
▲**teuto-.** *El. comp.* = 'teutônico, teuto': *teuto-brasileiro; teutomania.*
teuto-brasileiro. [De *teuto-* + *brasileiro.*] *Adj.* **1.** Relativo à Alemanha e ao Brasil, ou a alemães e brasileiros: *o acordo comercial* t e u t o - b r a s i l e i r o . **2.** De origem alemã e brasileira; *indivíduo* t e u t o - b r a s i l e i r o ; "Em Santa Cruz, cidade de vida inteiramente alemã, vi, num domingo, numerosos cavaleiros t e u t o - b r a s i l e i r o s , montados à gaúcha, ... chapéu de abas largas, calças de botões de prata, laço" (E. Roquette-Pinto, *Seixos Rolados,* p. 74). ● *S. m.* **3.** Indivíduo teuto-brasileiro (2). [Flex.: *teuto-brasileira, teuto-brasileiros, teuto-brasileiras.*]
teutomania. [De *teuto-* + *-mania.*] *S. f.* Germanismo (3).
teutômano. *S. m.* Aquele que tem teutomania.
teutônico. [Do lat. *teutonicu.*] *Adj.* **1.** Relativo aos teutões, ou aos germanos. **2.** Relativo à Alemanha e aos alemães. [Sin. ger.: *teuto.* Cf. *germânico.*] ~ V. *ordem* —*a.*
teutonismo. [De *teutôn(ico)* + *-ismo.*] *S. m.* Sistema político que visa à homogeneidade absoluta das raças germânicas. [Cf. *germanismo.*]
teutonista. *Adj. 2 g.* **1.** Relativo ao, ou que é partidário do teutonismo. ● *S. 2 g.* **2.** Partidário do teutonismo.
tevê. [Das letras *t e v,* usadas como abrev. de *televisão.*] *S. f.* V. *televisão:* "Ainda agora, a nova t e v ê anuncia que suas transmissões estão sendo perfeitamente captadas em Cabo Frio." (Carlos Drummond de Andrade, *Fala, Amendoeira,* p. 207.)
tevente. [De *tevê* + *-nte;* f. irregular.] *S. 2 g. Bras.* Telespectador (2).
texano (cs). [Do anglo-amer. *texan.*] *Adj.* **1.** Do, ou pertencente ou relativo ao Estado do Texas (E.U.A.). ● *S. m.* **2.** O natural ou habitante desse Estado.
têxtil (ês). [Do lat. *textile.*] *Adj. 2 g.* **1.** Que se pode tecer; de que se fazem tecidos; *fibra* t ê x t i l , "Havia uma intensa exploração de riqueza vegetal — em

madeiras de construção civil e naval, em plantas resinosas e tintoriais, oleaginosas e têxteis." (Craveiro Costa, *História das Alagoas*, p. 89). **2.** Relativo a tecelões ou à tecelagem: "Certo membro feminino da família real .... inaugurou um novo tecido inglês, honra da indústria têxtil" (Marques Rebelo, *Correio Europeu*, p. 44). [Pl.: *têxteis*. Cf. *testeis*, do v. *testar*.]

texto (ês). [Do lat. *textu*, 'tecido'.] *S. m.* **1.** Conjunto de palavras, de frases escritas: *o texto de um livro, de um estatuto, de uma inscrição*. **2.** Obra escrita considerada na sua redação original e autêntica (por oposição a sumário, tradução, notas, comentários, etc.): *o texto da Bíblia; o texto da lei*. **3.** *Restr.* Palavras bíblicas que o orador sacro cita, fazendo-as tema de sermão. **4.** Página ou fragmento de obra característica de um autor: *um texto de Machado de Assis*. **5.** Texto (1) manuscrito ou impresso (por oposição a ilustração). **6.** Qualquer texto (1) destinado a ser dito ou lido em voz alta: *um texto teatral; o texto de um noticiário*. [Pl.: *textos*. Cf. *testo* (ê), s. m., pl. *testos* (ê); *testo*, do v. *testar*; e *testo*, s. m. e adj., pl. *testos*.] ♦ **Fora do texto.** Diz-se de qualquer material ilustrativo impresso à parte, geralmente em papel especial e em folhas não numeradas ou com numeração própria, que se intercalam entre os cadernos de um livro.

texto-legenda. *S. m.* Legenda (4) mais desenvolvida, que, além de informar, glosa ou comenta a fotografia. [Pl.: *textos-legendas*.]

textual (ês). *Adj. 2 g.* **1.** Relativo ao texto. **2.** Que está num texto. **3.** Reproduzido, transcrito ou citado fielmente: *São estas as palavras textuais.* ~ V. *crítica* —.

textualidade (ês). *S. f.* Qualidade de textual.

textualista. *Adj. 2 g.* e *s. 2 g.* Literalista.

textuário (cs). *S. m.* Livro que contém apenas texto, sem comentários ou anotações.

textura (ês). [Do lat. *textura*.] *S. f.* **1.** Ato ou efeito de tecer. **2.** Tecido, trama, contextura: "Olhava-as, como se pudesse existir, nas rosas ofertadas por outro, uma textura diferente." (Osmã Lins, *Nove, Novena*, p. 83.) **3.** *Caligr.* e *Tip.* Designação dada na Alemanha à letra de forma [q. v.]. **4.** *Geol.* Aspecto, em geral microscópico, da rocha, no qual se inclui a forma dos cristais e o modo por que se acham unidos. ♦ **Textura cristaloblástica.** *Geol.* Textura das rochas metamórficas que sofreram recristalização sem passar pela fusão. **Textura fluidal.** *Geol.* Textura comum às massas vítreas das rochas extrusivas, e que lembra um alinhamento ondulado de corrente fluida. **Textura hialopilítica.** *Geol.* Textura de rochas magmáticas extrusivas que têm micrólitos aciculares espalhados em matriz vítrea. **Textura hipidiomórfica.** *Geol.* Textura das rochas magmáticas profundas, onde ocorrem minerais idiomórficos juntamente com minerais sem forma própria, i. e., xenomórficos. **Textura porfirítica.** *Geol.* Aquela em que se observam cristais maiores imersos em uma massa fundamental cristalina ou vítrea, e que ocorre nas rochas magmáticas. **Textura porfiroblástica.** *Geol.* A resultante do crescimento de minerais novos, de dimensões notavelmente maiores que o resto envolvente, e que é própria dos xistos e gnaisses. **Textura porfiróide.** *Geol.* Textura semelhante só no aspecto à textura porfirítica, e que pode ocorrer em rochas magmáticas ou metamórficas. **Textura vacuolar.** *Geol.* Textura da rocha que contém cavidades devidas aos gases isolados no seio do magma. **Textura xenoblástica.** *Geol.* Textura xenomórfica. **Textura xenomórfica.** *Geol.* Textura das rochas constituídas por minerais xenomórficos; textura xenoblástica.

textural. [De *textura* + *-al*.] *Adj. 2 g. Med.* Relativo ou pertencente aos tecidos do organismo.

texugo. [Talvez do gót. *thahsuks, dim. de *thahsus*.] *S. m.* **1.** *Pop.* Mamífero plantígrado. **2.** *Pop.* Pessoa muito gorda, muito nutrida.

tez (ê). *S. f.* **1.** Epiderme do rosto. **2.** Cútis, pele. [Cf. *tês*, pl. de *tê*.]

■ **tg.** *Trig* e *Geom.* V. *tangente* (2 e 3).

■ **tg⁻¹.** *Mat.* Símb. impr. de *arco tangente* [q. v.].

■ **tgh.** *Mat.* V. *tangente hiperbólica*.

■ **tgh⁻¹.** *Mat.* Símb. impr. de *arco tangente hiperbólica* [q. v.].

■ **th.** *Quím.* Símb. de *termia*.

■ **Th.** *Quím.* Símb. de *tório*.

➧ **thesaurus** (tesáurus). [Do lat. *thesaurus*, atr. do ingl.] *S. m.* **1.** Tesouro (6 e 7). **2.** *Docum.* V. *tesauro*.

➧ **thriller** (srílâr, paroxítono). [Ingl.] *S. m.* Narrativa, peça de teatro ou filme empolgante e/ou que inspira horror.

ti. [Do lat. *tibi*, com infl. de *mihi*.] *Pron. pess.* Oblíquio, da 2ª pess. do sing., usa-se acompanhado de preposição, salvo *com* (caso em que se emprega, como se sabe, *contigo* e não *com ti*): "Falo a ti — doce virgem dos meus sonhos" (Casimiro de Abreu, *Obras*, p. 49); *Nada faria contra ti*; "Ah! falávamos de ti!" (Gonçalves Dias, *Teatro*, p. 19); "Pensa em mim, como em ti saudoso penso, / Quando a lua no mar se vai doirando" (Álvares de Azevedo, *Obras Completas*, I, p. 313); *Que houve entre ti e teu primo?*; *Há profunda amizade entre ele e ti*; *Leva para ti esta lembrança*; "E ela tão apaixonada por ti!..." (Artur Azevedo, *Contos fora da Moda*, p. 116); "Subiste para além na alma da brisa: / E eu, que fiquei sem ti, no mundo arrasto / O sudário das minhas pobres mágoas..." (Alphonsus de Guimaraens, *Obra Completa*, p. 283); *Conversamos longamente sobre ti*. [Cf. *mim*, *si*, *nos*³, *vos*, *contigo*, *comigo*, *consigo*, *conosco*, *convosco* e *te*.]

■ **Ti.** *Quím.* Símb. do titânio.

tia. [Do gr. *theía*, pelo lat. tardio *thia*.] *S. f.* **1.** Irmã dos pais, em relação aos filhos destes. **2.** *P. ext.* Mulher do tio, em relação aos sobrinhos destes. **3.** *Fam.* Solteirona [Sin., fam. e inf., nessas acepç.: *titia*.] **4.** *Bras.* Tratamento carinhoso dado por jovens às amigas dos pais, por amigos às mães de seus amigos, ou por meninos a suas professoras. **5.** *Bras. Gír.* Homossexual de meia-idade, comportado. **6.** *Gír.* Dona de lupanar. ♦ **Ficar para tia.** Não casar (a mulher); ficar solteirona. [Sin., bras.: *encravar*, *encalhar*, *ficar para titia*, *ficar no barricão*, *ir para o barricão*, *ficar no caritó*, *ficar para galo de S. Roque*, *ficar na peça*, *ir para a prateleira*.]

tiã. [De or. afr., decerto.] *S. m. Bras.*, Amuleto dos pretos malês.

tia-avó. *S. f.* Irmã dos avós, em relação aos netos destes. [Pl.: *tias-avós*.]

tíade. [Do gr. *thyás*, pelo lat. *thyade*.] *S. f.* V. *bacante* (1).

tiambo. *S. m. Bras.* Variedade de cana-de-açúcar.

tiamida. [De *ti(o)(n)-* + *amida*.] *S. f.* Cada um dos derivados das amidas em conseqüência de substituição do oxigênio por enxofre.

tiamina. [De *ti(o)(n)-* + *amina*.] *S. f. Quím.* Aneurina.

tianha. *S. f. Bras. Pop.* **1.** Teimosia, birra. **2.** Mau costume. **3.** *Bras., SP.* Ira, raiva. **4.** Antipatia, ojeriza.

tiaporanga. *S. f. Bras. Pop.* V. *bebedeira* (1): "se a gente fica na tiaporanga e faz uma estripulia qualquer, aí ninguém não quer saber se foi a pinga que trepou e buliu no sentido, ou se não foi!" (Valdomiro Silveira, *Os Caboclos*, p. 25.)

tiara. [Do persa, atr. do gr. *tiára*, e do lat. *tiara*.] *S. f.* **1.** Mitra do Pontífice: "Significa a tiara pontifícia (ou frígio, como lhe chamou o Papa Inocêncio III, ou coroa de glória, como lhe chamou Eusébio Cesariense) a suma honorificência de Cristo: cinge-se agora (pode ser que não fosse esta a princípio a sua figura) com três coroas umas a outras sobrepostas; porque a três esferas chega a jurisdição do Pontífice romano: ao Céu, à Terra, e debaixo da Terra." (Pe Manuel Bernardes, *Nova Floresta*, II, p. 196.) **2.** *Fig.* Dignidade pontifícia.

tiatã. [Voc. onom.] *S. m. Bras., SP.* V. *azulão* (1).

tiã-tiã-preto. *S. m. Bras.* V. *tiziu*. [Pl.: *tiã-tiãs-pretos*.]

tiazina. [Do ingl. *thiazine*.] *S. f. Quím.* Classe de substâncias orgânicas caracterizadas por um anel com quatro carbonos, um enxofre e um nitrogênio.

tiba. [Do tupi *tiwa*, 'abundância'.] *S. f. Bras.* **1.** Lugar onde há reunidas muitas pessoas ou coisas; tuba. ● *Adj. 2 g.* **2.** Cheio, atestado; tibi. **3.** *Bras., N.E.* Grande, grosso, considerável. **4.** V. *valentão* (1).

tibaca. [Var. de *quibaca*.] *S. f. Bras.*, **1.** Bráctea da inflorescência das palmeiras. **2.** *Bras., AL.* V. *cangaço* (5).

tibajiense. *Adj. 2 g.* **1.** De, ou pertencente ou relativo a Tibaji (PR). ● *S. 2 g.* **2.** Natural ou habitante de Tibaji.

tibe. *Interj. Bras., N.E. Pop.* Exprime repulsa ou desprezo; tibes, tibe-vote: "Cruzes! Tibe! .... O cinema estava acabando de apodrecer a gente com as micagens de uns saltimbancos impalpáveis e mudos." (Alberto Rangel, *Lume e Cinza*, p. 169.)

tiberino. [Do lat. *tiberinu*.] *Adj.* Pertencente ou relativo ao rio Tibre (Itália), ou à região por ele banhada.

tibes. *Interj. Bras., N.E. Pop.* V. *tibe*.

tibetano. *Adj.* **1.** De, ou pertencente ou relativo ao Tibete (Ásia). ● *S. m.* **2.** O natural ou habitante do Tibete. **3.** *Ling.* A língua falada no Tibete. ~ V. *sino-tibetano* (2).

tibetano-birmanês. *Adj.* **1.** Relativo ao Tibete e à Birmânia. [Flex.: *tibetana-birmanesa* (ê), *tibetanos-birmaneses* (ê), *tibetanas-birmanesas* (ê).] ● *S. m.* **2.** *Ling.* V. *sino-tibetano* (2).

tibe-vote (vô). *Interj. Bras., N.E. Pop.* V. *tibe*.

tibi. [De *tiba*.] *Adj. 2 g.* **1.** *Bras., N.E. Pop.* Cheio, atestado, apinhado, tiba. **2.** *Bras. MG.* V. *tubi* (2 e 3).

tíbia. [Do lat. *tibia*.] *S. f.* **1.** *Anat.* Cada um dos dois ossos de cada perna, o mais grosso e mais interno. **2.** A canela da perna. **3.** A terceira articulação das pernas dos insetos. **4.** *Poét.* Flauta de pastor: "Da tíbia a voz canora eu vejo pelos ares / Deuses, ninfas" (João Ribeiro, *Versos*, p. 146).

tibial. [Do lat. *tibiale*, que significa, aliás, 'de flauta'.] *Adj. 2 g.* Pertencente ou relativo à tíbia.

tibiez (ê). *S. f.* V. *tibieza*.

tibieza (ê). *S. f.* **1.** Qualidade de tíbio. **2.** Fraqueza, debilidade. **3.** Frouxidão, indolência. [F. paral.: *tibiez*. Sin.: *entibiamento*.]

tíbio. [Do lat. *tepidu*.] *Adj.* **1.** Morno, tépido: *água tíbia*. **2.** Frouxo, fraco: "Assim que a Lua coou em torno a sua tíbia claridade amarelenta, Maurício aproximou-se da luz, sôfrego, a fronte em suor, numa ansiedade muda." (Cruz e Sousa, *Obra Completa*, p. 586.) **3.** Sem ardor, sem entusiasmo; indolente: "Arde, e inflama-te, tíbio coração, em amor" (Fr. Tomé de Jesus, *Trabalhos de Jesus*, I, p. 246). **4.** Raro, escasso.

tibira. *S. f. Bras., N.* Vaca que dá pouco leite, ou cujo leite não espuma.

tiborna. *S. f.* **1.** Pão quente embebido em azeite novo. **2.** *Fig.* V. *mixórdia* (1 e 2). **3.** Líquido entornado. **4.** Aguapé ordinária. **5.** *Bras.* Fezes do alambique, após a destilação. [Cf. *vinhoto*.] **6.** *Bras., N.E. Pop.* Coisa ruim, desprezível, sem valor; porcaria. **7.** *Bras.* Arbusto da família das apocináceas *(Plumeria drastica)*.

tibornice. [De *tiborna* + *-ice*.] *S. f. Fam.* V. *mixórdia* (1 e 2).

tibum. [Voc. onom.] *Interj.* e *s. m. Bras., AM. Pop.* Tibungo (1 e 2).

tibuna. [Talvez do tupi, pelo final *-una*.] *S. m. Bras.* V. *boca-de-barro*.

tibungar. [De *tibundo* + *-ar*².] *V. int. Bras., N.E.* **1.** Cair na água. **2.** Mergulhar, afundar-se. [Sin.: *bungar*. Conjug.: v. *largar*.]

tibungo. [Voc. onom.] *Interj. Bras., N.E.* **1.** Voz imitativa do som produzido por um corpo ao cair na água; tibum. ● *S. m.* **2.** *Bras., N.E.* Onomatopéia da queda na água; tibum. **3.** Mergulho (1).

tiburciano. *Adj.* ~ V. *charada* —a.

tiburo. *S. m. Bras.* V. *guaivira*.

tiburtino. [Do lat. *tiburtinu*.] *Adj.* **1.** Da, ou pertencente ou relativo à antiga cidade de Tíbure, ou Tíbur, atual Tívoli (Itália). ● *S. m.* **2.** O natural ou habitante de Tibure. [Cf. *tivolino*.]

ticaca. *S. f.* **1.** *Bras.* V. *gambá* (1). **2.** *Pop.* Coisa sem valor ou importância; pinóia, titica.

tição. [Do lat. *titione*.] *S. m.* **1.** Pedaço de lenha acesa ou meio queimada. **2.** *Fig.* Preto, negro. **3.** Pessoa muito morena. **4.** V. *diabo* (2). ♦ **Tição apagado.** *Bras., CE. Pop.* Negro vestido de preto.

ticar. [Do ingl. *to tick*.] *V. t. d.* **1.** Dar baixa em, mediante sinal em forma de V [√], ou furo, etc., em (parágrafo, alínea, palavra, parcela de uma soma, etc.). *Int.* **2.** Tirar (1) parágrafo, alínea, palavra, etc.: *Conferiu, mas não ticou*. [Conjug.: v. *trancar*.]

▲**-(t)ício.** Equiv. de *-(d)iço*¹.

➧**ticket** (í). [Ingl.] *S. m.* V. *tíquete*.

tico¹. *S. m. Bras.* **1.** Pedacinho de qualquer coisa. **2.** Pequena quantidade; bocado, taco.

tico². [Dev. de *ticar*.] *S. m.* Tique².

tico³. *S. m.* V. *tique*¹ (2).

tiçoada. *S. f.* **1.** Pancada com tição. **2.** *P. ext.* Pancada, paulada, golpe.

tiçoeiro. [De *tição* + *-eiro*.] *S. m.* Utensílio de ferro com que se atiça o fogo ou se revolve a brasa a fim de avivá-la.

tiçonado. [De *tição* + *-ado*¹.] *Adj.* **1.** Chamuscado, crestado. **2.** Malhado de negro.

ticonha. *S. f. Bras.* Peixe elasmobrânquio, hipotremado, da família dos miliobatídeos *(Rhinoptera jussieui* (Cuv.)), do Atlântico, de dorso oliváceo, abdome claro e cauda bastante comprida, com um longo ferrão na base.

ticopá. *S. f. Bras.* **1.** Peixe teleósteo, percomorfo, da família dos pomadasídeos *(Pomadasys crocro* (Cuv.)), do Atlântico, desde Cuba até RJ, de dorso plúmbeo, abdome prateado, três ou quatro estrias longitudinais nos flancos, e comprimento de até 40 cm. Carne de baixa qualidade. **2.** *Bras., ES.* V. *roncador* (3).

tico-tico. [Do tupi *tik tik*; voc. onom.] *S. m. Bras.* **1.** Ave passeriforme, da família dos fringilídeos *(Zonotrichia capensis* (P.L.S. Mül.)), do Brasil e países limítrofes, de coloração parda, lavada de vermelho e pintada de preto no dorso alto, alto da cabeça pardo-escuro com três estrias cinzentas longitudinais, asas e cauda marginadas de vermelho ou cinzento, coberteiras superiores médias da asa marginadas de branco, colar lateral vermelho; maria-é-dia, maria-judia. **2.** *Pej.* Pessoa ou coisa pequenina. **3.** Escola primária. [Pl.: *tico-ticos.*] ~ V. *tico-ticos.* ♦ **Espantar tico-tico.** *Bras., RJ. Gír.* Dar passos disfarçados, fazer negaças, nas brigas, para enganar o adversário.

tico-tico-do-biri. *S. m. Bras.* V. *cachimbó.* [Pl.: *tico-ticos-do-biri.*]

tico-tico-do-campo. *S. m. Bras.* Ave passeriforme, da família dos frigilídeos *(Myospiza humeralis* (Bosc)) do N.E. e C.O. do Brasil, de coloração pardo-acinzentada, com estrias amarelas no dorso, loros e encontros claros. Freqüenta lugares descampados, e se alimenta de sementes e também de insetos. [Sin.: *tico-tico-rasteiro, canário-pardo, manimbé.* Pl.: *tico-ticos-do-campo.*]

tico-tico-do-mato. *S. m. Bras.* **1.** Ave passeriforme, da família dos fringilídeos (*Arremon taciturnus* (Herm.)), distribuída desde a Amaz. até RJ e MT, de dorso verde-oliva, cabeça preta, uma estria longitudinal no meio do vértice, coleira dorsal e flancos cinzentos, sobrancelha, garganta, meio do peito e abdome brancos, lados do peito pretos, encontro amarelo; pai-pedro, coroado, salta-caminho, jesus-meu-deus. **2.** V. *pixarro.* [Pl.: *tico-ticos-do-mato.*]

tico-tico-do-piri. *S. m. Bras.* V. *cachimbó.* [Pl.: *tico-ticos-do-piri.*]

tico-tico-guloso. *S. m. Bras.* V. *pixarro.* [Pl.: *tico-ticos-gulosos.*]

tico-tico-rasteiro. *S. m. Bras.* V. *tico-tico-do-campo.* [Pl.: *tico-ticos-rasteiros.*]

tico-tico-rei. *S. m. Bras.* Designação comum a duas aves passeriformes, da família dos fringilídeos (*Coryphospingus cucullatus rubescens* (Sw.) e tb. *C. pileatus* (Wied.)), distribuídas por quase todo o Brasil. Coloração vermelho-escura, mais clara no abdome, asas e cauda pretas, topete com penas escarlates, alongadas. Freqüentam as várzeas e se alimentam de sementes e insetos. [Sin.: *abre-e-fecha, cravina, araguirá.* Pl.: *tico-ticos-reis.*]

tico-ticos. [Pl. de *tico-tico*, ou de *tico*[1], repetido?] *S. m. pl. Pop.* Dinheiro miúdo; trocado: *Tenho ainda uns tico-ticos para tomar café.* ~ V. *tico-tico.*

ticuanga. *S. f. Bras., AM.* Bolo de massa de mandioca com coco, castanha-do-pará, açúcar, etc.

ticuca. *S. f. Bras.* V. *cuca*[5].

ticum. *S. m. Bras.* V. *tucum.*

ticumbi. *S. m. Bras., ES.* Modalidade da congada, mais simples e menos dramática, e que termina com um bailado que denomina o auto: "vim ver festa de bons pretos / vim à terra capixaba / vim à Conceição da Barra / pra assistir o ticumbi" (Stella Leonardos, *Geolírica*, p. 87).

ticuna[1]. [De provável or. indígena.] *S. f. Bras.* V. *curare* (1).

ticuna[2]. *S. 2 g.* e *adj. 2 g. Bras.* V. *tucuna.*

tiçuna. *Adj. 2 g. Bras., RJ.* Preto retinto.

ticura. [Var. de *tucura.*] *S. m. Bras.* V. *gafanhoto* (1).

tié. [Do tupi *ti'ê.*] *S. m. Bras.* Designação comum aos pássaros da família dos traupídeos: "No meio da orquestra concertada pelos cantos dos sabiás, das graúnas e das patativas, retiniam .... os estrídulos das arapongas, e os gritos dos tiés e das araras." (José de Alencar, *O Sertanejo*, p. 206.) [Var. pros.: *tiê.*]

tiê. *S. m. Bras., S.* Var. pros. de *tié.*

tié-da-mata. *S. m. Bras.* Ave passeriforme, da família dos traupídeos *(Habia rubica* (Vieil.)), do Brasil estemeridional. Macho vermelho-escuro, com abdome mais claro e cabeça com topete vermelho, e fêmea uniformemente parda, sem topete. Alimenta-se de frutas em geral. [Sin.: *tié-do-mato-grosso.* Pl.: *tiés-da-mata.*]

tié-do-mato-grosso. *S. m. Bras.* Tié-da-mata. [Pl.: *tiés-do-mato-grosso.*]

tié-fogo. *S. m. Bras.* V. *sangue-de-boi.* [Pl.: *tiés-fogos* e *tiés-fogo.*]

tié-galo. *S. m. Bras.* Ave passeriforme, da família dos traupídeos, *(Tachyphonus cristatus* (L.)), da Amaz. Macho preto, com crista do vértice encarnada na parte anterior, garganta e dorso amarelo-pálido; a fêmea é pardo-avermelhada, mais clara inferiormente. [Pl.: *tiés-galos* e *tiés-galo.*]

tié-guaçu-paroara. *S. m. Bras.* V. *cardeal* (3). [Pl.: *tiés-guaçus-paroaras.*]

tié-piranga. *S. m. Bras.* V. *sangue-de-boi.* [Pl.: *tiés-pirangas.*]

tié-preto. *S. m. Bras.* Ave passeriforme, da família dos traupídeos *(Tachyphonus coronatus* (Vieil.)), do S.E. do País, coloração preta com topete vermelho, sendo a fêmea amarelada no dorso. Freqüenta matas e capoeiras, e costuma aproximar-se das habitações. [Sin.: *azulão, gurundi, guarundi, guiraundi.* Pl.: *tiés-pretos.*]

tié-sangue. *S. m. Bras.* **1.** V. *sangue-de-boi.* **2.** V. *pipira* (1). [Pl.: *tiés-sangues* e *tiés-sangue.*]

tietagem. *S. f. Bras. Gír.* Atitude, modos ou ação de tiete.

tietar. [De *tiete* + *-ar*[2].] *V. t. d.* e *int.* Proceder como tiete.

tiete. *S. 2 g. Bras. Gír.* Fã, admirador: *Ela é tiete de Gilberto Gil.*

tieté. *S. m. Bras.* V. *tietê.*

tietê. [Do tupi *tiê e'tê*, 'tié verdadeiro'.] *S. m. Bras.* Ave passeriforme, da família dos traupídeos (*Tanagra pectoralis* (Lath.)), do S.E. do Brasil. O macho é negro, com abdome castanho-avermelhado, mancha amarela nos lados do pescoço; a fêmea é verde, peito cinzento-violáceo, e abdome cor de canela. Freqüenta matas, e alimenta-se de frutas e alguns insetos. [Var.: *tieté;* sin.: *alcaide, gaita, gaturamo-serrador, serrador.*]

tieteano. *Adj.* Pertencente ou relativo ao rio Tietê (SP), ou à região por ele banhada.

tieteense. *Adj. 2 g.* **1.** De, ou pertencente ou relativo a Tietê (SP). ● *S. 2 g.* **2.** Natural ou habitante de Tietê.

tietei. [Do tupi *tie'tê i*, 'tietê pequeno'.] *S. m. Bras.* V. *gaturamo.*

tietinga (ié). [Do tupi *tiê tĩga*, 'tié branco'.] *S. m. Bras.* Ave passeriforme, da família dos traupídeos (*Cissopis l. leveriana* (Gmel.)), distribuída por todo o País, com duas subespécies. Tem cabeça, garganta, parte anterior do dorso e do peito pretas, brilhantes, asas e cauda pretas, marginadas de branco, dorso alto cinzento-esbranquiçado, dorso baixo e parte inferior brancos. [Sin.: *sanhaçotinga, pega-do-norte.*]

tié-vermelho. *S. m. Bras.* V. *sangue-de-boi.* [Pl.: *tiés-vermelhos.*]

tifa. *S. f. Bras., SC. Pop.* V. *cafundó* (3).

tifácea. *S. f.* Espécime das tifáceas.

tifáceas. *S. f. pl. Bot.* Família de monocotiledôneas, da ordem das pandanales, composta de ervas de folhas dísticas e inflorescências cilíndricas, compactas, com flores unissexuais. O perigônio é representado por pêlos longos, que parecem paina. Só inclui o gênero *Typha*, com poucas espécies. No Brasil, a *T. dominguensis*, conhecida como *tabua*, é extremamente comum em brejos.

tifáceo. *Adj.* Pertencente ou relativo às tifáceas.

tifão. [Do chin. cantonense *tai fung*, 'grande vento', 'tufão', com infl. do gr. *typhón*, 'turbilhão'.] *S. m. Geol.* Massa de terreno, não estratificada, na crosta da Terra.

tífico. *Adj.* Relativo ao, ou que tem a natureza do tifo.

tiflectasia. [De *tifl(o)-* + *-ectas-* + *-ia.*] *S. f. Med.* Distensão do ceco.

tiflectomia. [De *tifl(o)-* + *-ectom-* + *-ia.*] *S. f. Cir.* Extirpação do ceco.

tiflectômico. *Adj.* Relativo à tiflectomia.

tiflite. [De *tifl(o)-* + *-ite*[1].] *S. f. Patol.* Inflamação do ceco.

▲**tifl(o)-.** [Do gr. *typhlós, é, ón.*] *El. comp.* = 'cego'; 'ceco': *tiflologia, tiflomegalia; tiflite.*

tiflografia. [De *tifl(o)-* + *-graf(o)-* + *-ia.*] *S. f.* Arte de escrever em relevo para uso dos cegos.

tiflográfico. *Adj.* Relativo à tiflografia.

tiflógrafo. [De *tifl(o)-* + *-grafo.*] *S. m.* Instrumento que os cegos usam para escrever.

tiflologia. [De *tifl(o)-* + *-log(o)-* + *-ia.*] *S. f.* Tratado sobre a instrução dos cegos.

tiflológico. *Adj.* Relativo à tiflologia.

tiflólogo. [De *tifl(o)-* + *-logo.*] *S. m.* Aquele que se dedica à instrução dos cegos, que estuda a tiflologia.

tiflomegalia. [De *tifl(o)-* + *-megal(o)-* + *-ia.*] *S. f. Patol.* Hipertrofia do ceco.

tiflomegálico. *Adj.* Relativo à tiflomegalia.

tiflopexia (cs). [De *tifl(o)-* + *-pex-* + *-ia.*] *S. f. Cir.* Fixação do ceco à parede abdominal.

tiflopídeo. *S. m.* **1.** Espécime dos tiflopídeos. ● *Adj.* **2.** Pertencente ou relativo a eles.

tiflopídeos. *S. m. pl. Zool.* Família de reptis da ordem dos saurofídios, na qual se encontram pequenas cobras com escamas regulares e dentição incompleta. Ex.: a cobra-cega.

tiflose. [De *tifl(o)-* + *-ose.*] *S. f. Med.* Cegueira (1).

tifo. [Do gr. *typhos*, 'estupor', pelo lat. *typhu.*] *S. m. Patol.* Cada uma de um grupo de doenças infecciosas relacionadas entre si, produzidas por espécies de *rickettsias* e veiculadas por artrópodes, apresentando grave comprometimento do estado geral, alterações cutâneas, etc. [Sin., impr.: *febre tifóide.*] ♦ **Tifo abdominal.** *Impr.* V. *febre tifóide.* **Tifo exantemático.** *Patol.* Infecção produzida pela *Rickettsia prowazeckii*, que se transmite de homem a homem por meio do *Pediculus humanis*, variante *corporis.* **Tifo icteróide.** *Patol:* V. *febre amarela.*

tifóide. [De *tifo* + *-óide.*] *Adj. 2 g.* Semelhante ao, ou que tem os caracteres do tifo; tifóideo, tifoso. ~ V. *febre* —.

tifóideo. *Adj.* V. *tifóide.*

tifoso (ô). [De *tifo* + *-oso.*] *Adj.* **1.** V. *tifóide.* **2.** *Obsol.* Diz-se dos fenômenos atáxicos e adinâmicos que complicam a marcha de uma doença. ● *S. m.* **3.** Indivíduo atacado de tifo.

tigela. [Do lat. **tegella*, por *tegula*, 'telha'.] *S. f.* **1.** Vaso de barro, de louça, de metal, etc., com asas ou sem elas, e sem gargalo; malga. **2.** Disco de barro em que se levam ao forno certos doces. **3.** Vasilha que se põe abaixo do golpe dado na seringueira para lhe recolher a seiva. **4.** *Bras.* Medida de capacidade para secos, equivalente a um litro. ♦ **Quebrar a tigela.** *Bras., N.E. Fam.* Usar pela primeira vez uma roupa ou um objeto qualquer; quebrar a panela.

tigelada. *S. f.* **1.** Conteúdo de uma tigela. **2.** Tigela cheia. **3.** Caldeirada (3). **4.** Designação geral de comidas doces ou salgadas servidas ou feitas em tigela.

tigrado. *Adj.* Mosqueado como a pele do tigre; atigrado, tigre.

tigre. [Do iraniano, atr. do gr. *tígris* e do lat. *tigre.*] *S. m.* **1.** Mamífero carnívoro, da família dos felídeos (*Felis tigris* L.), da Ásia e Índia, de coloração amarelo-tostada, com barras negras sobre o corpo. É perigoso para o homem; reproduz-se bem no cativeiro. **2.** *Bras.* Designação comum aos indivíduos melânicos da onça-pintada. **3.** *Fig.* Homem sanguinário, bárbaro, cruel. **4.** Inseto que devora as folhas de pereiras e macieiras. **5.** *Bras.* No jogo do bicho [q. v.], o 22º grupo (8), que abrange as dezenas 85, 86, 87 e 88, e corresponde ao número 22. **6.** *Bras.* Barril onde antigamente se transportavam, para despejo, matérias fecais. [Cf. *camburão* (2).] **7.** O criado ou escravo que fazia esse transporte. **8.** *Desus.* Primeiranista de medicina. **9.** *Desus. Gír.* de *estudantes.* Estudante que repete a série mais de uma vez. ● *Adj. 2 g.* e *2 n.* **10.** V. *tigrado.*

tigre-d'água. *S. m. Bras.* Reptil quelônio, da família dos testudinídeos (*Chrysemis d'orbignyi* Dum & Bid.), do S. do Brasil e países limítrofes, de hábitos aquáticos, e carapaça parda, ornamentada de amarelo ou vice-versa, malhada nos jovens. Comprimento: até 30 cm. [Pl.: *tigres-d'água.*]

tigresa (ê). *S. f. Bras.* **1.** A fêmea do tigre. **2.** Pantera (4): "Uma tigresa de unhas negras / E íris cor de mel / Uma mulher, uma beleza / Que me aconteceu / ...... / Me falou que o mal é bom e o bem cruel." (Caetano Veloso, *Tigresa.*)

tigrido. [Do lat. *tigridis*, 'de tigre'.] *Adj. P. us.* Vestido de pele de tigre.

tigrino. [Do lat. *tigrinu.*] *Adj.* **1.** Relativo, pertencente ou semelhante ao tigre, ou próprio dele, **2.** Sanguinário como o tigre: "Sobre o filho curvado, imerso em cruas penas, / Aquele rei sinistro, enérgico e tigrino, / Tinha na frouxa voz modulações serenas." (Gonçalves Crespo, *Obras Completas*, p. 334.)

tiguera. *S. f. Bras., SP* a *RS.* V. *tigüera.*

tigüera. [Do tupi *ti'gwer*, 'galhos secos'.] *S. f. Bras., SP* a *RS.* **1.** Milharal já colhido e extinto. **2.** Roça depois de efetuada a colheita. [Sin. ger.: *abatigüera* e (MG) *palha, palhada.* Var. pros.: *tiguera.*] ♦ **Cair na tigüera.** *Bras., SP* a *RS.* V. *fugir* (1 e 2).

tijibu. *S. m. Bras.* V. *camaleão*[1] (1 e 2).

tijoleira. *S. f.* **1.** Fragmento de tijolo para ladrilhos. **2.** Tijolo grande. **3.** Tijolo de pequena espessura, usado para revestimento de pisos.

tijoleiro. *S. m.* Fabricante de tijolos.

tijolo (ô). [Do esp. *tejuelo.*] *S. m.* **1.** Produto cerâmico, avermelhado, geralmente em forma de paralelepípedo, muito usado em construções. **2.** Instrumento com que os ourives vazam arruelas. **3.** Doce em pasta, sólido, de forma semelhante à do tijolo (1): "A doçaria enfeita a mesa de um extremo ao outro: são torres de fios d'ovos, ... balas de leite e de cacau com amêndoa, tijolos de pessegada, ladrilhos de bananada" (Martins Fontes, *A Dança*, p. 88). [Cf., nesta acepç., *ladrilho* (4).] **4.** *Bras.* Livro muito volumoso; calhamaço. **5.** *Bras. Tip.* Composição em que rareiam os claros ou outras particularidades que favorecem o compositor tarefeiro. [Sin., gír., nesta acepç., *catatau.*] **6.** *Bras., SP. Gír.* V. *namoro* (1). **7.** A cor vermelha do tijolo (1). [Pl.: *tijolos* (6).] ● *Adj. 2 g.* e *2 n.* **8.** Que tem essa cor. ♦ **Tijolo cru.** Adobe (1). **Tijolo de cunha.** O que apresenta ao longo de seu comprimento ligeira variação de espessura e se destina à construção de arcos e abóbadas. **Tijolo furado.** Aquele em que se deixam, ao longo de todo seu comprimento, canais ou orifícios, e que apresenta sobre o tijolo maciço as vantagens de ser mais leve e ter melhores características isolantes do calor, do som e da umidade. **Tijolo refratário.** O que é fabricado com argila muito pura, e que, por muito resistente às altas temperaturas, se emprega para revestir fornos, fornalhas, etc. **De tijolo aparente.** *Constr.* Diz-se da construção em cujas paredes externas se empregam tijolos especiais que dispensam qualquer revestimento e ficam, portanto, aparecendo. **Fazer tijolo.** *Bras., SP. Gír.* V. *namorar* (9).

tiju. [Do tupi *ti'yu*, 'nariz ou bico amarelo'.] *S. m. Bras.* V. *assobiador* (4). [Cf. *teju.*]

tijubina. *S. f. Bras., CE. Pop.* V. *lambedeira* (3).

tijuca. [Var. de *tijuco.*] *S. f. Bras.* V. *tijuco.* **2.** V. *assobiador* (4).

tijucada. [De *tijuco* + *-ada*¹.] *S. f. Bras.* V. *tijucal.*

tijucal. [De *tijuco* + *-al.*] *S. m. Bras.* Grande atoleiro; lameiro. [Var.: *tujucal;* sin.: *tijucada* ou *tujucada, tijuqueira, tijucupaua* ou *tijucupava.*]

tijucano¹. *Adj.* **1.** Da, ou pertencente ou relativo à Tijuca, bairro do Rio de Janeiro. ● *S. m.* **2.** O natural ou habitante da Tijuca.

tijucano². *Adj.* **1.** De, ou pertencente ou relativo a Tijucas (SC). ● *S. m.* **2.** O natural ou habitante de Tijucas. [Sin. ger.: *tijuquense.*]

tijuco. [Do tupi *ti'yug*, 'líquido podre, lama'.] *S. m. Bras.* **1.** Charco, pântano, atoleiro: "A sujeira da lama penetrava até a alma. Boi sujo, cavalo sujo, homem sujo, galinha suja. Lama, barro, t i j u c o , atoleiro." (Bernardo Élis, *Veranico de Janeiro*, p. 23.) **2.** Lama, lodo. [Var.: *tijuca* e *tujuco.*] ♦ **Fazer tijuco em.** *Bras., SP. Pop.* Passar diversas vezes em (um lugar); freqüentar (esse lugar).

tijucupaua. [Do tupi *tïyuko'pawa*, 'tudo lama, lamaçal'.] *S. f. Bras., N.* V. *tijucal:* "De trecho em trecho esta orla é truncada pelas t i j u c a p a u a s , ou praias negras de tijuco" (José Veríssimo, *Cenas da Vida Amazônica*, p. 49). [Var.: *tijucupava.*]

tijucupava. [Var. de *tijucupaua.*] *S. f. Bras., N.* V. *tijucal.*

tijupá. [De *tijupaba*, com apócope.] *S. m. Bras.* **1.** Cabana de índios, menor que a oca. **2.** Palhoça que os trabalhadores constroem no meio da mata, nos seringais, roças, etc. [Cf. *coió* (6).] **3.** Choupana, choça, rancho. **4.** *Bras., N.* Tolda¹ (4) de canoa. [Var. e f. paral., nessas acepç.: *ajupá, tajupá, tajupar, tijupaba, tijupar, tiupá, tujupar.*] **5.** *Bras. Mar. G.* Pavimento acima do passadiço, onde se instala uma ou mais estações de vigilância. [Em alguns navios maiores, por vezes, é daí, e não do passadiço, que o comandante dirige a manobra.]

tijupaba. [Do tupi *teyu'pab*, 'pouso de gentalha'.] *S. m. Bras.* V. *tijupá* (1 a 4).

tijupar. [De *tijupá*, com ultracorreção.] *S. m. Bras.* V. *tijupá* (1 a 4).

tijuqueira. [De *tijuco* + *-eira.*] *S. f. Bras.* V. *tijucal.*

tijuqueiro. [De *tijuco* + *-eiro.*] *S. m. Bras.* Ave pernalta (*Limosa hudsonicus* Lath.).

tijuquense. *Adj. 2 g.* e *s. 2 g.* Tijucano².

til¹. [Do esp. *tilde*, por apócope.] *S. m.* Sinal diacrítico [q. v.] (~) que nasala a vogal à qual se sobrepõe.

til². *S. m.* F. apocopada de *tília:* "A folhinha do t i l que se balança" (Antero de Quental, *Sonetos*, p. 74).

tilado. [Part. de *tilar.*] *Adj. Gram.* Tildado. [Cf. *telado.*]

tilápia. *S. f. Zool.* Peixe teleósteo, actinopterígio, da ordem dos percomorfos, família dos ciclídeos. As tilápias constituem uma das mais importantes espécies de peixes de água doce da América do Sul, África e Ásia. Alimentam-se de vegetais e detritos; podem ser criadas em viveiros e nutrir-se com restos de cozinha.

tilar. [De *til* + *-ar*².] *V. t. d. Gram.* Tildar. [Cf. *telar.*]

tilbureiro. *S. m. Bras.* Cocheiro e/ou dono de tílburi.

tílburi. [Do ingl. *tilbury.*] *S. m.* Carro de duas rodas e dois assentos, sem boléia, com capota, e tirado por um só animal: "Súbito meteu-se num t í l b u r i .... e mandou tocar para a Lapa." (Coelho Neto, *Turbilhão*, p. 257.)

tildado. [Part de *tildar.*] *Adj. Gram.* Em que se pôs o til¹; tilado: *O segundo a de manhã é t i l d a d o .*

tildar. [Do esp. *tildar.*] *V. t. d. Gram.* Pôr o til¹ em; tilar.

tílea. *S. f.* Gênero de plantas crassuláceas (*Tillaca*). [Cf. *tília* e *tilha.*]

tilha. [Do escand. (cf. sueco *tilja*, 'assoalho'), atr. do fr. *tillac.*] *S. f.* **1.** *Ant.* Qualquer dos pavimentos de um navio. **2.** *Ant.* Nas galés, estrado para a artilharia. **3.** *Constr. Nav.* Cobertura à proa ou à popa de embarcação, para resguardar da água do mar e para guarda de utensílios, pertences e objetos da tripulação. **4.** *Constr. Nav.* Qualquer compartimento coberto, à proa ou à popa de uma embarcação miúda. [Cf. *tília* e *tílea.*]

tilhado. [De *tilha* + *-ado*¹.] *S. m. Constr. Nav.* **1.** *Ant.* Tilha (1). ● *Adj.* **2.** Diz-se do barco, embarcação, etc., dotado de tilha. [Cf. *telhado.*]

tília. [Do lat. *tilia.*] *S. f.* Árvore ornamental da família das tiliáceas (*Tilia cordata*), nativa e cultivada na Europa, de folhas arredondadas, reentrantes na base, serreadas, cuspidadas e glaucas embaixo, pequenas flores (cinco a sete) agrupadas em cimeiras frouxas e de longos pedúnculos, e cujo fruto é drupáceo, globoso, apiculado, tomentoso, e tem uma a três sementes. [Var.: *til.* Cf. *tílea* e *tilha.*]

tiliácea. *S. f.* Espécime das tiliáceas.

tiliáceas. *S. f. pl. Bot.* Família de plantas floríferas, da ordem das malvales, composta de arbustos e árvores com folhas estipuladas, cujo aspecto é típico pela nervação, de flores cimosas, de estames concrescidos em cinco a 10 feixes, e fruto capsular. Existem cerca de 400 espécies em todo o mundo; no Brasil, o gênero *Luehea* fornece a madeira chamada *açoita-cavalo.*

tiliáceo. *Adj.* Pertencente ou relativo às tiliáceas.

tilintante. [De *tilintar* + *-nte.*] *Adj. 2 g.* Que tilinta.

tilintar. [Voc. onom.] *V. t. d.* **1.** Fazer soar como campainha, sino, moedas que se chocam, etc.: "Achegou-se, t i l i n t a n d o as esporas e a barbela." (Vieira Pires, *Querência*, p. 133.) *Int.* **2.** Soar como campainha, sino, moedas que se chocam, etc.; tintinar: "o mundo dos homens, onde há luz elétrica a jorros, t i l i n t a m copos e rangem violinos." (José Rodrigues Miguéis, *Gente da Terceira Classe*, p. 11). ● *S m.* **3.** O ato de tilintar: "o t i l i n t a r dos talheres, o aroma íntimo da ceia." (Renard Pérez, *Os Sinos. O Tombadilho*, p. 18). [F. paral.: *tirlintar;* Sin.: *trinçolejar.*]

tilito. [Do ingl. *till*, 'sedimento glacial não estratificado', + *-ito*³.] *S. m. Geol.* Sedimento não estratificado, depositado diretamente pela geleira, e formado pela mistura de fragmentos rochosos de todos os tamanhos, desde seixos até material argiloso.

tilo. [Do gr. *týlos*, 'calo'.] *S. m. Anat. Veg.* Proliferação de certas células do parênquima axilar ou radial adjacentes a um vaso, cujo lúmen invade através da cavidade das pontoações. Pode preencher parcial ou totalmente o vaso.

tiloma. [Do gr. *tyloma*, 'calosidade'.] *S. m. Med.* V. *calo*¹ (1).

tilose. [Do gr. *tylosis*, 'ação de tornar caloso'.] *S. f.* **1.** *Med.* Formação de calos na pele. **2.** Pequeno calo nos pés. [Sin., vulg., nesta acepç.: *olho-de-perdiz.*] **3.** *P. ext.* Calosidade qualquer. **4.** *Anat. Veg.* Obstrução dos vasos lenhosos de uma planta por tilos desenvolvidos em grande quantidade.

tiloso (ô). *Adj. Anat.* Que tem tilo: *poro t i l o s o .*

tiltdôzer. [Do ingl. *tiltdozer.*] *S. m.* Buldôzer que pode ser girado em torno do eixo longitudinal do trator ao qual é aplicado. [Pl.: *tiltdôzeres.*]

timaço. *S. m. Bras. Pop.* Time (1) excelente.

timão¹. [Do lat. **timone*, por *temone.*] *S. m.* **1.** Peça longa do arado ou do carro à qual se atrelam os animais que os puxam; tiradoura. [Cf., nesta acepç., *tirante* (4).] **2.** Lança de carruagem. **3.** *Constr. Nav.* Barra do leme; roda do leme; leme. **4.** *P. ext.* Leme (1). **5.** *Marinh.* Adriça do penol da verga grande do caíque. **6.** *P. ext.* Direção, governo.

timão². [Var. de *quimão.*] *S. m.* **1.** *Bras.* Camisola comprida. **2.** *Bras., S.* Casaco grosseiro que os escravos e crianças usavam como abrigo contra o frio: "a escravatura recebia t i m õ e s de baeta azul e roupa de algodão para o gasto do ano" (Melo Morais Filho, *Festas e Tradições Populares do Brasil*, p. 292).

timba. *S. f. Bras., Pl. Chulo.* O pênis.

timbaba. *S. f. Bras.* V. *abóbora-d'anta.*

timbale. [Do ár. *tabl* (*tabal* na f. hispânica), atr. de uma f. *atabal*, cruzada com *tímpano;* ou do fr. *timbale.*] *S. m.* **1.** Tímpano (7): "Num canto, músicos tocam pífaros e t i m b a l e s ." (Antero de Figueiredo, *Toledo*, p. 200.) **2.** Tambor de cavalaria. **3.** Fôrma semi-esférica. **4.** Pastelão com recheios diversos, em forma de taça sem pé.

timbaleiro. *S. m.* Tocador de timbale (1 e 2).

timbatu. [De or. indígena, decerto.] *S. m. Bras.* Instrumento de teclas usado pelos índios amazônicos: "Como as corujas, como os corvos crocitando, em uivos surdos, ... lúgubres, fúnebres, soturnos se misturam os zumbos dos urucungos e os rufos dos t i m b a t u s ." (Martins Fontes, *A Dança*, p. 93.)

timbaúba. [Do tupi *timbo'ïwa*, 'árvore da espuma'.] *S. f. Bras.* **1.** Árvore da família das leguminosas (*Stryphnodendron guianense*), da floresta pluvial, de folhas subdivididas em inúmeros folíolos pequenos, flores pequeninas e organizadas em espigas alongadas, e cujos frutos são legumes. A madeira é branca e mole, e a casca encerra grande quantidade de tanino, aproveitado nos curtumes. **2.** V. *fava-de-rosca.* [Var.: *timbaúva.*]

timbaubense (a-u). *Adj. 2 g.* **1.** De, ou pertencente ou relativo a Timbaúba (PE). ● *S. 2 g.* **2.** Natural ou habitante de Timbaúba.

timbaúva. *S. f. Bras.* Var. de *timbaúba.*

timbé. [De or. indígena.] *S. m. Bras.* Árvore da família das leguminosas, subfamília papilionácea (*Atelaia glazioviana*).

timbira. *Bras. S. 2 g.* **1.** Indivíduo dos timbiras, grupo oriental das tribos indígenas jês setentrionais. ● *Adj. 2 g.* **2.** Pertencente ou relativo a essa tribo.

timbirense. *Adj. 2 g.* **1.** De, ou pertencente ou relativo a Timbiras (MG). ● *S. 2 g.* **2.** Natural ou habitante de Timbiras.

timbó. [Do tupi *tï'bó*, 'o que tem cor branca ou cinzenta'; 'vapor, exalação, fumaça'.] *S. m. Bras.* **1.** Designação comum a plantas, basicamente leguminosas e sapindáceas, que induzem efeitos narcóticos em peixes e, por isso, são usadas para pescar. Fragmentadas e esmagadas, são lançadas na água; logo os peixes começam a boiar e podem ser facilmente apanhados à mão. Deixados na água, recuperam-se, podendo ser comidos sem inconveniente. [Sin.: *tinguí.*] **2.** V. *cipó-de-sapo.* **3.** *Bras., SP. Fig. Pop.* Entorpecimento de membros; moleza, quebreira.

timbó-açu. *S. m. Bras., Amaz.* Grande cipó, da família das leguminosas (*Derris guianensis*), da floresta inundável, venenoso para os peixes, de folhas com cinco folíolos, flores branco-esverdeadas, dispostas em espigas terminais e axilares, e cujo fruto é um legume globoso, ferrugíneo e unilocular. [Pl.: *timbós-açus.*]

timbó-amarelo. *S. m. Bras.* V. *cipó-timbó.* [Pl.: *timbós-amarelos.*]

timbó-boticário. *S. m. Bras., L.* Árvore da família das leguminosas (*Lonchocarpus peckoltii*), da floresta pluvial, cuja seiva é tóxica para peixes, servindo para tinguijar. [Pl.: *timbós-boticários.*]

timbó-bravo. *S. m. Bras.* V. *cipó-de-timbó.* [Pl.: *timbós-bravos.*]

timbó-caá. [De *timbó* + *-caá.*] *S. m. Bras., Amaz.* Erva da família das leguminosas (*Tephrosia nitens*), que vive à beira dos lagos e nas depressões campestres, de folhas penadas, com folíolos coriáceos, na face inferior pilosos e prateados, flores vistosas, vermelhas ou rosadas, reunidas em cachos, e cujo fruto é um legume sedoso. É planta ornamental, e tóxica para peixes. [Pl.: *timbós-caás.*]

timbó-catinga. *S. m. Bras., Amaz.* Cipó grande na mata, ou planta prostrada no descampado, da família das leguminosas (*Lonchocarpus floribundus*), de larga difusão nas terras amazônicas; timbó-taturuaia. [Pl.: *timbós-catingas* ou *timbós-catinga.*]

timbó-da-mata. *S. m. Bras.* V. *fava-de-rosca.* [Pl.: *timbós-da-mata.*]

timbó-de-caiena. *S. m. Bras., Amaz.* Erva da família das leguminosas (*Tephrosia toxicaria*), que habita as margens dos rios, de folíolos estreitos, compridos e pilosos, flores alvas ou levemente violáceas e dispostas em cachos densos, e cujo legume é encurvado e peludo. É venenosa para peixes. [Pl.: *timbós-de-caiena.*]

timbó-de-peixe. *S. m.* V. *cipó-timbó.* [Pl.: *timbós-de-peixe.*]

timbó-de-raiz. *S. m. Bras.* Goranatimbó. [Pl.: *timbós-de-raiz.*]

timbó-do-campo. *S. m.* V. *cipó-d'água.* [Pl.: *timbós-do-campo.*]

timbó-do-rio-de-janeiro. *S. m. Bras.* Erva da família das solanáceas (*Physalis virginiana*), oriunda dos E.U.A., que se caracteriza pelo cálice frutífero vesiculoso, inflado, parecendo um balãozinho colorido; bate-testa. [Pl.: *timbós-do-rio-de-janeiro.*]

timboense (ò). *Adj. 2 g.* **1.** De, ou pertencente ou relativo a Timbó (SC). ● *S. 2 g.* **2.** Natural ou habitante de Timbó.

timboína. [De *timbó* + *-ina*¹.] *S. f. Bras.* Alcalóide que se extrai do timbó.

timbó-legítimo. *S. m. Bras.* V. *cipó-timbó.* [Pl.: timbós-legítimos.]

timbó-macaquinho. *S. m. Bras., Amaz.* Cipó da família das leguminosas (*Lonchocarpus nicou*), das capoeiras e cultivado, de folhas com três a cinco folíolos (os quais, quando novos, têm pêlos dourados), flores purpúreas, organizadas em racemos axilares, florescendo raramente, e cuja raiz contém cópia de rotenona. É o mais ativo dos timbós para apanhar peixes. [Pl.: *timbós-macaquinhos* e *timbós-macaquinho.*]

timbó-manso. *S. m. Bras.* V. *dragão-fedorento.* [Pl.: *timbós-mansos.*]

timbó-mirim. *S. m. Bras.* V. *anileira-verdadeira.* [Pl.: *timbós-mirins.*]

timbó-pau. *S. m. Bras., Amaz.* Árvore da família das leguminosas (*Clathrotropis macrocarpa*), da floresta pluvial não inundável, de casca malcheirosa e madeira de coloração branco-suja. [Pl.: *timbós-paus* e *timbós-pau.*]

timborana (ò). [Do tupi *tĩbo'rana*, 'semelhante ao timbó', 'falso timbó'.] *S. m. Bras.* V. *fava-de-rosca.*

timbó-taturuaia. *S. m. Bras.* Timbó-catinga. [Pl.: *timbós-taturuaias* e *timbós-taturuaia.*]

timboúva. [Do tupi *timbó'ïwa*, 'árvore do timbó'.] *S. m. Bras.* V. *tamburi.*

timbrado. [Part. de *timbrar.*] *Adj.* Marcado com timbre. ~ V. *papel* —.

timbragem. *S. f.* **1.** Ato ou efeito de timbrar. **2.** *Art. Gráf.* Processo de impressão em relevo a seco, em papel, cartolina, etc., no qual se usam, como moldes, cunhos, placas gravadas a entalhe ou caracteres gravados às direitas, e respectivos contramoldes, para tiragem em balancim; timbrogravura. [Cf. *estampagem* (3).]

timbrar. *V. t. d.* **1.** Abrir ou pôr timbre em; marcar com timbre: *timbrar um escudo. Transobj.* **2.** Qualificar, chamar: *Timbrou de competente o aluno. T. i.* **3.** Jactar-se, ufanar-se: *Timbra de sábio;* "Pobre cidade [Coimbra] que, orgulhosa, *timbra* / em ser das outras guia, salvação!" (Alberto de Serpa, *Almanaque de Lembranças Luso-Brasileiro*, p. 23.)

timbre. [Do fr. *timbre.*] *S. m.* **1.** Insígnia apensa exteriormente ao escudo para designar a nobreza do proprietário. **2.** *P. ext.* Marca, sinal. **3.** Selo, carimbo. **4.** *Fig.* Honra, capricho, orgulho. **5.** Remate, cúmulo; auge. **6.** *Fís.* e *Mús.* Qualidade distintiva de sons da mesma altura e intensidade, e que resulta dos harmônicos coexistentes com o som principal. **7.** *Fon.* Efeito acústico proveniente da ressonância (5), e determinado pelo grau de abertura da cavidade bucal, i. e., da distância entre a língua e o céu da boca, distância que é a máxima para o a, a mais aberta das vogais, e a mínima para o *i* e para o *u*, as mais fechadas. O e e o o são vogais abertas (*é, ó*) quando se articulam mais perto da vogal *a*, e vogais fechadas (*ê, ô*) quando articuladas mais perto das vogais *i* e *u*. O timbre das vogais *e* e *o*, quando situadas em sílaba postônica, tende a identificar-se com o das vogais *i* e *u* (ex.: as palavras *mole* e *lento* soam *móli* e *lêntu*): na palavra *casa*, p. ex., o a final não é aberto. A essas vogais de timbre indistinto, pronunciadas com escassa tensão muscular e pouca duração e sonoridade, dá-se o nome de vogais *reduzidas* ou *neutras*. **8.** *Mús.* Qualidade distintiva de sons da mesma altura e intensidade, e que resulta da quantidade maior ou menor dos harmônicos coexistentes com o som fundamental. [V. *série harmônica* (2).] **9.** *Mús.* Instrumento de percussão. **10.** *Mús.* A membrana inferior de um tambor de duas peles a qual fica do lado oposto ao da percussão. **11.** *Mús.* A corda ou cada uma das cordas transversais que estão em contato com essa membrana. **12.** *Mús.* Motivo melódico já existente usado por compositores populares para novos textos. **13.** *Mús.* Qualidade da voz que lhe confere maior ou menor pureza, amplidão e riqueza sonora. **14.** *Mús.* Na Idade Média, o pandeiro. **15.** *Tip.* Cabeço composto em medida estreita, para ser impresso ao canto do envelope, papel de carta, etc.; sinete.

timbri. [Da língua do Guzerate (Índia) *timbrum.*] *S. m.* Árvore da família das ebenáceas (*Diospyros tupru*), cuja madeira é preta como o ébano.

tímbrico. [De *timbre* + *-ico*[2].] *Adj.* Relativo a timbre (8) ou próprio dele.

timbrogravura. [De *timbre* + *-o-* + *gravura.*] *S. f. Art. Gráf.* Timbragem (3).

timbroso (ô). *Adj.* **1.** Que tem timbre ou honra; caprichoso: "Joanito rico, *timbroso*, irresistível, nunca humilhado, Joanito desapontado acenou em despedida à viscondessa." (Xavier Marques, *As Voltas da Estrada*, p. 9.) **2.** Timorato (3).

timbu. [De possível or. tupi.] *S. m. Bras., N.E.* V. *gambá* (1).

timbuar. *V. int. Bras., MG. Pop.* Ter (o doente) uma recaída; piorar.

timbucu. [Do tupi *tibu'ku*, 'nariz comprido'.] *S. m. Bras.* V. *peixe-cachorro* (2).

timburana. *S. f. Bras., BA.* Parelheira.

timburé. [De or. tupi.] *S. m.* **1.** *Bras.* Designação comum a várias espécies de peixes teleósteos, caraciformes, da família dos caracídeos, subfamília dos anastomatíneos, leporelíneos e outras. São peixes de pequeno porte, de corpo cilindriforme, esguio, quase sempre com faixas longitudinais escuras em número variável. **2.** *Bras., Amaz.* Designação comum às espécies do gênero *Leporellus* Luetk., principalmente *L. nattereri* (Steind.), com cerca de 11 linhas longitudinais e duas manchas negras ao longo da linha lateral. **3.** Designação do *Schizodon knerii* (Steind.), do rio São Francisco, com faixa negra ao nível do pedúnculo caudal. [Var.: *ximburé*, var. pros.: *timburê.*]

timburê. *S. m. Bras.* V. *timburé.*

timburé-pintado. *S. m. Bras.* Peixe teleósteo, caraciforme, da família dos caracídeos (*Leporinus reinhardti* Luet.), da BA, MG, SP e MT, que se caracteriza pelas três pintas negras ao longo da lateral, sendo a primeira delas ao nível da nadadeira dorsal. [Pl.. *timburés-pintados.*]

timburetinga (ê). [De *timburé* + *-tinga.*] *S. m. Bras.* Espécie de timburé que alcança 40 cm de comprimento, bem caracterizado pelo perfil côncavo da parte superior da cabeça. O nome popular ainda não está bem correlacionado com o científico. [Var.: *ximburetinga*; sin.: *piaba-torta, capineiro.*]

timburi. [Possível alter. de *tamboril*[2].] *S. m. Bras.* Planta do gênero *Enterolobium* e da família das leguminosas, cujo fruto é utilizado como sabão.

timburiense. *Adj. 2 g.* **1.** De, ou pertencente ou relativo a Timburi (SP). ● *S. 2 g.* **2.** Natural ou habitante de Timburi.

time. [Do ingl. *team.*] *S. m.* **1.** Nos esportes coletivos, número de pessoas selecionadas que, na disputa de uma partida, constituem a equipe; quadro: *time de futebol; time de vôlei.* **2.** *P. ext.* Conjunto de indivíduos associados numa ação comum, com vista a determinado fim: *Em matéria de batucada, o Bando da Lua era um bom time.* **3.** *Bras., MT.* Grupo de cerca de 10 peões que empreita uma tarefa rural. ◆ **Do segundo time.** Que não é dos mais importantes; que está em segundo plano. **Jogar no time de.** *Bras. Fam.* Simpatizar ou dar-se bem com (alguém). **Tirar o time.** *Bras. Pop.* V. *ir embora.* **Tirar o time de campo.** *Bras. Pop.* V. *ir embora.*

tímele. [Do gr. *thymele.*] *S. f.* **1.** Entre os antigos gregos, elemento cênico da tragédia, reminiscência da ara do deus Dioniso e em torno da qual se processavam as danças ritualísticas. **2.** *Ant.* A cena; o teatro.

timeleácea. *S. f.* Espécime das timeleáceas.

timeleáceas. *S. f. pl.* Família de plantas floríferas, da ordem das mirtales, composta de arbustos e arvoretas com folhas inteiras, e flores racemosas, que podem ser monoclamídeas e têm estames isômeros, gineceu monocarpelar e lóculos uniovulados, sendo o fruto, em geral, drupáceo. Não têm nenhuma utilidade. Há umas 500 espécies, predominantes nos países temperados; poucas ocorrem no Brasil.

timeleáceo. *Adj.* Pertencente ou relativo às timeleáceas.

➡**timer** (táimer). [Ingl.] *S. m.* **1.** Dispositivo que indica, através de sinal sonoro, o término de um intervalo de tempo. **2.** Dispositivo que liga ou desliga automaticamente qualquer equipamento, em momento(s) predeterminado(s).

➡**time-sharing** (táim-xérin'). [Ingl.] *S. m.* **1.** Uso compartilhado do tempo em dispositivo para duas ou mais finalidades, de forma intercalada e controlada. **2.**Tipo de algoritmo de controle de tempo dentro de um computador, que permite a determinado número de usuários executar seus programas de forma concorrente.

timiatecnia. [Do gr. *thymíama, atos*, 'perfume', + *-tecn(o)-* + *-ia.*] *S. f.* Arte de fabricar perfumes.

timiatécnico. *Adj.* Relativo à timiatecnia.

tímico. *Adj. Anat.* Relativo ao timo[1].

timicu. *S. m. Bras.* V. *peixe-agulha* (1).

timicuí. *S. m. Bras.* V. *micuim* (1).

timicuim (u-ím). *S. m.* V. *micuim* (1).

timidez (ê). *S. f.* **1.** Qualidade de tímido; acanhamento. **2.** Debilidade, fraqueza.

tímido. [Do lat. *timidu.*] *Adj.* **1.** Que tem temor; receoso. **2.** Acanhado, retraído. **3.** *Fig.* Fraco, frouxo, débil: *os tímidos gorjeios dos pássaros.*

timiminó. *S. 2 g.* e *adj. 2 g. Bras.* Var. de *temiminó.*

timina. *S. f. Genét.* Uma das bases nitrogenadas que compõem o ácido desoxirribonucléico, e que se liga à adenina.

➡**timing** (táimin'). [Ingl.] *S. m.* Senso de oportunidade relativo à escolha do momento e do tempo de duração de alguma ação.

timo[1]. [Do gr. *thymos.*] *S. m. Anat.* Órgão formado por dois lobos, de situação retroesternal, que recobre parte do pericárdio e dos grandes vasos da base do coração. [O timo desenvolve-se até a puberdade, iniciando-se, a partir dessa fase, a sua involução, e desenvolve importante papel na transmissão neuromuscular e em processos imunológicos.]

timo[2]. [Do gr. *thymon*, pelo lat. *thymu.*] *S. m.* Tomilho.

▲**tim(o)-.** [Do gr. *thymós, oû.*] *El. comp.* = 'espírito', 'ânimo': *ciclotimia, lipotimia.*

timocracia. [Do gr. *timokratia.*] *S. f.* Sistema de governo em que preponderam os ricos.

timocrata. *S. 2 g.* Partidário da timocracia.

timocrático. [Do gr. *timokratikós.*] *Adj.* Relativo à, ou próprio da timocracia.

timol. [De *timo*[2] + *-ol.*] *S. m. Quím.* Substância cristalina, incolor, obtida de certos vegetais ou sinteticamente, com odor característico, usada em medicina e perfumaria. [Fórm. $C_{10}H_{14}O$. Pl.: *timóis.*]

timonear. [De *timão*[1] + *-ear.*] *V. t. d. Bras., S.* Dirigir (embarcação) como timoneiro. [Conjug.: v. *frear.*]

timoneira. [De *timão*[1] + *-eira.*] *S. f. Ant. Constr. Nav.* Vão do casco do navio por onde passa a cana do leme.

timoneiro. *S. m.* **1.** Aquele que governa o timão da embarcação; o homem do leme: "Logo que o barco principia a ser arrebatado pela corrente, os remadores recolhem as suas longas pás, o *timoneiro* em pé tira o seu barrete e encomenda-se mentalmente a uma imagem da Virgem" (Ramalho Ortigão, *Banhos de Caldas e Águas Minerais*, p. 152). **2.** *Fig.* Aquele que dirige ou regula qualquer coisa; guia, chefe.

timonense. *Adj. 2 g.* **1.** De, ou pertencente ou relativo a Timon (MA). ● *S. 2 g.* **2.** Natural ou habitante de Timon.

timor (ô). *S. 2 g.* Timorense (2). [Cf. *temor.*]

timorato. [Do lat. *timoratu.*] *Adj.* **1.** Medroso, receoso, tímido: "Embora fosse remota, a possibilidade no Brasil de uma insurreição com sangue, nos centros urbanos, preocupava espíritos *timoratos.*" (Carolina Nabuco, *Oito Décadas*, p. 101); "E tu ficaste hirta, assombrada, *timorata*" (Eugênio de Castro, *Obras Poéticas*, III, p. 135). **2.** Que receia errar. **3.** Escrupuloso, meticuloso, timbroso.

timorense. *Adj. 2 g.* **1.** De, ou pertencente ou relativo a Timor (Oceânia). ● *S. 2 g.* **2.** Natural ou habitante de Timor; timor.

timpanal. *Adj. 2 g. Anat.* Relativo ou pertencente ao tímpano (3); timpânico.

timpanão. [Do gr. *thýmpanom*, 'tambor'.] *S. m.* Instrumento da Idade Média, trapezoidal, montado com cordas metálicas, percutíveis com baquetas de madeira ou de ferro.

timpânico. *Adj. Anat.* Timpanal. ~ V. *membrana* —*a.*

timpanilho. [Do esp. *timpanillo.*] *S. m.* Caixilho de ferro, recoberto de estofo, e que se encaixa na parte póstero-interior do tímpano do prelo, para segurar a almofada.

timpanismo. [Do gr. *tympanismós*, 'ação de bater tambor'.] *S. m. Med.* Distensão devida a gases e que fornece, pela percussão, som timpânico.

timpanista. *S. 2 g.* Fabricante de tímpanos.

timpanite. [De *tímpano* + *-ite*[1].] *S. f. Patol.* Inflamação do tímpano (3).

timpanítico. *Adj.* **1.** Relativo ao timpanismo. **2.** Que sofre de timpanismo. ● *S. m.* **3.** Aquele que sofre desse mal.

timpanizar. [De *tímpano* + *-izar.*] *V. t. d.* **1.** Produzir timpanismo em. *P.* **2.** Tornar-se timpanítico (2).

tímpano. [Do gr. *tympanon*, 'tambor', pelo lat. *tympanu.*] *S. m.* **1.** Peça metálica em forma de sino, que vibra, percutida pelo martelo, nas campainhas. **2.** Recipiente cilíndrico, oco, com repartimentos em espiral, pelos quais se eleva a água de um depósito ou de uma corrente; tambor. **3.** *Anat.* Membrana que limita o ouvido médio do externo, com cerca de 0,1 mm de espessura e 0,67 c^2 de área. **4.** *Arquit.* Espaço limitado pelas três cornijas dum frontão. **5.** *Arquit.* Espaço liso ou esculpido, circunscrito por diversos arcos ou retas. **6.** *Marc.* Painel entre molduras. **7.** *Mús.* Espécie de tambor, de origem árabe, que se percute com baquetas (*bilros*), e é constituído de uma grande bacia metálica, geralmente de cobre, semi-esférica, em cuja abertura se estende uma pele fortemente retesada por um mecanismo, que permite produzir sons variáveis e de tonalidades determinadas; timbale. **8.** *Mús.* Marimba (1), em certas regiões da América. **9.** *Tip. Ant.* Peça ligada por charneiras a uma das tiras de madeira do cofre do prelo manual, e onde se estende a branqueta com a folha de preparo, sustentadas pelo timpanilho. É, como este, um caixilho de madeira ou ferro que se recobre de seda ou de pergaminho.

timucu. [Var. de *timbucu.*] *S. m. Bras.* V. *peixe-agulha* (1).

timutu. [De provável. or. indígena.] *S. m. Bras., Amaz.* Erva da família das poligaláceas (*Polygala timoutou*), de folhas pequenas, flores minutas dispostas em racemos densos, e cuja raiz é considerada vomitiva e diurética.

tina. [Do esp. *tina*, ou do lat. vulg **tinna*, em lugar do clássico *tina*, 'vasilha para vinho'.] *S. f.* **1.** Vasilha de aduelas, usada para carregar água, lavar roupa, etc. **2.** Vaso de pedra ou de metal em que se tomam banhos; banheira. [Var.: *tinha;* sin. ger.: *tino.* Dim. irreg.: *tinote.*]

tinada. *S. f.* **1.** O conteúdo de uma tina. **2.** Tina cheia.

tinalha. [Do esp. ant. *tenalha*, por infl. de *tina.*] *S. f.* Tina ou dorna pequena para vinho.

tinamalu. *S. m. Bras.* V. *caraná* (1).

tinamídeo. *S. m.* **1.** Espécime dos tinamídeos. ● *Adj.* **2.** Pertencente ou relativo a eles.

tinamídeos. *S. m. pl. Zool.* Aves tinamiformes, representadas na América do Sul por uma única família: *Tinamidae.* Têm dedos livres, três anteriores e um posterior, pernas de comprimento médio, e são desprovidas de cauda. Alimentam-se de insetos e frutas; vivem nas matas e capoeiras. São os macucos, os jaós, as perdizes e as codornas.

tinamiforme. *S. m.* **1.** Espécime dos tinamiformes. ● *Adj. 2 g.* **2.** Pertencente ou relativo a eles. [Sin. ger.: *cripturiforme.*]

tinamiformes. *S. m. pl. Zool.* Aves neórnites, paleógnatas, da ordem *Tinamiformes*, com asas adaptadas ao vôo, esterno com pequena carena, pigóstilo ausente ou muito reduzido. São os macucos, os inambus, as codornas e as perdizes da região neotrópica. [Sin.: *cripturiformes.*]

tincal. [Var. de *tincār* < persa *tinkār*, atr. do ár. *tinkār.*] *S. m. Min.* Mineral monoclínico, borato de sódio hidratado, usado como fundente e anti-séptico. [Var.: *atincal.*]

tincaleira. *S. f.* Vasilha onde os ourives deitam o tincal.

tinção. [Do lat. *tinctione.*] *S. f.* Ato ou efeito de tingir; tintura.

tincar. *S. m.* V. *tincal.*

tincoã. [Do tupi *tĩku'ã.*] *S. f. Bras., Amaz.* V. *chincoã.*

tineídeo. *S. m.* **1.** Espécime dos tineídeos. ● *Adj.* **2.** Pertencente ou relativo a eles.

tineídeos. [Do lat. *tinea*, 'tinha', + *-ídeo.*] *S. m. pl. Zool.* Família de insetos da ordem dos lepidópteros, subordem dos heteróforos, que apresentam palpos grandes e dobrados. As larvas transportam seus casulos e alimentam-se de fungos ou de tecidos de lã. São as traças de roupa [v. *traça*[1] (2)], com três espécies principais: *Tineola bisselliela, Tinea pellionella* e *Trichophaga tapetzella.*

tineleiro. *S. m.* **1.** Aquele que trata do tinelo. ● *Adj.* **2.** Relativo ao tinelo.

tinelo. [Do it. *tinello.*] *S. m.* Sala onde os criados de uma casa fazem refeições em comum; refeitório.

tineóideo. *S. m.* **1.** Espécime dos tineóideos. ● *Adj.* **2.** Pertencente ou relativo a eles.

tineóideos. *S. m. pl. Zool.* Superfamília de insetos da ordem dos lepidópteros, cujo gênero principal é *Tinea.* São borboletas pequenas que formam o grupo dos microlepidópteros.

tíner. [Do ingl. *thinner.*] *S. m. Tec.* Solvente que se adiciona a uma tinta com o intuito de torná-la menos viscosa.

tineta (ê). [De *tino*[1].] *S. f.* **1.** V. *telha* (7). **2.** Queda, tendência, propensão. **3.** Teimosia, pertinácia.

▲-tinga. [Do tupi *tĩga.*] *El. comp.* = 'branco': *biguatinga, caatinga, surucucutinga.*

tingido. [Part. de *tingir.*] *Adj.* Que se tingiu; que foi submetido a tingidura; tinto: *roupa tingida*; "um quarentão muito espartilhado e tingido" (Valentim Magalhães, *Vinte Contos*, p. 42).

tingidor (ô). *Adj.* e *s. m.* Que ou aquele que tinge.

tingidura. [De *tingir* + *-(d)ura.*] *S. f.* V. *tintura.*

tingimento. *S. m.* V. *tintura* (1).

tingir. [Do lat. *tingere.*] *V. t. d.* **1.** Meter ou molhar em tinta (2), alterando a cor primitiva. **2.** Dar certa cor a; colorir: *A luz crepuscular tingia o vale.* **3.** Fazer corar; ruborizar: *A timidez tingiu-lhe as faces.* **4.** Tornar escuro; escurecer. **5.** Manchar (1): *O sangue tingia-lhe as roupas. P.* **6.** Tomar certa cor: "Tingem-se vales e montes / Por toda a parte de verde." (Conde de Monsaraz, *Musa Alentejana*, p. 50). [Part.: *tingido* e *tinto.* Conjug.: v. *dirigir.*]

tingitano. [Do lat. *tingitanu.*] *Adj.* e *s. m.* Tangerino[2].

tinguaciba. [Do tupi *tĩgwa'siba.*] *S. f. Bras.* V. *espinho-de-vintém.*

tinguaçu. [Do tupi *tĩgwa'su*, 'nariz grande'.] *S. m. Bras.* **1.** V. *alma-de-gato* (1). **2.** Capitão-de-saíra (1).

tinguaíto. [Do top. *Tinguá* + *-ito*[2].] *S. m. Pet.* Rocha magmática em geral com a forma de diques ou chaminés, e textura granular e porfirítica.

tingui. [Do tupi *tĩgwi.*] *S. m.* **1.** *Bras.* Arvoreta vulgar nos cerrados (*Magonia pubescens*), caracterizada pelas grandes cápsulas lenhosas e triangulares, e cujas sementes, aladas e amplas, contêm óleo. **2.** *Bras.* Timbó (1). **3.** *Bras.* V. *cipó-timbó.* **4.** *Bras., N.E.* Nordeste (4). ● *S. 2 g.* **5.** *Bras., S.* V. *paranaense* (2).

tingui-capeta. *S. m. Bras. L.* Arbusto escandente da família das sapindáceas (*Serjania erecta*), que ocorre nos cerrados, e cujas folhas são amplas, trifolioladas, moles e serreadas, sendo alado o pecíolo. As flores, alvas e minutas, organizam-se em panículas; o fruto tem asas coriáceas e fragmenta-se na maturidade. [Sin.: *turari.* Pl.: *tinguis-capetas* e *tinguis-capeta.*]

tingui-de-leite. *S. m. Bras.* V. *agaí.* [Pl.: *tinguis-de-leite.*]

tingui-de-peixe. *S. m. Bras.* Arbusto da família das mirsináceas (*Jacquinia sp.*), usado no N. para envenenar o peixe na água, não causando o peixe assim envenenado nenhum dano a quem o come. [Pl.: *tinguis-de-peixes.*]

tinguijada. [De *tinguijar* + *-ada*[1].] *S. f. Bras., N.* e *N. E.* Pescaria em que se emprega o tingui.

tinguijar. *V. t. d. Bras., N.* **1.** Envenenar (as águas de um rio ou de uma lagoa) com tingui ou com timbó [q. v.]. *Int.* **2.** *Bras.* Ser envenenado pelo tingui.

tinha[1]. [Do lat. *tinea.*] *S. f.* **1.** *Med.* Designação comum a várias espécies de infecções cutâneas superficiais fúngicas, cujo tipo específico está na dependência das características do agente causal; porrigem. **2.** *Fig.* Defeito, mancha, mácula. ◆ **Tinha favosa.** *Med. Obsol.* V. *favo* (4).

tinha[2]. *S. f.* V. *tina.*

tinhanha. *S. f. Bras.* V. *troca* (2).

tinhorão. [Do tupi *tayu'rá*, 'tajá amargo'.] *S. m. Bras., L.* a *S.* Erva da família das aráceas (*Caladium bicolor*), cultivada extensamente por sua beleza, que tem um tubérculo do qual partem as folhas, grandes, longamente pecioladas, herbáceas, sagitadas, manchadas de vermelho ou de branco, ou alvas ou, ainda, róseas, e flores insignificantes, que se agregam em espigas compactas, envolvidas em grande bráctea, dita *espata.* [Sin.: *ará, tajurá* e (Amaz.) *tajá.*]

tinhoso (ô). *Adj.* **1.** Que tem tinha[1] (1). **2.** *Fig.* Que provoca nojo; repugnante, nojento. **3.** *Bras.* Teimoso, pertinaz. ● *S. m.* **4.** V. *diabo* (2): "Nem haveria meio de persuadi-lo que ele, Aleixo, fora vencido duas vezes numa queda de corpo, tão expeditamente, ainda mais por um magriço. Eram artes do tinhoso." (José de Alencar, *O Sertanejo*, p. 85.)

tinhuma. *S. f. Bras.* V. *querê-querê.*

tini. [De provável or. indígena.] *S. m. Bras., MT.* O primeiro corte de folhas de erva-mate, em cada dia.

tinideira. *Adj.* **1.** Fem. de *tinidor*, tinidora. ● *S. f.* **2.** *Bras., S. Pop.* Situação angustiosa; falta de dinheiro; aperto, apertura: *estar, andar, viver na tinideira.*

tinido. [Do lat. *tinnitu.*] *S. m.* **1.** Ato ou efeito de tinir. **2.** Som vibrante de vidro, de metal, etc.: "lábios grossos deixando escapar ... uma risada ... que, ao ecoar pelo corredor da casa-grande, mais parecia o tinido de cristais." (José Maria de Melo, *Os Canoés*, p. 13).

tinidor (ô). *Adj.* **1.** Que tine; tininte. ● *S. m.* **2.** Aquilo que tine.

tinidora (ô). *Adj.* (f.) Tinideira (1).

tininte. *Adj. 2 g.* Tinidor (1).

tinir. [Do lat. *tinnire*, de fundo onom.] *V. int.* **1.** Soar (vidro ou metal) aguda ou vibrantemente: *Os cristais tiniam entrechocando-se;* "Tiniam na rua as campainhas das vacas" (Coelho Neto, *Turbilhão*, p. 45). **2.** Zunir (os ouvidos): *O estrondo foi tão forte que meus ouvidos tiniram.* **3.** Tiritar de frio ou de medo. **4.** Emitir som, voz, etc., em tom alto: *Tiniu, para que o ouvissem do outro lado do rio.* **5.** Sentir grande fome ou vivo apetite. **6.** Estar quentíssimo: *Era uma da tarde, e o Sol tinia.* [Defect., não conjugável nas f. em que ao *n* da raiz se seguiria *o* ou *a.*] ◆ **Tinir de.** Achar-se em (determinado estado) ou ter (determinada qualidade) em altíssimo grau: *Está tinindo de zangado;* "Espera-me com um poderoso Chevrolet tipo 1963, tinindo de azul" (Guilherme Figueiredo, *Deus sobre as Pedras*, p. 77). **A tinir.** *Fam.* Sem nenhum dinheiro; a nenhum: *estar, ficar, andar a tinir.* **De tinir.** Imprime caráter superlativo à palavra à qual se segue: *É bonita de tinir; O molho está de tinir.*

tino[1]. [Dev. aferético de *atinar.*] *S. m.* **1.** Juízo, discernimento; discrição; atino. **2.** Prudência, cuidado; tato: *Nas situações difíceis sempre agiu com tino.* **3.** Intuição; queda; faro: "E o caso era que Campos, ou devido à fortuna ou ao bom tino para os negócios, prosperava sempre." (Aluísio Azevedo, *Casa de Pensão*, p. 8.) **4.** Atenção, circunspeção. **5.** Conhecimento, idéia. **6.** Facilidade de andar às escuras. ◆ **A tino.** Por um cálculo aproximado; por estimativa; a olho.

tino[2]. *S. m.* V. *tina.*

tino[3]. [Dev. de *tinir.*] *S. m. Desus.* Tinido.

tinote[1]. [De *tina* + *-ote.*] *S. m.* Pequena tina.

tinote[2]. [De *tino*[1] + *-ote.*] *S. m. Pop.* O cérebro.

tinta. [Fem. substantivado de *tinto.*] *S. f.* **1.** Substância química constituída de um corante e de um aglutinante, ou de um colóide, a qual tem a propriedade de aderir à superfície sobre a qual é aplicada, e que é usada para pintura. **2.** Essa tinta, no estado líquido ou pastoso, usada para escrever, tingir ou imprimir. **3.** Tintura (2). **4.** Cor, colorido, tom: *as tintas de ouro das paisagens outonais.* **5.** Certa casta de uva. **6.** *Fig.* Vestígios, laivos, traço: *Em suas palavras notava-se uma tinta de maldade.* **7.** *Fig.* V. *laivos* (1). [Nesta acepç. é m. us. no pl.] ~ V. *tintas.* ◆ **Tintas de doble-tom.** Tinta usada para imprimir autotipias, e na qual se combina um colorante solúvel em óleo com um pigmento básico estável de cor diferente, a fim de provocar na estampa, durante a secagem, o aparecimento de tons secundários causados pela difusão do colorante, à maneira de halo, em volta dos pontos da retícula; tinta dúplex. [V. *autotipia dúplex* e *bicromia.*] **Tinta de impressão.** Substância líquida ou pastosa usada nos vários processos de imprimir, constituída por um veículo viscoso (o verniz), ou fluido, e um pigmento de origem animal, vegetal ou mineral, e que podem ser, segundo a sua natureza, graxas e fluidas, opacas e transparentes, mates e brilhantes, ou, segundo seu emprego, tipográficas, litográficas, rotográficas, flexográficas, etc., sendo suas características mais significativas a adesividade, a compacidade (que combina as de coesão, escoamento e viscosidade), a elasticidade, a intensidade, a penetração, a sicatividade, a solidez à luz e a tenacidade. **Tinta dúplex.** Tinta de doble-tom [q. v.]. **Tinta litográfica.** **1.** A que se compõe de cera, sabão, sebo, etc., e pigmento, para desenho à pena ou a pincel no processo de litografia. [V. *lápis litográfico.*] **2.** A tinta graxa usada na impressão litográfica. **Tinta simpática.** Tinta invisível quando se escreve, mas que, submetida à ação de certos agentes, se torna visível. **Carregar nas tintas.** Mostrar-se exagerado, exagerar, numa descrição, num relato.

tinta-dos-gentios. *S. f. Bot.* V. *anil-trepador.* [Pl.: *tintas-dos-gentios.*]

tintagem. *S. f.* **1.** Ação ou efeito de tintar. **2.** *Art. Gráf.* V. *entintamento.* **3.** *Art. Gráf.* Modo de distribuição da tinta, nos diversos tipos de prensas.

tintar. [De *tinta* + *-ar*[2].] *V. t. d. Tip.* V. *entintar.*

tintas. [Pl. de *tinta.*] *S. f. pl.* V. *laivos* (1).

tinteira. *S. f. Art. Gráf.* Tinteiro (5).

tinteiro. *S. m.* **1.** Pequeno vaso próprio para conter tinta de escrever. **2.** Utensílio de escritório, com um ou mais vasos para tinta de escrever. **3.** *Bras.* Pó fino de magnetita. **4.** *Bras., BA.* Designação comum aos moluscos nudibrânquios do gênero *Aplysia.* **5.** *Art. Gráf.* Recipiente da tinta, nas várias espécies de prensas, constituído, em geral, por uma espécie de calha com tampa (*caixa do tinteiro*), onde gira um cilindro de aço, ao qual se apóia uma lâmina graduável (*telha* ou *faca*), reguladora da saída. [F. paral., ant.: *tinteira.*] ◆ **Ficar no tinteiro.** Ficar (uma coisa) por ser dita ou escrita, e, p. ext., feita, por esquecimento.

tintim. [Voc. onom., que sugere o tinido de moedas, de copos ao entrechocarem-se, etc.] *S. m.* Saudação que se faz ao erguer o copo ou ao tocá-lo no do companheiro, ao beber à saúde de alguém. ◆ **Tintim por tintim.** Com todas as particularidades; ponto por ponto; minuciosamente, minudenciosamente. [Esta loc. indicava, a princípio, um pagamento feito com minúcia, moeda por moeda.]

tintinabulante. *Adj. 2 g.* Que tintinabula.

tintinabular. [De *tintinábulo* + *-ar*[2].] *V. int. Bras.* **1.** Soar, ressoar: "Não colocava [Euclides da Cunha] vocábulos pelo prazer romântico de ouvir tintinabular a frase sonora e cascalhante." (Antônio Torres, *Pasquinadas Cariocas*, p. 3.) *t. d.* **2.** Fazer soar (campainha). [Pres. ind.: *tintinabulo*, etc. Cf. *tintinábulo.*]

tintinábulo. [Do lat. *tintinabulu.*] *S. m.* Campainha, sineta. [Cf. *tintinabulo*, do v. *tintinabular.*]

tintinante. *Adj. 2 g.* Que tintina; tilintante.

tintinar. [Do lat. *tintinnare.*] *V. int.* Tilintar (2).

tintiolim. *S. m. Bras.* Entre os açougueiros, o útero da vitela.

tinto. [Do lat. *tinctu.*] *Adj.* **1.** Tingido. **2.** *Fig.* Sujo, enodoado. ~ V. *uva —a* e *vinho —.* ● *S. m.* **3.** Vinho tinto: "Embora homens de trabalho e tineta, não tinham as unhas roídas dos tintos." (João da Silva Correia, *Farândola*, p. 130.)

tintorial. [De *tintório* + *-al.*] *Adj. 2 g.* **1.** Que serve para tingir. **2.** Relativo a tinturaria. [Sin ger.: *tintório.*]

tintório. [Do lat. *tinctoriu.*] *Adj.* **1.** Que produz substância empregada em tinturaria. **2.** Tintorial.

tintura. [Do lat. *tinctura.*] *S. f.* **1.** Ato ou operação de tingir; tingidura, tingimento, tincão. **2.** Tinta (2) usada especialmente para tingir; tinta. **3.** *Fig.* V. *tinta* (6). **4.** *Fig.* V. *laivos* (1): *Tem lá a sua tintura de grego e de latim.* [Nesta acepç. é m. us. no pl.] **5.** *Farm.* Álcool ou éter carregado, por maceração ou lixiviação, dos princípios ativos de uma ou diversas substâncias de natureza vegetal, animal ou mineral. ~ V. *tinturas.*

tinturado. [De *tintura* + *-ado*[1].] *Adj.* Tingido, tinto: *cabelo tinturado.*

tinturaria. [De *tintura* + *-aria.*] *S. f.* **1.** Ofício ou arte de tintureiro. **2.** Estabelecimento onde se tingem panos. **3.** *Bras.* Lavanderia (1).

tinturas. [Pl. de *tintura.*] *S. f. pl.* V. *laivos* (1). ~ V. *tintura.*

tintureira. [Fem. de *tintureiro.*] *S. f.* **1.** Mulher que tinge panos. **2.** Dona de tinturaria. **3.** *Bras.* Peixe elasmobrânquio, pleurotremado, da família dos galeorrinídeos (*Galeocerdo arcticus* (Faber)), distribuído no Atlântico desde a América Central até a Argentina. De dorso cinzento-plúmbeo, abdome esbranquiçado, com faixas transversais nos jovens. Atinge até 10 m de comprimento, e tem a cabeça deprimida e arredondada. É tida como espécie muito feroz, sendo temida pelos banhistas e pelos pescadores. Sua carne é comum nos mercados costeiros do Brasil: "o tubarão é tão bem 'armado' que pode comer uma pessoa. No boqueirão andam cações de mais de dois metros de comprimento! Muitos tipos: tintureira, olho-de-vidro, anequim." (José Fonseca Fernandes, *Joatão e a Ilha*, p. 36). [Sin., nesta acepç. *tintureiro.*] **4.** *Bras.* Planta leguminosa cesalpiniácea (*Caesalpinia tinctoria*).

tintureiro. [De *tintura* + *-eiro.*] *Adj.* **1.** Que tinge. ● *S. m.* **2.** Aquele que tinge panos. **3.** Dono de tinturaria. **4.** Empregado de tinturaria. **5.** *Bras.* V. *quaró.* **6.** *Bras., RJ.* Carro da polícia, para o transporte de presos. [Sin. nesta acepç.: *camburão, viúva-alegre, manduquinha* (AM), *carinhosa* (MA), *carrocinha* (MG).] **7.** *Bras.* Tintureira (3).

tintureiro-das-pedras. *S. m. Bras., RS.* V. *lesma* (1). [Pl.: *tintureiros-das-pedras.*]

tio. [Do gr. *theîos*, pelo lat. *thiu.*] *S. m.* **1.** Irmão dos pais, em relação aos filhos destes. **2.** *P. ext.* Marido da tia, em relação aos sobrinhos desta. **3.** *Bras., N. E.* Tratamento dado pelos meninos a adultos, sobretudo aos de condição superior. **4.** *Bras.*, Tratamento carinhoso dado pelos jovens aos amigos dos pais, ou pelos amigos aos pais de seus amigos. **5.** *Bras., S.* Designação que se usa dar a negro velho. **6.** *Bras. Mar. Merc.* Chico[1] (3).

tioácido. [De *ti(o) (n)-* + *ácido.*] *S. m. Quím.* Ácido em que um átomo de oxigênio foi substituído por um de enxofre.

tio-avô. *S. m.* Irmão do avô ou da avó. [Fem.: *tia-avó.* [Pl.: *tios-avôs* e *tios-avós.*]

tiobactérias.[De *ti(o)(n)-* + *bactéria.*] *S. f. pl. Bot.* Série de esquizomicetos que compreende a família das baggiatoáceas e a das rodobacteriáceas, antotióficos, caracterizados pela presença de inclusões de enxofre em suas células; que ou são incolores ou coloridas em vermelho pela bacteriopurpurina.

tioca. [De *taioca*, com síncope.] *S. f. Bras.* Grande formiga preta.

tiocianato. [De *ti(o)(n)-* + *cianato.*] *S. m. Quím.* V. *sulfocianato.*

tiocianeto (ê). [De *ti(o)(n)-* + *cianeto.*] *S. m. Quím.* V. *sulfocianato.*

tiociânico. [De *ti(o)(n)-* + *ciânico.*] *Adj.* ~V. *ácido* —.

tiofeno. [De *ti(o)(n)-* + *-feno.*] *S. m. Quím.* Composto heterocíclico, líquido incolor, com cheiro que lembra o do benzeno. [Fórm.: C_4H_4S.]

tiom-tiom. [Voc. onom.] *S. m. Bras., Amaz.* V. *corucão.* [Pl.: *tiom-tions.*]

▲ti(o)(n)-. [Do gr. *theîon*, ou.] *El. comp.* = 'enxofre': *tiamida, tioácido, tiônico.*

tiônico. [De *ti(o)(n)-* + *-ico*[2].] *Adj.* V. *ácido* —.

tionila. [De *ti(o)(n)-* + *-ila.*] *S. m. Quím.* O radical monovalente *SO-*.

tionina. [De *ti(o) (n)-* + *-ina*[1].] *S. f.* Substância orgânica, violeta, empregada como corante.

tiorba. [Do it. *tiorba.*] *S. f.* Instrumento da família do alaúde, do qual se distingue por ter um segundo cravelhal onde se prendem as cordas mais graves, as quais ficam fora do ponto, e que se usou nos sécs. XVI e XVII como instrumento acompanhador e solista: "Vinha cantando atrás esta canção feliz / Ao som de tiorbas d'oiro e avenas pastoris" (Guerra Junqueiro, *A Velhice do Padre Eterno*, p. 232).

tiorega. *S. f. Bras., N.E. Pop.* Coisa complicada; estrovenga, estrupício.

tiorga. *S. f. Bras., S. Pop.* V. *bebedeira* (1).

tiossulfato. [De *ti(o) (n)-* + *sulfato.*] *S. m. Quím.* Sal com o aníon divalente $S_2O_3^{-2}$; hipossulfito.

tiossulfúrico. [De *ti(o) (n)-* + *sulfúrico.*] *Adj. Quím.* Diz-se do ácido hipotético do enxofre, obtido pela substituição de um átomo de oxigênio do ácido sulfúrico por um átomo de enxofre. [Fórm.: $H_2S_2O_3$.]

tiotê. [Do fr. *tuyauté.*] *S. m. Bras.* Dobras tubiformes em um tecido (4), usadas principalmente em folhos ou babados que adornam blusas.

tipa[1]. [Fem. de *tipo* (6 e 7).] *S. f.* **1.** *Chulo.* Qualquer mulher. **2.** Mulher de costumes fáceis.

tipa[2]. [Do quíchua, atr. do hispano-americano.] *S. f. Bras., L.* a *S.* Árvore da família das leguminosas (*Tipuana speciosa*), muito utilizada na arborização de ruas, de tamanho mediano, folhas penadas, com folíolos elípticos, flores amarelas, mas não vistosas nem muito aparentes, e cujo fruto é uma sâmara.

tipacoema. [Do tupi *tipoko'ema*, 'vazante da manhã'.] *S. f.* **1.** *Bras., AM.* Baixa-mar matutina. **2.** A parada da maré, ao amanhecer, no final da vazante. [Cf. *tepacuema.*]

tipão. [Aum. de *tipo.*] *S. m. Bras. Fam.* **1.** Tipo estranho, curioso; pessoa excêntrica. **2.** Pessoa vistosa, atraente pelo físico: *O rapaz é um tipão; Que tipão, a Vera!*

tipi. [Do tupi *tĩ'pĩ.*] *S. m. Bras.* V. *guiné* (1).

▲tipi-. Equiv. de *tipo*[2].

tipicidade. *S. f.* **1.** Qualidade ou caráter de típico. **2.** *Jur.* Qualidade dum fato que abrange todos os elementos da definição legal de um delito.

típico. [Do gr. *typikós*, pelo lat. *typicu.*] *Adj.* **1.** Que serve de tipo; característico: "E as torres redondas .... cediam lugar às torres retangulares tão típicas do feudalismo medieval e do urbanismo renascentista italianos" (Alceu Amoroso Lima, *A Realidade Americana*, p. 19). **2.** Alegórico, simbólico. ~ V. *charada* —*a.*

tipificação. *S. f.* Ato de tipificar-(se).

tipificar. [De *tip(o)-*[2] + *-ficar.*] *V. t. d.* e *p.* Tornar(-se) típico; caracterizar(-se). [Conjug.: v. *trancar.*]

tipió. [Possivelmente, voc. onom.] *S. m. Bras.* Ave passeriforme, da família dos fringilídeos (*Sicalis luteola luteiventris* (Mey.)), do Brasil meridional e ocidental, de dorso oliváceo, com barras longitudinais escuras, a região inferior amarela com manchas oliváceas. Vive em bandos, nidificando em buracos de árvores, em muros e nos capinzais. Alimenta-se de sementes e alguns insetos.

tipiri. [Do tupi, talvez.] *S. f. Bras.* V. *araribá-rosa.*

tipisca. *S. f. Bras., AM.* Lagoa que se forma na época da enchente, no rio Amazonas e em seus afluentes ocidentais, dum lado pela sinuosidade do leito fluvial e de outro pelo impulso da água, que tende a correr em linha reta, convertendo em lençóis de água as curvas forçadas que as margens apresentam; sacado.

tipiti. [Do tupi *tĩpĩ'tĩ.*] *S. m. Bras.* **1.** Cesto cilíndrico, de palha, no qual se põe a mandioca que se vai espremer: "A jacitara .... produz tala abundante e flexível. Dela se fabricam balaios, paneiros, tipitis, jamaxis, ... abanos, destinados ao uso doméstico" (Raimundo Morais, *País das Pedras Verdes*, p. 96). [Var.: *tapiti*; sin.: *paneiro.*] **2.** *Bras., S. Fig.* Candimba (1). ♦ **No tipiti.** *Bras., S: Pop. Fig.* Em apuros; em aperto, em apertura; em situação difícil.

tipitinga. [Do tupi *tipi'tĩga*, 'turvo'.] *Adj. 2 g. Bras., N.* Diz-se das águas barrentas mas esbranquiçadas.

tiple. [Do esp. *tiple.*] *S. 2 g.* **1.** Soprano (1): "Aquela voz de tiple, voz típica de anonimato telefônico, soa aos seus ouvidos como a própria voz da Verdade" (Eduardo Frieiro, *O Cabo das Tormentas*, p. 126). **2.** Espécie de charamela com embocadura de palheta dupla.

tipo[1]. [Do gr. *týpos*, 'cunho, moide, sinal'.] *S. m.* **1.** Aquilo que inspira fé como modelo. **2.** Coisa que reúne em si os caracteres distintivos de uma classe; símbolo: "Estêvão era o tipo do rapaz sério." (Machado de Assis, *Contos Fluminenses*, p. 86.) **3.** Exemplar, modelo. **4.** Personagem paradigmático da ficção ou da tradição oral: *Arlequim, Don Juan e Romeu são tipos eternos.* **5.** *Fam.* Pessoa esquisita, excêntrica. **6.** *Burl.* Qualquer indivíduo: "Veja, ilustre passageiro, / O belo tipo faceiro / Que o senhor tem ao seu lado" (antigo anúncio em bondes cariocas). **7.** Pessoa pouco respeitável. **8.** *Biol. Ger.* Exemplar que, examinado pelo autor de uma espécie, é explicitamente indicado por ele como padrão da descrição original da espécie. [Se não houve menção do tipo, outro exemplar é escolhido, posteriormente, para servir de tipo.] **9.** *Tip.* Paralelepípedo de metal fundido (ou de madeira, nos grandes corpos), cujo olho, convenientemente entintado, imprime determinada letra ou sinal. [V. *linha-bloco.*] **10.** *Tip.* Letra impressa, resultante de composição tipográfica ou de fotocomposição. [Sin.: *caráter, letra, letra de imprensa, letra de fôrma, letra redonda.*] ♦ **Tipo crenado.** *Tip.* V. *letra crenada.* **Tipo de caixa.** *Tip.* Tipo de composição manual, assim dito em contraposição aos tipos das compositoras mecânicas. **Tipo de fantasia.** *Tip.* Tipo de ostensão caracterizado por ornamentação profusa ou desenho excêntrico. [Cf. *tipo de ostensão.*] **Tipo de máquina.** *Tip.* Mecanal, que imita o tipo comum de máquina de escrever. **Tipo de obra.** O que serve para a composição corrente de textos de livros e periódicos. **Tipo de ostensão.** *Tip.* Aquele cujo desenho procura ser antes de tudo vistoso, e que, por isso, serve apenas para anúncios, títulos e pequenos impressos. [Cf. *tipo de obra* e *tipo de fantasia.*] **Tipo de vegetação.** *Fitogeog.* Grande unidade fitogeográfica, como, p. ex., floresta atlântica, floresta amazônica, cerrado, caatinga. Pode coincidir com a formação (6). **Tipo gótico.** *Tip.* Caráter tipográfico que reproduz letra gótica, outrora tipo de obra e hoje tipo de ostensão da classe dos manuários. **Tipo levantado.** *Tip.* **1.** O que está composto. **2.** *P. ext.* V. *composição em pé.* **Ser o tipo de.** Corresponder ao ideal de, em matéria amorosa ou sexual: *Aquela pequena é o tipo do Eduardo; É ótimo rapaz, mas não é o seu tipo.*

tipo[2]. [F. red. de *tipografia.*] *S. f.* Tipografia (1 e 2).

▲tipo-[1]. [Do gr. *týpto.*] *El. comp.* = 'bater', 'marcar batendo': *tipofonia.* [Equiv.: *tipto-*; *tiptologia.*]

▲tipo-[2]. [Do gr. *týpos*, ou.] *El. comp.* = 'tipo (10)', 'marca'; 'modelo': *tipografia, tipologia.* [Equiv.: *-tipo, -tipo-* e *tipi-*; *logotipo*; *protótipo* (< lat. *prototypu* < gr. *protótypos*); *tipificar.*]

▲-tipo-. V. *tipo-*[2].

▲-tipo. V. *tipo-*[2].

tipo-altura. *S. f. Tip.* Altura do papel [q. v.]. [Pl.: *tipos-alturas.*]

tipocromia. [De *tip(o)-*[2] + *-crom(o)-* + *-ia.*] *S. f. Tip.* Impressão a cores.

tipocrômico. *Adj.* Referente à tipocromia.

tipofone. [De *tipo-*[1] + *-fone.*] *S. m.* V. *celesta.* [F. paral., p. us.: *tipofono.*]

tipofonia. [De *tipo-*[1] + *-fon(o)-* + *-ia.*] *S. f.* Arte ou maneira de marcar a voz ou o compasso, batendo.

tipofônico. *Adj.* Relativo à tipofonia.

tipofono. *S. m. P. us.* Tipofone.

tipofsete. [De *tipo-*[2] + *ofsete.*] *S. m. Tip.* Sistema de impressão tipográfica, pelo método de transferência sobre cilindro de borracha, como no ofsete, dispensada a molhagem; ofsete seco.

tipografar. [De *tipo-*[2] + *-graf(o)-* + *-ar*[2].] *V. t. d.* Reproduzir por meio tipográfico; imprimir. [Pres. ind.: *tipografo*, etc. Cf. *tipógrafo.*]

tipografia. [De *tipo-*[2] + *-graf(o)-* + *-ia.*] *S. f.* **1.** Arte que compreende as várias operações conducentes à impressão dos textos, desde a criação dos caracteres à sua composição e impressão, de modo que resulte num produto gráfico ao mesmo tempo adequado, legível e agradável. **2.** Tipologia (2). **3.** *Restr.* Sistema de imprimir com fôrmas em relevo; impressão tipográfica. [F. red., nestas acepç.: *tipo.*] **4.** Estilo ou arranjo do texto tipográfico. **5.** Estabelecimento tipográfico. [Cf. *imprensa* (2).]

tipográfico. *Adj.* Relativo à tipografia. ~ V. *erro* —, *impressão* —*a* e *relevo* —. ♦ **Primeira tipográfica.** *Tip.* V. *prova de granel.*

tipógrafo. [De *tipo-*[2] + *-grafo.*] *S. m.* **1.** Indivíduo versado na arte da tipografia, e que executa, ou dirige a execução, das operações conducentes à produção de impressos; mestre-impressor. **2.** Compositor tipográfico [v. *compositor* (2)]. [Cf. *impressor* (3 e 4) e *tipografo*, do v. *tipografar.*]

tipói. [Do tupi *ti'pói.*] *S. m. Bras.* Vestido em forma de camisola, sem mangas. [Var.: *tipóia.*]

tipóia[1]. [De or. afr.] *S. f.* **1.** Palanquim de rede. **2.** Rede pequena: "O sertanejo modorrava, na tipóia à sombra da alpendrada." (Gustavo Barroso, *Terra de Sol*, p. 186.) **3.** Carruagem reles ou velha. **4.** Carro de aluguel: "Para poupar aos seus cavalos a soalheira ia na tipóia do Mulato, o batedor favorito do Ega" (Eça de Queirós, *Os Maias*, II, p. 169). **5.** *Bras., GO.* Barraca feita com folhagem.

tipóia[2]. [Var. de *tipói.*] *S. f. Bras.* **1.** Lenço ou tira de pano que se prende ao pescoço para descansar braço ou mão doente. **2.** Rede velha. [Cf., nesta acepç., *fiango.*] **3.** Tipói.

tipóia[3]. [De *tipa*?] *S. f. Pleb.* Mulher ordinária, reles, desprezível.

tipólita. [De *tip(o)-*² – *-lita.*] *S. f. Min.* Pedra que tem impressa a forma de algumas plantas ou animais.

tipologia. [De *tip(o)-*² + *-log(o)-* + *-ia.*] *S. f.* **1.** V. *biotipologia.* **2.** Coleção de caracteres tipográficos utilizados num projeto gráfico; tipografia.

tipológico. *Adj.* **1.** Biotipológico. **2.** Relativo à tipologia (2).

tipometria. [De *tip(o)-*² + *-metr(o)-*² + *-ia.*] *S. f.* **1.** Sistema de medidas tipográficas baseadas no ponto. [V. *sistema Didot, sistema anglo-norte-americano* e *sistema Fournier.*] **2.** *Desus. Impr.* A arte de compor e imprimir mapas ou figuras com material tipográfico.

tipométrico. *Adj.* Relativo à tipometria.

tipômetro. [De *tip(o)-*² + *-metro.*] *S. m.* **1.** *Tip.* Instrumento do fundidor tipográfico, formado pelo encontro, em esquadria, de três planos metálicos, e usado para verificar a exatidão do corpo e da altura dos tipos; protótipo. [Cf. *justificador* (3).] **2.** *Tip.* Instrumento do tipógrafo, constituído por uma régua ou fita de metal, madeira, plástico, etc., graduada em cíceros e pontos numa das margens, e em centímetros ou polegadas e seus submúltiplos na outra, e que serve para estabelecer ou verificar as medidas tipográficas.

tipótono. [De *tip(o)-*¹ + *-tono.*] *S. m. Mús.* Espécie de diapasão (5) que se coloca entre os dentes, para, com o sopro, fazer vibrar uma lingüeta metálica.

▲**tipto-.** Equiv. de *tipo-*¹.

tiptologia. [De *tipto-* + *-log(o)-* + *-ia.*] *S. f.* **1.** Experiência a que procedem os espíritas, com mesas giradoras, chapéus, etc. **2.** Comunicação dos espíritos por meio de pancadas.

tiptológico. *Adj.* Relativo à tiptologia.

tiptólogo. [De *tipto-* + *-logo.*] *S. m.* Médium que está apto a praticar a tiptologia.

tipu. [Do tupi *ti'pi.*] *S. m. Bras.* V. *guiné* (1).

tipuana. [De *tipu.*] *S. f. Bras.* v. *guiné* (1).

tipuca. [Do tupi *ti'puka.*] *S. f. Bras., AM.* O último leite extraído das tetas da vaca, muito grosso e gorduroso; apojo.

tipulídeo. *S. m.* **1.** Espécie dos tipulídeos. ● *Adj.* **2.** Pertencente ou relativo a eles.

tipulídeos. *S. m. pl. Zool.* Família de insetos dípteros, com centenas de espécies comuns e abundantes. Vulgarmente chamados pernilongos, por serem os segmentos das pernas extremamente longos. Habitam os lugares úmidos, abundantes em vegetação. Suas larvas são aquáticas e semi-aquáticas.

tiquara. [Do tupi *ti'kwara.*] *S. f.* **1.** *Bras., PA* e *MA.* V. *jacuba.* (1). **2.** Qualquer bebida refrigerante.

tique¹. [Do fr. *tic.*] *S. m.* **1.** Hábito ridículo. **2.** *Patol.* Contração muscular involuntária, mais ou menos localizada, e de tipo convulsivo, que aparece periodicamente e é de freqüência variável, sendo dependente de fatores psíquicos e podendo chegar a incluir emissões verbais impulsivas; cacoete, trejeito, tico: "Sentiu que eles não perdiam um só dos seus movimentos, das contrações do rosto, do t i q u e nervoso das mãos" (Caci Cordovil, *Ronda de Fogo,* p. 263). ◆ **Tique doloroso.** *Patol.* Neuralgia trigeminal.

tique². [Dev. de *ticar.*] *S. m. Bras.* Ato ou efeito de ticar; tico.

tique³. *El. s. m. Bras., SP.* Us. na loc. adv. *nem tique nem taque.* ◆ **Nem tique nem taque.** Nem uma palavra; nada: *Não disse n e m t i q u e n e m t a q u e.*

tiquear. [De *tique*¹.] *V. int.* Ter ou fazer tiques. [Conjug.: v. *frear.*]

tique-taque. [Voc. onom.] *S. m.* **1.** Voz imitativa de som regular e cadenciado: "os dedos, que percorrem buracos de órbitas vazias, tremem. E a tremura reproduz o t i q u e - t a q u e de um relógio. (Graciliano Ramos, *Insônia,* pp. 15-16); "ferrei no sono, embalando-me com o t i q u e - t a q u e da chuva no telhado." (Reginaldo Guimarães, *Uma Blusa no Càis,* p. 90). **2.** O bater do coração; palpite. [Sin. ger.: *tique-tique.* Pl.: *tique-taques.*]

tiquetaquear. [De *tique-taque* + *-ear.*] *V. int.* **1.** Fazer tique-taque. *T. d.* **2.** Assinalar ou marcar com tique-taque. [Conjug.: v. *frear.* Defect., conjugável só nas 3ªˢ pess.]

tíquete. [Do ing. *ticket.* 'bilhete'.] *S. m.* Cartão ou pedaço de papel impresso que confere a alguém determinado direito, como, p. ex., o de freqüentar uma casa de diversão, assistir a jogos de futebol ou outros, viajar em veículos coletivos; bilhete.

tique-tique. [Voc. onom.] *S. m.* Tique-taque. [Pl.: *tique-tiques.*]

tiquinho. [Dim. de *tico*¹.] *S. m.* Pedacinho, pouquinho, poucadinho, bocadinho.

tiquira. [Do tupi *tï'kïra,* 'líquido que goteja, que pinga (do alambique)'.] *S. f. Bras., N.* Aguardente de mandioca: "A sua tentação não era .... a cerveja, nem o conhaque .... : era a aguardente nacional, o parati indígena, a cachaça cabocla, a t i q u i r a maranhense" (Humberto de Campos, *Memórias Inacabadas,* pp. 46-47).

tiquismo. [Do gr. *túche, es,* 'acaso, destino', + *-ismo.*] *S. m. Filos.* Doutrina que admite a existência de acaso radical.

tira¹. [Dev. de *tirar.*] *S. f.* **1.** Pedaço de pano, papel, etc., mais comprido que largo. **2.** Fita, faixa, ourela. **3.** Friso, filete. **4.** Lista, risca. **5.** Segmento de uma história em quadrinhos, usualmente constituído de uma única faixa horizontal contendo três ou quatro quadros. ● *S. m.* **6.** *Gír.* Agente de polícia. ◆ **Quebrar a tira.** *Bras., CE. Pop.* V. *morrer* (10).

tira². [Da 3ª pess. sing. pres. ind. do v. *tirar.*] *El. v.* Us. na expr. *tira que tira.* ◆ **Tira que tira.** Indica o movimento ou trabalho rápido e continuado ou incessante.

tira-bragal. [De *tirar* + *bragal.*] *S. m.* **1.** Funda usada por quem tem quebradura ou hérnia intestinal. **2.** Correia que faz parte do arreio do cavalo, situada sobre as ancas. [Pl.: *tira-bragais.*]

tiração. [De *tirar* + *-ção.*] *S. f. Bras., AM.* Extração de madeiras nas matas.

tira-cisma. [De *tirar* + *cisma.*] *S. m. Bras., SP.* **1.** Canivete grosseiro que trazia a palavra *tira-cisma* gravada na lâmina. **2.** Arma ou relho com que alguém pretende impor-se aos valentões. [Pl.: *tira-cismas.*]

tiraço. [Aum. de *tiro*¹.] *S. m.* Tirázio: "esticara a canela ali perto o Bentinho Baiano, ... baleado por dois t i r a ç o s de rifle na volta esquerda da pá." (Hugo de Carvalho Ramos, *Tropas e Boiadas,* p. 5).

tiracolo. [Do esp. *tiracuello.*] *S. m.* **1.** Correia que cinge o corpo, passando por cima dum ombro e por baixo do braço oposto a esse ombro. **2.** V. *boldrié* (1). ◆ **A tiracolo.** Indo de um ombro para o lado contrário, na cintura ou debaixo do braço oposto a esse ombro: "a lufa-lufa das gentes, que entravam e saíam, nacionais, estrangeiros, ... uma confusão de línguas, um cafarnaum de chapéus, ... binóculos a t i r a c o l o" (Machado de Assis, *Quincas Borba,* pp. 244-245).

tirada¹. [De *tirar* + *-ada*¹.] *S. f.* **1.** Ato ou efeito de tirar; tiradura, tiragem, tiramento, tiradela. **2.** Exportação de gêneros. **3.** Longo espaço de tempo. **4.** Grande extensão de caminho; caminhada.

tirada². [Do fr. *tirade.*] *S. f.* **1.** Frase longa que é o desenvolvimento ininterrupto de uma mesma idéia. **2.** *P. ext.* Trecho longo. **3.** Rasgo, ímpeto, no falar, escrever, etc.

tiradeira. [De *tirar* + *-deira.*] *S. f.* **1.** Aquela que tira. **2.** *Bras.* Correia ou corrente que, nos carros de bois puxados por quatro animais, prende a canga dos da frente à dos do coice: "Os bois não tiravam mais por igual, apostando forças, mostrando de um para outro quem era mais valente em manter a t i r a d e i r a tesa, as cabeças altas" (Nélson de Faria, *Tiziu e Outras Estórias,* p. 110). **3.** *Bras.* Corda de relho que ata os cambões das juntas do carro de bois. **4.** *Bras.* Linha de pesca com muitos anzóis. **5.** *Bras., BA.* Mulher que se ocupa em retirar as amêndoas dos frutos do cacaueiro, revestindo de pano os dedos para esse fim. ~ V. *tiradeiras.*

tiradeiras. [Pl. de *tiradeira.*] *S. f. pl.* Tirantes entre os quais vão as cavalgaduras, nos engenhos de açúcar. ~ V. *tiradeira.*

tiradela. *S. f.* V. *tirada*¹ (1).

tira-dentes. [De *tirar* + *dente.*] *S. m. 2 n. Pop.* V. *dentista.* [Cf. *Tiradentes,* pros. e top.]

tiradentino. *Adj.* **1.** De, ou pertencente ou relativo a Tiradentes (MG). ● *S. m.* **2.** O natural ou habitante de Tiradentes.

tirado. [Part. de *tirar.*] *Adj.* **1.** Que se tirou. **2.** Que foi objeto de tiragem. ~ V. *letra* —a.

tiradoira. *S. f.* Tiradoura [q. v.].

tirador¹ (ô). [Do esp. plat. *tirador.*] *S. m.* Tira de couro que os laçadores usam à volta da cintura quando laçam a pé.

tirador² (ô). [De *tirar* + *-(d)or.*] *Adj.* **1.** Que tira. ● *S. m.* **2.** Aquele que tira. **3.** *Marinh.* A parte da beta de um aparelho de laborar (teque, talha, estralheira, etc.) pela qual se puxa para que o aparelho funcione. **4.** *Bras., BA.* Aquele que se ocupa em retirar as amêndoas dos frutos do cacaueiro. **5.** *Bras., MT.* V. *mineiro*¹ (7). ◆ **Tirador de provas.** **1.** *Tip.* Gráfico encarregado de tirar provas da composição em granel ou em página; prelista [q. v.]. **2.** *Art. Gráf.* V. *prelo de provas.*

tirador-de-cipó. [De *tirador*² + *de* + *cipó.*] *S. m. Bras., SP. Pop.* Negro fujão. [Pl.: *tiradores-de-cipó.*]

tiradoura. [De *tirar* + o fem. de *-(d)ouro;* var. de *tiradoira.*] *S. f.* Timão do carro ou do arado.

tiradura. *S. f.* V. *tirada*¹ (1).

tira-dúvidas. [De *tirar* + o pl. de *dúvida.*] *S. m. 2 n.* Pessoa ou coisa que tira ou esclarece dúvidas, ou resolve questão.

tira-e-retira. *S. f. 2 n. Tip.* Técnica que permite a impressão dos dois lados da folha com a mesma matriz.

tira-faca. [De *tirar* + *faca.*] *S. m. Bras., MT.* V. *carapó.* [Pl.: *tira-facas.*]

tira-fundo. [Do fr. *tire-fond.*] *S. m.* **1.** Verruma de torneiro. **2.** Parafuso usado para fixar nos dormentes os trilhos de caminho de ferro. [Pl.: *tira-fundos.*]

tiragem. [De *tirar* + *-agem*².] *S. f.* **1.** V. *tirada*¹ (1). **2.** Fluxo de ar quente que sai pela chaminé de uma fornalha e é substituído pelo ar frio que entra pela boca da fornalha. [A velocidade de combustão, nesta, depende da intensidade da tiragem.] **3.** Passagem dos metais pela fieira. **4.** *Art. Gráf.* Operação de imprimir. **5.** *Art. Gráf.* Número de exemplares impressos de uma só vez. [Cf. *impressão* (9) e, nas acepç. 4 e 5, *edição* (4) e *reimpressão* (2).]

tira-gosto. [De *tirar* + *gosto.*] *S. m. Bras.* Qualquer salgadinho [q. v.] com que se acompanham certas bebidas, coquetéis, etc., fora das refeições: "todos os meninos do time, ela Mundinha, várias colegas, bebedeira até de madrugada, rum com t i r a - g o s t o de caranguejo." (Juarez Barroso, *Mundinha Panchico e o Resto do Pessoal,* p. 136). [Sin., bras., PB: *parede.* Pl.: *tira-gostos.*]

tira-linhas. [De *tirar* + o pl. de *linha.*] *S. m. 2 n.* Instrumento de metal rematado em dois bicos, que serve para tirar ou traçar à tinta linhas de grossura toda igual.

tira-manchas. [De *tirar* + o pl. de *mancha.*] *S. m. 2. n.* Substância ou preparado químico próprio para tirar manchas ou nódoas; tira-nódoas.

tirambaço. [Aum. irreg. de *tiro*¹.] *S. m. Bras. Fut.* Chute violento, para gol. [Var.: *tirombaço.*]

tirambóia. *S. f. Bras.* V. *jequitiranabóia.*

tiramento. *S. m.* V. *tirada*¹ (1).

tirana¹. [Fem. substantivado de *tirano.*] *S. f. Fam.* Mulher má, impiedosa, cruel.

tirana². [Das palavras *¡ Ay tirana, tirana!,* com que principia a canção.] *S. f.* **1.** No Minho (Portugal) e na Andaluzia e Galiza (Espanha), no séc. XVIII, canção e dança cantada, em compasso de 6/8, andamento moderado e caráter lamuriante. **2.** *Bras., RS.* Modalidade do fandango: tirana grande, tirana de dois, tirana de ombro, tirana tremida, tirana dos farrapos, tontilha. **3.** *Bras., BA.* Cantiga de amor, em andamento lento, e de caráter lânguido. **4.** *Bras., BA.* Canto de trabalho, entoado ao desafio por lavadeiras, roceiros, canoeiros. ◆ **Tirana de dois.** *Bras., RS.* V. *tiraña* (2). **Tirana de ombro.** *Bras., RS.* V. *tirana* (2). **Tirana dos farrapos.** *Bras., RS.* V. *tirana* (2). **Tirana grande.** *Bras., RS.* V. *tirana* (2). **Tirana tremida.** *Bras., RS.* V. *tirana* (2).

tiranabóia. *S. f. Bras.* V. *jequitiranabóia.*

tiranete (ê). [Dim. de *tirano.*] *S. m. Burl.* Aquele que vexa ou oprime os que dele dependem: "Ia em cima do bicho, mas, em vez de lhe agradecer o transporte, magoava-o com chibatas. Era um t i r a n e t e !" (João de Araújo Correia, *Cinza do Lar,* p. 25.)

tirania. [Do gr. *tyrannía.*] *S. f.* **1.** Na Grécia antiga, qualquer governo instituído à margem da legalidade. **2.** Domínio ou poder de tirano. **3.** Governo opressor e cruel. **4.** Violência, opressão. **5.** *Pop.* Ingratidão, desagradecimento.

tiranicida. [Do lat. *tyrannicida.*] *S. 2 g.* Executor de um tirano.

tiranicídio. [Do lat. *tyrannicidiu.*] *S. m.* Execução (2) de um tirano.

tirânico. [Do gr. *tyrannikós,* pelo lat. *tyrannicu.*] *Adj.* **1.** Relativo a tirano ou à tirania. **2.** Próprio de tirano ou da tirania. **3.** Que tiraniza. **4.** Opressivo, injusto, cruel, tirano.

tiranídeo. *S. m.* **1.** Espécime dos tiranídeos. ● *Adj.* **2.** Pertencente ou relativo a eles.

tiranídeos. *S. m. pl. Zool.* Aves passeriformes, da família *Tyrannidae,* caracterizadas por terem o tarso exaspidiano, unha do dedo posterior curva, dedo exterior ligado ao médio só até a primeira articulação. São desprovidas de penachos brancos na cabeça. Muito numerosas e variadas, na maioria insetívoras, algumas frugívoras. Nelas se incluem os bem-te-vis, as viuvinhas, as tesouras, as lavandeiras, os lecres, as maria-é-dia.

tiranido. *S. m.* **1.** Espécime dos tiranidos. ● *Adj.* **2.** Pertencente ou relativo a eles. [Sin. ger.: *clamator.*]

tiranidos. *S. m. pl. Zool.* Aves neórnites, neógnatas, passeriformes, da subordem *Tyranni,* cujo órgão vocal tem apenas três músculos. São os pássaros ditos *gritadores*. [Sin.: *clamatores*.]

tiranizador (ô). *Adj.* e *s. m.* Que ou aquele que tiraniza.

tiranizar. [Do gr. *tyrannízo*.] *V. t. d.* **1.** Tratar ou governar com tirania; oprimir: *É impossível tiranizar um povo eternamente;* "— O senhor quer talvez lembrar-me que os autocratas têm o costume de tiranizar os povos e vexá-los de imposições" (José de Alencar, *Lucíola*, p. 107). **2.** Tratar com excessivo rigor ou severidade: *Os pais não devem tiranizar os filhos.* **3.** Agir como tirano; oprimir, vexar: *Era servil com os superiores e tiranizava os subalternos.* **4.** Influir cruelmente em. **5.** Opor obstáculos a; embaraçar, constranger: *O excessivo regulamento tiraniza a vida dos cidadãos. Int.* **6.** Proceder como tirano: "Os oficiais, ... cheios de desdém pelo restante do mundo, à parte a valentia profissional a cujo mandato não faltavam, roubavam, tiranizavam, eram simplesmente ridículos em arrogância e prepotência com o indígena invadido." (Aquilino Ribeiro, *Alemanha Ensangüentada*, p. 88.)

tirano. [Do gr. *tyrannos*, 'senhor absoluto, usurpador do poder', pelo lat. *tyrannu*.] *S. m.* **1.** Na Grécia antiga, indivíduo que usurpava o poder. **2.** Governante injusto, cruel ou opressor, que abusa de sua autoridade. **3.** Indivíduo que abusa de sua autoridade. **4.** Indivíduo cruel, impiedoso, tirânico. ● *Adj.* **5.** Tirânico (4).

tira-nódoas. [De *tirar* + o pl. de *nódoa*.] *S. m. 2 n.* Tira-manchas.

tirante. *Adj. 2 g.* **1.** Que tira ou puxa. **2.** Exceptuado, exceto, excluído: *Tirantes dois ou três, estes livros são ótimos.* **3.** Que dá aparência de. ● *S. m.* **4.** Cada uma das correias que prendem um veículo à(s) cavalgadura(s) que o puxa(m). [Cf., nesta acepç., *timão* (1).] **5.** Viga que suporta o madeiramento de um teto ou vai de uma parede à parede oposta de edifício. **6.** *Mil.* Corda usada para puxar os reparos em artilharia. **7.** *Tip.* Cada um dos fios verticais de uma tabela ou formulário. [Cf. *risco*[1] (5) e *pauta* (2).] **8.** *Bras.* Barra de ferro que transmite à roda motora o movimento do êmbolo. ● *Prep.* **9.** Exceto, salvo, salvante: "O pescoço sólido, firme, antigo [de Ramalho Ortigão], faz lembrar o de Danton, tirante a cor bronzeada." (Gonçalves Crespo, *Obras Completas*, p. 431.)

tirão[1]. [De *tirar* + *-ão*[3].] *S. m.* **1.** Puxão com força. **2.** Grande caminhada; estirão.

tirão[2]. [Do esp. plat. *tirón*.] *El. s. m.* Us. na loc. *tirão seco.* ◆ **Tirão seco.** *Bras., RS.* Golpe imprevisto que o animal leva ao ser laçado ou puxado pelo cabresto.

tirão[3]. [Do lat. *tirone*.] *S. m. P. us.* Aprendiz (1 e 2).

tira-o-chapéu. *S. m. 2 n. Bras., RJ. Folcl.* Dança de roda, com os pares uns atrás dos outros, fazendo movimentos com os chapéus.

tirapé. [De *tirar* + *pé*.] *S. m.* Correia com que os sapateiros prendem o calçado sobre a fôrma.

tirapeia. *S. f. Bras.* V. *tirapéia*.

tirapéia. *S. f. Bras., N. E.* V. *jararaca-pintada*. [Talvez a f. preferível seja *tirapeia*.]

tira-prosa. [De *tirar* + *prosa*.] *S. m. Bras.* V. *valentão* (3). [Pl.: *tira-prosas*.]

tira-provas. [De *tirar* + o pl. de *prova*.] *S. m. 2 n. Art. Gráf.* V. prelo de provas.

tirar. *V. t. d.* **1.** Fazer sair de algum ponto ou lugar; retirar: *Tirou o cinzeiro, colocando em seu lugar o jarro;* "Fez intenção de dizer alguma coisa, mas meteu a mão no bolso e tirou o lenço." (Joel Silveira, *Onda Raivosa*, p. 10). **2.** Puxar, sacar, arrancar: *Tirou o revólver e disparou.* **3.** Extrair, arrancar: *tirar um dente.* **4.** Descalçar: *tirar o sapato, as luvas.* **5.** Tirar do corpo; despir: "tirou o paletó, vestiu um macacão e pôs-se a trabalhar." (Francisco de Assis Barbosa, *Santos Dumont Inventor*, p. 29). **6.** Cobrar, arrecadar: *tirar impostos.* **7.** Livrar, libertar: *Fugiu da prisão, prometendo tirar os amigos.* **8.** Obter, conseguir, receber; auferir: *Fez a prova e tirou dez; Tirou este mês uma boa quantia de comissão.* **9.** Freqüentar, seguir, até o fim: "Estava bem resolvida a tirar um curso superior, naturalmente o de Direito" (Virgílio Ferreira, *Aparição*, p. 177). **10.** Arremessar, despedir, atirar: "Ali verão as setas estridentes / Reciprocar-se, a ponta no ar virando / Contra quem as tiroú" (Luís de Camões, *Os Lusíadas*, X, p. 40); *tirar pedras.* **11.** Copiar; transcrever, trasladar: *Peguei uma antologia e tirei dois sonetos.* **12.** Excluir, excetuar: *Leu bem o artigo, para tirar o supérfluo.* **13.** Abolir, extinguir, extirpar: *Um bom tratamento é capaz de tirar o vício da bebida.* **14.** Fazer desaparecer; apagar: *tirar manchas.* **15.** Fazer (uma fotografia [2]); bater: *Fique aí quieto, vou tirar a fotografia.* **16.** Fazer tirar, parar para tirar (uma fotografia [2]): *Aprontou-se toda para tirar o retrato.* **17.** Fazer (radiografia [2]): *Tirou uma radiografia da coluna e viu que tinha cifose.* **18.** Atrair; suscitar: *Amor tira amor.* **19.** Traçar, descrever: *tirar linhas.* **20.** Servir-se de; colher, tomar: *Posso tirar uma fruta?* **21.** Furtar, roubar: *O cleptomaníaco sofre do impulso de tirar objetos.* **22.** Fazer reproduzir (texto, ilustração, etc.), mediante processo fotomecânico. **23.** Puxar, arrastar: "Tiram o arado os bois." (Bulhão Pato, *Livro do Monte*, p. 4.) **24.** *Bras.* Transcrever (letra de música que se ouve): *Pedi-lhe que tirasse aquele samba.* **25.** *Bras.* Tocar (música ou trecho musical) de ouvido. **26.** *Bras.* Compor (sobretudo de improviso): *Tira sambas com a maior facilidade.* **27.** *Bras.* Cumprir (sentença): *Tirou 20 anos de cadeia.* **28.** *Bras.* Avaliar, julgar. **29.** *Bras. Fut.* Executar (infração); bater: "Tira esse lateral direito, ô palhaço!" (Armando Nogueira, *Na Grande Área*, p. 77.) **30.** *Art. Gráf.* Imprimir (2); estampar. *T. d.* e *c.* **31.** Livrar, libertar: *Um bom advogado o tiraria da prisão.* **32.** Fazer sair; retirar: *Tirou as crianças da sala.* **33.** Arrancar, arrebatar: *Num golpe destro, tirou-lhe a arma das mãos. T. d.* e *i.* **34.** Roubar, furtar, subtrair: *O gatuno tirou-lhe um relógio.* **35.** Arrebatar, usurpar: *Tirou o trono a seu herdeiro legal.* **36.** Demover, dissuadir: *Tirou-o do intento.* **37.** Desviar, afastar: *Os maus exemplos tiram os jovens do bom caminho.* **38.** Contestar; negar: "O Braga [Rubem Braga] conhece bem sua passarada, isso ninguém lhe tira." (Vinicius de Morais, *Para Viver um Grande Amor*, p. 90.) **39.** Obter em resultado; colher, auferir, lucrar: *Não soube tirar proveito da oportunidade;* "Do gozo tiras o maior tormento" (Guimarães Passos, *Horas Mortas*, p. 48). **40.** Privar, despojar: *O choque emocional tirou-lhe todo o bom senso;* "Verão os cafres ásperos e avaros / Tirar à linda dama seus vestidos" (Luís de Camões, *Os Lusíadas*, V, p. 47). **41.** Levar, arrancar, arrebatar: *O destino tirou-o cedo de nosso convívio. T. i.* **42.** Chamar, reclamar, atrair: *Vários deveres tiram por mim.* **43.** Visar, objetivar: *Tira a grandes realizações.* **44.** Dar ares; ser tirante ou semelhante: *Este roxo tira ao violeta. Int.* **45.** Dar tiros; atirar: *Correu, de arma na mão, sempre tirando. P.* **46.** Sair, arredar-se: *Não me tirei de casa.* **47.** Livrar-se, libertar-se; *Tirou-se de um problema.* **48.** Desviar-se; afastar-se; sair: *Tire-se do mau caminho.* ◆ **Sem tirar nem botar.** Sem tirar nem pôr. **Sem tirar nem pôr.** Exatamente; tal qual; sem diferença nenhuma; sem tirar nem botar: "Ele... era... um belo e atraente tipo de homem e ela, sem tirar nem pôr, uma verdadeira pintura." (Gastão Cruls, *De Pai a Filho*, p. 29.)

tira-teima. [De *tirar* + *teima*.] *S. m.* e *s. 2 g.* Tira-teimas. [Pl.: *tira-teimas*.]

tira-teimas. [De *tirar* + o pl. de *teima*.] *S. m. 2 n.* **1.** Argumento decisivo. **2.** *Fam.* Dicionário. **3.** Qualquer instrumento de castigo, como pau, cacete, etc. ● *S. 2 g.* e *2 n.* **4.** *Bras., SE.* V. *cachaça* (1).

tira-testa. [De *tirar* + *testa*.] *S. m.* Parte do arreio que corresponde à testa da cavalgadura. [Pl.: *tira-testas*.]

tiratron. *S. m. Eletrôn.* Válvula a gás, de catodo aquecido, com uma ou mais grades de controle, utilizada como chave eletrônica em diversos circuitos de medida ou de controle.

tiravira. [De *tirar* + *virar*?] *S. m. Bras.* **1.** Peixe teleósteo, da família dos sinodontídeos (*Synodus foetens* (L.)), da costa brasileira, muito próximo do peixe-lagarto. Mede apenas 33 cm de comprimento, vive em fundo arenoso e alimenta-se de outros peixes. **2.** Peixe (*Percophis brasiliensis* Quoy & Gain), do Atlântico sul, e que vem até o rio da Prata, de dorso pardo e abdome mais claro, e até 0,60 m de comprimento. [Sin., nesta acepç., *congro-real*.]

tirázio. [Aum. de *tiro*[1].] *S. m.* Tiro estrepitoso; tiraço: "Os conservadores fugiam, em um voar de gente que lembrava a abalada dos papagaios do milharal, quando um tirázio atroa." (Coelho Neto, *Treva*, p. 68.)

▲**tireo-.** Equiv. de *tireoid(e)-*.

tireóide. [Do gr. *thyreoeidés*, 'em forma de escudo, de broquel'.] *Adj.* (*f.*) **1.** *Anat.* Diz-se da glândula endócrina de situação anterior e inferior no pescoço, formada, habitualmente, por dois lobos unidos por um istmo, e que desempenha importantes funções metabólicas. ● *S. f.* **2.** Essa glândula. **3.** Cartilagem situada na parte anterior e superior da laringe.

▲**tireóid(e)-.** [Do gr. *thyreoeidés, és, és*.] *El. comp.* = 'tireóide': *tireoidectomia*. [Equiv.: *tireo-*: *tireotomia*.]

tireoidectomia. [De *tireoid(e)-* + *-ectom-* + *-ia*.] *S. f. Cir.* Extirpação, em extensão variável, da glândula tireóide.

tireoidectômico. *Adj.* Referente à tireoidectomia.

tireóideo. [De *tireóide* + *-eo*.] *Adj.* Relativo à tireóide.

tireoidite. [De *tireoid(e)-* + *-ite*[1].] *S. f. Patol.* Inflamação da tireóide.

tireomegalia. [De *tireo-* + *-megal(o)-* + *-ia*.] *S. f. Patol.* Aumento de volume da tireóide, bócio.

tireomegálico. *Adj.* Relativo à tireomegalia.

tireotomia. [De *tireo-* + *-tom(o)-* + *-ia*.] *S. f. Cir.* **1.** Corte ou incisão na tireóide. **2.** Seção cirúrgica de cartilagem tireóide.

tireotômico. *Adj.* Relativo à tireotomia.

tireotoxicose (cs). [De *tireo-* + *-toxic(o)-* + *-ose*.] *S. f. Patol.* Intoxicação orgânica por excesso de secreção tireóidea.

tirete (ê). [Do fr. *tiret*.] *S. m.* V. *hífen*.

tiriba. [Do tupi *ti'riwa*.] *S. m. Bras.* **1.** Ave psitaciforme, da família dos psitacídeos (*Pyrrhura cruentata* (Wied)), do E. do Brasil, de coloração geral verde, cabeça enegrecida, face escura com tons avermelhados, pescoço azul, abdome e dorso inferior vermelho-escuros, encontro escarlate, rêmiges azuis, cauda olivácea em cima e vermelho-escura embaixo; tiriba-grande. **2.** Ave psitaciforme, da família dos psitacídeos (*Pyrrhura frontalis* (Vieil.)), e outras espécies do gênero. Coloração verde; margem da fronte escura com tons avermelhados, oliváceos; barriga vermelha; rêmiges azuis; retrizes verdes em cima e vermelhas embaixo e na ponta [Var.: *tiriva, tiribaí*. Sin. ger.: *tiribinha, fura-mato, periquito tapuia*. Cf. *tiriba-pequena*.]

tiriba-grande. *S. m. Bras.* Tiriba (1). [Pl.: *tiribas-grandes*.]

tiribaí. [De *tiriba* + *-i*.] *S. m. Bras.* V. *tiriba*.

tiriba-pequena. *S. m. Bras.* Ave psitaciforme, da família dos psitacídeos (*Pyrrhura leucotis leucotis* Kuhl), distribuídas do S. da BA até o RJ. Coloração geral verde, com mancha branco-acinzentada característica na região do ouvido; cabeça parda; mancha azul na nuca, dorso inferior e abdome vermelhos; encontro vermelho; rêmiges azuis. [Sin.: *tiriva, furamato*. Pl.: *tiribas-pequenas*. Cf. *tiriba*.]

tiribinha. [Dim. de *tiriba*.] *S. f. Bras.* V. *tiriba*.

tirineta (ê). *S. f. Bras., N. E.* V. *tirinete*.

tirinete (ê). *S. m. Bras., N. E. Pop.* Faina, azáfama; tirineta.

tirintintim. [Voc. onom.] *S. m.* Voz imitativa do som da trombeta.

tírio. [Do gr. *tyrios*, pelo lat. *tyriu*.] *Adj.* **1.** De, ou pertencente ou relativo a Tiro, antiga cidade fenícia. **2.** Purpúreo, purpurino, púrpuro. ● *S. m.* **3.** O natural ou habitante de Tiro.

tiriô. *S. 2 g.* e *adj. 2 g. Bras.* V. *trio*[2].

tiriri. [Voc. onom.] *S. m. Bras.* V. *siriri*[1] (2).

tiririca. [Do tupi *tiri'rika*, ger. de *tiri'ri*, 'arrastar-se'.] *S. f.* **1.** *Bras. L.* a *S.* Erva daninha, graminiforme, da família das ciperáceas (*Cyperus rotundus*), famosa pela capacidade de invadir velozmente terrenos cultivados. Rizoma tuberculoso, com pequenos bolbos; folhas lineares, flores inconspícuas, pardo-avermelhadas e agregadas em amplas inflorescências. É difícil de erradicar, a não ser com herbicidas químicos. **2.** V. *canivete* (4). **3.** *Bras., PA.* Fenômeno que se observa no rio Pará e consiste na agitação incessante de suas águas, com ondas desencontradas e mais altas que no resto do rio. ● *S. m.* **4.** *Bras., RS. Gír.* Batedor de carteira; punguista. ● *Adj. 2 g.* **5.** *Bras. Fam.* Muito irritado; furioso: *Ele ficou tiririca e pôs-se a berrar.*

tiririca-falsa. *S. f. Bras.* V. *falsa-tiririca*. [Pl.: *tiriricas-falsas*.]

tiririca1. [De *tiririca*[1] + *-al*.] *S. m. Bras.* Quantidade mais ou menos considerável de tiriricas dispostas proximamente entre si.

tiritana. [Do fr. *tiretaine*.] *S. f.* **1.** Mantéu de seriguilha usado por algumas camponesas por cima do outro mantéu. **2.** Parietária.

tiritante. *Adj. 2 g.* Que tirita.

tiritar. [Voc. onom.] *V. int.* Tremer e/ou bater os dentes com frio e/ou medo; badalejar: "vinha a labareda fustigar a pobre gente seminua, tiritando sob o açoite de um nordeste frígido." (Oliveira Martins, *História de Portugal*, II, p. 175); "Como um rebanho vil, a um lado, os prisioneiros / Ouvem-no, a tiritar, cheios de um medo atroz" (Gonçalves Crespo, *Obras Completas*, p. 337); "erguido a meio corpo / Na rede, escuta pávido, e tirita / De frio e medo" (Gonçalves Dias, *Obras Poéticas*, II, p. 277).

tiriúma. [Do tupi *iti'rama*?] *Adj. 2 g. Bras.* Desacompanhado, só, sozinho.

tiriva. *S. m. Bras.* **1.** V. *tiriba*. **2.** V. *tiriba-pequena*.

tirlintar. *V. t. d., int.* e *s. m.* V. *tlintar*.

tiro[1]. [Dev. de *tirar* (1).] *S. m.* **1.** Ato ou efeito de tirar. **2.** O disparar de arma de fogo; explosão, disparo. [Aum., nesta acepç.: *tirázio*.] **3.** Carga disparada por arma de fogo; bala. [Sin. (bras., gír.): *teco*.] **4.** Distância que a carga da arma de fogo normalmente alcança. **5.** *Tip.* Cada uma das duas metades em que a cruzeira divide a rama. **6.** *Fig.* Referência picante; remoque. **7.** *Fig.* Expansão, explosão, ímpeto. **8.** Tirante com que se atrela um animal a um veículo. **9.** Ato de puxar carros (exercido por cavalgaduras). **10.** Os animais que puxam um carro. **11.** Distância que o parelheiro corre. **12.** Ação de atirar o laço ou as bolas contra um animal. **13.** *Bras., RJ. Gír.* Assalto e roubo. **14.** *Bras., Fut.* V. *chute* (1). ♦ **Tiro de barragem.** Barreira de fogo, constituída por tiros simultâneos em séries sucessivas, suficientemente poderosa para impedir a progressão do inimigo através dela. **Tiro de canto.** *Fut. Bras.* V. *córner* (2 e 3). **Tiro de festim.** Aquele que é dado com o festim (3). **Tiro de flagelação.** *Lus.* Tiro destinado a provocar a ruptura de uma couraça e destroçar as organizações inimigas. **Tiro de flanco.** Aquele cuja linha de tiro se dirige para o flanco do objetivo. [Sin. (lus.): *tiro de flanqueamento*.] **Tiro de flanqueamento.** *Lus.* Tiro de flanco. **Tiro de frente.** Tiro executado num plano perpendicular à frente, da posição defensiva ou de ataque. **Tiro de inquietação.** Tiro, de menor intensidade que o de neutralização, destinado a infligir ou ameaçar perdas e atrapalhar o resto da tropa inimiga, prejudicando-lhe o movimento e baixando-lhe o moral; tiro enervante. **Tiro de instrução.** Exercício de tiro, feito sobre alvos determinados, com a supervisão de um instrutor. **Tiro de meta.** *Fut.* Reposição de bola em jogo, quando esta sai pela linha de fundo. **Tiro de misericórdia.** O que põe fim à vida daquele que, gravemente ferido, demora a morrer. **Tiro de pólvora seca.** O que é realizado apenas com a carga de projeção, sem o projetil, para fins de advertência, de sinal de alarma ou de emergência, de instrução ou como saudação (*salva*). **Tiro de proteção.** Tiro, especialmente de artilharia, destinado a proteger tropa amiga que ataca e reforçar o fogo sobre o inimigo; fogo de proteção. **Tiro de ricochete.** Aquele em que o projetil, após o impacto, resvala pela superfície, e é, às vezes, aproveitado, em artilharia, para obter arrebentamento no ar, após o impacto. **Tiro desenfiado.** Tiro indireto executado sobretudo pelas bocas-de-fogo de tiro curvo, às vezes por metralhadoras, por detrás de uma massa de terreno ou obra que as protege contra as vistas e até contra o fogo inimigo. **Tiro direto. 1.** Tiro em que o objetivo (ou alvo) é visível da própria arma ou boca-de-fogo. **2.** *Fut.* Chute com a bola parada, na cobrança de uma falta, e que pode ser dado diretamente para o gol. [Cf. *tiro indireto*.] **Tiro enervante.** Tiro de inquietação. **Tiro indireto. 1.** Tiro dirigido sobre objetivos (alvos) ocultos à vista do atirador. **2.** *Fut.* Chute com a bola parada, em cobrança de falta, que não pode ser dado diretamente para o gol. [Cf. *tiro direto*.] **Tiro por rajadas.** O que é executado por uma arma em série de disparos, dados em seqüência imediata. **Tiro rasante.** Aquele cuja trajetória, tensa, permite lançar os projetis sensivelmente paralelos ao solo, não ultrapassando a altura de um homem em pé; tiro raso. **Tiro raso.** Tiro rasante. **Dar um tiro em.** Deixar de se ocupar com, acabar, encerrar, liquidar (um trabalho, um assunto, etc.). **Dar um tiro na praça.** *Bras. Gír.* Causar prejuízo a diversas pessoas com falência fraudulenta. **Sair o tiro pela culatra.** Ser o resultado de uma ação contrário à expectativa de quem a praticou. **Ser tiro e queda. 1.** Ser certeira a pontaria. **2.** *Fig.* Produzir resultado seguro e imediato. **Trocar tiros.** Atirar um contra outro.

tiro². [Do fenício, atr. do lat. *tyru*.] *S. m. Poét.* Púrpura.

tiro³. *S. m. Bras.* F. red. de *tiro-de-guerra*.

tirocínio. [Do lat. *tirociniu*.] *S. m.* **1.** Primeiro ensino; aprendizado. **2.** Prática, exercício, atividade: "Ao cabo de quatro anos de t i r o c í n i o na advocacia, a imprensa diária .... arrebatou-me." (José de Alencar, *O Guarani*, I, p. 66.) **3.** Prática em determinada profissão; experiência.

tiro-de-guerra. *S. m. Bras.* Centro de instrução militar e formação de reservistas do Exército, destinado aos cidadãos que, por qualquer motivo, não se incorporam às unidades e subunidades regulares. [F. red.: *tiro*. Pl.: *tiros-de-guerra*.]

tiróide. *Adj. (f.)* e *s. f.* V. *tireóide*.

tirolês. *Adj.* **1.** Do, ou pertencente ou relativo ao Tirol, província da Áustria. ● *S. m.* **2.** O natural ou habitante do Tirol. [Flex.: *tirolesa* (ê), *tiroleses* (ê), *tirolesas* (ê).]

tirolesa (ê). *Adj. (f.)* **1.** Fem. de *tirolês*. **2.** Canto típico do Tirol e da Suíça, que consiste na passagem rápida da voz de falsete para a voz de peito, e vice-versa. **3.** Dança do Tirol, em andamento moderado, compasso ternário, com o segundo tempo geralmente mais forte.

tiromancia (cí). [De *tiro(s)-* + *-mancia*.] *S. f.* Adivinhação na qual se empregava o queijo.

tiromante. [Do gr. *tyromántis*.] *S. 2 g.* Pessoa que praticava a tiromancia.

tiromântico. *Adj.* Relativo à tiromancia, ou a tiromante.

tirombaço. *S. m. Bras. Fut.* Var. de *tirambaço* [q. v.].

tironeada. [De *tironear* + *-ada*¹.] *S. f. Bras., RS.* Ação de tironear.

tironear. [Do esp. plat. *tironear*.] *V. t. d. Bras., RS.* **1.** Dar puxão ou tirão nas rédeas de (o cavalo), para o incitar. **2.** Dar tirão no laço de (a rês) para a desenlaçar. [Conjug.: v. *frear*.]

tironiano. [Do antr. *Tirão*, de *Marco Túlio Tirão*, escravo liberto que se tornou secretário de Cícero (v. *ciceroniano*) e inventor de um sistema de estenografia.] *Adj.* ~ V. *notas* —*as*.

tiropterídeo. *S. m.* **1.** Espécime dos tiropterídeos. ● *Adj.* **2.** Pertencente ou relativo aos tiropterídeos.

tiropterídeos. *S. m. pl. Zool.* Animais quirópteros, da família *Thyropteridae*, de porte pequeno e cores vistosas, caracterizados por terem na planta dos pés e na palma do polegar pequenas ventosas ou discos adesivos, e uropatágio bem desenvolvido, que toma três quartas partes da cauda.

▲**tiro(s)-.** [Do gr. *tyrós, oû*.] *El. comp.* = 'queijo': *tiromancia, tirosina*.

tirosina. [De *tiro(s)-* + *-ina*¹.] *S. f. Quím.* Aminoácido fenólico, cristalino, formado na hidrólise de certas proteínas. [Fórm.: $HOC_6H_4.C_2H_3.NH_2COOH$.]

tirotear. [Do esp. *tirotear*, freqüentativo de *tirar*, 'atirar'.] *V. t. d.* **1.** Dirigir tiroteio contra. *Int.* **2.** Fazer tiroteio. [Conjug.: v. *frear*.]

tiroteio. [Do esp. *tiroteio*.] *S. m.* **1.** Fogo de fuzilaria no qual os tiros são numerosos e sucessivos. **2.** *P. ext.* Troca ou sucessão de tiros: *No t i r o t e i o entre os cangaceiros morreram dois deles.* **3.** Fogo de guerrilhas ou de atiradores dispersos. **4.** *Fig.* Troca ininterrupta de palavras entre pessoas que discutem ou ralham.

tirrênio. *Adj.* e *s. m.* Var. de *tirreno*.

tirreno. [Do gr. *tyrrhenos*, pelo lat. *tyrrhenu*.] *Adj.* **1.** V. *etrusco* (1). **2.** Pertencente ou relativo ao mar Tirreno. ● *S. m.* **3.** V. *etrusco* (3). [Var.: *tirrênio*.]

tirri. [Voc. onom., provavelmente.] *S. m. Bras., BA.* V. *relógio* (4).

tirsígero. [Do lat. *thyrsigeru*.] *Adj.* Que tem tirso.

tirso. [Do gr. *thyrsos*, pelo lat. *thyrsu*.] *S. m.* **1.** *Poét.* Bastão enfeitado com hera e pâmpanos, e terminado em forma de pinha, com que se representam Baco e as bacantes: "O grupo florido das bacantes surge, agitando t i r s o s, coroados de pâmpanos." (Alphonsus de Guimaraens, *Obra Completa*, p. 420.) **2.** *Morfol. Veg.* Inflorescência composta, na qual os ramos laterais vão diminuindo do meio para as duas extremidades, pelo que assume aspecto aproximadamente fusiforme. Na panícula, à qual é semelhante, a base é mais larga e a forma geral cônica.

tirsóide. *Adj. 2 g. Morfol.* Semelhante ao tirso: *cacho t i r s ó i d e*.

tir-te. [Da 2ª pess. sing. do imperat. de *tirar*, com apócope, + *te*¹.] *El. s. m.* Us. na loc. adv. *sem tir-te nem guar-te*. ♦ **Sem tir-te nem guar-te. 1.** Sem aviso prévio. **2.** Sem cerimônia: "ela tornou para o frade: — Voltai a cara .... / E s e m t i r - t e n e m g u a r - t e chegou a face aos lábios de D. Sebastião." (Aquilino Ribeiro, *Aventura Maravilhosa*, p. 183).

tisana. [Do gr. *ptisáne*, pelo lat. *ptisana*.] *S. f.* **1.** Cozimento de cevada. **2.** Medicamento líquido que constitui a bebida comum de um enfermo: "...E entretanto, em Lisboa, fundava-se uma Ervanária para vender ingredientes ressumantes de vapor de água, mandésios, t i s a n a s, ervagens colhidas à meia-noite nos cemitérios" (José Gomes Ferreira, *O Mundo dos Outros*, p. 174).

tisânia. *S. f. Bras.* V. *agripina*.

tisanóptero. [Do gr. *thysanos*, 'franja', + *-ptero*.] *S. m.* **1.** Espécime dos tisanópteros. ● *Adj.* **2.** Pertencente ou relativo a eles. [Sin. ger.: fisópode, fisápode.]

tisanópteros. [Pl. de *tisanóptero*.] *S. m. pl. Zool.* Animais artrópodes, da classe dos insetos, da ordem *Thysanoptera*, aparelho bucal adaptado à punção e à raspagem, tetrápteros, de asas estreitas, com longas franjas pilosas. De pequeno porte (até 14mm), e reproduzem-se por via sexuada, podendo haver partenogênese. Algumas espécies são vivíparas. Pauro-metabólicos, são encontrados em flores, folhas e troncos de árvores. [Sin.: *fisópodes, fisápodes* e (RJ, pop.) *lacerdinha* (q. v.).]

tisanuriforme. [De *tisanuro* + *-i-* + *-forme*.] *Adj. 2 g.* e *s. 2 g.* Diz-se de, ou larvas de insetos ápteros da ordem dos tisanuros, cujas características são próximas das larvas campodeiformes.

tisanuro. [Do gr. *thysánouros*, 'de cauda franjada'.] *S. m.* **1.** Espécime dos tisanuros. ● *Adj.* **2.** Pertencente ou relativo a eles. [Sin. ger.: *áptero, ectognato, ectotrofo*.]

tisanuros. [Pl. de *tisanuro*.] *S. m. pl. Zool.* Animais artrópodes, da classe dos insetos, apterigotos, ordem *Thysanura*. Tamanho de até 30 mm, ametábolos, antenas longas, aparelho bucal mastigador, corpo revestido de escamas, abdome terminado em dois cercos, e um apêndice mediano articulado com o corpo. Preferem viver em lugares úmidos, onde haja matéria orgânica vegetal em decomposição. Do grupo fazem parte as conhecidas traças dos livros. [Sin.: *ápteros, ectognatos, ectotrofos*.]

tisca. *S. f. Bras. Fam.* V. *tisco*.

tisco. *S. m. Bras. Fam.* Pedacinho (de qualquer coisa); tiquinho, tisca.

▲**-tise.** Equiv. de *tisio-*.

tísica. [Fem. substantivado do adj. *tísico*.] *S. f. Patol.* Tuberculose [q. v.] pulmonar, especialmente na fase consuntiva; héctica. ♦ **Tísica galopante.** *Med.* V. *tuberculoce galopante*. [Tb. se diz apenas *galopante*.] **Tísica pulmonar.** *Patol.* V. *tuberculose*.

tísico. [Do gr. *phthisikós*, 'que produz consumpção', pelo lat. *phthisicu*.] *Adj.* e *s. m.* Que ou aquele que padece de tísica.

▲**tisio-.** [Do gr. *phthísis, eos*.] *El. comp.* = 'tuberculose pulmonar'; 'consumpção': tisiologia. [Equiv.: *-tise*: *galactotise*.]

tisiologia. [De *tisio-* + *-log(o)-* + *-ia*.] *S. f. Med.* Ramo da medicina que estuda a tuberculose.

tisiológico. *Adj.* Referente à tisiologia.

tisiologista. *S. 2 g.* Tisiólogo.

tisiólogo. [De *tisio-* + *-logo*.] *S. m.* Especialista em tisiologia; tisiologista.

tisna. [Dev. de *tisnar*.] *S. f.* **1.** Ato ou efeito de tisnar(-se); tisnadura. **2.** Substância preparada para enegrecer qualquer coisa.

tisnado. [Part. de *tisnar*.] *Adj.* **1.** Requeimado, tostado. **2.** Enegrecido, escurecido. ● *S. m.* **3.** *Bras. Pop.* V. *diabo* (2).

tisnadura. [De *tisnar* + *-(d)ura*.] *S. f.* *Tisna* (1).

tisnar. [Do lat. vulg. **titionare* < *titio, onis*, 'tição'.] *V. t. d.* **1.** Tornar negro como carvão, fumo, etc.: "No forno a farinha queimara-se e punha de si uma fumaça acre que espiralava em rolos negros t i s n a n d o o tecto da palhoça." (José Veríssimo, *Cenas da Vida Amazônica*, p. 169.) **2.** Requeimar, tostar. **3.** Manchar, macular. *P.* **4.** Tornar-se negro; enegrecer(-se). **5.** Sujar-se, macular-se.

tisne. [Dev. de *tisnar*.] *S. m.* **1.** Cor que o fogo ou a fumaça produzem na pele. **2.** Fuligem: "o pequeno Damião, negro de t i s n e e avermelhado pelos reflexos da forja, insuflava o fole cantarolando, a olhar para a estrada." (Coelho Neto, *Miragem*, p. 47).

tisri. [Do hebr. *Tishri*.] *S. m. Cronol.* O primeiro mês do calendário israelita, com 30 dias.

tisso. [Do fr. *tissu*?] *S. m.* Antigo tecido leve e ralo: "O véu de t i s s o bordado ora folga livre com o vento, ora desce em pregas graciosas sobre o seio palpitante." (Rebelo da Silva, *Contos e Lendas*, p. 33.)

tissular. [Do fr. *tissulaire*.] *Adj. 2 g. Anat. Veg. Gal.* Relativo ao tecido: *lesão t i s s u l a r ; organização t i s s u l a r*. [A palavra preferível, *hístico*, é desus.]

titã¹. [Do gr. *Titán*, pelo lat. *Titane*.] *S. m.* **1.** Cada um dos gigantes que, segundo a mitologia, pretenderam escalar o Céu e destronar Júpiter. **2.** *Fig.* Pessoa que tem caráter de grandeza gigantesca, física, intelectual ou moral. **3.** *Astr.* O sexto satélite de Saturno, e o mais volumoso de todos, descoberto pelo astrônomo holandês C. Huygens (1629-1695) em 1655. [Var.: titão.]

titã². [Do ingl. *titan crane*.] *S. m.* Guindaste poderosíssimo.

titanado. [De *titânio* + *-ado*¹.] *Adj.* Titanífero.

titanato. *S. f. Quím.* Designação genérica dos sais de fórmula TiO_3M_2, derivados do titânio.

titânia. *S. f. Quím.* Óxido de titânio, branco, pulverulento, usado como pigmento. [Fórm.: TiO_2.]

titânico¹. [Do gr. *titanikós*.] *Adj.* **1.** Relativo ou pertencente aos titãs. **2.** *Fig.* Que revela ou denota grande força. [Cf. *tetânico*.]

titânico². [De *titânio* + *-ico*².] *Adj.* Relativo ao titânio. [Cf. *tetânico*.]

titanífero. [De *titânio* + *-fero*.] *Adj.* Que contém titânio; titanado.

titânio. [De *titã*¹ (1), pelo lat. cient. *titanium*.] *S. m. Quím.* Elemento de número atômico 22, metálico, branco-prateado, leve, resistente, usado em ligas espe-

ciais. [Símb.: *Ti*.]
titanita. [De *titânio* + *-ita*^{3}.] *S. f. Min.* Mineral monoclínico, silicato de titânio e cálcio; esfênio.
titão. *S. m.* Var. de *titã*^{1} [q. v.].
titara. [Do tupi *ti'tara*.] *S. f. Bras., BA.* V. *jacitara*.
titela. [Do lat. *tittela, dim. de *titta*, 'teta'.] *S. f.* **1.** A parte carnuda do peito da ave. **2.** *Fig.* Coisa preciosa, ou a melhor parte de qualquer coisa.
títere. [Do esp. *títere*.] *S. m.* **1.** Boneco articulado, de madeira, pano ou outro material, suspenso por fios fixados em uma trave e presos na cabeça, mãos, joelhos e pés, pelos quais o operador o movimenta; fantoche, marionete: "Nem se pense que D. Pedro [D. Pedro I] fosse fácil de manejar, como uma espécie de títere" (Otávio Tarqüínio de Sousa, *História dos Fundadores do Império do Brasil*, I, p. 212.) **2.** V. *testa-de-ferro*. **3.** Governante sem posições próprias, que representa os interesses de outrem mais forte. **4.** *Pop.* Palhaço (4). **5.** *Fig.* V. *fantoche* (3). ● *Adj. 2 g.* **6.** Que não tem posições próprias; que representa os interesses de outrem: *governo títere; organização títere*.
titerear. [De *títere* + *-ear*.] *V. int.* **1.** Fazer mover, ou trabalhar com títere(s) (1). **2.** Mover-se como um títere. *T. d.* **3.** Mover (títere [I]). [Conjug.: v. *frear*.]
titereiro. *Adj.* e *s. m.* Que ou aquele que titereia; titeriteiro.
titeri. [Voc. onom., talvez.] *S. m. Bras. RS.* V. *cochicho*^{2} (1).
titeriteiro. *Adj.* e *s. m.* Titereiro: "Tempos depois veio o titeriteiro argentino Javier Villafañe; armou-se um teatrinho no jardim e apresentou-se uma peça de bonecos." (Maria Julieta Drummond de Andrade, *Um Buquê de Alcachofras*, p. 41.)
titia. [Hipocorístico de *tia*.] *S. f. Fam.* e *inf.* Tia (1 a 3). ◆ **Ficar para titia.** V. *ficar para tia*.
titica. [Talvez de or. afric.] *Bras. Pop. S. f.* **1.** Excremento de aves. **2.** Merda (3). ● *S. 2 g.* **3.** Merda (4).
titicar. [Var. de *tutucar*.] *V. int. Bras.* Tocar de leve; cutucar. [Conjug.: v. *trancar*.]
titilação. [Do lat. *titillatione*.] *S. f.* Ato ou efeito de titilar; titilamento.
titilamento. *S. m.* Titilação.
titilante. [Do lat. *titilante*.] *Adj. 2 g.* Que titila; titiloso.
titilar^1. [Do lat. *titillu*, 'cócegas', + *-ar*^{1}.] *Adj. 2 g.* ~ V. *veia* —.
titilar^2. [Do lat. *titillare*.] *V. t. d.* **1.** Fazer cócegas a. **2.** Causar prurido em. **3.** *Fig.* Afagar, lisonjear. **4.** Ter estremecimentos; palpitar: "Um suor gelado inundava-lhe a testa, e as artérias lhe titilavam nas fontes com dolorosa vibração." (Bernardo Guimarães, *O Seminarista*, p. 255.) **5.** Causar pruridos; pruir, prurir.
titiloso (ô). [Do lat. *titillosu*.] *Adj.* Titilante.
titímalo. [Do gr. *tithymalos*, 'eufórbio', pelo lat. *tithymalu*.] *S. m.* Planta da família das euforbiáceas.
titímalo-maior. *S. m.* Trovisco-macho. [Pl.: *titímalos-maiores*.]
titinga. [Do tupi *ti'tĩga*, 'branco, branco'.] *S. f. Bras., N.* **1.** Manchas no rosto ou no corpo; pano. **2.** V. *sarda*^{2}.
titio. [Hipocorístico de *tio*.] *S. m. Bras. Fam.* e *inf.* Tio (1 e 2).
tititi. *S. m. Bras.* **1.** Confusão, tumulto, rolo. **2.** Vozearia; vozerio. **3.** Discussão, altercação. **4.** Falatório, murmuração.
titoísmo. [De *tito*, antr., + *-ismo*.] *S. m.* **1.** Pensamento ou ação política de Josip Broz, conhecido como Tito, revolucionário e estadista iugoslavo (1892-1980). **2.** O socialismo iugoslavo, caracterizado pela autonomia relativa das unidades políticas e pela autogestão das empresas.
titônia. [Do mit. lat. *Tithonia*, 'Aurora'.] *S. f. Poét.* A aurora (1).
titonídeo. *S. m.* **1.** Espécime dos titonídeos. ● *Adj.* **2.** Pertencente ou relativo a eles.
titonídeos. *S. m. pl. Zool.* Aves estrigiformes, da família *Thytonidae*, caracterizadas por terem os dedos médio e interior de comprimento igual. Têm os mesmos hábitos das corujas e mochos. São as suindaras.
titubante. *Adj. 2 g.* Titubeante: "— Vossa Senhoria, ainda que eu seja confiada, é destes sítios? — perguntou ela titubante." (Camilo Castelo Branco, *A Mulher Fatal*, p. 59.)
titubar. *V. int.* e *t. i.* V. *titubear*.
titubeação. *S. f.* Ato ou efeito de titubear; titubeio.
titubeante. [De *titubear* + *-nte*.] *Adj. 2 g.* Que titubeia; que vacila, que oscila; titubante: *Bebeu muito e saiu titubeante*; "As velhas casas, titubeantes de vetustez, trepam pelas encostas, amparando-se umas às outras." (Sousa Bandeira, *Evocações e Outros Escritos*, p. 62)
titubear. [F. freqüentativa de *titubar* < lat. *titubare*.] *V. int.* **1.** Não poder-se manter de pé; cambalear: "O golpe foi tão violento / que o homem titubeou, / e, como se fosse um morto, / quase morto ali ficou." (Catulo da Paixão Cearense, *Poemas Bravios*, p. 121.) **2.** Vacilar, hesitar: *Não titubeou: correu em auxílio do amigo*. **3.** Falar hesitando ou trepidando; exprimir-se com dificuldade: *Tal era o seu terror que apenas titubeava*; "Tenho má dicção e além disso titubeio muito, à procura de palavras." (Ciro dos Anjos, *Abdias*, p. 4). *T. i.* **4.** Ter dúvidas; vacilar, duvidar: "O certo é que o autor [Alcântara Silveira] nos deixa insatisfeitos quando, a propósito de Rimbaud, ... não titubeia em proclamar .... que a poesia desse poeta maldito não lhe desperta a menor ressonância" (Temístocles Linhares, *Interrogações*, p. 65.) [F. paral., p. us.: *titubar*. Conjug.: v. *frear*.]
titubeio. [Dev. de *titubear*.] *S. m.* Titubeação.
titulação. *S. f.* **1.** Ato ou efeito de titular^2; titulagem. **2.** *Quím.* Método de análise quantitativa baseado na determinação dos volumes de soluções que reagem entre si.
titulado. [Part. de *titular*.] *Adj.* **1.** Fundado em título. **2.** Que tem ou obteve título.
titulador (ô). *S. m.* Aquele que titula.
titulagem. *S. f.* Titulação (1).
titular^1. [De *título* + *-ar*^{1}.] *Adj. 2 g.* **1.** Que tem título honorífico, honorário, nominal. **2.** Efetivo (ocupante de cargo ou função): *juiz titular*. **3.** *Tip.* Diz-se do tipo de grande corpo, usado na composição de títulos. ~ V. *professor* —. ● *S. 2 g.* **4.** Pessoa nobre; fidalgo. **5.** Ocupante efetivo de um cargo ou função: *O reserva joga melhor que o titular* ● *S. m.* **6.** Cada um dos membros de um ministério: *O titular da Fazenda dará entrevista*. **7.** *Bras.* Dono, senhor, possuidor: *titular de um direito*. **8.** *Tip.* Tipo titular (3).
titular^2. [Do lat. *titulare*.] *V. t. d.* **1.** Dar título a; intitular: *titular uma obra*. **2.** Dar título jurídico a; basear em título. **3.** Registrar em títulos autênticos; registrar. *Transobj.* **4.** Chamar, apelidar, apodar: *O povo titulou o Padre Bartolomeu Lourenço de Gusmão, precursor brasileiro da aeronáutica, de "o Voador"*. [Pres. ind.: *titulo*, etc. Cf. *título*.]
titularidade. *S. f. Bras.* Qualidade de titular^1 (7).
tituleira. *S. f. Tip.* Máquina que utiliza, seja o sistema de composição a quente, seja o sistema de composição a frio, para produção de títulos (letras grandes, usualmente até o corpo 72).
tituleiro. *S. m. Tip.* Gráfico que se ocupa na composição de títulos.
título. [Do lat. *titulu*.] *S. m.* **1.** Designação que se põe no começo de um livro, capítulo, artigo, etc., e que indica o assunto. **2.** Rótulo, letreiro. **3.** Denominação honorífica: *o título de conde*. **4.** Nome, designação, qualificação: *Merece bem o título de chefe*. **5.** Qualidade, predicado, atributo: "tal era a predisposição malsã do meu espírito rebelde e refratário a toda a disciplina, que o melhor título dum homem ou dum animal à minha afeição era ser desprezado por todos." (Inglês de Sousa, *Contos Amazônicos*, p. 178). **6.** Subdivisão de código, orçamento, etc. **7.** Reputação, renome. **8.** Razão aparente; desculpa, pretexto. **9.** Objetivo, causa, intuito. **10.** Documento que autentica um direito; padrão. **11.** Qualquer papel (7) negociável (ação, letra de câmbio, promissória, etc.). **12.** Relação entre o metal fino contido em moeda ou em outro objeto, e o total da liga; toque. **13.** *Quím.* Numa solução, massa do soluto presente na unidade de volume da solução. [Cf. *titulo*, do v. *titular*.] ◆ **Título alternativo.** *Edit.* Subtítulo introduzido por conjunção alternativa ("ou", etc.). **Título ao portador.** O que circula por simples tradição manual, e pertence de pleno direito a quem quer que o apresente. **Título à ordem.** **1.** O que contém a cláusula de ser pago a terceiro, por ordem do beneficiário. **2.** O que determina a entrega da coisa a quem o beneficiário indicar. **Título coletivo.** O que abrange os livros pertencentes a uma série ou a uma obra em vários volumes com títulos próprios. **Título corrente.** Título da obra ou dos capítulos, que aparece no alto de cada página. [Cf. *cabeço* (8).] **Título de bolsa.** O que é negociável nas bolsas de valores. **Título de começo.** V. *título de partida*. **Título de crédito.** Documento que formaliza um direito creditório, à ordem ou ao portador, circulável por ser capaz de realizar de pronto o valor que representa. [V. *letra* (7), *promissória*, *duplicata* (2), *cheque*, *conhecimento* (8, 9 e 10), *moeda-papel*, *cédula* (3), *'warrant'*, *debênture*, *ação* (19) e *parte beneficiária*.] **Título de dívida pública.** Letra do tesouro. **Título de entrada.** V. *título de partida*. **Título de partida.** Título da obra, igual ou não ao da folha de rosto, e colocado ao alto da primeira página de texto; título de entrada, título de começo. **Título de série.** *Bibliogr.* O que designa uma série (7). **Título diferido.** Aquele cuja taxa de juros cresce até atingir dado limite. **Título nominativo.** O que traz o nome do proprietário ou favorecido. **A título de.** **1.** Na qualidade de: "A Srª Jesuína ficara a título de caseira ou dona de companhia" (José de Alencar, *Lucíola*, p. 135). **2.** A pretexto de. **Falso título.** Título de livro, impresso na falsa folha de rosto, e que indica o nome da obra, sem autor nem editor. **Justo título.** Aquele que é hábil para o fim a que se destina.
título-chave. *S. m. Docum.* Título normalizado e distinto atribuído a cada publicação seriada para fins de controle pelo Sistema Internacional sobre Publicações Seriadas. [Pl.: *títulos-chaves* e *títulos-chave*.]
tiu. *S. m. Bras.* V. *gafanhoto* (4). [Cf. *tiú*.]
tiú. [F. contrata de *teiú*.] *S. m. Bras.* **1.** V. *teiú* (2). **2.** V. *tuim*. [Cf. *tiu*.] ◆ **Surdo como um tiú.** *Bras., MG. Pop.* Muito surdo.
tiúba. *S. f. Bras., N. Pop.* V. *cachaça* (1). [Cf. *teúba*.]
tiupá (i-u). [De *tijupá*, com síncope.] *S. m. Bras.* V. *tijupá* (1 a 4).
▲**-(t)ivo.** [Do lat. *-(t)ivu*.] *Suf. nom.* = 'ação', 'referência', 'modo de ser': *fugitivo* (< lat. *fugitivu*), *nutritivo*, *festivo* (< lat. *festivu*), *caritativo*.
tivolino. *Adj.* **1.** De, ou pertencente ou relativo a Tivoli (Itália). ● *S. m.* **2.** O natural ou habitante de Tivoli. [Cf. *tiburtino*.]
tixotropia (cs). [Do gr. *thixis*, *eos*, 'ação de tocar', + *-trop(o)-* + *-ia*.] *S. f. Fís.-Quím.* Fenômeno que apresentam certos líquidos cuja viscosidade diminui quando são agitados.
tiziu. [Voc. onom.] *S. m. Bras.* Ave passeriforme, da família dos fringilídeos (*Volatinia jacarina* (L.)), do Brasil e países limítrofes. O macho é preto-azulado brilhante; a fêmea, pardo-olivácea superiormente, pardo-amarelada listrada de pardo-escuro no peito e nos flancos. Tem o hábito curioso de, todas as vezes que emite seu canto (*tiziu*), dar um salto vertical, retornando ao lugar onde está pousado. Alimenta-se de sementes de capim. [Sin.: *alfaiate*, *jacarina*, *papa-arroz-preto*, *pinéu*, *saltador*, *serrador*, *serra-serra*, *salta-toco*, *veludinho*, *tiã-tiã-preto*.]
■**t.km.** Abrev. de *tonelada-quilômetro*.
■**Tl.** *Quím.* Símb. de *tálio*.
tlim. [Voc. onom.] *S. m.* Voz imitativa do sino, da campainha, do choque de moedas, etc.; tlintlim.
tlintar. *V. int.* Fazer tlim; tilintar: "As campainhas, / Tlintam, chamando o povo" (Antônio Correia d'Oliveira, *Líricas*, I, p. 240).
tlintlim. [Voc. onom.] *S. m.* Tlim: "Apesar das vozes agudas, pode-se ouvir o vento brando soprar os pingentes que batem uns nos outros num tlintlim de taças." (Lígia Fagundes Teles, *A Disciplina do Amor*, pp. 67-68.)
■**Tm.** *Quím.* Símb. de *túlio*.
tmese. [Do gr. *tmêsis*, 'corte', pelo lat. *tmese*.] *S. f. Gram.* Mesóclise.
■**Tn.** *Obsol. Quím. Nucl.* Símb. de *torônio*.
■**TNT.** *Quím.* Sigla de *trinitrotolueno*.
to. **1.** Equiv. dos pron. *te*^{2} e *o*^{2} (2): *Esse livro, eu to ofereço*; "Se eu lhe apanhasse o retrato, oh! oh! mostrava-to" (Artur Azevedo, *Contos Fora da Moda*, p. 23). [Flex.: *ta*, *tos*, *tas*.] **2.** Equiv. dos pron. *te*^{2} e *o*^{2} (4): *Sê bom, eu to aconselho*; "Não te esqueci, eu to juro" (Gonçalves Dias, *Obras Poéticas*, I, p. 346).
toa (ô). [Do ingl. *tow*?] *S. f.* Corda com que uma embarcação reboca outra; sirga, reboque. ◆ **À toa.** **1.** Ao acaso; a esmo; à doida: "Pus-me a passear, à toa, sem saber o que fazia." (José Régio, *Histórias de Mulheres*, p. 49.) [Sin., bras.: *atoamente*.] **2.** Sem razão, ou por motivo frívolo; irrefletidamente: *Brigou com o velho amigo à toa*; "Joaquim estende as mãos para procurar o coração de quem seja seu igual e o entenda. E se às vezes, à toa, à toa, ele mata, é por isso mesmo..." (Carlos Lacerda, *Xanã*, p. 21). **3.** Sem razão, sem fundamento ou base: "Não é à toa que aquele escritor francês diz: o patriotismo é o que a gente lembra da infância." (Id., *A Casa do Meu Avô*, p. 15.) **4.** Inutilmente, debalde: "acordando, custa-me dormir outra vez, rolo na cama, à toa, levanto-me, ... torno a deitar-me e nada." (Machado de Assis, *Páginas Recolhidas*, p. 84); *Coitado! sacrifica-se à toa*. **5.** Sem ocupação; sem ter que fazer: "Vou à emissora. / Estranhei. Estava trabalhando? / — Bom. Não é bem trabalho, é uma coisinha. Prá não ficar à toa." (Ricardo Ramos, *Matar um Homem*, p. 90); "Estava à toa na vida, / o meu amor me chamou / pra ver a banda

passar / cantando coisas de amor." (Da marcha *A Banda*, de Chico Buarque de Holanda). **6.** Sem mais nem menos; sem mais nem mais: "Morreu um dia, assim à toa, acho que de cansaço." (Maria Julieta Drummond de Andrade, *A Busca*, p. 50.) [Cf. *à-toa*, adj., e *atoa*, do v. *atoar*.] ♦ **De toa.** *Bras.* Diz-se, no rio São Francisco, da navegação em que as embarcações são levadas, rio abaixo, pela correnteza, quase dispensando o trabalho dos remeiros.

toada. [De *toar* + *-ada*^{1}.] *S. f.* **1.** Ato ou efeito de toar. **2.** Ruído, rumor. **3.** Boato, atoarda. **4.** Maneira, sistema, gosto. **5.** *Mús.* Qualquer cantiga de melodia simples e monótona, texto curto, sentimental ou brejeiro, de estrofe e refrão; melopéia. **6.** Entoação, tom: "Um dos vigias .... — muito ancho, nas suas roupas de lã, tendo por fora a japona amarela de pano oleado, cantava, numa toada rude e nostálgica, fixando muito a crista elevada das ondas" (Virgílio Várzea, *Nas Ondas*, p. 31). [Dim. irreg., nesta acepç.: *toadilha*.] **7.** *Liter. Pop. Bras.* A parte musical do canto das estrofes tradicionais da cantoria; cantiga, solfa: *a toada do martelo; a toada do repente.*

toadeira. [De um **toar*, de *toa* + *-ar*, 'puxar, arrastar' (= ingl. *to tow*), + *-deira*.] *Adj. (f.)* e *s. f. Bras., BA.* Diz-se de, ou a baleia que, arpoada, ainda mergulha, ou a que, quando perseguida, não bufa.

toadilha. *S. f.* Dim. irreg. de *toada* (5).

toalete. [Do fr. *toilette*.] *S. f.* **1.** Ato de se aprontar (lavando-se, penteando-se, maquilando-se, etc.) para aparecer em público: "Horas de almoço, horas de chá, sinetas chocalhando, advertindo para a toalete do jantar de cerimônia." (Jaime Adour da Câmara, *Oropa, França e Bahia*, p. 25.) ● *S. m.* **2.** Traje feminino requintado, próprio para cerimônias, bailes, etc. **3.** Compartimento com lavatório e espelho, para as senhoras recomporem o penteado, a pintura, etc., e que, em geral, tem anexo um gabinete sanitário.

toalha. [Do provenç. *toalha* < frâncico *thawahlja*.] *S. f.* **1.** Peça de linho, de algodão ou de outro tecido, para enxugar qualquer parte do corpo que se lave. **2.** Tecido que se estende sobre a mesa às refeições. **3.** Peça semelhante, com rendas, para cobrir o altar. **4.** Camada externa. ♦ **Toalha interfolha.** Toalha de mão, de papel, em folhas que se interpenetram nas pontas, de sorte que, ao serem puxadas, sai uma de cada vez, deixando de fora a ponta da folha seguinte, e que é muito usada em bares, restaurantes, etc.

toalheiro. *S. m.* **1.** Utensílio próprio para nele se pendurar a toalha (1). **2.** Fabricante e/ou vendedor de toalhas. **3.** *Bras.* Empresa fornecedora de toalhas para consultórios, escritórios, etc., e que substitui periodicamente as sujas por limpas.

toalhete (ê). [De *toalha* + *-ete*.] *S. m. Ant.* Guardanapo.

toalhinha. [De *toalha* + *-inha*.] *S. f.* Touca de freira.

toante. *Adj. 2 g.* Que toa. ~ V. *rimas —s*.

toar. [Do lat. *tonare*, 'trovejar'.] *V. int.* **1.** Produzir ou emitir tom ou som forte; soar em tom alto: "A todo o arco do horizonte toava agora a artilharia." (Aquilino Ribeiro, *Caminhos Errados*, p. 194.) **2.** Trovejar, estrondar, atroar, *T. i.* **3.** Convir, quadrar, servir: *Os termos da proposta não lhe toaram.* **4.** Agradar, aprazer, soar: *Toaram-lhe os elogios, deixando-o arrebatado.* **5.** Ficar bem; condizer, adaptar-se: *Estes móveis não toam com o ambiente. T. c.* **6.** Ter o tom ou o som; ter ares; parecer: *A proposta toou a despropósito. Pred.* **7.** Ser considerado ou julgado; afigurar-se: "toava como absurda a proposta de criação de uma escola para treinar pessoas em administração pública." (Benedito Silva, in *Informativo*, ano 5, nº 1, jan. 1973, p. 10). [Conjug.: v. *coroar*.]

toba^{1}. [De *atobá*, com aférese e hiperbibasmo.] *S. m.* **1.** *Bras.* Atobá. **2.** *Bras., N.* Homem forte, robusto, corpulento.

toba^{2}. [Do tupi *te'bi*.] *S. m. Bras., N. Chulo.* O ânus.

tobajara. *S. 2 g.* e *adj. 2 g. Bras.* Var. de *tabajara*.

tobatinga. [Do tupi *toba'tĩ*, var. de *taba'tĩg*.] *S. f. Bras.* Var. de *tabatinga*.

tobeiro. [De *toba*^{2} + *-eiro*.] *S. m. Bras., N. Gír.* Pederasta passivo.

tobiano^{1}. *Adj.* Pertencente ou relativo a Tobias Barreto (1839-1889), escritor brasileiro, ou próprio dele.

tobiano^{2}. [Do antr. *Tobias*, do Brigadeiro Rafael Tobias de Aguiar (1795-1857), que em 1842 se reuniu aos partidários do revolucionário farroupilha Bento Gonçalves e presenteou um cidadão de Cruz Alta (RS) com animais de pêlo desta natureza.] *Adj. Bras., RS.* Diz-se do cavalo cujo pêlo apresenta manchas brancas em fundo escuro ou vermelho.

tobiano^{3}. *Adj.* **1.** De, ou pertencente ou relativo a Paraíso do Tobias (RJ). ● *S. m.* **2.** O natural ou habitante de Paraíso do Tobias.

tobiense. *Adj. 2 g.* **1.** De, ou pertencente ou relativo a Tobias Barreto (SE). ● *S. 2 g.* **2.** Natural ou habitante de Tobias Barreto.

tobó. [De provável or. indígena, e não tupi.] *S. m. Bras.* O diamante grande, na região diamantífera do Araguaia e seus afluentes.

tobogã. [Do algonquiano, atr. do fr. canadense *tabagan* e do ingl. *toboggan*.] *S. m.* **1.** Espécie de trenó baixo para deslizar nas encostas cobertas de neve. **2.** *Bras.* Rampa de grande altura, com ondulações, para diversão coletiva.

tobosse. [Do daomeano.] *S. f.* Divindade jeje correspondente à Anamburucu dos iorubanos.

toca. [Voc. talvez pré-romano.] *S. f.* **1.** Buraco no tronco de árvores, na terra, ou na pedra, onde se abrigam vários animais; covil, furna. **2.** *Fig.* v. *biboca* (3). **3.** *Fig.* Abrigo, refúgio, buraco.

tocada. [De *tocar*^{2} + *-ada*^{1}.] *S. f. Bras., S.* Corrida de experiência, para apurar a velocidade ou o estado do cavalo.

tocadela. [De *tocar*^{2} + *dela*.] *S. f.* **1.** Ato ou efeito de tocar de cada vez; tocadura. **2.** *Fam.* Tocarola (2).

tocadilho. [De *tocar*^{2}.] *S. m.* Jogo semelhante ao do gamão.

toca-discos. [De *tocar*^{2} + *disco*.] *S. m. 2 n.* Aparelho elétrico provido de um dispositivo que imprime movimento giratório constante e regular em discos fonográficos, e que, ligado a certos tipos de receptor de rádio, substitui o fonógrafo, a vitrola, etc. [Sin., ingl.: *pick-up*.]

tocado. [Part. de *tocar*^{2}.] *Adj.* **1.** *Fam.* V. *alegre*^{2} (4): "O soldadinho, cada vez mais tocado, emborcou o corpo para segredar cousas." (João do Rio, *Vida Vertiginosa*, p. 147.) **2.** *Bras. Fam.* Amalucado, adoidado. **3.** *Bras. Pop.* Muito apressado: *Saiu daqui tocado, para resolver negócio urgente; Mandei chamá-la, e ela veio tocada.* **4.** *Bras.* Posto para fora de onde se encontrava; expulso: "Veio a expulsão de suas terras, a violência, o jagunço, o desemprego, e finalmente a marginalização social. Criou-se um povo retirante. Tocado. Sempre tocado." (Edilson Martins, *Nós, do Araguaia*, p. 134.) [Cf. *toucado*.]

tocador (ô). *Adj.* **1.** Que toca. ~ V. *rolo —*. ● *S. m.* **2.** Aquele que toca. **3.** *Bras.* Arrieiro, recoveiro, almocreve. **4.** *Bras., S.* Espécie de vaqueiro. **5.** *Bras., MG.* Tangerino^{1}. [Cf. *toucador*.]

tocadura. [De *tocar*^{2} + *-(d)ura*.] *S. f.* **1.** Tocadela (1). **2.** Contusão originada de um pé do animal tocar no outro do lado interior.

toca-fitas. [De *tocar*^{2} + o pl. de *fita*.] *S. m. 2 n. Bras.* Aparelho semelhante ao gravador (4), que não dispõe, entretanto, de sistema de amplificação dos sons gravados.

tócai. [Do top. *Tokaj* (Hungria).] *S. m.* Vinho licoroso procedente da Hungria. [Cf. *tocai*, do v. *tocar*.]

tocaia. [Do tupi *to'kai*, 'armadilha para caçar'.] *S. f. Bras.* Espreita ao inimigo, ou caça: emboscada.

tocaiar. [De *tocaia* + *-ar*^{2}.] *V. t. d.* **1.** *Bras.* Emboscar-se a fim de agredir ou matar (o inimigo ou a caça). **2.** Espreitar a chegada de. *Int.* **3.** Estar de espreita. [F. paral.: *atocaiar*.]

tocaieiro. *S. m. Bras.* Indivíduo que arma tocaia(s).

tocainará. *S. f. Bras.* V. *tocandira* (1).

tocaio. [Do esp. *tocayo*; ao RS o voc. terá vindo atr. do esp. platino. *S. m. Bras., MG* e *RS*, e *prov. lus.* V. *xará*^{1} (1).

tocajé. [De provável or. tupi.] *S. m. Bras.* Arbusto da família das proteáceas (gênero *Roupala*).

toca-lápis. [De *tocar*^{2} + *lápis*.] *S. m. 2 n.* Uma das pernas do compasso, na qual se encaixa o lápis para descrever arcos ou circunferências.

tocamento. [De *tocar*^{2} + *-mento*.] *S. m.* Toque^{1} (1).

tocandira. [Do tupi *tukã'di*, 'fere muito'.] *S. f. Bras.* **1.** Inseto himenóptero, da família dos formicídeos (*Paraponera clavata* (Fabr.)), comum na Amaz., de coloração preta, e que atinge até 22 mm de comprimento. Tem um tubérculo no protórax e outro no pedúnculo do primeiro segmento abdominal, e constrói ninho subterrâneo. De picada muito dolorosa, capaz de produzir vômitos, é utilizada pelos índios para cerimônias de emancipação dos adolescentes. [Var.: *tocanera, tocantera, tocainará, tocanguira, tocanquibira*; sin.: *saracutinga, tracutinga, tracuxinga, formigão, formigão-preto*.] ● *S. 2 g.* **2.** Indivíduo dos tocandiras, tribo indígena das margens do Apaporis. ● *Adj. 2 g.* **3.** Pertencente ou relativo a essa tribo.

tocanera (ê). *S. f. Bras.* V. *tocandira* (1).

tocanguira. *S. f. Bras.* V. *tocandira* (1).

tocanquibira. *S. f. Bras.* V. *tocandira* (1).

tocante. [De *tocar*^{2} + *-nte*.] *Adj. 2 g.* **1.** Que toca. **2.** Relativo, referente. **3.** Comovente, comovedor: *um espetáculo tocante.* ♦ **No tocante a.** A respeito de; em relação a.

tocantera (ê). *S. f. Bras.* V. *tocandira* (1).

tocantim. *S. 2 g. Bras.* **1.** Indivíduo dos tocantins, tribo indígena do PA. ● *Adj. 2 g.* **2.** Pertencente ou relativo a essa tribo.

tocantinense. *Adj. 2 g.* **1.** De, ou pertencente, ou relativo a Tocantins (MG). ● *S. 2 g.* **2.** Natural ou habitante de Tocantins.

tocantiniense. *Adj. 2 g.* **1.** De, ou pertencente ou relativo a Tocantínia (GO). ● *S. 2 g.* **2.** Natural ou habitante de Tocantínia.

tocantinopolino. *Adj.* **1.** De, ou pertencente ou relativo a Tocantinópolis (GO). ● *S. m.* **2.** O natural ou habitante de Tocantinópolis.

tocar^{1}. *S. m. Bras., S.* Moléstia do gado vacum, causada pela falta de sais na pastagem. [Cf. *toucar*.]

tocar^{2}. [De um lat. vulg. **toccare*.] *V. t. d.* **1.** Pôr a mão em; apalpar, palpar: *Tocou a fazenda e disse que era seda pura.* **2.** Ter contato com; palpar: *Suas mãos tocaram o chão.* **3.** Atingir com um golpe, na esgrima. **4.** Tirar sons de; fazer soar; tanger: "Tem ainda o talento de tocar piano, que a mãe não possuía." (Machado de Assis, *Relíquias de Casa Velha*, p. 117); "nas torres altas / o louco / toca o sino à meia-noite" (Solange Berard Lajes, *Canto/Desencanto*, p. 66). **5.** Fazer ouvir (um som): *O sino tocava as seis badaladas.* **6.** Executar (música): *O pianista tocou uma bela valsa;* "Na praça a banda toca, de repente / Um samba histérico..." (Mário Quintana, *A Rua dos Cata-Ventos*, p. 134); "E a flauta e a viola tocaram um lundum." (José Veríssimo, *Cenas da Vida Amazônica*, p. 333). **7.** Anunciar por meio de batidas, badaladas, música, etc.: *O relógio tocou as cinco horas.* **8.** Comover, sensibilizar, abalar, impressionar: *A notícia tocou-a profundamente.* **9.** Agitar, excitar. **10.** Chegar a; atingir: *Cabral tocou a Bahia em 1500.* **11.** Estar junto de; confinar com; limitar-se com: *O Rio Grande do Sul toca o Uruguai.* **12.** Provar, experimentar: *No alto da montanha o Demônio procurou tocar Jesus com promessas.* **13.** *Marinh.* Afrouxar as pernadas da beta de (um aparelho de laborar), de modo que a peça inferior do aparelho arrie. **14.** *Marinh.* Afrouxar, deixar correr (um cabo). **15.** *Bras.* Conduzir, tanger (gado): *tocar bois.* **16.** *Bras. P. ext.* Fazer sair de lugar em que se achava; expulsar (pessoas ou animais). **17.** *Bras.* Açular (cães). **18.** Levar adiante, à frente; fazer progredir ou avançar; avançar: "O que eu dizia nas lições, com as frases que me ocorressem no momento, porque tinha de tocar o programa, a aluna reproduzia com igual sentido, mas de outra forma, bem simples, bem natural." (Genolino Amado, *O Reino Perdido*, p. 35.) *T. d. e i.* **19.** Comunicar-se, ou tentar comunicar-se, por telefone; ligar: *Tocou o telefone para o amigo, mas este viajara. T. i.* **20.** Atingir aproximadamente; orçar, raiar: *Sua fortuna toca a 3 milhões;* "tocava já aos seus nove anos" (Bernardo Guimarães, *O Seminarista*, p. 26). **21.** Caber em partilha: *Por morte do pai, tocaram-lhe dois apartamentos e uma fazendola.* **22.** Referir-se a; mencionar: *Não toque neste assunto.* **23.** Dizer respeito; pertencer, interessar: *Esta conversa não lhe toca.* **24.** Caber, competir, incumbir: *Toca-lhe administrar os bens do avô.* **25.** Relacionar-se; prender-se: *O problema toca ao direito civil e ao penal.* **26.** Comunicar-se, ou tentar comunicar-se, pelo telefone; ligar: *Era meio-dia e meia quando tocou para mim.* **27.** Pôr a mão em; apalpar: *Toquei na massa para ver se estava no ponto. T. c.* **28.** Ter contato; passar de leve: *Seus pés mal tocavam na água.* **29.** *Mar.* Entrar (em um porto), de passagem ou fazendo escala: *O navio não tocará em Santos.* **30.** *Mar.* Roçar com a quilha (no fundo): *A embarcação, tocando no baixio, encalhou de pronto.* **31.** Seguir, partir, ir(-se); tocar-se: *Mal recebeu a notícia, tocou para casa. Int.* **32.** Extrair sons de instrumentos musicais. **33.** Produzir som; fazer ouvir o seu som; soar: "Os sinos tocavam, tocavam." (Renard Pérez, *Os Sinos. O Tombadilho*, p. 19.) **34.** Exercer ou aplicar o sentido do tato: "Prova. Olha. Toca. Cheira. Escuta. / Cada sentido é um dom divino." (Manuel Bandeira, *Estrela da Vida Inteira*, p. 20.) **35.** Fazer prosseguir, fazer que ande, que siga: "Mandei tocar, mas enquanto o velho táxi rolava lentamente ao longo da praia eu fui possuído pela certeza .... de que acabara de ver a primeira mulher do Nunes." (Rubem Braga, *Ai de Ti, Copacabana!*, p. 75.) **36.** Dar (o telefone) sinal de ligação feita: "O telefone *toca — e o pânico de mim se apodera."* (*Mário da Silva Brito, Conversa Vai Conversa Vem,* p. 19.) *P.* **37.** Ter um ponto comum de contato: *Duas circunferências se tocam.* **38.** Pôr-se em contato; entrechocar-se: *As espadas tocaram-se.* **39.** Ofender-se, melindrar-se, sensibilizar-se: *Tocou-se com as rudes palavras.* **40.** Dar-se conta de, capacitar-se de; perceber: *Ao cometer, durante a conversa, o erro gramatical, eu me toquei e corrigi-me.* **41.** Aproximar-se, unir-se: *Os extremos se tocam;* "Os outros passam, tocam-se" (Jorge de Sena, *Versos e Alguma Prosa,* p. 100); "Seu seio nevado de amor se intumesce... / E os lábios se tocam no ardor da paixão!" (Casimiro de Abreu, *Obras,* p. 157). **42.** Tocar (31): "Haviam-me dito que os estudantes gostavam muito de laranjas. Toquei-me para a Escola de Direito e estabeleci-me na calçada" (Joraci Camargo, *Anastácio,* p. 24). **43.** Começar a apodrecer (a fruta). **44.** *Fig. Gír.* Ficar um pouco embriagado. [Conjug.: v. *trancar.* Pres. ind.: *toco, tocas,* etc.; imperat.: *toca, tocai,* etc. Cf. *toco* (ô), s. m., *tócai,* s. m., *touco,* do v. *toucar,* e este verbo.] ♦ **Tocar de mal.** *Bras., BA.* V. *trocar de mal.*

tocari. [Do caraíba, us., como empréstimo, no tupi amazonense.] *S. m. Bras. castanheira-do-pará.*

tocário. [Do gr. *Tocharoi* (nome de um povo asiático).] *S. m.* Língua indo-européia do antigo Turquestão chinês, atual Sin-kiang, descoberta em manuscritos do primeiro milênio d. C.

tocarola. [De *tocar*².] *S. f.* **1.** *Fam.* Aperto de mãos. **2.** Tocata¹ (1); desafinada; tocadela.

tocata¹. [De *tocar*².] *S. f.* Ato ou efeito de tocar instrumentos: "as tocatas de violão e os bailes modestos alegravam aquela gente" (Melo Morais Filho, *Festas e Tradições Populares do Brasil,* p. 234).

tocata². [Do it. *toccata.*] *S. f. Mús.* **1.** Forma de composição, originalmente destinada a instrumentos de tecla, que apresenta características próprias de vivacidade e virtuosismo, sem repetição de partes nem desenvolvimento de temas. [Cf. *sonata*¹ (1).] **2.** Espécie de fanfarra, música solene para instrumentos de sopro, de metal. **3.** Atualmente, espécie de movimento perpétuo, composição instrumental livre, em andamento rápido e imutável.

tocável. *Adj. 2 g.* Que se pode tocar; tangível.

toca-viola. [De *tocar*² + *viola.*] *S. m. Bras.* V. *serra-pau.* [Pl.: *toca-violas.*]

tocha. [Do fr. *torche.*] *S. f.* **1.** Grande vela de cera; brandão. **2.** Facho, archote. **3.** Luz, brilho. **4.** *Bras.* Parte do tronco que resta das árvores partidas. **5.** Árvore de que resta apenas o tronco. ♦ **Acender uma tocha.** *Gír. mil.* Dar um passeio, abandonando a unidade durante um dia ou uma noite, sem permissão superior.

tocheira. *S. f.* Tocheiro.

tocheiro. *S. m.* Castiçal para tocha (1); tocheira.

toco (ô). [De or. incerta, pré-romana talvez.] *S. m.* **1.** Parte do tronco vegetal que permanece ligada à terra depois de cortada a árvore. **2.** Cacete, bordão. **3.** Pedaço de vela ou de tocha; coto. **4.** Resto de coisa que se partiu ou se consumiu; ponta: "Era um sujeito pouco simpático, em mangas de camisa, sempre a fumar um toco de charuto." (Rubem Braga, *O Homem Rouco,* p. 135.) **5.** V. *talão* (4). **6.** *Constr. Nav.* Coluna reforçada que sustenta o pau de carga quando este não é armado em um mastro. **7.** *Ant. Mar.* Pedaço de um mastro, mastaréu ou verga que ficava, quando algum destes paus se partia ou era picado; tarouco, toro. **8.** *Bras., RJ. Gír.* Quinhão de roubo. • *Adj.* **9.** *Bras., S. Pop.* Firme, decidido. **10.** *Bras., S. Pop.* V. *valentão* (1). [Pl.: *tocos* (ô). Cf. *toco,* do v. *tocar,* e *touco,* do v. *toucar.*] ∼ V. *tocos.* ♦ **Toco de amarrar besta.** *Bras., AL* e *SP. Pop.* V. *catatau* (8). **Toco de amarrar jégue.** *Bras., BA, Pop.* V. *catatau* (8). **Toco de amarrar onça.** *Bras., N. Pop.* V. *catatau* (8). **Bater os tocos.** *Bras., SP. Pop.* Viajar para algum lugar; ir(-se) embora. **No toco.** *Bras., Gír.* À vista; na ficha: *Comprou a geladeira no toco.*

▲toc(o)-. [Do gr. *tókos, ou.*] *El. comp.* = 'parto': *tocologia, tocografia.*

toco-duro. *S. m. Bras.* Carro de carga, sem molas, de duas rodas. [Pl.: *tocos-duros.*]

tocografia. [De *toc(o)-* + *-graf(o)-* + *-ia.*] *S. f. Med.* Registro gráfico das contrações uterinas.

tocográfico. *Adj.* Relativo à tocografia.

tocógrafo. [De *toc(o)-* + *-grafo.*] *S. m.* Instrumento que registra contrações uterinas.

tocoió. *S. 2 g.* e *adj. 2 g. Bras.* Diz-se de, ou exemplar de certa raça bovina do N. de MG: "Uma porqueira de bezerro tocoió que nem chifres tinha!" (Nélson de Faria, *Cabeça-Torta,* p. 40.)

tocologia. [De *toc(o)-* + *-log(o)-* + *-ia.*] *S. f.* V. *obstetrícia.*

tocológico. *Adj.* Relativo à tocologia.

tocólogo. [De *toc(o)-* + *-logo.*] *S. m.* Parteiro, obstetra.

tocos (ô). [Pl. de *toco.*] *S. m. pl. Bras., S.* V. *armas* (7). ∼ V. *toco.*

toda¹. [Do lat. *todu,* 'ave muito pequena'?] *S. f.* Todeiro. [Pl.: *todas.* Cf. *toda* (ô) e *todas* (ô), flex. de *todo.*]

toda². *S. f.* Uma das línguas da família dravídica. [Cf. *toda* (ô), fem. de *todo.*]

toda (ô). [Do lat. *tota.*] *Adj.* Fem. de *todo.* [Pl.: *todas* (ô). Cf. *toda* e pl. *todas.*] ♦ **A toda.** A toda a velocidade; muito rapidamente; a todo o vapor; à disparada: *Chegada a polícia, os ladrões fugiram a toda;* "Ainda outro dia, eu subia a toda, quando uma velha começou a empalidecer; passei logo para a primeira e a velhinha se aliviou." (Aníbal M. Machado, *Histórias Reunidas,* p. 97.)

todas (ô). [Fem. pl. substantivado de *todo.*] *El. s. f. pl.* Us. na expres. *estar em todas.* ♦ **Estar em todas.** *Bras. Fam.* Participar ativamente da vida social, política, literária, etc.; estar muito bem informado do que se passa nesses meios.

todavia. [Aglut. da loc. *toda via* < *toda* (ô) + *via.*] *Conj.* Contudo, porém; entretanto; ainda assim.

todeiro. [De *toda*¹ + *-eiro.*] *S. m.* Certo pássaro fissirrostro; toda.

todo (ô). [Do lat. *totu.*] *Adj.* **1.** Completo, inteiro, total: *Esperei-o toda a semana; O ano todo foi de muito trabalho;* "Corram brandos perfumes no ar vizinho, / Que todo o brilho já se manifesta / Da Virgem admirável e modesta." (José Albano, *Rimas,* p. 216); "para lá devia partir o rapaz logo depois da festa da Expiação e em toda a viagem só jornadear de noite." (João Ribeiro, *Crepúsculo dos Deuses,* p. 90); "O traço todo da vida é para muitos um desenho da criança esquecido pelo homem, e ao qual este terá sempre que se cingir sem o saber..." (Joaquim Nabuco, *Minha Formação,* p. 210); "Lutaram bravamente o dia todo" (Eduardo Canabrava Barreiros, *O Segredo de Sinhá Ernestina,* p. 5). **2.** Que não deixa nada de fora; a que não falta parte alguma: *Toda a família compareceu à cerimônia; A escola toda desfilou.* [Nestas acepç. é de rigor o emprego do artigo, podendo ele, juntamente com o substantivo, pospor-se ou antepor-se ao *todo;* mas não se usa o artigo, normalmente, se dele não costuma vir precedido o substantivo. Comparem-se estes exemplos: *Conheço todo o Brasil e toda a Alemanha; Viajei por todo São Paulo e toda Santa Catarina.*] • *Pron. indef.* **3.** Qualquer, cada: "Ai! por que todo ser nasce chorando?" (Da Costa e Silva, *Sangue,* p. 49); "Em toda parte vejo que procuras / O pecador ingrato" (José Albano, *Rimas,* p. 243); "Por toda a parte a sombra do mistério" (Alphonsus de Guimaraens, *Obra Completa,* p. 269); "Só hoje sei que em toda a criatura, / Desde a mais bela até à mais impura, / Ou numa pomba ou numa fera brava, / Deus habita, Deus sonha, Deus murmura!..." (Guerra Junqueiro, *A Velhice do Padre Eterno,* p. 176). [É facultativo, como se vê nos exemplos, o uso do artigo nesse caso; uso muito mais comum em Portugal que no Brasil. Flex.: *toda* (ô), *todos* (ô), *todas* (ô). Cf. *toda,* s. f., pl. *todas* e *tudo.*] • *Adv.* **4.** V. *de todo:* "Um dia a vi tomando banho, no lago de águas claras. Fiquei atônito, todo maluco." (Ursulino Leão, *Existência de Marina,* p. 122.) • *S. m.* **5.** Conjunto, massa, generalidade: *Não me refiro às partes, mas ao todo.* ∼ V. *todos.* ♦ **De todo.** Totalmente, completamente, inteiramente; de todo em todo; todo: *Estava absorto de todo;* "Mas depois que tu partiste, / Perdi de todo a alegria: Fiquei triste, triste, triste." (Manuel Bandeira, *Estrela da Vida Inteira,* p. 354). **De todo em todo.** V. *de todo.*

tôdolos. [Do pl. de *todo* (ô) + o pl. de *lo.*] *Pron. indef. Ant.* e *pop.* Todos os: "Foram por tôdalas partes / A gritar: Fogo e mais fogo!" (João de Deus, *Campo de Flores,* II, p. 180).

todo-os-dias. *S. m.* O cotidiano, o dia-a-dia: "E, outra vez feliz por não prender ninguém, por persistir tudo na monotonia uniforme das mesmas ruas, na repetição sem surpresas do mesmo todos-os-dias, desfez o ajuntamento" (José Gomes Ferreira, *O Mundo dos Outros,* p. 167).

todo-poderoso. *Adj.* **1.** Que pode tudo; onipotente. • *S. m.* **2.** Aquele que pode tudo. [Flex.: *todo-poderosa, todo-poderosos, todo-poderosas.*] **3.** Deus. [Nesta acepç., se escreve, é óbvio, com iniciais maiúsculas.]

todos (ô). [Pl.: de *todo.*] *Pron. indef.* Todas as pessoas; toda a gente; todo o mundo; o mundo inteiro; deus e o mundo: "Em Portugal todos falam de tudo" (Luís Forjaz Trigueiros, *Ventos e Marés,* p. 111). [Cf. *tudo.*] ∼ V. *todo.*

toé. [De provável or. indígena.] *S. m. Bras., Amaz.* Arbusto da família das solanáceas (*Datura insignis*), de folhas oblongas, moles e pilosas, flores especiosas, enormes, róseas e infundibuliformes. [Os indígenas usavam a infusão das folhas em práticas de bruxaria, o que se justifica por nelas haver escopolamina, alcalóide que provoca sonolência. [Sin.: *maricaua.*]

toeira. [De *toar* + *-eira.*] *S. f.* **1.** Cada uma das duas cordas imediatas aos dois bordões da guitarra. **2.** *Bras., SP* e *Açor.* Corda de viola: "Eis senão quando, começam a repenicar as toeiras das violas e um dos reis põe-se a pé e vai espairecer à janela." (Vitorino Nemésio, *O Mistério do Paço do Milhafre,* p. 47.) ♦ **Nas toeiras.** *Bras., SP., Pop.* Em situação de grande aperto, atrapalhação ou confusão: *estar, andar, viver nas toeiras.*

toesa (ê). [Do fr. *toise,* no tempo em que o ditongo *oi* soava *oe.*] *S. f.* **1.** Antiga unidade de medida de comprimento, equivalente a seis pés [v. *pé* (17)], ou seja, 1,98 m. **2.** *Pop.* Pé muito grande.

tofe. [Do ingl. *toffee.*] *S. m.* Caramelo de consistência dura e grudenta, feito em geral com açúcar mascavo.

tofo. [Do gr. *tóphos,* pelo lat. *tophu, tofu.*] *S. m. Med.* Depósito de uratos que, no curso da gota, se forma em diversas partes do corpo.

toga. [Do lat. *toga.*] *S. f.* **1.** Manto de lã, amplo e comprido, usado pelos antigos romanos. **2.** Vestuário de magistrado; beca. **3.** *Fig.* A magistratura.

togado. [Do lat. *togatu.*] *Adj.* **1.** Que usa toga. **2.** Que exerce a magistratura judicial. ∼ V. *juiz —.* • *S. m.* **3.** Magistrado judicial.

togolês. *Adj.* **1.** Do, ou pertencente ou relativo ao Togo (África Ocidental). • *S. m.* **2.** O natural ou habitante do Togo. [Flex.: *togolesa* (ê), *togoleses* (ê), *togolesas* (ê).]

tolça. *S. f.* V. *touça.*

toiceira. *S. f.* V. *touceira.*

toicinho. [Var. de *toucinho* < um **tuccinu* (subentende-se o lat. *lardu,* 'toicinho'), der. do céltico *tucca,* 'suco manteigoso', e formado no lat. hispânico.] *S. m.* Gordura dos porcos, subjacente à pele, com o respectivo couro. ♦ **Ter comido toicinho com mais cabelo.** *Bras., N.E. Pop.* Ter já enfrentado e vencido desgraça ou perigo ainda maior do que aquele que está atravessando.

toirada. *S. f.* V. *tourada.*

toiral. *S. m.* Var. de *toural*¹ [q. v.].

toireação. *S. f.* V. *toureação.*

toirear. *V. t. d.* e *int.* V. *tourear.* [Conjug.: v. *frear.*]

toireio. *S. m.* V. *toureio.*

toireiro. *S. m.* e *adj.* V. *toureiro.*

toirejão. *S. m.* Var. de *tourejão.*

toiril. *S. m.* Var. de *touril.*

toirinha. *S. f.* Var. de *tourinha.*

toiro. *S. m.* V. *touro.*

toiros. *S. m. pl.* V. *touros.*

toiruno. *Adj.* Var. de *touruno.*

toita. *S. f.* V. *touta.*

toiteador (ô). *Adj.* e *s. m.* Var. de *touteador.*

toitear. *V. int.* Var. de *toutear.* [Conjug.: v. *frear.*]

toitiçada. *S. f.* Var. de *toutiçada.*

toitiço. *S. m.* V. *toutiço.*

tojal. *S. m.* Quantidade mais ou menos considerável de tojos dispostos proximamente entre si.

tojeiro. *S. m.* **1.** Indivíduo que conduz tojo para os fornos. **2.** Tojo grande.

tojo (ô). [De possível or. pré-romana.] *S. m.* Arbusto da família das leguminosas (*Ulex europaeus*), que tem pouquíssimas folhas, espinhos fortes, flores amarelas e vistosas, e cujo fruto é uma vagem. [Pl.: *tojos* (ó).]

tola¹. *S. f. Pop.* A cabeça; o juízo. [Pl.: *tolas.* Cf. *tola* (ô) e pl. *tolas* (ô).]

tola². *S. f.* Espécie de torquês de madeira, empregada pelos penteeiros. [Pl.: *tolas.* Cf. *tola* (ô) e *pl. tolas* (ô).]

tola (ô). *Adj. (f.)* e *s. f.* Fem. de *tolo.* [Pl.: *tolas* (ô). Cf. *tola* e pl. *tolas.*]

tolacíssimo. *Adj.* Superl. abs. sint. de *tolaz.*

tolano. [Do esp. *tolano.*] *S. m.* Sulco no palato das cavalgaduras.

tolaz. *Adj. 2 g.* e *s. 2 g.* Que se deixa ludibriar facilmente; demasiado tolo; pacóvio, toleirão. [Superl. abs. sint.: *tolacíssimo.*]

tolda¹. [Var. de *toldo* (ô).] *S. f.* **1.** *Ant. Constr. Nav.* Nas naves e nos galeões, o primeiro pavimento coberto do acastelamento de popa, e sobre o qual se erguia, mais recuada, a alcáçova [q. v.]. **2.** *Ant. Constr. Nav.* O pavimento acima da primeira coberta em que houvesse bateria de canhões. **3.** *Constr. Nav.* Parte do convés principal situada entre o mastro grande e o tombadilho, ou (nos navios sem tombadilho) entre o mastro grande e a popa. **4.** *Bras.* Cobertura de palha ou de madeira, abaulada ou em forma de telhado, para abrigar, nas embarcações, a carga e/ou os passageiros.

tolda². [Dev. de *toldar.*] *S. f.* **1.** Ato ou efeito de toldar (-se). **2.** Turvação do vinho.

toldador (ô). *Adj.* Que tolda.

toldar. *V. t. d.* **1.** *Mar. Desus.* Cobrir com toldo: *toldar uma embarcação.* **2.** Tapar, cobrir, anuviar, nublar: *As nuvens toldam o sol.* **3.** Tornar escuro, obscurecer obumbrar: "Nem uma nuvem *tolda* o firmamento" (Zeferino Brasil, *Na Torre de Marfim*, p. 20). **4.** Tornar ininteligível; obscurecer: *As paixões cegam o homem, toldam a realidade.* **5.** Obscurecer, turvar, obcecar, cegar: *Os vícios toldam a razão. P.* **6.** Turvar-se (o vinho) na vasilha. **7.** Cobrir-se, anuviar-se, nublar-se: *O céu toldou-se.* **8.** Embriagar-se, embebedar-se. [Pres. ind.: *toldo*, etc. Cf. *toldo* (ô).]

toldável. *Adj. 2 g.* Sujeito a toldar-se.

tolderia. [Do esp. plat. *toldería.*] *S. f. Bras., PR* a *RS.* Grupo de toldos de índios.

toldo (ô). [Do germ., atr. do fr.] *S. m.* **1.** Cobertura de lona ou brim, destinada a abrigar, do sol e da chuva, porta, varanda, eirado, convés de embarcação, etc. **2.** *Bras., PR* a *RS.* Aldeamento de índios já semicivilizados. [Pl.: *toldos* (ô). Cf. *toldo*, do v. *toldar.*]

toledana. [Do lat. *toletana*, 'natural de Toledo'.] *S. f.* Espada fabricada em Toledo (Espanha): "As lanças dos dous contendores haviam-se feito pedaços, e o alfanje do mouro cruzou-se com a boa *toledana* do fronteiro de Beja." (Alexandre Herculano, *Lendas e Narrativas*, II, p. 92.)

toledano. *Adj.* **1.** De, ou pertencente ou relativo a Toledo (Espanha e PR). ● *S. m.* **2.** O natural ou habitante de Toledo. ~ V. *letra —a.*

toledense¹. *Adj. 2 g.* De, ou pertencente ou relativo a Toledo (MG). ● *S. 2 g.* **2.** Natural ou habitante de Toledo.

toledense². *Adj. 2 g.* **1.** De, ou pertencente ou relativo a Pedro de Toledo (SP). ● *S. 2 g.* **2.** Natural ou habitante de Pedro de Toledo.

toleima. [De *tolo* + *-eima.*] *S. f.* Qualidade ou estado de atoleimado; tolice: "as variadas formas da tolice escrita e da monstruosidade literária fornecem matéria que farte para os que se divertem em colecionar os espécimes mais representativos ou engraçados da *toleima* humana." (Eduardo Frieiro, *Os Livros Nossos Amigos*, p. 180).

toleirão. [De *tolo* + *-eirão.*] *Adj.* e *s. m.* Que ou aquele que é muito tolo; pateta, bobalhão, paio. [Fem.: *toleirona.*]

toleirona. *Adj. (f.)* e *s. f.* V. *toleirão.*

tolejar. [De *tolo* + *-ejar.*] *V. int.* Dizer ou praticar tolices. [Conjug.: v. *pelejar.*]

tolerabilidade. [Do lat. *tolerabilitate.*] *S. f.* Qualidade de tolerável.

tolerada. [Fem. substantivado de *tolerado.*] *S. f.* **1.** Prostituta inscrita nos registros administrativos e sujeita a inspeção e regulamentação policial. **2.** V. *meretriz.*

tolerado. [Part. de *tolerar.*] *Adj.* **1.** Que se tolera. **2.** Apreciado ou considerado com indulgência.

tolerância. [Do lat. *tolerantia.*] *S. f.* **1.** Qualidade de tolerante. **2.** Ato ou efeito de tolerar. **3.** Pequenas diferenças para mais ou para menos, permitidas por lei no peso ou no título das moedas. **4.** Tendência a admitir modos de pensar, de agir e de sentir que diferem dos de um indivíduo ou de grupos determinados, políticos ou religiosos. **5.** Diferença máxima admitida entre um valor especificado e o obtido; margem especificada como admissível para o erro em uma medida ou para discrepância em relação a um padrão.

tolerante. [Do lat. *tolerante.*] *Adj. 2 g.* **1.** Que tolera. **2.** Que desculpa; indulgente, benigno. **3.** Que admite e respeita opiniões contrárias à sua.

tolerantismo. [De *tolerante* + *-ismo.*] *S. m.* **1.** Opinião daqueles que defendem a tolerância religiosa. **2.** Sistema daqueles segundo os quais se devem tolerar num Estado todas as espécies de religião.

tolerar. [Do lat. *tolerare.*] *V. t. d.* **1.** Ser indulgente para com: *Tolerou as injúrias com perfeita resignação.* **2.** Consentir tacitamente: *O governo tolera a prostituição.*

tolerável. [Do lat. *tolerabile.*] *Adj. 2 g.* **1.** Que se pode tolerar; sofrível, patível: *dor tolerável.* **2.** Que não tem grandes defeitos: *O trabalho ficou tolerável.* **3.** Digno de indulgência: *falta tolerável.*

tolete (ê). [Do fr. *tolet*, este de or. germânica.] *S. m.* **1.** *Constr. Nav.* Pequena haste de madeira ou de metal, que se prende verticalmente na borda de certas embarcações miúdas a fim de servir de apoio ao remo, para remar: "O golpe das remadas, batendo compassadamente nos *toletes* e arrepiando a corrente, parecia remexer um turbilhão de estrelas no fundo tenebroso da água" (Ramalho Ortigão, *As Farpas*, I, p. 183). **2.** Pau aguçado com que os índios americanos caçam os crocodilos. **3.** *Bras.* Rolo de madeira, de fumo ou de outra coisa qualquer: "Apanhou o *tolete* de fumo de rolo, alisou a palha.' (Nélson de Faria, *Bazé*, p. 110.) **4.** *Bras. Pop.* Cagalhão. ♦ **Tolete da puíta.** *Bras., N.E.* Torno, à proa das jangadas, para enrolar a corda ou puíta do tauaçu.

toleteira. *S. f. Bras. Constr. Nav.* Cada uma das peças de madeira ou de metal, pregadas na borda de embarcação miúda, com um furo onde encaixa tolete (1) ou a forqueta do remo. [Cf. *chumaceira.*]

tolhedura. *S. f.* Excremento de ave de rapina.

tolheira. [Fem. substantivado de *tolheito.*] *S. f.* Embaraço, estorvo, tolhimento.

tolheito. [Part. irreg. de *tolher.*] *Adj. Ant.* e *prov. lus.* Tolhido.

tolher. [Do lat. *tollere.*] *V. t. d.* **1.** Embaraçar, estorvar, dificultar: *O peso da espada tolhia sua ação na luta.* **2.** Causar paralisia a; paralisar, entorpecer: *O frio tolheu-lhe os membros;* "Quis fugir, mas o medo parece que lhe *tolhia* as pernas." (Trindade Coelho, *Os Meus Amores*, p. 154). **3.** Pôr obstáculo a; opor-se a; embargar: *Era preciso tolher o avanço das tropas.* **4.** Não deixar manifestar-se; coibir: *A emoção tolheu a voz do orador. T. d. e i.* **5.** Proibir, impedir: *O medo tolhia-o de prosseguir na busca.* **6.** Privar (1): *A catarata tolheu-o da visão. P.* **7.** Ter paralisia; ficar imóvel.

tolhido. [Part. de *tolher.*] *Adj.* Entrevado, paralítico.

tolhimento. *S. m.* Ato ou efeito de tolher(-se).

tolice. *S. f.* **1.** Qualidade, ação ou dito de tolo; parvoíce, asneira, disparate, desconchavo, paspalhice, toleima. **2.** V. *vaidade* (5).

tolina. *S. f. Pop.* Logro ou burla a um tolo.

tolinar. *V. t. d. Pop.* Fazer tolina a.

tolineiro. *S. m. Pop.* Aquele que tolina.

tolo (ô). *Adj.* **1.** Que diz ou pratica tolices; sem inteligência ou sem juízo. **2.** Tonto, simplório, ingênuo. **3.** Boquiaberto, pasmado. [Sin. nestas acepç., muitos deles pop. ou de gíria e alguns bras.: *abestalhado, abobado, abobalhado, abobarrado, amalucado, aparvalhado, apatetado, apombocado, assonsado, atolado, atolambado, atoleimado, babaca, babão, babaquara, baboso, badó, bajoujo, basbaque, bobo, bobó, boboca, bocó, bolônio, calino, chapetão, débil, idiota, imbecil, leso, lorpa, maluco, mandu, paca, pacóvio, palerma, palúrdio, parvo, paspalhão, patego, pateta, patola, pongó, sambanga, saranga, sarango, soronga, sorongo, tabaca, tonto* e *zote.*] **4.** Vaidoso, presunçoso. **5.** Ridículo (pessoa ou coisa). **6.** Que não tem razão de ser; infundado: *receios tolos.* **7.** Que não faz sentido; disparatado. ● *S. m.* **8.** Indivíduo tolo. [Sin., nesta acepç., muitos deles pop. ou de gíria e alguns bras.: *aranha, arara, arigó-da-vazante, babaca, babão, babaquara, baboso, badana, badó, bajoujo, basbaque, belarmino, beldroegas, bobo, bobó, boboca, bocó, bolônio, cabaça, calino, coió, débil, gaivota, girolas, idiota, imbecil, leseira, leso, lorpa, maluco, mama-na-égua, mandu, mané, mané-coco, mané-do-jacá* ou *mané-jacá, manema, manembro, paca, pacóvio, palerma, palúrdio, pancrácio, pandorga, papalvo, papa-moscas, parvo, pascácio, paspalhão, patau, patego, pateta, patinho, pato, patola, patureba, pengó, pongó, sambanga, sarambé, saranga, sarango, sebastião, soronga, sorongo, tabaca, tongo, tonto* e *zote.* Aum. (referente só a pessoas): *toleirão* e *tolaz.* Flex.: *tola* (ô), *tolos* (ô), *tolas* (ô). Cf. *tola* e pl. *tolas.*] **9.** *Bras.* V. *sebastião* (1).

tolontro. [Do esp. *tolondro.*] *S. m.* **1.** Tumor causado por contusão. **2.** Caroço, tumor.

tolu. *S. m.* F. red. de *bálsamo-de-tolu.*

tolueno. [De *tolu* + *-eno.*] *S. m. Quím.* Líquido incolor, com cheiro característico, obtido na destilação do petróleo e do carvão, e usado como solvente. [Fórm.: $C_6H_5CH_3$.]

toluífero. [De *tolu* + *-i-* + *-fero.*] *Adj.* Que produz o bálsamo-de-tolu.

tom. [Do gr. *tónos*, 'tensão', atr. do lat. *tonu.*] *S. m.* **1.** Tensão, tono [q. v.]. **2.** Efeito de tonificar; fortaleza, vigor. **3.** Altura de um som: *tom agudo; tom grave.* **4.** Qualidade sonora da voz humana: *O tom de sua fala é muito suave.* **5.** *P. ext.* Inflexão da voz: *Respondeu em tom áspero.* **6.** Modo de expressar-se: *O tom da sua oratória é muito rebuscado.* **7.** Caráter, estilo: *O tom geral do filme é super-realista.* **8.** Cor, colorido, coloração, matiz; tonalidade: "E nisto a flor, sem mancha concebida, / Foi-se tornando como que dorida, / Tomando aquele *tom* violáceo, frouxo..." (Sabino Romariz, *ap.* Ad. Marroquim, *Terra das Alagoas*, p. 253.) **9.** V. *nuança* (1): *Decorou a sala em diversos tons de azul.* **10.** *Mús.* Intervalo de segunda maior formado por dois semitons, um cromático e um diatônico. **11.** *Mús.* Na antiga música da Grécia, o processo empregado, na falta de diapasão, para determinar a altura absoluta em que se localizava, na escala, o sistema que ia ser adotado; tropo. **12.** *Mús.* A altura de um som na escala geral dos sons; diapasão: *O tom padrão oficialmente adotado é o lá, de 440 vibrações duplas por segundo.* **13.** *Mús.* No sistema tonal clássico [v. *tonalidade* (3)], entoação dos sucessivos tons e semitons que caracterizam uma escala diatônica qualquer, assim como a própria escala em que está escrito qualquer trecho musical. [A palavra *tom* deve preceder o nome da tônica dessa escala e a indicação do respectivo modo (v. *modo* (12)), como, p. ex., *tom de dó maior, tom de fá sustenido menor*, mas é omitida com freqüência, ficando apenas subentendida, dizendo-se, p. ex., *uma sonata em sol maior, ou modular para ré menor*, etc.] **14.** *Mús.* O tom (13) principal em que está escrito um trecho musical, e em torno do qual se articulam os outros tons e os modos, que se sucedem no decorrer de uma composição feita segundo as regras da tonalidade (2): *modulação para um tom vizinho.* **15.** *Mús.* Até o séc. XVIII, a altura em que se afinavam os instrumentos. **16.** *Mús.* Cada um dos oito modos [v. *modo* (12)] usados na música gregoriana: *primeiro tom, segundo tom*, etc. **17.** *Mús.* Cada um dos tubos suplementares e móveis, de comprimentos diversos, que os instrumentistas intercalavam no circuito sonoro da trompa lisa e do trompete simples, para obter novas séries harmônicas, mediante a modificação do comprimento do tubo principal; mudança, pontilho, rosca, volta. **18.** *Mús. Desus.* Espaço entre os trastos divisórios do ponto de certos instrumentos de cordas, como a guitarra e as antigas violas. **19.** *Fon.* Fenômeno suprassegmental caracterizado por variações de altura no corpo do vocábulo, resultantes da velocidade e vibração das cordas vocais. ♦ **Sem tom nem som.** V. *sem trelho nem trabelho.*

toma¹. [Dev. de *tomar.*] *S. f.* Ato de tomar; tomada.

toma². [Da 2ª pess. sing. do imperat. de *tomar.*] *Interj.* Designa congratulação e, também, satisfação por ser alguém castigado de má ação ou de teimosia.

tomação. *S. f. Bibliogr.* **1.** Divisão de uma obra em tomos. **2.** O número correspondente a cada um desses tomos.

tomada. [De *tomar* + *-ada¹.*] *S. f.* **1.** Ato ou efeito de tomar; toma, tomadia. **2.** Conquista (de cidade, fortaleza, etc.). **3.** Pequena represa de água, para fim industrial. **4.** *Cin.* e *Telev.* Trecho de filme rodado ininterruptamente. **5.** *Tip.* Porção de linhas que o tipógrafo toma de cada vez, para distribuir ou paginar, transportando-as sobre um filete ou, mais geralmente, sobre a linha de compor. **6.** *Bras.* Ramificação duma instalação elétrica para ligar qualquer aparelho elétrico (ventilador, lâmpada, ferro de passar, etc.) **7.** *Eletr.* Peça que permite a conexão de um circuito a um circuito de alimentação. ♦ **Tomada de preços.** Consulta a diferentes fornecedores de bens ou de serviços para comparar preços e efetuar uma encomenda. [Cf. *concorrência* (5).]

tomadia. [De *tomada* + *-ia.*] *S. f.* **1.** V. *tomada* (1). **2.** Apreensão (de contrabando). **3.** A coisa apreendida.

tomadiço. [De *tomado* + *-iço.*] *Adj.* Que se agasta, se irrita, se toma de ira facilmente.

tomado. [Part. de *tomar.*] *Adj.* **1.** Agarrado, preso, seguro. **2.** Apreendido, seqüestrado. **3.** Ganho ou adquirido em luta ou à custa de muito trabalho; conquistado. **4.** Dominado, subjugado. **5.** *Bras. Gír.* V. *embriagado* (1). ~ V. *tomados.*

tomador (ô). [De *tomar* + *-(d)or.*] *S. m.* **1.** Aquele em favor de quem se fez um saque. **2.** Beneficiário da ordem de pagamento contida num título de crédito. **3.** Aquele que faz uma operação de crédito em favor de si mesmo. ● *Adj.* **4.** ~ V. *rolo —.*

tomados. [Pl. de *tomado.*] *S. m. pl.* **1.** Refegos em vestido de mulher; apanhados. **2.** Pontos com que se consertam as roupas. ~ V. *tomado.*

tomadura. [De *tomar* + *-(d)ura.*] *S. f.* Ferida que se forma no lombo da cavalgadura pelo roçar da sela ou da albarda.

toma-largura. [De *tomar* + *largura.*] *S. m. Bras. Ant. Burl.* Criado do paço; talaveira. [Pl.: *toma-larguras.*]

tomar. *V. t. d.* **1.** Pegar ou segurar em; empunhar: *A Nação tomou armas em defesa de sua soberania;*

"T o m a i as rédeas vós do Reino vosso." (Luís de Camões, *Os Lusíadas*, I, 18). **2.** Agarrar, segurar: "Dizendo isto. Constâncio t o m o u o chapéu e saiu." (Joaquim Manuel de Macedo. *Os Romances da Semana*. p. 27.) **3.** Suspender; sustentar, agüentar: *T o m o u a criança nos braços*. **4.** Apoderar-se, apossar-se, assenhorar-se de. **5.** Arrebatar, arrancar, tirar. **6.** Roubar, furtar: *Pouco a pouco t o m o u todos os bens que administrava*. **7.** Capturar, conquistar: *Napoleão t o m o u Lisboa*. **8.** Invadir, assaltar: "Louco, aflito, a saciar-me / D'agravar minha ferida, / T o m o u - m e tédio da vida, / Passos da morte senti" (Gonçalves Dias, *Obras Poéticas*, I, p. 343). **9.** Preencher, abranger, ocupar: *O quadro t o m a toda a parede*. **10.** Ocupar ou preencher a junta (7) de. **11.** Gastar, consumir (tempo): *O meu trabalho t o m a um terço do dia*. **12.** *Contratar, assalariar: Tomou dois criados*. **13.** Seguir (uma direção ou caminho); ganhar: *T o m o u a estrada da direita e seguiu em frente*. **14.** Receber, aceitar: *Só t o m o ordens de meu superior imediato*. **15.** Assumir, adotar, adquirir, apresentar: *T o m o u, ultimamente, ares de rico*; "Veneza ao pôr-do-sol t o m a aspectos nevoentos..." (Olegário Mariano, *Toda uma Vida de Poesia*, I, p. 38). **16.** Aspirar, sorver: *t o m a r rapé*. **17.** Comer (1): *t o m a r as refeições*. **18.** Beber, ingerir: *t o m a r água*; "Quintino Bocaiúva e eu fomos t o m a r chá." (Machado de Assis, *Páginas Recolhidas*, p. 161); "t o m a s à pressa o teu café com leite" (Bernardo Guimarães, *O Seminarista*, p. 29). **19.** Engolir o conteúdo de: *Tomou um copo de leite*. **20.** Ser salteado ou surpreendido por; receber, levar: "Ontem eu t o m e i um susto muito grande." (Helena Morley, *Minha Vida de Menina*, p. 7.) **21.** Ser alvo de, ou homenageado, etc., com (coisa imprevisível e/ou, em geral, maçante, incômoda): *Quando menos esperava, começaram a aplaudi-lo, e t o m e elogio, t o m e discurso*; "Você não vai ter paz, graças a mim! T o m e televisão, retrato no jornal, capa de revista..." (Chico Buarque de Holanda, *Roda-Viva*, p. 18); *Foi à sessão da Academia, e t o m e saudações e conferência*. **22.** *Mar*. Medir: *t o m a r a altura do Sol; t o m a r a distância à Terra*. *T. d. e i.* **23.** Tomar emprestado: "Certo indivíduo houve, que a título de empréstimo lhe t o m o u quantias mui avultadas" (Pe. Silvério Gomes Pimenta, *Vida de D. Antônio Ferreira Viçoso*, p. 341). **24.** Vestir, envergar: "De volta da missa, t o m a r a m de novo as suas alvas roupas de cassa" (José de Alencar, *Lucíola*, p. 178). *P.* **25.** Ser invadido (por um sentimento, uma emoção): *T o m o u - s e de horror aos avarentos; T o m a - s e de entusiasmo ante uma bela obra de arte*. **26.** Deixar-se persuadir ou influenciar: *Não s e t o m a dos conselhos que lhe dão*. **27.** Embeber-se, impregnar-se. **28.** Encher-se de bebida(s) espirituosa(s); embriagar-se, embebedar-se: "E vai o fidalgo e começou a t o m a r - s e de vinho, a ver se esquecia a sua desgraça." (Camilo Castelo Branco, *O Santo da Montanha*, p. 299.) ♦ **Tomar dentro.** *Chulo*. Ser pederasta passivo.

tomara. [Da 1ª pess. sing. do m.-q.-perf. ind. de *tomar*.] *Interj. Bras.* Prouvera a Deus; oxalá: "*Hélio era um pirralhinho. Em seu primeiro dia de aula foi logo dizendo: /— T o m a r a que essa escola comece as férias hoje!*" (Pedro Bloch, *Essas Crianças de Hoje*, p. 76.)

tomara-que-caia. [Da 1ª pess. sing. do m.-q.-perf. ind. de *tomar* + *que²* + a 3ª pess. sing. do pres. subj. de *cair*.] *Adj. 2 g.* e *2 n.* e *s. m. 2 n. Bras. Gír.* Diz-se de, ou peça de vestuário feminino que vai até a altura das axilas, sem nada que a prenda aos ombros ou ao pescoço.

tomarense. *Adj. 2 g.* **1.** De, ou pertencente ou relativo a Tomar (Portugal). ● *S. 2 g.* **2.** Natural ou habitante de Tomar; tomarista.

tomarista. *S. 2 g.* **1.** Tomarense (2). ● *S. f.* **2.** Freira da Ordem de Cristo.

tomasinense. *Adj. 2 g.* **1.** De, ou pertencente ou relativo a Tomasina (PR). ● *S. 2 g.* **2.** Natural ou habitante de Tomasina.

tomatada. *S. f.* Massa de tomate, que se utiliza para tempero ou em sopas, etc.

tomate. [Do náuatle *tomatl*, atr. do esp.] *S. m.* O fruto do tomateiro [q. v.]. ~ V. *tomates*.

tomate-do-amazonas. *S. m. Bras., Amaz.* Erva da família das solanáceas (*Lycopersicum humboldtii*), semelhante ao tomateiro, mas com frutos menores, que podem substituir o tomate comum. [Pl.: *tomates-do-amazonas*.]

tomate-grande. *S. m.* **1.** V. *tomateiro*. **2.** O fruto do tomate-grande. [Pl.: *tomates-grandes*.]

tomateira. *S. f.* V. *tomateiro*.

tomateiro. *S. m.* Erva da família das solanáceas (*Lycopersicum esculentum*), originária do Peru e cultivada no mundo inteiro graças ao fruto alimentar, o tomate, de baga vermelha carnosa e rica em vitamina C. Folhas moles e profundamente partidas; flores alvas, reunidas em cimeiras. Grande é o número de formas hortenses: *tomate-grande, tomate-pêra*, etc. [F. paral.: *tomateira*.]

tomate-pêra. *S. m.* **1.** *Bras.* V. *tomateiro*. **2.** O fruto do tomate-pêra. [Pl.: *tomates-peras* e *tomates-pêra*.]

tomates. [Pl. de *tomate*.] *S. m. Chulo.* Os testículos. ~ V. *tomate*.

tomba¹. *S. f.* **1.** Rodelo. **2.** *Encad.* Rótulo (2).

tomba². *S. f.* V. *espelina*.

tombada. [Fem. substantivado do adj. *tombado¹*.] *S. f. Bras., S.* V. *vertente* (3).

tombadilho. [Do esp. *tombadillo*.] *S. m. Constr. Nav.* **1.** Superestrutura levantada à popa, sobre o convés superior, e destinada a câmaras e alojamentos do comandante e de oficiais. [Nos navios à vela ia geralmente do mastro da gata à grinalda. Em alguns navios tal estrutura tinha mais de um pavimento.] **2.** O pavimento dessa superestrutura: "os dois oficiais amigos mantinham no t o m b a d i l h o, desde o arriar da bandeira, animada conversação" (Eugênio de Castro [o brasileiro], *Terra à Vista*, p. 22).

tombado¹. [Part. de *tombar¹*.] *Adj.* Caído, derribado, derrubado.

tombado². [Part. de *tombar²*.] *Adj.* Que se tombou; que foi objeto de tombamento.

tombadoiro. [De *tombar* + *-(d)oiro*.] *S. m.* V. *tombadouro*.

tombador¹ (ô). [Var. de *tombadouro* (q. v.).] *S. m.* **1.** *Bras., região do rio São Francisco.* Morro em forma de tabuleiro, com escarpa quase vertical sobre o rio. **2.** *Bras., N.* e *BA*. Encosta escarpada. **3.** *Bras., CE.* Terreno alto e garalmente pedregoso. **4.** *Bras., CE.* Terreno cheio de barrocas.

tombador² (ô). [De *tombar¹* + *-(d)or*.] *Adj.* **1.** Que tomba ou faz tombar. ● *S. m.* **2.** Aquele que tomba ou faz tombar. **3.** *Bras., N.E.* Trabalhador que, nos engenhos de banguê, leva as canas do picadeiro para a moenda.

tombadouro. [De *tombar* + *-(d)ouro*; var. de *tombadoiro*.] *S. m. Bras.* V. *tombador¹*.

tomba-las-águas. *S. m. 2 n. Bras., MA.* e *PE.* Tramba-las-águas.

tombamento¹. [De *tombar¹* + *-mento*.] *S. m.* Tombo¹ (1).

tombamento². [De *tombar²* + *-mento*.] *S. m.* Ato ou efeito de tombar² [v. *tombado²*.]

tombão. [De *tombar¹* + *-ão³*?] *S. m. Bras., BA. Pop.* Mar agitado.

tombar¹. [Onom. do ruído (*tumb*) de um objeto que cai.] *V. t. d.* **1.** Deitar ao chão; fazer cair; derribar: *A pedra atirada t o m b o u o ninho*; "O carroceiro arrastava o baú pesado, t o m b a n d o - o sobre a calçada" (Coelho Neto, *Turbilhão*, p. 300). *Int.* **2.** Cair no chão; cair: *O relógio escapou-lhe das mãos e t o m b o u*; "Como um roto mendigo, à porta dum vergel, / Sofregamente espreita algum fruto outoniço / A t o m b a r, já sem viço!" (Guerra Junqueiro, *A Velhice do Padre Eterno*, p. 217). **3.** Declinar, descair: *Embriagado, caminhava t o m b a n d o*. **4.** Descer, baixar; chegar, vir: "Vinha t o m b a n d o a noite silenciosa" (Guerra Junqueiro, *A Velhice do Padre Eterno*, p. 161). *P.* **5.** Cair para o lado. **6.** Virar-se, voltar-se. *T. i.* **7.** *Bras., NE. Pop.* Mudar de rumo, em viagem.

tombar². [De *tombo²* + *-ar²*.] *V. t. d.* **1.** Fazer o tombo² de; arrolar, inventariar, registrar: *T o m b o u as velhas lendas da região*. **2.** Pôr (o Estado) sob sua guarda, para os conservar e proteger (bens móveis e imóveis cuja conservação e proteção seja do interesse público, por seu valor arqueológico, ou etnográfico, ou bibliográfico, ou artístico).

tombeiro. *Adj. Bras., RS.* Diz-se do animal vacum que é manso. [Cf. *tambeiro* (3) e *tumbeiro*.]

tombense. *Adj. 2 g.* **1.** De, ou pertencente ou relativo a Tombos (MG). ● *S. 2 g.* **2.** Natural ou habitante de Tombos.

tombo¹. [Dev. de *tombar*.] *S. m.* **1.** Ato ou efeito de tombar¹; queda, tombamento. **2.** *Bras., MG* e outros estados. Designação comum a cachoeiras altas, volumosas, de queda vertical; cachão. **3.** *Pop.* Capacidade, inclinação, gênio de uma pessoa. ♦ **Dar um tombo em.** *Bras., S.* Causar prejuízo a.

tombo². [De *tumba*?] *S. m.* **1.** Inventário de terrenos demarcados. **2.** Registro de coisas ou fatos referentes a uma especialidade ou a uma região.

tombo-da-ladeira. *S. m. Bras., BA. Folcl.* Golpe que se desfere contra um capoeira² (5) em movimento em pleno ar, derrubando-o. [Pl.: *tombos-da-ladeira*.]

tômbola. [Do it. *tombola*.] *S. f.* **1.** Espécie de loto em que é preciso completar um cartão para ganhar. **2.** Jogo de azar que consiste em impelir, por meio de uma manivela, uma esfera de marfim sobre um tabuleiro com várias cavidades de cores diferentes, ganhando o jogador que tive previamente escolhido a cor sorteada. **3.** *Bras.* Espécie de loteria, de sociedade para fins beneficentes, com prêmios não em dinheiro, mas em objetos. [Cf. *tombola*, do v. *tombolar*.]

tombolar. *V. int.* Ganhar no jogo da tômbola. [Pres. ind.: *tombolo, tombolas, tombola*, etc. Cf. *tômbola*.]

▲tom(e)-. [Do gr. *tomé, ês*.] *El. comp.* = 'corte', 'incisão cirúrgica': *tomíparo*. [Equiv.: *tom(o)-, -tom(o)-, -tomo*: *tomotocia, prostatotomia, viscerótomo*.]

tomé. [Do antr. *Tomé*?] *S. m. Bras. Gír.* O fato de um parceiro, no jogo de cartas, parar subitamente de jogar. ♦ **Dar o tomé.** *Bras. Gír.* Retirar-se do jogo.

tome-juízo. [De *tomar* + *juízo*.] *S. m. Bras. Gír.* V. *cachaça* (1). [Pl.: *tome-juízos*.]

tomelista. [De *tomé* + *-l-* + *-ista*.] *S. 2 g. Bras. Gír.* Parceiro que, ganhando, abandona o jogo, dá o tomé.

tomentelo (ê). *S. m.* Dim. irreg. de *tomento*. ● *Adj.* ~ V. *folha —a*.

tomento. [Do lat. *tomentu*.] *S. m.* **1.** V. *tasco²* (1). **2.** Conjunto de pêlos curtos e densos que revestem um órgão ou parte dele. [Dim. irreg.: *tomentelo*.]

tomentoso (ô). *Adj.* Que tem tomento (2). ~ V. *folha —a*.

tomilhal. *S. m.* Quantidade mais ou menos considerável de tomilhos dispostos proximamente entre si.

tomilho. [Do esp. *tomillo*.] *S. m.* Erva da família das labiadas (*Thymus vulgaris*), originária da Europa, cultivada graças às propriedades aromáticas intensas, de flores pequenas e racemosas, e da qual se extrai um óleo essencial rico em timol, com apreciável poder anti-séptico; timo.

tomíparo. [De *tom(e)-* + *-i-* + *-paro*.] *Adj. Hist. Nat.* Diz-se de algumas plantas e de certos animais que se multiplicam por incisão ou corte.

tomismo. [Do antr. *Tom(ás)* + *-ismo*.] *S. m. Filos.* Doutrina escolástica de S. Tomás de Aquino, teólogo italiano (1225-1274), adotada oficialmente pela Igreja Católica, e que se caracteriza sobretudo pela tentativa de conciliar o aristotelismo com o cristianismo.

tomista. *Adj. 2 g.* **1.** Relativo ao, ou que é adepto do tomismo. ● *S. 2 g.* **2.** Adepto do tomismo.

tomístico. *Adj.* Relativo ou pertencente a S. Tomás de Aquino, ou ao tomismo [q. v.].

tomo. [Do gr. *tómos*, 'pedaço', pelo lat. *tomu*.] *S. m.* **1.** Unidade ideológica de uma obra, determinada pelo autor, e que pode coincidir ou não com divisão em volumes no trabalho editado: "Não é possível ver nessa obra [o *Direito das Obrigações*, de Clóvis Beviláqua], escrita num só t o m o de quatrocentas e poucas páginas, senão uma síntese .... de um tema que pediria mais largo desenvolvimento" (San Tiago Dantas, *Figuras do Direito*, p. 87). **2.** Divisão, parte. **3.** *Fig.* Valia, alcance, importância. ♦ **Ser o segundo tomo de.** Ser muito parecido, moral ou fisicamente, com (alguém).

▲tom(o)-. V. *tom(e)-*.

▲-tom(o)-. V. *tom(e)-*.

▲-tomo. V. *tom(e)-*.

tomografia. [De *tom(o)-* + *-graf(o)-* + *-ia*.] *S. f. Med.* Processo especial de exame radiológico que demonstra, com minúcia, imagens de órgãos existentes num plano predeterminado, diminuindo ou eliminando pormenores de imagens presentes em outros planos; planigrafia, estratigrafia. ♦ **Tomografia computadorizada.** *Med.* Forma de tomografia baseada na detectação, mediante equipamento próprio, de raios X transmitidos através de uma seção do corpo, deslocando-se a fonte emissora desses raios X em segundo movimento circular, e permanecendo o eixo do feixe de raios X, sempre, no mesmo plano. O instrumental inclui um computador acoplado, que reconstrói a imagem topográfica com base nos dados transmitidos e segundo um programa previamente estabelecido, além de gravá-la na memória e transmiti-la para um sistema de televisão.

tomográfico. *Adj.* Relativo à tomografia, ou ao tomógrafo.

tomógrafo. [De *tom(o)-* + *-grafo*.] *S. m. Med.* Aparelho com que se pratica a tomografia.

tomomania. [De *tom(o)-* + *mania*.] *S. f. Med.* **1.** Mania de realizar intervenção cirúrgica. **2.** Mania de sofrer intervenção cirúrgica.

tomomaníaco. *Adj.* Relativo à tomomania.

tomomino. *S. 2 g.* e *adj. 2 g. Bras.* Var de *temiminó*.

tomotocia. [De *tom(o)-* + *-toc(o)-* + *-ia*.] *S. f. Cir.* V. *cesariana*.

tomotócico. *Adj.* Relativo à tomotocia.

tona¹. [Do céltico *tunna*, 'pele, superfície', atr. do lat.

tardio *tunna*.] *S. f.* Casca tênue; película. ♦ **À tona. 1.** À superfície, ao lume, à flor (da água): 'Mergulhou, voltou à tona trazendo Dunga, manteve-o no ar com a mão esquerda." (Lia Correia Dutra, *Navio sem Porto*, p. 141.) **2.** À baila, à balha: *Quisera evitar o assunto, mas terminou vindo à tona; Na conversa, trouxeram à tona velhas recordações.*

tona². [F. red. de *inambutona*.] *S. f. Bras., MA.* V. *macuco.*

tona³. *S. f. Luso-asiát.* Barco de carga usado no Oriente; tone.

tonadilha. [Do esp. *tonadilla*.] *S. f.* Canção ligeira e rústica; toada, toadilha, tonilho, tono.

tonal. [Do lat. *tonu*, 'tom' + *-al*.] *Adj. 2 g. Mús.* Relativo ao tom, ou à tonalidade: *sistema tonal; modulações tonais.* [Cf. *tunal*.] ~ V. *língua* —.

tonalidade. [De *tonal* + *-i-* + *-dade*.] *S. f.* **1.** Cor, matiz, nuança; tom: "o nariz adunco .... põe uma tonalidade cor-de-rosa no seu carão pálido, de tresnoitado." (Ribeiro Couto, *A Cidade do Vício e da Graça*, p. 157). **2.** *Mús.* Conjunto de fenômenos harmônicos e melódicos que regem a formação das escalas e seu encadeamento, e decorrem diretamente de suas afinidades com um centro tonal, a tônica (2), e, por via indireta e secundária, da interdependência dos graus daquelas escalas, i. e., das atrações que umas notas ou graus exercem sobre outros, em determinados pontos da seqüência. [Enquanto os tons (v. *tom* [12 e 13]) são móveis, variando em altura (dó, dó sustenido, ré bemol, ré, ré sustenido, etc.) e modo (maior e menor), a tonalidade varia apenas quanto ao modo.] **3.** *P. ext.* O sistema tonal, surgido em fins do séc. XVI, e que estabeleceu as regras da tonalidade (2). **4.** *P. us.* Designação impr. de *tom* (13). **5.** *Ópt.* Atributo da sensação de cor que é diretamente associado à cor dominante de uma radiação policromática visível.

tonalito. [Do top. *Tonale* (Alpes italianos) + *-ito²*.] *S. m. Petr.* Variedade de diorito rica em quartzo, biotita e anfibólio.

tonalização. *S. f.* Ação de tonalizar.

tonalizar. [De *tonal* + *-izar*.] *V. t. d.* Dar tom ou tonalidade a.

tonante. [Do lat. *tonante*.] *Adj. 2 g.* **1.** Que troveja; trovejante. **2.** Que atroa. **3.** Forte, vibrante: "Descruza os braços e pra o céu os ergue; / Brônzea, tonante voz rouca e medonha, / Sobe do peito aos lábios arquejando, / E troveja este cântico de guerra" (Domingos José Gonçalves de Magalhães, *A Confederação dos Tamoios*, p. 83). [Cf. *tunante*.] ~ V. *gás* —.

tonar. [Do lat. *tonare*.] *V. int. Ant.* Trovejar. [Pres. subj.: *tone, tonemos, toneis*, etc. Cf. *tôni*, s. m.; *tonéis*, pl. de *tonel; tuneis*, do v. *tunar;* este verbo; e *túneis*, pl. de *túnel*.]

tonário. [Do gr. *tonárion*, 'pequena flauta para dar o tom aos cantores e oradores'.] *S. m. Mús.* V. *diapasão* (5).

tonca. [Do caribe, atr. do tupi amazonense *tõka*.] *S. f. Bras.* V. *fava-de-cheiro.*

tondinho. [Do it. *tondino*.] *S. m.* **1.** *Arquit.* Pequena moldura na base das colunas. **2.** *Anat.* Tarso (1).

tone. *S. m. Luso-asiat.* Tona³. [Cf. *tôni*.]

tonel. [Do fr. ant. *tonel*, hoje *tonneau*.] *S. m.* **1.** Vasilha grande para líquidos, formada de aduelas, tampos e arcos. **2.** Antiga unidade de medida de capacidade para líquidos, equivalente a duas pipas, ou seja, 9.583 hectolitros. **3.** *Fig.* V. *ébrio* (8). [Pl.: *tonéis*. Cf. *toneis*, do v. *tonar*, e *tuneis*, do v. *tunar*.]

tonelada. [De *tonel*.] *S. f.* **1.** Tonel cheio. **2.** *Fís.* Unidade fundamental de medida de massa no sistema MTS, igual a 1.000 kg. [Símb.: *t*.] **3.** Antiga unidade de medida de peso, equivalente a 13,5 quintais, ou seja, 793,238 quilogramas. ♦ **Tonelada americana.** Tonelada curta. **Tonelada curta.** Tonelada equivalente a 907 kg; tonelada americana. **Tonelada de arqueação.** *Mar. Merc.* Unidade de volume, convencional fixada em 100 pés cúbicos [= 2,83 metros cúbicos], usada para medir a capacidade total dos espaços internos de uma embarcação mercante. **Tonelada inglesa.** Tonelada longa. **Tonelada longa.** Tonelada equivalente a 1.016 kg; tonelada inglesa. **Tonelada métrica.** Unidade de peso ou de massa, equivalente a 1.000 kg.

tonelada-quilômetro. *S. f.* Unidade de medida de transporte, equivalente ao transporte de uma tonelada à distância de um quilômetro. [Pl.: *toneladas-quilômetros* e *toneladas-quilômetro*. Abrev. *t.km.*]

tonelagem. [Do fr. *tonnelage*?] *S. f.* **1.** A capacidade dum caminhão, trem, etc. **2.** Medida dessa capacidade. **3.** *Mar. Merc.* Tonelagem de arqueação [q. v.]. ♦ **Tonelagem bruta.** *Mar. Merc.* O volume de todos os espaços abertos e fechados de uma embarcação mercante. [Caracteriza o tamanho da embarcação.] **Tonelagem de arqueação.** *Mar. Merc.* Volume de todos os espaços internos de uma embarcação mercante, expresso em toneladas de arqueação. [Tb. se diz apenas *tonelagem*. É comum a confusão entre *tonelagem* e *deslocamento*. Verdadeiramente, uma significa capacidade interna da embarcação, e o outro, peso da embarcação, não coincidindo, pois, as respectivas expressões numéricas. No caso de navios mercantes, interessa conhecer-lhes mais a capacidade do que o peso; no caso de navios de guerra, não interessando a sua capacidade volumétrica, usa-se o deslocamento, i. e., o peso, com o fim de caracterizar-lhes o tamanho. Cf. *deslocamento* (5) e *porte* (7).] **Tonelagem de registro.** *Mar. Merc.* Tonelagem de arqueação [q. v.] que consta nos documentos de registro fornecidos a cada embarcação mercante pelas autoridades competentes do seu país. [Geralmente corresponde à tonelagem líquida.] **Tonelagem líquida.** *Mar. Merc.* O volume de todos os espaços internos de uma embarcação mercante, utilizáveis, para o transporte de carga e de passageiros. [Caracteriza o valor comercial da embarcação, e é em função dela que se calculam as taxas portuárias, as taxas de praticagem, etc., que a embarcação deve pagar.]

tonelame. [De *tonel* (1) + *-ame*.] *S. m. Mar. Ant.* Conjunto dos tonéis, pipas, etc., nos quais se armazenava água potável, a bordo dos navios.

tonelaria [De *tonel* (1) + *-aria*.] *S. f.* **1.** Tanoaria (1). **2.** V. *tanoa.*

tonelete (ê). [Do fr. *tonnelet*.] *S. m.* V. *escarcela* (2): "Chamava-se couraça às [armaduras] que revestiam o tronco, assentes sobre um corpete de couro, até à cintura, donde pendia a escarcela, fraldão, ou tonelete, feito de malhas pendentes como saio, ou de chapas que se articulavam nas peças inferiores do arnês ou da armadura completa." (Oliveira Martins, *A Vida de Nun'Álvares*, p. 154.)

toner (ô). *S. m. Tec.* Corante orgânico que se usa como portador da cor de certas tintas, onde está presente na forma de pequeninas partículas, por ser insolúvel no veículo.

tonganês. *Adj.* **1.** Do, ou pertencente ou relativo ao Reino de Tonga, arquipélago a sudeste do Pacífico (Oceania). ● *S. m.* **2.** O natural ou habitante do Reino de Tonga. [Flex.: *tonganesa* (ê), *tonganeses* (ê), *tonganesas* (ê).]

tongo. *S. m. Bras., PR. Pej.* V. *tolo* (8).

toni. *S. m.* Var. de *tôni* [q. v.].

▲toni-. [Do lat. *tonus, i*.] *El. comp.* = 'tom', 'vigor': *tonificar.*

tôni. [Adapt. do antr. ingl. *Tony*.] *S. m.* Palhaço de circo que faz papel de ingênuo, de pateta. [Var.: *toni*. Cf. *tone*, do v. *tonar* e s. m.]

tônica¹ [Fem. substantivado do adj. *tônico*.] *S. f.* **1.** *Gram.* Sílaba ou vogal tônica. **2.** *Mús.* O primeiro grau de uma escala diatônica qualquer. **3.** *Mús.* A nota que dá o seu nome ao tom sobre o qual se constrói essa escala: *A tônica da escala de fá maior é fá.* **4.** *P. ext.* O ponto a que se dá maior realce, em que se insiste mais, no tratamento ou debate de um tema, de um problema, de um assunto qualquer: *A tônica da reunião dos economistas foi a alta da Bolsa.*

tônica². *S. f.* F. red. de *água tônica.*

tonicidade. *S. f.* **1.** Qualidade ou estado de tônico. **2.** Estado em que os tecidos orgânicos mostram vigor ou energia.

tônico. [Do gr. *tonikós*, 'relativo ao tom', 'marcador de tensão'.] *Adj.* **1.** Relativo a tom (1). **2.** Que tonifica ou dá energia. **3.** *Gram.* Diz-se do elemento (vogal, sílaba) que recebe o acento de intensidade, ou icto. ~ V. *charada —a, sílaba —a* e *vogal* — *a*. ● *S. m.* **4.** Medicamento ou cosmético tônico, revigorante: *tônico para os nervos; tônico para a pele.*

tonificante. [De *tonificar* + *-nte*.] *Adj. 2 g.* Que tonifica.

tonificar. [De *ton(o)-* + *-i-* + *-ficar*.] *V. t. d.* **1.** Dar tom ou vigor a; fortalecer; avigorar, vigorar. *P.* **2.** Fortificar-se, robustecer-se. [Conjug.: v. *trancar*.]

tonilho. [Do esp. *tonillo*.] *S. m.* **1.** Tom débil. **2.** V. *tonadilha.*

toninha. [Do lat. tardio *thunnina*.] *S. f.* **1.** Atum de pouca idade. **2.** Designação comum aos mamíferos da ordem dos cetáceos, das famílias dos platanistídeos e delfinídeos, marinhos, especialmente a *Stenodelphis blainvillei* (Gerv.), *Sotalia brasiliensis* Van. Ben. e *Tursiops truncatus* (Mont.), das costas do Brasil, Uruguai e Argentina. [Sin., nesta acepç.: *franciscano*. Cf., nesta acepç., *peixe-boto*.]

tonismo. [De *ton(o)-* + *-ismo*.] *S. m.* Tétano (2).

tonitruância. *S. f.* Qualidade de tonitruante.

tonitruante. [Do lat. *tonitruante*.] *Adj. 2 g.* Que troveja; atroador; tonitruoso, tonítruo: "um Deus ainda javético, tonitruante como Júpiter" (Vitorino Nemésio, *Ondas Médias*, p. 328).

tonítruo. [Do lat. *tonitruu*.] *Adj.* V. *tonitruante*: "estilo tonítruo e oratório" (Álvaro J. da Costa Pimpão, *Gente Grada*, p. 24).

tonitruoso (ô). [Do lat. *tonitruu*, 'trovão', + *-oso*.] *Adj.* **1.** V. *tonitruante*. **2.** Sujeito a trovoadas.

tono. [Do lat. *tonu*, 'som'.] *S. m.* **1.** Tom de voz. **2.** V. *tonadilha*. **3.** Ária, modinha, cantiga. **4.** *Fisiol.* Contração muscular leve e contínua, normalmente presente; tônus.

▲ton(o)-. [Do gr. *tonos, ou*.] *El. comp.* = 'tensão'; 'acentuação', 'tom': *tonometria; tonismo.* [Equiv.: *-tono: átono* (< gr. *átonos*); *barítono* (< lat. *barytonu* < gr. *barýtonos*).]

▲-tono. Equiv. de *ton(o)-*.

tonometria. [De *ton(o)-* + *-metr(o)-²* + *-ia*.] *S. f.* **1.** *Fís.-Quím.* Investigação quantitativa da pressão de vapor de soluções líquidas, realizada, em geral, com o objetivo de determinar a massa molecular dos solutos. **2.** *Fís.-Quím.* Investigação do abaixamento da pressão de vapor de um solvente, provocado pela adição de um soluto. **3.** *Med.* Medida de tensão ou pressão, especialmente intra-ocular.

tonométrico. *Adj.* Relativo à tonometria.

tonômetro. [De *ton(o)-* + *-metro*.] *S. m. Med.* Aparelho para medir a tensão intra-ocular.

tonquim. [Do top. *Tonquim* (Ásia).] *S. 2 g.* **1.** Tonquinês (2). ● *S. m.* **2.** Tonquinês (3).

tonquinês. *Adj.* **1.** De, ou pertencente ou relativo ao Tonquim, antigo estado da Indochina francesa e atualmente parte do Vietnã [v. *vietnamita*]. ● *S. m.* **2.** O natural ou habitante do Tonquim; tonquim. [Flex.: *tonquinesa* (ê), *tonquineses* (ê), *tonquinesas* (ê).] **3.** A língua dessa região; tonquim. [V. *vietnamita*.]

tonsila. [Do lat. *tonsillas*, tornado sing.] *S. f. Anat.* V. *amígdala* (1).

tonsilar. *Adj. 2 g.* Pertencente ou relativo à tonsila. ~ V. *angina* —.

tonsilite. [De *tonsila* + *-ite¹*.] *S. f. Patol.* Inflamação da tonsila; amigdalite.

tonsura. [Do lat. *tonsura*.] *S. f.* **1.** Ato ou efeito de tonsurar. **2.** Corte circular, rente, do cabelo, na parte mais alta e posterior da cabeça, que se faz nos clérigos; cercilho, coroa. ♦ **Prima tonsura.** Cerimônia religiosa em que o prelado, conferindo ao ordinando o primeiro grau de clericato, lhe dá a tonsura (2).

tonsurado. [Part. de *tonsurar*.] *Adj.* **1.** Que se tonsurou; cercilhado. **2.** Tosquiado (1). ● *S. m.* **3.** Clérigo.

tonsurar. *V. t. d.* **1.** Praticar a cerimônia de prima tonsura em; cercilhar. **2.** Tosquiar (1).

tonta. *S. f. Bras., RN.* Modalidade valsada e sapateada do fandango, e cujos versos improvisados devem incluir referências ao Sol, porque a tonta é dançada e cantada unicamente ao raiar desse astro.

tontamente. [Do fem. de *tonto* + *-mente*.] *Adv.* De modo tonto; disparatadamente, com certa perturbação; às tontas.

tontas. [Fem. pl. substantivado de *tonto*.] *El. s. f. pl.* Us. na loc. adv. *às tontas.* ♦ **Às tontas.** À toa; sem tino; sem reflexão; atarantadamente, atonitamente: "abraçados para todo o sempre, levados às tontas no turbilhão de sangue e fogo, os dois amantes preferiam a união no inferno à separação no céu." (Olavo Bilac, *Crítica e Fantasia*, pp. 261-262); "As pretas corriam às tontas" (José de Alencar, *O Tronco do Ipê*, p. 176).

tontear. [De *tonto* + *-ear*.] *V. int.* **1.** Dizer ou fazer tolices ou disparates; disparatar; proceder como tonto. **2.** Estar tonto. **3.** Atrapalhar-se, atarantar-se, perturbar-se. **4.** Perturbar, turbar, alvoroçar, alvorotar, estontear: "O ar metia-lhe pelo nariz acima um aroma fino e raro, cousa de tontear, o aroma deixado por ela." (Machado de Assis, *Quincas Borba*, p. 116.) **5.** Ter tonturas. *T. d.* **6.** Perturbar, turbar, atordoar, alvoroçar, alvorotar, estontear: "O mesmo cuidado particular de Sofia, embora lhe fosse agradável, não o tonteava, como outrora." (Machado de Assis, *Quincas Borba*, p. 215); "Cinco anos depois, a musa desses versos é a moça feita, de extraordinária beleza [Ana Amélia], que tonteia o grande lírico [Gonçalves Dias], já aclamado como o maior poeta brasileiro." (Josué Montelo, *Estante Giratória*, p. 77). **7.** Atordoar, aturdir; estontear: "o reflexo da fogueira punha tons quentes de ouro queimado, e essa réstia de luz, caindo até meio rio, tonteava

as piranhas pretas" (Inglês de Sousa, *O Missionário*, p. 254). [Conjug.: v. *frear*.]
tonteira. *S. f.* **1.** Tontice (1). **2.** V. *vertigem* (1 e 2).
tontice. *S. f.* **1.** Ato, modos ou dito de tonto; tolice. **2.** Demência, idiotia.
tontilha. *S. f. Bras., RS.* V. *tirana*² (2).
tontina. [Do it. *tontina*.] *S. f.* **1.** Associação na qual os capitais dos sócios que morrem passam para os sobreviventes. **2.** O rendimento que recebe cada sócio duma destas associações. **3.** Qualquer operação financeira que se baseia na duração da vida humana.
tontinha. [Do fem. do adj. *tonto* + *-inha*.] *S. f. Bras., SP. Folcl.* Dança de roda de terreiro e salão, com o sistema da cana-verde e um sapateado semelhante ao do cateretê.
tonto. *Adj.* **1.** Que tem tontura; zonzo: *Ao sair da cama sentiu-se tonto e quase caiu.* **2.** Aturdido, estonteado, atordoado, azoinado, zoina, zonzo: *Fico tonto com muito barulho.* **3.** Idiota, demente. **4.** Simplório, ingênuo. **5.** V. *tolo* (1 a 3). **6.** *Bras.* V. *embriagado* (1). ~ V. *barata* —*a*. ● *S. m.* **7.** V. *tolo* (8).
tontonguê. *S. m. Bras.* Var. de *tantanguê*.
tontura. *S. f.* **1.** Estado de tonto, de zonzo: "Tontura gostosa dava a pinga forte do Gerôncio." (Mário Palmério, *Vila dos Confins*, p. 37.) **2.** V. *vertigem* (1 e 2).
tônus. [Do lat. *tonus*, atr. do fr.] *S. m. 2 n. Fisiol.* V. *tono* (4).
topa. [Dev. de *topar*.] *S. f.* Certo brinquedo de crianças.
topa-a-tudo. [De *topar* + *a*³ + *tudo*.] *S. m. 2 n. Lus.* Topa-tudo.
topada. [De *topar* + *-ada*¹.] *S. f.* **1.** Ato ou efeito de bater involuntariamente com a ponta do pé. **2.** V. *tropeção* (2). **3.** Choque, encontrão. ♦ **Dar uma topada.** *Fig.* Dar uma cabeçada (2).
topador (ô). [De *topar* + *-(d)or*.] *Adj.* **1.** *Bras.* Diz-se do animal que tropeça. **2.** *Bras., S. Gír.* Diz-se do indivíduo que topa ou aceita qualquer parada. ● *S. m.* **3.** *Bras., S. Gír.* Indivíduo topador.
topar. [De *top*, onom. de um choque brusco.] *V. t. d.* **1.** Encontrar, achar: *Quando menos esperava, topou o pequeno; Topou o velho amigo numa esquina.* **2.** Aceitar (a parada, no jogo): *O jogador apostou muito, mas os demais toparam a parada.* **3.** Jogar contra (todo o dinheiro que estiver na banca do jogo). **4.** Aceitar (uma proposta, um convite): *Topou a viagem.* *T. i.* **5.** Encontrar, achar: *Leio-lhe duas páginas, e topo em três imprecisões de estilo; Não consigo topar com deslizes nesse escritor.* **6.** Encontrar(-se), deparar: *Indo pela Rua do Ouvidor, topei com um velho amigo.* *T. c.* **7.** Dar com o pé: *Topou numa pedra.* **8.** Ir de encontro; encontrar-se, chocar-se: *Espadas topam em espadas, e o combate demora.* **9.** *Bras.* Ferir o boi de frente com aguilhada. **10.** *Bras. Gír.* Acordar, concordar: — *Quero ir agora a São Paulo — você topa? P.* **11.** Encontrar-se, deparar. [Pres. ind.: *topo*, etc. Cf. *topo* (ô).]
toparca. [Do gr. *topárches*, pelo lat. *toparcha*.] *S. m.* Chefe de uma toparquia.
toparquia. [Do gr. *toparchía*, pelo lat. *toparchia*.] *S. f.* Na Antiguidade, espécie de principado independente.
topárquico. *Adj.* Relativo ou pertencente à toparquia.
topatinga. [Do tupi *oba'tĩ*, 'rosto branco, cara pálida'.] *S. m. Bras.* Denominação que os aborígines davam aos holandeses, no tempo da invasão holandesa em PE (1630-1654).
topa-tudo. [De *topar* + *tudo*.] *S. m. 2 n. Bras.* Indivíduo que sempre busca aproveitar-se de tudo quanto se lhe oferece, ou que aceita ou topa qualquer incumbência, ainda que não tenha tempo e/ou competência para desempenhá-la. [Em Portugal, *topa-a-tudo*.]
topázio. [Do gr. *topazion*, pelo lat. *topaziu*.] *S. m. Min.* Mineral ortorrômbico, fluossilicato fluorífero de alumínio, pedra preciosa. ♦ **Falso topázio.** V. *citrino* (3).
tope. [Do germ.] *S. m.* **1.** Encontro ou choque de objetos. [Sin., p. us.: *topo*.] **2.** Cimo, sumidade, topo (ô): "Nos últimos ramos, lá no tope do jacarandá, havia o sertanejo armado a rede, em que se embalava." (José de Alencar, *O Sertanejo*, p. 66.) **3.** *Fig.* O mais alto grau. **4.** Laço de fita em chapéu, toucado, etc.: "O que arruinou tudo foi uma festa de cavalhada que fizeram para a Tudinha, o índio voltando todo ganjento com o tope de fita vermelha que ela tirou do cabelo e amarrou na ponta do ferro." (M. Cavalcanti Proença, *Manuscrito Holandês*, p. 80.) **5.** *Mar.* Extremidade superior do mastro ou do mastaréu: "No tope dos mastros flutuavam bandeirolas." (Eça de Queirós, *Últimas Páginas*, p. 201.) **6.** Pequeno círculo de metal, de cores diversas, usado nos bonés e barretinas militares, e que serve para distinguir a arma a que pertence quem o usa. **7.** Embaraço, obstáculo. **8.** *Bras.* Pião que, colocado num círculo, serve de alvo aos outros piões. **9.** *Bras.* Pancada com o bico de um pião sobre outro pião. **10.** Espécie, laia, **11.** *Bras.* Tamanho, altura: *O Chico é do meu tope.* **12.** *Bras.* Topada, tropeção.
topetada. [De *topete* + *-ada*¹.] *S. f.* Pancada com a cabeça; marrada.
topetar. [De *topete* + *-ar*².] *V. t. d.* **1.** Tocar com a cabeça. **2.** *Fig.* Subir ou ascender à altura de: *A árvore, altíssima, parecia topetar as nuvens.* **3.** Encimar, rematar: "um solidéu vermelho surgiu topetando uma cabeça empoada e frisada de príncipe da Igreja Patriarcal." (Júlio Dantas, *O Amor em Portugal no Século XVIII*, p. 124). **4.** Tocar o tope ou o ponto mais alto de; atingir. **5.** *Mar.* Atopetar (2). *T. i.* **6.** Bater com o topete ou a cabeça: *De tão alto, chega a topetar com o teto da casa.* **7.** Tocar no ponto mais alto. **8.** Alçar-se, elevar-se. [Pres. subj.: *topete, topetes*, etc. Cf. *topete* (ê) e pl. *topetes* (ê), e *atopetar*.]
topete. *S. m.* V. *topete* (ê).
topete (ê). [Do fr. *toupet*, aliás com e aberto.] *S. m.* **1.** Cabelo levantado na parte anterior da cabeça. **2.** Parte anterior e elevada da cabeleira do palhaço. **3.** Parte da crina do cavalo que cai sobre a testa. **4.** Penas alongadas que se levantam na cabeça de algumas aves. **5.** *Bras.* Atrevimento, ousadia: *Teve o topete de dizer tudo.* ♦ **Fazer suar o topete.** Molestar, incomodar, preocupar. [No Brasil é pouquíssimo us. a pronúncia *topete* (com e fechado). Pl.: *topetes* (ê). Cf. *topete* e *topetes*, do v. *topetar*.]
topeteira. [De *topete* + *-eira*.] *S. f.* Testeira (5).
topetuda. [Fem. substantivado do adj. *topetudo*.] *S. f. Bras., RJ.* V. *maria-é-dia* (1).
topetudo. [De *topete* + *-udo*.] *Adj.* **1.** Que traz topete. **2.** *Bras., S.* Diz-se do cavalo de grandes crinas, que lhe caem pelas costas. **3.** *Bras., N.E.* e *S.* V. *valentão* (1). **4.** Atrevido, ousado.
topiaria. [Do lat. *topiaria*.] *S. f.* Arte de adornar os jardins dando a uma planta ou a grupos de plantas configurações diversas. [Cf. *topiária*, fem. de *topiário*.]
topiário. [Do lat. *topiariu*.] *S. m.* Jardineiro que pratica a topiaria. [Fem.: *topiária*. Cf. *topiaria*.]
tópica. [Fem. substantivado do adj. *tópico* (3).] *S. f. Med.* Doutrina dos tópicos ou remédios tópicos.
tópico. [Do gr. *topikós*, 'local', pelo lat. *topicu*.] *Adj.* **1.** Relativo a lugar. **2.** Relativo precisamente àquilo de que se trata. **3.** Diz-se de medicamento externo. **4.** *Ret.* Diz-se dos lugares-comuns. ● *S. m.* **5.** Remédio tópico. **6.** *P. ext.* Medicamento, remédio. **7.** Ponto principal. **8.** Assunto, tema. **9.** *Bras.* Pequeno comentário de jornal, normalmente sobre assunto do dia; suelto, vária. ~ V. *tópicos*.
tópicos. [Pl. *tópico*.] *S. m. pl.* **1.** Lugares-comuns. **2.** Rudimentos, generalidades. ~ V. *tópico*.
topinambo. *S. m.* Grande erva (até 3,5 m) da família das compostas (*Helianthus tuberosus*), cultivada pelos tubérculos edules, que tem folhas ovadas, acuminadas, serreadas, em cima ásperas e pubescentes embaixo, vários capítulos amarelos, medindo 5 a 8 cm de diâmetro, e aquênios pilosos.
topiquista. *S. 2 g. Bras.* Autor de tópicos de jornal; sueltista.
topitá. [De provável or. indígena.] *S. m. Bras., PR.* Corte de folhas de erva-mate que se deixou para ser completado no dia seguinte.
➡**topless** (topléç). [Do ingl. *top-less*, 'sem a parte de cima'.] *Adj. 2 g.* e *s. m.* Diz-se de, ou indumentária feminina que deixa o corpo nu da cintura aos ombros: *biquíni topless; Surge o topless na praia de Ipanema.*
topo. [Dev. de *topar*.] *S. m. Desus.* Ato de topar; choque, embate; encontro, tope. [Pl.: *topos*. Cf. *topo* (ô) e pl. *topos* (ô).]
▲**top(o)-.** [Do gr. *tópos*, *ou*.] *El. comp.* = 'lugar, localidade': *toponímia; toporama*.
topo (ô). [Var. de *tope*.] *S. m.* **1.** A parte mais elevada; sumidade, cimo, tope. **2.** Fim, extremidade, ponta. **3.** Superfície ou lado de menor dimensão, numa chapa metálica ou tábua. [Pl.: *topos* (ô). Cf. *topo*, do v. *topar* e s. m., e pl. *topos*.] ♦ **De topo.** *Bras., SP.* De repente, de supetão.
topocêntrico. [De *top(o)-* + *-centr(o)-* + *-ico*².] *Adj.* ~ V. *ascensão reta* —*a*, *coordenadas* —*as*, *declinação* —*a*, *elongação* —*a* e *posição* —*a*.
topofobia. [De *top(o)-* + *-fobia*.] *S. f.* Medo mórbido a lugares.
topofóbico. *Adj.* Relativo à topofobia.
topófobo. *S. m.* Aquele que tem topofobia.
topografar. *V. t. d.* Fazer a topografia de. [Pres. ind.: *topografo*, etc. Cf. *topógrafo*.]
topografia. [De *top(o)-* + *-graf(o)-* + *-ia*.] *S. f.* **1.** Descrição minuciosa de uma localidade; topologia. **2.** Arte de representar no papel a configuração duma porção do terreno com todos os acidentes e objetos que se achem à sua superfície. **3.** Descrição anatômica e particularizada de qualquer parte do organismo humano.
topográfico. *Adj.* Referente à topografia. ~ V. *carta* —*a*, *levantamento* — e *planta* —*a*.
topógrafo. *S. m.* Especialista em topografia. [Cf. *topografo*, do v. *topografar*.]
topologia. [De *top(o)-* + *-log(o)-* + *-ia*.] *S. f.* **1.** Topografia (1). **2.** *Gram.* Tratado da colocação ou disposição de certas espécies de palavras. **3.** Parte da matemática na qual se investigam as propriedades das configurações que permanecem invariantes nas transformações biunívocas e bicontínuas.
topológico. *Adj.* Relativo à topologia. ~ V. *grupo* — e *propriedades* —*as*.
toponímia. *S. f.* Estudo lingüístico ou histórico da origem dos topônimos.
toponímico. *Adj.* Relativo à toponímia, ou a topônimos.
topônimo. [De *top(o)-* + *-ônimo*.] *S. m.* Nome próprio de lugar. Ex.: Europa, Espanha, Amazonas, Pará, Brasília, Maceió, Serra do Mar, Solimões.
toponomástica. [De *top(o)-* + *onomástica*.] *S. f.* Onomástica dos lugares.
toponomástico. *Adj.* Relativo à toponomástica.
toporama. [De *top(o)-* + *-orama*.] *S. m.* Panorama de um determinado lugar.
toporâmico. *Adj.* Relativo a toporama.
➡**topos.** [Gr.] *S. m.* Em obras de criação literária, motivo que aparece com freqüência; tema recorrente. [Pl.: *topoi*.]
topotipo. [De *top(o)-* + *-tipo*.] *S. m. Bot.* Exemplar oriundo da localidade donde procede o tipo, e cujos caracteres concordam com os deste.
toque¹. [Dev. de *tocar*.] *S. m.* **1.** Ato ou efeito de tocar; contato, tocamento. **2.** Pancada, choque. **3.** Som ou ruído produzido por atrito, choque ou percussão. **4.** Ato de tocar instrumentos. **5.** Som que determina a execução de certos atos, especialmente operações ou manobras militares: *toque de sinos; toque do tambor.* **6.** Aperto de mão como cumprimento. **7.** Retoque (2). **8.** Apuro artístico; esmero. **9.** *Fig.* Sinal, traço, marca: "O ambiente se transfigurara, os filetes de luz a escorrerem das barracas aumentavam o toque irreal." (Renard Pérez, *Os Sinos. O Tombadilho*, p. 77.) **10.** Dito picante; motejo, remoque. **11.** Sabor ou cheiro especial de certos vinhos. **12.** Mancha que denota início de putrefação na fruta. **13.** Título (12). **14.** *Fig.* Meio de conhecer ou de experimentar. **15.** *Med.* Exame digital. ♦ **Toque de Assuero.** *Med.* Excitação de gânglio nervoso existente na parte posterior de cada uma das fossas nasais, visando a despertar reflexos que supostamente curariam diversas enfermidades. **Toque de recolher.** **1.** Toque de corneta para militares se recolherem aos quartéis. **2.** Num país ocupado, ou que se acha em estado de sítio, interdição do trânsito de civis durante certo horário. **Toque de reunir.** **1.** Toque de corneta destinado a fazer com que os militares se reúnam para receber ordens. **2.** *Fig.* Exortação para uma ação comum. **Toque de silêncio.** **1.** Toque regulamentar que, nos quartéis, determina o silêncio necessário ao sono. **2.** Toque dado à beira do túmulo dos mortos a quem se prestam honras militares. **Toque maçônico.** Sinal com que os maçons, ao apertar das mãos, se dão a conhecer mutuamente. **A toque de caixa.** A toda a pressa: "Criada por decreto de 11 de agosto de 1827, a Academia [de Ciências Jurídicas e Sociais da Cidade de São Paulo] começava a funcionar a toque de caixa, mesmo sem estatutos, que só a 7 de novembro de 1831 seriam aprovados." (R. Magalhães Júnior, *Poesia e Vida de Álvares de Azevedo*, p. 4.)
toque². *S. m.* Denominação oriental do carbúnculo (1).
toque³. [Do fr. *toque*.] *S. m.* Chapéu de senhora, de copa arredondada e sem aba.
toquedá. *S. 2 g. Bras.* **1.** Indivíduo dos toquedás, tribo indígena do N. ● *Adj. 2 g.* **2.** Pertencente ou relativo a essa tribo.
toque-emboque. [De *tocar* + *embocar*.] *S. m.* Croqué. [Pl.: *toque-emboques*.]
toqueiro. [De *toco* (ô) + *-eiro*.] *S. m. Bras. Amaz.* Seringueiro que vende a borracha ao patrão.
toque-toque. [Da 2ª pess. sing. do imperat. de *tocar*, repetida.] *S. m. Bras.* Marcha acelerada: *Foi e voltou num toque-toque danado.* [Pl.: *toque-toques*.]
toquista. [De *toco* (ô) + *-ista*.] *S. m. Bras., RJ. Gír.*

Agente de polícia que conchava com ladrões, recebendo o toco ou quinhão do roubo.

▲-(t)or. Equiv. de *-(d)or.*

tora¹. [De *toro.*] *S. f.* **1.** Porção, pedaço. **2.** Grande tronco de madeira. **3.** *P. ext.* Cada uma das partes de uma árvore cortada. **4.** *Gír. mil.* Carne do rancho, correspondente a cada marmita. **5.** *Bras., RS.* Conversa rápida. **6.** *Bras., RS.* V. *sesta* (2). ◆ **Na tora.** *Bras. Gír.* Por meio violento; à força bruta; na marra, na raça. **Tirar uma tora.** *Bras.* **1.** Dormir um instante; cochilar, sestear: "o capitão já chegou? Se não chegou, me acordem quando chegar. E ia tirar uma tora." (Fernando Sabino, *O Homem Nu*, p. 60.) **2.** Brigar, lutar.

tora². *S. f.* Erva anual, da família das leguminosas (*Cassia tora*), ruderal nos trópicos do Velho e Novo Mundo, de folhas com quatro a seis folíolos obovados, membranáceos e pilosos, flores pequenas, solitárias, ou até três nas axilas foliares, e cujo legume, de 2 a 4 mm, é linear, longo e delgado.

tora³. [Do hebr. *tōrāh.*] *S. f.* e *m.* **1.** A lei mosaica; "No muro do fundo [da sinagoga] estava a Tora, o sagrado rolo da Lei, a tábua eterna do Sinai, pergaminho imenso e venerável" (Alberto Rangel, *Papéis Pintados*, p. 91). **2.** O livro que a encerra; o Pentateuco.

torá. *Bras. S. 2 g.* **1.** Indivíduo dos torás, tribo indígena xapacura do rio Marmelos, afluente direito do Madeira. ● *Adj.* **2.** Pertencente ou relativo a essa tribo. [Var.: *turá.*]

▲-tórace. V. *torac(o)-.*

torácico. [De *torac(o)-* + *-ico².*] *Adj.* **1.** Pertencente ou relativo ao tórax. **2.** Pertencente ou relativo aos torácicos. ~ V. *gaiola* —a. ● *S. m.* **3.** Espécime dos torácicos.

torácicos. *S. m. pl. Zool.* Animais artrópodes, crustáceos, cirrípedes, da ordem *Thoracica*, de corpo revestido pelo manto, com seis pares de apêndices no tronco. No grupo se incluem as cracas.

▲torac(o)-. [Do gr. *thórax, akos.*] *El. comp.* = 'tórax': *toracocentese.* [Equiv.: *-tórace* e *-tórax: eritrotórace, pneumotórax.*]

toracocentese. [De *torac(o)-* + *centese.*] *S. f. Cir.* Punção torácica que visa a promover o esvaziamento de um derrame.

toracografia. [De *torac(o)-* + *-graf(o)-* + *-ia.*] *S. f. Med.* Registro dos movimentos torácicos.

toracográfico. *Adj.* Relativo à toracografia.

toracometria. [De *torac(o)-* + *-metr(o)-* + *-ia.*] *S. f.* Mensuração do tórax.

toracométrico. *Adj.* Relativo à toracometria.

toracoplastia. [De *torac(o)-* + *-plast-* + *-ia.*] *S. f. Cir.* Remoção cirúrgica de algumas costelas a fim de propiciar o movimento para dentro de parte de parede torácica, promovendo o colapso de porção doente de um pulmão.

toracoplástico. *Adj.* Relativo à toracoplastia.

toracopneumia. [De *torac(o)-* + *-pneum(o)(n)-* + *-ia.*] *S. f. Med. Desus.* V. *pneumotórax.*

toracoscopia. [De *torac(o)-* + *-scop-* + *-ia.*] *S. f. Med.* Exame do tórax, principalmente o exame direto endoscópico de cavidade pleural.

toracoscópico. *Adj.* Relativo à toracoscopia.

toracostomia. [De *torac(o)-* + *-stom(a)-* + *-ia.*] *S. f. Cir.* Abertura construída cirurgicamente na parede torácica, visando drenagem.

toracostômico. *Adj.* Relativo à toracostomia.

toracostráceo. *S. m.* e *adj.* Podoftalmo.

toracostráceos. *S. m. pl. Zool.* Podoftalmos.

toracotomia. [De *torac(o)-* + *-tom(o)-* + *-ia.*] *S. f. Cir.* Incisão cirúrgica do tórax.

toracotômico. *Adj.* Relativo à toracotomia.

torado. [Part. de *torar.*] *Adj.* **1.** Feito em toros. **2.** *Bras.* Cortado muito curto; cortado rente: *cabelos torados.* **3.** V. *suru* (1).

toraí. [Talvez de or. indígena.] *S. m. Bras.* Peixe da Amazônia, da família dos silurídeos (*Phractocephalus hemiliopterus* (Schneider)). [Cf. *torai*, do v. *torar.*]

toral. [De *toro* + *-al.*] *S. m.* A parte mais grossa e forte da lança. [Cf. *toural.*]

toranja. [Do persa *turanj*, atr. do ár. *turūnjâ.*] *S. f.* **1.** Toranjeira. **2.** O fruto da toranjeira; turíngia. [Var.: *toronja.* Sin., ingl.: *grapefruit.*]

toranjeira. [De *toranja* + *-eira.*] *S. f.* Árvore da família das rutáceas (*Citrus decumana*), originária da Malásia, de lançamentos, pecíolos e ovários pubescentes, folhas com asas do pecíolo largas, flores em inflorescência multiflora, e cujo fruto, grande, arredondado, branco, vermelho ou alaranjado, é de casca grossa e pêlos sucosos. [Var.: *toronjeira.*]

torar¹. [De *toro* + *-ar².*] *V. t. d.* **1.** Partir em toros. **2.** *Bras., N.E.* e *MG.* Fazer em pedaços; partir, cortar. **3.** *Bras.* Cortar rente: *O barbeiro torou o teu cabelo.* [F. paral.: *atorar.* Pres. subj.: *tore*, ... *torem;* imperat.: *tora* .... *torai, torem.* Cf. *tóri, tori, torém* e *toraí.*]

torar². *V. int. Bras., SP.* V. atorar². [Pres. subj.: *tore*, ... *torem;* imperat.: *tora*, ... *torai, torem.* Cf. *tóri, tori, torém* e *toral.*]

tórax (cs). [Do gr. *thórax*, pelo lat. *thorax.*] *S. m. 2 n.* **1.** *Anat.* Conjunto que compreende a cavidade torácica, órgãos nela contidos (coração, pulmões, etc., e paredes que circunscrevem essa cavidade, situando-se entre o pescoço, acima, e o abdome, abaixo, e tendo como limites: acima, um plano levemente oblíquo dirigido para diante e para baixo, passando pelo ápice da apófise espinhosa da sétima vértebra cervical, e borda superior do esterno; abaixo, o músculo diafragma. **2.** Segmento intermediário do corpo dos insetos.

▲-tórax. V. *torac(o)-.*

torba. [Alter. de *turfa?*] *S. f. Bras., SP.* Terra negra, turfosa, própria das várzeas, empregada na fabricação de tijolos.

torbernita. [Do antr. *Torbern*, do químico sueco Torbern. O. Bergman (1736-1784), + *-ita³.*] *S. f. Min.* V. *uranita.*

torça. *S. f.* **1.** Pedra quadrilonga e esquadriada. **2.** Verga de porta; padieira, torçado. [Pl.: *torças.* Cf. *torça* (ô) e *torças* (ô), do v. *torcer.*]

torçado. [De *torça* + *-ado¹.*] *S. m.* V. *torça* (2).

torçal. [Do esp. *torzal.*] *S. m.* **1.** Cordão de fios de retrós. **2.** Cordão de seda com fios de ouro ou prata: "O vestido de montar era de fino droguete verde-garrafa com alamares de torçal de ouro" (José de Alencar, *O Sertanejo*, p. 29). **3.** *Bras. Cabresto (1).*

torçalado. *Adj.* Guarnecido com torçal ou torçais: "mobília pesada e negra, sobre pés finos e torçalados" (Xavier Marques, *As Voltas da Estrada*, p. 28).

torção. [Do lat. *tortione.*] *S. f.* **1.** V. *torcedura* (1). **2.** Cólica de certos animais, especialmente do cavalo. **3.** *Geom. Anal.* Grandeza *t* que se define por $db/ds = -t.$ n, onde b é um vector unitário na direção da binormal a uma curva de elemento de arco ds, e n é o vector unitário na direção da normal. **4.** *Fís.* Deformação de um sólido em que ocorrem deslocamentos circulares das camadas vizinhas, umas em relação às outras.

torcaz. [Do lat. vulg. *torquace < lat. *roques*, 'colar', ou do esp. *torcaz.*] *Adj. 2 g.* V. *pomba-trocal* (1).

torce. [Dev. de *torcer*, provavelmente.] *S. m. Bras.* Epizootia do gado eqüino do alto São Francisco.

torce-cabelo. [De *torcer* + *cabelo.*] *S. m. Bras.* Designação comum a certas espécies de abelhas sociais da família dos meliponídeos, gênero *Melipona:* enrola-cabelo, irapuã, sanharó, tujumirim. [Pl.: *torce-cabelos.*]

torcedela. *S. f.* Ação de torcer uma vez.

torcedor (ô). *Adj.* **1.** Que torce. ● *S. m.* **2.** Instrumento para torcer. **3.** Fuso (1). **4.** Certo engenho rústico. **5.** *Bras.* Antigo aparelho para extrair o suco da cana. **6.** *Bras.* Aquele que torce. V. *torcer* (11 e 12).

torcedura. *S. f.* **1.** Ato ou efeito de torcer; torção, torcilhão. **2.** *Restr.* Ato ou efeito de torcer (3); jeito. **3.** Sinuosidade, tortuosidade. **4.** *Fig.* Sofisma, evasiva. [Sin. ger.: *torcimento* e (p. us.) *torço.*]

torcel. *S. m. Bras.* V. *berne¹.* [Pl.: *torcéis.* Cf. *torceis*, do v. *torcer.*]

torcer. [Do lat. vulg. *torcere, por *torquere.*] *V. t. d.* **1.** Obrigar a se volver sobre si mesmo ou em espiral: "Na atitude convulsa do tormento, / Torcia e retorcia os magros braços..." (Antero de Quental, *Sonetos*, p. 97); "Torce, aprimora, alteia, lima / A frase" (Olavo Bilac, *Poesias*, p. 2); *torcer um pano molhado.* **2.** Dobrar, vergar, entortar: *torcer um ferro.* **3.** Deslocar, desarticular, desconjuntar: *torcer o tornozelo.* **4.** Alterar, desvirtuar, distorcer: *Torceu o sentido de minhas palavras.* **5.** Corromper, perverter, adulterar. **6.** Fazer mudar de rumo ou de tenção; desviar: *Este acontecimento torcerá o meu destino.* **7.** Fazer ceder; sujeitar; vencer: *Os bons argumentos o torceram.* **8.** Encurvar, encaracolar: *torcer um arame.* *T. d.* e *i.* **9.** Levar, induzir (para qualquer coisa): *Torceu as palavras amigas a um sentido de ironia.* *T. c.* **10.** Desviar-se, afastar-se, apartar-se: *A palavra, com o tempo, torceu da sua significação.* **11.** *Bras.* Simpatizar com um clube esportivo: *Torce pelo Flamengo.* **12.** *Bras.* Incentivar os jogadores de um clube esportivo, gritando, gesticulando, etc.: *Torceu para o seu clube até o último minuto.* **13.** Inclinar-se, pender, dobrar-se, vergar-se: *Com a ventania, a árvore torceu para a direita.* *Int.* **14.** Dar voltas. **15.** Mudar de direção. **16.** Desistir de um plano. **17.** Submeter-se, sujeitar-se. **18.** *Bras.* Gritar e gesticular (o espectador de uma partida esportiva) para animar os jogadores de sua simpatia. **19.** Acompanhar a ação de outrem por simpatia e desejo de que ele se saia bem. *P.* **20.** Dobrar-se, vergar-se, inclinar-se: *Os ramos da frágil árvore torcem-se ao vento.* **21.** Deixar-se seduzir ou peitar. **22.** Render-se, ceder: *Torceu-se à tentação da riqueza.* **23.** Anuir, assentir. **24.** Contrair-se pelo desespero ou pela dor; contorcer-se. [Muda o c do radical em ç antes de o e a: *torço* (ô), *torças* (ô), *torça* (ô), etc. O o é aberto nas formas rizotônicas: *torces, torce, torcem.* Pres. ind.: *torço* (ô), *torces, torce, torcemos, torceis, torcem;* pres. subj.: *torça* (ô), *torças* (ô), etc.; part.: *torcido* e *torso.* Cf. *torça*, s. f., pl. *torças; torcéis*, pl. de *torcel* e *torso* (ô), s. m.]

torcicolado. *Adj.* Que torcicola; em torcicolos.

torcicolar. *V. int.* Descrever ou fazer torcicolos, rodeios; serpentear, serpear, serpejar, ziguezaguear: "o pessoal da cidade olhava para a encosta fronteiriça, doutra banda do rio, por onde torcicolava a estrada que levava para a Prata." (Bernardo Élis, *Veranico de Janeiro*, p. 124.)

torcicolo. [Do it. *torcicollo.*] *S. m.* **1.** Volta tortuosa; rodeio, sinuosidade. **2.** *Med.* Estado de contração de músculos cervicais, levando a torção do pescoço e posição anormal da cabeça. **3.** *Fig.* Ambigüidade, equivocação. [Var.: *torticolo.*]

torcida¹. [De *torcer* + *-ida.*] *S. f.* **1.** *Bras.* Ato ou efeito de torcer (12). **2.** *Bras.* Coletividade de adeptos de um clube esportivo; grupo de torcedores; galera.

torcida². [Fem. substantivado de *torcido.*] *S. f.* **1.** Mecha de candeeiro ou de vela; pavio. **2.** Objeto semelhante a uma torcida. **3.** *Bras., BA.* Enchimento do charuto, formado de folhas de fumo enroladas.

torcido. [Part. de *torcer.*] *Adj.* **1.** Que se torceu: *fios torcidos.* **2.** V. *torto* (1): "parou a chuva; correm sussurrando / Os torcidos regatos vagarosos" (Correia Garção, *Obras Poéticas e Oratórias*, p. 7).

torcilhão. [De *torcer.*] *S. m.* **1.** V. *torcedura* (1). **2.** Objeto torcido irregularmente.

torcimento. *S. m.* V. *torcedura.*

torcível. *Adj. 2 g.* Que se pode torcer.

torço (ô). [Dev. de *torcer.*] *S. m.* **1.** V. *torcedura.* **2.** *Bras.* Xale ou manta que se enrola na cabeça à guisa de turbante: "Mulheres, mais de cinqüenta, de torço, de bata, saia rodada, a pele negra ou mulata destacando-se das roupas alvas." (Vasconcelos Maia, *O Leque de Oxum*, p. 27.) [Cf. *torso.*]

torcular¹. [Do lat. *torculu*, 'lagar, prensa', + *-ar¹.*] *Adj. 2 g.* Que tem forma de tórculo. ◆ **Torcular de Herófilo.** *Anat.* Confluência dos seios venosos da dura-máter.

torcular². [De *tórculo* + *-ar².*] *V. t. d.* Alisar ou polir com tórculo. [Pres. ind.: *torculo*, etc. Cf. *tórculo.*]

tórculo. [Do lat. *torculu*, 'lagar, prensa'.] *S. m.* **1.** *Ant.* Aparelho dotado de mós, para polir pedras preciosas. **2.** *P. us.* V. *prensa de talho-doce.* **3.** Prelo tipográfico primitivo, feito à semelhança da prensa de lagar. [V. *prelo manual.* Cf. *torculo*, do v. *torcular.*]

tordião. [Do fr. *tordion* < *tordre*, 'torcer'.] *S. m.* Dança do séc. XVI, em compasso ternário, variante da galharda.

tordilhada. *S. f. Bras. RS.* Porção de animais cavalares tordilhos.

tordilho. [De *tordo* + *-ilho.*] *Adj.* **1.** Que tem colorido semelhante ao do tordo (1). **2.** Diz-se do cavalo de pêlo negro com manchas brancas que lembram a plumagem do tordo (1). ● *S. m.* **3.** Cavalo tordilho: "Montava um belo tordilho, ajaezado com sela de marroquim" (Eduardo Frieiro, *O Mameluco Boaventura*, p. 21).

tordo (ô). [Do lat. *turdu.*] *S. m.* **1.** Gênero de pássaros da família dos turdídeos, de plumagem de fundo branco-sujo, com manchas escuras. [Cf. *sabiá* (1).] **2.** Certo peixe do Mediterrâneo.

toré. [Var. desnasalada de *torém.*] *S. m.* **1.** *Bras.* Trombeta indígena, feita de taquaruçu, em forma de porta-voz com boca de sino, e que produz sons roucos e lúgubres; boré. **2.** Dança selvagem, semelhante ao coco² (ô) (1) pela coreografia e pela música. **3.** *Bras., PE.* Cerimônia religiosa dos índios pancarus. **4.** *Bras., AL.* Dança guerreira e canto dos caboclos, ao som de pífaros e trombetas, durante o auto dos quilombos. **5.** *Bras., AL.* V. *quilombo* (2). **6.** *Bras.* Variante de catimbó em que os caboclos baixam para indicar remédios, como nos candomblés de caboclo.

torém¹. [De or. tupi, decerto.] *S. m. Bras.* V. *umbaúba.* [Cf. *torem*, do v. *torar.*]

torém². [Do tupi *to'rē*, 'torto'.] *S. m. Bras.* Toré [q. v.]. [Cf. *torem*, do v. *torar.*]

torena. *Adj.* e *s. m. Bras., S.* **1.** Diz-se de, ou homem elegante, bem-posto, forte, valente, ou exímio nalgum mister. **2.** V. *valentão* (1 e 3). [Aum.: *torenaço.*]

torenaço. [De *torena* + *-aço.*] *Adj.* e *s. m. Bras., S.*

Aum. de *torena*.
torengo. [De *torar,* provavelmente.] *Adj.* e *s. m. Bras., PE. Pop.* Diz-se de, ou indivíduo de pequena estatura.
toreumatografia. [Do gr. *tóreuma, atos,* 'obra de cinzel', + *-graf(o)-* + *-ia.*] *S. f.* Descrição dos monumentos esculpidos, em especial os antigos baixos-relevos.
toreumatográfico. *Adj.* Relativo à toreumatografia.
toreumatógrafo. *S. m.* Especialista em toreumatografia.
toreumatologia. [Do gr. *tóreuma, atos,* 'obra de cinzel', + *-log(o)-* + *-ia.*] *S. f.* O estudo da torêutica.
toreumatológico. *Adj.* Relativo à toreumatologia.
toreuta. [Do gr. *toreutés,* pelo lat. *toreuta.*] *S. 2 g.* Especialista em torêutica; cinzelador.
torêutica. [Fem. substantivado de *torêutico.*] *S. f.* Arte ou processo de esculpir ou cinzelar sobre metais, marfim ou madeira, etc.; "o antropomorfismo mineiro é tão cioso da natureza caseira, que põe anjos machos e fêmeas na profusa torêutica dos altares." (Vitorino Nemésio, *O Segredo de Ouro Preto,* p. 235.)
torêutico. [Do gr. *toreutikós.*] *Adj.* Relativo à, ou próprio da torêutica.
torga. [Do lat. *torica < toru, 'toro', 'nó'.] *S. f. Lus.* **1.** V. *urze* (1). **2.** Raiz de urze, da qual se faz carvão. [Var.: *torgo.*]
torgal. [De *torga* (1) + *-al.*] *S. m. Lus.* Quantidade mais ou menos considerável de torgas dispostas proximamente entre si.
torgo. *S. m. Lus.* Var. de *torga.*
tori[1]. [Do jap. *torii.*] *S. m.* Portão típico colocado, em regra, à entrada dos templos japoneses. [Cf. *tóri,* s. m., e *tore,* do v. *torar.*]
tori[2]. *S. m. Bras., PA.* Buzina dos índios parintintins. [Cf. *tóri,* s. m., e *tore,* do v. *torar.*]
tóri. [Do ingl. *tory.*] *Adj.* e *s. m.* **1.** Diz-se do, ou o partido conservador, no Reino Unido da Grã-Bretanha. **2.** Diz-se de, ou membro desse partido. [Cf. *whig; tore,* do v. *torar;* e *tori,* s. m.]
tória. *S. f. Quím.* Dióxido de tório, sólido cristalino, branco. [Fórm.: ThO_2.]
torianita. *S. f. Min.* Óxido de tório e urânio, cristalino, cúbico, negro ou pardo.
torilo. [De *toro.*] *S. m. Morfol. Veg. P. us.* Ponto do pedúnculo de onde nasce a flor; toro.
tório. [Do mit. *Thor,* deus do trovão na mitologia escandinava, + *-io*[2].] *S. m. Quím.* Elemento de número atômico 90, metálico, acinzentado, denso, radioativo, fissionável. [Símb.: *Th.*]
▲-(t)ório. Equiv. de *-(d)ouro*[1].
torita. [De *torio* + *-ita*[3].] *S. f. Min.* Mineral tetragonal, silicato de tório; minério de tório.
toritamense. *Adj. 2 g.* **1.** De, ou pertencente ou relativo a Toritama (PE). ● *S. 2 g.* **2.** Natural ou habitante de Toritama.
torixorino. *Adj.* **1.** De, ou pertencente ou relativo a Torixoreu (MT). ● *S. m.* **2.** O natural ou habitante de Torixoreu.
tormenta. [Do lat. tardio *tormenta.*] *S. f.* **1.** Temporal violento. **2.** *Fig.* Grande barulho. **3.** *Fig.* Desordem, agitação.
tormento. [Do lat. *tormentu.*] *S. m.* **1.** Ato ou efeito de atormentar(-se). **2.** Suplício, tortura. **3.** Angústia, aflição. **4.** Desgraça, miséria.
tormentório. *Adj.* **1.** Relativo a tormenta. **2.** Em que há tormentas. [Sin. ger.: *tormentoso.*]
tormentoso (ô). *Adj.* **1.** Tormentório. **2.** *Fig.* Que causa tormentos. **3.** Trabalhoso, custoso, árduo.
torna[1]. [Dev. de *tornar*] *S. f.* **1.** Aquilo que, além do objeto que se troca por outro, se dá para igualar o valor deste; volta. **2.** Compensação dada a outro(s) por um co-herdeiro mais favorecido na partilha, a fim de igualar os quinhões. [Cf. *licitação* (2).] **3.** Reposição em dinheiro.
torna[2]. *S. f.* Espécie de pálio indiano.
tornada[1]. [De *tornar* + *-ada*[1].] *S. f.* **1.** Ato ou efeito de tornar. **2.** A meia estrofe (três versos) com que terminam, de ordinário, as sextinas; envio, remate. **3.** *Bras.* Banco de areia no fim dos cabedelos.
tornada[2]. [De *torno* (ô) + *-ada*[1].] *S. f.* Líquido que sai duma vasilha, tirada a chave da torneira.
tornadiço. [De *tornar* + *-(d)iço.*] *Adj.* **1.** Que torna ou volta. **2.** Renegado, desertor. **3.** Apóstata, abjurador.
tornado. [Do esp. *tornado.*] *S. m.* Fenômeno meteorológico que se manifesta por uma grande nuvem negra, donde vai saindo um prolongamento, parecido a uma tromba de elefante, o qual, torneando rápido, desce até à superfície da Terra, onde produz forte remoinho e eleva pó, destelha casas, arranca árvores, etc. [Fenômeno semelhante, quando ocorre no mar, chama-se *tromba-d'água.*]
tornadura. [De *tornar* + *-(d)ura.*] *S. f.* Instrumento com que se torcem arcos e vimes.
torna-fio. [De *tornar* + *fio.*] *S. m.* Peça de ferro que os penteeiros usam para aguçarem as ferramentas. [Pl.: *torna-fios.*]
tornar. [Do lat. *tornare,* 'lavrar ao torno (ô)'; 'dar voltas (a um objeto)'.] *V. t. c.* **1.** Voltar, regressar, vir, retornar: *O trem tornou de Paris;* "Batista passeava, as mãos nas costas, os olhos no chão, suspirando, sem prever o tempo em que os conservadores tornariam ao poder." (Machado de Assis, *Esaú e Jacó,* p. 141); "Torna a meu leito, Colombina!" (Manuel Bandeira, *Estrela da Vida Inteira,* p. 62). *Int.* **2.** Voltar ao lugar de onde saíra; volver ao ponto de partida: *Já estava na metade do caminho, quando tornou;* "há idéias que são da família das moscas teimosas: por mais que a gente as sacuda, elas tornam e pousam." (Id., *Várias Histórias,* p. 46); "Ó meu coração, torna para trás." (Camilo Pessanha, *Clepsidra e Outros Poemas,* p. 177). **3.** Manifestar-se novamente; ressurgir; reviver: *Com a recuperação da saúde, sua alegria tornou. T. d.* **4.** Responder; replicar: *Espicaçado, o jovem tornou: — Não me venham com provocações! T. d. e i.* **5.** Fazer voltar; restituir: *Tornou o anel à sua dona;* "vira uma pastora no caminho a tornar à manada uma cabra que se desgarrara" (Camilo Castelo Branco, *Noites de Lamego,* p. 88). **6.** Trasladar de uma língua para outra; traduzir: *Tornou* Madame Bovary *em português.* **7.** Transformar, mudar: *Na missa, o padre torna a água e o vinho em sangue de Cristo;* "um milagre profundo, que tornara a Morte em Vida, como só os tinham feito os homens Apostólicos, depois do Senhor." (Eça de Queirós, *Últimas Páginas,* p. 300). *Transobj.* **8.** Converter em; fazer: "A maldita política dividiu a população, azedou os ânimos, avivou a intriga, e tornou insuportável a vida nos lugarejos da beira do rio." (Inglês de Sousa, *Contos Amazônicos,* p. 59); "Fazer arte é querer tornar o mundo mais belo" (Fernando Pessoa, *Páginas de Doutrina Estética,* p. 63). *P.* **9.** Tornar (1): *Dez anos depois tornei-me à terra natal;* "Reis e vassalos, servos e senhores / Tornam-se em breve tempo à cinza pura, / Servem de pasto a vermes roedores." (José da Natividade Saldanha, *ap.* Sérgio Buarque de Holanda, *Antologia dos Poetas Brasileiros da Fase Colonial,* II, p. 257.) **10.** Recorrer, apelar: *Velho e sem amigos, não tem a quem se tornar.* **11.** Vir a ser; fazer-se: *O calor tornou-se abafador;* "Porque o anarquista é .... um socialista que se tornou herético." (Eça de Queirós, *Ecos de Paris,* pp. 196-197.) **12.** Converter-se, transformar-se; fazer-se: *O ferimento tornou-se em tumor maligno.* **13.** Fazer-se, ficar: "E o vermelho oleoso do seu rosto / Tornava-se amarelo dia a dia" (Guerra Junqueiro, *A Velhice do Padre Eterno,* p. 157). [Pres. ind.: *torno, tornas,* etc.; pres. subj.: *torne,* .... *torneis, tornem.* Cf. *torno* (ô), s. m., e *tornéis,* pl. de *tornel.*]
tornassol. [De *tornar* + *sol*[1].] *S. m. Quím.* Indicador de pH extraído de certos liquens, azul em meio alcalino, vermelho em meio ácido. [Pl.: *tornassóis.*]
torna-viagem. [De *tornar* + *viagem.*] *S. f.* **1.** Volta de uma viagem por mar. **2.** Vinda, regresso, retorno. **3.** *Fig.* Refugo, rebotalho, resto. [Pl.: *torna-viagens.*]
torneado. [Part. de *tornear*[1].] *Adj.* **1.** Feito ao torno. **2.** Roliço, redondo, cilíndrico. **3.** *Fig.* Bem contornado como se fora feito ao torno. **4.** Escrito e redigido com elegância.
torneador (ô). *Adj.* **1.** Que torneia. ● *S. m.* **2.** Indivíduo que torneia. **3.** Banco sobre o qual se fazem as rodas das seges. **4.** Instrumento que os espingardeiros usam para abrir escorvas.
torneamento. *S. m.* Ato ou efeito de tornear[1]; torneio.
tornear[1]. [De *torno* (ô) + *-ear.*] *V. t. d.* **1.** Fabricar ao torno (1); afeiçoar, modelar, lavrar ao torno (1): *Torneou um pedaço de jacarandá.* **2.** Dar forma redonda, cilíndrica, arredondada ou roliça a: *O artista soube tornear com perfeição o busto da atriz.* **3.** Polir, aprimorar: *tornear uma frase.* **4.** Cingir, rodear: *O riacho torneia o seu sítio; Torneia-lhe o pescoço um afogador de pérolas barrocas.* [Conjug.: v. *frear.*]
tornear[2]. [De *torneio*[2] + *-ear.*] *V. int.* Andar em torneio ou justa. [Conjug.: v. *frear.*]
tornearia. [De *tornear*[1] + *-aria.*] *S. f.* Arte ou oficina de torneiro.
torneável. [De *tornear*[1] + *-vel.*] *Adj. 2 g.* Que se pode tornear[1].
torneio[1]. [Dev. de *tornear.*] *S. m.* **1.** Torneamento. **2.** Elegância de frase. **3.** Flexibilidade ou elegância de formas.
torneio[2]. [Dev. do provenç. *torneiar,* 'fazer evoluções girando de um lado para outro'.] *S. m.* **1.** Justa[1] (1). **2.** Competição esportiva; certame. **3.** *Fig.* Polêmica, controvérsia, discussão.
torneira. [De *torno* + *-eira.*] *S. f.* **1.** Tubo com uma espécie de chave, usado para reter ou deixar sair um fluido contido em vaso, barrica, etc. **2.** A chave desse tubo.
torneiro. *S. m.* Artífice que trabalha ao torno (1).
torneja (ê). [De *torno*?] *S. f.* Cada uma das cavilhas situadas na extremidade do eixo do carro, e que evitam que as rodas saiam, ou que saia a maça onde entram os raios das rodas.
tornejado. [Part. de *tornejar.*] *Adj.* Curvo, encurvado, arredondado.
tornejamento. *S. m.* Ato ou efeito de tornejar.
tornejar. [De *torno* (ô) + *-ejar.*] *V. t. d.* **1.** Dar forma de curva a; encurvar. **2.** Dar volta a; andar à roda de; contornar, tornear. *Int.* **3.** Encurvar-se, recurvar-se. **4.** Dar volta: "Sobrevoou [o avião] as colinas da margem, ... e, numa larga curva, tornejou para a banda do mar, de que a cidade e o posto o separavam." (Joaquim Paço d'Arcos, *Neve sobre o Mar,* pp. 24-25.) **5.** Ser curvo. [Conjug.: v. *pelejar.*]
tornel. [De *torno.*] *S. m.* **1.** Argola cravada na extremidade duma haste, sobre a qual gira. **2.** Cada uma das peças móveis que atravessam as testeiras da serra e nas quais se fixam as extremidades da lâmina da mesma serra. [Pl.: *tornéis.* Cf. *torneis,* do v. *tornar.*]
tornilheiro. [Do esp. *tornillero.*] *Adj.* e *s. m.* Diz-se de, ou soldado desertor.
tornilho. [Do esp. *tornillo.*] *S. m.* **1.** Castigo que se infligia aos soldados apertando-lhes uma espingarda ao pescoço e outra nas curvas das pernas, o que os obrigava a curvarem-se. **2.** *Fig.* Lance apertado; aperto, apertura.
torninho. [Dim. de *torno.*] *S. m.* Torno pequeno, usado por serralheiro ou ferreiro para apertar as peças que querem limar; torno.
torniquete (ê). [Do fr. *tourniquet.*] *S. m.* **1.** Cruz móvel posta horizontalmente à entrada de rua ou estrada, etc., para impedir a passagem de veículos. [Cf. *molinete* (2).] **2.** Aparelho de física usado para demonstrar a reação dos fluidos. **3.** Trapézio fixo. **4.** Torno (1). **5.** Instrumento destinado a apertar, ou a cingir apertando. **6.** Antigo instrumento de tortura inquisitorial. **7.** *Fotograv.* Cuba usada nos processos de fotogravuras em relevo e ofsete, para distribuição uniforme da solução sensibilizadora sobre a placa de zinco, que se fixa sobre braços dotados de movimento giratório; centrifugador, dobadoura. **8.** *Bras.* V. *borboleta* (11). **9.** *Bras. Fig.* Lida, azáfama. **10.** *Bras. Fig.* Situação crítica; embaraço, dificuldade: *De repente se viu num torniquete.*
torno (ô). [Do gr. *tórnos,* pelo lat. *tornu.*] *S. m.* **1.** Engenho em que se faz girar uma peça de madeira, ferro, aço, etc., para lavrá-la, ou para arredondá-la. **2.** Chave de torneira. **3.** Torninho. **4.** Roda de convento. **5.** Prego de madeira; pino, cavilha. **6.** *Ant.* Volta, giro. **7.** *Bras. Chulo.* Posição de cópula em que a mulher fica por cima do homem. [Pl.: *tornos* (ó). Cf. *torno,* do v. *tornar.*] ◆ **Em torno a.** V. *em torno de.* **Em torno de.** Em redor de; à roda de; à volta de; em torno a.
tornozeleira. *S. f. Bras.* Peça de malha que serve para proteger os tornozelos dos jogadores de futebol, basquetebol, vôlei, etc. [Sin., bras., RS: *tubigeira.*]
tornozelo (ê). [De *torno* (ô).] *S. m. Anat.* Cada uma de duas regiões do corpo humano que reúnem a perna ao pé correspondente, e compreende duas articulações (do perônio com a tíbia, e da tíbia com o tarso), e as partes moles que as circundam. [Sin., pop., bras.: *mocotó* (N.E.) e *osso-do-vintém* (CE).]
toro. [Do lat. *toru.*] *S. m.* **1.** Tronco de árvore abatida, ainda com a casca. **2.** O corpo do animal privado de membros. **3.** Pedaço de cabo náutico para desfiar. **4.** *Anat. Veg.* A parte central, mais grossa, da membrana de uma pontoação. **5.** *Arquit.* Moldura circular na base das colunas. **6.** *Geom.* Sólido gerado pela rotação de um círculo em torno de um eixo que lhe é externo e coplanar. **7.** *Morfol. Veg. P. us.* Torilo. **8.** *Poét.* Leito conjugal: "o leito pouco importa / Seja de pedra ou paina, / Rota enxerga de palha ou toro de veludo" (Alberto de Oliveira, *Poesias,* 3ª série, p. 197). **9.** *Ant. Mar.* V. *toco* (7).
toró[1]. [Voc. onom.] *S. m. Bras., Amaz.* **1.** V. *rato-toró.* **2.** V. *rato-de-espinho.* **3.** V. *sauiá.* **4.** Pequena buzina dos índios.
toró[2]. [Voc. onom.] *S. m.* **1.** *Bras., N.E.* V. *garoa*[1] (3). **2.** *Bras., MG* e *RJ.* Chuvada violenta, repentina e, geralmente, curta.
toró[3]. [De *torar.*] *Adj. 2 g. Bras.* Diz-se de pessoa defeituosa por falta de um dedo, ou da falange de um

deles.

torocana. [Do tupi *toro'kana.*] *S. m. Bras.* Tambor, feito de um toro de madeira, com que, em grande parte da zona tropical sul-americana, os índios dão sinais às tabas vizinhas. [Var.: *trocano.*]

toroidal. [De *toróide* + *-al.*] *Adj. 2 g.* ~V. *coordenadas toroidais, lente* — e *superfície* —.

toróide. [De *toro* + *-óide.*] *S. m. Geom.* Sólido gerado pela rotação de uma superfície plana fechada em torno de um eixo que não lhe seja secante.

torom-torom. [Voc. onom.] *S. m. Bras.* Ave passeriforme, da família dos formicarídeos (*Grallaria berlepeschi* Hellm.), dos afluentes meridionais do Amazonas e N.E. de MT. Tem dorso oliváceo, garganta e meio da barriga brancos, peito e resto do abdome ocráceo pintado de pardo-escuro. [Sin.: *trontrom.* Pl.: *torom-torons.*]

torônio. [De *tóri(o)-* + *-ônio.*] *S. m. Quím. Nucl.* Nuclídeo alfaemissor, de meia-vida igual a 52 s, isótopo do radônio com número de massa 220, e pertencente à série do tório. [Símb. obsol.: *Tn.*]

toronja. *S. f.* Var. de *toranja.*

toronjeira. *S. f.* Var. de *toranjeira.*

toropixi. [De provável or. tupi.] *S. m. Bras., AM.* Ave da família dos cotingídeos (*Cephalopterus ornatus* Geoffr.), de plumagem preta, e com grande penacho no alto da cabeça.

tororó[1]. [De *mororó?*] *S. m. Bras.* V. *caramuru* (1).

tororó[2]. *S. m. Bras., S. Gír.* Conversa fiada.

tororó[3]. [De *torar?*] *Adj. 2 g. Bras.* **1.** De pequena estatura; baixo. **2.** Baixo e grosso; atarracado. **3.** Aparado em excesso; muito curto.

tororoma. [Do tupi *toro'rom;* voc. onom.] *S. f. Bras., N.* Corrente fluvial forte e ruidosa.

toroso (ô). [Do lat. *torosu.*] *Adj.* **1.** Polpudo, polposo, carnoso. **2.** Robusto, vigoroso.

torpe[1] (ô). [Do lat. *turpe.*] *Adj. 2 g.* **1.** Desonesto, impudico. **2.** Infame, vil, abjeto, ignóbil. **3.** Repugnante, nojento, asqueroso, ascoso. **4.** Obsceno, indecente. **5.** Manchado, enodoado, maculado.

torpe[2] (ô). [Do lat. *torpidu,* 'entorpecido'.] *Adj. 2 g.* **1.** V. *torpente:* "Os t o r p e s braços sem cessar movendo, / Em vão aperta a límpida corrente" (Correia Garção, *Obras Poéticas* e *Oratórias,* p. 9). **2.** Embaraçado, acanhado.

torpecer. [De *torpe[2]* + *-ecer.*] *V. t. d., int.* e *p.* V. *entorpecer.* [Conjug.: v. *aquecer.*]

torpedeamento. *S. m.* Ato ou efeito de torpedear.

torpedear. *V. t. d.* **1.** *Mar. G.* Lançar torpedos contra. **2.** *Mar. G.* Destruir por meio de torpedo. **3.** *Bras. Fig.* Promover meios, diligenciar, para fazer malograr-se (um plano, empreendimento, etc.): *T o r p e d e o u o projeto do rival; O líder da maioria t o r p e d e o u duramente o discurso do senador oposicionista. T. d.* e *i.* **4.** Apoquentar, afligir, massacrar, bombardear: *T o r p e d e o u - o com perguntas descabidas.* [Conjug.: v. *frear.*]

torpedeira. *S. f. Bras. Mar. G. Desus.* Navio de guerra colocador de torpedo(s). [Cf. *torpedeiro.*]

torpedeiro. *S. m. Mar. G. Desus.* Navio de guerra lançador de torpedo(s). [Cf. *torpedeira.*]

torpedinho. [Dim. de *torpedo.*] *S. m. Bras.* Peixe teleósteo, caraciforme, da família dos caracídeos (*Nannostomus anamalus* Steind.), da Amaz., de coloração clara, com uma faixa escura que lhe percorre todo o corpo, desde o focinho até a nadadeira caudal. Comprimento: até 4 cm. Mantém na água posição oblíqua, com a cabeça voltada para cima, donde o nome popular.

torpedinídeo. *S. m.* **1.** Espécime dos torpedinídeos. ● *Adj.* **2.** Pertencente ou relativo a eles.

torpedinídeos. [Pl. de *torpedinídeo.*] *S. m. pl. Zool.* Família de peixes elasmobrânquios, na qual se encontram raias extremamente vorazes. Ex.: *treme-treme.*

torpedo (ê). [Do lat. *tardio torpedo,* 'raia-elétrica'.] *S. m.* **1.** *Ant. Mar. G.* Engenho explosivo para afundar navios, inventado em princípios do séc. XIX pelo mecânico norte-americano Robert Fulton (1765-1815). Consistia num recipiente cheio de material explosivo, pendente de um flutuador, ambos presos a uma linha atada a um arpão. Este era arremessado, por meio de uma espingarda, contra o costado do alvo (que, na época, era sempre de madeira), e depois de certo tempo um aparelho de relojoaria fazia o engenho explodir. Outros tipos do torpedo vieram a ser inventados; com a invenção de torpedo-automóvel [q. v.], o nome passou a designar só esse tipo, reservando-se aos demais a designação de mina submarina [q. v.]. **2.** *Mar. G.* Engenho explosivo, de forma cilíndrica alongada, com propulsão e direção próprias, destinado a afundar embarcações mediante uma explosão submarina, e que pode ser lançado de um submarino, de uma embarcação de superfície ou de uma aeronave, e atingir alvos situados a considerável distância do lançador. **3.** Bombona. **4.** *Bras. Pop.* Bilhete enviado a uma pessoa determinada, em recinto público. ♦ **Torpedo nuclear.** *Mar. G.* O que é carregado de explosivo nuclear.

torpedo-automóvel. *S. m. Ant. Mar. G.* Designação que se dava, até à II Guerra Mundial, ao torpedo de propulsão e direção próprias. [Pl.: *torpedos-automóveis.*]

torpente. [Do lat. *torpente.*] *Adj. 2 g.* **1.** Que entorpece; torpe [q. v.]: "a china envolvia o gaúcho no seu olhar t o r p e n t e, luminoso e doce..." (Alcides Maia, *Tapera,* p. 77.) **2.** Entorpecido, tórpido, torpe.

torpeza (ê). [De *torpe[1]* + *-eza.*] *S. f.* **1.** Qualidade de torpe. **2.** Procedimento ignóbil, indigno, torpe. **3.** Desvergonha, impudicícia. [Sin. ger.: *torpitude, torpidade.*]

torpidade. [De *torpe[1]* + *-i-* + *-dade.*] *S. f.* V. *torpeza.*

tórpido. [Do lat. *torpidu.*] *Adj.* V. *torpente* (2).

torpitude. [Do lat. *torpitudine.*] *S. f.* V. *torpeza.*

torpor (ô). [Do lat. *torpore.*] *S. m.* **1.** V. *entorpecimento:* "Vejo, no canto, um sofá enorme. Deixo-me cair nele e só então sinto o t o r p o r do cansaço da viagem" (Cornélio Pena, *Fronteira,* p. 7). **2.** Indiferença ou inércia moral. **3.** *Med.* Ausência de resposta a estímulos comuns.

torque. [Do lat. *torquere,* 'torcer'.] *S. f. Fís.* V. *conjugado* (7).

torquemadesco (ê). [Do antr. *Torquemada* + *-esco.*] *Adj.* Pertencente ou relativo a Tomás Torquemada (1420-1498), famoso inquisidor: "a autoridade mais modesta e mais transitória que seja procura abandonar os meios estabelecidos em lei e recorre à violência, ao chanfalho, ao chicote, ao cano de borracha, à solitária a pão e água, e outros processos t o r q u e m a d e s c o s e otomanos." (Lima Barreto, *Marginália,* p. 27).

torquês. [Do fr. ant. *turcoises* (subentende-se *tenailles*), 'tenazes turcas'] *S. f.* Espécie de tenaz ou alicate. [Pl.: *torqueses* (ê). Em Portugal, *turquês.*]

torquímetro. [De *torqu'* rad. do lat. *torquere,* 'torcer', + *-i-* + *-metro.*] *S. m.* Aparelho para medir a resistência de metais à torção.

torr. [Do antr. *Torricelli,* de Evangelista Torricelli, físico e matemático italiano, inventor do barômetro (1608-1647). *S. m. Fís.* Milímetro de mercúrio.

torra. [Dev. de *torrar.*] *S. f.* **1.** Torração (1). **2.** *Bras., BA* e *GO.* Carbonato de qualidade inferior; melê.

torração. *S. f.* **1.** Ato ou efeito de torrar; torra. **2.** *Bras.* Venda por qualquer preço; queima.

torrada. [Fem. substantivado do adj. *torrado.*] *S. f.* Fatia de pão torrado; tosta.

torradeira. [De *torrar* + *-deira.*] *S. f. Bras.* Aparelho, ordinariamente elétrico, próprio para fazer torradas.

torrado. [Part. de *torrar.*] *Adj.* **1.** Que se torrou. **2.** Murcho, seco. **3.** *Bras., SP. Pop.* V. *embriagado* (1). ● *S. m.* **4.** *Bras., N.* e *N.E.* V. *rapé.* **5.** *Bras., N.* e *N.E.* Dança popular, lasciva, espécie de samba.

torrador (ô). *S. m.* Aparelho para torrar café.

torrão. [Var. de *terrão* < *terr(a)-* + *-ão[2].*] *S. m.* **1.** Pedaço de terra endurecido. **2.** Gleba (1). **3.** Território (1). **4.** Pedaço de qualquer coisa; bocado, porção. **5.** *P. ext.* V. *terra* (6). **6.** *Bras., AM.* Salão[2] (4). [Cf. *turrão.*] ~ V. *torrões.* ♦ **Torrão de açúcar.** *Fig.* Fruta (em geral) muito doce: *Esta laranja é um t o r r ã o d e a ç ú c a r.* **Torrão natal.** V. *pátria* (1).

torrar. [Do lat. *torrere,* com mudança de conjugação.] *V. t. d.* **1.** Ressequir por meio do calor do fogo, ou ao sol: "A seca calcina a terra, resseca os matagais, t o r r a as capoeiras decotadas" (Gustavo Barroso, *Terra de Sol,* p. 177). **2.** Secar muito. **3.** Queimar de leve; assar, tostar. **4.** Tornar muito murcho: *O sol intenso t o r r o u a plantação;* "T o r r e o sol a verde alfombra" (Olavo Bilac, *Poesias,* p. 127). **5.** *Bras.* Vender por preço baixo ou por qualquer preço; queimar: *T o r r o u o automóvel para pagar as dívidas;* "T o r r o u mercadorias, trocou burros por vacas e bois." (Nélson de Faria, *Cabeça-Torta,* p. 9). *P.* **6.** Tornar-se muito murcho: "Que a teus passos a relva s e t o r r e; Murchem prados, a flor desfaleça" (Gonçalves Dias, *Obras Poéticas,* II, p. 31). [Pres. subj.: *torre, torres,* etc. Cf. *torre* (ô), pl. *torres* (ô); *Torres* (ô), antr. e top.; e *turrar.*]

torre (ô). [Do lat. **turre* (cláss. *turrim*).] *S. f.* **1.** Edifício alto que se construía principalmente para defesa em caso de guerra; fortaleza. **2.** Construção redonda ou prismática, alta e estreita, isolada ou anexa a uma igreja, e que serve para ter os sinos e/ou para comunicar sinais a distância; campanário: "nas t o r r e s altas / o louco / toca o sino à meia-noite" (Solange Berard Lajes, *Canto/Desencanto,* p. 66). **3.** No jogo de xadrez [q. v.], peça que, depois da rainha, é a mais poderosa e se movimenta vertical e horizontalmente nas colunas do tabuleiro. **4.** *Mar. G.* Construção couraçada, aproximadamente cilíndrica, instalada em navios de guerra de grande porte, no interior da qual se instalam dois ou mais canhões de grande calibre e com dispositivos que permitem atirar em várias direções. **5.** *Fig.* Pessoa muito alta e corpulenta. [Pl.: *torres* (ô). Cf. *torre, torres,* do v. *torrar.*] ♦ **Torre de borbulhamento.** *Eng. Ind.* Aparelhagem de destilação em que o vapor é forçado a borbulhar no líquido mediante calotas deflectoras convenientemente colocadas nos pratos da coluna. **Torre de comando.** *Mar. Guer.* Torreão de comando. **Torre de menagem.** A principal de uma fortaleza: "Os atalaias vigiam dos altos miradouros da t o r r e d e m e n a g e m." (Rebelo da Silva, *Contos e Lendas,* p. 32.)

▲**torre-.** [Do lat. *torrere.*] *El. comp.* = 'torrar': *torrefação.* [Equiv.: *torri-: torrificar.*]

torreado. [De *torre* + *-ado[1].*] *Adj.* **1.** Turriforme. **2.** Guarnecido de torres.

torreame. [De *torre* + *-ame.*] *S. m. Bras., CE* e *RN.* Grossas nuvens turriformes, que são sinal de inverno: "O tempo, as nuvens, o sol, os t o r r e a m e s, o vento, as abelhas, ... o lunário perpétuo; .... todos os meios ele [o nordestino] emprega para saber se o ano é bom ou mau." (M. Rodrigues de Melo, *Várzea do Açu,* pp. 27-28.)

torreante. *Adj. 2 g.* Que torreia, que se eleva à maneira de torre.

torreão. [De *torre* + *-ão[1].*] *S. m.* **1.** Torre larga e ameada, sobre um castelo: "Tudo passou! Mas dessas arcarias / Negras, e desses t o r r e õ e s medonhos, / Alguém se assenta sobre as lájeas frias" (Raimundo Correia, *Poesias,* p. 164). **2.** Espécie de torre, pavilhão ou eirado no ângulo ou no alto de um edifício. ♦ **Torreão de comando.** *Mar. Guer.* Abrigo encouraçado existente nos navios de guerra de grande porte, do qual o comandante dirige a manobra e as ações do navio em combate; torre de comando.

torrear. *V. t. d.* **1.** Munir ou fortificar com torres. **2.** Elevar, ostentar, à maneira de torre: "Que esplendor! Esta luz é o gozo da alma forte. / Ama-a, t o r r e a n d o além suas babéis ao norte, / A nuvem" (Alberto de Oliveira, *Poesias,* 3ª série, p. 20). *Int.* **2.** Elevar-se à maneira de torre. **3.** Ostentar-se, pompear. [F. paral.: *torrejar.* Conjug.: v. *frear.*]

torrefação. *S. f.* **1.** Ato ou efeito de torrefazer. **2.** Estabelecimento onde se faz torrefação.

torrefato. [Do lat. *torrefactu.*] *Adj.* Que se torrificou; torrefeito, torrado.

torrefator (ô). [De *torre-* + *fator.*] *Adj.* **1.** Que torrefaz. ● *S. m.* **2.** Aparelho para torrefazer.

torrefazer. [De *torre-* + *fazer.*] *V. t. d.* Torrificar. [Irreg. Conjug.: v. *fazer.*]

torrefeito. [Part. de *torrefazer.*] *Adj.* V. *torrefato.*

torreira. [De *torre-* + *-eira.*] *S. f.* **1.** Calor exagerado. **2.** O pino da calma. **3.** Lugar onde é mais intenso o calor do Sol; soalheira.

torrejano. *Adj.* **1.** De, ou pertencente ou relativo a Torres Novas (Portugal). ● *S. m.* **2.** O natural ou habitante de Torres Novas. [Cf. *torresão.*]

torrejar. *V. t. d.* e *int.* Torrear. [Conjug.: v. *pelejar.*]

torrencial. [Do lat. *torrentia,* nom. acus. neutro pl. de *torrens, tis,* 'torrente', + *-al.*] *Adj. 2 g.* **1.** Relativo a torrente. **2.** Semelhante a torrente; impetuoso como torrente; caudaloso, caudal, torrentoso. **3.** Muito abundante: *chuvas t o r r e n c i a i s.*

torrencialidade. *S. f.* Qualidade de torrencial.

torrense. *Adj. 2 g.* **1.** De, ou pertencente ou relativo a Torres (RS). ● *S. 2 g.* **2.** Natural ou habitante de Torres.

torrente. [Do lat. *torrente* (subentende-se *fluviu*), 'rio que seca'.] *S. f.* **1.** Curso de água, temporário e violento, originário das enxurradas. **2.** Grande abundância ou fluência: "E me vieram palavras, uma t o r r e n t e de palavras, discorrendo sobre o que seria a nossa vida inteira naquele lugar sem conforto" (João Alphonsus, *Eis a Noite!,* p. 50); "Atroou os ares .... uma t o r r e n t e de insultos." (Nélson de Faria, *Tiziu e Outras Estórias,* p. 97). **3.** Multidão que se precipita impetuosamente.

torrentoso (ô). [De *torrente* + *-oso.*] *Adj.* V. *torrencial* (2).

torresã. *Adj.* (*f.*) e *s. f.* Fem. de *torresão.*

torresão. *Adj.* **1.** De, ou pertencente ou relativo a Torres Vedras (Portugal). ● *S. m.* **2.** O natural ou habitante de Torres Vedras. [Flex.: *torresã, torresãos, torresãs.* Cf. *torrejano.*]

torresmo (ê). [Do esp. *torrezno.*] *S. m.* **1.** Toicinho frito em pequenos pedaços. [Sin., lus.: *rojão.*] **2.** *Bras.* V.

pão-de-galinha. **3.** *Bras., S. Fam.* Criança gorda.

torreta (ê). [De *torre* + *-eta.*] *S. f. Bras. Mar. G.* Compartimento estanque que se ergue acima do casco fusiforme do submarino, e no qual se instalam os seus órgãos de comando, os periscópios, os radares, etc.

▲torri-. Equiv. de *torre-*.

tórrido. [Do lat. *torridu.*] *Adj.* Muito quente; ardente: "Pés .... queimados pelas tórridas areias saarianas" (Cruz e Sousa, *Obras Completas*, II, p. 300); "vem-me também à memória uma tarde de tórrido verão, por volta de 1931" (Herman Lima, *Poeira do Tempo*, p. 65). ~ V. *zona —a*.

torrificar. [De *torri-* + *-ficar.*] *V. t. d.* **1.** Tornar tórrido. **2.** Tostar, torrar. **3.** Fazer torrar. [Sin. ger.: *torrefazer*. Conjug.: v. *trancar*.]

torrija. [Do esp. *torrija.*] *S. f.* Torrada embebida em vinho e coberta com ovos e açúcar.

torrinha. [Dim. de *torre.*] *S. f.* Galeria da última ordem, nos teatros; camarote-do-torres, galinheiro, poleiro: "Palmas e ululos ressoaram nas torrinhas." (Ribeiro Couto, *Baianinha e Outras Mulheres*, p. 118.)

torrinheiro. *S. m. Bras.* Indivíduo que, nos teatros, vai para a torrinha.

torrinhense. *Adj. 2 g.* **1.** De, ou pertencente ou relativo a Torrinha (SP). ● *S. 2 g.* **2.** Natural ou habitante de Torrinha.

torroada. [Var. de *terroada.*] *S. f.* **1.** Porção de torrões. **2.** Pancada com torrão. **3.** *Bras., PA.* Terra alta cheia de bons seringais. **4.** *Bras., MA.* Fenda nos terrenos alagadiços quando secam.

torrões. [Pl. de *torrão.*] *S. m. pl.* Propriedades rústicas. ~ V. *torrão*.

torso[1] (ô). [Do it. *torso.*] *S. m.* **1.** Representação da figura humana truncada, sem cabeça e sem membros: *um torso helenístico*. **2.** V. *tronco*[1] (3): "surdiam os ombros roliços, a pele dourada do torso, os seios duros, desnudos." (Herman Lima, *Tijipió*, p. 146); "uma estranha figura de mulher, vestida de algodão branco, com o torso pendido a uma dor intensa, sopitada a custo" (Afonso Arinos, *Pelo Sertão*, p. 118). **3.** Busto de pessoa ou de estátua inteira. [Cf. *torço* (ô), do v. *torcer* e *s. m.*]

torso[2] (ô). [Do lat. *torsu.*] *Adj.* Torcido, sinuoso, tortuoso: "a cama larga, de colunas torsas" (Coelho Neto, *Treva*, p. 87). [Cf. *torço* (ô), do v. *torcer* e s. m.]

torta. [Do lat. tardio *torta*, 'pão redondo'.] *S. f.* **1.** Espécie de pastelão doce ou salgado, recheado, com ou sem a tampa de massa. **2.** Bolo de camadas, recheado e em geral com cobertura. **3.** Bagaço proveniente da prensagem das sementes oleaginosas (na extração do óleo), e que se usa como adubo e forragem.

torteira. *S. f.* Fôrma ou prato para tortas.

tortelos. [De *torto.*] *Adj.* e *s. m. 2 n.* V. *estrábico* (1 e 4).

torticolo. *S. m.* Var. de *torcicolo*, com infl. de *torto*.

torto (ô). [Do lat. *tortu*, 'torcido'.] *Adj.* **1.** Que não é reto, direito; sinuoso, torcido, tortuoso: *rua torta; pernas tortas*. **2.** Que está de través; oblíquo: *poste torto*. **3.** V. *estrábico* (2). **4.** *Fig.* Errado, enganado. **5.** *Fig.* Sem lealdade; desleal. **6.** *Bras. Pop.* Que só tem um olho. [Flex.: *torta, tortos* (ó), *tortas*.] ~ V. *avô — e pé —*. ● *Adv.* **7.** De maneira errada; erradamente. **8.** Com falta de respeito. ● *S. m. Ant.* **9.** Ofensa, injúria; agravo, dano. ♦ **A torto e a direito. 2.** Sem conhecer o bem nem o mal; sem discernimento. **2.** Sem escolher; irrefletidamente; a esmo. **3.** Em grande quantidade; aos montes. **Quebrar o torto.** *Bras.* **1.** Comer qualquer coisa (pouca) enquanto se aguarda a refeição principal. **2.** Quebrar o jejum.

tortor (ô). [Do lat. *tortore*, 'o que tortura, torcedor'.] *S. m. Ant. Marinh.* **1.** Cada um dos cadernais que se passavam sujeitando um bordo ao outro, pelo interior do casco, quando havia risco de este se abrir. **2.** Volta dada numa espicha ou num pedaço de pau, a fim de socar botões feitos em cabos.

tortual. [De *torto* (torcido).] *S. m.* **1.** Tranca de ferro ou de madeira que se atravessa no fuso do lagar para fazer que ele gire. **2.** Disco que se adapta ao fuso da roca para facilitar-lhe o giro. [Sin. ger.: *tortueiral.*]

tortueiral. *S. m.* Tortual.

tortulho. *S. m.* **1.** Designação comum aos cogumelos, principalmente antes de abertos: "crescem os tortulhos na base do madeiramento dos altares" (Ramalho Ortigão, *As Farpas*, I, p. 10). **2.** Molho de tripas secas e atadas para exposição à venda. **3.** *Fig.* Indivíduo atarracado.

tortuosidade. *S. f.* Qualidade de tortuoso; sinuosidade, tortura.

tortuoso (ô). [Do lat. *tortuosu.*] *Adj.* **1.** V. *torto* (1). **2.** Que dá muitas voltas; muito torto. **3.** *Fig.* Oposto à verdade e à justiça: "Em verdade, Lille estava no direito de negacear com um homem tortuoso nos desígnios, para quem a palavra valia pouco." (Aquilino Ribeiro, *Portugueses das Sete Partidas*, p. 196.)

tortura. [Do lat. *tortura.*] *S. f.* **1.** Suplício ou tormento violento infligido a alguém. **2.** V. *tortuosidade*. **3.** *Fig.* Grande mágoa. **4.** Lance difícil.

torturado. *Adj.* **1.** Submetido a tortura (1). **2.** Aflito, angustiado, atormentado. ● *S. m.* **3.** Indivíduo torturado.

torturador (ô). *Adj.* **1.** Torturante. ● *S. m.* **2.** Aquele que tortura.

torturante. *Adj. 2 g.* **1.** Que tortura, que atormenta; torturador. **2.** Aflitivo, angustiante, torturador: *sonhos torturantes*.

torturar. *V. t. d.* **1.** Submeter a tortura; atormentar, supliciar: *A Santa Inquisição torturou milhares de criaturas*. **2.** Afligir muito; angustiar: *A incerteza tortura-o* **3.** Molestar, desconfortar, incomodar fisicamente, em alto grau: *Os sapatos novos torturavam-lhe os pés*; "Queixou-se duma dor de cabeça que a torturava." (Eça de Queirós, *Os Maias*, II, p. 382). *P.* **4.** Afligir-se, angustiar-se.

tórulo. [Do lat. *torulu*, 'alburno'.] *S. m. Anat.* Pequena saliência papilar.

toruloso (ô). *Adj.* **1.** Que tem tórulos. **2.** *Morfol. Veg.* Diz-se dos órgãos alongados e moniliformes: *fruto toruloso; filamento toruloso*.

torunguenga. *Bras., RS. Adj. 2 g.* **1.** Diz-se de pessoa destemida e respeitada como tal. V. *valentão* (1). ● *S. 2 g.* **2.** Pessoa torunguenga. V. *valentão* (3). **3.** Pessoa destra no manejo de qualquer arma e/ou no tocar a viola ou a gaita. [Var.: *tourunguenga*.]

torvação. *S. f.* **1.** Ato ou efeito de torvar(-se). **2.** *Fig.* Irritação, agastamento, cólera. **3.** Perturbação de ânimo. [Sin. ger.: *torvamento*. Cf. *turvação*.]

torvado. [Part. de *torvar.*] *Adj.* **1.** Perturbado, turbado, confuso. **2.** Agastado, irado, encolerizado.

torvamento. *S. m.* V. *torvação*. [Cf. *turvamento*.]

torvar. [Var. de *turvar.*] *V. t. d.* **1.** Confundir, perturbar: *A exibição pública torvou a ordem no centro da cidade*. *Int.* e *p.* **2.** Confundir-se, perturbar-se. **3.** Irritar-se, agastar-se. **4.** Tornar-se torvo, carrancudo, sombrio. [Pres. ind.: *torvo, torvas, torva*, etc. Cf. *torvo* (ô), flex. *torva* (ô), *torvas* (ô), e *turvar*.]

torvelim. [De *torvelinho*, com apócope.] *S. m.* V. *torvelinho*: "um torvelim de paixões e um remoinho de torturas" (Olavo Bilac, *Conferências Literárias*, p. 22).

torvelinhante. *Adj. 2 g.* Que torvelinha.

torvelinhar. *V. int.* **1.** Fazer torvelinho; remoinhar, redemoinhar; agitar-se: "Torvelinhai, torrentes do ar!" (Manuel Bandeira, *Estrela da Vida Inteira*, p. 36). *T. d.* **2.** Agitar em torvelinho: *A ventania torvelinhava a poeira do largo*.

torvelinho. [De *torvelino* < esp. *torbellino.*] *S. m.* Remoinho, redemoinho; torvelino, torvelim: "A lembrança do cachorro pôde tomar pé no torvelinho de pensamentos que iam pela cabeça do nosso homem." (Machado de Assis, *Quincas Borba*, p. 26); "As folhas secas, nos caminhos, / Cantam em doudos torvelinhos / Canções de seda." (Da Costa e Silva, *Sangue*, p. 73).

torvelino. *S. m.* V. *torvelinho*.

torvo (ô). [Do lat. *torvu.*] *Adj.* **1.** Que causa terror. **2.** Iracundo, irascível, carrancudo. **3.** Pavoroso, sinistro; "Era de ver a fúnebre bacante [a morte]! / Que torvo olhar! que gesto de demente!" (Antero de Quental, *Sonetos*, p. 327.) ● *S. m.* **4.** Qualidade do que é torvo. [Flex. do adj.: *torva* (ô), *torvos* (ô), *torvas* (ô). Cf. *torvo, torvas, torva*, do v. *torvar*.]

tosa[1]. [Dev. de *tosar*[1].] *S. f.* Operação de tosar a lã ou aparar-lhe a felpa.

tosa[2]. [Dev. de *tosar*[2].] *S. f.* **1.** V. *surra* (1). **2.** *Fig.* V. *repreensão* (1).

tosado. [Part. de *tosar*[1].] *Adj.* **1.** Tosquiado. **2.** *Constr. Nav.* Que tem tosamento.

tosador (ô). [De *tosar*[1] + *-(d)or.*] *Adj.* e *s. m.* Que ou aquele que tosa.

tosadura. *S. f.* Ato ou efeito de tosar[1].

tosamento. [De *tosar*[1] + *-mento.*] *S. m. Constr. Nav.* Curvatura que a quilha de certas embarcações apresenta, ou por construção, ou em conseqüência de esforços excessivos e caracterizada por ficar a seção de meia-nau mais baixa que a proa e a popa.

tosão. [Do fr. *toison.*] *S. m.* Velo de carneiro.

tosar[1]. [Do lat. **tonsare*, freqüentativo de *tondere*, 'tosquiar'.] *V. t. d.* **1.** Aparar a felpa de; tosquiar. **2.** Aparar por igual. **3.** Cortar rente; tosquiar: *tosar o cabelo*. **4.** *Fig.* Roer, ratar. **5.** Comer, roer, pastando: *O carneiro tosa o capim*; "As duas éguas tosavam a boa erva pintalgada de papoulas e botões-de-oiro." (Eça de Queirós, *Contos*, p. 132). **6.** Comer ou roer o capim, a relva de: *O boi tosa o prado*. [Pres. ind.: *toso, tosas, tosa*, etc. Cf. *toso* (ô).]

tosar[2]. [Do lat. **tunsare*, freqüentativo de *tundure*, 'bater repetidas vezes'.] *V. t. d.* Dar tosa[2] em. V. *surrar* (2). [Pres. ind.: *toso, tosas, tosa*, etc. Cf. *toso* (ô).]

toscanejamento. *S. m.* Ação de toscanejar.

toscanejar. [Do cruz. de *pestanejar* com *tosco*, 'informe, rude'.] *V. int.* Cabecear com sono, abrindo e fechando os olhos repetidamente; cochilar: "Dormitando [o papagaio] em sua placa, no umbral da porta, toscanejou" (João Guimarães Rosa, *Corpo de Baile*, I, p. 171.) [Conjug.: v. *pelejar*. Var.: *tosquenejar*.]

toscano[1]. [Do lat. *tuscanu.*] *Adj.* **1.** Da, ou pertencente ou relativo à Toscana (Itália). ~ V. *ordem —a*. ● *S. m.* **2.** O natural ou habitante da Toscana. **3.** O dialeto lá falado.

toscano[2]. [De *tosco* + *-ano.*] *Adj. Bras., S.* Que tem nariz grande; narigudo.

toscar. *V. t. d. Lus. Gír.* **1.** Ver ao longe; avistar. **2.** Entender, perceber, compreender. [Conjug.: v. *trancar*. Pres. ind.: *tosco, toscas, tosca*, etc. Cf. *tosco* (ô) e flex. *tosca* (ô), *toscas* (ô).]

tosco (ô). [Possivelmente do lat. vulg. *tuscu*, 'dissoluto, vil', por alusão à gente que vivia no bairro etrusco de Roma, *Vicus Tuscus*.] *Adj.* **1.** Tal como veio da natureza. **2.** Não lapidado nem polido. **3.** Bronco, grosseiro, rude. **4.** Malfeito; informe. **5.** Inculto (3). [Flex.: *tosca* (ô), *toscos* (ô), *toscas* (ô). Cf. *tosco, toscas, tosca*, do v. *toscar*.]

toso (ô). [Dev. de *tosar*[1].] *S. m. Bras., S.* Certa maneira de cortar a crina do eqüídeo. [Pl.: *tosos* (ô). Cf. *toso*, do v. *tosar*.]

tosquenejar. *V. int.* Var. de *toscanejar*: "E tardando o esposo, começaram a tosquenejar todas; e assim vieram dormir." (Antônio Pereira de Figueiredo, trad. de *O Novo Testamento de Jesus Cristo*, p. 35.) [Conjug.: v. *pelejar*.]

tosquia. [Dev. de *tosquiar.*] *S. f.* **1.** Ato ou efeito de tosquiar. [Sin. (bras., RS): *esquila*.] **2.** Época própria para o corte do pêlo ou da lã dos animais. **3.** *Fig.* Crítica muito severa.

tosquiadela. *S. f.* **1.** Ato de tosquiar de cada vez. **2.** Tosquia ligeira. **3.** *Fig.* V. *repreensão* (1). **4.** *Fig.* V. *surra* (1).

tosquiado. [Part. de *tosquiar.*] *Adj.* **1.** Que tem o pêlo ou a lã cortada rente; tonsurado. **2.** *Fam.* Cujo cabelo é cortado rente.

tosquiador (ô). *Adj.* e *s. m.* Que ou aquele que tosquia.

tosquiar. [Do esp. ant. *tosquilar*, hoje *trosquilar.*] *V. t. d.* **1.** Cortar rente (pêlo, lã ou cabelo); tonsurar: *tosquiou o pêlo do carnívoro*. **2.** Cortar rente o pêlo, lã ou cabelo de; tosar: *Tosquiou a ovelha*. [Sin. (bras., RS), nestas acepç.: *cerdear* e *esquilar*.] **3.** Aparar as extremidades da rama de (plantas). **4.** Despojar, espoliar, esbulhar: *Os impostos pesados tosquiavam o povo*. **5.** *Encad.* Aparelhar (o corte do livro), igualando com a tesoura, faca ou tesourão as margens dos cadernos. *P.* **6.** Cortar o próprio cabelo rente ao couro cabeludo.

tosse. [Do lat. **tusse* (cláss. *tussim*).] *S. f. Med.* Expulsão súbita e ruidosa de ar pela boca, visando, habitualmente, à eliminação de matéria estranha em vias aéreas. ♦ **Tosse comprida.** *Bras.* V. *coqueluche* (1): "Siá Maricota, quando se punha a recordar a tosse comprida que lhe matara o filho, ... acreditava que o aleijado tinha parte com o Sujo, livrando-se, como se livrara, dos apertos da moléstia ingrata" (Nélson de Faria, *Tiziu e Outras Estórias*, p. 178). **Tosse convulsa.** V. *coqueluche* (1): "A doença era febre, o corpo cheio de manchas... . Antes, foi a tosse convulsa." (Osmã Lins, *Nove, Novena*, p. 106). **Tosse de cachorro.** *Bras.* Tosse rouca, ladrante, que se observa na coqueluche, nos aneurismas da aorta, nas afecções laríngeas, etc. **Tosse de guariba.** *Bras.* V. *coqueluche* (1): "A tosse de guariba, que matou uns quatro meninos, ... não causou ao enjeitado dano maior que o aumento de salivação." (Nélson de Faria, *Tiziu e Outras Estórias*, p. 178.) **Tosse seca.** Tosse não acompanhada de expectoração.

tossegoso (ô). [Do lat. *tussicu*, 'doente de tosse', 'sujeito a tosse', + *-oso.*] *Adj.* Que tem tosse.

tossicar. *V. int.* Tossir fraca e repetidamente. [Conjug.: v. *trancar*.]

tossidela. *S. f. Pop.* **1.** Ato de tossir uma vez. **2.** Ato de tossir.

tossido[1]. *S. m.* Ato de tossir deliberadamente, para dar qualquer sinal ou exprimir algum sentimento.

tossido[2]. [Part. de *tossir.*] *Adj.* Lançado de si, ou enunciado, entre tossidelas: "Vinham tossidas estas palavras, às golfadas, ... como se fossem migalhas de um pulmão desfeito." (Machado de Assis, *Memórias Póstumas de Brás Cubas*, p. 240.)

tossir. [Do lat. *tussire.*] *V. int.* **1.** Ter tosse: "ia à janela escarrar e lá ficava, curvado, tossindo aos arrancos" (Coelho Neto, *Turbilhão*, p. 9). *T. d.* **2.** Provocar (a tosse) artificialmente: "Leu a carta chegada de Lisboa, tossiu sua tossinha de cemitério, foi ver a cara no espelho" (José Cândido de Carvalho, *Por que Lulu Bergantim não Atravessou o Rubicon*, p. 7). **3.** Expelir da garganta; lançar fora de si: "a tossir sempre uma expectoração dos bofes requeimados." (Camilo Castelo Branco, *Sentimentalismo e História*, p. 176); *O dragão tossia fogo.* [Irreg. Pres. ind.: *tusso, tosses, tosse, tossimos, tossis, tossem;* pres. subj.: *tussa, tussas,* etc.]

tosta. [Dev. de *tostar.*] *S. f.* Torrada.

tostadeira. *S. f.* Aparelho para tostar pão, sanduíche, etc.

tostadela. *S. f.* Ato ou efeito de tostar de leve.

tostado. [Part. de *tostar.*] *Adj.* **1.** Levemente queimado; crestado. **2.** Escuro, moreno; trigueiro. ● *S. m.* **3.** Animal tostado (2): "o tostado arrebentou as duas paletas na encontrada e caiu" (Simões Lopes Neto, *Contos Gauchescos e Lendas do Sul*, p. 233).

tostadura. *S. f.* Ato ou efeito de tostar(-se).

tostão. [Do it. *testone*, atr. do fr. *teston*, com assimilação.] *S. m.* **1.** Antiga moeda de níquel, de Portugal e do Brasil, que valia cem réis. **2.** *Bras.* V. *dinheiro* (3). **3.** *Bras. Pop.* Joelhada nos músculos da coxa. **4.** *Bras., RJ. Gír.* Pingo de chuva. ◆ **Um tostão de.** *Bras. Fam.* Um pouquinho de; um tiquinho de.

tostar. [Do lat. **tostare*, freqüentativo de *torrere*, 'secar'.] *V. t. d.* **1.** Queimar superficialmente; torrar, crestar: "O sol não lhe tostava a pele fresca, / Nem lhe feria o espinho a nívea mão" (Luís Murat, *Ondas*, II, p. 105). **2.** Dar cor escura a; tisnar. *P.* **3.** Queimar-se superficialmente; torrar-se, crestar-se.

toste. [Do ingl. *toast.*] *S. m.* **1.** Saudação ou brinde, em um banquete. **2.** Ato de beber à saúde de alguém.

tota. *S. f. Bras., N.E.* Pequeno impulso que se dá às castanhas, no jogo.

total. [Do lat. medieval *totale.*] *Adj. 2 g.* **1.** Que constitui ou abrange um todo; completo. ~ V. *derivada — diferencial —, eclipse —, guerra —, probabilidade —* e *vão —.* ● *S. m.* **2.** Resultado da adição; soma.

totalidade. [De *total* + *-i-* + *-dade.*] *S. f.* O conjunto das partes que constituem um todo; soma.

totalitário. [Do it. *totalitario.*] *Adj.* Diz-se do governo, país ou regime em que um grupo centraliza todos os poderes políticos e administrativos, não permitindo a existência de outros grupos ou partidos políticos.

totalitarismo. *S. m.* Sistema de governo totalitário.

totalitarista. *Adj. 2 g.* **1.** Relativo ao, ou próprio do totalitarismo. **2.** Que é adepto desse sistema. ● *S. 2 g.* **3.** Partidário dele.

totalização. *S. f.* Ato ou efeito de totalizar.

totalizador (ô). *Adj.* **1.** Que totaliza. ● *S. m.* **2.** Aquele que totaliza. **3.** *Bras. Turfe.* Aparelho que registra eletronicamente, antes de cada páreo, o movimento de apostas de vencedor, dupla e placê, e, depois, os rateios e o tempo do ganhador da prova; bicho-verde.

totalizar. *V. t. d.* **1.** Calcular o total de; avaliar na totalidade. **2.** Apreciar em conjunto. **3.** Realizar totalmente. **4.** *Bras.* Atingir o total de; perfazer: *Os efetivos totalizavam 20.000 combatentes.*

totem. [De or. algonquiana.] *S. m.* **1.** Animal, vegetal ou qualquer objeto considerado como ancestral ou símbolo de uma coletividade (tribo, clã), sendo por isso protetor dela e objeto de tabus e deveres particulares: "E é de supor que, primitivamente, foi a cigarra, como a formiga, totem de alguma tribo, do qual se conservaria reminiscência, no emblema, através da mitologia." (Alberto Faria, *Acendalhas*, p. 57.) **2.** Representação desse animal, vegetal ou objeto. [F. paral.: *tóteme.*]

tóteme. *S. m.* Totem.

totêmico. *Adj.* Pertencente ou relativo a totem.

totemismo. *S. m.* **1.** Sistema de crenças religiosas e sociais determinado pelo totem. **2.** Crença no totem. **3.** O conjunto dos atos ou ritos em que se exprimem essas crenças.

totipalmado. [Do lat. *totus*, 'todo, inteiro', + *-i-* + *palma*[1] + *-ado*[1].] *S. m.* e *adj.* Pelicaniforme (2 e 3).

totipalmados [Pl. de *totipalmado.*] *S. m. pl. Zool.* Pelicaniformes.

totó. [Do fr. *toutou.*] *S. m.* **1.** *Fam.* Cão pequeno. **2.** *Bras. Fut.* Chute fraco. **3.** Futebol totó. **4.** *Bras., PB.* V. *cocó*[1].

touaou. *S. m. Bras.* V. *camboatá-branca.*

touca. [Do b.-lat. *taucca.*] *S. f.* **1.** Adorno de fazenda ou de lã, usado na cabeça por mulheres e crianças. **2.** Peça de vestuário que cobre a cabeça, pescoço e ombros de freiras. ◆ **Dormir de touca.** *Bras. Fam.* **1.** Deixar-se enganar, ludibriar. **2.** Perder boa oportunidade. [Sin. ger.: *bobear, cochilar, dar uma bobeada, dar uma vacilada, marcar bobeira* e *dormir no ponto.* M. us. na f. negativa.]

touça. [Talvez de um pré-romano **taucia*, 'mata', 'cepa de árvore'.] *S. f.* Moita (1): "veio .... pela estrada rodeada de verdes touças e cortada, de onde em onde, por pequeninos fios d'água inconstantes e numerosos." (Clodomir Silva, *Minha Gente*, p. 93); "inclinava a fronte sobre uma touça da ramagem" (José de Alencar, *O Sertanejo*, p. 71). [F. paral.: *toiça.*]

touca-de-viúva. *S. f. Bras.* **1.** V. *flor-de-são-miguel* (1). **2.** V. *coroa-de-viúva.* [Pl.: *toucas-de-viúva.*]

toucado. [Part. de *toucar.*] *Adj.* **1.** Ornado de touca. **2.** *Fig.* Orlado, circundado, coroado. ● *S. m.* **3.** O conjunto dos adornos da cabeça das mulheres. [Cf. *tocado.*]

toucador (ô). [De *toucar* + *-(d)or.*] *Adj.* **1.** Que touca. ● *S. m.* **2.** Aquele que touca. **3.** Espécie de cômoda encimada por um espelho e que serve a quem se touca ou penteia. **4.** *P. ext.* Quarto ou gabinete em que, antigamente, ficava o toucador (3), e onde as mulheres se penteavam, pintavam, etc. **5.** Touca que as mulheres usavam para envolver o cabelo ao deitarem-se. [Cf. *tocador.*]

toucar. *V. t. d.* **1.** Pôr touca em. **2.** Cobrir com touca: cobrir: "duas graciosas fieiras de mocinhas, vestidos brancos, véus toucando os cabelos encrespados a papelotes" (Mário Sete, *Senhora de Engenho*, p. 20.) **3.** Pentear e dispor convenientemente (o cabelo): "Então Lúcia ocupava-se em anelar os cabelos louros da irmã e toucá-la com tanto esmero como se a preparasse para alguma festa esplêndida" (José de Alencar, *Lucíola*, p. 183). **4.** *Desus.* Adornar, enfeitar, ataviar, embelezar o vestuário de. **5.** Aureolar, coroar, circundar. **6.** Encimar, rematar. *P.* **7.** Preparar o seu próprio cabelo. **8.** Adornar-se, enfeitar-se, ataviar-se: "Calçou as sandálias, toucou-se de flores" (Antônio Nobre, *Só*, p. 9). [Conjug.: v. *trancar.* Pres. ind. *touco, toucas, touca,* etc. Cf. *toco* (ô), s. m., *toco,* do v. *tocar*, este verbo, e *tocar*, s. m.]

touceira. *S. f.* **1.** Grande touça ou moita. **2.** Parte da árvore que fica viva no solo depois de cortado o caule da árvore; cepa. **3.** Conjunto de rebentos ou filhos de uma planta. [F. paral.: *toiceira.*]

toucinho. *S. m.* Toicinho [q. v.]

toupeira. [Do arc. *toupa* < lat. *talpa*, + *-eira.*] *S. f.* **1.** Mamífero insetívoro, que vive sob a terra, minando-a (*Talpa europaea* Lin.). **2.** *Fig.* Pessoa de olhos pequenos e piscos. **3.** *Fam.* Pessoa estúpida, muito curta de inteligência. **4.** Mulher velha e mal vestida.

toupeirinha. [Dim. de toupeira.] *S. f. Bras.* V. *grilo-toupeira* (1).

tourada. *S. f.* **1.** Manada de touros. **2.** Corrida de touros, em circos; corrida, touros. [Var.: *toirada.*]

toural[1]. *S. m.* **1.** Campo da feira dos touros ou bois. **2.** Lugar onde os coelhos costumam estercar e onde os esperam os caçadores. [Var.: *toiral.* Cf. *toral.*]

toural[2]. *Adj. (f.)* V. *madural.* [Cf. *toral.*]

➧**tour de force** (tur de fórç'). [Fr.] *S. m.* Emprego de muita força ou muito esforço para alcançar um fim.

toureação. *S. f. Bras., S.* Ato de tourear; lide, toureio. [Var.: *toireação.*]

toureador (ô). [De *tourear* + *-(d)or.*] *S. m.* Toureiro (1).

tourear. [De *touro* + *-ear.*] *V. t. d.* **1.** Correr ou lidar (touros) em um circo ou praça. **2.** Perseguir, atacar. **3.** Zombar ou escarnecer de; chacotear. **4.** Provocar, desafiar. **5.** *Bras., S.* V. *namorar* (1). *Int.* **6.** Correr touros. [Var.: *toirear.* Conjug.: v. *frear.*]

toureio. [Dev. de *tourear.*] *S. m.* V. *toureação.* [Var.: *toireio.*]

toureiro. [De *touro* + *-eiro.*] *S. m.* **1.** Indivíduo que toureia, principalmente aquele que o faz como amador ou por profissão; toureador. ● *Adj.* **2.** Relativo a touro. [Var.: *toireiro.*] ◆ **À toureiro.** À valentona; na bruta; na marra.

tourejão. *S. m.* Cavilha destinada a amparar as rodas da carreta, nas extremidades do eixo. [Var.: *toirejão.*]

tourense. *Adj. 2 g.* **1.** De, ou pertencente ou relativo a Touros (RN). ● *S. 2 g.* **2.** Natural ou habitante de Touros.

touril. *S. m.* **1.** Curral de gado bovino. **2.** Lugar anexo à praça de touros, onde eles ficam antes da corrida. [Var.: *toiril.*]

tourinha. [De *tour(ada)* + *-inha*[2].] *S. f.* Corrida de novilhas mansas, paródia à corrida de touros. [Var.: *toirinha.*]

➧**tournedos** (turnedô). [Fr.] *S. m.* V. *turnedô.*

➧**tournée** (turnê). [Fr.] *S. f.* V. *turnê.*

touro. [Do lat. *tauru.*] *S. m.* **1.** Boi inteiro, não castrado. **2.** Boi bravo. [Fem.: vaca.] **3.** *Fig.* Homem fogoso e robusto. **4.** *Astr.* A segunda constelação do zodíaco, situada no hemisfério norte, próximo a 4 h 30 min de ascensão reta e 16° de declinação norte. **5.** O segundo signo do zodíaco, relativo aos que nascem entre 20 de abril e 20 de maio: Tauro. **6.** *Bras.* No jogo do bicho [q. v.], o 21° grupo (8), que abrange as dezenas 81, 82, 83 e 84, e corresponde ao número 21. [Var.: *toiro.*] ~ V. *touros.* ◆ **Touro de capa.** *Bras., RS.* Touro (1) que vai ser capado. **Pegar o touro pelos chifres.** *Bras.* Tomar o pião na unha [q. v.].

touros. [Pl. de *touro.*] *S. m. pl.* V. *tourada* (2). [Var.: *toiros.*] ~ V. *touro.*

tourunguenga. *Adj.* e *s. m. Bras., S.* Var. de *torunguenga*, com infl. de *touro.* [Cf. *valentão* (1 e 3).]

touruno. [Do esp. plat. *toruno.*] *Adj. Bras., S.* **1.** Diz-se do boi que, mal castrado, ainda procura as vacas. **2.** V. *valentão* (1). [Var.: *toiruno.*]

touta. *S. f. Pop.* V. *toutiço* (2). [Var.: *toita.*]

➧**tout court** (tu cur). [Fr.] Sem mais nada; somente, só.

touteador (ô). *Adj.* e *s. m.* Que ou aquele que touteia. [Var.: *toiteador.*]

toutear. [De *tonta* + *-ear.*] *V. int.* Dizer ou praticar tolices. [Var.: *toitear.* Conjug.: v. *frear.*]

➧**tout est bien qui finit bien** (tuté biẽ qui fini biẽ). [Fr.] Tudo o que termina bem está bem.

toutiçada. *S. f.* Pancada no toutiço. [Var.: *toitiçada.*]

toutiço. [De *touta* + *-iço.*] *S. m.* **1.** A parte posterior da cabeça; cachaço, nuca. **2.** A cabeça; touta. [Var.: *toitiço.*]

toutinegra (ê). [De *touta* + *-i-* + o fem. do adj. *negro.*] *S. f.* Designação comum a certas espécies de pássaros dentirrostros, e de canto ameno, de plumagem escura, fulva.

tovaca. [Do tupi.] *S. f. Bras.* Designação comum a aves passeriformes, da família dos formicarídeos (*Chamaeza brevicauda* (Vieil.)) e *C. ruficauda* (Cab & Hein.), do S.E. do Brasil, de dorso escuro, abdome amarelado, garganta branca, lado inferior malhado de preto, branco e amarelado. Vivem na mata, em geral freqüentam apenas o solo, onde se alimentam de toda sorte de artrópodes e onde nidificam. [Sin.: *espanta-porco, tegui* e *teú.*]

tovacuçu. [Do tupi *tuaku'su.*] *S. f. Bras.* Ave passeriforme, da família dos formicarídeos (*Grallaria varia* (Bod.)), distribuída por todo o Brasil, sendo mais bem conhecida a *G. v. imperator* Laf., do S. E. do País, de dorso escuro, cabeça cinzenta, região abdominal amarelada, e uma estria bifurcada que sai da mandíbula, transformando-se em malha de cor igual no pescoço. Nidifica no chão e alimenta-se de insetos. [Sin.: *perna-lavada* e *galinha-do-mato.*]

tovariácea. [Do antr. *Tovario*, de *Simón Tovario*, médico espanhol do séc. XVIII, + *-ácea.*] *S. f.* Espécime das tovariáceas.

tovariáceas. *S. f. pl. Bot.* Família de vegetais floríferos, constituída exclusivamente do gênero *Tovaria*, inexistente no Brasil, e situada entre as papaveráceas e as caparidáceas, na ordem das readales.

tovariáceo. *Adj.* Pertencente ou relativo às tovariáceas.

toxemia (cs). [De *tox(i)-* + *-(h)emo* + *-ia.*] *S. f. Patol.* Intoxicação do sangue; toxiquemia. ◆ **Toxemia gravídica.** *Med.* Cada um dos estados patológicos ligados à presença da gravidez e exclusivos dessa.

toxêmico (cs). *Adj.* Relativo à toxemia; toxiquêmico.

▲**tox(i)-.** [De *tóxico.*] *El. comp.* = 'tóxico': *toxina.* [Equiv.: *toxo-; toxoplasmose.*]

toxicar (cs). [De *toxic(o)-* + *-ar*[2].] *V. t. d.* V. *intoxicar.* [Conjug.: v. *trancar.* Pres. ind.: *toxico*, etc. Cf. *tóxico.*]

toxicidade (cs). *S. f.* **1.** Caráter do que é tóxico. [Sin. (mal formado): *toxidez.*] **2.** O quociente, expresso em quilogramas, da quantidade duma substância necessária para matar um animal.

▲**toxic(o)-.** [Do lat. *toxicum, i.*] *El. comp.* = 'veneno', 'tóxico': *toxicomania, toxicóforo* [Equiv.: *toxiqu(e)-: toxiquemia.*]

tóxico (cs). [Do gr. *toxikón* (subentende-se *phármakon*), 'veneno que convém ao arco ou à flecha', pelo lat. *toxicu.*] *Adj.* **1.** Que envenena. **2.** Que tem a propriedade de envenenar. ● *S. m.* **3.** Veneno, peçonha. [Cf. *toxico*, do v. *toxicar.*]

toxicóforo (cs). [De *toxic(o)-* + *-foro.*] *Adj.* Que produz tóxico ou veneno.

toxicografia (cs). [De *toxic(o)-* + *-graf(o)-* + *-ia.*] *S. f.* Descrição dos tóxicos.

toxicográfico (cs). *Adj.* Relativo à toxicografia.

toxicologia (cs). [De *toxic(o)-* + *-log(o)-* + *-ia.*] *S. f.* Ciência ou tratado dos tóxicos.
toxicológico (cs). *Adj.* Relativo à toxicologia.
toxicologista (cs). [De *toxic(o)-* + *-log(o)-* + *-ista.*] *S. 2 g.* Toxicólogo: "Exame atrasa porque IML só tem quatro toxicologistas trabalhando em 50 casos." (*Jornal do Brasil*, 12.4.1981.)
toxicólogo (cs). *S. m.* Especialista em toxicologia; toxicologista.
toxicomania (cs). [De *toxic(o)-* + *-mania.*] *S. f.* Mania de intoxicar-se com entorpecentes.
toxicomaníaco (cs). *Adj.* Relativo à toxicomania.
toxicômano (cs). [De *toxic(o)-* + *-mano.*] *S. m.* Indivíduo viciado em entorpecentes.
toxidez (cs... ê). [De *tox(i)-* + *-d-* + *-ez.*] *S. f.* V. *toxicidade* (1).
toxina (cs). [De *tox(i)-* + *-ina*[1].] *S. f.* Substância venenosa segregada por seres vivos e capaz de, injetada em animal, provocar a formação de antitoxina.
▲**toxiqu(e)-.** Equiv. de *toxic(o)-*.
toxiquemia (cs). [De *toxiqu(e)-* + *-(h) em(o)-* + *-ia.*] *S. f. Patol.* Toxemia.
toxiquêmico (cs). *Adj.* Relativo à toxiquemia: toxêmico.
▲**toxo-.** Equiv. de *tox(i)-*.
toxofilo (cs). [Do gr. *tóxon*, 'arco (flecha)', + *-filo*[1].] *Adj. Morfol. Veg. P. us.* Sagitifoliado.
toxóide (cs). [De *tox(i)-* + *-óide.*] *S. m. Med.* Exotoxina bacteriana que, modificada, perdeu a toxicidade, conservando o poder de combinar-se com antitoxina, ou estimular a produção dela.
toxoplasma (cs). [De *tox(o)-* + *-plasma.*] *S. m. Zool.* Gênero de esporozoário parasita intracelular, de que há mais de uma espécie (*T. gondii, T. pyrogenes*), e que pode infectar vários órgãos de aves e mamíferos, inclusive do homem. ♦ **Toxoplasma gondii.** Agente etiológico da toxoplasmose no homem, e que infecta, também, outros animais, como gatos, suínos, cachorros.
toxoplasmose (cs). [De *tox(o)-* + *-plasm(a)-* + *-ose.*] *S. f. Med.* Infecção causada pelo protozoário *Toxoplasma gondii*, que pode ser congênita ou adquirida, e incide no homem, noutros mamíferos e em aves. A forma congênita acomete o sistema nervoso central, e a adquirida apresenta duas modalidades: a linfadenopática, e a disseminada, em que vários órgãos podem ser atingidos, inclusive do sistema nervoso central e do aparelho da visão. ♦ **Toxoplasmose disseminada.** *Med.* V. *toxoplasmose*. **Toxoplasmose linfadenopática.** *Med.* V. *toxoplasmose*.
toxotídeo (cs). *S. m.* **1.** Espécime dos toxotídeos. • *Adj.* **2.** Pertencente ou relativo a eles.
toxotídeos (cs). *S. m. pl. Zool.* Família de peixes de água doce, da ordem dos percomorfos, da Índia e Indonésia, que conseguem caçar insetos aéreos cuspindo sobre eles e atirando-os na água.
▲**tra-.** V. *trans-*.
trabal. [Do lat. *trabale*, 'da grossura duma trave'.] *Adj. 2 g.* ~ V. *prego* —.
trabalhabilidade. [De *trabalhável* + *-i-* + *-dade.*] *S. f. Constr.* Propriedade que apresenta um material de ser facilmente preparado e aplicado em obras.
trabalhadeira. [De *trabalhar* + *-deira.*] *Adj. (f.)* **1.** Diz-se da mulher que gosta de trabalhar, que é diligente e cuidadosa. **2.** Que trabalha; que é dado ao trabalho: "mocidade estudiosa, trabalhadeira" (Machado de Assis, *Crônicas*, I, p. 148); "Minha avó tinha criado no sertão uma menina escurinha, órfã de pai e mãe. .... Era trabalhadeira e despachada." (Povina Cavalcanti, *Volta à Infância*, p. 147). • *S. f.* **3.** Mulher trabalhadeira.
trabalhado. [Part. de *trabalhar.*] *Adj.* **1.** Posto em obra; lavrado: "Finas colchas e alfaias, porcelanas valiosas e prata trabalhada vinham para esses lares" (Eugênio de Castro [o brasileiro], *Terra à vista*, p. 106); "Alta [a cadeira], de braços trabalhados terminando em volutas sobre o assento" (Samuel Rawet, *Os Sete Sonhos*, p. 10). **2.** Custoso, trabalhoso. **3.** Feito com arte, com esmero: *conto trabalhado*. **4.** Em que se trabalhou, se exerceu atividade: *Recebeu a soma correspondente a 35 dias trabalhados*.
trabalhador (ô). *Adj.* **1.** Que trabalha; laborioso; ativo. • *S. m.* **2.** Aquele que trabalha; lidador, pelejador. **3.** Jornaleiro, empregado, operário. **4.** *Bras., RS.* Jumento padreador de éguas. ♦ **Trabalhador autônomo.** Indivíduo que exerce habitualmente, sem qualquer vínculo empregatício, atividade profissional remunerada. [O trabalhador autônomo, como os profissionais liberais ou representantes comerciais, pode trabalhar para um empregador como subordinado deste; será, em tal caso, empregado. Tb. se diz apenas *autônomo*.]
trabalhão. *S. m.* Grande trabalho ou grande fadiga; trabalheira, azáfama.
trabalhar. [Do lat. vulg. **tripaliare*, 'martirizar com o *tripaliu*' (instrumento de tortura), atr. de uma f. **trebalhar.*] *V. int.* **1.** Ocupar-se em algum mister; exercer o seu ofício; aplicar a sua atividade. **2.** Esforçar-se para fazer ou alcançar alguma coisa; empregar diligência, trabalho; lidar, empenhar-se: *Sua inteligência trabalha sempre, tentando a solução do problema*; "Bem trabalho por fazer do Mestre de Aviz um rei; mas saime sempre cavaleiro andante." (Alexandre Herculano, *Lendas e Narrativas*, I, p. 289). **3.** Estar em funcionamento, em movimento; funcionar: "Fixais tempos de fartura, bangüês, engenhos e usinas trabalhando, para alegria dos seus donos" (Austregésilo de Ataíde, in José Lins do Rego e Austregésilo de Ataíde, *Discursos de Posse e Recepção na Academia Brasileira de Letras*, p. 55); *Este relógio trabalha automaticamente*. **4.** Desempenhar funções de ator; representar. **5.** Cogitar, pensar, matutar. **6.** Exercer a prostituição; ser prostituta. *T. i.* **7.** Ocupar-se de algum mister; exercer o seu ofício; aplicar a sua atividade: *Trabalha em imóveis*. **8.** Empregar esforços; fazer diligência, esforçar-se: *Trabalhou em reconciliar os velhos amigos desavindos*. **9.** Negociar, comerciar: *A loja não trabalha com artigos de arame*. *T. d.* **10.** Pôr em obra; lavrar: *trabalhar a terra, a madeira; trabalhar metais*. **11.** Fazer com cuidado; esmerar-se na feitura ou execução de: *trabalhar um texto literário*. **12.** Procurar granjear a simpatia, a estima, a boa vontade de: *É preciso trabalhá-lo bem para obter-lhe o voto*. **13.** Pôr (pessoa, grupo, coletividade) em condições de assumir determinado papel político, técnico, profissional, etc: *Os chefes políticos incumbiram-se de trabalhar a população votante; Os novos técnicos trabalharam os operários, tornando-os aptos à tarefa*. **14.** *Turfe.* Exercitar-se (o cavalo) galopando determinada distância como preparativo para a corrida. **15.** *P. us.* Atormentar, ralar, afligir: *A aflição trabalhava o pobre pai*.
trabalhável. *Adj. 2 g.* Que pode ser trabalhado.
trabalheira. [De *trabalho* + *-eira.*] *S. f. Fam.* V. *trabalhão*.
trabalhismo. [De *trabalho* + *-ismo.*] *S. m.* **1.** As doutrinas ou opiniões sobre a situação econômica do operariado. **2.** Doutrina do Partido Trabalhista inglês. **3.** Doutrina do Partido Trabalhista Brasileiro (PTB).
trabalhista. *Adj. 2 g.* **1.** Relativo ao trabalhismo. **2.** Do trabalho, da classe operária. **3.** Do Partido Trabalhista inglês; laborista. **4.** *Bras.* Do extinto Partido Trabalhista Brasileiro (PTB). **5.** *Bras.* Que é especialista em direito do trabalho: *advogado trabalhista*. • *S. 2 g.* **6.** Partidário do trabalhismo. **7.** Membro, partidário ou sectário do Partido Trabalhista inglês; laborista. **8.** *Bras.* Membro, partidário ou sectário do Partido Trabalhista Brasileiro (PTB). **9.** *Bras.* Especialista em Direito do Trabalho.
trabalho. [Dev. de *trabalhar.*] *S. m.* **1.** Aplicação das forças e faculdades humanas para alcançar um determinado fim: *O trabalho permite ao homem certo domínio sobre a natureza; Divide bem o tempo entre o trabalho e o lazer*. **2.** Atividade coordenada, de caráter físico e/ou intelectual, necessária à realização de qualquer tarefa, serviço ou empreendimento: *trabalho especializado; trabalho de responsabilidade*. **3.** O exercício dessa atividade como ocupação, ofício, profissão, etc.: *O trabalho de uma dona de casa, de uma costureira, de um advogado*. **4.** Trabalho (2) remunerado ou assalariado; serviço: *Os bancários têm seis horas de trabalho*. **5.** Local onde se exerce essa atividade: *Meu trabalho fica a dois quarteirões de casa; Já lhe dei o meu telefone do trabalho?* **6.** Qualquer obra realizada: *Aquela ponte é um belo trabalho de engenharia; O professor publicou um trabalho sobre física nuclear; Possui vários trabalhos de Di Cavalcanti*. **7.** Maneira de trabalhar a matéria, com manejo ou a utilização dos instrumentos de trabalho; *trabalho com cinzel; trabalho ao microscópio*. **8.** Esforço incomum; luta, faina, lida, lide: *Vai enfrentar um novo dia de trabalho; Foi um trabalho a salvação do prematuro*. **9.** Tarefa para ser cumprida; serviço: *O pedreiro desapareceu antes de terminar o trabalho*. **10.** Fatura, feitura, lavor: *trabalho delicado; trabalho mal-acabado*. **11.** Atividade que se destina ao aprimoramento ou ao treinamento físico, artístico, intelectual, etc.: *o trabalho de um técnico de futebol; trabalho escolar*. **12.** Ação contínua e progressiva duma força natural, e o resultado desta ação: *A erosão eólia resulta do trabalho do vento*. **13.** Resultado útil do funcionamento de qualquer máquina: *o trabalho de uma escavadeira, de um trator*. **14.** Tarefa, obrigação, responsabilidade: *Seu trabalho é apenas impedir que os adversários se defrontem*. **15.** *Biol.* Fenômeno ou conjunto de fenômenos que ocorrem num organismo e de algum modo lhe alteram a natureza ou a forma. **16.** *Econ.* Atividade humana realizada ou não com auxílio de máquinas e destinada à produção de bens e serviços. **17.** *Fís.* Grandeza cuja variação infinitesimal é igual ao produto escalar de uma força pelo vector deslocamento infinitesimal de seu ponto de aplicação. **18.** *Med.* Tabalho de parto. **19.** *Turfe.* Galope de treinamento, com tempo cronometrado, realizado durante a semana, como preparação para o páreo. **20.** *Bras.* V. *bruxaria* (1 e 2). ~ V. *trabalhos*. ♦ **Trabalho braçal.** Trabalho humano que exige força muscular. **Trabalho de cheio.** *Tip.* V. *composição corrida*. **Trabalho de fôlego.** Trabalho difícil e/ou extenso, que exige capacidade, disposição, coragem. **Trabalho de parto.** *Med.* O conjunto dos fenômenos que ocorrem no organismo feminino ao final da gestação e caracterizam as diversas fases do parto. [Tb. se diz apenas *trabalho*.] **Trabalho de sapa.** Conspiração ou ação oculta contra alguém. **Trabalho de Sísifo.** [Segundo a lenda grega, Sísifo, rei de Corinto, tendo escapado astuciosamente a Tânatos, o deus da morte, enviado por Zeus para castigá-lo, foi levado por Hermes ao Inferno, onde o condenaram ao suplício de rolar uma rocha até o cimo de um monte, donde ela se despencava, devendo o condenado recomeçar incessantemente o trabalho.] Trabalho esgotante e inútil, pois uma vez terminado, se tem de recomeçar: "Com a situação por ele [Campos Sales] criada o Brasil renasceu. A nove anos de agitações e descrédito sucederam quatro de reconstrução e oito de progresso e confiança ..... Mas em vez de persistirem os homens nessa senda, um dia, querendo impedir uma candidatura presidencial, em lugar de organizarem-se para resistir, como se fizera em 1894 contra o imenso poder de Floriano, voltaram a namorar os quartéis. Sem sair da bainha, uma espada produziu o efeito procurado. E o trabalho de Sísifo recomeçou..." (Tobias Monteiro, *O Presidente Campos Sales na Europa*, p. XCV.) **Trabalho elétrico.** *Fís.* O que é necessário para deslocar uma carga elétrica num campo elétrico. **Trabalho líquido.** *Fís.* A diferença entre o trabalho fornecido por um sistema e o trabalho de expansão realizado pelo sistema no mesmo processo. **Trabalho no eixo.** *Fís.* O trabalho de um sistema motriz que se manifesta pela rotação de um eixo, como é o caso, p. ex., num motor a explosão, numa turbina, num gerador a vapor. **Trabalho virtual.** *Fís.* O que as forças que atuam sobre um sistema realizariam quando efetuassem deslocamentos infinitesimais e virtuais compatíveis com os vínculos do sistema. **Agradecer o trabalho.** *Bras., SE.* Agradecer o emprego [q. v.]. **Dar trabalho.** Exigir esforço ou atenção; causar transtorno ou preocupação.
trabalhos. [Pl. de *trabalho.*] *S. m. pl.* **1.** Discussões ou deliberações (duma corporação). **2.** Empresas, empreendimentos. **3.** Aflições, cuidados. ~ V. *trabalho*. ♦ **Trabalhos forçados.** Pena de direito comum, aflitiva e infamante, que a princípio se executava em enxovias, depois deportando o condenado, e que hoje se executa encarcerando-o por mais de 10 anos.
trabalhoso (ô). *Adj.* Que dá trabalho ou fadiga; custoso; difícil.
trabécula. [Do lat. *trabecula.*] *S. f.* **1.** Trave pequena; travinca. **2.** *Anat.* Designação genérica de pequena trave de sustentação, constituída de tecido conjuntivo, como, p. ex., as que se estendem da substância de um órgão à cápsula deste. **3.** *Anat. Veg.* Fileira de células que atravessam uma lacuna tissular ou um espaço intercelular. **4.** *Anat. Veg.* Filamento protoplasmático que atravessa um vacúolo.
trabecular. *Adj. 2 g.* Relativo à, ou que apresenta trabécula.
trabelho (ê). [Do lat. **trabeculu*, 'pequena trave'.] *S. m.* **1.** Peça de madeira com que se torce a corda da serra pra retesá-la. **2.** Peia (1). [Var.: *trambelho* (q. v.).]
trabucada. *S. f.* **1.** Ruído do trabuco. **2.** *P. ext.* Ruído; estrondo.
trabucador (ô). *Adj.* e *s. m.* Que ou aquele que trabuca. ♦ **Trabucador da vida.** *Bras., SP. Pop.* Homem muito trabalhador.
trabucar. *V. t. d.* **1.** Atacar com o trabuco. **2.** Agitar, revolver. *Int.* **3.** Trabalhar com grande afã; labutar. **4.** Virar ou emborcar (uma embarcação): *O navio trabucou*. **5.** Fazer estrondo; estrondear, estrondar, atroar. [Conjug.: v. *trancar*.]
trabuco. [Do cat. *trabuc*, atr. do esp. *trabuco.*] *S. m.* **1.** Antiga máquina de guerra com que se atiravam pedras; balestra. **2.** Espécie de bacamarte: "os fregueses correram aos trabucos que haviam trazido consigo e travaram combate com a polícia." (Machado de Assis, *A*

Semana, II, p. 163). **3.** *Bras. Fig.* Charuto grande e/ou ordinário. [Dimin. irreg.: *trabuquete*.]
trabulança. *S. f. Bras. Pop.* Pequeno negócio ou ganho; gancho, bico, biscate.
trabuqueiro. *S. m.* Salteador armado de trabuco.
trabuquete (ê). *S. m.* Dim. irreg. de *trabuco*.
trabuzana. *S. f. Pop.* **1.** Tempestade, temporal. **2.** Incômodo ou doença. **3.** Tristeza, melancolia. **4.** V. *indigestão* (1). **5.** V. *bebedeira* (1). **6.** *Bras.*, *S.* V. *rolo*[1] (16). *S. m.* **7.** *Bras.*, *S. Pop.* V. *valentão* (3). [F. paral.: *tribuzana*.]
traça[1]. *S. f.* **1.** Designação comum aos insetos tisanuros, especialmente os da família dos lepismatídeos, cujas espécies *Acrotelsa collaris* (Frab.) e *Ctenolepisma ciliata* (Duf.) são comuns no RJ. [Sin.: *lepisma*, *traça-dos-livros*.] **2.** A rigor, as larvas de lepidópteros, quase todas de origem européia, e que atacam roupas de lã, tapetes, artigos de crina, peles e chifres. **3.** A espécie *Tineola biselliella* Humm., caseira, que produz maiores estragos. **4.** A traça cuja larva vive em casinhas chatas, abertas nas extremidades, deslocando-se sobre as paredes (*Tineola uterella* Wals). [A mariposa tem de 12 a 16 mm de comprimento.] **5.** *Fig.* Aquilo que destrói a pouco e pouco. **6.** *Fam.* Pessoa maçante, cacete.
traça[2]. [Var. de *traço*.] *S. f.* **1.** V. *traçado*[2] (3 e 5). **2.** Plano, esboço, projeto. **3.** Organização, disposição, plano. **4.** *Fig.* Manha, ardil. **5.** *Bras.* Figura, aspecto.
traçado[1]. *S. m. Bras.* **1.** Lona estreita, para velas. **2.** Lençol que se usa atravessado na cama dos doentes.
traçado[2]. [Part. de *traçar*[1].] *Adj.* **1.** Representado por meio de traços. **2.** Delineado, esboçado, projetado. ~ V. *cal* —a. ● *S. m.* **3.** Ato ou efeito de traçar[1]; traçamento, traça, traço. **4.** Conjunto de traços [v. *traço*[1] (2)]. **5.** Planta, projeto, risco, traça: *traçado de uma casa.*
traçado[3]. [Part. de *traçar*[2].] *Adj:* **1.** Roído ou corroído pela traça[1] (1 a 4). **2.** Partido em pedaços.
traçado[4]. *S. m. Bras.* Bebida feita com a mistura de cachaça e vermute.
traçador (ô). *Adj.* **1.** Que traça [v. *traçar*[1]]. ● *S. m.* **2.** Aquele ou aquilo que traça [v. *traçar*[1]]. **3.** *Bras.* Serrote grande, de lâmina elíptica. **4.** Agulha ou ponteiro que os carpinteiros e marceneiros utilizam para riscar. ◆ **Traçador radioativo.** *Quím. Nucl.* Nuclídeo radioativo usado para marcar uma fase, ou uma molécula, num sistema, a fim de se acompanharem as transformações da fase, ou da molécula, num processo de evolução do sistema.
traça-dos-livros. *S. f. Bras.* V. *traça*[1] (1). [Pl.: *traças-dos-livros*.]
tracajá. [Do tupi *taraka'yá*.] *S. m. Bras., AM.* Reptil da ordem dos quelônios, da família dos pleomedusídeos (*Podocnemis unifilis* Trosch.), da Amaz., de coloração pardo-escura, plastrão amarelado, cabeça vermelho-pardacenta com listra amarela em cada mandíbula, mancha amarela atrás do olho e um par de manchas também amarelas, com centro preto, no interparietal. O primeiro par dos escudos marginais é extremamente estreito, mais comprido que largo. A carne e os ovos dessa espécie são também muito usados na região. [Sin.: *anuri*, *bracajá*, *capinima*, *capininga*, *pitiu*, *tara-caiá*, *tarecaí*, *terecaí*, *tartaruga-da-amazônia*. [Cf. *anaiuri* e *araracangaçu*.]
tracalhaz. *S. m. Pop.* **1.** Grande fatia ou naco. **2.** Grande porção. [Var.: *tracanaz*.]
tracambista. [De *tra(tante)* + *cambista*?] *S. 2 g. Bras.* Tratante, biltre.
traçamento. *S. m.* V. *traçado*[2] (3).
tracanaz. *S. m. Pop.* Var. de *tracalhaz*.
traçanga. [Do tupi *tara'sãga*, 'a formiga assanhada ou embravecida'.] *S. f. Bras., CE.* Designação popular de uma espécie de formiga cujo nome comum ainda não está correlacionado com o científico. Sabe-se que produz picada dolorosa. [Var.: *crauçanga*.]
tração. [Do lat. *tractione*.] *S. f.* **1.** Ação duma força que desloca objeto móvel por meio de corda, etc. **2.** Ato de deslocar. **3.** *Mec.* Força que provoca um alongamento num corpo sólido.
traçar[1]. [Do lat. *tractiare < *tractu*, part. pass. de *trahere*, 'arrastar'.] *V. t. d.* **1.** Fazer ou representar por meio de traços [v. *traço*[1] (2)]: "muros altos, onde de dia os moleques se divertiam *traçando* calungas e sinais obscenos." (Gilberto Freire, *Assombrações do Recife Velho*, p. 50). **2.** Descrever (3). **3.** Dar traços [v. *traço*[1] (2)] em; pautar, riscar: *traçar a cartilina.* **4.** Descrever, expor: *Na conferência traçou a situação da empresa.* **5.** Esboçar, delinear, projetar: *Costumam os jovens traçar planos irrealizáveis.* **6.** Marcar, demarcar, delimitar: *traçar fronteiras.* **7.** Determinar-se a; determinar, resolver, decidir: *Traçou viajar imediatamente.* **8.** Armar, tramar, maquinar: *Traçaram uma conspiração.* **9.** Supor, presumir, conjeturar. **10.** Escrever, compor: *Traçou 10 laudas elogiosas;* "*Traço* estas linhas preguiçosamente" (Gilca da Costa Melo Machado, *Mulher Nua*, p. 53). **11.** Pôr de través; pôr a tiracolo; cruzar: "Quando Felícia apareceu, *traçando* o xale, persignou-se e soprou a lamparina." (Coelho Neto, *Turbilhão*, p. 154); "pára em frente da escadaria do Tesouro, *traça* e destraça a capa espanhola" (Augusto Meyer, *No Tempo da Flor*, p. 14). **12.** *Bras.* Serrar transversalmente (uma tora). [Conjug.: v. *laçar*.]
traçar[2]. [De *traça*[1] + *-ar*[2].] *V. t. d.* **1.** Roer ou corroer (a traça[1] [1 a 4]). **2.** Partir em pedaços, gastar, consumir. **3.** Afligir, atormentar, apoquentar, amolar. **4.** *Bras. Fam.* Beber ou comer com grande apetite ou avidez; devorar, bater: *Num abrir e fechar de olhos traçou três bifes.* **5.** *Bras. Pop.* Copular com; comer, papar. *Int.* e *p.* **6.** Cortar-se (pano, papel, etc., roído pela traça[1] [1 a 4]): *A sobrecasaca traçou; Meu terno traçou-se todo.* [Conjug.: v. *laçar*.]
tracejado. [Part. de *tracejar*.] *Adj.* Diz-se da linha formada por pequenos traços, uns em seguimento aos outros.
tracejamento. *S. m.* Ato ou efeito de tracejar.
tracejar. [De *traço* + *-ejar*.] *V. int.* **1.** Fazer traços ou linhas. *T. d.* **2.** Formar com pequenos traços, uns adiante dos outros. **3.** Descrever ligeiramente. **4.** Planejar; delinear, esboçar. [Conjug.: v. *pelejar*.]
trácio. [Do gr. *thrákios*, pelo lat. *thraciu*.] *Adj.* **1.** Da, ou pertencente ou relativo à Trácia, região da Europa oriental, atualmente dividida entre a Grécia, Turquia e a Bulgária. ● *S. m.* **2.** O natural ou habitante da Trácia.
tracionar. *V. t. d.* Deslocar por tração (1): puxar.
tracista. *Adj. 2 g.* **1.** Que faz traços. ● *S. 2 g.* **2.** Pessoa que faz traços, planos, alvitres.
traço[1]. [Dev. de *traçar*[1].] *S. m.* **1.** V. *traçado*[2] (3). **2.** Risco ou linha traçada a lápis, pincel ou pena. **3.** Ponto ou linha de interseção de uma reta ou de um plano com outra, ou outro. **4.** Feição, caráter, aspecto: "Outro *traço* nacional da sua psicologia [do Regente Diogo Antônio Feijó] é a sua simplicidade de costumes." (Oliveira Viana, *Pequenos Estudos de Psicologia Social*, p. 189.) **5.** Esboço, delineamento: "o *traço* dos *Contrabandistas*, como o gizei aos 18 anos, ainda hoje o tenho por um dos melhores e mais felizes de quantos me sugeriu a imaginação." (José de Alencar, *O Guarani*, p. 66). **6.** Impressão, marca, sinal: *O sofrimento deixou-lhe profundos traços.* **7.** *Fig.* V. *laivos* (2): *Sua conversa tinha traços de ironia.* **8.** Trabalho gráfico (arte-final, clichê, fotolito, etc.) no qual a imagem consiste apenas de linhas e superfícies contínuas sem meios-tons ou gradações que impliquem utilização de retícula, como, p. ex., o trabalho a traço, o clichê-traço ou clichê a traço. **9.** *Bras.*, *N.E. Pop.* Porção de bebida tomada de uma só vez. ◆ **Traço meteórico.** *Astr.* Linha luminosa deixada no céu por um meteoro brilhante, e que se mantém visível por alguns segundos após a sua aparição.
traço[2]. [Dev. de um *traçar < *terçar* (2).] *S. m.* Composição (de um concreto ou uma argamassa) expressa por uma relação numérica indicativa das proporções, em peso ou em volume, dos diversos componentes.
traço-de-união. *S. m.* V. *hífen*. [Pl.: *traços-de-união*.]
tracoma. [Do gr. *tráchoma*.] *S. m. Patol.* Oftalmopatia crônica, de causa infecciosa, que compromete córnea e conjuntiva, levando à fotofobia, dor e lacrimejamento.
tracomatoso (ô). *Adj.* **1.** Referente a, ou que tem caráter ou aspecto de tracoma. **2.** Que tem tracoma. ● *S. m.* **3.** Aquele que o tem.
traconídeo. *S. m.* **1.** Espécime dos traconídeos. ● *Adj.* **2.** Pertencente ou relativo a eles.
traconídeos. *S. m. pl. Zool.* Família de peixes teleósteos dos mares temperados das Antilhas.
tracuá. [Do tupi *taraku'á*, 'devorador de espigas'.] *S. f. Bras., PA.* V. *tacuá*.
tracunhaense (nhà). *Adj. 2 g.* **1.** De, ou pertencente ou relativo a Tracunhaém (PE). ● *S. 2 g.* **2.** Natural ou habitante de Tracunhaém.
tracutinga. [Do tupi *taraku'tĩg*, 'taracuá branco'.] *S. f. Bras.*, *S.* V. *tocandira* (1). [Var.: *tracuxinga*, *saracutinga*.]
tracuxinga. [Var. de *tracutinga* (q. v.).] *S. f. Bras.* V. *tocandira* (1).
tradar. *V. t. d. Bras.*, *Amaz.* Tradear. [Aplica-se especialmente em relação à copaibeira, assim furada para se lhe extrair o óleo.]
➡**trade acceptance** (treid accéptanç). [Ingl.] *Econ.* Letra com que o comprador adquire a crédito uma mercadoria que se refere a uma venda já realizada.
tradear. *V. t. d.* Furar com trado ou pua; tradar. [Conjug.: v. *frear*.]
tradescância. [Do lat. bot. *Tradescantis*, do antr. Tradescant, do jardineiro inglês John Tradescant (? —1638), + *-ia*.] *S. f.* Designação comum a várias espécies de plantas do gênero *Tradescantia*, da família das comelináceas, umas nativas e outras cultivadas como ornamentais, e que são ervas moles, prostradas, com pequenas folhas, muitas vezes coloridas, e flores pouco aparentes.
tradição. [Do lat. *traditione*.] *S. f.* **1.** Ato de transmitir ou entregar. **2.** Transmissão oral de lendas, fatos, etc., de idade em idade, geração em geração. **3.** Transmissão de valores espirituais através de gerações. **4.** Conhecimento ou prática resultante de transmissão oral ou de hábitos inveterados. **5.** Recordação, memória.
tradicional. *Adj. 2 g.* **1.** Relativo ou pertencente à tradição. **2.** Conservado na tradição. ~ V. *gramática* —.
tradicionalidade. *S. f.* Qualidade de tradicional.
tradicionalismo. *S. m.* **1.** Aferro, apego, amor às tradições ou usos antigos. **2.** Sistema de crença baseado na tradição. [Sin. ger.: *conservantismo*.]
tradicionalista. *Adj. 2 g.* **1.** Relativo ao, ou próprio do tradicionalismo. **2.** Que é partidário do tradicionalismo. ● *S. 2 g.* **3.** Partidário dele.
tradicionário. *Adj.* e *s. m.* Que, ou aquele que segue a tradição.
tradinha. [De *trado* + *-inha*.] *S. f.* V. *verruma*.
trado. [Do céltico, atr. do lat. tardio *talatru*, com sonorização, síncope, crase e metátese: *taladro, *taadro, *tadro.] *S. m.* **1.** Verruma grande, usada por carpinteiros e tanoeiros; verrumão, gonete. **2.** Furo aberto por ela. **3.** *Constr.* Instrumento de forma helicoidal com que se fazem furos de sondagem nos solos.
tradução. [Do lat. *traductione*, 'ato de conduzir além, de transferir'.] *S. f.* **1.** Ato ou efeito de traduzir. **2.** Obra traduzida: *Quase só lê traduções.* **3.** Versão (2). **4.** *Proc. Dados.* O processo de converter uma linguagem em outra. **5.** *Genét.* Etapa final do processamento da informação genética através da síntese de uma cadeia polipeptídica, a partir da seqüência de nucleotídios do ácido ribonucléico mensageiro. ◆ **Tradução justalinear.** Aquela em que o texto de cada linha vai traduzido ao lado, ou na linha imediata. **Tradução literal.** A que é feita ao pé da letra. **Tradução livre.** A que não se atém às palavras do texto original. [Opõe-se a *tradução literal*.] **Tradução simultânea.** Interpretação simultânea.
tradutor (ô). [Do lat. *traductore*, 'o que conduz além, o que transfere'.] *Adj.* e *s. m.* Que ou aquele que traduz.
traduzir. [Do lat. *traducere*, 'conduzir além, transferir'.] *V. t. d.* **1.** Transpor, trasladar de uma língua para outra: *O rapaz traduz bem o inglês;* "Louis Fabulet *traduz* exclusivamente Rudyard Kipling" (Paulo Rónai, *Escola de Tradutores*, p. 26). **2.** Revelar, explicar, manifestar, explanar: *Aquelas palavras não traduziam com clareza o seu pensamento;* "Quando o artista deforma a imagem visual, no desenho ou na cor, para melhor *traduzir* os seus sentimentos, não deixa por isso de ser figurativo, apenas não é um realista visual. Ex.: Van Gogh." (Carlos Cavalcanti, *História das Artes*, I, p. 27). **3.** Ser o reflexo ou a imagem de; representar, simbolizar: *O movimento modernista traduzia uma ânsia de renovação;* "De tudo o que levamos dito se depreende que somente a língua viva, espontânea, exuberante, desordenada, ... pode *traduzir* a vida real com todas as suas vicissitudes, as suas aspirações, os seus ideais" (Silva Ramos, *Pela Vida fora...*, p. 237). *T. d.* e *i.* **4.** Trasladar de uma língua para outra; verter: *Traduz em nossa língua autores ingleses;* "Há meses a sociedade Amigos do Livro Americano, *traduziu* para o espanhol dois romances inteiramente inofensivos" (Graciliano Ramos, *Linhas Tortas*, p. 121); *Já traduziu ao português diversas obras.* *Int.* **5.** Saber traduzir; ser capaz de o fazer: *Traduz excelentemente.* **6.** Exercer a profissão de tradutor: *É professor e traduz.* *P.* **7.** Transparecer, manifestar-se: "O entusiasmo da folha pelas idéias republicanas e liberais *se traduzia* numa demonstração expressiva: a publicação de um número especial para comemorar o aniversário da tomada da Bastilha." (Barbosa Lima Sobrinho, *Presença de Alberto Torres*, p. 35); *Sua tristeza traduzia-se no olhar.* [Conjug.: v. *aduzir*.]
traduzível. *Adj. 2 g.* Que pode ser traduzido.
trafegabilidade. *S. f.* Qualidade de trafegável.
trafegar. [Alter. de *traficar*.] *V. int.* **1.** Andar no tráfego. **2.** Lidar, afadigar-se. *T. i.* **3.** Negociar, mercadejar, traficar. *T. d.* **4.** Percorrer ou passar apressadamente. *T. c.* **5.** transitar; passar, andar: *Esta linha de ônibus trafegava pela zona sul.* [F. paral.: *trafeguear*. Con-

jug.: v. *regar.* Pres. ind.: *trafego,* etc. Cf. *tráfego.*]

trafegável. *Adj. 2 g.* Que pode ser trafegado ou transitado.

tráfego. [Alter. de *tráfico.*] *S. m.* **1.** V. *tráfico* (1). **2.** Grande atividade; afã, lida, trabalho. **3.** Convivência. familiaridade. **4.** Fluxo das mercadorias transportadas por aerovia, ferrovia, hidrovia ou rodovia. **5.** Repartição ou pessoal que se ocupa desse transporte. **6.** Fluxo das mensagens transmitidas por determinado meio de comunicação: *tráfego telefônico; tráfego telegráfico.* **7.** *Bras.* V. *trânsito* (6 e 7). [Cf. *trafego,* do v. *trafegar.*] ♦ **Tráfego aéreo.** O fluxo (2) da navegação aérea comercial. **Tráfego marítimo.** O fluxo (2) da navegação mercante por mares e oceanos.

trafeguear. [De *tráfego* + *-ear.*] *V. int., t. i., t. d.* e *t. c.* Trafegar. [Conjug.: v. *frear.*]

traficância. *S. f.* **1.** Ato ou efeito de traficar. **2.** *Pop.* Negócio fraudulento; tratantada.

traficante. [De *traficar* + *-nte.*] *Adj. 2 g.* **1.** Que pratica negócios fraudulentos. ● *S. 2 g.* **2.** Quem os pratica: *A polícia prendeu o traficante de maconha.* **3.** Negociante, mercador.

traficar. [Do it. *traficare.*] *V. t. i.* e *int.* **1.** Comerciar, mercadejar, trafegar: *Seu avô traficava em escravos; Era dado a traficar.* **2.** Fazer negócios fraudulentos: *traficar com entorpecentes; Já foi preso, mas vive de traficar.* [Conjug.: v. *trancar.* Pres. ind.: *trafico,* etc. Cf. *tráfico.*]

tráfico. [Do it. *traffico.*] *S. m.* **1.** Comércio, negócio: tráfego. **2.** *Fam.* Negócio indecoroso. **3.** Uso de prestígio junto a autoridade ou órgão público a fim de conseguir vantagens, benefícios, favores ilegais ou irregulares. **4.** *Bras.* V. *trânsito* (7). [Cf. *trafico,* do v. *traficar.*] ♦ **Tráfico de influência.** O aceitar oferecimentos e/ou receber presentes para obter de um governante ou duma autoridade pública uma vantagem qualquer; advocacia administrativa. **Tráfico de mulheres.** *Jur.* Modalidade de lenocínio: recrutamento e transporte, dum país para outro, de mulheres destinadas à prostituição.

tragacanto. [Do gr. *tragákantha,* pelo lat. *tragacantha.*] *S. m.* V. *alcatira.*

tragada. [De *tragar* + *-ada*[1].] *S. f. Bras.* Ato isolado de tragar (fumaça de cigarro ou bebida, especialmente alcoólica).

tragadeiro. [De *tragar* + *-deiro.*] *S. m.* **1.** *Pop.* V. *garganta* (1). **2.** V. *tragadouro.*

tragadoiro. [De *tragar* + *-(d)oiro.*] *S. m.* V. *tragadouro.*

tragador (ô). *Adj.* e *s. m.* Que, ou o que traga.

tragadouro. [De *tragar* + *-(d)ouro;* var. de *tragadoiro.*] *S. m.* Aquilo que traga ou absorve; sorvedouro, tragadeiro.

tragamento. *S. m.* Ato ou efeito de tragar.

traga-moiros. *S. m. 2 n.* Var. de *traga-mouros.*

traga-mouros. [De *tragar* + *mouro.*] *S. m.2 n.* Homem violento. [Var.: *traga-moiros.*]

tragante. *Adj. 2 g.* e *s. m. Tec.* Diz-se da, ou boca de um forno por onde se lançam os materiais que devem ser processados.

tragar. [De *trago*[1] + *-ar*[2].] *V. t. d.* **1.** Beber, engolir, de um trago. **2.** Engolir com avidez e sem mastigar; devorar. **3.** Agüentar, tolerar: *Não traga o novo colega.* **4.** Fazer desaparecer; absorver: *As profundezas do oceano tragaram os restos do navio.* **5.** Aspirar, sorver. **6.** Crer, acreditar: *Não podia tragar semelhante mentira. Int.* **7.** Inalar a fumaça do tabaco. [Conjug.: v. *largar.*]

tragável. *Adj. 2 g.* Que pode ser tragado.

tragédia. [Do gr. *tragoidía,* pelo lat. *tragoedia.*] *S. f.* **1.** *Teat.* Na Grécia antiga, obra teatral em verso que se originou do ditirambo (1), de caráter grandioso, dramático e funesto, em que intervêm personagens ilustres ou heróicas, e que é capaz de infundir terror e piedade. **2.** *Teat.* Peça de ordinário em verso, e que termina, em regra, por acontecimentos fatais. **3.** *Teat.* Gênero dramático a que pertencem tais peças: *Na Grécia, onde teve origem, a tragédia atingiu a culminância com Ésquilo, Sófocles e Eurípides.* [Sin., nestas acepç.: *cena trágica.*] **4.** *Fig.* Acontecimento que desperta lástima ou horror; ocorrência funesta; sinistro. **5.** *Fig.* Mau fado; desgraça, infortúnio. ♦ **Fazer tragédia de.** Dar aspecto trágico a (um fato ou acontecimento mais ou menos insignificante).

tragediógrafo. [De *tragédia* + *-o-* + *-grafo.*] *S. m.* Autor de tragédia(s).

trager. *V. t. d., t. d.* e *i.* e *transobj. Ant.* Trazer.

trágica. [Fem. de *trágico* (3).] *S. f.* Mulher que representa tragédias.

tragicidade. *S. f.* Qualidade do que é trágico.

trágico. [Do gr. *tragikós,* pelo lat. *tragicu.*] *Adj.* **1.** Relativo a, ou próprio de tragédia. **2.** *Fig.* Funesto, sinistro. **3.** Que é dado a fazer tragédia [q. v.]: *É um sujeito trágico: considera-se infeliz porque a filhinha está com uma febre de nada.* ~V. *cena —a.* ● *S. m.* **3.** Aquele que escreve e/ou representa tragédias: *Shakespeare, Antônio Ferreira e João Caetano foram grandes trágicos.*

tragicomédia. [Do lat. *tragicomoedia.*] *S. f.* **1.** Peça teatral que participa da tragédia pelo assunto e personagens, e da comédia pelos incidentes e desenlace: "Eram quadras de uma antiga peça teatral portuguesa, a *tragicomédia O Capitão Valentia*" (Virgílio Várzea, *Nas Ondas,* p. 4). **2.** *Fig.* Acontecimento tragicômico.

tragicômico. [De *trági(co)* + *cômico,* com haplologia.] *Adj.* **1.** Relativo a, ou próprio de tragicomédia. **2.** Funesto, porém acompanhado de incidentes cômicos.

tragifarsa. [De *trági(co)* + *farsa.*] *S. f. Teat.* Obra dramática em que se associam as características da tragédia e as da farsa: "*O Diletante* [De Martins Pena], *tragifarsa* em um ato, representada pela primeira vez no Teatro São Pedro, a 25 de fevereiro de 1845" (Sílvio Romero, *Martins Pena,* p. 68).

trago[1]. [Dev. de *tragar.*] *S. m.* **1.** V. *gole:* "Quando eu ouço uma cordeona,/ No dia em que tomo uns *tragos*,/ Saudades tenho do pingo/ E das caboclas dos pagos." (Vargas Neto, *Tropilha Crioula e Gado Xucro,* p. 19.) **2.** *Fig.* Aflição, angústia. **3.** Infelicidade, adversidade. [Pl.: *tragos.* Cf. *trágus.*]

trago[2]. [Do lat. *tragus.*] *S. m. Anat.* Saliência cartilaginosa, anterior à entrada de cada ouvido externo, a qual se cobre de pêlos quando se chega a certa idade; trágus.

traguá. *S. f. Bras., Amaz.* V. *tacuá.*

tragueado. [Part. de *traguear.*] *Adj. Bras., RS.* Meio bêbedo: tocado, alegrete, alegre.

traguear. [De *trago*[1] (1) + *-ear.*] *V. int. Bras., RS.* Ingerir bebidas alcoólicas; beber. [Conjug.: v. *frear.*]

traguira. [De *targuira,* com síncope.] *S. f. Bras., SP.* Designação dada às formas jovens da tubarana [q. v.].

trágus. [Do gr. *trágos,* 'bode', pelo lat. mod. *tragus.*] *S. m. 2 n. Anat.* Trago[2]. [Cf. *tragos,* pl. de *trago.*]

traição. [Do lat. *traditione,* 'entrega'.] *S. f.* **1.** Ato ou efeito de trair(-se). **2.** Crime de quem, perfidamente, entrega, denuncia ou vende alguém ou alguma coisa ao inimigo. **3.** Perfídia, deslealdade, aleivosia. **4.** Infidelidade no amor. [Sin., nessas acepç.: *traimento* (p. us.) e *traidoria* (bras., SP).] **5.** *Bras., MT.* Espécie de mutirão [q. v.], com a particularidade de o fazendeiro que pretende auxiliar o vizinho chegar à casa deste alta noite, de surpresa, em companhia dos trabalhadores, acordando-o, em geral, ao som de cantos. [Cf. *suta* (3) e *estalada* (5).]

traiçoeiro. *Adj.* **1.** Que usa de traição. **2.** Em que há traição; tredo. **3.** Relativo a traição. **4.** Pérfido, desleal, aleivoso. **5.** Diz-se de arma brandida ou manejada contra alguém à traição: *punhal traiçoeiro.* **6.** Vibrado, desferido, despedido, etc., à traição: *golpe traiçoeiro; punhalada traiçoeira;* "Talvez nos bosques forasteira, / Laço, armadilha ou bala *traiçoeira* / De falaz caçador te aguarde um dia!" (Raimundo Correia, *Poesias,* p. 103.)

traído. [Part. de *trair.*] *Adj.* Que sofreu traição.

traidor (ô). [Do lat. *traditore.*] *Adj.* **1.** Que atraiçoa. **2.** Perigoso, com aparência de seguro. ● *S. m.* **3.** Aquele que atraiçoa.

traidoria (a-i). [De *traidor* + *-ia.*] *S. f. Bras., SP.* V. *traição* (1 a 4).

➧**trailer** (trêilâr, paroxítono). [Ingl.] *S. m.* **1.** Exibição de curtos trechos de um filme de próxima apresentação, com fito publicitário. **2.** Reboque[2] (3). **3.** Reboque[2] (3) tipo casa, adaptado à traseira de um automóvel, utilizado em geral para *camping.*

traimento (a-i). [De *trair* + *-mento.*] *S. m. Desus.* V. *traição* (1 a 4).

➧**train** (trẽ). [Fr.] *S. m. Turfe.* Padrão de velocidade imprimido à carreira. [V. *páreo* (2).]

traineira. [Do esp. *trainera.*] *S. f.* **1.** Embarcação motorizada, com rede de arrastar pelo bordo, e que, na costa sul do Brasil, onde se usa sobretudo na pesca da sardinha, tem um camarim a ré: "Os pais de Dolores e esta obtiveram asilo numa *traineira* de pesca, que os levou, sob temporal desapiedado, às praias de Biarritz." (Joaquim Paço d'Arcos, *Neve sobre o Mar,* p. 187.) **2.** *Bras.* Rede grande, trapeziforme, usada sobretudo na pesca da sardinha.

trainel. *S. m. Teat.* Elemento cenográfico bidimensional e móvel, de diferentes formas e tamanhos, e que pode ser pintado para imitar muro, porta, folhagem, etc., exercendo diversas funções no cenário. [Pl.: *trainéis.*]

➧**training** (trêinin'). [Do ingl. *training,* nome comercial.] *S. m.* Traje esportivo para ambos os sexos, de malha, moletom, etc., composto, em geral, de calças compridas ajustadas ao tornozelo, e blusão.

traipuense. *Adj. 2 g.* **1.** De, ou pertencente ou relativo a Traipu (AL). ● *S. 2 g.* **2.** Natural ou habitante de Traipu.

trair. [Do lat. *tradere,* 'entregar'.] *V. t. d.* **1.** Enganar por traição; atraiçoar: *Este homem jamais traiu alguém.* **2.** Entregar por traição; denunciar, delatar: *Joaquim Silvério dos Reis traiu Tiradentes.* **3.** Ser infiel a: *Traiu a esposa.* **4.** Abandonar traiçoeiramente; ofender com traição: *Traiu seu Deus, mas arrependeu-se.* **5.** Não cumprir: *trair um juramento.* **6.** Manifestar, revelar, dar a perceber, involuntariamente: *As contrações faciais traíam a angústia que lhe ia no coração;* "Não apresentava [o semblante do governador] uma só ruga que pudesse *trair* oculto desgosto, ou indicar grave apreensão." (Franklin Távora, *O Cabeleira,* pp. 182-183); "Em John Keats, o sentimento da beleza *traía* um fundo de religiosidade que conciliava o místico e o pagão." (Eugênio Gomes, *Espelho contra Espelho,* p. 194). **7.** Não corresponder a: *Traiu minhas esperanças. P.* **8.** Descobrir involuntariamente aquilo que se devia ou queria ocultar; comprometer-se: *Não admitia culpa, mas traiu-se ao negar um fato óbvio.* **9.** Manifestar-se, revelar-se: *Ao dizer as primeiras palavras, a sua aflição traiu-se.* [Irreg. Conjug.: v. *sair.*]

traíra. [Var. de *taraíra* < tupi *tare'ira;* outras var.: *tararira* e *tarira.*] *S. f.* **1.** *Bras.* Peixe teleósteo, da família dos caracídeos (*Hoplias malabaricus* (Bloch)), distribuído por todo o País. Tem dorso negro, flancos pardo-escuros, abdome branco, manchas escuras irregulares pelo corpo, e é desprovido de nadadeira adiposa. Seus dentes são muito cortantes, é carnívoro e considerado um dos maiores inimigos da piscicultura. Comprimento: até 40 cm. [Sin.: *dorme-dorme, maturaqué, robafo, rubafo.*] **2.** Irmão ou pessoa íntima que ganha do outro no jogo (em especial no pôquer). **3.** *Bras., BA. Chulo.* O pênis. ♦ **Pegar traíra.** *Bras., CE. Fam.* e *Pop.* Cabecear com sono; toscanejar; puxar camurim, puxar piraíba.

trairabóia (a-i). [Var. desnasalada de *trairambóia.*] *S. f. Bras., N.E.* **1.** V. *cobra-lisa.* **2.** V. *pirambóia.*

trairambóia (a-i). [Do tupi *tarairã'bóia,* 'traíra-cobra'; var.: *traíra-bóia.*] *S. f. Bras.* V. *pirambóia.*

trairão (a-i). [De *traíra* + *-ão*[2].] *S. m. Bras.* Peixe teleósteo, caraciforme, da família dos caracídeos, subfamília dos eritríneos (*Hoplias lacerdae* Mir. Rib.), do Bras. C. Tem coloração geral quase preta, os flancos cinzentos com faixas transversais escuras, abdome esbranquiçado, nadadeiras com pontos escuros. Comprimento: até 1 m. A carne tem sabor agradável.

traíra-pixuna. *S. f. Bras.* V. *jeju.* [Pl.: *traíras-pixunas.*]

traíra-pixúria. *S. f. Bras., Amaz.* V. *jeju.* [Pl.: *traíras-pixúrias.*]

trajanense. *Adj. 2 g.* **1.** De, ou pertencente ou relativo a Trajano de Morais (RJ). ● *S. 2 g.* **2.** Natural ou habitante de Trajano de Morais.

trajar. [De *traje* + *-ar*[2].] *V. t. d.* **1.** Aplicar ou usar como vestuário; usar, trazer: *Trajava um belo vestido;* "*Trajava* por costume roupas escuras." (Rebelo da Silva, *Contos e Lendas,* p. 59); "jamais *trajava* vermelho ou rosa ou amarelo porque não eram cores de viúva." (Raquel de Queirós, *Dora, Doralina,* p. 11). *T. i.* **2.** Vestir-se (de certo modo): "*Trajava* de cetim escuro" (Camilo Castelo Branco, *Perfil do Marquês de Pombal,* p. 16); "Ambas *trajavam* de preto" (José de Alencar, *Lucíola,* p. 178); "*Traja* de luto a vizinha / Pelo marido defundo." (Alberto de Oliveira, *Poesias,* 3ª série, p. 145). **3.** Cobrir-se, revestir-se: *Na primavera as árvores trajam de verde.* **4.** Enfeitar-se, adornar-se. ataviar-se. *P.* **5.** Vestir-se (17): "Musa querida. *traja-te* de branco" (Antônio Sales, *Poesias,* p. 53). **6.** Cobrir-se, revestir-se.

traje. [Dev. do port. ant. e dialetal *trager,* var. de *trazer.*] *S. m.* **1.** Vestuário habitual. **2.** Vestuário próprio de uma profissão. **3.** Vestes. vestuário, roupa. fato. [Var.: *trajo.*] ♦ **Traje a rigor.** Roupa de cerimônia que se usa à noite em reuniões de gala, bailes. banquetes, espetáculos, etc.. e que inclui casaca, *smoking,* vestido de baile. **Traje de passeio.** O que se caracteriza pelo aspecto convencional como, p. ex., para os homens, o uso de terno e gravata. **Traje espacial.** *Astron.* Traje pressurizado, para uso no espaço ou em regiões de baixa pressão. **Trajes menores.** Roupas que se usam só por baixo de outras, como camisetas, combinações, cuecas, etc.: roupas íntimas. **Em trajes de Adão.** Nu em pêlo: em pêlo; pelado.

trajeto. [Do lat. *trajectu,* 'passagem'.] *S. m.* Espaço que alguém ou algo tem de percorrer para ir de um lugar a

outro; trajetória, percurso.
trajetória. [Do lat. *trajectore*, 'o que atravessa', + *-ia*.] *S. f.* **1.** Linha descrita ou percorrida por um corpo em movimento. **2.** *Fís.* Lugar geométrico das posições ocupadas por uma partícula que se move. **3.** *Fig.* V. *trajeto*. **4.** *Fig.* Meio, via. ♦ **Trajetória de fase.** *Fís.* Num espaço de fase, linha descrita por um ponto de fase.
trajo. *S. m.* Var. de *traje*: "O seu trajo, cortado à moda da corte de Luís XV, de veludo preto, fazia realçar a elegância do corpo." (Rebelo da Silva, *Contos e Lendas*, pp. 175-176.)
tralalá. *S. m. Bras. Pop.* V. *nádegas*.
tralha. [Do lat. *tragula*.] *S. f.* **1.** Rede pequena, que pode ser lançada ou armada por um só homem [Var.: *tralho*.] **2.** Malha de rede. **3.** *Marinh.* Cabo cosido na orla de uma vela, toldo, rede de pesca, etc., para reforçá-la. **4.** *Marinh.* Cabo cosido em uma bandeira, insígnia, etc., e por meio do qual esta é presa à adriça que permite içá-la num mastro, verga, etc. **5.** *Bras.* Fio de arremate das redes de pesca. **6.** V. *cacaréus*.
tralhada. [De *tralha* + *-ada*^{1}.] *S. f. Bras.* V. *cacaréus*.
tralhar. *V. t. d.* Lançar tralha em.
tralho. *S. m.* Var. de *tralha* (1).
tralhoada. [De *tralho* + *-ada*^{1}.] *S. f.* **1.** Grande porção de miudezas. **2.** Confusão, trapalhada, embrulhada, salsada.
tralhoto (ô). [De *tralha* ou de *tralho*, talvez.] *S. m. Bras.* Peixe teleósteo, ciprinodonte, da família dos anablepídeos, gênero *Anablepe* Scop., com olhos divididos em duas porções, uma para ver fora da água e outra para ver dentro dela. Vive sempre à flor da água, e tem a nadadeira anal transformada em órgão copulador. As duas espécies conhecidas são *A. anableps* (L.) e *A. microlepis* Muel & Trosch. ambas da foz do rio Amazonas e das Guianas, até a Venezuela. [Sin.: *quatro-olhos* e *tariota*.]
trama. [Do lat. *trama*.] *S. f.* **1.** O conjunto dos fios passados no sentido transversal do tear, entre os fios da urdidura (2). **2.** V. *tela* (1). **3.** Fio grosso, de seda. **4.** Fio grosso com que se fazem certos tecidos. **5.** *Fig.* Enredo, intriga, teia. **6.** *Teat.* V. *intriga* (4). **7.** *Fig.* Conluio, conspiração. **8.** *Fig.* Procedimento ardiloso. **9.** *Fotogrstatic.* V. *retícula* (2). **10.** *Bras.* Contrato, ajuste. **11.** *Bras.* Negócio. empresa. **12.** *Bras.* Troca, barganha. **13.** *Bras.* Ladroeira, roubalheira; velhacaria. **14.** *Bras.*, *S.* Travessa de madeira que se põe entre os vãos dos mourões das cercas de arame, presa aos respectivos fios por um arame flexível.
tramado. [De *trama* + *-ado*^{1}.] *Adj.* **1.** *Fotograv.* Obtido por meio de trama: reticulado. **2.** *Lus. Pop.* Ferrado^2 (4).
tramador (ô). *Adj.* e *s. m.* Que ou aquele que trama.
tramaga. *S. f.* Var. metatética de *tamarga*.
tramagal. *S. m.* Var. metatética de *tamargal*.
tramagueira. *S. f.* Var. metatética de *tamargueira*.
tramanzola. *S. 2 g. Bras.*, *RS.* Pessoa muito jovem, alta, corpulenta, e um tanto moleirona.
tramar. *V. t. d.* **1.** Passar (a trama) por entre os fios da urdidura: tecer, entretecer, entecer, entrelaçar. **2.** Armar, maquinar, urdir: *Tramou toda a história, pretendendo iludir pessoas ingênuas.* **3.** Intrigar, enredar. *T. i.* **4.** Armar uma conspiração; conspirar: *Tramava contra a ordem estabelecida.*
trambaculhada. [Voc. express.] *S. f. Bras. Fam.* Encontroada, encontrão, colisão.
tramba-las-águas. [Da expr. *entre âmbalas* (= ambas as) *águas*.] *S. m. 2 n. Bras.*, *SP.* Lugar onde duas marés se encontram, em um canal que tenha duas saídas para o mar. [F. paral., MA e PE: *tomba-las-águas*.]
trambalear. *V. int. Bras.*, *RS.* Cambalear, trambecar, trambolhar. [Var.: *trambalhar*. Conjug.: v. *frear*.]
trambalhar. *V. int. Bras.*, *RS.* Var. de *trambalear*.
trambecar. *V. int. Bras.* Andar aos bordos, com um ébrio; tropeçar, cambalear, vacilar, trambolhar: "O bezerro, faminto, trambecava de magro." (Adalberon Cavalcanti Lins, *Curral Novo*, p. 169.) [Conjug.: v. *trancar*.]
trambelho (ê). [Var. nasalada de *trabelho*.] *S. m.* **1.** Trabelho. **2.** *Marinh.* Pequena peça de madeira com uma caneladura na parte média, por onde se amarra ao chicote de um tralha (4), e destinada a prender esta a uma alça feita num dos chicotes de uma adriça. **3.** *Marinh. Bras.* Qualquer dispositivo que serve para prender a tralha (4) a uma adriça.
trambicar. *Bras. Gír. V. t. d.* **1.** Praticar trambique(s) contra: *Desonesto, trambicou o próprio amigo. Int.* **2.** Praticar trambique(s): *Vive a trambicar.* [Conjug.: v. *trancar*.]
trambique. *S. m. Bras. Gír.* **1.** Negócio fraudulento: *Não é pessoa em quem se confie: vive de trambiques.* **2.** *P. ext.* Logro, burla, vigarice.
trambiqueiro. *Adj.* e *s. m. Bras. Gír.* Diz-se de, ou indivíduo dado a trambiques trapaceiro, vigarista: *Não queira negócios com ele: é o sujeito mais trambiqueiro do mundo.*
trambolhada. [De *trambolho* + *-ada*^{1}.] *S. f.* Porção de coisas atadas ou enfiadas. ♦ **De trambolhada.** Aos trambolhões: *A cheia levou de trambolhada casas, pontes, barranco, tudo que achou no seu caminho.*
trambolhão. [De *trambolho* + *-ão*^{2}.] *S. m.* **1.** Ato de cair, rebolando; banho de poeira. **2.** Queda com estrondo. **3.** *Fam.* Decadência, declínio. **4.** Contratempo inesperado. ♦ **Aos trambolhões.** Aos tombos; aos esbarros; de trambolhada.
trambolhar. [De *trambolhão*.] *V. int.* **1.** Andar ou ir aos trambolhões: "No tempo das águas o pátio alagava-se em atascadeiro e os negrinhos refestelavam no enxurdo espojando-se, trambolhando, patinhando no lameiro nauseante." (Coelho Neto, *Rei Negro*, p. 8.) [Sin., no RS: *trambalear*.] **2.** Falar com embaraço ou confusão. [Pres. ind.: *trambolho*, etc. *Cf. trambolho* (ô).]
trambolho (ô). *S. m.* **1.** Qualquer corpo pesado que se ata aos pés dos animais domésticos a fim de não se afastarem para longe; trangalho. **2.** Molho grande; enfiada. **3.** *Fig.* Obstáculo. embaraço. estorvo. empecilho. **4.** *Fam.* Pessoa muito nutrida, que anda a custo. [Pl.: *trambolhos* (ô). Cf. *trambolho*, do v. *trambolhar*.]
tramela. [Do lat. vulg. **trabella*, dim. de *trabe*, 'trave'.] *S. f.* **1.** Peça de madeira, que gira ao redor de um prego, para fechar porta, porteira, postigo, etc. **2.** Peça de madeira que, batendo na mó do moinho, produz o atrito, fazendo cair o grão da tremonha. **3.** *Ant. Marinh.* Peça de madeira presa na parte superior da retranca (2), que servia de cunho (6) para mantê-la presa ao mastro. [Var. nessas acepç.: *taramela*.] **4.** *Bras.*, *N.E. Pop.* Objeto que serve de estorvo à caminhada. **5.** *Bras.*, *S.* Peça de madeira que se prende ao pescoço dos bezerros para impedir que mamem. ● *S. 2 g.* **6.** *P. ext.* V. *tagarela* (2). [q. v.].
tramembé. *Bras. S. 2 g.* **1.** Indivíduo dos tramembés, tribo indígena do CE. ● *Adj. 2 g.* **2.** Pertencente ou relativo a essa tribo. [Cf. *taramembé, tremembé* e o top. *Tremembé*.]
tramista. *S. 2 g. Bras.* Pessoa que faz tramas. roubalheiras, maroteiras; caloteiro, velhaco.
tramitação. *S. f. Bras.* Ato ou efeito de tramitar.
tramitar. *V. int. Bras.* Seguir os trâmites (um processo, um documento): *O seu requerimento ainda está tramitando, mas daqui a um mês será despachado.* [Pres. subj.: *tramite*, etc. Cf. *trâmite*.]
trâmite. [Do lat. *tramite*.] *S. m.* **1.** Caminho ou atalho determinado. **2.** *Fig.* Trâmites (1). [Nesta acepç. é m. us. no pl. Cf. *tramite*, do v. *tramitar*.] ~ V. *trâmites*.
trâmites. [Pl. de *trâmite*.] *S. m. pl.* **1.** Meios apropriados à consecução de um fim. [Tb. us. no sing.] **2.** Curso de um processo, segundo as regras; via: *O requerimento seguiu os trâmites legais.* ~ V. *trâmite*.
tramo. *S. m.* Vão (11).
tramóia. [Do esp. *tramoya*, 'máquina teatral'.] *S. f.* **1.** Intriga, enredo, maranha: "D. Cirila, pela aversão que o capitão Mendes da Fonseca, o coletor, ganhara à confissão, graças às tramóias do patife do Chico Fidêncio, deixara a freguesia do engomado" (Inglês de Sousa, *O Missionário*, p. 107). **2.** Velhacaria, trampolinice, trampolinada.
tramoieiro. *S. m.* Aquele que faz tramóias.
tramolhada. [Aglut. de *terra* + o fem. de *molhado*, com síncope em *terra*.] *S. f.* Terra úmida; lameiro.
tramontana. [Do it. *tramontana*.] *S. f.* **1.** Estrela polar. **2.** Vento ou lado do norte. **3.** *Fig.* Rumo, direção. ♦ **Perder a tramontana.** Desnortear-se: atarantar-se: "a escuridão cresceu e desfechou em vento, trovões, chuva e raios. O mancebo perdia a tramontana, e o onagro dobrava a carreira e bufava violentamente." (Alexandre Herculano, *Lendas e Narrativas*, II, p. 28).
tramontar. [Do it. *tramontare*.] *V. int.* **1.** Esconder-se (o Sol) além dos montes; transmontar: "O viajante .... tinha que fazer breve parada num sítio ermo, além do apeadouro de Irará, precisamente à hora em que o Sol tramonta na serra." (Xavier Marques, *Terras Mortas*, p. 126.) ● *S. m.* **2.** Ato de tramontar.
trampa^1. *S. f. Chulo.* **1.** Excremento, fezes: "a falta de arejamento mantinha ali um relento de trampa e urina." (Pedro Nava, *Beira-Mar*, p. 33). **2.** V. *ninharia*.
trampa^2. [Do esp. *trampa*.] *S. f.* **1.** *Ant.* Trama, enredo, tramóia. **2.** *Bras.*, *RS.* Armadilha para apanhar caça.
trampão. [De *trampa*^{2} (1) + *-ão*^{2}.] *Adj. Ant.* Que usa de ardis, tramas, tramóias; trapaceiro. [Fem.: *trampona*.]
trampear. [Do esp. plat. *trampear*.] *V. int. Bras.*, *RS*, e *ant.* Fazer trampolinas; calotear, trapacear. [Conjug.: v. *frear*.]
trampesco (ê). *S. m. Bras.*, *N.*, e *prov. lus.* Bofetada, tapa.
trampo. *S. m. Bras.*, *SP. Pop.* V. *trabalho* (4).
trampolim. [Do it. *trampolino*.] *S. m.* **1.** Prancha comprida. fixa numa das extremidades, de onde os acrobatas, os nadadores, etc., tomam impulso para os saltos. **2.** *Fig.* Pessoa ou coisa que, como se fosse um trampolim, impulsiona alguém; degrau: *A mulher rica servira-lhe de trampolim para a ascensão social.*
trampolina. [De *trampa*^{2}, talvez com infl. do it. *trampolino*.] *S. f.* Dito ou ato de trampolineiro; trampolinice. trampolinada, trampolinagem.
trampolinada. [De *trampolinar* + *-ada*^{1}.] *S. f. Bras.* V. *trampolina*.
trampolinagem. [De *trampolinar* + *-agem*^{2}.] *S. f. Bras.* V. *trampolina*.
trampolinar. *V. int.* Fazer trampolinas; proceder como trampolineiro.
trampolineiro. *Adj.* e *s. m.* Diz-se de, ou aquele que tem o hábito de fazer trapaças, embustes, trampolinas; trapaceiro, velhaco.
trampolinice. *S. f.* V. *trampolina*.
trampona. *Adj.* (*f.*) *Ant.* Fem. de *trampão*.
tramposear. [De *tramposo*^{2} + *-ear*.] *V. int.* **1.** *Bras.*, *RS.* Intrometer-se nos negócios dos outros, na vida alheia. *T. d.* **2.** Enganar, lograr. [Conjug.: v. *frear*.]
tramposo^1 (ô). [De *trampa*^{1} + *-oso*.] *Adj. Chulo.* Nojento, imundo, porco, porcalhão, seboso.
tramposo^2 (ô). [Do esp. plat. *tramposo*.] *Adj. Bras.*, *RS*, e *ant.* **1.** Intrigante, mexeriqueiro. **2.** Intrometido, metediço. **3.** Trapaceiro, velhaco.
trâmuei. [Do ingl. *tramway*.] *S. m.* **1.** Trilho chato para bondes. **2.** O próprio bonde. [Sin. ger.: *tranvia*.]
tranar. [Do lat. *tranare*.] *V. t. d.* **1.** Transnadar (1). **2.** Atravessar, cruzar. **3.** Cortar, fender.
tranca. [De or. pré-romana, talvez.] *S. f.* **1.** Barra de ferro ou de madeira que se põe transversalmente atrás das portas para segurá-las. **2.** Qualquer dispositivo de segurança contra furtos, que se adapta a portas, veículos, etc.: *A tranca do automóvel impede a livre movimentação do veículo.* **3.** *P. ext.* V. *travanca*. **4.** Peça do cerrome do carro que cinge o peito do animal. **5.** *Fig.* Traço muito grosso. **6.** *Prov. lus.* Ramo de árvore; pernada. ● *S. 2 g.* **7.** *Bras.* V. *avaro* (3). **8.** *Bras.* Indivíduo que serve de empecilho, ou que é ordinário de mau caráter. ● *Adj. 2 g.* **9.** *Bras.* V. *avaro* (1). **10.** *Bras.* diz-se de tranca (8). ~ V. *trancas*.
trança. *S. f.* **1.** Entrelaçamento de três ou mais madeixas [v. *madeixa* (2 e 3)], passando-se alternadamente a madeixa da direita ou da esquerda sobre a(s) do meio; trançado. **2.** *Restr.* Trança (1) de cabelos. **3.** Galão^1 (1) trançado. **4.** *Ant.* Pedaço de corda com que se deitava fogo às antigas peças de artilharia; morrão. **5.** *Bras.* Folguedo de origem ibérica, ligado aos reisados do Natal e Ano-Bom, e que consiste numa dança em torno de uma vara à qual se prendem longas fitas multicores. **6.** *Bras.* Enredo, tramóia, intriga. **7.** *Bras.* Trancinha (3). **8.** *Bras.*, *PE. Pop.* V. *rolo*^{1} (16).
trancaço. [Do esp. plat. *trancazo*.] *S. m. Bras.*, *RS.* V. *defluxo*.
trancada. *S. f.* **1.** Pancada com tranca; paulada. **2.** *Pesc.* Estacada que atravessa um rio.
trançadeira. [De *trançar* + *-deira*.] *S. f.* Fita de prender o cabelo; trançado.
trancado. [Part. de *trancar*.] *Adj.* **1.** Fechado ou seguro com tranca. **2.** Completamente fechado. **3.** V. *fechado* (5).
trançado. [Part. de *trançar*.] *Adj.* **1.** Disposto em trança (1): *cesto trançado.* ● *S. m.* **2.** Trança (1). **3.** Trançadeira. **4.** Obra trançada: *trançado em duas cores.*
trançador (ô). *Adj.* **1.** Que trança. ● *S. m.* **2.** Aquele que trança. **3.** *Bras.* Aquele que por ofício faz tranças (de couro, crina, etc.). **4.** *Bras.*, *S.* Indivíduo intrigante, dado a fazer trancinhas por ofício.
trancafiamento. *S. m.* Ação ou efeito de trancafiar.
trancafiar. [De *trancar*.] *V. t. d. Bras. Pop.* Prender, encarcerar, trincafiar.
trancafio. [De *tranchefilas* (q. v.), com infl. de *trancar*, + *fio*.] *S. m. Encad. P. us.* V. *cabeçada* (3).
trancamento. *S. m.* Ato ou efeito de trancar(-se).
trancão. [De *tranco* + *-ão*^{1}] *S. m. Bras.* Encontrão, repelão, tranco.
trancar. *V. t. d.* **1.** Segurar ou fechar com tranca(s): "Zelinda começou a fechar as janelas e trancar as portas." (Guido Vilmar Sassi, *Piá*, p. 59.) **2.** *P. ext.* Fechar (3). **3.** Prender, enclausurar. **4.** Cancelar, riscar (documento escrito). **5.** Pôr fim a: concluir, terminar,

rematar: *Trançaram a discussão sem entendimento.* **6.** *Bras. Fut.* Afastar (o adversário) com um trancão ou tranco, para apoderar-se da bola. *P.* **7.** Fechar-se, encerrar-se, em lugar seguro. **8.** *Bras.* Mostrar-se fechado, não muito comunicativo: *Costuma trancar-se até com os amigos mais íntimos.* **9.** Não dizer nada; não se manifestar; fechar-se em copas: *Interrogado, trancou-se a respeito do assunto dizendo que nada tinha que declarar.* [F. paral.: *atrancar.* O *c* do radical transforma-se em *qu* antes de *e*: *tranquei, tranque,* etc.]

trançar. *V. t. d.* **1.** Pôr em trança (1 e 2); entrançar. **2.** Entretecer, entrelaçar, entrançar. *Int.* **3.** *Bras. Fam.* Andar seguidamente e para diversos lados; zanzar. **4.** *Bras., SP. Pop.* Cruzar-se (os dançadores), em certa parte do fandango. *P.* **5.** Entrelaçar-se, enredar-se, entrançar-se: "Entrebatem-se, enredam-se, trançam-se .... e embaralham-se milhares de chifres." (Euclides da Cunha, *Os Sertões,* p. 128.) [Conjug.: v. *laçar.*]

trancaria. [De *tranca* (6) + *aria.*] *S. f.* Feixe, monte ou grande porção de toros de lenha.

tranca-ruas. [De *trancar* + *rua.*] *S. m. 2 n.* **1.** V. *valentão* (3). **2.** *Bras. Pop.* Motorista que dirige lerdamente, ou que retarda o tráfego.

trancas. [Pl. de *tranca.*] *S. f. pl. Pop.* As pernas. ~ V. *tranca.*

tranca-trilhos. [De *trancar* + *trilho.*] *S. m. 2 n. Bras.* Trave com que se impede o trânsito através dos trilhos de uma estrada de ferro.

trance. *S. m.* V. *transe:* "Magalhães caiu, quando eram passados os trances gloriosos daquele circuito aventuroso de milhares de léguas, o qual não ousariam nem sequer fantasiar como poema os que admiraram na Antiguidade os périplos de Cílax e de Hanon, e os que contaram a famosa expedição dos Argonautas." (Latino Coelho, *Fernão de Magalhães,* p. 212.)

trancelim. [Do esp. *trencellín,* dim. de *trencillo.*] *S. m.* **1.** Galão ou trança fina, de seda, ouro ou prata, para guarnições e obras de costura; trancinha. **2.** Cordão delgado, de ouro: "Tia Irinéia até lhe dera um pequeno crucifixo, num trancelim, para ele botar no pescoço" (Gilvã Lemos, *Jutaí Menino,* p. 158).

trancha. [Do fr. *tranche.*] *S. f.* Ferramenta com que os funileiros viram beiradas das folhas-de-flandres.

tranchã. [Do fr. *tranchant.*] *Adj. 2 g. Bras. Gal.* **1.** Categórico, decisivo; cortante: *argumento tranchã.* **2.** *Gír.* V. *bacana* (1).

tranchefilas. [Do fr. *tranchefile.*] *S. m. 2 n. Encad. P. us.* V. *cabeçada* (3).

trancinha. [Dim. de *trança.*] *S. f.* **1.** Trancelim (1). **2.** *Bras.* Enredo, tramóia, intriga, mexerico. **3.** *Bras.* Seqüência de laçadas simples de crochê; trança. ● *S. 2 g.* **4.** Intrigante, enredeiro, mexeriqueiro. ● *Adj. 2 g.* **5.** Diz-se de pessoa trancinha (4).

tranco. [Var. de *tranca.*] *S. m.* **1.** Salto que dá o cavalo. **2.** Solavanco. **3.** Abalo, comoção. **4.** *Bras.* Esbarro, encontrão, empurrão, safanão. **5.** *Bras. Gír.* Admoestação, observação, advertência; fora: *Há muito merecia o tranco que hoje levou da turma.* **6.** *Bras., RS.* Marcha normal, habitual, não apressada, do cavalo; tranquito. ◆ **A trancos. 1.** Aos trancos. **2.** Com interrupções; intervaladamente. **Aos trancos.** Aos saltos, aos trambolhões; aos trancos e barrancos. **Aos trancos e barrancos. 1.** Com muita dificuldade; a muito custo. **2.** Aos trancos.

trancucho. [Do esp. plat. *trancucho.*] *Adj. Bras., S. Pop.* Meio embriagado; um tanto bêbado; trancudo.

trancudo. *Adj. Bras., S. Pop.* Trancucho.

trangalhadanças. [De um **trangalhar,* de *trangalho,* + *dança.*] *S. 2 g. e 2 n. Burl.* Pessoa alta e desajeitada.

trangalho. [Do esp. *trangallo.*] *S. m.* **1.** Trambolho (1). **2.** Toro ou ramo de madeira.

trangla. [Do fr. *tringle.*] *S. f.* Barra de metal para prender passadeiras aos degraus das escadas.

trangola. *S. m. Burl.* Homem alto, magricela e feio.

tranqueado. [Part. de *tranquear.*] *Adj.* **1.** Que se tranqueou ou tranqueirou; atravancado. ● *S. m.* **2.** *Bras., AL.* Ato de tranquear, de suster o cavalo nas rédeas. **3.** *Bras., AL.* Certa dança, variedade de coco² (ô) (1).

tranquear. [De *tranco* + *-ear.*] *V. int.* **1.** *Bras., N.* Andar (o cavalo) de lado. **2.** *Bras., S.* Andar (o cavalo) em marcha natural, no tranco (6). *T. d.* **3.** Tranqueirar. **4.** *Bras., AL.* Suster (o cavalo) nas rédeas. [Conjug.: v. *frear.*]

tranqueira. [De *tranca* + *-eira.*] *S. f.* **1.** Estacada para cercar ou fortificar; tranquia. **2.** Trincheira (1). **3.** *Tip.* Morsa. **4.** *Bras. Desus.* Porteira, cancela. **5.** *Bras., SP.* Coivara velha no meio da mata. **6.** *Bras., SP.* Coivara derrubada que impede o trânsito. **7.** *Bras., SP.* Merenda, lanche.

tranqueirar. *V. t. d.* Pôr tranqueira (1) em; tranquear.

tranqueiro. [De *tranca* + *-eiro.*] *S. m.* Cada um dos paus ou escoras que sustentam um madeiro que vai ser serrado com serra braçal.

tranqueta (ê). [Dim. irreg. de *tranca.*] *S. f.* **1.** Pequena tranca. **2.** Peça de ferro que se coloca verticalmente por detrás das portas ou das janelas para fechá-las.

tranquia. [De *tranca* + *-ia.*] *S. f.* **1.** Tranqueira (1). **2.** Pau atravessado para impedir a passagem.

tranquibernar. *V. int.* Fazer tranquibérnias.

tranquiberneiro. *Adj.* e *s. m.* Que ou aquele que tranquiberna.

tranquibérnia. *S. f.* Tramóia, burla, fraude, trapaça, tranquibernice: "as comissões fiscais, pagas e bem pagas, andavam de mãos dadas em todas as traficâncias e tranquibérnias!" (Visconde de Taunay, *O Encilhamento,* p. 238). [F. paral.: *traquibérnia.*]

tranquibernice. *S. f.* V. *tranquibérnia.*

tranquilha. [Do esp. *tranquilla.*] *S. f.* **1.** Peça de madeira com que se aperta o cavalo, no manejo. **2.** O pau que se coloca de viés, no jogo da bola.

tranqüilidade. [Do lat. *tranquilitate.*] *S. f.* **1.** Estado ou qualidade de tranqüilo. **2.** Serenidade, concórdia, paz: *Segundo os últimos noticiários, reina tranqüilidade no país.* **3.** Calma, sossego, quietude: *A tranqüilidade do campo faz-lhe bem à alma.* **4.** Paz de espírito; estado de tranqüilo (5): *Desejo-lhe saúde e tranqüilidade.*

tranqüilamente. [Do fem. de *tranqüilo* + *-mente.*] *Adv.* De modo tranqüilo; com tranqüilidade.

tranqüilização. *S. f.* Ação ou efeito de tranqüilizar(-se).

tranqüilizador (ô). *Adj.* **1.** Que tranqüiliza; tranqüilizante. ● *S. m.* **2.** Aquele que tranqüiliza.

tranqüilizante. *Adj. 2 g.* **1.** Tranqüilizador (1). **2.** Diz-se de medicamento que exerce a sua ação, predominantemente, sobre a ansiedade e a tensão nervosa, sem ter ação hipnótica direta, podendo, contudo, quando em dose alta, induzir o sono; ansiolítico, tensiolítico. ● *S. m.* **3.** Medicamento tranqüilizante (2); ansiolítico, tensiolítico.

tranqüilizar. *V. t. d.* e *p.* Tornar(-se) tranqüilo; sossegar, pacificar(-se), acalmar(-se), aquietar(-se).

tranqüilo. [Do lat. *tranquillu.*] *Adj.* **1.** Em que reina a calma, a ordem, o equilíbrio: *A Suíça é um país tranqüilo.* **2.** Que se efetua ou decorre sem agitação, de modo regular: *Entrou na sala com seu costumeiro passo tranqüilo; Tem um sono tranqüilo.* **3.** Sem agitação; manso, quieto, sereno, sossegado: *lugar tranqüilo; mar tranqüilo; Hoje o menino travesso está tranqüilo.* **4.** Que é de natureza calma, serena, estável: *homem tranqüilo.* **5.** Que não tem, ou em que não há inquietação, preocupação, remorso ou culpa: *consciência tranqüila sonhos tranqüilos.* **6.** Certo, seguro, infalível: *Não te preocupes, pois é tranqüila a tua admissão ao cargo.*

tranquitana. *S. f.* V. *traquitana.*

tranquito. [Do esp. *tranquito.*] *S. m. Bras., RS.* **1.** Tranco (6). **2.** Cavalo que anda bem, que é estradeiro. ◆ **A tranquito.** *Bras., RS.* Devagar, vagarosamente, lentamente; no tranquito. **No tranquito.** *Bras., RS.* V. *a tranquito:* "No tranquito ia, cantando, e pensando na sua pobreza" (Simões Lopes Neto, *Contos Gauchescos e Lendas do Sul,* p. 290).

▲**trans-.** [Do lat. *trans.*] *Pref.* = 'movimento para além de', 'através de'; 'posição para além de'; 'posição ou movimento de través'; 'intensidade': *transumância, transadmitância, transecular; transplatino; transverso* (< lat. *transversu*). [Equiv.: *tras-, tra-* e *tres-*: *traspassar, trasvisto, traspilar; tramontar, travesso* (< lat. *transversu*); *tresnoitar, tresvariar; tresler, tresgastar, tressuar.* (Alternam-se, às vezes, entre si: *transbordar, trasbordar; transpassar, traspassar, trespassar.*)]

transa (za). [Der. regress. de *transação.*] *S. f. Bras. Gír.* Palavra-ônibus que traduz idéias de: entendimento, combinação, acordo, ajuste, pacto, comunicação, ligação, trama, conluio, maquinação, relação amorosa, etc.; transação.

transação (za). [Do lat. *transactione.*] *S. f.* **1.** Ato ou efeito de transigir. **2.** Combinação, convênio, ajuste. **3.** Operação comercial. **4.** *Jur.* Ato jurídico que dirime obrigações litigiosas ou duvidosas mediante concessões recíprocas das partes interessadas; composição. **5.** *Bras. Gír.* V. *transa.* ● *S. m.* **6.** *Bras. Gír. Desus.* Velhaco, patife.

transacionado (za). [Part. de *transacionar.*] *Adj.* Que foi objeto de transação ou negócio.

transacional (za). *Adj. 2 g.* Relativo a, ou que tem o caráter de transação. ~ V. *análise* —.

transacionar (za). *V. int.* Fazer transação ou negócio; contratar, negociar, comerciar.

transacto (za). *Adj.* Transato.

transactor (zactôr). *Adj.* e *s. m.* Transator.

transadmitância (za). [Do ingl. *transadmittance.*] *S. f. Eletrôn.* Numa válvula, o quociente da intensidade do componente alternativo da corrente num eletrodo pela intensidade do componente alternativo da tensão noutro eletrodo, quando as tensões dos eletrodos restantes permanecem constantes.

transalpino (zal). [Do lat. *transalpinu.*] *Adj.* Situado além dos Alpes. [Antôn.: *cisalpino.*]

transamazônico (za). [De *trans-* + *amazônico.*] *Adj.* Que atravessa a Amazônia.

transandino (zan). [De *trans-* + *andino.*] *Adj.* **1.** Situado além dos Andes. [Antôn.: *cisandino.*] **2.** Que atravessa os Andes.

transar (zar). [De *transa* + *-ar*².] *V. t. d. Bras. Gír.* **1.** Fazer transa a respeito de; combinar, ajustar, pactuar; maquinar, tramar. *T. i.* **2.** Ter transa. *Int.* **3.** Ter transa com alguém.

transaraliano (za). [De *trans-* + *araliano.*] *Adj.* Que atravessa o mar de Aral ou a região por ele banhada.

transatlântico (za). [De *trans-* + *atlântico.*] *Adj.* **1.** Situado além do Atlântico. [Antôn.: *cisatlântico.*] **2.** Que atravessa o Atlântico. ● *S. m.* **3.** Navio que faz a carreira da Europa para a América, ou vice-versa. **4.** *P. ext.* Grande navio, com instalações confortáveis e alta velocidade, destinado a transportar passageiros através do oceano.

transato (za). [Var. de *transacto* < lat. *transactu.*] *Adj.* Que já passou; passado, anterior; pretérito: *o mês transato;* "Mas considerar essa invenção como a revelação da realidade total das cousas foi o erro de uma escola hoje transata." (Oliveira Martins, *Quadro das Instituições Primitivas,* p. 69).

transator (zatôr). [Var. de *transactor* < lat. *transactore.*] *Adj.* e *s. m.* Que ou aquele que realiza transação.

transbordamento. *S. m.* **1.** Ato ou efeito de transbordar; transbordo. [Var.: *trasbordamento.*] **2.** V. *enjambement.* **3.** *Proc. Dados.* Condição em que o resultado de uma operação aritmética excede a capacidade de representação numérica de um computador digital.

transbordante. *Adj. 2 g.* Que transborda. [Var.: *trasbordante.*]

transbordar. [De *trans-* + *borda* + *-ar*².] *V. t. d.* **1.** Fazer sair fora das bordas: *A enchente transbordou o riacho.* **2.** Sair fora das bordas de: *O molho transbordava a travessa; O champanha transbordou a taça.* **3.** Expandir, estender, derramar: *Não podia conter-se: transbordava alegria.* **4.** Derramar, verter, entornar. *Int.* **5.** Sair fora das bordas: *O rio transbordou; O jarro estava muito cheio, e a água transbordou.* **6.** Lançar fora, extravasar (o seu conteúdo). **7.** Manifestar-se com ímpeto; ultrapassar os limites da prudência: *Não se conteve, e sua indignação transbordou.* **8.** Derramar-se, espalhar-se. **9.** Sobejar, superabundar. *T. c.* **10.** Estar possuído (de um sentimento): *Encontrei-o a transbordar de alegria.* [Var.: *trasbordar.* Pres. ind.: *transbordo,* etc. Cf. *transbordo* (ô).]

transbordo (ô). [Dev. de *transbordar.*] *S. m.* **1.** V. *transbordamento* (1). **2.** Passagem (de viajantes, mercadorias, etc.) de um trem, ônibus, avião, navio, etc., para outro; baldeação. [Var.: *trasbordo.* Pl.: *transbordos* (ô). Cf. *transbordo,* do v. *transbordar.*]

transcaspiano. [De *trans-* + *caspiano.*] *Adj.* Que está ou vai além do mar Cáspio.

transcaucásio. [De *trans-* + *caucásio.*] *Adj.* Que está ou vai além do Cáucaso.

transcendência. [Do lat. *transcendentia,* 'escalada (de um muro)'.] *S. f.* **1.** Qualidade ou estado de transcendente. **2.** *Rel.* O conjunto de atributos do Criador (5) que lhe ressaltam a superioridade em relação à criatura.

transcendentais. [Pl. de *transcendental.*] *S. f. pl. Filos.* Qualidades que pertencem ao ser como tal, convindo, em graus diversos, a todos os seres. [No tomismo, admitem-se três transcendentais: a unidade, a verdade e a bondade. ~ V. *transcendental.*

transcendental. [De *transcendente* + *-al.*] *Adj. 2 g.* **1.** V. *transcendente* (1 a 3). **2.** *Filos.* No kantismo, diz-se quer do que se refere ao conhecimento das condições *a priori* da experiência, quer do que ultrapassa os limites da experiência. ~ V. *idealismo —, idéia —, lógica —, realismo —* e *transcendentais.*

transcendentalidade. *S. f.* Qualidade ou caráter de transcendental.

transcendentalismo. [De *transcendental* + *-ismo.*] *S. m.* **1.** Filosofia crítica de Kant (1724-1804), e designação comum aos sistemas idealistas dos seus sucessores na Alemanha. **2.** Escola filosófica norte-americana, representada por Emerson (1803-1882) e caracterizada por

certo misticismo panteísta.
transcendentalista. *Adj. 2 g.* **1.** Relativo ao, ou que é partidário do transcendentalismo. ● *S. 2 g.* **2.** Partidário dele.
transcendentalizar. *V. t. d.* e *p.* Tornar(-se) transcendental: "Vê como a Dor te t r a n s c e n d e n t a l i z a !" (Cruz e Sousa, *Últimos Sonetos,* p. 73); *Seu pensamento t r a n s c e n d e n t a l i z o u - s e .*
transcendente. [Do lat. *transcendente.*] *Adj. 2 g.* **1.** Que transcende; muito elevado; superior, sublime, excelso: *virtudes t r a n s c e n d e n t e s .* **2.** Que transcende do sujeito para algo fora dele. **3.** Que transcende os limites da experiência possível; metafísico. [Sin., nestas acepç.: *transcendental.*] **4.** *Filos.* Que se eleva além de um limite ou de um nível dado. **5.** *Filos.* Que não resulta do jogo natural de uma certa classe de seres ou de ações, mas que supõe a intervenção de um princípio que lhe é superior. [Opõe-se a *imanente* (2).] **6.** *Filos.* Que ultrapassa a nossa capacidade de conhecer. **7.** *Filos.* Que é de natureza diversa da de uma dada classe de fenômenos. ~ V. *curva —, equação —, finalidade —, função —, número —* e *operação —.* ● *S. m.* **8.** Aquilo que é transcendente. **9.** *Mat.* Número transcendente.
transcender. [Do lat. *transcendere.*] *V. t. d.* **1.** Ser superior a; exceder: *Sua inteligência t r a n s c e n d e o padrão normal.* **2.** Passar além de; ultrapassar: "Já temos visto que o Estado, criatura espiritual, opõe-se à ordem natural e a t r a n s c e n d e ." (Sérgio Buarque de Holanda, *Raízes do Brasil,* p. 142.) **3.** Elevar-se acima de: "A 'nostalgia dos anjos' não é manifesta em *A Cidade do Sul* [de Alphonsus de Guimaraens Filho], mas, sem embargo, este livro já mistura ao lirismo individualista elementos que o t r a n s c e n d e m ." (Carlos Drummond de Andrade, *Passeios na Ilha,* p. 213.) *T. i.* **4.** Ser superior aos outros ou a outra coisa; exceder, avantajar-se: *Sua inteligência t r a n s c e n d e a todos os seus méritos.* **5.** Distinguir-se, evidenciar-se: *Aquele homem t r a n s c e n d e em numerosos talentos.* **6.** Passar além; ultrapassar: "Quase tudo t r a n s c e n d e à nossa compreensão, mas nada t r a n s c e n d e à nossa vaidade." (Matias Aires, *Reflexões sobre a Vaidade dos Homens,* p. 46); "Essa humanização só é conseguida em poemas que t r a n s c e n d a m das limitações do fenômeno amoroso" (Melo Nóbrega, *O Soneto de Arvers,* p. 94).
transceptor (ô). [De *trans(missor)* + *re(ceptor).*] *S. m.* Transreceptor.
transcoação. *S. f.* Ato ou efeito de transcoar.
transcoar. [Do lat. *transcolare.*] *V. t. d.* **1.** Coar através de; destilar, filtrar. *Int.* **2.** Transpirar, transudar, suar. [Conjug.: v. coar, mas não leva acento circunflexo nas três pess. do sing. do pres. do ind., e sim apenas na primeira, *transcôo.*]
transcondutância. [De *trans-* + *condutância.*] *S. f. Eletrôn.* Derivada (2) da corrente num eletrodo de uma válvula em relação à tensão em outro eletrodo, sendo constantes as tensões em todos os outros eletrodos da válvula; condutância mútua.
transcontinental. [De *trans-* + *continental.*] *Adj. 2 g.* Que atravessa um continente.
transcorrência. [Do lat. *transcurrentia.*] *S. f.* V. *transcurso.*
transcorrer. [Do lat. *transcurrere.*] *V. int.* **1.** Decorrer, perpassar: "Os dias passavam sem lhe trazerem alívio algum, as horas t r a n s c o r r i a m , e cada vez mais aumentavam a sua agonia" (Guido Vilmar Sassi, *São Miguel,* p. 162). **2.** Passar além de: *Os viandantes t r a n s c o r r e r a m o perigoso vale. Pred.* **3.** Permanecer, decorrer (em certo estado ou condição): *Os dias t r a n s c o r r e r a m felizes;* "As sessões t r a n s c o r r e r a m tumultuárias, ruidosas." (Euclides da Cunha, *À margem da História,* p. 251).
transcorvo (ô). [De *trans-* + *curvo.*] *Adj.* Diz-se do cavalo que, visto só de lado, não é bem aprumado das patas dianteiras.
transcrever. [Do lat. *transcribere.*] *V. t. d.* **1.** Reproduzir, copiando; copiar textualmente; trasladar. **2.** *Filol.* Fazer transcrição de. [Part., irreg.: *transcrito.*]
transcrição. [Do lat. *transcriptione.*] *S. f.* **1.** Ato ou efeito de transcrever. **2.** Trecho transcrito. **3.** Escrita sistemática de uma língua que não a tenha sua: p. ex., o chinês, em cuja literatura as palavras se representam por ideogramas. **4.** *Filol.* Expressão gráfica dos sons duma língua, independentemente do sistema de escrita usado em sua literatura. **5.** *Bras. Jur.* Uma das maneiras de aquisição da propriedade imóvel, que consiste no registro do título de transferência no livro próprio do competente oficial público. **6.** *Mús.* Adaptação de uma obra musical a um instrumento ou grupo de instrumentos diferentes dos da versão primitiva: *Bach fez t r a n s c r i ç õ e s para o órgão dos concertos para violino de Vivaldi.* **7.** *Genét.* Primeira etapa do processamento da informação genética através da síntese de uma molécula de ácido ribonucléico complementar à molécula do ácido desoxirribonucléico. **8.** *Proc. Dados.* Conversão de dados de um meio de armazenamento para outro, sem alterar seu conteúdo original, mas efetuando as conversões necessárias para que sejam aceitos por parte do meio receptor. Ex.: a transcrição das informações de um documento para um ou mais cartões perfurados. ◆ **Transcrição fonética.** V. *grafia* (2).
transcrito. [Do lat. *trancriptu.*] *Adj.* **1.** Que se transcreveu; copiado, trasladado. ● *S. m.* **2.** Cópia, traslado.
transcritor (ô). *Adj.* e *s. m.* Que ou aquele que transcreve.
transculturação. [Do ingl. *transculturation.*] *S. f.* Processo de transformação cultural caracterizado pela influência de elementos de outra cultura (3 e 4), com a perda ou alteração dos já existentes.
transcurar. [De *trans-* + *curar.*] *V. t. d.* Esquecer-se de; preterir, descurar.
transcurral. [De *trans-* + *curral.*] *S. m. Bras., RS.* Pequeno curral, ao lado da mangueira, onde se põem os animais orelhanos que vão ser marcados.
transcursão. [Do lat. *transcursione.*] *S. f.* V. *transcurso.*
transcursar. [De *transcurso* + *-ar*[2].] *V. t. d.* **1.** Passar além de; transpor; transcorrer. *Int.* **2.** Decorrer, transcorrer.
transcurso. [Do lat. *transcursu.*] *S. m.* Ato ou efeito de transcorrer; decurso, transcursão, transcorrência.
transdanubiano. [Do lat. *transdanubianu.*] *Adj.* Que está ou vai além do Danúbio, rio europeu. [Antôn.: *cisdanubiano.*]
transdução. [Do ingl.: *transduction.*] *S. f. Genét.* Transferência de material genético de uma bactéria para outra através de um bacteriófago.
transdutor (ô). [Do ingl. *transductor.*] *S. m. Fís.* Qualquer dispositivo capaz de transformar um tipo de sinal em outro tipo, com o objetivo de transformar uma forma de energia em outra, possibilitar o controle de um processo ou fenômeno, realizar uma medição, etc.
transe (ze). [Do fr. *transe,* ou dev. de *transir?*] *S. m.* **1.** Momento aflitivo: "Sofrera muito no Seminário, mas desses tormentos indizíveis, de que apenas recordava os t r a n s e s principais, saíra robustecido na fé e na crença" (Inglês de Sousa, *O Missionário,* p. 69). **2.** Ato ou feito arriscado; ocasião perigosa; lance. **3.** Crise de angústia. **4.** Falecimento, passamento, morte. **5.** Combate, luta. **6.** Estado de médium ao manifestar-se nele o espírito. [Encontra-se tb. a f. *trance.*] ◆ **A todo o transe.** A todo o custo; à viva força:"A princípio, os habitantes de S. Salvador exigiam a t o d o o t r a n s e um encontro em campo raso com os invasores" (Elísio de Carvalho, *Brava Gente,* p. 41). **Transe hipnótico.** Estado de profunda sonolência, provocado por hipnose. **Transe histérico.** Estado que acompanha certas crises de histeria.
transecção (se). *S. f.* Transeção.
transeção (se). [Var. de *transecção* < *trans-* + *secção.*] *S. f.* **1.** Seção transversal, feita por micrótomo. **2.** Método de análise da vegetação de uma certa área, o qual consiste em delimitar uma faixa desta, devidamente medida, e contar as plantas ali incluídas, a fim de obter um corte transversal e levá-lo, em escala, para o papel.
transecular (se). [De *trans-* + *secular.*] *Adj. 2 g.* Que se realiza através de séculos.
transepto (sé). [Do ingl. *transept.*] *S. m.* Galeria transversal que, numa igreja, separa a nave do corpo, e que forma os braços da cruz nas igrejas que apresentam essa disposição:"Organiza-se uma pequena procissão dentro da igreja, que vai desde a capela da *Virgen del Sagrario,* pelo t r a n s e p t o , desce a nave direita e sobe pela esquerda" (Antero de Figueiredo, *Toledo,* p. 63).
transesterificação (ze). *S. f. Quím.* Reação entre um éster e um álcool que leva à formação de um novo éster e um novo álcool; alcoólise.
transeunte (ze-ún). [Do lat. *transeunte,* 'que passa'.] *Adj. 2 g.* **1.** Que passa. **2.** Que vai andando ou passando. ● *S. 2 g.* **3.** Indivíduo que vai andando ou passando; passante, caminhante, andante, viandante. **4.** Indivíduo que circula no trânsito, no tráfego: "Devagar os carros, avançando no meio dos t r a n s e u n t e s , das carroças" (Ricardo Ramos, *Matar um Homem,* p. 160).
transexual (se-cs). *Adj. 2 g.* e *s. 2 g. Psiq.* Diz-se de, ou indivíduo que sofre do transexualismo.
transexualismo (se-cs). [De *transexual* + *-ismo.*] *S. m. Psiq.* Desejo que leva o indivíduo (geralmente homem) a querer pertencer ao sexo oposto, cujos trajes pode, até, adotar, além de esforçar-se tenazmente no sentido de se submeter a intervenção cirúrgica visando a transformação sexual.
transfaciado. *Adj. Zool.* Diz-se dos feixes que se cruzam ou se recobrem.
transfazer. [De *trans-* + *fazer.*] *V. t. d., t. d. e i* e *p.* Transformar [q. v.]: "o menino dos seus tempos de vaqueiro no Mangabal t r a n s f i z e r a - s e num homem magro, de barba crescida, feições encovadas." (Herberto Sales, *Além dos Marimbus,* p. 115); "Transfiltrou-se [o ouro] para o Oeste, na avidez de novos assaltos à virgindade da terra nova; ou s e t r a n s f e z nos palacetes em ruína; ou reentrou na circulação européia por mão de herdeiros dissipados." (Monteiro Lobato, *Urupês, Outros Contos e Coisas,* p. 139). [Conjug.: v. *fazer.*]
transferência. [Do lat. *transferentia,* de *transferre,* 'transferir'.] *S. f.* **1.** Ato ou efeito de transferir(-se). **2.** Deslocamento (de empregados, funcionários, etc.) de uma seção para outra, ou de um para outro cargo. **3.** Deslocamento (de alunos) de uma escola para outra. **4.** Passagem, troca, substituição. **5.** Ato pelo qual se declara ceder ou transferir a outrem a propriedade de algo, ou uma renda ou um título, etc. **6.** *Proc. Dados.* Mudança de dados de uma área ou meio de armazenamento para outra área ou meio de armazenamento. Ex.: transferência de dados de uma fita magnética para memória; transferência de dados de memória para um disco magnético; transferência de dados de uma área da memória para outra área da memória.
transferidor (ô). *Adj.* **1.** Que transfere. ● *S. m.* **2.** Aquele que transfere. **3.** Instrumento circular ou semicircular, com o limbo dividido em graus, usado para medir ângulos. [Cf., nesta acepç., *acuta.*] **4.** *Tip.* Mecanismo que, na linotipo, leva as matrizes da goela do primeiro elevador para o prisma do guindaste.
transferir. [Do lat. * *transferere,* por *transferre.*] *V. t. d.* e *c.* **1.** Fazer passar (de um lugar para outro); deslocar: *T r a n s f e r i u a empresa para São Paulo;* "Dizem que esta semana será sancionada a lei que t r a n s f e r e provisoriamente para Petrópolis a capital do Estado do Rio de Janeiro." (Machado de Assis, *A Semana,* II, p. 23). **2.** Adiar, retardar, delongar: *T r a n s f e r i u a viagem para a próxima semana. T. d.* e *i.* **3.** Transmitir ou ceder a outrem, observando as formalidades legais; traspassar: *T r a n s f e r i u toda a fortuna ao primogênito.* **4.** Pôr a cargo de; passar ou fazer passar a outrem; passar: "Rousseau é o gênio que deu forma às democracias, t r a n s f e r i n d o de Deus ao povo a origem do poder." (Tarqüínio J. B. de Oliveira, *As Cartas Chilenas,* p. 13). *T. d.* **5.** Adiar, retardar, delongar: *t r a n s f e r i r a aula.* **6.** Mudar de um lugar para outro; deslocar. **7.** Ceder, transmitir. *P.* **8.** Sair de um lugar para outro; mudar-se: *T r a n s f e r i u - s e para Lisboa.* [Irreg. Conjug.: v. *aderir.*]
transferível. *Adj. 2 g.* Que pode ser transferido. ~ V. *caracteres transferíveis* e *letras transferíveis.*
transfiguração. [Do lat. *transfiguratione.*] *S. f.* **1.** Ato ou efeito de transfigurar(-se). **2.** Mudança radical na aparência, no caráter, na forma; transformação, metamorfose. **3.** Transformação espiritual que exalta ou glorifica: *a t r a n s f i g u r a ç ã o da natureza pela arte.* **4.** *Rel.* Estado glorioso em que apareceu Cristo aos apóstolos sobre o monte Tabor.
transfigurado. [Part. de *transfigurar.*] *Adj.* **1.** Alterado, transformado, demudado. ● *S. m.* **2.** Alteração, mudança, transformação.
transfigurador (ô). [Do lat. *transfiguratore.*] *Adj.* e *s. m.* Que ou aquele que transfigura.
transfigurar. [Do lat. *transfigurare.*] *V. t. d.* **1.** Mudar a figura, feição ou caráter de; transformar: *A dor t r a n s f i g u r o u - a ;* "tantos outros poemas, que aprofundam, enriquecem, t r a n s f i g u r a m a noção de amor, despojando-o da veste profana." (Carlos Drummond de Andrade, *Passeios na Ilha,* p. 207). **2.** Dar uma idéia falsa de; alterar: *O ator t r a n s f i g u r o u a personagem que representava. T. d. e i.* **3.** Converter, mudar, transformar: *T r a n s f i g u r o u a derrota numa quase vitória;* "Ali estava a morta, trazida do mar. Os oceanos a t r a n s f i g u r a r a m em alga, esponja, líquen, coral, gosma e resina." (Mário da Silva Brito, *Conversa Vai, Conversa Vem,* p. 10). *P.* **4.** Mudar de figura; transformar-se, transfazer-se: "O ambiente se t r a n s f i g u r a , os filetes de luz a escorrerem das barracas aumentavam o toque irreal." (Renard Pérez, *Os Sinos. O Tombadilho,* p. 17.)
transfigurável. [Do lat. *transfigurabile.*] *Adj. 2 g.* Que se pode transfigurar.
transfinito. [De *trans-* + *finito.*] *Adj.* ~ V. *número —.*

transfixação (cs). *S. f.* Ato ou efeito de transfixar; perfuração, transfixão.

transfixão. (cs). [Do lat. tardio *transfixione.*] *S. f.* **1.** *Cir.* Forma de ligadura de vaso sanguíneo em que este é atravessado, abaixo do local onde há solução de continuidade, por agulha conduzindo fio, com o qual se faz a ligadura. **2.** Seção de tecidos moles efetuada de dentro para fora, como pode ocorrer em amputações, em desarticulações. **3.** V. *transfixação.*

transfixar (cs). [Do lat. *transfixu*, 'vazado de um lado a outro, traspassado', + -ar².] *V. t. d.* Atravessar de lado a lado; perfurar.

transformação. [Do lat. *transformatione.*] *S. f.* **1.** Ato ou efeito de transformar(-se); metamorfose. **2.** *Mat.* Qualquer operação em que se modifica um ente matemático, ou em que se mapeia uma configuração em outra. **3.** *Fís.* Modificação do estado de um sistema. **4.** *Genét.* Transferência de material genético de uma bactéria para outra através de ácido desoxirribonucléico extracelular. ♦ **Transformação adiabática.** *Fís.* Aquela em que não há troca de calor entre o sistema e o exterior. **Transformação afim.** *Álg. Mod.* Aquela em que se mapeia um espaço em outro mediante relações lineares entre as coordenadas. **Transformação colinear.** *Geom.* Colineação. **Transformação contínua.** *Mat.* Transformação de um conjunto em outro, realizada por uma correspondência que conserva as vizinhanças de cada ponto; correspondência contínua. **Transformação de calibre.** *Fís.* Transformação de um espaço na qual as grandezas de um campo eletromagnético, sujeitas a medição e observação, permanecem invariantes. **Transformação de Galileu.** *Fís.* Transformação das coordenadas com que se passa, na física não relativista, de um referencial inercial para outro. **Transformação de homotetia.** *Álg. Mod.* V. *transformação de semelhança.* **Transformação de Lorentz.** *Fís.* Transformação de coordenadas com que, na física relativista, se passa de um referencial inercial para outro. **Transformação de semelhança.** *Álg. Mod.* Transformação biunívoca que multiplica todas as distâncias por um fator positivo; transformação homotética, transformação de homotetia. **Transformação homotética.** *Álg. Mod.* V. *transformação de semelhança.* **Transformação isentálpica.** *Fís.* Aquela em que a variação de entalpia é igual a zero. [Tb. se diz apenas *isentálpica.*] **Transformação isentrópica.** *Fís.* Aquela em que a entropia do sistema se mantém constante. [Tb. se diz apenas *isentrópica.*] **Transformação isobárica.** *Fís.* A que se realiza sob pressão constante. [Tb. se diz apenas *isobárica.*] **Transformação isócora.** *Fís.* Aquela em que o volume do sistema se mantém constante; transformação isocórica, transformação isométrica, transformação isovolumétrica. [Tb. se diz apenas *isócora.*] **Transformação isocórica.** *Fís.* V. *transformação isócora.* [Tb. se diz apenas *isocórica.*] **Transformação isométrica.** *Fís.* V. *transformação isócora.* [Tb. se diz apenas *isométrica.*] **Transformação isoterma.** *Fís.* Transformação isotérmica. [Tb. se diz apenas *isoterma.*] **Transformação isotérmica.** *Fís.* A que se realiza sem que se modifique a temperatura do sistema; transformação isoterma. [Tb. se diz apenas *isotérmica.*] **Transformação isovolumétrica.** *Fís.* V. *transformação isócora.* [Tb. se diz apenas *isovolumétrica.*] **Transformação linear.** *Álg. Mod.* A que transforma um conjunto de coordenadas em outro conjunto mediante uma expressão algébrica racional de primeiro grau nas coordenadas iniciais. **Transformação politrópica.** *Fís.* A que sofre um sistema num processo em que se mantém constante o quociente entre a quantidade de calor trocada entre o sistema e o exterior e a temperatura absoluta do sistema. **Transformação sobre.** *Álg. Mod.* A que transforma um conjunto em outro de tal modo que todos os elementos deste segundo são imagem de pelo menos um elemento do primeiro.

transformacional. *Adj. 2 g.* **1.** Relativo a, ou que tem caráter de transformação. **2.** Que promove ou gera transformação. ~ V. *gramática* —.

transformador (ô). *Adj.* **1.** Que transforma; transformante. ● *S. m.* **2.** Aquele que transforma. **3.** *Eletr.* Aparelho estático de indução eletromagnética, destinado a transformar um sistema de correntes variáveis em um ou em vários outros sistemas de correntes variáveis, de intensidade e tensão, em geral, diferentes, e de freqüência igual.

transformante. [Do lat. *transformante.*] *Adj. 2 g.* Transformador (1).

transformar. [Do lat. *transformare.*] *V. t. d.* **1.** Dar nova forma, feição ou caráter a; tornar diferente do que era; mudar, alterar, modificar, transfigurar, metamorfosear: *Em 15 dias* transformou *o ambiente que encontrara.* **2.** Disfarçar, dissimular. *T. d. e i.* **3.** Converter, mudar, transfigurar: *A indiferença* transformara *em ódio o amor. P.* **4.** Converter-se, transfigurar-se: "A dúvida transforma-se em certeza, / A certeza em vontade de morrer." (Dante Milano, *Poesias*, p. 18.) **5.** Disfarçar-se, dissimular-se: *Transformou-se em pedinte para poder escapar.* [Sin. ger.: *transfazer.*]

transformativo. *Adj.* Que pode transformar.

transformável. *Adj. 2 g.* Que pode ser transformado.

transformismo. [De *transformar* + *-ismo.*] *S. m.* **1.** *Biol. Ger.* Doutrina segundo a qual as espécies se formam por sucessivas transformações de organismos anteriores. **2.** *Geol.* Teoria pela qual as rochas magmáticas se formam por atividades metamórficas.

transformista. *Adj. 2 g.* **1.** Relativo ao, ou que é partidário do transformismo. ● *S. 2 g.* **2.** Partidário dele. **3.** *Bras.* Ator que se disfarça rapidamente mudando de trajes.

transfretano. [Do lat. *transfretanu.*] *Adj. P. us.* De além-mar; ultramarino: "a borda girou sibilando no ar, e o guerreiro transfretano caiu para o lado morto, como se o fulminara o raio." (Alexandre Herculano, *Eurico, o Presbítero*, p. 212).

trânsfuga. [Do lat. *transfuga.*] *S. 2 g.* **1.** Pessoa que em tempo de guerra deserta de suas fileiras para passar às do inimigo; desertor. **2.** *P. ext.* Pessoa que abandona os seus deveres ou o seu partido. **3.** Pessoa que muda de religião.

transfúgio. [Do lat. *transfugiu.*] *S. m.* Ação de transfugir; deserção.

transfugir. [Do lat. *transfugere.*] *V. t. i.* Fugir de um lugar para outro como trânsfuga; desertar. [Irreg. Conjug.: v. *fugir.*]

transfundir. [Do lat. *transfundere.*] *V. t. d.* **1.** Fazer passar (um líquido) de um recipiente para outro; transvasar. **2.** Espalhar, derramar, difundir: *transfundir a doutrina cristã. T. d. e i.* **3.** Espalhar, transmitir, difundir: *Transfundia o catecismo nas crianças;* "Uma rês se espanta e o contágio, uma descarga nervosa subitânea, transfunde o espanto sobre o rebanho inteiro." (Euclides da Cunha, *Os Sertões*, p. 128.) *P.* **4.** Transformar-se; tornar-se outro.

transfusão. [Do lat. *transfusione.*] *S. f.* **1.** Ato ou efeito de transfundir(-se). **2.** *Med.* Ação de introduzir sangue, plasma, soluções diversas, diretamente na corrente sanguínea do paciente. ♦ **Transfusão de sangue.** Transfusão (2) que se faz quer diretamente de indivíduo a indivíduo, quer injetando no paciente sangue armazenado para este fim.

transgangético. [De *trans-* + *gangético.*] *Adj.* Situado além do Ganges, rio sagrado da Índia. [Antôn.: *cisgangético.*]

transgredir. [Do lat. **transgredire*, por *transgredi.*] *V. t. d.* **1.** Passar além de; atravessar. **2.** Desobedecer a; deixar de cumprir; infringir; violar, postergar: *Transgrediu a Constituição;* "Aceitava .... a reserva da amiga; quebrá-la, teria sido transgredir a sua própria regra." (José Rodrigues Miguéis, *Onde a Noite Se Acaba*, p. 174). [Irreg. Conjug.: v. *agredir.*]

transgredível. *Adj. 2 g.* Que pode ser transgredido.

transgressão. [Do lat. *transgressione.*] *S. f.* **1.** Ato ou efeito de transgredir; infração, violação. **2.** *Geol.* Invasão do mar, que acarreta a formação de depósitos marinhos onde dantes era continente. ♦ **Transgressão marinha.** Movimento das águas do mar ao invadirem um trecho do continente: "Muitas vezes mudaram, no curso do tempo, o perfil da baía do Recife, as regressões e transgressões marinhas, e as aluviões dos numerosos rios" (Osmã Lins, *Nove, Novena*, p. 235).

transgressivo. [Do lat. *transgressivu.*] *Adj.* Que transgride, ou que envolve transgressão: *procedimento transgressivo das boas normas.*

transgressor (ô). [Do lat. *transgressore.*] *Adj. e s. m.* Que ou aquele que transgride; infrator.

transiberiano (si). [De *trans-* + *siberiano.*] *Adj.* **1.** Situado além da Sibéria. **2.** Que atravessa a Sibéria. ● *S. m.* **3.** Estrada de ferro que atravessa a Sibéria em toda a extensão, da Rússia européia à costa do Pacífico.

transição (zi). [Do lat. *transitione.*] *S. f.* **1.** Ato ou efeito de transitar. **2.** Trajeto, trajetória. **3.** Passagem de um lugar, de um assunto, de um tom, de um tratamento, etc., para outro. **4.** *Fís.* Mudança de fase num sistema; transição de fase. **5.** *Fís.* Passagem de um sistema dum estado quântico para outro. ♦ **Transição de fase.** *Fís.* Transição (4). **Transição isomérica.** *Fís. Nucl.* Transformação espontânea de um nuclídeo em outro que lhe é isômero. **Transição nuclear.** *Fís. Nucl.* Designação geral das modificações de um núcleo, que inclui as desintegrações e as transições isoméricas. **Transição permitida.** *Fís.* Transição a que está associada uma grande probabilidade de realização. **Transição proibida.** *Fís.* Num sistema atômico ou nuclear, transição a que está associada uma probabilidade muito pequena de realização.

transicional (zi). *Adj. 2 g.* De ou relativo a transição: "Situou-se [Getulio Vargas] numa época transicional entre regimes que já não tinham força e os novos regimes, que tinham força demais." (Cândido Mota Filho, *Contagem Regressiva*, p. 19.) ~ V. *romano* —.

transido (zi). [Part. de *transir.*] *Adj.* **1.** Impregnado, repassado. **2.** Esmorecido ou inteiriçado (de frio, dor, vergonha, susto, etc): "Lá, fugido ao mundo, / Sem glória, sem fé, / Num perau profundo / E solitário, é // Que soluças tu, / Transido de frio, / Sapo cururu / Da beira do rio..." (Manuel Bandeira, *Estrela da Vida Inteira*, p. 52); "Sentiu-se aniquilado, transido de verdadeiro medo" (Valdomiro Silveira, *Os Caboclos*, p. 72).

transiente (zi). [Do lat. **transiente*, por *transeunte.*] *Adj. 2 g.* Passageiro, efêmero, transitório.

transigência (zi). [Do lat. *transigentia.*] *S. f.* Ato ou efeito de transigir; condescendência, tolerância.

transigente (zi). [Do lat. *transigente.*] *Adj. 2 g.* **1.** Que transige; tolerante, condescendente. ● *S. 2 g.* **2.** Pessoa que transige.

transigir (zi). [Do lat. *transigere*, 'impelir através'; 'levar a cabo'.] *V. int.* **1.** Chegar a acordo; condescender: *Após duas horas de propostas e contrapropostas, o plenário transigiu. T. i.* **2.** Chegar a acordo; ceder, condescender, contemporizar: *Não transige com os desonestos;* "Não cortejeis a popularidade. Não transijais com as conveniências." (Rui Barbosa, *Oração aos Moços*, p. 73); *Em questões de honra não transige. T. d.* **3.** Compor por transação: *Concluiu que nada tinha que ganhar e transigiu a demanda.* [Conjug.: v. *dirigir.*]

transigível (zi). *Adj. 2 g.* **1.** Sobre que se pode transigir. **2.** Que pode ser objeto de transação.

transilvano (sil). *Adj.* **1.** Da, ou pertencente ou relativo à Transilvânia, região a N.O. da Romênia (Europa). ● *S. m.* **2.** O natural ou habitante da Transilvânia.

transir (zir). [Do lat. *transire*, 'ir além de, trespassar'; 'morrer'.] *V. t. d.* **1.** Penetrar, repassar: *O ar gelado transia as suas vestes;* "Pôs os olhos em meu rosto, e correu-me um olhar frio e gelado, que me transiu." (José de Alencar, *Diva*, p. 212). **2.** Assombrar, assustar, aterrar. *Int.* **3.** Estar ou ficar hirto, gelado, de frio, dor, medo, susto, etc. [Defect., só conjugável nas f. em que o *i* vem seguido de *i.*]

transistor (zistôr). [Do ingl. *transistor.*] *S. m.* **1.** *Eletrôn.* Dispositivo constituído por semicondutores, e que pode funcionar como um amplificador de maneira análoga a uma válvula eletrônica. **2.** *Bras.* Rádio provido desse dispositivo. ♦ **Transistor bipolar.** *Eletrôn.* Aquele em que o transporte de carga é feito pelos portadores majoritários e pelos minoritários. **Transistor N-P-N.** *Eletrôn.* O que é constituído por uma camada de um semicondutor *P* colocada entre duas camadas de um semicondutor *N.* **Transistor P-N-P.** *Eletrôn.* O que é constituído por uma camada de semicondutor *N* colocada entre duas camadas de semicondutor *P.* **Transistor unipolar.** *Eletrôn.* Aquele em que a condução de carga é determinada pelos portadores de um só sinal.

transístor (zístor). *S. m.* V. *transistor.* [Pl.: *transístores.*]

transistorizado (zis). [Part. de *transistorizar.*] *Adj. Eletrôn.* Diz-se do equipamento eletrônico que usa transistores em lugar de válvulas termiônicas.

transistorizar (zis). *V. t. d. Eletrôn.* Construir (um circuito eletrônico) utilizando transistores em lugar de válvulas.

transitabilidade (zi). *S. f.* Qualidade de transitável.

transitado (zi). *Adj.* Por onde se transita ou transitou.

transitador (zi...ô). *Adj.* Que transita.

transitar (zi). [De *trânsito* + *-ar².*] *V. int. e t. c.* **1.** Fazer caminho; passar, andar: "diante da estação, atropelada pelos que transitavam, entre carros e tílburis, ficou estonteada, sem saber dirigir-se" (Coelho Neto, *Turbilhão*, p. 137); *Transitou por toda a cidade;* "Via os arruamentos e pessoas que transitavam neles." (João de Araújo Correia, *Terra Ingrata*, p. 177). **2.** Mover-se, deslocar-se, passar, andar: *Olho para o chão, e vejo que centenas de formigas transitam continuamente;* "Na fatia de céu, sempre azul, transitavam fiapos de nuvens." (Antônio Olavo Pereira. *Fio de Prumo*, p. 19). *T. i.* **3.** Mudar de lugar, classe ou estado, condição, etc.: *Já maduro, transitou para o casamento. T. d.* **4.** Passar por; percorrer: *Ninguém queria transitar a região empestada;* "Andar que anseia, que respira, que transita os caminhos compridos /

sem pouso final." (Iolanda Jordão, *Poesias*, p. 73). [Pres. ind.: *transito*, etc. Cf. *trânsito*.]
transitável (zi). *Adj. 2 g.* Que se pode transitar.
transitiva (zi). [Fem. substantivado de *transitivo*.] *S. f. Gram.* Conjunção transitiva.
transitivar (zi). *V. t. d.* Tornar (o verbo) transitivo.
transitividade (zi). [De *transitivo* + *-i-* + *-dade*.] *S. f.* **1.** Qualidade ou estado de transitivo. **2.** *Mat.* Propriedade de uma relação entre elementos dum conjunto que é verdadeira entre os elementos *a* e *c* quando for simultaneamente verdadeira entre *a* e *b* e entre *b* e *c*.
transitivo (zi). [Do lat. *transitivu*.] *Adj.* **1.** V. *transitório* (1). **2.** Que se transmite ou transforma. **3.** Que transita ou faz transitar. ~ V. *ação —a*, *conjunção —a*, *relação —a*, *verbo —*, *verbo — direto*, *verbo — direto e indireto* e *verbo — indireto*.
transitivo-predicativo. *Adj.* ~V. *verbo —*. [Pl.: *transitivo-predicativos*.]
trânsito. (zi). [Do lat. *transitu*.] *S. m.* **1.** Ato ou efeito de caminhar; marcha. **2.** Ato ou efeito de passar; passagem: *É proibido o trânsito de veículos; São passageiros em trânsito.* **3.** Caminho, trajeto; passagem. **4.** Morte, passamento: "Esta ilusão era efeito da sobreexcitação nervosa, produzida em todo o seu organismo pela falta de alimentos, pela dor moral que lhe causara o trânsito da moça" (Franklin Távora, *O Cabeleira*, p. 265). **5.** Mudança, passagem: *O trânsito da alegria para a tristeza.* **6.** Movimento, circulação, afluência de pessoas ou de veículos; tráfego: *o trânsito dos visitantes duma exposição; o trânsito de uma estrada.* **7.** *Restr.* Trânsito (6) nas cidades, considerado no conjunto; circulação, tráfego, tráfico. **8.** Acesso fácil; boa aceitação: *Tem trânsito em todas as áreas políticas.* **9.** Instrumento usado em topografia para medir ângulos horizontais. [Cf. *transito*, do v. *transitar*.]
transitoriedade (zi). *S. f.* Qualidade de transitório.
transitório (zi). [Do lat. *transitoriu*.] *Adj.* **1.** De pouca duração; que passa; passageiro, efêmero, transitivo. **2.** Sujeito à morte; mortal.
transjurano. [De *trans-* + o top. *Jura* + *-ano*.] *Adj.* Situado além do Jura, cordilheira entre a França e a Suíça. [Antôn.: *cisjurano*.]
translação. [Do lat. *translatione*.] *S. f.* **1.** Ato ou efeito de transladar; transporte, transladação, trasladação. **2.** *Fís.* Movimento de um corpo em que todas as partículas têm em cada instante a mesma velocidade e esta mantém uma direção constante. **3.** *Ret.* Metáfora. ♦ **Translação da Terra.** Movimento executado pela Terra, de oeste para leste, em volta do Sol, descrevendo uma elipse alongada, em 365.3 dias, ou um ano.
transladação. [De *transladar* + *-ção*.] *S. f.* V. *translação* (1).
transladar. *V. t. d.* e *i.*, *t. d.* e *p. P. us.* Trasladar.
transladável. *Adj. 2 g. P. us.* Trasladável.
translado. *S. m. P. us.* V. *traslado*.
translador (ô). [De *translad(ar)* + *-or*, com haplologia.] *S. m. Morfol. Veg.* Orgânulo, próprio das polínias das asclepiadáceas, que serve para transferir o pólen de uma flor para outra por meio dos insetos. Tem a forma de uma pinça formada de dois braços curvos, a cada um dos quais se prende uma polínia, e que aderem às patas do inseto, sendo, assim, o pólen transportado por ele.
translatício. [Do lat. *translaticiu*.] *Adj. Gram.* Translato (2).
translato. [Do lat. *translatu*.] *Adj.* **1.** Trasladado (4). **2.** *Gram.* Metafórico, figurado; translatício: *usar uma palavra no sentido translato.*
translineação. *S. f.* Ação ou efeito de translinear.
translinear. [De *trans-* + lat. *linea*. 'linha', + *-ar*[2].] *V. t. d.* Passar, na escrita, de uma linha para outra, ficando parte do vocábulo no fim da linha superior e o restante no princípio da linha inferior. [Conjug.: v. *frear*.]
transliteração. *S. f.* Ato ou efeito de transliterar.
transliterar. [De *trans-* + lat. *littera*, 'letra', + *-ar*[2].] *V. t. d.* e *i.* Representar (os caracteres de um vocábulo) por caracteres diferentes no correspondente vocábulo de outra língua.
transliterável. *Adj. 2 g.* Que se pode transliterar.
translucidação. *S. f.* Ato ou efeito de translucidar.
translucidamente. [Do fem. de *translúcido* + *-mente*.] *Adv.* De modo translúcido; com translucidez: "As bolas de sabão que esta criança / Se entretém a largar de uma palhinha / São translucidamente uma filosofia toda." (Fernando Pessoa, *Poemas de Alberto Caeiro*, p. 49.)
translucidar. *V. t. d.* Tornar translúcido. [Pres. ind.: *translucido*, etc. Cf. *translúcido*.]
translucidez (ê). *S. f.* Qualidade ou estado de translúcido; diafaneidade, transluzimento.
translúcido. [Do lat. *translucidu*.] *Adj.* **1.** Que deixa passar a luz sem permitir que se vejam os objetos: "Era verão; .... alguma vela corria ao largo, e as montanhas envoltas em translúcidos vapores, deixavam-se adormecer com as legendas de sereias e naus, que as ondas do Tejo iam dizendo ao passar." (Fialho d'Almeida, *Lisboa Galante*, p. 94.) **2.** V. *transluzente*: "O céu translúcido, sem um retalho de nuvem, ... rebrilhava." (Coelho Neto, *Treva*, p. 261.) **3.** *Fig.* Claro, evidente. [Cf. *translucido*, do v. *translucidar*.]
translumbrar. [De *deslumbrar*, com mudança de prefixo.] *V. t. d.*, *int.* e *p.* Deslumbrar (2 e 7): "berilos faiscavam, topázios translumbravam" (Martins Fontes, *Terras da Fantasia*, p. 213).
transluminoso (ô). [De *trans-* + *luminoso*.] *Adj.* Que é luminoso por transparência: "Rede transluminosa a alongar as estranhas / Antenas de ouro e fogo" (Da Costa e Silva, *Poesias Completas*, p. 15).
translunar. [De *trans-* + *lunar*.] *Adj. 2 g.* ~V. *espaço — e satélite —*.
transluzente. [Do lat. *translucente*.] *Adj. 2 g.* Que transluz; diáfano, translúcido.
transluzimento. *S. m.* Qualidade ou estado do que transluz; translucidez.
transluzir. [Do lat. *translucere*.] *V. t. c.* **1.** Luzir (através de algum corpo): *Os peixes transluzem sob a água límpida.* **2.** Mostrar-se (através de algo); transparecer: *Toda a sua mágoa transluzia no rosto triste*; "luz tão linda / Nas trevas pouco transluz" (Junqueira Freire, *Obras Póstumas*, II, p. 153). *T. i.* **3.** Deduzir-se, concluir-se: *Transluzia de suas palavras viva indignação.* **4.** Transpirar (4): *Sua bondade transluz de seus atos. P.* **5.** Manifestar-se, refletir-se: *Em seu modo de falar e agir transluziam-se a graça e a feminilidade.* [Normalmente é defect., unipess. Conjug.: v. *aduzir*.]
transmarino. [Do lat. *transmarinu*.] *Adj.* V. *ultramarino* (1): "inúmeras trovas populares de origem transmarina" (Paulino Santiago, *Temas e Processos do Cancioneiro de Alagoas*, pp. 4-5).
transmeável. [Do lat. *transmeabile*.] *Adj. 2 g.* **1.** Que se pode atravessar; permeável. **2.** Transpirável (1).
transmigração. [Do lat. *transmigratione*.] *S. f.* **1.** Ato ou efeito de transmigrar(-se). **2.** *Filos.* Metempsicose (1).
transmigrador (ô). *Adj.* e *s. m.* Transmigrante.
transmigrante. [Do lat. *transmigrante*.] *Adj. 2 g.* e *s. 2 g.* Que ou quem transmigra; transmigrador.
transmigrar. [Do lat. *transmigrare*.] *V. int.* **1.** Passar de uma região, um país (para outro): *Muitos nipônicos, árabes e portugueses transmigram.* **2.** Passar (a alma) de um corpo para outro. *T. c.* **3.** Mudar de uma região, um país (para outro): *Em 1808 a família real portuguesa transmigrou para o Brasil. T. d.* **4.** Fazer mudar de domicílio. *P.* **5.** Mudar-se de um lugar para outro: *Transmigrou-se com toda a família.*
transmigratório. *Adj. Bras.* Relativo à transmigração: *direção transmigratória.*
transmissão. [Do lat. *transmissione*.] *S. f.* **1.** Ato ou efeito de transmitir(-se). **2.** Transferência (de coisa, direito ou obrigação). [Cf. *registro* (2).] **3.** Comunicação do movimento de um mecanismo a outro por meio de engrenagens, polias, correias, etc. **4.** Instrumento destinado a transmitir movimento. **5.** Trabalho efetuado por um transmissor radiodifusor ou telegráfico. **6.** *Fís.-Quím.* V. *transmitância* (2). **7.** *Proc. Dados.* Transporte de dados (envio e recepção) que utiliza meios de telecomunicação. ♦ **Transmissão ao vivo.** *Rád.* e *Telev.* Transmissão de um acontecimento, no momento exato de sua ocorrência. **Transmissão assíncrona.** *Proc. Dados.* Forma de transmissão de dados na qual cada caráter, palavra ou dado a ser transmitido é precedido de um sinal dito de partida (*start*) e seguido por um sinal dito de parada (*stop*). [Cf. *transmissão síncrona*.] **Transmissão de pensamento.** Comunicação telepática por meio do pensamento. [V. *telepatia*.] **Transmissão síncrona.** *Proc. Dados.* Transmissão de dados de forma contínua, onde os *bits* de um caráter ou dado vão sendo transmitidos sem identificação de começo ou de fim. A individualidade de cada caráter é determinada pelo sincronismo de transmissão (intervalos regulares de tempo). [Cf. *transmissão assíncrona*.]
transmissibilidade. *S. f.* Qualidade de transmissível.
transmissível. [Do lat. *transmissu*, 'transmitido', + *-i-* + *-ível*.] *Adj. 2 g.* Que se pode transmitir.
transmissivo. [Do lat. *transmissu*, 'transmitido', + *-ivo*.] *Adj.* Que transmite; transmissor.
transmissor (ô). [Do lat. *transmissu*, 'transmitido', + *-or*.] *Adj.* **1.** Transmissivo. ● *S. m.* **2.** Aquele que transmite. **3.** Aparelho que transmite sinais telegráficos; manipulador. **4.** Equipamento ou parte de equipamento que se destina a transmitir sinais telefônicos, radiofônicos ou televisuais.
transmitância. [Do ingl. *transmittance*.] *S. f.* **1.** *Fís.* Num sistema que recebe energia radiante, fração dessa energia que é transmitida pelo sistema. **2.** *Fís.-Quím.* Fração de energia luminosa que atravessa uma coluna de solução; transmissão, transparência.
transmitir. [Do lat. *transmittere*.] *V. t. d.* **1.** Mandar de um lugar para outro, ou de uma pessoa para outra; expedir, enviar: *transmitir instruções.* **2.** Fazer passar dum ponto ou dum possuidor ou detentor para outro; transferir: *Transmitiu o cargo de diretor*; "Pode um intendente eleito transmitir o mandato, no fim de tão curto prazo?" (Machado de Assis, *A Semana*, II, p. 286). **3.** Deixar passar além; conduzir, transportar: *O cobre transmite a eletricidade.* **4.** Exalar, recender, trescalar: *A rosa transmite um doce aroma.* **5.** Comunicar por contágio; propagar: *Os ratos podem transmitir bubônica.* **6.** *Telec.* Enviar (informações) por meio de ondas eletromagnéticas. **7.** *Teor. Inf.* Emitir (sinais) através de um canal de comunicação. *T. d.* e *i.* **8.** Noticiar, referir, narrar: *Os historiadores transmitem-nos os grandes feitos do passado.* **9.** Fazer passar por sucessão, transferir (coisa, direito ou obrigação): *Ainda em vida transmitiu os bens ao filho*; "Não tive filhos, não transmiti a nenhuma criatura o legado da nossa miséria." (Machado de Assis, *Memórias Póstumas de Brás Cubas*, p. 382). **10.** Mandar de um lugar para outro; expedir; enviar: *Transmitiu um telegrama para Brasília. P.* **11.** Comunicar-se, propagar-se.
transmontano. [Do lat. *transmontanu*.] *Adj.* **1.** Situado além dos montes; ultramontano. **2.** Trasmontano (1). ● *S. m.* **3.** Aquilo que está situado além dos montes; ultramontano. **4.** Trasmontano (2).
transmontar. [De *trans-* + *monte* + *-ar*[2].] *V. t. d.* **1.** Passar por cima de, transpor (monte): "À semelhança de Eurico, o herói de Alencar acaba abandonando o convívio dos homens, transmontando a serra e desaparecendo, em fuga para o deserto." (Brito Broca, *Horas de Leitura*, p. 127.) **2.** Exceder muito; ser superior a; ultrapassar: "A soberana, augustíssima e adorável grandeza de nosso Deus, e Senhor, ... não só enche os Céus, e a Terra, ... senão que infinitamente os transmonta, e sobreexcede" (Pe Manuel Bernardes, *Nova Floresta*, IV, p. 474). *Int.* **3.** Passar além; transmontar-se. **4.** Transmontar (1): "Uma vez, transmontava o Sol, ... enrubescia-se a faixa do ocidente" (Camilo Castelo Branco, *Doze Casamentos Felizes*, p. 17). **5.** Desaparecer. *P.* 6. Transmontar (3). [F. paral.: *trasmontar*.]
transmudação. [Do lat. *transmutatione*.] *S. f.* Ato ou efeito de transmudar(-se); transmudamento, transmutação.
transmudamento. *S. m.* V. *transmudação*.
transmudar. [Do lat. *transmutare*.] *V. t. d.* **1.** Alterar, transformar, mudar: *Os anos de solidão transmudaram-no. T. d.* e *i.* **2.** Converter, alterar; transformar: "afeito às belezas de Virgílio, Horácio e Ovídio, alatinou o jovem More, à moda dos humanistas, o próprio nome, transmudando-o em Morus [Tomás Morus]" (Ivã Lins, *Tomás Morus e a Utopia*, p. 4); "É das eras perdidas na memória / das eras esse gosto amargo e doce / de transmudar a desventura em canto." (Valdemar Lopes, *Sonetos de Portugal*, p. 51). **3.** Fazer mudar de lugar ou de domínio. *P.* **4.** Alterar-se, transformar-se, demudar-se: "súbito toda a expressão do infante se transmudou, o olhar endoideceu enchendo-se de chamas" (Antero de Figueiredo, *Leonor Teles*, p. 170). [F. paral.: *transmutar*.]
transmutabilidade. [Do lat. **transmutabilitate*, calcado em *trans-* e *mutabilitate*.] *S. f.* Qualidade de transmutável.
transmutação. [Do lat. *transmutatione*.] *S. f.* **1.** V. *transmudação*. **2.** *Biol. Ger.* Formação de nova espécie por meio de mutações. **3.** *Fís.* Mudança dum elemento químico em outro. [Sonho dos alquimistas, hoje realidade, nos fenômenos de radioatividade natural e artificial.] **4.** *Fís. Nucl.* Transformação, mediante uma reação nuclear, de um nuclídeo em outro.
transmutar. [Do lat. *transmutare*.] *V. t. d.*, *t. d.* e *i.* e *p.* V. *transmudar*: "Organizava-se por outro lado, ... na zona sertaneja, a fixação da plebe rural, transmutando-lhe a vida nômada e desordenada em vida sedentária e laboriosa." (Oliveira Viana, *Pequenos Estudos de Psicologia Social*, p. 169.)
transmutativo. *Adj.* Que transmuta ou pode transmutar.
transmutável. *Adj. 2 g.* Que pode ser transmutado.
transnacional. [De *trans-* + *nacional*.] *Adj. 2 g.* Que ultrapassa os limites da nacionalidade; mais do que nacional.

transnadar. [Do lat. *transnatare.*] *V. t. d.* **1.** Atravessar a nado; tranar: "o alcantil mais horrendo, / a corrente mais brava, põe-se-lhes vãmente: / transvoa-se o alcantil, *transnada-se* a corrente." (Antônio Feliciano de Castilho, *As Geórgicas de Virgílio*, p. 177). **2.** Conduzir nadando.

transnominação. [Do lat. *transnominatione.*] *S. f. Ret.* Metonímia.

transobjetivo (zo). [De *trans-* + *objetivo.*] *Adj.* ~V. *verbo* —.

transoceânico (zo). [De *trans-* + *oceânico.*] *Adj.* **1.** V. *ultramarino* (1). **2.** Que se realiza através do oceano: *viagem transoceânica.*

transônico. [De *trans-* + *sônico.*] *Adj.* Que tem velocidade vizinha à do som. ~ V. *aerodinâmica* —a.

transordinário (zo). [De *trans-* + *ordinário.*] *Adj. P. us.* V. *extraordinário* (1 a 7).

transpadano. [Do lat. *transpadanu.*] *Adj.* Situado além do rio Pó (Itália). [Antôn.: *cispadano.*]

transpaleteira. *S. f. Tec.* Veículo provido com garras apropriadas, usado no transporte de paletes; paleteira.

transparecer. [De *trans-* + *(a)parecer.*] *V. t. c.* **1.** Aparecer ou avistar-se através de algo; transluzir: *Por trás do arvoredo transparecia um vulto.* **2.** Mostrar-se em parte: *A alva pele transparecia sob o véu.* **3.** Manifestar-se, revelar-se: *O prazer transparecia no rosto da jovem.* [Conjug.: v. *aquecer.*]

transparência. [Do lat. *transparentia.*] *S. f.* **1.** Qualidade de transparente; diafaneidade [q. v.], limpidez: a *transparência da água.* **2.** Fenômeno pelo qual os raios luminosos visíveis são percebidos através de certas substâncias. **3.** Trabalho efetuado por um transmissor radiodifusor ou telegráfico. **4.** *Fís.-Quím.* V. *transmitância* (2). **5.** Folha de material transparente, na qual se imprimem ou escrevem textos, gráficos, desenhos, mapas, etc., para projeção em retroprojetor [q. v.] ◆ **Transparência de cor.** V. *cromo* (3).

transparentar. *V. t. d.* **1.** Fazer transparente (1). **2.** Tornar transparente (3), evidente, claro.

transparente. [Do lat. medieval *transparente.*] *Adj. 2 g.* **1.** Que se deixa atravessar pela luz, permitindo a visão dos objetos; diáfano. **2.** Que permite distinguir os objetos através da sua espessura. [Cf., nestas acepç., *translúcido* (1).] **3.** *Fig.* Que deixa perceber um sentido oculto; evidente, claro. ~ V. *sabão* —. ● *S. m.* **4.** Pedaço de tela, papel, etc., usado para atenuar a ação da luz. **5.** Pedaço de tela branca destinada a experiências ópticas.

transpassar. [De *trans-* + *passar.*] *V. t. d., t. d. e i., t. i.* e *p.* Traspassar.

transpiração. *S. f.* **1.** Ato ou efeito de transpirar. **2.** *P. ext.* O suor (1): *A transpiração abundante molhara-lhe as costas da blusa.* **3.** *Fisiol. Veg.* Perda de água, sob a forma de vapor, através dos estômatos ou da cutícula das folhas das plantas.

transpirar. [Do lat. medieval *transpirare.*] *V. t. d.* **1.** Fazer sair pelos poros; exalar: *A canícula fazia-o transpirar bagas de suor.* **2.** Lançar de si; deixar sair; exalar, respirar: "Alma suave a *transpirar* virtudes, / Gênio maldito arremessou-te ao lado!" (Fagundes Varela, *Poesias Completas*, I, p. 204.) **3.** Exalar, manifestar, exprimir: *Sua fisionomia transpirava felicidade. T. i.* **4.** Exalar-se, emanar; transluzir: *Seu grande amor transpirava das palavras afetuosas. Int.* **5.** Sair do corpo, exalando-se pelos poros. **6.** Exalar suor. **7.** Espalhar-se, divulgar-se: *A verdade transpirou rapidamente.*

transpirável. *Adj. 2 g.* **1.** Que pode transpirar; transmeável. **2.** Que pode ser transpirado. **3.** Que dá lugar à transpiração ou lhe serve de veículo.

transplantação. *S. f.* Ato ou efeito de transplantar (1, 4 a 6); transplante [q. v.].

transplantador (ô). *Adj.* **1.** Que transplanta. ● *S. m.* **2.** Aquele que transplanta. **3.** Instrumento para transplante de vegetais.

transplantar. [Do lat. *transplantare.*] *V. t. d.* **1.** Arrancar (planta, árvore) de um lugar e plantar em outro. **2.** Transferir (órgão ou porção deste) de uma para outra parte do mesmo indivíduo. **3.** Transferir (órgão ou porção deste) de indivíduo vivo ou morto para outro indivíduo. **4.** Fazer passar de um país para outro: *transplantar os costumes franceses. T. d. e i.* **5.** Traduzir, verter, trasladar: *Transplantou Racine para o português. P.* **6.** Mudar(-se), transferir-se: *Há cerca de um mês transplantou-se para Portugal.*

transplantatório. *Adj.* Que se pode transplantar.

transplante. [Dev. de *transplantar.*] *S. m.* **1.** Transplantação. **2.** *Restr.* Ato ou efeito de transplantar (2 e 3).

transplatino. [De *trans-* + *platino.*] *Adj.* Situado além do rio da Prata (América do Sul). [Antôn.: *cisplatino.*]

transpolar. [De *trans-* + *polar.*] *Adj.* Que se situa ou vai além dos pólos.

transpor. [Do lat. *transponere.*] *V. t. d.* **1.** Pôr (algo) em lugar diverso daquele em que estava ou devia estar. **2.** Inverter a ordem de: *Transpôs as letras, formando anagramas.* **3.** Passar além de; galgar: *transpor os Alpes.* **4.** Deixar atrás; ultrapassar, exceder: *transpor a barreira do som.* **5.** *Mús.* Transportar (4). *P.* **6.** Desaparecer, ocultar-se: *A Lua transpôs-se atrás das nuvens.* [Irreg. Conjug.: v. *pôr.*]

transportabilidade. *S. f.* Qualidade de transportável.

transportação. [Do lat. *transportatione.*] *S. f.* V. *transporte* (1).

transportador (ô). *Adj.* Que transporta.

transportadora (ô). [Fem. substantivado de *transportador.*] *S. f. Bras.* Firma ou empresa especializada em transportes de cargas: "De Jerônimo, chofer recifense da *transportadora* Ristar, da linha Recife-São Paulo, conta-se que foi multado na capital paulista por excesso de buzina" (Marcos Vinícius Vilaça, *Em torno da Sociologia do Caminhão*, p. 31).

transportamento. [De *transportar* + *-mento.*] *S. m.* V. *transporte* (1 e 6).

transportar. [Do lat. *transportare.*] *V. t. d.* **1.** Conduzir ou levar de um lugar para outro; transpor: *transportar carga.* **2.** Extasiar, enlevar, arrebatar: *A beleza da paisagem transportou o turista.* **3.** *Litogr.* Transferir (imagem e caracteres) para a pedra ou metal granido, por meio do papel autográfico. [Cf. *autografia* (3).] **4.** *Mús.* Transcrever ou ler (trecho ou peça musical) em tom (13) diferente do tom original, elevando ou baixando todas as notas ao mesmo intervalo existente entre as duas tônicas; transpor. *T. d. e i.* **5.** Pôr em comunicação; transmitir: *A distância, através da saudade, transporta aos amantes a imagem da pessoa querida.* **6.** *Fig.* Conduzir ou levar de um lugar para outro, ou de um tempo a outro: "Passeio, distraído, à sombra das minhas árvores. De repente, um canto de ave *transporta*-me ao Passado." (Teixeira de Pascoais, *Obras Completas*, VII, p. 120.) **7.** Mudar o alcance, o sentido, de. **8.** Traduzir, verter, trasladar: *transportar Cícero para o português.* **9.** *Mús.* Transportar (4). *P.* **10.** Passar de um lugar para outro; transferir-se: *Transportar-se com a família para Lisboa.* **11.** Remontar mentalmente: *Transportou-se aos seus cinco anos.* **12.** Ficar entusiasmado, enlevado; arrebatar-se, extasiar-se: *Em frente da amada, enleva-se, transporta-se.*

transportável. *Adj. 2 g.* Que pode ser transportado.

transporte. [Dev. de *transportar.*] *S. m.* **1.** Ato, efeito ou operação de transportar; transportação, transportamento. **2.** V. *veículo* (1): *O metrô é um transporte utilizado desde o princípio do séc. XX.* **3.** Veículo de provisões para um exército em campanha. **4.** Soma que se transporta da página de um livro (de contas) para outra, ou de uma coluna para outra. **5.** Conjunto de fenômenos geológicos pelo qual os produtos de destruição se deslocam de um ponto para outro. **6.** *Fig.* Êxtase, arrebatamento, enlevo, transportamento: "A que de olhos tristes mirara / paisagens, multidões, semblantes, / sentindo a turba alucinada, / em vãos *transportes* delirantes" (Cecília Meireles, *Obra Poética*, p. 852). **7.** *Mar. G.* Navio ou outro meio apropriado para transportar tropas e material de guerra de um lugar para outro. **8.** *Mús.* Ato ou efeito de transportar (4). [F. paral., p. us.: *transporto.*] ◆ **Transporte intermodal.** Aquele em que uma mesma carga é movimentada, sucessivamente, por diferentes meios: ferrovia, aquavia, rodovia e/ou aerovia.

transporto (ô). [Dev. de *transportar.*] *S. m. P. us.* Transporte [q. v.].

transposição. *S. f.* **1.** Ato ou efeito de transpor(-se). **2.** *Álg. Mod.* Permutação cíclica de grau dois. **3.** *Mús. P. us.* Transporte (8). **4.** *Tip.* Erro tipográfico: troca da posição relativa de duas letras, palavras, linhas ou frases.

transpositivo. [Do lat. *transpositivu.*] *Adj.* Diz-se das línguas, como o grego e o latim, nas quais as relações gramaticais são determinadas pelas terminações.

transpositor (ô). [Do lat. *transpositu*, 'transposto', + *-(t)or.*] *Adj. Mús.* **1.** Que transporta [v. *transportar* (4)]. **2.** Diz-se da maior parte dos instrumentos de sopro (clarinete, corne-inglês, trompa, trompete, saxofone, etc.), que ressoam em tom diferente daquele que corresponde à nota escrita. ~ V. *piano* — e *teclado* —.

transposon. [Do lat. *transpos(itu)*, 'transposto', 'transferido', + *-on.*] *S. m. Genét.* Seqüência de ácido desoxirribonucléico que contém um ou mais genes, é capaz de mover-se de uma para outra localização no genoma, e de replicar-se e inserir essa cópia num novo lócus.

transposta. [Fem. substantivado do adj. *transposto.*] *S. f. Álg. Mod.* Matriz transposta.

transposto (ô). [Do lat *transpositu.*] *Adj.* **1.** Que sofreu transposição. ~ V. *determinante* — e *matriz* —a. ● *S. m.* **2.** *Álg. Mod.* Determinante transposto.

transreceptor (ô). [De *trans(missor)* + *receptor.*] *S. m.* Equipamento com capacidade de transmitir e receber sinais; transceptor.

transrenano. [Do lat. *transrhenanu.*] *Adj.* Situado além do Reno, rio europeu. [Antôn.: *cisrenano.*]

transtagano. [De *trans-* + top. lat. *Tagus*, 'Tejo', + *-ano.*] *Adj.* Situado além do Tejo, rio que banha a Espanha e Portugal: "Este é o rijo português das touradas, que, ... nas cidadezinhas *transtaganas*, rabeja, com mãos de aço, um touro escouceador" (Antero de Figueiredo, *Jornadas em Portugal*, p. 24). [Antôn.: *cistagano.*]

transtornado. [Part. de *transtornar.*] *Adj.* **1.** Perturbado, atrapalhado, confundido. **2.** Cujo juízo se turvou. **3.** Diz-se daquilo cuja ordem foi alterada ou perturbada.

transtornador (ô). *Adj.* Que transtorna.

transtornar. [De *trans-* + *tornar.*] *V. t. d.* **1.** Alterar a ordem de; pôr em desordem; desorganizar: *Transtornou os meus pertences tão bem arranjados.* **2.** Perturbar, atrapalhar: *O incidente transtornou o meu dia.* **3.** Agitar, perturbar: *Sua chegada turbulenta transtornou o ambiente.* **4.** Alterar o viver de. **5.** Desfigurar, demudar: *A doença transtornava-o.* **6.** Fazer mudar de opinião. **7.** Alterar, adulterar. **8.** Turvar o juízo de. **9.** Corromper, desencaminhar: *A ambição demasiada transtornou o jovem.* **10.** Causar desordem ou dissensão em. **11.** Confundir, aturdir, atordoar. *P.* **12.** Perturbar-se, alterar-se, desfigurar-se, torvar-se. [Pres. ind.: *transtorno*, etc. Cf. *transtorno* (ô).]

transtorno (ô). [Dev. de *transtornar.*] *S. m.* **1.** Ato ou efeito de transtornar(-se). **2.** Contrariedade, decepção. **3.** Desarranjo, desordem. **4.** Perturbação mental. [Pl.: *transtornos* (ô). Cf. *transtorno*, do v. *transtornar.*]

transtravado. [De *trans-* + *travado.*] *Adj.* Diz-se de cavalo que tem a mão e o pé direito brancos.

transtrocar. [De *trans-* + *trocar.*] *V. t. d.* **1.** Trocar a ordem de; inverter. **2.** Confundir, perturbar, transtornar. [Conjug.: v. *trancar.*]

transubstanciação (su). [De *transubstanciar* + *-ção.*] *S. f.* **1.** Mudança duma substância em outra. **2.** *Rel.* Palavra adotada na Igreja Católica, sobretudo a partir da filosofia escolástica, para explicar a presença real de Jesus Cristo no sacramento da Eucaristia [q. v.] pela mudança da substância do pão e do vinho na de seu corpo e de seu sangue. [Cf. *consagração* (9).]

transubstancial (su). *Adj. 2 g.* Que se transubstancia.

transubstancialidade (su). *S. f.* Qualidade de transubstancial.

transubstanciar (su). [Do lat. medieval *transubstantiare.*] *V. t. d.* e *i.* **1.** Mudar a substância; mudar, transformar uma substância em outra; transformar: *É impossível transubstanciar a água em licor.* **2.** Operar a transubstanciação (2) de. *P.* **3.** Converter-se, transmudar-se (uma substância em outra).

transudação (su). *S. f.* **1.** Ato ou efeito de transudar. **2.** *Patol.* Passagem, de causa não inflamatória, de líquido de capilares para cavidades naturais ou acidentais, caracterizando-se o líquido por teor muito baixo de proteína, alta fluidez e baixo conteúdo de células ou produtos destas.

transudar (su). [De *trans-* + o lat. *sudare*, 'suar'.] *V. t. c.* **1.** Transpirar, exsudar: *Camarinhas de suor transudam do seu rosto.* **2.** Transparecer, manifestar-se, revelar-se: *Profunda mágoa transudava naqueles olhos.* **3.** Introduzir-se, penetrar, vencendo obstáculo; coar-se: *Os raios de sol transudavam da vidraça, iluminando o ambiente. T. d.* **4.** Verter, ressumar; transvasar.

transudato (su). [De *trans-* + lat. *sudatu*, part. pass. de *sudare*, 'suar'.] *S. m. Patol.* Líquido resultante de processo de transudação. [Cf. *exsudato.*]

transumanar (zu). [De *trans-* + *humanar.*] *V. t. d.* Dar natureza humana a; humanizar.

transumância (zu). [De *transumar* + *-ância.*] *S. f.* Migração periódica dos rebanhos da planície, os quais vão habitar durante o calor as altas montanhas, delas descendo ao aproximar-se o inverno, ou vice-versa: "Salvo nessas regiões dos pastores nômades, onde o espaço é ilimitado, sempre aberto e livre à *transumância* dos rebanhos e à vida errante das tribos, tanto no Ocidente como no Oriente o povo vive em pequenos espaços." (Oliveira Viana, *Populações Meridionais do Brasil*, p. 327.)

transumano (zu). *Adj.* A que se deu natureza humana; que se transumanou.

transumante (zu). *Adj. 2 g.* Diz-se dos rebanhos sujeitos ao regime da transumância.

transumar (zu). [De *trans-* + lat. *humus*, 'terra', + *-ar*².] *V. t. d.* **1.** Fazer mudar de pasto (os rebanhos). *Int.* **2.** Realizar a transumância.

transunto (sún). [Do lat. *transumptu*, 'tomado'.] *S. m.* **1.** Cópia, traslado: "Porém, cópia fiel, fiel *t r a n s u n t o* / Das tradições escuras dos helenos, / Os titães atrevidos se amontoam / Ao redor do meandro cristalino / Erguendo as negras frontes, requeimadas / Pelo fogo do céu, e as mãos tremendas, / Armadas de rochedos monstruosos, / Procurando escalar o vasto Olimpo..." (Fagundes Varela, *Poesias Completas*, III, pp. 323-324.) **2.** Retrato fiel; imagem. **3.** Modelo, exemplo.

transuraniano¹ (zu). [De *trans-* + o astr. *Urano* + *-i-* + *-ano*.] *Adj.* Situado além do planeta Urano.

transuraniano² (zu). [De *trans-* + *urânio* + *-ano*.] *Adj.* e *s. m. Quím.* Diz-se de, ou qualquer elemento que tem número atômico superior ao número 92, que é o número atômico do urânio. [Sin. ger.: *transurânico*.]

transurânico (zu). [De *trans-* + *urânio* + *-ico*².] *Adj.* Transuraniano².

transuretral (zu). [De *trans-* + *uretral*.] *Adj. 2 g. Anat.* Que é efetuado, ou que se estende, através da uretra.

transvaliana. [Fem. de *transvaliano*.] *S. f. Bras., N.E.* Bomba transvaliana: "No silêncio que se fez, as batidas na porta ecoavam agudas como estouro de *t r a n s v a l i a n a s* em noites de S. João." (A. S. de Mendonça Júnior, *O Anel de Brilhante e Outras Estórias*, p. 17.)

transvaliano. *Adj.* **1.** Da, ou pertencente ou relativo à província do Transval (República da África do Sul). V. *bomba*¹ —a. ● *S. m.* **2.** O natural ou habitante do Transval.

transvariação. [De *trans-* + *variação*.] *S. f. Estat.* Superposição (2).

transvasar. [De *trans-* + *vaso*¹ + *-ar*².] *V. t. d.* Passar dum vaso para outro; trasfegar, transfundir. [Var.: *trasvasar*. Cf. *transvazar*.]

transvazar. [De *trans-* + *vazar*.] *V. t. d.* **1.** Pôr fora; entornar, verter, transudar: *t r a n s v a z a r a lata de água*. *P.* **2.** Entornar-se, derramar-se. [Cf. *transvasar*.]

transverberação. *S. f.* Ato ou efeito de transverberar.

transverberado. [Part. de *transverberar*.] *Adj.* Em que houve transverberação: "Quando morreu, línguas de sangue ardente, / Aleluias de fogo acometiam, / Tomavam todo o céu de lado a lado, // E longamente, indefinidamente, / Como um coro de ventos sacudiam / Seu grande coração *t r a n s v e r b e r a d o*!" (Manuel Bandeira, *Estrela da Vida Inteira*, p. 192.)

transverberar. [Do lat. *transverberare*.] *V. t. d.* **1.** Fazer transparecer; deixar passar (luz, cor, etc.); refletir: *A clarabóia t r a n s v e r b e r a a claridade, iluminando a sala*. *T. c.* **2.** Manifestar-se, transparecer, transluzir: *Funda tristeza t r a n s v e r b e r a nos seus olhos*. **3.** Dimanar, brilhando; derivar. *P.* **4.** Manifestar-se; refletir-se.

transversal. [De *transverso* + *-al*.] *Adj. 2 g.* **1.** Que passa, ou que está, de través ou obliquamente: *rua t r a n s v e r s a l*. **2.** Colateral (2). **3.** *Anat. Veg.* Que atravessa perpendicularmente a superfície de um órgão: *seção t r a n s v e r s a l*. ~ V. *balanço* —, *direção* —, *linha* — e *onda* —. ● *S. f.* **4.** Linha transversal. **5.** Série de parentes colaterais.

transversalidade. *S. f.* Qualidade de transversal.

transversina. [De *transverso* + *-ina*¹.] *S. f. Constr.* Qualquer viga disposta segundo a largura de uma estrutura. [Cf. *longarina*.]

transverso. [Do lat. *transversu*.] *Adj.* **1.** Situado de través; oblíquo, atravessado. **2.** *Morfol. Veg.* Colocado ou dirigido de maneira transversal: *eixo t r a n s v e r s o*. ~ V. *eixo* — e *flauta* —a.

transverter. [Do lat. *transvertere*.] *V. t. d.* **1.** Transtornar, perturbar, alterar. **2.** Transformar, converter. **3.** Traduzir, verter. *T. d. e i.* **4.** Transpor (de uma língua para outra, de prosa para poesia, etc); verter: "Este livro [*Santo Antônio*, de Afonso Lopes Vieira] é um dos mais encantadores que saíram das mãos do escritor que *t r a n s v e r t e u* para a prosa os belos e deliciosos ritmos que usava na poesia." (Aquilino Ribeiro, *Camões, Camilo, Eça e Alguns mais*, p. 333.) *P.* **5.** Transformar-se, converter-se. **6.** Transtornar-se, torvar-se.

transvesical. [De *trans-* + *vesical*.] *Adj. 2 g.* **1.** Que atravessa a bexiga. **2.** Que se realiza através da bexiga.

transvestir. [De *trans-* + *vestir*.] *V. t. d. e i. Bras.* Transformar, transmudar, transmutar, metamorfosear: *Eça de Queirós t r a n s v e s t i u seu conto "Civilização" no romance* A Cidade e as Serras; *T r a n s v e s t i r a m o rapazinho em velho, para a representação da peça*. [Irreg. Conjug.: v. *aderir*.]

transviada. [Fem. substantivado do adj. *transviado*.] *S. f. Bras.* V. *meretriz*.

transviado. [Part. de *transviar*.] *Adj.* e *s. m. Bras.* Diz-se de, ou aquele que se desviou dos padrões éticos e sociais vigentes.

transviador (ô). *Adj.* e *s. m.* Que ou aquele que transvia.

transviamento. [De *transviar* + *-mento*.] *S. m.* Transvio.

transviar. [De *trans-* + *via* + *-ar*².] *V. t. d.* **1.** Desviar do dever; corromper, seduzir, desencaminhar, extraviar. *T. d. e c.* **2.** Desviar, desencaminhar: "podem influências de fora intervir, *t r a n s v i a n d o* essa alma do seu caminho natural" (Afonso Arinos, *Pelo Sertão*, p. 188). *T. c.* **3.** Alterar o destino ou a aplicação. **4.** Tornar vagabundo. *P.* **5.** Afastar-se ou desviar-se do dever; desencaminhar-se.

transvio. [Dev. de *transviar*.] *S. m.* Ato ou efeito de transviar(-se); transviamento.

transvoar. [Do lat. *transvolare*.] *V. t. d.* **1.** Transpor voando: *Lindbergh foi o primeiro aviador a t r a n s v o a r, sem escala, o Oceano Atlântico*; "o alcantil mais horrendo, / a corrente mais brava, opõe-se-lhes vãmente: / *t r a n s v o a - s e* o alcantil, transnada-se a corrente." (Antônio Feliciano de Castilho, *As Geórgicas de Virgílio*, p. 177). *T. c.* **2.** Dirigir-se, em vôo: *No inverno, certas aves t r a n s v o a m para o Sul*. [Conjug.: v. *voar*.]

tranvia. [Adapt. do ingl. *tramway*.] *S. m. Desus.* Trâmuei.

trapa¹. [Do germ. **trappa*, atr. do b.-lat, *trappa*.] *S. f.* **1.** Cova ou alçapão apropriada para capturar feras. **2.** *Marinh.* Cabo cujo seio passa por fora dum objeto que esteja sendo posto a bordo, a fim de guiá-lo. **3.** *Marinh.* Cabo ou corrente que se passa num objeto pendente a fim de impedir que balance ou despenque. **4.** *Quím.* Num aparelho de laboratório, dispositivo que serve para reter de uma corrente de fluido um ou vários componentes, retendo-os para posterior recolhimento.

trapa². [Do top. *La Trappe* (França).] *S. f.* Ordem religiosa nascida de uma reforma cisterciense empreendida na França no séc. XVII.

trapaça. [De *trapa*¹ + *-aça*.] *S. f.* **1.** Contrato fraudulento; dolo. **2.** V. *logro* (2). [Sin. ger.: *trapalhice, trapaçaria*.]

trapaçador (ô). [De *trapaça* + *-(d)or*.] *Adj.* e *s. m. P. us.* V. *trapaceiro*.

trapaçaria. *S. f.* V. *trapaça*.

trapaceador (ô). [De *trapacear* + *-(d)or*.] *Adj.* e *s. m.* V. *trapaceiro*.

trapacear. [De *trapaça* + *-ear*.] *V. t. d.* **1.** Tratar (algo), fraudulentamente. *Int.* **2.** Fazer trapaças: "Os ciganos, ninguém sabe de onde vinham. Chegavam e ficavam meses, *t r a p a c e a n d o*, negaceando, furtando." (Nélson de Faria, *Tiziu e Outras Estórias*, p. 191.) [Conjug.: v. *frear*.]

trapaceiro. *Adj.* e *s. m.* Que ou aquele que trapaceia. V. *cangancheiro*. [Sin.: *trampolineiro, trapalhão, trapaceador, trapacento, argamandel* e (p. us.) *trapaçador*.]

trapacento. *Adj.* e *s. m.* V. *trapaceiro*.

trapagem. *S. f.* Montão ou porção de trapos; traparia, trapalhada, trapalhice.

trapalhada¹. [De *trapo*.] *S. f.* V. *trapagem*.

trapalhada². [De *trapa*¹.] *S. f.* **1.** Confusão, barafunda, baralhada. **2.** V. *logro* (2).

trapalhado. [De *trapo* (3).] *Adj.* Diz-se do leite mal coalhado.

trapalhão¹. [Aum. de *trapo* (1).] *S. m.* **1.** Trapo grande. **2.** Farrapo, frangalho. **3.** Indivíduo mal vestido. ● *Adj.* **4.** Andrajoso, esfarrapado. [Fem. (nas acepç. 3 e 4): *trapalhona*.]

trapalhão². [De um **atrapalhão* < *atrapalhar* + *-ão*², com aférese.] *Adj.* e *s. m.* **1.** Que ou aquele que se atrapalha facilmente, ou que atrapalha tudo. **2.** V. *trapaceiro*. [Fem.: *trapalhona*.]

trapalhice¹. [De *trapo*.] *S. f.* **1.** V. *trapagem*. **2.** Vestuário roto ou ridículo.

trapalhice². *S. f.* **1.** Ato de trapalhão². **2.** V. *trapaça*.

trapalhona¹. *Adj. (f.)* e *s. f.* Fem. de *trapalhão*¹ (3 e 4).

trapalhona². *Adj. (f.)* e *s. f.* Fem. de *trapalhão*².

traparia. *S. f.* V. *trapagem*.

trape. *Interj. P. us.* Designa som produzido por pancada ou golpe.

trapeada. *S. m. Ant. Marinh.* Batida da vela contra o mastro; estrupada.

trapear. [De *trape* + *-ear*.] *V. int.* **1.** *Ant. Marinh.* Bater (a vela) de encontro ao mastro em conseqüência do balanço da embarcação, principalmente com calma, ou da ação do vento. **2.** Bater (um pano) contra qualquer coisa. [F. paral.: *trapejar*. Normalmente é defect., unipess. Conjug.: v. *frear*.]

trapeira. [De *trapa*¹ + *-eira*.] *S. f.* **1.** Armadilha para caça. **2.** Abertura ou janela sobre o telhado: "Uma pobre costureira de Londres anseia por ver florir, na sua *t r a p e i r a*, um vaso cheio de terra negra" (Eça de Queirós, *O Mandarim*, p. 23). **3.** *Bras., S.* Grande desordem; atrapalhação.

trapeiro. [De *trapo* + *-eiro*.] *S. m.* **1.** Negociante de trapos, ou aquele que os apanha na rua para vendê-los. **2.** *Bras.* Indivíduo que cata papéis nas ruas, nas latas e carroças de lixo, para vendê-los às fábricas de papel. **3.** Montureiro.

trapejante. *Adj. 2 g.* Que trapeja.

trapejar. [De *trape* + *-ejar*.] *V. int.* **1.** V. *trapear*: "Molambos *t r a p e j a v a m* em cordas tendidas de muro a muro" (Coelho Neto, *Rei Negro*, p. 7). **2.** Estralar, estralejar. [Normalmente é defect., unipess. Conjug.: v. *pelejar*.]

trape-zape. [Voc. onom.] *S. m.* Ruído de espadas ao entrechocarem-se. [Pl.: *trape-zapes*. Cf. *zapetrape*.]

trapeziforme. [De *trapézi(o)* + *-forme*.] *Adj. 2 g.* V. *trapezóide* (1).

trapézio. [Do gr. *trapézion*, pelo lat. tardio *trapeziu*.] *S. m.* **1.** *Geom.* Quadrilátero com dois lados paralelos. **2.** Aparelho balouçante de ginásio (1), consitituído por uma barra de madeira ou de ferro suspensa por duas cordas ou peças verticais. **3.** *Anat.* Cada um de dois músculos do pescoço e porção superior do tórax, de situação superficial, que se estendem do occipício à 12ª vértebra torácica, e cuja principal ação é a de rotação escapular por ocasião da elevação de membro superior, e no controle do abaixamento gravitacional deste. **4.** *Anat.* O primeiro osso da segunda fileira do carpo. ◆ **Trapézio isóscele.** *Geom.* Aquele cujos lados não paralelos são iguais. **Trapézio retangular.** *Geom.* O que tem dois ângulos retos.

trapezista. *S. 2 g.* Artista que trabalha em trapézio (2).

trapezoedro. [De *trapéz(io)* + *-o-* + *-edro*.] *S. m. Geom.* Poliedro cujas faces são trapézios.

trapezoidal. [De *trapezóide* + *-al*.] *Adj. 2 g.* V. *trapezóide* (1).

trapezóide. [Do gr. *trapezoeidés*.] *Adj. 2 g.* **1.** Que tem forma de trapézio; trapezoidal, trapeziforme. ● *S. m.* **2.** *Anat.* O segundo osso da segunda fileira do carpo.

trapiá. [Do tupi *tarapi'á*.] *S. f. Bras.* V. *catauari*.

trapiarana. [De *trapiá* + *-rana*.] *S. f. Bras.* Fruta-doce.

trapiche. [Do esp. *trapiche*.] *S. m.* **1.** Armazém onde se guardam mercadorias importadas ou para exportar; armazém-geral. **2.** *Bras., N.E.* Pequeno engenho de açúcar, movido por animais.

trapicheiro. *Adj.* e *s. m.* **1.** Que ou aquele que tem e/ou administra trapiches. **2.** Diz-se de, ou trabalhador de trapiche.

trapincola. [Voc. express., talvez.] *Adj. 2 g.* e *s. 2 g. Bras. Pop.* Caloteiro, fintador.

trapinho. [Dim. de *trapo*.] *El. s. m. pl.* Us. na expr. *juntar os trapinhos*. ◆ **Juntar os trapinhos.** *Bras. Pop.* e *fam.* Casar-se ou amigar-se.

trapista. [De *trapa*² (q.v.) + *-ista*.] *Adj. 2 g.* **1.** Pertencente ou referente à ordem monástica da Trapa. ● *S. 2 g.* **2.** Religioso ou religiosa dessa ordem.

trapitinga. *S. f. Bras.* V. *pirapitinga* (1).

trapizonga. [Talvez do top. *Trebizonda* (Turquia), com possível infl. de *trapa*¹.] *S. f. Bras. Pop.* **1.** Coisas confusas ou desordenadas. **2.** Porção de trastes miúdos.

trapo. [De provável or. céltica, atr. do lat. tardio *drappu*.] *S. m.* **1.** Pedaço de pano velho ou usado; farrapo. **2.** Roupa velha ou muito surrada. **3.** Sedimento de alguns líquidos com a aparência de trapo. **4.** Arbusto silvestre da família das celastráceas (*Evonymus agglomeratus*). **5.** Pessoa velha, gasta, cansada, ou atingida por séria depressão física e/ou moral: *Mal chegou aos 50 anos, e já está um t r a p o*; *Hoje, com a morte da mulher, ele é um t r a p o*. **6.** Indivíduo sem energia, moleirão ou pusilânime. ◆ **Trapos quentes.** V. *panos quentes*. **A todo o trapo.** *Bras. RS.* A toda a brida; à disparada, em disparada; a toda.

trapoeraba. [Do tupi *tarapoe'raba*.] *S. f. Bras.* Planta da família das comelináceas (*Tradescantia elongata*), de valor medicinal; olho-de-santa-luzia.

trapoeraba-azul. *S. f. Bras.* Didi-da-porteira. [Pl.: *trapoerabas-azuis*.]

trapoerabarana. [De *trapoeraba* + *-rana*.] *S. f. Bras., N.E.* a *L.* Erva da família das comelináceas (*Commelina deficiens*), de hábito prostrado, e de pontas ascendentes, folhas oblongas e moles, e flores trímeras, alvas e pouco numerosas. [Sin.: na BA, *marianinha*; no MA, *grama-da-terra*.]

trapoeraba-vermelha. *S. f. Bras. L.* Erva ornamental da família das comelináceas (*Zebrina pendula*), de folhagem vermelha e algo variegada, e flores pouco aparentes, de cor azul. Tem hábito prostrado, e, plantada em vasos, fica pendente. [Pl.: *trapoerabas-vermelhas*.]

trápola. [Do it. *trappola*.] *S. f.* Armadilha para caça.

trapomonga. [Do tupi, talvez.] *S. f. Bras.* Certa planta medicinal.

trapus. [Voc. onom.] *S. m.* **1.** Ruído de coisa que cai estrondosamente. ● *Interj.* **2.** Catrapus.

trapuz. *S. m.* e *interj.* V. *trapus*.

traque. [Voc. onom.] *S. m.* **1.** Estouro, estrépito. **2.** *Chulo.* Ventosidade que sai (em geral estrepitosamente) pelo ânus; peido, pum. **3.** *Expl.* Dispositivo pirotécnico constituído por um tubinho de cartão carregado com mistura pirotécnica, e cujo pavio, ao ser acendido, inflama e faz explodir a composição, provocando ruído: "O finado marido de D. Etelvina fazia fogos de artifício, t r a q u e s e bombinhas para as festas da igreja e noites de São João." (Nélson de Faria, *Cabeça-Torta*, p. 57.) ◆ **Traque de chio.** *Bras., AL.* Artefato pirotécnico provido de um chio, e que, ao ser inflamado, dá um estalo ou pequena explosão. **Traque de chumbo.** *Bras., AL.* V. *estalo* (4). **Traque de massa.** *Bras., BA.* V. *estalo* (4).

traqueado. *S. m.* **1.** Espécime dos traqueados. ● *Adj.* **2.** Pertencente ou relativo a eles.

traqueados. *S. m. pl. Zool.* **1.** Animais metazoários, artrópodes, anteníferos, considerados por alguns autores como um sub-ramo, no qual são incluídas todas as classes terrestres. Neles se incluem os insetos e os miriápodes. **2.** Artrópodes, acarinos, possuidores de traquéias.

traqueal. *Adj. 2 g. Anat.* Relativo ou pertencente à traquéia; traqueano.

traqueano. *Adj.* **1.** Que tem traquéias. **2.** *Anat.* Traqueal.

traquear[1]. *V. t. d.* Traquejar[1] (1 a 3). [Conjug.: v. *frear*. Pres. ind.: *traqueio, traquelas, traqueia*, etc. Cf. *traquéia*, s. f., e *Traquéia*, top.]

traquear[2]. [De *traque* (2) + *-ear*.] *V. int. Bras. Chulo.* Soltar traques; traquejar, peidar. [Conjug.: v. *frear*. Pres. ind.: *traqueio, traqueias, traqueia*, etc. Cf. *traquéia*, s. f., e *Traquéia*, top.]

traquéia. [F. red. de *traquéia-artéria*.] *S. f.* **1.** *Anat.* Tubo cartilaginoso e membranoso que se segue ao laringe e que, ao seu término, se bifurca, originando os dois brônquios principais, direito e esquerdo; traquéia-artéria. **2.** *Anát. Veg.* Vaso[1] (8). **3.** *Zool.* Cada um dos canais que nos insetos conduzem o ar a todas as partes do corpo. **4.** *Anest.* Tubo flexível, de calibre considerável, que lembra a traquéia (1), e empregado para conduzir gases ou vapores do aparelho de anestesia e/ou de alguns respiradores [v. *respirador* (2)] ao paciente. [Cf. *traqueia*, do v. *traquear*.] ◆ **Traquéia artificial.** *Anest.* Traquéia (5).

traquéia-artéria. [Do gr. *tracheîa artería*, 'canal respiratório áspero'.] *S. f.* Traquéia (1). [F. red.: *traquéia*. Pl.: *traquéias-artérias*.]

traqueíde. [Do ingl. *tracheid*.] *S. f. Anat. Veg.* Traqueóide.

traqueiro. [De *traque* (2) + *-eiro*.] *Adj. Chulo.* Que dá traque(s), que traqueia [v. *traquear*[2]].

traqueíte. [De *traque(o)-* + *-ite*[1].] *S. f. Patol.* Inflamação da traquéia.

traquejado. [Part. de *traquejar*.] *Adj.* **1.** Perseguido, acossado. **2.** *Bras.* e *ant.* Perito em qualquer atividade; experimentado; experiente: *advogado t r a q u e j a d o*; "Sentia .... que a paisanada era bastante mais desembaraçada, sabida e t r a q u e j a d a do que os militares orgulhosamente supunham" (Marques Rebelo, *O Simples Coronel Madureira*, pp. 47-48). **3.** *Bras. Gír. mil.* Diz-se do oficial que gosta de traquejar[1] (4 e 5) o subalterno.

traquejar[1]. *V. t. d.* **1.** Perseguir, acossar, traquear. **2.** Bater (mato) para fazer sair a caça; traquear. **3.** *Bras.* e *ant.* Tornar apto; exercitar, traquear. **4.** *Bras. Gír. mil.* Repreender, censurar. **5.** *Bras. Gír. mil.* Dar (o oficial) ordens desagradáveis a (o subalterno): *O major tem t r a q u e j a d o o sargento*. [Conjug.: v. *pelejar*.]

traquejar[2]. [De *traque* (2) + *-ejar*.] *V. int. Chulo.* V. *traquear*[2]. [Conjug.: v. *pelejar*.]

traquejo (ê). [Dev. de *traquejar*.] *S. m. Bras.* Prática, experiência, perícia.

traquelectomia. [De *traquel(o)-* + *-ectom-* + *-ia*.] *S. f. Cir.* Extirpação do colo uterino.

traquelectômico. *Adj.* Relativo à traquelectomia.

▲**traqueli-.** Equiv. de *traquel(o)-*.

traqueliano. [De *traqueli-* + *-ano*.] *Adj.* Pertencente ou relativo a colo[1] (1 e 3).

traquelípode. [De *traqueli-* + *-pode*.] *Adj. 2 g.* Que tem os pés aderentes à base do pescoço.

traquelismo. [De *traquel(o)-* + *-ismo*.] *S. m. Patol.* Contração espasmódica de músculos do pescoço.

▲**traquel(o)-.** [Do gr. *tráchelos, ou*.] *El. comp.* = 'pescoço', 'colo': *traquelectomia*. [Equiv.: *traqueli-*: *traquelípode*.]

▲**traque(o)-.** [De *traquéia*.] *El. comp.* = 'traquéia': *traqueal, traqueorragia*.

traqueobrônquico. *Adj. Anat.* Dos brônquios e da traquéia, ou relativo a eles.

traqueobronquite. [De *traque(o)-* + *bronquite*.] *S. f. Patol.* Inflamação da traquéia e dos brônquios.

traqueocele. [De *traque(o)-* + *-cele*.] *S. f. Patol.* Protrusão da mucosa através de uma falha na parede traqueal.

traqueóide. [De *traque(o)-* + *-óide*.] *S. m. Anat. Veg.* Célula do lenho, não perfurada, com pontoações areoladas junto aos elementos congêneres; traqueíde.

traqueorragia. [De *traque(o)-* + *-ragia*.] *S. f. Med.* Hemorragia de origem traqueal.

traqueorrágico. *Adj.* Relativo à traqueorragia.

traqueostenose. [De *traque(o)-* + *estenose*.] *S. f. Patol.* Estenose da traquéia.

traqueostomia. [De *traque(o)-* + *-stom(o)-* + *-ia*.] *S. f.* Traqueotomia seguida de introdução de uma cânula no interior da traquéia, com o fim de estabelecer uma comunicação com o meio exterior.

traqueostômico. *Adj.* Relativo à traqueostomia.

traqueotomia. [De *traque(o)-* + *-tom(o)-* + *-ia*.] *S. f.* Incisão praticada na traquéia.

traqueotômico. *Adj.* Relativo à traqueotomia.

traquete (ê). [Do fr. antr. *triquet*, hoje *trinquet*.] *S. m. Marinh.* A vela redonda que enverga na verga mais baixa do mastro de proa: "de pé no tombadilho, junto ao homem do leme, logo que o ferro veio a pique, mandou largar velas rasteiras — bujarrona, polaca, t r a q u e t e e vela grande." (Virgílio Várzea, *Nas Ondas*, p. 15).

traquibérnia. *S. f.* V. *tranquibérnia*: "não nos enxergam para simular desprezo pela nossa pobreza e pela nossa fé na honestidade — cousa desprezível aos olhos desses *preux* do 'arame' e desses inspiradores de altas t r a q u i b é r n i a s." (Lima Barreto, *Coisas do Reino do Jambon*, p. 183).

traquilino. *S. m.* **1.** Espécime dos traquilinos. ● *Adj.* **2.** Pertencente ou relativo a eles.

traquilinos. *S. m. pl. Zool.* Animais celenterados, hidrozoários, da ordem *Trachylina*. A geração de pólipos acha-se muito reduzida ou ausente; medusas de tamanho regular, providas de véu debaixo da margem da campânula e tentáculos supermarginais; sexos separados. São as traquimedusas e as narcomedusas.

traquimedusa. *S. f.* **1.** Espécime das traquimedusas. ● *Adj. 2 g.* **2.** Pertencente ou relativo a elas.

traquimedusas. *S. f. pl. Zool.* Animais metazoários, celenterados, traquilinos, da subordem *Trachymedusae*, que se caracterizam por terem a margem da campânula lisa e pela presença de gônadas nos canais radiais.

traquina. *Adj. 2 g.* e *s. 2. g.* V. *traquinas*: "O pequeno morgado forte, rijo e t r a q u i n a, atira o folar para dentro da caldeirinha" (Bernardo Pinheiro, Pindela, *Azulejos*, p. 35).

traquinada. [De *traquina* + *-ada*[1].] *S. f.* **1.** Algazarra; barulho; estrondo. **2.** V. *traquinice*. **3.** Intriga, enredo, tramóia.

traquinagem. [De *traquina* + *-agem*[2].] *S. f. Bras.* V. *traquinice*.

traquinar. [De *traquina* + *-ar*[2].] *V. int.* **1.** Fazer traquinadas, travessuras; mostrar-se traquina(s), irrequieto; trasguear: "Três lindos pequerruchos, filhos da tal senhora, t r a q u i n a v a m, batendo forte no chão com os tacões dos borzeguins." (Xavier Marques, *Jana e Joel*, p. 47.) **2.** Fazer ruído. **3.** Estar inquieto, irrequieto; fazer motim.

traquinas. [De *traque* (1)?] *Adj. 2 g.* e *2 n.* **1.** V. *travesso* (1). ● *S. 2 g.* e *2 n.* **2.** Criança ou pessoa traquinas; triquetraz. [Var.: *traquina* e (bras., pop.) *traquino*.]

traquinice. [De *traquina* + *-ice*.] *S. f.* Ato ou efeito de traquinar. [Sin.: *traquinada* e (bras.) *traquinagem*.]

traquínida. *S. m.* e *adj. 2 g.* V. *traquinídeo*.

traquínidas. *S. m. pl. Zool.* V. *traquinídeos*.

traquinídeo. *S. m.* **1.** Espécime dos traquinídeos. ● *Adj.* **2.** Pertencente ou relativo a eles.

traquinídeos. *S. m. pl. Zool.* Família de peixes teleósteos, actinopterígios, percomorfos, que possuem glândulas venenosas na base do primeiro raio dorsal e perto da base da espinha opercular. Geralmente são de pequeno porte.

traquino. *Adj.* e *s. m. Bras. Pop.* V. *traquinas*.

traquitana. *S. f.* **1.** Carruagem de quatro rodas para duas pessoas: "Quase não há cidade velha do Brasil que não guarde a tradição de algum carro velho — sege, cabriolé ou t r a q u i t a n a — a rolar pelas ruas mal empedradas" (Gilberto Freire, *Assombrações do Velho Recife*, p. 51). **2.** *Pop.* Carro mais ou menos desconjuntado; calhambeque: "por entre a carga, agarrados aos balaústres, ou sentados em sacas, homens descalços, em mangas de camisa, oscilando com os solavancos da t r a q u i t a n a, que ameaçava desmanchar-se na primeira cova em que entrassem as suas rodas" (Coelho Neto, *Turbilhão*, p. 75). [Var.: *tranquitana* e *traquitanda*.]

traquitanar. *V. int.* Dirigir uma traquitana.

traquitanda. [F. epentética de *traquitana*.] *S. f. Bras.* **1.** Almanjarra (1). **2.** V. *traquitana*.

traquítico. *Adj. Geol.* Que é da natureza do traquito.

traquito. [Do gr. *trachys*, 'áspero', + *-ito*[2].] *S. m. Geol.* Rocha magmática, extrusiva, de composição química correspondente à do sienito, i. e., desprovida ou pobre de quartzo, e constituída essencialmente de ortoclásio e qualquer mineral escuro.

traquitóide. [De *traquito* + *-óide*.] *Adj. 2 g. Geol.* Que apresenta a estrutura e o aspecto do traquito.

▲**tras-.** V. *trans-*.

trás[1]. [Do lat. *trans*, 'além de, para lá de'.] *Prep.* e *adv.* **1.** Atrás, detrás. **2.** Em seguida; após: "uma aurora semelhante à de ontem e à de amanhã, todos os dias iguais, ano t r á s ano" (Maria Julieta Drummond de Andrade, *Um Buquê de Alcachofras*, p. 124). [Cf. *traz*, do v. *trazer*.] ◆ **Por trás de.** Às ocultas de; às escondidas de.

trás[2]. [Voc. onom.] *Interj.* Voz imitativa de pancada muito ruidosa. [Cf. *traz*, do v. *trazer*.]

trasanteontem. [De *tras-* + *anteontem*.] *Adv.* No dia anterior ao de anteontem. [Var.: *trasantontem*.]

trasantontem. *Adv.* Var. de trasanteontem: "mas como passou ela de t r a s a n t o n t e m pra cá?" (Visconde de Taunay, *Inocência*, p. 41).

trasbordamento. *S. m.* Var. de *transbordamento* (1) [q. v.].

trasbordante. *Adj. 2 g.* Var. de *transbordante* [q. v.].

trasbordar. [De *tras-* + *borda* + *-ar*[2].] *V. t. d.* e *int.* Var. de *transbordar* [q. v.]: "Desabando das crespas ribanceiras, / Inda barrentas correm as levadas; / T r a s b o r d a m, espumantes, as ribeiras; / Das campinas refogem as manadas!" (Bulhão Pato, *Livro do Monte*, p. 109); "Teu ventre maternal a t r a s b o r d a r d'amor / Quem é que o fecundou, teu ventre abrasador?" (Guerra Junqueiro, *A Morte de D. João*, p. 23). [Pres. ind.: *trasbordo*, etc. Cf. *trasbordo* (ô).]

trasbordo (ô). [Dev. de *transbordar*.] *S. m.* Var. de *transbordo* (ô). [Pl.: *trasbordos* (ô). Cf. *trasbordo* do v. *trasbordar*.]

trascâmara. [De *tras-* + *câmara*.] *S. f.* Quarto esconso, ou mais interior do que a câmara.

traseira. [Fem. substantivado do adj. *traseiro*.] *S. f.* **1.** A parte posterior; retaguarda. [Antôn.: *dianteira*.] **2.** *Chulo.* Traseiro (3 e 4).

traseiro. [De *trás*[1] + *-eiro*.] *Adj.* **1.** Situado detrás; que fica na parte posterior. [Antôn.: *dianteiro*.] **2.** *Bras. Pop.* Diz-se da mulher cujas partes genitais ficam sensivelmente recuadas. ● *S. m.* **3.** *Pop.* V. *nádegas*. **4.** *Chulo.* O ânus.

trasfega. [Dev. de *trasfegar*.] *S. f.* Ato ou efeito de trasfegar; trasfegadura, trasfego.

trasfegador (ô). *Adj.* e *s. m.* Que ou aquele que trasfega.

trasfegadura. [De *trasfegar* + *-(d)ura*.] *S. f.* V. *trasfega*.

trasfegar. *V. t. d.* **1.** Passar (líquido) de uma vasilha para outra, limpando-o do sedimento; transvasar, trasvasar. *Int.* **2.** Ter negócios; azafamar-se, lidar. [Conjug.: v. *regar*. Pres. Ind.: *trasfego*, etc. Cf. *trasfego* (ê).]

trasfego (ê). [Dev. de *trasfegar*.] *S. m.* V. *trasfega*. [Pl.: *trasfegos* (ê). Cf. *trasfego*, do v. *trasfegar*.]

trasflor (ô). [De *trás* + *flor*.] *S. m.* Lavor de ouro sobre esmalte.

trasfogueiro. [De *trás*[1] + *fogo* + *-eiro*.] *S. m.* Toro de lenha, ou travessão de ferro ou de pedra, em que se apóiam as achas no lume ou na lareira.

trasfoliar. [De *tras-* + *-foli-* + *-ar*[2].] *V. t. d.* **1.** Copiar (pintura ou desenho) em papel transparente aplicando este sobre outro de que se quer extrair a cópia.

trasgo. *S. m.* **1.** Aparição fantástica; diabrete, duende: "Não tínhamos duendes, nem t r a s g o s; tínhamos poucas fadas e nenhum geniozinho da noite, errante nas névoas crepusculares." (Vitorino Nemesio, *A Mocidade de Herculano*, II, p. 105.) **2.** Pessoa traquinas.

trasguear. [De *trasgo* + *-ear*.] *V. int.* Traquinar. [Conjug.: v. *frear*.]

trasladação. [De *trasladar* + *-ção*; var. (m. us.) de

transladação.] *S. f.* V. *translação* (1).

trasladado. [Part. de *trasladar;* var. (m. us.) de *transladar.*] *Adj.* **1.** Mudado de um para outro lugar. **2.** Transposto de uma língua para outra; traduzido. **3.** Adiado, transferido, delongado. **4.** Copiado, transcrito, translato.

trasladador (ô). [Var. (m. us.) de *transladador.*] *Adj.* e *s. m.* Que ou aquele que traslada.

trasladar. [De *traslado* + *-ar*[2].] *V. t. d.* e *i.* **1.** Mudar de um lugar para outro; transferir, transportar: *O governo trasladou os restos dos nossos pracinhas da Itália para o Rio.* **2.** Traduzir, verter: "Eu não me dependo em considerações banais acerca das dificuldades que empecem trasladar a português os livros de Balzac." (Camilo Castelo Branco, *Noites de Insônia,* III, p. 52); *trasladar Dante para o português. T. d.* **3.** Adiar, transferir: *trasladou o passeio.* **4.** Copiar, transcrever; "era poeta de improviso, não escrevia os versos, os outros é que os ouviam e trasladavam ao papel, dando-lhe cópias, muitas das quais perdia." (Machado de Assis, *Páginas Recolhidas,* pp. 28-29). **5.** Delinear, esboçar, debuxar. **6.** Dar significação translata ou metafórica a. *P.* **7.** Transferir a residência; mudar-se. **8.** Retratar-se, debuxar-se. [F. paral. (menos us.): *transladar.*]

trasladável. *Adj. 2 g.* Que pode ser trasladado. [F. paral. (menos us.): *transladável.*]

traslado. [Do lat. *translatu,* 'transferido'; 'copiado, transcrito'.] *S. m.* **1.** Ato ou efeito de trasladar. **2.** Apógrafo (1). **3.** Cópia, transcrição. **4.** Imagem, retrato. **5.** Modelo, exemplo. [F. paral. (menos us.): *translado.*]

traslar. [De *trás*[1] + *lar.*] *S. m.* A parte posterior da lareira ou do fogão.

trasmontano. [De *tras-* + *monte* + *-ano.*] *Adj.* **1.** De, ou pertencente ou relativo à província portuguesa de Trás-os-Montes. ● *S. m.* **2.** O natural ou habitante de Trás-os-Montes. [F. paral.: *transmontano.*]

trasmontar. *V. t. d., int.* e *p.* Var. de *transmontar:* "Trasmonta fulvo o Sol, E a natureza assiste. / Na mesma solidão e na mesma hora triste, / À agonia do herói e à agonia da tarde." (Olavo Bilac, *Poesias,* p. 266.)

trasorelho (ê). [De *trás*[1] + *orelha.*] *S. m. Patol.* V. *caxumba.*

traspassação. *S. f.* Ato ou efeito de traspassar(-se); traspassamento, traspasse, traspasso.

traspassamento. *S. m.* V. *traspassação.*

traspassar. [De *tras-* + *passar;* var. de *transpassar.*] *V. t. d.* **1.** Passar além de; transpor, atravessar: *traspassar as montanhas.* **2.** Passar através de; atravessar, penetrar: "Caía [a neve] agora fofa e densa, mais úmida, traspassando-o todo até aos ossos." (Domingos Monteiro, *Contos do Natal,* p. 75.) **3.** Furar de lado a lado; penetrar: *A seta traspassou-lhe o braço.* **4.** Fechar (peça de vestuário) sobrepondo duas partes. **5.** Pungir, ferir, alancear, contristar, afligir: *A má notícia traspassou-lhe a alma;* "A mágoa, que o traspassa, não tem igual." (Rebelo da Silva, *Contos e Lendas,* p. 182). **6.** Causar desfalecimento a; fazer desmaiar. **7.** Violar, transgredir: *traspassar ordens superiores.* **8.** Ceder ou vender a outrem. **9.** Exceder, ultrapassar: *Traspassou os limites da boa educação.* **10.** Copiar, transcrever, trasladar. **11.** Passar a outrem (o contrato de aluguel de um prédio). *T. d.* e *i.* **12.** Ceder, transferir, alhear: *Traspassou o imóvel aos herdeiros.* **13.** Vender, negociar: *Traspassou o sítio ao comprador por uma bagatela.* **14.** Passar às mãos de; dar, entregar: *Traspassará o livro a seu dono.* **15.** Traduzir, verter, trasladar: *Manuel Odorico Mendes traspassou Homero e Virgílio para o português. T. c.* **16.** Transportar-se; transferir-se: *Pretende traspassar desta cidade. P.* **17.** Desmaiar, esmorecer. **18.** Morrer, finar-se. [Var.: *trespassar.*]

traspasse. [Dev. de *traspassar.*] *S. m.* **1.** V. *traspassação.* **2.** Subarrendamento, sublocação. **3.** Morte, falecimento.

traspasso. [Dev. de *traspassar.*] *S. m.* **1.** V. *traspassação.* **2.** Dor penetrante. **3.** Demora, delonga.

traspés. [De *tras-* + o pl. de *pé.*] *S. m. pl.* **1.** Passos falsos. **2.** V. *rasteira* (1). **3.** Estado de quem cambaleia.

traspilar. [De *trás*[1] + *pilar.*] *S. m.* Pilar situado atrás de outro.

trastalhão. [Aum. de *traste*[1] (3 e 4).] *S. m. Pop.* **1.** Grande traste; refinado velhaco: "E como costumava a miúdo sopesar curiosa o cofrezinho esquecido pelo trastalhão do cigano, nesse dia o levou às escondidas para fora de casa e o enterrou no *cerrado.*" (Visconde de Taunay, *Ao Entardecer,* p. 44). **2.** Pessoa imprestável. [Sin., bras.: *trastejão.* Fem.: *trastalhona.*]

trastalhona. *S. f. Pop.* Fem. de *trastalhão* [q. v.].

trastaria. [De *traste*[1] (1 e 2) + *-aria.*] *S. f. Bras., S.* Grande porção, ou acúmulo, de trastes caseiros.

traste[1]. [Do lat. *transtru,* 'banco de remador'.] *S. m.* **1.** Móvel caseiro; alfaia. **2.** Móvel ou utensílio velho de escasso ou nenhum valor: "à luz do ponderoso candeeiro de latão amarelo de três bicos, talvez o traste mais luxuoso de toda a sua mobília." (Rebelo da Silva, *Contos e Lendas,* p. 9). **3.** Pessoa de mau caráter, ou sem préstimo; trem, velhaco, tratante. **4.** *Bras.* Pessoa sem préstimo, inútil. [Aum. (nas acepç. 3 e 4): *trastalhão* e *trastejão.*]

traste[2]. *S. m.* Var. de *trasto.*

trastejamento. *S. m.* Ato ou efeito de trastejar[1] (6): "Um armário, uma cadeira preguiçosa e várias cadeiras simples completavam o trastejamento." (Júlio Ribeiro, *A Carne,* p. 83.)

trastejão. [De *traste*[1] (3 e 4).] *S. m. Bras.* Trastalhão. [Fem.: *trastejona.*]

trastejar[1]. [De *traste*[1] + *-ejar.*] *V. int.* **1.** Negociar em trastes ou em coisas pouco valiosas. **2.** Cuidar dos trastes caseiros. **3.** Fiscalizar os serviços domésticos. **4.** Andar de um para outro lado. **5.** Ter ações de velhaco; proceder como um velhaco. *T. d.* **6.** *Bras.* Mobiliar, alfaiar: "foi a bordo recebê-los, conduziu-os à Tijuca, onde um velho amigo da família de Carlos Maria alugara e trastejara uma casa, por ordem dele." (Machado de Assis, *Quincas Borba,* p. 310). [Conjug.: v. *pelejar.*]

trastejar[2]. [De *trasto* + *-ejar.*] *V. int.* **1.** *Bras.* Bater a corda do violão contra os trastos, quebrando a pureza do som. **2.** *Fig.* Gaguejar, por hesitação ou timidez, ao responder. **3.** Vacilar, hesitar, oscilar: *Decida-se depressa, não trasteje.* **4.** Deixar de proceder bem, de andar na linha. *T. d.* **5.** *Mús.* Pôr trastos em (instrumento que deles necessite). [Conjug.: v. *pelejar.*]

trastejona. *S. f. Bras.* Fem. de *trastejão* [q. v.].

trasto. [Do it. *trasto.*] *S. m. Mús.* Cada um dos filetes de metal que, nos instrumentos de cordas dedilháveis, dividem o ponto numa série de semitons e indicam o lugar dos dedos. [Nas antigas violas, esta divisão era feita com cordas de tripa móveis, e enroladas em volta do braço do instrumento. Var.: *traste.*]

trasvasar. *V. t. d.* Var. de *transvasar.*

trasvisto. [De *tras-* + *visto.*] *Adj.* **1.** Visto de lado ou de través. **2.** *Fig.* V. *malvisto* (1). **3.** Detestável, detestando, odioso.

trasvoltear. [De *tras-* + *voltear.*] *V. int.* e *p.* **1.** Voltar-se para trás. **2.** Voltar-se de lado ou de través. [Conjug.: v. *frear.*]

tratada. [De *tratar* + *-ada*[1]?] *S. f.* V. *tratantada.*

tratadista. *S. 2 g.* Pessoa que escreveu tratado (3) ou tratados.

tratado. [Do lat. *tractatu.*] *Adj.* **1.** Part. de tratar; trato. ● *S. m.* **2.** Contrato internacional referente a comércio, paz, etc. **3.** V. *trato*[2] (3). **4.** Estudo ou obra desenvolvida a respeito de uma ciência, arte, etc.

tratador (ô). *Adj.* e *s. m.* Que ou aquele que trata de algo, particularmente de cavalos e doutros animais.

tratamento. *S. m.* **1.** Ato ou efeito de tratar(-se); trato. **2.** Acolhimento, agasalho, recepção. **3.** Alimentação diária; passadio. **4.** Processo de curar. **5.** Título honorífico ou de graduação. ◆ **Tratamento de choque.** *Fig.* Série de medidas de caráter radical aplicadas com o fim de alcançar o mais rapidamente possível o(s) objetivo(s) em vista: "O Presidente José Sarney definiu a política antiinflacionária de seu governo, ao afirmar no Rio, ... que não usará tratamento de choque contra a inflação, pois a estratégia de combate gradual está surtindo efeito." (*Jornal do Brasil,* 3.6.1985.)

tratantada. *S. f.* Ação de tratante; velhacada, logro, traficância, tratantice, tratada.

tratante. *Adj. 2 g.* **1.** Que trata de qualquer coisa ardilosamente, ou procede com velhacaria. ● *S. 2 g.* **2.** Indivíduo tratante. [Sin., nessas acepç. no RS: *tratista.*] **3.** *Ant.* Pessoa que trafica ou faz negócios: "Viam-se em palanques modestos os argentários do comércio — os tratantes, como então se dizia profeticamente e inconscientemente." (Camilo Castelo Branco, *Perfil do Marquês de Pombal,* p. 27.)

tratantice. *S. f.* V. *tratantada.*

tratar. [Do lat. *tractare.*] *V. t. d.* **1.** Fazer uso de; usar, praticar: *Trata mentiras para enganar os incautos.* **2.** Manusear, manejar, manear. **3.** Travar ou manter relações com; freqüentar: *Trata gente de alta-roda.* **4.** Discorrer verbalmente ou por escrito acerca de; expor, explanar: *Tratou o tema com erudição.* **5.** Discutir, debater, questionar: "e, como se tratasse um negócio grave, falou-lhe com animação: era um hóspede a mais; ele, o que queria, era que o Hotel prosperasse, hem!" (Eça de Queirós, *A Capital,* p. 201). **6.** Fazer por curar; cuidar de; medicar: *O médico tratou a doença.* **7.** Ajustar, acertar, combinar, concertar, pactuar: *Tratou a venda da casa.* **8.** Dedicar-se a; cultivar: *Quer ser escritor, e passou a tratar as letras e artes.* **9.** Sustentar, alimentar, nutrir: *Trata o filho muito bem. T. d.* e *i.* **10.** Combinar, ajustar, concertar, pactuar: *Tratei com a firma a instalação da fábrica. T. d.* e *c.* **11.** Acolher, receber: *Tratou o visitante com pontapés.* **12.** Aplicar medicamento ou penso; curar, pensar: *Tratou a infecção pela penicilina; Tratou o tumor com emplastros.* **13.** Modificar, transformar, por meio de um agente: *tratar um produto com certo ácido. Transobj.* **14.** Dar certo título, cognome, alcunha ou tratamento: *Tratava-o por barão; Trata a mãe de tu. T. i.* **15.** Discorrer, falar: *Trataremos primeiro deste assunto;* "A rigor, já tratava do desenvolvimento econômico Adam Smith, quando promovia, em 1776, na Inglaterra, a investigação em torno da natureza e das causas da riqueza das nações." (Barbosa Lima Sobrinho, *Estudos Nacionalistas,* p. 1). **16.** Cuidar, ocupar-se: "recebeu o prato que este lhe apresentava e tratou de comer" (Machado de Assis, *Várias Histórias,* p. 41); *Por que não trata de sua vida?* **17.** Ter por assunto, por objeto; versar, constar: *A primeira aula tratou da introdução à matéria.* **18.** Fazer preparativos; preparar-se: *Agora ele trata de entrar em férias.* **19.** Conversar, palestrar: "Quando este lhe falava, ela respondia com bondade e doçura, mas a doçura e a bondade de quem trata com um inferior" (Machado de Assis, *Histórias Românticas,* p. 265); *Trata cordialmente com todos.* **20.** Ter conhecimento; manter relações; conviver: *Trata com a elite intelectual do país.* **21.** Portar-se, proceder, avir-se, haver-se: *Tenho horror a tratar com ladrões.* **22.** Promover os meios para; esforçar-se por: *À chegada da polícia, tratou de escapulir.* **23.** Tratar com medicamentos e/ou por outros meios; cuidar: *tratar de um enfermo; O médico tratou da doença;* "Antes de dizer missa, / O velho abade inevitavelmente / Tratava da hortaliça." (Guerra Junqueiro, *A Velhice do Padre Eterno,* p. 171). **24.** Negociar, comerciar: *Tratou com aquela empresa, e ficou satisfeito. P.* **25.** Cuidar da própria saúde: *Você não está bem, procure tratar-se;* "apanhou [João Ribeiro] uns chuviscos e adoeceu, sendo necessário regressar a Laranjeiras para tratar-se." (Joaquim Ribeiro, *9 Mil Dias com João Ribeiro,* p. 152). **26.** Cuidar da higiene corporal, de vestir-se bem, da boa aparência; cuidar-se. **27.** Sustentar-se, alimentar-se; nutrir-se: *Trata-se com as melhores iguarias.* **28.** Alimentar-se ou nutrir-se bem, com requinte: *Come do bom e do melhor — trata-se.* **29.** Manter relações entre si: *Tratam-se com cerimônia.* **30.** Dirigir mutuamente (um tratamento): *Tratam-se por você.*

tratativa. *S. f.* Tratado, ajuste, pacto: "O Brasil já pode 'pensar grande' no processo de renegociação do serviço da dívida. De preferência, em tratativa direta com os bancos credores, sem a intromissão das patrulhas contábeis do FMI." (Joelmir Betting, *Folha de S. Paulo,* 18-2-1986.)

tratável. *Adj. 2 g.* **1.** Que se pode tratar. **2.** Lhano, afável, amável, benévolo.

tratear. *V. t. d.* **1.** Dar tratos a. **2.** Afligir, atormentar, maltratar. [Cf. *trautear.* Conjug.: v. *frear.*]

tratista. [De *trato* (3) + *-ista.*] *Adj. 2 g.* e *s. 2 g. Bras., RS.* V. *tratante* (1 e 2).

trato[1]. [Do lat. *tractu.*] *S. m.* **1.** Espaço de terreno; região. **2.** Separação, intervalo. **3.** Decurso, sucessão: *trato de tempo.* **4.** *Mús.* Cada um dos versículos que se cantam nas missas de réquiem e nas épocas de penitência, logo após o gradual, para substituir a aleluia, e cuja melodia é das mais ricas do canto gregoriano. [V. *próprio* (12).]. ~ V. *tratos.*

trato[2]. [Dev. de *tratar.*] *Adj.* **1.** Tratado (1). ● *S. m.* **2.** Tratamento (1). **3.** Ajuste, convênio, pacto, contrato, tratado. **4.** Intimidade, familiaridade, convivência. **5.** Conversação, palestra. **6.** Alimentação, passadio. **7.** Procedimento, modos, maneiras. **8.** Delicadeza, cortesia, lhaneza. ~ V. *tratos.*

trator (ô). [Do lat. *tractu,* part. pass. de *trahere,* 'puxar, arrastar', + *-or.*] *S. m.* **1.** Veículo motorizado que, deslocando-se sobre rodas ou esteiras de aço, é capaz de rebocar cargas ou de operar, rebocando ou empurrando, equipamentos agrícolas, de terraplenagem, etc. ● *Adj.* **2.** Que imprime tração.

tratória. *S. f. Geom.* Tratriz.

tratório. [Do lat. *tractoriu.*] *Adj.* Relativo à tração.

tratorista. *S. 2 g. Bras.* Pessoa que lida com trator.

tratos. [Pl. de *trato*[1].] *S. m. pl.* Mau tratamento; torturas, tormentos: "Esteve ali preso; padeceu tratos, e mostrou-me nas costas as costuras branqueadas, vestígios do suplício da vara'' (Bulhão Pato, *Memórias*, I, p. 46); "Do Infortúnio cruel sofreste os tratos" (Eugênio de Castro, *Obras Poéticas*, VI, p. 174). ~ V. *trato*. ◆ **Dar tratos a.** Torturar. atormentar. **Dar tratos à bola.** Dar tratos à imaginação: "Passei um dia inteiro num virar e revirar de dicionários, dando tratos à bola, riscando e refazendo continuamente o já refeito." (Paulo Rónai, *Escola de Tradutores*, p. 90.) **Dar tratos à imaginação.** Empregar muito tempo e atenção para desvendar ou decifrar alguma coisa; dar tratos à bola.

tratriz. *S. f. Geom.* Curva plana cujas tangentes têm comprimento igual; tratória.

traulitada. [De *traulito* + *-ada*[1].] *S. f. Bras. Pop.* Pancada, bordoada, cacetada.

traulito. *S. m. Prov. lus.* Cacete, pau.

trauma. [Do gr. *traûma, atos*.] *S. m.* Traumatismo: *A morte do pai foi um grande trauma para a família.*

traumaticidade. *S. f.* Qualidade de traumático.

traumático. [Do gr. *traumatikós*.] *Adj.* Relativo a trauma.

traumatismo. [De *traumat(o)-* + *-ismo*.] *S. m.* **1.** *Patol.* Lesão de extensão, intensidade e gravidade variáveis, que pode ser produzida por agentes diversos (físicos, químicos, psíquicos, etc.), de forma acidental ou intencional, instantânea ou prolongadamente, e em que o poder do agente agressor supera a resistência encontrada. **2.** Choque violento capaz de desencadear perturbações somáticas e psíquicas: "A criança protestou, pelo grito, ao traumatismo do nascimento" (Artur Ramos, *O Negro Brasileiro*, I, p. 399). **3.** *Fig.* Dor moral. [Sin. ger.: *trauma*.]

traumatização. *S. f.* Ato ou efeito de traumatizar(-se).

traumatizado. [Part. de *traumatizar*.] *Adj.* Que sofreu traumatismo; que se traumatizou.

traumatizante. *Adj. 2 g.* Que traumatiza.

traumatizar. [De *traumat(o)-* + *izar*.] *V. t. d.* **1.** Causar traumatismo a. *P.* **2.** Sofrer traumatismo.

▲**traumat(o)-.** [Do gr. *traûma, atos*.] *El. comp.* = 'ferimento', 'contusão': *traumatismo, traumatologia*.

traumatologia. [De *traumat(o)-* + *-log(o)-* + *-ia*.] *S. f.* Ramo da medicina que se ocupa das lesões traumáticas produzidas por agentes físicos.

traumatológico. *Adj.* Relativo à traumatologia.

traumatologista. *S. 2 g.* Especialista em traumatologia.

tráupida. *S. m.* e *adj. 2 g.* V. *traupídeo*.

tráupidas. *S. m. pl. Zool.* V. *traupídeos*.

traupídeo. *S. m.* **1.** Espécime dos traupídeos. ● *Adj.* **2.** Pertencente ou relativo a eles. [Sin. ger.: *tanagrídeo*.]

traupídeos. *S. m. pl. Zool.* Aves passeriformes, da família *Tanagridae*, caracterizadas por terem o tarso ocreado (escamas anteriores), de tegumento não ou indistintamente dividido em placas, a primeira das rêmiges da mão igual à segunda ou mais comprida, bico mais ou menos grosso, ponta de maxila sempre um pouco entalhada. Alimenta-se de frutas, insetos e sementes. São os tem-téns, as pipiras e as saíras. [Sin.: *tanagrídeos*.]

trauta. [Do lat. *tracta*, part. pass. de *trahere*, 'arrastar, puxar'.] *S. f.* Rasto de caça.

trautear. [Possivelmente voc. onom.] *V. t. d.* e *int.* **1.** Cantarolar, em geral emitindo apenas sílabas que expressam a melodia: "A porta solitária / Range. E o homem feliz entra, trauteando uma ária." (Alberto de Oliveira, *Poesias*, 2ª série, p. 247.) **2.** Fraudar, burlar, intrujar. **3.** Censurar, repreender. **4.** *Pop.* Importunar, apoquentar. [Conjug.: v. *frear*. Cf. *tratear*.]

trauteio. [Dev. de *trautear*.] *S. m.* Ação de trautear.

trava[1]**.** [Dev. de *travar*.] *S. f.* **1.** V. *travação* (1). **2.** Ligação, nexo, conexão. **3.** Travão (1). **4.** V. *freio* (1). **5.** Aquilo que trava: *a trava da chuteira*. **6.** Inclinação alternada dos dentes da serra.

trava[2]**.** [De *trave*.] *S. f. Desus.* Pequena trave.

travação. *S. f.* **1.** Ato ou efeito de travar; trava, travamento. **2.** Ligação de traves; travamento.

trava-contas. [De *travar* + o pl. de *conta*.] *S. m. 2 n.* Disputa, discussão, altercação, sobretudo em ajustes de contas.

travada. [De *travar* + *-ada*[1].] *S. f. Bras.* Freada, brecada: "de repente .... Mário de Tal .... deu uma travada violenta, os passageiros foram atirados uns contra os outros, o carro derrapa" (Sérgio Porto, *A Casa Demolida*, p. 198).

travadeira. [De *travar* + *-deira*.] *S. f.* V. *travadoura* (1).

travado. [Part. de *travar*.] *Adj.* **1.** Estreitamente ligado; íntimo. **2.** Peado, represado. **3.** Começado, principiado; entabulado. **4.** Sem desembaraço na língua; tartamudo. **5.** Encarniçado, renhido. **6.** Atravancado, embaraçado. **7.** Moderado (passo de cavalgadura). **8.** Diz-se da língua (1) que tem o freio cortado. **9.** Diz-se de eqüídeo que anda com travas ou tem a andadura adquirida com as travas. ~ V. *letra —a, ventos —s* e *travados*.

travadoira. [De *trava* + o fem. de *-(d)oiro*.] *S. f.* V. *travadoura*.

travadoiro. [De *travar* + *-(d)oiro*.] *S. m.* Travadouro.

travador (ô). *Adj.* **1.** Que trava. ● *S. m.* **2.** Aquele que trava. **3.** V. *travadoura*.

travados. [Pl. de *travado*.] *S. m. pl.* Ventos travados. ~ V. *travado*.

travadoura. [De *travar* + o fem. de *-(d)ouro*; var. de *travadoira*.] *S. f.* **1.** Lâmina de ferro com que os serradores inclinam alternadamente os dentes da serra; travadeira, travicha. **2.** Pedra aparelhada, em parede de pedra miúda, para segurança da construção, ou para receber as pontas das vigas, cantarias, etc. [Sin. ger.: *travador*.]

travadouro. [De *travar* + *-(d)ouro*; var. de *travadoiro*.] *S. m.* Lugar a que se prende a trava ou peia na perna dos animais; miúdo.

travagem. [De *travar* + *-agem*[2].] *S. f. Bras.* Hipertrofia das gengivas do eqüídeo, que lhe acarreta a queda dos dentes, impossibilitando-o de pastar.

traval. [Do lat. *trabale*.] *Adj. 2 g.* Relativo a trave.

trava-língua. [De *trava* + *língua*.] *S. m.* Certa modalidade de parlenda (3): "Sob a denominação genérica de 'literatura oral', agrupam-se múltiplas espécies do folclore narrativo, do folclore poético e do folclore lingüístico. Entre essas últimas, destaca-se o trava-língua, modalidade de parlenda, em prosa ou verso, caracterizada, e de tal forma ordenada, que se torna extremamente difícil e, às vezes, quase impossível, pronunciá-la sem tropeço." (Antônio Henrique Weitzel, *"Trava-Língua Educando e Divertindo"*, *Minas Gerais*, Suplemento Literário, 23.8.1980.)

travamento. *S. m.* V. *travação*.

travanca. [Aum. de *trava*.] *S. f.* Obstáculo, embaraço, estorvo, empecilho, empeço, peia, tranca.

travão. [Aum. de *trava*.] *S. m.* **1.** Cadeia de pear bestas; trava: "descobria o [boi] tresmalhado, punha-lhe travão nos chifres, fazia-o manso, cordato, trazia-o de volta à boiada." (Nélson de Faria, *Tiziu e Outras Estórias*, p. 148.) **2.** V. *freio* (1 e 2).

travar. [De *trave* + *-ar*[2].] *V. t. d.* **1.** Prender, pegar, unir, encadear (peças de madeira). **2.** Fazer parar com o travão; frear, brecar. **3.** Prender com travão ou peia; pear. **4.** Tolher ou impedir os movimentos a: *Travou os músculos e cerrou os dentes, tentando não reagir.* **5.** Agarrar, tomar, segurar: *Travou a mão do amigo.* **6.** Iniciar, começar, entabular: *travar conversação.* **7.** Cruzar, encruzar, entrecruzar: *travar floretes.* **8.** Tramar, entreter, entrelaçar: *Travou com arte os fios da teia.* **9.** Maquinar, urdir, tramar: "assim .... que se acabavam as missas, e que saíam as verdadeiras beatas, reuniam-se os dous, e começavam a contar suas diabruras mais recentes, travando o plano de mil outras novas." (Manuel Antônio de Almeida, *Memórias de um Sargento de Milícias*, p. 160). **10.** Ocupar, obstruir, atravancar, entravar: *A carroça trava o caminho.* **11.** Causar travo, amargor, a; amargar: "sabor de fruta selvagem / que a gente morde e que fica / travando a boca" (Judas Isgorogota, *Cantos da Visitação*, p. 56.). **12.** Inclinar alternadamente (os dentes da serra) para um e outro lado. **13.** Refrear metendo a passo, ou pôr travas a (uma cavalgadura). **14.** *Caligr.* Unir (letras) mediante ligadura. *T. i.* **15.** Causar desgosto ou dissabor: *A má notícia travou em sua alma.* **16.** Lançar mão; puxar, arrancar: *travar da espada.* **17.** Segurar, agarrar, tomar: *Travou da caneta e assinou. Int.* **18.** Frear (3 e 4). **19.** Ter gosto amargo ou adstringente; amargar: *Este tempero trava um pouco. P.* **20.** Unir-se; juntar-se; confundir-se: *Naquela disputa travaram se amor e ódio.* **21.** Cruzar-se, encruzar-se, entrecruzar-se: *As espadas travaram-se ruidosamente.*

trave. [Do lat. *trabe*.] *S. f.* **1.** Grande tronco ou madeiro grosso, usado para sustentar o sobrado ou o teto de uma construção. **2.** Viga. **3.** *P. ext.* Pedaço de madeira ou de outro material utilizado para sustentar ou reforçar uma estrutura: *Mandou colocar traves fechando a porta arrombada.* **4.** Arame que liga ao arco a charneira da fivela. [Dim. irreg.: *travinca, trabécula*.]

travejamento. [De *travejar* + *-mento*.] *S. m.* **1.** Conjunto das traves. **2.** Vigamento.

travejar. *V. t. d.* **1.** Pôr traves em. **2.** Vigar. [Conjug.: v. *pelejar*.]

travento. *Adj.* Que tem travo; travoso.

travertino. [Do it. *travertino*.] *S. m.* Tufo[2] calcário de água doce, mole, cavernoso, de cores claras, não raro com vestígios de plantas que o formaram.

través. [Do lat. *transversu*.] *S. m.* **1.** Direção oblíqua ou atravessada; esguelha, soslaio, obliqüidade, viés. **2.** Flanco (1). **3.** Travessa (1). **4.** *Marinh.* Direção normal ao plano longitudinal da embarcação, a meia-nau: *O farol está pelo través do navio.* **5.** *Marinh.* Espia de amarração disposta perpendicularmente ao plano longitudinal da embarcação. [Cf. *lançante* (2) e *espringue*. Pl.: *traveses*.] ◆ **De través.** De lado; de raspão; obliquamente: "jogou longe a bagana fedorenta, me olhou de través, ofendido" (Nélson de Faria, *Tiziu e Outras Estórias*, p. 199).

travessa. [Fem. substantivado de *travesso* (q. v.).] *S. f.* **1.** Peça de madeira atravessada sobre outra(s); través. **2.** Viga, trave. **3.** A parte superior dos marcos das portas; padieira. **4.** *Lus.* V. *dormente* (12). **5.** Rua transversal entre duas outras mais importantes. **6.** Galeria subterrânea que liga duas outras. **7.** Prato, geralmente oval, em que vão à mesa as iguarias: "E ele, diante das pesadas travessas que coloriam a mesa, ... quase não soube como compor o seu prato" (Josué Montelo, *A Noite sobre Alcântara*, p. 197). **8.** V. *rasteira*. (1). **9.** Travessia (1). **10.** Pente pequeno e curvo com que mulheres e crianças seguram o cabelo. **11.** *Caligr.* Barra horizontal de certas letras maiúsculas, como o *A*, o *H*, o *E*, etc. [Pl.: *travessas*. Cf. *travessa* (ê), *travessas* (ê), flex. de *travesso* (ê).]

travessão[1]**.** [De *travessa* + *-ão*[1].] *S. m.* **1.** Travessa grande. **2.** Os dois braços da balança. **3.** Sinal de pontuação (—) empregado na escrita para separar frases, substituir parênteses e evitar a repetição de termo já mencionado. **4.** *Mús.* Traço perpendicular à pauta, e que a atravessa, servindo para separar os compassos; barra de compasso. **5.** *Bras.* Queda-d'água, cachoeira. **6.** *Bras., Amaz.* Pedras que encachoeiram as águas dum rio. **7.** *Bras., PA* e *GO.* Espécie de recife que vai de uma a outra margem dum rio, porém dividido em várias seções, formando canais mais ou menos profundos, por onde passam as canoas. **8.** *Bras., MA.* Banco de areia, ou amontoado de rochas, que atravessa um rio e dá vau. **9.** *Bras., PE, BA* e *SP.* Cerca que separa os terrenos de lavoura dos de pastagem. **10.** *Bras., CE.* Dança cantada, em fileiras opostas, sem acompanhamento instrumental, e durante a qual os pares se aproximam e os cavalheiros trocam de lugar com as damas.

travessão[2]**.** *S. m. Mar.* V. *vento de travessia*.

travessão[3]**.** *Adj.* Muito travesso (ê).

travessar. [De *travesso* + *-ar*[2].] *V. t. d. Bras.* Atravessar. [Pres. ind.: *travesso, travessas, travessa*, etc. Cf. *travesso* (ê) e flex. *travessa* (ê), *travessas* (ê).]

travessear. *V. int.* Fazer travessuras; traquinar, trasguear. [Conjug.: v. *frear*.]

travesseira. *S. f. Lus.* V. *travesseiro* (1).

travesseiro. [De *travesso* + *-eiro*.] *S. m.* **1.** Almofada de paina, penas, lâminas de cortiça, etc., que se estende ao longo da testeira superior do leito e serve de apoio à cabeça de quem se deita. **2.** *Bras.* Pano em que se enfia o travesseiro; fronha. **3.** *Lus.* Almofada comprida que se atravessa sobre o colchão, ao longo da cabeceira da cama. **4.** *Arquit.* Face do lado das volutas, em um capitel de ordem jônica. ◆ **Travesseiro de orelha.** *Bras. Fam.* Pessoa que dorme com outra. **Consultar o travesseiro.** Delongar para o dia seguinte a solução de um negócio, a tomada de uma resolução.

travessia. [De *travessar* + *-ia*.] *S. f.* **1.** Ato ou efeito de atravessar uma região, um continente, um mar, etc.; travessa. **2.** *Mar.* V. *vento de travessia*. **3.** *Bras.* Ação de atravessar gêneros, de açambarcar mercadorias. **4.** Longo trecho de caminho ermo.

travesso[1]**.** [Do lat. *transversu*.] *Adj.* **1.** Posto de través; atravessado. **2.** Lateral; colateral. **3.** Fronteiro, oposto. [Flex.: *travessa, travessos, travessas*. Cf. *travesso* (ê) e flex. *travessa* (ê), *travessas* (ê), *travessos* (ê).]

travesso[2] (ê). [De *travesso*.] *Adj.* **1.** Turbulento, irrequieto, buliçoso, traquina(s), treloso. **2.** Astucioso, malicioso, manhoso, treloso. **3.** Engraçado, espirituoso. [Flex.: *travessa* (ê), *travessos* (ê), *travessas* (ê). Cf. *travesso*, adj. flex. *travessa, travessos, travessas*; *travesso, travessas*, do v. *travessar*; e *travessa*, s. f., pl. *travessas*.]

travessura. *S. f.* **1.** Ação de pessoa travessa; traquinice. **2.** Maldade de criança. **3.** Malícia; desenvoltura.

travesti. [Do fr. *travesti*.] *S. m. Gal.* **1.** Disfarce no trajar. ● *S. 2 g.* **2.** Indivíduo que, geralmente em espetáculos teatrais, se traja com roupas do sexo oposto. **3.** Homossexual (3) que se veste com roupas do sexo oposto.

travicha. [De *trava*[1] + *-icha*.] *S. f. Bras.* V. *travadoura* (1).

travinca. [Dim. de *trave*.] *S. f.* **1.** Trave pequena; trabécula. **2.** *P. us.* Cravelha.

travo. [Dev. de *travar*.] *S. m.* **1.** Sabor adstringente de comida ou de bebida; amargor, travor. **2.** Impressão de desagrado ou de amargor; travor.

travoela. *S. f.* Espécie de pequeno trado ou verruma.

travor (ô). *S. m.* Travo.

travoso (ô). *Adj.* Travento: *Esse caqui é muito travoso;* "Os olhos ardiam-me, travosos. As pálpebras iam ficando pesadas, pesadas." (Cordeiro de Andrade, *Anjo Negro,* p. 115).

trazedor (ô). *Adj.* e *s. m.* Que ou aquele que traz.

trazer. [Do lat. *trahere,* 'puxar, arrastar', atr. do lat. vulg. **tragere* e do port. arc. *trager.*] *V. t. d.* **1.** Conduzir ou transportar para cá: *O ônibus trouxe os passageiros em segurança.* **2.** Transferir de um lugar para outro; transmitir: *A televisão traz imagens longínquas.* **3.** Fazer-se acompanhar de: *Veio ao almoço e trouxe o irmão.* **4.** Conduzir, dirigir, guiar: *Trouxe o automóvel desde o sul do País.* **5.** Vestir, usar, trajar: "Trazia ordinariamente um vestido escuro e simples" (Eça de Queirós, *Os Maias,* II, p. 37). **6.** Ter consigo; transportar, levar, portar: *Supersticioso, traz sempre o talismã ao pescoço.* **7.** Ocasionar, acarretar, causar, originar: *Teu ato impensado trouxe graves conseqüências;* "Na longa noite de insônia, / escrever teu nome não traz sono mas descansa" (Odilo Costa, filho, *Cantiga Incompleta,* p. 106). **8.** Ter, apresentar: *O ferido trazia queimaduras.* **9.** Mostrar, exibir, ostentar: *O vencedor trazia as cores do Brasil.* **10.** Ter no coração, na alma, no íntimo; ter: "Meneses trazia amores com uma senhora, separada do marido" (Machado de Assis, *Páginas Recolhidas,* p. 78). **11.** Ter sob suas ordens; comandar: *O capitão trazia 600 homens.* **12.** Fazer referência a; citar, alegar: *Tentando justificar sua análise, trouxe autores especialistas na matéria. T. d.* e *i.* **13.** Oferecer, ofertar, dar: Trouxe flores à aniversariante. **14.** Chamar, atrair: *A delicadeza dos balconistas trouxe mais fregueses à loja.* **15.** Conduzir, guiar, dirigir. **16.** Receber ou obter por transmissão; herdar: *Trouxe do pai a inteligência e da mãe a ternura.* **17.** Causar, acarretar, ocasionar: *Os maus governantes trazem infelicidade às nações;* "É verdade que o ensino meticuloso de Ciências Sociais em nível superior nos dois primeiros anos da escola nos trouxe algumas dores de cabeça." (Benedito Silva, *in Informativo,* ano 5, jan. 1973, nº 1, p. 13.) **18.** Dar, sugerir, suscitar: "Naquele tempo, ... pelo menos aqui em Minas, a ida à Europa ainda trazia aos espíritos a idéia das viagens coloniais" (Afonso Pena Júnior, *Saudação a Teófilo Ribeiro,* p. 5). *Transobj.* **19.** Manter, conservar: *Traz, invariavelmente, a roupa limpa e a barba feita.* **20.** Submeter, sujeitar: *Alexandre trouxe vários impérios ao seu domínio.* [Irreg. Pres. ind.: *trago, trazes, traz, trazemos, trazeis, trazem;* perf.: *trouxe* (ss), *trouxeste* (ss), etc.; m.-q.-perf.: *trouxera* (ss), *trouxeras* (ss), etc.; fut. pres.: *trarei, trarás,* etc.; fut. pret.: *traria,* etc.; imperat.: *traze* ou *traz, ... trazei,* etc.; pres. subj.: *traga,* etc.; imperf.: *trouxesse* (ss), etc.; fut.: *trouxer* (ss), etc. Cf. *trás* e *trouxe-mouxe.*]

trazida. [De *trazer* + *-ida.*] *S. f. P. us.* Ato ou efeito de trazer; trazimento.

trazimento. *S. m. P. us.* Trazida.

trebelhar. *V. int.* **1.** Mover trebelhos no xadrez. **2.** *Desus.* Brincar, folgar. [Conjug.: v. *aparelhar.*]

trebelho (ê). *S. m.* **1.** Brincadeira, brinquedo, brinco, folguedo: "Nas clareiras das matas, ... os poetas viam, sonhando de olhos abertos, os trebelhos dos sátiros lascivos e das esquivas naias tentadoras..." (Martins Fontes, *A Dança,* pp. 17-18.) **2.** Dança de crianças. **3.** Cada uma das peças do jogo do xadrez.

treboçu. *S. m. Bras. Pop.* Homem ou animal volumoso, corpulento.

trecentésimo (zi). [Do lat. *trecentesimu.*] *Num.* **1.** Ordinal e fracionário correspondente a trezentos; trezentos. ● *S. m.* **2.** Cada uma das 300 partes iguais em que se divide um todo. **3.** Aquele ou aquilo que ocupa o trecentésimo lugar.

trecentismo. *S. m.* Escola, estilo ou gosto dos trecentistas.

trecentista. [Do it. *trecentista.*] *Adj.* **1.** Pertencente ou relativo ao trecentismo ou ao séc. XIV. **2.** Diz-se do escritor ou artista desse século. ● *S. 2 g.* **3.** Escritor ou artista do séc. XIV.

trecheio. [De *tre-* + *cheio.*] *Adj.* Muito cheio.

trecho (ê). [Do esp. *trecho.*] *S. m.* **1.** Espaço de tempo ou de lugar; intervalo. **2.** Excerto de uma obra literária ou musical; fragmento, extrato. **3.** Parte de um todo; segmento: "Parava algumas vezes, examinando um trecho de cortina" (Machado de Assis, *Páginas Recolhidas,* p. 82); *Esta rua tem um trecho deserto.* ◆ **A breve trecho.** Dentro de pouco tempo. **A trecho.** A trechos. **A trechos.** De quando em quando [q. v.]: "O seu rosto estava pálido, da cor da alva camisola rendada que lhe cobria o corpo e que o arfar agitado dos seios soerguia a trechos." (Inglês de Sousa, *Contos Amazônicos,* p. 73.)

treco. *S. m. Bras. Gír.* **1.** Qualquer objeto pequeno e mais ou menos insignificante; trem, terém. **2.** Mal-estar (1). ~ V. *trecos.*

trecos. [Pl. de *treco.*] *S. m. pl. Bras. Gír.* Coisas de pouco valor, despreziva ou jocosamente assim consideradas; tralha, cacaréus, cacarecos: "aluguei uma casa mobiliada, e o velho casal de proprietários fez uma lista de seus trecos para eu conferir." (Rubem Braga, *Ai de Ti, Copacabana!,* p. 9). ~ V. *treco.*

tredécimo. [Do lat. *tredicimu.*] *Num.* V. *trezeno.*

tredice. *S. f.* Qualidade ou caráter de tredo.

tredo (ê). [Do lat. *tetru.*] *Adj.* **1.** Em que há traição; traiçoeiro: *golpe tredo.* **2.** Falso, traiçoeiro: "Era alta noite, Caudaloso e tredo, / Entre barrancos espumava o rio" (Fagundes Varela, *Poesias Completas,* I, p. 145).

trefegamente. [Do fem. de *trêfego* + *-mente.*] *Adv.* De maneira trêfega; a modo de quem é trêfego.

trefegar. [De *trêfego* + *-ar²*.] V. *int.* Agitar-se com irrequietação: "trefegava no lombo do macho, bambeando as pernas, a atirar relhadas a esmo espantando as muriçocas." (Coelho Neto, *Banzo,* p. 66). [Conjug.: v. *regar.*]

trêfego. *Adj.* **1.** Turbulento, irrequieto, traquina(s): "Trêfega e linda, / Papeia, e, sem parar, arfa e moureja." (Raimundo Correia, *Poesias,* p. 132.) **2.** Astuto, sagaz, ardiloso, manhoso.

trefilação. *S. f.* Ato ou efeito de trefilar.

trefilado. [Part. substantivado de *trefilar.*] *S. m.* O produto de trefilação; designação genérica de fio, cabo e vergalhão metálicos.

trefilar. [Do fr. *tréfiler.*] *V. t. d.* Fabricar, por estiramento (fios, cabos e/ou vergalhões metálicos).

trefilaria. *S. f.* Usina de trefilação.

trégua. [Do gót. *triggwa,* 'tratado', atr. do b.-lat., *treuga.*] *S. f.* **1.** Suspensão temporária de hostilidades. **2.** Cessação temporária de trabalho, de dor, de incômodo, etc. **3.** Férias, descanso.

treição. *S. f. Bras. Pop.* e *ant.* Traição.

treina. [Do fr. ant. *traïne,* hoje *traîne.*] *S. f.* **1.** Animal sobre o qual os caçadores davam de comer ao falcão, para o treinarem na caça. **2.** *Fig.* Refeição habitual; cevo.

treinado. [Part. de *treinar.*] *Adj.* **1.** Diz-se do falcão ou do açor já adestrado para a caça. **2.** Diz-se do cavalo preparado para a corrida e, p. ext., de alguém preparado para o exercício dum esporte. **3.** *P. ext.* Habituado, acostumado. [Var.: *trenado.*]

treinador (ô). *S. m.* Profissional que treina ou adestra, que dirige ou orienta o treino. [Var.: *trenador.*]

treinagem. *S. f.* V. *treinamento* (1). [Var.: *trenagem.*]

treinamento. *S. m.* **1.** Ato ou efeito de treinar(-se); treinagem. **2.** V. *treino* (2). [Var.: *trenamento.*]

treinar. [Do fr. ant. *traïner,* hoje *traîner.*] *V. t. d.* **1.** Dar cevo a (aves). **2.** Tornar apto, destro, capaz, para determinada tarefa ou atividade; habilitar, adestrar: *Treinar atletas; treinar cães para a caça. Int.* e *p.* **3.** Exercitar-se para jogos desportivos, ou para outros fins. [Var.: *trenar.*]

treino. [Dev. de *treinar.*] *S. m.* **1.** Ato de se treinarem ou adestrarem pessoas ou animais para torneios ou festas de esportes; adestramento. **2.** *P. ext.* Adestramento em qualquer ramo de atividades; destreza, treinamento, adestramento: *Dactilografa sete páginas por hora, tem muito treino.* [Var.: *treno.*]

treita¹. [Do lat. *tracta,* 'arrastada'.] *S. f.* **1.** Vestígio, rasto, pegada. **2.** *Fig.* Norma, regra.

treita². *S. f. Bras.* Treta [q. v.].

treitas. [Pl. de *treita* (q. v.).] *S. f. pl. Bras.* Tretas.

treiteiro. [De *treita* + *-eiro.*] *Adj.* e *s. m. Bras.* V. *treteiro.*

treitento. [De *treita* + *-ento.*] *Adj.* e *s. m. Bras.* V. *treteiro.*

treito. [Do lat. *tractu.*] *Adj.* V. *atreito.*

trejeitador (ô). *Adj.* e *s. m.* Que ou aquele que trejeita.

trejeitar. *V. int.* **1.** Fazer trejeitos ou momices. *T. d.* **2.** Fazer (momices ou trejeitos): *Trejeitou uma careta.* **3.** Fazer (gesto, trejeito): "trejeitava por trás da pobre iludida uns acenos de cabeça e encolher de ombros" (José Régio, *Histórias de Mulheres,* p. 317). [F. paral.: *trejeitear.*]

trejeitear. *V. int.* e *t. d.* Trejeitar. [Conjug.: v. *frear.*]

trejeiteiro. *Adj.* e *s. m.* Que ou aquele que faz muitos trejeitos ou caretas; careteiro. [Sin., bras.: *mogangueiro* (q. v.).]

trejeito. [De *tres-* + lat. *jactu?*] *S. m.* **1.** Gesto, movimento: "Seus braços fazem no ar angustiosos trejeitos..." (Eugênio de Castro, *Obras Poéticas,* III, p. 144). **2.** Careta, esgar, gaifona, momice: "trabalhávamos intermitentemente, entre trejeitos simiescos, a nos catar, a nos coçar, a nos esfregar" (Vivaldo Coaraci, *Todos Contam Sua Vida,* p. 244). **3.** Ilusionismo, passe-passe, prestidigitação. **4.** V. *tique¹* (2).

trejurar. [Do lat. *tres,* 'três', + *jurar.*] *V. t. d.* **1.** Afirmar, jurando repetidas vezes. *Int.* e *t. i.* **2.** Jurar repetidas vezes. **3.** Jurar três vezes.

trela. [Do lat. **tragella,* por *tragula.*] *S. f.* **1.** Tira de couro ou de metal com que se prendem os cães, sobretudo os de caça. **2.** *Fig.* Licença, liberdade. **3.** *Bras.* Travessura, traquinada, traquinice. **4.** *Pop.* Conversa, cavaco, tagarelice. ◆ **Bater trela.** *Bras., ES.* Andar muito, ociosamente. **Dar trela a.** *Bras.* **1.** Conversar com. **2.** Dar confiança a. **3.** Corresponder ao namoro de.

trelência. *S. f. Bras.* Ato ou efeito de treler.

trelente. [De *treler* + *-nte.*] *S. 2 g. Bras.* **1.** Pessoa que trelê ou dá trela; tagarela. **2.** V. *treloso* (2).

treler. [De *tresler* (q. v.).] *V. int.* e *t. i.* **1.** Dar trela; tagarelar: *Gosta de treler; Fica horas a treler com as moças.* **2.** Ser intrometido, implicante. **3.** Não saber o que diz nem o que faz; caducar: *Pobre velhinho: está trelendo.* **4.** *Bras., SP.* Duvidar; discutir. [Irreg. Conjug.: v. *ler.*]

trelho (ê). *S. m.* Instrumento usado para bater a nata no preparo da manteiga. ◆ **Sem trelho nem trabelho.** Sem jeito; à toa, desordenadamente; sem tom nem som; sem trelho nem trebelho. **Sem trelho nem trebelho.** V. *sem trelho nem trabelho.*

treliça. [Do fr. *treillis.*] *S. f. Bras.* **1.** Sistema de vigas cruzadas empregado no travejamento das pontes. **2.** *P. ext.* Trabalho de ripas de madeira cruzadas utilizado, com fins ornamentais ou funcionais, em portas, biombos, caramanchões, etc.

treloso (ô). [De *trela* + *-oso*] *Adj. Bras. Fam.* **1.** V. *travesso* (ê) (1 e 2). **2.** Intrometido, importuno, implicante, trelente.

trem. [Do fr. *train.*] *S. m.* **1.** Conjunto de objetos que formam a bagagem de um viajante. **2.** Comitiva, séquito. **3.** Mobiliário duma casa. **4.** Conjunto de objetos apropriados para certos serviços. **5.** Carruagem, sege. **6.** Vestuário, traje, trajo. **7.** *Mar. G. Bras.* Grupamento de navios auxiliares destinados aos serviços (reparos, abastecimento, etc.) de uma esquadra. **8.** *Bras.* Comboio ferroviário; trem de ferro. **9.** *Bras.* Bateria de cozinha. **10.** *Bras., MG* e *C.O. Pop.* Qualquer objeto ou coisa; coisa, negócio, treco, troço: "ensopando o arroz e abusando da pimenta, trem especial, apanhado ali mesmo, na horta." (Humberto Crispim Borges, *Cacho de Tucum,* p. 186). **11.** *Bras., MG* e *S. Fam.* Indivíduo sem préstimo, ou de mau caráter; traste. ● *Adj. 2 g.* e *2 n.* **12.** *Bras., MG. Pop.* Diz-se de pessoa ou coisa ruim, ordinária, imprestável; trenheiro: *É um sujeito muito trem; São mulherzinhas muito trem.* ~V. *trens.* ◆ **Trem de aterragem.** V. *trem de aterrissagem.* **Trem de aterrissagem.** Mecanismo sustentador das rodas do avião; trem de aterragem, trem de pouso. **Trem de ferro.** *Bras.* Trem (8). **Trem de onda.** *Fís.* V. *pacote de ondas.* **Trem de pouso.** V. *trem de aterrissagem.* **Trem de vida.** Maneira de alguém ou uma família viver, geralmente quanto aos gastos, ao nível econômico: "Não há .... desprestígio para o sertanejo nordestino em ter permanecido dentro dessas limitações com o seu trem de vida insignificante, em termos de riqueza." (Sousa Barros, *Cercas Sertanejas,* pp. 15-16.)

trema. [Do gr. *trêma,* 'orifício (ponto)'.] *S. m.* Sinal diacrítico [q. v.] (..) que, sobreposto a uma vogal, serve para indicar que ela não forma ditongo com a que lhe está próxima; ápices, diérese. [Na ortografia em vigor, o trema é us. apenas sobre o *u,* quando este, sendo sonoro, vem depois de *g* ou *q* e precede e ou *i,* como, p. ex., em *freqüentar, ungüento, tranqüilo, argüir.*]

tremado¹. [Part. de *tremar¹.*] *Adj.* Em que se pôs o trema; marcado com trema: *Os dois us de qüinqüênio são tremados.*

tremado². [Part. de *tremar².*] *Adj.* A que se descompuseram os fios; destramado.

tremandrácea. *S. f.* Espécime das tremandráceas.

tremandráceas. *S. f. pl. Bot.* Família de plantas superiores, da ordem das geraniales, composta de umas 25 espécies de arbustos exclusivos da Austrália.

tremandráceo. *Adj.* Pertencente ou relativo às tremandráceas.

tremar¹. [De *trema* + *-ar²*.] *V. t. d.* Pôr trema em; marcar com trema: *Em certas palavras, como, p. ex., freqüente, devemos tremar o* u.

tremar². [Talvez do ant. fr. *tremuer.*] *V. t. d.* Descompor os fios de; destramar.

tremate. *S. f. Bras.* Planta da família das compostas.

trematódeo. *S. m.* **1.** Espécime dos trematódeos. ● *Adj.* **2.** Pertencente ou relativo a eles.

trematódeos. *S. m. pl. Zool.* Animais platelmintos, da classe *Trematoda*, parasitas, de aparelho digestivo incompleto e corpo geralmente foliáceo e assegmentado, desprovido de cílios. Fixam-se por meio de ventosas ou ganchos ou ambos. Muito conhecido é o esquistossomo, causador da esquistossomose humana.

tremebundo. [Do lat. *tremebundu.*] *Adj.* **1.** V. *tremedor:* "aquele que se deitou aquecidamente confiante no dia de amanhã saltará para esse amanhã um anarquista de sangue-frio e coração resfriado, de alma e pés insensíveis, gripado, tiritante e tremebundo" (Fernando Sabino, *Medo em Nova Iorque. A Cidade Vazia,* p. 203). **2.** Que faz tremer. **3.** *Fig.* Formidando, tremendo.

tremecém. [De *três meses.*] *Adj. 2 g.* V. *tremês.* [Cf. *tremessem,* do v. *tremer.*]

tremedal. [De *tremer.*] *S. m.* **1.** V. *pântano:* "a cada momento o pé encontra um tremedal, terra empapada, barro amolecido até os penetrais" (Aquilino Ribeiro, *Aldeia,* p. 272). **2.** *Fig.* Degradação moral; torpeza: "os outros rebalsaram-se no tremedal das sensações brutais, e endeusaram o celibato, escoltado de escândalos, e o amor material com todas as suas impuridades." (Camilo Castelo Branco, *Doze Casamentos Felizes,* p. 242). **3.** *Bras., MA.* Vegetação flutuante que se alastra sobre grandes extensões de rios.

tremedalense. *Adj. 2 g.* **1.** De, ou pertencente ou relativo a Tremedal (BA). ● *S. 2 g.* **2.** Natural ou habitante de Tremedal.

tremedeira. [De *tremer* + *-deira.*] *S. f.* **1.** V. *tremor* (1). **2.** V. *malária.* **3.** *Bras., RS.* Os últimos instantes dum moribundo.

tremedor (ô). *Adj.* Que treme; tremente, tremebundo.

tremela. *S. f.* **1.** Gênero de cogumelos da família das tremeláceas. **2.** *Bras. Pop.* Var. de *tramela* (1).

tremelácea. *S. f.* Espécime das tremeláceas.

tremeláceas. *S. f. pl. Micol.* Família de grandes fungos (cogumelos), com esporóforo conspícuo e gelatinoso quando umedecido, que vivem sobre galhos apodrecidos. Pertence aos basidiomicetos.

tremeláceo. *Adj.* Pertencente ou relativo às tremeláceas.

tremelear. [De *tremer* + *-l-* + *-ear.*] *V. int.* **1.** V. *tremelicar.* **2.** Estar perplexo. **3.** Gaguejar, tartamudear. [Conjug.: v. *frear.*]

tremelica. [Dev. de *tremelicar.*] *Adj. 2 g.* e *s. 2 g.* **1.** Dizse de, ou pessoa muito assustadiça. **2.** Medroso, frouxo, pusilânime.

tremelicação. *S. f.* Tremelique.

tremelicante. *Adj. 2 g.* V. *tremelicoso.*

tremelicar. [De *tremer* + *-l-* + *-icar.*] *V. int.* **1.** Tremer de susto, ou de frio. **2.** Tremer freqüentes vezes, repetidamente. *T. d.* **3.** Fazer tremer; tremer, estremecer: "ela virava e tremelicava as espáduas, remexia as nádegas" (Marques Rebelo, *A Mudança,* p. 452). [Sin. ger.: *tremelear.* Conjug.: v. *trancar.*]

tremelicoso (ô). *Adj.* Que tremelica; trêmulo, tremelicante.

tremelique. [Dev. de *tremelicar.*] *S. m.* Ato de tremelicar; tremelicação.

tremeluzente. *Adj. 2 g.* Que tremeluz.

tremeluzir. [De *tremer* + *-luzir.*] *V. int.* Brilhar com luz trêmula; cintilar, lucilar, luciluzir, tremer: "Uma estrelinha tremeluzia no céu." (Eça de Queirós, *Contos,* p. 140.) "O vale abriu-se em pirilampos cheio, / Luzindo aqui, e ali tremeluzindo ..." (Olegário Mariano, *Toda uma Vida de Poesia,* I, p. 194.) [Normalmente é unipess. Conjug.: v. *luzir.*]

tremembé. [Do tupi *tïrïme'mbé* 'escoar molemente'.] *S. m.* Terreno alagadiço, apaulado, muitas vezes coberto de vegetação aquática. [Cf. *terememhé* e *tramembé.*]

tremembeense (èèn). *Adj. 2 g.* **1.** De, ou pertencente ou relativo a Tremembé (SP). ● *S. 2 g.* **2.** Natural ou habitante de Tremembé.

tremenda. [Fem. substantivado de *tremendo.*] *S. f.* Pedaço de toicinho que os frades de S. Bento comiam altas horas da noite.

tremendo. [Do lat. *tremendu.*] *Adj.* **1.** Que causa temor; que faz tremer; terrível, horroroso. **2.** Respeitável, formidável. **3.** Fora do comum; extraordinário: *um tremendo guri; um tremendo carro; um tremendo filme.*

tremente. [Do lat. *tremente.*] *Adj. 2 g.* V. *tremedor:* "Como pequenas lâmpadas trementes / Fosforeavam na relva os pirilampos." (Olavo Bilac, *Poesias,* p. 85).

tremer. [Do lat. *tremere.*] *V. t. d.* **1.** Ter medo de; temer, recear: *Treme a desgraça.* **2.** Agitar com tremor; tremular: "tremeu os lábios, um instante, como aquele que vai, com ditos grandes, botar o mundo abaixo." (Valdomiro Silveira, *Os Caboclos,* p. 10). **3.** Fazer tremer; estremecer: *O trovão tremeu a terra.* **4.** Tiritar por causa de: *A criança treme sezões; Febril, tremia calafrios. Int.* **5.** Experimentar tremor ou abalo; agitar-se, abalar-se, estremecer: "Perde o lume dos olhos, pasma, e treme, / Pálida a cor, o aspecto moribundo" (Santa Rita Durão, *Caramuru,* VI, p. 42); *A terra tremeu com o estrondo.* **6.** Ser abalado pelo temor; assustar-se: *Não trema diante do perigo.* **7.** Ondular, tremular: *A bandeira treme ao vento.* **8.** Tiritar de frio, de susto ou de doença: *Tremeu de febre a noite toda.* **9.** Tremeluzir, cintilar: "Através da janela aberta podia ver as estrelas que tremiam no seu brilho distante." (Valdomiro Autran Dourado, *Nove Histórias em Grupos de Três,* p. 198.) *T. i.* **10.** Ter medo; temer-se, arrecear-se: *Treme da morte.* [Imperf. subj.: *tremesse* (ê), *tremesses* (ê), *tremesse* (ê), *tremêssemos, tremêsseis, tremessem* (ê). Cf. *tremecém.*]

tremês. [De *três* + *mês.*] *Adj. 2 g.* **1.** Que dura três meses. **2.** Que nasce e amadurece em três meses. [Sin. ger.: *tremesinho, tremecém.* Pl.: *tremeses* (ê).]

tremesinho. [De *tremês* + *-inho.*] *Adj.* V. *tremês.*

tremetara. *S. f. Bras.* V. *papa-terra* (3).

treme-treme. [Da 3ª. pess. sing. do pres. ind. de *tremer,* repetida.] *S. m. Bras.* **1.** Peixe elasmobrânquio, hipotremado, da família dos torpedinídeos (*Narcine brasiliensis* (Olfers)), do Atlântico ocidental, de dorso pardo zebrado e abdome branco. Comprimento: até 50 cm. Tem órgão elétrico, capaz de imobilizar pequenas presas, crustáceos e moluscos, os quais devora. Vive no fundo do mar, e também freqüenta a água doce, sendo comum na Amaz. [Sin.: *arraia-elétrica, raia-elétrica.*] **2.** Flor-de-caboclo. **3.** *Bras.* Tremor contínuo: "o mundo enfeitado de vitrilhos suspensos / Nos treme-tremes dos potreiros" (Filipe d'Oliveira, *Lanterna Verde,* p. 28). [Pl.: *tremes-tremes* e *treme-tremes.*]

tremido. [Part. de *tremer.*] *Adj.* **1.** Que revela tremor; sem firmeza; incerto, vacilante, trêmulo: *voz tremida;* "Escreveu num retalho de papel, com aquela sua letra tremida como um gráfico de febre, ... o seu endereço" (Raquel de Queirós, *A Donzela e a Moura Torta,* p. 67). **2.** *Fam.* Duvidoso, incerto, arriscado. ~ V. *água —a* e *tirana*[2] *—a.* ● *S. m.* **3.** Tremura, tremor. **4.** Tortuosidade, sinuosidade.

tremifusa. [De *trem(er)* + *-i-* + *fusa.*] *S. f.* Nota musical equivalente à metade de uma semifusa.

trêmito. [De *frêmito,* por infl. de *tremer.*] *S. m.* Frêmito: "um trêmito geral o corre fibra a fibra" (Antônio Feliciano de Castilho, *As Geórgicas de Virgílio,* p. 151); "O chão riscava-se dos passos / Das sombras em tropel, em trêmitos e abraços, / Lentas, a espreguiçar-se." (Alberto de Oliveira, *Poesias,* 2ª. série, p. 381).

tremó. [Do fr. *trumeau.*] *S. m.* **1.** Aparador com espelho alto, e que cobre o espaço de parede entre duas janelas: "Era um gabinete forrado de azul, com um bonito tremó do século XV" (Eça de Queirós, *Os Maias,* I, p. 445). **2.** O espaço da parede entre duas janelas.

tremoçada. *S. f.* Grande porção de tremoços.

tremoçal. [De *tremoço* (2) + *-al.*] *S. m.* Quantidade mais ou menos considerável de tremoceiros dispostos proximamente entre si.

tremoceiro. [De *tremoço* + *-eiro.*] *S. m.* **1.** Planta leguminosa, papilonácea, cujas vagens dão grãos (tremoços) que depois de curados são comestíveis, e que tem como espécies principais o *Lupinus albus* (tremoço-branco), o *Lupinus luteus* (tremoço-amarelo), o *Lupinus varius* (tremoço-de-flor-azul); tremoço. **2.** Vendedor ambulante de tremoços.

tremoço (ô). [Do gr. *thérmos,* atr. do ár. *turmus,* f. vulg. de *turmus.*] *S. m.* **1.** Grão de tremoceiro. **2.** V. *tremoceiro* (1). [Pl.: *tremoços* (ó).]

tremoço-amarelo. V. *tremoceiro* (1). [Pl.: *tremoços-amarelos.*]

tremoço-branco. *S. m.* V. *tremoceiro* (1). [Pl.: *tremoços-brancos.*]

tremoço-de-flor-azul. *S. m.* V. *tremoceiro* (1). [Pl.: *tremoços-de-flor-azul.*]

tremolita. [Do top. *Tremola* (Itália) + *-ita*[3].] *S. f. Min.* Mineral monoclínico do grupo dos anfibólicos, silicato de cálcio e magnésio, e que pode conter ou não conter ferro.

tremonha. *S. f.* V. *canoura.*

tremonhado. [De *tremonha* + *-ado*[1].] *S. m.* Lugar, vaso ou utensílio onde cai a farinha que vai sendo moída.

tremor (ô). [Do lat. *tremore.*] *S. m.* **1.** Ato involuntário, ou efeito de tremer; tremura, tremedeira. **2.** Agitação convulsiva. **3.** Medo, receio, temor. ♦ **Tremor de terra.** *Geofis.* V. *sismo:* "Em 1 de novembro de 1755, um terrível tremor de terra sacudiu Lisboa." (José Hermano Saraiva, *História Concisa de Portugal,* p. 243.)

trempe. [Do lat. *tripes, dis;* formação algo obscura.] *S. f.* **1.** Arco de ferro com três pés sobre o qual se põem panelas que vão ao fogo. [Sin., bras.: *tripé.*] **2.** Espécime de manilha[2] (2) de três parceiros. **3.** Jangada de três paus. **4.** *Fam.* Conjunto de três pessoas reunidas para o mesmo objetivo ou por interesse comum. **5.** *Bras.* e *prov. lus.* Conjunto de três pedras sobre o qual se assenta, ao fogo, a panela.

trem-tipo. *S. m. Constr.* Conjunto de cargas de grandezas e espaçamentos padronizados, para o qual se dimensiona a estrutura de uma ponte. [Pl.: *trens-tipos* e *trens-tipo.*]

tremulação. *S. f.* Ato de tremular.

tremulante. *Adj. 2 g.* Que tremula.

tremular. [Do lat. *tremulare.*] *V. t. d.* **1.** Mover com tremor; agitar, desfraldar, brandir, vibrar: *Tremulando panos brancos pediram paz;* "O Conde .... fitava os olhos turvos na folha de papel azul, que tremulava no chão assoprada pelo vento." (D. João da Câmara, *Contos,* p. 43). *Int.* **2.** Mover-se com tremor: "Anoitece.../ Tremula ainda, no poente, a luz de alguns clarões" (Ronald de Carvalho, *Poemas e Sonetos,* p. 12); "No Aquidabã, o possante couraçado, tremula o pavilhão do chefe" (Virgílio Várzea, *Nas Ondas,* p. 202). **3.** Cintilar, tremeluzir: *Nos montes o Sol tremulava.* **4.** Hesitar, vacilar, titubear: *Tremulava, sem saber que deliberação tomar.* **5.** Ressoar, tremendo: "Nos lagos de esmeralda um canto ardente / Tremula, e sobe, num rumor de liras, / Por entre jorros de água transparente" (Ronald de Carvalho, *Poemas e Sonetos,* p. 165). [Pres. ind.: *tremulo,* etc. Cf. *trêmulo,* adj., e *Trêmulo,* antr.]

tremulina. *S. f.* **1.** Tremor superficial. "Jana .... ficou a mirar na tremulina das águas o reflexo das estrelas." (Xavier Marques, *Jana e Joel,* p. 103.) **2.** Reflexo trêmulo da luz na superfície das águas levemente agitadas: "Sobre o debrum negro de Niterói fosforeavam as primeiras luzes que o mar debuxava numa esteira em tremulina de ouro..." (Gastão Cruls, *Contos Reunidos,* p. 43.)

trêmulo. [Do lat. *tremulu.*] *Adj.* **1.** Que treme: *De trêmula, a mão quase não lhe permite escrever;* "E no seu rosto / Uma lágrima trêmula resvala" (Olavo Bilac, *Tarde,* p. 55). **2.** Hesitante, vacilante. **3.** Brilhante, cintilante. **4.** Acanhado, tímido. ● *S. m.* **5.** Efeito produzido pela repetição rápida dos mesmos sons num instrumento. **6.** *Mús.* Na técnica vocal, repetição rápida de uma nota sem produzir oscilações em sua altura. [Cf. *vibrato.*] **7.** *Mús.* Leve tremido na voz falada ou cantada. **8.** *Mús.* Na escrita musical, desdobramento de uma figura de valor em outras figuras de valores menores. **9.** *Mús.* Efeito próprio dos instrumentos de arco, consistente na repetição acelerada da mesma nota, por meio de arcadas rapidíssimas, e que é indicado, na notação, por pequenos traços oblíquos que atravessam a nota repetida. **10.** *Mús.* Som que se obtém, nos órgãos e harmônios, introduzindo-lhes no tubo que conduz o ar ao someiro uma caixinha provida de mola. [Cf. *tremulo,* do v. *tremular.*] ~ V. *trêmulos.*

trêmulos. [Pl. de *trêmulo.*] *S. m. pl.* Conjunto de pedras preciosas em forma de flores, que oscilam nas extremidades de pequenos arames. ~ V. *trêmulo.*

tremura. *S. f.* V. *tremor* (1): "rosnava incoerências com os joelhos entrebatendo-se em tremuras convulsas." (Coelho Neto, *Treva,* p. 193). ~ V. *tremuras.*

tremuras. [Pl. de *tremura.*] *S. f. pl.* **1.** Susto com tremor. **2.** Transes, angústias. ~ V. *tremura.*

trena. [Do lat. *trini,* 'de três em três', com infl. da term. dos distributivos seguintes: *seni, septeni,* etc.] *S. f.* **1.** Fita de seda, ouro ou prata, para atar o cabelo. **2.** Baraço de pião. **3.** *Bras.* Fita metálica, por via de regra com 10, 20 ou 25 m de comprimento, usada na medição de terrenos. **4.** Fita métrica de menor comprimento, usada por alfaiates e outros profissionais.

trenado. [Part. de *trenar.*] *Adj.* Var. de *treinado.*

trenador (ô). *S. m.* Var. de *treinador.*

trenagem. *S. f.* Var. de *treinagem.*

trenamento. *S. m.* Var. de *treinamento.*

trenar. *V. t. d., int.* e *p.* Var. de *treinar.*

trenheira. [De *trem* (10).] *S. f. Bras., SP* e *MG. Pop.* Porção de trens misturados: "O veeiro de malacacheta podre, um trem marmo, deste tamanho, misturada com osso-de-cavalo, e aquela trenheira toda, ... 'tá rumeando pro lado de cá de suas terras." (Nélson de Faria, *Bazé,* p. 118).

trenheiro. *Adj. Bras., MG. Pop.* Trem (12).

treno[1]. [Do gr. *thrênos*, 'lamento', pelo lat. *threnu.*] *S. m.* Canto plangente; elegia: "Não venho, senhora minha, / Ao som dum *treno* choroso, / Lembrar-lhe a história mesquinha / Dum romance desditoso." (João Penha, *Rimas*, p. 120.)

treno[2]. *S. m.* Var. de *treino*.

trenó. [Do fr. *traîneau*.] *S. m.* Veículo provido de esquis em vez de rodas, e apropriado para deslizar sobre gelo ou neve.

trenodia. [Do gr. *threnodía*.] *S. f.* Ode de caráter fúnebre.

trens. [Pl. de *trem*.] *S. m. pl. Bras. Fam.* Coisas, objetos; bagagem, teres, trastes. [Var.: *teréns*.] ~ V. *trem*.

trepa. *S. f. Pop.* **1.** V. *surra* (1). **2.** V. *repreensão* (1).

trepação. [De *trepar* + *-ção*.] *S. f.* **1.** *Bras.* O falar mal de alguém; maledicência. **2.** *Bras.* Caçoada, motejo, pilhéria. **3.** *Bras. Chulo.* Sucessão de trepadas ou cópulas.

trepada. [De *trepar* + *-ada[1]*.] *S. f.* **1.** *Bras.* Subida, ladeira. **2.** *Bras. Chulo.* Cópula carnal. **3.** *Pop.* V. *repreensão* (1).

trepadeira. [De *trepar* + *-deira*.] *Adj.* (*f.*) e *s. f.* Diz-se de, ou planta que trepa, apoiando-se em suportes dos mais variados tipos: "*trepadeiras* enlaçavam as grades." (Graciliano Ramos, *Caetés*, p. 242).

trepadoiro. [De *trepar* + *(d)oiro*.] *S. m.* Trepadouro [q. v.].

trepador (ô). *Adj.* **1.** Que trepa. **2.** *Morfol. Veg.* Diz-se do caule e da planta que se apóiam em suportes para subir, ou por enrolamento, ou por meio de gavinhas e órgãos semelhantes; escandente. **3.** *Bras.* Maldizente, maledicente, difamador. **4.** *Bras.* Diz-se de indivíduo muito dado a trepadas ou cópulas. ● *S. m.* **5.** Aquele que trepa. **6.** *Bras.* Indivíduo trepador (3 e 4).

trepadora (ô). [De *trepar* + o fem. de *-(d)or*.] *S. f.* **1.** Espécime das trepadoras. ● *Adj.* **2.** Pertencente ou relativo às trepadoras.

trepadoras (ô). [Pl. de *trepadora*.] *S. f. pl. Zool.* Animais metazoários, cordados, vertebrados, aves, cujos dedos nos pés se distribuem em dois para a frente e dois para trás. No grupo se incluem os tucanos e os pica-paus.

trepadouro. [De *trepar* + *-(d)ouro*; var. de *trepadoiro*.] *S. m.* Lugar por onde se trepa.

trepa-moleque. [De *trepar* + *moleque*.] *S. m. Bras.* **1.** Armário antigo, de dois corpos. **2.** Travessa (10) ornamental, de tartaruga ou de marfim, mais alta que larga, em geral com enfeites de ouro e prata, usada dos fins do séc. XVII a meados do XIX; tapa-missa: "pentes, que na primeira metade do século XIX, com os nomes de 'tapa-missa' e '*trepa-moleque*', atingiram no Brasil a formas bizarras e a tamanhos incríveis" (Gilberto Freire, *Sobrados e Mocambos*, I, p. 261). **3.** V. *jaburu-moleque*. **4.** V. *potó[2]*. **5.** Artefato pirotécnico que, uma vez acesso, salta, dando vários pequenos estalos sucessivos. [Sin., no RJ: *pega-moleque*. Pl.: *trepa-moleques*.]

trepanação. *S. f.* Ato ou efeito de trepanar.

trepanar. *V. t. d.* Perfurar (osso) mediante uso de trépano. (1). [Pres. ind.: *trepano*, etc. Cf. *trépano*.]

trépano. [Do gr. *trypanon*, 'verruma', pelo b.-lat. *trepanu.*] *S. m.* **1.** *Cir.* Instrumento cirúrgico próprio para perfurar ossos, especialmente do crânio. **2.** *Constr.* Instrumento provido de gumes muito cortantes, com que se fazem furos de sondagem nos solos. [Cf. *trepano*, do. v. *trepanar*.]

trepar. [Do onom. *trep*, imitativa do ato de pisar, + *-ar*.] *V. t. d.* **1.** Subir a, valendo-se das mãos e/ou dos pés. **2.** Ir para cima de; subir: "numa ou noutra nesga longínqua, fendendo a brenha na figura de ofídios gigantescos, as rodovias de tom laranja, que *trepam* e descem o terreno movimentado." (Raimundo Morais, *País das Pedras Verdes*, p. 166.) *T. i.* **3.** Elevar-se em categoria: *Trepou a posições altíssimas.* **4.** Alçar-se, subir, segurando-se com as mãos e com os pés: *Trepou a uma jaqueira;* "Indagamos de D. Guilhermina se o menino João [João Ribeiro] era arteiro, se gostava de *trepar* às árvores" (Joaquim Ribeiro, *9 Mil Dias com João Ribeiro*, p. 150). "Ia ao pomar, comia frutas, *trepava* em árvores." (Júlio Ribeiro, *A Carne*, p. 23). **5.** *Bras.* Falar mal; difamar: *É dado a trepar em todo o mundo.* **6.** *Bras. Chulo.* Ter contato carnal; copular: *Trepa com várias pessoas. Int.* **7.** Ascender (plantas trepadeiras). **8.** *Bras. Chulo.* Ter relações sexuais; copular. *P.* **9.** Subir, elevar-se. [Nas acepç. 6 e 8, é desus. em Portugal.]

trepidação. [Do lat. *trepidatione*.] *S. f.* **1.** Ato ou efeito de trepidar: "Vibra uma *trepidação* no solo; e a boiada estoura..." (Euclides da Cunha, *Os Sertões*, p. 128.) **2.** Tremura dos nervos. **3.** Tremor das imagens, no cinematógrafo. **4.** Movimento vibratório de baixo para cima, semelhante ao que se experimenta num veículo em movimento. **5.** Leve abalo sísmico. **6.** *Mar.* Vibração continuada e intensa, no casco da embarcação movida à máquina ou motor, e que ocorre quando o período de pulsação da máquina ou do motor coincide com o período de vibração do casco, ou quando o hélice gira fora da água em virtude de jogo longitudinal muito forte.

trepidante. [Do lat. *trepidante*.] *Adj. 2 g.* **1.** Que trepida. **2.** Trêmulo, hesitante, vacilante. **3.** Assustado, sobressaltado.

trepidar. [Do lat. *trepidare*.] *V. int.* **1.** Tremer, estremecer; vibrar: *O automóvel está trepidando.* **2.** Tremer com medo ou susto. **3.** Andar ou apoiar-se tremendo. **4.** Vacilar, hesitar, titubear. **5.** Ter ou causar trepidação. *T. i.* **6.** Vacilar, hesitar, titubear: *Não trepide em aceitar o convite.* [Pres. ind.: *trepido*, *trepidas*, etc. Cf. *trépido*.]

trepidez (ê). *S. f.* Qualidade ou estado de trépido.

trépido. [Do lat. *trepidu*.] *Adj.* **1.** Trêmulo de susto. **2** Assustado, sobressaltado: "examina receoso a consciência, investiga, *trépido*, o futuro" (Capistrano de Abreu, *Ensaios e Estudos*, 1ª série, p. 57). **3.** Que revela ou denota susto, sobressalto: "Logo o seu passo *trépido*, miúdo, / na breve escada e no meu coração / ressoava" (Carlos Magalhães de Azeredo, *Vida e Sonho*, p. 137). **4.** Que corre ou flui tremendo: *o trépido regato;* "Vai a noite calada — ao longe apenas / *Trépida* veia de cristal murmura." (Gonçalves Dias, *Obras Poéticas*, II, p. 348.) [Cf. *trepido*, do v. *trepidar*.]

tréplica. [Dev. de *treplicar*.] *S. f.* **1.** Ato de treplicar. **2.** Resposta a uma réplica; contra-réplica. [Cf. *treplica* do v. *treplicar*.]

treplicar. [Do lat. *triplicare*.] *V. int.* e *t. i.* **1.** Responder (a uma réplica): *Terminada a réplica, treplicou e com brilho; Não esperava que eu lhe treplicasse. T. d.* **2.** Refutar ou responder com tréplica a (uma réplica). [Conjug.: v. *trancar*. Pres. ind.: *treplico*, *treplicas*, *treplica*, etc. Cf. *tréplica* e *triplicar*.]

treponema. *S. m.* V. *treponemo*.

treponematose. *S. f. Patol.* Infecção produzida por treponemo; treponemose.

treponemo. [De *treponema* < rad. *trep*, do gr. *trépo*, 'virar', + *-nema*.] *S. m. Bacter.* Um dos gêneros de bactérias da família *Spirochaetaceae*, o qual se apresenta como microrganismo retilíneo, dotado de órgão locomotor formado de fibrilas dispostas em torno de cilindro citoplasmático. A este gênero pertencem os germes causadores da sífilis e da bouba.

treponemose. [De *treponemo* + *-ose*.] *S. f. Patol.* Treponematose.

▲tres-. V. *trans-*.

três. [Do lat. *tres*.] *Num.* **1.** Cardinal dos conjuntos equivalentes a um conjunto de três membros (em algarismos arábicos, 3; em algarismos romanos, III). **2.** Terceiro. ● *S. m.* **3.** Algarismo representativo do número três. **4.** Carta de jogar, face de dado ou peça de dominó que tem três sinais. **5.** A nota três. em exame ou concurso. **6.** Aquele ou aquilo que ocupa o último lugar numa série de três. ◆ **A três por dois.** A miúde, freqüentemente: "— Que colosso esse Santos Dumont! — diziam a *três por dois*." (Francisco de Assis Barbosa, *Santos Dumont. Inventor*, p. 63.)

tresandar. [F. dissimilada de um **trasandar*, 'fazer andar para trás'.] *V. t. d.* **1.** Fazer andar para trás; desandar. **2.** Transtornar, confundir, perturbar, desordenar. **3.** Exalar (mau cheiro). *Int.* e *t. i.* **4.** Cheirar mal: *Tinha-se de levar o lenço ao nariz: o ambiente tresandava;* "deixavase [o refeitório] invadir por um vapor denso e gorduroso, *tresandando* a cebola e a feijão." (Marques Rebelo, *O Trapicheiro*, p. 387.)

tresavó. *S. f.* V. *trisavó*: "As nossas *tresavós* liam romances que explicam bastantemente as virtudes delas." (Camilo Castelo Branco, *O Santo da Montanha*, p. 140.)

tresavô. *S. m.* V. *trisavô*.

trescalante. *Adj. 2 g.* Que trescala.

trescalar. [De *tres* + *calar[1]* (6).] *V. t. d.* **1.** Emitir cheiro forte de: "Queima-me no incêndio, destruidor e vândalo, / Dessa infinda trança que *trescala* sândalo!" (Luís Guimarães [filho], *Pedras Preciosas*, p. 100.) **2.** Lançar de si; exalar: "Talvez seja para eles que as seis mulheres estão sempre .... cambiando saias imprevistas e *trescalando* fragrâncias matinais ou sensuais" (Rubem Braga, *A Cidade e a Roça*, p. 134). *Int.* **3.** Exalar cheiro forte; cheirar: "Onde quer que se achasse, todo o ambiente se enchia de um eflúvio castíssimo, respirando o inefável incenso, que o seu ser vaporava. como se místicas roseiras *trescalassem* invisíveis no éter límpido e fresco." (Raimundo Correia, *Poesia Completa e Prosa*, p. 593.)

três-cocos (cô). [Voc. onom.] *S. m. 2 n. Bras., AL* e *BA*. Designação vulgar de certo passarinho, tirada de seu canto.

tresdobrado. [Part. de *tresdobrar*.] *Adj.* V. *triplicado*.

tresdobradura. *S. f.* Ato ou efeito de tresdobrar.

tresdobrar. [De *três* + *dobrar*.] *V. t. d.* **1.** Aumentar três vezes; triplicar: "A vida habitual pesa em nosso espírito como o trambolho no pé de uma galinha, dilatam-senos os pulmões, *tresdobra-nos* a vida" (Ramalho Ortigão, *Em Paris*, p. 9). *Int.* **2.** Aumentar-se três vezes. [Pres. ind.: *tresdobro*, etc. Cf. *tresdobro* (ô).]

tresdobre. [Dev. de *tresdobrar*.] *Adj. 2 g.* **1.** V. *triplicado*. **2.** Diz-se de certa evolução militar antiga. ● *S. m.* **3.** *Pop.* Tresdobro [q. v.].

tresdobro (ô). [Dev. de *tresdobrar*.] *S. m.* V. *triplo* (2 e 3). [Pl.: *tresdobros* (ô). Cf. *tresdobro*, do v. *tresdobrar*.]

três-estrelinhas. *S. f. pl.* **1.** Sinal (***) que se põe abaixo dum escrito quando o autor pretende conservar-se anônimo, ou, em jornais, abaixo de notícias ou de artigos, para indicar tratar-se de matéria paga. **2.** Sinal (***) que se usa em lugar de nome de pessoa, de lugar, etc., que se quer omitir: *O Sr. ***; a Srª ***; o Dr. ***; a Baronesa de ***; a vila de ***.*

tresfolegar. [De *tres-* + *fôlego* + *-ar[2]*.] *V. int.* Respirar a custo; ofegar: "Sem botar reparos ao chão em que pisam, tropicando em raízes, formigueiros, buracos de tatus, cavalos correm, rebatendo fujões. Ressuam. *Tresfólegam*." (Nélson de Faria, *Tiziu e Outras Estórias*, p. 208.) [Var.: *tresfolgar*. Conjug.: v. *resfolegar*.]

tresfolgar. *V. int.* Var. de *tresfolegar* [q. v.]. [Conjug.: v. *largar*.]

tresfoliar. [De *tres-* + *foliar*.] *V. int.* Foliar ou pandegar muito; divertir-se à farta.

tresgastar. [De *tres-* + *gastar*.] *V. t. d.* e *int.* Gastar em demasia; prodigalizar; prodigar.

tresidela. *S. f. Bras., MA.* Lugarejo fronteiro a uma cidade mais importante, na margem oposta de um rio.

três-irmãos. *S. m. 2 n. Bras.* Planta da família das sapindáceas (*Schmidelia salpicarpa*).

três-irmãs. *S. f. pl. Astr.* V. *Três-Marias* (1).

três-lagoano. *Adj.* **1.** De, ou pertencente ou relativo a Três Lagoas (MS). ● *S. m.* **2.** O natural ou habitante de Três Lagoas. [Sin. ger.: *três-lagoense*. Pl.: *três-lagoanos*.]

três-lagoense. *Adj. 2 g.* e *s. 2 g.* Três-lagoano. [Pl.: *três-lagoenses*.]

tresler. [De *tres-* + *ler*.] *V. int.* **1.** Ler às avessas. **2.** Perder o juízo, enlouquecer, por ler muito. **3.** Dizer ou praticar tolices. **4.** Enganar-se, errar. [Irreg. Conjug.: v. *ler*.]

tresloucado. [Part. de *tresloucar*.] *Adj.* e *s. m.* Desvairado, doido, louco.

tresloucar. [De *tres-* + *louco* + *-ar[2]*.] *V. t. d.* **1.** Tornar louco: desvairar. *Int.* **2.** Ficar louco; enlouquecer. **3.** Tornar-se imprudente. [Conjug.: v. *trancar*.]

três-maiense. *Adj. 2 g.* **1.** De, ou pertencente ou relativo a Três de Maio (RS). ● *S. 2 g.* **2.** Natural ou habitante de Três de Maio. [Pl.: *três-maienses*.]

tresmalhação. [De *tresmalhar* + *-ação*.] *S. f.* Tresmalho[2].

tresmalhado. [Part. de *tresmalhar*.] *Adj.* Fugido, desgarrado, transviado, esmadrigado: "Vou como ovelha *tresmalhada* / Que viu lobo" (Afonso Duarte, *Obra Poética*, p. 131).

tresmalhar. [De *tres-* + *malha* + *-ar[2]*.] *V. t. d.* **1.** Trocar ou deixar cair as malhas de. **2.** Tirar do rebanho ou da malhada; esmadrigar. **3.** Deixar fugir, escapar ou perder: *O vaqueiro tresmalhou uma rês.* **4.** Fazer fugir; fazer que se disperse ou se afugente. *Int.* **5.** Tresmalhar (8): *Duas vacas tresmalharam.* **6.** Dispersar-se, extraviar-se, perder-se: "Depois de acidentes de vária ordem, naus que *tresmalharam* com o temporal, perda de doze portugueses desembarcados numa ilhota .... , chegaram a Maçuá em meados de fevereiro" (Aquilino Ribeiro, *Portugueses das Sete Partidas*, p. 70). *P.* **7.** Escapar por entre as malhas. **8.** Afastar-se do bando; fugir, dispersando-se; debandar(-se), espalhar-se, dispersar-se; esmadrigar-se, tresmalhar: "A rês, que se *tresmalha*, o cão da Beira, / Um rafeiro de raça, / Latindo, a faz voltar." (Bulhão Pato, *Livro do Monte*, p. 116.) **9.** Desaparecer, perder-se, extraviar-se.

tresmalho[1]. [De *três* + *malha[1]*.] *S. m.* Rede de pesca, composta de três panos, dos quais o do centro é o mais largo e de malha mais cerrada.

tresmalho[2]. [Dev. de *tresmalhar*.] *S. m.* Ato ou efeito de tresmalhar(-se); tresmalhação.

três-marias. [De *três* + o antr. *Maria*.] *S. f. pl.* **1.** *Astr.*

Asterismo na constelação de Órion, formado por três estrelas brilhantes, em linha reta, e igualmente espaçadas; Três-Irmãs, Cinto de Órion. **2.** *Bras.* Certo brinquedo infantil. **3.** *Bras.* V. *sempre-lustrosa.* **4.** *Bras., RS.* V. *boleadeiras.*

três-martelos. *S. f. 2 n. Bras. Pop.* V. *cachaça* (1).

tresnoitado. [Part. de *tresnoitar.*] *Adj.* **1.** Privado de sono. **2.** Que passou em claro a noite, ou a maior parte dela. ● *S. m.* **3.** Indivíduo tresnoitado: "Hesito em começar esta relação de casos de visagens recifenses com a história do Boca-de-Ouro por saber que noutras cidades do Brasil tem aparecido essa figura meio de diabo, meio de gente, pavor dos tresnoitados" (Gilberto Freire, *Assombrações do Recife Velho,* p. 30.) [F. paral.: *tresnoutado.*]

tresnoitar. [De *tres-* + *noite* + *-ar*[2].] *V. t. d.* **1.** Tirar o sono a; não deixar dormir. *Int.* **2.** Passar a noite, ou a maior parte dela, em claro. [F. paral.: *tresnoutar.*]

tresnoutado. *Adj.* e *s. m.* Tresnoitado.

tresnoutar. *V. t. d.* e *int.* Tresnoitar.

treso (ê). [Alter. de *tredo.*] *Adj. Desus.* De má índole; manhoso, malicioso.

trespano. [De *três* + *pano.*] *S. m.* Tecido de três liços.

trespassar. [De *tres-* + *passar.*] *V. t. d., t. d. e i., t. i. e p.* Traspassar: "Matou os quatro filhos, trespassando / Quatro vezes o próprio coração!" (Guerra Junqueiro, *A Velhice do Padre Eterno,* p.174.)

trespasse. [Dev. de *trespassar.*] *S. m.* **1.** Ato ou efeito de trespassar. **2.** Falecimento, passamento, óbito: "Via diante de si o entroncado homem com os beiços roxos e a boca aberta. Imaginava-o no trespasse e no caixão." (João de Araújo Correia, *Terra Ingrata,* p. 221.)

três-passense. *Adj. 2 g.* **1.** De, ou pertencente ou relativo a Três Passos (RS). ● *S. 2 g.* **2.** Natural ou habitante de Três Passos. [Pl.: *três-passenses.*]

três-paus. *S. m. pl. Bras. Fut.* O conjunto formado pelas traves e pelo travessão; o gol.

três-peças. *S. m. 2 n. Bras.* Apartamento[2] (1) com três peças.

três-pedaços. *S. m. pl. Bras., AL. Folcl.* Variante norte-litorânea do bumba-meu-boi pernambucano.

três-pontano. *Adj.* **1.** De, ou pertencente ou relativo a Três Pontas (MG). ● *S. m.* **2.** O natural ou habitante de Três Pontas. [Pl.: *três-pontanos.*]

três-pontinhos. *S. m. pl. Fam.* V. *reticências.*

três-portas. [De *três* + o pl. de *porta.*] *S. m. 2 n. Bras.* V. *jataí* (3).

três-potes. [De *três* + o pl. de *pote.*] *S. m. 2 n. Bras., BA.* V. *saracura-do-brejo.*

três-quartos. [De *três* + o pl. de *quarto.*] *Adj. 2 g.* e *2 n.* **1.** Diz-se de peça de vestuário ou de parte desta cujo comprimento corresponde a três quartos do comprimento total: *saia três-quartos; manga três-quartos.* ● *S. m. 2 n.* **2.** *Bras.* Apartamento[2] (1) de três quartos.

tresquiáltera. [De *sesquiáltera* (q. v.), por analogia.] *S. f. Mús.* Quiáltera de três figuras, que tomam o lugar de duas.

tresquiornitídeo. *S. m.* **1.** Espécime dos tresquiornitídeos. ● *Adj.* **2.** Pertencente ou relativo a eles. [Sin. ger.: *ibidídeo.*]

tresquiornitídeos. *S. m. pl. Zool.* Aves ardeiformes, da família *Ibididae,* de bico longo, curvo e achatado na extremidade, o que facilita o hábito de revolverem a lama e a areia em busca de pequenos crustáceos. Cabeça coberta de penas na maior parte. São de porte grande, vivendo aos bandos, nos lugares encharcados, beiras de lagos e rios. São as curicacas, os coró-corós e os guarás. [Sin.: *ibidídeos.*]

tressuar. [De *tres-* + *suar.*] *V. int.* **1.** Suar muito. *T. d.* **2.** Verter, trescalar, suar.

trestampar. [De *tres-* + *tampar;* cf. *destampar.*] *V. int.* Dizer destemperos, disparates; disparatar, desconchavar.

tresvariado. [Part. de *tresvariar.*] *Adj.* Que tresvariou; alucinado, delirante.

tresvariar. [De *tres-* + *variar.*] *V. int.* **1.** Dizer ou fazer desvarios: "Havia ali um bêbado tresvariando em voz alta" (Graciliano Ramos, *Vidas Secas,* pp. 40-41). **2.** Estar fora de si; delirar.

tresvario. [Dev. de *tresvariar.*] *S. m.* Ato ou efeito de tresvariar.

três-vinténs. [De *três* + o pl. de *vintém.*] *S. m. pl. Bras. Chulo.* A virgindade; o hímen: *Tirou os três-vinténs da mocinha, que terminou prostituindo-se.*

tresvoltear. [De *três* + *voltear.*] *V. t. d.* **1.** Fazer dar três voltas. **2.** Fazer dar numerosas voltas. [Conjug.: v. *frear.*]

treta (ê). [Var. de *treita* (q. v.) < lat. *tracta,* part. pass. de *trahere,* 'arrastar, puxar; refletir, meditar', possível mente atr. do esp. *treta.*] *S. f.* **1.** Ardil, estratagema. **2.** Habilidade na luta ou na esgrima. ~ V. *tretas.*

tretas (ê). [Pl. de *treta.*] *S. f. pl.* Palavreado para burlar. [No Brasil, *treitas.*] ~ V. *treta.*

tretear. *V. int. Bras.* Usar de tretas; proceder como treteiro. [Conjug.: v. *frear.*]

treteiro. *Adj.* e *s. m.* Que, ou aquele que é dado a estratagemas ou tretas [v. *treta* (1)]; velhaco, tratante, patife: "um sujeito mau como Seu Juca, de coração duro como pedra, de alma suja, nojenta, sujeito treteiro, que furtava até no jogo de cartas" (Nélson de Faria, *Tiziu e Outras Estórias,* p. 133). [F. paral. (bras.): *treitero;* sin. (bras.): *treitento.*]

treva. *S. f.* Trevas [q. v.].

treval. [De *trevo* (1) + *-al.*] *S. m. Bras.* Quantidade mais ou menos considerável de trevos dispostos proximamente entre si: "os lábios da morocha deviam ser macios como treval, doces como mirim, frescos como polpa de guabiju..." (Simões Lopes Neto, *Contos Gauchescos e Lendas do Sul,* p. 132).

trevas. [Pl. de *treva* < lat. *tenebra.*] *S. f. pl.* **1.** Escuridão absoluta. **2.** V. *noite* (2). **3.** *Fig.* Estupidez, ignorância. **4.** *Rel.* Quarta-feira de trevas. **5.** *Rel.* O ofício divino celebrado nesse dia e nos seguintes, no qual se comemoram as trevas que caíram sobre Jerusalém, quando da morte de Cristo na cruz. [Tb. us. (menos) no sing.]

trevelô. *S. 2 g. Bras.* V. *barbeiro* (8): "Motorista ruim é 'barbeiro', 'munheca-de-pau', 'trevelô'." (Marcos Vinícios Vilaça, *Em torno da Sociologia do Caminhão,* p. 44.)

trevite. *S. f.* Certa droga medicinal da Índia.

trevo (ê). [Do lat. *trifoliu,* 'três folíolos', com infl. de uma f. **tripulu,* calcada no gr. *triphyllon.*] *S. m.* **1.** Designação comum a diversas plantas herbáceas cujas folhas são dotadas de três folíolos, e que crescem espontaneamente nas terras das regiões temperadas; trifólio. **2.** Trifólio (4). **3.** *Bras.* V. *caruru-de-sapo.* **4.** *Bras.* Entroncamento de vias elevadas e/ou rebaixadas, que se entrelaçam lembrando a forma de um trevo e se destinam a evitar cruzamentos em pontos de tráfego muito movimentado.

trevo-aquático. *S. m.* Arbusto da família das gencianáceas *(Menyanthes trifoliata),* das turfeiras dos climas temperados do Velho Mundo, de folhas com três folíolos ovados ou oblongo-obovados, flores alvas ou violáceo-pálidas, pequenas, organizadas em cachos, e frutos que são cápsulas minutas, ovóides; trifólio, minianto. [Pl.: *trevos-aquáticos.*]

trevo-azedo. *S. m. Bras.* Designação comum a várias espécies do gênero *Oxalis,* da família das oxalidáceas, que são pequenas ervas bolbosas, de flores amarelas ou róseas, folhas com três folíolos obovados e de acentuado sabor azedo, que se deve à presença do oxalato de cálcio, e cujo fruto é uma cápsula alongada, dita *bananinha* pela forma; azedinha, bananinha. [Pl.: *trevos-azedos.*]

trevo-cervino. *S. m.* Erva da família das compostas *(Eupatorium cannabinum),* originária da Europa e cultivada pelo valor ornamental, de folhas oblongas ou lanceoladas, acuminadas e serrilhadas, e cujas flores formam capítulos violáceo-claros, que se ordenam em densos conjuntos terminais. [Pl.: *trevos-cervinos.*]

trevo-d'água. *S. m.* Marsília. [Pl.: *trevos-d'água.*]

trevoso (ô). *Adj.* V. *tenebroso:* "Nesse universo torvo e angustiante, trevoso e sofrido, o romancista pesquisa e revela as grandezas e misérias dos homens, a sua inocência e culpa" (Mário da Silva Brito, *Conversa Vai, Conversa Vem,* p. 12).

treze (ê). [Do lat. *tredecim.*] *Num.* **1.** Cardinal dos conjuntos equivalentes a um conjunto de uma dezena de membros mais três membros (em algarismos arábicos, *13;* em algarismos romanos, *XIII).* **2.** V. *trezeno: Perdi o volume treze da obra.* ● *S. m.* **3.** Algarismo representativo do número treze. **4.** Aquele ou aquilo que ocupa o último lugar numa série de treze.

treze-de-maio. [Por alusão à data da abolição da escravidão no Brasil, *13 de maio de* 1888.] *S. m. 2 n. Bras.* Apelido algumas vezes dado aos pretos.

trezena. [De *trezeno.*] *S. f.* **1.** Conjunto de treze. **2.** Espaço de 13 dias. **3.** Reza ou devoção que se faz nos 13 dias antecedentes à festa de um santo: "Continuava [Santo Antônio] surdo aos apelos, responsos, terços, ladainhas, trezenas, ... promessas e correntes de tanta solteirona desiludida" (Guiomar Alcides de Castro, *São Miguel dos Campos,* p. 158). **4.** *Bras.* Castigo de açoites durante 13 dias seguidos, que se infligia aos escravos.

trezeno. [De *treze* + a term. *-eno* (lat. *enniu*), dos distributivos latinos.] *Num.* Décimo terceiro; tércio-décimo, tredécimo.

trezentos. [Do lat. *trecentos.*] *Num* **1.** Cardinal dos conjuntos equivalentes a um conjunto de três centenas de membros. **2.** Trecentésimo (1). ● *S. m.* **3.** O século XIV, ou século de trezentos; o período trecentista. [Nesta acepç. é us. com inicial maiúscula.] **4.** Algarismo representativo do número trezentos. **5.** Aquele ou aquilo que numa série de trezentos ocupa o último lugar.

tri[1]. *S. m.* F. red. de *tricampeão.*

tri[2]. *S. m.* F. red. de *tricampeonato.*

▲**tri-.** [Do gr. *treîs, traía, triôn,* atr. do lat. *tres, tria.*] *El. comp.* = 'três': *triciclo, trifásico, trigrama, trilhão, trilitro.* [Equiv.: *tris-; trisanual.*]

triacanto. [De *tri-* + *-acanto.*] *Adj. Morfol. Veg.* Que tem três espinhos.

triacontaedro. [Do gr. *triákonta,* 'trinta', + *-edro.*] *S. m. Geom.* Poliedro de 30 faces.

triacontágono. [Do gr. *triákonta,* 'trinta', + *-gomo*[1].] *S. m. Geom.* Polígono de 30 lados.

tríada. *S. f.* **1.** Var. de *tríade.* **2.** *Cálc. Vect.* Operador formado pela justaposição de três vectores. [Cf. *díada, políada* e *tétrada.*]

tríade. [Do gr. *triás, ádos,* 'trindade', pelo lat. *triade.*] *S. f.* **1.** Conjunto de três pessoas ou três coisas; trindade, trilogia. **2.** *Mús.* Acorde de três sons. **3.** *Morfol. Veg.* Conjunto de três órgãos ou partes vegetais (ou células) iguais. Ex.: flores em tríades. [Var.: *tríada.*]

triadelfo. [De *tri-* + *adelfo.*] *Adj. Morfol. Veg.* Diz-se dos estames cujos filetes estão soldados em três feixes.

triádico. *Adj.* **1.** Relativo a tríade ou trindade. **2.** *Geol.* Triásico. ~ V. *período* —. ● *S. m.* **3.** *Cálc. Vect.* Soma de duas ou mais tríadas [v. *tríada* (2).].

triaga. *S. f.* Var. de *teriaga.*

triagem. [Do fr. *triage.*] *S. f.* Seleção, escolha; separação: "Como censor e um dos diretores da Impressão Régia é [o Visconde de Cairu] um fiscal da cultura, pela triagem constante das obras que nela se publicam." (San Tiago Dantas, *Figuras do Direito,* p. 15.)

triagueiro. *S. m.* Indivíduo que prepara triagas.

trialado. [De *tri-* + *alado.*] *Adj.* Que tem três asas.

triálcool. [De *tri-* + *álcool.*] *S. m. Quím.* Substância orgânica em cuja molécula existem três grupamentos hidroxila. [Pl.: *triálcoois.*]

triandria. [De *tri-* + *-andro-* + *-ia.*] *S. f. Morfol. Veg.* Existência de três estames na flor. [Cf. *triândria.*]

triândria. [De *triandro* + *-ia.*] *S. f.* O conjunto dos vegetais triandros. [Cf. *triandria.*]

triândrico. [De *triandro* + *-ico*[2].] *Adj. Morfol. Veg.* V. *triandro.*

triândrio. *Adj. Morfol. Veg.* V. *triandro.*

triandro. [De *tri-* + *-andro.*] *Adj. Morfol. Veg.* Que apresenta triandria; triândrico, triândrio: *espécie triandra.*

triangulação. *S. f.* **1.** Ato ou efeito de triangular[2] (1). **2.** Levantamento topográfico ou geodésico, que consiste em cobrir a área levantada por uma rede de triângulos, e no qual só é necessário medir diretamente um lado do triângulo inicial, que passa a constituir a base da triangulação.

triangulado. [Part. de *triangular*[2].] *Adj.* Dividido em triângulos.

triangulador (ô). *S. m. Bras.* Aquele que pratica triangulação (2).

triangular[1]. [Do lat. *triangulare.*] *Adj. 2 g.* **1.** Que tem forma de triângulo. **2.** Que tem por base um triângulo. **3.** Que tem três ângulos. [Sin. ger.: *trígono.*] **4.** Que se realiza mediante o concurso de três países, firmas, pessoas, etc. ~ V. *determinante* —, *folha* — e *número* —.

triangular[2]. [De *triângulo* + *-ar*[2].] *V. t. d.* **1.** Dividir em triângulos. *Int.* **2.** *Fut.* deslocar-se (a bola), descrevendo um triângulo imaginário. **3.** *Fut.* Movimentar-se (parte da equipe), fazendo uma jogada, em formação triangular. [Pres. ind.: *triangulo, triangulas,* etc. Cf. *triângulo,* s. m., e *Triângulo,* astr.]

triangulino. *Adj.* **1.** De, ou pertencente ou relativo ao Triângulo Mineiro. ● *S. m.* **2.** O natural dessa região de MG.

triângulo. [Do lat. *triangulu.*] *S. m.* **1.** *Geom.* Polígono de três lados. [Sin. (p. us.): *trilátero.*] **2.** Qualquer objeto em forma de triângulo. **3.** *Mús.* Ferrinhos: "A banda de couro, constituída da zabumba, das cinco caixas, dos dois flautins de taquara furada a ferro quente e do triângulo, executava seus toques monótonos." (Bernardo Élis, *Veranico de Janeiro,* p. 31). **4.** *Pop.* Forca (1). [Cf. *triangulo,* do v. *triangular.*] ◆ **Triângulo acutângulo.** *Geom.* Triângulo em que todos os ângulos são agudos. **Triângulo amoroso.** Situação amorosa em que se acham envolvidas três pessoas: marido, mulher e amante. **Triângulo astronômico.** *Astr.* e *Náut.* Triângulo de posição. **Triângulo birretângulo.** *Geom.* Triângulo esférico que tem dois ângulos retos. **Triângulo de Pascal.** *Mat.* Algoritmo por meio do qual se podem calcular os coeficientes do binômio, dispondo-os num arranjo triangular em que cada número é igual à soma dos dois que se lhe superpõem; triângulo de Tartaglia. **Triângulo de posição.** *Astr.* e *Náut.* Triângulo esférico, traçado na esfera celeste, e que permite calcular as coordenadas geográficas (latitude e longitude) de qualquer observador situado na superfície da Terra, mediante a observação da altura de determinados astros (Sol, Lua, Mercúrio, Marte, Vênus, e cerca de 60 estrelas, cujas efemérides astronômicas são registradas nos almanaques náuticos), e do exato instante em que essa altura é observada. [Sin.: *triângulo astronômico.*] **Triângulo de reversão.** Trecho de ferrovia formado por duas curvas e uma reta, e utilizado para inverter o sentido das locomotivas. **Triângulo de Tartaglia.** *Mat.* Triângulo de Pascal. **Triângulo do açúcar.** Expressão criada por Gilberto Freire, sociólogo e historiador social brasileiro (1900- —), para designar o conjunto constituído pela casa-grande (inclusive a senzala), o engenho de açúcar e a capela. **Triângulo eqüiângulo.** *Geom. P. us.* Triângulo eqüilátero. **Triângulo eqüilátero.** *Geom.* O que tem os três ângulos iguais. [Sin., p. us.: *triângulo eqüiângulo.* Cf. *triângulo isóscele* e *triângulo escaleno.*] **Triângulo escaleno.** *Geom.* O que tem todos os ângulos e lados desiguais. [Cf. *triângulo eqüilátero* e *triângulo isóscele.*] **Triângulo esférico.** *Geom.* **1.** Figura formada por três arcos de círculo máximo que unem três pontos de uma superfície esférica. **2.** Polígono esférico de três lados. **Triângulo espanhol.** *Tip.* Parágrafo espanhol. **Triângulo geodésico.** *Geom. Dif.* Numa superfície, triângulo formado por três geodésicas que se interceptam duas a duas. **Triângulo isóscele.** *Geom.* O que tem dois lados e, portanto, dois ângulos iguais. [Cf. *triângulo eqüilátero* e *triângulo escaleno.*] **Triângulo Mineiro.** A porção ocidental de MG, compreendida entre as orlas dos rios Paranaíba e Grande. **Triângulo obliquângulo.** *Geom.* O que não é retângulo. **Triângulo obtusângulo.** *Geom.* O que tem um ângulo obtuso. **Triângulo retângulo.** *Geom.* O que tem um ângulo reto. **Triângulo trirretângulo.** *Geom.* Triângulo esférico em que os três ângulos são retos.

triarca. [De *tri-* + *arca.*] *S. m.* Cada um dos membros de uma triarquia.

triarestado. [De *tri-* + *aresta* + *-ado*[1].] *Adj. Morfol. Veg.* Que tem três arestas.

triarquia. [Do gr. *triarchís.*] *S. f.* **1.** Governo de três indivíduos; triunvirato. **2.** Conjunto de três Estados. **3.** Trirregno (1).

triarticulado. [De *tri-* + *articulado.*] *Adj. Zool.* Diz-se do apêndice dos artrópodes quando formado por três artículos: *antena triarticulada.*

triásico. [Do gr. *triâs*, pelo lat. *trias*, 'trindade' + *-ico*[2].] *Adj.* e *s. m. Geol.* V. *período —.*

triatomíneo. *S. m.* **1.** Espécime dos triatomíneos. ● *Adj.* **2.** Pertencente ou relativo a eles.

triatomíneos. *S. m. pl. Zool.* Subfamília (*Tryatominae*) de insetos, da ordem dos hemípteros, onde se encontra o *barbeiro.*

triaxífero (cs). [De *tri-* + *axífero.*] *Adj. Morfol. Veg.* Que tem três eixos.

tríbade. [Do gr. *tribás, ádos*, de *tríbo*, 'esfregar'.] *S. f.* Mulher que pratica o tribadismo.

tribadismo. [De *tríbade* + *-ismo.*] *S. m.* Homossexualismo feminino, consistente no atrito recíproco dos órgãos genitais. [Cf. *lesbianismo.*]

tribal. *Adj. 2 g.* Pertencente ou relativo a tribo; tribul. ~ V. *metade —.*

tribásico. [De *tri-* + *básico.*] *Adj. Quím.* Que contém três átomos de hidrogênio substituíveis, em uma molécula.

triblástico. [De *tri* + *-blast(o)-* + *-ico*[2].] *Adj.* e *s. m.* Triploblástico.

tribo. [Do lat. *tribu.*] *S. f.* **1.** Cada uma das partes em que se dividiam algumas nações ou povos antigos. **2.** O conjunto dos descendentes de cada um dos 12 patriarcas, entre os judeus. **3.** Grupo étnico unido pela língua, pelos costumes, pelas tradições e pelas instituições, e que vive em comunidade, sob um ou mais chefes. **4.** Pequeno agrupamento social de características rudimentares. **5.** *Joc.* Grupo numeroso e unido; família muito grande: *Como vai a sua tribo?* **6.** *Anál. Mat.* Subconjunto não vazio das partes de um conjunto, estável sobre complementação e uniões enumeráveis entre seus elementos. **7.** *Bot.* e *Zool.* Categoria taxionômica inferior a subfamília. ♦ **Tribo boreliana.** *Anál. Mat.* A que é gerada pelo conjunto das partes abertas de um espaço.

▲**tribo-** [Do gr. *tríbos, ou.*] *El. comp.* = 'ação de esfregar', 'atrito': *triboeletricidade.*

triboeletricidade. [De *tribo-* + *eletricidade.*] *S. f. Fís.* Eletricidade que se forma mediante o atrito de dois corpos.

triboelétrico. [De *tribo-* + *elétrico.*] *Adj.* Respeitante à eletrização por fricção.

tribofar. [De *tribofe* + *-ar*[2].] *V. int.* **1.** Trapacear em corridas de cavalos. **2.** *P. ext.* Trapacear (2).

tribofe. *S. f. Bras. Gír.* **1.** Conchavo fraudulento em corridas de cavalos. **2.** Trapaça em qualquer jogo. **3.** *P. ext.* Trapaça, logro [q. v.]. **4.** Namoro pouco sério: namorico, namorilho. **5.** V. *namoro* (1).

tribofeiro. *S. m. Bras. Gír.* Indivíduo que faz tribofes; trapaceiro.

triboluminescência. [De *tribo-* + *luminescência.*] *S. f. Fís.* Luminescência produzida por atrito, em certas substâncias.

tribometria. [De *tribo-* + *-metr(o)-*[2] + *-ia.*] *S. f. P. us.* Parte da ciência que trata da medida das forças de atrito.

tribométrico. *Adj.* Relativo à tribometria.

tribômetro. [De *tribo-* + *-metro.*] *S. m.* Aparelho com que se mede a força do atrito.

tríbraco. [Do gr. *tríbrachys*, 'que tem três breves', pelo lat. *tribrachu.*] *S. m.* Pé de verso grego ou latino, formado de três sílabas.

tribracteado. [De *tri-* + *bracteado.*] *Adj. Morfol. Veg.* Que tem três brácteas.

tribracteolado. [De *tri-* + *bracteolado.*] *Adj. Morfol. Veg.* Que tem três bractéolas.

tribufe. *Adj. 2 g. Bras. Pop.* V. *maltrapilho* (1).

tribufu. *Adj. 2 g. Bras., BA. Pop.* **1.** V. *maltrapilho* (1). ● *S. m.* **2.** *Bras., MG.* Preto feio. [F. paral.: *trubufu.*]

tribul. [Do lat. *tribule.*] *Adj. 2 g.* Tribal.

tribulação. [Do lat. *tribulatione.*] *S. f.* **1.** Adversidade, contrariedade: "Para levar a carta a seu destino, teve o matuto de caminhar a pé. Ele viu nisso uma nova *tribulação* com que a sorte o punia da sua loucura." (Franklin Távora, *O Cabeleira*, p. 261.) **2.** Aflição, amargura, tormento. [F. paral.: *atribulação.*]

tribular. [Do lat. *tribulare.*] *V. t. d., int.* e *p. Ant.* Atribular. [Pres. ind.: *tribulo*, etc. Cf. *tríbulo.*]

tríbulo. [Do gr. *tríbolos*, 'que tem três dardos, três pontas', pelo lat. *tribulu*, 'cardo'.] *S. m.* Erva rastejante, da família das zigofiláceas (*Tribulus maximus*), que ocorre na Índia e América do Norte, e alcança o Peru e a Bolívia, mas não o Brasil, de folhas pequenas, estipuladas e com seis a oito folíolos sésseis, ovados e pilosos, flores inconspícuas, douradas e solitárias, e cujo fruto é uma cápsula que se fragmenta em 10 cocos. [Cf. *tribulo*, do v. *tribular.*]

tríbulo-aquático. *S. m.* Erva natante da família das enoteráceas (*Trapa natans*), nativas na Europa, cujas folhas flutuantes e rosuladas são arredondadas, denteadas na porção superior e algo vilosas embaixo, e cujas folhas submersas são radiciformes. As flores são pequenas, solitárias, têm quatro pétalas e quatro estames, e o fruto é turbiniforme, duro, monospermo, com 2,5 a 5 cm de diâmetro e comestíveis. [Sin.: *abrolho-aquático, castanha-d'água.* Pl.: *tríbulos-aquáticos.*]

tribuna. [Do lat. *tribuna.*] *S. f.* **1.** Lugar elevado de onde falam os oradores. **2.** Púlpito (1). **3.** Lugar reservado para autoridades e pessoas importantes por ocasião de reunião pública. **4.** *P. ext.* Arquibancada (1): *a tribuna popular do Jóquei Clube.* **5.** *Fig.* Arte de falar em público; eloqüência.

tribunado. [Do lat. *tribunatu.*] *S. m.* **1.** Cargo de tribuno. **2.** Tempo de exercício desse cargo. [F. paral.: *tribunato.*]

tribunal. [Do lat. *tribunale.*] *S. m.* **1.** Cadeira de juiz ou magistrado. **2.** Jurisdição dum magistrado, ou de um corpo de magistrados que julgam em conjunto. **3.** Casa onde se discutem e julgam as querelas judiciais. **4.** Entidade moral capaz de formar juízo e considerar-se juiz. **5.** Tudo que julga. **6.** Lugar onde se é julgado. **7.** Corpo coletivo superior; conselho. **8.** *Ant.* Designação genérica de qualquer órgão de deliberação coletiva, fosse de natureza administrativa, ou judiciária, ou consultiva, etc. ♦ **Tribunal de contas.** *Bras.* Órgão independente dos três poderes constitucionais, com jurisdição própria, e privativa, incumbido de fiscalizar a execução do orçamento e julgar as contas dos responsáveis por dinheiros e outros bens públicos, e bem assim de apreciar a legalidade de certos atos. **Tribunal de Deus.** A justiça divina. **Tribunal de justiça.** *Bras.* Órgão colegiado constituído de juízes de segunda instância (desembargadores), com jurisdição comum, subdividido em seções, câmaras ou turmas, e competente para julgar os recursos das decisões de primeira instância e as causas originárias que lhe são reservadas por lei; foro. **Tribunal do júri.** V. *júri* (1). **Tribunal misto.** O que se compõe de juízes leigos e togados, como o tribunal do júri. **Tribunal pleno.** Sessão de um tribunal para exame de matéria muito importante, e à qual devem comparecer todos os membros. **Supremo Tribunal Federal.** *Bras.* A mais alta corte de justiça do País, cujos membros são designados *ministros.* [Tb. se diz apenas *Supremo.*]

tribunato. [Do lat. *tribunatu.*] *S. m.* Tribunado.

tribunício. [Do lat. *tribuniciu.*] *Adj.* **1.** Relativo a, ou próprio de tribuno. **2.** Que tem ares, modos, ou vocação ou talento de tribuno: "pouco depois o tipo mais perfeitamente *tribunício* que ainda sustentou em Portugal uma pasta e um partido, deixava devoluto .... o eminente lugar que ocupara na tribuna parlamentar." (Ramalho Ortigão, *Em Paris*, p. 85).

tribuno. [Do lat. *tribunu.*] *S. m.* **1.** Na Roma antiga, magistrado que atuava junto ao Senado em defesa dos direitos e interesses do povo. **2.** Orador revolucionário ou de assembléias políticas.

tributação. *S. f.* Ato ou efeito de tributar.

tributal. *Adj. 2 g.* Relativo a tributo.

tributando. *Adj.* **1.** Que deve ser tributado. **2.** Sujeito a tributo.

tributar. *V. t. d.* **1.** Impor tributos ou impostos a; taxar: *Os romanos tributavam as províncias.* **2.** Prestar ou dedicar a (alguém ou algo), como tributo. *T. d. e i.* **3.** Pagar como tributo. **4.** Prestar, render, dedicar: *Tributemos-lhe homenagens: foi um grande homem. P.* **5.** Tornar-se tributário; cotizar-se, contribuir. [Fut. do pret.: *tributaria*, etc. Cf. *tributária*, fem. de *tributário.*]

tributário. [Do lat. *tributariu.*] *Adj.* **1.** Que paga tributo, que é sujeito a pagá-lo; contribuinte. ~ V. *direito —.* ● *S. m.* **2.** Aquele que é tributário (1). **3.** Afluente (4). [Fem.: *tributária.* Cf. *tributaria*, do v. *tributar.*]

tributável. *Adj.* Que se pode ou deve tributar.

tributo. [Do lat. *tributu.*] *S. m.* **1.** Riquezas que um Estado paga a outro em sinal de dependência. **2.** Imposto, contribuição. **3.** Aquilo que se concede por hábito ou necessidade. **4.** Aquilo que se é obrigado a sofrer. **5.** Homenagem, preito.

tribuzana. *S. 2 g. Bras.* V. *trabuzana.*

trica. [Do lat. *trica* < *tricas.*] *S. f.* **1.** Chicana, trapaça, tramóia. **2.** Enredo, intriga, mexerico: "Logo ao desembarcar foi servir numa paróquia em Minas, onde viveu, quase vinte anos, dizendo missas, casando, batizando e se metendo em *tricas* de política." (Luís Edmundo, *De um Livro de Memórias*, II, p. 345.) **3.** V. *ninharia.*

tricama. [De *tri-* + *cama.*] *S. f. Bras.* Conjunto formado de três camas sobrepostas e móveis. [Cf. *beliche* (1).]

tricampeã. *S. f.* e *adj. (f.)* Fem. de *tricampeão* [q. v.].

tricampeão. [De *tri-* + *campeão.*] *S. m.* Indivíduo, clube, etc., que é três vezes campeão. [Tb. us. como adj. F. red.: *tri.* Fem.: *tricampeã.*]

tricampeonato. [De *tri-* + *campeonato.*] *S. m.* Campeonato alcançado pela terceira vez. [F. red.: *tri.*]

tricana. *S. f.* **1.** Espécie de burel (1) antigo. **2.** A saia feita desse burel: "uma rapariga vestida de *tricana*, xaile e lenço preto" (Júlio Dantas, *Abelhas Doiradas*, p. 111). **3.** *Lus.* Moça do povo ou do campo.

tricapsular. [De *tri-* + *capsular.*] *Adj. 2 g. Morfol. Veg.* Que tem três cápsulas.

tricarpelar. [De *tri-* + *carpelar.*] *Adj. 2 g. Morfol. Veg.* Diz-se do ovário constituído por três carpelos.

tricásio. *S. m. Morfol. Veg.* Inflorescência cimosa que abaixo do eixo principal, terminado por uma flor, apresenta três râmulos floríferos.

tricéfalo. [De *tri-* + *-céfalo.*] *Adj.* e *s. m.* Que ou o que tem três cabeças.

tricelular. [De *tri-* + *celular.*] *Adj. 2 g. Morfol. Veg.* Que tem três células.

tricenal. [Do lat. *tricennale.*] *Adj. 2 g.* Que dura trinta anos.

tricentenário. [De *tri-* + *centenário.*] *Adj.* **1.** Que tem trezentos anos. ● *S. m.* **2.** Comemoração de fato notável ocorrido trezentos anos antes.

tricentésimo (zi). [De *tri-* + *centésimo.*] *Num.* e *s. m.* Trecentésimo.

tricêntrico. [De *tri-* + *centro* + *-ico*[2].] *Adj. Constr.* **1.** Que tem três centros: "A portada da igreja, de arco *tricêntrico* firmado em pilares polistilos de meio-relevo, era o mais claro testemunho da idade provecta do presbitério." (Alexandre Herculano, *Lendas e Narrativas*, II, p. 211.) **2.** Que tem três arcos sucessivos.

tríceps. *Adj. 2 g.* e *s. m.* Tricípite.

triciclo. [De *tri-* + *ciclo.*] *S. m.* **1.** Veículo leve, especial para crianças, dotado de selim, montado sobre três rodas (uma dianteira e duas traseiras), e impulsionado a pedal; velocípede. **2.** Veículo semelhante, maior, impulsionado a manivela ou a motor, e muito usado por aleijados. **3.** Veículo para pequenas entregas, impulsionado por meio de pedais, dotado de uma roda traseira e duas dianteiras, e com uma caixa fixada no eixo destas últimas. **4.** Antiga carruagem de três rodas.

tricinqüentenário. [De *tri-* + *cinqüentenário.*] *S. m.* Sesquicentenário.

trício[1]. [Do lat. científico mod. *tritium* < gr. *trítos*, 'terceiro'.] *S. m. Fís.* Isótopo do hidrogênio, de número de massa 3, gasoso, radioativo; trítio.

trício[2]. *Adj.* **1.** De, ou pertencente ou relativo a Trício, antiga cidade espanhola. ● *S. m.* **2.** O natural ou habitante de Trício.

tricípite. [Do lat. *tricipite*, 'de três cabeças'.] *Adj. 2 g.* **1.** Que tem três cabeças; tricéfalo. ● *S. m.* **2.** *Anat.* Cada um dos músculos que tem três feixes distintos em uma das extremidades. [F. paral.: *tríceps*.]

tricládio. [De *tri-* + *-clad(o)-* + *-io*[2].] *S. m.* **1.** Espécime dos triclădios. ● *Adj.* **2.** Pertencente ou relativo a eles.

triclădios. *S. m. pl. Zool.* Animais platelmintos, turbelários, da ordem *Tricladida*, terrestres ou de água doce, providos de tubo digestivo com três ramificações, boca ventral e faringe protrátil. Comprimento até 50 cm.

triclínico. [De *tri-* + *-clin(o)-*[2] + *-ico*[2].] *Adj.* Que tem três ângulos desiguais, os quais se cortam em ângulos oblíquos. ~ V. *sistema* —.

triclínio. [Do gr. *triklínion*, pelo lat. *tricliniu.*] *S. m.* Na Roma antiga, refeitório com três (ou mais) leitos inclinados dispostos em redor de uma mesa: "Lisonjeado Jove onipotente, / Falaz sempre, porém jamais vencido, / Cada um dos imortais farto e bebido / Vai deixando o triclínio de repente." (Luís Delfino, *Imortalidades*, I, p. 65.)

tricloroacetaldeído. *S. m. Quím.* Nome químico do cloral.

▲tric(o)-. [Do gr. *thríx, thrichós.*] *El. comp.* = 'pêlo', 'cabelo': *tricoglossia, tricologia.* [Equiv.: *triqu(i)-* e *-trico: triquíase, liótrico.*]

▲-trico. V. *tric(o)-.*

tricô. [Do fr. *tricot.*] *S. m.* **1.** Tecido utilizado na confecção de peças de vestuário e outras, executado à mão com duas agulhas onde se armam as malhas, de modo que o fio, passando de uma agulha para a outra, permite a execução de dois tipos de ponto que servem de base a grande variedade de padrões. [Cf. *malha*[1] (2), *ponto de meia* e *ponto de tricô.*] **2.** O mesmo tecido feito à máquina, quer de fabricação caseira, quer produzido industrialmente. **3.** *P. ext.* Artigo feito de tricô: *O tricô está muito na moda este ano.* **4.** O ato ou ofício de fazer tricô, de tricotar: *Graças ao tricô ela conseguiu equilibrar o orçamento da família.*

tricobezoar. *S. m.* V. *bezoar.*

tricoca. [De *tricoco.*] *S. f. Morfol. Veg.* Fruto composto de três cocos independentes, embora unidos.

tricocéfalo. [De *tric(o)-* + *céfalo.*] *S. m.* Tricuro.

tricociste. [De *tric(o)-* + *-ciste.*] *S. f. Patol.* Cisto piloso.

tricoco (ô). [De *tri-* + *coco.*] *Adj. Morfol. Veg.* Que tem três cocos: *cápsula tricoca.*

tricofitobezoar. *S. m.* V. *bezoar.*

tricógino. [De *tric(o)-* + *-gino.*] *S. m. Morfol. Veg.* Orgânulo alongado, piliforme, que capta os espermácios. Encontra-se em rodofíceas e liquens.

tricoglossia. [De *tric(o)-* + *-gloss(o)-* + *-ia.*] *S. f. Patol.* Estado da língua provocado pela hipertrofia das papilas e que lhe empresta a aparência de achar-se coberta de pêlos.

tricóide. [De *tric(o)-* + *-óide.*] *Adj. 2 g. Morfol. Veg.* Piliforme: *papila tricóide.*

tricolina. [Do fr. *tricoline.*] *S. f.* Tecido de algodão sedoso e leve, de trama bem fechada: "Dulce vestiu um chambre de tricolina e atendeu-a" (O. G. Rego de Carvalho, *Somos Todos Inocentes*, p. 20).

tricoline. *S. f.* V. *tricolina.*

tricologia. [De *tric(o)-* + *-log(o)-* + *-ia.*] *S. f.* Tratado sobre os pêlos ou os cabelos.

tricológico. *Adj.* Relativo à tricologia.

tricologista. *S. 2 g.* Especialista em tricologia.

tricolor (ô). [Do lat. *tricolore.*] *Adj. 2 g.* **1.** Que tem três cores. **2.** *Bras.* V. *fluminense*[2] (1 e 2): "Paulo Amaral já tem um esquema de abordagem direta dos problemas tricolores" (*Correio da Manhã*, Rio, 5.3.1970). **3.** *Bras.* V. *são-paulino* (1 e 2) ● *S. 2 g.* **4.** *Bras.* V. *fluminense*[2] (3). **5.** *Bras.* V. *são-paulino* (3).

tricolpado. [De *tri-* + *-colp(o)-* + *-ado*[1].] *Adj. Morfol. Veg.* Diz-se do pólen dotado de três sulcos.

tricolporado. [De *tri-* + *-colp(o)-* + *-por(o)-* + *-ado*[1], com haplologia.] *Adj. Morfol. Veg.* Diz-se do pólen provido de três sulcos com poros.

tricoma. [Do gr. *tríchoma.*] *S. m. Morfol. Veg.* Qualquer prolongamento ou produção da parede externa das células epidérmicas, como, p. ex., o pêlo, que é o tipo mais comum. [Nas cianofíceas o tricoma é formado por células enfileiradas e revestido de uma bainha mucilaginosa.]

tricomicterídeo. *S. m.* **1.** Espécime dos tricomicterídeos. ● *Adj.* **2.** Pertencente ou relativo a eles.

tricomicterídeos. *S. m. pl. Zool.* Família de peixes teleósteos, siluriformes, de água doce, que compreende os peixes de couro, assim chamados por apresentarem pele de consistência coriácea e com escamas transformadas em placas. Habitam águas límpidas de correntezas fracas em regiões altas.

tricomona. *S. f.* Espécie de animal protozoário, mastigóforo, zoomastigino, tetramitídeo, gênero *Trichomonas Donne*, de corpo ovóide, piriforme, metamórfico, com três a cinco flagelos livres que emergem anteriormente e um flagelo que volta ao ponto de origem, formando membrana ondulante na parte posterior. Parasita os aparelhos digestivo e genital, e a boca dos animais mamíferos e do homem.

tricóptero. [De *tric(o)-* + *-ptero.*] *S. m.* **1.** Espécime dos tricópteros. ● *Adj.* **2.** Pertencente ou relativo a eles. [Sin. ger.: *friganário, friganeódeo, friganido, friganóide, plicipene.*]

tricópteros. *S. m. pl. Zool.* Animais artrópodes, da classe dos insetos, da ordem *Trichoptera.* Têm o corpo revestido de pêlos ou escamas, aparelho bucal rudimentar, e quatro asas membranosas e pilosas, havendo, porém, algumas espécies ápteras. As fêmeas são braquípteras. Holometabólicos, vivem em lugares sombrios, junto aos rios e lagos, e depositam os ovos na água. As larvas têm o nome de *curubixá.* [Sin.: *friganários, friganeódeos, friganidos, friganóides, plicipenes.*]

tricordiano. [De *tri-* + *-cordi-* + *-ano.*] *Adj.* **1.** De ou pertencente ou relativo a Três Corações (MG). ● *S. m.* **2.** O natural ou habitante de Três Corações.

tricorne. [Do lat. *tricorne.*] *Adj. 2 g.* **1.** Que tem três cornos, pontas ou bicos. ● *S. m.* **2.** Tricórnio.

tricórnio. [De *tricorne* + *-io*[2].] *S. m.* Chapéu de três bicos; tricorne: "magníficos cocheiros, de tricórnios emplumados" (Antero de Figueiredo, *Toledo*, p. 117).

tricosaedro. *S. m. Geom.* Poliedro de 23 faces.

tricoságono. *S. m. Geom.* Polígono de 23 lados.

tricósporo. [De *tric(o)-* + *-sporo.*] *S. m. Micol.* Esporo que nasce na extremidade de um filamento miceliano.

tricotar. [Do fr. *tricoter.*] *V. int.* **1.** Fazer tricô (1): "A criança dorme. A mãe tricota junto ao leito, sonolenta." (Guido Vilmar Sassi, *Piá*, p. 73.) *T. d.* **2.** Fazer com o tricô (1): "tricotou uma suéter para o inverno." (Clarice Lispector, *A Via-Crúcis do Corpo*, p. 18). [F. paral., bras.: *tricotear.*]

tricotear. *V. int.* e *t. d. Bras.* Tricotar: "A mulher esperava o marido na varanda, tricoteando em sua cadeira de balanço." (Dalton Trevisan, *Novelas nada Exemplares*, p. 170.) [Conjug.: v. *frear.*]

tricoteiro. [De *tricô* + *-t-* + *-eiro.*] *S. m.* **1.** Pessoa que se ocupa em trabalhos de tricô. **2.** *P. ext. Bras. Fam.* Alcoviteiro, mexeriqueiro. [M. us. no fem.]

tricotiledôneo. [De *tri-* + *cotiledôneo.*] *Adj. Bot.* Diz-se da semente, ou da plantinha recém-germinada, anormalmente provida de três cotilédones.

tricotilo. [De *tri-* + *-cotilo.*] *Adj. Morfol. Veg.* Que tem três cotilédones.

tricotilomania. [De *tric(o)-* + gr. *tíllo*, 'depenar, e arrancar', + *-mania.*] *S. f. Psiq.* Hábito mórbido de arrancar continuamente os cabelos.

tricotilomaníaco. *Adj.* e *s. m.* Que ou aquele que tem tricotilomania.

tricotomia[1]. [Do gr. *trichotomía.*] *S. f.* **1.** Divisão em três partes, classes ou elementos. **2.** *Morfol. Veg.* Ramificação em que cada ramo se divide em três partes, e estas novamente em três, etc.

tricotomia[2]. [De *tric(o)-* + *-tom(o)-* + *-ia*] *S. f. Bras.* Raspagem pré-operatória dos pêlos de uma região do corpo.

tricotômico. *Adj.* Relativo à tricotomia[1] (2).

tricótomo. [Do gr. *trichótomos.*] *Adj.* **1.** Dividido em três. **2.** Que se faz por sucessivas divisões de três. **3.** *Morfol. Veg.* Que apresenta tricotomia (2): *caule tricótomo.*

tricroísmo. [Do gr. *tríchrous*, 'de três cores', + *-ismo.*] *S. m.* **1.** Propriedade de ter três cores diferentes, característica de certas substâncias. **2.** *Ópt.* Variação da cor de um cristal birrefringente biaxial, com a direção de observação.

tricromia. [Do gr. *tríchromos*, 'de três cores', + *-ia.*] *S. f. Fotograv.* **1.** Qualquer dos processos fotomecânicos que reproduzem as cores do original mediante superposição de três placas ou clichês, os quais, obtidos de negativos preparados por seleção cromática, se imprimem sucessivamente com as tintas correspondentes às cores amarela, vermelha e azul. [Para maior rendimento tonal da imagem e melhor percepção do modelado, acrescenta-se um quarto clichê [v. *quadricromia*], para o preto ou cinza, e, às vezes, um quinto, um sexto, ou mesmo um sétimo, representativos de variantes de cada cor.] **2.** Estampa obtida por esse processo. [Cf. *bicromia* (2) e *policromia.*]

tricuro. [Do lat. cient. *trichuris.*] *S. m.* Animal asquelminto, nematódeo, tricuróideo, da família dos tricurídeos, gênero *Trichuris Roederer*, de corpo mais afilado na porção anterior que na posterior. A evolução direta, por ingestão de ovos embrionados. A espécie *T. trichiura* (L.) é parasita do aparelho digestivo do homem e seus ovos medem 50 a 56 por 20 a 25 micra, podendo a fêmea adulta atingir o comprimento de 50 mm. [Sin.: *tricocéfalo.*]

tricuspidado. [De *tricúspide* + *-ado*[1].] *Adj. Morfol. Veg.* Tricúspide (2).

tricúspide. [Do lat. *tricuspide.*] *Adj. 2 g.* **1.** Que tem três pontas. [Cf. *trífido* (1).] **2.** *Morfol. Veg.* Que é tricúspide (1); tricuspidado: *filete tricúspide.* ~ V. *válvula* —. ● *S. f.* **3.** *Geom.* Hipociclóide em que o raio da circunferência móvel é três vezes menor que o da fixa; deltóide.

tridáctilo. [Do gr. *tridáktylos.*] *Adj. Zool.* Que tem três dedos. [Var.: *tridátilo.*]

tridátilo. *Adj. Zool.* Var. de *tridáctilo.*

tridecaedro. [De *tri-* + *decaedro.*] *S. m. Geom.* Poliedro de 13 faces.

tridecágono. [De *tri-* + *decágono.*] *S. m. Geom.* Polígono de 13 lados.

tridentado. [De *tridente* + *-ado*[1].] *Adj. Morfol. Veg.* Que tem três dentes: *lacínia tridentada.*

tridente. [Do lat. *tridente.*] *Adj. 2 g.* **1.** Que tem três dentes; tridentado. ● *S. m.* **2.** O cetro mitológico de Netuno, terminado por três dentes: "Argonautas aos remos, ao leme Netuno de barbas fluviais, empunhando o tridente clássico." (Ramalho Ortigão, *A Holanda*, p. 213.) **3.** *Fig.* O domínio dos mares. **4.** *P. ext.* O mar.

tridênteo. *Adj.* Relativo a tridente (2).

tridentífero. [Do lat. *tridentiferu.*] *Adj. Poét.* **1.** Que tem tridente (2). **2.** Que leva o tridente (2). [Sin. ger.: *tridentígero.*]

tridentígero. [Do lat. *tridentigeru.*] *Adj.* Tridentífero.

tridentino. [Do lat. *tridentinu.*] *Adj.* **1.** De, ou pertencente ou relativo a Trento (Itália). ● *S. m.* **2.** O natural ou habitante de Trento.

tridi. [Voc. onom., talvez.] *S. m. Bras.* V. *macuquinho.*

tridimensional. [De *tri-* + *dimensional.*] *Adj. 2 g.* Referente às três dimensões: comprimento, largura e altura. ~ V. *espaço* —.

tridimita. [Do gr. *trídymos*, 'triplo', + *-ita*[3].] *S. f. Min.* Uma das fases cristalinas da sílica, cristalizada no sistema trigonal e formada em temperatura mais alta que a do quartzo. Ocorre, geralmente, em lavas.

triduano. [Do lat. *triduanu.*] *Adj.* Que dura um tríduo (1).

tríduo. [Do lat. *triduu.*] *S. m.* **1.** Espaço de três dias consecutivos. **2.** Festa eclesiástica, que dura três dias. **3.** *P. ext.* Oração (1) que se faz em três dias consecutivos: *Ontem comecei o tríduo de Nossa Senhora, para ele ficar bom.* ♦ **Tríduo de Momo.** V. *carnaval* (2).

triecia. [De *tri-* + gr. *oikía*, 'casa, domicílio'.] *S. f. Bot.* Faculdade que tem uma espécie de planta de possuir flores masculinas, femininas e hermafroditas em pés diferentes, o que, aliás, é bem raro.

triécico. [De *triecia* + *-ico*[2].] *Adj.* Trióico.

triedro. [De *tri-* + *-edro.*] *S. m. Geom.* Figura formada por três planos mutuamente interceptantes, com um ponto comum.

trienado. [De *triênio* + *-ado*[1].] *S. m. P. us.* Triênio.

trienal. [Do lat. *trienne*, 'de três anos', + *-al.*] *Adj. 2 g.* **1.** Que dura um triênio (1). **2.** Que serve durante um triênio (1). **3.** Que frutifica de três em três anos. ● *S. f.* **4.** Exposição (de arte, em geral) que se realiza de três em três anos.

triênio. [Do lat. *trienniu.*] *S. m.* **1.** Espaço de três anos. **2.** Exercício dum cargo por três anos. [Sin. ger., p. us.: *trienado.*]

triental. *S. f.* Gênero de plantas primuláceas (*Trientalis*).

triestino. *Adj.* **1.** De, ou pertencente ou relativo a Trieste (Itália). ● *S. m.* **2.** O natural ou habitante de Trieste.

trifásico. [De *tri-* + *fase* + *-ico*[2].] *Adj. Elctr.* ~ V. *corrente* —*a.*

trifauce. [Do lat. *trifauce.*] *Adj. 2 g. Poét.* Que tem três fauces.

trífido. [Do lat. *trifidu.*] *Adj.* **1.** Dividido em três, ou que tem três partes; tríplice, trigêmino. [Cf. *tricúspide, trifurcado* e *trissulco.*] **2.** *Morfol. Veg.* Trifurcado: *gavinha trífida.*

trifilo. [De *tri-* + *-filo*[1].] *Adj. Morfol. Veg.* Diz-se do cálice formado de três peças.

trifloro. [De *tri-* + *-floro.*] *Adj. Poét.* Que tem três flores.

trifocal. [De *tri-* + *focal.*] *Adj. 2 g.* **1.** Que tem três focos. **2.** Diz-se de lente ou de óculos com três distâncias focais diferentes: uma para visão próxima, outra para visão a distância, e uma terceira intermediária. ● *S. m.* **3.** Óculos trifocais.

trifoliado. [De *tri-* + *foliado.*] *Adj.* Que tem três folhas; trifólio.

trifólio. [Do lat. *trifoliu.*] *S. m.* **1.** Trevo (1). **2.** V. *trevo-aquático.* **3.** Denominação comum a ervas forrageiras da família das leguminosas, dos gêneros *Trifolium* (exótico) e *Stylosanthes* (nativo). **4.** Ornato em forma de trevo (1); trevo. **5.** *Geom. Anal.* Podária da tricúspide em relação a um ponto do seu eixo de simetria, entre o vértice e a cúspide. ● *Adj.* **6.** Trifoliado.

trifoliolado. [De *tri-* + *foliolado.*] *Adj.* ~ V. *folha* —*a.*

trifoliose. [De *trifólio* + *-ose.*] *S. f.* Envenenamento do cavalo, produzido pelo trevo híbrido.

trifório. [De *tri-* + lat. *fores*, 'porta exterior', + *-io*[2].] *S. m.* Galeria apertada, numa igreja, sobre as arquivoltas das naves laterais, e que em geral apresenta três aberturas em cada vão: "as rosáceas e os vitrais, vencidos pela noite, entram no sono das suas cores místicas; e a arcatura gótica do trifório cada vez mais se empasta no claro-escuro do granito antigo." (Antero de Figueiredo, *Toledo*, p. 66).

triforme. [Do lat. *triforme.*] *Adj. 2 g.* Que tem três formas.

trifraternense. [De *tri-* + *lat. frater*, 'irmão', + *-ense.*] *Adj. 2 g.* **1.** De, ou pertencente ou relativo a Três Irmãos (RJ). ● *S. 2 g.* **2.** Natural ou habitante de Três Irmãos.

trifurcação. [De *trifurcar* + *-ção.*] *S. f.* Divisão em três ramos ou partes.

trifurcado. [Part. de *trifurcar.*] *Adj.* Dividido em três ramificações: *tronco trifurcado; estrada trifurcada.* [Cf. *trífido* (1).]

trifurcar. [Do lat. *trifurcu*, 'que tem três pontas', + *-ar*[2].] *V. t. d.* **1.** Dividir em três partes, ramos, caminhos, etc. *P.* **2.** Dividir-se em três partes, ramos, caminhos, etc. **3.** Classificar-se triplicemente. [Conjug.: v. *trancar.*]

triga. [Do lat. *triga.*] *S. f. Desus.* Pressa, afã, azáfama, trigança.

trigal. *S. m.* **1.** Quantidade mais ou menos considerável de trigos dispostos proximamente entre si. **2.** Campo de trigo; seara.

trigamia. [Do gr. *trigamía.*] *S. f.* Estado ou condição de trígamo.

trigamilha. *Adj. (f.)* **1.** Diz-se da farinha mista de trigo e milho. ● *S. f.* **2.** Pão feito com essa farinha.

trígamo. [Do gr. *trígamos.*] *S. m.* Indivíduo casado com três mulheres ao mesmo tempo, ou que se casou três vezes.

trigança. *S. f. Desus.* V. *triga.*

trigar-se. [De *triga* + *-ar*[2] + *se*[1].] *V. p. Desus.* Andar com pressa; apressar-se, azafamar-se. [Conjug.: v. *largar.*]

trigêmeo. [Do lat. *trigeminu.*] *S. m.* **1.** Cada um dos três indivíduos nascidos do mesmo parto. **2.** *Anat.* Nervo trigêmeo. ● *Adj.* **3.** Diz-se de cada um dos indivíduos nascidos do mesmo parto; tergêmino. ~ V. *nervo* —.

trigeminada. [De *trigêmino* + o fem. de *-ado*[1].] *Adj. (f.)* e *s. f.* Diz-se de, ou janela dividida em seis vãos.

trigeminal. *Adj. 2 g.* Relativo a nervo trigêmeo, ou que nele se localiza.

trigêmino. [Do lat. *trigeminu.*] *Adj.* V. *trífido* (1).

trigésimo. (zi). [Do lat. *trigesimu.*] *Num.* **1.** Ordinal e fracionário correspondente a trinta; trinta [q. v.]. ● *S. m.* **2.** Cada uma das trinta partes em que se divide um todo; a trigésima parte; trintena. **3.** Aquele ou aquilo que ocupa o trigésimo lugar.

triginia. *S. f. Morfol. Veg.* Qualidade de trígino. [Cf. *trigínia.*]

trigínia. [De *trígono* + *-ia.*] *S. f. Morfol. Veg.* O conjunto das plantas que têm três carpelos. [Cf. *triginia.*]

trigínico. *Adj. Morfol. Veg.* Trígino.

trígino. [De *tri-* + *-gino.*] *Adj. Morfol. Veg.* Que tem três carpelos; trigínico.

trigla. [De *tri-* + a term. de *sigla.*] *S. f.* Vocábulo composto com as três primeiras letras de cada palavra fundamental de uma denominação dada. [Cf. *bigla* e *sigla* (4).]

triglicerídeo. *S. m. Quím.* Triglicídeo.

triglicídeo. *S. m. Quím.* Designação genérica dos ésteres do glicerol, nos quais cada hidroxila combina-se com um radical ácido; triglicerídeo.

triglídeo. *S. m.* **1.** Espécime dos triglídeos. ● *Adj.* **2.** Pertencente ou relativo a eles.

triglídeos. *S. m. pl. Zool.* Família de peixes actinopterígios, da subordem dos escorpenóideos. Ex.: a cabrinha.

tríglifo. [Do gr. *tríglyphos*, 'com três sulcos', pelo lat. *triglyphu.*] *S. m.* Ornato arquitetônico em um friso de ordem dórica, e que consta de três sulcos.

triglota. [De *tri-* + *-glota.*] *Adj. 2 g.* **1.** Escrito ou composto em três línguas. **2.** Que conhece ou fala três línguas. ● *S. 2 g.* **3.** Quem conhece ou fala três línguas. [Sin. ger.: *trilíngüe.*]

trigo. [Do lat. *triticu.*] *S. m.* **1.** Planta herbácea, da família das gramíneas *(triticum vulgare)*, cultivada em todas as terras temperadas, inclusive no S. do Brasil, em virtude dos frutos alimentícios. As flores, mínimas, reúnem-se em espículas, que se congregam em espigas compostas bem amplas; os frutos são cariopses ricas em amido, com as quais se prepara a farinha de trigo, panificável por conter proteína (glute). **2.** O grão dessa planta: *moer o trigo.* **3.** *Fig.* O pão (7): *Comungou nas duas espécies: o vinho e o trigo.* ● *Adj.* **4.** Feito de trigo: "Regalou-o com um pastelão de ovos e lingüiça, pão trigo e um copo de vinho." (João de Araújo Correia, *Cinza do Lar*, p. 193.) ♦ **Trigo durázio.** Escândea. **Trigo de prioste.** Trigo escolhido. **Não ser trigo limpo.** *Bras., S.* **1.** Não ser boa pessoa. **2.** Ser pouco escrupuloso, ou ser valente, de gênio irascível: "Blau!... não cochiles: o ruivo não é trigo limpo!..." (Simões Lopes Neto, *Contos Gauchescos e Lendas do Sul*, p. 179.)

trigo-moiro. *S. m.* Var. de *trigo-mouro* [q. v.]. [Pl.: *trigos-moiros.*]

trigo-mouro. *S. m.* V. *fagópiro.* [Var.: *trigo-moiro.* Pl.: *trigos-mouros.*]

trigonal. [De *trígono* + *-al.*] *Adj. 2 g. Min.* Romboédrico (2). ~ V. *orbital* — e *sistema* —.

trigoniácea. *S. f.* Espécime das trigoniáceas.

trigoniáceas. *S. f. pl.* Família de plantas floríferas, da ordem das geraniales, composta de arbustos, árvores e trepadeiras, de flores hermafroditas, zigomorfas, com cinco a 10 estames, e cujo fruto é cápsula trilobada e septícida. Habitam as zonas tropicais do orbe, e são poucas as brasileiras. Não têm qualquer valor.

trigoniáceo. *Adj.* Pertencente ou relativo às trigoniáceas.

trígono. [Do gr. *trígonos*, 'triangular', pelo lat. *trigonu.*] *Adj.* **1.** V. *triangular*[1]. ● *S. m.* **2.** Gênero de moluscos **3.** *Astr.* Aspecto de dois planetas cuja distância angular é de 120°. ♦ **Trígono vesical.** *Anat.* Espaço triangular na bexiga, entre as aberturas dos ureteres e o orifício da uretra.

trigonocarpo. [De *trígono* + *-carpo.*] *Adj. Morfol. Veg.* Diz-se da planta cujos frutos têm a seção transversal triangular.

trigonocéfalo. [De *trígono* + *-céfalo.*] *Adj.* e *s. m.* Que ou aquele que tem cabeça triangular[1] (1).

trigonocórneo. [De *trígono* + *-corno(i)-* + *-eo.*] *Adj. Zool.* Diz-se do inseto cujas antenas são triangulares.

trigonometria. [De *trígono* + *-metr(o)-*[2] + *-ia.*] *S. f.* **1.** Parte da matemática em que se estudam as funções trigonométricas [q. v.] e se estabelecem os métodos de resolução de triângulos. **2.** Tratado ou compêndio dessa matéria: *Comprou uma boa trigonometria.* **3.** Exemplar de um desses tratados ou compêndios. ♦ **Trigonometria esférica.** Parte da trigonometria em que se estudam os triângulos esféricos. **Trigonometria plana.** Parte da trigonometria que investiga os triângulos planos.

trigonométrico. *Adj.* **1.** Relativo à trigonometria. **2.** Conforme às regras da trigonometria. [Cf. *secante*[2].] ~ V. *função* —*a*, *função* —*a inversa*, *paralaxe* —*a* e *sentido* —.

trigo-sarraceno. *S. m.* V. *fagópiro.* [Pl.: *trigos-sarracenos.*]

trigrama. [De *tri-* + *-grama.*] *S. m.* **1.** Palavra de três letras. **2.** Sinal formado por três caracteres reunidos.

trigueiro. [De *trigo* + *-eiro.*] *Adj.* **1.** Que tem a cor do trigo maduro; moreno, bistrado; triguenho: "Ele é moreno, / Da cor trigueira dos meridionais, / E tem olhar nostálgico e sereno / De um sonhador de ideais." (Mário Pederneiras, *Histórias do Meu Casal*, p. 16.) **2.** Referente ou semelhante ao trigo; triguenho. ● *S. m.* **3.** Indivíduo trigueiro. [Fem.: *trigueira.* Cf. *triguera.*]

triguenho. *Adj.* V. *trigueiro* (1 e 2).

triguera (ê). *S. f.* Gênero de plantas solanáceas. [Cf. *trigueira*, fem. de *trigueiro.*]

triguilho. [De *trigo* + *-ilho.*] *S. m.* Resíduo ou farelo de trigo.

triiodado. *Adj. Quím.* Diz-se de substância que tem três átomos de iodo por molécula.

trijugado. [Do lat. *trijugu*, 'triplo', + *-ado*[1].] *Adj. Morfol. Veg.* Constituído de três pares de folíolos.

trilaminar. [De *tri-* + *laminar*[1].] *Adj. 2 g.* Constituído de três lâminas.

trilar. [De *trilo* + *-ar*[2].] *V. int.* **1.** Trinar; gorjear: "Gemem as juritis de volta ao pouso /E trilam docemente as patativas." (Ricardo Gonçalves, *Ipês*, p. 38). **2.** Emitir som de trilo (1): "Trila na noite uma flauta." (Fernando Pessoa, *Poesias de Fernando Pessoa*, p. 101.) *T. d.* **3.** Cantar formando trilos: "E o canário, quedando-se em cima do poleiro, trilou isto:/— Quem quer que sejas tu, certamente não estás em teu juízo." (Machado de Assis, *Páginas Recolhidas*, p. 93.)

trilateral. *Adj. 2 g.* Trilátero (1).

trilátero. [Do lat. *trilateru.*] *Adj.* **1.** Que tem três lados; trilateral. ● *S. m.* **2.** *Geom. P. us.* Triângulo (1).

trilema. [De *tri-* + *lema.*] *S. m.* Situação difícil, de que só se logra sair por um de três modos, todos muito penosos. [Cf. *dilema* (2).]

trilha[1]. [Dev. de *trilhar.*] *S. f.* **1.** Ato ou efeito de trilhar; trilhada. **2.** Debulha de cereais, na eira. **3.** Pista, vestígio, rasto. **4.** Vereda, senda, trilho. **5.** *Fig.* Exemplo, modelo. ♦ **Trilha sonora.** *Cin.* **1.** Fita magnética sobre a qual se grava o som de um filme. **2.** *P. ext.* A parte sonora de um filme, de uma produção de televisão, etc. **Dar na trilha.** Adivinhar as intenções de alguém; dar nos chesmininés.

trilha[2]. [Do it. *triglia.*] *S. f.* V. *salmonete.*

trilhada. [De *trilhar* + *-ada*[1].] *S. f.* Trilha[1] (1).

trilhado. [Part. de *trilhar.*] *Adj.* **1.** Que se trilhou. **2.** Calcado, pisado, batido. **3.** *Fig.* Conhecido, usado, trivial.

trilhador (ô). *Adj.* e *s. m.* Que ou aquele que trilha.

trilhadura. *S. f.* Trilhamento.

trilhamento. *S. m.* Ato ou efeito de trilhar; trilhadura.

trilhão. [De *tri-* + a term. de *milhão.*] *Num.* **1.** *Mat.* A décima oitava potência de dez. **2.** *Mat.* A décima segunda potência de dez. [Esta acepç. não é cientificamente recomendável, sendo preferível usar *bilhão.* F. paral.: *trilião.*]

trilhar. [Do lat. *tribulare*, 'debulhar'.] *V. t. d.* **1.** Esbagoar ou debulhar (cereais) com o trilho[1] (1). **2.** Moer, triturar, esmagar: *trilhar o grão.* **3.** Bater, pisar: *Costuma-se trilhar os talos de linho para extrair-lhes as sementes.* **4.** Reduzir a pequenos pedaços. **5.** Marcar com pegadas ou com rastos: *trilhar a terra.* **6.** Magoar, contundir. **7.** Seguir (caminho, direção); percorrer; palmilhar: *Trilhou o atalho à procura do companheiro.* **8.** Seguir (norma ou regra moral): *trilhar o bem.* **9.** Abrir caminho por; andar por: *Trilhar a mata;* "Adão foge, estonteado, trilha saibros pegajosos" (Eça de Queirós, *Contos*, p. 174).

trilheira. *S. f. Bras.* Trilho ou caminho muito acentuado na mata.

trilho[1]. [Do lat. *tribulu.*] *S. m.* **1.** Utensílio de lavoura para debulhar cereais. **2.** Utensílio de bater o leite no fabrico de queijo.

trilho[2]. [Dev. de *trilhar.*] *S. m.* **1.** Caminho, vereda, trilha. **2.** Rumo, direção. **3.** *Tip.* Cada uma das barras de ferro, em parte denteadas, sobre as quais correm as rodas do carro, em certas prensas de cilindro; calha, caminho. **4.** *Tip.* Cada uma das duas saliências laterais do cofre das minervas, onde giram as roldanas [*castanhas*] das extremidades dos rolos; calha. **5.** *Bras.* Cada uma das barras de aço (em geral em número de duas, e paralelas entre si), de formato especial, que se prolongam, assentadas e fixadas sobre dormentes, e que suportam e guiam as rodas dos veículos ferroviários, constituindo, assim, a superfície de rolamento de uma via férrea. [Sin., nesta acepç.: *linha* e (ant. e lus. *carril.*] ♦ **Trilho de fenda.** Trilho especial, usado em vias férreas urbanas e em linhas de bonde, com ranhura na superfície de rolamento para guiar as rodas dos veículos. **Andar fora dos trilhos.** Pisar fora do rego. **Sair fora dos trilhos.** Sair da linha.

trilião. *Num.* Trilhão.

trilice. [Do lat. *trilice.*] *Adj. 2 g.* Que tem três fios.

trilíngüe. [Do lat. *trilingue.*] *Adj. 2 g.* e *s. 2 g.* Triglota.

trilionésimo. *S. m. Mat.* Fração ordinária cujo numerador é a unidade e denominador um trilião.

triliteral. [De *trilítero* + *-al.*] *Adj. 2 g.* Trilítero.

trilítero. [De *tri-* + lat. *littera*, 'letra'.] *Adj.* Composto de três letras; triliteral.

trilo. [Do it. *trillo.*] *S. m.* **1.** Trinado, gorjeio: "E vem dos capoeirões onde anoitece / O *t r i l o* vesperal dos inambus." (Ricardo Gonçalves, *Ipês*, p. 45). **2.** Silvo de apito. **3.** *Mús.* V. *trinado* (2).

trilobado. [De *tri-* + *lobado.*] *Adj.* Que tem três lóbulos; trilobulado.

trilobite. [Do lat. cient. *trilobite* < gr. *trílobos*, 'de três lobos'.] *S. m.* Classe extinta de artrópodes que viveram em toda a era paleozóica.

trilobulado. [De *tri-* + *lobulado.*] *Adj.* trilobado.

trilocular. [De *tri-* + *locular.*] *Adj. 2 g. Morfol. Veg.* Que tem três lóculos.

trilogia. [Do gr. *trilogía.*] *S. f.* **1.** Na Grécia antiga, poema dramático constituído de três tragédias sobre um mesmo tema, para apresentação nos concursos públicos. **2.** *P. ext.* Peça científica ou literária em três partes. **3.** Conjunto de três obras ligadas entre si por um tema comum: "Com a *Revolta do Sangue*, termina, ao que parece, Francisco Costa a *t r i l o g i a* de romances iniciada com a *Garça e a Serpente*, e de que a *Primavera Cinzenta* é o painel central." (João Gaspar Simões, *Liberdade do Espírito*, p. 251.) **4.** Trindade, tríade, terno.

trilógico. *Adj.* Relativo a trilogia.

trílogo. [De *tri-* + *-logo.*] *S. m. Desus.* Conversação ou diálogo entre três pessoas.

trilongo. [Do lat. *trilongu.*] *Adj.* e *S. m.* V. *verso* —.

trilupa. [De *tri-* + *lupa.*] *S. f.* Espécie de lupa composta de três lentes.

trimaculado. [De *tri-* + *maculado.*] *Adj.* Que tem três malhas ou manchas.

trimembre. [Do lat. *trimembre.*] *Adj. 2 g.* Que tem três membros.

trimensal. [Do lat. *trimense*, 'que vem em três meses', + *-al.*] *Adj. 2 g.* Que se realiza três vezes por mês. [Cf. *trimestral.*]

trímero. [Do gr. *trimerés.*] *Adj.* **1.** Dividido em três partes. ● *S. m.* **2.** Substância cujo peso molecular é o triplo do de outra.

trimestral. [De *trimestre* + *-al.*] *Adj. 2 g.* **1.** Que dura três meses; trimestre. **2.** Que aparece ou se realiza de três em três meses. [Cf. *trimensal.*]

trimestralidade. [De *trimestral* + *-i-* + *-dade.*] *S. f. Bras.* **1.** Quantia em dinheiro relativa a um trimestre. **2.** Prestação trimestral.

trimestre. [Do lat. *trimestre.*] *S. m.* **1.** Período de três meses. **2.** Aquilo que se deve pagar ou receber no fim de cada três meses; prestação trimestral. ● *Adj. 2 g.* **3.** Trimestral (1).

trimétrico. [De *tri-* + *métrico.*] *Adj.* Relativo a três medidas diferentes.

trímetro. [Do gr. *trímetros*, pelo lat. *trimetru.*] *S. m.* **1.** Na métrica greco-romana, verso de três pés. **2.** Na métrica silábica, verso composto de três seções iguais, como, p. ex., o dodecassílabo divisível em três versos de quatro sílabas.

trimilenário. [De *tri-* + *milenário.*] *Adj.* **1.** Que tem três mil anos; três vezes milenário. ● *S. m.* **2.** Trimilênio (2).

trimilênio. [De *tri-* + *milênio.*] *S. m.* **1.** Período de três milênios. **2.** O terceiro milênio; trimilenário.

trimorfia. *S. f.* Trimorfismo.

trimorfismo. *S. m.* Qualidade ou estado de trimorfo; trimorfia.

trimorfo. [Do gr. *trímorphos.*] *Adj.* Diz-se das substâncias que podem cristalizar sob três diferentes fases cristalinas.

trimotor (ô). [De *tri-* + *motor.*] *Adj.* **1.** Que tem três motores. ● *S. m.* **2.** Avião de três motores.

trimúrti. [Do sânscr. *Trimurti.*] *S. f.* A trindade indiana que se compõe de Brama (o criador), Vixnu (o conservador) e Siva ou Xiva (o destruidor), e simboliza as três faces da Natureza.

trinacional. [De *tri-* + *nacional.*] *Adj. 2 g.* **1.** Pertencente ou relativo a três nações: "Uma empresa *t r i n a c i o n a l*, formada pelas estatais petrolíferas do Brasil, Venezuela e México, será criada em 90 dias com o objetivo de procurar petróleo em países da América Latina." (*Jornal do Brasil*, 19.10.1981.) **2.** Que se efetua entre três nações: *acordo t r i n a c i o n a l.* ● *S. 2 g.* **3.** Empresa ou organização que opera entre três países: "Cals informou que a *t r i n a c i o n a l* poderá operar também refinarias nos três países." (*Jornal do Brasil*, 19.10.1981.)

trinado. *S. m.* **1.** Ato de trinar; gorjeio, trilo, trino. **2.** *Mús.* Ornamento que consiste na articulação rápida e alternada de duas notas consecutivas, das quais a mais grave é a nota real; trilo, trino.

trinador (ô). *Adj.* Que trina.

trinar. *V. t. d.* **1.** Cantar com trinos; gorjear, trilar: *O pássaro t r i n a v a uma triste melodia. T. d. e i.* **2.** Dizer ou proferir em tom suave como um trinado: "Ela, a noiva, ela, a medrosa, / *T r i n o u*-me as juras primeiras, / Com doce voz." (Raimundo Correia, *Poesias*, p. 89.) **3.** Soltar trinos ou trinados; gorjear, trilar: "Os passarinhos *t r i n a v a m* nas árvores" (José Veríssimo, *Cenas da Vida Amazônica*, p. 313). **4.** Soar à maneira de trino ou gorjeio: "Sua risada *t r i n a* pitoresca" (Raimundo Correia, *Poesias*, p. 131); "a flauta *t r i n o u* rapidamente, o contrabaixo, em tom profundo, respondeu" (Coelho Neto, *Sertão*, p. 192). **5.** Ferir tremulamente as cordas de um instrumento.

trinca[1]. [De *três.*] *S. f.* **1.** Reunião de três coisas semelhantes. **2.** Conjunto de três cartas de jogar do mesmo valor: *t r i n c a de valetes.* **3.** *Bras. Pop.* Trio[1] (4). **4.** *Bras. Pop.* Malta de garotos de rua.

trinca[2]. [Dev. de *trincar.*] *S. f. Bras.* **1.** Arranhão, arranhadura. **2.** Fresta, rachadura.

trinca[3]. [Do esp. *trinca.*] *S. f. Constr. Nav.* Corrente ou cabo forte que prende o gurupés ao beque.

trinca-cevada. [De *trincar* + *cevada.*] *S. f.* Certo jogo popular. [Pl.: *trinca-cevadas.*]

trincada. *S. f. Bras.* Ato de trincar; dentada, mordida.

trincado. [Part. de *trincar.*] *Adj.* **1.** Rachado, fendido. **2.** *Constr. Nav.* Diz-se do tabuado ou chapeamento do forro externo do casco de certas embarcações, no qual cada fiada de tábuas ou de chapas se sobrepõe parcialmente à fiada seguinte. **3.** *Fig.* Malicioso, maldoso.

trincadura. [De *trincar* + *-(d)ura.*] *S. f. Bras.* Rachadura, fenda.

trinca-espinhas. [De *trincar* + o pl. de *espinha.*] *S. m. 2 n. Burl.* Indivíduo alto e magríssimo.

trinca-ferro. [De *trincar* + *ferro.*] *S. m. Bras.* Ave passeriforme, da família dos fringilídeos (*Saltator maximus* (P. L. S. Mül.)), que ocorre no Brasil e países limítrofes, de coloração geral olivácea, cabeça acinzentada, garganta ocre-claro, peito e abdome cinzento-oliváceo, lavado de ocre no meio. [Sin.: *sabiá-da-campina, sabiá-pimenta, sabiá-gongá, vaqueiro, estêvão, papa-pimenta, tempera-viola, bom-dia-seu-chico.* Pl.: *trinca-ferros.*]

trincafiado. [Part. de *trincafiar.*] *Adj.* ~ V. *volta* —a.

trincafiar. [F. dissimilada de *trancafiar*, por infl. de *trincar.*] *V. t. d.* **1.** Prender, amarrar ou coser com trincafio. **2.** Enclausurar, encarcerar, trancafiar.

trincafio. [Do esp. *trincafía.*] *S. m.* **1.** Linha de sapateiro. **2.** Porção de estopa que se enrola no parafuso a fim de que se apertem bem as respectivas porcas. **3.** *Fig.* Manha, astúcia, sagacidade. **4.** *Encad. P. us.* V. *cabeçada* (3). **5.** *Marinh.* Cabo fino usado para agüentar as percintas de lona passadas em um cabo grosso, ou para ferrar uma maca, toldo ou vela.

trincaniz. *S. m. Constr. Nav.* **1.** Nas embarcações de madeira, fiada de vigas, assente sobre os vaus, junto à amurada, e cavilhada para as balizas, com o fim de, juntamente com os dormentes, reforçar o casco no sentido longitudinal. **2.** Nas embarcações metálicas, fiada de chapas dispostas de maneira semelhante e com o mesmo fim.

trincar. [Do lat. *truncare.*] *V. t. d.* **1.** Cortar ou partir com os dentes: *T r i n c o u o biscoito com prazer.* **2.** Morder comprimindo com os dentes: "sofreu um movimento de cólera, *t r i n c o u* o beiço grosso" (Coelho Neto, *Sertão*, p. 49). **3.** Picar, cortar: *t r i n c a r o papel.* **4.** Comer, mastigar: *t r i n c a r um bife. Int.* **5.** Fazer ruído (algo) ao ser partido nos dentes. **6.** Comer, petiscar: "Todos se precipitam doidamente / Sobre os montões de carne rechinante, / *T r i n c a m*, devoram, vozeando sempre" (Eugênio de Castro, *Obras Poéticas*, V, p. 40). **7.** Estalar, rachar. **8.** *Bras., N.* Produzir som metálico; tinir. *P.* **9.** Desesperar-se, zangar-se, encolerizar-se, irar-se. [Conjug.: v. *trancar.*]

trincha. [Dev. de *trinchar.*] *S. f.* **1.** Espécie de enxó de carpinteiro. **2.** Apara; posta; pedaço. **3.** Espécie de pincel espalmado. **4.** Ferramenta para arrancar pregos. **5.** *Bras. Gír. de gat.* Qualquer ferro que sirva para arrombamento de portas.

trinchador (ô). *Adj.* **1.** Que trincha; trinchante. ● *S. m.* **2.** Aquele que trincha.

trinchante. [Do fr. *tranchant*, 'que tem gume; cortante'.] *Adj. 2 g.* **1.** Trinchador (1). **2.** Que serve para trinchar. ● *S. 2 g.* **3.** Pessoa que trincha. ● *S. m.* **4.** Grande faca apropriada para trinchar. **5.** *P. ext.* O conjunto da faca e do garfo com que se trincha: *Este faqueiro não tem t r i n c h a n t e.* **6.** Mesa ou aparador sobre o qual se trincha.

trinchão. *S. m.* Aquele que trincha.

trinchar. [Do fr. ant. *trencher*, hoje *trancher*, 'cortar, separar em partes'.] *V. t. d.* **1.** Cortar em pedaços (a carne que se serve à mesa): "*T r i n c h o u* o peru assado com gestos corretos" (Conde de Ficalho, *Uma Eleição Perdida*, p. 54). **2.** Cortar em pedaços e com certa arte. *Int.* **3.** Recortar bainhas na roupa, para que esta caia bem.

trincheira. [Do fr. *tranchée*, atr. da f. *tranchea.*] *S. f.* **1.** Escavação no terreno, para que a terra escavada proteja os combatentes; tranqueira. V. *parapeito* (3) **2.** *Bras., MT.* Obstáculo de madeira, que abriga contra o fogo o mineiro. i. e.. o cortador de folhas de erva-mate. **3.** *Bras. Fig.* Fortaleza; baluarte: *O partido erigiu sua t r i n c h e i r a no bairro industrial.* ♦ **Trincheira de macas.** **1.** *Constr. Nav.* Cada um dos caixões ou armários construídos ao longo da amurada dos navios antigos e destinados a guardar macas. **2.** *P. ext.* Qualquer local destinado a guardar macas.

trincheiro. [De *trincheira.*] *S. m.* Socalco ou degrau na trincheira (1), destinado a facilitar a subida.

trinchete (ê). [Do fr. *tranchet.*] *S. m.* Faca de sapateiro, terminada em faceta e muito aguçada.

trincho. [Dev. de *trinchar.*] *S. m.* **1.** Ato ou maneira de trinchar. **2.** Travessa na qual se trincham iguarias. **3.** O lado da peça de carne por onde se trincha mais facilmente. **4.** Tábua sobre a qual assenta a massa do queijo apertada no cincho. **5.** Peça das prensas de fuso fixo. **6.** *Fig.* A maneira mais fácil de resolver uma dificuldade.

trinclido. [Voc. onom., de *trancar?*] *S. m.* Tinido (2): "O córrego sonolento / Murmura o acompanhamento / Com *t r i n c l i d o s* de cristal." (Ricardo Gonçalves, *Ipês*, p. 42).

trinco. [Dev. de *trincar.*] *S. m.* **1.** Tranqueta com que se trancam portas e que se levanta por meio de chave, cordão ou aldraba. **2.** Espécie de fechadura por onde se introduz a chave que levanta essa tranqueta. **3.** Estalido com os dedos. **4.** Som semelhante a estalido. **5.** *Bras., N.E.* Luxo, trinque.

trincolejar. [Voc. onom.] *V. int., t. d.* e *s. m.* V. *tilintar*: "Tinem, tintinem, *t r i n c o l e j a m* -lhe os vidrilhos, os bilros e as lentejoilas dos babados do saiote." (Martins Fontes, *A Dança*, p. 59.) [Conjug.: v. *pelejar.*]

trincolejo (ê). [Dev. de *trincolejar.*] *S. m.* Ato de trincolejar: "Da venda do Chico Ventura .... saíam lufadas de risos e de conversas e *t r i n c o l e j o s* de garrafas." (Valentim Magalhães, *Vinte Contos*, p. 96.)

trincolhos-brincolhos (ô). [De *trinco* + *brinco?*] *S. m. pl.* Certo brinquedo infantil.

trindade. [Do lat. ecles. *trinitate.*] *S. f.* **1.** Na doutrina cristã, dogma da união de três pessoas distintas (o Pai, o Filho e o Espírito Santo) em um só Deus: *o mistério da Santíssima T r i n d a d e.* **2.** *P. ext.* Divindade tríplice, nas religiões pagãs. **3.** A festa cristã que se celebra no domingo seguinte ao de Pentecostes. **4.** A ordem religiosa da Santíssima Trindade, fundada em 1198. V. *trinitário*[1] (2). **5.** *Fig.* Grupo de três pessoas ou coisas análogas; trilogia, tríade, terno: *a t r i n d a d e romântica portuguesa: Garrett, Herculano e Castilho.* ~ V. *trindades.*

trindades. [Pl. de *trindade.*] *S. f. pl.* **1.** O toque das ave-marias: "A tarde morre tranqüilamente: / Na freguesia soam *t r i n d a d e s*" (Conde de Monsaraz, *Musa Alentejana*, p. 17). **2.** A hora desse toque. ~ V. *trindade.*

trindadense. *Adj. 2 g.* **1.** De, ou pertencente ou relativo a Trindade (GO). ● *S. 2 g.* **2.** Natural ou habitante de Trindade.

trinervado. [De *tri-* + *-nervado.*] *Adj. Morfol. Veg.* Que tem três nervuras que partem da base do limbo; trinérveo. [Cf. *triplinérveo.*]

trinérveo. [De *tri-* + *nérveo.*] *Adj. Morfol. Veg.* V. *trinervado.*

trineto. [De *tri-* + *neto.*] *S. m.* Filho do bisneto ou da bisneta; abneto.

trinfar. [Voc. onom.] *V. int.* **1.** V. *grinfar.* ● *S. m.* **2.** V. *trisso.*

trinir. [T. onom.] *V. int.* V. *nitrir* (1): "*T r i n i u* um relincho dorido, e o cavalo .... enveredou por um caminho de silvas" (Coelho Neto, *Sertão*, p. 70). [Usa-se em geral como defect.]

trinitário[1]. [Do lat. ecles. *trinitate*, 'trindade', + *-ário.*] *Adj.* **1.** Relativo a trindade (1). **2.** Diz-se de religioso membro da Ordem Hospitalar da Santíssima Trindade, fundada por São João da Mata e São Félix de Valois; trino. [Cf. *trindade* (4).] ● *S. m.* **3.** Religioso trinitário; trino.

trinitário[2]. *Adj.* **1.** Da, ou pertencente ou relativo à República de Trinidad e Tobago (Antilhas). ● *S. m.* **2.** O natural ou habitante da República de Trinidad e Tobago.

trinitro. [F. abrev. de *trinitrotolueno.*] *S. m. Expl.* Designação usual do trinitrotolueno em seu processo de fabricação.

trinitrofenol. [De *tri-* + *nitro* + *fenol.*] *S. m.* Ácido pícrico. [Pl.: *trinitrofenóis*.]

trinitroglicerina. [De *tri-* + *nitro* + *glicerina*.] *S. f.* Nitroglicerina.

trinitrotolueno. [De *tri-* + *nitro* + *tolueno*.] *S. m. Quím.* Substância cristalina, amarela, poderoso explosivo; trotil. [Sigla: *TNT*. Fórm.: $C_7H_5O_6N_3$.]

trino[1]. [Dev. de *trinar*.] *S. m.* **1.** Trinado, gorjeio, trilo. **2.** *Mús.* V. *trinado* (2).

trino[2]. [Do lat. *trinu*.] *Adj.* **1.** Composto de três. **2.** Trinitário[1] (2). ● *S. m.* **3.** Trinitário[1] (3).

trinômine. [Do lat. *trinomine*.] *Adj. 2 g. Poét.* Que tem três nomes.

trinômio. [De *tri-* + a term. de *binômio*.] *S. m.* **1.** *Mat.* Polinômio cujo número de termos é três. **2.** *P. ext.* Aquilo que tem três termos ou partes. ● *Adj.* **3.** Diz-se daquilo que tem três termos ou partes. ~ V. *equação*—*a*.

trinque. [Do fr. *tringle*?] *S. m.* **1.** Cabide de algibebe. **2.** *Fig.* Elegância, esmero. **3.** *Fig.* Qualidade do que é novo em folha. **4.** *Bras.* Luxo no vestir. ◆ **Andar no trinque.** Andar nos trinques. **Andar nos trinques.** Andar muito elegante, muito bem-posto; andar no trinque. **Estar no trinque.** Estar nos trinques (1). **Estar nos trinques. 1.** *Bras.* Estar elegantíssimo, muito bem vestido; estar no trinque. **2.** *Bras., RS.* Estar bêbedo.

trinta. [Do lat. *triginta*.] *Num.* **1.** Cardinal dos conjuntos equivalentes a um conjunto de três dezenas de membros. **2.** Trigésimo (1). **3.** Algarismo representativo do número trinta. ● *S. m.* **4.** Aquele ou aquilo que ocupa o último lugar numa série de trinta.

trinta-e-dois. *S. m. 2 n.* Revólver de calibre 32.

trinta-e-oito. *S. m. 2 n.* Revólver de calibre 38.

trinta-e-um. *S. m. 2 n.* Espécie de jogo de cartas em que vence o parceiro que fizer 31 ou que mais pontos tiver. ◆ **Bater o trinta-e-um.** *Bras. Pop.* V. *morrer* (1).

trinta-e-um-de-roda. *El. s. m.* Us. na loc. *bater o trinta-e-um-de-roda*. ◆ **Bater o trinta-e-um-de-roda.** *Bras., N.E. Pop.* V. *morrer* (1): "Muitas outras [criaturas] nascem, mas tão sem vitalidade, tão frágeis, tão quebradiças, que batem o trinta-e-um-de-roda na primeira coqueluche" (Mendonça Júnior, *Jornal da Província*, p. 173).

trintanário. [Do fr. ant. *trantaner*.] *S. m.* Criado que viajava ao lado do cocheiro na boléia do carro, para abrir a portinhola, fazer recados, etc.: "Os cavalos .... relincharam fogosos rente às pilecas da diligência. E o trintanário erecto na boléia .... parecia mesmo de pau." (João da Silva Correia, *Os Outros*, p. 37.) [Cf. *trintenário*.]

trintão. [De *trinta* + *-ão*[1].] *Adj.* e *s. m.* Trintenário. [Fem.: *trintona*.]

trintar. *V. int. Fam.* Completar trinta anos de idade.

trinta-réis. [Voc. onom.] *S. m. 2 n. Bras.* **1.** V. *andorinha-do-mar*. **2.** *Bras., RS* a *BA*. A espécie *Thalasseus maximus* (Bod.), que freqüenta costas pacíficas e atlânticas da América setentrional, emigrando periodicamente para o sul. Tem o dorso cinzento-claro, rêmiges da mão pretas, alto da cabeça preto ou misturado de branco, porção inferior do corpo branca. **3.** A espécie *Sterna hirundinacea* Less., das costas pacíficas e atlânticas da América meridional.

trinta-réis-anão. *S. m. Bras.* Trinta-réis-pequeno. [Pl.: *trinta-réis-anões*.]

trinta-réis-grande. *S. m. Bras.* V. *andorinha-do-mar*. [Pl.: *trinta-réis-grandes*.]

trinta-réis-pequeno. *S. m. Bras.* Ave caradriiforme, da família dos larídeos (*Sterna superciliaris* Vieil.), dos estuários e grandes rios da América cisandina. Tem dorso cinzento-escuro, bico amarelo, e a asa mede menos de 20 cm. [Sin.: *trinta-réis-anão*. Pl.: *trinta-réis-pequenos*.]

trintário. [De *trinta* + *-ário*.] *S. m.* **1.** Exéquias no trigésimo dia após o falecimento. **2.** Trinta missas, celebradas ou por 30 padres em um dia, ou em 30 dias por um padre: "Sim, averigüei mais tarde que a conhecia de toda essa caterva de gerações crentes e fanáticas, sôfregas a viver e no entanto temerosas do Inferno, e acabando por jogar a cartada da beatitude eterna à força de trintários e legados pios." (Aquilino Ribeiro, *Uma Luz ao Longe*, p. 31.)

trintena. [De *trinta* + o final de palavras como *dezena*.] *S. f.* **1.** Grupo de trinta. **2.** Conjunto de 30 pessoas ou coisas. **3.** Trigésimo (2).

trintenário. [De *trintena* + *-ário*.] *Adj.* e *s. m.* Que ou aquele que está na casa dos trinta anos de idade; trintão. [Cf. *trintanário*.] ~ V. *filiação* —*a*.

trintídio. *S. m.* **1.** Período de trinta dias. **2.** Missa no trigésimo dia após o falecimento.

trintona. *Adj.* (*f.*) e *s. f.* V. *trintão*.

trio[1]. [Do it. *trio*.] *S. m.* **1.** Trecho musical próprio para três vozes ou instrumentos. [Vindo sem outra indicação, entende-se trio de piano, violino e violoncelo. Cf. *terceto* (2).] **2.** A segunda parte de certas formas musicais, como, p. ex., o minueto, a marcha, o *scherzo*, geralmente na mesma tonalidade, porém menor, e de caráter mais sereno e movimento mais lento. **3.** V. *terno*[1] (1). **4.** Conjunto ou grupo de três pessoas; trinca. ◆ **Trio de arcos.** *Mús.* Violino, viola e violoncelo. **Trio elétrico.** *Bras.* Caminhão provido de aparelhagem de som ou música ao vivo, alto-falantes, e que executa, em geral em alto som e em movimento, sambas, frevos, forrós, etc.

trio[2]. *S. m. Bras.* **1.** Indivíduo dos trios, tribo indígena caraíba do extremo N. do PA. ● *Adj.* **2.** Pertencente ou relativo a essa tribo. [Var.: *tiriô*; sin. ger.: *diau*.]

tríodo (ô). [De *tri-* + a term. de *eletrodo*.] *S. m. Eletrôn.* Válvula eletrônica com três eletrodos: um catodo, uma grade e uma placa. ◆ **Duplo tríodo.** Válvula que pode funcionar como dois tríodos, constituída por dois conjuntos de catodo, grade e placa, colocados em um mesmo bulbo.

trióico. [De *tri-* + gr. *oîkos*, 'casa'.] *Adj.* Que tem flores masculinas, femininas e hermafroditas em três indivíduos separados; triécico.

triolé. [Do fr. *triolet*.] *S. m.* Estrofe de oito versos, com duas rimas, na qual o 1º, o 4º e o 7º versos são iguais, e o oitavo é repetição do segundo: "Nem sempre eram quadras. Saíam também sonetos, poesias mais longas, triolés." (R. Magalhães Júnior, *Artur Azevedo e Sua Época*, p. 146.)

triose. [Do ingl. *triose*.] *S. f. Quím.* Glucídio com três átomos de carbono.

triovulado. [De *tri-* + *ovulado*.] *Adj. Morfol. Veg.* Que tem três óvulos.

trióxido (cs). [De *tri-* + *óxido*.] *S. m. Quím.* Qualquer óxido que contenha na sua molécula três átomos de oxigênio.

tripa. *S. f.* **1.** Intestino do animal. **2.** *Marinh. Ant.* Cada uma das talhas ou estralheiras com que se içavam ou arriavam as vergas de papafigos. **3.** *Bras. Gír.* Lingüiça (3). **4.** V. *dobradinha* (1 e 2). **5.** Iguaria feita com tripa (4). ◆ **Tripa gaiteira.** *Bras., N.E. Pop.* O intestino grosso. **À tripa forra.** À larga (2): "fazia um esforço sobre si mesmo para não enxotar aquela gente que ali bebia e comia à tripa forra" (R. Magalhães Júnior, *Artur Azevedo e Sua Época*, p. 43). **Fazer das tripas coração.** Realizar grande esforço para fazer face a uma situação difícil ou desagradável: "A fazer das tripas coração .... mês a mês, ele, sabe Deus à custa de quanta ginástica, lá fora honrando o seu compromisso." (João da Silva Correia, *Farândola*, p. 115.)

tripa-de-galinha. *S. f.* Caracoleiro. [Pl.: *tripas-de-galinha*.]

tripagem. *S. f.* Porção de tripas; tripalhada.

tripalhada. *S. f.* Tripagem.

tripanorrinco. *S. m.* **1.** Espécime dos tripanorrincos. ● *Adj.* **2.** Pertencente ou relativo a eles.

tripanorrincos. *S. m. pl. Zool.* Animais platelmintos, cestóides, da ordem *Trypanorhyncha*, cujo escólex é provido de quatro ventosas alongadas e quatro probóscidas delgadas e espinhosas. As larvas vivem em invertebrados marinhos ou em peixes osteítes, e os adultos em elasmobrânquios.

tripanossomíase. [De *tripanossomo* + *-i-* + *-ase*.] *S. f. Patol.* Doença produzida por tripanossomo. ◆ **Tripanossomíase americana.** *Patol.* Doença descoberta e estudada pelo cientista brasileiro Carlos Chagas (1879-1934), veiculada por um inseto hemíptero conhecido no Brasil por diversos nomes [v. *barbeiro* (6)], e que tem como germe etiológico o *Trypanosoma cruzi*. [Sin.: *doença de Chagas, tripanossomíase sul-americana*.] **Tripanossomíase sul-americana.** *Patol.* V. *tripanossomíase americana*.

tripanossomo. [Do gr. *trypanon*, 'verruma', + *-somo*.] *S. m.* Designação comum às espécies de protozoários, mastigóforos, zoomastiginos, do gênero *Trypanossoma* Gruby, de corpo fusiforme, provido de núcleo central, blefaroplasto com flagelo formando membrana ondulante. São agentes etiológicos de numerosas doenças do homem e dos animais.

tripartição. *S. f.* Ato ou efeito de tripartir(-se).

tripartidário. [De *tri-* + *partido* + *-ário*.] *Adj.* Referente ao tripartidarismo.

tripartidarismo. [De *tripartidário* + *-ismo*.] *S. m.* Situação política de um Estado onde só existem ou só têm importância três partidos políticos.

tripartidarista. *Adj. 2 g.* e *s. 2 g.* Diz-se de, ou adepto do tripartidarismo.

tripartido. [Do lat. *tripartitu*.] *Adj.* **1.** Dividido em três partes; tripartite. **2.** *Morfol. Veg.* Partido em três segmentos.

tripartir. [De *tri-* + *partir*.] *V. t. d.* **1.** Partir em três partes. *P.* **2.** Dividir-se em três partes.

tripartite. *Adj. 2 g.* Tripartido (1).

tripartível. *Adj. 2 g.* Que pode ser tripartido.

tripé. [De *tri-* + *pé*.] *S. m.* **1.** V. *tripeça* (1). **2.** *P. ext.* Tripó. **3.** Suporte portátil com três escoras, sobre o qual se põe a máquina fotográfica, o telescópio, ou outros aparelhos. **4.** *Bras.* Trempe (1): "no tripé, a manta de carne, ao calor mortiço das brasas, vai começando a dourar." (Caci Cordovil, *Ronda de Fogo*, p. 12). **5.** *Bras. Fig.* Conjunto de três coisas diversas, ligadas entre si por um ou mais traços comuns: *Educação, saúde e desenvolvimento — nesse tripé consistiu a temática do congresso.*

tripeça. [Do b.-lat. *tripetia*.] *S. f.* **1.** Banco de três pés; tripé, trípoda, trípode. **2.** *Fig.* Ofício de sapateiro. **3.** *Burl.* Reunião de três pessoas conluiadas.

tripeiro. *S. m.* **1.** Vendedor de tripas e outras vísceras de animais; fateiro, bucheiro. **2.** Aquele que se sustenta de tripas. **3.** *Lus.* Deprec. V. *portuense*[1] (2).

tripenado. [De *tri-* + *penado*.] *Adj. Morfol. Veg.* Subdividido penadamente três vezes: *folha tripenada*.

tripétalo. [De *tri-* + *pétalo*.] *Adj. Morfol. Veg.* Que tem três pétalas.

tripetídeo. *S. m.* **1.** Espécime dos tripetídeos. ● *Adj.* **2.** Pertencente ou relativo a eles.

tripetídeos. *S. m. pl. Zool.* Família (*Trypetidae*) de insetos da ordem dos dípteros, acalípteros, caracterizados pelas asas margeadas de listas e manchas escuras.

tripetrepe. [Voc. onom.] *Adv.* **1.** De mansinho; manso e manso; pé ante pé. **2.** Com dissimulação; dissimuladamente: "Amâncio acompanhou-os, de longe, e tripetrepe." (Aluísio Azevedo, *Casa de Pensão*, p. 166.)

triple. *Num. 2 g.* V. *triplo* (1).

tripleto (ê). [Do ingl. *triplet*.] *S. m.* **1.** *Fís.* Raia espectral constituída por três componentes. **2.** *Fís. Nucl.* Multipleto constituído por três partículas, como, p. ex., os mésons pi. **3.** *Ópt.* Lente constituída de três componentes.

tríplex (cs). [Do lat. *triplex* (nom.), 'triplo'.] *Adj. 2 g.* e *2 n.* e *s. m. 2 n. Bras., S.* Diz-se de, ou apartamento composto de três pavimentos: *Os novos proprietários do apartamento são ricos: família tão pequena ocupando um tríplex!* [Pronuncia-se geralmente como oxítono. Cf. *dúplex*.]

triplicação. *S. f.* Ato ou efeito de triplicar(-se).

triplicado. [Part. de *triplicar*.] *Adj.* Multiplicado por três; tresdobrado, tresdobre.

triplicar. [Do lat. *triplicare*.] *V. t. d.* **1.** Tornar triplo; tresdobrar: "Ao cabo de algumas horas deste espetáculo, ... toda a polícia de Lisboa estaria em movimento, a guarda municipal triplicaria as patrulhas" (Ramalho Ortigão, *As Farpas*, IX, pp. 30-31). **2.** Multiplicar (1). **3.** *Mat.* Multiplicar (uma quantidade) pelo fator três. *Int.* e *p.* **4.** Tornar-se triplo. **5.** Aumentar em demasia; multiplicar-se. [Conjug.: v. *trancar*. Cf. *treplicar*.]

triplicata. [Do lat. *triplicata*, 'coisas triplicadas'.] *S. f.* **1.** Terceira cópia. **2.** *Bras.* Título substitutivo da duplicata extraviada ou perdida. [Cf., nessa acepç., *duplicata* (2).]

tríplice. [Do lat. *triplice*.] *Num. 2 g.* **1.** V. *triplo* (1): "A América é, ao mesmo tempo, una, tríplice e múltipla, conforme o ponto de vista em que nos colocarmos." (Alceu Amoroso Lima, *A Realidade Americana*, p. 247.) ● *Adj. 2 g.* **2.** Que consta de três elementos ou se efetua em três etapas; triplo: *a Tríplice Aliança; um salto tríplice.* **3.** V. *trífido*. ~ V. — *coroa*.

triplicidade. *S. f.* Qualidade do que é tríplice.

triplinérveo. [De *triplo* + *-i-* + *nérveo*.] *Adj.* Diz-se de ramificação com três nervos. ~ V. *folha* —*a*. [Cf. *trinervado*.]

triplo. [Do lat. *triplu*.] *Num.* **1.** Que é três vezes maior que outro; triple, tríplice. ~ V. *ligação*—*a*, *ponto*—, *raiz* —*a* e *salto* —. ● *S. m.* **2.** Quantidade três vezes maior que outra; tresdobro. **3.** Coisa triplicada; tresdobro.

triploblástico. *Adj.* e *s. m. Zool.* Diz-se de, ou animal metazoário formado embrionariamente por três folhetos: ectoderma, mesoderma e endoderma; triblástico.

triplóptero. [De *triplo* + *-ptero*.] *Adj. Zool.* Que tem asas ou barbatanas tripartidas.

triplostêmone. [De *triplo* + *-stêmone*.] *Adj. 2 g. Morfol. Veg.* Diz-se da flor cujos estames são em número três vezes maior que o das pétalas.

tripó. [De *tripé*, com infl. de *trípode*.] *S. m.* Tripeça cujos pés são presos por um eixo e assento de couro; tripé.

trípoda. *S. f. Poét.* V. *trípode* (4).

trípode. [Do gr. *tripous, odos*, pelo lat. *tripode*.] *Adj. 2 g.* **1.** Que tem três pés. ● *S. f.* **2.** Tripeça em que a pitonisa proferia os seus oráculos: "O áugure de Teos, assentado, / Na trípode tremente, auspícios canta." (Junqueira Freire, *Obras Poéticas*, I, p. 71.) **3.** Vaso antigo, de três pés. **4.** *Poét.* V. *tripeça* (1).

tripófago. [Do gr. *thríps, pos*, 'verme, caruncho'.] *Adj. Zool.* Que se nutre de insetos e de pequenos vermes.

trípole. [Do top. *Trípoli* (Ásia).] *S. m. Geol.* Rocha sedimentar, leve em extremo, porosa e friável, constituída de essencialmente de resíduos silicosos de radiolários e diatomáceas, e que se usa para polir metais, vidros, etc.; farinha-fóssil, terra de infusórios. [Cf. *Trípoli*, top.]

tripolino. *Adj.* e *s. m.* Tripolitano[1].

tripolitano[1]. [Do lat. *tripolitanu*.] *Adj.* **1.** De ou pertencente ou relativo a Trípoli, capital da Líbia (N. da África), ou à cidade de Trípoli, no Líbano (Ásia). ● *S. m.* **2.** O natural ou habitante de Trípoli. [Sin. ger.: *tripolino*.]

tripolitano[2]. *Adj.* **1.** Da, ou pertencente ou relativo à Tripolitânia, região da Líbia (N. da África). ● *S. m.* **2.** O natural ou habitante da Tripolitânia.

tripolo. [De *tri-* + *pólo*.] *S. m. Eletr.* Dispositivo elétrico com três terminais diretamente acessíveis.

▲**trips-.** [Do gr. *trípsis, eos*.] *El. comp.* = 'esmagamento': *histotripsia*.

tripsina. [Do gr. *thrípsis*, 'ação de amolecer', + *-ina*[1].] *S. f. Bioquím.* Diástase proteolítica, presente na pancreatina, muito ativa na transformação das proteínas.

tripsínico. *Adj. Bioquím.* **1.** Referente à tripsina. **2.** Que tem ação semelhante à dela.

tripsinogênio. [De *tripsina* + *-o-* + *-gen(o)-*[1] + *-io*[2].] *S. m. Bioquím.* Substância inativa do suco pancreático, transformada pela enteroquinase em tripsina.

triptase. *S. f. Bioquím.* Diástase que desdobra as proteínas e os polipeptídeos em peptídeos e aminoácidos.

tríptico. [Do gr. *triptychos*, 'dobrado em três'.] *S. m.* **1.** Obra de pintura ou de escultura, constituída de um painel central e duas meias-portas laterais capazes de se fechar sobre ele, recobrindo-o completamente. **2.** Livrinho de três folhas. **3.** Caderneta que autoriza a entrada de um veículo num país sem pagamento de direitos alfandegários. **4.** V. *tábula* (2).

triptofano. [Do ingl. *thryptophane*.] *S. m. Quím.* Aminoácido essencial ao organismo, cristalino. [Form.: $C_{11}H_{12}O_2N_2$.]

tripudiante. [Do lat. *tripudiante*.] *Adj. 2 g.* e *s. 2 g.* Que ou quem tripudia.

tripudiar. [Do lat. *tripudiare*.] *V. int.* **1.** Saltar ou dançar batendo com os pés; sapatear: "em todos aqueles dramas de sangue e de fogo havia uma figura saliente, o chefe, o matador, o incendiário, demônio vivo que tripudiava sobre os cadáveres quentes das vítimas, no meio das chamas dos incêndios" (Inglês de Sousa, *Contos Amazônicos*, p. 158). **2.** Divertir-se desenvoltamente; exultar. **3.** Viver, atascar-se, atolar-se, no vício ou no crime. **4.** Levar ou pretender levar vantagem sobre alguém humilhando-o, escarnecendo-o, explícita ou implicitamente. **5.** Executar dança tripudiando; dançar ou saltar batendo com os pés; sapatear: *Tripudiou demoradamente. T. i.* **6.** Atolar-se, atascar-se (no vício ou no crime). [Pres. ind.: *tripudio* etc. Cf. *tripúdio*.]

tripúdio. [Do lat. *tripudiu*, 'dança religiosa; transporte de alegria'.] *S. m.* **1.** Ato ou efeito de tripudiar. **2.** *Fig.* Libertinagem, licenciosidade. [Cf. *tripudio*, do v. *tripudiar*.]

tripulação. *S. f.* **1.** *Mar. G.* e *Merc.* O conjunto de pessoas empregadas, ou ocupadas duradouramente, no serviço de uma embarcação. [Cf. *guarnição* (3).] **2.** Pessoal de bordo de uma aeronave.

tripulante. *Adj. 2 g.* e *s. 2 g.* Que ou pessoa que tripula, que pertence à tripulação.

tripular. [Do esp. *tripular*.] *V. t. d.* **1.** Prover (uma embarcação ou uma aeronave) do pessoal necessário para as manobras e mais serviços. **2.** Dirigir ou governar (uma embarcação ou um avião): "Tripulando grandes canoas de voga, os seus pescadores traziam o produto de sua humilde indústria .... até Sepetiba" (Lima Barreto, *Vida e Morte de M. J. Gonzaga de Sá*, p. 232). **3.** *Mar.* Prestar serviços profissionais em (uma embarcação).

triquequídeo. *S. m.* **1.** Espécime dos triquequídeos. ● *Adj.* **2.** Pertencente ou relativo a eles.

triquequídeos. *S. m. pl. Zool.* Família de mamíferos pinípedes, da ordem dos carnívoros, animais de grande porte, do gênero *Morsa*, mais propriamente designados como *odobenídeos*.

triquestroques. [De *trocar*.] *S. m. 2 n.* V. *trocadilho* (1).

triquete (ê). [Do esp. *triquete*.] *El. s. m.* us. na loc. adv. *a cada triquete*. ♦ **A cada triquete.** A cada passo, a cada momento.

triquetraque. [Voc. onom.] *S. m.* **1.** Artefato pirotécnico que dá estalos repetidos. **2.** Tabuleiro do gamão. **3.** O jogo do gamão.

triquetraz. *Adj.* e *s. m.* V. *traquinas*.

triquetro. [Do lat. *triquetru*.] *Adj.* **1.** Que tem três ângulos. **2.** *Morfol. Veg.* Que tem seção triangular e, portanto, três ângulos maciços, como os escapos das ciperáceas. ● *S. m.* **3.** Reunião de três coxas, com as pernas e pés respectivos, que se vê nalgumas medalhas antigas.

▲**triqu(i)-.** V. *tric(o)-*.

triquíase. [Do gr. *trichíasis*, pelo lat. *trichiase*.] *S. f. Med.* **1.** Desvio de crescimento de pêlos em torno de um orifício, de forma que se dirigem para dentro deste, como pode ocorrer em relação às pestanas, caso em que se dá atrito ocular. **2.** Aparecimento, na urina, de filamentos que lembram pêlos.

triquilha. [De *tri-* + *quilha*[1].] *S. f.* Suporte que sustenta a roda dianteira do avião: "o suporte de sustentação da roda dianteira do avião, chamado triquilha" (*Jornal do Brasil*, 23.5.1971).

triquina. [De *triqu(i)-* + *-ina*[1].] *S. f.* Gênero de vermes intestinais que vivem em estado larvar nos músculos dos animais, e que originariamente é transmitido ao homem pela carne de porco triquinada.

triquinado. *Adj.* Que tem triquinas; triquinoso.

triquinose. [De *triquina* + *-ose*.] *S. f. Patol.* Infecção por triquinas contidas em carne não cozida devidamente.

triquinoso (ô). *Adj.* Triquinado.

triquismo. [Do gr. *trichismós*.] *S. m.* Fratura filiforme dum osso.

trirradiado. [De *tri-* + *radiado*.] *Adj. Hist. Nat.* Que tem três raios.

trirramoso (ô). [De *tri-* + *ramoso*.] *Adj.* Que tem três ramos.

trirregno. [De *tri-* + lat. *regnu*, 'reino'.] *S. m.* **1.** Domínio de três reinos; triarquia. **2.** A tiara papal.

trirreme. [Do lat. *trireme*.] *S. f.* Embarcação grega da Antiguidade, impelida por remos, armados em três pavimentos (três ordens), e eventualmente por uma vela redonda: "No dia em que as trirremes mercantes de Cartago e de Roma se encontraram em Agrigento, ... as tripulações olharam-se com rancor não fingido, condensando a ameaça que emanava da recíproca concorrência." (Aquilino Ribeiro, *Os Avós dos Nossos Avós*, pp. 74-75.)

trirretângulo. [De *tri-* + *retângulo*.] *Adj.* Que tem três ângulos retos. ~ V. *triângulo* —.

trirriense. [De *tri-* + *rio* + *-ense*.] *Adj. 2 g.* **1.** De, ou pertencente ou relativo a Três Rios (RJ). ● *S. 2 g.* **2.** Natural ou habitante de Três Rios.

tris. [Voc. onom.] *Interj.* Voz imitativa do ruído de coisa que se parte, principalmente vidro. [Cf. *triz*.]

▲**tris-.** Equiv. de *tri-*.

triságio. [Do gr. *triságios*, 'três vezes santo'.] *S. m.* Aclamação litúrgica em que três vezes se repete a mesma palavra, especialmente *Santo, Santo, Santo*.

trisanual. [De *tris-* + *anual*.] *Adj. 2 g.* **1.** Que dura três anos. **2.** Que ocorre ou se efetua de três em três anos.

trisarquia. [De *tris-* + *-arqu(i)-* + *-ia*, ou do gr. *triarchía*, com mudança do prefixo.] *S. f.* Governo formado de três chefes.

trisárquico. *Adj.* Relativo a trisarquia.

trisavó. [De *tris-* + *avó*.] *S. f.* Fem. de *trisavô*; *tresavó*.

trisavô. [De *tris-* + *avô*.] *S. m.* Pai do bisavô ou da bisavó; tresavô. [Fem.: *trisavó*.]

trisca. [Dev. de *triscar*.] *S. f.* Ato ou efeito de triscar.

triscado. [Part. de *triscar*.] *Adj. Bras. Pop.* V. *embriagado* (1).

triscar. [Do gót. *thriskan*, 'debulhar'.] *V. int.* **1.** Fazer bulha, ruído. **2.** Aprontar desordem. **3.** Discutir, altercar, brigar. **4.** Intrigar, enredar. **5.** *Bras.* Roçar levemente. [Conjug.: v. *trancar*.]

tríscele. [Do gr. *triskelés*, 'de três pernas'.] *S. m.* Variante da suástica, com três pernas em vez de quatro.

trismegisto. [Do gr. *trismégistos*, 'três vezes máximo', pelo lat. *trismegistu*.] *Adj.* **1.** Três vezes grande: "Satã! Mefisto! Rei das revoltas regiões tartáricas! / Pai dos possessos! Deus Trismegisto!" (Martins Fontes, *Verão*, p. 243) **2.** Sobrenome que os antigos gregos davam a Hermes e ao deus Tot dos egípcios.

trismo. [Do gr. *trismós*, 'sibilo'.] *S. m. Med.* Alteração motora dos nervos trigêmeos, que impossibilita a abertura da boca, constituindo sinal característico e precoce do tétano.

trispermo. [De *tri-* + *-spermo*.] *Adj. Morfol. Veg.* Que tem três sementes.

trisqueira. *S. f. Bras., PA.* Certo cação da família dos galeorrinídeos (*Platypodon porosus* (Ranzani)).

trissacramental. [De *tri-* + *sacramental*.] *Adj. 2 g.* Diz-se daqueles que, tal como os anglicanos, só aceitam três sacramentos.

trissar. [De *trisso* + *-ar*[2].] *V. int.* **1.** *Bras.* V. *grinfar*: "Não trissara uma andorinha que fosse. O alvoroço dessas asas núncias não cindira o Marzagão." (José Américo de Almeida, *A Bagaceira*, p. 83.) ● *S. m.* **2.** V. *trisso*.

trissecado. [Part. de *trissecar*.] *Adj.* Dividido (o ângulo) em três partes iguais.

trisseção. *S. f.* Var. de *trissecção*.

trissecar. [De *tri-* + lat. *secare*, 'cortar'.] *V. t. d.* Dividir (especialmente o ângulo) em três partes iguais. [Conjug.: v. *trancar*.]

trissecção. [De *tri-* + *secção*.] *S. f.* Divisão duma coisa em três partes. [Var.: *trisseção*.]

trissector (ô). [De *tri-* + lat. *sectore*, 'cortador'.] *Adj.* **1.** Que corta em três partes. ● *S. m.* **2.** Instrumento com que se dividem ângulos em três partes iguais. [Var.: *trissetor*.]

trissectriz. [Fem. de *trissector*.] *S. f. Geom.* Curva plana que se utiliza para resolver o problema da trissecção de ângulo. [Var.: *trissetriz*.]

trissecular. [De *tri-* + *secular*.] *Adj. 2 g.* Que tem três séculos; três vezes secular.

trissegmentado. [De *tri-* + *segmentado*.] *Adj. Zool.* Diz-se do animal que apresenta o corpo dividido em três segmentos, como ocorre nos escorpionídeos.

trissépalo. [De *tri-* + *-sépalo*.] *Adj. Morfol Veg.* Que tem três sépalas.

trisseriado. [De *tri-* + *seriado*.] *Adj.* Disposto em três séries.

trissetor (ô). *Adj.* e *s. m.* Var. de *trissector* [q. v.].

trissetriz. *S. f. Geom.* Var. de *trissectriz*.

trissilábico. *Adj.* Que tem três sílabas; trissílabo.

trissílabo. [Do gr. *trisyllabos*.] *Adj.* **1.** Trissilábico. ● *S. m.* **2.** Vocábulo de três sílabas.

trisso. [Voc. onom.] *S. m. Bras.* O canto ou voz da calhandra e da andorinha; trissar, trinfar.

trissulcado. [De *tri-* + *sulcado*, part. de *sulcar*.] *Adj.* Trissulco.

trissulco. [Do lat. *trisulcu*.] *Adj.* **1.** Que tem três sulcos; trissulcado. [Cf. *trífido* (1).]

tristaminífero. [De *tri-* + *-stamine-* + *-i-* + *-fero*.] *Adj. Morfol. Veg.* Que tem três estames.

tristânico. [Do antr. *Tristan* + *-ico*[2].] *Adj. Mús.* Que sofre a influência da técnica de composição utilizada por Richard Wagner [v. *wagneriano*] em sua ópera *Tristão e Isolda*, e que consiste sobretudo na predominância do cromatismo [q. v.] e em seu emprego além dos limites da tonalidade.

triste. [Do lat. *triste*.] *Adj. 2 g.* **1.** Que tem mágoa ou aflição; magoado, aflito. **2.** Sem alegria; cheio de melancolia e/ou de cuidados; infeliz, desgraçado, lastimoso. **3.** Abatido, deprimido. **4.** Que infunde tristeza; sombrio, lúgubre: "O caixão estava no meio da sala entre velas tristes, um lenço segurava o queixo do defunto." (Moreira Campos, *Portas Fechadas*, p. 225.) **5.** Severo, grave: *estilo triste*. **6.** Enfadonho, aborrecido: *Deixou o triste mundo.* **7.** Muito reduzido; insignificante, mesquinho: *Recebia um triste salário*; "andava sempre esmolambado, com uns caraminguás mui tristes" (Simões Lopes Neto, *Contos Gauchescos e Lendas do Sul*, p. 175). **8.** Diz-se de pessoa, situação, ambiente, coisa, etc., desagradável, hostil, adversa. **9.** *Fam.* Como palavra-ônibus, traduz numerosas idéias depreciativas, equivalendo a 'mau, genioso, maldizente, preguiçoso, vadio', etc.: *Sujeito perigoso, aquele: é triste; Este garoto é triste: não levanta uma palha para ajudar os pobres pais; A vizinha é triste, ninguém escapa da língua dela.* ● *S. 2 g.* **10.** Pessoa propensa à tristeza, melancólica: "Ele era um triste de natureza. Já em pequeno se distinguira das demais crianças pelo feitio esquisito, aborrecido" (João de Araújo Correia, *Terra Ingrata*, p. 191). **11.** Pessoa triste, infeliz: "Ó doce cantiga dos namorados da beira do rio, tu és uma verdade sempre nova! Ainda hoje o triste anda penando nas águas escuras" (Eça de Queirós, *Prosas Bárbaras*, p. 2). *S. m.* **12.** Composição poética dos gaúchos da República Argentina.

triste-pia. [De *triste* + *piar*.] *S. f. 2 n. Bras.* Ave passeriforme, da família dos icterídeos (*Dolichonyx orzivora* (L.)), do Canadá e Estados Unidos, que migra durante o inverno para o S., atingindo o Paraguai. O macho é branco no dorso inferior, tem as coberteiras superiores das asas, a cabeça, a parte inferior do corpo e a cauda negras, e rêmiges negras orladas de amarelo. A fêmea tem o abdome amarelo com tons cinza, flancos listrados de negro, dorso pardo-amarelento e uma linha subocular amarela. Alimenta-se de sementes e de insetos.

triste-vida. [Voc. onom.] *S. f. Bras.* V. *bem-te-vi* (1). [Pl.: *tristes-vidas.*]

tristeza (ê). [Do lat. *tristitia.*] *S. f.* **1.** Qualidade ou estado de triste. **2.** Falta de alegria. **3.** Pena, desalento, consternação. **4.** Aspecto revelador de mágoa ou aflição. [Sin. menos us. (nessas acepç.) *tristura.*] **5.** *Bras. Pop. Veter.* V. *babesíase.*

trístico. [Do gr. *tristichós*, 'disposto em três ordens'.] *Adj. Morfol. Veg.* Disposto em três fileiras: *brácteas trísticas.*

tristimania. [De *triste* + *-i-* + *-mania.*] *S. f.* **1.** Monomania acompanhada de tristeza. **2.** Tristeza habitual sem razão aparente.

tristimaníaco. *Adj.* **1.** Relativo à, ou que sofre de tristimania. ● *S. m.* **2.** Aquele que dela sofre.

tristonho. [De *triste* + *-onho.*] *Adj.* **1.** Que experimenta ou denota tristeza: *É um indivíduo tristonho; Tem um ar tristonho.* [Sin.: *melancólico, abetumado* e (bras.) *abatumado, capiongo, piongo, jururu.*] **2.** Que produz tristeza: *tarde tristonha.* **3.** Medonho, horrível.

tristura. *S. f.* V. *tristeza* (1 a 4): "Cuidava padecer a maior tristura; mas ali estava outra tão grande como a sua, e muito mais aflitiva." (Machado de Assis, *Quincas Borba*, p. 232.)

tritagonista. [Do gr. *tritagonistes.*] *S. 2 g. Teat.* Ator que representava o terceiro papel na antiga tragédia grega. [Cf. *deuteragonista* e *protagonista* (1).]

tritão. [Do mit. *Tritão* < lat. *Tritone*, gr. *Triton, onos.*] *S. m.* **1.** *Mit.* Deus marítimo, descendente do divino Tritão, filho de Netuno e Anfitrite. **2.** *Astr.* Um dos satélites telescópicos de Netuno, com 3 700 km de diâmetro e magnitude aparente de 13,5 na oposição. [Foi descoberto em 10.10.1846 pelo astrônomo inglês William Lassell (1799-1880).] **3.** Animal, cordado, anfíbio, mutabílio, da família dos salamandrídeos, gênero *Triturus* Raf., com espécies providas de pulmões na fase adulta, os dentes situados no céu da boca, atrás das narinas, divergentes posteriormente, e vértebras opistocelas. Ocorrem na região holártica.

triteísmo. [De *tri-* + *-te(o)-* + *-ismo.*] *S. m.* Doutrina daqueles que afirmam haver em Deus não só três pessoas, mas também três essências, três substâncias e três deuses.

triteísta. *Adj. 2 g.* **1.** Relativo ao, ou que é partidário do triteísmo. ● *S. 2 g.* **2.** Partidário dessa doutrina.

triternado. [De *tri-* + *ternado.*] *Adj. Morfol. Veg.* Três vezes ternado e, portanto, com 27 folíolos.

▲**triti(c)-.** [Do lat. *triticum, i.*] *El. comp.* = 'trigo': *triticultura.*

tritíceo. [Do lat. *triticeu.*] *Adj.* **1.** Relativo ao trigo. **2.** Que possui certas qualidades do trigo.

tritícola. [De *triti(c)-* + *-cola.*] *Adj. 2 g. Bras.* Do, ou relativo ao trigo.

triticultor (ô). [De *triti(c)-* + *cultor.*] *S. m. Bras. Agr.* Aquele que se dedica à triticultura.

triticultura. [De *triti(c)-* + *cultura.*] *S. f. Bras. Agr.* Cultura do trigo.

trítio. *S. m. Fís.* Trício[1] [q. v.].

tríton. [Do ingl. *triton* < gr. *trítos*, 'terceiro', + *-on.*] *S. m. Fís. Nucl.* Núcleo do trício. [Símb.: t.]

tritongo. [De *tri-* + gr. *phthóggos*, 'som, tom'.] *S. m. Gram.* União, em uma sílaba só, de três vogais, ou melhor, de uma vogal (a base) cercada de semivogais: *Paraguai, averigüei, quão.*

tritonídeo. [Do lat. *Triton*, 'Tritão', + *-ídeo.*] *S. m.* **1.** Espécime dos tritonídeos. ● *Adj.* **2.** Pertencente ou relativo a eles.

tritonídeos. [Pl. de *tritonídeo.*] *S. m. pl. Zool.* Família de moluscos da classe dos gasterópodes, ordem dos prosobrânquios, que compreende os gêneros *Triton* e afins.

trítono. [Do gr. *trítonos*, 'que encerra o espaço de três tons'.] *S. m. Mús.* Intervalo dissonante, constituído por três tons.

tritriacontaedro. *S. m. Geom.* Poliedro de 33 faces.

tritriacontágono. *S. m. Geom.* Polígono de 33 lados.

tritubercul ado. [De *tri-* + *tuberculado.*] *Adj. Hist. Nat.* Que tem três tubérculos.

tritura. [Do lat. *tritura.*] *S. f.* V. *trituração.*

trituração. [Do lat. *trituratione.*] *S. f.* Ato ou efeito de triturar; trituramento, tritura.

triturador (ô). *Adj.* **1.** Que tritura. ● *S. m.* **2.** Aquilo que tritura. **3.** *Ind. Pap.* Aparelho de que há diversos tipos, usado nas fábricas de papel para transformar em pasta a matéria-prima, sendo comum o que consiste em armação de ferro dentro da qual giram dois cilindros paralelos, dotados de facas e de sulcos que se interpenetram. [Cf. *molassa.*]

trituramento. *S. m.* V. *trituração.*

triturar. [Do lat. *triturare.*] *V. t. d.* **1.** Reduzir a pequenos fragmentos; moer. **2.** Reduzir a pó; pulverizar. **3.** Converter em massa. **4.** Contundir muito por espancamento; massacrar: *Triturou o adversário com socos.* **5.** Afligir, magoar, atormentar: *Profunda tristeza tritura sua alma.* **6.** Reduzir a nada; nulificar: *Aquela resposta triturou o seu argumento.*

triturável. *Adj. 2 g.* Que pode ser triturado.

triunfador (i-un...ô). [Do lat. *triumphatore.*] *Adj.* **1.** Triunfante (1). ● *S. m.* **2.** Aquele que triunfa.

triunfal (i-un). [Do lat. *triumphale.*] *Adj. 2 g.* **1.** Relativo a triunfo. **2.** Em que há triunfo.

triunfalismo (i-un). [De *triunfal* + *-ismo.*] *S. m.* **1.** *Neol.* Sentimento exagerado de triunfo. **2.** *Rel.* Atitude daqueles que, na Igreja Católica, tendem a não ver-lhe as falhas históricas, ou suas deficiências em geral.

triunfalista (i-un). *Adj. 2 g.* **1.** Relativo ao triunfalismo. ● *S. 2 g.* **2.** Pessoa que tem triunfalismo (1) ou segue o triunfalismo (2).

triunfano (i-un). *Adj.* **1.** De, ou pertencente ou relativo a Triunfo (RJ). ● *S. m.* **2.** O natural ou habitante de Triunfo.

triunfante (i-un). [Do lat. *triumphante.*] *Adj. 2 g.* **1.** Que triunfa; triunfador. **2.** Ostentoso, magnífico, esplêndido. **3.** Radiante de alegria.

triunfar (i-un). [Do lat. *triumphare.*] *V. int.* **1.** Conseguir triunfo ou vitória: *Em 1945 os aliados triunfaram.* **2.** Levar vantagem; sagrar-se vencedor; prevalecer: *A justiça deveria triunfar sempre.* **3.** Vencer qualquer resistência. **4.** Estar ou tornar-se radiante de alegria; exultar. *T. i.* **5.** Sair vencedor ou triunfante; levar vantagem: "os cuidados da ciência e a ciência dos cuidados triunfaram do mal, e Fadinha ficou boa" (Artur Azevedo, *Contos Cariocas*, pp. 231-232); "Três vezes o ouro triunfara da beleza naquela noite." (Joaquim Manuel de Macedo, *Os Romances da Semana*, p. 109). **6.** Jactar-se, gloriar-se, vangloriar-se: *Costuma triunfar de sua sabedoria. T. d. P. us.* **7.** Obter triunfo sobre; vencer: *enfrentar adversários e triunfá -los. P.* **8.** Vencer-se dominar-se.

triunfense (i-un). *Adj. 2 g.* **1.** De, ou pertencente ou relativo a Triunfo (PB e PE). ● *S. 2 g.* **2.** Natural ou habitante de Triunfo.

triunfo (i-ún). [Do lat. *triumphu.*] *S. m.* **1.** Ato ou efeito de triunfar. **2.** Entrada solene e aparatosa dos generais vitoriosos na Roma antiga. **3.** Vitória[1] (1): *Nossos exércitos alcançaram notável triunfo.* **4.** Êxito brilhante: *O filme brasileiro foi um triunfo no festival.* **5.** Grande alegria; satisfação plena; regozijo: *Os resultados dos exames foram um triunfo para mim.* **6.** Esplendor, pompa, suntuosidade. **7.** Dominação de paixões. **8.** Superioridade, vantagem. **9.** Aclamação ruidosa; palmas. **10.** Enfeite central da mesa de banquete.

triunvirado (i-un). *S. m.* Triunvirato.

triunviral (i-un). *Adj. 2 g.* Relativo a triúnviro.

triunvirato (i-un). [Do lat. *triumviratu.*] *S. m.* **1.** Magistratura dos triúnviros. **2.** *P. ext.* Associação de três cidadãos que em si reúnem toda a autoridade. **3.** Governo de três indivíduos; triarquia. [F. paral.: *triunvirado.*]

triúnviro. [Do lat. *triumviru.*] *S. m.* **1.** Magistrado romano incumbido, com mais dois colegas, de uma parte da administração pública. **2.** Membro de qualquer triunvirato.

triuridácea (i-u). *S. f.* Espécime das triuridáceas.

triuridáceas (i-u). *S. f. pl. Bot.* Família de monocotiledôneas, da ordem das triuridales, composta de minutas plantas saprofíticas, com folhas reduzidas a escamas, e flores pequenas. Há umas 40 espécies tropicais, que vivem no chão florestal.

triuridáceo (i-u). *Adj.* Pertencente ou relativo às triuridáceas.

triuridale (i-u). *S. f.* Espécime das triuridales.

triuridales (i-u). *S. f. pl. Bot.* Ordem de vegetais monocotiledôneos, aclorofilados e heterotróficos, que inclui apenas a família das triuridáceas.

trivalência. [De *tri-* + *valência.*] *S. f. Quím.* Propriedade do que é trivalente.

trivalente. [De *tri-* + *valente.*] *Adj. 2 g. Quím.* Que tem três valências.

trivalvar. [De *tri-* + *valva* + *-ar*[1].] *Adj. 2 g.* Que tem três valvas.

trivela. *El. s. f.* Us. na loc. *de trivela.* ◆ **De trivela.** *Bras. Fut.* Diz-se do chute com que o jogador, usando o lado externo do pé, imprime à bola um efeito especial: *passe de trivela; drible de trivela.*

trivial. [Do lat. *triviale.*] *Adj. 2 g.* **1.** Sabido de todos; notório, comum, vulgar, corriqueiro: "A mais trivial palavra .... solta ódios largamente represados" (Marques Rebelo, *O Trapicheiro*, p. 69). **2.** Usado, corrente. **3.** Ordinário, baixo. ● *S. m.* **4.** Os pratos simples e cotidianos das refeições caseiras.

trivialidade. *S. f.* **1.** Qualidade de trivial. **2.** Coisa, dito ou conceito trivial.

trivializado. [Part. de *trivializar.*] *Adj.* Que se tornou trivial: "O aperto de mão, ainda que hoje tão trivializado, que bela afirmação de cordialidade! que eloqüente modo de exprimir a afeição!" (Lúcio de Mendonça, *Horas do Bom Tempo*, p. 219.)

trivializar. [De *trivial* + *-izar.*] *V. t. d.* e *p.* Tornar(-se) trivial, corriqueiro ou banal; banalizar.

trívio. [Do lat. *triviu.*] *S. m.* **1.** Lugar onde se cruzam três ruas ou três caminhos. **2.** Na Idade Média, nome dado à divisão inferior das artes liberais, a qual abrangia a gramática, a retórica e a dialética. **3.** *Zool.* Os três ambulacros superiores das holotúrias. ● *Adj.* **4.** Que se reparte em três caminhos.

trivoli. [Alter. de *Tivoli*, famoso parque de diversões de Copenhague.] *S. m. Bras., N. E.* V. *carrossel.* [Antenor Nascentes (*Dicionário Etimológico*) dá *trívoli*, pronúncia inteiramente desus.]

trívoli. *S. m. Bras., N. E.* V. *trivoli.*

triz[1]. *El. s. m.* Us. na loc. adv. *por um triz.* [Cf. *tris.*] ◆ **Por um triz.** **1.** Por um pouco; por pouco, por um tudo-nada, por um és-não-és, por um fio, por um fio de cabelo, por um ápice, por uma linha: *Por um triz o jarro não se quebrou;* "Marcolino por um triz não caiu fulminado de espanto, sobressalto e satisfação ao mesmo tempo." (Franklin Távora, *O Cabeleira*, p. 261). **2.** Com grande custo; milagrosamente: *Escapou por um triz.*

triz[2]. [Alter. de *icterícia.*] *S. f. Pop.* Icterícia. [Cf. *tris.*]

troada. [De *troar* + *-ada*[1].] *S. f.* **1.** Ato ou efeito de troar. **2.** Som de muitos tiros; estrondo. [Sin. ger.: *troar.*]

troante. *Adj. 2 g.* V. *atroador*: "Lançando raios no volver dos olhos, / Figurando o trovão na voz troante" (Gonçalves Dias, *Obras Poéticas*, II, p. 345).

troar. [Do lat. *tonare*, 'trovejar', com *r* onom.] *V. int.* **1.** Trovejar; estrondear; retumbar: "De ambos a voz troou aterradora" (Junqueira Freire, *Obras Póstumas*, p. 236); "Era tarde! Troando pelo espaço / Amplo e sonoro, repicava o sino" (Raimundo Correia, *Poesias*, p. 53). *T. i.* **2.** Bradar, clamar; trovejar: *O verbo de José do Patrocínio troava contra a escravatura.* [Conjug.: v. *coroar.*] ● *S. m.* **3.** Troada.

troca. [Dev. de *trocar.*] *S. f.* **1.** Ato ou efeito de trocar(-se). **2.** Transferência mútua e simultânea de coisas entre seus respectivos donos. [Sin., nesta acepç.: *permuta, permutação, alborque* e (bras.) *barganha, tinhanha, baldroca.*] **3.** Permuta, câmbio, escambo. ◆ **Troca isotópica.** *Fís. Nucl.* Substituição, num sistema ou num processo, de um nuclídeo por outro que lhe é isótopo. **Trocas e baldrocas.** Negócios fraudulentos; tretas, tricas: "'Enganar'! Tal qual como na Feira da Vida, em toda a espécie de interesses materiais ou morais, graúdos ou miúdos, trocas e baldrocas, em que os de lúzio no olho empazinam os incautos, enfiam pelo fundo de uma agulha os bem-intencionados, os de boa fé" (Antero de Figueiredo, *Miradouro*, p. 121.) **Bolar as trocas.** Trocar as bolas [q. v.].

troça. [Dev. de *troçar.*] *S. f.* **1.** V. *zombaria.* **2.** V. *graça* (6). **3.** *Bras.* Pândega, farra. **4.** *Bras.* Vida devassa. **5.** *Pop.* Ajuntamento (de pessoas); multidão.

trocabilidade. *S. f.* Qualidade de trocável.

trocadilhar. *V. int.* Fazer trocadilhos.

trocadilhista. *S. 2 g.* Pessoa dada a fazer trocadilhos.

trocadilho. [Dim. de *trocado.*] *S. m.* **1.** Jogo de palavras parecidas no som e diferentes no significado, e que dão margem a equívocos; calembur, calemburgo, equívoco, trocados, triquestroques, tenções dobradas. **2.** Emprego de expressão ambígua.

trocado. [Part. de *trocar.*] *Adj.* **1.** Mudado, substituído: *O livro que encomendei veio trocado.* **2.** Diz-se do dinheiro miúdo [q. v.]. ● *S. m.* **3.** V. *dinheiro miúdo.* **4.** Antiga dança popular. **5.** *Liter. Pop. Bras.* Mourão[3].

trocador (ô). *Adj.* **1.** Que troca. ● *S. m.* **2.** Aquele que troca. **3.** *Bras.* Indivíduo encarregado de cobrar as passagens, nos ônibus. ◆ **Trocador de calor.** *Eng. Ind.* V. *cambiador de calor.*

trocados. [Pl. substantivado do adj. *trocado.*] *S. m. pl.* **1.** Trocadilhos [v. *trocadilho* (1)]. **2.** Lavores antigos em panos de armas ou em vestidos. **3.** V. *dinheiro miúdo.*

trocaico. [Do gr. *trochaikós*, pelo lat. *trochaicu.*] *Adj.* e *s. m.* ~ V. *verso* —.
trocal. *S. f. Bras.* V. *pomba-trocal* (1).
troçal. *S. m.* V. *torçal*: "Estas argutas parafusações de direito pontifício, ... não se podem assaz destrinçar sem barrete de *troçal* e grande cópia de meio-grosso sobre fólios máximos." (Camilo Castelo Branco, *Boêmia do Espírito*, p. 301.)
trocano. *S. m. Bras.* Var. de *torocana*.
trocanter (tér). [Do gr. *trochantér.*] *S. m. Anat.* Cada uma das duas tuberosidades existentes na parte superior de cada fêmur. [Pl.: *trocanteres*.]
troca-pernas. [De *trocar* + *perna*.] *S. m. 2 n. Bras.* V. *vagabundo* (6).
trocar. *V. t. d.* **1.** Dar (uma coisa) por outra; permutar: *Trocou o velho automóvel; Os rapazes trocaram os livros;* "*Trocaram* beijos ao luar tranqüilo." (Augusto Gil, *Luar de Janeiro*, p. 75). **2.** Substituir (uma coisa) por outra; mudar: *trocar a camisa*. **3.** Tomar (uma coisa) por outra; confundir: *Na pressa, trocou um dos embrulhos*. **4.** Alterar, modificar, transtornar: *Não troque a ordem em que arrumei os livros; O tempo troca, às vezes, os sentimentos*. **5.** Pôr de través; cruzar. **6.** *Bras.* Comprar ou vender (santos, imagens). *T. d. e i.* **7.** Dar em troca; permutar: *Trocou os móveis velhos por novos;* "Torrou mercadorias, *trocou* burros por vacas e bois." (Nélson de Faria, *Cabeça-Torta*, p. 9). **8.** Dar primazia ou preferência; preferir: *Não troca o Brasil por nenhum outro país*. **9.** Deixar, abandonar: *Trocou a liberdade dos solteiros pela estabilidade dos casados*. **10.** Converter, transformar: *Trocou os impostos por serviços;* "o cego arrastou-se até o portão de ferro do cemitério, ... e lá ficou à espera de Elias, que fora *trocar* por mantimentos as esmolas que tinham recebido." (Alphonsus de Guimaraens, *Obra Completa*, p. 298). **11.** Vender ou comprar (santos, imagens): "um artista, que fazia os mais belos santos da igreja e os '*trocava*' (era proibido dizer-se que se vendiam os santos) com uma clientela de capital e do interior." (Povina Cavalcanti, *Volta à Infância*, p. 21). *T. i.* **12.** Deixar ou substituir (uma coisa por outra); mudar: *trocar de roupa; trocar de vida*. **13.** Permutar entre si: *Trocaram de lugar*. *P.* **14.** Transformar-se, converter-se: "Enquanto rezava, via eu a pobre alma, que padecia deveras, conquanto a esperança começasse a *trocar-se* em certeza intuitiva." (Machado de Assis, *Várias Histórias*, p. 34); "*Troca-se* em paraíso a casinha branca da montanha." (Manuel Bandeira, *Estrela da Vida Inteira*, p. 225). **15.** Reciprocar-se, mutuar-se: *Os namorados trocavam-se beijos*. **16.** *Bras.* Mudar a roupa; trocar de roupa. [Conjug.: v. *trancar*, Pres. ind.: *troco*, etc.; pres. subj.: *troque*, ... *troqueis*, *troquem*. Cf. *troco* (ô), s. m., e *troquéis*, pl. de *troquel*.] ♦ **Trocar de bem.** *Bras.* Reatar amizade rompida; reconciliar-se. **Trocar de mal.** *Bras.* Romper relações; brigar, desavir-se; tocar de mal.
troçar. *V. t. d.* **1.** Zombar de; escarnecer, ridicularizar, ridicularizar. *T. i.* **2.** Fazer troça; gracejar, caçoar: *De tudo ri, troça de tudo*. **3.** Zombar, escarnecer, ridicularizar: "Garrett envergonha-se da humilde conquista, e em versos que ficarão inéditos tem a crueldade de *troçar* desse amor." (José Osório de Oliveira, *O Romance de Garrett*, p. 33.) [Conjug.: v. *laçar*. Pres. ind.: *troço*, etc. Cf. *troço* (ô).]
trocarte. [Do fr. *trocart*.] *S. m. Cir.* Cânula terminada em ponta triangular que se usa para punções em cavidades e retirada de líquido.
troca-tintas. [De *trocar* + *tinta*.] *S. m. 2 n.* **1.** V. *borra-tintas* (1). **2.** *P. ext.* Indivíduo trapalhão: "Macário desconfiava da concorrência de José do Lago, um *troca-tintas* que aprendia com o Chico Fidêncio, e nada fazia que prestasse." (Inglês de Sousa, *O Missionário*, p. 102.)
troca-troca. *S. m. Bras.* Negociação que envolve troca de objetos usados por novos, de atletas, entre clubes, etc. [Pl.: *troca-trocas*.]
trocável. *Adj. 2 g.* Que pode ser trocado.
trocaz. *Adj. 2 g.* Var. metatética de *torcaz*.
trochada. *S. f.* **1.** Pancada com trocho. **2.** Pancada, bordoada. [Cf. *tronchada*.]
trochado. [Part. de *trochar*.] *Adj.* **1.** Diz-se do cano que foi torcido para tornar-se reforçado. **2.** *Bras.* Diz-se do cano de espingarda feito de uma fita de aço espiralada. ● *S. m.* **3.** Antigo lavor em seda ou noutros tecidos.
trochar. *v. t. d.* Torcer (cano de espingarda) para reforçar. [Pres. ind.: *trocho*, etc. Cf. *trocho* (ô).]
trocho (ô). [Talvez do lat. *trunculu*.] *S. m.* **1.** Pau tosco; bordão, cacete. **2.** Garaveto, cavaco. [Pl.: *trochos*. (ô). Cf. *trocho*, do v. *trochar*.]
trociscação. *S. f.* Ato ou efeito de trociscar.
trociscar. *V. t. d.* Reduzir a trociscos ou fragmentos. [Conjug.: v. *trancar*.]
trocisco. [Do gr. *trochískos*, 'pastilha redonda', pelo lat. *trochiscu*.] *S. m. Farmac.* Preparação farmacêutica sólida, que tem por veículo o açúcar e assume formas variadas.
trocista. [De *troça* + *-ista*.] *Adj. 2 g.* e *s. 2 g.* Que ou quem gosta de troçar.
tróclea. [Do gr. *trochilía*, 'polé', pelo lat. *trochlea*.] *S. f. Anat.* Designação genérica de acidente anatômico semelhante a roldana, e que pode ser encontrado em alguns ossos, como, p. ex., úmeros e calcâneos.
troclear. *Adj. 2 g. Anat.* Pertencente ou relativo à tróclea.
trocleiforme. [De *tróclea* + *-i-* + *-forme*.] *Adj.* Que tem forma de tróclea.
▲**troc(o)-.** [Do gr. *trochós*, *oû*.] *El. comp.* = 'circular', 'redondo': *trococéfalo*. [Equiv.: *-troc(o)-*: *epitrocóide*.]
troco (ô). [Dev. de *trocar*.] *S. m.* **1.** Ação de trocar; troca. **2.** Moedas ou cédulas de valor menor, equivalentes a uma só que representa quantia superior. **3.** Dinheiro que o vendedor devolve ao comprador que pagou um objeto com moeda(s) de valor superior ao preço ajustado. **4.** *Fam.* Réplica, revide. **5.** Resposta oportuna. [Pl.: *trocos* (ó). Cf. *troco*, do v. *trocar*.] ♦ **A troco de.** **1.** Em compensação ou recompensa de; em troco de: *A troco de pequenos favores que obteve do amigo, faz tudo por ele*. **2.** *Bras.* e *prov. lus.* Por causa de; por via de; por amor de: *Esteve com o Romão, não sei a troco de quê*. **A troco de reza.** *Bras., S. Fam.* Por preço vil; muito barato: *Vendeu a casa a troco de reza; Comprou um bom sítio a troco de reza*. **Dar o troco.** Revidar a ofensa anterior com outra. **Dar um pelo outro e não querer troco.** *Deprec.* Considerar (duas pessoas) de qualidade e condição idênticas. **Faturar um troco.** *Bras.* Ganhar bem; ter ótimo salário. **Fazer troco.** Converter nota (ou moeda) em troco (2); trocar dinheiro.
troço. [De *troço* (ô), com mudança de timbre de conseqüências semânticas.] *S. m. Bras. Gír.* **1.** Coisa imprestável; traste velho; tralha. **2.** Qualquer objeto cujo nome não importa, ou não se sabe, ou não se quer declinar; coisa, negócio, trem, troféu. [Sin., no RS (nessas acepç.): *xicaca*.] **3.** Pessoa importante, influente; figurão: *O homem é troço na política*. **4.** Mal-estar indeterminado; coisa: *Teve um troço e morreu;* "Li esta notícia [sobre troca de jogadores] num jornal velho e quase tive um *troço*." (João Saldanha, *Jornal do Brasil*, 5.1.1982). [Cf. *troço* (ô).] ♦ **Um troço.** *Bras. Gír.* **1.** V. *um amor* (1): *A nova gravação daquele disco é um troço*. **2.** Uma coisa (2).
troço (ô). [Do provenç.-cat *tros*, 'pedaço'.] *S. m.* **1.** Trocho. **2.** *Artilh.* Cada uma das aduelas de um molde de canhão. **3.** *Lus.* Trecho de estrada, caminho, etc. **4.** *Ant.* Corpo de tropas: "Capitaneando um *troço* de soldados, caía de improviso sobre um lugar" (Oliveira Martins, *Histórias de Portugal*, I, p. 67). **5.** Porção de gente; multidão. **6.** *Bras. Chulo.* Troçulho. [Pl.: *troços* (ó). Cf. *troço*, do v. *troçar* e s. m.]
trococéfalo. [De *troc(o)-* + *-céfalo*.] *Adj. Zool.* Que tem cabeça redonda.
trocóforo. [De *troc(o)-* + *-foro*.] *S. m.* **1.** Espécime dos trocóforos. ● *Adj.* **2.** Pertencente ou relativo a eles.
trocóforos. [Pl.: de *trocóforo*.] *S. m. pl. Zool.* Animais metazoários, invertebrados cujas larvas pelágicas são providas de uma cintura ciliada em torno do corpo.
trocóide. [De *troc(o)-* + *-óide*.] *S. f. Geom.* Curva plana descrita por um ponto rigidamente ligado a um círculo que rola, sem deslizar, sobre uma reta fixa de seu plano. [Tb. se diz, impr., *ciclóide*.]
trocóideo. [Do gr. *trochoeidés*, 'semelhante a uma roda', + *-eo*.] *Adj.* **1.** Semelhante a uma roda; rotiforme, rotáceo. **2.** *Anat.* Diz-se da articulação em que um osso gira sobre outro.
trocosferídeo. [De *troc(o)-* + *-(e)sfer(o)-* + *-ídeo*.] *S. m.* **1.** Espécime dos trocosferídeos. ● *Adj.* **2.** Pertencente ou relativo a eles.
trocosferídeos. *S. m. pl. Zool.* Animais metazoários, rotíferos, anuros colocados por alguns autores na ordem *Trochosphaerida*. Têm o disco trocal sob forma de um círculo equatorial provido de cílios.
troçulho. [De *troço* (ô) + *-ulho*.] *S. m. Bras., N.E. Chulo.* Cagalhão. [Sin.: *troço* (ô).]
troféu. [Do gr. *trópaion*, atr. do lat. *tropaeu* e do lat. vulg. *trophaeu*.] *S. m.* **1.** Despojos de inimigo vencido. **2.** Despojo de caça. **3.** Taça ou qualquer objeto comemorativo de uma vitória. **4.** Insígnias militares arranjadas de modo artístico para servirem de ornamento; panóplia. **5.** Representação dos atributos particulares a uma ciência ou arte, em pintura ou escultura. **6.** *Fig.* Vitória, triunfo. **7.** *Bras. Gír.* Coisa, negócio, trem, troço [q. v.].
troféu-de-cabeça. *S. m. Etnol.* Cabeça de inimigo morto que, entre muitos povos naturais, costuma ser conservada, por dar ao seu possuidor prestígio ou força mágica. [Pl.: *troféus-de-cabeça*.]
trófico. [De *trof(o)-* + *-ico*².] *Adj.* Referente à nutrição. ~ V. *úlcera* —.
▲**trof(o)-.** [Do gr. *trophé*, *ês*.] *El. comp.* = 'nutrição': *trófico*, *trofoneurose*.
trofobiose. [De *trof(o)-* + *bi(o)-* + *-ose*.] *S. f. Biol. Ger.* Associação de seres na qual um se alimenta dos dejectos do outro, ao qual, em troca dá proteção.
trofoneurose. [De *trof(o)-* + *neur(o)-* + *-ose*.] *S. f.* Alteração trófica de um tecido por influência do sistema nervoso. [Var.: *trofonevrose*.]
trofonevrose. *S. f.* Var. de *trofoneurose*.
trofosperma. [De *trof(o)-* + *-sperma*.] *S. m. Morfol. Veg. P. us.* Placenta (2).
trofozoítico. *Adj.* Pertencente ou relativo ao trofozoíto.
trofozoíto. *S. m. Zool.* **1.** Forma ativa de protozoário, observada em geral nos esporozoários, como ocorre no causador da malária. **2.** Forma ativa de protozoário que se movimenta e se nutre num ciclo reprodutor.
trogalho. [Do lat. **torquaculo torquere*, 'torcer'.] *S. m.* Pequena corda que serve para atilho.
troglodita. [Do gr. *troglodytes*, pelo lat. *troglodyta*.] *Adj. 2 g.* **1.** Que vive debaixo da terra ou em cavernas. ● *S. 2 g.* **2.** Pessoa que vive sob a terra. **3.** Membro de comunidade pré-histórica que habitava em cavernas: "verdadeiros *trogloditas*, que em covas faziam sua habitual vivenda." (Latino Coelho, *Fernão de Magalhães*, p. 176).
troglodítico. *Adj.* Referente a troglodita.
troglodítídeo. [De *troglodita* + *-ídeo*.] *S. m.* **1.** Espécime dos troglodítídeos. ● *Adj.* **2.** Pertencente ou relativo a eles.
troglodítídeos. *S. m. pl. Zool.* Aves passeriformes, da família *Troglodytidae*, caracterizadas pelo tarso do tipo ocreado (escamas anteriores), de tegumento não ou indistintamente dividido em placas, a primeira das rêmiges da mão curta, cauda pouco mais comprida que a asa, plumagem parda ou vermelha. Insetívoros. São bons cantores, e entre eles se encontram os uirapurus-verdadeiros, as corruíras e os cutipuruís.
trogonídeo. *S. m.* **1.** Espécime dos trogonídeos. ● *Adj.* **2.** Pertencente ou relativo a eles.
trogonídeos. *S. m. pl. Zool.* Aves trogoniformes, da família *Trogonidae*, caracterizadas por terem os dedos livres, dispostos dois para a frente e dois para trás, bico com as margens serradas, plumagem mole, cores geralmente brilhantes. Vivem nas matas virgens e alimentam-se de insetos. São os surucuás.
trogoniforme. *S. m.* **1.** Espécime dos trogoniformes. ● *Adj.* **2.** Pertencente ou relativo a eles.
trogoniformes. *S. m. pl. Zool.* Aves neórnites, neógnatas, da ordem *Trogoniformes*, de bico serrado, curto e grosso, com vibrissas na base, pernas curtas, pequenas, zigodáctilas, plumagem brilhante, geralmente verde, porém mole e frouxa. Diurnas, freqüentam matas, onde se alimentam de insetos e outros artrópodes. Constituem as várias espécies de surucuás.
tróia¹. [Do top. *Tróia*, antiga cidade da Ásia Menor.] *S. f.* Jogo antigo, que simulava um combate.
tróia². *S. f. Bras.* Grande rede de pescar.
troiano. *Adj.* **1.** De, ou pertencente ou relativo a Tróia, antiga cidade da Ásia Menor. ● *S. m.* **2.** O natural ou habitante de Tróia. [Sin. ger.: *dardânio*, *teucro*.]
troiar. *V. int. Bras.* Pescar com tróia². [Conjug.: v. *apoiar*.]
tróica. [Do russo *troika*.] *S. f.* Grande trenó, na Rússia, puxado por três cavalos emparelhados.
troixa. *S. f.* Var. de *trouxa* [q. v.].
troixe-moixe. *El. s.* Var. de *trouxe-mouxe* [q. v.].
troixinha. *S. f. Bras. Gír.* Var. de *trouxinha*.
trolado. *Adj. Bras., MG.* V. *embriagado* (1).
trole. [Do ingl. *trolley*.] *S. m.* **1.** *Bras.* Pequeno carro descoberto que anda sobre os trilhos das ferrovias e é movido pelos operários por meio de varas ou paus ferrados. [Cf. *dresina*.] **2.** *Bras., S.* Carruagem rústica que se usava nas fazendas e nas cidades do interior antes da introdução do automóvel.
trolebus. [Do ingl. *trolley-bus*.] *S. m. 2 n.* Veículo de transporte coletivo urbano, que roda sobre pneumáticos, movido a energia elétrica transmitida por cabos aéreos; ônibus elétrico.
trolha¹ (ô). [De uma var. *trullia*, do lat. *trulla*, 'colher de

mexer panela; escumadeira; trolha'.] *S. f.* **1.** Espécie de pá na qual o pedreiro tem a argamassa que vai usando. **2.** *Bras.* Desempoladeira. *S. m.* **3.** Pedreiro ruim. **4.** Servente de pedreiro. [Sin. (nesta acepç.) em SP: *meia-colher.*] **5.** *Pop.* V. *maltrapilho* (2). **6.** Homem ordinário. [Pl.: *trolhas* (ô).]

trolha[2] (ô). *S. f. Fam.* Bofetada, tabefe, tapa. [Pl.: *trolhas* (ô).]

trolho[1] (ô). [Do lat. *trulleu*, 'bacia, jarro'?] *S. m.* Medida antiga de capacidade, que equivalia a meio celamim. [Pl.: *trolhos* (ô).]

trolho[2] (ô). *S. m. Fam.* Homem atarracado. [Pl.: *trolhos* (ô).]

trolista. *S. m. Bras.* Indivíduo incumbido de movimentar o trole (1).

trololó. [Voc. onom.] *S. m. Bras.* Música de caráter ligeiro e fácil.

trom. [Voc. onom.] *S. m.* **1.** *Ant.* Boca-de-fogo rudimentar, constituída de um tubo de madeira rija ou ferro forjado, reforçado externamente por barras de ferro dispostas com aduelas e apertadas por cintos de ferro. **2.** *Ant.* O estrondo produzido por tiros de artilharia: "T r o n s festivais, bandeiras desfraldadas. / Girândolas, clarins, atropeladas / Legiões de povo, bimbalhar de sinos ... " (Raimundo Correia, *Poesias*, p. 163); "E a bala sibilando, / E o t r o m da artilharia" (Alexandre Herculano, *Poesias*, p. 78). **3.** *P. ext.* Som de trovão.

tromba[1]. [Alter. de *trompa.*] *S. f.* **1.** Órgão do olfato e aparelho de preensão dos proboscídeos, como o elefante, o tapir, etc. **2.** Sugadouro de inseto. **3.** Focinho (1). **4.** *Pleb.* Rosto, cara. **5.** *Bras. Pop.* Cara amarrada, que demonstra zanga ou aborrecimento; carranca. **6.** *Bras., SP.* Desfiladeiro aberto pelas águas, proveniente de grande erosão. **7.** *Bras., MG.* Morro isolado. **8.** *Bras., MT.* Designação comum às saliências do araxá ou planalto na baixada do Paraguai.

tromba[2]. [Do it. *tromba.*] *S. f.* Tromba-d'água [q. v.]

trombada. *S. f.* **1.** Pancada ou choque com a tromba ou focinho. **2.** *P. ext.* Pancada, choque, batida, colisão.

tromba-d'água. *S. f.* **1.** Fenômeno meteorológico que ocorre no mar e consiste numa grande nuvem negra, donde vai saindo um prolongamento parecido a uma tromba de elefante, o qual, girando rápido em torno do seu eixo, desce até a superfície, onde produz forte remoinho e eleva a água, na forma de um cone com o vértice voltado para cima. [Tb. se diz apenas *tromba.* Sin.: *manga.* Fenômeno semelhante, quando ocorre em terra, chama-se *tornado.*] **2.** *Fig.* Grande porção de água, ou de chuva: *Caiu uma t r o m b a - d' á g u a nas cabeceiras e provocou uma enchente no rio.* [Pl.: *trombas-d'água.*]

tromba-de-elefante. *S. f. Bras.* Planta da família das agaviáceas (*Agave attenuata*), cujas longas e rígidas folhas compõem enorme roseta basal. É ornamental, porém morre depois de florescer pela primeira vez. As flores, verde-pálidas, são vistosas e agregam-se em grandes panículas terminais. [Pl.: *trombas-de-elefante.*]

trombadinha. [Dim. de *trombada.*] *S. f. Bras. Gír. Pop.* Menor delinqüente que atua em pequenos grupos, na rua.

trombar. [De *tromba*[1] + *-ar*[2].] *V. int. Bras.* **1.** Dar trombada (2); chocar-se, colidir; bater: *O automóvel t r o m b o u, e o conserto vai ser caro.* **2.** *T. i.* Fazer tromba (5): *Não vá t r o m b a r comigo.*

trombeta[1] (ê). [Dim. do arc. *tromba,* 'trompa'.] *S. f.* **1.** Qualquer instrumento musical de sopro, com tubo mais ou menos longo e em geral afunilado, e em cuja feitura, rudimentar, se utiliza o chifre de um animal, uma concha, um pedaço tubiforme de vegetal, etc.; corneta. **2.** *Mús.* Instrumento de sopro, de metal, espécie de corneta sem voltas, usado para fazer sinais e também como instrumento musical. **3.** *Mús. P. us.* Trompete (1). **4.** *Mús.* Registro de órgão. **5.** *Fig.* Pessoa mexeriqueira. **6.** *Bras.* Máscara de couro que se põe no focinho dos eqüídeos para que não comam nem bebam fora da ração. ● *S. 2 g.* **7.** Trombeteiro (1). ◆ **Trombeta bastarda.** *Mús.* A de tubo estreito e muito longo, que dá sons agudíssimos. **Trombeta da fama.** Fama, vulgarização. **Trombeta marinha.** *Mús.* Antigo instrumento monocórdio, espécie de contrabaixo, de forma poligonal, muito alongada, e tocado com arco que feria a corda entre a pestana e a mão esquerda do executante.

trombeta[2] (ê). *S. f. Bras.* F. de *peixe-trombeta* [q. v.].

trombeta-do-juízo-final. *S. f. Bras.* V. *trombetão-azul.* [Pl.: *trombetas-do-juízo-final.*]

trombetão-azul. *S. m. Bras.* Arbusto da família das solanáceas *(Datura fastuosa),* cultivado como ornamental graças às enormes flores infundibuliformes e violáceas, mas venenoso por conter atropina e hiosciamina. Os frutos são cápsulas coriáceas. [Sin.: *trombeta-do-juízo-final, trombetão-roxo, trombeteira-roxa.* Pl.: *trombetões-azuis.*]

trombetão-roxo. *S. m. Bras.* V. *trombetão-azul.* [Pl.: *trombetões-roxos.*]

trombetear. [De *trombeta*[1] + *-ear.*] *V. int.* **1.** Tocar trombeta. **2.** *Bras.* Imitar o som da trombeta. *T. d.* **3.** Fazer soar em trombeta. **4.** *Fig.* Apregoar, alardear. [Conjug.: v. *frear.*]

trombeteira. [De *trombeta*[1] + *-eira.*] *S. f. Bras.* Designação de dois arbustos ornamentais da família das solanáceas (*Datura arborea* e *D. suaveolens*), que podem ser arvoretas. As flores, alvas como leite, são afuniladas e chegam a 30 cm; os frutos são cápsulas. Procedem do Peru e podem ser subespontâneos.

trombeteira-roxa. *S. f. Bras.* V. *trombetão-azul.* [Pl.: *trombeteiras-roxas.*]

trombeteiro. *S. m.* **1.** Tocador ou fabricante de trombetas [v. *trombeta*[1] (1 a 3)]; trombeta. **2.** Espécie de mosquito que vive nos lugares úmidos; muchão. **3.** *Bras.* Tarã.

trombicar. *V. int.* **1.** *Pleb.* Ter relações sexuais; copular. **2.** Burlar, lograr, intrujar. *P.* **3.** *Bras. Gír.* Trumbicar-se [q. v.]. [Conjug.: v. *trancar.*]

trombídida. *S. m.* e *adj. 2 g.* V. *trombidídeo.*

trombídidas. *S. m. pl. Zool.* V. *trombidídeos.*

trombidídeo. *S. m.* **1.** Espécime dos trombidídeos. ● *Adj.* **2.** Pertencente ou relativo a eles.

trombidídeos. *S. m. pl. Zool.* Família de aracnídeos, da ordem dos acarinos, que compreende o gênero *Trombidium* e outros afins.

trombidiforme. *S. m.* **1.** Espécime dos trombidiformes. ● *Adj.* **2.** Pertencente ou relativo a eles.

trombidiformes. *S. m. pl. Zool.* Artrópodes aracnídeos, acarinos, subordem Trombidiformes, que têm o corpo sem estigmas traseiros ou com um par na boca ou próximo dela; quelíceras modificadas para punção; palpos modificados em órgão sensorial ou adesivo, em forma de pinças. No grupo se incluem os micuins e ácaros aquáticos ou hidracarinos.

trombina. *S. f. Bioquím.* Fermento que provoca a coagulação do sangue; fibrinofermento.

trombo. [Do gr. *thrómbos,* 'coágulo'.] *S. m. Patol.* Coágulo sanguíneo.

trombombó. [Alter. de *promombó*?] *S. m. Bras., RJ.* Maneira especial de pescar tainhas, fixando esteiras nos bordos das canoas.

trombone. [Do it. *trombone.*] *S. m.* **1.** Instrumento de sopro, de metal, com embocadura de bocal, e cujo tubo, longo e cilíndrico, é recurvado sobre si mesmo em cerca de 2/3 de seu comprimento, do bocal até o ponto em que principia a alargar-se para terminar no pavilhão. Há duas espécies: o *trombone de vara,* com dois tubos encaixados um no outro, que funcionam como um êmbolo, e de timbre mais ou menos semelhante ao da trombeta, e o *trombone de pistons,* em que a parte corrediça é substituída por um jogo de três, quatro e até seis pistons, que dão ao instrumentista grandes facilidades técnicas. [Cf. *bomba*[2] (11).] **2.** Tocador de trombone; trombonista. ◆ **Trombone de pistons.** V. *trombone* (1). **Trombone de vara.** V. *trombone* (1). **Tocar trombone para.** *Bras., CE. Fam.* Servir de alcoviteiro, de pau-de-cabeleira, a (alguém).

trombonista. *S. 2 g.* Trombone (2).

trombose. [De *trombo* + *-ose.*] *S. f. Patol.* Coagulação do sangue processada, durante a vida, dentro do aparelho circulatório.

trombótico. *Adj.* Relativo a trombose.

trombudo. *Adj.* **1.** Que tem tromba. **2.** *Fig.* De rosto sombrio e torvo; carrancudo, emburrado; de cara amarrada.

trompa[1]. [Da onom. *trrrump,* imitativa do som do instrumento.] *S. f.* **1.** Instrumento de sopro, de metal, com embocadura de bocal, e longo tubo cônico enrolado sobre si mesmo e terminando em pavilhão largo. Evolveu da primitiva *trompa de caça,* através da *trompa de harmonia,* dotada de tubos adicionais que permitiam ao executante alterar o tom do instrumento, até à moderna *trompa de pistons* ou *trompa cromática,* de timbre aveludado e suave, cujos tipos mais usados são em fá e em mi bemol. **2.** V. *buzina* (1). **3.** Instrumento de vidro empregado nos laboratórios químicos, e destinado a fazer a aspiração do ar, para auxiliar, p. ex., as filtrações. **4.** V. *trompa de Falópio: ligar as t r o m p a s.* **5.** *Bras., S.* Biqueira (5). ● *S. 2 g.* **6.** Trompista (2). ◆ **Trompa cromática.** V. *trompa*[1] (1). **Trompa de caça.** *Mús.* Trompa lisa [q. v.], de tubo cônico mais ou menos largo, e de comprimento variável, o qual determina a afinação do instrumento; buzina, corno. **Trompa de Eustáquio.** *Anat.* Canal que comunica a faringe com a caixa do tímpano; salpinge. **Trompa de Falópio.** *Anat.* Canal que se estende de cada lado do útero até aos ovários. [Tb. se diz apenas *trompa.* Sin.: *trompa uterina* e *salpinge.*] **Trompa de harmonia.** V. *trompa*[1] (1). **Trompa de pistons.** V. *trompa*[1] (1). **Trompa lisa.** *Mús.* Trompa primitiva, sem orifícios, e de recursos limitados. **Trompa uterina.** *Anat.* V. *trompa de Falópio.*

trompa[2]. *S. f. Arquit.* Perchina.

trompaço. [De *trompar* + *-aço.*] *S. m. Bras.* V. *trompázio.*

trompada. [De *trompar* + *-ada*[1].] *S. f. Bras., S.* V. *trompázio.*

trompar. [De *trombar*?] *V. t. d. Bras., RS.* Dar encontrão ou esbarro em; encontroar, esbarrar; trompear.

trompázio. [De *trompar* + *-ázio.*] *S. m. Bras.* **1.** Pancada com a tromba. **2.** Empurrão, esbarro. **3.** Bofetada; tapa. [Sin. ger.: *trompaço, trompada.*]

trompear. *V. t. d. Bras., RS.* V. *trompar.* [Conjug.: v. *frear.*]

trompeta (ê). [Do esp. *trompeta.*] *S. 2 g. Bras., RS.* **1.** Pessoa ruim, ordinária, sem-vergonha. **2.** Desmancha-prazeres.

trompetada. *S. f. Bras., RS.* Ação própria de trompeta.

trompete. [Do fr. *trompette.*] *S. m.* Instrumento de sopro, de metal, com embocadura de bocal e tubo cilíndrico alongado que termina em pavilhão cônico. Há o *trompete liso,* que produz apenas a série harmônica de uma nota fundamental, e o *trompete cromático, trompete de pistons,* ou simplesmente *pistom,* instrumento dotado de pistons [v. pistom (2)], de construção análoga à trompa[1] (1), porém com o tubo mais longo, sendo geralmente afinado em fá e em mi bemol. [Sin.: *clarim* e (p. us.) *trombeta.*] **2.** Pessoa que toca esse instrumento; trompetista. **3.** No órgão, série de jogos de palheta. ◆ **Trompete cromático.** *Mús.* V. *trompete* (1). **Trompete de pistons.** *Mús.* V. *trompete* (1). **Trompete liso.** *Mús.* V. *trompete* (1).

trompetista. *S. 2 g.* **1.** Fabricante de trompete. **2.** Pessoa que toca trompete; trompete.

trompista. *S. 2 g.* **1.** Fabricante de trompas. **2.** Tocador de trompa; trompa.

trom-trom. *S. m. Bras.* F. sincopada de *torom-torom.* [Pl.: *trom-trons.*]

▲-tron. [Do gr.] *Suf.* = 'instrumento': *magnétron.*

tronante. [De *tronar*[1] + *-nte.*] *Adj. 2 g.* Que trona.

tronar[1]. [Do lat. *tonare,* 'trovejar', com *r* onom.] *V. int.* Trovejar; troar, atroar.

tronar[2]. [Do fr. *trôner.*] *V. int.* **1.** Exibir-se do alto, majestosamente. **2.** Estar em situação elevada; dominar: "Dona Maria .... despedia comigo para o aconchego do seu lar viúvo de crianças, onde eu t r o n a v a feliz e soberano" (Francisco Ribeiro Sampaio, *Renembranças,* p. 89). [Sin. ger.: *tronear, tronejar.*]

troncha. *S. f.* V. *couve-tronchuda.*

tronchada. [F. nasalada de *trochada* (q. v.).] *S. f. Bras., AL.* Safanão, repelão. **2.** Bordoada, pancada. [M. us. no pl. Cf. *trochada.*]

tronchar. [Do lat. *truncare,* pelo esp. *tronchar.*] *V. t. d.* Cortar rente; mutilar.

troncho. [Do esp. *troncho.*] *Adj.* **1.** Privado de algum membro ou ramo; mutilado, tronco, truncado. **2.** *Bras.* Curvado para um dos lados; torto: "Preferia aquela sua desordem do quarto da Pensão, o quadro-negro t r o n c h o , ... os livros e a roupa suja pelo chão" (Mauro Mota, *O Pátio Vermelho,* p. 169). ● *S. m.* **3.** Membro cortado. **4.** Talo de couve-tronchuda. **5.** *Bras., N.E.* Pessoa perigosa, de maus costumes; mau elemento.

tronchudo. [Do esp. *tronchudo.*] *Adj.* **1.** Que tem talos grossos (principalmente a couve). **2.** *Fig.* Diz-se de quem tem membros fortes.

tronchura. *S. f. Bras., N.E.* Qualidade ou ação de troncho (5).

tronco[1]. [Do lat. *truncu.*] *S. m.* **1.** *Morfol. Veg.* O caule das árvores. [É sempre muito grande e grosso, tendo crescimento secundário na casca e no cilindro central.] **2.** Ramo grosso de árvore. **3.** Parte do corpo humano, excetuada a cabeça, o pescoço e os membros; talhe, torso. **4.** Antigo instrumento de tortura, que consistia num cepo com olhais, onde se metia o pé ou o pescoço do paciente. **5.** Aparelho, com dois tapumes, entre os quais se prende o gado para ferrá-lo ou pensá-lo. **6.** Cadeia, cárcere. **7.** Incumbência, obrigação, encargo. **8.** Origem de família, raça, etc.; cepa. **9.** Parte de sólido geométrico separada por um corte perpendicular ou oblíquo ao respectivo eixo. [Cf. *tronco de cilindro, de cone, de prisma, de pirâmide*]. **10.** Tronco de telecomunicações [q. v.]: *A telefonista disse que os t r o n c o s estão ocupados.* **11.** *Bras.* Pau fincado no chão, e ao qual amarravam escravos para os surrar. [Nos seringais da Amaz. vigorou tal espécie de castigo até bem depois da Abolição.] **12.** *Bras.* Espaço separado por tapume, em trabalhos de mineração. **13.** *Bras., CE. Pop.* V. *bebedeira* (1). **14.** *Bras., RS.* Corredor estreito que se liga com a porteira do curral, e onde se prendem os animais que vão ser castrados, tosquiados, etc. ♦ **Tronco cilíndrico.** *Geom.* V. *tronco de cilindro.* **Tronco cônico.** *Geom.* V. *tronco de cone.* **Tronco de amarrar onça.** *Bras., CE.* V. *catatau* (8). **Tronco de cilindro.** *Geom.* Porção de cilindro compreendida entre dois planos não paralelos que cortam todas as geratrizes do cilindro e se interceptam fora dele; tronco cilíndrico, cilindro truncado. **Tronco de cone.** *Geom.* Porção de cone compreendida entre dois planos que cortam todas as geratrizes do cone e se interceptam fora dele; tronco cônico, cone truncado. **Tronco de pirâmide.** *Geom.* Porção de pirâmide compreendida entre dois planos que cortam as arestas laterais da pirâmide e se interceptam fora dela; tronco piramidal, pirâmide truncada. **Tronco de prisma.** *Geom.* Porção de prisma compreendida entre dois planos não paralelos que cortam as arestas laterais do prisma e se interceptam fora dele; tronco prismático, prisma truncado. **Tronco de telecomunicações.** *Telecom.* Cada conjunto de circuitos portadores comuns que interligam centros principais de telecomunicações. [Tb. se diz apenas *tronco.*] **Tronco piramidal.** *Geom.* V. *tronco de pirâmide.* **Tronco prismático.** *Geom.* V. *tronco de prisma.*

tronco². [Var. de *troncho,* com infl. de *tronco*¹.] *Adj.* Mutilado, truncado, troncho.

troncônico. [De *tron(o)*¹ + *cônico,* com haplologia.] *Adj.* Em forma de tronco de cone.

troncudo. [De *tronco*¹ + *-udo.*] *Adj. Bras.* Que tem o tronco¹ (3) desenvolvido: "Um homem alto e *troncudo* entrou na confeitaria" (Davi Antunes, *Briguela,* p. 90).

tronear. *V. int* V. *tronar*². [Conjug.: v. *frear.*]

troneira. [Do esp. *tronera.*] *S. f. Fort.* Intervalos dos merlões, por onde se enfia a boca do canhão ou da bombarda; bombardeira.

tronejar. *V. int.* V. *tronar*². [Conjug.: v. *pelejar.*]

troneto (ê). [De *trono*¹ + *-eto.*] *S. m.* Pequeno trono portátil que acompanha a saída da Eucaristia, e que se arma à beira da cama do doente.

tronga. *S. f. Lus.* V. *meretriz.*

trono¹. [Do gr. *thrónos,* pelo lat. *thronu.*] *S. m.* **1.** Sólio elevado em que os soberanos se assentam nas ocasiões solenes. **2.** *Fig.* Poder soberano; autoridade. ~ V. *tronos.*

trono². [Dev. de *tronar.*] *S. m.* Ato de tronar ou troar. ~ V. *tronos.*

tronos. [Pl.: de *trono.*] *S. m. pl. Teol.* Na hierarquia dos anjos, um dos nove coros, aos quais se sobrepõem os querubins e os serafins. ~ V. *trono.*

tronqueira. [De *tronco*¹ + *-eira.*] *S. f.* **1.** *Bras., AM.* Porção de paus fortes cravados casualmente no leito do rio, e que dificultam a navegação. **2.** *Bras., PA.* Margem de rio, onde há vários troncos de árvores caídas, cobertas de cipós e parasitos floridos; tronqueirada. **3.** *Bras., S.* Cada um dos esteios da porteira, em cujos buracos se introduzem as extremidades das varas de uma cancela. ♦ **Fechar a tronqueira.** *Bras.* Defumar e aspergir aguardente nos quatro cantos do local da sessão, para evitar perturbações dos espíritos importunos, garantindo tranqüilidade nos trabalhos de umbanda.

tronqueirada. [De *tronqueira* + *-ada*¹.] *S. f. Bras., PA.* Tronqueira (2).

trontrom. [De *torom-torom,* com síncope e aglutinação.] *S. m. Bras.* Torom-torom.

tropa. [Do fr. *troupe,* 'bando de pessoas ou de animais'.] *S. f.* **1.** Conjunto de muitas pessoas agrupadas; multidão. **2.** Conjunto de soldados. **3.** Os soldados de qualquer arma. **4.** O exército: *Aos 18 anos foi para a tropa.* **5.** *Bras. P. ext.* Cada uma das unidades locais de escoteiros. **6.** *Bras.* Caravana de animais eqüídeos, especialmente os de carga. **7.** *Bras.* O conjunto dos trabalhadores braçais em empresas de armazéns de depósito. [V. *estivador* (3).] **8.** *Bras., RS.* Grande porção de gado vacum em marcha dum ponto para outro (normalmente para as charqueadas). **9.** *Bras., MG. Ant.* Agrupamento de escravos dirigidos por empregados livres, e que trabalhavam na extração de diamantes em lugares que chamavam *serviços* [v. *serviço* (22)]. ♦ **Tropa de barro.** *Bras., N.E.* Designação dada a tropas irregulares, formadas por civis; tropa de cachimbo. **Tropa de cachimbo.** *Bras., N.E.* Tropa de barro. **Tropa de linha.** *Bras., N.E.* O exército; a tropa destinada a formar um corpo de batalha. **Tropa de resgate.** *Bras., AM.* Grupo de entradistas que resgatava índios para os escravizar.

tropeada. [De *tropear* + *-ada*¹.] *S. f.* Ato ou efeito de tropear¹; tropel: "A *tropeada* de muitos cavalos, soando a par do alarido e vozes do castelo, anunciou à aldeia alvoroçada a vinda do monarca." (Rebelo da Silva, *Contos e Lendas,* p. 169.)

tropear¹. [De *tropel* + *-ar*², com síncope do *l.*] *V. int.* Fazer barulho com os pés ou com as patas, andando; fazer tropel. [Conjug.: v. *frear.*]

tropear². [De *tropa* + *-ear.*] *V. int. Bras.* Trabalhar como tropeiro: conduzir tropa. [Conjug.: v. *frear.*]

tropeçamento. *S. m.* Ato ou efeito de tropeçar; tropeção, tropeço.

tropeção. [De *tropeçar* + *-ão*³.] *S. m.* **1.** V. *tropeçamento.* **2.** Ato de tropeçar (1), perdendo o equilíbrio; topada. [Sin., bras., S., nesta acepç.: *tropicada* e *tropicão.*] **3.** Animal que tropeça muito; tropicão. ● *Adj.* **4.** Diz-se de animal tropeção.

tropeçar. [Do lat. vulg. **interpediare* < *interpedire,* 'impedir', atr. do ant. *entrepçar,* com aférese da 1ª síl. e infl. de *tropa.*] *V. t. i.* **1.** Dar com o pé involuntariamente; dar topada; esbarrar: *Tropeçou numa tábua e caiu; Distraído, tropeçou no passante.* **2.** Encontrar empecilho ou obstáculo inesperado: *tropeçar em dificuldades.* **3.** Incorrer ou cair em erro; não atinar: *Tropeçou com a interpretação do texto; Tropeçaram na solução do problema.* **4.** Cair, incorrer: *A cada avanço da ciência o homem tropeça em novas dúvidas.* **5.** Vacilar, hesitar: *Perdeu a vivacidade, e tropeçou na resposta. Int.* **6.** Dar tropeções; tropicar; cambalear. [Conjug.: v. *laçar.* Pres. ind.: *tropeço,* etc. Cf. *tropeço* (ê), e *Tropeço* (ê), top.] ● *S. m.* **7.** Tropeçamento, tropeção.

tropeço (ê). [Dev. de *tropeçar.*] *S. m.* **1.** V. *tropeçamento.* **2.** Coisa em que se tropeça. **3.** *Fig.* Obstáculo, embaraço, travanca. [Pl.: *tropeços* (ê). Cf. *tropeço,* do v. *tropeçar.*]

tropeçudo. *Adj.* Que tropeça com freqüência.

trôpego. [Do lat. *hydropicu,* 'hidrópico' (em virtude do caminhar vacilante).] *Adj.* **1.** Que anda a custo. **2.** Que não move os membros ou só os move com dificuldade, arrastadamente.

tropeirada. *S. f. Bras.* O conjunto de tropeiros.

tropeiro. *S. m.* **1.** *Bras.* Condutor de tropa (6); arrieiro, bruaqueiro. **2.** *Bras., RS.* Indivíduo que compra e vende tropas de gado, de mulas ou de éguas. **3.** *Bras.* V. *vivió.*

tropel. [Do provenç. *tropel.*] *S. m.* **1.** Ruído ou tumulto produzido por multidão a andar ou a se agitar. **2.** Grande confusão; desordem, balbúrdia. **3.** Agrupamento de pessoas a moverem-se em desordem; turbamulta: "e vem guiando / *Tropel* confuso de cavaleria, / Que combate desordenadamente." (Basílio da Gama, *O Uraguai,* V, pp. 75-76). **4.** Estrépito de pés; tropeada. **5.** Tropear estrepitoso de cavalos; tropeada. [Pl.: *tropéis.*]

tropelia. *S. f.* **1.** Tumulto produzido por muitas pessoas em tropel. **2.** Efeito de tropel. **3.** *Fig.* Bulício; inquietação. **4.** *Fig.* Astúcia, sagacidade, ardil, artimanha. **5.** *Fig.* Travessura, traquinice, estripulia. **6.** Prejuízo, dano. **7.** *Fig.* Maus-tratos.

tropeliar. *V. int.* Fazer tropel ou tropelia.

tropeolácea. *S. f.* Espécime das tropeoláceas.

tropeoláceas. *S. f. pl. Bot.* Família de plantas superiores, da ordem das geraniales, composta de ervas, não raro trepadeiras, cujas folhas são, de ordinário, peltadas. Flores vistosas, fortemente zigomorfas em virtude de um grande esporão; fruto esquizocárpico, fragmentando-se em três mericarpos. Há umas 80 espécies sul-americanas, dos Andes na maioria. *Trapaeolum majus,* dito *chagas,* é apreciado como ornamental graças às magnas flores vermelhas.

tropeoláceo. *Adj.* Pertencente ou relativo às tropeoláceas.

tropicada. [De *tropicar* + *-ada*¹.] *S. f. Bras., S.* V. *tropeção* (2).

tropical. *Adj. 2 g.* **1.** Relativo aos trópicos ou às regiões da zona tórrida. **2.** Situado entre os trópicos. **3.** Referente ao clima daquelas regiões. **4.** *Fig.* Abrasador, ardente: *calor tropical.* ~ V. *doença* — e *zona* —. ● *S. m.* **5.** Tecido leve, em geral de lã, de trama simples e aberta, caracterizado pelo brilho e por amarrotar pouco, e usado principalmente para ternos: "seu Moacir mandou fazer, no seu alfaiate, o primeiro terno de *tropical* inglês do rapazinho." (Marisa Raja Gabaglia, *Milho pra Galinha, Mariquinha,* p. 9). **6.** *P. ext.* A roupa feita deste tecido.

tropicalismo. *S. m.* Qualidade do que é tropical.

tropicalista. *S. 2 g.* **1.** Tratadista de assuntos referentes às regiões tropicais. **2.** Médico especialista em doenças dessas regiões, as chamadas *doenças tropicais.*

tropicão. [De *tropicar* + *-ão*³.] *S. m.* **1.** Ato ou efeito de tropicar. **2.** *Bras. S.* V. *tropeção* (2). **3.** *Bras., S.* Tropeção (3). ● *Adj.* **4.** *Bras., S.* Tropeção (4).

tropicar. [Do arc. *trópigo,* 'hidrópico' (v. *trôpego),* + *-ar*².] *V. int.* Tropeçar numerosas vezes: "Sem botar reparos ao chão em que pisam, *tropicando* em raízes, formigueiros, buracos de tatus, cavalos correm, rebatendo fujões." (Nélson de Faria, *Tiziu e Outras Estórias,* p. 208.) [Conjug.: v. *trancar.* Pres. ind.: *tropico,* etc. Cf. *trópico.*]

trópico. [Do gr. *tropikós,* 'relativo aos solstícios', pelo lat. *tropicu.*] *S. m.* **1.** *Astr.* Cada um dos dois paralelos — Trópico de Câncer e Trópico de Capricórnio — situados em latitudes simétricas e iguais à obliqüidade da eclíptica [q. v.], e que representam aproximadamente a trajetória aparente diurna da projeção do Sol sobre a superfície terrestre durante os solstícios. **2.** *P. ext.* As regiões ou zonas limitadas por esses paralelos. ● *Adj.* **3.** Relativo aos trópicos. ~ V. *ano* —. [Cf. *tropico,* do v. *tropicar.*] ♦ **Trópico de Câncer.** *Astr.* Trópico situado ao N. do equador, e que é aproximadamente a trajetória aparente diurna da projeção do Sol sobre a superfície terrestre no solstício do verão no hemisfério norte. **Trópico de Capricórnio.** *Astr.* Trópico situado ao S. do equador, e que é aproximadamente a trajetória aparente diurna da projeção do Sol sobre a superfície terrestre no solstício do inverno no hemisfério norte.

tropilha. [Do esp. plat. *tropilla.*] *S. f.* **1.** *Bras., MG, S.* e *GO.* Tropa (6) de cavalos com o mesmo pelame e que seguem uma égua-madrinha: "O corcel lobuno, pastor da *tropilha,* .... sacode vaidosamente a cabeça" (Afonso Arinos, *Pelo Sertão,* p. 62). **2.** Bando de pândegos, de farristas.

tropismo. [De *trop(o)-* + *-ismo.*] *S. m.* **1.** *Biol. Ger.* Reação de aproximação ou de afastamento do organismo em relação à fonte de um estímulo. **2.** *Fisiol. Veg.* Movimento de orientação realizado pela planta ou parte dela sob a ação de um estímulo exterior que opera unilateralmente.

tropo (ó). [Do gr. *trópos,* 'desvio', pelo lat. *tropu.*] *S. m.* **1.** *Gram.* Emprego de palavra ou expressão em sentido figurado. **2.** *Mús.* Tom (11). **3.** *Mús.* Na música medieval, ampliação de um canto litúrgico de formação melismática, mediante acréscimos ou substituições. **4.** *Teat.* A primeira manifestação dramática da Idade Média, a qual se constituía de pequeno recitativo ou diálogo inserido na liturgia da missa, donde se originaram os dramas litúrgicos [v. *drama litúrgico*]. ~ V. *tropos.*

▲trop(o)-. [Do gr. *trópos, ou.*] *El. comp.* = 'desvio', 'mudança', 'afinidade': *troponômico; tropismo.*

tropófilo. [De *trop(o)-* + *-filo*¹.] *Adj. Ecol. Veg.* Que perde as folhas na época desfavorável ao crescimento, quer pelo frio, quer pela seca. Há, pois, um período de atividade e um período de repouso vegetativo.

tropologia. [Do gr. *tropología,* 'linguagem figurada', pelo lat. *tropologia.*] *S. f.* **1.** Uso de linguagem figurada. **2.** Tratado acerca dos tropos.

tropológico. *Adj.* **1.** Relativo à tropologia. **2.** Metafórico (2).

troponômico. [De *trop(o)-* + *-nom(o)-* + *-ico*².] *Adj.* Diz-se das mudanças que um dado objeto sofre segundo os diversos tempos e lugares.

tropopausa. [De *trop(o)-* + *pausa.*] *S. f. Geofís.* Região limite entre a troposfera e a estratosfera.

tropos. [Do gr. *trópos.*] *S. m. pl. Filos.* Argumentos com que os cépticos da Antiguidade pretendiam mostrar ser impossível atingir a verdade. ~ V. *tropo.*

troposfera. [De *trop(o)-* + *esfera.*] *S. f. Geofís.* Camada atmosférica que vai da superfície até uma altitude média de 10 km.

troquel. [Do esp. *troquel.*] *S. m.* Fôrma para a cunhagem de moedas e medalhas. [Pl.: *troquéis.* Cf. *troqueis,* do v. *trocar.*]

troquelminto. *S. m.* e *adj.* Rotífero.

troquelmintos. *S. m. pl. Zool.* V. *rotíferos.*

troqueu. [Do gr. *trochaîos* (subentende-se *poús*), 'pé rápido, próprio para a corrida', pelo lat. *trochacu* (subentendendo-se *pede*).] *S. m.* Pé de verso grego ou latino, constituído de uma sílaba longa e outra breve.

troquida. *S. m.* e *adj. 2 g.* V. *troquídeo.*

troquidas. *S. m. pl. Zool.* V. *troquídeos.*

troquídeo. *S. m.* **1.** Espécime dos troquídeos. ● *Adj.* **2.** Pertencente ou relativo a eles.

troquídeos. *S. m. pl. Zool.* Família de moluscos gasterópodes, prosobrânquios, marinhos, pequenos, da qual a espécie mais comum, nas costas brasileiras, é a rosquinha (*Tegula viridula*)

troquilídeo. *S. m.* **1.** Espécime dos troquilídeos. ● *Adj.* **2.**

Pertencente ou relativo a eles.

troquilídeos. *S. m. pl. Zool.* Aves apodiformes, da família *Trochilidae*, de pequeno porte, caracterizadas por terem o bico comprido e muito fino, cores brilhantes e vôo muito rápido. São capazes de parar no ar para se alimentarem de néctar das flores e de pequenos artrópodes, especialmente insetos. São os beija-flores.

tróquilo. [Do gr. *trochílos* < lat. *trochilu.*] *S. m.* Moldura côncava.

trosquiar. *V. t. d.* V. *tosquiar* (1 a 4): "Na conta não entravam as sextas-feiras, dia da paixão de Cristo, em que seria irreverência trosquiar a vil relé de agarenos" (Alexandre Herculano, *Lendas e Narrativas*, II, p. 20).

trotada. [De *trotar* + *-ada*[1].] *S. f.* Ato ou efeito de trotar; troteada.

trotador (ô). *Adj.* **1.** Que trota; troteador, socador, trotão. ● *S. m.* **2.** Aquele que trota; troteador. **3.** Trotão (2).

trotão. [De *trotar* + *-ão*[3].] *Adj.* **1.** Diz-se de eqüídeo que trota; trotador. ● *S. m.* **2.** Eqüídeo que trota; trotador. [Fem.: *trotona.*]

trotar. [Do ant. alto-al. *trottôn*, 'correr', atr. do fr. *trotter*, ou do it. *trottare.*] *V. int.* **1.** Andar (o cavalo) a trote: "O cavalo trotava sempre." (Carlos Malheiro Dias, *Os Teles de Albergaria*, p. 257); "Longe, uma tropa trota pela estrada." (Ricardo Gonçalves, *Ipês*, p. 44). **2.** Cavalgar a trote. *T. d.* **3.** Dar ou passar trote (2 e 3) em; zombar ou troçar de; vaiar. [F. paral.: *trotear.*]

trote. [Dev. de *trotar.*] *S. m.* **1.** Andadura natural das cavalgaduras, entre o passo ordinário e o galope, a qual se caracteriza pelas batidas regularmente espaçadas, executadas alternadamente por cada par diagonal de patas. **2.** *Bras.* Zombaria a que veteranos das escolas sujeitam os calouros; vaia, flauteio. **3.** *Bras.* Zombaria, intriga, indiscrição, em geral feita por telefone. **4.** *P. ext.* Caçoada, zombaria, troça. ♦ **Trote de peludo.** *Bras., RS.* Excesso de ocupações, de trabalho: *Está vivendo num trote de peludo.*

troteada. [De *trotear* + *-ada*[1].] *S. f. Bras.* Trotada.

troteador (ô). *Adj.* **1.** Trotador (1). ● *S. m.* **2.** Aquele que troteia ou trota; trotador.

trotear. [De *trote* + *-ear.*] *V. int.* e *t. d.* V. *trotar*: "num momento em que os cavalos troteavam juntos, par a par, arrancou uma flor que trazia no seio, atirou-lha" (Jaime d'Altavila, *Lógica de um Burro*, p. 143). [Conjug.: v. *frear.*]

troteiro. *Adj.* e *s. m.* Diz-se do, ou cavalo que anda a trote.

trotil. [Do ingl. *trotyl.*] *S. m. Quím.* Trinitrotolueno.

trotista. *S. 2 g. Bras.* Pessoa que passa ou é dada a passar trote (2 e 3).

trotona. *Adj. (f.)* e *s. f.* Fem. de *trotão.*

trotskismo. *S. m.* **1.** Desenvolvimento teórico e prático do marxismo [q. v.], realizado pelo político soviético Lev Davidovitch Bronstein, dito Trotski (1879-1940), e que se baseia na tese da "revolução permanente" (mundial), em oposição à tese do stalinismo [q. v.]. **2.** O conjunto dos métodos políticos, econômicos e sociais defendidos por Trotski. **3.** Adesão ao trotskismo, ou simpatia por ele. [Cf. *comunismo* (2 a 5).]

trotskista. *Adj. 2 g.* **1.** Relativo ao, ou próprio do trotskismo (1 e 2). **2.** Que é praticante ou sectário do trotskismo (1). ● *S. 2 g.* **3.** Pessoa trotskista.

➧**trottoir** (trotuar). [Fr.] *S. m.* **1.** Calçada, passeio. **2.** *Bras.* Prostituição de quem faz *trottoir.* ♦ **Fazer trottoir.** Exercer a prostituição perambulando pelas ruas para aliciar fregueses.

➧**troupe** (trúp). [Fr.] *S. f.* V. *trupe.*

➧**trousse** (truss'). [Fr.] *S. f.* Recipiente pequeno e chato de pó-de-arroz (em geral compacto), que as mulheres usam na bolsa.

➧**trouvaille** (truvái'). [Fr.] *S. m.* Idéia espirituosa; achado.

trouxa. [Do ant. esp. *troja, troxa*, 'carga que se leva às costas'.] *S. f.* **1.** Fardo de roupa. **2.** Grande pacote. **3.** Mulher mal-amanhada ou malprocedida. **4.** *Bras., PB. Chulo. O pênis.* ● *S. 2 g.* **5.** *Gír.* Pessoa tola, inábil, sem expediente, fácil de ser enganada: "a gente comia quatro empadinhas de camarão muito gostosas e só pagava duas porque a gente não era trouxa." (Antônio de Alcântara Machado, *Cavaquinho e Saxofone*, p. 3). ● *Adj. 2 g.* **6.** Diz-se de pessoa trouxa. [Var.: *troixa.*]

trouxe-mouxe. [Da loc. esp. a *troche y moche?*] *El. s.* Us. na loc. adv. *a trouxe-mouxe.* [Var.: *troixe-moixe.* Cf. *trouxe* (ss), do v. *trazer.*] ♦ **A trouxe-mouxe.** Desordenadamente; atabalhoadamente: "dou esse nome [de jardim] ao conjunto de minhas plantinhas, flores, e folhagens que, meio a trouxe-mouxe, meio ao deus-dará, cultivo em volta da casa onde habito." (Vivaldo Coaraci, *91 Crônicas Escolhidas*, p. 118).

trouxinha. [Dim. de *trouxa.*] *S. f. Bras. Gír.* Embrulho de maconha, em forma de pequena trouxa: "O primeiro detido na operação de ontem foi um rapaz de 21 anos, bem-vestido, que tinha uma trouxinha de maconha no bolso." (*Jornal do Brasil*, 20.1.1981.) [Var.: *troixinha.*]

trova. [Dev. de *trovar.*] *S. f.* **1.** Composição lírica ligeira e mais ou menos popular. **2.** Canção, cantiga. **3.** Quadra popular.

trovador (ô). [Do provenç. *trobador*, atr. do arc. *trobador.*] *S. m.* **1.** Designação dos poetas líricos dos sécs. XII e XIII, que se expressavam na chamada *língua d'oc* [q. v.], falada no S. da França, especialmente na Provença. [Cf. *troveiro* (1).] **2.** Designação dos poetas líricos portugueses que, nos últimos séculos da Idade Média, seguiam o estilo dos poetas provençais. **3.** Designação comum aos poetas da Idade Média, a partir do séc. XI. **4.** Na Idade Média, poeta ambulante que cantava seus poemas ao som de instrumentos musicais. [Cf. (nas acepçs. 3 e 4) *menestrel.*] **5.** V. *troveiro* (2). **6.** Poeta, vate.

trovadoresco (ê). *Adj.* **1.** De, ou relativo ou pertencente a trovador. **2.** Diz-se da poesia dos trovadores. [v. *trovador* (2)], que floresceu em Portugal e na Galiza entre os sécs. XII e XIV.

trovão. [Do lat. *turbone*, 'turbilhão', atr. do ar. *torvão.*] *S. m.* **1.** Estrondo causado por descarga de eletricidade atmosférica; trovoada. **2.** Grande estrondo; trovoada. **3.** Coisa ruidosa, ou espantosa.

trovar. [Do provenç. *trobar.*] *V. int.* **1.** Fazer ou cantar trovas; poetar. *T. d.* **2.** Exprimir por meio de cantigas: *O seresteiro trova as suas mágoas.*

troveiro. [Do fr. *trouvère.*] *S. m.* **1.** Designação comum aos poetas do N. da França, autores de poemas líricos ou narrativos na chamada *língua d'oïl* [q. v.], e que floresceram nos sécs. XII e XIII. [Cf. *trovador* (1).] **2.** Aquele que trova ou faz trovas; trovador, trovista.

trovejante. *Adj. 2 g.* Que troveja; estrondoso, tonante.

trovejar. [De um **trovoejar* < *trovão* + *-ejar.*] *V. int.* **1.** Estrondear ou ribombar o trovão; troar. **2.** Soar fortemente; estrondear, retumbar; troar: "A máquina troveja, / Berra, fuma, atravessa em correria / A amarela paisagem sertaneja." (Humberto de Campos, *Poesias Completas*, p. 17.) **3.** Haver trovoada. **4.** Lançar raios: *Zeus é representado, em várias estátuas, brandindo o raio com que trovejava.* **5.** Falar com indignação e veemência; clamar, bradar. *T. i.* **6.** Bradar, clamar; troar: *trovejar contra as injustiças.* **7.** Pronunciar ou emitir muito ruidosamente; proferir com voz estrondosa. [Sin. ger.: *trovoar.* Conjug.: v. *pelejar.*] ● *S. m.* **8.** Trovão (1). **9.** Estrondo, estampido.

trovejo (ê). [Dev. de *trovejar.*] *S. m. Bras., PB. Fig. Pop.* Disputa, altercação.

troviscada. [De *trovisco*[1] + *-ada*[1].] *S. f.* Porção de trovisco com que envenenam os peixes para pescá-los; entroviscada.

troviscado. [Part. de *troviscar.*] *Adj. Bras., S. Pop.* Meio embriagado; alegre, tocado. V. *embriagado* (1).

troviscal. [De *trovisco*[1] + *-al.*] *S. m.* Quantidade mais ou menos considerável de troviscos dispostos proximamente entre si.

troviscar. [De *trov(ão)* + *-iscar.*] *V. int. Pop.* **1.** Trovejar um pouco. **2.** *Bras., RS.* Dar bordoadas; esbordoar alguém. **3.** *Bras., RS.* Embriagar-se ligeiramente; troviscar-se. *P.* **4.** *Bras., RS. Troviscar* (3). [Conjug.: v. *trancar.*]

trovisco[1]. [Do lat. *turbiscu.*] *S. m.* Arbusto (até 60 cm) da família das timeleáceas *(Daphne gnidium)*, próprio da Europa, de folhas lineares e lanceoladas, agudas, glabras, flores pequenas, sem pétalas, branco-amareladas, perfumadas e congregadas em racemos ou panículas terminais, sendo o fruto uma drupa monospérmica; trovisqueira.

trovisco[2]. [Dev. de *troviscar.*] *S. m. Bras., RS.* Ato de troviscar (2).

trovisco-macho. [De *trovisco*[1] + *macho.*] *S. m.* Planta da família das euforbiáceas *(Euphorbia characias)*; titímalo-maior. [Pl.: *troviscos-machos.*]

trovisqueira. *S. f.* Trovisco[1].

trovista. [De *trova* + *-ista.*] *S. 2 g.* V. *troveiro* (2).

trovoada. [De *trovão* + *-ada*[1].] *S. f.* **1.** Sucessão de descargas elétricas e trovões, acompanhada, geralmente, de chuva. **2.** Trovão (1). **3.** *Fig.* Grande estrondo; trovão. **4.** Disputa, altercação: "A fidalga, quando soube desses amores, armou uma trovoada em casa que até parecia que ia tudo raso." (Bernardo Pinheiro, Pindela, *Azulejos*, p. 21.) **5.** Grande porção de palavras ou expressões ásperas, de xingamentos: "Inácio estremeceu, ouvindo os gritos do solicitador, recebeu o prato que este lhe apresentava e tratou de comer, debaixo de uma trovoada de nomes, malandro, cabeça-de-vento, estúpido, maluco." (Machado de Assis, *Várias Histórias*, p. 41.) **6.** V. *rolo*[1] (16). **7.** *Bras.* Ave passeriforme, da família dos formicarídeos *(Drymophila ferruginea* (Tem.)), do S.E. do Brasil, de dorso vermelho-escuro, sobrancelha branca, coberteiras superiores da asa pretas com pintas amareladas e brancas, peito e garganta pretos, meio do abdome preto com manchas brancas, flancos e crisso avermelhados. Alimenta-se de insetos. **8.** *Bras., BA.* Estação das chuvas.

trovoar. *V. int., t. i.* e *t. d.* Trovejar: "Chove, não cessa, não cessa o vento; de quando em quando / Trovoa" (Alberto de Oliveira, *Poesias*, 4ª série, p. 115); "Talvez essa / Fúria de desatados ventos, quando / Trovoa o céu, relâmpagos rebrilham / O ímpeto seja de alma que não cansa, / Indo-se empós de fugidia sombra..." (Id., *ib.*, 3ª série, p. 210). [Conjug.: v. *coroar.* Normalmente é unipess.]

trovoso (ô). [De *trov(ão)* + *-oso.*] *Adj.* Que faz vivo estrondo, lembrando o trovão.

troz-troz. [Voc. onom.] *S. m. 2 n. Bras., BA.* Chuva rápida e grossa.

truaca. *S. f. Bras., N.E. Pop.* V. *bebedeira* (1).

truanaz. *S. m.* V. *truão.*

truanear. [De *truão* + *-ear.*] *V. int.* Fazer truanices. [Conjug.: v. *frear.*]

truanesco (ê). *Adj.* **1.** De, ou próprio de truão. **2.** Semelhante a truanice.

truania. *S. f.* Truanice.

truanice. *S. f.* **1.** Momice ou dito de truão. **2.** Impostura, embuste. [Sin. ger.: *truania.*]

truão. [Do celta, atr. do provenç. *truan* ou do fr. *truand.*] *S. m.* **1.** Palhaço (3): "Esse cornóide deus funambulesco / Em torno ao qual as Potestades rugem, / Lembra os trovões, que tétricos estrugem, / No riso alvar de truão carnavalesco." (Cruz e Sousa, *Broquéis*, p. 117.) **2.** V. *bufo*[3] (1): "As representações cênicas foram sempre do agrado dos portugueses, ... e na residência dos nobres havia *bobos* e *truões* encarregados de divertir os amos e senhores" (P.^e^ Arlindo Ribeiro da Cunha, *A Língua e a Literatura Portuguesa*, p. 200). **3.** Indivíduo vagabundo, desavergonhado, que vive de expedientes. **4.** V. *bobo* (1). [Sin. ger.: *truanaz.*]

trubufu. *Adj. 2 g. Bras. Pop.* Tribufu [q. v.].

truca. [Do fr. *truc*?] *S. f. Cin.* Equipamento utilizado para produzir efeitos de redução, ampliação, etc., em imagens filmadas.

trucada. [De *truque*[3] + *-ada*[1].] *S. f. Bras.* **1.** Ato de jogar o truque. **2.** Ato de trucar[1].

trucagem. [De *truca* + *-agem*[2].] *S. f. Cin.* Efeito cinematográfico realizado com a truca [q. v.].

trucar[1]. [De *truco* + *-ar*[2].] *V. int.* **1.** No jogo de truque, propor a primeira parada. **2.** *Fig.* Iludir com declarações mentirosas. **3.** Errar no que diz; fazer citação errada. [Conjug.: v. *trancar.*] ♦ **Trucar de falso.** Fazer parada no jogo de truque, dando indícios de que tem bom jogo, quando, na realidade, não tem; blefar.

trucar[2]. [De *truque*[1] (por *trucagem*) + *-ar*[2].] *V. int. Cin.* Fazer trucagem. [Conjug.: v. *trancar.*]

trucidação. [Do lat. *trucidatione.*] *S. f.* Ato ou efeito de trucidar; trucidamento.

trucidamento. *S. m.* Trucidação.

trucidar. [Do lat. *trucidare.*] *V. t. d.* Matar barbaramente, com crueldade: "caíram [os mouros] sobre a feitoria, trucidando os portugueses que lá havia: cinqüenta ao todo." (Oliveira Martins, *História de Portugal*, I, p. 228).

trucilar. [Voc. onom.] *S. m.* **1.** O cantar do tordo. *V. int.* **2.** Cantar (o tordo).

truco. [Do esp. plat. *truco.*] *S. m. Bras., S.* V. *truque*[3].

truco-fecha. [De *truco* + *fechar.*] *S. m. 2 n. Bras., SP. Gír.* **1.** V. *valentão* (3). **2.** A última palavra acerca de alguma coisa.

truculência. [Do lat. *truculentia.*] *S. f.* Qualidade ou ação de truculento; ferocidade, crueldade.

truculento. [Do lat. *truculentu.*] *Adj.* **1.** Atroz, terrível, cruel, bárbaro, feroz: "truculentos e consumados sicários." (Franklin Távora, *O Cabeleira*, p. 29). **2.** *Bras.* Que se mete a valentão; brigão.

trufa. [Do fr. *truffe.*] *S. f.* Cogumelo subterrâneo, da família das entuberáceas, que produz corpos esporíferos tuberosos, comestíveis pelo sabor e pelo aroma agradáveis. Há várias espécies, todas européias e do gênero *Tuber* [Sin.: *túbera.*]

trufar. *V. t. d.* Rechear ou guarnecer com trufas.

trufeira. *S. f.* Quantidade mais ou menos considerável

de trufas dispostas proximamente entre si.
trufeiro. *S. m.* **1.** Aquele que se ocupa em colher e/ou vender trufas. ● *Adj.* **2.** Relativo à trufa.
trugimão. [Var. de *turgimão.*] *S. m.* V. *drogomano.*
truirapeva (u-i). [De uma f. sincopada de *targuira* + *-peva.*] *S. m. Bras., PE.* V. *cuviara.*
truísmo. [Do ingl. *truism* (de *true*, 'verdadeiro').] *S. m.* Verdade trivial, tão evidente que não é necessário ser enunciada: "É já um truísmo dizer-se que a vida tem um ritmo próprio" (Mário de Alencar, *Contos e Impressões*, p. 179). [Cf. *tautologia* (3).]
trumaí. *Bras. S. 2 g.* **1.** Indivíduo dos trumaís, tribo indígena do alto Xingu, cuja língua é tida como isolada. ● *Adj. 2 g.* **2.** Pertencente ou relativo a essa tribo.
trumbicar-se. [Por *trombicar-se* (q. v.), de *tromba* + *se*[1].] *V. p. Bras. Gír.* Dar-se mal; entrar pelo cano; trombicar-se: "Quem não comunica, se trumbica." (Dito de Abelardo Barbosa, o "Chacrinha" [Conjug.: v. *trancar.*]
trumbuca. [Talvez do tupi.] *S. f. Bras.* Espécie de abelha silvestre.
truncado. [Part. de *truncar.*] *Adj.* **1.** Incompleto, mutilado. **2.** *Morfol. Veg.* Que termina por segmento de reta: *folha truncada.* ~V. *cilindro —, cone —, pirâmide — a* e *prisma —.*
truncar. [Do lat. *truncare.*] *V. t. d.* **1.** Separar do tronco. **2.** Cortar parte de; mutilar. **3.** Omitir parte importante de (uma obra literária). **4.** *Geom.* Interceptar (sólido geométrico) por um plano secante. [Conjug.: v. trancar. Fut. pret.: *truncaria*, etc. Cf. *truncária.*]
truncária. *S. f.* Gênero de plantas melastomáceas. [Cf. *truncaria*, do v. *truncar.*]
truncha. *S. f. Bras., RJ. Gír.* Pé-de-cabra (1).
truncícola. [Do lat. *truncu*, 'tronco', + *-i-* + *-cola.*] *Adj. 2 g. Ecol. Veg.* Que vive sobre tronco de árvores, como liquens, musgos, etc.
trunfa. *S. f.* **1.** Certo toucado antigo; turbante: "ornavam a cabeça com uma espécie de turbante a que davam o nome de trunfas, formado por um grande lenço branco muito teso e engomado" (Manuel Antônio Almeida, *Memórias de um Sargento de Milícias*, p. 179). **2.** Cabelo em desalinho; grenha.
trunfada[1]. [De *trunfar* + *-ada*[1].] *S. f.* **1.** Ato de trunfar. **2.** Grande porção de trunfos.
trunfada[2]. *S. f. Bras., BA.* Almofada em que se descansam os remos da jangada.
trunfar. [De *trunfo* + *-ar*[2]] *V. int.* **1.** Jogar trunfo (1). **2.** *Bras., RS.* Dar bordoada com alguma coisa. *T. i.* **3.** Ter importância social. **4.** Influir grandemente.
trunfo. [De *triunfo.*] *S. m.* **1.** Certo jogo de cartas, com dois, quatro ou seis parceiros. **2.** Naipe que prevalece aos outros, em certos jogos carteados. **3.** *Fig.* Indivíduo de grande influência ou importância social. **4.** Vantagem que propicia ou permite a vitória em luta, discussão, negócio, etc.
trupe. [Do fr. *troupe.*] *S. f.* **1.** Grupo de artistas ou comediantes. **2.** Companhia teatral. **3.** *Fig. Deprec.* Grupo de áulicos, de sequazes.
truque[1]. [Do fr. *truc.*] *S. m.* **1.** Ardil, tramóia, estratagema. **2.** Maneira habilidosa ou sutil de fazer uma coisa.
truque[2]. [Do ingl. *truck.*] *S. m.* Plataforma sobre rodas ou vagão sem caixa.
truque[3]. [Do esp. *truque.*] *S. m.* Certo jogo de cartas; truco, liques.
truque[4]. [Do al. *Drucken*, 'pressão', 'empurrão'.] *S. m.* **1.** Espécie de bilhar comprido. **2.** Denominação comum a vários processos ou incidentes no jogo de bilhar.
truqueiro. *S. m. Bras., S.* Jogador de truque[3].
truste. [Do ingl. *trust.*] *S. m.* **1.** Associação financeira que realiza a fusão de várias firmas em uma única empresa. **2.** *P. ext.* Organização financeira que dispõe de grande poder econômico.
truta. [Do gr. *tróktes*, pelo lat. *tructa.*] *S. f.* **1.** Peixe salmonídeo do Antigo Continente, do qual existem diversas espécies: truta-comum (*Trutta fario* (Lin.)), truta-salmoneja (*Trutta trutta* (Lin.)), etc. **2.** *Bras., RJ. Gír.* Mamata, negociata. **3.** *Bras., RJ. Gír.* Recurso, expediente.
truta-comum. *S. f.* V. *truta* (1). [Pl.: *trutas-comuns*].
truta-salmoneja. *S. f.* V. *truta* (1). [Pl.: *trutas-salmonejas.*]
trutífero. [De *truta* + *-i-* + *-fero.*] *Adj.* Que produz trutas.
truz. [Voc. onom.] *Interj.* **1.** Imita o som de uma queda ou de uma explosão. ● *S. m.* **2.** Ato de bater; batida, pancada. ♦ **De truz.** De primeira ordem; excelente, magnífico: "Esse olhar está dizendo que a dama é uma sua recordação de outro tempo, e não há de ser de muito tempo, a julgar pelo corpo: é moça de truz." (Machado de Assis, *Histórias sem Data*, p. 45.)
tsela. *S. 2 g. Bras.* **1.** Indivíduo dos tselas, tribo indígena do rio Piraparaná, pertencentes à família lingüística pano. ● *Adj. 2 g.* **2.** Pertencente ou relativo a essa tribo.
tsé-tsé. [Voc. onom.] *S. f.* Designação comum a diversas moscas africanas do gênero *Glossina*, capazes, quase todas, de transmitir protozoários do grupo dos tripanossomos, inclusive o causador da doença do sono. [Pl.: *tsé-tsés.*]
tu. [Do lat. *tu.*] *Pron. pess. da 2ª pess. sing.* Indica a pessoa com quem se fala: "Tu és como a laranjeira / Que oferece os pomos d'ouro" (José Albano, *Rimas*, p, 53); "Sim, Carlos, sê tu o executor das iras divinas." (Almeida Garrett, *Viagens na Minha Terra*, p. 312). [Emprega-se (neste caso, bem mais em Portugal que no Brasil, onde predomina o *você*) quando nos dirigimos à pessoa de nossa intimidade (ou como se fosse), ou que se acha a nosso serviço ou depende de nós. Por outro lado, usa-se em estilo nobre e em poesia, ao dirigirmo-nos a pessoa de consideração, ou a um santo, ou à própria divindade, ou ainda, a coisas personificadas: "Tu [Virgem Maria] que em Belém nos deste / A graça suma, / Açucena celeste, / Tu nos perfuma." (José Albano, *Rimas*, p. 127); "Deus, ó Deus! onde estás que não respondes? / Em que mundo, em qu'estrela tu t'escondes / Embuçado nos céus?" (Castro Alves, *Obra Completa*, p. 290); "Tu [pendão do Brasil], que da liberdade após a guerra, / Foste hasteado dos heróis na lança, / Antes te houvessem roto na batalha, / Que servires a um povo de mortalha!..." (Id., *ib.*, p. 283); "— Ó mundo encantador, tu és medonho!" (Fagundes Varela, *Poesias Completas*, I, p. 240). Cf. *vós, você* e *vocês.*] ♦ **Tu cá, tu lá.** Com familiaridade; familiarmente, intimamente.
tuaiá. [Do tupi amazonense.] *S. m. Bras., AM.* **1.** A região mais distante de seringais do alto Xingu. **2.** *P. ext.* Lugar longínquo, rio acima.
tuaregue. *S. m.* **1.** Indivíduo dos tuaregues, povo berbere, nômade, que se desloca entre o centro e o S. do deserto de Saara. ● *Adj. 2 g.* **2.** Pertencente ou relativo aos tuaregues.
tuatara. *S. m.* Pequeno reptil, da ordem dos rincocéfalos, o qual é a única espécie existente na ordem. O tuatara *(Sphenodon punctatus)* é o único sobrevivente dos grandes reptis da era mesozóica. Encontrado na Nova Zelândia e nas ilhas Cook.
tuba[1]. [Do lat. *tuba.*] *S. f.* **1.** Entre os romanos, trombeta de metal, formada por um simples tubo reto, comprido e estreito. **2.** Designação comum aos baixos da família dos saxornes, especialmente o saxorne contrabaixo, de timbre solene e sonoridade ampla no extremo grave, e que ressoa à oitava inferior da nota escrita *(tuba em dó)*, ou à nona maior inferior da nota escrita *(tuba em si bemol).* [Sin., bras.: *bombardão.* V. *contrabaixo* (6).] **3.** *Mús.* Registro de órgão. **4.** Fig. Estilo épico. ● *S. m.* **5.** Tocador de tuba (1 e 2); tubista. ♦ **Tuba em dó.** V. *tuba* (2). **Tuba em si bemol.** V. *tuba* (2).
tuba[2]. *S. f. Bras.* Var. de *tiba* (1).
tubã. *S. f. Astr.* Nome tradicional da estrela alfa do Dragão.
tubáceo. *Adj.* Que tem forma de tuba[1] (1 e 2).
tubagem. [De *tubo* + *-agem*[2].] *S. f.* **1.** Conjunto de tubos; tubulação. **2.** Sistema de disposição ou de funcionamento de certos tubos. ♦ **Tubagem de laringe.** *Med.* Introdução duma cânula na laringe com o fim de restabelecer o curso do ar. **Tubagem duodenal.** *Med.* Introdução de um tubo de borracha provido de uma sonda metálica, através das vias digestivas, para colher no duodeno o suco duodenal e a bílis.
tubaiaiá. *S. f. Bras.* V. *cauanã.*
tubança. *S. f. Bras., CE. Pop.* Tumbança.
tubarana. [Var. assimilada de *tabarana* (q. v.), talvez por anal. com *tubarão.*] *S. f. Bras.* Peixe teleósteo, caraciforme, da família dos caracídeos (*Salminus hilarii* Val.), de quase todo o Brasil. Coloração branco-prateada no fundo, tingindo-se de vermelho, mais carregado no dorso; algumas linhas pretas longitudinais; nadadeiras caudal, anal e ventrais vermelho-alaranjadas, tendo a caudal uma mancha negra mediana. Comprimento: até 50 cm; peso: 2,5 kg. Alimenta-se de outros peixes, sobretudo de lambaris. [Var.: *jutubarana;* sin.: *traguira, rabo-vermelho.*]
tubarão. *S. m.* **1.** Designação comum a todos os peixes elasmobrânquios, pleurotremados, com fendas branquiais laterais, particularmente as espécies de grande tamanho. [Há cerca de 300 espécies de tubarões, das quais menos de 107 atacam o homem para devorá-lo. Caracterizam-se por terem o corpo fusiforme (como a do torpedo automóvel) ou achatado (como o da arraia), boca larga e arqueada, maxilas e músculos maxilares potentíssimos, dentes pontiagudos ou serrilhados, dispostos em várias fieiras, polifiodontes, e serem muito vorazes. Cf. *cação*[1] (1)]. **2.** *Bras. Fig.* Industrial ou comerciante ganancioso, que se vale de quaisquer meios para aumentar os seus lucros, contribuindo para a elevação do custo de vida. **3.** *Bras., BA.* Monte mais elevado que o normal.
tubarão-martelo. *S. m.* Peixe elasmobrânquio, da família dos esfirnídeos (*Sphyrna zygaena*). [Pl.: *tubarões-martelos* e *tubarões-martelo.* V. *peixe-martelo.*]
tubário. [De *tubo* + *-ário.*] *Adj. Med. Relativo à trompa de Eustáquio, ou à de Falópio.* ~ *V. gravidez* — *a* e *prenhez* — *a.*
tubaronato. *S. m. Bras.* **1.** Condição de tubarão (2). **2.** A classe dos tubarões [v. *tubarão* (2)].
tubaronense. *Adj. 2 g.* **1.** De, ou pertencente ou relativo a Tubarão (SC). ● *S. 2 g.* **2.** Natural ou habitante de Tubarão.
tubeira. *S. f.* Boca ou extremidade dum tubo.
tubel. [Do ár., possivelmente.] *S. m.* Escama que ressalta do metal candente, ao ser batido. [Pl.: *tubéis.*]
túbera. [Do lat. *tubera*, pl. de *tuber.*] *S. f.* **1.** Trufa. **2.** Endurecimento cutâneo; calo.
tuberculado. [De *tubérculo* + *-ado*[1].] *Adj. Morfol. Veg.* V. *tuberculoso* (2).
tubercular. [De *tubérculo* + *-ar*[1].] *Adj. 2 g. Morfol. Veg.* V. *tuberculoso* (2).
tuberculífero. [De *tubérculo* + *-i-* + *-fero.*] *Adj.* Que tem ou produz tubérculos.
tuberculiforme. [De *tubérculo* + *-i-* + *-forme.*] *Adj. 2 g.* V. *tuberiforme.*
tuberculina. [De *tubercul(ose)* + *-ina*[1].] *S. f. Bacter.* Líquido estéril em que estão presentes produtos de crescimento, ou substâncias específicas, provenientes de bacilo da tuberculose, e usado com o fim de diagnosticar essa infecção.
tuberculinizar. *V. int.* Injetar tuberculina em.
tuberculização. *S. f.* Ato ou efeito de tuberculizar(-se).
tuberculizar. [De *tubercul(ose)* + *-izar.*] *V. t. d.* **1.** Causar ou originar tuberculose em. *Int.* e *p.* **2.** Tornar-se tuberculoso: "Como a mulher do professor fosse fraquinha ...., tuberculizou-se após o nascimento do segundo filho" (João de Araújo Correia, *Terra Ingrata*, p. 176).
tubérculo. [Do lat. *tuberculu.*] *S. m.* **1.** *Morfol. Veg.* Caule curto e grosso, rico em substâncias nutritivas. Ex.: a batata. **2.** *Morfol. Veg.* Engrossamento mais ou menos globoso em qualquer parte de uma planta, com tecidos de reserva. **3.** *Anat.* Pequena saliência em osso. **4.** *Patol.* Nódulo cutâneo, sobretudo quando perceptível como saliência consistente, maior do que uma pápula. **5.** *Patol.* Formação pequena e arredondada, causada por infecção pelo agente da tuberculose, e que constitui a lesão histológica típica dessa infecção. ♦ **Tubérculos quadrigêmeos.** *Anat.* Eminências arredondadas, em número de quatro, situadas na superfície posterior do mesencéfalo.
tuberculoma. [De *tubérculo* + *-oma.*] *S. m. Patol.* Massa tumoral resultante do aumento de volume de tubérculo (4).
tuberculose. [Do fr. *tuberculose.*] *S. f. Patol.* Infecção observável no homem e noutros animais, produzida por espécies de *Mycobacterium;* no homem, o agente mais freqüente é o *Mycobacterium tuberculosis*, mas podem ocorrer, também, casos devidos ao *Mycobacterium bovis* e ao *Mycobacterium avium.* Tende à cronicidade e pode apresentar as mais variadas manifestações e localizações (pulmões, sistema nervoso, intestino, rins, etc.), havendo predileção pelos pulmões como porta de entrada e sede. [A tuberculose pulmonar, ou simplesmente tuberculose, é conhecida, ainda, por *tísica pulmonar*, ou apenas *tísica*, e pelas denominações populares e eufêmicas — *delicada, doença do peito, doença-ruim, fininha, fraqueza do peito, magra, magrinha, moléstia-magra, mal-de-secar, mal-dos-peitos, queixa do peito, seca* (ê). ♦ **Tuberculose galopante.** *Pop.* Tuberculose de desenlace rápido; tísica galopante. [Tb. se diz apenas *galopante.*] **Tuberculose mesentérica.** *Patol. Impr.* Tuberculose de localização intestinal. **Tuberculose pulmonar.** *Patol.* Tuberculose de localização pulmonar.
tuberculoso (ô). [Do fr. *tuberculeux.*] *Adj.* **1.** Atacado de tuberculose. **2.** *Morfol. Veg.* Que tem pequenos tubérculos, em vez de um só, maior; tuberculado, tubercular: *raiz tuberculosa.* **3.** Referente a tubérculos. ● *S. m.* **4.** Indivíduo atacado de tuberculose.
tuberiforme. [De *tuber(o)-* + *-i-* + *-forme.*] *Adj. 2 g.* Que tem forma de tubérculo; tuberóide, tuberoso,

tuberculiforme.

tuberização. *S. f.* Transformação total ou parcial de parte subterrânea de planta em tubérculo.

tuberizado. *Adj. Morfol. Veg.* Que sofreu engrossamento dos tecidos e se tornou tuberiforme.

▲**tuber(o)-.** *El. comp.* = 'tuberosidade': *tuberiforme, tuberóide.*

tuberóide. [De *tuber(o)-* + *-óide.*] *Adj. 2 g.* V. *tuberiforme.*

tuberosa. [Fem. substantivado de *tuberoso.*] *S. f.* Erva da família das amarilidáceas (*Polianthes tuberosa*), procedente do México ou dos Andes. As folhas, que partem de um bolbo, são compridas, ensiformes, em número de seis a nove, e vermelhas perto da base; as flores são grandes, chegando a 5 cm, vistosas, branco-cerosas, perfumadas e inseridas aos pares no escapo; o fruto é uma cápsula polisperma.

tuberosidade. [De *tuberoso* + *-i-* + *-dade.*] *S. f.* **1.** Saliência tuberculiforme. **2.** *Morfol. Veg.* Excrescência carnuda.

tuberositário. *Adj. Anat.* Em que há tuberosidade(s).

tuberoso (ô). [Do lat. *tuberosu.*] *Adj.* V. *tuberiforme.* ~V. *raiz* —*a.*

tubi. [Do tupi *tu'bi*, dim, de *tub*, 'abelha-mestra'.] *S. m.* **1.** *Bras.* Abelha silvestre, da família dos meliponídeos. [Var.: *tubim.*] **2.** *Bras. Pop.* O ânus. **3.** *Bras. MG. Pop.* O pênis. [Var. (das acepç. 2 e 3): *tibi, tuvi.*]

▲**tubi-.** [Do lat. *tubus, i.*] *El. comp.* = 'tubo': *tubífero, tubiforme.*

tubiba. [Do tupi *tu'biba.*] *S. f. Bras.* Abelha meliponídea (*Melipona tubiba*).

tubífero. [De *tubi-* + *-fero.*] *Adj.* Munido de tubos.

tubiflora. [Fem. substantivado de *tubifloro.*] *S. f.* Espécime das tubifloras.

tubifloras. *S. f. pl. Bot.* Ordem de vegetais dicotiledôneos gamopétalos, com estames isômeros ou oligômeros e gineceu bicarpelar. Compreende numerosas famílias.

tubifloro. [De *tubi-* + *-floro.*] *Adj.* ~ V. *flor* —*a.*

tubiforme. [De *tubi-* + *-forme.*] *Adj. 2 g.* Que tem forma de tubo; tubular, tubulado, tubuloso.

tubigeira. *S. f. Bras., RS.* Tornozeleira.

tubim. *S. m. Bras.* Var. de *tubi* (1).

tubinar. *S. f.* e *adj. 2 g.* Procelariforme.

tubinares. *S. f. pl. Zool.* Procelariformes.

tubinho. [Dim. de *tubo.*] *S. m. Bras.* Vestido reto, sem corte na cintura.

tubista. [De *tuba*[1] + *-ista.*] *S. 2 g. Bras.* Tuba[1] (5).

tubixaba. *S. m. Bras.* V. *morubixaba* (1).

tubo. [Do lat. *tubu.*] *S. m.* **1.** Canal cilíndrico, por onde passam ou saem fluidos, líquidos, etc. **2.** Vaso cilíndrico de vidro. **3.** Qualquer canal do organismo animal. **4.** *Morfol. Veg.* Porção estreitada do cálice ou da corola, ambos gamopétalos, que fica na base e sustenta o limbo patente. ~ V. *tubos.* [Dim. irreg.: *túbulo.*] ♦ **Tubo acústico.** *Constr. Nav.* Tubo metálico instalado entre o passadiço e outros compartimentos do navio, para a transmissão de ordens, quando falham os meios normais de comunicação. **Tubo alma.** O tubo interior de uma boca-de-fogo. **Tubo contador.** *Fís.* Dispositivo com que se detectam radiações ionizantes mediante a descarga que provocam num gás rarefeito submetido a um campo elétrico conveniente. **Tubo de fogo.** *Expl.* Dispositivo destinado à iniciação de artifícios pirotécnicos, constituído por um tubo cilíndrico de papel em cujo fundo se põe uma camada de polvorim e, acima desta, uma mistura de sulfonitro e polvorim. **Tubo de força.** *Fís.* Num campo de força, superfície formada pelas linhas de força que passam por um contorno fechado no campo. **Tubo de raios catódicos.** *Eletrôn.* Válvula eletrônica em que se produz e observa, de maneira controlada e controlável, um feixe de elétrons acelerados que incidem sobre uma tela fosforescente. **Tubo do cálice.** *Morfol. Veg.* Hipanto. **Tubo eletrônico.** *Eletrôn.* V. *válvula* (5). **Tubo neural embrionário.** *Embr.* Tubo a partir do qual se desenvolverá o sistema nervoso central. **Tubo peneumático.** Aparelho de comunicações interiores, constituído de um tubo no interior do qual, por meio do vácuo nele gerado, se movimentam cartuchos transportadores de correspondência. **Tubo polínico.** *Morfol. Veg.* Tubo longo e delgado que forma o grão de pólen quando se acha sobre o estigma, e que conduz os dois núcleos dos quais um dará origem aos dois gametas masculinos. **Tubo zenital fotográfico.** *Astr.* Instrumento destinado a estudar fotograficamente a variação de latitude e da rotação da Terra, num determinado lugar; luneta zenital fotográfica.

tubocônico. *Adj.* Em forma de tubo afunilado.

tubos. *S. m. pl.* Us. na expr. *os tubos.* ~ V. *tubo.* ♦ **Os tubos.** *Bras. Gír.* Muito dinheiro: *Gasta* o s t u b o s *com a casa; Aquele colar custou* o s t u b o s. [Cf. *dinheiro* (3).]

tubulação. [De um verbo **tubular* + *-ção.*] *S. f.* **1.** Colocação de tubos. **2.** Tubagem (1). ♦ **Entrar pela tubulação.** *Bras. Gír.* V. *entrar pelo cano.*

tubulado. [Do lat. *tubulatu.*] *Adj.* V. *tubiforme.*

tubuladura. [De um verbo **tubular* + *-(d)ura.*] *S. f.* Abertura num vaso à qual se adapta uma rolha, e que servirá, por sua vez, para a adaptação de um tubo; tubulura.

tubulão. [De *tubul(i)-* + *-ão*[1].] *S. m. Bras.* **1.** *Mar.* Cada um dos grandes reservatórios de água, ou de água e vapor, existentes nas caldeiras aquatubulares, e destinados a conter os mencionados fluidos e a fazer a distribuição deles pelo feixe tubular que liga tais reservatórios. **2.** Tubo de grande diâmetro.

tubular. [De *túbulo* + *-ar*[1].] *Adj. 2 g.* **1.** V. *tubiforme:* "Melancolia de olhos fundos, profundos, t u b u l a r e s" (Pontes de Miranda, *Obras Literárias*, p. 506). **2.** Que tem tubuladuras. **3.** *Morfol. Veg.* Tubuloso (3).

tubulária. [De *tubular* + o fem. de *-io*[2].] *S. f. Zool.* Gênero de pólipos antozoários.

▲**tubul(i)-.** [Do lat. *tubulus, i.*] *El. comp.* = 'tubo', 'pequeno tubo'; 'túbulo': *tubulifloro, tubuliforme; tubulão.*

tubulidentado. [De *tubul(i)-* + *dentado.*] *S. m.* **1.** Espécime dos tubulidentados. ● *Adj.* **2.** Pertencente ou relativo a eles.

tubulidentados. [Pl. de *tubulidentado.*] *S. m. pl. Zool.* Animais mamíferos, da ordem *Tubulidentada*, com aspecto de porco, longas orelhas, cauda longa e forte, boca prolongada em focinho comprido, língua extensível, 4 e 5 dedos, com unhas fortes e desprovidos de dentes incisivos ou caninos, e os demais sem esmalte e raiz.

tubulífero. [De *tubul(i)-* + *-fero.*] *Adj. Zool.* **1.** Que apresenta na superfície uma multidão de pequenos tubos, como certas esponjas. **2.** Pertencente ou relativo aos tubulíferos. ● *S. m.* **3.** Espécime dos tubulíferos.

tubulíferos. *S. m. pl. Zool.* **1.** Insetos da ordem dos himenópteros, cujos segmentos posteriores do abdome são retrácteis e tubulosos. **2.** Insetos tisanópteros da subordem *Tubulifera*, cujas fêmeas são desprovidas de ovopositor, sendo os ovos depositados na superfície das plantas.

tubulifloro. [De *tubul(i)-* + *-floro.*] *Adj. Morfol. Veg.* Que tem flores de corolas tubulosas.

tubuliforme. [De *tubul(i)-* + *-forme.*] *Adj. 2 g.* Que tem túbulo.

túbulo. [Do lat. *tubulu.*] *S. m.* Pequeno tubo; tubinho tubozinho.

tubuloso (ô). [De *tubul(i)-* + *-oso.*] *Adj.* **1.** V. *tubiforme.* **2.** Constituído por um tubo. **3.** *Morfol. Veg.* Que tem tubo comprido; tubular: *cálice* t u b u l o s o. ~ V. *folha* —*a.*

tubulura. [Do fr. *tubulure.*] *S. f.* Tubuladura.

tubuna. [Do tupi *tu'buna*, 'abelha preta'.] *S. f.* **1.** *Bras.* V. *boca-de-barro.* **2.** *Bras. S.* V. *cuera.*

tucanabóia. [Do tupi *tukana'bóia*, 'cobra tucano'.] *S. f. Bras.* Reptil ofídio, da família dos colubrídeos (*Oxybelis argenteus* (Daud.)), da Amaz. e Paraguai. Tem coloração parda, pálida ou avermelhada, com tons cinza, com três linhas longitudinais, das quais a mais externa se estende até o focinho, através dos olhos; lábio superior branco; garganta cinza-azulada, com pontos pretos, lado inferior amarelado, com duas faixas, e uma linha mediana da mesma cor.

tucanaçu. [De *tucano* + *-açu.*] *S. m. Bras.* V. *tucanuçu.*

tucanense. *Adj. 2 g.* **1.** De, ou pertencente ou relativo a Tucano (BA). ● *S. 2 g.* **2.** Natural ou habitante de Tucano.

tucani. *S. m. Bras.* V. *araçari* (1).

tucaniei. *S. m. Bras.* V. *açaí* (1).

tucaninho. [Dim. de *tucano.*] *S. m. Bras.* V. *araçari* (1).

tucanivar. [Do tupi.] *S. m. Bras.* Colar de penas usado pelas índias da tribo caapor.

tucano[1]**.** [Do tupi *tu'kã.*] *S. m.* **1.** *Bras.* Ave da ordem dos piciformes, da família dos ranfastídeos, gênero *Ramphastos* L., que inclui todas as espécies de grande porte. São quatro as espécies brasileiras, tendo *R. Monolis* Müller seis subespécies. Alimentam-se de pequenos frutos, e não raro pilham ninhos de outras aves. São sociais, vivendo em pequenos bandos. **2.** *Astr.* Constelação austral ao S. da Fênix e do Grou, a E. do Índio, a O. da Hidra e ao N. do Oitante.

tucano[2]**.** *S m. Bras.* **1.** Indivíduo dos tucanos, grande família lingüística do N.O. do AM e uma de suas tribos que habita as margens do Tiquié e do Uaupés. ● *Adj.* **2.** Pertencente ou relativo aos tucanos. [Certos autores dão a tal família lingüística o nome de *betóia.*]

tucano-boi. *S. m. Bras., RS.* V. *tucanuçu.* [Pl.: *tucanos-bois.*]

tucano-cachorrinho. *S. m. Bras.* V. *tucano-de-peito-branco.* [Pl.: *tucanos-cachorrinhos.*]

tucano-de-bico-preto. *S. m. Bras.* Ave piciforme, da família dos ranfastídeos (*Ramphastos vitellinus* Ariel Vig.), do N. e L. do País. Coloração preta; garganta e pele nua em volta dos olhos, alaranjadas; fita peitoral, crisso e coberteiras superiores da cauda vermelhos; bico preto, com base verde-amarelada. [Pl.: *tucanos-de-bico-preto.*]

tucano-de-bico-verde. *S. m. Bras., MG.* Ave piciforme, da família dos ranfastídeos (*Ramphastos dicolorus* L.), do S.E. do Brasil, de coloração preta, pescoço amarelo carregado, peito e crisso vermelhos, bico verde com região enegrecida na base. Vive nas matas, e alimenta-se de frutas em geral. [Sin.: *tucano-do-peito-amarelo, tucano-de-peito-amarelo.* Pl.: *tucanos-de-bico-verde.*]

tucano-de-peito-amarelo. *S. m. Bras.* V. *tucano-de-bico-verde.* [Pl.: *tucanos-de-peito-amarelo.*]

tucano-de-peito-branco. *S. m. Bras.* Ave piciforme, da família dos ranfastídeos (*Ramphastos m. monilis* Mül.), da Amaz. Coloração preta, com coberteiras superiores da cauda amarelas; crisso vermelho; garganta branca marginada de vermelho; bico vermelho-escuro e base verde-amarelada; pele nua em volta do olho; pés azuis. [Sin.: *tucano-do-peito-branco, tucano-cachorrinho, piapouco, quirina.* Pl.: *tucanos-de-peito-branco.*]

tucano-do-peito-amarelo. *S. m. Bras.* V. *tucano-de-bico-verde.* [Pl.: *tucanos-do-peito-amarelo.*]

tucano-do-peito-branco. *S. m. Bras.* V. *tucano-de-peito-branco.* [Pl.: *tucanos-do-peito-branco.*]

tucano-grande. *S. m. Bras.* V. *tucanuçu.* [Pl.: *tucanos-grandes.*]

tucanuçu. [Do tupi *tukanu'su.*] *S. m. Bras.* Ave piciforme, da família dos ranfastídeos (*Ramphastos toco* Mül.), distribuída por quase todo o País, sobretudo na região dos cerrados. Tem coloração preta, uropígio e garganta brancos, esta marginada estreitamente de vermelho, crisso dessa cor, e bico alaranjado com ponta preta. [Var.: *tucanaçu;* sin.: *tucano-grande, tucano-boi.*]

tucanuí. *S m Bras.* V. *araçari* (1).

tucão. [De *tucano*, talvez.] *S. m. Bras., RS.* Designação comum a duas aves passeriformes, da família dos tiranídeos (*Elaenia mesoleuca* Cab. & Hein. e *E. obscura sordida* Zimm.), do Brasil este-meridional e sudeste. São aves de coloração bruna, com ornatos amarelados e barriga brancacenta, e se alimentam de insetos. [Sin.: *guracava, guaracava.*]

tucho. *S. m. Bras. Autom.* Peça de aço, cilíndrica, cuja função é transmitir à válvula o movimento proporcionado pelo excêntrico do virabrequim.

tuco. *S. m. Bras., RS.* Homem que trabalha na conservação do leito de estrada de ferro, removendo terra.

tuco-tuco. [Do tupi *tuku'tuku.*] *S. m. Bras.* Mamífero roedor, da família dos ctenomídeos, gênero *Ctnenomys* Bl., com uma espécie em MG. *C. brasiliensis* Bla., duas em MT e duas outras no RS, Argentina e Uruguai. Da presença de cerdas laterais pectíneas na palma do pé e da mão vem a denominação genérica de *rato-de-pentes.* A cauda é muito curta, não alcançando a metade do comprimento da cabeça e corpo juntos; pescoço musculoso, unhas fortes. Os tuco-tucos vivem em galerias superficiais, emitem um som especial, que lhes motivou o nome comum; alimentam-se de ervas e frutos silvestres. [Sin.: *curu-curu, rato-de-pentes.* Pl.: *tuco-tucos.*]

tucujá. [Do tupi *tuku'yá.*] *S. m. Bras., Amaz.* Árvore da família das apocináceas (*Zachokkea arborescens*), da floresta pluvial, cuja madeira é branca e mole, e cujos frutos são bagas amarelas doces e comestíveis, servindo o látex, abundante, para pegar pássaros; molongó.

tucuju. *Bras. S. 2 g.* **1.** Indivíduo dos tucujus, tribo indígena que habitava as margens do Tueré. ● *Adj. 2 g.* **2.** Pertencente ou relativo a essa tribo.

tucum. [Do tupi *tu'kũ.*] *S. m. Bras.* **1.** Palmeira (*Bactris setosa*) de cujas grandes folhas se extrai uma fibra forte e útil, e cujas nozes têm sementes que fornecem 30 a 50% de um óleo alimentício. Atinge uns 10 a 12 m de altura. [Sin.: *tucunzeiro.*] **2.** Essa fibra, ou a do tucumã. [Var.: *ticum* e *tecum.*]

tucumã. [Do tupi *tuku'mã.*] *S. m.* **1.** *Bras., Amaz.* Palmeira (*Astrocaryum tucuma*), que vai a 15 m de altura e possui espinhos longos e finos. As folhas cedem, por maceração em água, boas fibras, conhecidas como *tucum*, que servem para redes de pesca, cordas e redes de dormir. Os frutos são oleosos e deles se faz uma espécie de vinho. **2.** Certo cágado da região do Tocantins. ● *Adj. 2 g.* **3.** *Bras.* Diz-se da mandioca de tronco vermelho.

tucumaí. [Do tupi *tucumã'í.*] *S. m. Bras., Amaz.* Palmeira *(Astrocaryum acaule)* cujas folhas vão a 3 m e têm muitos espinhos finos e pequenos, que irritam a pele, e cujos frutos são comestíveis, de sabor adocicado.

tucumã-piranga. *S. f. Bras.* V. *cumari* (1). [Pl.: *tucumãs-pirangas.*]

tucum-do-amazonas. *S. m. Bras.* V. *cumari* (1). [Pl.: *tucuns-do-amazonas.*]

tucuna. *Bras. S. 2 g.* **1.** Indivíduo dos tucunas, tribo indígena que habita as margens do Içá e do Solimões (AM), e cuja língua é tida como aruaque por alguns autores e como isolada por Nimuendaju. ● *Adj. 2 g.* **2.** Pertencente ou relativo a essa tribo. [Var.: *tecuna, ticuna.*]

tucunaré. [Do tupi *tukuna'ré.*] *S. m.* **1.** *Bras.* Peixe teleósteo, percomorfo, da família dos ciclídeos (*Cichla ocellaris* Schn.), da Amaz., de coloração prateada, carregada de pigmento cor de sépia no dorso, com três barras transversais eqüidistantes sobre os flancos, nadadeira dorsal escura com manchas circulares amarelo-brancacentas, e ocelo negro marginado de amarelo na base da nadadeira caudal. [Sin.: *tucunaretinga, lucunari, lacunari.*] **2.** *Bras.* Peixe teleósteo, percomorfo, da família dos ciclídeos (*C. temensis* (Hum.)), que se diferencia do primeiro pela ausência das faixas transversais, substituídas por uma única longitudinal, em toda a extensão do corpo. Atinge até 60 cm, tem carne excelente, e é utilizado em piscicultura. Constitui pesca esportiva de linha altamente apreciada. [Sin.: *tucunaré-putanga, tucunaré-pinima, sarabiana.*] **3.** *Bras., Amaz.* Arbusto da família das leguminosas *(Drepanocarpus paludicola)*, dos terrenos inundados, que se caracteriza pelos folíolos muito numerosos e pequenos, e cujo fruto é um legume indeiscente e coriáceo, com uma semente. **4.** Certa embarcação da Amazônia.

tucunaré-mereçá. *S. m. Bras., Amaz.* Arvoreta da família das melastomatáceas *(Mouriria grandiflora)*, das várzeas do rio Amazonas, de folhas coriáceas peninérveas, flores vistosas e frutos que, embora insípidos, podem ser ingeridos. [Pl.: *tucunarés-mereçás* e *tucunarés-mereçá.*]

tucunaré-pinima. *S. m. Bras., Amaz.* V. *tucunaré* (2). [Pl.: *tucunarés-pinimas.*]

tucunaré-putanga. *S. m. Bras* . V. *tucunaré* (2). [Pl.: *tucunarés-putangas.*]

tucunaretinga (narè). *S. m. Bras.* V. *tucunaré* (1).

tucunzal. [De *tucum* (1) + *-z-* + *-al.*] *S. m. Bras. N.E.* Quantidade mais ou menos considerável de tucuns dispostos proximamente entre si.

tucunzeiro. [De *tucum* + *-z-* + *-eiro.*] *S. m. Bras.* V. *tucum* (1).

tucupi. [Do tupi *tiku'pir*, 'destilado'.] *S. m. Bras., Amaz.* Tempero e molho de manipuera com pimenta.

tucupipora. [Do tupi *tukupi'pora*, 'em que há tucupi'.] *S. m. Bras., AM.* A comida deixada de molho no tucupi.

tucura. [Do tupi *tu'kura.*] *S. f.* **1.** *Bras., RS.* V. *gafanhoto* (1). [Var.: *ticura.*] **2.** *Bras., AM.* Beijos amiudados. ♦ **Fazer tucura.** Dar beijos curtos e repetidos.

tucuri. [Var. de *tacuru*, do tupi.] *S. m. Bras., RS.* V. *cupim* (2).

tucuruiense (u-i). *Adj. 2 g.* **1.** De, ou pertencente ou relativo a Tucuruí (PA). ● *S. 2 g.* **2.** Natural ou habitante de Tucuruí.

tucuruva. [Do tupi.] *S. m. Bras., SP.* Cupinzeiro abandonado pelas formigas que o construíram.

tucuxi. [Do caraíba.] *S. m.* Bras., *Amaz.* Denominação de dois mamíferos da ordem dos cetáceos, da família dos delfinídeos (*Sotalia fluviatilis* (Gerv.) e *S. pallida* (Gerv.)), ambos da bacia amazônica. São menores que o boto-branco; têm o dorso escuro, e lado ventral pardo-violáceo. [Sin.: *pirajaguara, boto-preto.*]

▲-(t)ude. [Do lat. *-tudine.*] *Suf. nom.* Formador de substantivos abstratos = 'caráter', 'qualidade', 'aspecto', etc.: *amplitude, similitude* (< lat. *similitudine*) requietude, angelitude.

tudel. [Do esp. *tudel.*] *S. m. Mús.* Tubo de metal, recurvado e de comprimento variável, no qual se coloca a palheta de certos instrumentos, como, p. ex., o fagote, o saxofone e o corne-inglês. [Pl.: *tudéis.*]

tudense. [Do lat. *tudense.*] *Adj. 2 g.* **1.** De, ou pertencente ou relativo a Tui (Espanha). ● *S. 2 g.* **2.** Natural ou habitante de Tui.

tudesco (ê). [Do ant. alto-al. *thiutisk, diutisc*, 'popular' em oposição a 'erudito' (al. mod. *deutsch*), atr. do lat. medieval *theodiscus* e do fr. *tudesque* ou do esp. *tudesco.*] *Adj.* **1.** Relativo aos, ou próprio dos antigos germanos. ● *S. m.* **2.** A língua alemã [F. paral.: *tedesco.*]

tudo. [Do lat. *totu.*] *Pron. indef.* **1.** A totalidade das coisas e/ou animais e/ou pessoas: "Tudo que existe é imaculado e é santo!" (Guerra Junqueiro, *A Velhice do Padre Eterno*, p. 174); "Tudo o que vive e ri e canta e chora... / Tudo foi feito com o mesmo lodo, / Purificado com a mesma aurora." (Id., *ib.*, p. 176); "Tudo tristonho vive: a cachoeira, / A ave, a montanha e o lago." (João Ribeiro, *Versos*, p. 97). **2.** A totalidade das coisas e/ou animais e/ou pessoas de que se trata: "falamos de tudo, menos de Carmélia." (Ciro dos Anjos, *O Amanuense Belmiro*, p. 78); "Quanta dor, quanto amor, quantos carinhos, / Quanta noite perdida / Nem eu sei... / E tudo, tudo em vão!" (Guerra Junqueiro, *A Velhice do Padre Eterno*, p. 166). **3.** Todas as coisas: "Tudo o que de mim se perde / acrescenta-se ao que sou." (Tiago de Melo, *Vento Geral*, p. 131); "Tudo o que te venho dando / é pouco, eu sei, muito pouco." (Id., *ib.*, p. 32). **4.** Todas as pessoas de quem se trata; todos: "e os amigos sem nome (tantos), / em alegria companheira, / tudo se junta, oferecendo-se, / numa rosa, a Manuel Bandeira." (Carlos Drummond de Andrade, *José & Outros*, p. 111). [Como se vê de alguns dos exemplos citados, usa-se indiferentemente *tudo que* ou *tudo o que*. Cf. *todo* e *todos.*] **5.** Coisa essencial, fundamental: *O conhecimento da língua é tudo.*

tudo-nada. *S. m.* Pequeníssima porção; quase nada; insignificância: "Todas as fidalgas que eu servi se divertiam o seu tudo-nada." (Camilo Castelo Branco, *A Mulher Fatal*, p. 61.) [Pl.: *tudos-nadas* e *tudo-nadas.*] ♦ **Por um tudo-nada.** V. *por um triz* (1).

tufa. *S. m. Bras., MG. Pop.* V. *valentão* (3).

tufado. [Part. de *tufar.*] *Adj.* Cujo volume foi aumentado; avolumado, inchado, intumescido.

tufão. [Do ár. *Tufãn*, 'inundação, dilúvio, cataclismo'.] *S. m.* **1.** Tempestade ciclônica que sopra entre julho e outubro no mar da China. **2.** Vento fortíssimo e tempestuoso; vendaval. **3.** V. *pé-de-vento* (2).

tufar. [De *tufo*^{1} + *-ar*^{2}.] *V. t. d.* **1.** Dar forma de tufo^{1} a. **2.** Aumentar o volume de; inchar, inflar: "Erguia a cabeça na rede, tufava a boca para imitar o ronco do jacaré." (Dalcídio Jurandir, *Três Casas e Um Rio*, p. 23.) **3.** Envaidecer, enfunar, entufar. *Int.* **4.** Tomar a forma de tufo^{1}. **5.** Inchar(-se), intumescer(-se). **6.** Tornar-se mais grosso ou mais alto. **7.** Inchar-se, envaidecer-se, ensoberbecer-se, enfatuar-se, enfunar-se, tufar-se. **8.** *Bras.* Ficar de mau humor; amuar-se. *P.* **9.** Tufar (7).

tufo^{1}. [Do fr. *touffe.*] *S. m.* **1.** Porção de plantas, flores, penas, pêlos, juntos, de per si: "Baixinho e seco, curvado em gancho, carapinha em maçarocas, ralas falripas de bigode amarelo de sarro, tufos de barba híspidos como parasitas, este era Sabino" (Coelho Neto, *Banzo*, p. 9). **2.** Velo aberto. **3.** Montículo, proeminência. **4.** Saliência formada pelo tecido num vestuário; papo. **5.** Certo utensílio de espingardeiro. **6.** Certo utensílio de ferreiro. **7.** Válvula de ferro, nos fornos de fundição. **8.** *Marinh.* Pino de ferro ou de madeira que atravessa a manilha e o cavirão para impedir que este saia do seu lugar.

tufo^{2}. [Do lat. *tufu*, f. dialetal de *tofu.*] *S. m.* **1.** Denominação ambígua dada aos calcários com grandes poros, gerados por fontes de águas ricas em bicarbonato de cálcio. **2.** Qualquer dos produtos de projeção vulcânica que se hajam consolidado.

tufoso (ô). *Adj.* **1.** Que tem forma de tufo^{1}. **2.** Vaidoso, arrogante, entufado.

tugido. [De *tugir* + *-ido.*] *S. m.* Ato de tugir.

tugir. *V. int.* **1.** Falar baixinho. **2.** Dar sinal de si: "A aterrada menina ergueu-se, e Januário fez uma maquinal cortesia à velha, que não podia tugir, ofegante de cansaço e cólera." (Camilo Castelo Branco, *Doze Casamentos Felizes*, p. 113.) *T. d.* **3.** Dizer em voz baixa; murmurar. [Defect., não conjugável nas f. em que ao *g* do radical, transformado em *j*, se seguir *o*, ou *a.*] ♦ **Sem tugir nem mugir.** Sem dizer palavra: "Depois pôs-se a fiar, sem tugir nem mugir." (Júlio Brandão, *Contos Escolhidos*, p. 180.)

tugue. [Do hind. *thag*, 'embusteiro, velhaco', atr. do ingl. *thug.*] *S. m.* **1.** Membro de uma seita religiosa da Índia que, em honra da deusa Cáli, praticava sacrifícios humanos. [Considera-se que os tugues foram exterminados, de 1828 a 1835, pelo então governador-geral, Lorde W. Bentick.] **2.** *Pop.* Indivíduo sanguinário.

tugúrio. [Do lat. *tuguriu.*] *S. m.* **1.** V. *cabana*. **2.** *P. ext.* Refúgio, abrigo.

tuí. *S. m. Bras.* V. *tuim*. [Cf. *Tui*, top.]

tuia^{1}. [Do gr. *thyia.*] *S. f.* Árvore ornamental, da família das cupressáceas e da classe das coníferas *(Thuja occidentalis)*, originária da América do Norte, e de pequenas folhas escamiformes, e flores e frutos pouco aparentes. Fornece madeira amarelada, de qualidade boa, muito empregada em construção civil e naval. [Sin.: *árvore-da-vida.*]

tuia^{2}. *S. m. Bras., RJ. Folcl.* Pólvora usada em cerimônias da macumba: fundango.

tuição (u-i). [Do lat. *tuitione.*] *S. f. Jur.* Ato de defender ou patrocinar; defesa judicial.

tuidara (u-í). *S. f. Bras.* V. *suindara*.

tuietê (u-i). [Do tupi.] *S. m. Bras.* V. *tuim*.

tuijuva (u-i). [Do tupi.] *S. f. Bras.* V. *tatajuba* (1).

tuim (u-ím). [Var. nasalada de *tuí* < tupi *tu'í.*] *S. m. Bras.* Ave psitaciforme, da família dos psitacídeos (*Forpus passerinus vividus* (Ridg.)), do N. da Argentina, Paraguai, C.O. e E. do Brasil. Tem coloração geral verde, mais clara inferiormente, com uropígio e dorso inferior azul-vivos, e coberteiras da asa azuis. A fêmea não tem cor azul. Vive em bandos, nidificando em ocos de pau e até em casa de joão-de-barro, e alimenta-se de frutas e sementes. É o menor periquito brasileiro. [Sin.: *tiú, tuietê, tuitirica, tuiuti, cuiúba, coió-coió, cu-cosido, cu-tapado, bate-cu, quilim, periquitinho, periquito-vassoura.*]

tuimaitaca (u-i). *S. f. Bras.* V. *cuiú-cuiú* (1).

tuindá (u-i). *S. f. Bras.* V. *suindara*.

tuipara (u-i). *S. f. Bras.* Ave psitaciforme, da família dos psitacídeos (*Brotogeris tuipara* (Gmel.)), do PA e do N. do MA, de coloração verde, fronte, mento e coberteiras das rêmiges da mão alaranjado-vivos e rêmiges azuis marginadas de verde.

tuíra^{1}. *S. f. Bras.* Planta da família das iridáceas, usada como purgativo.

tuíra^{2}. [Do tupi *tu'ira*, 'pardo, roxo'.] *Adj. 2 g. Bras., N.* Cinzento despolido; preto desbotado; ruço, pardo.

tuiroca. [Do tupi, decerto.] *S. f. Bras., AM.* A tinguijada que se faz nos solapos.

tuíste. [Do ingl. *twist.*] *S. m.* Espécie de *rock-and-roll* em que o dançarino, parado, move ritmadamente os braços e os quadris.

tuitirica (u-i). *S. m. Bras.* V. *tuim*.

tuitivo (u-i). [Do lat. *tuitu*, part. pass. de *tueri*, 'defender', + *-ivo.*] *Adj.* **1.** Que defende ou protege. **2.** Próprio para defesa.

tuiúca. *Bras. S. 2 g.* **1.** Indivíduo dos tuiúcas, indígenas do rio Tiquié, tributário do Uaupés, no AM, pertencentes à família lingüística tucano. ● *Adj. 2 g.* **2.** Pertencente ou relativo a essa tribo.

tuiuguaçu (ui-u). [De *tuiuiú* + *-guaçu*, com síncope.] *S. m. Bras.* V. *tuiuiú*.

tuiuiú (ui-ui). [Do caraíba.] *S. m. Bras.* Ave ciconiforme, da família dos ciconídeos (*Jabiru mycteria* (Lich.)), que ocorre do México ao N. da Argentina. Coloração branca, com parte da pele nua da garganta avermelhada, e a da cabeça acinzentada. [Sin.: *tuiuguaçu, tuiú-quarteleiro, tuiupara, jabiru, jaburu, rei-dos-tuinins.*]

tuiupara (ui-u). [Do tupi.] *S. m. Bras.* V. *tuiuiú*.

tuiú-quarteleiro. *S. m. Bras.* V. *tuiuiú*. [Pl.: *tuiús-quarteleiros.*]

tuiuti (ui-u). *S. m. Bras.* V. *tuim*.

tuiúva. *S. f. Bras.* V. *tujuba*.

tuixiriri (u-i). *S. m. Bras.* V. *periquito*^{1} (1).

tujuba. [Do tupi *tu'yuba*, 'abelha amarela'.] *S. f. Bras.* Abelha social da família dos meliponídeos *(Melipona rufiventris)*. [Var.: *tujuva, tuiúva.*]

tujucada. [De *tujuco* + *-ada*^{1}.] *S. f. Bras.* V. *tijucal*.

tujucal. *S. m. Bras.* V. *tijucal*.

tujuco. *S. m. Bras.* V. *tijuco*.

tujumirim. [Do tupi *tu'yu* (por *tu'yuba*) + *-mirim.*] *S. m. Bras.* V. *torce-cabelo*.

tujupar. *S. m. Bras.* V. *tijupá* (1 a 4).

tujuva. *S. f. Bras.* V. *tujuba*.

tujuveira. [De *tujuva* + *-eira.*] *S. f. Bras.* Abelha meliponídea *(Melipona mosquito subsp. olosta)*.

tule. [Do top. *Tule* (França).] *S. m.* Filó [q. v.], especialmente de seda: "fitou vagamente o mosquiteiro de tule que tombava da armação do teto" (José-Augusto França, *Despedida Breve*, p. 196).

tulha. *S. f.* **1.** Cova onde se aumenta e se comprime a azeitona, antes de ir para o lagar. **2.** Grande arca usada para guardar cereais. **3.** Celeiro: "o engenho de cana, a fábrica do café, tulhas de feijão e milho" (José de Alencar, *Til*, p. 31). **4.** *P. ext.* Montão de cereais. **5.** *Bras.* Eira ou terreno, normalmente cercado, onde se põem a secar os frutos colhidos.

túlio. [Do lat. cient. mod. *Thulium* < top. *Thule*, ilha do Oceano Ártico, + *-io*^{2}.] *S. m. Quím.* Elemento de número atômico 69, metálico, pertencente aos lantanídeos. [Símb.: *Tm.*]

tulipa. [Do persa *dulbänd*, atr. do turco *tulbend*, pelo lat. cient. *tulipa*.] *S. f.* **1.** Erva pequena, com bolbo tunicado, da família das liliáceas *(Tulipa gesneriana)*, de origem obscura, muito apreciada como ornamental, de flores lanceoladas, onduladas, glaucas e pilosas, e flores grandes (5 cm), campanuladas, inodoras, solitárias, de longos pedúnculos, de rica e variada coloração, especialmente purpúrea e vermelha. **2.** A flor dessa planta. **3.** Designação comum a várias conchas. **4.** Objeto cuja forma lembra a corola de uma tulipa (2); *um lustre com tulipas de cristal*. **5.** *Bras.* Copo alto e estreito, usado geralmente para beber chope ou cerveja. **6.** *Bras. P. ext.* O conteúdo de um desses copos.

tulipáceo. [De *tulipa* + *-áceo*[1].] *Adj.* Referente ou semelhante à tulipa.

tulipa-da-áfrica. *S. f.* Espatódea. [Pl.: *tulipas-da-áfrica*.]

tumba[1]**.** [Do gr. *tymbos*, pelo lat. *tumba*.] *S. f.* **1.** Pedra sepulcral. **2.** V. *sepultura* (1): "descendo às criptas do Panteom para depor uns ramos de orquídeas sobre a tumba de Carnot" (Eça de Queirós, *Cartas Familiares* e *Bilhetes de Paris*, p. 190). **3.** Caixão, esquife: "Foi através do incerto lusco-fusco / Buscar a tumba e erguê-la sobre o estrado, / Entre quatro brandões de cada lado." (Conde de Monsaraz, *Musa Alentejana*, p. 249.) **4.** *Encad.* Almofada de couro, abaulada, que o encadernador usa em certos trabalhos de douração das pastas. ● *S. 2 g.* **5.** Pessoa infeliz ou desastrada, especialmente no jogo; pessoa azarada.

tumba[2]**.** *S. f.* No jogo do quino, ato de fazer as três quinas de um cartão.

tumbal. *Adj. 2 g.* Relativo a, ou próprio de tumba[1].

tumbança. *S. f. Bras., CE.* Iguaria preparada com o sumo do caju, a sua castanha assada e pilada, e açúcar. [F. paral.: *tubança*.]

tumbeiro[1]**.** [De *tumba*[1] + *-eiro*.] *Adj.* **1.** Relativo a tumba[1]. ● *S. m.* **2.** Condutor de tumba[1] (3). **3.** Navio negreiro, em geral de pequeno porte (200 toneladas, ou menos, de deslocamento), que fazia o tráfico para o Brasil em condições tão precárias que grande parte da carga (30 a 40%) morria durante a viagem. [Cf. *tombeiro*.]

tumbeiro[2]**.** [Do esp. plat. *tumba*, 'carne de má qualidade', + *-eiro*.] *Adj.* e *s. m. Bras., RS.* Diz-se de, ou vagabundo que vive de estância em estância; parasito, gaudério. [Cf. *tombeiro*.]

tumbice. [De *tumba*[1] + *-ice*.] *S. f. Fam.* Azar, caiporismo, sobretudo no jogo.

tumefação. *S. f. Med.* Ato ou efeito de tumefazer; inchação.

tumefaciente. [Do lat. *tumefaciente*.] *Adj. 2 g.* Que tumefaz; tumeficante.

tumefacto. [Do lat. *tumefactu*.] *Adj.* Inchado, intumescido, tumente. [Var.: *tumefato*.]

tumefato. *Adj.* V. *tumefacto*.

tumefazer. [Do lat. *tumefacere*.] *V. t. d.* e *p.* Tornar(-se) túmido; intumescer(-se), tumeficar(-se). [Irreg. Conjug.: v. *fazer*.]

tumeficante. [De *tumeficar* + *-nte*.] *Adj. 2 g.* Que tumefica; tumefaciente.

tumeficar. [De *tum*, rad. de *túmido*, + *-e-* + *-ficar*.] *V. t. d.* e *p.* V. *tumefazer*. [Conjug.: v. *trancar*.]

tumente. [Do lat. *tumente*.] *Adj. 2 g.* V. *tumefacto*.

tumescência. [Do lat. *tumescentia*.] *S. f.* V. *intumescência*.

tumescente. [Do lat. *tumescente*.] *Adj. 2 g.* V. *intumescente*.

tumescer. [Do lat. *tumescere*.] *V. t. d., int.* e *p.* V. *intumescer*. [Conjug.: v. *crescer*.]

tumidez (ê). *S. f.* **1.** Qualidade ou estado de túmido (1); inchação. **2.** Saliência, proeminência: "as carnes ondulantes da mais velha [das duas mulheres], o requebrado dos quadris, a tumidez dos seios atrevidos" (Viriato Correia, *Histórias Ásperas*, p. 96).

túmido. [Do lat. *tumidu*.] *Adj.* **1.** V. *intumescente*. **2.** Saliente, proeminente: "Os olhos num delíquio... os rijos seios túmidos ..." (Goulart de Andrade, *Poesias*, p. 151.) **3.** Grosso, dilatado. **4.** *Fig.* Cheio de si; vaidoso, arrogante, orgulhoso.

tumiritinguense. *Adj. 2 g.* **1.** De, ou pertencente ou relativo a Tumiritinga (MG). ● *S. 2 g.* **2.** Natural ou habitante de Tumiritinga.

tumor (ô). [Do lat. *tumore*.] *S. m.* **1.** Patol. Qualquer aumento de volume desenvolvido numa parte qualquer do corpo. **2.** *Restr.* Massa constituída pela multiplicação das células de um tecido, sem a estrutura dos processos inflamatórios ou parasitários conhecidos. Pode ser maligno ou benigno, conforme apresente ou não tendência a estender-se, a fazer metásteses e a recidivar após a ablação. ◆ **Tumor branco.** *Patol.* Artrite tuberculosa crônica. **Tumor de escorregamento.** *Geog.* Talude abaulado, coberto de vegetação, que se forma em áreas de escorregamento ou deslizamento. **Tumor maligno.** *Patol.* Tumor canceroso.

tumoração. [De um **tumorar*, 'formar tumor', + *-ção*.] *S. f. Patol.* **1.** Formação de tumor. **2.** Presença de tumor: "O esculápio constatou .... a tumoração logo abaixo da garganta. Julgou, por isso, que o osso estivesse ao alcance de uma pinça longa." (Aziz Ansarah Rizek, *Histórias Agudas e Crônicas de um Médico*, pp. 129-130.)

tumoroso (ô). *Adj.* Que tem tumor.

tumular[1]**.** *Adj. 2 g.* **1.** Pertencente ou relativo a, ou próprio de túmulo: *silêncio tumular*. **2.** *P. ext.* Muito triste; lúgubre, fúnebre: *vozes tumulares*. [Sin. ger.: *tumulário*.

tumular[2]**.** [Do lat. *tumulare*.] *V. t. d.* Lançar ao túmulo; sepultar, enterrar, inumar. [Pres. ind.: *tumulo*, etc.; fut. pret.: *tumularia*, etc. Cf. *túmulo*, s. m., e *tumulária*, fem. de *tumulário*.]

tumulário. *Adj.* Tumular[1]. [Fem.: *tumulária*. Cf. *tumularia*, do v. *tumular*.]

túmulo. [Do lat. *tumulu*, 'montículo de terra sobre sepultura'.] *S. m.* **1.** Monumento fúnebre erguido em memória de alguém no lugar onde se acha sepultado. **2.** V. *sepultura* (1). **3.** *Fig.* Morte (1). **4.** *Fig.* Fim, termo; destruição: *A opinião da crítica foi o túmulo de suas aspirações literárias*. **5.** *Fig.* Lugar lúgubre, triste: *Esta casa é um túmulo*. **6.** *Fig.* Pessoa que sabe guardar segredos, confidências. [Cf. *tumulo*, do v. *tumular*.] ◆ **Descer ao túmulo.** V. *morrer* (1). **Ser um túmulo.** Saber guardar segredo(s); ser muito discreto.

tumulto. [Do lat. *tumultu*.] *S. m.* **1.** Grande movimento; bulício: *Fujo do tumulto da cidade grande*. **2.** Movimento desordenado: *O trânsito continua um tumulto*. **3.** Algazarra, barulho, balbúrdia, vozearia: *Não quero tumulto na sala de aula*. **4.** Motim, agitação: *Houve um grave tumulto na cidade*. **5.** Discórdia, desarmonia, desavença. **6.** *Fig.* Agitação ou perturbação moral.

tumultuado. [Part. de *tumultuar*.] *Adj.* Em que há tumulto; tumultuoso: *Foi uma sessão agitada, tumultuada*.

tumultuador (ô). *Adj.* **1.** Que tumultua; tumultuante. ● *S. m.* **2.** Aquele que tumultua.

tumultuante. *Adj. 2 g.* Tumultuador (1).

tumultuar. [Do lat. *tumultuare*.] *V. t. d.* **1.** Incitar à desordem; agitar, amotinar: *tumultuar os trabalhadores*. **2.** *Fig.* Desordenar, desarrumar: *tumultuar os papéis*; "É o amor que tumultua a existência das grandes figuras da história e da arte, explicando gestos heróicos e obras-primas." (Melo Nóbrega, *O Soneto de Arvers*, p. 93). *Int.* **3.** Mover-se desordenadamente: "Era impossível, ... quando nas ruas já tumultuava a mascarada, impor silêncio ao povo da cidade" (Xavier Marques, *As Voltas da Estrada*, p. 32). **4.** Agitar-se, revolver-se. **5.** Amotinar-se, rebelar-se: *O povo tumultuou, expulsando o inimigo*. **6.** Fazer grande barulho ou estrondo; estrondear, troar. **7.** Disseminar-se, espalhar-se confusamente. **8.** Caminhar ao acaso; vaguear, errar. [Var.: *atumultuar*. Fut. pret.: *tumultuaria*, etc. Cf. *tumultuária*, fem. de *tumultuário*.]

tumultuário. [Do lat. *tumultuariu*.] *Adj.* **1.** Desordenado, desarranjado, confuso. **2.** Barulhento, ruidoso. **3.** Agitado, revolto. **4.** Amotinado, sublevado. [Sin. ger.: *tumultuoso*. Fem.: *tumultuária*. Cf. *tumultuaria*, do v. *tumultuar*.]

tumultuoso (ô). [Do lat. *tumultuosu*.] *Adj.* **1.** Em que há tumulto; tumultuado. **2.** V. *tumultuário*.

tuna[1]**.** [Do maia *tun*, 'pedra', + *a*, 'água'.] *S. f.* Designação comum a duas plantas da família das cactáceas: *Cereus bonplandii* e *Cereus alacriportanus*. V. *nopal*.

tuna[2]**.** [Do fr. *tune*, *thune* (gír.), 'esmola, mendicidade'.] *S. f.* **1.** Vadiação, vadiagem, ociosidade. **2.** Grupo musical organizado por estudantes.

tunador (ô). [De *tunar* + *-(d)or*.] *Adj.* e *s. m.* V. *tunante*.

tunal. [De *tuna*[1] + *-al*.] *S. m.* Nopal. [Cf. *tonal*.]

tunante. [De *tunar* + *-nte*.] *Adj. 2 g.* e *s. 2 g.* **1.** Que ou quem anda à tuna[2]; vadio, vagamundo. **2.** Trapaceiro, trampolineiro. **3.** Diz-se de, ou estudante que faz parte de uma tuna[2] (2). [Sin. ger.: *tunador* e *tuno*. Cf. *tonante*.]

tunar. [De *tuna*[2] + *-ar*[2].] *V. int.* Andar à tuna[2]; vadiar, vagabundear, vagabundar. [Pres. subj.: *tune*, *tuneis*, *tunem*.] etc. Cf. *túneis*, pl. de *túnel*; *toneis*, do v. *tonar*, e este v.; e *tonéis*, pl. de *tonel*.]

tunco. *S. m. Bras., N.E. Pop.* Muxoxo (2): "A mulher dava uns tuncos e entregava os dois mil-réis" (Adalberon Cavalcanti Lins, *Curral Novo*, p. 215).

tuncum. *S. m. Bras., SP. Gír.* V. *dinheiro* (3).

tunda. [Provavelmente do lat. *tundere*, 'golpear'.] *S. f.* **1.** V. *surra* (1): "Daí a tempos escrevia ele aos amigos .... que o seu desastre não tinha sido mais do que uma formidável tunda que lhe dera o diretor do jornal em que trabalhava" (Domício da Gama, *Histórias Curtas*, p. 252). **2.** *Fig.* Crítica severa.

tundá. [Do quimb. *kutũdá*, 'ultrapassar, exceder; sobressair', com aférese.] *S. m.* **1.** *Bras.* Vestido de roda com muitas saias debaixo. **2.** *Bras., RJ. Gír.* Nádegas, traseiro. **3.** *Bras., SP.* Calombo, excrescência, protuberância; tumor. **4.** *Bras., SP.* Inchação nas costas.

tundar. [De *tunda* + *-ar*[2].] *V. t. d.* V. *surrar* (2).

tundra. [Do lapão atr. do russo e do fr. *toundra*.] *S. f. Fitogeog.* Vegetação ártica e subártica, que vive sobre solos rochosos e turfosos, e sob frio intenso. Consta de liquens, musgos, ervas anuais e subarbustos xeromórficos, e é própria da Rússia, da Sibéria e do Canadá.

túnel. [Do céltico *tunna*, 'pele, odre, tuna', atr. do fr. ant. *tonel*, dim. de *tonne*, e do ingl. *tunnel*.] *S. m.* Caminho ou passagem subterrânea. [Pl.: *túneis*. Cf. *tuneis*, do v. *tunar*, e *toneis*, do v. *tonar*.]

tunesino. *Adj.* **1.** De, ou pertencente ou relativo a Tunes, capital da Tunísia. ● *S. m.* **2.** O natural ou habitante de Tunes. [Cf. *tunisiano*.]

tunga. [Do tupi *tũg*, 'o que come'.] *S. f. Bras.* V. *bicho-do-pé*.

tungada. [De *tungar* + *-ada*[1].] *S. f. Bras.* Choque; pancada.

tungador (ô). *Adj.* e *s. m. Bras.* Que ou aquele que tunga, teima, porfia; teimoso, porfiador; renitente.

tungar. [Do quimb. *tũgu*, 'madeira; pancada', + *-ar*[2].] *V. int.* **1.** *Bras.* Teimar, porfiar; renitir. *T. d.* **2.** *Bras.* Bater em; surrar, sovar. **3.** *Bras.* Enganar, iludir, lograr, burlar, **4.** *Bras., RS.* Embeber um pedaço de (o pão) no café que se está ingerindo, para o amolecer. [Conjug.: v. *largar*.]

tungstênio. [Do sueco *tung*, 'pesado', + *sten*, 'pedra', + *-io*[2].] *S. m. Quím.* Elemento de número atômico 74, metálico, branco, duro, quebradiço, usado em filamentos de lâmpadas de incandescência. [Símb.: *W*.]

tungue[1]**.** *S. m.* Árvore da família das euforbiáceas *(Aleurites fordii)*, procedente da China e cultivada pelo alto valor do seu óleo, de folhas verde-claras, lobadas, ovadas e agudas, pequenas flores pardacentas dispostas em panículas laxas, e cujo fruto é uma grande tricoca. As sementes cedem perto de 60% de um óleo especial, altamente secativo, insubstituível para certas tintas e vernizes.

tungue[2]**.** [Do turco-tártaro *tonguz*, 'porco, suíno' (possivelmente por se dedicarem os tungues à criação de porcos), atr. do russo e do ingl. *tungus*.] *S. 2 g.* **1.** Indivíduo dos tungues, povo mongol provavelmente relacionado com os manchus, que se irradiou largamente pela Sibéria ocidental, e inclui muitos grupos ainda nômades. *S. m.* **2.** A língua falada por esse povo. ● *Adj. 2 g.* **3.** Diz-se desse povo ou de sua língua.

tunguear. *V. int. Bras., MT. Pop.* Descansar, repousar. [Conjug.: v. *frear*.]

tunguete (ê). *S. m. Bras. Gír.* Qualquer jogo desonesto.

tungurupará. [Do tupi *tũuripará*.] *S. m. Bras.* V. *bico-de-brasa*.

túnica. [Do lat. *tunica*.] *S. f.* **1.** Antigo vestuário, longo e ajustado ao corpo. **2.** Paramento que diáconos e subdiáconos usam sob a alva; dalmática. **3.** *P. ext.* Vestimenta feminina, mais longa que a blusa, e usada, em geral, sobre saia, calça comprida, *short*, etc., ou, ainda, como vestido curto ou longo. **4.** Casaco reto e justo, característico de certos uniformes militares [v. *uniforme* (7)], usado geralmente sem camisa. **5.** *Anat.* Membrana ou camada que participa das paredes de um órgão. **6.** *Morfol. Veg.* Membrana ou invólucro de certos órgãos vegetais. **7.** *Morfol. Veg.* Cada uma das escamas de bulbos, como a da cebola. [Dim. irreg.: *tunicela*, *tuniquete*.] ◆ **Túnica adventícia.** *Anat.* Camada externa de várias estruturas tubulares (esôfago, vasos sanguíneos), constituída de tecido conjuntivo e fibras elásticas. [Tb. se diz apenas *adventícia*. Sin.: *túnica externa*.] **Túnica de Nesso.** Paixão que punge a alma. **Túnica externa.** *Anat.* V. *túnica adventícia*. [Tb. se diz apenas *externa*.] **Túnica íntima.** *Anat.* Camada interna de vaso sanguíneo, constituída por células endoteliais circundadas por fibras elásticas longitudinais e por tecido conjuntivo. [Tb. se diz apenas *íntima*.] **Túnica média.** *Anat.* Camada média de vaso sanguíneo, constituída por fibras musculares e elásticas transversas. [Tb. se diz apenas *média*.]

tunicado. [Do lat. *tunicatu*, 'vestido de túnica'.] *S. m.* **1.** Espécime dos tunicados ● *Adj.* **2.** Pertencente ou relativo a eles.

tunicados. *S. m. pl. Zool.* Animais cordados, marinhos, do sub-ramo *Tunicata*, cujas larvas têm notocórdio e corda nervosa na cauda, sendo os adultos cobertos com uma túnica, em geral transparente, e desprovidos de notocórdio.
tunicela. [Dim. irreg. de *túnica*.] *S. f.* **1.** Pequena túnica; tuniquete: "Um padre calvo, ... ladeado por três acólitos jovens, com tunicelas escarlates e alvas casulas rendadas, um deles agitando o turíbulo, reza." (Osmã Lins, *Nove, Novena*, p. 144.) **2.** *Lit.* Espécie de dalmática ou pequena túnica usada pelos bispos entre a alva e a casula, na celebração solene.
tunídeo. *S. m.* **1.** Espécime dos tunídeos. ● *Adj.* **2.** Pertencente ou relativo a eles.
tunídeos. *S. m. pl. Zool.* Família de peixes teleósteos marinhos na qual se encontram os atuns [v. *atum*].
tuniquete (ê). [Dim. irreg. de *túnica*.] *S. m.* Tunicela (1).
tunisiano. *Adj.* **1.** Da, ou pertencente ou relativo à Tunísia (África do Norte). ● *S. m.* **2.** O natural ou habitante desse país. [Cf. *tunesino*.]
tunisino. *Adj.* e *s. m.* V. *tunesino*.
tuno. [De *tuna*[2].] *Adj.* e *s. m.* V. *tunante*.
tuntunqué. [Var. nasalada de *tutunqué*.] *S. m. Bras., PE. Pop.* V. *valentão* (3).
tupá. *S. m. Bras.* Tupã.
tupã. [Do tupi.] *S. m. Bras.* Designação tupi do trovão, usada pelos missionários jesuítas para designar a Deus; Tupá.
tupaciguarense. *Adj. 2 g.* **1.** De, ou pertencente ou relativo a Tupaciguara (MG). ● *S. 2 g.* **2.** Natural ou habitante de Tupaciguara.
tupãense. *Adj. 2 g.* **1.** De, ou pertencente ou relativo a Tupã. (SP). ● *S. 2 g.* **2.** Natural ou habitante de Tupã. [F. paral.: *tupanense*.]
tupanciretanense. *Adj. 2 g.* **1.** De, ou pertencente ou relativo a Tupanciretã (RS). ● *S. 2 g.* **2.** Natural ou habitante de Tupanciretã.
tupanense. *Adj. 2 g.* e *s. 2 g.* Tupãense.
tupari. *Bras. S. 2 g.* **1.** Indivíduo dos tuparis, tribo indígena das cabeceiras do rio Branco, afluente do Guaporé (RO). ● *Adj. 2 g.* **2.** Pertencente ou relativo a essa tribo.
tupé. [Do tupi *tu'pé*, 'entrançado'.] *S. m. Bras., N.* Esteira geralmente feita de talas de purumã, na qual se espalham os produtos da lavoura, para secarem, e empregada também como tolda de canoa, além de ter uso doméstico: "Rosinha ... sentou-se num tupé, no chão, junto da sua almofada de renda" (José Veríssimo, *Cenas da Vida Amazônica*, p. 4).
tupi. [Do tupi.] *Bras. S. 2 g.* **1.** Indivíduo dos tupis, povo indígena que habitava o N. e C.O. do Brasil, na região aproximadamente compreendida pelo rio Amazonas e seus afluentes da margem direita, e cuja língua constituía um dos quatros principais troncos lingüísticos da América do Sul. [Cf. *guarani* (1) e *tupi-guarani*.] **2.** Língua geral tupi-guarani sistematizada pelos padres jesuítas, falada até o séc. XIX por tribos que habitavam o litoral, e ainda hoje por tribos da região amazônica; língua geral, nheengatu. **3.** Denominação comum às tribos tupis do litoral. **4.** Uma dessas tribos. **5.** Certa tribo indígena do alto Machado (bacia do Madeira). **6.** Designação dada pelos guaranis e pelos brancos do alto Paraná aos caingangues e a todos os índios temidos. ● *Adj. 2 g.* **7.** Pertencente ou relativo aos tupis; túpico.
tupia. *S. f. Bras.* **1.** Máquina de fazer molduras. **2.** Aparelho para levantar pesos; macaco.
tupiana. [De *tupi* + o fem. de *-ano*.] *S. f. Bras.* Designação proposta por Hermann von Ihering, naturalista alemão (1850-1930), para a região zoogeográfica que abrange o litoral do Brasil e suas matas. A Tupiana, por seu turno, subdivide-se em duas subprovíncias: **a)** a Tupinambarana, que compreende as terras da BA ao RJ, e, para o S., toda a serra abaixo; **b)** a Guaraniana, que compreende as terras que vão do RJ ao RS.
tupiçaba. *S. f. Bras.* Var. de *tupixaba*.
tupi-cauaíba. *Bras. S. 2 g.* e *adj. 2 g.* Var. de *tupi-cavaíba*. [Pl.: *tupis-cauaíbas*.]
tupi-cavaíba. *Bras. S. 2 g.* **1.** Indivíduo dos tupis-cavaíbas, subdivisão da tribo indígena cavaíba [q. v.]. ● *Adj. 2 g.* **2.** Pertencente ou relativo aos tupis-cavaíbas. [Var.: *tupi-cauaíba*. Pl.: *tupis-cavaíbas*.]
túpico. [De *tupi* + *-ico*[2].] *Adj. Bras.* **1.** De origem tupi: *dialeto túpico*. **2.** Tupi (7).
tupieiro. *S. m. Bras.* Operário que trabalha com a tupia.
tupi-guarani. *Bras. S. m.* **1.** Importante família lingüística indígena da região tropical sul-americana, a qual inclui o guarani, o tupi e outras línguas. *S. 2 g.* **2.** Indígena pertencente a essa família lingüística. ● *Adj. 2 g.* **3.** De, ou pertencente ou relativo aos tupis e guaranis. [Pl. do adj.: *tupi-guaranis*; do s.: *tupis-guaranis*.]
tupina. *Adj.* e *s. m. Bras., SP.* V. *valentão* (1 e 3).
tupinamba. *S. f. Bras.* V. *tupinambo*.
tupinambá. [Do tupi.] *Bras. S. 2 g.* **1.** Indivíduo dos tupinambás, designação comum a diversas tribos tupi-guaranis que habitavam o litoral do Brasil no séc. XVI. ● *S. m.* **2.** *Fig.* V. *mandachuva*. ● *Adj. 2 g.* **3.** Pertencente ou relativo aos tupinambás.
tupinambara. *S. 2 g.* e *adj. 2 g. Bras.* Tupinambarana[1] [q. v.].
tupinambarana[1]**.** *Bras. S. 2 g.* **1.** Indivíduo dos tupinambaranas, índios tupinambás emigrados do litoral e que ocuparam no séc. XVIII a região da foz do Madeira. ● *Adj. 2 g.* **2.** Pertencente ou relativo aos tupinambaranas. [Sin. ger., ou var.: *tupinambara*.]
tupinambarana[2]**.** *S. f. Bras.* V. *Tupiana*.
tupinambo. [Alter. de *topinambor* < tupi *tupinambá* (subentende-se *batata*, atr. do fr. *topinambour*).] *S. m. Bras.* Planta da família das compostas (*Helianthus tuberosus*). [Var.: *tupinamba*.]
tupinambor (ô). *S. m. Bras.* V. *tupinambo*.
tupinimó. *Bras. S. 2 g.* **1.** Indivíduo dos tupinimós, tribo indígena da região do ES. ● *Adj. 2 g.* **2.** Pertencente ou relativo a essa tribo.
tupiniquim. *Bras. S. 2 g.* **1.** Indivíduo dos tupiniquins, tribo indígena tupi-guarani do litoral de Porto Seguro (BA). ● *Adj. 2 g.* **2.** Pertencente ou relativo a essa tribo. **3.** *Deprec.* Próprio do Brasil; nacional, brasileiro.
tupinologia. [De *tupi* + *-n-* + *-o-* + *-log(o)-* + *-ia*.] *S. f.* Conjunto de conhecimentos a respeito dos tupis.
tupinológico. *Adj.* Relativo à tupinologia.
tupinologista. *S. 2 g.* Tupinólogo.
tupinólogo. *S. m.* Especialista em tupinologia; tupinologista.
tupióide. [De *tupi* + *-óide*.] *Adj. 2 g.* Semelhante ao tupi.
tupiramense. *Adj. 2 g.* **1.** De, ou pertencente ou relativo a Tupirama (GO). ● *S 2 g.* **2.** Natural ou habitante de Tupirama.
tupixá. [Var. apocopada de *tupixaba*.] *S. m. Bras.* V. *malva-reloginho*.
tupixaba. [Do tupi *tui'xaba*.] *S. f. Bras.* V. *vassourinha*. (2). [Var.: *tupiçaba*.]
tupurapo. [De or. indígena.] *S. m. Bras.* Caferana (1).
▲-(t)ura. V. *-(d)ura*.
turá. *S. 2 g.* e *adj. 2 g. Bras.* Var. de *torá*.
turaniano. *Adj.* e *s. m.* **1.** Diz-se de, ou grupo de povos da Rússia meridional e do Turquestão, mas com traços mongólicos. **2.** Diz-se de, ou cada uma das línguas uralo-altaicas.
turari. [De or. indígena.] *S. m. Bras.* Tingui-capeta.
turba. [Do lat. *turba*.] *S. f.* **1.** Multidão (1) em desordem. **2.** Muitas pessoas reunidas; povo, multidão: "Moteje embora o mundo! / Ria-nos essa turba ímpia e nojosa, / Sobre a qual cuspo o meu desdém profundo" (Raimundo Correia, *Poesias*, p. 43). **3.** Vozes que cantam em coro.
turbação. [Do lat. *turbatione*.] *S. f.* Ato ou efeito de turbar(-se); turbamento.
turbador (ô). [Do lat. *turbatore*.] *Adj.* e *s. m.* Que ou aquele que turba; perturbador.
turbamento. [Do lat. *turbamentu*.] *S. m.* Turbação.
turbamulta. [Do lat. *turba multa*, 'grande multidão'.] *S. f.* **1.** Grande turba (1) agitada; tropel, turbilhão. **2.** Grande agrupamento de pessoas.
turbante. [Do persa *dulbänd*, atr. do turco *tülbend* e do it. *turbante*.] *S. m.* **1.** Cobertura da cabeça, feita com uma longa faixa de tecido enrolada em sua volta, e usada pelos povos orientais. **2.** *P. ext.* Pano ou lenço enrolado na cabeça, ou chapéu feminino, parecidos com o turbante (1)
turbar. [Do lat. *turbare*.] *V. t. d.* **1.** V. *turvar* (1 e 2). **2** Revolver, agitar: *A ventania turba o mar*. **3.** Alterar, transtornar, perturbar, turvar: "Nada turbava aquelas frontes calmas, / Nada curvava aquelas grandes almas / Voltadas pra amplidão..." (Castro Alves, *Obra Completa*, p. 127.) **4.** Inquietar, desassossegar: *O encontro inesperado turbou-o profundamente*. *P.* **5.** Toldar-se, turvar-se. **6.** Sentir grande comoção; comover-se, abalar-se. **7.** Inquietar-se, desassossegar-se. **8.** Tornar-se sombrio, carregado; turvar-se.
turbativo. [Do lat. *turbatu*, part. pass. de *turbare*, 'turvar', + *-ivo*.] *Adj.* Que causa turbação.
turbelário. [Do lat. *turbellae*, 'rebuliço', + *-ário*.] *S. m.* **1.** Espécime dos turbelários. ● *Adj.* **2.** Pertencente ou relativo a eles.
turbelários. [Pl. de *turbelário*.] *S. m. pl. Zool.* Animais platelmintos, da classe *Turbellaria*, cujo corpo é revestido de epiderme ciliada com numerosas glândulas mucosas. Têm tubo digestivo incompleto, com boca ventral, e são desprovidos de ventosas ou ganchos. São animais terrestres, de água doce ou marinhos, geralmente de vida livre.
turbidância. [De *túrbido* + *-ância*.] *S. f. Fís.-Quím.* Cologaritmo da fração da energia luminosa que é transmitida por uma suspensão ou por uma solução coloidal.
turbidez (ê). *S. f.* Qualidade ou estado de túrbido (2).
turbidimetria. [De *túrbido* + *-i-* + *-metr(o)-*[2] + *-ia*.] *S. f. Quím.* Método de análise quantitativa de soluções coloidais ou de suspensões, baseado na medição da absorção de luz.
turbidímetro. [De *túrbido* + *-i-* + *-metro*.] *S. m. Fís.-Quím.* Fotômetro destinado a medir a turbidância de suspensões coloidais, e que é, essencialmente, análogo aos fotômetros utilizados em colorimetria.
túrbido. [Do lat. *turbidu*.] *Adj.* **1.** Que perturba; perturbador. **2.** Sombrio, escuro, turvo: "Dorme, ao luar do equador, a túrbida lagoa" (Martins Fontes, *Verão*, p. 40).
turbilhão. [Do fr. *tourbillon*.] *S. m.* **1.** Redemoinho de vento: "De vez em quando, os mastros rangiam com os turbilhões de vento" (Alexandre Herculano, *Lendas e Narrativas*, II, p. 329). **2.** Movimento forte e giratório de águas; sorvedouro, voragem. **3.** Revolução de um planeta. **4.** Aquilo que excita ou impele violentamente. **5.** V. *furacão* (2). **6.** V. *turbamulta* (1).
turbilhonamento. *S. m.* Ato ou efeito de turbilhonar[2].
turbilhonar[1]**.** [De *turbilhão* + *-ar*[1].] *Adj. 2 g.* Referente a turbilhão. ~ V. *escoamento* —.
turbilhonar[2]**.** [De *turbilhão* + *-ar*[2].] *V. int.* Voltear como um turbilhão; remoinhar, redemoinhar.
turbina. [Do fr. *turbine*.] *S. f.* **1.** Máquina que transforma em trabalho mecânico-rotatório a energia cinética de um fluido em movimento. **2.** *Restr.* Aparelho em que se processa por centrifugação a separação dos cristais de açúcar dos elementos não cristalizáveis. ◆ **Turbina a gás.** Aquela em que se usa um gás como o fluido em movimento. **Turbina a vapor.** A que utiliza o vapor de água como o fluido em movimento. **Turbina hidráulica.** Aquela em que se usa a água como fluido em movimento. **Aquecer as turbinas.** *Bras.* Aquecer (11).
turbinação. [De *turbinar* + *-ção*.] *S. f. Bras.* Turbinagem.
turbinado[1]**.** [Do lat. *turbinatu*.] *Adj.* **1.** Em forma de cone invertido, ou de pião: *fruto turbinado*. **2.** *Anat.* Diz-se de dois pequenos ossos na raiz do nariz. **3.** *Zool.* Diz-se da concha univalve cuja espiral forma um cone pouco alongado e sensivelmente largo na base.
turbinado[2]**.** [Part. de *turbinar*.] *Adj. Bras.* Que foi submetido a turbinagem.
turbinagem. [De *turbinar* + *-agem*[2].] *S. f. Bras.* Operação industrial que consiste em submeter uma substância à ação da força centrífuga produzida pela turbina; turbinação.
turbinar. [Do lat. *turbine*, 'redemoinho, turbilhão', + *-ar*[2].] *V. int.* **1.** *Ant.* Redemoinhar, turbilhonar. *T. d.* **2.** Fazer a turbinagem de.
turbiniforme. [Do lat. *turbine*, 'redemoinho, turbilhão', + *-i-* + *-forme*.] *Adj. 2 g.* Que tem forma cônica ou de volta de pião.
turbinoso (ô). [Do lat. *turbine*, 'turbilhão, redemoinho', + *-oso*.] *Adj.* **1.** Que gira em derredor de um eixo ou centro. **2.** Semelhante a um turbilhão.
turbito. [Do persa *turbud*, atr. do ár. *turbed*.] *S. m.* Planta convolvulácea, cuja raiz é purgativa.
turbocompressor (ô). *S. m. Tec.* Compressor de gás que opera pela ação de uma turbina cujas aletas impelem e comprimem o gás.
turboélice. [De *turbo(propulsor)* + *hélice*.] *S. m.* **1.** Veículo (especialmente aeronave) dotado de turbopropulsor. **2.** O motor desse veículo.
turbojacto. [De *turbo(rreator)* + *jacto*; adapt. do ingl. *turbojet*.] *S. m.* **1.** Veículo (especialmente aeronave) provido de turborreator. **2.** O motor desse veículo. [Var.: *turbojato*.]
turbojato. *S. m.* Var. de *turbojacto* [q. v.].
turbopropulsor (ô). [De *turb(ina)* + *-o-* + *propulsor*.] *S. m.* Motor de combustão interna em que os gases acionam uma turbina que movimenta uma hélice e são ejetados para trás, fornecendo impulsão adicional ao veículo.
turborreator (ô). [De *turb(ina)* + *-o-* + *reator*.] *S. m.* Motor à reação e de combustão interna no qual os gases são comprimidos num compressor acionado por turbina e ejetados para trás, fornecendo impulsão para o avanço do veículo.
turbulência. [Do lat. *turbulentia*.] *S. f.* **1.** Qualidade ou

estado de turbulento. **2.** Ato turbulento. **3.** Agitação, desordem, motim.

turbulento. [Do lat. *turbulentu.*] *Adj.* **1.** Que está disposto à desordem ou nela se compraz. **2.** Irrequieto; buliçoso. **3.** Agitado, tumultuoso. ● *S. m.* **4.** Indivíduo turbulento.

turcalhada. *S. f. Deprec.* Reunião ou multidão de turcos.

túrcica. [De *turco* + o fem. de *-ico*[2].] *Adj. (f.) Anat.* ~ V. *sela* —.

turco. [Do fr. *turc?*] *Adj.* **1.** Da, ou pertencente ou relativo à Turquia (Ásia e Europa); otomano. ~ V. *banho* — e *vela* —*a*. ● *S. m.* **2.** O natural ou habitante da Turquia; otomano. **3.** A língua altaica falada pelos turcos. V. *uralo-altaico* (3). **4.** *Constr. Nav.* Coluna de ferro em cuja parte superior, recurvada, se instala um aparelho de içar, e que é montada a bordo para içar e arriar embarcações miúdas ou outros objetos pesados: "Um dos pilotos, à borda, sobre o castelo, presidia à faina de suspender, ultimando-a, a olhar cuidadosamente, com um dos marinheiros, o içar lento do ferro ao pequeno mas forte turco recurvo" (Virgílio Várzea, *Nas Ondas*, p. 315). **5.** *Bras. Pop.* Designação dada erroneamente a sírios e libaneses. **6.** *Bras.* V. *prestação* (5). ♦ **Turco da prestação.** *Bras.* V. *prestação* (5). **Turco do lambareiro.** *Ant. Constr. Nav.* Turco (4) com talha ou estralheira, existente junto ao escovém dos antigos veleiros, e que levava a âncora à sua posição de descanso quando o navio estivesse navegando. [V. *lambareiro* (5).]

turco-árabe. *Adj. 2 g.* e *s. 2 g. Bras.* Genericamente, diz-se do, ou imigrante procedente do antigo Império Turco ou Otomano, havendo-se incluído nessa designação o elemento sírio-libanês. [Pl.: *turco-árabes.*]

turcomano. [Do lat. medieval *turcomannus* < persa *tukmãn*, 'que se assemelha a um turco'.] *Adj.* **1.** Da, ou pertencente ou relativo à República Soviética Socialista Turcomana. ● *S. m.* **2.** O natural ou habitante dessa república. **3.** Indivíduo dos turcomanos, povo turco que vive na Rússia (sobretudo na R.S.S. Turcomana, mas também na R.S.S. Usbequistana e na Rússia Européia), no Afeganistão e no Irã. **4.** A língua falada pelos turcomanos.

turdetano. *Adj.* **1.** Da, pertencente ou relativo à Turdetânia, antiga província da Península Hispânica (Europa). ● *S. m.* **2.** O natural ou habitante da Turdetânia.

túrdida. *Adj. 2 g.* e *s. m.* V. *turdídeo* (2 e 3).

túrdidas. *S. m. pl. Zool.* V. *turdídeos.*

turdídeo. [Do lat. *turdo*, 'tordo', + *-ídeo.*] *Adj.* Relativo ou semelhante ao tordo. **2.** Pertencente ou relativo aos turdídeos. ● *S. m.* **3.** Espécime dos turdídeos.

turdídeos. *S. m. pl. Zool.* Aves passeriformes, da família *Turdidae*, caracterizadas pelo tarso do tipo ocreado (escamas anteriores) e de tegumento não ou indistintamente dividido em placas, sendo curta a primeira das rêmiges da mão. São encontrados em todo o mundo, principalmente nas áreas temperadas. Alimentam-se de vermes, insetos e frutos. São aves canoras por excelência, e conhecidas pelo nome popular de *sabiá*.

turdilhada. [De *turdilho* + *-ada*[1].] *S. f. Bras., RS.* V. *tordilhada.*

turdilho. *Adj.* V. *tordilho.*

túrdulo. [Do lat. *turdulu.*] *S. m.* Indivíduo dos túrdulos, antigo povo da Bética, a L. dos turdetanos.

tureba. *S. m. Bras., N. Pop.* V. *valentão* (3).

turfa. [Do al. *Torf.*] *S. f. Ecol. Veg.* Matéria esponjosa, mais ou menos escura, constituída de restos vegetais em variados graus de decomposição, e que se forma dentro da água, em lugares pantanosos, onde é escasso o oxigênio. É muito freqüente nas regiões de temperatura mais baixa, onde procede maciçamente de musgos do gênero *Sphagum*. A turfa retém grande cópia de água e forma um meio ácido e pobre. ♦ **Turfa de Maraú.** Maraunita.

turfe. [Do ingl. *turf.*] *S. m.* **1.** Prado de corridas de cavalos; hipódromo, prado. **2.** Hipismo (1).

turfeira. *S. f. Fitogeog.* Vegetação, em geral xeromorfa, que se desenvolve sobre turfa. A *turfeira alta* consta de musgos e abriga outras plantas, chegando a formar uma floresta especial; a *turfeira baixa* compõe-se, sobretudo, de ciperáceas, mas inclui gramíneas e outros vegetais. No Brasil há poucas turfeiras. ♦ **Turfeira alta.** *Fitogeog.* V. *turfeira*. **Turfeira baixa.** *Fitogeog.* V. *turfeira*.

turfista. *S. 2 g. Bras.* Aficionado do turfe.

turfístico. [De *turfista* + *-ico*[2]] *Adj.* Relativo ao turfe.

turfoso (ô). *Adj.* Que contém turfa.

turgência. [Do lat. *turgentia*, nom. -acusativo neutro pl. de *turgente*, 'turgente, túrgido'.] *S. f.* V. *turgidez*: "no decote do casaco justo aflorava a turgência macia do seio moreno e lindo." (Herman Lima, *Garimpos*, p. 144).

turgente. [Do lat. *turgente.*] *Adj. 2 g.* V. *túrgido.*

turgescência. [Do lat. *turgescentia*, nom. -acusativo neutro pl. de *turgescente*, 'turgescente, túrgido'] *S. f.* **1.** Qualidade ou estado de turgescente; inturgescência. **2.** *Fisiol. Veg.* Aumento da pressão interna de uma célula (ou tecido) por absorção de água. [O estado de turgescência é indispensável ao bom funcionamento da célula, que se apresenta firme, tensa.]

turgescente. [Do lat. *turgescente.*] *Adj. 2 g.* **1.** Que turgesce; túrgico; inturgescente. **2.** *Fisiol. Veg.* Que apresenta turgescência (2).

turgescer. [Do lat. *turgescere.*] *V. t. d., int.* e *p.* Inturgescer. [Conjug.: v. *crescer.*]

turgidez (ê). *S. f.* Estado de túrgido; intumescimento, inchação; turgência.

túrgido. [Do lat. *turgido.*] *Adj.* **1.** Dilatado, por conter grande porção de humores. **2.** Túmido, inchado, turgescente, intumescente: "Quisera ser o espelho, em que o teu rosto plácido / sorri; / a túnica feliz, que sempre se está próxima / de ti; / o banho de cristal, que esse teu corpo cândido / contém; / o aroma de teu uso, e donde eflúvios mágicos / provém; / depois esse listão, que do teu seio túrgido / faz dois" (Antônio Feliciano de Castilho, *A Lírica de Anacreonte*, p. 58). **3.** *Fisiol. Veg.* Em estado de turgescência: *folha túrgida.* [Sin. ger.: *turgente.*]

turgimão. [Do ár. *tarjuman*, 'intérprete'.] *S. m.* V. *drogomano.*

turiaçuense. *Adj. 2 g.* **1.** De, ou pertencente ou relativo a Turiaçu (MA). ● *S. 2 g.* **2.** Natural ou habitante de Turiaçu.

turião. [Do lat. *turione.*] *S. m.* Rebento de ervas vivazes, que brota da parte subterrânea do caule.

turibular. [De *turíbulo* + *-ar*[2].] *V. t. d.* **1.** Queimar incenso em honra de. **2.** *Fig.* Adular, bajular, lisonjear, incensar: "Sempre .... V. Exª é pelos seus discípulos louvaminhado e turibulado" (Eça de Queirós, *Últimas Páginas*, p. 441). [Sin. ger.: *turiferar, turificar.* Pres. ind.: *turibulo, turibulas*, etc.; fut. pret.: *turibularia*, etc. Cf. *turíbulo*, s. m., e *turibulária*, fem. de *turibulário.*]

turibulário. *Adj.* e *s. m.* **1.** Que ou aquele que balança o turíbulo para incensar. **2.** *Fig.* Adulador, lisonjeador, incensador. [Fem.: *turibulária.* Cf. *turibularia*, do v. *turibular.*]

turíbulo. [Do lat. *turibulo.*] *S. m.* Vaso onde se queima incenso nos templos; incensório, incensário: "O padre rezava e benzia, a fumaça confortadora dos turíbulos se derramava pela nave." (Maria Julieta Drummond de Andrade, *O Valor da Vida*, pp. 55-56.) [Cf. *turibulo*, do v. *turibular.*]

turica. *S. f. Bras., PB. Pop.* V. *síncope* (1).

turícremo. [Do lat. *turicremu.*] *Adj. Poét.* Em que se queima incenso: "Mas viu esmorecida / Em torno dos turícremos altares / Negra escuma ferver nas ricas taças" (Correia Garção, *Obras Poéticas e Oratórias*, p. 382).

turiferar. [De *turífero* + *-ar*[2].] *V. t. d.* V. *turibular.* [Pres. ind.: *turifero, turiferas*, etc.; fut. do pret.: *turiferaria*, etc. Cf. *turífero*, adj., e *turiferária*, fem. de *turiferário.*]

turiferário. [De *turífero* + *-ário.*] *Adj.* e *s. m.* **1.** Diz-se de, ou aquele que leva o turíbulo. **2.** *Fig.* Diz-se de, ou aquele que vive incensando ou adulando alguém. [Fem.: *turiferária.* Cf. *turiferaria*, do v. *turiferar.*]

turífero. [Do lat. *turiferu.*] *Adj.* Que produz incenso. [Cf. *turifero*, do v. *turiferar.*]

turificação. [Do lat. tardio *turificatione.*] *S. f.* Ato ou efeito de turificar.

turificador (ô). [Do lat. *turificatore.*] *Adj.* **1.** Que turifica; turificante. ● *S. m.* **2.** Aquele que turifica.

turificante. [Do lat. *turificante.*] *Adj. 2 g.* Turificador (1).

turificar. [Do lat. *turificare.*] *V. t. d.* V. *turibular.* [Conjug.: v. *trancar.*]

turíngia. *S. f.* V. *toranja.*

turíngio. *Adj.* **1.** De, ou pertencente ou relativo a Turíngia (Alemanha). ● *S. m.* **2.** O natural ou habitante de Turíngia.

turino[1]. [Do lat. *turinu.*] *Adj.* Relativo a incenso.

turino[2]. *Adj.* e *s. m.* Diz-se de, ou espécime de uma variedade portuguesa de gado bovino de uma raça holandesa: "Uma vaca turina vale por quatro ou cinco dessas outras." (Adalberon Cavalcanti Lins, *Curral Novo*, p. 171): *Cria numerosas turinas.*

turiri. [Var. de *suririna.*] *S. f. Bras., Amaz.* V. *sururina* (1).

turismo. [Do ingl. *tourism*, atr. do fr. *tourisme.*] *S. m.* **1.** Viagem ou excursão feita por prazer, a locais que despertam interesse. **2.** O conjunto dos serviços necessários para atrair aqueles que fazem turismo (1) e dispensar-lhes atendimento por meio de provisão de itinerários, guias, acomodações, transporte, etc. **3.** O movimento de turistas: *O turismo na Espanha é muito intenso durante o verão.*

turista. [Do ingl. *tourist*, atr. do fr. *touriste.*] *S. 2 g.* **1.** Pessoa que faz turismo (1). **2.** *Bras.* Aluno que quase não vai às aulas. ● *Adj. 2 g.* **3.** Diz-se de classe (8) ou passagem (7) de preço mais econômico para os viajantes.

turístico. *Adj.* **1.** Relativo ao turismo ou aos turistas. **2.** Que atrai ou interessa aos turistas: *ponto turístico; cidade turística.* **3.** Destinado preponderantemente ao turismo, ou aos turistas: *viagem turística.*

turivara. *Bras. S. 2 g.* **1.** Indivíduo dos turivaras, tribo indígena tupi que vivia no rio Turi (MA) e, nos últimos tempos, no rio Acará Grande (PA). ● *Adj. 2 g.* **2.** Pertencente ou relativo a essa tribo.

turma[1]. [Do lat. *turma.*] *S. f.* **1.** Na Roma antiga, grupo de 30 cavaleiros. **2.** Grupo, bando: *uma turma de recrutas.* **3.** Grupo de indivíduos reunidos de propósito ou acidentalmente em torno de um interesse comum: *Uma turma de pacifistas desfilava em silêncio; Turmas de vadios rodeavam os turistas.* **4.** Turno (1), especialmente de estudantes ou trabalhadores: *Muito cedo chega a turma da limpeza.* **5.** Cada um dos grupos de estudantes que compõem uma sala de aulas; classe. **6.** Grupo de animais ou de coisas. **7.** *Bras.* Grupinho de amigos; gente, pessoal; galera: *A turma vai a uma festa.* ♦ **Turma do deixa-disso.** *Bras. Irôn.* Pessoas que intervêm numa discussão, briga, conflito, com propósito pacificador.

turma[2]. *S. f.* Moeda siamesa antiga.

turmalina. [Do cing. *toramalli*, atr. do fr. *tourmaline.*] *S. f. Min.* Mineral trigonal, pedra semipreciosa, que é essencialmente um silicato complexo de boro e alumínio com magnésio, ferro ou metais alcalinos.

turmalinense. *Adj. 2 g.* **1.** De, ou pertencente ou relativo a Turmalina (MG). ● *S. 2 g.* **2.** Natural ou habitante de Turmalina.

turmalinoso (ô). *Adj.* Da natureza da turmalina.

turmeiro. [De *turma* + *-eiro.*] *S. m. Bras., S.* e *MG.* Indivíduo que faz parte duma turma de trabalhadores de estradas ou de obras rurais.

turnê. [Do fr. *tournée.*] *S. f.* Viagem com itinerário, paradas e visitas predeterminadas, em geral de um artista, de um conferencista, de um grupo de pessoas, etc. [Cf. *excursão* (2).]

turnedô. [Do fr. *tournedos.*] *S. m.* Bife (1) redondo e macio, servido com diferentes molhos e acompanhamentos. [Cf. *chatobriã, filé* (2) e *medalhão*[2].]

túrnepo. [Do ingl. ant. *turnep*, atual *turnip*, 'nabo'.] *S. m.* Variedade de nabo (1).

túrnepo-amarelo. *S. m.* Variedade de nabo (*Brassica campestris*). [Pl.: *túrnepos-amarelos.*]

turnerácea. *S. f.* Espécime das turneráceas.

turneráceas. *S. f. pl. Bot.* Família de plantas floríferas, da ordem das parietales, composta de ervas até arbustos. Folhas alternas; flores solitárias ou racemosas, pentâmeras, salvo no gineceu, que é trímero; ovário unilocular, com óvulos numerosos; frutos capsulares. Há umas 150 espécies tropicais, geralmente americanas. *Turnera ulmifolia* é apreciada entre nós pelas belas flores.

turneráceo. *Adj.* Pertencente ou relativo às turneráceas.

turniácea. *S. f.* Espécime das turniáceas.

turniáceas. *S. f. pl. Bot.* Família de monocotiledôneas, da ordem das farinosas, constituída de ervas com folhas graminiformes e inflorescências glomerosas. Só há o gênero *Thurnia*, com duas espécies.

turniáceo. *Adj.* Pertencente ou relativo às turniáceas.

turno. [Do esp. *turno.*] *S. m.* **1.** Cada um dos grupos de pessoas que se alternam em certos atos ou serviços; turma: *Os funcionários vinham, em turnos, cumprimentar o chefe.* **2.** *Bras. P. ext.* Cada uma das divisões do horário diário de trabalho (em estabelecimentos de ensino, hospitais, casas comerciais, etc.): *Este é o porteiro do turno da noite; Minhas aulas são em dois turnos diferentes.* **3.** *Bras.* Cada uma das etapas de disputa de campeonatos esportivos. **4.** V. *vez* (3). ♦ **Por seu turno.** Por sua vez; alternativamente: "Ficaram os dois em silêncio cada qual por seu turno procurando a solução do grande problema que tinha diante do espírito." (João da Silva Correia, *Farândola*, p. 134.) **Segundo turno.** *Bras.* Returno.

turpilóquio. [Do lat. *turpiloquiu.*] *S. m.* Expressão torpe; dito obsceno; palavrão, palavrada.

turquês. *S. f. Lus.* Torquês [q. v.]. [Pl.: *turqueses* (ê).]

turquesa (ê). [Do fr. *turquoise.*] *S. f.* **1.** *Min.* Mineral triclínico, azulado ou esverdeado, fosfato hidratado de alumínio e cobre, usado como pedra preciosa. ● *S. m.* **2.**

A cor da turquesa: *O turquesa é uma das cores de minha predileção.* • *Adj. 2 g.* e *2 n.* **3.** Da cor da turquesa; turquesado, turquesino: *lã turquesa.* **4.** Diz-se dessa cor; turquesado, turquesino: *Aprecio a cor turquesa.*

turquesado. [De *turquesa* + *-ado*[1].] *Adj.* V. *turquesa* (3 e 4).

turquesino. [De *turquesa* + *-ino*[1].] *Adj.* e *s. m.* V. *turquesa* (3 e 4): "Muito alto e turquesino, ... o céu parecia absorver em si a luz das estrelas" (Sabóia Ribeiro, *Contos do Cacau*, p. 135).

turqui. [Do ár. *turquí.*] *Adj. 2 g.* Diz-se da cor azul retinta e sem brilho.

turra. *S. f.* **1.** Pancada com a testa. **2.** Teima, birra, caturrice. **3.** Altercação, disputa, discussão: "Sempre me chamou atenção no Rio a simplicidade com que as pessoas falam de suas dificuldades financeiras, de seus sacrifícios de orçamento, de suas turras, por falta de pagamento, com os fornecedores." (Paulo Mendes Campos, *O Cego de Ipanema*, p. 53.) • *S. 2 g.* **4.** *Bras.* Indivíduo teimoso, pertinaz, turrão. • *Adj. 2 g.* **5.** Turrão. ♦ **Às turras.** Em contenda; em questiúnculas: *Andam sempre às turras;* "Viveram às turras, discussões que se amiudavam à medida que envelheciam." (Marques Rebelo, *O Trapicheiro*, p. 63).

turrão. [De *turra* + *-ão*[2].] *Adj.* e *s. m. Pop.* Que ou aquele que é teimoso, pertinaz; turra. [Fem.: *turrona.* Cf. *torrão.*]

turrar. [De *turra* + *-ar*[2].] *V. int.* **1.** Bater com a testa; marrar: "No corredor, próximo aos currais, penetram os bois .... . Às vezes, turram, assopram, mugem, bufam, berram, escornam-se." (Nélson de Faria, *Tiziu e Outras Estórias*, p. 210.) **2.** Mostrar-se caturra ou teimoso; teimar, embirrar, caturrar. **3.** Discutir com ardor; altercar. *T. i.* **4.** Discutir; altercar: "Os camaradas se afastaram, não querendo turrar com o cozinheiro em momento assim melindroso." (Afonso Arinos, *Pelo Sertão*, p. 10.) [Cf. *torrar.*]

turriculado. [Do lat. *turricula*, 'torrinha', + *-ado*[1].] *Adj.* Diz-se de certas conchas univalves que têm a espiral muito alongada.

turriforme. [Do lat. *turre*, 'torre (ô)', + *-i-* + *-forme.*] *Adj. 2 g.* Que tem forma de torre; torreado: "micante e enorme pente .... no alto do cabelo turriforme, cabelo negro e luzente, de um negror de asa corvina" (Martins Fontes, *A Dança*, p. 58).

turrífrago. [Do lat. *turre*, 'torre (ô)', + *-i-* + *-frago.*] *Adj. Poét.* Que destrói torres.

turrígero. [Do lat. *turrigeru.*] *Adj. Poét.* Que tem torre ou castelo.

turrista. *S. 2 g.* Pessoa muito dada a turras, birras, caturrices.

turrona. *Adj. (f.)* e *s. f.* Fem. de *turrão* [q. v.].

turturinar. [De *turturino* + *-ar*[2].] *V. int. Bras. Poét.* Gemer (a rola); arrulhar, arrolar, rolar: "Caía a tarde rosada; rolas turturinavam e bem-te-vis desferiam a grita alegre." (Coelho Neto, *Sertão*, p. 357.)

turturino. [Do lat. *turture*, 'rola (ô)', + *-ino*[1].] *Adj.* Relativo ou pertencente à, ou próprio da rola: "É, frenéticos, pelos arvoredos / Soam trinos e beijos, em cardume, / Turturinos, puríssimos e ledos..." (Raimundo Correia, *Poesias*, p. 136).

turtuveado. *Adj. Bras., S.* Perturbado, atarantado, perplexo: "Charuto suspirou, até meio turtuveado com a resposta, mais fria que a indiferença de Eletra." (Davi Antunes, *Briguela*, p. 83.)

turu. *S. m. Bras.* V. *teredo.*

turubi. [De uma língua indígena, atr. do hisp.-amer. *turibi.*] *S. m. Bras., C.O.* Arbusto da família das euforbiáceas *(Julocroton stipularis)*, de caule anguloso, folhas ovadas, agudas, denticuladas e com pêlos escamosos estrelados, flores minutas ocultas em grandes brácteas, formando inflorescências globosas e compactas, e tricocas com 4 mm de diâmetro.

turucué. [Voc. onom.] *S. m. Bras.* V. *joão-tenенém.*

tureí. *S. f. Bras., Amaz.* V. *rola* (1).

turumbamba. *S. m. Bras. Gír.* Briga, conflito, desordem. V. *rolo*[1] (16). [Var.: *surumbamba;* var. ou f. paral. (em MG) *xirimbambada.* Cf. *jerimbamba.*]

turuna. [Do tupi *tu'runa*, 'negro poderoso'.] *Adj.* e *s. m. Bras. Pop.* **1.** Forte, poderoso. **2.** V. *valentão* (1 e 3): "O que ele fazia era marchar sobre os pobres animais, ... um homão grande, sujeito turuna de fato, destemido de meter medo." (Nélson de Faria, *Tiziu e Outras Estórias*, p. 112.)

turundu. *S. m. Bras., MG, município de Contagem. Folcl.* Dança dramática onde os principais figurantes são os três Reis Magos, nas festas da Purificação da Virgem e de N. Sª das Candeias.

turundundum. *S. m. Bras., PE. Pop.* V. *rolo*[1] (16).

tururi. [Do tupi *turu'ri;* var.: *tururim.*] *S. m.* **1.** V. *castanheira-do-pará.* **2.** V. *cipó-de-timbó.* **3.** Espata duma espécie de palmeira. **4.** *Bras.* V. *sururina* (1).

tururim. [Var. nasalada de *tururi.*] *S. m. Bras., Amaz.* V. *sururina* (1).

tururu. [De or. indígena, decerto.] *S. m. Bras.* V. *paturi.*

tururuim. *S. m. Bras.* Ave tinamiforme, da família dos tinamídeos (*Crypturellus soui albigualris* (Brab. & Chub.)), da Amaz., de coloração bruno-amarelada quase uniforme, mais clara do lado ventral, e com a garganta branca. Costuma piar regularmente, sendo-lhe atribuída pelo povo a marcação das horas (fato que se dá também com outra espécie).

turvação. [Var. de *turbação.*] *S. f.* **1.** Ato ou efeito de turvar(-se); turvamento, turvo. **2.** Doença dos vinhos. [Cf. *torvação.*]

turvador (ô). *Adj.* Que turva.

turvamente. [Do fem. de *turvo* + *-mente.*] *Adv.* De modo ou com aparência turva; com turvação: "na situação turvamente luminosa de sua alma, sorria como sereia para Nun'Álvares, que baixava os olhos, vergonhoso e mesurado" (Oliveira Martins, *A Vida de Nun'Álvares*, p. 33).

turvamento. *S. m.* V. *turvação* (1). [Cf. torvamento.]

turvar. [Var. de *turbar.*] *V. t. d.* **1.** Tornar turvo ou opaco; turbar, turvejar: *A embarcação turvava nas águas;* "Encobrindo que a esperava, quis saudar Silvana; mas a voz negou-se-lhe, e uma espécie de deslumbramento turvou-lhe a vista." (Rebelo da Silva, *Contos e Lendas*, p. 133). **2.** Escurecer, toldar, obumbrar, turbar: *Nuvens escuras turvam a tarde.* **3.** V. *turbar* (3). **4.** Embebedar, embriagar. *Int.* e *p.* **5.** Tornar-se turvo ou torvo; turvejar-se, turbar-se. **6.** Tornar-se torvo ou carrancudo; turbar-se. [Cf. *torvar.*]

turvejante. *Adj. 2 g.* Que turveja, que turva: "Consideremos que .... jamais obscureceu em D. Pedro o siso que o levou, através das conturbações e contumélias turvejantes dos seus dias no Brasil, a desenvolver os haras e as olarias" (Alberto Rangel, *Dom Pedro Primeiro e a Marquesa de Santos*, p. 15).

turvejar. [De *turvo* + *-ejar.*] *V. t. d.* **1.** Tornar turvo; turvar: "Turvejando os ares, a poeirada sobe, escondendo o sol." (Nélson de Faria, *Tiziu e Outras Estórias*, p. 210.) *Int.* e *p.* **2.** Tornar-se turvo ou torvo; turvar-se. [Conjug.: v. *pelejar.*]

turvo. [Do lat. *turbidu.*] *Adj.* **1.** Opaco, embaciado. **2.** Escuro, toldado, sombrio, túrbido: *horizonte turvo* **3.** Revolto, agitado: *mar turvo.* **4.** Desordenado, confuso. **5.** Transtornado. alterado. • *S. m.* **6.** V. *turvação* (1).

tussígeno. [Do lat. *tusse*, 'tosse', + *-i-* + *-geno.*] *Adj. Med.* Que provoca tosse; tussíparo.

tussilagem. [Do lat. *tussilagine.*] *S. f.* Planta medicinal da família das compostas *(Tussilago integerrima);* unha-de-cavalo.

tussíparo. [Do lat. *tusse*, 'tosse'. + *-i-* + *-paro.*] *Adj. Med.* Tussígeno.

tussol. [Do lat. *tusse.* 'tosse'. + *-ol.*] *S. m. Obsol.* Medicamento narcótico, que é um amigdalato de antipirina, usado contra a coqueluche. [Pl.: *tussóis.*]

tussor (ô). [Do hind. *tasar*, atr. do ingl. *tussah* e *tussore*, e do fr. *tussor* ou *tussore.*] *S. m.* Tecido fino, de seda natural semelhante ao xantungue: "estava vestido com apuro num terno de tussor de seda" (Pedro Nava, *Beira-Mar*, p. 27).

tusta. [F. regr. de *tostão.*] *S. m. Bras. Gír.* V. *dinheiro* (3): *Não ganhei nem um tusta no negócio.*

tuta-e-meia. [Da expr. *macuta* e *meia* < quimb. *mu'kuta*, certa moeda africana, com síncope da 1ª sílaba de *macuta* e assimilação do c.] *S. f.* **1.** *Fam.* V. *ninharia.* **2.** Quase nada; preço vil; pouco dinheiro: "Comecei então a viver a minha história: era um homem reduzido aos últimos recursos, forçado a vender por tuta-e-meia a derradeira jóia da família" (José Rodrigues Miguéis, *Gente da Terceira Classe*, p. 120). [Pl.: *tuta-e-meias.*]

tutano. *S. m.* **1.** Substância mole e gordurosa, do interior dos ossos; medula óssea. **2.** A parte mais íntima; âmago, essência. **3.** *Fam.* Inteligência; talento: *É escritor de verdade: tem tutano.*

tutear. [De *tu*, talvez com infl. do esp. *tutear* e do fr. *tutoyer.*] *V. t. d.* **1.** Tratar (alguém) por *tu:* "Abri-a [a carta] antes da outra, e li-a com pasmo. Já me não tuteava; dizia cerimoniosamente: 'Sr. Simeão Antônio de Barros, estou farto de gastar à toa o meu dinheiro com o senhor'." (Machado de Assis, *Páginas Recolhidas*, p. 58.) *P.* **2.** Tratar-se mutuamente por *tu.* [Sin. ger.: *atuar.* [Conjug.: *v. frear.*]

tuteio. [Dev. de *tutear.*] *S. m.* Ação de tutear.

tutela. [Do lat. *tutela.*] *S. f.* **1.** Encargo ou autoridade que se confere a alguém, por lei ou por testamento, para administrar os bens e dirigir e proteger a pessoa de um menor que se acha fora do pátrio poder, bem como para representá-lo ou assistir-lhe nos atos da vida civil [v. *assistência* (9) e *representação* (11).] **2.** Defesa, amparo, proteção; tutoria: *Está sob tutela de um figurão.* **3.** Dependência ou sujeição vexatória: *Roma impôs tutela a muitos vencidos.*

tutelado. [Do lat. *tutelatu.*] *Adj.* **1.** Sujeito a tutela. **2.** Protegido, amparado, defendido. • *S. m.* **3.** Indivíduo tutelado; pupilo.

tutelando. [De *tutelar*[2] + *-ando.*] *Adj.* **1.** Que deve ser tutelado. • *S. m.* **2.** O menor a quem se vai dar tutor em juízo.

tutelar[1] [De *tutela* + *-ar*[1].] *Adj. 2 g.* **1.** Relativo a tutela. **2.** Protetor, defensor: "—Só um instante mais, exclamou Carlos vendo-a outra vez sentar-se, é necessário saudar o gênio tutelar da casa!" (Eça de Queirós, *Os Maias*, II, p. 143.)

tutelar[2]. [De *tutela* + *-ar*[2].] *V. t. d.* **1.** Exercer tutela sobre; cuidar de, na qualidade de tutor. **2.** Proteger, amparar, defender. [Sin. ger.: *tutorar.*]

tutia. [Do persa *tūtiyā.*] *S. f.* Óxido de zinco impuro que adere às chaminés dos fornos onde se calcinam certos minérios.

tutiribá. [Var. haplológica e assimilada de *cutitiribá.*] *S. m. Bras.* Árvore de grande porte, da família das sapotáceas *(Lucuma).* [Var.: *tuturubá.*]

tutoiense. (tòi). *Adj. 2 g.* **1.** De, ou pertencente ou relativo a Tutóia (MA). • *S. 2 g.* **2.** Natural ou habitante de Tutóia.

tutor (ô). [Do lat. *tutore.*] *S. m.* **1.** Indivíduo legalmente encarregado de tutelar alguém. **2.** Protetor, defensor. **3.** Vara ou estaca usada para amparar um arbusto ou árvore flexível. **4.** Aluno designado como professor de outros alunos, em formas alternativas de ensino. [Flex., nas acepç. 1, 2 e 4: *tutora* (ô), tutores (ô), tutoras (ô). Cf. *tutora, tutoras, tutores,* do v. *tutorar.*]

tutorar. [De *tutor* + *-ar*[2].] *V. t. d.* V. *tutelar*[2]. [Pres. ind.: *tutoro, tutoras*, etc.: pres. subj.: *tutore, tutores*, etc. Cf. *tutora* (ô), tutoras (ô), tutores (ô), flex. de *tutor*, e *Tutores* (ô), pl. do antr. *Tutor.*]

tutoria. *S. f.* **1.** Cargo ou autoridade do tutor. **2.** Exercício de tutela (1). **3.** V. *tutela* (2).

tutorial. *Adj. 2 g.* **1.** Relativo a tutor (4). **2.** Diz-se da modalidade de ensino exercido por tutor (4).

tutorização. *S. f.* Ato ou efeito de tornar tutorial (2) um programa ou sistema de ensino.

tutriz. [Fem. irreg. de *tutor* (1 e 2).] *S. f.* Tutora.

➧**tutti.** [It.] *S. m. Mús.* A orquestra inteira, em oposição a um solista, ou a um grupo de solistas (como no concerto grosso). [Cf. *ritornelo* (4).]

➧**tutti quanti.** [It.] V. *e tutti quanti.*

tutu[1]. [Do quimb. *kitu'tu.*] *S. m. Bras.* **1.** V. *papão* (1): "ameaçam-na .... com o Curupira, o Tutu, pretos velhos que comem meninas" (José Veríssimo, *Cenas da Vida Amazônica*, p. 17). **2.** V. *mandachuva.*

tutu[2]. [Do quimb. *ki'tutu.*] *S. m. Bras.* **1.** Feijão que, uma vez cozido e refogado, é engrossado com farinha de mandioca ou de milho, tomando consistência de pirão; tutu de feijão, ungui, ungüi. **2.** Iguaria feita de carne de porco salgada, toicinho, feijão e farinha de mandioca. ♦ **Tutu de feijão.** V. *tutu* (1).

tutu[3]. *S. m. Bras. Gír.* V. *dinheiro* (3): "essa festa legal era na casa de uma tal de Licinha, cujo pai era contrabandista, estava nadando no tutu." (Rubem Fonseca, *A Coleira do Cão*, pp. 168-169.)

➧**tutu** (titi). [Fr.] *S. m.* Saia curta de várias camadas de tule franzido usada pelas bailarinas.

tutucar. [Do tupi *tu'tuca*, ger. de *tu'tug*, 'bater', + *-ar*[2].] *Bras.* V. int. **1.** Produzir som surdo. • *S. m.* **2.** Tutuque: "Fora o samba continuava: ouvia-se o tutucar dos atabaques o estrupido surdo dos pés" (Júlio Ribeiro, *A Carne*, p. 109). [Conjug.: v. *trancar.*]

tutumumbuca. [De *tutu*[1].] *S. m. Bras., MG. Pop.* V. *mandachuva.*

tutunqué. [De *tutu*[1].] *S. m. Bras., N.E. Pop.* **1.** Senhor poderoso e insolente. **2.** V. *mandachuva.*

tutuque. [Dev. de *tutucar.*] *S. m. Bras.* Ato ou efeito de tutucar; tutucar.

tuturubá. *S. m. Bras., MA.* V. *tutiribá.*

tutxiunaua. *Bras. S. 2 g.* **1.** Indivíduo dos tutxiunauas, tribo indígena da região do rio Envira (bacia do Juruá, AM), pertencente à família lingüística pano. • *Adj. 2 g.* **2.** Pertencente ou relativo a essa tribo.

tuvaluano. *Adj.* **1.** De, ou pertencente ou relativo a Tuvalu (arquipélago do Pacífico ocidental). • *S. m.* **2.** O natural ou habitante de Tuvalu.

tuvi. *S. m. Bras., MG.* V. *tubi* (2 e 3).

tuvira. [De provável or. indígena.] *S. f. Bras.* Peixe teleósteo, caraciforme, da família dos gimnotídeos, gêneros *Gymnotus* L., *Eigenmannia* Jord. & Everm. e outros, sem nadadeiras dorsal e ventral e com a anal muito longa, estendendo-se por quase toda a face ventral. Tem o corpo afilado posteriormente, com escamas ausentes ou quase imperceptíveis, e orifício anal localizado sob a cabeça. Alimenta-se de pequenos vermes, lodo e plâncton. [Sin.: *juvira, ituí, peixe-espada.*]

tuxaua. [Do tupi *tu'xawa.*] *S. m. Bras.* **1.** V. *morubixaba.* (1): "O tuxaua e o pajé, representantes da lei e do dogma, guardam segredos invioláveis, só transmissíveis aos substitutos na hora da morte." (Raimundo Morais, *País das Pedras Verdes*, pp. 290-291.) **2.** *Pej.* Chefe político.

➧**tweed** (tuíd). [Ingl.] *S. m.* **1.** Tecido de origem escocesa, feito de lã natural, áspero e geralmente sarjado, tramado com fios de duas ou mais cores. **2.** Tecido imitante a esse, de material natural ou sintético.

➧**twist** (tuíst'). [Ingl.] *S. m.* V. *tuíste.*

txucarramãe. *Bras. S. 2 g.* **1.** Nação indígena caiapó pertencente à família lingüística jê. [Liderada atualmente pelo cacique Raoni, é das mais atuantes no país, principalmente na luta pela demarcação das terras indígenas.] • *Adj. 2 g.* **2.** Pertencente ou relativo a essa tribo.

tzar. *S. m.* V. *czar.*

tzaréviche. *S. m.* V. *czaréviche.*

tzarevna. *S. f.* V. *czarevna.*

tzarina. *S. f.* V. *czarina.*

tzarismo. *S. m.* V. *czarismo.*

tzarista. *Adj. 2 g. e s. 2 g.* V. *czarista.*

tzigano. [Do fr. *tsigane* < húng. *czigany.*] *Adj. e s. m.* Diz-se de, ou músico cigano ou vestido com trajes ciganos e que toca músicas ciganas.

U

u. *S. m.* **1.** A 20ª letra do nosso alfabeto. [V. *alfabeto fonético internacional.*] **2.** O nome dessa letra. **3.** A forma dessa letra: *decote em U.* **4.** *Fís.* Símb. de *unidade unificada de massa atômica.* **5.** *Quím.* Símb. de *urânio.* ● *Num.* **6.** O vigésimo, numa série indicada pelas letras do alfabeto: *prateleira U* (ou *prateleira u*). **7.** A vigésima, num grupo de séries: *série U* (ou *série u*). [Pl. (nas acepç. 1 e 2): *us* ou *uu.* Cf. *uh.* Com maiúscula, nas acepç. 3 e 5.]

■ **UA.** *Astr.* Sigla de *unidade astronômica.*

ũa. [Do lat. *una.*] *Art. indef.* e *num. Ant.* e hoje *p. us.* Fem. de *um;* uma: "Não acabava, quando ũ a figura / Se nos mostra no ar, robusta e válida" (Luís de Camões, *Os Lusíadas,* V. 39); "Ũ a alma pura em natureza pura" (Guerra Junqueiro, *Pátria,* p. 143); "Ũ a madre encarando o filho morto" (Id., *ib.,* p. 149); "como ũ a água avante" (Id., *ib.,* p. 171); "Aliás tenho mesmo ũ a memória muito fraca" (Mário de Andrade, *Os Filhos da Candinha,* p. 60); "ũ a banda do arreio" (Bernardo Élis, *Veranico de Janeiro,* p. 6); "ũ a fadiga, ũ a falta de ar" (Id., *ib.,* p. 8). [Nos exemplos de Guerra Junqueiro e Mário de Andrade nota-se que o emprego de *ũa* por *uma* é para evitar cacofonia; tal não se observa, porém, nos exemplos de Bernardo Élis, que procuram apenas fixar a fala popular, de que haure tantos elementos o seu estilo. Aliás, a pronúncia *ũa* é também vigente na linguagem de muitas pessoas cultas. Em Afrânio Peixoto encontramos, diversas vezes, a mesma pronúncia representada pela grafia *um'a,* artificial, decerto, mas preferível ao artificialíssimo e detestável *u'a* preconizado por professores de terceira ordem, e que se encontra em Fontoura Xavier (*Opalas,* p. 121) e em muitos outros autores.]

uabatimô. *S. m.* V. *barbatimão-verdadeiro.*

uabuí. *Bras. S. 2 g.* **1.** Indivíduo dos uabuís, tribo indígena do grupo dos parucutós, da região do Nhamundá (Amaz.). ● *Adj. 2 g.* **2.** Pertencente ou relativo a essa tribo. [Var. ou f. paral.: *uiabuí, babuí, abuí.*]

uacá. [De or. indígena.] *S. m. Bras.* Planta da família das quiináceas (*Quiina decastyla*).

uaçá. [Do tupi, provavelmente.] *S. m. Bras.* V. *caranguejo* (1).

uaçacu. [Do tupi *wasa'ku.*] *S. m. Bras.* Palmeira do gênero ataléia.

uaçaí. [Do tupi *wasa'i.*] *S. m. Bras.* V. *açaí* (1).

uaçaí-chumbo. *S. m. Bras.* V. *açaí-chumbo.* [Pl.: *uaçaís-chumbos* e *uaçaís-chumbo.*]

uaçaí-miri. *S. m. Bras.* V. *açaí-chumbo.* [Pl.: *uaçaís-miris.*]

uaçaí-mirim. *S. m. Bras.* V. *açaí-chumbo.* [Pl.: *uaçaís-mirins.*]

uacanga. [Do tupi.] *S. f. Bras.* Palmeira (*Geonoma princeps*), elegante e delicada, do interior da floresta densa e úmida. O caule é delgado e as folhas se reúnem no seu ápice; unissexuais e pequenas, as flores dispõem-se em espigas protegidas por larga bráctea, dita *espata;* os frutos são bagas minutas.

uacapará. *S. m. Bras.* V. *guajá* (2).

uacapu. [Do tupi *waka'pu.*] *S. m. Bras.* Acapu.

uacapurana. [Do tupi *wakapu'rana,* 'semelhante ao aucapu'.] *S. f. Bras.* V. *acapurana.*

uacarauá. *Bras. S. 2 g.* **1.** Indivíduo dos uacarauás, tribo indígena que habitava as margens dos rios Juruá e Jutaí. ● *Adj. 2 g.* **2.** Pertencente ou relativo a essa tribo.

uacari. [Do tupi *waka'ri.*] *S. m.* **1.** *Bras.* V. *cascudo*[2] (2). **2.** *Bras., Amaz.* V. *cacajau.*

uacariaçu. *S. m. Bras.* V. *acariaçu.*

uacari-branco. *S. m. Bras.* Primata da família dos cebídeos (*Cacajao calvus* (I. Geof.)), da região norte do rio Solimões, entre o Japurá e o Içá. Tem coloração geral cinzento-esbranquiçada, com a face nua, vermelha, a cauda não ultrapassa um terço do comprimento do corpo. [Pl.: *uacaris-brancos.*]

uacariguaçu. [Do tupi *wakariwa'su,* 'uacari grande'.] *S. m. Bras.* V. *acariaçu.*

uacari-vermelho. *S. m. Bras.* Primata da família dos cebídeos (*Cacajao rubicundus* (I. Geof.)), do O do AM, coloração geral amarelo-acastanhada, e face nua, vermelha, e cuja cauda não ultrapassa um terço do comprimento do corpo. É animal gregário, diurno, e alimenta-se de frutos. [Sin.: *acari, macaco-inglês.* Pl.: *uacaris-vermelhos.*]

uacataca. [Do tupi.] *S. f. Bras.,* Árvore da Amaz., da família das leguminosas.

uacauã. *S. m.* e *f. Bras.* V. *acauã.*

uácima. *S. f. Bras.* V. *cabeça-de-preguiça.*

uacu. [Do tupi *wa'ku.*] *S. m. Bras., Amaz.* Árvore da família das leguminosas (*Monopteryx uacu*), da floresta pluvial. É de grande porte, e produz uma semente discóide de cerca de 3,5 cm de diâmetro, a qual cede um óleo comestível na proporção de 28%, e pode ser ingerida, assada ou cozida. [Sin.: *itauaçu, uauçu* e *quauaçu.*]

▲**-uaçu.** [Do tupi-guar.] V. *-açu.*

uacumã. [Do tupi *waku'mã.*] *S. m. Bras.* V. *acumã.*

uado. [Do *ioruba.*] *S. m. Bras.* Comida preparada com pipoca em pó, azeite-de-dendê e açúcar.

uai. *Interj. Bras.* e *prov. lus.* Exprime surpresa, espanto, ou terror: "De repente, peguei a ouvir galo cantar. U a i ! Era bem o canto do galo" (Afonso Arinos, *Histórias e Paisagens,* p. 18); "— Vamos matar o bicho, conhecido?/ — Não, senhor, eu não tenho costume — respondeu o outro / — U a i ! Costume a gente pega." (Amadeu de Queirós, *Os Casos do Carimbamba,* p. 119).

uaiá[1]. [Do tupi *wa'ya.*] *S. f. Bras.* Estagnação periódica das águas dos lagos amazonenses.

uaiá[2]. *Bras. S. 2 g.* **1.** Indivíduo dos uaiás, tribo indígena de MT. ● *Adj. 2 g.* **2.** Pertencente ou relativo a essa tribo.

uaiana. *Bras. S. 2 g.* e *adj.* V. *oaiana.*

uaiapuçá. [Do tupi.] *S. m. Bras.* Uapuçá [q. v.].

uaicá. *Bras. S. 2 g.* **1.** Indivíduos dos uaicás, tribo das margens dos rios Catrimani, alto Demeni, Araçá, Mapulau e Macajaí (AM e RO), a qual se mantém isolada. ● *Adj. 2 g.* **2.** Pertencente ou relativo a essa tribo. [Var.: *vaicá.*]

uaícana. *Bras. S. 2 g.* **1.** Indivíduo dos uaícanas, tribo indígena tucano da margem direita do Uaupés (AM). ● *Adj. 2 g.* **2.** Pertencente ou relativo a essa tribo.

uaicima. [Do tupi *wa'sima.*] *S. f. Bras.* **1.** V. *cabeça-de-preguiça.* **2.** V. *guaxima* (1).

uaieira. *S. f. Bras.* V. *uvaia* (1).

uaimiri. *Bras. S. 2 g.* **1.** Indivíduo dos uaimiris, tribo indígena caraíba das margens dos rios Alalaú e Jauaperi (AM). ● *Adj. 2 g.* **2.** Pertencente ou relativo a essa tribo. [Sin. ger.: *vaimiri* e *vamiri.*]

uaimiri-atroari. *Bras. S. 2 g.* **1.** Indivíduo dos uaimiris-atroaris, tribo indígena resultante da formação de dois subgrupos, localizados ao N. do AM, ocupando os vales dos rios Uatumã, Alalaú, Jauaperi e Camanaú. Estes índios resistiram mais de 100 anos a um contato continuado com a sociedade abrangente. Na década de 70, com a construção da rodovia BR-174 (Manaus/Boa Vista/Caracas) tiveram definitivamente seu território invadido e cortado por esta estrada. ● *Adj. 2 g.* **2.** Pertencente ou relativo a essa tribo. [Sin. ger.: *vaimiri-atroari.* Pl.: *uaimiris-atroaris.*]

uaimirijuru. *S. m. Bras.* V. *boca-de-velha.*

uaimiuru. *S. m. Bras.* V. *boca-de-velha.*

uaindizê (a-in). *Bras. S. 2 g.* **1.** Indivíduo dos uaindizês, tribo indígena nhambiquara das cabeceiras do rio Doze de Outubro, afluente do Camaré (MT). ● *Adj. 2 g.* **2.** Pertencente ou relativo a essa tribo.

uainumá. *Bras. S. 2 g.* **1.** Indivíduo dos uainumás, tribo indígena aruaque que habitava a região situada, no AM, entre os rios Içá e Caquetá, no médio Japurá e na fronteira com a Colômbia. ● *Adj. 2 g.* **2.** Pertencente ou relativo a essa tribo.

uaiô. [Var. de *uaiúa.*] *El. s. m.* Us. na loc. *estar de uaiô.*
◆ **Estar de uaiô.** *Bras., Amaz.* Estar de uaiúa.

uaioró. *Bras. S. 2 g.* **1.** Indivíduo dos uaiorós, tribo indígena extinta que habitava as terras situadas entre as nascentes dos rios Branco e Colorado, afluente do Guaporé (RO). ● *Adj. 2 g.* **2.** Pertencente ou relativo a essa tribo.

uaipi. [Do tupi *wai'pi.*] *S. m. Bras.* V. *mandioca* (1 e 2).

uaiquino. *Bras. S. m.* **1.** Indivíduo dos uaiquinos, tribo indígena das margens do rio Uaupés (AM). ● *Adj.* **2.** Pertencente ou relativo a essa tribo.

uaitá. *S. m. Bras.* V. *aitá.*

uaiúa. [Do tupi *wa'yu.*] *El. s. f.* Us. na loc. *estar de uaiúa.* ◆ **Estar de uaiúa.** *Bras., Amaz.* Vir (o peixe), de beiço inchado, respirar à tona da água, talvez por se achar corrompida a água dos rios, e não raro morrendo; estar de uaiô.

uaiuai (uai-uai). *Bras. S. 2 g.* **1.** Indivíduo dos uaiuais, tribo indígena das margens do alto rio Mapuera (PA) e do rio Essequibo (Guiana). ● *Adj. 2 g.* **2.** Pertencente ou relativo a essa tribo. [Var.: *vaivai.*]

uajará. [Do tupi *waya'rá.*] *S. m. Bras.* Guajará.

uale. [Do ár. *uáli,* 'senhor, dono, protetor, governador'.] *S. m.* Entre os árabes, governante de província; váli.

uamiri. [Var. de *aumirim* < tupi *u'ïwa mirï,* 'flecha pequena'.] *S. m. Bras.* Pequena flecha de zarabatana.

uamirim. *S. m. Bras.* Uamiri.

uamói. [Do tupi.] *S. 2 g.* e *adj. 2 g. Bras.* V. *aticum.*

uanambé. [Do tupi *wanã'bé.*] *S. m. Bras.* V. *anambé*[1] (1).

uanana. *Bras. S. 2 g.* **1.** Indivíduo dos uananas, tribo indígena tucano do baixo rio Uaupés (AM), na fronteira com a Colômbia. ● *Adj. 2 g.* **2.** Pertencente ou relativo a essa tribo.

uantuia. *Bras. S. 2 g.* **1.** Indivíduo dos uantuias, tribo indígena tucano do N. O. ● *Adj. 2 g.* **2.** Pertencente ou

relativo a essa tribo.
uapé. [Do tupi *wa'pé*.] *S. m. Bras., Amaz.* **1.** V. *flor-da-cachoeira.* **2.** V. *vitória-régia.* **3.** V. *aguapé*[2] (1). [Var. pros.: *uapê*.]
uapê. *S. m. Bras., Amaz.* Uapé.
uapé-da-cachoeira. *S. m. Bras.* V. *flor-da-cachoeira.* [Pl.: *uapés-da-cachoeira.* Var. pros.: *uapê-da-cachoeira.*]
uapê-da-cachoeira. *S. m. Bras.* Uapé-da-cachoeira. [Pl.: *uapês-da-cachoeira.*]
uapixana. *S. 2 g.* e *adj. 2 g. Bras.* V. *vapidiana.*
uapuçá. [Do tupi.] *S. m. Bras.* V. *sauá.* [F. paral.: *uaiapuçá.*]
uapuçá-de-coleira. *S. m. Bras., Amaz.* Animal mamífero, primata, da família dos cebídeos (*Callicebus torquatus* (Hoffm.)), da Amaz., de coloração escura, com cabeça e extremidades mais escuras, as mãos e um colar no pescoço brancos. [Pl.: *uapuçás-de-coleira.*]
uarara. *S. m. Bras.* V. *pirarara.*
uarequena. *Bras. S. 2 g.* **1.** Indivíduo dos uarequenas, tribo indígena aruaque, extinta, que habitava nas margens dos rios Içana e Xiê (AM), e cujos remanescentes hoje se acham na Venezuela. ● *Adj. 2 g.* **2.** Pertencente ou relativo a essa tribo. [Var.: *uerequena.*]
uariá. [De or. indígena.] *S. m. Bras., Amaz.* Planta herbácea, da família das marantáceas (*Maranta lutea*), de rizomas farináceos e comestíveis depois de cozidos; ariá.
uariquina. [Do tupi *warikĩ'ĩna.*] *S. f. Bras.* Pimenta alongada e vermelha.
uarirama. *S. f. Bras.* V. *martim-pescador-grande.*
uaru. [Do tupi *wa'ru.*] *S. m. Bras., Amaz.* Peixe teleósteo, percomorfo, da família dos ciclídeos (*Uaru amphiacanthoides* Heckel), da Amaz. [Sin.: *uaruurá.*]
uarubé. [Do tupi *waru'bé.*] *S. m. Bras.* O sumo da massa da mandioca, do qual se prepara o tucupi.
uarurembóia. [Do tupi.] *S. f. Bras.* Arbusto medicinal da região do AM.
uaruurá. *S. m. Bras., Amaz.* Uaru.
uasena. *Bras. S. 2 g.* **1.** Indivíduo dos uasenas, tribo indígena tucano do rio Caiari (AP). ● *Adj. 2 g.* **2.** Pertencente ou relativo a essa tribo.
uatapu. [Do tupi *wata'pu.*] *S. m. Bras.* V. *búzio* (1). [Segundo a crença dos índios do PA, a concha deste molusco, quando soprada, tem a virtude de atrair os peixes. Var.: *guatapi.*]
uau. *S. m.* Nome da 27ª letra do alfabeto árabe.
uauá (u-a-u-á). [Do tupi.] *S. m. Bras., BA.* V. *pirilampo.*
uauaçu (au-a). [Do tupi *wawa'su.*] *S. m. Bras.* **1.** V. *babaçu*: "Certo que a casa .... em Mato Grosso [é coberta] com as [folhas] do u a u a ç u ou com o couro de boi." (E. Roquete-Pinto, *Seixos Rolados*, p. 66). **2.** V. *uacu.*
uauaçuzal (au-a). [De *uauaçu* + *-z-* + *-al.*] *S. m. Bras., Amaz.* V. *babaçual.*
uauaense (u-au-à). *Adj. 2 g.* **1.** De, ou pertencente ou relativo a Uauá (BA). ● *S. 2 g.* **2.** Natural ou habitante de Uauá.
uauçu (a-u). [Do tupi.] *S. m. Bras.* V. *uacu.*
uauiru. *S. m. Bras.* O rato, entre certos índios da Amaz.
uaupeense (êên). *Adj. 2 g.* **1.** De, ou pertencente ou relativo a Uaupés (AM). ● *S. 2 g.* **2.** Natural ou habitante de Uaupés.
uaurá. *Bras. S. 2 g.* e *adj. 2 g.* Vaurá.
uaxuá. *S. m. Bras.* V. *axuá* (2).
ubá[1]. [Do tupi *ĩwa*, 'árvore'.] *S. f. Bras., Amaz.* Embarcação indígena sem quilha e sem banco, constituída de um só lenho, escavado a fogo, ou de uma casca inteiriça de árvore cujas extremidades são amarradas com *cipós.* [Difere do casco (10) (q. v.) por ser reta, ao passo que este é bojudo no meio. Var.: *iuá.*]
ubá[2]. [Do tupi *u'ba.*] *S. m. Bras.* **1.** Planta herbácea, empregada na confecção de balaios e cestos. **2.** Espécie de gramínea; candiubá, cana-brava.
ubacaba. [Do tupi *ĩwa'kaba.*] *S. f. Bras., S.* Subarbusto rastejante, da família das mirtáceas (*Psidium radicans*), de folhas quase sésseis, coriáceas, oblongas ou lanceoladas, inferiormente revestidas de curtos pêlos brancos, e de flores e frutos não descritos botanicamente.
ubacaiá. *S. m. Bras.* V. *cana-de-macaco* (1 e 2).
ubaense. *Adj. 2 g.* **1.** De, ou pertencente ou relativo a Ubá (MG). ● *S. 2 g.* **2.** Natural ou habitante de Ubá.
ubaia. *S. f. Bras.* Var. de *uvaia.* "Também ainda não é tempo de u b a i a, fruta azeda, mas muito apreciada, embora muito sujeita a pragas." (Hélio Galvão, *Cartas da Praia*, p. 31.)
ubairense (a-i). *Adj. 2 g.* **1.** De, ou pertencente ou relativo a Ubaíra (BA). ● *S. 2 g.* **2.** Natural ou habitante de Ubaíra.
ubaitabense. *Adj. 2 g.* **1.** De, ou pertencente ou relativo a Ubaitaba (BA). ● *S. 2 g.* **2.** Natural ou habitante de Ubaitaba.
ubajarense. *Adj. 2 g.* **1.** De, ou pertencente ou relativo a Ubajara (CE). ● *S. 2 g.* **2.** Natural ou habitante de Ubajara.
ubarana. *S. f. Bras.* V. *obarana.*
ubaranaçu. [De *ubarana* + *-açu.*] *S. f. Bras.* V. *obaranaçu.*
ubarana-rato. *S. m. Bras.* V. *obarana-rato.* [Pl.: *ubaranas-ratos* e *ubaranas-rato.*]
ubari. [Do tupi.] *S. m. Bras.* Peixe teleósteo, caraciforme, da família dos caracídeos (*Anisitsia notata* (Schomb.)), dos rios Amazonas e Parnaíba, que se caracteriza por ter pequena mancha preta arredondada acima da linha média longitudinal dos flancos, ao nível da parte posterior das nadadeiras dorsal e ventral. [Sin.: *gordinha.*]
ubatã. [Do tupi *ĩ'wa a'tã*, 'árvore dura'.] *S. m. Bras.* **1.** V. *guarabu-preto.* **2.** V. *chibatã.*
ubatense. *Adj. 2 g.* **1.** De, ou pertencente ou relativo a Ubatã (BA). ● *S. 2 g.* **2.** Natural ou habitante de Ubatã.
ubatinga. [De *ubá*[2] + *-tinga*, provavelmente.] *S. f. Bras.* V. *açoita-cavalo* (1).
ubatubense. *Adj. 2 g.* **1.** De, ou pertencente ou relativo a Ubatuba (SP). ● *S. 2 g.* **2.** Natural ou habitante de Ubatuba.
ubeba. *S. f. Bras.* V. *oveva.*
uberabense. *Adj. 2 g.* **1.** De, ou pertencente ou relativo a Uberaba (MG). ● *S. 2 g.* **2.** Natural ou habitante de Uberaba.
uberdade. [Do lat. *ubertate.*] *S. f.* **1.** Qualidade de úbere[2]; abundância, fartura. **2.** Fertilidade, fecundidade. **3.** Opulência, riqueza, fausto.
úbere[1]. [Do lat. *ubere.*] *S. m.* Mama de vaca ou de outra fêmea de animal. [Var.: *ubre.*]
úbere[2]. [Do lat. *ubere.*] *Adj. 2 g.* **1.** V. *fecundo* (1): "Por que é nesta terra, ... num solo fecundo, ú b e r e, num clima sereno, ... esta triste raça morre no entorpecimento, sem esperanças, sem remédio?" (Eça de Queirós, *Prosas Esquecidas*, III, p. 35.) [Antôn.: *estéril.*] **2.** Abundante, farto. [Sin. ger.: *ubertoso.* Superl. abs. sint.: *ubérrimo.*]
uberlandense. *Adj. 2 g.* **1.** De, ou pertencente ou relativo a Uberlândia (MG). ● *S. 2 g.* **2.** Natural ou habitante de Uberlândia.
ubérrimo. [Do lat. *uberrimu.*] *Adj.* Superl. abs. sint. de *úbere*[2]: "Eram as vaquejadas do gado barbatão, que se reproduzia com espantosa fecundidade, por aqueles u b é r r i m o s campos ainda despovoados." (José de Alencar, *O Sertanejo*, p. 197.)
ubertoso (ô). [Do lat. *ubertu*, 'abundante', + *-oso.*] *Adj.* Úbere[2]: *terra u b e r t o s a*; "No esplendor solitário / Das planícies fecundas, u b e r t o s a s, / Inundadas de sol" (Raimundo Correia, *Poesias*, p. 263).
ubi. *S. m. Bras.* Ubim.
ubiedade. [Do lat. escolástico *ubietate.*] *S. f. Filos.* Caráter do que está presente em um lugar.
ubijara. *S. f. Bras.* **1.** V. *cobra-cega* (1). **2.** V. *cobra-de-duas-cabeças.*
ubim. [Var. de *ubi* < tupi *u'bi.*] *S. m. Bras., Amaz.* Designação comum a diversas palmeiras da família das palmáceas, pertencentes aos gêneros *Bactris*, *Calyptrogyne* e *Geonoma.*
ubiquação. [De um suposto **ubiquar* (de *ubíquo* + *-ar*[2]) + *-ção.*] *S. f.* **1.** V. *ubiqüidade.* **2.** *Filos.* Caráter do ser presente em toda parte.
ubiqüidade. *S. f.* Propriedade ou estado de ubíquo ou onipresente; ubiquação, onipresença.
ubiqüitário. [Do fr. *ubiquitaire.*] *Adj.* Que pode ter diversas localizações.
ubíquo. [Do adv. lat. *ubique*, 'em toda parte', com desin. de adj.] *Adj.* Que está ao mesmo tempo em toda a parte; onipresente: *Deus é u b í q u o*; "Nem de dia, nem de noite descansava o mestre, correndo a toda a parte, u b í q u o: de dia à luz do Sol, de noite à luz das tochas, sem conhecer sono." (Oliveira Martins, *A Vida de Nun'Álvares*, p. 165.)
ubiraçoca. [Do tupi, decerto.] *S. m. Bras.* V. *teredo.*
ubirajara. [Do tupi *ĩbĩ'yara*, 'senhor da terra'.] *Bras., S. 2 g.* **1.** Indivíduo dos ubirajaras, tribo que no tempo do descobrimento do Brasil existia nas proximidades das nascentes do rio São Francisco. ● *Adj. 2 g.* **2.** Pertencente ou relativo a essa tribo.
ubiraquá. [Do tupi *ibĩra'kua.*] *S. f. Bras., N.E.* V. *correcampo* (1).
ubre. *S. m.* Var. de *úbere*[1].
ubuçu. [Do tupi *ubu'su.*] *S. m. Bras.* Buçu.
uca. *S. f. Bras. Gír.* V. *cachaça* (1): "No boteco, ... bebeu vários tragos de u c a" (Fernando Ramos, *Os Enforcados*, p. 171).
▲-uça. V. *-aça.*
uçá. [Do tupi *u'sá.*] *S. m. Bras.* Espécie de crustáceo decápode, braquiúro, da família dos gecarcinídeos (*Ucides cordatus* Linnaeus), semelhante ao guaiamu, porém, menor, encontrado de PE a SP, de coloração verde-azulada no dorso, e pernas avermelhadas, muito peludas. Vive nos mangues. [Sin.: *caranguejo-verdadeiro, uçaúna.*]
ucasse. [Do russo *ukáz*, 'edito imperial', atr. do fr. *ukasse.*] *S. m.* **1.** Decreto dos antigos czares russos. **2.** *Fig.* Decisão contaminada de absolutismo.
ucassiá. *S. f. Bras., AM.* Inseto coleóptero, da família dos rutelídeos (*Geniatosoma nigrum* (Olhaus)), cujas larvas são usadas pelos índios do rio Uaupés na alimentação e no preparo de uma beberagem.
uçaúna. [De *uçá* + *-una.*] *S. m. Bras.* V. *uçá.*
ucha. [Do lat. tardio *hutica*, atr. do fr. *huche.*] *S. f.* Caixa, arca, para guardar o pão ou outros gêneros alimentícios. ♦ **Ficar à ucha.** Ficar sem nada; ficar a zero.
▲-ucha. V. *-acho.*
uchão. *S. m.* Encarregado de ucharia; despenseiro.
ucharia. [De *ucha* + *-aria.*] *S. f.* **1.** Despensa, especialmente para carnes, nas casas reais ou casas abastadas: "A prodigalidade era grande e a despensa ou u c h a r i a da corte [de D. João VI no Brasil], de que se mantinha a turba inumerável dos criados, consumia, só ela, seis milhões de cruzados" (João Ribeiro, *História do Brasil*, p. 325.) **2.** Depósito de mantimentos; despensa.
▲-ucho. V. *-acho.*
uchoense. *Adj. 2 g.* **1.** De, ou pertencente ou relativo a Uchoa (SP). ● *S. 2 g.* **2.** Natural ou habitante de Uchoa.
▲-uço. V. *-aça.*
ucraniano. *Adj.* **1.** Da, ou pertencente ou relativo à R.S.S. da Ucrânia ou Ucraína. ● *S. m.* **2.** O natural ou habitante da Ucrânia. V. *eslavo* (1). **3.** *Ling.* O idioma da Ucrânia. V. *eslavo* (1).
ucronia. [Do gr. *ou*, 'não', + *-cron(o)-* + *-ia.*] *S. f.* Aquilo que não se situa nem se pode situar em nenhum tempo.
ucuquirana. [Do tupi *ukuki'rana.*] *S. f. Bras., Amaz.* Árvore da família das sapotáceas (*Ecclinusa balata*), da floresta densa e úmida. Folhas amplas, subcoriáceas, oblongas e obovais: o enorme tronco, mediante sulcos escavados, deixa escorrer um látex que fornece uma balata com cerca de 40% de goma. [Var.: *coquirana.*]
ucuuba. [Do tupi *uku'ĩwa.*] *S. f. Bras.* Árvore da família das miristicáceas (*Myristica sebifera*), cujo fruto contém semente oleaginosa; ucuubeira.
ucuuba-branca. *S. f. Bras., Amaz.* Árvore da família das miristicáceas (*Virola surinamensis*), dos igapós e várzeas, de folhas lanceoladas, coriáceas e pubérulas embaixo, flores insignificantes, e cujo fruto é uma cápsula que contém uma grande semente, a qual encerra 60 a 68% de gordura combustível. A madeira é branca, leve e macia, servindo para caixas, compensados e pasta para papel.
ucuubarana. [Do tupi *ukuĩwa'rana*, 'semelhante à ucuuba'.] *S. f. Bras.; Amaz.* Designação comum a várias espécies da família das miristicáceas, dos gêneros *Iryanthera* e *Osteophloeum*, cujas sementes fornecem gorduras aproveitáveis.
ucuuba-vermelha. *S. f. Bras., Amaz.* Árvore da família das miristicáceas (*Virola sebifera*), semelhante à ucuuba-branca [q. v.], diferindo apenas pelas grandes folhas ferrugíneas na face anterior e pela madeira, que se torna pardo-avermelhada depois de exposta ao ar. [Pl.: *ucuubas-vermelhas.*]
ucuubeira. *S. f. Bras.* Ucuuba.
▲-uda. Fem. de *-udo.*
udenismo. *S. m. Bras.* **1.** O ideário da U.D.N. (União Democrática Nacional), agremiação política fundada em 1945; após a redemocratização do Brasil, e extinta em 1965; o programa, o espírito desse partido. **2.** Filiação a esse partido, ou simpatia por ele.
udenista. *Adj. 2 g.* **1.** Relativo à U.D.N., ou ao udenismo (1). **2.** Que é partidário da U.D.N. ● *S. 2 g.* **3.** Partidário dela.
▲udo-. [Do lat. *udus, a, um.*] *El. comp.* = 'chuvoso', 'molhado': *udômetro.*
▲-udo. *Suf. nom.* = 'provido ou cheio de': *carnudo, peludo, barbudo.* [Fem.: *-uda: baluda.*]
udômetro. [De *udo-* + *-metro.*] *S. m.* V. *pluviômetro.* [Cf. *hodômetro.*]
udu. [Voc. onom.] *S. m. Bras.* V. *juruva.*
ué. *Interj.* Uê: "U é ? A festa acabou?" (Maria Julieta Drummond de Andrade, *O Valor da Vida*, p. 48); "É tão

miserável .... que o cachorro dele, quando tem fome, trepa nas jabuticabeiras. Ué! Para chupar jabuticaba. Pra que mais havia de ser?" (Rute Guimarães, *Água Funda*, p. 69.)

uê. *Interj. Bras.* Exprime espanto, admiração ou surpresa: "Avaí sorriu gingando, bambaleando o corpo: /— Uê! depois, não sei, tio Mateus." (Coelho Neto, *Treva*, p. 363.) [Var. pros.: *ué*.]

■ **u.e.m.** Sigla de *unidade eletromagnética*.

uerequena. *Bras. S. 2 g.* e *adj. 2 g.* Var. de *uarequena*.

uéua. [Do tupi *ueu'á*, 'escama'.] *S. f. Bras.* Espécie de peixe da família dos caracídeos, subfamília dos acestrorinquíneos (*Sphyraenocarx pericoptes* (Muel. e Trosch.)).

ufa. *Interj.* Exprime admiração, ironia, cansaço, ou enfado: "quarenta e seis discursos de improviso .... ufa!" (Coelho Neto, *A Conquista*, p. 442). ◆ **À ufa. 1.** À larga; com abundância; fartamente: "Sem ver, ninguém é capaz de figurar o campo da fazenda do Buriti. Campo sujo à ufa, puro bamburro." (M. Cavalcanti Proença, *Manuscrito Holandês*, p. 79.) **2.** À custa de outrem.

ufanar. [De *ufano* + *-ar*[2].] *V. t. d.* **1.** Tornar ufano ou vaidoso; causar vaidade em; envaidecer: *Os aplausos do público ufanaram o conferencista.* **2.** Tornar muito contente; regozijar. *P.* **3.** Ter ufania; vangloriar-se, jactar-se, blasonar: "São Paulo .... ufanava-se de haver sido núcleo de irradiação da posse do Brasil até as fronteiras dilatadas pelo ciclo dos bandeirantes" (Menotti del Picchia, *A Longa Virgem*, I, pp. 41-42). **4.** *Alegrar-se em excesso; contentar-se muito.*

ufania. *S. f.* **1.** Qualidade de ufano. **2.** Vaidade descabida; vanglória, jactância, soberba. **3.** Motivo de orgulho, de honra, de glória, etc.

ufanismo. [De *ufano*, do v. *ufanar*, + *-ismo*; por alusão ao livro *Por que Me Ufano do Meu País*, do Conde Afonso Celso.] *S. m. Bras.* Atitude, posição ou sentimento dos que, influenciados pelo potencial das riquezas brasileiras, pelas belezas naturais do país, etc., dele se vangloriam, desmedidamente.

ufanista. *Bras. Adj. 2 g.* **1.** Relativo ao, ou que adota o ufanismo. ● *S. 2 g.* **2.** Pessoa que o adota.

ufano. [Do esp. *ufano*.] *Adj.* **1.** Que se orgulha de algo: "E, muito concha, ufana dos seus galões de prata e oiro .... , caminhava triunfante e feliz no meio do cordão das irmandades religiosas" (Aluísio Azevedo, *O Mulato*, p. 18). **2.** Que se vangloria e se arroga méritos extraordinários; arrogante, ostentoso, jactancioso, bizarro. **3.** Satisfeito consigo mesmo; vaidoso: *Contava, ufano, suas conquistas amorosas.* [Sin. ger.: *ufanoso*.]

ufanoso (ô). *Adj.* V. *ufano*.

ufo. [Sigla; do ingl. *unidentified flying object*, 'objeto voador não identificado'.] *S. m.* Óvni.

ufologia. [De *ufo* + *-log(o)-* + *-ia*.] *S. f.* Ovniologia.

ufológico. [De *ufo* + *-log(o)-* + *-ico*[2].] *Adj.* Ovniológico.

ufologista. [De *ufo* + *-log(o)-* + *-ista*.] *S. 2 g.* V. *ovniologista*.

ufólogo. [De *ufo* + *-logo*.] *S. m.* V. *ovniologista*.

ufomania. [De *ufo* + *mania*.] *S. f.* Ovniomania.

ufonauta. [De *ufo* + *nauto*.] *S. 2 g.* Ovnionauta.

ugandense. *Adj. 2 g.* **1.** De, ou pertencente ou relativo a Uganda (África Oriental). ● *S. 2 g.* Natural ou habitante de Uganda.

ugarítico. *Adj.* ~ V. *alfabeto* —.

▲**-ugem.** [Do lat. *ugine*.] *Suf. nom.* = 'semelhança'; 'porção, quantidade': *ferrugem* (< lat. *ferrugine*), *babugem*; *lanugem* (< lat. *lanugine*), *pelugem*.

úgrico. [Do russo ant. *Ugre*, 'húngaros', + *-ico*[2].] *S. m.* **1.** Indivíduo dos úgricos, povo pescador e criador de renas que habita a Sibéria Ocidental (U.R.S.S.). **2.** A língua uralo-altaica falada por esse povo. ● *Adj.* **3.** Pertencente ou relativo a esse povo.

▲**ugro-.** *El. comp.* = 'úgrico': *ugro-fínico*.

ugro-finês. [De *ugro-* + *finês*.] *Adj.* **1.** Pertencente ou relativo aos úgricos e aos fineses. **2.** Diz-se das línguas uralo-altaicas faladas sobretudo no N. da Europa e na Hungria. ● *S. m.* **3.** *Ling.* O grupo lingüístico ugro-finês. V. *uralo-altaico* (3). [Sin. ger.: *ugro-fínico* e *fino-úgrico*.]

ugro-fínico. [De *ugro-* + *fínico*.] *Adj.* e *s. m.* V. *ugro-finês*.

uh. *Interj.* Exprime espanto, desprezo ou repugnância, ou intenção de assustar. [Cf. *u*.]

ui. *Interj.* Exprime dor, surpresa, admiração; repugnância:"— Ui! — gritou sua mulher, como se a houveram queimado." (Alexandre Herculano, *Lendas e Narrativas*, II, p.14);"Ui! Ui! Estou muito mal..." (Eduardo Almeida Reis, *O Papagaio Cibernético*, p. 8).

uiabuí. *S. 2 g.* e *adj. 2 g. Bras.* V. *uabuí*.

uiai. *Interj. Bras., SP. Pop.* Uai.

uiara. [Do tupi *i'yara*, 'senhora da água'.] *S. f.* **1.** *Bras.* V. *mãe-d'água* (1). **2.** *Bras., Amaz.* Boto-branco.

▲**uio-.** [Do gr. *huiós, oû*.] *El. comp.* = 'filho': *uiofobia*.

uiofobia. [De *uio-* + *-fob(o)-* + *-ia*.] *S. f.* Mania que consiste na aversão aos próprios filhos: "duas palavras que não existiriam se não correspondessem a uma idéia existente: 'pedofobia', aversão às crianças, e 'uiofobia', aversão aos próprios filhos" (Olavo Bilac, *Últimas Conferências e Discursos*, p. 355).

uiófobo. *Adj.* **1.** Relativo à, ou que tem uiofobia. ● *S. m.* **2.** Aquele que a tem.

uiqué. [Do tupi *wi'ké*.] *S. m. Bras.* Fruto, comestível, de uma árvore amazônica da família das sapotáceas (*Lucuma mammosa*).

uirá. [Do tupi.] *S. m. Bras.* Designação geral das aves nessa língua.

uirá-angu. *S. m. Bras.* V. *japacanim* (2). [Pl.: *uirás-angus* e *uirás-angu*.]

uiraçu (u-i). [De *uirá* + *-açu*.] *S. m. Bras.* **1.** Gavião-de-penacho. **2.** V. *harpia* (3).

uiramembi. [Do tupi.] *S. m. Bras.* **1.** Ave passeriforme, da família dos cotingídeos (*Cephalopterus ornatus* (G. St. Hil.)), da Amaz., de coloração preta com brilho metálico na crosta e no penacho do peito, que caracteriza o macho adulto. Alimenta-se de frutas, e vive sobretudo nas ilhas do rio Negro. [Sin.: *guiramombucu*, *pavão-do-mato*, *pavão-preto*, *pavão-de-mato-grosso*.] **2.** V. *anambé-preto* (1).

uiramiri. [De *uirá* + *-mirim*, com desnasalação.] *S. m. Zool. Bras.* Ave passeriforme, da família dos piprídeos (*Pipra aureola* (L.)), da Amaz. O macho é preto, com uma fita branca na asa, a cabeça, peito e meio da barriga encarnados, fronte e garganta alaranjadas, coxas brancas; a fêmea é verde, com garganta e meio do abdome amarelados. [Sin.: *uirapuru*.]

uirapaçu. [Do tupi *wirapa'su*.] *S. m. Bras.* V. *arapaçu*.

uirapajé. [Do tupi, decerto.] *S. m. Bras., Amaz.* Ave cuculiforme, da família dos cuculídeos (*Piaya cayana guianensis* (Cab. & Hein.)), da região do rio Branco e rio Negro, Guiana e Venezuela. Tem dorso vermelho-castanho, retrizes vermelhas com brilho purpúreo e pontas brancas, peito cinzento-claro e abdome cinzento. Alimenta-se de insetos e freqüenta as matas.

uirapequi. *S. f. Bras., Amaz. Desus.* Designação indígena dada às tartarugas recém-nascidas.

uirapiana. [Do tupi *wirapi'ana*.] *S. f. Bras., Amaz.* **1.** Ave piciforme, da família dos galbulídeos (*Jacamerops aurea* P. L. S. Müll.)), da Amaz. A coloração da parte superior do corpo e do mento é verde, com brilho cúprico; a parte inferior, ferrugínea, com mancha branca na garganta (o macho) ou vermelha uniforme (a fêmea). Alimenta-se de insetos. **2.** V. *ariramba-da-mata-virgem*.

uirapitangue. *Bras., S. f.* Certa árvore vermelha a partir da qual Mair, herói cultural dos índios urubus, do MA, criou homens e mulheres. "Essa entidade criou homens e mulheres, extraindo-os de uma árvore vermelha chamada uirapitangue." (Edilson Martins, *Nossos Índios, Nossos Mortos*, p. 49.)

uiraponga (u-i). *S. f. Bras.* V. *araponga* (1).

uirapuru. [Do tupi *wirapu'ru*.] *S. m. Bras.* **1.** Designação comum a várias espécies de aves passeriformes, da família dos piprídeos, especialmente as mais coloridas dos gêneros *Pipra* L., *Chiroxiphia* Cab., *Teleonema* Reich. Seu canto, que só se ouve uns 15 dias por ano (quando constrói o ninho) e, ademais, apenas durante cinco a 10 minutos, ao amanhecer, é tido como particularmente melodioso, musical, e diverso do de outra ave qualquer, a ponto de, segundo a lenda, os outros pássaros todos se calarem para escutá-lo. [Var. e sin., em regiões diversas do Brasil: *irapuru*, *guirapuru*, *arapuru*, *irapurá*, *tangará*, *rendeira*, *pássaro-de-fandango*, *realejo*.] **2.** V. *uirapuru-verdadeiro*. **3.** Uiramiri. **4.** V. *rendeira*[2] (2).

uirapuru-de-cabeça-branca. *S. m. Bras* Ave passeriforme, da família dos piprídeos (*Pipra pipra* (L.)), da Amaz. de coloração preta e alto da cabeça branco. A fêmea é verde, com a parte inferior acinzentada. [Sin.: *tangará*, *tangará-de-cabeça-branca*, *cabeça-branca*. Pl.: *uirapurus-de-cabeça-branca*.]

uirapuru-de-cabeça-encarnada. *S. m. Bras.* Ave passeriforme, da família dos piprídeos (*Pipra erythrocephala rubrocapilla* Temm.), da Amaz., de coloração preta com a cabeça encarnada, a fêmea, acinzentada ou amarelada na parte inferior; tangará, cabeça-encarnada. [Pl.: *uirapurus-de-cabeça-encarnada*.]

uirapuru-de-costa-azul. *S. m. Bras., Amaz.* Ave passeriforme, da família dos piprídeos (*Chiroxiphia pareola* (L.)). O macho é preto, com crista encarnada e dorso azul-claro; a fêmea, verde, com abdome mais claro, tendente ao amarelo e sem crista encarnada. Vive na mata, em pequenos bandos, e alimenta-se de frutas e insetos. [Sin.: *tangará*. Pl.: *uirapurus-de-costa-azul*.]

uirapuru-verdadeiro. *S. m. Bras.* Designação comum às espécies de aves passeriformes da família dos trogloditídeos, gênero *Leucolepis* Reich., especialmente *L. arada* (Herm.) e *L. modulator* d'Orb. O primeiro, pardo-avermelhado, com os lados do pescoço pretos pintados de branco, cauda pardo-escura listrada de escuro, garganta e peito vermelho-vivo; o segundo tem os lados do pescoço unicolores. [Tb. se diz apenas *uirapuru*. Sin.: *irapuru*, *mandingueiro*, *músico*. Pl.: *uirapurus-verdadeiros*.]

uirari. [Do tupi *wi'rari*.] *S. m. Bras., AM.* V. *curare* (1).

uiratatá. [Do tupi.] *S. m. Bras., Amaz.* V. *saurá*.

uiratauá (uirà). [Do tupi *wirata'wá*, 'pássaro amarelo'.] *S. m. Bras.* Designação comum a duas aves passeriformes, da família dos icterídeos, da Amaz.: *Gymnomystax mexicanus* (L.), de coloração amarelo-alaranjada, com dorso, cauda e parte maior da asa pretos, e *Agelaius icterocephalus* (L.), de coloração preta, com cabeça e garganta amarelo-vivo. A fêmea é parda, tem a parte inferior mais clara, e garganta amarelada. [Var.: *aratauá*, *aratanã*, *iratauá*.]

uiraúna. [Do tupi *wira'una*, 'pássaro preto'.] *S. f. Bras.* V. *chupim* (1).

uiraunense (a-u). *Adj. 2 g.* **1.** De, ou pertencente ou relativo a Uiraúna (PB). ● *S. 2 g.* **2.** Natural ou habitante de Uiraúna.

uiraxué. [Do tupi *wieaxu'é*, 'pássaro vagaroso'.] *S. m. Bras., Amaz.* V. *caraxué* (1). [Var. pros.: *uiraxuê*.]

uiraxuê. [Var. pros. de *uiraxué*.] *S. m. Bras.* V. *caraxué* (1).

uirina. *Bras. S. 2 g.* **1.** Indivíduo dos uirinas, tribo indígena aruaque extinta, que habitava a região do rio Marari. ● *Adj. 2 g.* **2.** Pertencente ou relativo a essa tribo.

uiriri. [Voc. onom., talvez.] *S. f. Bras. AM.* Designação comum a aves passeriformes, da família dos hirundinídeos (*Phaeoprogne tapera* (L.)), e outras andorinhas, (*Stelgidopterix ruficollis* (Vieil.)), largamente distribuídas no Brasil. A primeira é pardo-acinzentada, mais clara na parte inferior, meio do peito e abdome brancos; a segunda é pardo-escura no dorso, garganta vermelha, peito cinzento, barriga e crisso amarelos. [Cf. *andorinha* (1).]

uiruucotim. [Do tupi.] *S. m. Bras.* V. *gavião pega-macaco* (1).

uiruuetê. [Do tupi; contém o el. *e'tê*, 'verdadeiro'.] *S. m. Bras., Amaz.* V. *harpia* (3).

uiscada (u-i). *S. f. Bras.* **1.** Reunião em que se bebe muito uísque. **2.** Bebedeira provocada por uísque.

uísque. [Do ingl. *whisky* ou *whiskey*.] *S. m.* **1.** Aguardente feita de grãos fermentados de centeio, milho ou cevada, e que contém 40 a 50% de álcool. **2.** Dose (3) de uísque: "Confissão do jovem bardo, depois do terceiro uísque: I — Ah! Se ao menos eu fosse o maior dos poetas menores!" (Mário da Silva Brito, *Conversa Vai, Conversa Vem*, p. 10.)

uisqueria (u-i). *S. f. Bras.* Bar onde se servem bebidas alcoólicas, especialmente uísque: "não tive remédio senão ir com ele a uma uisqueria da Travessa do Ouvidor." (Carlos Drummond de Andrade, *De Notícias & Não Notícias Faz-se a Crônica*, p. 13).

uíste. [Do ingl. *whist*.] *S. m.* Jogo de cartas, considerado o ancestral do bridge, para duas duplas de jogadores, cabendo 13 cartas para cada um. O trunfo é a última carta distribuída, e o objetivo é ganhar vazas.

uitoto (u-i). *Bras. S. m.* **1.** Indivíduo dos uitotos, tribo indígena do AM que habita as terras altas à margem esquerda do baixo Tefé, afluente direito do Solimões, cuja língua é considerada isolada. ● *Adj.* **2.** Pertencente ou relativo a essa tribo.

uivada. *S. f. Bras.* Uivo longo e agudo.

uivador (ô). *Adj.* **1.** Que uiva; uivante. ● *S. m.* **2.** Aquele que uiva.

uivante. *Adj. 2 g.* Uivador (1).

uivar. [De *uivo* + *-ar*[2].] *V. int.* **1.** Dar uivos; ulular: "Não longe cães errantes uivavam." (Coelho Neto, *Sertão*, p. 16); "Longe, as feras carniceiras / Uivam nas lapas". (Olavo Bilac, *Poesias*, p. 266). **2.** Produzir um ruído semelhante ao uivo: "Sem arrimo e sem lar, em vão procura abrigo, / E lá vai, pela noite, uivando como um lobo!" (Eugênio de Castro, *Obras Poéticas*, III, p. 139); "Uiva de longe o vento." (Júlio Dantas, *Sonetos*, p. 49); "Uivava a negra tormenta / Na enxárcia, nos mastaréus. / Uivavam nos tombadilhos / Gritos insontes de réus." (Castro Alves, *Poesias Esco-

lhidas, p. 310). **3.** Berrar, gritar: "o povo, erguendo as mãos crispadas, / Cansava-se a bradar, a uivar, a soluçar." (Júlio Dantas, *Sonetos*, p. 77). **4.** Vociferar, bravejar, esbravejar. [Comumente não é us. nas 1as pess.]

uivo. [Voc. onom.] *S. m.* **1.** Voz lamentosa do cão, do lobo e doutros animais: "Caíam sobre os meus centros nervosos, / Como os pingos ardentes de cem velas, / O uivo desenganado das cadelas / E o gemido dos homens bexigosos." (Augusto dos Anjos, *Eu*, p. 51.) **2.** *Fig.* Ato de vociferar.

▲-ula. [Do lat. *ula.*] *Suf. nom.* = 'diminuição': *nótula* (< lat. *notula*), gêmula (lat. *gemmula*). [Equiv.: *-cula: fontícula.*]

ulano. [Do tártaro *oglan*, 'menino', atr. do pol., do al. e do fr. *uhlan.*] *S. m.* Lanceiro de alguns antigos exércitos europeus.

ulatrofia, [De *ul(o)-* + *atrofia.*] *S. m. Med.* Enrugamento ou retração das gengivas.

úlcera. [Do lat. *ulcera*, pl. de *ulcus, eris.*] *S. f.* **1.** *Patol.* Solução de continuidade, aguda ou crônica, de uma superfície dérmica ou mucosa, e que é acompanhada de processo inflamatório; ulceração. **2.** *P. ext. Pop.* Ferida, chaga. [Cf. *ulcera*, do v. *ulcerar.*] ◆ **Úlcera atônica.** *Med.* A de evolução crônica, que apresenta granulações patológicas. **Úlcera de Bauru.** *Med.* A que se manifesta na infecção por *Leishmania brasiliensis.* **Úlcera de decúbito.** *Med.* A que, nos doentes acamados, se manifesta em partes do corpo (geralmente dorso e nádegas) prolongadamente em contato com o leito. **Úlcera estercoral.** *Med.* A que se desenvolve na membrana mucosa do intestino grosso, em conseqüência de irritação devida a contato prolongado com massas fecais coletadas imediatamente antes de local de obstrução crônica nesse órgão. **Úlcera fagedênica.** *Med.* A que se propaga rapidamente com formação de esfácelo; fagedenoma. **Úlcera flegmonosa.** *Med.* A que é acompanhada de processo supurado local. **Úlcera péptica.** *Med.* A que ocorre em locais do tubo digestivo expostos à ação combinada de ácido clorídrico e pepsina (esôfago, estômago, duodeno, área de gastrojejunostomia). **Úlcera perfurante.** *Med.* A que produz perfuração do órgão em que se localiza. **Úlcera trófica.** *Med.* A que é causada por deficiência de nutrição da parte comprometida. **Úlcera varicosa.** *Med.* A causada por perda de superfície cutânea na área de drenagem de uma veia vericosa, manifestando-se em geral nas pernas, e provocada por estase.

ulceração. [De *ulcerar* + *-ção.*] *S. f.* **1.** Ato ou efeito de ulcerar. **2.** *Med.* Úlcera (1). [Sin. ger.: *helcose.*]

ulcerado [Part. de *ulcerar.*] *Adj.* Que apresenta processo de ulceração.

ulcerar. *V. t. d.* **1.** Produzir úlcera ou ulceração em. **2.** Tornar em úlcera. **3.** *Fig.* Afligir, atormentar, angustiar, magoar: *A morte do marido ulcerou a alma da pobre mulher.* **4.** *Fig.* Alterar, corromper, adulterar: *A riqueza ulcera muitas consciências. Int.* e *p.* **5.** Cobrir-se de úlceras. **6.** Converter-se em úlcera. **7.** *Fig.* Atormentar-se, afligir-se, magoar-se. [Pres. ind.: *ulcero, ulceras, ulcera*, etc. Cf. *úlcera.*]

ulcerativo. *Adj.* Relativo a, ou caracterizado por ulceração; ulceroso.

ulceróide. [De *úlcera* + *-óide.*] *Adj. 2 g.* Semelhante a úlcera.

ulceroso (ô). *Adj.* **1.** Que tem úlcera(s). **2.** Da natureza da úlcera. **3.** Ulcerativo. ● *S. m.* **4.** Aquele que tem úlcera(s).

➧ulcus rodens (úlcuç ródenç). [Lat.] *Patol.* e *Med.* Tipo de câncer cutâneo ulcerado (carcinoma de células basais), freqüentemente múltiplo, que ocorre, em geral, na porção superior da face, e pode, eventualmente, levar a extensa destruição tecidual local. É de crescimento lento e só produz metástase com extrema raridade.

ulemá. [Do ár. *'ulamā*, pl. de *alim*, 'sábio, douto, conhecedor da lei', provavelmente pelo fr. *uléma.*] *S. m.* Teólogo, entre os islamitas.

uleritema. [Do gr. *oulé*, 'cicatriz', + *eritema.*] *S. m. Patol.* Dermatose eritematosa com atrofia superficial dos tegumentos e formação de cicatrizes.

ulfilano. *Adj.* Relativo ou pertencente ao bispo Úlfila (311?-381) e ao alfabeto gótico por ele composto.

▲-ulha. Equiv. de *-ulho.*

▲-ulho. *Suf. nom.* = 'quantidade', 'coleção': *pedregulho.* [Equiv.: *-ulha: cambulha.*]

uliginário. [Do lat. *uligine*, 'umidade', + *-ário.*] *Adj. Bot.* Que medra em lugares úmidos; uliginoso.

uliginoso (ô). [Do lat. *uligine*, 'umidade do solo', + *-oso.*] *Adj.* **1.** Pantanoso, lamacento, alagadiço. **2.** Uliginário.

uliiá. *S. f. Bras.* V. *buritirana* (1).

ulissiponense. [Do lat. *olissipponense.*] *Adj. 2 g.* e *s. 2 g.* V. *olisiponense.*

ulite. [De *ul(o)-* + *-ite*[1].] *S. f. Patol.* Inflamação da membrana mucosa das gengivas.

ulmácea. *S. f.* Espécime das ulmáceas.

ulmáceas. [De *ulmo* + *-áceas.*] *S. f. pl. Bot.* Família de plantas floríferas, da ordem das urticales, formada de arbustos e árvores com folhas assimétricas e flores insignificantes, solitárias ou em cimeiras. Há umas 130 espécies, principalmente dos climas temperados; no Brasil ocorrem algumas, sem préstimo.

ulmáceo. *Adj.* Pertencente ou relativo às ulmáceas.

ulmanita. [Do antr. *Ullmann*, de J. C. Ullmann, mineralogista alemão (1771-1821), + *-ita*[3].] *S. f. Min.* Mineral monométrico, sulfantimoneto de níquel.

ulmária. [De *ulm(i)-* + o fem. de *-ário.*] *S. f.* Arbusto da família das rosáceas (*Spiraea ulmaria*), originário da zona temperada, e cultivado pelas belas flores alvas, dobradas e corimbosas, e cujas folhas são simples, pequenas e sem estípulas; olmeira, grinalda-de-noiva, barba-de-bode, rainha-dos-prados.

ulmeiro. *S. m.* Olmeiro: "ali ficou-se a pingar lágrimas, com a alma perdida, longe, nos sítios amados de Santa Clara, entre ulmeiros e faias" (Coelho Neto, *Treva*, p. 26).

▲ulm(i)-. [Do lat. *ulmus, i.*] *El. comp.* = 'olmo': *ulmária.*

ulmo. [Do lat. *ulmu.*] *S. m.* Olmo: "O ulmo e o choupo no cair rangeram / Sob o machado" (Alexandre Herculano, *Poesias*, p. 11).

ulna. [Do lat. *ulna.*] *S. f.* **1.** *Anat.* O cúbito. **2.** Antiga medida de comprimento, equivalente a uma braça.

ulnal. [De *ulna* (1) + *-al.*] *Adj. 2 g. Anat.* Ulnário.

ulnário. [De *ulna* + *-ário.*] *Adj. Anat.* Relativo ao cúbito; ulnal.

ulo. [Voc. onom.] *S. m.* **1.** *Bras.* Gemido, lamentação: "A campa .... soltava os repiques argentinos, sombreados pela surdina dos longos pios das aves noturnas, e dos ulos da brisa nas grotas da serra." (José de Alencar, *O Sertanejo*, p. 57.) **2.** Grito de agonia.

▲ul(o)-. [Do gr. *oûlon, ou.*] *El. comp.* = 'gengiva': *ulorragia; ulite, ulonco.*

▲-ulo. [Do lat. *ulu.*] *Suf. nom.* = 'diminuição': *módulo* (< lat. *modulu*), grânulo (< lat. *granulu*). [Equiv.: *-culo: animálculo, governículo, montículo.*]

uloatrofia. *S. f.* V. *ulatrofia.*

uloma. [De *ul(o)-* + *-oma.*] *S. m. Patol.* Qualquer formação tumoral das gengivas.

ulonco. [De *ul(o)-* + *-onco.*] *S. m. Patol.* Inchação ou tumor das gengivas.

ulorragia. [De *ul(o)-* + *-ragia.*] *S. f. Med.* Hemorragia de origem gengival.

ulorrágico. *Adj.* Referente à ulorragia.

ulótrico. [Do gr. *oulótrichos.*] *Adj.* e *s. m. Antrop.* Que ou aquele que tem cabelos crespos, lanosos. [Var.: *ulótrique*. Cf. *lissótrico, euplócamo* e *eutícomo.*]

ulótrique. *Adj. 2 g.* e *s. m.* Var. de *ulótrico* [q. v.].

ulrei. *S. m. Bras.* **1.** Peixe teleósteo, caraciforme, da família dos caracídeos (*Hyphessobrycon heterorhabdus* (Ulrey)), da Amaz., de coloração prateada, com uma faixa longitudinal tricolor (negra, amarela e vermelha) percorrendo o flanco. É espécie muito apreciada para aquários. **2.** Peixe teleósteo (*Hemigrammus ulreyi* (Boul.)), do Paraguai, muito semelhante ao precedente. [Sin.: *bandeira-alemã.*]

ulterior (ô). [Do lat. *ulteriore.*] *Adj. 2 g.* **1.** Que está ou ocorre depois: "As ruas podiam ser .... ou estreitas, para se alargarem daqui a anos, mediante uma boa lei de desapropriação, ou já largas, para evitar fadigas ulteriores." (Machado de Assis, *A Semana*, II, p. 168.) **2.** Que chega depois. **3.** *Geog.* Situado além. [Antôn., nesta acepç.: *citerior.*]

ulterioridade. *S. f.* Qualidade de, ou circunstância de ser ulterior.

última. [Fem. substantivado do adj. *último.*] *El. s. f.* Us. na loc. *a última.* ~ V. *últimas.* ◆ **A última. 1.** A última notícia; a novidade mais recente: *Sabe da última?* **2.** A última asneira, o último absurdo: "A última da edilidade é um projeto remodelando o velho Largo da Escrava: a lei manda tombar as venerandas gameleiras, extinguir a biquinha, secar a fonte e demolir o bebedouro." (Geraldo França de Lima, *Serras Azuis*, p. 16.)

ultimação. *S. f.* **1.** Ato de ultimar(-se). **2.** Conclusão, fim **3.** *Fig.* Acabamento; aperfeiçoamento.

ultimado. [Part. de *ultimar.*] *Adj.* **1.** Concluído, acabado, terminado. **2.** Diz-se de negócio ajustado, fechado.

ultimamente. [Do fem. de *último* + *-mente.*] *Adv.* **1.** Nos últimos tempos; recentemente: "Mme Brizard arrepelava-se, praguejando contra o maldito caiporismo que a perseguia ultimamente." (Aluísio Azevedo, *Casa de Pensão*, p. 249.) **2.** No derradeiro lugar; por último.

ultimar. [Do lat. *ultimare.*] *V. t. d.* **1.** Pôr fim ou termo a; concluir, inteirar, completar: *ultimar uma obra;* "Os egípcios ultimaram os preparativos para o enterro de Sadat" (*Jornal do Brasil*, 9.10.1981). **2.** Realizar definitivamente (um negócio); fechar: *ultimar a compra das mercadorias. P.* **3.** Chegar a seu termo; completar-se: *Ultimaram-se os preparativos para a recepção.* [Pres. ind.: *ultimo, ultimas, ultima*, etc. Cf. *último*, flex. *última* e *últimas.*]

últimas. [Pl. de *última.*] *S. f. pl.* **1.** O ponto extremo; limite. **2.** A extrema miséria; penúria. **3.** Lance decisivo. ~ V. *última.* [Cf. *ultimas*, do v. *ultimar.*] ◆ **Dizer as últimas a.** Dizer as maiores injúrias a. **Nas últimas. 1.** Em miséria extrema. **2.** Em agonia (1); moribundo: "o tio de Gabriela estava nas últimas. Vinha cuspindo sangue, não agüentava mais andar." (Jorge Amado, *Gabriela, Cravo e Canela*, p. 114).

ultimato. [Do lat. medieval *ultimatum.*] *S. m.* **1.** Últimas exigências que um Estado apresenta a outro e cuja não aceitação implica declaração de guerra. **2.** Exigência feita durante o estado de guerra, por um chefe militar, no sentido de conseguir a rendição imediata do inimigo, sob ameaça de alcançá-la por meios violentos. **3.** *P. ext.* Declaração final e irrevogável para satisfação de certas exigências: "*7 horas:* chega ao Catete o ultimato dos generais." (Darci Ribeiro, *Aos Trancos e Barrancos*, 1424.)

ultimátum. *S. m.* V. *ultimato.*

último. [Do lat. *ultimu.*] *Adj.* **1.** Que está ou vem depois de todos os outros; que está ou vem no final: *o último da fila.* **2.** Que é o mais moderno ou o mais recente: *Compra carros do último modelo.* **3.** Derradeiro, extremo, final: *os últimos arrancos.* **4.** Atual, presente: *a última moda.* **5.** Precedente, antecedente: *O último espetáculo foi mais freqüentado que o de hoje.* **6.** Ínfimo, inferior: *arroz de última qualidade.* **7.** Superior, sumo, supremo: *Chegou à última perfeição da pintura.* **8.** Perigosíssimo, gravíssimo: *A doença da pobre moça atingiu o último estágio.* **9.** Decisivo, definitivo, irrevogável: *Esta é a minha última palavra.* ~ V. *—a morada, —a palavra* e *—s sacramentos.* ● *S. m.* **10.** Aquele ou aquilo que está ou vem depois de todos. **11.** Aquele que ocupa a mais humilde posição. **12.** Aquele que é o pior de todos. **13.** *Bras. Gír.* O último chope, uísque, etc., que se toma, numa chopada, uiscada, etc.; saideira. [Fem.: *última.* Cf. *ultimo* e *ultima*, do v. *ultimar.*]

ultimogênito (ùl). [Do lat. *ultimu*, 'último' + *-gênito.*] *S. m.* O filho mais novo; o último filho.

ultor (ô). [Do lat. *ultore.*] *Adj.* e *s. m. P. us.* Que ou aquele que vinga; vingador. [Fem.: *ultriz.*]

ultra. [Do lat. *ultra.*] *S. 2 g.* Partidário das idéias mais avançadas ou extremas; radical.

▲ultra-. [Do lat. *ultra.*] *Pref.:* = 'além de'; 'em excesso; extremamente': *ultramar; ultramontanismo; ultra-humano; ultra-revolucionário; ultra-romântico; ultra-sensível.*

ultrabásico. [De *ultra-* + *básico.*] *Adj.* ~ V. *rocha —a.*

ultracatólico. [De *ultra-* + *católico.*] *Adj.* Mais do que católico: "De sorte que a Universidade ultraconservadora e ultracatólica era não só uma escola de revolução política, mas uma escola de impiedade moral." (Eça de Queirós, *Notas Contemporâneas*, p. 378.)

ultracentrífuga. [De *ultra-* + o fem. de *centrífugo.*] *S. f. Fís.* Instrumento com um rotor capaz de girar com velocidade angular elevada, destinado a criar um campo de forças centrífugas muito intenso, e utilizado na investigação de soluções coloidais ou de soluções de macromoléculas.

ultraconservador (ô). [De *ultra-* + *conservador.*] *Adj.* Conservador em extremo grau.

ultracorreção. [De *ultra-* + *correção.*] *S. f. Gram.* Preocupação de falar bem que redunda em erro; hiperurbanismo, hipercorreção. Ex.: *atocalhar* por *atocaiar; descortínio* por *descortino; quites* por *quite; púdico* por *pudico; rúbrica* em vez de *rubrica.*

ultracurto. [De *ultra-* + *curto.*] *Adj.* Excessivamente curto. ~ V. *onda —a.*

ultrademocrático. [De *ultra-* + *democrático.*] *Adj.* Democrático ao extremo; mais do que democrático.

ultrafiltração. [De *ultra-* + *filtração.*] *S. f. Fís.-Quím.* Processo de filtração capaz de reter partículas coloidais, e que se efetua através de membranas em cujos poros se depositou ou se formou um gel apropriado, ou através de membranas de plástico providas de poros idênticos e uniformemente distribuídos.

ultra-humano. [De *ultra-* + *humano*.] *Adj.* V. *sobre-humano*: "Para resgatar uma judia formosa e dissoluta das presas aveludadas da lascívia oriental, foi preciso um ente ultra-humano" (Camilo Castelo Branco, *O General Carlos Ribeiro*, p. 63). [Pl.: *ultra-humanos*.]

ultraísmo. [Do esp. *ultraísmo*.] *S. m. Liter.* O estilo de vanguarda da poesia espanhola e hispano-americana do séc. XX.

ultrajador (ô). *Adj.* **1.** V. *ultrajante*. ● *S. m.* **2.** Aquele que ultraja.

ultrajante. *Adj. 2 g.* Que ultraja; ultrajador, ultrajoso.

ultrajar. [De *ultraje* (q. v.) + *-ar*[2].] *V. t. d.* **1.** Ofender a dignidade de; difamar, injuriar, insultar, afrontar: "A *Presse*, de Paris, deu logo ao princípio rebate contra o embuste literário com que se ultrajava a credulidade pública" (Latino Coelho, *Cervantes*, p. 131). **2.** Ofender os preceitos, as regras de: *É mau escritor: em suas obras, ultraja a língua portuguesa.*

ultraje. [Do fr. *outrage*, ant. *oltrage*.] *S. m.* **1.** Ato ou efeito de ultrajar. **2.** Insulto, afronta, ofensa extremamente grave: "julgaria um ultraje bestial roçar sequer as pregas do seu vestido." (Eça de Queirós, *Os Maias*, II, p. 46). **2.** Calúnia, difamação. [A boa grafia seria *ultrage*.]

ultrajoso (ô). [De *ultraje* + *-oso*.] *Adj.* V. *ultrajante*: "Ser ou não ser, eis a questão. Acaso / É mais nobre a cerviz curvar aos golpes / Da ultrajosa fortuna, ou já lutando / Extenso mar vence de acerbos males?" (Machado de Assis, *Poesias Completas*, p. 310.)

ultraleve. [De *ultra-* + *leve*.] *Adj. 2 g.* **1.** Leve em extremo. ● *S. m.* **2.** *Aer.* Avião de peso ínfimo, dotado apenas dos requisitos indispensáveis para alçar vôo: asas cobertas de tela, motor de pequena potência, lemes simples e banco para o piloto, tudo permitindo pouso e decolagem em pouco mais de 50 m de extensão.

ultramar. [De *ultra-* + *mar*[1].] *S. m.* **1.** Região ou regiões situadas além do mar. **2.** Tinta azul, da cor do azul do alto-mar, que se extrai do lápis-lazúli. **3.** A cor desta tinta.

ultramarino. [De *ultra-* + *marino*.] *Adj.* **1.** Situado no ultramar; transmarino, transoceânico: *terras ultramarinas*. **2.** Relativo ao, ou próprio do ultramar: *azul ultramarino*.

ultramicroscopia. [De *ultra-* + *microscopia*.] *S. f. Ópt.* Observação de objetos excessivamente pequenos, por meio do ultramicroscópio.

ultramicroscópico. *Adj.* Relativo ao ultramicroscópio. ~ V. *vírus* —.

ultramicroscópio. [De *ultra-* + *microscópio*.] *S. m. Ópt.* Microscópio em que a iluminação é quase perpendicular ao eixo óptico, e que permite a observação de pequeníssimos objetos mediante a luz que difundem.

ultramontanismo. [Do fr. *ultramontanisme*.] *S. m.* **1.** Doutrina e política dos católicos franceses (e outros) que buscavam inspiração e apoio além dos montes, os Alpes, i. e., na Cúria Romana. [Cf. *galicanismo*.] **2.** Sistema dos que defendem a autoridade absoluta do Papa em matéria de fé e disciplina.

ultramontano[1]. [De *ultra-* + *monte* + *-ano*[2].] *Adj.* e *s. m.* Transmontano (1 e 2).

ultramontano[2]. [Do fr. *ultramontain*.] *Adj.* e *s. m.* Que ou aquele que é partidário do ultramontanismo.

ultrapassagem. *S. f.* Ato ou efeito de ultrapassar (2).

ultrapassar. [De *ultra-* + *passar*.] *V. t. d.* **1.** Passar além de; transpor: *ultrapassaram os Alpes*. **2.** Passar (alguém) à frente de (pessoa ou veículo que se desloca no mesmo sentido): *ultrapassar o caminhão*. **3.** Exceder o limite de: *Ultrapassou as normas da boa educação*. **4.** Ir além de; exceder; extrapolar: "A indignação fez-me ultrapassar os limites da conveniência." (Inglês de Sousa, *Contos Amazônicos*, p. 30.) *Int.* **5.** Passar à frente. [Sin. ger., p. us.: *extrapassar*.]

ultrapassável. *Adj. 2 g.* Que pode ser ultrapassado.

➧**ultra petita.** [Lat., 'além do pedido'.] *Jur.* Diz-se da sentença que resolve a demanda concedendo além do pedido pelo autor. [Antôn.: *citra petita*.]

ultra-realismo. [De *ultra-* + *realismo*.] *S. m.* Sistema ou opinião dos ultra-realistas. [V. *ultra-realista*[1] e *ultra-realista*[2]. Pl.: *ultra-realismos*.]

ultra-realista[1]. [De *ultra-* + *realista*[1].] *Adj. 2 g.* **1.** Que é partidário extremado do realismo[1] (1). ● *S. 2 g.* **2.** Artista, escritor ou filósofo ultra-realista. [Pl.: *ultra-realistas*.]

ultra-realista[2]. [De *ultra-* + *realista*[2].] *Adj. 2 g.* **1.** Que é partidário extremado da realeza e das doutrinas monárquicas. ● *S. 2 g.* **2.** Partidário extremado dessas doutrinas. [Pl.: *ultra-realistas*.]

ultra-revolucionário. [De *ultra-* + *revolucionário*.] *Adj.* Exageradamente revolucionário. [Pl.: *ultra-revolucionários*.]

ultra-romântico. [De *ultra-* + *romântico*.] *Adj.* **1.** Extremamente romântico. **2.** Pertencente ou relativo ao ultra-romantismo. ● *S. m.* **3.** Adepto do ultra-romantismo. [Pl.: *ultra-românticos*.]

ultra-romantismo. [De *ultra-* + *romantismo*.] *S. m.* Movimento literário português da primeira metade do séc. XIX, e que se prolongou, em casos individuais, até certo ponto da segunda metade. Caracterizam-no, sobretudo, o sentimentalismo melodramático e um erotismo melancólico que ia ao desespero. [Pl.: *ultra-romantismos*.]

ultra-secreto. [De *ultra-* + *secreto*.] *Adj.* Supersecreto. [Pl.: *ultra-secretos*.]

ultra-secular. [De *ultra-* + *secular*.] *Adj. 2 g.* Que tem mais de um século; mais do que secular. [Pl.: *ultra-seculares*.]

ultra-sensível. [De *ultra-* + *sensível*.] *Adj. 2 g.* Sensível ao extremo; extra-sensível. [Pl.: *ultra-sensíveis*.]

ultra-sofisticado. [De *ultra-* + *sofisticado*.] *Adj.* Sofisticado ou requintado ao extremo. [Pl.: *ultra-sofisticados*.]

ultra-som. [De *ultra-* + *som*.] *S. m. Fís.* Oscilação de natureza acústica com freqüência superior a 20.000 Hz, inaudível aos ouvidos humanos. [Cf. *infra-som*. Pl.: *ultra-sons*.]

ultra-sônico. *Adj.* Relativo ao ultra-som, ou da natureza dele. ~ V. *onda* —*a*. [Pl.: *ultra-sônicos*.]

ultra-sonografia. [De *ultra-* + *sonografia*.] *S. f. Radiol.* Método de diagnóstico que, mediante emissão de ondas sonoras de alta freqüência, permite a visualização de órgãos internos do corpo; ecografia: "O sexo do bebê foi revelado antecipadamente pela ultra-sonografia e a atriz [Ângela Leal] já optou pelo parto de cócoras" (*Jornal do Brasil*, 5.9.1982). [Pl.: *ultra-sonografias*.]

ultra-sonográfico. *Adj.* Relativo à ultra-sonografia. [Pl.: *ultra-sonográficos*.]

ultra-sonoterapia. [De *ultra-* + *-son(o)-* + *-terapia*.] *S. f. Terap.* Tratamento pelo ultra-som, eficaz em várias moléstias, particularmente nas articulares. [Pl.: *ultra-sonoterapias*.]

ultratumular. [De *ultra-* + *tumular*.] *Adj. 2 g.* Que é de além-túmulo: *a vida ultratumular*.

ultravida. [De *ultra-* + *vida*.] *S. f.* V. *além* (5): "À eutanásia dos gregos sucedeu o suicídio claustral com a esperança numa ultravida recheada de piedosa fortuna" (Oliveira Martins, *A Vida de Nun'Álvares*, p. 446).

ultravioleta (ê). [De *ultra-* + *violeta*.] *Adj. 2 g.* **1.** *Fís.* Diz-se de radiação eletromagnética de comprimento de onda situado, aproximadamente, entre 4 e 400 nm. [Cf. *infravermelho*.] ~ V. *radiação* —*a*. ● *S. m.* **2.** *Fís.* Essa radiação.

ultravírus. [De *ultra-* + *vírus*.] *S. m. 2 n. Bacter.* V. *vírus ultramicroscópico*.

ultrice. *Adj.* (*f.*). *Poét.* Ultriz.

ultriz. [Do lat. *ultrice*, por via semi-erudita.] *Adj.* (*f.*). *Poét.* **1.** Que vinga; vingadora, ultrice: "Sim, eu devera comprimir meus lábios, / Mordê-los té que o sangue espadanasse, / Afogar na garganta a ultriz sentença, / Apagá-la em meu sangue." (Gonçalves Dias, *Obras Poéticas*, II, p. 160.) ● *S. f.* **2.** Mulher vingadora; mulher que se vinga.

ululação. [Do lat. *ululatione*.] *S. f.* Ato ou efeito de ulular; ululo, ulular.

ululador (ô). *Adj.* **1.** Ululante (1). ● *S. m.* **2.** Aquele que ulula.

ululante. [Do lat. *ululante*.] *Adj. 2 g.* **1.** Que ulula; ululador: "Viera desesperado, ululante, feroz, ... vendo tudo escarlate, num frenesi de morticínios e incêndios." (Fialho d'Almeida, *O País das Uvas*, p. 198.) **2.** *Bras. Fig.* Evidente, claríssimo, insofismável; gritante: *verdade ululante; mentira ululante*.

ulular. [Do lat. *ululare*.] *V. int.* **1.** Soltar (o cão) voz triste e lamentosa; ganir, uivar. **2.** Gritar, produzindo som plangente: "foi sentar-se ao pé da fogueira para não a deixar extinguir-se, e para impedir que se aproximassem as onças que não cessavam de ulular em derredor deles" (Franklin Távora, *O Cabeleira*, p. 241). **3.** Gritar de aflição ou de dor: *Operado sem anestésico, o doente ululava*. **4.** Produzir som plangente como um ululo ou uivo; uivar: "A luz expira, o vento ulula, o céu é fúnebre" (Guimarães Passos, *Horas Mortas*, p. 57). *T. d.* **5.** Soltar, gritando lamentosamente, à maneira de ululo: "Ulularei meu cântico sombrio" (Alberto de Oliveira, *Poesias*, 1ª série, p. 274). **6.** Proferir, berrando; bradar, vociferar: "A multidão, abalada, comovida, ululou aplausos vibrantes, em que o furor e a convicção extravasavam." (Antero de Figueiredo, *Leonor Teles*, p. 86.) ● *S. m.* **7.** V. *ululação*.

ululo. [Dev. de *ulular*.] *S. m.* V. *ululação*: "O vento, entre ululos, as frondes balança." (Martins Fontes, *Vulcão*, p. 175.)

ulva. [Do lat. *ulva*.] *S. f. Bot.* Gênero de algas verdes, marinhas, da família das clorofíceas, que constitui a conhecida *alface-do-mar*, que surge nas praias de banho.

um. [Do lat. *unu*.] *Num.* **1.** Cardinal dos conjuntos equivalentes a um conjunto de um membro (em algarismos arábicos, 1; em algarismos romanos, I): "Tiraram-me o casal e o manso gado, / nem tenho, a que me encoste, um só cajado." (Tomás Antônio Gonzaga, *Marília de Dirceu*, p. 107); "Um dia vivemos!" (Gonçalves Dias, *Obras Poéticas*, II, p. 42); *Tem um metro de largura*. [Omite-se, às vezes, antes de palavras relativas a tempo: "No fim de ano e meio, abotoou no horizonte uma esperança" (Machado de Assis, *Várias Histórias*, p. 34).] **2.** Primeiro (1). ● *Art. indef.* **3.** Designa pessoa, animal ou coisa de modo impreciso, vago: *Dei esmola a um mendigo*; "Senti de um corvo sobre mim as asas" (Alphonsus de Guimaraens, *Obra Completa*, p. 24); "Primavera. Um sorriso aberto em tudo." (Olavo Bilac, *Poesias*, p. 227). **4.** Todo, cada: "um contista tem de ser um escritor que fixa as coisas em traços incisivos, na sua flagrante realidade" (Valdemar Cavalcanti, *Jornal Literário*, p. 169). **5.** Algum, certo; qualquer: *Creio que uma força oculta o impele; Um dia tudo acabará*. **6.** Certo, determinado: "Um homem se afogava sem remédio de ũa inchação interior na garganta" (Frei Luís de Sousa, *Vida de D. Fr. Bertolameu dos Mártires*, II, p. 301). **7.** Em certos casos, adquire valor intensivo: "Os olhos são / De uma expressão!" (João de Deus, *Campo de Flores*, I, p. 42); "Estes cravos têm um cheiro!" (Alberto de Oliveira, *Poesias*, 3ª série, p. 36); "— Está um calor, hem?" (Ribeiro Couto, *Largo da Matriz e Outras Histórias*, p. 88). **8.** Antes de um nome de pessoa, serve para fazê-lo sobressair, dar-lhe relevo ou importância: "Um Defoe criou a figura fabulosa de Robinson Crusoe" (Valdemar Cavalcanti, *Jornal Literário*, p. 103); "Vi-o [a Gastão Cruls] muitas vezes ao lado de um Gilberto Amado" (Id., *ib.*, p. 233). **9.** Este, esse, aquele: *Que bate-boca é um?* [Muitas vezes se omite, elegantemente, o art. *um*: *Fez belo trabalho*; mas é condenável a mania de certos puristas de querer omiti-lo a cada passo, com prejuízo, muitas vezes, para a expressividade.] ● *Adj.* **10.** Singular, único: *A mocidade é uma, bela e forte*. **11.** Em que não há interrupção ou divisão; contínuo, seguido, indiviso: *O caminho é um: não há perigo de errada*. **12.** Da mesma natureza; homogêneo, igual: *O tecido é todo um*. **13.** *Filos.* Diz-se de indivíduo que é membro de uma multiplicidade quando considerado puramente como tal. **14.** *Filos.* Diz-se do ser que é único (1). ● *Pron. indef.* **15.** Uma pessoa; alguém: "Ouvi depois a velha história / De um que ficou depressa instruído" (Lima Júnior, *Canções da Idade de Oiro*, p. 32); *Ele é um que não se mete com a vida alheia*. [Flex.: *uma, uns, umas*.] **16.** Uma coisa: *Falar é um, fazer é outro*. ● *S. m.* **17.** Algarismo representativo do número um: "os algarismos são malfeitos: o um parece sete sem gravata no pescoço" (Manuel Lobato, *Somos Todos Algarismos*, p. 25). **18.** Face do dado ou peça do dominó que tem um sinal. **19.** A nota um, em prova de exame ou concurso. **20.** Aquele ou aquilo que ocupa o primeiro lugar numa série. **21.** *Filos.* Segundo Plotino, filósofo neoplatônico, egípcio de nascimento (205-270), o ser que está além da multiplicidade e do número, além de toda existência e de todo pensamento, que é fonte e princípio deles. [Cf. *hum* e *uns*.] ♦ **Um a um.** Um por um. **Um pelo outro.** Um em lugar do outro. [Us. com referência a pessoas ou coisas a que se atribui o mesmo valor.] **Um por um.** Cada um por seu turno ou separadamente; um a um: "Também dos corações onde abotoam, / Os sonhos, um por um, céleres voam, / Como voam as pombas dos pombais" (Raimundo Correia, *Poesias*, p. 11).

uma. [De *um*.] **1.** Fem. do num., art. indef., adj., pron. indef. e s. m. *um*. **2.** Fato ou acontecimento estranho, interessante ou desagradável: *Aconteceu-me uma dos diabos*; "Como a vida ficou prosaica, Everardo! / Você tem cada uma ..." (Ciro dos Anjos, *Montanha*, p. 356). [Nesta acepç. há obviamente elipse da palavra *coisa*.] ♦ **Umas e outras.** *Bras. Gír.* Várias doses de bebidas alcoólicas. **À uma.** Ao mesmo tempo; simultaneamente, juntamente: "todos à uma, exceção feita do gordo

Marcelino, se ergueram das suas mesas para rodear e cumprimentar o noivo." (Artur Azevedo, *Contos Efêmeros*, p. 118). **Dar uma de.** *Bras. Fam.* Agir à maneira de: *Deu uma de escritor.* **Não dizer uma nem duas.** Abster-se de falar; calar-se.

umã. *Bras. S. 2 g.* e *adj. 2 g.* V. *aticum.* [Var.: *umão.*]

umão. [Var. de *umã.*] *S. 2 g.* e *adj. 2 g.* V. *aticum.*

umari. [Do tupi *uma'ri.*] *S. m. Bras., Amaz.* Designação comum a duas plantas da família das icacináceas: *Poraqueiba paraensis* e *P. sericea*, árvores de frutos comestíveis, madeira leve, pardo-avermelhada, utilizada em marcenaria e como lenha.

umarirana. [Do tupi *umari'rana*, 'semelhante ao umari'.] *S. f. Bras., Amaz.* Árvore da família das rosáceas *(Couepia subcordata)*, de frutos comestíveis, e que fornece madeira para carpintaria, esteios, lenha e carvão.

umarizal. *S. m. Bras.* Quantidade mais ou menos considerável de umaris dispostos proximamente entre si.

umauá. *Bras. S. 2 g.* **1.** Indivíduo dos umauás, tribo indígena caraíba dos rios Cuiari-Uaupés (AM), que a si mesma se dá o nome de *hianocoto.* ● *Adj. 2 g.* **2.** Pertencente ou relativo a essa tribo.

umbamba. [Do tupi *ũ'bãba.*] *S. f. Bras.* Espécie de palmeira (*Desmoncus* sp.) que medra nas planícies inundadas.

umbanda. [Do quimb. *umbanda*, 'magia'.] *S. m.* **1.** *Bras.* Forma cultual originada da assimilação de elementos religiosos afro-brasileiros pelo espiritismo brasileiro urbano; magia branca. **2.** *Bras., RJ. Folcl.* Grão-sacerdote que invoca os espíritos e dirige as cerimônias de macumba. [Var.: *embanda.*]

umbandismo. *S. m.* A sistematização das várias tendências da umbanda.

umbandista. *Bras. Adj. 2 g.* **1.** Pertencente ou relativo à umbanda: *cultos umbandistas.* **2.** Que é sectário da umbanda. ● *S. 2 g.* **3.** Sectário dela.

umbaru. [Do tupi.] *S. m. Bras.* V. *cânhamo-brasileiro.*

umbaúba. [Var. de *ambaíba* < tupi *ãba'ib*, 'árvore oca'.] *S. f. Bras.* Designação comum a várias espécies do gênero *Cecropia*, da família das moráceas, que se caracterizam pelo tronco indiviso, com grandes folhas digitadas no ápice, e pelas flores mínimas agregadas em espigas muito apertadas. O gomo terminal é grande e protegido por amplas estípulas, constituindo o alimento preferido das preguiças; abriga também formigas agressivas. [Var.: *ambaúba, imbaúba, imbaíba;* sin.: *árvore-da-preguiça, torém.*]

umbaubal (a-u). [Var. de *imbaubal* < *imbaúba* + *-al.*] *S. m. Bras.* Quantidade mais ou menos considerável de umbaúbas dispostas proximamente entre si.

umbaubense (a-u). *Adj. 2 g.* **1.** De, pertencente ou relativo a Umbaúba (SE). ● *S. 2 g.* **2.** Natural ou habitante de Umbaúba.

umbê. [Do tupi *ĩm'bé*, 'árvore que arrasta, trepadeira'.] *S. m. Bras.* Imbé.

umbela. [Do lat. *umbella.*] *S. f.* **1.** V. *guarda-chuva.* **2.** Qualquer objeto com a forma de umbela (1): "Nada vos direi das copadas hortênsias, com as suas umbelas de todas as cores" (Luís Guimarães, *Samurais e Mandarins*, p. 100). **3.** Espécie de pálio redondo, cuja forma lembra a da umbela (1), destinado a cobrir o sacerdote que leva o sacramento da Eucaristia de um ponto a outro, dentro das igrejas e outros recintos, e que é conduzido por uma só pessoa. **4.** *Morfol. Veg.* Inflorescência em que os pedicelos florais partem do mesmo ponto e alcançam igual altura, tendo, pois, comprimento idêntico, e que é típica da família das umbelíferas, conquanto apareça noutras famílias. [Var.: *umbrela.*]

umbelado. [De *umbela* + *-ado*[1].] *Adj. Morfol. Veg.* Que tem umbela (4); umbelífero.

umbelífera. [Fem. substantivado de *umbelífero.*] *S. f.* Espécime das umbelíferas.

umbelíferas. [Fem. pl. substantivado de *umbelífero.*] *S. f. pl. Bot.* Família de plantas superiores, da ordem das umbelifloras, composta de ervas providas de rizoma, cujas folhas são variáveis, e cujas flores são pequenas e sempre arrumadas em umbelas compostas. Têm, comumente, canais oleíferos, donde as espécies aromáticas. Fruto formado de dois mericarpos. Existem perto de 2.600 espécies, basicamente dos climas temperados do hemisfério norte; entre nós, fora o gênero *hydrocotyle*, que é nativo, há muitas cultivadas, como, p. ex., a erva-doce, a batata-baroa, a cenoura.

umbelífero. [De *umbela* + *-i-* + *-fero.*] *Adj. Morfol. Veg.* Umbelado.

umbelifloras. *S. f. pl. Bot.* Ordem de vegetais dicotiledôneos arquiclamídeos que compreende as famílias das umbelíferas, araliáceas e cornáceas.

umbeliforme. [De *umbela* + *-i-* + *-forme.*] *Adj. 2 g. Morfol. Veg.* Em forma de umbela (4): *cimeira umbeliforme.*

umbélula. [De *umbela* + *-ula.*] *S. f. Morfol. Veg.* **1.** Pequena umbela. (4). **2.** Umbela simples que faz parte de uma umbela composta.

umbelulado. [De *umbélula* + *-ado*[1].] *Adj. Morfol. Veg.* Que tem umbélula.

umbigada. *S. f.* **1.** Pancada com o umbigo ou com a barriga. **2.** A região do umbigo. **3.** *Bras.* Nas danças de roda trazidas pelos escravos bantos, pancada que o dançarino solista dá, com o umbigo, na pessoa ou nas pessoas que vão substituí-lo. [Var. (pop.): *embigada.*]

umbigo. [Do lat. *umbilicu*, atr. de uma f. **umbiigo.*] *S. m.* **1.** *Anat.* Cicatriz no meio do ventre, originada pelo corte do cordão umbilical. **2.** *Morfol. Veg.* Formação mais ou menos desenvolvida que se nota no centro e na base de certos frutos, como, p. ex., a laranja-da-baía. [Var., ant. e pop.: *embigo* (q. v.).] ♦ **Deixar o umbigo em.** Ser nascido em; ser natural de: "no próximo 22 de maio inaugura-se em Itabira, terra onde o colunista deixou o umbigo, uma edificação de 3 mil 132 metros quadrados, com instalações para teatro, galeria de arte, biblioteca (Carlos Drummond de Andrade, *Jornal do Brasil*, 15.5.1982).

umbigueira. *S. f. Bras., N.E.* Bicheira no umbigo dos bezerros recém-nascidos. [Var.: *embigueira.*]

umbilicado. [Do lat. *umbilicatu.*] *Adj.* **1.** Semelhante ao umbigo. **2.** Provido de umbigo. **3.** *Morfol. Veg.* Deprimido no centro como um umbigo (1). *A maçã é umbilicada em cima e embaixo.*

umbilical. [Do lat. *umbilicu*, 'umbigo', + *-al.*] *Adj. 2 g.* Relativo ou pertencente ao umbigo. ~ V. *cordão* — e *ponto* —.

umbílico. [Do lat. *umbilicu.*] *S. m.* Bastão munido de conchas, no qual se enrolavam os antigos papiros.

umbonado. [Do lat. *umbone*, 'centro de um escudo', 'proeminência', + *-ado*[1].] *Adj. Morfol. Veg.* Que tem no centro uma eminência mamiforme, tal como o chapéu de alguns fungos.

umbra. [Do lat. *umbra.*] *S. f. Astr.* A parte mais escura das manchas solares, que constitui a região mais central dessas manchas.

▲**-umbra.** Equiv. de *umbri-.*

▲**umbraculi-.** [Do lat. *umbracula, orum.*] *El. comp.* = 'umbela': *umbraculiforme, umbraculífero.*

umbraculífero. [De *umbraculi-* + *-fero.*] *Adj. Morfol. Veg.* Que tem órgão umbeliforme.

umbraculiforme. [De *umbraculi-* + *-forme.*] *Adj. 2 g. Morfol. Veg.* Em forma de umbela (1).

umbráculo. [Do lat. *umbraculu.*] *S. m. Morfol. Veg.* **1.** Espécie de disco que coroa o pedúnculo dalgumas plantas criptogâmicas. **2.** A parte dilatada do chapéu dos cogumelos.

umbral. [Do esp. *umbral*, 'soleira da porta'.] *S. m.* **1.** Ombreira (2). **2.** Limiar, entrada.

umbrático. [Do lat. *umbraticu.*] *Adj.* **1.** Relativo a sombra. **2.** Que se compraz com a sombra ou a procura. **3.** Obscuro, escuro, sombrio, umbrátil. **4.** Imaginário, fantástico, quimérico, umbrátil.

umbrátil. [Do lat. *umbratile.*] *Adj. 2 g.* V. *umbrático* (3 e 4): "Entretanto as grutas e os subterrâneos lá têm não menos seus jardins umbráteis, onde mil espécies vegetais, com uma só gota de luz diluída nas trevas, alimentam e aditam a existência." (Antônio Feliciano de Castilho, *Amor e Melancolia*, p. 381.) [Pl.: *umbráteis* e (p. us.) *umbrátiles.*]

umbrela. *S. f.* **1.** Var. de *umbela.* **2.** Disco contrátil das medusas.

▲**umbri-.** [Do lat. *umbra, ae.*] *El. comp.* = 'sombra': *umbrícola, umbrífero* (< lat. *umbriferu*). Equiv.: *-umbra: penumbra.*

umbria. [De *umbri-* + *-ia.*] *S. f. Poét.* **1.** Lugar sombrio. **2.** A vertente ocidental de um monte: "Na umbria da serra e da espessa mata que a cinge, a fazenda ainda permanece no crepúsculo da alvorada" (José de Alencar, *O Sertanejo*, p. 97). [Cf. *úmbria.* fem. de *úmbrio*, e *Úmbria*, top.]

úmbrico. [Do lat. *umbricu.*] *Adj.* **1.** Úmbrio. (1). ● *S. m.* **2.** V. *úmbrio* (3).

umbrícola. [De *umbri-* + *-cola.*] *Adj. 2 g.* Que vive nas sombras.

umbrífero. [Do lat. *umbriferu.*] *Adj. Poét.* Umbroso, sombrio: "Vamos encosta acima. O olhar grato se espraia / Pelo umbrífero val, que vai bater na praia." (Bulhão Pato, *O Livro do Monte*, p. 52.)

úmbrio. *Adj.* **1.** Da, ou pertencente ou relativo à Úmbria (Itália); úmbrico. ● *S. m.* **2.** O natural ou habitante da Úmbria. [Fem.: *úmbria.* Cf. *umbria.*] **3.** O dialeto falado na Úmbria; úmbrico, umbro. V. *itálico* (11).

umbrívago. [De *umbri-* + *-vago.*] *Adj.* Que anda ou vagueia pela sombra; que com ela se dá bem.

umbro[1]. [Do lat. *umbru*, 'cão da Úmbria'.] *S. m.* Cão treinado para caçar veados.

umbro[2]. *S. m.* **1.** Indivíduo dos umbros, povo itálico antigo que vivia entre o Tibre e o Adriático. **2.** V. *úmbrio* (3).

umbroso (ô). [Do lat. *umbrosu.*] *Adj.* **1.** Que tem ou produz sombra; escuro, sombrio: "Ia encontrá-las [às ninfas], cheias de receios, / Entre o líber das árvores umbrosas, / Para os dois bicos lhe morder dos seios." (Da Costa e Silva, *Pandora*, p. 29); "até à casinha oculta entre frondes umbrosas, nos arredores de Coimbra" (Domingos Monteiro, *Contos do Dia e da Noite*, p. 67). **2.** *P. ext.* Copado, frondoso.

umbu. *S. m. Bras.* Var. de *imbu.*

umbuía. *S. f. Bras.* Var. de *imbuia.*

umburana. *S. f. Bras.* Var. de *imburana.*

umbuzada. *S. f. Bras.* Var. de *imbuzada.*

umbuzal. *S. m. Bras.* Var. de *imbuzal.*

umbuzeirense. *Adj. 2 g.* **1.** De, ou pertencente ou relativo a Umbuzeiro (PB). *S. 2 g.* **2.** Natural ou habitante de Umbuzeiro.

umbuzeiro. *S. m. Bras.* Var de *imbuzeiro.*

ume. *S. m.* Pedra-ume.

▲**-ume.** *Suf. mon.* = 'coleção'; 'ação ou resultado da ação': *negrume, azedume; curtume, urdume.*

umectação. [Do lat. *humectatione.*] *S. f.* Ato ou efeito de umectar.

umectante. [Do lat. *humectante.*] *Adj. 2 g.* Que umecta; umectativo.

umectar. [Do lat. *humectare.*] *V. t. d. Med.* Molhar, umedecer, com substância que se dilui.

umectativo. [Do lat. *humectatu*, part. pass. de *humectare*, + *-ivo.*] *Adj.* Umectante.

umedecedor (ô). [De *umedecer* + *-(d)or.*] *Adj.* **1.** Que umedece. ● *S. m.* **2.** *Art. Gráf.* Rolo molhador.

umedecer. [Do arc. *umede*, 'úmido', + *-ecer.*] *V. t. d.* e *p.* Tornar(-se) úmido; molhar(-se) de leve: "Lágrimas umedeceram os olhos de Deco, que fez um grande esforço e sorriu agradecido para os companheiros." (Macedo Miranda, *Pequeno Mundo Outrora*, p. 45); "A sua ternura é verdadeira; os seus olhos umedecem-se; os seus beijos escaldam" (Júlio Dantas, *Abelhas Doiradas*, p. 126). [Conjug.: v. *aquecer.*]

umedecido. [Part. de *umedecer.*] *Adj.* Que se umedeceu; tornado úmido.

umedecimento. *S. m.* Ato ou efeito de umedecer(-se).

umente. [Do lat. *humente.*] *Adj. 2 g. Poét.* V. *úmido* (1): "são veludos quentes / os teus carinhos, nestas hibernais / noutes longas e umentes ..." (Gilca da Costa Melo Machado, *Mulher Nua*, p. 37).

umeral. *Adj. 2 g.* Relativo ou pertencente ao úmero; umerário. ~ V. *véu* —.

umerário. [De *úmero* + *-al.*] *Adj.* Umeral.

úmero. [Do lat. *humeru*, 'ombro'.] *S. m. Anat.* Osso único do esqueleto de cada braço: "A rija constituição do prisioneiro levou a melhor das espadeiradas e do golpe de partazana que lhe esmigalhara a omoplata, fendendo o úmero." (Aquilino Ribeiro, *Portugueses das Sete Partidas*, p. 203).

umidade. *S. f.* **1.** Qualidade ou estado de úmido ou ligeiramente molhado. **2.** Abundância de humor no organismo animal. **3.** Relento da noite. ♦ **Umidade relativa.** *Fís.* Razão entre a pressão de vapor de água na atmosfera e a pressão de vapor saturado na mesma temperatura.

umidificação. *S. f.* Ato ou efeito de umidificar(-se).

umidificador (ô). *S. m.* **1.** Agente de umidificação. **2.** Aparelhagem na qual se processam umidificações. **3.** *Ind. Pap.* Pulverizador que, na operação de acetinação, transmite ao papel o necessário grau de umidade.

umidificar. [De *úmido* + *-i-* + *-ficar.*] *V. t. d., int.* e *p.* Tornar(-se) úmido; umedecer(-se). [Conjug.: v. *trancar.*]

umidífobo. [De *úmido* + *-i-* + *-fobo.*] *Adj. Ecol. Veg.* Diz-se de certas plantas que não se dão bem nos terrenos úmidos.

úmido. [Do lat. *humidu.*] *Adj.* **1.** Levemente molhado. **2.** Impregnado de água, de líquido, de vapor: *terra úmida; pele úmida; clima úmido.* **3.** Que tem a natureza da água; aquoso, líquido: *Sentiu sob a mão uma substância úmida.* ~V. *estufa* —*a, gangrena* —*a, névoa* —*a* e *prensa* —*a.*

umiri. [Do tupi *umi'ri.*] *S. m. Bras., Amaz.* Arbusto ou árvore da família das humiriáceas *(Humiria floribunda)*, de ampla distribuição, cuja casca cede um bálsamo aromático, agradável, e cuja madeira, castanha e dura,

serve para construção e dormentes, sendo os frutos, drupáceos, de cor preta, resinosos e edules.
umirirana. [Do tupi *umiri'rana*, 'semelhante ao umiri'.] *S. f. Bras., Amaz.* Árvore da família das voquisiáceas *(Qualea retusa)*, que vive nas areias de margens de lagos e rios, e tem grandes flores amarelas e folhas coriáceas, sendo os frutos cápsulas com sementes aladas. A madeira, castanho-clara, fibrosa e dura, serve para carpintaria grosseira.
umirizal. *S. m. Bras.* Quantidade mais ou menos considerável de umiris dispostos proximamente entre si.
➧**Umlaut** [Al.] *S. m. Gram.* Metafonia.
umotina. *Bras. S. 2 g.* **1.** Indivíduo dos umotinas, tribo indígena que habitava as matas entre o alto Paraguai e o Sepotuba e cujos remanescentes vivem hoje integrados na sociedade nacional no posto Fraternidade Indígena de Barra dos Bugres. ● *Adj. 2 g.* **2.** Pertencente ou relativo a essa tribo. [Var.: *umutina*; sin. ger.: *barbado*.]
umutina. *S. 2 g.* e *adj. 2 g. Bras.* V. *umotina.*
unaiense (a-i). *Adj. 2 g.* **1.** De, ou pertencente ou relativo a Unaí (MG). *S. 2 g.* **2.** Natural ou habitante de Unaí.
unanimar. *V. t. d.* Tornar unânime; unanimificar. [Pres. subj.: *unanime*, etc. Cf. *unânime*.]
unânime. [Do lat. *unanime*.] *Adj. 2 g.* **1.** Que é do mesmo sentimento ou da mesma opinião que outrem. **2.** Relativo a todos. **3.** Proveniente de acordo comum; geral: *opinião u n â n i m e.* [Cf. *unanime*, do v. *unanimar*.]
unanimidade. [Do lat. *unanimitate*.] *S. f.* **1.** Qualidade de unânime. **2.** Concordância de voto ou de opinião.
unanimificar. [De *unânime* + *-i-* + *-ficar*.] *V. t. d.* Unanimar. [Conjug.: v. *trancar*.]
unanimismo. [Do fr. *unanimisme*.] *S. m.* Doutrina literária, particularmente ilustrada pelo escritor francês Jules Romains (1885-1946) e seus seguidores, segundo a qual o escritor deve exprimir a vida e os sentimentos humanos coletivos.
unanimista. *Adj. 2 g.* **1.** Relativo ao, ou que é seguidor do unanimismo. ● *S. 2 g.* **2.** Seguidor dessa doutrina.
unau. [Do tupi *u'nau*.] *S. m. Bras.* Preguiça (5) da Amaz.
unção. [Do lat. *unctione*.] *S. f.* **1.** Ato ou efeito de ungir: "O padre vai-a ungindo, e a cada u n ç ã o / Esconjura o demônio, mas em vão" (Conde de Monsaraz, *Musa Alentejana*, p. 190). **2.** V. *untura* (1). **3.** *Fig.* Sentimento de piedade religiosa: "No outro dia, logo de manhã cedo, recebe [Almeida Garrett] com u n ç ã o os últimos sacramentos da Igreja." (José Osório de Oliveira, *O Romance de Garrett*, p. 183.) **4.** Doçura de expressão que comove. **5.** Maneira insinuante de dizer. ◆ **Unção dos enfermos.** *Rel.* V. *extrema-unção.*
▲**unci-.** [Do lat. *uncus, i*.] *El. comp.* = 'gancho', 'garra', 'unha': *unciforme, uncirrostro.*
úncia. [Do lat. *uncia*.] *S. f.* Polegada (1).
uncial. [Do lat. *unciale*.] *Adj. 2 g.* e *s. f. Paleogr.* Diz-se da, ou a escrita livresca maiúscula latina, usada do IV ao VI século, e caracterizada pelo arredondamento de várias letras e existência de algumas minúsculas. [O nome, depois também aplicado à escrita grega de traçado análogo, foi empregado pela vez primeira por S. Jerônimo, em passagem que permite várias interpretações, sendo a mais corrente justamente a mais improvável: a que se refere à altura das letras, que mediriam uma polegada *(úncia)*. V. *semi-uncial*.]
unciário. [Do lat. *unciariu*.] *Adj.* Que tinha direito, segundo a jurisprudência romana, à duodécima parte de uma herança.
unciforme. [De *unci-* + *-forme*.] *Adj. 2 g.* **1.** *Morfol. Veg.* Em forma de gancho: *pêlo u n c i f o r m e.* ● *S. m.* **2.** *Anat.* O quarto osso da segunda série do carpo.
uncinado. [Do lat. *uncinatu*.] *Adj.* **1.** Provido de unha; ungüífero. **2.** Que tem forma de unha ou garra. **3.** *Morfol. Veg.* Que termina em gancho: *bractéola u n c i n a d a.*
uncinariose. [Do lat. cient. *Uncinaria*, designação genérica de um helminto, + *-ose*.] *S. f. Patol.* V. *ancilostomíase.*
uncinulado. [Do lat. *uncinulu*, 'pequeno gancho', + *-ado*[1].] *Adj. Morfol. Veg.* Que termina em pequeno gancho.
uncirrostro. [De *unci-* + *-rostro*.] *Adj.* **1.** *Zool.* Que tem bico recurvo. ● *S. m.* **2.** Espécime dos uncirrostros.
uncirrostros. [Pl. de *uncirrostro*.] *S. m. pl. Zool.* Família de aves pernaltas de bico adunco.
▲**-úncula.** [Do lat. *-uncula*.] Equiv. de *-úncula.*
▲**-únculo.** [Do lat. *-unculu*.] *Suf. nom.* = 'diminuição': *homúnculo* (< lat. *homunculu*). [Equiv.: *-úncula: questiúncula* (< lat. *quaestiuncula*).]
undação. [Do lat. *undatione*.] *S. f.* **1.** Corrente de rio. **2.** V. *inundação* (2).
undante. [Do lat. *undante*.] *Adj. 2 g.* **1.** Que forma ondas. **2.** V. *ondeante.* **3.** Que tem ou leva muita água. ~ V. *terreno* —.
undecaedro. *S. m. Geom.* V. *hendecaedro.*
undecágono. *S. m. Geom.* V. *hendecágono.*
undecenal. *Adj. 2 g.* **1.** Que dura 11 anos. **2.** Que se realiza de 11 em 11 anos.
undécimo. [Do lat. *undecimu*.] *Num.* **1.** Ordinal e fracionário correspondente a onze. [Sin.: *décimo primeiro*, onze e (p. us.) *onzeno*.] ● *S. m.* **2.** Cada uma das 11 partes alíquotas em que se divide um todo.
undécuplo. [Do lat. *undecim*, 'onze', + a term. de *décuplo*.] *Num.* **1.** Que é onze vezes maior. ● *S. m.* **2.** Quantidade onze vezes maior que outra.
➧**underground** (andârgráund, oxítono). [Ingl.] *S. m.* Movimento, organização ou atividade subterrânea que funciona secretamente, e em geral tem por fim solapar ou destruir autoridade estabelecida ou forças inimigas que ocupam um território: *O u n d e r g r o u n d na França abriu caminho para a invasão dos aliados.*
▲**undi-.** [Do lat. *unda, ae*.] *El. comp.* = 'onda', 'água': *undiflavo, undífero.*
undícola. [Do lat. *undicola*.] *Adj. 2 g.* e *s. 2 g.* Que ou animal que vive nas águas.
undífero. [De *undi-* + *-fero*.] *Adj.* **1.** Que tem ondas; undoso. **2.** *Poét.* Que contém água; aquoso.
undiflavo. [Do lat. *undiflavu*.] *Adj.* Que tem ondas flavas, ou seja, da cor do ouro, ou reflexos áureos: "Súbito, o incêndio! Labaredas u n d i f l a v a s .... reslumbram, vulcanizadas." (Martins Fontes, *A Dança*, p. 66.)
undífluo. [Do lat. *undifluu*.] *Adj.* Que corre em ondas.
undíssono. [Do lat. *undisonu*.] *Adj.* Que soa como as ondas revoltas.
undívago. [Do lat. *undivagu*.] *Adj.* Que anda ou vaga sobre as ondas; flutívago.
undoso (ô). [Do lat. *undosu*.] *Adj.* **1.** Em que há ondas; undífero: "de um lado, as altas montanhas; / de outro lado, o mar u n d o s o" (Antônio Feliciano de Castilho, *Amor e Melancolia*, p. 100). **2.** Que forma ondas. **3.** V. *ondeante.*
unense. *Adj. 2 g.* **1.** De, ou pertencente ou relativo a Una (BA). ● *S. 2 g.* **2.** Natural ou habitante de Una.
➧**UNESCO.** [Ingl.] Sigla da *United Nations Educational, Scientific and Cultural Organization.*
ungido. [Part. de *ungir*.] *Adj.* **1.** Que se ungiu. **2.** Fomentado com ungüento. **3.** Que recebeu a extrema-unção. **4.** Que foi alvo da cerimônia da sagração. ● *S. m.* **5.** Aquele que foi ungido.
ungir. [Do lat. *ungere*.] *V. t. d.* **1.** Untar com óleo ou com ungüento. **2.** Friccionar de leve com substância gorda ou untuosa; fomentar. **3.** Aplicar óleos consagrados a; dar unção a; sagrar: "Já ninguém .... incomoda o pároco chamando-o para confessar ou u n g i r um moribundo" (Brito Camacho, *Quadros Alentejanos*, p. 22). **4.** Dar posse a, por meio de unção; investir de autoridade por meio de unção, sagração, ou outra cerimônia que a confere: *Leão III u n g i u Carlos Magno na Basílica de S. Pedro, no ano de 799.* **5.** Dar a extrema-unção a: "Morre, tão deformada e tão magrinha, / Que a gente mal o corpo lhe adivinha / Por debaixo da roupa! // O padre vai-a u n g i n d o" (Conde de Monsaraz, *Musa Alentejana*, pp. 189-190). **6.** Untar com substâncias aromáticas: *U n g i u a donzela com perfume de rosas.* **7.** Purificar, corrigir, melhorar: *u n g i r as mazelas morais da sociedade*; "U n j a -me o teu amor divino. / Tua mortal paixão me abrase" (Guimarães Passo, *Horas Mortas*, p. 62). **8.** Influenciar com palavras afetivas e insinuantes. *Transobj.* **9.** Investir (em autoridade ou dignidade); sagrar; *Segundo a teoria absolutista, Deus u n g i r a os reis autoridade suprema. P.* **10.** Friccionar o próprio corpo com substância oleosa. [Defect., segundo muitos, inconjugável na 1ª pess. do sing. do pres. ind. e, pois, em todo o pres. subj.]
▲**ungue-.** [Do lat. *unguis, is*.] *El. comp.* = 'unha': *ungueal.* [Equiv.: *ungüi-: ungüiforme.*]
úngüe. [Do lat. *ungue*.] *S. m. Anat.* Pequeno osso, semelhante a unha, que se acha na parte ântero-interior de cada órbita ocular.
ungueal. [De *ungue-* + *-al*.] *Adj. 2 g. Anat.* Relativo ou pertencente a unha. V. *leito* — e *matriz* —.
ungüentáceo. [De *ungüento* + *-áceo*.] *Adj. Farmac.* Relativo ou semelhante a ungüento; ungüentário.
ungüentário. [Do lat. *unguentariu*.] *Adj. Farmac.* Ungüentáceo.
ungüento. [Do lat. *unguentu*.] *S. m.* **1.** Medicamento de escassa consistência, para uso externo e que tem por base uma gordura; unto, untura. **2.** Designação comum, outrora, a certas drogas ou essências com que se perfumava o corpo. [Var., ant. e pop.: *ingüento*.]
ungui. [De possível or. afr.] *S. m. Bras.* V. *tutu*[2] (1). [Var. pros.: *ungüi*.]
ungüi. *S. m. Bras.* Var. pros. de *ungui.*
▲**ungüi-.** Equiv. de *ungue-.*
ungüiculado. [Do lat. *unguiculatu*.] *Adj.* **1.** *Morfol. Veg.* Provido de unha: *pétala u n g ü i c u l a d a.* **2.** *Zool.* Diz-se dos mamíferos que têm unhas nos dedos, em vez de cascos.
ungüífero. [De *ungüi-* + *-fero*.] *Adj.* Que tem unha; uncinado.
ungüiforme. [De *ungüi-* + *-forme*.] *Adj. 2 g.* Que tem forma de unha.
ungüinoso (ô). [Do lat. *unguinosu*.] *Adj.* Oleoso, gorduroso.
únguis. *S. m. 2 n. Anat.* V. *úngüe.*
úngula. [Do lat. *ungula*, 'unha pequena'.] *S. f.* Saliência membranosa do ângulo interno do olho; unha.
ungulado. [Do lat. *ungulatu*.] *Adj. Zool.* **1.** Diz-se dos mamíferos cujos dedos são providos de cascos. **2.** Pertencente ou relativo a eles. ● *S. m.* **3.** Espécime dos ungulados.
ungulados. [Pl. de *ungulado*.] *S. m. pl.* Antiga designação dos animais cordados mamíferos, que tinham os dedos revestidos de cascos. No grupo eram incluídos os perissodáctilos, os artiodáctilos, os hiracóides e os proboscídeos.
unha. [Do lat. *ungula*.] *S. f.* **1.** Lâmina córnea semitransparente que recobre a extremidade dorsal dos dedos [v. *dedo* (1)]. **2.** Garra[1] (2). **3.** Casco de paquidermes e ruminantes. **4.** Extremidade recurvada dos pés dos insetos. **5.** Opérculo de várias conchas. **6.** Úngula. **7.** Pé do caranguejo. **8.** Calosidade no dorso das bestas. **9.** V. *matadura* (1). **10.** Pedaço da cepa ou do tronco da videira que vai preso ao pé do bacelo que foi cortado. **11.** Parte curva ou pontiaguda de alguns instrumentos. **12.** *Bras. Constr. Nav.* Peça abaulada que se coloca numa vigia, de dentro para fora, a fim de ventilar o interior do navio. **13.** *Marinh.* O vértice exterior da pata da âncora. **14.** *Morfol. Veg.* Base alongada e estreita de sépalas e pétalas. **15.** *Tip.* V. *pinça* (8). ~ V. *unhas.* ◆ **Unha de gavião.** Unha (1) muito comprida e afiada. **Unha de santo.** *Bras. Fig. Fam.* Coisa que se faz cuidadosamente. **Unha perdida.** *Bras.* Unha de animal que não assenta no chão. **A unha de cavalo.** A unhas de cavalo. **A unhas de cavalo.** A toda pressa; a bom correr; a unha de cavalo: "Vinha ele então ferido no rosto por equívoco de um negro das suas milícias, e fugindo a u n h a s d e c a v a l o." (Camilo Castelo Branco, *D. Luís de Portugal*, p. 147.) **Com unhas e dentes.** De todas as maneiras possíveis; com todas as forças. **Deitar as unhas em.** Apossar-se com fraude ou violência de. **Enterrar a unha.** Vender muito caro. **Fazer as unhas.** Apará-las, limpá-las, tratá-las, e, geralmente, pintá-las. **Lamber as unhas.** Ficar muito contente. **Não ser unha de santo.** *Fam.* Não necessitar de perfeição, de acabamento perfeito. **Roer as unhas dos pés.** Estar em situação difícil, aflitiva, desesperadora. [Sin. (bras., gír.): *parir ouriço*.] **Ser unha e carne.** Ser (duas pessoas) muito chegadas entre si, muito íntimas: "Num S. João fizeram-se compadres — S. João disse, S. Pedro confirmou. Por um certo tempo e r a m u n h a e c a r n e" (Fran Martins, *Dois de Ouros*, p. 17). **Ser unha e carne com.** Ser muito chegado a (alguém); ser-lhe íntimo; ser unha com carne com, ser unha com carne para. **Ser unha com carne com.** V. *ser unha e carne com.* **Ser unha com carne para.** V. *ser unha e carne com.*
unhaca. [De *unha*, por *unha-de-fome*, + *-aca*[1].] *S. 2 g.* **1.** *Burl.* V. *avaro* (1). **2.** Pessoa íntima, muito amiga.
unhaço. [De *unha* + *-aço*.] *S. m. Bras.* Unhada.
unhada. [De *unhar* + *-ada*[1].] *S. f.* Traço, arranhão ou ferimento produzido pela unha. [Sin. (bras.): *unhaço*.]
◆ **Dar unhada e esconder as unhas.** Ser dissimulado, hipócrita, astuto.
unha-de-anta. *S. f. Bras.* V. *chapada* (7). [Pl.: *unhas-de-antas*.]
unha-de-boi. *S. f. Bras.* Escada-de-jabuti (1). [Pl.: *unhas-de-boi*.]
unha-de-boi-do-campo. *S. f. Bras.* V. *catinga-de-tamanduá.* [Pl.: *unhas-de-boi-do-campo*.]
unha-de-cavalo. *S. f.* Tussilagem. [Pl.: *unhas-de-cavalo*.]
unha-de-fome. *Adj. 2 g.* e *s. 2 g. Bras.* V. *avaro* (1 e 3): "Italianada u n h a - d e - f o m e , ... na hora de gastar dinheiro ninguém estava." (João Pacheco, *Negra a caminho da Cidade*, pp. 84-85.) [Pl.: *unhas-de-fome*.]
unha-de-gato. *S. f.* **1.** *Bras.* Designação comum a várias espécies dos gêneros *Mimosa* e *Acacia*, da família das leguminosas, providas de acúleos pungentes que ras-

gam a roupa e ferem a pele com facilidade: "Quanto mais escuro melhor para .... varar as moitas de u n h a - d e - g a t o" (Fran Martins, *Dois de Ouros*, p. 12). **2.** *Bras.* Ancinho (1). [Pl.: *unhas-de-gato.*]

unha-de-morcego. *S. f. Bras.* V. *batata-de-caboclo.* [Pl.: *unhas-de-morcego.*]

unha-de-vaca. *S. f. Bras.* V. *cipó-escada.* [Pl.: *unhas-de-vaca.*]

unha-de-vaca-roxa. *S. f. Bras.* V. *catinga-de-tamanduá.* [Pl.: *unhas-de-vaca-roxa.*]

unha-de-veado. *S. f. Bras. RJ.* Erva da família das solanáceas (*Cyphomandra fraxinella*), de folhas imparipenadas, com oito folíolos lanceolados, acuminados, flores vistosas, violáceo-pálidas, arranjadas em cimeiras racemiformes longamente pedunculadas, e frutos que são bagas globosas, verdes e com manchas brancas. [Pl.: *unhas-de-veado.*]

unha-de-velha. *S. f. Bras.* Molusco bivalve, da família dos sanguinolarídeos (*Tagelus plebeius* Sol.), da costa atlântica, de concha alongada, delgada, com perióstraco castanho. Vive enterrado em lama ou areia, suportando bem a água de baixa salinidade. [Pl.: *unhas-de-velha.*]

unha-de-velho. *S. m. Bras.* Molusco da família dos solenídeos. [Pl.: *unhas-de-velho.*]

unha-do-olho. *S. f.* V. *pterígio.* [Pl.: *unhas-do-olho.*]

unhamento. *S. m.* **1.** Ato ou efeito de unhar(-se). **2.** A parte unhada do bacelo.

unha-no-olho. *S. f. V. pterígio.* [Pl.: *unhas-no-olho.*]

unhão. *S. f. Bras.* **1.** *Fam.* Unha grande; unhona. **2.** *Marinh.* Emenda de dois cabos formando uma espécie de pinha.

unhar. *V. t. d.* **1.** Ferir ou riscar com as unhas; arranhar, agatanhar: "Sentia uma coisa, aqui, nos peitos — que nem lhe digo! — uma zumideira nos ouvidos, uma ganância de u n h a r a cara delas" (Nélson de Faria, *Bazé*, p. 92). **2.** Marcar ou assinalar com um risco de unha: "Ao ler uma novela de Camilo, *Madalena* u n h o u o arcaísmo do verbo *soer, costumar*" (Mário Barreto, *De Gramática e de Linguagem*. I, p. 159). **3.** Colocar (o bacelo) na manta e aconchegá-lo com terra no lugar em que há de criar raízes. **4.** *Bras.* Roubar, furtar, surripiar. *Int.* **5.** *Mar.* Prender-se (a âncora) no fundo do mar, normalmente, pela unha. **6.** *Bras., S. Gír.* V. *fugir* (1 e 2). *P.* **7.** Ferir-se com a(s) unha(s); arranhar-se, agatanhar-se.

unhas. [Pl. de *unha.*] *S. m. 2 n.* V. *avaro* (3). ~ V. *unha.*

unhas-de-fome. *S. 2 g. e 2 n.* V. *avaro* (3).

unheira. [De *unha* + *-eira.*] *S. f. Bras., RS.* V. *cuera.*

unheiro. [De *unha* + *-eiro.*] *S. m.* Paroníquia [q. v.], especialmente o superficial; gavarro.

unheirudo. *Adj. Bras., RS.* Que sofre de unheira.

unhona. *S. f.* Unhão (1).

▲**uni-.** [Do lat. *unus, a, um.*] *El. comp.* = 'um': *unípara, unilíngüe, uníssono.*

unialado. [De *uni-* + *alado.*] *Adj.* Que tem uma só asa.

união. [Do lat. *unione.*] *S. f.* **1.** Ato ou efeito de unir(-se); junção, ligação, adesão. **2.** Junção de duas coisas ou pessoas. **3.** Contato, justaposição. **4.** Pacto, aliança, liga. **5.** Reunião de forças, de vontades, etc.; coesão, unidade: *Sem* u n i ã o *não venceremos; A* u n i ã o *faz a força.* **6.** Ligação conjugal; casamento, consórcio. **7.** Coito de animais; cruzamento. **8.** Concórdia, harmonia. **9.** V. *confederação* (2). **10.** Reunião de Estados que desfrutam de certa autonomia, mas estão subordinados a um governo central: *A União das Repúblicas Socialistas Soviéticas.* **11.** No Brasil, o governo federal: o *Tribunal de Contas da União.* **12.** Esforço moral ou intelectual empregado pelos místicos para se unirem à idéia ou objeto que lhes ocupa a mente. **13.** *Mat.* Conjunto de todos os elementos pertencentes a pelo menos um de dois ou mais conjuntos; conjunto união, soma, reunião. **14.** *Bras.* Peça metálica, com a parte central mais alta, e sextavada, que se emprega para unir dois canos. ◆ **União hipostática.** *Rel.* União do Verbo Divino com a natureza humana em uma só e única pessoa.

união-vitoriense. *Adj. 2 g.* **1.** De, ou pertencente ou relativo a União da Vitória (PR). ● *S. 2 g.* **2.** Natural ou habitante de União da Vitória. [Pl.: *união-vitorienses.*]

uniarticulado. [De *uni-* + *articulado.*] *Adj. Zool.* Que tem uma só articulação.

uniaxial (cs). [De *uni-* + *axial.*] *Adj. 2 g.* **1.** Que tem um só eixo. **2.** *Crist.* Que só tem um eixo óptico. **3.** *Crist.* Diz-se de direção que não tem dupla refração.

unicameral. [Do ingl. *uni-cameral.*] *Adj. 2 g.* Diz-se do sistema de representação política em que há somente uma câmara legislativa.

unicameralidade. *S. f.* Qualidade de unicameral.

unicapsular. [De *uni-* + *capsular.*] *Adj. 2 g. Morfol. Veg.* Que tem uma só cápsula.

unicarpelar. [De *uni-* + *carpelar.*] *Adj. 2 g. Morfol. Veg.* Que tem um só carpelo.

unicaule. [Do lat. *unicaule.*] *Adj. 2 g. Morfol. Veg.* Que tem um só caule.

unicelular. [De *uni-* + *celular.*] *Adj. 2 g. Biol.* Que tem uma só célula, ou que é formado de uma só célula.

unicidade. *S. f.* Qualidade ou estado de único.

unicismo. *S. m.* Linha terapêutica da homeopatia (1) que preconiza a administração de um só remédio, e que visa, basicamente, a identificação do paciente e do remédio que lhe corresponde, mediante o princípio da similitude (2).

unicista. *Adj. 2 g.* **1.** Pertencente ou relativo ao unicismo. **2.** Que adota o unicismo. ● *S. 2 g.* **3.** Pessoa que exerce o unicismo.

único. [Do lat. *unicu.*] *Adj.* **1.** Que é só um. **2.** De cuja espécie não existe outro. **3.** Exclusivo; excepcional. **4.** A que nada é comparável: "O rapaz .... , de uma calma ú n i c a, não se desconcertou." (Nélio Reis, *Subúrbio*, p. 93.) **5.** Superior a todos os demais. **6.** *Filos.* Diz-se de ser com quem nenhum outro se identifica. **7.** *Filos.* Diz-se de indivíduo lógico que é membro de uma classe de um só indivíduo. ~ V. *filho — de mãe viúva* e *mão — a.*

unicolor (ô). [Do lat. *unicolore.*] *Adj. 2 g.* Que tem só uma cor; monocromo. [Cf. *onicolor.*]

unicorne. [Do lat. *unicorne.*] *Adj. 2 g.* **1.** Que só tem um corno ou ponta. ● *S. m.* **2.** V. *unicórnio* (1). **3.** *Bras.* V. *anhuma*: "O u n i c o r n e denunciava a sua presença nas várzeas da beira do rio, cortando o ar com as vibrações da voz sonora e potente" (Inglês de Sousa, *O Missionário*, p. 244).

unicórnio. [De *unicorne* + *-io*[2].] *S. m.* **1.** Designação dada ao rinoceronte de um só corno; unicorne, monoceronte. **2.** Substância do chifre desse animal: "uma sobrecasaca bem justa, um peito largo, bengala de u n i c ó r n i o, e um andar firme e senhor" (Machado de Assis, *Quincas Borba*, p. 254). **3.** Licorne (1). **4.** *Bras.* V. *anhuma.* **5.** *Astr.* Constelação equatorial, ao S. dos Gêmeos, a O. do Cão Menor e da Hidra, a E. de Órion, e ao N. do Cão Maior e da Popa.

unicursal. *Adj. 2 g. Geom.* Diz-se de curva que não tem pontos múltiplos.

unicúspide. [De *uni-* + *cúspide.*] *Adj. 2 g.* Que tem uma só ponta.

unidade. [Do lat. *unitate.*] *S. f.* **1.** Quantidade que se toma arbitrariamente para termo de comparação entre grandezas da mesma espécie. **2.** O número um. **3.** Princípio da numeração. **4.** Qualidade do que é um ou único ou uniforme. **5.** Qualidade daquilo que não pode ser dividido: *a* u n i d a d e *política ou territorial de um país.* **6.** Homogeneidade; igualdade, identidade, uniformidade: u n i d a d e *de movimentos, de idéias.* **7.** Coordenação ou harmonia das partes de uma obra literária, artística, científica, etc. **8.** Ação coletiva orientada para um mesmo fim; coesão, união. **9.** Aquilo que, num conjunto, numa espécie, etc., forma um todo completo: *as* u n i d a d e s *de uma federação; a* u n i d a d e *cirúrgica de um hospital; um edifício de apartamentos com 20* u n i d a d e s. **10.** Tropa de soldados destinados a manobrar juntos. **11.** Cada navio, na marinha de guerra. **12.** *Ecles.* Profissão da mesma fé e respeito aos mesmos chefes. **13.** *Filos.* Caráter do ser que é um em qualquer acepção. **14.** *Filos.* Caráter do ser que é uno. ◆ **Unidade amagat.** *Fís.* Unidade convencional utilizada para exprimir as relações entre a pressão, o volume e a temperatura de um gás, e que é igual ao produto da pressão pelo volume medido a 0ºC e sob uma atmosfera. **Unidade aritmética.** *Proc. Dados.* A parte do processador central que efetua operações aritméticas e lógicas. **Unidade aritmética e lógica.** *Proc. Dados.* Parte da unidade central de processamento [q. v.] que executa operações aritméticas e lógicas com os dados. **Unidade astronômica.** *Astr.* Unidade de distância, equivalente à distância média da Terra ao Sol, ou seja, 149.504.200 quilômetros. [Sigla: *UA.*] **Unidade central de controle.** *Proc. Dados.* Parte da unidade central de processamento [q. v.] que administra as operações de controle nas demais unidades de um sistema de computador. **Unidade central de processamento.** *Proc. Dados.* Parte principal de um computador que regula todas as interpretações e execuções das instruções a serem processadas por ele. É constituída fisicamente de circuitos integrados e composta pelos seguintes componentes físicos: unidade aritmética e lógica, unidade (central) de controle e registradores; processador, processador central. [Sigla (ingl.): *CPU.*] **Unidade c.g.s.** *Fís.* Qualquer unidade de medida do sistema c.g.s. **Unidade de ação.** *Teat.* Segundo Aristóteles [v. *aristotélico*], um dos três elementos constitutivos e necessários de toda obra dramática, em particular a tragédia [os outros dois elementos são a *unidade de tempo* (q. v.) e a *unidade de lugar* (q. v.)], cuja regra estabelece que a peça deve desenvolver uma única ação principal, à qual se devem subordinar todas as ações secundárias. **Unidade de entrada.** *Proc. Dados.* V. *input* (3). **Unidade de externa.** *Telev.* Conjunto de equipamentos transportável em veículo e que serve à gravação ou emissão de televisão fora do estúdio próprio; unidade móvel de TV. **Unidade de fita.** Equipamento cuja função é manipular uma fita magnética [q. v.], com a finalidade de ler ou gravar dados. **Unidade de impressão.** *Art. Gráf.* Cada um dos conjuntos independentes através dos quais passa o papel, nas rotativas, e que são integrados por jogos de cilindros, para tiragem e retiração, aparelho de tintagem, e, no caso do ofsete, umedecedor e cilindro de borracha; grupo de impressão. **Unidade de lugar.** *Teat.* Regra dramática concebida por Aristóteles [v. *aristotélico*], segundo a qual toda a ação da peça deve ocorrer num mesmo local ou, no máximo, numa mesma cidade. [V. *unidade de ação* e *unidade de tempo.*] **Unidade de tempo.** *Teat.* No antigo teatro grego, regra dramática segundo a qual a ação da peça deve decorrer no espaço de um dia. [V. *unidade de ação* e *unidade de lugar.*] **Unidade eletromagnética.** *Fís.* Qualquer unidade do sistema c.g.s. eletromagnético. [Sigla: *u.e.m.*] **Unidade M.K.S.** *Fís.* Qualquer unidade de medida do sistema M.K.S. **Unidade monetária.** Moeda que serve de base, pelo valor e peso, a um sistema monetário [q. v.]. **Unidade móvel.** Conjunto e equipamentos técnicos, adaptados em um veículo (carro, caminhão, vagão ferroviário, barco, etc.), que serve à realização de atividade de gravação, ensino, etc., fora do espaço físico criado para a atividade determinada. **Unidade móvel de TV.** *Telev.* Unidade de externa. **Unidade SI.** *Fís.* Qualquer unidade de medida do sistema internacional. **Unidade unificada de massa atômica.** *Fís.* Unidade de medida de massa de partículas, átomos e moléculas, igual a 1/12 da massa de um átomo do isótopo 12 do carbono, e que vale $1,66032 \times 10^{-27}$ kg. [Símb.: *u.*] **Unidade X.** *Fís.* Unidade de medida de comprimento de onda utilizada em técnica de raios X, e igual a $1,00202 \times 10^{-13}$ m.

unidimensional. [De *uni-* + *dimensional.*] *Adj. 2 g.* Que tem ou envolve uma só dimensão.

unidirecional. [De *uni-* + *direcional.*] *Adj. 2 g.* **1.** Que se move ou flui numa só direção: *corrente elétrica* u n i d i r e c i o n a l. **2.** *Fig.* Que tem ou envolve uma só direção: *política* u n i d i r e c i o n a l. **3.** Que capta sons provenientes de uma única direção. [Cf. *onidirecional.*]

unido. [Part. de *unir.*] *Adj.* **1.** Que se uniu; junto, ligado. **2.** Que está em contato. **3.** Concomitante, simultâneo.

unifamiliar. [De *uni-* + *familiar.*] *Adj. 2 g.* Que se destina, ou serve, a uma só família: *residência* u n i f a m i l i a r. ~ V. *edificação —.*

unificação. *S. f.* Ato ou efeito de unificar(-se).

unificado. [Part. de *unificar.*] *Adj.* Que foi objeto de unificação. ~ V. *constante — a de massa atômica* e *unidade — a de massa atômica.*

unificador (ô). *Adj.* e *s. m.* Que ou aquele que unifica.

unificar. [De *uni-* + *-ficar.*] *V. t. d.* **1.** Reunir em um todo ou em um só corpo; tornar uno: *Foi-lhe fácil fazer o livro: bastou-lhe* u n i f i c a r *velhos escritos.* **2.** Fazer convergir para um só fim: U n i f i c o u *as várias tendências;* "Privado de seu porta-voz doutrinário, o grupo romântico de Victor Hugo e Alexandre Guiraud já não tinha como enfrentar a reação dos acadêmicos e prosseguir no esforço de u n i f i c a r o movimento de renovação literária" (Melo Nóbrega, *O Soneto de Arvers*, p. 7). *P.* **3.** Tornar-se um; reunir-se em um só todo; unir-se; conglobar-se: *Os vários movimentos* u n i f i c a r a m - s e; "Depois foi um tempestuar infrene, temulento de carícias ferozes, em que os corpos se conchegavam, se fundiam, s e u n i f i c a v a m" (Júlio Ribeiro, *A Carne*, p. 211). [Conjug.: v. *trancar.*]

unificável. *Adj. 2 g.* Que pode ser unificado.

unifilar. [De *uni-* + *-fil(i)-* + *ar*[1].] *Adj. 2 g.* Que tem apenas um fio.

unifloro. [De *uni-* + *-floro.*] *Adj. Morfol. Veg.* Que tem uma só flor: *pedúnculo* u n i f l o r o.

unifólio. [De *uni-* + *-fólio.*] *Adj. Morfol. Veg.* Unifoliolado.

unifoliolado. [De *uni-* + *foliolado.*] *Adj. Morfol. Veg.* Que tem um folíolo; unifólio.

uniformar. *V. t. d.* e *p. P. us.* Uniformizar.

uniforme. [Do lat. *uniforme.*] *Adj. 2 g.* **1.** Que só tem uma forma. **2.** Que não varia. **3.** Semelhante, análogo, idêntico. **4.** *Gram.* V. *comum-de-dois.* ● *S. m.* **5.** Farda ou vestuário confeccionado segundo modelo oficial e comum, para uma corporação, classe, grupo de funcionários, etc. **6.** Vestimenta padronizada para determinada categoria de indivíduos: "O motorista de *u n i f o r m e* debruado tirou o boné em curva homenageante." (Genolino Amado, *O Reino Perdido,* p. 31.) **7.** O conjunto do fardamento, insígnias de posto, graduação, função ou especialização, e de condecoração, em uso pelos militares: *Via-se no retrato um capitão em u n i f o r m e de gala; Ali era obrigatório o u n i f o r m e de campanha.* **8.** *Bras., N.E.* V. *terno*[1] (4). [Cf. *oniforme.*]

uniformidade. [Do lat. *uniformitate.*] *S. f.* **1.** Qualidade do que é uniforme. **2.** Falta de variedade; monotonia. **3.** Harmonia, coerência.

uniformização. *S. f.* Ato ou efeito de uniformizar(-se).

uniformizado. [Part. de *uniformizar.*] *Adj.* **1.** Tornado uniforme (1 e 2). **2.** Vestido de uniforme (5 a 7).

uniformizador (ô). *Adj.* e *s. m.* Que ou aquele que uniformiza.

uniformizar. *V. t. d.* **1.** Tornar uniforme: *Os governos u n i f o r m i z a r a m o sistema de medidas.* **2.** Fazer vestir de uniforme: *U n i f o r m i z o u os escolares. P.* **3.** Vestir uniforme. [Sin. ger., p. us.: *uniformar.*]

unigênito. [Do lat. *unigenitu.*] *Adj.* **1.** Único gerado por seus pais. ● *S. m.* **2.** Filho único: "Em casa dos avós ficara a pequena Violante, *u n i g ê n i t a* da breve e malograda união." (Eduardo Frieiro, *O Mameluco Boaventura,* p. 63.) **3.** O cognome de Cristo.

unijugado. [De *unijugo* + *-ado*[2].] *Adj.* Que forma um único par.

unijugo. [Do lat. *unijugu,* 'sustentado por uma só estaca'.] *Adj. Morfol. Veg.* Diz-se da folha composta que só tem um par de folíolos.

unilabiado. [De *uni-* + *labiado.*] *Adj. Morfol. Veg.* Diz-se de corola que tem só um lábio ou lóbulo principal.

unilateral. [De *uni-* + *lateral.*] *Adj. 2 g.* **1.** Situado de um único lado. **2.** Que vem de um lado só. ~ V. *contrato* —.

unilateralidade. *S. f.* Qualidade de unilateral; parcialidade, unilateralismo.

unilateralismo. [De *unilateral* + *-ismo.*] *S. m.* Unilateralidade.

unilíngüe. [De *uni-* + a term. de palavras como *bilíngüe, multilíngüe.*] *Adj. 2 g.* Escrito em uma só língua: "Na estante, ele [o tradutor] teria suas obras de consulta permanente: gramáticas e dicionários. Entre as últimas, o lugar de honra não caberia aos bilíngües, mas sim aos *u n i l í n g ü e s,* esses a que Larbaud chama livros consulares" (Paulo Rónai, *Escola de Tradutores,* p. 42). [Cf. *onilíngüe.*]

unilobado. [De *uni-* + *lobado.*] *Adj.* Que só tem um lobo.

unilobulado. [De *uni-* + *lobulado.*] *Adj.* Que só tem um lóbulo.

unilocular. [De *uni-* + *locular.*] *Adj. 2 g.* **1.** *Biol. Ger.* Que tem só uma cavidade. **2.** *Biol. Ger.* Cuja cavidade não apresenta separações interiores. **3.** *Morfol. Veg.* Que só tem um lóculo: *cápsula u n i l o c u l a r.*

unilóquo (co). [De *uni-* + a term. de palavras como *grandíloquo.*] *Adj.* Que exprime o sentimento ou a vontade duma só pessoa.

unímano. [De *uni-* + *-mano*[2].] *Adj.* Que tem uma só mão.

unimetalismo. [De *uni-* + *metal* + *-ismo.*] *S. m.* Sistema monetário em que se emprega como moeda um só metal.

unimetalista. *Adj. 2 g.* **1.** Relativo ao, ou que é partidário do unimetalismo. ● *S. 2 g.* **2.** Partidário dele.

unímodo. [De *uni-* + *modo.*] *Adj.* Que é de uma só maneira ou modo; uniforme. [Cf. *onímodo.*]

uninervado. [De *uni-* + *nervado.*] *Adj. Morfol. Veg.* Uninérveo.

uninérveo. [De *uni-* + *nérveo.*] *Adj. Morfol. Veg.* Que tem uma nervura, a central; uninervado.

uninominal. [De *uni-* + *nominal.*] *Adj. 2 g.* **1.** Referente a um só nome. **2.** Que contém só um nome.

unioculado. [De *uni-* + *oculado.*] *Adj.* Que tem só um olho.

unionense[1]. *Adj. 2 g.* **1.** De, pertencente ou relativo a União (PI). ● *S. 2 g.* **2.** Natural ou habitante de União.

unionense[2]. *Adj. 2 g.* **1.** De, pertencente ou relativo a Porto União (SC). ● *S. 2 g.* **2.** Natural ou habitante de Porto União.

unionismo. *S. m.* **1.** Sistema, princípio ou doutrina que preconiza a união (de forças, partidos, indivíduos, etc.). **2.** Sistema que preconiza a união das Igrejas cristãs.

unionista. *Adj. 2 g.* **1.** Relativo ao, ou que é partidário do unionismo. ● *S. 2 g.* **2.** Partidário do unionismo.

uniovulado. [De *uni-* + *ovulado.*] *Adj. Morfol. Veg.* Que só tem um óvulo no ovário.

uníparo. [De *uni-* + *-paro.*] *Adj.* **1.** Diz-se das fêmeas que parem só um filho de cada vez. **2.** *Morfol. Veg.* Que só gera um membro (uma flor, etc.).

unipedal. [De *unípede* + *-al.*] *Adj. 2 g.* **1.** Que só tem um pé; unípede. **2.** Referente a um só pé.

unípede. [Do lat. *unipede.*] *Adj. 2 g.* Unipedal (1).

unipessoal. [De *uni-* + *pessoal.*] *Adj. 2 g.* **1.** Referente a uma só pessoa. **2.** Que consta de uma só pessoa. ~ V. *Verbo* —. [Cf. *onipessoal.*]

unipétalo. [De *uni-* + *-pétalo.*] *Adj. Morfol. Veg.* Que tem uma só pétala.

unipolar. [De *uni-* + *polar.*] *Adj. 2 g.* Que tem só um pólo. ~ V. *transistor* —.

unir. [Do lat. *unire.*] *V. t. d.* **1.** Tornar em um só; unificar: *Em 1974 o Governo decidiu u n i r a Guanabara e o Estado do Rio.* **2.** Juntar, atar, ligar: *u n i r dois pedaços de corda.* **3.** Estabelecer comunicação entre; ligar, comunicar: *Por muito tempo as expedições do Velho Mundo buscaram uma passagem que u n i s s e o Atlântico e o Pacífico.* **4.** Tornar unido, ligar (pessoas): *A guerra u n i u todos os cidadãos.* **5.** Ligar afetivamente: *U n e -os o amor.* **6.** Conciliar, harmonizar, reunir: *u n i r pessoas desavindas.* **7.** Ligar pelo matrimônio; matrimoniar, casar: *U n i u -os um velho bispo.* **8.** Fazer aderir; juntar: *U n i u a peça partida.* **9.** Ligar, associar: *O mercado Comum Europeu u n i u economicamente vários países. T. d. e i.* **10.** Ligar, associar: *O tratado u n i u vários Estados à Federação.* **11.** Aconchegar, aproximar: *U n i u ao peito a criança chorosa.* **12.** Aliar, combinar, reunir: "*U n i n d o* à mocidade a formosura, / A tua estátua esplende na postura / Impassível e clássica de Marte." (Martins Fontes, *Verão,* p. 17.); *U n i a o ardor com a frieza nas lutas que empreendia.* **13.** Ajuntar, misturar: *A cozinheira u n i u a abóbora ao quiabo. Int.* **14.** Ligar-se, ajuntar-se; aderir: *A cola do envelope não u n e bem. P.* **15.** Ligar-se (por afeto, casamento ou interesse): "Tinham morrido todos em sua casa, mãe, irmão, pai. A família *u n i r a - s e* no propósito de fazê-las vir para o Sul." (Oswald de Andrade, *Um Homem sem Profissão,* p. 108.) **16.** Combinar-se, aliar-se, reunir-se: *Unem-se, nela, a simplicidade e a graça;* O som das flautas pastorais *u n i a - s e* / Ao balar infantil dos cordeirinhos..." (Eugênio de Castro, *Obras Poéticas,* V, p. 49). **17.** Juntar-se ou reunir-se em um lado só; conglobar-se, unificar-se: *As várias facções u n i r a m - s e.* **18.** Fechar-se, cerrar-se. **19.** Abraçar-se; estreitar-se: "ao canto do salão, / O mesmo par azul *u n i a - s e* num beijo..." (Júlio Dantas, *Sonetos,* p. 21). [Pres. ind.: *uno,* etc. Cf. *huno.*]

unirreme. [Do lat. *uni-* + lat. *remu,* 'remo'; 'braço, perna, pata'.] *Adj. 2 g. Zool.* Diz-se das patas dos crustáceos não bifurcadas.

unissex (cs). [Do ingl. *unisex.*] *Adj. 2 g.* e *2 n.* Diz-se da roupa, peça de roupa, penteado, etc., que pode ser usado indistintamente tanto por homem como por mulher.

unissexuado (cs). [De *uni-* + *sexuado.*] *Adj.* **1.** Unissexual. **2.** *Morfol. Veg.* Diz-se da flor que só tem ou androceu ou gineceu, sendo, pois, masculina ou feminina.

unissexual (cs). [De *uni-* + *sexual.*] *Adj. 2 g.* **1.** Que tem só um sexo; unissexuado.

unissonância. [De *uni-* + *sonância.*] *S. f.* **1.** Qualidade de uníssono. **2.** Conjunto de sons uníssonos. **3.** Melodia, musicalidade. **4.** Uniformidade fastidiosa; monotonia.

unissonante. [De *uni-* + *sonante.*] *Adj.* Uníssono (1 e 2).

uníssono. [De *uni-* + *-sono.*] *Adj.* **1.** Diz-se do som que tem a mesma altura (12) que outro; unissonante. **2.** Diz-se daquilo que tem o som uníssono; unissonante: *vozes u n í s s o n a s;* "Clamores *u n í s s o n o s* saudaram a vitória." (Rebelo da Silva, *Contos e Lendas,* p. 184). ● *S. m.* **3.** Conjunto de sons que têm a mesma altura (12). **4.** *Mús.* Ausência de intervalo entre dois sons emitidos simultaneamente. ◆ **Em uníssono. 1.** Com emissão de sons uníssonos [v. *uníssono* (1)]. **2.** *Fig.* No mesmo tom; ao mesmo tempo: *O povo respondeu e m u n í s s o n o ao chamado dos líderes.* [Sin. ger.: *em uníssono com.*]

Em uníssono com. V. *em uníssono:* "Os seus sentidos vibravam *e m u n í s s o n o c o m* a música estrídula, a luz violenta, o desejo bruto dos homens." (Maria Archer, *Fauno Sovina,* p. 206).

unissulcado. [De *uni-* + *sulcado.*] *Adj.* Que apresenta um sulco apenas.

unitário. [Do lat. *unitariu.*] *Adj.* **1.** Da unidade, ou relativo a ela. **2.** Relativo à unidade política de um país. ~ V. *afastamento* —, *preço* — e *processo* —. ● *S. m.* **3.** Sectário do unitarismo. **4.** Partidário da unidade, da centralização, em política.

unitarismo. [De *unitário* + *-ismo.*] *S. m.* Seita protestante do séc. XVI, que negava o dogma da Trindade, reconhecendo em Deus uma só pessoa.

unitarista. *Adj. 2 g.* **1.** Relativo ao, ou que é partidário do unitarismo. ● *S. 2 g.* **2.** Partidário desta seita.

uniteco. *Adj. Morfol. Veg.* Monoteco.

unitivo. [Do lat. *unitu,* 'unido', + *-ivo.*] *Adj.* Próprio para unir ou para se unir. ~ V. *vida* —*a.*

unitização. *S. f.* Ato ou efeito de unitizar.

unitizar. *V. t. d. Mar. Merc.* Reunir (cargas de diversas naturezas) num só volume, para fins de transporte.

univalve. [De *uni-* + *-valve.*] *Adj. 2 g.* **1.** Diz-se da concha de molusco constituída de uma só peça. **2.** *Morfol. Veg.* Diz-se do fruto que se abre de um lado só.

univalvular. [De *unir-* + *valvular.*] *Adj. 2 g. Morfol. Veg.* Diz-se dos frutos unicarpelares que na deiscência se abrem por uma só fenda longitudinal, como sucede com os folículos.

universal. [Do lat. *universale.*] *Adj. 2 g.* **1.** Relativo ou pertencente ao universo, ao cosmo. **2.** Que abarca toda a Terra, que se estende a tudo ou por toda parte; mundial: *O resfriamento gradativo do planeta é um fenômeno u n i v e r s a l; Atualmente eletricidade é de aplicação u n i v e r s a l.* **3.** Comum a todos os homens, ou a um grupo dado: *história u n i v e r s a l; língua u n i v e r s a l.* **4.** Que é aplicável a tudo: *A dialética é um método u n i v e r s a l.* **5.** Que advém de todos; geral: "Espanto *u n i v e r s a l* dos cocheiros: onde é que se viu burro andar sem chicote?" (Machado de Assis, *A Semana,* I, p. 145.) **6.** Que não se atém a uma especialidade; que abrange quase por inteiro um campo de conhecimentos, de idéias, de aptidões, etc.: *Seu espírito u n i v e r s a l o põe acima das paixões partidárias.* **7.** Diz-se de alguém a quem se abribuíram totalmente direitos ou deveres: *herdeiro u n i v e r s a l; representante u n i v e r s a l.* **8.** Que é adaptável ou ajustável de modo que possa atender a diferentes necessidades (de utilização, tamanho, forma, etc.); *bitola u n i v e r s a l.* **9.** Ecumênico (1). **10.** *Lóg.* Diz-se de atributo que convém a todos os indivíduos de uma classe. **11.** *Lóg.* Diz-se de termo (14) tomado em toda a sua extensão. ~ V. *componedor* —, *exposição* —, *hora* —, *juízo* —, *proposição* —, *proposição* — *afirmativa, proposição* — *negativa, sufrágio* — e *tempo* —. ● *S. m.* **12.** Aquilo que é universal; geral: *Na obra de Cervantes o u n i v e r s a l transcende os episódios relatados.* **13.** *Filos.* O conjunto dos seres ou das idéias que, numa dada circunstância, estão sendo tomados em consideração. **14.** *Jur.* Complexo de coisas singulares, suscetível de apreciação econômica, e que constitui um ser coletivo totalmente distinto dos seus elementos componentes.

universalidade. [Do lat. *universalitate.*] *S. f.* Qualidade de universal; totalidade, universidade, catolicidade.

universalismo. *S. m.* **1.** Opinião que não aceita outra autoridade senão o consentimento universal. **2.** Tendência para universalizar uma idéia, obra, sistema, etc. **3.** Cosmopolitismo (2).

universalista. *Adj. 2 g.* **1.** Relativo ao, ou que é partidário do universalismo (1) ou tem universalismo (2 e 3). ● *S. 2 g.* **2.** Pessoa partidária do universalismo (1), ou que tem universalismo (2).

universalização. *S. f.* Ato ou efeito de universalizar(-se).

universalizador (ô). *Adj.* e *s. m.* Que ou aquele que universaliza.

universalizar. *V. t. d.* **1.** Tornar universal; generalizar: *As gerações moças vêm u n i v e r s a l i z a n d o novos hábitos e costumes. T. d. e i.* **2.** Tornar comum: *Cumpre u n i v e r s a l i z a r o ensino aos desfavorecidos. P.* **3.** Tornar-se universal; generalizar-se.

universalizável. *Adj. 2 g.* Que se pode universalizar.

universidade. [Do lat. *universitate.*] *S. f.* **1.** Universalidade. **2.** Instituição de ensino superior que compreende um conjunto de faculdades ou escolas para a especialização profissional e científica, e tem por função precípua garantir a conservação e o progresso nos diversos ramos do conhecimento, pelo ensino e pela pesquisa. **3.** *P. ext.* Edificação ou conjunto de edificações onde funciona essa instituição. **4.** O pessoal docente, discente e administrativo da universidade (2): *A U n i v e r s i d a d e compareceu em peso às últimas homenagens ao seu reitor.*

universitário. *Adj.* **1.** Relativo a, ou próprio de universidade (2 a 4). **2.** Que leciona ou estuda na universidade (2). ● *S. m.* **3.** Professor ou aluno universitário.

universitarismo. *S. m.* Espírito universitário.

universo. [Do lat. *universu.*] *S. m.* **1.** O conjunto de tudo quanto existe (incluindo-se a Terra, os astros, as galáxias e toda a matéria disseminada no espaço), tomado como um todo; o cosmo, o macrocosmo. **2.** O sistema solar: *Acreditavam os antigos que o Sol era o* *centro do Universo*. **3.** A Terra, o mundo. **4.** Os habitantes da Terra. **5.** Mundo (4 e 5). **6.** *Fig.* O âmbito em que algo existe ou ocorre; o ambiente preferido; mundo: *O seu universo é o teatro*. **7.** *Fig.* Aquilo que se compõe de partes harmonicamente encadeadas; um todo. **8.** *Fig.* Domínio moral ou material comparável ao Universo. **9.** *Estat.* População (6). ● *Adj.* **10.** Universal. ♦ **Universo de Einstein.** *Cosm.* Modelo de Universo estático com constante cosmológica positiva, cujo raio de curvatura é constante e independente do tempo. **Universo de Friedmann.** *Cosm.* Modelo homogêneo e isotrópico de Universo, que envolve soluções não estáticas, ou seja, com expansão e contração, para as equações de Einstein (com constante cosmológica nula), e que foi calculado pelo astrônomo soviético A. Friedmann (1888-1925) em 1922. **Universo dinâmico.** *Astr.* O concebido pelas teorias cosmológicas que admitem serem variáveis as dimensões do Universo. [Opõe-se a *universo estático*.] **Universo do discurso.** *Filos.* Conjunto de todos os elementos implicados num julgamento ou raciocínio, ou no que está em questão. **Universo em expansão.** O fato de a distância média que separa os objetos no Universo estar, pelo menos aparentemente, aumentando. **Universo estático.** *Astr.* O concebido pelas teorias cosmológicas que admitem serem constantes as dimensões do Universo. [Opõe-se a *universo dinâmico*.] **Universo visível.** *Astr.* O conjunto de todos os astros observáveis pelo homem.

universo-ilha. *S. m. Astr.* V. *galáxia* (2). [Pl.: *universos-ilhas*.]

univitelino. [De *uni-* + *vitelino*.] *Adj. Genét.* Diz-se de gêmeos que provêm do mesmo óvulo.

univocidade. *S. f.* Qualidade de unívoco.

unívoco. [Do lat. *univocu*.] *Adj.* **1.** *Filos.* Diz-se de palavra, conceito ou atributo que se aplica a sujeitos diversos de maneira absolutamente idêntica. **2.** Que só comporta uma forma de interpretação. **3.** Que é homogêneo, uníssono ou homônimo. ~ V. *função —a* e *operação —a*.

uno. [Do lat. *unu*.] *Adj.* **1.** Singular, um, único: "A América é, ao mesmo tempo, una, tríplice e múltipla, conforme o ponto de vista em que nos colocarmos." (Alceu Amoroso Lima, *A Realidade Americana*, p. 247.) **2.** *Filos.* Diz-se de ser que não tem partes. **3.** *Filos.* Diz-se de ser no qual se podem distinguir partes que, não obstante, se organizam numa totalidade orgânica e não se podem separar sem que o ser mesmo se destrua. [Cf. *huno*.]

▲-uno. *El. comp.* = 'proveniência', 'origem': *franduno*.

unóculo. [Do lat. *unoculu*.] *Adj. e s. m.* Que ou aquele que tem um só olho: "resolvi publicar tais *preleções*, que bem podem aproveitar .... a quem desconhecer o idioma do unóculo de Macau [Camões]." (Machado de Assis, *Crônicas*, I, p. 188).

uns. [Pl. de *um*.] *Pron. indef.* **1.** Umas ou algumas pessoas; alguns: "Uns tomam éter, outros cocaína." (Manuel Bandeira, *Estrela da Vida Inteira*, p. 103). **2.** Certa quantidade indeterminada de; alguns: "Tive uns dinheiros — perdi-os..." (Id., *ib.*, p. 103.) **3.** Mais ou menos; pouco mais ou menos; aproximadamente (quando antes de um numeral cardinal): "Homem de uns setenta anos" (Luís Luna, *Lampião e Seus Cabras*, p. 41); "O barão Rosenville .... habitou uns dois anos o nosso litoral." (Alfredo Brandão, *Crônicas Alagoanas*, p. 106). [Cf. *um*.]

untadela. *S. f.* Ato de untar de cada vez, ou levemente.

untador (ô). *Adj. e s. m.* Que ou aquele que unta.

untadura. [De *untar* + *-(d)ura*.] *S. f.* V. *untura* (1).

untanha. *S. f. Bras.* V. *intanha*.

untar. *V. t. d.* **1.** Aplicar óleo ou unto a; friccionar ou esfregar com unto; fomentar com óleo ou qualquer gordura; ungir: "Os Pica-paus hospedaram Nanette numa casa abjeta, onde mulheres de baixa esfera .... a untaram de um creme afrodisíaco." (Vitorino Nemésio, *O Mistério do Paço do Milhafre*, p. 321.) **2.** Engordurar, besuntar.

unto. [Do lat. *unctu*, 'óleo'.] *S. m.* **1.** Banha ou gordura de porco. **2.** *P. ext.* Gordura, banha, óleo. **3.** V. *ungüento* (1). **4.** *Bras., RJ. Pop.* V. *dinheiro* (3).

untuosidade. *S. f.* Qualidade ou estado de untuoso.

untuoso (ô). *Adj.* **1.** Em que há unto ou gordura; gorduroso. **2.** Lubrificado, escorregadio: "E eu vou andando, cheio de chamusco, / Com a flexibilidade de um molusco, / Úmido, pegajoso e untuoso ao tacto!" (Augusto dos Anjos, *Eu*, p. 81). **3.** *Fig.* Suave, macio, meigo, melífluo. **4.** *Fig.* e *deprec.* Diz-se de quem tem gestos e atitudes bajuladoras, subservientes, e voz melíflua. **5.** *Fig.* e *deprec.* Que é próprio de indivíduo untuoso (4).

untura. [Do lat. *unctura*.] *S. f.* **1.** Ato ou efeito de untar; unção, untadura. **2.** V. *ungüento* (1). **3.** *Fig.* Ação ou série de atos superficiais. **4.** *Bras., RS.* Mistura de sebo, carvão moído e outras substâncias, usada como remédio nas unheiras das cavalgaduras.

upa. *S. f.* **1.** Salto brusco: "O filho único de Romão dos Santos recebeu em upas de alegrias a notícia da sua incapacidade para soletrar nomes de três sílabas." (Camilo Castelo Branco, *Amor de Salvação*, p. 59.) **2.** Corcovo do cavalo. ● *Interj.* **3.** Próprio para incentivar um animal ou uma pessoa a levantar-se ou a subir: "Upa, upa, upa, cavalinho alazão" (da marcha *Upa, upa*, de Ari Barroso). **4.** Designa espanto, admiração: "Pierrot entra em salto súbito. / Upa! Que força o levanta?" (Manuel Bandeira, *Estrela da Vida Inteira*, p. 53.)

upanemense. *Adj. 2 g.* **1.** De, ou pertencente ou relativo a Upanema (RN). ● *S. 2 g.* **2.** Natural ou habitante de Upanema.

upanixade. [Do sânscr. *upanishad*, 'tratado filosófico'.] *S. m.* Texto filosófico composto entre os séc. VIII e IV a. C., anexado ao Veda [q. v.], e no qual se desenvolve a reflexão acerca do relacionamento entre Átmã e Brama; vedanta.

upar. *V. int. Bras.* Dar upas (o animal). [Cf. *opar*.]

upiúba. [Do tupi.] *S. f. Bras.* Árvore da região do Amazonas, cuja madeira é utilizada em construções.

➧up-to-date. (âp-tu-dêit'). [Ingl.] De acordo com a moda; moderno, atualizado.

▲ur-. [De *uréia*.] *El. comp.* = 'uréia': *uremia*. [Equiv.: *ure (o)-*: *ureômetro, uréase*.]

ura. [Do tupi *u'ra*.] *S. f. Bras.* **1.** V. *berne*[1]. **2.** *Bras., AM.* Malha redonda no pêlo da rês.

▲-ura. *Suf. nom.* = 'qualidade', 'estado ou modo de ser'; *alvura, grossura, doçura*.

uracaçu. [Do tupi.] *S. m. Bras.* V. *cancã*[2] (2).

uracil. *S. m. Genét.* Uma das bases nitrogenadas que compõem o ácido ribonucléico, e que se liga à adenina.

uraco. [Do gr. *ourachós*, 'ureter de feto'.] *S. m. Anat.* Canal que, no feto, liga a bexiga à alantóide, persistindo no adulto como um cordão fibroso.

uracrasia. [De *ur(o)-* + *acrasia*.] *S. f. Med.* Alteração da urina.

uraçu. [Do tupi, decerto.] *S. m. Bras.* V. *harpia* (3).

uraiense (a-i). *Adj. 2 g.* **1.** De, ou pertencente ou relativo a Uraí (PR). ● *S. 2 g.* **2.** Natural ou habitante de Uraí.

uraliano. *Adj.* **1.** Pertencente ou relativo aos montes Urais, cordilheira que separa a parte asiática e a parte européia da União Soviética, ou aos seus habitantes. **2.** Pertencente ou relativo às línguas que constituem um dos subgrupos uralo-altaicos. [Sin. ger.: *urálio*.]

urálio. *Adj.* **1.** Uraliano. ● *S. m.* **2.** *Ling.* V. *uralo-altaico* (3).

uralita. [Do top. *Ural* (U.R.S.S.) + *-ita*[3].] *S. f. Min.* Piroxênio alterado para anfibólio.

uralitização. [De um **uralitizar* < *uralita* + *-izar* + *-ção*.] *S. f.* Mudança do piroxênio em anfibólio por alteração.

uralitizado. *Adj.* Que sofreu uralitização.

▲uralo-. [De *urálio*.] *El. comp.* = 'uraliano': *uralo-altaico*.

uralo-altaico. [De *uralo-* + *altaico*.] *Adj.* **1.** Pertencente ou relativo aos montes Urais (Rússia) e aos montes Altai (Ásia Central). **2.** *Ling.* Pertencente ou relativo ao uralo-altaico (3). ● *S. m.* **3.** *Ling.* Grupo lingüístico que abrange dois grandes subgrupos: o urálio e o altaico. [O urálio é constituído por um grande conjunto de idiomas falados em regiões restritas, desde a costa setentrional da Noruega até além do rio Ienissei (Sibéria), e divide-se em dois ramos: **a)** o ugro-finês, representado principalmente pelo lapão, pelo finês (com o finlandês e o carélio) e pelo húngaro; **b)** o samoiedo, constituído pelas línguas siberianas. Ao altaico pertencem o turco, o mongol (falado na Rússia asiática, no Turquestão chinês e na Mongólia) e o manchu (falado na Manchúria, no N.O. do Irã e no N. do Afeganistão). Pl.: *uralo-altaicos*.]

urandiense. *Adj. 2 g.* **1.** De, ou pertencente ou relativo a Urandi (BA). ● *S. 2 g.* **2.** Natural ou habitante de Urandi.

urânia. [Do gr. *Ourania*, pelo lat. *Urania*, 'aquela que é celestial'; 'a musa da Astronomia'.] *S. f.* **1.** *Bras.* Designação comum às espécies de insetos lepidópteros da família dos uranídeos, especialmente do gênero *Urania* Fabr., da região neotrópica. Têm cores brilhantes: verde-esmeralda, azul-metálico, etc., com partes douradas ou avermelhadas. As asas posteriores têm um prolongamento caudiforme mais ou menos alongado. As espécies brasileiras são U. *brasiliensis* (Swains) e U. *leilus* (L.). **2.** *Quím.* Dióxido de urânio, sólido, castanho-escuro. [Fórm.: UO_2.]

uranídeo. [De *uran(o)-* + *-ídeo*.] *S. m.* **1.** Espécime dos uranídeos. ● *Adj.* **2.** Pertencente ou relativo a eles.

uranídeos. *S. m. pl. Zool.* Família de insetos da ordem dos lepidópteros, subordem dos heteróforos. São mariposas de cores vivas e brilhantes, lembrando borboletas diurnas; ocorrem na América tropical, em duas espécies no Brasil.

uranilo. *S. m. Quím.* Radical $UO_3{}^2$ que se encontra em composto de urânio.

uraninita. [Do ingl. *uraninite*.] *S. f. Min.* Mineral monométrico, uranato complexo de uranilo e chumbo, e que pode conter lantânio, tório, ítrio, etc.; pechblenda.

urânio. [Do astr. *Urano* (q. v.) + *-io*[2].] *S. m. Quím.* Elemento de número atômico 92, metálico, branco, denso, radioativo, fissionável, usado na produção de energia nuclear. [Símb.: *U*.]

uraniscoplastia. [De *uran(o)-* + *-i-* + *-scop-* + *-plast-* + *-ia*.] *S. f. Cir.* Uranoplastia.

uranismo. [Do al. *Uranismus* < mit. lat. *Urania* (gr. *Ouranía*), um dos epítetos de Afrodite, deusa grega do amor.] *S. m.* **1.** Inversão sexual. **2.** Homossexualismo masculino.

uranista. *Adj. 2 g. e s. 2 g.* Que ou quem tem a perversão do uranismo.

uranita. [De *uran(o)-* + *-ita*[3].] *S. f. Min.* Designação comum aos minerais ortorrômbicos do grupo das uranitas, os quais têm como representantes principais a *autunita*, fosfato de urânio e cálcio hidratado, e a *torbernita*, fosfato de urânio e cobre hidratado, e a *zeunerita*, arseniato de cobre e urânio hidratado.

Urano. [Do mit. gr. *Ouranós*, 'divindade que personificava o Céu, o Universo', atr. do lat. *Uranu*.] *S. m. Astr.* O sétimo planeta do sistema solar, pela ordem de afastamento do Sol, e, historicamente, o primeiro descoberto pelo homem. Foi seu descobridor, em 1781, o astrônomo inglês William Herschel (1738-1822). É visível a olho desarmado em boas condições de visibilidade, pois na oposição atinge a magnitude 5,8; seu diâmetro é pouco maior que quatro vezes o da Terra, a densidade de 4,5 vezes maior, e tem cinco satélites.

▲uran(o)-. [Do gr. *ouranós, oû*.] *El. comp.* = 'céu', 'universo', 'palato', 'urânio': *uranologia, uranografia, uranoplastia; uranita*.

uranografia. [De *uran(o)-* + *-graf(o)-* + *-ia*.] *S. f.* **1.** *Ant.* Astronomia; uranologia. **2.** *P. us.* Astrometria. **3.** *Fot.* Fotografia estelar ou astronômica.

uranográfico. *Adj.* **1.** *P. us.* Relativo à uranografia; astronômico. **2.** Referente à esfera das fixas.

uranógrafo. [De *uran(o)-* + *-grafo*.] *S. m. P. us.* V. *astrônomo*.

uranólito. [De *uran(o)-* + *-lito*.] *S. m. Astr.* V. *meteorito* (1).

uranologia. [De *uran(o)-* + *-log(o)-* + *-ia*.] *S. f.* **1.** Tratado do céu. **2.** *P. us.* Uranografia. **3.** Estudo do estado dos céus nas diferentes épocas da idade da Terra.

uranológico. *Adj.* Relativo à uranologia.

uranologista. [De *uran(o)-* + *-log(o)-* + *-ista*.] *S. m. P. us.* V. *astrônomo*.

uranômetro. [De *uran(o)-* + *-metro*.] *S. m.* Instrumento para medir as distâncias celestes.

uranoplastia. [De *uran(o)-* + *-plast-* + *-ia*.] *S. f. Cir.* Restauração do véu palatino; uraniscoplastia.

uranoplástico. *Adj.* Referente à uranoplastia.

uranorama. [De *uran(o)-* + *-orama*.] *S. m.* Vista do céu, ou exposição do sistema planetário por meio de globo móvel.

uranoscopia. [De *uran(o)-* + *scop-* + *-ia*.] *S. f.* Astrologia.

uranoscópico. *Adj.* Relativo à uranoscopia; astrológico.

uranoscopídeo. [De *uranoscópio* + *-ídeo*.] *S. m.* **1.** Espécime dos uranoscopídeos. ● *Adj.* **2.** Pertencente ou relativo aos uranoscopídeos.

uranoscopídeos. [Pl.: de *uranoscopídeo*.] *S. m. pl. Zool.* Família de peixes da ordem dos percomorfos, habitantes das águas tropicais litorâneas, caracterizados pela presença de órgãos elétricos, sendo alguns portadores de espinhos venenosos. Podem produzir descargas de 50 volts ou mais. Ex.: o tanduju.

uranoso (ô). [De *uran(o)-* + *-oso*.] *Adj.* Que contém urânio.

urapará. *S. m. Bras.* Arco dos índios.

urarema. [Var. de *guararema*.] *S. f. Bras.* **1.** Árvore da família das leguminosas (*Andira legalis*), silvestre, porém muito freqüente na restinga, de folhas com muitos folíolos oblongos, agudos e coriáceos, flores violáceas reunidas em vistosas panículas terminais, e cujos frutos, grandes drupas pardas, contêm um enorme embrião tóxico. **2.** V. *angelim-coco.*

urarirana. [Do tupi.] *S. f.* **1.** *Bras.* V. *martim-pescador.* **2.** *Bras., Amaz.* Cipó da família das sapindáceas (*Paullinia alata*), que alcança a copa das árvores. Tem folhas com cinco folíolos lanceolados ou serrulados, pecíolo alado e estípulas grandes lanceoladas, flores pequenas e ordenadas em panículas curtas, e cápsulas subglobosas com sementes ariladas.

urato. [De *ur*, f. abrev. de *úrico*, + *-ato*[3].] *S. m. Quím.* Designação comum aos sais e ésteres do ácido úrico.

uraturia. *S. f. Patol. Var. pros. de uratúria.*

uratúria. [De *urato* + *-ur(o)-*[2] + *-ia.*] *S. f. Med.* Presença de uratos na urina. [Var. pros.: *uraturia.*]

uraúna. [Do tupi.] *S. f. Bras.* V. *cabiúna-do-campo.*

urbaniciano. [Do lat. *urbanicianu.*] *S. m.* Cada um dos soldados da guarnição da Roma antiga.

urbanidade. [Do lat. *urbanitate.*] *S. f.* Qualidade de urbano; civilidade, cortesia, afabilidade.

urbanismo. [De *urbano* + *-ismo.*] *S. m.* O estudo sistematizado e interdisciplinar da cidade e da questão urbana, e que inclui o conjunto de medidas técnicas, administrativas, econômicas e sociais necessárias ao desenvolvimento racional e humano delas.

urbanista. *Adj. 2 g.* e *s. 2 g.* Que ou quem é especialista em urbanismo. [Cf. *urbanita.*]

urbanístico. *Adj.* Respeitante ao urbanismo.

urbanita. [De *urbano* + *-ita*[2].] *Adj. 2 g.* e *s. 2 g.* Que ou quem reside em uma cidade. [Cf. *urbanista.*]

urbanização. *S. f. Urb.* **1.** Processo de criação ou de desenvolvimento de organismos urbanos segundo os princípios do urbanismo. **2.** Conjunto dos trabalhos necessários para dotar uma área de infra-estrutura (p. ex., água, esgoto, gás, eletricidade) e/ou serviços urbanos (p. ex., de transporte, de educação, de saúde). **3.** Fenômeno caracterizado pela concentração cada vez mais densa de população, em aglomerações de caráter urbano.

urbanizado. [Part. de *urbanizar.*] *Adj.* Que se urbanizou; tornado urbano.

urbanizar. *V. t. d.* **1.** Tornar urbano: *O prefeito* urbanizou *a ponte velha da cidade.* **2.** Civilizar, polir.

urbano. [Do lat. *urbanu.*] *Adj.* **1.** Relativo ou pertencente à cidade: *planejamento* urbano; *transportes* urbanos. **2.** Que tem características de cidade: *agrupamento* urbano. **3.** *Fig.* Cortês, afável, civilizado. — V. *aglomeração* —*a, aglomerado* —, *dionisíacas* —*as, dionísias* —*as, guerrilha* —*a, prédio* — e *sítio* —. ● *S. m.* **4.** *Bras., SP.* V. *mata-cachorro* (2).

urbanólogo. [De *urbano* + *-logo.*] *S. m.* Urbanista.

urbanoviário. *Adj.* Relativo à viação urbana.

urbano-santense. *Adj. 2 g.* **1.** De, ou pertencente ou relativo a Urbano Santos (MA). ● *S. 2 g.* **2.** Natural ou habitante de Urbano Santos. [Pl.: *urbano-santenses.*] [Sin. ger.: *urbano-santista.*]

urbano-santista. *Adj. 2 g.* e *s. 2 g.* Urbano-santense. [Pl.: *urbano-santistas.*]

urbe. [Do lat. *urbe.*] *S. f.* Cidade (1): "Nada se respeitou até agora [na cidade do Rio.] Nenhuma preservação de elementos tradicionais, nenhuma defesa dos valores históricos da urbe." (Brito Broca, *Horas de Leitura*, pp. 150-151.) [Pl.: *urbes.* Cf. *Úrbis*, top.]

➧**urbi et orbi** (úrbi ét órbi). [Lat., 'para a cidade e para o mundo'.] Em toda a parte.

urca. [Do neerl. médio *hulke*, atr. do fr. *hourque.*] *S. f.* **1.** *Ant.* Embarcação portuguesa do séc. XVII, de dois ou três mastros, de velas redondas ou latinas, com um grande porão para transporte de carga, e que passou, com o tempo, a chamar-se *charrua*: "Trazia-os a seu bordo a urca flamenga que dava pelo nome romanesco de 'Grifo Dourado', e teve o mau gosto de naufragar junto do porto de chegada." (Afonso Arinos, *Lendas e Tradições Brasileiras*, p. 74.) **2.** *Fig.* Mulher gorda e feia. ● *Adj. 2 g.* **3.** *Bras., N.* Grande, avantajado.

urcaço. *Adj. Bras., S.* Muito urco (2).

urceolado. [De *urcéolo* + *-ado*[1].] *Adj. Morfol. Veg.* Diz-se da corola gamopétala e actinomorfa na qual o tubo é amplo e inflado, e o limbo curto.

urceolífero. [De *urcéolo* + *-i-* + *-fero.*] *Adj. Morfol. Veg.* Que tem urcéolos.

urcéolo. [Do lat. *urceolu*, 'pequeno vaso'.] *S. m. Morfol. Veg.* Órgão vegetal de base dilatada, e provido de abertura pequena.

urco. [De *urca.*] *S. m.* **1.** Frisão (4): "carruagem descoberta, cheia de rendas e de brilhantes, puxada por quatro urcos" (Ramalho Ortigão, *Em Paris*, p. 140). ● *Adj.* **2.** *Bras., RS.* Diz-se de cavalo grande e bonito.

urdideira. [De *urdir* + *-deira.*] *Adj. (f.)* **1.** Diz-se de mulher que urde ou tece. ● *S. f.* **2.** Mulher que urde ou tece. **3.** Nos teares manuais, o conjunto de duas peças paralelas e verticais, munidas, em geral, de pregos de madeira ou de ganchos de ferro, destinados a dispor os fios da urdidura (2). **4.** Na indústria moderna, máquina destinada à urdidura (2).

urdidor (ô). *Adj.* **1.** Que urde. ● *S. m.* **2.** Aquele que urde. **3.** Caixa baixa, com casas onde se acham os novelos e donde se tiram os fios que formam o ramo da teia; casal.

urdidura. *S. f.* **1.** Ato ou efeito de urdir; urdimento, urdume. **2.** O conjunto de fios dispostos no tear paralelamente ao seu comprimento, e por entre os quais passam os fios da trama [q. v.]; urdimento, urdume. **3.** *Fig.* V. *enredo* (5).

urdimento. *S. m.* **1.** V. *urdidura* (1 e 2). **2.** *Teat.* No palco dos teatros, o travejamento do teto e dos sótãos que ficam por cima dele.

urdir. [Do lat. **ordire*, por *ordiri*, 'começar o trabalho da tecelagem'.] *V. t. d.* **1.** Dispor os fios da tela (1): *Os artesãos* urdem *lã ou algodão para executar os tapetes.* **2.** Tecer, entrelaçar os fios de (a teia): "Uma pequenina aranha urde no peitoril da janela a teiazinha finíssima." (Manuel Bandeira, *Estrela da Vida Inteira*, p. 94.) **3.** Preparar o entrecho de. **4.** Preparar cavilosamente; enredar, tramar, maquinar: Urdiu *friamente a vingança contra o inimigo.* **5.** Imaginar, fantasiar: *Sua fértil imaginação* urdia *mil conjeturas.*

urdu. [Do turco *urdu*, 'arraial'.] *S. m.* Um dos dialetos do hindi. V. *indo-iraniano* (3).

urdume. [De *urdir* + *-ume.*] *S. m.* V. *urdidura* (1 e 2).

uréase. [De *ure(o)-* + *-ase.*] *S. f. Bioquím.* Diástase extraída da soja e que transforma a uréia em amoníaco e gás carbônico.

uredíneo. [De *uredo* + *-íneo.*] *Adj.* **1.** Relativo ou semelhante ao uredo (2). ● *S. m.* **2.** Espécime dos uredíneos.

uredíneos. [Pl. de *uredíneo.*] *S. m. pl. Zool.* Ordem de cogumelos parasitos dos vegetais, nos quais produzem manchas conhecidas por *ferrugem.*

uredo. [Do lat. *uredo*, 'comichão'.] *S. m.* **1.** Ardor; comichão, prurido. **2.** Espécie de cogumelo que serve de tipo à ordem dos uredíneos.

uréia. [Do fr. *urée.*] *S. f. Quím.* Substância cristalina, incolor, existente na urina, obtida sinteticamente, usada em medicina e na fabricação de polímeros; carbamida. [Fórm.: CON_2H_4.]

uréico. *Adj.* Referente à uréia, ou a seus compostos.

uremia. [De *ur-* + *-(h)em(o)-* + *-ia.*] *S. f. Med.* Situação clínica em que surgem náusea, vômito, cefaléia, vertigem, coma, convulsões, etc.; e que resulta da retenção, no sangue, de produtos de metabolismo protéico que, por motivos diversos, o paciente não consegue eliminar por via urinária.

urêmico. *Adj.* Respeitante à uremia.

urência. *S. f.* Qualidade de urente.

urente. [Do lat. *urente.*] *Adj. 2 g.* Que queima; ardente. **2.** *Bot.* Que produz ardor; urticante: *pêlo* urente; "urtiga urente" (Visconde de Taunay, *Visões do Sertão*, p. 38).

▲**ure(o)-.** Equiv. de *ur-.*

ureômetro. [De *ure(o)-* + *-metro.*] *S. m. Med.* Instrumento com que se dosa a uréia.

▲**-urese.** [Do gr. *oúresis.*] *El. comp.* = 'micção': *diurese.*

uretana. [De *ur-* + *et*, f. abrev. de *éter*, + *-ana*[3].] *S. f. Quím.* Qualquer éster do ácido carbâmico.

ureter (tér). [Do gr. *ouretér.*] *S. m. Anat.* Cada um dos dois canais que conduzem a urina de cada rim à bexiga. [Pl.: *ureteres.*]

ureteral. [De *ureter(o)-* + *-al.*] *Adj. 2 g. Anat.* Relativo ou pertencente a ureter; uretérico.

ureteralgia. [De *ureter(o)-* + *algia.*] *Adj.* Dor em ureter.

ureterálgico. [De *ureteralgia* + *-ico*[2].] *Adj.* Referente à ureteralgia.

uretérico. *Adj.* Ureteral.

ureterite. [De *ureter(o)-* + *-ite*[1].] *S. f.* Inflamação ureteral.

▲**ureter(o)-.** [Do gr. *ouretér, êros.*] *El. comp.* = 'ureter': *ureterolitíase; ureteralgia.*

ureterolitíase. [De *ureter(o)-* + *litíase.*] *S. f. Med.* Alteração da urina.

ureterolítico. *Adj.* Relativo à ureterolitíase, ou causado por ela.

urético. [Do gr. *ouretikós.*] *Adj.* **1.** Relativo à, ou próprio da urina. **2.** Diurético (1). **3.** Diz-se de qualquer enfermidade do canal da uretra.

uretra. [Do gr. *ouréthra.*] *S. f. Anat.* Canal pelo qual a urina passa da bexiga para o exterior, e que, no homem, conduz o sêmen a ser eliminado.

uretral. *Adj. 2 g.* Da, relativo ou pertencente à uretra.

uretralgia. [De *uretr(o)-* + *-algia.*] *S. f. Patol.* Dor na uretra.

uretrálgico. *Adj.* Relativo à uretralgia.

uretrite. [De *uretr(o)-* + *-ite*[1].] *S. f. Patol.* Inflamação da uretra.

▲**uretr(o)-.** [Do gr. *ouréthra, as.*] *El. comp.* = 'uretra': *uretrite, uretrovesical.*

uretrocisto. *S. m. Bras.* F. red. de *uretrocistografia.*

uretrocistografia. [De *uretr(o)-* + *cisto-* + *-grafia.*] *S. f. Med.* Radiografia da uretra e da bexiga. [F. red.: *uretrocisto.*]

uretrofraxia (cs). [De *uretr(o)-* gr. *phrax* <. *phrásso*, 'obstruir', + *-ia.*] *S. f. Patol.* Obstrução da uretra.

uretrorragia. [De *uretr(o)-* + *-ragia.*] *S. f. Med.* Hemorragia de origem uretral.

uretrorrágico. *Adj.* Referente à uretrorragia.

uretrorréia. [De *uretr(o)-* + *-réia.*] *S. f. Patol.* Fluxo ou corrimento pela uretra.

uretrorréico. *Adj.* Relativo à uretrorréia.

uretroscopia. [De *uretr(o)-* + *-scop-* + *-ia.*] *S. f. Med.* Inspeção visual endoscópica da uretra.

uretroscópico. *Adj.* Respeitante à uretroscopia.

uretroscópio. *S. m.* Instrumento cirúrgico empregado na uretroscopia.

uretrostenia. [De *uretr(o)-* + *-esten(o)-* + *-ia.*] *S. f. Patol.* Aperto da uretra.

uretrostênico. *Adj.* **1.** Relativo à, ou que sofre de uretrostenia. ● *S. m.* **2.** Aquele que sofre de uretrostenia.

uretrotomia. [De *uretr(o)-* + *-tom(o)-* + *-ia.*] *S. f. Cir.* Incisão na uretra.

uretrotômico. *Adj.* Relativo à uretrotomia.

uretrovesical. [De *uretr(o)-* + *vesical.*] *Adj. 2 g. Anat.* Relativo ou pertencente à uretra e à bexiga.

urgebão. *S. m.* **1.** Erva prostrada, da família das verbenáceas (*Verbena officinalis*), de procedência européia, que tem flores pequenas e congregadas em maciças inflorescências terminais, e é tida por medicinal. **2.** V. *gervão* (1). [Var.: *urgevão.*]

urgência. [Do lat. *urgentia.*] *S. f.* **1.** Qualidade de urgente. **2.** Caso ou situação de emergência, de urgência. ◆ **Urgência urgentíssima.** Na linguagem legislativa, urgência extraordinária.

urgente. [Do lat. *urgente.*] *Adj. 2 g.* **1.** Que urge; que é necessário ser feito com rapidez. **2.** Indispensável, imprescindível. **3.** Iminente, impendente.

urgevão. *S. m.* Var. de *urgebão.*

urgir. [Do lat. *urgere.*] *V. int.* **1.** Ser necessário sem demora; ser urgente: "Rubião, voltando a si, ainda não achou que dizer, e contudo urgia dizer alguma cousa." (Machado de Assis, *Quincas Borba*, p. 68.); "— Urge que haja resistência / pelo bem do Maranhão!" (Stella Leonardos, *Romanceiro do Bequimão*, p. 110). **2.** Estar iminente; instar: *Segundo os laudos técnicos, a catástrofe* urge. **3.** Não permitir demora: "Mas o tempo urgia; deslacei-lhe as mãos, peguei-lhe nos pulsos, e, fito nela, perguntei-lhe se tinha coragem." (Machado de Assis, *Memórias Póstumas de Brás Cubas*, pp. 175-176.) *T. d.* **4.** Perseguir de perto; apertar o cerco de. **5.** Tornar imediatamente necessário; exigir, reclamar, clamar: *A ocasião* urgia *o emprego de força. T. i.* **6.** Insistir, instar: Urgiram *com o culpado, e ele se apresentou espontaneamente. T. d. e i.* **7.** Obrigar, impelir: *A miséria* urgiu *-nos a esta baixeza.* [Defect. Nas acepç. 1, 2, 3 e 5 só se conjuga nas 3as pess.; nas outras acepç. não se conjuga na 1[a] pess. sing. do pres. ind. e, pois, em todo o pres. subj. Imperf. ind.: *urgia*, etc. Cf. *orgia*, s. f., e *Úrgia*, top.]

uri. *S. m. Bras., Amaz.* e *MA.* Var. de *guri* (2). [Cf. *Ori*, top.]

uribaco. [Do tupi *uri'bako.*] *S. m. Bras., N.* V. *corcoroca* (1 e 2).

uricana. [Do tupi *uri'kana.*] *S. f.* **1.** *Bras.* Palmeira (*Geonoma uricana*) semelhante à uacanga [q. v.] **2.** *Bras., BA.* V. *jararaca-verde.*

uricemia. [De *úrico* + *-(h)em(o)-* + *-ia.*] *S. f. Patol.* Presença do ácido úrico no sangue.

uricêmico. *Adj.* Relativo à uricemia.

urichoa (ô). *S. f. Bras.* V. *curimã* (1).

úrico. [Do gr. *oûron*, 'urina', + *-ico*[2].] *Adj.* — V. *ácido.* —.

uricungo. *S. m. Bras.* V. *berimbau* (2).

uricurana. *S. f. Bras.* V. *urucurana* (1).

uricuri. *S. m. Bras.* V. *aricuri.*

uricuriroba. *S. f. Bras.* V. *aricuriroba.*

urina. [Do lat. *urina.*] *S. f.* Líquido excrementício segregado pelos rins, donde corre pelos ureteres para a bexiga. [Sin. (pop. e fam.): *mijo, pipi, pixi, xixi.*] ◆ **Urina solta.** *Pop.* Incontinência urinária.

urinação. *S. f.* Ato ou efeito de urinar(-se).

urinado. [Part. de *urinar.*] *Adj.* Molhado e ou manchado de urina.

urinar. [Do lat. *urinare.*] *V. int.* **1.** Expelir urina pela via natural. [Sin.: *desaguar* e (fam.) *fazer pipi, fazer xixi, verter água(s).* Cf. *fazer necessidade.*] *T. d.* **2.** Expelir, como urina ou de mistura com ela. **3.** *Fam.* Sujar com urina. **4.** Expelir urina sobre. *P.* **5.** Urinar (1) involuntariamente; molhar-se: "De pé junto de um lampião uma mulher descabelada e dolorosa u r i n a v a - s e, muito aflita" (Enéias Ferraz, *Adolescência Tropical*, p. 146). **6.** Molhar-se com a própria urina; molhar-se. **7.** *Fig.* Ter ou mostrar grande medo. [Sin. ger. (pleb.): *mijar.* Fut. do pret. *urinaria*, etc. Cf. *urinária*, fem. de *urinário.*]

urinário. *Adj.* Relativo à urina; urinoso. ~ V. *sedimento* –. [Fem.: *urinária.* Cf. *urinaria*, do v. *urinar.*]

urinífero. [De *urina* + *-i-* + *-fero.*] *Adj.* Que contém ou conduz urina.

uriníparo. [De *urina* + *-paro.*] *Adj.* Que produz urina.

urinol. [De *urina* + *-ol.*] *S. m.* **1.** Vaso apropriado para nele se urinar e defecar. [Sin.: *bacio, bacia, louça, vaso, penico, bispote, mijadeiro* e (bras.) *capitão, cabungo* e (ant.) *mátula.*] **2.** *Lus.* V. *mijadouro.* [Pl.: *urinóis.*]

urinoso (ô). *Adj.* **1.** Urinário. **2.** Da natureza da urina.

uritutu. *S. m. Bras.* V. *juruva.*

uriunduba (i-un). [De provável or. tupi.] *S. f. Bras.* V. *urundeúva.*

urmana. [De provável or. indígena.] *S. f. Bras., AM.* V. *corredeira* (1).

urna. [Do lat. *urna.*] *S. f.* **1.** Entre os antigos, vaso para água. **2.** Vaso onde se depositavam as cinzas dos mortos ou o cadáver; urna funerária. **3.** Vaso, caixa, sacola, etc., onde se recolhem os votos nas eleições ou os números em uma loteria, rifa, etc. [Cf. *urna eleitoral.*] ~ V. *urnas.* ◆ **Urna eleitoral.** Urna (3) lacrada oficialmente, e portanto, inviolável, onde nas eleições [v. *eleição* (3)] se recolhem os votos dos cidadãos. **Urna funerária. 1.** Urna (2). **2.** *P. ext.* V. *caixão* (2).

urnário. [Do lat. *urnariu.*] *Adj.* **1.** Relativo ou semelhante a urna. ● *S. m.* **2.** Mesa sobre a qual os romanos assentavam as urnas (de água). **3.** *Morfol. Veg.* Receptáculo dos esporos de alguns fungos e musgos.

urnas. *S. f. pl. Fig.* Pleito eleitoral: *Ainda não se sabe o resultado das u r n a s.* ~ V. *urna.*

urnígero. [Do lat. *urnigeru.*] *Adj.* Que tem urna, ou cápsula em forma de urna.

▲**uro-.** [Do gr. *ourá, ás.*] *El. comp.* = 'cauda'; *uromorfo, uropígio.* [Equiv.: *-uro: macruro, micruro.*]

▲**ur(o)-.** [Do gr. *oûron, ou.*] *El. comp.* = 'urina'; úrico, urocrasia, uronefrose.

▲**-uro.** Equiv. de *uro-.*

urobilina. [De *ur(o)-* + *-bíli(s)-* + *-ina*[1].] *S. f.* Pigmento encontrado nas fezes, resultante da oxidação do urobilinogênio.

urobilinemia. [De *urobilina* + *-(h)em(o)-* + *-ia.*] *S. f. Med.* Presença de urobilina no sangue.

urobilinogênio. [De *urobilina* + *-o-* + *(cromó)geno* + *-io*[2].] *S. m.* Substância formada no intestino pela redução da bilirrubina, sendo parte dela excretada com fezes, e parte reabsorvida.

urobilinuria. *S. f. Med.* Var. pros. de *urobilinúria.*

urobilinúria. [De *urobilina* + *-ur(o)-* + *-ia.*] *S. f. Med.* Presença de urobilina na urina. [Var. pros.: *urobilinuria.*]

urocele. [De *ur(o)-* + *-cele.*] *S. f. Patol.* Infiltração de urina no escroto.

urocordado. [De *uro-* + *cordado.*] *S. m.* e *adj.* Urocórdio.

urocordados. *S. m. pl. Zool.* Urocórdios.

urocórdio. *S. m.* **1.** Espécime dos urocórdios. ● *Adj.* **2.** Pertencente ou relativo a eles. [Sin. ger.: *urocordado.*]

urocórdios. *S. m. pl. Zool.* Animais vertebrados do subfilo dos protocordados que se caracterizam por apresentarem a corda dorsal na parte posterior do organismo. [O grupo mais importante, que é o dos tunicados (q. v.), caracteriza-se pelo desaparecimento da corda dorsal quando o animal se torna adulto. Sin.: *urocordados.*]

urocrasia. *S. f. Med.* V. *urocrisia.*

urocrático. *Adj.* V. *urocrítico.*

urocrisia. [De *ur(o)-* + gr. *krísis*, 'julgamento', + *-ia.*] *S. f. Med.* Diagnóstico feito mediante o exame das urinas.

urocrítico. *Adj.* Relativo à urocrisia.

urocroma. [De *ur(o)-* + *-croma.*] *S. m.* Pigmento corante da urina.

urodelo. [De *uro-* + *-delo.*] *Adj. Zool.* **1.** Que tem cauda muito visível. **2.** Caudado (3). ● *S. m.* **3.** Caudado (4).

urodelos. *S. m. pl. Zool.* Caudados.

urodiálise. [De *ur(o)-* + *diálise.*] *S. f. Med.* Supressão parcial ou total da urina.

urodialítico. *Adj.* Relativo à urodiálise.

urodinia. [De *ur(o)-* + *-odin(o)-* + *-ia.*] *S. f. Patol.* Dor causada pelo ato de urinar.

urodínico. *Adj.* Referente à urodinia.

urogenital. [De *ur(o)-* + *genital.*] *Adj. 2. g.* **1.** *Med.* Do, ou relativo, conjuntamente, aos aparelhos urinário e genital. **2.** *Zool.* Diz-se do segmento do tubo urinário que acumula funções sexuais nas aves e reptis, e que pode ser encontrado nos mamíferos inferiores como no ornitorrinco.

urografia. [De *ur(o)-* + *-graf(o)-* + *-ia.*] *S. f. Med.* Radiografia de qualquer dos componentes do aparelho urinário.

urográfico. *Adj.* Relativo a urografia.

uróide. [De *uro-* + *-óide.*] *Adj. 2 g.* Em forma de cauda.

urolítico. *Adj.* Referente a urólito.

urólito. [De *ur(o)-* + *-lito.*] *S. m. Patol.* Cálculo urinário.

urologia. [De *ur(o)-* + *-log(o)* + *-ia.*] *S. f.* Parte da medicina que se ocupa das doenças dos rins que demandam intervenção cirúrgica, e das doenças dos demais órgãos das vias urinárias. [Cf. *orologia.*]

urológico. *Adj.* Respeitante à urologia. [Cf. *orológico.*]

urologista. *S. 2 g.* Especialista em urologia.

urômelo. [De *uro-* + *-melo.*] *S. m. Ter.* Monstro cujos membros se juntam em um só, terminando por um pé.

urômero. [De *uro-* + *-mero.*] *S. f.* Segmento abdominal dos artrópodes.

uromorfo. [De *uro-* + *-morfo.*] *Adj. Bot. Morfol. Veg.* Diz-se de órgão vegetal uróide.

uronefrose. [De *ur(o)-* + *nefrose.*] *S. f. Patol.* Hidronefrose.

uronefrótico. *Adj.* Referente à uronefrose.

uropatágio. [De *uro-* + *patágio.*] *S. m. Zool.* Membrana que em certos animais liga os membros posteriores entre si e prende a cauda totalmente ou não.

uropigial. *Adj. 2 g.* Relativo ou pertencente ao uropígio.

uropígio. [Do gr. *ouropygion*, pelo lat. *uropygiu.*] *S. m.* **1.** *Zool.* Apêndice triangular sobre as últimas vértebras das aves, no qual se implantam as penas da cauda. [Sin., pop.: *sobrecu, sobre, mitra* e (bras.) *sambiquira, curanchim, micula.*] **2.** Bispo (4). **3.** *Bras.* V. *cóccix:* "Ai! — se lembrou a Quincota, e um frio correu-lhe do u r o p í g i o à nuca" (Mário Palmério, *Chapadão do Bugre*, p. 183).

uropigo. *S. m.* **1.** Espécime dos uropigos. ● *Adj.* **2.** Pertencente ou relativo a eles.

uropigos. *S. m. pl. Zool.* Artrópodes aracnídeos, pedipalpos, da subordem *Uropygi*, de corpo provido de glândulas odoríferas, e cujo abdome tem um flagelo terminal em forma de chicote.

urópode. [De *uro-* + *-pode.*] *S. m. Zool.* Apêndice do sexto segmento abdominal dos crustáceos.

uroquilia. [De *ur(o)-* + *-quil(o)-*[1] + *-ia.*] *S. f. P. us.* V. *quilúria.*

uroscopia. [De *ur(o)-* + *-scop-* + *-ia.*] *S. f.* Exame das urinas.

uroscópico. *Adj.* Relativo à uroscopia.

urosternito. *S. m. Zool.* Placa ventral dos segmentos abdominais dos artrópodes.

urostilo. [De *uro-* + *-stilo.*] *S. m.* Osso não segmentado, que constitui a parte superior da coluna vertebral dos anuros.

urotropina. [De *ur(o)-* + *-trop(o)-* + *-ina*[1].] *S. f. Quím.* A hexametilenotetramina, cristalina, incolor, usada em medicina e na fabricação de explosivos. [Fórm.: $C_6H_{12}N_4$.]

urra-boi. [De *urrar* + *boi.*] *S. m. Mús. Bras.* V. *zunidor* (2). [Pl.: *urra-bois.*]

urraca. [Do antrop. *Urraca.*] *S. f. Marinh.* **1.** Cada um dos dois aros de ferro duplo, um fixo no pé da verga e outro um pouco acima, e que, enfiados no mastro, permitem içá-la e arriá-la ao longo deste. **2.** Anel de ferro que corre ao longo do mastro, tendo na parte superior um olhal, onde engata a adriça, e na inferior um gato, onde se fixa a verga, permitindo a esta correr ao longo do mastro. **3.** Estropo folgado passado em volta do mastaréu para receber os brandais volantes da gávea e do velacho. **4.** *Bras., RS.* V. *alma-de-gato* (1).

urrado. [Part. de *urrar.*] *Adj.* Emitido à maneira de urro: "Doirava-se o céu quando se desfez a companhia com um último brinde u r r a d o: aos atenienses de Santa Clara!" (Coelho Neto, *Treva*, p. 17.)

urrar. [De um lat. **urulare*, f. dissimilada de *ululare*, ou de *urro* + *-ar*[2].] *V. int.* **1.** Dar urros; rugir, bramir: "E os homens .... u r r a m de dor." (Leo Vítor, *Círculo de Gis*, p. 136.) **2.** Rugir, bramir (o vento, o mar, etc.). *T. d.* **3.** Emitir, soltar, à maneira de urro(s), ou urrando: *U r r o u ameaças e saiu apressado; U r r a r a m vivas;* "U r r a [o leão] sinistramente apóstrofes ao mundo!" (Luís Carlos, *Colunas*, p. 68). [Pres. ind.: *urro, urras, urra*, etc. Cf. *hurra.*]

urro. [Dev. de *urrar.*] *S. m.* **1.** Rugido ou bramido de algumas feras. **2.** *Fig.* Berro ou grito rouco, muito forte: *u r r o de entusiasmo;* "Trindade solta u r r o s de dor" (José Potiguara, *Terra Caída*, p. 63).

ursa. [Do lat. *ursa.*] *S. f.* **1.** A fêmea do urso. **2.** *Astr.* Designação comum a duas constelações boreais: a *Ursa Maior* e a *Ursa Menor.*

ursada. [De *(amigo-)urso* + *-ada*[1].] *S. f. Bras. Fam.* Procedimento mau, traição (principalmente da parte de um amigo); procedimento de amigo-urso [q. v.].

ursídeo. [De *urso* + *-ídeo.*] *Adj.* **1.** Ursino. **2.** Semelhante ao urso. **3.** Pertencente ou relativo aos ursídeos. ● *S. m.* **4.** Espécime dos ursídeos.

ursídeos. *S. m. pl. Zool.* Mamíferos carnívoros, da família *Ursidae*, de tamanho avantajado, plantígrados, orelhas curtas, cauda rudimentar, escondida sob a pelagem. São os ursos. Na América do Sul ocorre apenas o gênero *Tremarctos Gervais*, da região andina.

ursina. [Do lat. cient. *(arbustus uva) ursi*, 'arbutina' + *-ina*[1]?] *S. f.* Arbutina.

ursino. [Do lat. *ursinu.*] *Adj.* Relativo ou pertencente ao, ou próprio do urso; ursídeo.

urso. [Do lat. *ursu.*] *S. m.* **1.** Animal cordado, mamífero, carnívoro, da família dos ursídeos, comum nos climas temperados. Embora classificado entre os carnívoros, o urso é onívoro. Nos países onde o inverno é rigoroso ele hiberna. Algumas espécies de grande porte são perigosas para o homem. **2.** *Fig.* V. *bicho-do-mato* (2). **3.** *Fig.* Homem feio. **4.** *Fam.* Indivíduo que é alvo de escárnio. **5.** *Bras.* Designação comum às larvas dos insetos lepidópteros, da família dos megalopigídeos, especialmente *Megalopyge albicollis superba* (Edw.), cujos pêlos longos e urticantes lembram a pelagem de um urso. **6.** *Bras.* No jogo do bicho [q. v.], o 23º grupo (8), que abrange as dezenas 89, 90, 91 e 92, e corresponde ao número 23. ◆ **Ver urso.** *Bras., CE. Pop.* Ver-se nas amarelas; ver urso de gole. **Ver urso de gole.** *Bras., CE. Pop.* V. *ver urso.*

urso-branco. *S. m.* Espécie de urso (1) habitante das regiões polares (*Ursus maritimus* Desm.). [Pl.: *ursos-brancos.*]

urso-do-mar. *S. m. Bras.* V. *lobo-marinho.* [Pl.: *ursos-do-mar.*]

urso-escuro. *S. m.* Espécie de urso (1) que vive nas regiões temperadas da Europa e da Ásia (*Ursus arctos* Lin.). [Pl.: *ursos-escuros.*]

ursulina. [Do antr. *Úrsula* (de Santa Úrsula), (mártir do séc. IV), + o fem. de *-ino*[1].] *S. f.* Religiosa de várias ordens femininas, e em particular da Ordem de Santa Úrsula, cujo objetivo é a educação.

urticação. [De *urticar* + *-ção.*] *S. f.* Ato ou efeito de flagelar a pele com urtigas para irritá-la.

urticácea. [Fem. substantivado de *urticáceo.*] *S. f.* Espécime das urticáceas.

urticáceas. [Fem. pl. substantivado de *urticácea.*] *S. f. pl. Bot.* Família de plantas superiores, da ordem das urticales, composta de grandes e pequenas ervas, raramente de arbustos, com folhas estipuladas e pequeninas flores dispostas em espigas ou racemos. Perigônio tetrâmero; quatro estames; ovário unilocular e uniovulado; fruto nuciforme. Há umas 600 espécies em todo o globo, muitas delas com pêlos urentes. Ocorrem no Brasil.

urticáceo. [Do lat. *urtica*, 'urtiga', + *-áceo.*] *Adj.* **1.** Relativo ou semelhante à urtiga. **2.** Pertencente ou relativo às urticáceas.

urticale. *S. f.* Espécime das urticales.

urticales. *S. f. pl. Bot.* Ordem de vegetais dicotiledôneos, arquiclamídeos, com perigônio inconspícuo e ovário súpero, unilocular e uniovulado. Inclui as moráceas, urticáceas, ulmáceas, etc.

urticante. [De *urticar* + *-nte.*] *Adj. 2 g.* Urente: "Comprazem-se em imitar a inércia das anêmonas e das medusas u r t i c a n t e s" (Osmã Lins, *Nove, Novena*, p. 218).

urticar. [De um **urticare*, 'queimar como urtiga'.] *V. t. d.* Produzir urticação em; urtigar. [Conjug.: v. *trancar.* Fut. pret.: *urticaria*, etc. Cf. *urticária.*]

urticária. [Do lat. *urtica*, 'urtiga', + *-ária.*] *S. f. Med.* Reação vascular cutânea caracterizada pela presença transitória de placas lisas e pouco salientes, mais vermelhas ou mais pálidas que a pele adjacente, e muitas vezes acompanhada de intenso prurido. [Sin. (pop.): *fervor-do-sangue.* Cf. *urticaria*, do v. *urticar.*]

urticariforme. [De *urticária* + *-i-* + *-forme.*] *Adj. 2 g. Patol.* Semelhante à urticária.

urtiga. [Do lat. *urtica.*] *S. f.* **1.** Designação comum a diversas plantas da família das urticáceas, cujas folhas são cobertas de pêlos finos, os quais, em contato com a pele, produzem um ardor irritante, devido à ação do ácido fórmico. **2.** V. *folha-gorda*.

urtiga-de-cipó. *S. f. Bras.* Planta da família das euforbiáceas (*Euphorbia sp.*). [Pl.: *urtigas-de-cipó*.]

urtiga-de-espinho. *S. f. Bras.* Planta da família das escrofulariáceas (*Rhinanthus sp.*). [Pl.: *urtigas-de-espinho*.]

urtiga-de-leite. *S. f. Bras.* V. *urtiga-de-mamão*. [Pl.: *urtigas-de-leite*.]

urtiga-de-mamão. *S. f. Bras.* Arbusto lactescente, muito comum, da família das euforbiáceas (*Jatropha urens*), que tem grandes folhas palmadas, flores alvas e minutas organizadas em cimeiras, e frutos capsulares revestidos de pêlos urentes que produzem pápulas na pele, dando verdadeira sensação de queimadura; arre-diabo, urtiga-de-leite. [Pl.: *urtigas-de-mamão*.]

urtiga-do-mar. *S. f. Bras.* V. *água-viva* (2). [Pl.: *urtigas-do-mar*.]

urtiga-maior. *S. f.* Urtigão. [Pl.: *urtigas-maiores*.]

urtiga-morta. *S. f.* Mercurial (3). [Pl.: *urtigas-mortas*.]

urtigão. [De *urtiga* + *-ão*[1].] *S. m. Bot.* Erva da família das urticáceas (*Urtica dioica*), muito espalhada na Europa, como planta ruderal, de folhas herbáceas, crenadas, com pêlos urticantes, que produzem placas na pele como as das urticárias, e de flores verdes e inconspícuas; urtiga-maior. [Cf. *Ortigão*, antr.]

urtigar. [De *urtiga* + *-ar*[2].] *V. t. d.* Urticar. [Conjug.: v. *largar*.]

urtiga-tamearama. *S. f. Bras.* V. *tamearama*. [Pl.: *urtigas-tamearamas* e *urtigas-tamearama*.]

uru[1]. [Do tupi.] *S. m.* e *f. Bras.* Designação comum às aves galiformes, da família dos fasianídeos (*Odontophorus capueira* (Spix)), do C.O. e S. do Brasil e *O. gujanensis* (Gmel.), da Amaz. Vivem em pequenos bandos no chão, alimentando-se de pequenos frutos e insetos, e preferem as matas densas, especialmente as primitivas: "As u r u s, nos capões, solfejavam à aurora" (Afonso Arinos, *Pelo Sertão*, p. 31). [Sin.: *capoeira*, *corcovado*.]

uru[2]. [Do tupi *u'ru*.] *S. m. Bras.* Cesto de palha de carnaúba, com alça: "Enquanto Caubi pendurava no fumeiro as peças de caça, Iracema colheu sua alva rede de algodão com franjas de penas, e acomodou-a dentro do u r u de palha trançada." (José de Alencar, *Iracema*, p. 68.)

uruá. [Do tupi *uru'á*.] *S. m. Bras.* **1.** V. *aruá*[1] (1). **2.** *Bras.* Árvore da família das borragináceas (*Cordia alliodora*), de florestas e capoeiras, de folhas variáveis e cobertas de pêlos estrelados, flores pequenas, alvas e paniculadas, fruto que é pequena noz incluída no cálice persistente, e madeira igual ao louro-pardo [q. v.]. ◆ **Comer uruá.** *Bras., AM.* Entregar-se a práticas lesbianas; fazer uruá. **Fazer uruá.** *Bras., AM.* Comer uruá.

uruaçuense. *Adj. 2 g.* **1.** De, ou pertencente ou relativo a Uruaçu (GO). ● *S. 2 g.* **2.** Natural ou habitante de Uruaçu.

uruanense. *Adj. 2 g.* **1.** De, ou pertencente ou relativo a Uruana (GO). ● *S. 2 g.* **2.** Natural ou habitante de Uruana.

urubá. [De possível or. indígena.] *S. f. Bras.* Planta da família das marantáceas (*Maranta sp.*).

urubá-de-caboclo. *S. f. Bras.* Planta da família das marantáceas (*Maranta gibba*); cana-brava. [Pl.: *urubás-de-caboclo*.]

urubaiana. [Var. de *arabaiana*.] *S. f. Bras.* V. *olho-de-boi* (4).

urubamba. [Do tupi *uru'bãba*.] *S. f. Bras., MT.* V. *jacitara*.

urubu[1]. [Do tupi *uru'bu*.] *S. m.* **1.** *Bras.* Designação comum às aves catartidiformes, da família dos catartídeos, de cabeça pelada, que se alimentam de carnes em decomposição. **2.** *Bras., GO.* Pequena mancha negra causada pela cristalização imperfeita do diamante. **3.** *Bras. Gír.* Agente funerário.: "Prometo .... escrever a favor do comércio, da indústria, da agricultura, ... dos relojoeiros, dos salsicheiros, dos serralheiros, dos u r u b u s" (Machado de Assis, *Crônicas*, I, pp. 235-237). **4.** *Bras. Pop.* Pessoa vestida de preto. **5.** *Bras. P. ext.* Padre ou freira das ordens que vestem hábito preto. **6.** *Bras.* V. *flamenguista*. ◆ **Escovar urubu.** *Bras., AM. Pop.* Lavar urubu. **Lavar urubu.** *Bras., AM. Pop.* Andar desempregado ou vadio; escovar urubu.

urubu[2]. *Bras. S. 2 g.* **1.** Indivíduo dos urubus, tribo indígena tupi que habita as florestas da região oriental do MA, nas margens dos rios Gurupi, Turiaçu e Pindaré, e tem a mais apurada arte plumária indígena do Brasil. ● *Adj. 2 g.* **2.** Pertencente ou relativo a essa tribo. [Tb. se diz *urubu-caapor*, sendo *caapor* o nome que a tribo dá a si mesma.]

urubucaá. [Do tupi *urubuka'á*, 'folha de urubu'.] *S. m. Bras.* Angelicó.

urubu-caapor. *S. 2 g.* e *adj. 2 g. Bras.* V. *urubu*[2]. [Pl.: *urubus-caapores*.]

urubu-caçador. *S. m. Bras., MG.* V. *urubu-de-cabeça-vermelha*. [Pl.: *urubus-caçadores*.]

urubu-campeiro. *S. m. Bras.* V. *urubu-de-cabeça-vermelha*. [Pl.: *urubus-campeiros*.]

urubu-comum. *S. m. Bras.* Ave falconiforme, da família dos catartídeos (*Coragyps atratus foetens* (Lich.)), da América do Sul, desde a Colômbia até a Patagônia, de coloração preta, cabeça nua, canos das rêmiges das mãos brancos. [Costuma ser chamado, impropriamente *corvo*, pelos estrangeiros que vivem no Brasil. Sin.: *urubu-de-cabeça-preta*, *urubu-preto*, *apitau*, *apitã*. [Pl.: *urubus-comuns*.]

urubu-de-cabeça-preta. *S. m. Bras.* V. *urubu-comum*. [Pl.: *urubus-de-cabeça-preta*.]

urubu-de-cabeça-vermelha. *S. m. Bras.* Ave falconiforme, da família dos catartídeos (*Cathartes aura ruficollis* Spix), distribuída desde a Venezuela até a Argentina, de coloração preta, com a cabeça nua, encarnado-violácea, e os canos das rêmiges das mãos brancos apenas do lado inferior; urubu-ministro, urubu-campeiro, urubu-caçador, urubupeba, urubu-peru, urubu-jereba, jereba, camiranga. [Pl.: *urubus-de-cabeça-vermelha*.]

urubu-do-mar. *S. m. Bras.* V. *alcatraz*[1]. [Pl.: *urubus-do-mar*.]

urubu-jereba. *S. m. Bras.* V. *urubu-de-cabeça-vermelha*. [Pl.: *urubus-jerebas* e *urubus-jereba*.]

urubu-ministro. *S. m. Bras.* V. *urubu-de-cabeça-vermelha*. [Pl.: *urubus-ministros*.]

urubu-paraguá. *S. m. Bras.* V. *periquito-urubu*. [Pl.: *urubus-paraguás*.]

urubupeba. [De *urubu* + *-peba*.] *S. m. Bras.* V. *urubu-de-cabeça-vermelha*.

urubu-peru. *S. m. Bras.* V. *urubu-de-cabeça-vermelha*. [Pl.: *urubus-perus* e *urubus-peru*.]

urubu-preto. *S. m. Bras.* V. *urubu-comum*. [Pl.: *urubus-pretos*.]

urubu-real. *S. m. Bras., Amaz.* V. *urubu-rei*. [Pl.: *urubus-reais*.]

urubu-rei. *S. m. Bras.* Ave falconiforme, da família dos catartídeos (*Sarcoramphus papa* (L.)), distribuída do México à República Argentina. Tem cabeça e pescoço nus, pintados de vermelho, amarelo e alaranjado, a parte superior do corpo amarelo-clara, esbranquiçada, asas e cauda pretas, o lado inferior branco. [Sin. *urubu-real* e *urubutinga*.]

urubutinga. [De *urubu*[1] + *-tinga*.] *S. m. Bras.* V. *urubu-rei*.

urubuzar. [De *urubu*[1] + *-z-* + *-ar*[2]] *V. t. d. Bras. Fam.* **1.** Olhar fixamente, com intenção malévola. **2.** Dar azar a; azarar.

urubuzinho. [Dim. de *urubu*[1].] *S. m. Bras.* **1.** Anambé-branco **2.** Andorinha-do-mato. **3.** V. *araponguinha* (2).

urucaca. *S. f. Bras.* V. *bruxa* (2).

uruçacanga. [Do tupi.] *S. f. Bras.* Aturá.

uruçanguense. *Adj. 2 g.* **1.** De, ou pertencente ou relativo a Uruçanga (SC). ● *S. 2 g.* **2.** Natural ou habitante de Uruçanga.

urucaraense. *Adj. 2 g.* **1.** De, ou pertencente ou relativo a Urucará (AM). ● *S. 2 g.* **2.** Natural ou habitante de Urucará.

urucari. [Var. de *urucuri*.] *S. m. Bras. Amaz.* Palmeira (*Attalea excelsa*) de estipe curto e grosso, que mantém caídas as bainhas das folhas eretas. As nozes encerram três amêndoas, que possuem cerca de 45% de óleo alimentício, e o palmito é de boa qualidade.

urucatu. [Do tupi *uruka'tu*.] *S. m. Bras. RJ.* Erva de grande beleza, da família das amarilidáceas (*Hippeastrum reticulatum*), provida de bolbo. Folhas largas, oblongas, lanceoladas, e com margem cartilaginosa; duas flores, na ponta do escapo, especiosas, com 10 a 12 cm, purpúreo-claras e com raias mais escuras; os frutos são grandes cápsulas vermelhas, com sementes aladas.

urucu. [Do tupi *uru'ku*, 'vermelho'.] *S. m. Bras.* **1.** O fruto do urucuzeiro [q. v.]. **2.** Substância tintorial que se extrai da polpa desse fruto; açafrão: "Depois dos teus, de brônzea pele tinta / Com os sulcos do u r u c u, de pele branca vieram / Outros" (Olavo Bilac, p. 12). [Var.: *urucum*.]

uruçu. [Do tupi *eiru'su*, 'abelha grande'.] *S. f. Bras.* V. *guarapu* (1).

urucuana. *S. f. Bras.* V. *urucurana* (1).

urucuba. [De provável or. indígena.] *S. f. Bras., N.E.* Árvore da família das miristicáceas (*Virola gardneri*), da floresta pluvial, de folhas lanceoladas, acuminadas e coriáceas, flores pequeninas, trímeras e paniculadas, e cujo fruto é uma cápsula com uma grande semente rica em gordura. A madeira, castanho-escura, dura e de boa qualidade, serve para construção, tabuado, mourões, etc. [Sin.: *bicuíba*, *bicuíba-vermelha*.]

urucubaca. *S. f. Bras.* **1.** V. *caiporismo*: "Uma praga, uma u r u c u b a c a na zona. Cacau desceu. Ficou raso, o preço da arroba." (Jorge Medauar, *Água Preta*, p. 208.) **2.** Tecido quadriculado em preto e branco.

urucu-da-mata. *S. m. Bras., Amaz.* Árvore da família das bixáceas (*Bixa arborea*), que difere do urucuzeiro pelo porte muito maior. [Pl.: *urucus-da-mata*.]

urucueiro. *S. m. Bras.* V. *urucuzeiro*.

urucuiana. *Bras. S. 2 g.* e *adj. 2 g.* V. *oaiana*.

uruçuiense (u-i). *Adj. 2 g.* **1.** De, ou pertencente ou relativo a Uruçuí (PI). ● *S. 2 g.* **2.** Natural ou habitante de Uruçuí.

urucum. *S. m. Bras.* Var. de *urucu*.

urucungo. [Do quimb. *ri'kũgu*, 'cova'; existe nele um buraco.] *S. m.* **1.** *Bras. Mús.* V. *berimbau* (2): "Zumbem, zunzunem os tambus e os u r u c u n g o s" (Martins Fontes, *A Dança*, p. 91). **2.** *Bras., RS.* Cavalo ruim. ● *Adj.* **3.** *Bras., RS.* Diz-se do cavalo ruim.

urucunju. *S. m. Bras. RJ.* Instrumento musical, de origem africana, composto de um arco com corda de arame, usado nos candomblés.

uruçuquense. *Adj. 2 g.* **1.** De, ou pertencente ou relativo a Uruçuca (BA). ● *S. 2 g.* **2.** Natural ou habitante de Uruçuca.

urucurana. *S. f. Bras.* **1.** Árvore da família das euforbiáceas (*Hieronyma alchorneoides*), das florestas litorâneas, de folhas oblongas, agudas e escamosas, flores unissexuais, esverdeadas e minutíssimas, e cujo fruto é uma drupa pequena e negra, algo oleosa. A madeira é vermelho-pardacenta, dura e pesada, própria para obras externas, pois resiste bem à umidade. [Var.: *urucuana*, *uricurana*, *aricurana*, *licurana*; sin.: *mangonçalo*.] **2.** Sangue-de-drago.

urucuri. *S. m. Bras.* Urucari [q. v.].

urucuriiba. [Do tupi.] *S. m. Bras., V. aricuri*.

urucuritubense. *Adj. 2 g.* **1.** De, ou pertencente ou relativo a Urucurituba (AM). ● *S. 2 g.* **2.** Natural ou habitante de Urucurituba.

urucuuba. [Do tupi *uruku'ĩwa*, 'árvore do urucu'.] *S. m. Bras.* V. *urucuzeiro*.

urucuzeiro. [De *urucu* + *-z-* + *-eiro*.] *S. m. Bras., Amaz.* Arvoreta da família das bixáceas (*Bixa orellana*), habitante da mata e cultivada extensamente, de folhas grandes e moles, e cujos frutos são cápsulas vermelhas ou amarelas, cobertas de longas pontas secas e cheias de sementes pequenas. O arilo, que envolve as sementes, fornece matéria corante vermelha especial, que era usada pelos índios para pintar o corpo, e que protege a pele da radiação ultravioleta. Essa matéria é de largo emprego na culinária como colorante e condimento, sob a forma de pó. [F. paral.: *urucueiro*; sin.: *urucuuba*.]

uruense. *Adj. 2 g.* **1.** De, ou pertencente ou relativo a Uru (SP). ● *S. 2 g.* **2.** Natural ou habitante de Uru.

uruguaianense. *Adj. 2 g.* **1.** De, ou pertencente ou relativo a Uruguaiana (RS). *S. 2 g.* **2.** Natural ou habitante de Uruguaiana.

uruguaio. *Adj.* **1.** Do, ou pertencente ou relativo ao Uruguai (América do Sul). ● *S. m.* **2.** O natural ou habitante do Uruguai.

urumã. *Bras. S. 2 g.* e *adj. 2 g.* V. *aticum*.

urumbeba. [Do tupi *urũ'beba*.] *S. m. Bras., SP.* **1.** Sujeito crédulo, fácil de ser enganado. **2.** V. *caipira* (1). [Var.: *urumbeva*.]

urumbeva. Var. de urumbeba. *S. m. Bras., SP.* V. *caipira* (1).

urumi. *Bras. S. 2 g.* **1.** Indivíduo dos urumis, tribo indígena extinta que habitava a margem esquerda do rio Jiparaná (RO). ● *Adj. 2 g.* **2.** Pertencente ou relativo a essa tribo.

urumutum. [Do tupi *urumu'tũ*.] *S. m. Bras., AM.* Ave galiforme, da família dos cracídeos (*Nothocrax urumutum* (Spix)), da região do rio Negro e dos países limítrofes. O macho tem crista preta, a parte superior do corpo vermelho-acastanhada, finamente pintada de preto, e a parte inferior avermelhada; a fêmea tem a parte superior mais clara, listrada de amarelo.

urundeúva. [Do tupi.] *S. f. Bras.* Árvore da família das anacardiáceas (*Astronium urundeuva*), habitante das matas, cerrados e caatingas, de folíolos moles, pilosos, ovados e aromáticos, e flores insignificantes, arrumadas em grandes inflorescências. O fruto é uma noz pequenina, encimada pelo cálice ampliado, que parece um pára-quedas; e a madeira, que contém tanino, é pardo-avermelhada, duríssima e imputrescível, e serve para obras externas, expostas ao tempo. [Sin.: *aroeira, aroeira-preta, aroeira-do-sertão, uriunduba.*]

urupá. *Bras. S. 2 g.* **1.** Indivíduo dos urupás, tribo indígena do rio Urupá, afluente do Jiparaná (RO). ● *Adj. 2 g.* **2.** Pertencente ou relativo a essa tribo.

urupê. [Do tupi *uru'pê.*] *S. m. Bras.* Espécie de fungo da família das poliporáceas *(Polyporus sanguineus)*; orelha-de-pau, pironga.

urupeense (êen). *Adj. 2 g.* **1.** De, ou pertencente ou relativo a Urupês (SP). ● *S. 2 g.* **2.** Natural ou habitante de Urupês.

urupema. [Do tupi *uru'pema,* 'uru chato'.] *S. f. Bras., N.* e *N.E.* **1.** Espécie de peneira de fibra vegetal, para utilidades culinárias; sururuca. **2.** *P. ext.* Vedação de teto, paredes, janelas, etc., feita com esteira semelhante à urupema (1): "Não tinha ainda amanhecido de todo, quando as balas dos assaltantes já sibilavam pelas *urupemas* do sobrado de João da Cunha" (Franklin Távora, *O Matuto,* p. 168). [Var.: *urupemba, gurupema* e *jurupema.*]

urupemba. *S. f. Bras.* V. *urupema.*

urupiagara. *S. f. Bras., N.E.* Arabóia (2).

urupuca. [Do tupi *uru'puka,* 'cesto que faz barulho ao cair'.] *S. f. Bras.* **1.** Arapuca (1): "Quando pego algum nhambu na *urupuca,* ele nem chega a sofrer" (Afonso Arinos, *Histórias e Paisagens,* p. 45). **2.** Armação de achas de lenha com que se protegem as mudas de café ainda muito tenras. [Cf. *arapuca.*]

ururau. [Do tupi.] *S. m. Bras.* V. *jacaré-de-papo-amarelo.* "Manuel, lá no fundo, ferido, ensangüentado, arrastou-se ainda, cravando as unhas na terra como um *ururau* golpeado de morte" (Afonso Arinos, *Pelo Sertão,* p. 30).

urutago. *S. m. Bras.* V. *urutau.*

urutaí. *S. m. Bras., Amaz.* V. *maú.*

urutaíno. *Adj.* **1.** De, ou pertencente ou relativo a Urutaí (GO). ● *S. m.* **2.** O natural ou habitante de Urutaí.

urutau. [Do tupi *uruta'u.*] *S. m. Bras.* Designação comum a aves caprimulgiformes, da família dos nictibídeos, gênero *Nyctibius* Vieil., com cinco espécies no Brasil, sendo a mais difundida a *N. grisseus* (Gmel.). [Var.: *urutago, jurutau;* sin.: *preguiça, chora-lua, mãe-da-lua, manda-lua, ibijaú-guaçu.*]

urutauí. *S. m. Bras.* V. *maú.*

urutaurana. [Do tupi *urutau'rana,* 'semelhante ao urutau'.] *S. m. Bras., Amaz.* V. *apacanim* (1).

urutu. [Do tupi *uru'tu.*] *S. f. e m. Bras.* Ofídio venenosíssimo, da família dos crotalídeos *(Bothrops alternus),* de coloração dorsal castanho-pardacenta, com mancha cruciforme na cabeça. Ocorre no C. O. e S. do Brasil, no Paraguai, no Uruguai e no N. da Argentina. [Sin.: *urutu-cruzeiro, cruzeiro, cruzeira.*]

urutu-cruzeiro. *S. 2 g. Bras.* V. *urutu.* [Pl.: *urutus-cruzeiros* e *urutu-cruzeiro.*]

urutu-doirado. *S. m. Bras.* Var. de *urutu-dourado.* [q. v.]. [Pl.: *urutus-doirados.*]

urutu-dourado. *S. 2 g. Bras.* V. *jararacuçu.* [Var.: *urutu-doirado.* Pl.: *urutus-dourados.*]

urutu-estrela. [De *urutu* + *estrela.*] *S. 2 g. Bras.* V. *jararacuçu.* [Pl.: *urutus-estrelas* e *urutus-estrela.*]

uruxi. [Do jap. *urushi.*] *S. m.* Verniz que se faz com uma laca (1) do Japão.

urzal. *S. m.* **1.** Quantidade mais ou menos considerável de urzes dispostas proximamente entre si; urzedo. **2.** Brejo (2).

urze. [Do lat. *ulice,* atr. de uma f. *ulce.*] *S. f.* **1.** Designação comum a diversas plantas européias da família das ericáceas [q. v.]; torga, torgo, estorga. **2.** *Bras.* Designação comum a duas plantas da família das ericáceas: *Leucothoe duckei* e *Gaylussacia Amazonica.*

urzedo (ê). *S. m.* Urzal (1).

urzela. [Do moçárabe *orchella.*] *S. f.* Espécie de líquen tintorial *(Roccela tinctoria),* que dá um corante azul-violáceo, utilizado na tintura de fibras têxteis e de papel. [Sin. (bras.): *ervinha.*]

usado. [Part. de *usar.*] *Adj.* **1.** V. *usual: Vale-se de artifícios muito usados, mas eficazes.* **2.** Habituado, acostumado, afeiçoado: *Tem o corpo usado ao trabalho rude.* **3.** Deteriorado pelo uso; gasto: *roupa usada.*

usagre. *S. m. Patol.* **1.** Eczema das crianças de mama. **2.** Eczema impetiginoso.

usança. [De *usar* + *-ança.*] *S. f.* **1.** Hábito antigo e tradicional; uso: "Cantar os Reis era uma dessas *usanças* locais, como o presepe, que o tempo demoliu" (Machado de Assis, *A Semana,* II, p. 13). **2.** V. *uso* (5): "Há um moleque que o lava [ao Quincas Borba, o cão] todos os dias em água fria, *usança* do diabo, a que ele se não acostuma." (Id., *Quincas Borba,* p. 42.)

usar. [Do lat. *usare, freqüentativo de *uti,* 'usar'.] *V. t. d.* **1.** Ter por costume; costumar: *Usa sair cedo de casa.* **2.** Empregar habitualmente; praticar: *Usa a delicadeza no trato diário.* **3.** Fazer uso de; servir-se de; empregar: *Usa muitos adjetivos.* **4.** Estar acostumado a comer ou beber; fazer uso de: *Os europeus usam o vinho nas refeições.* **5.** Costumar ter; trazer; apresentar-se habitualmente com: "O Tio Joca do Maravalha *usava* barbas de patriarca" (José Lins do Rego, *Meus Verdes Anos,* p. 57). **6.** Trajar, vestir: "inúmeros guris [em Cantão] *usam* boné do exército" (Oscar Araripe, *China, hoje,* p. 17); *Usa sempre o mesmo terno escuro.* **7.** Gastar com o uso; cotiar. **8.** *P. us.* Exercer, praticar. *T. i.* **9.** Fazer uso; servir-se: "a Margarida *usara* da maior arma da mulher, diante de certos homens — a dependência." (Conde de Ficalho, *Uma Eleição Perdida,* p. 143). "Anselmo .... queria *usar* da força" (Coelho Neto, *A Conquista,* p. 432). **10.** Trajar, vestir:"Laura *usou* sempre de roupas compridas." (José de Alencar, *A Pata da Gazela,* p. 282). **11.** Proceder, portar-se, haver-se: *Usou mal com a família, deixando-a na casa paterna.* **12.** Estar acostumado; ter costume, hábito: *Usa de trabalhar noite adentro;* "E as aves descem ao campo / Como *usavam* de descer." (Machado de Assis, *Poesias Completas,* p. 209). *P.* **13.** Gastar-se, deteriorar-se pelo uso: *Suas vestes usaram-se com o passar dos anos.*

usável. *Adj. 2 g.* **1.** Que pode ser usado. **2.** *Ant.* Usual.

▲-usca[1]. Equiv. de *-isco*[1].

▲-usca[2]. Equiv. de *-usco*[2].

▲-usco[1]. Equiv. de *-isco*[1].

▲-usco[2]. *El. comp.* = 'aproximação', 'um tanto'; 'depreciação': *velhusco, farrusco.* [Equiv.: *-usca: farrusca.*]

▲-úsculo. [Do lat. *usculu.*] *Sulf. nom.* = 'diminuição': *corpúsculo* (< lat. *corpusculu), opúsculo* (< lat. *opusculu); acutiúsculo.*

useiro. [De *uso* + *-eiro.*] *Adj.* Que tem por uso ou costume fazer alguma coisa. ♦ **Useiro e vezeiro.** Que usa fazer numerosas vezes a mesma coisa: *É useiro e vezeiro em mexericar.*

usina. [Do fr. *usine.*] *S. f. Bras.* **1.** Qualquer estabelecimento industrial equipado com máquina; fábrica. **2.** Engenho de açúcar. **3.** Usina (1) destinada à produção de energia. ♦ **Usina hidrelétrica.** Usina de energia elétrica gerada por turbinas acionadas por uma corrente de água. [Tb. se diz apenas *hidrelétrica.*] **Usina termelétrica.** Usina de energia elétrica gerada pela queima de carvão mineral ou óleo combustível. [Tb. se diz apenas *termelétrica.*] **Usina termonuclear.** Usina de energia elétrica produzida pela transformação de energia nuclear em energia térmica.

usinagem. [De *usinar* + *-agem*[2].] *S. f.* **1.** Operação mecânica pela qual se dá forma à matéria-prima. **2.** *Bras.* Designação comum a técnicas que dispensam a utilização de ferramentas que trabalhem em contato com a peça, bem como a retirada de matéria: *usinagem química; usinagem por fluorização.*

usinar. [De *usina* + *-ar*[2].] *V. t. d.* Fazer a usinagem (1) de.

usineiro. *S. m. Bras., N.E.* **1.** Dono de usina de açúcar. ● *Adj. Bras.* **2.** De, ou relativo a usina.

usitar. [Do lat. *usitare, por *usitari.*] *V. t. d. P. us.* Empregar com freqüência; usar.

úsnea. [Do ár. *uxnâ,* 'musgo, líquen', atr. do lat. bot. *usnea.*] *S. f.* Gênero de liquens de que a espécie mais conhecida é a *Usnea barbata,* popularmente denominada *barba-de-velho.*

uso. [Do lat. *usu.*] *S. m.* **1.** Ato ou efeito de usar(-se). **2.** Usança (1). **3.** Aplicação, utilidade, emprego: *Este remédio tem usos numerosos.* **4.** Prática, exercício. **5.** Costume, praxe, hábito; usança: *Vestia-se conforme o uso da época.* **6.** Aproveitamento de uma coisa conforme o seu destino. **7.** *Jur.* O aproveitar-se alguém, temporariamente, a título oneroso ou gratuito, das utilidades duma coisa alheia, na medida das necessidades próprias e das de sua família.

➡**usque** (úçqüe). [Lat.] Até.

➡**usque ad satietatem** (úçqüe ad sacietátem). [Lat.] À saciedade.

ustão. [Do lat. *ustione.*] *S. f.* **1.** Ato ou efeito de queimar(-se); combustão. **2.** *Cir.* Cauterização.

uste. *El. s. m.* Us. na expr. *não dizer uste nem aste.* ♦ **Não dizer uste nem aste.** *Bras., N.E. Fam.* Abster-se de falar; não dar uma palavra, calar-se.

ustório. [Do lat. *ustoriu.*] *Adj.* Que serve para queimar; que facilita a combustão.

ustulação. [Do lat. *ustulatione.*] *S. f.* **1.** Ato ou efeito de ustular. **2.** *Quím.* Procedimento em que se aquece um composto numa corrente de ar ou de oxigênio, com o objetivo de decompô-lo oxidando alguns dos seus elementos.

ustular. [Do lat. *ustulare.*] *V. t. d.* **1.** Queimar de leve. **2.** Secar ao fogo. **3.** *Quím.* Fazer a ustulação (2) de.

usual. [Do lat. *usuale.*] *Adj. 2 g.* Que se usa habitualmente; comum, freqüente, habitual, usado. [Antôn.: *inusitado.*]

usualidade. *S. f.* Qualidade de usual.

usuário. [Do lat. *usuariu.*] *Adj.* **1.** Que possui ou desfruta alguma coisa pelo direito de uso; utente. **2.** Que serve para o nosso uso. **3.** Dizia-se do escravo de quem se tinha o uso, mas não a propriedade. ● *S. m.* **4.** Aquele que possui ou frui alguma coisa pelo direito de uso; utente. **5.** *P. ext.* Cada um daqueles que usam ou desfrutam alguma coisa coletiva, ligada a um serviço público ou particular; utente: *usuário dos trens da Central; do telefone da Cetel, do serviço dos correios.*

usucapião. [Do lat. *usucapione.*] *S. f. Jur.* **1.** Modo de adquirir propriedade móvel ou imóvel pela posse pacífica e ininterrupta da coisa durante certo tempo. **2.** Prescrição aquisitiva.

usucapiente. [Do lat. *usucapiente.*] *Adj. 2 g.* e *s. 2 g.* Que ou quem adquiriu o direito de propriedade por usucapião.

usucapir. [Do lat. *usucapere.*] *V. t. d.* **1.** Adquirir por usucapião. *Int.* **2.** Prevalecer, predominar. **3.** Ter vigor; vigorar. **4.** Adquirir-se por uso.

usucapto. [Do lat. *usucaptu.*] *Adj.* Adquirido por usucapião.

usufruir. [Calcado em *usufruto.*] *V. t. d.* **1.** Ter a posse e o gozo de (algo que não se pode alienar ou destruir). **2.** Colher os frutos de; gozar, desfrutar, desfruir, fruir: "não podendo *usufruir* as coisas boas da vida, os trabalhadores contentam-se em obter algo que as represente." (Carlos Drummond de Andrade, *Contos de Aprendiz,* p. 72). *T. i.* **3.** Gozar, desfrutar, fruir: "Ele *usufrui* de nossa companhia com um apetite que chega a envergonhar-me" (Nélida Piñón, *A Força do Destino,* p. 19.) [Sin. ger.: *usufrutuar.* Conjuga-se e grafa-se como *fruir.*]

usufruto. [Do lat. jur. *usus-fructus.*] *S. m.* **1.** Ato ou efeito de usufruir; fruição. **2.** Aquilo que se usufrui. **3.** *Jur.* Direito que se confere a alguém para, por certo tempo, retirar de coisa alheia todos os frutos e utilidades que lhe são próprios, desde que não lhe altere a substância ou o destino.

usufrutuar. [De *usufruto* + *-ar*[2].] *V. t. d.* Usufruir. [Fut. pret.: *usufrutuaria,* etc. Cf. *usufrutuária,* fem. de *usufrutuário.*]

usufrutuário. [Do lat. *usufructuariu.*] *Adj.* **1.** Relativo a usufruto. **2.** Que usufrui; desfrutador. ● *S. m.* **3.** Aquele que usufrui; desfrutador. [Fem.: *usufrutuária.* Cf. *usufrutuaria,* do v. *usufrutuar.*]

usura. [Do lat. *usura.*] *S. f.* **1.** Juro de capital. **2.** Contrato de empréstimo com a cláusula em que o devedor se obriga ao pagamento de juros. **3.** Juro excessivo, exorbitante; onzena. **4.** Lucro exagerado. **5.** *Bras., N.E.* e *S.* Mesquinhez, mesquinharia, avareza. **6.** *Bras., N.E.* e *S.* Ambição (1). **7.** *Bras.* Desgaste que sofrem os materiais por efeito do uso ou de atrito.

usurar. *V. int.* Emprestar dinheiro ou outra coisa com usura: *Há muito que não trabalha, vive só de usurar.* [Fut. do pret.: *usuraria,* etc. Cf. *usurária,* fem. de *usurário.*]

usurário. [Do lat. *usurariu.*] *Adj.* e *s. m.* **1.** Que ou aquele que usura. **2.** *Pop.* Agiota. **3.** V. *avaro* (1 e 3). [Sin., p. us.: *usureiro.* Fem.: *usurária.* Cf. *usuraria,* do v. *usurar.*]

usureiro. [De *usura* + *-eiro.*] *Adj.* e *s. m. P. us.* Usurário. V. *avaro* (1 e 3).

usurpação. [Do lat. *usurpatione.*] *S. f.* Ato ou efeito de usurpar.

usurpador (ô). [Do lat. *usurpatore.*] *Adj.* e *s. m.* Que ou aquele que usurpa.

usurpar. [Do lat. *usurpare.*] *V. t. d.* **1.** Apossar-se violentamente de: *O malandro usurpou a herança do parente.* **2.** Adquirir com fraude: *Casou-se para usurpar a fortuna da noiva.* **3.** Alcançar sem direito: "Correm já sujeitos às vicissitudes da publicidade tantos filhos espúrios da mesma invenção, que mais esta, entrando no mundo das letras, não *usurpará* decerto lugar, que pertença de direito às obras-primas dos poetas festejados." (Rebelo da Silva, *Contos e Lendas,* p. 18.) **4.** Exercer indevidamente: *usurpar um trono; Por 12 anos usurpou o governo.* **5.** Assumir o exercício de, por fraude, artifício ou força: *usurpou a presidên-*

cia fraudando as eleições. *T. d.* e *i.* **6.** Tomar à força: "Tendo usurpado o trono de Angola ao irmão ...., meditou desfazer-se dos portugueses, entrados já no seu território" (Aquilino Ribeiro, *Portugueses das Sete Partidas*, pp. 346-347). **7.** Obter por fraude: *Astuciosamente usurpou a vaga ao legítimo ocupante.*

usurpável. *Adj. 2 g.* Que pode ser usurpado.

ut. [Lat., da 1ª sílaba do 1º verso do hino a São João Batista: "*Ut queant laxis / Resonare fibris / Mira gestorum / Famuli tuorum / Solve polluti / Labii reatum, / Sancte Ioannes.*" (Para que possam teus fâmulos exaltar, com voz clara, os teus feitos admiráveis, retira-lhes dos lábios toda a impureza, ó São João.)] *S. m. Mús.* O nome da primeira nota da escala sem acidentes adotada por Guido d'Arezzo (séc. XI), a qual foi substituída, no séc. XVI, pela sílaba *dó*, de emissão mais fácil. [Cf. *dó, ré, mi, fá, sol, lá, si,* e *solmização.*]

utar. *V. t. d.* Var. de *outar*.

ute. [Do ingl. *ute*, de uma língua indígena do S.O. dos E.U.A.] *S. m.* **1.** Indivíduo dos utes, designação de tribos indígenas americanas que habitavam o Colorado. Utá e Novo México. **2.** A língua falada pelos utes. ● *Adj.* **3.** Pertencente ou relativo a eles, ou à sua língua. [Var.: *uto.*]

utensílio. [Do lat. *utensilia*, pl. de *utensile*, 'tudo quanto serve para nosso uso'.] *S. m.* **1.** Qualquer instrumento de trabalho de que se utilize o artista, o operário, ou o artesão. **2.** Objeto que tem utilidade como meio ou instrumento para alguma coisa: *utensílios domésticos.*

utente. [Do lat. *utente*, 'que usa'.] *Adj. 2 g.* e *s. 2 g.* Que ou aquele que usa ou desfruta alguma coisa; usuário [v. *usuário* 1, 4 e 5]: "O Estado Maior da Armada tem procurado .... sensibilizar os utentes, chamar a atenção para a perigosidade de certos atos" (*Diário Popular*, Lisboa, 27.7.83).

uteralgia. [De *uter(o)-* + *-algia.*] *S. f. Med.* V. *metralgia.*

uterálgico. *Adj.* Relativo à uteralgia; metrálgico.

uterino. [Do lat. *uterinu.*] *Adj.* Relativo ou pertencente ao útero. ~ V. *furor —, irmãos —s* e *trompa —a.*

útero. [Do lat. *uteru.*] *S. m. Anat.* Órgão onde se gera o feto dos mamíferos. [Sin. (pop.): *matriz, madre, ventre* e (bras.) *mãe-do-corpo.*] ♦ **Útero gemelar.** O útero onde se desenvolvem gêmeos.

uter(o)-. [Do lat. *uterus, i.*] *El. comp.* = 'útero': *uterorragia, uteralgia.*

uteróceps. *S. m. 2 n.* V. *uterócipe.*

uterócipe. [De *uter(o)-* + a term. de *fórcipe.*] *S. m.* Instrumento cirúrgico usado para apreender o colo do útero.

uteromania. [De *uter(o)-* + *-mania.*] *S. f.* V. *ninfomania.*

uteromaníaco. *Adj.* Referente à uteromania; ninfomaníaco.

uterorragia. [De *uter(o)-* + *-ragia.*] *S. f.* Metrorragia.

uterorrágico. *Adj.* Relativo à uterorragia; metrorrágico.

uteroscopia. [De *uter(o)-* + *-scop-* + *-ia.*] *S. f. Med.* Histeroscopia.

uteroscópico. *Adj.* Relativo à uteroscopia.

uterotomia. [De *uter(o)-* + *-tom(o)-* + *-ia.*] *S. f. Cir.* Histerotomia.

uterotômico. *Adj.* Relativo à uterotomia.

uterótomo. [De *uter(o)-* + *-tomo.*] *S. m.* Instrumento com que se faz a uterotomia.

uterovariano. [De *uter(o)-* + *ovári(o)* + *-ano.*] *Adj.* Respeitante ao útero e ovários.

útil. [Do lat. *utile.*] *Adj. 2 g.* **1.** Que pode ter algum uso ou serventia: *objeto útil.* **2.** Proveitoso, vantajoso: *negócio útil.* **3.** Diz-se de período reservado ao trabalho produtivo: *tempo útil* e *tempo de lazer.* **4.** Determinado por lei: *Extinguiu-se o prazo útil para a apresentação do recurso.* ~ V. *ano —, área —, benfeitorias úteis, carga —, dia —, domínio —, inocente —* e *senhorio —.* ● *S. m.* **5.** Aquilo que é útil: *unir o útil ao agradável.* [Pl.: *úteis.*]

utilidade. [Do lat. *utilitate.*] *S. f.* **1.** Qualidade de útil; serventia. **2.** Vantagem, proveito, lucro. **3.** Pessoa ou coisa útil. **4.** Propriedade ou aptidão duma coisa para satisfazer as necessidades econômicas do homem. **5.** V. *utensílio* (2).

utilitário. [Do lat. **utilitariu.*] *Adj.* **1.** Relativo à utilidade. **2.** Que tem a utilidade ou interesse, particular ou geral, como fim principal de seus atos. **3.** *Bras.* Diz-se do veículo automóvel resistente, como o jipe ou a camioneta, em geral de tração elevada, empregado no transporte de mercadorias, sobretudo na zona rural. ● *S. m.* **4.** Indivíduo utilitário (2). **5.** *Bras.* Veículo utilitário (3).

utilitarismo. *S. m.* **1.** Sistema ou modo de agir do indivíduo utilitário. **2.** *Filos.* Doutrina moral cujos principais representantes são os ingleses Jeremy Bentham (1748-1832) e John Stuart Mill (1806-1873), e que põe como fundamento das ações humanas a busca egoística do prazer individual, do quê deverá resultar maior felicidade para maior número de pessoas, pois se admite a possibilidade dum equilíbrio racional entre os interesses individuais.

utilitarista. *Adj. 2 g.* **1.** Relativo ao, ou que é partidário do utilitarismo. ● *S. m. 2 g.* **2.** Partidário dele.

utilização. *S. f.* Ato ou efeito de utilizar(-se).

utilizar. [De *útil* + *-izar.*] *V. t. d.* **1.** Tornar útil; empregar com utilidade; aproveitar: *Precisamos utilizar o tempo.* **2.** Fazer uso de; valer-se de; usar: *utilizar todos os meios para manter a paz;* "Seguindo a tradição épica, Camões utiliza nos *Lusíadas* mais de um narrador." (Cleonice Berardinelli, *Estudos Camonianos*, p. 33); "Queriam forçar-me a excessivo alimento, encher-me, utilizando conselhos e sorrisos, o estômago fraco." (Graciliano Ramos, *Viagem*, p. 33). **3.** Tirar utilidade de; aproveitar. **4.** Ganhar; lucrar. *T. d.* e *i.* **5.** Empregar utilmente: *O governo utilizou na lavoura a mão-de-obra excedente.* *T. i.* **6.** Ser útil ou proveitoso; ter uso ou préstimo: *A má fé não utiliza a ninguém.* *P.* **7.** Lançar mão de; tirar proveito de; servir-se: *Utiliza-se do nome do pai para obter vantagens.*

utilizável. *Adj. 2 g.* Que pode ser utilizado.

ut infra. [Lat.] *Loc. adv.* Como [está] abaixo.

utinguense. *Adj. 2 g.* **1.** De, ou pertencente ou relativo a Utinga (BA). ● *S. 2 g.* **2.** Natural ou habitante de Utinga.

uti non abuti (úti nonabúti). [Lat., 'usar, não abusar'.] Admite-se o uso, não o abuso.

uti possidetis (úti possidétiç). [Lat., 'como possuis'.] *Jur.* Fórmula diplomática que estabelece o direito dum país a um território, direito esse fundado na ocupação efetiva e prolongada, e independente de outro qualquer título.

uto. *S. m.* e *adj.* Var. de *ute.*

uto-asteca. [De *uto* + *asteca.*] *S. m.* **1.** Família lingüística indígena do O. dos E.U.A., e do México, Salvador, Guatemala e Honduras. ● *Adj.* **2.** Pertencente ou relativo ao uto-asteca. [Pl.: *uto-astecas.*]

utopia. [Do gr. *ou*, 'não', + *-top(o)-* + *-ia*: 'de nenhum lugar'.] *S. f.* **1.** País imaginário, criação de Thomas Morus, escritor inglês (1480-1535), onde um governo, organizado da melhor maneira, proporciona ótimas condições de vida a um povo equilibrado e feliz. **2.** *P. ext.* Descrição ou representação de qualquer lugar ou situação ideais onde vigorem normas e/ou instituições políticas altamente aperfeiçoadas. **3.** *P. ext.* Projeto irrealizável; quimera; fantasia: "a reeleição indefinida de Borges [Borges de Medeiros] .... chocava-se evidentemente com as garantias liberais do regime no caso concreto do Brasil, onde a legalidade norte-americana era um mito, a independência dos poderes uma irrisão, o desprendimento de George Washington uma utopia" (Afonso Arinos de Melo Franco, *Um Estadista da República*, II, pp. 563-564).

utópico. *Adj.* **1.** Relativo a utopia. **2.** Que encerra utopia; irrealizável, quimérico. [Sin. ger.: *utopista.*] ~ V. *socialismo —.*

utopista. *Adj. 2 g.* **1.** V. *utópico.* **2.** Que concebe ou defende utopias. ● *S. 2 g.* **3.** Pessoa que concebe ou defende utopias: "Quem nos dissesse no século XVI que o obscuro e desprezível judeu, pai de Espinosa, ao emigrar de Lisboa nos arrebatava uma riqueza comparável à dos imensos territórios do país brasileiro, teria o ar de um utopista em delírio." (Ramalho Ortigão, *A Holanda*, p. 140.)

utopístico. *Adj.* **1.** Próprio de utopista (2 e 3). **2.** *P. ext.* Fantasista.

ut quid? (ut qüid). [Lat.] Por que razão?

utraquismo. [Do lat. *utraque*, 'uma e outra' (subentende-se substância), + *-ismo.*] *S. m.* A heresia dos utraquistas.

utraquista. [Do lat. *utraque*, 'uma e outra' (subentende-se *substância*), + *-ista.*] *S. 2 g.* Designação comum aos hussitas da Boêmia que comungam sob as duas espécies, do pão e do vinho.

ut retro. [Lat.] *Loc. adv.* Como [está] atrás.

utri-. [Do lat. *uter, tris.*] *El. comp.* = 'odre': *utriforme.*

utricular. *Adj. 2 g.* **1.** Semelhante a utrículo. **2.** Composto de utrículos. **3.** Relativo ao utrículo: *pericarpo utricular.* [Sin. ger.: *utriculariforme.*]

utriculariforme. [De *utricular* + *-i-* + *-forme.*] *Adj. 2 g.* Utricular.

utrículo. [Do lat. *utriculu*, 'odrezinho'.] *S. m.* **1.** Pequeno saco. **2.** *Anat.* A maior porção do labirinto membranoso do ouvido. **3.** *Morfol. Veg.* Pequena vesícula que, nas plantas insetívoras do gênero *Utricularia*, se acha junto às raízes e serve para apresar e digerir minúsculos animais aquáticos. É de origem foliar, e não passa de 4 a 5 mm de diâmetro; sua abertura é fechada por uma válvula. **4.** *Morfol. Veg.* Frutinho seco, monospérmico, e encerrado em uma vesícula, e que pode ser deiscente ou indeiscente. Ocorre, p. ex., nas ciperáceas.

utriculoso (ô). *Adj.* Que tem utrículos.

utriforme. [De *utri-* + *-forme.*] *Adj. 2 g.* Que tem forma de odre (1).

ut supra. [Lat.] *Loc. adv.* Como [está] acima.

utuaba. [Do tupi, decerto.] *S. f. Bras.* Árvore da família das meliáceas (*Guarea martiana*), que tem folhas com quatro a seis folíolos oblongo-lanceolados, cuspidados e quase sésseis, flores pequenas e arranjadas em panículas e cujos frutos são cápsulas piriformes e quadrivalves que medem 1 cm.

utuapoca. [Do tupi *utua'poka.*] *S. f. Bras., RJ.* Árvore da família das meliáceas (*Guarea spiciflora*), que difere da utuaba pelas panículas indivisas e flores sésseis.

utuaúba. [Do tupi *utua'iwa.*] *S. f. Bras.* V. *ataúba.*

uva. [Do lat. *uva.*] *S. f.* **1.** Fruto da videira [q. v.]. **2.** *P. ext.* Cacho de uvas. **3.** Designação geral dos frutos das vinhas. **4.** *Bras. Gír.* Mulher muito bonita, tentadora: *Que uva é aquela pequena!* **5.** *P. ext.* Coisa muito bonita: *Onde foi que você comprou essa uva de vestido?* ♦ **Uva tinta.** A de cor avermelhada. **Uma uva.** *Bras.* V. *um amor* (1).

uva-brava. *S. f.* V. *anil-trepador.* [Pl.: *uvas-bravas.*]

uvaça. *S. f.* Grande porção de uvas.

uvacupari. [Var. de *bacupari.*] *S. m. Bras.* V. *bacupari-do-campo.*

uvada. *S. f.* **1.** Conserva de uvas. **2.** Doce de uvas em pasta.

uva-de-cão. *S. f.* V. *doce-amarga.* [Pl.: *uvas-de-cão.*]

uva-de-espinho. *S. f. Bras.* V. *espinho-de-são-joão.* [Pl.: *uvas-de-espinho.*]

uva-de-mato-grosso. *S. f. Bras., C.* Cipó da família das menispermáceas *(Disciphania glaziovii)*, de folhas amplas, recortadas, pilosas e membranáceas, flores inconspícuas reunidas em longas espigas delgadas e solitárias, e frutos que são bagas comestíveis. [Pl.: *uvas-de-mato-grosso.*]

uva-do-mato. *S. f.* V. *abutua-grande* (1). [Pl.: *uvas-do-mato.*]

uva-espim. *S. f.* Arbusto da família das berberidáceas (*Berberis vulgaris*), de folhas imparipenadas e com folíolos serreados, e que tem espinhos pungentes. As flores são pequenas; os frutos, bagas. É espécie comum na Europa, onde abriga o fungo *Puccinia graminis*, parasito que devasta os trigais. [Pl.: *uvas-espins* e *uvas-espim.*]

uvaia. [Do tupi *iwa'ya*, 'fruto ácido, azedo'.] *S. f. Bras., S.* **1.** Arbusto ou arvoreta da família das mirtáceas *(Eugenia uvalha)*, de ramos tetrágonos, folhas oblongas, obtusas, reticuladas e venosas, flores solitárias, axilares e alvas, e cujos frutos são bagas piriformes, amarelas, do tamanho de uma pequena pêra e de sabor aceitável, conquanto muito ácido. [Sin.: *uvaieira* e *uaieira.*] **2.** O fruto dessa planta. [Var.: *ubaia.*]

uvaieira. *S. f. Bras.* V. *uvaia* (1).

uval. *Adj. 2 g.* **1.** Referente a uva. ● *S. m.* **2.** *Pop.* Tumores hemorroidais. [Cf. *oval.*]

uvapiritica. [De *uva* + tupi *piri'tĩ*, 'de pele erguida'.] *S. f. Bras.* Certa planta semelhante ao morangueiro.

uvário. *Adj. Bot.* Que se compõe de pequenos grãos globulosos como a uva. [Cf. *ovário.*]

uvarovita. [Do antr. *Uvarov*, estadista russo (1786-1855), + *-ita*[3].] *S. f. Min.* Mineral monométrico, esverdeado, silicato de cálcio e cromo, do grupo das granadas.

uva-ursina. [De *uva* + o fem. de *ursino.*] *S. f.* Subarbusto prostrado, da família das ericáceas *(Arctostaphylos uva-ursi)*, muito espalhado na Europa, Ásia e América boreal, de folhas obovadas, pequenas, venosas e reticuladas, com elevado teor de tanino e outras glicoses, razão do seu emprego nas moléstias das vias urinárias. [Pl.: *uvas-ursinas.*]

úvea. [De *uva* + *-ea.*] *S. f. Anat.* O conjunto formado pela coróide, íris e processos ciliares.

uveíte. [De *úvea* + *-ite*[1].] *S. f. Patol.* Inflamação da úvea.

úvido. [Do lat. *uvidu.*] *Adj. Poét.* Úmido.

uvífero. [Do lat. *uviferu.*] *Adj. Poét.* Que dá frutos parecidos com cachos de uvas.

uviforme. [De *uva* + *-i-* + *-forme.*] *Adj. 2 g.* Semelhante a bago de uva. [Cf. *oviforme.*]

uvilha. [Dim. irreg. de *uva.*] *S. f. Bras., Amaz.* Árvore da família das moráceas *(Pourouma cecropiaefolia)*, da floresta pluvial, muito semelhante à umbaúba [q. v.], e cujos frutos, doces, algo ácidos e mucilaginosos, dão, fermentados, uma espécie de vinho.

úvula. [Do lat. **uvula*, 'pequeno bago de uva'.] *S. f. Anat.* **1.** Designação genérica de massa carnosa pendente. **2.** Úvula palatina: "Na África, há a superstição de que a ú v u l a ou campainha é responsável por todas as moléstias" (A. da Silva Melo, *Psicologia dos Fatos Cotidianos*, p. 78). ◆ **Úvula palatina.** *Anat.* Pequena massa carnosa pendente do palato mole; campainha. [Tb. se diz apenas *úvula*.]

uvular. *Adj. 2 g. Anat.* Relativo ou pertencente à úvula; uvulário. [Cf. *ovular*.]

uvulário. [De *úvula* + *-ário*.] *Adj. Anat.* Uvular [q. v.].

uvuliforme. [De *úvula* + *-i-* + *-forme*.] *Adj. 2 g.* Semelhante à úvula. [Cf. *ovuliforme*.]

uvulite. [De *úvula* + *-ite*[1].] *S. f. Patol.* Inflamação da úvula.

uxi. [Do tupi *u'xi*.] *S. m. Bras.* Árvore da família das rosáceas *(Uxi umbrosissima)*.

uxicuruá. [De possível or. tupi.] *S. m. Bras., Amaz.* Árvore da família das humiriáceas *(Sacoglottis verrucosa)*, da mata pluvial, de folhas oblongas e agudas, flores pouco aparentes, organizadas em panículas, madeira pardo-violácea, pesada, dura, resistente à putrefação, mas sem emprego, e frutos que são drupas do tamanho de uma tangerina, com mesocarpo untuoso e saboroso.

uxipuçu. [De provável or. indígena.] *S. m. Bras., Amaz.* Árvore da família das humiriáceas *(Sacoglottis uchi)*, semelhante ao uxicuruá, que tem frutos ovóides, amarelados, e cuja polpa escassa é aromática, doce, oleosa e saborosa, e fornece uns 8% de óleo bom para culinária.

▲**uxor(i)-.** [Do lat. *uxor, oris*.] *El. comp.* = 'mulher casada'; 'esposa': *uxoricida*; *uxório* (lat. *uxoriu*).

uxoricida (cs). [De *uxor(i)-* + *-cida*.] *S. m.* **1.** Aquele que comete uxoricídio. ● *Adj. 2 g.* **2.** Que concorre para uxoricídio, ou o determina: *o punhal u x o r i c i d a*.

uxoricídio (cs). [De *uxor(i)-* + *-cídio*.] *S. m.* Assassinato da mulher pelo próprio marido.

uxório (cs). [Do lat. *uxoriu*.] *Adj.* Respeitante à mulher casada: *outorga u x ó r i a*.

uzífur. [Var. de *uzífuro*.] *S. m.* V. *cinabre*.

uzífuro. *S. m.* V. *cinabre*.

V

v. *S. m.* **1.** A 21ª letra do nosso alfabeto. [V. *alfabeto fonético internacional.*] **2.** A forma desta letra: *decote em V.* **3.** *Fís.* Símb. de *volt.* **4.** *Quím.* Símb. de *vanádio.* • *Num.* **5.** O vigésimo primeiro, numa série indicada pelas letras do alfabeto: *casa V* (ou *casa v*). **6.** A vigésima primeira, num grupo de séries: *série V* (ou *série v*). **7.** No sistema romano de numeração, símb. do número 5. [Com maiúscula, nas acepç. 2 a 4 e 7. Cf. *vê.*]

vã. *Adj.* (*f.*) Fem. do adj. *vão*: "Foram baldadas, / Foram vãs minhas súplicas, Senhor!" (Eugênio de Castro, *Obras Poéticas*, p. 176); "A vida é vã como a sombra que passa..." (Manuel Bandeira, *Estrela da Vida Inteira*, p. 46).

■ **VA.** *Eletr.* Símb. de *volt-ampère.*

vaca. [Do lat. *vacca.*] *S. f.* **1.** A fêmea do touro. **2.** A carne de boi ou vaca que se vende para consumo alimentício. **3.** Prato feito com essa carne: "Durante alguns minutos não se ouviu mais que o tinir dos talheres e o ruído da mastigação. Borges abarrotava-se de alface e vaca" (Machado de Assis, *Várias Histórias*, p. 42). **4.** Parada no jogo, proposta por um parceiro, mas em nome de dois ou mais. **5.** *Fig.* Origem constante de interesses. **6.** *Bras.* V. *piraúna* (1). **7.** *Bras.* Vaquinha. **8.** *Bras.* No jogo do bicho [q. v.], o 25º grupo (8), que abrange as dezenas 97, 98, 99 e 00, e corresponde ao número 25. **9.** *Bras. Chulo.* Mulher leviana, que aceita qualquer homem. **10.** *Bras., RJ. Gír. Obsol.* Nota de cem mil-réis. **11.** *Bras.* e *prov. lus.* Indivíduo falto de energia, frouxo, moleirão, covarde. ◆ **Ir a vaca para o brejo.** *Bras.* Malograr-se, frustrar-se; ir para o beleléu.

vacada. *S. f.* Manada ou corrida de vacas; vacaria.

vaca-fria. [De *vaca* + o fem. do adj. *frio.*] *El. s. f.* Us. nas loc. *voltar à vaca-fria* e *tornar à vaca-fria.* ◆ **Tornar à vaca-fria.** Voltar à vaca-fria. **Voltar à vaca-fria. 1.** Repisar assunto ou questão já tratada ou discutida. **2.** Retomar o assunto principal duma conversação. [Sin. ger.: *tornar à vaca-fria.*]

vacagem. [Do esp. plat. *vacaje.*] *S. f. Bras., S.* Lote ou grande número de vacas.

vacal. [De *vaca* + *-al.*] *Adj. 2 g. Bras.* Indigno, indecente; desprezível.

vaca-leiteira. *S. f.* **1.** *Bras., RJ.* Caminhão com uma pipa no lugar da carroceria, e que percorria a cidade vendendo leite. **2.** *Bras. Pop.* Mulher de seios grandes. [Pl.: *vacas-leiteiras.*]

vaca-marinha. *S. f.* V. *manati.* [Pl.: *vacas-marinhas.*]

vacância. [Do lat. *vacantia.*] *S. f.* **1.** Estado daquilo que se mostra ou ficou vago. **2.** Tempo durante o qual permanece vago um cargo ou emprego; vagância, vaga, vacatura, vagatura, vagação, vagante. **3.** *Jur.* Estado dos bens da herança jacente [q. v.] depois de praticadas todas as diligências legais sem que os herdeiros tenham aparecido. **4.** *Fís.* Numa rede cristalina, defeito provocado pela ausência de uma partícula num dos pontos da rede.

vacante. [Do lat. *vacante.*] *Adj. 2 g.* Que está vago. — V. *herança —.*

vacão. [De *vaca* + *-ão*[2].] *S. m. Prov. port.* **1.** Campônio; rústico; lapuz. **2.** Homem inútil, indolente, mandrião. **3.** Homem estúpido, de curta inteligência; palerma.

vacapari. [Do tupi, decerto.] *S. f. Bras.* V. *bacupari-do-campo.* [Var.: *vacaparilha.*]

vacaparilha. [Var. de *vacapari.*] *S. f. Bras.* V. *bacupari-do-campo.*

vaca-preta. [De *vaca* + o fem. do adj. *preto* (ê).] *S. f. Bras.* Mistura de sorvete com coca-cola. [Pl.: *vacas-pretas.*]

vacar. [Do lat. *vacare.*] *V. int.* **1.** Estar ou ficar vago, desocupado: *Com a renúncia o Ministério da Guerra vacou.* **2.** Estar em férias. **3.** Interromper por algum tempo as suas funções. *T. i.* **4.** Estar ocioso, desocupado. **5.** Descansar, repousar. **6.** Dedicar-se, aplicar-se. **7.** Empregar o tempo; dar atenção.

vacaraí. [Do esp. plat. *vacaraí.*] *S. m. Bras.* V. *nonato* (4). [Var.: *bacaraí.*]

vacari. [Do tupi *waka'ri.*] *S. m. Bras.* Peixe de água doce (*Hypostoma plecostomum*).

vacaria. *S. f.* **1.** Vacada: "De começo — bezerrada mansa de curral, depois — garrotada sadia; vacaria farta de leite" (Amadeu de Queirós, *Os Casos do Carimbamba*, p. 35). **2.** Curral de vacas. **3.** Gado vacum. **4.** Estabelecimento onde se tratam e guardam vacas para vender-lhes o leite.

vacariano. *Adj.* **1.** De, ou pertencente ou relativo a Vacaria (RS). • *S. m.* **2.** O natural ou habitante de Vacaria.

vacaril. *Adj. 2 g.* Relativo ou pertencente a vaca ou a gado vacum.

vaca-sem-chifre. *S. f.* Pequeno peixe ostraciontídeo (*Lactophrys* (Lin.)). [Pl.: *vacas-sem-chifre.*]

vacatura. [Do lat. *vacatu*, part. pass. de *vacare*, 'vagar', + *-ura.*] *S. f.* V. *vacância* (2).

vacê. *Pron. Bras. Pop.* V. *você*: "— ... vacê, que toda a vida se mostrou de bom parecer, me dá de conselho casar?" (Amadeu de Queirós, *João*, p. 199).

vacilação. [Do lat. *vacillatione.*] *S. f.* **1.** Ato ou efeito de vacilar. **2.** Estado do que vacila. **3.** *Fig.* Perplexidade, dúvida, hesitação, oscilação.

vacilada. [De *vacilar* + *-ada*[1].] *S. f. Bras.* Bobeada. ◆ **Dar uma vacilada.** *Bras. Gír.* V. *dormir de touca.*

vacilante. [Do lat. *vacillante.*] *Adj. 2 g.* **1.** Que vacila. **2.** Pouco firme, mal seguro. **3.** Hesitante, perplexo. **4.** Trêmulo, oscilante: *luz vacilante.* **5.** Que está prestes a cair; instável: *ministério vacilante.* **6.** Mudável, volúvel. [Sin. ger.: *vacilatório.*]

vacilar. [Do lat. *vacillare.*] *V. int.* **1.** Oscilar, balançar-se, por não estar firme, fixo ou seguro: "O bonde vacilava nos trilhos, entrava em ruas largas." (Clarice Lispector, *Laços de Família*, p. 25.) **2.** Caminhar sem firmeza; cambalear: "Ergueu-se, e só então percebeu que estava completamente bêbedo. Vacilou sobre as pernas e caiu ao chão." (Fernando Sabino, *O Homem Nu*, p. 115.) **3.** Perder o vigor; enfraquecer, afrouxar. **4.** Tremer, oscilar: *A luz da lamparina vacila*; "Ao terceiro dobre o castelo tremeu e vacilou nos alicerces, como se um terramoto o abalasse." (Rebelo da Silva, *Contos e Lendas*, pp. 41-42). **5.** Estar ou ficar duvidoso, incerto, irresoluto; hesitar: *Vacilou longo tempo, antes de responder. T. i.* **6.** Não estar ou não mostrar-se muito seguro; ter hesitações ou dúvidas: *O advogado vacilou em aceitar a causa T. d.* **7.** Fazer tremer; estremecer, sacudir, abalar: *Os tiros do canhão vacilaram os edifícios próximos.* **8.** Tornar hesitante, irresoluto; abalar.

vacilatório. [De *vacillatu*, part. pass. de *vacillare*, 'vacilar', + *-(t)ório.*] *Adj.* **1.** V. *vacilante.* **2.** Que produz vacilação.

vacina. [Do lat. *vaccina*, 'de vaca' (subentende-se 'matéria').] *S. f.* **1.** *Med. Impr.* V. *varíola bovina.* **2.** Vacinação. **3.** *P. ext.* Substância de origem microbiana (micróbios mortos ou de virulência abrandada) que se introduz no organismo, com fim preventivo, paliativo ou curativo. ◆ **Vacina antivariólica.** Medicamento preparado com o vírus da varíola bovina, e que se inocula no homem para o imunizar contra a varíola. **Vacina terapêutica.** A que se introduz no organismo com o fim de facilitar a cura dalguma doença já declarada.

vacinação. *S. f.* Ato ou efeito de vacinar; vacina. ◆ **Vacinação preventiva.** V. *vacinar* (1).

vacinado. [Part. de *vacinar.*] *Adj.* **1.** Que se vacinou; em cujo organismo se inoculou vacina. **2.** *Bras. Gír.* Diz-se de moça que não é virgem.

vacinador (ô). *Adj.* **1.** Que vacina. • *S. m.* **2.** Aquele que vacina. **3.** Lanceta apropriada para vacinar.

vacinal. *Adj. 2 g.* Vacínico.

vacinar. *V. t. d.* **1.** Introduzir uma vacina no organismo de (homem ou animal), ou para criar imunidade em relação à infecção correspondente (*vacinação preventiva*) ou para desenvolver as defesas do organismo contra uma infecção já instalada (*vacinoterapia*). *T. d. e i.* **2.** *Fig.* Imunizar, preservar, resguardar, defender: "Inicialmente, o positivismo vacinara-o [a Tobias Barreto] contra o empirismo das soluções demagógicas e revolucionárias." (Hermes Lima, *Tobias Barreto*, p. 77.)

vacínico. *Adj.* Referente à vacina; vacinal.

vacinogenia. [De *vacina* + *-o-* + *-gen(o)-*[1] + *-ia.*] *S. f.* Produção de vacinas.

vacinogênico. *Adj.* Respeitante a, ou próprio para a vacinogenia.

vacinóide. [De *vacina* + *-óide.*] *Adj. 2 g.* **1.** Que se assemelha à vacina. • *S. f.* **2.** Vacina atenuada, benigna.

vacinose. [De *vacina* + *-ose.*] *S. f. Patol.* Doença ou afecção originada do emprego de vacinas.

vacinoterapia. [De *vacina* + *-o-* + *terapia.*] *S. f.* V. *vacinar* (1).

vacinoterápico. *Adj.* Respeitante à vacinoterapia.

vacu. [Var. de *bacu.*] *S. m. Bras.* Bacu (1).

vacuá. [De provável or. tupi.] *S. m. Bras.* Pandano.

vacuidade (u-i). [Do lat. *vacuitate.*] *S. f.* **1.** Estado ou qualidade do que é vazio; inanidade. **2.** *Fig.* Vaidade, presunção.

vacum. *Adj. 2 g.* **1.** Diz-se do gado constituído de vacas, bois e novilhos. • *S. m.* **2.** Gado vacum. **3.** Espécime desse gado: *Possui centenas de vacuns e ovinos.*

vácuo. [Do lat. *vacuu.*] *Adj.* **1.** Que não contém nada; oco, despejado, vazio. • *S. m.* **2.** Espaço, imaginário ou real, não ocupado por coisa alguma; lacuna, vão, vazio. **3.** *Fís.* Pressão inferior à pressão atmosférica. **4.** *Met.* Zona atmosférica afetada por correntes descentes. ◆ **Vácuo final.** *Fís.* A menor pressão que pode ser estabelecida num sistema em que se faz o vácuo.

vacuolado. [De *vacúolo* + *-ado*[1].] *Adj. Citol.* Que tem

vacúolos: *célula vacuolada.*
vacuolar. [De *vacúolo* + *-ar*[1].] *Adj. 2 g.* ~ V. *textura* —.
vacúolo. [Dim. irreg. de *vácuo.*] *S. m. Citol.* Espaço cheio de líquido incolor que se forma no protoplasma das células vegetais. [Quanto mais velha a célula, maiores os vacúolos; podem ser tão grandes que o protoplasma acabe reduzindo-se a uma delgada faixa, localizada junto à parede celular.]
vacuômetro. [De *vácuo* + *-metro.*] *S. m. Fís.* Manômetro para medir pressões inferiores a uma atmosfera.
vadeabilidade. *S. f.* Qualidade de vadeável.
vadeação. *S. f.* Ato ou efeito de vadear. [Cf. *vadiação.*]
vadear. [Do lat. *vadu*, 'vau', + *-ear.*] *V. t. d.* Passar ou atravessar a vau: "Era necessário penetrar no coração da espessura, *vadear* brejos insalubres, atravessar rios profundos" (João Francisco Lisboa, *Obras*, II, p. 339). [Conjug.: v. *frear.* Cf. *vadiar.*]
vadeável. *Adj. 2 g.* Que se pode vadear.
vade-mécum (dè). [Do lat. *vade mecum*, 'vai comigo'.] *S. m.* Designação comum a livros de conteúdo prático e formato cômodo. [Pl.: *vade-mécuns.*]
vadeoso (ô). [Var. de *vadoso* < lat. *vadosu.*] *Adj.* Onde há vau ou bancos de areia; vadoso.
vadia. [Fem. de *vadio.*] *S. f. Bras., Gír.* V. *piranha* (3).
vadiação. *S. f.* Ato ou efeito de vadiar. [Sin.: *vadiagem, vadiice, vagagem, vagância, calungagem.* Cf. *vadeação.*]
vadiagem. *S. f.* **1.** V. *vadiação.* **2.** Vida de vadio; vadiice, matulagem. **3.** Os vadios. **4.** *Bras. Jur.* Contravenção penal que consiste em entregar-se alguém, por hábito, à ociosidade, apesar de ser válido para o trabalho e não contar com renda que lhe assegure a subsistência, ou em prover a esta por meio de ocupação ilícita.
vadiamente. [Do fem. de *vadio* + *-mente.*] *Adv.* À maneira de vadio; com ares de vadio: "— *Paese di fortuna e miracoli* ... emendou o Benevenuto e reclinou-se *vadiamente* na amurada." (Alberto Rangel, *Sombras n'Água*, p. 89.)
vadiar. [De *vadio* + *-ar*[2].] *V. int.* **1.** Andar ociosamente de uma para outra banda; vagabundear, vagabundar. V. *vaguear*[1] (1 e 2). **2.** Levar vida ociosa; viver na ociosidade; não trabalhar; vagabundear. [Sin., bras., S. (nesta acepç.): *muquinhar.*] **3.** Não estudar; vagabundear, vagabundar. **4.** *Bras.* Andar em pagodes; brincar, divertir-se. **5.** *Bras., N.E. Pop.* Fornicar: "— Vem aqui, Flor, vem deitar junto de mim, vamos *vadiar* um pinguinho." (Jorge Amado, *Dona Flor e Seus Dois Maridos*, p. 433). **6.** *Bras., BA.* Dançar no candomblé de caboclo. [Pres. ind.: *vadio, vadias, vadia, vadiamos, vadiais, vadiam.* Cf. *vadear.*]
vadiice. [De *vadio* + *-ice.*] *S. f.* **1.** V. *vadiação.* **2.** V. *vadiagem* (2).
vadio. [Do lat. **vagativu*, 'vagabundo'.] *Adj.* **1.** Que não tem ocupação, ou que não faz nada; ocioso, desocupado, tunante, vagabundo. **2.** Vagabundo (1). **3.** Próprio de gente ociosa: *vida vadia.* **4.** Diz-se do estudante pouco estudioso, inaplicado, vagabundo. **5.** *Bras. Fam.* Diz-se de certa quantia de dinheiro para a qual não se tem aplicação imediata, que está sobrando em um orçamento, em geral doméstico: *Aproveitei uns dinheirinhos vadios e resolvi aplicá-los na bolsa.* ~V. *mulher* —*a.* ● *S. m.* **6.** Indivíduo vadio; pé-leve.
vadoso (ô). [Do lat. *vadosu.*] *Adj.* Vadeoso.
➧**vae victis!** (vé víctiç). [Lat., *'Ai dos vencidos!'* Palavras de Breno, general gaulês, ao atirar a espada ao prato da balança no qual estavam os pesos com que se deveria pesar o ouro do resgate dos romanos, e que eram falsos, tendo estes protestado contra o abuso.] Citação com que se lembra que o vencido está à mercê do vencedor.
vaga[1]. [De *vagr*, de uma ant. língua escandinava, atr. do fr. *vague.*] *S. f.* **1.** Cada uma das compridas elevações da superfície de oceano ou mar, que se propagam em sucessão umas às outras, produzidas, em geral, pela ação do vento. **2.** *Fig.* Multidão que se espalha ou invade em desordem, como vaga (1); turba. **3.** Grande agitação. **4.** *Mil.* Conjunto de meios (homens, veículos, etc.) lançados à uma contra forças inimigas: *vaga de assalto; vaga de ataque.* [Aum.: *vagalhão.*] ◆ **Vaga de fundo.** Tipo de vaga (1) causada por abalo sísmico; vaga sísmica. **Vaga de vento.** Vaga forçada. **Vaga forçada.** Tipo de vaga (1) ocasionada pela ação direta do vento; vaga de vento. **Vaga sísmica.** Vaga de fundo.
vaga[2]. [Dev. de *vagar*[2].] *S. f.* **1.** Ato ou efeito de vagar[2]. **2.** V. *vacância* (2). **3.** Falta, ausência, carência. **4.** V. *vagar*[2] (10). **5.** Lugar disponível em hotel, pensão, etc., ou em quarto de hotel, pensão, etc. **6.** Lugar ou cargo não ocupado, não preenchido: *Há uma vaga de secretária.* **7.** Lugar vazio, vago: *Não estacionei o carro por falta de vaga.*
vagabunda. [Fem. de *vagabundo.*] *S. f.* **1.** *Bras.* Formiga da subfamília dos poneríneos (*Pachycondylus striata* Sm.). **2.** *Bras. Gír.* V. *piranha* (3): "pensará que sou *vagabunda*, que andei de homem em homem simplesmente para encher o tempo" (Carlos Heitor Cony, *Matéria de Memória*, p. 54).
vagabundagem. *S. f.* **1.** Vida de vagabundo. **2.** Os vagabundos.
vagabundar. *V. int.* V. *vagabundear:* "À noitinha, eu jantava e ia para a rua *vagabundar* até meia-noite" (João Alphonsus, *Eis a Noite!*, p. 160).
vagabundear. [De *vagabundo* + *-ear.*] *V. int.* **1.** Levar a vida errante de vagabundo; vaguear, vagabundear, vadiar. **2.** Andar de terra em terra; vaguear, vagar, errar, sem necessidade. **3.** V. *vadiar* (2 e 3): "quero *vagabundear* pelas ruas, pelas lojas, pelo porto coalhado de embarcações" (Lígia Fagundes Teles, *A Disciplina do Amor*, pp. 64-65). [F. paral.: *vagabundar.* Conjug.: v. *frear.*]
vagabundo. [Do lat. *vagabundu.*] *Adj.* **1.** Que leva uma vida errante; que vagueia; vagamundo, vadio, erradio, errante, nômade, andejo, mundeiro. **2.** Vadio (1 e 4). **3.** *Fig.* Inconstante, volúvel, leviano: *ânimo vagabundo.* **4.** *Bras.* Velhaco, pelintra, canalha, biltre. **5.** *Bras.* De má qualidade; reles, ordinário: *couro vagabundo* ● *S. m.* **6.** Indivíduo vagabundo (1); erradio, mundeiro, nômade, troca-pernas, vagamundo. **7.** Indivíduo desocupado, ocioso, vadio. [Sin., nesta acepç.: *valdevinos* e (bras.) *caça-fecho, cafumango, calaveira, calça-fecho, calça-foice, lustra, lustroso, ximbo.*]
vagação. [Do lat. *vacatione.*] *S. m.* V. *vagância* (2).
vágado. [De *vago*, provavelmente.] *S. m.* V. *vertigem* (1). [Cf. *vagado*, do v. *vagar.*]
vagagem. [De *vagar*[1] + *-agem*[2].] *S. f. Bras. Gír.* V. *vadiação.*
vagalhão. [Aum. irreg. de *vaga.*] *S. m.* Grande vaga[1] (1): "Mas a fúria do vento redobrava. Arrojava a embarcação no dorso dos *vagalhões*, que se abriam em desnivelamentos imensos." (Raul Bopp, *Putirum*, p. 207.)
vaga-lume. [De *caga-lume*, com eufemismo.] *S. m.* **1.** V. *pirilampo.* **2.** *Bras., RJ.* Empregado que, munido de pequena lanterna, acompanha o espectador até a poltrona, na sala de projeção dos cinemas, em teatros, etc.; lanterninha. [Pl.: *vaga-lumes.*]
vaga-lumear. *V. int.* Luzir, brilhar, à maneira de vaga-lume: "O preto do olho dele *vaga-lumeava*,..." (Nélson de Faria, *Bazé*, p. 13.)
vagamundear. [De *vagabundear*, por infl. de *mundo.*] *V. int.* V. *vagabundear* (1): "Esse destino de partir, *vagamundear* e voltar, mesmo para os que não viajam, realiza-se pela imaginação e pela vontade" (Álvaro Lins, *Literatura e Vida Literária*, p. 63). [Conjug.: v. *frear.*]
vagamundo. [De *vagabundo*, com infl. de *mundo.*] *Adj.* e *s. m.* V. *vagabundo* (1 e 6).
vagância. [Do lat. *vacantia.*] *S. f.* **1.** V. *vacância* (2). **2.** *Bras. Gír.* V. *vadiação.*
vagante[1]. [De *vagar*[1] + *-nte.*] *Adj. 2 g.* Que vagueia ou erra; errante.
vagante[2]. [Do lat. *vacante.*] *Adj. 2 g.* **1.** Que não está ocupado ou preenchido. ● *S. f.* **2.** V. *vacância* (2).
vagão. [Do ingl. *waggon*, atr. do fr. *wagon* e de uma f. *vagom.*] *S. m.* **1.** Veículo ferroviário rebocado, destinado ao transporte de pessoas ou de cargas: "Em San Tomé .... peguei um trem. Era um expresso comprido. Entrei num *vagão* e me sentei junto a uma janela, para ver a paisagem cortada em duas fatias." (Raul Bopp, *Putirum*, p. 189.) [Cf. *carro* (4).] **2.** O conjunto de pessoas, animais ou mercadorias transportados em um vagão: *Os trens despejam vagões de turistas que vêm esquiar.* [Dim. irreg.: *vagonete.*]
vagão-dormitório. *S. m.* V. *vagão-leito.* [Pl.: *vagões-dormitórios.*]
vagão-leito. *S. m.* O vagão de trem provido de camas ou beliches; vagão-dormitório, carro-leito. [Pl.: *vagões-leitos.*]
vagão-restaurante. *S. m.* Vagão (1) onde há serviço de restaurante. [Pl.: *vagões-restaurantes.*]
vagão-tanque. *S. m.* Vagão adaptado para o transporte de líquidos, particularmente de combustíveis. [Pl.: *vagões-tanques.*] ◆ **Vagão-tanque bastardo.** *Eng. Quím.* Vagão-tanque cujos compartimentos têm volumes diferentes.
vagar[1]. [Do lat. *vagare.*] *V. int.* **1.** Andar sem destino; errar, vagabundear, vaguear: *Aflito, passou a noite vagando;* "*Vaguei* pelas ruas e recolhi-me às nove horas." (Machado de Assis, *Memórias Póstumas de Brás Cubas*, p. 179). **2.** Espalhar-se, propalar-se, circular: *Vagavam boatos.* **3.** Movimentar-se, oscilar sem rumo, ao sabor do vento, das ondas; vaguear: *Com o leme partido, o barco vagava.* **4.** Andar passeando. *T. d.* **5.** Correr, percorrer, vagando, ao acaso: "la *vagando* o mundo. / À procura da terra do Eldorado." (Fontoura Xavier, *Opalas*, p. 125.) [Conjug.: V. *largar.*]
vagar[2]. [Do lat. *vacare.*] *V. int.* **1.** Ficar vago: "Aconteceu *vagar* o lugar de recebedor na vila, deram-no a meu pai de mão beijada." (Aquilino Ribeiro, *Cinco Réis de Gente*, p. 60.) **2.** Ficar sem proprietário. **3.** Ficar ou estar vazio, desocupado; desocupar-se: *A casa alugada vagou.* **4.** Sobrar, sobejar. *T. i.* **5.** Sobrar, restar (falando-se do tempo): *Não lhe vaga um só momento.* **6.** Dar-se, ocupar-se; entregar-se: *Gosta de vagar às leituras.* **7.** Deixar de haver, faltar. *T. d.* **8.** Dar por vago; deixar vago; abrir vagatura em: *O ministro vagou a pasta.* [Conjug.: V. *largar.* Part.: *vagado.* Cf. *vágado.*] *S. m.* **9.** Tempo desocupado. **10.** Falta de ocupação; vaga, ócio, lazer. **11.** Lentidão, vagareza. **12.** Oportunidade, ensejo.
vagarento. [De *vagar*[2] + *-ento.*] *Adj.* V. *vagaroso:* "Na rua violentamente cheia de gente e de pressa, só vendo os movimentos estratégicos que fazíamos, ambos só olhos, calculando o andar deste transeunte com a soma daqueles dois mais *vagarentos*, para ficarmos sempre lado a lado." (Mário de Andrade, *Contos Novos*, p. 102.)
vagareza (ê). [De *vagar* + *-eza.*] *S. f.* Falta de pressa; lentidão, vagar: "Talvez não fosse perfeita como empregada, mas cozinhava, lavava, engomava, varria — tudo com muita *vagareza*, é certo" (Albertino Moreira, *Boca-Pio*, p. 153).
vagarosamente. [Do fem. de *vagaroso* + *-mente.*] *Adv.* De modo vagaroso; com vagar; devagar: "Falcão dobrou a nota *vagarosamente*, sem tirar-lhe os olhos de cima" (Machado de Assis, *Histórias sem Data*, p. 132).
vagaroso (ô). [De *vagar*[2] + *-oso.*] *Adj.* **1.** Em que há vagar[2] (11); lento, demorado. **2.** Sereno, calmo, tranqüilo. **3.** Feito sem rumor. **4.** Que não tem pressa. **5.** Vacilante, indeciso, frouxo. **6.** Sem desembaraço; atrapalhado. [Sin. ger., bras.: *vagarento.*]
vagatura. [Do lat. *vacatura.*] *S. f.* V. *vacância* (2).
vagem. [Do lat. *vagina*, 'bainha', atr. de uma f. dialetal *baginha*, tomada como dim. de um *bage*, f. ainda hoje pop.] *S. f.* **1.** *Morfol. Veg.* Legume (1). **2.** Feijão verde. [Var., nessas acepç.: *bagem.*] **3.** *Bras., BA.* Certo mineral amarelo-pardacento.
vagido. [Do lat. *vagitu.*] *S. m.* **1.** Choro de recém-nascido: "Acabo de escutar o trêmulo *vagido* / Desse pequeno ser, desse recém-nascido." (Emiliano Perneta, *Poesias Completas*, II, p. 96.) **2.** *Fig.* Lamentação, lamento, gemido: "Atroadores, fantásticos de som, os *vagidos* do violino abrem-se para a amplidão em estrofes de misericórdia." (Antunes da Silva, *Vila Adormecida*, p. 196.) [Sin. ger.: *vagir* (q. v.).]
vagina. [Do lat. *vagina.*] *S. f. Anat.* **1.** Designação comum a diversas formações com feitio de bainha. **2.** Na mulher, o canal que se estende do colo do útero à vulva. [Sin., pop.: *vaso.*]
vaginal. *Adj. 2 g.* **1.** Relativo ou pertencente a vagina; vagínico. **2.** Vaginiforme. ~ V. *tampão* —. ● *S. f.* **3.** *Anat.* Membrana que envolve os testículos.
vaginante. [De um v. **vaginar*, 'formar bainha', der. do lat. *vagina*, 'bainha', + *-nte.*] *Adj. 2 g. Zool.* Diz-se das asas superiores dos insetos coleópteros e ortópteros.
vaginela. [De um lat. **vaginella*, por *vaginula*, dim. de *vagina*, 'bainha'.] *S. f. Bot.* Pequena bainha que circunda cada feixe de folhas, como se observa, p. ex., no pinheiro.
vagínico. *Adj.* Vaginal (1).
vaginiforme. [De *vagin(o)-* + *-i-* + *-forme.*] *Adj. 2 g.* Que tem forma de vagina ou de bainha; vaginal.
vaginismo. *S. m. Med.* Espasmo doloroso da vagina (2).
vaginite. [De *vagin(o)-* + *-ite*[1].] *S. f. Patol.* Inflamação da vagina (2); colpite, elitrite.
▲**vagin(o)-.** [De *vagina.*] *El. comp.* = 'vagina'; 'bainha': *vaginismo, vaginopexia; vaginiforme.*
vaginolabial. [De *vagin(o)-* + *labial.*] *Adj. 2 g.* Referente ou pertencente à vagina (2) e aos lábios da vulva.
vaginoperitoneal. [De *vagin(o)-* + *peritoneal.*] *Adj. 2 g.* Relativo à vagina (2) e ao peritônio.
vaginopexia (cs). [De *vagin(o)-* + *-pex-* + *-ia.*] *S. f. Cir.* Fixação da vagina (2) anormalmente móvel.
vaginotomia. [De *vagin(o)-* + *-tom(o)-* + *-ia.*] *S. f. Cir.* Incisão da vagina (2).

vaginotômico. *Adj.* Concernente à vaginotomia.
vagínula. [Do lat. *vaginula.*] *S. f.* Bainha pequena.
vaginulídeo. [De *vagínula* + *-ídeo.*] *S. m.* **1.** Espécime dos vaginulídeos. ● *Adj.* **2.** Pertencente ou relativo a eles.
vaginulídeos. *S. m. pl. Zool.* Família de protozoários da classe dos rizópodes, ordem dos foraminíferos, que compreende espécies fósseis e atuais.
vagir. [Do lat. *vagire.*] *V. int.* **1.** Dar vagidos (a criancinha); gemer, chorar: "A criança passava fome, frio e desamparo, vagindo e perneando na sua canastra..." (Camilo Castelo Branco, *Vulcões de Lama,* p. 121.) **2.** Lamentar-se, lastimar-se, lamuriar-se. [Defect. Não se conjuga na 1ª pess. sing. do pres. ind. nem, pois, no pres. subj.] ● *S. m.* **3.** Vagido.
vago¹. [Do lat. *vagu.*] *Adj.* **1.** Que vagueia; errante. **2.** Inconstante, instável, versátil, volúvel. **3.** Irresoluto, indeciso, perplexo. **4.** Indeterminado, incerto, indefinido: *um vago cheiro a mofo;* "Há um capítulo na vida de Álvares de Azevedo, em que tudo é vago, confuso, nebuloso. É o capítulo sentimental" (R. Magalhães Júnior, *Poesia e Vida de Álvares de Azevedo,* p. 82). **5.** Confuso, desordenado, misturado. **6.** Sem dono determinado ou conhecido ~ V. *bens —s, herança —a* e *nervo —.* ● *S. m.* **7.** Aquilo que é indeterminado, indefinido. **8.** Confusão, incerteza, indecisão. **9.** *Anat.* V. *nervo pneumogástrico.*
vago². [Do lat. *vacuu.*] *Adj.* **1.** Que não está ocupado ou preenchido: *O cargo continua vago.* **2.** Desocupado, vazio: *Não há no edifício nem um apartamento vago.* **3.** Desabitado, devoluto: *terreno vago.*
▲vago-. [De *vago*.] *El. comp.* = 'nervo vago': *vagotonia.*
▲-vago. [Do lat. *vagare.*] *El. comp.* = 'que vaga': *noctívago* (< lat. *noctivagu*), *umbrívago, velívago.*
vagomestre. [Do al. *Wagenmeister,* 'mestre dos carros', pelo fr. *vaguemestre.*] *S. m.* No exército francês, suboficial que se incumbe do serviço postal dos soldados.
vagonete (ê). [Do fr. *wagonnette.*] *S. m.* Pequeno vagão.
vagonite. *S. f.* Espécie de bordado em que se introduz a linha entre os fios de um tecido especial a fim de formar desenhos decorativos.
vagotonia. [De *vago* (9) + *-ton(o)-* + *-ia.*] *S. f. Med.* Hiperexcitabilidade do nervo vago ou do sistema nervoso parassimpático, caracterizada por constipação, instabilidade vasomotora, obstipação, etc.
vagotônico. *Adj.* Relativo à, ou que sofre de vagotonia. ● *S. m.* **2.** Aquele que dela sofre.
vagueação. *S. f.* **1.** Ato ou efeito de vaguear. **2.** Vadiagem, ócio. **3.** Devaneio, fantasia, quimera.
vaguear¹. [De *vagar¹* + *-ear.*] *V. int.* **1.** Andar ao acaso, à toa, sem destino; errar, vagar, vagabundear: "Vagueava a menina pelo campo, arfando-lhe docemente o talhe grácil com a ondulação da marcha" (José de Alencar, *O Sertanejo,* p. 71). **2.** Passear ociosamente; andar ocioso. [Sin., nestas acepç., muitos deles pop.: *vadiar, zaranzar* e (bras.) *perambular, zanzar, bestar, bangolar* ou *bangular, lesar* e *burlequear.*] **3.** Ter vida ociosa; vagabundear, vagabundar, vadiar. **4.** Entregar-se a devaneios ou sonhos; devanear. **5.** Passar facilmente de uma condição a outra, de uma opinião, de um sentimento a outro; ser inconstante. *T. d.* **6.** Percorrer ao acaso; divagar: *vagueou ruas e ruas, até noite alta.* [F. paral.: *vaguejar.* Conjug.: v. *frear.*]
vaguear². [De *vaga* + *-ear.*] *V. int.* Andar sobre as vagas; boiar, flutuar. [Conjug.: v. *frear.*]
vagueiro. [De *vago²* + *-eiro.*] *Adj.* e *s. m.* Diz-se de, ou terreno escalvado, em que não houve plantações: "E neste ondulante mar esverdido de montes vagueiros e baldios, ... sobe aos céus, contra os homens, a queixa amargurada das terras que querem ser mãe de florestas úteis e belas" (Antero de Figueiredo, *Jornadas em Portugal,* p. 206).
vaguejar. [De *vagar¹* + *-ejar.*] *V. int.* e *t. d.* V. *vaguear.* [Conjug.: v. *pelejar.* Cf. *vanguejar.*]
vagueza (ê). *S. f.* **1.** Qualidade ou estado de vago¹, vaguidade, vaguidão. **2.** *Art. Plást.* Ligeireza e finura da tinta, suave e docemente distribuída.
vaguidade. [De *vago¹* + *-i-* + *-dade.*] *S. f.* V. *vagueza* (1): "apesar dessa relativa precisão do ambiente, tudo ali parece vago, e é da própria vaguidade que decorre a poesia." (Augusto Meyer, *A Chave e a Máscara,* p. 99).
vaguidão. *S. f.* V. *vagueza* (1).
vaia. [Do it. *baia,* pelo esp. *vaya.*] *S. f.* Manifestação de desagrado ruidosa e geralmente coletiva, em forma de gritos, assovios, etc.; apupada, apupo: *O teatro parecia vir abaixo com a vaia da assistência.* [Cf. *Vaía,* antr.]
vaiador (ô). *Adj.* e *s. m.* Que ou aquele que vaia ou apupa.
vaiar. *V. t. d.* **1.** Dar vaias em; apupar: *A multidão vaiou o time derrotado.* **2.** Zombar de; escarnecer; troçar. *Int.* **3.** Dar vaias; fazer assuada; apupar: "Desprovido de bom gosto, o público freqüentador do teatro é, entretanto, intransigente diante da cena: vaia ou aplaude com entusiasmo." (Delso Renault, *O Rio Antigo nos Anúncios de Jornais,* p. 45.) [Pres. ind.: *vaio, vaias, vaia,* etc. Cf. *Vaía,* antr.]
vaicá. *S. 2 g.* e *adj. 2 g. Bras.* Var. de *uaicá.*
vaidade. [Do lat. *vanitate.*] *S. f.* **1.** Qualidade do que é vão, ilusório, instável ou pouco duradouro. **2.** Desejo imoderado de atrair admiração ou homenagens. **3.** V. *vanglória.* **4.** Presunção, fatuidade. **5.** Coisa fútil ou insignificante; frivolidade, futilidade, tolice.
vai-da-valsa. [Da 3ª pess. sing. do pres. ind. de *ir* (substantivada), + *da¹* + *valsa.*] *El. s. m.* Us. na expr. *ir no vai-da-valsa.* ◆ **Ir no vai-da-valsa.** *Bras. Fam.* Viver ao sabor dos acontecimentos, sem projetar nada, sem preocupar-se; ir levando.
vaidoso (ô). [F. haplológica de um *vaidadoso < *vaidade* + *-oso.*] *Adj.* Que tem ou denota vaidade; presunçoso, jactancioso, fátuo, vão: *indivíduo vaidoso; pretensões vaidosas.*
vai-e-vem. *S. m. 2 n.* F. paral. de *vaivém:* "— É exato! E a bertolesa? ... repetia o infeliz, sem interromper o seu vai-e-vem ao comprido da alcova." (Aluísio Azevedo, *O Cortiço,* p. 322.)
vaimiri. *S. 2 g.* e *adj. 2 g. Bras.* V. *uaimiri.*
vaimiri-atroari. *S. 2 g.* e *adj. 2 g. Bras.* V. *uaimiri-atroari.*
vai-não-vai. [Da 3ª pess. sing. do pres. ind. do v. *ir* + *não* + a mesma pess., repetida.] *S. m. 2 n.* Atitude, comportamento ou situação de quem não se decide, vacila, hesita.
vaioró. *Bras. S. 2 g.* **1.** Indivíduo dos vaiorós, tribo indígena da parte brasileira da bacia do rio Guaporé. ● *Adj. 2 g.* **2.** Pertencente ou relativo a essa tribo.
vaisesica. [Do sânscr. *vai'sesika.*] *S. m.* Sistema ortodoxo de filosofia da Índia, que considera a realidade constituída por dois grupos: o grupo das coisas que existem (organizadas em categorias: substância, qualidade, ação, generalidade, particularidade e inerência) e o grupo das coisas que não existem. [Cf. *darsana.*]
vaiumará (ai-u). *Bras. S. 2 g.* **1.** Indivíduo dos vaiumarás, tribo caraíba do rio Uraricuera (alto rio Branco, RR). ● *Adj. 2 g.* **2.** Pertencente ou relativo a essa tribo.
vaivai. *Bras. S. 2 g.* e *Adj. 2 g.* Uaiuai.
vaivém. [Da 3ª pess. sing. do pres. ind. do v. *ir* + a mesma pess. do v. *vir.*] *S. m.* **1.** Movimento de pessoa ou coisa que vai e vem **2.** Movimento oscilatório; balanço. **3.** Antiga máquina de guerra para abater muros e portões de fortificações. [Cf. *aríete* (1).] **4.** Pancada dessa máquina. **5.** *Fig.* Alternativa, vicissitude. **6.** Capricho da sorte. **7.** Porta de vaivém. **8.** *Bras., SP.* Pacoca. [F. paral.: *vai-e-vem.*]
vai-volta. [Da 3ª pess. sing. do pres. ind. do v. *ir* + a mesma pess. do v. *voltar.*] *S. m. 2 n. Bras., MG.* Caixão no qual, em hospitais pobres, se conduz defunto ao cemitério, e que volta para servir a outros defuntos.
vaixá. [Do sânscr. *vaixia.*] *S. m. Filos.* Membro da terceira das grandes castas do bramanismo, formada de comerciantes criadores de gado e agricultores, que têm as mesmas obrigações dos xátrias [q. v.]. [Cf. *brâmane* (2) e *pária* (1).]
vaixiá. *S. m. Filos.* Vaixá.
val. *S. m.* F. apocopada de *vale¹:* "Vamos encosta acima. O olhar grato se espraia / Pelo umbrífero val, que vai bater na praia." (Bulhão Pato, *Livro do Monte,* p. 52.)
vala. [De *valo¹.*] *S. f.* **1.** Espécie de fosso longo e mais ou menos largo, para recolher as águas que escorrem do terreno contíguo ou para conduzi-las a algum ponto, ou, ainda, para a instalação de encanamentos de água, gás ou esgoto. **2.** Vala comum. **3.** *Fut.* V. *gol* (1). **4.** *Bras., MG* e *ES.* Leito de certos rios cujas águas costumam secar em dada estação do ano, normalmente entre maio e setembro. **5.** *Bras., SP.* Matumbo. ◆ **Vala cabocla.** *Bras.* Vala profunda que serve para demarcar terras ou domínios. **Vala comum.** Sepultura coletiva onde são enterrados, gratuita mais promiscuamente, corpos de indigentes ou de pessoas que morreram em conjunto: vala.
valada. *S. f.* Grande vala (1).
valadarense. *Adj. 2 g.* **1.** De, ou pertencente ou relativo a Governador Valadares (MG). ● *S. 2 g.* **2.** Natural ou habitante de Governador Valadares.
valadio. [De *valado* + *-io².*] *Adj.* **1.** Diz-se do terreno em que há valas para receberem a água. **2.** Diz-se do telhado de telhas soltas, sem cal e argamassa. [Cf. *valedio.*]
valado. [Do lat. *vallatu,* 'entrinchcirado, cercado, rodeado'.] *S. m.* **1.** Vala pouco funda, guarnecida de tapume ou sebe, para defesa de propriedades rústicas; fosso. **2.** Propriedade rústica cercada de vala (1). **3.** Elevação de terra que limita propriedade rústica. **4.** V. *rego* (1).
valador (ô). [De *valar²* + *-(d)or.*] *Adj.* e *s. m.* Que ou aquele que vala, que trabalha em valas ou valados.
valão¹. [De *valo¹* + *ão¹.*] *S. m.* **1.** *Bras., N.* V. *rego* (1). **2.** *Bras., RJ.* Rio de praia, de 5 a 8 m de largura, de coloração mais clara que a das águas do mar.
valão². [Do fr. *wallon.*] *Adj.* **1.** Da, ou pertencente ou relativo à Valônia (Bélgica). ● *S. m.* **2.** O natural ou habitante da Valônia. **3.** O dialeto francês falado nessa região.
valáquio. *Adj.* **1.** Da, ou pertencente ou relativo à Valáquia, região da Romênia. ● *S. m.* **2.** O natural da Valáquia. **3.** Romeno (3).
valar¹. [Do lat. *vallare.*] *Adj. 2 g.* Referente a vala ou cerca.
valar². [Do lat. *vallare.*] *V. t. d.* **1.** Fazer valas em. **2.** Cercar de valas [v. *vala* (1)]. **3.** Murar, fortificar, com objetivo de defesa. *T. d. e i.* **4.** Cercar; rodear.
vala-sousense. *Adj. 2 g.* **1.** De, ou pertencente ou relativo a Vala do Sousa (ES). ● *S. 2 g.* **2.** Natural ou habitante de Vala do Sousa. [Pl.: *vala-sousenses.*]
valdeiro. *Adj. Ant.* Relativo a, ou próprio de valdo ou valdevinos.
valdense¹. [Do antr. *Valdo* + *-ense.*] *S. 2 g.* Membro da seita também chamada *Pobres de Lião,* fundada pelo mercador Pedro Valdo por volta de 1170, na França, inspirada na pobreza evangélica, e que repudiava a riqueza da Igreja Católica.
valdense². [De um b.-lat. *valdense?*] *Adj. 2 g.* **1.** Do, ou pertencente ou relativo ao cantão de Vaud (Suíça). ● *S. 2 g.* **2.** Natural ou habitante de Vaud. *S. m.* **3.** O dialeto de Vaud.
valdevinos. [Do antr. *Balduíno,* nome de cavaleiro que aparece em romances de cavalaria, atr. de uma forma *Valdovinos.*] *S. m. 2 n.* **1.** V. *vagabundo* (7). **2.** Estróina, doidivanas: "A mulher .... abriu a porta para o amante, um rapazola, um valdevinos, que era empregado e protegido do marido." (Marques Rebelo, *A Mudança,* p. 205.) **3.** Pobretão, miserável.
valdo. *S. m. Ant.* Valdevinos.
vale¹. [Do lat. *valle.*] *S. m.* **1.** Depressão (3) alongada entre montes ou quaisquer outras superfícies. **2.** Planície à beira de um rio ou ribeirão; várzea. [Pl.: *vales.* Cf. *váli* (q. v.) e pl. *vális.*] ◆ **Vale anticlinal.** *Geog.* Vale que coincide com o eixo de dobramento da anticlinal. **Vale de lágrimas.** *Fig.* O mundo visto como local de sofrimentos. **Vale suspenso.** *Geog.* Aquele cujo fundo se acha situado em nível superior a uma depressão adjacente, a qual pode ser outro vale, ou um lago, ou o próprio mar.
vale². [Da 3ª pess. sing. do pres. ind. do v. *valer.*] *S. m.* **1.** Escrito sem formalidade legal, representativo de dívida, por empréstimo ou por adiantamento. **2.** Escrito sem forma legal, comprovante de eventual retirada de numerário em caixa. **3.** Espécie de ordem ou letra postal para transferência de fundos, entre particulares, dum lugar para outro. [Pl.: *vales.* Cf. *váli* (q. v.) e pl. *vális.*] ◆ **Pagar vale.** *Bras. RS.* **1.** Desistir da aposta ou da ação; recuar. **2.** *Fig.* Ter medo; fraquejar, afrouxar.
➡vale. [Lat.] *Interj.* Adeus.
valécula. [De *vale¹* + *-cula.*] *S. f. Morfol. Veg.* Sulco que, nos frutos das umbelíferas, fica entre as linhas em relevo.
valecular. *Adj. 2 g. Morfol.* Veg. Referente à valécula.
valedio. [De *valer* + *-dio.*] *Adj.* **1.** Que tem valor. **2.** Diz-se de moeda que pode ter curso. [Cf. *valadio.*]
valedoiro. [De *valer* + *-(d)oiro².*] *Adj.* Var. de *valedouro.*
valedor (ô). *Adj.* e *s. m.* Que ou aquele que vale, auxilia, socorre alguém.
valedouro. [De *valer* + *-(d)ouro².*] *Adj.* **1.** V. *valioso* (1). **2.** Valedor. [Var.: *valedoiro.*]
valeira¹. [De *vala¹* + *-eira.*] *S. f.* V. *valeta.*
valeira². [De *vale¹* + *-eira.*] *S. f. P. us.* **1.** Vale¹ pequeno. **2.** Depressão (3) arborizada.
valeiro¹. [De *vala* + *-eiro.*] *S. m.* V. *valeta.*
valeiro². [De *vala* + *-eiro.*] *S. m. Bras., MG.* Indivíduo que trabalha na abertura de valas divisórias de fazendas, pastos, roças, etc.
valência. [Do lat. *valentia,* pl. neutro de *valens, tis,* 'que tem força'.] *S. f.* **1.** v. *validade* (2). **2.** *Bras., S. Pop.* V. *valia* (3). **3.** *Quím.* O número de ligações que um átomo ou um radical pode efetuar com outros átomos, ou outros radicais, sob forma estável, para constituir uma molécula ou outro radical.

valenciana¹. [Do fr. *Valenciennes.*] *S. f.* Tipo de renda que originariamente se fabricava em Valenciennes (França).

valenciana². [Talvez do esp. *Valencia* (port. *Valença* ou *Valência*), top.] *S. f. Pesc.* Sistema de armação fixa de pesca.

valenciano¹. *Adj.* **1.** De, ou pertencente ou relativo a Valença (Espanha, Portugal e BA). ● *S. m.* **2.** O natural ou habitante de Valença.

valenciano². *Adj.* **1.** De, ou pertencente ou relativo a Valença do Piauí (PI). ● *S. m.* **2.** O natural ou habitante de Valença do Piauí.

valenciano³. *Adj.* **1.** De, ou pertencente ou relativo a Marquês de Valença (RJ). ●*S. m.* **2.** O natural ou habitante de Marquês de Valença.

valencina. *S. f. Ant.* Tecido de lã fina fabricado em Valença (Espanha).

valentão. [Aum. de *valente.*] *Adj.* **1.** Que é muito valente, decidido, intrépido. [Sin., na grande maioria pop. ou de gír.: *afoito, alentado, arrojado, decidido, despachado, destemido, estourado,* e (bras.) *afuleimado, alarife, amargoso, bamba, batuta, brabo, caborjudo, colhudo, chegador, cumba, cupinudo, cutuba, danado, dente-seco, desabotinado, desempenado, destorcido, disposto, duro, espritado, fuá, grenado, grulha, grulhaço, lanfranhudo, largado, machão, macho, maludo, onça, osso, panema, peitudo, quebra, quebra-freio, qüera, qüerudo, sacudido, sarado, seco-na-paçoca, surunganga, taita, tapejara, taura, teba ou tebas, tiba, toco, topetudo, torena, torunguenga ou tourunguenga, touruno, tupina, turuna, venta-furada, ventana, ventania, venta-rasgada, ventena.*] **2.** V. *fanfarrão* (1). ● *S. m.* **3.** Indivíduo valentão (1). [Sin., (na grande maioria pop. ou de gír.): *tranca-ruas, valente,* e (bras.) *acaba-novenas, acalenta-menino, alarife, anhanguera* ou *anhangüera, arenã, arranca-tocos, arrojado, aspa-torcida, aspa-torta, bamba, bambambã, batuta, bichão, cabra-de-peia, cabra-feio, cabra-macho, cabra-onça, cabra-seco, cabra-topetudo, capuava, colhudo, coronilha, cotriba, couro-n'água, cumba, cupinudo, curema, danado, dente-seco, desmancha-samba* ou *desmancha-sambas, dunga, espanta-patrulha, fecha-bodegas, garoa, grulha, grulhaço, guampa-torta, guasca-largado, índio, lanfranhudo, machão, macho, maluco, onça, peitudo, polvadeira, quebra, quebra-freio, quebra-largado, surunganga, tabijara, taita, taura, teba ou tebas, tira-prosa, torena, torunguenga* ou *tourunguenga, trabuzana* ou *tribuzana, trucofecha, tufa, tuntunqué, tupina, tureba, turuna, venta-furada, ventana, ventania, venta-rasgada, ventena.* Fem.: *valentona.*] ◆ **Entrosar de valentão.** *Bras.* Querer figurar com impostura; aparentar aquilo que não é.

valente. [Do lat. *valente,* 'que vale, que tem força'.] *Adj. 2 g.* **1.** Que tem valor ou valentia; audaz, corajoso, intrépido. **2.** Que tem força; forte, vigoroso. **3.** Ativo, enérgico. **4.** Rijo, resistente. **5.** Válido, eficaz: *remédio valente.* **6.** *Quím.* Que tem valência (3) ou valências. ● *S. m.* **7.** Homem esforçado ou corajoso. **8.** V. *valentão* (3).

valentear. *V. int. Bras., N.E.* Bancar valente; praticar valentias, bazófias. [Conjug.: v. *frear.*]

valentia. [De *valente* + *-ia.*] *S. f.* **1.** Coragem, audácia, valor. **2.** Força, energia, vigor. **3.** Proeza, façanha. **4.** Qualidade do que é resistente; resistência.

valentim-gentilense. *Adj. 2 g.* **1.** De, ou pertencente ou relativo a Valentim Gentil (SP). ● *S. 2 g.* **2.** Natural ou habitante de Valentim Gentil. [Pl.: *valentim-gentilenses.*]

valentiniano. *S. m.* Membro dos valentinianos, hereges que afirmavam existirem dois mundos, um visível e outro invisível.

valentona. *Adj. (f.)* e *s. f.* Fem. de *valentão.* ◆ **À valentona.** À bruta; violentamente: "O Esteves .... quer levar tudo de roldão, à valentona e à força." (Virgílio Várzea, *Nas Ondas,* p. 18.)

vale-paraibano. *Adj.* **1.** Do, ou pertencente ou relativo ao Vale do Paraíba, região de SP. ● *S. m.* **2.** O natural ou habitante dessa região. [Pl.: *vale-paraibanos.*]

valer. [Do lat. *valere,* 'ter saúde, ter força; valer'.] *V. int.* **1.** Ter certo valor, ou ser de certo preço; ser equivalente; ser igual em valor ou em preço: *Esta casa vale cinco milhões;* "Visões valem o mesmo que a retina em que se operam." (Machado de Assis, *Páginas Recolhidas,* p. 161); "Este vinho da quinta vale o néctar dos deuses." (José Vieira, *Sol de Portugal,* p. 162). **2.** Ter merecimento, valor ou aplicação: *Na República de Platão os sábios eram os cidadãos que mais valiam.* **3.** Ter proveito; ser proveitoso; aproveitar: *O estudo muito vale;* "Mais vale adormecer sem ceia do que acordar com dívidas" (prov.). **4.** Ser conveniente, proveitoso; convir; valer a pena: "Nada vale mudar pasto; o gado em todos morre." (Antônio Feliciano de Castilho, *As Geórgicas de Virgílio,* p. 217.) "Vale transcrever quase todo o capítulo, embora longo" (J. Matoso Câmara Jr., *Ensaios Machadianos,* p. 21). **5.** Ter crédito, influência, poder: *Muito vale o nome de uma pessoa honesta.* **6.** Ser digno; merecer: *Este assunto não vale o tempo que com ele se despende.* **7.** Ser válido ou valioso; ter validade; vigorar; *O seu argumento valeu.* **8.** Querer dizer; significar: *O h inicial nada vale foneticamente, em português. V. t. i.* **9.** Ser de utilidade ou vantagem; dar proveito, aproveitar, servir: *O erro valeu-lhe para o aprendizado.* **10.** Granjear, acarretar, carrear, atrair: "O jornalismo valeu-lhe .... muitos embates, desafeições e inimizades sem conta." (Moisés Velinho, *Letras da Província,* p. 141) **11.** Socorrer, auxiliar, proteger, defender, acudir: *Valeu-lhe, na apertura, o velho amigo;* "D. Luís, exposto o escândalo quase cômico, pede ao marquês que lhe valha nesta conjuntura." (Camilo Castelo Branco, *D. Luís de Portugal,* p. 46). **12.** Mostrar-se ou ser apto ou capaz; conseguir: *Apesar de seus encantos, não valeu a cativar o homem que amava.* **13.** Ser equivalente; equivaler: "Criando inimigos [o Marquês de Pombal], abordava, no entanto, problemas administrativos cujas soluções valiam por verdadeiras reformas". (Costa Rego, *Águas Passadas,* p. 61); "Aqui é o céu, — ou um pedaço de céu; uma vez que nós cabemos nele, vale pelo infinito." (Machado de Assis, *Quincas Borba,* p. 225). *P.* **14.** Ter valor, coragem, força: *Os nossos soldados valeram-se contra o inimigo.* **15.** Servir-se, utilizar-se: *Valeu-se de todos os meios para atingir seus objetivos;* "Travou-se .... uma luta horrível entre aqueles tapuios armados de terçados e de grandes cacetes ...., e os três portugueses que heroicamente defendiam o seu lar, valendo-se das espingardas de caça" (Inglês de Sousa, *Contos Amazônicos,* p. 169). [Irreg. Pres. ind.: *valho, vales, vale, valemos, valeis, valem;* imperf.: *valia,* etc.: perf.: *vali,* etc.: fut. pret.: *valeria,* etc.; pres. subj.: *valha, valhas, valha, valhamos, valhais, valham.* Cf. *Vália,* antr.; *váli* (q. v.), s. m., pl. *vális;* e *Valéria,* antr. e top.] ◆ **Valer quanto pesa.** Valer (2) muitíssimo; ser excelente, admirável (um indivíduo). **A valer. 1.** A sério; deveras: "adormeci. Não em sentido figurado, ... mas fisicamente, a valer (José Gomes Ferreira, *O Mundo dos Outros,* p. 189). **2.** Em grande quantidade, ou com grande intensidade; muito: *Havia no baile gente a valer;* "bonita a valer" (José Rodrigues Miguéis, *Gente da Terceira Classe,* p. 121). [Sin. ger., bras.: *para valer.*] **Para valer.** *Bras.* A valer.

valeriana. [Provavelmente do lat. *valeriana* (subentendendo-se *herba*), 'erva de Valéria (top.)'.] *S. f.* Erva da família das valerianáceas (*Valeriana officinales*), nativa na Europa e de uso clássico em medicina como sedativo do sistema nervoso, provindo a droga da raiz, que contém óleo do qual se extrai essência dotada de componentes ativos. As flores e o fruto, um aquênio, são pequeníssimos.

valerianácea. *S. f.* Espécime das valerianáceas.

valerianáceas. *S. f. pl. Bot.* Família de plantas floríferas, da ordem das rubiales, composta de ervas com folhas opostas e pequenas flores cimosas. Engloba umas 350 espécies que habitam o hemisfério boreal e os Andes.

valerianáceo. *Adj.* **1.** Relativo à valeriana. **2.** Pertencente ou relativo às valerianáceas.

valerianato. [De *valeriana* + *-ato³.*] *S. m. Quím.* Sal ou éster do ácido valeriânico.

valeriânico. [De *valeriana* + *-ico².*] *Adj.* ~ V. *ácido* —.

valériano (é). *Adj.* **1.** Relativo ou pertencente ao poeta e prosador francês Paul Valéry (1871-1945), ou próprio dele. **2.** Que é seu admirador e/ou profundo conhecedor de sua obra. ● *S. m.* **3.** Admirador e/ou conhecedor profundo da obra de Paul Valéry.

valérico. *Adj.* ~ V. ácido —.

valeroso (ô). *Adj. P. us.* Var. de *valoroso.*

valeta (ê). [De *vala* + *-eta.*] *S. f.* Vala pequena para escoamento de águas, à margem de ruas ou estradas; valeira, valeiro.

valetadeira. [De um **valetar,* 'abrir valetas', + *-deira.*] *S. f.* Máquina de terraplenagem, constituída de um sistema contínuo de escavação, que eleva e descarrega o material escavado, e destinada a abrir valetas no terreno.

valete. [Do fr. *valet.*] *S. m.* Figura das cartas de jogar que na maioria dos jogos vale menos que o rei e a dama; conde.

valetudinário. [Do lat. *valetudinariu.*] *Adj.* e *s. m.* Diz-se de, ou indivíduo de compleição muito fraca, doentio, enfermiço, achacadiço ou, até, inválido: "Juráramos levar pancada até morrer, sendo preciso, fiéis à bandeira da Belloni, uma criatura enfezada, feia, valetudinária, casada e de mais a mais honesta." (Camilo Castelo Branco, *Serões de São Miguel de Ceide,* II, p. 12); "De outra coisa não cuida o grande sábio [o Prof. Steinach] senão de anunciar o rejuvenescimento da velhice, prometendo aos decrépitos e valetudinários a volta da mocidade." (João Ribeiro, *Notas de um Estudante,* p. 13).

valetudinarismo. *S. m.* Estado ou condição de valetudinário.

vale-tudo. [De *valer* + *tudo.*] *S. m. 2 n.* **1.** Variedade de luta livre na qual se permitem golpes de natureza muito violenta. **2.** *Fig.* Situação em que se pode usar, ou se usa, de qualquer expediente: *No concurso imperou o vale-tudo.*

valgo. [Do lat. *valgu.*] *Adj. Med.* Diz-se de membro, ou de segmento deste, que está voltado para fora por desvio de seu eixo. Ex.: *coxa valga; genuvalgo* [< lat. *genu valgo*]. [Antôn.: *varo.*]

valhacoito. *S. m.* Var. de *valhacouto:* "Desembocou do pinhal, que não lhe oferecia suficiente valhacoito e dissimulando-se com a sombra dos penedos subiu a encosta." (Aquilino Ribeiro, *Aldeia,* p. 245.)

valhacouto. [Da 3ª pess. sing. do pres. subj. de *valer* + *couto¹.*] *S. m.* **1.** Refúgio, abrigo, asilo: *valhacouto de ladrões.* **2.** Proteção, amparo. [Var.: *valhacoito.*]

váli. *S. m.* V. *uale.* [Pl.: *vális.* Cf. *vale, vales, vali,* do v. *valer; vale,* s. m., pl. *vales;* e *Vale,* antr., pl. *Vales.*]

valia. [De *valer* + *-ia.*] *S. f.* **1.** Valor (2): *É aluno de valia.* **2.** V. *valor* (5): *Este relógio de ouro é de grande valia.* **3.** Utilidade, préstimo, serventia, valência, valimento, valor: *livro de alta valia; O assistente foi de grande valia para o professor.* [Cf. *Vália,* antr.]

validação. *S. f.* Ato ou efeito de validar(-se).

validade. *S. f.* **1.** Qualidade ou condição de válido. **2.** Legitimidade, valência, valimento, valor.

validar. [Do lat. *validare.*] *V. t. d.* **1.** Dar validade a; tornar válido. **2.** Tornar legítimo ou legal; legitimar. *P.* **3.** Fazer-se válido. [Pres. ind.: *valido,* etc. Cf. *válido.*]

validável. *Adj. 2 g.* Que pode ser validado.

validez (ê). *S. f.* Qualidade ou estado de válido.

valido. *S. m.* **1.** Indivíduo particularmente protegido; favorito: "O galego aventureiro, grã-senhor, valido da rainha, ... encheu-se de orgulho" (Antero de Figueiredo, *Leonor Teles,* p. 236). ● *Adj.* **2.** Especialmente estimado. [Cf. *válido.*]

válido. [Do lat. *validu.*] *Adj.* **1.** V. *valioso* (1). **2.** Que tem saúde; sadio, são. **3.** Vigoroso, forte, sólido, robusto: "Não acabava, quando ũa figura / Se nos mostra no ar, robusta e válida" (Luís de Camões, *Os Lusíadas,* V, 39). **4.** Legítimo, lídimo, legal. **5.** Lícito, justo; certo, correto: "É válido... aplicar às criações literárias os métodos psicológicos de análises e os conhecimentos psicopáticos oriundos da experiência clínica." (José Leme Lopes, *A Psiquiatria de Machado de Assis,* p. 34.) **6.** Que surte efeito; eficaz. [Cf. *valido,* dos v. *validar* e *valer* e s. m. e adj.]

valimento. *S. m.* **1.** Ato ou efeito de valer. **2.** V. *validade* (2). **3.** *P. us.* V. *valia* (3). **4.** Influência, importância, prestígio. **5.** Privança (1).

valinhense. *Adj. 2 g.* **1.** De, ou pertencente ou relativo a Valinhos (SP). ● *S. 2 g.* **2.** Natural ou habitante de Valinhos.

valioso (ô). *Adj.* **1.** Que tem valor ou valia; válido, valedouro. **2.** Que vale muito. **3.** Que tem importância ou muitos merecimentos.

valise. [Do fr. *valise.*] *S. f. Gal.* Mala de mão.

valo¹. [Do lat. *vallu.*] *S. m.* **1.** Parapeito que protege um campo. **2.** Liça¹ (1), nas antigas justas e torneios. **3.** V. *rego* (1): "que ele só sabia capinar, derrubar árvores e rasgar a terra, para valos muito fundos" (Amadeu de Queirós, *Os Casos do Carimbamba,* p. 27).

valo². *S. m.* Rede de emalhar em cerco¹ (6).

valor (ô). [Do lat. *valore.*] *S. m.* **1.** Qualidade de quem tem força; audácia, coragem, valentia, vigor: *Grande o valor dos bandeirantes que desbravaram nossas terras;* "O tanoeiro .... não tinha valor para afrontar-se face a face com D. Fernando" (Alexandre Herculano, *Lendas e Narrativas,* I, p. 144). **2.** Qualidade pela qual determinada pessoa ou coisa é estimável em maior ou menor grau; mérito ou merecimento intrínseco; valia: *É profissional de alto valor; O empreendimento tem seu valor.* **3.** V. *valia* (3). **4.** Importância de determinada coisa, estabelecida ou arbitrada de antemão: *Qual o valor do valete no pôquer?* **5.** O equivalente justo em dinheiro, mercadoria, etc., especialmente de coisa que pode ser comprada ou vendida; preço, valia. **6.** A estimativa em dinheiro de um artigo, em determinado tempo; o preço do mercado. **7.** Poder de compra: *O valor da libra diminuiu com a rebelião na Irlanda.* **8.** Papel representativo de dinheiro. **9.** V. *validade* (2): *Seu argumento não tem valor.* **10.** *Fig.* Estima, apreço: *Não dá valor ao que tem.* **11.** *Fig.* Importância, consideração: *Não dá valor à mulher.* **12.** Significado rigoroso de um termo; significância. **13.** *Econ.* Maior ou menor apreço que um indivíduo tem a determinado bem ou serviço, e que pode ser de uso ou de troca. [V. *valor de uso* e *valor de troca.*] **14.** Título negociável na Bolsa. **15.** *Mús.* Duração de cada um dos sons musicais ritmados. Há os *valores positivos,* i. e., as figuras que representam as notas [v. *nota* (18)] e os *valores negativos,* i. e., as pausas [v. *pausa* (5)] que estabelecem a duração dos silêncios ritmados. [Pl.: *valores* (ô). Cf. *valores,* do v. *valorar.*] — V. *valores.* ◆ **Valor absoluto.** *Mat.* Raiz quadrada do produto de um complexo pelo seu conjugado; distância de um número complexo à origem, no plano de Argaud. [Sin.: *módulo.*] **Valor característico. 1.** *Anál. Mat.* V. *autovalor* (1). **2.** *Álg. Mod.* V. *autovalor* (2). **Valor crítico.** *Estat.* Qualquer dos extremos de uma região crítica. **Valor de crista.** *Eletrôn.* Valor de pico. **Valor de pico.** *Eletrôn.* Numa grandeza que varia com o tempo, o valor máximo durante um intervalo de tempo; valor de crista. **Valor de troca.** *Econ.* Apreço decorrente do fato de um bem poder ser trocado por outro bem ou por moeda. **Valor de uso.** Apreço decorrente do prazer que o bem proporciona a seu proprietário. **Valor dominante.** *Estat.* O de uma variável aleatória que, multiplicada pela respectiva densidade de probabilidade, é um máximo; valor prevalente. **Valor eficaz.** *Eletr.* Intensidade de uma corrente contínua que dissipa num resistor a mesma quantidade de calor que uma corrente alternada. **Valor em caução.** *Com.* **1.** Cláusula de endosso pignoratício. **2.** O título endossado desse modo [v. *endosso*]. **Valor estimativo.** O que depende da estima ou apreço em que se tem um objeto. **Valor extrínseco. 1.** O que depende de convenção ou arbítrio, e é maior que o valor real ou intrínseco. **2.** Valor que a lei atribui arbitrariamente à moeda, independente do peso, e superior ao valor real dela. **Valor flutuante.** *Automat.* Valor do movimento do elemento final de controle correspondente a um desvio especificado, numa ação flutuante de controle de velocidade. **Valor ideal.** *Automat.* Valor da variável controlada que pode resultar de um sistema idealizado que opera com o mesmo comando do sistema real considerado. **Valor intrínseco.** O que a moeda ou os objetos têm por si próprios, independentemente de qualquer convenção ou de trabalho artístico. **Valor locativo.** Valor estimado do aluguel de um imóvel. **Valor mais provável.** *Estat.* O de uma variável aleatória correspondente a um máximo absoluto da função de densidade de probabilidade. **Valor mobiliário.** *Com.* Designação comum aos créditos por dinheiro, ou coisa móvel, ações, obrigações, títulos negociáveis, etc. **Valor negativo.** *Mús.* V. *valor* (15). **Valor nominal.** *Econ.* **1.** O que o governo atribui arbitrariamente à moeda metálica e ao papel-moeda. **2.** *Com.* O valor pelo qual um título é emitido, e que nele se declara. **Valor ótimo.** *Estat.* Valor de um parâmetro de um sistema, que é máximo de acordo com vínculos e critérios que condicionam a evolução do sistema. **Valor positivo.** *Mús.* V. *valor* (15). **Valor prevalente.** *Estat.* Valor dominante. **Valor próprio. 1.** *Anal. Mat.* V. *autovalor* (1). **2.** *Álg. Mod.* V. *autovalor* (2). **Valor real.** *Econ.* Valor expresso em moeda de poder de compra constante. Expressa-se dividindo-se o valor nominal pela desvalorização percentual da moeda. **Valor retificado.** *Eletr.* A média dos valores de uma grandeza periódica, em um número inteiro de períodos. **Valor venal.** Valor estimado da venda de um imóvel.

valoração. *S. f.* Ato ou efeito de valorar. [Cf. *valorização.*]

valorar. [De *valor* + *-ar*[2].] *V. t. d.* Emitir juízo de valor acerca de; aquilatar, ponderar. [Pres. subj.: *valore, valores,* etc. Cf. *valores, s. m., pl.* de *valor,* e *valorizar.*]

valorativo. [De *valorar.*] *Adj.* Que envolve valoração.

valores (ô). [Pl. de *valor.*] *S. m. pl.* **1.** Termo que, junto a um número, gradua a qualificação dum exame, duma prova, etc. **2.** Designação comum a quaisquer títulos de crédito, públicos ou particulares, e a outros bens disponíveis representativos de dinheiro, negociáveis na Bolsa (6). **3.** As normas, princípios ou padrões sociais aceitos ou mantidos por indivíduo, classe, sociedade, etc. [Cf. *valores,* do v. *valorar.*] — V. *valor.*

valorização. *S. f.* **1.** Ato ou efeito de valorizar(-se). **2.** Alta artificial no valor comercial duma mercadoria. **3.** *Econ.* e *Fin.* Providência governamental impositiva de um preço autoritário a certos produtos nacionais, em geral agrícolas, para lhes impedir ou evitar a depreciação. [Cf. *valoração.*]

valorizador (ô). *Adj.* e *s. m.* Que ou o que valoriza.

valorizar. [De *valor* + *-izar.*] *V. t. d.* **1.** Dar valor ou valores a. **2.** Aumentar o valor ou o préstimo de: *A reforma valorizou o imóvel.* *P.* **3.** Aumentar de valor: *Com a expansão da cidade, valorizaram-se os terrenos da área suburbana.* [Cf. *valorar.*]

valorosidade. *S. f.* Qualidade de valoroso.

valoroso (ô). *Adj.* **1.** Que tem valor ou coragem; destemido, corajoso, esforçado. **2.** Ativo, enérgico, forte. [Var.: *valeroso.*]

valparaisense (a-i). *Adj. 2 g.* **1.** De, ou pertencente ou relativo a Valparaíso (SP). ● *S. 2 g.* **2.** Natural ou habitante de Valparaíso.

valquíria. [De *walkyrja,* de uma antiga língua escandinava, atr. do al. *Walküre* e do fr. *walkyrie.*] *S. f.* Na mitologia escandinava, cada uma das três divindades de categoria inferior, mensageiras de Odim, deus da guerra e da sabedoria, e que recolhiam nos campos de combate os heróis mortos.

valsa. [Do al. *Walzer,* pelo fr. *valse.*] *S. f.* **1.** Dança de par, de salão, em compasso de 3 por 4, com acentuação no primeiro tempo e movimento variado (lento, alegreto, alegro). **2.** Música apropriada a essa dança. **3.** Peça instrumental artística com o mesmo ritmo dessa dança: *valsa nobre; valsa sentimental.*

valsado. [De *valsa* + *-ado*[1].] *Adj.* **1.** Que tem características de valsa; que lembra a valsa. **2.** Que se executa valsando.

valsar. *V. int.* **1.** Dançar valsa: "Que Maria Benedita gostava de Carlos Maia, é cousa vista ou pressentida desde aquele baile da Rua dos Arcos, em que ele e Sofia valsaram tanto." (Machado de Assis, *Quincas Borba,* pp. 222-223.) *T. d.* **2.** Dançar em andamento de valsa: *valsar uma polca.*

valseiro. [De *valsa* + *-eiro.*] *S. m. Bras.* Compositor de valsas. [Cf. *valsista.*]

valsista. *Adj. 2 g.* e *s. 2 g.* Que ou quem valsa, ou valsa bem: "Virgília recebeu-me com esta graciosa palavra: — O senhor hoje há de valsar comigo. — Em verdade, eu tinha fama e era valsista emérito" (Machado de Assis, *Memórias Póstumas de Brás Cubas,* p. 144). [Cf. *valseiro.*]

valuma. [Do esp. *baluma.*] *S. f. Marinh.* Numa vela latina quadrangular ou triangular, o lado voltado para a popa da embarcação. [Cf. *esteira*[2] (2), *gurutil* e *testa* (4).]

valva. [Do lat. *valva.*] *S. f.* **1.** *Zool.* Qualquer das peças sólidas que revestem o corpo de um molusco. [Cf. *concha* (1).] **2.** *Morfol. Veg.* Parte destacável de um órgão cavitário que se abre ao alcançar a maturidade: *valvas da antera, de uma cápsula,* etc. **3.** *Morfol. Veg.* Parte plana, diversamente ornamentada, paralela ao eixo maior, da teca das diatomáceas. [Dim. irreg.: *válvula* (q. v.).]

valvado. *S. m.* **1.** Espécime dos valvados. ● *Adj.* **2.** Pertencente ou relativo a eles. **3.** Provido de valvas.

valvados. [De *valva* + *-ado*[1].] *S. m. pl. Zool.* Animais metazoários, equinodermos, asteróides, considerados como uma ordem por certos autores. Têm a face dorsal protegida por placas cobertas de pequenas granulações e pódios com ventosas, e pedicelárias valvadas ou alveoladas.

valvar. *Adj. 2 g.* **1.** Semelhante à valva. **2.** Relativo à, ou próprio da valva: *ornamentação valvar.* **3.** *Morfol. Veg.* Que se toca pelo bordo, sem superposição: *prefloração valvar; prefoliação valvar.*

valverde (ê). [Do it. *belvedere,* atr. do fr. *belvédère.*] *S. m.* **1.** Artefato pirotécnico, cujas faíscas lembram uma figura piramidal ou cônica invertida. **2.** Planta ornamental, espécie do linho bravo, de pequenas flores rubras, e que tem a configuração de pirâmide; linária.

valvífero. [De *valva* + *-i-* + *-fero.*] *S. m.* Placa basilar do ovipositor dos insetos.

válvula. [Do lat. *valvula.*] *S. f.* **1.** Pequena valva. **2.** Dispositivo que fecha por si, e hermeticamente, um tubo. **3.** Designação genérica de qualquer dos dispositivos que, em instalações de máquinas a vapor, motores de explosão ou de combustão interna, etc., permitem interromper ou regular a passagem de água, vapor, ar, gases, etc., por tubulações ou para órgãos da instalação. **4.** *Anat.* Nos vasos e condutos do corpo, qualquer dobra membranosa que obsta ao refluxo dos líquidos ou de outras matérias, ou tem por função retardar ou modificar o curso do material com que entra em contacto. **5.** *Eletrôn.* Dispositivo constituído por um bulbo fechado, que pode ser evacuado ou não, e no interior do qual se produz e controla um feixe de elétrons por um conjunto de eletrodos; válvula eletrônica, tubo eletrônico. **6.** *Morfol. Veg.* Pequena valva, como, por ex., as anteras das lauráceas. **7.** Acessório de máquina ou de rede de instalação de máquinas, destinado a interromper ou a controlar o fluxo do fluido (água, vapor, ar, etc.) que nelas trabalha. ◆ **Válvula a gás.** *Eletrôn.* Válvula eletrônica cujas propriedades elétricas dependem essencialmente da ionização de um gás ou de um vapor contido no invólucro. **Válvula a vácuo.** *Eletrôn.* Válvula eletrônica em que os eletrodos funcionam no vácuo. **Válvula amplificadora.** *Eletrôn.* A que num circuito exerce uma função de amplificação, e cujo tipo fundamental é um triodo. **Válvula bicúspide.** *Anat.* V. *válvula mitral.* **Válvula conversora.** *Eletrôn.* Válvula que realiza as funções de misturador e oscilador local de um transdutor de conversão heteródino. **Válvula de agulha.** *Tec.* Tipo de válvula de globo que tem o tampão na forma de uma agulha cônica, possibilitando um controle fino da vazão de líquidos e gases. **Válvula de alívio.** *Tec.* A que se abre automaticamente, desde que a pressão do fluido na tabulação exceda um certo valor predeterminado. **Válvula de bloqueio.** *Tec.* A que só tem duas posições de operação, aberta ou fechada, e não serve para efetuar regulagem contínua do escoamento. **Válvula de bola.** *Eng.* Aquela cuja abertura é regulada pela subida e descida de uma esfera imersa num fluido. **Válvula de controle.** *Tec.* A que pode efetivar a regulagem da vazão do fluido, de forma contínua, pelo ajustamento da posição do tampão. **Válvula de diafragma.** *Tec.* A que opera pela ação de um diafragma, que pode ser apertado contra a sede (8), e na qual o fluido não entra em contato com o mecanismo móvel de comando. **Válvula de esfera.** *Tec.* Tipo de válvula de macho em que o bloqueio do escoamento se faz mediante o comando de uma peça esférica provida de orifício broqueado. **Válvula de feixe.** *Eletrôn.* Válvula eletrônica em que eletrodos dispostos apropriadamente determinam a trajetória dos elétrons. **Válvula de gaveta.** Válvula constituída essencialmente de uma cunha ou placa que, comandada por uma haste roscada, desliza transversalmente ao fluxo do fluido, permitindo variar a seção da abertura atravessada por ele. **Válvula de globo.** *Tec.* Válvula para fluidos cujo fechamento é feito por meio de um tampão que se ajusta contra a sede (8) da válvula, cujo orifício está em posição paralela à do escoamento. **Válvula de macho.** *Tec.* Válvula para fluidos na qual o fechamento é feito pela rotação de uma peça (macho) que dispõe de um orifício broqueado, no interior do corpo da válvula. **Válvula de poça de mercúrio.** *Eletrôn.* Válvula retificadora, de potência, em que um eletrodo é constituído por mercúrio. **Válvula de potência.** *Eletrôn.* A que é capaz de suportar a passagem de correntes intensas e fornecer potência elevada. **Válvula de raios catódicos.** *Eletrôn.* Válvula eletrônica em que se produz e observa, de maneira controlada e controlável, um feixe de elétrons acelerados que incidem sobre uma tela fosforescente. **Válvula de retenção.** *Tec.* A que só permite a passagem do fluido em certo sentido, bloqueando automaticamente a passagem em sentido inverso. **Válvula de segurança.** A que abre automaticamente para a atmosfera quando a pressão numa caldeira ou numa rede atinge um valor perigoso para a instalação. **Válvula eletrométrica.** *Eletrôn.* Válvula eletrônica destinada a medir tensões de baixos valores cujas fontes têm resistência interna elevada, ou correntes muito baixas que circulam em circuitos de grande resistência. **Válvula eletrônica.** *Eletrôn.* V. *válvula* (5). **Válvula farol.** *Eletrôn.* Válvula destinada a trabalhar com freqüências elevadas, na qual os eletrodos são planos e paralelos, e que tem, externamente, a aparência de um farol. **Válvula gatilho.** *Eletrôn.* Aquela em que o início da operação é determinado pela aplicação dum sinal de alta tensão a um eletrodo especial. **Válvula globo.** Válvula constituída essencialmente de um disco que pode ser mais ou menos inserido em sua sede (de forma aproximadamente esférica) por meio de uma haste roscada. **Válvula ileocecal.** *Anat.* Válvula que comunica o íleo com o ceco. **Válvula metálica.** *Eletrôn.* Aquela cujo invólucro é metálico. **Válvula miniatura.** *Eletrôn.* Aquela cujas dimensões são reduzidas. **Válvula mitral.** *Anat.* A que está situada entre a aurícula e o ventrículo esquerdos. [Tb. se diz apenas *mitral;* sin.: *válvula bicúspide.*] **Válvula múltipla.** *Eletrôn.* A que contém dois ou mais grupos de eletrodos que podem funcionar independentemente uns dos outros, permitindo, assim, que a válvula exerça simultaneamente diferentes funções em um mesmo circuito. **Válvula redutora.** *Anest.* Válvula reguladora de pressão de linha, dando a esta a intensidade adequada, de modo a assegurar um suprimento permanente de gases, dentro de margem de segurança. **Válvula retificadora.** *Eletrôn.* A que transforma corrente contínua em alternada, e é representada, basicamente, por um diodo. **Válvulas conniventes.** *Anat.* Pregas circulares da superfície interna do intestino delgado. **Válvula subminiatura.** *Eletrôn.* Aquela cujas dimensões são menores que as de uma válvula miniatura. **Válvula termiônica.** *Eletrôn.* Aquela em que um eletrodo é aquecido para que haja emissão de elétrons. **Válvula tricúspide.** *Anat.* A que está situada entre a aurícula e o ventrículo direitos.

valvulado. *Adj.* Que tem válvula (1); valvular.

valvular. *Adj. 2 g.* **1.** Valvulado. **2.** *Morfol. Veg.* Que tem forma de válvula (6): *deiscência valvular.*

valvuloplastia. [De *válvula* + *-o-* + *-plast-* + *-ia.*] *S. f. Cir.* Operação para restabelecer as funções de uma válvula do coração.

valvuloplástico. *Adj.* Concernente à valvuloplastia.

valvulotomia. [De *válvula* + *-o-* + *-tom(o)-* + *-ia.*] *S. f. Cir.* Incisão de válvula estenosada do coração.

valvulotômico. *Adj.* Relativo à valvulotomia.

vamiri. *S. 2 g.* e *adj. 2 g. Bras. V. uaimiri.*

vampe. [Do ingl. *vamp vampire, 'vampiro'.*] *S. f.* **1.** Atriz que faz o papel de mulher fatal. **2.** *P. ext.* Mulher fatal: "Ela também agora ia dar uma de doida, de *vampe*." (Moreira Campos, *Os Dozes Parafusos*, p. 76.) [Sin. ger.: *vampiro.*]

vampireiro. [Provavelmente de *vampiro* + -eiro.] *S. m. Bras.* Certa árvore frutífera.

vampiresa. (ê). *S. f.* Fem. de *vampiro* (1).

vampírico. *Adj.* Relativo ou semelhante a vampiro.

vampirismo. *S. m.* **1.** Crença nos vampiros. **2.** *Fig.* Avidez demasiada. **3.** Qualidade de vampiro ou vampe.

vampiro. [Do húng. *vampir*, atr. do al. *vampir* e do fr. *vampire.*] *S. m.* **1.** Entidade lendária que, segundo superstição popular, sai das sepulturas, à noite, para sugar o sangue dos vivos; estrige. [Fem.: *vampiresa.*] **2.** *Fig.* Aquele que enriquece à custa alheia e/ou por meios ilícitos. **3.** *Fig.* Aquele que explora os pobres em benefício próprio. **4.** V. *vampe.* **5.** *Bras.* Designação do morcego hematófago, da família dos desmodontídeos, especialmente *Desmodus rotundus* (E. Geog.), transmissor da raiva aos bovinos. Ocasionalmente suga o homem, retirando pequena quantidade de sangue. Tem coloração castanho-parda, dorso acanelado e ventre cinzento-amarelado, 24 dentes e um só par de incisivos superiores, o que o diferencia dos demais morcegos.

vanádio. [Do lat. mod. *vanadium* — *Vanadís*, nome da deusa Fréia, da mitologia escandinava, + *-ium.*] *S. m. Quím.* Elemento de número atômico 23, metálico, cinzento, duro, leve, usado em ligas especiais e como catalisador. [Símb.: *V.*]

vanaquiá. [De provável or. indígena.] *S. m. Bras. V. anacã.*

vancê. [De *vacê*, por nasalação.] *Pron. de tratamento. Bras. Pop. V. você:* "Como *vancê* sabe, o Cabano tem vontade no Quirino por ele ser votante do major Rabelo..." (José Veríssimo, *Cenas da Vida Amazônica*, p. 161).

vandálico. [Do lat. *vandalicu.*] *Adj.* Relativo ou pertencente aos vândalos, ou próprio deles; vândalo.

vandalismo. [Do fr. *vandalisme.*] *S. m.* **1.** Ação própria de vândalo. **2.** Destruição daquilo que, por sua importância tradicional, pela antiguidade ou pela beleza, merece respeito.

vândalo. [Do lat. *vandalu.*] *S. m* **1.** Membro de um povo germânico de bárbaros que, na Antiguidade, devastaram o S. da Europa e o N. da África **2.** *Fig.* Aquele que destrói monumentos ou objetos respeitáveis. **3.** Inimigo das artes e das ciências. **4.** *Fam.* Indivíduo que tudo destrói, quebra, rebenta: *Criados com liberdade exagerada, os meninos são uns vândalos.* ● *Adj.* **5.** Vandálico.

vanecer. *V. t. d.* e *p. Desus.* Desvanecer. [Conjug.: v. *aquecer.*]

vanglória. [Do fem. do adj. vão + *glória.*] *S. f.* Presunção infundada; jactância, bazófia, vaidade: "Não era glória nem *vanglória*, nem volúpia de ter vencido, nada." (Mário de Andrade, *Contos Novos*, p. 109.) [Cf. *vangloria, do v. vangloriar.*]

vangloriar. *V. t. d.* **1.** Inspirar vanglória ou desvanecimento a; tornar vaidoso; envaidecer, desvanecer. *P.* **2.** Tomar-se vaidoso; ufanar-se em demasia ou sem razão; envaidecer-se, desvanecer-se: "Nobilitado e adulado, o Barão de Itamaracá *vangloriava-se* de ter calos nas mãos... — calos que lhes vinham de tanto acariciar corpos femininos." (Melo Nóbrega, *Evocação de B. Lopes*, pp. 62-63.) [Pres. ind.: *vanglorio, vanglorias, vangloria*, etc. Cf. *vanglória*, s. f., e *Vanglória*, top.]

vanglorioso (ô). *Adj.* Que tem ou denota vanglória; jactancioso, vaidoso, afofado: *um tipo vanglorioso; atitude vangloriosa.*

vanguarda. [Do fr. *avant-garde*, através da f. ant. *avanguarda.*] *S. f.* **1.** *Exérc.* Extremidade dianteira de unidade ou subunidade em campanha. **2.** Frente, testa, dianteira. [Antôn., nestas acepç.: *retaguarda.*] **3.** A parcela mais consciente e combativa, ou de idéias mais avançadas, de qualquer grupo social. **4.** *P. ext.* Grupo de indivíduos que, por seus conhecimentos ou por uma tendência natural, exerce papel de precursor ou pioneiro em determinado movimento cultural, artístico, científico, etc.: *A vanguarda intelectual brasileira tomou parte na Semana de Arte Moderna, em 1922.* [Sin. ger., p. us.: *anteguarda.*]

vanguardeiro. *Adj.* e *s. m.* **1.** Que ou aquele que marcha na vanguarda. **2.** Que ou aquele que vem na frente. [Sin. ger.: *vanguardista.*]

vanguardismo. *S. m.* **1.** Caráter ou ação da vanguarda (3 e 4). **2.** *Bras.* Forma de ação política que assenta no nível de esclarecimento e combatividade das parcelas mais conscientes de uma classe ou grupo social, desprezando a cooperação das parcelas menos conscientes.

vanguardista. *Adj. 2 g.* **1.** Relativo a, ou próprio de vanguarda. **2.** Vanguardeiro. **3.** *Bras,* Baseado no vanguardismo: *teoria vanguardista.* ● *S. 2 g.* **4.** Vanguardeiro. **5.** *Bras.* Defensor do vanguardismo.

vanguejar. [Var. nasalada de *vaguejar.*] *V. int.* **1.** Escorregar, resvalar. **2.** Oscilar, vacilar. [Conjug.: v. *pelejar. Cf. vaguejar.*]

vanhame. *S. 2 g.* e *adj. 2 g. Bras. V. pavunva.*

vanilhado. *Adj.* Que é feito de baunilha, ou a contém.

vanilina. [Do fr. *vanilline.*] *S. f. Quím.* Substância cristalina, com odor característico, encontrada na essência da baunilha. [Fórm. $C_8H_8O_3$.]

vaniloqüência. [Do lat. *vaniloquentia.*] *S. f.* Qualidade de vanílоquo.

vaniloqüente. *Adj. 2 g.* Vanílоquo.

vaniloqüentíssimo. *Adj.* Superl. abs. sint. de *vanílоquo.*

vanilóquio. [Do lat. *vaniloquiu.*] *S. m. P.*us.* Palavras vazias; arrazoado inútil.

vanílоquo. [Do lat. *vaniloquu.*] *Adj.* **1.** Que fala à toa, em vão, ou diz palavras sem sentido ou inúteis. **2.** V. *fanfarrão* (1) [Sin. ger.: *vaniloqüente.* Superl. abs. sint.: *vaniloqüentíssimo.*]

vaníssimo. [Do lat. *vanissimu.*] *Adj.* Superl. abs. sint. de *vão.*

vantagem. [Do fr. *avantage*, atr. da f. ant. *avantagem.*] *S. f.* **1.** Qualidade do que está adiante ou é superior. **2.** Favor, benefício. **3.** Primazia, superioridade. **4.** Lucro, interesse. **5.** Ganho, proveito. **6.** Vitória, triunfo. **7.** *Bras.* Adicional, variável segundo o posto, função ou qualificações, pago aos componentes das forças armadas.

vantajoso (ô). *Adj.* **1.** Em que há vantagem. **2.** Que dá proveito; útil, proveitoso. **3.** Que dá lucro: lucrativo.

vante. [De *avante*, por aférese.] *S. f. Mar.* **1.** A metade dianteira da embarcação. **2.** Frente (1): "arrancou para *vante* com tal ímpeto que ameaçou dar um tombo, afundar, soçobrar." (Virgílio Várzea, *Nas Ondas*, p. 15). [M. us. em loc. adv. ou prep. *a vante, a vante de*, etc.] ◆ **A vante.** Adiante, à proa, na proa: *Siga a vante; Coloque-se a vante! Forme a vante.* [Antôn.: *a ré* (1).] **A vante de.** À frente de (considerando como direção de referência a que se volta para a proa da embarcação). [Antôn.: *a ré de.* Cf. *avante de.*] **De vante.** De proa; dianteiro: *metade de vante do navio.* **Para vante.** Para a proa: *Fique voltado para vante.*

vanuatense. *Adj. 2 g.* **1.** De, ou pertencente ou relativo a Vanuatu (arquipélago a sudoeste do Pacífico, Oceania). ● *S. 2 g.* **2.** Natural ou habitante de Vanuatu.

vão. [Do lat. *vanu.*] *Adj.* **1.** Vazio, oco. **2.** Sem valor; fútil, insignificante. **3.** Que só existe na fantasia; fantástico, incrível. **4.** Fútil, frívolo. **5.** Vanglorioso, jactancioso, ufanoso, ufano. **6.** Falso, enganador, enganoso, ilusório, ilusivo: "Guarda o que tens, fechado em tua mão, / Pois só há desenganos e pesares / Na sombra triste deste mundo *vão*..." (Ronald de Carvalho, *Poemas e Sonetos*, p. 103.) **7.** Inútil, baldado, frustrado: *esforço vão.* [Flex.: *vã, vãos, vãs*; superl. abs. sint.: *vaníssimo.*] ● *S. m.* **8.** V. *vácuo* (2). **9.** Espaço vazio entre dois pontos, duas coisas. [Cf., nesta acepç., *intervalo* (1).] **10.** *Arquit.* Nas paredes de um edifício, rasgo que corresponde às portas, janelas, etc.; abertura, envasadura. **11.** *Estrut.* Intervalo entre dois apoios de uma estrutura. [Sin., lus., nesta acepç.: *tramo.*] **12.** Jogo de cortinas ou tabuinhas para janela ou porta. **13.** *Bras. Pop.* Região clavicular: "cravou a peixeira .... no *vão* do Zé Pitanga, o sangue espirrou violento." (José Bezerra Filno, *Fogo!*, p. 141). **14.** *Bras.* Sertão alto, descampado. **15.** *Bras., Pl.* Despenhadeiro entre tabuleiros. **16.** *Bras., GO.* Vale profundo, ou depressão, por onde correm os rios. [Pl.: *vãos.*] ◆ **Vão livre.** *Estrut.* O que é medido entre as faces de apoios consecutivos. **Vão teórico.** *Estrut.* O que é medido entre os eixos de apoios consecutivos. **Vão total.** *Estrut.* O que é medido entre as faces de apoios extremos. **Em vão.** Debalde, embalde, inutilmente: "Gesticulas *em vão*! Para quê te cansares?" (Ronald de Carvalho, *Poemas e Sonetos*, p. 107.)

vapidiana. *S. 2 g.* **1.** *Bras.* Indivíduo dos vapidianas, tribo indígena aruaque do alto rio Branco (RR), nas fronteiras com a Guiana. ● *Adj. 2 g.* **2.** Pertencente ou relativo a essa tribo. [Var.: *vapixiana, vapixana, uapixana.* Sin.: *oapixana, oapina.*]

vápido. [Do lat. *vapidu.*] *Adj. Poét.* **1.** Sem sabor; insípido, insulso. **2.** *Med.* Cheio de exalações.

vapixana. *S. 2 g.* e *adj. 2 g. Bras.* V. *vapidiana.*

vapixiana. *S. 2 g.* e *adj. 2 g. Bras.* V. *vapidiana.*

vapor (ô). [Do lat. *vapore.*] *S. m.* **1.** *Fís.* Gás em temperatura inferior à crítica. **2.** Navio propelido por máquina de vapor. [Sin., bras., N.E., pop. (nesta acepç.): *vapor do mar, vapor de água.*] **3.** *Bras. Pop.* Trem (8). [No N.E. diz-se mais freqüentemente *vapor de terra.*] **4.** *Bras., SP.* Máquina a vapor. **5.** *Bras. Gír.* Vapozeiro. — V. *vapores* (ô). [Pl.: *vapores* (ô). Cf. *vapores*, do v. *vaporar.*] ◆ **Vapor de água.** *Bras., N.E. Pop.* V. *vapor* (2). **Vapor de terra.** *Bras., N.E.* Vapor (3). **Vapor do mar.** *Bras., N.E. Pop.* V. *vapor* (2): "É verdade que alguém, se não quisesse atravessar o Ceará para alcançar os campestres do Piauí, poderia embarcar num *vapor* do mar e chegar ao seu destino." (Raquel de Queirós, *100 Crônicas Escolhidas*, p. 18.) **Vapor saturado.** *Fís.* O que, numa temperatura dada, tem pressão igual à de equilíbrio com o líquido na mesma temperatura. **Vapor superaquecido.** *Fís.* O que, sob uma pressão dada, está numa temperatura maior que a de equilíbrio com o líquido na mesma pressão. **Vapor super-resfriado.** *Fís.* Vapor em estado metastável numa temperatura mais baixa que a de equilíbrio com o líquido na pressão a que estiver submetido. **A todo o vapor.** A toda a velocidade; muito rapidamente; a toda a pressa.

vaporação. [Do lat. *vaporatione.*] *S. f.* Ato ou efeito de vaporar(-se).

vaporar. [Do lat. *vaporare.*] *V. t. d.* **1.** Exalar ou lançar (vapores): "Os teus cabelos são uns fios d'ouro; / teu lindo corpo bálsamos *vapora*." (Tomás Antônio Gonzaga, *Marília de Dirceu*, p. 2.) *Int.* e *p.* **2.** Lançar vapores. **3.** Vaporizar-se, evaporar-se. [Pres. subj.: *vapore, vapores*, etc. Cf. *vapores* (ô), pl. de *vapor.*]

vaporável. *Adj. 2 g.* Que se pode vaporar; volatilizável.

vapores (ô). [Pl. de *vapor.*] *S. m. pl.* **1.** Entorpecimento cerebral que era atribuído a vapores mórbidos que subiam ao cérebro. **2.** Agente que se acreditava provocar a embriaguez. — V. *vapor.*

vaporífero. [Do lat. *vaporiferu.*] *Adj.* Que exala vapores; vaporoso.

vaporização. *S. f.* Ato ou efeito de vaporizar.

vaporizador (ô). *Adj.* **1.** Que vaporiza. ● *S. m.* **2.** Utensílio próprio para vaporizar (1 e 2): *vaporizador de perfumes.*

vaporizar. *V. t. d.* **1.** Converter em vapor (1); volatilizar. **2.** Aspergir (líquidos) em gotas finíssimas. *P.* **3.** Converter-se em vapor; evaporar-se, vaporar-se, volatilizar-se. **4.** Encher-se ou impregnar-se de vapores.

vaporosidade. *S. f* . Qualidade de vaporoso.

vaporoso (ô). [Do lat. *vaporosu.*] *Adj.* **1.** Em que há vapores. **2.** Vaporífero. **3.** Delicado, tênue, leve; aeriforme. **4.** Transparente, diáfano. **5.** *Fig.* Muito magro. **6.** *Fig.* Fantástico, incrível. **7.** *Fig.* Obscuro, incompreensível. **8.** *Fig.* Vaidoso, presunçoso.

vapozeiro (pô). [De *vapor* (pronunciado *vapô*) + *-z-* + *-eiro.*] *S. m. Bras. Gír.* Traficante de maconha; vapor.

vapt. [T. onom.] *Interj.* Imitativa de golpe rápido; vupt.

vapuã. [De provável or. indígena.] *S. m. Bras.* Certa árvore própria para construções.

vapuaçu. [Do tupi.] *S. m. Bras.* V. *búzio* (1).

vapular. [Do lat. *vapulare.*] *V. t. d.* **1.** Agitar, abalar. **2.** Açoitar, flagelar, fustigar, vergastar, zurzir.

vaqueanaço. *S. m. Bras., RS.* Vaqueano muito hábil, ou esforçado.

vaqueanar. *V. int. Bras., RS.* Ter profissão ou hábito de vaqueano ou tapejara.

vaqueano. [Do esp. plat. *vaqueano.*] *S. m. MG, S.* e *C.O.* V. *tapejara* (1): "Quando foi do cerco de Uruguaiana pelos paraguaios em 65 e o Imperador Pedro II veio cá, ... andei muito por esses meios, como

vaqueano, como chasque, como confiança dele." (Simões Lopes Neto, *Contos Gauchescos e Lendas do Sul*, p. 168). [No N., N.E. e BA: *baqueano*.]
vaqueira¹. *S. f.* Fem. de *vaqueiro*.
vaqueira². [Do esp. plat. *vaquero*.] *S. f. Bras., RS.* Matambre (1).
vaqueirada. *S. f. Bras.* **1.** Grupo de vaqueiros. **2.** Os vaqueiros. [Sin. ger.: *vaqueirama*.]
vaqueiragem. *S. f. Bras.* Ato de vaqueirar; a profissão de vaqueiro.
vaqueirama. *S. f. Bras.* **1.** Vaqueirada: "Segue a boiada, ao tardo passo, tranqüila. Canta a vaqueirama encourada." (Alberto Rabelo, *Contos do Norte*, p. 124.) **2.** *Bras., N.E.* Reunião de vaqueiros, no inverno, para efetuarem a apartação ou vaquejada.
vaqueirar. *V. int. Bras.* Exercer a profissão de vaqueiro; trabalhar como vaqueiro.
vaqueirice. *S. f. Bras.* O ofício de vaqueiro.
vaqueiro. [De *vaca* + *-eiro*.] *S. m.* **1.** Guarda ou condutor de vacas, ou de qualquer gado vacum. [Sin. bras.: *campeiro* (N.E.), *casaca-de-couro* (PE) e *chapadeiro* (MG).] **2.** V. *trinca-ferro*. ● *Adj.* **3.** Relativo ou pertencente a gado vacum.
vaquejada. [De *vaquejar* + *-ada*¹.] *S. f. Bras.* **1.** Rodeio e reunião do gado de uma fazenda nos últimos meses de inverno; costeio. **2.** Ato de procurar o gado que se encontra espalhado pelos matos, nas caatingas e nos campos, e reuni-los nos rodeadores, donde é conduzido aos currais da fazenda para apartação, ferra, capação, etc.; apartação.
vaquejador (ô). *S. m.* **1.** *Bras., Marajó.* Passagem aberta a braço através de qualquer mato que separa duas campinas ou medeia entre o campo e a margem dum rio. **2.** *Bras., N.E.* Caminho aberto nos matos e caatingas, pelo qual os vaqueiros levam o gado dos pastos para os currais, ou de uma fazenda para outra. **3.** *Bras., MA* e *BA.* Grande picada, aberta para os campos, nas fazendas de criação.
vaquejar. [De *vaca* + *-ejar*.] *V. t. d. Bras., N.E.* Costear (3). [Conjug.: v. *pelejar*.]
vaquejo (ê). [Dev. de *vaquejar*.] *S. m.* Ato de vaquejar.
vaqueta¹ (ê). [De *vaca* + *-eta*.] *S. f.* **1.** Couro delgado e macio, usado sobretudo para forros: "comprou, no queima, uns sapatos de vaqueta." (Jáder de Carvalho, *Meu Passo na Rua Alheia*, p. 16). **2.** *Bras., S. Chulo.* V. *meretriz*.
vaqueta² (ê). *S. f.* Var. de *baqueta* (2).
vaquilhona. [Do esp. *vaquillona*.] *S. f. Bras., RS.* **1.** Novilha muito nova. **2.** Vaca que ainda não pariu.
vaquinha. [Dim. de *vaca*.] *S. f. Bras.* **1.** Associação de várias pessoas no jogo, ou para a compra ou realização de algo; vaca. [Us. em geral na expr. *fazer uma vaquinha*.] **2.** Designação comum aos insetos coleópteros, das famílias dos meloídeos, crisomelídeos e escarabeídeos, subfamília dos melolontíneos. São besouros alongados, de pernas muito compridas, tarsos muito desenvolvidos, sobretudo no gênero *Ecauta* Redt., e atacam as folhas e flores das plantas. [Sin.: *burrinho*.]
var. *S. m. Eletr.* Unidade de medida de potência reativa em circuitos de corrente alternada, equivalente a um watt. [Pl.: *vars*.]
vara¹. [Do lat. *vara*.] *S. f.* **1.** Ramo fino e flexível. **2.** *P. ext.* V. *bordão*¹ (1). **3.** V. *travanca*. **4.** Pau direito. [Aum.: *varejão*; dim.: *vareta*, *varela*, *varola*.] **5.** Insígnia de magistrados e mercadores. **6.** O cargo de juiz. **7.** Jurisdição (2). **8.** Antiga unidade de medida de comprimento, equivalente a cinco palmos, ou seja, 1,10 m: "um metro de chita ou uma vara de pano cru." (Brito Camacho, *Quadros Alentejanos*, p. 49). **9.** Porção de tecido com o comprimento dessa medida. **10.** Medida, padrão, bitola. **11.** Manada de porcos; vara de porcos; porcada, porcalhada: "o cabo .... fazia com os dentes tal barulho que semelhava não um caititu, mas uma vara inteira de porcos." (Visconde de Taunay, *Histórias Brasileiras*, p. 209). **12.** Castigo, punição, correção. **13.** *Chulo.* O pênis. **14.** *Bras., PE.* Viga mais delgada que a virgem (8), e cuja extremidade superior se encaixa no orifício desta, sendo a extremidade anterior atravessada pelo fuso. [Cf. *arrocho* (4).] **15.** *Bras., RJ.* Bando de 10 a 20 quatis; lotada. **16.** *Teat.* Parte da manobra (10 e 11) do palco. ◆ **Vara de bater.** *Bras., PE. Pop.* Vara de bater pecado. **Vara de bater pecado.** *Bras., N.E. Pop.* Indivíduo muito alto e magro. [Tb. se diz apenas *vara de bater*.] **Vara de condão.** Vara mágica, atributo encantatório das fadas e feiticeiras; varinha de condão. **Vara de porcos.** V. *vara* (11): "Comprariam os dois uma bácora e um bácoro e ao fim de algum tempo haviam de ter uma vara de porcos." (Manuel da Fonseca, *Aldeia Nova*, p. 11.) **Vara do castelo.** A parte mais alta dele. **Vara real.** O cetro. **À vara e a remo.** Com todo esforço; por todos os meios. **Corrido à vara.** Perseguido pela justiça. **Cortar vara.** *Bras., CE. Pop.* Mentir (1). **Ser conduzido debaixo de vara.** Ser conduzido sob mandado judicial. **Tremer como varas verdes.** Ter muito medo; estar assustadíssimo; tremer que nem varas verdes. **Tremer que nem varas verdes.** Tremer que nem varas verdes. Tremer como varas verdes: "E reparando que o amanuense tremia que nem varas verdes: I — Meu caro senhor, ponha-se à vontade!" (Artur Azevedo, *Contos Efêmeros*, p. 33.)
vara². [Do marata *vārā*.] *S. f.* Tufão ou furacão do mar das Índias, ocorrente em setembro ou outubro.
varação. [Do lat. *varatione*.] *S. f.* **1.** Ato ou efeito de varar. **2.** Varadouro (3). **3.** *Bras.* Transporte de embarcações por terra, nos trechos perigosos e encachoeirados dos rios. **4.** *Bras.* Projeção de um barco sobre um baixio ou uma praia, onde encalha.
varacu. *S. m. Bras.* Designação comum a diversos peixes do gênero *Leporinus*.
varada. *S. f.* **1.** Pancada com vara. **2.** Chibatada, chicotada.
varado. *Adj.* Diz-se de navio ou embarcação encalhados no varadouro.
varadoiro. [De *varar* + *-(d)oiro*.] *S. m.* V. *varadouro*.
varador¹ (ô). *S. m.* Homem que calcula a capacidade das pipas e dos tonéis utilizando uma vara para medi-los.
varador² (ô). [Alter. de *varadouro*.] *S. m. Bras., MA.* e *outros estados do N.* V. *varadouro* (1 e 6).
varadouro. [De *varar* + *-(d)ouro*; var. de *varadoiro*.] *S. m.* **1.** Lugar baixo de pouca água, à beira-mar ou à margem de um rio, onde se varam embarcações. [Var. (no MA e noutros estados do N.): *varador*.] **2.** *Fig.* Lugar onde um grupo de pessoas se reúne para descansar e conversar. **3.** *Bras., Amaz.* Canal aberto com rapidez, e que permite a passagem de um rio para outro em curtíssimo tempo, a fim de se evitarem os acidentes do curso; varação. **4.** *Bras., Amaz.* Canal que liga um lago com um rio. **5.** *Bras., PA.* Atalho dum rio que, atravessando a várzea submersa, encurta o caminho. **6.** *Bras., Amaz.* e *MT.* Caminho aberto na mata e que vai ter ao centro, ou vice-versa. [Var., nesta acepç. (no MA e noutros estados do N.): *varador*.]
varal. *S. m.* **1.** Cada uma das duas grossas varas que saem dos lados de um veículo e entre as quais se atrela o animal que o puxa. **2.** Cada uma das varas semelhantes, em andores, esquifes, cadeirinhas, etc. **3.** *Bras.* Arame esticado, onde se penduram as roupas lavadas para que sequem; tendal. **4.** *Bras., RJ.* Mesa de bambu sobre a qual se colocava o peixe trazido da pescaria, e onde ele permanecia ao relento até o dia seguinte; banca. **5.** Conjunto de varas compridas onde secam as redes de pesca. **6.** *Bras., RS.* Cada uma das varas onde se expõe ao sol o charque para secar. [M. us. no pl., nesta acepç.]
varame. [De *vara*¹ (1) + *-ame*.] *S. m.* Porção de varas.
varancada. *S. f. Desus.* varada.
varanda. *S. f.* **1.** Balcão, sacada. **2.** Terraço (1). **3.** Gradeamento de sacadas ou de janelas rasgadas ao nível do pavimento. **4.** Roda dentada do lagar de azeite. **5.** *Bras.* Espécie de alpendre à frente e/ou em volta das casas, especialmente as de campo; varandado, avarandado, alpendre: "Telhado em duas águas, beirais salientes, sombreando a varanda larga que rodeava a casa." (Vasconcelos Maia, *O Leque de Oxum*, pp. 35-36.) **6.** *Bras.* Guarnição franjada ao longo dos dois lados da rede (16); tanga: "Mariquinha achava-se deitada na rede alva de linho com ricas varandas de rendas encarnadas, mas não dormia" (Inglês de Sousa, *Contos Amazônicos*, p. 72.) **7.** *Bras.* A primeira parte do curral de pesca. **8.** *Bras., N.* Sala de frente nas casas rústicas. **9.** *Bras., Amaz., MA* e *S.* Sala de jantar: "A um canto da varanda, nome que se dá no Extremo Norte às salas de jantar, Major Alberto, major também de muitas artes, instalara a tipografia." (Dalcídio Jurandir, *Três Casas e Um Rio*, p. 7.) **10.** *Bras., S.* Mobília de sala de jantar. **11.** *Teatr.* Balcão que circunda o urdimento [q. v.] do palco.
varandado. *S. m. Bras., N.* V. *varanda* (5). [F. paral.: *avarandado*.]
varandim. [Dim. irreg. de *varanda*.] *S. m.* **1.** Varanda estreita. **2.** Pequeno terraço [v. *terraço* (1)]: "À tarde, no alto varandim balaustrado da Glória, eu cismava nostalgicamente a olhar a ampla baía" (Virgílio Várzea, *Nas Ondas*, p. 234). **3.** Grade baixa e elegante, usada nas janelas de peitoril.
varão¹. [Var. de *barão*.] *S. m.* **1.** Indivíduo do sexo masculino. **2.** Indivíduo adulto ou esforçado. **3.** Homem respeitável. [Fem.: *varoa*, *virago*, *matrona*.] ● *Adj.* **4.** Que é do sexo masculino. [Fem.: *varoa*.] ◆ **Varão de Plutarco.** **1.** Homem probo, cheio de serviços à pátria, e por isso comparável aos gregos e romanos biografados por Plutarco [q. v.]. **2.** Homem que, por sua vida extraordinária, poderia figurar nas *Vidas Paralelas*, obra desse autor.
varão². [Aum. de *vara*¹.] *S. m.* Vara (2) grande, de ferro ou de outro metal.
varapau. [De *vara*¹ + *pau*.] *S. m.* **1.** Pau comprido. **2.** *P. ext.* V. *bordão*¹ (1). **3.** *Bras. Fam.* Pessoa alta e magra.
varar. [Do lat. *varare*.] *V. t. d.* **1.** Bater com vara¹ (1). **2.** Furar de lado a lado; atravessar, traspassar: *A espada varou-lhe o braço*; "A luz oblíqua das lanternas varava a escuridão, o emaranhado dos matos." (Lia Correia Dutra, *Navio sem Porto*, p. 167.) **3.** Passar além de; transpor com ímpeto: *Os nossos bandeirantes varam serras e sertões.* **4.** Espantar, aterrar. **5.** Fazer sair; expulsar. **6.** *Bras.* Passar (um rio, uma sanga, etc.) **7.** *Mar.* Levar (uma embarcação) a encalhar na praia, para consertá-la ou para guardá-la enquanto não volta a navegar; encalhar. *T. c.* **8.** Sair ou passar impetuosamente: *Varou pela porta dos fundos.* **9.** Meter-se, embrenhar-se: *Os fugitivos vararam pelo mato adentro.* **10.** *Bras.* Caminhar reto, com resolução. *Int.* **11.** Dar em seco; encalhar. **12.** *Bras.* Varar (10).
varedo (ê). [De *vara*¹ + *-edo*.] *S. m.* Conjunto de vigotas de madeira ou de ferro, que sustém o ripado no telhado.
vareio¹. [Dev. de *variar* 'delirar', com a desin. própria de um verbo em *ear* (e tb. de vários em *iar*, como, p. ex., *ansiar* e *incendiar*).] *S. m. Bras., S.* **1.** Estado de excitação que leva o indivíduo a proferir coisas sem nexo. **2.** Delírio, desvario. **3.** Susto, sobressalto.
vareio². [De *vara*¹.] *S. m.* **1.** V. *repreensão* (1). **2.** V. *surra* (1).
vareiro. *S. m. Bras.* Aquele que empurra à vara uma embarcação: "impulsionado pelos vareiros, o bote foi-se abeirando da margem." (Viriato Correia, *Contos do Sertão*, p. 137).
vareja¹ (ê). [Dev. de *varejar*.] *S. f.* Ato de varejar.
vareja² (ê). [Dev. regr. de *varejeira*.] *S. f.* **1.** V. *mosca-varejeira*. **2.** Designação vulgar dos ovos da mosca-varejeira, antes de atingirem a fase de larva. [A vareja é, em geral, formada por massa branca de ovos colados à carne.]
varejador (ô). *Adj.* e *s. m.* Que ou aquele que vareja, que dá ou faz varejo (2).
varejadura. *S. f.* Ato ou efeito de varejar; varejamento, varejo.
varejamento. *S. m.* V. *varejadura*.
varejante. [De *varejar* (4) + *-nte*.] *S. 2 g. Bras., RJ.* Pessoa que trabalha em varejo (4).
varejão¹. [Aum. irreg. de *vara*¹.] *S. m.* Vara grande: "nas balsas que desciam o rio, impelidas a varejão por cinco ou seis negros reluzentes .... levantava-se um berro gemebundo" (Coelho Neto, *Sertão*, pp. 13-14).
varejão². [Aum. de *varejo*.] *S. m. Bras.* Grande loja de varejo (4).
varejar. [De *vara*¹ + *-ejar*.] *V. t. d.* **1.** Agitar ou sacudir com varas. **2.** Fazer cair, batendo com vara. **3.** Açoitar com vara; fustigar; varar. **4.** Medir às varas (o tecido). **5.** Acometer, atacar, investir. **6.** Destruir, arrasar, varrer; assolar: *A tempestade varejou toda a costa.* **7.** Dar varejo ou revista a; rebuscar, revistar: "Já a polícia andava em campo, varejando casas, espionando." (Coelho Neto, *Obra Seleta*, I, p. 511.) **8.** *Bras.* Lançar fora, ou para longe. *T. i.* **9.** *Lus.* Fustigar o inimigo com fogo contínuo de artilharia ou fuzilaria. *Int.* **10.** Soprar rijo, com violência. **11.** Impelir o barco à vara. [Conjug.: v. *pelejar*.]
varejeira. *S. f.* V. *mosca-varejeira*.
varejista. *Bras. Adj. 2 g.* **1.** Que vende a varejo. **2.** Relativo ao comércio a varejo. ● *S. 2 g.* **3.** Negociante que vende a varejo (4). [Sin. ger.: *retalhista*, *retalheiro*. Antôn.: *atacadista*.]
varejo (ê). [Dev. de *varejar*.] *S. m.* **1.** V. *varejadura*. **2.** Revista de casa comercial ou industrial para averiguar a existência de descaminho de direitos. **3.** *Fig.* V. *repreensão* (1). **4.** *Bras.* Venda por miúdo, a retalho. ◆ **A varejo.** A retalho.
varela. [Dim. de *vara*¹.] *S. f.* V. *vareta* (1).
vareta (ê). [Dim. de *vara*¹.] *S. f.* **1.** Pequena vara; varola, varela. **2.** Vara fina de pau ou de ferro, anexa ao cano das armas de fogo portáteis para limpeza do tubo alma. **3.** Perna de compasso. **4.** Cada uma das hastes metálicas que compõem a armação do guarda-chuva. **5.** Cada uma das pequenas varas de um leque. **6.** *Bras.* Cada um dos palitos que compõem o pega-varetas. **7.** *Bras.* V. batatinha-do-campo (1). **8.** *Bras., S. Gír.* Decepção,

desapontamento. **9.** *Bras., S. Gír.* Atrapalhação, embaraço.

vareteiro. [De *vareta* + *-eiro.*] *S. m. Bras.* Árvore da família das ulmáceas (*Phyllostylon brasiliense*), da floresta atlântica, que se estende pela América tropical, desde as Antilhas. Tem folhas oblongas ou elípticas, membranáceas e serreadas, flores inconspícuas, polígamas, ordenadas em fascículos, e seus frutos são sâmaras pêndulas, cujas asas se curvam de ambos os lados. A madeira, clara, é de boa qualidade, conquanto semuso.

varga. [Talvez de um celta **barga*, 'choça', 'cercado de paliçada para colher peixe'.] *S. f.* **1.** Várzea alagadiça. **2.** Armadilha de pesca, espécie de rede.

varge. *S. f.* V. *várzea.*

várgea. *S. f.* V. *várzea.*

vargedo (ê). *S. m.* **1.** Conjunto ou seqüência de vargens. **2.** *Bras., SP.* Vargem grande; varjão.

vargem. [De *várzea*, por infl. de palavras acabadas em *-gem.*] *S. f.* V. *várzea.*

vargem-alegrense. *Adj. 2 g.* **1.** De, ou pertencente ou relativo a Vargem Alegre (RJ). ● *S. 2 g.* **2.** Natural ou habitante de Vargem Alegre. [Pl.: *vargem-alegrenses.*]

vargem-grandense[1]. *Adj. 2 g.* **1.** De, ou pertencente ou relativo a Vargem Grande (MA). ● *S. 2 g.* **2.** Natural ou habitante de Vargem Grande. [Pl.: *vargem-grandenses.*]

vargem-grandense[2]. *Adj. 2 g.* **1.** De, ou pertencente ou relativo a Vargem Grande do Sul (SP). ● *S. 2 g.* **2.** Natural ou habitante de Vargem Grande do Sul. [Pl.: *vargem-grandenses.*]

vargiano. *Adj.* **1.** De, ou pertencente ou relativo a Vargem Bonita (MG). ● *S. m.* **2.** O natural ou habitante de Vargem Bonita.

vargim. [Dim. irreg. de *vargem.*] *S. m. Bras., MA.* Terreno argiloso onde, nos baixões [v. *baixão* (2)], abundam ervas e capins.

varginha. [Dim. de *vargem.*] *S. f. Bras.* Pequena vargem.

varginhense. *Adj. 2 g.* **1.** De, ou pertencente ou relativo a Varginha (MG). ● *S. 2 g.* **2.** Natural ou habitante de Varginha.

vargueiro. [De *varga* (2) + *-eiro.*] *S. m.* Fabricante de vargas.

vária. [Fem. substantivado de *vário.*] *S. f. Bras,* V. *tópico* (9). [Cf. *varia*, do v. *variar.*]

variabilidade. *S. f.* Qualidade de variável.

variação. [Do lat. *variatione.*] *S. f.* **1.** Ato ou efeito de variar(-se); variedade. **2.** *Anál. Mat.* Variável que se adiciona a outra variável, ou função adicionada a outra função. **3.** *Biol.* Diferença, genética ou não, relativa a determinado caráter entre indivíduos da mesma geração ou de sucessivas gerações. **4.** *Gram.* A parte declinável de uma palavra. **5.** *Mús.* Até o séc. XVIII, a forma musical em que se repetia a melodia, enriquecendo-a, cada vez, de novos ornatos, e, a partir de então, forma musical em que a melodia passou a obedecer ao princípio de se mudar, em cada repetição, um ou alguns de seus elementos constitutivos (ritmo, compasso, tonalidade, modo, harmonização, arabesco, etc.), com a única e imperiosa condição de permitir que o ouvinte sempre possa reconhecer mais ou menos distintamente o tema original. [Cf. *passagem* (13).] ◆ **Variação da agulha.** *Náut.* Soma da declinação magnética e do desvio da agulha (24).

variacional. [De *variação* + *-al.*] *Adj. 2 g.* ~ V. *cálculo* —.

variado. [Part. de *variar.*] *Adj.* **1.** Diverso, sortido, vário. **2.** Matizado, variegado. **3.** Delirante, alucinado. **4.** *Pop.* Inconstante, leviano. ~ V. *ato* —.

variância. [Do ingl. *variance.*] *S. f.* **1.** *Estat.* O quadrado do afastamento padrão; esperança matemática do quadrado dos afastamentos de uma variável aleatória em relação à média aritmética. **2.** *Fís.* Número de variáveis pertinentes a um sistema em equilíbrio, e que são necessárias e suficientes para caracterizar integralmente o estado do sistema e de suas fases.

variante. [Do lat. *variante.*] *Adj. 2 g.* **1.** Que varia ou difere. ● *S. f.* **2.** Diferença, variação. **3.** Desvio que, numa estrada, substitui um trecho interrompido ou fornece uma alternativa de outro percurso para o mesmo destino. **4.** Cada uma das várias lições ou formas do mesmo texto ou vocábulo; versão. **5.** Alternativa que substitui ou modifica um plano ou parte de um plano original. **6.** *Gram.* Entre vocábulos do mesmo étimo mas que apresentam leves variações de forma, sem alteração do sentido, aquele que, em geral, é menos usado. [A variante pode ser ortográfica (*câimbra*, var. de *cãibra*); prosódica (*sapé*, var. de *sapê*; *monolito*, var. de *monólito*); morfológica (*manjedoira*, var. de *manjedoura* [esta var. de *manjadoura.*]), etc.] **7.** *Ling.* Alofone.

variar. [Do lat. *variare.*] *V. t. d.* **1.** Tornar vário ou diverso; alterar, diversificar; mudar: *Deu ordem à cozinheira para* v a r i a r *os pratos.* **2.** Alternar, revezar: *Costuma* v a r i a r *as leituras de história e filosofia.* **3.** *Mús.* Fazer variações sobre (um tema). **4.** *Mús.* Adicionar ornatos musicais a. **5.** Dispor ou colorir diversamente; diversificar, matizar, variegar. *Int.* **6.** Fazer ou sofrer mudança: *O clima* v a r i a. **7.** Apresentar-se sob diversas formas ou aspectos. **8.** Ser inconstante: *O amor não* v a r i a, *quando amadurecido na vida em comum.* **9.** Não ser conforme; discrepar: *As opiniões* v a r i a m. **10.** Mudar de direção; desviar-se. **11.** Dar nova direção, novo rumo, nova orientação, ao procedimento, aos hábitos, à vida: "como tudo cansa, esta monotonia acabou por exaurir-me também. Quis v a r i a r, e lembrou-me escrever um livro" (Machado de Assis, *Dom Casmurro*, p. 5). **12.** Delirar; endoidecer, enlouquecer, desvairar. **13.** *Bras., S.* Submeter o cavalo a exercício com outro parelheiro. *P.* **14.** Sofrer mudança; alterar-se, transformar-se. [Pres. ind.: *vario, varias, varia*, etc. Cf. *vário*, adj., flex. *vária, várias*; *vária*, s. f., pl. *várias*; *Vário*, antr.; e *Vária*, antr. e top.]

variável. [Do lat. *variabile.*] *Adj. 2 g.* **1.** Sujeito a variações; mudável, incerto, instável, inconstante: *tempo* v a r i á v e l; *humor* v a r i á v e l; *pulso* v a r i á v e l. **2.** Que pode apresentar diversos valores distintos: *grandeza* v a r i á v e l. **3.** Que pode ter ou assumir diferentes valores, diferentes aspectos, segundo os casos particulares ou segundo as circunstâncias: *Os hábitos e costumes são* v a r i á v e i s *segundo os povos.* **4.** *Gram.* Declinável. ~ V. *campo —, estrela — e estrela — nova.* ● *S. f.* **5.** Termo que, numa função ou numa relação, pode ser alternadamente substituído por outros. **6.** *Mat.* Símbolo dos elementos de um conjunto. **7.** *Astr.* Estrela variável. ◆ **Variável aleatória.** *Estat.* Toda variável a que está associada uma probabilidade a qualquer intervalo não nulo do seu domínio; variável estocástica. **Variável cefeida.** *Astr.* Estrela variável pulsante, cujo período está intimamente relacionado com a sua variação de brilho e o seu brilho intrínseco. [Tb. se diz apenas *cefeida.*] **Variável complexa.** *Mat.* Variável cujo domínio é um conjunto de números complexos. **Variável contínua.** *Anál. Mat.* A que tem por campo de definição um conjunto contínuo. **Variável controlada.** *Automat.* Quantidade ou condição medida e controlada. **Variável de estado.** *Fís.* Variável associada a uma grandeza física pertinente a um sistema, e cujo conhecimento é necessário para determinar o estado do sistema. **Variável dependente.** *Mat.* Variável que, no mapeamento de dois conjuntos, tem papel dependente da variável do outro conjunto. **Variável estocástica.** *Estat.* Variável aleatória. **Variável independente.** *Mat.* Variável à qual se atribui papel preponderante no mapeamento de dois conjuntos. **Variável qui quadrado** (χ^2). *Estat.* Variável aleatória igual a soma dos quadrados de *n* variáveis aleatórias independentes e com funções de distribuição normais reduzidas. **Variável real.** *Mat.* A que tem como domínio um conjunto de número reais. **Variável reduzida.** *Fís.* Coordenada reduzida. **Variável termodinâmica.** *Fís.* Variável associada a uma grandeza macroscópica, e que traduz uma propriedade ou característica macroscópica e observável dum sistema.

varicela. [Do fr. *varicelle.*] *S. f. Med.* Doença infecciosa causada por vírus, contagiosa, de ordinário benigna, e que se caracteriza por febre acompanhada de uma erupção de pequenas bolhas, que secam decorridos alguns dias. [Sin. vulg.: *catapora* ou *cataporas, tatapora* ou *tataporas.*]

▲**varico-.** [Do lat. *varix, icis.*] *El. comp.* = 'variz': *varicocele.*

varicocele. [Do lat. *varice*, 'variz', + *-o-* + *-cele.*] *S. f. Med.* Tumefação devida à dilatação de veias do cordão espermático.

varicosidade. *S. f.* Qualidade ou estado de varicoso.

varicoso (ô). [Do lat. *varicosu.*] *Adj.* Que tem varizes ou é predisposto a elas. ~ V. *úlcera —a.*

variedade. [Do lat. *varietate.*] *S. f.* **1.** Qualidade de vário. **2.** Variação (1). **3.** Diversidade, multiplicidade. **4.** Inconstância, instabilidade, volubilidade. **5.** *Biol. Ger.* Subdivisão das espécies fundada nas leves diferenças entre indivíduos da mesma espécie. ~ V. *variedades.*

variedades. [Pl. de *variedade.*] *S. f. pl.* Miscelânea de assuntos vários, em literatura ou em jornalismo, e de apresentações, em teatros, boates, na televisão, etc. ~ V. *variedade.*

variegação. *S. f.* **1.** Ato ou efeito de variegar. **2.** Qualidade ou estado de variegado. **3.** Variedade de cores; matiz. **4.** *Bot.* Ocorrência, numa planta, de outras cores além da verde. [Exemplo comum é a ocorrência de folhas amarelas ou vermelhas misturadas com outras de cor verde. A variegação pode ser de origem genética ou de origem infecciosa, neste caso por ação de vírus.]

variegado. [Part. de *variegar.*] *Adj.* **1.** V. *versicolor*: "Zumbem à porta insetos v a r i e g a d o s, / Envolvidos do sol na luz tremente." (Gonçalves Crespo, *Obras Completas*, p. 313). **2.** Diversificado, sortido, variado. **3.** Alternado, revezado. **4.** *Bot.* Que apresenta variegações [v. *variegação* (4)]: *folhas* v a r i e g a d a s.

variegar. [Do lat. *variegare.*] *V. t. d.* **1.** Dar cores diversas a; matizar. **2.** Diversificar; alternar, variar. [Conjug.: v. *regar.*]

varina. [Var. aferética do fem. de *ovarino.*] *S. f. Lus.* **1.** Mulher da beira-mar, no N. de Portugal. **2.** Vendedora ambulante de peixe, em Lisboa. **3.** Aparelho de pesca com rede de arrastar, e que tem no meio um saco.

varinha. [Dim. de *vara*[1].] *S. f.* Vara (1) pequena. ◆ **Varinha de condão.** Vara de condão.

▲**vario-.** [Do lat. *varius, a, um.*] *El. comp.* = 'vário', 'diverso': *variômetro, variospermo.*

vário. [Do lat. *variu.*] *Adj.* **1.** De diversas cores, feitios, tipos, espécies, etc.: *a plumagem* v á r i a *do pavão.* **2.** Diverso, diferente: "É um mundo v á r i o. Não é um mundo uniforme. As cidades parece que dominam os campos." (Alceu Amoroso Lima, *A Realidade Americana*, p. 33.) **3.** Inconstante, instável, volúvel. **4.** Mais ou menos numeroso. **5.** Perplexo, indeciso, irresoluto. **6.** Inquieto, buliçoso. ● *Pron.* **7.** Um certo. [Flex.: *vária, vários, várias.* Cf. *vario, varias, varia*, do v. *variar.*]

varíola. [Do lat. vulg. *variola.*] *S. f. Med.* Doença infecciosa aguda com período de incubação de cerca de 12 dias, a que se segue etapa febril, surgindo, nos primeiros três a quatro dias desta, erupção macular ou petequial do tronco, a qual desaparece junto com a febre; em seguida, surgem novamente febre e, na face, mãos e pés, erupção papular que evolui para a formação de pústulas, cujas crostas se desprendem ao cabo de 7 a 10 dias, originando cicatrizes despigmentadas e um tanto escavadas. A doença apresenta, ainda, manifestações pneumônicas, artríticas, etc. [Sin., vulg.: *bexiga.*] ◆ **Varíola bovina.** Infecção produzida por poxvírus em vacas leiteiras, que apresentam vesicopústulas em algumas partes do corpo, como as tetas. É transmissível ao homem.

variolar. *Adj. 2 g.* Semelhante às manchas da varíola.

variólico. *Adj.* Relativo à, ou próprio da varíola; varioloso.

varioliforme. [De *varíola* + *-i-* + *-forme.*] *Adj. 2 g.* Que tem semelhança com a varíola.

variolóide. [De *varíola* + *-óide.*] *S. f. Patol.* Forma atenuada de varíola.

varioloso (ô). *Adj.* **1.** Variólico. **2.** Atacado de varíola. ● *S. m.* **3.** Indivíduo atacado desse mal.

variômetro. [De *vario-* + *-metro.*] *S. m. Fís.* Indutância variável constituída por duas bobinas, uma dentro da outra, e cujo acoplamento pode modificar-se entre certos limites.

variospermo. [De *vario-* + *-spermo.*] *Adj. Morfol. Veg.* Que tem sementes de vários tipos.

varistor (ô). [Do ingl. *varistor.*] *S. m. Eletr.* Resistor feito de um semicondutor, e que não obedece à lei de Ohm.

variz. [Do lat. *varice.*] *S. f.* **1.** *Med.* Dilatação permanente duma veia. **2.** Proeminência no bordo de algumas conchas univalves.

varja. *S. f.* V. *várzea.* [Dim. irreg.: *varjota.*]

varjão. [Aum. de *varja.*] *S. m. Bras., N.E.* Vargem grande; vargedo: "A manhã apontou na mansidão dos morros e dos plainos, avermelhando-se ao clarão do sol lá para os lados do v a r j ã o da Ema." (Albertino Moreira, *Boca-Pio*, p. 36.)

varjota. [Dim. irreg. de *varja.*] *S. f. Bras., N.E.* Pequena várzea ou varja.

varo. [Do lat. *varu.*] *Adj. Med.* Diz-se de membro, ou de segmento deste, que está voltado para dentro, por desvio de seu eixo. Ex.: *coxa* v a r a, *genuvaro* [lat. *genu varu*]. [Antôn.: *valgo.*]

varoa (ô). [Fem. de *varão*[1].] *S. f.* **1.** *Desus.* Mulher forte. **2.** Mulher esforçada; virago. **3.** Heroína (1). ● *Adj. (f.)* **4.** Que é do sexo feminino: *filha* v a r o a.

varola. [Dim. de *vara*[1].] *S. f.* V. *vareta* (1).

varonia. [De *varão*[1] + *-ia.*] *S. f.* **1.** Qualidade ou condição de varão. **2.** Descendência em linha masculina: "Sua mãe .... era dos Vasconcelos, descendentes, por v a r o n i a, de Guterre Osório" (Antero de Figueiredo, *Leonor Teles*, p. 3).

varonil. [De *varão*[1] + *-il.*] *Adj. 2 g.* **1.** Relativo a, ou próprio de varão, de homem; viril. **2.** Forte, rijo; viripotente. **3.** Heróico.

varonilidade. *S. f.* Qualidade de varonil.

varote. *S. m. Bras., PR* e *MT.* Erval novo, que se reserva para colheita futura.
varrão. [Do lat. *verrone, der. de *verre*, 'porco por capar', atr. de uma f. *verrom*.] *S. m.* V. *barrão*.
varrasco. [De um lat. *verrascu, der. de *verre*, 'porco por capar', + *-asco*.] *S. m.* V. *barrão*.
varredela. *S. f.* **1.** Ato ou efeito de varrer; varredura. **2.** Vassourada (2).
varredoira. [De *varrer* + o fem. de *-(d)oiro*.] *S. f.* V. *varredoura*.
varredoiro. [De *varrer* + *-(d)oiro*.] *S. m.* V. *varredouro*.
varredor (ô). *Adj.* e *s. m.* Que ou aquele que varre.
varredoura. [De *varrer* + o fem. de *-(d)ouro*; var. de *varredoira*.] *S. f.* **1.** Mortandade, morticínio, carnificina. **2.** Grande destruição. **3.** *Ant. Marinh.* Cada uma das velas suplementares que se armavam junto às testas do traquete, com vento de popa ou largo. ● *Adj. (f.)*. **4.** Diz-se de certa rede de pescar.
varredouro. [De *varrer* + *(d)ouro*[1]; var. de *varredoiro*.] *S. m.* **1.** Espécie de vassoura para varrer o forno do pão. **2.** Vassoura que, atada às aivecas do arado, varre as raízes levantadas ao lavrar.
varredura. *S. f.* **1.** Ato ou efeito de varrer; varredela [Sin., bras.: *varrição*.] **2.** Aquilo que se ajunta varrendo. **3.** Restos de comida na mesa; restos. **4.** *Fís.* Operação em que um feixe de partículas carregadas (elétrons ou íons) é obrigado a se deslocar, usualmente num plano determinado, pela ação de um campo elétrico ou de um campo magnético variáveis. **5.** *Mar. G.* Operação destinada a remover ou fazer explodir as minas submarinas lançadas pelo inimigo. **6.** Ato ou efeito de fazer o feixe radar ou sonar percorrer seguidamente determinado setor, ou toda a volta em torno do navio ou da aeronave, em busca de possíveis alvos.
varrer. [Do lat. *verrere*.] *V. t. d.* **1.** Limpar com vassoura (principalmente o solo ou o soalho): "Dona Custódia foi logo botando ordem na casa: varreu a sala; arrumou o quarto." (Fernando Sabino, *O Homem Nu*, p. 90.) **2.** Arrastar-se por; roçar: *A cauda do vestido varria o chão*; "acabava dormindo, com um dedo na boca, a cabeça encostada ao peito de Mateus, e as tranças compridas varrendo as cartas do baralho." (Lia Correia Dutra, *Navio sem Porto*, p. 100). **3.** Levar, arrastar: "O vento varria as folhas" (Manuel Bandeira, *Estrela da Vida Inteira*, p. 165). **4.** Passar pela superfície de; passar por: *É puro o ar que varre a montanha.* **5.** Destruir, devastar, arrasar, assolar: "Astros! noite! tempestades! / Rolai das imensidades! Varrei os mares, tufão!..." (Castro Alves, *Obra Completa*, p. 250). **6.** Impelir diante de si: *A ventania varreu as nuvens.* **7.** Fazer desaparecer; desvanecer, apagar: "Por milagre de amor, os teus olhares, / Assim como essa voz de raro encanto, / Varreram de improviso os meus pesares." (Eugênio de Castro, *Éclogas*, p. 31); "a Portugal cumpria tomar desforço, que lhe assegurasse o direito às suas possessões americanas, que varresse de seus mares os corsários." (Rodolfo Garcia, *Ensaio sobre a História Política e Administrativa do Brasil*, p. 46). **8.** Esvaziar; esgotar, exaurir; limpar: *Desonesto, varreu os cofres públicos.* **9.** Espalhar, dispersar: *O tiroteio varreu os manifestantes*; "esperou que o sol varresse a chuva e tomasse conta do céu e da terra" (Machado de Assis, *Quincas Borba*, p. 297). **10.** Tornar claro, límpido; aclarar: *A brisa varreu o horizonte.* **11.** *Mar. G.* Perscrutar (o mar ou o céu) em torno do navio (ou em um limitado setor deles), com a vista, o sonar ou o radar, à cata de inimigos ou de obstáculos à navegação. *T. d.* e *i.* **12.** Limpar, livrar: *A polícia procurou varrer de malfeitores a cidade.* **13.** Fazer desaparecer; apagar, desvanecer. *Int.* **14.** Limpar o lixo com a vassoura: "Varre, varre, minha vassourinha, / Abana, abana, meu abanador" (De antiga canção popular). *P.* **15.** Dissipar-se, desvanecer-se, esvanecer-se, esvaecer-se, esvair-se. **16.** Ficar inteiramente esquecido; cair no olvido: *Varreram-se de sua memória aqueles dias amargos.*
varre-saiense. *Adj. 2 g.* **1.** De, ou pertencente ou relativo a Varre-Sai (RJ). ● *S. 2 g.* **2.** Natural ou habitante de Varre-Sai. [Pl.: *varre-saienses*.]
varrição. *S. f.* **1.** *Bras.* V. *varredura* (1). **2.** *Bras., SP.* Operação que consiste em juntar com o rastelo os frutos do café que, por qualquer circunstância, caíram antes de se iniciar a colheita.
varrido. [Part. de *varrer*.] *Adj.* **1.** Limpo com vassoura. **2.** *Fig.* Que perdeu o juízo; doido. **3.** Completo, rematado (doido ou pateta). ~ V. *doido* —. ● *S. m.* **4.** Aquilo que se varreu; varredura.
varsoviana. [Fem. substantivado de *varsoviano* (1).] *S. f.* Dança de caráter polonês, em compasso ternário, misto de mazurca e polca.
varsoviano. *Adj.* **1.** De, ou pertencente ou relativo a Varsóvia, capital da Polônia (Europa). ● *S. m.* **2.** O natural ou habitante de Varsóvia.
varudo. [De *vara*[1] + *-udo*.] *Adj.* Diz-se do tronco de árvore direito e comprido.
varvito. [Do sueco *varv*, 'camada', + *-ito*[2].] *S. m. Geol.* Rocha sedimentar clástica, que se forma em lagos de regiões glaciais e se caracteriza por camadas claras, arenosas, depositadas no verão, após o degelo, e camadas finas, argilosas e escuras, ricas de substâncias orgânicas, depositadas no inverno, repetindo-se essa deposição de modo cíclico.
várzea. [Talvez do b.-lat. *varcena*.] *S. f.* **1.** Planície fértil e cultivada, em um vale[1]; veiga: "Lá me ficava com seu teto amigo / A velha casa, a várzea verde e em flores" (Alberto de Oliveira, *Poesias*, 3ª série, p. 241). **2.** Terra chã. **3.** *Bras.* Vale[1] (2): "Fazia dias que os bois vinham aparecendo aqui, ali, nas encostas das serras, nas várzeas, na beira das estradas" (José J. Veiga, *A Hora dos Ruminantes*, p. 83). [Var.: *várgea, varge, vargem, varja*.] ♦ **Na várzea sem cachorro.** *Bras. Pop.* No mato sem cachorro.
várzea-grandense. *Adj. 2 g.* **1.** De, ou pertencente ou relativo a Várzea Grande (MT). ● *S. 2 g.* **2.** Natural ou habitante de Várzea Grande. [Pl.: *várzea-grandenses*.]
varziano[1]. [De *várzea* + *-i-* + *-ano*.] *Bras., SP* a *RS. Pej. Adj.* **1.** Diz-se daquele que mora nos arredores de uma cidade, num subúrbio, ou daquilo que é daí; suburbano: *um moço varziano; um clube varziano.* ● *S. m.* **2.** Indivíduo varziano. [Cf. *clube da várzea*.]
varziano[2]. *Adj.* **1.** De, ou pertencente ou relativo a Várzea da Palma (MG). ● *S. m.* **2.** O natural ou habitante de Várzea da Palma.
vasa. [Do neerl. *wase*, atr. do fr. *vase*.] *S. f.* **1.** Espécie de lama, fina e inconsistente, característica de certos fundos oceânicos, constituída por carapaças microscópicas de animais ou de diatomáceas ou elementos minerais. **2.** V. *lodo* (1). **3.** Espaço circular, com o feitio de grande vaso cônico, e onde gira a mó do moinho de azeitona. **4.** *Fig.* Degradação moral. **5.** As camadas viciosas, corrompidas, degradadas (duma sociedade). [Cf. *vaza*, do v. *vazar* e *s. f.*]
vasca. *S. f.* **1.** Grande convulsão: "Quem minha angústia suportar, prefira / A morte, redentora, à desventura / De não poder, nas vascas da loucura, / Distinguir a verdade da mentira." (Martins Fontes, *Verão*, p. 119). **2.** Ânsia excessiva; estertor: "uma bala vara o peito de Juanillo que cai e, nas vascas da agonia, rolando no chão, aproxima-se da defunta" (Érico Veríssimo, *México*, p. 128).
vascaíno. *Bras. Adj.* **1.** Pertencente ou relativo ao Clube de Regatas Vasco da Gama (RJ). **2.** Que é torcedor, ou jogador dessa agremiação. ● *S. m.* **3.** Membro, torcedor, ou jogador dela. [Sin. ger.: *vasco, cruzmaltino* e (pej.) *bacalhau*.]
vasco[1]. *Adj.* e *s. m.* V. *basco*.
vasco[2]. *Adj.* e *s. m. Bras.* V. *vascaíno*.
▲**vasco-.** V. *basco-*.
vascolejador (ô). *Adj.* e *s. m.* Que ou aquele que vascoleja.
vascolejamento. *S. m.* Ato ou efeito de vascolejar.
vascolejar. [Do lat. *vasculu*, 'vaso pequeno', + *-ejar*.] *V. t. d.* **1.** Agitar (um líquido em um vaso, ou um vaso que contenha um líquido). **2.** Revolver, agitar. **3.** Perturbar, turbar, inquietar, desassossegar. [Conjug.: v. *pelejar*.]
vasconcear. [De *vasconço* + *-ear*.] *V. int.* **1.** Falar vasconço. **2.** Dizer algaravias ou coisas ininteligíveis. **3.** Dizer gracejos; gracejar. *T. d.* **4.** Exprimir em estilo muito sutil ou ininteligível. [Conjug.: v. *frear*.]
vasconço. [Do esp. *vascuence*.] *S. m.* **1.** V. *basco* (3). **2.** *Fig.* Linguagem ininteligível.
vascongado. [Do esp. *vascongado*.] *Adj.* **1.** Da, ou pertencente ou relativo à região das Vascongadas (Espanha). ● *S. m.* **2.** O natural ou habitante dessa região.
vascoso (ô). *Adj.* Que tem vascas.
vascular. [Do lat. *vasculu*, 'vasinho', + *-ar*[1].] *Adj. 2 g.* **1.** *Anat.* Referente aos vasos, particularmente os sanguíneos. **2.** *Anat. Veg.* Que tem vaso (8): *planta vascular*. ~ V. *acidente* — *cerebral*.
vascularidade. [De *vascular* + *-i-* + *-dade*.] *S. f. Anat.* A existência de maior ou menor porção de vasos sanguíneos ou linfáticos.
vascularização. [De *vascularizar* + *-ção*.] *S. f. Anat.* **1.** Formação de vasos sanguíneos e linfáticos em um tecido, órgão ou região que não os tinha. **2.** Multiplicação dos vasos sanguíneos e/ou linfáticos primitivos de um tecido, órgão ou região. **3.** O conjunto dos vasos sanguíneos e linfáticos de um órgão ou de uma região.
vascularizado. [Part. de *vascularizar*.] *Adj.* Em que se efetuou vascularização.
vascularizar. [De *vascular* + *-izar*.] *V. t. d.* Produzir ou efetuar a vascularização (1 e 2) de.
vasculhadeira. [De *vasculhar* (1) + *-deira*.] *S. f.* Mulher que vasculha; basculhadeira.
vasculhadela. *S. f.* Ação de vasculhar; basculhadela.
vasculhador (ô). *S. m.* Vassoura de piaçava, pena, pano, etc., de cabo longo, usada para limpar tetos e paredes ou objetos colocados no alto; basculhador, basculho, vasculho, bagulho.
vasculhar. *V. t. d.* **1.** Varrer com vasculho. **2.** Pesquisar; investigar, esquadrinhar: *Vasculhou uma vasta bibliografia antes de escrever a tese*; "Em companhia do próprio Arinos [Afonso Arinos] pôs-se [Olavo Bilac] a vasculhar arquivos, a folhear velhos manuscritos" (Brito Broca, *Horas de Leitura*, p. 166). [Var.: *basculhar*.]
vasculho. [Var. de *basculho*.] *S. m.* **1.** V. *vassouro*. **2.** V. *vasculhador*.
vasectomia. [Do lat. *vas* (deferens), 'canal deferente', + *-ectom-* + *-ia*.] *S. f. Cir.* Intervenção cirúrgica em que um canal deferente é ligado em dois pontos de seu trajeto, sendo ressecada parte desse canal, entre as duas ligaduras. [A vasectomia é utilizada para a esterilização do homem (4), e para que esta seja eficaz é necessária a obliteração bilateral dos canais.]
vasectômico. *Adj.* Relativo à vasectomia.
vaselina. [Do ingl. *vaseline*, marca registrada.] *S. f.* **1.** *Quím.* Parafina de baixo ponto de fusão. ● *S. 2 g.* **2.** *Bras. Pop. Fig.* Pessoa melíflua, muito maneirosa, cheia de lábia.
vasento. *Adj.* Que tem vasa ou lodo; vasoso.
vasilha. [Do lat. vulg. *vasilia* < *vasu*, 'vaso', pelo modelo de *utensilia*, 'utensílio'.] *S. f.* **1.** Vaso para líquidos. **2.** Pipa, tonel, barril. **3.** *Bras.* Recipiente de uso doméstico utilizado particularmente para guardar ou conter alimentos. [Sin., impr., nesta acepç.: *vasilhame*.] ♦ **Vasilha ruim.** *Fig.* Pessoa má, de mau comportamento e/ou maus instintos, má fama.
vasilhame. *S. m.* **1.** Quantidade de vasilhas. **2.** *Impr.* Vasilha (3).
vaso[1]. [Do lat. vulg. *vasu*.] *S. m.* **1.** Qualquer objeto côncavo próprio para conter substâncias líquidas ou sólidas. **2.** Peça análoga, que se enche de terra e onde se plantam flores. **3.** *P. ext.* Receptáculo (1). **4.** V. *urinol* (1). **5.** V. *vaso sanitário*. **6.** *Anat.* Qualquer canal (5) do organismo humano através do qual circule o sangue ou linfa ou bile. **7.** *Pop.* Vagina (2). **8.** *Anat. Veg.* Estrutura tubulosa articulada, de comprimento variável, composta de uma série axial de células coalescentes, e pelo interior da qual circula a seiva mineral das plantas, que as raízes retiram do solo; traquéia. **9.** *Ant.* Navio, ou, mais precisamente, casco de navio: "Os vasos das esquadras estrangeiras .... tinham deixado campo livre à ação, fundeando para o fundo da baía." (Virgílio Várzea, *Nas Ondas*, p. 203.) [É palavra ainda us. na loc. *vaso de guerra*. Cf. *vazo*, do v. *vazar*.] ♦ **Vaso capilar.** *Anat.* Vaso (6) que estabelece comunicação entre arteríola e vênula, apresentando-se em grupos reticulados disseminados pelo corpo. **Vaso de capitel.** *Arquit.* O corpo côncavo do capitel coríntio ou compósito, sobre o qual parecem estar aplicadas as folhas e volutas. **Vaso de eleição.** Pessoa escolhida de Deus. **Vaso de guerra.** Navio de guerra. **Vaso do reator.** *Eng. Nucl.* V. *caixão do reator*. **Vaso do rio.** O leito dele. **Vaso obliterado.** *Patol.* Vaso (6) cujo canal se acha obstruído. **Vaso ranino.** *Anat.* Cada um dos vasos sanguíneos existentes na face inferior da língua. **Vaso sanitário.** Aparelho, geralmente de louça, próprio para dejeções. [Tb. se diz apenas *vaso*; sin.: *bacia sanitária, latrina, privada*.]
vaso[2]. *S. m.* Antiga fazenda de lã, preta, para luto. [Cf. *vazo*, do v. *vazar*.]
▲**vaso-.** [Do lat. *vasus, i*.] *El. comp.* = 'vaso[1] (6) sanguíneo': *vasoconstrição, vasomotor*.
vasoconstrição. [De *vaso-* + *constrição*.] *S. f. Med.* Diminuição do calibre de vasos sanguíneos. [Antôn.: *vasodilatação*.]
vasoconstritor (ô). [De *vaso-* + *constritor*.] *Adj.* e *s. m.* Diz-se de, ou droga ou agente que provoca a vasoconstrição. [Antôn.: *vasodilatador*.]
vasodilatação. [De *vaso-* + *dilatação*.] *S. f. Med.* Aumento do calibre de vasos sanguíneos. [Antôn.: *vasoconstrição*.]
vasodilatador (ô). [De *vaso-* + *dilatador*.] *Adj.* e *s. m.* Diz-se de, ou droga ou agente que provoca a vasodilatação. [Antôn.: *vasoconstritor*.]
vaso-morto. *S. m. Bras., N.E.* A caldeira que recebe o

caldo frio, nos engenhos de açúcar. [Pl.: *vasos-mortos*.]
vasomotor (ô). [De *vaso-* + *motor*.] *Adj.* Diz-se de formação nervosa ou de substância que atua sobre a motilidade de vaso sanguíneo. [Fem.: *vasomotriz*.]
vasomotriz. *Adj. (f.).* Fem. de *vasomotor*.
vasoso (ô). [De *vasa* + *-oso*.] *Adj.* Vasento.
vasotrófico. [De *vaso-* + *trófico*.] *Adj. Med.* Que influi nos fenômenos de nutrição dos vasos.
vasquear. [De *vasca* + *-ear*.] *V. int. Bras.* **1.** Agonizar, vasquejar: "Que formosos que sois, crepúsculos do Sul! / Franjados arrebóis — tendas do Saara azul / Do Éter! luz a v a s q u e a r em sonolentos raios!" (Alberto de Oliveira, *Poesias*, 4ª série, pp. 83-84.) **2.** Tornar-se raro, vasqueiro; escassear. [Conjug.: v. *frear*.]
vasqueiro[1]. *Adj.* **1.** Que causa vascas ou ânsias. **2.** *Bras.* Difícil de encontrar ou de obter; rasqueiro: "Achava-se o amanuense em toda parte .... ; só em dois lugares era ele incerto, e até mesmo v a s q u e i r o; na repartição e na casa de morada." (José de Alencar, *Sonhos d'Ouro*, p. 233.) **3.** Escasso, raro: "o dinheiro é curto e v a s q u e i r o, chorado, e pela hora da morte" (Afrânio Peixoto, *Bugrinha*, p. 173). **4.** Difícil, crítico: *tempos v a s q u e i r o s*.
vasqueiro[2]. [Alter. de um **vesgueiro* < *vesgo* + *-eiro*?] *Adj.* V. *estrábico* (2).
vasquejar. [De *vasca* + *-ejar*.] *V. int.* **1.** Ter vascas ou convulsões; contorcer-se: "travaram-lhe dos braços; o homem escabujava, v a s q u e j a v a pegado como um touro" (Júlio Dantas, *Abelhas Doiradas*, pp. 186-187). **2.** Estremecer, tremular; vacilar. **3.** Agonizar (1). *T. d.* **4.** Fazer tremulhar ou vacilar: *A leve brisa v a s q u e j a v a a bandeira*. [Conjug.: v. *pelejar*.]
vasquejo (ê). [Dev. de *vasquejar*.] *S. m.* Ato de vasquejar.
vasquim. *S. m. Bras. Desus.* Corpete de vestido de mulher: "v a s q u i m colante, de veludilho, todo enfeitado e rebrilhante de miçangas amarelas" (Martins Fontes, *A Dança*, p. 58).
vasquinha. [Do esp. *basquiña*.] *S. f. Ant.* **1.** Saia pregueada na cintura, usada por cima de toda a roupa. **2.** Casaco curto e muito justo ao corpo: "Cinta de fina escarlata, / Sainho de chamalote; / Traz a v a s q u i n h a de cote" (Luís de Camões, *Rimas*, p. 61).
vassalagem. *S. f.* **1.** Estado ou condição de vassalo. **2.** Tributo de vassalo(s) ao senhor feudal. **3.** Sujeição, submissão. **4.** Conjunto de vassalos.
vassalar. *V. t. d.* e *i. P. us.* Tributar ou prestar como vassalagem: *Tinha de v a s s a l a r obediência ao rei.*
vassalo. [Do aul., atr. do lat. medieval *vassallu* e do fr. *vassal*.] *S. m.* **1.** Na Idade Média, aquele que dependia dum senhor feudal, a quem estava vinculado por juramento de fé e homenagem; feudatário, súdito. ● *Adj.* **2.** Que paga tributo a alguém. **3.** Subordinado, submisso.
vassoira. *S. f.* e *s. m.* V. *vassoura*.
vassoirada. *S. f.* V. *vassourada*.
vassoira-de-bruxa. *S. f.* V. *vassoura-de-bruxa*. [Pl.: *vassoiras-de-bruxa*.]
vassoira-de-feiticeira. *S. f.* V. *vassoura-de-feiticeira*. [Pl.: *vassoiras-de-feiticeira*.]
vassoira-do-campo. *S. f.* V. *vassoura-do-campo*. [Pl.: *vassoiras-do-campo*.]
vassoiral. *S. m. Bras.* V. *vassoural*.
vassoirar. *V. t. d.* e *int.* V. *vassourar*: "Marinheiros v a s s o i r a v a m o convés" (Adolfo Caminha, *Bom-Crioulo*, p. 67).
vassoira-vermelha. *S. f. Bras.* V. *vassoura-vermelha*. [Pl.: *vassoiras-vermelhas*.]
vassoireiro. *S. m.* Vassoureiro.
vassoirinha. *S. f.* V. *vassourinha*.
vassoirinha-de-varrer. *S. f. Bras.* V. *vassourinha-de-varrer*. [Pl.: *vassoirinhas-de-varrer*.]
vassoirinha-do-mato. *S. f. Bras.* V. *vassourinha-do-mato*. [Pl.: *vassoirinhas-do-mato*.]
vassoiro. *S. m.* V. *vassouro*.
vassoura. [Var. de *vassoira* < lat. *versoria*, atr. de uma f. *vessoira*.] *S. f.* **1.** Utensílio feito de ramos de giesta, piaçaba *(Sorghum)*, pêlos naturais ou artificiais, etc., e usado principalmente para varrer o lixo dos pavimentos, etc. **2.** *Bras.* V. *carqueja-amargosa*. **3.** *Bras.* Malva-branca. **4.** *Bras.* V. *malva-reloginho*. **5.** *Bras. Gír.* Pessoa que troca muito de amantes, ou mesmo de namorados; pente-fino. **6.** *Bras., N.E.* O cacho filamentoso das flores do coqueiro. **7.** *Bras.* Pessoa que ganha sempre, ou quase sempre, em jogos de azar, sorteios, etc.: "Estava rico, só em compras de café aos colonos fazia um negócio e ainda emprestava dinheiro e no jogo era uma v a s s o u r a ." (Coelho Neto, *Banzo*, p. 34.) *S. m.* **8.** *Bras., N.E.* e *SP.* Caixeiro principiante, que varre a loja. **9.** *Bras., N.E.* e *SP.* Empregado de classe baixa.
vassourada. [Var. de *vassoirada* < *vassoira* + *-ada*[1].] *S. f.* **1.** Pancada com vassoura. **2.** Varrição ligeira; varredela. **3.** Aquilo que se varre com um só movimento de vassoura. **4.** *Fig.* Expurgo, limpeza: *Deu uma v a s s o u r a d a na seção, deixando só os bons elementos.*
vassoura-de-bruxa. [Var. de *vassoira-de-bruxa*.] *S. f.* Hipertrofia caracterizada pelo desenvolvimento simultâneo de grande número de ramos e folhas num pequeno segmento do caule, com a conseqüente redução do crescimento de cada ramo e de cada folha. [É produzida pelo distúrbio das correlações internas normais resultante do ataque por fungos, insetos, etc. Sin., p. us.: *vassoura-de-feiticeira*. Pl.: *vassouras-de-bruxa*.]
vassoura-de-feiticeira. [Var. de *vassoira-de-feiticeira*.] *S. f.* Vassoura-de-bruxa [q. v.]. [Pl.: *vassouras-de-feiticeiras*.]
vassoura-do-campo. [Var. de *vassoira-do-campo*.] *S. f. Bras.* V. *faxina-vermelha*: "as v a s s o u r a s - d o - c a m p o apontam medrosamente para o céu as suas florinhas lilases" (Afonso Arinos, *Histórias e Paisagens*, p. 96). [Pl.: *vassouras-do-campo*.]
vassoural. [Var. de *vassoiral* < *vassoira* + *-al*.] *S. m. Bras.* **1.** Quantidade mais ou menos considerável de pés de vassoura (2) dispostos proximamente entre si. **2.** *Saivá*.
vassourar. [Var. de *vassoirar* < *vassoira* + *-ar*[2].] *V. t. d.* **1.** Varrer com vassoura; varrer. *Int.* **2.** Limpar lixo com vassoura.
vassoura-vermelha. [Var. de *vassoira-vermelha*.] *S. f. Bras.* V. *faxina-vermelha*. [Pl.: *vassouras-vermelhas*.]
vassoureiro. [Var. de *vassoireiro* < *vassoura* + *-eiro*.] *S. m.* **1.** Fabricante e/ou vendedor de vassouras. **2.** *Bras., C.O.* Arbusto campestre, aculeado, da família das leguminosas *(Mimosa insidiosa)*, que tem folhas com folíolos numerosos, oblongo-lineares, ciliados, falcados, com 8 a 12 mm, flores mínimas, dispostas em capítulos globosos de 1 a 1,5 cm de diâmetro, e cujo legume, coriáceo, vai a 2 cm.
vassourense. *Adj. 2 g.* **1.** De, ou pertencente ou relativo a Vassouras (RJ). ● *S 2 g.* **2.** Natural ou habitante de Vassouras.
vassourinha. [Var. de *vassoirinha*, dim. de *vassoira*.] *S. f.* **1.** Espécie de jogo infantil com cinco pedras, no qual a mão que lança uma pedra ao ar varre as demais no chão, tentando apanhá-las todas de uma só vez, e perdendo quem não o conseguir fazer. **2.** *Bras.* Erva da família das escrofulariáceas *(Scoparia dulcis)*, amplamente disseminada como ruderal, que tem pequenas flores alvas inaparentes e que, como é muito ramosa e lenhificada, pode ser congregada em feixes para compor vassouras simples e baratas; vassourinha-de-varrer, tupixaba.
vassourinha-de-varrer. [Var. de *vassoirinha-de-varrer*.] *S. f. Bras.* V. *vassourinha* (2). [Pl.: *vassourinhas-de-varrer*.]
vassourinha-do-mato. [Var. de *vassoirinha-do-mato*.] *S. f. Bras.* V. *faxina-vermelha*. [Pl.: *vassourinhas-do-mato*.]
vassouro. [Var. de *vassoiro*.] *S. m.* Varredouro para fornos; vasculho, basculho.
vassuncê. *Pron. Bras. Pop.* V. *você*.
vastação. [Do lat. *vastatione*.] *S. f. P. us.* Estrago, assolação, devastação.
vastar[1]. [Do lat. *vastare*.] *V. t. d. P. us.* Devastar.
vastar[2]. *V. t. d.* e *int. Bras. Pop.* Afastar.
vasteza (ê). *S. f. P. us.* V. *vastidão*.
vastidão. *S. f.* **1.** Qualidade de vasto. **2.** Grande extensão; amplidão: "Fitando a v a s t i d ã o magnífica do mar, / Que ressalta e reluz: — 'Verdes mares bravios...' / Cita um sujeito que jamais leu Alencar." (Manuel Bandeira, *Estrela da Vida Inteira*, p. 57). **3.** Grandes dimensões, ou grande desenvolvimento. **4.** Grande importância. [Sin. ger., p. us.: *vasteza*.]
vasto. [Do lat. *vastu*.] *Adj.* **1.** Muito extenso; amplo. **2.** Muito dilatado. **3.** *Fig.* Considerável, grande. **4.** Importante, relevante: "Entre mistérios tão v a s t o s / Que breve instante que somos!" (Marli de Oliveira, *A Suave Pantera*, p. 51.) **5.** Que compreende muitos conhecimentos.
vatapá. *S. m. Bras.* Prato típico da cozinha baiana, muito apimentado, feito com peixe ou galinha, a que se adiciona leite de coco, camarões secos e frescos, pão da véspera, amendoim e castanha de caju torrados e moídos, e que se tempera com azeite-de-dendê, além dos temperos habituais (sal, cebola, pimentão, coentro, cheiro-verde, etc.).
vatapu. [Var. de *uatapu* < tupi *wata'pu*.] *S. m. Bras., Amaz.* V. *búzio* (1).
vate. [Do lat. *vate*.] *S. m.* **1.** Aquele que faz vaticínio; profeta. **2.** V. *poeta* (1).
vaticana. [Fem. substantivado do adj. *vaticano*.] *S. f.* A biblioteca do Vaticano (1). [Us. sempre com inicial maiúscula.]
vaticanista. [De *Vaticano* + *-ista*.] *S. 2 g.* Especialista em assuntos relativos ao Vaticano (2).
vaticano. [Do lat. *vaticanu*.] *S. m.* **1.** Palácio papal na colina chamada *Vaticano*, em Roma. **2.** *P. ext.* Governo pontifício; cúria romana. [Com maiúscula, nestas acepç.] **3.** *Bras., AM.* Vapor de navegação fluvial maior do que o gaiola (9). **4.** *Bras., MG.* Casarão, casão. ● *Adj.* **5.** Pertencente ou relativo ao Vaticano (1 e 2).
vaticinação. [Do lat. *vaticinatione*.] *S. f.* V. *vaticínio*.
vaticinador (ô). *Adj.* **1.** Que vaticina; vaticinante. ● *S. m.* **2.** Aquele que vaticina.
vaticinante. [Do lat. *vaticinante*.] *Adj. 2 g.* Vaticinador (1).
vaticinar. [Do lat. *vaticinare*.] *V. t. d.* e *i.* **1.** Profetizar, predizer; prenunciar, adivinhar: *V a t i c i n o u a vitória dos aliados.* **2.** Prognosticar, prever, antever; augurar: "enquanto através do seu curso brilhante, lentes e condiscípulos v a t i c i n a v a m - l h e o mais brilhante futuro, pensava em criar uma família" (João do Rio, *Dentro da Noite*, p. 79).
vaticínio. [Do lat. *vaticiniu*, 'canto do vate'.] *S. m.* Ato ou efeito de vaticinar; predição, profecia, vaticinação: "A maldição, que lhe cai da boca sobre os covardes .... termina por um v a t i c í n i o de liberdade" (Rui Barbosa, *Ensaios Literários*, p. 27).
vatídico. [De vate + *-i-* + *dic*. rad. do lat. *dicere*, 'dizer', + *-ico*[2]; f. bárbara.] *Adj. Poét.* Que faz vaticínios, que vaticina; que é oráculo; vaticinador. [Cf. *fatídico*.]
vatinga. [Do tupi *i'wa*, 'fruta', + *-tinga*.] *S. f. Bras.* V. *açoita-cavalo* (1).
vau[1]. [Do lat. *vadu*.] *S. m.* **1.** Trecho raso do rio ou do mar, onde se pode transitar a pé ou a cavalo. **2.** V. *baixio* (1). **3.** *Marinh.* Vergônteas que servem de suporte ao cesto de gávea. **4.** *Constr. Nav.* Cada uma das vigas de madeira ou dos perfilados de ferro ou de aço dispostos transversalmente ao plano diametral da embarcação e que ligam os diversos pares de balizas que se defrontam num e noutro bordo, e sobre os quais assenta o tabuado ou o chapeamento dos pavimentos. **5.** *Fig.* Ensejo, oportunidade, azo. ◆ **Vau de cauda.** *Bras., GO.* Passagem do rio em que as águas só chegam à cauda do animal, ou até à barriga. **Vau de orelha.** *Bras., GO.* Passagem do rio que só pode ser atravessada com o animal a nado. **Errar o vau.** *Bras., S.* Errar o pealo (2).
vau[2]. [Do hebr. *vav*, 'prego, gancho', pelo gr. *baû*.] *S. m.* Nome antigo da letra *V*.
➧**vaudeville** (vôd'vil'). [Fr.] *S. m.* **1.** Canção leve ou satírica, dos sécs. XV a XVIII. **2.** *Teat.* Comédia leve, e muito movimentada, que originariamente comportava cenas cantadas e passou em seguida a caracterizar-se pelos qüiproquós e pelas situações imprevistas e muito movimentadas.
vaurá. *Bras. S. 2 g.* **1.** Indivíduo dos vaurás, tribo indígena aruaque das cabeceiras do Xingu (MT). ● *Adj. 2 g.* **2.** Pertencente ou relativo a essa tribo. [Var. ou f. paral.: *uaurá*.]
vavassalo. [Do fr. *vavassal*.] *S. m.* Pequeno nobre que tinha apenas o direito de justiça menor e não possuía vassalos próprios.
vavavá. [Voc. onom.] *S. m. Bras. Fam.* **1.** Barulho de vozes; algazarra. **2.** Agitação, alvoroço, azáfama. [Sin. ger.: *vavavu*.]
vavavu. [Voc. onom.] *S. m. Bras. Fam.* V. *vavavá*.
vaza[1]. [Do it. *bazza*.] *S. f.* Conjunto de cartas jogadas pelos parceiros em cada lance ou vez, e que são recolhidas pelo ganhador. [Cf. *vasa*.]
vaza[2]. [Dev. de *vazar*.] *S. f.* Lavor ou feitio vazado ou escavado. [Cf. *vasa*.]
vaza-barris. [De *vazar* + o pl. de *barril*.] *S. m. 2 n.* **1.** Enseada ou costa onde ocorrem muitos naufrágios. **2.** *Fig.* Lugar onde há riquezas secretas. **3.** *Pop.* Dissipação de haveres; ruína.
vazado. [Part. de *vazar*.] *Adj.* Que se vazou. ~ V. *letra* —a.
vazadoiro. [De *vazar* + *-(d)oiro*.] *S. m.* Vazadouro [q. v.].
vazador (ô). [De *vazar* + *-(d)or*.] *Adj.* **1.** Que vaza. ● *S. m* **2.** Aquele que vaza. **3.** O ourives que vaza ouro ou prata. **4.** Instrumento de correeiro e doutros artífices, que serve para abrir furos ou ilhós no couro ou no pano; saca-bocado.
vazadouro. [De *vazar* + *-(d)ouro*; var. de *vazadoiro*.] *S. m.* Lugar onde se despejam detritos ou onde se vaza

qualquer líquido.
vazadura. *S. f.* **1.** V. *vazamento* (1). **2.** Orifício retangular situado na parte inferior da ferradura e destinado a sustentar a cabeça do cravo.
vaza-maré. [De *vazar* + *maré.*] *S. m. Bras., BA.* V. *espia-maré* (3). [Pl.: *vaza-marés.*]
vazamento. *S. m.* **1.** Ato ou efeito de vazar; vazadura, vazão. **2.** *Restr.* Ato ou efeito de vazar (21). **3.** Lugar por onde vaza um líquido. **4.** *P. ext.* O líquido que vaza.
vazante. *Adj. 2 g.* **1.** Que vaza. ● *S. f.* **2.** Refluxo (2). **3.** Período em que um rio apresenta o menor volume de águas. **4.** Escoamento, saída, vazão. **5.** *Bras.* Terreno baixo e úmido, grande vale ao longo dos rios, baixa próxima de aguadas e de lagoas em geral, qualquer terra baixa e plana, enfim, temporariamente alagada pelas enchentes dos rios. **6.** *Bras., N.E.* Cultura que se faz no leito dos rios e à margem dos açudes, quando, depois de enchentes, vai o rio tornando ao seu nível normal na época da estiagem. **7.** *Bras., MI.* Campo alagado por águas de chuva. ♦ **Vazante da maré.** *Geofís.* Movimento de descida das águas do mar, após a preamar; refluxo da maré; maré descendente. [Antôn.: *enchente da maré.*]
vazanteiro. *S. m.* **1.** *Bras., N.E.* Agricultor de vazantes [v. *vazante* (6)]. **2.** *Bras., MG.* Aquele que mora nas vazantes.
vazantino. *Adj.* **1.** De, ou pertencente ou relativo a Vazante (MG). ● *S. 2 g.* **2.** O natural ou habitante de Vazante.
vazão. [De *vazar* + *-ão*[3].] *S. f.* **1.** V. *vazamento* (1). **2.** Volume dum fluido que, numa unidade de tempo, se escoa através de determinada seção transversal de um conduto ou curso de água. [Sin., nesta acepç., *descarga fluvial* ou apenas *fluvial.*] **3.** Porção de líquido ou de gás fornecida por uma corrente fluida, na unidade de tempo. **4.** *Fig.* Extração, venda, consumo. **5.** Solução, resolução. ♦ **Dar vazão a. 1.** Atender, despachar: *Tão grande é a freguesia que é impossível dar-lhe vazão.* **2.** Dar solução a; resolver, despachar: *dar vazão a (negócios, compromissos).*
vazar. [Alter. de *vaziar.*] *V. t. d.* **1.** Tornar vazio; esvaziar. **2.** Entornar, despejar, verter: "Uma senhora de Penacova arrancou o cabelo da cabeça, pô-lo dentro da bacia d'água e todas as manhãs lá ia *vazá-la* e deitar outra nova." (José Vieira, *Sol de Portugal,* p. 21.) **3.** Enterrar, cravar. **4.** Furar, traspassar, atravessar: *O punhal vazou-lhe o pescoço.* **5.** Arrancar, desarraigar. **6.** Tornar oco; abrir um vão em; furar, cavar, escavar: *vazar uma peça de madeira.* **7.** Privar do conteúdo; tornar vazio: *vazar uma gaveta.* **8.** Beber ou tomar o conteúdo de: *vazar uma garrafa, um copo.* **9.** Fundir (2). **10.** Vencer, transpor: *vazar uma longa distância. T. d.* e c. **11.** Entornar, derramar: *Vazou o café no chão.* **12.** Fazer correr. **13.** Lançar, verter (o metal fundido no molde). **14.** Despejar, desaguar: *O rio Negro vaza suas águas no Amazonas.* **15.** Arrancar, desarraigar. **16.** Modelar, moldar, calcar: *A obra é vazada nos melhores preceitos da arte. Int.* **17.** Esgotar-se a pouco e pouco; deixar sair o líquido: *A caixa-d'água está vazando.* **18.** Entornar-se, verter-se. **19.** Sair, retirar-se. **20.** Ser transparente. **21.** Tornar-se conhecida (notícia) por descuido, indiscrição, inadvertência, etc.: *A notícia do afastamento do ministro vazou muito antes do ato presidencial. P.* **22.** Despejar-se, entornar-se. **23.** Ficar vazio, esvaziar-se. [Pres. ind.: *vazo, vazas, vaza,* etc. Cf. *vaso,* s. m., *Vaso,* antr., e *vasa,* s. f.]
vazia. [Fem. substantivado do adj. *vazio.*] *S. f. Pop.* Ilharga (1).
vaziador (ô). [De *vaziar* + *-(d)or.*] *Adj.* Diz-se da cavalgadura que estraba excessivamente.
vaziamento. *S. m.* Esvaziamento.
vaziar. *V. t. d.* **1.** V. *esvaziar. Int.* **2.** Estrabar em excesso (a cavalgadura).
vazio. [Do lat. *vacivu.*] *Adj.* **1.** Que não contém nada, ou só contém ar: *lata vazia.* **2.** Entornado, despejado. **3.** Desocupado; despovoado, desabitado: *região vazia.* **4.** Frívolo, vão, fútil: *pessoa vazia.* **5.** Falto ou destituído de inteligência: *cabeça vazia; pensamentos vazios.* **6.** *P. ext.* Falto, destituído, desprovido: "Vazios [os artigos], e sempre! de significação, de conceito que os relacione com alguma realidade autônoma de sua materialidade, formal e funcional." (Jesus Belo Galvão, *Palavra e Estrutura,* p. 33.) ~ V. *conjunto —, denúncia —* a *e maré —a.* ● *S. m.* **8.** V. *vácuo* (2). ~ V. *vazios.*
vazios. [Pl. de *vazio* (8).] *S. m. pl.* Ilhargas da cavalgadura. ~ V. *vazio.*
vaziúdo. [De *vazios* + *-udo.*] *Adj. Bras., SP. Pop.* Diz-se do cavalo magro, cujos vazios estão muito salientes.
vê. *S. m.* Nome da letra *v.* [Pl.: *vês,* ou *vv.* Cf. *v., vez* (ê) e o top. *Vez* (ê).]
veação. [Do lat. *venatione.*] *S. f.* **1.** V. *montaria*[1] (2). **2.** *P. ext.* Os animais mortos na caça. **3.** Iguaria preparada com a carne de animais mortos na caça. [Cf. *viação.*]
veada. *S. f.* A fêmea do veado[1] (1).
veadagem. *S. f. Bras. Chulo.* Ato, dito ou modos próprios de veado[1] (4); bichice.
veadeirense. *Adj. 2 g.* **1.** De, ou pertencente ou relativo a Veadeiros (GO). ● *S. 2 g.* **2.** Natural ou habitante de Veadeiros.
veadeiro. *S. m. Bras.* **1.** Cachorro adestrado na caça de veados. **2.** Caçador de veados.
veadeiro-mestre. *S. m.* O cão que dirige a matilha na caça do veado, e é o primeiro que se aproxima do animal. [Pl.: *veadeiros-mestres.*]
veado[1]**.** [Do lat. *venatu,* 'caça morta'.] *S. m.* **1.** Animal mamífero, da ordem dos artiodáctilos, da família dos cervídeos, desprovidos de incisivos superiores e em geral muito tímidos e velozes. V. *cervídeos.* [Sin.: *suaçu.*] **2.** Prato feito com esse animal. **3.** *Bras.* No jogo do bicho [q. v.], o 24º grupo (8), que abrange as dezenas 93, 94, 95 e 96, e corresponde ao número 24. **4.** *Bras. Chulo.* V. *efeminado* (6). [Cf. *veiado.*] ♦ **Bancar veado.** *Bras. Pop.* V. *fugir* (1 e 2). **Jogar no veado.** *Bras. Pop.* V. *fugir* (1 e 2).
veado[2]**.** *S. m. Bras.* Espécie de mandioca de talo vermelho.
veado-bororó. *S. m. Bras.* V. *veado-roxo.* [Pl.: *veados-bororós.*]
veado-branco. *S. m. Bras.* V. *veado-campeiro.* [Pl.: *veados-brancos.*]
veado-campeiro. *S. m. Bras.* Mamífero artiodáctilo, da família dos cervídeos (*Ozotocerus bezoarticus* (L.)), das regiões descampadas do Brasil, de coloração escura com tons avermelhados, olhos circundados por anel branco, barriga e porção interna dos membros claros; mede até 1,45m de corpo e 80 cm de altura. Galhada com um máximo de três pontas em cada chifre no terceiro ano, com 25 cm de comprimento. Vive em bandos de até oito a 10 indivíduos. [Sin.: *veado-branco, veado-galheiro, suaçutinga, suaçuapara.* Pl.: *veados-campeiros.*]
veado-catingueiro. *S. m. Bras.* Mamífero da ordem dos artiodáctilos, da família dos cervídeos *(Mazama simplicicornis* (Ill.)), das regiões descampadas da América do Sul cisandina. Tem porte menor do que o veado-mateiro, coloração entre o baio pardacento e o sépia, altura média de 65 cm, e chifres com nove a 12 cm de comprimento. [Sin.: *veado-virá, virá, virote, guaçutinga, guaçucatinga, guaçubirá.* Pl.: *veados-catingueiros.*]
veado-de-virgínia. *S. m. Bras.* V. *cariacu.* [Pl.: *veados-de-virgínia.*]
veado-do-mangue. *S. m. Bras.* V. *cariacu.* [Pl.: *veados-do-mangue.*]
veado-galheiro. *S. m. Bras.* Designação comum aos veados de chifres ramificados. No Brasil são conhecidas três espécies: cervo, cariacu e veado-campeiro. [Pl.: *veados-galheiros.*]
veado-galheiro-do-norte. *S. m. Bras.* V. *cariacu.* [Pl.: *veados-galheiros-do-norte.*]
veado-garapu. *S. m. Bras.* V. *veado-roxo.* [Pl.: *veados-garapus.*]
veado-mateiro. *S. m. Bras.* Mamífero da ordem dos artiodáctilos, da família dos cervídeos *(Mazama americana* (Erxl.)), da porção tropical e subtropical da região cisandina, de coloração do castanho à cor de canela, cauda com pêlos brancos embaixo. Mede cerca de 70 cm de altura, e os chifres têm 10 a 12 cm de comprimento. Prefere as regiões de matas, vivendo isolados ou aos pares. [Sin.: *veado-vermelho, veado-pardo, catingueiro, guatapará, guaçupita, guacuetê, suaçupita, suaçuapita.* Pl.: *veados mateiros.*]
veado-pardo. *S. m. Bras.* V. *veado-mateiro.* [Pl.: *veados-pardos.*]
veador (ô). [Do arc. *veedor* < *veer,* 'ver', com dissimilação do segundo e.] *S. m. Ant.* **1.** Aquele que caçava nos montes; monteiro. **2.** Vedor (3). [Cf. *viador.*]
veado-roxo. *S. m. Bras.* Designação comum a duas espécies de veado de chifres simples e pequeno porte, que vivem dentro das matas. São ambas da família dos cervídeos, gênero *Mazama* Raf.: *M. rufina* (Bourg & Puch.) e *M. rondoni* Mir. Rib., difíceis de ser diferenciados na natureza. Alcançam apenas 50 cm de altura, os chifres têm cerca de 8 cm, e sua coloração varia do vermelho escuro ao castanho. [Sin.: *veado-garapu, garapu, guarapu, gapororoca, foboca, veado-bororó, bororó, camocica, anhambi, mão-curta.* Pl.: *veados-roxos.*]
veado-vermelho. *S. m. Bras.* V. *veado-mateiro.* [Pl.: *veados-vermelhos.*]
veado-virá. [De *veado* + tupi *wi'rá,* 'ave'.] *S. m. Bras.* V. *veado-catingueiro.* [Pl.: *veados-virás* e *veados-virá.*]
vearia. *S. f.* Casa onde se guarda a veação (2). [Cf. *viária,* fem. de *viário.*]
vectação. [Do lat. *vectatione.*] *S. f.* Ato de ser transportado em veículo, a cavalo, etc.
vector (ô). [Do lat. *vectore.*] *S. m.* **1.** *Cálc. Vect.* Segmento de reta orientado. **2.** *Cálc. Vect.* Conjunto de *n* quantidades que dependem de um sistema de coordenadas *n*-dimensionais e que se transformam segundo leis bem determinadas quando se muda o sistema. **3.** Condutor, portador. **4.** *Mil.* Aeronave ou míssil portador de artefato nuclear. [Var.: *vetor.*] ♦ **Vector binormal.** *Geom. Anal.* Binormal. **Vector curvatura.** *Geom. Anal.* Num ponto de uma curva, vector que tem por módulo a curvatura e por direção a da normal principal à curva no ponto. **Vector de onda.** *Fís.* Numa onda eletromagnética, vector cuja direção e sentido coincidem com a normal à onda e cujo módulo é igual ao número de onda multiplicado por dois pi. **Vector de Poynting.** *Fís.* Num campo eletromagnético, o vector que representa a densidade de fluxo de energia, e que é proporcional ao produto vectorial dos vetores campo elétrico e magnético. **Vector deslizante.** *Cálc. Vect.* O que tem como suporte uma reta de direção fixa. **Vector do gênero espaço.** *Fís.* Quadrivector cuja norma é negativa. **Vector do gênero tempo.** *Fís.* Quadrivector cuja norma é positiva. **Vector do gênero zero.** *Fís.* Quadrivector cuja norma é nula; vector isótropo. **Vectores antiparalelos.** *Fís.* Os que têm a mesma direção, mas sentidos opostos. **Vectores ortogonais.** *Cálc. Vect.* Vectores cujo produto escalar é nulo. Num espaço tridimensional, as retas suportes desses vectores são ortogonais. **Vectores ortonormais.** *Cálc. Vect.* Vectores ortogonais de módulo unitário. **Vectores paralelos.** *Cálc. Vect.* Os que têm paralelas as retas suportes e iguais os sentidos. **Vector irrotacional.** *Fís.* Vector de um campo irrotacional. **Vector isótropo.** *Fís.* Vector do gênero zero. **Vector normal.** *Geom. Anal.* Numa curva, vector unitário perpendicular ao vector tangente e contido no plano osculador, formando com os vectores tangente e binormal um triedro trirretângulo. **Vector solenoidal.** *Fís.* Vector de um campo solenoidal. **Vector tangente.** *Geom. Anal.* Vector unitário *t* definido por $t = dr/ds$, onde *r* é o vector posição de um ponto de uma curva de elemento de arco *ds.* **Vector turbilhão.** *Fís.* A metade do rotacional do campo de velocidade dum fluido em movimento.
vectorial. *Adj. 2 g.* Relativo a vector. ~ V. *cálculo —, campo —* e *produto —.* [Var.: *vetorial.*]
veda[1]**.** [Dev. de *vedar.*] *S. f.* V. *vedação* (1).
veda[2]**.** [Do sânscr. *veda,* 'conhecimento'.] *S. m.* Conjunto de textos sagrados — hinos laudatórios, formas sacrificiais, encantações, receitas mágicas — que constituem o fundamento da tradição religiosa (do bramanismo e do hinduísmo) e filosófica da Índia. [Cf. *upanixade.*]
vedação. *S. f.* **1.** Ato ou efeito de vedar; proibição, veda. **2.** Aquilo que veda. **3.** V. *tapume* (1).
vedado. [Part. de *vedar.*] *Adj.* **1.** Proibido, interdito. **2.** Que tem tapume ou muro; murado.
vedanta. [Do sânscr. *vedānta.*] *S. m. Filos.* **1.** Sistema ortodoxo de filosofia da Índia derivado do mimansa [q. v.], que se cristaliza em diversas escolas que afirmam a unidade essencial de todas as coisas, e fundamentalmente se orienta no sentido da obtenção da mocsa. [V. *darsana.*] **2.** Upanixade.
vedante. *Adj. 2 g.* Que veda ou serve para vedar: *substância vedante.*
vedar. [Do lat. *vetare.*] *V. t. d.* **1.** Impedir, proibir, interditar: *vedar a entrada de estranhos.* **2.** Estorvar, embaraçar, tolher. **3.** Impedir que corra; estancar: "palpava a ferida, *vedava* o sangue com os lenços emprestados pelos lacaios." (Eça de Queirós, *Ecos de Paris,* p. 261). **4.** Fechar, tapar: *vedar a garrafa.* **5.** Fechar porto [v. *porto*[1] (3)]. **6.** Não permitir; não consentir; impedir: *vedar licenciosidade. T. d.* e *i.* **7.** Não permitir; impedir; proibir: *Pela pouca altura do túnel, vedara a passagem aos ônibus;* "Esse crivo miudíssimo, tecido de rótulas delgadas, servia para esclarecer o corredor de passagem, *vedando* ao olhar curioso do hóspede a vista do interior" (José de Alencar, *O Sertanejo,* p. 151). *Int.* e *p.* **8.** Deixar de correr; estancar-se. [Pres. ind.: *vedo,* etc.; pres. subj.: *vede, vedes,* etc. Cf. *vedo* (ê), s. m.; *vede* (ê), do v. *ver,* e *vidar,* v. e s. m.]

vedável. *Adj. 2 g.* Que pode ser vedado.
vedeta[1] (ê). [Do it. *vedetta.*] *S. f.* **1.** Guarita de sentinela em lugar alto; vigia. **2.** Guarda avançada. **3.** *Desus.* Cavaleiro que, ficando de sentinela, avisava rapidamente do que descobria: "Desde que tiveram notícia de que a revolução se aproximava, os poucos frades que ainda habitavam a casa puseram v e d e t a s em torno do convento" (Ramalho Ortigão, *As Farpas*, I, p. 242).
vedeta[2] (ê). [Do fr. *vedette*, formado como resistência ao galicismo *vedete* (q. v.), consagrado pelo uso.] *S. f.* **1.** Vedete. **2.** *Mar. G.* Lancha de linhas esguias, com uma cabina a ré, capaz de desenvolver velocidade incomum, e usada para transportar autoridades.
vedeta-da-praia. [De *vedeta*[1] + *da* + *praia.*] *S. f. Bras.* Ave caradriiforme, da família dos escolopacídeos (*Crocethia alba* (Pallas)), quase cosmopolita, de coloração totalmente branca, com a sobrancelha negra e o dorso cinzento-claro. Freqüenta praias dos dois hemisférios, emigrando durante o inverno. [Pl.: *vedetas-da-praia.*]
vedeta-torpedeira. *S. f. Mar. G.* Embarcação pequena, veloz, armada com pequenos torpedos, e empregada para ataques de surpresa, junto ao litoral. [Pl.: *vedetas-torpedeiras.*]
vedete. [Do it., *vedetta*, pelo fr. *vedette.*] *S. f.* **1.** Atriz que sobressai no teatro de revista. **2.** *P. ext.* Artista principal de um espetáculo teatral ou cinematográfico; estrela. **3.** *Fig.* Pessoa que sobressai: *Foi ele a* v e d e t e *do congresso.* [F. paral.: *vedeta*[2].]
vedetismo. *S. m. Bras.* Comportamento de vedete; estrelismo.
védico. *Adj.* Relativo ou pertencente aos Vedas ou ao vedismo.
vedismo. [De *veda*[2] + *-ismo.*] *S. m.* Forma primitiva da religião dos hindus.
vedista. *S. 2 g.* Pessoa entendida na ciência dos Vedas, nela especializada.
vedo (ê). [Dev. de *vedar.*] *S. m. Bras.* V. *tapume* (1). [Pl.: *vedos* (ê). Cf. *vedo*, do v. *vedar.*]
vedóia. *S. m. Bras., N.* **1.** Caloteiro. **2.** Trapaceiro, velhaco, traficante, trampolineiro, cangancheiro.
vedor (ô). [Do arc. *veedor*, de *veer*, 'ver'.] *Adj.* **1.** Que vê. ● *S. m.* **2.** Aquele que vê. **3.** Inspetor, fiscal, intendente; veador. **4.** Pesquisador de nascentes de água.
vedoria. *S. f.* **1.** Funções de vedor. **2.** Repartição dirigida por um vedor.
vedro. [Do lat. *vetere.*] *Adj.* **1.** *Ant.* Velho, antigo. ● *S. m.* **2.** *Desus.* Valado (1) em volta de terrenos de lavoura.
veeiro. [De *veio* + *-eiro.*] *S. m. Bras.* **1.** Diáclase ou fendimento numa rocha, preenchido por substâncias de origem hidrotermal, diversas das que formam a rocha encaixante: "Emanuel falava com entusiasmo, destacando sobretudo a experiência por ele adquirida ao contato daquela coisa nova que eram v e e i r o s de pegmatito, impregnados de ricas bolsas de pedras coradas" (Nélson de Faria, *Cabeça-Torta*, p. 156). **2.** Linha pela qual uma pedra se quebra quando batida. **3.** Imposto de minas [v. *mina*[1] (2)] que se pagava à coroa portuguesa. **4.** *Bras., GO.* Pessoa que tem a servidão das águas fluviais que lhe banham as propriedades até ao meio do rio.
veemência. [Do lat. *vehementia.*] *S. f.* **1.** Qualidade ou estado de veemente. **2.** Impulso rápido na alma ou nas paixões; impetuosidade. **3.** Grande energia; vigor. **4.** Intensidade, atividade, vivacidade. **5.** Eloqüência comovente.
veemente. [Do lat. *vehemente.*] *Adj. 2 g.* **1.** Impetuoso, animado, arrojado. **2.** Enérgico, forte, vigoroso. **3.** Entusiástico, fervoroso, caloroso. **4.** Vivo, intenso, forte: "chamou-lhe mártir .... por causa das dores v e e m e n t í s s i m a s que sofreu no coração em a morte de seu filho" (D. Fr. Amador Arrais, *Diálogos*, p. 788).
veementemente. [De *veemente* + *-mente.*] *Adv.* De maneira veemente; com veemência.
veementizar. *V. t. d.* Dar veemência a; tornar veemente.
vegetabilidade. *S. f.* Qualidade de vegetável.
vegetação. [Do lat. *vegetatione.*] *S. f.* **1.** Ato ou efeito de vegetar. **2.** Força vegetativa. **3.** Produto químico que na sua cristalização apresenta o aspecto de planta. **4.** *Bot.* Conjunto de plantas que cobre uma região. [Não se congregam ao acaso, e a vegetação apresenta uma estrutura, fisionomia e composição que podem ser objeto de estudos; varia bastante, conforme o clima e o solo, donde existirem tipos muito diversos, como, p. ex., o cerrado, a caatinga e a floresta.] **5.** *Patol.* Excrescência mórbida de tecido mais ou menos esponjoso. ♦ **Vegetações adenóides.** *Patol.* Hipertrofia do tecido adenóide da região da amígdala faríngea.
vegetado. [Part. de *vegetar.*] *Adj.* **1.** Que vegetou. **2.** Que contém vegetação.
vegetal. [Do lat. *vegetu*, 'que cresce; vigoroso', + *-al.*] *Adj. 2 g.* **1.** *Bot.* Relativo ou pertencente às plantas: *reino* v e g e t a l; *vida* v e g e t a l; *célula* v e g e t a l. **2.** Procedente de planta. ~ V. *carvão —, crina —, manteiga —, morfologia —, papel —, pergaminho —, reino —, sociologia — e terra —.* ● *S. m.* **3.** Planta (1). [Nenhuma diferença há que sirva para distinguir, de modo absoluto, todos os vegetais de todos os animais. Deve-se considerar, contudo, uma combinação de várias diferenças importantes, tais como presença de clorofila e de celulose, tipo de nutrição e de metabolismo, mobilidade e sensibilidade, etc.]
vegetalidade. *S. f.* **1.** Qualidade de vegetal. **2.** O conjunto dos vegetais.
vegetalina. [De *vegetal* + *-ina*[1].] *S. f.* Antídoto que combate o veneno dos ofídios.
vegetalização. *S. f.* Ação ou efeito de vegetalizar.
vegetalizar. *V. t. d.* **1.** Dar a forma de vegetal a. **2.** Dar a natureza de vegetal a. *P.* **3.** Tomar a forma de planta.
vegetante. [Do lat. *vegetante.*] *Adj. 2 g.* Que vegeta.
vegetar. [Do lat. *vegetare.*] *V. int.* **1.** Viver e desenvolver-se (uma planta): "Aqui e ali, ao acaso, algumas árvores enfezadas .... v e g e t a v a m a medo, com os troncos protegidos por velhas grades de madeira" (Trindade Coelho, *Os Meus Amores*, pp. 126-127). **2.** Desenvolver-se com exuberância; pulular. **3.** Viver sem interesse, sem emoções. **4.** Viver na inércia, na inatividade. *T. d.* **5.** Fazer medrar; nutrir; desenvolver. [Pres. ind. *vegeto*, etc. Cf. *végeto.*]
vegetarianismo. *S. m.* O sistema alimentar dos vegetarianos. [Cf. *vegetarismo.*]
vegetariano. [Do fr. *végétarien.*] *Adj.* e *s. m.* Diz-se do, ou partidário da alimentação exclusivamente vegetal.
vegetarismo. [Do fr. *végétarisme.*] *S. m.* O sistema alimentar dos vegetaristas. [Cf. *vegetarianismo.*]
vegetarista. *S. 2 g.* Vegetariano que admite certos alimentos de origem animal, como, p. ex., o leite, o queijo, os ovos.
vegetativo. [Do lat. *vegetativu.*] *Adj.* **1.** Que faz vegetar; végeto. **2.** Respeitante a vegetais e animais que têm relações com o crescimento e a nutrição. **3.** Que funciona involuntariamente ou inconscientemente. **4.** *Bot.* Diz-se de qualquer atividade vital das plantas que não se refira à reprodução: *órgão* v e g e t a t i v o; *função* v e g e t a t i v a; *multiplicação* v e g e t a t i v a. ~V. *sistema nervoso —, sistema nervoso da vida —a* e *vida —a.*
vegetável. [Do lat. *vegetabile.*] *Adj. 2 g.* Que pode vegetar.
végeto. [Do lat. *vegetu.*] *Adj.* **1.** Vegetativo. **2.** Robusto, forte, vigoroso. [Cf. *vegeto*, do v. *vegetar.*]
vegetoanimal (vè). [De *veget(al)* + *-o-* + *animal.*] *Adj. 2 g.* Que participa da natureza dos animais e da dos vegetais.
vegetomineral (vè). [De *veget(al)* + *-o-* + *mineral.*] *Adj. 2 g.* Que participa da natureza dos minerais e da dos vegetais. ~ V. *água —.*
veia. [Do lat. *vena.*] *S. f.* **1.** *Anat.* Cada vaso sanguíneo, cuja parede é formada por três camadas distintas, que conduz o sangue, o qual, com baixo teor de oxigênio, retorna ao coração, sendo as veias pulmonares as únicas que conduzem sangue com alto teor de oxigênio. [Dim. irreg.: *vênula.*] **2.** V. *veio* (4). **3.** *Fig.* Tendência, vocação; disposição: *veia literária.* **4.** *Morfol. Veg.* Cada uma das nervuras secundárias das folhas dos vegetais. ♦ **Veia cava inferior.** *Anat.* Grande veia em que finalmente deságua o sangue venoso proveniente dos membros inferiores, vísceras pélvicas e vísceras abdominais, tendo início à altura da quinta vértebra lombar, e drenando na aurícula direita do coração. **Veia cava superior.** *Anat.* Grande veia em que finalmente deságua o sangue venoso da cabeça, pescoço, membros superiores e maior parte do tórax, drenando na aurícula direita do coração. **Veia grande safena.** *Anat.* Veia que, em cada membro inferior, se estende do dorso do pé até pouco abaixo da prega da virilha, sendo a que tem maior percurso no corpo humano e constituindo, uma ou ambas, freqüente sede de varizes. [Sin.: *veia safena magna, veia safena interna.*] **Veia jugular.** *Anat.* Cada uma de três veias (anterior, interna e externa) existentes em cada metade, direita e esquerda, do pescoço. [Tb. se diz apenas *jugular.*] **Veia pequena safena.** *Anat.* Veia que, em cada membro inferior, se estende posteriormente desde o nível maleolar, até a articulação do joelho, constituindo, uma ou ambas, freqüente sede de varizes. [Sin.: *veia safena parva, veia safena externa.*] **Veia porta.** *Anat.* Aquela que conduz ao fígado o sangue venoso proveniente de vários órgãos abdominais (baço, estômago, intestino delgado, cólons, etc.). [Tb. se diz apenas *porta.*] **Veia safena externa.** *Anat.* V. *veia pequena safena.* **Veia safena interna.** *Anat.* V. *veia grande safena.* **Veia safena magna.** *Anat.* V. *veia grande safena.* **Veia safena parva.** *Anat.* V. *veia pequena safena.* **Veia salvatela.** *Anat.* A que vai das costas da mão à parte interna do antebraço. [Tb. se diz apenas *salvatela.*] **Veias leônicas.** *Anat.* As sublinguais. **Veia titilar.** *Anat.* Cada uma das veias situadas por baixo dos sovacos. **De veia.** De humor característico, seja brincalhão, seja intratável, etc.
veiado[1]. [De *veia* + *-ado*[1].] *Adj. Bras.* Que tem marcas ou estrias semelhantes a veio (5 a 7). [Cf. *veado.*]
veiado[2]. [Part. de *veiar.*] *Adj. Bras.* Que formou veio(s) ou estria(s). [Cf. *veado.*]
veiar. [De *veio* + *-ar*[2].] *V. t. d. Bras.* Formar riscos ou estrias à semelhança de veio (5 a 7).
veiculação (e-i). *S. f.* **1.** Ato ou efeito de veicular[2]. **2.** *Propag.* Conjunto de veículos [v. *veículo* (8)] utilizados numa campanha publicitária.
veiculador (e-i...ô). [De *veicular*[2] + *-(d)or.*] *Adj.* e *s. m.* Que ou o que veicula.
veicular[1] (e-i). [De *veículo* + *-ar*[1].] *Adj. 2 g.* Próprio de, ou referente a veículo, ou que serve de veículo.
veicular[2] (e-i). [Do lat. *vehiculare.*] *V. t. d.* **1.** Transportar em veículo. **2.** Conduzir, levar, transportar. **3.** Introduzir, importar. **4.** Transmitir, propagar, difundir: "A imprensa v e i c u l a v a as notícias do tremendo conflito." (Gustavo Barroso, *Mississipi*, p. 18) **5.** *Propag.* Distribuir (anúncios) de uma campanha publicitária a veículos de propaganda. [Pres. ind.: *veículo*, etc. Cf. *veículo.*]
veículo. [Do lat. *vehiculu.*] *S. m.* **1.** Qualquer dos meios utilizados para transportar ou conduzir pessoas, objetos, etc., de um lugar para outro, especialmente os que são construídos pelo homem ou dotados de mecanismo; meio de transporte; transporte. **2.** Automóvel, carro. **3.** Tudo aquilo que transmite ou conduz. **4.** Aquilo que auxilia ou promove. **5.** Excipiente líquido. **6.** *Pop.* V. *menstruação* (1). **7.** *Art. Plást.* Ingrediente da tinta que é o principal responsável pela formação, em pintura, da película, e ao qual se adicionam pigmentos, solventes e aditivos. **8.** *Propag.* V. *veículo de propaganda.* **9.** V. *meio de comunicação.* [Cf. *veiculo*, do v. *veicular.*] ♦ **Veículo aeroespacial.** *Astron.* Veículo destinado a voar tanto abaixo como em cima da aeropausa. **Veículo autônomo.** Veículo terrestre que se desloca sem dependência de trilhos ou de outras instalações fixas. **Veículo de comunicação.** V. *meio de comunicação.* [Tb. se diz apenas veículo.] **Veículo de lançamento.** *Astron.* Foguete guiado, destinado a colocar em órbita, ou a lançar, um foguete exploratório. **Veículo de propaganda.** *Propag.* Meio de comunicação através do qual se divulgam anúncios. [Tb. se diz apenas *veículo;* sin.: *veículo de publicidade, veículo publicitário.*] **Veículo de publicidade.** *Propag.* V. *veículo de propaganda.* **Veículo orbital.** *Astron.* Engenho capaz de ser colocado em órbita em torno da Terra. **Veículo publicitário.** *Propag.* V. *veículo de propaganda.* **Grande veículo.** *Filos.* V. *budismo maaiana.* **Pequeno veículo.** *Filos.* V. *budismo hinaiana.*
veieira. *S. f. Bras., SP. Pop.* V. *abelheira* (1).
veiga. [De um provável pré-romano *baika.*] *S. f.* Várzea (1): "Pelas v e i g a s que o sol doura, / Guia as tímidas ovelhas." (José Albano, *Rimas*, p. 51.)
veio. [De *veia.*] *S. m.* **1.** Faixa de terra ou de rocha que se diferença da que a ladeia pela natureza ou pela cor. **2.** Parte da mina[1] (1 e 2) onde se acha o mineral; filão. **3.** Vaso vertical da madeira. **4.** Riacho, regato, ribeiro, veia: "A água ainda a bebem na nascente vizinha, entre os fetos, com a face mergulhada no v e i o claro." (Eça de Queirós, *Contos*, p. 202.) **5.** Fibra longa da textura de certas madeiras. **6.** Superfície de rachadura de forma e dimensões variáveis, em mármore ou pedra. **7.** Defeito semelhante a finas estrias em massa de vidro. **8.** *P. ext.* Marca fina e estriada; estria, risco. **9.** *Lus.* Eixo de ferro. **10.** *Fig.* Ponto capital; fundamento, base, essência. **11.** *Bras., N.* Manivela (1). ♦ **Veio do rio.** *Bras., GO.* O meio do rio; a linha mediana do seu leito.
veirado. [De *veiro* + *-ado*[1].] *Adj. Heráld.* Que tem veiros: "Uma faixa v e i r a d a onde a prata irradia" (Júlio Dantas, *Sonetos*, p. 73).
veiro. [Do fr. *vair.*] *S. m. Heráld.* Guarnição metálica dos brasões, que consiste em uma linha sinuosa regular traçada numa faixa, sendo as partes côncavas prateadas e as partes convexas azuis. ~ V. *veiros.*
veiros. [Do lat. *variu.*] *S. m. pl.* Peles finas e preciosas, tais como o arminho, a zibelina, etc. ~ V. *veiro.*
veiúdo. [De *veia* + *-udo.*] *Adj. Bras., SP.* Diz-se do cão que em certos dias é bom e em outros não.
vela[1]. [Do lat. *vela*, pl. de *velu*, 'véu'.] *S. f.* **1.** *Marinh.*

Peça de lona ou de brim destinada a, recebendo o sopro do vento, impelir embarcações ou movimentar moinhos. [Sin., no sing. ou no pl.: *pano*.] **2.** *Fig.* Embarcação movida à vela: "Já do áureo Tejo vinham navegando / As velas entre as vagas cristalinas" (José Albano, *Rimas*, p. 82). **3.** *Astr.* Constelação austral, ao N. de Carina e a O. do Centauro, e que outrora fazia parte da constelação de Argo. ♦ **Vela bastarda.** *Marinh.* V. *vela de bastardo.* **Vela da mezena.** *Marinh.* Vela latina que se enverga na carangueja do mastro da mezena. [Tb. se diz apenas *mezena.*] **Vela de baioneta.** *Marinh.* Vela triangular envergada parcialmente em verga, içada no prolongamento de mastro curto, no qual desliza por meio de duas urracas. É usada em baleeiras. **Vela de balão.** *Marinh.* Qualquer vela de tecido leve e muito bojuda usada em iates de recreio. **Vela de bastardo.** *Marinh.* Vela triangular ou quadrangular com a testa de vante muito curta, e que arma em verga de bastardo. [Tb. se diz apenas *bastardo;* sin.: *vela bastarda.*] **Vela de cutelo.** *Marinh. Ant.* V. *cutelo* (3). **Vela de entremastros.** *Marinh.* Qualquer das velas latinas triangulares envergadas em estais passados entre dois mastros ou mastaréus. **Vela de espicha.** *Marinh.* Vela latina quadrangular que é mantida aberta por uma vara *(espicha)*, de que um dos extremos se apóia próximo ao pé do mastro que a iça, e o outro se prende ao punho superior externo da vela *(punho da pena).* **Vela de estai.** *Marinh.* Vela latina, triangular ou trapezoidal, que se enverga em estai por meio de sapatilho, garrunchos ou cosedura. [Cf. *bujarrona* (1).] **Vela de fumo.** *Marinh. Gír.* V. *cozinheira* (2). **Vela de gávea.** *Marinh.* V. *estai.* **Vela de pendão.** *Marinh.* Vela quadrangular que enverga em verga do mesmo nome e pode ser amurada no mastro, na bancada ou na proa da embarcação. **Vela de proa.** *Marinh.* Qualquer das velas latinas quadrangulares que se largam em estais passados do mastro do traquete para vante, ao gurupés, pau da bujarrona e pau da giba, e mesmo para o convés junto ao traquete. São velas de proa: a *bujarrona* e a *giba.* [Alguns navios usavam duas bujarronas: a de dentro e a de fora; em mau tempo, largava-se uma vela de proa de menores dimensões, porém mais forte que as outras, a *polaca.*] **Vela de tempo.** *Marinh.* Cada uma das velas usadas pelos navios de pano redondo quando o vento não permitia largar as velas de serviço. As principais eram a *polaca* e a *mezena de tempo.* **Vela grossa.** *Ant.* Navio à vela, de grande porte: "Por fins de 1540 estava concentrada diante de Goa uma garbosa e forte armada composta de sessenta e sete fustas e catures, três galeotas e doze velas grossas" (Aquilino Ribeiro, *Portugueses das Sete Partidas*, p. 70). **Vela latina.** *Marinh.* Vela triangular ou quadrangular, envergada em mastro (com ou sem carangueja), em verga, ou em estai, e que trabalha no sentido de proa a popa. [Cf. *vela redonda.*] **Vela ré.** *Marinh. Ant.* Vela, própria para bom tempo, que envergava na carangueja do mastro de ré e ia caçar no extremo da retranca, fora da grinalda. **Vela redonda.** *Marinh.* Vela quadrangular que enverga em verga cruzada horizontalmente no sentido de bombordo a boreste. [Cf. *vela latina.*] **Velas mestras.** *Marinh.* Designação comum à vela grande, ao traquete, à gávea e ao velacho, nos navios redondos. **À vela.** Com as velas desfraldadas. **Dar velas a. 1.** V. *afrouxar a rédea a.* **2.** V. *dar asas a.* **Fazer-se à vela.** Começar a navegar; sair do porto; fazer-se de vela. **Fazer-se de vela.** Fazer-se à vela: "lhe oferecem [os mercadores, a Cervantes] com grande encarecimento de o resgatarem, e dar-lhe passagem em um navio, que se fazia de vela para Espanha." (Latino Coelho, *Cervantes*, p. 71).

vela^2. [Dev. de *velar^2*.] *S. f.* V. *velamento.*

vela^3. [Dev. de *velar^3*.] *S. f.* **1.** V. *velada* (1): "E longe, como um rancho de cativas / Que em árdua vela sem dormir ficaram, // Balançam-se as palmeiras pensativas." (Alberto de Oliveira, *Poesias*, 1ª série, p. 226). **2.** A pessoa que está de vela ou vigília. **3.** Peça cilíndrica, de substância gordurosa e combustível, com um pavio no centro a todo o comprimento, e que serve para alumiar; círio. **4.** Peça que produz a ignição nos motores de explosão. **5.** *Fotom.* Antiga unidade de medida de intensidade luminosa, igual à de uma vela de cera de constituição e dimensões estandardizadas. **6.** *Fotom.* Qualquer unidade de medida de intensidade luminosa. ♦ **Acender uma vela a Deus e outra ao Diabo.** Agradar simultaneamente a dois adversários. **Tratar à vela de libra.** Tratar excelentemente; regalar; banquetear: "como ia muito bem recomendado ao capitão do navio, fui sempre tratado à vela de libra" (Simões Lopes Neto, *Casos do Romualdo*, p. 171).

velacho. [De *vela^1* + *-acho.*] *S. m.* **1.** *Marinh.* Mastaréu que espiga do mastro real do traquete. **2.** *Marinh.* Verga que cruza no mastaréu do velacho. **3.** *Marinh.* Vela que enverga na verga do velacho. **4.** *Bras.* Apelido, alcunha.

velada. [De *velar^3* + *-ada^1*.] *S. f.* Ação de velar^3; vigília, sentinela, vela: "Esteve [Camões] em contacto com o povo; sentiu palpitar o seu coração possante: aprendeu suas tradições nessas noites de acampanhamento; nas longas veladas das travessias que descreve com tanto vigor no VI canto" (Capistrano de Abreu, *Ensaios e Estudos*, 1ª série, p. 155).

veladamente. [Do fem. de *velado* (1 e 2) + *-mente.*] *Adv.* De modo velado (1 e 2): "A tristeza das coisas que não foram / Na minh'alma desceu veladamente." (Mário de Sá-Carneiro, *Poesias*, p. 65.)

velado. [Do lat. *velatu.*] *Adj.* **1.** Coberto com véu; oculto. **2.** Disfarçado, dissimulado. **3.** *Bras., N.E.* Diz-se do coco quando tem a amêndoa inteiramente solta na casca. **4.** Pertencente ou relativo aos velados. ● *S. m.* **5.** Espécime dos velados.

velador (ô). [De *velar^3* + *-(d)or.*] *Adj.* **1.** Que vela ou vigia. ● *S. m.* **2.** Aquele que vela ou vigia. **3.** Suporte vertical de madeira, que assenta em uma base ou pé e termina, no alto, por um disco onde se põe um candeeiro ou uma vela.

velados. *S. m. pl. Zool.* Animais metazoários, equinodermos, asteróides, considerados como uma ordem por certos autores. Têm o dorso coberto por uma membrana única, ou véu, sustentada por um feixe de espinhos ou com várias dessas estruturas.

veladura. [De *velar^2* + *(d)ura.*] *S. f.* **1.** V. *velamento.* **2.** *Grav.* Operação pela qual, com um pano ou boneca e após a limpeza de placa, se faz alçar a tinta contida nos entalhes de uma gravura em metal, a fim de produzir tons mais fortes em certas partes da estampa. **3.** Velatura.

velame^1. [De *vela^1* + *-ame.*] *S. m.* **1.** Porção de velas [v. *vela^1* (1)]. **2.** *Mar.* O conjunto das velas de uma embarcação: "E, com o velame aberto, fariam a volta que fizeram por Luanda, Beira, Bahia." (Adonias Filho, *Luanda Beira Bahia*, p. 139); "De improviso flutuaram todas [as canoas], com rangidos de adriças e palpitações do velame, que o vento encopava e propelia." (Xavier Marques, *Jana e Joel*, p. 53). **3.** Disfarce, máscara. **4.** Cobertura, invólucro.

velame^2. [De *velâmen* < lat. *velamen*, por desnasalação.] *S. m. Bras., S.* Arbusto muito ramoso e tomentoso, da família das euforbiáceas *(Croton astrogynus)*, de folhas subsésseis, lanceoladas, ferrugíneas e tomentosas na página inferior, flores pequenas, unissexuais, com muitos estames e reunidas em racemos curtos, espiciformes, e cápsulas ovóides.

velame-branco. [De *velame^2* + *branco.*] *S. m. Bras., C.O.* Subarbusto da família das apocináceas *(Macrosiphonia martii)*, peculiar à área campestre, de pequena estatura, caracterizado pelas enormes flores alvas, afuniladas e altamente ornamentais, e cujo fruto é um folículo com sementes cerdosas. Possui também um tubérculo subterrâneo avantajado e leitoso. [Pl.: *velames-brancos.*]

velame-do-campo. [De *velame^2* + *do* + *campo.*] *S. m. Bras., C.O.* Velame-verdadeiro. [Pl.: *velames-do-campo.*]

velame-do-mato. [De *velame^2* + *do* + *mato.*] *S. m. Bras.* **1.** V. *braço-de-preguiça.* **2.** V. *bucho-de-boi.* [Pl.: *velames-do-mato.*]

velâmen. *S. m.* **1.** V. *velame^2*. **2.** *Morfol. Veg.* Envoltório de muitas raízes aéreas, constituído de várias camadas de células compactas espessas e cheias de ar. Tem aspecto apergaminhado e brilho argênteo; protege os tecidos internos e absorve água; acha-se em orquídeas e aráceas epifíticas. [Pl.: *velamens* e (p. us. no Brasil) *velâmenes.*]

velamento. [Do lat. *velamentu.*] *S. m.* Ato ou efeito de velar^2; veladura, vela^2.

velame-verdadeiro. [De *velame^2* + *verdadeiro.*] *S. m. Bras., C.* Subarbusto polimorfo que atinge até 1,5 m, da família das euforbiáceas *(Croton campestris)*, de folhas ovadas ou mesmo obovadas, e providas de pêlos estrelados e fulvos em ambas as faces, pequenas flores dispostas em racemos densos, e cápsulas que chegam a 5 ou 6 mm. [Sin.: *velame-do-campo.* Pl.: *velames-verdadeiros.*]

velar^1. [Do lat. *velu*, 'vela^1'; véu', + *-ar^1*.] *Adj. 2 g.* **1.** Relativo ao véu palatino [q. v.], ou aos sons que nele se formam. ~ V. *consoante — e vogal —.* ● *S. f.* **2.** Consoante velar.

velar^2. [Do lat. *velare.*] *V. t. d.* **1.** Cobrir com véu: *As mulheres árabes costumam velar o rosto.* **2.** Encobrir; esconder, ocultar, tapando: *A cortina velava o interior da sala.* **3.** Tornar escuro; escurecer. **4.** Pôr veladura em **5.** Tornar secreto ou recôndito; ocultar, recatar. **6.** Encobrir, disfarçar, dissimular: "Nestor anunciou sua próxima partida. Maria da Betânia velou um amuo de tristeza." (Mário Sete, *Senhora de Engenho*, p. 30.) **7.** Tornar sombrio, ou menos claro; ofuscar, empanar: *O luar velava o brilho das estrelas.* **8.** Tornar sombrio; anuviar: *A triste nova velou -lhe o rosto. P.* **9.** Tornar-se sombrio; anuviar-se. **10.** Acautelar-se, precaver-se; livrar-se: *Traído, procurou velar-se das falsas amizades.* [Fut. pret.: *velaria, velarias*, etc. Cf. *velária*, s. f.]

velar^3. [Do lat. *vigilare.*] *V. int.* **1.** Passar a noite, ou boa parte dela, acordado: "Ah! dorme tudo, e eu velo e sofro" (Alberto de Oliveira, *Poesias*, 2ª série, p. 277). **2.** Conservar-se aceso (vela, candeeiro, etc.). **3.** Estar alerta; vigiar. *T. d.* **4.** Passar (a noite) acordado: "as noites de inverno, geladas ou furiosas, velava -as a cismar nos desabrigados." (João de Araújo Correia, *Sem Método*, p. 83). **5.** Estar de vigia, de guarda ou de sentinela a: *velar um quartel;* "Eu velara, Senhor, pelos seus dias, / Como a mãe vela o filho que dormiu." (Casimiro de Abreu, *Obras*, p. 190). **6.** Passar a noite junto à cabeceira de (um doente), para tratar ou cuidar dele, ou ao pé de (um morto): "Depois da meia-noite, apenas umas oito pessoas velavam o corpo." (Almeida Fischer, *10 Contos Escolhidos*, p. 41.) **7.** Proteger, patrocinar: *velar a honra da família. T. i.* **8.** Interessar-se grandemente, com zelo vigilante: "Deus vela... pela nossa Terra." (Deolindo Couto, *Vultos e Idéias*, p. 29); "Eu velara, Senhor, pelos seus dias, / Como a mãe vela o filho que dormiu." (Casimiro de Abreu, *Obras*, p. 190). **9.** Interessar-se, preocupar-se, zelar: *velar pela manutenção da ordem. P.* **10.** Acautelar-se, vigiar-se. [Fut. pret.: *velaria, velarias*, etc. Cf. *velária*, s. f.]

velária. *S. f. Geom. Anal. Obsol.* V. *catenária.* [Cf. *velaria*, do v. *velar.*]

velário. [Do lat. *velariu.*] *S. m.* **1.** Toldo com que, na Antiguidade, se cobriam os circos e os teatros, para os defender da chuva. **2.** *Bras. Teat. Desus.* Pano de boca: "Aí, a orquestra já ensurdecia o teatro. O velário abriu-se. Palmas e ululos ressoaram nas torrinhas." (Ribeiro Couto, *Baianinha e Outras Mulheres*, p. 118.)

velarização. *S. f. Gram.* Ação ou efeito de velarizar.

velarizar. *V. t. d.* Transformar (consoante ou vogal) em velar^1.

velatura. [Do lat. *velatu*, part. pass. de *velare*, 'velar^2', + *-ura.*] *S. f.* Ato de cobrir uma pintura com uma leve mão de tinta, de sorte que transpareça a tinta anterior; veladura.

➡**veld** (feld). [Hol.] *S. m.* Estepe, savana (na África do Sul).

velear. [De *vela^1* + *-ear.*] *V. t. d. Mar.* Prover (a embarcação) de velas. [Conjug.: v. *frear.*]

veleidade. [Do lat. escolástico *velleitate* < lat. *vellem*, 1ª pess. sing. do imperf. do subj. de *velle*, 'querer'.] *S. f.* **1.** Vontade imperfeita, hesitante; intenção passageira: "Vontade é determinação eficaz de procurar algum bem desejado, ou de fugir de algum mal, que se teme: e explica-se pela palavra: *Quero.* Veleidade é um princípio de querer com frieza e ineficácia: e explica-se pela palavra: *Quisera.*" (Manuel Bernardes, *Nova Floresta*, II, p. 50); "Assim, ... o que parecia vontade imperiosa reduzia-se a veleidade pura" (Machado de Assis, *Quincas Borba*, pp. 300-301). **2.** Pretensão, intenção. **3.** Quimera, fantasia: "De então por diante, nenhuma revolta, mais nenhuma veleidade de insubmissão contra o destino que o empolgava." (Vicente de Carvalho, *Luisinha*, p. 106.) **4.** Volubilidade, inconstância; leviandade, irreflexão.

veleidoso (ô). [De *veleidade* + *-oso*, com haplologia.] *Adj.* Que tem, ou em que há veleidade.

veleira. [De *vela^2* + o fem. de *-eiro.*] *S. f.* Criada de freiras que faz serviços fora do convento.

veleiro^1. [De *vela^2* + *-eiro.*] *S. m.* Criado de frades que faz serviços fora do convento.

veleiro^2. [De *vela^1* + *-eiro.*] *S. m.* **1.** Aquele que faz velas de navio. **2.** Navio à vela: "Veleiros possantes — brigues, bergantins, galeras, fragatas, corvetas, galeões" (Arnoldo Jambo, *Diário de Pernambuco*, p. 148). ● *Adj.* **3.** Que anda bem à vela. **4.** Ligeiro, rápido, veloz.

velejar. [De *vela^1* + *-ejar.*] *V. int. Mar.* **1.** Navegar à vela: "Velejando [o navio] a qualquer vento, dir-se-ia um galgo estranho das vagas, tal a galopada da sua marcha." (Virgílio Várzea, *Nas Ondas*, p. 8); "No rio muitas barcaças velejavam" (Guiomar Alcides de Castro, *São Miguel dos Campos*, p. 39). *T. d.* **2.** Largar as velas para navegar: "barca encantada / velejando azuis espaços" (Solange Berard Lajes, *Canto/Desencanto*, p. 35). [Conjug.: v. *pelejar*.]

velenho. [Do celta, atr. do lat. vulg. **beleniu*.] *S. m.* V. *meimendro*.

veleta (ê). [Do esp. *veleta*.] *S. f.* V. *cata-vento* (1 e 2).

velha. [Fem. substantivado do adj. *velho*.] *S. f.* **1.** Mulher idosa. **2.** *Fam.* Mãe: *A velha me quer muito.* **3.** *Pop.* A morte.

velhacaço. *Adj.* e *s. m. Bras., S.* V. *velhaco*.

velhacada. *S. f.* **1:** V. *velhacaria* (1). **2.** Reunião de velhacos.

velhacagem. *S. f. Bras.* V. *velhacaria* (1).

velhacão. *S. m.* V. *velhaco* (5). [Fem.: *velhacona*.]

Velhacap. [De *velha* + *cap(ital)*.] *S. f. Bras.* Velha capital. [Designação da cidade do Rio de Janeiro quando da transferência da capital do País para Brasília. V. *Novacap*.]

velhacar. *V. int.* **1.** Proceder como velhaco; velhaquear. *T. d.* **2.** *Bras.* Ludibriar em negócio; velhaquear. **3.** Não pagar dívida a, como velhaco. [Conjug.: v. *trancar*.]

velhacaria. *S. f.* **1.** Ato ou manha de velhaco (5); patifaria, velhacada, velhacagem. **2.** Qualidade de velhaco.

velhaças. [Aum. irreg. de *velho*.] *S. m. 2 n. Fam.* Homem velhíssimo.

velhacaz. [Aum. irreg. de *velho*.] *S. m.* V. *velhaco* (5).

velhaco. [Do esp. *bellaco*.] *Adj.* **1.** Que ludibria de propósito ou por má índole. **2.** Que é traiçoeiro ou fraudulento; patife, ordinário. **3.** Libertino, devasso, brejeiro. **4.** *Bras., N.E.* Diz-se do animal que não se deixa prender ou conduzir com facilidade. ● *S. m.* **5.** Indivíduo velhaco. [Aum., nesta acepç.: *velhacão, velhacaz, velhacório*; aum. ger.: *velhacaço*; dim. irreg. ger.: *velhaquete*.]

velhacona. *S. f.* Fem. de *velhacão*.

velhacório. *S. m.* V. *velhaco* (5).

velhada. *S. f.* **1.** Ato ou dito próprio de velho. **2.** Reunião de velhos. **3.** *Pej.* Os velhos.

velha-guarda. *S. f. 2 n.* Os de mais idade, ou mais velhos, de determinado grupo de pessoas: *Era da velha-guarda dos alunos daquela escola, e agora é ali professor; a velha-guarda da Portela.*

velhaqueadoiro. [De *velhaquear* + *-(d)oiro*[1].] *S. m. Bras., S.* Velhaqueadouro.

velhaqueador (ô). *Adj. Bras., S.* Diz-se do cavalo que corcoveia, que velhaqueia.

velhaqueadouro. [De *velhaquear* + *-(d)ouro*[1]; var. de *velhaqueadoiro*.] *S. m. Bras., S.* A virilha do cavalo.

velhaquear. *V. int.* **1.** Proceder como velhaco; velhacar. **2.** *Bras., S.* Dar corcovos (o cavalo); corcovear. ● *T. d.* **3.** Burlar, enganar, principalmente em negócio; velhacar. [Conjug.: v. *frear*.]

velhaquesco (ê). *Adj.* Relativo a, ou próprio de velhaco.

velhaqueta (ê). *Adj. (f.)* e *s. f.* Fem. de *velhaquete*.

velhaquete (ê). *Adj.* e *s. m.* Diz-se de, ou indivíduo sonso, mas um tanto velhaco. [Fem.: *velhaqueta* (ê).]

velharia. *S. f.* **1.** Ato, dito ou tudo aquilo que é próprio de velhos. **2.** *Pej.* Traste ou objeto antigo: "Abro uma antiga mala de velharias e lá encontro minha máscara de esgrima." (Lígia Fagundes Teles, *A Disciplina do Amor*, p. 53.) **3.** Costume antiquado. **4.** Palavra, locução ou construção sintática antiga.

velhentado. [De *velho* + *-ent(o)-* + *-ado*[1].] *Adj.* V. avelhado.

velhice. *S. f.* **1.** Estado ou condição de velho. **2.** Idade avançada. **3.** *P. ext.* Antiguidade, vetustez. **4.** As pessoas velhas. **5.** Rabugice ou disparate próprio de velho.

velhinha. [Fem. de *velhinho*.] *S. m. Bras.* V. *viuvinha* (1). ◆ **Falar para a velhinha surda da última fila.** *Gír. Teat.* Esforçar-se (o ator) para projetar a voz com perfeita articulação e volume adequado, de modo que seja ouvido com absoluta nitidez.

velhinho. *S. m.* **1.** V. *velhote*. **2.** *Bras.* Meu velho: *Anda, velhinho!*

velho. [Do lat. *vetulu*, atr. de uma f. **vetlu*, pronunciada *veclu*.] *Adj.* **1.** Muito idoso: *homem velho*. **2.** De época remota; antigo: *Os velhos homens tinham outros costumes.* **3.** Que tem muito tempo de existência: *Esta casa é velha, mas está em bom estado.* **4.** Gasto pelo uso; usadíssimo: *camisa velha*. **5.** Que há muito possui certa qualidade ou exerce certa profissão: *É um velho advogado.* **6.** Desusado, antiquado, obsoleto. **7.** Empregado ou usado há muito: *método tão velho quanto eficaz.* ~ V. *— Mundo, — Testamento, caboclo —, ferida —a, ferros —s, macaco —, negro —, noite —a* e *república —a.* ● *S. m.* **8.** Homem idoso. **9.** *Bras. Fam.* Pai, papai: *O meu velho comprou um carro.* [Aum. da acepç. 8: *velhaças*. Dim. irreg., das acepçs. 1 e 8): *velhote, velhusco, velhustro*.] ◆ **Velho e relho.** Muitíssimo velho; velho e revelho. **Velho e revelho.** Velho e relho. **Meu velho.** *Bras.* Tratamento de intimidade, de camaradagem, dado a quem não seja velho; velhinho: *Ânimo, meu velho!*

velhori. [Do esp. *vellorí*.] *Adj. 2 g.* Diz-se do animal cavalar de cor acinzentada.

velhos-crentes. [De *velho* + *crente*.] *S. m. pl.* V. *rascolnismo*.

velhota. *Adj. (f.)* e *s. f.* Fem. de *velhote* [q. v.]: *uma senhora velhota*; "senhoritas pedantes e velhotas gaiatas." (Rubem Braga, *O Homem Rouco*, p. 136).

velhote. *Adj.* **1.** Diz-se do homem já um tanto velho; velhusco, velhustro. ● *S. m.* **2.** Homem velhote; velhinho, velhusco, velhustro. **3.** Velho alegre, folgazão. [Fem.: *velhota*.]

velhusco. [De *velho* + *-usco*.] *Adj.* e *s. m. Fam.* V. *velhote* (1 e 2): "De quando em vez, ainda encontro a menina rica .... Já está velhusca" (Augusto Frederico Schmidt, *As Florestas*, p. 49). [Sin.: *velhustro*.]

velhustro. *Adj.* e *s. m. Fam.* V. *velhote* (1 e 2).

velicação. *S. f.* Ato ou efeito de velicar; beliscão.

velicar. [Do lat. *vellicare*.] *V. t. d.* Beliscar. [Conjug.: v. *trancar*.]

velicativo. *Adj.* **1.** Que velica. **2.** Pungente, irritante.

velífero. [Do lat. *veliferu*.] *Adj. Poét.* Diz-se da embarcação que tem velas [v. *vela*[1] (1)].

velilho. [Do esp. *velillo*.] *S. m.* Tecido semelhante à gaze, com o qual se fazem véus, cortinas, etc.

velino. [Do fr. *vélin*.] *S. m.* **1.** Pergaminho fino, preparado com a pele de animais recém-nascidos ou natimortos. ● *Adj.* **2.** ~ V. *papel —*.

velívago. [De *vela*[1] + *-i-* + *-vago*.] *Adj.* **1.** Que veleja. **2.** Movido por velas.

velívolo. [Do lat. *velivolu*, 'que vai à vela', atr. do it. *velivolo*.] *Adj.* Que veleja com rapidez.

velo. [Do lat. **vellum, i* (e não de *vellus, eris*).] *S. m.* **1.** Lã de carneiro, ovelha ou cordeiro: "Fuminhos de névoa voltejavam, ao fundo, ... leves que nem velo de ovelhas brancas" (Aquilino Ribeiro, *Terras do Demo*, p. 151). **2.** Lã cardada. **3.** Pele de uma rês. **4.** A lã dessa pele.

veloce. [Do lat. *veloce*.] *Adj. 2 g. P. us.* V. *veloz*: "Três entes respiram sobre o frágil lenho que vai singrando veloce, mar em fora." (José de Alencar, *Iracema*, p. 49.)

▲**veloci-.** [Do lat. *velox, ocis*.] *El. comp.* = 'veloz'; 'velocidade': *velocípede, velocímano, velocímetro*.

velocidade. [Do lat. *velocitate*.] *S. f.* **1.** Qualidade de veloz; rapidez, ligeireza; pressa. **2.** Movimento rápido: *Afastou-se do carro com velocidade tal que se livrou de ser atropelado.* **3.** Relação entre uma distância percorrida e o tempo de percurso, no movimento uniforme. **4.** *Fís.* Num referencial determinado, o vector igual à derivada do vector posição de um ponto em relação ao tempo. **5.** *Fís.* O módulo do vector velocidade; velocidade escalar. ◆ **Velocidade angular.** *Fís.* Num movimento de rotação, a derivada do ângulo de rotação em relação ao tempo. **Velocidade areolar.** *Fís.* Num movimento de rotação, a área varrida pelo raio vector na unidade de tempo. **Velocidade crítica.** *Fís.* Num fluido em movimento, velocidade acima da qual o escoamento é turbilhonar e abaixo da qual é laminar. **Velocidade da luz no vácuo.** *Fís.* Grandeza fundamental da física, e que é o módulo da velocidade de grupo da radiação eletromagnética no vácuo. Segundo a teoria da relatividade, é a velocidade máxima com que um sinal portador de energia se pode propagar; vale 2,997925 x 10^8 m/s. **Velocidade de análise.** *Proc. Dados.* Velocidade de exploração. **Velocidade de cruzeiro.** Velocidade com que um navio ou uma aeronave normalmente navega ou voa, atendendo a diversos fatores de conveniência. **Velocidade de emulsão.** *Fot.* V. *sensibilidade* (12). **Velocidade de escapamento.** *Astron.* V. *velocidade de escape*. **Velocidade de escape.** *Astron.* A velocidade mínima necessária para um veículo escapar à ação de um campo gravitacional; velocidade de evasão, velocidade de liberação, velocidade de escapamento. **Velocidade de evasão.** *Astr.* V. *velocidade de escape*. **Velocidade de exploração.** *Proc. Dados.* Velocidade com que um computador comprova periodicamente o valor de uma quantidade controlada; velocidade de análise. **Velocidade de fase.** *Fís.* A velocidade de deslocamento de uma frente de onda que faz parte de um pacote de ondas. **Velocidade de grupo.** *Fís.* A velocidade de propagação de energia radiante por meio de um pacote de ondas. [O valor máximo desta velocidade, segundo a teoria da relatividade, é a velocidade da radiação eletromagnética no vácuo, ou seja, 3 x 10^8 m/s.] **Velocidade de hemossedimentação.** *Med.* Medida da capacidade de sedimentação de hemácias, por unidade de tempo, em coluna de sangue fresco tratado por citrato ou outra substância, e que é muito utilizada como auxiliar de diagnóstico de estados inflamatórios. Encontra-se aumentada, freqüentemente, em inflamações agudas ou crônicas, estados febris, em presença de foco infeccioso, septicemia, etc. [Não se trata, contudo, de fenômeno específico, podendo ser encontrado sem que haja processo inflamatório importante. Tb. se diz apenas *hemossedimentação*.] **Velocidade de liberação.** *Astr.* V. *velocidade de escape*. **Velocidade de reação.** *Fís.-Quím.* Numa reação química, taxa de variação, em função do tempo, da concentração de um reagente ou de um produto. **Velocidade de separação.** *Astron.* Velocidade com que um dos estágios iniciais de um veículo espacial é separado dos restantes. **Velocidade diretriz.** *Constr.* Velocidade escolhida para base do projeto de uma rodovia, e que correlaciona elementos tais como curvatura, superelevações e distâncias de visibilidade, dos quais depende a segurança de operação dos veículos. [É a velocidade uniforme mais elevada segundo a qual um veículo médio, dirigido por um motorista de habilidade média, poderá deslocar-se com segurança na rodovia quando as condições atmosféricas forem favoráveis, a densidade do tráfego for baixa, e as características geométricas da rodovia forem os únicos fatores de que depende a segurança.] **Velocidade econômica.** Velocidade com que um navio ou uma aeronave obtém o maior raio de ação, por ser a que envolve o menor consumo de combustível por milha navegada ou quilômetro voado. **Velocidade escalar.** Velocidade (5). **Velocidade hipersônica.** Velocidade superior a Mach 5. [Cf. *velocidade supersônica*.] **Velocidade orbital.** **1.** *Astr.* Velocidade dum planeta ou dum satélite em um ponto de sua órbita. **2.** *Astron.* Velocidade mínima que um satélite artificial deverá ter no ponto inicial de sua trajetória balística. **3.** *Astron.* A taxa de variação de uma grandeza com o tempo. **Velocidade parabólica.** *Astr.* Velocidade de um móvel sujeito a um campo central e que descreve uma órbita parabólica. **Velocidade radial.** *Astr.* Componente da velocidade de um astro na direção da linha de visada do observador, que é determinada pelo deslocamento das raias espectrais, o que constitui o efeito Doppler-Fizeau. **Velocidade supersônica.** Velocidade que varia entre Mach1 e Mach5. [Cf. *velocidade hipersônica*.] **Velocidade volumar.** *Fís.* Numa onda sonora que se propaga num fluido, o volume de fluido que passa perpendicularmente a uma área unitária por unidade de tempo.

velocímano. [De *veloci-* + *-mano*[2].] *S. m.* Cavalo de pau instalado sobre um velocípede, para brinquedo infantil.

velocimetria. [De *veloci-* + *-metr(o)-*[2] + *-ia*.] *S. f. Taquigr.* Aferimento da velocidade taquigráfica, em termos de palavras ou de sílabas escritas por minuto.

velocímetro. [De *veloci-* + *-metro*.] *S. m.* Instrumento indicador da velocidade de deslocamento de um veículo: "O chofer deu de ombros. O ponteiro do velocímetro estava agora em cima do cem" (Érico Veríssimo, *Noite*, p. 90). [Cf. *hodômetro* e *taxímetro*.]

velocino. [Do lat. **velluscinu*, dim. de *vellus*.] *S. m.* **1.** Pele de carneiro, ovelha ou cordeiro, com lã. **2.** *P. ext.* Carneiro mitológico, de velo de ouro.

velocípede. [De *veloci-* + *-pede*.] *Adj. 2 g.* **1.** Que tem pés velozes. **2.** Que anda com rapidez; veloz. ● *S. m.* **3.** Qualquer dos tipos de bicicleta ou triciclo primitivo. **4.** Triciclo infantil; triciclo.

velocipedista. *S. 2 g.* Pessoa que anda em velocípede.

velocíssimo. [Do lat. *velocissimu*.] *Adj.* Superl. abs. sint. de *veloz*: "O Jordão desce, velocíssimo, do Mar da Galiléia até o Mar Morto." (Guilherme Figueiredo, *Deus sobre as Pedras*, p. 109); "A lua, a longas intermitências, parecia .... correr velocíssima entre nuvens pardas" (Camilo Castelo Branco, *A Queda dum Anjo*, p. 163).

velocista. [De *velo(cidade)* + *-ista*.] *S. 2 g. Bras.* Pessoa especialista em corridas de velocidade, ou que se dedica a este esporte.

velódromo. [De *velo(cípede)* + *-dromo*.] *S. m.* Pista para corridas de bicicletas.

velório[1]. [Var. de *avelórios*, com mudança de número.] *S. m.* Variedade de uvas muito pequenas e sem préstimo. ~ V. *velórios*.

velório[2]. [Do esp. *velorio*.] *S. m. Bras., S.* Ato de velar, com outros, um defunto, i. e., de passar a noite em claro na sala onde se encontra exposto um morto. [Sin., N.E.: *quarto e sentinela*; (PR), *guardamento*.] ~ V. *velórios*.

velórios. *S. m. pl.* Var. de *avelórios.* ~ V. *velório.*

velosiácea. *S. f.* Espécime das velosiáceas.

velosiáceas. *S. f. pl. Bot.* Família de plantas monocotiledôneas, da ordem das liliíloras, formada de ervas, às vezes com vários metros de altura, com longas folhas lineares e amplas flores coloridas. Há umas 100 espécies, na quase totalidade brasileiras; muito freqüentes nas serras do Planalto Central.

velosiáceo. *Adj.* Pertencente ou relativo às velosiáceas.

veloso (ô). [Do lat. *villosu.*] *Adj.* **1.** Que tem velo; lanoso, felpudo, veludo. **2.** *P. ext.* Que tem muito pêlo: "a fronte [da vaca] bem lunada, / a orelha bem velosa." (Antônio Feliciano de Castilho, *As Geórgicas de Virgílio*, p. 147). **3.** Que tem muito cabelo; peludo. [Cf. *viloso.*]

veloz. [Do lat. *veloce.*] *Adj. 2 g.* **1.** Que anda ou corre com rapidez; rápido, ligeiro. **2.** Que passa ou se move depressa, com muita rapidez: *os anos velozes da juventude.* [Superl. abs. sint.: *velocíssimo.*]

velozmente. [De *veloz* + *-mente.*] *Adv.* De modo veloz; com velocidade.

velúcia. [De *ve(ludo)* + *(pe)lúcia.*] *S. f.* Material sintético semelhante ao veludo.

veludilho. [De *veludo* + *-ilho.*] *S. m.* **1.** Tecido semelhante ao veludo: *veludilho de algodão;* "Em torno dos esquifes, pousados sobre bancos, que pesados veludilhos recobriam, o abade murmurava um suave latim" (Eça de Queirós, *A Cidade e as Serras*, p. 259). **2.** Planta ornamental, da família das amarantáceas (*Celosia cristata);* veludo.

veludíneo. [De *veludo* + *-ino*[1] + *-eo.*] *Adj.* V. *aveludado* (1): *pele veludínea.* [F. paral.: *velutíneo.*]

veludinha. [De *veludo* + o fem. de *inho.*] *S. f.* Tecido aveludado, próprio para estofos.

veludinho. [De *veludo* + *-inho.*] *S. m. Bras.*, *CE.* V. *tiziu.*

veludo. [Do lat. vulg. *villutu* < *villu*, 'pêlo', atr. do cat. *vellut* e do esp. *velludo.*] *S. m.* **1.** Tecido de seda, algodão ou lã, natural ou sintético, coberto de pêlos cerrados, curtos e presos pelos fios da tela. **2.** *P. ext.* Objeto ou superfície macia. **3.** V. *veludilho* (2). **4.** *Bras.*, *N.* a *S.* Subarbusto simples, da família das malváceas (*Pavonia malacophylla),* coberto de pêlos densos que tem folhas ovadas ou arredondadas, serreadas, cordadas, e tomentosas, flores solitárias, no ápice dos ramos, congregadas em panículas, amarelas, vistosas, e frutos que se fragmentam em carpídios de 5 mm. **5.** *Bras.* V. *crista-de-galo.* ● *Adj.* **6.** V. *veloso* (1). ♦ **Veludo cotelê.** Veludo tecido em listas em relevo, e rasas, que se alternam.

veludo-de-penca. *S. m. Bras.* V. *cauda-de-raposa.* [Pl.: *veludos-de-penca.*]

veludoso (ô). [De *veludo* + *-oso.*] *Adj.* V. *aveludado* (1).

velutina. [Do fr. *veloutine.*] *S. f.* Certo tecido de seda semelhante ao veludo.

velutíneo. [Do lat. vulg. *villutu*, 'veludo', + *-íneo.*] *Adj.* V. *aveludado* (1).

velutino. [Do lat. vulg. *villutu*, 'veludo', + *-ino*[1].] *Adj. Morfol. Veg.* Revestido de pêlos curtos, densos e macios, que dão ao tato a sensação propiciada pelo veludo.

vem-cá. [Da 2ª pess. sing. do imperat. de *vir* + *cá.*] *S. m. 2 n. Bras.*, *SP.* V. *chama-maré.*

vem-cá-siriri. [Da 2ª pess. sing. do imperat. de *vir* + *cá* + *siriri.*] *S. m. 2 n. Bras.* Certa dança e cantiga popular.

vem-vem. [Voc. onom.] *S. m. Bras.* **1.** Designação comum a duas aves passeriformes, da família dos traupídeos: a *Tanagra chlorotica* (L.), que ocorre do AM à BA, de dorso azul-turquesa, lado inferior e garganta pretos, e a *Tanagra violacea* (L.), da Amaz., de dorso preto-azulado brilhante, ponta da asa castanho-clara, parte inferior e fronte amareladas. As fêmeas são oliváceas. Alimentam-se de frutas e insetos. **2.** V. *tem-tem-verdadeiro.* [Pl.: *vem-vens.*]

vena. [Do lat. *vena*, 'veia'.] *S. f. Morfol. Veg.* Nervura muito fina e de comprimento pequeno, que formam retículos ou malhas em numerosas folhas.

venábulo. [Do lat. *venabulu.*] *S. m.* **1.** Espécie de lança ou dardo para caça de feras. **2.** *Fig.* Meio de defesa. **3.** Meio, expediente, recurso.

venação. *S. f. Morfol. Veg.* Disposição das venas em uma folha. [Cf. *nervação.*]

venado. [Do lat. *vena*, 'veia', + *-ado*[1].] *Adj.* Que tem veias.

venal[1]. [Do lat. *venale.*] *Adj. 2 g.* **1.** Que pode ser vendido. **2.** Exposto à venda[1] (1). **3.** Referente a venda[1] (1): "Quanto a valor histórico, sendo subjetiva sua estimação no entender de um perito, esse o arbitrou em 10% sobre o valor venal." (Carlos Drummond de Andrade, *Fala, Amendoeira*, p. 81.) **4.** *Fig.* Que se deixa peitar; subornável, corrupto. ~ V. *valor* —.

venal[2]. [Do lat. *vena*, 'veia', + *-al.*] *Adj. 2 g.* V. *venoso*[1] (2).

venalidade. [Do lat. *venalitate.*] *S. f.* Qualidade de venal[1].

venalizar. [De *venal*[1] + *-izar.*] *V. t. d.* Tornar venal[1] (4).

venâncio-airense. *Adj. 2 g.* **1.** De, ou pertencente ou relativo a Venâncio Aires (RS). ● *S. 2 g.* **2.** Natural ou habitante de Venâncio Aires. [Pl.: *venâncio-airenses.*]

venatório. [Do lat. *venatoriu.*] *Adj.* Respeitante à caça: "Não há dois meses que o *Fígaro* .... dava ao mundo a estupenda nova de que os *sportsmen* ingleses de primeira classe, os *blasés* das emoções da caça ao tigre, se tinham organizado em excursão venatória a Madagáscar" (Rui Barbosa, *Cartas de Inglaterra*, p. 20); "O coronel / Seu genro tem em casa um canistrel / De viandas venatórias, para o jantar." (Domingos Carvalho da Silva, *Liberdade embora tarde*, p. 22).

vencedor (ô). *Adj.* **1.** Que vence ou venceu. ● *S. m.* **2.** Aquele que vence ou venceu. **3.** Indivíduo vitorioso.

vencelho (ê). *S. m.* Vencilho [q. v.].

vencer. [Do lat. *vincere.*] *V. t. d.* **1.** Conseguir vitória sobre; triunfar de; obter vantagem sobre: *Depois de dura peleja, o Flamengo venceu o Fluminense;* "Quem vence a mulher vence a vida." (Nestor Vitor, *Folhas Que Ficam*, p. 42). **2.** Ter bom êxito em; obter resultado favorável em: *O piloto brasileiro venceu a competição.* **3.** Ter primazia, levar vantagem, sobre: *Seu inatacável comportamento atual conseguiu vencer o passado anormal.* **4.** Refrear, dominar, reprimir, sopear: *Venceu os ímpetos de cólera e nada respondeu.* **5.** Estar ou ficar além das forças, do poder, da vontade, do domínio, etc., de; dominar: *A fadiga venceu a criança, que caiu no sono.* **6.** Levar a cabo; executar, realizar: *vencer uma tarefa.* **7.** Prostrar, subjugar, dominar, submeter, sujeitar: *Não conseguindo vencer o animal assustado, o cavaleiro tombou.* **8.** Persuadir, convencer: *As instâncias do filho acabaram vencendo o pai.* **9.** Percorrer, ultrapassando; cobrir: "Com pouco vencíamos a curva do rio, vendo desaparecer a meia dúzia de casas" (Sabóia Ribeiro, *Contos do Cacau*, p. 133). **10.** Resistir a; agüentar, suportar: *A frágil embarcação conseguiu vencer a fúria do mar.* **11.** Destruir, desfazer, aniquilar: *vencer inconvenientes; vencer embaraços.* **12.** Fazer, executar, realizar: *vencer uma tarefa.* **13.** Ter direito a, ganhar, perceber, auferir, como vencimento ou ordenado: *O professor vencia 2 mil cruzados mensais, mas sempre recebeu com atraso.* **14.** Chegar ao fim ou ao termo de; terminar, findar: *Saiu assim que venceu a hora de trabalho. T. d.* e *c.* **15.** Exceder, sobrelevar: *Vence as companheiras em graça e beleza. Int.* **16.** Alcançar a vitória; sair vencedor: *Chorou de alegria ao saber que seu time vencera.* **17.** Conseguir ou alcançar o seu fim. *P.* **18.** Conter-se, reprimir-se, dominar-se: "A ninguém contes, caro amigo, o imenso / Dislate que ofuscou a minha mente... / Graças, graças a ti, eis que me venço!" (Eugênio de Castro, *Éclogas*, p. 44.) **18.** Chegar ao fim do tempo em que se deve fazer um pagamento: *A promissória venceu-se ontem.* [O *c* do radical transforma-se em *ç* antes de *o* e *a: venço, vença, etc.*]

venceslauense. *Adj. 2 g.* **1.** De, ou pertencente ou relativo a Presidente Venceslau (SP). ● *S. 2 g.* **2.** Natural ou habitante de Presidente Venceslau.

vencida. [De *vencer* + *-ida.*] *S. f.* Vencimento (1). ♦ **Levar de vencida.** Exceder, ultrapassar.

vencido. [Part. de *vencer.*] *Adj.* **1.** Que sofreu derrota; derrotado. **2.** Que se venceu. ~ V. *voto* —. ● *S. m.* **3.** Aquele que foi vencido. **4.** Aquele que não tem ânimo para enfrentar as dificuldades ou sofrimentos da vida: *A morte do filho fez dele um vencido.*

vencilho. [Var. de *vencelho* < lat. vulg. *vinciculu*, por *vinculu*, 'ligadura', com infl. de *vincire*, 'ligar'.] *S. m.* Atilho de vime, giesta, verga, palha, etc., para molhos, empa de videiras, etc.

vencimento. *S. m.* **1.** Ato ou efeito de vencer; vencida. **2.** Vitória, triunfo. **3.** Ato de terminar o prazo para o pagamento de um título ou para o cumprimento de qualquer encargo. **4.** Data em que se extingue esse prazo. **5.** Fim da vigência dum contrato. **6.** Data em que se há de cumprir certa obrigação. **7.** Salário ou ordenado de um emprego ou cargo público. [Nesta acepç., é m. us. no pl.] ♦ **Não dar vencimento a.** *Bras.* Não atender satisfatoriamente, inteiramente, a (pedidos, procura, consumo, de algo que se vende, dá, produz, etc.): *Vende toda a manteiga que produz, não dá vencimento aos pedidos que recebe;* "Os trens de cana apitavam de quando em vez, mas não davam vencimento à fome das moendas." (José Lins do Rego, *Usina*, p. 96).

vencível. [Do lat. *vincibile.*] *Adj. 2 g.* **1.** Que se pode vencer. **2.** Que se vence: *títulos vencíveis a curto prazo.*

venda[1]. [Do lat. *vendita*, part. pass. de *vendere*, 'vender'.] *S. f.* **1.** Ato ou efeito de vender; vendagem, vendição. **2.** V. *mercearia* (1). **3.** Bar, botequim, taberna. ♦ **Venda a contento.** A que pode ser desfeita se a coisa não agradar ao comprador. [São objeto desse tipo de venda as coisas que costumam ser provadas, medidas, pesadas ou experimentadas antes de aceitas.] **Venda a descoberto.** A que se faz na bolsa (6), sendo objeto dela valores que não se possuem, mas que se espera adquirir antes do dia fixado para entrega. **Venda de disponível.** Venda de mercadorias que se acham em poder do vendedor ou de terceiro para pronta entrega.

venda[2]. [Do germ. *binda*, 'faixa'. (Em al. *Binde.*)] *S. f.* Tira de pano com que se cobrem os olhos.

venda-florense. *Adj. 2 g.* **1.** De, ou pertencente ou relativo a Venda das Flores (RJ). ● *S. 2 g.* **2.** Natural ou habitante de Venda das Flores. [Pl.: *venda-florenses.*]

vendagem[1]. [De *venda* + *-agem*[2].] *S. f.* **1.** V. *venda*[1] (1). **2.** Porcentagem do preço da venda em favor daquele que vende por conta alheia. **3.** *P. ext.* Quebra (11): "— Quantos pães por quatro vinténs? | — Dois. | — Só dois? | — Não contando a vendagem, que se dá de graça." (Machado de Assis, *Crônicas*, I, p. 221.)

vendagem[2]. [De *vendar* + *-agem*[2].] *S. f.* Operação de vendar (os olhos).

vendar. *V. t. d.* **1.** Cobrir com venda[2]: *Vendou os olhos do prisioneiro.* **2.** Tapar os olhos de: *Vendou o animal para domesticá-lo.* **3.** Cegar, obscurecer, turvar: *O amor vendou-lhe a razão.*

vendaval. [Do fr. *vent d'aval.*] *S. m.* **1.** Vento tempestuoso; temporal. **2.** *Fig.* Tumulto interior; torvelinho, turbilhão: *vendaval de paixões.*

vendável. [Do fr. *vendable.*] *Adj. 2 g.* Que tem boa venda[1]; que se vende com facilidade. [Este vocábulo vem nos dicionários como sinônimo de *vendível* em todas as acepções; mas é inegável a tendência para usar *vendável* apenas no sentido aqui apontado, dando-se a *vendível* a acepção de 'que pode ser vendido'.]

vendedeira. [Fem. de *vendedor.*] *S. f.* Mulher que vende nas ruas, nos mercados, ou nas praças.

vendedoiro[1]. [De *vender* + *-(d)oiro.*] *S. m.* Vendedouro[1].

vendedoiro[2]. [De *vender* + *-doiro.*] *Adj.* Var. de *vendedouro*[2].

vendedor (ô). *Adj.* **1.** Que vende. ● *S. m.* **2.** Aquele que vende. **3.** Empregado encarregado das vendas ao público, em casas comerciais.

vendedouro[1]. [De *vender* + *-(d)ouro*; var. de *vendedoiro*[1].] *S. m.* Lugar público onde se vende alguma coisa.

vendedouro[2]. [De *vender* + *-douro.*] *Adj.* Que pode ser vendido; vendível. [Var.: *vendedoiro*[2].]

vendeiro. *S. m.* Dono de venda[1] (2 e 3). [Sin.: *taberneiro, taverneiro* (bras., N.E.), *vendilhão* e (p. us.) *vendelhão.*]

vendelhão. *S. m. Bras.*, *N.E. P. us.* **1.** V. *vendeiro.* **2.** Vendedor ambulante; vendilhão.

vendemiário. [Do fr. *vendémiaire.*] *S. m. Cronol.* V. *calendário republicano.*

vender. [Do lat. *vendere.*] *V. t. d.* **1.** Alienar ou ceder por certo preço; trocar por dinheiro: *Vendeu um apartamento.* **2.** Negociar ou comerciar com: *Esta loja vende secos e molhados.* **3.** Não conceder gratuitamente: *Vendia favores.* **4.** Sacrificar por dinheiro ou por interesse: *Muitos, ansiosos do poder, vendem a própria consciência.* **5.** Trair, denunciar, por interesse: *Judas vendeu Cristo.* **6.** Ceder a outrem, mediante vantagem pecuniária, o direito de usar: *vender uma idéia; vender um plano.* **7.** Ter ou mostrar (algo) excelente, ou em alto grau: *vender saúde;* "Fui à escola vendendo alegria, com os livros às vencedoras." (Genolino Amado, *O Reino Perdido*, p. 132). *t.d.* e *i.* **8.** Alienar ou ceder por certo preço: *Vendeu a herança ao irmão.* **9.** Entregar mediante remuneração ou recompensa: *Em troca da liberdade, vendeu à polícia os comparsas. Int.* **10.** Dispor do que possui ou do que outrem lhe confiou, a troco de dinheiro: "Um povo ali, comprando e vendendo; no Mercado." (Adonias Filho, *Luanda Beira Bahia*, p. 57.) **11.** Exercer a profissão de vendedor: *Vende desde os 13 anos.* **12.** *Bras.* Ter venda, ou ter boa venda; ser vendável: *É um livro que vende bem; Como estas gravatas vendem!* **13.** *Bras.* Fazer vender, tornar vendável, um produto ou produtos: "Classificados que vendem" (de um anúncio-cartaz do *Jornal do Brasil*). *P.* **14.** Ceder a sua própria liberdade por certo preço: "Pensou mesmo em se vender como escravo" (Eça de Queirós, *Últimas Páginas*, p. 294). **15.** Deixar-se peitar para ceder ou fazer. **16.** Praticar por interesse atos indignos. **17.** Entregar-se por dinheiro; prostituir-se. ◆ **Vender-se caro.** Valorizar-se ao extremo.

vendeta (ê). [Do it. *vendetta*.] *S. f.* Na Córsega, espírito de vingança, entre famílias, provocado por um assassínio, uma ofensa; vingança.

➡**vendeuse** (vandêz'). [Fr.] *S. f.* Empregada incumbida das vendas ao público, sobretudo em lojas de artigos finos, butiques, etc.

vendição. [Do lat. *venditione*.] *S. f. P. us.* V. *venda*[1] (1).

vendido. [Part. de *vender*.] *Adj.* **1.** Que se vendeu. **2.** Adquirido por venda. **3.** *Fig.* Subornado, peitado. **4.** Contrafeito, contrariado: *estar, achar-se vendido*; "O ilhéu é que estava solto!... | Parecia que tinha bicho-carpinteiro, o desgraçado!... | Só estava era meio vendido com o jeito da noiva, mas fingia não se dar por achado, o velhaco..." (Simões Lopes Neto, *Contos Gauchescos e Lendas do Sul*, p. 196). **5.** Assustado, espantado: *ficar, continuar vendido*. ● *S. m.* **6.** Aquele que se vendeu [v. *vender* (15 e 16)].

vendilhão. *S. m.* **1.** Vendedor ambulante; vendelhão. **2.** *Bras., N.E.* V. *vendeiro*. **3.** *Fig.* Aquele que trafica publicamente em coisas de ordem moral. [Fem.: *vendilhona*.]

vendilhona. *S. f.* Fem. de *vendilhão* [q. v.].

vendinha. [Dim. de *venda*[1] (2).] *S. f. Bras., RJ.* Pequena mercearia (1).

vendível. [Do lat. *vendibile*.] *Adj. 2 g.* **1.** Que pode ser vendido; vendedouro. **2.** Próprio para venda. **3.** Que tem boa venda. [Cf. *vendável*.]

vendola. *S. f.* Pequena venda[1] (2 e 3); tasca: "Ao cair de uma tarde chuvosa de março, chegava o cobrador, extenuado e faminto, a uma vendola à beira da estrada" (Lúcio de Mendonça, *Horas do Bom Tempo*, pp. 221-222). [Sin., em MG: *bitaca*.]

veneciano. *Adj.* **1.** De, ou pertencente ou relativo a Nova Venécia (ES). ● *S. m.* **2.** O natural ou habitante de Nova Venécia.

veneficar. [Var. de *veneficiar*.] *V. t. d.* Veneficiar. [Conjug.: v. *trancar*. Pres. ind.: *venefico*, etc. Cf. *venéfico*.]

veneficiar. [De *venefício* + *-ar*[2].] *V. int.* Praticar venefício; veneficar. [Pres. ind.: *veneficio*, etc. Cf. *venefício*.]

venefício. [Do lat. *veneficiu*.] *S. m.* **1.** Ato de preparar veneno para fins criminosos. **2.** O crime de envenenar alguém. [Cf. *veneficio*, do v. *veneficiar*, e *benefício*.]

venéfico. [Do lat. *veneficu*.] *Adj.* **1.** Respeitante a venefício. **2.** V. *venenoso* (1). [Cf. *venefico*, do v. *veneficar*, e *benéfico*, adj.]

venenífero. [Do lat. *veneniferu*.] *Adj.* V. *venenoso* (1).

venenípero. [De *veneno* + *-i-* + *-paro*.] *Adj.* Que segrega veneno.

veneno. [Do lat. *venenu*.] *S. m.* **1.** Substância que altera ou destrói as funções vitais; peçonha; tóxico. **2.** *Fig. Pop.* Vírus, quando referido a uma doença, ou ao princípio contagioso dela: *o veneno da tuberculose*. **3.** *Fig.* Aquilo que corrompe moralmente. **4.** Malignidade, maldade. **5.** Má intenção. **6.** Interpretação maldosa. **7.** Pessoa de má índole. **8.** *Veter.* Doença dos animais, espécie de carbúnculo. **9.** *Bras.* V. *cachaça* (1).

venenosidade. *S. f.* Qualidade de venenoso.

venenoso (ô). [Do lat. *venenosu*.] *Adj.* **1.** Que contém ou produz veneno; venéfico, venenífero, tóxico. **2.** Nocivo à saúde; insalubre, deletério. **3.** *Fig.* Em que há veneno moral; malévolo, nocivo.

venera. [Do lat. *veneria*.] *S. f.* **1.** Vieira ou concha de romeiro (1). **2.** Insígnia dos condecorados com qualquer grau duma ordem militar. **3.** *P. ext.* Condecoração (2): "Veneras e títulos rejeitou-os sempre." (Bulhão Pato, *Memórias*, II, p. 19.) [Cf. *vênera*, fem. de *vênero*.]

venerabilidade. *S. f.* Qualidade de venerável.

venerabundo. [Do lat. *venerabundu*.] *Adj.* Que venera; reverente: "Nos Alpes, como num trono / Que me alçava além do mundo, / A glória do Onipotente / Entoei venerabundo." (D. J. G. de Magalhães, *Suspiros Poéticos e Saudades*, p. 281.)

veneração. [Do lat. *veneratione*.] *S. f.* **1.** Ato ou efeito de venerar; reverência; respeito, admiração, consideração: *Tem veneração ao pai*. **2.** Devoção, culto, adoração: *Ficaram as relíquias expostas à veneração dos fiéis*.

venerado. [Part. de *venerar*.] *Adj.* Que é objeto de veneração.

venerador (ô). [Do lat. *veneratore*.] *Adj.* e *s. m.* Que ou aquele que venera.

venerando. [Do lat. *venerandu*.] *Adj.* V. *venerável* (1).

venerar. [Do lat. *venerare*.] *V. t. d.* **1.** Tributar grande respeito a; render culto a; reverenciar: *Os pagãos veneravam inúmeros deuses*. **2.** Tratar com respeito e afeição. **3.** Reverenciar, acatar, respeitar: "O hindu, como se sabe, venera a vaca, enquanto o muçulmano lhe come a carne." (Raul Bopp, *Coisas do Oriente*, p. 28.) **4.** Ter em grande consideração: *Homem culto, venera as letras e as artes*. [Pres. ind.: *venero*, *veneras*, *venera*, etc. Cf. *vênero* e o fem. *vênera*.]

venerável. [Do lat. *venerabile*.] *Adj. 2 g.* **1.** Digno de veneração; respeitável; venerando. **2.** *Rel.* Diz-se ordinariamente de pessoa virtuosa já falecida, cujo processo de beatificação já teve começo. [Superl. abs. sint.: *venerabilíssimo*.] ● *S. m.* **3.** Aquele que preside a uma loja maçônica.

venéreo. [Do lat. *venereu*.] *Adj.* **1.** Referente a Vênus, deusa da formosura. [Sin., poét.: *vênero*.] **2.** Relativo à aproximação sexual: sensual, erótico. [Fem.: *venérea*. Cf. *Venéria*, top.] ~ V. *doença —a*, *linfogranuloma —* e *quarta-moléstia —a*. ● *S. m.* **3.** *Pop.* V. *sífilis*.

venereologia. [De *venéreo* + *-log(o)-* + *-ia*.] *S. f.* Parte da medicina que se ocupa das doenças venéreas.

venereológico. *Adj.* Respeitante à venereologia.

venereologista. *S. 2 g.* Especialista em venereologia.

venerídeo. [Do lat. *Venus*, *eris*, 'Vênus, a deusa da beleza', + *-ídeo*.] *S. m.* **1.** Espécime dos venerídeos. ● *Adj.* **2.** Pertencente ou relativo a eles.

venerídeos. *S. m. pl. Zool.* Família de moluscos da classe dos pelecípodes, que compreende o gênero *Vênus* e outros afins.

vênero. [Do mit. lat. *Venus*, *eris*, 'Vênus'.] *Adj. Poét.* V. *venéreo* (1). [Fem.: *vênera*. Cf. *venero* e *venera*, do v. *venerar*, e *venera*, s. f.]

veneta (ê). *S. f.* **1.** Acesso de loucura. **2.** *P. ext.* Impulso repentino. **3.** V. *telha* (4). [Cf. *Vêneta*, antr.] ◆ **Dar na veneta.** **1.** Vir à idéia; dar na telha. **2.** Ter um impulso repentino.

vêneto. [Do lat. *venetu*.] *S. m.* **1.** Indivíduo dos vênetos, antigo povo da Gália, que, desmembrado por sucessivas migrações, se estabeleceu ao N. do Adriático e na Armórica (atual região da Bretanha, França). ● *Adj.* **2.** Pertencente ou relativo a esse povo. [Fem.: *vêneta*. Cf. *veneta* (ê).]

veneziana. [Fem. substantivado do adj. *veneziano*.] *S. f.* Janela de lâminas de madeira, metal, etc., que, fechada, deixa penetrar o ar, mas obscurece o ambiente.

veneziano. [Do it. *veneziano*.] *Adj.* **1.** De, ou pertencente ou relativo a Veneza (Itália). **2.** *Tip.* Humanal (2) [q. v.]. ~ V. *chuva —a*. ● *S. m.* **3.** O natural ou habitante de Veneza. **4.** *Tip.* Humanal (3) [q. v.].

venezolano. [Do esp. *venezolano*.] *Adj.* e *s. m.* Venezuelano: "O ilustre venezolano [Andrés Bello] chegou a fazer até cinco edições de sua excelente obra [*Gramática castellana*]" (Mário Barreto, *De Gramática e de Linguagem*, I, p. 176).

venezuelano. *Adj.* **1.** Da, ou pertencente ou relativo à Venezuela (América do Sul). ● *S. m.* **2.** O natural ou habitante da Venezuela. [F. paral.: *venezolano*.]

▲**ven(i)-.** [Do lat. *vena*, *ae*.] *El. comp.* = 'veia': *venífluo*. [Equiv.: *veno-*: *venoso* (< lat. *venosu*).]

vênia. [Do lat. *venia*.] *S. f.* **1.** Licença, permissão, consentimento: "Para aceitar um mote ou devolver uma glosa era indispensável a vênia da camareira-mor" (Ramalho Ortigão, *Figuras e Questões Literárias*, I, p. 174). **2.** Desculpa, absolvição, perdão. **3.** Reverência com a cabeça em sinal de cortesia; mesura, cortesia: "Quando estacou, fez uma vênia graciosa para o público, que equivalia a dizer: Gostaram?" (Aquilino Ribeiro, *Cinco Réis de Gente*, p. 265.)

veniaga. [Do mal. *bernyaga*, 'comerciar, mercadejar'.] *S. f.* **1.** Mercadoria, artigo, produto. **2.** Comércio, tráfico. **3.** *Fig.* Trapaça, tramóia, tranquibérnia. **4.** Procedimento de agiota. **5.** V. *sinecura*.

veniagar. [De *veniaga* + *-ar*[2].] *V. int.* Fazer veniaga (2); traficar. [Conjug.: v. *largar*.]

venial. [Do lat. *veniale*.] *Adj. 2 g.* **1.** Digno de vênia ou desculpa; perdoável, desculpável. **2.** Diz-se das faltas ou pecados leves: "Continua pecando os seus pecadinhos veniais, já que para os pecados mortais já não tem ocasião nem energia." (Raquel de Queirós, *100 Crônicas Escolhidas*, p. 111.) ~ V. *pecado —*.

venialidade. *S. f.* Qualidade de venial.

venializar. *V. t. d.* Tornar venial.

venida. [Do esp. *venida*, 'vinda'.] *S. f.* **1.** Investida repentina do inimigo. **2.** Golpe de espada, na esgrima, para ferir. **3.** Diligência, zelo, empenho.

venífluo. [De *ven(i)-* + *-fluo*.] *Adj.* Que corre pelas veias; venoso.

▲**veno-.** Equiv. de *ven(i)-*.

venoso[1] (ô). [Do lat. *venosu*.] *Adj.* **1.** Que tem veias. **2.** Relativo a veias; venal. **3.** V. *venífluo*. ~ V. *hipertensão —a*, *hipotensão —a*, *pulso —* e *sangue —*. [Cf. *vinoso*.]

venoso[2] (ô). [De *vena* + *-oso*.] *Adj.* ~ V. *folha —a*.

venta. [De um lat. **ventana* < *ventu*, 'vento', 'lugar por onde passa o vento', atr. do arc. *ventãa*, *ventam*, com hiperbibasmo.] *S. f.* V. *narina*. ~ V. *ventas*. ◆ **Venta de bezerro novo.** *Bras., CE. Pop.* Pessoa de nariz achatado; venta de telha emborcada. **Venta de telha emborcada.** *Bras., CE.* Venta de bezerro novo. **Dar a venta.** *Bras.* Cansar(-se), fatigar-se. **Ficar de venta inchada.** *Bras., N.E.* Amuar-se, zangar-se.

venta-furada. *S. m.* e *adj. Bras., RS.* V. *ventana*[2] (1 a 3). [Cf. *valentão* (1 e 3). Pl.: *ventas-furadas*.]

ventana[1]. [Do esp. *ventana*.] *S. f.* **1.** *Ant.* e *bras. Gír. ladra.* Janela (1): "Retida em casa, D. Ana, / Qual num cárcere, vivia; / E aí, cerrada a ventana, / Da rua ninguém na via." (Raimundo Correia, *Poesias*, p. 256.) **2.** Ventanilha. ◆ **Trabalhar na ventana.** *Bras. Gír. ladra.* Ser ventanista.

ventana[2]. [De *vento* + *-ana*[1].] *S. m.* e *adj. Bras., RS. Pop.* **1.** Diz-se de, ou indivíduo mau. **2.** Desordeiro, turbulento. **3.** V. *valentão* (1 e 3). [Var.: *ventena*; sin.: *ventania*, *venta-furada*, *venta-rasgada*.] **4.** Diz-se de, ou cavalo matreiro, velhaco.

ventanear. [De *ventana*[1] + *-ear*.] *V. t. d.* **1.** Ventilar (1 a 3). **2.** *Fig.* Sacudir, agitar. *Int.* **3.** V. *ventar* (2). [Conjug.: v. *frear*.]

ventaneira. [De *ventana*[1] + *-eira*.] *S. f.* **1.** Ventania (1): "a Via Láctea, que, neste ano de ventaneira e trovão, se espelha nas águas quietas do Pavia, passou, em reflexos, sobre as lâminas mortíferas." (José Vieira, *Sol de Portugal*, p. 81). **2.** Válvula por onde o ar entra no fole (1).

ventanejar. *V. int.* **1.** V. *ventar* (2). **2.** *Fam.* Ventar (4). [Conjug.: v. *pelejar*.]

ventania. *S. f.* **1.** Vento impetuoso e contínuo; ventaneira. ● *S. m.* **2.** V. *ventana*[2] (1 a 3). ● *Adj.* **3.** V. *ventana*[2] (1 a 3). [Cf. *valentão* (1 e 3).]

ventanilha. [Do esp. *ventanilla*.] *S. f.* Cada uma das aberturas da mesa do bilhar por onde cai a bola; ventana.

ventanista. [De *ventana*[1] + *-ista*.] *S. 2 g. Bras., RJ. Gír. ladra.* Ladrão que penetra numa casa saltando a janela; pula-ventana.

ventar. *V. int.* **1.** Haver vento: "Chove, venta, e neva, / Congela-se o rio" (Fr. Agostinho da Cruz, *Obras*, p. 166); "Fazia frio, ventava" (Haroldo Maranhão, *As Peles Frias*, p. 20). **2.** Soprar o vento com força; ventanear, ventanejar: "Venta e relampadeja. A tempestade ruge!" (Martins Fontes, *Verão*, p. 35.) **3.** Manifestar-se ou aparecer de súbito, de repente: *Um entusiasmo ventou — e agora o homem sem esperança é o mais esperançoso dos homens*. **4.** *Fam.* Soltar ventosidades; ventanejar. *T. i.* **5.** Ser propício, favorável; bafejar: *Ventou-lhe a sorte: hoje é homem rico*. **6.** Ventar (3): *Com as palavras animadoras do amigo, a coragem ventou em sua alma desalentada*. *T. d.* e *i.* **7.** Trazer inesperadamente: *A nova carreira ventou-lhe inúmeras oportunidades*. [Impess., no sentido próprio.]

venta-rasgada. *S. m.* e *adj. Bras., RS.* V. *ventana*[2] (1 a 3). [Cf. *valentão* (1 e 3). Pl.: *ventas-rasgadas*.]

ventarola. [Do it. *ventarola*, 'ventoinha'.] *S. f.* Espécie de leque que não se fecha, com cabo ou base e sem varetas; abano.

ventas. [Pl. de *venta*.] *S. f. pl.* **1.** Nariz. [Sin. (bras., pop.): *tabaqueira*.] **2.** *Cineg.* Olfato, faro. ~ V. *venta*. ◆ **Acender as ventas.** *Bras., N.E.* Farejar (o cão ou o cavalo) pressentindo perigo. **Dizer o que lhe vem às ventas.** *Fam.* Dizer tudo quanto quer ou lhe vem ao pensamento, à cabeça. **Esfregar nas ventas de.** *Pop.* Mostrar, exibir, com irritação e/ou acinte. **Nas ventas de.** V. *nas bochechas de*. **Saber onde tem as ventas.** Saber onde tem o nariz: "Fossem perguntar a Seu Tomás da bolandeira, que lia livros e sabia onde tinha as ventas." (Graciliano Ramos, *Vidas Secas*, p. 39.)

venteira. *S. f. Bras., C.O.* Peça de madeira que se põe nas ventas do bezerro para que não mame.

ventena. [Var. de *ventana*[2].] *S. m.* **1.** *Bras., S.* V. *ventana*[2] (1 a 3). ● *S. f.* **2.** *Bras., SP. Pop.* V. *meretriz*. ● *Adj.* **3.** V. *ventana*[2] (1 a 3). [Cf. *valentão* (1 e 3) e *vintena*.]

▲**venti-.** [Do lat. *ventus*, *i*.] *El. comp.* = 'vento': *ventifacto*, *ventígeno* (< lat. *ventigenu*).

ventifacto. [De *venti-* + lat. *vactu*, 'feito, produzido'.] *S. m. Geol.* Seixo que tem arestas originadas por faces planas formadas pela corrosão e polimento que o vento produz ao soprar em diversas direções.

ventígeno. [Do lat. *ventigenu.*] *Adj.* Que produz vento.
ventilabro. [Do lat. *ventilabru.*] *S. m.* Espécie de joeira com que se limpa o trigo.
ventilação. [Do lat. *ventilatione.*] *S. f.* **1.** Ato ou efeito de ventilar(-se). **2.** Circulação de ar: *Esta peça não tem boa ventilação.*
ventilado. [Part. de *ventilar.*] *Adj.* **1.** Que tem boa ventilação (2); arejado: *quarto ventilado.* **2.** *Fig.* V. *arejado* (3): *É homem lúcido, ventilado.* **3.** Debatido, discutido: *assunto largamente ventilado.* **4.** *Bras. Chulo.* V. *efeminado* (2). ● *S. m.* **5.** *Bras. Chulo.* V. *efeminado* (6).
ventilador (ô). [Do lat. *ventilatore.*] *Adj.* **1.** Que ventila; ventilante. ● *S. m.* **2.** Aparelho ou dispositivo para ventilar.
ventilante. [Do lat. *ventilante.*] *Adj. 2 g.* Ventilador (1).
ventilar. [Do lat. *ventilare.*] *V. t. d.* **1.** Introduzir vento em. **2.** Renovar o ar de: *O exaustor ventila o ambiente.* **3.** Expor ao vento; arejar: *ventilar a roupa.* [Sin. nessas acepç.: *ventanear.*] **4.** Limpar (cereais) com joeira ou pá. **5.** Agitar, debater, discutir: *ventilar uma questão.* **6.** Cogitar, imaginar: *ventilar uma hipótese. P.* **7.** Abanar-se: *Ventilava-se com um jornal dobrado.*
ventilativo. [Do lat. *ventilatu,* part. pass. de *ventilare,* 'ventilar', + *-ivo.*] *Adj.* **1.** Próprio para ventilar. **2.** Que ventila.
vento. [Do lat. *ventu.*] *S. m.* **1.** O ar em movimento, fenômeno ocasionado sobretudo pelas diferenças de temperatura (e, portanto, de pressões) nas várias regiões atmosféricas. **2.** Ar posto artificialmente em movimento, por leque, ventilador, etc. **3.** Ar, atmosfera. **4.** Bolha nas obras fundidas, produzida por uma porção de ar que entrou no metal ao solidificar-se. **5.** *Fig.* Influência (favorável ou desfavorável): *o vento da desgraça.* **6.** Flatulência, ventosidade. **7.** Olfato de animais; faro. **8.** Coisa vã, fugaz, efêmera; vaidade. **9.** *Ant. Náut.* Cada uma das 32 subdivisões da rosa-dos-ventos [q. v], até quartas. [Os antigos gregos dividiam a rosa-dos-ventos em apenas dois ventos: bóreas e noto; os mesmos gregos foram aumentando esse número para 4, 8 e 12; no séc. XIV, eram 16; e no tempo do Infante D. Henrique, de Portugal, passaram a ser 32.] **10.** *Bras., RJ. Gír.* V. *dinheiro* (3). ◆ **Vento alisado.** *Met.* V. *vento alísio.* [Tb. se diz apenas *alisado.*] **Vento aliseu.** *Met.* V. *vento alísio.* [Tb. se diz apenas *aliseu.*] **Vento alísio.** *Met.* Vento persistente que sopra, sobretudo na atmosfera inferior, sobre extensas regiões, a partir de um anticiclone subtropical na direção das regiões equatoriais. [Os ventos alísios predominantes são os de nordeste no hemisfério norte, e os de sudeste no hemisfério sul. Tb. se diz apenas *alísio;* sin.: *vento alisado* e *vento aliseu.*] **Vento aparente.** O vento sentido num veículo em movimento, e resultante da combinação do vento verdadeiro e do deslocamento do veículo. **Vento de baixo. 1.** *Bras., Amaz.* Vento leste, que sopra da foz do Amazonas. **2.** *Bras., BA.* Vento que sopra do Sul. **Vento de feição.** *Mar.* Vento favorável ao caminho que se deseja seguir. **Vento de rajadas.** Aquele cuja intensidade aumenta e diminui desordenadamente. **Vento de repiquetes.** Aquele cuja direção muda com freqüência. **Vento de travessia.** *Mar.* O que sopra em direção normal à costa, ou em direção normal ao rumo seguido pela embarcação. [Tb. se diz apenas *travessia;* sin.: *vento travessão* ou apenas *travessão.*] **Vento escasso.** *Mar.* O que não permite navegar de bolina, no caminho que se deseja seguir. **Vento feito.** *Mar.* Vento constante, que está soprando sem variações de rumo e/ou intensidade. **Vento largo.** *Mar.* O que sopra de uma direção entre o través e a alheta da embarcação. **Vento ponteiro.** *Mar.* Vento contrário ao caminho que se deseja seguir. **Vento real.** Vento verdadeiro, i. e., que independe do movimento do veículo onde se encontra o observador. **Ventos etésios.** Os do solstício de verão. **Ventos gerais.** Ventos que, numa determinada região, reinam constantemente em certas épocas do ano: "Aparecem os primeiros *ventos gerais,* doidamente, que nem um bando solto de demônios travessos e brincalhões" (Aluísio Azevedo, *O Mulato,* p. 131). **Vento solar.** *Astr.* Fluxo de partículas carregadas de eletricidade, que se constituem, em geral, de prótons e elétrons, e que são emitidas permanentemente pelo Sol. **Ventos repugnantes.** Ventos contrários, ponteiros: "Ao grande Eolo mandam já recado / Da parte de Netuno, que sem conto / Solte as fúrias dos *ventos repugnantes,* / Que não haja no mar mais navegantes." (Luís de Camões, *Os Lusíadas,* VI, p. 102). **Ventos travados.** Ventos fortes da costa da Guiné. [Tb. se diz apenas *travados.*] **Vento travessão.** *Mar.* V. *vento de travessia.* **Aos quatro ventos. 1.** Para todos os lados; para todas as direções. **2.** *Fig.* Por grande número de pessoas; por toda a parte; por todo o mundo: *Espalhou o boato aos quatro ventos.* **Beber os ventos por.** Beber os ares por: "A tia Serafina *bebia os ventos por* ela. A Balbina tinha as mãos tão mimosas que eram mesmo dedos de fidalga." (Camilo Castelo Branco, *Noites de Lamego,* p. 83.) **Cheio de vento.** Cheio de si. **Com vento fraco.** Sem cerimônia. **De vento em popa. 1.** Com vento propício (a embarcação): *O navio ia veloz, de vento em popa.* **2.** *Fig.* Com as circunstâncias a seu favor; prosperamente: *O negócio anda de vento em popa.* **Encher de vento.** Envaidecer, enfatuar, enfunar. **Ver de que lado sopra o vento.** *Fig.* Observar o rumo dos acontecimentos para então tomar uma decisão.
ventoinha (o-i). [De *vento* + *-inha.*] *S. f.* **1.** Grimpa (1). **2.** *Fig.* V. *cata-vento* (2). **3.** *Zool.* Abibe. **4.** *Tec.* O rotor impulsor de ar, ou outro gás, de um ventilador.
vento-leste. *S. m. Bras., ES.* V. *palombeta.* [Pl.: *ventos-lestes.*]
ventor (ô). [De *vento* + *-or.*] *S. m. Cineg.* Cão de bom faro.
ventosa. [Do lat. *ventosa.*] *S. f.* **1.** Vaso cônico, de vidro ou metal, que, aplicado sobre a pele, depois de nele se ter rarefeito o ar, provoca efeito revulsivo e local. **2.** Sugadouro de certos animais aquáticos. **3.** *Bras., Amaz.* Árvore da família das hernandiáceas *(Hernandia guianensis),* que habita as várzeas inundadas e tem folhas amplas e flores mínimas. Caracteriza-se pelo aparelho de flutuação, que conduz o fruto sobre as águas a longas distâncias e é constituído pelo cálice muito ampliado e vesiculoso, aberto só na ponta superior, e dentro do qual fica o fruto, que é uma noz semelhante a uma avelã.
ventosidade. [Do lat. *ventositate.*] *S. f.* **1.** Flatulência (1). **2.** Saída de gases [q. v.], mais ou menos estrepitosa. ~ V. *ventosidades.*
ventosidades. [Pl. de *ventosidade.*] *S. f. pl.* Gases. ~ V. *ventosidade.*
ventoso[1] (ô). [Do fr. *ventôse.*] *S. m. Cronol.* V. *calendário republicano.*
ventoso[2] (ô). [Do lat. *ventosu.*] *Adj.* **1.** Cheio de vento. **2.** Em que venta muito: "um agosto *ventoso* e atormentado" (Osmã Lins, *Nove, Novena,* p. 111). **3.** Exposto ao vento. **4.** Produzido por ventosidades. **5.** *Fig.* Fútil; vão; banal. **6.** *Fig.* Cheio de empáfia, de embófia; arrogante, orgulhoso.
vento-virado. [De *vento* + *virado.*] *S. m. Bras., MG* e *GO. Pop.* V. *prisão de ventre:* "É sempre entre as pretas velhas que encontramos boas benzedeiras. Benzem quebranto, *vento-virado,* mau-olhado" (Regina Lacerda, *Papa-Ceia,* p. 17). [Pl.: *ventos-virados.*]
ventral. [Do lat. *ventrale.*] *Adj. 2 g.* **1.** Relativo ou pertencente ao ventre. **2.** Situado sobre o abdome de certos animais. **3.** *Morfol. Veg.* Diz-se da face ou página inferior, nos órgãos laminares ou foliáceos. [Nas folhas, contudo, a página ventral é a superior, em virtude da mudança de posição que elas sofrem ao apartarem-se da gema terminal.]
ventre. [Do lat. *ventre.*] *S. m.* **1.** Cavidade abdominal. **2.** V. *abdome.* **3.** A proeminência externa do abdome; barriga. **4.** *Poét.* V. *útero.* **5.** Bojo de um vaso. **6.** A parte média e mais volumosa de alguns músculos. **7.** *Morfol. Veg.* V. *arquegônio.* **8.** *Fig.* Parte interior; âmago, cerne. **9.** *Fís.* Ponto de amplitude máxima numa onda estacionária; antinó, antinodo. ◆ **Ventre livre.** *P. us.* A Lei do Ventre Livre: "A nova denominação [Rua do Visconde do Rio Branco, dada à antiga Rua do Conde] veio .... com o *ventre livre,* com as festas de 71." (Pedro Rabelo, *A Alma Alheia,* p. 75); "A velha Matilde é filha de escrava, nascida sob o *Ventre Livre* e natural do Estado do Rio de Janeiro." (Raquel de Queirós, *100 Crônicas Escolhidas,* p. 18). [É preferível o uso com iniciais maiúsculas.]
ventrecha (ê). [Do fr. ant. *ventresche.*] *S. f.* Posta de peixe, que se segue à cabeça; ventrisca: "basta dizer que jamais lhe sucedia arpoar um pirarucu sem presentear com a *ventrecha* aos vizinhos pobres" (Inglês de Sousa, *Contos Amazônicos,* p. 5).
▲**ventri-.** [Do lat. *venter, tris.*] *El. comp.* = 'ventre': *ventrilavado.* [Equiv.: *ventro-.*]
ventricoso (ô). [Do lat. *ventricosu,* 'que tem grande ventre'.] *Adj. Morfol. Veg.* Dilatado na porção inferior: *cálice ventricoso.*
ventricular. *Adj. 2 g.* Relativo ou pertencente a ventrículo. ~ V. *fibrilação* —.
ventrículo. [Do lat. *ventriculu.*] *S. m. Anat.* **1.** Cada uma das duas cavidades do coração, uma direita e outra esquerda, de grossas paredes musculares. Pela contração do ventrículo direito se injeta sangue na artéria pulmonar, e pela contração do esquerdo, na artéria aorta. **2.** Designação comum a certas cavidades de alguns órgãos. **3.** Cada uma das quatro cavidades no âmago do encéfalo. **4.** A cavidade única do coração de certos animais. ◆ **Ventrículo de Morgagni.** *Anat.* Escavação na laringe, entre as cordas vocais verdadeiras e as falsas.
ventrilavado. [De *ventri-* + *lavado.*] *Adj.* Diz-se do eqüídeo que tem o ventre esbranquiçado.
ventriloquia. *S. f.* Qualidade, arte ou habilidade de ventríloquo.
ventríloquo. [Do lat. *ventriloquu.*] *Adj.* e *s. m.* Diz-se de, ou aquele que sabe falar sem abrir a boca e mudando de tal modo a voz que esta parece sair de outra fonte que não ele.
ventripotente. [De *ventri-* + *potente.*] *Adj. 2 g.* **1.** Que tem estômago forte. **2.** Gastrônomo: "começa .... a tomar a obesidade do *ventripotente* Vitélio" (Gonçalves Crespo, *Obras Completas,* p. 436).
ventrisca. *S. f.* Ventrecha.
▲**ventro-.** Equiv. de *ventri-.*
ventrudo. *Adj.* Que tem grande ventre; barrigudo, pançudo: "E um dia, já *ventrudo* e endinheirado, ... realizou afinal o seu mais caro anelo." (Marques Rebelo, *A Mudança,* p. 206.)
ventura. [Do lat. *ventura.*] *S. f.* **1.** Fortuna boa ou má; destino, sorte, acaso. **2.** Fortuna próspera; boa sorte; felicidade. **3.** Risco, perigo. ◆ **À ventura.** À toa; ao acaso; a esmo: "Mas ainda nesta atividade febril e parasitária, desencadeava *à ventura,* o peruano não está só." (Euclides da Cunha, *Contrastes e Confrontos,* p. 139.)
venturo. [Do lat. *venturu.*] *Adj.* V. *vindouro* (1): "Quem sabe? / Foi capricho falaz da fantasia, / Ou foi certo aventar d'eras *venturas?*" (Gonçalves Dias, *Obras Poéticas,* I, p. 102.)
venturoso (ô). *Adj.* **1.** Que tem, ou em que há ventura; ditoso, feliz, afortunado: *homem venturoso; dias venturosos.* **2.** Em que há ventura ou risco; arriscado, perigoso: *empreendimento venturoso.*
vênula[1]. [Do lat. *venula.*] *S. f.* **1.** Pequena veia. **2.** Veia muito fina que percorre a rocha.
vênula[2]. [De *vena* + *-ula.*] *S. f. Morfol. Veg.* Pequena vena. [Na prática, não se distingue *vena* de *vênula.*]
venulado. [De *vênula[1]* + *-ado[2].*] *Adj.* Que tem vênulas.
Vênus. [Do mit. lat. *Venus,* 'deusa da formosura, do amor, dos prazeres'.] *S. f. 2 n.* **1.** Mulher formosíssima. **2.** *Astr.* O mais brilhante dos planetas, com órbita situada entre a de Mercúrio e a da Terra. Como é um planeta inferior, apresenta fases semelhantes às da Lua, se observado com instrumento de pequeno porte. Não mostra na superfície marcas bem definidas, pois é coberto por atmosfera nebulosa; tem diâmetro aproximadamente igual ao da Terra, da qual dista de 39 a 260 milhões de quilômetros, e revoluciona em torno do Sol em 225 dias; a sua rotação axial ainda não é bem conhecida, atribuindo-se-lhe valores situados entre algumas horas e 225 dias. [Sin.: *Vésper, Véspero, estrela Vésper, estrela vespertina, estrela da tarde, estrela matutina, matutina, estrela da manhã, estrela-d'alva, estrela do pastor, matutina* e (bras., pop.) *papa-ceia.*] **3.** *Zool.* Gênero de conchas bivalves. [Com minúscula, nas acepç. 1 e 3.]
venusiano. [De *Vênus* + *-i-* + *-ano.*] *Adj. Astr.* **1.** Relativo ao planeta Vênus. ● *S. m.* **2.** Habitante hipotético desse planeta. [Sin. ger.: *venusino.*]
venusino[1]. [Do lat. *venusinu.*] *Adj.* **1.** De, ou pertencente ou relativo a Venúsia (Itália), terra de Horácio [v. *horaciano*]. **2.** Relativo a Horácio. ● *S. m.* **3.** O poeta Horácio.
venusino[2]. [De *Vênus* + *-ino.*] *Adj.* e *s. m.* Venusiano.
venustidade. *S. f.* Qualidade de venusto.
venusto. [Do lat. *venustu.*] *Adj.* Muito formoso ou gracioso: "É tão encantadora como a musa Urânia, ... e exibe no corpo as linhas *venustas,* que seduzem os homens..." (Cândido Jucá [filho], *Noite Insone,* p. 51.)
vê-oito. [De *vê* + *oito.*] *Adj. Bras.* **1.** Diz-se do motor a explosão cujos oito pistões se acham distribuídos quatro a quatro, em forma de V. ● *S. m.* **2.** Automóvel, especificamente o Ford, que tinha esse motor. ● *S. f.* **3.** Modelo de calça (3) cuja cava da perna, muito acentuada, vai até quase à cintura, lembrando um V. [Pl.: *vê-oitos.*]
ver[1]. [Do lat. *videre.*] *V. t. d.* **1.** Conhecer ou perceber pela visão; olhar para; contemplar: "*Vejo* alegre os dias de oiro / Na montanha renascer." (Silva Alvarenga, *ap.* Sérgio Buarque de Holanda, *Antologia dos Poetas Brasileiros da Fase Colonial,* II, p. 139). **2.** Alcançar com a vista; enxergar; divisar; distinguir, avistar: "Abrindo os

olhos, vi a meu lado o guarda" (Geir Campos, *O Vestíbulo*, p. 24); *Viu um cavaleiro que se aproximava.* **3.** Ser espectador ou testemunha de; assistir a; presenciar: *Viu, por acaso, o bárbaro crime.* **4.** Percorrer; viajar; visitar: "Vi terras da minha terra." (Manuel Bandeira, *Estrela da Vida Inteira*, p. 173.) **5.** Encontrar-se, avistar-se com: *Não os vi hoje;* "Neste tempo, viu Laura, falou-lhe, ouviu-a" (Camilo Castelo Branco, *A Mulher Fatal*, p. 32). **6.** Reconhecer, compreender: *Perdida a batalha, viu que já não poderia ganhar a guerra.* **7.** Prestar serviços médicos a; examinar: *O médico foi ver o doente.* **8.** Observar, notar, perceber: *Pelo que vejo, não acabaremos hoje.* **9.** Atentar em; observar: *O diretor pretende ver as normas para a execução do trabalho.* **10.** Deduzir, concluir: *Pelos dados, podemos ver que os resultados serão bons.* **11.** Imaginar, fantasiar: *Grande fantasista, vê coisas incríveis nos mais simples acontecimentos.* **12.** Tomar cuidado em; atentar em; reparar em: *Vê bem os teus passos.* **13.** Examinar, investigar: *Vi minuciosamente os testemunhos, e não encontrei provas.* **14.** Calcular, prever; antever: *ver o futuro nas cartas.* **15.** Estudar; ler: *Mal teve tempo de ver o primeiro capítulo do livro.* **16.** Ponderar, considerar: *Viu os prós e os contras da empreitada.* **17.** Projetar, planejar, idear: *O general viu demoradamente a tática de combate.* **18.** Conhecer; saber: *Segundo os crentes, Deus vê o passado, o presente e o futuro.* **19.** Visitar: *Viajou para ver os parentes.* **20.** Ter elementos para perceber ou chegar à conclusão de (algo): *Examinou o doente, e viu que estava mal.* **21.** Fazer experiência ou tentativa no sentido de obter (certo resultado): *Procurou ver se o convencia.* **22.** Calcular; avaliar: *Ao voltar a si, não conseguiu ver quanto tempo levara na viagem. Transobj.* **23.** Reputar, considerar, julgar: *Via, desde já, a eleição perdida; Não o vejo como inimigo.* **24.** Enxergar, divisar, avistar: "Vejo turvo o claro dia" (Silva Alvarenga, *ap.* Sérgio Buarque de Holanda, *Antologia dos Poetas Brasileiros da Fase Colonial*, II, p. 132). **25.** Notar, perceber, sentir: "Luto para não ver a fé perdida" (Odilo Costa, filho, *Cantiga Incompleta*, p. 33). *T. d. e i.* **26.** Concluir, deduzir: *A afirmação não era verídica: todos o podiam ver do depoimento. Int.* **27.** Perceber as coisas pela visão, pelo sentido da vista; enxergar: "Ver é o supremo bem. Eu insisto em cismar / Se a alma será, talvez, uma função do olhar..." (Vicente de Carvalho, *Poemas e Canções*, p. 103); "Ver só com os olhos / É fácil e vão: / Por dentro das coisas / É que as coisas são." (Carlos Queirós, *Breve Tratado de Não-Versificação*, p. 25.) *P.* **28.** Contemplar-se, mirar-se, rever-se: *Via-se nas águas claras da lagoa.* **29.** Reconhecer-se: *Vendo-se vencido, retirou-se do torneio.* **30.** Achar-se (em algum estado, condição, situação): *Vendo-se desarmado, entregou-se à polícia.* **31.** Encontrar-se, achar-se (em algum lugar): *Vendo-se no campo de batalha, sentiu-se forçado a lutar.* **32.** Encontrar-se, avistar-se, reciprocamente: *Quando se viram, depois de tantos anos, abraçaram-se comovidos.* [Irreg. Pres. ind.: *vejo, vês, vê, vemos, vedes* (ê), *vêem*; imperf.: *via, vias*, etc.; perf.: *vi, viste, viu*, etc.; m.-q.-perf.: *vira, víramos, víreis*, etc.; fut. pres.: *verei, verás*, etc.; fut. pret.: *veria, verias*, etc.; imperat.: *vê, vede* (ê), etc.; pres. subj.: *veja* (ê), *vejas* (ê), etc.; imperf.: *visse, visses*, etc.; fut.: *vir, vires*, etc.; ger.: *vendo*; part.: *visto*. Cf. *vez*, s. f.; *Vez*, top.; *vedes* e *vede*, do v. *vedar*; *vêm*, do v. *vir*; *viramos*, do v. *virar*; *vireis*, dos v. *virar* e *vir*; *Véria*, antr.; o fut. pret. de *vir*; *veraz*, adj. 2 g; e *Veraz*, antr.] ● *S. m.* **33.** Opinião, juízo; modo de ver: *A meu ver, Pedro não tem razão.* ◆ **De ver, cheirar e guardar.** *Bras., N.E. Pop.* Belíssimo; raro, precioso, excelente, maravilhoso: *É uma pequena de ver, cheirar e guardar.* **Estar amarelo de ver.** *Bras. N.E. Pop.* Ter visto muitíssimas vezes; estar careca de ver. **Nunca ter visto mais gordo.** *Bras.* Nunca ter avistado anteriormente; desconhecer de todo: *O rapaz de quem falas, nunca o vi mais gordo.*

ver². [Alter. de *vir*, por infl. de *ver¹*?] *V. t. d.* Trazer, buscar: "o Sr. Antunes retirou-se alguns minutos da sala; ia ver charutos." (Machado de Assis, *Iaiá Garcia*, p. 63); " — Vai ver os ovos ali na venda." (França Júnior, *Folhetins*, p. 536); " — Vai-me ver água, disse, estou com sede." (Alberto de Oliveira, *Poesias*, 2ª. série, p. 312); "mandei ver, em Torino, as obras sobre a genealogia das casas nobres italianas" (Alfredo Brandão, *Crônicas Alagoanas*, p. 106). [Cremos estar indicionarizado este sentido de 'trazer, buscar', equiv. aproximado de *fazer vir* e *mandar vir*, e que por isso nos parece antes prender-se ao verbo *vir*, *contaminado com ver*, do que a este último verbo, puro e simples. *Conjug.*. v. *ver¹*.]

vera. [Do lat. *vera*, 'verdadeiro.'] *El. s. f.* Us. na loc. *à vera*. ~ V. *veras* ◆ **À vera.** A valer; para valer; a sério; deveras; às veras: *De agora em diante jogaremos à vera.*

veracidade. [Do lat. *veracitate.*] *S. f.* **1.** Qualidade de veraz; veridicidade, verdade. **2.** Apego à verdade.

veracíssimo. [Do lat. *veracissimu.*] *Adj.* Superl. abs. sint. de *veraz*.

vera-cruzense. *Adj. 2 g.* **1.** De, ou pertencente ou relativo a Vera Cruz (SP). ● *S. 2 g.* **2.** Natural ou habitante de Vera Cruz. [Pl.: *vera-cruzenses.*]

vera-efígie. [Do lat. *vera effigie.*] *S. f.* Retrato fiel; cópia exatíssima. [Pl.: *veras-efígies.*]

veranear. *V. int.* **1.** Passar o verão: *Toda a família foi veranear em Teresópolis.* **2.** Passar fora o verão: *Todos os anos veraneia.* [Conjug.: v. *frear.*]

veraneio. [Dev. de *veranear.*] *S. m.* Ato de veranear.

veranense. *Adj. 2 g.* **1.** De, ou pertencente ou relativo a Veranópolis (RS). ● *S. 2 g.* **2.** Natural ou habitante de Veranópolis.

veranico. [Dim. irreg. de *verão.*] *S. m.* **1.** Verão ameno, não muito quente. **2.** *Bras., S.* Estiada durante a estação chuvosa, com dias de intenso calor e insolação. [Sin. ger.: *veranito.*] ◆ **Veranico de maio.** *Bras.* Sucessão de dias mais quentes após os primeiros dias invernais do mês de abril: "Nos mais lindos veranicos de maio, quando as paineiras trocavam as folhas em flores, tapetando a areia do jardim com uma camada de pétalas róseas, lá estavam eles." (Augusto Meyer, *No Tempo da Flor*, p. 27.)

veranista. *S. 2 g.* Pessoa que veraneia.

veranito. [Dim. irreg. de *verão.*] *S. m.* V. *veranico.*

verão. [Do lat. vulg. *veranum* (< lat. *ver, veris*, 'primavera'), i. e., *veranum tempus*, 'tempo primaveril'.] *S. m.* **1.** Estação do ano que sucede à primavera e antecede o outono; estio. [No hemisfério sul principia quando o Sol alcança o solstício de dezembro (dia 21) e termina quando ele atinge o equinócio de março (dia 20); no hemisfério norte principia quando o Sol alcança o solstício de junho (dia 21) e finda quando ele atinge o equinócio de setembro (dia 21).] **2.** Tempo quente. **3.** *Bras., AM* e *N.E.* Estação da seca. **4.** V. *príncipe¹* (8). [Pl.: *verões* e *verãos*; dim. irreg.: *veranico, veranito.*]

veras. [Do lat. *veras*, 'verdadeiras' (palavras, ações).] *S. f. pl.* Coisas verdadeiras; realidade, verdade. ~ V. *vera*. ◆ **Às veras.** *Bras., RS.* À vera. **Com todas as veras.** Com toda a verdade; de todo o coração; deveras.

verascópio. [Do lat. *veras*, 'verdadeiras', + *-scop-* + *-io²*.] *S. m.* Máquina fotográfica de lente dupla para impressionar chapas duplas, as quais, olhadas em aparelho próprio, dão impressão de relevo.

verátrico. *Adj.* Relativo ao, ou próprio do veratro.

veratrina. *S. f.* Alcalóide que se extrai do veratro.

veratro. [Do lat. *veratru.*] *S. m.* V. *flor-da-verdade.*

veraz. [Do lat. *verace.*] *Adj. 2 g.* **1.** Que diz a verdade; que fala verdade. **2.** Em que há verdade: *afirmação veraz.* [Sin. ger.: *verídico*. Superl. abs. sint.: *veracíssimo*. Cf. *verás*, do v. *ver.*]

verba. [Do lat. *verba*, nom.-acus. neutro pl. de *verbum*, *i*, 'palavra'.] *S. f.* **1.** Cada uma das cláusulas ou artigos duma escritura ou doutro documento. **2.** Comentário, nota, apontamento. **3.** Dotação ou consignação de quantia para fins determinados. **4.** *P. ext.* Soma de dinheiro; quantia. **5.** *P. ext.* V. *dinheiro* (3).

verbal. [Do lat. *verbale.*] *Adj. 2 g.* **1.** Relativo ao verbo. **2.** *Restr.* Expresso de viva voz; oral. ~ V. *cegueira* —, *comunicação* — e *nota*—.

verbalismo. *S. m.* **1.** Ensino de caráter meramente verbal. **2.** Transmissão de conhecimentos feita unicamente pela palavra, pela explicação oral. **3.** Tendência literária caracterizada pelo culto das palavras e gosto da eloqüência vazia de substância e sentido.

verbalista. *Adj. 2 g.* **1.** Respeitante ao verbalismo. **2.** Diz-se de escritor dado a ele. ● *S. 2 g.* **3.** Escritor dado ao verbalismo.

verbalização. *S. f.* Ato de verbalizar.

verbalizado. [Part. de *verbalizar.*] *Adj.* Transformado em verbo (1); exposto por meio de palavras: "Sempre julguei que linguagem é conteúdo, é significação, é pensamento verbalizado." (Sílvio Elia, *Orientações da Lingüística Moderna*, p. X.)

verbalizar. *V. t. d.* **1.** Tornar verbal. **2.** Expor verbalmente. *Int.* **3.** Expor verbalmente alguma coisa.

verbasco. [Do lat. *verbascu.*] *S. m.* **1.** Designação comum a diversas plantas da família das escrofulariáceas, tais como *Verbascum crassifolium*, *Verbascum phlomoides*, *Verbascum sinuatum*, *Verbascum thapsus* e *Verbascum thapsoides*, todas da Europa. **2.** *Bras.* Planta da família das loganiáceas (*Buddleia brasiliensis*). [Sin., nesta acepç.: *barbasco* (MG) e *calção-de-velho* (SP).]

➧**verbatim** (verbátim). [Lat.] Literalmente.

verbena. [Do lat. *verbena.*] *S. f.* **1.** Designação geral de plantas do gênero *Verbena*, da família das verbenáceas, com numerosas espécies de ervas ou subarbustos principalmente americanos, caracterizadas pelas flores bracteadas, dispostas em capítulos ou espigas com corola regular, de cinco lóbulos. **2.** Planta da família das verbenáceas (*Verbena officinalis*), de talo quadrangular e flores zigomorfas, às vezes azuis, perfumadas, e com a qual se prepara um licor ou infusão. **3.** Licor ou infusão preparada com a verbena (2).

verbenácea. *S. f.* Espécime das verbenáceas.

verbenáceas. [De *verbena* + *-áceas.*] *S. f. pl. Bot.* Família de plantas superiores, da ordem das tubifloras, composta de ervas até árvores com folhas opostas e comumente aromáticas, flores pequenas, mas freqüentemente vistosas, corola bilabiada, quatro estames didínamos, fruto drupáceo. Há umas 800 espécies, na maioria americanas, muito ornamentais.

verbenáceo. *Adj.* Pertencente ou relativo às verbenáceas.

verberação. [Do lat. *verberatione.*] *S. f.* Ato ou efeito de verberar.

verberador (ô). *Adj.* Verberante.

verberante. [Do lat. *verberante.*] *Adj. 2 g.* Que verbera; verberador.

verberão. [Talvez por *verbenão < *verbena.*] *S. m.* V. *jurujuba*.

verberar. [Do lat. *verberare.*] *V. t. d.* **1.** Açoitar, fustigar, flagelar. **2.** Reprovar, censurar energicamente: "Em um artigo de grande fôlego ...., verbera os reis, os ministros e os representantes da nação. Pelo que toca aos deputados é moderado." (Camilo Castelo Branco, *Maria da Fonte*, p. 386); "Fora ele o profeta bíblico de toda a vida a verberar sem piedade meus pecados, meus erros, minha pouca-vergonha." (Orígenes Lessa, *João Simões Continua*, p. 28). *Int.* **3.** V. *reverberar (2).*

verberativo. *Adj.* Próprio para verberar ou flagelar.

verbetar. *V. t. d.* Pôr em verbete(s); fazer verbete(s) de. [Pres. subj.: *verbete, verbetes*, etc. Cf. *verbete* (ê) e pl. *verbetes* (ê).]

verbete (ê). [De *verbo* + *-ete.*] *S. m.* **1.** Nota, apontamento. **2.** Pequeno papel em que se toma uma nota ou apontamento **3.** Na organização dum dicionário, glossário, ou enciclopédia, o conjunto das acepções e exemplos respeitantes a um vocábulo. Sin., ant., nesta acepç.: *artigo*. [Pl.: *verbetes* (ê). Cf. *verbete* e *verbetes*, do v. *verbetar.*]

verbetista. *S. 2 g.* Pessoa que redige verbetes.

verbiagem. [De *verb(o)-* + *-i-* + *-agem²*.] *S. f. Bras.* V. *verborragia:* "o Felisberto, o insuportável tagarela que com a sua verbiagem tola concorria para aturdi-lo, era moço, muito menos trigueiro do que o velho" (Inglês de Sousa, *O Missionário*, p. 315).

➧**verbi gratia** (vérbi grácia). [Lat.] Por exemplo. [Abrev.: *v. g.*]

verbo. [Do lat. *verbu.*] *S. m.* **1.** Palavra, vocábulo. **2.** Tom de voz; entonação. **3.** *Rel.* A segunda pessoa da Santíssima Trindade, encarnada em Jesus Cristo. **4.** A sabedoria eterna. **5.** Expressão (3). **6.** *Gram.* Palavra que designa ação, estado, qualidade ou existência de pessoa, animal ou coisa. ◆ **Verbo abundante.** *Gram.* Aquele que tem duas ou mais formas para um ou mais modos, tempos ou pessoas: *gastar* (cujo particípio é *gastado* ou *gasto*), *nascer* (cujo particípio é *nascido*, *nato* ou *nado*), *ir* (cuja 1ª pess. do plural do pres. ind. é *vamos* ou [antiq.] *imos*). **Verbo acidentalmente pronominal.** *Gram.* V. *verbo pronominal*. **Verbo acurativo.** *Gram.* Verbo auxiliar que determina com rigor o tempo da ação: *estar, começar, principiar, continuar, acabar, cessar, ir, tornar*, em frases como *estar escrevendo, começar a trabalhar, continuar a ler, cessar de comer, ir trabalhar, tornar a ver*; verbo determinativo. **Verbo adjetivo.** *Gram. Obsol.* Dizia-se dos outros verbos que não o verbo *ser*; verbo atributivo. **Verbo anômalo.** *Gram.* Verbo extraordinariamente irregular em sua formação e conjugação. **Verbo ativo.** *Gram.* O que designa ação praticada pelo sujeito. **Verbo atributivo.** *Gram. Obsol.* Verbo adjetivo. **Verbo aumentativo.** *Gram.* Verbo derivado cuja significação é encarecida ou exagerada para mais: *esmurrar, refulgir, rebrilhar, repousar, retremer, tresgastar, ressuar.* **Verbo auxiliar.** *Gram.* Verbo que, combinado com o particípio, o gerúndio ou presente do infinitivo dos verbos atributivos, supre as formas que a estes faltam: *ser, estar, ter, haver, ir, vir, andar.* **Verbo biobjetivo.** *Gram.* V. *verbo transitivo direto e indireto*. **Verbo birrelativo.** *Gram.*

Verbo bitransitivo indireto. **Verbo bitransitivo.** *Gram.* V. *verbo transitivo direto e indireto.* **Verbo bitransitivo indireto.** O que pede dois objetos indiretos, como *vir* na frase 'Dizem que a sorte lhe vem da magia'; verbo birrelativo. **Verbo causativo.** *Gram.* Designação comum aos verbos *mandar, fazer, deixar,* quando empregados como auxiliares: *Mandei-a calar; Fi-lo recuar; Deixei-os sair.* **Verbo copulativo.** *Gram.* V. *verbo de ligação.* **Verbo defectivo.** *Gram.* O que não tem todos os tempos, modos ou pessoas: *abolir, precaver, reaver, relampejar.* **Verbo de ligação.** *Gram.* O que pede um complemento denominado atributivo, integrante da significação do sujeito; verbo predicativo, verbo copulativo: *ser, estar, ficar, continuar, parecer.* **Verbo depoente.** *Gram.* O que tem forma passiva e significação ativa: *rapaz lido,* ou *viajado,* ou *experimentado,* i. e., 'que leu', 'que viajou', ou 'que tem ou adquiriu experiência'. [Sin.: *verbo médio-passivo.*] **Verbo desitivo.** *Gram.* O que exprime ação que diminuiu ou cessou. **Verbo determinativo.** *Gram.* Verbo acurativo. **Verbo *dicendi.*** *Gram.* Cada um dos verbos como, p. ex., *dizer, afirmar, exclamar, perguntar, responder, redargüir,* que antecedem, mediata ou imediatamente, uma declaração, pergunta, etc.: "O processo mais simples para isso [para o narrador dar a conhecer ao leitor palavras ou pensamentos de outrem] é apresentar-nos o indivíduo e deixá-lo expressar-se, acrescentando-se um verbo *dicendi (disse, perguntou, respondeu)* para anunciar a entrada do novo falante." (J. Matoso Câmara Jr., *Ensaios Machadianos,* p. 25.) **Verbo diminutivo.** *Gram.* Verbo derivado cuja significação se exagera para menos: *bebericar* (ou *beberricar*), *chamuscar, chupitar, dormitar, namoricar* (ou *namoriscar*), *saltitar, saltaricar, saltarilhar.* **Verbo essencialmente pronominal.** *Gram.* V. *verbo pronominal.* **Verbo factitivo.** *Gram.* Verbo transitivo direto cujo objeto é, por sua vez, um agente sob a influência de um sujeito: *A mãe adormece a criança* (quem adormece é a criança, i. e., o agente). [O carácter factitivo pode ser indicado pelos sufixos *-ecer (adormecer, estremecer); -entar (afugentar, adormentar); -izar (amenizar, cristianizar); -fazer, -ficar (liquefazer e liquidificar, estupefazer e estupidificar; mumificar, retificar),* etc.; pelos v. causativos *fazer, mandar,* etc. (*fazer o aluno estudar; mandar o homem trabalhar*). **Verbo freqüentativo.** *Gram.* O que exprime ação repetida ou freqüente; verbo iterativo: *bebericar, escoicear, saltitar.* **Verbo imitativo.** *Gram.* Verbo derivado de um substantivo, e que exprime ação imitativa da qualidade ou estado inerente ao ser que tal substantivo designa: *borboletear, cabriolar, corvejar, encabritar-se, pavonear, peruar, serpear, serpejar, serpentar, serpentear.* **Verbo impessoal.** *Gram.* O que não comporta sujeito concebível; o que tem o modernamente chamado *sujeito zero: amanhecer, anoitecer, entardecer, chover, gear, nevar, ventar.* **Verbo inativo.** *Gram.* Aquele que não exprime ação, mas estado ou fenômeno, não sendo, pois, ativo nem passivo; verbo neutro: *chover, relampejar, morrer, viver.* **Verbo incoativo.** *Gram.* Aquele que exprime começo de ação ou de estado: *alvorar, alvorecer, amadurecer, anoitecer, florescer.* **Verbo intensivo.** *Gram.* Verbo derivado que exprime reforço da ação. **Verbo intransitivo.** *Gram.* O que exprime ação ou estado que não passa ou transita do sujeito a nenhum objeto, como, p. ex., *andar, brincar, lutar, trabalhar,* nas frases: *O pequeno já anda; A criança brinca; Está sempre a lutar; O homem trabalha.* **Verbo irregular.** *Gram.* Aquele que não segue o paradigma da sua conjugação: *estar, haver, trazer, sentir, tossir.* **Verbo iterativo.** *Gram.* Verbo freqüentativo. **Verbo médio-passivo.** *Gram.* Verbo depoente. **Verbo neutro.** *Gram.* Verbo inativo. **Verbo onipessoal.** *Gram.* O que tem todas as pessoas. **Verbo passivo.** *Gram.* O que exprime ação recebida pelo sujeito: *ser querido.* **Verbo predicativo.** *Gram.* V. *verbo de ligação.* **Verbo pronominado.** *Gram.* V. *verbo pronominal.* **Verbo pronominal.** *Gram.* O que sempre vem acompanhado de um pronome oblíquo da mesma pessoa que o sujeito, como, p. ex., *arrepender-se, queixar-se, aborrecer-se, babar-se, considerar-se.* [Chamam-se *essencialmente pronominais* quando, como se dá com os dois primeiros mencionados, nunca vêm desacompanhados do pronome, e *acidentalmente pronominais* quando, como é o caso dos três últimos, podem vir sem ele. Sin.: *verbo pronominado.*] **Verbo recíproco.** *Gram.* Verbo pronominal que designa a ação de dois ou mais sujeitos praticada reciprocamente: *Maria e Fernando amam-se; Os contendores atracaram-se.* **Verbo reflexivo.** *Gram.* Verbo pronominal que exprime ação praticada e recebida pelo sujeito; verbo reflexo. Ex.: *ferir-se,* na frase *José feriu-se.* **Verbo reflexo.** *Gram.* Verbo reflexivo. **Verbo regular.** *Gram.* O que segue o paradigma da sua conjugação: *comprar, render, decidir.* **Verbo relativo.** *Gram.* Verbo transitivo indireto. **Verbo substantivo.** *Gram.* Designação dada outrora ao verbo *ser.* **Verbo transitivo.** *Gram.* O que exprime ação que passa ou transita do sujeito a um objeto direto (*verbo transitivo direto,* como *fazer, comprar, realizar, propor*), ou a um objeto indireto (*verbo transitivo indireto,* como *carecer, depender, obedecer*). **Verbo transitivo direto.** *Gram.* V. *verbo transitivo.* **Verbo transitivo direto e indireto.** *Gram.* O que pede dois complementos, objeto direto e objeto indireto, para integrarem-lhe o sentido; verbo biobjetivo, verbo bitransitivo, verbo transitivo-relativo: *contar* (ex.: *Contei o caso a meu irmão*); *dar* (ex.: *Dei a triste notícia à viúva*); *exigir* (ex.: *De todos o soberano exige obediência*); **Verbo transitivo indireto.** *Gram.* V. *verbo transitivo.* [Sin.: *verbo relativo.*] **Verbo transitivo-predicativo.** *Gram.* Verbo transobjetivo. **Verbo transitivo-relativo.** *Gram.* V. *verbo transitivo direto e indireto.* **Verbo transobjetivo.** *Gram.* Verbo transitivo direto, ou, em alguns casos, indireto, ou pronominal cuja significação exige, como complemento do objeto direto, um adjunto predicativo; verbo transitivo-predicativo: *nomear* (ex.: *Nomeei-o secretário*); *considerar-se* (ex.: *Considerou-se elogiado*). **Verbo unipessoal.** *Gram.* O que só se usa, normalmente, nas 3as pessoas: *acontecer, ganir, ladrar, zurrar, arensar.* **Verbo vicário.** *Gram.* O que se emprega para evitar a repetição de outro: *Necessito viajar, porém só o farei no ano vindouro; Ele trabalha, mas não é tanto como diz.* **Abrir o verbo.** *Bras.* Pôr-se a falar de maneira desabrida, dizendo tudo o que pensa. **Deitar o verbo.** *Bras. Pop.* **1.** Fazer discurso: "Na festa, não faltou um discurso de sobremesa: o Totô deitou o verbo, saudando aquele menino" (Povina Cavalcanti, *Volta à Infância,* pp. 58-59). **2.** *Fig.* V. *vomitar* (11).

▲verb(o)-. [Do lat. *verbum, i.*] *El comp.* = 'verbo, palavra': *verborragia, verborréia; verbiagem.*

➡verbo ad verbum (verbo ad vérbum). [Lat.] Palavra por palavra.

verbo-nominal. *Adj. 2 g.* ~ V. *formas verbo-nominais.* [Pl.: *verbo-nominais.*]

verborragia. [De *verb(o)-* + *-ragia.*] *S. f.* **1.** *Deprec.* Grande abundância de palavras, mas com poucas idéias, no falar ou discutir. **2.** Logorréia (2). [Sin. ger.: *verborréia* e *verbiagem.*]

verborrágico. *Adj.* **1.** Dado à verborragia: *orador verborrágico.* **2.** Em que há verborragia: *discurso verborrágico.* [Sin. ger.: *verborréico.*]

verborréia. [De *verb(o)-* + *-réia.*] *S. f.* V. *verborragia.*

verborréico. *Adj.* Verborrágico.

verbosidade. *S. f.* Qualidade de verboso; grande fluência oral.

verboso (ô). [Do lat. *verbosu.*] *Adj.* **1.** Que fala muito; palavroso, loquaz. **2.** Que fala com facilidade; loquaz, eloqüente, facundo.

verçudo. *Adj.* **1.** Que tem muitas folhas: "O verão se acentua, / e, de manhã, bem cedo,/ vêm dos silêncios amplos e sombrios / dos verçudos moitais, ... / murmúrios / macios / de cicios..." (Gilca da Costa Melo Machado, *Mulher Nua,* p. 121). **2.** Cabeludo, peludo. **3.** Trombudo, carrancudo. [Var.: *berçudo.* Cf. *versudo.*]

verdacho. [De *verde* + *-acho.*] *Adj.* **1.** V. *esverdeado.* ● *S. m.* **2.** Tinta de cor tirante a verde.

verdade. [Do lat. *veritate.*] *S. f.* **1.** Conformidade com o real; exatidão, realidade: *a verdade do ocorrido.* **2.** Franqueza, sinceridade. **3.** Coisa verdadeira ou certa: *A verdade foi escamoteada por todos.* **4.** Princípio certo: *A maioria das doutrinas políticas apresenta erros e verdades.* **5.** Representação fiel de alguma coisa da natureza: *Há verdade neste quadro.* **6.** Caráter, cunho: *A verdade de suas emoções não transparecia.* ◆ **Verdade de fato.** *Filos.* Verdade que é contingente e cujo oposto é impossível. **Verdade de razão.** *Filos.* Verdade necessária e cujo oposto é impossível. **De verdade.** V. *em verdade:* "Bonita, atraente, isto ela era, de verdade." (Povina Cavalcanti, *Volta à Infância,* p. 177.) **Em verdade.** Conforme a verdade; verdadeiramente; na realidade; de verdade; na verdade: "Quem o visse .... cuidaria que ele admirava aquele pedaço de água quieta [a enseada de Botafogo]; mas, em verdade, vos digo que pensava em outra cousa." (Machado de Assis, *Quincas Borba,* p. 1); "Ser lagarta, em verdade, / É uma coisa bem triste." (Alberto de Oliveira, *Poesias,* 1ª série, p. 233). **Na verdade.** V. *em verdade:* "Basta saberes que és feliz, e então / Já o serás na verdade muito menos" (Raul de Leoni, *Luz Mediterrânea,* p. 71).

verdadeiro. *Adj.* **1.** Em que há verdade: *declaração verdadeira.* **2.** Que fala verdade: *homem verdadeiro.* **3.** Real, exato: *Descobrimos o verdadeiro sentido do texto.* **4.** Autêntico, genuíno, legítimo: *Trata-se de um Renoir verdadeiro;* "E estrelas mil cravejam-te, fagueiras, / Estrelas falsas, mas que, assim de perto, / Rutilam tanto, como as verdadeiras." (Raimundo Correia, *Poesias,* p. 94). **5.** Que não é fingido; sincero: *amor verdadeiro.* **6.** Que tem as qualidades essenciais à sua natureza. ~ V. *costela —a, cota —a, dia solar —, horizonte —, marcação —a, potência —a, rumo — e tempo solar —.* ● *S. m.* **7.** A verdade; a realidade. **8.** O mais conveniente; o melhor. **9.** O dever.

verdasca. [De *vergasta* com infl. de *verde,* provavelmente.] *S. f.* Vara fina e flexível, para flagelar; vergasta, vergueiro.

verdascada. *S. f.* Pancada com verdasca.

verdascar. [De *verdasca* + *-ar²*.] *V. t. d.* **1.** Dar verdascada(s) em; chibatar com verdasca. **2.** *P. ext.* Dar pancadas em; bater: "Um verdascava -nos com as palmas de Domingo de Ramos; o outro regava-nos com as garrafas de água benta." (Vitorino Nemésio, *O Retrato do Semeador,* p. 121.) [Conjug.: v. *trancar.*]

verdasco. [De *verde* + *-asco.*] *Adj.* e *s. m.* ~ V. *vinho —.*

verde (ê). [Do lat. *viride* (q. v.).] *Adj. 2 g.* **1.** Da cor mais comum nas ervas e nas folhas das árvores; da cor da esmeralda: "Verdes, os astros no alto abrem-se em verdes chamas; / Verdes, na verde mata, embalançam-se as ramas" (Olavo Bilac, *Poesias,* p. 269). **2.** Diz-se dessa cor: *vestido de cor verde.* **3.** V. *verdejante.* **4.** Diz-se da planta que ainda tem seiva. **5.** Diz-se da fruta que ainda não está madura. **6.** Diz-se da madeira que não está seca. **7.** Muito pálido: *Ficou verde de susto.* **8.** *Fig.* Tenro, fraco, delicado. **9.** *Fig.* Relativo aos primeiros anos de existência: "Lá se perdia ele para sempre, assim como estes meus verdes anos que em vão procuro reter." (José Lins do Rego, *Meus Verdes Anos,* p. 351.) ~ V. *bode —, caldo —, carne —, casado na igreja —, cheque —, cinturão —, Inferno —, luz —, ouro —, pano —, sinal — e vinho —.* ● *S. m.* **10.** A cor verde em todas as suas gradações [v. *cor* (ô) (3)]: "A cana, de um verde doce, estendendo-se pelo baixio, longa e ondulante faixa que acompanha a linha da estrada" (Juarez Barroso, *Mundinha Panchico e o Resto do Pessoal,* p. 10). **11.** *Fís.* No espectro visível [q. v.], a cor da radiação eletromagnética de comprimento de onda situado, aproximadamente, entre 510 e 575 nanômetros. **12.** A vegetação, as plantas verdes; verdor, verdura: *Há falta de verde nas grandes cidades.* **13.** *Bras.* Alimentos verdes para o gado. **14.** *Bras., N.E.* e *GO.* A estação chuvosa. **15.** *Bras., MG.* Pastagem que rebenta após a queima da manga dos campos e as primeiras chuvas. **16.** *Bras., PR* e *RS.* Mate amargo; chimarrão. **17.** *Bras., AL.* Verdete usado para matar formigas. ● *S. 2 g.* **18.** *Bras.* V. *integralista* (2). ◆ **Cair no verde.** *Bras. RJ. Gír.* Fugir para o campo; esconder-se no mato. **Jogar verde.** Plantar verde para colher maduro. **Plantar verde para colher maduro.** Estimular alguém mediante perguntas hábeis, dissimuladas, a fazer uma declaração, contar um fato; jogar verde.

verde-abacate. *Adj. 2 g.* e *2 n.* **1.** Que tem uma tonalidade de verde opaco com reflexos amarelados semelhante à da polpa do abacate. **2.** Diz-se dessa tonalidade. ● *S. m.* **3.** Essa tonalidade: *O verde-abacate não fica bem nas morenas.* [Pl. do s. m.: *verdes-abacates* e *verdes-abacate.*]

verde-água. *Adj. 2 g.* e *2 n.* **1.** Que tem uma tonalidade de verde claro, transparente e luminoso, com reflexo azulado. **2.** Diz-se dessa tonalidade. ● *S. m.* **3.** Essa tonalidade. [Pl. do s. m.: *verdes-águas* e *verdes-água.*]

verdeal. [De *verde* + *-al.*] *Adj. 2 g.* V. *esverdeado.*

verde-amarelo. *Adj.* **1.** Que participa da cor verde e da amarela; auriverde: *A nossa bandeira é verde-amarela.* **2.** Diz-se dessa cor. **3.** *Bras. Pop.* Que é muito nacionalista, com relação ao Brasil. ● *S. m.* **4.** A cor verde-amarela. [Pl.: *verde-amarelos.*]

verdear. *V. int.* **1.** V. *verdejar:* "passava para a ilha, onde verdeavam as suas vastas plantações." (Alberto Rangel, *Sombras n'Água,* p. 214); "Se ali penetras, vês em cada fenda / Verdear o musgo" (Alberto de Oliveira, *Poesias,* 2ª série, p. 325). **2.** *Bras., S.* Reverdecer (5). **3.** *Bras., S.* Dar ao cavalo ração de pasto verde. **4.** *Bras., S.* Pastar o pasto verde; verdecer. **5.** *Bras., S. Fig.* Tomar verde ou mate; verdecer. [Conjug.: v. *frear.*]

verde-azul. *Adj. 2 g.* **1.** Cuja cor participa do verde e do azul: "Por ti eu me embarquei, cantando e rindo, / — Marinheiro de amor — no batel curvo, / Rasgando afouto em hinos d'esperança / As ondas verde-azuis dum mar que é turvo." (Casimiro de Abreu, *Obras,* p.

49.) ● *S. m.* **2.** Essa cor. [Pl.: *verde-azuis.*]

verde-bandeira. *Adj. 2 g.* e *2 n.* **1.** Que tem uma tonalidade de verde vivo, semelhante ao da bandeira brasileira. **2.** Diz-se dessa tonalidade. ● *S. m.* **3.** Essa tonalidade. [Pl. do s. m.: *verdes-bandeiras* e *verdes-bandeira.*]

verde-bexiga. *S. f.* Tinta verde-escura, empregada em pintura, e cujo ingrediente principal é o fel da vaca. [Pl.: *verdes-bexigas* e *verdes-bexiga.*]

verdecer. [Do lat. *viridescere.*] *V. int.* **1.** Tomar cor verde; tornar-se verde: "a pedra negra v e r d e c i a" (Olavo Bilac, *in* Afonso Arinos, *Lendas e Tradições Brasileiras*, p. 6). **2.** V. *verdejar*. **3.** *Bras., S.* Verdear (4 e 5). [Defect. Conjug.: v. *aquecer.*]

verde-cinza. *Adj. 2 g.* e *2 n.* **1.** Que tem uma tonalidade de verde tirante a cinzento. **2.** Diz-se dessa tonalidade. ● *S. m.* **3.** Essa tonalidade: "Diante de si o sol alto da manhã, o céu azul e o v e r d e - c i n z a da pastagem madura." (Amadeu de Queirós, *João*, p. 27.) [Pl. do s. m.: *verdes-cinzas* e *verdes-cinza.*]

verde-claro. *Adj.* **1.** Que tem uma tonalidade entre o verde e o branco: "Ínsulas de rocha .... imergiam de perfil, ... dentre o vortilhão das ondas v e r d e - c l a r a s" (Fialho d'Almeida, *O País das Uvas*, p. 67). **2.** Diz-se dessa tonalidade. ● *S. m.* **3.** Essa tonalidade. [Sin. do adj.: *glauco.* Sin. ger.: *verde-gaio* e *verde-mar.* Pl. do adj.: *verde-claros;* do s. m.: *verdes-claros.*]

verde-cré. [De *verde* + *cré*[1].] *S. m.* Verde sobre ouro: "E essas colorações [do verde], em conjunto indistintas. / Vêm, desde o verde-escuro ao v e r d e - c r é das versas, / Variando, na unidade, a gradação das tintas." (Martins Fontes, *Verão*, p. 33.) [Pl.: *verdes-crés* e *verdes-cré.*]

verde-e-amarelo. *Adj.* e *s. m.* Verde-amarelo. [Pl.: *verde-e-amarelos.*]

verde-escuro. *Adj.* **1.** Que tem uma tonalidade entre o verde e o preto. **2.** Diz-se dessa tonalidade: "Quando o vento estremecia / Nessa rama v e r d e - e s c u r a, / Glaura cheia de ternura / Se afligia de esperar." (Silva Alvarenga, *ap.* Sérgio Buarque de Holanda, *Antologia dos Poetas Brasileiros da Fase Colonial*, II, p. 146.) ● *S. m.* **3.** Essa tonalidade: "E as flores a viçar, por mais frescas, mais belas, / Matizavam o v e r d e - e s c u r o da folhagem" (Alberto de Oliveira, *Poesias*, 3ª série. p. 60). [Sin.: *verde-negro, verde-montanha.* Pl. do adj.: *verde-escuros;* do s. m.: *verdes-escuros.*]

verde-esmeralda. *Adj. 2 g.* e *2 n.* **1.** Que tem uma tonalidade de verde tirante ao da esmeralda. **2.** Diz-se dessa tonalidade. ● *S. m.* **3.** Essa tonalidade. [Pl. do s. m.: *verdes-esmeraldas* e *verdes-esmeralda.*]

verde-gaio. [Do fr. *vert gai*, 'verde alegre', atr. do ant. *verdegai.*] *Adj. 2 g.* e *2 n.* **1.** V. *verde-claro:* "estilos disparatados ...., lembram a pelintrice de quem, numa vila sertaneja, arvora gravatas de veludo v e r d e - g a i o julgando reproduzir 'os requintes de Paris' " (Eça de Queirós, *Notas Contemporâneas*, p. 155). ● *S. m.* **2.** V. *verde-claro:* "A câmara do *trekschuil* é exteriormente pintada de v e r d e - g a i o, com cortinas de cassa branca a cada postigo" (Ramalho Ortigão, *A Holanda*, p. 84). **3.** Certa música e dança popular. [Pl. do s. m.: *verdes-gaios.*]

verdegais. *S. m. 2 n. Bras., SP.* Corda de viola, usada em varas de pesca.

verde-garrafa. *Adj. 2 g.* e *2 n.* **1.** Que tem uma tonalidade de verde muito escuro, semelhante ao de certas garrafas: "O vestido de montar era de fino droguete v e r d e - g a r r a f a com alamares de torçal de ouro" (José de Alencar, *O Sertanejo*, p. 29). ● *S. m.* **2.** Essa tonalidade. [Pl. do s. m.: *verdes-garrafas* e *verdes-garrafa.*]

verdeia. [De *verde.*] *S. f. Lus.* Vinho branco de cor esverdeada.

verdeio. [Dev. de *verdear.*] *S. m. Bras., S.* **1.** Forragem verde para o cavalo. **2.** Ato de verdear ou verdejar. [Sin. ger. (no S. do Brasil): *verdejo.*]

verdejante. *Adj. 2 g.* Que verdeja; verdoso, virente, viridente, verde.

verdejar. [De *verde* + *-ejar.*] *V. int.* Apresentar a cor verde; ser verde; verdear, verdecer: "Grandes prados v e r d e j a v a m, cobertos de botões-d'ouro." (Eça de Queirós, *Últimas Páginas*, p. 125.) [Conjug.: v. *pelejar.* Normalmente é defect., unipess.]

verdejo (ê). [Dev. de *verdejar.*] *S. m. Bras., S.* Verdeio.

verdelinho. [De *verde.*] *S. m. Bras., N. E.* Designação comum a dois passarinhos, um da família dos cerebídeos (*Dacnis cayana* (Lin.)) e outro da dos traupídeos (*Tangara cayana flava* (Gmel.)).

verde-mar. *Adj. 2 g.* e *2 n.* e *s. m.* V. *verde-claro:* "Riscos vermelhos de nuvens, como grandes vergas de ferro levadas ao rubro, destacavam imóveis num fundo v e r d e - m a r, esvaecido e meigo" (Trindade Coelho, *Os Meus Amores*, p. 76); "já perto / De seu diurno termo, começava [o Sol] a destinguir o v e r d e - m a r das águas" (Almeida Garrett, *Camões*, p. 9). [Pl. do s. m.: *verdes-mares* e *verdes-mar.*]

verde-montanha. *Adj. 2 g.* e *2 n.* **1.** V. *verde-escuro* (1 e 2): "A mancha v e r d e - m o n t a n h a das copas dos pinheiros-mansos unida à dos chãos violáceos" (Antero de Figueiredo, *Jornadas em Portugal*, p. 54). ● *S. m.* **2.** V. *verde-escuro* (3). **3.** A cor verde com uns tons levemente azulados. **4.** Tinta que os pintores usam para representar coloração semelhante à dos montes vistos de longe. [Pl. do s. m.: *verdes-montanhas* e *verdes-montanha.*]

verde-musgo. *Adj. 2 g.* e *2 n.* **1.** Que tem uma tonalidade de verde escuro, opaco, com reflexos acinzentados, que lembra o musgo: *saia v e r d e - m u s g o:* "A exposição foi lindamente organizada, ... tudo bem apresentado sobre fundo v e r d e - m u s g o" (Alfredo Mesquita, *Brasil. Viagem ao Norte e Nordeste*, p. 51). **2.** Diz-se dessa tonalidade. ● *S. m.* **3.** Essa tonalidade. [Pl. do s. m.: *verdes-musgos* e *verdes-musgo.*]

verde-negro. *Adj.* e *s. m.* V. *verde-escuro.* [Pl. do adj.: *verde-negros;* do s. m.: *verdes-negros.*]

verde-oliva. *Adj. 2 g.* e *2 n.* **1.** Da cor verde-escura da oliva ou azeitona: "Surgiu aí, ... envergando a farda v e r d e - o l i v a do glorioso Exército, com as estrelas de oficial, o Doutor Ananias Guedes" (Bariani Ortêncio, *Vão dos Angicos*, p. 21). **2.** Diz-se dessa cor: "enxames de aviões de cor v e r d e - o l i v a." (Francisco Inácio Peixoto, *Passaporte Proibido*, p. 39). ● *S. m.* **3.** Essa cor. [Pl. do s. m.: *verdes-olivas* e *verdes-oliva.*]

verde-paris. *S. m.* Inseticida preparado com um pó verde-claro, altamente venenoso, cuja base é o arsênico: "Dizia o tonsurado que ele não se importasse com os outros, que tratasse de pôr v e r d e - p a r i s nos cupins" (Alberto Rangel, *Lume e Cinza*, p. 168). [Pl.: *verdes-paris.*]

verde-piscina. *Adj. 2 g.* e *2 n.* e *s. m.* Verde azulado tirante a azul-piscina. [Pl. do s. m.: *verdes-piscinas* e *verdes-piscina.*]

verdete (ê). [De *verde* + *-ete.*] *S. m.* **1.** *Pop.* O acetato de cobre. **2.** Tinta de azebre; cardenilho. **3.** Certa casta de uva.

verdisseco (ê). [De *verde* + *seco.*] *Adj.* Meio seco; quase seco.

verdizela. [De *verde*, certamente.] *S. f.* Vara flexível com que se arma a boiz.

verdoengo. [De *verde* + *-o-* + *-engo.*] *Adj.* **1.** *Bras.* V. *esverdeado.* **2.** Diz-se do fruto que não está bem maduro; verdoso: "Corriam à caça de maracujás, dourados e cheirosos, ... de goiabas v e r d o e n g a s, provocadoras, cujos carocinhos rubros avivam-lhe a cor dos lábios." (Inglês de Sousa, *Contos Amazônicos*, p. 65.) [Var.: *verdolengo.*]

verdolengo. [Var. epentética de *verdoengo.*] *Adj. Bras.* **1.** V. *verdoengo.* **2.** V. *esverdeado.*

verdor (ô). *S. m.* **1.** Propriedade do que é verde. **2.** A cor verde dos vegetais; verdura. **3.** V. *verde* (12). **4.** *Fig.* Inexperiência da juventude; verdura. **5.** V. *viço* (2).

verdoso (ô). [De *verde* + *-oso.*] *Adj.* **1.** V. *esverdeado.* **2.** V. *verdejante.* **3.** *Bras., N.E.* V. *verdoengo* (2): "as mangas pequenas, os jambos v e r d o s o s, as pitangas em desenvolvimento" (Félix Lima Júnior, *Recordações da Velha Maceió*, p. 20).

verdugo. [Do lat. *viriducu* < *viride*, 'verde', 'a vara verde usada como açoite', e depois, p. ext., 'o carrasco'.] *S. m.* **1.** Indivíduo que inflige maus-tratos. **2.** V. *carrasco*[1] (1): "dois anos depois que a sua cabeça [de Balboa] rolava no cepo do v e r d u g o, ... cruzava Magalhães o mesmo mar do sudoeste ao noroeste" (Latino Coelho, *Fernão de Magalhães*, pp. 131-132). **3.** Navalhinha pontiaguda. **4.** Parte saliente da chapa de trilho nas rodas dos vagões, destinada a evitar desencarrilhamentos. **5.** *Constr. Nav.* Peça reforçada, de madeira, boleada, presa ao longo do costado de uma embarcação, da proa à popa, junto à falca, ou cravada na cinta dos rebocadores, etc., e destinada a proteger o costado contra choques e roçaduras por ocasião das atracações: "Joel remanchava, preso ao costado da lancha, atônito, agarrando-se com as unhas ao v e r d u - g o, às varas, ... esperando um olhar de Jana em despedida." (Xavier Marques, *Jana e Joel*, p. 121.)

verduleiro. [Do esp. plat. *verdulero.*] *S. m. Bras., RS.* e *MT.* Verdureiro.

verdura. *S. f.* **1.** Verdor (2): "Em teu seio formoso retratas / Este céu de puríssimo azul, / A v e r d u r a sem-par destas matas" (Olavo Bilac, "Hino à Bandeira Nacional", *in Poesias Infantis*, p. 137). **2.** V. *verde* (12). **3.** As plantas: *Escondeu-se entre a v e r d u r a.* **4.** Hortaliça: *Não come v e r d u r a s.* **5.** *Fig.* V. *verdor* (4). — V. *verduras.*

verduras. [Pl. de *verdura.*] *S. f. pl.* Sentimentos ou atos característicos da mocidade. — V. *verdura.*

verdureiro. *S. m. Bras.* Vendedor ambulante de verduras, ervas e frutas; quitandeiro. [F. paral., no RS e MT.: *verduleiro.*]

vereação. *S. f.* **1.** Ato ou efeito de verear; vereamento. **2.** O conjunto dos vereadores duma câmara municipal; municipalidade. **3.** Cargo de vereador; edilidade. [Sin., bras., nesta acepç.: *vereança.*] **4.** Tempo de duração desse cargo.

vereador (ô). [De *verear* + *-(d)or.*] *S. m.* Membro de câmara municipal; edil.

vereamento. *S. m.* **1.** Vereação (1). **2.** Jurisdição de vereadores.

vereança. *S. f. Bras.* Vereação (3).

verear. [Do arc. *verea*, por *vereda* (q. v.), + *-ar*[2].] *V. t. d.* **1.** Administrar ou legislar como vereador. *Int.* **2.** Exercer as funções de vereador. [Conjug.: v. *frear.*]

verecúndia. [Do lat. *verecundia.*] *S. f. P. us.* Vergonha.

verecundo. [Do lat. *verecundu.*] *Adj. P. us.* Vergonhoso.

vereda (ê). [De um lat. **vereda* < *veredu*, 'cavalo de posta'.] *S. f.* **1.** Caminho estreito; senda. **2.** V. *atalho* (2). **3.** *Fig.* Rumo, caminho, direção. **4.** *Fig.* Ocasião, momento, oportunidade: *Naquela v e r e d a, briguei muito.* **5.** *Bras., N.E.* Região mais abundante em água na zona da caatinga, entre as montanhas e os vales dos rios, e onde a vegetação é um misto de agreste e caatinga. **6.** *Bras., S. da BA.* V. *planície.* **7.** *Bras., GO.* Várzea que margeia um rio; várzea. **8.** *Bras., GO.* Clareira de vegetação rasteira. **9.** *Bras. MG* e *C.O.* Cabeceira e curso de água orlados de buritis, especialmente na zona são-franciscana. ♦ **De vereda.** Logo, imediatamente, já.

veredeiro. [De *vereda* + *-eiro.*] *S. m. Bras., Pl.* Homem que vive do cultivo da terra, ao qual se consagra com afinco.

veredicto. [Do lat. *veredictum*, 'verdadeiramente dito', atr. do ingl. *veredict.*] *S. m.* **1.** Decisão proferida pelo júri, ou por outro qualquer tribunal judiciário, em causa submetida a seu julgamento; sentença. **2.** *P. ext.* Juízo pronunciado em qualquer matéria.

verga (ê). [Do lat. *virga.*] *S. f.* **1.** Vara flexível; virga. **2.** V. *ripa*[2] (1). **3.** Barra delgada de metal. **4.** Peça de pedra ou de madeira que se põe horizontalmente sobre ombreiras de porta ou de janela; torça, padieira. **5.** Parte ântero-posterior da entrada de uma chaminé. **6.** *Marinh.* Peça de madeira ou de ferro, cilíndrica ou fusiforme, que cruza num mastro ou mastaréu *(verga redonda)*, ou que se prende por um dos extremos em um mastro *(verga latina* ou *carangueja):* "e todos [os navios] ostentavam, numa v e r g a do mastro dianteiro, uma pequenina bandeira triangular vermelha." (Oswald de Andrade, *Um Homem sem Profissão*, p. 95); "Marujos sobem pelas enxárcias, guarnecem as gáveas, enquanto outros suspendem-se nas v e r g a s." (Félix Lima Júnior, *Mapirunga*, p. 19). **7.** *Chulo.* O pênis. **8.** *Bras., S.* O sulco produzido pelo arado, no amanho da terra. [Pl.: *vergas* (ê). Cf. *Vergas*, top.] ♦ **Verga da cevadeira.** *Ant. Marinh.* A que cruzava por baixo do gurupés, e onde envergava a cevadeira. **Verga de baioneta.** *Marinh.* Vara comprida e que fica, quando içada, no prolongamento do mastro que arma a vela de baioneta. **Verga de bastardo.** *Marinh.* Verga muito comprida, que iça em mastro curto, inclinada para ré, e arma vela bastarda. **Verga de pendão.** *Marinh.* Verga curta, que cruza pelo terço ou quarto do seu comprimento, e que arma vela de pendão. **Verga de sinais.** *Constr. Nav.* Pequena verga que agüenta adriças para içar sinais de bandeiras, de marcha, etc. **Verga latina.** *Constr. Nav.* V. *verga* (6). **Verga redonda.** *Constr. Nav.* V. *verga* (6). **Verga seca.** *Marinh.* Verga de papafigo do mastro real da gata, em navios de três mastros, assim chamada porque nela não se enverga vela, servindo apenas para prender as amuras da vela que lhe fica acima.

vergada. [De *verga* + *-ada*[1].] *S. f.* V. *andar* (25).

vergadura. *S. f.* Ato ou efeito de vergar; vergamento.

vergal. [De *verga* + *-al.*] *S. m.* Correia com que se atrelam ao carro as cavalgaduras.

vergalhada. *S. f.* **1.** Pancada com vergalho (3); chicotada. **2.** *Pop.* V. *patifaria.*

vergalhamento. *S. m.* Ato ou efeito de vergalhar.

vergalhão. [Aum. irreg. de *vergalho.*] *S. m.* Barra de metal cuja seção reta tem forma circular, quadrada, hexagonal, octogonal, de meia-cana, etc.

vergalhar. *V. t. d.* Bater ou surrar com vergalho ou azorrague; azorragar, chicotear: "Aquela D. Belarmina, que manda vergalhar até sangrar uma mucama de estimação, por ciúmes do marido, ... deve ser neta daquela outra mulher que .... castigava as escravas, com tições acesos pessoalmente aplicados...'' (Machado de Assis, *A Semana*, II, p. 427.)

vergalho. [De *verga* + *-alho.*] *S. m.* **1.** O órgão genital dos bois e dos cavalos, depois de cortado e seco. **2.** Azorrague feito desse órgão. **3.** *P. ext.* V. *chicote* (1). **4.** *Pop.* Velhaco, patife, tratante.

vergame. [De *verga* (6) + *-ame.*] *S. m. Marinh.* O conjunto das vergas de um navio.

vergamento. *S. m.* Vergadura.

vergamota. [Var. de *bergamota.*] *S. f. Bras., SC* e *RS.* V. *tangerina.*

vergamoteira. [Var. de *bergamoteira.*] *S. f. Bras., SC* e *RS.* V. *tangerineira.*

vergancha. *S. f. Lus.* Verga (1) com que se fazem cestos e canastras.

vergão. [De *verga* + *-ão*[1].] *S. m.* **1.** Grande verga. **2.** Vinco ou marca na pele, produzido por pancada, sobretudo de vergasta ou azorrague, ou por outra causa: ''vergões na pele de involuntárias unhadas dos companheiros'' (Raul Pompéia, *O Ateneu*, p. 48). **3.** *Med.* Víbice.

vergar. *V. t. d.* **1.** Curvar como se curva uma verga; dobrar, curvar, envergar: *vergar uma barra de ferro;* ''pensava num possível assalto à sua casa, tão frágil que toda tremia quando os ventos passavam vergando as árvores'' (Coelho Neto, *Treva*, p. 320); ''Scott teve um estremecimento geral de corpo, contraiu-se, vergou a cabeça para trás'' (Aluísio Azevedo, *Pegadas*, p. 197). **2.** Submeter, sujeitar, subjugar: *O amor verga o ódio.* **3.** Abater, humilhar: *As palavras ofensivas vergaram o pobre homem.* **4.** Apiedar, comover, abalar. *T. d. e i.* **5.** Submeter, sujeitar, subjugar: *Muitas mulheres vergam os maridos a seus caprichos.* **6.** Acostumar, habituar; submeter: *Só a custo o vergaram à disciplina. T. i.* **7.** Submeter-se, sujeitar-se: *Vergou aos argumentos do chefe. Int.* **8.** Curvar-se, dobrar-se, inclinar-se: ''Se quero levantar-me, as costas vergam; as forças dos meus membros já se gastam'' (Tomás Antônio Gonzaga, *Marília de Dirceu*, p. 85); ''a elevada estatura inclinou-se vergando ao peso da mágoa excruciante.'' (Rebelo da Silva, *Contos e Lendas*, p. 180); *O vento era forte, e a árvore vergou.* **9.** Ceder ao peso de alguma coisa: *A pinguela vergava com o peso do homem.* **10.** Abater-se, humilhar-se. **11.** Ceder à influência de alguém. **12.** Perder as forças; desfalecer, esmorecer. [Var.: *avergar.* Conjug.: v. *largar.* Pres. ind.: *vergo, vergas, verga*, etc. Cf. *verga* (ê) e pl. *vergas* (ê).]

vergasta. [Dim. irreg. de *verga.*] *S. f.* **1.** Pequena verga (1). **2.** V. *verdasca.* **3.** V. *açoite* (1). **4.** V. *chicote* (1): ''O cavalo estafado do Beduíno / Sob a vergasta tomba ressupino / E morre no areal.'' (Castro Alves, *Obra Completa*, p. 290.) **5.** *Fig.* Flagelo, castigo.

vergastada. *S. f.* Pancada com vergasta; chicotada.

vergastar. *V. t. d.* **1.** Bater com vergasta em: ''Os arrieiros vergastavam impiedosamente as cavalgaduras'' (Aquilino Ribeiro, *Portugueses das Sete Partidas*, p. 155). **2.** *P. ext.* Açoitar, fustigar, zurzir, varejar. **3.** Gritar duramente contra; condenar com veemência; verberar, zurzir: ''Tem [Ramalho Ortigão] perseguido, sem descanso, os vícios portugueses — pequenos e grandes. Não os deixa: ora vergastando-os com sarcasmos, ora persuadindo-os com reflexões.'' (Eça de Queirós, *Notas Contemporâneas*, p. 42.)

vergatura. [Adapt. do fr. *vergeure.*] *S. f. Ind. Pap.* **1.** Cada um dos fios metálicos muito juntos que, no sentido da altura e cruzando com os pontusais, compõem o tear da fôrma usada na fabricação manual do papel. **2.** Cada uma das linhas tênues e muito unidas marcadas na folha ainda úmida por esses fios e que se vêem por transparência, nos papéis avergoados.

vergável. *Adj. 2 g.* Que se pode vergar; dobrável, flexível [q. v.].

vergê. [Do fr. *vergé.*] *Adj.* ~ V. *papel* —.

vergel. [Do provenç. ant. *vergier*, atr. do arc. *virgeu.*] *S. m.* Jardim, pomar: ''Pode a vista espairecer-se .... na verde paisagem dos morros de Alcobaça, estender-se por seus vergéis e campos de cultura'' (Afonso Arinos, *Histórias e Paisagens*, p. 211). [Pl.: *vergéis.*]

vergência. [Do lat. *vergentia*, nom.-acus. de *vergens, tis*, part. pres. de *vergere*, 'virar'.] *S. f. Ópt.* O quociente do índice de refração de um meio em que está imersa uma lente pela distância dum objeto ou duma imagem à superfície da lente.

vergiliano. *Adj.* Virgiliano.

vergonha. [Do lat. *verecundia*, atr. de uma f. **verecunnia.*] *S. f.* **1.** Desonra humilhante; opróbrio, ignomínia. **2.** Sentimento penoso de desonra, humilhação ou rebaixamento diante de outrem. **3.** Sentimento de insegurança provocado pelo medo do ridículo, por escrúpulos, etc.; timidez, acanhamento: *Tem vergonha de falar em público.* **4.** V. *pudor* (2). **5.** Ato, atitude, palavras, etc., obscenos, indecorosos e/ou vexatórios. **6.** Sentimento da própria dignidade; brio, honra: *Sua vergonha nunca lhe permitiu agir incorretamente.* **7.** V. *dormideira* (2). ~ V. *vergonhas.* ♦ **Ter vergonha na cara.** Ter sentimento da própria dignidade; ter brios.

vergonhas. [Pl. de *vergonha.*] *S. f. pl.* Os órgãos sexuais do corpo humano: ''três ou quatro moças bem moças .... com cabelos muito pretos compridos pelas espáduas e suas vergonhas tã altas .... e tã limpas das cabeleiras que de as nós muito bem olharmos nom tínhamos nhuũa [= nenhuma] vergonha.'' (Pero Vaz de Caminha, *ap.* Leonardo Arroio, *A Carta de Pêro Vaz de Caminha*, p. 78); ''já crescido, ... brincou com a mulher pela primeira vez e se estrepou. Além de umas coisas que lhe estragaram as vergonhas, ... ganhou ele uma moléstia de pele que, agora, ao chegar a velhice, se transforma numa cafubira danada.'' (Nélson de Faria, *Bazé*, p. 100). ~ V. *vergonha.*

vergonheira. *S. f.* **1.** Série de vergonhas, opróbrios, ignomínias. **2.** Coisa vergonhosa; vexame: *O desempenho dos artistas daquela peça foi uma vergonheira.*

vergonhosa. [Fem. substantivado de *vergonhoso.*] *S. f.* V. *dormideira* (2).

vergonhoso (ô). *Adj.* **1.** Que tem vergonha (3); tímido, acanhado. **2.** Que causa desonra; indigno, infame. **3.** Obsceno, indecoroso. **4.** Que tem vergonha (6).

vergôntea. [De *verga*; corresponde ao lat. *virgulta.*] *S. f.* **1.** V. *rebento* (1). **2.** V. *pimpolho* (1). **3.** *P. ext.* Ramo (1) de plantas de certo porte: ''sob esse devanelo velava o propósito do ânimo deliberado, como sob a camada de flores viça a rija vergôntea do arvoredo.'' (José de Alencar, *O Sertanejo*, p. 72). **4.** Haste de planta. **5.** *Fig.* Filhos, descendentes; prole. **6.** *Ant. Constr. Nav.* Peça de madeira destinada à feitura de mastaréu, verga, etc.

vergonteado. [De *vergôntea* + *-ado*[1].] *Adj.* Semelhante a uma vergôntea.

vergontear. *V. int.* Lançar vergônteas. [Conjug.: v. *frear.*]

vergueiro. [De *verga* + *-eiro.*] *S. m.* **1.** V. *verdasca.* **2.** Cabo de madeira em alguns utensílios de ferreiro. **3.** *Constr. Nav.* Corrente ou cabo de arame que se enfia nos balaústres da borda para resguardo da tripulação. **4.** *Constr. Nav.* Cabo de arame que se enfia nos ferros de sustentação do toldo, ou vergalhão preso ao longo de uma antepara ou verga, e no qual se amarram os fiéis do toldo ou do pano.

vergueta (ê). [Dim. irreg. de *verga.*] *S. f. Heráld.* Pala estreita nos escudos.

▲**ver(i)-.** [Do lat. *verus, a, um.*] *El. comp.* = 'verdade': *verificar* (< lat. *verificare*), *verissímil* (< lat. *verissimile*). [Equiv.: *vero-*: *verossímil.*]

veridicidade. *S. f.* Qualidade de verídico; veracidade, verdade.

verídico. [Do lat. *veridicu.*] *Adj.* Veraz.

verificação. *S. f.* **1.** Ato ou efeito de verificar(-se). **2.** Prova, demonstração. **3.** Cumprimento, realização. ♦ **Verificação de contas.** *Jur.* Perícia judicial feita nos livros do credor e do devedor comerciantes, para se obter prova que legitime a falência. **Verificação de créditos.** *Jur.* Processo imposto por lei para que os créditos do falido sejam admitidos e classificados na falência ou na concordata. **Verificação de poderes.** *Jur.* Processo pelo qual o órgão competente (no Brasil, a Justiça Eleitoral) apura os sufrágios e reconhece e proclama os eleitos para os cargos públicos.

verificador (ô). *Adj.* **1.** Que verifica. ● *S. m.* **2.** Aquele que verifica. **3.** *Restr.* Funcionário aduaneiro encarregado de verificar a aplicação dos respectivos impostos às fazendas apresentadas a despacho.

verificar. [Do lat. *verificare.*] *V. t. d.* **1.** Provar a verdade de: *A experiência verifica a teoria.* **2.** Investigar a verdade de: *A polícia verificou os depoimentos, confrontando-os.* **3.** Comprovar a exatidão de; confirmar, corroborar: *Acontecimentos posteriores verificaram a profecia. P.* **4.** Realizar-se, efetuar-se, cumprir-se: *Verificou-se o seu vaticínio oracular.* [Conjug.: v. *trancar.*]

verificativo. *Adj.* Próprio para verificar.

verificável. *Adj. 2 g.* Suscetível de verificação.

verisímil. *Adj. 2 g. Lus.* Verissímil [q. v.]. [Pl.: *verisímeis.*]

verisimilhança. *S. f. Lus.* Verissimilhança [q. v.].

verisimilhante. *Adj. 2 g. Lus.* Verissimilhante [q. v.].

verisimilidade. *S. f. Lus.* Verissimilidade [q. v.].

verisimílimo. *Adj. Lus.* Verissimílimo [q. v.].

verisimilitude. *S. f. Lus.* Verissimilitude [q. v.].

verismo. [Do it. *verismo.*] *S. m.* **1.** Movimento literário, de caráter naturalista, surgido na Itália no fim do séc. XIX, em oposição ao romantismo. **2.** *Mús.* Na ópera, a escola que surgiu na mesma época, estendendo-se até o princípio do séc. XX, na qual ao intenso realismo do libreto se associa vivo sentimentalismo musical.

verissimense. *Adj. 2 g.* **1.** De, ou pertencente ou relativo a Veríssimo (MG). ● *S. 2 g.* **2.** Natural ou habitante de Veríssimo.

verissímil. [Do lat. *verisimile.*] *Adj. 2 g. P. us.* V. *verossímil.*

verissimilhança. [De *verissímil* + a term. de *semelhança.*] *S. f. P. us.* V. *verossimilhança.*

verissimilhante. [De *verissímil* + a term. de *semelhante.*] *Adj. 2 g. P. us.* V. *verossimilhante.*

verissimilidade. [De *verissímil* + *-i-* + *-dade.*] *S. f. P. us.* V. *verossimilidade.*

verissimílimo. [Superl. abs. sint. de *verissímil.*] *Adj. P. us.* Verossimílimo.

verissimilitude. [De *verissímil* + a term. de *similitude.*] *S. f. P. us.* V. *verossimilitude.*

verista. [Do it. *verista.*] *Adj. 2 g.* **1.** Relativo ao, ou próprio do verismo. **2.** Diz-se de adepto ou seguidor do verismo. ● *S. 2 g.* **3.** Adepto ou seguidor deste.

verlainiano (lè). [Do antr. *Verlaine* + *-i-* + *-ano.*] *Adj.* **1.** Relativo ou pertencente a Paul Verlaine, poeta francês (1844-1896), ou próprio dele. ● *S. m.* **2.** Grande admirador de Verlaine e/ou profundo conhecedor de sua obra.

verme. [Do lat. *verme.*] *S. m.* **1.** Espécime dos vermes. **2.** *Pop.* Designação comum às larvas de muitos insetos, desprovidos de patas. **3.** *Pop. P. ext.* Qualquer animal semelhante ao verme. **4.** *Fig.* Aquilo que consome, mina ou corrói intimamente, como se fosse um verme parasito. **5.** *Fig.* Pessoa abjeta, vil, desprezível. [Dim. irreg.: *vermículo.*] ● *Adj. 2 g.* **6.** Pertencente ou relativo aos vermes. ~ V. *vermes.* ♦ **Verme roedor.** Traça. **Vermes anelados.** *Zool.* V. *anelídeos.* **Verme solitário.** V. *solitária* (1).

➡**vermeil** (verméi). [Fr.] *S. m.* Prata dourada: *talheres em vermeil.*

vermelhaço. *Adj.* **1.** Muito vermelho. **2.** Muito corado: ''É homem vermelhaço. Há dias que está irritadiço.'' (Moreira Campos, *Vidas Marginais*, p. 106.) **3.** Tirante a vermelho.

vermelhão. [De *vermelho* + *-ão*[1].] *S. m.* **1.** Sulfato vermelho de mercúrio pulverizado, empregado como pigmento no fabrico de tinta. **2.** *Lus.* Qualquer ingrediente com que se torna corado no rosto: ''era linda, por altura dos seus vinte e cinco! Era-o, com as faces ardentes sem ser deste vermelhão teatral que põe agora'' (José Régio, *Histórias de Mulheres*, p. 61). **3.** Vermelhidão (2).

vermelhar. *V. t. d.* **1.** V. *avermelhar. Int.* **2.** Ter ou apresentar cor vermelha: ''Tetaci, em pedra, não estava mais lá, no lugar havia brotado uma touceira de café vermelhando.'' (M. Cavalcanti Proença, *Manuscrito Holandês*, p. 203.) [F. paral.: *vermelhejar, vermelhear.*]

vermelhear. *V. int.* V. *vermelhar.* [Conjug.: v. *frear.*]

vermelhecer. *V. int.* V. *avermelhar.* [Conjug.: v. *aquecer.*]

vermelhejar. *V. int.* V. *vermelhar*: ''céus e terras vermelhejavam sangrentos.'' (Coelho Neto, *Rei Negro*, p. 301). [Conjug.: v. *pelejar.*]

vermelhento. *Adj.* Tirante a vermelho: ''mais uma andadinha curta de cavalo, neste Janeiro, e o Jardim da Luz aparecerá, as primeiras casinhas vermelhentas, a escuridão interrompida em Helena.'' (Alaor Barbosa, *Picumãs*, p. 23).

vermelhidão. *S. f.* **1.** Qualidade de vermelho (8). **2.** Rubor da pele; vermelhão.

vermelhinha. [Dim. de *vermelha*, fem. substantivado do adj. *vermelho.*] *S. f.* Jogo da vermelhinha.

vermelho[1] (ê). [Do lat. *vermiculu*, 'pequeno vermezinho (a cochonilha)' (q. v.).] *Adj.* **1.** Da cor do sangue, da papoula, do rubi. **2.** Diz-se dessa cor: *manto de cor vermelha.* **3.** Afogueado, corado, rubro: *Ficou vermelho de cólera.* **4.** Diz-se das partes externas do corpo incidentalmente sujeitas a maior afluxo sanguíneo; congestionado: *olhos vermelhos.* **5.** Diz-se de cantiga ou anedota picante, obscena. **6.** Pertencente ou relativo à U.R.S.S.: *o exército vermelho.* **7.** *P. ext. Fig.* Comunista, marxista, ou socialista. ~ V. *bode —, cota —a, cruz —a, latão —, mancha —a, naipes —s, planeta — e sinal —.* ● *S. m.* **8.** A cor vermelha [v. *cor* (3)]. **9.** Indivíduo vermelho (6 e 7). **10.** Verniz de resina de sangue-de-drago e álcool. **11.** *Fís.* No espectro visível [q. v.], a cor da radiação eletromagnética com os mais longos comprimentos de onda, situados, aproximadamente, entre 620 e 790 nanômetros. ♦ **Estar no vermelho.** Estar em déficit.

vermelho[2] (ê). *S. m.* **1.** *Bras.* Designação comum a várias espécies dos lutjanídeos, especialmente o peixe teleósteo, percomorfo, *Lutjanus aya* (Bloc.), de coloração vermelha tendente ao róseo, mais clara no abdome, mancha negra no meio do corpo e na parte anterior. Atinge até 1 m de comprimento, e sua carne é boa. Ocorre em toda a costa do Brasil. [Sin., nesta acepç.: *acaraaia, acarapitanga, acarapuã, caranha, carapitanga, caraputanga, cherne-vermelho, dentão, vermelho-verdadeiro.* Cf. *vermelho-henrique.*] **2.** *Bras., PR.* V. *piolho-vermelho.*

vermelho-aricó. *S. m. Bras., BA.* V. *vermelho-henrique.* [Pl.: *vermelhos-aricós* e *vermelhos-aricó.*]

vermelho-do-cafeeiro. *S. m. Bras.* V. *piolho-vermelho.* [Pl.: *vermelhos-do-cafeeiro.*]

vermelho-henrique. *S. m. Bras.* peixe teleósteo, percomorfo, da família dos lutjanídeos (*Lutjanus synagris* (L.)), da costa atlântica, de dorso esverdeado, abdome róseo, flancos com cinco a seis estrias longitudinais da mesma cor, nadadeiras ímpares tendentes ao amarelo, mancha negra sobre a linha lateral, abaixo dos raios moles da dorsal, a caudal vermelha e a dorsal com duas faixas longitudinais douradas. Comprimento: até 35 cm. Alimenta-se de peixes e crustáceos, e sua pesca se faz com linha de fundo. [Sin.: *areocó, ariocó, aricó, ciobinha, caranho-verdadeiro, caranho-vermelho, vermelho-aricó, vermelho-verdadeiro.* Pl.: *vermelhos-henriques* e *vermelhos-henrique.* Cf. *vermelho*[2] (1).]

vermelho-paramirim. *S. m. Bras., BA.* V. *mulata* (3). [Pl.: *vermelhos-paramirins* e *vermelhos-paramirim.*]

vermelhoso (ô). *Adj.* Tirante a vermelho.

vermelho-verdadeiro. *S. m.* **1.** *Bras.* V. *vermelho*[2] (1). **2.** *Bras., RJ.* V. *vermelho-henrique.* [Pl.: *vermelhos-verdadeiros.*]

vermelhusco. [De *vermelho* + *-usco.*] *Adj.* V. *avermelhado* (1): "Atarracado e vermelhusco, de olhos redondos de sapo, e lacrimosos, tinha o quer que fosse de piloto desempregado, em apuros." (José Rodrigues Miguéis, *Gente da Terceira Classe,* p. 115.)

vermes. [Pl. de *verme.*] *S. m. pl. Zool.* Designação usada por Lineu [v. *lineano*] para agrupar todos os animais invertebrados, com exceção dos insetos. Posteriormente foram incluídos no grupo todos os metazoários triploblásticos de simetria bilateral, sem apêndices articulados, sem concha, manto ou túnica, e sem esqueleto interno. ~ V. *verme.*

▲**vermi-.** [Do lat. *vermis, is.*] *El. comp.* = 'verme': *vermicida, vermífugo, vermívoro.*

vermicida. [De *vermi-* + *-cida.*] *Adj. 2 g.* **1.** Que mata vermes [v. *verme* (2)]. ● *S. m.* **2.** Substância vermicida.

vermiculado. [Do lat. *vermiculatu.*] *Adj.* **1.** Que tem ornatos vermiformes. **2.** Diz-se de órgão vegetal que apresenta saliências. [Sin. ger.: *vermiculoso.*]

vermicular. [De *vermículo* + *-ar*[1].] *Adj. 2 g.* Relativo ou semelhante a vermes [q. v.].

vermiculária. [De *vermículo* + *-ária.*] *S. f.* Erva perene e cespitosa, da família das crassuláceas (*Sedum acre*), nativa na Europa, Ásia e África, que tem ramos ascendentes, com folhas minutas, carnosas, ovadas, aproximadas e sésseis. Flores pequenas e amarelas, que se ordenam em cimeiras pouco vistosas; os frutos são folículos.

vermiculita. [De *vermículo* + *-ita*[3].] *S. f. Min.* Grupo de minerais micáceos, silicatos hidratados de composição variada, originados da alteração de micas. [Esses minerais, quando aquecidos, perdem a água, intumescem e adquirem o aspecto de um verme; podem ser utilizados como refratários, e como material de construção para diversos fins especiais.]

vermículo. [Do lat. *vermiculu.*] *S. m.* Pequeno verme.

vermiculoso (ô). [Do lat. *vermiculosu.*] *Adj.* Vermiculado.

vermiculura. [De *vermículo* + *-ura.*] *S. f.* Ornato arquitetônico imitante ao sulco feito pelos vermes a se arrastarem.

vermiforme. [De *vermi-* + *-forme.*] *Adj. 2 g.* Que tem forma ou semelhança de verme. ~ V. *apêndice* —.

vermífugo. [De *vermi-* + *-fugo.*] *Adj.* **1.** V. *anti-helmíntico* (1). ● *S. m.* **2.** Anti-helmíntico (2).

vermilíngüe. [De *vermi-* + a term. de palavras como *bilíngüe.*] *S. m.* **1.** Espécime dos vermilíngües. ● *Adj.* **2.** Pertencente ou relativo a eles.

vermilíngües. [Pl. de *vermilíngüe.*] *S. m. pl. Zool.* Animais metazoários, cordados, reptis, escamados, sáurios, cuja língua é longa, espessa, viscosa, podendo estender-se para fora da boca até a distância equivalente ao comprimento do corpo. São os verdadeiros camaleões.

vermina. [Do fr. *vermine.*] *S. f.* Tudo o que corrói e destrói progressivamente. [Cf. *vérmina.*]

vérmina. [Do lat. *vermina,* 'espasmos, convulsões'.] *S. f.* Verminose. [Cf. *vermina,* do v. *verminar* e s. f.]

verminação. [Do lat. *verminatione.*] *S. f. Patol.* Produção de vermes nos intestinos.

verminado. [Part. de *verminar.*] *Adj.* **1.** Em que há vermes; verminoso. **2.** Corroído por vermes. **3.** *Fig.* Consumido, amofinado, ralado.

verminar. [Do lat. *verminare.*] *V. int.* **1.** Criar vermes. **2.** Corromper-se, estragar-se. [Defect., unipess. Pres. ind.: *vermina, verminam.* Cf. *vérmina.*]

vermineira. *S. f.* Lugar onde, pela fermentação de matérias orgânicas, se criam vermes destinados à alimentação de galinhas e doutras aves.

verminose. [De *vérmina* + *-ose.*] *S. f. Patol.* Infecção produzida por vermes.

verminoso (ô). [Do lat. *verminosu* + *-oso.*] *Adj.* **1.** Verminado (1). **2.** Gerado pelos vermes.

vermívoro. [De *vermi-* + *-voro.*] *Adj.* Que se alimenta de vermes.

vermizela. [De *verme.*] *S. f.* Verme da terra, nocivo às raízes de certas plantas.

vermute. [Do al. *Wermut,* 'absinto', atr. do fr. *vermout* ou *vermouth.*] *S. m.* **1.** Vinho composto (branco ou tinto, doce ou seco) ao qual se adicionaram extratos de plantas aromáticas, usado em coquetéis ou como aperitivo. **2.** Cálice cheio dessa bebida: *Toma dois vermutes e fica tonto.* **3.** V. *absinto* (1).

vernação. [Do lat. *vernatione,* 'mudança da pele das serpentes na primavera'.] *S. f. Morfol. Veg.* Prefoliação.

vernaculamente (nà). [Do fem. de *vernáculo* + *-mente.*] *Adv.* De maneira vernácula; com vernaculidade; em linguagem pura, castiça.

vernaculidade. *S. f.* Qualidade de vernáculo; vernaculismo.

vernaculismo. *S. m.* **1.** Vernaculidade. **2.** Culto de linguagem vernácula; purismo. **3.** Casticismo (2).

vernaculista. *Adj. 2 g.* e *s. 2 g.* Que ou quem escreve e/ou fala vernaculamente.

vernaculização. *S. f.* Ato ou efeito de vernaculizar.

vernaculizar. *V. t. d.* Tornar vernáculo.

vernáculo. [Do lat. *vernaculu,* 'de escravo nascido na casa do senhor'; 'de casa, doméstico'; 'próprio do país, nacional'.] *Adj.* **1.** Próprio da região em que está; nacional: "Nada mais pitoresco, nada mais vernáculo, nada mais genuinamente e mais encantadoramente português do que essas simples e modestas navegações d'água doce!" (Ramalho Ortigão, *A Holanda,* p. 83); "E à noite o primeiro bródio da serra, com os pitéus vernáculos do velho Portugal!" (Eça de Queirós, *A Cidade e as Serras,* p. 198); *a língua vernácula.* **2.** *Fig.* Diz-se da linguagem genuína, correta, pura, isenta de estrangeirismos; castiço. **3.** Diz-se de quem atenta para a correção e a pureza no falar e escrever; castiço. ● *S. m.* **4.** O idioma próprio de um país.

vernal. [Do lat. *vernale.*] *Adj. 2 g.* **1.** Da, ou relativo à primavera; primaveril: "Transbordaram, no inverno, os cântaros dos montes; / Ao influxo vernal, fervem agora as fontes." (Bulhão Pato, *Livro do Monte,* p. 59.) **2.** Diz-se dos vegetais que rebentam na primavera. [Sin. ger.: *verno.*] ~ V. *ponto* —.

vernalidade. *S. f.* Qualidade de vernal.

vernalização. [De *vernalizar* + *-ção.*] *S. f. Fisiol. Veg.* Tratamento, por agentes físicos ou químicos, usado nos países frios, de uma semente, para que se encurte o período vegetativo. [Assim o trigo, p. ex., semeado na primavera após a vernalização, chega a produzir ao mesmo tempo que o trigo semeado no outono. Sin.: *jarovização.*]

vernalizar. [De *vernal* + *-izar.*] *V. t. d.* Realizar a vernalização de.

vernante. [Do lat. *vernante.*] *Adj. 2 g.* Que desabrocha ou floresce na primavera.

vernes. [Var. de *berne.*] *S. m. pl. Veter.* Inchação entre a pele dos animais e o tecido subjacente.

vernicoso (ô). *Adj.* Brilhante, luzidio, lustroso, como o verniz: *folhas vernicosas*<.

verniê. [Do fr. *vernier* antr. *Vernier,* de Pierre Vernier, geômetra francês (1580-1637).] *S. m. Fís.* Nônio.

➧**vernier** (ê). [Fr.] *S. m.* V. *verniê.*

➧**vernissage** (vernissáj). [Fr.] *S. m.* **1.** O dia antecedente ao da inauguração duma exposição de pintura (quando se supõe que os artistas dão a seus quadros a última demão de verniz). **2.** *P. ext.* Inauguração, ou abertura, de uma exposição de obras de arte.

verniz. [Do gr. tardio *berenikê,* atr. do b.-lat. *veronice* e do ant. fr. *verniz,* atual *vernis.*] *S. m.* **1.** Solução de goma ou de resina natural ou sintética em álcool, essência ou óleo sicativo, usada para recobrir e proteger metais, madeiras, etc. **2.** Designação comum a diversos vegetais que fornecem verniz. **3.** Couro a que se aplicou verniz (1); polimento. **4.** *Pint.* Composição desprovida de pigmentos, que fornece película brilhante e transparente, usada quando se quer preservar o aspecto intrínseco da superfície por pintar, ou do trabalho nela existente. **5.** *Fig.* Polidez superficial de maneiras. **6.** *Fig.* Aparência favorável dada a um procedimento mau. ♦ **Verniz branco.** *Grav.* Verniz transparente aplicado a pincel para proteger partes da placa já gravada, quando submetida a nova mordedura para acentuação de certos pormenores da imagem; verniz de recobrir. **Verniz brando.** *Grav.* **1.** Verniz a que se adiciona sebo, usado no gênero de gravura que tem o seu nome. **2.** Gravura a verniz brando. [Sin. ger.: *verniz mole.*] **Verniz de asfalto.** Verniz usado como elemento protetor das partes das chapas que não devem ser mordaçadas, em fotogravura e gravura, nesse último caso dizendo-se mais propriamente *verniz duro.* **Verniz de bola.** *Grav.* Composição resinosa, apresentada em pequenas bolas, que os gravadores passam sobre as placas previamente aquecidas. **Verniz de recobrir.** *Grav.* Verniz branco. **Verniz de remorder.** *Grav.* Verniz que é aplicado a rolo sobre a placa e não penetra nos entalhes, quando se deseja acentuar mordaçagem que ficou fraca. **Verniz duro.** *Grav.* Verniz de asfalto [q. v.]. **Verniz mole.** Verniz brando.

vernizagem. [De *verniz* + *-agem*[2].] *S. f.* Operação de revestir o cobre com uma fina camada de verniz, antes da gravação.

verniz-da-china. *S. m.* Planta da família das gutiferáceas (*Calophyllum augia*). [Pl.: *vernizes-da-china.*]

verniz-do-japão. *S. m. Bras.* **1.** Arvoreta da família das rutáceas (*Clausena lansium*), originária da China, onde é chamada *wampi,* de folhas com cinco a nove folíolos ovado-elípticos e brilhantes, flores pequeninas, alvas, e cápsulas ovadas, glandulosas e pilosas, com quatro a cinco lóculos. **2.** Espécie de verniz que se extrai dessa planta, do alianto e de certas anacardiáceas. [Pl.: *vernizes-do-japão.*]

verno. [Do lat. *vernu.*] *Adj.* V. *vernal.*

vero. [Do lat. *veru.*] *Adj.* Real, exato, verdadeiro.

▲**vero-.** Equi. de *veri-.*

veronense. [Do lat. *veronense.*] *Adj. 2 g.* e *s. 2 g.* Veronês.

veronês. [Do lat. *veronense.*] *Adj.* **1.** De, ou pertencente ou relativo a Verona (Itália). ● *S. m.* **2.** O natural ou habitante de Verona. [F. paral.: *Veronense.* Flex.: *veronesa (ê), veroneses (ê), veronesas (ê).*]

verônica. *S. f.* **1.** Relíquia guardada na basílica de São Pedro, em Roma, e constituída pelo pano (o santo sudário) em que, segundo a tradição, uma mulher hierosolimita, de nome Verônica, enxugou o rosto de Jesus quando carregava a cruz ao Calvário, tendo ficado ali gravada a sua figura. **2.** *P. ext.* Sudário (4): "vestes encardidas ...., deixando expostos os peitos cobertos de rosários, de verônicas, de cruzes, de figas, de amuletos" (Euclides da Cunha, *Os Sertões,* p. 199). **3.** A imagem do rosto ensangüentado de Cristo gravada em metal. **4.** *P. ext.* Rosto, semblante. **5.** Mulher que nas procissões do enterro de Cristo leva o sudário (4). **6.** *Bras., Amaz.* Cipó da família das leguminosas (*Dalbergia subcymosa*), das matas pluviais, de folhas penadas, pequenas flores em inflorescências congestas, e cujo fruto é uma sâmara de asa coriácea.

verônica-oficinal. *S. f.* V. *verônica* (6). [Pl.: *verônicas-oficinais.*]

verosímil. *Adj. 2 g. Lus.* V. *verossímil.* [Pl.: *verosímeis.*]

verosimilhança. *S. f. Lus.* Verossimilhança [q. v.].

verosimilhante. *Adj. 2 g. Lus.* Verossimilhante [q. v.].

verosimilidade. *S. f. Lus.* Verossimilidade [q. v.].

verosimílimo. *Adj. Lus.* Verossimílimo [q. v.].

verosimilitude. *S. f. Lus.* Verossimilitude [q. v.].

verossímil. [Var. de *verissímil.*] *Adj. 2 g.* **1.** Semelhante à verdade; que parece verdadeiro **2.** Que não repugna à verdade; provável. [Sin. ger.: *verossimilhante.* Pl.: *verossímeis* Superl. abs. sint.: *verossimílimo.*]

verossimilhança. [Var. de *verissimilhança.*] *S. f.* **1.** Qualidade ou caráter de verossímil ou verossimilhante; verossimilitude, verossimilidade: "Quem quer que a ouvisse, aceitaria tudo por verdade, tal era a nota sincera, a meiguice dos termos e a verossimilhan-

ça dos pormenores." (Machado de Assis, *Quincas Borba*, p. 285.) **2.** *Liter.* Coerência interna da obra literária no tocante ao mundo imaginário das personagens e situações recriadas.
verossimilhante. [Var. de *verissimilhante.*] *Adj. 2 g.* V. *verossímil.*
verossimilidade [Var. de *verissimilidade* (q. v.).] *S. f.* V. *verossimilhança* (1).
verossimílimo. [Var. de *verissimílimo* (q. v.).] *Adj.* Superl. abs. sint. de *verossímil.*
verossimilitude. [Var. de *verissimilitude* (q. v.).] *S. f.* V. *verossimilhança* (1).
verossimilmente. [De *verossímil* + *-mente.*] *Adv.* De modo verossímil; com verossimilhança.
verrina. [Do lat. *verrina.*] *S. f.* **1.** Cada um dos discursos de Cícero (106-43 a.C.), político e escritor, o maior dos oradores romanos, contra Verres, procônsul romano (II-I séc. a.C.). **2.** *P. ext.* Censura violenta, comumente escrita ou feita em discurso público. **3.** *Fig.* Crítica apaixonada e violenta.
verrinário. *Adj.* Relativo a, ou que tem o caráter de verrina (2 e 3).
verrineiro. *Adj.* e *s. m.* Que ou aquele que faz verrinas; verrinista.
verrinista. *S. 2 g.* e *adj. 2 g.* Verrineiro.
verrucal. [De *verruc(i)-* + *-al.*] *Adj. 2 g.* Respeitante a verruga.
verrucária. [De *verruc(i)-* + *-ária.*] *S. f.* V. *girassol* (1).
▲verruc(i)-. [Do lat. *verruca, ae.*] *El. comp.* = 'verruga': *verrucífero, verruciforme; verrucal.*
verrucífero. [De *verruc(i)-* + *-fero.*] *Adj.* Que tem verrugas.
verruciforme. [De *verruc(i)-* + *-forme.*] *Adj. 2 g.* Que tem forma de verruga.
verrucoso (ô). [Do lat. *verrucosu.*] *Adj.* Relativo a, ou da natureza da verruga.
verrúcula. [De *verruc(i)-* + *-ula.*] *S. f. Morfol. Veg.* Excrescência semelhante a uma pequena verruga, i. e., globosa e irregular.
verruculoso (ô). *Adj. Morfol. Veg.* Provido de verrúculas: *talo verruculoso.*
verruga. [Do lat. *verruca.*] *S. f.* **1.** *Med.* Tumor epidérmico de origem virótica. **2.** *Med. P. ext.* Proliferação epidérmica de que há vários tipos, semelhante à verruga (1), benigna, de origem outra que não virótica. **3.** *Morfol. Veg.* Pequena protuberância rugosa. [Var. (bras., pop.): *berruga.*]
verruga-do-peru. [De *verruga* + *do* + top. *Peru* (América do Sul).] *S. f. Patol.* V. *doença de Carrión.* [Pl.: *verrugas-do-peru.*]
verruga-peruana. *S. f. Patol.* V. *doença de Carrión.* [Pl.: *verrugas-peruanas.*]
verrugose. *S. f.* Doença que ataca os citros: "a *verrugose* dos citros da qual se conhecem dois tipos é provocada por fungos e acarreta prejuízos" (*O Estado de S. Paulo*, 10.4.1977).
verrugoso (ô). [Do lat. *verrucosu.*] *Adj.* V. *verruguento.* [Var. (bras., pop.): *berrugoso.*]
verruguento. *Adj.* Que tem verrugas; verrugoso. [Var. (bras., pop.): *berruguento.*]
verruma. *S. f.* Instrumento cuja extremidade inferior é lavrada em hélice e acaba em ponta, usado para abrir furos na madeira; tradinha, broca.
verrumão. [De *verruma* + *-ão^{1}.*] *S. m.* V. *trado* (1).
verrumar. *V. t. d.* **1.** Furar com verruma. **2.** Fazer furo em; furar. **3.** *Fig.* Afligir, torturar, espicaçar. *T. i.* **4.** *Fig.* Meditar, pensar; parafusar: *Ficou verrumando no assunto por longo tempo. Int.* **5.** Fazer furos com verruma ou instrumento semelhante.
■ vers. *Mat.* Símb. de *seno verso.*
■ vers^{-1}. *Mat.* Símb. de *arco seno verso.*
versa. [Do fr. *verse.*] *S. f.* Estado das searas acamadas pela chuva ou por outra causa.
versado. [Do lat. *versatu.*] *Adj.* Bom conhecedor; perito, prático, experimentado: "O aristocrata, muito *versado* em história natural, ensinou ao companheiro rudimentos de entomologia, geologia e botânica." (Melo Nóbrega, *O Soneto de Arvers*, p. 11).
versal. [De *verso^{1}* + *-al.*] *S. f.* **1.** *Tip.* V. *letra de caixa-alta.* ● *Adj. (f.).* **2.** — V. *letra* —.
versalete (ê). [De *versal* + *-ete.*] *S. m. Tip.* Tipo que tem a forma de versal e a altura da letra de caixa-baixa da fonte a que pertence.
versalhada. *S. f. Deprec.* **1.** Conjunto de versos. [V. *verso^{1}.*] **2.** Versos malfeitos ou insípidos: "Nesta última vila .... havia um cantador. Medíocre; porém. Para o não susceptibilizar, dei-me à pena de escrever a *versalhada* que ouvi." (Leonardo Mota, *No Tempo de Lampião*, pp. 96-97.) [Sin. ger.: *versaria.*]
versalhês. *Adj.* **1.** De, ou pertencente ou relativo a Versalhes (França). ● *S. m.* **2.** O natural ou habitante de Versalhes. [Flex.: *versalhesa* (ê), *versalhes* (ê), *versalhesas* (ê).]
versão. [Do lat. medieval *versione.*] *S. f.* **1.** Ato ou efeito de verter ou de voltar. **2.** Tradução literal dum texto; tradução. **3.** Explicação, interpretação. **4.** Cada uma das várias interpretações do mesmo ponto. **5.** Variante (4). **6.** Boato, balela, rumores. **7.** Manobra que objetiva dar ao feto uma posição mais conveniente ao parto.
versar^{1}. [Do lat. *versare*, 'voltar, revirar'.] *V. t. d.* **1.** Volver, manejar; examinar, compulsar: *versar as obras clássicas.* **2.** Praticar, exercitar, estudar: *versar línguas estrangeiras.* **3.** Considerar, examinar, ponderar. **4.** Passar de um vaso para outro; transvasar. *T. d.* e *i.* **5.** Exercitar, adestrar, treinar. *T. i.* **6.** Ter por objeto; incidir, consistir: "A conversação *versou* sobre a moradia nos sítios do sertão." (Inglês de Sousa, *O Missionário*, p. 49); "Suas conversas com Aurélia *versavam* ordinariamente sobre temas de sala." (José de Alencar, *Senhora*, p. 163). **7.** *P. us.* Ter trato ou convivência; viver, tratar.
versar^{2}. [De *verso^{1}* + *-ar^{2}.*] *V. int.* **1.** Versejar (1). **2.** *Bras. Pop.* Pôr em versos [v. *verso^{1}*] uma história em prosa; versificar. *T. d.* **3.** Versejar (3).
versaria. [De *verso^{1}* + *-aria.*] *S. f. Deprec.* Versalhada.
versátil. [Do lat. *versatile.*] *Adj. 2 g.* **1.** Inconstante, vário, volúvel: "O espírito se fora, levando consigo tudo o que havia nele de infantil, brincalhão, boêmio, *versátil*, inconseqüente." (Manuel Bandeira, *Poesia e Prosa*, II, p. 342.) **2.** Que tem qualidades variadas e numerosas em um determinado gênero de atividades, ou mesmo de modo geral: *escritor versátil; artista versátil.* **3.** *Morfol. Veg.* Diz-se da antera que, estando presa apenas por um ponto dorsal, oscila a todo momento, à mais leve brisa, como se vê, p. ex., nas gramíncas. [Pl.: *versáteis.*]
versatilidade. *S. f.* Qualidade de versátil.
versejador (ô). *Adj.* **1.** Que verseja. ● *S. m.* **2.** Indivíduo sem inspiração poética, mas que sabe fazer versos.
versejadura. *S. f.* Ato ou efeito de versejar.
versejar. [De *verso^{1}* + *-ejar.*] *V. int.* **1.** Fazer versos, versar: "Sempre haverá uma poesia popular sem arte, e poetas populares sem apuro gramatical e métrico, *versejando* com o falar da gente rústica." (Olavo Bilac, *Últimas Conferências*, p. 23.) **2.** *Deprec.* Fazer maus versos. *T. d.* **3.** Pôr em verso; versar. [Sin., nessas acepç.: *versificar.*] **4.** Dizer ou recitar (trecho ou composição em verso): "Velhotes borrachos pinoteiam *versejando* coisas d'amor animal em toada monótona." (José Vieira, *Sol de Portugal*, p. 156.) [Conjug.: v. *pelejar.*]
verseto (ê). [De *verso^{1}* + *-eto^{1}.*] *S. m.* **1.** Versículo: "Era mais degradante o culto dos ídolos, ... ou das 'imagens de escultura' .... , a que tão pitorescamente se refere Isaías em irosos *versetos* do seu capítulo XLIV." (Alcides Maia, *Crônicas e Ensaios*, p. 99.) **2.** *Mús.* Pequeno trecho musical correspondente a um verseto. [É, especialmente, uma peça curta para órgão, em estilo contrapontístico, e que se intercala, a partir do séc. XVI, entre dois trechos gregorianos ou polifônicos entoados pelos fiéis ou pelo coro.]
versicolor (ô). [Do lat. *versicolore.*] *Adj. 2 g.* De várias cores; diversicolor, variegado, mesclado, matizado: "um mantelete *versicolor* que lhe descaía para as espáduas em bátega de oiro." (Aquilino Ribeiro, *Aventura Maravilhosa*, p. 125).
versículo. [Do lat. *versiculu.*] *S. m.* **1.** Divisão de artigos [v. *artigo* (3)] ou parágrafos [v. *parágrafo* (1).] **2.** Cada um dos curtos parágrafos que dividem um texto sagrado: *os versículos da Bíblia; versículo de um salmo;* "sobre um bocado de tapete do Oriente de tons severos, com *versículos* do Alcorão, desdobrava-se a pastoral gentil dum minuete em Citera sobre a seda de um leque aberto..." (Eça de Queirós, *Os Maias*, II, p. 142). **3.** Palavras bíblicas, algumas vezes seguidas dum responso que se reza ou canta, nos ofícios da Igreja. **4.** Sinal tipográfico que marca o princípio de cada versículo (℣). [Sin. ger., menos us.: *verseto.*]
versidade. [De *diversidade*, por aférese.] *S. f. Bras., N.E. Pop.* Qualidade, espécie, variedade.
versiera. *S. f. Geom. Anal.* Curva plana do terceiro grau cuja equação é $xy^2 = a^2 (a-y)$.
versífero. [De *verso^{1}* + *-i-* + *-fero.*] *Adj.* Que tem ou que faz versos.
versificação. [Do lat. *versificatione.*] *S. f.* **1.** Ato ou efeito de versificar. **2.** Arte ou forma de versificar; metrificação.
versificador (ô). [Do lat. *versificatore.*] *Adj.* e *s. m.* Que ou aquele que versifica.
versificar. [Do lat. *versificare.*] *V. int.* **1.** V. *versejar* (1 e 2). **2.** *Pop. Bras.* Versar^{2} (2). *T. d.* **3.** V. *versejar* (3). [Conjug.: v. *trancar.* Pres. ind.: *versifico*, etc. Cf. *versífico.*]
versífico. [Do lat. *versificu.*] *Adj.* Respeitante a versos ou à versificação. [Cf. *versifico*, do v. *versificar.*]
versilibrismo. [De *verso^{1}* + *-i-* + lat. *liber*, 'livre', + *-ismo.*] *S. m. Liter.* **1.** Escola ou movimento dos poetas partidários do verso livre. **2.** Uso ou prática do verso livre.
versilibrista. *Adj. 2 g.* **1.** Relativo ao, ou que é partidário do versilibrismo. ● *S. 2 g.* **2.** Partidário dele.
versista. [De *verso^{1}* + *-ista.*] *Adj. 2 g.* e *s. 2 g.* Que ou quem verseja: "Letra paragógica não há nenhuma em *fugace, felice*, ... nem são tais formas exclusivamente usadas pelos *versistas*: encontramo-las também nos prosadores." (Mário Barreto, *Novíssimos Estudos da Língua Portuguesa*, p. 11.)
verso^{1}. [Do lat. *versu.*] *S. m.* **1.** Cada uma das linhas constitutivas de um poema; a unidade rítmica de uma poesia. [Sin., (pop.): *pé.*] **2.** O gênero poético. **3.** Poesia, versificação. **4.** *Pop.* Quadra ou estrofe qualquer: "O Deputado Ursulino Leão, quando Imperador do Divino em Crixás, foi saudado num 'Tambor', com este *verso*: 'Bate o Tambor, / Tamboreiro, que o Imperador / tem dinheiro.' " (Regina Lacerda, *Papa-Ceia*, p. 37.) **5.** *Bras., CE. Pop.* Historieta versificada. **6.** *Bras., PE.* Sutileza, indireta. ◆ **Verso acataléctico.** Verso grego ou latino a que não falta nem sobra nenhuma sílaba. **Verso acéfalo.** Verso hexâmetro cuja sílaba inicial é breve. **Verso adônico.** O que tem um pé dáctilo e outro espondeu; verso adônio. **Verso adônio.** Verso adônico. **Verso agudo.** O que termina em palavra oxítona ou monossílabo tônico. **Verso alcaico.** Verso criado pelo poeta grego Alceu [629-580 a.C.], e constituído de dois dáctilos e dois troqueus *(pequeno alcaico)*, ou de seis pés — um troqueu, um espondeu, um dáctilo (seguido de uma sílaba isolada com cesura), outro dáctilo e dois troqueus *(grande alcaico).* **Verso alcmânico.** Verso alcmânio. **Verso alcmânio.** Verso grego ou latino composto de três dáctilos e uma cesura; verso alcmânico. **Verso alexandrino.** O de 12 sílabas, ou dodecassílabo. [Tb. se diz apenas *alexandrino.*] **Verso anacíclico.** O que se pode ler da esquerda para a direita ou vice-versa sem sofrer alteração. [Tb. se diz apenas *anacíclico.*] **Verso asclepiadeu.** Verso grego ou latino formado de um espondeu, dois coriambos e um jambo. [Tb. se diz apenas *asclepiadeu.*] **Verso cataléctico.** Verso grego ou latino terminado por um pé incompleto. **Verso dactílico.** Verso esdrúxulo. **Verso de arte-maior.** O de nove sílabas com pausas na terceira, sexta e nona. **Verso de arte-menor.** O de número menor de sílabas, como, p. ex., a redondilha. **Verso de pé quebrado.** Verso errado ou malfeito: "Já não podia mais com tanta prosa charra e tantos *versos de pé quebrado.*" (Miguel Torga, *Diário*, IX, p. 69.) **Verso de seis pés.** *Liter. Bras. Pop.* V. *sextilha* (2). **Verso dicataléctico.** Verso a que faltam duas sílabas, no meio e no fim. **Verso ecóico.** Verso grego ou latino, cujas duas últimas palavras findam em vogal idêntica. **Verso esdrúxulo.** O que acaba em palavra proparoxítona; verso dactílico. **Verso glicônico.** Verso grego ou latino formado de um espondeu e dois dáctilos. [Tb. se diz apenas *glicônico.*] **Verso grande alcaico.** V. *verso alcaico.* **Verso grave.** O que acaba em palavra paroxítona; verso inteiro. **Verso heptâmetro.** Verso grego ou latino de sete pés. [Tb. se diz apenas *heptâmetro.*] **Verso heróico.** **1.** O verso decassílabo com pausas na 6ª e 10ª sílabas. **2.** O verso inglês rimado de cinco pés. **Verso heróico quebrado.** O verso de seis sílabas. **Verso hexâmetro.** Verso grego ou latino de seis pés, dos quais os quatro primeiros podem ser dáctilos ou espondeus, o quinto é dáctilo, e o sexto espondeu ou troqueu. [Tb. se diz apenas *hexâmetro.*] **Verso hipercataléctico.** Verso grego ou latino que tem uma sílaba de mais; hipercatalecto. **Verso inteiro.** Verso grave. **Verso leonino.** Verso em que os hemistíquios rimam. Ex.: "O semblante do *ancião* de súbito se encova. / Nos seus olhos de *leão* há um pranto que não cai, / Mesmo na *maldição* de tão bárbara prova." (Humberto de Campos, *Poesias Completas*, p. 341.) **Verso livre.** Verso não metrificado, que não atende a outro critério senão as pausas espontâneas do movimento lírico. **Verso métrico.** O verso em que, como no grego e no latim, as palavras são escolhidas conforme a quantidade longa ou breve de suas sílabas. **Verso octonário.** Verso de oito pés; [Tb. se diz apenas *octonário.*] **Verso palíndromo.** O que tem o mesmo sentido, leia-se da esquerda para a direita ou vice-versa.

[Tb. se diz apenas *palíndromo.*] **Verso pentâmetro.** Verso grego ou latino de cinco pés, composto de dáctilos ou espondeus e uma sílaba longa, mais dois dáctilos e uma sílaba longa ou breve, e que sempre vem após um hexâmetro, com o qual forma um dístico elegíaco. [Tb. se diz apenas *pentâmetro.*] **Verso pequeno alcaico.** V. *verso alcaico.* **Verso rítmico.** Aquele em que, como no alemão e no inglês, as palavras obedecem a certa acentuação rítmica. **Verso ropálico.** Verso grego ou latino que começa por monossílabo, tendo cada uma das palavras seguintes uma sílaba mais que a palavra anterior. **Verso sáfico. 1.** No grego e no latim, verso de cinco pés. **2.** No português, verso decassílabo com acentuação na 4ª, 8ª e 10ª sílabas. **Versos brancos.** Versos não rimados; versos soltos. *O poema* O Uraguai, *de Basílio da Gama, é em versos brancos.* **Verso silábico.** Aquele que perfaz determinado número de sílabas. **Verso sotádico.** Verso greco-romano que tanto se pode ler da esquerda para a direita, quanto da direita para a esquerda, ou invertendo a ordem das palavras. **Versos soltos.** Versos brancos. **Verso tetrarritmo.** O que se compõe de quatro medidas. **Verso trilongo.** Verso grego ou latino que tem três sílabas longas. [Tb. se diz apenas *trilongo.*] **Verso trocaico.** Verso formado de troqueus. [Tb. se diz apenas *trocaico.*] **Fazer versos à Lua.** *Bras., N.E. Pop.* Compor uma poesia, uma trova.

verso[2]. [Ablativo do lat. *versus, a, um,* 'voltado, virado'.] *Adj.* **1.** Contrário, oposto. ~ V. *seno* —. ● *S. m.* **2.** Página oposta à da frente. [Cf. *reto*[1] (7).] **3.** Face interior das folhas dos vegetais. **4.** *P. ext.* Lado posterior; face oposta à da frente.

versta. [Do russo *versta,* atr. do fr. *verste.*] *S. f.* Medida itinerária russa que equivale a 1067 metros.

versudo. [De *versa* + *-udo.*] *Adj.* Diz-se do pão das searas, muito acamado. [Cf. *verçudo.*]

➧**versus** (vérsuç). [Lat.] *Jur.* Contra.

versuto. [Do lat. *versutu.*] *Adj.* Manhoso, sagaz, astuto.

vertátur. [Do lat. *vertatur,* de *verti,* 'virar, volver'.] *S. m. Tip.* Revertátur [q. v.]. [Pl.: *vertátures.*]

vértebra. [Do lat. *vertebra.*] *S. f. Anat.* Cada um dos ossos que, junto com outros elementos anatômicos, formam a coluna vertebral do homem e doutros vertebrados; espôndilo. ◆ **Vértebra anficela.** *Zool.* Vértebra côncava em ambas as faces. **Vértebra procele.** *Zool.* Vértebra com a face anterior côncava.

vertebrado. [Do lat. *vertebratu.*] *Adj.* **1.** Que tem vértebras; vertebroso. **2.** Pertencente ou relativo aos vertebrados; craniota, osteozoário. ● *S. m.* **3.** Espécime dos vertebrados; craniota, osteozoário.

vertebrados. [Pl. de *vertebrado.*] *S. m. pl. Zool.* Animais que possuem um esqueleto ósseo ou cartilaginoso, composto de peças ligadas entre si ou móveis umas sobre as outras, com um eixo central, a coluna vertebral, dividido em vértebras; craniotas, osteozoários.

vertebral. [Do lat. cient. *vertebrale.*] *Adj. 2 g.* **1.** Relativo ou pertencente às vértebras. **2.** Formado de vértebras; vertebroso. ~ V. *arco —, canal —, coluna —, corpo —, forame —* e *lâmina —.*

vertebralidade. *S. f.* Qualidade de vertebral.

vertebroso (ô). *Adj.* **1.** Vertebral (2). **2.** Vertebrado (1).

vertedoiro. [De *verter* + *-(d)oiro.*] *S. m.* V. *vertedouro.*

vertedouro. [De *verter* + *-(d)ouro;* var. de *vertedoiro.*] *S. m.* Espécie de escudela usada para despejar a água para fora das embarcações; bartedouro.

vertedura. *S. f.* **1.** Ato ou efeito de verter. **2.** Porção de líquido que transborda do vaso onde se despeja.

vertente. [Do lat. *vertente,* 'que vira'; 'que muda (a direção da água)'.] *Adj. 2 g.* **1.** Que verte. **2.** Que se discute; de que se trata: *o caso vertente; as questões vertentes.* ● *S. f.* **3.** Declive de montanha, por onde derivam as águas pluviais: "Tornei a vê-lo em Coimbra, ... entre uns olivais, longe do bulício da Atenas, na vertente de uma colina onde apenas chegavam os berros obscenos da *Cabra* [sino da Universidade de Coimbra]" (Camilo Castelo Branco, *Serões de São Miguel de Ceide,* III, p. 62). [Sin., nesta acepç.: *declive* ou *declívio, clivo, descida, encosta, ladeira, quebra, quebrada, rampa* e (bras.) *caída, recosto, lançante, tombada, recosta, pendente, desabado, quembembe.*] **4.** Cada uma das superfícies dum telhado.

vertentense. *Adj. 2 g.* **1.** De, ou pertencente ou relativo a Vertentes (PE). ● *S. 2 g.* **2.** Natural ou habitante de Vertentes.

verter. [Do lat. *vertere,* 'voltar, virar'; 'desviar (a água)'.] *V. t. d.* **1.** Fazer transbordar; entornar, derramar: *Tomou a garrafa e verteu seu conteúdo;* "Viver! Eu sei que a alma chora / e a vida é só dor ingrata, / Pranto, que a não alivia, / Olhos, que o estão a verter ..." (Raimundo Correia, *Poesias,* p. 7.) **2.** Fazer sair com ímpeto; jorrar. **3.** Espalhar, difundir, deitar, esparzir: *Conta a lenda que o dragão vertia fogo pelas ventas;* "*A noite verte um desconsolo imenso*" (Antero de Quental, *Sonetos,* p. 316). **4.** Traduzir, trasladar: "Louis Fabulet traduz exclusivamente Rudyard Kipling, Marc Logé se dedica a verter Lafcadio Hearn, etc." (Paulo Rónai, *Escola de Tradutores,* p. 34.) *T. d. e i.* **5.** Traduzir, trasladar: *Verteu Machado de Assis para o alemão. T. c.* **6.** Derivar, brotar: *Este rio verte da serra. 7.* Desaguar, despejar-se: *O Amazonas verte no Atlântico. Int.* **8.** Transbordar, trasbordar, entornar. **9.** Ressumar, rever, revir: *Aquela moringa verte.* [Pres. ind.: *verto* (ê), *vertes, verte,* etc.]

vértex (cs). [Do lat. *vertex.*] *S. m. Anat.* Designação genérica que indica ápice, cume. ◆ **Vértex do crânio.** *Anat.* O ápice da cabeça; mesocrânio.

vertical. [Do b.-lat. *verticale.*] *Adj. 2 g.* **1.** Perpendicular ao plano horizontal. **2.** Que segue a direção do fio de prumo; aprumado. **3.** Situado por cima da cabeça. **4.** Diz-se da caligrafia em que as hastes das letras são perpendiculares à linha. ~ V. *Arquivo —, flauta —, gradiente termométrico —, leme —, prensa —* e *sismógrafo —.* ● *S. f.* **5.** Linha vertical. **6.** Direção ou posição vertical. **7.** *Geom.* Reta perpendicular a uma reta horizontal ou a uma superfície horizontal. ● *S. m.* **8.** *Astron.* Qualquer plano que, em um dado ponto da superfície da Terra, contém a vertical desse lugar. ◆ **Vertical de um astro.** *Astron.* Para um dado observador situado na superfície da Terra, é a vertical que passa por esse astro.

verticalidade. *S. f.* Qualidade ou posição de vertical.

vértice. [Do lat. *vertice.*] *S. m.* **1.** O ponto culminante; cimo, cume, ápice. **2.** O ponto mais alto da abóbada craniana. **3.** *Geom.* Ponto comum a duas ou mais retas. ◆ **Vértice de mira.** Ponto de mira.

verticidade. [De *vértice* + *-i-* + *-dade.*] *S. f.* Tendência duma coisa a dirigir-se mais para um lado que para o outro.

verticilado. [De *verticilo* + *-ado*[1].] *Adj.* ~V. *folha —a.*

verticilar. *Adj. 2 g. Morfol. Veg.* Relativo ou pertencente ao verticilo.

verticilastro. [De *verticilo.*] *S. m. Morfol. Veg.* Tipo de inflorescência em que as flores se dispõem compactamente nas axilas foliares, como se observa, p. ex., nas labiadas.

verticilifloro. [De *verticilo* + *-i-* + *-floro.*] *Adj. Morfol. Veg.* Que tem flores em verticilos.

verticilo. [Do lat. *verticillu,* 'remate do fuso'.] *S. m. Morfol. Veg.* Conjunto de peças foliáceas colocadas no mesmo nível, i. e., inseridas em um só nó caulinar: "O único mamífero encontrado em Paquetá em estado silvestre é o vulgaríssimo gambá que se desaltera com a água das chuvas retida no verticilo dos gravatás ou em poças efêmeras." (Vivaldo Coaraci, *Paquetá,* p. 5.)

vertigem. [Do lat. *vertigine,* 'remoinho'.] *S. f.* **1.** *Med.* Estado mórbido em que o indivíduo tem a impressão de que tudo gira em torno dele (*vertigem objetiva*), ou de que ele próprio está girando (*vertigem subjetiva*). [Sin., pop.: *vágado.*] **2.** *P. ext.* Desfalecimento (1). [Sin., pop. (nestas acepç.): *tonteira, tontura, zonzeira.*] **3.** *Fig.* Desvario, loucura. **4.** Tentação súbita. ◆ **Vertigem objetiva.** *Med.* V. *vertigem* (1). **Vertigem subjetiva.** *Med.* V. *vertigem* (1).

vertiginosidade. *S. f.* Qualidade de vertiginoso.

vertiginoso (ô). [Do lat. *vertiginosu.*] *Adj.* **1.** Que tem ou que causa vertigens. **2.** *Fig.* Que gira com muita rapidez: "No céu os bulcões de nuvens moviam-se em espirais vertiginosas" (Virgílio Várzea, *Nas Ondas,* p. 9). **3.** Que perturba a razão ou a serenidade do espírito.

verve. [Do fr. *verve.*] *S. f. Gal.* Calor de imaginação que anima o artista, o orador, o conversador, etc.

vesânia. [Do lat. *vesania.*] *S. f.* Denominação comum às várias espécies de alienação mental: "Conta-se que Nietzsche, já dentro da loucura, quando cambaleava pelas ruas de Turim a sussurrar aos ouvidos dos passeantes: 'sou um deus disfarçado!', viu um dia um cocheiro zurzir um cavalo com tal descompaixão que, em plena vesânia, se agarrou a chorar ao pescoço do animal, num protesto convulso." (José Gomes Ferreira, *O Mundo dos Outros,* p. 127.)

vesânico. *Adj.* Respeitante à, ou próprio da vesânia.

vesano. [Do lat. *vesanu.*] *Adj.* **1.** Demente, insensato, delirante. **2.** Que revela vesânia; próprio de demente: "Que a teus passos a relva se torre; / Murchem prados, a flor desfaleça, / E o regato que límpido corre, / Mais te acenda o vesano furor" (Gonçalves Dias, *Obras Poéticas,* II, p. 31).

vesco (ê). [Do lat. *vescu.*] *Adj.* Bom ou próprio para se comer; comestível: "Viça o vesco faval, com o humor que encerra" (Alberto de Oliveira, *Poesias,* 3ª série, p. 272).

vesgo (ê). *Adj.* **1.** V. *estrábico* (2). **2.** *Fig.* Tortuoso, torto, oblíquo. **3.** *Fig.* Em que não há lisura; desleal, pérfido, tortuoso: *intenções vesgas.* **4.** Estrábico (3): "Eu tenho a infelicidade de não compreender a felicidade. Sou um coração defeituoso, um espírito vesgo, uma alma insípida capaz de fidelidade, incapaz de constância." (Machado de Assis, *Ressurreição,* p. 21). ● *S. m.* **5.** V. *estrábico* (4).

vesguear. *V. int.* **1.** Ser vesgo. **2.** Olhar de esguelha ou de soslaio. **3.** *Fig.* Ver mal. [Conjug.: v. *frear.*]

vesgueiro. [De *vesgo* + *-eiro.*] *Adj.* V. *estrábico* (2).

vesguice. [De *vesgo* + *-ice.*] *S. f.* Estrabismo.

vesicação. [De *vesicar* + *-ção.*] *S. f.* Ato de gerar vesículas, por meio de uma substância irritante.

vesical. [De *vesic(o)-* + *-al.*] *Adj. 2 g. Anat.* Relativo ou pertencente à bexiga. ~ V. *trígono —.*

vesicante. [Do lat. *vesicante.*] *Adj. 2 g.* e *s. m.* Que ou aquilo que produz vesículas; vesicatório.

vesicar. [Do lat. *vesicare.*] *V. t. d.* Produzir vesículas [v. *vesícula* (2)] em. [Conjug.: v. *trancar.* Normalmente é defect., unipess.]

vesicatório. [Do lat. *vesicatu,* part. pass. de *vesicare,* 'vesicar', + *-ório.*] *Adj.* e *s. m.* Vesicante: "A congestão remitiu com a aplicação de vesicatórios e revulsivos enérgicos." (Alberto Braga, *Novos Contos,* p. 107.)

▲**vesic(o)-.** [Do lat. *vesica, ae.*] *El. comp.* = 'bexiga': *vesicorretal; vesical.*

vesicopústula. [De *vesic(o)-* + *pústula.*] *S. f. Med.* Vesícula (2) que se desenvolve numa pústula.

vesicorretal. [De *vesic(o)-* + *retal.*] *Adj. 2 g.* Relativo à bexiga e ao reto.

vesícula. [Do lat. *vesicula.*] *S. f.* **1.** Pequena bexiga ou cavidade. **2.** *Med.* Pequena bolha cutânea que contém líquido seroso; empola. **3.** *Morfol. Veg.* Qualquer eminência de um órgão ou orgânulo inteiro em forma de pequena bexiga ou de ampola. **4.** *Zool.* Saquinho cheio de ar, que se encontra nos peixes e que os torna mais ou menos ligeiros, conforme queiram subir ou descer na água. ◆ **Vesícula biliar.** *Anat.* A que serve de reservatório para a bílis. **Vesícula de Graaf.** *Anat.* Corpúsculos esféricos existentes nos ovários da mulher e em cujo interior se encerram os óvulos; ovissaco. **Vesículas encefálicas primitivas.** *Embr.* O conjunto das três formações mais precocemente presentes no tubo neural embrionário. **Vesículas seminais.** *Anat.* Cada uma de duas vesículas [v. *vesícula* (1)] que se relacionam com a parede posterior da bexiga, e dispõem de um canal que se junta ao canal deferente do mesmo lado, para formar canal ejaculatório.

vesicular. *Adj. 2 g.* **1.** Semelhante a uma vesícula. **2.** Formado por vesículas. [Sin., nestas acepç.: *vesiculoso.*] **3.** Da, ou relativo à vesícula biliar: *cálculo vesicular.*

vesiculoso (ô). [Do lat. *vesiculosu.*] *Adj.* **1.** Que tem vesículas. **2.** Vesicular (1 e 2).

vespa[1] (ê). [Do lat. *vespa.*] *S. f.* **1.** Designação comum aos insetos himenópteros providos de ferrão na extremidade do abdome e com patas posteriores não achatadas. No grupo se incluem várias famílias que contêm espécimes com aspecto geral de marimbondos, como, p. ex., os braconídeos, calcidídeos, pompilídeos, esfecídeos, vespídeos. [Cf. *marimbondo* (1).] **2.** *Fig.* Pessoa intratável e mordaz. [Var. pop.: *bespa.*]

vespa[2] (ê). [Do it. *Vespa,* marca registrada.] *S. f.* V. *lambreta.*

vespa-caçadora. *S. f.* V. *marimbondo-caçador.* [Pl.: *vespas-caçadoras.*]

vespa-cega. *S. f. Bras.* V. *marimbondo-chapéu.* [Pl.: *vespas-cegas.*]

vespa-de-cobra. *S. f. Bras.* V. *marimbondo-caçador.* [Pl.: *vespas-de-cobra.*]

vespa-de-rodeio. *S. f. Bras.* V. *mamangaba* (1). [Pl.: *vespas-de-rodeio.*]

vespa-de-uganda. *S. f. Bras.* Inseto himenóptero, da família dos betilídeos (*Prorops nasuta* Wat.), da África, introduzido no Brasil para combate biológico à broca-do-café. De porte minúsculo, constitui ótimo meio de combate à broca, sobretudo em regiões montanhosas, onde haja condições ecológicas favoráveis. [Pl.: *vespas-de-uganda.*]

vespão. [Aum. de *vespa*[1].] *S. m.* V. *marimbondo-caçador.*

vespasianense. *Adj. 2 g.* **1.** De, ou pertencente ou relativo a Vespasiano (MG). ● *S. 2 g.* **2.** Natural ou habitante de Vespasiano.

vespa-tatu. *S. f. Bras.* V. *marimbondo-tatu.* [Pl.: *vespas-tatus* e *vespas-tatu.*]

vespeiro. *S. m.* **1.** Reunião de vespas. **2.** Ninho de vespas. **3.** Lugar onde elas se ajuntam. **4.** *Fig.* Lugar onde imprevistamente se deparam insídias ou perigos.

Vésper. [Do lat. *vesper.*] *S. m.* **1.** *Astr.* V. *Vênus* (2): "No alto já tremeluzia uma estrela, a Vésper diamantina, que é tudo o que neste céu cristão resta do esplendor corporal de Vênus!" (Eça de Queirós, *Contos*, p. 111). **2.** *Fig.* O ocidente (1).

véspera. [Do lat. *vespera.*] *S. f.* **1.** A tarde. **2.** O dia que antecede imediatamente aquele de que se trata. **2.** Época ou tempo que precede certos acontecimentos. ~ V. *vésperas.*

vesperal. [Do lat. *vesperale.*] *Adj. 2 g.* **1.** Da, ou relativo à tarde. **2.** Que se realiza à tarde. ● *S. m.* **3.** Livro que contém as rezas litúrgicas chamadas *vésperas.* ● *S. f.* **4.** *Bras.* Festa, divertimento, concerto, espetáculo teatral, sessão cinematográfica, etc., realizados pela tarde; matinê: *Todos os domingos ia à vesperal dançante de seu clube.*

vésperas. [Pl. de *véspera.*] *S. f. pl.* **1.** Os dias que mais proximamente antecedem qualquer fato. **2.** Na liturgia católica, hora canônica [v. *horas canônicas* (1)] que se diz ao cair da tarde, quando Vésper ou Vênus costuma aparecer, e subseqüente à noa. ~ V. *véspera.*

Véspero. [Do lat. *Vesperu.*] *S. m.* V. *Vênus* (2): "Véspero, no lusco-fusco, avisava-o da hora tardia por sua chispa celeste." (Alberto Rangel, *Sombras n'Água*, p. 169.)

vespertilionídeo. *S. m.* **1.** Espécime dos vespertilionídeos ● *Adj.* **2.** Pertencente ou relativo a eles.

vespertilionídeos. *S. m. pl. Zool.* Animais quirópteros, da família *Vespertilionidae*, com membrana alar e uropatágio muito desenvolvidos, este incluindo toda a cauda, e desprovidos de apêndice foliáceo nasal. São os morcegos mais comuns, com aspecto de ratos voadores, todos insetívoros.

vespertino. [Do lat. *vespertinu.*] *Adj.* **1.** Da, ou relativo à, ou próprio da tarde. ~ V. *crepúsculo — e estrela — a.* ● *S. m.* **2.** Jornal vespertino.

véspida. *S. m. e adj. 2 g.* V. *vespídeo.*

véspidas. *S. m. pl. Zool.* V. *vespídeos.*

vespídeo. [De *vespa* + *-ídeo.*] *S. m.* **1.** Espécime dos vespídeos. ● *Adj.* **2.** Pertencente ou relativo a eles.

vespídeos. *S. m. pl. Zool.* Família de insetos da ordem dos himenópteros, onde se encontram as vespas típicas do gênero *Vespula*, de cores negras e amarelas.

vespinha-das-galhas. *S. f. Bras. Pop.* V. *cinipídeos.* [Pl.: *vespinhas-das-galhas.*]

vessada. [Fem. substantivado do adj. *vessado.*] *S. f.* Terra fértil e regadia.

vessadela. *S. f.* Ato ou efeito de vessar.

vessado. [Part. de *vessar.*] *Adj.* Que se vessou; em que se fez vessadela.

vessadoiro. [De *vessar* + *-doiro.*] *S. m.* Var. de *vessadouro.*

vessadouro. [De *vessar* + *-douro.*] *S. m.* Direito de vessar uma terra. [Var.: *vessadoiro.*]

vessar. [Do lat. *versare*, 'revirar, revolver'.] *V. t. d.* Lavrar com regos profundos, para a preparação de sementeira(s).

vestal. [Do lat. *vestale.*] *S. f.* **1.** Sacerdotisa de Vesta, deusa do fogo, dos romanos: "Talvez um dia meu amor se extinga, / Como fogo de Vesta mal cuidado / Que sem zelo da Vestal não vinga" (Machado de Assis, *Poesias Completas*, p. 44). **2.** *Fig.* Mulher muito honesta. **3.** Mulher casta ou virgem: "Mas como seria bom .... ter ainda pudores de vestal, frescuras d'epiderme carmínea, virgindades de noiva...!" (Fialho d'Almeida, *Aves Migradoras*, p. 163.) **4.** *Irôn.* Pessoa que se dá por muito honesta, muito pura. ● *Adj. 2 g.* **5.** *Desus.* Relativo ou semelhante às vestais. **6.** V. *virginal*[2] (1).

vestalino. *Adj.* Puro como uma vestal; imaculado.

veste. [Do lat. *veste.*] *S. f.* **1.** Peça de roupa, em geral aquela que reveste exteriormente o indivíduo e, em grau menor ou maior, o caracteriza; vestido, vestidura, vestimenta: *veste eclesiástica; veste nupcial.* **2.** V. *véstia* (1).

véstia. [Var. paragógica de *veste.*] *S. f.* **1.** Espécie de casaco curto, folgado na cintura; jaleco, veste: "É um gosto vê-lo, / Próspero, anafado, / Véstia alentejana, / Calça de riscado" (Conde de Monsaraz, *Musa Alentejana*, p. 143). **2.** *Bras.*, *N. E.* Casaco de couro usado pelos vaqueiros; gibão [v. *couros*]: "com um chapeirão de carnaúba e véstia sertaneja" (Coelho Neto, *Banzo*, p. 48). [Cf. *vestia*, do v. *vestir.*]

vestiaria. [De *veste* + *-i-* + *-aria.*] *S. f.* Lugar onde se guardam as roupas dos membros de qualquer corpo coletivo; rouparia, vestiário. [Cf. *vestiária*, fem. de *vestiário.*]

vestiário. [Do lat. *vestiariu*, 'da roupa'.] *S. m.* **1.** Indivíduo encarregado do guarda-roupa de uma corporação, de um teatro, etc. **2.** Inspetor das vestiarias. [Fem., nessas acepç.: *vestiária.* Cf. *vestiaria.*] **3.** V. *vestiaria.* **4.** Compartimento nas casas onde as pessoas que chegam da rua guardam, momentaneamente, casacos, chapéus, sobretudos, etc.: "Nos vestiários fervilha uma turba alegre que lá deixa agasalhos femininos, grossos capotes de homens" (Graciliano Ramos, *Viagem*, p. 40); *vestiário de um teatro.* **5.** Compartimento, em geral dotado de certas comodidades, onde os membros de uma corporação, uma equipe, etc., trocam a vestimenta comum por uniformes, trajes especiais, ou roupas de trabalho, e guardam seus pertences: *o vestiário de um tribunal; o vestiário de um estádio.* [Cf. *vestuário.*]

vestibulando. [De *vestibul(ar)* + a term. de palavras como *doutorando, bacharelando, formando*, estas, sim, regulares, pois têm por base verbos. É f. bárbara, como tb. *engenheirando, odontolando* e outras.] *Adj. e s. m.* Diz-se de, ou estudante que vai prestar exame vestibular.

vestibular. *Adj. 2 g.* **1.** Relativo ao vestíbulo. **2.** Diz-se do exame de admissão ao primeiro ciclo de graduação de um curso superior, aberto aos candidatos que houverem concluído o curso de segundo grau, e destinado a avaliar o preparo de tais candidatos e sua aptidão intelectual. ● *S. m.* **3.** Exame vestibular.

vestíbulo. [Do lat. *vestibulu.*] *S. m.* **1.** Espaço entre a rua e a entrada de um edifício. **2.** Porta principal. **3.** Espaço entre a porta e a principal escadaria interior: "coloquei a cadeirinha no vestíbulo da minha casa, no ângulo da escada que sobe para o primeiro andar." (Bernardo Pinheiro, Pindela, *Azulejos*, p. 11). **4.** *Arquit.* Átrio (4 e 5). **5.** *Anat.* Designação genérica de espaço situado à entrada de canal. **6.** *Anat.* Cavidade situada no labirinto ósseo de cada ouvido interno, a qual se comunica com a cóclea por diante e com os canais semicirculares por trás. **7.** *Anat.* Espaço situado entre os pequenos lábios e no qual estão situados o orifício vaginal e o orifício externo da uretra.

vestição. *S. f.* Ato ou efeito de vestir(-se).

vestido. [Do lat. *vestitu.*] *S. m.* **1.** V. *veste* (1): "Sabe-se a que extraordinário requinte levaram o cuidado de suas pessoas e o esmero de seus vestidos Edgar Poe, Charles Baudelaire, Alexandre Dumas, ... Victor Hugo" (Ramalho Ortigão, *As Farpas*, II, p. 237). **2.** Vestimenta feminina usada, em geral, por cima da roupa de baixo [q. v.], e composta de saia e blusa, formando um todo. **3.** Aquilo que veste alguém ou algo; vestimenta, vestidura, revestimento, cobertura: *Ficou olhando o campo e seu vestido de relva macia.* ● *Adj.* **4.** Que traz vestimenta(s): *Via-se na gravura um homem vestido e outro nu.* ◆ **Vestido de baile.** Vestido de tecido requintado (seda, veludo, renda, etc.), em geral decotado e longo. **Vestido de mijão.** *Bras., PE. Pop.* Vestido muito longo.

vestidura. *S. f.* **1.** Tudo que é próprio para vestir (1 e 2); vestuário: *A vestidura dos selvagens brasileiros é sumária, com fins simbólicos e ornamentais.* **2.** V. *veste* (1): "— Sou eu que te mando vás vestir as vestiduras de missa." (Alexandre Herculano, *Lendas e Narrativas*, II, p. 667.) **3.** V. *vestido* (3). **4.** Cerimônia monástica em que se toma o hábito religioso.

vestigial. *Adj. 2 g.* Que consiste em vestígio(s) ou indício(s); da natureza dele(s).

vestígio. [Do lat. *vestigiu.*] *S. m.* **1.** Sinal que homem ou animal deixa com os pés no lugar por onde passa; rastro, rasto, pegada, pista. **2.** *Fig.* Indício, sinal, pista, rastro, rasto, rabeira: *Haviam desaparecido todos os vestígios do crime ali perpetrado.*

vestimenta. [Do lat. *vestimenta.*] *S. f.* **1.** V. *veste* (1). **2.** Vestes sacerdotais em cerimônias solenes. **3.** V. *vestido* (3).

vestimenteiro. *S. m.* Aquele que faz vestimentas.

vestir. [Do lat. *vestire.*] *V. t. d.* **1.** Cobrir com roupa ou veste: *A mãe vestiu a criança;* "Tragicamente silencioso, olhando / O corpito esburgado e miserando / Da filha morta, resolveu tranqüilo / Pentear-lhe os cabelos e vesti-lo" (Conde de Monsaraz, *Musa Alentejana*, pp. 244-245). **2.** Pôr ou trazer sobre si (qualquer peça de vestuário): "Bateu gavetas, vestiu o paletó, apagou as luzes." (Ricardo Ramos, *Os Inventores Estão Vivos*, p. 25); "Vestia um costume marrom, avivado no peito por um pequeno lenço branco" (Xavier Placer, *Doze Histórias Curtas*, p. 17); "Ela vestiu seu vestido mais humilde." (Oswald de Andrade, *Um Homem sem Profissão*, p. 171); "Vestia armas azuladas, o elmo com que seu avô Carlos V entrara em Túnis" (Aquilino Ribeiro, *Aventura Maravilhosa*, p. 9). **3.** Usar roupas feitas de: *vestir chita.* **4.** Calçar (luvas). **5.** Dar vestuário a: *O orfanato veste 110 crianças.* **6.** Fazer ou talhar roupa(s) para: *Este alfaiate veste homens elegantes.* **7.** Cobrir, forrar, revestir, alcatifar: *Tapetes persas vestiam o chão.* **8.** Ajustar ao próprio corpo; envolver-se em; envergar: "Poti vestiu suas armas, e caminhou para a várzea" (José de Alencar, *Iracema*, p. 117.) **9.** Ornar, adornar, enfeitar, embelezar: "Doze cadeiras de veludo cor de fogo, esculpidas de finos lavores, vestem os vãos e os outros lados da casa" (Rebelo da Silva, *De noite Todos os Gatos São Pardos*, p. 150). **10.** Adotar, tomar, aceitar: *Os escritores modernos já não vestem expressões antigas.* **11.** Encobrir, disfarçar: *vestir a verdade.* **12.** Resguardar, defender. *T. d.* e *i.* **13.** Cobrir, envolver: *Vestiu o menino de pesada manta.* **14.** Pôr como envoltório, à maneira de veste (1): "O perfume da essência .... foi aspirado com prazer, por Margarida, que se encontrava na alcova, vestindo uma fronha no travesseiro." (Adalberon Cavalcanti Lins, *Curral Novo*, p. 241.) **15.** Enfeitar, ornar, adornar, embelezar. **16.** Resguardar, defender. *Int.* **17.** Pôr veste; trajar-se: "Vestia com simplicidade, usava os cabelos lisos e não trazia jóia alguma" (Machado de Assis, *Páginas Recolhidas*, p. 46). **18.** Ter bom caimento; ser bem cortado, elegante: *Aquele costume veste bem. P.* **19.** Cobrir-se com roupa; pôr veste; trajar-se: "dois ou três homens e outras tantas mulheres, que se vestem como rainhas" (Ramalho Ortigão, *Em Paris*, p. 236); "Calçou as sandálias, toucou-se de flores. / Vestiu-se de Nossa Senhora das Dores" (Antônio Nobre, *Só*, p. 9). **20.** Imbuir-se, impregnar-se: "Quando nasce o luar, eu me comovo, / Todo me visto de alma e de tristeza..." (Teixeira de Pascoais, *D. Carlos*, p. 10.) **21.** Cobrir-se, encobrir-se. **22.** Cobrir-se, encher-se: "Vendo as aves cruzarem-se no espaço / E as paineiras vestirem-se de flores." (Ricardo Gonçalves, *Ipês*, p. 37). **23.** Mascarar-se, disfarçar-se: *Vestiu-se de mendigo e pôde transitar incógnito.* **24.** Fazer ou comprar roupa para o seu uso em: *Veste-se nos melhores alfaiates do Rio.* **25.** Fantasiar-se: *Vestir-se de palhaço.* [Irreg. Conjug.: v. *aderir.* Imperf. ind.: *vestia*, etc. Cf. *véstia*, s. f., e *Véstia*, antr. e top.] ● *S. m.* **26.** Vestuário: *Mulher fútil, o vestir é sua única preocupação.* **27.** Ato de tomar e enfiar a roupa no corpo ou em parte dele.

vestuário. [Do lat. *vestiariu.*] *S. m.* **1.** O conjunto das peças de roupa que se vestem; traje, indumentária. **2.** Vestidura (1). [Cf. *vestiário.*]

vesuvianita. [De *vesuviano* + *-ita*[3].] *S. f. Min.* Idocrásio.

vesuviano. *Adj.* **1.** Relativo ou pertencente ao Vesúvio, vulcão da Itália. **2.** *Fig.* Explosivo, arrebatado: *Índole vesuviana.*

vetar. [Do lat. *vetare*, 'proibir'.] *V. t. d.* **1.** Opor o veto a (uma lei). [Antôn.: *sancionar.*] **2.** *P. ext.* Proibir, vedar: *Vetou a entrada de estranhos.*

veteranice. *S. f.* Qualidade ou estado de veterano: "Mais de trinta anos de amizade fiel dão domínio e autoridade... Sinto muito que esta referência à minha veteranice não te remoce." (Olavo Bilac, *Últimas Conferências e Discursos*, p. 8.)

veterano. [Do lat. *veteranu*, 'velho, antigo'.] *Adj.* **1.** Antigo no serviço militar. **2.** *Fig.* Envelhecido em qualquer serviço. **3.** *P. ext.* Antigo e tarimbado em qualquer ramo de atividade. ● *S. m.* **4.** Soldado antigo ou reformado. **5.** Estudante universitário, de academia militar ou de colégio, que já cursou o primeiro ano. [Nesta acepç., opõe-se a *calouro.*] **6.** *Fig.* Indivíduo que envelheceu em certo serviço ou profissão. **7.** *P. ext.* Indivíduo tarimbado em qualquer atividade por exercê-la desde muito tempo.

veterinária. [Do lat. *veterinaria* (subentende-se *medicina*).] *S. f.* Medicina dos animais; zooiatria.

veterinário. [Do lat. *veterinariu.*] *Adj.* **1.** Referente à veterinária, ou aos animais irracionais. ● *S. m.* **2.** Aquele que exerce veterinária; médico veterinário; hipiatro, zooiatra: "Quem possui um animal doente deve chamar o veterinário." (Nélson Palma Travassos, *O Porco, Esse Desconhecido*, p. 162.)

vetila. *S. f. Bras., AM* e *RJ.* Grande cipó da família das convolvuláceas *(Ipomoea capparoides)*, de folhas grandes, cordadas, ovadas, acuminadas, moles e algo pilosas, flores amplas, com 25 mm, róseo-purpúreas, campanuladas, raiadas, congregadas em cimeiras multifloras, e cujos frutos são cápsulas de uns 5 cm, com quatro sementes.

vetiveno. *S. m. Quím.* Hidrocarboneto sesquiterpênico, bicíclico, líquido, aparentado ao azuleno, encontrado no óleo de vetiver.

vetivenol. *S. m. Quím.* Designação genérica de álcoois sesquiterpênicos, bicíclicos, líquidos, oleosos, com odor característico, encontrados no óleo de vetiver. [Fórm.: $C_{15}H_{24}O$.]

vetiver. [Do tâmul *vittiveru*, pelo fr. *vétiver.*] *S. m.* Grande capim (de 1 a 1,5 m de altura) da família das gramíneas *(Andropogon squarrosus)*, originário da Malásia, cultivado e também subespontâneo, cuja raiz fornece 1% de óleo essencial perfumado, e quando seca é vendida para ser colocada entre a roupa, perfumando-a e afugentando insetos; patchuli: "Entrava o sol distante, / E ficava ao relento, em chão de grama, / Corando a roupa e a se embeber do aroma / Do vetiver e flores de baunilha." (Alberto de Oliveira, *Poesias*, 3ª série, p. 74.)

veto. [Do lat. *veto*, 1ª pess. sing. do pres. ind. de *vetare*, 'proibir'.] *S. m.* **1.** Proibição, suspensão, oposição. **2.** Direito que assiste ao chefe de Estado de recusar sua sanção a uma lei votada pelas câmaras legislativas.

vetor (ô). *S. m.* **1.** Var. de *vector.* **2.** *Genét.* Qualquer plasmídeo ou bacteriófago através do qual um fragmento específico de ácido desoxirribonucléico pode ser introduzido numa outra célula.

vetorial. *Adj. 2 g.* Var. de *vectorial.*

vetustez (ê). *S. f.* Qualidade ou estado de vetusto: "As velhas casas, titubeantes de vetustez, trepam pelas encostas, amparando-se umas às outras." (Sousa Bandeira, *Evocações e Outros Escritos*, p. 62.)

vetusto. [Do lat. *vetustu.*] *Adj.* **1.** Muito velho; antiqüíssimo; antigo: "No pátio, ao pé da casa, a torre alta e vetusta, / Cuja lendária história os ânimos assusta" (Conde de Monsaraz, *Musa Alentejana*, p. 58). **2.** Deteriorado pelo tempo. **3.** Respeitável pela idade.

véu. [Do lat. *velu.*] *S. m.* **1.** Tecido com que se cobre qualquer coisa. **2.** Tecido transparente com que as mulheres cobrem a cabeça e/ou o rosto em determinadas circunstâncias. **3.** Mantilha de freira. **4.** *Fig.* O que se pode comparar a um véu. **5.** *Fig.* Aquilo que serve para ocultar algum fato; pretexto. **6.** Trevas, noite. **7.** Aflição, angústia, amargura. **8.** *Bras., RS.* Manta inteiriça de lã que se tira do animal ovelhum no ato da tosquia, e que abrange os flancos, lombo e pescoço. ♦ **Véu de ombros.** Manto de seda que o padre põe nos ombros ao ter de empunhar a custódia ou transportar os cibórios que contêm hóstias consagradas; véu umeral: "Sempre o vigário ou o padre de maior categoria, revestido da capa de asperges, tinha a missão de levá-la [a custódia], segurando-a pela base, envolvida nas bordas do véu de ombros." (Tobias Monteiro, *História do Império. O Primeiro Reinado*, II, pp. 310-311.) **Véu do cálice.** Retângulo de seda com que o padre cobre o cálice ao dirigir-se ao altar para dizer a missa: "Onde havia paramentos sacerdotais, véu do cálice, sudário, pluvial, que traduzissem na tonalidade uma delicadeza de cores igual àquela?!" (Aquilino Ribeiro, *Dom Frei Bertolameu*, p. 37.) **Véu do paladar.** *Anat.* Lâmina musculomembranosa de forma que sugere quadrilátero, e cuja borda posterior se fixa na borda posterior do palato, ficando a inferior livre e acima da base da língua. Pela sua mobilidade, tem um papel na determinação da natureza oral ou nasal de um som. [Sin.: *véu palatino.*] **Véu umeral.** Véu de ombros.

vexação. [Do lat. *vexatione.*] *S. f.* Ato ou efeito de vexar. [Var.: *avexação*; sin.: *vexame.*]

vexado. [Part. de *vexar.*] *Adj.* **1.** Envergonhado: "As virtudes cívicas se encolhem vexadas; campeia a traficância." (Darci Ribeiro, *Aos Trancos e Barrancos*, 2395.) **2.** *Bras., N.E.* Apressado, azafamado. [Var.: *avexado.*]

vexador (ô). [Do lat. *vexatore.*] *Adj.* **1.** V. *vexatório.* ● *S. m.* **2.** Aquele que vexa.

vexame. [Do lat. *vexamen.*] *S. m.* **1.** Vexação. **2.** Aquilo que causa vexação. **3.** Vergonha, afronta, ultraje. **4.** *Bras., N.E.* Pressa, afã, azáfama. **5.** *Bras., N.E.* Espécie de afrontação ou palpitação do coração: "quase que o pai o mata a bengaladas, não matando somente porque teve um vexame na hora" (João Ubaldo Ribeiro, *Viva o Povo Brasileiro*, p. 333).

vexaminoso (ô). *Adj. Bras.* Que causa vexame ou vergonha; vergonhoso, vexatório.

vexante. [Do lat. *vexante.*] *Adj. 2 g.* V. *vexatório.*

vexar. [Do lat. *vexare.*] *V. t. d.* **1.** Causar tormento a; atormentar, molestar, maltratar: "o seu olhar terrível, cheio de nobre desprezo, humilha-me, e a sua indiferença vexa-me" (Coelho Neto, *Obra Seleta*, I, p. 719). **2.** Humilhar, afligir, afrontar: *As palavras sarcásticas vexaram o rapaz acanhado.* **3.** Causar vergonha a; envergonhar: *Vexa-o conviver com pessoas mais modestas.* **4.** V. *apoquentar.* **5.** *Bras., N.E.* Apressar, azafamar. *P.* **6.** Sentir vergonha; envergonhar-se. **7.** V. *apoquentar.* **8.** *Bras., N.E.* Apressar-se, azafamar-se. [Var.: *avexar.* Pres. ind: *vexo* (ê), *vexa* (ê), etc.]

➧**vexata quaestio** (vekçata qüéstio). [Lat.] Questão muito controversa.

vexativo. [Do lat. *vexativu.*] *Adj.* V. *vexatório.*

vexatório. [Do lat. *vexattu*, part. pass. de *vexare*, 'vexar', + *-ório.*] *Adj.* Que vexa ou provoca vexame; vexador, vexante, vexativo.

vexilar (cs). [Do lat. *vexillare.*] *Adj. 2 g. Morfol. Veg.* Relativo ao, ou que apresenta vexilo: *prefloração vexilar.*

vexilário (cs). [Do lat. *vexillariu.*] *S. m. Ant.* Porta-bandeira.

vexilo (cs). [Do lat. *vexillu.*] *S. m.* **1.** *Ant.* Bandeira, estandarte: "o estandarte do clube, o vexilo das Violetas embrulhado em papel" (João do Rio, *Vida Vertiginosa*, pp. 149-150). **2.** *Morfol. Veg.* Pétala superior ou posterior, maior e diferentemente conformada, da corola papilionácea; estandarte.

vez (ê). [Do lat. *vice.*] *S. f.* **1.** Termo que indica um fato na sua unidade ou na sua repetição: *O sino badalou três vezes;* "Sinto a emoção de ser outra vez marinheiro." (Moacir C. Lopes, *Cais, Saudade em Pedra*, p. 195). **2.** Ensejo, ocasião, oportunidade: *Raras vezes aparece.* **3.** A ocasião ou oportunidade que cabe a cada um, dentro de uma seqüência estabelecida; turno, hora: *Agora é a sua vez de montar guarda.* **4.** Alternativa, opção. **5.** Pequena porção; dose, quinhão: *uma vez de vinho.* [Pl.: vezes (ê). Cf. vês, do v. *ver* e pl. do s. m. *vê*, e *vezes*, do v. *vezar.*] ~ V. *vezes.* ♦ **Vez a vez.** V. *de quando em quando.* **Vez em vez.** V. *de quando em quando:* "Vez em vez, uma inquieta saracura, / Saindo, cautelosa, do brejal, / Da sua face luminosa e pura / Mirava-se no límpido cristal." (Ricardo Gonçalves, *Ipês*, p. 64). **Vez por outra.** V. *de quando em quando:* "Quando construía esta casa neste recanto, vez por outra aqui chegava o meu inesquecível colega e amigo Guedes de Miranda." (Carlos de Gusmão, *Boca da Grota*, p. 4.) **Às vezes.** Por vezes; algumas vezes; vezes: "Terras áridas. Nenhuma beleza. Às vezes, ao longe, surge uma serra, e o panorama cria interesse, poesia." (Alfredo Mesquita, *Brasil. Viagem ao Norte e Nordeste*, p. 22.) **De quando em vez.** V. *de quando em quando:* "De quando em vez deparase com uma ruína de casa senhorial." (José Vieira, *Sol de Portugal*, p. 64.) **De uma vez para sempre.** De uma vez por todas: "Que fica fazendo em casa? Que venha. E, de uma vez para sempre, precisamos acabar com estes passeios." (Coelho Neto, *Treva*, p. 167.) **De uma vez por todas.** Sem ser necessário repetir ainda; de uma vez para sempre. **De vez. 1.** De maneira decisiva, terminante. **2.** No tempo adequado de ser colhido; entremaduro: *A banana está de vez.* **De vez em onde.** V. *de quando em quando:* "São bois de vigor estranho, / Mas começam de cansar; / E o lavrador vigilante, / De vez em onde a bradar — Chega, chega!..." (Bulhão Pato, *Livro do Monte*, p. 79.) **De vez em quando.** V. *de quando em quando:* "De vez em quando, tirava da abóbada palatina com a ponta da língua uns estalidos como as cegonhas." (Camilo Castelo Branco, *Vulcões de Lama*, p. 163.) **De vez em vez.** V. *de quando em quando:* "A paisagem corria, mostrando de vez em vez estaçõezinhas humildes" (Raul Bopp, *Putirum*, p. 189.) **Em vez de.** Em lugar de: *Em vez destes livros, traga-me outros.* [Cf. *ao invés de.*] **Fazer as vezes de. 1.** Desempenhar as funções que competem a (outrem). **2.** Servir para o mesmo fim que (alguma coisa); substituir. **Lá uma vez perdida.** *Bras.* Muito raramente: "Lá uma vez perdida, quando em uma caçada mais feliz, conseguiam abater carne capaz de fartá-los, ... surgia o problema do sobejo da comida a preservar para o amanhã." (Osvaldo Lamartine de Faria, *Conservação de Alimentos nos Sertões do Seridó*, p. 26.) **Muita vez.** Muitas vezes; freqüentemente: "O mar batia no navio e muita vez caía água em cima deles." (José Lins do Rego, *Gregos e Troianos*, p. 165.) **Pensar duas vezes.** Refletir, ponderar, antes de tomar uma decisão, de agir. **Por vez.** V. *de quando em quando:* "Marcos das eras mortas, florões de arte / em que o sonho, por vez, se transfigura" (Valdemar Lopes, *Sonetos de Portugal*, p. 37). **Ser outra vez.** Ser a cara de. **Ter vez. 1.** Ter oportunidade: *Há países em que o pobre de berço não tem vez.* **2.** Ter cabimento; ser cabível, oportuno: *Este argumento, é claro, não tem vez.* **Uma vez.** Em certa ocasião; outrora. **Uma vez na vida, outra na morte.** *Bras.* Muito raramente: "Em geral, na cidade, compravam apenas sal e café — e uma vez na vida, outra na morte um pedaço de pano ou uma rede." (Raquel de Queirós, *A Donzela e a Moura-Torta*, p. 47.) **Uma vez ou outra.** V. *uma vez por outra:* "podiam transportar-se uma vez ou outra na almofada dos trens" (Fialho d'Almeida, *A Cidade do Vício*, p. 113). **Uma vez por outra.** Poucas vezes; raramente; uma vez ou outra: "uma vez por outra, pedia ao seu diretor espiritual que mandasse vir o cadáver de seu filho para o sepultar em um jazigo que mandara fazer na sua capela." (Camilo Castelo Branco, *Vulcões de Lama*, p. 179). **Uma vez que. 1.** Visto que; dado que; como: *Uma vez que ele veio, haverá festa;* "Não poderia [Silva Jardim] deixar de ser considerado como o chefe virtual da política republicana no Estado do Rio de Janeiro, uma vez que Quintino Bocaiúva havia preferido a área federal." (Barbosa Lima Sobrinho, *Presença de Alberto Torres*, p. 91). **2.** Dado que; caso: *Uma vez que você baixe o preço, eu compro-lhe a casa.*

vezar. [De *vezo* + *-ar*[2].] *V. t. d., t. d. e i.* e *p.* Avezar[1]: "Essa plebe escura, ... se a vezarem à glorificação dos déspotas defuntos, não saberá resistir aos vivos." (Camilo Castelo Branco, *Perfil do Marquês de Pombal*, p. XV.) [Pres. ind.: *vezo*, etc.; pres. subj.: *veze*, *vezes*, etc. Cf. vezo (ê), s. m., e vezes (ê), pl. de vez.]

vezeiro. *Adj.* **1.** Que tem vezo; acostumado, habituado: "Dizem .... que esse tal de Vilanova era vezeiro em vender refugo de couro como couro bom." (Herberto Sales, *Histórias Ordinárias*, p. 163.) **2.** Reincidente. [Fem.: *vezeira.* Cf. *viseira.*]

vezes (ê). [Pl. de *vez.*] *Adv.* Às vezes; por vezes; algumas vezes: "Céu de dias de sol e noites enluaradas, vezes também cheio de nuvens carregadas" (Ascenso Ferreira, *Catimbó e Outros Poemas*, p. 159); "Todo o homem, por mais materialista que seja, vezes se torna panteísta e então sente a alma das coisas." (João Clímaco Bezerra, *O Homem e Seu Cachorro*, p. 39). ~ V. vez.

vezo (ê). [Do lat. *vitiu*, 'vício'.] *S. m.* **1.** Costume vicioso ou criticável. **2.** Qualquer hábito ou costume: "O vezo de cantar as cousas da terra, de nomeá-las, citá-las ou descrevê-las, ... era velho na nossa poesia." (José Veríssimo, *História da Literatura Brasileira*, p. 170). [Pl.: *vezos* (ê). Cf. *vezo*, do v. *vezar.*]

■**v. g.** Abrev. de *verbi gratia.*

via. [Do lat. *via*, 'caminho'.] *S. f.* **1.** Lugar por onde se vai ou se é levado; estrada, caminho: "Algumas das modernas rodovias européias aproveitam longos trechos de vias construídas há dois milênios!" (Heitor Lisboa de Araújo, *Engenharia de Transportes*, p. 6.) [Dim. irreg.: *viela.*] **2.** Direção, rumo. **3.** Bitola (2). **4.** Qualquer canal do organismo. **5.** V. *conduto* (1). **6.** Meio (10). **7.** Maneira, meio, modo. **8.** Exemplar de uma letra, documento, etc. **9.** Causa, razão, motivo. ● *Prep.* **10.** Pelo caminho de. ♦ **Via férrea.** Conjunto de duas linhas de trilhos, assentadas e fixadas paralelamente em dormentes, e cuja separação constitui a bitola da via. [Cf. *ferrovia.*] **Via Láctea.** *Astr.* **1.** Nebulosa que forma longa mancha branca no escuro do céu. [Sin., pop.: *caminho de São Tiago, estrada de Santiago, estrada de São Tiago, carreira de São Tiago, carreiro de São Tiago.*] **2.** Galáxia (1). [Var.: *Via Látea.*] **Via Látea.** *Astr.* V. *Via Láctea.* **Via permanente.** Conjunto da via férrea e das instalações que lhe ficam abaixo. **Vias de fato.** Violências, pancadas. **Em via de.** A caminho de; prestes a: *A represa está em via de romper.* **Por via das dúvidas.** Para prevenir enganos: *Achou que não ia chover, mas por via das dúvidas, levou guarda-chuva.* **Por via de. 1.** Por intermédio de. **2.** Por causa de; por virtude de; por amor de: "Já os homens, por via do escuro, não conseguiam segurar no olho suas presas quando o silvo saiu de cortar no ouvido." (João Felício dos Santos, *João Abade*, p. 246.) **Por via de regra.** Em regra.

viabilidade. *S. f.* Qualidade de viável.

viabilização. *S. f.* Ato ou efeito de viabilizar.

viabilizar. *V. t. d.* Tornar viável[2] (2).

viação. [De um *viar (< lat. *viare*, 'caminhar') + *-ção.*] *S. f.* **1.** Modo ou meio de deslocar (-se) de um lugar para outro, por caminhos ou ruas. **2.** Conjunto de estradas ou caminhos. **3.** Serviço de veículos de carreira, para utilização pública. [Cf. *veação.*]

via-crúcis. [Do lat. *via crucis*, 'o caminho da cruz'.] *S. f. Fig.* V. *calvário* (3).

viador (ô). [Do lat. *viatore.*] *S. m.* **1.** Aquele que viaja; passageiro. **2.** Antigo empregado superior da casa real que servia à rainha. **3.** Antigo camarista da rainha. [Cf. *veador.*]

viaduto. [Do ingl. *viaduct.*] *S. m.* Construção destinada a transpor uma depressão do terreno ou a servir de passagem superior. [Cf. *ponte* (1).] ♦ **Viaduto de acesso.** Construção que serve para dar acesso a uma ponte.

viagear. [De *viagem* + *-ear.*] *V. int.* **1.** *Bras., MG.* Viajar: "Por conta de que patrão v i a g e i a agora?" (Mário Palmério, *Chapadão do Bugre*, p. 8.) **2.** *Bras., SP.* Viajar como caixeiro-viajante. [Conjug.: v. *frear.*]

viageiro. [De *viagem* + *-eiro.*] *Adj.* **1.** Referente a viagem. **2.** Que viaja, que é dado a viajar: "O autor é v i a g e i r o, conhece um bocado da América" (Carlos Drummond de Andrade, *Passeios na Ilha*, p. 88). ● *S. m.* **3.** Aquele que viaja; viajor: "Andorinhas do céu de Campinas, v i a g e i r a s / Dos descampados do ar, na terra em que as palmeiras / São mais verdes e o azul mais diáfano" (Alberto de Oliveira, *Poesias*, 4ª série, p. 83).

viagem. [Do prov. *viatge.*] *S. f.* Ato de ir de um a outro lugar relativamente afastado. [Cf. *viajem*, do v. *viajar.*] ♦ **Viagem redonda.** *Mar. Merc.* Viagem contada desde que o navio deixa o porto inicial até regressar a ele; viagem de ida e volta. **Passar de viagem.** *Turfe.* Passar de passagem.

viajada. [De *viajar* + *-ada*[1].] *S. f. Bras.* Viagem, caminhada.

viajado. [Part. de *viajar.*] *Adj.* Que viajou muito; que percorreu diversas terras ou países: "O velho Matos era um solteirão rico e v i a j a d o" (Artur Azevedo, *Contos Efêmeros*, p. 231).

viajante. *Adj. 2 g.* **1.** Que viaja. ● *S. 2 g.* **2.** Pessoa que viaja. ● *S. m.* **3.** *Bras.* V. *caixeiro-viajante.*

viajão. [De *viagem* + *-ão*[1].] *S. m. Bras.* Viagem boa, excelente: "— Que sorte! Que fortuna! Que v i a j ã o vamos ter ..." (Simões Lopes Neto, *Casos do Romualdo*, p. 173); "— Fizeram um v i a j ã o, não foi?" (Adalberon Cavalcanti Lins, *Curral Novo*, p. 114).

viajar. *V. int.* **1.** Fazer viagem ou viagens: "ganhei bastante dinheiro. Comecei a v i a j a r — mas nunca fui ao Peru." (Carlos Heitor Cony, *Matéria de Memória*, p. 71); "Que ilusão, v i a j a r! Todo o Planeta é zero." (Antônio Nobre, *Só*, p. 92). **2.** Sentir o efeito de droga (3). *T. d.* **3.** Andar por; percorrer, correr: "V i a j o u o sertão, andou por Sergipe" (Anísio Melhor, *Violas*, p. 46); "Lambsdorff ...., tendo v i a j a d o quase todo o globo, mais parisiense do que os parisienses, ... é o mais bondoso, o mais modesto, o mais simples dos homens." (Ramalho Ortigão, *Notas de Viagem*, pp. 19-20). [Pres. subj.: *viaje, ... viajem.* Cf. *viagem.*]

viajor (ô). [De *viagem.*] *S. m.* Viageiro (3): "Eterno v i a j o r de eterna senda..." (Castro Alves, *Obra Completa*, p. 86).

viamonense. *Adj. 2 g.* **1.** De, ou pertencente ou relativo a Viamão (RS). ● *S. 2 g.* **2.** Natural ou habitante de Viamão.

vianda. [Do fr. *viande*, 'alimento'.] *S. f.* **1.** Qualquer tipo de alimento. **2.** Qualquer carne alimentar. **3.** Carne de animais terrestres: "comiam também, em roda dos alforjes abertos, cortando com os punhais nacos de gordura nas grossas v i a n d a s de porco" (Eça de Queirós, *A Ilustre Casa de Ramires*, p. 485). **4.** *Bras., RS.* Refeições fornecidas, em marmitas, a domicílio. ♦ **Comer de vianda.** *Bras., RS.* Comer de marmita.

viandante. *Adj. 2 g.* e *s. 2 g.* **1.** Que ou quem vianda ou viaja; caminheiro, viajante. **2.** Transeunte (2 e 3).

viandar. [De *via* + *andar.*] *V. int.* Viajar, peregrinar: "Muita vez dia e noite, e por um mês inteiro, / vai pascendo e v i a n d a n d o o gado aventureiro" (Antônio Feliciano de Castilho, *As Geórgicas de Virgílio*, p. 187).

viandeiro[1]. [De *viandar* + *-eiro.*] *S. m.* Aquele que vianda; viajante, viandante.

viandeiro[2]. [De *vianda* + *-eiro.*] *Adj.* e *s. m.* **1.** Que ou aquele que gosta de vianda. **2.** Comilão, glutão.

vianense[1]. *Adj. 2 g.* **1.** De, ou pertencente ou relativo a Viana (MA e ES). ● *S. 2 g.* **2.** Natural ou habitante de Viana.

vianense[2]. *Adj. 2 g.* e *s. 2 g.* Vianês. [Cf. *vienense.*]

vianês. *Adj.* **1.** De, ou pertencente ou relativo a Viana do Castelo (Portugal). ● *S. m.* **2.** O natural ou habitante de Viana do Castelo. [Sin. ger.: *vianense*. Flex.: *vianesa* (ê), *vianeses* (ê), *vianesas* (ê). Cf. *vienês.*]

vianopolino. *Adj.* **1.** De, ou pertencente ou relativo a Vianópolis (GO). ● *S. m.* **2.** O natural ou habitante de Vianópolis.

viário. [Do lat. *viariu.*] *Adj.* **1.** Referente à viação (1): *O metrô, espera-se, virá resolver os problemas v i á r i o s do Rio.* [Fem.: *viária*. Cf. *vearia.*] ● *S. m.* **2.** O leito da via férrea. **3.** O espaço ocupado por ela.

via-sacra. [Do lat. *via sacra*, 'caminho sagrado'.] *S. f.* **1.** Série de 14 quadros que representam as principais cenas da paixão de Cristo; caminho da cruz. **2.** As orações que se rezam em frente a esses quadros. [Pl.: *vias-sacras.*] ♦ **Fazer a via-sacra.** **1.** Contemplar esses quadros detendo-se ante cada um deles para rezar. **2.** Visitar as igrejas na semana santa, principalmente na quinta e na sexta-feira. **3.** *Fig.* Ir à casa de todos os conhecidos a fim de obter alguma coisa.

viático. [Do lat. *viaticu.*] *S. m.* **1.** Provisão de dinheiro e/ou de gêneros para viagem; farnel. **2.** *Fig.* Sacramento da Eucaristia administrado aos enfermos impossibilitados de sair de casa. [Sin., pop., nesta acepç.: *nosso-pai.*]

viatório. [Do lat. *viatoriu.*] *Adj.* Referente a via, a caminho.

viatura. [Do fr. *voiture*, adaptado.] *S. f.* **1.** Qualquer veículo. **2.** Meio de transporte.

viável[1]. [De um **viar* < lat. *viare*, 'caminhar', + *-ável.*] *Adj. 2 g.* Que pode ser percorrido; que não oferece obstáculo; transitável.

viável[2]. [Do fr. *viable.*] *Adj. 2 g. Gal.* **1.** Duradouro, vivedouro. **2.** Executável, exeqüível, realizável.

víbice. [Do lat. *vibice.*] *S. m. Med.* Efusão sanguínea linear subcutânea; vergão.

víbora. [Do lat. *vipera.*] *S. f.* **1.** Réptil ofídio, da família dos viperídeos ou colubrídeos, providos de presas solenoglifas, sem a fosseta lacrimal. Inclui cerca de 10 gêneros e 50 espécies de serpentes venenosas não americanas. **2.** Designação comum aos exemplares de *Diploglossus* Wieg., com três espécies, do N.E. e do C.O. do Brasil, e do *D. fasciatus* Wirg., de coloração amarela com faixas transversais pretas no dorso e avermelhadas no flanco e abdome, e cauda pontiaguda. **3.** *Bras. Pop.* V. *lagartixa* (1). **4.** *Fig.* Pessoa de má índole ou de gênio mau.

viborão. [De *víbora* + *-ão*[1].] *S. m. Bras., Amaz.* V. *sucuri* (1).

vibração. [Do lat. *vibratione.*] *S. f.* **1.** Ato ou efeito de vibrar. **2.** Oscilação, balanço. **3.** Tremor do ar, ou de uma voz. **4.** Movimento vibratório; trepidação.

vibrado. [Part. de *vibrar.*] *Adj.* ~ V. *concreto* —.

vibrador (ô). *Adj.* **1.** Que vibra ou faz vibrar. ● *S. m.* **2.** Aparelho que produz vibrações elétricas ou mecânicas.

vibrafone. [Do ingl. *vibraphone.*] *S. m.* Espécie de xilofone (2) muito usado em música de *jazz*, com uma série de lâminas de aço que se percutem com baquetas e com ressoadores, dentro dos quais uma pequena pá elétrica agita o ar e amplia as vibrações sonoras.

vibrante. [Do lat. *vibrante.*] *Adj. 2 g.* **1.** Que vibra; vibrátil, vibratório. ~ V. *consoante* —. ● *S. f.* **2.** *Fon.* Consoante vibrante.

vibrar. [Do lat. *vibrare.*] *V. t. d.* **1.** Agitar, brandir: *Os guerreiros v i b r a v a m a arma;* "Quem v i b r a o tacape / Com mais valentia?" (Gonçalves Dias, *Obras Poéticas*, I, p. 23). **2.** Fazer tremular ou oscilar. **3.** Deslocar, mover. **4.** Pulsar, dedilhar, tanger, ferir: *vibrar um instrumento de corda.* **5.** Fazer soar: *O sino v i b r o u três badaladas;* "E a cotovia .... / Vai pelo ar um cântico v i b r a n d o" (Guerra Junqueiro, *A Morte de D. João*, p. 331). **6.** Comunicar vibrações, trepidações, a; fazer trepidar: *A estrada mal conservada v i b r a v a o automóvel.* **7.** Lançar, arremessar: *O lutador v i b r a v a golpes a esmo.* **8.** Comover, abalar: *T. d.* e *i.* **9.** Arremessar vibrando: *Vibrou-lhe uma pedra. Int.* **10.** Entrar em vibração; estremecer, abalar: *Com os abalos sísmicos, os alicerces do edifício v i b r a r a m.* **11.** Bater, pulsar. **12.** Produzir sons; soar; ecoar: "Súbito um grito v i b r o u longo e agudo." (Coelho Neto, *Rei Negro*, p. 108.) **13.** Ter som claro e distinto. **14.** Sentir tremura, estremecer; tremer. **15.** Produzir vibração ou trepidação; trepidar: *O veículo v i b r a na rua mal pavimentada.*

vibrátil. [Do lat. *vibratu*, part. pass. de *vibrare*, 'vibrar', + *-il.*] *Adj. 2 g.* **1.** V. *vibrante* (1). **2.** Suscetível de vibrar. ~ V. *cílios vibráteis.* [Pl.: *vibráteis.*]

vibratilidade. *S. f.* Qualidade de vibrátil.

vibrato. [Do it. *vibrato.*] *S. m. Mús.* Nos instrumentos de cordas (violino, viola e violoncelo), efeito técnico que consiste em produzir uma ligeira oscilação na altura de um som, a fim de reforçar o valor expressivo das notas. [Tb. se obtém esse efeito nos instrumentos de sopro e com a voz humana. Cf. *trêmulo* (6).]

vibratório. [Do lat. *vibratu*, part. pass. de *vibrare*, 'vibrar', + *-ório.*] *Adj.* **1.** V. *vibrante* (1). **2.** Que produz vibração ou é acompanhado de vibração: *massagem v i b r a t ó r i a.*

vibrião. [Do fr. *vibrion.*] *S. m. Bacter.* Gênero de bactérias móveis em forma de bastonete recurvo.

vibrissas. [Do lat. *vibrissae.*] *S. f. pl. Anat.* Pêlos que crescem nas fossas nasais: "Era por ela que .... se enfeitava, cortando com os pêlos parasitas dos ouvidos e as v i b r i s s a s, vestindo camisas de corte impecável" (Aquilino Ribeiro, *Mônica*, pp. 231-232).

vibrissiformes. [De *vibrissas* + *i* + *forme.*] *Adj. 2 g. pl. Zool.* Diz-se dos pêlos chamados *vibrissas* ou de qualquer outro pêlo sensorial típico.

viburno. [Do lat. *viburnu.*] *S. m.* Designação comum a arbustos do gênero *Viburnum*, da família das caprifoliáceas, de origem européia e cultivados como ornamentais, que têm pequenas flores alvas, muito numerosas e densamente congregadas em panículas, e frutos que são bagas brancas; espinheiro-preto.

viçar[1]. [De *viço* + *-ar*[2].] *V. int.* **1.** Vicejar (1): "Longe do teu olhar a terra é escura, / A flor não v i ç a, as águas são pedrentas" (Ronald de Carvalho, *Poemas e Sonetos*, p. 148). **2.** *Fig.* Desenvolver-se, alastrar-se, aumentar. **3.** *Bras., N.* Conceber, parir (o animal). [Normalmente é defect., unipess. Conjug.: v. *laçar.*]

viçar[2]. [De *vício* + *-ar*[2], com síncope.] *V. int. Bras., N.E.* **1.** Ter ou praticar o vício (8). **2.** Estar (o animal) no cio ou no vício. [Conjug.: v. *laçar.*]

vicarial. [Do lat. *vicariu*, 'vicário', + *-al.*] *Adj. 2 g.* Relativo a vigário, ou a vicariato.

vicariante. [Do fr. *vicariant;* cf. *vicário.*] *Adj. 2 g.* **1.** *Fitogeog.* Diz-se de duas espécies intimamente aparentadas sob o aspecto morfológico, e que habitam áreas ecologicamente distintas. Ex.: uma no cerrado e outra na floresta pluvial. **2.** *Med.* Diz-se do órgão que por meio de seu próprio funcionamento supre a insuficiência funcional de outro (p. ex.: *rim v i c a r i a n t e*), ou de fenômeno que se produz em local anormal (p. ex.: menstruação v i c a r i a n t e).

vicariato. [Do lat. *vicariu*, 'vigário', + *-ato*[1].] *S. m.* **1.** Cargo ou exercício de vigário (2 e 3); vigairaria, vigararia. **2.** Tempo de duração desse cargo. **3.** Residência do vigário. **4.** Território compreendido na jurisdição dum vigário. **5.** *P. ext.* Substituição no exercício de quaisquer funções.

vicário. [Do lat. *vicariu.*] *Adj.* **1.** Que faz as vezes de outrem ou de outra coisa. **2.** Diz-se do poder exercido por delegação de outrem. ~ V. *verbo* —.

vice. [Do lat. *vice*, 'em vez de'.] *S. 2 g.* F. red. de *vice-presidente, vice-governador, vice-cônsul*, etc.

▲**vice-.** [Do lat. *vice.*] *El. comp.* = 'em vez de', 'substituição': *vice-reitor, vice-cônsul.* [Equiv.: *vis-: visconde* (< b.-lat. *vicecomite*).]

vice-almirantado. *S. m. Desus.* Cargo ou dignidade de Vice-almirante. [Pl.: *vice-almirantados.*]

vice-almirante. [De *vice-* + *almirante.*] *S. m.* **1.** V. *hierarquia militar.* **2.** Oficial que detém o posto de vice-almirante. [V. *almirante* (3). Pl.: *vice-almirantes.*]

vice-bailio. [De *vice-* + *bailio.*] *S. m.* Antigo oficial, substituto do bailio. [Pl.: *vice-bailios.*]

vice-campeã. *Adj.* (*f.*) e *s. f.* Fem. de *vice-campeão.*

vice-campeão. [De *vice-* + *campeão.*] *Adj.* e *s. m.* Diz-se de, ou clube ou atleta que alcançou vice-campeonato. [Fem.: *vice-campeã;* pl.: *vice-campeões, vice-campeãs.*]

vice-campeonato. [De *vice-* + *campeonato.*] *S. m.* O segundo lugar, num campeonato.

vice-chanceler. [De *vice-* + *chanceler.*] *S. m.* **1.** Substituto do chanceler [q. v.]. **2.** Cardeal presidente da cúria romana, para o despacho de bulas e breves apostólicos. [Pl.: *vice-chanceleres.*]

vice-comissário. [De *vice-* + *comissário.*] *S. m.* Aquele que substitui o comissário na ausência ou impedimento deste; subcomissário. [Pl.: *vice-comissários.*]

vice-comodoro. [De *vice* + *comodoro.*] *S. m.* Aquele que substitui o comodoro na ausência ou impedimento deste. [Pl.: *vice-comodoros.*]

vice-cônsul. [De *vice-* + *cônsul.*] *S. m.* **1.** Aquele que substitui o cônsul na sua ausência ou impedimento. **2.** V. *carreira diplomática.* [Pl.: *vice-cônsules.*]

vice-consulado. *S. m.* **1.** Cargo de vice-cônsul. **2.** Repartição de vice-cônsul. **3.** Território compreendido na jurisdição do vice-cônsul. [Pl.: *vice-consulados.*]

vice-consular. *Adj. 2 g.* Relativo ou pertencente a vice-cônsul. [Pl.: *vice-consulares.*]

vice-governador. [De *vice-* + *governador.*] *S. m.* Aquele que, em caso de impedimento do governador, lhe faz as vezes. [Pl.: *vice-governadores.*]

vice-governança. [De *vice-* + *governança.*] *S. f.* Cargo ou dignidade de vice-governador. [Pl.: *vice-governanças.*]

vicejante. *Adj. 2 g.* Que viceja: "Tu continuas na azinhaga; ao lado / Verdeja, v i c e j a n t e, a nossa vinha." (Cesário Verde, *Obra Completa*, p. 117).

vicejar. [De *viço* + *-ejar.*] *V. int.* **1.** Ter viço, vegetar com opulência; viçar: "inda a lembrança guardo / Dessa linda moça, flor de teu caminho, / Flor do teu areal, onde v i c e j a o cardo." (Alberto de Oliveira, *Poesias*, 2ª série, p. 234). **2.** Ostentar-se de maneira brilhante ou exuberante; garrir: *V i c e j a v a na sua* *juventude saudável. T. d.* **3.** Dar o viço a: *Ali, o clima viceja as plantas.* **4.** Fazer brotar exuberantemente: *Chegava a primavera, vicejando campos e florestas.* **5.** Brotar, produzir, lançar: "Não era para eles que as aves cantavam contentamentos, que as árvores vicejavam esperanças" (Antônio Feliciano de Castilho, *Amor e Melancolia*, p. 313). [Conjug.: v. *pelejar.*]

vicejo (ê). [Dev. de *vicejar.*] *S. m.* Ato ou efeito de vicejar.

vice-legação. [De *vice-* + *legação.*] *S. f.* Cargo ou função de vice-legado. [Pl.: *vice-legações.*]

vice-legado. [De *vice-* + *legado.*] *S. m.* Aquele que, em caso de impedimento do legado, lhe faz as vezes. [Pl.: *vice-legados.*]

vice-líder. [De *vice-* + *líder.*] *S. m.* Auxiliar e substituto do líder. [Pl.: *vice-líderes.*]

vice-liderança. [De *vice-* + *liderança.*] *S. f.* **1.** Cargo ou posto de vice-líder. **2.** O conjunto dos vice-líderes. [Pl.: *vice-lideranças.*]

vice-mordomo. [De *vice-* + *mordomo.*] *S. m.* Aquele que faz as vezes do mordomo. [Pl.: *vice-mordomos.*]

vice-morte. [De *vice-* + *morte.*] *S. f.* Estado análogo ou semelhante ao da morte. [Pl.: *vice-mortes.*]

vicenal. [Do lat. *vicennale.*] *Adj. 2 g.* Que se faz ou renova de 20 em 20 anos. [Cf. *vicinal.*]

vicenciano[1]. *Adj.* **1.** De, ou pertencente ou relativo a Vicência (PE). ● *S. m.* **2.** O natural ou habitante de Vicência.

vicenciano[2]. Adj. **1.** De, ou pertencente ou relativo a São Vicente de Minas (MG). ● *S. m.* **2.** O natural ou habitante de São Vicente de Minas.

vicênio. [Do lat. *vicenniu.*] *S. m.* Período de vinte anos.

vicente. [Do antr. *Vicente?*] *El. s. m.* Us. na loc. *pitar do Vicente.* ♦ **Pitar do Vicente.** *Bras., RS.* Passar maus bocados; sofrer, padecer.

vicentina. [Fem. substantivado do adj. *vicentino*[5].] *S. f.* Religiosa vicentina.

vicentino[1]. *Adj.* **1.** Pertencente ou relativo a Gil Vicente, dramaturgo português (1470?-1540?), ou próprio dele. ● *S. m.* **2.** Grande admirador e/ou profundo conhecedor da obra de Gil Vicente. [Sin. ger.: *gilvicentesco.*]

vicentino[2]. *Adj.* **1.** De, ou pertencente ou relativo a São Vicente (SP). ● *S. m.* **2.** O natural ou habitante de São Vicente.

vicentino[3]. *Adj.* **1.** De, ou pertencente ou relativo a São Vicente de Fora (Portugal). ● *S. m.* **2.** O natural ou habitante de São Vicente de Fora.

vicentino[4]. *Adj.* **1.** De, ou pertencente ou relativo a São Vicente Ferrer (MA). ● *S. m.* **2.** O natural ou habitante de São Vicente Ferrer.

vicentino[5]. *Adj.* **1.** Relativo a S. Vicente de Paulo, padre francês (1581-1660), canonizado em 1737, graças às suas virtudes ou às obras de socorro aos pobres fundadas por ele ou sob sua orientação, especialmente a congregação das Irmãs de Caridade. **2.** Relativo à Conferência de S. Vicente de Paulo, associação fundada na França no séc. XIX por Frederico Ozanam. ● *S. m.* **3.** Membro desta conferência.

vice-presidência. [De *vice-* + *presidência.*] *S. f.* Cargo ou dignidade de vice-presidente. [Pl.: *vice-presidências.*]

vice-presidencial. *Adj. 2 g.* Relativo ou pertencente à vice-presidência, ou ao vice-presidente. [Pl.: *vice-presidenciais.*]

vice-presidente. [De *vice-* + *presidente.*] *S. 2 g.* Pessoa designada ou eleita antecipadamente para, no caso de impedimento ou ausência do presidente, lhe fazer as vezes. [Pl.: *vice-presidentes.*]

vice-primeiro-ministro. *S. m.* Aquele que exerce funções imediatamente abaixo das de primeiro-ministro e que o substitui na ausência dele. [Pl.: *vice-primeiros-ministros.*]

vice-real. [De *vice-* + *real*[2].] *Adj. 2 g.* Relativo ou pertencente ao vice-rei. [Pl.: *vice-reais.*]

vice-rei. [De *vice-* + *rei.*] *S. m.* Governador dum Estado subordinado a um reino. [Pl.: *vice-reis.*]

vice-reinado. *S. m.* **1.** Cargo de vice-rei. **2.** O tempo de duração desse cargo. **3.** Território governado por um vice-rei. [Pl.: *vice-reinados.*]

vice-reinar. [De *vice-* + *reinar.*] *V. int.* Governar como vice-rei; exercer as funções de vice-rei.

vice-reitor. [De *vice-* + *reitor.*] *S. m.* **1.** Aquele que faz as vezes do reitor. **2.** Funcionário imediatamente abaixo do reitor e que exerce junto com este as suas funções. [Pl.: *vice-reitores.*]

vice-reitorado. *S. m.* **1.** Cargo de vice-reitor. **2.** Tempo de duração desse cargo. **3.** Lugar onde o vice-reitor exerce as suas funções. [Sin. ger.: *vice-reitoria.* Pl.: *vice-reitorados.*]

vice-reitoral. *Adj. 2 g.* Relativo ou pertencente a vice-reitor. [Pl.: *vice-reitorais.*]

vice-reitoria. *S. f.* Vice-reitorado. [Pl.: *vice-reitorias.*]

vice-secretário. [De *vice-* + *secretário.*] *S. m.* Funcionário imediatamente abaixo do secretário. [Pl.: *vice-secretários.*]

vicésimo. [Do lat. *vicesimu.*] *Num. P. us.* V. *vigésimo* (1).

vice-versa. [Do lat. *vice versa*, 'às avessas'.] *Adv.* **1.** Em sentido inverso ou oposto; ao contrário. **2.** Reciprocamente, mutuamente.

vichi. [Do fr. *vichy* < top. *Vichy.*] *S. m.* **1.** Tecido de algodão, fabricado, em geral, de dois fios de cores diversas, tecidos alternadamente. *S. f.* **2.** Água mineral originária de Vichi (França).

viciação. *S. f.* Ato ou efeito de viciar(-se); viciamento.

viciado. [Part. de *viciar.*] *Adj.* **1.** Que tem vício ou defeito. **2.** Corrupto, impuro. **3.** Falsificado, adulterado. ~ V. *estimador* —. ● *S. m.* **4.** Indivíduo viciado.

viciador (ô). [Do lat. *vitiatore.*] *Adj.* e *s. m.* Que ou aquele que vicia.

viciamento. *S. m.* Viciação.

viciar. [Do lat. *vitiare.*] *V. t. d.* **1.** Comunicar vício a: *Os entorpecentes viciam o homem.* **2.** Alterar com falsificação; adulterar, falsificar: *Viciou o documento, invalidando-o.* **3.** Estragar, corromper, deteriorar: *A falta de refrigeração viciou os alimentos.* **4.** Tornar nulo; anular. **5.** Seduzir, perverter; corromper. **6.** Modificar parcialmente (aparelho, mecanismo ou dispositivo aferidor) para obter vantagem ilícita; adulterar: *viciar balança, taxímetro, medidor de água. P.* **7.** Corromper-se, estragar-se. **8.** Perverter-se, depravar-se. [Pres. ind.: *vicio, vicias, vicia*, etc. Cf. *vício*, s. m., e *Vícia*, antr.]

vicinal. [Do lat. *vicinale.*] *Adj. 2 g.* **1.** Vizinho (1 e 3). **2.** Diz-se particularmente do caminho ou estrada que liga povoações próximas: "Entestando a encruzilhada vicinal, deu ordem ao cargueiro de ir seguindo adiante com a bagagem, enviesou a marcha de jeito a passar por dentro do povoado." (Mário Sete, *Senhora de Engenho*, p. 41.) [Cf. *vicenal.*]

vicinalidade. *S. f.* Qualidade de vicinal (2).

vício. [Do lat. *vitiu.*] *S. m.* **1.** Defeito grave que torna uma pessoa ou coisa inadequadas para certos fins ou funções. **2.** Inclinação para o mal. [Nesta acepç., opõe-se a *virtude* (1).] **3.** Costume de proceder mal; desregramento habitual. **4.** Conduta ou costume censurável ou condenável; libertinagem, licenciosidade, devassidão. **5.** Qualquer deformação física ou funcional. **6.** Costume prejudicial; costumeira: *Tem o vício de roer unhas; Este cavalo tem o vício de derrubar o cavaleiro.* **7.** *Jur.* Defeito que pode invalidar um ato jurídico. **8.** *Bras., N.E. Pop.* O hábito de comer terra; geofagia. **9.** *Bras., N.E.* e *MG.* V. *cio* (1). [Cf. *vicio*, do v. *viciar.*] ♦ **Vício solitário.** A automasturbação. **Comer vício.** *Bras., N.E. Pop.* Praticar a geofagia; comer terra. **Despontar o vício.** *Bras., S.* Contentar-se com pouco, ou com coisa parecida, ao satisfazer um vício: *Parou de fumar, porém às vezes ainda desponta o vício fumando um cigarrinho.*

viciosidade. [Do lat. *vitiositate.*] *S. f.* Qualidade de vicioso.

vicioso (ô). [Do lat. *vitiosu.*] *Adj.* **1.** Que tem, ou em que há vício(s). **2.** Corrompido, desmoralizado. **3.** Defeituoso, imperfeito. **4.** Contrário a certos preceitos ou regras. ~ V. *círculo* —.

vicissitude. [Do lat. *vicissitudine.*] *S. f.* **1.** Mudança ou variação de coisas que se sucedem; alternativa: "Sem dúvida, é preciso não exagerar a relação entre vida e obra. Dificilmente as vicissitudes daquela influirão essencialmente sobre esta, modificando-a na sua substância." (Lúcia Miguel Pereira, *A Vida de Gonçalves Dias*, p. 199.) **2.** Eventualidade, acaso, contingência; lance. **3.** Mudança, transformação, alteração. **4.** Acidente desfavorável; revés. **5.** Instabilidade ou volubilidade das coisas.

vicissitudinário. *Adj.* **1.** Em que há vicissitudes. **2.** Sujeito a elas.

viço. [Do lat. *vitiu.*] *S. m.* **1.** Vigor de vegetação nas plantas: "A chuva lhe vem dar [ao lavrador] / Mais viço ao arvoredo" (Ricardo Gonçalves, *Ipês*, p. 68). **2.** Exuberância de vida; vigor, verdor, frescura. **3.** Carinho em excesso; mimo. **4.** Braveza, ardor, de certos animais, oriunda de bom tratamento.

viçosense. *Adj. 2 g.* **1.** De, ou pertencente ou relativo a Viçosa (AL e MG). ● *S. 2 g.* **2.** Natural ou habitante de Viçosa.

viçoso (ô). *Adj.* **1.** Que tem viço. **2.** *Fig.* Tenro; inexperiente.

vicunha. [Do quíchua *huik'unha*, atr. do hisp.-amer. *vicuña.*] *S. f.* **1.** Quadrúpede ruminante *(Vicugna vicugna)*, que produz lã finíssima; taruca, taruga. **2.** A lã da vicunha. **3.** Tecido feito dessa lã.

vida. [Do lat. *vita.*] *S. f.* **1.** Conjunto de propriedades e qualidades graças às quais animais e plantas, ao contrário dos organismos mortos ou da matéria bruta, se mantêm em contínua atividade, manifestada em funções orgânicas tais como o metabolismo (2), o crescimento (1), a reação a estímulos, a adaptação ao meio, a reprodução (1), e outras; existência. **2.** Estado ou condição dos organismos que se mantêm nessa atividade desde o nascimento até a morte; existência: *O moribundo sentia fugir-lhe a vida.* **3.** A flora e/ou a fauna: *a vida submarina; A vida torna-se rara nas grandes altitudes.* **4.** A vida humana: *Não havia sinais de vida naquelas matas; Têm os cientistas encontrado recursos para prolongar a vida.* **5.** O espaço de tempo que decorre desde o nascimento até a morte; existência: "Há numa vida humana cem mil vidas, / Cabem num coração cem mil pecados." (Olavo Bilac, *Poesias*, p. 174); *A vida de um cão é de cerca de 12 anos.* **6.** *P. ext.* O tempo de existência ou de funcionamento de uma coisa: *a vida de um automóvel; a vida de uma estrela.* **7.** Um dado período da vida: *a vida intrauterina; a vida adulta.* **8.** Estado ou condição do espírito depois da morte: *a vida eterna.* **9.** Biografia: *Eça de Queirós escreveu as vidas de S. Cristóvão, Santo Onofre e S. Fr. Gil.* **10.** Modo de viver: "Minha vida era um palco iluminado. / Eu vivia vestido de dourado / — Palhaço das perdidas ilusões." (Orestes Barbosa, *Chão de Estrelas*, p. 274); *a vida cotidiana; vida sedentária.* **11.** Atividade que se desenvolve em determinado setor, quer como ocupação individual, quer como ocupação de grupo: *Afastou-se da vida eclesiástica por falta de vocação.* **12.** As atividades de qualquer grupo humano: *Nas primeiras civilizações a vida agrícola sucedeu à pastoril.* **13.** O que é necessário para manter a vida (4); sustento, a subsistência: *Luta duramente pela vida; A vida encarece dia a dia.* **14.** O que é essencial para que algo subsista; base, fundamento: *Por muito tempo o café constituiu a vida da economia brasileira.* **15.** O que representa para alguém motivo de prazer, de estímulo, de amor à vida: *A leitura é tudo para ele, é a sua vida.* **16.** O que representa força, ânimo, entusiasmo; vitalidade: *A cantora deu vida ao espetáculo; Esta menina tem muita vida.* **17.** O que, sendo inanimado, transmite idéia de vida (1): *Esta decoração não tem vida, é morna, desbotada; Quanta vida neste quadro!* **18.** V. *vida fácil: mulher da vida; Caiu na vida.* ♦ **Vida airada.** **1.** Vida desregrada, de estroina ou de vagabundo: "Apesar de amar até ao delírio a vida airada .... e de ser o que se chama em França *um homem de boas fortunas*, nunca deixou [Lamber Thiboust] de ir em certas épocas do ano passar alguns dias na província em casa de sua mãe." (Ramalho Ortigão, *Em Paris*, p. 127.) **2.** V. *vida fácil.* **Vida bêntica.** *Ocean. Biol.* A vida dos organismos do fundo do mar; a flora e a fauna do fundo do mar. **Vida civil.** Complexo dos direitos civis e políticos de cada indivíduo. **Vida de cachorro.** Vida penosa, trabalhosa, dura, de maus-tratos e/ou miséria; vida de cão; vida de cachorro de comboieiro. **Vida de cachorro de comboieiro.** *Bras., N.E. Pop.* V. *vida de cachorro.* **Vida de cão.** V. *vida de cachorro.* **Vida fácil.** Prostituição, meretrício; má vida, vida airada; vida: *mulher de vida fácil.* **Vida latente.** A do órgão vegetal que, estando vivo, não apresenta sintoma de vida. [As sementes maduras são órgãos com vida latente.] **Vida mundana.** Vida social ou da sociedade. **Vida particular.** Vida privada. **Vida pelágica.** *Ocean. Biol.* A vida dos organismos na massa líquida não contínua ao fundo do mar; a flora e a fauna dessa massa líquida. **Vida privada.** Vida (10) afastada do convívio ou da observação de estranhos; vida particular. **Vida pública.** **1.** O exercício de quaisquer cargos ou funções ligadas aos interesses do Estado ou da coletividade. **2.** Os atos praticados durante esse exercício. **Vida unitiva.** *Teol.* Vida de união perpétua com Deus. **Vida vegetativa.** **1.** A que se processa sem interferência da vontade do indivíduo. **2.** *Fig.* Vida sem interesses reais, alheio a tudo quanto se passa ao redor. **À boa vida.** Na ociosidade; sem trabalhar. **Cair na vida.** *Bras.* Entregar-se à prostituição. **Cavar a vida.** *Bras.* Trabalhar muito para viver; lutar pela vida; trabucar a vida. **Danado da vida.** *Fam.* Muito zangado; furioso, indignado. [Sin. (todos ou quase todos bras.): *louco da vida* (fam.), *fulo da vida, safado da vida* (pop.), *puto, puto da vida* (chulo).] **Dar a vida por.** **1.** Fazer o possível para ajudar, alegrar, tornar feliz (alguém): *A professora dá a vida pelos alunos.*

2. Fazer o possível para obter (algo): *Daria a vida por conhecer o Oriente.* 3. Gostar muito de: *Dá a vida por uma festa.* **Entre a vida e a morte.** Em iminente perigo de vida. **Estar com a vida ganha.** *Bras.* Não ter motivos para preocupar-se. **Estar com a vida que pediu a Deus.** Estar vivendo de acordo com a sua própria índole ou vontade. **Fazer a vida.** *Bras.* Exercer o meretrício. **Fazer vida de casados.** Viver maritalmente. **Fazer vida santa.** Viver sem alimentar-se. **Feliz da vida.** *Bras.* Muito contente, muito satisfeito; felicíssimo: *Está feliz da vida com a notícia da chegada do amigo.* **Fulo da vida.** *Bras. Pop.* V. *danado da vida.* **Ganhar a vida.** Obter pelo trabalho meios de subsistência. **Ir à vida.** *Bras. Fam.* Ir à luta. **Louco da vida.** *Fam.* V. *danado da vida.* **Lutar pela vida.** V. *cavar a vida.* **Má vida.** V. *vida fácil.* **Passar desta para melhor vida.** V. *morrer* (1): "O Emílio Adet passara desta para melhor vida no meio dos seus trabalhos." (Joaquim Manuel de Macedo, *Os Romances da Semana*, p. 67.) **Puto da vida.** *Bras. Chulo.* V. *danado da vida.* **Puxa vida.** *Bras.* V. *puxa*[2]. **Que não era vida.** *Bras. Fam.* e *pop.* V. *que não é vida*: "Beatriz comia que não era vida: era gorda e enxundiosa." (Clarice Lispector, *A Via-Crúcis do Corpo*, p. 27.) **Que não é vida.** *Bras. Fam.* e *pop.* Em grande quantidade ou intensidade; muito: *Ganha dinheiro que não é vida; Trabalha que não é vida.* [A expr. pode aparecer, naturalmente, com o verbo no imperf. ou no perf. ind. *(que não era vida, que não foi vida)*, etc., se o verbo da oração principal está num desses tempos.] **Que não foi vida.** *Bras. Fam.* e *pop.* V. *que não é vida*: "Veio gente de fora, garotas, que não foi vida." (Lausimar Laus, *Tempo Permitido*, p. 47.) **Safado da vida.** *Bras. Pop.* V. *danado da vida*: "Se a segunda casasse, eu ficava safado da vida, dava pra beber e nunca mais telefonava." (Manuel Bandeira, *Estrela da Vida Inteira*, p. 135.) **Sepultar-se em vida.** Isolar-se do convívio do mundo. **Toda a vida. 1.** *Bras., MG, RJ* e *SP. Pop.* Sempre e na mesma direção, sem se desviar: *Siga reto toda a vida*; "— Estrada batida, meu patrão; não tem errada: é seguir toda a vida." (Afonso Arinos, *Pelo Sertão*, p. 101). **2.** *Bras.* À beça; demais: *Ir à praia é bom toda a vida.* **Trabucar a vida.** *Bras., SP. Pop.* V. *cavar a vida.*

vida-de-lopes. [De *vida* + *de* + antr. *Lopes*.] *S. f. Bras. Pop. Desus.* V. *vidão.* [Pl.: *vidas-de-lopes.*]

vidala. [Do esp. plat. *vidala.*] *S. f.* Vidalita.

vidalita. [Do esp. plat. *vidalita.*] *S. f.* Canção popular argentina, lenta e melancólica, cantada, em geral, com acompanhamento de violão; vidala.

vidama. [Do fr. *vidame.*] *S. m.* Governador temporal de terras de um bispado, ou que mantinha a posse delas como feudo hereditário.

vida-média. *S. f. Fís.* Intervalo médio de tempo em que um sistema atômico ou nuclear permanece num determinado estado. [Pl.: *vidas-médias.*]

vidamia. *S. f.* Dignidade ou qualidade de vidama.

vidão. [De *vida* + *-ão*[1].] *S. m. Bras.* Boa vida; vida regalada, de prazeres. [Sin.: *vidoca* e (desus.) *vida-de-lopes.*]

vidar[1]. [Do fr. *vider*, 'esvaziar', 'vazar'.] *S. m.* Instrumento com que se fabricavam os dentes aos pentes. [Cf. *vedar.*]

vidar[2]. [De *vide* + *-ar*[2].] *V. t. d.* Plantar vides ou vinhas em. [Cf. *vedar.*]

vide. [Do lat. *vite.*] *S. f.* **1.** Braço ou vara de videira. **2.** Bacelo (1). **3.** V. *videira.* **4.** *Pop.* Parte do cordão umbilical que fica presa à placenta; envide, envidilha.

➧**vide.** [Lat., 'veja'.] Fórmula para remeter a outro livro ou trecho.

vide-branca. *S. f.* **1.** Trepadeira magna, da família das ranunculáceas *(Clematis vitalba)*, originária da Europa e África, que tem folhas penadas e com folíolos ovados a ovado-lanceolados, acuminados e cordados. As flores, vistosas, alvas, com 2 cm de diâmetro, desprendem fraco odor de amêndoas e ordenam-se em panículas axilares, e o fruto é um aquênio com estiletes longos e plumosos. **2.** *Bras.* V. *cipó-do-reino.* [Pl: *vides-brancas.*]

videira. [De *vide* + *-eira.*] *S. f.* Trepadeira lenhosa, da família das vitáceas *(Vitis vinifera)*, cultivada no mundo inteiro por seus deliciosos frutos, as uvas, e que tem folhas ovadas, lobadas e tomentosas, flores pequeninas reunidas em cachos, e bagas ricas em açúcares, razão por que fermentam com facilidade, dando o vinho; vide, vinha, cepa.

videirense. *Adj. 2 g.* **1.** De, ou pertencente ou relativo a Videira (SC). ● *S. 2 g.* **2.** Natural ou habitante de Videira.

videiro. *Adj.* e *s. m.* Diz-se de, ou aquele que trata diligentemente da sua vida, dos seus interesses.

➧**videlicet** (videlícet). [Lat.] A saber; isto é.

vidência. *S. f.* Qualidade ou faculdade de vidente.

vidente. [Do lat. *vidente.*] *Adj. 2 g.* **1.** Diz-se de pessoa dotada, segundo a crença de muitos, da faculdade de visão sobrenatural de cenas futuras ou de cenas que estão ocorrendo em lugares onde ela não está presente. ● *S. 2 g.* **2.** Pessoa dotada dessa faculdade. **3.** Pessoa que profetiza. **4.** Pessoa perspicaz. **5.** Pessoa que tem o uso da vista (em oposição aos cegos).

vídeo. [Do lat. *video*, 1ª pess. sing. do pres. do ind. de *videre*, 'ver', atr. do ingl. *video.*] *S. m.* **1.** A parte do equipamento do circuito de televisão que atua sobre os sinais de imagem, por oposição aos sinais sonoros, e permite a percepção visual das emissões. **2.** *P. ext.* Televisor (2). **3.** Tela de TV. **4.** Parte visual de uma transmissão de TV. **5.** Produção cinematográfica gravada através de processo televisual: *O festival de vídeo foi um sucesso.* **6.** Parte de um roteiro ou de um *script* em que se fazem as indicações relativas às imagens a serem registradas.

videocâmara (vì). [De *vídeo* + *câmara.*] *S. f.* Câmara de gravação utilizada em TV.

videocassete (vì). [De *vídeo* + *cassete.*] *S. m.* **1.** Cassete (1) com fita gravada pelo processo de videoteipe. **2.** *P. ext.* Equipamento utilizado para reprodução de gravações registradas em videocassete (1). [Símb. (ingl.): *VTR.*]

videoclipe (vì). [Do ingl. *video-clip.*] *S. m. Telev.* Vídeo (5) para apresentação de música, em que se editam imagens de excepcional interesse visual, embora estas não se liguem, freqüentemente, à execução da música em si. [Tb. se diz apenas *clipe.*]

videoclube (vì). [De *vídeo* + *clube.*] *S. m.* Clube especializado cujos sócios, mediante pagamento regular de mensalidade, podem retirar, por empréstimo, filmes em videocassete e/ou *video game.*

videodisco (vì) [De *vídeo* + *disco.*] *S. m. Telev.* Suporte material semelhante ao disco fonográfico no qual se gravam simultaneamente sinais de imagem e de som, para reprodução posterior em aparelho de TV, a exemplo do videocassete.

videofone (vì). [De *vídeo* + *fone.*] *S. m.* Tipo de comunicação telefônica em que os aparelhos são dotados de vídeo, que mostra a imagem dos interlocutores.

videofonograma (vì). [De *vídeo* + *fonograma.*] *S. m.* Produto da fixação de imagem e som em suporte material (p. ex., o *videocassete* e o *videodisco*).

videofreqüência (vì). [De *vídeo* + *freqüência.*] *S. f.* Freqüência empregada na transmissão dos sinais de imagens, e que varia de dois a três megaciclos por segundo.

➧**video game** (vídeo guêim). [Ingl.] *S. m.* **1.** *Software* interativo de finalidade recreativa acoplado a um dispositivo para exibição visual de dados e a outro dispositivo de entrada de dados, permitindo assim ao usuário interagir com o mesmo. **2.** Videocassete (1) com gravação de jogo eletrônico. [Sin. ger.: *videojogo.*]

videojogo (vì-ô). [De *vídeo* + *jogo* (ô).] *S. m. Video game.*

videoteca (vì). [De *vídeo* + *-teca.*] *S. f.* **1.** Coleção de videocassetes [v. *videocassete* (1).] **2.** Móvel ou local para guarda de videocassetes [v. *videocassete* (1)].

videoteipe. [Do ingl. *video tape*, 'fita de vídeo'.] *S. m.* **1.** Fita plástica, recoberta de partículas magnéticas, usada para registrar imagens de televisão, em geral associadas com o som, e destinadas a futuras transmissões. **2.** *P. ext.* O processo pelo qual as produções da televisão são registradas nessa fita. [F. reduz.: *teipe.*]

videotexto (vì-ê). [De *vídeo* + *texto.*] *S. m. Proc. Dados.* Texto que vem, por linha telefônica, para o vídeo de um televisor, à medida que o usuário chama os textos, num teclado alfanumérico.

vidoca. [De *vida* + *-oca.*] *S. f. Bras.* V. *vidão.*

vidoeiro. [Do lat. **betulo*, por *betula*, 'bétula', atr. do arc. *vidoo*, *vido*, + *-eiro.*] *S. m.* Bétula.

vidonho. [De *vide* + *-onho.*] *S. m.* Vide cortada, mas que traz um pedaço de cepa.

vidraça. *S. f.* **1.** Lâmina de vidro. **2.** Caixilhos com vidros para janela ou porta.

vidraçaria. *S. f.* **1.** Conjunto de vidraças: "O clarão louro do sol, incendiando as vidraçarias, ofuscou-a." (Xavier Marques, *Jana e Joel*, p. 169.) **2.** V. *vidraria* (1 e 2).

vidraceiro. [De *vidraça*, + *-eiro.*] *S. m.* **1.** Fabricante ou vendedor de vidros. **2.** Indivíduo que põe vidros em caixilhos.

vidracista. *S. 2 g.* Pintor de vidraças e/ou de vitrais.

vidraço. [De *vidro* + *aço.*] *S. m.* **1.** Pedra branca, parecida com vidro. **2.** *Bras.* V. *satélite.* (7).

vidrado. [Part. de *vidrar.*] *Adj.* **1.** Coberto de substância vitrescível; vidrento: "A esposa do prisioneiro atravessou o campo e ofereceu ao vencedor um grande vaso de barro vidrado cheio de vinho de ananás ainda espumante." (José de Alencar, *O Guarani*, II, p. 444.) **2.** Brilhante como o vidro; vítreo. **3.** Sem brilho; embaciado, baço. **4.** *Bras. Gír.* Encantado, apaixonado, gamado: "— Ficou vidrado na minha irmã, quando ela passou de bicicleta." (Irene Moutinho, *Até Agora, Nada*, p. 60); *Está vidrado no carro novo.* ● *S. m.* **5.** A substância vitrificável aplicada na louça.

vidragem. *S. f.* Ato ou operação de vidrar.

vidral. [De *vidro* + *-al.*] *S. m. p. us.* Vitral.

vidralhada. *S. f.* Vidraria (4).

vidrar. [De *vidro* + *-ar*[2].] *V. t. d.* **1.** Cobrir ou revestir de substância vitrificável. **2.** Fazer perder o brilho; embaciar, embaçar, deslustrar. *T. i.* e *int.* **3.** *Bras. Gír.* Ficar encantado (com alguém ou algo); cativar-se, encantar-se; gamar: *O rapaz vidrou pela nova conhecida; Vidrou no novo modelo de automóvel*; "Eu vidrei, porque ele usava anel de ouro no dedo, com brasão, e media 1 metro e 80." (Marisa Raja Gabaglia, *Milho pra Galinha, Mariquinha*, p. 74.); "Mineiro é vidrado em mar" (Carlos Drummond de Andrade, *De Notícias & Não-Notícias Faz-se a Crônica*, p. 22). *P.* **4.** Perder o brilho; embaciar.

vidraria. *S. f.* **1.** Estabelecimento que fabrica ou vende vidros; vidraçaria. **2.** Comércio de vidros; vidraçaria. **3.** A arte de fabricar vidros. **4.** Porção de vidros; vidralhada.

vidreiro. *S. m.* **1.** Aquele que trabalha em vidro. ● *Adj.* **2.** Concernente à indústria do vidro.

vidrento. *Adj.* **1.** Semelhante ao vidro; vidrino: "Farta [a garça], do lodo à flor, vidrento e imundo, / Espalma as asas cândidas, serenas" (Alberto de Oliveira, *Poesias*, 2ª série, p. 228). **2.** Vidrado (1). **3.** Quebradiço, frágil. **4.** *Fig.* Agastadiço, irascível. [Sin. ger.: *vidroso.*]

vidrilho. [De *vidro* + *-ilho.*] *S. m.* Espécie de conta ou miçanga de vidro, ou de outro material, com a forma de um pequeno cilindro oco, usada na confecção de delicados ornatos e bordados sobre tecido: "Ela vinha de lá, com os braços para cima, suspendendo um vestido de baile com muitos vidrilhos e lantejoulas." (M. Cavalcanti Proença, *Manuscrito Holandês*, p. 239.) ~ V. *vidrilhos.*

vidrilhos. [Pl. de *vidrilho.*] *S. m. pl.* V. *avelórios* (1). ~ V. *vidrilho.*

vidrino. *Adj.* **1.** Feito de vidro. **2.** Vidrento (1).

vidro. [Do lat. *vitru.*] *S. m.* **1.** Substância sólida, transparente e quebradiça, que se obtém pela fusão e conseqüente solidificação duma mistura de quartzo, carbonato de cálcio e carbonato de sódio (vidro ordinário). **2.** Qualquer artefato de tal substância. **3.** Frasco. **4.** Lâmina de vidro usada para proteger desenho ou estampa, ou para preencher caixilho de porta ou de janela. **5.** *Fig.* Coisa quebradiça, frágil. **6.** *Fig.* Pessoa muito suscetível ou melindrosa. ♦ **Vidro aramado.** Chapa de vidro em que está embutida uma rede metálica, com grande resistência mecânica. **Vidro de cobalto.** Vidro de coloração azul, conseqüência da presença de óxido de cobalto em sua massa. **Vidro de garrafa.** Vidro com coloração esverdeada, que contém quantidade apreciável de ferro. **Vidro de relógio.** *Quím.* Peça de vidro, circular, côncavo-convexa, usada para pesagem de material em laboratório. **Vidro de segurança.** Chapa de vidro constituída por diversas placas de vidro entre as quais se colocam lâminas finas de material plástico transparente, que aderem ao vidro. **Vidro fantasia.** Chapa de vidro em cuja superfície foram impressas figuras mais ou menos regulares, a fim de conseguir-se maior ou menor grau de difusão da luz. **Vidro fotocrômico.** Chapa de vidro que escurece quando exposta à luz intensa e retorna à transparência inicial quando cessa a ação da luz, em virtude da presença de partículas pequeníssimas de halogeneto de prata dispersas na massa. **Vidro opala.** Vidro translúcido, com aspecto leitoso, que lhe é atribuído pela adição de fluoreto de cálcio ou alumina à massa líquida, no processo de fabricação. **Vidro óptico.** Vidro muito homogêneo, isento de bolhas e imperfeições, usado na fabricação de instrumentos ópticos. **Vidro rubi.** Vidro transparente, de coloração vermelha característica, resultante da presença de partículas coloidais de ouro suspensas na massa. **Vidro solúvel.** Silicato de sódio ou de potássio, com diferentes graus de hidratação, usado na fabricação de adesivos e sabões, e também como endurecedor. **Vidro vulcânico.** *Geol.* Lava cujo aspecto semelha o do vidro. **Ser o vidro de.** *Bras., SP. Pop.* Ser muito amado, muito querido, muito mimado por: "Ela

.... desde menina fora o vidro do pai: não havia vestido bonito que o Cândido lhe negasse, nem sapato de luxo que não lhe viesse parar aos pés." (Valdomiro Silveira, *Os Caboclos*, p. 166.)
vidro-mole. *S. m. Bras., PE. Chulo.* Excremento, fezes. [Pl.: *vidros-moles.*]
vidroso (ô). [De *vidro* + *-oso.*] *Adj.* V. *vidrento.*
vidual. [Do lat. *viduale.*] *Adj. 2 g.* Referente à viuvez ou a pessoa viúva.
viegas. *S. m. 2 n. Bras., CE. Pop.* V. *ânus.*
vieira. [Do lat. *veneria.*] *S. f.* **1.** *Lus.* V. *leque* (6). **2.** *Heráld.* Ornato concoidal.
vieirense[1]. *Adj. 2 g.* **1.** Pertencente ou relativo ao Pe Antônio Vieira (1608-1697), clássico português, ou próprio dele. ● *S. m.* **2.** Grande admirador e/ou profundo conhecedor de sua obra.
vieirense[2]. *Adj. 2 g.* **1.** De, ou pertencente ou relativo a Vieiras (MG). ● *S. 2 g.* **2.** Natural ou habitante de Vieiras.
viela[1]. [De *via* + *-ela.*] *S. f.* Rua estreita; beco, quelha: "Bandos e bandos de raparigas, falando alto, desciam a Estrada Nova. Dos recantos e vielas que ali desembocavam, de momento a momento, surgiam vultos apressados." (Amando Fontes, *Os Corumbas*, p. 18.)
viela[2]. [Do fr. *vielle.*] *S. f.* **1.** Ferro com argolas no rodízio dos moinhos. **2.** *Mús.* Cada um dos diversos tipos de instrumentos de cordas friccionáveis que apareceram por volta do séc. XI, com diferentes formatos e número variável de cordas. Todos eram provenientes da rota[4] (2), mas já tinham o braço independente, e depois se aperfeiçoaram nos vários elementos da família das violas. [Sin., nesta acepç.: *sanfona.*] ♦ **Viela de roda.** *Mús.* Antigo instrumento de teclado e cordas friccionáveis por meio de uma roda acionada por uma manivela, com a forma aproximada de uma guitarra ou de alaúde, a qual se toca sobre os joelhos. Tem timbre gritante e rangente, e até hoje se usa como instrumento popular, sobretudo na França. [Sin.: *sanfona.*]
vienense. *Adj. 2 g.* **1.** De, ou pertencente ou relativo a Viena, capital da Áustria (Europa). ● *S. 2 g.* **2.** Natural ou habitante de Viena. [Sin. ger.: *vienês.* Cf. *vianense.*]
vienês. *Adj.* e *s. m.* Vienense. [Flex.: *vienesa* (ê), *vieneses* (ê), *vienesas* (ê). Cf. *vianês.*]
➨**vient de paraître** (viẽ de parrétr'). [Fr., 'acaba de aparecer'.] Expr. usada (já muito pouco) no comércio livreiro para anunciar ou expor novidades bibliográficas.
viés. [Do fr. *biais.*] *S. m.* **1.** Direção oblíqua: "Condulo .... para lá, arrastando-o em descida, pelo viés dos barrancos avergoados de enxurros." (Euclides da Cunha, *À margem da História*, p. 91.) **2.** Tira estreita de pano cortada de viés ou no sentido diagonal da peça. [Var.: *enviés.* Pl.: *vieses.*] ♦ **Ao viés.** De viés. **De viés.** Obliquamente; em diagonal; de esguelha; de través, ao viés: "olhava de viés, não encarava mais ninguém." (Nélson de Faria, *Bazé*, p. 108).
vietcongue. [Abrev. do vietnamita *Viet Nam Cong Sam*, 'vietnamita comunista'.] *S. 2 g.* **1.** Designação dada outrora pelos vietnamitas do Sul aos membros da Frente Nacional de Libertação, organização ligada ao então governo de Hanói (Vietnã do Norte). **2.** A própria organização, e especialmente suas forças armadas. ● *Adj. 2 g.* **3.** Relativo ou pertencente aos vietcongues.
vietnamita. *Adj. 2 g.* **1.** Do, pertencente ou relativo ao Vietnã (Ásia). ● *S. 2. g.* **2.** Natural ou habitante do Vietnã. **3.** Uma das línguas faladas na península do Vietnã. [Cf.: *indo-chinês.*]
viga. *S. f.* Peça de sustentação horizontal, utilizada em construções, constituída por um madeiro grosso ou por uma barra de ferro em forma de T, ou, ainda, por um conjunto de concreto armado; trave: "Entraram voando pela varanda, o Sr. Pardal sempre na frente, e foram pousar numa das vigas do telhado." (Herberto Sales, *O Sobradinho dos Pardais*, p. 27.)
vigairaria. *S. f.* **1.** O cargo de vigário; vigararia, vicariato. **2.** A dignidade de vigário.
vigamento. *S. m.* O conjunto das vigas de uma construção; travejamento.
vigar. *V. t. d.* **1.** Pôr vigas em. **2.** Pôr sobre vigas. [Sin. ger.: *travejar.* Conjug.: v. *largar.* Fut. pret.: *vigaria*, etc. Cf. *vigária.*]
vigararia. *S. f.* V. *vigairaria:* "Veloso cônego e pregador, Soares com uma grande vigararia, Vasconcelos a caminho de bispar" (Machado de Assis, *Histórias sem Data*, pp. 185-186).
vigária. [Fem. de *vigário.*] *S. f.* Freira que fazia as vezes da superiora. [Cf. *vigaria*, do v. *vigar.*]
vigarice. [De *(conto-do-)vigário* + *-ice.*] *S. f.* **1.** Ato de, ou próprio de vigarista. **2.** Caráter de vigarista. **3.** Logro, burla, trapaça, intrujice. [Sin. ger.: *vigarismo.*]
vigário. [Do lat. *vicariu*, i. e., 'vicário' (subentende-se pároco), 'padre que faz as vezes do bispo'.] *S. m.* **1.** Aquele que faz as vezes de outro. **2.** Padre que faz as vezes do prelado. **3.** Padre que substitui o pároco em uma paróquia. **4.** Título do pároco, no uso popular. **5.** *Bras., PE.* Caboje. **6.** *Bras., MG. Pop.* Vigarista (2). **7.** *Bras.* V. *soldado* (8). ♦ **Vigário capitular.** Padre eleito pelo cabido ou capítulo de uma diocese, para responder por ela durante a vacância ocasionada pela morte ou transferência do bispo. **Vigário da vara.** Vigário forâneo. **Vigário de Cristo.** O Papa. **Vigário forâneo.** Delegado do bispo para um grupo de paróquias; vigário da vara.
vigário-geral. *S. m.* Prelado subordinado ao bispo, mas a quem são confiadas as mesmas funções e jurisdição que a este. [Pl.: *vigários-gerais.*]
vigarismo. [De *(conto-do-)vigário* + *-ismo.*] *S. m.* V. *vigarice.*
vigarista. [De *(conto-do-)vigário* + *-ista.*] *S. 2 g.* **1.** Ladrão ou ladra que passa o conto-do-vigário. [Sin. (bras., gír.): *cantante.*] **2.** *P. ext.* Velhaco, intrujão, trapaceiro. [Sin. (bras., MG): *vigário.*] ● *S. f.* **3.** *Bras.* V. *meretriz.*
vigência. [Do lat. *vigentia*, nom., acusativo neutro pl. de *vigens, tis*, 'vigente'.] *S. f.* **1.** Qualidade de vigente. **2.** Tempo durante o qual uma coisa vige ou vigora.
vigente. [Do lat. *vigente.*] *Adj. 2 g.* Que vige ou vigora; vigorante: "Uma forma vigente de governo ficava exposta a comparações que poderiam amesquinhá-la." (Machado de Assis, *Papéis Avulsos*, p. 211.)
viger. [Do lat. *vigere.*] *V. int.* Ter vigor, ou estar em vigor ou em execução; vigorar: "A atividade agrícola, subordinada às estações do ano, dificulta evidentemente a regulamentação das horas de trabalho diário de maneira tão estrita como a que vige na indústria." (Clóvis Caldeira, *Menores no Meio Rural*, p. 59.) [Defect. Pres. ind.: *vige*, ... *vigeis*, *vigem.* Cf. *vígeis*, pl. de *vígil.*]
vigesimal (zi). *Adj. 2 g.* **1.** Referente a vigésimo. **2.** Que tem por base vinte.
vigésimo (zi). [Do lat. *vigesimu.*] *Num.* **1.** Ordinal e fracionário correspondente a vinte. [Sin., p. us.: *vicésimo* e *vinteno.*] ● *S. m.* **2.** Cada uma das 20 partes iguais em que se divide um todo: *a vigésima parte.* **3.** Aquele ou aquilo que ocupa o vigésimo lugar. [Atenção: a palavra só tem um *s.*]
vigia. [Dev. de *vigiar.*] *S. f.* **1.** Ato ou efeito de vigiar. **2.** Estado de quem vigia. **3.** *P. ext.* Vedeta[1] (1). **4.** Orifício pelo qual se espreita. **5.** *Constr. Nav.* Abertura, geralmente circular, praticada no costado ou numa superestrutura de embarcação, para iluminar-lhe e arejar-lhe o interior, e que pode ser fechada com uma tampa de vidro grosso: "Permanecia a parte do tempo no seu vasto camarim .... , olhando tudo a bordo por uma das amplas vigias retangulares desse apartamento" (Virgílio Várzea, *Nas Ondas*, p. 255). **6.** *Ant. Mar.* Baixo, recife, parcel, etc., muito afastado do litoral, e por isso de posição pouco precisa, e nas proximidades do qual devia o navegante exercer vigilância cuidadosa para evitar sinistro. [Comprovou-se que a maior parte das vigias assinaladas nos antigos roteiros eram fictícias.] ● *S. 2 g.* **7.** Pessoa que vigia; guarda, sentinela. **8.** *Bras. Fut.* V. *goleiro.*
vigiador (ô). *Adj.* e *s. m.* Que ou aquele que vigia.
vigiado. [Part. de *vigiar.*] *Adj.* Que está sendo objeto de vigia (1). ~ V. *liberdade* —*a.*
vigiante. [De *vigiar* + *-nte.*] *Adj. 2 g.* V. *vigilante* (1 a 3).
vigiar. [Do lat. *vigilare.*] *V. t. d.* **1.** Observar atentamente; estar atento a; atentar em: *Vigiava o leite a ferver.* **2.** Observar ocultamente; espreitar: *Passou a noite vigiando a estrada.* **3.** Velar por: *Orou para que os santos vigiassem a criança.* **4.** *Bras.* Procurar, campear: *O tropeiro vigia o rebanho. T. i.* **5.** *P. us.* Tomar cuidado; estar atento; cuidar: *A mãe vigia no filhinho. Int.* **6.** Estar acordado ou atento; velar. **7.** Estar de sentinela; estar alerta; velar. *P.* **8.** Precaver-se, precatar-se, acautelar-se. [F. paral.: *vigilar.*]
vigieiro. [De *vigiar.*] *S. m. Ant.* Guarda campestre.
vigiense. *Adj. 2 g.* **1.** De, ou pertencente ou relativo a Vigia (PA). ● *S. 2 g.* **2.** Natural ou habitante de Vigia.
vígil. [Do lat. *vigile.*] *Adj. 2 g.* **1.** Que está velando. **2.** Que vigia; vigilante. **3.** Acordado, desperto. [Pl.: *vígeis.* Cf. *vigeis*, do v. *viger.*]
vigilância. [Do lat. *vigilantia.*] *S. f.* **1.** Ato ou efeito de vigilar(-se). **2.** Precaução, cuidado, prevenção. **3.** Zelo, diligência.
vigilante. [Do lat. *vigilante.*] *Adj. 2 g.* **1.** Que vigia ou vigila; vigiante, vígil. **2.** Zeloso, diligente, vigiante. **3.** Cuidadoso, cauteloso, precavido, atento, vigiante. ● *S. 2 g.* **4.** Pessoa vigilante.
vigilar. [Do lat. *vigilare.*] *V. t. d., t. i., int.* e *p.* V. *vigiar.*
vigilenga. [Do top. *Vigia* (PA).] *S. f. Bras., PA.* Tipo de canoa de pesca, quase redonda: "No vão quadrado do Ver-o-Peso, dezenas de canoas, desde as casquinhas e as montarias leves, até as geleiras, as vigilengas" (Peregrino Júnior, *A Mata Submersa e Outras Histórias da Amazônia*, p. 67).
vigilengo. *S. m. Bras., PA.* Indivíduo que pesca em vigilenga.
vigília. [Do lat. *vigilia.*] *S. f.* **1.** Privação ou falta de sono; insônia, lucubração: "Cresce a noite, e a vigília cada vez mais acesa; sem dormir, sonha." (Antônio Feliciano de Castilho, *A Lírica de Anacreonte*, p. 14.) **2.** Estado de quem, durante a noite, vela, permanecendo acordado; vela, velada: *a vigília de uma sentinela.* **3.** Desvelo; cuidado, dedicação. **4.** Véspera de festa. **5.** *Rel.* Ofício divino recitado somente à noite.
vigintivirado. [Do lat. *vigintiviratu.*] *S. m.* Vigintivirato.
vigintivirato. [Do lat. *vigintiviratu.*] *S. m.* Cargo ou dignidade de vigintíviro; vigintivirado.
vigintíviro. [Do lat. *vigintiviru.*] *S. m.* **1.** Cada um dos 20 magistrados romanos, 10 dos quais eram adjuntos do pretor, tendo a seu cargo os outros 10 a polícia e limpeza das ruas, a cunhagem das moedas e a execução dos criminosos. **2.** Cada um dos 20 membros da comissão nomeada por César para a repartição das terras da Campânia (Roma).
vigor (ô). [Do lat. *vigore.*] *S. m.* **1.** Força, robustez. **2.** Grande energia; veemência. **3.** V. *viço* (2). **4.** Valor, vigência: *Esta lei já não tem vigor.* [Pl.: *vigores* (ô). Cf. *vigores*, do v. *vigorar.*]
vigorante. [Do lat. *vigorante.*] *Adj. 2 g.* Que vigora; vigente.
vigorar. *V. t. d.* **1.** Dar vigor a; fortalecer, vigorizar, avigorar. **2.** Tornar mais vigoroso, mais enérgico. *Int.* **3.** Adquirir força, robustez, vigor. **4.** Estar em vigor, ou não estar ab-rogado ou prescrito; viger: *A lei vigorará de hoje em diante;* "Nestas funções não vigorava a severidade das últimas pragmáticas." (Rebelo da Silva, *Contos e Lendas*, p. 174). [Pres. subj.: *vigore, vigores*, etc. Cf. *vigores* (ô), pl. de *vigor.*]
vigorite. *S. f.* Variedade de dinamite.
vigorizar. *V. t. d.* **1.** Dar vigor a; fortalecer, avigorar, vigorar. *P.* **2.** Tornar-se forte, vigoroso; robustecer-se, avigorar-se.
vigoroso (ô). *Adj.* **1.** Que tem vigor; forte, robusto: *um rapaz vigoroso.* **2.** Ativo, enérgico, vivo: *Atacado, o país ofereceu resistência vigorosa.* **3.** Que impressiona pelo vigor, força, energia, poder criador com que é realizado: *um quadro vigoroso; romance vigoroso.*
vigota. *S. f.* Pequena viga, sarrafão, vigote.
vigote. *S. m.* V. *vigota.*
vil. [Do lat. *vile.*] *Adj. 2 g.* **1.** Que se compra por baixo preço. **2.** Que tem pouco valor. **3.** Reles, ordinário. **4.** Mesquinho, miserável, insignificante. **5.** Desprezível, infame: "o ente mais vil e ignóbil que eu conheço" (José de Alencar, *Lucíola*, p. 120). ~ V. *preço*—. ● *S. 2 g.* **6.** Pessoa desprezível, infame.
vila[1]. [Do lat. *villa.*] *S. f.* **1.** Povoação de categoria superior à de aldeia ou arraial e inferior à de cidade. **2.** Os habitantes da vila (1). **3.** Conjunto de pequenas habitações independentes, em geral idênticas, e dispostas de modo que formem rua ou praça interior, por via de regra sem caráter de logradouro público; avenida. **4.** *Bras.* Qualquer conjunto de casas que tenha características análogas às da vila (3): *Vila Militar, Vila Kennedy* (no Rio de Janeiro). [Dim. irreg.: *vileta, vilela, vilota;* dim. deprec.: *vilório, vilória.*]
vila[2]. [Do it. *villa.*] *S. f.* **1.** Casa ou habitação nas cercanias das cidades italianas. **2.** Casa de habitação, em geral de certo requinte, cercada de jardim. **3.** *P. ext.* Vila (2) de recreio, na cidade ou em seus arredores: "É [Miami] .... parque de diversões de milionários, os quais têm suas belas vilas de inverno ao longo destas lânguidas praias brancas que a névoa e o frio nunca visitam." (Érico Veríssimo, *A Volta do Gato Preto*, p. 24.)
vilã. *Adj.* (*f.*) e *s. f.* Fem. de *vilão* [q. v.].
vilabelense. *Adj. 2 g.* **1.** De, ou pertencente ou relativo a Vila Bela da Santíssima Trindade (MT). ● *S. 2 g.* **2.** Natural ou habitante de Vila Bela da Santíssima Trindade.
vila-diogo. *El. s. f.* Us. na loc. *dar às de vila-diogo.* ♦ **Dar às de vila-diogo.** V. *fugir* (1 e 2): "Surpreendidos .... por aquele brusco tiroteio, os assaltantes de reserva deram às de vila-diogo, desmoralizando na fuga a guarda deixada à porta." (Vitorino Nemésio, *O*

Mistério do Paço do Milhafre, pp. 121-122.)
vilafrança. *S. m. Bras.* Camarão-rosa (1).
vilaiete (ê). [Do turco *vilâyet*, pelo fr. *vilayet*.] *S. m.* Certa divisão administrativa, na Turquia.
vilãmente. [Do fem. de *vilão* + *-mente*.] *Adv.* De modo vilão; com vilania ou vileza.
vilanaço. *Adj.* e *s. m.* Vilanaz.
vilanagem. *S. f.* **1.** V. *vilania* (1). **2.** Ajuntamento ou grupo de vilãos.
vilanaz. *Adj. 2 g.* e *s. m.* Que ou aquele em que predomina a qualidade de vilão [q. v.]; vilanaço.
vilancete (ê). [Do esp. *villancete*.] *S. m.* **1.** Composição poética, em geral curta e de caráter campesino. **2.** Composição poética formada de um mote e uma glosa. [As mais das vezes o mote é um grupo de três versos, dos quais o primeiro é solto e o segundo rima com o terceiro, e a glosa compõe-se de duas oitavas, sendo o último verso da primeira oitava o segundo verso do mote, e o último verso da segunda o terceiro do mote. F. paral.: *vilhancete*.]
vilancico. [Do esp. *villancico*.] *S. m.* Gênero de canção do séc. XVI, cujo tema é amoroso ou encomiástico.
vilanela. [Do fr. *villanelle* < it. *villanella*.] *S. f.* **1.** Canção, poesia popular antiga. **2.** Dança que a acompanha. **3.** Certo poema de forma fixa dos fins do séc. XV.
vilanesco (ê). *Adj.* **1.** Concernente a vilão. **2.** Próprio de vilão; rude, rústico, grosseiro.
vilania. *S. f.* **1.** Qualidade de vil ou vilão; vileza, vilanagem. **2.** Mesquinhez, avareza. **3.** Ato vil; vileza: "Denunciar o infame? — atirar-lhe à cara a prova de sua v i l a n i a e nunca mais o procurar para nada ....?" (Aluísio Azevedo, *Casa de Pensão*, p. 309.)
vilão. [Do lat. vulg. * *villanu*, 'habitante de vila ou casa de campo'.] *Adj.* **1.** Que vive numa vila. **2.** *Fig.* Rústico, rude, plebeu, grosseiro. **3.** Abjeto, desprezível, sórdido. **4.** V. *avaro* (1). ● *S. m.* **5.** Habitante de vila. **6.** Camponês, plebeu. **7.** Homem desprezível e miserável. **8.** Na Idade Média, camponês que trabalhava a terra do senhor feudal sem, no entanto, estar preso a ela. **9.** V. *avaro* (3). [Fem.: *vilã, viloa*; pl.: *vilãos, vilões, vilães*; aum. nas acepç. (2 a 4 e 7 e 9): *vilanaço* e *vilanaz*.] **10.** Antiga dança popular portuguesa. **11.** *Bras.* Baile popular, variante do folguedo da trança, e no qual os participantes dançam com lenços ou paus, ou com facas, em vez de fitas; vilão de faca, vilão de lenço. ◆ **Vilão de faca.** *Bras.* V. *vilão* (11). **Vilão de lenço.** *Bras.* V. *vilão* (11). **Vilão de mala.** *Bras.* Espécie de sarandi², ao som da viola.
vilar. [Do b.-lat. *villare*.] *S. m.* Pequena aldeia ou pequena vila; lugarejo. [Dim.: *vilarinho, vilarejo*.]
vilarejo (ê). [De *vilar* + *-ejo*.] *S. m.* **1.** V. *vilar*: "Conheci-o no v i l a r e j o onde veraneou a grei dos Amados. Foi em Catu, então um lugarzinho bucólico, hoje um centro petrolífero." (Genolino Amado, *O Reino Perdido*, p. 42.) ● *Adj.* **2.** Relativo a, ou próprio de vila¹ (1): "De lá vinha o clarão tristonho dos círios, a alumiar ao fundo, soturnamente, a paramentação dos altares de pobreza v i l a r e j a" (Hugo de Carvalho Ramos, *Tropas e Boiadas*, p. 68).
vilarinho. [De *vilar* + *-inho*.] *S. m.* V. *vilar*.
vilegiatura. [Do it. *villeggiatura*.] *S. f.* Temporada que habitantes da cidade passam no campo, na praia, ou em digressão de recreio, na estação calmosa; veraneio: "Benigno de calmas, e com um ar de primavera monótona que nem justifica sequer as v i l e g i a t u r a s ruidosas dos ricaços, por essas quintas, praias de banhos, e estações d'águas, o verão este ano como que participa .... da consciência dos nossos homens públicos" (Fialho d'Almeida, *O País das Uvas*, p. 35).
vilegiaturar. *V. int.* Andar em vilegiatura.
vilegiaturista. *S. 2 g.* Pessoa que vilegiatura.
vilela. [De *vila* + *-ela*.] *S. f.* V. *vileta*.
vileta (ê). *S. f.* Pequena vila¹; vilela, vilota.
vileza (ê). *S. f.* **1.** Qualidade de vil ou vilão. **2.** Ação vil. [Sin. ger.: *vilania*.]
vilhancete (ê). *S. m.* Vilancete.
▲**vili-.** [Do lat. *vilis, e*.] *El. comp.* = 'vil': *vilificar*.
▲**vil(i)-.** [Do lat. *villus, i*.] *El. comp.* = 'pêlo': *vilífero*.
vilico. [Do lat. *villicu*.] *S. m. Ant.* Regedor: "Um antigo v i l i c o do nobre conde fora quem destas mudanças o avisara." (Alexandre Herculano, *Lendas e Narrativas*, II, p. 26.)
vilífero. [De *vil(i)-* + *-fero*.] *Adj. Med.* Que tem vilosidades.
vilificar. [De *vili-* + *-ficar*.] *V. t. d.* Tornar vil; envilecer, aviltar. [Conjug.: v. *trancar*.]
viliforme. [De *vili-* + *-forme*.] *Adj. 2 g. Zool.* Diz-se dos pêlos menores em uma pelagem com três camadas.
vilipendiação. *S. f.* Ação ou efeito de vilipendiar.
vilipendiador (ô). *Adj.* e *s. m.* Que ou aquele que vilipendia.
vilipendiar. *V. t. d.* **1.** Tratar com vilipêndio. **2.** Ter ou considerar como vil; desprezar; repelir. [Pres. ind.: *vilipendio*, etc. Cf. *vilipêndio*.]
vilipêndio. [Do lat. *vilipendere*, 'julgar vil, desprezar'.] *S. m.* Desprezo, menoscabo; aviltamento: "não entende por que se impropera uma sociedade tão perfeita, onde a pobreza e o v i l i p ê n d i o são o automático castigo da iniqüidade e da protérvia" (Antônio Sérgio, *Ensaios*, I, p. 350). [Cf. *vilipendio*, do v. *vilipendiar*.]
vilipendiosamente. [Do fem. de *vilipendioso* + *-mente*.] *Adv.* De maneira vilipendiosa; com vilipêndio.
vilipendioso (ô). *Adj.* Em que há vilipêndio.
viloa (ô). *Adj.* (*f.*) e *s. f.* Fem. de *vilão* [q. v.]: "elogiam a polidez das salas de Versailles em gíria v i l o a das antecâmaras de Fouché." (Ramalho Ortigão, *As Farpas*, IX, p. 54).
vilória. *S. f. Deprec.* Vilório: "Na época em que a politicagem do branco fez paróquia da maloca, eram os dous caboclos as relíquias anosas da v i l ó r i a" (Alberto Rangel, *Lume e Cinza*, p. 219).
vilório. *S. m. Deprec.* Vila pequena, de pouca ou nenhuma importância; vilória.
vilosidade. *S. f.* **1.** Qualidade de viloso. **2.** *Anat.* Pequena saliência vascular, especialmente em superfície livre de membrana.
vilosite. [De *viloso* + *-ite*¹.] *S. f. Patol.* Inflamação das vilosidades da placenta.
viloso (ô). [Do lat. *villosu*.] *Adj.* **1.** Cheio de pêlos; cabeludo, hirsuto. **2.** *Morfol. Veg.* Coberto de pêlos longos, macios e flexuosos: *sépala v i l o s a*; *folha v i l o s a*. [Cf. *veloso*, adj., e *Veloso*, antr. e top.]
vilósulo. [De *viloso* + *-ulo*.] *Adj. Morfol. Veg.* Um tanto viloso: *folha v i l ó s u l a*.
vilota. [De *vila* + *-ota*.] *S. f.* V. *vileta*.
vilta. [Dev. do arc. *viltar* < lat. *vilitare*, 'aviltar'.] *S. f. P. us.* Palavra ou ação para injuriar alguém.
vimaranense. [Do lat. *vimaranense*.] *Adj. 2 g.* **1.** De, ou pertencente ou relativo a Guimarães (Portugal e MA). ● *S. 2 g.* **2.** Natural ou habitante de Guimarães. [Sin. (referente à cidade do MA): *guimarantino*.]
vimbunde. [De or. afr., talvez.] *S. m. Bras., MG. Pop.* Escravo (4).
vime. [Do lat. *vimen*.] *S. m.* **1.** Vara de vimeiro tenra e flexível; buinho. **2.** Qualquer vara muito flexível. **3.** V. *salgueiro*¹.
vimeiro. [De *vime* + *-eiro*.] *S. m.* V. *salgueiro*¹.
vimieiro. [De um lat. vulg. * *viminariu*.] *S. m.* Terreno onde abundam vimes.
vimíneo. [Do lat. *vimineu*.] *Adj.* Feito de vime; vimoso, viminoso.
viminoso (ô). [Do lat. *vimine*, 'vime', + *-oso*.] *Adj.* V. *vimíneo*.
vimoso (ô). [De *vime* + *-oso*.] *Adj.* V. *vimíneo*.
vim-vim. [Voc. onom.] *S. m. Bras.* V. *gaturamo*. [Pl.: *vim-vins*.]
vina. [Do hind. *binā* < sânscr. *vīnā*.] *S. f. Mús.* Na Índia, instrumento de cordas, do tipo da cítara, montado sobre um bastão, geralmente oco, sob o qual se fixam duas cabaças, e sobre o qual se esticam as cordas, em geral sete, por meio de cravelhas de madeira.
vináceo. [Do lat. *vinaceu*.] *Adj.* **1.** Feito de vinho. **2.** Misturado com vinho. **3.** Que tem a natureza e/ou a cor do vinho. [Sin., poét.: *víneo*.]
vinagrão. [De *vinagre* + *-ão*¹.] *S. m.* Vinho de má qualidade; zurrapa.
vinagrar. [De *vinagre* + *-ar*².] *V. t. d.* e *p.* V. *avinagrar*.
vinagre. [Do cat. *vinagre*.] *S. m.* **1.** Produto oriundo da transformação em ácido acético do álcool contido em certas bebidas, pela fermentação. **2.** Ácido acético. **3.** *Fig.* Coisa acre. **4.** Pessoa de gênio ou maneiras desabridas. **5.** *Bras. Fam.* V. *avaro* (3).
vinagreira. *S. f.* **1.** Recipiente onde se prepara ou guarda o vinagre. **2.** V. *água-viva* (2). **3.** *Bras., N.* V. *caruru-azedo*. **4.** V. *fansã*.
vinagreiro. *S. m.* Aquele que vende e/ou fabrica vinagre. **vinagrento.** *Adj.* Que sabe a vinagre.
vinagrete. [Do fr. *vinaigrette*.] *Adj. Cul.* Diz-se de molho feito de vinagre puro ou aromatizado e azeite de oliveira, temperado com sal e pimenta-do-reino, com que se temperam saladas cruas ou cozidas ou certas iguarias que se comem frias. [Tb. us. como s.]
vinagreza (ê). *S. f. Bras. Fam.* Qualidade de vinagre (5) ou avaro; sovinice, avareza.
vinagrista. *S. m. Bras.* Cada um dos sequazes de Francisco Vinagre, um dos chefes da cabanagem (2).
vinário. [Do lat. *vinariu*.] *Adj.* **1.** Do, ou referente ao vinho; vinháceo, vínico. **2.** Apropriado para conter vinho.
vinca. [Do lat. *vinca*.] *S. f.* V. *boas-noites* (2).
vincada. [De *vincar* + *-ada*¹.] *S. f.* Vinco (1).
vincadeira. [De *vincada* + *-eira*] *S. f. Art. Gráf.* Máquina para fazer vincos em cartolina, papelão, etc.
vincado. [Part. de *vincar*.] *Adj.* **1.** Que se vincou; que tem vinco(s). **2.** *Fig.* Acentuado, marcante, evidente: *Tem v i n c a d a paixão pelas artes*.
vincapervinca. [Do lat. *vincapervinca*.] *S. f.* Pervinca.
vincar. *V. t. d.* **1.** Fazer vincos ou dobras em; preguear. **2.** *Fig.* Marcar bem; acentuar. [F. paral.: *avincar*. Conjug.: v. *trancar*.]
vincendo. [Do lat. *vincendu*, part. do fut. passivo de *vincere*, 'vencer'.] *Adj.* Diz-se de juros, dívidas, etc., que estão por vencer.
vincetóxico (cs). [Do lat. *vincere*, 'vencer', + *-tóxico*.] *S. m.* Certa planta apocinácea.
vinciano (txano). *Adj.* Pertencente ou relativo a Leonardo da Vinci (1452-1519), pintor, escultor, engenheiro, arquiteto e sábio italiano, ou próprio dele. [Cf. *leonardesco*.]
vincituro. [Do lat. *vincituru*, part. do fut. ativo de *vincere*, 'vencer'.] *Adj.* Que há de vencer.
vinco. *S. m.* **1.** Aresta ou marca produzida por uma dobra; vincada. **2.** Sulco ou sinal produzido por pancada, passagem de roda, aperto de cordão, unhada, etc. **3.** Vergão (2). **4.** Primeira camada seguida à côdea inferior da broa, quando esta sai mal cozida do forno. **5.** *Art. Gráf.* Sulco produzido por filete em papel ou em outro material, geralmente para facilitar a dobragem; dobra seca. [V. *fio de vincar*.] **6.** *Grav.* V. *bisel* (4).
vinculação. *S. f.* Ato ou efeito de vincular(-se).
vinculado. [Do lat. *vinculatu*.] *Adj.* **1.** Instituído por vínculo. **2.** Da natureza do vínculo. **3.** Vincular¹. **4.** Fortemente ligado ou preso. ~ V. *bens —s* e *voto —*.
vinculador (ô). *Adj.* **1.** Que vincula; vinculativo, vinculatório. ● *S. m.* **2.** Aquele que vincula.
vincular¹. [De *vínculo* + *-ar*¹.] *Adj. 2 g.* Relativo a vínculo; vinculado.
vincular². [De *vínculo* + *-ar*².] *V. t. d.* **1.** Ligar ou prender com vínculos; apertar. **2.** Ligar ou prender moralmente: *O amor à família v i n c u l a os filhos*. **3.** Firmar a posse de. **4.** Impor obrigação a; penhorar; gravar; onerar: *O favor recebido v i n c u l o u - o*. **5.** Submeter (coisas) a vínculo. *T. d.* e *i.* **6.** Ligar ou prender moralmente: *A obrigação v i n c u l o u - a ao benfeitor*. **7.** Ligar, prender, unir, ou deixar ligado, unido, preso: "O general da frota cristã de Lepanto v i n c u l o u a sua memória àquela batalha gloriosa." (Latino Coelho, *Cervantes*, p. 43.) **8.** Anexar, apensar: *v i n c u l a r um processo a outro*. **9.** Sujeitar, obrigar. *P.* **10.** Prender-se ou ligar-se moralmente: *V i n c u l o u - s e ao seu benfeitor*. **11.** Ligar-se, prender-se, unir-se: "É bem conhecida a teoria do enraizamento de Barrès, exposta no romance *Les Déracinés*, segundo a qual o homem s e v i n c u l a à terra, à região em que nasce e onde nasceram os seus, truncando o próprio destino quando se transplanta para ambiente diverso." (Brito Broca, *Horas de Leitura*, p. 79.) **12.** Eternizar-se, perpetuar-se; imortalizar-se. [Pres. ind.: *vinculo*, etc. Cf. *vínculo*.]
vinculativo. [Do lat. *vinculatu*, part. pass. de um **vinculare*, 'vincular', + *-ivo*.] *Adj.* V. *vinculador* (1).
vinculatório. [Do lat. *vinculatu*, part. pass. de um **vinculare*, 'vincular', + *-ório*.] *Adj.* V. *vinculador* (1).
vínculo. [Do lat. *vinculu*.] *S. m.* **1.** Tudo o que ata, liga ou aperta: "Este [o presente], segundo o escritor italiano [Salviolli], mesmo depois das mais profundas revoluções, liga-se ao passado por v í n c u l o s tais que não se poderiam romper sem torná-lo um enigma." (Paulo Mercadante, *A Consciência Conservadora no Brasil*, p. 7.) **2.** Nó, liame. **3.** *Fig.* Ligação moral. **4.** Gravame, ônus, restrições. **5.** Relação, subordinação. **6.** Nexo, sentido. **7.** *Fís.* Num sistema mecânico a relação entre suas coordenadas generalizadas que traduz a existência duma restrição material que limita o movimento do sistema. [Cf. *vinculo*, do v. *vincular*.] ◆ **Vínculo esclerônomo.** *Fís.* Aquele em cujas equações de definição não figura explicitamente a variável tempo. **Vínculo holônomo.** *Fís.* O que pode ser expresso por um número finito de equações entre as coordenadas generalizadas do sistema e o tempo. **Vínculo não-holônomo.** *Fís.* O que não é holônomo. **Vínculo reônomo.** *Fís.* O que é definido por equações que incluem explicitamente a variável tempo.
vinda. [Fem. substantivado de *vindo*, part. de *vir*.] *S. f.* Ato ou efeito de vir; volta, regresso.
vindecaá. *S. m. Bras., Amaz.* Designação de grandes ervas ornamentais da família das zingiberáceas e do

gênero *Alpinia*, que têm rizoma, são originárias da Ásia, e encontradiças em jardins em virtude das belas e perfumadas flores alvas ou vermelhas reunidas em cachos vistosos.

➡**vin d'honneur** (vê donér). [Fr.] Recepção oficial de homenagem, em que se bebem vinhos, coquetéis, etc.

vindicação. [Do lat. *vindicatione.*] *S. f.* **1.** Ato ou efeito de vindicar; reclamação. **2.** *Jur.* Ato de exigir judicialmente que se reconheça a alguém o seu estado civil.

vindicador (ô). *Adj.* e *s. m.* Que ou aquele que vindica; vindicante.

vindicante. [Do lat. *vindicante.*] *Adj. 2 g.* e *s. 2 g.* Vindicador.

vindicar. [Do lat. *vindicare.*] *V. t. d.* **1.** Reclamar ou exigir, em juízo, a restituição de; reivindicar, reclamar. **2.** Exigir em nome da lei. **3.** Pretender a legalização de. **4.** Justificar, defender: *Costuma* vindicar *as causas dos humildes.* **5.** Corrigir, consertar. **6.** Reaver, recuperar, recobrar. **7.** *Ant.* Vingar (1). [Conjug.: v. *trancar.*]

vindicativo. [Do lat. *vindicatu*, 'vindicado', 'vingado', + *-ivo.*] *Adj.* **1.** Apropriado para vindicar. **2.** Que defende, que vinga.

víndice. [Do lat. *vindice.*] *Adj. 2 g.* e *s. 2 g.* Que ou quem vinga; vingador.

vindícia. [Do lat. *vindicia.*] *S. f.* Ato ou efeito de vindicar; reivindicação.

vindiço. [De *vindo* + *-iço.*] *Adj.* Que veio de fora; adventício.

vindicta. *S. f.* V. *vindita.*

vindima. [Do lat. *vindemia.*] *S. f.* **1.** Colheita ou apanha de uvas; vindimadura: "Cacho aqui, cacho ali, juntava em cada vindima uvas suficientes para atestar dois lagares." (João de Araújo Correia, *Terra Ingrata*, p. 189.) **2.** Uvas vindimadas. **3.** *P. ext.* O tempo da vindima (1). **4.** *Fig.* Colheita de qualquer fruto. **5.** Granjeio, aquisição.

vindimadeiro. [De *vindimar* + *-deiro.*] *Adj.* e *s. m.* Vindimador.

vindimado. [Part. de *vindimar.*] *Adj.* **1.** De que já se colheram as uvas: *vinha* vindimada. **2.** *Fig.* Acabado, terminado; extinto.

vindimador (ô). [Do lat. *vindemiatore.*] *Adj.* e *s. m.* Que ou aquele que vindima; vindimadeiro.

vindimadura. [De *vindimar* + *-(d)ura.*] *S. f.* Vindima (1).

vindimal. [Do lat. *vindemiale.*] *Adj. 2 g.* Referente a vindima; vindimo.

vindimar. [Do lat. *vindemiare.*] *V. t. d.* **1.** Fazer a vindima de. **2.** *Fig.* Colher, apanhar. **3.** Dar cabo de; destruir, dizimar. **4.** Cortar, ceifar. **5.** Matar, assassinar. *Int.* **6.** Fazer a vindima.

vindimo. [De *vindima.*] *Adj.* **1.** Vindimal. **2.** Apropriado para a vindima. **3.** Serôdio ou outoniço.

vindita. [Var. de *vindicta* < lat. *vindicta.*] *S. f.* **1.** Punição legal. **2.** V. *vingança* (1): "Lá vem, como o furacão, / A desabar da montanha; / E na truculenta sanha, / No torvo rancor eterno / Da recalcada vindita, / Vibra esta praga maldita, / Com um corisco do inferno" (Bulhão Pato, *Livro do Monte*, p. 190).

vindo. [Part. de *vir.*] *Adj.* **1.** Que veio; chegado. **2.** Procedente, proveniente.

vindoiro. *Adj.* Var. de *vindouro* [q. v.].

vindoiros. *S. m. pl.* Var. de *vindouros.*

vindouro. [Do lat. *venturu.*] *Adj.* **1.** Que há de vir ou acontecer; futuro, venturo. ● *S. m.* **2.** *Bras., SP. Pop.* Pessoa que veio de outro lugar, que não é natural da povoação e nela se acha há pouco; adventício: "Quem foi agora na boléia já não era pessoa conhecida, que sim um vindouro da Mococa, por nome Antônio Cabeça." (Valdomiro Silveira, *Os Caboclos*, p. 155.) [Var.: *vindoiro.*] ~ V. *vindouros.*

vindouros. [Pl. de *vindouro.*] *S. m. pl.* As gerações futuras; a posteridade. [Var.: *vindoiros.*] ~ V. *vindouro.*

víneo. [Do lat. *vineu.*] *Adj. Poét.* Vináceo.

vingado. [Part. de *vingar.*] *Adj.* Que se vingou; desforçado, desafrontado.

vingador (ô). *Adj.* **1.** Que vinga; víndice. ● *S. m.* **2.** Aquele que vinga; víndice. **3.** Aquilo que serve para vingar.

vingança. *S. f.* **1.** Ato ou efeito de vingar(-se); desforço, desforra; vindita. **2.** Punição, castigo: *É um crime que clama aos céus e pede a Deus* vingança.

vingar. [Do lat. *vindicare.*] *V. t. d.* **1.** Tirar desforço ou desforra de; desforrar, desafrontar: *Soube* vingar *a honra ultrajada;* "decidiram ir ao encontro do ímã de Zeila, impelidos mais que tudo pela tenção raivosa de vingar a morte do Gama e dos outros portugueses." (Aquilino Ribeiro, *Portugueses das Sete Partidas*, p. 135). **2.** Causar a punição de; castigar, punir: *A justiça* vinga *os crimes.* **3.** Promover a reparação de; reparar: *Cumpre* vingar *os agravos.* **4.** Chegar a; atingir, galgar: "Eis do Tingui, porém, vingo a montanha! / Eis, de seu alto, abaixo o olhar agora" (Alberto de Oliveira, *Poesias*, 3ª série, p. 245). **5.** Ultrapassar, vencer, transpor (uma distância). **6.** Conseguir, lograr: Vingou *reparar a falta.* **7.** Vencer, dominar, subjugar. **8.** Lutar por; defender, sustentar. *T. d.* e *i.* **9.** Indenizar, compensar, galardoar; consolar: *As vitórias futuras nos* vingarão *da derrota sofrida. Int.* **10.** Lograr bom êxito; sair a contento: *A empreitada* vingou. **11.** Chegar à maturidade: *As crias* vingaram. **12.** Prosperar, medrar, crescer: *As flores* vingaram. **13.** Acontecer, realizar-se, efetuar-se. *T. i.* **14.** Atingir, alcançar, chegar: *O alpinista* vingou *ao cume da montanha. P.* **15.** Tirar vingança de ofensa recebida, ou de algo que é como uma ofensa; desforrar-se, desforçar-se, despicar-se: *Não descansará enquanto não* se vingar *da derrota*; "Em 'O Alienista', vinga-se Machado [Machado de Assis] dos cultivadores da linguagem enfática, fazendo Simão Bacamarte metê-los na 'Casa Verde'." (Maria Nazaré Lins Soares, *Machado de Assis* e *a Análise da Expressão*, p. 13). **16.** Declarar-se satisfeito, dar-se por contente. [Conjug.: v. *largar.*]

vingativo. *Adj.* **1.** Que se vinga; que se apraz com a vingança. **2.** Em que há, ou que implica vingança.

vinha[1]. [Do lat. *vinea.*] *S. f.* **1.** Quantidade mais ou menos considerável de videiras dispostas proximamente entre si; terreno plantado de videiras: "ao lado / Verdeja, vicejante, a nossa vinha." (Cesário Verde, *Obra Completa*, p. 117). [Sin.: *vinhal, vinhago.* Cf. *vinhedo.*] **2.** V. *videira.* **3.** *Fig.* Aquilo que é proveitoso; vantagem; pechincha. ◆ **Vinha do Senhor.** Prática da religião.

vinha[2]. *S. f.* F. red. de *vinha-d'alhos* [q. v.].

vinhaça. *S. f.* **1.** Grande porção de vinho. **2.** Vinho ordinário; vinhoca. **3.** *P. ext.* V. *bebedeira* (1): "Chegam os *ranchos* com a merenda em saquinhos, ... espessos copos e garrafões cheios para a vinhaça." (José Vieira, *Sol de Portugal*, p. 97.) **4.** V. *vinhoto.*

vináceo. [De *vinho* + *-áceo*[1].] *Adj.* **1.** V. *vinário* (1). **2.** Semelhante ao vinho.

vinhaço. [De *vinho* + *-aço.*] *S. m.* **1.** Bagaço de uvas. **2.** Resíduos da pisa de uvas, nos quais ainda há vinho.

vinha-d'alho. *S. f.* Vinha-d'alhos. [Pl.: *vinhas-d'alho.*]

vinha-d'alhos. *S. f.* Espécie de molho feito com vinagre (ou mais raramente vinho), alho, cebola, louro, etc., no qual se põem carnes, peixes, aves, etc., durante algum tempo a fim de impregná-los de tempero, antes de irem ao fogo; marinada: "Eu estava apenas a impregnar-me de Paris, como a carne que se deixa em vinha-d'alhos para melhor saber ao paladar." (Costa Rego, *Águas Passadas*, p. 261.) [Tb. se diz apenas *vinha.* Pl.: *vinhas-d'alhos.*]

vinhádego. [Do lat. *vineaticu*, 'da vinha'.] *S. m. Ant.* Vinha[1] (1) [q. v.]. V. *vinhago.*

vinhadeiro. [De *vinha*[1] + *-deiro.*] *S. m.* Vinheiro.

vinhado. *S. m. Bras.* Var. aferética de *avinhado*[2].

vinhago. [Do ant. *vinhádego* (q. v.).] *S. m.* V. *vinha*[1] (1).

vinhal. [Do lat. *vineale*, 'da vinha'.] *S. m.* **1.** V. *vinha*[1] (1). **2.** Certa casta de uva.

vinhão. [De *vinho* + *-ão*[1].] *S. m.* **1.** Bom vinho. **2.** Vinho forte. **3.** Vinho encorpado e de boa cor, com que se temperam vinhos inferiores. **4.** Certa casta de uva.

vinhataria. *S. f.* **1.** Cultura de vinhas [v. *vinha*[1] (2).]. **2.** Fabricação de vinho.

vinhateiro. *Adj.* **1.** Relativo à vinhataria. **2.** Que cultiva vinhas [v. *vinha*[1] (2)]. ● *S. m.* **3.** Cultivador de videiras. **4.** Fabricante de vinho.

vinhático. [Do lat. *vineaticu*, 'de vinha'.] *S. m. Bras.* Designação comum a duas espécies do gênero *Plathymenia*, da família das leguminosas, providas de excelentes madeiras amarelas: *vinhático-da-mata* e *vinhático-do-campo.* [Sin., bras.: *aranhagato.*]

vinhático-da-mata. *S. m. Bras.*, Árvore da família das leguminosas (*Plathymenia foliolosa*), que tem folíolos e flores muito pequenas, legumes amplos e coriáceos, e cuja madeira, amarela, é excelente. [Pl.: *vinháticos-da-mata.*]

vinhático-de-espinho. *S. m. Bras. L.* Arbusto ou arvoreta da família das leguminosas (*Pithecolobium tortum*), comum nas areias litorâneas, que pode ser quase rasteiro, tem terríveis espinhos, flores esverdeadas e pouco aparentes, e cujos frutos são legumes enrolados sobre si mesmos, em hélice. [Pl.: *vinháticos-de-espinho.*]

vinhático-do-campo. *S. m. Bras.* Árvore da família das leguminosas (*Plathymenia reticulata*), comum no cerrado, que tem folíolos e flores muito pequenas, legumes amplos e coriáceos, e cuja madeira amarela, algo pesada e dura, serve para construções civis e navais; acende-candeia, amarelinho, amarelo, oiteira, paricazinho. [Pl.: *vinháticos-do-campo.*]

vinhedense. *Adj. 2 g.* **1.** De, ou pertencente ou relativo a Vinhedo (SP). ● *S. 2 g.* **2.** Natural ou habitante de Vinhedo.

vinhedo (ê). [De *vinha*[1] + *-edo.*] *S. m.* **1.** Grande extensão de vinhas: "Por todas as encostas do primeiro plano descem os vinhedos em largos degraus de verdura" (Ramalho Ortigão, *As Farpas*, I, p. 116). **2.** O conjunto das vinhas de uma região, de um país. [Cf. *vinha*[1] (1).]

vinheiro. [De *vinha*[1] + *-eiro.*] *S. m.* **1.** Cultivador de vinhas [v. *vinha*[1] (2)]. **2.** Guarda de vinhas. [Sin. ger.: *vinhadeiro.*]

vinheta (ê). [Do fr. *vignette*, 'pequena vinha'; primitivamente as vinhetas representavam folhas e cachos de videiras.] *S. f.* **1.** *Tip.* Ornato tipográfico de uma só peça, que representa desenho abstrato ou figurativo. **2.** *Bibliogr.* Pequena ilustração intratextual. ◆ **Vinheta de combinação.** *Tip.* A que serve como elemento de composição de ornatos, guarnições, etc. **Vinheta de remate.** *Tip.* A que é usada em fim de capítulo, e cuja forma se inscreve num triângulo invertido. [Tb. se diz apenas *remate.* Sin.: *vinheta final* (ou apenas *final*) e *fundo-de-lâmpada.*] **Vinheta final.** *Tip.* V. *vinheta de remate.*

vinhete (ê). *S. m.* Vinho fraco; vinhote.

vinheteiro. *S. m. Tip.* Móvel onde se guardam vinhetas.

vinhetista. *S. 2 g.* Artista que se dedica ao desenho e/ou à gravura de vinhetas.

vinho. [Do lat. *vinu.*] *S. m.* **1.** Bebida alcoólica de amplo consumo, resultante da fermentação total ou parcial do mosto da uva, e produzida, atualmente, por aperfeiçoados processos tecnológicos. [Sua fabricação e consumo remontam à mais alta Antiguidade. Cf. *vinhaça, vinhoca, vinhete, vinhote.*] **2.** *P. ext.* Designação comum a diversos tipos de bebidas (principalmente fermentadas) provenientes da fermentação do sumo de frutas ou plantas, e algumas delas com propriedades medicinais: *A cidra é um* vinho *de maçã; Faz-se* vinho *de caju no Nordeste do Brasil;* "queijo, rapadura, vinhos de caju, jenipapo, açaí e bacaba" (Raimundo Morais, *País das Pedras Verdes*, p. 168); "Menino a precisar de remédios, tomando quinino, vinho de jurubeba e de jenipapo" (Carlos de Gusmão, *Boca da Grota*, p. 484). **3.** Copo ou cálice de vinho. **4.** A cor do vinho tinto. **5.** *Fig.* V. *bebedeira* (1). **6.** *Fig.* Coisa que embriaga, que inebria: *o* vinho *da fama, do poder, da glória.* ● *Adj. 2 g.* e *2 n.* **7.** Da cor do vinho tinto: *vestido* vinho; *camisas* vinho. [Cf., nas acepç. 4 e 7: *bordô* (1 e 4) e *grená.*] ◆ **Vinho abafado.** Aquele cuja fermentação natural é interrompida pela adição de álcool de vinho, e usado entre os camponeses de Portugal; vinho surdo. [Cf. *jeropiga* (2).] **Vinho adamado. 1.** V. *vinho doce.* **2.** Vinho de mesa de sabor adocicado. [Sin. ger., no Brasil: *vinho suave.*] **Vinho aveludado.** Vinho pouco ácido, rico em glicerina, que dá uma sensação suave ao paladar. **Vinho botado.** O que perdeu a cor. **Vinho branco.** Vinho de mesa de cor amarelada, mais ou menos clara, feito de uvas brancas ou pretas cujo mosto resulta apenas do esfacelamento da polpa, sem o aproveitamento da película, e cuja fabricação obedece a técnicas especiais. [Cf. *vinho tinto* e *vinho rosado.*] **Vinho carrascão.** Vinho rascante de baixa qualidade. [Tb. se diz apenas *carrascão.*] **Vinho comum.** V. *vinho de mesa.* **Vinho de consumo.** V. *vinho de mesa.* **Vinho de honra.** O que se oferece para comemorar um acontecimento ou homenagear alguém ou algo: *O embaixador convidou a colônia brasileira para um* vinho de honra *no dia 7 de setembro.* **Vinho de mesa.** Vinho que se costuma beber com pratos antecedentes à sobremesa; vinho comum, vinho de consumo, vinho de pasto. [Cf. *vinho fino, vinho generoso* e *vinho licoroso.*] **Vinho de pasto.** V. *vinho de mesa.* **Vinho de sabugueiro.** Infusão da baga do sabugueiro em vinho branco. **Vinho doce.** Vinho de mesa ou vinho generoso, feito de uvas muito maduras, ou de certas castas de uva (como a moscatel), e que, depois de fermentado, conserva certa proporção de açúcar; vinho adamado, vinho suave. **Vinho do Porto.** Vinho generoso português, doce ou seco, fabricado na cidade do Porto. **Vinho encorpado.** Vinho de mesa que tem corpo (16). [Opõe-se a *vinho leve.*] **Vinho espumante.** Designação comum a diversos vinhos que produzem espuma abundante, pelo desprendimento de anidrido carbônico ao abrir-se a garrafa. [Pode ser natural, quando preparado pelos métodos clássicos de uma segunda fermentação em garrafas fechadas ou em outros recipientes apropriados, ou gaseificado, quando se lhe adiciona artificialmente o anidrido carbônico. Cf. *champanha.*] **Vinho filante.** Vinho deteriorado, doente. **Vinho fino.** Vinho generoso [q. v.] de qualidade superior. [Cf. *vinho de mesa.*] **Vinho frisante.** Vinho de mesa levemente gasoso. **Vinho generoso.** Designação comum a diversos vinhos de qualidade superior, em geral de elevada graduação alcoólica (como o porto, o madeira, o moscatel, o xerez, etc.), que se bebem fora das refeições ou à sobremesa. [Cf. *vinho de mesa, vinho fino* e *vinho licoroso.*] **Vinho leve.** Vinho de mesa que não tem corpo (16). [Opõe-se a *vinho encorpado.*] **Vinho licoroso.** O que tem doçura pronunciada e forte teor alcoólico. [Cf. *vinho de mesa* e *vinho generoso.*] **Vinho palhete.** Vinho tinto leve pouco carregado na cor; clarete. [Tb. se diz apenas *palhete.*] **Vinho passeado.** *Lus.* O que se prepara pelo antigo processo, calcando as uvas com os pés. **Vinho rascante.** Vinho adstringente, que deixa certo travo na garganta. [Tb. se diz apenas *rascante.* Cf. *vinho carrascão.*] **Vinho rosado.** Vinho de mesa de coloração vermelho-clara obtido pela maceração das uvas pretas, seguindo o mesmo processo do vinho tinto, porém por período mais breve, não se completando, assim, a fermentação. [Cf. *vinho tinto* e *vinho branco.*] **Vinho seco.** Vinho branco ou rosado em que todo o açúcar, ou quase todo, foi submetido ao processo de fermentação. [Pode ser vinho de mesa ou vinho generoso.] **Vinho suave.** *Bras.* V. *vinho adamado.* **Vinho surdo.** V. *vinho abafado.* **Vinho tinto.** Vinho de mesa de cor vermelho-escura, tirante a roxo, mais ou menos acentuada, a qual provém do aproveitamento da película das uvas pretas, onde se encontra a matéria corante. [Cf. *vinho branco, vinho rosado* e *vinho palhete.*] **Vinho verdasco.** Certa espécie de vinho verde (1) muito ácido. [Tb. se diz apenas *verdasco:* "tudo regado a bom v e r d a s c o da região de Cambra." (João da Silva Correia, *Farândola,* p. 85). **Vinho verde.** **1.** Vinho ácido feito de uvas não de todo amadurecidas. **2.** *Restr.* Tipo de vinho de mesa, tinto ou branco, produzido em região demarcada do N.E. de Portugal, e proveniente de videiras que crescem apoiadas em árvores, ao contrário das de outras regiões, e que se caracteriza pela leveza, pelo teor mediano de álcool, e por certa acidez original, que lhe imprime agradável frescura. [Cf. *vinho verdasco.*] **Ser vinho da mesma pipa.** V. *ser farinha do mesmo saco.*

vinhoca. [De *vinho* + *-oca.*] *S. f.* Vinhaça (2).

vinhoneira. *S. f. Bras., BA.* Var. de *vioneira.*

vinhote. [De *vinho* + *-ote.*] *S. m.* **1.** Vinhete. **2.** *Pop.* V. *ébrio* (8).

vinhoto (ô). *S. m. Tec. Quím.* O produto de calda (5) na destilação do licor de fermentação do álcool de cana-de-açúcar; vinhaça, restilo. [Cf. *tiborna* (5).]

▲**vin(i)-.** [Do lat. *vinum, i.*] *El. comp.* = 'vinho': *vinícola, vinicultor, vínico.*

vínico. [De *vin(i)-* + *-ico*².] *Adj.* **1.** V. *vinário* (1). **2.** Proveniente do vinho.

vinícola. [De *vin(i)-* + *-cola.*] *Adj. 2 g.* Respeitante à vinicultura.

vinicultor (ô). [De *vin(i)-* + *cultor.*] *S. m.* Indivíduo que se ocupa de vinicultura.

vinicultura. [De *vin(i)-* + *cultura.*] *S. f.* **1.** Fabricação de vinho. **2.** Viticultura.

vinífero. [Do lat. *viniferu.*] *Adj.* Que produz vinho; vinoso.

vinificacão. [De *vinificar* + *-ção.*] *S. f.* **1.** Fabrico de vinhos. **2.** Processo de tratar os vinhos.

vinificador (ô). [De *vinificar* + *-(d)or.*] *S. m.* Aparelho com que se fabrica vinho.

vinificar. [De *vin(i)-* + *-ficar.*] *V. t. d.* Reduzir (uva) a vinho. [Conjug.: v. *trancar.*]

vinifórmico. [De *vinil* + *fórmico.*] *Adj.* ~V. *ácido* —.

vinil. [Do ingl. *vinyl.*] *S. m.* **1.** *Quím.* Elemento de composição designativo do radical monovalente CH_2CH-. **2.** *P. ext.* Polímero de um composto de vinil, ou o produto que dele se origina: *plástico de v i n i l; resina de v i n i l;* "De couro, v i n i l, plástico, lona ou algodão, geralmente pretos, de forma alguma obedecem [os sapatos] a qualquer detalhe ligado à moda." (*Jornal do Brasil,* 18.6.1981).

vinolência. [Do lat. *vinolentia.*] *S. f.* Qualidade ou estado de vinolento.

vinolento. [Do lat. *vinolentu.*] *Adj.* **1.** Que ingere muito vinho. **2.** Impregnado ou cheio de vinho.

vinosidade. [Do lat. *vinositate.*] *S. f.* Qualidade de vinoso.

vinoso (ô). [Do lat. *vinosu.*] *Adj.* **1.** Que produz vinho; vinífero. **2.** Semelhante ao vinho, na cor e/ou no sabor: "o nariz grosso e salpicado de botões v i n o s o s rubros como rubins, assumia dimensões quase fenomenais." (Rebelo da Silva, *Contos e Lendas,* p. 79). **3.** De qualidades semelhantes às do vinho. [Cf. *venoso.*]

vintaneiro. [De *vinte* + *ano*¹ + *-eiro.*] *Adj.* e *s. m. P. us.* Que ou aquele que está na casa dos 20 anos de idade; vintão.

vintão. [De *vinte* + *-ão*².] *Adj.* e *s. m. P. us.* Vintaneiro. [Fem.: *vintona.*]

vinte. [Do lat. *viginti,* possivelmente atr. de **veinte.*] *Num.* **1.** Cardinal dos conjuntos equivalentes a um conjunto de duas dezenas de membros. **2.** Vigésimo. ● *S. m.* **3.** O número 20. **4.** *Bras., S. Gír.* V. *guimba.* ~V. *vintes.* ◆ **Dar no vinte.** Adivinhar, perceber, acertar: "— Queres saber, Araújo?! D e i n o v i n t e! Achei uma excelente cozinheira!" (Artur Azevedo, *Contos Fora da Moda,* p. 49.)

vinte-e-quatro. [Do número *24,* que, no jogo do bicho, corresponde ao grupo do *veado* (q. v.).] *S. m. 2 n. Bras. Chulo.* Pederasta passivo.

vinte-e-um. *S. m. 2 n.* Jogo de cartas em que ganha quem, pedindo cartas, completa 21 pontos exatos.

vinte-e-um-pintado. *S. m. Bras.* Galo-do-mato (1). [Pl.: *vinte-e-um-pintados.*]

vintém. [Do arc. *vinteno* < *vinte;* era a 20ª parte do cruzado².] *S. m.* Antiga moeda de cobre, de Portugal e do Brasil, equivalente a 20 réis. ~ V. *vinténs.* ◆ **Dandar pra ganhar vintém.** *Bras.* Expr. us. para estimular a criança que está começando a andar: "Vivia deitado mas se punha os olhos em dinheiro Macunaíma d a n d a v a p r a g a n h a r v i n t é m." (Mário de Andrade, *Macunaíma,* p. 9.) **Os três vinténs.** *Chulo.* A virgindade da mulher. **Sem vintém.** Sem dinheiro.

vintena. [De *vinte* + *-ena.*] *S. f.* **1.** Grupo de vinte: "Lembre-se que, tendo publicado apenas um livro de versos, Arvers escreveu, sozinho ou de parceria, quase uma v i n t e n a de dramas e comédias." (Melo Nóbrega, *O Soneto de Arvers,* p. 24.) **2.** A vigésima parte. [Cf. *ventena.*]

vinteno. [De *vinte* + *-eno.*] *Num.* **1.** *P. us.* V. *vigésimo* (1). ● *Adj.* **2.** Diz-se do pano que tem 2.000 fios de urdidura.

vinténs. [Pl. de *vintém.*] *S. m. pl.* Dinheiro, pecúlio: *Não é rico, mas tem lá seus v i n t é n s.* ~V. *vintém.*

vintes. [Pl. de *vinte.*] *S. m. 2 n. Bras., S. Gír.* V. *guimba.* ~. V. *vinte.*

vintona. *Adj.* (*f.*) e *s. f. P. us.* Fem. de *vintão* [q. v.].

viola¹. [Do provenç. ant. *viula,* atr. do it. *viola,* nas acepç. 2 e 3.] *S. f.* **1.** *Mús.* Instrumento de cordas dedilháveis e que se assemelha ao violão (1) na forma e na sonoridade. [Foi trazido para o Brasil pelos jesuítas, fez parte da orquestra típica de catequese, e ainda anima os bailes populares de N. a S. do País e acompanha a cantiga sertaneja; o número de cordas, bem como a afinação e o material de que é feita, varia, nas diferentes regiões.] **2.** *Mús.* Espécie de violino de maiores dimensões, afinado uma quinta abaixo da afinação do violino e uma oitava acima da do violoncelo: dó$_2$, sol$_2$, ré$_3$, lá$_3$. [Sem dispor da variedade de timbres do violino, tem em comum com este o mecanismo de produção do som e os pormenores de técnica, sendo a sua sonoridade mais melancólica, mais patética, sombria e austera, um tanto nasal. Sin.: *alto* e *violeta.*] **3.** *Mús.* Designação comum aos instrumentos de uma família conhecida na Idade Média, e que atingiu o apogeu nos sécs. XVII e XVIII, caracterizados pelo fundo chato, pelo tampo abaulado com aberturas geralmente em forma de CC, pelas costilhas altas, e pelo braço longo e chato, com trastos de tripas, e rematado por uma cabeça de mulher ou de animal, ou por uma flor trilobada. [O número de cordas era variável, mas para a música de conjunto se utilizava um quarteto de violas, todas com seis cordas.] **4.** *Bras.* V. *violão* (1). **5.** *Bras.* Peixe elasmobrânquio, hipotremado, da família dos rinobatídeos (*Rhinobatis percellens* (Walb.)), do Atlântico, de coloração olivácea com faixas transversais escuras no dorso e comprimento de até 1 m. [O nome provém do fato de ter a cabeça e as nadadeiras peitorais alargadas e a cauda muito longa, o que lhe dá o aspecto de viola. Sin.: *arraia-viola, guitarra.*] **6.** *Bras.* V. *japacanim* (2). ◆ **Viola bastarda.** *Mús.* Espécie de baixo de viola com seis ou sete cordas essenciais, às quais os ingleses acrescentaram cordas simpáticas afinadas em uníssono com as outras, de sonoridade doce e melancólica. [É o tipo de transição entre a *viola de gamba* (q. v.) e a *viola de braço* (q. v.).] **Viola braguesa.** Viola (1) muito popular em Portugal (distrito de Braga), nos Açores, na Madeira e no Brasil, montada com cinco ou seis pares de cordas de aço ou de arame, e cuja afinação é a mesma do violão; viola de arame. **Viola de amor.** *Mús.* Instrumento da antiga família das violas de braço, que tinha as mesmas proporções da viola moderna, sendo em geral, dotado de duas ordens de cordas, das quais sete, essenciais, eram afinadas segundo o acorde perfeito de ré maior, e outras tantas vibravam apenas por simpatia, quando as de cima eram tocadas pelo arco: "Cornamusas, mandolinetes, flautas sicilianas, v i o l a s d e a m o r, acompanham a dança" (Martins Fontes, *A Dança,* p. 42). **Viola de arame.** Viola braguesa. **Viola de braço.** *Mús.* Viola (3) que era executada como o atual violino. **Viola de gamba.** *Mús.* Viola (3) que se apoiava na perna, como o atual violoncelo. [Tb. se diz apenas *gamba.*] **Viola francesa.** *Lus.* V. *violão* (1). **Viola pomposa.** *Mús.* Espécie de pequeno baixo de viola, com cinco cordas, construído em 1720, segundo indicações de J. S. Bach, compositor alemão (1685-1750), e cuja afinação era a do atual violoncelo, mais o mi, prima do violino, para facilitar a execução nas tessituras agudas. **Adeus, viola.** Adeus, minhas encomendas. **Meter a viola no saco.** Não ter que responder ou contestar; calar(-se), emudecer, embatucar. **Tocar viola sem corda.** *Bras., SP, Pop.* Dizer coisas sem nexo; falar à toa.

viola². [Do lat. *viola,* 'violeta'.] *S. f. Desus. Bot.* Gênero que inclui a violeta e o amor-perfeito.

violabilidade. *S. f.* Qualidade de violável.

violação. [Do lat. *violatione.*] *S. f.* **1.** Ato ou efeito de violar. **2.** Estupro. **3.** Ofensa ao direito alheio. **4.** Infração de normas ou disposições legais ou contratuais.

violácea. *S. f.* Espécime das violáceas.

violáceas. [Do lat. *viola,* 'violeta', + *-áceas.*] *S. f. pl. Bot.* Família de plantas floríferas, da ordem das parietales, composta de ervas, arbustos e trepadeiras de folhas alternas e estipuladas, flores comumente solitárias, vistosas, de corola zigomorfa, ovário unilocular e fruto capsular ou bacáceo. Há quase 800 espécies, quase todas dos países temperados; no Brasil existem várias, entre as quais a violeta e o amor-perfeito.

violáceo. [Do lat. *violaceu.*] *Adj.* **1.** V. *violeta*² (5 e 6). **2.** Referente ou semelhante à violeta; aviolado. **3.** Pertencente ou relativo às violáceas.

violada. [De *viola*¹ (1 e 4) + *-ada*¹.] *S. f.* Toque simultâneo de várias violas.

viola-de-cocho. [De *viola*¹ + *de* + *cocho.*] *S. f. Bras., MT.* Violão (1) de cinco cordas, de fabricação popular, que se toca na dança do cururu e noutras.

violado¹. [Part. de *violar.*] *Adj.* Que se violou ou sofreu violação.

violado². [De *viola* + *-ado*¹.] *Adj.* **1.** Que tem forma ou som de viola; aviolado. **2.** *Bras.* Em que o instrumento predominante é a viola¹ (1), ou outro congênere: *quarteto v i o l a d o.* ~ V. *folha* —*a.*

violador (ô). [Do lat. *violatore.*] *Adj.* e *s. m.* Que ou aquele que viola ou violou.

violal. [Do lat. *viola,* 'violeta', + *-al.*] *S. m.* Quantidade mais ou menos considerável de pés de violeta² (1) dispostos proximamente entre si.

violão. [De *viola* + *-ão*¹.] *S. m.* **1.** Instrumento de madeira, com seis cordas simples, dedilháveis, dotado de caixa de ressonância em forma de 8, com fundo chato, abertura circular no tampo, e braço longo, largo e reto. [Sin.: *guitarra, guitarra espanhola, pinho, bronze, buzo, viola* e (lus.) *viola francesa.*] **2.** *P. ext.* Violonista. **3.** *Bras. Fig.* Mulher cujo corpo, pela cintura fina, ancas largas e formas arredondadas, lembra o feitio do violão. **4.** *Bras. P. ext.* Quadris femininos muito desenvolvidos.

violão-sem-braço. *S. m. 2 n. Bras. Gír.* O número oito. [Pl.: *violões-sem-braço.*]

violar¹. *S. m.* Certo jogo popular.

violar². [Do lat. *violare.*] *V. t. d.* **1.** Ofender com violência. **2.** Infringir, transgredir: *v i o l a r a lei.* **3.** Estuprar, violentar. **4.** Profanar, poluir: *v i o l a r locais sagrados.* **5.** Devassar ou divulgar abusivamente; revelar: *v i o l a r segredos.*

violável. [Do lat. *violabile.*] *Adj. 2 g.* Que pode ser violado; sujeito a violação.

violeiro. [De *viola*¹ + *-eiro.*] *S. m.* **1.** Fabricante de instrumentos de cordas. **2.** *Bras.* Tocador de viola¹ (1 e 4). **3.** *Bras., MG.* V. *cuitelão* (1).

violência. [Do lat. *violentia.*] *S. f.* **1.** Qualidade de violento. **2.** Ato violento. **3.** Ato de violentar. **4.** *Jur.* Constrangimento físico ou moral; uso da força; coação.

violentado. [Part. de *violentar.*] *Adj.* **1.** Constrangido; forçado; coagido. **2.** Estuprado, violado.

violentador (ô). *Adj.* e *s. m.* Que ou aquele que violenta.

violentamente. [Do fem. de *violento* + *-mente.*] *Adv.* De modo violento; com violência: "Fernando sentiu palpitar-lhe v i o l e n t a m e n t e o coração." (Machado de Assis, *Contos Recolhidos,* p. 77.)

violentar. [De *violento* + *-ar*².] *V. t. d.* **1.** Exercer violência sobre; forçar; coagir; constranger: *A insistência do amigo* violentou *a sua vontade, forçando-o a votar.* **2.** Estuprar, violar. **3.** Forçar, arrombar: violentar *uma tranca.* **4.** Torcer o sentido de; alterar, inverter: Violentou *as palavras do político, usando-as para fins inconfessáveis.*

violento. [Do lat. *violentu.*] *Adj.* **1.** Que age com ímpeto; impetuoso. **2.** Que se exerce com força. **3.** Agitado, tumultuoso. **4.** Irascível, irritadiço. **5.** Intenso, veemente. **6.** Em que se faz uso de força bruta. **7.** Contrário ao direito e à justiça. ~ V. *morte* —a.

violeta¹ (ê). [Do it. *violetta.*] *S. f. Mús.* **1.** *Desus.* V. *viola*¹. **2.** No séc. XVI, viola¹ (3), com três cordas.

violeta² (ê). [Do lat. *viola*², 'violeta (flor e cor)' + eta.] *S. f.* **1.** Erva humílima, da família das violáceas (*Viola odorata*), de origem européia, muito cultivada pelo valor decorativo e pelo perfume, e que floresce mal em climas quentes. Folhas arredondadas, e cordadas, com longo pecíolo, que parte de um rizoma pequenino; flores isoladas e pequenas, mas vistosas pela coloração, e de um odor peculiar, agradável. **2.** A flor dessa planta. • *S. m.* **3.** A cor mais comum da violeta (1), a cor da ametista, etc.; roxo. [V. *de cor* (3).] **4.** *Ópt.* Cor da radiação eletromagnética cujo comprimento de onda está compreendido, aproximadamente, entre 420 e 380 nanômetros; roxo. • *Adj. 2 g.* e *2 n.* **5.** Que tem essa cor; roxo, violáceo: *tecido* violeta; "O Faial adormece em azul sob o céu de cinza e com o Pico todo violeta ao lado" (Raul Brandão, *As Ilhas Desconhecidas*, p. 122). **6.** Diz-se dessa cor; roxo, violáceo: *tecido de cor* violeta.

violeta-do-pará. [De *violeta*¹ + *do* + top. *Pará.*] *S. f. Bras.* Rasteirinha. [Pl.: *violetas-do-pará.*]

violeta-tricolor (ô). [De *violeta*¹ + *tricolor.*] *S. f.* V. *amor-perfeito.* [Pl.: *violetas-tricolores.*]

violeteira. [De *violeta*¹ (2) + *-eira.*] *S. f.* **1.** Vendedora de violetas. **2.** *Bras.* Arbusto da família das verbenáceas (*Duranta plumieri*), de origem asiática e bastante cultivado como decorativo, de folhas pequenas, oblongas e moles, flores alvas ou roxo-claras, tubulosas e vistosas, em cachos pequenos, e frutos que são pequenas bagas esféricas e amarelas. **3.** V. *fruta-de-jacu.*

violinista. *S. 2 g. Bras.* Pessoa que toca violino; violino.

violino. [Do it. *violino.*] *S. m.* **1.** Instrumento tipo, e o de tessitura mais aguda, do moderno quarteto de arcos (violino, viola, violoncelo e contrabaixo), feito de madeira e dotado de quatro cordas afinadas em quintas justas (mi$_4$, lá$_3$, ré$_3$, sol$_2$), e que se ferem com um arco, apoiando a base da ilharga do instrumento na clavícula esquerda. **2.** Violinista: "foram ambos apresentar-se ao diretor de um teatro que os escriturou como violinos." (Ramalho Ortigão, *As Farpas*, II, p. 63.)

violista. *S. 2 g.* Tocador de viola¹.

violoncelista. *S. 2 g.* Tocador de violoncelo; violoncelo.

violoncelo. [Do it. *violoncello.*] *S. m.* **1.** Instrumento musical com a forma do violino, mas de grandes dimensões, derivado da antiga *viola de gamba*, e dotado de quatro cordas afinadas em quintas justas (dó$_1$, sol$_1$, ré$_2$, lá$_2$), como a viola, mas uma oitava abaixo, e que se ferem com um arco, apoiando o instrumento entre as pernas e fixando-o ao solo por meio de um espigão. [Abrev.: *celo.*] **2.** Violoncelista. **3.** Registro de órgão e harmônios.

➧**violon d'Ingres** (violon dẽgre). [Fr.] Violino de Ingres (pintor francês, 1780-1867): ocupação secundária, que se exerce com menor brilho.

violonista. *S. 2 g.* Tocador de violão; violão.

vioneira. *S. f. Bras. Pesc.* Cabo que se usa nas baleeiras, e ao qual se prendem arpões, distanciados entre si oito braças. [Var. (na BA): *vinhoneira.*]

➧**VIP.** [Ingl. Sigla de *Very Important Person*, 'pessoa muito importante'.] *S. 2 g.* **1.** Pessoa de considerável influência ou prestígio. • *Adj. 2 g.* **2.** Diz-se desta pessoa. **3.** Diz-se de local destinado a ela: *sala* VIP.

vipéreo. [Do lat. *vipereu.*] *Adj.* V. *viperino.*

viperídeo. [Do lat. *vipera*, 'víbora', + *-ídeo.*] *S. m.* **1.** Espécime dos viperídeos. • *Adj.* **2.** Pertencente ou relativo a eles.

viperídeos. *S. m. pl. Zool.* Família de reptis da ordem dos ofídios que compreende serpentes venenosas da Europa, Ásia e África. Ex.: víbora e áspide.

viperino. [Do lat. *viperinu.*] *Adj.* **1.** Relativo ou semelhante à, ou próprio da víbora; equídnico. **2.** Da natureza da víbora. **3.** Venenoso, peçonhento: "Farpeados pela viperina língua dele, os fidalgos provincianos retaliavam quanto podiam a prosápia dos Benevides" (Camilo Castelo Branco, *A Queda dum Anjo*, pp. 11-12). **4.** *Fig.* Mordaz; perverso, maléfico. [Sin. ger.: *vipéreo* e *vípero.*] ~ V. *língua* —a.

vípero. [Do lat. *vipera*, 'víbora'.] *Adj. Desus.* V. *viperino.*

viquingue. [Do nórdico *vikingr.*] *S. 2 g.* **1.** Um dos bandos de navegadores escandinavos que atacavam e pilhavam as povoações litorâneas do N. e O. da Europa, do séc. VIII ao X. **2.** *Bras. Gír.* Indivíduo grosseiro, sem maneiras. • *Adj. 2 g.* **3.** Relativo ou pertencente aos viquingues: *as naus* viquingues; *arte* viquingue.

vir. [Do lat. *venire*, atr. do arc. *vĩr.*] *V. t. c.* **1.** Transportar-se de um lugar (para aquele em que estamos): *O professor* veio *à escola;* "Venha o leitor comigo a um leilão de trastes na Rua do Senhor dos Passos." (Machado de Assis, *Crônicas de Lélio*, p. 23). **2.** Regressar, voltar, chegar: Virá *da Europa em janeiro.* **3.** Proceder, provir: *Esta porcelana* veio *do Japão. T. i.* **4.** Proceder, provir, resultar, advir: "Nos primeiros tempos do Passeio Público, o povo corria para ele, e o nome de Belas Noites, dado à Rua das Marrecas, vinha de serem as noites de luar as escolhidas para as passeatas." (Machado de Assis, *A Semana*, II, p. 348.) **5.** Derivar, provir, resultar: *O amor* vem *da compreensão recíproca;* "E essa força, que é tudo, vem de um nada" (Emílio de Meneses, *Últimas Rimas*, p. 98). **6.** Derivar, provir, advir, proceder, originar-se: *A palavra amor* vem *do latim.* **7.** Afluir, concorrer: *Toda a população* veio *ao espetáculo.* **8.** Ocorrer; chegar: *O fato não* vem *à memória.* **9.** Coincidir, convir: *O frio* veio *com o outono. Bit. i.* **10.** Resultar, proceder, advir, provir: *O ferimento lhe* veio *do tombo. Int.* **11.** Ser trazido; transportar-se: *O menino* veio *de trem.* **12.** Aparecer, surgir. **13.** Caminhar, andar: *O homem* vinha *com passo rápido.* **14.** Acudir, socorrer: *Gritou muito, mas ninguém* veio. **15.** Sobrevir, intervir. **16.** Chegar (um determinado tempo ou ocasião): *Tempo* virá *em que tudo lhe será mais fácil.* **17.** Estar para acontecer ou para chegar. **18.** Apresentar-se, comparecer: *O coronel ordenou ao soldado que* viesse *em duas horas.* **19.** Crescer, medrar. **20.** Seguido de verbo no infinitivo, refere-se ao fim expresso por este: Veio *visitar o pai. Pred.* **21.** Aparecer, surgir (em certo estado ou condição): *O menino* veio *ótimo de saúde. P.* **22.** Transportar-se para cá; dirigir-se (para perto da pessoa que fala ou daquela de quem se fala); chegar-se: *Amedrontado,* veio-se *para o meu lado.* — Seguido da prep. *de* e mais um verbo, significa: **a)** voltar, regressar, após haver praticado ou sido paciente de (certo ato): "— O Sr. Gonçalinho? .... Há cousa de mês que meu homem o topou na serra do Mésio, quando vinha de vender o carvão." (Camilo Castelo Branco, *O Santo da Montanha*, p. 300); "Vinha de guardar a carta e o relógio, quando me procurou um homem magro e meão" (Machado de Assis, *Memórias Póstumas de Brás Cubas*, p. 247); "Custódio aceitou os cinco mil-réis, ... risonho, palpitante, como se viesse de conquistar a Ásia Menor." (Machado de Assis, *Papéis Avulsos*, p. 204); Vinha de *sofrer pequena intervenção cirúrgica, quando ainda perto do hospital, foi agredido.* **b)** acabar de: "Vinha de ler o seu primeiro livro [de Alberto de Oliveira], *Canções Românticas*, de lhe dizer que havia ali inspiração e forma" (Machado de Assis, *Crítica*, p. 223); "O poeta [Casimiro de Abreu] vinha de estar três anos e meio em Portugal, e escreveu esta poesia ainda a bordo." (Sousa da Silveira, *in* Casimiro de Abreu, *Obras*, p. 195). Esta última acepção é atacada por muitos puristas maníacos, mas defendida por um Heráclito Graça (*Fatos de Linguagem*) e outros estudiosos. Pareceu-nos desnecessário multiplicar exemplos em favor dela. [Irreg. Pres. ind.: *venho, vens, vem, vimos, vindes, vêm;* imperf.: *vinha, vinhas,* etc.; perf.: *vim, vieste, veio, viemos, viestes, vieram;* m.-q.-perf.: *viera, vieras,* etc.; fut. pres.: *virei, virás, virá, viremos, vireis, virão;* fut. pret.: *viria, virias,* etc.; imperat.: *vem, vinde.* etc.; pres. subj.: *venha, venhas,* etc.; imperf.: *viesse, viesses,* etc.; fut.: *vier, vieres,* etc.; ger. e part.: *vindo.* Cf. *vêem* e *víreis*, do v. *ver*, e *Víria*, antr. Os compostos deste verbo — *provir, convir,* etc. —, conjugáveis por ele, apresentam uma única diferença: levam acento agudo na 3ª pess. sing. do pres. ind. — *provém, convém,* etc. —, o que não se dá com o v. *vir.*] ♦ **Vir abaixo.** Cair, desabar. **Que vem.** Próximo, futuro; vindouro: *O filme entrará em cartaz na semana* que vem; *Pretende ir à França o ano* que vem.

vira¹. [Do lat. *viria*, 'bracelete'.] *S. f.* Tira de couro que se costura entre as solas do calçado, junto à borda destas: "Este sapateiro, batendo solas ou cosendo viras, ponto a ponto, com linhol encerado, conversa demoradamente com o povo" (Antero de Figueiredo, *Jornadas em Portugal*, p. 80).

vira². [Dev. de *virar.*] *S. m.* **1.** *Lus.* Música popular e dança acompanhada de instrumentos típicos. É, comumente, em andamento moderado, compasso de 6/8, e apresenta-se em várias formas rítmicas, musicais e coreográficas, sendo a mais conhecida a chamada *vira do Minho:* "Come-se, bebe-se, dança-se o vira e, à noite, canta-se e dança-se ainda pulando em roda das fogueiras." (José Vieira, *Sol de Portugal*, p. 97.) **2.** *Bras., S.* Peça de tecido macio que se vira sobre a parte da manta dos recém-nascidos que fica em contato com a cabeça, para protegê-la do atrito. ♦ **Vira do Minho.** V. *vira*² (1).

vira³. [F. red. (e eufêmica) de *vira-bosta.*] *S. f. Bras.* V. *chupim* (1).

vira⁴. [Do fr. ant. *vire* < lat. *verua*, pl. de *veru*, 'espeto, dardo', atr. de **veria.*] *S. f. Ant.* Seta aguda.

virá. [F. red. de *veado-virá.*] *S. m. Bras.* V. *veado-catingueiro.*

vira-bosta. [De *virar* + *bosta.*] *S. m. Bras.* **1.** Besouro grande, comum no N.E. V. *escaravelho.* **2.** V. *chupim* (1). [Pl.: *vira-bostas.*]

vira-bosta-grande. [De *vira* + *bosta* + *grande.*] *S. m. Bras.* V. *graúna.* [Pl.: *vira-bostas-grandes.*]

vira-bosta-mau. [De *vira* + *bosta* + *mau.*] *S. m. Bras.* V. *graúna.* [Pl.: *vira-bostas-maus.*]

virabrequim. [Do gr. dialetal *virebrequin*, por *vilebrequin.*] *S. m.* Em um motor de explosão, peça que possibilita o movimento alternado dos êmbolos; árvore de manivelas.

vira-buxo. [De *virar* + *buxo.*] *S. m.* Fura-buxo. [Pl.: *vira-buxos.*]

viração. [De *virar* + *-ção.*] *S. f.* **1.** Vento brando e fresco que, à tarde, costuma soprar do mar para a terra; aragem, brisa marítima: "A viração do oceano acariciava o rosto / Como incorpóreas mãos." (Manuel Bandeira, *Estrela da Vida Inteira*, p. 43.) [Cf. *terral.*] **2.** V. *bico*¹ (13). **3.** V. *viradela* (1). **4.** *Bras. Gír.* V. *caso* (6): *Tem uma* viração *lá para Madureira.* **5.** *Bras. Gír.* Prostituição, meretrício: *Vive de* viração. **6.** *Bras., Amaz.* e *GO.* Ação de imobilizar a tartaruga, virando-a de costas. **7.** *Bras., Amaz.* e *GO.* Local onde as tartarugas costumam desovar. **8.** *Bras. S.* Cerração que freqüentemente ocorre pelo verão, entre as duas e quatro horas da tarde.

vira-casaca. [De *virar* + *casaca.*] *S. 2 g. Bras.* Indivíduo que troca de partido ou de idéias, de acordo com as conveniências próprias. [Pl.: *vira-casacas.*]

viracento. [Aglut. de *virar* + *acento.*] *S. m. Gram.* Apóstrofo.

virada. [De *virar* + *-ada*¹.] *S. f. Bras.* **1.** V. *viradela* (1). **2.** A última etapa de uma competição, na qual o perdedor reage e passa a vencedor. **3.** *P. ext.* V. *guinada* (3). ♦ **Virada de rio.** *Bras., MG. Ant.* Designação comum aos canais laterais que os mineradores abriam nos rios auríferos para desviar o curso das águas e, assim, permitir que se tirasse todo o cascalho do leito. **Dar uma virada.** *Bras. Fam.* e *pop.* Desenvolver esforço, em geral conjunto, para o término de qualquer empreendimento.

viradela. *S. f.* **1.** Ato de virar(-se); virada, viragem, viramento, viração. **2.** Ato de virar uma vez.

viradinho. [Dim. de *virado* (7).] *S. m. Bras.* V. *virado de feijão:* "a bela tartaruga do Amazonas, o fresco chimarrão do Paraná, o sangrento churrasco dos pampas, o fino viradinho de S. Paulo..." (Olavo Bilac, *Ironia e Piedade*, p. 45).

virado. [Part. de *virar.*] *Adj.* **1.** Voltado, volvido. **2.** Posto às avessas. **3.** V. *dobrado* (2). **4.** *Bras., RS.* Trocista, galhofeiro. **5.** *Bras., RS.* Travesso, levado. ~ V. *página* —a. • *S. m.* **6.** *Encad.* Margem da cobertura, que se vira e cola no lado de dentro das pastas. **7.** *Bras.* V. *virado de feijão:* "Às 7 horas da noite, já havia caipiras nas arquibancadas devorando virados e comendo amendoim." (Cornélio Pires, *Quem Conta um Conto...*, p. 100.) ♦ **Virado de feijão.** *Bras.* Prato típico da cozinha paulista, feito de feijão (geralmente mulatinho) que, depois de cozido e escorrido, é refogado com bastante gordura e temperos, e misturado com um pouco de farinha de milho ou de mandioca, sendo muitas vezes guarnecido com lingüiça frita, ovos estrelados e costeletas de porco. [Tb. se diz apenas *virado.* Sin.: *viradinho.* Cf. *feijão-virado.*]

virador (ô). [De *virar* + *-(d)or.*] *S. m.* **1.** *Marinh.* Cabo de massa ou calabroteado, de grande bitola, ou grosso cabo de arame, empregado para reboque, atracação, amarração à bóia, etc. **2.** Utensílio usado pelos encadernadores para dourar as capas dos livros. **3.** *Bras. S.* No curso de um rio, o ponto de onde os canoeiros retornam. **4.** Triângulo de reversão das estradas de ferro, para fazer que as locomotivas mudem de direção, em sentido contrário: "a locomotiva, desengatada, partia veloz para a manobra no virador" (Coelho Neto, *A Conquista*, p. 225). **5.** Estrado móvel que executa a mesma manobra; girador.

vira-e-mexe. [De *virar* + *e* + *mexer*.] *Bras. Fam. S. 2 g.* **1.** Vira-mexe. ● *S. m.* **2.** Roda-viva; pressa, azáfama.

vira-folhas. [De *virar* + *folha*.] *S. m. 2 n. Bras.* Ave passeriforme, da família dos furnarídeos (*Sclerurus scansor* (Mén.)), do C.O. e E. do Brasil, com peito e uropígio avermelhado, e garganta brancacenta. Nidifica em barrancos e se alimenta de insetos. [Sin.: *pincha-cisco*.]

viragem. *S. f.* **1.** V. *viradela* (1). **2.** Mudança na direção dos automóveis. **3.** *Fot.* Tratamento químico realizado numa chapa fotográfica para modificar as suas cores.

virago. [Do lat. *virago*; fem. de *varão*[1].] *S. f.* **1.** V. *machão* (1): "As mulheres eram, na maioria, repugnantes. Fisionomias ríspidas, de viragos, de olhos zanagas e maus." (Euclides da Cunha, *Os Sertões*, p. 523.) **2.** Matrona (2). ● *S. m.* **3.** Cabo, corda.

viral. *Adj. 2 g.* V. *virótico*.

vira-lata. [De *virar* + *lata*.] *S. m. Bras.* **1.** Cão de rua, sem raça determinada: "A mais antiga imagem de cão de que guardo memória é a do cão Peludo. Era um vira-lata qualquer que apareceu lá por casa e 'ficou', passando a fazer parte da família." (Otávio de Faria, *Novelas da Masmorra*, p. 10.) **2.** Indivíduo desclassificado, sem-vergonha. [Pl.: *vira-latas*.]

virale. *S. f. Bact.* Espécime das virales.

virales. *S. f. pl. Bact.* Ordem de microrganismos ultramicroscópicos que atravessam os filtros. São parasitos obrigatórios de células vivas, conhecidos como *vírus*.

viramento. *S. m.* **1.** V. *viradela* (1). **2.** Efeito de virar(-se).

vira-mexe. [Da 3ª pess. sing. do pres. ind. de *virar* + a mesma pess. de *mexer*.] *S. 2 g. Bras. Fam.* Pessoa desinquieta; vira-e-mexe. [Pl.: *viras-mexes* e *vira-mexes*.]

vira-mundo. [De *virar* + *mundo*.] *S. m.* **1.** *Bras.* Grilhão de ferro, pesado, com que se mantinham presos os escravos: "Miseráveis! Mereciam era cepo, vira-mundo, tronco, libambo, gargalheira, golilha, anjinhos" (Fontes Ibiapina, *Congresso de Duendes*, p. 31.) **2.** *Bras., BA.* Entidade dos candomblés de caboclo. [Pl.: *vira-mundos*.]

vira-pedra. [De *virar* + *pedra*.] *S. m. Bras.* V. *agachada* (9). [Pl.: *vira-pedras*.]

virapuru. *S. m. Bras.* V. *uirapuru*.

virar. [De um provável hibridismo celta-latino **virare* < galês *gwyro*, 'inclinar-se para um lado'.] *V. t. d.* **1.** Inverter a direção ou a posição de; volver, voltar: *Virou o automóvel para fazer a manobra.* **2.** Pôr do avesso, voltar (o lado interior) para fora; revirar: *Virou os bolsos, à procura de dinheiro.* **3.** Pôr em posição contrária àquela em que se encontrava: *Virou o disco para ouvir a música do outro lado.* **4.** Despejar, bebendo; entornar: *Virou a garrafa de vinho.* **5.** Fazer dobra em; dobrar: *virar a ponta do papel.* **6.** Dar a volta a; dobrar, tornear, circundar, voltear: *Quando o vi, virava a esquina.* **7.** Fazer girar em torno de um eixo: *virar a manivela.* **8.** Fazer mudar de opinião, tenção ou partido: *É impossível virar os políticos sérios.* **9.** *Pop.* Atacar (10). *T. d. e c.* **10.** Voltar (a um lado); dirigir; apontar: *O motorista virou o carro para a direita.* **11.** Mudar de direção, de rumo: "O Capitão, que em tudo o mouro cria, / Virando as velas, a Ilha demandava" (Luís de Camões, *Os Lusíadas*, I, 102); *O navio virou ao largo.* **12.** Estar voltado; apontar: *A janela virava para o nascente.* *T. i.* **13.** Sustentar partido, opinião ou tenção contra; levantar-se, rebelar-se: *O povo virou contra o monarca despótico.* *Pred.* **14.** Transformar-se; tornar-se: *No conto, o sapo vira um belo príncipe;* "qualquer problema vira caso de família." (Manuel Lobato, *Somos Todos Algarismos*, p. 27). *Int.* **15.** Ficar de borco: *A embarcação bateu contra as rochas e virou.* **16.** Mudar de rumo, de direção: *Pouco antes das eleições a opinião pública virou.* **17.** Dar voltas; agitar-se, virar-se. **18.** Mudar (o tempo): *Com a ventania, o tempo virou.* **19.** Sofrer mudança súbita e radical: *A política virou, e o deputado não se reelegeu.* *P.* **20.** Voltar-se, rebelar-se: *Virou-se contra o próprio pai.* **21.** Virar (17). **22.** Voltar-se, volver-se: *Virando-se, deparou com o assaltante.* **23.** Diligenciar para sair, por seus próprios recursos, de uma situação difícil, complicada, penosa; procurar superar dificuldades, complicações, penúrias. **24.** Tomar providências, diligenciar, para conseguir ou obter alguma coisa. **25.** Pôr-se em posição contrária àquela em que se encontrava: *Virou-se de bruços, para poder queimar as costas.* **26.** *Bras.* Exercer a prostituição. [Pres. ind.: *viro*, ... *viramos*, *virais*, *viram*; pres. subj.: *vire*, ... *vireis*, *virem*. Cf. *víramos* e *víreis*, do v. *ver*.] ◆ **Virar e mexer.** **1.** Andar, virar e mexer. **2.** Quando menos se espera; sem mais nem menos: *Ele vira e mexe volta a falar naquele caso.* **Virar por d'avante.** *Mar.* Mudar (embarcação à vela) o bordo por onde recebe o vento, passando com a proa pela linha-do-vento. [Cf. *virar em roda*.] **De virar e romper.** *Bras., SP. Pop.* De sola e vira.

vir-a-ser [De *vir* + *a*[3] + *ser* (verbo).] *S. m. Filos.* V. *devenir* (2).

vira-vira. [Da 3ª pess. sing. do pres. ind. de *virar*, repetida.] *S. m. Bras.* V. *chupim* (1). [Pl.: *viras-viras* e *vira-viras*.]

vira-volta. [De *virar* + *volta*.] *S. f.* **1.** Volta completa. **2.** V. *reviravolta* (2). **3.** Subterfúgio, rodeio. **4.** *Fig.* Reviravolta (3).

viravoltar. *V. int. Bras.* Dar viravolta; viravoltear.

viravoltear. *V. int. Bras.* Viravoltar. [Conjug.: v. *frear*.]

viremia. [De *vir(o)-* + *-(h)em(o)-* + *-ia*.] *S. f. Patol.* Presença de vírus no sangue.

virêmico. *Adj.* Relativo à viremia.

virente. [Do lat. *virente*.] *Adj. 2 g.* **1.** Que verdeja; verdejante, viridente, viridante, verde: "Luzente aljôfar nas virentes folhas / Das tenras plantas, gracioso, brilha" (Garção-Stockler, in Pe Sousa Caldas, *Salmos de Davi*, p. 329). **2.** *Fig.* Próspero, florescente, magnífico, viridente, viridante.

vireonídeo. *S. m.* **1.** Espécime dos vireonídeos. ● *Adj.* **2.** Pertencente ou relativo a eles.

vireonídeos. *S. m. pl. Zool.* Aves passeriformes, da família *Vireonidae*, insetívoras, caracterizadas por terem o tarso ocreado (escamas anteriores), tegumento não ou indistintamente dividido em placas, a primeira das rêmiges da mão curta, plumagem esverdeada, e bico terminado em gancho. São as juruviaras e os uirapurus.

virga. [Do lat. *virga*.] *S. f.* Verga (1).

virga-férrea. [Do lat. *virga ferrea*, 'vara de ferro'.] *S. f.* **1.** Grande violência. **2.** Extrema severidade. **3.** Uso da força. [Pl.: *virgas-férreas*.]

virgem. [Do lat. *virgine*.] *S. f.* **1.** Mulher (especialmente mulher jovem) que nunca teve relações sexuais, através da vagina, com homem; donzela. **2.** *P. ext.* Mulher solteira; moça. **3.** *Restr.* A mãe de Jesus Cristo; Virgem Maria. [Com inicial maiúscula, é claro.] **4.** Retrato da Virgem: *Ganhei uma boa reprodução de uma Virgem de Murilo.* **5.** A menina que, nas procissões ou em certas festas de igreja católica, usa túnica branca e coroa de flores na cabeça. **6.** *Astr.* A sexta constelação do Zodíaco, situada no equador celeste, com 13 h de ascensão reta e 2º de declinação sul. **7.** O sexto signo do Zodíaco, relativo aos que nascem entre 23 de agosto e 22 de setembro; Virgo. **8.** *Bras., N.E.* Viga de madeira cuja parte superior é atravessada por um orifício onde se encaixa a vara (14), e que faz parte do arrocho (4), da casa de farinha. **9.** *Bras., S.* Alavanca em que gira a haste do monjolo. ● *Adj. 2 g.* **10.** Característico ou próprio de virgem; casto, inocente, modesto, virginal. **11.** Puro, intato, intocado: *O granizo virgem cobria o campo.* **12.** Livre, isento. **13.** Franco, sincero. **14.** Que ainda não foi usado: *filme virgem;* "ela [a *História do Império*, de Tobias Monteiro] está singularmente valorizada pela inédita e virgem documentação" (Álvaro Lins, *A Glória de César e o Punhal de Brutus*, p. 250); "Disse isso e entrou rápido, pela sala, ... para apanhar o bacamarte boca-de-sino, virgem de qualquer disparo no tempo do alferes." (José Maria de Melo, *Os Canoés*, p. 78). ~ V. *azeite* —, *cal* —, *cera* —, *mata* —, *mel* — e *nêutron* —.

virgemente. [De *virgem* + *-mente*.] *Adv.* À maneira de virgem; como virgem: "Minha alma estava estreita / Entre tão grandes almas minhas pares, / Inutilmente eleita, / Virgemente parada." (Fernando Pessoa, *Mensagem*, p. 35.)

virgiliano. [Do lat. *virgilianu*.] *Adj.* **1.** Pertencente ou relativo a Virgílio, poeta latino (70-19 a.C.), ou próprio dele. **2.** Que tem o caráter da poesia de Virgílio, especialmente das suas églogas. [F. paral.: *vergiliano*.]

virginal[1]. [Do ingl. *virginal*.] *S. m.* Instrumento musical de teclado e cordas que se ferem por bico de pena, como na espineta, com a qual se parece, tendo, porém, geralmente, a forma de uma caixa retangular, pequena e leve, e sendo de uso posterior (sécs. XV e XVI).

virginal[2]. [Do lat. *virginale*.] *Adj. 2 g.* **1.** Relativo a, ou próprio de virgem; virgíneo, virgem, vestal. **2.** Puro, imaculado: "Eu quis também rever o lar paterno, / O meu primeiro e virginal abrigo" (Luís Guimarães, *Sonetos e Rimas*, p. 11).

virginalidade. *S. f.* Qualidade de virginal: "Simplicidade, / graça, pudor e virginalidade" (Hermes Fontes, *A Fonte da Mata...*, p. 98).

virginalizar. *V. t. d.* Tornar virginal.

virgindade. [Do lat. *virginitate*.] *S. f.* Estado ou qualidade de virgem.

virginense. *Adj. 2 g.* **1.** De, ou pertencente ou relativo a Virgínia (MG). ● *S. 2 g.* **2.** Natural ou habitante de Virgínia.

virgíneo. [Do lat. *virgineu*.] *Adj.* V. *virginal*[2] (1): "E a freira cisma e cora, ao ver, ansioso, / Do seu catre virgíneo sobre o linho / Um par de borboletas amoroso." (Gonçalves Crespo, *Obras Completas*, p. 312.) [Fem.: *virgínea*. Cf. *Virgínio*, antr. e *Virgínia*, antr. e top.]

virginiano. [Do lat. *virgine*, 'virgem', + *-i-* + *-ano*.] *S. m.* **1.** Indivíduo nascido sob o signo de Virgem. ● *Adj.* **2.** Diz-se de, ou pertencente ou relativo a virginiano (1).

virginizar. [Do lat. *virgine*, 'virgem', + *-izar*.] *V. t. d.* Dar o caráter de virgem a; purificar.

virginopolitano. *Adj.* **1.** De, ou pertencente ou relativo a Virginópolis (MG). ● *S. m.* **2.** O natural ou habitante de Virginópolis.

virgo. [Do lat. *virgo*.] *S. m.* **1.** Virgem (7). **2.** *Chulo.* A virgindade da mulher.

virgolandense. *Adj. 2 g.* **1.** De, ou pertencente ou relativo a Virgolândia (MG). ● *S. 2 g.* **2.** Natural ou habitante de Virgolândia.

virgolapense. *Adj. 2 g.* **1.** De, ou pertencente ou relativo a Virgem da Lapa (MG). ● *S. 2 g.* **2.** Natural ou habitante de Virgem da Lapa.

vírgula. [Do lat. *virgula*, 'varinha', 'tracinho'.] *S. f.* **1.** V. *sinal de pontuação*. **2.** Palavra que se emprega para fazer uma objeção ou restrição, ou um comentário malicioso, picante, às palavras de outrem: — *É um sujeito sério.* — *Sério, vírgula!; O pequeno foi passear com sua mãe.* — *Sua mãe, vírgula;* "— Então, bem. I — Bem, vírgula." (Vergílio Godinho, *Não Há Nada Mais Simples*, pp. 150-151). **3.** *Bras.* Pequena mecha de cabelo recurvada, grudada à testa ou às faces, junto às orelhas; monete: "Vestida de vermelho e branco, os seios fortes explodindo do decote em V. duas vírgulas de cada lado do rosto" (Marisa Raja Gabaglia, *Milho pra Galinha, Mariquinha*, p. 20). [Cf. *virgula*, do v. *virgular*.] ◆ **Vírgula decimal.** *Arit.* Sinal que indica a posição da unidade na representação decimal de um número. [Em nenhum caso se deve usar o ponto em lugar de vírgula.] **Vírgulas dobradas.** V. *aspas* (2).

virgulação. *S. f.* Ato ou efeito de virgular.

virgular. *V. t. d.* **1.** Pôr vírgula em. *T. c.* **2.** Entremear, alternar: "Vinho, fruta, compotas. Comíamos, é verdade, mas era um comer virgulado de palavrinhas doces, de olhares ternos" (Machado de Assis, *Memórias Póstumas de Brás Cubas*, p. 198); "Borges abarrotava-se de alface e vaca; interrompia-se para virgular a oração com um golpe de vinho" (Id., *Várias Histórias*, p. 42). *Int.* **3.** Pôr vírgulas nos lugares apropriados: *Virgula muito bem.* **4.** Pôr vírgula: *Tem mania de virgular: virgula a torto e a direito.* [Pres. ind.: *virgulo*, *virgulas*, *virgula*, etc. Cf. *vírgula*.]

virgulta. [Do lat. *virgulta*.] *S. f.* Varinha flexível.

▲**viri-.** Equiv. de *vir(o)-*.

▲**vir(i)-.** [Do lat. *vir*, *viri*.] *El. comp.* = 'homem', 'varão': *viripotente* (< lat. *viripotente*). [Equiv.: *-viro*: *triúnviro* (< lat. *triumviru*).]

virial. [Do lat. *vires*, pl. de *vis*, 'força', + *-i-* + *-al*.] *S. m. Fís.* Num sistema constituído por várias partículas cada uma das quais sujeita à ação duma força, é a metade da média do produto escalar das forças pelo vector posição da respectiva partícula. Se o sistema for conservativo, é, em valor absoluto, igual à energia cinética média associada às partículas do sistema.

viricida. [De *vir(o)-* + *-i-* + *-cida*.] *Adj. 2 g.* Que extermina vírus.

viridante. [Do lat. *viridante*.] *Adj. 2 g. P. us.* V. *virente*.

víride. [Do lat. *viride*.] *Adj. 2 g. P. us.* Verde (1): "o machado de um lavrador fendeu-lhe o tronco. A árvore gemeu ante a violação. Golpe a golpe, foi abaixo a fronde víride" (Jaime d'Altavila, *Lógica de um Burro*, p. 50).

viridente. [De *víride* + *-nte*.] *Adj. 2 g.* V. *virente*.

virífero. [De *vir(o)-* + *-i-* + *-fero*.] *Adj.* Que gera vírus.

viril[1]. [Por **vidril* < *vidro* + *-il*.] *S. m.* Espécie de âmbula ou redoma de vidro onde se guardam relíquias e/ou objetos de valor.

viril[2]. [Do lat. *virile*.] *Adj. 2 g.* **1.** Respeitante a, ou próprio de homem; varonil: "O anão é de cor branca, uma barba viril e muito azulada" (Moreira Campos, *O Puxador de Terço*, p. 16). **2.** Esforçado, enérgico, vigoroso. ~ V. *membro* —.

virilha. [Do lat. *virilia*, 'partes sexuais do homem, dos

machos'.] *S. f. Anat.* Área de junção da coxa com o ventre.
virilidade. [Do lat. *virilitate.*] *S. f.* **1.** Qualidade de viril; masculinidade. **2.** Idade de homem entre a adolescência e a velhice. **3.** Vigor, energia.
virilismo. [De *viril* + *-ismo.*] *S. m. Med.* Presença de caracteres físicos e mentais masculinos na mulher.
virilizar. *V. t. d.* **1.** Tornar viril. **2.** Tornar forte; fortalecer, robustecer: "a imagem da desgraça virilizara o grupo." (Mário de Andrade, *Contos Novos,* p. 25).
viripotente. [Do lat. *viripotente.*] *Adj. 2 g.* **1.** Que pode casar (indivíduo do sexo feminino ou masculino); núbil. **2.** Que tem muita força; forte, rijo, varonil.
▲**vir(o)-.** [De *vírus.*] *El. comp.* = 'vírus': *virose, virologia.* [Equiv.: *viri-: viricida, virífero.*]
▲**-viro.** Equiv. de *vir(i)-.*
virola[1]. [Do fr. *virole.*] *S. f.* **1.** Aro metálico que aperta ou reforça um objeto e às vezes serve para ornamento. **2.** *Bras., N.E.* Peça de madeira ou de ferro adaptada ao centro das moendas nos engenhos de açúcar para encaminhar as canas.
virola[2]. [De *virar.*] *S. f.* **1.** Parte da borda que fica virada para fora: *a virola de um bolso.* **2.** *Bras.* Espécie de açoite, comumente de borracha.
virologia. [De *vir(o)-* + *-log(o)-* + *-ia.*] *S. f.* Parte da biologia que estuda os vírus.
virológico. *Adj.* Referente à virologia.
virologista. *S. 2 g.* Virólogo.
virólogo. [De *vir(o)-* + *-logo.*] *S. m.* Especialista em virologia; virologista.
virose. [De *vir(o)-* + *-ose.*] *S. f. Patol.* Enfermidade produzida por um vírus. Ex.: a gripe.
viroso (ô). [Do lat. *virosu.*] *Adj.* **1.** Que tem vírus ou veneno; venenoso, peçonhento. **2.** Nauseabundo, repugnante. **3.** Nocivo, danoso, prejudicial.
virotada. *S. f.* Ferimento feito com virote.
virotão. *S. m.* Grande virote.
virote. [De *vira*[4] + *-ote.*] *S. m.* **1.** Seta curta. **2.** Travessa de ferro nos copos das espadas antigas. **3.** *Ant. Náut.* Haste quadrada, que era a principal da balestilha. **4.** *Constr. Nav.* Cada uma das aposturas da popa, que, pelo seu caimento, dão a conformação própria do painel e da almeida. **5.** *Bras.* V. *veado-catingueiro.*
virótico. *Adj.* Relativo ao vírus, ou que se caracteriza por ele: *infecção, doença virótica.*
virtual. [Do lat. escolástico *virtuale.*] *Adj. 2 g.* **1.** Que existe como faculdade, porém sem exercício ou efeito atual. **2.** Suscetível de se realizar; potencial. **3.** *Filos.* Diz-se do que está predeterminado e contém todas as condições essenciais à sua realização. [Opõe-se, nesta acepç., a *potencial* (5) e *atual* (4).] ~ V. *imagem* — e *trabalho* —.
virtualidade. *S. f.* Qualidade de virtual.
virtude. [Do lat. *virtute.*] *S. f.* **1.** Disposição firme e constante para a prática do bem. [Opõe-se a *vício* (2).] **2.** Boa qualidade moral; força moral; valor. **3.** Ato virtuoso. **4.** Castidade, pureza. **5.** Modo austero de vida. **6.** Qualidade própria para que se produzam certos efeitos; característica, propriedade: "O interesse do português pelas suas conquistas foi sobretudo apego a um meio de fazer fortuna rápida, dispensando o trabalho regular, que nunca foi virtude própria dele." (Sérgio Buarque de Holanda, *Raízes do Brasil,* p. XVIII.) **7.** Causa, motivo, razão. **8.** Validade, valor, legitimidade. ~ V. *virtudes.* ♦ **Em virtude de.** Em conseqüência de; por causa de: *Voltou cedo em virtude da chuva.*
virtudes. [Pl. de *virtude.*] *S. f. pl.* **1.** *Rel.* Disposições constantes do espírito, as quais, por um esforço da vontade, inclinam à prática do bem. **2.** *Teol.* Um dos coros de anjos. ~ V. *virude.* ♦ **Virtudes teologais.** *Teol.* A fé, a esperança e a caridade.
virtuose (ô). [Do it. *virtuoso,* atr. do fr. *virtuose.*] *S. 2 g.* **1.** Músico de grande talento; virtuoso. **2.** Toda pessoa que domina em alto grau a técnica de uma arte. **3.** *Pej.* Aquele que tem, em arte, habilidade meramente malabarística, destituída de sentimento, probidade interpretativa, etc. [Cf. *virtuoso*[1].]
virtuosidade. *S. f.* Qualidade de virtuose; virtuosismo.
virtuosismo. *S. m.* Virtuosidade.
virtuosístico. *Adj.* Referente ao, ou em que há virtuosismo.
virtuoso[1] (ô). [Do it. *virtuoso.*] *S. m.* Virtuose (1).
virtuoso[2] (ô). [Do lat. *virtuosu.*] *Adj.* **1.** Que tem virtudes. **2.** Que produz efeito; eficaz: *remédio virtuoso.*
viruçu. [Do tupi *wiru'su,* 'pássaro grande'.] *S. m. Bras.* **1.** V. *sabiá-da-mata-virgem.* **2.** V. *vivió.*
virulência. [Do lat. *virulentia.*] *S. f.* Qualidade ou estado de virulento.
virulento. [Do lat. *virulentu.*] *Adj.* **1.** Que tem vírus ou veneno; venenoso, peçonhento. **2.** Que tem a natureza do vírus. **3.** Produzido por um vírus. **4.** *Fig.* Rancoroso, odiento.
vírus. [Do lat. *vírus,* 'veneno'.] *S. m. 2 n.* **1.** *Biol.* Diminuto agente infeccioso, invisível, com algumas exceções, pela microscopia óptica, e que se caracteriza por não ter metabolismo independente e ter capacidade de reprodução apenas no interior de células hospedeiras vivas. À semelhança de organismos vivos, pode reproduzir-se com continuidade genética, com possibilidade de apresentar mutação, sendo a partícula individual composta de ácido nucléico e de uma capa protéica protetora. Pode apresentar formas diversas (bastonete, esfera, etc.), e ser subgrupado, de acordo com o hospedeiro, em vírus de bactéria, de animais e de plantas, embora haja outros critérios de classificação, quanto à origem, forma de transmissão, etc. **2.** V. *vírus ultramicroscópico.* [Cf. *virose.*] ♦ **Vírus filtrável.** V. *vírus ultramicroscópico.* **Vírus ultramicroscópico.** Designação geral de agentes de doença invisíveis ao microscópio com iluminação comum, os quais passam através dos filtros de porcelana e só podem ser cultivados em presença de células vivas que sejam suscetíveis; vírus filtrável, ultravírus. [Tb. se diz apenas *vírus.*]
▲**vis-.** Equiv. de *vice-.*
visada. [De *visar* + *-ada*[1].] *S. f. Bras.* Ato ou efeito de visar.
visado. [Part. de *visar.*] *Adj.* Que foi submetido a visto (documento, cheque, etc.). ~ V. *cheque* —.
visagem. [Do fr. *visage.*] *S. f.* **1.** V. *careta* (1). **2.** *Bras.* V. *fantasma* (3). **3.** *Bras.* Visão (4): "Careta nunca me meteu medo. Quando alguém me vinha falar de visagem, de alma de outro mundo e de outras bobagens, eu ria" (Viriato Correia, *Novelas Doidas,* p. 135). **4.** *Bras. Gír.* Gestos exagerados para impressionar.
visagento. *S. m. Bras., Amaz. Folcl.* Personagem mítico, em forma de animal, que protege a natureza contra as depredações.
visamento. *S. m.* Ato de visar (3).
visante. *Adj. 2 g.* Que visa; que tem por fim: *medidas visantes ao bem-estar coletivo.*
visão. [Do lat. *visione.*] *S. f.* **1.** Ato ou efeito de ver. **2.** O sentido da vista (2) [q. v]. **3.** Ponto de vista; aspecto. **4.** Imagem vã, que se acredita ver em sonhos, ou por medo, loucura, superstição, etc.; visagem. **5.** V. *fantasma* (3). **6.** Fantasia, quimera. **7.** Maneira de compreender, de perceber determinadas situações: *Sua visão do caso é prejudicada pelo seu sectarismo.* **8.** Revelação (2): *a visão dos profetas.*
visar. [Do fr. *viser.*] *V. t. d.* **1.** Dirigir a vista ou o olhar fixamente para; mirar: *visar um alvo.* **2.** Apontar arma de fogo contra: *Visou o ladrão, imobilizando-o.* **3.** Pôr o sinal de visto em: *visar um cheque.* **4.** Ter por fim ou objetivo; ter em vista; mirar a: "Ao escrever esta novela ["Leiam"], animada por um forte sentimento de indignação, o autor [Camilo Castelo Branco] visa um fim moral." (Jacinto do Prado Coelho, *Introdução ao Estudo da Novela Camiliana,* p. 187); "Visando estimular a vaidade do seu aliado, insinuou" (Antônio Sales, *Aves de Arribação,* p. 214); "*Trabalho de sapa.* Ação oculta contra alguém, visando destruição progressiva." (Antenor Nascentes, *Tesouro da Fraseologia Brasileira,* p. 294); "Não visa [o *Manual de Estilo*] .... fabricar escritores." (José Oiticica, *Manual de Estilo,* p. 8). [Os exemplos de *visar,* nesta acepç., como transitivo direto, poderiam facilmente ser multiplicados. Não há razão, pois, para condenar esta regência, só admitindo a seguinte.] *T. i.* **5.** Ter por fim ou objetivo; ter em vista; mirar: *Estas medidas visam ao bem público;* "Monopólio, por si só, implica limitação .... . Nunca foi terapêutica estimulante, visando a fins de expansão ou gestação de riqueza." (Cosme Ferreira Filho, *Amazônia em Novas Dimensões,* p. 152). **6.** Dispor-se, propor-se.
➡**vis-à-vis** (vizavi). [Fr.] *Adv.* **1.** Em face; defronte. ● *S. 2 g.* **2.** Pessoa sentada ou colocada na frente de outra à mesa, num bailado ou numa quadrilha, etc.
víscera. [Do lat. *viscera,* pl. de *viscus,* 'entranhas'.] *S. f. Anat.* Designação comum a qualquer grande órgão alojado na cavidade craniana, na torácica ou na abdominal. ~ V. *vísceras.*
visceral. *Adj. 2 g.* **1.** Relativo ou pertencente às vísceras; visceroso. **2.** *Fig.* Profundo, entranhado: *antipatia visceral.* ~ V. *leishmaniose* — e *peritônio* —.
vísceras. [Pl. de *víscera.*] *S. f. pl.* **1.** Entranhas, intestinos. **2.** *Fig.* A parte mais íntima de qualquer coisa; âmago. ~ V. *víscera.*
▲**viscer(o)-.** [Do lat. *viscus, eris.*] *El. comp.* = 'víscera, entranhas': *viscerotomia.*
visceroso (ô). *Adj.* Visceral (1).
viscerotomia. [De *viscer(o)-* + *-tom(o)-* + *-ia.*] *S. f. Patol.* Seção de víscera.
viscerotômico. *Adj.* Relativo à viscerotomia.
viscerótomo. [De *viscer(o)-* + *-tomo.*] *S. m. Patol.* Instrumento que, por punção, permite a retirada de fragmentos de fígado de cadáver, com mutilação mínima.
▲**visci-.** [Do lat. *viscum, i.*] *El. comp.* = 'visco': *viscívoro.*
viscidez (ê). [De *víscido* + *-ez.*] *S. f.* Viscosidade (1).
víscido. [Do lat. *viscidu.*] *Adj.* V. *viscoso.*
viscívoro. [De *visci-* + *-voro.*] *Adj. Zool.* Que come os frutos do visco.
visco. [Do lat. *viscu.*] *S. m.* **1.** Planta parasita, das regiões temperadas do hemisfério norte, pertencente à família das lorantáceas (*Viscum album*); agárico. **2.** Suco vegetal glutinoso no qual se envolvem varinhas para apanhar pássaros: "Entretinha as manhãs a caçar pássaros com visco!" (Eça de Queirós, *Os Maias,* II, p. 255.) **3.** Isca, engodo, chamariz.
viscondado. *S. m.* **1.** Título ou dignidade de visconde ou viscondessa. **2.** *P. us.* Terras ou bens de visconde ou viscondessa.
viscondalho. *S. m. Pej.* Visconde.
visconde. [Do b.-lat. *vicecomite,* 'substituto do conde'.] *S. m.* **1.** V. *barão* (1). **2.** Funcionário que substituía o conde no governo do respectivo condado. **3.** Senhor feudal de um viscondado (2). [Fem.: *viscondessa;* pej.: *viscondalho.*]
viscondessa (ê). *S. f.* **1.** Mulher ou viúva de visconde. **2.** Mulher que tem o título de viscondado.
viscose. [Do ingl. *viscose.*] *S. f.* **1.** *Tec.* Solução viscosa obtida pelo tratamento de celulose, de grande importância industrial, especialmente no fabrico do raiom e do celofane. **2.** Fio ou tecido feito de viscose: *saia de viscose estampada.*
viscosidade. *S. f.* **1.** Qualidade de viscoso; viscidez. **2.** Coisa viscosa. **3.** *Fís.* Resistência que todo fluido real oferece ao movimento relativo de qualquer de suas partes; atrito interno de um fluido. **4.** *Fís.* Num fluido, força tangencial necessária para atribuir uma velocidade relativa igual à unidade a duas camadas planas e paralelas, de área unitária, separadas por uma distância igual à unidade, em que se deslocam paralelamente uma à outra; coeficiente de viscosidade; viscosidade dinâmica. ♦ **Viscosidade cinemática.** *Fís.* O quociente da viscosidade pela massa volumétrica. **Viscosidade dinâmica.** *Fís.* V. *viscosidade* (4). **Viscosidade específica.** *Fís.-Quím.* Numa solução, o quociente da diferença entre a viscosidade relativa e a unidade, pela concentração. **Viscosidade intrínseca.** *Fís. -Quím.* Numa solução, o limite da viscosidade específica quando a concentração tende para zero. **Viscosidade relativa.** *Fís.* O quociente da viscosidade dum fluido pela de outro tomada como padrão.
viscosimetria. [De *viscoso* + *-i-* + *-metr(o)-*[2] + *-ia.*] *S. f. Fís.* Medida da viscosidade de um líquido.
viscosimétrico. *Adj.* Relativo à viscosimetria, ou ao viscosímetro.
viscosímetro. [De *viscoso* + *-i-* + *-metro.*] *S. m. Fís.* Instrumento, de que existem diversos tipos e modelos, destinado a medir a viscosidade de líquidos ou de gases.
viscoso (ô). [Do lat. *viscosu.*] *Adj.* **1.** Que tem visco. **2.** Pegajoso como o visco. [Sin., nestas acepçs., *visguento, víscido.*] **3.** V. *xaroposo* (1). ~ V. *escoamento* —.
viseira. [Do fr. *visière.*] *S. f.* **1.** A parte anterior do capacete, a qual encobre e defende o rosto: "A viseira do elmo de diamante / Alevantando um pouco, mui seguro, / Por dar seu parecer se pôs diante / De Júpiter, armado, forte e duro" (Luís de Camões, *Os Lusíadas,* I, 37). **2.** Pala de boné. **3.** *Fig.* Aquilo que resguarda; disfarce. **4.** Aspecto, aparência. **5.** Cara feia; carranca. [Cf. *vezeira,* fem. de *vezeiro.*]
viseuense. *Adj. 2 g.* **1.** De, ou pertencente ou relativo a Viseu (PA). ● *S. 2 g.* **2.** Natural ou habitante de Viseu. [Cf. *visiense.*]
visgo. [Var. de *visco.*] *S. m. Bras., C.O.* Subarbusto decumbente da família das leguminosas (*Cassia hispidula*), que é rizomatoso, setoso e de glândulas viscosas. Tem folhas com quatro folíolos obovado-orbiculares, obtusos e membranáceos, flores amarelas, vistosas e arranjadas em cachos terminais e laxifloros, e legumes que alcançam até 3 cm e são setosos.
visgueira. *S. f. Bras.* Haste de madeira envolvida em visgo, com engodo em uma das extremidades, e que se

prende a um galho de árvore ou estaca para apanhar pássaros.

visgueiro. [De *visgo* + *-eiro.*] *S. m. Bras.* V. *fava-de-bolota.*

visguento. [De *visgo* + *-ento.*] *Adj.* **1.** V. *viscoso* (1 e 2). **2.** V. *xaroposo* (1).

visibilidade. [Do lat. *visibilitate.*] *S. f.* Qualidade de visível.

visibilíssimo. *Adj.* Superl. abs. sint. de *visível.*

visibilizar. *V. t. d.* Tornar visível.

visiense. *Adj. 2 g.* **1.** De, ou pertencente ou relativo a Viseu (Portugal) ● *S. 2 g.* **2.** Natural ou habitante de Viseu. [Cf. *viseuense.*]

visigodo (ô). [Do b.-lat. *visigothu* < germ. *west*, 'oeste', + lat. *gothu*, 'godo'.] *S. m.* **1.** Indivíduo dos visigodos ou godos do oeste. ● *Adj.* **2.** Pertencente ou relativo aos visigodos. [Cf. *godo*[1].]

visigótico. *Adj.* Relativo aos visigodos.

visiômetro. [Do lat. *visio*, 'visão', + *-metro.*] *S. m. Obsol.* Instrumento para avaliar as características do globo ocular dum indivíduo e determinar as lentes que lhe convêm.

visionar. *V. t. d.* **1.** Entrever como que em visão. *Int.* **2.** Ter visões; fantasiar. [Fut. pret.: *visionaria*, etc. Cf. *visionária*, fem. de *visionário.*]

visionário. *Adj.* **1.** Relativo a visões. **2.** Que tem idéias extravagantes; excêntrico. ● *S. m.* **3.** Aquele que tem visões ou acredita ver fantasmas. **4.** Devaneador; utopista. [Fem.: *visionária*. Cf. *visionaria*, do v. *visionar.*]

visita. [Dev. de *visitar.*] *S. f.* **1.** Ato ou efeito de visitar; visitação. **2.** Ato de ir ver alguém por cortesia, dever ou afeição. **3.** Pessoa que faz visita (2). **4.** Vistoria, inspeção. **5.** Antigo tributo pago pelo enfiteuta ao senhorio, e que consistia em um mimo ou presente de gêneros alimentícios. **6.** *Fam.* V. *menstruação* (1). **7.** *Bras.* V. *serra-pau.* ~ V. *visitas.* ◆ **Visita da cegonha.** *Fam.* Nascimento de filho: *Estão esperando a visita da cegonha.* **Visita da saúde.** *Fam.* Falsa melhora de um doente em estado grave, e que em geral antecede a morte. **Visita de médico.** *Bras. Fam.* Visita muito rápida.

visitação. [Do lat. *visitatione.*] *S. f.* **1.** Ato ou efeito de visitar(-se); visita. **2.** Designação de uma ordem religiosa feminina fundada por S. Francisco de Sales no séc. XVII. ~ V. *visitações.*

visitações. [Pl. de *visitação.*] *S. f. pl. Desus.* V. *visitas.* ~ V. *visitação.*

visitador (ô). [Do lat. *visitatore.*] *Adj.* e *s. m.* **1.** Visitante (1). **2.** Que ou aquele que faz muitas visitas. [Sin. pop., nesta acepç.: *visiteiro.*]

visitandina. [Do lat. *visitandu*, ger. de *visitare*, 'visitar', + *-ina*[1].] *S. f.* Religiosa da ordem da Visitação.

visitante. [Do lat. *visitante.*] *Adj. 2 g.* e *s. 2 g.* **1.** Que ou quem visita; visitador. **2.** Que ou quem percorre uma exposição, um museu, uma terra, com tenção de ver, de conhecer.

visitar. [Do lat. *visitare*, 'ver com freqüência'.] *V. t. d.* **1.** Ir ver (alguém) em casa ou em outro lugar onde esteja, por cortesia, dever, afeição, etc.: *Visita os amigos por ocasião dos aniversários;* "O Alfredo estava doente dos intestinos e o Fradique visitava -o todos os dias." (Antunes da Silva, *Gaimirra*, p. 237). **2.** Ir ver (regiões, monumentos, etc.) por interesse ou curiosidade. **3.** Inspecionar, vistoriar: *O fiscal visitou muitos restaurantes do bairro.* **4.** Revelar (Deus) a sua cólera ou a sua graça a. **5.** Surgir, mostrar-se, aparecer, em: "Nenhum sentimento nele [em Casimiro de Abreu] se diferencia dos sentimentos gerais, que visitam qualquer espécie de homem" (Carlos Drummond de Andrade, *Confissões de Minas*, p. 27). *P.* **6.** Fazer visitas mutuamente: *Visitam-se com assiduidade.*

visitas. *S. f. pl.* Lembranças, recomendações, cumprimentos. ~ V. *visita.*

visiteiro. [De *visita* + *eiro.*] *Adj.* e *s. m. Pop.* Visitador (2).

visiva. [Fem. substantivado do adj. *visivo.*] *S. f.* O sentido, o órgão, da vista; a visão.

visível. [Do lat. *visibile.*] *Adj. 2 g.* **1.** Que se pode ver; claro, aparente, perceptível, visivo. **2.** Patente, manifesto. **3.** Acessível, ou que pode receber visita. ~ V. *espectro —, horizonte —* e *universo —.* [Superl. abs. sint.: *visibilíssimo.*]

visivo. [Do lat. *visu*, 'vista, visão', + *-ivo.*] *Adj.* **1.** Visual. **2.** V. *visível* (1).

vislumbrar. [Do esp. *vislumbrar.*] *V. t. d.* **1.** Alumiar frouxamente: *O lampião vislumbra o ambiente.* **2.** Entrever, lobrigar. **3.** Conhecer imperfeitamente; conjeturar. **4.** Assemelhar-se ligeiramente a; lembrar: *Aquele homem vislumbrava um antigo colega meu. Int.* **5.** Lançar luz frouxa: *No quartinho, uma lamparina vislumbrava.* **6.** Começar a surgir ou a aparecer; deixar-se entrever; entremostrar-se.

vislumbre. [Do esp. *vislumbre.*] *S. m.* **1.** Luz tênue, frouxa. **2.** Pequeno clarão; reflexo. **3.** Aparência vaga. **4.** Idéia indistinta; conjetura, suposição, hipótese. **5.** Sinal, indício, vestígio: "Apenas nos primeiros capítulos do livro, uns vislumbres da vida nervosa do seu espírito bruxuleiam aqui e além" (Fialho d'Almeida, *Pasquinadas* p. 242). **6.** Semelhança, parecença.

viso. [Do lat. *visu.*] *S. m.* **1.** Aspecto, fisionomia. **2.** Indício, vestígio, vislumbre: "a sua sensibilidade era romântica demais para não se criar um romance íntimo com todos os visos de um episódio real." (Eugênio Gomes, *D. H. Lawrence e Outros*, p. 151). **3.** Pequena porção; bocado. **4.** Cume de outeiro ou de monte: "Um sentimento de abandono e nulidade, uma sensação de queda de muito alto, como se ele acabasse de rolar do viso da montanha até a praia, o derreava ali, numa lassidão extrema, com a cabeça e o coração esmagados." (Xavier Marques, *Jana e Joel*, p. 26.) **5.** Pequeno monte; outeiro.

visom. [Do fr. *vison.*] *S. m.* **1.** Mamífero carnívoro, da família dos mustelídeos, de pele pardacenta, macia e lustrosa, e cujo tamanho e aspecto o assemelham ao furão (1). [Em estado selvagem é encontrado na América do Norte e na Sibéria, sendo também criado em cativeiro.] **2.** A pele, valiosa, desse mamífero. **3.** Casaco, estola, etc., feita de visom (2).

visonha. [De *visão* + o final do fem. de *medonho.*] *S. f.* **1.** Visão medonha. **2.** V. *fantasma* (3).

visor (ô). [Do fr. *viseur.*] *Adj.* **1.** Que permite ver ou ajuda a ver. ● *S. m.* **2.** Aquilo que permite ver ou ajuda a ver. **3.** *Fot.* Dispositivo adaptado às câmaras fotográficas, que permite verificar o enquadramento do objeto que se pretende fotografar.

visório. *Adj.* Visual (1).

vispar-se. [De *víspere*?] *V. p.* Desaparecer, escapulindo; esgueirar-se, safar-se. [Var.: *bispar-se.*]

víspere. [Do fr. *disparais* (do v. *disparaître*), 'desaparece'.] *Interj.* Exprime ordem para despedir ou mandar retirar; fora, rua: *Víspere, seu canalha!*

víspora. [De *víspere.*] *S. f.* e *m. Bras.* V. *loto* (1). [Cf. *vispora*, do v. *visporar.*]

visporar. [De *víspora* + *-ar*[2].] *V. int. Bras.* Quinar[1]. [Pres. ind.: *visporo, visporas, vispora*, etc. Cf. *víspora.*]

vista. [Fem. substantivado do adj. *visto.*] *S. f.* **1.** Ato ou efeito de ver. **2.** Faculdade de ver, de perceber, a forma, a cor, o relevo das coisas materiais; visão. **3.** Órgão visual; os olhos. **4.** Aquilo que se vê. **5.** Panorama, paisagem. **6.** Quadro, estampa, ou fotografia de uma paisagem: *Este volume é cheio de vistas de Ipanema.* **7.** Aparência, aspecto. **8.** Plano, projeto, desígnio, intento. **9.** Cenário teatral. **10.** Maneira de julgar ou apreciar um assunto; ponto de vista. **11.** Pequena acha de lenha com que se iluminava o interior dos fornos. **12.** Vivo (15). **13.** Parte do capacete em que há duas fendas correspondentes aos olhos. **14.** *Jur.* Entrega de autos a fim de que o interessado, depois de ver o que neles se contém, se pronuncie como lhe competir. **15.** *Bras., PR.* Braguilha (2). ~ V. *vistas.* ◆ **Vista cansada.** V. *presbitismo.* **Vista curta. 1.** Dificuldade ou impossibilidade de ver longe. **2.** *Fig.* Curteza de espírito; falta de perspicácia. **Vista de lince.** Olho de lince: "A vista de lince do ministro, sempre vigilante, acompanhava .... este diálogo" (Rebelo da Silva, *De noite Todos os Gatos São Pardos*, p. 209). **A perder de vista. 1.** Tão longe que a vista não mais pode alcançar: "os roçados cheios de milho apendoando e as várzeas cobertas de melancia ou jerimum, ou a terra calcinada pela soalheira, vazia a perder de vista" (Austregésilo de Ataíde, in José Lins do Rego e Austregésilo de Ataíde, *Discursos de Posse Recepção na Academia Brasileira de Letras*, p. 53). **2.** Com prazo dilatadíssimo: *pagamento a perder de vista.* **À prima vista.** À primeira vista: "À prima vista se averigua que lhes falece a convicção, a coerência, a lógica, e a unidade." (Antônio Feliciano de Castilho, *O Presbitério da Montanha*, p. 116.) **À primeira vista. 1.** Da primeira vez que alguma coisa é vista. **2.** Sob a influência das primeiras impressões. **3.** Sem prévio exame ou reflexão. **4.** De repente; repentinamente. [Sin. ger., p. us.: *à prima vista.*] **À simples vista. 1.** V. *a olho nu.* **2.** *Fig.* Sem necessidade de reflexão ou estudo; por instinto; instintivamente. **À vista. 1.** Na presença de; diante. **2.** Entrega da mercadoria adquirida; a dinheiro: *pagamento à vista; recebimento à vista.* **3.** Contra pagamento na aquisição da mercadoria: *Aqui só se vende à vista.* [Sin. ger.: *à barba*. Cf. *a prazo.*] **À vista desarmada.** V. *a olho nu*: "O Silvestre agrupava os seus autores prediletos em estantes só dele, na maioria encadernados, e identificáveis à vista desarmada." (José Rodrigues Miguéis, *Gente da Terceira Classe*, p. 206.) **Com vista a.** Palavras com que se submete um requerimento, problema, demanda, à consideração de outrem ou de outra instituição, repartição, etc.; com vistas a. **Com vistas a.** Com vista a. **Curto de vista.** Deficiente de vista; que tem pouca visão. **Dar nas vistas.** Dar na vista. **Dar na vista.** Ser notado; tornar-se evidente. [Tb. se diz *dar nas vistas.*] **De encher a vista.** Muito bom e/ou belo; ótimo, excelente: *Seu apartamento é de encher a vista; Aquilo é mulher de encher a vista.* **Fazer a vista grossa a.** Fazer vista grossa a. **Fazer vista.** Atrair a atenção; brilhar na aparência; fazer figura. **Fazer vista grossa a.** Ver e fingir que não vê; deixar passar: "alguns leitores fizeram vista grossa aos defeitos e me condenaram firmes o pessimismo." (Graciliano Ramos, *Memórias do Cárcere*, IV, p. 83). [Tb. se diz *fazer a vista grossa a.*] **Haja vista.** Que se oferece à vista, aos olhos: *É rico, haja vista o quanto gastou na última eleição.* [Evite-se a construção *haja visto*, incorreta.] **Ir com vista a.** Ser (um processo) entregue a magistrado ou às partes, para que nele se lance despacho, ou alegações, etc. **Saltar à vista.** Saltar aos olhos. **Ter em vista. 1.** Planejar, tencionar. **2.** Atender a; levar em conta.

vista-de-olhos. *S. f.* V. *vista-d'olhos.* [Pl.: *vistas-de-olhos.*]

vista-d'olhos. *S. f.* Olhadela; lance de olhos, lance de vista, vista-de-olhos: *passar uma vista-d'olhos; Dê uma vista-d'olhos no meu livro, por favor.* [Pl.: *vistas-d'olhos.*]

vistas. [Pl. de *vista.*] *S. f. pl.* **1.** Planos, intuito. **2.** Decoração teatral. ~ V. *vista.*

visto. [Part. de *ver.*] *Adj.* **1.** Percebido pelo sentido da visão. **2.** Acolhido, aceito, recebido. **3.** Considerado, reputado. **4.** Sabido, sabedor. ~ V. *a olhos—s.* ● *S. m.* **5.** Declaração de autoridade ou funcionário num documento, para validá-lo, significando que foi examinado, verificado e achado conforme. ◆ **Visto que.** Dado que; porquanto. *Visto que você não quer ir, ninguém vai.* **Pelo visto.** Pelo que se sabe, vê, supõe ou deduz: *Pelo visto, choverá amanhã.*

vistor (ô). [De *vista* + *-(d)or.*] *S. m. Desus.* Vistoriador.

vistoria. [De *vistor* + *-ia.*] *S. f.* **1.** Inspeção judicial a um prédio ou lugar sobre o qual existe litígio. **2.** *P. ext.* Revista, inspeção. ◆ **Vistoria clínica.** *Check-up* (1 e 2) [q. v.].

vistoriador (ô). *Adj.* e *s. m.* Que ou aquele que vistoria. [Sin. desus.: *vistor.*]

vistoriar. *V. t. d.* Fazer vistoria a: "Se .... a porcaria insistir, a polícia não durma, e em vez de vistoriar os bairros pobres só quando nos ameaça a epidemia, estabeleça o seu serviço de fiscalização permanente, quotidiano, implacável" (Fialho d'Almeida, *Pasquinadas*, p. 355).

vistoso (ô). *Adj.* **1.** Que dá na vista; que chama a atenção. **2.** Ostentoso, aparatoso. **3.** Agradável à vista; admirável.

visual. [Do lat. *visuale.*] *Adj. 2 g.* **1.** Relativo à vista ou à visão; visório. **2.** Que assimila melhor as noções ou conhecimentos pela vista que pelo ouvido; que apreende melhor o que lê do que o que ouve: "Em geral todos os que são mais auditivos do que visuais só em voz alta sentem o que lêem, como era aliás comum entre os antigos, para quem um período era como um todo fisiológico, uma respiração articulada." (Olívio Montenegro, *Retratos e Outros Ensaios*, p. 161.) [Cf. *auditivo* (2).] **3.** Diz-se de pessoa particularmente sensível às impressões visuais, marcadamente impressionável por elas, na qual o sentido da visão atua de maneira muito significativa: "Visual [Castro Alves] como Vitor Hugo, é ainda como Vitor Hugo um colorista intenso, um desenhista, um pintor" (Homero Pires, *in* Castro Alves, *Poesias Escolhidas*, p. XIV). ~ V. *comunicação —, horizonte —, identidade —, memória —* e *programação —.* ● *S. 2 g.* **4.** Pessoa visual (2). [Cf. *auditivo* (3).] **5.** Pessoa visual (3): "esse sensorial, esse auditivo, esse visual [Castro Alves], também sabia .... voltar-se profundamente sobre si mesmo" (Homero Pires, *in* Castro Alves, *Poesias Escolhidas*, p. XV). ● *S. m.* **5.** *Bras. Gír.* Aparência, aspecto. **7.** *Bras. Gír.* Aquilo que se vê; vista, panorama, aspecto: *De sua cobertura se tem um dos mais belos visuais da cidade.*

visualidade. [Do lat. *visualitate.*] *S. f.* **1.** Vista. **2.** Aspecto cambiante; miragem.

visualização. *S. f.* **1.** Ato ou efeito de visualizar. **2.** Transformação de conceitos abstratos em imagens real ou mentalmente visíveis.

visualizar. *V. t. d.* Formar ou conceber uma imagem visual mental de (algo que não se tem ante os olhos no momento): *O grande arquiteto é capaz de* visualizar *cada detalhe de seu projeto.*

➧**vis viva.** [Lat.] *Fís.* Força viva.

vitácea. *S. f.* Espécime das vitáceas.

vitáceas. *S. f. pl. Bot.* Família de plantas floríferas da ordem das ramnales, composta, em geral, de trepadeiras, muitas delas suculentas e com gavinhas. As flores são insignificantes; os frutos, bagas sucosas. Há cerca de 600 espécies, a maioria intertropical; poucas ocorrem no Brasil. A videira *(Vitis vinifera)* fornece a uva.

vitáceo. *Adj.* Pertencente ou relativo às vitáceas.

vital^{1}. *S. m.* Certa casta de uva.

vital^{2}. [Do lat. *vitalle.*] *Adj. 2 g.* **1.** Respeitante à vida. **2.** Próprio para a preservação da vida; fortificante. **3.** De importância capital; essencial. ~ V. *aura —, ciclo —, espaço —* e *espíritos vitais.*

vitaliciedade. *S. f.* **1.** Qualidade de vitalício. **2.** Garantia constitucional dada a certos titulares, civis e militares, de funções públicas, para não serem afastados, destituídos ou demitidos de seus cargos, postos ou patentes, salvo por motivo expresso em lei e reconhecido por sentença do órgão judiciário competente. **3.** Garantia análoga assegurada pelos estatutos de uma organização ou de uma empresa. [Cf. *estabilidade.*]

vitalício. [De *vital* + *-ício.*] *Adj.* **1.** Que dura a vida inteira, ou que a isso é destinado: *pensão* vitalícia. **2.** Que tem a garantia da vitaliciedade (2 e 3): *cargo* vitalício.

vitalidade. [Do lat. *vitalitate.*] *S. f.* **1.** Qualidade de vital. **2.** O conjunto das funções orgânicas. **3.** Força vital; vigor.

vitalina. [Do antr. *Vitalina.*] *S. f. Bras., N.E. Fam.* Moça idosa; solteirona: "Sempre sofreu [o Ceará] certa crise de matrimônios e uma proporção assustadora de solteironas (vitalinas, como lá as chamamos)" (Raquel de Queirós, *A Donzela e a Moura-Torta* p. 29).

vitalismo. [De *vital* + *-ismo.*] *S. m. Filos.* Doutrina que afirma a necessidade dum princípio irredutível ao domínio físico-químico para explicar os fenômenos vitais. [Cf. *animismo* (1 e 2), *dinamismo* (3) e *duodinamismo.*]

vitalista. *Adj. 2 g.* **1.** Relativo ao, ou que é adepto do vitalismo. ● *S. 2 g.* **2.** Adepto do vitalismo.

vitalização. *S. f.* Ato de vitalizar.

vitalizador (ô). *Adj.* Que vitaliza.

vitalizar. [De *vital* + *-izar.*] *V. t. d.* **1.** Restituir à vida; dar nova vida a. **2.** Dar força, vigor, vitalidade, a: *Os adubos* vitalizam *o solo.*

vitamina. [Do lat. *vita*, 'vida', + *amina.*] *S. f.* **1.** *Bioquím.* Designação comum a diversas substâncias orgânicas, não relacionadas entre si, presentes em quantidades pequenas em muitos tipos de alimentos, e que desempenham importante papel em vários processos metabólicos, podendo ser hidrossolúveis ou lipossolúveis. [A falta delas acarreta várias doenças, como o beribéri e o escorbuto, entre outras. Distinguem-se presentemente por letras: *vitamina A, vitamina B, vitamina C,* etc.] **2.** Grupo de substâncias, de constituições diversas, essenciais à vida do organismo. **3.** *Bras.* Creme ralo preparado com fruta(s) e/ou legume(s), a que se adiciona água, leite ou suco, batendo-se tudo no liquidificador. ♦ **Vitamina A.** Aquela cuja ação se faz sentir na adaptação visual ao escuro e na regeneração dos tecidos epiteliais, sendo encontrada em óleo de fígado de peixes, notadamente o bacalhau, na manteiga, em gema de ovo, queijo, etc. **Vitamina B.** *Impr.* V. *complexo vitamínico B.* **Vitamina C.** O ácido ascórbico, encontrado sobretudo em frutas cítricas. **Vitamina D.** Grupo de substâncias lipossolúveis com efeitos antiraquíticos. [Podem ser encontrados precursores desses grupos na pele ou em alimentos como cereais; préformados, existem noutras substâncias nutritivas, como o óleo de fígado de peixes.] **Vitamina E.** Vitamina essencial para a reprodução de muitas espécies animais, além de ter outras funções, e que é encontrada em gema de ovo, cereais, etc.

vitaminação. *S. f.* Ato ou efeito de vitaminizar ou vitaminar; vitaminização.

vitaminado. [Part. de *vitaminar.*] *Adj.* Enriquecido ou reforçado com vitaminas; vitaminizado.

vitaminar. *V. t. d.* Adicionar vitamina(s) a (um alimento), para enriquecê-lo; vitaminizar.

vitamínico. *Adj.* De, ou relativo a vitamina. ~ V. *complexo — B.*

vitaminização. [De *vitaminizar* + *-ção.*] *S. f.* Vitaminação.

vitaminizado. [Part. de *vitaminizar.*] *Adj.* Vitaminado.

vitaminizar. [De *vitamina* + *-izar.*] *V. t. d.* Vitaminar.

vitando. [Do lat. *vitandu*, part. do fut. passivo de *vitare*, 'evitar'.] *Adj.* Que deve ser evitado; abominável, detestável, execrável, execrando, vitável: "Valem tais livros pelo seu aspecto negativo, como descrição de males vitandos, não pelo seu aspecto positivo ou construtivo." (Fidelino de Figueiredo, *O Medo da História,* p. 58.)

vitatório. [Do lat. *vitatu*, part. pass. de *vitare*, 'evitar', + *-ório.*] *Adj.* Próprio para evitar.

vitável. [Do lat. *vitabile.*] *Adj. 2 g.* V. *vitando.*

vitela. [Do lat. **vitella*, por *vitula.*] *S. f.* **1.** Novilha menor de um ano. **2.** Carne de novilha ou novilho. **3.** *P. ext.* Iguaria feita de vitela: *Comi ontem uma* vitela *gostosíssima.* **4.** Pele de vitela tratada para calçado e outros empregos.

▲**vitel(i)-.** [Do lat. *vitellum, i.*] *El. comp.* = 'vitelo^{2}', 'gema de ovo': *vitelífero; vitelina.*

vitelífero. [De *vitel(i)-* + *-fero.*] *Adj.* Que contém gema de ovo.

vitelina. [De *vitel(i)-* + *-ina^{1}.*] *S. f.* **1.** Substância nitrogenada contida na gema do ovo. **2.** Membrana que recobre a gema do ovo das aves.

vitelínico. [De *vitelina* + *-ico^{2}.*] *Adj.* Relativo ao vitelo^{2}.

vitelino. [De *vitel(i)-* + *-ino^{1}.*] *Adj.* **1.** Relativo ou pertencente à gema do ovo. **2.** Amarelo como a gema do ovo. ~ V. *saco —.*

vitelo^{1}. [Do lat. *vitellus, i.*] *S. m.* Novilho menor de um ano.

vitelo^{2}. [Do lat. *vitellum, i.*] *S. m. Fisiol.* O protoplasma de reserva do óvulo dos animais.

▲**viti-.** [Do lat. *vitis, is.*] *El. comp.* = 'vinha': *viticultor, vitífiro* (< lat. *vitiferu*), *vitivinicultor.*

vitícola. [Do lat. *viticola.*] *Adj. 2 g.* **1.** Respeitante à viticultura. ● *S. 2 g.* **2.** Viticultor (2).

viticomado. [Do lat. *viticomu*, 'coroado de pâmpanos', + *-ado^{1}.*] *Adj.* Coroado de parras.

viticultor (ô). [De *viti-* + *cultor.*] *Adj.* **1.** Que cultiva vinhas. ● *S. m.* **2.** Cultivador de vinhas; vitícola.

viticultura. [De *viti-* + *cultura.*] *S. f.* Cultura das vinhas; vinicultura.

vitífero. [Do lat. *vitiferu.*] *Adj.* **1.** Que produz videira. **2.** Coberto de videiras. **3.** Apropriado para a viticultura.

vitiligem. [Do lat. *vitiligine.*] *S. f. Patol.* Afecção cutânea que se caracteriza por zonas de despigmentação cingidas, freqüentemente, por zonas mais pigmentadas. [Cf. *leucodermia.*]

vitiligo. [Do lat. *vitiligo.*] *S. m.* V. *vitiligem.*

vítima. [Do lat. *victima.*] *S. f.* **1.** Homem ou animal imolado em holocausto aos deuses. **2.** Pessoa arbitrariamente condenada à morte, ou torturada, violentada: *as* vítimas *do nazismo.* **3.** Pessoa sacrificada aos interesses ou paixões alheias. **4.** Pessoa ferida ou assassinada. **5.** Pessoa que sofre algum infortúnio, ou que sucumbe a uma desgraça, ou morre num acidente, epidemia, catástrofe, guerra, revolta, etc. **6.** Tudo quanto sofre qualquer dano. **7.** *Jur.* Sujeito passivo do ilícito penal; paciente. **8.** *Jur.* Pessoa contra quem se comete crime ou contravenção. [Cf. *vitima*, do v. *vitimar.*]

vitimar. [Do lat. *victimare.*] *V. t. d.* **1.** Tornar vítima; sacrificar. **2.** Causar a morte de; matar: *A peste* vitimou *grande parte da população.* **3.** Abater, prostrar. **4.** Prejudicar, danificar: "Delineando no artigo anterior um fugitivo esboço da reação contra o clima singular que vitima todo o norte do Brasil, vimos de relance os vários recursos que, simultaneamente aplicados, poderiam melhorá-lo" (Euclides da Cunha, *Contrastes e Confrontos,* p. 83). *P.* **5.** Tornar-se vítima; sacrificar-se. [Pres. ind.: *vitimo, vitimas, vitima,* etc.; fut. pret.: *vitimaria,* etc. Cf. *vítima*, s. f., e *vitimária*, fem. do adj. *vitimário.*]

vitimário. [Do lat. *victimariu.*] *S. m.* **1.** Popa. ● *Adj.* **2.** Relativo à(s) vítima(s). [Fem. (do adj.): *vitimária.* Cf. *vitimaria*, do v. *vitimar.*]

vitimologia. [De *vítima* + *-o-* + *-log(o)-* + *-ia.*] *S. f.* Teoria que tende a justificar um crime pelas atitudes com que a vítima como que o motiva.

vitimológico. *Adj.* Referente à vitimologia.

vitinga. [De provável or. tupi.] *S. f. Bras.* Espécie de farinha.

vitivinícola. [De *viti-* + *vinícola.*] *Adj. 2 g.* Referente à vitivinicultura.

vitivinicultor (ô). [De *viti-* + *vinicultor.*] *S. m.* Aquele que se dedica à vitivinicultura.

vitivinicultura. [De *viti-* + *vinicultura.*] *S. f.* Cultura de vinhas e fabricação de vinho.

vitória^{1}. [Do lat. *victoria.*] *S. f.* **1.** Ato ou efeito de vencer o inimigo ou competidor em uma guerra, batalha, ou, ainda, em qualquer competição; triunfo. **2.** *P. ext.* Triunfo ou êxito brilhante em qualquer campo de ação. **3.** *Fig.* Bom êxito; sucesso; vantagem. [Cf. *vitoria*, do v. *vitoriar.*]

vitória^{2}. [Do antr. *Vitória*, de Vitória, rainha da Inglaterra (1819-1901), que pela primeira vez usou este veículo.] *S. f.* Carruagem de quatro rodas, para dois passageiros, com cobertura dobrável e um assento alto, na frente, para o cocheiro: "Era uma vitória, bem-posta e correta, avançando com lentidão e estilo, ao trote .... de duas éguas inglesas." (Eça de Queirós, *Os Maias,* II, p. 548.) [Cf. *vitoria*, do v. *vitoriar.*]

vitoriano. *Adj.* **1.** Pertencente ou relativo à rainha Vitória, da Inglaterra, ou ao período de seu reinado (1837-1901). **2.** Que demonstra a respeitabilidade, o puritanismo, a intolerância, etc., atribuídos geralmente à classe média da Inglaterra vitoriana. **3.** Diz-se de um estilo de móveis do séc. XIX. ● *S. m.* **4.** Indivíduo (especialmente escritor inglês) da época vitoriana.

vitoriar. [De *vitória^{1}* + *-ar^{2}.*] *V. t. d.* **1.** Aplaudir estrepitosamente; aclamar. **2.** Saudar com entusiasmo: "No dia da inauguração das obras do porto, enquanto o povo, na Prainha, vitoriava o governo, eu andei .... acompanhando um vulto" (Olavo Bilac, *Crítica e Fantasia,* p. 287). [Pres. ind.: *vitorio, vitorias, vitoria,* etc. Cf. *Vitório*, antr., *vitória*, s. f., e *Vitória*, mit., antr. e top.]

vitória-régia. [Do antr. *Vitória*, de Vitória, rainha da Inglaterra (1819-1901) + o fem. de *régio* (2).] *S. f.* Grande erva aquática, da família das ninfeáceas (*Victoria regia*), presa ao fundo por um rizoma comestível cujas folhas, de bordos levantados como tabuleiros, são redondas, chegando a 1,8 m de diâmetro, e cujas flores, as maiores da América (30 cm de diâmetro), têm muitas pétalas alvas ou rosadas e só abrem à noite, e cujas sementes fornecem fécula utilizável: "formando um mundo à parte, nos remansos tranqüilos de um lago menos batido dos pescadores, ... a vitória-régia, o 'forno-de-jacaré' dos naturais, desdobra as enormes folhas circulares de bordos cairelados de vivo carmesim virados para cima como um forno indígena" (José Veríssimo, *Cenas da Vida Amazônica,* p. 50). [Sin.: *apé, forno, forno-d'água, forno-de-jacaré, forno-de-jaçanã, jaçanã, iapunaque-uaupê, iaupê-jaçanã, uapé.* Pl.: *vitórias-régias.*]

vitoriense^{1}. *Adj. 2 g.* **1.** De, ou pertencente ou relativo a Vitória, capital do ES. ● *S. 2 g.* **2.** Natural ou habitante de Vitória. [Sin., desus.: *capixaba* (2 e 4).]

vitoriense^{2}. *Adj. 2 g.* **1.** De, ou pertencente ou relativo a Vitória do Mearim (MA). ● *S. 2 g.* **2.** Natural ou habitante de Vitória do Mearim.

vitoriense^{3}. *Adj. 2 g.* **1.** De, ou pertencente ou relativo a Vitória de Santo Antão (PE). ● *S. 2 g.* **2.** Natural ou pertencente a Vitória de Santo Antão.

vitorinense. *Adj. 2 g.* **1.** De, ou pertencente ou relativo a Vitorino Freire (MA). ● *S. 2 g.* **2.** Natural ou habitante de Vitorino Freire.

vitorioso (ô). [Do lat. *victoriosu.*] *Adj.* **1.** Que alcançou vitória; triunfante: *guerreiro* vitorioso; *idéia* vitoriosa. ● *S. m.* **2.** Indivíduo vitorioso.

vitral. [Do fr. *vitrail.*] *S. m.* Vidraça de cores ou com pinturas sobre o vidro. [F. paral., p. us.: *vidral.*]

vitralista. *S. 2 g.* Artista que faz vitrais.

vítreo. [Do lat. *vitreu.*] *Adj.* **1.** Relativo a, ou próprio do vidro. **2.** Feito de vidro. **3.** Que tem a natureza ou o aspecto do vidro: "Olhos vítreos olhando o Nada... o Vácuo... a Sombra..." (Da Costa e Silva, *Pandora,* p. 58). **4.** Vidrado (2). **5.** Límpido, transparente, diáfano. **6.** *Pet.* Diz-se da textura da rocha ou da massa fundamental que não tem elementos cristalinos. ~ V. *humor —* e *rocha — a.*

vitrescibilidade. *S. f.* Qualidade de vitrescível; vitrificabilidade.

vitrescível. [De um lat. **vitrescibile*, calcado num **vitrescu*, de *vitru*, 'vidro'.] *Adj. 2 g.* Que pode ser transformado em vidro; vitrificável.

▲**vitri-.** [Do lat. *vitrum, i.*] *El. comp.* = 'vidro': *vitrificar.* [Equiv.: *vitro-: vitrófiro.*]

vitrice. [Do lat. *victrice.*] *Adj. (f.)* e *s. f.* Diz-se da, ou aquela que conseguiu vitória; vencedora.

vitrificabilidade. *S. f.* Qualidade de vitrificável; vitrescibilidade.

vitrificação. *S. f.* Ação ou efeito de vitrificar(-se).

vitrificado. [Part. de *vitrificar.*] *Adj.* A que se deu a aparência de vidro; convertido em vidro.

vitrificar. [De *vitri-* + *-ficar.*] *V. t. d.* **1.** Converter em vidro. **2.** Dar a aparência de vidro a. *Int.* e *p.* **3.** Converter-se em vidro. **4.** Tomar a aparência de vidro [Conjug.: v. *trancar.*]

vitrificável. [De *vitrificar* + *-ável.*] *Adj. 2 g.* Vitrescível.

vitrina. [Do fr. *vitrine.*] *S. f.* **1.** Vidraça atrás da qual ficam expostos objetos destinados a venda. **2.** Espécie de caixa com tampa envidraçada, ou armário com vidraça móvel, onde se guardam objetos expostos à venda. [Sin. ger., lus.: *escaparate.*]

vitrinista. *S. 2 g. Bras.* Pessoa especializada no arranjo e/ou adorno de vitrinas.

vitriolado. [Part. de *vitriolar.*] *Adj.* **1.** Que tem vitríolo. ● *S. m.* **2.** Aquilo que o tem.

vitriolar. *V. t. d.* Vitriolizar. [Pres. ind.: *vitriolo*, etc. Cf. *vitríolo.*]

vitriólico. *Adj.* Que tem a natureza do vitríolo; sulfúrico.

vitriolização. *S. f.* Ato ou efeito de vitriolizar.

vitriolizar. *V. t. d.* **1.** Converter em vitríolo. **2.** Compor ou misturar com vitríolo. [Sin. ger.: *vitriolar.*]

vitríolo. [Do b.-lat. *vitrolu.*] *S. m.* Designação comum a vários sulfatos, especialmente o ácido sulfúrico. [Cf. *vitriolo*, do v. *vitriolar.*] ♦ **Vitríolo azul.** Pedra-lipes.

▲vitro-. Equiv. de *vitri-.*

vitrófiro. [De *vitro-* + a term. de *pórfiro.*] *S. m. Geol.* Rocha magmática de textura porfírica, na qual os fenocristais se encontram em meio a uma matriz de aspecto vítreo.

vitrola. [De *Victrola*, marca registrada.] *S. f.* **1.** Aparelho elétrico para reproduzir sons gravados em disco; eletrola. [Cf. *fonógrafo.*] ● *S. 2 g.* **2.** *Bras. Fam.* Pessoa tagarela.

vitu. [F. aferética de *içabitu.*] *S. m. Bras.* V. *bitu*[1].

vitualha. *S. f. P. us.* V. *vitualhas.*

vitualhas. [Do lat. *victualia.*] *S. f. pl.* V. *víveres:* "Levavam os expedicionários os bornais bem providos de vitualhas, odres e borrachas cheias de vinho e hidromel" (Aquilino Ribeiro, *Estrada de Santiago*, p. 97). [Tb. us. (pouco) no sing.]

vituperação. [Do lat. *vituperatione.*] *S. f.* Ato ou efeito de vituperar; vitupério.

vituperador (ô). [Do lat. *vituperatore.*] *Adj. e s. m.* Que ou aquele que vitupera.

vituperar. [Do lat. *vituperare.*] *V. t. d.* **1.** Tratar com vitupérios; injuriar, insultar, afrontar. **2.** Repreender com dureza. **3.** Censurar, desaprovar. **4.** Desprezar, desestimar, menoscabar.

vituperável. [Do lat. *vituperabile.*] *Adj. 2 g.* Digno de vitupério.

vitupério. [Do lat. *vituperiu.*] *S. m.* **1.** Vituperação. **2.** Insulto, injúria. **3.** Ato vergonhoso, infame ou criminoso.

vituperioso (ô). *Adj.* Que encerra vitupério.

viúva. [Do lat. *vidua*, com deslocação do acento para o *u*, atr. de uma f. **viduva.*] *S. f.* **1.** Mulher a quem morreu o marido e que não voltou a casar-se. **2.** *Bras.* V. *viuvinha* (1). **3.** *Bras.* Ave passeriforme, da família dos traupídeos (*Pipraeidea m. melanonota* (Vieil.)), do S.E. do Brasil. Dorso azul-violáceo, vértice e uropígio mais claros, asa e cauda quase negras, marginadas de azul, e parte inferior amarela com tonalidade avermelhada. A fêmea tem dorso pardo-escuro, tinta azulada na fronte, lados da cabeça e coberteira da cauda. Alimenta-se de frutas e de insetos. **4.** *Bras.* Pessoa que continua adepta ou admiradora fervorosa de personalidade morta ou no ostracismo: *as viúvas de Rodolfo Valentino.* **5.** *Bras., BA.* Melancia de miolo branco. **6.** *Bras., RJ.* V. *luminária* (6). **7.** *Tip.* Linha quebrada (2). ♦ **Viúva branca.** Mulher que enviuvou sem ter conhecido sexualmente o marido.

viúva-alegre. *S. f. Bras., RJ* e *SP.* V. *tintureiro* (6). [Pl.: *viúvas-alegres.*]

viúva-negra. *S. f. Bras.* Espécie de aranha, da família dos terídídeos (*Latrodectus mactans* (Fabricus)), distribuída por toda a América, de coloração negra, com larga mancha vermelha no abdome, e cerca de 1 cm de comprimento. O nome provém do fato de a fêmea geralmente comer o macho após a cópula. Sua picada é muitas vezes fatal, e é considerada a mais peçonhenta das aranhas. No Brasil, encontra-se atualmente, próximo ao mar, sobretudo em praias pouco freqüentadas, em torno da baía da Guanabara. [Sin.: *flamenguinha.* Pl.: *viúvas-negras.*]

viuvar (i-u). [De *viúva* + *-ar*[2].] *V. int* e *t. i.* Enviuvar (2): "Quando Balbina viuvou, ia em dois meses a filha de Dorotéia." (Camilo Castelo Branco, *Vulcões de Lama*, p. 121); "A Andresa viuvara ainda moça dum negociante de Vila Bela" (Inglês de Sousa, *Contos Amazônicos*, p. 219). [Conjug.: v. *amiudar.*]

viuvez (i-u...ê). *S. f.* **1.** Estado de quem é viúvo. **2.** *Fig.* Desconsolo por desamparo; solidão, privação.

viuvinha (i-u). [Dim. de *viúva.*] *S. f.* **1.** *Bras.* Designação comum a duas aves passeriformes, da família dos tiranídeos, *Colonia colonus* (Vieil.), e *Lichenops perspicillata* (Gmel.). A primeira tem coloração negra, cabeça cinzento-clara e uropígio brancacento, e ocorre no Brasil central e oriental. A segunda é preta, rêmiges primárias brancas, exceto na base e no ápice, bico e área em redor dos olhos brancos. Freqüenta terrenos alagadiços, e ocorre no sudoeste e extremo sul do Brasil. [Sin.: *viúva, velhinha, lavadeira-de-nossa-senhora.*] **2.** V. *flor-de-são-miguel* (1). **3.** V. *coroa-de-viúva.* **4.** *Bras., CE.* Certa dança popular.

viuvinha-do-igapó. *S. f. Bras., Amaz.* Cipó da família das verbenáceas (*Petraea brevicalyx*), próprio dos igapós, e caracterizado pelas vistosas flores violáceas ordenadas em longos racemos, porém sem perfume. [Pl.: *viuvinhas-do-igapó.*]

viúvo. [De *viúva.*] *S. m.* **1.** Homem a quem morreu a mulher e que não contraiu novas núpcias. ● *Adj. 2 g.* **2.** Que é viúvo. **3.** Desamparado, abandonado, só. **4.** Privado, falto, carecente, carente: "Que faz quem vive / Órfão de mimos, viúvo de esperanças, / Solteiro de venturas, que não tive?" (Antônio Nobre, *Despedidas*, p. 16); "ramos viúvos das flores recém-abertas, cujas pétalas exsicadas se despegam e caem, mortas" (Euclides da Cunha, *Os Sertões*, p. 76).

viva. [Imperat. de *viver.*] *S. m.* **1.** Exclamação de aplauso ou de felicitação, que encerra o desejo de que viva e prospere a pessoa ou coisa à qual se dirige. ● *Interj.* **2.** Designa aplauso, aclamação, entusiasmo. [Antôn. (da interj.): *morra.*]

vivace. *Adj. 2 g.* Desus. V. *vivaz:* "A fresca e vivace expansão de saúde desaparecera sob uma langue morbidez" (José de Alencar, *Lucíola*, p. 176).

➧vivace (vivátxe). [It.] *Mús.* Com vivacidade.

vivacidade. [Do lat. *vivacitate.*] *S. f.* **1.** Qualidade de vivaz; atividade, intensidade, energia. **2.** Esperteza, finura. **3.** Modo expressivo de falar ou gesticular. **4.** Brilho, brilhantismo. [Sin. ger.: *viveza.*]

vivacíssimo. [Do lat. *vivacissimu.*] *Adj.* Superl. abs. sint. de *vivaz:* "O santista é vermelho, sanguíneo, corajoso, ... vivacíssimo, porque o temperamento ardente é a imaginação do corpo." (Martins Fontes, *Terras da Fantasia*, p. 275).

vivaldino. *S. m. Bras. Gír.* Indivíduo muito vivo, muito esperto, sabidíssimo, grande malandro; espertalhão.

vivalma. [De *viva* + *alma.*] *S. f.* Alma, ser vivo; vivente: "Quem estará a tocar a estas horas? Olha em torno e não vê vivalma." (Érico Veríssimo, *Noite*, p. 177.)

vivandeira. [Do fr. *vivandière.*] *S. f.* Mulher que vende mantimentos, ou que os leva, acompanhando tropas em marcha.

vivar. *V. t. d.* **1.** Dar vivas a; aplaudir com vivas. *Int.* **2.** Dar vivas.

vivaracho. [Do esp. *vivaracho.*] *Adj. Bras., S.* Muito vivo; muito esperto; sagacíssimo.

vivaz. [Do lat. *vivace.*] *Adj. 2 g.* **1.** V. *vivedouro* (2). **2.** V. *vivo* (2). **3.** Forte, vigoroso, enérgico: "E esta vivaz, veemente natureza, / Toda de fogo e luz" (Almeida Garrett, *Folhas Caídas*, p. 167). **4.** Ligeiro, rápido, vivo. **5.** Diz-se da planta que vive muitos anos. [Superl. abs. sint.: *vivacíssimo.*]

vivedoiro. *Adj.* V. *vivedouro.*

vivedor (ô). *Adj.* **1.** V. *vivedouro* (2). **2.** Solícito, agenciador, diligente, ativo. **3.** *Bras., CE.* Diz-se daquele que ganha dinheiro facilmente e consegue enriquecer.

vivedouro. [Do lat. *victuru*, part. do fut. ativo de *vivere*, 'viver'.] *Adj.* **1.** Que pode viver. **2.** Que vive ou pode viver muito; duradouro, vivaz, vivedor, vivo. [Var.: *vivedoiro.*]

viveirista. *S. 2 g.* Pessoa que trabalha com viveiros de plantas, ou os explora comercialmente.

viveiro. [Do lat. *vivariu.*] *S. m.* **1.** Lugar onde se criam e se reproduzem animais. **2.** Escavação natural ou artificial, ou depósito, cheio de água, onde se criam peixes ou plantas aquáticas; aquário. **3.** Canteiro ou recinto próprio para semear vegetais ou cereais que depois serão transplantados; sementeira, pepineira. **4.** *P. ext.* Centro de criação e formação; seminário: "Viveiro de titulares do Império, de políticos de destaque, ... o vale do Camaragibe [em AL] produziu também um inventor de máquinas." (Raul Lima, *O Fio do Tempo*, p. 141.) **5.** *P. ext.* Grande porção; quantidade, enxame. **6.** *Bras., N. Gré.* **7.** *Bras., RS. Pop.* V. *zona* (10).

vivência. [Do lat. *viventia*, nom.-acus. neutro pl. de *vivens, tis*, 'vivente'.] *S. f.* **1.** O fato de ter vida, de viver; existência. **2.** Experiência da vida. **3.** O que se viveu. **4.** *Bras., N.* Situação, modos ou hábitos de vida. [Cf. *vivencia*, do v. *vivenciar.*]

vivencial. *Adj. 2 g.* Referente a vivência (1 e 2).

vivenciamento. *S. m.* Ato ou efeito de vivenciar.

vivenciar. [De *vivência* + *-ar*[2].] *V. t. d.* Viver, sentir ou captar em profundidade: *vivenciar uma situação.* [Pres. ind.: *vivencio, vivencias, vivencia*, etc. Cf. *vivência.*]

vivenda. [Do lat. *vivenda*, part. do fut. passivo de *vivere*, 'viver'.] *S. f.* **1.** Casa (1) onde se vive, em geral suntuosa: "É silenciosa / A modesta vivenda em que ela habita" (Gonçalves Crespo, *Obras Completas*, p. 302). **2.** Modo de vida. **3.** Subsistência, passadio. **4.** Maneira ou sistema de viver; comportamento.

vivente. [Do lat. *vivente.*] *Adj. 2 g.* **1.** Que vive. ● *S. 2 g.* **2.** Pessoa que vive. **3.** Criatura viva: "Se o boi bufava, os viventes / viam fogo no sertão" (Stella Leonardos, *Geolírica*, p. 47).

viver. [Do lat. *vivere.*] *V. int.* **1.** Ter vida; estar com vida; existir: *O doente ainda vive;* "Oh! eu quero viver, beber perfumes / Na flor silvestre, que embalsama os ares" (Castro Alves, *Obra Completa*, p. 88); "Cabral viveu ainda cerca de vinte anos depois de sua viagem afortunada" (Rodolfo Garcia, *Ensaio sobre a História Política e Administrativa do Brasil*, p. 41). **2.** Perdurar, subsistir, existir; durar: *Até quando viverá este desentendimento?* **3.** Passar à posteridade; perpetuar-se: *As grandes obras de arte viverão.* **4.** Gozar a vida, sabendo aproveitá-la: *Viva, não vegete.* **5.** Tirar partido de tudo. *T. c.* **6.** Habitar, residir, morar: *Vive na Europa desde a infância.* **7.** Alimentar-se, sustentar-se: *Vive de carne e vegetais.* **8.** Tirar a subsistência ou os meios para passar a vida; manter-se: *O homem honrado vive de seu trabalho.* **9.** Passar a vida; dedicar-se habitualmente: *Vive a trabalhar em obras sociais.* **10.** Dedicar-se inteiramente: *Vive para os prazeres mundanos.* **11.** Entreter relações; conviver: *Vive com os piores elementos do bairro.* **12.** Ter vida; estar com vida: "De tão magra e pálida, ninguém mais a reconhecia. Nela somente viviam os olhos, os seus grandes olhos doces e sonhadores." (Cordeiro de Andrade, *Anjo Negro*, p. 15.) *Pred.* **13.** Passar a vida (de certa maneira): *Vive feliz. T. d.* **14.** Passar (a vida): *Sempre viveu uma vida desregrada.* **15.** Gozar, desfrutar, fruir (a vida): "A vida perdoa raramente aqueles que não a vivem bastante." (Gilberto Amado, *Depois da Política*, p. 253.) **16.** Passar; ter: *Maldiz a vida que vive;* "Ser como os peixes que vivem sua vida própria / ignorando o curso das águas" (Odilo Costa, filho, *Cantiga Incompleta*, p. 26). *P.* **17.** Existir, passar a vida; ir vivendo. [Inf. pess.: *viver, viveres* (ê), etc.; part.: *vivido* Cf. *víveres* e *vívido.*] ● *S. m.* **18.** A vida: *Triste viver tem aquela moça.* ♦ **Vivendo e colhendo.** Vivendo e bem.

víveres. [Do fr. *vivres.*] *S. m. pl.* Gêneros alimentícios; comestíveis, mantimentos, vitualhas. [Cf. *viveres* (ê), do v. *viver.*]

viverrídeo. *S. m.* **1.** Espécime dos viverrídeos. ● *Adj.* **2.** Pertencente ou relativo a eles.

viverrídeos. *S. m. pl. Zool.* Família de mamíferos carniceiros à qual pertence o furão.

viveza (ê). [De *vivo* + *-eza.*] *S. f.* V. *vivacidade.*

vivi. [Voc. onom.] *S. m. Bras.* Ave passeriforme, da família dos traupídeos (*Tanagra chlorotica serrirostris* (Laf. & d'Orb.)), do Brasil central e este-meridional. Tem o dorso azul-turquesa, fronte e lado inferior amarelos, garganta preta, duas retrizes de cada lado, pintadas de branco, e pescoço com tonalidade violácea. A fêmea é olivácea, lavada de amarelo. [Sin.: *puvi* e *gaturamo-miudinho.*]

vividamente. [Do fem. de *vívido* + *-mente.*] *Adv.* De modo vívido; com vivacidade.

vividez (ê). *S. f.* Qualidade de vívido.

vivido. [Part. de *viver.*] *Adj.* **1.** Que viveu muito. **2.** Que tem larga experiência da vida. [Cf. *vívido.*]

vívido. [Do lat. *vividu.*] *Adj.* **1.** Que tem vivacidade. **2.** Ardente, intenso, vivo: *amor vívido.* **3.** Luminoso, brilhante: *raios vívidos.* **4.** Expressivo, significativo. **5.** Que tem cores vivas: *vívidas tapeçarias.* [Cf. *vivido*, part. de *viver* e adj.]

vivificação. [Do lat. *vivificatione.*] *S. f.* Ato ou efeito de vivificar.

vivificador (ô). [Do lat. *vivificatore.*] *Adj.* **1.** V. *vivificante.* ● *S. m.* **2.** Aquilo que vivifica.

vivificante. [Do lat. *vivificante.*] *Adj. 2 g.* Que vivifica; vivificador, vivificativo, vivífico.

vivificar. [Do lat. *vivificare.*] *V. t. d.* **1.** Dar vida ou existência a; animar: *Conta a Bíblia que Deus vivificou o barro.* **2.** Reanimar, reviver: *O médico vivificou o morto com massagens no coração.* **3.** Conservar a existência de: *Os remédios vivificam os doentes.* **4.** Tornar vívido; animar. **5.** Fecundar, fertilizar. **6.** Dar movimento, atividade, a, ativar: "Ela [a personalidade] vivifica as funções em que se investe" (San Tiago

Dantas, *Figuras do Direito*, p. 107). *Int.* **7.** Ser vivificante; produzir vivificação. [Conjug.: v. *trancar*. Pres. ind.: *vivifico*, etc. Cf. *vivífico*.]
vivificativo. [De *vivificatu*, part. pass. de *vivificare*, 'vivificar', + *-ivo*.] *Adj.* V. *vivificante*.
vivífico. [Do lat. *vivificu*.] *Adj.* V. *vivificante*. [Cf. *vivifico*, do v. *vivificar*.]
vivió. [Voc. onom.] *S. m. Bras.* Ave passeriforme, da família do cotingídeos (*Lipaugus vociferans* (Wied)), das matas da Amaz., BA e ES, de coloração cinza, e asas e cauda tirantes ao pardo. [Sin.: *bastião, cricrió, coniconió, goela-d'água, sabiá-tropeiro, pipiô, viruçu, poaieiro, seringueiro, sim-senhor, tropeiro*.]
viviparidade. *S. f.* **1.** O modo de reprodução dos animais vivíparos. **2.** *Bot.* Crescimento de embrião enquanto a semente ainda está dentro do fruto e este preso à árvore. Quando o fruto se desprende, já a plântula está em formação. **3.** *Bot.* Formação da jovem planta mediante o crescimento de gemas adventícias e bulbilhos, como sucede com o agave.
vivíparo. [Do lat. *viviparu*.] *Adj.* **1.** *Zool.* Diz-se do animal que pare filhos. [Cf. *ovíparo*.] **2.** *Bot.* Diz-se das plantas que apresentam viviparidade. • *S. m.* **3.** *Zool.* Mamífero vivíparo.
viviseção. *S. f.* Var. de *vivissecção*.
vivissecção. [Do lat. *vivu*, 'vivo', + *-i-* + lat. *seccione*, 'secção'.] *S. f.* Operação feita em animais vivos para estudo de fenômenos fisiológicos. [Var.: *vivisseção*.]
vivisseccionista. *S. 2 g.* Pessoa que faz vivissecção. [Var.: *vivissecionista*.]
vivissecionista. *S. 2 g.* Var. de *vivisseccionista*.
vivível. *Adj. 2 g.* **1.** Que se pode viver. **2.** Que vale a pena de ser vivido.
vivo. [Do lat. *vivu*.] *Adj.* **1.** Que vive; que tem vida; animado. **2.** Ativo, intenso, forte, penetrante: *Que vivo o aroma desta rosa!* **3.** V. *vivedouro* (2). **4.** Que tem uso corrente; usual: *linguagem viva; regência viva*. **5.** Fervoroso, ardente: *Tem uma viva fé em Deus*; "Convidei o meu companheiro .... para tomar uma dose de vodca, num vivo regozijo pelo meu regresso" (Raul Bopp, *Coisas do Oriente*, p. 60). **6.** Aceso, acalorado: *um debate muito vivo*. **7.** Que surte efeito; eficaz. **8.** Diligente, pronto. **9.** Ligeiro, rápido, vivaz. **10.** Persuasivo, persuasor, suasório. **11.** Esperto, matreiro. ~ V. *arquivo —, cal —a, cerca —a, dicionário —, dinheiro —, enciclopédia —a, fôlego —, força —a, fronteira —a, língua —a, matéria —a, modelo —, obras —as, olho —, sebe —a* e *seio —*. • *S. m.* **12.** Criatura viva; ser dotado de vida. **13.** Parte viva ou extremamente sensível do organismo animal. **14.** Âmago, cerne. **15.** Debrum ou tira de cor contrastante com a da peça debruada: *O lençol é azul com um vivo vermelho em toda a volta*; "criados de farda, parecidos com os do bispo, e tendo as cores das respectivas casas nas golas, nos canhões e nos vivos da libré arcaica, cheirando a mofo e a azebre." (Ramalho Ortigão, *As Farpas*, I, p. 185). **16.** Vívula. **17.** *Marinh.* A parte do cabo que está retesada, suportando um esforço de tração: *Afastem-se do vivo, para evitar acidente!* ♦ **Vivo e colhendo.** Vivo e bem. **Ao vivo. 1.** Com aparência de realidade; sem ficção. **2.** No exato momento em que ocorre, ou se executa: *televisionar uma cena ao vivo; transmitir um programa radiofônico ao vivo*. **3.** Apresentado diretamente ao público por músicos, atores, locutores, etc.: *uma festa com música ao vivo*.
vivório. *S.m.* **1.** Muitos vivas. **2.** Entusiasmo estrepitoso.
vívula. [De *vivo* + *-ula*.] *S. f.* Inflamação da pele e tendões na parte anterior da quartela das cavalgaduras; vivo.
➧**vixit** (víksit). [Lat., 'viveu'.] Eufemismo com que os romanos anunciavam a morte de alguém.
vizindário. [Do esp. plat. *vecindario*.] *S. m. Bras., RS.* Conjunto das pessoas que moram nas redondezas de um lugar. [Cf. *vizinhança* (2).]
vizinhada. *S. f. Bras.* Vizinhança (2).
vizinhança. *S. f.* **1.** Qualidade do que é vizinho. **2.** Pessoas ou famílias vizinhas. **3.** Arrabaldes, arredores, cercania. **4.** *Fig.* Analogia, semelhança. **5.** *Anál. Mat.* Qualquer região do espaço em torno de um ponto desse espaço. Numa reta, é qualquer intervalo aberto cujos extremos estejam em lados opostos de um ponto.
vizinhar. [Do lat. **vicinare*, por *vicinari*.] *V. t. d.* **1.** Ser vizinho de. **2.** Ser limítrofe ou contíguo a. **3.** Aproximar-se ou achegar-se de. *T. i.* **4.** Confinar, limitar-se: *O Brasil vizinha ao S. com o Uruguai*. **5.** Tornar-se vizinho. **6.** Aproximar-se, avizinhar-se apropinquar-se.
vizinho. [Do lat. *vicinu*, 'da aldeia'.] *Adj.* **1.** Que está próximo; vicinal. **2.** Que mora perto. **3.** Limítrofe, confinante; vicinal. **4.** Análogo, semelhante. **5.** Diz-se de parente (1) não afastado. **6.** *Mús.* Diz-se do tom (13) que tem a mesma armadura de clave de outro, ou difere de outros tons por uma alteração a mais ou a menos na armadura. Ex.: *mi maior* (4 sustenidos) é vizinho de *dó sustenido menor* (mesma armadura), de *si maior* e *sol sustenido menor* (5 sustenidos) e *lá maior* e *fá sustenido menor* (3 sustenidos). • *S. m.* **7.** Habitante, morador. **8.** Aquele que reside próximo a nós.
vizir. [Do ár. *wazīr*, 'aquele que ajuda alguém a carregar uma carga', atr. do turco *vezir* e do fr. *vizir*.] *S. m.* Ministro de príncipe muçulmano: "Pobre namorado das Mil e Uma Noites! Vi-te ali mesmo correr atrás da mulher do vizir, ao longo da galeria, ela a acenar-te com a posse, e tu a correr, a correr, a correr" (Machado de Assis, *Memórias Póstumas de Brás Cubas*, pp. 62-63).
vizirado. *S. m.* **1.** Cargo ou dignidade de vizir. **2.** O tempo que dura este cargo. [F. paral.: *vizirato*.]
vizirato. *S. m.* Vizirado.
vó. *S. f.* F. aferética de *avó*. [Cf. *vô*.]
vô. *S. m.* F. aferética da *avô*. [Cf. *vó*.]
voadeira[1]. [De *voar* + *-d-* + *-eira*.] *S. f. Bras., N.* e *C.O.* Barco com motor de popa, muito veloz.
voadeira[2]. *S. f. Bras.* F. red. de *tainhota-voadeira* [q. v.].
voadoiros. *S. m. pl.* V. *voadouros*.
voador[1] (ô). *S. m.* F. red. de *peixe-voador* [q. v.].
voador[2] (ô). *Adj.* **1.** Que voa ou pode voar; volátil. **2.** *Fig.* Muito ligeiro, rápido, veloz. ~ V. *cheque —, disco —* e *foguete —*. • *S. m.* **3.** O que voa. **4.** Acrobata que pula de um trapézio para outro, mais ou menos distante. **5.** *Bras.* Peixe teleósteo, escleropáreo, da família dos cefalacantídeos (*Dactylopterus volitans* (L.)), do Atlântico, de coloração pardo-escura maculada de preto, com três manchas maiores dos lados, sobre a linha lateral, abdome amarelo-avermelhado, nadadeiras peitorais pontoadas de azul. Nada aos bandos, à procura do alimento, constituído por crustáceos e pequenos peixes. Costumam realizar vôos planados de até 100 m de extensão. Comprimento até 33 cm. [Sin.: *voador-cascudo, peixe-voador, cajaléu, pirabebe, coió*.] **6.** Sapopema (2). **7.** Aparelho de madeira ou metal, formado por dois arcos superpostos e de diâmetros desiguais, ligados entre si por meio de hastes, com rodinhas no inferior (maior), usado para firmar crianças que começam a andar.
voador-cascudo. *S. m. Bras.* V. *voador* (5). [Pl.: *voadores-cascudos*.]
voadouros. [De *voar* + *-douro*.] *S. m. pl.* **1.** As penas mais longas das asas, nas extremidades dos respectivos cotos; guias, remígios. **2.** *Fig.* Maneiras de proceder, de abrir carreira. [Var.: *voadoiros*.]
voadura. [Do lat. *volatura*.] *S. f.* Ato ou efeito de voar.
voagem. [De *voar* + *-agem*[2].] *S. f.* A limpadura ou rabeiras dos cereais debulhados nas eiras.
voamento. [De *voar* + *-mento*.] *S. m. Constr.* Saliência (2).
voante. [Do lat. *volante*.] *Adj. 2 g.* **1.** Que voa ou pode voar; volante: "caminho sem princípio nem margem de todos os bichos voantes — morcegos, mariposas, aves de pequena ou grande envergadura." (Osmã Lins, *Nove, Novena*, p. 93). **2.** Transitório, passageiro, efêmero.
voa-pé. [De *voar* + *pé*.] *S. m. Bras.* Certo golpe de capoeira: "Desferiram-se navalhas contra navalhas, jogaram-se as cabeçadas e os voa-pés." (Aluísio Azevedo, *O Cortiço*, p. 278.) [Pl.: *voa-pés*.]
voar. [Do lat. *volare*.] *V. int.* **1.** Sustentar-se ou mover-se no ar por meio de asas ou de aeronaves: "No ar transparente, as andorinhas / Voam, revoam" (Ronald de Carvalho, *Poemas e Sonetos*, p. 66); *Com o avanço da técnica, o homem chegou a voar*; "Seu desejo [de Santos Dumont] de voar num balão de verdade acabou sendo satisfeito." (Francisco de Assis Barbosa, *Santos Dumont. Inventor*, p. 23). **2.** Ir pelo ar com grande rapidez: *Dispararam o revólver e a bala voou*. **3.** Correr velozmente: "Esporeio o animal que infrene voa" (Alberto de Oliveira, *Poesias*, 3ª série, p. 245). **4.** Fazer-se ouvir rapidamente: *Os insultos voavam de parte a parte*. **5.** Desaparecer com rapidez; dispersar-se, dissipar-se, sumir(-se): *Dado o esclarecimento, as dúvidas voaram*. **6.** Escapar da memória; ser esquecido; esquecer. **7.** Passar ou decorrer rapidamente (o tempo): "Pausado outrora, o tempo ia voando ..." (Eugênio de Castro, *Églogas*, p. 23.) **8.** Propagar-se ou propalar-se rapidamente. **9.** Explodir, rebentar: *A explosão fez o edifício voar*. **10.** Desaparecer no ar. **11.** Elevar-se em pensamento; ter concepções sublimes ou elevadas. *T. c.* **12.** Ir, dirigir-se, com grande rapidez: *Notando que era tarde, voou para casa*. **13.** Acudir com presteza. **14.** Transportar-se em aeronave: *Voou para São Paulo*. *T. d.* **15.** *Bras.* Jogar, atirar, arremessar: *Voou uma pedra na vidraça*. **16.** Fazer saltar, explodir: *voar uma granada*. [Conjug.: v. *coroar*. Pres. ind.: *vôo, voas* (ô), *voa* (ô), etc.; pres. subj.: *voe* (ô), *voes* (ô), etc.] ♦ **Voar alto.** *Fig.* Ser otimista em extremo; fazer projetos irrealizáveis ou de realização difícil. **Voar baixinho.** *Bras., RS. Fig.* Andar em má situação, sem dinheiro, mal de negócios, e por isso com aspirações modestas. **Voar em cima de.** *Bras. Gír. Fig.* Assediar (alguém) com objetivo de conquista ou de namoro; voar para cima de (alguém). **Voar para cima de.** *Bras. Gír. Fig.* Voar em cima de.
vocabular. *Adj. 2 g.* Relativo ou pertencente a vocábulo.
vocabulário. [De *vocábulo* + *-ário*.] *S. m.* **1.** O conjunto das palavras de uma língua. **2.** O conjunto das palavras em certo estágio de uma língua: *o vocabulário quinhentista*. **3.** O conjunto das palavras especializadas em qualquer campo de conhecimento ou atividade; nomenclatura, terminologia: *vocabulário de medicina, de sociologia, de eletrônica*. **4.** O conjunto das palavras e expressões conhecidas e/ou empregadas por pessoa(s) de determinada faixa etária, social, etc.: *o vocabulário infantil; o vocabulário do poder jovem; o vocabulário dos marginais*. **5.** O conjunto das palavras usadas por um autor em sua obra, ou em parte dela: *O vocabulário de* Os Lusíadas *é de umas 6.000 palavras*. **6.** Lista de vocábulos de uma língua dispostos em ordem alfabética: *vocabulário ortográfico; vocabulário etimológico*. **7.** Lista de palavras ou expressões de uma língua ou de um estágio dela, de um dialeto, de um autor, e de um ramo de conhecimento, técnica ou atividade, geralmente dispostas em ordem alfabética, e que podem vir ou não acompanhadas das classes gramaticais a que pertencem e/ou de outras indicações: *vocabulário de expressões idiomáticas inglesas; vocabulário de artes plásticas; vocabulário de termos esportivos*. **8.** Livro ou compêndio que contém uma dessas listas: *Comprei um vocabulário de economia muito atualizado*. **9.** Dicionário sucinto: *Vocabulário Etimológico, Ortográfico e Prosódico das Palavras Portuguesas Derivadas da Língua Grega*, de Ramiz Galvão. **10.** Relação de termos que apresentam determinada(s) peculiaridade(s), e que figuram como apêndice a uma obra, ou, nalguns casos, no fim de cada uma das peças de que ela se compõe; glossário, elucidário: *Seu estudo sobre a poesia trovadoresca traz anexo um ótimo vocabulário; O professor mandou estudar o vocabulário das leituras para a prova mensal; Cada um dos quatro livros de contos regionais de Valdomiro Silveira contém um vocabulário*. **11.** *Proc. Dados.* Lista de códigos de operação ou de instruções capazes de expressar ao programador as soluções do problema para um computador específico.
vocabularista. *S. 2 g.* Autor de vocabulário(s); vocabulista.
vocabularização. *S. f.* Ato ou efeito de vocabularizar.
vocabularizado. [Part. de *vocabularizar*.] *Adj.* Incluído em vocabulário ou dicionário; dicionarizado.
vocabularizar. *V. t. d.* Incluir em vocabulário ou dicionário. [Cf. *dicionarizar*.]
vocabularizável. *Adj. 2 g.* Que pode ser vocabularizado; dicionarizável.
vocabulista. [De *vocábulo* + *-ista*.] *S. 2 g.* Vocabularista.
vocábulo. [Do lat. *vocabulu*.] *S. m.* Palavra que faz parte duma língua; termo, dição.
vocação. [Do lat. *vocatione*.] *S. f.* **1.** Ato de chamar. **2.** Escolha, chamamento, predestinação. **3.** Tendência, disposição, pendor. **4.** *P. ext.* Talento, aptidão. **5.** *Bras., RJ.* Terreno ao qual a árvore se adapta de modo admirável. ♦ **Vocação hereditária.** *Jur.* Chamamento dos herdeiros legítimos à sucessão aberta, com observância da ordem prevista na lei civil.
vocacional. *Adj. 2 g. Bras.* Referente a vocação: *teste vocacional*.
vocal. [Do lat. *vocale*, 'referente à voz humana'.] *Adj. 2 g.* **1.** Referente à voz. **2.** Que serve para produzir a voz. **3.** Que se exprime por meio da voz. [Cf. *vocálico*.] ~ V. *corda —* e *quarteto —*.
vocálico. [Do lat. *vocale*, 'vogal', + *-ico*[2].] *Adj.* Relativo às letras vogais. [Cf. *vocal*.]
vocalise. [Do fr. *vocalise*.] *S. m.* **1.** *Mús.* Exercício vocal que consiste em cantar sobre uma vogal uma série de notas convenientemente escolhidas com objetivo didático. **2.** *Mús.* Trecho vocal sem palavras, sobretudo na música polifônica dos sécs. XIII e XV, quando as partes nem sempre tinham textos. [F. vernácula, porém desus.: *vocalizo*. Cf. *vocalize*, do v. *vocalizar*.]

vocalismo. [Do lat. *vocale*, 'vogal', + *-ismo*.] *S. m. Gram.* O conjunto das alterações fonéticas referentes às vogais. [Cf. *consonantismo* (1).]

vocalização. *S. f.* Ato ou efeito de vocalizar.

vocalizador (ô). *Adj.* e *s. m.* Que ou aquele que vocaliza.

vocalizar. [Do lat. *vocale*, 'vogal', + *-izar*.] *V. int.* **1.** *Mús.* Cantar sem articular palavras ou nomear notas, modulando a voz sobre uma vogal. **2.** *Gram.* Converter (consoante) em vogal. [Nesta acepç., cf. *consonantizar*.] *T. d.* **3.** *Mús.* Cantar (melodia, canção, etc.) sem articular palavras ou nomear notas, modulando a voz sobre uma vogal. [Pres. subj.: *vocalize*, etc. Cf. *vocalise*.]

vocalizo. [Dev. de *vocalizar*.] *S. m. Mús. Desus.* V. *vocalise*.

vocativo. [Do lat. *vocativu*.] *S. m. Gram.* **1.** Nas línguas declinativas, como, p. ex., o latim, o caso que se usa para chamar, interpelar alguém. **2.** Expressão da pessoa ou coisa à qual nos dirigimos no discurso direto. ● *Adj.* **3.** Relativo ao vocativo (1).

você. [De *vosmecê* < *vossemecê* < *Vossa Mercê*.] *Pron. de tratamento.* **1.** Em certas partes de Portugal, ainda indica respeito, prendendo-se, semanticamente, ao *Vossa Mercê* originário, como já se deu (porém, cremos, bem pouco) no Brasil. Veja-se este exemplo, onde o autor (morto em 1896) começa: "Ex. Sr. e meu jovem amigo.", e escreve adiante: "V. é ainda muito novo" (João de Deus, *Prosas*, p. 117). E mais: "Minha ilustre senhora.", terminando assim a carta: "Peço desculpa a V. destas escusadas reflexões, e sempre às suas ordens." (Id., *ib.*, pp. 124-125). Poderiam acrescentar-se muitas outras abonações, de autores de hoje. **2.** Tratamento íntimo entre iguais, ou de superior para inferior: "— Estou velha para casamento. | — Assim, você me acabrunha: sou da sua idade e ainda me acredito moço." (Mário Sete, *Senhora de Engenho*, p. 180); "— Homem, você não acaba mais? bradou de repente o solicitador [a um seu empregado]." (Machado de Assis, *Várias Histórias*, p. 44). **3.** Dos fins da 1ª metade deste século para cá, tratamento dado (no Brasil, pelo menos) por filho, neto, sobrinho, etc., ao pai, avô, tio, etc., mas que ainda não excluiu o emprego de *o senhor*: "— Mamãe, acho que tem uma moça chamando você lá embaixo..." (Aníbal M. Machado, *Histórias Reunidas*, p. 257). **4.** Tratamento dado, hoje em dia, geralmente no singular, em anúncios de jornais, e por locutores de rádio e televisão, artistas de teatro, etc., a leitores, ouvintes e espectadores. [A palavra *você* apresenta numerosas var. e f. paralelas, na maioria brasileiras: *vassuncê, vossemecê, vosmecê, vancê, voncê, vacê, ancê, acê, ocê, cê*. Chegam talvez a 30 as f. derivadas de *Vossa Mercê*. Cf. *vocês, seu*[1].]

vocês. *Pron. pess.* Além do seu emprego como o pl. normal de *você*, apresenta as seguintes peculiaridades: **1.** Pode ser o pl. de *tu* (= vós): "Fazes-me dó, rã inchada! Que sabes tu, e que sabe a tua geração? Donde vêm vocês?" (Camilo Castelo Branco, *Noites de Lamego*, p. 66); "Quanto ao que me dizes do Chico Sousa, não acho que devas ter nenhum escrúpulo; vocês não são amigos, dão-se." (Machado de Assis, *Páginas Recolhidas*, p. 119). [Em sua *Gramática Histórica da Língua Portuguesa*, p. 93, observa Said Ali: "dirigindo-nos a mais de um indivíduo, servimo-nos hoje de vocês como plural semântico de *tu*."] **2.** *Bras.* Na boca de empregadas domésticas e pessoas de outras classes, *vocês* é o pl. de *o senhor*: *Que é que vocês querem jantar?* — perguntará a empregada aos patrões, ao passo que a um deles, separadamente, perguntaria: *Que é que o senhor* [ou *a senhora*] *quer jantar?* [Cf. *você, seu*[1], *vós, vosso*.]

vociferação. [Do lat. *vociferatione?*] *S. f.* Ato ou efeito de vociferar.

vociferador (ô). [Do lat. *vociferatore*.] *Adj.* **1.** Que vocifera; vociferante. ● *S. m.* **2.** Aquele que vocifera.

vociferante. [Do lat. *vociferante*.] *Adj. 2 g.* Vociferador (1).

vociferar. [Do lat. *vociferare*.] *V. t. d.* **1.** Proferir em voz alta ou clamorosa; clamar, bradar, exclamar: "vociferavam lamentações" (Raul Pompéia, *O Ateneu*, p. 268); "Uma bala fraturou-lhe a perna esquerda. Caiu, vociferando pragas." (Gustavo Barroso, *Heróis e Bandidos*, p. 157). *T. i.* **2.** Dizer coisas desagradáveis; dirigir censuras ou reclamações: "Vociferam contra tudo e todos .... Não perdoam aos rapazes a mais pequena falta." (França Júnior, *Folhetins*, p. 471.) *Int.* **3.** Falar colericamente: "o mulherio praguejava, vociferava, contava o caso às que vinham descendo de Lavos" (Júlio Dantas, *Abelhas Doiradas*, p. 184). **4.** Berrar, bramir.

voçoroca. *S. f. Bras.* Desmoronamento oriundo de erosão subterrânea causada por águas pluviais que facilmente se infiltram em terrenos muito permeáveis, ao atingirem regiões de menor permeabilidade; buracão. [Cf. *boçoroca*.]

vodca. [Do russo *vodka*, 'agüinha'.] *S. f.* Aguardente russa, feita de cereais: "Convidei o meu companheiro .... para tomar uma dose de vodca, num vivo regozijo pelo meu regresso" (Raul Bopp, *Coisas do Oriente*, p. 60).

vodu. [De uma língua africana, atr. do crioulo haitiano.] *S. m.* **1.** Designação comum às divindades do Daomé. **2.** Culto de origem jeje-daomeana, praticado nas Antilhas, principalmente no Haiti, e que tem semelhanças com o nosso candomblé.

vodúnsi. [Do jeje.] *S. f. Bras., BA. Folcl.* Filha-de-santo, nos candomblés jejes.

voejar. [De *voar* + *-ejar*.] *V. int.* e *p.* V. *esvoaçar* (1): "Um inseto voejava zumbindo, aos baques pelas paredes." (Coelho Neto, *Rei Negro*, p. 115.) [Conjug.: v. *pelejar*. Normalmente só se usa nas 3as pess.]

voejo (ê). [Dev. de *voejar*.] *S. m.* **1.** Ato de voejar. **2.** Pó que sobe da farinha agitada.

voga. [Dev. de *vogar*.] *S. f.* **1.** Ato de vogar. **2.** Divulgação, propagação. **3.** Popularidade; grande aceitação: "A voga do romance policial, como gênero à parte, de caracteres bem marcados e vida própria, data dos nossos dias." (Brito Broca, *Horas de Leitura*, p. 67.) **4.** Uso atual; moda. **5.** *Mar.* Ação de remar; remada. **6.** *Mar.* A cadência da remada. **7.** *P. ext.* Ritmo que se imprime a uma atividade ou trabalho. ● *S. m.* **8.** *Mar.* Remador, ou qualquer dos remadores, que se senta na bancada mais de ré, numa embarcação miúda, e pelo qual os demais se guiam para remar na mesma cadência. ♦ **Voga apertada.** *Mar.* Remada forte, com vigor; voga arrancada, voga forçada. **Voga arrancada.** *Mar.* V. *voga apertada*. **Voga demorada.** *Mar.* Cadência lenta; voga larga. **Voga forçada.** *Mar.* V. *voga apertada*. **Voga larga.** *Mar.* Voga demorada. **Voga surda.** *Mar.* Remada sem ruído. **Picar a voga.** *Mar.* Acelerar a cadência das remadas.

vogal. [Do lat. *vocale*.] *Adj. 2 g.* **1.** *Fon.* Diz-se do fonema sonoro que se produz mediante o livre escapamento de ar pela boca. **2.** Diz-se da letra que representa esse fonema. ● *S. f.* **3.** *Fon.* Fonema vogal (1); vogal. [São sete — /a/, /é/, /ê/, /i/, /ó/, /ô/, /u/ —, que se distinguem entre si pelo timbre (7).] **4.** Letra vogal (2); vogal. [São cinco: *a, e, i, o, u*.] *S. m.* **5.** *Bras.* Juiz de fato, representante paritário da classe dos empregados ou dos empregadores, junto aos órgão judicantes da Justiça do Trabalho. *S. 2 g.* **6.** Pessoa que tem voto em uma assembléia. **7.** Membro de uma corporação, de um júri, etc. ♦ **Vogal aberta.** *Fon.* V. *timbre* (7). **Vogal alta.** *Fon.* A que se articula com um alto grau de elevação da língua. [São as seguintes: *i, u*.] **Vogal anterior.** *Fon.* Vogal para cuja emissão a língua se eleva em direção ao palato duro; vogal palatal. [São as seguintes: *é, ê, i*.] **Vogal átona.** *Fon.* V. *intensidade* (3). **Vogal baixa.** *Fon.* A vogal *a*, que se articula com a língua abaixada, sem qualquer grau de elevação. **Vogal central.** *Fon.* A que se articula com o dorso da língua na região central da cavidade bucal. **Vogal fechada.** *Fon.* V. *timbre* (7). **Vogal média.** *Fon.* A que se articula com grau médio de elevação da língua: *é, ê, ó, ô*. **Vogal nasal.** *Fon.* Vogal em cuja emissão ocorre o abaixamento do véu palatino, de modo que o ar escoa em parte pela boca e em parte pelas fossas nasais, produzindo-se uma ressonância nasal. [São as seguintes: *ã, ẽ, ĩ, õ, ũ*. Representam-se na escrita cinco letras *a, e, i, o, u*, seguidas de *m* ou de *n*; em sílaba final, o *a* nasal grafa-se com til: *lã, anã*. Cf. *vogal oral*.] **Vogal oral.** *Fon.* Vogal para cuja emissão o véu palatino se mantém levantado, de sorte que o ar escoa todo pela boca. [São as seguintes: *a, é, ê, i, ó, ô, u*. Cf. *vogal nasal*.] **Vogal palatal.** *Fon.* V. *vogal anterior*. **Vogal posterior.** *Fon.* Aquela para cuja emissão a língua se eleva em direção ao véu palatino; vogal velar. [São as seguintes: *ó, ô, u*.] **Vogal reduzida.** *Fon.* V. *timbre* (7). **Vogal temática.** *Fon.* Morfema que caracteriza nomes e verbos da língua portuguesa, reunindo-os em classes morfológicas separadas. **Vogal tônica.** *Fon.* V. *intensidade* (3). **Vogal velar.** *Fon.* V. *vogal posterior*.

vogante. *Adj. 2 g.* Que voga.

vogar. [Talvez do it. *vogare*, ou do ant. provenç. *vogar*.] *V. int.* **1.** *Ant.* Deslocar-se sobre a água impelido com o auxílio de remos. **2.** *P. ext.* Navegar (embarcação): "Voga o navio." (Eduardo Guimarães, *A Divina Quimera*, p. 198.) **3.** Flutuar, boiar: "Destacava, a um quadrante, ... o casco recurvo de uma galé desmastreada, vogando ao acaso." (Virgílio Várzea, *Nas Ondas*, pp. 185-186). **4.** *Ant.* Mover os remos para impelir um barco; remar. **5.** Derivar com suavidade; deslizar. **6.** *Fig.* Correr, divulgar-se, circular: *Vogam boas notícias.* **7.** Estar em uso; estar na moda, em voga. **8.** *Bras.* e *prov. lus.* Importar, valer: *O que você diz não voga.* **9.** *Bras.* e *prov. lus.* Estar em vigor; prevalecer. *T. d.* **10.** Percorrer, navegando. **11.** *Ant.* Impelir com a ajuda dos remos; remar. [Conjug.: v. *largar*.]

➧**voile** (vual'). [Fr.] *S. m.* Tecido leve e fino, em geral transparente: *cortina de voile de algodão; vestido de voile de seda.*

voivoda. [Do eslavônio *voivode*, 'chefe do exército', pelo fr. *voïvode*.] *S. m.* **1.** Título dado aos antigos príncipes da Moldávia, da Valáquia e doutros países da Europa oriental. **2.** Título dos antigos chefes do exército sérvio. **3.** Título do príncipe herdeiro na antiga Romênia e na Bulgária. **4.** Título de chefe de um distrito (*voivodia*), na Polônia e Iugoslávia atuais.

voivodia. *S. f.* **1.** O governo de um voivoda. **2.** Território de sua jurisdição.

volácio. *S. m. Bot.* V. *boi-gordo*.

volandeira. *S. f. Bras.* V. *bolandeira* (1).

volante. [Do lat. *volante*.] *Adj. 2 g.* **1.** Que voa ou pode voar; voante. **2.** Flutuante, ondulante. **3.** Que se pode mudar facilmente; móvel. **4.** V. *voltívolo* (1). **5.** Errante, nômade, vagabundo. **6.** Passageiro, transitório, efêmero. ~ V. *fogo —, folha —* e *moscas —s*. ● *S. m.* **7.** Tecido leve e transparente, apropriado para véus de senhoras, etc. **8.** Péla feita de material leve, com penas espetadas em redor, e que se joga ao ar com a raquete [Cf. *peteca* (1).] **9.** Jogo no qual os parceiros impelem com a raquete o volante (8) de uns para outros. **10.** Seta, dardo. **11.** Peça circular, presa transversalmente a um eixo, e que serve para fazê-lo girar: *volante de uma válvula; volante de direção* (dum automóvel). **12.** Pesada roda cuja inércia atua como força reguladora do movimento de um maquinismo. **13.** Correia contínua na roda das máquinas. **14.** Rede dum só pano, para enredar pescadas. **15.** Lacaio, servo. **16.** V. *folha volante*. **17.** *Bras.* Impresso onde se marcam apostas de jogos. **18.** *Bras.* Hábil condutor de automóveis, que participa de carreiras de velocidades e resistência. ● *S. f.* **19.** *Bras.* Tropa ligeira, sem bagagem nem artilharia.

volantim. [Var. nasalada de *volantim*.] *S. m.* **1.** Andarilho (2). **2.** V. *funâmbulo* (1).

volapuque. [Palavra artificial < ingl. *world*, 'mundo', + *speak*, 'fala'.] *S. m.* Língua auxiliar de comunicação internacional, lançada em 1879 pelo alemão Mons. Johann Martin Schleyer (1831-1912).

volapuquista. *S. 2 g.* Especialista em volapuque.

volar. [Do lat. *vola*, 'palma da mão', + *-ar*[1].] *Adj. 2 g. Anat.* Da, ou pertencente ou relativo à palma da mão ou à planta do pé.

volata. [Do it. *volata*.] *S. f.* **1.** *Mús.* Série de sons executados com rapidez. **2.** *Mús.* Progressão das notas de uma oitava, executadas com velocidade. **3.** *Bras.* Grande pressa; disparada.

volataria. [Do esp. *volatería*.] *S. f.* **1.** Arte de caçar com falcões ou outras aves. [Cf. *altanaria* (3).] **2.** Aves caçadas. [Var.: *volateria*.]

volateante. *Adj. 2 g.* Que volateia; esvoaçante: "As névoas volateantes fugiam impelidas pelas auras da manhã" (Afonso Arinos, *pelo Sertão*, p. 40).

volatear. [Do lat. *volatu*, part. pass. de *volare*, 'voar', + *-ear*.] *V. int.* V. *esvoaçar* (1): "Recebe-nos à porta / Do templo de verdura / Azul, trêfega, leve borboleta; / Vai volateando inquieta, / Recruza o atalho, o espaço corta" (Alberto de Oliveira, *Poesias*, 2ª série, p. 308). [Conjug.: v. *frear*.]

volateria. *S. f.* Var. de *volataria*.

volátil. [Do lat. *volatile*.] *Adj. 2 g.* **1.** Que pode voar; voador. **2.** Relativo a aves. **3.** *Fig.* V. *volúvel* (3). **4.** Que pode ser reduzido a gás ou vapor. ~ V. *óleo —*. ● *S. m.* **5.** Animal que voa; ave. [Pl.: *voláteis*.]

volatilidade. *S. f.* Qualidade de volátil.

volatilização. *S. f.* **1.** Ato ou efeito de volatilizar(-se). **2.** *Astron.* Destruição de um engenho espacial, causada pelo atrito com a atmosfera.

volatilizante. *Adj. 2 g.* Que volatiliza ou se volatiliza.

volatilizar. [De *volátil* (4) + *-izar*.] *V. int.* e *p.* **1.** Reduzir(-se) a gás ou vapor; vaporizar(-se): "enchi um tubozinho de remédio homeopático com um líquido cristalino quanto possível e que, poucos minutos depois, se tinha todo volatilizado, deixando o vidrinho seco" (Visconde de Taunay, *Visões do Sertão*, p. 37). *T. d.* **2.** Reduzir (uma substância) a gás ou vapor; vaporizar.

volatilizável. *Adj. 2 g.* Que se pode volatilizar, vaporável.

volatim. [Do esp. *volatín.*] *S. m.* V. *funâmbulo* (1). [Var.: *volantim.*]

volatina. [Do it. *volatina.*] *S. f. Mús.* Trecho musical simples, de andamento rápido.

volatório. [Do lat. *volatu*, part. pass. de *volare*, 'voar', + *-ório.*] *Adj.* Que serve para voar.

volcana. *S. f.* V. *flor-do-monturo.*

vôlei. *S. m.* V. *voleibol.*

voleibol. [Do ingl. *volley-ball.*] *S. m.* Jogo entre duas equipes de seis jogadores, separadas por uma rede, no qual se manda por cima dessa rede uma bola, batendo-lhe com a mão ou com o punho. [F. paral.: *volibol*; f. red.: *vôlei.*]

voleibolista. *S. 2 g.* **1.** Perito em coisas de voleibol e/ou apaixonado por ele. **2.** Jogador do voleibol. [F. paral.: *volibolista.*]

voleio. [De *vôlei.*] *S. m. Fut.* Jogada feita com o pé no ar, a meia altura, pela impossibilidade do uso da mão.

volemia. [De *vol(ume)-* + *-(h)em(o)-* + *-ia.*] *S. f. Fisiol.* Volume sangüíneo.

➾**volenti non fit injuria** (volênti non fit injúria). [Lat.] Não sucede injustiça àquele que consente. [É um axioma de jurisprudência.]

volfrâmio. [Do al. *Wolfram* + *-io*[2].] *S. m. Desus.* Tungstênio.

volframita. [De *volfrâmio* + *-ita*[3].] *S. f. Min.* Mineral monoclínico de brilho metálico, tungstato de ferro e manganês, minério de tungstênio.

volibol. *S. m.* V. *voleibol.* [Pl.: *volibóis.*]

volibolista. *S. 2 g.* Voleibolista.

volição. [Do lat. escolástico *volitione*, calcado em *vol*, raiz do lat. *volo*, 'querer'.] *S. f.* Ato pelo qual a vontade se determina a alguma coisa: "não acredito no poder dado a cada um de pôr em exercício a vontade, realizando o ato chamado volição." (Ramalho Ortigão, *Folhas Soltas*, p. 151). [Antôn.: *nolição.*]

volitante. [Do lat. *volitante.*] *Adj. 2 g.* Que volita.

volitar. [Do lat. *volitare.*] *V. int.* V. *esvoaçar* (1): "cestinhos de rosas, em torno a cuja ansa volitam pássaros azuis das Filipinas" (Fialho d'Almeida, *Pasquinadas*, p. 89).

volitivo. [Do lat. escolástico *volitio*, 'volição', + *-ivo.*] *Adj.* Respeitante à volição ou à vontade. — V. *realismo*—.

volível. [De *vol*, raiz do lat. *volo*, 'quero', + *-ível.*] *Adj. 2 g. P. us.* **1.** Que se pode querer. **2.** Que pode depender da vontade.

volo. *S. m.* Um dos lances do jogo do solo. [Cf. *vo-lo.*]

vo-lo. 1. Equiv. do pron. pess. *vos* e de *lo* (1): *O livro, não vo-lo posso emprestar*; "— Serei o portador dessa carta. — Dar-vo-la-ei amanhã" (Camilo Castelo Branco, *Livro Negro de Padre Dinis*, p. 149). [Flex.: *vo-la, vo-los, vo-las.* Cf. *volo.*] **2.** Equiv. do pron. pess. *vos.* e de *lo* (3): "Oh! desde já vo-lo digo: quero muitos divertimentos." (Gonçalves Dias, *Teatro*, p. 111); "Que espécie de observador seja eu, não vo-lo poderia dizer." (Rui Barbosa, *Oração aos Moços*, p. 60). [Cf. *volo.*]

▲**-volo**[1]. [Do lat. *volare.*] *El. comp.* = 'que voa': *noctívolo.*

▲**-volo**[2]. [Do lat. *volo.*] *El. comp.* = 'que quer, que deseja': *benévolo* (< lat. *benevolu*), *malévolo* (< lat. *malevolu*).

volovã. [Do fr. *vol-au-vent.*] *S. m.* Pastelão de massa folhada, feito, geralmente, em tamanho individual, e com recheio cremoso de ave, carne, camarão, etc.

volt. [Do fr. *volt.*] *S. m. Fís.* No Sistema Internacional, unidade de medida de diferença de potencial elétrico, igual à diferença de potencial existente entre duas seções transversais de um condutor percorrido por uma corrente elétrica variável de um ampère, quando a potência dissipada entre as duas seções é igual a um watt. [Pl.: *volts.* Símb.: *V.*]

volta. [Dev. de *voltar.*] *S. f.* **1.** Ato ou efeito de voltar(-se). **2.** Regresso, retorno: *Aguardemos sua volta à pátria.* **3.** Ato de virar, de girar; giro: *A bailarina fez uma volta graciosa; Ficou a olhar as voltas das pás do moinho.* **4.** Movimento que completa um percurso fechado; circuito: *A volta da Gávea foi uma prova famosa no automobilismo nacional.* **5.** Pequeno passeio ou caminhada; giro: *Dá sempre uma volta depois do jantar.* [Sin. (bras., RS): *volteada.*] **6.** Resposta, réplica; troco: *Nunca deixa um desaforo sem volta.* **7.** Mudança, alteração, transformação de idéias, atitudes, fatos, etc.; viravolta, reviravolta: *Depois de 1930 houve uma volta marcante na política brasileira.* **8.** Vicissitude, revés. **9.** Curva, sinuosidade. **10.** Aquilo que está à volta, que rodeia; redor; contorno, roda: *A volta do lenço é de renda.* **11.** V. *torna*[1] (1). **12.** Tira branca na parte superior da gola das vestes dos padres, e das togas, becas, etc. **13.** Cada uma das curvas duma espiral. **14.** Curva de rua, de estrada, etc.; reviravolta: "desapareceu por entre os flamboyants que ensombravam uma volta do jardim" (Coelho Neto, *Obra Seleta*, p. 611). **15.** Roda (18). **16.** Glosa poética. **17.** Turvação de vinho. **18.** *Marinh.* Designação genérica de certos entrelaçamentos feitos à mão, no chicote ou no seio de um cabo ou fio, para prendê-lo a um objeto ou a outro cabo ou fio, ou para prender dois ou mais objetos uns aos outros. [Nesta acepç., cf. *costura* (1) e *nó* (1).] **19.** *Mús.* V. *tom* (17). **20.** *Bras.* Meandro dos rios. **21.** *Bras., N.E.* Colar[1] (1). [Pl.: *voltas.* Cf. *volta (ô)*, fem. de *volto* (ô), e pl. *voltas* (ô).] ◆ **Volta da terra.** *Mar.* Bordada (4) que faz o navio aproximar-se da terra. [Antôn.: *volta do mar.*] **Volta do mar.** *Mar.* Bordada (4) que faz o navio afastar-se da terra. [Antôn.: *volta da terra.*] **Volta e meia.** A cada passo; freqüentemente: "Também na poesia lírica volta e meia se impõe uma indagação .... : exprime o poeta fatos reais de sua vida, ou meramente imaginários?" (Péricles Eugênio da Silva Ramos, *O Amador de Poemas*, p. 15.) **Volta esganada.** *Marinh.* Volta mordida. **Volta falida.** *Marinh.* Volta em forma de 8, dada com um cabo entre dois objetos (p. ex., dois cabeços) justapostos. **Volta mordida.** *Marinh.* Aquela em que a pernada livre fica presa (mordida) entre o vivo do cabo e o objeto em que ele se enrola; volta esganada. **Volta redonda.** *Marinh.* Volta em que se enrola mais de uma vez, sempre no mesmo sentido, um cabo em torno de um objeto. **Volta singela.** *Marinh.* Volta em que se enrola uma só vez um cabo em torno de um objeto, sem morder ou dar qualquer nó. **Volta trincafiada.** *Marinh.* Volta singela mordida. **Agüentar sob volta.** *Marinh.* Segurar um cabo que esteja portando, dando-lhe num cabeço, cunho, etc., uma ou mais voltas redondas. **Às voltas com.** Diante de (problemas, dificuldades, perigos): *Terminada a II Guerra Mundial, a Europa andou às voltas com a desorganização econômica*; "Andavam às voltas sempre com as discussões, por qualquer bobagem, jamais chegando a um entendimento." (Cordeiro de Andrade, *Anjo Negro*, p. 37). **À volta de. 1.** Em redor de, em torno de. **2.** Próximo de; cerca de; por volta de: *À volta de 1800, liquidaram-se as reminiscências feudais na França.* **Cortar uma volta.** V. *cortar volta.* **Cortar volta.** *Bras. Pop.* Suportar trabalho duro, dificuldades, ou sofrimento; comer da banda podre, cortar um dobrado, cortar um doze, cortar uma volta, cortar voltas: "A pobrezinha [da índia] se perdeu há mais de um mês, / Deve estar cortando volta, pois não fala o português (da marcha carnavalesca *Pele-Vermelha*, de Haroldo Lobo e Mílton Oliveira). **Cortar voltas.** V. *cortar volta.* **Dar as voltas em.** *Bras.* Vencer ou convencer (alguém). **Dar a volta por cima.** Superar uma situação difícil: "ali onde eu chorei / qualquer um chorava. / Dar a volta por cima que eu dei / quero ver quem dava." (Do samba *Dar a Volta por cima*, de Paulo Vanzolini). **Dar volta a.** *Marinh.* Dar por encerrada (uma faina, manobra, serviço, etc.) **Dar volta à faina.** *Marinh.* Sustar ou concluir determinada faina. **Dar volta à manobra.** *Marinh.* Sustar ou concluir determinada manobra. **Dar volta ao juízo.** Enlouquecer, endoidecer. **Dar volta aos cabos.** *Marinh.* Na embarcação à vela, prender os cabos de laborar, depois de concluída uma manobra ou faina. **Dar volta em.** *Marinh.* Prender convenientemente (um cabo, etc.) em um cunho, cabeço, etc., pelo seio ou pelo chicote. **Numa volta de mão.** Rapidamente. **Por volta de.** Em torno de; cerca de; mais ou menos: "Cheguei por volta de meia-noite." (José de Alencar, *Lucíola*, p. 52.)

volta-da-lua. *S. f. Bras. Pop.* V. *menstruação* (1). [Pl.: *voltas-da-lua.*]

volta-face. [Do fr. *volte-face.*] *S. f.* Retratação (1 a 3). [Pl.: *volta-faces.*]

voltagem. [De *volt* + *-agem*[2].] *S. f.* Tensão elétrica expressa em volts.

volta-grandense. *Adj. 2 g.* **1.** De, ou pertencente ou relativo a Volta Grande (MG). ● *S. 2 g.* **2.** Natural ou habitante de Volta Grande. [Pl.: *volta-grandenses.*]

voltaico. [Do antr. *Volta* (v. *voltaísmo*) + *-ico*[2].] *Adj. Fís.* Diz-se de fenômeno em que ocorrem manifestações provocadas por diferença de potencial elétrico entre dois eletrodos metálicos, como, p. ex., arco voltaico, pilha voltaica.

voltairiano (tè). *Adj.* **1.** Pertencente ou relativo a Voltaire, pseudônimo de François-Marie Arouet, escritor francês (1694-1778), ou próprio desse autor. ● *S. m.* **2.** Grande admirador e/ou profundo conhecedor de sua obra.

voltaísmo. *S. m. Fís.* Teoria de Alessandro Volta, físico italiano (1745-1827), acerca da geração de eletricidade.

voltâmetro. [De *volt(aico)* + *-metro.*] *S. m. Fís.-Quím.* Coulômetro. [Cf. *voltômetro.*]

volt-ampère. *S. m. Eletr.* Unidade de medida de potência aparente em circuitos de corrente alternada, igual à potência aparente de um watt. [Símb.: *VA.* Pl.: *volts-ampères.*]

voltar. [Do lat. **volvitare*, calcado num part. pass. **volvitu*, em lugar do clás. *volutu*, de *volvere*, 'virar'.] *V. t. c.* **1.** Ir ou dirigir-se ao ponto de onde partiu; regressar, retornar: *O navio voltou ao porto.* **2.** Ir ou vir pela segunda vez; tornar: *Voltei à Espanha 10 anos depois de conhecê-la.* **3.** Vir, regressar, retornar: *Os excursionistas voltarão da Europa amanhã*; "Como tinha bastante dinheiro, viajei a Europa e parte da América, voltando desse passeio com um livro de impressões" (Aluísio Azevedo, *Demônios*, p. 108). *T. i.* **4.** Mudar de direção: *O avião voltou a leste.* **5.** Tornar, recomeçar: *Depois de 11 anos livre do vício, voltou a fumar.* **6.** Ocupar-se ou tratar de novo de um assunto: *Os novos dados levaram-me a voltar à questão. Int.* **7.** Ir ou tornar ao ponto donde partiu; regressar: "fumava demais, andava pra cá, subia, descia, andava pra lá, ... voltava" (João Uchoa Cavalcanti Neto, *O Menino*, p. 27). **8.** Reproduzir-se, repetir-se, renovar-se: *As crises da doente voltaram com intensidade maior.* **9.** Voltear, girar, rodopiar. *T. d.* **10.** Mudar a posição ou a direção de; volver: *O motorista voltou o automóvel com perícia.* **11.** Mostrar, apresentar, pelo lado oposto ou pelo verso. **12.** Pôr do avesso; virar. **13.** Passar além de, volteando; dobrar, virar: *O homem voltou a esquina.* **14.** Mexer, revolver, remexer, volver: *Voltar o solo para o plantio.* **15.** Replicar, retrucar, volver. *T. d. e i.* **16.** Dirigir, apontar: *Volta a arma contra o inimigo.* **17.** Aplicar, dirigir, encaminhar: *Voltou o pensamento para Deus.* **18.** Devolver, restituir, volver: *Então ele ainda não lhe voltou os objetos emprestados?* **19.** Dar em troca, em saldo de contas. *P.* **20.** Mover-se para o lado ou em torno; virar-se. **21.** Apresentar a cara, a frente. **22.** Dirigir-se, recorrer, apelar: *Vendo-se em dificuldades, voltou-se para o irmão*; "De quando em quando, voltava-se para o estudante, e perguntava alguma cousa acerca do ferido" (Machado de Assis, *Várias Histórias*, p. 105). **23.** Ir de regresso; tornar para donde viera. [Pres. ind.: *volto*, etc.; fut. pret.: *voltaria*, etc.; part.: *voltado* e (desus.) *volto* (ô), flex. *volta* (ô), *voltos* (ô), *voltas* (ô). Cf. *volto* e *volto* (ô), *volta* (ô) e *volta* (ô), e *voltária*, fem. de *voltário.*]

volta-redondense. *Adj. 2 g.* **1.** De, ou pertencente ou relativo a Volta Redonda (RJ). ● *S. 2 g.* **2.** Natural ou habitante de Volta Redonda. [Pl.: *volta-redondenses.*]

voltarete (ê). [Do esp. *voltareta.*] *S. m.* Jogo de cartas em que cada um dos parceiros, que são três, recebe nove cartas.

voltário. [De *volta* + *-ário.*] *Adj.* V. *volúvel* (3): "E tornou à rede servil que, nos vaivéns, se lhe afeiçoava à índole voltária." (José Américo de Almeida, *A Bagaceira*, p. 14.) [Fem.: *voltária.* Cf. *voltaria*, do v. *voltar.*]

volte. [Dev. de *voltar.*] *S. m.* No voltarete, ato de voltar a primeira das cartas que se acham na mesa, tomando como trunfo o seu naipe.

volteada. [De *voltear* + *-ada*[1].] *S. f. Bras., RS.* **1.** Ato de percorrer o campo com o fim de arrebanhar ou recolher os animais para a mangueira ou o rodeio. **2.** Ato de apanhar de surpresa o gado. **3.** Cilada, emboscada, em uma volta de capão ou de mata. **4.** Volta (5). **5.** *P. ext.* Viagem. ◆ **Cair na volteada.** *Bras., RS.* Ser (o animal) trazido para o rodeio ou para o curral.

volteador (ô). *Adj.* **1.** Que volteia; volteante. ● *S. m.* **2.** Aquele que volteia. **3.** V. *funâmbulo* (1). **4.** *Bras., GO.* Indivíduo que tange o gado das boiadas, não permitindo que se espalhe em forma de leque, para não atrasar a marcha.

volteadura. *S. f.* Ato ou efeito de voltear; volteio, voltejo, volteamento.

volteamento. *S. m.* V. *volteadura.*

volteante. [De *voltear* + *-nte.*] *Adj. 2 g.* Volteador (1).

voltear. [De *volta* + *-ear.*] *V. t. d.* **1.** Andar à volta de; contornar. **2.** Fazer girar; dar voltas a: "Um homem grosso, ... curvado sob um realejo, apareceu então ao alto da rua; .... parou, pôs-se a voltear a manivela" (Eça de Queirós, *O Primo Basílio*, p. 37). **3.** Fazer dar muitas voltas. **4.** Mexer, revolver, remexer. **5.** Dar voltas a; contornar. *Int.* **6.** Dar voltas; rodopiar, girar, volutear: "em turbilhões de cem cores, em colos ondeados e graciosos, giram e volteiam as danças" (Rebelo da Silva, *Contos e Lendas*, p. 37). **7.** V. *esvoaçar* (1): "três minutos depois, as borboletas da esperança volteavam diante dele" (Machado de Assis, *Quincas Borba*, p. 327). **8.** Mover-se ou agitar-se em roda. **9.** Fazer equilíbrios. **10.** *Marinh.* Bordejar (1). [F. paral.: *voltejar.*

Conjug.: v. *frear*. Pres. ind.: *volteio*, etc. Cf. *Vulteio*, antr.]

volteio. [Dev. de *voltear*.] *S. m.* **1.** V. *volteadura*. **2.** Exercícios de funâmbulo. [Cf. *Vulteio*, antr.]

volteiro. [De *volta* + *-eiro*.] *Adj.* V. *voltívolo* (1).

voltejar. [Do it. *volteggiare*.] *V. t. d.* e *int.* Voltear. [Conjug.: v. *pelejar*.]

voltejo (ê). [Dev. de *voltejar*.] *V. volteadura*.

▲**volti-.** [De *volt*.] *El. comp.* = 'volt': *voltímetro*. [Equiv.: *volto-*: *voltômetro*.]

voltímetro. [De *volti-* + *-metro*.] *S. m. Eletr.* Instrumento para medir a diferença de potencial elétrico entre dois pontos, e do qual existem vários tipos e modelos; voltômetro [q. v.].

voltívolo. [De *volt(ar)* + *-i-* + *-volo*.] *Adj.* **1.** Que dá muitas voltas; volante, volteiro, volúvel: "São *voltívolas* asas adejantes!..." (Luís Guimarães [filho], *Pedras Preciosas*, p. 68.) **2.** V. *volúvel* (3).

volto[1] (ô). *Desus.* Part. irreg. de voltar; voltado. [Flex.: *volta* (ô), *voltos* (ô), *voltas* (ô). Cf. *volto*, *voltas*, *volta*, do v. *voltar*; *volta*, s. f., pl. *voltas*; e *Volta*, top.]

volto[2] (ô). *Desus.* Part. de *volver*; volvido. [Flex.: *voltos* (ô), *volta* (ô), *voltas* (ô). Cf. *volto*, *voltas*, *volta*, do v. *voltar*; *volta*, s. f., pl. *voltas*; e *Volta*, top.]

▲**volto-.** Equiv. de *volti-*.

voltômetro. [De *volto-* + *-metro*.] *S. m. Eletr.* Voltímetro. [Cf. *voltâmetro*.]

volubilado. [Do lat. *volubile*, 'volúvel', + *-ado*[1].] *Adj. Bot.* Diz-se do caule de certas plantas que, não se podendo suster por si próprias, tem a propriedade de enroscar-se nos corpos vizinhos.

volubilidade. [Do lat. *volubilitate*.] *S. f.* Qualidade de volúvel; inconstância.

volubilíssimo. *Adj.* Superl. abs. sint. de *volúvel*.

volumão. *S. m.* Grande volume.

volumar[1]. [De *volume* + *-ar*[1].] *Adj.* 2 *g. Geom.* Referente a volume. ~ V. *massa* — e *velocidade* —.

volumar[2]. [De *volume* + *-ar*[2].] *V. t. d.*, *int.* e *p.* Avolumar (1, 4 e 6).

volume. [Do lat. *volumen*, 'movimento giratório, rolo'.] *S. m.* **1.** *Bibliol.* Unidade física de uma obra impressa ou manuscrita, que pode coincidir ou não com o tomo; livro. **2.** *Bibliol.* Conjunto dos fascículos ou números de um periódico, publicados durante 12 meses: *Boletim Técnico do Senac, volume 4, número 3*. [De forma menos conveniente, emprega-se também a palavra 'ano' no lugar de 'volume' na identificação bibliográfica de periódicos.] **3.** *Geom.* Medida do espaço ocupado por um sólido. **4.** Pacote, embrulho, fardo. **5.** Corpulência, tamanho, desenvolvimento. **6.** Intensidade (de som ou voz). ◆ **Volume atômico.** *Quím.* Valor que se obtém quando se divide o peso atômico de um elemento por sua densidade. **Volume de homenagem.** V. *miscelânea* (2). **Volume específico. 1.** *Fís.* O volume da unidade de massa duma substância. **2.** *Expl.* Volume do gás produzido na decomposição de um quilograma de um explosivo, reduzido às condições normais. **Volume molar.** *Quím.* **1.** O volume de um mol duma substância. **2.** Numa solução, o quociente do volume da solução pelo número de moles do solvente e do soluto contidos nesse volume. **Volume reduzido.** *Fís.* O quociente do volume duma massa de gás pelo volume crítico dessa massa. **Ser um segundo volume de.** Ser muitíssimo parecido com outrem: "Os leitores ficaram conhecendo esta nova personagem com a simples indicação de que *era um segundo volume de* Augusta; bela, como ela; elegante, como ela; vaidosa, como ela." (Machado de Assis, *Contos Fluminenses*, p. 136.)

volumetria. [De *volume* + *-metr(o)-*[2] + *-ia*, com haplologia.] *S. f.* **1.** *Quím.* Processo de análise quantitativa que consiste em despejar um volume mensurável de solução titulada em volume conhecido da solução que se vai dosar, até o momento em que um indicador possibilite reconhecer o término da reação. **2.** *Arquit.* O conjunto das dimensões que determinam o volume de uma edificação ou de um grupo de edificações.

volumétrico. *Adj.* Relativo à determinação dos volumes ou à volumetria. ~ V. *balão* — e *massa* —*a*.

voluminoso (ô). [Do lat. tardio *voluminosu*.] *Adj. P. us.* Volumoso.

volumoso (ô). *Adj.* **1.** Que tem grande volume. **2.** Que tem grandes proporções em todos os sentidos. **3.** Intenso, forte (som ou voz). **4.** Que abarca muitos volumes. [Sin. ger. p. us.: *voluminoso*.]

voluntariado. *S. m.* **1.** Qualidade ou condição de voluntário nas forças armadas. **2.** A classe dos voluntários.

voluntariedade. *S. f.* **1.** Qualidade de voluntário; espontaneidade. **2.** Capricho; arbítrio; veleidade. **3.** Teima, birra. **4.** Arbítrio.

voluntário. [Do lat. *voluntariu*.] *Adj.* **1.** Que age espontaneamente. **2.** Derivado da vontade própria; em que não há coação; espontâneo. **3.** *Bras.*, *RS.* Diz-se do cavalo que marcha com facilidade, espontaneamente, sem ser preciso fustigá-lo. ~ V. *jurisdição* —*a*. ● *S. m.* **4.** Aquele que se alista espontaneamente nas forças armadas. **5.** Estudante a quem se permitiu freqüentar uma aula em condições diversas das dos alunos ordinários. ◆ **Voluntário da pátria.** *Bras.* Cada um dos integrantes dos Voluntários da Pátria, batalhões organizados, em 1865, para suprir a necessidade de homens nas tropas brasileiras, então empenhadas na Guerra do Paraguai.

voluntariosidade. *S. f.* Qualidade de voluntarioso.

voluntarioso (ô). [De *voluntário* + *-oso*.] *Adj.* **1.** Que age só pela sua vontade. **2.** Caprichoso, teimoso, birrento.

voluntarismo. [De *voluntário* + *-ismo*.] *S. m. Filos.* Doutrina que afirma a preeminência da vontade, quer no plano psicológico, quer no domínio ético (em que a vontade supera a razão, divina ou humana), quer no domínio do conhecimento, quer, por fim, no domínio metafísico.

voluntarista. *Adj.* 2 *g.* **1.** Relativo ao, ou que é partidário do voluntarismo. ● *S.* 2 *g.* **2.** Partidário dessa doutrina.

volúpia. [Do lat. *volupia*.] *S. f.* **1.** Grande prazer dos sentidos: "Que suave calor, que *volúpia* divina / As carnes me penetra e os nervos me domina!" (Olavo Bilac, *Poesias*, p. 106.) **2.** Grande prazer, em geral: "*Volúpia* dos abandonados... / Dos sós... — ouvir a água escorrer, / Lavando o tédio dos telhados / Que se sentem envelhecer..." (Manuel Bandeira, *Estrela da Vida Inteira*, p. 37). **3.** Grande prazer sexual. [Sin. ger.: *voluptuosidade*.]

voluptuário. [Do lat. *voluptuariu*.] *Adj.* **1.** Relativo à volúpia. **2.** Propenso à volúpia: "Depois de uma ceia esplêndida, como o devia ser nesta corte *voluptuária*, apenas ficara na câmara real D. Fernando e sua mulher" (Alexandre Herculano, *Lendas e Narrativas*, I, p. 189). **3.** Que gosta de se divertir. **4.** Relativo a divertimentos ou a despesas desnecessárias. [Var.: *volutuário*.] ~ V. *benfeitorias* —*as*.

voluptuosidade. [De *voluptuoso* + *-i-* + *-dade*.] *S. f.* Volúpia: "Grande lascivo, espera-te a *voluptuosidade* do nada." (Machado de Assis, *Memórias Póstumas de Brás Cubas*, p. 22.) [Var.: *volutuosidade*.]

voluptuoso (ô). [Do lat. *voluptuosu*.] *Adj.* **1.** Em que há prazer ou volúpia; sensual, deleitoso, delicioso: "Quando te aperto em meus braços, / Num delírio *voluptuoso*, / São estreitos os espaços / Para conter o meu gozo." (Luís Murat, *Ondas*, II, p. 33.) **2.** Que inspira ou exprime volúpia: "um sofá *voluptuoso*" (Latino Coelho, *Tipos Nacionais*, p. 27). **3.** Dado à libertinagem. **4.** Amante de divertimentos ou deleites. ● *S. m.* **5.** Indivíduo voluptuoso. [Var.: *volutuoso*.]

voluta. [Do it. *voluta*.] *S. f.* **1.** *Arquit.* Ornato espiralado de um capitel de coluna: "para assegurar à alma piedosa a atmosfera de recolhimento e de luto condizente com os mistérios da Paixão, seria preciso tapar as enormes e convulsionadas colunas do altar-mor, as *volutas*, as flores de talha, as cabeças e troncos de anjos" (Carlos Drummond de Andrade, *Passeios na Ilha*, p. 67). **2.** Espiral (1): "E assim se deixou ficar, amodorrado, enquanto o Dr. Alberto fumava e, através dos óculos escuros, seguia as *volutas* de fumo a esgueirarem-se da brasa viva do cigarro" (Patrícia Joyce, *Anúncio de Casamento*, p. 114). **3.** *Mús.* Parte superior da cabeça dos instrumentos de arco, enrolada em forma de espiral. **4.** *Zool.* Concha univalve.

volutabro. [Do lat. *volutabru*.] *S. m.* **1.** Lodaçal, lamaçal. **2.** V. *monturo* (2). **3.** *Fig.* Torpeza, desonestidade.

volutear. [Do lat. *vulutu*, part. pass. de *volvere*, 'volver, virar', + *-ear*.] *V. int.* **1.** Voltear (6 e 7): "morcegos *voluteavam* possessos, assoviando sobre minha cabeça." (Reginaldo Guimarães, *Manhã Vermelha*, p. 111). [Conjug.: v. *frear*.] ● *S. m.* **2.** Giro, volta.

volutite. [De *voluta* (4) + *-ite*[3].] *S. f.* Voluta (4) fóssil.

volutuário. *Adj.* Var. de *voluptuário*.

volutuosidade. *S. f.* Var. de *voluptuosidade*.

volutuoso (ô). *Adj.* e *s. m.* Var. de *voluptuoso* [q. v.].

volúvel. [Do lat. *volubile*.] *Adj.* 2 *g.* **1.** Que gira com facilidade. **2.** V. *voltívolo* (1): "Sai do telhado / Tênue fumo e se enovela, / Suspenso *volúvel* no ar" (Alberto de Oliveira, *Poesias*, 2ª série, p. 254). **3.** *Fig.* Inconstante, mudável, instável; voltívolo, voltário, volátil: *pessoa volúvel*; *humor volúvel*. [Superl. abs. sint.: *volubilíssimo*.] **4.** *Morfol. Veg.* Diz-se da planta cujo caule se enrola num suporte.

volva (ô). [Do lat. *volva*.] *S. f. Micol.* Porção inferior do véu que permanece em torno da base do estipe, à maneira de uma bainha, nos corpos frutíferos de muitos cogumelos.

volváceo. [De *volva* + *-áceo*[1].] *Adj.* Que tem forma de volva ou bolsa.

volvado. [De *volva* + *-ado*[1].] *Adj.* Provido de volva.

volvedor (ô) *Adj.* Que volve; volvente.

volvele. [Do ingl. *volvelle*, provavelmente < lat. medieval *volvella* < lat. *volvere*, 'volver', 'fazer girar'.] *S. m. Astr.* Instrumento astronômico medieval que servia para indicar as fases da Lua e ajudar a resolver certos problemas astronômicos.

volvente. [Do lat. *volvente*.] *Adj.* 2 *g.* Volvedor.

volver. [Do lat. *volvere*.] *V. t. d.* **1.** Mudar de posição ou direção; voltar: *volver a cabeça*; "*Volvo* o rosto para o teu afago, / Vendo o consolo dos teus olhares..." (Alphonsus de Guimaraens, *Obra Completa*, p. 139). **2.** Mexer, remexer, voltar, revolver: *volver a terra*. **3.** Pôr em movimento; agitar. **4.** Transportar, rolando: *A correnteza volvia galhos e folhas*. **5.** Fazer girar sobre si. **6.** Retrucar, replicar, voltar: *Sem levantar a voz, volvia as injúrias recebidas*. **7.** Mudar, alterar, transformar. *T. d.* e *i.* **8.** Dirigir, voltar: "*Volve* ao passado o olhar piedoso e triste / E mede a longa estrada percorrida." (Félix Pacheco, *Poesias*, p. 17.) **9.** Dirigir, apontar, voltar: *O traidor volveu armas contra a pátria*. **10.** Restituir, devolver, tornar: *Ainda não me volveu o livro*. *T. i.* **11.** Regressar ou regredir; retornar, voltar: *Depois de longa ausência, volveu ao Brasil*; "pode-se (e talvez, até, se deva) acrescentar que o romantismo se compõe de sentimentalismo, do desejo apaixonado do homem urbano de *volver* às condições do campo" (Abgar Renault, *O Romantismo na Poesia Inglesa*, p. 24). **12.** Voltar-se; dedicar-se: *Volveu para o trabalho e o estudo*; "Desenganado dos homens e das cousas, Alencar [José de Alencar] *volveu* de todo às suas queridas letras." (Machado de Assis, *Páginas Recolhidas*, p. 130). *Int.* **13.** Decorrer, passar, transcorrer: *Dez anos volveram desde o primeiro encontro*. *P.* **14.** Virar-se, voltar-se: "Olhos meus, se ao passado *vos volverdes*, / Algum dia, vereis, nessa ansiedade, / O céu mais lindo e as árvores mais verdes." (Da Costa e Silva, *Pandora*, p. 88.) **15.** Dar voltas; agitar-se. **16.** Agitar-se, revirar-se. [Part.: *volvido* e *volto* (ô). Cf. *volto*, do v. *voltar*.] ● *S. m.* **17.** Ato ou efeito de volver.

volvo (ô). [Alter. de *vólvulo*.] *S. m. Patol.* V. *oclusão intestinal*.

volvocale. *S. m.* e *adj.* Fitomonadino.

volvocales. *S. m. pl. Zool.* Fitomonadinos.

vólvulo. [Do it. *volvolo*.] *S. m.* **1.** V. *oclusão intestinal*. **2.** Volta ou rosca de serpente.

vômer. [Do lat. *vomer*, 'relha do arado'.] *S. m. Anat.* Osso chato e ímpar que consitui a parte posterior e inferior da parede divisória das fossas nasais. [Pl.: *vômeres*.]

vomeriano. *Adj.* Vomerino.

vomerino. [De *vômer* + *-ino*[1].] *Adj.* Pertencente ou relativo ao vômer; vomeriano.

vômica. [Do lat. *vomica*.] *S. f. Med.* Eliminação brutal, durante esforços de tosse, de coleção supurada pulmonar que, mediante ruptura, passou a brônquios.

vomição. [Do lat. *vomitione*.] *S. f.* Vômito.

vômico. [Do lat. *vomicu*.] *Adj.* V. *vomitório* (1).

vomífico. [Do lat. *vomificu*.] *Adj.* V. *vomitório* (1).

vomitado. [Part. de *vomitar*.] *Adj.* **1.** Sujo ou manchado de vômito. ● *S. m.* **2.** As matérias expelidas pelo vômito; vômito.

vomitador (ô). *Adj.* e *s. m.* Que ou aquele que vomita.

vomitar. [Do lat. *vomitare*.] *V. t. d.* **1.** Expelir pela boca (substâncias que já estavam no estômago): *Vomitou a comida toda*; "*vomitou* toda a água que lhe encharcava o estômago." (Lia Correia Dutra, *Navio sem Porto*, p. 144). [Sin.: *lançar*, *arrevessar*, *bolçar*, *devolver*, e (bras., pop.) *alojar*, *baldear*.] **2.** Lançar pela boca: "andava fraco, doente... gasto. Um dia *vomitou* sangue." (Veiga Miranda, *Pássaros Que Fogem...*, p. 34); *Viu em sonho uma figura que vomitava fogo*. **3.** Manchar com vômito: *Vomitou a camisa e o paletó*. **4.** *Fig.* Proferir com intenção injuriosa: "um zangaralhão bêbado .... *vomita* obscenidades contra as fêmeas" (José Vieira, *Sol de Portugal*, p. 156). **5.** Pronunciar (coisas vergonhosas ou irreverentes). **6.** Expelir com ímpeto; jorrar, verter: *O ferimento profundo vomitava sangue*. **7.** Espalhar, despejar. **8.** Causar, ocasionar. **9.** *Pop.* Contar (segredo). **10.** Falar, contar (coisa que ocultava); desembuchar. *Int.* **11.** Expelir pela boca substâncias que já estavam no estômago; lançar, arrevessar. [Sin. (bras., pop. ou gír.), nesta acepç.: *alojar*, *arrojar*, *baldear*, *botar bezerro*, *botar pelo ladrão*, *deitar* *o verbo, destripar o mico, deitar carga ao mar, falar aos peixes.*] *P.* **12.** Sujar-se ao vomitar; sujar-se de vômito(s). [Pres. ind.: *vomito*, etc. Cf. *vômito*.]

vomitivo. [De *vômito* + *-ivo*.] *Adj.* e *s. m.* V. *vomitório* (1 e 2). ~ V. *gás* —.

vômito. [Do lat. *vomitu*.] *S. m.* **1.** Ato ou efeito de vomitar(-se). [Sin.; pop.: *lanço*.] **2.** O vomitado (2). [Sin. ger.: *vomição*. Cf. *vomito*, do v. *vomitar*.]

vômito-negro. *S. m.* V. *febre amarela*. [Pl.: *vômitos-negros*.]

vomitório. [Do lat. *vomitoriu*.] *Adj.* **1.** Que faz vomitar; emético, vomitivo, vômico, vomífico. ● *S. m.* **2.** Medicamento para provocar o vômito; emético, vomitivo. **3.** Interrogatório prolongado e minucioso. **4.** Interrogatório dissimulado.

▲-vomo. [Do lat. *vomere*.] *El comp.* = 'que vomita', 'que expele': *terrívomo, fumívomo*.

vonc. *Pron. Bras. Pop.* V. *você*.

vôngole. [Do it. *vongole*, pl. de *vôngola*.] *S. m.* Molusco bivalve que vive em águas arenosas ou lodosas, e cuja carne é comestível e muito apreciada, especialmente na cozinha italiana: *espaguete ao* v ô n g o l e.

vontade. [Do lat. *voluntate*.] *S. f.* **1.** Faculdade de representar mentalmente um ato que pode ou não ser praticado em obediência a um impulso ou a motivos ditados pela razão. **2.** Sentimento que incita alguém a atingir o fim proposto por esta faculdade; aspiração; anseio; desejo: *Sentiu* v o n t a d e *de rever a terra natal;* "Mudam-se os tempos, mudam-se as v o n t a d e s" (Luís de Camões, *Rimas*, p. 178). **3.** Capacidade de escolha, de decisão: v o n t a d e *firme;* v o n t a d e *fraca; casar por legítima* v o n t a d e*; não ter* v o n t a d e *própria*. **4.** Deliberação, decisão ou arbítrio que parte de entidade superior: "seja feita a vossa v o n t a d e" (do padre-nosso); *a* v o n t a d e *do governo; a* v o n t a d e *do povo*. **5.** Ânimo firme; firmeza, coragem: *Sua* v o n t a d e *vence obstáculos*. **6.** Capricho, fantasia; veleidade: *Vê-se que é filho único: é cheio de* v o n t a d e s. **7.** Desejo, decisão ou determinação expressa: *as últimas* v o n t a d e s *de um morto*. **8.** Empenho, interesse, zelo: *Pôs toda a* v o n t a d e *na execução do plano*. **9.** Disposição do espírito, espontânea ou compulsiva: v o n t a d e *de estudar, de fazer teatro; Não pode conter a* v o n t a d e *de rir*. **10.** Necessidade fisiológica: v o n t a d e *de comer, de dormir, de vomitar*. **11.** *Pop.* Tendência (observada nas coisas): *O carro está com* v o n t a d e *de enguiçar*. ♦ **Vontade de ferro.** Firmeza e energia nas decisões; força de caráter. **Vontade de potência.** *Filos.* Segundo Nietzsche [v. *nietzschiano*], impulso fundamental inerente a todos os seres vivos, que se manifesta na aspiração sempre crescente de maior poder de dominação. **À vontade. 1.** Sem constrangimento; a cômodo; a bel-prazer: *Esteja à* v o n t a d e*, a casa é sua*. **2.** À larga; com fartura; sem peias: "Frutas e leite à v o n t a d e, cavalos e armas quando quiseres e caça não falta." (Coelho Neto, *Treva*, p. 82); *Sirva-se à* v o n t a d e. **3.** *Mil.* Voz de comando que indica permissão para afrouxar o rigor da posição de formatura ou de marcha, para descanso. [Cf. *à-vontade*.] **Boa vontade. 1.** Disposição favorável; benevolência. **2.** *Filos.* Segundo Kant [v. *kantismo*], vontade movida pela pura noção de dever, excluídos quaisquer outros motivos. **Com vontade.** Com gosto; com gana; com prazer. **Contra vontade.** Com repugnância; a contragosto. **De vontade.** Com disposição e prazer; espontaneamente; por vontade. **Estar com vontade de.** Haver aparência de, indício ou prenúncio (que se vai produzir certo fenômeno atmosférico): *Está com* v o n t a d e *de chover; Está com* v o n t a d e *de nevar*. **Má vontade.** Disposição desfavorável; prevenção. **Pôr em sua vontade.** Tomar uma decisão; determinar, decidir sem hesitação. **Por vontade.** V. *de vontade*.

vôo. [Dev. de *voar*.] *S. m.* **1.** Movimento no ar e sem contato com o solo, próprio das aves, de muitos insetos e de alguns outros animais, ou de aeronaves. **2.** Extensão que uma ave ou aeronave cobre de uma vez, voando. **3.** O trajeto percorrido por uma aeronave: v ô o *Rio—Brasília*. **4.** Viagem aérea. **5.** Maneira de voar: v ô o *cego*. **6.** Movimento rápido de qualquer objeto pelo ar. **7.** *Fig.* Marcha rápida. **8.** Elevação do pensamento e/ou do talento; êxtase, arroubamento, arroubo. ♦ **Vôo cego.** Aquele em que a pilotagem da aeronave se faz apenas por meio das informações dos instrumentos de bordo. **Vôo coruja.** Na aviação comercial, vôo noturno, de carreira, que oferece preços mais convenientes; corujão. **Vôo livre.** *Esport.* Arte de voar que imita o vôo dos pássaros (sem motor ou outro auxílio, sequer um leme), e cujo instrumento é a asa-delta [q. v.]; esta, parte, necessariamente, de um ponto elevado, sobe graças às correntes de ar quente e desce por gravidade. [Cf. *vôo planado*.] **Vôo picado.** *Aer.* Aquele em que o avião desce a pique, ou quase na vertical. **Vôo planado. 1.** Vôo próprio das aves grandes, e em que as asas permanecem imóveis, bastando uma corrente de ar quente para sustentar a ave, que se deixa deslizar para o solo com sensível obliqüidade. **2.** *Aeron.* Vôo do avião cujo motor está vagaroso demais, ou parado. [Cf. *vôo livre*.] **Alçar vôo.** Levantar vôo (1): "E de súbito eis que o pardal a l ç o u v ô o." (Clarice Lispector, *Uma Aprendizagem ou O Livro dos Prazeres*, p. 63). **A vôo de pássaro.** De modo muito geral, perfunctório; por alto; superficialmente: **Levantar vôo. 1.** Voar, elevar-se; alçar vôo. **2.** *Fig.* V. *fugir* (1 e 2). **Num vôo.** V. *num abrir e fechar de olhos*: "carregávamos o cesto n u m v ô o, escondendo-o nas moitas mais próximas." (Augusto Meyer, *No Tempo da Flor*, p. 13).

vôo-do-morcego. *S. m. Bras. Cap.* Golpe traumatizante em que o capoeirista pula para cima, procura com os pés juntos atingir o adversário na altura do tórax e torna a cair em pé. [Pl.: *vôos-do-morcego*.]

voorara. *S. f. Bras.* V. *curare* (1).

voquisiácea. *S. f.* Espécime das voquisiáceas.

voquisiáceas. *S. f. pl. Bot.* Família de vegetais floríferos, da ordem das geraniales, composta de arbustos e árvores com folhas opostas ou verticiladas, flores vistosas e estranhamente conformadas, de corola com menos de cinco pétalas e androceu com um só estame, e fruto capsular. Há umas 120 espécies americanas, a maioria do Brasil. São comuns no cerrado e na floresta amazônica.

voquisiáceo. *Adj.* Pertencente ou relativo às voquisiáceas.

vorá. [Var. *deborá*[2] tupi *heborá*, 'o que há de ter (mel)'.] *S. m. Bras., RS.* Espécie de abelha comuníssima na região serrana. [Pl.: *vorás*. Cf. *voraz*.]

voracidade. [Do lat. *voracitate*.] *S. f.* **1.** Qualidade de voraz. **2.** V. *glutonaria*.

voracíssimo. *Adj.* Superl. abs. sint. de *voraz*.

voragem. [Do lat. *voragine*.] *S. f.* **1.** Aquilo que sorve ou devora. **2.** V. *turbilhão* (2). **3.** Qualquer abismo: "Ele esperava-a, e ela almejava a oportunidade da fuga, sem que a filha lhe fosse estorvo, ou lhe abrisse os olhos como a lâmpada providencial à orla duma v o r a g e m." (Camilo Castelo Branco, *A Filha do Regicida*, p. 158.) **4.** *Fig.* Tudo o que subverte ou consome.

voraginoso (ô). [Do lat. *voraginosu*.] *Adj.* **1.** Que contém voragem. **2.** Que tem a forma ou a natureza de voragem. **3.** *Fig.* Que subverte ou consome, como a voragem.

voraz. [Do lat. *vorace*.] *Adj. 2 g.* **1.** Que devora; edaz. **2.** V. *glutão* (1). **3.** *Fig.* Que subverte ou consome, corrói, destrói; destruidor, destrutivo. [Sin., nestas acepç.): *devorante*.] **4.** Muito ávido; ambicioso. [Superl. abs. sint.: *voracíssimo*. Cf. *vorás*, pl. de *vorá*.]

vórmio. [Do antr. *Wormius*, f. lat. do nome de Ole Worm, médico e anatomista dinamarquês (1588-1654).] *S. m. Anat.* Designação comum a pequenos ossos, variáveis em número e forma, que se encontram nos ângulos das suturas cranianas.

▲-voro. [Do lat. *vorare*.] *El. comp.* = 'que devora', 'que come': *herbívoro, piscívoro*.

vórtice. [Do lat. *vortice*.] *S. m.* **1.** Redemoinho, remoinho, voragem: "Ébrios de prazer, alheados da realidade ambiente, ei-los que, envolvidos no v ó r t i c e das fascinações de momento, se julgam no melhor dos mundos." (Sílvio Romero, *Provocações e Debates*, p. 170.) **2.** *Fig.* V. *furacão* (2).

vorticidade. [De *vórtice* + *-i-* + *-dade*.] *S. f. Fís.* A circulação do vector velocidade dum fluido em movimento.

vorticoso (ô). [Do lat. *vorticosu*.] *Adj.* **1.** Que forma vórtice. **2.** Que se movimenta em turbilhão.

vós. [Do lat. *vos* (tônico).] Pron. pess. da 2ª pess. do pl. de ambos os gêneros. **1.** Usa-se quando nos dirigimos a muitas pessoas (ou animais ou coisas personificados), funcionando como sujeito, como predicativo e como regime de preposições: "Todos v ó s conheceis essa conjuração" (Rui Barbosa, *Ensaios Literários*, p. 17): "V ó s, os que vistes Deus, como ficastes?" (Cecília Meireles, *Obra Poética*, 2ª ed., p. 845); "V ó s, ó côncavos vales que pudestes / A voz extrema ouvir da boca fria, / O nome do seu Pedro, que lhe ouvistes, / Por muito grande espaço repetistes." (Luís de Camões, *Os Lusíadas*, III, p. 133); *Os premiados sois* v ó s; "De v ó s [pastores] me aparta agora a lei funesta." (Cláudio Manuel da Costa, *Obras Poéticas*, I, p. 304); "As nuvens para v ó s [ascetas da Idade Média] eram como evangelhos." (Alphonsus de Guimaraens, *Obra Completa*, p. 71); *Nada se fará sem* v ó s*, senhores*. [Usa-se também falando com uma só pessoa, em sinal de cortesia ou de respeito, ou a um santo, ou à própria divindade, ou, ainda, a animal ou coisa personificada: "V ó s, que tão novo sois, por que chorais assim?" (Eugênio de Castro, *Obras Poéticas*, III, p. 117).]; "— Tu prisioneiro, tu? — Vós o dissestes." [fala entre pai e filho] (Gonçalves Dias, *Obras Poéticas*, II, p. 28); "V ó s vos tendes esquecido de mim, meu Senhor!" (Id., *Teatro*, p. 120); "Foi para v ó s que ontem colhi, senhora, / Este ramo de flores que ora envio." (Manuel Bandeira, *Estrela da Vida Inteira*, p. 28); "V ó s, poderoso Rei, cujo alto Império / O Sol logo em nascendo vê primeiro" (Luís de Camões, *Os Lusíadas*, I, p. 8); "Virgem Maria, Noiva eleita, a V ó s recorro!" (Alphonsus de Guimaraens, *Obra Completa*, p. 129); "Dizei-me v ó s, Senhor Deus! / Se é loucura... se é verdade / Tanto horror perante os céus..." (Castro Alves, *Obra Completa*, p. 281); etc. [O tratamento *vós* não é hoje corrente; persiste, contudo, em certos discursos, e na linguagem familiar, como observa, com razão, Mário Marroquim (*A Língua do Nordeste*, p. 120), em alguns Estados do Brasil. "Já li" — escreve o Autor — "que, no Brasil, só em S. Paulo restava esse uso. O povo de Alagoas e Pernambuco, porém, emprega também o *vós* no tratamento cotidiano, conservando o verbo, entretanto, na 3ª pessoa do singular." Certamente o uso se estende a todo o Nordeste: o próprio Marroquim o abona com versos do cantador cearense Anselmo Vieira, figurantes nos *Cantadores*, de Leonardo Mota (pp. 206 [e não 207] e 209, 210 [e não somente 210]). Poderia ter dado, ainda, esta abonação (p. 209), mais significativa, por trazer o *vós* repetido: — "Ela não passa sem v ó s / E v ó s não passa sem ela..." Quando o *vós* rege a prep. *com*, emprega-se, normalmente, *com vós*, em vez de *convosco*, se em seguida ao *vós* vier *mesmo, próprio, todos*, etc., ou uma oração relativa. Só conhecemos um exemplo de *com vós*, em escritor, aliás, muito cuidadoso da correção gramatical, Antero de Figueiredo: "— Penso c o m v ó s." (*Leonor Teles*, p. 96.) [Cf. *vos, eu, tu, ele, vocês, nós* e *voz*.]

vos. [Do lat. *vos* (átono).] *Pron. pess.* Designa a 2ª pess. do pl., caso oblíquo, valendo por: **1.** A vós (objeto direto ou indireto): "A angústia que se lê por claro em vosso rosto / Pungiu-me o coração com tal força que vim / Para v o s consolar." (Eugênio de Castro, *Obras Poéticas*, III, p. 117); "Belos amores perdidos, / Muito fiz eu com perder-v o s" (Vicente de Carvalho, *Poemas e Canções*, p. 267); "Vós v o s destes tão acrisoladamente às cousas do céu, que não se vos dá do que se passa na terra" (Gonçalves Dias, *Teatro*, p. 72); "Não serei eu que desvendarei os mistérios desses amores fantásticos, e v o s contarei as horas deliciosas que corriam no silêncio do gabinete" (José de Alencar, *Obra Completa*, IV, p. 639); "Dir-v o s-ei que as nações semelham os indivíduos." (Gonçalves Dias, *Teatro*, p. 32); "Vem matar vossos bravos guerreiros, / Vem roubar-v o s a filha, a mulher!" (Id., *Obras Poéticas*, I, p. 30). **2.** Em vós: "Inclinai por um pouco a majestade, / Que nesse tenro gesto v o s contemplo" (Luís de Camões, *Os Lusíadas*, I, 9); *Alguém* v o s *espancou,* v o s *bateu?* **3.** Para vós: *Comprei-*v o s *esta lembrança*. **4.** De vós: *É excelente o conceito que* v o s *faço*. **5.** Diante de vós: *A que hora* v o s *surgiu o fantasma?* **6.** Indica, com certos verbos, a voz passiva: *Sei que* v o s *batizastes já crescido e não* v o s *crismastes*. **7.** Pode funcionar como dativo ético: *Então o pequeno que estais criando não* v o s *tem saído da linha?* **8.** Às vezes, elegantemente, vale como possessivo: "Ascetas imortais da Idade Média, os joelhos / Sangraram-v o s de tanto orar" (Alphonsus de Guimaraens, *Obra Completa*, p. 71). [Cf. *vós, me, te, se, lhe, nos*[1].]

vosear. [De *vós* + *-ear*.] *V. t. d.* Tratar por vós. [Fut. pret.: *vosearia*, etc. Cf. *vozear*, v., e *vozearia*, do v. *vozear* e s f. Conjug.: v. *frear*.]

vosmecê. *Pron. Bras.* Contr. de *vossemecê*: "— Sim senhor. V o s m e c ê até parece desembargador da Justiça." (José Cândido de Carvalho, *O Coronel e o Lobisomem*, p. 63.) [Cf. *você*.]

vosselência. *Pron. P. us. no Brasil.* Contr. de *Vossa Excelência;* Vossência.

vossemecê. *Pron.* **1.** Contr. de *Vossa Mercê*. **2.** Tratamento dirigido, de ordinário, a pessoas de condição mediana: "— V o s s e m e c ê fica cego; lê que é um desespero." (Machado de Assis, *Histórias sem Data*, p. 189.) **3.** *Bras. Desus.* Tratamento dado pelos filhos aos pais e avós. [Cf. *você*.]

vossência. *Pron. P. us.* no Brasil. Vosselência: "— V o s s ê n c i a não faz idéia do que tenho padecido .... desde que o meu homem morreu." (José Gomes Ferreira, *O Mundo dos Outros*, p. 103.)

vosso. [Do lat. *vostru*, em vez do láss. *vestru*, por analogia com *nostru*.] *Pron. pess.* **1.** Pertencente à(s), ou próprio da(s), ou experimentado ou inspirado pela(s) pessoa(s) a quem se fala por vós: *o vosso apartamento; vossos filhos;* "Bem conheço os vossos títulos, Senhor Marsio" (Gonçalves Dias, *Teatro*, p. 39); "E enquanto eu estes canto, e a vós não posso, / Sublime Rei, que não me atrevo a tanto, / Tomai as rédeas vós do reino vosso" (Luís de Camões, *Os Lusíadas*, I, 15); "os vossos santos, e servos [de Jesus], que vos buscam com desejo, choram os males, pelos quais vos perderam" (Fr. Tomé de Jesus, *Trabalhos de Jesus*, I, p. 81); *Grande é vosso amor filial; Embora o desprezeis, ele vive por vosso amor; Vossas saudades dele não têm fim — e ele não tem saudades vossas.* **2.** Pertencente ao povo e/ou à terra onde nascestes e/ou habitais: "Hartos troncos, robustos, gigantes, / Vossas matas tais monstros contêm." (Gonçalves Dias, *Obras Poéticas*, II, p. 30). **3.** Que gozais ou desfrutais como se vos pertencesse, se fosse propriedade vossa: *Vossos domingos sempre são de passeios.* **4.** Que vos serve, vos convém, vos interessa: *Vosso trem sai às 15 horas; Não achei em nenhum lugar as vossas azeitonas gregas.* **5.** Que vos é devido; que vos cabe ou toca: *A vossa recompensa há de ser proporcional ao vosso esforço.* **6.** Preferido por vós; da vossa predileção: *Sei que a lagosta é o vosso prato; Tolstoi ainda é o vosso romancista.* [É obrigatório, neste caso, o artigo.] **7.** Passado ou vivido por vós: *Sou vosso amigo desde os vossos dias difíceis.* **8.** Dedicado ou reservado a vós: *Não há razão para zangas: o meu próximo sábado será vosso.* **9.** Onde vos trabalhais, exerceis atividade: *Como está mudada a vossa repartição!* **10.** Esse, aquele; o tal (com relação a pessoa a quem dantes já vos havíeis referido, ou a respeito de quem íeis, ou ides falar): *Que é feito do vosso homem?* [É de rigor, neste caso, o emprego do artigo.] **11.** Da vossa amizade; do vosso afeto; que vos é ou a quem sois caro: *Só os recebo porque são pessoas muito vossas.* **12.** *Lus.* De, ou pertencente ou relativo a vocês; seu: "Torga, — aqui, firme, declaro: / aquele vinho raro / que Você / e Andrée / soltaram em minha honra neste dia / — víamos o Mondego da vossa janela — / é a própria Poesia / ou mais do que ela." (Alberto de Serpa, *Almanaque de Lembranças Luso-Brasileiro*, p. 20); "Tudo em vocês nos revolta — .... vosso jogo, vossas fraquezas, a forma como passam a vida a enganar-se uns aos outros..." (Luís Forjaz Trigueiros, *O Carro do Feno*, p. 264); "para vocês e outros como vocês .... jogarem os vossos jogos" (Urbano Tavares Rodrigues, *As Torres Milenárias*, p. 69). [É freqüente — e talvez exclusivo — este uso. Um português pergunta, normalmente, a um amigo: — *Esta casa é sua?*; mas, se a pergunta é dirigida ao casal, o *sua* converte-se em *vossa*. Flex.: *vossa, vossos, vossas*. Cf. *vocês, meu, teu, seu*[2], *nosso*. Paralelamente ao uso do pronome pessoal *vós* por *tu* como tratamento cerimonioso aplicado a um indivíduo, aparece o do pronome possessivo *vosso(a)* por *teu (tua)*: "Pai nosso que estais no Céu, santificado seja o vosso nome" (do padre-nosso).] ● *S. m.* **13.** Aquilo que pertence à(s) pessoa(s) a quem se fala, a vós: *É incrível que não disponhais do vosso.* ~ V. *vossos*.

vossos. [Pl. de *vosso*.] *El. s. m. pl.* Us. na loc. s. m. pl. *os vossos.* ~ V. *vosso.* ♦ **Os vossos. 1.** A vossa família; os vossos parentes. **2.** Os vossos amigos, aliados, sequazes, correligionários.

votação. *S. f.* **1.** Ato ou efeito de votar. **2.** O conjunto dos votos de uma assembléia eleitoral.

votado. [Part. de *votar*.] *Adj.* **1.** Aprovado pela maioria ou pela unanimidade de votos. **2.** Em que ou em quem recaíram votos: *a chapa mais votada; senador muito votado.*

votalhada. *S. f. Deprec.* Grande porção de votos.

votante. [Do lat. *votante*.] *Adj. 2 g.* e *s. 2 g.* Que ou quem vota.

votar. [Do lat. *votare*.] *V. t. d.* **1.** Aprovar por meio de votos: *A Assembléia votou o projeto.* **2.** Submeter a votação, aprovando ou não: *O Conselho votou e rejeitou a proposta.* **3.** Fazer voto de; prometer solenemente: *O padre votou castidade.* **4.** Eleger por meio de votos: *O povo deve votar o Presidente. Int.* **5.** Dar ou emitir voto: *Votou nas últimas eleições.* **6.** Ter direito a voto; ser votante: *Os presos não votam. T. i.* **7.** Manifestar por voto o que sente ou pensa; dar o seu voto (a favor de ou contra alguém ou algo): *Votaram em bons candidatos ao Senado; Votou pela absolvição do acusado; A maioria dos juridos votou contra o réu;* "vários países que nas discussões preliminares .... haviam combatido e até ironizado o projeto brasileiro, na Assembléia-Geral de Paris votaram a seu favor." (Benedito Silva, in *Informativo*, ano V, nº 1, jan. 1973, p. 8). *T. d.* e *i.* **8.** Consagrar, dedicar: "ali mesmo [entre túmulos de escravos], aos vinte anos, formei a resolução de votar a minha vida .... ao serviço da raça generosa entre todas" (Joaquim Nabuco, *Minha Formação*, p. 225). **9.** Empregar, destinar, aplicar: *O artista plástico vota muitas horas à pintura.* **10.** Expor; sujeitar. *Int.* **11.** Ter ou exercer o direito de voto em eleição ou assembléia: "Sou eleitor, voto, desejo saber o que fazem e dizem os meus representantes." (Machado de Assis, *A Semana*, II, p. 362.) *P.* **12.** Consagrar-se, dedicar-se, entregar-se. **13.** Arriscar-se, aventurar-se, abalançar-se: *Votou-se a uma empresa perigosa.* **14.** Dedicar-se, entregar-se: *Descrente dos homens, votou-se ao mais completo isolamento.* [Pres. subj.: *vote*, etc. Cf. *vote* (ô).]

vote (ô). *Interj.* Exprime repugnância, repulsa: "Cruzes! Tibe! Vote! Abrenúncio! O cinema estava acabando de apodrecer a gente com as micagens de uns saltimbancos impalpáveis e mudos." (Alberto Rangel, *Lume e Cinzá*, p. 169.) [Cf. *vote*, do v. *votar*.]

votivo. [Do lat. *votivu*.] *Adj.* **1.** Relativo a voto. **2.** Ofertado em cumprimento de voto ou promessa.

voto. [Do lat. *votu*, 'promessa'.] *S. m.* **1.** Ação de votar; votação: *O voto é obrigatório.* **2.** Promessa solene com que nos obrigamos para com Deus: *voto de castidade.* **3.** Promessa solene; juramento. **4.** Promessa feita pelos religiosos membros de ordens e congregações religiosas. **5.** Oferenda em paga de promessa. **6.** Súplica à divindade. **7.** Desejo íntimo, ardente. **8.** Maneira de expressar a vontade ou opinião num ato eleitoral ou numa assembléia. **9.** Sufrágio, votação. **10.** Lista que se vota numa eleição; cédula. ♦ **Voto de confiança. 1.** Decisão das câmaras legislativas pela qual o governo fica autorizado a proceder livremente acerca de qualquer negócio. **2.** *P. ext.* Decisão de qualquer assembléia no sentido de autorizar as decisões tomadas pelo presidente. **Voto deliberativo.** Direito de sufrágio, numa assembléia. **Voto de Minerva.** Voto de desempate, concedido aos presidentes dos corpos administrativos, judiciários, etc.; voto de qualidade. **Voto de qualidade. 1.** Voto de Minerva. **2.** Sistema eleitoral em que o número de votos de cada eleitor varia de acordo com os títulos que ele tem: chefe de família, proprietário, diploma universitário, etc.; pluralismo. **Voto nominal. 1.** Voto dado por indivíduo que se nomeia ou é nomeado. **2.** Sufrágio em que o nome do votante não é mantido em segredo, mas sim indicado no ato de votar, geralmente por chamada. **Voto plural.** Sistema eleitoral que atribui, em determinadas condições, várias vozes a uma mesma pessoa. **Votos do batismo.** As promessas e renúncias feitas pelo catecúmeno, ou padrinhos, em seu nome, antes da administração do batismo. **Voto simples.** O emitido pelo religioso de congregações, e que não invalida os atos que lhe forem contrários. **Voto solene.** O voto emitido pelo religioso de ordem aprovada pela Igreja, e que invalida os atos que lhe forem contrários. **Voto vencido.** O que é dado em separado, num tribunal judiciário, pelo membro divergente da maioria, fundamentando ele ou não a divergência. [Cf. *tenção* (7).]

votuporanguense. *Adj. 2 g.* **1.** De, ou pertencente ou relativo a Votuporanga (SP). ● *S. 2 g.* **2.** Natural ou habitante de Votuporanga.

vouvê. *Bras. S. 2 g.* **1.** Indivíduo dos vouvês, tribo indígena que vivia junto da serra Araripe. ● *Adj. 2 g.* **2.** Pertencente ou relativo a essa tribo.

vovente. [Do lat. *vovente*.] *Adj. 2 g.* e *s. 2 g.* Que ou quem faz votos ou promessas.

vovó. [De *avó*, com aférese e redobramento da sílaba final.] *S. f. Bras.* Avó, em linguagem infantil ou afetiva. [Cf. *vovô*.] ♦ **Morrer sem ver vovó.** *Bras., CE. Pop.* Sofrer um fiasco sem ao menos ter o consolo esperado.

vovô. [De *avô*, com aférese e redobramento da sílaba final.] *S. m.* **1.** *Bras.* Avô, em linguagem infantil ou afetiva. [Fem.: *vovó*.] **2.** *Bras., PA.* Ave passeriforme, da família dos trogloditídeos (*Thryothorus genibarbis* Sw.), largamente distribuída pelo País, de coloração pardo-avermelhada, com cauda preta listrada de cinzento, sobrancelha branca, lados da cabeça pretos pintados de branco, faces brancas, garganta branca, peito e abdome pardo-amarelados. [Sin.: *pai-avô, pia-vovó*.]

vovozinha. *S. f.* Dim. de *vovó*. ♦ **É a vovozinha.** *Joc.* Revide a uma provocação real ou aparente: *Você é um idiota. — Idiota é a vovozinha.*

➧**vox clamantis in deserto** (vókç clamântiç in deserto). [Lat., 'a voz daquele que clama no deserto'.] Palavras com que (na trad. da Vulgata) S. João Batista se designa a si mesmo, e aplicadas, p. ext., a quem profetiza e não é escutado.

➧**vox organalis** (vókç organáliç). [Lat.] V. *órgano*.

➧**vox populi, vox Dei** (vókç pópuli, vókç Dei). [Lat., a voz do povo (é) a voz de Deus.] A concordância das opiniões do público é bastante para estabelecer a verdade dum fato.

➧**vox principalis** (vókç principáliç). [Lat.] V. *órgano*.

➧**voyeur** (vua-iér). [Fr.] *S. m.* Aquele que experimenta o voyeurismo. [Fem.: *voyeuse*.]

voyeurismo (vua-ierismo). [Do fr. *voyeur* + *-ismo*.] *S. m. Psic.* Excitação sexual ao observar a cópula praticada por outros, ou simplesmente ao ver os órgãos genitais de outrem, independentemente de qualquer atividade própria; mixoscopia.

➧**voyeuse** (vua-iêz'). [Fr.] *S. m.* Fem. de *voyeur*.

voz. [Do lat. *voce*.] *S. f.* **1.** *Fon.* Som ou conjunto de sons emitidos pelo aparelho fonador. **2.** Faculdade de falar; fala: *perder a voz;* "Mas horas há que marcam fundo... / Feitas, em cada um de nós, / De eternidades de segundo, / Cuja saudade extingue a voz." (Manuel Bandeira, *Estrela da Vida Inteira*, p. 21). **3.** V. *clamor* (2): *No recinto ecoaram vozes de protesto.* **4.** Ordem em voz alta. [Aum.: *vozeirão*.] **5.** V. *boato*: *É voz corrente que ele era mau pai.* **6.** Manifestação verbal: palavra: "Nenhuma voz me diriges!... / Julgas-te acaso ofendida?" (Gonçalves Dias, *Obras Poéticas*, I, p. 344.) **7.** Direito de falar em algum lugar. **8.** Sugestão íntima. **9.** *Gram.* Aspecto ou forma com que um verbo indica a ação como praticada pelo sujeito (*voz ativa*), ou por ele recebida (*voz passiva*), ou simultaneamente praticada e recebida por ele (*voz reflexa* ou *média*). **10.** *Mús.* Trecho vocal de uma composição musical. **11.** *Mús.* Nas fugas para piano e para órgão, cada uma das várias alturas em que o tema é desenvolvido. [Cf. *vós*.] ♦ **Voz anserina.** Voz rouca, que semelha o grasnar do pato. **Voz ativa.** *Gram.* V. *voz* (9). **Voz cheia.** Voz nítida e forte, que se ouve bem: "ouvia-se .... a voz quente e cheia de Maria, nas serenatas longas" (Alberto Deodato, *Canaviais*, p. 110). **Voz de advertência.** *Mil.* Voz de comando [q. v.] com que se transmite, advertindo, a natureza da ordem que vai ser dada, e antecedente à voz de execução. P. ex.: *ordinário*, em *ordinário, marcha!, meia-volta*, em *meia-volta, volver!* [Cf. *voz de execução*.] **Voz de cabeça.** A que não exige esforço do peito e cujas ressonâncias se produzem nas fossas nasais e na faringe. **Voz de cana rachada.** Voz desagradável, muito desafinada. [Sin., bras.: *voz de taboca rachada*.] **Voz de comando.** *Mil.* Ordem, dada de viva voz, mediante a qual os comandados executam determinado movimento ou desenvolvem qualquer ação, e que se divide em *voz de advertência* e *voz de execução*. P. ex.: *ordinário, marcha!; meia-volta, volver!* **Voz de execução.** *Mil.* Voz de comando [q. v.] que se segue à de advertência e que, enunciada em tom incisivo, é a ordem de execução do movimento. P. ex.: *marche*, em *ordinário, marche!; volver*, em *meia-volta, volver!* [Cf. *voz de advertência*.] **Voz de papo.** A que tem um tom de importância, não raro impertinente: "sublime nessa arte, antigamente nacional e hoje mais particularmente provinciana, de arranjar, numa voz de teatro ou de papo, combinações sonoras de palavras..." (Eça de Queirós, *Os Maias*, II, pp. 365-366). **Voz de pipia.** Voz de falsete. **Voz de sovelão.** Voz aguda e estridente de homem. **Voz de taboca rachada.** *Bras. Fam.* Voz de cana rachada. **Voz de trovão.** Voz estrondosa em excesso. **Voz do peito.** A que exige esforço do peito e resulta das ressonâncias que se produzem sobretudo na traquéia e na boca. **Voz em grita.** Aos gritos; gritando; com forte alarido: "— Pois vou lá, que o meu homem é meu — vociferou ela, voz em grita." (Camilo Castelo Branco, *A Queda dum Anjo*, p. 229.) **Voz média.** *Gram.* V. *Voz* (9). **Voz passiva.** *Gram.* V. *voz* (9). **Voz pastosa.** Voz arrastada e pouco clara. **Voz reflexa.** *Gram.* V. *voz* (9). **A meia voz.** Baixinho, discretamente: "ficava bem, contente de a ter ali, ... de a ouvir no quintal, cantando a meia voz a moda nova da vila." (Conde de Ficalho, *Uma Eleição Perdida*, p. 88). **Dar voz de prisão a.** Anunciar, em seu nome ou no de outrem, que alguém está preso. **De viva voz.** Falando; não por escrito. **Ter voz ativa.** Ter influência; ter o direito de opinar, decidir, eleger; ser ouvido em deliberações.

vozão. [De *voz* + *-ão*[1].] *S. m. Bras.* Voz extensa e bem timbrada.

vozeada. *S. f.* V. *vozearia*.

vozeador (ô). *Adj.* e *s. m.* Que ou aquele que vozeia.

vozeamento. *S. m.* V. *vozearia*.

vozear. *V. int.* **1.** Falar em voz alta; clamar, gritar, bradar: "Em sinal de alegria dispararam / Mil setas para o ar; e *vozeando*, / Os sons interrompiam num trinado, / Sobre as bocas batendo coas mãos ambas." (Domingos José Gonçalves de Magalhães, *A Confederação dos Tamoios*, p. 60.) *T. d.* **2.** Proferir em voz alta; dizer aos gritos; vozeirar: *A multidão vozeava aclamações e apupos.* **3.** Dar, soltar (gritos). [Conjug.: v. *frear.*] ● *S. m.* **4.** V. *clamor* (2): "Era um tumulto indescritível, vozear de populaça em revolta, silvos, brados, injúrias" (Raul Pompéia, *O Ateneu*, p. 196). [Cf. *vosear.*]

vozearia. *S. f.* **1.** Ato ou efeito de vozear; vozeio. **2.** Clamor de muitas vozes juntas. [Sin. ger.: *vozeada, vozeamento, vozeria* e (bras.) vozerio. Cf. *vosearia*, do v. *vosear.*]

vozeio. [Dev. de *vozear.*] *S. m.* V. *vozearia* (1).

vozeirão. [De *vozeiro-* + *-ão*[1].] *S. m.* **1.** Voz muito forte; vozeiro: "Vinham rapazes cantando num vozeirão atroador." (Coelho Neto, *A Conquista*, p. 56.) **2.** Indivíduo que tem a voz muito grossa; vozeiro. [Fem., nesta acepç.: *vozeirona.*]

vozeirar. [De *vozeiro* + *-ar*[2].] *V. int.* Falar em voz alta ou muito forte; vozear: "um vendedor de melado, vozeirando, cantarolando, a chamar crianças." (Coelho Neto, *Obra Seleta*, I, p. 487).

vozeiro. [De *voz* + *-eiro.*] *Adj.* **1.** Que fala muito; palrador. ● *S. m.* **2.** Aquele que fala muito. **3.** V. vozeirão (1 e 2): "E o vozeiro estranho soou mais uma vez pelas quebradas da serra." (Afonso Arinos, *Lendas e Tradições Brasileiras*, p. 31); "Um vozeiro arcaico vem saindo da sombra" (Cecília Meireles, *Obra Poética*, p. 844).

vozeirona. *S. f.* Fem. de *vozeirão* (2) [q. v.].

vozeria. [De *voz* + *-eria.*] *S. f.* V. *vozearia.*

vozerio. [De *vozeria.*] *S. m. Bras.* V. *vozearia*: "a criançada trêfega .... espalhava-se com vozerio atroante" (Coelho Neto, *Obra Seleta*, I, p. 488).

■ **vt.** Sigla de *videoteipe* [q. v.]

■ **vtr.** [Ingl. Sigla de *video-tape recorder.*] Videocassete (2) [q. v.]

vu[1]. [De or. afr.] *S. m. Bras.* **1.** Certo instrumento musical dos negros. **2.** V. *cuíca* (2).

vu[2]. *El. s. m. Bras., S.* Us. na loc. adv. *num vu.* ◆ **Num vu.** *Bras., S.* Num instante; num átimo; num abrir e fechar de olhos.

vuarame. [Do tupi *war ema*, 'indivíduo fétido'.] *S. m. Bras.* Designação comum a arbustos do gênero *Helicteres*, da família das esterculiáceas, que têm folhas membranáceas, flores vermelhas, e se caracterizam pelos frutos formados de cinco mericarpos que se enrolam uns nos outros em forma de saca-rolhas; saca-rolhas.

vuba. [De provável or. indígena.] *S. f. Bras.* Designação de duas gramíneas *(Gynerium saccharoides* e *Arundo sagittaria)* cultivadas como decorativas pela beleza do conjunto. São de grande tamanho e apresentam as inflorescências terminais muito amplas.

vulcâneo. [Do lat. *vulcaniu*, alterado.] *Adj.* Relativo ou pertencente a Vulcano, deus do fogo e da metalurgia na mitologia romana.

vulcânico. *Adj.* **1.** Pertencente ou relativo a vulcão: *lavas vulcânicas.* **2.** Que tem características de vulcão: "os seus olhos brilhavam como dois fogos vulcânicos no seio das trevas." (José de Alencar, *O Guarani*, II, p. 443). **3.** *Fig.* Impetuoso, ardente: *temperamento vulcânico.* ~ V. *bloco —, bomba —a, conduto —, cone —, erupção —a, extrusão —a, lago —, paroxismo —, poeira —a, rocha —a* e *vidro —.*

vulcanismo. [De *vulcão* + *-ismo.*] *S. m.* **1.** Ação dos vulcões. **2.** Conjunto de fatores que provocam saída de material magmático, em estado sólido, líquido ou gasoso, à superfície da crosta terrestre. **3.** *Fig.* Irrupção desastrosa.

vulcanite. [De *vulcan(izar)* + *-ite*[2].] *S. f.* Ebonite.

vulcanização. *S. f.* **1.** Ato ou efeito de vulcanizar(-se). **2.** *Quím.* Processo em que se torna elástica, resistente, insolúvel, a borracha natural, e que se baseia na introdução de átomos de enxofre na cadeia do polímero natural.

vulcanizador (ô). [De *vulcanizar* + *-(d)or.*] *Adj.* **1.** Que produz vulcanização. **2.** Diz-se de operário especializado em vulcanização. ● *S. m.* **3.** Operário vulcanizador. **4.** *Bras., S.* Borracheiro (1).

vulcanizadora (ô). [Fem. substantivado do adj. *vulcanizador.*] *S. f. Bras.* Estabelecimento onde se trabalha em vulcanização.

vulcanizar. [Do lat. *vulcanu*, 'fogo, chama', + *-izar.*] *V. t. d.* **1.** Tratar (a borracha) pelo processo de vulcanização. **2.** Tornar ardente; abrasar, calcinar. **3.** Exaltar, entusiasmar, inflamar. *P.* **4.** Exaltar-se, inflamar-se, arrebatar-se.

Vulcano. [Do mit. lat. *Vulcanu* (v. *vulcâneo*).] *S. m. Astr.* Planeta que se supunha existir, com uma órbita interior à de Mercúrio e que seria capaz de explicar por sua atração sobre este as perturbações observadas; planeta intramercurial.

vulcanologia. [Do lat. *Vulcanu* (v. *vulcâneo*) + *-o-* + *-log(o)-* + *-ia.*] *S. f.* Parte da geologia que trata dos vulcões.

vulcanológico. *Adj.* Referente à vulcanologia.

vulcanologista. *S. 2 g.* Especialista em vulcanologia; vulcanólogo.

vulcanólogo. *S. m.* Vulcanologista.

vulcão. [Do mit. lat. *Vulcanu* (v. *vulcâneo*).] *S. m.* **1.** Conduto que liga a superfície da Terra com uma câmara íntima e profunda que fornece o material magmático que aflora à superfície. **2.** *Pop.* Montanha que expele ou já expeliu material magmático. **3.** *Expl.* Dispositivo pirotécnico de forma cônica, por cujo vértice é lançada uma chuva luminosa que imita a erupção de um vulcão. **4.** *Fig.* Imaginação ardente. **5.** *Fig.* Pessoa ou coisa impetuosa. **6.** *Fig.* Perigo iminente contra a ordem social. [Pl.: *vulcões* e *vulcãos.*] ◆ **Vulcão de lama.** *Geol.* Orifício em áreas vulcânicas ou petrolíferas, formadas preponderantemente por material argiloso, pelo qual se desprendem gases e água carregada de lama, que se deposita em forma de cone; salsa-ardente, salsa. **Dançar sobre um vulcão.** Folgar em ocasião de perigo iminente, mas oculto.

vulgacho. [De *vulgo* + *-acho.*] *S. m.* V. *ralé* (1).

vulgar[1]. [Do lat. *vulgare.*] *Adj. 2 g.* **1.** Relativo ou pertencente ao vulgo; comum, ordinário, trivial, usual. **2.** Reles, ordinário. **3.** Sabido, notório. ~ V. *latim —, lúpus —, nome —* e *realismo —.* ● *S. m.* **4.** Aquilo que é vulgar: "só a ilusão é verdadeira. A verdade é a mentira porque é o comum e o vulgar." (João do Rio, *Dentro da Noite*, p. 177). **5.** Língua vernácula.

vulgar[2]. [Do lat. *vulgare.*] *V. t. d.* V. *vulgarizar* (1): "Quis-me punir do ousado sacrilégio / Com que os segredos seus vulguei na lira." (Almeida Garret, *Camões*, I, p. 103). [Conjug.: v. *largar.*]

vulgaridade. *S. f.* **1.** Qualidade de vulgar; vulgarismo: "O encanto de Casimiro de Abreu está na sua tocante vulgaridade. Em sua poesia tudo é comum a todos." (Carlos Drummond de Andrade, *Confissões de Minas*, p. 27.) **2.** Coisa, ação ou dito vulgar. **3.** Pessoa vulgar.

vulgarismo. *S. m.* **1.** O falar ou o pensar característico do vulgo. **2.** Vulgaridade (1).

vulgarização. *S. f.* Ato ou efeito de vulgarizar(-se).

vulgarizador (ô). *Adj.* e *s. m.* Que ou aquele que vulgariza.

vulgarizar. [De *vulgar* + *-izar.*] *V. t. d.* **1.** Tornar vulgar ou notório; propagar, divulgar, difundir, vulgar: *vulgarizar uma doutrina*; "O gaiato .... é no mundo musical um meio que a Providência destinou a vulgarizar os cantos que devem tornar-se populares." (Latino Coelho, *Tipos Nacionais*, p. 29). **2.** Fazer comum. **3.** Acanalhar, abandalhar. *P.* **4.** Tornar-se muito conhecido; popularizar-se: "Só depois dos românticos .... veio a vulgarizar-se o verso dodecassílabo sem qualquer pausa ou acento na sexta sílaba, como o queria Hugo [Vítor Hugo]." (Melo Nóbrega, *O Soneto de Arvers*, p. 88.) **5.** Abandalhar-se, acanalhar-se.

vulgata. [Do lat. *vulgata* (fem. de *vulgatu*, part. de *vulgare*[2]), 'que é do uso público; divulgada'.] *S. f.* Tradução latina da Bíblia feita no séc. IV segundo textos massoréticos, obra em parte de S. Jerônimo, e que foi declarada de *uso comum* na Igreja Católica pelo Concílio de Trento.

vulgívaga. [Do lat. *vulgivaga*, fem. de *vulgivagu.*] *S. f.* V. *meretriz*: "A Dama tinha caprichos físicos: / Era uma estranha vulgívaga." (Manuel Bandeira, *Estrela da Vida Inteira*, p. 68.)

vulgívago. [Do lat. *vulvivagu.*] *Adj.* **1.** Que se avilta. **2.** Que se prostitui ou se abandalha. ● *S. m.* **3.** Indivíduo vulgívago.

vulgo[1]. [Do lat. *vulgu.*] *S. m.* **1.** O povo, a plebe. **2.** O comum dos homens; a pluralidade das pessoas; *Só fala em coisas que o vulgo desconhece.* **3.** *P. ext.* V. *ralé* (1).

vulgo[2]. [Do lat. *vulgo*, 'por toda parte; universalmente'.] *Adv.* Na língua vulgar; vulgarmente: *Francisco Gomes da Silva, vulgo o Chalaça; Aparício Torelli, vulgo Aporelli ou Barão de Itararé.*

vulgocracia. [De *vulgo*[1] + *-cracia.*] *S. f.* Preponderância das classes populares. [Cf. *democracia* (1).]

vulnerabilidade. *S. f.* Qualidade ou estado de vulnerável.

vulneração. [Do lat. *vulneratione.*] *S. f.* Ato ou efeito de vulnerar.

vulnerador (ô). *Adj.* V. *vulnerante.*

vulneral. *Adj. 2 g. Med.* Vulnerário.

vulnerante. [Do lat. *vulnerante.*] *Adj. 2 g.* Que vulnera; vulnerador, vulnerativo.

vulnerar. [Do lat. *vulnerare.*] *V. t. d.* **1.** V. *ferir* (1): "Comprazia-se Camões nestas histórias façanhosas, chasqueando os pimpões de lá e os de cá, uns que nunca lhe viram as solas dos pés por onde unicamente podiam vulnerá-lo como ao herói grego." (Camilo Castelo Branco, *Boêmia do Espírito*, p. 182.) **2.** Melindrar, ofender. [Fut. pret.: *vulneraria*, etc. Cf. *vulnerária*, fem. de *vulnerário.*]

vulnerário. [Do lat. *vulnerariu.*] *Adj. Med.* Próprio para curar feridas; vulneral. [Fem.: *vulnerária.* Cf. *vulneraria*, do v. *vulnerar.*]

vulnerativo. [Do lat. *vulneratu*, part. pass. de *vulnerare*, 'ferir, vulnerar', + *-ivo.*] *Adj.* V. *vulnerante.*

vulnerável. [Do lat. *vulnerabile.*] *Adj. 2 g.* **1.** Que pode ser vulnerado: "Perdidos e sós no grande descampado, sentem-se desamparados e vulneráveis como crianças." (Miguel Torga, *Portugal*, pp. 114-115.) **2.** Diz-se do lado fraco de um assunto ou de uma questão, ou do ponto pelo qual alguém pode ser atacado ou ferido.

vulnífico. [Do lat. *vulnificu.*] *Adj.* Que fere ou pode ferir.

vulpina. [Fem. substantivado do lat. cient. *vulpinus* (subentende-se *lichen*), 'líquen vulpino'.] *S. f.* Matéria corante extraída de um líquen, o *Lichen vulpinus.*

vulpinita. [Do top. *Vulpino* (Itália) + *-ita*[3].] *S. f. Min.* Anidrita compacta, sacaróide, de grã média, capaz de receber um belo polimento.

vulpino. [Do lat. *vulpinu.*] *Adj.* **1.** Respeitante à, ou próprio da raposa: "O que havia nele de notável era o seu olhar vulpino, que pedia escuridão para brilhar com força; mas que, à luz, era esquivo e de mirada erradia." (Lima Barreto, *Vida e Morte de M. J. Gonzaga de Sá*, p. 223.) **2.** *Fig.* Astuto, manhoso, malicioso. [Sin. ger.: *raposeiro* e *raposino.*]

vulto. [Do lat. *vultu.*] *S. m.* **1.** Rosto, aspecto, semblante. **2.** Figura, corporatura; corpo. **3.** Figura indistinta; imagem: "vi um vulto de mulher, ao longe." (Machado de Assis, *Quincas Borba*, p. 170). **4.** Tamanho, volume, porte. **5.** *Fig.* Importância, notabilidade. **6.** Pessoa importante: "Napoleão Bonaparte é nos tempos modernos o primeiro vulto da França." (Ramalho Ortigão, *Em Paris*, p. 170). **7.** Ponderação, consideração.

vultoso (ô). *Adj.* **1.** Que faz vulto; volumoso: *embrulho vultoso.* **2.** De grande vulto ou importância; importante: "negócios vultosos entre fazendeiros vizinhos e boiadeiros de outras terras." (Nélson de Faria, *Tiziu e Outras Estórias*, p. 36). **3.** Muito grande; considerável, polpudo: *Vendeu a propriedade por vultosa soma.* [Cf. *vultoso.*]

vultuosidade. [De *vultuoso* + *-i-* + *-dade.*] *S. f. Patol.* Congestão da face.

vultuoso (ô). [Do lat. *vultuosu.*] *Adj.* Atacado de vultuosidade: "O rosto vultuoso, cianótico, empolado em vergões, era uma máscara hedionda." (Coelho Neto, *Banzo*, p. 96.) [Cf. *vultoso.*]

vulturídeo. [Do lat. *vulture*, 'abutre', + *-ídeo.*] *S. m.* **1.** Espécime da família dos vulturídeos. ● *Adj.* **2.** Pertencente ou relativo a eles.

vulturídeos. *S. m. pl. Zool.* Designação comum às aves da ordem dos falconiformes, da família *Cathartidae*, onde se encontram reunidos o condor, o urubu, o urubu-rei, etc.

vulturino. [Do lat. *vulturinu*, de *vulture*, 'abutre'.] *Adj.* Respeitante ao abutre, ou próprio dele: "Vê-se de pronto que é um homem-ave, com o seu nariz vulturino, o seu olhar largo, firme e quase duro" (Gilberto Amado, *A Chave de Salomão e Outros Escritos*, p. 90).

vulturno. [Do lat. *vulturnu.*] *S. m. Ant.* Vento do sueste.

vulva. [Do lat. *vulva.*] *S. f. Anat.* Parte externa dos órgãos genitais femininos, que inclui grandes e pequenos lábios, vestíbulo vaginal, etc.: "E ela me arrastou para o seu corpo e eu vi a vulva negra a se abrir como uma flor de cardeiro." (José Lins do Rego, *Meus Verdes Anos*, p. 218.)

vulvar. *Adj. 2 g.* Relativo ou pertencente à vulva; vulvário.

vulvária. [Fem. substantivado de *vulvário.*] *S. f.* V. *quenopódio.*

vulvário. *Adj.* Vulvar.

vulvite. [De *vulva* + *-ite*[1].] *S. f. Patol.* Inflamação da vulva.

▲vulv(o)-. [Do lat. *vulva, ae.*] *El. comp.* = 'vulva': *vulvite, vulvovaginal.*

vulvovaginal. [De *vulv(o)-* + *vaginal.*] *Adj. 2 g.* Relativo ou pertencente à vulva e à vagina.

vulvovaginite. [De *vulv(o)-* + *vaginite.*] *S. f. Patol.* Inflamação simultânea da vulva e da vagina.

vulvuterino. [De *vulv(o)-* + *uterino.*] *Adj.* Relativo ou pertencente à vulva e ao útero.

vunje. [De or. afr.] *Adj. 2 g. Bras., PE. Pop.* Muito sabido; atilado; esperto.

vunvum. [Voc. onom.] *S. m. Bras.* V. *barbeiro* (6).

vunzar. [De provável or. afr.] *V. t. d. Bras., BA. Pop.* Remexer (gavetas, caixa, mala).

vupt. [T. onom.] *Interj.* Vapt.

vurmo. *S. m.* O pus das úlceras.

vurmoso (ô). *Adj.* Que tem vurmo.

vuvu. *S. m. Bras., MG. Pop.* Briga, conflito, confusão, rolo.

W

w. *S. m.* **1.** Antiga letra do alfabeto, substituída ora por *u*, ora por *v*, na ortografia oficial. [Conquanto eliminado de nosso alfabeto, pelo sistema ortográfico em vigor, o *w* figura em palavras derivadas de nomes próprios estrangeiros que o contêm, como, p. ex., as que se vêem nos verbetes seguintes. V. *alfabeto fonético internacional.* Cf. *dáblio.*] **2.** *Fís.* Símb. de *watt.* **3.** *Quím.* Símb. de *tungstênio.* [Com maiúscula, nas acepç. 2 e 3.]

■**W.** Abrev. de *oeste.*

wagneriano (va). *Adj.* **1.** Pertencente ou relativo a Wilhelm Richard Wagner, compositor alemão (1813-1883), ou próprio dele. ● *S. m.* **2.** Grande admirador e/ou profundo conhecedor da obra de Wagner. **3.** Partidário do wagnerismo.

wagnerismo (va). [Do antr. *Wagner* + *-ismo.*] *S. m. Mús.* O sistema musical de Wagner [v. *wagneriano*].

➡**walkie-talkie** (uóqui-tóqui). [Ingl.] *S. m.* Emissor e receptor portátil para comunicações radiofônicas a curta distância.

➡**walk-over** (uk-ôvar, paroxítono). [Ingl.] *S. m.* Competição em que um adversário desiste da luta, sendo dada vitória ao outro.

➡**warrant** (uórrant). [Ingl.] *S. m. Jur.* e *Com.* Título de crédito, nominativo e transmissível por endosso, emitido junto com o conhecimento de depósito (porém dele separável) pelas companhias de armazéns gerais, trapiches e estabelecimentos similares, mediante garantia pignoratícia de mercadorias depositadas. [V. *conhecimento de depósito* (2) e *título de crédito.*]

warrantado (uò). [Part. de *warrantar.*] *Adj.* Garantido por *warrant.*

warrantagem (uò). *S. f.* Ato ou efeito de warrantar.

warrantar (uò). *V. t. d.* Garantir (uma mercadoria depositada) por meio de *warrant.*

➡**water closet** (uótâr clôset). [Ingl.] *S. f.* V. *banheiro* (2). [Abrev.: *w.c.*]

➡**water polo** (uótâr pólo). [Ingl.] *S. m.* V. *pólo aquático.*

watt (uót). [Do antr. *Watt,* de James Watt, físico escocês (1736-1819).] *S. m. Fís.* No Sistema Internacional, unidade de medida de potência igual à potência duma fonte capaz de fornecer, contínua e uniformemente, um joule por segundo. [Símb.: *W.* Pl.: *watts.*]

wattado (uò). [De *watt* + *-ado*[1].] *Adj.* ~V. *corrente*—*a.*

watt-hora. *S. m. Fís.* Unidade de medida de energia, igual a 3 600 J. [Símb.: *Wh.* Pl.: *watts-horas.*]

watt-horímetro. [De *watt-hora* + *-i-* + *-metro.*] *S. m.* Medidor de watt-hora. [Pl.: *watts-horímetros.*]

wattímetro (uotímetro). [De *watt* + *-i-* + *-metro.*] *S. m. Fís.* Instrumento para medida de potência elétrica.

watt-segundo. *S. m. Fís.* Unidade de energia, igual a um joule. [Pl.: *watts-segundos.*]

wavellita (uei). [Do antr. *Wavell,* de Guilherme Wavell, físico inglês (?-1839), + *-ita*[3].] *S. m. Min.* Mineral ortorrômbico, fosfato hidratado de alumínio que contém flúor.

■**Wb.** *Fís.* Símb. de *weber.*

■**w.c.** [Abrev. do ingl. *water closet.*] *S. m.* V. *banheiro* (2).

weber. [Do antr. *Weber,* de Wilhelm Eduard Weber, físico alemão (1804-1891).] *S. m. Fís.* No Sistema Internacional, unidade de medida de fluxo de indução magnética, igual ao fluxo de indução magnética que atravessa uma superfície plana de área igual a um metro quadrado, perpendicular à direção dum campo magnético uniforme e invariável de indução magnética igual a um tesla. [Símb.: *Wb.* Pl.: *webers.*]

➡**week-end** (ui-quend). [Ingl.] *S. m.* Fim de semana.

➡**Weltanschauung** (vèltanxáuung). [Al.] *S. m.* V. *cosmovisão.*

welwitschiácea (velvitxi). *S. f.* Espécime das welwitschiáceas.

welwitschiáceas (velvitxi). [Do antr. *Welwitsch,* de Friedrich Welwitsch, botânico austríaco (?-1872), + *-áceas.*] *S. f. pl. Bot.* Família de gimnospermas, da classe das gnetales, constituída tão-só de *Welwitschia bainesii* (*W. mirabilis*), notável planta desértica da África. O tronco é quase inexistente, mas as duas únicas folhas, opostas, atingem cerca de 3 m; são grossas, duras, e arrastam-se pela areia do deserto.

welwitschiáceo (velvitxi). *Adj.* Pertencente ou relativo às welwitschiáceas.

werneckense (ver). *Adj. 2 g.* **1.** De, ou pertencente ou relativo a Werneck (RJ). ● *S. 2 g.* **2.** Natural ou habitante de Werneck.

wesleyanismo (uès). [Do antr. *Wesley,* de John Wesley, teólogo inglês, fundador do metodismo (1703-1791), + *-ismo.*] *S. m.* Metodismo.

➡**western** (uéstern). [Ingl.] *S. m.* V. *bangue-bangue.*

westphalense (vest). *Adj. 2 g.* **1.** De, ou pertencente ou relativo a Frederico Westphalen (RS). ● *S. 2 g.* **2.** Natural ou habitante de Frederico Westphalen.

■ **Wh.** *Fís.* Símb. de *watt-hora.*

➡**whig** (uíg). [Ingl.] *Adj.* e *s. m.* **1.** Diz-se do, ou o partido liberal, no Reino Unido da Grã-Bretanha. **2.** Diz-se de, ou membro desse partido. [Cf. *tóri.*]

➡**white-collar** (uáit'cólâr). [Ingl.] *Adj. 2 g.* e *s. 2 g.* Diz-se do, ou o empregado que exerce uma atividade cuja tarefa exige boa apresentação no vestir.

wildiano (uàil). *Adj.* **1.** Pertencente ou relativo a Oscar Wilde, escritor irlandês (1854-1900), ou próprio dele. ● *S. m.* **2.** Grande admirador e/ou profundo conhecedor da sua obra.

willemita (u-i). [Do antr. *Willem,* do rei Guilherme I da Holanda (1772-1843), + *-ita*[3].] *S. f. Min.* Mineral trigonal, silicato de zinco, minério de zinco.

windsurfe (uin). [Do ingl. *wind,* 'vento', + *surfe.*] *S. m. Esport.* Navegação para uma só pessoa, sobre prancha semelhante à do surfe [q. v.] equipada com vela, a qual tem uma barra horizontal capaz de permitir a manobra e o equilíbrio do windsurfista.

windsurfista (uin). *S. 2 g.* Praticante de windsurfe.

witherita (ų-i). [Do antr. *Wither,* abrev. de Witherin, de William Withering, médico inglês (1741-1799), + *-ita*[3].] *S. f. Min.* Mineral ortorrômbico, carbonato de bário.

■**W.N.W.** Abrev. de *oés-noroeste.*

wollastonita (u-ó). [Do antr. *Wollaston,* físico e químico inglês (1766-1828), + *-ita*[3].] *S. f. Min.* Mineral monoclínico, silicato de cálcio.

➡**writ** (rit). [Ingl., 'ordem escrita'.] *S. m. Bras. Jur.* Mandado de segurança.

wronskiano. *Adj.* **1.** Pertencente ou relativo a José Maria Hoene-Wronski, matemático e filósofo polonês (1778-1853), ou próprio dele. **2.** Que é seguidor ou grande conhecedor das teorias de Wronski. ● *S. m.* **3.** Seguidor ou grande conhecedor dessas teorias. **4.** *Anál. Mat.* Determinante de ordem *n* em que os elementos da primeira fila são *n* funções de uma variável e os elementos da fila de ordem *k* + *1* são as derivadas de ordem *k* destas funções.

■**W.S.W.** Abrev. de *oés-sudoeste.*

wulfenita (vul). [Do antr. *Wulfen,* de F. X. von Wulfen, mineralogista austríaco (1728-1805), + *-ita*[3].] *S. f. Min.* Mineral tetragonal, molibdato de chumbo, minério de molibdênio.

wurtzita. [Do antr. *Wurtz,* de Carlos Adolfo Wurtz, químico francês (1817-1884), + *-ita*[3].] *S. f. Min.* Mineral hexagonal, preto-acastanhado, sulfeto de zinco.

wycliffismo (uai). [Do antr. *Wycliffe* + *-ismo.*] *S. m.* Heresia de John Wycliffe, teólogo inglês do séc. XIV, precursor da Reforma protestante.

x. *S. m.* **1.** A 22ª letra do nosso alfabeto. [V. *alfabeto fonético internacional.*] **2.** *Mat.* Símb. de *primeira coordenada cartesiana.* **3.** *Mat.* Símb. de *variável independente* [q. v.], numa equação. **4.** *Mat.* Símb. da *incógnita* [q. v.], numa equação. **5.** *P. ext.* Aquilo que se desconhece: *o x do problema.* **6.** *P. ext.* Quantia que não é mencionada: *Precisa de x para terminar a obra.* ● *Num.* **7.** Maiúscula, no sistema romano de numeração, símb. do número 10. **8.** O vigésimo segundo, numa série indicada pelas letras do alfabeto: *casa X* (ou casa x). **9.** A vigésima segunda, num grupo de série: *série X* (ou *série x*). **10.** ● *Prep.* Em oposição a, contra, versus: *O jogo Flamengo x Santos foi recorde de bilheteria em 1983.* [Cf. *xis.*]

xá. [Do persa *xāH,* 'rei'.] *S. m.* Título do ex-soberano do Irã (antiga Pérsia): "Tornava-se rajá, nababo, x á da Pérsia, e tonteava-nos com a sua megalomania." (Agripino Grieco, *Recordações de um Mundo Perdido,* p. 280.) [Cf. *chá.*]

xaboquê. *S. m. Bras. Pop.* Pedaço ou naco, em geral arrancado com os dentes: "A arraia possui um dente no céu da boca, agudo e penetrante, que arranca o x a b o q u e da carne da pessoa atacada" (Hélio Galvão, *Cartas da Praia,* pp. 22-23).

xabouqueiro. [De *xaboque* + *-eiro.*] *Adj. Bras., N.E.* Xambouqueiro.

xabraque. [Do al. *Schabrakt.*] *S. m.* Xairel que cobre a anca dos cavalos e os coldres.

xabregano. *S. m.* **1.** Frade franciscano do convento de Xabregas (Lisboa). **2.** *P. ext.* Franciscano[1] (5) [q. v.].

xacamecra. *Bras. S. 2 g.* **1.** Indivíduo dos xacamecras, tribo indígena extinta que formou um ramo dos timbiras orientais. ● *Adj. 2 g.* **2.** Pertencente ou relativo a essa tribo.

xácara. [Do ár.] *S. f.* Narrativa popular em verso: "Hoje ainda, nos serões dos ranchos, os sertanejos cantam uma longa x á c a r a que tem por título: *O casamento do senhor do engenho.*" (Coelho Neto, *Sertão,* p. 112.) [Cf. *chácara.*]

xacoco (ô). [Do quimb. *xacoco,* 'linguareiro'.] *Adj.* e *s. m.* **1.** Enxacoco (1 e 3). **2.** Que ou aquele que é falto de graça, de arte. **3.** Que ou quem é desengraçado, desenxabido.

xacotéu. *Bras. S. g.* **1.** Indivíduo dos xacotéus, tribo indígena do MT. ● *Adj. 2 g.* **2.** Pertencente ou relativo a essa tribo.

xacriabá. *Bras. S. 2 g.* **1.** Indivíduo dos xacriabás, ramo extinto dos acuéns [v. *acuém*] que habitava as terras na divisa entre MG e GO, junto aos rios Preto e Paracatu. ● *Adj. 2 g.* **2.** Pertencente ou relativo a essa tribo. [Var.: *xicriabá.*]

xador (ó). *S. m.* Veste feminina, usada no Irã, e que vai da cabeça aos tornozelos, deixando de fora apenas os olhos.

xadrez (ê). [Do sânscr. *shaturanga,* 'quatro membros', atr. do ár. *ax-xaTranj* e do arc. *axedrez, enxadrez.*] *S. m.* **1.** Antigo jogo, sobre um tabuleiro de 64 casas, alternativamente pretas e brancas, no qual dois parceiros movimentam 32 peças ou figuras de diferentes valores em geral esculpidas em marfim, madeira, massa, etc., sendo 16 para cada jogador: 1 rei, 1 rainha, 2 torres, 2 bispos, 2 cavalos e 8 peões. [Sin., ant.: *enxadrez.*] **2.** O tabuleiro desse jogo. **3.** Tecido cujas cores estão dispostas em quadrados alternados, semelhante ao tabuleiro de xadrez. **4.** Embutido de madeira, pedra, etc., cujo aspecto lembra o tabuleiro de xadrez. **5.** *Constr. Nav.* Gradeamento de madeira que se coloca nos patins, nas bocas de escotilha, em locais de manobra, etc., para servir de piso. **6.** Certo inseto lepidóptero. **7.** *Bras. Pop.* V. *cadeia* (3): "Era seu primeiro domingo de liberdade, depois de tantos meses de x a d r e z" (Newton Navarro *apud* Nei Leandro de Castro, *Contistas Norte-Rio-Grandenses,* p. 70). [Pl.: *xadrezes* (ê). Cf. *xadrezes,* do v. *xadrezar.*] ● *Adj. 2 g.* e *2 n.* **8.** *Bras.* Feito de xadrez (3), de tecido xadrezinho; axadrezado: "os homens me observavam com desconfiança, parecendo estranhar a minha indumentária, ou as valises que eu trazia nas mãos. Talvez mais o meu paletó x a d r e z" (Murilo Rubião, *O Dragão e Outros Contos,* p. 154).

xadrezar. *V. t. d.* Dispor em feitio de xadrez; enxadrezar. [Pres. subj.: *xadreze, xadrezes,* etc. Cf. *xadrezes* (ê), pl. de *xadrez.*]

xadrezinho (drêzí). [Dim. de *xadrez.*] *Adj.* **1.** Diz-se de fazenda disposta em quadradinhos alternados [v. *xadrez* (3)]: *algodão x a d r e z i n h o .* ● *S. m.* **2.** Fazenda xadrezinha: "As calças de x a d r e z i n h o de um certo Senhor Bandeira" (Martins Fontes, *Nós, as Abelhas,* p. 14); "O atoalhado novo, de x a d r e z i n h o" (Mário Palmério, *Chapadão do Bugre,* p. 181).

xadrezista. [De *xadrez* + *-ista.*] *S. 2 g.* Enxadrista (2).

xafetão. *S. m.* Pilar oco por onde passa a fiação que liga a rede elétrica aos vários pontos de luz de um prédio.

xaguão. *S. m. P. us.* Var. de *saguão.*

xaile. *S. m.* Var. de *xale* [q. v.]: "Nos dias ordinários, estas mesmas mulheres de lenço à cabeça e longos x a i l e s caindo dos ombros sobem com o almoço de seus homens" (José Vieira, *Sol de Portugal,* p. 17).

xailemanta. *S. m.* Var. de *xalemanta:* "Empregados do fisco, ... tabeliães de província fugidos a responsabilidades locais, chegam a Santa Apolônia, de x a i l e - m a n t a e alforjinho às costas" (Fialho d'Almeida, *Pasquinadas,* pp 216-217).

xainxá (a-in). *S. m.* O xá dos xás.

xairel. [Do ár. vulg. *jilāl.*] *S. m.* Cobertura de besta (ê) (1), feita de tecido ou de couro, sobre a qual se põe a sela ou a albarda; gualdrapa, sobreanca. [Pl.: *xairéis.* Cf. *chaireis,* do v. *chairar,* e *xaréu*[2].]

xale. [Do persa *xal.*] *S. m.* Espécie de manta, em geral de lã ou de seda, com que as mulheres cobrem e agasalham os ombros e o tronco, e às vezes a cabeça: "Ela entrou cerimoniosamente, cumprimentou-o com um gesto de cabeça, e deixou cair o longo x a l e que a envolvia" (Artur Azevedo, *Contos Possíveis,* p. 83). [Var.: *xaile.*] ◆ **Xale de Tonquim.** Xale de seda bordado, oriundo da China, o mesmo que os espanhóis designam por *mantón de Manila.*

xalemanta. [De *xale* + *manta.*] *S. m.* Grande xale que se usa dobrado em quadrilongo, ou aberto, à maneira de uma manta. [Var.: *xailemanta.*]

xalmas. [Do gr. *ságma,* 'carga', atr. do lat. *sagma* e de uma f. *salma.*] *S. f. pl.* Engradamento que se faz num carro ou num barco para segurar-lhe a carga. [Var.: *xelma.*]

xamã. [De *xaman,* de uma língua asiática, 'esconjurador, exorcista'.] *S. m.* Mago xamanista.

xamanismo. [De *xamã* + *-ismo.*] *S. m.* **1.** Religião de certos povos do N. da Ásia, baseada na crença de que os espíritos maus ou bons são dirigidos pelos xamãs. **2.** *P. ext.* A religião de certas tribos indígenas norte-americanas e a dos esquimós, de crença semelhante à do xamanismo (1).

xamanista. *Adj. 2 g.* **1.** Xamanístico. **2.** Que pratica o xamanismo. ● *S. 2 g.* **3.** Pessoa que o pratica.

xamanístico. *Adj.* Relativo ao xamanismo; xamanista.

xamata. [Do persa *xam-māhūt,* 'tecido de Damasco'.] *S. f.* Manto de seda lavrado com ouro, usado no Oriente.

xambivá. *Bras. S. 2 g.* **1.** Indivíduo dos xambivás, tribo indígena dos Carajás do médio Araguaia. ● *Adj. 2 g.* **2.** Pertencente ou relativo aos xambivás.

xambouqueiro. [Var. de *xabouqueiro.*] *Adj.* **1.** *Bras., N.E.* Grosseiro, rude, tosco. **2.** De feições grosseiras: "Maracajá não era .... um caboclo desajeitado e x a m b o u q u e i r o" (Jaime d'Altavila, *Lógica de um Burro,* p. 13). [Var.: *xabouqueiro.*]

xambregado. [Var. de *xumbergado.*] *Adj. Bras., CE. Pop.* V. *embriagado* (1).

xampu. [Do hind. *chhamna,* 'amassar, apertar', pelo ingl. *shampoo.*] *S. m.* Substância saponácea, em geral líquida, usada para a lavagem dos cabelos e do couro cabeludo.

xandanga. *S. f. Bras., MA. Chulo.* A vulva.

xangó. *S. m. Bras.* V. *manjuba* (1). [Cf. *xangô.*]

Xangô. [Do ioruba.] *S. m. Bras.* **1.** Um dos orixás mais poderosos, relacionado com o raio e o fogo, e sincretizado freqüentemente com S. Jerônimo, Santa Bárbara, S. Miguel Arcanjo. [Sin., na BA.: *Badé.*] **2.** *Bras., PE* e *AL.* O lugar e o conjunto de cerimônias religiosas afro-brasileiras. [Cf. *xangó.*]

Xangô-aganju. *S. m. Bras., BA.* São José, nos terreiros umbandistas. [Pl.: *Xangôs-aganjus.*]

Xangô-agodô. *S. m. Bras., BA.* F. sincrética afro-brasileira de São Pedro. [Pl.: *Xangôs-agodôs.*]

Xangô-alafim. *S. m. Bras., BA.* São Jerônimo, nos terreiros umbandistas. [Pl.: *Xangôs-alafins.*]

Xangô-de-aquiçá. *S. m. Bras., PA.* F. sincrética afro-brasileira de São Raimundo. [Pl.: *Xangôs-de-aquiçá.*]

xanteína. [De *xant(o)-* + *-e-* + *-ina*[1].] *S. f.* Matéria corante que se extrai da dália amarela.

xantelasma. [De *xant(o)-* + gr. *-elasma,* 'lâmina metálica'.] *S. m. Med.* Xantoma palpebral que se apresenta como mancha(s) ou como nódulo(s) amarelado(s); xanteloma.

xanteloma. [De *xantel(asma)* + *-oma.*] *S. m. Med.* Xantelasma.

▲**xant(i)-.** Equiv. de *xantin(a)-.*

xântico. [De *xant(o)-* + *-ico*[2].] *Adj.* Relativo à cor amarela.

xantídeo. [De *xant(o)-* + *-ídeo.*] *S. m.* **1.** Espécime dos xantídeos. ● *Adj.* **2.** Pertencente ou relativo a eles.

xantídeos. *S. m. pl. Zool.* Família de crustáceos da ordem *Decapoda,* que reúne mais de 900 espécies de caranguejos, animais não natantes, de carapaça muito espessa, e que habitam as praias rochosas e recifes de coral.

xantina. [De *xant(o)-* + *-ina*[1].] *S. f. Bioquím.* Substância escamosa amarelada, extraída dos músculos, da urina e de diversas plantas, e derivada da purina. [Fórm.: $C_5H_4O_2N_4$.]

▲**xantin(a)-.** [De *xantina.*] *El. comp.* = 'xantina': *xantinúria.* [Equiv.: *xant(i)-*: *xantúria.*]

xantinuria. *S. f. Med.* V. *xantinúria.*

xantinúria. [De *xantin(a)-* + *-ur(o)-*[2] + *-ia.*] *S. f. Med.* **1.** Presença de xantina na urina. **2.** Distúrbio metabólico, hereditário, purínico, do qual resulta excesso de xantina na urina, o que pode levar à formação de cálculos urinários de xantina. [Sin. ger.: *xantúria.* Var. pros.: *xantinuria.*]

xântio. [De *xant(o)-* + *-io.*] *S. m.* Gênero da família das compostas (*Xanthium*) que ocorre como ruderal sob o nome de *carrapicho*, e cujos aquênios são providos de cerdas que agarram nas roupas e nos pêlos dos mamíferos.

▲**xant(o)-.** [Do gr. *xanthós, é, ón.*] *El. comp.* = 'amarelo'; 'amarelado': *xantodermia, xantorrizo; xântico, xantina.*

xantocromia. [De *xant(o)-* + *-crom(o)-* + *-ia.*] *S. f. Med.* Coloração amarelada como a que, em algumas condições patológicas, pode ser encontrada, p. ex., em líquido cefalorraquiano, pele, etc.

xantocrômico. *Adj.* Referente à xantocromia.

xantodermia. [De *xant(o)-* + *-derm(o)-* + *-ia.*] *S. f. Antrop.* Coloração amarelada ou ocre da pele, observada no xantelasma generalizado.

xantodérmico. *Adj.* Referente à xantodermia.

xantofila. [De *xant(o)-* + o fem. de *-filo*[2].] *S. f.* Pigmento amarelo existente em vários órgãos vegetais e também na gema do ovo. [Fórm.: $C_{40}H_{56}O_2$.]

xantogênico. [De *xant(o)-* + *-gen(o)-*[1] + *-ico*[2].] *Adj.* Diz-se do micróbio da febre amarela.

xantoma. [De *xant(o)-* + *-oma.*] *S. m. Med.* Placa cutânea, amarela, um pouco saliente, causada por deposição lipídica.

xantomatose. [De *xantoma* + *-t-* + *-ose.*] *S. f. Med.* Acúmulo na pele, e por vezes noutros órgãos, de múltiplas massas nodulares amarelas compostas de células carregadas de lipóides (colesterol e seus ésteres).

xantopsia. [De *xant(o)-* + *-op(s)(e)-* + *-ia.*] *S. f. Patol.* Distúrbio da visão no qual os objetos são vistos de cor amarela.

xantóptero. [De *xant(o)+* *-ptero.*] *Adj. Zool.* Que tem asas amarelas.

xantorrizo. [De *xant(o)-* + *-rizo.*] *Adj. Bot.* Que têm raízes amarelas.

xantose. [De *xant(o)-* + *-ose.*] *S. f.* **1.** *Med.* Coloração amarelada. **2.** *Zool.* Substância amarela que se encontra nas manchas irregulares dos caranguejos.

xantospermo. [De *xant(o)-* + *-spermo.*] *Adj. Bot.* Que tem sementes amarelas.

xantóxilo (cs). [De *xant(o)-* + *-xilo.*] *Adj.* Cuja madeira é amarela.

xantungue. [Do top. *Xantungue* (China) < chin. *shān dōong.*] *S. m.* **1.** Tecido de seda natural, de fios irregulares, não inteiramente torcidos. **2.** *P. ext.* Qualquer tecido natural ou sintético semelhante ao xantungue (1).

xanturia. *S. f. Med.* V. *xantúria.*

xantúria. [De *xant(i)-* + *-ur(o)-*[2] + *-ia.*] *S. f. Med.* V. *xantinúria.* [Var. pros.: *xanturia.*]

xanxão. *S. m. Bras.* V. *pixoxó* (1 e 2).

xanxereense (êên). *Adj. 2 g.* **1.** De, ou pertencente ou relativo a Xanxerê (SC). ● *S. 2 g.* **2.** Natural ou habitante de Xanxerê.

xaoro. [Do ioruba.] *S. m. Bras., BA.* Tornozeleira de guizos usada pelas iniciadas de um candomblé como símbolo de sujeição.

Xapanã. *S. m. Bras., BA.* V. *Obaluaê.*

xaperu. *Bras. S. 2 g.* **1.** Indivíduo dos xaperus, tribo indígena do N. ● *Adj. 2 g.* **2.** Pertencente ou relativo a essa tribo.

xapuriense. *Adj. 2 g.* **1.** De, ou pertencente ou relativo a Xapuri (AC). ● *S. 2 g.* **2.** Natural ou habitante de Xapuri.

xaque. *S. m. Ant.* Xeque[1] [q. v.].

xáquema. *S. f.* Var. de *xáquima* [q. v.].

xaque-mate. *S. m. Ant.* Xeque-mate. [Pl.: *xaques-mates* e *xaques-mate.*]

xaque-xaque. [Voc. onom.] *S. m.* V. *ganzá* (1). [Pl.: *xaque-xaques.*]

xáquima. [Do ár. *xakîma*, 'cabresto'.] *S. f.* **1.** Tecido grosso usado para cilhas. **2.** *Ant.* Cabeçada do cabresto. [Var.: *xáquema.*]

xara[1]. [Do sânscr. *çara.*] *S. f.* Seta feita de pau tostado. [Cf. *chara.*]

xara[2]. [Do ár. vulg. *xa'râ*, 'mata, brenha'.] *S. f.* Esteva[1]. [Cf. *chara.*]

xará[1]. [Var. de *xera* < tupi *xe rera*, 'meu nome'.] *S. 2 g. Bras.* **1.** Pessoa que tem o mesmo nome de batismo que outra; xarapa, xarapim, xera, xero, tocaio. **2.** Companheiro; cara: *Como vai, x a r á ?* ● *S. m.* **3.** Certo bailado campestre.

xará[2]. *Adj. 2 g. Bras., RS.* Diz-se do eqüídeo de pêlo crespo.

xarada. *S. f. Cronol.* Uma das estações do ano do calendário hindu. [Cf. *charada.*]

xarapa. *S. 2 g. Bras., N.E. Pop.* F. paragógica de *xará*[1] (1) [q. v.].

xarapim. [De *xará*[1].] *S. 2 g. Bras.* V. *xará* (1).

xarda. [Do húng. *csárdás.*] *S. f.* Dança húngara, com introdução de caráter patético e melancólico, à qual se segue a parte principal, de caráter selvagem, em compasso de 2/4 ou 4/4. [F. preferível a *czarda*, sendo esta, no entanto, m. us.]

xarelete (ê). [Dim. de *xaréu*[1].] *S. m. Bras.* Peixe teleósteo, percomorfo, da família dos carangídeos (*Caranx crysos* (Mit.)), do Atlântico, desde a América do Norte e toda a costa sul-americana. Tem dorso cinza-azulado, abdome branco, com desenhos pretos e amarelos na cauda e mancha no opérculo. Sua pesca é feita com redes. [Var.: *xerelete, xererete*; sin.: *xaréu-pequeno, xaréu-dourado, solteira, taquara, cavaco.*]

xareta (ê). [Do ár *xariTâ*, 'cordel, conta'.] *S. f.* **1.** *Ant. Mar. G.* Rede com que se cobria a tolda e o convés das naus e galeões de guerra, por ocasião dos combates, para dificultar aos assaltantes a entrada a bordo, nas abordagens. **2.** Rede de pescar.

xaréu[1]. *S. m. Bras.* Designação comum a várias espécies de peixes teleósteos, percomorfos, da família dos carangídeos, gênero *Caranx* Lac., do Atlântico. São espécies migradoras. [Sin.: *guaracema, guaraçuma, guaricema, guricema.* Cf. *xaréu-branco.*]

xaréu[2]. [Var. de *xairel.*] *S. m. Bras., N.E.* Capa de couro usada pelos vaqueiros para cobrir as ancas do cavalo. [Cf. *xairel.*]

xaréu-branco. *S. m. Bras.* Peixe teleósteo, percomorfo, da família dos carangídeos (*Caranx hippos* (L.)), em geral com 50 a 80 cm, cabeça volumosa, com uma área sem escamas na base das peitorais, dorso azul-escuro, abdome amarelado, com mancha negra no opérculo e outra na base das nadadeiras peitorais. Realizam migrações periódicas para o norte e, após a desova, voltam ao sul, mais magros, recebendo o nome de *carimbambas.* Na BA é pescado com arrastões. [Sin.: *xaréu-roncador, xaréu-vaqueiro, aracaroba, cabeçudo, carimbamba, guaracimbora, aracimbora, guiará, guaracema.* Pl.: *xaréus-brancos.*]

xaréu-dourado. *S. m. Bras.* V. *xarelete.* [Pl.: *xaréus-dourados.*]

xaréu-pequeno. *S. m. Bras.* V. *xarelete.* [Pl.: *xaréus-pequenos.*]

xaréu-preto. *S. m. Bras.* Peixe teleósteo, percomorfo, da família dos carangídeos (*Caranx lugubris* Poey), do Atlântico, cuja coloração escura lhe deu origem ao nome. [Pl.: *xaréus-pretos.*]

xaréu-roncador. *S. m. Bras.* V. *xaréu-branco.* [Pl.: *xaréus-roncadores.*]

xaréu-vaqueiro. *S. m. Bras.* V. *xaréu-branco.* [Pl.: *xaréus-vaqueiros.*]

xaria. *S. 2 g. Bras., RN. Pop.* Natural ou habitante da cidade alta, em Natal. [Os da cidade baixa (Ribeira) são chamados *canguleiros.*]

xarife. *S. m.* Xerife[1] [q. v.].

xaroco (ô). [Do ár. *xaluq*. 'vento quente'.] *S. m. P. us. no Brasil.* Siroco (1).

xaropada. *S. f.* **1.** Porção de xarope que se toma de uma vez. **2.** Qualquer medicamento contra a tosse. **3.** *Bras. Fam.* Coisa fastidiosa, enfadonha, chata: "Cardoso .... pôe-se a lê-lo [o soneto] em voz alta, dando-nos a impressão de que se encanta e se deslumbra com a x a r o p a d a lírica e imbecil." (Luís Edmundo, *De um Livro de Memórias*, II, p. 534.)

xaropar. *V. t. d.* **1.** Tratar com xarope. **2.** Dar tisana (2). **3.** *Bras. Fam.* V. *xaropear. Int.* **4.** *Bras. Fam.* v. *xaropear.*

xarope. [Do ár. *xarāb*, 'bebida', atr. da f. *xarōb.*] *S. m.* **1.** *Farm.* Forma (18) farmacêutica em que se veicula medicamento em solução concentrada de um açúcar, e água ou outra substância aquosa. **2.** Remédio caseiro. V. *tisana* (2). **3.** Calda (1). **4.** *Bras. Fam.* V. *purgante* (3).

xaropear. [De *xarope* + *-ear.*] *V. t. d.* e *int. Bras. Fam.* Aborrecer, amolar, cacetear, chatear, com xaropada(s); xaropar. [Conjug.: v. *frear.*]

xaroposo (ô). *Adj.* **1.** Que tem a consistência do xarope (1). [Sin.: *viscoso, visguento, pastoso, pegajoso* e (p. us). *siroposo.*] **2.** *Bras.* Enfadonho, fastidioso, tedioso, chato: *discurso x a r o p o s o.*

xarrasca. *S. f.* Aparelho especial, de linha e de anzol, para pescar peixes de beiços carnudos.

xaru. *S. m. Bras.* Peixe teleósteo, siluriforme, da família dos pimelodídeos (*Pseudopimelodus charus* (Val.)), do rio São Francisco e RJ.

xaruma. *Bras. S. 2 g.* **1.** Indivíduo dos xarumas, tribo indígena da margem esquerda do rio Turunu (N. do PA). ● *Adj. 2 g.* **2.** Pertencente ou relativo a essa tribo.

xátria. [Do sânscr. *ksatrya.*] *S. m. Filos.* No sistema hindu de castas [v. *brâmane* (2)], a segunda delas, a dos guerreiros. [Cf. *vaixá* e *pária* (1).]

xauim (au-ím). *S. m. Bras., Amaz.* V. *sagüi.*

xavajé. *Bras. S. 2 g.* e *adj. 2 g.* Var. de *javaé.*

xavante. *Bras. S. 2 g.* **1.** Indivíduo dos xavantes, tribo indígena pertencente à família lingüística jê e que, junto com os xerentes, constitui o maior grupo dos acuéns [v. *acuém*]. Ocupa extensa área, limitada pelos rios Culuene e das Mortes (MT), e só há pouco tempo entrou em contacto, embora intermitente, com a população regional. População de quase 2.000 pessoas, dividida em cinco aldeias (Simões Lopes, Batovi São Marcos, Xavantina e Suiá Miçu), todas em MT. ● *Adj. 2 g.* **2.** Pertencente ou relativo a essa tribo.

xavantense. *Adj. 2 g.* e *s. 2 g.* Xavantino.

xavantino. *Adj.* **1.** De, ou pertencente ou relativo a Xavantes (SP). ● *S. m.* **2.** O natural ou habitante de Xavantes. [Sin. ger. *xavantense.*]

xavecagem. [De *xaveco* + *-agem*[2].] *S. f. Bras. Gír.* Xaveco (5).

xavecar. [De *xaveco* + *-ar*[2].] *V. int. Bras. Gír.* Praticar xaveco (5). [Conjug.: v. *trancar.*]

xaveco. [Do ár. *xabbak.*] *S. m.* **1.** Navio mourisco, de formas finas, proa e popa lançadas, com dois ou três mastros que envergam velas redondas ou latinas, o qual nos sécs. XVIII e XIX adquiriu fama pelo intenso emprego que teve na pirataria contra o comércio marítimo no Mediterrâneo. [Var.: *enxambeque.*] **2.** Barco velho e/ou sem resistência; calhambeque: "De bordo do x a v e c o real o governador disparou um tiro de peça sobre a parte do horizonte em que apareciam os pontos tão negros como rebeldes." (Ramalho Ortigão, *As Farpas*, IV, p. 253.) **3.** *Bras.* Pessoa ou coisa sem importância, sem merecimento, sem valor. **4.** *Bras. Pop.* V. *bruxa* (2). **5.** *Bras. Gír.* Tratantice, patifaria, velhacada; xavecagem.

xavier. [Do antr. *Xavier.*] *Adj. 2 g. Bras., S. Gír.* Sem graça; acanhado, desenxabido, encalistrado: *ficar x a v i e r.* ◆ **Sair xavier.** *Bras., S.* Sair aborrecido do jogo por haver perdido.

xaxado. [De *xá-xá-xá*, onomatopéia do rumor das alpercatas arrastadas no solo.] *S. m. Bras.* Dança masculina originária do alto sertão de Pernambuco e divulgada por cangaceiros até o interior da BA. É dançada "em círculo, fila indiana, um atrás do outro, sem volteio, avançando o pé direito em três e quatro movimentos laterais e puxando o esquerdo, num rápido e deslizado sapateado." (Luís da Câmara Cascudo, *Dicionário do Folclore Brasileiro*, II, p. 786).

xaxará. [Do ioruba.] *S. m. Bras.* Insígnia de Omolu, composta de feixe de palha enfeitado de búzios e pontas coloridas, de couro.

xaxim. *S. m.* **1.** *Bras.* O tronco de certas samambaias arborescentes da família das ciateáceas, muito usado em floricultura, e cuja massa fibrosa se constitui inteiramente de raízes adventícias entrelaçadas. **2.** Qualquer dessas plantas. [Sin. ger.: *samambaiaçu.*]

xaxinense. *Adj. 2 g.* **1.** De, ou pertencente ou relativo a Xaxim (SC). ● *S. 2 g.* **2.** Natural ou habitante de Xaxim.

■**Xe.** *Quím.* Símb. de *xenônio.*

xecado. *S. m.* **1.** Cargo ou funções de xeque[2]. **2.** Duração desse cargo. **3.** Área da jurisdição de um xeque[2].

xeique. *S. m.* V. *xeque*[2].

xeleléu. *S. m. Bras., RN. Pop.* V. *bajulador* (2).

xelim[1]. [Do ingl. *shilling.*] *S. m.* **1.** Moeda divisionária que até fevereiro de 1971 representou a vigésima parte da libra (5). **2.** Unidade monetária, e moeda, de Quênia, Somália, Tanzânia e Uganda.

xelim[2]. [Do al. *Schilling.*] *S. m.* Unidade monetária, e moeda, da Áustria.

xelita. [De *K. W. Scheele* (1742-1785), químico sueco.] *S. f. Min.* Tungstato de cálcio, minério do qual se extrai o tungstênio e seus compostos. [Fórm.: $CaW0^4$.]

xelma. *S. f.* Var. de *xalmas.*

xenagia. [Do gr. *xenagía.*] *S. f.* **1.** Na Grécia antiga, a princípio, o encarregado de questões relacionadas com estrangeiros. **2.** Tb. na Grécia antiga, posteriormente, o corpo de infantaria de Esparta, ou o comando desse corpo. **3.** Tb. lá, finalmente, o comando dos corpos mercenários.

xenartro. [De *xen(o)-* + *-artro.*] *S. m.* **1.** Espécime dos xenartros. ● *Adj.* **2.** Pertencente ou relativo a eles.

xenartros. [Pl.: de *xenartro.*] *S. m. pl. Zool.* Mamíferos cuja coluna vertebral tem zigapófises nos arcos das vértebras lombares, e também em alguns casos, nas vértebras dorsais. São representados na América do Sul pelos desdentados [q. v.]. Alguns autores pretenderam usar o termo *Xenarthra* para essa ordem.

xendengue. [Do quimb. *ndenge,* 'pequeno'.] *Adj. 2 g. Bras., N.E. Pop.* **1.** Magro, seco, franzino. **2.** Ordinário, imprestável.

xenelasia. [Do gr. *xenelasía.*] *S. f.* Na Grécia antiga, impedimento que se fazia a estrangeiros de entrarem numa cidade-estado.

xenentese. [De *xen(o)-* + *-ent(o)-* + a term. de voc. como *enurese, diurese,* etc.] *S. f. Med.* Introdução de substâncias estranhas no organismo.

xenhenhém. *S. m. Bras., PB. Chulo.* A vulva.

xênia. [Do gr. *xénia.*] *S. f.* **1.** Na Grécia antiga, a qualidade de estrangeiro. **2.** Entre os gregos antigos tratamento hospitaleiro; hospitalidade. **3.** Xênio. **4.** *Bot.* Influência do pólen de uma espécie ou variedade sobre o endosperma da semente resultante da fecundação de outra por ele. Assim, quando as flores de um milho cujos grãos são amarelos recebem o pólen de outro cujos grãos são vermelhos, a espiga daí oriunda tem grãos de ambas as cores.

xênico. *Adj. Bot.* Relativo à, ou próprio da xênia (4).

xênio. [Do gr. *xénios.*] *S. m.* Na Grécia antiga, presente que se dava aos hóspedes, após as refeições, ou aos amigos, em certas épocas do ano; xênia.

▲xen(o)-. [Do gr. *xénos, e, on.*] *El. comp.* = 'estranho', 'estrangeiro': *xenomórfico, xenofobia; xenartro.*

xenoblástico. [De *xen(o)-* + *-blast(o)-* + *-ico*[2].] *Adj.* ~V. *textura* —a.

xenofilia. [De *xenófilo* + *-ia.*] *S. f.* Simpatia por pessoas e coisas estrangeiras; xenofilismo. [Antôn.: *xenofobia.*]

xenofilismo. *S. m.* V. *xenofilia.*

xenófilo. [Do gr. *xenóphilos,* pelo lat. *xenophilu.*] *Adj.* e *S. m.* Diz-se de, ou aquele que tem xenofilia. [Antôn.: *xenófobo.*]

xenofobia. [De *xen(o)-* + *fobia.*] *S. f.* Aversão a pessoas e coisas estrangeiras; xenofobismo: "captar .... o apoio da grande maioria do povo, em quem o nacionalismo antidinástico é um caso particular de xenofobia, o ódio ao estrangeiro, que o caracteriza." (Euclides da Cunha, *Contrastes e Confrontos,* p. 123). [Antôn.: *xenofilia.*]

xenofóbico. *Adj.* Relativo à xenofobia.

xenofobismo. *S. m.* V. *xenofobia.*

xenófobo. [De *xen(o)-* + *-fobo.*] *Adj.* e *s. m.* Diz-se de, ou aquele que tem xenofobia. [Antôn.: *xenófilo.*]

xenofonia. [Do gr. *xenophonía,* 'expressão ou pronúncia estrangeira'.] *S. f.* Perturbação da voz, que adquire um tom estranho.

xenólito. [De *xen(o)-* + *-lito.*] *S. m. Geol.* Rocha encravada em outra, e que apresenta constituição diferente desta; encrave.

xenomania. [De *xen(o)-* + *mania.*] *S. f.* Mania por tudo quanto é estrangeiro.

xenomaníaco. *Adj.* **1.** Relativo à xenomania, ou que a tem. ● *S. m.* **2.** Aquele que a tem.

xenômano. *Adj.* e *s. m.* Que ou aquele que tem xenomania.

xenomórfico. [De *xen(o)-* + *-morf(o)-* + *-ico*[2].] *Adj. Geol.* Diz-se do mineral formado em rocha magmática de faces cristalinas que não são próprias, devendo a sua constituição aos minerais adjacentes; alotrimórfico. ~V. *textura* —a.

xênon. [Do gr. *xenon,* 'estranho'.] *S. m. Quím. P. us.* V. *xenônio.*

xenônio. [De *xen(o)-* + *-n-* + *-io.*] *S. m. Quím.* Elemento de número atômico 54, pertencente à família dos gases nobres. [Símb.: *Xe.*]

xenopterígio. *S. m.* **1.** Espécime dos xenopterígios. ● *Adj.* **2.** Pertencente ou relativo a eles.

xenopterígios. *S. m. pl. Zool.* Animais da classe dos peixes, neopterígios, ordem *Xenopterygii,* de corpo provido de largo disco, em forma de ventosa, entre as nadadeiras ventrais, e pele lisa e sem escamas. Freqüentam o fundo do mar, onde vivem agarrados às pedras ou conchas.

xenotima. [De *xen(o)-* + gr. *timé,* 'honra'.] *S. f. Min.* Mineral tetragonal, fosfato de ítrio.

xenxém. *S. m. Bras.* Moeda de cobre, de dez-réis, que circulou no País algum tempo: "O dinheiro designado por expressões esquecidas: o xenxém, a pataca, o cinquinho." (Alberto Rangel, *Papéis Pintados,* p. 262.)

xepa (ê). *S. f.* **1.** *Bras. Pop.* Comida de quartel. **2.** *Bras. Pop.* Sobra de comida. **3.** *Bras. Pop.* Papel usado, recolhido para venda às fábricas de celulose. **4.** *Bras., RJ. Pop.* As últimas mercadorias vendidas nas feiras livres, mais baratas e de qualidade inferior. **5.** *P. ext. Bras., RJ. Pop.* Sobras de verduras e outros alimentos perecíveis que as pessoas catam nas feiras e mercados. **6.** *Bras., SC. Gír.* V. *guimba.*

xepeiro. [De *xepa* + *-eiro.*] *S. m.* **1.** *Bras.* Soldado arranchado, que come no quartel. **2.** *Bras.* Indivíduo que se mantém de esmola e doutros recursos, abrigando-se em qualquer parte. **3.** *Bras. Pop.* Pessoa que costuma pedir coisas emprestadas ou aproveitar o que não é seu. **4.** *Pop.* Pessoa que recolhe xepa (3). **5.** *Bras., RJ.* Indivíduo que compra ou cata xepa (4 e 5) nas feiras ou mercados.

xeque[1]**.** [Do persa *xaH,* 'rei dos persas', atr. do ár. *xaH,* 'rei, no jogo de xadrez', de uma f. ant. *xaque,* que sofreu infl. do fr. *échec.*] *S. m.* **1.** No jogo de xadrez, lance em que o rei fica numa casa atacada por uma peça adversária. **2.** *Fig.* Acontecimento parlamentar que envolve perigo para o governo. **3.** *Fig.* Risco, perigo, contratempo. [Cf. *cheque.*] ◆ **Pôr em xeque. 1.** Pôr em dúvida, o valor, a importância, o mérito, de: "Henrique Bernardelli, seu professor na Academia, talvez não visse com bons olhos aquelas exaltações fantasiosas que, de certa maneira, vinham pôr em xeque os cânones tradicionais da pintura acadêmica." (Luís Edmundo, *De um Livro de Memórias,* III, p. 724.) **2.** Ameaçar (3).

xeque[2]**.** [Do ár. *xēkh,* 'velho'.] *S. m.* Entre os árabes, chefe de tribo, ou soberano: "era ainda elegante como um jovem xeque beduíno" (Afonso Arinos, *Pelo Sertão,* p. 85); "o poeta proclamava-se descendente de xeques do deserto" (Jorge Amado, *Farda Fardão Camisola de Dormir,* p. 37). [Cf. *cheque.*]

xeque[3]**.** [Voc. onom.] *S. m. Mús.* V. *ganzá* (1). [Cf. *cheque.*]

xeque-mate. [De *xeque*[1] + *mate*[1].] *S. m.* No jogo de xadrez, xeque em que o rei atacado não pode escapar e que põe fim à partida com a derrota do jogador que o recebe. [Tb. se diz apenas *mate.* Pl.: *xeques-mates* e *xeques-mate.*]

xeque-xeque. [Voc. onom.] *S. m. Mús.* V. *ganzá* (1). [Pl.: *xeque-xeques.*]

▲-xera. Equiv. de *xer(o)-.*

xera (ê). *S. 2 g. Bras., AM, PA* e *MA.* V. *xará*[1] (1). [Cf. *cheira,* do v. *cheirar.*]

xerardização. [Do ingl. *sherardization.*] *S. f. Metal.* Recobrimento de peças de ferro pelo zinco, mediante aquecimento em vaso fechado, na presença de zinco em pó.

xerardizar. *V. t. d. Metal.* Efetuar xerardização em.

xerasia. [Do gr. *xerasía,* 'secura'.] *S. f. Med.* Afecção de pêlos em que estes se tornam duros e ressecados, apresentando queda.

xeré. *S. m. Bras.* V. *xerê.*

xerê. [Do iorubá.] *S. m. Bras.* Chocalho de cobre que representa a autoridade de Xangô. [F. paral.: *xeré, xereré.*]

xereca. *S. f. Bras. Pop.* e *inf.* A vulva.

xerelete (ê). *S. m. Bras.* V. *xarelete.*

xerém. *S. m. Bras.* **1.** Milho pilado grosso, que não passa na peneira: "As mulheres .... , umas pilavam milho para fazer o xerém; outras andavam nos poleiros guardando a criação para livrá-la das raposas" (José de Alencar, *O Sertanejo,* p. 183). **2.** *Bras.* Chocalho de cobre usado no xangô (2). **3.** *Bras.* Espécie de polca. **4.** *Bras., N.E.* Dança de roda, ao som da sanfona: "Os caboclos dançam sambas, sapateando, o xerém, uma espécie de *schottisch*" (Gustavo Barroso, *Terra de Sol,* p. 219).

xerengue. *S. m. Bras.* V. *caxirenguengue.*

xerente. *Bras. S. 2 g.* **1.** Indivíduo dos xerentes, tribo indígena que, juntamente com os xavantes, forma o maior grupo dos acuéns [v. *acuém*], habita as terras entre os rios Sono e Tocantins (GO), e já está integrada na sociedade nacional. ● *Adj. 2 g.* **2.** Pertencente ou relativo a essa tribo.

xereré. *S. m.* **1.** *Bras., MA.* V. *garoa*[1] (3). [Var., nesta acepç.: *xererém.*] **2.** *Bras.* V. *xerê.*

xererém. [Var. de *xereré* (1).] *S. m. Bras., GO.* V. *garoa* (3).

xereta (rê). [De *cheirar.*] *S. 2 g. Bras. Pop.* **1.** Bisbilhoteiro, intrometido, novidadeiro, leva-e-traz: "E combinaram que pra qualquer recado ou carta ou aviso, ela teria o nome de Melancia e ele de Coco Verde. Só eles, ninguém mais saberia; que era para despistar algum xereta." (Simões Lopes Neto, *Contos Gauchescos e Lendas do Sul,* p. 191.) **2.** V. *bajulador* (2). ● *Adj. 2 g.* **3.** Diz-se de pessoa xereta (1). **4.** V. *bajulador* (1). [Pl.: *xeretas* (rê). Cf. *xereta* e *xeretas,* do v. *xeretar.* A grafia normal seria *cheireta* (de *cheiro*).]

xeretar. [De *xereta* (q. v.) + *-ar*[2].] *V. t. d.* e *int. Bras., S. Pop.* Adular, bajular, engrossar, xeretear. [Pres. ind.: *xereto, xeretas, xereta,* etc. Cf. *xereta* (ê) e pl. *xeretas* (ê).]

xeretear. [De *xereta* (q. v.) + *-ear.*] *V. t. d.* e *int. Bras., S. Pop.* Xeretar. [Conjug.: v. *frear.*]

xerez (ê). [Do top. *Xerez* (Espanha), cidade onde se fabrica o vinho.] *S. m.* **1.** Casta de uva tinta. **2.** Vinho generoso espanhol, seco ou doce, fabricado em Andaluzia: "bocejando alguns, falando animadamente outros, levípedes, de faces rubras, aos estos de um xerez ancião, ou de um madeira longo tempo sopitado em garrafas poentas." (Afonso Arinos, *Pelo Sertão,* p. 138).

xerga (ê). [Do lat. *serica,* pl. de *sericum, i,* 'tecido de seda'.] *S. f.* **1.** Tecido grosseiro, espécie de burel. **2.** *Bras.* Espécie de enxerga que se estende por baixo da albarda das bestas.

xerife[1]**.** [Var. de *xarife* < ár. *xarif,* 'nobre'.] *S. m.* **1.** Título adotado por príncipes mouros descendentes de Maomé. **2.** Título de muçulmano que já fez três ou mais visitas ao templo de Meca.

xerife[2]**.** [Do ingl. *sheriff.*] *S. m.* **1.** Na Inglaterra, funcionário graduado de um condado. **2.** Nos E.U.A., o funcionário mais graduado de um município, investido de muito poder policial e judicial limitado. ◆ **Xerife de cadeia.** *Bras. Gír.* de *cadeia.* Preso encarregado da organização da rotina da cela coletiva e do contato com os carcereiros.

xerimbabo. [Do tupi *xeri'mawa,* 'minha criação'.] *S. m. Bras., AM, PA* e *MA.* Qualquer animal de criação ou estimação: "Capaz [a sucuriju] de alagar a montaria do selvagem, comia-lhe ainda os xerimbabos no terreiro, os curumins no porto" (Raimundo Morais, *País das Pedras Verdes,* p. 60). [Sin., no PR: *mumbavo.*]

xeripana. *S. f. Bras., AM.* Jiribana.

▲xer(o)-. [Do gr. *xerós.*] *El. comp.* = 'seco', 'secura': *xerófito, xerografia, xerodermia; xerose* (< gr. *xérosis*). [Equiv.: *-xera: filoxera.*]

xero (ê). [Var. de *xera.*] *S. m. Bras., AM* e *PA.* V. *xará*[1] (1). [Cf. *cheiro,* do v. *cheirar* e s. m.]

xerocar. *V. t. d.* V. *xeroxar.* [Conjug.: v. *trancar.*]

xerocópia. [De *xer(o)-* + *cópia.*] *S. f.* V. *xerografia* (2): "Xerocópias da edição de 1845 [de *As Cartas Chilenas*] foram-nos obtidas quase simultaneamente por dois amigos" (Tarqüínio J. B. de Oliveira, *As Cartas Chilenas,* p. 36).

xerocopiar. *V. t. d.* Fazer xerocópia de.

xerodermia. [De *xer(o)-* + *-derm(o)-* + *-ia.*] *S. f. Patol.* Afecção que se caracteriza pela secura, descoramento e descamação da pele. [Cf. *ictiose.*]

xerodérmico. *Adj.* Referente à xerodermia.

xerofagia. [Do gr. *xerophagía.*] *S. f.* **1.** Dieta que proíbe o beber. **2.** Abstinência quaresmal dos primitivos cristãos.

xerofágico. *Adj.* Respeitante à xerofagia.

xerófago. *S. m.* **1.** Aquele que observa a xerofagia. **2.** Entre os primitivos cristãos, aquele que só se alimentava de pão e de fruta seca.

xerofilia. [De *xerófilo* + *-ia.*] *S. f. Ecol. Veg.* Preferência por lugares secos, como a caatinga e os desertos.

xerófilo. [De *xer(o)-* + *-filo*[2].] *Adj. Ecol. Veg.* **1.** Que vive em lugares secos, como a caatinga e os desertos. **2.** Diz-se da estrutura das folhas de plantas xerófilas. [Antôn.: *higrófilo.*]

xerofítico. *Adj. Ecol. Veg.* Relativo ao, ou próprio do xerófito: *estrutura xerofítica.*

xerofitismo. *S. m. Ecol. Veg.* Conjunto de caracteres apresentados pelos xerófitos. [Antôn.: *higrofitismo.*]

xerófito. [De *xer(o)-* + *-fito.*] *Adj. Ecol. Veg.* **1.** Diz-se dos vegetais que têm uma estrutura especial, na qual domina o reforço das paredes celulares e há, portanto, abundância de tecidos mecânicos, tendo, ainda, adaptações funcionais contra a falta de água, razão por que resistem bem às carências de água disponível: "Começa o letargo dessa vegetação interessante, xerófita ao tempo da seca, higrófita no inverno, morta e ressequida na aparência" (Gustavo Barroso, *Terra de Sol,* p. 13). ● *S. m.* **2.** Vegetal xerófito. [Antôn.: *higrófito.*]

xeroftalmia. [Do gr. *xerophthalmía.*] *S. f. Med.* Oftalmia caracterizada pelo ressecamento de córnea e de conjuntiva, e devida a deficiência de vitamina A. A condição mórbida inicia-se com cegueira noturna e secura anormal primeiramente de conjuntiva e depois de córnea, evoluindo, finalmente, para ceratomalacia.

xeroftálmico. *Adj.* Relativo à xeroftalmia.

xerogel. [De *xer(o)-* + *gel.*] *S. m. Fís.-Quím.* Substância sólida com grande quantidade de poros e capilares, e na qual são importantes os fenômenos de adsorção. Pode ser um adsorvente, como, p. ex., o carvão ativo, ou um gel seco. [Pl.: *xerogéis*.]

xerografado. [Part. de *xerografar*.] *Adj.* Reproduzido por xerografia (1).

xerografar. *V. t. d.* Reproduzir por xerografia (1).

xerografia. [De *xer(o)-* + *-graf(o)-* + *-ia*.] *S. f.* **1.** *Art. Gráf.* Processo de impressão eletrostática [q. v.] em que a imagem do original é projetada sobre uma placa ou um cilindro revestido de selênio, sensível à luz, e cuja carga positiva se dissipa nas áreas iluminadas, ficando a imagem representada pelas partes carregadas, que passam a atrair o licopódio, que então se esparge, saturado negativamente. O papel, recebendo carga positiva, atrai as partículas representativas da imagem, que nele é fixada por meio de calor ou de solventes vaporizados. O processo destina-se tanto à tiragem rápida de cópias de qualquer documento, ou até de objetos, em papel comum, pano, plástico, etc., como à obtenção de provas de textos e desenhos, para reprodução por ofsete. [Sin.: *xérox*.] **2.** *Art. Gráf.* Cópia obtida por esse processo; cópia xerográfica, xerocópia, xérox. **3.** Ramo da geografia que estuda as regiões secas do globo.

xerográfico. *Adj.* Respeitante à xerografia, ou ao xérox. ~ V. *cópia —a*.

xeromórfico. [De *xeromorfo* + *-ico*[2].] *Adj. Ecol. Veg.* Xeromorfo.

xeromorfo. [De *xer(o)-* + *-morfo*.] *Adj. Ecol. Veg.* Que tem estrutura semelhante à dos xerófitos e não sofre deficiência hídrica, como é o caso da vegetação de cerrado; xeromórfico: *vegetal* x e r o m o r f o.

xerose. [Do gr. *xerosis*.] *S. f. Med.* Estado de secura que, anormalmente, pode ser observado em locais diversos, como olho(s), boca, etc.

xerostomia. [De *xer(o)-* + *-stom(a)-* + *-ia*.] *S. f. Patol.* Secura excessiva da boca.

xerostômico. *Adj.* Relativo à xerostomia.

xerotribia. [Do gr. *xerotribía*.] *S. f.* Fricção seca, feita com a mão.

xerox (cherócs). *S. m.* V. *xérox*.

xérox (chérocs). [Do ingl. *xerox*, nome registrado.] *S. m.* **1.** *Art. Gráf.* V. *xerografia* (1 e 2). **2.** A máquina empregada nesse processo.

xeroxar (csar). [De *xerox* + *-ar*[2].] *V. t. d.* Reproduzir por xérox (1).

xerva. *S. f.* Variedade de linho.

xeta (ê). *S. f. Bras., N.E.* **1.** Provocação amorosa. **2.** Gesto de beijo feito de longe.

xetá. *Bras. S. 2 g.* e *adj. 2 g.* V. *aré*.

xetrar. *V. int. Bras., CE. Pop.* Sofrer um insucesso, ou por não conseguir o que esperava ou por ir ao encontro de alguém em vão.

xeura. *S. f. Lus. Constr. Nav.* A chanfradura que se faz na face de uma peça de madeira para que nela possa assentar bem outra peça; escantilhão.

xexé. *S. m.* **1.** Mascarado de carnaval, que representa um velho ridículo, de casaca, calção e meia, e armado de grande faca de pau. **2.** *Ant.* Idiota, pateta.

xexeiro. [De *xexo* + *-eiro*.] *Adj.* e *s. m. Bras., N.E. Chulo.* Diz-se de, ou indivíduo que passa calote ou xexo.

xexelento. [De *xexé* + *-(l)ento*.] *Adj. Bras. Gír.* **1.** De má qualidade; inferior. **2.** De mau aspecto; desagradável. **3.** Implicante.

xexéu. [Do tupi *xe'xéu*.] *S. m.* **1.** *Bras.* V. *bodum* (2). **2.** *Bras., N.E.* V. *japim*.

xexéu-bauá. [De *xexéu* + a onom. *bauá*.] *S. m. Bras., N.E.* V. *guaxe* (1). [Pl.: *xexéus-bauás* e *xexéus-bauá*.]

xexéu-de-bananeira. *S. m. Bras., PE.* V. *encontro*[2]. [Pl.: *xexéus-de-bananeira*.]

xexéu-do-mangue. *S. m. Bras., N.E.* V. *xexéu* (1). [Pl.: *xexéus-do-mangue*.]

xexo (ê). [Alter. de *seixo*.] *S. m. Bras., RN.* V. *seixo* (3).

xi (cs). *S. m.* A 14ª letra do alfabeto grego (Ξ e ξ); csi.

xi[1] (ch). *S. m.* A 22ª letra do alfabeto grego (Χ e χ).

xi[2]. *Interj. Bras.* Exprime admiração, espanto, inquietação, surpresa ou alegria.

xiba. [De *chiba*[1], 'cabra nova'.] *S. f.* e *m.* **1.** Espécie de dança rural cantada, popular, provavelmente de origem portuguesa, mas cujo ritmo sofreu alterações por influência negra: "Findas as primeiras quadrilhas, ... o elemento nacional e dominante — o x i b a — campeava absoluto, lânguido, peneirado, buliçoso" (Melo Morais Filho, *Festas e Tradições Populares do Brasil*, p. 13). [Sin.: *samba* (N), *cateretê* (MG e SP), *fandango* (S.).] **2.** *Bras., RJ.* Espécie de quadrilha (3). [Cf. *chiba*.]

xibará. *Bras. S. 2 g.* **1.** Indivíduo dos xibarás, indígenas que habitam as margens do rio Juruá. ● *Adj. 2 g.* **2.** Pertencente ou relativo a esses indígenas.

xibaro. [De uma língua americana, atr. do esp. *jíbaro*.] *S. m. Bras., PR.* Mestiço de caboclo (1) e negro.

xibimba. *S. 2 g. Bras., S. Pop.* Pessoa obesa.

xibio. *S. m. Bras., MG, GO* e *MT.* V. *xibiu* (1).

xibiu. *S. m.* **1.** *Bras., MG, MT* e *GO.* Diamante pequeno, usado em instrumentos de cortar vidro. **2.** *Bras., N.E.* e *BA. Chulo.* A vulva.

xibolete. [Do hebr. *shibolet*, 'espiga'.] *S. m.* **1.** Palavra pela qual os soldados de Jefté reconheceram os efraimitas, que não conseguiam pronunciar o dígrafo inicial *sh*. **2.** *P. ext.* Sinal; senha.

xibungo. *S. m. Bras., N.E. Chulo.* Pederasta passivo.

xicaca. [De or. afr.] *S. f.* **1.** *Bras.* Balaio com tampa; cesto. **2.** *Bras.* Troço (1 e 2). **3.** *Bras., RS.* Papagaio de papel, quadrangular.

xícara. [Do náuatle *xicalli*, atr. do esp.] *S. f.* **1.** Pequena vasilha com asa para servir em especial bebidas quentes, como, p. ex., café, chá e leite. **2.** O conteúdo de uma xícara: "bebeu uma x í c a r a de café requentado" (Ézio Pinto Monteiro, *Chico*, p. 10).

xicarada. *S. f.* Líquido contido em uma xícara.

xicriabá. *S. 2 g.* e *adj. 2 g. Bras.* Xacriabá.

xicrinha. [Dim. de *xícara*, com síncope.] *S. f. Bras.* Xícara pequena; xicarazinha: "serviam café numas x i c r i n h a s de beiço lascado" (Cecília Meireles, *Obra Poética*, p. 1004).

xicu. *S. m. Bras.* V. *guaxe* (1).

xié. [Do tupi, talvez.] *S. m. Bras.* V. *chama-maré*.

xifídeo. *S. m.* **1.** Espécime dos xifídeos. ● *Adj.* **2.** Pertencente ou relativo a eles.

xifídeos. *S. m. pl. Zool.* Família de peixes marinhos da classe dos actinopterígios, da ordem dos percomorfos, ferozes e sanguinários, de corpo fusiforme, e cuja maxila superior se prolonga em forma de uma lâmina de espada com bordos cortantes. Ex.: o espadarte.

▲**xifo-.** [Do gr. *xíphos, eos-ous*.] *El. comp.* = 'espada', 'apêndice xifóide': *xifópago*.

xifódimo. [De *xifo-* + *-dídimo*, com haplologia.] *Adj.* e *s. m. Terat.* Diz-se de, ou monstro composto de dois corpos distintos até a proximidade do apêndice xifóide, e que só tem dois membros inferiores.

xifofilo. [De *xifo-* + *-filo*[1].] *Adj. Morfol. Veg.* Que tem folhas ensiformes.

xifóide. [Do gr. *xiphoeidés*.] *Adj. 2 g.* Cuja forma é de espada; xifóideo, ensiforme. ~ V. *apêndice —*.

xifóideo. [De *xifóide* + *-eo*.] *Adj.* V. *xifóide*. ~ V. *apêndice —*.

xifoidiano. [De *xifóide* + *-i-* + *-ano*.] *Adj.* Relativo ou pertencente ao apêndice xifóide.

xifopagia. *S. f.* Qualidade dos que são xifópagos. [Cf. *teratopagia*.]

xifópago. [De *xifo-* + *-pago*.] *Adj.* e *s. m. Terat.* Diz-se de, ou monstro originado da ligação de dois indivíduos na altura do tórax ou da área do apêndice xifóide. [Cf. *teratópago*. V. *irmãos siameses*.] **2.** *Fig.* Diz-se de, ou pessoas intimamente unidas por inclinação e/ou temperamento.

xifosuro. [De *xifo-* + *-s-* + *-uro*.] *S. m.* **1.** Espécime dos xifosuros. ● *Adj.* **2.** Pertencente ou relativo a eles.

xifosuros. *S. m. pl. Zool.* Animais metazoários, artrópodes, quelicerados, merostomados, subclasse *Xiphosura*, de cefalotórax em forma de ferradura, abdome trapezóide, não segmentado, e telso em forma de espada.

xiismo. *S. m.* Sistema ou doutrina dos xiitas.

xiita. [Do ár. *xiy'ai*, 'da seita'.] *S. 2 g.* **1.** Membro dos xiitas, muçulmanos partidários de Ali, primo e genro de Maomé, os quais sustentam, em oposição aos sunitas, só serem autênticas as tradições do Profeta transmitidas através de membros de sua família. ● *Adj. 2 g.* **2.** Pertencente ou relativo aos xiitas: *facção* x i i t a.

xila. [Do quimb. *kuxila*, 'enegrecer, ficar sujo'.] *S. m.* Imundície, sujidade. [Cf. *chila*.]

xilado. *Adj. Bras. Pop.* V. *ébrio* (2).

xilarmônica. [De *xil(o)-* + *harmônica*.] *S. f.* V. *xilofone*.

xilarmônico. [De *xil(o)-* + *harmônico*.] *S. m.* V. *xilofone*.

xilema. [Do gr. *xýlon*. 'madeira'.] *S. m. Anat. Veg.* Lenho (1).

xilemático. *Adj. Anat. Veg.* Relativo ao xilema; lenhoso.

xilênio. *S. m. Quím.* V. *xileno*.

xileno. *S. m. Quím.* Líquido incolor, com cheiro parecido ao do tolueno, com três isômeros, obtido na destilação do carvão ou de certos petróleos, e usado como solvente; xilênio. [Fórm.: C_8H_{10}. Cf. *chileno*.]

xilindró. *S. m. Bras. Gír.* V. *cadeia* (3).

xilo. *S. f. Grav.* F. red. de *xilogravura*.

▲**xil(o)-.** [Do gr. *xýlon, ou*.] *El. comp.* = 'madeira', 'lenha': *xilogravura, xilocarpo*. [Equiv.: *-xilo: epíxilo*.]

▲**-xilo.** Equiv. de *xil(o)-*.

xilocarpo. [De *xil(o)-* + *-carpo*.] *S. m. Anat. Veg.* **1.** Fruto duro e lenhoso. ● *Adj.* **2.** Diz-se das árvores que dão frutos duros e lenhosos.

xilocopídeo. *S. m.* **1.** Espécime dos xilocopídeos. ● *Adj.* **2.** Pertencente ou relativo a eles.

xilocopídeos. *S. m. pl. Zool.* Grupo de insetos da ordem dos himenópteros, no qual estão reunidas as abelhas do gênero *Xylocopa*, que fazem ninhos em paus podres.

xilócopo. [Do gr. *xylókopos*.] *Adj.* Que corta, pica ou fura a madeira; xilótomo: *inseto* x i l ó c o p o.

xilódia. [Do gr. *xilódes*, 'lenhoso', + *-ia*.] *S. f. Anat. Veg.* Tipo de frutos lenhosos, como a avelã.

xilofagia. *S. f.* **1.** Ato de roer a madeira praticado pelos xilófagos. **2.** O regime alimentar próprio desses insetos.

xilofágico. *Adj.* Relativo à xilofagia.

xilófago. [Do gr. *xylophágos*.] *Adj.* e *s. m.* Diz-se do, ou inseto que rói madeira e dela se nutre; lignívoro.

xilófilo. [De *xil(o)-* + *-filo*[2].] *Adj. Zool.* Que vive na madeira.

xilofone. [De *xil(o)-* + *-fone*.] *S. m. Mús.* **1.** Instrumento de percussão, que consta, basicamente, de lâminas de madeira, as quais são graduadas no comprimento para formar escala(s); repousam, nos instrumentos primitivos, sobre cordões de palha, e nos mais aperfeiçoados sobre feltro, e são percutidas por baquetas de madeira, produzindo sonoridade doce. **2.** Marimba (1). **3.** Xilofone (1) com escala cromática de três a cinco oitavas, dotado de ressoadores, e cujas lâminas se apóiam sobre borracha, tendo sido introduzido na orquestra sinfônica a partir do séc. XIX: *Na célebre* Dança Macabra, *Saint-Saens utilizou o* x i l o f o n e *para imitar o ruído de ossos que se entrechocam*. [F. paral., p. us.: *xilofono*; sin. ger., p. us.: *xilarmônica* e *xilarmônico*. Cf. *vibrafone*.]

xilofonista. *S. 2 g.* Tocador de xilofone.

xilofono. [De *xil(o)-* + *-fono*.] *S. m. P. us.* V. *xilofone*.

xiloglifia. [De *xil(o)-* + *-glif(o)-* + *-ia*.] *S. f. P. us.* **1.** Arte de esculpir em madeira. **2.** Arte de gravar em madeira grandes caracteres ornados para capitulares de livros, ou grandes letras para impressão de manchetes ou cartazes.

xiloglífico. *Adj. P. us.* Referente à xiloglifia.

xilóglifo. [De *xil(o)-* + *-glif(o)*.] *S. m.* Aquele que pratica a xiloglifia.

xilografado. [Part. de *xilografar*.] *Adj.* ~ V. *livro —*.

xilografar. [De *xil(o)-* + *-graf(o)-* + *-ar*[2].] *V. t. d.* Xilogravar.

xilografia. [De *xil(o)-* + *-graf(o)-* + *-ia*.] *S. f.* **1.** Fase da imprensa anterior à invenção da tipografia, e durante a qual a reprodução de imagens e textos se fazia por meio de pranchas de madeira gravadas em relevo. [V. *livro xilografado*.] **2.** *P. ext.* V. *gravura em madeira*.

xilográfico. *Adj.* Relativo à xilografia ou à xilogravura. ~ V. *livro —*.

xilógrafo. [De *xil(o)-* + *-grafo*.] *S. m.* **1.** Gravador em madeira; xilogravador: "As rudíssimas gravuras anônimas, em madeira, insertas na obra da Staden .... , parecem ter sido o resultado de informações intencionalmente deformadas pelos x i l ó g r a f o s seiscentistas" (Alberto Rangel, *Trasanteontem*, p. 186). **2.** V. *livro xilografado*. [Nesta acepç., cf. *incunábulo* (4).]

xilogravador (ô). [De *xilogravar* + *-(d)or*.] *S. m.* Xilógrafo (1).

xilogravar. [De *xil(o)-* + *gravar*.] *V. t. d.* Gravar em madeira; xilografar.

xilogravura. [De *xil(o)-* + *gravura*.] *S. f.* V. *gravura em madeira*. [F. red.: *xilo*.]

xilogravurista. *S. 2 g.* Pessoa que se dedica à xilogravura.

xilóide. [Do gr. *xyloeidés*.] *Adj. 2 g.* **1.** Relativo ou semelhante a madeira. **2.** Proveniente de um corpo lenhoso. ~ V. *opala —*.

xiloidina. [De *xilóide* + *-ina*[2].] *S. f.* Explosivo que se obtém mediante reação do ácido nítrico sobre o amido.

xilol. *S. m. Quím.* Mistura dos três isômeros do xileno, usada industrialmente como solvente. [Pl.: *xilóis*.]

xilólatra. *S. 2 g.* Pessoa que pratica a xilolatria.

xilolatria. [De *xil(o)-* + *-latria*.] *S. f.* O culto dos ídolos de madeira.

xilolátrico. *Adj.* Referente à xilolatria.

xilologia. [De *xil(o)-* + *-log(o)-* + *-ia*.] *S. f.* Parte da botânica dedicada ao estudo da madeira.

xilológico. *Adj.* Referente à xilologia.

xilólogo. *S. m.* Especialista em xilologia.

xiloma. [De *xil(o)-* + *-oma*.] *S. m. Anat. Veg.* Tumor lenhoso em árvore ou planta.

xilomancia (cí). [De *xil(o)-* + *-mancia*.] *S. f.* Adivinhação por meio da disposição de pauzinhos secos que se acham pelo caminho.

xilomante. *S. 2 g.* Pessoa que pratica a xilomancia.

xilomântico. *Adj.* Relativo à xilomancia, ou a xilomante.

xilômetro. [De *xil(o)-* + *-metro.*] *S. m.* Instrumento usado para determinar a densidade da madeira.

xilomicete. [De *xil(o)-* + *-micete.*] *Adj. 2 g. Ecol. Veg.* Diz-se dos cogumelos que medram sobre a madeira ou nas árvores.

xilopódio. [De *xil(o)-* + *-pod(o)-* + *-io*[2].] *S. m. Morfol. Veg.* Tubérculo lenhoso e gemífero de muitas plantas subarbustivas dos campos. Originam-se do hipocótilo ou da raiz primária, raramente englobando parte do caule; armazena água e alimento; durante a época seca persiste no solo, e ao voltarem as chuvas rebrota, refazendo a parte aérea, que é, pois, anual. [É, assim, o xilopódio um órgão perene, que permite às plantas resistirem a condições ambientais inclementes.]

xilose. [De *xil(o)-* + *-ose.*] *S. f. Quím.* Substância sólida, incolor, de sabor açucarado, extraída de madeiras, usada como adoçante especial e dietético. [Fórm.: $C_5H_{10}O_5$.]

xilótomo. [Do gr. *xylótomos.*] *Adj.* Xilócopo.

ximaana. *Bras. S. 2 g.* **1.** Indivíduo dos ximaanas, tribo indígena que habita as margens do rio Javari e suas imediações. ● *Adj. 2 g.* **2.** Pertencente ou relativo a esses indígenas.

ximana. *Bras. S. 2 g.* **1.** Indivíduo dos ximanas, tribo aruaque do Solimões e do Japurá. ● *Adj. 2 g.* **2.** Pertencente ou relativo a essa tribo. [Var.: *xumana, xumane, jumana.*]

ximango. [Do guar. *xim'xima.*] *S. m.* **1.** *Bras.* Ave falconiforme, da família dos falconídeos (*Milvago chimango* (Vieil.)), do extremo S. do Brasil, países limítrofes e Chile, de coloração ocrácea e creme, uma mancha clara em cada asa, e lado ventral bruno-amarelado com estrias longitudinais escuras. Assemelha-se ao carancho, e é uma das aves de rapina mais comuns na Argentina. **2.** *Bras.* Epíteto dado aos liberais moderados pelos conservadores, e que tinha, a princípio, caráter depreciativo. Depois de 1842 os liberais dividiram-se em *ximangos* e *luzias*. [*Ximango* opunha-se a *cascudo* (conservador). Cf. *luzia, saquarema* (1) e *caramuru* (3).] **3.** *Bras., RS.* Sob a República, alcunha dada pelos federalistas aos governistas, membros do Partido Republicano. **4.** *Bras., RS.* Tenaz de arame, para pegar brasas nos fogões.

ximango-branco. *S. m. Bras., RS.* V. *gavião-carrapateiro.* [Pl.: *ximangos-brancos.*]

ximango-carrapateiro. *S. m. Bras.* V. *gavião-carrapateiro.* [Pl.: *ximangos-carrapateiros.*]

ximango-do-campo. *S. m. Bras.* V. *gavião-carrapateiro.* [Pl.: *ximangos-do-campo.*]

ximão. *S. m. Bras., CE. Pop.* Menino dado a olhar insistentemente para quem está comendo. [V. *goderar* (1).]

ximbaúva. [Do tupi *xïba'uwa.*] *S. f. Bras.* Espécie de acácia.

ximbé. [Do guar. *xïbé.*] *Adj. 2 g. Bras., RS.* **1.** Ximbeva. **2.** Diz-se do animal de focinho curto e chato.

ximbelo. *S. m. Bras.* **1.** Jangada nordestina, com 5 m de comprimento, no máximo por 1 m de largura. **2.** Jangada velha.

ximbeva. [Do guar. *tïbeb*, 'nariz chato'.] *Adj. 2 g. Bras., SP. Pop.* Diz-se de quem tem o nariz pequeno e achatado. [Sin. no RS.: *ximbé.*]

ximbica. *S. f.* **1.** *Bras., SP.* Jogo de cartas, popularíssimo. **2.** *RJ.* A vulva.

ximbo. *S. m. Bras., RS.* **1.** Cavalo cujo dono é desconhecido. **2.** V. *vagabundo* (7).

ximboré. *S. m. Bras.* V. *anambé.*

ximbra. *S. f. Bras., AL.* V. *gude.*

ximbuá. *Bras. S. 2 g.* **1.** Indivíduo dos ximbuás, tribo indígena habitante do MT. ● *Adj. 2 g.* **2.** Pertencente ou relativo a essa tribo.

ximburé. *S. m. Bras.* Var. de *timburé.*

ximburetinga. [De *ximburé* + *-tinga.*] *S. m. Bras.* V. *timburetinga.*

ximbute. *S. m. Bras., PE. Pop.* Indivíduo baixo e barrigudo. [Cf. *catatau* (8).]

ximinim. *Bras. S. 2 g.* **1.** Indivíduo dos ximinins, tribo indígena habitante de MG. ● *Adj. 2 g.* **2.** Pertencente ou relativo a essa tribo.

xinane. [De provável or. indígena.] *S. m. Bras.* V. *xiquexique* (1).

xinapre. *S. m. Bras. Pop.* V. *cachaça* (1).

xingação. *S. f. Bras.* Ato ou efeito de xingar; xingamento, xingaria, xingo.

xingadela. *S. f. Bras.* Ação de xingar uma vez.

xingador (ô). *Adj.* e *s. m. Bras.* Que ou aquele que xinga.

xingamento. [De *xingar* + *-mento.*] *S. m. Bras.* **1.** V. *xingação.* **2.** Xingo: "Havia gente reclamando, falatórios, discussões, x i n g a m e n t o s." (Guido Vilmar Sassi, *Piá*, p. 53.)

xingar. [Do quimb. *kuxinga*, 'injuriar, descompor'.] *V. t. d. Bras.* **1.** Dirigir insultos ou palavras afrontosas a; descompor, insultar, injuriar, destratar. *Transobj.* **2.** Tachar, censurar, xingando: "O Sodré, pudico, / De ingrato e espertalhão o Enéias x i n g a" (Emílio de Meneses, *Mortalhas*, p. 83). *Int.* **3.** Dizer insultos ou palavras afrontosas: "sua boca não conhecia palavras ternas. Só sabia x i n g a r, dizer nomes feios." (Guido Vilmar Sassi, *Piá*, p. 46). [Conjug.: v. *largar.*]

xingaraviz. *S. m.* Aquele ou aquilo que se intromete, que atrapalha, que complica.

xingaria. *S. f. Bras.* V. *xingação:* "dos bigodões borbotava um chorrilho de blasfêmias e x i n g a r i a s..." (Augusto Meyer, *No Tempo da Flor*, p. 13).

xingatório. [De *xingar* + *-(t)ório.*] *Adj. Bras.* **1.** Que envolve xingação; insultuoso, injurioso. ● *S. m.* **2.** Grande número de xingações.

xingo. [Dev. de *xingar.*] *S. m. Bras.* **1.** V. *xingação.* **2.** Palavra(s) com que se xinga; xingamento: "pauladas, lambadas, pontapés, ... berros, apóstrofes, x i n g o s e imprecações, a nada ligava ele a mínima importância" (Léu Vaz, *O Burrico Lúcio*, pp. 83-84).

xinguano (u-a). *Bras. Adj.* **1.** Pertencente ou relativo ao Parque Indígena do Xingu. ● *S. m.* **2.** O natural ou habitante deste parque.

xinguense (gu-en). *Adj. 2 g.* e *s. 2 g.* Altamirense.

xintó. [Do jap. *shinto*, 'caminho dos deuses'.] *S. m.* Xintoísmo.

xintoísmo. [De *xintó* + *-ismo.*] *S. m.* A religião nacional do Japão, anterior ao budismo; xintó.

xintoísta. *Adj. 2 g.* **1.** Relativo ao, ou que é adepto do xintoísmo. ● *S. 2 g.* **2.** Adepto do xintoísmo.

xinxim. [De or. afr.] *S. m. Bras., BA.* Guisado de galinha, ou de outra carne, com sal, cebola e alho, ralados, a que se adicionam azeite-de-dendê e camarões secos, amendoim e castanha de caju moídos: "E ouro e sol .... em pratos de louça lavada, no efó e no caruru, na moqueca de ostras e no x i n x i m de galinha" (Vasconcelos Maia, *O Leque de Oxum*, p. 22).

xipaia. *Bras. S. 2 g.* **1.** Indivíduo dos xipaias, tribo extinta tupi que habitava as margens do rio Iriri, afluente do Xingu. ● *Adj. 2 g.* **2.** Pertencente ou relativo a essa tribo. [Sin. ger.: *axipaie.*]

xipante. *S. m.* Barco empregado na pesca do xipo.

xipinauá. *Bras. S. 2 g.* **1.** Indivíduo dos xipinauás, indígenas integrados na sociedade nacional, e que habitam os altos rios Juruá e Liberdade (AM e AC). ● *Adj. 2 g.* **2.** Pertencente ou relativo a esses indígenas. [F. paral.: *sipinauá.*]

xipo. *S. m.* A ostra do aljôfar.

xipoca. *S. f. Bras. Ant.* Modalidade de arma infantil para atirar projetis inofensivos, corrente ainda no princípio deste século.

xiquena. *Bras. S. 2 g.* **1.** Indivíduo dos xiquenas, tribo caraíba habitante da região ao N. do Amazonas. ● *Adj. 2 g.* **2.** Pertencente ou relativo a essa tribo. [Var.: *xiquiana.*]

xiquexique. [De or. tapuia.] *S. m.* **1.** *Bras., N.E.* Espécime da família das cactáceas (*Pilocereus gounellei*), característico das caatingas sáfaras, cujo caule é um cladódio sem folhas, espinhoso, rico em água. É cilíndrico-anguloso e cespitoso. [Sin.: *alastrado, xinane.*] **2.** *Bras., N.* a *S.* Designação comum a várias espécies da família das leguminosas, ervas ou subarbustos lenhosos e eretos, de flores dispostas em racimos terminais, com colorações amareladas, e cujos frutos são vagens; chocalho, chocalho-de-cascavel, maracá. **3.** V. *feijão-de-guizos* (1). **4.** *Bras., SP.* V. *bicho-do-pé.* [Cf. *xique-xique.*]

xique-xique. [Voc. onom.] *S. m. Bras., MG.* V. *ganzá* (1): "Ao longe, numa sala de dentro, fervia um fandango ao som de x i q u e - x i q u e s." (Afonso Arinos, *Pelo Sertão*, p. 146.) [Pl.: *xique-xiques.* Cf. *xiquexique*, s. m., e *xiquexique*, top.]

xiquexique-do-sertão. *S. m. Bras.* Grande cactácea (*Opuntia brasiliensis*), de porte arborescente, formada de inúmeros artículos achatados, em forma de raquete de tênis, muito espinhosos, e que é muito suculenta. As flores, alvas, são vistosas e solitárias; os frutos são bagas carnosas com inúmeras sementes pequeninas. [Pl.: *xiquexiques-do-sertão.*]

xiquexiquense. *Adj. 2 g.* **1.** De, ou pertencente ou relativo a Xiquexique (BA). ● *S. 2 g.* **2.** Natural ou habitante de Xiquexique.

xiquiana. *S. 2 g.* e *adj. 2 g. Bras.* Var. de *xiquena.*

xira. [De provável or. tupi.] *S. f. Bras., N.* V. *corcoroca* (1 e 2).

xiranha. *S. f. Bras., N.E. Chulo.* A vulva.

xiri. *S. m. Bras., MA. Chulo.* A vulva.

xiriana. *Bras. S. 2 g.* **1.** Indivíduo dos xirianas, tribo indígena de língua aruaque e ainda sem contato com a sociedade nacional, habitante de afluentes da margem esquerda do rio Negro (AM), na fronteira com a Venezuela. ● *Adj. 2 g.* **2.** Pertencente ou relativo a essa tribo.

xirianá. *Bras. S. 2 g.* **1.** Indivíduo dos xirianás, tribo indígena da família lingüística do mesmo nome, e que habita os vales dos rios Majari e Uraricuera (RR), na fronteira com a Venezuela. ● *Adj. 2 g.* **2.** Pertencente ou relativo a essa tribo.

xiridácea. *S. f.* Espécime das xiridáceas.

xiridáceas. *S. f. pl. Bot.* Família de vegetais monocotiledôneos, da ordem das farinosas, composta de ervas graminiformes cujas flores são espigadas. Corola amarela: três estames e igual número de estaminódios; ovário unilocular; fruto capsular. Há cerca de 300 espécies tropicais, muitíssimas nos campos brasileiros.

xiridáceo. *Adj.* Pertencente ou relativo às xiridáceas.

xirimbamba. *S. f. Bras., MG. Pop.* V. *turumbamba.*

xiririca. [Do tupi *xiri'rika*, voc. onom.] *S. f. Bras., SP.* V. *corredeira* (1).

xiró. [Do jap. *xiru*, 'caldo, sopa'.] *S. m. Bras.* Caldo de arroz temperado com sal.

xis. *S. m.* **1.** Nome da letra *x*. [Pl.: *xis* ou *xx.*] *S. m. 2 n.* **2.** *Pop.* Moeda de dez-réis. [Cf. *x*, x^2 e *xi.*]

xistáceo. [De *xisto*[1] + *-áceo.*] *Adj.* **1.** Da cor do xisto, i. e., cinza-escuro, tirante a preto. **2.** *Min.* De estrutura lamelar ou foliácea (em camadas) semelhante à do xisto: *folhelho x i s t á c e o.*

xisto[1]. [Do gr. *schistós*, 'fendido'.] *S. m.* Designação comum às rochas metamórficas cujos minerais, lamelares ou aciculares, são visíveis a olho nu e dispostos com a mesma orientação, graças à pressão dirigida sob a qual são eles formados, o que confere à rocha um aspecto folheado típico.

xisto[2]. [Do gr. *xystón.*] *S. m.* **1.** Entre os gregos, pórtico coberto em que se exercitavam os atletas. **2.** Entre os romanos, galeria descoberta, para passeio.

▲xist(o)-. [Do gr. *schistós, é, ón.*] *El. comp.* = 'fendido'. *xistóide.*

xistóide. [De *xist(o)-* + *-óide.*] *Adj. 2 g. Geol.* Que tem vestígio ou aspecto xistoso. ~ V. *rocha* —.

xistoquímica. *S. f. Quím.* Investigação das propriedades e comportamento químico do xisto[1].

xistoquímico. *Adj.* Relativo à xistoquímica.

xistosa. [Der. regress. de *xistosomose* (q. v.), com alteração na desinência.] *S. f. Bras., MG, GO* e *DF. Pop.* V. *esquistossomose.* [Cf. *chistosa*, fem. de *chistoso.*]

xistosidade. *S. f.* **1.** Estado ou qualidade do que se apresenta como o xisto[1]. **2.** Disposição paralela dos minerais que constituem o xisto[1]. [É desus. a f. *esquistosidade.*]

xistoso (ô). *Adj.* **1.** Em que há xisto[1]. **2.** Da natureza do xisto[1]. **3.** Que apresenta xistosidade. ~ V. *estrutura* — a. [Cf. *chistoso.*]

xistosomose. *S. f. Patol.* V. *esquistossomose.*

xistossomíase. [De *xistossomo* + *-íase.*] *S. f. Patol.* V. *esquistossomose.*

xistossomo. [De *xisto*[1] + *-somo.*] *S. m. Patol.* V. *esquistossomo.*

xistossomose. [De *xistossomo* + *-ose.*] *S. f. Patol.* V. *esquistossomose.*

▲xistro-. [Do gr. *xýstra, as.*] *El. comp.* = 'raspadeira': *xistrópode.* [Equiv.: *-xistro: oftalmoxistro.*]

▲-xistro. Equiv. de *xistro-.*

xistrópode. [De *xistro* + *pode.*] *S. m. Zool.* Espécime dos xistrópodes.

xistrópodes. *S. m. pl. Zool.* Divisão da classe das aves que compreende as galináceas e as columbinas.

xixá. *S. m. Bras., N.* Árvore alta, de tronco grosso e erecto, da família das esterculiáceas (*Sterculia apetala*), de flores apétalas, com cálice avermelhado, frutos internamente epinescentes, com duas a quatro sementes ovóides, e que fornece madeira útil para obras internas; araxixá, coaxixá, bóia, camajondura, pau-de-cortiça, panamá.

xixi. [Voc. onom.] *S. m.* **1.** *Bras. Fam.* V. *urina.* **2.** *Bras., N.E.* V. *garoa*[1] (3). ◆ **Fazer xixi.** *Bras. Fam.* V. urinar (1).

xixica. *S. f. Bras. Pop.* V. *gorjeta* (2).

xixi-de-anjo. *S. m. Bras., BA* e *RJ.* Variedade de batida (8). [Pl.: *xixis-de-anjo.*]

xixilado. *Adj. Bras., BA. Pop.* Sem-vergonha, descarado, desavergonhado.

xixixi. [Voc. onom.] *S. m. Bras., N.E. Pop.* V. *garoa*[1] (3).

xó. *Interj.* Serve para fazer parar cavalgaduras. [Cf. *xô*.]
xô. *Interj.* Serve para enxotar galinhas e outras aves: "X ô , daninha / Passarada dos trigais!" (Antônio Correia d'Oliveira, *Líricas*, p. 198.) [Cf. *xó*.]
xoclengue. *Bras. S. 2 g.* **1.** Indivíduo dos xoclengues, tribo caingangue que habitava as matas do rio Ivaí (PR). ● *Adj. 2 g.* **2.** Pertencente ou relativo a essa tribo. [Cf. *coroado*[1].]
xocó. *Bras. S. 2 g.* **1.** Indivíduo dos xocós, tribo indígena extinta que habitou no N.E. ● *Adj. 2 g.* **2.** Pertencente ou relativo a essa tribo.
xodó. *S. m. Bras.* **1.** V. *namoro* (1). **2.** V. *namorado* (4). **3.** Amor, paixão. **4.** Estima especial; apreço. **5.** Mexerico, intriga.
xofrango. [Alter. do lat. *ossifragu*, 'que quebra ossos'.] *S. m.* A águia pesqueira, quando nova. ◆ **Xofrango brita-ossos.** Espécie de águia *(Falco ossifragus)*.
xogum. [Do jap. *shogun*.] *S. m.* No Japão, até meados do séc. XIX, chefe militar com poderes não raro superiores aos do imperador.
xogunato. [De *xogum* + *-ato*[1].] *S. m.* **1.** Dignidade ou cargo de xogum. **2.** O governo ou o tempo durante o qual o xogum exercia a sua autoridade.
xontaquiro. *S. m. Bras.* **1.** Indivíduo dos xontaquiros, tribo aruaque da bacia do Purus. ● *Adj.* **2.** Pertencente ou relativo a essa tribo.
xopotó. *Bras. S. 2 g.* **1.** Indivíduo dos xopotós, tribo indígena que habitava uma região de MG. ● *Adj. 2 g.* **2.** Pertencente ou relativo a essa tribo.
xoroca. *S. f. Bras., N. Pop.* Velha ridícula, desfrutável.
xota. *S. f. Bras. Chulo.* A vulva.
xote. [Do al. *Schottisch*.] *S. m.* **1.** Antiga dança de salão, talvez proveniente da Hungria, em compasso binário ou quaternário, e cujos passos se aproximam dos da polca. **2.** Música que acompanha essa dança: "íamos assobiando o compasso do x o t e do último bochinche" (Vargas Neto, *Tropilha Crioula e Gado Xucro*, p. 73). [Sin. ger.: *escocesa*.]
xoxo (ô). *S. m. Bras. Fam.* Beijoca. [Cf. *chocho* (ô), adj., e *chocho*, do v. *chochar*.]
xoxó. *S. m. Bras., RJ. Folcl.* Abusó.
xoxota. *S. f. Bras. Chulo.* A vulva.
■**X.p.t.o.** Abrev. paleográfica de *Cristo*.
xuá[1]. [Do hebr. *schwa*, 'nada'.] *S. m. Ling.* Vogal de timbre indistinto, produzido com uma elevação mínima da parte central da língua, e que, no vocalismo do português europeu, corresponde ao chamado e neutro [v. *timbre* (7)]. [Sin.: *chevá*.]
xuá[2]. *S. m. Bras. Gír.* Coisa extraordinária, estupenda; maravilha; espetáculo: "Você veja, poxa, que eu estou eleito .... , sem falar no pessoal do Cais do Porto, nem postalistas, nem professoras primárias, que só aí, de professoras, vai ser um x u á" (Rubem Braga, *Ai de Ti, Copacabana!*, p. 142). ◆ **De xuá.** *Bras. Basq.* Sem que a bola toque no aro ou na tabela: *Fez uma bela cesta d e x u á*.
xuatê. *S. m. Bras.* V. *maracá* (1).
xucrice. *S. f. Bras.* **1.** Qualidade de xucro. **2.** Ignorância, rudeza. **3.** Falta de educação; grosseria. [Sin. ger.: *xucrismo*. A boa escrita seria com *ch*.]
xucrismo. *S. m. Bras.* Xucrice. [*Chucrismo* seria a boa escrita.]
xucro. [Do quíchua *chucru*, 'duro', atr. do esp. plat. *chúcaro*.] *Adj.* **1.** *Bras., MG* e *S.* Diz-se do animal de sela ainda não domesticado: "Não havia garrote que ele não quisesse esperar na ponta da vara, nem cavalo x u c r o de que ele não quisesse tirar a nica." (Afonso Arinos, *Pelo Sertão*, p. 163); "O amor, quando pega um coração virgem, é como peão agüentando corcovos de potro x u c r o ." (Rute Guimarães, *Água Funda*, p. 80); "somente nas volteadas se apanhava a gadaria x u c r a" (Simões Lopes Neto, *Contos Gauchescos e Lendas do Sul*, p. 329); "tropeços e incômodos de montar .... lombo x u c r o de animal ruim ou passarinheiro" (Hugo de Carvalho Ramos, *Tropas e Boiadas*, p. 16). [No último exemplo ocorre a figura chamada *sinédoque* ou (mais modernamente) *metonímia*: em vez de referir-se ao animal, ao todo, *xucro* vem referido a uma parte dele (o lombo).] **2.** *Bras. P. ext.* Diz-se do indivíduo ainda não treinado em qualquer tarefa, ou de coisa ainda muito imperfeita. **3.** *Bras. P. ext.* Ignorante, rude, bronco. **4.** *Bras. P. ext.* Mal-educado, grosseiro, grosseirão. [A grafia legítima seria *chucro*.]
xucuru. *Bras. S. 2 g.* **1.** Indivíduo dos xucurus, tribo indígena que habitou no N.E. e cujos descendentes habitam hoje as terras do posto indígena Xucuru, no município de Pesqueira (PE). ● *Adj. 2 g.* **2.** Pertencente ou relativo a essa tribo.
xué. [Do tupi *xu'é*, 'vagaroso'.] *S. m. Bras.* **1.** Peixe teleósteo, siluriforme, da família dos pimelodídeos (*Pimelodella lateris triga* (Muel & Trosch)), largamente distribuído pelo Brasil. **2.** Peixe teleósteo, siluriforme, da família dos pimelodídeos (*Pimelodella vittata* (Kroey)), dos rios São Francisco e Jequitinhonha, estriado e de tamanho pequeno, chorolambre. [Var. pros.: *xuê*. Cf. *chué*.]
xuê. *S. m. Bras.* Xué.
xuê-açu. *S. m. Bras.* V. *sapo-cururu* (1). [Pl.: *xués-açus*.]
xuê-guaçu. *S. m. Bras.* V. *sapo-cururu* (1). [Pl.: *xués-guaçus*.]
xumana. *S. 2 g.* e *adj. 2 g. Bras.* V. *ximana*.
xumane. *Bras. S. 2 g.* e *adj. 2 g.* V. *ximana*.
xumberga[1]. [Dev. de *xumbergar*.] *S. f. Bras., PE. Pop.* V. *bebedeira* (1).
xumberga[2]. *S. m. Bras., BA.* Filhote de xarelete.
xumbergado. [Part. de *xumbergar*.] *Adj. Bras., PE. Pop.* V. *embriagado* (1). [Var., no CE: *xambregado*.]
xumbergar. [Do pros. *Xumbergas*, alcunha do governador de Pernambuco Diogo Furtado de Mendonça, < antr. al. *Schomberg* + *-ar* [2].] *V. int. Bras., PE. Pop.* **1.** Ingerir bebidas alcoólicas, ou outras. **2.** Embriagar-se, embebedar-se. [Conjug.: v. *largar*.]
xumbregação. *S. f. Bras. Chulo.* **1.** Ato ou efeito de xumbregar. **2.** V. *bolinagem*.
xumbregar. *V. t. d.* **1.** Azoinar, importunar. **2.** *Bras. Chulo.* V. *bolinar* (4). *Int.* **3.** *Bras. Chulo.* V. *bolinar* (2). [Conjug.: v. *regar*.]
xumi. *Bras. S. 2 g.* **1.** Indivíduo dos xumis, tribo indígena que habita o vale do Trombetas (AM), e com a qual se estabeleceu contato desde o fim do séc. XVIII. ● *Adj. 2 g.* **2.** Pertencente ou relativo a essa tribo.
xuri. [Do tupi *xu'ri*.] *S. m. Bras.* V. *ema*[1].
xurreira. [Var. de *enxurreira*.] *S. f.* Entrada do enxurro.
xuru. [Do tupi *xu'ru*] *S. m. Bras., Amaz.* Árvore da família das lecitidáceas *(Allantoma lineata)*, dos igapós marginais da região do estuário do Amazonas, cuja folhagem nova tem bela coloração castanho-violácea, cujo fruto é um pixídio cilíndrico com 10 a 15 cm que contém sementes comestíveis, ricas em óleo, e cuja madeira é branco-rosada e dura.
xurumbambo. *S. m. Bras. Pop.* V. *cacaréus*. ~V. *xurumbambos*.
xurumbambos. [Pl. de *xurumbambo*.] *S. m. pl. Bras. Pop.* V. *badulaques* (1). ~ V. *xurumbambo*.
xuxo. *S. m.* Certo peixe português. [Cf. *chucho*, do v. *chuchar* e s. m.]

y. *S. m.* **1.** Antiga letra do alfabeto, substituída pelo *i*, na ortografia oficial. [Conquanto excluído de nosso alfabeto, o *y* figura em palavras derivadas de nomes próprios estrangeiros que o contêm: *loyola, loyolista* (de *Loyola); keyserlinguiano* (de *Keyserling);* etc. V. *alfabeto fonético internacional*] **2.** *Mat.* Símb. de *variável dependente.* **3.** *Mat.* Símb. de *função.* **4.** *Mat.* Símb. de *segunda coordenada cartesiana.* **5.** *Quím.* Símb. de *ítrio.* [Com maiúscula, nesta acepç.]

yagi. [Do antr. *Yagi.*] *S. f. Astr.* Antena de ondas curtas, altamente direcional e seletiva, criada por Hidetsugu Yagi, engenheiro eletricista japonês (1886), e que consiste num condutor horizontal de um ou dois dipolos, ligados ao receptor ou transmissor, e num aparelho de dipolos isolados aproximadamente iguais, paralelos, e ao mesmo nível do condutor horizontal.

➧**yang.** [Chin.] *S. m.* No taoísmo [q. v.], o princípio masculino, ativo, celeste, penetrante, quente e luminoso; com ele coexiste o yin [q. v.]. [V. *yin-yang.*]

■**yb.** *Quím.* Símb. de *itérbio.*

➧**yearling** (iar). [Ingl.] *S. m. Turfe.* Animal puro-sangue entre um e dois anos de idade.

■**yd.** Símb. de *jarda* (ingl. *yard*).

➧**yin.** [Chin.] *S. m.* No taoísmo [q. v.], o princípio feminino, passivo, terrestre, absorvente, frio e obscuro; com ele coexiste o yang [q. v.]. [V. *yin-yang.*]

➧**yin-yang.** [Chin.] *S. m.* No pensamento oriental, as duas forças ou princípios complementares que abrangem todos os aspectos e fenômenos da vida, e que são representados por um círculo dividido ao meio por uma linha contínua constituída de curva e contracurva. [V. *yang* e *yin.*]

Z

z. *S. m.* **1.** A 23ª letra do nosso alfabeto. [V. *alfabeto fonético internacional.*] **2.** *Mat.* Símb. de *variável dependente.* **3.** *Mat.* Símb. de *função.* **4.** *Mat.* Símb. de *terceira coordenada cartesiana.* **5.** *Fís. Nucl.* Com maiúscula, símb. de *número atômico.* ● *Num.* **6.** O vigésimo terceiro numa série indicada pelas letras do alfabeto: *estante Z* (ou *estante z*). **7.** A vigésima terceira, num grupo de séries: *série Z* (ou *série z*). [Cf. *zê* e *zé.*]

▲**-z-.** Consoante de ligação: *cafezeiro* (de *café* + *-z-* + *-eiro*), *curuminzada* (de *curumim* + *-z-* + *-ada*[2]).

zabaneira. *S. f.* **1.** Mulher impudica, desavergonhada. **2.** V. *meretriz.*

zabaneiro. [De *zabaneira.*] *Adj.* Devasso, desavergonhado.

zabelê. *S. 2 g. Bras., BA.* V. *jaó.* [Var.: *zambelê.*]

zabucaí. *S. m. Bras.* V. *galo-branco* (2).

zabumba. [Voc. onom., ou do conguês *bumba.*] *S. m.* e *f.* **1.** V. *bombo* (1): "Perguntei que contentamento se expandia nos zabumbas, e clarinetes, e morteiros que atroavam montes e vales." (Camilo Castelo Branco, *Doze Casamentos Felizes,* p. 50); "A banda-de-couro, constituída da zabumba, das cinco caixas, dos dois flautins .... e do triângulo, executava seus toques monótonos." (Bernardo Élis, *Veranico de Janeiro,* p. 31). **2.** *Bras., N.E.* Conjunto instrumental popular, constituído de dois pifes (pífanos), caixa e bumbo; banda cabaçal, banda-de-couro, cabaçal, esquenta-mulher. ● *S. 2 g.* **3.** Zabumbeiro: "vigilante Rômulo, ... uma besta, grandalhão, último na ginástica ...., último nas aulas, ... mas exercendo no colégio .... as complexas e delicadas funções de zabumba da banda." (Raul Pompéia, *O Ateneu,* p. 51). **4.** *Bras.* V. *camarão-castanho.* ● *S. m.* **5.** *Bras., CE.* V. *estramônio.* [Cf. *zambumba.*]

zabumbada. [De *zabumba* + *-ada*[1].] *S. f.* **1.** Ato ou efeito de zabumbar. **2.** Alarido intenso produzido por zabumbas; atroada.

zabumbar. [De *zabumba* + *-ar*[2].] *V. t. d.* **1.** Atordoar, aturdir. **2.** Apregoar, propalar (novidades). *Int.* e *t. i.* **3.** Dar pancadas; bater, surrar, espancar: "montado num burro de carroça, estafado e manco, zabumbando-lhe com os calcanhares na barriga" (Melo Morais Filho, *Festas e Tradições Populares do Brasil,* p. 152).

zabumbeiro. *S. m.* Tocador de zabumba (1); zabumba.

zaburreiro. *S. m.* Pé de milho zaburro.

zaburro. [Do persa, atr. do ár. *xaures.*] *Adj.* e *s. m.* **1.** Diz-se de, ou certa variedade de milho indiano. **2.** Diz-se de, ou uma variedade de milho vermelho-escuro portuguesa. [Var.: *acaburro.*]

zaca. *S. m.* Var. de *zaco.*

zaco. [Do jap. *jaku,* 'nirvana'.] *S. m.* Entre os bonzos, o supremo sacerdote. [Var.: *zaca.*]

zafimeiro. *Adj. Bras.* Esperto, velhaco, ardiloso, astucioso, astuto.

zaga[1]**.** [Der. regress. de *zagaia* ou *azagaia.*] *S. f.* Espécie de palmeira de que se fazem azagaias.

zaga[2]**.** [Do esp. *zaga* < ár. *saga,* 'retaguarda', pelo esp. plat. *zaga* (lido o *z* como em port.)] *S. f. Fut.* **1.** A posição dos dois jogadores da defesa, entre a linha média e o gol. **2.** Os dois beques.

zagaia. *S. f.* Var. aferética de *azagaia.* [q. v.].

zagaiada. *S. f.* Var. de *azagaiada.* [q. v.].

zagaiar. V. t. d. Var. de *azagaiar.* [q. v.].

zagaieiro. *S. m. Bras., MT e outros estados.* Indivíduo que, armado de zagaia, nas caçadas de onça, acompanha o atirador e, se preciso, o defende.

zagal. [Do ár. *áz-zagal,* 'pessoa animosa e forte, mancebo'.] *S. m.* Pastor, pegureiro: "Zagais do monte que um lindo / Rebanho estais a guardar, / — Essa empós da qual vou indo, / Acaso a vistes passar?" (Raimundo Correia, *Poesias,* p. 138.) [Fem.: *zagala.* Dim. irreg.: *zagalejo, zagalete, zagaleto.*]

zagala. *S. f.* Fem. de *zagal* [q. v.]: "Zagala ou bom pastor, quem quer que sejas, / Detém-te com o rebanho" (Alberto de Oliveira, *Póstuma,* p. 74).

zagalejo (ê). *S. m.* V. *zagaleto.*

zagalete (ê). *S. m.* V. *zagaleto.*

zagaleto (ê). *S. m.* Pequeno zagal; zagalejo, zagalete.

zagalote. [Dim. de *zagal.*] *S. m. Obsol.* Pequena bala de chumbo para espingarda: "— Ó alma-do-diabo! — dizia o Patarro de Monte Córdova, cevando a arma com zagalotes para lhe atirar." (Camilo Castelo Branco, *A Brasileira de Prazins,* p. 62.)

zagueiro. [Do esp. *zaguero.*] *S. m. Fut.* Jogador que ocupa a zaga (1); beque: "Pepe continua avançando, dribla os dois zagueiros, invade a área, tira o goleiro da jogada..." (Fernando Sabino, *O Homem Nu,* p. 141).

zagunchada. [Var. de *zargunchada* < *zarguncho* + *-ada*[1].] *S. f.* **1.** Ferimento produzido por zaguncho **2.** *Fig.* Remoque, zombaria, motejo. **3.** Censura, crítica, condenação.

zagunchar. [Var. de *zargunchar* < *zarguncho* + *-ar*[2].] *V. t. d.* **1.** Ferir com zaguncho. **2.** *Fam.* Dirigir remoques a; zombar ou escarnecer de. **3.** Censurar, criticar, condenar. **4.** Ferir, molestar; espicaçar.

zaguncho. [Var. de *zarguncho,* talvez do mal.] *S. m. Luso-afric.* Arma de arremesso, semelhante à azagaia.

zãibro. [Var. de *zambo.*] *Adj.* **1.** V. *cambaio* (1). **2.** V. *estrábico* (2). [F. paral.: *zâimbo.*]

zâimbo. [F. paral. *dezambo.*] *Adj.* V. *zãibro.*

zainfe (a-ín). [Do fenício *zaimph.*] *S. m.* O manto de Tanit, deusa cartaginesa.

zaino. [Provavelmente do ár. *sâ'in,* 'o que guarda segredos'.] *Adj.* **1.** Diz-se de cavalo castanho-escuro sem mescla. **2.** Diz-se de cavalo sem malhas brancas. **3.** Que tem o pêlo preto e pouco brilhante. **4.** *Fig.* Dissimulado, astuto, ardiloso, velhaco. ● *S. m.* **5.** Cavalo zaino (1 a 3): "Estrada .... castigada pelos cascos de zainos e alazães." (Chico Anísio, *Teje Preso,* p. 12.) [Var.: *saino.*]

zaire. [Do congolês *zaire.*] *S. m.* Unidade monetária, e moeda, do Zaire. [Cf. *franco*[1].]

zairense. *Adj. 2 g.* **1.** De, ou pertencente ou relativo ao Zaire (África Central), antigo Congo (Kinshasa). ● *S. 2 g.* **2.** Natural ou habitante do Zaire.

zamacueca. [Do esp. chileno *zamacueca.*] *S. f.* A dança nacional chilena.

zambaio. [Cruz. de *zambro* com *cambaio.*] *Adj.* e *s. m. Bras.* e *prov. lus.* V. *estrábico* (2 e 4).

zambê. [De or. afr.] *S. m.* **1.** *Bras.* V. *coco*[2] (1). **2.** *Bras. P. ext.* Festa popular; pagode, função. **3.** *Bras., N.* Pequeno ingono de percussão direta e com um só dos lados recoberto de couro. **4.** *Bras., RN.* V. *bombo* (1).

zambelê. [Var. de *zabelê.*] *S. 2 g. Bras.* V. *jaó.*

zambembe. [De *zambo* (2), com infl. de *mambembe.*] *Adj. 2 g.* Medíocre, ordinário, inferior; mambembe.

zambe-o-pombo. *S. m. 2 n. Bras., N.E.* V. *zambiapongo.*

zambeta (ê). [De *zambo* + *-eta.*] *Adj. 2 g.* **1.** *Bras.* V. *cambaio* (1). **2.** *Bras., S.* V. *zambo* (2).

zambi. [Do quimb. *nzambi,* 'deus'?] *S. m. Bras.* Zumbi (1). [Cf. *zâmbi.*]

zâmbi. *S. m. Bras., N.E* F. red. de *zambiapongo.* [Cf. *zambi.*]

zambiampungu. *S. m. Bras., N.E.* V. *zambiapongo.*

zambiano. *Adj.* **1.** Da, ou pertencente ou relativo à Zâmbia (África Central). ● *S. m.* **2.** O natural ou habitante da Zâmbia.

zambiapongo. [De or. afr.] *S. m. Bras., N.E.* O deus supremo dos negros de origem angola-conguense, e que, no sincretismo com o catolicismo, é adorado como o Senhor do Bonfim. [F. red.: *zâmbi.* Var.: *zambiampungu, zambuipombo, zambe-o-pombo, zambiapungo, zamiapombo, zamuripongo.*

zambiapunga. [De or. afr.] *S. f. Bras., S. da BA.* Certa dança de negros.

zambiapungo. *S. m. Bras., N.E.* V. *zambiapongo.*

zambo. [De um provável lat. vulg. *strambu,* clás. *strabu,* 'vesgo'.] *Adj.* e *s. m.* **1.** *Bras.* Diz-se de, ou mestiço negro-acobreado, filho de negro e mulata ou de negro e índia. **2.** Diz-se de, ou invidíduo que tem os pés ou as pernas tortos; cambaio, zambeta. **3.** *Bras., RS. Gír.* Desnorteado, tonto, atoleimado. ~ V. *mão* —a.

zamboa (ô). [Do berbere, atr. do ár. *zambû'a.*] *S. f.* **1.** *Bras.* Espécie de cidra. **2.** *Fig.* Pessoa estúpida, idiota, parva.

zamboada. *S. f. Bras., MT.* Lugar, no mato, onde se amontoam e se entrançam galhadas de árvores, paus podres, cipós e lianas, formando moitas cerradas, que os animais procuram muitas vezes para repouso ou esconderijo.

zamboeira. *S. f.* Variedade de limão.

zamboque. *S. m. Bras., RN.* Variedade de abelha.

zamborrada. *S. f.* **1.** V. *quantidade* (3). **2.** *Bras.* e *prov. lus.* Bátega de água, rápida e forte.

zambra. [Do esp. *zambra.*] *S. f.* Antiga dança espanhola, de origem mourisca.

zambro. [Var. de *zambo.*] *Adj.* **1.** V. *cambaio* (1): "A estátua de Esopo, feio, zambro, corcovado, vesgo, disforme, inspira admiração e respeito" (Ramalho Ortigão, *Primeiras Prosas,* p. 186). **2.** Torto (diz-se das pernas): "Dentre a marinhagem do *Maria Dolores,* toda ilhoa, distinguia-se o *Perneta,* assim apelidado por ter as pernas zambras." (Galpi, *Narrativas Brasileiras,* p. 74.)

zambuipombo. *S. m. Bras., N.E.* V. *zambiapongo.*

zambujal. *S. m.* Var. de *azambujal.*

zambujeiro. *S. m.* Var. de *azambujeiro.*

zambujo. *S. m.* Var. de *azambujo.*

zambumba. *S. f.* **1.** V. *bombo* (1). **2.** V. *estramônio.* **3.** V. *camarão-castanho.* [Cf. *zabumba.*]

zamiácea. *S. f.* Espécime das zamiáceas.

zamiáceas. *S. f. pl. Bot.* Família de gimnospermas muito afim das cicadáceas, das quais se distingue pelas folhas carpelares providas de apenas dois óvulos, os quais constituem flores femininas de crescimento limitado. São plantas lenhosas que lembram pequenas palmeiras; das poucas espécies existentes, duas habitam terras do Brasil.

zamiáceo. *Adj.* Pertencente ou relativo às zamiáceas.

zamiapombo. *S. m. Bras., N.E.* V. *zambiapongo.*

zampar. [Do esp. *zampar.*] *V. t. d.* **1.** Comer muito, com pressa e voracidade. **2.** Encher muito, empachar (o estômago).

zamparina. [Do antr. *Zamperini,* de uma cantora italiana que atuou em Portugal de 1770 a 1774.] *S. f.* **1.** *Bras.* O surto gripal que irrompeu no Rio de Janeiro em 1780, caracterizado por séria alteração do sistema nervoso e do locomotor. **2.** *Bras., BA.* Dança ao som de batuque rápido e acompanhada de palmas em volta dos bailarinos e cantadores. ◆ **À zamparina.** Diz-se do modo de usar o chapéu inclinado para a frente e para a direita, muito em voga por volta da passagem do séc. XVIII ao XIX.

zamuripongo. *S. m. Bras., N.E.* V. *zambiapongo.*

zanaga. *S. 2 g.* e *adj. 2 g.* V. *estrábico* (2 e 4): "As mulheres eram .... repugnantes. Fisionomias ríspidas, de viragos, de olhos zanagas e maus." (Euclides da Cunha, *Os Sertões,* p. 523.) [F. paral.: *zanago.*]

zanago. *S. m.* e *adj.* V. *zanaga.*

zanga. [Dev. de *zagar,* certamente.] *S. f.* **1.** V. *cólera* (1). **2.** Sentimento de irritação contra aquele ou aquilo que nos causa aborrecimento ou prejuízo; mau humor; amolação. **3.** Desavença, desinteligência, inimizade, quizila. **4.** Mau agouro; quebranto, enguiço. **5.** Jogo semelhante ao voltarete, sem o naipe de copas, entre dois parceiros; arrenegada, renegada. **6.** *Bras., MG.* Desarranjo, enguiço, avaria.

zangaburrinha. [De *zangar* + *burrinha,* dim. do fem. de *burro.*] *S. f. Bras.* V. *gangorra*[1] (1).

zangaburrinho. [De *zangar* + *burrinho,* dim. de *burro.*] *S. m. Bras.* V. *gangorra*[1] (1).

zangadiço. *Adj.* V. *zangado* (2).

zangado. [Part. de *zangar.*] *Adj.* **1.** Que se zangou; encolerizado, irritado, aborrecido, amolado. **2.** Que se zanga facilmente; mal-humorado, irritável, irritadiço, zangadiço. **3.** De relações cortadas; desavindo.

zangador (ô). *Adj.* Que zanga, que origina zanga.

zangalete (ê). *S. m.* Tecido resistente, de algodão ou de seda.

zangalhão. *S. m.* V. *zangaralhão.* [Fem.: *zangalhona.*]

zangalho. *S. m.* V. *zangaralhão.*

zangalhona. *S. f.* Fem. de *zangalhão* [q. v.]

zângano. [Do esp. *zángano.*] *S. m.* **1.** V. *parasito* (3). **2.** Agiota desonesto, fraudulento. **3.** Agente de negócios particulares, ou preposto de corretor; zangão: "Este emprego de zângano, que tenho, / Com a alcunha de corretor dourado, / De todo deu em droga, está perdido" (Correia Garção, *Obras Poéticas e Oratórias,* p. 290). **4.** V. *adeleiro.* **5.** Tolo, parvo, bobo, truão; zangão.

zangão. [Voc. onom.] *S. m.* **1.** Macho de inseto himenóptero, da família dos apídeos, especialmente da *Apis mellifera* L., de tamanho bem maior que as abelhas operárias. É desprovido de ferrão e não fabrica mel, tornando-se, em certas ocasiões, parasito da colmeia. [Sin.: *abelha-macha.*] **2.** *Fig.* V. *parasito* (3). **3.** *Fig.* Maçador, maçante, importuno, seringador. **4.** Zângano (3 e 5). **6.** *Bras.* Pracista (1). **7.** *Bras., BA.* Agenciador de hotéis e pensões. [Pl.: *zangãos* e *zangões.* Var. pros.: *zângão.*]

zângão. *S. m.* V. *zangão.* [Pl.: *zângãos.* Cf. *zangam,* do v. *zangar.*]

zangar. [De *zangão,* talvez.] *V. t. d.* **1.** Causar zanga a; molestar, afligir, aborrecer, amolar: "A mãe abraçou-se com o marido quando o caixãozinho desceu e a terra foi batendo em cima. .... Soluçava baixinho humildemente. Não queria zangar os poderes lá de cima" (Raquel de Queirós, *100 Crônicas Escolhidas,* pp. 44-45). **2.** Provocar mau humor em. *Int.* **3.** Zangar (4 e 5): "Corei. Zanguei. Tive mesmo vontade de chorar de raiva." (Otávio de Faria, *A Sombra de Deus,* p. 150.) *P.* **4.** Irritar-se, aborrecer-se, amolar-se, zangar. **5.** Irar-se, encolerizar-se, zangar: "Aborreci-me claramente, / Zanguei-me mesmo, lembro agora." (Lima Júnior, *Canções da Idade de Oiro,* p. 31.) [Var.: *azangar.* Conjug.: v. *largar.* Pres. ind.: *zango,* .... *zangais, zangam.* Cf. *zângão.*]

zangaralhão. *S. m.* Homem muito alto e malfeito; zangalhão, zangalho: "um zangaralhão bêbado, magro, molengo, ... vomita obscenidades contra as fêmeas" (José Vieira, *Sol de Portugal,* p. 156). [Fem.: *zangaralhona.*]

zangaralhona. *S. f.* V. *zangaralhão.*

zangarelha (ê). [De *zangarelho.*] *S. f.* Tarrafa de arrastar; zangarelho.

zangarelho (ê). *S. m.* **1.** Rede de um só pano, para apanhar pescadas. **2.** Zangarelha.

zangarrear. [Voc. onom.] *V. int.* **1.** Tocar viola: "O rancho negro desenvolveu-se em hemiciclo com os músicos ao centro zangarreando, as mulheres aos guinchos" (Coelho Neto, *Rei Negro,* p. 110). *T. d.* **2.** Tocar na viola de modo desafinado, marcando sempre o mesmo ritmo e com os mesmos acordes em rasgado (8). [Conjug.: v. *frear.*]

zangarreio. [Dev. de *zangarrear.*] *S. m.* Ato de zangarrear: "retumbo de atabaques .... e zangarreios de violas." (Coelho Neto, *O Rajá do Pendjab,* I, p. 9).

zanguizarra. *S. f.* **1.** Algazarra, tumulto, confusão: "De um bosque vizinho, em zanguizarra louca, aos pinchos, cabriolas e rodopios, os sátiros .... se arremessavam sobre as pobres ninfas desprecatadas" (Gastão Cruls, *Contos Reunidos,* p. 195). **2.** Toque desafinado de viola. **3.** Toque ou som estridente.

zanguizarrear. *V. int. Bras.* Produzir zanguizarra: "Papagaios e maracanãs passaram zanguizarreando no banho tépido e matutinal do céu azul-faiança." (Alberto Rangel, *Sombras n'Água,* p. 74.) [Conjug.: v. *frear.*]

zanguizarreio. [Dev. de *zanguizarrear.*] *S. m.* Ação ou efeito de zanguizarrear: "flautas sicilianas, violas de amor, ... acompanham a dança, em fanhos zanguizarreios e estrídulos assobios." (Martins Fontes, *A Dança,* p. 42).

zangurriana. *S. f.* **1.** Cantilena monótona e persistente. **2.** *Pop.* V. *bebedeira* (1): "É cambaleando, a despertar e a enfurecer os cães de guarda, o bando desceu, caminho da ponte, em zangurriana alegre" (Coelho Neto, *Treva,* p. 17).

zangurrina. *S. f. Pop.* V. *bebedeira* (1).

zanho. *Adj. Bras., CE. Pop.* Fingido, dissimulado, hipócrita.

➧**zanni** (dzâni). [De *gianni* < *Giovanni,* antr. it.] *S. m. Teat.* Personagem-tipo da *commedia dell'arte,* sempre cômico, e que representa o criado bufão.

zanolho (ô). [F. arbitrária, com base em *olho.*] *Adj.* e *s. m.* **1.** V. *zarolho* (1 e 4). **2.** V. *estrábico* (2 e 4). [Pl.: *zanolhos* (ó).]

zanzar. [De *zaranzar,* com síncope?] *V. int. Bras.* V. *vaguear*[1] (1 e 2): "zanzava de uma banda para outra o dia inteiro, sem perder de vista a casa do retiro onde estava a família." (Afonso Arinos, *Pelo Sertão,* p. 161); "Quanto a Robério Dias, ... zanzou pelo sertão sem rumo nem norte" (Id., *Lendas e Tradições Brasileiras,* p. 76).

zanzibarita. *Adj. 2 g.* **1.** De, ou pertencente ou relativo a Zanzibar, ilha da África Oriental [v. *tanzaniano*]. ● *S. 2 g.* **2.** Natural ou habitante de Zanzibar.

zanzo. *S. m. Bras.* Erva ruderal, da família das malváceas (*Sida rhombifolia*), de base lenhosa e ramos muito resistentes à tração, folhas ovadas, moles e serreadas, flores amarelas e vistosas, e cujo fruto é cápsula; relógio.

zão-zão. *S. m.* Onomatopéia usada para indicar um som repetido e monótono. [Pl.: *zão-zãos.*]

zape. [Voc. onom.] *S. m.* **1.** Pancada, golpe. ● *Interj.* **2.** Voz imitativa dessa pacada.

zápete. *S. m.* **1.** No jogo do truque, o quatro de paus. **2.** O jogo do truque.

zapetrape. [Voc. onom.] *S. m.* Mãozada de gato. [Cf. *trape-zape.*]

zapoteca. *S. 2 g.* **1.** Indivíduo dos zapotecas, povo ameríndio, fortemente influenciado pelos maias, outrora estabelecido no S. do México, e cujos descendentes ocupam hoje, principalmente, o Estado de Oaxaca. ● *S. m.* **2.** O idioma falado por esse povo. ● *Adj. 2 g.* **3.** Pertencente ou relativo a ele.

zarabatana. [Do persa, atr. do ár. vulg. *zarbaTānā;* cláss. *zabaTanā,* 'tubo para matar pássaro'.] *S. f.* Tubo comprido pelo qual se impelem, com o sopro, setas e pequenos projetis; sarabatana: "As setas da zarabatana e as taquaras do arco, de toda a tribo, ... levam no bico a dosagem necessária [de veneno] que ele [o pajé] calcula para derrubar o pássaro, entorpecer o quadrúpede, deter o peixe, imobilizar o homem." (Raimundo Morais, *País das Pedras Verdes,* pp. 225-226.) [Cf. *esgaravatana* (2).]

zaraga. *S. f. Bras.* Espécie de cretone de algodão.

zaragalhada. *S. f.* Alvoroto, alvoroço, tumulto, algazarra.

zaragata. [Do esp. *zaragata.*] *S. f.* Desordem, confusão, algazarra, banzé.

zaragateiro. *Adj.* e *s. m.* Diz-se de, ou aquele que é muito dado a zaragatas.

zaragatoa (ô). [Do esp. *zaragatona.*] *S. f.* **1.** Designação comum a duas ervas humildes da família das plantagináceas (*Plantago cynops* e *Plantago psylium*), de folhas variáveis quanto à forma, e flores mínimas, paleáceas, ordenadas em espigas finas e alongadas. **2.** Pequena esponja ou pincel de fios de linho, na extremidade de uma haste, própria para aplicar remédios na garganta ou nas fossas nasais. **3.** *P. ext.* Medicamento que se aplica com estes objetos.

zaranza. *S. 2 g.* **1.** Pessoa atabalhoada, aturdida, adoidada. ● *S. f.* **2.** Capim da família das gramíneas (*Leptocoryphium lanutum*), dos campos secos, que é pastagem de má qualidade, e cujas panículas são brancas, de tonalidade argêntea. ● *Adj. 2 g.* **3.** Atabalhoado, aturdido, perturbado: "Zaranza, ... sufocado com o cheiro a suor da fibusteira, não tive forças para resistir e entreguei-lhe a tremura duma nota de 20 escudos." (José Gomes Ferreira, *O Mundo dos Outros,* p. 40); "Outra vez que fui desinfeliz, de ficar até zaranza, foi quando Duardo se casou com Nazinha" (Nélson de Faria, *Tiziu e Outras Estórias,* p. 18).

zaranzar. *V. int.* **1.** V. *vaguear*[1] (1 e 2). **2.** Atrapalhar-se no andar ou nos movimentos. **3.** Mover-se atabalhoadamente, às tontas, como zaranza (1): "Balbina saltou no terreiro energúmena, ... e pôs-se a zaranzar em volta, riscando com o facho um círculo de claridade." (Coelho Neto, *Rei Negro,* p. 109.)

zaratempô. *Interj. Bras., BA.* Exclamação de reverência ao deus Tempo.

zarcão. [Do persa *āzargūn,* 'cor de ouro', atr. do ár. *zarqūn.*] *S. m.* **1.** Óxido salino de chumbo, muito usado, especialmente a bordo das embarcações, para a primeira demão de pintura nas peças de ferro ou de aço, por dificultar a formação de ferrugem. [Cf. *zircão.*] **2.** A cor desse óxido, de laranja ou de tijolo muito viva. ● *Adj. 2 g.* e *2 n.* **3.** Que tem a cor de zarcão: *parede zarcão.* **4.** Diz-se dessa cor: *porta de cor zarcão.* [F. paral.: *azarcão.*]

zarco. [Do ár. *zargā.*] *Adj.* **1.** Que tem olhos azul-claros. **2.** Diz-se do cavalo que tem malha branca em torno de um dos dois olhos.

zarelha (ê). [Fem. de *zarelho.*] *S. f.* Mulher intrometida, abelhuda.

zarelhar. [De *zarelho* + *-ar*[2].] *V. int.* **1.** Intrometer-se em tudo; intrigar; mexericar. **2.** Traquinar, doidejar. [Conjug.: v. *aparelhar.*]

zarelho (ê). *S. m.* **1.** Indivíduo metediço, intrometido. **2.** Menino traquinas, travesso.

zargo. [De *zarco.*] *Adj. Bras.* Diz-se do cavalo que tem os olhos ou um só olho branco.

zargunchada. *S. f.* Zagunchada.

zargunchar. *V. t. d.* e *int.* Zagunchar: "Uma frecha, subtil, silva e zarguncha... É a guerra!" (Olavo Bilac, *Poesias,* p. 264.)

zarguncho. *S. m.* Zaguncho.

zarolho (ô). [F. arbitrária, com base em *olho.*] *Adj.* **1.** Cego de um olho. [F. paral.: *zanolho;* sin., bras.: *caolho, caraolho, piloto, zerê.*] **2.** V. *estrábico* (2). **3.** *Bras., N.* e *N.E.* Diz-se do milho no começo da maturação. ● *S. m.* **4.** Indivíduo zarolho. [F. paral.: *zanolho;* sin. bras.: *caolho, caraolho, piloto, zerê.*] **5.** V. estrábico (4). [Pl.: *zarolhos* (ó).]

zarpar. [Do gr. *exarpázo,* 'levantar (âncora)', atr. do lat. **exharpare* e do it. ant. *sarpare,* hoje salpare.] *V. int.* e *t. c.* **1.** Levantar âncora; fazer-se ao mar; partir: "Quantas vezes em pequeno, ao contemplar o oceano, e ao ver os navios que zarpavam barra afora, senti o impulso ardente de Sindbad o Marítimo" (Sousa Bandeira, *Evocações e Outros Escritos,* p. 56). [F. paral. (ant.): *sarpar.*] **2.** *Bras.* V. *fugir* (1 e 2). **3.** *Bras. Ir; partir.*

▲**-(z)arrão.** V. *-ão*[1].

zarro. *Adj.* **1.** *Bras.* Muito desejoso; sequioso, roxo: "Há aí alguma coisa que se beba? Estou zarro." (Coelho Neto, *A Conquista,* p. 421); *A menina estava zarra por um vestido novo.* **2.** *Bras., Pop.* V. *embriagado* (1). **3.** *Bras., RS,* e *prov. lus.* Difícil de fazer ou resolver; incômodo, maçante.

zarza. *S. f. Bras.* V. *salsaparrilha.*

zarzuela. [Do esp. *zarzuela.*] *S. f. Teat.* Obra dramática e musical de origem espanhola, espécie de ópera-cômica, na qual alternadamente se declama e se canta: "Era uma antiga corista de zarzuelas e agora beata fanática" (Cardoso de Oliveira, *Dois Metros e Cinco*, p. 61).

zarzuelista. *S. 2 g.* Autor de zarzuelas.

zás. [Voc. onom.] *Interj.* Imita pancada rápida, ou designa ação rápida e decidida; zás-trás.

zás-trás. [Voc. onom.] *Interj.* Zás.

zavar. *V. int.* Morder com raiva.

zé. [De *Zé*, hipocorístico de *José*.] *S. m. Pop.* **1.** V. *zé-povinho* (1). **2.** V. *ralé* (1). **3.** Toleirão, pateta, pacóvio. [Cf. *zê* e *z*.]

zê. [Do gr. *zêta*, nome da sexta letra do alfabeto grego, pelo lat. *zeta*, com apócope resultante do valor de soletração.] *S. m.* Nome da letra *z*. [Pl.: *zês* ou *zz*. Cf. *zé* e *z*.]

zebra (ê). *S. f.* **1.** Designação comum aos mamíferos africanos da família dos eqüídeos, caracterizados pela pelagem listrada de preto sobre fundo branco ou camurça com crina curta em forma de escova. **2.** *Bras.* Pessoa estúpida, sem inteligência, burra. **3.** *Bras. RJ.* Uniforme de presidiário, feito de fazenda listrada. **4.** *Bras.* Em futebol, loteria, etc., resultado inesperado, contrário aos prognósticos; azarão. [Pl.: *zebras* (ê). Cf. *zebra* e *zebras*, do v. *zebrar*.] ◆ **Dar zebra.** Dar resultado mau e/ou inesperado: "Sim, houve algumas mulheres. Mas com elas nunca fui muito jeitoso, é, pois é, deu zebra." (Edilberto Coutinho, *Sangue na Praça*, p. 25.)

zebrado. [Part. de *zebrar*.] *Adj.* **1.** Listrado como as zebras. **2.** Que lembra as listras da pele das zebras: "Vestidinhos engomados, chitas de ramagem de flores e de quadradinhos, algumas listras zebradas" (José Sarney, *Norte das Águas*, p. 22).

zebral. *Adj. 2 g.* Relativo ou pertencente à zebra (1); zebrário, zebrino.

zebrar. [De *zebra* + *-ar*[2].] *V. t. d.* **1.** Listrar, dando a aparência de pele de zebra: "Longe na deserta e funérea planície, raios zebravam o negror das nuvens." (Coelho Neto, *Banzo*, p. 89.) *T. d. e i.* **2.** Matizar de listras; listrar: "a pequena casa caiada e o barracão das mercadorias, perdidos num país chato e feio, onde raras culturas zebravam de amarelo o verde-negro da charneca, tinham um ar muito abandonado." (Conde de Ficalho, *Uma Eleição Perdida*, p. 11). [Pres. ind.: *zebro*, *zebras*, *zebra*, etc. Fut. pret.: *zebraria*, etc. Cf. *zebra* (ê), pl. *zebras* (ê), e *zebrária*, fem. de *zebrário*.]

zebrário. [De *zebra* + *-ário*.] *Adj.* V. *zebral*. [Fem.: *zebrária*. Cf. *zebraria*, do v. *zebrar*.]

zebrino. [De *zebra* + *-ino*[1].] *Adj.* V. *zebral*. [Cf. *zebruno*.]

zebróide. [De *zebra* + *-óide*.] *Adj. 2 g.* **1.** Da natureza ou aspecto da zebra. ● *S. m.* **2.** Híbrido de cavalo com zebra fêmea. **3.** *Bras.* Indivíduo tolo, estúpido, incapaz; burróide.

zébrulo. *S. m.* Híbrido de égua e zebra macha.

zebruno. [Do esp. plat. *cebruno*.] *Adj. Bras.* Diz-se do cavalo de pêlo baio. [Cf. *zebrino*.]

zebrura. [De *zebra* + *-ura*.] *S. f.* Listras semelhantes às malhas das zebras.

zebu. [Do tibetano *zeu*, atr. do fr. *zébu*.] *S. m.* **1.** Espécime de um gado bovino indiano (*bos indicus*), por via de regra corpulento e dotado de grande giba ou corcova cheia de reservas nutritivas, e que compreende várias raças, como o gir, o nelore, o guzerá ou guzerate, o sindi, etc. ● *Adj. 2 g.* **2.** Diz-se do gado bovino que apresenta essas características. [Sin. ger. (p. us): *gebo*.]

zebueiro. [De *zebu* + *-eiro*.] *S. m. Bras., Triângulo Mineiro* e *GO.* Criador ou negociante de gado zebu; zebuzeiro.

zebuíno. *Adj.* Relativo ou pertencente ao zebu, ou próprio dele.

zebuzeiro. [De *zebu* + *-z-* + *-eiro*.] *S. m. Bras., Triângulo Mineiro* e *GO.* Zebueiro.

zé-da-véstia. *S. m. Pop.* V. *joão-ninguém*. [Pl.: *zés-da-véstia*.]

zé-de-quinca. *S. m. Bras., PB.* V. *ânus*. [Pl.: *zés-de-quinca*.]

zedoária. [Do persa *žadwar*, atr. do ár. *zidwar* e do lat. tardio *zedoaria*.] *S. f.* Planta herbácea e medicinal, da família das zingiberáceas (*Curcuma zedoaria*).

zé-dos-anzóis. *S. m.* **1.** V. *fulano* (1). **2.** V. *joão-ninguém*. [Pl.: *zés-dos-anzóis*.]

zé-dos-anzóis-carapuça. *S. m.* **1.** V. *fulano* (1). **2.** V. *joão-ninguém*. [Pl.: *zés-dos-anzóis-carapuça*.]

zefir. [Do fr. *zéphire*.] *S. m.* Tecido de algodão, leve e transparente, com os fios do tecido geralmente formando listras.

zefirino. [Do gr. *zephyrênos*, pelo lat. *zephyrinu*.] *Adj.* Referente ao zéfiro. [Cf. *Zeferino*, antr.]

zéfiro. [Do gr. *zephyros*, pelo lat. *zephiru*.] *S. m.* **1.** Entre os antigos, vento do ocidente. [Antôn., nesta acepç.: *euro*.] **2.** *P. ext.* Vento suave e fresco; aragem, brisa: "Vede além no alto cerro a cena que aparece: / todas [as éguas] coa boca aberta ao zéfiro voltadas, / estáticas sorvendo as auras delicadas." (Antônio Feliciano de Castilho, *As Geórgicas de Virgílio*, p. 179.)

zegri. *S. m.* **1.** Indivíduo dos zegris, tribo árabe estabelecida na Espanha, rival da tribo abencerrage (séc. XV): "os descendentes dos conquistadores de Espanha, abencerrages e zegris, caíram no abismo" (Camilo Castelo Branco, *A Enjeitada*, p. 234). ● *Adj. 2 g.* **2.** Pertencente ou relativo a essa tribo.

zeídeo. *S. m.* **1.** Espécime dos zeídeos. ● *Adj.* **2.** Pertencente ou relativo a eles.

zeídeos. *S. m. pl. Zool.* Família (*Zeidae*) de peixes marinhos, actinopterígios, da ordem dos zeomorfos, conhecidos vulgarmente como *galos*. Ex.: galo-do-alto, galo-do-fundo, galo-do-mar.

zelação. [De *exalação*, 'ato ou efeito de exalar', certamente por analogia com *zelar*.] *S. f. Bras., N.E. Pop. Astr.* V. *estrela cadente*: "No alto céu negro pingado de ouro, correu uma estrela com fulgurante rapidez. Margarida levantou-se da poltrona de ferro em que se recostara e fez o sinal-da-cruz: I — Deus te guie, zelação! murmurou." (Gustavo Barroso, *Mississípi*, p. 102.)

zelador (ô). *Adj.* **1.** Que zela; zelante. ● *S. m.* **2.** Empregado fiscal de um município. **3.** Chefe de grupo, em certas confrarias, congregações, associações, etc., de caráter pio ou meramente religioso. **4.** Administrador das santas casas da misericórdia. **5.** *Bras.* Indivíduo encarregado de tomar conta dum edifício de apartamentos. **6.** *Bras.* Pai-de-santo, nos candomblés baianos.

zeladoria. *S. f.* **1.** Ofício ou cargo de zelador. **2.** Repartição onde trabalha o zelador.

zelandês. *Adj.* **1.** Da, ou pertencente ou relativo à Zelândia, província dos Países Baixos (Europa). ● *S. m.* **2.** O natural ou habitante da Zelândia. [Flex.: *zelandesa* (ê), *zelandeses* (ê), *zelandesas* (ê).]

zelante. [Do lat. *zelante*.] *Adj. 2 g.* Zelador (1).

zelar. [Do lat. *zelare*.] *V. t. d.* **1.** Ter zelo por. **2.** Ter zelos ou ciúmes de. **3.** Tratar com zelo. **4.** Administrar diligentemente; tomar conta de (algo) com o máximo cuidado e interesse: *Zela os bens da família.* **5.** Tomar conta de (alguém) com o maior cuidado e interesse; tratar com zelo ou desvelo; velar: *Zelou com todo o carinho a mãe doente.* *T. i.* **6.** Cuidar; velar, interessar-se: "Zelar pelo enriquecimento, aperfeiçoamento e difusão da nossa [língua] é, antes do mais, um ato patriótico, que visa a evitar se torne ela um mero instrumento de comunicação elementar entre os seus usuários." (Celso Cunha, *Língua, Nação, Alienação*, p. 24); *Zela pela saúde dos filhos.* [Pres. ind.: *zelo*, etc.; pres. subj.: *zele*, *zeles*, etc. Cf. *zelo* (ê), s. m., e *Zélis*, antr.]

zelo (ê). [Do gr. *zêlos*, 'fervor, ardor, emulação', pelo lat. *zelu*.] *S. m.* **1.** Afeição ou dedicação, cuidado, desvelo ardente, por alguém ou por algo. **2.** Vivo ardor a serviço de Deus ou da religião. **3.** Pontualidade e diligência em qualquer serviço. [Pl.: *zelos* (ê). Cf. *zelo*, do v. *zelar*.] ∼ V. *zelos*.

zelos (ê). [Pl. de *zelo*.] *S. m. pl.* Ciúme (1). ∼ V. *zelo*.

zeloso (ô). *Adj.* **1.** Que tem zelo(s). **2.** Cuidadoso, diligente, desvelado. **3.** Pontual e diligente.

zelote. [Do gr. *zelótes*, pelo lat. *zelote*.] *S. m.* **1.** Membro de um partido judeu do tempo de Cristo que se opunha à dominação romana, como incompatível com a soberania do Deus de Israel. **2.** Aquele que finge que tem zelos. ● *Adj.* **3.** Que finge ter zelos: "Fui denunciado pelos zelotes da monarquia, hoje quase todos aderentes, como sendo um aliado da república" (Joaquim Nabuco, *Escritos e Discursos Literários*, pp. 65-66).

zen. [Do chin. *ch'an*, f. red. de *ch'an na*, 'meditação', pelo jap. *zen*.] *S. m.* **1.** *Filos.* Forma de budismo que se difundiu sobretudo no Japão, a partir do séc. VI, e se vem difundindo no Ocidente, caracterizada por valorizar a contemplação intuitiva (em oposição à meditação racional abstrata) suscitada pelo amor à natureza e à vida, o qual se exercita pela prática de toda espécie de trabalhos manuais e leva ao desenvolvimento da personalidade mediante o conhecimento próprio; budismo zen, zen-budismo. ● *Adj. 2 g.* **2.** Pertencente ou relativo ao zen, ou próprio dele: *mosteiro zen; meditação zen.*

zen-budismo. [De *zen* + *budismo*.] *S. m. Filos.* V. *zen*. [Pl.: *zen-budismos*.]

zen-budista. *Adj. 2 g.* **1.** Pertencente ou relativo ao, ou que é sectário do zen-budismo. ● *S. 2 g.* **2.** Sectário do zen-budismo. [Pl.: *zen-budistas*.]

zenda. *S. m.* e *adj. 2 g.* Zende.

zendavesta. *S. m. Filos.* Avesta.

zende. [De *zend*, 'interpretação, comentário', 'conhecimento', de uma língua der. do antigo persa.] *S. m.* **1.** V. *indo-iraniano* (3). ● *Adj. 2 g.* **2.** Pertencente ou relativo ao zende: *textos zendes.* [F. paral.: *zenda*.]

zé-ninguém. *S. m. Bras.* Pé-de-chumbo (3). [Pl.: *zés-ninguéns* e *zés-ninguém*.]

zenital. *Adj. 2 g.* Relativo ao zênite. ∼ V. *luneta —*, *luneta — fotográfica*, *projeção — eqüidistante* e *tubo — fotográfico*.

zênite. [Do ár. *samt*. 'caminho, direção, rumo', lido erroneamente *senit* pelos escribas medievais.] *S. m.* **1.** *Astr.* Interseção da vertical superior do lugar com a esfera celeste: "Gaimirra olhava a terra desde os píncaros do zênite azulado até os recôncavos do horizonte" (Antunes da Silva, *Gaimirra*, p. 14). [Opõe-se a *nadir*.] **2.** *Fig.* Auge, apogeu, culminância.

zenocêntrico. [Do mit. gr. *Zen*, *Zeu* ou *Zeus*, 'Zeus', + *-centr(o)-* + *-ico*[2].] *Adj.* Relativo ao centro do planeta Júpiter.

zenográfico. [Do mit. gr. *Zen*, *Zeu* ou *Zeus*, 'Zeus', + *-graf(o)-* + *-ico*[2].] *Adj.* Relativo ao disco aparente do planeta Júpiter.

▲**zeo-.** [Do gr. *zéo*.] *El. comp.* = 'que ferve': *zeólita*, *zeoscópio*.

▲**ze(o)-.** [Do gr. *zéa*, *as*.] *El. comp.* = 'milho': *zeófago*.

zeofagia. [De *ze(o)-* + *-fag(o)-* + *-ia*.] *S. f.* Qualidade ou hábito alimentar de zeófago.

zeofágico. *Adj.* Referente à zeofagia.

zeófago. [De *ze(o)-* + *-fago*.] *Adj.* e *s. m.* Diz-se de, ou animal que se alimenta de milho.

zeólita. [De *zeo-* + *-lita*.] *S. f. Min.* Denominação comum aos silicatos hidratados de alumínio e a um ou mais metais alcalinos ou alcalino-terrosos, mais comumente o sódio e o cálcio.

zeomorfo. [Do mit. gr. *Zeus*, + *-o-* + *-morfo*.] *S. m.* **1.** Espécime dos zeomorfos. ● *Adj.* **2.** Pertencente ou relativo a eles.

zeomorfos. *S. m. pl. Zool.* Animais da classe dos peixes, enopterígios, da ordem *Zeomorphi*, de corpo muito comprimido, nadadeira espinhosa, grande boca protrátil e nadadeira caudal truncada ou arredondada, precedida de um a quatro espinhos formando nadadeiras separadas.

zeoscópio. [De *zeo-* + *-scop(o)-* + *-io*.] *S. m.* Dispositivo com que se determina a quantidade de álcool contida em um líquido, com base no estudo da ebulição deste.

zepelim. [Do antr. *Zeppelin*.] *S. m.* **1.** Aeróstato dirigível, já em desuso, formado por uma armação de duralumínio em feitio de grande charuto, e que foi criado em 1900 pelo Conde Zeppelin, inventor alemão (1838-1917). **2.** *Bras.* Peixe teleósteo, caraciforme, da família dos caracídeos (*Poecilobrycon trifasciatus* (Steind.)), da Amaz., de coloração prateada, com três faixas escuras que lhe percorrem longitudinalmente o corpo, sendo a do meio mais longa, sobre os olhos, e máculas carminadas e azuis. Comprimento: até 5 cm.

zé-pereira. *S. m.* **1.** Certo ritmo carnavalesco executado no bombo. [Cf. *bombo* (1).] **2.** Grupo carnavalesco que executa esse ritmo. **3.** *Prov. lus.* Conjunto de zabumbas que animam o carnaval, as festas locais e as romarias. [Pl.: *zé-pereiras*.]

zé-povinho. [Dim. de *zé-povo*.] *S. m.* **1.** Homem comum; homem do povo; zé; povão, povinho. **2.** V. *ralé* (1): "O aspecto dessas mulheres, todas muito bempostas, farfalhando sedas, ... era tanto mais chocante quanto contrastava com o zé-povinho, sujo e andrajoso" (Gastão Cruls, *De Pai a Filho*, p. 20). [Pl.: *zé-povinhos*. Sin. ger.: *zé-povo*.]

zé-povo. *S. m.* V. *zé-povinho*. [Pl.: *zé-povos*.]

zé-pregos. [De *zé* + *prego*.] *S. m. 2 n. Bras.* O macho da tartaruga. [Cf. *capitari* (2).]

zé-prequeté. *S. m. Bras. Fam.* V. *joão-ninguém*. [Pl.: *zé-prequetés*.]

zerar. *V. t. d.* **1.** Reduzir (conta bancária) a zero. **2.** Dar nota zero a: *A professora zerou metade da classe.* **3.** Saldar, liquidar: *Uma das metas do acordo é zerar, no ano vindouro, o déficit público.* **4.** Reduzir a zero; tornar nulo.

zerê. *Adj. 2 g.* e *s. 2 g.* **1.** V. *zarolho* (1 e 4): "Ouvi dizer que Dasdores, ... já passada, magrinha e zerê, espera ser pedida a qualquer momento." (Nélson de Faria, *Tiziu e Outras Estórias*, p. 159.) **2.** V. *estrábico* (2 e 4).

zerinho (zè). *Adj. Bras. Pop.* Novo em folha. [Por alusão a automóvel zero-quilômetro.]

zero. [Do ár. *sifr*, 'vazio', atr. do lat. medieval *zephyrum*, pelo it. *zero* e pelo fr. *zéro*.] *Num.* **1.** Cardinal dos conjuntos vazios. ● *S. m.* **2.** Algarismo representativo do número zero (0). **3.** *Álg.* Elemento que, somado a outro, reproduz este outro; a identidade da operação de soma. **4.** *Anál. Mat.* Valor da variável que torna nula uma função dessa variável. **5.** Nota, em prova de exame ou concurso. **6.** Ponto em que se principiam a contar os graus, e que corresponde, nalguns termômetros, à temperatura de gelo fundente. **7.** Ponto inicial da escala da maioria dos instrumentos de medição. **8.** *Fig.* Pessoa ou coisa sem valor ou préstimo: "Que ilusão, viajar! Todo o Planeta é z e r o." (Antônio Nobre, *Só*, p. 92.) ♦ **Zero absoluto.** *Fís.* Zero numa escala de temperaturas absolutas. Na escala centesimal é igual a -273,15ºC. **Zero à esquerda.** Pessoa que não significa absolutamente nada, que não tem nenhum valor; zero, nada: *F. é uma nulidade, é um z e r o à e s q u e r d a.* **Zero hidrográfico.** Nível de referência para definir a altura da maré a cada instante, função de características hidrográficas locais, inerentes ao comportamento da maré em cada região. **Ficar a zero.** Ficar sem nada; ficar à ucha.

zero-quilômetro. *Bras. Adj. 2 g. e 2 n.* **1.** Diz-se de automóvel novo, que ainda não foi rodado. **2.** *P. ext.* Diz-se de máquina ou aparelho novo, sem uso. ● *S. m. 2 n.* **3.** Automóvel zero-quilômetro.

zerumba. [Do persa *zarambad*.] *S. f.* Droga (1) que vinha da Índia pela Turquia.

zerumbete (ê). [De *zerumba* + *-ete*.] *S. m.* Gengibre silvestre.

zervanismo. *S. m.* Seita que floresceu na dinastia iraniana sassânida, e que é oriunda do masdeísmo [q. v.] e admitia um princípio superior ao mundo, a partir do qual tudo se engendraria.

zesto. [Do fr. *zeste*.] *S. m.* A camada mais externa das frutas cítricas, como, p. ex., o limão.

zeta. *S. m.* Dzeta.

zetacismo. [De *zeta* + *-c-* + *-ismo*.] *S. m.* Defeito de pronunciação que consiste na passagem de uma consoante ao som zê: *esparzir* (var. de *espargir*); *zinebra* (por *ginebra* < *genebra*); *resistrar* (em vez de *registrar*).

zetética. [Do gr. *zetetiké* (subentende-se *techne*), 'a arte de procurar'.] *S. f.* **1.** Método de investigação, ou conjunto de preceitos, para a resolução de um problema filosófico ou matemático. **2.** *Filos. P. us.* A doutrina de Pirro [v. *pirronismo*] em sua posição metodológica inicial, que consiste no incentivo à busca incessante de novos conhecimentos.

zetético. *Adj.* Relativo à zetética.

zé-tranqüilino. [Do hipocorístico *Zé* [V. *zé*], + o antr. *Tranqüilino*, der. arbitrário de *tranqüilino* ou *Tranqüilino*, antr.] *S. m. Bras., BA.* Certo punhal de lâmina feita de lâmina de espada, e com cabo de prata lavrada. [Pl.: *zé-tranqüilinos*.]

zeugma. [Do gr. *zeûgma*, 'junção', pelo lat. *zeugma*.] *S. f. e m. Ret.* Figura pela qual uma palavra, expressa em determinada parte do período, é subentendida em outra(s) parte(s), posterior(es) ou anterior(es) àquela. Ex.: "Vieira vivia para fora, para a cidade, para a corte, para o mundo; Bernardes [vivia] para a cela, para si, para o seu coração." (Antônio Feliciano de Castilho, *ap.* Álvaro Lins e Aurélio Buarque de Holanda, *Roteiro Literário de Portugal e do Brasil*, I, p. 169.)

zeugmático. *Adj.* Relativo à, ou em que ocorre zeugma.

zeugo. [Do gr. *zeûgos*, 'par'.] *S. m.* Instrumento musical, na Grécia antiga, composto de duas flautas reunidas.

zeunerita. [Do antr. *Zeuner*, de Gustav Zeuner, engenheiro alemão (1828-1907), + *-ita*[3].] *S. f. Min.* V. *uranita*.

zezinha (zè). *S. f. Bras.* A vulva.

zezinho (zè). *S. m. Bras.* O pênis.

zibelina. [Do russo *sobolj*, 'marta negra', atr. do it. *zibellino* e do fr. *zibéline*.] *Adj. f.* **1.** Diz-se duma espécie de marta castanho-escura da Europa setentrional e partes do N. da Ásia, um dos mais valiosos animais produtores de pele. ● *S. f.* **2.** Marta zibelina. **3.** A pele desse animal.

zifiídeo. *S. m.* **1.** Espécime dos zifiídeos. ● *Adj.* **2.** Pertencente ou relativo a eles.

zifiídeos. *S. m. pl. Zool.* Animais mamíferos, cetáceos, marinhos, da família *Ziphiidae*. Cabeça muito pequena em relação ao corpo, terminada em rostro curto; nadadeiras pequenas; dentes pouco numerosos, os superiores ausentes ou rudimentares, e os inferiores em número de dois, no máximo, de cada lado.

zigapófise. [De *zig(o)-* + *apófise*.] *S. f. Zool.* Apófise que serve para articular uma vértebra com outra.

▲**zig(o)-.** [Do gr. *zygós*, *oû*.] *El. comp.* = 'par', 'união de dois': *zigócero, zigodátilo; zigapófise*.

zigócero. [De *zig(o)-* + *-cero*[1].] *Adj. e s. m. Zool.* Diz-se de, ou animal que possui tentáculos em número par.

zigocisto. [De *zig(o)-* + *-cisto*.] *S. m. Bot.* Zigospório de paredes espessas, capaz de permanecer em inatividade durante certo tempo.

zigodáctilo. [De *zig(o)-* + *-dá(c)tilo*.] *Adj. Zool.* Que tem dedos em número par. [Var.: *zigodátilo*.]

zigodátilo. [De *zig(o)-* + *-dá(c)tilo*.] *Adj. Zool.* Var. de *zigodáctilo*.

zigofilácea. *S. f.* Espécime das zigofiláceas.

zigofiláceas. *S. f. pl. Bot.* Família de plantas floríferas, da ordem das geraniales, composta de ervas até árvores de folhas penadas, flores com dois a três verticilos estaminais, e frutos em baga ou drupa. Existem umas 260 espécies, raras das quais ocorrem no Brasil.

zigofiláceo. *Adj.* Pertencente ou relativo às zigofiláceas.

zigofilo. [De *zig(o)-* + *-filo*[1].] *S. m.* Planta vermífuga, espécie de alcaparra.

zigofiúro. [De *zig(o)-* + *-ofi(o)-* + *-uro*.] *S. m.* **1.** Espécime dos zigofiúros. ● *Adj.* **2.** Pertencente ou relativo a eles.

zigofiúros. *S. m. pl. Zool.* Animais metazoários, equinodermos, ofiuróides, cujos ossículos ambulacrários se articulam através de protuberâncias ou sulcos laterais.

zigoma. [Do gr. *zygoma*.] *S. m. Anat.* **1.** Apófise zigomática de cada osso temporal. **2.** Cada um dos dois arcos zigomáticos. **3.** Osso zigomático: "Era um tipo alto, ... de olhar vivaz num rosto longo e anguloso, de z i g o m a s bem marcados." (Gastão Cruls, *Contos Reunidos*, p. 278.)

zigomático. *Adj.* De, ou pertencente ou relativo a zigoma. — V. *osso* —.

zigomorfia. [De *zig(o)-* + *-morf(o)-* + *-ia*.] *S. f. Morfol. Veg.* Tipo de simetria floral em que o órgão só admite um plano de simetria. É, pois, uma simetria bilateral.

zigomorfo. [De *zig(o)-* + *-morfo*.] *Adj. Morfol. Veg.* Que apresenta zigomorfia: *corola z i g o m o r f a*. [Opõe-se a *actinomorfo*.]

zigóptero. [De *zig(o)-* + *-ptero*.] *S. m.* **1.** Espécime dos zigópteros. ● *Adj.* **2.** Pertencente ou relativo a eles.

zigópteros. *S. m. pl.* Insetos odonatos, da subordem *Zygoptera*, com asas anteriores e posteriores idênticas, tendo as ninfas três brânquias caudais foliáceas externas.

zigospório. [De *zig(o)-* + *-spor(o)-* + *io*[1].] *S. m. Bot.* **1.** Zigoto [q. v.]. **2.** *Restr.* O zigoto de certos fungos provenientes da fusão das partes terminais de duas hifas (que funcionam, como conjuntos de gametas), revestido de membrana eriçada de numerosos espinhos.

zigóteno. [De *zig(o)-* + lat. *taenia*, 'fita, tira'.] *S. m.*

zigótico. *Adj.* Relativo ou pertencente ao zigoto.

zigoto. [Do gr. *zygotós*, 'unido'.] *S. m. Biol.* Célula reprodutora resultante da fusão de dois gametas de sexo oposto; ovo.

-zigoto. [Do gr. *zygotós*, *é*, *ón*.] *El. comp.* = 'zigoto': *heterozigoto, hipnozigoto*.

ziguezague. [Do al. *Zickzack*, atr. do fr. *zigzag*.] *S. m.* **1.** Linha quebrada, ou sinuosa, que forma ângulos salientes e reentrantes alternados. **2.** Maneira de andar que imita esse tipo de linha. **3.** Sinuosidade, flexuosidade. **4.** Ornato em forma de ziguezague. **5.** *Bras.* Cadarço em forma de ziguezague (1): sianinha.

ziguezagueante. *Adj. 2 g.* Que ziguezagueia.

ziguezaguear. *V. int.* **1.** Fazer ziguezagues. **2.** Andar aos ziguezagues. [Conjug.: v. *frear*.]

ziguezigue. [Voc. onom.] *S. m.* Certa brincadeira de crianças. **2.** *Fig.* Traquinas, traquino, travesso. *S. 2 g.* **3.** *Bras.* V. *libélula*.

ziguizira. *S. f. Bras. Gír.* Qualquer doença que não se pode ou não se quer nomear. [Var.: *ziquizira*.]

zigurate. [Do assírio-babilônico *ziqqurratu*, 'cume, pináculo'.] *S. m.* Templo piramidal, de adobe, com diversos andares, da antigüidade mesopotâmica.

zímase. [De *zim(e)-* + *-ase*[1].] *S. f.* **1.** Diástase causada pela levedura da cerveja. **2.** Zimose.

zimbabuano. *Adj.* **1.** Da, ou pertencente ou relativo a Zimbábue, antiga Rodésia (África). ● *S. m.* **2.** O natural ou habitante de Zimbábue. [Sin. ger.: *zimbabuense*. V. *rodesiano*.]

zimbabuense. *Adj. 2 g. e s. 2 g.* Zimbabuano.

zimbo. [Var. de *jimbo*.] *S. m.* Concha univalve, utilizada como moeda entre os congoleses.

zimbório. [Do gr. *kibórion*, 'taça com a forma do fruto do nenúfar', pelo lat. *ciboriu*.] *S. m. Arquit.* A parte superior, em geral convexa, que exteriormente remata a cúpula de um grande edifício, sobretudo de igrejas; domo.

zimbrada. *S. f.* Ato de zimbrar.

zimbral. *S. m.* Quantidade mais ou menos considerável de zimbros dispostos proximamente entre si; mata ou bosque de zimbros.

zimbrar. *V. t. d.* **1.** Açoitar, fustigar, vergastar, zurzir: "De espaço em espaço, ... as linhas dos pingalins z i m b r a v a m o ar por cima da burrama carregada." (Xavier Marques, *As Voltas da Estrada*, p. 47.) **2.** Colocar bordões estirados e retesos sobre a pele de (um tambor), para requintar o som.

zimbro[1]. [Do lat. *juniperu*, **jiniperu*, atr. de uma f. **zîibro*.] *S. m.* Planta da família das pináceas (*Juniperus communis*), cujos frutos se utilizam na preparação do gim ou da genebra e na aromatização de conservas ou carnes defumadas; junípero.

zimbro[2]. *S. m.* **1.** Orvalho (1): "Entre os z i m b r o s e a névoa, entre o vento e a salsugem, / A voz incompreendida, a voz da Tentação / Canta, ao surdo bater dos macaréus que rugem" (Olavo Bilac, *Poesias*, p. 250). **2.** V. *garoa*[1] (3).

▲**zim(e)-.** [Do gr. *zýme*, *es*.] *El. comp.* = 'fermento'; 'fermentação': *zimeose; zímase*. [Equiv.: *zimo-*: *zimogênio, zimotecnia*.]

zimeose. [De *zim(e)-* + *-ose*.] *S. f.* Doença dos vinhos, que os faz grossos. [Cf. *zimose*.]

zímico. [De *zim(e)-* + *-ico*[2].] *Adj.* Relativo ou inerente à fermentação; zimótico.

▲**zimo-.** Equiv. de *zim(e)-*.

zimóforo. [De *zimo-* + *-foro*.] *Adj.* Que transporta fermento.

zimogenia. [De *zimo-* + *-gen(o)-* + *-ia*.] *S. f.* Fermentação química.

zimogênico. *Adj.* Respeitante à zimogenia, ou que a provoca.

zimogênio. [De *zimo-* + *-gen(o)-* + *-io*[2].] *S. m. Bioquím.* Precursor inativo que, pela ação de outra substância (ácido, enzima, etc.), é transformado em enzima ativa.

zimologia. [De *zimo-* + *-log(o)-* + *-ia*.] *S. f.* Ciência que trata dos fermentos e da fermentação.

zimológico. *Adj.* Relativo ou pertencente à zimologia.

zimoscópio. [De *zimo-* + *-scop-* + *-io*[2].] *S. m.* Instrumento com que se calcula o grau de fermentação de um líquido.

zimose. [Do gr. *zymosis*.] *S. f.* Fermento solúvel; zímase. [Cf. *zimeose*.]

zimotecnia. [De *zimo-* + *-tecn(o)-* + *-ia*.] *S. f.* Técnica de provocar, dirigir e estudar a fermentação.

zimotécnico. *Adj.* Referente à zimotecnia.

zimotérmico. [De *zimo-* + *térmico*.] *Adj.* Diz-se do calor gerado pela fermentação de substância orgânica.

zimótico. [Do gr. *zymotikós*.] *Adj.* **1.** Próprio para a fermentação. **2.** Zímico.

zina[1]. *S. f.* O maior grau de intensidade; auge, apogeu: "Ribeiras torrenciais no inverno; mas no estio, / Na z i n a do calor, debalde o forasteiro / Procura fonte fria, ou límpido ribeiro!" (Bulhão Pato, *Livro do Monte*, p. 83.)

zina[2]. *S. f.* Var. de *zínia* [q. v.].

zinabre. *S. m.* V. *azinhavre*: "suor de animal de sela muito viajado, e z i n a b r e de instrumento de latão, corneta" (Mário Palmério, *Chapadão do Bugre*, pp. 183-184).

zincado. [Part. de *zincar*.] *Adj.* Coberto ou revestido de zinco.

zincagem. *S. f.* Operação de zincar; galvanização.

zincar. *V. t. d.* Cobrir ou revestir de zinco. [Conjug.: v. *trancar*.]

zincato. [De *zinco* + *-ato*[2].] *S. m. Quím.* Sal com o ânion monovalente ZnO^{-}_{2}.

zíncico. *Adj.* Que contém zinco.

zincita. [De *zinco*.] *S. f. Min.* Mineral hexagonal, óxido de zinco, minério de zinco.

zinco. [Do al. *Zink*, atr. do fr. *zinc*.] *S. m.* **1.** *Quím.* Elemento de número atômico 30, metálico, branco-acinzentado, denso, usado em ligas e puro para diversos e variados fins. [Símb.: *Zn*.] **2.** Folha desse metal, corrugada, com que se cobrem casas, galpões, etc. **3.** *Bras., N.E.* Sabre, facão: *Levou uma surra de z i n c o*. **4.** *Bras., S.* V. *dinheiro* (3). **5.** *Bras., RS.* Moeda de níquel.

zincografar. [De *zinco* + *grafar*.] *V. t. d.* Reproduzir pelo processo de zincografia.

zincografia. [De *zinco* + *-graf(o)-* + *-ia*.] *S. f.* **1.** Processo metalográfico em que o zinco em placas especialmente preparadas (granidas) substitui a pedra litográfica. **2.** Designação usual da fotogravura a traço.

zincográfico. *Adj.* Relativo à zincografia ou à zincogravura.

zincógrafo. [De *zinco* + *-grafo*.] *S. m.* Aquele que faz a

zincografia ou zincogravura. [Cf. *zincografo*, do v. *zincografar*.]
zincogravar. *V. t. d.* Gravar em zinco.
zincogravura. *S. f.* Qualquer processo de gravura em zinco.
zincoteca. [De *zinco* + *-teca*.] *S. f. Fotograv.* Parte da oficina onde se guardam as chapas zincográficas. [Cf. *litoteca*.]
zincotipia. [De *zinco* + *-tip(o)-* + *-ia*.] *S. f. P. us.* V. *fotogravura a traço*.
zinga. *S. f.* **1.** Vara comprida, usada na propulsão de embarcações em lugares de pouco fundo. **2.** *Bras.* Remo usado como leme na popa da canoa ou da jangada.
zingador (ô). *S. m. Bras.* Remador de zinga (2); aquele que zinga.
zingamocho (ô). *S. m.* **1.** V. *cata-vento* (1). **2.** Remate de zimbório, cúpula, etc. **3.** *P. ext.* Cume, pináculo.
zingar. *V. int. Bras.* **1.** Manejar a zinga; ir à vara. **2.** Fazer avançar uma embarcação com zinga. [Conjug.: v. *largar*. Cf. *gingar* (4).]
zingarear. [De *zíngaro* + *-ear*.] *V. int.* Vadiar, vagabundear. [Conjug.: v. *frear*.]
zíngaro. [Do it. *zingaro*.] *S. m.* Cigano músico: "muitos [sertanejos] se misturam aos bandos vagabundos de zíngaros que vivem à gandaia pelas várzeas, aprendem sua língua, vestem como eles, transformam-se." (Gustavo Barroso, *Terra de Sol*, p. 179).
zingiberácea. *S. f.* Espécime das zingiberáceas.
zingiberáceas. *S. f. pl. Bot.* Família de plantas superiores, da ordem das escitamíneas, composta de ervas, comumente de grandes dimensões, que possuem rizomas e flores vistosas, coloridas. Há um único estame fértil, sendo os outros petalóides; fruto capsular. Compreende 1.300 espécies, em geral tropicais, algumas nativas no Brasil e muitas cultivadas como ornamentais. O gengibre é um exemplo.
zingiberáceo. *Adj.* Pertencente ou relativo às zingiberáceas.
zingração. *S. f.* Ação de zingrar.
zingrar. [Do ár. *sajara*, provavelmente.] *V. t. d.* **1.** Motejar, zombar, escarnecer de. **2.** Burlar, iludir, intrujar. *T. i.* **3.** Dizer motejos, escarnecer, motejar. **4.** Não dar importância; desdenhar.
zinha. [Substantivação do suf. *-zinha*.] *S. f. Bras. Pop.* Qualquer mulher. [M. us. depreciativamente. P. us. no masc.]
▲-zinha. [Fem. de *-zinho*.] V. *-inho*.
zinho. [Masc. de *zinha*.] *S. m. Bras. Pop. P. us.* Qualquer homem; indivíduo, pessoa.
▲-zinho. V. *-inho*.
zínia. [Do lat. bot. *zinnia* < antr. *Zinn*, de Johann Gottfried Zinn (1727-1759), anatomista alemão.] *S. f.* Erva da família das compostas *(Zinnia elegans)*, muitíssimo comum entre nós como planta decorativa, que tem capítulos grandes, discóides, de cores que vão do branco ao vermelho, em muitas tonalidades, e pétalas estreitas e longas. [Var.: *zina*. Sin., bras.: *moças-e-velhas, moça-velha* e *canela-de-velha*. Cf. *zinia*, do v. *zinir*.]
zinir. [Voc. onom.] *V. int.* **1.** Zunir: "Outras [balas] .... vinham de longe, afiadas pela distância; ziniam num sibilo, subindo ou descendo" (Albertino Moreira, *Boca-Pio*, p. 35). **2.** V. *ziziar* (1): "O sol é grande. Zinem as cigarras / Em Laranjeiras." (Manuel Bandeira, *Estrela da Vida Inteira*, p. 211). [Imperf. ind.: *zinia*, etc. Cf. *zínia*.]
zinzilular. [Do lat. *zinzilulare*.] *V. int.* **1.** Soltar a sua voz (algumas aves, principalmente a andorinha). **2.** V. *trinfar*. ● *S. m.* **3.** A voz dessas aves.
zipe. [Do ingl. *zipper*, marca registrada.] V. *fecho ecler*.
zíper. [Do ingl. *zipper*, marca registrada.] *S. m.* V. *fecho ecler*: "Abriu o zíper da jaqueta de couro, fazia calor." (Lígia Fagundes Teles, *Seminário dos Ratos*, p. 93.) [Pl.: *zíperes*.]
ziquizira. *S. f. Bras. Gír.* Var. de *ziguizira*.
zircão. [Do ár. *zarqūn*, 'alaranjado', pelo fr. *zircon*.] *S. m.* Silicato de zircônio. [Cf. *zirconita* e *zarcão* (1).]
zircônio. [Do lat. cient. *zirconium*, baseado no fr. *zircon*.] *S. m. Quím.* Elemento de número atômico 40, metálico, branco, denso. [Símb.: *Zr*.]
zirconita. *S. f. Min.* Mineral tetragonal, silicato de zircônio, o qual, quando transparente e límpido, é pedra preciosa. [Cf. *zircão*.]
zirzelim. *S. m.* V. *gergelim*.
▲-(z)ita. [Fem. de *-(z)ito*.] V. *-ito*[1].
▲-(z)ito. V. *-ito*[1].
zizânia. *S. f.* V. *cizânia*.
ziziamento. *S. m.* Ação de ziziar.
ziziar. [Voc. onom.] *V. int.* **1.** Fazer (a cigarra) um ruído repetido, imitado onomatopeicamente pela sílaba *zi*; fretenir, zinir: "Mas tanta luz se derrama, / tanta cigarra zizia, / que tudo clama, e proclama / teu nome na luz do dia, / Luzia!..." (Adelmar Tavares, *Poesias Completas*, p. 153.) **2.** Sibilar, zunir.
zloti. *S. m.* Unidade monetária, e moeda, da Polônia.
■Zn. *Quím.* Símb. de *zinco*.
zoada. *S. f.* **1.** Ato ou efeito de zoar: "Pareceu-lhe ouvir .... a zoada plangente de um sino ao longe." (Afonso Arinos, *Pelo Sertão*, p. 21.) [Sin. (bras. e prov. lus.): *zoeira*.] **2.** V. *zumbido* (2). **3.** Barulheira, barulho, gritaria, confusão. ♦ **Bater zoada.** *Bras., MG. Pop.* Contar casos, conversar fiado; bater papo; papear.
zoadeira. *S. f.* Zoada intensa e contínua; zoadeiro.
zoadeiro. *S. m.* Zoadeira.
zoadento. [De *zoada* + *-ento*.] *Adj.* Que faz zoada; barulhento.
zoantário. [De *zo(o)-* + *-ant(o)-* + *-ário*.] *S. m.* e *adj.* V. *zoantídeo*.
zoantários. [Pl. de *zoantário*.] *S. m. pl. Zool.* V. *zoantídeos*.
zoante. *Adj. 2 g.* Que zoa: "o rumor crescia com a monotonia zoante da sanfona." (Coelho Neto, *Rei Negro*, p. 104).
zoantídeo. [De *zo(o)-* + *-ant(o)-* + *-ídeo*.] *S. m.* **1.** Espécime dos zoantídeos. ● *Adj.* **2.** Pertencente ou relativo a eles. [Sin. ger.: *zoantário, hexacoraliário*.]
zoantídeos. *S. m. pl. Zool.* Animais celenterados, zoantários, ordem *Zoanthidae*, sem esqueleto ou disco pedioso e com pólipos geralmente unidos por estólons basais, alguns sedentários com base pedunculada. Numerosas espécies vivem no exterior de invertebrados. [Sin.: *zoantários, hexacoraliários*.]
zoantropia. [De *zo(o)-* + *-antrop(o)-* + *-ia*.] *S. f. Patol.* Perturbação mental em que o enfermo se acredita convertido num animal.
zoantrópico. *Adj.* Relativo à, ou da natureza da zoantropia.
zoantropo (trô). [De *zo(o)-* + *-antropo*.] *S. m.* Indivíduo acometido de zoantropia.
zoar. [Var. onom.] *V. int.* **1.** Soar fortemente; ter som forte e confuso; fazer zoada: "Levantou a cabeça .... e inclinou o ouvido, alerta: o som continuava, zoando, zoando, parecendo ora morrer de todo, ora vibrar ainda, mas sempre ao longe." (Afonso Arinos, *Pelo Sertão*, p. 21.) **2.** V. *zumbir* (1 e 2). **3.** V. *zumbar* (1). [Conjug.: v. *coroar*. Normalmente é defect., unipess. Pres. subj.: *zoe* (ô), *zoes* (ô), etc. Cf. *Zóis*, antr.]
▲-zoário. [Do gr. *zoárion*, *ou*.] *El. comp.* = 'animalzinho': *entozoário, fitozoário, protozoário*.
zodiacal. *Adj. 2 g.* Relativo ao zodíaco. ~ V. *constelação* — e *luz* —.
zodíaco. [Do gr. *zodiakós*, (subentende-se *kyklos*), 'círculo dos animalzinhos'.] *S. m. Astr.* Faixa, na esfera celeste, de 16º de largura e 8º de cada lado da eclíptica, e dividida em doze secções de 30º de extensão, habitualmente designadas por signos, alguns dos quais não correspondem às constelações designadas pelas convenções da astronomia.
zoécio. [Do lat. cient. *zoecium* < *zo(o)-* + *-ec(o)-*[2] + *-io*[2].] *S. m.* Célula ou tubo de paredes membranosas, gelatinosas, quitinosas ou calcárias, que encerra o zoóide de um briozoário.
zoeira. [De *zoar*.] *S. f.* **1.** *Bras.* e *prov. lus.* Zoada (1): "Que zoeira não farão as cigarras!" (Rubem Braga, *O Homem Rouco*, p. 29.) **2.** *Bras., RJ. Gír.* Desordem, barulho, confusão, zoada.
zogó. *S. m. Bras., N.* V. *sauá*.
zogue-zogue. *S. m. Bras.* V. *sauá*. [Pl.: *zogues-zogues* e *zogue-zogues*.]
zoiatra. *S. 2 g.* V. *zooiatra*.
zoiatria. *S. f.* V. *zooiatria*.
zoiátrico. *Adj.* V. *zooiátrico*.
▲-zóica. Fem. de *-zóico*: *agnostozóica*.
zóico. [Do gr. *zoikós*.] *Adj.* Concernente à vida animal.
▲-zóico. [Do gr. *zoikós, é, ón*.] *El. comp.* = 'relativo à vida e/ou aos animais': *mesozóico; paleozóico*.
zoilo. [Do antr. *Zoilo*, crítico grego do séc. IV a. C., detrator de Homero.] *S. m.* Crítico injusto e/ou invejoso: "o mais indesculpável defeito que até aqui esgravataram críticos e zoilos na *Ilíada* dos povos modernos, os imortais *Lusíadas*, é sem dúvida a heterogênea e heterodoxa mistura da teologia com a mitologia, do maravilhoso alegórico do paganismo com os graves símbolos do cristianismo." (Almeida Garrett, *Viagens na Minha Terra*, pp. 45-46).
zoina. [Do ár. *zanija*, 'prostituta'.] *Adj. 2 g.* **1.** V. *tonto* (2). ● *S. f.* **2.** *Lus.* V. *meretriz*.
zoisita. [Do al. *Zoisit* < antr. *Zois*, do Barão Sigismund Zois von Edelstein, nobre eslavônio (1747-1819), + *-ita*[3].] *S. f. Min.* Epídoto ortorrômbico, silicato ácido de alumínio e cálcio.
zoísmo. [De *zo(o)-* + *-ismo*.] *S. m.* **1.** O conjunto dos caracteres que fazem incluir um ser vivo entre os animais. **2.** O conjunto dos fenômenos típicos da vida animal.
zombador (ô). *Adj.* e *s. m.* Que ou aquele que zomba; zombeirão; zombeteiro.
zombar. *V. t. i.* **1.** Fazer zombaria, debochar, escarnecer, ludibriar, mofar, troçar, mangar: "se um desgraçado precisa de piedade, ele parece que zomba do desgraçado" (Valdomiro Silveira, *Os Caboclos*, p. 88); "— Porventura estareis vós zombando com o vosso velho freire, dom prior?" (Arnaldo Gama, *O Balio de Leça*, p. 83). **2.** Não fazer caso; desdenhar, ludibriar. *T. d.* **3.** Fazer zombaria de; debochar, motejar, ludibriar, troçar. *Int.* **4.** Fazer zombaria; escarnecer, ludibriar, motejar, mangar. [Sin. ger.: *caçoar, chacotear* e *zombetear*. Pres. subj.: *zombe, zombes*, etc. Cf. *Zômbis*, top.]
zombaria. [De *zombar* + *-ia*.] *S. f.* Manifestação intencional, malévola, irônica ou maliciosa, por meio do riso, de palavras, atitudes ou gestos, com que se procura levar ao ridículo ou expor ao desdém ou menosprezo uma pessoa, instituição, coisa, etc., e até os sentimentos. [Sin.: *caçoada, chacota, chacoteação, deboche, escarnecimento, escárnio, gaita, galhofa, ludíbrio, mangação, moca, mofa, momo, motejo, remoque, sarcasmo, troça* e (bras., CE) *mangoça* ou *mangofa*.]
zombeirão. [De *zombar*.] *Adj.* e *s. m.* V. *zombador* [Fem.: *zombeirona*.]
zombeirona. *Adj.* (f). e *s. f.* Fem. de *zombeirão* [q. v.].
zombetear. *V. t. i., t. d.* e *int.* V. *zombar*. [Conjug.: v. *frear*.]
zombeteiro. [De *zombar*.] *Adj.* e *s. m.* V. *zombador*.
zona. [Do gr. *zóne*, 'cintura', pelo lat. *zona*.] *S. f.* **1.** Cinta, faixa. **2.** Ponto, parte, local: *A zona mais atingida pelo desastre foi a frente do carro.* **3.** Região que se caracteriza por certas particularidades (de temperatura, de vegetação, de população, econômicas, sociais, etc.): *zona da mata; zona desértica; zona rural.* **4.** Região delimitada, ou parte de uma cidade, que se caracteriza pelo aspecto exterior, pela natureza das atividades que ali se desenvolvem, etc.: *zona militar; zona bancária; zona residencial.* **5.** *Crist.* Conjunto de faces paralelas a uma mesma reta, a qual se denomina *eixo de zona*. **6.** *Geog.* Cada uma das faixas em que se divide a Terra, determinadas pelo equador, pelos trópicos e pelos círculos polares. **7.** *Geom.* Porção de uma superfície de revolução compreendida entre dois planos paralelos entre si, perpendiculares ao eixo de rotação, e dos quais pelo menos um é secante. **8.** *Restr.* Porção de uma superfície esférica compreendida entre dois planos paralelos, um dos quais, pelo menos, é secante; zona esférica. **9.** *Biol.* Parte dum órgão ou do corpo que apresenta os mesmos caracteres. **10.** *Bras. Gír.* Zona (4) onde se acha estabelecido o meretrício. [Sin., nesta acepç.: no N. E., *zona estragada*; no CE, *curral*; no N. E. e MG, *coréia*; no RS, *viveiro*.] **11.** *Bras. Gír.* Desordem, bagunça, confusão. ♦ **Zona afótica.** *Ocean. Biol.* A camada do mar não penetrada pela luz solar com intensidade suficiente para ser percebida pelo olho humano. **Zona cega.** *Eng. Eletrôn.* Área dentro do limite de cobertura de um transmissor, a qual, em virtude de qualquer obstrução, não é alcançada pelas ondas transmitidas. **Zona contígua.** *Dir. Intern. Mar.* Parte do alto-mar contígua ao mar territorial e sobre a qual o Estado ribeirinho pode exercer controle e vigilância para prevenir infrações aos seus regulamentos alfandegários, fiscais, sanitários e imigratórios, bem como punir as infrações a esses regulamentos cometidas no seu território ou no seu mar territorial. Tal poder de controle não modifica, porém, o regime jurídico das águas sobre as quais se exerce, e que continuam sendo parte integrante do alto-mar, não estando submetidas à soberania do Estado ribeirinho. **Zona de articulação.** *Fon.* O ponto do aparelho fonador [q. v.] onde se produz a articulação (5). **Zona de atrito.** *Geog. Pol.* Área onde existe choque de interesses político-econômicos entre dois ou mais Estados; zona de fricção. **Zona de fricção.** *Geog. Pol.* Zona de atrito. **Zona de transição.** *Fís.* Numa junção entre um semicondutor *n* e outro semicondutor *p*, região em que existe uma carga espacial e onde se forma uma barreira de potencial entre os dois cristais; camada de deplecção. **Zona do agrião.** *Bras. Fut.* Porção do campo, nas proximidades da grande área, onde a bola é mais ardorosamente disputada. **Zona epipelágica.** *Ocean. Biol.* Zona eufótica. **Zona equatorial.** V. *zona tórrida*. **Zona esférica.** *Geom.* Zona (8). **Zona estragada.** *Bras., N. E. Gír.* V. *zona* (10). **Zona eufótica.** *Ocean. Biol.* A camada do mar penetrada pela luz solar com intensida-

de suficiente para permitir a função clorofiliana; zona epipelágica. **Zona franca.** Região de um país, submetida a um regime administrativo especial, à qual se concede franquia aduaneira. **Zona glacial.** Cada uma das zonas terrestres compreendidas entre o pólo da esfera e o círculo polar do respectivo hemisfério, e que apresentam temperatura média geralmente abaixo de 0ºC; zona polar. [Há duas zonas glaciais: a *ártica*, no pólo norte, e a *antártica*, no pólo sul.] **Zona glacial antártica.** V. *zona glacial*. **Zona glacial ártica.** V. *zona glacial*. **Zona morta.** *Fut.* e *Basq.* Cada uma das porções do campo, ou da quadra, próximas aos córneres. **Zona oligofótica.** *Ocean. Biol.* A camada do mar só penetrada por algumas radiações selecionadas do espectro solar. **Zona polar.** Zona glacial. **Zona temperada.** Cada uma das zonas terrestres compreendidas entre a zona tórrida e cada uma das zonas glaciais, e onde o clima é mais ou menos moderado. **Zona tórrida.** A zona terrestre situada entre o trópico de Câncer e o de Capricórnio, e que apresenta clima quente e úmido, com chuvas abundantes; zona equatorial, zona tropical. **Zona tropical.** V. *zona tórrida*. **Cair na zona.** *Bras., N. E. Gír.* Lançar-se no meretrício; prostituir-se. **Fazer a zona.** *Bras.* Andar pelas ruas do meretrício à busca de aventuras.

zonado. [De *zona* + *-ado*[1].] *Adj. Morfol. Veg.* Que tem faixa quase sempre de cor diferente da que constitui o fundo. ~ V. *estrutura* —a.

zonal. *Adj. 2 g.* Relativo ou pertencente a zona (4).

zonar[1]. [De *zona* + *-ar*[1].] *Adj. 2 g.* ~ V. *estrutura* —.

zonar[2]. [De *zona* (10) + *-ar*[2].] *V. t. d. Bras., RN. Chulo.* Andar na zona do meretrício à cata de aventuras.

zoneamento. *S. m.* **1.** Ato ou efeito de zonear. **2.** Divisão nacional de uma área urbana em setores reservados a certas atividades.

zonear. *V. t. d.* **1.** Dividir por zonas [v. *zona* (3 e 4)] específicas: *zonear um país, uma cidade.* **2.** *Bras., RJ. Gír.* Fazer zona (11) em: *O bêbado zoneou o restaurante. Int.* **3.** *Bras., RJ. Gír.* Fazer zona (11). [Conjug.: v. *frear.*]

zoneiro. [De *zona* (10) + *-eiro.*] *Adj.* e *s. m.* Diz-se de, ou aquele que freqüenta a zona (10).

zoniforme. [De *zona*[1] + *-i-* + *-forme.*] *Adj. 2 g.* Que tem feitio de zona (1).

zonofone. *S. m. Bras., N.E. Pop.* Alter. de *gramofone:* "Apareceu um homem com uma máquina que tinha um funil enorme em cima. Era um zonofone." (José Lins do Rego, *Meus Verdes Anos*, p. 155.)

zonzar. *V. int. Bras.* Ficar zonzo; zonzear: "Quanta vez o subi [o caminho], buscando a um guaxe o ninho, / Ou, saltando, o desci com o regato ligeiro, / Para voar num balanço, embaixo, o dia inteiro, / E ver girar, zonzando, as asas de um moinho!" (Alberto de Oliveira, *Poesias*, 4ª série, p. 223.)

zonzear. *V. int. Bras.* Zonzar. [Conjug.: v. *frear.*]

zonzeira. [De *zonzo* + *-eira.*] *S. f. Bras.* V. *vertigem* (1 e 2): "A vista escurece. Dá zonzeira, tontura." (Manuel Lobato, *Garrucha 44*, p. 30.)

zonzo. [Voc. onom. provavelmente.] *Adj. Bras.* V. *tonto* (1 e 2): "Bertoldo .... repetiu que assim poderíamos beber durante toda a noite, sem sentir nada ..... Concordei, com a cabeça já um tanto zonza." (Ézio Pinto Monteiro, *Chico*, p. 22.)

▲**zo(o)-.** [Do gr. *zôon*, ou.] *El. comp.* = 'ser vivo', 'animal': *zoobia, zoologia, zootecnia.*

zôo. *S. m. F.* red. de *zoológico* (2).

zoobia. [De *zo(o)-* + *-bi(o)-* + *-ia.*] *S. f.* **1.** Funcionamento dos órgãos vitais. **2.** *P. ext.* Ciência da vida.

zoóbio. [De *zo(o)-* + *-bio.*] *Adj.* Que vive no interior do corpo dos animais; entozoário.

zoobiologia. [De *zo(o)-* + *biologia.*] *S. f.* Ciência que trata da vida animal.

zoobiológico. *Adj.* Referente à zoobiologia.

zooclorela. [De *zo(o)-* + *clor(o)-* + *-ela.*] *S. f. Bot.* Clorofícea unicelular que vive simbioticamente no interior de um organismo animal.

zoocórico. [De *zoócoro* + *-ico*[2].] *Adj. Fitogeog.* Zoócoro.

zoócoro. [De *zo(o)-* + *-coro.*] *Adj. Fitogeog.* Diz-se do vegetal cujos diásporos são disseminados pelos animais. [Muitos frutos e sementes aderem ao pêlo dos animais e são carreados por eles para longe; outros, ingeridos, são assim transportados. Sin.: *zoocórico.*]

zoocorografia. [De *zo(o)-* + *corografia.*] *S. f.* Descrição dos animais de uma região.

zoocorográfico. *Adj.* Relativo à zoocorografia.

zooematina. [De *zo(o)-* + *hematina.*] *S. f.* Princípio corante do sangue.

zooerastia. [De *zo(o)-* + a term. de palavras como *pederastia.*] *S. f.* Relação sexual com animais. [Cf. *bestialidade* (2).]

zooética. [De *zo(o)-* + *ética.*] *S. f.* Tratado sobre os costumes dos animais.

zoofagia. [De *zo(o)-* + *-fag(o)-* + *-ia.*] *S. f.* Voracidade que instiga os animais a devorarem a presa antes de morta; qualidade de zoófago.

zoofágico. *Adj.* Respeitante à zoofagia.

zoofagínea. *S. f.* Espécime das zoofagíneas.

zoofagíneas. *S. f. pl. Bact.* Ordem de virales que produzem infecções nos animais.

zoofagíneo. *Adj.* Pertencente ou relativo às zoofagíneas.

zoófago. *Adj.* e *s. m.* Diz-se de, ou animal que pratica a zoofagia.

zoofilia. [De *zo(o)-* + *-fil(o)-*[2] + *-ia.*] *S. f.* **1.** Qualidade ou sentimento de zoófilo (1). **2.** *Bot.* Polinização efetuada por animais, quase sempre insetos.

zoofílico. *Adj.* Relativo à zoofilia.

zoófilo. [De *zo(o)-* + *-filo*[2].] *Adj.* **1.** Que gosta de animais. **2.** *Bot.* Que apresenta zoofilia (2): *planta zoófila.* **3.** *Bot.* Diz-se das plantas polinizadas pelos animais. ● *S. m.* **4.** Amigo dos animais.

zoofitário. *Adj.* Relativo ou pertencente a zoófito; zoofítico.

zoofítico. [De *zoófito* + *-ico*[2].] *Adj.* **1.** Zoofitário. **2.** Que contém zoófitos.

zoófito. [Do gr. *zoóphyton.*] *S. m.* **1.** *Obsol.* Designação comum aos animais cujas formas recordam as das plantas, como, p. ex., o coral e a esponja. **2.** Radiado (3). ● *Adj.* **3.** Radiado (2).

zoófitos. [Pl. de *zoófito.*] *S. m. pl. Zool.* Radiados.

zoofobia. [De *zo(o)-* + *-fobia.*] *S. f.* Medo mórbido a qualquer animal: "Aqui devemos distinguir as verdadeiras zoofobias, medo gratuito dos animais inócuos." (E. Roquete-Pinto, *Seixos Rolados*, p. 36.)

zoófobo. [De *zo(o)-* + *-fobo.*] *S. m.* Aquele que tem zoofobia.

zooforico. *Adj.* Respeitante a zoóforo.

zoóforo. [De *zo(o)-* + *-foro.*] *S. m. Arquit.* Espaço entre arquitrave e cornija, ornado outrora com cabeças de animais.

zoogenia. [De *zo(o)-* + *-genia.*] *S. f.* Geração ou formação dos animais.

zoogênico. *Adj.* Relativo à zoogenia.

zoogênio. [Do gr. *zoogenés*, 'nascido de um animal', + *-io*[2].] *S. m.* Substância viscosa existente nas águas termais.

zoogeografia. [De *zo(o)-* + *geografia.*] *S. f.* Ciência que trata da distribuição geográfica das espécies animais atuais e fósseis.

zoogeográfico. *Adj.* Respeitante à zoogeografia.

zoogeógrafo. [De *zo(o)-* + *geógrafo.*] *S. m.* Especialista em zoogeografia.

zoogléia. [De *zo(o)-* + gr. *gloiá*, 'grude'.] *S. f. Bot.* Massa de bactérias ou algas unicelulares aglutinadas pela mucilagem que produzem.

zoogléico. *Adj.* Referente à zoogléia.

zooglifito. [De *zo(o)-* + *-glif(o)-* + *-ito*[2].] *S. m.* Impressão deixada numa rocha por animal fóssil.

zoografar. [De *zo(o)-* + *grafar.*] *V. t. d.* Descrever, desenhar ou pintar (animais). [Pres. ind.: *zoografo*, etc. Cf. *zoógrafo.*]

zoografia. [De *zo(o)-* + *graf(o)-* + *-ia.*] *S. f.* Arte de zoografar.

zoográfico. *Adj.* Referente à zoografia.

zoógrafo. *S. m.* Aquele que se dedica à zoografia. [Cf. *zoografo*, do v. *zoografar.*]

zooiatra. [De *zo(o)-* + *-iatra.*] *S. 2 g.* Pessoa que pratica a zooiatria; veterinário.

zooiatria. [De *zo(o)-* + *-iatria.*] *S. f.* Medicina veterinária.

zooiátrico. *Adj.* Relativo à zooiatria.

zoóide. [De *zo(o)-* + *-óide.*] *Adj. 2 g. Zool.* **1.** Que tem aparência de animal, ou duma parte dum animal: *mineral zoóide.* **2.** Diz-se do ser vivo que tem forma de animal ou no qual predominam caracteres animais. ● *S. m.* **3.** Cada exemplar de uma espécie colonial. **4.** Esporozoíto formado pela divisão dos esporoblastos.

zoolagnia. [De *zo(o)-* + gr. *lagneía*, 'relação sexual'.] *S. f. Patol.* Perturbação psíquica em que se observa atração sexual por animais.

zoólatra. [De *zo(o)-* + *-latra.*] *Adj. 2 g.* e *s. 2 g.* Que ou quem pratica a zoolatria.

zoolatria. [De *zo(o)-* + *-latria.*] *S. f.* Adoração dos animais.

zoolátrico. *Adj.* Relativo à zoolatria.

zoólico. [De *zo(o)-* + *-l-* + *-ico*[2].] *Adj.* Movido por força animal: *máquina zoólica.*

zoólite. [De *zo(o)-* + *lite.*] *S. m.* **1.** Animal fóssil. **2.** Parte dum animal fóssil ou petrificado. [Sin. ger.: *zoomorfite.*]

zoolítico. *Adj.* **1.** Relativo a zoólite. **2.** Que contém zoólite.

zoologia. [De *zo(o)-* + *-log(o)-* + *-ia.*] *S. f.* Ramo da história natural que trata dos animais.

zoológico. *Adj.* **1.** Relativo à zoologia. ~ V. *jardim* —. ● *S. m.* **2.** Jardim zoológico. [F. red., da 2ª acepç.: *zôo.*]

zoologista. [De *zoologia* + *-ista.*] *S. 2 g.* Zoólogo.

zoólogo. [De *zo(o)-* + *-logo.*] *S. m.* Especialista em zoologia; zoologista.

➧**zoom** (zum). [Ingl.] *S. m.* V. *zum.*

zoomagnético. *Adj.* Referente ao zoomagnetismo.

zoomagnetismo. [De *zo(o)-* + *magnetismo.*] *S. m.* Magnetismo animal.

zoomancia (cí). [De *zo(o)-* + *-mancia.*] *S. f.* Adivinhação por meio dos animais.

zoomania. [De *zo(o)-* + *-mania.*] *S. f.* Amor exagerado aos animais.

zoomante. [De *zo(o)-* + *-mante.*] *S. 2 g.* Pessoa que pratica a zoomancia.

zoomântico. *Adj.* Relativo à zoomancia, ou a zoomante.

zoomastigino. *Adj.* e *s. m.* Diz-se do, ou animal protozoário, da classe dos flagelados e mastigóforos, em que se observa predomínio de características animais.

zoomorfia. [De *zo(o)-* + *-morf(o)-* + *-ia.*] *S. f.* **1.** Parte da zoologia que trata da forma dos animais. **2.** Representação dos animais vivos que vivem nas conchas.

zoomórfico. *Adj.* Referente à zoomorfia.

zoomorfismo. [De *zoomorfo* + *-ismo.*] *S. m.* **1.** Culto religioso que atribui às divindades a forma de animais. **2.** Crença na metamorfose dos homens em animais.

zoomorfite. [De *zo(o)-* + *-morf(o)-* + *-ite*[2].] *S. m.* Zoólite.

zoomorfo. [De *zo(o)-* + *-morfo.*] *Adj.* Que tem forma de animal: *signos zoomorfos.*

zoonitado. [De *zoonito* + *-ado*[1].] *Adj. Zool.* Diz-se dos animais articulados, vermes e equinodermos.

zoonito. [Do gr. *zôon*, 'animal', + *-ito*[1].] *S. m. Zool.* Cada uma das partes constitutivas do tronco de certos animais (conhecidas como *segmentos* ou *somitos*), outrora consideradas tipo elementar, mas ideal, das formas animais.

zoonomia. [De *zo(o)-* + *-nom(o)-* + *-ia.*] *S. f.* O conjunto das leis orgânicas que presidem à vida animal.

zoonômico. *Adj.* Referente à zoonomia.

zoonose. [De *zo(o)-* + *-nose.*] *S. f. Med.* Doença que se transmite de outros animais ao homem, como, p. ex., a raiva e a teníase.

zoonosologia. [De *zo(o)-* + *nosologia.*] *S. f.* Ramo da veterinária que trata da classificação das doenças dos animais.

zoonosológico. *Adj.* Relativo à zoonosologia.

zooparasito. [De *zo(o)-* + *parasito.*] *S. m.* Parasito dos animais.

zoopatia. [De *zo(o)-* + *-pat-* + *-ia.*] *S. f. Psiq.* Tipo de delírio em que o paciente supõe haver um animal no interior de seu corpo.

zoopático. *Adj.* Referente à zoopatia.

zoopatologia. [De *zo(o)-* + *patologia.*] *S. f.* Estudo das doenças dos animais.

zoopatológico. *Adj.* Respeitante à zoopatologia.

zoopedia. [De *zo(o)-* + *-pedia.*] *S. f.* Conjunto de regras e preceitos que se devem observar para domar animais.

zoopédico. *Adj.* Referente à zoopedia.

zoopsia. [De *zo(o)-* + *-op(s)(e)-* + *-ia.*] *S. f. Psiq.* Alucinação em que o paciente julga ver animais.

zooquímica. [De *zo(o)-* + *química.*] *S. f.* Estudo da composição química dos tecidos animais e das reações que neles ocorrem.

zooquímico. *Adj.* Respeitante à zooquímica.

zooscopia. [De *zo(o)-* + *-scop(o)-* + *-ia.*] *S. f.* Observação científica dos animais a olho nu, ou com auxílio de uma lente ou do microscópio.

zooscópico. *Adj.* Respeitante à zooscopia.

zoosporângio. [De *zo(o)-* + *esporângio.*] *S. m. Bot.* Esporângio que forma zoósporos.

zoospório. *S. m.* Zoósporo.

zoósporo. [De *zo(o)-* + *-sporo.*] *S. m. Bot.* Esporo provido de flagelo e, portanto, móvel, característico das algas e de certos cogumelos que vivem na água; zoospório.

zootáctico. *Adj.* Relativo à zootaxia. [Var.: *zootático.*]

zootático. *Adj.* Var. de *zootáctico.*

zootaxia (cs). [De *zo(o)-* + *-tax(i)(o)-* + *-ia.*] *S. f.* Classificação metódica do reino animal.

zootáxico (cs). *Adj.* V. *zootáctico.*

zootecnia. [De *zo(o)-* + *-tecn(o)-* + *-ia.*] *S. f.* Estudo científico da criação e aperfeiçoamento dos animais domésticos.

zootécnico. *Adj.* Relativo à zootecnia.

zooterapêutica. [De *zo(o)-* + *terapêutica.*] *S. f.* Terapêutica dos animais; zooterapia.

zooterapêutico. *Adj.* Referente à zooterapêutica; zooterápico.

zooterapia. [De *zo(o)-* + *-terapia.*] *S. f.* Zooterapêutica.

zooterápico. *Adj.* Relativo à zooterapia; zooterapêutico.

zootomia. [De *zo(o)-* + *-tom(o)-* + *-ia.*] *S. f.* Dissecação ou anatomia dos animais.

zootômico. *Adj.* Referente à zootomia.

zootomista. *S. 2 g.* Pessoa que se dedica à zootomia.

zootropia. *S. f.* Emprego do zootrópio.

zootrópico. *Adj.* Referente à zootropia.

zootrópio. [Do ingl. *zootrope.*] *S. m.* Aparelho que consta de um cilindro giratório por meio do qual podem observar-se as diversas fases do movimento dos seres animados.

zooxantela (cs). [De *zo(o)-* + *-xant(o)-* + *-ela.*] *S. f.* Alga amarela, simbiótica, que vive no interior de vários animais.

zopeiro. [De *zopo* + *-eiro.*] *Adj.* **1.** Que anda com dificuldade; trôpego, zopo. **2.** *P. ext.* Acanhado, tímido. **3.** Indolente, preguiçoso, mandrião, zorreiro, zorro, zopo.

zopo (ô). [Voc. onom., talvez.] *Adj.* **1.** V. *zopeiro* (1 e 3). ● *S. m.* **2.** Homem zopeiro.

zoráptero. *S. m.* **1.** Espécime dos zorápteros. ● *Adj.* **2.** Pertencente ou relativo a eles.

zorápteros. *S. m. pl. Zool.* Animais artrópodes, da classe dos insetos, ordem *Zoraptera,* de pequeno porte (2 a 3 mm de comprimento), alado ou áptero, providos de antena moniliforme, aparelho bucal mastigador, e cerco curto e oval com cerda terminal. Vivem em colônias, em troncos de árvores em decomposição.

zoró[1]**.** *S. 2 g.* **1.** Tribo indígena, localizada no vale do rio Branco, na divisa entre os estados de MT e RO. Esse povo, reduzido a umas 200 pessoas, foi contatado pela primeira vez no final da década de 70. Hoje encontra-se na região do Parque Indígena do Aripuanã, em RO. ● *Adj. 2 g.* **2.** Pertencente ou relativo a essa tribo. [Cf. *zorô.*]

zoró[2]**.** *Adj. 2 g. Bras. Pop.* V. *zuruó.* [Cf. *zorô.*]

zorô. [De or. afr.] *S. m. Bras.* Prato tradicional do Norte, preparado com camarões, quiabos, azeite e muitos condimentos. [Cf. *zoró.*]

zoroastriano. *Adj.* e *s. m.* V. *zoroastrista.*

zoroástrico. *Adj.* Pertencente ou relativo a Zoroastro; zoroastrista, zoroastriano. [Cf. *masdeísta.*]

zoroastrismo. *S. m.* Religião de Zoroastro ou Zaratustra, nascido na Média, no séc. VII a. C., criador da casta dos magos e reformador do masdeísmo [q. v.], do qual conservou a concepção dualística do Universo.

zoroastrista. *Adj. 2 g.* **1.** V. *zoroástrico.* **2.** Que é sectário do zoroastrismo. ● *S. 2 g.* **3.** Sectário dessa religião. [Sin. ger.: *zoroastriano.*]

zorongo. [Do esp. *zorongo.*] *S. m.* Dança espanhola, muito viva, em compasso ternário: "o fandango, ... o zorongo, a cachucha, ... a jota aragonesa, a dança da Espanha rubra!" (Martins Fontes, *A Dança,* p. 57).

zorra[1] (ô). *S. f.* **1.** Carro muito baixo, de quatro rodas, para transportar cargas muito pesadas: "A pipa, amarrada na zorra, estava cheia, e a cada solavanco a água espirrava, porque o tampão não fora bem apertado." (Darci Azambuja, *Coxilhas,* p. 158.) **2.** Pedaço de tronco bifurcado, que, arrastado por bois ou trator, se usa para transporte de canas [v. *cana-de-açúcar*] **3.** Espécie de pião de folha-de-flandres, que assobia ao girar; piorra. **4.** Pequena rede de arrasto para a pesca de caranguejo. **5.** *Fig.* Coisa ou pessoa muito vagarosa. **6.** *Bras., RJ. Gír.* Desordem, bagunça, zona. **7.** *Bras. Gír.* Mistura de cocaína com certo sulfato, para duplicar a dose do entorpecente: "Os médicos Ivone de Almeida e Orlando Queirós .... declararam que a cocaína misturada com sulfato usada pelos viciados poderá ocasionar sérias complicações nasais. | Para os médicos a mistura — *zorra* — foi feita com o objetivo de dobrar a dose" (*Correio da Manhã,* Rio, 6.12.1970).

zorra[2] (ô). [Do esp. *zorra.*] *S. f.* Raposa velha.

zorragar. *V. t. d. P. us.* Azorragar. [Conjug.: v. *largar.*]

zorrague. *S. m. P. us.* Azorrague [q. v.].

zorreiro. [De *zorra*[1] + *-eiro.*] *Adj.* e *s. m.* Diz-se de, ou indivíduo ronceiro, lerdo, vagaroso, preguiçoso.

zorrilho. [Do esp. *zorrillo.*] *S. m. Bras.* Mamífero carnívoro, da família dos mustelídeos (*Conepatus suffocans* (III.)), do N. da Argentina, do Uruguai e do S. do Brasil. É uma espécie muito semelhante à jaritataca [q. v.], de tamanho um pouco menor e coloração pardacenta; alimenta-se de pequenos mamíferos, aves e insetos.

zorro[1] (ô). [Do esp. *zorro.*] *S. m.* **1.** Raposo (1). **2.** Criado velho. **3.** Rede de pesca de arrasto. **4.** *Bras., S.* Pessoa astuta, velhaca; sorro. ● *Adj.* **5.** *Bras., S.* V. *zopeiro* (3). **6.** *Bras., S.* Astuto, velhaco, matreiro, sorro.

zorro[2] (ô). [Do *zorra*[1].] *El. s. m.* Us. nas loc. *andar a zorros* e *andar de zorro.* ♦ **Andar a zorros.** Andar de zorro. **Andar de zorro.** Andar de rojo; andar de rastos; andar a zorros.

zoster. [Do gr. *zostér,* 'cinturão'.] *S. m.* **1.** Faixa, cinta, zona. **2.** *Med.* Herpes-zoster.

zostera. [Do lat. cient. *zostera* < gr. *zostér,* 'cinturão'.] *S. f. Bot.* Gênero de plantas marinhas, da família das potamogetonáceas, próprias dos mares temperados. [A espécie *Zostera maritima* durante séculos foi aproveitada como material de enchimento e acondicionamento, com a designação de *seagrass.*]

zote. *Adj. 2 g.* e *s. 2 g.* V. *tolo* (1 a 3 e 8).

zoteca. [Do gr. *zotheke,* pelo lat. *zotheca.*] *S. f.* Entre os antigos gregos e romanos, saleta de repouso.

zotismo. *S. m.* Estado, condição ou ação de zote; estupidez, palermice, tolice, idiotice.

■**Zr.** *Quím.* Símb. de *zircônio.*

zuarte. [Do hol. *zwaart,* 'preto', talvez.] *S. m.* **1.** Tecido de algodão azul, preto ou vermelho. **2.** Mescla (4) de algodão encorpado, rústico, com fios brancos e azuis; azulão: "— Eu já te disse, pede a tua avó umas calças de zuarte e uma baeta..." (Xavier Marques, *Jana e Joel,* p. 32.)

zuavo. [Do berbere *Zuawa,* atr. do fr. *zouave.*] *S. m.* Soldado de infantaria argelino, outrora ao serviço da França.

zuir. [Voc. onom.] *V. int.* V. *zumbir* (1 e 2): "Ao retumbar de castanhedas e de guizos, / De zabumbas e fanfarras, / De timbales retinindo / E de assovios zuindo" (Martins Fontes, *Verão,* p. 49). [Defect.: normalmente unipess. Conjug.: v. *atribuir.*]

zulo. *Adj.* e *s. m.* V. *zulu.*

zulu. *S. 2 g.* **1.** Indivíduo dos zulus, povo negro da África austral, atualmente concentrado sobretudo na província de Natal (República Sul-Africana). **2.** Natural ou habitante de Zululândia, região histórica do N.E. da província de Natal (República Sul-Africana). **3.** A língua dos zulus, pertencente ao grupo banto. ● *Adj. 2 g.* **4.** De, ou pertencente ou relativo à Zululândia. **5.** Pertencente ou relativo aos zulus. [A. f. *zulo,* preconizada por alguns, quase não tem uso.]

zum. [Do ingl. *zoom.*] *S. m.* **1.** Conjunto de lentes cujo alcance focal pode ser continuamente ajustado para fornecer vários graus de grandeza sem perda de foco, combinando, assim, as características de uma lente de grande abertura, de abertura normal, e telefotográfica. **2.** O efeito de afastamento ou de aproximação produzido por esse conjunto de lentes, em cinema e televisão.

zumba. [Voc. onom.] *Interj.* Voz imitativa de pancada, ou queda, ou estrondo.

zumbaia. [Do mal. *sembahyang.*] *S. f.* **1.** V. *salamaleque* (2): "Mal me encarou...., curvou-se em zumbaias, ignobilmente serviçais como das outras vezes" (José Gomes Ferreira, *O Mundo dos Outros,* p. 180).

zumbaiar. *V. t. d.* Fazer zumbaias a; lisonjear; bajular, adular, cortejar.

zumbaieiro. *S. m.* Indivíduo que é dado a fazer zumbaias.

zumbar. [Do esp. *zumbar.*] *V. int.* **1.** Fazer grande ruído; zoar, zunzunar. **2.** V. *zumbir* (1 e 2).

zumbi. [Do quimb. *nzumbi,* 'duende'.] *S. m.* **1.** *Bras.* O chefe do quilombo dos Palmares, na sua fase final; zambi. **2.** *Bras.* Fantasma que, segundo a crença popular afro-brasileira, vaga pela noite morta; cazumbi. **3.** *Bras.* Indivíduo que só sai à noite. **4.** *Bras., AL.* Designação dada, no interior, à alma de certos animais, como, p. ex., o cavalo e o boi. **5.** *Bras.* Lugar deserto do sertão.

zumbido. *S. m.* **1.** Ato ou efeito de zumbir. **2.** Qualquer som assemelhável ao zumbido dos insetos: *o zumbido dos motores;* "Na rua, muito embaixo, o zumbido do tráfego." (Macedo Miranda, *As Três Chaves,* p. 96) [Sin.: *sibilo, zoada, zumbo, zunido, zunzum.*] **3.** Ruído subjetivo, semelhante ao zumbir dos insetos que a pessoa acredita ouvir e determinado por uma causa orgânica ou psicológica, ou em conseqüência de estampido, explosão ou qualquer estrondo exterior.

zumbidor (ô). *Adj.* **1.** Que produz ou emite zumbido: que zumbe. ● *S. m.* **2.** *Bras.* V. *reco-reco* (3).

zumbir. [Voc. onom.] *V. int.* **1.** Fazer ruído ao esvoaçar (insetos): "Ensinou alguém à abelha / Que no prado anda a zumbir / Se à flor branca ou à vermelha / O seu mel há de ir pedir?" (Almeida Garrett, *Folhas Caídas,* p. 93.) "Zumbem à porta insetos variegados" (Gonçalves Crespo, *Obras Completas,* p. 313). **2.** Produzir ruído semelhante ao das abelhas e outros insetos; sibilar, sussurrar: "Rumor de vozes finas que zumbia / Como enxame de abelhas entre as flores" (Almeida Garrett, *Folhas Caídas,* p. 166). [Sin., nestas acepç.: *zoar, zuir, zumbar, zunir.*] **3.** Sentir (os ouvidos) o zumbido (3): "cresceu tanto [a voz] ...., que os ouvidos do capitão zumbiram, tremeram-lhe as pernas e caiu" (Inglês de Sousa, *Contos Amazônicos,* p. 85). *T. d.* **4.** Dizer em voz baixa, semelhante a zumbido (2). ● *S. m.* **5.** Ação de zumbir: "o zumbir das varejeiras" (Fialho d'Almeida, *À Esquina,* p. 74).

zumbo. [Dev. de *zumbir.*] *S. m.* **1.** Ruído confuso; rumor. **2.** V. *zumbido* (2): "soturnos se misturam os zumbos dos urucungos e os rufos dos timbatus." (Martins Fontes, *A Dança,* p. 93).

zumbrir-se. [De *azumbrar?*] *V. p.* **1.** Curvar-se, dobrar-se, vergar-se: "o padre, indo e vindo ante o altar coberto de flores, ... zumbrindo-se em mesuras, ... resmoneava passagens dos Evangelhos" (Coelho Neto, *Rei Negro,* p. 93). **2.** Mostrar-se humilde; humilhar-se.

zunga. [Var. de *tunga.*] *S. m.* **1.** *Bras. Pop.* V. *bicho-do-pé.* **2.** Hotel de ínfima classe.

zungu. [Do quimb. *nzangu,* 'barulho'.] *S. m. Bras., S.* **1.** V. *cortiço* (2): "são os míseros escravos das senzalas, dos zungus e cafundós, ... festejando o São João dançando o cateretê." (Martins Fontes, *A Dança,* p. 90). **2.** Conflito sem gravidade; bagunça, confusão, desordem.

zuniada. [De *zunir.*] *S. f.* Zunido forte e constante: "Fora / Cessa a zuniada do vento." (Alberto de Oliveira, *Poesias,* 3ª série, p. 115.)

zunideira. [De *zunir* + *-deira.*] *S. f.* **1.** Pedra sobre a qual os ourives alisam o ouro. **2.** Som agudo e prolongado.

zunido. *S. m.* **1.** Ato ou efeito de zunir; zumbido: "Do meio-dia pela calma ardente, / Exalta-se o zunido das cigarras / Nos choupos do Mondego" (Eugênio de Castro, *Obras Poéticas,* V, p. 25). **2.** V. *zumbido* (2). [Sin. ger.: *zunimento.*]

zunidor (ô). *Adj.* **1.** Que zune. ● *S. m.* **2.** *Pop.* Tábua volteada no ar por meio de uma corda com o fim de produzir um zunido, e que, entre muitos povos primitivos, serve de instrumento cerimonial ou de brinquedo; berra-boi, urra-boi, rói-rói.

zunimento. *S. m.* V. *zunido.*

zuninga. *S. f. Bras., PE, Pop.* V. *cachaça* (1).

zunir. [Voc. onom.] *V. int.* **1.** Produzir (o vento) som agudo e sibilante, atravessando frestas, por entre ramarias de árvores, etc.: "O vento zunia pela janela em ogiva" (Renard Pérez, *Os Sinos. O Tombadilho,* p. 63). **2.** V. *zumbir* (1 e 2): "tufos rasteiros de palmas e plumas sob os quais zunem os grilos e chiam as cigarras." (Raimundo Morais, *País das Pedras Verdes,* p. 99). **3.** Soar asperamente. *T. d.* e *t. d. e i.* **4.** *Bras., N.E.* Jogar, atirar; arremessar: *Zuniu a pedra e feriu o menino; Zuniu ovos podres no orador.* [F. paral.: *zinir.*]

zunzum. [Voc. onom.] *S. m.* **1.** V. *zumbido* (2): "já se dispunha a dormir quando notou o sussurro abafado e monótono, ... zunzum obscuro" (João Alphonsus, *Eis a Noite!,* p. 72). **2.** V. *boato:* "Andou correndo um zunzum que o Olímpio amanheceu morto na cadeia." (Rute Guimarães, *Água Funda,* p. 172.)

zunzunar. *V. int.* **1.** Zunzunir. **2.** V. *zumbar* (1).

zunzunir. *V. int.* Produzir zunzum; zunzunar: "Zumbem, zunzunem os tambus e os urucungos" (Martins Fontes, *A Dança,* p. 91).

zunzunzum. [F. reforçada de *zunzum.*] *S. m. Bras.* V. *boato:* "Surgiu o zunzunzum, quando alguns meses depois uma das participantes — viúva! — começou a dar sinais visíveis de que em breve viria a ser mãe." (Hermano Requião, *Itapagipe,* p. 118.)

zupa. *Interj.* Voz imitativa do som produzido por marrada.

zupador (ô). *Adj.* e *s. m.* Que ou o que zupa.

zupar. [De *zupa* + *-ar*[2].] *V. t. d.* e *t. i.* **1.** Dar marradas em. **2.** V. *surrar* (2).

zura. [Der. regress. de *usurário.*] *Adj. 2 g.* e *s. 2 g. Bras.* V. *avaro* (1 e 3).

zuraco. [De *zura.*] *Adj.* e *s. m. Bras., S. Pop.* V. *avaro* (1 e 3).

zureta (ê). [De *azoretado.*] *S. 2 g.* **1.** *Bras., MG. Pop.* Adoidado, amalucado, zuruó: "um pobre louco manso, zureta completamente, mas inofensivo". (Marisa Raja Gabaglia, *Milho pra Galinha Mariquinha,* p. 75). **2.**

Genioso, irascível, indignado. [Cf. *azoretado.*]
zurrada. [De *zurrar* + *-ada*[1].] *S. f.* V. *zurro* (1).
zurrador (ô). *Adj.* e *s. m.* Que ou o que zurra; azurrador.
zurrapa. *S. f.* Vinho de má qualidade; vinho ruim, ou estragado; morraça, jeropiga: "Em todos os tempos, ... os oficiais fidalgos, quando se não batiam, bebiam, segundo as circunstâncias, z u r r a p a ou *champagne.*" (Eça de Queirós, *Ecos de Paris,* p. 122.)
zurrar. *V. int.* **1.** Emitir zurros; ornejar, ornear, rebusnar, azurrar: "duas mulas z u r r a v a m" (Eça de Queirós, *Últimas Páginas,* p. 62). **2.** *Bras., RS. Fig.* Trabalhar muito, com afinco. *T. d.* **3.** Dizer, proferir (asneiras, sandices, tolices). [Normalmente só se conjuga nas 3as. pess.]
zurraria. *S. f.* Muitos zurros simultâneos.
zurre. *Interj.* Voz imperativa com que se faz sair ou se despede.
zurro. [Voc. onom.] *S. m.* **1.** A voz do burro; ornejo, orneio, rebusno, zurrada: "o canto de um galo ou o z u r r o de um jumento." (Hélio Galvão, *Cartas da Praia,* p. 36). **2.** Espécie de grande cega-rega da qual se tiram sons muito fortes.
zuruó. *Adj. 2 g. Bras., N.E. Pop.* Amalucado, adoidado, zureta, zoró.
zurupar. [Alter. de *usurpar,* com metátese.] *V. t. d. Bras. Gír.* Furtar, surripiar, surrupiar.
zurzidela. *S. f.* **1.** Ato ou efeito de zurzir uma vez, ou de leve. **2.** V. *surra* (1).
zurzir. [Possível alter. de *cerzir.*] *V. t. d.* **1.** Açoitar, espancar, maltratar, molestar, verdascar: "trepava ligeiro para a boléia e z u r z i a o burrico, que disparava" (Coelho Neto, *Treva,* p. 303). **2.** Punir; castigar. **3.** Afligir, magoar. **4.** Criticar com severidade; repreender asperamente. [Desus., a 1ª pess. sing. do pres. ind., *zurzo,* e, portanto, o pres. subj.]
zwinglianismo (zuin). [De *zwingliano* + *-ismo.*] *S. m.* Doutrina e heresia do reformador suíço Ulrich Zwinglio (1484-1531), contemporâneo de Lutero [v. *luteranismo*], que pregava uma reforma da Igreja de tipo mais liberal e racionalista.
zwingliano (zuin). *Adj.* **1.** Relativo ao, ou que é sectário do zwinglianismo. ● *S. m.* **2.** Sectário dele.

Bibliografia

ABREU, Capistrano de
Correspondência de Capistrano de Abreu . 2 vols. . Edição organizada e prefaciada por José Honório Rodrigues . Rio de Janeiro . Instituto Nacional do Livro . 1954
— V. tb. ABREU, J. Capistrano de
ABREU, J. Capistrano de
Capítulos de História Colonial . 4ª edição . Revista, aumentada e prefaciada por José Honório Rodrigues . Rio de Janeiro . Sociedade Capistrano de Abreu — Livraria Briguiet . 1954
Ensaios e Estudos . 1ª série . Rio de Janeiro . Livraria Briguiet . 1931 .
— V. tb. ABREU, Capistrano de
ABREU, Casimiro de
Obras de Casimiro de Abreu . Apuração e revisão do texto, escorço biográfico, notas e índices por Sousa da Silveira . 2ª edição, melhorada. Rio de Janeiro . Ministério da Educação e Cultura . 1955 .
ADELAIDE FÉLIX
Cada qual com Seu Milagre... . Lisboa . Editora Argo . 1941 .
ADONIAS FILHO
Léguas da Promissão . Rio de Janeiro . Editora Civilização Brasileira S. A. 1968 .
Luanda Beira Bahia . Rio de Janeiro . Editora Civilização Brasileira S. A. . 1971
ADOUR DA CÂMARA, Jaime
Oropa, França e Bahia . São Paulo . Companhia Editora Nacional . S. d.
AFONSO CELSO
Notas e Ficções . *Lupe* . *Giovannina Minha Filha* . Nova edição . Rio de Janeiro — Paris . H. Garnier, Livreiro-Editor . S. d.
AGUIAR E SILVA, Vítor Manuel de
Teoria da Literatura . 2ª edição, revista e aumentada . Coimbra . Livraria Almedina . 1968 .
AIRES, Matias
Reflexões sobre a Vaidade dos Homens . Lisboa . Na Oficina de Francisco Luís Ameno . M.DDC.LII
ALBANO, José
Rimas de José Albano . Edição organizada, revista e prefaciada por Manuel Bandeira . Rio de Janeiro . 1948 .
ALBUQUERQUE, Pe. Júlio de
Almas das Catedrais . Avinhão . Aubanel Irmãos, Editores . 1926 .
ALBUQUERQUE, Mateus de
Da Arte e do Patriotismo . Lisboa . Portugal — Brasil Limitada . Rio de Janeiro . Livraria Francisco Alves . S. d. .
Visionário . Lisboa . Portugal — Brasil Limitada . Rio de Janeiro . Livraria Francisco Alves . S. d.
ALCÂNTARA MACHADO
Vida e Morte do Bandeirante . [Nova edição.] . São Paulo . Livraria Martins Editora . 1965 .
ALCÂNTARA MACHADO, Antônio de
Cavaquinho e Saxofone . Rio de Janeiro . Livraria José Olímpio Editora . 1940
Novelas Paulistanas . Rio de Janeiro . Livraria José Olímpio Editora . 1961 .
Pathé-Baby . São Paulo . Editorial Hélios Limitada. 1926 .
ALENCAR, Edigar de
O Fabuloso e Harmonioso Pixinguinha . Rio . Livraria Editora Cátedra . Brasília . Instituto Nacional do Livro . 1979 .
ALENCAR, José de
Alfarrábios . Rio de Janeiro . Ed. da Livraria José Olímpio Editora . 1951 .
A Pata da Gazela . V. *Cinco Minutos* .
As Minas de Prata . 3 vols. . Rio de Janeiro . Ed. da Livraria José Olímpio Editora . 1951 .
A Viuvinha . V. *Cinco Minutos* .
Cinco Minutos . *A Viuvinha* . *A Pata da Gazela* . *Encarnação* . Rio de Janeiro . Livraria José Olímpio . 1951 .
Encarnação . V. *Cinco Minutos* .
Guerra dos Mascates . Rio de Janeiro . Ed. da Livraria José Olímpio Editora . 1951 .
Iracema . Edição do Centenário . Organizada por M. Cavalcanti Proença . Rio de Janeiro . Livraria José Olímpio Editora . 1965 .
Lucíola . *Diva* . Rio de Janeiro . Ed. da Livraria José Olímpio Editora . 1951 .
Obra Completa . Vol. IV . Rio de Janeiro . Editora José Aguilar Ltda. . 1960 .
O Gaúcho . Rio de Janeiro . Ed. da Livraria José Olímpio Editora . 1951 .
O Guarani . 2 tomos . Rio de Janeiro . Ed. da Livraria José Olímpio Editora . 1951 .
O Sertanejo . Rio de Janeiro . Ed. da Livraria José Olímpio Editora . 1951 .
O Tronco do Ipê . Rio de Janeiro . Ed. da Livraria José Olímpio Editora . 1951 .
Senhora . Rio de Janeiro . Ed. da Livraria José Olímpio Editora . 1951 .
Sonhos d'Ouro . Rio de Janeiro . Ed. da Livraria José Olímpio Editora . 1951 .
Til . Rio de Janeiro . Ed. da Livraria. José Olímpio Editora . 1951 .
Ubirajara . 14ª edição . Apuração do texto, revisão, introdução, notas e índices por Maximiano de Carvalho e Silva . São Paulo . Edições Melhoramentos . 1970 .
ALENCAR, Mário de
Alguns Escritos . Rio de Janeiro . H. Garnier, Livreiro-Editor . 1910 .
Contos e Impressões . Rio de Janeiro .
Anuário do Brasil . 1920 .
— In MACHADO DE ASSIS . *Teatro* [q. v.]
ALEXANDRE HERCULANO
Cartas. 2ª edição. 2 tomos . Lisboa . Livraria Bertrand . Rio de Janeiro . Livraria Francisco Alves . S. d. .
Eurico, o Presbítero . 27ª edição . Paris—Lisboa . Livrarias Aillaud e Bertrand . S. d..
História de Portugal . 4 tomos . 4ª edição [o I e o II]. 3ª edição [o III e o IV] . Lisboa . Viúva Bertrand e Cª . MDCCCLXXV . MDCCCLXXVIII . MDCCCLXVIII . MDCCCLXXIV .
Lendas e Narrativas . 13ª edição . 2 vols. . Paris—Lisboa—Rio de Janeiro . Livrarias Aillaud e Bertrand . S. d. .
O Bobo . 18ª edição . Lisboa . Livraria Bertrand . S. d.
O Monge de Cister . 11ª edição . 2 tomos . Paris—Lisboa—Rio de Janeiro . Livrarias Aillaud e Bertrand . S. d.
Opúsculos . 10 tomos . Lisboa . Livraria Bertrand . Rio de Janeiro . Livraria Francisco Alves . S. d. . [o 1º (6ª edição), o 2º (5ª edição) e o 3º (4ª edição).] . Rio de Janeiro . Livraria Francisco Alves . 1908 . [o 4º (1ª edição brasileira).] . Lisboa . Livraria Bertrand . Rio de Janeiro . Livraria Francisco Alves . S. d. [o 5º (4ª edição).] . Lisboa . Tavares Cardoso & Irmão — Editores . 1897 [o 6º (2ª edição).] . Lisboa . Livraria Bertrand . Rio de Janeiro . Livraria Francisco Alves . S. d. [o 7º (3ª edição) e o 8º (3ª edição).] . Lisboa . Antiga Casa Bertrand — José Bastos & Cª. — Livraria Editora . 1908 [o 9º (3ª edição) e o 10º (3ª edição).]
Poesias . Nova edição definitiva, dirigida por Davi Lopes . Paris—Lisboa. Livraria Aillaud e Bertrand . S. d.
ALMEIDA, Guilherme de
Toda a Poesia . 6 tomos . São Paulo. Livraria Martins Editora S. A. . 1952.
ALMEIDA, Horácio de
— in *Revista das Academias de Letras* . nº 178 . Rio de Janeiro — Guanabara . 1971.
ALMEIDA, José Américo de
A Bagaceira . 10ª edição . Rio de Janeiro . Livraria José Olímpio Editora . 1968 .
O Boqueirão . Rio de Janeiro . Livraria José Olímpio Editora . 1935
O Boqueirão . 2ª edição . Rio de Janeiro . Editora Leitura S.A. . Instituto Nacional do Livro (MEC) 1971.
ALMEIDA, Manuel Antônio de
Memórias de um Sargento de Milícias

. Edição preparada por Teresinha Marinho . Rio de Janeiro . Instituto Nacional do Livro . 1969 .

ALMEIDA, Renato
Fausto . Ensaio sobre o Problema do Ser . 2ª edição . Rio de Janeiro . F. Briguiet & Cia. — Editores . 1951 .
Inteligência do Folclore . Rio de Janeiro . Livros de Portugal . 1957 .

ALMEIDA FISCHER
10 Contos Escolhidos . Brasília . Horizonte Editora Limitada . Instituto Nacional do Livro . MEC . 1980 .

ALMEIDA GARRETT
Camões . 2ª edição . Lisboa . Tipografia de José Batista Morando . 1838 .
Folhas Caídas . Lisboa . Ed. da Portugália Editora . 1955 .
Frei Luís de Sousa . Viagens na Minha Terra . Edição dirigida e apresentada por Antônio Soares Amora . São Paulo . Difusão Européia do Livro . 1965 . [Nesta edição conjunta (da qual só vem citada neste dicionário a primeira obra) o nome do autor está reduzido a "Garrett".]
Obras Completas de Almeida Garrett . 2 vols. . Rio de Janeiro . Lisboa . H. Antunes . Livraria Editora . [1904].
Viagens na Minha Terra . Edição comemorativa do centenário . Revista e prefaciada pelo Prof. Dr. Vitorino Nemésio . Porto . Livraria Tavares Martins . 1946 .

ALMEIDA MAGALHÃES, Dario de
Páginas Avulsas . São Paulo . 1957 .

ALMEIDA REIS, Eduardo
De Colombo a Kubitschek . 2ª edição revista. Editora Nova Fronteira . Rio de Janeiro . 1979 .
O Papagaio Cibernético . Rio de Janeiro . Record . 1984 .

ALORNA, Marquesa de
Poesias . Seleção, prefácio e notas do Prof. Hernâni Cidade . Lisboa . Livraria Sá da Costa — Editora . 1941 .

ALTAVILA, Jaime d'
Lógica de um Burro . São Paulo . Of. Gráf . Monteiro Lobato & Cia. . 1924 .

ALVARENGA PEIXOTO
— Ap. M. Rodrigues Lapa . *Vida e Obra de Alvarenga Peixoto* . Rio de Janeiro . Instituto Nacional do Livro . 1960 .

ÁLVARES DE AZEVEDO
Obras Completas de Álvares de Azevedo . 8ª edição . Organizada e anotada por Homero Pires . 2 tomos . São Paulo . Companhia Editora Nacional . 1942 .

ALVES, Constâncio
Figuras . Rio de Janeiro . Edição do Anuário do Brasil . 1921 .

ALVES PEREIRA, Antônio Celso
Rua do Quenta-Sol . Belo Horizonte . Editora Nova Fronteira S. A. . 1967 .
— V. tb. ANTÔNIO CELSO .

AMADO, Genolino
O Reino Perdido . Rio de Janeiro . Livraria José Olímpio Editora . 1971 .

AMADO, Gilberto
A Chave de Salomão e Outros Escritos [2ª edição .] . Rio de Janeiro . Livraria José Olímpio Editora . 1947.
A Dança sobre o Abismo . Rio de Janeiro . Ed. da Livraria José Olímpio Editora . 1952 .
Depois da Política . Rio de Janeiro . Livraria José Olímpio Editora . 1960 .
Inocentes e Culpados . Rio de Janeiro . Livraria José Olímpio Editora . 1941 .
Minha Formação no Recife . Rio de Janeiro . Livraria José Olímpio Editora . 1955 .
Mocidade no Rio e Primeira Viagem à Europa . Rio de Janeiro . Livraria José Olímpio Editora . 1956 .
Presença na Política . Rio de Janeiro . Livraria José Olímpio Editora . 1958 .
Sabor do Brasil . Rio de Janeiro . Edições O Cruzeiro . 1953 .

AMADO, James
Chamado do Mar . 2ª edição . São Paulo . Livraria Martins Editora . 1960 .

AMADO, Jorge
Dona Flor e Seus Dois Maridos . São Paulo . Livraria Martins Editora . 1966 .
Farda Fardão Camisola de Dormir . Rio de Janeiro . Editora Record . S. d.
Gabriela, Cravo e Canela . São Paulo . Livraria Martins Editora . 1958 .
Jubiabá . 3ª edição . São Paulo . Livraria Martins Editora . S. d. .
Os Velhos Marinheiros . São Paulo . Livraria Martins Editora . 1961 .
Teresa Batista Cansada de Guerra . São Paulo . Livraria Martins Editora . 1972 .
Terras do Sem-Fim . São Paulo . Livraria Martins Editora . 1943 .
Tieta do Agreste . Rio de Janeiro . Editora Record . 1977 .

AMADO, Jorge, e DRAEGER, Alain
Terra Mágica da Bahia . São Paulo . Edição do Banco Francês e Brasileiro S. A. . [1984] .

AMARAL, Amadeu
O Elogio da Mediocridade . São Paulo . Empresa Editora 'Nova Era' . 1924 .
Tradições Populares . São Paulo . Instituto Progresso Editorial S.A. . 1948 .

AMARO JUVENAL
Antônio Ximango . Porto Alegre . 1915 .

AMOROSO LIMA, Alceu
A Realidade Americana . 2ª edição . Rio de Janeiro . Livraria Agir Editora . 1955 .
João XXIII . Rio de Janeiro . Livraria José Olímpio Editora . 1966 .
O Espírito e o Mundo . Rio de Janeiro . Livraria José Olímpio Editora . 1936 .
Pelo Humanismo Ameaçado . Rio de Janeiro . GB . Edições Tempo Brasileiro Ltda. . 1965 .
Quadro Sintético da Literatura Brasileira . Rio de Janeiro . Livraria Agir Editora . 1956 .

ANDRADE, Almir de
As Duas Faces do Tempo . Rio de Janeiro . Livraria José Olímpio Editora . São Paulo . Editora da Universidade de São Paulo . 1971 .

ANDRADE, Garibaldino de
O Sol e a Nuvem . Lisboa . Portugália Editora . 1946 .
Vila Branca . Lisboa . Editorial 'Inquérito' Ltda. . 1944 .

ANDRADE, Mário de
Aspectos da Literatura Brasileira . Rio de Janeiro . Americ = Edit. . 1943 .
Contos Novos . São Paulo . Livraria Martins Editora S. A. . 1947 .
Macunaíma . O Herói sem Nenhum Caráter . São Paulo . 1928 .
Namoros com a Medicina . Porto Alegre . Edição da Livraria do Globo . 1939 .
O Baile das Quatro Artes . São Paulo . Livraria Martins Editora . S. d. .
O Empalhador de Passarinho . São Paulo . Livraria Martins Editora . S. d. .
Os Contos de Belasarte . 3ª edição . São Paulo . Livraria Martins Editora . 1947 .
Os Filhos da Candinha . São Paulo . Livraria Martins Editora . 1943 .
Poesias Completas . São Paulo . Livraria Martins Editora . 1966 .
Táxi e Crônicas no Diário Nacional . Estabelecimento de texto, introdução e notas de Telê Porto Ancona Lopez . São Paulo . Livraria Duas Cidades . Secretaria da Cultura, Ciência e Tecnologia . 1976 .

ANDRADE, Oswald de
Um Homem sem Profissão . Memórias e Confissões . I [e único] volume . 1890-1919 . Rio de Janeiro . Livraria José Olímpio Editora . 1954 .

ANDRADE, Rodrigo M. F. de
Velórios . Belo Horizonte . Os Amigos do Livro . S. d.

ANDRADE MURICI
A Festa Inquieta . Seguida de Partida para a Europa . Rio de Janeiro . Irmãos Pongetti Editores . 1957 .
O Suave Convívio . Rio de Janeiro . Anuário do Brasil . 1922 .

ANJOS, Augusto dos
Eu . Rio de Janeiro . 1912 .
Eu . 30ª edição . Rio de Janeiro . Livraria São José . 1965 .

ANJOS, Ciro dos
Abdias . 4ª edição . Porto Alegre . Editora Globo . 1965 .
A Menina do Sobrado . Rio . Livraria José Olímpio Editora . 1979 .
Explorações no Tempo . Rio de Janeiro . Livraria José Olímpio Editora . 1963 .
Montanha. Rio de Janeiro . Livraria José Olímpio Editora . 1956 .
O Amanuense Belmiro . 6ª edição . Rio de Janeiro . Livraria José Olímpio Editora . 1966 .

ANSARAH RIZEK, Aziz
Histórias Agudas e Crônicas de um Médico . São Paulo . Livraria Martins Editora . 1967 .

ANSARAH RIZEK, Aziz, e outros
Contos de Médicos . Rio de Janeiro . Folha Carioca Editora S. A. . 1965 .

ANTÔNIO CÂNDIDO
Ficção e Confissão . Rio de Janeiro . Livraria José Olímpio Editora . 1956 .

ANTÔNIO CELSO
A Porta de Jerusalém . Rio de Janeiro . Livraria José Olímpio Editora . INL . 1982 .
Girassol de Ouro . Rio de Janeiro . Livraria Francisco Alves Editora S. A. . 1973 .
— V. tb. ALVES PEREIRA, Antônio Celso

ANTÔNIO SÉRGIO
Cartas do Terceiro Homem . Porta-Voz das "Pedras Vivas" do "País

Real" . Lisboa . Editorial Inquérito Limitada . 1953 .

Ensaios . Tomo I . 2ª edição. Coimbra . Atlântida . 1949 .

Ensaios . Tomo IV . Lisboa . MCMXXXIV .

Ensaios . Tomo VI . Lisboa . Editorial Inquérito Limitada . 1946 .

— V. tb. SOUSA, Antônio Sérgio de

ANTUNES, Davi

Briguela . São Paulo . Edição Saraiva . 1966 .

ARARIPE, Oscar

China, hoje . *O Pragmatismo Possível* . Rio de Janeiro . Editora Artenova S. A. 1974

ARARIPE JÚNIOR, T. A.

Gregório de Matos . Rio de Janeiro . Livraria Garnier Irmãos . S. d. .

Ibsen . Porto . Livraria Chardron . 1911

ARAÚJO, Bárbara de

O Bezerro de Ouro . Belo Horizonte . 1970

ARAÚJO, Murilo

Poemas Completos . 3 tomos . Rio de Janeiro . Irmãos Pongetti Editores . 1960 .

ARAÚJO CORREIA, João de

Cinza do Lar . Régua . Imprensa do Douro . 1951 .

Contos Bárbaros . Régua . Imprensa do Douro . 1939 .

Sem Método . Régua . Imprensa do Douro . 1938 .

Terra Ingrata . Lisboa . Portugália Editora . 1946 .

ARAÚJO COSTA, De

O Menino e o Tempo . Maceió — Alagoas . Departamento Estadual de Cultura . 1967 .

ARAÚJO LEÃO, Wellington de

in *Contos Alagoanos de hoje* . São Paulo . L. R. Editores Ltda. . 1982 .

ARAÚJO PORTO-ALEGRE, Manuel de

Colombo . Rio de Janeiro . Ed. do Instituto Histórico e Geográfico Brasileiro . Companhia Tipográfica do Brasil . 1892.

ARCHER, Maria

Fauno Sovina . Vila Nova de Famalicão . Grandes Oficinas Gráficas "Minerva" . 1941 .

Nada Lhe Será Perdoado . Lisboa . Edições Sit . S. d. [1952]

ARINOS, Afonso

Histórias e Paisagens. Rio de Janeiro. Livraria Francisco Alves . 1921.

Lendas e Tradições Brasileiras . 2ª edição . Rio de Janeiro . F. Briguiet & Cª. — Editores . 1937 .

Notas do Dia . *Comemorando* . São Paulo . Tip. Andrade, Melo & Comp. . 1900 .

O Contratador de Diamantes. Rio de Janeiro. Livraria Francisco Alves. 1917.

Pelo Sertão . Rio de Janeiro . Laemmert & C. . 1898

ARRAIS, D. Fr. Amador

Diálogos . Nova edição . Lisboa . Tipografia Rolandiana . 1846.

ARROIO, Leonardo

Absalão e o Rei . São Paulo . Difusão Européia do Livro . 1961.

ASFORA, Permínio

Vento Nordeste . Rio de Janeiro. Livraria José Olímpio Editora 1957.

ASSIS BARBOSA, Francisco de

A Vida de Lima Barreto . 2ª edição, revista. Rio de Janeiro . Livraria José Olímpio Editora . 1959 .

Santos Dumont . *Inventor* . Rio de Janeiro . Livraria José Olímpio Editora . 1974 .

ATAÍDE, Tristão de

— V. AMOROSO LIMA, Alceu

Estudos . 1ª série . 2ª edição . Rio de Janeiro . Edição de A Ordem . 1929 .

AUGUSTO GIL

Alba Plena . 3ª edição . Paris — Lisboa . Livraria Aillaud e Bertrand . 1920 .

Luar de Janeiro . 9ª edição . Lisboa . Edições Ática . MCMXLV .

O Craveiro da Janela . 3ª edição . Paris — Lisboa . Livrarias Aillaud & Bertrand . Porto . Livraria Chardron . Rio de Janeiro . Livraria Francisco Alves . 1920 .

Versos . Nova edição . Lisboa . Livrarias Ajllaud e Bertrand . 1919 .

AUSTREGÉSILO, A.

Obras Completas . 10 vols. . Rio de Janeiro . Editora Guanabara . 1944 . 1945 . 1945 . 1946 . 1946 . 1946 . 1947 . 1947 . 1948 . 1949 . *Patologia Mental* . Rio de Janeiro . Editora Guanabara . 1949.

AUSTREGÉSILO DE ATAÍDE

Vana Verba . *Conversas na Barbearia Sol* . Rio de Janeiro . Edições O Cruzeiro . [1971] .

— V. LINS DO REGO, José, e AUSTREGÉSILO DE ATAÍDE.

AUSTRO-COSTA

Mulheres e Rosas . Recife . Costa Pinto & Cia. . 1922 .

AUTRAN DOURADO

O Risco do Bordado . Rio de Janeiro . Editora Expressão e Cultura Ltda. . 1970 .

— V. tb. AUTRAN DOURADO, Valdomiro.

AVEIRO, Fr. Pantaleão de

Itinerário da Terra Santa, e Suas Particularidades . 7ª edição, conforme a primeira . Revista e prefaciada por Antônio Baião . Coimbra . Imprensa da Universidade . 1927 .

AVELAR, Romeu de

Crônicas de ontem e de hoje . Maceió . Alagoas . Imprensa Oficial . 1948 .

ÁVILA, Afonso

Resíduos Seiscentistas em Minas . 2 vols. . Belo Horizonte . Centro de Estudos Mineiros . 1967 .

AZAMBUJA, Darci

A Prodigiosa Aventura e Outras Histórias Possíveis. Porto Alegre . Edição da Livraria do Globo . 1939 .

Coxilhas . Porto Alegre . Editora Globo . 1956 .

AZEVEDO, Aluísio

Casa de Pensão . Nova edição . Rio de Janeiro — Paris . Livraria Garnier . S. d. .

Demônios . São Paulo . Teixeira & Irmão — Editores . 1893 .

Livro de uma Sogra . Rio de Janeiro — Paris . Livraria Garnier . S. d. .

O Cortiço . Rio de Janeiro . Livraria Garnier . S. d. .

O Coruja . Rio de Janeiro — Paris . Livraria Garnier . S. d. .

O Homem . Rio de Janeiro — Paris . Livraria Garnier . S. d. .

O Mulato . 5ª edição . Rio de Janeiro — Paris . Livraria Garnier . S. d. .

Pegadas . Rio de Janeiro — Paris . H. Garnier, livreiro-editor . S. d. .

AZEVEDO, Artur

Contos Cariocas . Rio de Janeiro . Livraria Editora Leite Ribeiro . 1928 .

Contos Efêmeros . 4ª edição . Rio de Janeiro — Paris . Livraria Garnier . S. d. .

Contos em Verso . Rio de Janeiro . Paris . H. Garnier, Livraria Editora . 1910 .

Contos fora da Moda . 4ª edição . Rio de Janeiro . Livraria Garnier . S. d. .

Contos Possíveis . Rio de Janeiro . B. L. Garnier, Editor . 1889 .

Sonetos e Peças Líricas . Rio de Janeiro . Paris . Livraria Garnier. S. d. .

— Ap. BANDEIRA, Manuel . *Antologia dos Poetas Brasileiros da Fase Parnasiana* [q. v.] .

AZEVEDO, Fernando de

Um Trem Corre para o Oeste . 2ª edição . São Paulo . Edições Melhoramentos . S. d.

AZEVEDO, J. Lúcio d'

O Marquês de Pombal e a Sua Época . 2ª edição, com emendas . Rio de Janeiro — Anuário do Brasil . Lisboa — Seara Nova . Porto . Renascença Portuguesa . 1922 .

AZEVEDO FILHO, Leodegário A. de

Anchieta, a Idade Média e o Barroco . Rio de Janeiro . Edições Gernasa . 1966 .

História da Literatura Portuguesa . Vol. I . A Poesia dos Trovadores Galego-Portugueses . Rio de Janeiro . Tempo Brasileiro . Maceió . Edufal . 1983 .

AZURARA, Gomes Eanes de

Crônica do Descobrimento e Conquista de Guiné . Paris . J. P. Aillaud . 1841

BANDEIRA, Manuel

Andorinha, Andorinha . Rio de Janeiro . Livraria José Olímpio Editora . 1966 .

Antologia dos Poetas Brasileiros da Fase Parnasiana . 3ª edição . Revisão crítica, em consulta com o Autor, por Aurélio Buarque de Holanda . Rio de Janeiro . Instituto Nacional do Livro . 1951 .

Antologia dos Poetas Brasileiros da Fase Romântica . 3ª edição . Revisão crítica, em consulta com o Autor, por Aurélio Buarque de Holanda . Rio de Janeiro . Instituto Nacional do Livro . 1949 .

Apresentação da Poesia Brasileira . Rio de Janeiro . Casa do Estudante do Brasil . 1946 .

Estrela da Vida Inteira . Rio de Janeiro . Livraria José Olímpio Editora . 1966 .

Poesia e Prosa . 2 vols. . Rio de Janeiro . Editora José Aguilar Ltda. . 1958 .

BARBOSA, Alaor

Picumãs . Goiânia . Goiás . Livraria Brasil Central Editora . 1966 .

BARBOSA, Orestes

Chão de Estrelas . Rio de Janeiro . J. Ozon Editor . 1965 .

BARBOSA, Rui

Cartas de Inglaterra . Rio de Janeiro .

Tip. Leuzinger . 1896 .
Ensaios Literários . Rio de Janeiro — São Paulo . Gráfica Editora Brasileira Ltda. 1949
Obras Seletas de Rui Barbosa V. Tribuna Parlamentar . República . Rio de Janeiro . Casa de Rui Barbosa . 1956
Oração aos Moços . Nova edição . Estabelecimento do texto e notas de Adriano da Gama Cury . Rio de Janeiro . Casa de Rui Barbosa . 1956 .
Réplica do Senador Rui Barbosa às Defesas da Redação do Projeto da Câmara dos Deputados . Rio de Janeiro . Imprensa Nacional . 1904 .
Trabalhos Jurídicos . Tomo V . Rio de Janeiro . Ministério da Educação e Cultura . 1958

BARBOSA LESSA
O Boi das Aspas de Ouro . Porto Alegre . Editora Globo . 1958 .

BARBOSA LIMA SOBRINHO
A Língua Portuguesa e a Unidade do Brasil . Rio de Janeiro . Livraria José Olímpio Editora . 1958
Estudos Nacionalistas . Rio de Janeiro . Editora Civilização Brasileira S. A. 1981 .
Presença de Alberto Torres . *(Sua Vida e Pensamento)* . Rio de Janeiro . Editora Civilização Brasileira S. A. . 1968 .

BARIANI ORTÊNCIO
Vão dos Angicos . Rio de Janeiro . Livraria José Olímpio Editora . 1969 .

BARRETO, Mário
De Gramática e de Linguagem . 2 tomos . Rio de Janeiro . Empresa Industrial Editora "O Norte". 1922 .
Novíssimos Estudos da Língua Portuguesa . 2ª edição . Rio de Janeiro . Livraria Francisco Alves . 1924 .
Novos Estudos da Língua Portuguesa . 2ª edição, corrigida e aumentada . Rio de Janeiro . Livraria Francisco Alves . 1921 .
Últimos Estudos . Rio de Janeiro . Epasa . 1944

BARRETO, Tobias
Dias e Noites . Nova edição, aumentada . Rio de Janeiro e São Paulo . Laemmert & Cia. . Livreiros-Editores . 1903 .
Filosofia e Crítica . Rio de Janeiro . Edição do Estado de Sergipe . 1926 .

BARRETO CARDOSO
— Ap. MARROQUIM, Ad. . *Terra das Alagoas* [q. v.].

BARRETO FILHO
Introdução a Machado de Assis . Rio de Janeiro . Livraria Agir Editora . 1947 .
Sob o Olhar Malicioso dos Trópicos . 2ª edição . Rio de Janeiro . Editora Record . 1934 .

BARROS, Olavo de
Palco Giratório . Rio de Janeiro . MEC . Companhia Nacional de Teatro . 1960 .

BARROS LATIF, Miran M. de
As Minas Gerais . Rio de Janeiro . Editora S. A. A Noite . S. d. .

BARROSO, Gustavo
A Ronda dos Séculos . 3ª edição . São Paulo . Livraria José Olímpio Editora . 1933 .
As Colunas do Templo . Rio de Janeiro . Civilização Brasileira Editora . 1932 .
Através dos Folclores . São Paulo . Comp. Melhoramentos de São Paulo . S. d. .
Heróis e Bandidos . 2ª edição . Rio de Janeiro . Livraria Francisco Alves . 1931 .
Livro dos Milagres . Rio de Janeiro . Livraria Francisco Alves . 1924 .
Mississipi . Rio de Janeiro . Edições O Cruzeiro . 1961 .
O Sertão e o Mundo . Rio de Janeiro . Editora — a Livraria Leite Ribeiro . 1923
Terra de Sol . 3ª edição . Rio de Janeiro . Livraria Francisco Alves . 1930 .

BARROSO, Juarez
Mundinha Panchico e o Resto do Pessoal . Rio de Janeiro . Livraria José Olímpio Editora . 1969 .

BARROSO, Maria Alice
Um Nome para Matar . Rio de Janeiro . Edições Bloch . 1967 .

BATINI, Tito
Inácio, Pastor de Nuvens . São Paulo . Edições Autores Reunidos Limitada . 1960 .

BATISTA, Djalma
Da Habitabilidade da Amazônia . Manaus . Amazonas . Instituto Nacional de Pesquisas da Amazônia . S. d.

BELO, José Maria
Memórias . Rio de Janeiro . Livraria José Olímpio Editora . 1958 .

BELO, Júlio
Memórias de um Senhor de Engenho . Rio de Janeiro . Livraria José Olímpio Editora . 1938

BELO GALVÃO, Jesus
Palavra e Estrutura. GB . DASP — Centro de Aperfeiçoamento . 1968 .

BENEDETTI, Lúcia
Maria Isabel . Rio de Janeiro . Edições O Cruzeiro . 1960 .
Vesperal com Chuva . Rio de Janeiro . Gráfica Tupi Limitada Editora . 1950 .

BENEVIDES, Walter
Compositores Surdos . Beethoven — Smetana — Fauré . Rio de Janeiro . 1970 .
Da Arte de Ter Clínica . Rio de Janeiro . Separata da Revista Brasileira de Medicina . Vol. 26 . 1969 .
Sobre Raul de Leoni . Rio de Janeiro . Livraria São José . 1973

BERARD LAJES, Solange
Canto/Desencanto . Maceió . 1975 .

BERARDINELLI, Cleonice
Estudos Camonianos . Departamento de Assuntos Culturais . Ministério da Educação e Cultura . 1973.

BERNARDES, Carmo
Jurubatuba . Goiânia . Departamento Estadual de Cultura . 1972 .

BERNARDES, Diogo
Obras Completas . Com prefácio e notas do Prof. Marques Braga . 3 vols. . Lisboa . Livraria Sá da Costa — Editora . 1946.

BERNARDES, Pe. Manuel
Exercícios Espirituais, e Meditações da Via Purgativa . 2 tomos . Lisboa . Na Oficina de Miguel Deslandes . 1686 .
Luz e Calor . Lisboa . Na Oficina de Miguel Deslandes . M.DC.XCVI .
Nova Floresta . 5 tomos . Lisboa . Na Oficina de Valentim da Costa Deslandes [o 1º e o 2º] . MDCCVI . 1708 . Lisboa . Na Oficina Deslandesiana [o 3º] . MDCCXI . Lisboa Ocidental . Na Oficina de José Antônio da Silva [o 4º e o 5º] . MDCCXXVI . MDCCXXVIII .
Os Últimos Fins do Homem . Lisboa Ocidental . Na Oficina de José Antônio da Silva . MDCCXXVIII .
Vários Tratados . Tomo I . Meditações sobre os Principais Mistérios da Virgem Santíssima . Lisboa Ocidental . Na Oficina da Congregação do Oratório . MDCCXXXVII . *Tomo II* .
Pão Partido em Pequeninos . 4ª impressão . Lisboa Ocidental . Na Oficina da Congregação do Oratório . MDCCXXXVII .

BERREDO CARNEIRO, Paulo E. de
O "Curare", Veneno das Flechas na Amazônia . Lisboa . Academia das Ciências de Lisboa . 1945 .

BEZERRA, João Clímaco
A Vinha dos Esquecidos . Rio de Janeiro . Livraria José Olímpio Editora . MEC . 1980 .
Não Há Estrelas no Céu . Rio de Janeiro . Livraria José Olímpio Editora . 1948 .
O Homem e Seu Cachorro . Rio de Janeiro . Ministério da Educação e Cultura . Serviço de Documentação . 1959 .
O Semeador de Ausências . Rio de Janeiro . Gráfica Record Editora S. A. . 1967 .

BEZERRA FILHO, José
Fogo! . João Pessoa . Paraíba . 1970 .

BILAC, Olavo
Conferências Literárias . Rio de Janeiro . Francisco Alves & Cia. . 1912 .
Crítica e Fantasia . Lisboa . Livraria Clássica Editora . 1904 .
Ironia e Piedade . Rio de Janeiro . Livraria Francisco Alves . 1916 .
Poesias . 6ª edição . Rio de Janeiro . Francisco Alves & Cia. . 1916 .
Poesias Infantis . 20ª edição . Rio de Janeiro . Livraria Francisco Alves . 1957 .
Tarde . Rio de Janeiro . Livraria Francisco Alves . 1919 .
Últimas Conferências e Discursos . Rio de Janeiro . Livraria Francisco Alves . 1924 .

BLOCH, Pedro
Essas Crianças de hoje! . Rio de Janeiro . Bloch Editores S. A. . 1970 .

BOCAGE
Poesias . Seleção, prefácio e notas pelo Prof. Guerreiro Murta . Lisboa . Livraria Sá da Costa — Editora . 1943 .

BOPP, Raul
Coisas do Oriente. Rio de Janeiro . Gráfica Tupi Ltda. Editora . 1971 .
Putirum . Rio de Janeiro . Editora Leitura S/A . [1969]

BORBA, Osório
A Comédia Literária . 2ª edição . Rio de Janeiro . Editora Civilização Brasileira S.A. . 1959 .

BORBA FILHO, Hermilo
Sol das Almas . Rio de Janeiro . Editora Civilização Brasileira S. A. . 1964 .

Um Cavaleiro da Segunda Decadência . Margem das Lembranças . Rio de Janeiro . Editora Civilização Brasileira S. A. . 1966 .
Um Cavaleiro da Segunda Decadência . III . O Cavalo da Noite . Rio de Janeiro . Editora Civilização Brasileira . 1968 .
BORGES, Humberto Crispim
Cacho de Tucum . Goiânia — Goiás . Publicação do Departamento Estadual de Cultura . 1970 .
Chico Melancolia . Goiânia — Goiás . Publicação da Bolsa "Hugo de Carvalho Ramos" . 1967 .
BOTELHO, Abel
Amanhã. 3ª edição . Porto . Livraria Chardron, de Lelo & Irmão, Lda . — Editores . Lisboa — Paris . Aillaud e Bertrand . 1924 .
Amor Crioulo . 2ª edição . Porto . Livraria Chardron . 1921 .
Mulheres da Beira . 3ª edição, refundida . Porto . Livraria Chardron . S. d. .
O Livro de Alda . 3ª edição . Porto . Livraria Chardron 1922 .
Os Lázaros . 2ª edição . Porto . Livraria Chardron . 1919 .
Próspero Fortuna . 2ª edição . Porto . Livraria Chardron, de Lelo & Irmão, Editores . 1919 .
Sem Remédio . 2ª edição . Porto . Livraria Chardron . 1924 .
BOTELHO, Fernanda
Lourenço É Nome de Jogral . Lisboa . Livraria Bertrand . 1971 .
BOTELHO DE OLIVEIRA, Manuel
Música do Parnasso . 2 tomos . Prefácio e organização do texto por Antenor Nascentes . Rio de Janeiro . Ed. do Instituto Nacional do Livro . 1953 .
BOTO, Antônio
As Canções de Antônio Boto . Nova edição, definitiva e aumentada . Lisboa . 1941 .
BRAGA, Alberto
Novos Contos . Porto . Livraria Universal . S. d. .
BRAGA, Mário
Serranos . Coimbra . 1948 .
BRAGA, Rubem
A Cidade e a Roça . Rio de Janeiro . Livraria José Olímpio Editora . 1957 .
Ai de Ti, Copacabana! . 4ª edição . Rio de Janeiro . Editora do Autor . 1960 .
Com a F.E.B. na Itália . 2ª edição . Rio . Livraria Editora Zélio Valverde . 1945 .
O Homem Rouco . Rio de Janeiro . Livraria José Olímpio Editora . 1949 . — in RAJA GABAGLIA, Marisa [q. v.] .
BRAGA, Teófilo
História da Literatura Portuguesa . II . Renascença . Porto . Livraria Chardron . 1914 .
BRAGA MONTENEGRO
As Viagens . Rio de Janeiro . Gavião Editora e Livraria S. A. . 1960 .
Uma Chama ao Vento . Fortaleza—Rio . Edições Aequitas . 1946
BRANDÃO, Alfredo
A Escrita Pré-Histórica do Brasil . Rio de Janeiro . Editora Civilização Brasileira S. A. 1937 .
Crônicas Alagoanas . Maceió . Casa Ramalho Editora . 1939 .
BRANDÃO, Ildeu
Um Míope no Zôo . Belo Horizonte . 1968 .
BRANDÃO, Júlio
Contos Escolhidos . Porto . Livraria Chardron . S. d.
BRANDÃO, Mário
Almas do Outro Mundo . Rio de Janeiro . Gráfica Ipiranga . 1931 .
BRANDÃO, Raul
A Farsa . 3ª edição . Paris—Lisboa . Livrarias Aillaud & Bertrand . 1926 .
As Ilhas Desconhecidas . 3ª edição . Rio de Janeiro . Livraria Francisco Alves . Paris—Lisboa . Livrarias Aillaud & Bertrand . S. d.
Húmus . 4ª edição . Paris—Lisboa . Livrarias Aillaud & Bertrand . S. d. .
Memórias . Vol. I . 4ª edição . Paris—Lisboa . Livrarias Aillaud & Bertrand . MCMXXV .
Memórias . Vol. II . 2ª edição . Paris—Lisboa . Livrarias Aillaud & Bertrand . MCMXXV .
Os Pescadores . Edição definitiva . 10º milhar . Lisboa . Livraria Bertrand . S. d.
Os Pobres . 7ª edição . Paris—Lisboa . Livrarias Aillaud & Bertrand . 1925 .
Vale de Josafá . III . Volume de Memórias . Lisboa . Seara Nova . 1933 .
BRANDÃO, Téu
Folclore de Alagoas . Maceió . Alagoas . Casa Ramalho . 1949 .
Folguedos Natalinos de Alagoas . Maceió . Alagoas . Divulgação do Departamento Estadual de Cultura . 1961 .
BRANDÃO VILELA, Teotônio
Andanças pela Crônica . Maceió — AL . Divulgação do Departamento Estadual de Cultura . 1963 .
BRANQUINHO DA FONSECA
Caminhos Magnéticos . Lisboa . Edições Europa . S. d. . [Publicado com o pseudônimo Antônio Madeira.]
Rio Turvo e Outros Contos . Lisboa . Inquérito . 1945 .
— V. tb. MADEIRA, Antônio.
BRASIL, Zeferino
Na Torre de Marfim . Porto Alegre . Oficinas Gráficas da "Livraria do Globo" . 1910 .
BRITO BROCA
Horas de Leitura . Rio de Janeiro . Instituto Nacional do Livro . 1957 .
Memórias . Texto organizado, anotado e com introdução de Francisco de Assis Barbosa . Rio de Janeiro . Livraria José Olímpio Editora . 1968 .
BRITO CAMACHO
Gente Rústica . 2ª edição . Lisboa . Livraria Editora Guimarães & Cia. . 1927 .
Quadros Alentejanos . Lisboa . Livraria Editora Guimarães & Ca. . 1925 .
BRUNO CARREIRO, José
Antero de Quental . Subsídios para a Sua Biografia . 2 vols. . Lisboa . Edição do Instituto Cultural de Ponta Delgada . 1948 .
BUARQUE, Chico
Fazenda Modelo . São Paulo . Círculo do Livro . S. d. .
— V. BUARQUE DE HOLANDA, Chico.
BUARQUE DE HOLANDA, Aurélio
— V. LINS, Álvaro, e BUARQUE DE HOLANDA, Aurélio.
BUARQUE DE HOLANDA, Chico
Roda-Viva . Rio de Janeiro . Editora Sabiá Ltda. . 1968 .
BUARQUE DE HOLANDA, Sérgio
Antologia dos Poetas Brasileiros da Fase Colonial . 2 tomos. Revisão crítica de Aurélio Buarque de Holanda Ferreira . Rio de Janeiro . Instituto Nacional do Livro . 1952 . 1953 .
Caminhos e Fronteiras . Rio de Janeiro . Livraria José Olímpio Editora . 1957 .
Raízes do Brasil . 6ª edição . Rio de Janeiro . Livraria José Olímpio Editora . Instituto Nacional do Livro . MEC . 1971 .
Visão do Paraíso . Rio de Janeiro . Livraria José Olímpio Editora . 1959 .
BUENO, Rute
O Livro de Auta . Rio de Janeiro . Livraria Editora Cátedra . 1984 .
BULHÃO PATO
Livro do Monte . Lisboa . Tipografia da Academia . 1896 .
Memórias . 3 tomos . Lisboa . Tipografia da Academia Real das Ciências . 1894 . 1894 . 1907 .
CAIUBI, Amando
Sapezais e Tigueras . Porto Alegre . Edição da Livraria do Globo . 1941 .
CALADO, Antônio
A Madona de Cedro . Rio de Janeiro . Livraria José Olímpio Editora . 1957 .
CALDAS BARBOSA, Domingos
— Ap. BUARQUE DE HOLANDA, Sérgio . Antologia dos Poetas Brasileiros da Fase Colonial [q. v.] .
CALDEIRA, Almiro
Maré Alta . Porto Alegre . Editora Movimento . 1980 .
CALDEIRA, Clóvis
Menores no Meio Rural . Rio de Janeiro . Centro Brasileiro de Pesquisas Educacionais (INEP) . 1960 .
CALMON, Pedro
História da Casa da Torre . Rio de Janeiro . Livraria José Olímpio Editora . 1939 .
CÂMARA, D. João da
Contos . Lisboa . Guimarães & Cia. . Editores . S. d. .
CÂMARA CASCUDO, Luís da
Canto de Muro . Rio de Janeiro . Livraria José Olímpio Editora . 1959 .
Contos Tradicionais do Brasil . Rio de Janeiro . Americ. = Edit. . 1946 .
Dicionário do Folclore Brasileiro . 2ª edição, revista e aumentada . 2 volumes . Rio de Janeiro . Instituto Nacional do Livro . Ministério da Educação e Cultura . 1962 .
Meleagro . Rio de Janeiro . Livraria Agir Editora . 1951 .
Pequeno Manual do Doente Aprendiz . Natal . Imprensa Universitária . 1969 .
Prelúdio da Cachaça . Rio de Janeiro . Instituto do Açúcar e do Álcool . [1968] .
Vaqueiros e Cantadores . Porto Alegre . Edição da Livraria do Globo . 1939 .
CAMARGO, Joraci
Anastácio . 3ª edição . Rio de Janeiro . Livraria Editora Zélio Valverde . 1945 .
CAMINHA, Adolfo

A Normalista . (Cenas do Ceará) . 2ª edição . São Paulo . Empresa Editora J. Fagundes . S. d.
Bom-Crioulo . Rio de Janeiro . Edições de Ouro . MCMLXVI .
CAMÕES, Luís de
Os Lusíadas . Reimpressão fac-similada da verdadeira 1ª edição . Introdução e aparato crítico do Dr. José Maria Rodrigues . Lisboa . Tip. da Biblioteca Nacional . 1921 .
Rimas . Texto estabelecido e prefaciado por Álvaro J. da Costa Pimpão . Coimbra . Por ordem da Universidade . 1953 .
CAMPOS, Agostinho de
Estudos sobre o Soneto . Coimbra . Biblioteca da Universidade . 1936 .
Junqueiro . 2ª edição . Paris — Lisboa . Livrarias Aillaud & Bertrand . Porto . Livraria Chardron . Rio de Janeiro . Livraria Francisco Alves . 1921 .
CAMPOS, Eduardo
O Chão dos Mortos . Rio de Janeiro . Edições O Cruzeiro . 1964 .
CAMPOS, Geir
Cantar de Amigo ao Outro Homem da Mulher Amada . Vitória — ES . Fundação Ceciliano Abel de Almeida . Universidade Federal do Espírito Santo . 1982 .
O Vestíbulo . São Paulo . Editora Ática S. A. . 1979 .
CAMPOS, Humberto de
Memórias . 1ª parte . T. I . 3ª edição . Rio de Janeiro . Livraria Editora Marisa . 1933 .
Memórias Inacabadas . Rio de Janeiro . Livraria José Olímpio Editora . 1935 .
O Monstro e Outros Contos . 7ª edição . Rio de Janeiro . Livraria José Olímpio . 1953 .
Poesias Completas . Rio de Janeiro . W. M. Jackson Inc. Editores . 1954 .
CAMPOS DE FIGUEIREDO
Imagem da Noite . Coimbra . Edição do Autor . MCMXLVII .
Imagem do Dia . Rio de Janeiro . Livros de Portugal . 1958 . — In SIMÕES, João Gaspar . Perspectiva da Literatura Portuguesa do Século XIX [q. v.] .
CANABRAVA, Euríalo
Estética da Crítica . [Rio de Janeiro] . Ministério da Educação e Cultura . Serviço de Documentação . S. d. .
CANABRAVA BARREIROS, Eduardo
O Segredo de Sinhá Ernestina . Rio de Janeiro . Livraria José Olímpio . 1967 .
CARDIM, Elmano
Justiniano José da Rocha . São Paulo . Companhia Editora Nacional . 1964 .
CARDOSO, Joaquim
Poesias Completas . Rio de Janeiro . Editora Civilização Brasileira S. A. . 1971 .
CARDOSO, Lúcio
Maleita . 2ª edição . Rio de Janeiro . Edições O Cruzeiro . 1953 .
O Desconhecido . Rio de Janeiro . Livraria José Olímpio Editora . 1940 .
CARDOSO, Maria Helena
Vida — Vida . Rio de Janeiro / Brasília . Livraria José Olímpio Editora . Instituto Nacional do Livro . MEC . 1973 .

CARDOSO, Vicente Licínio
Figuras e Conceitos . Rio de Janeiro . Edição do Anuário do Brasil . 1924 .
Pensamentos Brasileiros . Rio de Janeiro . Edição do Anuário do Brasil . 1924 .
CARDOSO DE OLIVEIRA, J. M.
Dois Metros e Cinco . 2ª edição, revista . Rio de Janeiro — Paris . Garnier, Livreiro-Editor . 1909 .
CARDOSO PIRES, José
Jogos de Azar . Lisboa . Editora Arcádia Limitada . 1963 .
O Anjo Ancorado . 2ª edição . Lisboa . Editora Ulisséia . 1958 .
O Delfim . Lisboa . Livraria Morais Editora . 1968 .
CARLOS MAGNO, Pascoal
Sol sobre as Palmeiras . Rio de Janeiro . Editora Letras e Artes . 1962 .
CARNAXIDE, Visconde de
D. João V e o Brasil . Lisboa . 1952 .
CARNEIRO, Edison
A Sabedoria Popular . Rio de Janeiro . Instituto Nacional do Livro . 1957 .
Candomblés da Bahia . 3ª edição . Rio de Janeiro . Conquista . 1961 .
CARONE, Edgard
A República Velha . I . Rio de Janeiro . Difel — Difusão Editorial S. A. . 1978 .
CARPEAUX, Oto Maria
A Cinza do Purgatório . Rio de Janeiro . Edição da Casa do Estudante do Brasil . 1942 .
História da Literatura Ocidental. Volume I . 2ª edição, revista e atualizada . Rio de Janeiro . Alhambra . 1978 .
Presenças . Rio de Janeiro . Instituto Nacional do Livro . 1958 .
Uma Nova História da Música . 3ª edição, revista e atualizada . Rio de Janeiro . Editorial Alhambra . 1977 .
CARVALHO, Daniel de
Capítulos de Memórias . 1ª série . Rio de Janeiro . Livraria José Olímpio Editora . 1957 .
De Outros Tempos . Rio de Janeiro . Livraria José Olímpio Editora . 1961 .
CARVALHO, Elísio de
Brava Gente . Rio de Janeiro . S. A. Monitor Mercantil . 1921 .
Five o'Clock . Rio . H. Garnier . 1909 .
CARVALHO, Francisco
Rosa dos Eventos . Fortaleza . Edições Universidade Federal do Ceará . 1982 .
CARVALHO, Jáder de
Delírio da Solidão . Fortaleza . Editora Terra de Sol Ltda. . S. d.
Meu Passo na Rua Alheia . Fortaleza . Editora Terra de Sol Ltda. . 1981 .
CARVALHO, José Cândido de
O Coronel e o Lobisomem . 3ª edição . Rio de Janeiro . Livraria José Olímpio Editora . 1970 .
Por que Lulu Bergantim não Atravessou o Rubicon . Rio de Janeiro . Livraria José Olímpio Editora . 1971 .
Um Ninho de Mafagafes Cheio de Mafagafinhos. Rio de Janeiro . Livraria José Olímpio Editora . 1972 .
CARVALHO, José G. Herculano de
Teoria da Linguagem . Tomo I . (reedição) . Coimbra . Atlântica Editora . 1970 .
CARVALHO, Ronald de

Estudos Brasileiros . 3 séries . Rio de Janeiro . F. Briguiet & Cia. — Editores . 1930 . 1931 . 1931 .
Pequena História da Literatura Brasileira . 5ª edição, revista e aumentada . Rio de Janeiro . F. Briguiet & Cia. — Editores . 1935 .
Poemas e Sonetos . Rio de Janeiro . Editores — Leite Ribeiro & Maurilo . 1919 .
CARVALHO, Tito
Bulha d'Arroio . (Páginas serrano-catarinenses) . Florianópolis . Imprensa Oficial do Estado de Santa Catarina . 1939 .
CARVALHO, Vicente de
Luisinha . São Paulo . Companhia Gráfico-Editora Monteiro Lobato . 1924 .
Poemas e Canções . 8ª edição . São Paulo . Companhia Editora Nacional . 1928 .
Versos da Mocidade . Porto . Livraria Chardron . 1912 .
CARVALHO DA SILVA, Domingos
Liberdade embora tarde . Brasília . Thesaurus . 1984 .
CARVALHO RAMOS, Hugo de
Tropas e Boiadas . 5ª edição . Introdução de M. Cavalcanti Proença . Rio de Janeiro . Livraria José Olímpio Editora . 1965 .
CASAIS MONTEIRO, Adolfo
De Pés Fincados na Terra . Lisboa . Editorial "Inquérito", Ltda. . 1940 .
O Romance (Teoria e Crítica) . Rio de Janeiro . Livraria José Olímpio Editora . 1964 .
CASASSANTA, Mário
Machado de Assis e o Tédio à Controvérsia . Belo Horizonte . Os Amigos do Livro . 1934 .
CASSIANO RICARDO
Marcha para Oeste . 2 vols. . Rio de Janeiro . Livraria José Olímpio Editora . 1940 .
O Homem Cordial . Rio de Janeiro . Instituto Nacional do Livro . 1959 .
Poesias Completas . Rio de Janeiro . Livraria José Olímpio Editora . 1957 .
Viagem no Tempo e no Espaço . Rio de Janeiro . Livraria José Olímpio Editora . 1970 .
CASTELO BRANCO, Camilo
A Brasileira de Prazins . Porto . Ernesto Chardron Editor . 1882 .
A Enjeitada . Porto . Tipografia do Comércio . 1866 .
A Filha do Regicida . Lisboa . Livraria Editora de Matos Moreira & Cia. . 1875 .
Agulha em Palheiro . 3ª edição . Porto . Empresa Literária e Tipográfica — Editora . 1888 .
Amor de Salvação . 2ª edição . Porto . Livraria Moré . 1874 .
A Mulher Fatal . Lisboa . Livraria de Campos Júnior — Editor . S. d.
Anátema . 3ª edição . Porto . 1875 .
Anos de Prosa . Prefácio, estudo e notas do Prof. Júlio Nogueira . Rio de Janeiro . Edição da "Organização Simões" . 1955 .
A Queda dum Anjo . Edição definitiva, revista e corrigida pelo autor . Lisboa . Campos & Cia. — Editores . 1887 .
As Três Irmãs . Porto . Em Casa da Viúva Moré — Editora . 1862 .

Aventuras de Basílio Fernandes Enxertado . 3ª edição . Lisboa . Parceria Antônio Maria Pereira . 1907 .
Boêmia do Espírito . Porto . Livraria Civilização . 1886 .
Carlota Ângela . 2ª edição . Porto . Em Casa de Cruz Coutinho — Editor . 1860 .
Cenas da Foz . 3ª edição . Porto . A. R. da Cruz Coutinho, Editor . 1873 .
Curso de Literatura Portuguesa . Lisboa . Livraria Editora de Matos Moreira & Cia. . 1876 .
Dispersos de Camilo . Coimbra . Imprensa da Universidade . Vol. I [1924] . Vol. II [1925] . Vol. III [1926] . Vol. IV [1928] . Vol. V [1929] .
D. Luís de Portugal . Porto . Livraria Civilização . 1883 .
Doze Casamentos Felizes . 2ª edição, revista pelo autor . Porto . Em Casa da Viúva Moré — Editora . 1863 .
História e Sentimentalismo . I . Poetas e Raças Finas . II . Eusébio Macário (continuação) . Porto e Braga . Livraria Internacional de Ernesto Chardron — Editor . 1880 . [Esta obra é mais conhecida por *A Corja*.]
Livro Negro de Padre Dinis . 4ª edição . Porto . Paulo Podestá, Editor . 1880 .
Maria da Fonte . Porto . Livraria Civilização . 1885 .
Memórias do Cárcere . 6ª edição . 2 vols. . Lisboa . Parceria Antônio Maria Pereira . Livraria Editora . 1918 .
Mistérios de Fafe . Lisboa . Livraria de Campos Júnior . 1877 .
Mosaico e Silva de Curiosidades Históricas, Literárias e Biográficas . Porto . Anselmo de Morais — Editor . 1868 .
Narcóticos . 2 tomos . Porto . Livraria de Clavel & Cª. — Editores . MDCCCLXXXII .
No Bom Jesus do Monte . Porto . Em Casa da Viúva Moré — Editora . 1864 .
Noites de Insônia . 12 fascículos . Porto — Braga . Livraria Internacional . Janeiro a dezembro de 1874 .
Noites de Lamego . 2ª edição . Lisboa . Livraria de Antônio Maria Pereira . 1873 .
Novelas do Minho . 12 vols. . Lisboa . Livraria Editora de Matos Moreira & Cia. . 1875 [o 1º vol.] . 1876 [do 2º ao 7º] . 1877 [do 8º ao 12º] .
O Bem e o Mal . Prefácio, notas e vocabulário do Prof. Mário Casassanta . Edição da "Organização Simões" . 1955 .
O General Carlos Ribeiro . Porto . Livraria Civilização . MDCCCLXXXIV .
O Judeu . 2 vols. . Lisboa . Ed. da Companhia Editora de Publicações Ilustradas . S. d. .
O Que Fazem Mulheres . Porto . Em Casa de Cruz Coutinho — Editor . 1858 .
O Regicida . Lisboa . Livraria Editora de Matos Moreira e Compª. . 1874 .
O Santo da Montanha . Lisboa . Livraria de Campos Júnior — Editor . S. d. .
Otelo, o Mouro de Veneza . Porto . Livraria Civilização . 1886 .
O Vinho do Porto . Porto . Livraria Civilização . 1884 .
Perfil do Marquês de Pombal . Porto e Rio de Janeiro . Clavel & Cia. e L. Couto & Cia. . MDCCCLXXXII .
Quatro Horas Inocentes . Lisboa . Livraria de Campos Júnior — Editor . 1872 .
Sentimentalismo e História . I . Porto e Braga . Livraria Internacional de Ernesto Chardron . 1879 . [Esta obra é mais conhecida por *Eusébio Macário*.]
Serões de São Miguel de Ceide . 5 vols. . Porto . Livraria Civilização . 1885 [1º vol.] . 1886 [os quatro restantes] .
Um livro . 3ª edição, novamente correta e acrescentada com um prefácio por Tomás Ribeiro . Porto . Em Casa de Viúva Moré — Editora . 1866 .
Vulcões de Lama . Porto . Livraria Civilização . 1886 .

CASTELO BRANCO, Carlos
Continhos Brasileiros . Rio . Editora A Noite . 1952 .

CASTILHO, Antônio Feliciano de
A Lírica de Anacreonte. [Tradução] . Paris . Tipografia de Ad. Lainé et J. Havard . 1866 .
Amor e Melancolia ou A novíssima Heloísa . Nova edição, correta e aumentada . Lisboa . Tip. da Sociedade Tipográfica Franco-Portuguesa . 1861 .
A Noite do Castelo . Lisboa . Ed. da Empresa da História de Portugal . 1907 .
A Primavera . 2ª edição, correta e aumentada . Lisboa . Na Tipografia de A. I. S. de Bulhões . 1837 .
As Geórgicas de Virgílio . [Tradução] . Paris . Tipografia de Ad. Lainé e J. Havard . 1867 .
As Metamorfoses de Públio Ovídio Nasão . [Tradução] . T. I [e único] . Lisboa . Na Imprensa Nacional . 1841 .
Camões . 2ª edição . 3 tomos . Lisboa . Tip. da Sociedade Tipográfica Franco-Portuguesa . 1863 .
Escavações Poéticas . Lisboa . Tipografia Lusitana . 1844 .
Fausto . [De Goethe. Tradução.] 3ª edição . São Paulo . Livraria Teixeira . S. d.
O Doente de Cisma [de Molière] . [Tradução] . Tipografia da Academia Real das Ciências de Lisboa . 1878 .
O Outono . Lisboa . Impresa Nacional . 1863 .
O Presbitério da Montanha . Lisboa . Empresa da História de Portugal . 1905 .
Os Amores, de P. Ovídio Nasão . [Tradução] . 3 tomos . Rio de Janeiro . Editor — Bernardo Xavier Pinto de Sousa . 1858 .
Os Fastos de Públio Ovídio Nasão . [Tradução] . 3 tomos . Lisboa . Tipografia da Academia Real das Ciências . MDCCCLXII .
Ou Eu ou Eles . Tosquia de um Camelo . Lisboa . Empresa da História de Portugal . 1910 .
— Ap. LINS, Álvaro, e BUARQUE DE HOLANDA, Aurélio [q. v.].
— Ap. SILVA CORREIA, João da. *A Linguagem da Mulher*. Lisboa . Academia das Ciências de Lisboa . 1935 .

CASTRO, Aloísio de
Excertos . Rio de Janeiro . F. Briguiet & Cia., Editores . MCMXXIX .

CASTRO, Eugênio de
Églogas . Lisboa . Lumen . Empresa Internacional Editora . MCMXXIX .
Obras Poéticas de Eugênio de Castro . 10 vols. . Lisboa . Lumen . Empresa Internacional Editora . 1927 [o 1º e o 2º vols.] . 1928 [o 3º] . 1929 [o 4º e o 5º]. 1930 [o 6º] . 1931 [o 7º] . 1940 [o 8º] . Barcelos . Companhia Ed. do Minho . 1944 [o 9º e o 10º].

CASTRO, Eugênio de [o brasileiro]
Terra à vista . Rio de Janeiro . Tip. do Jornal do Commercio . 1920 .

CASTRO, Guiomar Alcides de
São Miguel dos Campos . Maceió . Alagoas . Divulgação do Departamento Estadual de Cultura . 1964 .

CASTRO ALVES
Obra Completa . Organização, fixação do texto, cronologia, notas e estudo crítico por Eugênio Gomes . Rio de Janeiro . Editora José Aguilar Ltda. . 1960 .
Poesias Escolhidas . Seleção, prefácio e notas de Homero Pires . Rio de Janeiro . Instituto Nacional do Livro . 1947 .

CASTRO BARRETO
Povoamento e População . 2ª edição, revista e aumentada . 2 vols. . Rio de Janeiro . Livraria José Olímpio Editora . 1959.

CASTRO SOROMENHO
Rajada e Outras Histórias . Lisboa . Portugália Editora . S. d. .

CAVALCANTI, Carlos
História das Artes . Curso Elementar . I . Rio de Janeiro . J. Ozon Editor . 1963 .

CAVALCANTI, E. di
Viagem de Minha Vida . I . O Testamento da Alvorada . Rio de Janeiro . Editora Civilização Brasileira S. A. 1955 .

CAVALCANTI, Povina
Memórias . 2ª edição . Rio de Janeiro . Livraria José Olímpio Editora . 1982 .

CAVALCANTI, Valdemar
Jornal Literário . Rio de Janeiro . Livraria José Olímpio Editora . 1960 .

CAVALCANTI BORGES, José Carlos
Contos do Céu e da Terra . Recife . Edições Pirata . 1981 .
Contos Vários . Recife . Secretaria de Educação e Cultura de Pernambuco . 1955 .
O Assassino . Rio de Janeiro . Instituto Nacional do Livro . Livraria José Olímpio Editora . Brasília . 1980 .
Padrão G . Rio de Janeiro . Livraria Agir Editora . 1948.

CAVALCANTI LINS, Adalberon
Curral Novo . Rio de Janeiro . Livraria São José . 1958 .

CAVALCANTI PROENÇA, M.
Manuscrito Holandês ou A Peleja do Caboclo Mitavaí com o Monstro Macobeba . Rio de Janeiro. Antunes & Cia. Ltda. . 1959 .
No Termo de Cuiabá . Rio de Janeiro . Instituto Nacional do Livro . 1958 .

Ribeira do S. Francisco . Rio de Janeiro Gráfica Laemmert, Limitada . 1944 .
Uniforme de Gala . Rio de Janeiro . Editora Opama . 1953 .

CAVALHEIRO, Edgard
Monteiro Lobato . 2ª edição, revista e aumentada . 2 tomos . São Paulo . Companhia Editora Nacional . 1956 .

CHAGAS, Fr. Antônio das
Cartas Espirituais. Seleção, prefácio e notas pelo Prof. M. Rodrigues Lapa. Lisboa . Livraria Sá da Costa — Editora . 1939.

CHICO ANÍSIO
Teje Preso . Rio de Janeiro. Editora Rocco . 1975 .

CIDADE, Hernâni
Lições de Cultura e Literatura Portuguesa . 1º volume . 2ª edição, refundida e ampliada . Coimbra . Coimbra Editora, Lim. . 1942 .
Luís de Camões . O Lírico . 2ª edição, revista e ampliada . Lisboa . Livraria Bertrand . 1952 .
— In LUÍS DE CAMÕES. *Obras Completas* . 5 vols. . Com prefácio e notas do Prof. Hernâni Cidade . Lisboa . Livraria Sá da Costa — Editora . 1946 [do 1º ao 3º vol.] . 1947 [o 4º e o 5º] .
— In SIMÕES, João Gaspar. *Perspectiva da Literatura do Século XIX* [q. v.] .

CINATTI, Rui
Anoitecendo, a Vida Recomeça . Lisboa . Tipografia da Liga dos Combatentes da Grande Guerra . 1942 .

COARACI, Vivaldo
91 Crônicas Escolhidas . Rio de Janeiro . Livraria José Olímpio Editora . 1961 .
O Rio de Janeiro no Século 17 . Rio de Janeiro . Livraria José Olímpio Editora . 1944 .
Paquetá . Rio de Janeiro . Livraria José Olímpio Editora . 1964 .
Todos Contam Sua Vida . Rio de Janeiro . Livraria José Olímpio Editora . 1959 .

COCHOFEL, João José
Os Dias Íntimos . Coimbra . 1950 .

COELHO, César
Striptease da Cidade . Fortaleza . Editora Terra de Sol . 1968 .

COELHO FROTA, Lélia
Mitopoética de 9 Artistas Brasileiros . Rio . Editora Fontana Ltda. . 1975 .

COELHO NETO
A Conquista . 3ª edição . Porto . Livraria Chardron . 1921 .
Banzo . 2ª edição . Porto . Livraria Chardron . 1927 .
Miragem . 4ª edição . Porto . Livraria Chardron . 1926 .
O Rajá de Pendjab . 2ª edição, refundida . 2 vols. . Porto . Livraria Chardron . 1927 .
Obra Seleta . Vol. I [e único] . Rio de Janeiro . Editora José Aguilar Ltda. . 1958 .
Rei Negro . 2ª edição . Porto . Livraria Chardron . 1926 .
Sertão . 3ª edição . Porto . Livraria Chardron . S. d. .
Treva . 2ª edição . Porto . Livraria Chardron . 1916 .
Turbilhão . 3ª edição . Porto . Livraria Chardron . 1925 .

COLASANTI, Marina
A Morada do Ser . Rio de Janeiro . Livraria Francisco Alves Editora S. A. . 1978 .

COLLOR, Lindolfo
Europa 1939 . Rio de Janeiro . Emiel Editora . S. d. .

CONDÉ, José
Como uma Tarde em Dezembro . Rio de Janeiro . Editora Civilização Brasileira S. A. . 1969 .
Tempo Vida Solidão . Rio de Janeiro . Editora Civilização Brasileira S.A. 1971 .
Terra de Caruaru . Rio de Janeiro . Editora Civilização Brasileira S. A. . 1960 .

CONY, Carlos Heitor
A Verdade de Cada Dia . Rio de Janeiro . Biblioteca Universal Popular S. A. . 1963 .
Da Arte de Falar mal . Rio de Janeiro . Editora Civilização Brasileira S. A. . 1963 .
Matéria de Memória . Rio de Janeiro . Editora Civilização Brasileira S. A. . 1962 .
Posto 6 . Rio de Janeiro . Editora Civilização Brasileira S. A. . 1965 .

CORÇÃO, Gustavo
Lições de Abismo . 7ª edição . Rio de Janeiro . Livraria Agir Editora . 1954 .

CORDEIRO DE ANDRADE
Anjo Negro . 2ª edição . Rio de Janeiro-Brasília . Livraria Editora Cátedra Ltda. — Instituto Nacional do Livro . 1984 .

CORDOVIL, Caci
Ronda de Fogo . Rio de Janeiro . Livraria José Olímpio Editora . 1941 .

CORREIA, Leôncio
A Boêmia do Meu Tempo . 2ª edição . Edição do Estado do Paraná . 1955 .

CORREIA, Nereu
O Canto do Cisne Negro e Outros Estudos . Florianópolis . Secretaria de Educação e Cultura de Santa Catarina . 1964 .

CORREIA, Raimundo
Poesia Completa e Prosa . Rio de Janeiro . Editora José Aguilar Ltda. . 1961 .
Poesias . 4ª edição . Rio de Janeiro — Anuário do Brasil . Lisboa — Seara Nova . Renascença Portuguesa — Porto . 1922 .
Sinfonias . Rio de Janeiro . Livraria Editora de Faro & Lino . 1883 .

CORREIA, Viriato
Contos do Sertão . Rio de Janeiro — Paris . Livraria Garnier . 1919 .
Histórias Ásperas . São Paulo . Companhia Editora Nacional . 1928 .
Novelas Doidas . 2ª edição . Rio de Janeiro . Livraria Castilho . 1928 .

CORREIA DE OLIVEIRA, Antônio
Antologia . I . Líricas . Porto . Livraria Tavares Martins . 1946 .

CORREIA D'OLIVEIRA, Antônio
A Minha Terra . 9 tomos . Paris-Lisboa . Livrarias Aillaud e Bertrand . Rio de Janeiro . Livraria Francisco Alves . 2ª edição . 1917 [o 1º e o 2º t.] . 1919 [o 3º e o 4º t.] . Paris-Lisboa . Livrarias Aillaud e Bertrand. Rio de Janeiro . Livraria Francisco Alves . Porto . Livraria Chardron . 1919 [o 5º t.] . Paris-Lisboa . Livrarias Aillaud e Bertrand . S. d. [o 6º t.] . Paris-Lisboa . Livrarias Aillaud & Bertrand . Rio de Janeiro . Livraria Francisco Alves . Porto . Livraria Chardron . 1919 [o 7º t.] . Paris-Lisboa . Livrarias Aillaud & Bertrand . 3ª edição . S. d. [o 8º t.] . 2ª edição . S. d. [o 9º t.] .

CORREIA DUTRA, Lia
Navio sem Porto. Rio de Janeiro . Livraria José Olímpio Editora . 1943 .

CORREIA GARÇÃO, P. A.
Obras Poéticas e Oratórias de P. A. Correia Garção . Com introdução e notas por J. A. de Azevedo Castro . Roma . Tipografia dos Irmãos Centenari . 1888 .

CORTESÃO, Jaime
A Carta de Pêro Vaz de Caminha. Rio de Janeiro . Livros de Portugal . 1943 .

COSTA, Cláudio Manuel da
Obras Poéticas de Cláudio Manuel da Costa (Glauceste Satúrnio) . Nova edição, com um estudo sobre a sua vida e obras por João Ribeiro . 2 tomos . Rio de janeiro . H. Garnier , Livreiro-Editor . 1903.

COSTA, Lustosa da
Sobral do Meu Tempo . Brasília . Senado Federal . 1982 .

COSTA, Nélson
Páginas Cariocas . 11ª edição . Estado da Guanabara . Secretaria de Estado de Educação e Cultura . 1961 .

COSTA E SILVA, Alberto da
As Linhas da Mão . Rio de Janeiro . São Paulo . Difel . 1978 .

COSTA E SILVA, Benedito Salomon da
Seis Contos . Belo Horizonte . Edição do Autor . 1955 .

COSTA E SILVA, Da
Pandora . Rio de Janeiro . Livraria Castilho . 1919.
Poesias Completas . Rio de Janeiro . Edições "O Cruzeiro" . 1950 .
Sangue . Recife . Oficinas da Livraria Francesa . MCMVIII.

COSTA FILHO, J. F. da
As Facetas do Diabo. Rio de Janeiro . 1971 .

COSTA FILHO, Odilo
Boca da Noite. Rio de Janeiro . Salamandra . 1979 .
Cantiga Incompleta . Prefácio de Heráclito Sales . Rio . Livraria José Olímpio Editora . 1971.
História de Seu Tomé Meu Pai e Minha Mãe Maria . Lisboa . Estúdios Cor . 1970 .

COSTA PIMPÃO, Álvaro J. da
Gente Grada . Coimbra . MCMLII .
— In SIMÕES, João Gaspar. *Perspectiva da Literatura Portuguesa do Século XIX* [q. v] .

COSTA REGO
Águas Passadas . Rio de Janeiro . Livraria José Olímpio Editora . 1954 .

COSTALLAT, Benjamim
Modernos... . 2ª edição . Rio de Janeiro . Benjamim Costallat & Miccolis, Editores . 1923 .

COUTINHO, Afrânio
A Tradição Afortunada . Rio de Janeiro . Livraria José Olímpio Editora . 1968 .

COUTINHO, Edilberto
Onda Boiadeira e Outros Contos . Recife . Edições Região . [1954] .

Sangue na Praça . Rio de Janeiro . Editora Codecri Ltda. . 1979 .
COUTO, Deolindo
Vultos e Idéias. Rio . Livraria Editora Guanabara . 1961 .
COUTO, Diogo do
O Soldado Prático . Texto restituído, prefácio e notas pelo Prof. M. Rodrigues Lapa . Lisboa . Livraria Sá da Costa — Editora . 1937 .
CRAVEIRO COSTA
História das Alagoas . São Paulo . Companhia Melhoramentos de São Paulo . S. d. .
CRULS, Gastão
A Amazônia Que Eu Vi . 2ª edição . São Paulo . Companhia Editora Nacional . 1938 .
Contos Reunidos . *Coivara* . *Ao Embalo da Rede* . *Quatuor* . *História Puxa História* . Rio de Janeiro . Livraria José Olímpio Editora . 1951 .
De Pai a Filho . Rio de Janeiro . Livraria José Olímpio Editora . 1954 .
4 Romances . *Amazônia Misteriosa* . *Elza e Helena* . *A Criação e o Criador* . *Vertigem* . Rio de Janeiro . Livraria José Olímpio Editora . 1958 .
CRUZ, Fr. Agostinho da
Obras de Fr. Agostinho da Cruz . Coimbra . França Amado — Editor . 1918 .
CRUZ E SOUSA
Broquéis . Rio de Janeiro . Magalhães & Cia. — Editores . 1893 .
Faróis . Rio de Janeiro . Tipografia do Instituto Profissional . 1900 .
Missal . Rio de Janeiro . Magalhães & Cª. — Editores . Livraria Moderna . 1893 .
Obra Completa . Edição comemorativa do centenário . Rio de Janeiro . Editora José Aguilar Ltda. . 1961 .
Prosa . Com introdução e anotações de Nestor Vítor . Rio de Janeiro . Edição do Anuário do Brasil . 1923 .
Últimos Sonetos . Paris . Aillaud & Cia. . 1905 .
CRUZ OLIVEIRA, Júlio Auto da
— Ap. MARROQUIM, Ad. *Terra das Alagoas* [q. v.] .
CUNHA, Celso
Língua e Verso . Rio de Janeiro . Livraria São José . 1963 .
Língua, Nação, Alienação . Rio de Janeiro . Editora Nova Fronteira S. A. . 1981 .
CUNHA, Euclides da
À margem da História . 3ª edição . Porto . Livraria Chardron . 1922 .
Contrastes e Confrontos . 6ª edição . Porto . Livraria Chardron . 1923 .
Os Sertões . 8ª edição, corrigida . Rio de Janeiro . Livraria Francisco Alves . 1925 .
CUNHA, Fausto
Caminhos Reais, Viagens Imaginárias . Rio de Janeiro . Ministério dos Transportes . 1974 .
O Romantismo no Brasil . *De Castro Alves a Sousândrade* . Rio de Janeiro . Editora Paz e Terra S. A. . 1971 .
Situações da Ficção Brasileira . Rio de Janeiro . Paz e Terra Editora . 1970 .
CUNHA, Tristão da
À beira do Estix . Rio de Janeiro . Edição de "Terra de Sol" . 1927 .
Cousas do Tempo . Rio de Janeiro . Anuário do Brasil . 1927 .
Histórias do Bem e do Mal . Rio de Janeiro . Edição da Sociedade Filipe d'Oliveira . 1936 .
DAMASCENO, Atos
O Carnaval Porto-alegrense no Século XIX . Porto Alegre . Livraria do Globo . 1970 .
DANTAS, Júlio
Abelhas Doiradas . 3ª edição . Lisboa . Portugal-Brasil Sociedade Editora . Artur Brandão & Cª . S. d. .
A Ceia dos Cardeais . 10ª edição . Lisboa . Livraria Clássica Editora . 1910 .
Espadas e Rosas . 5ª edição . Lisboa . Portugal-Brasil Limitada . Sociedade Editora . S. d. .
Figuras de ontem e de hoje. 3ª edição . Lisboa . Portugal-Brasil Limitada . S. d. .
O Amor em Portugal no Século XVIII . Porto . Livraria Chardron . 1927 .
Pátria Portuguesa . 8ª edição . Lisboa . Livraria Bertrand . S. d. .
Sonetos . 5ª edição . Lisboa . Portugal-Brasil . Companhia Editora . S. d. .
DANTAS, San Tiago
D. Quixote . *Um Apólogo da Alma Ocidental* . Rio de Janeiro . Livraria Agir Editora . 1948 .
Figuras do Direito . Rio de Janeiro . Livraria José Olímpio Editora . 1962 .
DEODATO, Alberto
Canaviais . Rio de Janeiro . Edição do "Anuário do Brasil" . 1922 .
DEUS, João de
Campo de Flores . Ed. organizada por Teófilo Braga . 2 tomos . 7ª edição . Lisboa . Livraria Bertrand . S. d. .
Prosas . Coordenadas por Teófilo Braga . Lisboa . Antiga Casa Bertrand — José Bastos . 1898 .
DIAS, Milton
As Cunhãs . Fortaleza . Editora Comédia Cearense . 1966 .
Entre a Boca da Noite e a Madrugada . Fortaleza . Imprensa Universitária da U.F.C. . 1971 .
DIAS, Teófilo
Fanfarras . São Paulo . Editor Dolivais Nunes . 1882 .
DIAS DA COSTA
Canção do Beco . São Paulo . Editora Rumo Limitada . 1939 .
DIAS FERNANDES, Carlos
Canção de Vesta . Recife . Editor Manuel Nogueira de Sousa . Livraria Econômica . 1908 .
DIAS GOMES
Dias Gomes . Seleção de textos, notas, estudos biográfico, histórico e crítico e exercícios por Samira Youssef Campedelli . São Paulo . Editora Abril Educação . 1982 .
DIEGUES JÚNIOR, Manuel
Ocupação Humana e Definição Territorial do Brasil . Rio de Janeiro . Conselho Federal de Cultura . 1971 .
Regiões Culturais do Brasil . Rio de Janeiro . Centro Brasileiro de Pesquisas Educacionais . 1960 .
DINARTE, Sílvio
V. TAUNAY, Visconde de
DINIS, Almáquio
A Carne de Jesus . 5º milheiro . Bahia . Livraria Catilina . 1913 .
DINIS, Júlio
A Morgadinha dos Canaviais . Nova edição, conforme a primeira . Porto . Livraria Civilização . Editora . 1955 .
Uma Família Inglesa . Porto . Livraria Civilização — Editora . S. d. .
DOBAL, H.
A Cidade Substituída . São Luís . Edições Sioye . 1978 .
A Serra das Confusões . Teresina . Edições Corisco . 1978 .
A Viagem Imperfeita . Rio . Editora Artenova S. A. . 1973 .
DOLZANI, Luís
— V. INGLÊS DE SOUSA, H.
DOMINGOS OLIMPO
Luzia-Homem . São Paulo . Ed. da Gráfico-Editora Brasiliense Ltda. . 1949.
DONATO, Mário
A Parábola das 4 Cruzes . São Paulo . Difusão Européia do Livro . 1959 .
DOURADO, Mecenas
A Conversão do Gentio . Rio de Janeiro . Livraria São José . 1958 .
Mecenas ou o Suborno da Inteligência . Rio de Janeiro . Edições do Povo Ltda. . 1947 .
DRUMMOND DE ANDRADE, Carlos
A Bolsa & a Vida . Rio de Janeiro . Editora do Autor . 1962 .
Cadeira de Balanço . 2ª edição . Rio de Janeiro . Livraria José Olímpio Editora . 1968 .
Confissões de Minas . Rio de Janeiro . Americ = Edit. . 1944 .
Contos de Aprendiz . 7ª edição . Rio de Janeiro . Editora Sabiá Limitada . 1969 .
De Notícias & não Notícias Faz-se a Crônica . 4ª edição . Rio de Janeiro . Livraria José Olímpio Editora . 1979 .
Fala, Amendoeira . Rio de Janeiro . Livraria José Olímpio Editora . 1957 .
José & Outros . Rio de Janeiro . Livraria José Olímpio Editora . 1967 .
Passeios na Ilha . Rio de Janeiro . Edição da "Organização Simões" . 1952 .
Poemas . Rio de Janeiro . Livraria José Olímpio Editora . 1959 .
Reunião . Rio de Janeiro . Livraria José Olímpio Editora . 1971 .
Viola de Bolso . Novamente encordoada . Rio de Janeiro . Livraria José Olímpio Editora . 1955 .
DRUMMOND DE ANDRADE, Maria Julieta
A Busca . Rio de Janeiro . Livraria José Olímpio Editora . 1946 .
O Valor da Vida . Rio de Janeiro . Editora Nova Fronteira S. A. . 1982 .
Um Buquê de Alcachofras . Rio de Janeiro . Livraria José Olímpio Editora .
DUARTE, Abelardo
Ladislau Neto . Imprensa Oficial . Maceió . 1950 .
DUARTE, Afonso
Obra Poética (1906-1956) . Lisboa . Iniciativas Editoriais . 1955.
Três Ensaios . Maceió . Alagoas . 1966 .
DURO, José
Fel . 6ª edição . Lisboa . Livraria Editora Guimarães & Cia. . S. d. .
D. XIQUOTE (pseudônimo de BASTOS TIGRE)
Saguão da Posteridade . *Subsídio para um Pantheon Ceroplástico* . Rio de Janeiro . 1902 .

EÇA DE QUEIRÓS
A Capital . 3ª edição . Porto . Livraria Chardron . 1926 .
A Cidade e as Serras . 3ª edição . Porto . Livraria Chardron . 1908 .
A Correspondência de Fradique Mendes . Porto . Livraria Chardron . 1909 .
A Ilustre Casa de Ramires . 2ª edição . Porto . Livraria Chardron . 1904 .
A Relíquia . 4ª edição . Porto . Livraria Chardron . 1909 .
Cartas de Inglaterra . 4ª edição . Porto . Livraria Chardron . 1919 .
Cartas Familiares e Bilhetes de Paris . Porto . Livraria Chardron . 1907 .
Cartas Inéditas de Fradique Mendes e Mais Páginas Esquecidas . 2ª edição Porto . Livraria Chardron . 1929 .
Contos . Porto . Livraria Chardron . 1902 .
Crônicas de Londres . Lisboa . Editorial Aviz 1944 .
Ecos de Paris . 2ª edição . Porto . Livraria Chardron . 1911 .
Notas Contemporâneas . 2ª edição . Porto . Livraria Chardron . 1913
O Conde d'Abranhos . 3ª edição . Porto . Livraria Chardron . 1926 .
O Crime do Padre Amaro . 5ª edição . Porto . Livraria Chardron . 1910 .
O Egito . 3ª edição . Porto . Livraria Chardron . 1926
O Mandarim . 4ª edição . Porto . Livraria Chardron . 1900
O Primo Basílio . 5ª edição . Porto . Livraria Chardron . 1908 .
Os Maias . 2 vols. . 3ª edição . Porto . Livraria Chardron . S. d.
Prosas Bárbaras . 3ª edição. Porto . Livraria Chardron . 1917 .
Prosas Esquecidas . III . Lisboa . 1965 .
Últimas Páginas . 2ª edição . Porto . Livraria Chardron . 1917 .

EÇA DE QUEIRÓS, José Maria d'
— in EÇA DE QUEIRÓS, *A Capital* [q. v.]

ELIA, Antônio d'
Os Pistoleiros de Pistóia . São Paulo . Edart — Livraria Editora Ltda. . 1967 .

ELIA, Sílvio
Orientações da Lingüística Moderna . 2ª edição, revista e ampliada . Rio de Janeiro . Ao Livro Técnico S/A . 1978

ELIAS, José
Inquieta Viagem no Fundo do Poço . Belo Horizonte . Imprensa Oficial . 1974 .

ÉLIS, Bernardo
Caminhos e Descaminhos . Goiânia . Livraria Brasil Central Editora . 1965 .
Ermos e Gerais . São Paulo . Empresa Gráfica da "Revista dos Tribunais" Ltda. . 1944 .
O Tronco . 2ª edição, refundida . Rio de Janeiro . Livraria José Olímpio Editora . 1967 .
Veranico de Janeiro . Rio de Janeiro . Livraria José Olímpio . 1966

ENEIDA
Cão da Madrugada . Rio de Janeiro . Livraria José Olímpio Editora . 1954 .

EROS VOLÚSIA
Eu e a Dança . Rio . Revista Continente Editorial Ltda. . 1983 .

ESPANCA, Florbela
Sonetos Completos . 7ª edição Coimbra . Livraria Gonçalves . 1946 .

ESPÍRITO SANTO PORTO, Ilza
Contos do Vale de Jacarecica . Alagoas . 1979 .
João sem Terra e Outros Contos . Maceió . AL . 1983 .

FABIAN, Vanda
Zé Canarinho . Rio de Janeiro . Editora Nova Aguilar S. A. — MEC . 1976 .

FACÓ, Américo
Poesia Perdida . Rio de Janeiro . Livraria José Olímpio Editora . MCMLI .
Sinfonia Negra . Rio de Janeiro . Livraria Editora Zélio Valverde . 1946

FAGUNDES TELES, Lígia
A Disciplina do Amor . Rio de Janeiro . Editora Nova Fronteira S. A. 1980 .
Antes do Baile Verde . 7ª edição . Rio de Janeiro . Livraria José Olímpio Editora . 1982 .
Filhos Pródigos . [São Paulo] . Livraria Cultura Editora . 1978
Histórias do Desencontro . Rio de Janeiro . Livraria José Olímpio Editora . 1958 .
O Jardim Selvagem . São Paulo . Livraria Martins Editora . 1965
Seminário dos Ratos . Rio de Janeiro . Livraria José Olímpio Editora . 1977 .

FAGUNDES VARELA, L. N.
Poesias Completas de L. N. Fagundes Varela. Organização e apuração do texto por Miécio Tati e E. Carrera Guerra 3 vols. . São Paulo . Ed. da Companhia Editora Nacional . 1957 .

FAORO, Raimundo
Machado de Assis: a Pirâmide e o Trapézio . São Paulo . Companhia Editora Nacional . 1974 .

FARIA, Alberto
Acendalhas . Rio de Janeiro . Livraria Editora de Leite Ribeiro & Maurilo . 1920 .

FARIA, Nélson de
Bazé . Rio de Janeiro . Livraria José Olímpio Editora . 1965 .
Cabeça-Torta . Rio de Janeiro . Livraria José Olímpio Editora . 1963 .
Tiziu e Outras Estórias . Rio de Janeiro . Livraria José Olímpio Editora . 1962 .

FARIA, Otávio de
A Sombra de Deus . Rio de Janeiro . Livraria José Olímpio Editora . 1966.
Novelas da Masmorra . Rio de Janeiro Gráfica Record Editora . 1966 .
O Pássaro Oculto . Rio de Janeiro-Brasília . Pallas S. A. Editora e Distribuidora — Instituto Nacional do Livro . MEC . 1979 .

FARIAS BRITO
O Mundo Interior . 2ª edição . Rio de Janeiro . Instituto Nacional do Livro . 1951 .

FAUSTINO, Mário
Poesia — Experiência . São Paulo . Editora Perspectiva . 1977 .

FEIJÓ, Antônio
Poesias Completas de Antônio Feijó . 2ª edição . Lisboa . Livraria Bertrand . S. d. .

FEITOSA, Policarpo
Gisinha . Natal . Edições da Fundação José Augusto . 1965 .

FERNANDES, Carlos D.
V. DIAS FERNANDES, Carlos

FERNANDES, Francisco
Dicionário de Verbos e Regimes . 11ª edição (revista e aumentada) . Rio de Janeiro — Porto Alegre — São Paulo . Editora Globo . 1953 .

FERNANDES, Millor
Lições de um Ignorante . 3ª edição . Rio de Janeiro . José Álvaro, Editor . 1967 .

FERNANDES BRAGA, Henriqueta Rosa
Do Coral e Sua Projeção na História da Música . Rio de Janeiro . Livraria Kosmos Editora . 1958 .

FERNANDES LIMA, Ivã
Geografia de Alagoas . São Paulo . Editora do Brasil, S. A. . 1965 .

FERNANDES SAMPAIO, Adovaldo
O Sol na Rede. Goiânia . Editora Oriente 1979

FERRAZ, Enéias
Adolescência Tropical . 2ª edição brasileira . São Paulo . Academia Brasileira de Letras 1978

FERREIRA, Antônio
Obras Completas do Doutor Antônio Ferreira . Quarta edição . Anotada e prefaciada pelo Cônego Doutor J.-C. Fernandes Pinheiro . 2 tomos . Rio de Janeiro — Paris . 1865 .

FERREIRA, Ascenso
Catimbó e Outros Poemas . Rio de Janeiro . Livraria José Olímpio Editora . 1963 .

FERREIRA, Vergílio
Aparição . Lisboa . Editorial Verbo . 1971 .

FERREIRA DE CASTRO
A Selva . 10ª edição . Livraria Editora Guimarães & Cia. . S. d. .
A Tempestade . 1ª edição brasileira . Rio de Janeiro . Editorial Inquérito . 1941

FERREIRA DE VASCONCELOS, Jorge
Memorial das Proezas da Segunda Távola Redonda . 2ª edição . Lisboa . Tip. do Panorama . MDCCCLXVII .

FERREIRA FILHO, Cosme
Amazônia em Novas Dimensões . Rio de Janeiro . Conquista . S. d. .

FERREIRA REIS, Artur César
A Amazônia e a Cobiça Internacional . 3ª edição, aumentada . Rio de Janeiro . Gráfica Record Editora . 1968 .
O Seringal e o Seringueiro . Rio de Janeiro . Ministério da Agricultura . Serviço de Informação Agrícola . 1953 .

FIALHO D'ALMEIDA
A Cidade do Vício . 6ª edição . Lisboa . Livraria Clássica Editora . 1922 .
À Esquina . 6ª edição . Lisboa . Livraria Clássica Editora . 1943 .
Aves Migradoras . 5º milhar . Lisboa . Livraria Clássica Editora . 1922 .
Contos . 6ª edição . Lisboa . Livraria Clássica Editora . 1922 .
Estâncias d'Arte e de Saudade . 4º milhar . Lisboa . Livraria Clássica Editora . 1924 .
Figuras de Destaque . 5º milhar . Lisboa . Livraria Clássica Editora . 1923 .
Lisboa Galante . 3ª edição . Porto .

Livraria Chardron . 1920
O País das Uvas . 6ª edição . Lisboa . Livraria Clássica Editora . 1922 .
Os Gatos . 6 vols. . Nova Edição . Revista, prefaciada e anotada pelo Dr. Álvaro J. da Costa Pimpão . Lisboa . 1958 [o 1º vol.] . 1945 [o 2º] . 1947 [o 3º] . 1949 [o 4º] . 1951 [o 5º] . 1953 [o 6º] .
Pasquinadas . 4ª edição. Porto . Livraria Chardron . S. d. .
Vida Errante . 3º milhar . Lisboa . Livraria Clássica Editora . 1925 .

FICALHO, Conde de
Uma Eleição Perdida . Lisboa . Livraria Ferin . 1888 .

FIGUEIREDO, A. J. de
Conceição, Minha Namorada . Rio de Janeiro . Departamento de Imprensa Nacional . 1960 .

FIGUEIREDO, Antero de
Cômicos . 5ª edição . 8º milhar . Lisboa . Livraria Bertrand . S. d. .
D. Pedro e D. Inês . 3ª edição, revista . 5º milhar . Paris-Lisboa . Livraria Aillaud e Bertrand . Rio de Janeiro . Livraria Francisco Alves . 1916 .
Espanha . 2ª edição . Paris-Lisboa . Livrarias Aillaud e Bertrand . Porto . Livraria Chardron . Rio de Janeiro . Livraria Francisco Alves . 1923 .
Jornadas em Portugal . 7ª edição . Lisboa . Livraria Bertrand . S. d. .
Leonor Teles, "Flor de Altura" . 8ª edição . 12º milhar . Lisboa . Livraria Bertrand . S. d. .
Miradouro . 2ª edição . Lisboa . Livraria Bertrand . 1934 .
Toledo . 3ª edição . Lisboa . Livraria Bertrand . 1932.

FIGUEIREDO, Fidelino de
Aristarcos . 2ª edição, revista e precedida de dois estudos de Tristão de Ataíde . Rio de Janeiro . Livraria H. Antunes . 1941 .
Entre Dois Universos . Lisboa . Guimarães Editores . 1959 .
Música e Pensamento . Lisboa . Guimarães Editores . 1954 .
O Medo da História . Lisboa . Guimarães Editores . 1957 .
Sob a Cinza do Tédio . 2º milhar . Porto . Empresa Literária Fluminense, L^{da} . 1925 .
Últimas Aventuras . Rio de Janeiro . Empresa A Noite . S. d. .
Um Colecionador de Angústias . Lisboa . Guimarães & Cia. Editores . 1953 .
Um Homem na Sua Humanidade . Lisboa . Guimarães Editores . 1956 .
"...um pobre homem da Póvoa de Varzim..." . Lisboa . Portugália Editora . S. d. .

FIGUEIREDO, Guilherme
A Pluma e o Vento . Rio de Janeiro . Livraria Editora Cátedra . 1977 .
Cobras & Lagartos . Rio de Janeiro . Editora Nova Fronteira . 1984 .
Despropósitos . Rio de Janeiro . Livraria Editora Cátedra . Brasília . Instituto Nacional do Livro . 1983 .
Deus sobre as Pedras . Rio de Janeiro . José Álvaro, Editor . 1965 .
História para Se Ouvir de Noite . Rio de Janeiro . Editora Civilização Brasileira S. A. . 1964 .
14 Tilsitt, Paris . Rio de Janeiro . Editora Civilização Brasileira S. A. . 1975 .

FILINTO ELÍSIO
Poesias . Seleção, prefácio e notas do Prof. José Pereira Tavares . Lisboa . Livraria Sá da Costa — Editora . 1941 .
— Ap. SOUSA DA SILVEIRA. *Trechos Seletos* . 5ª edição . São Paulo . Companhia Editora Nacional . 1942 .

FILIZZOLA, Mário
Como Emplacar 100 Anos . Rio de Janeiro . Edições do Val . 1964 .

FONSECA, Gondin da
Histórias de João Mindinho . São Paulo . Companhia Editora Nacional . 1945 .

FONSECA, Manuel da
Aldeia Nova . Lisboa . Livraria Portugália . 1942 .

FONSECA, Rubem
A Coleira do Cão . Rio de Janeiro . Edições GRD . 1965 .

FONSECA FERNANDES, José
Joatão e a Ilha . Rio de Janeiro . Livraria José Olímpio Editora . 1966 .

FONTES, Armando
Os Curumbas . 8ª edição . Rio de Janeiro . Livraria José Olímpio Editora . 1967 .
Rua do Siriri . Rio de Janeiro . Ed. da Tecnoprint Gráfica S. A. . 1968 .

FONTES, Hermes
A Fonte da Mata... . 1830 em 1930 . Rio de Janeiro . S. d. .
— V. tb. HERMES-FONTES.

FONTES, Lourival
Discurso aos Surdos . Rio de Janeiro . Livraria José Olímpio Editora . 1955 .

FONTES IBIAPINA
Congresso de Duendes . Teresina . Piauí . S. d. .
Tombador . Teresina . Companhia Editora do Piauí . 1971 .

FONTOURA XAVIER
Opalas . 4ª edição. Rio de Janeiro . Gráfica Sauer . 1928 .

FORJAZ DE SAMPAIO, Albino
Crônicas Imorais . 5ª edição . Lisboa . Livraria Bertrand . S. d. .

FORJAZ TRIGUEIROS, Luís
Ainda Há Estrelas no Céu . Lisboa . Parceria Antônio Maria Pereira . S. d. .
Campos Elíseos . Amadora . Portugal . Livraria Bertrand . 1956 .
O Carro de Feno . Amadora . Portugal . Livraria Bertrand . 1974 .
Pátio das Comédias . Lisboa . Edições Ática . MCMXLVII .
Ventos e Marés . Lisboa . Sociedade de Expansão Cultural . 1967 .

FRAGA, Clementino
Paisagens de Outono . Rio de Janeiro . Livraria São José . 1960 .
Reencontros Imaginários . Rio de Janeiro . Livraria José Olímpio Editora . 1966 .

FRAGA FILHO, Clementino
Idéias e Ideais . Rio de Janeiro . Livraria José Olímpio Editora . Instituto Nacional do Livro . Fundação Nacional Pró-Memória . 1983 .

FRAGA FILHO, Clementino, e REIS ROSE, Alice
Temas de Educação Médica . Rio de Janeiro . MEC . Secretaria de Ensino Superior . 1980 .

FRANÇA, José-Augusto
Despedida Breve e Outros Contos . Lisboa . Publicações Europa-América . 1958 .

FRANÇA DE LIMA, Geraldo
Branca Bela . Rio de Janeiro . Livraria São José . 1965 .
Jazigo dos Vivos . Rio de Janeiro . Livraria José Olímpio Editora . 1969 .
Serras Azuis . Rio de Janeiro . Edições GRD . 1961 .

FRANÇA JÚNIOR
Folhetins . 4ª edição, aumentada . Rio de Janeiro . Jacinto Ribeiro dos Santos, Editor . 1926 .

FRANÇA JÚNIOR, Osvaldo
Um Dia no Rio . Rio de Janeiro . Editora Sabiá Limitada . 1969 .

FRANCISCA JÚLIA
Esfinges . São Paulo . Monteiro Lobato & Cia. — Editores . S. d. .

FRANCISCO JULIÃO
Cachaça . Recife . Editora Nordeste . 1951 .

FRANCISCO OTAVIANO
— Ap. MANUEL BANDEIRA. *Antologia dos Poetas Brasileiros da Fase Romântica* [q. v.] .

FRAN MARTINS
Ás de Ouros . 2ª edição. Fortaleza . Edições Clã . 1975 .

FREIRE, Gilberto
Assombrações do Recife Velho . 2ª edição, revista e aumentada . Rio de Janeiro . Livraria José Olímpio Editora . 1970 .
Aventura e Rotina . Rio de Janeiro . Livraria José Olímpio Editora . 1953 .
Casa-Grande & Senzala . 9ª edição brasileira . 2 tomos . Rio de Janeiro . Livraria José Olímpio Editora . 1958 .
Nordeste . 2ª edição, revista e aumentada . Rio de Janeiro . Livraria José Olímpio Editora . 1951 .
Pessoas, Coisas & Animais . [Porto Alegre] . MPM Propaganda . 1979 .
Problemas Brasileiros de Antropologia . 2ª edição, revista e aumentada . Rio de Janeiro . Livraria José Olímpio Editora . 1959 .
Sobrados e Mocambos . 2ª edição, revista e aumentada . Rio de Janeiro . Livraria José Olímpio Editora . 1951 .
Vida, Forma e Cor . Rio de Janeiro . Livraria José Olímpio Editora . 1962 .

FREIRE, Natércia
A Alma da Velha Casa . Lisboa . Parceria Antônio Maria Pereira . 1945 .

FREIRE DA FONSECA, Aníbal
Conferências e Alocuções . Rio . S/A Editora Jornal do Brasil . 1958 .

FREIRE DE ANDRADA, Jacinto
Vida de D. João de Castro, Quarto Vizo-Rei da India . Nova edição . Lisboa . Na Tipografia Rolandiana . 1861 .

FREITAS, Caio de
Intrusos no Paraíso . Rio de Janeiro . Livraria José Olímpio Editora . 1975 .

FREITAS CASTRO, Rejane Machado de
A Dimensão das Pedras . Rio de Janeiro . Livraria Editora Cátedra . 1972 .

FREITAS MOURÃO, Ronaldo Rogério de
Astronomia e Astronáutica . 2ª edição

. Rio de Janeiro . Livraria Francisco Alves Editora S. A. . 1981 .
FRIEIRO, Eduardo
A Ilusão Literária . Nova edição . Belo Horizonte . Livraria Editora Paulo Bluhm . 1941 .
Feijão, Angu e Couve . Belo Horizonte . Centro de Estudos Mineiros . 1966 .
O Alegre Arcipreste e Outros Temas de Literatura Espanhola . Belo Horizonte . Edição da Livraria Oscar Nicolai . 1959 .
O Brasileiro não É Triste . Nova edição . [Rio de Janeiro] . Instituto Nacional do Livro . 1957 .
O Cabo das Tormentas . Belo Horizonte . Os Amigos do Livro . 1936 .
O Mameluco Boaventura . Nova edição . Belo Horizonte . Livraria Paulo Bluhm . 1941 .
O Romancista Avelino Fóscolo . Belo Horizonte . Secretaria da Educação de Minas Gerais . 1960 .
Os Livros Nossos Amigos . 3ª edição . São Paulo . Empresa Editora "O Pensamento" . MCMLVII .
Torre de Papel . Belo Horizonte . Imprensa / Publicações . 1969 .
FUSCO, Rosário
Introdução à Experiência Estética . Rio de Janeiro . Ministério da Educação e Saúde . Serviço de Documentação . 1952 .
GALENO, Juvenal
Lendas e Canções Populares . 2ª edição, aumentada . Fortaleza . Gualter R. Silva — Editor . 1892 .
GALPI
Narrativas Brasileiras . 2ª edição . Rio de Janeiro . Tip. Leuzinger . 1897 .
GALVÃO, Hélio
Cartas da Praia . Rio de Janeiro . Edições do Val . S. d. .
GAMA, Arnaldo
O Balio de Leça . Porto . Livraria Simões Lopes . 1949 .
GAMA, Domício da
Histórias Curtas . Rio de Janeiro . Francisco Alves, Editor . 1901 .
GAMA, José Basílio da
O Uraguai . Lisboa . Na Régia Oficina Tipográfica . MDCCLXIX .
GAMA, Marcelo
Via-Sacra e Outros Poemas . Rio de Janeiro . Sociedade Filipe d'Oliveira . 1944 .
GAMA, Sebastião da
Cabo da Boa Esperança . Lisboa . Edições Ática . 1959 .
GARÇÃO-STOCKLER, Francisco de Borja
— In SOUSA CALDAS, Antônio Pereira de. *Salmos de Davi* [q. v.] .
GARCIA, José Alves
Psicanálise e Psiquiatria . Tese . Rio de Janeiro . 1947 .
GARCIA, Othon Moacir
Esfinge Clara . Rio de Janeiro . Livraria São José . 1955 .
GARCIA, Rodolfo
Ensaio sobre a História Política e Administrativa do Brasil . (1500-1810) . Rio de Janeiro . Livraria José Olímpio Editora . 1956 .
GARCIA REDONDO
A Choupana das Rosas . S. Paulo . Tipografia Carlos Gerke & Cia. . 1897 .
GIL VICENTE
Obras Completas de Gil Vicente . Reimpressão fac-similada da edição de 1562 . Lisboa . Oficinas Gráficas da Biblioteca Nacional . 1928 .
GODINHO, Vergílio
Não Há Nada mais Simples . Lisboa . Portugália Editora. S. d. .
GODÓI GARCIA, José
O Caminho de Trombas . Rio de Janeiro . Editora Civilização Brasileira S. A. . 1966 .
GOMES, Eugênio
D. H. Lawrence e Outros . Porto Alegre . Edição da Livraria do Globo . 1937 .
Espelho contra Espelho . São Paulo . Instituto Progresso Editorial S. A. . 1949 .
Machado de Assis . Rio de Janeiro . Livraria São José . 1958 .
GOMES, Lindolfo
Contos Populares Brasileiros . 2ª edição . São Paulo . Edições Melhoramentos . 1948 .
GOMES FERREIRA, José
O Mundo dos Outros . Lisboa . Centro Bibliográfico . 1950 .
GOMES LEAL
A Mulher de Luto . Lisboa . Livraria Central . 1902 .
Claridade do Sul . 2ª edição (revista e aumentada) . Lisboa . 1901 .
História de Jesus . [Lisboa] . Ed. da Casa Católica de Almeida de Miranda . S. d. .
O Anticristo . 3ª edição . Lisboa . Livraria Popular . S. d. .
GOMES MONTEIRO
Vencidos da Vida . Lisboa . Edição Romano Torres . 1944 .
GOMES PIMENTA, Pe. Silvério
Vida de D. Antônio Ferreira Viçoso, Bispo de Mariana, Conde da Conceição . 3ª edição, revista pelo autor . Mariana . Tipografia Arquiepiscopal . 1920 .
GONÇALVES, Orlando
Este Mundo dos Homens . Lisboa . Orion . S. d. .
GONÇALVES, Ricardo
Ipês . São Paulo . Monteiro Lobato & Cia. Editores . S. d. .
GONÇALVES CRESPO
Obras Completas . 2ª edição . Lisboa . Empresa Literária Fluminense . S. d. .
GONÇALVES DE MAGALHÃES, Domingos José
A Confederação dos Tamoios . Rio de Janeiro . Empresa Tipográfica Dous de Dezembro . 1857 .
Obras Completas de D. J. G. de Magalhães . Vol. II . Suspiros Poéticos e Saudades . Edição anotada por Sousa da Silveira . Rio de Janeiro . Serviço Gráfico do Ministério da Educação . 1939 .
GONÇALVES DIAS
Meditação . Rio de Janeiro — Paris . H. Garnier, Livreiro-Editor . 1909 .
O Brasil e a Oceânia . Rio de Janeiro — Paris . H. Garnier, Livreiro-Editor . S. d. .
Obras Poéticas de A. Gonçalves Dias . 2 vols. . Organização, apuração do texto, cronologia e notas por Manuel Bandeira . São Paulo . Companhia Editora Nacional . 1944 .
Teatro . Rio de Janeiro . H. Garnier, Livreiro-Editor . 1909 .
GONZAGA, Tomás Antônio
Marília de Dirceu e Mais Poesias . Com prefácio e notas do Prof. M. Rodrigues Lapa . Lisboa . Livraria Sá da Costa — Editora . S. d. .
Obras Completas de Tomás Antônio Gonzaga . Edição crítica de Rodrigues Lapa . São Paulo . Companhia Editora Nacional . 1942 .
GONZAGA DUQUE
Mocidade Morta . Rio de Janeiro . Oficinas da Livraria Moderna . 1899 .
— Ap. MELO NÓBREGA. *Evocação de B. Lopes* [q. v.] .
GOULART DE ANDRADE, J. M.
Poesias . 1900-1905 . Rio de Janeiro . Paris . H. Garnier, Livreiro-Editor . 1907 .
Poesias . 2ª série . *1908-1909* . Rio de Janeiro . Paris . H. Garnier, Livreiro-Editor . 1911 .
GRAÇA ARANHA
A Estética da Vida . Rio de Janeiro — Paris . Livraria Garnier . S. d. .
Canaã . 8ª edição, revista . Rio de Janeiro . Livraria Garnier . 1926.
Espírito Moderno . São Paulo . Cia. Gráfico-Editora Monteiro Lobato . 1925 .
Obra Completa . São Paulo . MEC . Instituto Nacional do Livro . 1969 .
GREGORI, Ana Elisa
Os Barões da Candeia . Rio de Janeiro . Livraria José Olímpio Editora . 1982 .
GRIECO, Agripino
Amigos e Inimigos do Brasil . Rio de Janeiro . Livraria José Olímpio Editora . 1954 .
Caçadores de Símbolos . 2º milheiro . Rio de Janeiro . Editora a Grande Livraria Leite Ribeiro . 1923 .
Estrangeiros . 2ª edição, revista . Rio de Janeiro . Livraria José Olímpio Editora . 1947 .
Evolução da Poesia Brasileira . 3ª edição, revista . Rio de Janeiro . Livraria José Olímpio Editora . 1947 .
Gente Nova do Brasil . Rio de Janeiro . Livraria José Olímpio Editora . 1935 .
Memórias . Rio de Janeiro . Conquista . 1972.
O Sol dos Mortos . Rio de Janeiro . Livraria José Olímpio Editora . 1957 .
Recordações de um Mundo Perdido . Rio de Janeiro . Livraria José Olímpio Editora . 1955 .
São Francisco de Assis e a Poesia Cristã . 2ª edição, revista . Rio de Janeiro . Livraria José Olímpio Editora . 1950 .
Vivos e Mortos . Rio de Janeiro . Schmidt . 1931 .
Zeros à Esquerda . Rio de Janeiro . Livraria José Olímpio Editora . 1947 .
GUEDES DE MIRANDA
Eu e o Tempo . Maceió . Departamento Estadual de Cultura . 1967 .
GUEDES DE MORAIS, Edson
Outras Lembranças Outra Casa Outros Mortos . Brasília . André Quicé Editora . 1984 .
GUEIROS, Neemias
A Advocacia e o Seu Estatuto . Rio de Janeiro . Livraria Freitas Bastos S. A. . 1964 .
GUERRA, José Augusto

Testemunhos de Crítica . Recife . Editora Universitária . 1974 .
GUERRA JUNQUEIRO
A Morte de D. João . 8ª edição, emendada . Lisboa . Parceria Antônio Maria Pereira . 1908 .
A Musa em Férias . 10ª edição . Porto . Lelo & Irmão, Editores . 1949 .
A Velhice do Padre Eterno . Porto . Livraria Lelo & Irmão, Editores . Ed. de 1946 .
Contos para a Infância . Porto . Lelo & Irmão, Editores . 1953 .
Junqueiro (verso e prosa) ('Antologia portuguesa organizada por Agostinho de Campos') . 2ª edição . Paris-Lisboa . Livrarias Aillaud e Bertrand . Porto . Livraria Chardron . Rio de Janeiro . Livraria Francisco Alves . 1921 .
Os Simples . Porto . Tipografia Ocidental . MDCCCXCII .
Pátria . 3ª edição . Porto . Livraria Chardron . S. d.
Vibrações Líricas . Porto . Livraria Chardron . 1929 .
GUILHERMINO CÉSAR
Bouterwek . Porto Alegre . Livraria Lima Ltda. 1968 .
GUIMARAENS, Alphonsus de
Obra Completa . Rio de Janeiro . Editora José Aguilar, Ltda. . 1960 .
Pastoral aos Crentes do Amor e da Morte . São Paulo . Monteiro Lobato & Cia. — Editores . 1923 .
GUIMARAENS, Eduardo
A Divina Quimera . Edição definitiva . Porto Alegre . Livraria do Globo . 1944 .
GUIMARAENS FILHO, Alphonsus de
Poemas Reunidos . Rio de Janeiro . Livraria José Olímpio Editora . 1960 .
GUIMARÃES, Bernardo
História e Tradições da Província de Minas Gerais . Rio de Janeiro . H. Garnier, Livreiro-Editor . S. d. .
O Seminarista . Rio de Janeiro . B. L. Guimarães . S. d. .
Poesias Completas de Bernardo Guimarães . Organização, introdução, cronologia e notas por Alphonsus de Guimaraens Filho . Rio de Janeiro . Instituto Nacional do Livro . 1959 .
GUIMARÃES, Luís
Lírica . Sonetos e Rimas . 2ª edição, revista e aumentada . Lisboa . Tavares Cardoso & Irmão — Editores . MDCCCLXXXVI .
Samurais e Mandarins . Rio de Janeiro . Francisco Alves & Cia. . S. d. .
GUIMARÃES, Reginaldo
Manhã Vermelha . Rio de Janeiro . Livraria Editora Cátedra . 1973 .
Uma Blusa no Cais . Rio de Janeiro . Imagem . 1962 .
GUIMARÃES, Rute
Água Funda . Porto Alegre . Edição da Livraria do Globo . S. d. .
GUIMARÃES (FILHO), Luís
Pedras Preciosas . Montevidéu . Oficiná de Barreiro e Ramos . MCMIV .
GUIMARÃES PASSOS
Horas Mortas . Rio de Janeiro . Laemmert & C. . 1901 .
Versos de um Simples . Rio de Janeiro . MDCCCXCI .
GUIMARÃES ROSA, João
Ave, Palavra . Rio de Janeiro . Livraria José Olímpio Editora . 1970 .
Corpo de Baile . 2 vols. . Rio de Janeiro . Livraria José Olímpio Editora . 1956 .
Estas Estórias . Rio de Janeiro . Livraria José Olímpio Editora . 1969 .
Manuelzão e Miguilim . "Corpo de Baile" . 4ª edição . Rio de Janeiro . Livraria José Olímpio Editora . 1970 .
Sagarana . 4ª edição . Versão definitiva . Rio de Janeiro . Livraria José Olímpio Editora . 1956 .
— In PAULO RÓNAI. *Antologia do Conto Húngaro* . Prefácio de João Guimarães Rosa . Rio de Janeiro . Editora Civilização Brasileira S/A . 1957 .
GUSMÃO, Carlos de
Boca da Grota . Maceió . Serviços Gráficos Gazeta de Alagoas . 1970 .
HERMANO SARAIVA, José
História Concisa de Portugal . 3ª edição . Publicações Europa-América . 1979 .
HERMES-FONTES
Apoteoses. 2ª edição. Rio de Janeiro. Livraria Francisco Alves . 1915 .
Ciclo da Perfeição . Rio de Janeiro . MCMXIV .
Despertar! . Rio de Janeiro . Jacinto Ribeiro dos Santos . Editor . 1922 .
Gênese . Rio . Tipografia W. Martins & C. . MCMXIII .
Microcosmo . Rio de Janeiro . Livraria Leite Ribeiro & Maurilo . 1919 .
Miragem do Deserto . 2ª edição . Rio de Janeiro . Livraria Leite Ribeiro & Maurilo . 1917 .
— V. tb. FONTES, Hermes.
HOFFMANN, Ricardo L.
A Superfície . Rio de Janeiro . Edições GRD . 1967 .
HOLANDA, Gastão de
O Burro de Ouro . Recife . Editora Igaraçu Limitada . 1960 .
HOLANDA, Nestor de
Memórias do Café Nice . Rio de Janeiro. Conquista . 1969 .
HOMEM, Homero
Menino de Asas . Rio de Janeiro . Edições Gernasa . 1971 .
HOUAISS, Antônio
Crítica Avulsa . Bahia . Universidade da Bahia . 1960 .
Seis Poetas e Um Problema . Rio de Janeiro . Ministério da Educação e Cultura . Serviço de Documentação . 1960 .
INFORMATIVO . Ano 12 . Rio de Janeiro . Fundação Getúlio Vargas . Setembro/1980 .
INFORMATIVO . Ano 13 . Rio de Janeiro . Fundação Getúlio Vargas . Maio/1981 .
INGLES DE SOUSA, H.
Contos Amazônicos . Rio de Janeiro . Laemmert & C. — Editores . 1893 .
O Coronel Sangrado . (Cenas da Vida do Amazonas) . São Paulo . Tip. do Diário da Manhã . 1882 . [Publicado com o pseudônimo de Luís Dolzani.]
O Missionário . 3ª edição . Prefácio de Araripe Júnior . Revisão, prefácio e apêndice de Aurélio Buarque de Holanda . Rio de Janeiro . Livraria José Olímpio Editora . 1946 .
ISGOROGOTA, Judas
Cantos da Visitação . São Paulo . 1970 .
ISSA, Otávio
Os Inquietos . São Paulo . Companhia Editora Nacional . 1957 .
IVO, Ledo
A Cidade e os Dias . Rio de Janeiro . Edições O Cruzeiro . 1957 .
A Morte do Brasil . Rio de Janeiro . Record . 1984 .
A Noite Misteriosa . Rio de Janeiro . Editora Record . 1982 .
O Flautim e Outras Histórias Cariocas . Rio de Janeiro . Bloch Editores S. A. . 1966 .
JACOBBI, Ruggero
A Expressão Dramática . [Rio de Janeiro] . Instituto Nacional do Livro . 1956 .
JAÇOBINA LACOMBE, Américo
À sombra de Rui Barbosa . São Paulo . Companhia Editora Nacional . MEC . 1978 .
Capitanias Hereditárias . in *Revista Portuguesa de História* . Tomo XVI . Faculdade de Letras da Universidade de Coimbra . 1978 .
Um Passeio pela História do Brasil . 2ª edição . Rio de Janeiro . Organização Simões . 1951 .
JAMBO, Arnoldo
Diário de Pernambuco . História e Jornal de Quinze Décadas . Recife . Diário de Pernambuco . 1975 .
JARDIM, Luís
As Confissões do Meu Tio Gonzaga . Rio de Janeiro . Livraria José Olímpio Editora . 1949 .
Maria Perigosa . 2ª edição (revista e aumentada) . Rio de Janeiro . Livraria José Olímpio Editora . 1959 .
Proezas do Menino Jesus . Rio de Janeiro . Livraria José Olímpio Editora . 1968 .
JARDIM, Raquel
Inventário das Cinzas . Rio de Janeiro . Editora Nova Fronteira S. A. . 1980 .
JESUS, Fr. Tomé de
Trabalhos de Jesus . 2 tomos . Lisboa . Em Casa do Editor A. J. Fernandes Lopes . MDCCCLXV .
JOÃO ALPHONSUS
Eis a Noite! . São Paulo . Livraria Martins . 1943 .
Pesca da Baleia . Belo Horizonte . Livraria Editora Paulo Bluhm . 1941 .
Rola-Moça . Rio de Janeiro . Livraria José Olímpio Editora . 1938 .
Totônio Pacheco . São Paulo . Companhia Editora Nacional . 1935 .
JOÃO LÚCIO
Bom-Viver . Belo Horizonte . Imprensa Oficial do Estado de Minas . 1917 .
JORDÃO, Iolanda
Poesias . Rio de Janeiro . Livros de Portugal . 1957 .
JOSÉ AGOSTINHO
Eça de Queirós . Porto . Casa Editora de A. Figueirinhas . 1925 .
JOSÉ BONIFÁCIO (Américo Elísio)
Poesias . Rio de Janeiro . Ed. da Academia Brasileira . 1942 .
JOSÉ BONIFÁCIO, o MOÇO
Poesias . Texto organizado e apresentado por Alfredo Bosi e Nilo Scalzo . São Paulo . Conselho Estadual de Cultura . 1962 .
JOSÉ INÁCIO FILHO

Capiongo . Rio de Janeiro . Editora Companhia Brasileira de Artes Gráficas . 1968 .
JOYCE, Patrícia
A Maior Distância . Lisboa . Sociedade de Expansão Cultural . S. d. .
Anúncio de Casamento e Outras Novelas . Lisboa . Edições Alvorada . 1947 .
JUCÁ (FILHO), Cândido
Noite Insone . Rio de Janeiro . Organização Simões . 1963 .
JUNQUEIRA FREIRE
Obras Poéticas de L. J. Junqueira Freire . 4ª edição . Tomo I . *Inspirações do Claustro* . Rio de Janeiro-Paris . H. Garnier, Livreiro-Editor . S. d. .
Obras Póstumas de L. J. Junqueira Freire . 4ª edição . Tomo II . *Contradições Poéticas* . Rio de Janeiro-Paris . H. Garnier, Livreiro-Editor . S. d. .
JURANDIR, Dalcídio
Ponte do Galo . São Paulo . Livraria Martins Editora S. A. . 1972 .
Três Casas e *Um Rio* . São Paulo . Livraria Martins Editora . 1958 .
JUSTA, Antônio
Praia do Desterro . Rio de Janeiro . Livraria São José . 1965 .
KELLY, Celso
Portinari . Rio de Janeiro . Edições G. T. L. . S. d. .
KUBITSCHEK, Juscelino
Meu Caminho para Brasília . 1º vol. Rio de Janeiro . Bloch Editores S. A. 1974 .
LABIENO (Lafayette Rodrigues Pereira)
Vindiciae . Rio de Janeiro . Livraria Cruz Coutinho . 1889 .
LACERDA, Carlos
A Casa do Meu Avô . 2ª edição . Rio de Janeiro . Editora Nova Fronteira . 1977 .
O Cão Negro . Rio de Janeiro. Editora Nova Fronteira S. A. . 1971 .
Xanã (*Histórias Antigas e Novas*) . 2ª edição . Rio de Janeiro . Editora Nova Fronteira S/A . 1977 .
LACERDA, Regina
Papa-Ceia . Goiânia . Goiás . Instituto Goiano do Livro . Departamento de Cultura da Secretaria da Educação e Cultura . 1968 .
LACLETTE, René
O Aleijadinho e Suas Doenças . Rio de Janeiro / Brasília . Livraria Editora Cátedra / Instituto Nacional do Livro . 1976 .
LAET, Carlos
O Frade Estrangeiro e Outros Escritos . Rio de Janeiro . Organização e prefácio de Múcio Leão . Edição da Academia Brasileira de Letras . 1953 . — V. tb. LAET, Carlos de
LAET, Carlos de
Obras Seletas . *I* . *Crônicas* . Rio de Janeiro . Livraria Agir Editora . Fundação Casa de Rui Barbosa . Brasília . Instituto Nacional do Livro . 1983 .
LAJES, Solange Bérard
Canto/Desencanto . Maceió . 1975 .
Passagem . [Maceió] . 1971 .
LAMARTINE DE FARIA, Osvaldo
Conservação de Alimentos nos Sertões do Seridó . Recife . Instituto Joaquim Nabuco de Pesquisas Sociais . 1965 .
LARA, Hugo de
Argemiro e Rosalinda e Outras Estórias . Rio de Janeiro . José Olímpio Editora . 1984 .
LARA RESENDE, Oto
As Pompas do Mundo . Rio de Janeiro . Editora Rocco Ltda. . 1957 .
Boca do Inferno . Rio de Janeiro . Livraria José Olímpio Editora . 1957 .
O Braço Direito . Rio de Janeiro . Editora do Autor . 1963 .
O Retrato na Gaveta . Rio . Editora do Autor . 1963 .
LATINO COELHO
A Oração da Coroa, de Demóstenes . Versão do original grego, precedida de um estudo sobre a civilização da Grécia . 3ª edição . Lisboa . Academia das Ciências de Lisboa . 1914 .
Cervantes . Prefácio de Manuel Pinheiro Chagas . 2ª edição . Lisboa . Empresa Literária Fluminense . S. d. .
Elogio Histórico de José Bonifácio de Andrada e Silva . Prefácio de Afrânio Peixoto . Rio de Janeiro . Edições Livros de Portugal Ltda. . 1942 .
Fernão de Magalhães . Lisboa . Empresa Literária Fluminense . S. d. .
Tipos Nacionais . 1º milhar . Lisboa . Editores — Santos & Vieira . MCMXIX .
LAUS, Lausimar
Tempo Permitido . Rio de Janeiro . Companhia Editora Americana . 1970 .
LAVENÈRE, L.
O Padre Cornélio . Maceió . Livraria Machado . 1921 .
LEANDRO DE CASTRO, Nei
Contistas Norte-Rio-Grandenses . Natal . Rio Grande do Norte . Departamento Estadual de Imprensa . 1966 .
LEÃO, Anilda
Riacho Seco . Maceió . Alagoas . 1980 .
LEÃO, Múcio
Emoção e Harmonia . Rio de Janeiro . Gráfica Editora Aurora, Ltda. . 1952 .
LEÃO, Ursulino
Existência de Marina . Goiânia . Departamento Estadual de Cultura . 1968 .
LEITE, Ascendino
Passado Indefinido . *Os Dias Duvidosos* . *O Lucro de Deus* . Belo Horizonte . Editora Itatiaia Limitada . 1966 .
LEITE, Aureliano
Pequena História da Casa Verde . São Paulo . Elvino Pocai . MCMXL .
LEITE DE VASCONCELOS, Dr. J.
Antroponímia Portuguesa . Lisboa . Imprensa Nacional . 1928 .
— V. tb. LEITE DE VASCONCELOS, J.
LEITE DE VASCONCELOS, J.
Opúsculos . *Volume II* . *Dialectologia* . (*Parte I*) . Imprensa da Universidade de Coimbra . 1928 .
— V. tb. LEITE DE VASCONCELOS, Dr. J.
LEME LOPES, José
A Psiquiatria de Machado de Assis . Rio de Janeiro . Livraria Agir Editora . 1974 .
LEMOS, Gilvã
Jutaí Menino . Rio de Janeiro . Edições O Cruzeiro . 1968 .
LEO VÍTOR
Círculo de Giz . Rio . Lia Editor . S. d. .
LEONARDOS, Stella
Geolírica . Rio de Janeiro . Livraria São José . 1966 .
Romanceiro de Bequimão . São Luís . Edições Sioge . 1979 .
LEONI, Raul de
Luz Mediterrânea . 2ª edição . Rio de Janeiro . Edição do Anuário do Brasil . 1928 .
LEOPOLDO BRÍGIDO
Poemas do Tempo. Rio de Janeiro . Livraria Agir Editora . 1947 .
LESSA, Elsie
A Dama da Noite . Rio de Janeiro . Livraria José Olímpio Editora . 1963 .
LESSA, Orígenes
A Desintegração da Morte . Rio de Janeiro . Empresa Gráfica "O Cruzeiro" S. A. . 1948 .
Balbino, Homem do Mar . Rio de Janeiro . Livraria José Olímpio Editora . 1960 .
João Simões Continua . São Paulo . Difusão Européia do Livro . 1959 .
Omelete em Bombaim . Rio de Janeiro . Empresa Gráfica "O Cruzeiro" S. A. . 1946 .
Rua do Sol . Rio de Janeiro . Livraria José Olímpio Editora . 1955 .
LEVENTHAL, José
A Terceira Base . (Libertação de Fausto) . Rio de Janeiro . Novacultura Editora / PLG — Comunicação . 1979 .
LEWIN, Willy
Ensaios de Circunstância . Rio de Janeiro . Ministério da Educação e Saúde . Serviço de Documentação . 1952 .
LIMA, Augusto de
Poesias . Rio de Janeiro — Paris . H. Garnier, Livreiro-Editor . 1909 .
LIMA, Herman
Garimpos . 5ª edição, revista . Rio de Janeiro / Brasília . Editora Civilização Brasileira / Instituto Nacional do Livro . 1977 .
Poeira do Tempo . Rio de Janeiro . Livraria José Olímpio Editora . 1967 .
Tijipió e Garimpos . Rio de Janeiro . Edição da "Organização Simões" . 1951 .
LIMA, Hermes
Tobias Barreto . 2ª edição. São Paulo . Companhia Editora Nacional . 1957 .
LIMA, Jorge de
Calunga . Porto Alegre . Livraria do Globo . 1935 .
Guerra dentro do Beco . Rio de Janeiro . Editora A Noite . 1950 .
Obra Completa . Vol. I [e único] . Poesia e Ensaios . Rio de Janeiro . Editora José Aguilar Ltda. . 1958 .
Salomão e as Mulheres . Rio de Janeiro . Empresa Gráfica Editora Paulo, Pongetti & Cia. . 1927 .
LIMA, Raul
O Fio do Tempo . Recife . Universidade Federal de Pernambuco . 1970 .
Presença de Alagoas . Maceió . Departamento Estadual de Cultura . 1967 .
LIMA, Sílvio
Ensaio sobre a Essência do Ensaio . Coimbra . Armênio Amado, Editor . 1944 .
LIMA BARRETO

Clara dos Anjos . São Paulo . Ed. da Editora Brasiliense . 1956 .
Coisas do Reino do Jambon . São Paulo . Editora Brasiliense . 1956 .
Diário Íntimo . São Paulo . Editora Brasiliense . 1956 .
Histórias e Sonhos . São Paulo . Ed. da Editora Brasiliense . 1956 .
Marginália . São Paulo . Ed. da Editora Brasiliense . 1956 .
Numa e a Ninfa . [4ª edição] . São Paulo . Editora Brasiliense . 1956 .
Recordações do Escrivão Isaías Caminha . São Paulo . Editora Brasiliense . 1956 .
Triste Fim de Policarpo Quaresma . São Paulo . Ed. da Editora Brasiliense . 1956 .
Vida e Morte de M. J. Gonzaga de Sá . São Paulo . Ed. da Editora Brasiliense . 1956 .

LIMA JÚNIOR
Alguns Homens do Meu Tempo . Maceió . Departamento Estadual de Cultura . 1963 .
Canções da Idade de Oiro . Maceió . Tip. da Livraria Fonseca . 1920 .

LIMA JÚNIOR, Félix
Mapirunga . Maceió . Casa Ramalho Editora . S. d.
Recordações da Velha Maceió . Maceió . Arquivo Público de Alagoas . 1966 .

LINHARES, Temístocles
Interrogações . 1ª série . Rio de Janeiro . Livraria José Olímpio Editora . 1959 .
Introdução ao Mundo do Romance . Rio de Janeiro . Livraria José Olímpio Editora . 1953 .

LINS, Álvaro
A Glória de César e o Punhal de Brutus . Rio de Janeiro . Editora Civilização Brasileira . 1962 .
História Literária de Eça de Queirós . 3ª edição . Lisboa . Livraria Bertrand . 1959 .
Literatura e Vida Literária . *Notas de um Diário de Crítica* . 1º e 2º volumes (o primeiro em 2ª edição), reunidos em um só . Rio de Janeiro . Editora Civilização Brasileira S. A. . 1963 .
Missão em Portugal . 1º [e único] vol. . Rio de Janeiro . Editora Civilização Brasileira S. A. . 1960 .
O Relógio e o Quadrante . Rio de Janeiro . Editora Civilização Brasileira . 1964 .

LINS, Álvaro, e BUARQUE DE HOLANDA, Aurélio
Roteiro Literário de Portugal e do Brasil . 2ª edição, revista e melhorada . 2 volumes . Rio de Janeiro . Editora Civilização Brasileira S. A. . 1966 . [Na 1ª edição o título da obra era *Roteiro Literário do Brasil e de Portugal*.]

LINS, Ivã
Erasmo, a Renascença e o Humanismo . Rio de Janeiro . Editora Civilização Brasileira . 1967 .
Tomás Morus e a Utopia . 2ª edição, corrigida e melhorada . Rio de Janeiro . Editora Civilização Brasileira S. A. . 1969 .

LINS, Osmã
Nove, Novena . São Paulo . Livraria Martins Editora . 1966 .

LINS, Wilson
Responso das Almas . São Paulo . Livraria Martins Editora S. A. . 1970 .

LINS DE ALBUQUERQUE, Ulisses
Um Sertanejo e o Sertão . Rio de Janeiro . Livraria José Olímpio Editora . 1957 .

LINS DO REGO, José
Bangüê . 6ª edição . Rio de Janeiro . Livraria José Olímpio Editora . 1966 .
Bota de Sete Léguas . Rio de Janeiro . Editora A Noite . 1952 .
Doidinho . 8ª edição . Rio . Livraria José Olímpio Editora . 1965 .
Ficção Completa . Volume I . Rio de Janeiro . Editora Nova Aguilar S. A. . 1976 .
Fogo Morto . 7ª edição . Rio de Janeiro . Livraria José Olímpio Editora . 1968 .
Gordos e Magros . Rio de Janeiro . Casa do Estudante do Brasil . 1942 .
Gregos e Troianos . Rio de Janeiro . Bloch Editores S. A. . 1957 .
Homens, Seres e Coisas . Rio de Janeiro . Ministério da Educação e Saúde . 1952 .
Meus Verdes Anos . Rio de Janeiro . Livraria José Olímpio Editora . 1956 .
Pedra Bonita . 7ª edição . Rio de Janeiro . Livraria José Olímpio Editora . 1968 .
Riacho Doce . 5ª edição . Rio de Janeiro . Livraria José Olímpio Editora . 1969 .
Usina . 6ª edição . Rio de Janeiro . Livraria José Olímpio Editora . 1967 .

LINS DO REGO, José, e AUSTREGÉSILO DE ATAÍDE
Discursos de Posse e Recepção na Academia Brasileira de Letras . Rio de Janeiro . Livraria José Olímpio Editora . 1957 .

LINS SOARES, Maria José
Machado de Assis e a Análise da Expressão . Rio de Janeiro . Instituto Nacional do Livro . 1968 .

LISBOA, Henriqueta
Madrinha Lua . Belo Horizonte . Coordenadoria de Cultura de Minas Gerais . 1980 .
Vigília Poética . Belo Horizonte . Edições Imprensa Publicações . 1968 .

LISBOA, Irene
O Pouco e o Muito . Lisboa . Portugália Editora . S. d.
Voltar atrás para quê? . Lisboa . Livraria Bertrand . S. d.

LISBOA, João Francisco
Obras de João Francisco Lisboa, Natural do Maranhão . Edição organizada e prefaciada por Antônio Henriques Leal . 4 vols. . São Luís do Maranhão . 1865 .

LISBOA, J. Carlos
Isabel, a do Bom Gosto . Rio de Janeiro . Ministério da Educação e Cultura . Serviço de Documentação . 1953 .

LISBOA, José Carlos
O Teatro de Cervantes . Rio de Janeiro . Ministério da Educação e Saúde . 1952 .

LISBOA DE ARAÚJO, Heitor
Engenharia de Transportes . Instituto de Pesquisas Rodoviárias . 1966 .

LISPECTOR, Clarice
A Via Crúcis do Corpo . Rio de Janeiro . Editora Artenova S. A. . 1974 .
Laços de Família . 2ª edição . Rio de Janeiro . Livraria Francisco Alves . 1961 .
Uma Aprendizagem ou O Livro dos Prazeres . Rio de Janeiro . Editora Sabiá Limitada . 1969 .

LOBATO, Manuel
Contos de agora . Belo Horizonte . Edições Oficina . 1970 .
Garrucha 44 . Rio de Janeiro . Elos . 1961 .
Os Outros São Diferentes . Rio de Janeiro . Editora Artenova Ltda. . 1971 .
Somos Todos Algarismos . São Paulo . Editora Moderna . 1979 .

LOBO SOROPITA, Fernão Rodrigues
Poesias e Prosas Inéditas . Porto . Tipografia Lusitana . 1868 .

LOPES, B.
Cromos . 2ª edição, aumentada . Rio de Janeiro . Fauchon & Cia. — Editores . 1896 .
Val de Lírios . Rio de Janeiro . 1900 .
— Ap. LINS, Álvaro, e BUARQUE DE HOLANDA, Aurélio [q. v.] .

LOPES, Moacir C.
Cais, Saudade em Pedra . Rio de Janeiro . Editora Civilização Brasileira S. A. . 1963 .
Maria de Cada Porto . 2ª edição . Rio de Janeiro . Editora Civilização Brasileira S. A. . 1962 .

LOPES, Óscar
— V. SARAIVA, Antônio José, e LOPES, Óscar

LOPES, Raimundo
Uma Região Tropical . Rio de Janeiro . Cia. Editora Fon-Fon e Seleta . 1970 .

LOPES, Valdemar
Austro-Costa, Poeta da Província . Recife . Universidade Federal de Pernambuco . 1970 .
Elegia para Joaquim Cardoso . Rio de Janeiro. Edições Cadernos da Serra . 1978 .
Sonetos de Portugal . Brasília . Clube de Poesia e Crítica . 1984 .
Sonetos do Tempo Perdido . Rio de Janeiro . Editorial Palmares . 1970 .

LOPES DE ALMEIDA, Júlia
Ânsia Eterna . Rio de Janeiro . Editora S. A. A Noite . S. d.

LOPES MEIRELES, Hely
Direito de Construir . 3ª ed. refundida . São Paulo . Editora Revista dos Tribunais de São Paulo . 1979 .

LOPES VIEIRA, Afonso
Nova Demanda do Graal . Lisboa . Livraria Bertrand . 1942 .
Os Versos de Afonso Lopes Vieira . Edição da Sociedade Editora Portugal-Brasil . Oficinas Gráficas da Biblioteca de Lisboa . 1927 .

LOUREIRO BOTAS, José
Maré Alta . Lisboa . 1952 .

LUCENA, João de
História da Vida do Padre Francisco de Xavier . Edição fac-similada, comemorativa do 4º centenário do seu falecimento . Prefácio de Álvaro J. da Costa Pimpão . 2 vols. . Agência-Geral do Ultramar . Lisboa MCMLII

LUFT, Lia
A Asa Esquerda do Anjo . Rio de Janeiro . Editora Nova Fronteira . 1981 .

LUÍS CARLOS
Colunas . Rio de Janeiro . Jacinto Ribeiro dos Santos Editor . 1920 .
LUÍS DELFINO
A Angústia do Infinito . Rio de Janeiro . Irmãos Pongetti, Editores . 1936 .
Algas e Musgos . Vol. I [e único] . Rio de Janeiro . Pimenta de Melo & C. . S. d. .
Esboço da Epopéia Americana . Rio. Irmãos Pongetti, Editores . 1939 .
Imortalidades . Livro de Helena . Vol. I . Rio de Janeiro . Irmãos Pongetti, Editores . 1941 .
Íntimas e Aspásias . Rio de Janeiro . Irmãos Pongetti, Editores . 1935 .
Poesias Líricas . São Paulo . Companhia Editora Nacional . 1934 .
Posse Absoluta . Rio de Janeiro . Gráfica Guarani Ltda. . 1941 .
Rosas Negras . Rio . Irmãos Pongetti, Editores . 1938 .
LUÍS EDMUNDO
De um Livro de Memórias . 5 vols. . Rio de Janeiro . Departamento de Imprensa Nacional . 1958 .
LUNA, Luís
Lampião e Seus Cabras . Rio de Janeiro . Livros do Mundo Inteiro . 1972 .
LUSTOSA DA COSTA
Sobral do Meu Tempo . Brasília . Senado Federal . 1982 .
LUZ, Clemente
Invenção da Cidade . Brasília . Editora de Brasília S. A. [1967] .
MACEDO, Joaquim Manuel de
A Moreninha . Rio de Janeiro . Ed. da Livraria Editora Zélio Valverde . 1945 .
Memórias da Rua do Ouvidor . Rio de Janeiro-Paris . H. Garnier Livreiro-Editor . S. d. .
Os Romances da Semana . 4ª edição . Rio de Janeiro-Paris . H. Garnier, Livreiro-Editor . 1902 .
MACEDO MIRANDA
As Três Chaves . Rio de Janeiro . Editora Letras e Artes Ltda. . 1964 .
Pequeno Mundo outrora . Rio de Janeiro . Ministério da Educação e Cultura . Serviço de Documentação . 1957 .
MACHADO, Aníbal M.
Histórias Reunidas . Rio de Janeiro . Livraria José Olímpio Editora . 1959 .
MACHADO, Dionélio
Os Ratos . 3ª edição . Rio de Janeiro . Editora Civilização Brasileira S. A. . 1966 .
MACHADO, Gilca
— V. MELO MACHADO, Gilca da Costa.
MACHADO DE ASSIS
A Semana . 3. vols. . Revisão crítica de Aurélio Buarque de Holanda Ferreira . Rio de Janeiro . W. M. Jackson Inc., Editores . 1953 .
Casa Velha . São Paulo . Livraria Martins Editora . 1944 .
Contos Avulsos . Organização e prefácio de R. Magalhães Júnior . Rio de Janeiro . Editora Civilização Brasileira S/A . 1956 .
Contos Fluminenses . Nova edição . Rio de Janeiro – Paris . Livraria Garnier . S. d. .
Contos Recolhidos . Organização e prefácio de R. Magalhães Júnior . Rio de Janeiro . Editora Civilização Brasileira S/A . 1956 .
Contos sem Data . Rio de Janeiro . Editora Civilização Brasileira S/A . 1956 .
Crítica . Coleção feita por Mário de Alencar . Rio de Janeiro . Livraria Garnier . S. d. .
Crítica Literária . Rio de Janeiro-S. Paulo-Porto Alegre. W. M. Jackson Inc., Editores . 1938 .
Crítica Teatral . Rio de Janeiro . W. M. Jackson Inc., Editores . 1953 .
Crônicas . 3 vols. . Rio de Janeiro . W. M. Jackson Inc., Editores . 1957 .
Crônicas de Lélio . Organização, prefácio e notas de R. Magalhães Júnior . Rio de Janeiro . Editora Civilização Brasileira S/A . 1958 .
Dom Casmurro . Rio de Janeiro . Livraria Garnier . S. d. .
Esaú e Jacó . Rio de Janeiro . Livraria Garnier . S. d. .
Helena . Rio de Janeiro-Paris . Livraria Garnier . S. d. .
Histórias da Meia-Noite . Rio de Janeiro-Paris . Livraria Garnier . S. d. .
Histórias Românticas . Rio de Janeiro . W. M. Jackson Inc., Editores . 1952 .
Histórias sem Data . Nova edição revista . Rio de Janeiro . Livraria Garnier . S. d. .
Iaiá Garcia . Nova edição . Rio de Janeiro-Paris . Livraria Garnier . S. d. .
Memorial de Aires . Rio de Janeiro-Paris . Livraria Garnier . S. d. .
Memórias Póstumas de Brás Cubas . Rio de Janeiro . Livraria Garnier . S. d. .
Outras Relíquias . Rio de Janeiro-Paris . Livraria Garnier . S. d. .
Páginas Recolhidas . Rio de Janeiro . Livraria Garnier . S. d. .
Papéis Avulsos . Rio de Janeiro . Livraria Garnier . S. d. .
Poesia e Prosa . Organização e notas de J. Galante de Sousa. Rio de Janeiro . Editora Civilização Brasileira S/A . 1957 .
Poesias Completas . Rio de Janeiro . Livraria Garnier . S. d. .
Poesias Completas . Rio de Janeiro . W. M. Jackson Inc., Editores . 1953 .
Quincas Borba . Rio de Janeiro . Livraria Garnier . S. d. .
Relíquias de Casa Velha . Rio de Janeiro . Livraria Garnier . S. d. .
Ressurreição . Rio de Janeiro - Paris . Livraria Garnier . S. d. .
Teatro . Coligido por Mário de Alencar . Rio de Janeiro . Paris . H. Garnier, Livreiro-Editor . 1910 .
Várias Histórias . Rio de Janeiro . Livraria Garnier . S. d. .
MACIEL MONTEIRO
Poesias . São Paulo . Conselho Estadual de Cultura . 1962 .
MADEIRA, Antônio
— V. BRANQUINHO DA FONSECA
MAGALDI, Sábato
Aspectos da Dramaturgia Moderna . São Paulo . Conselho Estadual de Cultura . 1964 .
Panorama do Teatro Brasileiro . São Paulo . Difusão Européia do Livro . S. d. .
Temas da História do Teatro . Porto Alegre . Faculdade de Filosofia . Universidade do Rio Grande do Sul . 1963 .
MAGALHÃES, Adelino
Obras Completas . 2 vols. . Rio de Janeiro . Livraria Editora Zélio Valverde S. A. . 1946 .
MAGALHÃES, Basílio de
Bernardo Guimarães . Rio de Janeiro . Tipografia do Anuário do Brasil . 1926 .
O Café na História, no Folclore e nas Belas-Artes . 2ª edição, aumentada e melhorada . São Paulo . Companhia Editora Nacional . 1939 .
MAGALHÃES, Luís de
O Brasileiro Soares . Porto . Lello & Irmão — Editores . 1981 .
MAGALHÃES, Valentim
Vinte Contos . 2ª edição . Rio de Janeiro . Laemmert & Cª — Editores . 1895 .
MAGALHÃES DA COSTA
Estação das Manobras . Projeto Petrônio Portela . Teresina . 1985 .
MAGALHÃES DE AZEREDO
Alma Primitiva . Rio de Janeiro . Cunha & Irmãos — Editores . 1895 .
— V. tb. MAGALHÃES DE AZEREDO, Carlos
MAGALHÃES DE AZEREDO, Carlos
Ariadne . Rio de Janeiro . Grande Livraria Leite Ribeiro . 1922 .
Casos do Amor e do Instinto . Rio de Janeiro . Livraria Francisco Alves . 1924 .
Homens e Livros . Rio de Janeiro — Paris . H. Garnier, Livreiro-Editor . 1902 .
Odes e Elegias . Roma. Tipografia Centanari . 1904 .
Vida e Sonho . Rio de Janeiro . Livraria Editora Jacinto Ribeiro dos Santos . 1919 .
— V. tb. MAGALHÃES DE AZEREDO
MAGALHÃES JÚNIOR, R.
A Arte do Conto . Rio de Janeiro . Bloch Editores S. A. . 1972 .
MAGALHÃES JR, R.
Artur Azevedo e Sua Época . 4ª edição, refundida e aumentada . São Paulo . Lisa — Livros Irradiantes S. A. . 1971 .
Machado de Assis Desconhecido . 3ª edição . Texto definitivo . Rio de Janeiro . Editora Civilização Brasileira . 1957 .
Poesia e Vida de Álvares de Azevedo . 2ª edição, corrigida e aumentada . São Paulo . Lisa . Livros Irradiantes S. A. . 1971 .
— In *Discursos Acadêmicos* (1956-1961) . Tomo V . Academia Brasileira de Letras . S. d. .
MAIA, Alcides
Crônicas e Ensaios . Porto Alegre . Livraria do Globo . 1918 .
Ruínas Vivas . Porto . Livraria Chardron . 1910 .
Tapera . Rio de Janeiro-Paris . H. Garnier, Livreiro-Editor . 1911 .
MALHEIRO DIAS, Carlos
Os Teles de Albergaria . Rio de Janeiro . Livraria Francisco Alves . 1910 .
MALLET, Pardal
Pelo Divórcio! . Rio de Janeiro . Fauchon & Cia., Livreiros-Editores . 1894 .
MANGABEIRA, Francisco
Poesias . Nova edição . Rio de Janeiro

. Edição do Anuário do Brasil . S. d. .
MARANHÃO, Haroldo
A Estranha Xícara . Rio de Janeiro . Editora Saga S. A. . 1968 .
O Tetraneto del-Rei . Rio de Janeiro . Livraria Francisco Alves S. A. 1982 .
MARANHÃO SOBRINHO
Papéis Velhos . Maranhão . Tip. Frias . 1908 .
MARICÁ, Marquês de
Máximas, Pensamentos e Reflexões do Marquês de Maricá . Edição dirigida e anotada por Sousa da Silveira . Rio de Janeiro . Casa de Rui Barbosa . 1958 .
MARINS, Francisco
...e a Porteira Bateu! . 2ª edição . São Paulo . Edições Melhoramentos . S. d. .
MÁRIO DIONÍSIO
O Dia Cinzento . Coimbra . Coimbra Editora, Limitada . 1944 .
MARQUES ANDRADE, Euclides
Lendo Charles Morgan . Belo Horizonte . Imprensa Publicações . 1966 .
MARQUES MOREIRA, Marcílio
Indicações para o Projeto Brasileiro . Rio de Janeiro . Edições Tempo Brasileiro Ltda. . 1971 .
MARQUES REBELO
A Guerra Está em Nós . São Paulo . Livraria Martins Editora . 1968 .
A Mudança . São Paulo . Livraria Martins Editora . 1962 .
Cenas da Vida Brasileira . Rio de Janeiro . Edições O Cruzeiro . 1951 .
Correio Europeu . São Paulo . Livraria Martins Editora . 1959 .
Marafa . [3ª edição] . São Paulo . Livraria Martins Editora S. A. . 1956 .
O Simples Coronel Madureira . Rio de Janeiro . Biblioteca Universal Popular S. A. 1967 .
O Trapicheiro . São Paulo. Livraria Martins Editora . 1959 .
MARROQUIM, Ad.
Terra das Alagoas . Editori Maglione & Strini . Succ. E. Loescher . 1922 .
MARROQUIM, Mário
A Língua do Nordeste . (Alagoas e Pernambuco) . 2ª edição . São Paulo . Companhia Editora Nacional . 1945 .
MARTINS, Ciro
Paz nos Campos . Porto Alegre . Editora Globo . 1957 .
MARTINS, Cristiano
Camões . Americ = Edit. . Rio de Janeiro . 1944 .
MARTINS, Edilson
Amazônia, a Última Fronteira . 2ª edição . Rio de Janeiro . Editora Codecri . 1982 .
Makaloba . São Paulo . Editora Brasiliense S. A. . 1983 .
Nós, do Araguaia . Rio de Janeiro . Edições Graal Ltda. . 1980 .
Páginas Verdes . Rio de Janeiro . Editora Codecri . 1983 .
MARTINS, Fran
Dois de Ouros . 2ª edição. Fortaleza. Edições Clã . 1975 .
Estrela do Pastor . Rio de Janeiro . Livraria José Olímpio . 1942 .
MARTINS, João
— Ap. *A Cidade e as Ruas* . *Novelas Cariocas* . Rio de Janeiro . Lidador . [1965] .
MARTINS, Luís
A Girafa de Vidro . São Paulo . Livraria Martins Editora S. A. . 1971 .
MARTINS DE AGUIAR
Notas de Português de Filinto e Odorico . Rio . Edição da 'Organização Simões' . 1955 .
MARTINS FONTES
A Alegria . São Paulo . Nova Era — Empresa Editora . S. d. .
A Dança . Santos . Tip. do Instituto D. Escolástica Rosa . 1919 .
Arlequinada . Edição do "Bazar Americano" . Santos . 1922 .
Fantástica . São Paulo . Empresa Editora J. Fagundes . S. d. .
Guanabara . São Paulo . Empresa Editora J. Fagundes . 1936 .
Nós, as Abelhas . São Paulo . Empresa Editora J. Fagundes . S. d. .
Nos Jardins de Augusto Comte . São Paulo. Edição da Comissão Glorificadora de Martins Fontes . 1938 .
O Mar . São Paulo . Nova Era — Empresa Editora . S. d. .
Poesias . 5º vol. das Poesias Completas . Santos. 1928 .
Prometeu . São Paulo . Secção de Obras d' "O Estado de São Paulo". Separata da 'Revista de Filologia Portuguesa' . 1924 .
Sol das Almas . Rio de Janeiro . A Noite S/A Editora . 1936 .
Terras da Fantasia . Santos . Tip. do Inst. D. Escolástica Rosa . 1933 .
Verão . Santos . Tipografia Escolástica Rosa . 1928 .
Volúpia . 1925 .
Vulcão . Santos . Tip. do Instituto D. Escolástica Rosa . 1926 .
MARTINS MOREIRA, Thiers
O Menino e o Palacete . Rio de Janeiro . Edição da 'Organização Simões' . 1954 .
Os Seres . Rio de Janeiro . Livraria São José . 1963 .
Visão em Vários Tempos . I . Rio de Janeiro . Livraria São José . 1970 .
MARTINS NAPOLEÃO
O Oleiro Cego . Rio de Janeiro . 1956 .
Pequena Antologia de Poemas Alheios . Rio de Janeiro . Gráfica Olímpica Editora . 1960 .
MATA MACHADO FILHO, Aires da
Camões Épico . 7ª edição . Rio de Janeiro . Livraria Agir Editora . 1974 .
Crítica de Estilos . Rio de Janeiro . Livraria Agir Editora . 1956 .
Dias e Noites em Diamantina . Belo Horizonte . Edição do Autor . 1972 .
Falar, Ler e Escrever . Instituto Nacional do Livro . 1956 .
MATOS, Ciro de
Os Brabos . Rio de Janeiro / Brasília . Editora Civilização Brasileira S/A . Instituto Nacional do Livro . 1979 .
MATOS, Mário
Casa das Três Meninas . Belo Horizonte . Movimento Editorial Panorama . 1949 .
MATOSO CÂMARA JR., J.
Ensaios Machadianos . Rio de Janeiro . Livraria Acadêmica . 1962 .
Estrutura da Língua Portuguesa . 2ª edição . Petrópolis . Editora Vozes Limitada . 1970 .
Manual de Expressão Oral e Escrita . Rio de Janeiro . J. Ozon Editor . 1961 .
MEDAUAR, Jorge
Água Preta . São Paulo . Editora Brasiliense . 1958 .
MEDEIROS, Maurício de
Homens Notáveis . Rio de Janeiro . Livraria José Olímpio Editora . 1964 .
MEDEIROS DE SANT'ANA, Moacir
História do Modernismo em Alagoas . (1922-1932) . Maceió . Editora da Universidade Federal de Alagoas . 1980 .
MEDEIROS E ALBUQUERQUE
Contos Escolhidos . Rio de Janeiro-Paris . H. Garnier, Livreiro-Editor . 1907 .
Mãe Tapuia . Rio de Janeiro-Paris . H. Garnier, Livreiro-Editor . S. d. .
Poesias . Edição definitiva . Rio de Janeiro-Paris . H. Garnier, Livreiro-Editor . 1905 .
Surpresas... . Rio de Janeiro . Flores & Mano — Editores . 1934 .
MEDEIROS LEANDRO, Sineide
— Ap. LEANDRO DE CASTRO, Nei. *Contistas Norte-Rio-Grandenses* [q. v.] .
MEIRELES, Cecília
Eternidade de Israel . Rio de Janeiro . Ed. do Centro Cultural Brasil-Israel . 1959 .
Giroflê Giroflá . Rio de Janeiro . Editora Civilização Brasileira . MCMLVI .
Nunca mais... e Poema dos Poemas . Rio de Janeiro . Editora . A Grande Livraria Leite Ribeiro . S. d. .
Obra Poética . 2ª edição . Rio de Janeiro . Cia. José Aguilar Editora . 1967 .
Poemas Escritos na Índia . Rio de Janeiro . Livraria São José . S. d. .
Romanceiro da Inconfidência . Rio de Janeiro . Livros de Portugal . MCMLIII .
MELHOR, Anísio
Violas. Bahia . Imprensa Vitória . 1935 .
MELO, Arnon de
África . Rio de Janeiro . Livraria José Olímpio Editora . 1941 .
MELO, D. Francisco Manuel de
Apólogos Dialogais . Prefácio e notas de Fernando Néri . Rio de Janeiro . Livraria Castilho . 1920 .
MELO, José Maria de
Enigmas Populares . Rio de Janeiro . Editora A Noite . 1950 .
Os Canoés . Recife . Universidade Federal de Pernambuco . 1971 .
MELO, Tiago de
Mormaço na Floresta . Rio de Janeiro-São Paulo . Editora Civilização Brasileira S. A. — Massao Ohno . 1981 .
Vento Geral . Rio de Janeiro . Livraria José Olímpio Editora . 1960 .
MELO FRANCO, Afonso Arinos de
A Alma do Tempo . Rio de Janeiro . Livraria José Olímpio Editora . 1961 .
Alto-Mar . Mar Alto . Rio de Janeiro . Livraria José Olímpio Editora . 1976 .
Amor a Roma . Rio de Janeiro . Editora Nova Fronteira . 1982 .
O Índio Brasileiro e a Revolução Francesa . Rio de Janeiro . Livraria José Olímpio . 1937 .
Planalto — Rio de Janeiro . Livraria José Olímpio Editora . 1955 .

Um Estadista da República . Rio de Janeiro . Livraria José Olímpio Editora . 1937
MELO FRANCO, Caio de
O Inconfidente Cláudio Manuel da Costa . Rio de Janeiro . Schmidt, editor . 1931 .
MELO MACHADO, Gilca da Costa
Mulher Nua . 2ª edição . Rio de Janeiro . Jacinto Ribeiro dos Santos . Editor . 1922 .
Poesias . Rio de Janeiro . Editor Jacinto Ribeiro dos Santos . 1918 .
MELO MORAIS FILHO
Cantos do Equador . Edição definitiva . Rio de Janeiro-Paris . H. Garnier, Livreiro-Editor . 1900 .
Festas e Tradições Populares do Brasil . Nova edição revista e aumentada . Rio de Janeiro-Paris . H. Garnier, Livreiro-Editor . 1901 .
Quadros e Crônicas . Rio de Janeiro . H. Garnier, Livreiro-Editor . S. d.
MELO MOURÃO, Gerardo
O Valete de Espadas . 2ª edição . Rio de Janeiro . Edições GRD . 1965 .
MELO NETO, João Cabral de
Duas Águas . Rio de Janeiro . Livraria José Olímpio Editora . 1956 .
Poesias Completas (1940-1965) . Rio de Janeiro . Editora Sabiá . 1968 .
MELO NÓBREGA
Arredores da Poesia . São Paulo . Conselho Estadual de Cultura . 1970 .
Evocação de B. Lopes . Rio de Janeiro . Livraria São José . 1959 .
O Soneto de Arvers . 2ª edição . Rio de Janeiro . Livraria São José . 1957 .
MENDES, Manuel Odorico
Ilíada de Homero em Verso Português . Rio de Janeiro . Tipografia Gutenberg . 1874 .
MENDES, Murilo
O Discípulo de Emaús . Rio de Janeiro . Livraria Agir Editora . 1945 .
MENDES CAMPOS, Paulo
Homenzinho na Ventania . Rio de Janeiro . Editora do Autor . 1962 .
O Cego de Ipanema . Rio de Janeiro . Editora do Autor . 1960 .
Os Bares Morrem numa Quarta-Feira . São Paulo . Editora Ática S. A. 1980 .
MENDES LEAL
— in CASTILHO, Antônio Feliciano de. *O Médico à força* [de Molière] [Tradução] . Por ordem e na Tipografia da Academia das Ciências de Lisboa . 1869 .
MENDES PINTO, Fernão
Peregrinação . Nova edição, conforme a de 1614, preparada e organizada por A. J. da Costa Pimpão e César Pegado . 7 vols. Porto . Portucalense Editora . 1944 [os 2 primeiros vols.] . 1945 [os demais] .
MENDONÇA, Fernando de
13 Decassílabos . Maceió . 1922 .
MENDONÇA, Lúcio de
Caricaturas Instantâneas . Rio de Janeiro . Editora S. A. A Noite . S. d. . [Esta obra, póstuma, traz, em seguida ao nome, o pseudônimo Juvenal Gavarni, com que foram publicados na *Gazeta de Notícias*, em 1869, os trabalhos nela enfeixados.]
Esboços e Perfis . Rio de Janeiro . Livraria H. Lombaerts & Comp. . 1889 .
Horas do Bom Tempo . Rio de Janeiro . Laemmert & C. Editores . 1901 .
MENDONÇA, Salvador de
— In MENDONÇA, Lúcio de. *Esboços e Perfis* [q. v.]
MENDONÇA JR., A. S. de
Jornal da Província . Maceió — Alagoas . 1948 .
O Anel de Brilhante e Outras Estórias . Brasília . Senado Federal . 1979 .
Poemas fora da Moda . Rio de Janeiro . Apex Gráfica e Editora Ltda . 1971 .
MENDONÇA TELES, Gilberto
Camões e a Poesia Brasileira . Rio de Janeiro . MEC — Departamento de Assuntos Culturais . 1973 .
Plural de Nuvens . Porto . Editora Gota de Água . 1984 .
Saciologia Goiana . Rio de Janeiro . Editora Civilização Brasileira . INL . 1982 .
MENESES, Emílio de
Mortalhas (Os Deuses em Ceroulas) . — Rio de Janeiro . Livraria Editora Leite Ribeiro . 1924 .
Últimas Rimas . Rio de Janeiro . Livraria Editora Leite Ribeiro & Maurilo . 1917 .
MENESES E SOUSA, João Cardoso de (Barão de Paranapiacaba)
— V. PARANAPIACABA, Barão de.
MERCADANTE, Paulo
A Consciência Conservadora no Brasil . Rio de Janeiro . Editora Zahar . 1965 .
Os Sertões do Leste . Rio de Janeiro . Zahar Editores . 1973 .
MONTEIRO, Domingos
Contos do Dia e da Noite . Lisboa . Sociedade de Expansão Cultural . S. d.
Enfermaria, Prisão e Casa Mortuária . Lisboa . Sociedade de Expansão Cultural . S. d.
Histórias das Horas Vagas . Lisboa . Sociedade de Expansão Cultural . 1966 .
O Primeiro Crime de Simão Bolandas . Lisboa . Sociedade de Expansão Cultural . S. d.
Histórias Castelhanas . Lisboa . Sociedade de Expansão Cultural . S. d. .
MONTEIRO, Tobias
História do Império . O Primeiro Reinado . Tomo II . Rio de Janeiro . F. Briguiet & Cia. — Editores . 1946 .
O Presidente Campos Sales na Europa . Rio de Janeiro . F. Briguiet & Cia. Editores . 1928 .
Pesquisas e Depoimentos para a História . 2º milheiro . Rio de Janeiro . Livraria Francisco Alves & Cia. . 1913 .
MONTEIRO LOBATO
América . São Paulo . Companhia Editora Nacional . 1932 .
Urupês, Outros Contos e Coisas . São Paulo . Companhia Editora Nacional . 1943 .
MONTELO, Josué
A Décima Noite . Rio de Janeiro . Livraria José Olímpio Editora . 1959 .
A Luz da Estrela Morta . Rio de Janeiro . Livraria José Olímpio Editora . 1948 .
A Noite sobre Alcântara . Rio de Janeiro . Livraria José Olímpio Editora . 1978 .
Artur Azevedo e a Arte do Conto . Rio de Janeiro . Livraria São José . 1956 .
Cais da Sagração . São Paulo . Livraria Martins Editora S. A. . 1971 .
Estante Giratória . Rio de Janeiro . Livraria São José . 1971 .
Janelas Fechadas . Rio de Janeiro . Editora Nova Fronteira S/A . 1982 .
O Fio da Meada . Rio de Janeiro . Edições O Cruzeiro . 1955 .
O Labirinto de Espelhos . São Paulo . Livraria Martins Editora . 1962 .
Os Degraus do Paraíso . São Paulo . Livraria Martins Editora . 1965 .
Os Tambores de São Luís . Rio / Brasília . Livraria José Olímpio Editora .
Uma Tarde, Outra Tarde . São Paulo . Livraria Martins Editora . 1968 .
MONTENEGRO, Olívio
Retratos e Outros Ensaios . Rio de Janeiro . Livraria José Olímpio Editora . 1959 .
MORAIS, Emanuel de
Manuel Bandeira . Rio de Janeiro . Livraria José Olímpio Editora . 1962 .
MORAIS, Raimundo
Anfiteatro Amazônico . 2ª edição . São Paulo . Comp. Melhoramentos de São Paulo . S. d.
Na Planície Amazônica . 3ª edição . Rio de Janeiro . Civilização Brasileira Editora . S. d.
País das Pedras Verdes . Manaus . Imprensa Pública . 1930 .
MERQUIOR, José Guilherme
De Anchieta a Euclides . Breve História da Literatura Brasileira . I . Rio de Janeiro . Livraria José Olímpio Editora . 1977 .
— In *Edições Críticas de Obras de Machado de Assis . Várias Histórias* . Rio de Janeiro . Editora Civilização Brasileira . Brasília . INL . 1975 .
Formalismo e Tradição Moderna: O problema da arte na crise da cultura . Rio de Janeiro . Forense Universitária . São Paulo . Ed. da Universidade de São Paulo . 1974 .
MESQUITA, Alfredo
Brasil . Viagem ao Norte e Nordeste . São Paulo . Livraria Martins Editora . 1974 .
MESQUITA, José de
No Tempo da Cadeirinha . Rio de Janeiro . Edições O Cruzeiro . 1964 .
MEYER, Augusto
A Chave e a Máscara . Rio de Janeiro . Edições O Cruzeiro . 1964 .
A Forma Secreta . Rio de Janeiro . Editora Lidador . 1965 .
À sombra da Estante . Rio de Janeiro . Livraria José Olímpio Editora . 1954 .
Machado de Assis (1935-1958) . Rio de Janeiro . Livraria São José . 1958 .
No Tempo da Flor . Rio de Janeiro . Edições O Cruzeiro . 1966 .
Preto & Branco . Rio de Janeiro . Ministério da Educação e Cultura . Instituto Nacional do Livro . 1956 .
Prosa dos Pagos . [2ª edição] . Rio de Janeiro . Livraria São José . 1960 .
Segredos da Infância . Porto Alegre . Editora Globo . 1949 .
MIGUEL, Salim

Alguma Gente . Florianópolis . Edições Sul . 1953 .
MILANO, Atílio
Literatura Dissipada . Rio de Janeiro . Livraria José Olímpio Editora . 1954 .
MILANO, Dante
Poesias . 3ª edição, revista e aumentada . Rio de Janeiro . Editora Sabiá Limitada . Instituto Nacional do Livro . 1971 .
MOISÉS, Massaud
A Criação Literária . São Paulo . Edições Melhoramentos . Universidade de São Paulo . 1967 .
MOLITERNO, Carlos
Notas sobre Poesia Moderna em Alagoas . Maceió . Departamento Estadual de Cultura . 1965 .
MONSARAZ, Conde de
Musa Alentejana . Lisboa . Livraria Clássica Editora . 1908 .
MONTEIRO, Clóvis
Português da Europa e Português da América . 2ª edição . Rio de Janeiro .
MORAIS, Vinícius de
Antologia Poética . 2ª edição, revista e aumentada . Rio de Janeiro . Editora do Autor . 1960 .
Para Viver um Grande Amor . Rio de Janeiro . Editora do Autor . 1962 .
Poemas, Sonetos e Baladas . São Paulo . Edições Gaveta . 1946 .
Poesia Completa e Prosa . Rio de Janeiro . Editora Nova Aguilar S. A. . 1976 .
MORAIS FILHO, Evaristo de
Literatura e Filosofia . Separata de *A Literatura no Brasil* . 2ª edição . vol. 6 . [Rio] . 1971 .
MORAIS ROCHA, José de
"O Major Fausto" . Ap. *Revista do Brasil* . Ano III . 3ª fase . nº 26 . Agosto . 1940 . Rio de Janeiro .
MOREIRA, Albertino
Boca-Pio . Rio de Janeiro . Edição da 'Organização Simões' . 1955 .
Gente de Serra acima . São Paulo . Editora Brasiliense Limitada . S. d.
Uruguai — Argentina — Chile . São Paulo . Editora Brasiliense . 1946 .
MOREIRA, Álvaro
As Amargas, não... . 2ª edição . Rio de Janeiro . Editora Lux . 1955 .
Havia uma Oliveira no Jardim . Rio de Janeiro . Jotapê, Livreiro, Editor . 1958 .
MOREIRA CAMPOS
As Vozes do Morto . São Paulo . Livraria Francisco Alves . 1963 .
O Puxador de Terço . Rio de Janeiro . Livraria José Olímpio Editora . 1969 .
Os Doze Parafusos . São Paulo . Editora Cultrix . 1978 .
Portas Fechadas . Rio de Janeiro . Edições O Cruzeiro . 1957 .
MOREIRA DA FONSECA, José Paulo
Breves Memórias de Alexandros Apollonios . Rio de Janeiro . 1960.
Tua Morada É a Viagem. Rio de Janeiro . Olga G. Bahiense Gráfica Editora . 1980 .
MOREIRA DUARTE, José Afrânio
A Muralha de Vidro . Belo Horizonte . Imprensa Oficial de Minas Gerais . 1971 .
MORENO, Bento
— V. TEIXEIRA DE QUEIRÓS
MORLEY, Helena
Minha Vida de Menina . 4ª edição . Rio de Janeiro . Livraria José Olímpio Editora . 1958 .
MOTA, Artur
José de Alencar . Rio de Janeiro . F. Briguiet & Cia. Editores. MCMXXI.
MOTA, Leonardo
A "Padaria Espiritual" . Fortaleza, Ceará . Edésio — Editor . 1938 .
Cantadores . Rio de Janeiro . Livraria Castilho . 1921 .
No Tempo de Lampião . Rio de Janeiro . Oficina Industrial Gráfica . 1930 .
Sertão Alegre . Belo Horizonte . Imprensa Oficial de Minas . 1928 .
Violeiros do Norte . São Paulo . Cia. Gráfico-Editora Monteiro Lobato . 1925 .
MOTA, Mauro
A Estrela de Pedra e Outros Ensaios Nordestinos . Recife . Assembléia Legislativa do Estado de Pernambuco . 1981 .
Geografia Literária . Rio de Janeiro . Instituto Nacional do Livro . 1961 .
O Pátio Vermelho . Rio de Janeiro . Edições Orfeu . 1968 .
Votos e Ex-Votos . Recife . Universidade Federal de Pernambuco . 1968 .
MOTA BERARDINELI, Cleonice Seroa da
Sonetos de Camões . Lisboa—Paris . Centre Culturel Portugais . Rio de Janeiro . Fundação Casa de Rui Barbosa . 1980 .
MOTA FILHO, Cândido
Contagem Regressiva . Rio de Janeiro . Livraria José Olímpio Editora . 1972 .
MOURA, Emílio
Itinerário Poético . Belo Horizonte . Edições Imprensa Publicações . 1969 .
MOUTINHO, Irene
Até agora, Nada . Rio de Janeiro . Editora Nova Fronteira / Instituto Nacional do Livro . 1984 .
MURAT, Luís
Ondas . 3 volumes . [I] . Rio de Janeiro . Jerônimo Silva e Adolfo — Editores . 1890 . [II] . Rio de Janeiro . Tip. Leuzinger . 1895 . [III] . Porto . Livraria Chardron . 1910 .
MURICI, Gen. José Cândido
Parada Morta . Rio de Janeiro . Alba . S. d.
NABUCO, Carolina
Oito Décadas . Rio de Janeiro . Livraria José Olímpio . 1973 .
NABUCO, Joaquim
Escritos e Discursos Literários . Rio de Janeiro—Paris . Livraria Garnier . S. d. .
Minha Formação . Rio de Janeiro—Paris . H. Garnier, Livreiro-Editor . 1900 .
Um Estadista do Império . 2ª edição . 3 tomos . Rio de Janeiro—Paris . H. Garnier, Livreiro-Editor . 1927 .
NACRE, Mardoqueu
Fuloreios . Ap. MARROQUIM, Mário. *A Língua do Nordeste* [q. v.] .
NAMORA, Fernando
Os Clandestinos . Lisboa . Publicações Europa-América . 1972 .
Retalhos da Vida de um Médico . 3ª edição, ampliada . Lisboa . Editorial Inquérito Limitada . S. d.
NASCENTES, Antenor
Tesouro da Fraseologia Brasileira . 2ª edição . Rio de Janeiro . Livraria Freitas Bastos S. A. . 1966 .
NASSER, Davi
O Velho Capitão e Outras Histórias Reais . Rio de Janeiro . Edições O Cruzeiro . 1962 .
Portugal, Meu Avozinho . Rio de Janeiro . Edições O Cruzeiro . 1965 .
NATIVIDADE SALDANHA, José da
— Ap. BUARQUE DE HOLANDA, Sérgio. *Antologia dos Poetas Brasileiros da Fase Colonial* [q. v.] .
NAVA, Pedro
Balão Cativo . Rio de Janeiro . Livraria José Olímpio Editora . 1973 .
Baú de Ossos . Rio de Janeiro . Editora Sabiá Limitada . 1972 .
Beira-Mar . Rio de Janeiro . Livraria José Olímpio Editora . 1978 .
Chão de Ferro . Rio de Janeiro . Livraria José Olímpio Editora . 1976 .
NAVARRO, Newton
— Ap. LEANDRO DE CASTRO, Nei [q. v.] .
NESTOR VÍTOR
A Crítica de ontem . Rio de Janeiro . Livraria Editora Leite Ribeiro & Maurilo . 1919 .
Folhas Que Ficam . Rio de Janeiro . Grande Livraria Editora Leite Ribeiro & Maurilo . 1920 .
Obra Crítica . 2 volumes . Rio de Janeiro . Ministério da Educação e Cultura . Fundação Casa de Rui Barbosa . 1969 e 1973 .
Paris . 2ª edição, corrigida . Rio de Janeiro . Livraria Francisco Alves . 1913 .
NEVES DA FONTOURA, João
Memórias . Vol. I . Borges de Medeiros e Seu Tempo . Porto Alegre . Editora Globo . 1958 .
NOBRE, Antônio
Despedidas . 3ª edição . Porto . 1945 .
Só . 3ª edição . Paris—Lisboa . Livrarias Aillaud e Bertrand . 1913 .
NOGUEIRA, Armando
Na Grande Área . Rio de Janeiro . Bloch Editores S. A. . 1966 .
NUNES, Dr. J. J.
Digressões Lexicológicas . Lisboa . Livraria Clássica Editora . 1928 .
NUNES PEREIRA
Moronguetá . 2 vols. . Rio de Janeiro . Editora Civilização Brasileira S. A. . 1967 .
OITICICA, José
Curso de Literatura . Rio de Janeiro . Editora Germinal . 1960 .
Fonte Perene . Rio . Edição da 'Organização Simões' . 1954 .
Manual de Estilo . 2ª edição . Rio de Janeiro . Livraria Francisco Alves . 1933 .
OLEGÁRIO MARIANO
Toda uma Vida de Poesia . 2 vols. . Rio de Janeiro . Livraria José Olímpio Editora . 1957 .
OLINTO, Antônio
Copacabana . 2ª edição . Rio de Janeiro . Editorial Nórdica Ltda. Brasília . Instituto Nacional do Livro . 1981 .
OLIVEIRA, Alberto de
Lírica . Rio de Janeiro . Livraria São

José . 1971 .
Poesias . Edição melhorada . 1ª série . Rio de Janeiro—Paris . Livraria Garnier . 1912 .
Poesias . Edição melhorada . 2ª série . Rio de Janeiro—Paris . Livraria Garnier . 1912 .
Poesias . 3ª série . 3ª edição . Rio de Janeiro . Livraria Francisco Alves . 1928 .
Poesias . 4ª série . 2ª edição . Rio de Janeiro . Livraria Francisco Alves . 1928 .
Póstuma . Rio de Janeiro . Academia Brasileira de Letras . 1944 .
— Ap. *Contos e Novelas* . 3 vols. Seleção de Graciliano Ramos . Rio de Janeiro . Livraria-Editora da Casa do Estudante do Brasil . 1957 .

OLIVEIRA, Alberto d'
Prosa & Verso . T. 1º . Paris—Lisboa . Livrarias Aillaud e Bertrand . MDCCCXVII .

OLIVEIRA, Felipe d'
Lanterna Verde . 2ª edição . Rio de Janeiro . Edição de Pimenta de Melo & C. . 1933 .

OLIVEIRA, José Carlos
A Revolução das Bonecas . Rio de Janeiro . Editora Sabiá . 1967 .

OLIVEIRA, José Osório de
O Romance de Garrett . 2ª edição, revista e ampliada . Lisboa . Livraria Bertrand . 1952 .

OLIVEIRA, Marli de
A Suave Pantera . Rio de Janeiro . Edição do Anuário de Literatura Brasileira . 1962 .
Aliança . Rio de Janeiro . Editora Nova Fronteira . 1979 .

OLIVEIRA, Tarqüínio J. B. de
Cartas Chilenas . *Fontes Textuais* [e 5ª edição completa da sátira de Tomás Antônio Gonzaga] . São Paulo . Editora Referência . 1972 .

OLIVEIRA LIMA
Memórias . Rio de Janeiro . Livraria José Olímpio Editora . 1937 .

OLIVEIRA MARTINS
A Vida de Nun'Álvares . Parceria Antônio Maria Pereira . Lisboa . MDCCCCXVII .
Cartas Peninsulares . Lisboa . Guimarães & Cia. Editores . 1952 .
História da Civilização Ibérica . 7ª edição . Parceria Antônio Maria Pereira . 1923 .
História de Portugal . 2 tomos . 9ª edição . Lisboa . Parceria Antônio Maria Pereira . 1917 .
O Brasil e as Colônias Portuguesas . 3ª edição, aumentada . Lisboa . Livraria Bertrand . 1887 .
Portugal Contemporâneo . 6ª edição . 2 vols. . Lisboa . Parceria Antônio Maria Pereira . 1925 .
Quadro das Instituições Primitivas . 3ª edição . Lisboa . Parceria A. M. Pereira . 1909 .

OLIVEIRA PAIVA, Manuel de
Dona Guidinha do Poço . São Paulo . Edição Saraiva . 1952 .

OLIVEIRA VIANA
O Idealismo da Constituição . Rio de Janeiro . Edição de Terra de Sol . 1927 .
O Ocaso do Império . São Paulo . Comp. Melhoramentos de S. Paulo . S. d. .
Pequenos Estudos de Psicologia Social . São Paulo . Monteiro Lobato & Cia. — Editores . 1923 .
Populações Meridionais do Brasil . 1º [e único] volume . 4ª edição . São Paulo . Companhia Editora Nacional . 1938 .
Problemas de Política Objetiva . São Paulo . Companhia Editora Nacional . 1930 .

ONOFRE JÚNIOR, M.
— Ap. LEANDRO DE CASTRO, Nei. *Contistas Norte-Rio-Grandenses* [q. v.] .

ORICO, Osvaldo
Vinha do Senhor . Rio de Janeiro . Civilização Brasileira S. A. . S. d. .

OTTONI, José Elói
— Ap. BUARQUE DE HOLANDA, Sérgio. *Antologia dos Poetas Brasileiros da Fase Colonial* [q. V.] .

OURO PRETO, Malu de
Ardentia . Rio de Janeiro . Editora Nova Fronteira S. A. . 1975 .
Siri na Noite sem Lua . Rio de Janeiro . Irmãos Pongetti Editores . 1959 .
— In *Vozes da Cidade* . Rio de Janeiro . Distribuidora Record . 1945 .

PACHECO, Álvaro
A Matéria do Sonho . Rio . Editora Artenova Ltda. . 1971 .

PACHECO, Félix
Poesias . Rio de Janeiro . Jacinto Ribeiro dos Santos . 1914 .

PACHECO, João
Negra a caminho da Cidade . São Paulo . Livraria Martins Editora S. A. . S. d. .

PAÇO D'ARCOS, Anrique
Estrada sem Fim . Lisboa . Edições Ática . 1947 .

PAÇO D'ARCOS, Joaquim
Carnaval e Outros Contos . Lisboa . Guimarães Editores . 1958 .
Neve sobre o Mar . 4ª edição . Lisboa . Edições Sit . 1951 .
O Navio dos Mortos e Outras Novelas . Lisboa . Edições Sit . 1952 .

PÁDUA, Antônio de
Aspectos Estilísticos da Poesia de Castro Alves . Rio de Janeiro . Livraria São José . 1972 .

PAIVA DE ANDRADE, Diogo de
Casamento Perfeito . Prefácio e notas do Prof. Fidelino de Figueiredo . Lisboa . Livraria Sá da Costa — Editora . 1944 .

PAIXÃO CEARENSE, Catulo da
Poemas Bravios . Rio de Janeiro . Livraria Castilho . 1921 .

PALHANO, Lauro
O Gororoba . Rio de Janeiro . Edição de Terra de Sol . 1931 .

PALMA TRAVASSOS, Nélson
O Porco, Esse Desconhecido . 3ª edição . São Paulo . Edart Livraria-Editora . 1964 .

PALMÉRIO, Mário
Chapadão do Bugre . Rio de Janeiro . Livraria José Olímpio Editora . 1965 .
Vila dos Confins . Rio de Janeiro . Livraria José Olímpio Editora . 1956 .

PAPINIANO CARLOS
Terra com Sede . Porto . Imprensa Portuguesa . 1946 .

PARANAPIACABA, Barão de
Poesias Escolhidas . São Paulo . Conselho Estadual de Cultura . 1965 .

PASSOS GUIMARÃES, Alberto
Quatro Séculos de Latifúndio . Rio de Janeiro . Editora Paz e Terra Ltda. . 1968 .

PATRÍCIO, Antônio
Serão Inquieto . 2ª edição . Paris—Lisboa . Livrarias Aillaud e Bertrand . 1920 .

PATROCÍNIO, José do
Mota Coqueiro ou A Pena de Morte . Rio de Janeiro . Domingos de Magalhães — Editor . S. d. .

PAURÍLIO, Carlos
Solidão . Maceió . M. J. Ramalho & Cia. Ltda. Editores . 1933 .

PEDERNEIRAS, Mário
Ao léu do Sonho e à mercê da Vida . Rio de Janeiro . 1912 .
Histórias do Meu Casal . Rio de Janeiro . Companhia Tipográfica do Brasil . 1906 .
Outono . Rio de Janeiro . Livraria Editora Leite Ribeiro . 1921 .

PEDERNEIRAS, Raul
— Ap. COSTA, Nélson. *Páginas Cariocas* . 11ª edição, modificada . Estado da Guanabara . Secretaria de Estado de Educação e Cultura . 1961 .

PEDRO IVO
Contos . 3ª edição . Lisboa . Portugal-Brasil Sociedade Editora . S. d. .

PEIXOTO, Afrânio
A Esfinge . 5ª edição . Rio de Janeiro . Livraria Francisco Alves . 1923 .
As Razões do Coração . Rio de Janeiro . Livraria Francisco Alves . 1925 .
Bugrinha . 3ª edição . Rio de Janeiro . Livraria Francisco Alves . 1928 .
Castro Alves . Paris—Lisboa . Livrarias Aillaud Bertrand . 1922 .
Fruta do Mato . 3ª edição . Rio de Janeiro . Livraria Francisco Alves . 1922 .
Maria Bonita . 6ª edição . São Paulo . Companhia Editora Nacional . 1934 .
Miçangas, Poesia e Folclore . São Paulo . Companhia Editora Nacional . 1931 .
Noções de História da Literatura Brasileira . Rio de Janeiro . Livraria Francisco Alves . 1931 .
Poeira da Estrada . 2ª edição . Rio de Janeiro . Livraria Francisco Alves . 1921 .
Ramo de Louro . São Paulo . Companhia Editora Nacional . 1928 .
Viagem Sentimental . Rio de Janeiro . Editora Americana . 1931 .
Viagens na Minha Terra . *I* . *Portugal* . Porto . Livraria Lelo & Irmão, Editores . Lisboa . Aillaud & Lelos, Limitada . 1938 .

PEIXOTO, Francisco Inácio
Passaporte Proibido . Rio de Janeiro . 'Organização Simões' Editora . 1960 .

PENA, Cornélio
Fronteira . 2ª edição, revista . Rio de Janeiro . Edições O Cruzeiro . 1953 .
Repouso . Rio de Janeiro . Editora A Noite . S. d.

PENA FILHO, Carlos
Memórias do Boi Serapião . Recife . O Gráfico Amador . 1955 .

PENA JÚNIOR, Afonso
A Arte de Furtar e o Seu Autor . 2 vols. . Rio de Janeiro . Livraria José

Olímpio Editora . 1946 .
Saudação a Teófilo Ribeiro ao Completar Cem Anos . Rio de Janeiro . Jornal do Comércio — Rodrigues & Cia. . 1943 .
Rimas . Edição *ne varietur* . Braga . Cruz & Cia. — Editores . 1906 .

PENHA, João
Ecos do Passado . Colombina . Porto . Companhia Portuguesa Editora . 1914 .

PENNAFORT, Onestaldo de
Romanceiro . Edição do autor comemorativa do sexagésimo aniversário da publicação do seu primeiro livro . 1981 .
O Festim, a Dança e a Degolação . Rio de Janeiro . Livraria São José . 1960 .
Poesias . Rio de Janeiro . Edição da 'Organização Simões' . 1954 .
Um Rei da Valsa . Rio de Janeiro . Livraria São José . 1958 .

PEREGRINO, Umberto
Três Mulheres . Rio de Janeiro . Antunes & Cia., Ltda. . 1959 .

PEREGRINO JÚNIOR
A Mata Submersa e Outras Histórias da Amazônia . Rio de Janeiro . Livraria José Olímpio Editora . 1960 .

PEREIRA, Antônio Olavo
Fio de Prumo . Rio de Janeiro . Livraria José Olímpio Editora . 1965 .
Marcoré . 5ª edição . Rio de Janeiro . Livraria José Olímpio Editora . 1971 .

PEREIRA, Astrogildo
Machado de Assis . Livraria São José . Rio de Janeiro . 1959 .

PEREIRA, Lúcia Miguel
A Vida de Gonçalves Dias. Rio de Janeiro . Livraria José Olímpio Editora . 1955 .
Cabra-Cega . Rio de Janeiro . Livraria José Olímpio Editora . 1954 .
História da Literatura Brasileira . Rio—S. Paulo . Livraria José Olímpio Editora . 1950 .
Machado de Assis . 5ª edição, revista . Rio de Janeiro . Livraria José Olímpio Editora . 1955 .

PEREIRA CORUJA, Antônio Alves
Antigualhas . Reminiscências de Porto Alegre . Porto Alegre . Erus . 1983 .

PEREIRA DA SILVA, A. J.
Holocausto . Rio de Janeiro . Grande Livraria Editora de Leite Ribeiro . 1921 .

PEREIRA DE FIGUEIREDO, Antônio
O Novo Testamento de Jesus Cristo . Tradução segundo a Vulgata Latina . Lisboa . Adolfo Modesto & Cia. — Impressores . 1891 .

PÉREZ, Renard
Os Sinos . O Tombadilho . 2ª edição, revista . Rio de Janeiro . Editora Civilização Brasileira S. A. . 1970 .

PERNETA, Emiliano
Poesias Completas . 2 vols. . Rio de Janeiro . Livraria Editora Zélio Valverde . 1945 .

PESSANHA, Camilo
Clepsidra e Outros Poemas . Lisboa . Edições Ática . 1969 .

PESSOA, Fernando
Cartas a Armando Cortes-Rodrigues . Lisboa . Editorial Confluência Ltda. . S. d.
Mensagem . Lisboa . Editorial Ática . 1945 .
Obra Poética . Rio de Janeiro . Companhia José Aguilar Editora . 1974 .
Obras em Prosa . Rio de Janeiro . Editora Nova Aguilar S. A. . 1982 .
Páginas de Doutrina Estética Seleção, prefácio e notas de Jorge de Sena . Lisboa . Editorial Inquérito Limitada . 1946 .
Páginas Íntimas e de Auto-Interpretação . Lisboa . Edições Ática . 1966 .
Poemas de Alberto Caeiro . Lisboa . Edições Ática . 1946 .
Poemas Dramáticos . I . Lisboa . Ática, Limitada . 1952 .
Poesias de Álvaro de Campos . Lisboa . Editorial Ática . 1944 .
Poesias de Fernando Pessoa . 2ª edição . Lisboa . Editorial Ática . 1943 .

PICCHIA, Menotti del
A Longa Viagem . 1ª etapa . São Paulo . Livraria Martins Editora . 1970 .
Juca Mulato . 5ª edição . São Paulo . Cia. Gráfica-Editora Monteiro Lobato . 1925 .
Máscaras . São Paulo . Oficinas Gráficas Monteiro Lobato & Co. . [1920] .
O Árbitro . São Paulo . Livraria Martins Editora . 1958 .
Salomé . São Paulo . Livraria Martins Editora . 1958 .

PIGNATARI, Décio
Signagem da Televisão . 2ª ed. . São Paulo . Editora Brasiliense S. A. . 1984 .

PIMENTEL, Alberto
O Romance do Romancista . Lisboa . Empresa Editora de F. Pastor . 1890 .

PINA DE MORAIS
Sangue Plebeu . Porto . Edição Marânus . 1942 .
Vidas e Sombras . Porto . Edição Marânus . 1949 .

PINHEIRO CHAGAS
A Varanda de Julieta . Lisboa . Livraria Editora de Matos Moreira & Cia. . 1876 .

PINHEIRO PINDELA, Bernardo
Azulejos . Porto . Campos & Godinho — Editores . 1886 .

PIÑON, Nélida
A Força do Destino . Rio de Janeiro . Editora Record . 1977 .
O Calor das Coisas . Rio de Janeiro . Editora Nova Fronteira . 1980 .
Sala de Armas . 2ª edição . Rio de Janeiro . Editora Nova Fronteira . 1981 .

PINTO, Estêvão
Etnologia Brasileira . (*Fulniô Os Últimos Tapuias*) . São Paulo . Companhia Editora Nacional . 1956 .
Muxarabis & Balcões e Outros Ensaios . São Paulo . Companhia Editora Nacional . 1958 .

PINTO, José Alcides
O Criador de Demônios . Rio de Janeiro . Edições GRD . 1967 .

PINTO DA SILVA, João
Fisionomias de "Novos" . São Paulo . Monteiro Lobato & Co. Editores . 1922 .

PINTO MONTEIRO, Ézio
Chico . Rio de Janeiro . Ministério da Educação e Cultura . Serviço de Documentação . 1963 .
Quem Conta um Conto... . São Paulo . Tip. Piratininga . 1919 .

PIRES, Cornélio
Cenas e Paisagens da Minha Terra . 1º milheiro . São Paulo . Edição da *Revista do Brasil* . 1921 .

PIRES, Homero
Junqueira Freire . Rio de Janeiro . Edição de "A Ordem" . 1929 .
— In CASTRO ALVES. *Poesias Escolhidas* [q. v.] .

PÓLVORA, Hélio
A Força da Ficção . Petrópolis . RJ. Editora Vozes Ltda. . 1971 .

POMPÉIA, Raul
O Ateneu . 4ª edição, definitiva . Rio de Janeiro . Livraria Francisco Alves . S. d.
Obras . Vol. III . Organização de Afrânio Coutinho . Rio de Janeiro . MEC/FENAME/Editora Civilização Brasileira S. A. . 1981 .

PONTE PRETA, Stanislaw
Febeapá 2 . Segundo Festival de Besteira Que Assola o País . Rio de Janeiro . Editora Sabiá . 1967 .
Rosamundo e os Outros . Rio de Janeiro . Editora do Autor . 1963 .
Tia Zulmira e Eu . 3ª edição . Rio de Janeiro . Editora do Autor . 1961 .[É pseudônimo de Sérgio Porto (q. v.).]

PONTES, Carlos
Motivos e Aproximações . Rio de Janeiro . Jornal do Comércio . 1953 .
Tavares Bastos . São Paulo . Companhia Editora Nacional . 1939 .

PONTES DE MIRANDA
Fontes e Evolução do Direito Civil Brasileiro . 2ª edição . Rio de Janeiro . Ed. Forense . 1981 .
Obras Literárias . Rio de Janeiro . Livraria José Olímpio Editora . 1960 .
Tratado de Direito Privado . Parte Especial . Tomo XXXIX . Rio de Janeiro . Editor Borsoi . 1962 .

PORTO, Sérgio
A Casa Demolida . Rio de Janeiro . Editora do Autor . 1963 .
— V. PONTE PRETA, Stanislaw.

PORTO SEGURO, Visconde de
História Geral do Brasil . 3ª edição integral . 5 tomos . São Paulo . Companhia Melhoramentos de S. Paulo . S. d.

POTIGUARA, José
Terra Caída . Rio de Janeiro . Livraria Sant'Ana Editora S. A. . S. d.

POVINA CAVALCANTI
Hermes Fontes . Rio de Janeiro . Livraria José Olímpio Editora . 1964 .
Vida e Obra de Jorge de Lima . Rio de Janeiro . Edições Correio da Manhã . 1969 .
Volta à Infância . Rio de Janeiro . Livraria José Olímpio Editora . Instituto Nacional do Livro . 1972 .

PRADO, Adélia
Cacos para um Vitral . Editora Nova Fronteira . Rio de Janeiro . 1980 .

PRADO, Eduardo
Coletâneas . 4 vols. . São Paulo . Escola Tipográfica Salesiana . 1904 [os dois primeiros vols.] . 1906 [os dois últimos] .
Fastos da Ditadura Militar no Brasil . 1ª série . 4ª edição . 1890 .

PRADO, Paulo
Retrato do Brasil . 2ª edição. São Paulo . D. P. & C. . 1928 .

PRADO COELHO, Jacinto do
Diversidade e Unidade em Fernando Pessoa . Lisboa . Edição da Revista 'Ocidente' . 1949 .
Introdução ao Estudo da Novela Camiliana . Coimbra . 1946 .
PRADO VALADARES, Clarival do
Riscadores de Milagres . Rio de Janeiro . Publicação da Superintendência de Difusão Cultural da Secretaria de Educação do Estado da Bahia . 1967
PRATA, Ranulfo
Navios Iluminados . 3ª edição. Rio de Janeiro . Edições O Cruzeiro . 1959 .
QUADROS, Antônio
Ensaios . A Existência Literária . Lisboa . Sociedade de Expansão Cultural . 1959 .
QUEIRÓS, Amadeu de
João . Porto Alegre. Edição da Livraria do Globo . 1945 .
Os Casos do Carimbamba . Rio de Janeiro . Editora S. A. A Noite . S. d. .
QUEIRÓS, Carlos
Breve Tratado de Não-Versificação . Lisboa . Edição do Autor . 1948 .
QUEIRÓS, Maria José de
Como Me Contaram . Belo Horizonte . Imprensa / Publicações . 1973 .
Homem de Sete Partidas . Rio de Janeiro . Civilização Brasileira Editora . 1980 .
QUEIRÓS, Raquel de
A Donzela e a Moura Torta . Rio de Janeiro . Livraria José Olímpio Editora . 1948 .
As Três Marias . 5ª edição . Rio de Janeiro . Livraria José Olímpio Editora . 1970 .
100 Crônicas Escolhidas . 2ª edição . Rio de Janeiro . Livraria José Olímpio Editora . 1970 .
O Caçador de Tatu . Rio de Janeiro . Livraria José Olímpio Editora . 1967 .
QUEIRÓS, Venceslau
Poesias Escolhidas . São Paulo . Conselho Estadual de Cultura . 1962 .
QUENTAL, Antero de
Primaveras Românticas . 3ª edição . Coimbra . Imprensa da Universidade . 1926 .
Prosas . 3 vols. Coimbra . Imprensa da Universidade . 1923 . Lisboa . Couto Martins . S. d. . Lisboa . Couto Martins . 1931 .
Raios de Extinta Luz . 2ª edição. Lisboa . Couto Martins . 1946 .
Sonetos . Edição organizada, prefaciada e anotada por Antônio Sérgio . Lisboa . Propriedade e edição de Couto Martins . 1943 .
QUINTANA, Mário
A Rua dos Cata-Ventos . Porto Alegre . Edição da Livraria do Globo . S. d. .
Esconderijos do Tempo . 2ª edição . Porto Alegre . L&PM Editores Ltda. [1981] .
Sapato Florido . Porto Alegre . Editora Globo . 1948 .
RABELO, Alberto
Contos do Norte . Rio de Janeiro . Jacinto Ribeiro dos Santos — Editor . 1927 .
RABELO, Laurindo
Poesias Completas de Laurindo Rabelo . Coligidas e anotadas por Antenor Nascentes . Rio de Janeiro . Instituto Nacional do Livro . 1963 .
RABELO, Pedro
A Alma Alheia . Rio de Janeiro . Casa Mont'Alverne . 1895 .
RABELO, Sílvio
Euclides da Cunha . 2ª edição . Rio de Janeiro . Editora Civilização Brasileira S. A. 1966 .
RAINHO, Cleonice
João Mineral . Rio de Janeiro . Livraria José Olímpio Editora . 1983 .
RAJA GABAGLIA, Marisa
Milho pra Galinha, Mariquinha . 10ª edição . Rio de Janeiro . Editora Sabiá Ltda. . 1972 .
RAMALHETE, Clóvis
O Anjo Torto . São Paulo . Livraria Martins Editora . 1966 .
RAMALHO ORTIGÃO
A Holanda . 3ª edição . Lisboa . Parceria Antônio Maria Pereira . 1900 .
Arte Portuguesa . 2ª edição . 3 tomos . Lisboa . Livraria Clássica Editora . 1943 . 1943 . 1947 .
As Farpas . 11 tomos . Lisboa . Davi Corazzi — Editor . 1887 [o 1º, o 2º e o 3º tomos] . 1888 [o 4º, o 5º e o 6º] . Lisboa . Companhia Nacional Editora . 1889 [o 7º, o 8º e o 9º] . 1890 [o 10º e o 11º] .
As Praias de Portugal . Guia do Banhista e do Viajante . Lisboa . Livraria Clássica Editora . 1943 .
Banhos de Caldas e Águas Minerais . Lisboa . Livraria Clássica Editora . 1944 .
Contos e Páginas Dispersas . Lisboa . Livraria Clássica Editora . 1945 .
Correio de hoje . (1870-1871) . 2 tomos . Lisboa . Livraria Clássica Editora. 1948 .
Costumes e Perfis . Lisboa . Livraria Clássica Editora . 1944 .
Crônicas Portuenses . (1859-1866) . Lisboa . Livraria Clássica Editora . 1944 .
Em Paris . 3ª edição . Lisboa . Empresa Literária Fluminense Ltda. . MCMXXIV .
Farpas Esquecidas . 2 vols. . Lisboa . Livraria Clássica Editora . 1946 .
Figuras e Questões Literárias . 2 tomos . Lisboa . Livraria Clássica Editora . 1943 [o 1º tomo] . 1945 [o 2º] .
Folhas Soltas . 1865-1915 . Lisboa . Livraria Clássica Editora . 1956 .
John Bull . 3ª edição . Rio de Janeiro . Livraria Francisco Alves. Paris-Lisboa . Livrarias Aillaud e Bertrand . S. d. .
Notas de Viagem . Lisboa . Livraria Clássica Editora . 1945 .
O Culto da Arte em Portugal . 2ª edição . Rio de Janeiro . Livraria Francisco Alves . Paris-Lisboa . Livrarias Aillaud e Bertrand . S. d. .
Pela Terra Alheia . Notas de Viagem . 1878-1910 . 2 tomos . Rio de Janeiro . Livraria Francisco Alves . Paris-Lisboa . Livrarias Aillaud e Bertrand . S. d. .
Primeiras Prosas . Lisboa . Livraria Clássica Editora . 1944 .
Últimas Farpas . Rio de Janeiro . Livraria Francisco Alves . Paris-Lisboa . Livrarias Aillaud e Bertrand . 1917 .
RAMOS, Alberto
Poemas . Rio de Janeiro . Ariel Editora Ltda. . 1934 .
Prosas de Ariel . Rio de Janeiro . Ariel Editora Ltda. . 1936 .
RAMOS, Artur
O Negro Brasileiro . 1º volume: Etnografia Religiosa . 2ª edição, aumentada. São Paulo . Companhia Editora Nacional . 1940 .
RAMOS, Feliciano
História da Literatura Portuguesa . Braga . Livraria Cruz . 1950 .
RAMOS, Fernando
Os Enforcados . Salvador . 1970 .
RAMOS, Graciliano
Angústia . 7ª edição . Rio de Janeiro . Livraria José Olímpio Editora . 1955 .
Caetés . 5ª edição . Rio de Janeiro . Livraria José Olímpio Editora . 1955 .
Infância . Rio de Janeiro . Livraria José Olímpio Editora . 1945 .
Insônia . 4ª edição . Rio de Janeiro . Livraria José Olímpio Editora . 1955 .
Linhas Tortas . São Paulo . Livraria Martins Editora . 1962 .
Memórias do Cárcere . 4 vols. . 3ª edição . Rio de Janeiro . Livraria José Olímpio Editora . 1955 .
S. Bernardo . 6ª edição . Rio de Janeiro . Livraria José Olímpio Editora . 1955 .
Viagem . Rio de Janeiro . Livraria José Olímpio Editora . 1954 .
Vidas Secas . 5ª edição. Rio de Janeiro . Livraria José Olímpio Editora . 1955.
RAMOS, Ricardo
Circuito Fechado. São Paulo . Livraria Martins Editora S. A. . 1972 .
Matar um Homem . São Paulo . Livraria Martins Editora S. A. . 1970 .
Memória de Setembro . Rio de Janeiro . Livraria José Olímpio Editora . 1968 .
Os Caminhantes de Santa Luzia . São Paulo . Difusão Européia do Livro . 1959 .
Os Inventores Estão Vivos . Rio de Janeiro . Editora Nova Fronteira . 1980 .
O Sobrevivente . São Paulo . Global Editora . 1984 .
Tempo de Espera . Rio de Janeiro . Livraria José Olímpio Editora . 1954 .
RAMOS TINHORÃO, José
O Samba agora Vai... . Rio de Janeiro . JCM Editores . 1969 .
RANGEL, Alberto
Dom Pedro Primeiro e a Marquesa de Santos . 2ª edição, com acréscimos e correções . Tours . Tipografia E. Arrault e Companhia . 1928 .
Fura-Mundo! . Paris. Edições Duchartre & van Buggenhoudt . 1928 .
Livro de Figuras . Tours . Tipografia E. Arrault e Cia. . 1921 .
Lume e Cinza . Rio de Janeiro . Livraria Científica Brasileira . 1924 .
Papéis Pintados . Paris . Edições Duchartre & van Buggenhoudt . 1928 .
Quando o Brasil Amanhecia. Lisboa . Livraria Clássica Editora . 1919 .
Quinzenas de Campo e Guerra . Tours . Imprimerie E. Arrault et Cie. . 1915 .
Sombras n'Água . Leipzig . Imprensa de F. A. Brockhaus . 1913 .
Textos e Pretextos . Tours — França . Tipografia de Arrault e Compª . 1926 .

Trasanteontem . São Paulo . Livraria Martins Editora . 1943 .

RANGEL, Godofredo

Andorinhas. . São Paulo . Monteiro Lobato & Cia. Editores . S. d. .

Falange Gloriosa . São Paulo . Edições Melhoramentos . S. d. .

Os Humildes . São Paulo . Editora Universitária . 1944 .

Vida Ociosa . 2ª edição . São Paulo . Companhia Editora Nacional . S. d. .

RAWET, Samuel

Os Sete Sonhos . Rio de Janeiro . Edições Orfeu . 1967 .

REBELO DA SILVA

Bosquejos Histórico-Literários . 3 vols. Lisboa . Empresa da História de Portugal . 1909 .

Contos e Lendas . Lisboa . Livraria Editora de Matos Moreira e Compª . 1873 .

De noite Todos os Gatos São Pardos . Lisboa . Livraria Editora . S. d. .

RÉGIO, José

A Chaga do Lado . Lisboa . Portugália Editora . 1954 .

As Encruzilhadas de Deus . 2ª edição . Lisboa . Editorial Inquérito Limitada . 1946 .

Biografia . 2ª edição, refundida e aumentada . Porto . Armênio Amado — Editor . 1939 .

Histórias de Mulheres . Porto . Livraria Portugália . S. d.

Mas Deus É Grande . Lisboa . Editorial Inquérito Limitada . 1945 .

O Príncipe com Orelhas de Burro . 3ª edição . Lisboa . Inquérito . S. d. .

Poemas de Deus e do Diabo . Porto . Ed. "As Velas e os Ventos" . 1951 .

— In SIMÕES, João Gaspar. *Perspectiva da Literatura Portuguesa do Século XIX* [q. v.] .

REGO DE CARVALHO, O. G.

Somos Todos Inocentes . Rio de Janeiro . Editora Civilização Brasileira S. A. . 1971 .

REIS, Nélio

O Rio Corre para o Mar . Rio de Janeiro . Editora A Noite . 1941 .

Subúrbio . Rio de Janeiro . Livraria José Olímpio Editora . 1937 .

REIS QUITA, Domingos dos

Obras de Domingos dos Reis Quita . 2 tomos . Lisboa . Na Tipografia Rolandiana . 1831 .

RENAULT, Abgar

A Lápide sob a Lua . Belo Horizonte . Imprensa da Universidade Federal de Minas Gerais . 1968 .

A Outra Face da Lua . Rio de Janeiro . Livraria José Olímpio Editora . Instituto Nacional do Livro . Fundação Nacional Pró-Memória . 1983 .

O Romantismo na Poesia Inglesa . Tomo I . Rio de Janeiro . Colégio Pedro II . 1966 .

RENAULT, Delso

O Rio Antigo nos Anúncios de Jornais . Rio de Janeiro . Livraria José Olímpio Editora . 1969 .

REQUIÃO, Hermano

Itapagipe . Rio de Janeiro . Livraria José Olímpio Editora . S. d. .

RESENDE, Garcia de

Cancioneiro Geral de Garcia de Resende . Nova edição . Preparada pelo Dr. A. J. Gonçalves Guimarães . 5 tomos . Coimbra . Imprensa da Universidade . M.DCCCC.X . M.DCCCC.X . M.DCCCC.XIII . M.DCCCC.XV . M.DCCCC.XVII .

Crônica dos Valerosos e Insígnes Feitos del-Rei Dom João II de Gloriosa Memória . Na Real Oficina da Universidade . MDCCLXXXXVIII .

RESENDE, José Severiano de

Mistérios . Belo Horizonte . Ed. do Centro de Estudos Mineiros . 1971 .

RIBEIRO, Aquilino

A Batalha sem Fim . 3ª edição . Lisboa . 1932 .

Aldeia . 3ª edição . Lisboa . Livraria Bertrand . S. d. .

Alemanha Ensangüentada . 2º milhar . Lisboa . Livraria Bertrand. S. d. .

Arcas Encoiradas . 3ª edição . Lisboa . Livraria Bertrand . S. d. .

As Três Mulheres de Sansão . Lisboa . Livraria Bertrand . S. d. .

Aventura Maravilhosa de D. Sebastião, Rei de Portugal, depois da Batalha com o Miramolim. 3ª edição . Lisboa . Livraria Bertrand . S. d.

A Via Sinuosa . 7ª ed. . Lisboa . Livraria Bertrand . S. d. .

Caminhos Errados . Lisboa. Livraria Bertrand . S. d. .

Camões, Camilo, Eça e Alguns mais . Lisboa . Livraria Bertrand . S. d. .

Cinco Réis de Gente . 3ª edição . Lisboa . Livraria Bertrand . S. d. .

Constantino de Bragança. VII Vizo-Rei da Índia . Lisboa . Portugália Editora . S. d. .

Dom Frei Bertolameu . *As três Desgraças Teologais*. Lisboa . Livraria Betrand . 1959 .

É a Guerra . 2º milhar . Lisboa . Livraria Bertrand . S. d. .

Estrada de Santiago . Edição *ne varietur* . Lisboa . Livraria Bertrand . 1956 .

Filhas de Babilônia . 2ª edição . Paris-Lisboa . Livrarias Aillaud e Bertrand . 1920 .

Humildade Gloriosa . 3ª edição . Lisboa . Livraria Bertrand . S. d. .

Jardim das Tormentas . 3ª edição . Paris-Lisboa . Livrarias Aillaud e Bertrand . 1926 .

Lápides Partidas . 4ª edição . Lisboa . Livraria Bertrand . S. d. .

Luís de Camões . Fabuloso . Verdadeiro . 2 vols. . Lisboa . Livraria Bertrand . S. d. .

Maria Benigna . 2º milhar . Lisboa . Livraria Bertrand . 1933 .

Mônica . 5ª edição . Lisboa . Livraria Bertrand . S. d. .

O Homem da. Nave . 3ª edição . Lisboa . Livraria Bertrand . S. d. .

O Homem Que Matou o Diabo . Paris-Lisboa . Livrarias Aillaud e Bertrand. S. d. .

O Malhadinhas . Lisboa . Livraria Bertrand . MCMXLVI .

Os Avós dos Nossos Avós . 4ª edição . Lisboa . Livraria Bertrand . S. d. .

Por obra e graça . 3ª edição . Lisboa . Livraria Bertrand . S. d. .

Portugueses das Sete Partidas . 3ª edição . Lisboa . Livraria Bertrand . S. d. .

Príncipes de Portugal . Suas Grandezas e Misérias . Lisboa . Livros do Brasil, Limitada . S. d. .

Quando ao Gavião Cai a Pena . 4º milhar . Lisboa . Livraria Bertrand . S. d. .

Terras do Demo . Edição definitiva . Lisboa . Livraria Bertrand . S. d. .

Uma Luz ao longe . Lisboa . Livraria Bertrand . S. d. .

Volfrâmio . Edição *ne varietur* . Lisboa . Livraria Bertrand . S. d. .

RIBEIRO, Berta G.

— V. RIBEIRO, Darci, e RIBEIRO, Berta G.

RIBEIRO, Darci

Aos Trancos e Barrancos; como o Brasil Deu no Que Deu . Rio de Janeiro . Editora Guanabara . 1985 .

RIBEIRO, Darci, e RIBEIRO, Berta G.

Arte Plumária dos Índios Caapor . Rio de Janeiro . 1957 .

RIBEIRO, João

A Língua Nacional . Edição da "Revista do Brasil" . São Paulo . Monteiro Lobato & Cia. . S. d. .

Cartas Devolvidas . Porto . Livraria Chardron . 1926 .

Colmeia . São Paulo . Monteiro Lobato & Cia., Editores . 1923 .

Crepúsculo dos Deuses . Contos e Histórias Traduzidas do Alemão . Lisboa . Livraria Clássica Editora . 1905 .

Crítica . Volume IV . Críticos e Ensaístas . Organização, prefácio e notas de Múcio Leão . Rio de Janeiro . Publicações da Academia Brasileira de Letras . 1959 .

Crítica . Volume V . Filólogos . Organização, prefácio e notas de Múcio Leão . Rio de Janeiro . Publicações da Academia Brasileira de Letras . 1961 .

Crítica . Volume IX . Os Modernos . Organização e prefácio de Múcio Leão . Rio de Janeiro . Edição da Academia Brasileira de Letras . 1952 .

Curiosidades Verbais . São Paulo — Caieiras — Rio . Companhia Melhoramentos de São Paulo . S. d. .

Floresta de Exemplos . Rio de Janeiro . J. R. de Oliveira & Cia. . 1931 .

Goethe . Rio de Janeiro . Revista de Língua Portuguesa . 1932 .

História do Brasil . Curso Superior . 16ª edição . Revista e completada por Joaquim Ribeiro . Rio de Janeiro . Livraria São José . 1957 .

Notas de um Estudante . São Paulo . Monteiro Lobato & Cia. — Editores . S. d. .

O Folclore . Rio de Janeiro . Jacinto Ribeiro dos Santos — Livreiro-Editor . 1919 .

Páginas de Estética . Lisboa . Livraria Clássica Editora . 1905 .

Versos . 3ª edição . Com grande número de poesias inéditas . Rio de Janeiro . Jacinto Ribeiro Santos Editor . S. d. .

RIBEIRO, João Ubaldo

Sargento Getúlio . 7ª edição . Rio de Janeiro . Editora Nova Fronteira S/A . 1982 .

Viva o Povo Brasileiro . Rio de Janeiro . Editora Nova Fronteira S/A . 1984

RIBEIRO, Joaquim

História Administrativa do Brasil . Vol. 3 . Rio de Janeiro . Departa-

mento Administrativo do Serviço Público . 1957 .
9 Mil Dias com João Ribeiro . Editora Record . S. d.
Rui Barbosa e João Ribeiro . Rio de Janeiro . Casa de Rui Barbosa . 1958 .
RIBEIRO, Júlio
A Carne . São Paulo . Teixeira & Irmão — Editores . 1888 .
Padre Belchior de Pontes . 6ª edição . São Paulo . Livraria Editora J. Fagundes . S. d. .
A Planície Heróica . 4ª edição . Lisboa Guimarães Editores . 1953 .
A Ressurreição . 5ª edição . Lisboa . Guimarães & Cia. Editores . 1952
RIBEIRO, Manuel
A Catedral . 23º milhar . Lisboa . Guimarães & Cª Editores . 1953 .
RIBEIRO, Tomás
D. Jaime . Porto . Livraria Lelo & Irmão — Editores . Lisboa . Aillaud & Lelo Limitada . S. d.
RIBEIRO COUTO
A Cidade do Vício e da Graça . Rio de Janeiro . Benjamin Costallat & Miccolis Editores . 1924 .
Baianinha e Outras Mulheres . Rio de Janeiro . Anuário do Brasil . 1927 .
Clube das Esposas Enganadas . Rio de Janeiro . Schmidt, Editor . 1933 .
Conversa Inocente . Rio de Janeiro . Schmidt, Editor . 1935
Largo da Matriz e Outras Histórias . Rio de Janeiro . Getúlio Costa, Editor . 1940 .
Poesias Reunidas . Rio de Janeiro . Livraria José Olímpio Editora . 1960 .
Prima Belinha . Rio de Janeiro . Civilização Brasileira S. A. Editora . 1940 .
Uma Noite de Chuva e Outros Contos Lisboa . Inquérito . S. d. .
RIBEIRO DA CUNHA, Pe. Arlindo
A Língua e a Literatura Portuguesa . 3ª edição . Braga . Edição do Autor . 1948
RIBEIRO SAMPAIO, Francisco
Renembranças . Academia Campinense de Letras . 1975 .
RICARDO JORGE
Canhenho dum Vagamundo . 3ª edição . Lisboa . Instituto de Alta Cultura . S. d. .
Passadas de Erradio . Lisboa . Instituto de Alta Cultura . S. d.
Sermões dum Leigo . 2º milhar . Lisboa . Empresa Literária Fluminense, Ltda. . S. d.
RIO, João do
Cinematógrafo . Porto . Livraria Chardron . 1909 .
Dentro da Noite . Rio de Janeiro-Paris . Livraria Garnier . S. d. .
Portugal dagora . Rio de Janeiro-Paris . H. Garnier, Livreiro-Editor . 1911 .
Sésamo . Rio de Janeiro . Livraria Francisco Alves . 1917 .
Vida Vertiginosa . Rio de Janeiro-Paris . H Garnier, Livreiro-Editor . 1911 .
ROCHA, Lindolfo
Maria Dusá . Porto . Livraria Chardron . 1910 .
ROCHA, Tadeu
Delmiro Gouveia . O Pioneiro de Paulo Afonso . 3ª edição, revista e aumentada . Recife . Universidade Federal de Pernambuco . 1970 .
ROCHA FILHO
— Ap. AVELAR, Romeu de. *Antologia de Contistas Alagoanos* . Maceió . Departamento de Ciência e Cultura . 1970 .
ROCHA LIMA, Carlos Henrique da
Uma Preposição Portuguesa . Rio de Janeiro . 1954
ROCHA POMBO
No Hospício . 2ª edição . Rio de Janeiro . Instituto Nacional do Livro . 1970
RODOLFO TEÓFILO
Lira Rústica . Lisboa . Tipografia de "A Editora Limitada" . 1913 .
RODRIGO OTÁVIO
Contos de ontem e de hoje . Rio de Janeiro . Editora Guanabara . 1932 .
RODRIGO OTÁVIO, Laura Oliveira
Elos de uma Corrente . Rio de Janeiro . Livraria São José . 1974
RODRIGO OTÁVIO FILHO
Simbolismo e Penumbrismo . Rio de Janeiro . Livraria São José . 1970 .
Velhos Amigos . Rio de Janeiro . Livraria José Olímpio Editora . 1938 .
RODRIGUES, Armindo
A Vida perto de Nós . Lisboa . Sociedade de Expansão Cultural . 1953 .
RODRIGUES, José Honório
Teoria da História do Brasil . 3ª edição, revista, atualizada e aumentada . São Paulo . Companhia Editora Nacional . 1969 .
Filosofia e História . Rio de Janeiro . Editora Nova Fronteira . 1981 .
Vida e História . Rio de Janeiro . Editora Civilização Brasileira S. A. . 1966 .
RODRIGUES, Nélson
100 Contos Escolhidos . A Vida como Ela É . Vol. II . Rio de Janeiro . J. Ozon Editor . 1961 .
RODRIGUES DE CARVALHO
Cancioneiro do Nordeste . 2ª edição, aumentada . Paraíba do Norte . Tip. da Livraria S. Paulo . 1928 .
RODRIGUES DE MELO, M.
Várzea do Açu . 2ª edição . Rio de Janeiro . Livraria Agir Editora . 1951 .
RODRIGUES LAPA, M.
Estilística da Língua Portuguesa . 3ª edição, revista e acrescentada . Rio de Janeiro . Livraria Acadêmica . 1959 .
RODRIGUES LOBO, Francisco
Corte na Aldeia, & Obras Pastoris de Francisco Rodrigues Lobo . Lisboa Ocidental . Na Oficina de João Antunes Pedroso, e Francisco Xavier de Andrade . M.DCC.XXII .
Églogas . Conforme a edição *príncepes* (1605) . Coimbra . Imprensa da Universidade . 1928 .
RODRIGUES MIGUÉIS, José
Gente da Terceira Classe . Lisboa . Editorial Estúdios Cor, Lda. . 1962 .
Léah e Outras Histórias . Lisboa . Estúdios Cor . 1958 .
Onde a Noite Se Acaba . Rio de Janeiro . Edições Dois Mundos. 1946 .
Páscoa Feliz . Edições Alfa . 1932 .
Um Homem Sorri à Morte — com Meia Cara . Lisboa . Estúdios Cor . 1959 .
RODRIGUES PEREIRA, Lafayette
— V. LABIENO.
ROIZ DE CASTEL BRANCO, Joam
— Ap. RESENDE, Garcia de. *Cancioneiro Geral* [q.v.]
ROMANO DE SANT'ANA, Afonso
Política e Paixão . Editora Rocco . Rio de Janeiro . 1986 .
ROMARIZ, Sabino
— Ap. MARROQUIM, Ad. *Terra das Alagoas* [q. v.] .
ROMERO, Sílvio
Martins Pena . Porto . Livraria Chardron . 1901
Provocações e Debates . Porto . Livraria Chardron . 1910 .
RÓNAI, Cora
Idéias: Um Livro de Entrevistas . Brasília . Editora Universidade de Brasília . Fundação Roberto Marinho . 1981 .
RÓNAI, Paulo
Babel & Antibabel ou o Problema das Línguas Universais . São Paulo . Editora Perspectiva S. A. . 1970 .
Encontros com o Brasil . Rio de Janeiro . Instituto Nacional do Livro . 1958 .
Escola de Tradutores . 3ª edição . Rio de Janeiro . Edições de Ouro . 1967 .
— V. RÓNAI VIEIRA, Cora, e RÓNAI, Paulo.
RÓNAI VIEIRA, Cora, e RÓNAI, Paulo
Aventuras de Fígaro . O Barbeiro de Sevilha e o Casamento de Fígaro . [Tradução livre.] . Rio de Janeiro . Edições de Ouro . 1972 .
ROQUETE, J-I.
Manual de Eloqüência Sagrada . Paris . Vª J. — P . Aillaud, Monlon e Cª . 1857
ROQUETE-PINTO, E.
Seixos Rolados . Rio de Janeiro . Mendonça, Machado & C. . 1927 .
RUBIÃO, Murilo
O Ex-Mágico . Rio de Janeiro . Editora Universal . 1947
Os Dragões e Outros Contos . Belo Horizonte . Edições Movimento-Perspectiva . 1965 .
S. CARLOS, Frei Francisco de
A Assunção . Nova edição. Rio de Janeiro . Livraria de B.—L. Garnier . 1862 .
SABINO, Fernando
A Companheira de Viagem . Rio de Janeiro . Editora do Autor . 1965 .
A Falta Que Ela Me Faz . Rio de Janeiro . Editora Record . 1980 .
A Inglesa Deslumbrada . Rio de Janeiro . Editora Sabiá Ltda. . 1967 .
A Mulher do Vizinho . Rio de Janeiro . Editora do Autor . 1962 .
Medo em Nova Iorque . A Cidade Vazia . 5ª edição . Rio de Janeiro . Editora Sabiá Limitada . 1969 .
O Gato Sou Eu . Rio de Janeiro . Editora Record . 1983 .
O Homem Nu . Rio de Janeiro . Editora do Autor . 1960
SABÓIA RIBEIRO
Contos do Cacau . Rio de Janeiro . Editora Pongetti . 1966 .
SABUGOSA, Conde de
Embrechados . 4ª edição . Lisboa . Livraria Bertrand . S. d.
SÁ-CARNEIRO, Mário de
A Confissão de Lúcio . Lisboa . Editorial Ática . 1945 .
Céu em Fogo . Lisboa . Edições Ática . S. d.

SÁ DE MIRANDA, Francisco de
Obras Completas . 2 vols. . Texto fixado, notas e prefácio pelo Prof. M. Rodrigues Lapa . Lisboa . Livraria Sá da Costa — Editora . 1942 . 1943 .

SAID ALI, M.
Dificuldades da Língua Portuguesa . 4ª edição, revista e acrescida . Rio de Janeiro . Livraria Acadêmica . 1950 .
Gramática Histórica da Língua Portuguesa . Estabelecimento do texto, revisão, notas e índices pelo Prof. Maximiano de Carvalho e Silva. São Paulo . Edições Melhoramentos . 1964 .
Meios de Expressão e Alterações Semânticas . 2ª edição, revista . Rio . Edição da Organização Simões . 1951 .

SALDANHA, João
Os Subterrâneos do Futebol . Rio de Janeiro . Edições Tempo Brasileiro Ltda. 1963 .

SALES, Antônio
Aves de Arribação . 2ª edição . São Paulo . Companhia Editora Nacional . 1929 .
Poesias . Edição definitiva . Rio de Janeiro-Paris . H. Garnier, Livreiro-Editor . 1902 .

SALES, Artur de
Poesias . Bahia . S. d. .

SALES, Herberto
Além dos Marimbus . Rio de Janeiro . Edições O Cruzeiro . 1961 .
Armado Cavaleiro, o Audaz Motoqueiro . Rio de Janeiro . Editora Civilização Brasileira S. A. 1980 .
Cascalho . 3ª edição, revista . Rio de Janeiro . Edições O Cruzeiro . 1956 .
Dados Biográficos do Finado Marcelino . 2ª edição . Rio de Janeiro . Edições O Cruzeiro . 1965 .
Histórias Ordinárias . Rio de Janeiro . Edições O Cruzeiro . 1966 .
O Lobisomem e Outros Contos Folclóricos . Rio de Janeiro . Edições de Ouro MCMLXX .
O Sobradinho dos Pardais . São Paulo . Edições Melhoramentos . 1968 .
Os Pareceres do Tempo . Rio de Janeiro . Editora Nova Fronteira . 1984 .
Uma Telha de menos . Rio de Janeiro . Editorial Tormes . 1970 .

SALGADO, Plínio
O Estrangeiro . 8ª edição . Rio de Janeiro . Livraria São José . 1972 .

SALGADO JÚNIOR, Antônio
— In SIMÕES, João Gaspar. *Perspectiva da Literatura Portuguesa do Século XIX* [q. v.] .

SALUSSE, Júlio
— Ap. BANDEIRA, Manuel. *Antologia de Poetas Brasileiros da Fase Parnasiana* [q. v.] .

SALVADOR, Frei Vicente de
História do Brasil . Nova edição . Revista por Capistrano de Abreu . São Paulo e Rio . Weiszflog irmãos . 1918 .

SANTA MARIA ITAPARICA, Manuel de
— Ap. BUARQUE DE HOLANDA, Sérgio. *Antologia dos Poetas Brasileiros da Fase Colonial* [q. v.] .

SANT'ANA DIONÍSIO
— In SIMÕES, João Gaspar. *Perspectiva da Literatura Portuguesa do Século XIX* [q. v.] .

SANTA RITA DURÃO, Frei José de
Caramuru . Lisboa . Na Régia Oficina Tipográfica . M.DCC.LXXXI .

SANTA ROSA
Roteiro de Arte . Rio de Janeiro . Ministério da Educação e Saúde . 1952 .

SANTIAGO, Paulino
Temas e Processos do Cancioneiro de Alagoas . Maceió . 1965 .

SANTO-TIRSO
Cartas de algures . 1º milhar . Lisboa . Portugália Editora . 1921 .
De rebus pluribus . 2ª edição . Paris-Lisboa . Livrarias Aillaud e Bertrand . 1923 .

SANTOS, Eurico
Histórias, Lendas e Folclore de Nossos Bichos . Rio de Janeiro . Edições O Cruzeiro . 1957 .

SANTOS, João Felício dos
João Abade . Rio de Janeiro . Livraria Agir Editora . 1958 .

SANTOS, Joaquim Felício dos
Memórias do Distrito Diamantino da Çomarca do Serro Frio . 3ª edição . Rio de Janeiro . Edições O Cruzeiro . 1956 .

SANTOS, Rui
Teixeira Moleque . Rio de Janeiro . Livraria José Olímpio Editora . 1960 .

SANTOS MORAIS
Menino João . Rio de Janeiro . Livraria São José . 1959 .

SARAIVA, Antônio José, e LOPES, Óscar
História da Literatura Portuguesa . 6ª edição, corrigida e atualizada . Porto . Porto Editora Ltda. . S. d. .

SARAIVA, José Hermano
História Concisa de Portugal . 3ª edição . Lisboa . Publicações Europa-América . 1979 .

SARAMAGO, José
Memorial do Convento . São Paulo . Difel . 1983 .

SARMENTO PIMENTEL, João
Memórias do Capitão . São Paulo . Editora Felman-Rego . S. d. .

SARNEY, José
Norte das Águas . São Paulo . Livraria Martins Editora S. A. . 1969 .
Os Maribondos de Fogo . Rio de Janeiro . Editora Artenova S. A. . 1978 .

SASSI, Guido Vilmar
Piá . Florianópolis . Edições Sul . 1953 .
São Miguel . São Paulo . Boa Leitura Editora S. A. . 1962 .

SÁTIRO, Ernâni
Sempre aos Domingos . João Pessoa . Paraíba . A União Cia. Editora . 1978 .

SCHMIDT, Afonso
Mocidade . Santos . Tip. Instituto . 1921 .

SCHMIDT, Augusto Frederico
As Florestas . Rio de Janeiro . Livraria José Olímpio Editora . 1959 .
O Galo Branco . 2ª edição, aumentada . Rio de Janeiro . Livraria José Olímpio Editora . 1957 .
Poesias Completas . Rio de Janeiro . Livraria José Olímpio Editora . 1956 .

SENA, Homero
Gilberto Amado e o Brasil . 2ª edição . Rio de Janeiro . Livraria José Olímpio Editora . 1969 .

SENA, Jorge de
Líricas Portuguesas . 3ª série . Lisboa . Portugália Editora . 1958 .
Versos e Alguma Prosa de Jorge de Sena . Prefácio e seleção de textos de Eugênio Lisboa . Lisboa . Arcádia e Morais Editores . 1979 .

SERPA, Alberto de
Almanaque de Lembranças Luso-Brasileiro . Lisboa . Editorial Inquérito Limitada . 1954 .
Fonte . Porto . Livraria Tavares Martins . 1943 .
Rua . Lisboa . Editorial Inquérito . 1945 .

SETE, Mário
Arruar . Rio de Janeiro . Livraria-Editora da Casa do Estudante do Brasil . 1948 .
Senhora de Engenho . 4ª edição . Porto . Livraria Chardron . 1923 .

SETÚBAL, Paulo
Alma Cabocla . 5ª edição . São Paulo . Livraria Carlos Pereira Editora . S. d. .

SILVA, Antunes da
Gaimirra . Lisboa . Inquérito . 1945 .
O Aprendiz de Ladrão . Lisboa . Órion . S. d. .
Vila Adormecida . Lisboa . Portugália Editora . S. d. .

SILVA, Benedito
— In *Informativo* . Rio de Janeiro . Fundação Getúlio Vargas . Ano V . Jan. 1973 .

SILVA, Clodomir
Minha Gente . (Costumes de Sergipe) . [2ª edição] . Aracaju . Livraria Regina Limitada . 1962 .

SILVA ALVARENGA, Manuel Inácio da
Glaura . Rio de Janeiro . Ed. do Instituto Nacional do Livro . 1943 .

SILVA BRITO, Mário da
Ângulo e Horizonte . São Paulo . Livraria Martins Editora S. A. 1969.
Conversa Vai, Conversa Vem . Rio de Janeiro . Editora Civilização Brasileira S. A. 1974 .
Diário Intemporal . Rio de Janeiro . Editora Civilização Brasileira S. A. . 1970 .
O Fantasma sem Castelo . Rio de Janeiro . Civilização Brasileira . 1980 .

SILVA CORREIA, João da
Farândola . Lisboa . Editorial Inquérito Limitada . 1945 .
Os Outros . Algés — Lisboa . Orion . 1957 .

SILVA GUIMARÃES
Os Borrachos . Belo Horizonte . Tip. Athene . 1921 .

SILVA JARDIM, Antônio da
Propaganda Republicana (1888-1889) . Fundação Casa de Rui Barbosa . 1978 .

SILVA MELO
Estados Unidos . *Prós e Contras* . Rio de Janeiro . Editora Civilização Brasileira . 1958 .
Estudos sobre o Negro . Rio de Janeiro . Livraria José Olímpio Editora . 1958 .
Nordeste Brasileiro . Rio de Janeiro .

Livraria José Olímpio Editora . 1953
Psicologia dos Fatos Cotidianos . Rio de Janeiro . Editora Civilização Brasileira S. A. . 1970 .
SILVA MURICI, José Cândido
Parada Morta . Rio de Janeiro . Alba . S. d.
SILVA NETO, Serafim
Fontes do Latim Vulgar . Rio de Janeiro . Imprensa Nacional . 1946 .
SILVA NETO, Serafim da, e CHAVES DE MELO, Gladstone
Conceito e Método da Filologia . Rio . Edição da 'Organização Simões' . 1951 .
SILVA RAMOS
Pela Vida fora... . Rio de Janeiro . Edição da "Revista de Língua Portuguesa" . Lito-Tipografia Fluminense . 1922 .
SILVA RAMOS, Péricles Eugênio da
Do Barroco ao Modernismo . São Paulo . Conselho Estadual de Cultura . 1967 .
O Amador de Poemas . São Paulo Clube de Poesia . 1956 .
SILVEIRA, Helena
Mulheres freqüentemente . São Paulo . Livraria Martins Editora S. A. . 1953 .
SILVEIRA, Joel
Onda Raivosa . São Paulo . Editora Rumo Limitada . S. d.
SILVEIRA, Miroel
Bonecos de Engonço . Rio de Janeiro . Casa Editora Vecchi Ltda. . 1940 .
SILVEIRA, Valdomiro
Mixuangos . Rio de Janeiro . Livraria José Olímpio Editora . 1937 .
Nas Serras e nas Furnas . São Paulo . Companhia Editora Nacional . S. d. .
Os Caboclos . 2ª edição . São Paulo . Companhia Editora Nacional . 1928 .
SILVEIRA DE QUEIRÓS, Diná
As Noites do Morro do Encanto . Rio de Janeiro . Editora Civilização Brasileira S. A. . 1957 .
SILVEIRA NETO
Ronda Crepuscular . Rio de Janeiro . Edição do Anuário do Brasil . 1923 .
SIMÕES, João Gaspar
A Unha Quebrada . Lisboa . Edições Casa do Livro . 1941 .
Crítica I . (*A Prosa e o Romance Contemporâneos*) . Porto . Livraria Latina Editora . 1942 .
Crítica . II . *I* . (Poetas Contemporâneos) . (1938-1961) . Lisboa . Delfos . S. d.
Crítica . II . II . (Poetas Contemporâneos) . (1946-1961) . Lisboa . Delfos . S. d. .
Liberdade do Espírito . Porto . Livraria Portugália . S. d.
O Mistério da Poesia . Coimbra . Imprensa da Universidade . 1931 .
Perspectiva da Literatura Portuguesa do Século XIX . 2 vols. . Direção, prefácio e notas biobibliográficas de João Gaspar Simões . Lisboa . Edições Ática . 1947 . 1948 .
Vida e Obra de Fernando Pessoa . 2ª edição, revista . Lisboa . Livraria Bertrand . S. d. .
SIMÕES LOPES NETO, J.
Casos do Romualdo . *Contos Gauchescos* . 1ª edição . 2ª impressão . Porto Alegre . 1958 .
Contos Gauchescos e Lendas do Sul . Edição crítica, com introdução, variantes, notas e glossário, por Aurélio Buarque de Holanda . Prefácio e notas de Augusto Meyer . Posfácio de Carlos Reverbel . Porto Alegre . Editora Globo . 1949 .
SOARES, Pelópidas
Cordão dos Bichos . Recife . Edições Pirata . 1980 .
SOARES DE PASSOS, A. A.
Poesias . 10ª edição . Porto . Livraria Chardron . 1925 .
SOARES DUTRA, José
Cairu . Rio de Janeiro . Editora Melso Soc. Anônima . 1964 .
SOUSA, Antônio Gonçalves Teixeira e
O Filho do Pescador . São Paulo . Edições Melhoramentos . Brasília . Instituto Nacional do Livro . 1977 .
SOUSA, Antônio Sérgio de
Ensaios . Tomo IV . Lisboa . Seara Nova . 1934 .
— V. tb. ANTÔNIO SÉRGIO.
SOUSA, Fr. Luís de
História de S. Domingos . 6 vols. . Lisboa . Tip. do Panorama . MDCCCLXVI [Os dois últimos volumes são da autoria de Fr. Lucas de Santa Catarina.]
Vida de D. Fr. Bertolameu dos Mártires 2 tomos . Lisboa . Ed. da Tipografia Rolandiana . 1850 . 1853 .
SOUSA, Otávio Tarqüínio de
A vida de D. Pedro I . Rio de Janeiro . Livraria José Olímpio Editora . 1952 .
História dos Fundadores do Império do Brasil . 2ª edição, revista . 10 vols. . Rio de Janeiro . Livraria José Olímpio Editora . 1958 .
SOUSA BANDEIRA, (J. C.)
Evocações e Outros Estudos . Rio de Janeiro . Livraria Castilho . 1920 .
SOUSA BARROS
Cercas Sertanejas . Rio de Janeiro Ministério da Educação e Cultura . Serviço de Documentação . 1959 .
SOUSA CALDAS, Antônio Pereira de
Salmos de Davi . Vertidos em Ritmo Português . Notas e observações de Francisco de Borja Garção-Stockler T. 1º . Paris . Na Oficina de P. N. Rougeron . 1820 .
SOUSA DA SILVEIRA
Lições de Português . 8ª edição . Rio de Janeiro . Livros de Portugal . 1972 .
— In *Homenagem a Manuel Bandeira* Rio de Janeiro . 1936 .
SOUSA DE MACEDO, Antônio de [atribuído a]
Arte de Furtar. Amsterdã. Na Oficina de Martinho Schagen. MDCCXLIV. [Esta edição traz o nome do Pe Antônio Vieira como autor da obra.]
SOUTO MAIOR, Mário
Como Nasce um Cabra da Peste. São Paulo. Arquimedes Edições. 1969.
Dicionário Folclórico da Cachaça. 2ª edição. Recife . Fundação Joaquim Nabuco. Editora Massangana . 1980 .
SUASSUNA, Ariano
A Pena e a Lei. Rio de Janeiro . Livraria Agir Editora . 1971 .
Auto da Compadecida . Rio de Janeiro . Livraria Agir Editora . 1957 .
Romance d'A Pedra do Reino e o Príncipe do Sangue do Vai-e-Volta . 2ª edição . Rio de Janeiro . Livraria José Olímpio Editora . 1972 .
TATI, Miécio
O Mundo de Machado de Assis . Estado da Guanabara . Secretaria de Estado da Educação e Cultura . 1961 .
Rua do Tempo-Será . Rio de Janeiro . Livraria José Olímpio Editora . 1959 .
TAUNAY, Afonso d'E.
Grandes Vultos da Independência Brasileira . São Paulo . Companhia Melhoramentos de São Paulo . 1922 .
TAUNAY, Visconde de
Ao Entardecer . Rio de Janeiro-Paris . H. Garnier, Livreiro-Editor 1901 .
Céus e Terras do Brasil . São Paulo . Edições Melhoramentos . 1948 .
Histórias Brasileiras . [Publicado com o pseudônimo de Sílvio Dinarte.] . Rio de Janeiro . Editor — B. L. Garnier . 1874 .
Inocência . Vigésimo segundo milheiro . Rio de Janeiro . Francisco Alves & Cia. . 1920 .
O Encilhamento . 4ª edição . São Paulo . Edições Melhoramentos . S. d. .
Recordações de Guerra e de Viagem . 2ª edição . São Paulo . Companhia Melhoramentos de São Paulo . 1924 .
Reminiscências . 2ª edição . Companhia Melhoramentos de São Paulo . 1923 .
Visões do Sertão . 2ª edição . São Paulo . Editora Comp. Melhoramentos de São Paulo . S. d. .
TAVARES, Adelmar
Poesias Completas . Nova edição . Rio de Janeiro . Livraria São José . 1958 .
TAVARES BASTOS, A. C.
A Província . 2ª edição . São Paulo . Companhia Editora Nacional . 1937 .
O Vale do Amazonas . 2ª edição . São Paulo . Companhia Editora Nacional . 1937 .
TAVARES RODRIGUES, Urbano
A Noite Roxa . Lisboa . Livraria Bertrand . 1956 .
As Torres Milenárias . Amadora . Livraria Bertrand . 1971 .
Estrada de Morrer . Lisboa . Livraria Bertrand . 1971 .
Vida Perigosa . Lisboa . Livraria Bertrand . 1955 .
TÁVORA, Franklin
Lourenço . Nova edição . Rio de Janeiro-Paris . H. Garnier, Livreiro-Editor . 1902 .
O Cabeleira . Rio de Janeiro . Tipografia Nacional . 1876 .
O Matuto . Rio de Janeiro . Oficinas Gráficas do "Jornal do Brasil" . 1929 .
TEIXEIRA, Anísio
A Universidade e a Liberdade Humana. Rio de Janeiro . Ministério da Educação e Cultura . Serviço de Documentação . 1954 .

TEIXEIRA, Múcio
Brasas e Cinzas . Rio de Janeiro . Imprensa Nacional. 1922 .
TEIXEIRA DE PASCOAIS
D. Carlos . 2ª edição . Lisboa . MCMXXV .
Obras Completas . 5º volume . *Regresso ao Paraíso* . 6º volume . *O Pobre Tolo* . 7º volume . *Verbo Escuro* . *A Beira (num relâmpago)* . Paris-Lisboa . Livrarias Aillaud e Bertrand . S. d.
TEIXEIRA DE QUEIRÓS
Comédia do Campo . Vol. I . 2ª edição . Lisboa . Tipografia Editora de Matos Moreira & Cia. . 1878 .
Comédia do Campo . Vol. II . *Amor Divino* . Lisboa . Tipografia Universal . 1877 .
TEIXEIRA-GOMES, M.
Gente Singular . 2ª edição . Lisboa . "Seara Nova" . 1931 .
TÊU-FILHO
O Perfume de Querubina Dória . Rio de Janeiro . Livraria Editora Leite Ribeiro . 1924 .
TOLENTINO DE ALMEIDA, Nicolau
Obras Poéticas de Nicolau Tolentino de Almeida . Nova edição . 2 tomos . Lisboa . Tipografia Rolandiana . 1828 .
TORGA, Miguel
Bichos . 3ª edição revista . Coimbra . 1943 .
Contos da Montanha . 2ª edição, refundida e aumentada . 1935 .
Diário . Vol. I . 4ª edição . Coimbra . 1957 .
Diário . Vol. IV . Coimbra . 1949 .
Diário . Vol. IX . Coimbra . 1964 .
Diário . Vol. X . Coimbra . 1968 .
Portugal . Coimbra . Coimbra Editora Limitada . 1950 .
Traço de União . Coimbra . 1955 .
Vindima . 2ª edição, refundida . Coimbra . 1954 .
TORRES, Alberto
O Problema Nacional Brasileiro . São Paulo . Companhia Editora Nacional . 1933 .
TORRES, Antônio
Pasquinadas Cariocas . 2ª edição . Rio de Janeiro . Livraria Castilho . 1922 .
TORRES, Francisco Jorge
Bruxaxá / Contos sem Exemplo e Histórias sem Proveito . Campina Grande — Paraíba . Editel / UFPB / PRAI . 1979 .
TREVISAN, Dalton
A Trombeta do Anjo Vingador . Rio . Editora Codecri . 1977 .
Desastres do Amor . Rio de Janeiro . Editora Civilização Brasileira S. A. . 1968 .
Essas Malditas Mulheres . Rio de Janeiro . Editora Record . 1982 .
Novelas nada Exemplares . Rio de Janeiro . Livraria José Olímpio Editora . 1959 .
O Vampiro de Curitiba . 5ª edição, revista . Rio de Janeiro . Editora Record . 1978 .
TRINDADE COELHO
Os Meus Amores . 8ª edição . Lisboa . Portugália Editora . S. d.
UCHOA CAVALCANTI FILHO, João
O Menino . Rio de Janeiro . Editora Civilização Brasileira . 1964 .
URSINO VALE, Gentil
Confidências do Agreste . Belo Horizonte . Editora São Vicente . 1982 .
VAN STEEN, Edla
Memórias do Medo . Rio de Janeiro . Editora Record . 1981 .
VAREJÃO, Lucilo
Visitação do Amor . Recife . Coleção Concórdia . 1958 .
VARGAS NETO
Tropilha Crioula e Gado Xucro . Porto Alegre . Editora Globo . 1955 .
VARNHAGEN, Francisco Adolfo de
— V. PORTO SEGURO, Visconde de.
VÁRZEA, Virgílio
Contos de Amor. Lisboa . Livraria Editora Tavares Cardoso & Irmão . 1901 .
Histórias Rústicas . Lisboa . Parceria Antônio Maria Pereira . 1904 .
Mares e Campos . 2ª edição . Rio de Janeiro . Paris . H. Garnier, Livreiro-Editor . S. d. .
Nas Ondas . Rio de Janeiro . Paris . H. Garnier, Livreiro-Editor . 1910 .
O Brigue Flibusteiro. Porto . Livraria Chardron. 1904 .
VASCONCELOS, Agripa
Fome em Canaã . Belo Horizonte . Editora Itatiaia Limitada . 1966 .
Gongo Soco . Belo Horizonte . Editora Itatiaia Limitada . 1966.
VASCONCELOS, Carlos de
Casados... na América . New York . 1920 .
VASCONCELOS, Mons. Cícero de
Sobre a História da Catedral de Maceió. Maceió . Departamento Estadual de Cultura . 1962 .
VASCONCELOS MAIA
O Leque de Oxum . Rio de Janeiro . Edições O Cruzeiro . 1961 .
VAZ, Léu
O Burrico Lúcio . São Paulo . Edição Saraiva . S. d. .
Páginas Vadias . Rio de Janeiro . Livraria José Olímpio Editora . 1957 .
VAZ, Nélson
Por Amor ao Idioma . Rio de Janeiro . Livraria Acadêmica . 1959 .
VAZ DE CAMINHA, Pêro
— Ap. ARROIO, Leonardo. *A Carta de Pêro Vaz de Caminha* . São Paulo . Edições Melhoramentos . 1971 .
VAZ DE CARVALHO, D. Maria Amália
Contos e Fantasias . 2ª edição . Lisboa . Parceria Antônio Maria Pereira . 1905 .
VAZ LEÃO, Ângela
História de Palavras . Belo Horizonte . Imprensa da Universidade de Minas Gerais . 1961 .
VEIGA, Evaristo da
Hino da Independência
VEIGA, José J.
A Hora dos Ruminantes . Rio de Janeiro . Editora Civilização Brasileira S. A. . 1966 .
A Máquina Extraviada . Rio de Janeiro . Editora Prelo . 1968 .
Os Pecados da Tribo . Rio de Janeiro . Civilização Brasileira . 1976 .
VEIGA MIRANDA
Maria Cecília e Outras Histórias . Rio de Janeiro . São Paulo . Belo Horizonte . Livraria Francisco Alves . 1930.
Pássaros Que Fogem... . Porto . Livraria Chardron . 1908 .
VELINHO, Moisés
Letras da Província . Porto Alegre . Edição da Livraria do Globo . 1944 .
Machado de Assis . *Histórias mal Contadas e Outros Assuntos* . Rio de Janeiro . Livraria São José . 1960 .
VERDE, Cesário
Obra Completa de Cesário Verde . Organizada, prefaciada e anotada por Joel Serrão . Lisboa . Portugália Editora . 1964 .
VERGARA, Telmo
Contos da Vida Breve . Edições O Cruzeiro . 1966 .
VERÍSSIMO, Érico
A Volta do Gato Preto . 2ª edição . Porto Alegre . Livraria do Globo . 1947 .
Caminhos Cruzados . Porto Alegre . Edições da Livraria do Globo . 1947 .
Incidentes em Antares . 1ª edição . 3ª impressão . Porto Alegre . Editora Globo . 1971 .
México . *História duma Viagem* . Porto Alegre . Editora Globo . 1954 .
Noite . Porto Alegre . Editora Globo . 1954 .
O Senhor Embaixador . Porto Alegre . Editora Globo . 1965 .
O Tempo e o Vento . I . O Continente . Porto Alegre . Editora Globo . [1949]
Um Lugar ao Sol . 4ª edição . Porto Alegre . Livraria do Globo . 1940 .
VERÍSSIMO, José
Cenas da Vida Amazônica . Nova edição . Rio de Janeiro . Laemmert & C. . 1899 .
Estudos de Literatura Brasileira . 6 séries . Rio de Janeiro-Paris . H. Garnier, Livreiro-Editor . 1901 . 1901 . 1903 . 1910 . 1910 . 1907 .
História da Literatura Brasileira . 3º milheiro . Rio de Janeiro . Livraria Francisco Alves & Cia. . 1929 .
Letras e Literatos . Rio de Janeiro . Livraria José Olímpio Editora . 1936 .
— In NERI, Fernando. *Correspondência de Machado de Assis* . Rio de Janeiro . Oficina Industrial Gráfica . Américo Bedeschi, Editor . 1932 .
VERÍSSIMO, Luís Fernando
O Analista de Bagé . 75ª edição . Porto Alegre . L & PM Editores Ltda. . 1983 .
O Popular . 2ª edição . Rio de Janeiro . Livraria José Olímpio Editora . 1974 .
VERSIANI, Antônio
Paisagens Humanas . Rio de Janeiro . Editora Civilização Brasileira S. A. . 1960 .
Viola de Queluz . Rio de Janeiro . Irmãos Pongetti — Editores . 1956 .
VERSIANI DOS ANJOS, Valdemar
Jornal da Serra Verde . Belo Horizonte . Editora Itatiaia Limitada . 1960 .
Simplício . Belo Horizonte . Imprensa Oficial . 1971 .
VIANA, Hélio
Dom Pedro I . Jornalista . São Paulo . Edições Melhoramentos . 1967 .
História do Brasil . 2 volumes . 3ª edição, revista e atualizada . São Paulo . Edições Melhoramentos . 1965 .
VIANA FILHO, Luís

Rui & Nabuco . Rio de Janeiro . Livraria José Olímpio Editora . 1949 .

VIANA MOOG

Bandeirantes e Pioneiros . 8ª edição . 2 vols. . Rio de Janeiro . Editora Delta . 1966 .

Tóia . 2ª edição . 2 volumes . Rio de Janeiro . Editora Delta . 1966 .

Uma Interpretação da Literatura Brasileira . Rio de Janeiro . Casa do Estudante do Brasil . 1943 .

Um Rio Imita o Reno . Porto Alegre . Editora Globo . 1948 .

VIEIRA, José

Espelho de Casados . Rio de Janeiro . Livraria José Olímpio Editora . 1938 .

Sol de Portugal . Rio de Janeiro . Revista dos Tribunais . 1918 .

Vida e Aventura de Pedro Malazarte . Rio de Janeiro . Livraria José Olímpio Editora . 1944 .

VIEIRA, Padre Antônio

Sertão Brabo . São Paulo . Gráfica Editora Brasileira Ltda. . 1968 .

VIEIRA, Pe Antônio

Sermões do Pe Antônio Vieira . 14 "partes" ou tomos . Lisboa . Na Oficina de João da Costa . M.DC.LXXIX [a 1ª parte] . Lisboa . Na Oficina de Miguel Deslandes . M.DC.LXXXII [a 2ª parte] . M. DC.LXXXIII [a 3ª parte] . M.DC.LXXXV [a 4ª parte] . M.DC.LXXXIX [a 5ª parte] . M.DC.LXXXX [a 6ª parte] . M.DC.LXXXXII [a 7ª parte] . M.DC.LXXXXIV [a 8ª parte] . M.DC.LXXXVI [a 9ª parte, intitulada *Maria . Rosa Mística* . I parte] . Lisboa . Na Impressão Craesbeeckiana . M. DC.LXXXVIII [a 10ª parte, intitulada *Maria . Rosa Mística* . II parte] . Lisboa . Na Oficina de Miguel Deslandes . M.DC.LXXXXVI [a 11ª parte] . 1699 [a 12ª parte] . 1690 [a 13ª parte, intitulada *Palavra de Deus Empenhada e Desempenhada*] . Lisboa . Valentim da Costa Deslandes . M.DCC.X [o tomo XIV; intitulado *Sermões e Vários Discursos do Padre Antônio Vieira*] .

VIEIRA, José Geraldo

A Mulher Que Fugiu de Sodoma . Porto Alegre . Edição da Livraria do Globo . 1945 .

Carta a Minha Filha em prantos . 2ª edição . São Paulo . Livraria Martins Editora . 1964 .

VIEIRA PIRES

Querência . Porto Alegre . Edição da Livraria do Globo . 1925.

VILAÇA, Antônio Carlos

A Descoberta do Morro . Belo Horizonte . Editora Vigília Ltda . 1984 .

O Anel . Rio de Janeiro . Editora Rio . 1972 .

O Desafio da Liberdade . Rio de Janeiro . Livraria Agir Editora . 1983 .

O Nariz do Morto . Rio de Janeiro . JCM Editores Ltda. . 1970 .

VILAÇA, Marcos Vinícios

Em torno da Sociologia do Caminhão . 2ª edição, revista . Rio de Janeiro . Edições Tempo Brasileiro Ltda. . 1969 .

VILELA, Luís

Tremor de Terra . 3ª edição . Rio de Janeiro . Edições Gernasa . 1972 .

VITORINO NEMÉSIO

A Mocidade de Herculano . 2 vols. . Lisboa . Depositária : Livraria Bertrand . 1934 .

Caatinga e Terra Caída . Lisboa . Livraria Bertrand . S. d.

Conhecimento de Poesia . Salvador . Livraria Progresso Editora . 1958 .

Mau Tempo no Canal . 3ª edição . Lisboa . Livraria Bertrand . 1944 .

O Mistério do Paço do Milhafre . Lisboa . Livraria Bertrand . 1949 .

Ondas Médias . Lisboa . Livraria Bertrand . S. d.

O Retrato do Semeador . Lisboa . Livraria Bertrand . S. d.

O Segredo de Ouro Preto e Outros Caminhos . Lisboa . Livraria Bertrand . S. d.

— In BOCAGE. *Sonetos* . Introdução, seleção e notas de Vitorino Nemésio . Lisboa . Livraria Clássica Editora . 1943 .

WANKE, Eno Teodoro

Dicionário Lusitano-Brasileiro . Rio de Janeiro . Edições Plaquette . 1981 .

WERNECK SODRÉ, Nélson

Memórias de um soldado . Rio de Janeiro . Civilização Brasileira . 1967 .

XAVIER MARQUES

A Cidade Encantada . Bahia . Livraria Catilina . 1919 .

As Voltas da Estrada . Rio de Janeiro . Livraria Freitas Bastos . 1930 .

Jana e Joel . 3ª edição . Bahia . Livraria Catilina . S. d. .

O Feiticeiro . Rio de Janeiro . Livraria Editora Leite Ribeiro . 1922 .

O Sargento Pedro . 2ª edição . Bahia . Livraria Catilina . 1921 .

Terras Mortas . Rio de Janeiro . Livraria José Olímpio Editora . 1936 .

Vida de Castro Alves . Rio de Janeiro . Edição do Anuário do Brasil . 1924 .

XAVIER PLACER

Doze Histórias Curtas . Rio de Janeiro . Livraria Agir Editora . 1946 .

* * * * *

JORNAIS, REVISTAS E OUTRAS PUBLICAÇÕES

- A BOLA . Jornal de Todos os Desportos . Lisboa . Portugal .
- BEAUTIFUL PEOPLE . Rio de Janeiro .
- CORREIO DA MANHÃ . Rio de Janeiro
- CORREIO DO POVO . Porto Alegre .
- DIÁRIO POPULAR . Lisboa . Portugal .
- FOLHA DE S. PAULO . São Paulo .
- INFORMATIVO . Fundação Getúlio Vargas . Rio de Janeiro .
- INFORMATIVO . Universidade de São Paulo . São Paulo .
- ISTOÉ . São Paulo .
- JORNAL DE BRASÍLIA . Brasília . DF .
- JORNAL DO BRASIL . Rio de Janeiro .
- O ESTADO DE S. PAULO . São Paulo .
- O GLOBO . Rio de Janeiro .
- PASQUIM . Rio de Janeiro .
- REVISTA DE DOMINGO do Jornal do Brasil . Rio de Janeiro .

Revisão
Paulo César Corga de Araújo
Anselmo Soares de Assis
Maria de Fátima Barbosa
Romeu Figueiredo Barbosa
Ruy da Silveira Brito Filho
Edilson Chaves Cantalice
Priscila Vieira Cardoso
Renato Rosário Carvalho
Jamilson Elias Coelho
Ana Cristina Matos Correa
Marco Antônio Corrêa
Domingos Augusto Germano Xisto da Cunha
Argemiro de Figueiredo
Gleide Leite de Freitas
Nivaldo Jesus Freitas de Lemos
Andócides Borges de Lemos Filho
Oscar Guilherme Lopes
Mário Loureiro
Mário Luís da Rocha Monteiro
José Yório de Moura
Iracema de Souza Nunes
Fátima Souza de Oliveira
Sandra Pássaro
Maria Lourdes dos Santos Pavão
Milton Pereira
Marcos Godói Perez
Éllis dos Santos Pinheiro
Carlos Antonio Cosendey Rangel
João Rodrigues dos Reis Júnior
Inácio Dorado Rodrigues Filho
Neivaldo Valter Salvadori
Alfredo Carlos Meirelles da Silva
Ivone Carvalho da Silva
Paulo Correa da Silva
Telma Guedes da Silva
Tania Regina P. de Souza
Emanuel Tavares Filho

Operador de Computador
João de Souza Fialho
José Luiz do Nascimento
Nelson Luis Rodrigues Netto

Composição
Luíz Cláudio Cardoso de Albuquerque
Regina Stella Santos Cardoso
José Augusto Brito de Carvalho
Vera Maria Coelho
Bethsabá de Castro Correa
Pedro Jorge Costa
Vânia Cristina Machado da Cunha
Indaí Francisco Fernandes
Valci Gonçalves Filho
Carlos Alberto de Souza Júlio
Luiz Carlos Neves Machado
Izahú Barros Maciel Filho
Oswaldo da Silva Morgira
Lourimar Guimarães Pinheiro
Ilton da Costa Reis
Fernando Antônio Telles Silva
Nilson Albuquerque da Silva
Miguel Marcelino Soares
Marcos Antônio Medeiros de Souza

Programação/Controle de Qualidade
Jorge Henrique Dias
Rogério Freire
Manuel Arlito P. de Lima
Mauro da Silva Lopes
Sérgio N. de Sá Duque Estrada Meyer

Fotopaginação
Carlos Augusto Bauer Guimarães
Ernandes Neves
Emilson Leite de Sousa
Renato Yutaka Watanabe

Fotolito
Adalberto Lopes de Souza

Supervisor de Processamento
Edílson Pacheco Monteiro